머 리 말(초판)

앞으로의 한중(韓中) 상호간의 의사소통이 백화(白話)의 습득을 통해서만 가능하리라는 것은 조금도 의심할 여지가 없다고 하겠습니다. 그런데 종래, 한중(韓中) 양국어에 있어서의 한자(漢字)의 공통에서 오는 안이(安易)한 생각이 중국어에 대한 비현실적인 인식을 뿌리 깊게 하였음은 부인치 못할 사실입니다. 역사적으로 압도적 영향을 주어 왔던 유교(儒教)와 결부된 문언(文言; 漢文)이 커다란 권위로써 군림(君臨)했던 구시대는 바로 오사 운동(五四運動)을 고비로 백화(白話)에 그 자리를 넘겨 주지 않을 수 없게 되매, 중국어와 중국어학에는 마침내 생생한 새 국면(局面)이 전개된 것입니다. 더욱이 제2차 세계 대전 후 전파를 통해서 퍼지는 말이나 출판물에 쓰이는 중국어 어휘의 신진대사(新陳代謝)의 신속성, 발음 · 뜻 · 용법의 변화의 격심상(激甚相)은 이루 말할 수 없거니와, 과거 우리의 눈앞에 나타나지 않았던 말들이 하나하나 안전(眼前)에 형태를 보이게 되는 형편(문자의 뜻을 떠나 발음만으로 어휘를 표기하는 따위)이니 어리둥절하지 않을 수 없는 실정으로서, 경우에 따라서는 기왕에 외국에서 만들어진 어학 사전들이 과연 온전한 구실을 하게 될는지도 의문시되는 터입니다. 또 문자에 대한 반 세기 동안의 몸부림, 표음 문자화(表音文字化)로의 모색의 꾸준한 노력—이 모든 것을 감안할 때 편자는 늘 우리의 다음 세대(世代)를 위하여 이와 같은 새로운 중국어 습득에 지침이 될 사전을 편찬하는 일이야말로 기성세대에 과하여진 급선(急先)의 의무라고 생각하여 왔던 것입니다.

사전 편찬이란 큰 사업을 도저히 감당해 내지 못할 천학비재(淺學菲才)를 무릅쓰고, 충분한 준비도 완전히 갖추지 못한 채 감히 독력으로 이를 시도하고 보니, 이 작업의 곤란과 복잡은 이루 헤아릴 수 없을 정도로 크고 많았으며, 진행 도중에 수삼차에 걸쳐 정정과 번복의 되풀이를 면치 못하였으나, 이제 완성 단계에 이른 이 마당에서 회고하여 보건대 역시 당초의 목표와는 거리가 먼 것이 되고 만 느낌을 금치 못하는 바입니다. 다만, 개척자로서의 외국 선인(先人)들의 지대(至大)한 수고에 전적으로 힘입은 바 크고, 적잖은 시일을 두고 각 대학의 중국어 담당 선생님 여러분과 사계(斯界)의 선배 제위의 조언(助言) · 충언(忠言)의 집적(集積)으로서 요만한 것이라도 이루어진 것으로 사료하는 바, 여러분의 방명(芳名)을 일일이 올리지 않고, 지면으로만 감사를 드리는 바입니다.

이 사전에서는 특히 표제자 8천여 자의 자해(字解)에 주력을 기울였으므로 비록 전체 지면의 분량 관계로 수록한 숙어의 수가 2만 5천(한중편 1만 5천)여 어에 불과하여 부족한 감을 주기는 하나, 서구어(西歐語) 사전과는 달리 한중 공통(韓中共通)의 어휘를 대폭적으로 제외하였을 뿐 아니라, 표제자의 결합에 따라 어의(語義)의 이해가 가능한 점 등을 고려할 때, 수록된 어휘 이상의 능률을 발휘할 수 있을 것으로 자위하는 바입니다.

끝으로, 이 사전을 사용하다가 부족된 점을 발견하시는 여러분으로부터의 교시(教示)와 편달을 바라 마지않으며, 광복 후 사전 출판에 지대한 공을 세우신 민중서관 이병준(李炳俊) 회장, 박윤철(朴允哲) 사장께서 중국어 사전 출판 여건(與件)이 전혀 미숙한 현재에 있어서 감연히 출판을 쾌락하여 주신 데 대하여 중국어학계를 위해서, 한중 친선의 견지에서 높이 평가될 거사로 찬양하며 최대의 경의를 올리는 바입니다. 동시에 이 사전의 기획·편집을 직접 지도해 주신 최기원(崔基元) 편집국장과 유한성(劉漢成) 사전부장의 수고에 만강의 사의를 표하는 바입니다.

그리고 특히 영광스럽게도 이 사전이 완성되기까지 끊임없는 격려를 아끼지 않으시고 묵보(墨寶)를 부쳐 주신 주한 중화 민국 대사 양서소(梁序昭) 각하와 동관원 제위께 삼가 감사드리는 바입니다.

1966년 6월 일

편자 씀

● 「中國語辭典」 제3판을 감수(監修)하신 분들

啓功(치공)(愛新覺羅 啓功): 北京師大 卒, 現 北京師範大學 中文科 教授, 博士導師, 中國國家文物鑑定委員會 主任委員, 全國政協委員, 中央文史館 館長
主要著書: 《古代字體論稿》, 《詩文聲律論稿》, 《漢語現象論稿》, 《論書絶句》, 《啓功論叢》, 《啓功韻語》, 《啓功絮語》, 《啓功贅語》 外 多數

蘇培成(쑤패이청): 北京大 卒, 現 北京大學 中文科 教授, 博士導師, 中國語文現代化學會 會長. 《現代語文》·《漢字教育》 顧問
主要著書: 《漢字簡化字與繁體字對照字典》, 《錯別字辨析字典》, 《漢字形義分析字典》 (共著), 《文字工作者實用語文手冊》(共著), 《現代漢字學綱要》 外 50余篇

宋昌基(송창기): 서울大 卒, 現 國民大學 中文科 教授, 中國國家文學博士, 國民大 語文學研究所 所長, 韓國詩經學會 會長, 東方文化研究院 院長
主要著書: 《中國語組織論》, 《綜合中國語講座》, 《中國古代女性倫理觀》, 《老子와 儒家思想》(共著), 《明心寶鑑新釋》(共著) 外 論文 〈天論〉, 〈文言常用虛詞用例注釋〉 등 多數

● 제3판 편찬(編纂)에 참여하신 분들

책임 편집:	임창우			
편집 위원:	윤차현	전창진		
집필·교열:	이미경	김명춘	민용기	임승미
편집·교정:	권희성	김명춘	김선미	김성록
	민용기	오경선	이정갑	임승미
	임승희	조미경	황현아	

● 제3판 전면 개정에 참고(參考)한 서적들

愛知大學「中日大辭典 增訂版」大修館書店, 1986
中國社會科學院語言研究所「現代漢語詞典」商務印書館, 1996
香坂順一「現代中國語辭典」光生館, 1982
商務印書館 · 小學館「中日辭典」小學館, 1997
「高級漢語詞典」海南出版社, 1996
「中華字海」中華書局 · 中國友誼出版公司, 1994
「漢語大詞典」漢語大詞典出版社, 1994
「新華字典」商務印書館, 1979
「國語日報辭典」國語日報社, 1974
「東方國語辭典 增訂版」東方出版社, 1974
劉正埮 · 高名凱 · 麥永乾 · 史有爲「漢語外來詞詞典」商務印書館 香港分館, 1985

일 러 두 기

1. 본 사전의 사용법

현대 한어(漢語)의 표준어를 중심으로, 전문어 · 외래어 · 학술어 · 신조어(新造語) · 문언어(文言語) · 성어(成語) · 방언 · 속담 · 숙어 · 관용어 등을 총 망라하여 표제자는 간체자(簡體字) · 번체자(繁體字) · 이체자(異體字)를 포함 총 15,830여자, 표제어는 약 145,200어를 수록하였다.

표제자의 발음을 표음 자모(表音字母), 곧 한어 병음 자모(漢語拼音字母)로 알고 있을 경우에는 직접 본문을 알파벳순으로 찾을 수 있다.

표제자의 음을 모를 경우에는 색인(索引)을 이용하여 획수순으로 찾아, 그 글자의 음이나 수록되어 있는 면수(面數)를 알아 낼 수 있다.

각 표제자에는 독음을 달아 한자 자전을 찾는 번거로움을 피했다.

2. 자형(字形)

자형은 1986년 중국 '国家语言文字工作委员会'가 재공포한《简化字总表》에 근거해 간체자를 기본으로 하고, 번체자와 이체자도 밝혔다.

보기 1) 번체자는 간체자 뒤에 ( )로 표시하였다.

爱(愛) **ài** (애)
①동 …

2) 이체자는 〈 〉로 표시하였다.

杯〈盃〉 **bēi** (배)
①명 …

3) 번체자와 이체자를 모두 밝히는 경우
번체자를 앞에 놓고 이체자를 뒤에 놓았다.

槟(檳〈梹〉) **bīn** (빈)
→〔槟子〕

4) 이체자가 개별적인 뜻에만 적용될 경우에는 이체자의 우측에 해당의 항번호를 붙였다.

抱〈菢〉③ **bào** (포)
①동 안다. ②동 (생각 · 의견을) 품다. ③동 (알을) 까다. 부화하다. ④…

5) 이체자가 여러 개인 경우에는 ','로 구분하였다.

刨〈鉋, 鑤〉 **bào** (포)
①(～子)…

3. 표제자 배열

(1) 중국식 표음 문자, 곧 한어 병음 자모에 의하여 알파벳순으로 배열하였다.

(2) 음이 같은 것은 사성(四聲)에 따라, 제 1 성(陰平) · 제 2 성(陽平) · 제 3 성(上聲) · 제 4 성(去聲) · 경성(輕聲)의 차례로 실었다.

(3) 동음 동성(同音同聲)인 것은 한자의 획수순, 같은 획수 안에서는 부수순으로 배열, 단 성부(聲部)가 동일한 표제자는 한데 모아 배열하였다.

(4) 표제자에 번체자(繁體字) · 이체자(異體字)가 있을 경우에는 지면을 줄이

기 위하여 따로 내세우지 않고, 표제자 다음에 ( )에 넣어 번체자를 표시하고, 〈 〉는 이체자로 표시하였다.

4. 표제어 배열

동일한 표제자에 속하는 표제어는 제 2 음절의 자모 · 성조 · 획수순으로, 제 2 음절이 동일한 경우는 셋째 · 넷째 음절의 순으로 유추한다. 단, 경성자는 원래 성조의 바로 다음에 배열하였다.

5. 발음에 대하여

(1) 발음은 한어 병음 자모(漢語拼音字母)로 표기하였으며, 동시에 1985년 12월, 중국 '国家语言文字工作委员会'가 수정 · 공포한《普通话异读词审音表》에 근거하여 수정음을 채택하였다.

(2) 표제자 · 표제어의 자음(字音)은 그 글자가 가지는 가장 표준적인 발음을 한어 병음 자모로 표기하고, 사성(四聲)은 성조 부호(聲調符號)로 표시하였다. 단, 경성(輕聲)은 무표시로 하였다.

(3) 표제자에 두 가지 이상의 음이 있을 경우에는 따로 분리시켜 구분하고, 주석 뒤에 ⇒로 이음을 밝혔다.

보기 嗌 **ài** (애)
〈文〉 ① 명 인후통(咽喉痛). ② 동 목이 메다.
=〔噎yē〕⇒yì

(4) 표제어의 발음은 붙여 쓰는 것을 원칙으로 하되, 복합어 · 속담 · 헐후어(歇後語) 따위는 의미에 따라 띄어썼으며, 성어(成語)는 각 음절마다 띄어 주었다.

보기 〔暗线光谱〕 ànxiàn guāngpǔ 〔碍面子〕 ài miànzi
〔大馒头堵了嘴〕 dà mántou dǔle zuǐ 〈諺〉
〔猪八戒照镜子〕 Zhūbājiè zhào jìngzi 〈歇〉
〔安居乐业〕 ān jū lè yè 〈成〉

(5) 표제어에 두 가지 이상의 음이 있을 경우에는 주석 뒤에 ⇒로 구별하여 나타내었다.

보기 〔数脉〕 shǔmài 동《漢醫》 맥을 세다. ⇒shuòmài
〔数脉〕 shuòmài 명《漢醫》 삭맥. ⇒shǔmài

(6) 표제어 가운데, 이합 동사(離合動詞)는 음절 사이에 ▴를 질러 표시하였다. 이 경우에, 다른 쓰임도 있을 때에는 발음을 첨가하여 구분하였다.

보기 〔定局〕 동 dìng▴jú
(dìngjú) 명 ……

(7) 격음 부호(隔音符號) : 다음절어(多音節語)의 한어 병음 자모에 의한 발음 표기에서, 혼동될 염려가 있는 다음과 같은 경우에는 격음(隔音) 부호(') 를 썼다.

ㄱ) 이어진 두 개의 모음(母音)이 같은 음절에 속하지 않을 경우

보기 〔诱饵〕 yòu'ěr

ㄴ) 앞의 음절의 끝이 **n, ng** 일 때, 뒤 음절이 모음으로 시작되는 경우

보기 〔产额〕 chǎn'é

(8) 고유 명사는 첫 자모를 대문자로 쓰고, ( )로 표기한다.

보기 〔阿曼〕 Āmàn 명《地》 오만(Oman).

〔阿拉〕 ālā 대 〈方〉 나. 우리. (Ālā) 명 〖宗〗 〈音〉 알라(Allah).

(9) 일부 표제어의 발음 · 성조 변화는 변화된 대로 표기하고 밑줄로 표시한다.

보기 〔好好儿〕 hǎohāor　〔阿家阿翁〕 āgū'āwēng

(10) 같은 표제어라도, 연어(連語)일 경우에는 그 발음을 분서(分書)하고, 일반 어휘와는 구분하였다.

보기 〔编队〕 biān duì ①부대를 편성하다. ②(biānduì) 명 편대.

(11) 제 3 성의 성조(聲調) 기호에 관하여

ㄱ) 제 3 성이 중복되어 첫째의 제 3 성이 제 2 성으로 변화하는 경우라도, 본디대로 제 3 성으로 표시해 놓았다.

보기 〔打水〕 dǎshuǐ

ㄴ) 제 3 성이 제 1 성 · 제 2 성 · 제 4 성 · 경성(輕聲) 앞에 놓이면 첫째의 제 3 성이 半3聲으로 변화하는 경우라도, 본디대로 제 3 성으로 표시해 놓았다.

보기 〔老师〕 lǎoshī　〔老娘〕 lǎoniáng
〔老大〕 lǎodà　〔老实〕 lǎoshi

(12) '一yī' · '七qī' · '八bā' · '不bù' 의 성조(聲調) 기호는 변화하는 대로 표기하지 않고, 원래의 성조대로 표기하였다.

(13) 儿化音은 앞 음절 운모(韻母)의 변화를 보여 주지 않고 'r' 만 표기했다.

보기 〔法儿〕 fǎr　〔边儿〕 biānr

6. 주석(注釋)의 방식

(1) 표제자 · 표제어가 둘 이상의 현저한 다른 의미를 가질 때 A), B), C)… 등으로 대별하고, 다시 각각 그 어의(語義)를 ①②③ …으로 표시하고, 세분할 경우 ㉠㉡㉢… ⓐⓑⓒ…으로 나누어 밝혔다.

(2) 표제자에서 뜻이 같으면서 몇 개의 발음이 있을 경우에는 구태여 별개의 항목을 따로 내세울 필요가 없으므로, 그 다른 음만을 첨가하여 보여 주었다.

보기 惝 **chǎng〔tǎng〕** (창)
→〔惝怳〕

(3) 표제자에서 곧바로 〔 〕 안에 2 음절의 표제어를 내세운 것은 그 표제자가 주로 그와 같은 복음 단순어를 이루는 데에만 쓰이든가, 혹은 복수 음절이라도 다만 그 말밖에는 쓰이지 않는 경우로서 '→' 로 표시하였다.

보기 茺 **chōng** (충)
→〔茺蔚〕

(4) 표제자에서, 접미사 '儿' · '子' · '头' 를 취하는 것은, 자풀이란에 곧바로 (～儿), (～子), (～儿, ～子), (～子, ～头)처럼 먼저 보인 다음에 주석을 달았다.

보기 案 **àn** (안)
①(～子) ……. ②(～子) ……. ③(～子) ……. ④ …….

(5) 표제어에서, 접미사 '儿' · '子' · '头' 를 접사한 것이 다시 파생어를 이룰 때, 접미사를 여전히 보유하는 것은 그대로 파생어를 보였지만, 탈락되는 것 또는 탈락해도 괜찮은 것은 '儿' · '子' · '头' 를 생략한 꼴로 보였다.

보기 〔打样儿〕 dǎ,yàngr 동 ①……. ②교정쇄(校正刷)를 내다. ¶打样机; 교정쇄 인쇄기.

(6) 표제어에서, '儿' · '子' · '头'를 접미해도 좋고 하지 않아도 좋은 것은 (～儿), (～子), (～头)의 꼴로 보였다. 이 경우에, 용례의 파생어가 접미사를 필요로 하지 않을 때는 ¶～…; 처럼 직접 연결시켰다.

보기 〔橡子(儿)〕 xiàngzǐ(r) 명 《植》 ①상수리. 도토리. ¶～ 面; 상수리를 가루로 만든 것. ② ….

(7) 대표적 표제어(⇨)의 경우, 해당 표제어의 품사에 중점을 두어 표시했다.

보기 〔阿赖〕 Ālài 명 〈音〉 ⇨〔阿拉〕

〔阿拉〕 ālā 대 〈方〉 나. 우리. (Ālā) 명 《宗》 〈音〉 알라(Allah). 이슬람교의 유일신. =〔安拉〕〔阿剌〕〔阿赖〕 →〔真Zhēn主〕

(8) 주석은 쉬운 우리말과 한글을 쓰되, 다음 몇 가지 경우에는 중국어나 한자를 직접 사용하였다.

ㄱ) 주석 중에 나오는 중국의 인명 · 지명은 중국어 발음 그대로 표기. 단, 신해혁명(1911년)을 기준으로 그 이전 것은 한자음대로 썼다.

ㄴ) 전문어나 용법을 나타내는 약어(略語)와 문어(文語) · 구어(口語) · 방언(方言) 등 몇몇 문법 용어도 그대로 한자를 썼다.

ㄷ) 우리말로 옮기면 길고 장황해질 우려가 있을 때에는 ' ' 안에 중국어를 그대로 썼다. 그러므로 이런 경우에는 ' ' 안의 중국어를 다시 찾아서 참조하여야 한다. 단, 이 경우에 ' ' 다음의 ( ) 안에서 우리말로 설명을 단 예도 있다.

보기 〔捕醉仙〕 bǔzuìxiān 명 ①……. ② '不bù倒翁' (오뚝이)의 구칭

ㄹ) 주석의 한정 설명 및 생략 가능한 말은 '( )'로 표시하고, 대체 가능한 말은 '〔 〕'로 표시하였다.

ㅁ) 주석에는 품사를 표시하였고, 의성어 · 의태어 · 접두사 · 접미사도 밝혔으며, 전문어일 경우 해당 약호도 덧붙였다.

(9) 되도록 동의어 · 반대어 · 참조어의 표시를 자세히 하였다. 이 경우에 참고로 든 동의어나 반대어는 그 뜻이 자명하므로, 지면을 절약하기 위하여 반드시 표제어로 내세우지 않았다.

(10) 동의어 · 반대어 · 참조어를 참고어로서 들었을 경우에도 읽기 어렵거나 틀리기 쉬운 것에는 그 발음을 밝혀 응용의 편의를 도모하였다.

(11) 용례는 ¶로 표시하고, 해당 표제자 · 표제어는 '～'로 표기하였으며, 문학 작품 기타에 실제로 쓰이었던 용례를 인용하도록 노력하였다. 또한 그 뜻이 여러 갈래로 세분될 경우에는 ⓐⓑⓒ…로 구분하였다.

(12) 음역어 · 의역어 · 음의역어는 각각 '〈音〉' '〈義〉' '〈音義〉'로 표기하고, 영어 이외의 원어는 그 국명의 약어를 원어 앞에 밝혔다.

보기 〔阿门〕 āmen 감 《宗》 〈音〉 아멘(그 amen).

(13) 용례의 출전은 용례 뒤에 '《 》'로 밝혔다.

(14) 특히 주의를 요하는 문법적 사항이나, 알아 둘 사항을 그때 그때 '注' 다음에 부기하였다.

7. 한중편(韓中篇)에 대하여

(1) 일상생활에 흔히 쓰이는 우리말 17,280여 단어를 골라 중국어로 번역하여, 이 한 권으로 중한(中韓) · 한중(韓中) 사전을 겸하게 하였다.

(2) 중국어 역어에는 예문에 이르기까지 발음을 달아 발음의 비중이 큼을 인식하게 하였다.

(3) 용례의 중국어 역어의 일부가 다른 중국어와 대체 가능한 경우에는, 그 부분의 기점(起點)에 (')를 지르고 대체될 다른 중국어를 〔 〕로 싸서 병기하였다. 문두(文頭)가 대체의 기점이 되는 경우는 (')를 생략하였다.

8. 색인(索引)과 대조표(對照表)

부수별(部首別)·획수순(畫數順)으로 표제자(標題字)를 찾아볼 수 있는 색인과 우리 음에 의한 「자음 색인(子音索引)」 및 「주음 자모(注音子母)·한어 병음 자모 대조표」를 권말에 수록하였다.

9. 약어표(略語表)

〈품 사〉

명 名詞	대 代詞
동 動詞	부 副詞
조동 助動詞·能願動詞·趨向動詞	개 介詞
	접 接續詞·連詞
형 形容詞	조 助詞
수 數詞	접두 接頭詞
양 量詞	접미 接尾詞
수량 數量詞	감 間投詞·感嘆詞

〈전 문 어〉

〘建〙 건축(建築)
〘經〙 경제(經濟)
〘蟲〙 곤충(昆蟲)
〘工〙 공업(工業)·공학(工學)
〘鑛〙 광업(鑛業)
〘軍〙 군사(軍事)
〘機〙 기계(機械)
〘氣〙 기상(氣象)
〘農〙 농업(農業)
〘度〙 도량형(度量衡)
〘動〙 동물(動物)
〘貿〙 무역(貿易)
〘舞〙 무용(舞踊)
〘物〙 물리(物理)
〘美〙 미술(美術)
〘民〙 민족(民族)
〘紡〙 방직(紡織)·섬유(纖維)
〘法〙 법률(法律)
〘佛〙 불교(佛敎)
〘商〙 상업(商業)
〘色〙 색명(色名)
〘生〙 생물(生物)·생리(生理)
〘書〙 서명(書名)
〘數〙 수학(數學)
〘植〙 식물(植物)
〘藥〙 약학(藥學)
〘史〙 역사(歷史)
〘魚〙 어류(魚類)
〘言〙 언어학(言語學)
〘劇〙 연극(演劇)
〘染〙 염색(染色)·염료(染料)
〘映〙 영화(映畫)
〘樂〙 음악(音樂)
〘醫〙 의학(醫學)
〘人〙 인명(人名)
〘印〙 인쇄(印刷)
〘電〙 전기(電氣)
〘電子〙 전자(電子)
〘政〙 정치(政治)
〘鳥〙 조류(鳥類)
〘宗〙 종교(宗敎)
〘地〙 지명(地名)·지리(地理)
〘地質〙 지질(地質)
〘天〙 천문(天文)
〘哲〙 철학(哲學)
〘體〙 체육(體育)

〖撮〗 촬영(撮影)
〖測〗 측량(測量) · 제도(製圖)
〖電算〗 컴퓨터
〖土〗 토목(土木)
〖貝〗 패류(貝類)
〖漢醫〗 한의학(漢醫學)
〖化〗 화학(化學)
〖貨〗 화폐(貨幣)

〈약　　호〉

〈公〉 공문서(公文書) 용어
〈舊〉 구음(舊音)
〔 〕 우음(又音)
〈方〉 방언(方言)
〈比〉 비유(比喩)
〈翰〉 서한문(書翰文) 용어
〈文〉 문어(文語)
〈俗〉 俗語
〈口〉 구어(口語)
〈諺〉 속담(俗談)
〈成〉 성어(成語)
〈敬〉 경칭 · 경어
〈擬〉 의성어 · 의태어
〈歇〉 헐후어(歇後語)
〈轉〉 전용어(轉用語)
〈謙〉 겸칭 · 겸손어
〈罵〉 매어(罵語) · 욕말
〈古白〉 고문 백화(古文白話)
〈簡〉 약칭(略稱)
〈套〉 상투어(常套語)
〈音〉 음역어(音譯語)
〈義〉 의역어(義譯語)
〈音義〉 음의역어(音義譯語)
〈貶〉 폄의(貶義)
〈婉〉 완사(婉辭)

〈방　　언〉

〈北方〉 북방어
〈南方〉 남방어
〈京〉 북경어
〈廣〉 광동어
〈吳〉 오방언
〈四川〉 사천 방언
〈蘇〉 소주 방언
〈梵〉 범어

〈외 래 어〉

그 ········그리스어
네 ········네덜란드어
노 ········노르웨이어
독 ········독일어
라 ········라틴어
러 ········러시아어
몽 ········몽고어
범 ········범　어
벨 ········벨기에어
스 ········스페인어
아 ········아라비아어
이 ········이탈리아어
이집 ······이집트어
인네 ······인도네시아어
터 ········터키어
티 ········티베트어
페 ········페르시아어
포 ········포르투갈어
프 ········프랑스어
핀 ········핀란드어
헤 ········헤브라이어
힌 ········힌디어

〈기 호〉

〔 〕	표제어(동의어 · 참조어 · 반의어 · 주석 중에 우리말 대체)
¶	용례 시작
/	용례와 용례 사이
;	용례와 해석 사이
:	① 외래어 앞에 사용 보기 수도는 '地拉那'(티라나: Tirana) ② 화학 기호 앞에 사용 보기 《化》 악티늄(Ac: actinium)
( )	주석(보충 설명 · 문법 설명)
( )	① 한자(漢字), 발음 생략 가능한 부분(중국어 또는, 우리말 해석 중), 원어(原語). 예 변호인(attorney) ② 번체자 표시
〖 〗	전문어 약호
《 》	출전 및 서명
～	용례에서 해당 표제자 · 표제어 생략
' '	주석 중 중국어
〈 〉	이체자 표시. 방언 및 용법 표시
,	둘 이상의 번체자, 이체자 구분
A)B)C)	표제자 · 표제어의 의미 영역
①②③	의항 구분
㉠㉡㉢	세부 의항 구분
ⓐⓑⓒ	용례 세부 사항 구분
=	동의어
⇨	대표적 표제어
⇒	이음(異音)《표제자 · 표제어를 포함》
→	참조어(의미 · 용법상의 참조). 단순어
↔	반의어
…	말줄임
▴	동사에서 기타 성분 삽입 가능 표시
注	주의
‖	동의어 · 반의어 · 참조어 및 주의 사항 등이 앞에 나열한 모든 의항에 해당되는 경우.
⇩	아래 표제어 참조
＿＿	(밑줄) 변화된 성조와 음

의 하나.
〔哀哀〕 āi'āi 형 〈文〉 몹시 슬퍼하는 모양. ¶～上告; 애처롭게 하소연하다.
〔哀兵必胜〕 āi bīng bì shèng 〈成〉 우분(憂憤)의 군대는 반드시 이긴다.
〔哀薄奈以脱〕 āibónàiyǐtuō 명 《化》 〈音〉 에보나이트(ebonite). =〔硬像胶〕〔硬橡皮〕
〔哀册〕 āicè 명 〈文〉 황제·황후의 덕을 기리고, 죽음을 애도하는 글.
〔哀忱〕 āichén 명 〈文〉 슬픈 심정.
〔哀愁〕 āichóu 명 애수. 슬픔과 근심. 동 슬퍼하고 근심하다. ¶请不必如此～; 이렇게까지 슬퍼하지 마세요.
〔哀辞〕 āicí 명 〈文〉 애사(哀詞). 조사(弔辭)《죽은 사람을 애도하는 문장으로, 대부분 운문(韻文)으로 쓰임》.
〔哀悼〕 āidào 동 애도하다. ¶表示～; 애도의 뜻을 표하다.
〔哀的美敦书〕 āidìměidūnshū 명 〈音〉 최후 통첩《'哀的美敦'은 'ultimatum'의 음역어》. =〔最zuì后通牒〕
〔哀而不伤〕 āi ér bù shāng 〈成〉 ①슬퍼하되 너무 도를 넘지 않다. ②〈比〉 적당하여 많지도 적지도 않다.
〔哀告〕 āigào 동 탄원(歎願)하다. 애원하다. ¶我怎么～, 他也不听; 내가 아무리 애원해도 그는 듣지 않는다.
〔哀歌〕 āigē 명 ①애가. 슬픈 노래. ②〈音〉 엘레지(프 élégie)《서양 시가(詩歌)의 하나》.
〔哀哽〕 āigěng 동 〈文〉 슬퍼서 목이 메다.
〔哀国殇〕 āiguóshāng 동 나라를 위해 죽은 사람을 애도하다.
〔哀号〕 āiháo 동 ①목놓아 울부짖다. ②호읍(號泣)하다.
〔哀鸿遍野〕 āi hóng biàn yě 〈成〉 피난민이 도처에 가득하다《'哀鸿'은 슬피 우는 기러기. 재해를 당한 난민의 비유》. ¶鸿雁哀鸣; 이재민의 가련한 모양을 형용.
〔哀毁骨立〕 āi huǐ gǔ lì 〈成〉 슬픔이 극도에 이르러 피골이 상접할 정도로 수척해지다《부모의 상을 당해, 매우 슬퍼 수척하게 변한 모습을 형용》. =〔哀毁瘠立〕
〔哀祭〕 āijì 명 〈文〉 문체의 일종으로, 조문(弔文)과 제문(祭文)《뇌문(誄文), 만문(輓文), 조문(弔文), 조사(弔詞). 또한 천지·산천·사직(社稷)·종묘의 제문 따위 등》.
〔哀家〕 āijiā 명 《劇》 중국 전통극에서, 과부가 된 황후·비(妃) 등의 자칭(自稱).
〔哀矜〕 āijīn 동 ⇨〔哀怜〕
〔哀劲儿〕 āijìnr 명 슬픈 모양. 처량한 모습.
〔哀恳〕 āikěn 동 애원하다.
〔哀诔〕 āilěi 명 〈文〉 운문(韻文)으로 적은 조사(弔辭)의 한 문체.
〔哀礼〕 āilǐ 명 장례 때에 보내는 제물.
〔哀厉〕 āilì 형 〈文〉 몹시 슬프다.
〔哀怜〕 āilián 동 불쌍히 여기다. 동정하다. ¶～孤gū儿; 고아〔유아(遺兒)〕를 불쌍히 여기다 / 周围的人们都向她投去～的目光; 주위 사람 모두가 그녀를 향해 동정의 눈빛을 보냈다. =〔哀矜〕
〔哀悯〕 āimǐn 동 〈文〉 불쌍히 여기다.
〔哀戚〕 āiqī 동 〈文〉 슬퍼하다.
〔哀启〕 āiqǐ 명 〈翰〉 사망 통지서에 동봉하는 죽은 이의 경력과 병력(病歷)을 적은 글의 앞에 쓰는 말.
〔哀泣〕 āiqì 동 〈文〉 슬퍼 하염없이 울다.
〔哀求〕 āiqiú 동 애원하다. 애걸하다. ¶～援助; 원조를 애원하다 / 苦kǔ苦～; 간절히 애원하다.
〔哀荣〕 āiróng 명 ①슬픔과 영예. ②죽은 후의 명예.
〔哀伤〕 āishāng 동 슬퍼하다. ¶大家怀着～的心情, 参加了王老师的追悼会; 모두들 슬픈 심정을 안고 왕선생의 추도회에 참석했다.
〔哀声叹气〕 āishēng tànqì 명 슬퍼하고 탄식하는 소리. ¶听不到～, 看不到愁眉苦脸; 슬퍼하고 탄식하는 소리도 들리지 않으며, 수심에 찬 얼굴도 보이지 않는다.
〔哀史〕 āishǐ 명 ①애사. 비참한 역사. ②(Āshǐ) 《書》 레미제라블(프 Les Misérables). =〔悲bēi惨世界〕
〔哀丝豪竹〕 āi sī háo zhú 〈成〉 관현 악기(管弦樂器)의 소리가 비장하여 사람을 감동시키다.
〔哀思〕 āisī 명 애도의 마음. ¶寄托～; 애도의 뜻을 표하다.
〔哀斯基摩人〕 Āisījīmórén 명 〈音〉 ⇨〔爱Ài斯基摩人〕
〔哀孙〕 āisūn 명 〈文〉 애손. 할머니가 돌아가고 상주가 된 손자. →〔哀子〕
〔哀叹〕 āitàn 동 슬프게 탄식하다. ¶～自己不幸的遭遇; 자기의 불행한 처지를 슬프게 탄식하다.
〔哀恸〕 āitòng 동 슬퍼하고 탄식하다. 매우 슬퍼하다.
〔哀痛〕 āitòng 동 애통해하다. ¶～之情; 애통해하는 심정.
〔哀挽〕 āiwǎn 명 〈文〉 죽은 사람을 추도하는 시가(詩歌)·문장 따위.
〔哀艳〕 āiyàn 형 〈文〉 (문장이) 애절하면서도 화려하다.
〔哀衣〕 āiyī 명 상복.
〔哀怨〕 āiyuàn 동 〈文〉 슬퍼하고 원망하다〔미워하다〕.
〔哀乐〕 āiyuè 명 장송곡(葬送曲). 고별식(告別式)에서 연주하는 음악. ¶奏～; 장송곡을 연주하다.
〔哀杖〕 āizhàng 명 ⇨〔哭kū丧棒〕
〔哀召〕 āizhào 명 〈文〉 ⇨〔哀诏〕
〔哀诏〕 āizhào 명 〈文〉 천자의 붕어(崩御)를 발표하는 조서(詔書). =〔哀召〕
〔哀子〕 āizǐ 명 아버지는 살아 계시고 어머니가 돌아가셨을 때 상제되는 사람의 자칭(自稱). →〔孤子〕〔孤gū哀子〕

锿(鎄)

āi (애)
명 《化》 아인슈타이늄(Es: einsteinium)《초(超) 우라늄 원소의 하나. '锊yá'는 구칭》.

埃

āi (애)
①명 먼지. 티끌. ¶尘chén～; 진애. 먼지 / 黄～蔽天; 누런 먼지가 하늘을 덮다. ②양 《物·度》 옹스트롬(angstrom)《길이의 단위로 1억분의 1cm. 빛의 파장 따위를 측정하는 단위. 기호는 Å 또는 A. '～格斯特勒姆'의 약칭》.
〔埃菲尔士峯〕 Āifēi'ěrshì Fēng 명 《地》 에베레스트 봉. =〔珠Zhū穆朗玛峰〕
〔埃菲尔铁塔〕 Āifēi'ěr Tiětǎ 명 《建》 에펠탑. =〔巴bā黎铁塔〕
〔埃及〕 Āijí 명 《地》 이집트(Egypt)《수도는 '开罗'(카이로: Cairo)》.
〔埃塞俄比亚〕 Āisài'ébǐyà 명 《地》 에티오피아(Ethiopia)《수도는 '亚的斯亚贝巴'(아디스아바바: Addis Ababa)》. =〔阿Ā比西尼亚〕
〔埃斯库多〕 āisīkùduō 명 〈音〉 에스쿠도

A

(escudo)《포르투갈·칠레의 통화 단위명으로 '1～'는 100 '生太伏'(센타보: centavo)》.

挨 āi (애)

동 ①가까이가다. 달라붙다. 접근하다. ¶～近; ⇓/～金似金, ～玉似玉; ⇓/～门立着; 문 옆에 서 있다/门上油漆还没干, ～不得; 문에 칠한 페인트가 아직 마르지 않았으니 가까이 가면 안 된다〔만지면 안 된다〕/～着他坐; 그의 곁에 앉다. ②순번대로 하다. 순서를 따르다. ¶～着次儿摆; 차례로 늘어놓다/～次轮流; 차례로/～家问; 집집마다 방문하다/～着号儿叫; 번호 순서대로 부르다. ③(상대방의 의향 등을) 떠보다. 말투를 살피다. ④〈古白〉 붐비는 인파 속을 헤쳐 나가다. ¶～进去; 붐비는 곳을 헤치고 안으로 들어가다. →〔挨挨抢抢〕 ⑤남녀가 밀통하다. ¶～人儿; ⇓ ⑥〈京〉 …있다《'在zài'와 통용(通用)하며 와음(訛音)된 것으로 간주됨》. ¶你～哪儿呢? 너는 어디에 있느냐? ⇒ái

〔挨挨〕 āi'āi 부 밀치락달치락. ¶～蹭蹭; 꾸물거리다. 늦어지다.

〔挨挨抢抢〕 āi'āi qiǎngqiǎng 붐비는 사람 속을 비집고 나가다. ¶宋江等五个, 向人丛里～, 直到城里《水滸傳》; 송강(松江) 등 다섯 사람은 붐비는 사람 속을 비집고 곧장 성 안에 도착했다/～地好容易才挤进去; 북적이는 인파를 밀어 헤치고 가까스로 안으로 들어왔다.

〔挨挨儿〕 āi'āir ①연기하다. 나중에 …하다. ¶别忙! ～再说吧; 당황하지 마라! 뒤에 다시 말하자/这笔账再往后～吧; 이 지불은 조금 연기합시다. ②참다. 견디다. ¶你别性急, ～吧; 성급하게 굴지 말고 참아라.

〔挨保〕 āibǎo 명동 연대 보증(하다). →〔连lián环保〕

〔挨背〕 āibèi 동 등과 등이 맞스치다. 〈轉〉 붐비다. 혼잡하다.

〔挨边(儿)〕 āi.biān(r) 동 ①가장자리에 가까이 가다. ¶～桌子上有些东西; 가에 놓인 탁자 위에 몇 개의 물건이 있다. ②(…와) 관계 있다《부정형에 주로 쓰임》. ¶这件事和那件事不～; 이 일은 저 일과 관계가 없다. (āibiān(r)) 부 대략. 대강. ¶他～六十岁; 그는 60 세쯤 되었다/这只壮豬～有两百斤重了; 이 튼튼한 돼지는 대략 200 근쯤 된다.

〔挨不得〕 āibude 접근할 수 없다. 만지면 안 된다. ¶～烈火; 타오르는 불에 접근해서는 안 된다.

〔挨不上〕 āibushàng ①접근할 수 없다. ¶两头儿～不能粘合; 양끝을 가까이 댈 수 없어서 (꼭) 붙일 수 없다. ②관계를 맺을 수가 없다. ¶哪儿跟哪儿啊, 都是～的事; 어느 쪽 탓인지, 이쪽도 저쪽도 관계를 맺을 수 없는 일이야.

〔挨次(儿)〕 āicì(r) 부 차례차례로. ¶～问; 한사람 한사람 차례로 묻다/～进去; 차례대로 들어가다/～轮流着去做; 차례차례 교대로 하다. =〔挨盘儿①〕〔挨顺儿〕〔挨序儿〕

〔挨村〕 āicūn 명 이웃 마을. ⇒áicūn

〔挨到〕 āidào ①차례로 …하다(되다). ¶～你了; 네 차례야. =〔轮lún到〕 ②그 안에 …하면. ¶～那个时候儿再说; 그 때가 되고(그 때까지 참고) 나서 다시 이야기 하자. →〔等děng到〕

〔挨个儿〕 āigèr 부 하나하나. 차례대로. 순서대로. ¶～排队; 한 사람씩 늘어서다/～检查身体; 차례대로 신체 검사를 하다.

〔挨光〕 āiguāng 동 간통하다. 내연의 관계를 갖다.

〔挨黑儿〕 āihēir 명 〈方〉 저녁 무렵. 저녁 나절.

〔挨户〕 āihù ⇨〔挨门(儿)①〕

〔挨户团〕 āihùtuán 명 〈史〉 북벌기(北伐期)의 농촌에서의 무장 조직《1927년 제1차 국공(國共) 분열 이후, 여러 지방의 '挨户团'은 지주 계급이 지배하는 무장 조직으로 변하였음. '挨户'는 집집마다 참가함의 뜻》.

〔挨挤〕 āijǐ 동 ①붐비다. 혼잡하다. ¶～不动 =〔拥yōng挤不动〕; 붐벼서 꼼짝도 못하다. ②밀리다. 압박당하다.

〔挨家〕 āijiā ⇨〔挨门(儿)①〕

〔挨家挨户〕 āijiā āihù 한 집마다. 집집마다. →〔挨门(儿)〕

〔挨肩擦膀〕 āi jiān cā bǎng 〈成〉 어깨·팔꿈치가 서로 스치다. 밀치락달치락하는 모양. =〔挨肩擦背〕

〔挨肩儿〕 āi jiānr ①형제 자매가 잇따라 태어나 연령의 차이가 적음. 연거푸. 연이어. ¶～添了两个小孩; 연거푸 두 아이를 낳았다. ②어깨를 나란히 하다. 〈轉〉 협력하다. ¶他们俩～散步; 그 두 사람은 어깨를 나란히 하고 산보한다/他们哥儿俩是～的, 只差一岁; 그들 두 형제는 연년생으로 한 살 차이다. ③관계가 밀접하다. ¶不能跟坏人～打唧唧; 나쁜 사람과 친하여 몰래 나쁜짓을 하면 안 된다.

〔挨浇〕 āijiāo 동 젖다. 젖어지다. ¶要不快走, 得～了; 빨리 가지 않으면 비에 젖게 돼.

〔挨金似金, 挨玉似玉〕 āijīn sìjīn, āiyú sìyú 〈諺〉 금을 가까이하면 금과 같아지고, 옥을 가까이하면 옥과 같아진다《사람이 환경에 따라 변해감을 비유》.

〔挨近〕 āi.jìn 동 접근하다. 가까이하다. ¶你～我一点儿; 조금만 더 나에게 가까이 와라/我们村挨火车站很近; 우리 마을은 기차역에서 매우 가깝다. =〔靠kào近〕

〔挨靠〕 āikào 동 ①접근하다. ②의지하다. ¶家里那儿口人都～着他生活; 가족 몇 사람이 모두 그에게 의지해서 생활하고 있다.

〔挨脸〕 āiliǎn 명동 볼을 비빔〔비비다〕. =〔贴tiē脸〕

〔挨门(儿)〕 āi mén(r) ①집집마다. 가가호호(家家戶戶). ¶～盘查; 가가호호 조사하다/～斂钱; 집집마다 돈을 징수하다/～送到, 不能遗漏一处; 집집마다 보내고, 한 집도 빠뜨려서는 안 된다. =〔挨户〕〔挨家〕〔挨门挨儿①〕〔排pái门(儿)〕 ②처마를 나란히 하다. ¶我们两家～住; 우리 두 집은 처마를 잇대고 살고 있다.

〔挨门(儿)挨户(儿)〕 āimén(r) āihù(r) 집집마다. 가가호호. =〔挨门(儿)串户〕

〔挨门挨儿〕 āimén'āir ①⇨〔挨门(儿)①〕 ②차례차례. ¶请诸位～地念; 여러분, 차례차례 읽어요.

〔挨门(儿)串户〕 āimén(r) chùanhù ⇨〔挨门(儿)挨户(儿)〕

〔挨磨〕 āimò 동 〈古白〉 맷돌질을 하다. ¶镇日教他挑水～来; 하루 종일 그에게 물을 긷고 맷돌질을 하게 했다. ⇒ái.mó

〔挨闹〕 āinào 동 시끌벅적 흥청거리다.

〔挨排儿〕 āipáir 부 〈方〉 순서대로. 차례대로. ¶别忙～来, 一个也漏不下; 서두르지 말고, 차례차례로 와라. 한 사람도 빠뜨리지 않을 테니.

〔挨盘儿〕 āipánr ① 부 ⇨〔挨次cì(儿)〕 ②순서가 있다. 뒤죽박죽이 아니다. ¶说话不～; 말에 두서가 없다.

〔挨盘儿靠理儿〕 āipánr kàolǐr 정연하게 질서가

있다. 깔끔하게 정리되어 있다. ¶屋里收拾得～的; 방 안이 깔끔하게 치워져 있다.
〔挨墙靠本儿〕 āiqiáng kàoběnr ⇨〔挨墙靠壁儿〕
〔挨墙靠壁儿〕 āi qiáng kào bìr ①벽에 바싹 대다. 방해가 되지 않다. ¶～(的); 안심할 수 있는 곳 / 把东西～地放着; 물건을 안전한 곳에 놓아두다. ②착실하다. 얌전하다. ¶他很～地做买卖; 그는 매우 착실하게 장사하고 있다. ‖ =〔挨墙靠本儿〕
〔挨亲儿〕 āiqīnr 동 (애정의 표시로) 볼을 대고 비비다. ¶这个孩子已经懂得跟人～啦; 이 아이는 벌써 남과 볼을 비빌 줄 안다. =〔挨脸〕〔贴tiē脸〕
〔挨亲家儿〕 āiqìngjiar 동 ⇨〔挨人儿〕
〔挨人儿〕 āirénr 동 남녀가 서로 친해지다. 관계를 맺다. =〔挨亲家儿〕
〔挨三顶五〕 āisān dǐngwǔ 연이어 계속되다. ¶宾客女市, ～, 不得空闲; 손님이 성황을 이루어 죽 이어지니 조금도 쉴 틈이 없다. =〔捱ái三顶五〕
〔挨顺儿〕 āishùnr 부 ⇨〔挨次(儿)〕
〔挨斯基摩人〕 āisījīmó rén 명 ⇨〔爱ài斯基摩人〕
〔挨司头〕 āisītóu 명 ⇨〔八bā字头〕
〔挨死〕 āisǐ 동 죽을 지경에 이르다.
〔挨头〕 āitóu 부 하나하나. ¶～找一找; 하나하나 찾다. →〔挨个儿〕
〔挨头儿〕 āitóur 부 처음부터. ¶咱们～来; 처음부터 다시하다. 명 있을 만한 가치. 참고 견딜 필요성. ¶你到那儿去有什么～呢? 네가 거기 가서 무슨 소용이 있느냐?
〔挨晚(儿)〕 āiwǎn(r) 명 〈方〉 저녁때. =〔傍晚(儿)bàngwǎn(r)〕
〔挨序儿〕 āixùr 부 ⇨〔挨次(儿)〕
〔挨选〕 āixuǎn 동 (관리 따위를) 차례로 채용하다.
〔挨延〕 āiyán 동 연기하다. 자꾸 지연시키다.
〔挨一挨二〕 āiyī āi'èr 〈方〉 하나하나 차례차례로.
〔挨一挨儿〕 āiyi'āir 뒤로 미루다. 연기하다.
〔挨月〕 āiyuè 명 한 달 차이. ¶我们俩是～的生日; 우리 두 사람은 생일이 한 달 차이예요.
〔挨拶〕 āizǎn 동 〈文〉 밀고 나아가다. 인파를 헤치고 나가다. 명 문하(門下)의 승려에게 문답(問答)의 형식을 빌려 오도(悟道)의 깊이를 시험하는 일.
〔挨着〕 āizhe ①다가가서. 접근해서. ②순차적으로 계속해서. ¶一个～一个地过去; 순차적으로 계속해서 지나가다. →〔靠kào着〕
〔挨着班儿〕 āizhebānr 차례로. ¶散会以后, 请大家～退场; 산회 후에는 차례로 퇴장하기 바랍니다.
〔挨着馋的没有攒的〕 āizhe chánde méiyǒu zǎnde 〈諺〉 입이 건 사람을 따르는 사람은 돈이 남아나지 않는다.
〔挨着大树有柴烧〕 āizhe dàshù yǒu chái shāo 〈諺〉 큰 나무 옆에 있으면 땔나무 걱정이 없다(이왕 의지하려면 탄탄한 사람에게 기대라는 뜻).
〔挨着勤的没有懒的〕 āizhe qínde méiyǒu lǎnde 〈諺〉 근면한 사람 곁에는 태만한 자가 없다.

唉 āi (애)

감 ①여보세요(사람을 부르거나 주의를 촉구할 때 쓰임). ②예(대답하거나, 앎·승낙을 나타냄). ¶～, 我这就去; 예, 곧 갑니다 / ～, 我在这儿; 예, 여기 있어요 / ～, 我知道了; 예, 알았습니다 / ～! 我这就走, 你不用嘱咐了; 예, 말씀하시지 않더라도 곧 가겠습니다. ③어이. 이봐(조용히 사람을 제지할 때 쓰임). ¶～～, 你别闹; 이봐 이봐, 시끄럽게 떠들지 마라 / ～! 你别这么说呀; 이봐, 그런식으로 말하는 게 아니야. =〔哎②〕 ④아아(탄식·연민·실망을 나타냄). ¶～! 可怜! 아, 가엾구나 / ～! 这是怎么说的; 이 무슨 말이야 / "唉!" 他又长长地叹了口气; "아!" 하고 그는 또 길게 한숨을 쉬었다. =〔欸〕 ⇒ài
〔唉饱〕 āibǎo 명 트림 소리. →〔打dǎ唉(儿)〕〔打嗝儿〕
〔唉声叹气〕 āi shēng tàn qì 〈成〉 (낙심하거나 슬퍼서) 한숨을 쉬다. 탄식하다. ¶不要受了一点挫折就～; 조그만 좌절로 탄식하지 말라.
〔唉叹〕 āitàn 동 탄식하다. 명 탄식.
〔唉呀〕 āiyā 감 ⇨〔哎āi呀〕

娭 āi (애)

→〔娭毑〕 ⇒xī
〔娭毑〕 āijiě 명 〈方〉 ①조모(祖母). 할머니. ②노부인에 대한 존칭.

欸 āi (애)

감 ⇨〔唉āi④〕 ⇒ǎi ē é ě è

挨〈捱〉 ái (애)

동 ①…을 하다. …을 받다. …되다. ¶～打; ⇩ / ～骂; ⇩ / ～炸丢命; 폭격을 당해 목숨을 잃다 / ～浇; 비를 맞다 / 这孩子又～爸爸打了; 이 애는 또 아버지에게 맞았다 / ～了一个耳光; 귀싸대기 한 대를 맞았다. ②지연하다. 시간을 끌다. 꾸물거리다. ¶为什么非要～到下个月修理不可? 어째서 수리를 내달까지 끌어야 하느냐? / 不要～时间了! 시간을 끌지 않도록! / 今天能解决的问题, 干吗gànmá要～到明天? 오늘 해결할 수 있는 문제를 무엇 때문에 내일로 미루느냐? ③(곤란 따위를) 참다. 견디다. ¶～饿; ⇩ / ～不下去; 참을 수 없다 / 苦日子好不容易才～过去; 고생스러운 힘든 생활을 겨우 견디어 왔다 / ～日子; 괴로운 나날을 보내다 / 他这病恐怕～不过春天; 그의 이 병은 아마 봄을 넘기지 못할 것이다. ⇒āi
〔挨板子〕 ái bǎnzi 남에게 공격을 당하다. 뜨끔한 맛을 보다.
〔挨不下去〕 áibuxiàqù 더 이상 참을 수가 없다. ¶我简直～, 不辞不行了; 나는 도저히 더 참을 수가 없어서, 아무래도 그만두어야 되겠다.
〔挨噌〕 áicēng 동 심하게 꾸중 듣다. ¶看他垂头丧气的, 一定是刚～来着; 저녀석 몹시 풀이 죽어 고개를 숙이고 있는데, 틀림없이 호되게 꾸중 들었을 거야.
〔挨迟〕 áichí 동 지연시키다. 뒤로 돌리다.
〔挨斥儿〕 ái,chìr 동 혼나다. ¶挨了一顿斥儿; 한번 혼났다.
〔挨呲儿〕 áicīr 동 꾸중 듣다. ¶看他垂头丧sàng气的, 准是又挨了呲儿了; 저 녀석이 몹시 풀이 죽어 있는 것 좀 봐라, 또 꾸중을 들은 것이 분명해. →〔吃chī排头〕
〔挨村〕 áicūn 동 〈方〉 욕을 먹다. 모욕을 당하다. ⇒āicūn
〔挨打〕 ái,dǎ 동 매맞다. 구타당하다. ¶～受骂; 매맞고 욕먹다 / 挨了他一顿打; 그는 한 차례 매맞았다.
〔挨打受饿〕 áidǎ shòu'è 얻어맞거나 배고픔을 당하다.
〔挨打受气〕 áidǎ shòuqì 얻어맞고 모욕을 당하다. ¶她整天家～的, 总是不言不语儿的, 真难得

啊! 그녀는 하루 종일 얻어맞거나 모욕을 당하고 있지만, 그것을 참고 있는 것은 참으로 장한 일이다.
〔挨刀〕 ái,dāo 동 ①칼로 베이다. 칼을 받다. ②〈罵〉 뒈져라. ¶～的老天就是不下雨; 빌어먹을 하늘은 비도 내리지 않네. →〔该gāi死〕〔活huó该〕
〔挨到〕 áidào 동 (고생하여) 가까스로 …하다.
〔挨饿〕 ái'è 동 배고픔을 견디다. 시장함을 느끼다. →〔勒lēi紧裤〔腰〕带〕
〔挨饿受冻〕 ái'è shòudòng 굶주리고 추위에 떨다. =〔挨冷受饿〕
〔挨罚〕 áifá 동 벌을 받다. 처벌되다. =〔受shòu罚〕
〔挨哈〕 áihǎ 동 큰 소리로 호통을 당하다. ¶怎么能不挨老爷哈呢; 어떻게 주인에게 꾸중을 듣지 않고 지내겠니.
〔挨撅〕 áijuē 동 이러쿵저러쿵 말을 듣다. 단점을 들어 나쁜 말을 듣다. ¶像他那种人怎么不挨学生的撅呢? 저런 사나이가 학생들로부터 이러쿵저러쿵 말을 듣지 않을 수 있겠는가?
〔挨搭〕 áiké 동 트집을 잡히다. 꾸중을 듣다. ¶都怕挨厂长的一顿搭; 모두 공장장으로부터 꾸중 들을 것을 걱정하고 있다.
〔挨剋〕 áikēi 동 〈方〉 ①비판을 받다. 꾸중을 듣다. ¶你这么办事, 准得děi～; 너는 그 따위 방식으로 하면 틀림없이 비판받을 수밖에 없어. =〔挨抠〕 ②얻어맞다. →〔挨呲儿〕
〔挨冷受冻〕 áilěng shòudòng 헐벗고 굶주리다.
〔挨冷受饿〕 áilěng shòu'è ⇨〔挨饿受冻〕
〔挨咧〕 áiliē 동 ⇨〔挨骂〕
〔挨抡〕 áilūn 동 ⇨〔挨骂〕
〔挨骂〕 ái,mà 동 몹시 야단맞다. ¶因为他做事不大认真, 常～; 그는 일을 성실하게 하지 않아, 늘 야단맞는다 / 他又挨了一顿骂; 그는 한 차례 또 야단맞았다 / ～的不低, 骂人的不高; 야단맞는 사람이 못난 것도 아니며, 야단치는 사람이 잘난 것도 아니다. =〔挨咧〕〔挨抡〕〔捱骂〕〔受shòu骂〕
〔挨闷棍〕 ái mèngùn 갑자기 곤봉으로 얻어맞다. ¶顿时他像挨了一闷棍, 但他还是沉住气, 又问了一句; 그는 갑자기 곤봉으로 얻어맞은 것 같았으나 마음을 가라앉히고 다시 물어 보았다.
〔挨磨〕 ái,mó 동 ①구박당하다. 학대받다. 시달리다. ¶挨骂的是你, ～的是你, 你图什么呢? 욕먹는 것도 너고 시달림받는 것도 넌데, 너는 또 무얼 원하느냐? ②일부러 우물쭈물하다. 시간을 지체하다. ¶又～了一会儿, 他看到没什么希望, 就搭讪着走了; 또 잠시 우물쭈물하더니, 아무런 희망이 없음을 알아차리고는 멋적어하며 나가 버렸다 / 别～了, 快走吧; 머뭇거리지 말고 빨리 가자. ⇒ āimò
〔挨拿〕 áiná 동 허점을 잡히다.
〔挨骗〕 ái,piàn 동 속다. ¶挨了半辈子的骗; 반평생 동안 속아 왔다.
〔挨日子〕 ái rìzi 고생하며 살아가다. ¶受不惯苦的人怎么能～呢; 번둥번둥 지내던 사람이 어떻게 고생하며 살아갈 수 있을까? / 他的病～呢; 그의 병은 오래 끌다.
〔挨杀挨剐〕 áishā áiguǎ 난도질을 당하다. 죽음을 당하다. ¶～也甘心情愿; 죽음도 달갑게 받겠다.
〔挨刷〕 áishuā 동 제거당하다. 도태되다. ¶做事这么不负责早晚要～; 일에 이렇게 무책임해서는 결국 해고당할 것이다.
〔挨甩〕 ái,shuǎi 동 ①소홀하게 취급받다. ②(연애 상대자에게) 퇴짜맞다.
〔挨说〕 ái,shuō 동 〈方〉 꾸중을 듣다. 야단 맞다. ¶我没挨过说; 나는 꾸중을 들은 적이 없다.
〔挨损〕 áisǔn ⇨〔挨挖苦〕
〔挨挖苦〕 ái wākǔ 희롱당하다. 비방당하다. ¶他这人真没感觉～还当是挨捧pěng呢; 그 사람은 아주 무신경해서 비방당하고 있는데도 추어 주는 줄로 생각하고 있다. =〔挨损〕
〔挨熊〕 ái,xióng 동 혼나다. 야단맞다. ¶看他垂头丧气的样子, 准是～了; 그가 풀이 죽어 있는 것을 보니, 야단을 맞았음에 틀림없다.
〔挨训〕 áixùn 동 꾸지람 듣다.
〔挨一时是一时〕 ái yīshí shì yīshí 조금이라도 연기하는데 까지 연기하다. 일시적으로 모면하다.
〔挨炸〕 áizhà 동 폭격을 당하다. ¶～丢命; 폭격을 당해 목숨을 잃다.
〔挨整〕 ái,zhěng 동 비판을 받다. 비난을 받다.
〔挨揍〕 ái,zòu 동 〈北方〉 얻어맞다. ¶～的木头; 비난 공격의 대상.

骙(騃) ái (애)
형 〈文〉 어리석다. ¶痴～; 우둔하다.

皑(皚) ái (애)
형 〈文〉 (서리나 눈이) 새하얗다. ¶白～～地一片雪地; 온통 새하얗게 눈덮인 벌판.

癌 ái (암)
명 《醫》 암(癌). ¶胃wèi～; 위암 / 乳rǔ～; 유방암(乳房癌) / 肝gān～; 간암 / 致zhì～物; 발암(發癌) 물질. =〔癌瘤〕〔癌肿〕
〔癌变〕 áibiàn 명 종양(腫瘍)의 악성 전화(轉化). 양성 종양이 악성 종양으로 변화하는 것.
〔癌扩散〕 áikuòsàn 명 《醫》 암의 전이(轉移).
〔癌瘤〕 áiliú 명 ⇨〔癌〕
〔癌症〕 áizhèng 명 《醫》 암.
〔癌肿〕 áizhǒng 명 ⇨〔癌〕

毐 ǎi (애)
인명용 자(字). ¶嫪Lào～; 전국 시대, 진(秦)나라 사람.

欸 ǎi (애)
→〔欸乃〕 ⇒ āi ē é ě è
〔欸乃〕 ǎinǎi 명 〈文〉 ①노를 젓는 소리. ②배를 저을 때 노래 부르는 소리. 〈轉〉 뱃노래.

嗳(噯) ǎi (애)
① 감 아니《반대 또는 부정의 기분을 나타냄》. ¶～, 活不是那么说; 아니, 그런게 아니래두요 / ～! 你别那么想; 아니! 그렇게 생각하면 안 돼 / ～, 不能这样做; 아니 이렇게는 할 수 없어. ② 명 트림. =〔嗳气qì〕 →〔打dǎ嗝儿〕 ⇒ '哎' āi ài

矮 ǎi (왜)
① 형 (키가) 작다. ¶他比他哥哥～; 그는 그의 형보다 키가 작다 / 身量～; 키가 작다. ② 형 (높이가) 낮다. ¶几棵小～树; 몇 그루의 작고 낮은 나무 / 桌子～; 책상이 낮다 / ～墙; 낮은 담. ③ 형 (등급·지위가) 아래이다. 낮다. ¶他在学校里比我～一级; 그는 학교에서 나보다 한 학년 아래이다 / ～人一截; 남보다 한층 뒤떨어지다. ④(～子) 명 키가 작은 사람. ⑤ 동 (몸을) 낮추다. ¶一～身, 躲过去; 몸을 휙 낮추고 피했다.
〔矮矮(儿)的〕 ǎi'āi(r)de 형 몹시 낮다.
〔矮柏〕 ǎibǎi 명 《植》 노송나무의 변종.

〔矮矬〕 ǎicuó 형 키가 작다. ¶宋江～人背后看不见《水滸傳》; 송강(松江)은 키가 작아서, 사람 뒤에 서는 보이지 않는다. =〔矮矬矬(的)〕
〔矮矬矬(的)〕 ǎicuócuó(de) 형 ⇨〔矮矬〕
〔矮矬子〕 ǎicuózi 명 땅딸보(키가 작은 사람을 얕보고 하는 말).
〔矮凳儿〕 ǎidèngr 명 낮은 걸상.
〔矮颠颠儿〕 ǎidiāndiānr 형 겸손하다. 비하(卑下)하다. 굽실거리다.
〔矮钉〕 ǎidīng 명 《建》 숨은장. =〔合hé销〕
〔矮墩墩(的)〕 ǎidūndūn(de) 형 키가 작고 뚱뚱하다. 땅딸막하다. ¶～的壮实zhuàngshi的身躯; 땅딸막하고 튼튼한 몸집.
〔矮房〕 ǎifáng 명 낮은 집.
〔矮秆作物〕 ǎigǎn zuòwù 명 《農》 짧은 줄기 작물(作物)(품종을 개량하여 왜성(矮性)으로 만든 것). →〔高gāo秆作物〕
〔矮个(子)〕 ǎigè(zi) 명 ⇨〔矮个儿〕
〔矮个儿〕 ǎigèr 명 키가 작은 사람. 땅딸보. 난쟁이. =〔矮个(子)〕
〔矮瓜〕 ǎiguā 명 ⇨〔茄qié子①〕
〔矮虎耳草〕 ǎihǔ'ěrcǎo 명 《植》 범의귀.
〔矮鸡〕 ǎijī 명 《鳥》 당닭.
〔矮糠〕 ǎikāng →〔罗勒①〕
〔矮克发〕 Āikèfā 명 〈音〉 아그파(독일의 사진 공업 회사 이름). =〔阿Ā克发〕
〔矮冷水花〕 ǎilěngshuǐhuā 명 《植》 물통이.
〔矮奴〕 ǎinú 명 ①땅딸보(키가 작은 사람을 얕보고 하는 말). ②〈罵〉 쪽발이. 왜놈(일본 사람을 욕하는 말).
〔矮趴趴〕 ǎipāpā 형 낮고 작은 모양. 납작한. 나지막한. ¶在这～的房子里, 怎能抬得起头来? 이런 나지막한 집에서 어떻게 머리를 들 수 있겠는가?
〔矮胖〕 ǎipàng 형 키가 작고 뚱뚱하다. 땅딸막하다.
〔矮胖齿〕 ǎipàngchǐ 명 《工》 톱니바퀴의 일종. =〔短齿〕
〔矮胖子〕 ǎipàngzi 명 키가 작고 뚱뚱한 사람.
〔矮墙浅屋〕 ǎiqiáng qiǎnwū 담장이 낮고 비좁은 집. ¶～的, 难道都不怕亲戚们听见笑话了么?《紅樓夢》; 이 누추함을 친척들이 듣고 비웃을 것조차 두렵지 않느냐?
〔矮人〕 ǎirén 명 키 작은 사람. 난쟁이.
〔矮人观场〕 ǎi rén guān chǎng 〈成〉 ⇨〔矮子看戏〕
〔矮人看场〕 ǎi rén kàn chǎng 〈成〉 ⇨〔矮子看戏〕
〔矮身量儿〕 ǎishēnliangr 명 작은 키.
〔矮小〕 ǎixiǎo 형 낮고 작다. 몸집이 작다. ¶～的房屋; 낮고 작은 집 / 身材～; 키가 작다. 몸집이 작달막하다.
〔矮星〕 ǎixīng 명 《天》 왜성(矮星)(항성(恒星) 가운데에서 반지름·광도가 작은 별).
〔矮檐〕 ǎiyán 명 낮은 처마. ¶既在～下, 怎敢不低头? 남의 밑에 있는 이상 어찌 굽히지 않을 수 있겠는가?
〔矮靿儿袜子〕 ǎiyàorwàzi 명 목이 짧은 양말.
〔矮子〕 ǎizi 명 키가 작은 사람. 난쟁이. ¶～里拔将军; 〈諺〉 난쟁이 중에도 위인(偉人)이 있다(변변찮은 사람 속에도 훌륭한 자가 있음).
〔矮子看戏〕 ǎi zi kàn xì 〈成〉 난쟁이가 연극을 보다. ①자기는 아무것도 모르면서 남이 하는 대로 덩달아 하다. ¶他们懂得什么, 不过是～就是了; 저들이 무엇을 알겠는가, 영문도 모르면서 덩달아 하는 것뿐일세. ②견문(見聞)이 좁다. ‖=〔矮人观场〕〔矮人看场〕

蔼(藹) ǎi (애)

형 ①상냥하다. 친절하다. 평온하다. ¶和～; 상냥하다. ②수목(樹木)의 무성한 모양.
〔蔼蔼〕 ǎi'ǎi 형 〈文〉 ①많고 성한〔세찬〕 모양. ②우거진〔무성한〕 모양.
〔蔼甘〕 ǎigan 형 온화하다. 공손하다. ¶求人的事情, 说话总要～着点儿; 남에게 무엇을 부탁할 때는 말을 부드럽게 하지 않으면 안 된다.
〔蔼然〕 ǎirán 형 〈文〉 (태도가) 부드럽다. 온건하다. ¶～可亲; 부드러워 친밀감을 느끼다.
〔蔼照〕 ǎizhào 명동 〈文〉 양찰(諒察)(하다). ¶即祈～是荷; 〈翰〉 양찰해 주시기 바랍니다.

霭(靄) ǎi (애)

①명 엷은 안개. ¶暮mù～; 저녁 안개. ②형 〈文〉 구름이 끼는 모양.
〔霭霭〕 ǎi'ǎi 형 〈文〉 구름이 자욱이 낀 모양.
〔霭腾腾〕 ǎiténgténg 형 〈文〉 안개가 끼는 모양.

艾 ài (애)

①명 《植》 쑥. ¶白～; 흰쑥 / ～叶; 쑥잎 / 灼～分痛; 〈成〉 형제애가 두텁다 / 七年之病三年之～; 칠 년 걸려 나을 병에는 삼 년 말린 쑥이 필요하다(큰일에 맞닥뜨려 급한 소용에 대지 못함을 이름). =〔艾草〕〔艾蒿〕〔蕲qí艾〕〔〈方〉 艾子〕 ②명 뜸쑥. ③명 미인(美人). ④명 창백한 빛. ⑤명 50세의 노인. ¶耆qí～; 노인의 통칭. ⑥형 아름답다. 잘생기다. ¶少～; 젊은 미인. ⑦동 기르다. 양육하다. ⑧동 끝나다. 진(盡)하다. 그치다. ¶方兴未～; 바야흐로 융성(隆盛)을 향해 나아가 멈추지 않다. ⑨동 보답하다. ⑩동 말을 더듬다. ¶期期～～; 말을 더듬거리다. ⑪명 성(姓)의 하나. ⇒yì
〔艾艾〕 ài'ài 동 〈文〉 (말을) 더듬거리다. ¶～不出语; 더듬거리어 말이 나오지 않다.
〔艾焙〕 àibèi 동 뜸을 뜨다. 명 〈比〉 재난. 고통.
〔艾草〕 àicǎo 명 《植》 쑥.
〔艾服〕 àifú 명 〈文〉 ①50세. ②50세가 넘어 관직에 오른 사람.
〔艾糕〕 àigāo 명 쑥떡(반죽한 쌀가루에 쑥을 섞어 찐 것).
〔艾蒿〕 àihāo 명 《植》 쑥.
〔艾虎〕 àihǔ 명 ①옛날, 단옷날 쑥잎으로 호랑이 모양을 만들어 머리에 꽂음(지금은 창포(菖蒲)와 같이 처마에 꽂는데, 액막이를 한다고 함《荊楚歲時記》). =〔蒲pú龙〕 ②《動》 땅족제비. =〔地狗〕
〔艾火〕 àihuǒ 명 《漢醫》 뜸불. 뜸쑥불.
〔艾基利斯氏腱〕 àijīlìsīshì jiàn 명 ⇨〔跟gēn腱〕
〔艾灸〕 àijiǔ 명 뜸.
〔艾酒〕 àijiǔ 명 쑥술(약쑥잎으로 담근 술. 단옷날 마시면 액막이를 한다고 함《玉燭寶典》).
〔艾卷儿〕 àijuǎnr 명 가늘고 길게 종이로 만 약쑥. →〔艾茸〕
〔艾老〕 àilǎo 명 〈文〉 애로. 50세를 넘은 노인(머리카락이 쑥처럼 희어진다는 데서 이름).
〔艾年〕 àinián 명 〈文〉 50세.
〔艾瓢儿〕 àipiáor 명 ⇨〔瓢虫〕
〔艾人〕 àirén 명 애용(艾俑). 쑥으로 만든 인형(단옷날 이것을 문 앞에 걸어 액막이를 함《荊楚歲時記》).
〔艾绒(儿, 子)〕 àiróng(r, zi) 명 《漢醫》 약쑥. 뜸쑥(쑥잎을 말려서 잘게 부순 것. 뜸뜨는 데 쓰임). =〔艾茸〕〔艾炷〕 →〔艾卷儿〕〔灸jiǔ〕

〔艾茸〕 àiróng 명 ⇨〔艾绒(儿,子)〕
〔艾森豪〕 Àisēnháo 명 《人》〈音〉 아이젠하워(Dwight David Eisenhower)《미국의 정치가, 1890～1969》.
〔艾绳〕 àishéng 명 말린 쑥을 꼬아 만든 끈《불을 붙여 모깃불이나 담뱃불로 씀》. =〔火huǒ绳〕
〔艾窝窝〕 àiwōwo 명 찹쌀 속에 흰설탕을 넣은 경단《흔히 봄에 만듦》. =〔爱窝窝〕→〔团tuán子〕
〔艾叶儿〕 àiyèr 명 쑥잎 모양의 이어링〔귀걸이〕의 일종.
〔艾者〕 àizhě 명 〈文〉 50세가 된 사람. 노인.
〔艾炷〕 àizhù 명 ⇨〔艾绒(儿,子)〕
〔艾滋病〕 àizībìng 명 《醫》 에이즈(AIDS)《후천성 면역 결핍증》. =〔爱滋病〕〔〈方〉 爱死症〕
〔艾子〕 àizi 명 《植》 ①〈方〉 쑥. ②식수유(食茱萸). 머귀나무. =〔食shí茱萸〕
〔艾子水〕 àizishuǐ 명 쑥탕(湯)《옛날, 아이가 태어난 지 3일째 되는 날 '洗xǐ三' 할 때에 쓰임. 또, '端duān午(节)'의 날에도 쑥탕에서 온 가족이 이 쑥탕물로 목욕을 함》.

砹 ài (애)
명 《化》 아스타틴(At: astatine)《방사성 원소의 하나》.

懓 ài (애)
동 〈文〉 사랑하다. =〔爱〕

唉 ài (애)
감 아아. 에이《감상(感傷)·애석함을 나타냄》. ¶～, 病了两个月, 把工作都耽搁了; 아아, 두 달 간 앓아 누웠더니 일을 모두 망쳤다 / ～! 这孩子死了十年了; 아! 이 아이가 죽은 지도 벌써 10년이 되었구나 / ～, 真可惜; 에이, 정말 애석하다. ⇒āi

爱(愛) ài (애)
① 동 사랑하다. 귀여워하다. ¶～祖国; 조국을 사랑하다 / ～子女; 자식을 귀여워하다 / 他～上一个女人了; 그는 한 여성을 사랑했다 / 谈情说～; 사랑을 속삭이다. ② 조동 …하기를 좋아하다〔즐기다〕. ¶～看; 보기를 좋아하다 / 他很～喝酒; 그는 술을 매우 좋아한다 / 你～怎么的, 就怎么的; 네가 하고 싶은 대로 해라 / ～干净; 깨끗한 것을 좋아하다 / ～吃中国菜; 중국 요리를 좋아하다 / 他那样儿的人, ～死～活那就随他便; 저런 녀석은 죽든 살든 알 바 아니다. →〔喜xǐ欢〕 ③ 조동 곧잘〔걸핏하면〕 …하다〔하고 싶어하다〕. …하는 버릇이 있다. ¶铁～生锈; 쇠는 녹이 나기 쉽다 / 这种木头～裂; 이런 종류의 재목은 금이 가기 쉽다 / 这东西～坏; 이 물건은 망가지기 쉽다 / 天冷, 花就～死; 날씨가 추워지면 꽃은 시들기 쉽다 / 常～下雨; 곧잘 비가 온다 / ～哭; 걸핏하면 운다 / ～开玩笑; 곧잘 농담을 한다 / ～发脾气; 곧잘 성질을 부린다 / 他常～缺quē席; 그는 걸핏하면 결석한다 / 他～来; 그는 자주 온다 / 他～挑tiāo人家的错儿; 그는 걸핏하면 남의 결점을 들추어 낸다. ④('爱+A+不+A')의 형태로 동사를 넣어 "하든 안 하든 마음대로 하다"의 뜻을 나타냄. ¶反正钱是你的, 你～花不花; 어차피 돈은 네것이니 쓰든 말든 네 마음대로 해라. ⑤ 동 탐(貪)하다. ¶～小便宜; 작은 이익을 탐하다. ⑥ 명 애정. 자애. ¶友～; 우애 / 母～; 모성애 / 同志～; 동지애. ⑦ 명 사랑. ⑧ 명 연애. ⑨ 명 〈文〉 남의 딸에 대한 경칭《옛날, 일상 회화나 통신문에 썼음》. ¶令～; 영애. ⑩ 동 소중히 하다. 아끼다. ¶～名誉; 명예를 소중히 하다 / ～公物; 공공물을 아끼다 / ～钱如命; 금전을 생명처럼 아끼고 소중히 여기다 / 不知自～; 자중(自重)하지 않다. ⑪ 동 …에 약하다. 꺼리다. …을 타다. ¶～热; 더위를 타다 / ～冷; 추위를 타다. ⑫ 명 성(姓)의 하나.

〔爱奥尼亚式〕 Àiàoníyàshì 명 《史》〈音〉 (그리스 건축의) 이오니아식(Ionia式).
〔爱巴物儿〕 àibāwùr 명 〈古白〉 좋아하는 물건. ¶这傻丫头又得个什么～, 这样喜欢《紅樓夢》; 이 멍청한 계집애가 무슨 마음에 드는 것을 얻었길래 이렇게 좋아할까. =〔爱八哥儿〕
〔爱宝贝〕 àibǎobèi 명 ①좋아하는 것. ②사랑하는 자식.
〔爱别离苦〕 ài bié lí kǔ 〈成〉 ①사랑하는 사람과 이별하는 고통. ②《佛》 애별리고. 팔고(八苦)의 하나.
〔爱病〕 àibìng 동 곧잘 병이 나다. 자주 병을 앓다.
〔爱伯特式铁路〕 Àibótèshì tiělù 명 〈音〉 아프트식(Abt式) 철도.
〔爱不忍释〕 ài bù rěn shì 〈成〉 ⇨〔爱不释手〕
〔爱不释手〕 ài bù shì shǒu 〈成〉 잠시도 떼어 놓지 못할 만큼 사랑하다. 아껴서 손에서 놓지 못하다. =〔爱不忍释〕
〔爱财如命〕 ài cái rú mìng 〈成〉 목숨보다 돈을 더 소중히 하다. 목숨을 버려도 돈을 내놓지 않다.
〔爱潮〕 àicháo 형 축축해지기 쉽다.
〔爱称〕 àichēng 명동 애칭(하다).
〔爱宠〕 àichǒng 동 총애하다. 명 〈文〉 옛날, 남의 첩에 대한 경칭.
〔爱戴〕 àidài 동 기꺼이 받들어 모시다. 경애하다. ¶～师傅; 스승을 경애하다 / 博得群众的～; 대중의 존경과 사랑을 받다.
〔爱戴高帽子〕 ài dài gāomàozi ①뽐내고 싶어하다. ②으스대다. ③참견하고 나서다.
〔爱迪生〕 Àidíshēng 명 《人》〈音〉 에디슨(Thomas Alva Edison)《미국의 발명가, 1847～1931》.
〔爱儿〕 ài'ér 명 사랑하는 자식.
〔爱尔兰〕 Ài'ěrlán 명 《地》〈音〉 아일랜드(Ireland)《수도는 '都柏林'(더블린: Dublin)》.
〔爱服〕 àifú 동 심복(心服)하다.
〔爱抚〕 àifǔ 명동 애무(愛撫)(하다). 귀여워하다(하는 일).
〔爱根〕 àigēn 명 ①《佛》 애근. 애욕(愛欲)이 바탕이 되어 다른 번뇌(煩惱)가 생기는 일. ②아내가 남편을 일컫는 말《금대(金代)의 속어》. ↔〔薩lóng薩〕
〔爱顾〕 àigù 동 〈文〉 애고(愛顧)하다. 친애(親愛)하며 마음에 두다.
〔爱国〕 ài,guó 명동 애국(하다). ¶～心; 애국심 / ～热情; 조국애(祖國愛).
〔爱国卫生运动〕 àiguó wèishēng yùndòng 명 애국 위생 운동《1952년 이후의 전국적인 질병(疾病) 예방 대중 운동》.
〔爱国一家〕 àiguó yījiā 애국 일가. 나라를 사랑하는 사람은 한집안 식구다. ¶～, 爱国不分先(前)后; 나라를 사랑하는 사람은 모두 한집안 식구다. 나라를 사랑하는 데 선후가 없다.
〔爱国主义〕 àiguó zhǔyì 명 《政》 애국주의. →〔民mín族主义①〕
〔爱好〕 àihǎo 동 ①겉치레를 하다. 남에게 잘 보이려고 하다. ¶好向来～, 无论什么时候也是干干净净整整齐齐的; 그녀는 언제나 멋을 내어서, 항상

깨끗하고 단정하다. ②아름다운 것을 좋아하다. 훌륭한 것을 좋아하다. ¶～的人不买次货; 훌륭한 것을 좋아하는 사람은 이등품 따위는 사지 않는다. ③향상심을 갖다. 명 완벽을 추구하는 사람. ¶他就是～, 一点也不肯将就; 그는 완벽주의자로서, 절대로 허술하게는 않는다. ⇒àihào

〔爱好看儿〕 àihǎokànr 외면치레를 하다. 남에게 호감(好感)을 얻으려고 하다. ¶想不到他是这么～的; 그가 이렇게 허세를 부리는 사람인 줄 몰랐다.

〔爱好儿〕 àihǎor 동 의기 상투(意氣相投)하다. ¶他们两家是～做亲; 저 양가(兩家)는 친숙한 사이여서 사돈을 맺은 것이다.

〔爱好〕 àihào 동 ①좋아하다. 애호하다. ¶～音乐; 음악을 애호하다 / 人人～的东西; 누구나 좋아하는 것. ②자애(自愛)하다. 명 기호. 취미. ¶他的～是音乐; 그의 취미는 음악이다 / 人的～不一样; 사람의 취미는 다르다. ⇒àihǎo

〔爱好者〕 àihàozhě 명 애호가(家). ¶音乐～; 음악 애호가.

〔爱河〕 àihé 명 《佛》 (사람이 빠지기 쉬운) 애욕의 강.

〔爱护〕 àihù 동 애호(愛護)하다. 아끼고 보호하다. ¶互相关心, 互相～, 互相帮助; 서로 관심을 가지고, 서로 위로하고, 서로 돕다 / ～公共财物; 공공물을 소중히 하다 / ～集团; 집단(의 이익)을 생각하다 / ～年轻一代; 젊은 세대를 아끼고 보살피다.

〔爱护备至〕 ài hù bèi zhì 〈成〉 애호의 정도가 극진하다.

〔爱火〕 àihuǒ 명 〈比〉 불같이 격렬한 애정.

〔爱继〕 àijì 동 친족 가운데에서 특히 사랑하는 사람을 골라 사자(嗣子)로 삼다. 명 〈敬〉 남의 사자에 대한 경칭. ↔〔应yīng继〕

〔爱韭〕 àijiǔ 명 ⇨〔麦mài(门)冬①〕

〔爱康诺米〕 àikāngnuòmǐ 명 《經》 〈音〉 이코노미(economy). =〔经济〕〔伊康老米〕〔叶科诺密〕

〔爱克〕 àikè 명 《度》 〈音〉 에이커(acre). =〔英亩〕〔哀克〕〔亚克〕〔阏è克〕

〔爱克斯射线〕 àikèsī shèxiàn 명 《物》 방사선(放射線). X선. X광선. 뢴트겐선. ¶～机; 뢴트겐기계 / ～照zhào相片; 뢴트겐 사진. =〔伦lún琴射线〕〔爱克斯光〕〔X射线〕

〔爱理不理〕 ài lǐ bù lǐ 〈成〉 (사람에 대한 태도가) 냉담하다. 아랑곳하지 않다. ¶对待她的态度都是～的; 그녀에 대한 태도는 언제나 냉담하다 / 以后甭béng跟他来往, 瞧qiáo他～那个劲儿! 앞으로는 저런 사람과 교제하지 마라, 사람을 본체 만체 하는 저 태도는 무어냐!

〔爱丽舍宫〕 Àilìshègōng 명 〈音〉 엘리제 궁(Elsysèe宮)《파리에 있는 궁전으로 프랑스 대통령 관저(官邸)》.

〔爱怜〕 àilián 동 귀여워하다. 몹시 사랑하다. ¶大妈非常～他的小女儿; 큰어머니는 그의 막내딸을 매우 사랑한다 / 母亲～地抚摩着女儿的脸; 어머니는 딸의 얼굴을 사랑스럽게 어루만지고 있다.

〔爱恋〕 àiliàn 명동 사랑(하다). 사모(하다). ¶她暗暗地～着张老师; 그녀는 은근히 장선생을 사랑하고 있다. →〔恋爱〕

〔爱伦美氏(烧)瓶〕 Àilúnměishì(shāo)píng 명 《化》 〈音〉 에를렌마이어플라스크(Erlenmeyer-flask). 삼각 플라스크. =〔锥瓶〕

〔爱罗〕 àiluó 명 〈音〉 에로티시즘(eroticism).

〔爱罗斯〕 Àiluósī 명 〈音〉 에로스(Eros). ①사랑의 신(神). =〔爱神〕〔丘qiū比特〕 ②《天》 소행성(小行星)의 이름《화성(火星)과 목성(木星) 사이에 있으며, 타원형 궤도로 200년마다 지구에 접근함》.

〔爱美〕 àiměi 동 ①애모하다. ②예술미(자연미)를 사랑하다. ¶～观点; 예술미의 관점. ③아름다운 것을 사랑하다. 멋을 내다. ¶十一岁的姑娘正～; 11세의 소녀는 한창 멋부릴 때다.

〔爱美的〕 àiměide 명 〈音〉 아마추어(amateur). =〔爱美剧〕

〔爱面子〕 ài miànzi 체면을 중시하다. 체면 차리다. ¶他的最大缺点就是～; 그의 가장 큰 결점은 체면을 중시하는 것이다. →〔要yào脸〕〔好hào打扮〕

〔爱末〕 àimò 명 〈文〉 〈謙〉 애고(愛顧)를 입는 사람 중 가장 말석의 사람. ¶忝tiǎn列～定当效劳; 〈翰〉 황공하옵게도 애고를 입고 있는 자의 한 사람이니, 물론 힘쓰겠습니다.

〔爱莫能助〕 ài mò néng zhù 〈成〉 도움을 주고 싶으나 어떻게도 할 수가 없다. 호의(好意)는 있으나 힘이 없다. →〔心余力绌〕

〔爱慕〕 àimù 동 애모(愛慕)하다. ¶比如花开时, 开的时候令人～《紅樓夢》; 비유컨대, 꽃이 필 때와 같은 것으로서, 꽃이 필 때는 사람으로 하여금 그리워하게 하는 것이다 / 相互～; 서로 그리워하다〔연모하다〕 / ～虚荣的人; 허영심이 강한 사람.

〔爱纳尔基〕 àinà'ěrjī 명 〈音〉 에네르기. 에너지(energy). =〔能〕〔爱涅尔具〕〔爱纳而基〕

〔爱昵〕 àinì 동 ⇨〔昵爱〕

〔爱女〕 àinǚ 명 영양(令孃)《주로 편지 따위에서 쓰임》.

〔爱皮西〕 àipíxī 명 〈音〉 에이 비 시(ABC). =〔初步〕〔入门〕

〔爱亲(儿)作亲(儿)〕 àiqīn(r) zuòqīn(r) 서로 친하여 사돈을 맺다. 친지간에 혼인을 맺다. ¶两家原来也是～, 想不到后来竟反目; 양가는 원래 서로 친하여 사돈을 맺었는데, 뜻밖에도 뒤에 반목하게 되었다. =〔爱亲做亲〕

〔爱琴海〕 Àiqín hǎi 명 《地》 에게 해(海).

〔爱卿〕 àiqīng 명 〈文〉 ①사랑하는 남녀 사이에 서로 부르는 말. ②군주의 신하에 대한 칭호.

〔爱情〕 àiqíng 명 애정(흔히, 남녀의 애정을 말함). ¶～小说; 애정 소설 / ～深厚; 애정이 깊다 / ～故事 =〔～佳话〕; 로맨스.

〔爱情至上〕 àiqíng zhìshàng 명 연애 지상(주의).

〔爱群〕 àiqún 동 (자기를 돌아보지 않고) 다른 사람을 사랑하다. 민중을 사랑하다. =〔乐lè群〕

〔爱染〕 àirǎn 명동 〈文〉 열애(熱愛)(하다).

〔爱人〕 àirén 동 기쁘게 하다. 즐겁게 하다. ¶风光确是很～的; 경치는 확실히 사람을 매우 즐겁게 한다. 형 즐겁다. 기쁘다.

〔爱人〕 àiren 명 ①남편 또는 아내. ¶我的～; 내 아내〔남편〕 / 他(她)的～; 그의 아내(그녀의 남편) / 他～长得很漂亮; 그의 부인은 매우 아름답다 / 昨天在街上我遇到了你～; 나는 어제 길에서 네 남편〔부인〕을 만났다. →〔太太〕〔内人〕〔先生〕 ②연인《연애중인 남녀의 한쪽을 가리킴》.

〔爱人儿〕 àirénr 형 ①〈方〉 귀엽다. 사랑스럽다. ¶这孩子的一双又大又水灵的眼睛, 多～啊! 저 아이의 크고 빛나는 눈이 얼마나 귀여운가! / 这只小狗长得真～; 이 강아지는 정말 귀엽게 생겼다. ②멋지다. 훌륭하다. 굉장하다. ¶这张画儿画得多～; 이 그림은 얼마나 멋지게 그렸는가 / 大工厂

那些现代化设备，看着是～；큰 공장의 저 현대적 설비는 보기만 해도 훌륭하다. 명 남편이 아내를, 또 아내가 남편을 제삼자에게 말할 때 쓰는 말(스스럼없는 경우에 한하며, 일반적으로는 쓰지 않음). ＝〔爱人ren①〕

〔爱人肉儿〕 **àirénròur** 명 ①〈俗〉 귀여운 녀석. ②귀여운 용모. ¶这孩子生得有～，人人都喜欢他; 이 아이는 귀엽게 생겨서, 모든 사람이 좋아한다.

〔爱人如己〕 **ài rén rú jǐ** 〈成〉 남을 자신처럼 사랑하다.

〔爱日〕 **àirì** 명 〈文〉 ①겨울날의 별칭. ②사랑할 만한 화창한 햇빛. 동 시일(時日)을 아끼다. 세월을 소중히 여기다. ¶孝子～；효자가 부모를 섬길 날이 길지 않음을 우려하는 심정을 말함.

〔爱沙尼亚〕 **Àishāníyà** 명 《地》〈音〉 에스토니아(Estonia)(수도는 '塔林'(탈린: Tallin)).

〔爱上〕 **àishàng** 동 좋아지다. 사랑하게 되다. ¶他～了这个工作；그는 이 일이 마음에 들었다 / 他们俩互相～了；그들은 서로 사랑하고 있다. →〔看kàn中〕

〔爱神〕 **àishén** 명 사랑의 여신. 큐피드. 에로스. →〔爱罗斯〕

〔爱世语〕 **àishìyǔ** 명 ⇨〔世界语〕

〔爱树〕 **àishù** 동 〈文〉 사람을 사랑하면 그 사람이 가지고 있는 물건까지도 사랑한다《詩經 甘棠》(주(周)나라의 소공(召公)이 순행(巡行)하다가 감당나무 밑에 숙소를 잡았는데, 백성들은 그 덕을 경모(敬慕)하여 그 감당나무까지도 소중히 여겼음). →〔爱屋及乌〕

〔爱说〕 **àishuō** 명 〈音〉 수필. 에세이. ＝〔随笔〕〔漫笔〕

〔爱司〕 **àisī** 명 〈音〉 에이스(ace). ＝〔好牌〕〔'A'牌〕

〔爱斯不难读〕 **àisībùnándú** 명 〈音〉 에스페란토(Esperanto). ＝〔爱斯不兰托〕

〔爱斯基摩人〕 **Àisījīmó rén** 명 에스키모(Eskimos) 사람. ＝〔哀aī斯基摩人〕〔挨斯基摩人〕〔依士企摩人〕

〔爱斯他〕 **àisītā** 명 《化》〈音〉 에스테르(ester).

〔爱死症〕 **àisǐzhēng** 명 ⇨〔艾滋病〕

〔爱窝窝〕 **àiwōwo** 명 ⇨〔艾窝窝〕

〔爱屋及乌〕 **ài wū jí wū** 〈成〉 ①사람을 사랑하면 그 집 지붕의 까마귀까지 사랑한다. ②좋아하는 사람의 것이라면 무엇이든지 좋게 보인다('爱人者，兼其屋上之乌'(尙書大傳·大戰)의 준말). →〔爱树〕〔屋乌之爱〕〔情qíng人眼里出西施〕

〔爱惜〕 **àixī** 동 아끼다. 소중히 하다. ¶～光阴＝〔～时间〕; 시간을 아끼다 / ～人力物力; 인력과 물력을 소중히 하다 / ～声誉; 이름을〔명예를〕 소중히 여기다 / ～皮肉; ⓐ수고를 아끼다. ⓑ애호하다.

〔爱惜羽毛〕 **ài xī yǔ máo** 〈成〉 자기 몸을 아끼다. 자중자애하다. 신분을 중시하다. ¶他的～不许他见钱就抓《老舍 四世同堂》; 그의 자중자애하는 마음은 돈만 보면 얼른 손을 내밀려고 하는 것을 허락하지 않는다.

〔爱小〕 **àixiǎo** ①작은 이익을 탐하다. ②목전(目前)의 욕심이 강하다. ＝〔爱小便宜〕

〔爱幸〕 **àixìng** 동 〈文〉 제왕이 총애하다.

〔爱因斯坦〕 **Àiyīnsītǎn** 명 《人》 아인슈타인(Albert Einstein)(물리학자, 1878～1955).

〔爱用儿〕 **àiyòngr** 명 쓰다 버린 것. ¶拿人家当～; 사람을 고용했다가 버리다.

〔爱憎〕 **àizēng** 명 애증. 사랑함과 미워함. ¶～分明; 〈成〉 애증이 분명하다.

〔爱着〕 **àizhuó** 명 《佛》 애착. 은애(恩愛)에 집착하는 정〔마음〕.

〔爱滋病〕 **àizībìng** 명 ⇨〔艾滋病〕

〔爱子〕 **àizǐ** 명 사랑하는 자식.

𫇭(薆)

ài (애)

〈文〉 동 숨기다. 형 초목이 무성한 모양.

嗳(噯)

ài (애)

감 아아. 어머나. 저런 저런!(회한, 번뇌, 한탄을 나타냄). ¶～，早知道这样! 아아, 일찍 이럴 줄 알았으면! / ～，早知道是这样，我就不来了; 이런, 일찍 알았더라면 오지 않았을 텐데 / ～! 偏偏你没来，把好机错过去了; 어이! 공교롭게도 네가 오지 않아서 좋은 기회를 놓쳤다. ⇒'哎' āi ǎi

〔嗳呀〕 **àiyā** →〔哎呀〕

嫒(嬡)

ài (애)

명 〈文〉 영양(令孃). ＝〔爱⑨〕

叆(靉)

ài (애)

형 구름이 자욱해 해를 가리는 모양.

〔叆叆〕 **ài'ài** 형 ①구름이 자욱한 모양. ②수목이 무성한 모양.

〔叆叇〕 **àidài** 형 구름이 자욱이 낀 모양. 명 옛적에 안경(眼鏡)의 일컬음. ¶暮云～; 저녁 구름이 하늘에 뻗쳐 있다.

瑷(璦)

ài (애)

지명용 자(字). ¶～珲Àihuī; 아이후이(瑷琿)(헤이룽장 성(黑龍江省)에 있는 현 이름. 현재는 '爱辉'으로 씀).

暧(曖)

ài (애)

형 〈文〉 ①어두컴컴하다. ②애매하다. 분명하지 않다.

〔暧暧〕 **ài'ài** 형 어두운 모양. 어두컴컴한 모양. 어렴풋한 모양. ¶暮色～; 해질녘이 되어 어두컴컴하다.

〔暧昧〕 **àimèi** 형 ①(태도가) 애매모호하다. ¶他那个人，态度有点儿～，靠不住; 저 사람은 태도가 조금 애매해서, 신용할 수 없다. ②(행위가) 떳떳하지 못하다. 미심쩍다. ¶他们俩人有～的行为; 두 사람의 행동이 수상하다.

锿

ài (애)

명 《化》 이오늄(IO: ionium)('钍tǔ'(토륨)의 동위 원소).

硋

ài (애)

동 〈文〉 방해하다. ＝〔碍〕

隘

ài (애)

① 형 좁다. 협소하다. ¶狭～; 좁다 / 眼光狭～; 시야가 좁다 / 气量狭～; 도량이 좁다. ② 형 곤궁하다. 궁박하다. ¶～窘; 곤궁하다. ③ 명 험한 곳. 요해처(要害處). 요충지. ¶关～; 관문(關門).

〔隘害〕 **àihài** 명 험준한 요해처(要害處).

〔隘口〕 **àikǒu** 명 산의 좁은 입구. 보충지.

〔隘陋〕 **àilòu** 형 〈文〉 (비)좁고 더럽다.

〔隘路〕 **àilù** 명 애로. ①산간의 좁은 길. 좁고 험한 길. ②《軍》 대부대가 지나갈 수 없는 좁은 길. ¶～战; 길 양쪽이 강이나 논 같은 장소에서의 곤란한 전투. ③《經》 생산 과정에서의 장애. ④곤란. 난관.

〔隘巷〕 **àixiàng** 명 좁은 골목. 뒷골목.

〔按下葫芦浮起瓢〕 ànxià húlu fúqǐ piáo 〈諺〉 조롱박을 누르니 바가지가 뜬다(하나의 문제를 해결하고 나니 다른 문제가 일어남을 비유). =〔按下葫芦瓢起来〕〔按着葫芦瓢起来〕
〔按需分配〕 àn xū fēnpèi 《經》 필요에 따라 분배하다(공산주의 사회의 분배 원칙). →〔按劳分配〕
〔按需取酬〕 àn xū qǔ chóu 《經》 필요에 따라 보수를 받다.
〔按序〕 ànxù ⇨〔按次cì〕
〔按压〕 ànyā 동 ①누르다. 억제하다. ¶做一种往下~的手势; 손으로 누르는 것처럼 하다 / ~不住的激情; 억누를 수 없는 격정. ②공문서를 쥐고 발표하지 않다. →〔按杀〕
〔按验〕 ànyàn 동 ⇨〔案验〕
〔按语〕 ànyǔ 명 작자·편자(編者)의 말(작자·편자의 주해(註解)·설명(說明)·고증(考證)·주의(注意)의 말). ¶编者特地就这一问题加了~; 편자는 특별히 이 문제에 대해 주해를 달았다. =〔案语〕
〔按月〕 ànyuè 달마다. 월부로. 매달. ¶~计算; 월부로 계산하다 / ~付款 =〔~付钱〕; 월부로 지불하다 / ~付息; 다달이 이자를 내다 / ~发薪; 월급으로 지급하다 / ~摊还 =〔~赋款〕; 월부로 상환하다 / ~交水电费; 매달 수도·전기 요금을 납부하다.
〔按章〕 ànzhāng 동 순서〔절차〕대로 하다. ¶~办事儿; 순서에 따라 일을 진행하다.
〔按照〕 ànzhào 개 …에 근거하여. …에 따라. …에 비추어. …대로. ¶~法律处罚; 법률에 의하여 처벌하다 / ~人口分配; 인구에 따라 분배하다 / ~您的话说…; 당신의 말에 의하면 … / ~实际情况决定工作方针; 실제 상황에 따라 업무 방침을 결정하다.
〔按着〕 ànzhe 개 …에 따라서. …대로. ¶~次序 =〔按次〕; 순서대로. 차례로 / ~惯例; 관례에 따라. →〔按照〕
〔按着葫芦抠子儿〕 ànzhe húlu kōu zǐr 〈諺〉 조롱박을 꼭 누르고 씨를 파내다. ①어떻게 해서든지 해내려고 하다. ②오로지 한 가지 일에 열중하다.
〔按着葫芦瓢起来〕 ànzhe húlu piáo qǐlái 〈諺〉 ⇨〔按下葫芦浮起瓢〕
〔按着窝儿〕 ànzhe wōr (한번 한번, 하나하나) 연달아서. ¶这个药得~吃; 이 약은 한 번 두 번 계속해서 먹어야 한다.
〔按直抽税〕 ànzhí chōushuì 《經》 종가세(從價稅)(를 징수하다). ↔〔按件抽税〕
〔按治〕 ànzhì 동 〈文〉 처벌하다. ¶~他监jiān禁; 그를 감금에 처하다.
〔按质论价〕 ànzhì lùnjià 품질로 값을 정하다.

案 àn (안)
①(~子) 명 (폭이) 좁고 긴 탁자. 또는 탁자 대신으로 쓰이는 긴 나무판. ¶条~; 좁고 긴 탁자 / 香xiāng~; 향로가 놓여 있는 긴 탁자 / 书~; 장방형의 책상 / 伏~作书; 책상 앞에 앉아 글씨를 쓰다 / 坐在~子的周围; 탁자 주위에 앉아 있다. →〔桌zhuo〕 ② 명 공문서나 기록. ¶存cún~; ⓐ공문서(로 보관하다). ⓑ등록(하다) / 有~可查; 증거가 되는 공문서가 보존되어 있다 / ~卷; ⇩ ③ 명 (법률상의) 사건(事件). (정치상의) 사변(事變). ¶~情大白; 사건 내용이 밝혀지다 / 一二八沪~; 1937년 1월 28일의 상해(上海) 사변 / 惨cǎn~; 학살 사건 / 桃色~; 연애 사건 / 命~; 살인 사건 / 审~; 재판하다 / 传到~了; 법정으로 구인되었다. ④ 명 건의를 하는 문서. 안건. 의안(議案). 계획서. ¶方~; 방안 / 议~; 의안 / 提~; 제안 / 草~; 초안. ⑤ 명 옛날에 식사를 나르는 데 사용한 짧은 발이 달린 쟁반. ¶举~齐眉; 밥상을 눈썹과 가지런히 받들어 공손히 나르다. ⑥ ⇨〔按**B**〕

〔案板〕 ànbǎn 명 도마. 국수판(밀 방망이로 밀가루를 펴서 국수 따위를 만들어 쓰는 판(板)). =〔按板〕
〔案查〕 ànchá 〈公〉〈翰〉 그 건에 관해서 이미 관계 문헌이 있다는 뜻으로, 첫머리에 쓰이는 말. ¶~杭州市与杭县划分经界…; 본건은 조사해 보니, 항저우 시(杭州市)와 항현(杭縣)과의 경계 구분이….
〔案秤〕 ànchèng 명 탁상용 저울. 앉은뱅이 저울. =〔台tái秤〕
〔案底〕 àndǐ 명 전과(前科). ¶竟然查出他是个有~的罪犯; 뜻밖에도 그가 전과가 있는 범죄자임을 찾아 냈다.
〔案牍〕 àndú 명 공문서.
〔案堵〕 àndǔ 동 〈文〉 ⇨〔安ān堵〕
〔案犯〕 ànfàn 명 〈文〉 범인.
〔案件〕 ànjiàn 명 소송(訴訟)이나 위법(違法)에 관계된 사건. ¶刑事~; 형사 사건 / 重大贪污~; 중대한 횡령 사건 / 政治~; 정치 사건 / 班理~; 사건을 처리하다.
〔案酒〕 ànjiǔ 명 ⇨〔按酒〕
〔案据〕 ànjù 〈公〉〈翰〉 하급 기관에서 온 문서에 대하여 회답할 때, 첫머리에 쓰이는 말. →〔案准〕
〔案卷〕 ànjuàn 명 사건의 기록. 보존된 공문서.
〔案考〕 ànkǎo 〈公〉 그 건에 관하여 조사하다. ¶~某事与事实不合; 어느 사건을 조사했으나 사실과 맞지 않다.
〔案例〕 ànlì 명 《法》 사건 또는 소송의 실례.
〔案脉〕 ànmài 동 ⇨〔诊zhěn脉〕
〔案摩〕 ànmó 명동 ⇨〔按摩〕
〔案目〕 ànmù 명 〈方〉 (옛날) 극장 안내원.
〔案情〕 ànqíng 명 《法》 사건의 내용. 사건의 상황. 죄상. ¶你的~很严重; 너의 죄상은 대단히 중대하다.
〔案儿上的〕 ànrshangde 명 ①음식점에서 밀가루 음식만을 만드는 요리사. ②정육점이나 '烤kǎo羊肉' '涮shuàn羊肉' 등 고기를 주로 하는 음식점에서 고기 써는 일을 전문으로 하는 사람. ③요리사 밑에서 잔일하는 사람('灶zào儿上的'에 대응하여 일컫는 말). =〔帮bāng厨〕〔二èr把刀③〕 →〔厨chú子〕〔掌zhǎng灶(儿)的〕
〔案首〕 ànshǒu 명 과거를 보던 시대의 동생(童生)(원시(院試)·부시(府試)·주시(州試)·현시(縣試) 등의 시험, 즉 '秀xiù才' 시험의 수석 합격자).
〔案头〕 àntóu 명 책상 위. ¶~放着一些书; 책상 위에 책이 놓여 있다 / ~文件堆积duījī如山; 책상 위에 서류가 산처럼 쌓여 있다.
〔案头日历〕 àntóu rìlì 명 탁상 캘린더. →〔月yuè历〕
〔案文〕 ànwén 명 《法》 사건의 문서. 사건의 기록.
〔案验〕 ànyàn 동 〈文〉 범죄의 증거를 조사하다. =〔按验〕
〔案由〕 ànyóu 명 《法》 사건의 원인. 사건의 개요.
〔案语〕 ànyǔ 명 ⇨〔按语〕
〔案准〕 ànzhǔn 명 〈公〉〈翰〉 동급 기관에서 온

문서에 회답할 때 첫머리에 쓰이는 말. →〔案据〕
〔案桌〕 ànzhuō 명 긴 탁자.
〔案子〕 ànzi 명 ①사건. 소송 사건. ¶办了一件～; 하나의 사건을 처리했다 / 昨晚这个地方又发生了一起抢劫～; 어젯밤 이 곳에서 또 강도 사건이 일어났다. =〔案件〕 ②좁고 긴 탁자. ③작업대. 도마 따위. ¶肉～; 고기 판매대 / 裁缝～; 재봉대.

胺 àn (안)
명 《化》 아민(amine). ¶～酸suān; 아미노산 / 苯běn～; 아닐린 / 抗kàng组～剂; 항히스타민제 / 金～; 오라민.

晻 àn (암)
'暗àn'과 같음. ⇒yǎn

暗〈闇〉①④ àn (암)
①형 어둡다. ¶黑～; 어둡다 / 这间屋子太～; 이 방은 너무 어둡다 / 天昏地～; 천지가 온통 캄캄하다 / 天色～下来了; 날이 어두워졌다. ↔〔明②〕 ②명 어둠. ③명 밤. ④형 〈文〉 어리석다. 우둔하다. 도리(道理)에 어둡다. ¶明于知彼, ～于知己; 남의 일은 잘 알면서 자신의 일은 잘 모른다 / 兼听则明, 偏信则～; 널리 여러 사람의 의견을 들으면 사리에 밝고, 한쪽의 의견만 치우쳐 믿으면 사리에 어둡다. ⑤부 몰래. 비밀리에. ¶～害; 음모(陰謀)로 사람을 해치다 / ～杀; 암살하다 / ～下毒手; 몰래 독수(毒手)를 쓰다 / ～示; 암시하다. ⑥형 비밀의. 숨겨진. 숨기고 드러내지 않는. ¶～记儿; 비밀의 기호 / ～号; 암호 / ～码; 암호 전보의 부호. 비밀 암호 / 明人不做～事; 공명 정대한 사람은 남의 눈을 속이는 일은 하지 않는다. ⑦외부로부터 보이지 않는다. 속에 숨겨져 있다. ¶～锁; ⇩ / ～沟; 암거(暗渠). 매설된 하수도 / ～礁jiāo; 암초(暗礁).
〔暗暗〕 àn'àn 부 은근히. 암암리에. 남몰래. 슬며시. ¶～点头; 슬며시 고개를 끄덕이다 / 他～下定快心; 그는 암암리에 결심했다 / ～吃了一惊; 속으로 은근히 놀랐다 / ～跟踪; 은밀히 미행하다. 형 몹시 어두운 모양.
〔暗暗里〕 àn'ànli 부 ⇨〔暗地里〕
〔暗坝〕 ànbà 명 물 위에 노출되지 않은 댐.
〔暗堡〕 ànbǎo 명 ①(선박의) 연료 창고. ②(골프의) 벙커. ③《軍》 엄폐호. =〔暗碉堡〕
〔暗病〕 ànbìng 명 ⇨〔暗患〕
〔暗玻璃〕 ànbōli 명 젖빛 유리. 불투명 유리.
〔暗藏〕 àncáng 동 ①잠복하다. 숨다. ¶犯人～在这一带; 범인이 이 일대에 잠복해 있다. ②몰래 숨기다. ¶身上～凶器; 몸에 흉기를 숨겨 두다.
〔暗查〕 àncá 명동 ⇨〔暗探〕
〔暗娼〕 ànchāng 명 사창(私娼). 밀매음녀. =〔私sī娼〕〔〈俗〉 暗门子〕
〔暗场〕 ànchǎng 명 《劇》 모놀로그로 표현하는 장면(場面).
〔暗场下〕 ànchǎngxià 동 〈方〉 꽁무니를 빼다. ¶他一看情形不对就～了; 그는 상황이 심상치 않음을 알자 꽁무니를 뺐다.
〔暗潮〕 àncháo 명 ①표면에 드러나지 않은 조류(潮流). 저류(底流). ②표면에 나타나지 않은 풍조나 세력《주로 정치 투쟁·사회 운동 등을 가리킴》.
〔暗车〕 ànchē 명 ⇨〔暗轮〕
〔暗沉沉〕 ànchénchén 형 (하늘이) 어둡 침침한 모양.
〔暗处〕 ànchù 명 ①어두운 곳. ②비밀 장소. ¶人在～, 你在明处, 要小心防备; 남은 모르는 곳에 있고 너는 밝은 곳에 있으니, 주의 깊게 방비해야 한다.
〔暗带〕 àndài 동 몰래 휴대하다.
〔暗袋〕 àndài 명 속주머니. 안주머니. =〔音兜dōu〕
〔暗淡〕 àndàn 형 암담하다. (빛·색깔이) 어둡다. 선명하지 않다. ¶光线～; 빛이 어둡다 / 色彩～; 색채가 선명하지 않다 / 前景凄凉～; 전도(前途)가 처량하고 암담하다 / 天色～, 阴云密布好像要下雨了; 날이 어둡고, 먹구름이 잔뜩 낀 것이 곧 비가 올 것 같군.
〔暗道〕 àndào 동 〈文〉 속으로 중얼거리다. ¶连连点头～; 연거푸 머리를 끄덕이며 속으로 중얼거리다. 명 지하도.
〔暗底下〕 àndǐxia 부 ⇨〔暗地里〕
〔暗地〕 àndì 명 미등기 토지. 부 ⇨〔暗地里〕
〔暗地里〕 àndìli 부 남모르게. 암암리에. ¶他嘴上没说, ～却很感激您对他的帮助; 그는 말은 안하고 있지만, 마음 속으로 당신의 원조에 대단히 감사하고 있다 / ～预备战争; 암암리에 전쟁 준비를 하다 / 明里说好话, ～搞阴谋; 겉으로는 달콤한 말을 하면서 뒤에서는 음모를 꾀하다. =〔暗底下〕〔暗暗里〕〔暗地〕〔暗里〕
〔暗调〕 àndiào 명 《劇》 그림자.
〔暗碉堡〕 àndiāobǎo 명 《軍》 엄폐호(掩蔽壕)
〔暗订〕 àndìng 동 몰래 약속하다, 밀약(密約)하다.
〔暗兜〕 àndōu 명 ⇨〔暗袋〕
〔暗斗〕 àndòu 명 암투.
〔暗度陈仓〕 àn dù chén cāng 〈成〉 ①상대방을 앞지르기 위해 몰래 행동을 일으키다《한(漢)나라 고조(高祖)가 천창(陳倉)에 남몰래 가서 삼진(三秦)을 평정하여 항우의 기선을 제압한 고사(故事)에서 나옴》. ②〈比〉 (남녀가) 몰래 사통(私通)하다. →〔明míng修栈道〕
〔暗房〕 ànfáng 명 ①산실(産室). =〔产房〕 ②⇨〔暗室〕
〔暗访〕 ànfǎng 동 몰래 정탐하다. 비밀리에 탐방하다.
〔暗沟〕 àngōu 명 ①뚜껑을 덮은 도랑. 암거(暗渠). ②하수도.
〔暗股〕 àngǔ 명 《經》 타인 명의로 신청한 주식. 익명주(匿名株).
〔暗管〕 ànguǎn 명 지하 파이프.
〔暗光相纸〕 ànguāng xiàngzhǐ 명 《撮》 사진의 무광택 인화지(印畵紙). =〔暗光像纸〕
〔暗害〕 ànhài 동 암살하다. 모함하다. ¶～分子; 파괴 분자. 암암리에 해독을 끼치는 사람 / 险遭～; 자칫 모함에 걸릴 뻔하다.
〔暗含〕 ànhán 동 (일을 하거나 말을 할 때) 은근히 내포하다. ¶里面～着指摘老李的意思; 속에는 이형의 잘못을 지적하는 의도가 들어 있다 / 这是～着骂我呢; 이것은 은근히 나를 욕하고 있는 것이다 / 他说这句话～着另外一种意思; 그의 이 말 속에는 또 다른 뜻이 내포되어 있다.
〔暗号(儿)〕 ànhào(r) 명 ①암호. ②《體》 사인(sign).
〔暗耗〕 ànhào 명 자신도 모르게 입은 손상(損傷).
〔暗合〕 ànhé 동 우연하게 일치하다. ¶这两位的观察有许多～的地方; 이 두 사람의 관찰은 우연히 일치하는 점이 많다 / 他的行动正～了自己的心意; 그의 행동은 우연히도 자신의 생각과 딱 들어맞았다.

〔八方呼应〕 bā fāng hū yìng 〈成〉 부르짖음에 호응하여 각 방면에서 협력하는 일.
〔八分〕 bāfēn 명 ①8할. ②8전(錢)(1'角'의 1/10을 1'分'이라 함). ③팔분(서체(書體)의 하나. 소전(小篆)과 예서(隸書)의 중간체). =〔八分书〕〔分书①〕
〔八分满儿〕 bāfēnmǎnr 한 그릇의 10분의 8가량. 거의 가득 찬 것. ¶我吃了～两碗; 나는 거의 가득 찬 것을 두 그릇이나 먹었다.
〔八分儿〕 bāfēnr 10분의 8가량. 거의. ¶已经～完成了; 이미 10분의 8가량은 완성되었다.
〔八分书〕 bāfēnshū 명 ⇨〔八分③〕
〔八分仪〕 bāfēnyí 명 《天》 옥탄트(네 octant). 팔분의(八分儀).
〔八分音符〕 bāfēn yīnfú 명 《樂》 팔분 음부. 전음부의 8분의 1.
〔八佛头〕 bāfótóu 명 ⇨〔经jīng幢〕
〔八垓〕 bāgāi 명 땅의 끝.
〔八竿子打不着〕 bā gānzi dǎbuzháo 〈諺〉 매우 먼 관계임. 무관계함. ¶这真是～的笑话; 이건 아주 무관계한 우스갯소리다.
〔八纲〕 bāgāng 명 《漢醫》 음(陰)·양(陽)·표(表)·리(裏)·열(熱)·한(寒)·허(虛)·실(實)을 말함(질병 진단 치료의 기준이 됨).
〔八个不依, 十个不饶〕 bā ge bùyī, shí ge bùráo 〈成〉 아무리 해도〔도무지〕 동의하지 않다.
〔八个人儿杠高抬儿〕 bāge rénr gàng gāo táir 〈歇〉 고집을 부리다. 다투다. ¶他们俩一见面儿就是～; 그들 두 사람은 만나기만 하면 다툰다.
〔八哥(儿)〕 bāge(r) 명 《鳥》 구관조(九官鳥). =〔鸲鹆qúyù〕
〔八根柴〕 bāgēnchái 명 살이 여덟 개 있는 부채.
〔八谷〕 bāgǔ 명 팔곡. 여덟 가지 곡식. →〔五wǔ谷〕
〔八股〕 bāgǔ 명 ①팔고문. 명(明)·청(淸) 시대 과거(科擧)의 답안에 쓰이던 문체(文體) 이름(주로 '四书sìshū'에서 출제된 설문(設問)에 답하는 형식으로, 전편의 구성이나 의론의 전개 등에 일정한 격식이 있고, 또 자수(字數)나 구법(句法)에도 엄격한 규정이 있음. 전편(全篇)이 '破题, 承题, 起讲, 入手, 起股, 中股, 后股, 束股'의 여덟 단락으로 나뉘는 데서 '八股'라 함). =〔四书文〕〔制艺〕〔制义〕〔时艺〕〔时文〕 ②〈比〉 형식적이고 내용이 없는 무미 건조한 문장이나 연설을 말함. ¶～调; 내용 없는 틀에 박힌 조. →〔党dǎng八股〕
〔八股绳〕 bāgǔshéng 명 멜대로 메어 짐을 나르는 도구(네 귀퉁이에 끈이 달려 있어서 그것을 멜대에 걸어 늘어뜨림). ¶挑tiāo～; 위와 같은 것으로 짐을 메다.
〔八卦〕 bāguà 명 팔괘(옛날 중국에서 점술(占術)에 사용한 기호. 자연계·사회·인간계의 모든 현상을 상징한다고 함. '—'로 양(陽)을 나타내고, '--'으로 음(陰)을 나타냄. 이 기호 세 개를 한 조(組)로 하여 여덟 가지 상(象)을 나타내었는데, 각각 ☰(乾)·☵(坎)·☶(艮)·☳(震)·☴(巽)·☲(離)·☷(坤)·☱(兌)임).
〔八卦鸡〕 bāguàjī 명 《鳥》 칠면조(七面鳥). =〔火huǒ鸡①〕
〔八卦教〕 bāguàjiào 명 ⇨〔天tiān理教〕
〔八国联军〕 bāguó liánjūn 명 《史》 팔국 연합군. 청(淸) 광서(光緖) 26년(1900년) 의화단(義和團) 사건으로 영국, 미국, 일본, 러시아, 독일, 프랑스, 이탈리아, 오스트리아의 8개국 연합군으로서 베이징을 공략했음.
〔八行书〕 bāhángshū 명 편지. 서신(옛날 편지지가 8행이었던 데서). =〔八行〕
〔八纮〕 bāhóng 명 〈文〉 팔굉. (우주의) 지극히 먼 곳. 팔방의 지극히 먼 땅. =〔八荒〕〔八极〕 →〔八表〕
〔八花九裂〕 bāhuā jiǔliè 틈이 많이 생기다. 사분오열(四分五裂). 사건의 분규(紛糾)하는 모양. ¶他们那个团体, 现在有意见的人太多, ～地老闹不到一块儿; 그들의 단체에는 의견을 내세우는 사람이 너무 많아서, 사분 오열되어 의견이 일치되지 않는다.
〔八荒〕 bāhuāng 명 ⇨〔八纮〕
〔八级风〕 bājífēng 명 《氣》 풍력 8의 바람(강한 바람).
〔八级工资制〕 bājí gōngzīzhì 명 국영 기업에서 일반적으로 쓰이는 임금 제도(노동의 질과 양에 부응하여 보수를 준다는 원칙에 따라서, 기술 능력·노동의 정도·책임의 경중·노동의 환경 등을 민주적으로 감안해서 8등급으로 나누어 제도화한 것).
〔八极〕 bājí 명 ⇨〔八纮〕
〔八件儿〕 bājiànr 명 여덟 가지 종류의 과자 또는 요리('松饼sōngbǐng' '太史tàishǐ饼' 등으로 이루어짐). =〔八样儿〕
〔八角〕 bājiǎo 명 ①《植》 팔각. 붓순나무. =〔八角茴香〕〔大茴香〕 ②《植》 붓순나무의 열매(향미료, 또는 건위(建胃)·거담제(祛痰劑)로 쓰임). =〔大料〕〔茴香〕 ③팔각형. ¶～帽; 팔각모.
〔八角鼓〕 bājiǎogǔ 명 ①《樂》 팔각고(8각형의 탬버린 비슷한 타악기로 만족(滿族)의 악기). ②팔각고와 '单dān弦(儿)'을 반주하면서 설창(說唱)하는 민간 예술. =〔八角鼓子带小戏儿〕
〔八角金盘〕 bājiǎo jīnpán 명 《植》 팔손이나무.
〔八角油〕 bājiǎoyóu 명 대회향유(大茴香油).
〔八角鱼〕 bājiǎoyú 명 ⇨〔八带鱼〕
〔八脚子〕 bājiǎozi 명 ①꽃불의 일종(8개 또는 6개의 꽃불을 연결한 것으로, 한 개에 점화하면 차례로 불꽃을 뿜도록 한 것). ②'毛máo虱'(사면발이)의 속칭.
〔八节〕 bājié 명 입춘(立春)·춘분(春分)·입하(立夏)·하지(夏至)·입추(立秋)·추분(秋分)·입동(立冬)·동지(冬至)의 여덟 절기. =〔八王日〕
〔八戒〕 bājiè 명 ①《佛》 팔계. 여덟 계율(불살생(不殺生)·불투도(不偸盜)·불사음(不邪淫)·불망어(不妄語)·불음주(不飮酒)·부좌고광대상(不坐高廣大牀)·불착화만영락(不着花鬘瓔珞)·불습가무기락(不習歌舞妓樂)). ②서유기(西遊記)에 나오는 저팔계(猪八戒)의 약칭. ¶你属～的, 倒dào打一耙pá; 너는 저팔계 같은 족속이야, 자기 잘못은 덮어놓고 남을 책망하다니. →〔孙sūn悟空〕〔唐táng僧〕
〔八九不离十〕 bā jiǔ bù lí shí 십중팔구. 대체로. 거의. ¶我虽然没有亲眼看见, 猜也能猜个～; 내 눈으로 직접 본 것은 아니지만, 대체로 짐작은 간다. =〔十之八九〕
〔八九雁来〕 bājiǔ yànlái 〈諺〉 동지(冬至)로부터 72일 만에 기러기가 날아온다. →〔七qī九河开〕
〔八开〕 bākāi 명 《印》 팔절(八折). B5판(신문·인쇄·사진·제본 용어).
〔八扣〕 bākòu 수량 ⇨〔八折〕
〔八苦〕 bākǔ 명 《佛》 팔고. 여덟 가지 고뇌(생(生)·로(老)·병(病)·사(死)·애별리(愛別離)·원증회(怨憎會)·구부득(求不得)·오음성(五陰

B

盛)).
〔八棱〕 bāléng 명 팔각형.
〔八两对半斤〕 bā liǎng duì bàn jīn 매한가지. 같다는 뜻(1근은 16량이며 8량과 반 근은 같으므로).
〔八灵〕 bālíng 명 팔방(八方)의 신령(神靈). 무수한 신.
〔八路军〕 bālùjūn 명《史》팔로군. 항일 전쟁(抗日戰爭) 때에 중국 공산당이 지도하던 군대. 1927년 난창 폭동(南昌暴動)에서 홍군(紅軍)이라 불리던 군대가 1937년 항일 전쟁이 시작된 후에 국민 혁명군 제팔로군(國民革命軍第八路軍)으로 개칭. 1947년 신사군(新四軍)과 함께 인민 해방군(人民解放軍)으로 개칭됨. →〔紅 hóng 军〕〔中 zhōng 国人民解放军〕
〔八面〕 bāmiàn 명 8면.
〔八面锋(儿)〕 bāmiànfēng(r) 말하는 바가 날카롭고 모든 급소를 찌르는 일.
〔八面光〕 bā miàn guāng〈成〉빈틈이 없다. 실수가 없다(헐뜯는 의미로 쓰임). →〔两liǎng面光〕〔六liù面光〕〔四sì面光〕
〔八面见光〕 bā miàn jiàn guāng〈成〉팔방미인.
〔八面玲珑〕 bā miàn líng lóng〈成〉팔방미인. 무슨 일에나 빈틈이 없다(원래 방의 창문을 크게 열다의 뜻. 남을 비방하는 데에 많이 쓰임). ¶他真是～, 不得罪人; 그는 참으로 빈틈이 없어서 남을 불쾌하게 하는 짓은 하지 않는다. →〔面面①〕
〔八面威风〕 bā miàn wēi fēng〈成〉위풍당당. ¶大将军～; 대장군은 위풍당당하다.
〔八木板〕 bāmùbǎn 명《醫》깁스(독 Gips).
〔八难〕 bānàn 명 팔난. ①여덟 가지의 재난. 곧, 배고픔·목마름·추위·더위·물·불·칼·병란. ②《佛》부처를 보지 못하고 불법(佛法)을 들을 수 없는 여덟 가지 곤란. 즉, 지옥(地獄)·축생(畜生)·아귀(餓鬼)·장수천(長壽天)·맹롱음아(盲聾瘖瘂)·북울단월(北鬱單越)·세지변총(世智辯聰)·불전불후(佛前佛後).
〔八牛〕 bāniú 명 '朱'자(字)를 분석한 말. ¶我姓朱, ～朱; 저의 성은 주가입니다. '八'자에 '牛'를 쓰는 주가 입니다.
〔八七〕 bāqī 수 …가량. …정도. …채 못되는 수(대체적인 수를 의미함). ¶块儿～; 1원 정도/两儿～; 1량 정도.
〔八旗〕 bāqí 명《史》청(淸)나라 때의 만주(滿洲)의 호구(戶口) 편제의 제도 이름.
〔八圈消食〕 bāquān xiāoshí 명 ⇨〔卫wèi生麻将〕
〔八人单桨有舵手〕 bārén dānjiǎng yǒuduòshǒu 명 (여덟 사람이 젓는 경조용 보트의) 선수. →〔赛sài艇〕
〔八儒〕 bārú 명 팔유. 공자(孔子)가 죽은 후의 유교의 8파. 즉, 자장(子張)·자사(子思)·안자(顔子)·맹자(孟子)·칠조(漆雕)·중량(仲良)·손자(孫子)·낙정(樂正)의 여러 파를 말함.
〔八扇屏〕 bāshànpíng 명 여덟 폭 병풍. →〔四sì扇屏〕
〔八十不骂〕 bā shí bù mà〈成〉80세의 노인을 욕하지 않는다(노인 대접을 한다는 뜻).
〔八十岁学吹鼓手〕 bāshí suì xué chuī gǔshǒu〈歇〉나이 여든이 되어서 혼례나 장례식 음악의 연습을 하다(만학(晩學)의 비유). =〔八十岁学吹打〕
〔八时间制〕 bāshíjiānzhì ⇨〔八小时工作制〕
〔八思巴字〕 Bāsībā zì 명 파스파('Phags-pa) 문자(원대(元代)의 국사(國師)로 불리던 파스파가 세조(世祖) 쿠빌라이의 명을 받아 지었으며, 지원(至元) 6년(1269년) 조칙(詔勅)에 의해 사용되었던 원(元)의 국자(國字)인데, 형태·조직 모두 티베트 문자와 비슷한 몽고의 표음(表音) 문자).
〔八抬轿〕 bātáijiào 명 팔인교(八人轎)(옛날, 신분이 높은 관리가 타던 8사람이 메는 가마).
〔八体(书)〕 bātǐ(shū) 명 팔체서. 진(秦)나라 시황제(始皇帝) 시대에 정해진 8종의 서체(대전(大篆)·소전(小篆)·각부(刻符)·충서(蟲書)·모인(摹印)·서서(署書)·수서(殳書)·예서(隸書)).
〔八团花〕 bātuánhuā 명 검은 비단에 용의 둥근 모양 무늬를 8개 넣어 짠 문양(귀부인의 예복에 쓰임).
〔八王日〕 bāwángrì 명 ⇨〔八节〕
〔八味地黄丸〕 bāwèi dìhuángwán 명《藥》팔미지황환(강장제(強壯劑)의 일종).
〔八下里〕 bāxiàli 명〈方〉①팔방(八方). 팔방면. 각 방면. ¶～对不起人; 그 누구에게도 미안하다. 그 누구에게도 얼굴을 대할 수 없다. →〔两liǎng下里〕〔三sān下里〕〔四sì下里〕 ②〈北方〉여기저기 흩어지다. ¶这个机器谁给拆到～去了? 이 기계는 누가 여기저기 흩어 버렸느냐?
〔八仙〕 bāxiān 명 팔선. ①민간 전설에 나오는 도교적인 팔선. 곧, 한종리(漢鍾離)·장과로(張果老)·한상자(韓湘子)·이철괴(李鐵拐)·조국구(曹國舅)·여동빈(呂洞賓)·남채화(藍采和)·하선고(何仙姑)를 말함. ② ⇨〔〈方〉八仙桌(儿)〕 ③ →〔划huá拳②〕
〔八仙过海〕 bāxiān guòhǎi〈諺〉제각기 그 특기〔장점〕를 발휘하다. 제각기 독자적인 방법을 가지고 있다. =〔八仙过海, 各显神通〕〔八仙过海, 各显其能〕
〔八仙花〕 bāxiānhuā ⇨〔绣xiù球②〕
〔八仙桌(儿)〕 bāxiānzhuō(r) 명 8인용의 정사각형의 탁자. =〔八仙②〕→〔六liù仙桌〕〔四sì仙桌〕
〔八弦琴〕 bāxiánqín 명《樂》만돌린.
〔八小时工作制〕 bāxiǎoshí gōngzuòzhì 8시간 노동제. =〔八时间制〕
〔八刑〕 bāxíng 명 옛날에 시행되던 여덟 가지 형벌(불효(不孝)·불목(不睦)·불인(不婣)·부제(不弟)·불임(不妊)·불휼(不恤)·조언(造言)·난민(亂民)의 죄과에 과해짐).
〔八鸭〕 bāyā 명《鳥》상오리.
〔八样儿〕 bāyàngr 명 ⇨〔八件儿〕
〔八一建军节〕 Bā-Yī Jiànjūnjié 명 (중국 인민해방군의) 건군 기념일(난창(南昌) 봉기(蜂起)를 기념한 날). =〔八一节〕
〔八一南昌起义〕 Bā-Yī Nánchāng Qǐyì 명《史》8·1 난창 봉기(南昌蜂起)(1927년 8월 1일, 중국 공산당이 장시 성(江西省) 난창(南昌)에서 일으킨 무장봉기. 지도자는 저우언라이(周恩來)·허룽(賀龍)·예팅(葉挺)·주더(朱德) 등이며, 봉기 부대의 일부는 1928년 4월, 정강산(井岡山)에 도달, 마오쩌둥(毛澤東)이 이끄는 부대와 합류하여 중국노농적군제사군(中國勞農赤軍第四軍)을 조직함). =〔南昌起义〕
〔八一宣言〕 Bā-Yī Xuānyán 명 8·1 선언(1935년 8월 1일, 중국 공산당이 내전을 정지하고 항일 민족 통일 전선(抗日民族統一戰線)의 결성을 전국민에게 호소한 선언).
〔八裔〕 bāyì 명 ①팔방의 외지고 먼 땅. ②촌뜨기. 시골뜨기. ¶你真～, 怎么连这个都不知道哇? 너는

정말 촌놈이구나. 어떻게 이런 것조차 모르느냐?

〔八音〕 bāyīn 명 《樂》 팔음. 금(金)·석(石)·사(絲)·죽(竹)·포(匏)·토(土)·혁(革)·목(木)의 여덟 가지 악기. 또는 그 소리.

〔八音盒〕 bāyīnhé 명 《樂》〈音〉 오르골(네 orgel). =〔八音琴〕〔八音匣〕

〔八音琴〕 bāyīnqín 명 《樂》 오르골. =〔八音盒〕

〔八月节〕 Bāyuèjié 명 (음력 8월 15일) 중추절. 추석 명절.

〔八折〕 bāzhé 수량 8할. 80%. 2할 할인. ¶批卖价儿, 都是～; 도매 가격은 모두 2할 감해 드립니다. =〔八扣〕

〔八阵图〕 bāzhèntú 명 팔진도《제갈 공명(諸葛孔明)의 병법에서 나오는 진형(陣形)》.

〔八政〕 bāzhèng 명 옛날, 여덟 가지의 중요한 정치 사항. 곧, 식(食)·화(貨)·사(祀)·사공(司空)·사도(司徒)·사구(司寇)·빈(賓)·사(師).

〔八秩〕 bāzhì 명 〈文〉 80세. ¶～荣庆 =〔～佳辰〕; 80세의 생일 축하.

〔八子七婿〕 bā zǐ qī xù 〈成〉 자녀가 많은 것을 축복하는 말《당(唐)의 곽자의(郭子儀)는 8명의 아들과 7명의 사위가 있었는데, 모두 높은 벼슬을 함》.

〔八字〕 bāzì 명 '八'자. ¶～还没有一撇; '八'이란 자에 아직 삐침이 없다. 아직 윤곽이 잡혀 있지 않다.

〔八字(儿)〕 bāzì(r) 명 ①출생한 연·월·일·시에 상당하는 간지(干支)의 여덟 글자. 팔자. 운세. 운명. ¶～不好; 팔자가 좋지 않다 / 批pī～; 운세를 점치다. ②결혼할 때에 궁합을 보기 위해 ①을 적은 것.

〔八字摆开〕 bāzì bǎikāi 명 ①발을 '八'자형으로 뻗고 있는 모습. ②발을 벌리고 자세를 취한 모습.

〔八字打开〕 bā zì dǎ kāi 〈成〉 열어 젖히다. 마음을 탁 터놓고 숨김없이 말하다. ¶圣贤已是～了, 人是不领会; 성현은 이미 모두 털어놓고 말하고 있지만, 사람들이 깨닫지 못한다.

〔八字方针〕 bāzì fāngzhēn 명 '调tiáo整' '巩gǒng固' '充chōng实' '提tí高' 의 8자(字)로 나타내는 중국의 경제 지침.

〔八字胡〕 bāzìhú 명 '八'자 수염. =〔双shuāng溜胡〕

〔八字脚〕 bāzìjiǎo 명 발장다리. ¶两足～撇拉撇拉的真难看; 발장다리로 뒤뚱뒤뚱 걷는 모습은 정말 볼썽 사납다.

〔八字军〕 Bāzìjūn 명 《史》 팔자군《남송(南宋) 초, 왕언(王彦)이 금(金)나라에 대항할 병사를 거느리고 타이항 산(太行山)에 들어가, 이들의 얼굴에 '誓杀金贼, 不负赵皇' (금(金)나라 적군(賊軍)을 물리치고 송(宋)나라 황제에게 배신하지 않을 것을 맹세한다)는 여덟 글자를 새기고 싸운 데서 이 명칭이 생겼음》.

〔八字轮〕 bāzìlún 명 ⇨〔伞sǎn齿轮〕

〔八字没一撇(儿)〕 bāzì méi yīpiě(r) 〈比〉 (사물의) 윤곽이 드러나지 않다. ¶这件事还～; 이 일은 아직 윤곽이 드러나지 않고 있다.

〔八字眉〕 bāzìméi 명 '八'자형의 눈썹.

〔八字门儿〕 bāzìménr 명 '八'자형의 문《문의 담벽이 '八'자형으로 열려서 수레 같은 것의 출입이 편리하게 된 문》. =〔八字墙qiáng门〕

〔八字儿影壁〕 bāzìr yǐngbì 명 대문 앞에 ⌒형으로 세운 벽. (시선을 차단하기 위해) '八'자형으로 세운 담장. →〔影壁①〕

〔八字帖儿〕 bāzìtiěr 명 사주 단자(四柱單子). =〔庚帖〕 →〔八字(儿)①〕

〔八字头〕 bāzìtóu 명 8자형 머리《여자들의 머리를 아라비아 숫자 8자형으로 튼 모양으로 민국 중기에 유행했음》. =〔挨āi司头〕

〔八字先生〕 bāzì xiānsheng 명 점쟁이. 주역 선생(周易先生). →〔庚帖〕

〔八字牙轮〕 bāzì yálún 명 《機》 베벨 기어(bevel gear).

〔八字衙门朝南开〕 bāzì yámen cháo nán kāi 〈諺〉 어느 관청의 문이라도(누구나 들어갈 수 있도록) 활짝 열려 있다. ¶～, 有理无钱莫进来; 관청의 문은 활짝 열려 있지만, 도리에 맞아도 돈이 없으면 들어가지 않는 것이 좋다《소송을 할 때 돈이 없으면 승소할 수 없다는 말》.

〔八宗事〕 bāzōngshì 명 그런 일. 저런 일《'八宗'은 '各gè样儿的' '各种'의 뜻》. ¶没那～; 그런 일은 절대로 없다.

扒 bā (배)

동 ①긁어 내다. 후벼 파다. 파다. 캐다. ¶～土; 흙을 파(헤치)다 / ～出去; (재 따위를) 긁어 내다 / ～耳塞sāi =〔～耳朵〕; 귀지를 후벼 내다 / 城墙～了个豁口; 성벽에 구멍을 팠다 / 从地里往外～白薯; 밭에서 고구마를 캐다 / ～金矿; 금광을 캐다〔채굴하다〕. ②벗(기)다. ¶～皮; 가죽을 벗기다 / ～下衣裳; 옷을 벗기다. ③달라붙다. 붙들다. (찰싹)들러붙다. 매달리다. ¶～着树枝; 나뭇가지를 붙잡다 / ～着墙往外看; 벽에 착 붙어서 밖을 보다 / 你～住, 不然会掉下去; 꼭 붙잡아라. 그렇지 않으면 떨어질 것이다. ④튀기다. (주판을) 놓다. ¶～拉算盘; 주판알을 튀기다. 주판을 놓다. ⑤밀어 헤치다. ¶～开草棵; 풀을 헤치다. ⑥부수다. 헐다. ¶～房子; 집을 허물다 / ～了旧房盖新房; 헌 집을 헐고 새 집을 지었다. ⑦분리하다. 떨어지다. 쪼개다. ¶～开眼睛; 눈을 반짝 뜨다 / 桌子缝fèng儿～了; 책상의 이음새가 벌어졌다. ⇒pá

〔扒扒甑儿〕 bābazèngr ⇨〔巴巴罾儿〕

〔扒鼻子〕 bābízi 동 납작코.

〔扒玻璃(儿)〕 bābōli(r) 동 창 밖에서 들여다보다. ¶谁在外面～哪; 누가 창 밖에서 들여다보는가.

〔扒肠破肚〕 bācháng pòdù ①질병. 그 밖의 정신적·육체적으로 극도로 고통스러운 상태. ②속을 탁 털어놓고 숨김 없이 말하다. ¶～地把话都说清楚了; 모든 것을 털어놓고 말했다.

〔扒扯〕 bāchě 동 생활을 위해 고생하다.

〔扒底〕 bādǐ 동 비밀을 들춰 내다〔폭로하다〕. ¶他爱扒人的底; 그는 남의 비밀을 캐는 것을 좋아한다. →〔刨páo根儿问底儿〕 명 누룽지. =〔扒锅底〕

〔扒钉〕 bādīng 명 (꺾쇠 모양의) 물림쇠. 죔쇠.

〔扒饭〕 bāfàn 동 밥을 급히 먹다. 밥을 먹다.

〔扒房子〕 bā fángzi 집을 허물다. ¶因为违章建筑, 房子被官扒了; 규칙을 어기고 건축했기 때문에, 건물은 당국의 명령으로 헐렸다 / 这溜儿～是因为要开宽马路; 이 근처의 집들이 철거되는 것은 한길을 넓히기 위해서다.

〔扒根儿问底儿〕 bāgēnr wèndǐr ⇨〔刨páo根儿问底儿〕

〔扒豁子〕 bāhuōzi 동 〈方〉 ①남을 중상하다. ②바보짓을 하다. 문제를 일으키다.

〔扒开眼睛〕 bākāi yǎnjing 눈을 반짝 뜨다. 눈을 깜빡깜빡하다(잠에서 깨어 눈을 떴을 때의 경우). ¶这孩子～就要吃; 이 애는 눈을 뜨기만 하면 먹으려 한다.

〔扒炕〕 bākàng 동 구들의 그을음이나 재를 긁어내다. ¶头年没～, 老冒烟, 烧不热; 작년에 구들의 재를 긁어 내지 않았기 때문에 늘상 연기만 나고 불을 피워도 더워지지 않는다.
〔扒裤子〕 bākùzi ⇨〔看kān瓜①〕
〔扒拉〕 bāla 동 ①(손으로) 밀어 제치다. 헤치다. ¶别～人往前挤; 사람을 밀치고 앞으로 새치기하지 마시오 / 他～开碎砖suìzhuān, 把向日葵种子种上了; 그는 벽돌 조각을 밀어 제치고 해바라기씨를 뿌렸다 / 把搭在自己肩上的手～开; 어깨에 얹은 손을 밀어 제치다. ②(주판알을) 튀기다. ¶账房先生整天～算盘珠儿; 경리 선생은 온종일 주판알을 튕기고 있다. ‖ =〔波bō拉〕〔拨bō拉〕 ⇒ pála
〔扒皮〕 bā,pí 동 껍질을 벗기다《지독한 착취를 하다》.
〔扒头儿〕 bātour 명 붙잡을 곳. 발붙일 곳. ¶这墙太高, 没有～上不去; 이 담은 너무 높아서 발붙일 곳이 없으면 올라갈 수 없다.
〔扒头探脑(儿)〕 bātóutànnǎo(r) ⇨〔巴头探脑(儿)〕
〔扒土〕 bātǔ 동 흙〔땅〕을 파다.
〔扒脱〕 bātuo 동 ⇨〔剥bō脱〕

叭 bā (팔)
〈擬〉 뚝. 딱. 툭. 탁. ¶～的一声, 弦断了; 툭 하고 현이 끊어졌다. =〔吧bā①〕
〔叭哒〕 bāda 동 ⇨〔吧嗒 bāda②〕
〔叭哒杏〕 bādaxìng 명 ⇨〔巴旦杏〕
〔叭儿狗〕 bārgǒu 명 ⇨〔巴儿狗〕

朳 bā (팔)
명 《農》〈文〉 고무래.

虮 bā (팔)
→〔虮蜡〕
〔虮蜡〕 bāzhà 명 《蟲》〈文〉 메뚜기. 황충. =〔蝗huáng虫〕

巴 bā (파)
① 명 다른 사물에 달라붙은 것. ¶锅～ =〔〈京〉 饭嘎gā儿〕; (솥에 붙은) 누룽지. ② 동 〈方〉 바싹 달라〔들러〕붙다. ¶爬山虎～在墙上; 담쟁이덩굴이 담에 붙어 뻗어 있다 / ～着窗户眼儿一瞧; 창문에 꼭 붙어서 들여다보다. ③ 동 (말라서) 달라붙다. 단단히 붙다. 붙어서 잘 떨어지지 않다. ¶饭～了锅了; 밥이 솥에 눌어붙었다 / 小心～了泥; (옷에) 흙을 묻히지 않도록 조심해라 / 焦～～; 눌어붙어 있다 / 泥～在衣裳上了; 옷에 진흙이 묻었다 / 干gān～～; 말라서 바삭바삭하다. ④ 동 가까이 가다. 다가가다. 접근하다. ¶前不～村, 后不～店; 앞으로 나아가도 마을에 이르지 않고, 뒤로 물러가도 여관을 찾을 수 없다《마을에서 멀리 떨어진 외진 곳》 / ～着栏杆; 난간에 꼭 붙어 있다. ⑤ 동 갈망(渴望)하다. 희망하다. 몹시 기다리다. ¶～望; ⇩ / ～想; ⇩ / 朝～夜望; 밤낮으로 기다리다〔바라다〕 / 凭他是谁, 哪一个不想～高望上, 不想出头的? 누구든 신분이 오르기를 바라지 않고 남보다 출세하고 싶어하지 않는 사람은 없을 테죠? / ～到天明, 跳将起来; 밤이 새기를 기다리다 못해 벌떡 일어났다 / 眼～～bāba; 갈망하다. 열심히 바라보다 / ～得西风起, 吾亦向前程; 바라던 대로 서풍이 불면 나도 출발하겠다. ⑥ 부 반드시. 일부러. 특히. ¶～～寻那肥皂洗脸…; 꼭 저 비누로 세수를 한다 / ～儿地打家里送了来; 일부러 집에서 보내 왔다. ⑦ 동 기어오르다. ¶～得高, 跌得重; 〈諺〉 높이 기어오를수록 떨어졌을 때 그만큼 더 아프다 / ～头探脑; 목을 길게 늘이어 들여다보다. =〔爬pá〕 ⑧ 동 구하다. 얻다. 매달리다. 붙들다. ¶～体面; 체면을 유지하다. ⑨ 명 근거. 의지할 곳. 자신. ¶没～鼻 =〔没把握〕; 자신이 없다. 근거가 없다. 분명하지가 않다. ⑩ 동 척척 해내다. 잘 꾸려 나가다. ¶～家; 살림을 꾸려 나가다. 가문을 지키다. ⑪ 동 두드리다. 치다. 때리다. ¶(打)～掌; 손바닥으로 따귀를 때리다 / 扬掌一～掌打在脸上; 손을 들어 뺨 한 대를 치다. ⑫ 명 입. 턱. ¶嘴～; 입 / 下～; 턱. ⑬ 명 사람. ¶劣～儿 =〔〈文〉 笨bèn伯〕; 멍청한 사람. ⑭ 명 (동물의) 꼬리. (새의) 꽁지. ¶尾wěi～; (동물의) 꼬리. ⑮ 〈擬〉 탁탁. 똑똑. ¶～～地打了几下门; 똑똑 문을 몇 차례 두드렸다. ⑯ 명 《地》 춘추시대(春秋時代)의 나라 이름《현재의 쓰촨 성(四川省) 동부(東部)에 위치했음》. ⑰ 명 《地》 쓰촨 성(四川省)의 동부. ¶～蜀shǔ; 파촉. ⑱ 명 《物》 바(bar)《기압·압력의 단위》 ¶毫háo～; 밀리바(millibar) / 微wēi～; 마이크로바(microbar). ⑲음역용 자(字). ¶～拿马; ⇩ / ～尔干半岛; 발칸 반도. ⑳ 명 성(姓)의 하나. ㉑ 접미 (ba) ㉠ 명사의 뒤에 붙음. ¶尾～; 꼬리. ㉡동사의 뒤에 붙음. ¶眨～眼; 눈을 깜박거리다 / 试～试～; 해보다. ㉢형용사의 뒤에 붙음. ¶干～; 바짝 말라붙어 있다.
〔巴巴〕 bābā 형 ①꼭 들러붙어 있는 모양. 바싹 말라붙어 있는 모양. ②절박한 모양. ③마구 지껄여 대는 모양. 부 일부러. 대단히. 매우. ¶恶～的; 극악하다 / 直～的; 아주 곧다. 명 《植》 파파야.
〔巴巴多斯〕 Bābāduōsī 명 《地》 바베이도스(Barbados)《서인도 제도 중의 국가. 수도는 '布里奇顿'(브리지타운: Bridgetown)》.
〔巴巴结结〕 bābajiējiē 부 〈方〉 그럭저럭. 겨우(…하다). 간신히〔가까스로〕(…하다). ¶一家人的生活总是～的; 일가의 생활은 늘 가까스로 해 나간다 / 一般书报他爱人～能看懂; 보통의 책이나 신문이면 그의 아내는 그럭저럭 읽는다.
〔巴巴儿地〕 bābārde 부 〈方〉 ①일부러. ¶～从远道赶来; 먼 곳에서 일부러 달려오다. ②일념으로. 조급〔초조〕하게. ¶他～等着他那老伙伴; 그는 동행이 오기를 (이제나저제나 하며) 애타게 기다리고 있다.
〔巴巴稳稳〕 bābawěnwěn 형 수수하고 견실(하다). ¶安分守己的人就知道～地做事; 자기 분수에 맞게 생활하는 사람은 견실하게 일할 줄 안다.
〔巴巴甑儿〕 bābāzèngr ⇨〔巴巴罾儿〕
〔巴巴罾儿〕 bābāzèngr 명 〈京〉 그물의 엉클어짐. 형 〈轉〉 풍채가 볼품이 없다. ¶这个人长得～似的; 이 사람은 볼품 없게 생겼다 / 这衣裳～似的, 怎么能穿出去呢; 옷이 (낡아서) 볼품 없는데 어떻게 입고 나갈 수 있니? 동 …하고 싶어 견딜 수 없다. 좀이 쑤셔 견딜 수 없다. ¶这么热闹的晚会, 他～地去呢; 이런 활기찬 야회에, 그는 몹시 가고 싶어한다. =〔巴不得〕 ‖ =〔巴巴甑儿〕〔扒扒甑儿〕
〔巴本酒〕 bāběnjiǔ 명 〈音〉 (미국의) 버번 위스키(bourbon whisky).
〔巴鼻〕 bābí 명 〈方〉 근거. 자신. ¶没～ =〔没把鼻〕〔没巴臂〕; 근거없다. 자신이 없다.
〔巴比伦〕 Bābǐlún 명 《史》 〈音〉 바빌론(Babylon)《옛날, 바빌로니아 제국의 수도》.
〔巴比(特)合金〕 bābǐ(tè)héjīn 명 ⇨〔巴氏合金〕

〔巴比妥〕 bābǐtuǒ 명《藥》〈音〉 바르비탈(barbital). =〔巴比通〕〔巴比土〕〔巴比特鲁〕
〔巴毕脱合金〕 bābìtuō héjīn 명 ⇨〔巴氏合金〕
〔巴波亚〕 bābōyà 명《貨》〈音〉 발보아(balboa)《파나마의 통화 단위. 1'~'은 100'生shēng地西母'(센테시모(centesimos)). '白bái尔步'는 구음역(舊音譯) 임》.
〔巴不得〕 bābude 동 갈망하다. 간절히 바라다. …하고 싶어하다. 애타게 기다리다. ¶他~立刻见到你; 그는 지금 당장이라도 자네를 만나고 싶어한다 / ~现在就飞去; 지금 당장에라도 달려가고 싶다 / 嘴里虽说不喜欢, 心里可是~; 입으로 싫다고 하지만 마음 속으로 못 견디게 좋을 게다 / 他~推卸责任; 그는 어떻게든 책임을 모면하려고 한다. =〔巴巴冒儿〕〔巴不〕〔巴不到〕〔巴不的〕〔巴不得儿〕〔巴不能〕〔巴不能够(儿)〕 →〔恨不得〕
〔巴布亚新几内亚〕 Bābùyà xīnjīnèiyà 명《地》 파푸아뉴기니(Papua New Guinea)《수도는 '莫尔斯比港'(포트모르즈비: Port Moresby)》.
〔巴察尔〕 bāchá'ěr 명 〈音〉 바자(bazar). =〔巴刹〕
〔巴查〕 bācha 동 〈方〉 조사해 보다. ¶你在这儿~什么; 여기서 무엇을 조사하고 있느냐.
〔巴答〕 bādā 〈擬〉 ①탁. 툭《물건을 치는 소리》. ¶~, 解上头掉下一块板子来; 탁 하고 위에서 판자가 떨어졌다. ②빠끔빠끔. 빽빽. 덥석덥석《음식을 먹거나 담배를 빠는 소리》. ¶~~地吸烟; 빠끔빠끔 담배를 피다. ‖ =〔巴嗒〕〔巴达〕 →〔吧嗒〕
〔巴达〕 bāda ⇨〔巴答〕
〔巴旦杏〕 bādànxìng 명 ①아몬드. ②편도(扁桃). ‖ =〔叭哒杏〕〔八达杏〕〔八担杏〕
〔巴到〕 bādào 동 희망이 이루어지다. 고대하던 것이 오다. ¶好容易~战争结束, 可以不担心受怕了; 겨우 기다리던 전쟁이 끝나서, 이제 근심과 공포도 사라졌다.
〔巴得〕 bāde 동 고대하다. 바라다. 희망하다. ¶~孩子大了就好了; 어린애가 빨리 컸으면 좋겠다. →〔巴不得〕
〔巴瞪眼儿〕 bādèngyǎnr 동 ①대망(待望)하다. ②엿보다. 살피다. ③어이가 없어 눈을 껌벅이다. 망연자실하다. =〔铺瞪眼儿〕
〔巴凋〕 bādiào 명《樂》 쓰촨 성(四川省)의 속곡(俗曲).
〔巴斗〕 bādǒu 명 버들가지·대나무로 결은 곡식 담는 채그릇. =〔笆斗〕
〔巴豆〕 bādòu 명《植》 파두. 또는 그 씨《상록 관목(常綠灌木)으로, 열매에서 짜 낸 크로톤유(油)는 강력한 설사약임》. ¶~箱; 《漢醫》 파두상 / ~油; 파두유. =〔〈方〉毒dú鱼子〕〔〈廣〉刚gāng子〕〔〈方〉江jiāng子〕
〔巴尔萨吗油〕 bā'ěrsàmǎyóu 명《樂》〈音〉 발삼(balsam).
〔巴尔扎克〕 Bā'ěrzhākè 명《人》 발자크(Honoré de Balzac)《프랑스의 소설가, 1799~1850》.
〔巴高望上〕 bā gāo wàng shàng 〈成〉 위를 바라보다. 지위가 오르기를 바라다. 입신 출세하려 하다. ¶凭他是谁, 哪一个不想~; 그 누구든 출세를 바라지 않는 사람은 없다.
〔巴高枝儿〕 bā gāozhīr 높은 나뭇가지에 기어오르다《권세에 아부하여 높은 지위에 오르다(오르려고 하다)》. =〔爬pá高枝儿〕
〔巴格柏普〕 bāgébópǔ 명《樂》〈音〉 백파이프(bagpipe).
〔巴格达〕 Bāgédá 명《地》 바그다드(Bagh-dad)《'伊拉克'(이라크: Iraq)의 수도》.
〔巴棍子〕 bāgùnzi 명 허름한 지팡이. 또는 6척(尺) 몽둥이. =〔吧哒棍〕
〔巴哈马〕 Bāhāmǎ 명《地》〈音〉 바하마(Bahamas)《수도는 '拿Ná骚'(나소: Nassau)》.
〔巴黄〕 bāhuáng 명《色》 녹색의 일종. ¶直接~; 《染》 디아졸 그린(diazol green).
〔巴机密油〕 bājīmì yóu 명 ⇨〔香xiāng柠檬油〕
〔巴基斯坦〕 Bājīsītǎn 명《地》〈音〉 파키스탄(Pakistan)《수도는 '伊斯兰堡'(이슬라마바드: Islamabad)》.
〔巴戟(天)〕 bājǐ(tiān) 명《植》 파극천《부조초(不凋草)의 뿌리를 뜻하며, 강장제에 쓰임》.
〔巴家〕 bājiā 동 ⇨〔把bǎ家〕
〔巴椒〕 bājiāo 명 ⇨〔花huā椒〕
〔巴结〕 bājie 동 ①아첨하다. 환심을 사다. ¶~上级; 윗사람의 환심을 사다 / ~高枝儿; 재력이나 권력 있는 자에게 아첨하다. ②(변덕·결점 따위를) 눈감아 주다. ③〈方〉 노력하다. 진력하다. 애쓰다. ¶劝勉他往上~; 출세를 위해 크게 분발하도록 격려해 주다. ④열망하다. ¶他~发财; 그는 돈 벌 것을 열망하고 있다. ⑤(자존심 따위를) 만족시키다. ⑥마련하다. 이럭저럭 변통하다. ¶要说一二百, 奴才还可以~, 这五六百, 奴才一时哪里办得来? 일이백이라면 소인이 어떻게 마련할 수도 있겠지만, 오륙백이나 되는 것을 소인이 당장 어떻게 마련하겠습니까? ⑦기어오르다. ¶天还没黑, 老早就要~炕躺下; 아직 해가 지기도 전에 일찌감치 온돌 위에 올라 누워 자려고 하다. 부 꼭. 기어이.
〔巴金〕 bājīn 명 ⇨〔填tián料①〕
〔巴锯子〕 bājùzi 명 걸쇠. 꺾쇠.
〔巴克〕 bākè 명 〈音〉 포(包). 곤(梱)(pack).
〔巴克夏猪〕 bākèxiàzhū 명《動》 버크셔《돼지의 품종》. =〔八克夏猪〕
〔巴库〕 Bākù 명《地》〈音〉 바쿠(Baku)《'阿塞拜疆'(아제르바이잔: Azerbaidzhan)의 수도》.
〔巴拉宾〕 bālābīn 명 ⇨〔石shí蜡〕
〔巴拉达舞曲〕 bālādá wúqǔ 명《樂》 발라드(ballad).
〔巴拉圭〕 Bālāguī 명《地》〈音〉 파라과이(Paraguay)《수도는 '亚Yà松森'(아순시온: Asuncion)》.
〔巴拉拉卡琴〕 bālālākǎqín 명《樂》 발랄라이카(balalaika). =〔巴拉莱lái卡〕
〔巴拉马〕 bālāmǎ 명《植》 파나마풀. =〔巴拿马草〕
〔巴辣非尼蜡〕 bālàfēinílà 명《化》 파라핀 왁스(paraffin wax). =〔石蜡〕
〔巴揽〕 bālǎn 동 ①파악하다. ②독점하다. 매점(買占)하다.
〔巴郎鼓〕 bālánggǔ 명 땡땡이. =〔勃郎鼓〕
〔巴浪〕 bālàng 명《魚》 가라지.
〔巴乐歌式〕 bālègēshì 명《建》〈音〉 바로크식(baroque式).
〔巴勒斯坦〕 Bālèsītǎn 명《地》 팔레스타인. ¶~解放组织; 팔레스타인 해방 기구(PLO). =〔巴力斯坦〕
〔巴蕾舞〕 bālěiwǔ 명 〈音〉 발레춤(프 ballet). =〔芭蕾舞〕
〔巴黎〕 Bālí 명《地》 파리(Paris)《'法国'(프랑스: France)의 수도》. ¶~统筹委员会. =〔~禁运小组〕 코콤(COCOM) 대(對)공산권 수출 통제 조정 위원회. =〔巴里lǐ〕
〔巴黎公社〕 Bālí Gōngshè 명《史》 파리 코뮌

B

(Commune de Paris)《1871년 3월 18일~5월 27일 사이에 파리에 세워진 혁명적 노동자 정권》.
〔巴黎绿〕 bālílǜ 명 《化》 에메랄드 그린.
〔巴力门〕 bālìmén 명 〈音〉 의회. 국회(parliament). =〔巴列门〕
〔巴利东〕 bālìdōng 명 《樂》〈音〉 바리톤(baritone).
〔巴列卡台〕 bālièkǎtái 명 〈音〉 바리케이드(barricade).
〔巴林国〕 Bālínguó 명 《地》 바레인(Bahrain)《수도는 '麦Mài纳麦' (마나마: Manama)》.
〔巴龙霉素〕 bālóngméisù 명 《藥》 파라마이신(paramycine).
〔巴伦〕 bālún 명 〈音〉 남작(男爵).
〔巴马科〕 Bāmǎkē 명 《地》 바마코(Bamako)《'马里' (말리: Mali)의 수도》.
〔巴谩〕 bāmàn 명 ①송(宋)·원(元)대에 행해졌던 돈을 사용해서 하는 도박적인 놀이《돈의 한 면을 '字', 다른 면을 '幕'이라 함. '谩'은 '幕'의 전와(轉訛)》. ②〈古白〉 이(利)를 추구하거나 금전을 사취하는 일.
〔巴米〕 bāmǐ 명 파두(巴豆)의 껍질을 벗긴 속열매.
〔巴拿马〕 Bānámǎ 명 《地》〈音〉 파나마(Panama)《수도는 '巴拿马城' (파나마시티: Panama City)》. ¶~帽; 파나마모 / ~运河; 파나마 운하.
〔巴尼〕 bāní 명 《貨》〈音〉 바니《루마니아의 화폐단위의 하나. 100 '~'은 1 '列liè依' (류: leu)》.
〔巴儿巴儿的〕 bārbārde 〈北方〉 말투가 시원시원하고 또렷함. ¶看他~真能说; 저 사람은 말이 시원시원하고 정말 능변입니다.
〔巴儿狗〕 bārgǒu 명 《動》 발바리. =〔哈hǎ巴狗〕〔叭儿狗〕
〔巴人调〕 bāréndiào 명 비속한 노래. 천한 말. ¶我唱的这是~; 내가 노래한 것은 속곡(俗曲)입니다. →〔下xià里巴人②〕
〔巴塞杜氏病〕 Bāsèdùshì bìng 명 《醫》 바제도병(Basedow病). =〔拔塞多氏病〕
〔巴沙基〕 bāshājī 명 〈音〉 (마술의) 파사주(프 passage)《비스듬히 엮걸음치기》.
〔巴士〕 bāshì 명 버스. ¶~站; 버스 정류장. =〔公gōng共汽车〕
〔巴士的狱〕 Bāshìdìyù 명 《史》 바스티유(프 Bastille) 감옥. =〔巴士底狱〕
〔巴氏合金〕 Bāshtì héjīn 명 배빗 메탈(Babbitt metal). =〔巴比(特)合金〕〔巴毕脱合金〕〔白合金〕
〔巴斯〕 bāsī 명 《樂》 베이스(bass). ¶~杜巴dùbā; 바스 튜바(bass tuba).
〔巴斯特尔〕 Bāsītè'ěr 명 《地》〈音〉 바스테르(Basseterre)《'圣shèng克里斯托弗' (세인트 크리스토퍼 네비스: St. Christopher and Nevis)의 수도》.
〔巴斯推尔〕 bāsītuī'ěr 명 파스텔(pastel). =〔色粉笔〕
〔巴松(管)〕 bāsōng(guǎn) 명 《樂》 바순(bassoon). =〔低音管〕〔大管〕
〔巴索卡〕 bāsuǒkǎ 명 《軍》 바주카포(bazooka 砲).
〔巴特尔法〕 Bātè'ěr fǎ 명 《法》〈音〉 배틀법(Battle法)《1952년부터 시행된 미국의 대외 원조법의 하나. 피(被)원조국은 공산권에 전략 물자를 수출해서는 안 된다고 함》.
〔巴头探脑(儿)〕 bā tóu tàn nǎo(r) (목을 길게 빼고) 들여다보다. 몰래 엿보다. =〔扒头探脑(儿)〕
〔巴望〕 bāwàng 동 〈方〉 열망하다. 갈망하다. 명 희망. 가망(성).
〔巴西〕 Bāxī 명 《地》 ①브라질(Brazil)《수도는 '巴西利亚' (브라질리아: Brasilia)》. ¶~棉; 브라질 솜. ②쓰촨 성(四川省)의 북부.
〔巴西利亚〕 Bāxīlìyà 명 《地》 브라질리아(Brasilia)《'巴西' (브라질: Brazil)의 수도》.
〔巴先〕 bāxiān 명 〈音〉 퍼센트《남양(南洋)의 화교 용어》. =〔巴仙〕
〔巴想〕 bāxiǎng 동 열망하다. 갈망하다.
〔巴鸭〕 bāyā 명 《鳥》 ①쇠오리. =〔绿翅鸭〕〔小水鸭〕 ②가창오리. =〔花脸鸭〕
〔巴扎〕 bāzhā 명 〈音〉 바자(페 bāzār). 시장. 상점가.
〔巴掌〕 bāzhang 명 ①손바닥. ¶打~; ⓐ손바닥으로 때리다. ⓑ박수치다 / 拍~ =〔鼓~〕; 박수를 치다. ②(손바닥으로) 뺨을 때리기. ¶~地; 손바닥만한 밭뙈기 / 打了他一~; 그에게 따귀를 한 대 부쳤다.
〔巴子〕 bāzi 명 ①〈北方〉 보지. 씹《입에 담지 못할 정도의 심한 말은 아님》. ¶(他)妈拉la个~; 지에미 씹. ②〈南方〉 자지《어린이 말》.

芭 bā (파)

명 〈文〉 향초(香草).

〔芭蕉〕 bājiāo 명 《植》 파초《인도 원산의 열매는 '香xiāng蕉' (바나나)》.
〔芭蕉粑〕 bājiāobā 명 파초(芭蕉)의 뿌리를 갈아서 끓인 식품《옛날, 가난한 사람들이 먹었음》.
〔芭蕉布〕 bājiāobù 명 파초의 섬유로 짠 천.
〔芭蕉扇〕 bājiāoshàn 명 파초선《빈랑(檳榔)나무의 잎으로 만든 부채》. =〔芭蕉叶儿〕〔葵kuí扇〕〔蒲pú葵扇〕〔蒲扇(儿)②〕
〔芭蕉手〕 bājiāoshǒu 명 〈比〉 농민·노동자의 큰 손.
〔芭蕾(舞)〕 bālěi(wǔ) 명 《舞》 발레(프 ballet). =〔巴蕾(舞)〕
〔芭篱〕 bālí 명 갈대 또는 새로 엮어 만든 울타리.
〔芭茅〕 bāmáo 명 《植》 새. 참억새. =〔芭芒〕
〔芭棚〕 bāpéng 명 갈대 또는 새로 엮어 만든 헛간.

岜 bā (파)

지명용 자(字). ¶奤~屯Hǎbātún; 하바툰(奤岜屯)《베이징 시(北京市)에 있는 땅 이름》.

吧 bā (파)

①〈擬〉 뚝. 딱. 탁. 탕. ¶~的一声打了一个嘴巴; 철썩 따귀를 한 대 부쳤다 / ~~~打了三枪; 탕! 탕! 탕! 세 발을 쏘았다. ②동 〈方〉 (담배를) 뻑뻑 피우다. ¶他~了一口烟, 才开始说话; 그는 담배를 한 모금 빨고서는 비로소 이야기를 시작했다. ⇒ba
〔吧吧〕 bābā 형 말수가 많은 모양. ¶他说话~地没完; 그의 이야기는 주절주절 끝이 없다. =〔巴巴〕
〔吧嗒〕 bādā 〈擬〉 탁. 쾅. 콰당. ¶~一声, 闸门就关上了; 쾅 하고 수문이 닫혔다.
〔吧嗒〕 bāda 동 ①쩝쩝거리다. 덥석(덥석) 물다. ¶他叫老虎~了; 그는 호랑이에게 덥석 물렸다 / 他~了一下嘴, 一声也不言语; 그는 쩝쩝거리고는 그대로 잠자코 있다. ②〈方〉 (담배를 뻐끔뻐끔) 피우다. ¶他~着叶子烟打主意; 그는 담배를 피우

면서 생각을 짜내고 있다. =〔叭哒〕→〔巴答〕〔吧嗒嘴儿〕
〔吧嗒嘴儿〕 bādazuǐr 동 쩝쩝 소리내며 먹다. (먹고 싶어) 쩝쩝 입맛을 다시다. 군침을 흘리다. 부러워하다. ¶那个好位置, 他极力钻zuān营, 因为老得不到手, 直~咽yàn吐沫; 저 좋은 자리에 오르려고 그는 적극 운동하고 있으나, 잘 되지 않아서 군침만 흘리고 있다.
〔吧哒棍(儿,子)〕 bādágùn(r,zi) 명 6척의 몽둥이. =〔巴棍子〕
〔吧号子〕 bāhàozi〔páhāozǐ〕 동 (어린이 따위가) 훌짝훌짝 울다. ¶他为什么又~了? 저 아이는 어째서 또 훌짝훌짝 울고 있느냐?
〔吧唧〕 bājī 〈擬〉 철벅철벅. 질척질척《비 내린 땅이나 진창을 걸을 때 나는 소리》. ¶他冒雨光着脚~~地在地上走; 그는 비를 맞으면서 맨발로 철벅철벅 걸었다.
〔吧唧〕 bāji 동 ①쩝쩝거리며 먹다. 쩝쩝 입맛을 다시다. ¶他馋得直~嘴; 그는 먹고 싶어 자꾸 입을 쩝쩝 다시고 있다/吃饭的时候, 别~~的; 밥을 먹을 때 쩝쩝거려서는 안 된다. ②빠끔빠끔 담배를 빨다. ¶拿了支烟放在唇间~着; 담배를 입에 물고 빠끔빠끔 빨고 있다.
〔吧喇吧喇〕 bālabāla 〈擬〉 재깔재깔. 지절지절《지껄이는 소리의 형용》. =〔吧啦吧啦〕→〔吧儿吧儿〕
〔吧吗油〕 bāmāyóu 명 코펄유(copal). =〔达dá马树胶〕
〔吧女郎〕 bānǚláng 명 (바의) 호스티스. ¶依靠酒吧为生的~们; 바〔술집〕에 기대어 생계를 꾸려가는 호스티스들. →〔酒吧(间)〕
〔吧儿吧儿〕 bārbār 형 말이 시원스럽고 또깡또깡하다. 말이 또렷해서 기분이 좋다. ¶甲某说话~地响, 乙不是他的对手; 갑의 말은 하나하나 급소를 찌르고 있어, 을 따위는 그의 상대가 못 된다. →〔吧喇吧喇〕
〔吧儿狗〕 bārgǒu 명 ⇨〔哈hǎ吧狗(儿)〕 「소리.
〔吧呀〕 bāya 〈擬〉 어린애가 큰 소리로 말다툼하는

岜 bā (파)
돌산의 뜻으로, 지명용 자(字). ¶~关岭Bāguānlǐng; 바관링(岜關嶺)《광시 자치구(廣西自治區)에 있는 땅 이름》.

疤 bā (파)
명 ①종기나 상처에 남은 자국. 흉터. ¶伤~; 상처 자국/脸上结了一个大~; 얼굴에 커다란 흉터가 생겼다/一身的疮~; 온몸의 흉터/木林的~; 목재의 마디. ②(그릇 따위의) 흠집. ¶茶壶盖上有个~; 찻주전자 뚜껑에 흠집이 있다.
〔疤疤癞癞〕 bābalàilài 형 표면이 우둘투둘한 모양. =〔疤疤瘌瘌〕〔疤癞癞〕〔癞疤疤〕〔瘌瘌lāla疤疤〕
〔疤疤子〕 bābāzi 명 ⇨〔疮chuāng疤①〕
〔疤点〕 bādiǎn 명 상처 자국.
〔疤痕〕 bāhén 명 상처 자국. 부스럼 앓은 자리.
〔疤瘌〕 bāla 명 〈方〉 상처 흔적. 부스럼 자국. 부스럼 딱지. ¶好了~忘了疼; 종기 자국이 없어지면 아픔을 잊는다《뒷간에 갈 적 마음 다르고 올 적 마음 다르다》/这块伤好了不至于落下~吧; 이 상처는 나은 뒤에 자국은 남지 않을 게다/~眼儿; 눈꺼풀에 상처 자국이 있는 눈. 또 그런 사람. =〔疤拉〕
〔疤瘌鬓〕 bālabìn 명 살쩍 부위에 부스럼 자국이 있는 사람《옛날 속된 말에, 이러한 여성은 남편을 깔고 뭉갠다는 불길한 상이라고 했음》.
〔疤瘌流星〕 bālaliúxīng 형 흉터가 많아서 매끄럽지 않은 모양. 거칠게 만들어서 우둘투툴한 모양. ¶你看越是~的越好吃; 그것 봐, 우둘투둘할수록 맛있어.
〔疤瘌眼儿〕 bālayǎnr 명 눈꺼풀에 흉터가 있는 눈〔사람〕.

羓 bā (파)
명 〈文〉 포.

粑 bā (파)
명 〈方〉 '饼'(곡식 가루를 납작하게 반죽하여 구운 음식)과 비슷한 식품. ¶糍cí~; 찹쌀을 쪄서 떡 모양으로 빚어 그늘에 건조시킨 식품/样~; 윈난(雲南) 지방에서 '面包'(빵)의 의미로 쓰임. →〔面粑粑〕〔糌zān粑〕

笆 bā (파)
명 ①《植》 가시대나무《광둥(廣東)·광시 성(廣西省) 등에 분포. 울타리를 치는 재료로 쓰임》. =〔笆竹〕〔棘jí竹〕〔簕lí竹〕 ②대나무나 버들가지로 결은 것. ¶~门; 대로 엮은 문.
〔笆斗〕 bādǒu 명 대나무·버들가지를 결어 만든 곡식 담는 채그릇. =〔巴斗〕〔栲kǎo栳〕
〔笆筐〕 bākuāng 명 대나무로 결은 광주리.
〔笆篱〕 bālí 명 〈方〉 대울타리. =〔篱笆〕
〔笆篱子〕 bālízi 명 〈方〉 감옥. 교도소. ¶蹲~; 감옥에 들어가다.
〔笆篓〕 bālǒu 명 채롱《나무의 잔가지나 대오리로 엮은, 등에 지고 물건을 나르는 바구니》.

豝〈㞎〉 bā (파)
명 〈文〉 암퇘지. =〔母猪〕

鲃(鲃) bā (파)
명 《魚》 잉어과의 작은 담수어.

峇 bā (갑)
지명용 자(字). ¶~厘Bālí; 발리 섬(島)《지금은 보통 '巴厘'로 씀》.

捌 bā (팔)
① 동 깨뜨리다. 파열하다. 찢다. 치다. ② 수 '八'의 갖은자《증서 따위의 금액을 기재할 때 쓰임》. →〔大写②〕

叭 bā (팔)
① 동 (새 따위가) 울다. ② 명 새 소리. ¶~哥儿 =〔八哥〕〔~哥儿鸟〕; 구관조(九官鳥).

茇 bá (발)
① 명 풀 뿌리. ② 동 노숙(露宿)하다.

拔 bá (발)
동 ①뽑다. 빼다. 뽑아 내다. ¶~草; ⇩/~牙; ⇩/~刀; ⇩/不能自~; 악습·나쁜 환경으로부터 스스로 헤어날 수가 없다. 자발적으로 갱생할 수 없다/~去眼中钉, 肉中刺; 눈엣가시를 뽑아 없애다. ②〈比〉 (군사상의 거점을) 빼앗다. 점령하다. ¶~去敌人的据点; 적의 거점을 공략하다/连~五城; 연이어 다섯 성을 점령했다. ③선발하다. 발탁하다. ¶选~人材; 인재를 뽑다/~好的; 좋은 것을 가려 내다. ④빨아 내다. 빼다. ¶~毒; ⇩ ⑤(손으로 꽉) 잡다. 쥐다. 움켜잡다. ¶一手也来~阿Q的辫子《鲁迅 阿Q正傳》; 한쪽 손으로 아(阿)Q의 변발을 움켜잡았다. ⑥고음(高音)을 내다. 높이다. ¶~号音; 나팔 소리를 더 높이다. ⑦빼어나다. 뛰어나다. 걸출하다. ¶出类~萃; 많은 것 중 특히 출중하다. 걸출하다/这一群人里他算~了尊; 이 사람들 중에 그가 가장 우수한 편이다. ⑧〈方〉 차게 하다.

¶把西瓜放在冰水里～一～; 수박을 얼음물에 채워 차게 하다. ⑨내밀다. 죽 펴다. 튀어나오다. ¶～胸脯; 가슴을 내밀다〔펴다〕.

〔拔白〕 bábái 명 〈方〉 새벽. 동 동이 트다.

〔拔白旗〕 bá báiqí ①백기를 뽑아 버리다. ②자본주의적인 낡은 사고 방식과 행동을 개선하다. ③낙후한 것을 개조하여 발전시키다. →〔插chā红旗〕

〔拔本塞源〕 bá běn sè yuán 〈成〉 발본색원. 근원으로 거슬러 올라가 뽑아 없애다(‘源’은 ‘原’이라고도 씀). =〔返fǎn本还源〕〔剪jiǎn草除根〕〔斩zhǎn草除根〕〔正zhèng本清源〕

〔拔步〕 bábù 명 도보 행진 훈련에서, 하나로 무릎을 올리고 둘로 펴고 셋에 땅에 대는 식의 걸음걸이 방법. 동 (갑자기) 발〔걸음〕을 내딛다. 확 뛰어나가다. ¶～就跑; 확 뛰기 시작하다. =〔〈文〉举jǔ步〕

〔拔不出腿来〕 bábuchū tuǐ lái 〈比〉 ①발을 뺄 수가 없다. 빠져 나올 수 없다. ¶他有事～; 그는 용무가 있어 빠져 나올 수 없다. ②아쉬워서 떨어질〔헤어질〕 수 없다.

〔拔草〕 bácǎo 동 풀을 뽑다. →〔铲chǎn草〕〔锄chú草〕〔割gē草〕

〔拔城〕 báchéng 동 성을 함락〔점령〕하다.

〔拔除〕 báchú 동 뽑다. 뽑아내다.

〔拔闯〕 bá·chuǎng 동 ①불만스럽게 여기다. 불평을 하다. ②남을 위해 나서서 불평·어려움을 해결해 주다. 남을 대신해서 울분을 풀어 주다. ¶替朋友～; 친구를 위해 팔을 걷어붙이고 나서다. ‖ =〔拔创〕

〔拔创〕 báchuàng 동 ⇨〔拔闯〕

〔拔萃〕 bácuì ⇨〔出chū类拔萃〕

〔拔大葱〕 bá dàcōng 굵은 파를 뽑다(발본적(拔本的)으로 일을 하다. 화근을 뿌리 뽑아 없애다).

〔拔刀〕 bádāo 동 칼을 뽑다. =〔抽chōu刀〕

〔拔刀相助〕 bá dāo xiāng zhù 〈成〉 (위급할 때) 힘이 되어 주다.

〔拔倒〕 bádǎo 동 뽑아 쓰러뜨리다.

〔拔掉〕 bádiào 동 뽑아 버리다. 점령하다. 공략하다.

〔拔钉〕 bá·dīng 동 못을 뽑다. ¶～器 =〔～钳子〕; 못뽑이. 장도리.

〔拔顶〕 bá·dǐng 동 이마가 벗겨져 올라가다.

〔拔都〕 Bádū 명 ①《人》 발도(원(元)태조(太祖)인 징기즈 칸의 손자. 태종(太宗)이 서역(西域)을 공략할 때, 총수로 전 유럽을 떨게 했음. 세칭 금정한(金頂汗)이라고도 함). ②(bádū) 몽고어로 ‘용감’의 뜻(원(元)나라 때는 이것을 명예 칭호로 신하에게 수여했음). =〔拔突〕〔霸都鲁〕

〔拔毒〕 bá dú〔bǎ dú〕 ①독을 빼다〔빨아 내다〕. ②흡각(吸角)으로 나쁜 피를 뽑다.

〔拔队〕 bá·duì 동 (군대·운동팀 따위가) 출발하다. ¶这军队七月初旬～启行; 이 군대는 7월 초순에 (주둔지를) 떠난다.

〔拔份儿〕 báfènr 형 〈俗〉 훌륭하다.

〔拔缝〕 bá·fèng 동 (이음매에) 틈이 생기다〔벌어지다〕.

〔拔付〕 báfù 동 분할 지불하다. 몇 번에 나누어 지불하다. ¶先～一部分款子; 우선 금액의 일부를 지불하다.

〔拔杆〕 bágǎn 명 도르래를 달기 위해 쓰는 받침기둥(통나무를 ‘人’자형으로 묶어서 세움).

〔拔高〕 bá·gāo 동 ①(음성을) 높이다. ¶他一喝醉酒就～声调说话; 그는 술에 취하기만 하면 큰 소리로 말한다. ②(어떤 사람이나 작품 등을) 일부러 높이 평가하다〔치켜 세우다〕. ③ ⇨〔拔尖(儿)〕

〔拔根机〕 bágēnjī 명 발근기(拔根機).

〔拔贡〕 bágòng 명 발공. 청대(淸代)의 제도로, 일종의 관리 등용 시험. 12년마다 각성(各省)의 학생 중에서 우수한 자를 선발하여 서울로 보냄. 조정의 시험을 거친 후 ‘小京官’ ‘知zhī县’과 같은 직위를 받았음.

〔拔关〕 báguān 동 문을 열다. 문의 빗장을 빼다.

〔拔罐子〕 bá guànzi 《漢醫》 부항(附缸)하다. 부항을 붙이다(대나무·질그릇·유리 등으로 만든 통 모양의 작은 용기 속에 솜 따위를 넣고 점화하여 피부에 부착시켜 울혈을 촉진시키거나 나쁜 피를 빨아 내거나 하는 일종의 치료 방법). ¶皮已被烫焦, 斑斑块块的, 像拔过些‘火罐子’似的《老舍 四世同堂》; 살갗은 이미 뜨거운 물에 데어 얼룩〔반점〕과 멍울이 생겨, 마치 부항을 붙인 것 같다 / 老娘们病了, 叫人～; (기혼의) 아낙네들은 병이 나면 부항을 하게 한다 / 起qǐ罐; 부항을 떼다. =〔拔火罐(子)〕〔打dǎ罐儿〕

〔拔锅〕 bá guō 솥을 떼다(살림을 걷어 치우다).

〔拔海〕 báhǎi 명 해발. 표고. ¶～五千公尺; 해발 5천 미터. =〔海拔〕

〔拔河〕 báhé 명 《體》 줄다리기. ¶～比赛; 줄다리기 경기. (bá·hé) 동 줄다리기를 하다.

〔拔虎须〕 bá hǔxū 호랑이의 수염을 뽑다. 〈比〉 극히 위험한 일을 하다. 큰 모험을 하다. =〔捋luō虎须〕

〔拔还〕 báhuán 명동 분할 상환(하다).

〔拔火〕 báhuǒ 동 불을 피우다. 불을 지피다.

〔拔火罐(子)〕 bá huǒguàn(zi) ⇨〔拔罐子〕

〔拔火罐儿〕 báhuǒguànr 명 풍로에 불을 피울 때 그 위에 얹어 화력이 강해지도록 하기 위해 철제 또는 흙으로 만든 작은 연통(煙筒). =〔拔火筒〕〔火拔子〕〔嘬zuō筒〕 →〔盖gài火〕

〔拔尖(儿)〕 bá·jiān(r) 동 ①선두에 나서다. 뛰어나다. 출중〔걸출〕하다. ¶他这个人不管干什么工作, 经常是全班～的; 그 사람은 무슨 일을 해도, 항상 클라스에서 뛰어나다. ②자기를 내세우다. 남 앞에 나서다. ¶爱～的孩子; 나서기를 좋아하는 아이. ‖ =〔拔高③〕

〔拔尖子〕 bá jiānzi 우수한 사람을 골라 뽑다.

〔拔脚〕 bá·jiǎo 동 ⇨〔拔腿〕

〔拔节〕 bájié 동 《農》 벼·밀·고량〔수수〕·옥수수 등의 줄기의 마디가 어느 시기에 이르러 갑자기 자라다.

〔拔救〕 bájiù 동 고난에서 구제하다.

〔拔炕〕 bákàng 동 낡은 구들을 부수다〔허물다〕. ¶秋后好～; 가을걷이를 끝낸 후가 구들을 개축하기에 편리하다.

〔拔克替里亚〕 bákètìlǐyà 명 《生》 〈音〉 박테리아 (bacteria).

〔拔来报往〕 bá lái bào wǎng 〈成〉 왕래가 빈번함.

〔拔兰地〕 bálándì 명 ⇨〔白bái兰地〕

〔拔力〕 bálì 동 힘껏 하다. 열심히 하다.

〔拔凉〕 báliáng 동 식히다. 차게 하다. ¶把这西瓜系在井里拔一拔, ～就好吃了; 이 수박을 끈으로 매달아 우물에 채워 식혀라. 차가워지면 맛이 있다.

〔拔橹〕 bálǔ 동 이물〔船首〕을 왼쪽으로 돌리다. 뱃머리를 왼쪽으로 돌리기 위해 키를 꺾다.

〔拔萝卜〕 bá luóbo ①원홍을 해 치우다. ②(장난으로) 어린애의 머리를 두 손으로 잡고 들어 올리

다. ③풍작을 나타내는 길한 것을 그려 붙이다.
〔拔麦〕 bámài 동 보리를 베다.
〔拔毛药水〕 bámáo yàoshuǐ 명 《藥》 탈모제(주로 석회질을 이용하여 피부의 각질(角質)을 건조시켜 탈모시킴).
〔拔茅连茹〕 bá máo lián rú 〈成〉 띠를 하나 뽑으면 다른 뿌리도 함께 뽑힌다. 한 현자(賢者)가 세상에 나타나면 다른 비슷한 사람들이 (그를) 뒤따라간다는 일.
〔拔锚〕 bá∙máo 동 닻을 올리다. =〔起qǐ锚〕〔起碇〕→〔抛pāo锚①〕
〔拔帽儿〕 bámàor 동 가장 좋은 것을 선택하다〔뽑아 내다〕. ¶她们姐儿三个, 您～了; 저 세 자매 중 당신이 가장 좋은 사람을 골랐습니다.
〔拔苗头〕 bá miáotóu 〈方〉 상황을 보다〔살피다〕.
〔拔苗助长〕 bá miáo zhù zhǎng 〈成〉 공을 서두른 나머지 방법을 그르쳐 실패함을 비유하는 말. =〔揠yà苗助长〕
〔拔脯子〕 bá∙púzi 동 ①가슴을 펴다. 의기양양하다. ¶站起来的中国人, 真是人人～; 일어선 중국인들은 참으로 사람마다 의기가 높았다. ②강하게 나오다. 잘난 체하다. 우쭐거리다. 기세가 당당하다. ¶他忘了从前了, 现在见了人就拔起脯子来了; 그는 전의 일은 잊어버리고, 지금은 사람 앞에서 우쭐거리게 되었다 / 你就别跟我～, 咱们谁也不怕谁; 너는 나한테만은 잘난 체하지 마라. 우리는 서로가 겁을 내지 않으니까. ‖ =〔拔脯儿〕
〔拔前茅〕 báqiánmáo 동 〈文〉 옛날, 과거 시험에서 우수한 성적을 올리다.
〔拔取〕 báqǔ 동 ①발탁〔선발〕하다. ¶～人才; 인재를 발탁하다. ②뽑아 내다. 뽑아 없애다.
〔拔群〕 báqún 형 재능·공적이 여럿 중에서 뛰어나다.
〔拔染〕 bárǎn 동 색깔을 빼다. 탈색하다.
〔拔撒〕 básā 동 분산하다. 펼치다. 널다. 这堆麦子, ～开了就容易干了; 이 보리 더미는 펼쳐 널면 잘 마른다.
〔拔塞子〕 bá sāizi ①마개를 뽑다〔따다〕. ②〈比〉 방귀를 뀌다.
〔拔嗓子〕 bá sǎngzi (배우·가수가 이른 아침에) 목청을 단련하다.
〔拔梢〕 básào 명 ⇨〔锥zhuī形①〕
〔拔梢柄〕 básàobǐng 명 ⇨〔锥zhuī(形)柄〕
〔拔梢规〕 básàoguī 명 ⇨〔锥zhuī度规〕
〔拔舌地狱〕 báshé dìyù 명 《佛》 혀를 뽑는 지옥. ¶撒谎要人～的; 거짓말을 하면 혀를 뽑는 지옥으로 떨어진다.
〔拔身〕 báshēn 동 빠져 나오다. 도망치다. 탈퇴하다. 몸을 빼다. ¶他看看情况不对, ～就走了; 그는 정황이 좋지 않다고 보고 도망쳐 갔다 / 明知拖下去是个麻烦, 可是没法～; 이대로 끌려 가는 것이 곤란하다는 것을 알면서도 도저히 몸을 뺄 수가 없다. =〔脱tuō身(儿)〕→〔摆bǎi脱〕
〔拔升〕 báshēng 동 발탁하여 승진시키다.
〔拔十得五〕 bá shí dé wǔ 〈成〉 절반을 얻다. ¶念多少记多少, 那是不容易的, ～就算不错; 배운 것만큼 모두 익힌다는 것이 쉬운 일이 아니다. 반만이라도 익힌 다면 훌륭한 편이다.
〔拔树寻根〕 bá shù xún gēn 〈成〉 ⇨〔追zhuī根究底〕
〔拔丝〕 básī 명 마·은행·연밥·사과 따위에 엿·꿀·설탕을 넣고 졸여 만든 요리(먹을 때 엿이 실가닥처럼 늘어나므로 이렇게 부름). 동 (금속 따위) 원료를 실 모양으로 잡아늘이다. =〔拉lā丝〕
〔拔丝模〕 básīmú 명 《工》 가열한 금속을 뽑아 내어 금속선을 만드는 데 쓰는 다이스(dies). =〔拉lā线模〕
〔拔死拔活〕 básí báhuó 열심인 모양. 한 가지 일에 열중하는 모양. ¶～地拉着; 열심히 잡아당기고 있다.
〔拔俗〕 bású 동 세속을 벗어나다. 범속(凡俗)을 초월하다.
〔拔穗〕 bá∙suì 동 이삭이 패다〔나오다〕.
〔拔头〕 bátóu 명 ⇨〔拨bō头〕
〔拔腿〕 bá∙tuǐ 동 ①발을 홱 내딛다. 휙 걷기 시작하다. ¶他答应了一声, ～就跑了; 그는 대답을 하자마자 휙 달려갔다. ②손을 떼다. 관계를 끊다. 발을 빼다. ¶他事情太多, 拔不开腿; 그는 일이 너무 많아서 손을 뗄 수가 없다. ‖ =〔拔脚〕
〔拔往〕 báwǎng 동 군대 등이 행진을 시작하다. →〔拔队〕〔开kāi拔〕
〔拔细〕 báxì 동 대장간 일 중에서 두드려서 가늘고 길게 만들다. =〔捋lǚ②〕→〔蹾dūn粗〕
〔拔选〕 báxuǎn 동 ⇨〔选拔〕
〔拔鸭子〕 báyāzi 동 〈俗〉 살그머니 빠져 나와 도망치다('鸭子'는 '脚'라는 뜻). ¶你又要撒腿～了吧? 너는 또 살짝 달아나려고 그러는 거지? →〔撒sā腿〕
〔拔牙〕 bá∙yá 동 이를 뽑다. =〔摘zhāi牙〕
〔拔秧〕 bá∙yāng 동 《農》 (이식하기 위해 모판에서) 모를 찌다〔뽑다〕. ¶～机; 이앙기(移秧機). →〔插chā秧〕〔分fēn秧〕
〔拔营〕 bá∙yíng 동 군대가 주둔지를 출발하다. →〔安营〕
〔拔尤〕 báyóu 동 〈文〉 우수한 자를 뽑아 내다〔가려 내다〕.
〔拔寨〕 bázhài 동 진지를 철수·철거하다. →〔拔营〕
〔拔帜易帜〕 bá zhì yì zhì 〈成〉 적의 기를 뽑아내고 자신의 기를 꽂다. 전쟁에서 승리를 취하다. 〈轉〉 대체하다. 대신하다. ¶拔赵帜易汉帜; 조나라의 기를 뽑아내고 한나라의 기로 바꾸다. =〔拔帜〕
〔拔擢〕 bázhuó 동〈文〉 발탁하다.
〔拔足而逃〕 bá zú ér táo 〈成〉 재빨리 도망치다〔달아나다〕.
〔拔尊〕 bá∙zūn 동 걸출(傑出)하다. ¶这一群人里他算拔了尊; 이 그룹에서 그는 걸출한 편이다.

胈 bá (발)
명 〈文〉 다리 털.

犮 bá (발)
형 키가 작은 사람이 걷는 모양.

菝 bá (발)
→〔菝葜〕

〔菝葜〕 báqiā 명 《植》 청미래덩굴.

跋 bá (발)
① 동 산을 넘다. ¶长途～涉; 산을 넘고 물을 건너는 긴 여행을 하다(행로가 길고 험난함의 비유). ② 명 근본. 기초. ③ 명 책의 후서(後序). 발문. ¶题～; 발문을 쓰다 / 序～; 서문(序文)과 발문(跋文).
〔跋扈〕 báhù 동 발호하다. 설치다. 횡포하게〔폭군같이〕 굴다. =〔霸bà扈〕
〔跋剌〕 bálà 〈擬〉 ①팔딱. 퍼드덕(물고기가 튀는 소리). =〔泼pō剌〕 ②퍼덕퍼덕. 푸르르(새가 날아 오르는 소리).

〔跋履〕 bálǚ 동 ⇨〔跋涉〕
〔跋前疐后〕 bá qián zhì hòu 〈成〉 진퇴 양난.
〔跋山涉水〕 bá shān shè shuǐ 〈成〉 산하(山河)를 넘다. 고생스러운 여행을 거듭하다.
〔跋涉〕 báshè 동 산을 넘고 강을 건너다《고난의 긴 여행을 형용함》. =〔跋履〕
〔跋文〕 báwén 명 발문.
〔跋语〕 báyǔ 명 발문.

B

魃 **bá** (발)
→〔旱hàn魃〕

䟦 **bá** (발)
→〔跎tuó䟦〕

把 **bǎ** (파)
① 동 (손으로) 잡다. 쥐다. 가지다. ¶他两手紧紧～着枪; 그는 양손으로 총을 꽉 쥐었다 / ～住扶手; 난간을 꼭 붙잡다. ② 동 독점하다. 장악하다. 틀어쥐다. ¶一切工程都由他～着不放手; 공사 일체를 독차지하다 / 不要一个人～着权力不放; 한 사람이 권력을 틀어쥐고 있어서는 안 된다. →〔把家虎儿〕〔把斂〕 ③ 동 (벌어지지 않도록) 죄다. 겹쳐서 박아 놓다. ¶用一根钉子把裂缝～住; 갈라진 데를 못으로 겹쳐서 박다. ④ 동 지키다. 망〔파수〕보다. ¶～守; ⇩ / 有两个兵～后门; 군인 두 명이 뒷문을 지키고 있다 / ～着大门收票; 입구에 지켜 서서 표를 받고 있다. ⑤ 동 〈口〉 접근하다. 바싹 붙다. ¶～墙角儿站着; 담장 모퉁이에 바싹 붙어 서 있다 / ～着胡同口儿有个小饭馆; 골목 바로 입구에 작은 요리집이 있다. ⑥ 동 (어린아이를 뒤에서 안고) 대·소변을 뉘다. ¶～尿niào; 오줌을 뉘다 / ～屎shǐ; 똥을 뉘다. →〔把把孩子〕〔㞎〕 ⑦ 명 끌채. 수레채. 손잡이. 운전대. ¶车～; (수레·인력거 따위의) 채. (자전거의) 핸들. 손잡이. ⑧ 동 〈方〉 주다. 수여하다. ¶吃饭要～钱; 밥을 먹었으면 돈을 지불해야 한다. =〔给gěi〕 ⑨(～儿) 명 (손으로 쥘 수 있는) 묶음. 다발. 단. ¶草～儿; 짚단 / 火～; 홰 / 禾hé～; 볏단. ⑩ 명 일손. 인력. ¶有三～手; 일꾼이 세 사람 있다 / 短一～手; 일손이 한 사람 부족하다. ⑪ 개 ㉠…을. 注 대상에 어떤 조처를 가하거나, 영향을 주었을 때에는 '把+대상+동사…'의 형태로 쓰임. 이 때 대상(목적어)은 보통 자명한 것으로서 동사의 앞이나 뒤에 결과나 방식·장소 따위를 나타내는 어떤 부가 성분이 필요함. ¶～信交了; 편지를 건네 주었다 / ～她锁起来; 여자를 가두다 / ～桌子擦一擦! 탁자를 닦아 주시오! / ～他叫回来! 그를 불러 되돌아오게 해라! / 我～这本书看完了; 나는 이 책을 다 읽었다. ㉡…에 관해〔대해〕…하다. 注 동사에 다시 목적어가 있는 경우. ¶～猪卖了两只; (몇 마리 중에서) 돼지 두 마리를 팔았다 / ～两只猪卖了; (두 마리밖에 없는 것을) 두 마리 다 팔았다 / ～花瓶插了一把花; 꽃병에 꽃을 한 다발 꽂았다 / ～门上了锁; 문에 자물쇠를 잠갔다. ㉢'有' '在' 따위의 존재·소속을 나타내는 동사, '爱' '知道' '看见' 따위의 심리 활동·인식·수동적 지각을 나타내는 동사, '上' '进' 따위의 장소를 목적어로 취하는 동사, '遇到' 따위의 의도적이 아닌 동사는 보통 '把'가 목적어 앞에 올 수 없음. 단, '忘' '丢'나 보어를 수반한 것에는 가능한 것도 있음. ¶差点儿～你给忘了; 자네의 일을 하마터면 잊을 뻔했다 / ～钢笔丢了; 펜을 잃어버렸다 / 他～我恨死了; 그는 나를 몹시도 미워했다. ㉣자동사·형용사의 경우는, 어떤 원인이 있어 그리하게, 뜻·마음에 부합되지 않는다는 뉘앙스를 더해 줌. ¶这几天可～我忙坏了; 요 며칠은 아주 바빴다 / ～我冷得直哆嗦; 추워서 나는 덜덜 떨고 있다 / 他一进门, ～我吓了一跳; 그가 들어와서 나는 깜짝 놀랐다 / 听说他来了, ～我高兴得一夜都没有睡着; 그가 왔다는 말을 듣고 나는 기뻐서 밤새도록 잠을 이루지 못했다. ㉤동사가 '在' '到' '给' '成' '做' 따위와 결합되면 목적어는 흔히 앞에 놓임. ¶～书放在桌子上了; 책을 책상 위에 놓았다 / ～十点听成十一点了; 열 시를 열한 시로 (잘못) 들었다. ㉥동사를 생략해서 비난이나 체념하는 기분을 나타냄. ¶我～你这个小淘气鬼! 이 못된 장난꾸러기 같으니 / 看你能～我怎样? 나를 어쩌겠다는 거야? ㉦…로(서)《'拿'와 같음》. ¶他不住地～手向我示意; 그는 계속 손으로 나에게 신호를 보냈다. ⑫ 동 …로 하여금 …하게 하다. ⑬ 접미 …쯤. …가량. …안팎《수사나 양사(量詞) 뒤에 쓰이며, 그 수량에 가까움을 나타냄. 이 경우 이들 수사나 양사 앞에 다시 수사를 붙일 수 없음》. ¶个～月; 한 달 정도 / 点～两点钟; 한 시간이나 두 시간쯤 / 百～块钱; 백 원 정도. ⑭ 양 ㉠손잡이나 손으로 쥐고 사용하는 물건 등을 세는 데 쓰임. ¶一～刀; 칼 한 자루 / 两～扇子; 부채 2개 / 一～斧子; 도끼 한 자루 / 一～笤tiáo帚; 비 한 자루 / 一～伞; 우산 한 자루. ㉡(～儿) 한 줌·한 움큼의 수량을 나타냄. ¶一～稻草; 짚 한 다발 / 一～筷子; 젓가락 한 줌 / 抓一～米; 쌀을 한 움큼 쥐다 / 小华擦了～汗; 소화(小華)는 땀을 쓱 닦았다. ㉢(주로 나이·힘·기능 따위의) 추상적인 사물에 쓰임《단, '一把'의 형태로만 쓰임》. ¶有一～年纪; 꽤 나이를 먹었다 / 他可真有一～力气; 그는 정말 대단한 힘을 가지고 있다 / 他有一～好手艺; 그는 좋은 기술을 지니고 있다. ㉣손의 동작에 쓰임. ¶拉他一～; 그를 한 번 끌어당기다 / 帮他一～; 그를 한 차례 돕다. ⑮ 동 의형제(관계를 맺다). ¶～兄; 의형 / ～弟; 의제(義弟) / ～嫂; 의형수. ⑯ 명 성(姓)의 하나. ⇒bà
〔把把孩子〕 bǎbǎ háizi 아이를 안고 대·소변을 뉘다. 〈轉〉 아이를 돌보아 주다. ¶吃了奶这么半天了, 你得把把他了; 젖을 먹인지 꽤 시간이 지났으니, 오줌을 뉘어야 한다.
〔把鼻〕 bǎbí 명 ①근거. 유래. ¶没有～; 근거가〔자신이〕 없다. ②자신(自信). 성공의 가능성. =〔把握〕〔把臂〕〔巴bā鼻〕
〔把笔〕 bǎbǐ 동 붓을 잡다. (글을) 쓰다. 짓다. ¶随兴所至, 把笔成诗; 흥치가 나는대로 붓을 들면 시가 된다. =〔秉bǐng笔〕
〔把臂〕 bǎbì 동 서로 팔을 끼다〔잡다〕《친밀함을 나타냄》. =〔挎kuà臂〕 부 함께. 다 같이. ¶～入林; 〈成〉 함께 죽림(竹林)에 들어가서 속세를 피하다. 의기 투합하다. 명 ⇨〔把鼻〕
〔把边儿〕 bǎ.biānr 동 (농구 따위에서) 라인 근처에서 수비하다.
〔把柄〕 bǎbǐng 명 ①자루. 손잡이. ②〈比〉 (말의) 근거. 논거. ¶没～的话趁早别说; 근거 없는 이야기는 일찌감치 집어치워라. ③〈比〉 (교섭·협박 따위에 이용당할 수 있는) 증거. 꼬투리. 약점. ¶我抓住了你们的～; 나는 너희들의 약점을 잡았다 / 抓住一个～; 증거를 잡다 / 你的～在我手里; 너의 약점이 내 손 안에 있다. =〔〈文〉 欛bà柄〕〔刀把dāobà儿③〕
〔把场〕 bǎchǎng 명 ①《劇》 무대 감독. 막 뒤에서 등장·퇴장의 시간이나 그 밖의 일체의 상세한 사

항을 지시하는 일. ②사격장.
〔把持〕 bǎchí 동 ①한 손에 쥐다. 마음대로 하다. ¶～了领导权; 영도권을 쥐었다. ②(이익을) 독점하다. ¶～包办; 혼자 도맡다. 독점하다/～市面; 시장을 독점하다. ③(감정 따위를) 버티다. 지탱하다. 견디어 내다. 억누르다. ¶年轻人～不定, 在坏环境中就容易堕落; 젊은 사람은 감정이 불안정해서 나쁜 환경 속에서는 타락하기 쉽다. ‖→〔把敛〕
〔把舵〕 bǎ.duò 동 ⇨〔掌zhǎng舵〕
〔把风〕 bǎ.fēng 동 지키다. 감시하다. =〔寻风〕
〔把嘎〕 bǎga 명 〈京〉 금전. ¶现～; 현금.
〔把关〕 bǎ.guān 동 ①관문을 지키다. 요소를 막다. 〈轉〉 책임을 지다. =〔守口〕 ②(규정에 근거해) 엄밀히 검사하다. 점검하다. ¶对产品品质严格～; 제품의 질에 대해 엄격하게 체크하다.
〔把棍〕 bǎgùn 명 ⇨〔地dì痞〕
〔把合〕 bǎhe 동 ⇨〔把敛〕
〔把滑〕 bǎ.huá 동 ①미끄럽지 않다. 확실하다. 걱정 없다. ¶这个事情不～; 이 일은 믿을 수 없다/把着滑办事; 일을 틀림없이 확실히 하다. ②미끄러지지 않게 하다. ¶这皮鞋不～, 一上坡就跌了一跤; 이 구두는 (바닥이) 미끄러워서 언덕길을 오르는 순간 넘어졌다. =〔拿ná滑〕
〔把家〕 bǎ.jiā 동 〈方〉 가사(家事)를 잘 처리하다. 살림을 꾸려 가다. 가업(家業)을 지키다. =〔巴家〕〔持chí家〕
〔把家虎(儿)〕 bǎjiāhǔ(r) 명 욕심이 강함. 재물은 무엇이든지 부둥켜안고 놓지 않음. ¶他可真是～什么破烂都带回来; 그는 얼마나 욕심이 많은지 온갖 잡동사니를 다 가지고 돌아온다.
〔把酒〕 bǎ.jiǔ 동 ①술잔을 들다. 술을 마시다. =〔把盏〕 ②손님에게 술을 권하다. =〔行xíng酒〕
〔把卷〕 bǎjuàn 동 〈文〉 손에 서적을 펼쳐 들다.
〔把口儿〕 bǎkǒur 동 ①출입구를 지키다. ②길목을 차지하다. ¶他那一家铺子正～, 买卖很好; 그의 가게는 길목에 있어서 장사가 잘 된다.
〔把来〕 bǎlai 동 〈古白〉 가지고 오다.
〔把揽〕 bǎlan 동 ⇨〔把敛〕
〔把牢〕 bǎláo 형 〈方〉 ①견고하다. 튼튼하다. ¶这段墙是碎砖砌qì的, 不～; 이 담은 깨진 벽돌을 쌓아 만들어서 튼튼치가 않다. ②의지가 되다. 틀림없다. 확실하다. 든든하다《흔히, 부정문에 쓰임》. ¶这个人做事不～; 이 사람이 하는 일은 안심이 안 된다. 동 단단히 잡다.
〔把理〕 bǎlǐ 동 이치에 닿다. 이치에 맞다.
〔把敛〕 bǎlian 동 〈京〉 꽉 잡다. 확고하게 장악하다. 독점하다. ¶家产都～在大奶奶手里; 재산은 모두 맏며느리의 손에 쥐어져 있다/他～着那么些书不给人看; 그는 책을 그렇게 많이 소장하고 있으면서도 남에게는 보이지 않는다. =〔把合〕〔把揽〕〔巴bā揽②〕 →〔把持〕
〔把列而〕 bǎliè'ér 명 《度》 배럴(barrel). =〔巴蕾耳〕〔巴礼〕
〔把脉〕 bǎ.mài 동 〈方〉 맥을 짚다. =〔诊脉〕
〔把袂〕 bǎmèi 동 〈文〉 손을 마주 잡고 서로 이야기하다. 대면해서 이야기하다.
〔把门(儿)〕 bǎ.mén(r) 동 ①문지기 노릇을 하다. 문을 지키다. ②《體》 골키퍼를 하다. ¶～的 =〔守shǒu门员〕; 골키퍼/他喝了酒嘴上就没～的, 人拦不住; 저 녀석은 술을 마시면 끝이 없어서 아무도 만류할 수 없다.
〔把门(儿)〕 bǎmen(r) 명 자신. 예상. 가망성. ¶没～的事可别冒险; 확실히 가망성이 없는 일은 모험하지 않는 게 좋아.
〔把尿〕 bǎ.niào 동 어린아이를 안고 오줌을 뉘다. =〔把溺〕
〔把溺〕 bǎniào 동 ⇨〔把尿〕
〔把弄〕 bǎnòng 동 ⇨〔掇duō弄②③〕
〔把儿〕 bǎr 양 ①한 줌. ②한 다발. ¶一～菠菜; 시금치 한 단.
〔把儿匠〕 bǎrjiàng 명 거리의 무술인《무술·차력을 하는 연예인》.
〔把儿条〕 bǎrtiáo 명 ⇨〔抻chēn面〕
〔把屎〕 bǎshǐ 동 아이를 손으로 안고 똥을 뉘다.
〔把师〕 bǎshi 명 ⇨〔把势〕
〔把式〕 bǎshi 명 ⇨〔把势shi〕
〔把势〕 bǎshi 명 ①무술(武術). ¶天天清早起来练～; 매일 아침 일찍 일어나 무술을 연마하다. ②무술할 수 있는 사람. 어떤 기예에 뛰어난(정통한) 사람. 전문가. ¶花huā～; 원예사(園藝師). 동산바치. ③한가지 재주에 뛰어난 사람. ¶鸟儿～; 조류에 조예가 깊은(정통한) 사람. ④〈方〉 요령. 기술. 솜씨. 기능. ‖ =〔把式〕〔把师〕
〔把守〕 bǎshǒu 동 ①(집 따위를) 관리하다. ②아이를 보다. ③(군주 등을) 호위하다. ④파수 보다. 감시하다. 지키다. 방어하다. 보호하다.
〔把手〕 bǎshou 명 ①손잡이. 핸들. 노브(knob). ¶抽屉的～; 서랍의 손잡이/门的～; 문고리. ②(망치·우산·비 따위의) 손잡이. 자루. ③사람. 동 손을 잡다. →〔拉lā手(儿)〕
〔把素〕 bǎsù 동 정진결재(精進潔齋)하다. 채식을 하다. 육식을 끊고 몸을 깨끗이하다. =〔持chí素〕〔持斋〕 →〔吃chī素〕〔封fēng斋〕
〔把头〕 bǎtou 명 ①비밀 결사 따위의 우두머리. ②현장 책임자. 모가비. →〔包工头〕
〔把玩〕 bǎwán 동 손에 들고 완상(玩賞)하다. ¶展卷～, 不忍释手; 책을 읽고서는 손을 못 뗄 정도로 애착을 느끼다.
〔把稳〕 bǎwěn 동 (원칙·정책 따위를) 확실하게 장악하다. ¶～方向; 방향을 확고히 잡다. 형 견실하고 틀림없다. 신뢰할 수 있다. 안심할 수 있다. 자신을 가질 수 있다. ¶他办事很～; 그가 하는 일은 견실하다.
〔把握〕 bǎwò 동 ①(단단히) 쥐다〔잡다〕. ¶战士们～着武器; 병사들은 무기를 잡고 있다. ②(추상적인 것을) 파악하다. ¶～意思; 의미를 파악하다/透过现象～本质; 현상을 통해서 본질을 파악하다. →〔掌zhǎng握①〕 명 성공의 가능성. 희망. 자신《흔히, '有～'·'没有～'로 쓰임》. ¶比较地有～; 보다 가망성이 있다/有～的战役; 승산이 있는 싸움.
〔把晤〕 bǎwù 동 〈翰〉 면회하다. 만나다.
〔把戏〕 bǎxì 명 ①곡예(曲藝). 잡기. ¶耍～; 곡예를 하다/看～; 곡예를 보다. →〔杂zá耍(儿)〕 ②술수. 계략. 속임수. ¶希特勒的老～; 히틀러의 낡은 수법/弄～ =〔耍～〕; 농간을 부리다.
〔把细〕 bǎxì 형 〈方〉 신중(하게) 하다. 세심하다. ¶别看他年轻, 做事倒很～; 그가 아직 나이 어리다고 얕보아서는 안 된다. 일은 매우 신중히 하니까. 동 절약하다. 검약하다. ¶～经费; 경비를 절약하다.
〔把兄弟〕 bǎxiōngdì 명 결의 형제. =〔盟méng兄弟〕〔义yì兄弟〕
〔把斋〕 bǎ.zhāi 동 ⇨〔封fēng斋〕
〔把盏〕 bǎzhǎn 동 술을 홀짝홀짝 마시다. ¶一个人～独坐, 也有乐趣; 혼자 술을 홀짝홀짝 마시는 것도 즐거운 것이다. =〔把酒①〕

〔把着口喃〕 bǎzhekǒunán 끈질기게 착 달라붙다. 어거지를 부리다. ¶他～地要，我也不好推辞了；그가 끈질기게 요구하기 때문에 나도 거절하기 어렵다.

〔把着手儿教〕 bǎzheshǒur jiāo 손을 잡고 가르치다. 친절하게 가르쳐 주다. ¶不用～，他一看就会了；차근차근 가르치지 않더라도 그는 한 번 보면 이내 할 줄 안다.

〔把住〕 bǎzhù 동 지키다. 견고히 하다. 점거하다. 점유하다.

〔把捉〕 bǎzhuō 동 (추상적 사물을) 파악하다. ¶只有精读，才能～到作品的精神实质；정독만이 비로소 작품 속에 깔린 정신의 본질을 파악할 수 있다.

〔把子〕 bǎzi 명 ①과녁. 사격의 표적. =〔靶子〕 ②의형제(義兄弟). ¶拜bài～；의형제가 되다. ③사람을 가리키는 말. ¶一个～；한 인간. ④연극에서의 격투하는 자세. ¶练～；격투 연습을 하다. ⑤연극에서 쓰이는 무기의 총칭. ¶单刀～；칼 한 자루로 하는 격투. ⑥다발. 뭉치. ¶秫秸～；수숫대를 묶은 다발. 양 ①무리. 조(組). 떼. ¶一～强盗；한 떼의 강도. ②줌. 단. 움큼. 다발(주로 긴 것에 쓰임). ¶一～韭菜；한 단의 부추. ③힘·세력 따위의 추상적 사물에 쓰임. ¶我还能出～力气；나는 아직 힘을 낼 수 있다. ④몇 마리의 낙타를 한 조로 세는 말. ⇒bàzi

〔把总〕 bǎzǒng 명 파총. 대장(隊長)(청대(清代) 녹영군(綠營軍)의 준위(准尉)로, 중대장 정도 되는 사람). ¶许多时没有动静，～焦急起来了《鲁迅 阿Q正傳》；얼마 동안 움직임이 없었기 때문에 대장은 초조해지기 시작했다. →〔千qiān总〕

屉 bǎ (파)
〈方〉 ① 명 똥. 대변. ② 동 대변을 보다. ¶娃娃又～了；아이가 또 똥을 누었다. →〔拉lā屎〕

〔屉屉〕 bǎba 명 〈口〉 응가. 똥(주로 어린아이가 쓰는 말).

钯(鈀) bǎ (파)
명 《化》 팔라듐(Pd: palladium)(백금속 원소의 하나). ⇒'耙' pá

靶 bǎ (파)
명 ①(활·사격의) 표적. 과녁. ¶箭jiàn～；활의 과녁 / 打～；과녁을 쏘다. 사격 연습을 하다 / 今天开会他当～；오늘 모임에서는 그가 비판의 대상이다. ②고삐.

〔靶场〕 bǎchǎng 명 사격장. =〔把场②〕

〔靶船〕 bǎchuán 명 표적함(標的艦).

〔靶机〕 bǎjī 명 표적기(標的機).

〔靶台〕 bǎtái 명 사격 위치.

〔靶心〕 bǎxīn 명 과녁이나 표적의 중심. ¶距～5.11米；목표 중심을 빗나간 거리가 5m 11cm.

〔靶子〕 bǎzi 명 과녁. 표적. ¶人们把他当作批评的活～；사람들은 그를 비판의 살아 있는 표적으로 삼았다. =〔把子①〕

〔靶子场〕 bǎzichǎng 명 사격장. 활터. =〔把子场〕〔打靶场〕

坝(壩) bà (파)
명 ①댐. 제언(堤堰). =〔拦河坝〕〔水坝〕 →〔堤dī〕〔堰yàn〕 ②제방(堤防)을 보강하기 위한 축조물. →〔丁坝〕 ③〈方〉 산간(山間)의 평지. 평원(平原)(시난(西南) 각 성(省)의 지명에 많이 쓰임). ¶雁门～；쓰촨 성(四川省)에 있는 평원. ④〈方〉 모래톱. 사주(砂洲).

〔坝地〕 bàdì 명 ①둑으로 둘러싸인 논밭. ②〈方〉 평지.

〔坝基〕 bàjī 명 둑의 기초.

〔坝坎〕 bàkǎn 명 강둑의 높은 곳.

〔坝区〕 bàqū 명 《地》 몽골 고원 남단(南端), 장자커우(張家口) 일대(해발 1,450m 정도의 고원. 소·양·말 등의 방목지(放牧地)로 유명함). =〔坝上〕

〔坝埽〕 bàsào 명 ①제방 공사에 쓰이는 짚단이나 나뭇가지 따위. ②〈轉〉 (제방의) 둑.

〔坝上〕 bàshàng 명 ⇨〔坝区〕

〔坝身〕 bàshēn 명 둑의 길이.

〔坝台〕 bàtái 명 둑. ¶垒～；둑을 쌓다.

〔坝子〕 bàzi 명 ①제방. ②〈文〉 평지. 평원.

把〈欛〉 bà (파)
(～儿) 명 ①손잡이. 자루. ¶刀～儿；칼자루 / 扇子～儿；부채의 손잡이 / 茶壶～儿；찻주전자 손잡이 / 话～儿；이야깃거리 / ～儿镜子；손거울. ②(꽃·잎·과일의) 줄기. 자루. ¶花～儿；꽃줄기. 꽃자루. ⇒bǎ

〔把子〕 bàzi 명 자루. 손잡이. ¶～缸子；손잡이 달린 찻종 / ～镜；손거울. ⇒bǎzi

弝 bà (파)
명 활의 줌통.

爸 bà (파)
명 〈口〉 아빠. 아버지(부친에 대한 호칭으로, 허페이(合肥)·난창(南昌)에서는 '伯bó伯', 양저우(揚州)·쑤저우(蘇州)·창사(長沙)·난창(南昌)에서는 '爹爹', 남방(南方)에서는 '阿ā爸'·'阿爹'라고도 함). →〔爹〕〔父亲〕 ↔〔妈〕

〔爸爸〕 bàba 명 〈口〉 아빠. 아버지. ¶～妈妈；아빠·엄마.

耙〈耀〉 bà (파)
① 명 《農》 써레. 해로(harrow). ② 동 써레로 흙덩이를 깨다. 밭의 흙을 고르다. 써레질하다. ¶地已经～过了；밭은 이미 써레질을 끝냈다 / ～田；써레로 무논을 고르다 / 三犁lí三～；세 번 쟁기질하고 세 번 써레질하다. ⇒pá

〔耙耜〕 bàsì 명 써레.

〔耙土器〕 bàtǔqì 명 땅을 고르는 기구.

齙〈齙〉 bà (파)
형 〈方〉 이가 밖으로 나와 있다. ¶～牙yá；뻐드렁니.

罢(罷) bà (파)
① 동 그만두다. 중지하다. 파업하다. 쉬다. ¶欲～不能；그만두려 해도 그만둘 수 없다 / ～手；⇩ / ～工；⇩ / ～课；⇩ ② 조 〈方〉 완료를 나타냄. ¶吃～饭；식사를 끝내다 / 说～就走了；말이 끝나자 곧 가 버렸다. ③ 동 파면하다. 그만두게 하다. ¶～免；⇩ / ～职；⇩ ④('也'와 연용(連用)하여) …해도 좋고, 또 …해도 좋다. ¶去也～，不去也～；가도 좋고, 안 가도 좋다 / 好也～，不好也～，总要试一回看；좋든 싫든 어쨌든 한 번 시험삼아 해보아야 한다. ⑤…뿐만 아니라. …은 그렇다고 치고('连lián…也…'와 호응하여 쓰임). ¶他不肯～了，连回信也不给我；그는 긍정은커녕 회신조차 안 보내고 있다 / 早晚总得给他的，现在就给他也～了；어차피 그에게 줄 것이라면, 지금 주어도 좋겠지. ⇒ba pí

〔罢罢〕 bàbà 감 아아!(실망(失望)이나 마음 속의 분노를 나타냄). ¶～！这样的媳妇久后必败坏门

빛는 명인(名人) 유백타(劉白墮). ②(báiduò)〈轉〉좋은 술.
〔白俄〕 bái'é 명 ①⇨〔白俄罗斯〕 ②백계(白系) 러시아인(人).
〔白俄罗斯〕 Bái'éluósī 명《地》벨로루시(Belorus')(독립 국가 연합(CIS)에 속하는 공화국의 하나. 수도는 '明斯克'(민스크: Minsk)). =〔白俄①〕
〔白鹅〕 bái'é 명《鳥》백조. 고니.
〔白额侯〕 bái'éhóu 명《動》'老lǎo虎'(호랑이)의 별칭.
〔白额雁〕 bái'éyàn 명《鳥》흰이마기러기.
〔白垩〕 bái'è 명《鑛》백악(석회암의 일종). =〔白墡〕〔白土子〕〔〈俗〉大dà白②〕
〔白垩质〕 bái'èzhì 명《生》백악질(치근(齒根)의 외부를 덮고 있는 물질).
〔白萼〕 bái'è 명 ⇨〔玉yù簪花〕
〔白法〕 báifǎ 명《佛》윤리·수신(修身)과 같은 실천 철학.
〔白发〕 báifà 명 백발. 하얗게 센 머리털.
〔白发浪潮〕 báifà làngcháo 명〈比〉노령 인구의 증가 현상.
〔白帆布鞋〕 báifānbù xié 명 흰 즈크(doek)화.
〔白矾〕 báifán 명〈俗〉명반. 백반. ¶鸡蛋上抹～涩壳子〔啬刻子〕; 달걀에 백반을 칠하면 떫은 껍데기(노랑이와 음이 같음)가 된다. 노랑이의. =〔明míng矾〕
〔白饭〕 báifàn 명 ①흰 쌀밥. ②반찬 없는 밥.
〔白方糖〕 báifāngtáng 명 흰 각설탕.
〔白房子〕 báifángzi 명 매음(賣淫)하는 집. 창루.
〔白纺〕 báifǎng 명《紡》흰 비단 포플린. =〔素sù绸〕
〔白费〕 báifèi 동 헛되이 쓰다. 쓸데없이 낭비하다. ¶～心血; 헛되이 심혈을 기울이다 / ～唾沫; 쓸데없는 말다툼을 하다 / ～心机; 쓸데없는 걱정을 하다 / 他的努力也～了; 그의 노력도 헛되었다 / ～宝贵的时间; 귀중한 시간을 헛되이 낭비하다.
〔白费唇舌〕 báifèi chúnshé 동 ⇨〔白说〕
〔白粉〕 báifěn 명 ①백분. 화장에 쓰는 흰 분. ②〈方〉(벽에 칠하는) 백악(百垩). 백토(白土). ③〈方〉헤로인(heroin). =〔白面儿〕
〔白粉病〕 báifěnbìng 명《植》백분병. 백삽병(白澁病).
〔白粉花〕 báifěnhuā 명 ⇨〔紫zǐ茉莉〕
〔白锋钢〕 báifēnggāng 명 ⇨〔高gāo速度钢〕
〔白蜂蜡〕 báifēnglà 명《藥》백랍(白蠟). →〔蜂蜡〕
〔白干儿〕 báigānr 명 배갈. 고량주의 통칭. =〔白干酒〕→〔白酒〕〔高粱酒〕〔烧酒〕
〔白秆〕 báigǎn 명 ⇨〔恶è苗病〕
〔白干〕 báigàn 동 ①헛수고하다. ②무보수로〔무상으로〕 일하다.
〔白钢〕 báigāng 명 ⇨〔高gāo速度钢〕
〔白钢刀头〕 báigāng dāotóu 명《機》고속강(高速鋼)으로 만든 절삭용(切削用)의 칼날.
〔白钢丝〕 báigāngsī 명 피아노 선(線). =〔钢琴丝〕〔〈南方〉琴qín钢丝〕〔琴钢线〕
〔白疙瘩〕 báigēda 명 소름. ¶胖pàng脸上起了一层小～; 통통한 얼굴에 소름이 돋았다.
〔白鸽票〕 báigēpiào 명 옛날, 광둥(廣東)에서 행하여진 일종의 도박(글씨가 씌어 있는 몇 개의 나무패에 돈을 걸고 함). =〔白鸽标biāo〕
〔白格生生〕 báigéshēngshēng 형〈方〉새하얀 모양. ¶～的胳膊gēbo; 새하얀 팔. =〔白个生生〕
〔白给〕 báigěi 동 무료로 제공하다.
〔白公堤〕 Báigōngdī 명《地》백공제. 백거이(白居易)가 축조했다고 하는 제방(하나는 쑤저우(蘇州) 우 현(吳縣)의 후치우(虎邱)에 있으며, 다른 하나는 항저우(杭州) 항 현(杭縣)의 서호(西湖)에 있음).
〔白宫〕 Báigōng 명 백악관. 화이트 하우스(미국 정부 당국).
〔白狗吃肉, 黑狗当灾〕 báigǒu chī ròu, hēigǒu dāng zāi〈諺〉흰 개가 고기를 훔쳐 먹고, 검은 개가 매 맞는다(결백한 사람이 억울하게 벌을 받는다).
〔白狗癣〕 báigǒuxuǎn 명《醫》백선. 기계충.
〔白狗子〕 báigǒuzi 명 반동파. 적의 앞잡이(해방전 군중이 국민당 군대에 대해 일컬은 말).
〔白姑鱼〕 báigūyú 명《魚》조기. =〔白米子〕
〔白骨〕 báigǔ 명 백골. →〔骨灰〕
〔白骨顶〕 báigǔdǐng 명《鳥》큰물닭. =〔骨顶鸡〕
〔白骨精〕 báigǔjīng 명 (서유기에 나오는) 요괴(妖怪)(흔히, 음험하고 악독한 여자를 비유하는 데 쓰임).
〔白瓜〕 báiguā 명 ⇨〔越yuè瓜〕
〔白瓜子儿〕 báiguāzǐr 명 호박씨(껍질째 볶은 것. 차 마실 때 먹음).
〔白冠雀〕 báiguānquè 명《鳥》북방멧새.
〔白鹳〕 báiguàn 명《鳥》황새.
〔白光灯〕 báiguāngdēng 명 형광등.
〔白圭〕 báiguī 명〈文〉희고 맑은 옥. ¶～之玷, 尚可磨也, 斯言之玷, 不可为也《詩經 大雅》; 옥에 생긴 흠은 다듬을 수 있으나, 말의 흠집은 고칠 수 없다(말을 신중하게 하라는 뜻).
〔白果〕 báiguǒ 명 ①《植》은행. ¶～树; 은행나무 / 油浸～; 사라다 기름에 절인 은행(폐병에 효과가 있다고 함). ②《魚》까치돔.
〔白果儿〕 báiguǒr 명〈方〉계란. =〔鸡蛋〕
〔白果松〕 báiguǒsōng 명 ①⇨〔白皮松〕 ②《植》분비나무. =〔臭chòu冷杉〕〔臭松〕
〔白海参〕 báihǎishēn 명 (고급품으로) 말린 해삼.
〔白蒿〕 báihāo 명《植》백호. 산흰쑥(옛 명칭은 '蘩fán'). →〔艾ài蒿〕
〔白毫〕 báiháo 명 홍차의 일종(잎은 희고 부드러우며 가는 털이 있음. 각종의 향화(香花)를 섞어, 그 꽃의 이름을 따서 차 이름을 말함).
〔白耗〕 báihào 동 헛되게 쓰다. ¶～时间; 시간을 헛되이 보내다.
〔白合金〕 báihéjīn 명 ⇨〔巴bā氏合金〕
〔白鹤〕 báihè 명 ⇨〔丹dān顶鹤〕
〔白鹤鹭〕 báihèlù 명《鳥》중대백로. =〔白洼〕
〔白鹤仙〕 báihèxiān 명 ⇨〔玉yù簪花〕
〔白黑分明〕 bái hēi fēn míng〈成〉흑백이 분명하다. =〔黑白分明〕
〔白喉抗毒素〕 báihóu kàngdúsù 명《藥》디프테리아 항독소(抗毒素). =〔白喉血清〕
〔白喉类毒素〕 báihóu lèidúsù 명《藥》디프테리아 톡소이드(Diphtheria toxid)
〔白喉(痧)〕 báihóu(shā) 명《醫》디프테리아. ¶白喉菌jūn; 디프테리아균. =〔喉痧〕〔马mǎ脾风〕〔〈音〉实shí扶的里亚〕
〔白喉血清〕 báihóu xuèqīng 명 ⇨〔白喉抗毒素〕
〔白忽忽(的)〕 báihūhū(de) 형 희부옇하다.
〔白狐〕 báihú 명《動》흰여우.
〔白虎〕 báihǔ 명 ①전설상의 흉신(凶神)의 이름. ②별 이름. ③오른쪽 방위(方位). ④〈俗〉밴대. 되리(무모증의 여자).
〔白花〕 báihuā 명 ①흰 꽃. ②낙면(落綿). 지스러기 솜. =〔皮辊花〕

〔白花〕 báihua 동〈方〉달콤한 말로 기쁘게 하다. 멋대로 지껄이다. 허풍을 떨다. 명 감언. 허풍. ¶～舌儿; 청산유수처럼 지껄여 댐. 또, 그 말. 그 사람.
〔白花布〕 báihuābù 명 무늬가 있는 옥양목.
〔白花菜〕 báihuācài 명《植》풍접초(風蝶草)《채소의 일종. 소금에 절여 먹음. 또, 약용으로도 함》. =〔羊yáng角菜〕
〔白花花(的)〕 báihuāhuā(de) 형 은빛으로 반짝반짝 빛나는 모양. ¶～的银子; 반짝반짝 빛나는 은.
〔白花儿〕 báihuār 명 장례식 때에, 참석자가 다는 흰 조화(造花). →〔黑hēi纱〕
〔白花舌儿〕 báihuashér 말을 잘 함. 실행이 따르지 않는 큰소리. ¶他一点没真本事就仗着～; 그는 솜씨는 하나도 없으면서 말만 앞세운다. =〔白话舌(儿)〕 →〔白花hua〕
〔白花蛇〕 báihuāshé 명《動》백화사. 산무애뱀《살무사의 일종. 머리는 삼각형으로 흑갈색, 등 쪽은 회백색, 체측에 삼각형의 검은색 무늬가 있으며, 맹독이 있어서 물리면 오 보(步)나 백 보를 가기 전에 죽는다고 전해짐. 양쯔 강 연안에서 남. 후베이(湖北) 치춘 현(蘄春縣)에서 나는 것은 약용으로 쓰임》. =〔百bǎi步蛇〕〔蕲qí蛇〕〔五wǔ步蛇〕
〔白华〕 báihuá 명 망명 중국인. 국외로 망명한 중국인. →〔白俄〕
〔白化病〕 báihuàbìng 명 ①《農》식물의 잎이나 꽃이 퇴색(退色)하는 병. ② ⇨〔天tiān老儿〕
〔白话〕 báihuà 명 ①백화. 구어(口語). ↔〔文言〕 ②허튼소리. 빈말. ¶别说～; 터무니없는 말 마라/空口说～; 입에서 나오는 대로 멋대로 말하다. =〔白货③〕
〔白话〕 báihua 동〈方〉잡담하다. 한담하다. 수다떨다.
〔白话舌(儿)〕 báihuashé(r) ⇨〔白花舌儿〕
〔白话诗〕 báihuàshī 명 5·4운동 이후 옛 시율(詩律)을 타파하고 백화(白話)로 쓴 시. →〔新xīn诗〕
〔白话文〕 báihuàwén 명 구어체(口語體) 문장. =〔语yǔ体文〕
〔白桦〕 báihuà 명《植》자작나무.
〔白晃晃(的)〕 báihuǎnghuǎng(de) 형 (은빛으로) 반짝반짝 빛나는 모양. 하얗게 비치는 모양. ¶～的照明弹; 하얗게 번쩍이는 조명탄.
〔白灰〕 báihuī 명 ⇨〔石shí灰①〕
〔白活〕 báihuó 명 ①죽은 사람을 위해서 태우는, 종이로 만든 집·수레·상자 따위의 세공품. =〔烧shāo活〕 ②천장이나 벽에 종이를 바르는 일. 동 헛되이 살아가다. ¶～一辈子; 일생을 헛되이 살아가다.
〔白火〕 báihuǒ 명《工》백열(白熱)빛(섭씨 1,500°～1,600°로 백열(白熱)된 불빛). →〔加jiā热火色〕
〔白货〕 báihuò 명 ① ⇨〔海hǎi洛因〕 ②장례식에 쓰이는 여러 가지 도구. ③ ⇨〔白话②〕
〔白芨〕 báijī 명《植》대왐풀. 자란(紫蘭). =〔朱zhū兰〕〔白及〕
〔白咭〕 báijī 명〈廣〉광택을 낸 판지(板紙). →〔纸zhǐ板〕
〔白夹竹〕 báijiāzhú 명 ⇨〔淡dàn竹〕
〔白颊鸟〕 báijiániǎo 명 ⇨〔黄huáng道眉〕
〔白简〕 báijiǎn 명 ①옛날, 탄핵하는 상소문. ②옥간(玉簡).
〔白碱地〕 báijiǎndì (중국 동북 지방에서) 알칼리분이 지표(地表)에 하얗게 결정되어 있는 농경 부적지(農耕不適地)를 말함.
〔白键〕 báijiàn 명《樂》(오르간·피아노 등의) 흰 건반.
〔白江〕 báijiāng 명《魚》참조기.
〔白浆〕 báijiāng 명 석회(石灰)의 장액(漿液).
〔白僵蚕〕 báijiāngcán 명《漢醫》백강잠(白僵蠶)《곰팡이가 기생하여 죽은 누에. 약용으로 함》. =〔僵蚕〕
〔白降汞〕 báijiànggǒng 명 ⇨〔氯lǜ化氨基汞〕
〔白脚梗〕 báijiǎogěng 명〈方〉옛날, 지주(地主)를 이르던 말《농민은 '红hóng脚梗' 라고 했음》.
〔白巾麻衣〕 báijīn máyī 명 상복(喪服).
〔白金〕 báijīn 명 ①은(銀)의 다른 이름. ②백금. →〔铂bó①〕
〔白金汉宫〕 Báijīnhàn Gōng 명《建》〈音〉버킹엄(Buckingham) 궁전.
〔白劲儿〕 báijìnr 명 (색깔의) 흰 정도.
〔白净〕 báijing 형 (살결이) 희고 깨끗하다. 눈부시게 희다.
〔白净净(的)〕 báijìngjìng(de) 형 희고 아름다운 모양. ¶～的妇女脸孔; 살결이 눈부시게 흰 여성의 얼굴.
〔白镜子〕 báijìngzi 명 살결이 흰 얼굴. =〔白净子〕
〔白酒〕 báijiǔ 명 배갈. 소주('黄huáng酒', '露lù酒' 와 구별함). =〔白干儿〕〔烧shāo酒〕
〔白驹过隙〕 bái jū guò xì〈成〉세월은 화살과 같다(시간이 빨리 흐름).
〔白卷(儿)〕 báijuàn(r) 명 백지 답안. ¶交～; 백지 답안을 내다. 성과 없는 보고를 하다.
〔白军〕 báijūn 명 백군《적군(赤軍)에 대한 반혁명 군대. 해방 전 중국 국민당 군대를 가리킴》. =〔白匪〕 ↔〔红hóng军①〕
〔白开水〕 báikāishuǐ 명 백비탕(白沸湯). 맹탕으로 끓인 물. =〔滚gǔn白水〕〔白水②〕
〔白口〕 báikǒu 명 목판 서적의 판식(版式)의 일종《가운데 접힌 곳의 상하가 모두 흰 것을 말함》. →〔黑hēi口〕
〔白口(儿)〕 báikǒu(r) 명 ①(경극(京劇) 같은 중국 전통극의) 대사(臺詞). ②《魚》조기.
〔白口铁〕 báikǒutiě 명 백선철(白銑鐵). 백선(白銑). =〔白生铁〕〔白铸铁〕 →〔灰huī口铸铁〕
〔白口铸铁〕 báikǒu zhùtiě 명 백주철(白鑄鐵)《'白口铁' 은 통칭(通稱)》.
〔白矿油〕 báikuàngyóu 명 유동 파라핀. =〔液yè状石蜡〕
〔白盔〕 báikuī 명 백색 헬멧.
〔白腊杆子〕 báilàgānzi 명 무술에 쓰이는 봉(棒)《중국산 '白蜡树'(백랍 나무)로 만들었으며, 목질(木質)이 단단함》. =〔白蜡杆子〕〔白蜡棍gùn〕
〔白蜡〕 báilà 명 ①백랍벌레가 분비한 납. ¶～油; 파라핀. =〔虫chóng蜡〕 ②정제(精製)한 밀랍(蜜蠟). 목랍(木蠟).
〔白蜡虫〕 báilàchóng 명 ⇨〔水shuǐ蜡虫〕
〔白蜡树〕 báilàshù 명《植》백랍나무. 쥐똥나무《이 나뭇가지에 백랍벌레가 많이 기생하여 백랍을 분비함》.
〔白蜡油〕 báilàyóu 명 유동 파라핀. =〔液yè状石蜡〕
〔白镴〕 báilà 명〈方〉땜납. =〔焊锡〕
〔白镴器〕 báilàqì 명 백랍(白鑞)으로 만든 기구(器具).
〔白来〕 bái.lái 명〈音〉브레이크(brake).
〔白赖〕 báilài 동 구실을 만들어 항변하다. 발뺌하다. ¶那笔债一无凭, 二无据, 就让他～了; 꾸어

말을 들으면 걸려든다.
〔摆架式〕 bǎi jiàshì (어떤) 모양을 취하다. 몸짓을 하다. 포즈를 취하다. ¶他便要请老队长摆起个架式来; 그는 곧 노대장에게 포즈를 취해 줄 것을 요청했다.
〔摆架子〕 bǎi jiàzi 뽐내다. 젠체하다. 거드름 피우다. 허세를 부리다. ¶摆虚架子; 허세를 부리다 / 别～了, 痛快说吧; 거드름피우지 말고 속시원히 말해 봐. =〔摆格gé〕〔〈北方〉摆款〕〔摆面子〕〔扯chě架子〕〔〈方〉搭dā架子②〕〔〈方〉端duān架子〕〔拿ná架子〕〔拿劲儿②〕
〔摆局〕 bǎijú 통 도박장을 열다.
〔摆开〕 bǎikāi 통 ①(펼쳐)늘어놓다. 벌여 놓다. 전개하다. ¶把货～; 상품을 늘어놓다 / ～阵势, 准备迎敌; 병력을 전개시켜 요격 준비를 하다. ②이탈하다. 벗어나다. 떨쳐 버리다. ¶～家务的束缚; 가정사의 속박에서 벗어나다.
〔摆款〕 bǎikuǎn ⇨〔摆架子〕
〔摆阔〕 bǎi,kuò 통 부자인 체하다. 화려하게 차리다.
〔摆老〕 bǎilǎo 통 노인 티를 내다. →〔倚yǐ老卖老〕
〔摆老资格〕 bǎi lǎozīge 베테랑인 체하다. 고참티를 내다.
〔摆擂台〕 bǎi lèitái ①연무대(演武臺) 위에서 무술시합에 도전하다. 시합을 신청하다. ¶他们俩～均遭学生棋手击败; 그들 두 사람은 도전했지만 결과는 모두 학생 기사에게 지고 말았다. ②생산 경쟁 등에 도전하다. 경쟁을 벌이다. ¶他们组向全厂～, 提出新的生产指标; 그들의 조(組)는 전공장에 대하여 도전하여, 새로운 생산 지표를 수립했다. →〔打dǎ擂台〕
〔摆列〕 bǎiliè 통 ①벌이어 놓다. 진열하다. ②분배·배당·배포·배급하다. ③구분하다. 가르다. 분류하다. ④(군인을) 배치(配置)하다.
〔摆翎子〕 bǎilíngzi 명 ⇨〔白bái蛉(子)〕
〔摆龙门阵〕 bǎi lóngménzhèn 〈方〉 세상 이야기를 하다. 잡담을 하다.
〔摆轮〕 bǎilún 명 ①회중시계·손목시계의 태엽에 의해 회전 진동을 하는 고리. 손목시계 따위의 시간을 조절하는 톱니바퀴. ②《機》 균형을 잡는 데 쓰는 바퀴. =〔均jūn衡轮〕
〔摆忙〕 bǎimáng 통 침착지 못하고 덤벙대다. 안절부절못하다. 부산을 떨다. ¶你安静一会儿吧, 别～了! 좀 조용히 하시오, 부산 떨지 말고!
〔摆忙〕 bǎimang 통 뱃속이 거북하다〔좋지 않다〕.
〔摆门面〕 bǎi ménmiàn 허세를 부리다. 겉을 꾸미다.
〔摆面子〕 bǎi miànzi ⇨〔摆架子〕
〔摆明〕 bǎimíng 통 분명하다. 명백하다.
〔摆扭〕 bǎiniǔ 통 흔들다. ¶那个小妖精～着腰走路, 怪肉麻的; 저 꼴불견의 계집아이가 엉덩이를 흔들며 걷고 있지만 정말 소름 끼친다.
〔摆弄〕 bǎinòng 통 ①〈方〉 가지고 놀다. 만지작거리다. ¶他没有事就～机器; 그는 일이 없으면 기계를 만지작거린다 / ～笔杆子攻击我们; 붓대를 놀려 우리를 공격한다. =〔掇duō弄〕〔把bǎ弄〕 ②다루다. 처리하다. ¶～不开; 다루기 어렵다. 처치할 수가 없다 / 瞎～着搪塞差事; (아무렇게나) 적당히 처리하여 일을 속이다. ③지배하다. 조종하다. 좌지우지하다. →〔摆布③〕 ④장난치다. 까불다. 놀리다. ¶他的这个话简直地是～我呢; 그의 이 말은 나를 아주 가지고 노는 것 같다.
〔摆弄〕 bǎinong 형 속이 불편하다.
〔摆平〕 bǎi,píng 통 평평하게〔반듯하게〕 놓다. 관계를 정상화하다.
〔摆谱儿〕 bǎi,pǔr 통 일부러 허세를 부리다. 허세를 부리며 뽐내다. 잘난 체하다. 고자세를 취하다. 도도하게 굴다. ¶摆老谱儿; 지난 얘기를 늘어놓고는 선배티를 내며 뽐내다 / 现在民主作风, 谁也不兴xīng～了; 지금은 민주주의 시대라서 누구도 신분을 자랑하지 않는다. →〔摆架子〕〔摆门面〕
〔摆棋〕 bǎi,qí 통 바둑돌 또는 장기의 말을 두다. =〔下xià棋〕
〔摆请儿〕 bǎi,qǐngr 통 연석을 〔잔치를〕 베풀어 손님을 청하다.
〔摆上〕 bǎishang 통 늘어놓다. 배열하다. 진열하다. ¶～糖果饼干, 等着招待客人; 사탕과 과자 따위를 차려 놓고 초대한 손님을 기다리고 있다.
〔摆设〕 bǎishè 통 진열하다. 장식하다《흔히, 예술품을 가리킴》. ¶屋子里～得很漂亮; 방안은 아주 멋지게 장식되어 있다.
〔摆设(儿)〕 bǎishe(r) 명 ①장식품. 장식물. ¶我坐到那里也是聋子的耳朵当～; 내가 그 곳에 있어 봤자, 귀머거리 엿듣기로 장식물에 지나지 않는다. ②겉만 번지르르하고 사용 가치가 없는 물건.
〔摆神弄鬼〕 bǎi shén nòng guǐ 〈成〉 귀신을 들먹이다.
〔摆式〕 bǎishì 통 ①진열하다. ②장식하다. 꾸미다.
〔摆事实讲道理〕 bǎi shìshí jiǎng dàolǐ 사실을 근거로 해서 사리를 말하다.
〔摆手〕 bǎi,shǒu 통 손을 가로젓다《거절할 때》.
〔摆台〕 bǎitái 통 음식을 식탁에 벌여 놓다. 명 양식(洋食) 집의 보이(boy).
〔摆摊儿〕 bǎi tānr ⇨〔摆摊子〕
〔摆摊子〕 bǎi tānzi ①노점(露店)을 벌이다. ②(전람회 준비를 위해) 물건을 벌여 놓다. ③허세를〔허영을〕 부리다. 야단스럽게 하다. ¶喜欢～, 追求形式; 화려한 것을 좋아해서 겉모양에 신경을 쓰다. ‖ =〔摆摊儿〕
〔摆谈〕 bǎi,tán 통 〈方〉 말을 하다.
〔摆头〕 bǎi,tóu 통 머리를 가로젓다. =〔摇头〕 ↔〔点头〕
〔摆托儿〕 bǎituōr 명 시계추의 길이를 조절하기 위해 달아 놓은 너트(nut).
〔摆脱〕 bǎituō 통 (견제·속박·곤란한 상황 따위에서) 빠져 나가다. 벗어나다. 헤어나다. ¶～困境; 곤경에서 벗어나다 / ～难关; 난관을 벗어나다 / 使文字～了原始状态; 문자로 하여금 원시적인 상태에서 벗어나게 하다.
〔摆尾〕 bǎi,wěi 통 ①꼬리를 치다. ②교태 부리다. 아양떨다.
〔摆席〕 bǎi,xí 통 술자리를 마련하다. 연회(宴會) 준비를 하다.
〔摆下〕 bǎixià 통 벌이어 놓다. 진열하다.
〔摆闲盘〕 bǎi xiánpán 시시한 말을 늘어놓다. 세상 이야기를 하다. 잡담하다.
〔摆线〕 bǎixiàn 명 파선(擺線). 사이클로이드(cycloid).
〔摆小尾巴儿〕 bǎi xiǎoyǐbar 꼬리를 흔들다《따르다. 추종하다. 굽실거리다. 굽실거리며 애걸복걸하다》. →〔摇yáo尾乞怜〕
〔摆心〕 bǎixīn 명 진폭의 중심.
〔摆胸〕 bǎixiōng 명 ⇨〔松sōng雀鹰〕
〔摆噱头〕 bǎi xuétóu (교묘한 말로) 구슬리다.
〔摆宴〕 bǎi,yàn 통 연회를 베풀다〔열다〕.
〔摆样子〕 bǎi yàngzi 젠체하다. 으스대다. 겉치레

하다. 면치레하다. ¶他的自我批评是认真的, 不是～的; 그의 자기 비판은 진지한 것이지 형식적이 아니니다.
〔摆摇〕 bǎiyáo 동 흔들다. 흔들리다.
〔摆衣裳〕 bǎi yīshang (세탁한 옷을) 물에 헹구다.
〔摆彝〕 Bǎiyí 명《民》 바이이 족(擺彝族)《중국 서남 지역에 거주하는 소수 민족의 구칭(舊稱)》. →〔彝族〕
〔摆尾儿〕 bǎiyǐr 꼬리를 흔들다. 꼬리를 치다《아첨하다》. ¶他真会～; 그는 정말 아첨하는 말을 할 줄 안다. 그는 정말 아첨을 잘 한다.
〔摆站〕 bǎizhàn 동 선두에 서다. 앞장 서다. ¶使他们不但不打我们, 还给我们～带路; 그들에게 명하여 우리를 치지 않을 뿐 아니라, 우리의 선두에 서서 길 안내를 하도록 했다.
〔摆针儿〕 bǎizhēnr 명 (미터기 따위의) 바늘.
〔摆阵〕 bǎizhèn 동 진을 치다. =〔摆下阵势〕
〔摆正〕 bǎizhèng 동 ①반듯하게 놓다. 가지런하게 벌여〔늘어〕놓다. ②(관계 따위를) 바로잡다. 정상화하다.
〔摆钟〕 bǎizhōng 명 추시계(錘時計). 진자(振子) 시계.
〔摆轴〕 bǎizhóu 동〈俗〉 마음이 불안하다. 마음이 동요하다. ¶心里越发～; 마음이 더욱 동요되다. →〔打dǎ鼓②〕
〔摆桌〕 bǎi·zhuō 동 밥상을 차리다.
〔摆字的〕 bǎizìde 명 (활판의) 문선공(文選工). 식자공(植字工). =〔〈文〉手民〕
〔摆子〕 bǎizi 명《醫》〈方〉 학질. ¶打～; 학질에 걸리다.

呗(唄)

bài (패)
동《佛》〈梵〉 부처의 공덕을 칭송하다. 불경을 읽다《'呗匿'의 약칭》. ⇒bei
〔呗赞〕 bàizàn 동《佛》 부처의 공덕을 찬미하여 노래하다《승려들이 염불 또는 진언(眞言)을 외는 일》.

败(敗)

bài (패)
동 ①패(배)하다. 지다. ¶敌军～了; 적군이 패했다 / 打了～仗了; 전쟁에 졌다. ↔〔胜〕 ②패배시키다. 이기다. ¶打～了敌军了; 적군을 쳐부수었다. ③실패하다. ¶不计成～; 일의 성패(成敗)는 염두에 두지 않다 / 成～论人; 실패했느냐 성공했느냐만 가지고 그 사람의 가치를 정하다. ↔〔成①〕 ④(일을) 망치다. 부서지다. 파괴〔파손〕되다. 무너지다. ¶～血症; ⇩ / ～坏风俗; 풍기를 어지럽히다. ⑤제거하다. 없애다. ¶～毒; ⇩ ⑥쇠하다. 영락(零落)하다. 시들다. ¶～叶; ⇩ / 花开～了; 꽃이 시들어 버렸다. ⑦썩다. 부패하다. ¶这块肉腐～了, 吃不得; 이 고기는 상해서 먹을 수가 없다.
〔败北〕 bàiběi 명동〈文〉 패배(하다).
〔败笔〕 bàibǐ 명 ①못 쓰게 된 붓. 독필(禿筆). ②문장·서화의 결점.
〔败敝〕 bàibì 동〈文〉 깨지다. 찢어지다. 해어지다.
〔败兵〕 bàibīng 명 패잔병.
〔败财〕 bàicái 동〈文〉 재산을 잃다. 재산을 없애다. 명 (관상에서) 금전운이 없음.
〔败草〕 bàicǎo 명〈文〉 마른 풀. 시든 풀. 건초.
〔败产〕 bàichǎn 동〈文〉 재산을 잃다. 파산하다.
〔败挫〕 bàicuò 명동〈文〉 실패·좌절(하다).
〔败道〕 bàidào 동〈文〉 수도(修道)에 실패하다.
〔败德〕 bàidé 명〈文〉 나쁜 행실. 패덕.
〔败毒〕 bàidú 명동 해독(하다).
〔败毒菜〕 bàidúcài 명 ⇨〔羊yáng蹄〕
〔败遁〕 bàidùn 동〈文〉 패하여 도망치다. 패주하다.
〔败风坏俗〕 bài fēng huài sú〈成〉 풍기를 문란하게 하다. 풍기를 어지럽게 하다.
〔败风乱俗〕 bài fēng luàn sú ⇨〔败俗伤化〕
〔败光〕 bàiguāng 동 금전·재산을 모두 낭비〔탕진〕하다.
〔败化伤风〕 bài huà shāng fēng〈文〉 미풍 양속을 어지럽히다〔파괴하다〕.
〔败坏〕 bàihuài 동 ①(풍속·습관·명예 따위를) 손상시키다. 해치다. ¶～风俗; (선량한) 풍속을 손상시키다. ②못 쓰게 만들다. 망그러뜨리다.
〔败坏门风〕 bài huài mén fēng〈成〉 가문을 더럽히다. 가풍을 어지럽히다. =〔败坏门楣méi〕〔败门风〕
〔败坏名誉〕 bàihuài míngyù 명예를 훼손하다.
〔败火〕 bài·huǒ 동 신열(身熱)을 없애다. 심열(心熱)을 가라앉히다. 〈比〉 가라앉다. 침착해지다. ¶～的药; 해열제.
〔败绩〕 bàijì 동 ①대패(大敗)하다. ②업적을 무너뜨리다.
〔败家〕 bài·jiā 동 패가하다. 집안 재산을 탕진하다. ¶～荡dàng产; 〈成〉 가산을 탕진하다 / 有这样的纨wán裤子弟就是要～; 이런 부잣집 도련님은 가산을 탕진 하고야 말 것이다.
〔败家精〕 bàijiājīng 명 ⇨〔败家子(儿)〕
〔败家子(儿)〕 bàijiāzǐ(r) 명 집안을 망치는 자식. 방탕아. 팔난봉꾼. =〔败子〕〔败家鬼〕〔败家精〕
〔败将〕 bàijiàng 명〈文〉 패장. ¶～莫提当年勇 =〔败军之将不可以言勇〕; 〈諺〉 패장은 지난날의 용맹을 말하지 않는다. 패군지장은 병법을 말하지 않는다.
〔败酱〕 bàijiàng 명《植》 마타리.
〔败局〕 bàijú 명 패한 국면. 파국. ¶挽回～; 파국을 만회하다 / 挽救～; 파국을 구하다.
〔败军〕 bàijūn 명〈文〉 패군. 패배한 군대.
〔败烂〕 bàilàn 동 썩어 문드러지다.
〔败类〕 bàilèi 명 ①악인. 악당. 파렴치한. 무뢰한. ②동류를 해하는 사람. 배반자. 인간 쓰레기. ③빈둥빈둥 노는 자. 게으름뱅이. ④도둑의 무리.
〔败柳残花〕 bài liǔ cán huā〈成〉 ①기녀(妓女). ②부정(不貞)한 여자. ‖ =〔残花败柳〕
〔败露〕 bàilù 동 탄로나다. 드러나다. ¶秘密～了; 비밀이 탄로났다 / 事情～之后, 他受到了很大震动; 일이 탄로난 후 그는 매우 심한 충격을 받았다.
〔败落〕 bàiluò 동 몰락〔영락〕하다. 쇠하다. ¶家道～; 가운이 쇠퇴하다. =〔败迫〕 →〔衰shuāi败〕
〔败门风〕 bài ménfēng ⇨〔败坏门风〕
〔败盟〕 bàiméng 동〈文〉 맹약(盟約)을 깨뜨리다. 약속을 지키지 않다.
〔败灭〕 bàimiè 동〈文〉 없어지다. 잃다.
〔败谋〕 bàimóu 동〈文〉 계획을 파기하다. 계획을 폭로하다.
〔败衄〕 bàinǜ 동〈文〉 패배하다. ¶～踵zhǒng接; 〈成〉 자주 싸움에서 패배하다.
〔败迫〕 bàipò 동 ⇨〔败落〕
〔败群〕 bàiqún 명 그 소속하는 단체 또는 사회를 해치는 자. 대중에 해를 끼치는 자. ¶～之马; 내부에서 분쟁을 일으키는 자. =〔害hài群〕 →〔败类〕

〔败事〕 bàishì 동 〈文〉 실패하다. 일을 망치다.
〔败俗伤化〕 bàisú shānghuà 〈文〉 미풍 양속(美風良俗)을 해치다. =〔败风乱俗〕
〔败诉〕 bàisù 명동 패소(하다). ↔〔胜shèng诉〕
〔败岁〕 bàisuì 명 흉년. =〔荒huāng年〕〔〈文〉 歉qiàn岁〕
〔败损〕 bàisǔn 동 〈文〉 손해를 보다. 실패하다.
〔败铁〕 bàitiě 명 ⇨〔废fèi铁〕
〔败退〕 bàituì 동 ①실패하여 퇴각하다. ②패하다. 지다.
〔败亡〕 bàiwáng 동 〈文〉 실패하여 멸망하다. 몰락하다.
〔败胃〕 bàiwèi 동 위를 상하게 하다.
〔败屋〕 bàiwū 명 〈文〉 황폐한 집. =〔废fèi居①〕
〔败物〕 bàiwù 동 물건을 못 쓰게 만들다.
〔败相〕 bàixiàng 명 ①건강하지 못한 모습. ②홀쭉 야윈 얼굴. 비참한 모습.
〔败兴〕 bài.xìng 동 ①흥이 깨지다. 흥미가 없어지다. ¶乘chéng兴而来～而归; 유쾌한 기분으로 왔다가 불쾌한 심정을 안고 돌아가다. =〔败意〕 →〔扫sǎo兴〕〔倒dǎo霉〕 ②낙담하다. ③운수가 나쁘다. 재수가 없다. ④(살림이) 기울다. 영락〔몰락〕하다.
〔败絮〕 bàixù 명 ①지스러기 솜. 부스러기 솜. ②〈比〉 쓸모없는 것.
〔败血症〕 bàixuèzhèng 명 《醫》 패혈증. →〔坏huài血病〕
〔败鸭〕 bàiyā 명 《鳥》 검둥오리.
〔败叶〕 bàiyè 명 〈文〉 낙엽. 마른 잎.
〔败意〕 bàiyì 동 ⇨〔败兴①〕
〔败馌〕 bàiyì 명 〈文〉 부패한 음식물.
〔败于〕 bàiyú (…에) 지다. ¶美国队～韩国队; 미국 팀은 한국 팀에게 패했다.
〔败运〕 bàiyùn 명 불운(不運). 악운(惡運). =〔歹dǎi运〕〔坏huài运〕〔背bèi运〕
〔败仗〕 bàizhàng 명 지는 전쟁. 패전(敗戰). ↔〔胜shèng仗〕
〔败阵〕 bài.zhèn 동 패전하다. (bàizhèn) 명 패전.
〔败脂酸〕 bàizhīsuān 명 《化》 아크릴산. =〔丙bǐng烯酸〕
〔败冢〕 bàizhǒng 명 〈文〉 황폐한 무덤. =〔荒huāng冢〕
〔败子〕 bàizǐ 명 ⇨〔败家子〕
〔败走〕 bàizǒu 동 패주하다. ¶敌众～; 적들이 패주하다.

拜 bài (배)
①동 절하다. 예배하다. 숭배하다. ②명 일종의 경의를 표시하는 예절. ¶回～; 답례로 방문하다. ③동 (상대방에게) 절하여 경의나 축의를 표하다. ¶～年; ⇩ / ～寿; ⇩ ④삼가… 《경의를 표시하기 위해 자기의 행동을 나타내는 말 앞에 붙임》. ¶您的信, 已经～读过了; 주신 편지는 잘 받아 보았습니다. ⑤동 (인사하러) 찾다. 방문하다. ¶新搬来的张同志～街坊来了; 새로 이사 온 장씨가 이웃에 인사차 왔다. ⑥동 의식에 따라 명의(名儀)를 수여하거나, 특정한 관계를 맺다. ¶～将; 장수에 임명되다 / ～相; ⇩ / ～他为师; 그를 스승으로 모시다. ⑦명 성(姓)의 하나.
〔拜把子〕 bài bǎzi 옛날, 의형제를 맺다《의형제를 맺은 형님 뻘이 되는 사람을 '把兄', 아우 뻘이 되는 사람을 '把弟' 라고 함》. ¶他们几个人～了; 그들은 의형제를 맺었다 / ～的 =〔换huàn帖弟兄〕〔换过帖的〕〔金jīn兰弟兄〕; 의형제. =〔〈文〉 拜盟〕〔〈文〉 拜契〕 →〔磕kē头③〕
〔拜拜〕 bàibai 명 ①왼쪽 가슴에 왼손을 위로 오른손을 아래로 하여 잡고서 가볍게 아래위로 움직이는 여자의 절. ②신불(神佛)에 하는 배례(拜禮). ③〈音〉 바이바이(bye-bye). 안녕. =〔㖿㖿〕〔白白〕〔再见〕
〔拜表〕 bàibiǎo 명 옛날, 관직(官職)을 받은 것에 감은(感恩)의 뜻을 나타내기 위한 상주문(上奏文).
〔拜别〕 bài.bié 동 작별을 고하다. 작별 인사를 드리다. ¶～以来, 倏shū而年余矣; 작별을 고한 지 벌써 일 년여나 되었습니다. =〔拜违〕
〔拜茶〕 bàichá 동 차 드십시오《차를 권할 때의 높임말》. →〔进jìn茶〕〔敬jìng茶〕
〔拜忏〕 bài.chàn 동 ①《佛》 스님이 경문(經文)을 외우면서 다른 사람을 대신하여 부처님께 참회하고, 예배를 올리고 복을 구하다. →〔忏事〕 ②⇨〔念niàn经〕
〔拜尘〕 bàichén 동 〈文〉 〈比〉 ①귀인의 수레에서 나는 먼지를 보고 절하다. 권세에 아첨하다《'拜车尘' '拜路尘' 라고도 함》. ②지위가 높은 사람에게 추종하다. ③현인(賢人)을 존경하다.
〔拜辞〕 bàicí 동 〈文〉 〈敬〉 작별 인사를 하다.
〔拜倒〕 bàidǎo 동 엎드려 절하다. 부복(俯伏)하다. ¶～在权威之脚下; 권위 앞에 부복하다.
〔拜祷〕 bàidǎo 동 〈文〉 갈망하다. 희구(希求)하다.
〔拜垫〕 bàidiàn 명 신불(神佛)께 무릎을 꿇고 절할 때, 무릎 밑에 까는 방석이나 짚자리. =〔拜具〕〔拜褥〕
〔拜订〕 bàidìng 명 초대장의 초대하는 사람 이름 밑에 쓰는 말. 예컨대, '某某～' 등《'订' 은 '定' 과 같음. 약속한다는 뜻으로, 오셔 주시기를 바랍니다〔안내해 드립니다〕의 뜻》.
〔拜斗〕 bàidǒu 동 북두칠성을 향해 절을 하다《도가(道家)에서는 음력 9월 1일부터 9일까지를 '～' 의 기간으로 하고 있음》. =〔礼lǐ斗〕
〔拜读〕 bàidú 동 〈翰〉 배독하다. 삼가 읽다.
〔拜访〕 bàifǎng 명동 〈敬〉 예방(하다). 방문(하다). ¶～亲友; 친구를 방문하다 / 专程～; 특별히 방문하다 / 正式～; 정식 방문.
〔拜佛〕 bài.fó 동 불상(佛像) 앞에서 절하다.
〔拜服〕 bàifú 동 ⇨〔佩pèi服〕
〔拜复〕 bàifù 동 〈翰〉 답장을 드리다〔올리다〕.
〔拜官〕 bàiguān 동 관직에 임명되다. 임관(任官)하다.
〔拜跪〕 bàiguì 동 양무릎을 꿇고 머리를 대고 절을 하다《옛날, 가장 큰 경례(敬禮)에 해당함》. →〔跪拜〕〔三sān跪九叩〕
〔拜诃罗支〕 bàihēluózhī 명 〈音〉 생물학(biology).
〔拜贺〕 bàihè 동 축하드리다. =〔敬jìng贺〕
〔拜候〕 bàihòu 동 문안드리다. 방문하다. ¶拜会问候; 문안드리다. →〔拜会〕〔回huí拜〕
〔拜会〕 bàihuì 동 방문하다. ¶明天我到您府上去～; 내일 댁으로 찾아뵙겠습니다. =〔拜访〕〔拜门①〕〔拜望〕 →〔拜候〕〔拜谒①〕〔回拜〕
〔拜火教〕 Bàihuǒjiào 명 《宗》 배화교. 조로아스터교. =〔火教〕〔波Bō斯教〕〔〈音〉 瑣Suǒ罗亚斯德教〕〔祆Xiān教〕
〔拜见〕 bàijiàn 동 알현하다. 만나 뵙다.
〔拜街坊〕 bàijiēfang 동 이웃으로 이사 온 인사를 하다.
〔拜节〕 bài.jié 동 방문하여 명절 인사를 드리다.
〔拜金主义〕 bàijīn zhǔyì 명 배금주의.

〔拜具〕 bàijù 명 ⇨〔拜垫〕
〔拜爵〕 bàijué 동 옛날, 작위(爵位)를 받다.
〔拜客〕 bài.kè 동 다른 사람을 방문하다. ¶行客拜坐客;〈成〉타지(他地)에서 온 사람은 우선 그 고장 사람을 방문하는 것이 예의다.
〔拜恳〕 bàikěn 동 ⇨〔拜托〕
〔拜老师〕 bài.lǎoshi ①문하생(門下生)이 되다. 제자가 되다. 입문하다. 입문의 예를 갖추다. ¶对于特别枝术, 可以～, 等有相当成绩之后, 准予技术学校毕业同等资格; 특별한 기술에 관해서는, 문하생이 되어 상당한 성적을 거둔 후, 기술 학교 졸업과 동등한 자격을 줄 수 있다. →〔拜门②〕〔学xué满〕 ②배우다. ¶拜群众为老师; 대중에게 배우다. ‖ =〔拜师〕
〔拜老头子〕 bài lǎotóuzi 두목으로 추대하다. ¶现在, 为联络地痞流氓, 就更有～的必要《老舍 四世同堂》; 지금은, 본바닥에 세력을 갖고 있는 깡패나 불량배들과 관계를 트기 위해서, 더욱이 (누군가를) 두목으로 추대할 필요가 있다.
〔拜礼〕 bàilǐ 명 방문할 때의 선물. =〔拜见礼儿〕 →〔礼物〕
〔拜聆〕 bàilíng 동 삼가 듣다. 근청하다.
〔拜领〕 bàilǐng 동 삼가 받다. 배수(拜受)하다. =〔拜纳〕
〔拜伦〕 Bàilún 명《人》바이런(George Gordon Byron)(낭만파주의의 대표적 영국 시인, 1788～1824).
〔拜门〕 bàimén 동 ①⇨〔拜会〕 ②제자가 되다. 입문하다. =〔拜门墙〕 →〔拜老师①〕 ③(연줄을 통해) 부탁하다. =〔拜门子②〕 ④옛날, 신혼 부부가 신부 집에 첫나들이를 가다. =〔拜门子③〕
〔拜门墙〕 bài ménqiáng ⇨〔拜门②〕
〔拜门子〕 bài ménzi ①남을 방문하다. ②⇨〔拜门③〕 ③⇨〔拜门④〕
〔拜盟〕 bài.méng 동 의형제를 맺다.
〔拜庙〕 bàimiào 동 사당이나 절에 참배하다.
〔拜命〕 bàimìng 동〈文〉①명령을 받다. ②임관(任官)되다.
〔拜纳〕 bàinà 동 ⇨〔拜领〕
〔拜年〕 bài.nián 동 신년을 축하하다. 세배하다. 새해 인사를 드리다.
〔拜牌〕 bàipái 명 청대(清代) 수도(首都) 밖의 성(省) 관리들은, 경축일에 만수궁(萬壽宮)에 가서 '皇帝万岁万万岁'라고 쓴 '龙lóng牌'라고 하는 위패(位牌) 앞에서 절을 했는데, 이것을 '～'라고 했음. →〔龙牌〕
〔拜启〕 bàiqǐ 동〈翰〉배계(拜啓). 삼가 아룁니다.
〔拜契〕 bàiqì〈文〉⇨〔拜把子〕
〔拜亲〕 bàiqīn 동 친구의 부모를 만나 뵙다(이로 인해서 친구와의 사귐이 그 집안과의 사귐으로까지 확대되고, 이러한 사이를 '通tōng家之好'라고 함).
〔拜容〕 bàiróng 동 조상의 사진 앞에서 절 하다.
〔拜褥〕 bàirù 명 ⇨〔拜垫〕
〔拜扫〕 bàisǎo 동 성묘(省墓)하다.
〔拜上〕 bàishàng 동 ①바치다. 진정(進呈)하다. ②〈翰〉〈敬〉삼가 올립니다(흔히, 편지 끝에 쓰임). ③〈古白〉원(元)·명(明)대의 소설에서 '다른 사람의 전언(傳言)을 전하다.'의 뜻으로 쓰임.
〔拜神〕 bàishén 동 신께 절하다.
〔拜师〕 bài.shī 동 ⇨〔拜老师〕
〔拜识〕 bàishí 명 ①의형제. ②친우(親友). ③〈方〉모르는 사람을 부르는 말. 노형. 형씨. 선생.
〔拜手〕 bàishǒu 명 절. 인사(옛날, 남자들이 양손을 포개고 땅에 엎드려 그 손 위에 머리를 조아리는 절).
〔拜寿〕 bài.shòu 동 ①탄생을 축하하다(보통 연장자의 생일을 축하할 때 쓰임). ¶祖父生日, 大家向他～; 조부님의 생신날, 모두들 축하해 드렸다. ②생일 선물을 보내다. =〔祝zhù寿〕〔寿辰〕〔做zuò寿〕
〔拜岁〕 bàisuì 동 정월 초하룻날 신불(神佛)에 예배한 다음 집안 어른과 가장에게 세배드리다.
〔拜堂〕 bài.táng 동 ①(옛날, 결혼식에서) 신랑·신부가 천지를 향해 절하다. 또, 그 후에 부모·시부모를 찾아뵙다. ②결혼하다. ¶拜过堂的; 정식 결혼한 부부 / 他们拜了天地了; 그들은 결혼식을 올렸다. ‖ =〔拜天地〕〔交jiāo拜〕
〔拜天地〕 bài tiāndì ⇨〔拜堂〕
〔拜帖〕 bàitiě 명 옛날, 격식을 차려 남의 집을 방문할 때에 쓰던 봉투 크기의 붉은 종이에 쓴 명함. =〔门mén状〕
〔拜托〕 bàituō 동〈敬〉부탁합니다. 잘 부탁드립니다. ¶有一封信, ～您带给他! 편지가 한 통 있는데 그에게 갖다 주셨으면 하고 부탁드립니다! =〔拜恳〕
〔拜万寿〕 bài wànshòu〈文〉황제의 생일날에 만수 무강을 축원하다.
〔拜望〕 bàiwàng 동 (인사차) 뵙다.
〔拜违〕 bàiwéi 동 ⇨〔拜别〕
〔拜物教〕 bàiwùjiào 명《宗》①배물교(자연물(自然物) 숭배의 종교). ②물신 숭배(物神崇拜). 우상 숭배. ¶商品～; 상품의 신비한 힘. 상품이 인간을 지배하는 현상 / 资本～; 자본의 물신성(物神性).
〔拜晤〕 bàiwù 동 ⇨〔拜谒〕
〔拜匣〕 bàixiá 명 ①문서궤(옛날, 편지나 선물 등을 넣어 보내던 작은 궤). ②작은 상자의 통칭.
〔拜相〕 bàixiàng 동〈文〉재상(宰相)에 임명되다.
〔拜谢〕 bàixiè 동 감사하다는 말씀을 드리다.
〔拜谒〕 bàiyè 동〈敬〉①배알하다. 만나 뵙다〔뵙고 말씀드리다〕. ¶弟甚愿～崇阶, 不知几时为宜, 务祈示下日时, 是盼;〈翰〉귀하를 만나 뵙고자 합니다만, 어느 때가 편하신지요. 아무쪼록 날짜와 시간을 알려 주십시오. →〔拜会〕 ②배관(拜觀)하다. ‖ =〔拜晤〕
〔拜揖〕 bàiyī 동〈文〉절을 하다. 인사를 하다. →〔揖〕
〔拜愿〕 bàiyuàn 동 ⇨〔许xǔ愿①〕
〔拜月〕 bàiyuè 동 중추(中秋)(음력 8월 15일 밤)에, 안뜰에다 '月yuè亮码儿'(종이에 인쇄한 달의 신(神))이나 '兔tù儿爷'(토끼 인형) 등을 바치고 달을 향해 절하다(달은 음(陰)이므로 남자는 절을 안함). ¶男不～, 女不祭灶zào;〈諺〉남자는 달에 절하지 않고, 여자는 부뚜막 신을 모시지 않는다.
〔拜在门下〕 bài zài ménxià 문하생이 되다. ¶我虽然拜在他的门下, 作风可是不大一样; 나는 그의 문하생입니다만, 작풍은 같지 않습니다. →〔拜老师〕
〔拜毡〕 bàizhān 명 참배단(參拜壇) 앞에 놓인 융단.
〔拜祝〕 bàizhù 동 ⇨〔庆qìng祝〕
〔拜祖〕 bàizǔ 동 ①조상에게 절을 하다. ②옛날, 신부가 시집가서 3일째에 조상의 묘에 가서 절을 하다.

稗〈粺〉 bài (패)

①명《植》피. ②형 미소(微小)한. 자잘한. ¶～史; ⇩

〔稗草〕 bàicǎo 명 《植》 피.
〔稗贩〕 bàifàn 명 ⇨〔小xiǎo贩〕
〔稗官〕 bàiguān 명 〈文〉 ①패관. 옛날, 제왕에게 항간의 이야기나 풍속 등을 들려 주던 하급 관리. =〔稗吏〕 ②소설가《한서(漢書) 예문지(藝文志) '小说家之流, 盖出于～'라는 데서 후에 소설가를 '～'이라고 일컬음》.
〔稗官野史〕 bàiguān yěshǐ 명 패관야사《일화(逸話)나 사소한 일들을 적은 야사(野史)·소설 따위》.
〔稗吏〕 bàilì 명 ⇨〔稗官①〕
〔稗沙门〕 bàishāmén 명 《佛》 수행을 쌓지 않은 중.
〔稗史〕 bàishǐ 명 패사. 일화(逸話)나 하찮은 일을 기록한 야사(野史).
〔稗说〕 bàishuō 명 〈文〉 하찮은 말이나 일 따위의 기록. 소설.
〔稗子〕 bàizi 명 ①《植》 피. ②피의 열매.
〔稗子米〕 bàizimǐ 명 피의 열매를 탈곡한 것.
〔稗子面〕 bàizimiàn 명 피 가루.

韛(鞴)
bài (배)
명 〈方〉 풀무. ¶风～; 풀무 / ～拐子; 풀무의 손잡이. =〔风箱〕

㗑
bai (배)
조 ⇨〔呗bei〕

BAN ㄅㄢ

扳
bān (반)
동 ①(힘껏) 잡아당기다. 구부러뜨리다. 당겨 쓰러뜨리다. (손가락 따위를) 꼽다. ¶～枪机; 총의 방아쇠를 당기다 / ～树枝; 나뭇가지를 휘다 / ～着指头算; 손을 꼽아 세다 / 留神～倒dǎo了茶碗! 찻잔을 엎어 쓰러뜨리지 않도록 조심해라! =〔搬⑥〕 ②비틀다. 젖히다. 되돌리다. 돌려 세우다. ¶他的病～过来了; 그의 병은 회복세를 보였다 / ～本(儿); ↓ / 客队经过苦战, ～回一球, 打成平局; 원정 팀이 고전을 하다가 한 점을 만회하여 무승부가 되었다. ③말다툼을 하다. 언쟁하다. ¶他们俩又～上来了; 그들 두 사람은 또 말다툼을 시작했다. ⇒pān
〔扳本(儿)〕 bān∙běnr 동 〈方〉 (도박에서) 본전을 찾다. =〔翻本〕
〔扳不倒儿〕 bānbùdǎor 명 〈口〉 오뚝이. ¶～坐趟子车; 〈歇〉 오뚝이가 마차를 타다《불안정함의 비유》. =〔不倒翁〕
〔扳差头〕 bān chàtou 〈南方〉 흠을 찾다. =〔〈方〉扳错头〕
〔扳扯〕 bānchě 동 ①끌어당기다. ②말려 들게 하다. 연루시키다. 끌어넣다.
〔扳倒〕 bān∙dǎo 동 ①잡아당겨 쓰러뜨리다. 꺼꾸러뜨리다. ②타도하다. 때려 눕히다.
〔扳道〕 bān∙dào 동 (철도의 궤도를) 전철(轉轍)하다. 명 전철기(轉轍機)《'转zhuǎn辙机'는 구칭(舊稱)》. ‖ =〔扳闸(儿)〕〔搬闸(儿)〕
〔扳道工〕 bāndàogōng 명 전철수(轉轍手)《'扳闸的' '搬闸的'는 구칭》. =〔扳道员〕〔搬闸的〕
〔扳动〕 bāndòng 동 움직이다. 풀어 놓다. (아래 또는 안쪽으로) 잡아당기다.
〔扳舵的〕 bānduòde 명 ⇨〔搬舵的〕
〔扳杠〕 bāngàng 동 ⇨〔抬tái杠①②〕
〔扳和〕 bānhé 동 가까스로 비기다. ¶他们队既敌不过我们, 又与广东队～; 그들 팀은 우리의 적수가 못 되고, 또 광둥(廣東) 팀하고도 겨우 비겼다.
〔扳鐄〕 bānhuáng 명 ⇨〔扳机①〕
〔扳回〕 bānhuí 동 만회하다. ¶下半场长春队连续～两球, 结果二比二; 후반에 창춘(長春) 팀이 연속 2점을 만회하여 결국 2대 2가 되었다.
〔扳机〕 bānjī 명 ①(총의) 방아쇠. ¶扳～ =〔搂lōu～〕〔勾～〕; 방아쇠를 당기다. =〔扳鐄〕〔扳手②〕〔扳子②〕〔枪qiāng机子〕 ②《機》 제동기(制動機). 트리거(trigger).
〔扳拉〕 bānlā 동 ①억지로 잡아 끌다. ¶我把他～来了; 나는 그를 억지로 끌고 왔다. ②(마음에 드는 사람에게) 접근하다. 가깝게 사귀다.
〔扳钳〕 bānqián 명 ⇨〔扳子①〕
〔扳手〕 bānshǒu 형 돈에 궁하다. 옹색하다.
〔扳手〕 bānshou 명 ①《機》 스패너(spanner). =〔扳子①〕 ②총의 방아쇠. ③(기물(器物) 따위의) 손잡이. 자루.
〔扳头(儿)〕 bāntóu(r) 명 ①스패너(spanner). ②(기물의) 손잡이.
〔扳腕子〕 bānwànzi ①명 팔씨름. ②(bān wànzi) 팔씨름하다. ‖ =〔掰bāi腕子〕
〔扳罾〕 bānzēng 명동 (네모난) 반두(를 들어 올리다). ¶～守店; 어부가 반두로 고기가 들어오기를 기다릴 때처럼 꼼짝 않고 가게를 지키다《우두할 정도로 꼼짝 않고 지킴》. =〔搬罾〕 명 서예(書藝)의 집필법(執筆法)의 하나. 집게손가락을 세워서 뒤로부터 붓에 붙여 쓰는 법.
〔扳闸的〕 bānzhádе 명 ⇨〔扳道工〕
〔扳指儿〕 bānzhir 명 ⇨〔搬指(儿)〕
〔扳子〕 bānzi 명 ①《機》 스패너(spanner). ¶活huó动羊角扳手 =〔活扳子〕; 멍키 스패너(monkey spanner) / 呆dāi～ =〔死sǐ～〕; 고정 스패너 / 套tào筒搬子; 박스(box) 스패너 / 管guǎn～; 파이프 렌치(pipe wrench) / 单dān头～; 판 스패너 / 双头～; 양구(兩口) 스패너. =〔扳钳〕〔扳手①〕〔扳头〕〔搬钳〕〔搬手〕〔搬子〕〔令lìng取〕〔取qǔ子〕〔史shǐ巴拿〕〔士shì巴拿〕 ② ⇨〔扳机①〕

攽
bān (반)
동 〈文〉 발급하다. 지급하다. 분배하다.

颁(頒)
bān (반)
동 ①나누다. 나누어 주다. 베풀다. ¶荷蒙～下隆仪, 感激无已yǐ; 〈翰〉 훌륭한 물건을 주셔서 감사하기 이를 데 없습니다. ②공포(公布)하다. 반포(頒布)하다. ¶教育部～教学大纲; 교육부가 공포한 교학 대강(教學大綱) / ～布命令; 명령을 공포하다.
〔颁白〕 bānbái 명형 ⇨〔斑白〕
〔颁布〕 bānbù 동 공포(公布)하다. ¶中央及各有关部门又～了若干新法规; 정부 및 각 관계 부문에서는 또 약간의 새 법규를 공포하였다. →〔公gōng布〕
〔颁词〕 bāncí 동 말씀을 주시다. ¶主席～勖xù勉; 주석(主席)께서 말씀을 주시고 격려해 주셨다.
〔颁赐〕 bāncì 동 ①나누어 주다. ②(칭호·권리 따위를) 수여하다. 수여받다.
〔颁发〕 bānfā 동 ①(명령·지시·정책 등을) 반포하다. 지시하다. 공포하다. 문서로 통달하다. ②(상장·훈장·증서 등을)수여하다. 교부하다. ¶

～奖状; 상장을 수여하다.
〔颁给〕 bāngěi 통 주다. 수여하다.
〔颁奖〕 bān,jiǎng 통 포상(褒賞)하다. 상(賞)을 수여하다.
〔颁犒〕 bānkào 명동 〈文〉 위로품(慰勞品) (을 주시다).
〔颁赏〕 bānshǎng 통 〈文〉 상(賞)을 주다.
〔颁师〕 bānshī 통 〈文〉 ⇨〔班师〕
〔颁施〕 bānshī 통 〈文〉 ⇨〔颁行〕
〔颁行〕 bānxíng 통 (정부·관청이 법령 따위를) 공포 시행하다. =〔颁施〕 →〔颁布〕
〔颁诏〕 bānzhào 통 〈文〉 조칙(詔勅)을 선포하다.

班 bān (반)
①명 반. 조(組). 그룹. 단체. 클라스. ¶把新生分为三～; 신입생을 세 반으로 가르다/领导～子; 지도 그룹/高级～; 고급반/高年～; 고학년 반/低dī年～; 저학년 반/五二～; 5학년 2반/分～; 조로 나누다/排pái～; 반을 짜다/同～; 같은 반/这～人都是新来的; 이 반 사람들은 모두 새로 왔다. ②명 《軍》 분대. ¶三排pái二～; 제 3 소대 제 2 분대/～长zhǎng; 분대장. ③명 (교대로 작업하는 경우의) 반. 조. ¶早zǎo～; 아침반/你早～儿啊! 안녕하십니까!/中～; 낮반/夜～; ⓐ밤반. ⓑ숙직/交jiāo～; 근무 교대하다/日夜三～; 하루 3교대/三～制; 3교대제/昼zhòu夜轮～制; 주야 교대 근무제. ④명 근무. 근무 시간. ¶上～ =〔到dào～〕; 출근하다. 근무하다/下～; 퇴근하다/上下～; 출퇴근. ⑤명 순번. 차례. ¶该gāi我的～儿了; 내 차례일세/今儿个他该～儿了; 오늘은 그가 당번이다. ⑥명 친척이나 형제 관계의 순서. ⑦양 ㉠정기적인 병의 발작을 세는 말. ㉡조(組)한 무리의 사람을 가리키는 말. ¶一～学生; 한 무리의 학생/一～戏子; 일단(一團)의 배우들. ㉢교통 기관의 운행표 또는 노선. ¶头tóu～车; 첫차/末～车; 막차/早～车; 아침〔오전〕의 열차〔버스〕/上海～的船; 상하이 항로의 기선/我搭下～飞机走; 나는 다음 편 비행기로 갑니다/一路公共汽车每隔三分钟就有一～; 1번 버스는 3분 간격으로 한 대씩 있다. ⑧명 옛날 극단(劇團)을 일컫는 말. ⑨명 기루(妓樓). 기원(妓院). ⑩형 정기적으로 발차·운항하는. ¶～车; ⇩/～机; ⇩ ⑪형 동등한. 같은. ⑫통 (군대를) 귀환·이동시키다. ¶～兵; 군사를 회군시키다/～师; ⇩ ⑬명 성(姓)의 하나.
〔班白〕 bānbái 명형 ⇨〔斑白〕
〔班班〕 bānbān 형 〈文〉 선명하고 뚜렷한 모양.
〔班辈(儿)〕 bānbèi(r) 명 〈方〉 항렬(行列). =〔行háng辈〕
〔班别〕 bānbié 명 반별. 조별(組別).
〔班驳〕 bānbó 형 ⇨〔斑驳〕
〔班草〕 bāncǎo 통 〈文〉 풀을 깔고 앉다.
〔班产〕 bānchǎn 명 반(班) 단위의 생산.
〔班车〕 bānchē 명 정기적으로 운행하는 차량. 통근차.
〔班船〕 bānchuán 명 정기선(定期船). ¶定期～已于六日开始起航; 정기선이 6일부터 취항했다. =〔班轮lún〕
〔班次〕 bāncì 명 ①(교대 작업 따위의) 순서. 순번. ②(정기적으로 운행하는 교통 기관의) 운행 횟수. ¶增加公共汽车～; 버스의 운행 횟수를 늘리다. ③청대(清代) 관리 임명의 후보자 서열. ④반. 클라스. 학년. ¶在大学时, 我们是一个系的, 但～不同; 대학에 다닐 때 우리는 같은 학부였지만, 학급은 달랐다.
〔班底(儿)〕 bāndǐ(r) 명 ①《劇》 옛날, 극단의 평단원(平團員). ②(한 조직의) 기본 성원〔주요 멤버〕.
〔班点鸫〕 bāndiǎndōng 명 《鳥》 개똥지빠귀.
〔班房〕 bānfáng 명 ①(옛날 관청의 하급 관리들의) 사무실 또는 대기실. ②(①에서 일하는) 하급 관리. ③〈俗〉 감옥. 구류소(拘留所). ¶他坐过几年～; 그는 몇 년 동안 콩밥을 먹은 일이 있다. →〔监jiān狱〕
〔班行〕 bānháng 명 서열(序列). =〔班列〕
〔班机〕 bānjī 명 정기 항공기〔여객기〕.
〔班吉〕 Bānjí 명 《地》 방기(Bangui)〖'中非共和国'(중앙아프리카 공화국: Central African Republic)의 수도〗.
〔班级〕 bānjí 명 학급. 반. 학년〖학년과 학급의 총칭〗. ¶各个～的学生; 각 학년 각반의 학생/这个～女同学很多; 이 학급에는 여학우가 매우 많다.
〔班荆道故〕 bān jīng dào gù 〈成〉 광대싸리를 깔고 앉아서 옛이야기를 나누다. 친구와 만나서 옛정을 나누다.
〔班军〕 bānjūn 통 〈文〉 ⇨〔班师〕
〔班列〕 bānliè 명 ⇨〔班行háng〕
〔班领〕 bānlǐng 명 어떤 극단(劇團)에 가입하여 지도를 받는 일. 극단에 가입하는 계약. →〔师shī约〕
〔班轮〕 bānlún 명 ⇨〔班船〕
〔班马〕 BānMǎ 명 ①한서(漢書)의 저자 반고(班固)와 사기(史記)의 저자 사마천(司馬遷). ②(bānmǎ) 〈文〉 고삐 풀린 말.
〔班门弄斧〕 bān mén nòng fǔ 〈成〉 옛날, 유명한 목공인 노반(魯班)의 문전에서 도끼를 휘두르다. 〈比〉 부처님한테 설법. →〔对佛说法〕
〔班配〕 bānpèi 형 ⇨〔般配〕
〔班期〕 bānqī 명 선박·열차·항공기 등의 취항일. ¶去程～; 왕로(往路) 기일/回程～; 귀로(歸路)의 기일.
〔班奇拉树胶〕 bānqílā shùjiāo 명 벵갈라 고무(Bengala gum).
〔班人〕 bānrén 명 동료. 동배.
〔班若〕 bānruò 명 ⇨〔般bō若〕
〔班上班下〕 bān shàng bān xià 〈成〉 엇비슷하다. ¶～的年岁; 비슷비슷한 나이. 같은 또래. =〔般上般下〕 →〔般大般小〕
〔班师〕 bānshī 통 〈文〉 군대를 귀환시키다〔철수시키다〕. 개선하다. ¶～回朝; 개선하다. =〔班军〕〔般师〕〔颁师〕
〔班史〕 Bānshǐ 명 《書》 한서(漢書)의 별칭〖반표(班彪)·반고(班固)·반조(班照) 부자가 저술한 사서(史書)의 뜻〗.
〔班特尔狗〕 bāntè'ěr gǒu 명 《動》 〈音〉 포인터(pointer)〖스페인산(産)의 사냥개〗.
〔班头〕 bāntóu 명 수령. 우두머리. 두목. ¶那时候, 令亲钱俊人便是个新派的～《茅盾 霜葉紅似二月花》; 그 무렵, 당신의 친척 전준인(錢俊人)은 바로 신진파의 우두머리였다.
〔班位〕 bānwèi 명 석차(席次). 서열.
〔班文儿〕 bānwénr 통 ⇨〔掰bāi文儿〕
〔班务会〕 bānwùhuì 명 (군대 또는 공장의) 반의 사무 회의.
〔班长〕 bānzhǎng 명 ①반장·급장·조장. ②《軍》 분대장.
〔班中〕 bānzhōng 명 근무중. ¶～休息时间; 근무중의 휴식 시간.

〔班珠尔〕 Bānzhū'ěr 명《地》반줄(Banjul)《'冈gāng比亚'(감비아: Gambia)의 수도》.
〔班主〕 bānzhǔ 명 ⇨〔成chéng班人〕
〔班主任〕 bānzhǔrèn 명 ①반(班)담임. 학급 담임. ②(직장의) 그룹 주임.
〔班卓(琴)〕 bānzhuō(qín) 명《樂》밴조(banjo). =〔班究琴〕〔班佐〕〔板搅〕
〔班子〕 bānzi 명 ①극단(劇團)의 구칭. ②부(部). 그룹. 대(隊). ③(옛날의) 기루(妓樓). 기원.
〔班组〕 bānzǔ 명 ①반(班)과 조(組)의 총칭. ②기업의 생산 최소 단위.

斑 bān (반)
①명 반점. 얼룩. ¶红～; 붉은 반점. ②형 반점이나 얼룩무늬가 있다. 얼룩얼룩하다. ¶～马; ⇩/～鸠jiū; ⇩/雀què～; 주근깨/黑～; 검은 반점. (얼굴의) 기미.
〔斑白〕 bānbái 명형 (머리가) 반백(이다). 희끗희끗하다. ¶两鬓bìn～; 양쪽 살쩍에 흰 털이 보이다/头发～; 머리가 반백이다/须眉～; 수염과 눈썹이 희끗희끗하다. =〔班白〕〔颁白〕〔斑发〕
〔斑斑〕 bānbān 형 반점투성이다. 얼룩덜룩하다. ¶血迹～; 핏자국이 얼룩얼룩하다. =〔般般②〕
〔斑背潜鸭〕 bānbèi qiányā 명《鳥》검은머리흰죽지. =〔铃líng鸭〕〔蚬xiǎn鸭〕
〔斑鬓〕 bānbìn 명 ①〈文〉희끗희끗한 살쩍. ②〈比〉노령(老齡).
〔斑驳〕 bānbó 형 〈文〉여러 색깔이 뒤섞여 있는 모양. 얼룩덜룩한 모양. ¶月光透过树叶, 斑斑驳驳地照在她们身上; 달빛이 나뭇잎 사이로 스며들어, 그녀들의 어깨 위로 아롱져 비추고 있다. =〔班驳〕
〔斑驳陆离〕 bān bó lù lí 〈成〉여러 빛깔의 사물이 뒤섞인 모양. 알록달록하다. 아롱다롱하다. ¶屋里乱放着～的物件; 방 안에 가지각색의 물건이 뒤섞여 놓여 있다.
〔斑点〕 bāndiǎn 명 ①반점. 반문(斑紋). ②오점(汚點). 얼룩. ③흠. ④오명(汚名). ⑤(인체의) 점.
〔斑鸫〕 bāndōng 명《鳥》개똥지빠귀.
〔斑豆〕 bāndòu 명 새알콩.
〔斑发〕 bānfà 명형 ⇨〔斑白〕
〔斑管〕 bānguǎn 명 반죽필(斑竹筆)《붓대를 반죽(斑竹)으로 만든 붓》.
〔斑鰶〕 bānjì 명《魚》전어.
〔斑加吉〕 bānjiājí 명《魚》얼음돔.
〔斑鸠〕 bānjiū 명《鳥》호도새. 산비둘기. =〔鸣míng鸠〕
〔斑斓〕 bānlán 형 외관(外觀) 또는 색채가 화려하다. ¶五彩～; 오색 찬란하다.
〔斑粝岩〕 bānlìyán 명《鑛》반려암(斑糲岩). =〔飞fēi白石〕
〔斑蓼〕 bānliǎo 명《植》흰여뀌.
〔斑羚〕 bānlíng 명《動》고럴(goural)《영양(羚羊)의 일종》.
〔斑龙〕 bānlóng 명《動》사슴의 이칭(異稱).
〔斑鲈〕 bānlú 명《魚》농어.
〔斑马〕 bānmǎ 명《動》얼룩말. =〔斑驴〕〔花huā条马〕
〔斑马线〕 bānmǎxiàn 명 ⇨〔人rén行横道〕
〔斑蝥〕 bānmáo 명《蟲》반묘(斑猫). 가뢰. =〔斑猫〕〔盤蝥〕
〔斑鳍六线鱼〕 bānqí liùxiànyú 명《魚》쥐노래미.
〔斑铜矿〕 bāntóngkuàng 명《鑛》반동광(斑銅鑛).
〔斑秃〕 bāntū 명《醫》원형 탈모증(圓形脫毛症). =〔〈俗〉鬼剃头〕
〔斑文〕 bānwén 명 ⇨〔斑纹〕
〔斑纹〕 bānwén 명 반문. 얼룩무늬. =〔斑文〕
〔斑纹喷漆〕 bānwén pēnqī 명 얼룩무늬 분무(噴霧)칠.
〔斑鹟〕 bānwēng 명《鳥》솔딱새.
〔斑杖〕 bānzhàng 명 ①《植》호장(虎杖). 반장. ②반죽(斑竹)으로 만든 지팡이.
〔斑疹〕 bānzhěn 명《醫》성홍열(猩紅熱).
〔斑疹伤寒〕 bānzhěn shānghán 명《醫》발진티푸스. ¶～疫yì苗; 발진티푸스 백신. =〔发fā疹室扶斯〕 →〔伤寒①〕
〔斑竹〕 bānzhú 명《植》반죽. =〔湘xiāng妃竹〕
〔斑嘴鸭〕 bānzuǐyā 명《鳥》흰빰검둥오리.

瘢 bān (반)
명 피부에 반점이 생기는 병.

般 bān (반)
①명 종류. 방법. ¶这～人; 이런 유(類)의 사람. 이 같은 사람/百bǎi～; 모든. 백반의/万wàn～无奈; 도무지 어떻게도 해 볼 수가 없다. ②형 같은. …와 같은〔마찬가지〕. ¶兄弟～的友谊; 형제 같은 우정/一～大小; 같은 정도의 크기/两个人一～儿高; 두 사람의 키는 같다/暴bào风雨～的掌声; 폭풍우와 같은 박수/西施一～的美貌; 서시와 같은 미모. →〔一般〕〔一样〕 ③형 일반의. 보통의. ¶一～人的观念; 일반 사람들의 관념/一～地说; 일반적으로 말해서. ④동 ⇨〔搬bān①〕 ⇒ bō pán
〔般般〕 bānbān 형 ①여러 가지의〔로〕. 가지각색으로. ¶这种情形～皆是并不希奇; 이러한 일은 이러저러하게 흔히 있는 일이어서 별로 신기한 것이 못 된다. ② ⇨〔斑斑〕
〔般大般小〕 bān dà bān xiǎo 〈成〉①나이가 어울리는. ②크지도 작지도 않은. 알맞은. ③중간의. ‖→〔班上班下〕
〔般分〕 bānfēn 동 나누어 주다.
〔般配〕 bānpèi 형 균형이 잡히다. 어울리다. ¶我看你俩年貌相当, 很～; 내가 보기에 너희 두 사람은 나이가 비슷해서 잘 어울린다/这一对夫妻挺～; 이 한 쌍의 부부는 정말 잘 어울린다/婚姻一事总要～; 혼인이란 것은 짝이 맞아야 한다. =〔班配〕〔搬配〕
〔般上般下〕 bān shàng bān xià 〈成〉⇨〔班上班下〕
〔般师〕 bānshī 동 〈文〉⇨〔班师〕

搬 bān (반)
동 ①옮기다. ㉠나르다. 움직이다《보통 무겁거나 큰 것의 이동을 가리킴》. ¶把这块石头～开; 이 돌을 옮기다〔치우다〕/你去～一把bǎ椅子来; 너 가서 의자 하나를 날라 오너라. ㉡이사하다. 옮겨 가다. ¶～家; 이사하다/他全家都～到乡下去了; 그의 전 가족이 시골로 이사갔다. =〔般④〕 ②후비다. 들춰 내다. 폭로하다. ¶～人的是非; 남의 일을 이러니저러니 말하다. 남의 말꼬리를 잡다. ③청하다. 부르다. ¶病得沉chén重了, ～个先生看看吧; 병이 중하니 의사의 진찰을 받도록 하시오. ④(기존의 제도·경험·방법·어구 등을 그대로) 인용(引用)하다. 차용(借用)하다. 답습해 사용하다. ¶写文章不要～教条; 문장을 쓸 때는 맹목적으로 교조를 인용해서는 안 된다. →〔生搬硬套〕 ⑤(손가락을) 꼽다. ¶～指头;

손꼽아 세다. ⑥ ⇨〔扳bān①〕
〔搬兵〕 bān.bīng 동 ①구원하기 위해 군사를 돌리다. ②구원 부대를 요청하다. ③원조를 요청하다.
〔搬不倒儿〕 bānbudǎor 명 오뚝이. =〔不倒翁〕
〔搬不动〕 bānbudòng (무거워서) 움직일 수 없었다.
〔搬场〕 bānchǎng 동〈南方〉이전하다. 이사하다. ¶～公gōng司; 이삿짐 센터 / ～汽qì车; 이사용 트럭.
〔搬出〕 bānchū 동 ①반출하다. ②공개하다. 발표하다. 대중 앞에 내 놓다. ¶～老一套手段应付困难的场面; 늘 하는 수법으로 들고 나와 난처한 정황에 대처하다.
〔搬倒〕 bāndǎo 동 ①운반하는 사이에 쓰러뜨리다〔거꾸러뜨리다〕. ②(짐의 상하를) 거꾸로 하여 나르다.
〔搬动〕 bāndòng 동 ①위치를 바꾸다. 이동하다. ②운송 · 수송 · 운반하다. ¶因为很重, ～时特别小心; 아주 무거워서 운반할 때 특히 조심하다 / 东西太大不易～; 물건이 너무 커서 운반하기가 쉽지 않다. ③전임(專任)시키다.
〔搬舵的〕 bānduòde 명 (배의) 키잡이. 조타수(操舵手). =〔扳舵的〕 →〔船chuán家〕
〔搬弓搭箭〕 bān gōng dā jiàn〈成〉시위에 화살을 메기다(이제 막 행동으로 옮기려고 함. 전기(戰機)가 무르익으려고 함).
〔搬光〕 bānguāng 동 남김없이 운반하다.
〔搬货〕 bānhuò 동 화물을 운반하다. ¶～下船; 화물을 운반하여 배에 싣다.
〔搬家〕 bān.jiā 동 ①이사하다. 이전하다. ¶他新近～了; 그는 최근 이사했다 / 他一年之间搬了两次家; 그는 1년새 이사를 두 번 했다. →〔搬场〕〔乔迁〕 ②〈俗〉장소 · 위치를 옮기다. ¶把梨树～到院子里; 배나무를 마당에 옮기다.
〔搬家公司〕 bānjiā gōngsī 명 이삿짐 센터.
〔搬劲〕 bānjìn 동 남과 뜻이 맞지 않다. 고집을 피우다.
〔搬进〕 bān.jìn 동 (…에) 나르다. (…에) 이사하다. ¶他已经～新建的住宅区去了; 그는 벌써 새로 지은 주택 지구로 이사 했다.
〔搬进去〕 bān.jin.qu 반입하다. 이사해 가다. ¶他搬进学校的宿舍去了; 그는 학교 기숙사에 들어갔다.
〔搬九〕 bānjiǔ 명 옛날, 신랑 신부가 결혼식 후 9일째 되는 날 신부 집으로 가는 일.
〔搬救兵〕 bān jiùbīng 원병(援兵)을 요청하다.
〔搬开〕 bānkāi 동 ①옮기다. ②운반하여 장소를 비우다.
〔搬来搬去〕 bānlái bānqù 여기저기 이사하다. 이리저리 옮기다.
〔搬面子〕 bān miànzi 안면이 넓은 사람을 보내다.
〔搬弄〕 bānnòng 동 ①도발하다. 충동질하다. 휘젓다. ②손으로 움직이다. 만지작거리다. ¶～枪栓; 총의 노리쇠를 움직이다. ③뽐내다. 자랑하다. 으스대다. 과시하다. ¶他总好～自己的那点儿知识; 그는 늘 자기의 약간의 지식을 자랑하기 좋아한다.
〔搬弄是非〕 bān nòng shì fēi〈成〉양쪽을 부추겨 문제를 일으키다. 양쪽에 말을 옮기어 싸움을 일으키다. =〔搬是弄非〕〔搬是非〕
〔搬挪〕 bānnuó 동 장소를 옮기다. 이동하다. 날라 옮기다〔치우다〕.
〔搬配〕 bānpèi 형 ⇨〔般配〕
〔搬起石头打自己的脚〕 bān qǐ shí tou dǎ zì jǐ de jiǎo〈成〉돌을 나르다가 (떨어뜨려) 자기의 발을 다치다(자업자득). =〔搬砖砸脚〕
〔搬钳〕 bānqián 명《機》스패너.
〔搬山倒海〕 bān shān dào hǎi〈成〉산을 허물어 바다를 메우다.
〔搬上银幕〕 bān shang yínmù ①영화화하다. ②영화에 맞도록 각색하다.
〔搬石头〕 bān shítou 돌을 나르다.〈比〉방해자를 제거하다.
〔搬是非〕 bān shì fēi〈成〉⇨〔搬弄是非〕
〔搬是弄非〕 bān shì nòng fēi〈成〉⇨〔搬弄是非〕
〔搬手〕 bānshǒu 명 ⇨〔扳bān子①〕
〔搬送〕 bānsòng 동 운반하다. 운송하다. ¶这个东西太大, 不好拿, 还是等会儿派人～到您府上去吧; 이 물건은 너무 커서 들고 가기가 힘드니까 나중에 사람을 시켜 댁까지 운반하여 드리지요.
〔搬躺下〕 bāntǎngxià 동 ①(팔을 비틀어) 엎어 누르다. ②(꼼짝 못 하도록) 엎어 누르다.
〔搬调〕 bāntiáo 동 희롱하다. 놀리다. 조롱하다.
〔搬戏〕 bānxì 동 ⇨〔扮bàn戏〕
〔搬雪填井〕 bānxuě tiánjǐng 눈을 날라다 우물을 메우다(헛수고하다).
〔搬演〕 bānyǎn 동 ⇨〔扮演〕
〔搬移〕 bānyí 동 물건을 옮기다. 이사(移徙)하다.
〔搬用〕 bānyòng 동 유용(流用)하다. 전용(轉用)하다. 적용하다. ¶机械地～; 기계적으로 적용시키다.
〔搬运〕 bānyùn 동 운송 · 수송 · 운반하다. 명 운송. 수송.
〔搬运法(儿)〕 bānyùnfǎ(r) 명 마술(魔術)의 하나(안에 든 물건을 손을 쓰지 않고 꺼내는 기술).
〔搬罾〕 bānzēng 명동 ⇨〔扳罾①〕
〔搬闸的〕 bānzháde 명 ⇨〔扳道工〕
〔搬闸儿〕 bānzhár 명 철도(鐵道)의 포인트. 전철기. (bān.zhár) 동 전철기를 전환하다.
〔搬指儿〕 bānzhir 명 ①(활을 쏠 때 끼는) 깍지. 각지(角指). ②엄지손가락에 끼는 반지 모양의 장신구. ‖ =〔扳指儿〕
〔搬指头〕 bānzhǐtou 손가락을 꼽으면서 수를 세다. →〔掐指头〕
〔搬住〕 bānzhù 동 (두 손으로 위에서) 꽉 껴안다. ¶跑到他跟前～他的头; 달려가서 그의 머리를 꼭 껴안다.
〔搬砖〕 bānzhuān 동 벽돌을 나르다(힘들다). ¶我做什么都觉得～似的; 나는 무슨일을 해도 힘이 든 것처럼 느껴진다.
〔搬砖砸脚〕 bān zhuān zá jiǎo〈成〉⇨〔搬起石头打自己的脚〕
〔搬子〕 bānzi 명 ①타래송곳. ②활 쏠 때에 끼는 깍지. ③굵은 반지.
〔搬走〕 bānzǒu 동 이사(移徙)하다. 나르다. ¶把东西～; 물건을 날라 가다 / 他早就～了; 그는 벌써 이사 갔다.

瘢 bān (반)

명 종기 · 상처의 자국. 흉터. =〔疤bā瘌〕

〔瘢点〕 bāndiǎn 명 상처가 나은 뒤에 남는 반점(斑點). 기미.
〔瘢风〕 bānfēng 명《醫》어루러기. 전풍(癜風). →〔白bái癜风〕
〔瘢痕〕 bānhén 명 흉터. 상처자국. ¶～瘤 =〔～疙gē瘩〕; 켈로이드(keloid).

坂〈阪, 岅〉 **bǎn** (판) 명 ①산비탈. 언덕. ¶～上走丸 =〔如丸走坂〕; 〈成〉 언덕에서 구슬을 굴리다(속도가 매우 빠르다. 형세가 급전하다). ②늪의 둑. ③경사가 가파르고 메마른 땅. ¶～田; 경사지에 있는 척박한 밭.

板〈闆〉⑩ **bǎn** (판) ①(～儿, ～子) 명 널. 판. 판자. ¶木mù～; ⓐ나무 판자. 목판. ⓑ판자 모양의 물건 / 钢gāng～; 강판 / 玻bō璃～; 판유리 / 黑hēi～; 흑판. 칠판 / 皮～; 모피(毛皮)의 가죽 부분 / 买皮筒子的时候, 不但要挑tiāo毛, 也得看看～子; 옷에 붙이는 모피를 살 때는 털을 고르는 것은 물론, 가죽도 잘 보아야 한다. ② 명 ⇨〔版①〕 ③ 명 《樂》 박판(拍板)(중국 음악에서 박자를 맞추는데 쓰는 악기). ¶檀tán～; 박달나무로 만든 박판. =〔拍pāi板〕〔歌板〕 ④ 명 《樂》 (～儿) 곡조. 박자. ¶快kuài～; 빠른 곡조 / 慢màn～; 느린 곡조 / 荒huāng腔走～; 곡조가 맞지 않다 / 唱得有～有眼; 곡조에 맞게 노래하다 / 他做事有～有眼; 그는 일을 빈틈없이 잘 한다. →〔板眼①〕 ⑤(～儿) 명 널빈지. ¶～门; 빈지문. ⑥ 형 딱딱하다. 단단하다. 빼근하다. ¶脖子有点发～; 목이 좀 빼근하다 / 肩膀儿～了; 어깨가 빼근해졌다. ⑦ 형 완고하다. 융통성이 없다. 무뚝뚝하다. ¶那个人很老实, 就是太～; 저 사람은 성실하지만, 너무 융통성이 없다. =〔呆dāi板〕〔死板〕 ⑧ 동 정색(正色)하다. 표정이 굳어지다〔딱딱하다〕. 엄숙한 기색을 띠다. ⑨(～儿, ～子) 명 가게의 문. ¶铺子都上了～儿了; 가게가 모두 문을 닫았다. ⑩ 명 상점의 주인. →〔老lǎo板〕

〔板板六十四〕 bǎnbǎn liùshí sì 완고하다. 융통성이 없다. 변통(變通)이 없다. 획일적이다. =〔版版六十四〕

〔板报〕 bǎnbào 명 흑판 신문. 벽신문. 벽보. =〔黑hēi板报〕

〔板本〕 bǎnběn 명 ⇨〔版本〕

〔板壁〕 bǎnbì 명 (방과 방 사이의) 판 벽. 판자 벽.

〔板边刨床〕 bǎnbiān bàochuáng 명 《機》 가장자리 연삭반(研削盤).

〔板擦儿〕 bǎncār 명 칠판 지우개. ¶用～擦黑板; 칠판 지우개로 칠판을 지우다. =〔黑hēi板擦子〕

〔板材〕 bǎncái 명 ⇨〔板料〕

〔板车〕 bǎnchē 명 (사람이 끄는) 짐수레. ¶拉～; 짐수레를 끌다. =〔板子车〕

〔板呎〕 bǎnchǐ 명 《度》 보드 풋(board foot)(목재의 측량 단위로, 1피트 평방에 두께 1인치).

〔板锉〕 bǎncuò 명 ⇨〔扁biǎn锉〕

〔板带〕 bǎndài 명 ⇨〔腰yāo里硬①〕

〔板刀〕 bǎndāo 명 ①날이 넓은 큰 칼. ②청룡도(青龍刀).

〔板凳(儿)〕 bǎndèng(r) 명 (등받이가 없는) 가늘고 긴 나무 걸상. 벤치. =〔条凳〕〔〈方〉长凳(儿)〕

〔板对〕 bǎnduì 명 판자에 '对duì联(儿)' (대련(對聯))을 써서 거는 것.

〔板斧〕 bǎnfǔ 명 (날이 넓적한) 손도끼.

〔板更〕 bǎngēng 명 ⇨〔填tián料①〕

〔板柜〕 bǎnguì 명 판자로 만든 찬장.

〔板胡〕 bǎnhú 명 《樂》 호궁(胡弓)의 일종(화베이(華北)의 민간 예능의 하나인 '梆子(腔)'의 주요 반주(伴奏) 악기. 길이는 약 70cm이고 현(弦)이 2개임. 동체(胴體)에는 뱀가죽 대신 얇은 널빤지를 붙였음). =〔梆bāng胡〕 →〔胡琴(儿)〕〔京jīng胡〕

〔板话〕 bǎnhuà 명 '拍pāi板①' (박판)을 치면서 하는 '说shuō唱' (설창).

〔板画〕 bǎnhuà 명 《美》 판화(版畫). =〔版画〕

〔板簧〕 bǎnhuáng 명 《機》 판자 용수철(leaf spring, plate spring).

〔板极〕 bǎnjí 명 《電》 (진공관의) 양극(판). 플레이트.

〔板夹泥住宅〕 bǎnjiání zhùzhái 명 토벽(土壁) 위에, 안팎으로 널빤지를 댄 가옥.

〔板架〕 bǎnjià 명 ⇨〔板梁〕

〔板结〕 bǎnjié 동 《農》 (토양이) 굳어지다. ¶～田; 점토질(粘土質)의 밭 / 这种土壤在雨后～, 不适于农作物的生长; 이러한 토양은 비온 후 굳어지기 때문에, 농작물의 생장에는 적합지 못하다.

〔板筋〕 bǎnjīn 명 질긴 심줄(요리용).

〔板刻〕 bǎnkè 동 서적을 판각(版刻)하다. =〔版刻〕

〔板块学说〕 bǎnkuài xuéshuō 명 (지진에 관한) 플레이트 텍토닉스(plate tec-tonics).

〔板蓝根〕 bǎnlángēn 명 '菘sōng兰' (숭란)의 뿌리(해열·해독의 효능이 있으며 감기약의 주성분임). =〔板兰根〕

〔板栗〕 bǎnlì 명 납작하고 큰 밤.

〔板里没土, 打不起墙〕 bǎnli méi tǔ, dǎbuqǐ qiáng 〈諺〉 판자 사이에 흙이 들어가지 않으면 담을 쌓을 수 없다(겉모양만 번드르르해서는 안 됨).

〔板脸〕 bǎnliǎn 명 무표정한〔무뚝뚝한〕 얼굴. 언짢은〔시무룩한〕 표정. (bǎn,liǎn) 동 무표정한〔무뚝뚝한〕 얼굴을 하다. 불만스러운 표정을 하다. ¶他板起脸来不说话; 그는 험한 얼굴을 하고 말하지 않다. =〔板面孔〕 →〔绷běng脸〕

〔板梁〕 bǎnliáng 명 《土》 판자 도리. 플레이트(plate) 도리. =〔板架〕

〔板料〕 bǎnliào 명 ①판재(板材). ②판금(板金). ‖ =〔板材〕

〔板轮〕 bǎnlún 명 《機》 살이 없는 바퀴. =〔无wú幅轮〕

〔板面孔〕 bǎnmiànkǒng 동 ⇨〔板脸〕

〔板平脸〕 bǎnpíngliǎn 명 넙데데한 얼굴. 밋밋한 얼굴.

〔板墙〕 bǎnqiáng 명 판장. 널판장. 판자 울.

〔板桥〕 bǎnqiáo 명 판교(板橋). 널다리.

〔板球〕 bǎnqiú 명 《體》 크리켓(cricket), 또는 그 공. ¶～具; 크리켓 세트. =〔棒bàng打球〕〔木mù球〕

〔板权〕 bǎnquán 명 《法》 판권(版權).

〔板儿〕 bǎnr 명 ①널빤지. 판자. 목판. ②얇은 판자 조각. ③〈俗〉 돈. ④《樂》 박자. 곡조(曲調). ⑤《樂》 캐스터네츠(castanets). ¶左zuǒ手里刮guā哒着～; 왼손으로 캐스터네츠를 치고 있다.

〔板儿平〕 bǎnrpíng 형 (길 따위가) 평탄하다.

〔板(儿)硬〕 bǎn(r)yìng 형 단단하다. ¶这块面包太～了; 이 빵은 너무 딱딱하다.

〔板上钉钉〕 bǎn shàng dìng dīng 〈成〉 확실하다. 벌써〔딱〕 정해져 있다. 틀림없다. ¶你的财产～要归他; 네 재산은 틀림없이 그 사람한테 돌아간다 / 我说出话来, 就是～, 无论谁来劝我, 也不更改; 나는 말을 꺼낸 이상, 이를 바꾸거나 하지는 않는다, 누가 뭐라고 해도 절대로 안 바꾼다.

〔板生〕 bǎnsheng 형 〈方〉 반반하다. 반듯하다. ¶这幅字画裱得很～; 이 그림은 반반하게 표구가

잘 되어 있다. →〔板儿平〕
〔板式〕 bǎnshì 명 ①중국 전통극 노래 곡조의 박자 형식. →〔板眼〕 ②《印》 판식(版式). =〔版bǎn式〕
〔板式〕 bǎnshi 형 반듯하다. 판판하다. ¶用熨斗一熨就～了; 다리미로 다리면 반듯해진다. →〔平píng正〕
〔板实〕 bǎnshi 형 〈方〉 ①(토양이) 딱딱하다. 굳다. ②(책의 표지나 옷이) 견고하다. 탄탄하다. 질기다. (몸이) 튼튼하다.
〔板书〕 bǎnshū 동 (교사가 수업 때) 칠판에 글씨를 쓰다. 판서하다. 명 칠판에 쓴 글씨.
〔板刷〕 bǎnshuā 명 ①솔《자루가 없는 것으로, 옷이나 신발 등을 세척할 때 씀》. ② ⇨〔黑hēi板擦子〕
〔板套〕 bǎntào 명 판자로 만든 책 덮개.
〔板条〕 bǎntiáo 명 《建》 ①외(椳). ②판벽널.
〔板头〕 bǎntou 명 〈方〉 널빤지. =〔板子〕
〔板瓦〕 bǎnwǎ 명 (보통의) 기와.
〔板屋〕 bǎnwū 명 목조 가옥.
〔板箱〕 bǎnxiāng 명 널빤지로 만든 상자.
〔板形凸轮〕 bǎnxíng tūlún 명 《機》 캠(cam). 편형 회전반(偏形回轉盤). =〔〈方〉 桃táo子盘〕 →〔凸轮〕
〔板鸭〕 bǎnyā 명 오리를 통째로 소금에 절여 납짝하게 눌러서 건조시킨 것.
〔板牙〕 bǎnyá 명 ①〈方〉 이(빨). ㉠어금니. 구치(臼齒). ㉡앞니. 문치(門齒). ¶白牙穷, 黑牙富, 黄牙板子开当铺; 흰 이를 가진 자는 궁하다, 검은 이의 사람은 부자가 된다, 누렇고 추한 이를 가진 자는 전당포를 열게 된다. ② ⇨〔螺luó丝板〕
〔板烟〕 bǎnyān 명 압축 담배.
〔板眼〕 bǎnyǎn 명 ①《樂》 중국 전통극이나 음악의 박자《매 소절 중 가장 강한 박자를 '板', 그 나머지의 박자를 '眼'이라 함》. ¶一板三眼; 4박자 / 一板一眼; 2박자. ②〈比〉 (일의) 조리(條理). 순서. ¶他说话做事都有～, 绝不随便乱来; 그는 말이나 하는 일이 이치에 합당하며 절대로 터없이 엉뚱한 짓은 안 한다. ③요령. 요점. 방법. ¶～不错; 요령이 좋다. 눈치가 빠르다.
〔板眼分明〕 bǎnyǎn fēnmíng 〈比〉 확실하다. 분명하다. ¶这件事真是～, 一看就知道了; 이 일은 아주 명백해서, 한 번 보면 금방 안다.
〔板银〕 bǎnyín 명 옛날, 화폐로 사용하던 여러 모양의 납작한 은괴(銀塊).
〔板硬〕 bǎnyìng 형 ⇨〔板(儿)硬〕
〔板油〕 bǎnyóu 명 ①돼지 기름《라드(lard)의 원료》. =〔香脂油〕 →〔脂zhī油②〕 ②포마드(pomade). =〔司丹康〕〔头蜡〕
〔板(儿)油〕 bǎn(r)yóu 명 라드(lard)《널빤지 모양》.
〔板羽球〕 bǎnyǔqiú 명 《體》 배드민턴 비슷한 놀이. 또, 그 깃털공《그 공을 나무채로 침》. =〔鸡毛jīmáo球〕
〔板凿〕 bǎnzáo 명 날이 얄팍한 끌.
〔板正〕 bǎnzhèng 형 단정하다. ¶把衣服洗得干干净净, 叠得～; 옷을 깨끗이 빨아 단정하게 개어 놓다.
〔板执不通〕 bǎn zhí bù tōng 〈成〉 완고하여 조금도 융통성이 없다. 고집불통이다.
〔板纸〕 bǎnzhǐ 명 ⇨〔纸板①〕
〔板滞〕 bǎnzhì 형 ①(글·그림·표정 따위가) 딱딱하다. 정채(精彩)가 없다. 생기가 없다. 틀에 박히다. ②융통성이 없다. 고지식하다. 완미(頑迷)하다. ¶～的人表面上似不甚随合, 其实却是老诚; 융통성이 없는 사람은 표면적으로 가까워지기 어렵지만 실제로는 성실하다.
〔板桩〕 bǎnzhuāng 명 (토목에서의) 널 말뚝《흙이 무너지는 것을 막기 위해 말뚝처럼 박아서 둘러막은 널빤지》.
〔板子〕 bǎnzi 명 ①널빤지. ②죄인의 볼기를 치는 넓적한 나무. 곤장. ③목판(木版). ④박자(拍子). ⑤문. 문짝. 빈지문. ¶上～; 문을 닫다. ⑥게시판. 패.
〔板子车〕 bǎnzichē 명 ⇨〔板车〕

版 bǎn (판)

명 ①(인쇄용의) 판. ¶木mù～; 목판 / 铅qiān～; 연판 / 铜tóng～; 동판 / 锌xīn～; 아연판(亞鉛版) / 照zhào相～; 사진판 / 出chū～; 출판(하다) / 排pái～; 식자(植字)하다. 조판(組版)하다. =〔板②〕 ②(사진의) 원판. 네가(nega). ¶底dǐ～ =〔底片〕; (사진의) 원판. 네가(nega) / 修～; (사진의) 원판을 수정하다. ③(인쇄물의) 인쇄 출판의 횟수. ¶初chū～; 초판 / 第dì一～; 제1판 / 再zài～; 재판 / 改gǎi～; 개정판. 수정판. 개판(하다) / 绝jué～; 절판(이 됨) / 宋sòng～; 송판 / 殿diàn～; 전판. 무영전판(武英殿版). ④신문의 페이지. 면(面). ¶头～新闻; 1면 뉴스. ⑤담틀. 축판(築板). ¶～筑; ⇩ ⑥〈文〉 호적(戶籍). ¶～图; 호적과 지도. 〈比〉 국가의 영역.
〔版版六十四〕 bǎnbǎn liùshí sì ⇨〔板板六十四〕
〔版本〕 bǎnběn 명 ①판본(版本). =〔刻kè本〕〔椠qiàn本〕 ②같은 책으로, 편집(編輯)·전사(傳寫)·판각(版刻)·조판(組版)·장정(裝丁)이 다른 것. ¶这部词典是最新～; 이 사전은 최신판이다 / 同是一样书, 看～的好坏, 书价也不一样; 같은 책이라도 판의 좋고 나쁨에 따라 책값도 다르다. =〔版子②〕 ‖ =〔板本〕
〔版次〕 bǎncì 명 서적의 출판 횟수《예컨대, '초판(初版)' '제2판' 따위》.
〔版画〕 bǎnhuà 명 《美》 판화.
〔版籍〕 bǎnjí 명 〈文〉 ①서적. ②호적부. =〔户hù口册〕
〔版克〕 bǎnkè 명 〈音〉 은행. 뱅크(bank).
〔版刻〕 bǎnkè 명 판각(板刻).
〔版口〕 bǎnkǒu 명 판심(版心). 판구(版口). =〔版心②〕〔页yè心〕
〔版面〕 bǎnmiàn 명 ①신문·잡지·서적의 지면(紙面). ②레이아웃(layout). 편집배정.
〔版权〕 bǎnquán 명 《法》 판권. 출판권. =〔板权〕
〔版权页〕 bǎnquányè 명 판권장(版權張).
〔版式〕 bǎnshì 명 (인쇄의) 판형.
〔版税〕 bǎnshuì 명 인세(印稅).
〔版心〕 bǎnxīn 명 《印》 ①판면(版面). ②판심《목판본에서 중앙의 접은 곳》.
〔版筑〕 bǎnzhù 동 (나무틀에 흙을 다져 굳혀서) 담이나 벽을 쌓다.
〔版子〕 bǎnzi 명 ①판목(版木). (인쇄의) 판. ② ⇨〔版本②〕

钣(鈑) bǎn (판)

명 ①금속판. 판금. ¶钢～; 강판. ②공작 기계의 주요 부분에 있는 평판상(平版狀)의 부분품. ¶滑huá～; 슬라이드판 / 铝～; 양은판.
〔钣金〕 bǎnjīn 명 판금. ¶～工; ⓐ판금 가공. ⓑ판금공. =〔金属薄片〕
〔钣金件〕 bǎnjīnjiàn 명 판금 부품.

舨 bǎn (판)
→〔舢shān舨〕

蝂 bǎn (판)
→〔蝜fù蝂〕

办(辦) bàn (판)
동 ①(일 따위를) 하다. 처리하다. 취급하다. ¶~事; ⇩/~不好; ⇩/~完wán; ⇩/~手续; 수속을 하다/~许可; 허가를 얻다/好, 就这么~! 좋아, 그럼 이렇게 하자! →〔做zuò〕〔干gàn〕 ②처벌하다. ¶首恶者必~; 주모자는 반드시 처벌하다/重zhòng~; 중벌로 처리하다/法~; 법에 의거해 처리하다. ③경영·운영하다. 창설하다. 개설하다. ¶~工厂; 공장을 경영하다/~报; 신문을 발행하다(신문사를 경영하다). ④갖추다. 준비하다. 마련하다. ¶~酒席; 연회를 준비하다/包~伙食; 식사를 도맡아 준비하다. ⑤구입하다. 사들이다. ¶~货; ⇩/~运土产; 토산물을 사서 보내다. ⑥〈方〉(돈을) 마련하다. 조달하다. ¶~现款; 현금을 조달하다. ⑦문서를 작성하다. ¶~一件公文; 문서를 한 통 작성하다.

〔办案〕 bàn'àn 동 ①사건을 처리하다. ②사건의 수사를 하다.

〔办案的〕 bàn'ànde 명 ①옛날, 탐정. ②사건을 처리하는 사람. →〔侦zhēn缉〕

〔办白事〕 bàn báishì 장례식·추도회·회기(回忌) 등을 거행하다.

〔办报〕 bànbào 동 신문을 발행하다.

〔办不成〕 bànbuchéng →〔办成〕

〔办不到〕 bànbudào 완수해 낼 수 없다. 거기까지는 할 수 없다. ↔〔办得到〕

〔办不动〕 bànbudòng 동 (사건이 많거나 힘이 모자라서) 처리할 수 없다. 해낼 수 없다. ↔〔办得动〕

〔办不好〕 bànbuhǎo 동 잘 처리할 수 없다. 잘 할 수 없다. ↔〔办得好〕

〔办不开〕 bànbukāi →〔办开〕

〔办不来〕 bànbulái (곤란해서) 해낼 수 없다. ↔〔办得来〕

〔办不了〕 bànbuliǎo ①(많아서) 해낼 수 없다. 처리가 불가능하다. ②해낼 리가 없다. ‖↔〔办得了〕

〔办不起〕 bànbuqǐ (경제적 능력이 없어서) 해낼 수 없다. 처리할 수 없다. ↔〔办得起〕

〔办不妥〕 bànbutuǒ 확실하게〔적절하게〕 처리할 수 없다. 잘 할 수 없다. ↔〔办得妥〕

〔办不完〕 bànbuwán →〔办完〕

〔办差〕 bànchāi 동 ①옛날, 관청을 위해 부역을 과하거나 재물을 징수하는 따위의 일을 취급하다. ②자재(資材)를 매입하다. ③책임을 다하다.

〔办成〕 bànchéng 동 끝까지 해내다. 완수하다. 해결짓다. ¶办不成; (해서) 성공하지 못하다. 잘 되어 가지 않다.

〔办到棺材人不死〕 bàndào guāncai rén bùsǐ 관(棺)을 준비했더니 환자가 죽지 않았다《기대가 어긋나다. 예정이 바뀌다》.

〔办得到〕 bàndedào 할 수 있다. 해낼 수 있다. =〔来lái得及②〕 ↔〔办不到〕

〔办得妥〕 bàndetuǒ →〔办妥〕

〔办得完〕 bàndewán →〔办完〕

〔办法〕 bànfǎ 명 ①방법. 수단. ¶有~; 방법이 있다/想~; 수단을 생각하다/没 méi~ =〔没法子〕; 방법이 없다. 어찌 할 수 없다/他真有~; 과연 그다/怎么个~呢? 어떤 방법입니까? 《어떻게 합니까?》/暂行~; 임시〔잠정〕 규정. ②(조직적인) 방법. 방식. 조치. ¶救国~; 구국조치.

〔办稿〕 bàn,gǎo 동 공문서를 기초(起草)하다.

〔办公〕 bàn,gōng 동 공무를 처리하다. 사무를 보다. 집무하다. ¶~费; 사무비. 판공비. 기밀비/~时间; 집무 시간. 근무 시간/~椅; 사무용 의자.

〔办公处〕 bàngōngchù 명 ⇨〔办事处〕

〔办公楼〕 bàngōnglóu 명 (2층 이상의 큰) 사무실이 있는 건물.

〔办公室〕 bàngōngshì 명 사무실. 오피스. =〔办事室〕〔〈南方〉写xiě字间〕

〔办公厅〕 bàngōngtīng 명 ①관공서. ②사무실. 사무소(「办公室」보다 규모가 큰 것).

〔办公自动化〕 bàngōng zìdònghuà 명 사무 자동화. OA(office automation).

〔办红事〕 bàn hóngshì ⇨〔办喜事〕

〔办后事〕 bàn hòushì ①죽은 사람의 뒷일을 처리하다. ¶您别过于悲伤了, ~要紧; 너무 상심하면 안 된다, 뒤처리가 중요하니까. ②장례(葬禮)를 치르다.

〔办货〕 bànhuò 동 (상품을) 매입하다. 사들이다. =〔进jìn货〕

〔办酒〕 bànjiǔ 동 술자리를 마련하다. =〔办酒席〕

〔办开〕 bànkāi 동 (일 따위를) 하기 시작하다. ¶要是没有这笔钱, 事情就办不开了; 만일 이 돈이 없으면 일을 시작할 수 없게 된다.

〔办理〕 bànlǐ 동 처리하다. 해결하다. ¶~案件; 안건을 처리하다/斟酌~; 감안하여 처리하다/~在外华侨一切事务; 재외(在外) 화교에 관한 모든 사무를 취급하다/~欠qiàn妥; 처리가 타당하지 않다.

〔办料〕 bànliào 동 재료를 사들이다. 자료를 매입(買入)하다.

〔办满月〕 bàn mǎnyuè 태어난 지 만 1개월의 축하를 하다. =〔做zuò满月〕 →〔双shuāng满月〕

〔办丧事〕 bàn sāngshi 장례를 치르다. →〔办白事〕

〔办社〕 bànshè 동 협동 조합〔인민 공사〕을 운영하다. ¶根据民主~的原则, 建立了社员代表大会和社务委员会; 민주적으로 협동 조합을 운영한다는 원칙에 의거해, 조합원 대표 대회와 업무 위원회를 설치했다.

〔办生日〕 bàn shēngri 생일 축하를 하다. =〔做生日〕 →〔办寿〕

〔办事〕 bàn,shì 동 사무를 처리하다. 일을 하다 《비육체적인 일》. ¶~公道; 일을 공정하게 처리하다.

〔办事处〕 bànshìchù 명 ①사무소. ②(관청의) 국. 사무국. ‖=〔办公处〕

〔办事室〕 bànshìshì 명 ⇨〔办公室〕

〔办事员〕 bànshìyuán 명 사무원.

〔办寿〕 bànshòu 동 생일 축하를 하다. ¶办正寿; 70세·80세 등의 생일 축하를 하다. =〔做zuò寿〕 →〔办生日〕

〔办妥〕 bàntuǒ 동 ①타당하게 처리하다. 완전한 처리를 하다. ②상품의 매입을 완료하다.

〔办完〕 bànwán 동 끝내다. 해내다. ¶办不完; 끝낼 수가 없다/办得完; 해낼 수 있다.

〔办席面〕 bànxímiàn 명동 소꿉질(을 하다). =〔过guò家家儿〕

〔办喜事〕 bàn xǐshì 결혼식을 올리다. =〔办红事〕

〔办学〕 bànxué 동 ①학교를 창립하다. ②학교를 운영하다.

〔办贼〕 bànzéi 동 도둑을 붙잡아 처벌하다.

〔办斋(口)〕 bànzhāi(kou) 동 육식(肉食)을 끊다. →〔吃chī斋①〕

〔办赈〕 bànzhèn 동 구제 사업을 하다.

〔办置〕 bànzhì 동 조달하다. 사 놓다. 사서 비치하다. ¶材料已经～妥了; 재료는 이미 다 마련해 놓았다.

〔办周年〕 bàn zhōunián 일주기(一週忌)의 법회(法會)를 하다.

〔办罪〕 bàn·zuì 동 처벌하다. 단죄하다.

半 **bàn** (반)

①수 반. 2 분의 1(정수(整數)가 없을 때는 양사(量詞) 앞에, 있을 때는 양사의 뒤에 쓰임). ¶一～儿; 반쪽 / ～张纸; 종이 반 장 / 多～(儿) =〔多一～(儿)〕; 태반 / 大多～儿; 거의 대부분. 태반 / 一张～纸; 한 장 반의 종이 / ～尺布; 반 척의 천〔피륙〕/ 一斤～; 1근 반 / 一天～; 하루 반. 주 '一半天'으로 하면 '一天'이나 '半天'의 뜻이 됨. ②형 한 가운데의. 반쯤의. 중간의. ¶～制zhì品; 반제품 / ～途而废; 중도에서 그만두다. ③부 반 정도. 반쯤. 불완전하게. 거의. ¶他的房门～掩着; 그의 집문은 잘 닫혀 있지 않다 / 给打了个～死; 거의 죽을 정도로 맞았다. ④(부정사를 수반하여) 조금의 …도 …(하지 않다). ¶没听见～个字; 한 마디도 들리지 않았다 / ～点儿消息也没有; 약간의 소식조차도 없다.

〔半百〕 bànbǎi 명 오십. ¶年过～的老工人; 나이 50이 넘은 숙련공.

〔半…半…〕 bàn…bàn… 반대의 뜻을 갖는 두 개의 말 앞에 쓰이어 상대되는 성질·상태가 함께 존재함을 나타냄. ¶～韩～西; 한국적이기도 하고 서양적이기도 하다 / ～明～暗; 어둑어둑하다. 어스레하다 / ～醒～睡; 비몽사몽(간) / ～嗔～喜; 화도 나고 기쁘기도 하다.

〔半半道儿〕 bànbandàor 명 ⇨〔半道(儿)〕

〔半半拉拉〕 bànbanlālā 형〈俗〉 불완전하다. 미완성의. ¶这篇稿子写了个～就丢下了; 이 원고는 중간까지 쓰다 내동댕이쳤다.

〔半半路路〕 bànbanlùlù 형 ⇨〔半半落落〕

〔半半落落〕 bànbanluòluò 형 도중〔중도〕에 있다. ¶这～地生起病来, 可怎么好? 중도〔도중〕에 이렇게 병이 났으니 어떻게 하면 좋겠는가? / 事情做得～地放不下手; 일은 중도에서 그만둘 수는 없다. =〔半半路路〕

〔半包儿〕 bànbāor 명〈比〉 음험한 수단.

〔半饱〕 bànbǎo 형 배에 반쯤 차다. ¶吃个～; 양에 반쯤 차게 먹었다.

〔半辈子〕 bànbèizi 명 반평생. 반생. ¶后～ =〔下～〕; 후반생 / 前～ =〔上～〕; 전반생. =〔半生 명①〕〔半世〕

〔半秕子〕 bànbǐzi 명 쓸모없는 것. 무용지물.

〔半壁〕 bànbì 명〈文〉 반분(半分). 반쪽. ¶江南～; 강남의 반분. 창장(長江) 이남의 반쪽 국토.

〔半壁江山〕 bàn bì jiāng shān〈成〉 국토의 반. 절반의 산하. 침략으로 빼앗기고 남은 국토.

〔半边(儿)〕 bànbiān(r) 명 한쪽. 반쪽. 절반. ¶这个苹果～红, ～绿; 이 사과는 한쪽은 빨갛고 한쪽은 푸르다.

〔半边读〕 bànbiāndú 명 한자음(漢字音) 대신에 자형(字形)의 일부분의 음을 관용음으로 하는 일('寻xún'의 유추에서 '蕁 qián麻疹'(두드러기)을 xúnmázhěn으로 읽는 등).

〔半边莲〕 bànbiānlián 명〖植〗 수염가래꽃.

〔半边人〕 bànbiānrén 명〈方〉 과부. 미망인.

〔半边天〕 bànbiāntiān 명 ①하늘의 반쪽. ¶彩霞染红了～; 저녁놀이 하늘의 반쪽을 붉게 물들였다 / 妇女能顶～; 여성이 사회의 반을 감당 할 수 있다. ②〈比〉(신사회의) 여성. 신여성. ¶你们有点瞧不起～; 여러분은 사회의 절반을 떠맡고 있는 사람들(여성)을 깔보고 있소 / 发挥～作用; 여성의 역할을 발휘하다.

〔半标子〕 bànbiāozi 명 거칠고 침착성 없는 사람. 난폭한 사람. 자제력 없는 사람.

〔半彪子〕 bànbiāozi 명〈方〉 ①성질이 우락부락한 사람. 난폭한 사람. ②얼간이. 멍청이. 머리가 좀 모자란 사람. =〔半彪子十业的〕

〔半…不…〕 bàn…bù… '…도 아니고 …도 아니다'의 뜻인 성어(成語) 형식의 말을 만듦(흔히, 혐오의 뜻을 내포함). ¶半新不旧; 중고(中古) / 半生不熟; 설익다 / 半死不活; 거의 죽어 가고 있다. 활기가 없다.

〔半部〕 bànbù 명형 절반(의).

〔半漕水〕 bàncáoshuǐ 명 (하천의) 통상 수위(水位)의 절반의 물.

〔半岔腰〕 bànchàyāo 명〈比〉 도중. 중도. 절반쯤. ¶～里忽然钻zuān出两个人; 도중에 두 사람이 불쑥 나타났다 / 这件衣服～里有个窟kū窿; 이 옷은 중간쯤에 구멍이 뚫려 있다. =〔半当腰〕〔半腰〕〔半中腰〕

〔半长不短〕 bàn cháng bù duǎn〈成〉 길지도 짧지도 않다(애매함. 모호함).

〔半场〕 bànchǎng 명 ①〖體〗 하프타임. =〔半场休息〕 ②(영화·연극 등의) 전반 또는 후반.

〔半成品〕 bànchéngpǐn 명 반제품(半製品). =〔半制品〕

〔半痴子〕 bànchīzi 명 멍텅구리. 바보.

〔半齿音〕 bànchǐyīn 명〖言〗 (중국 음운학에서) 반치음(半齒音)(표준어의 'r' 음).

〔半春〕 bànchūn 명 음력 2월경.

〔半打〕 bàndá 양 반 다스(dozen).

〔半大(儿)〕 bàndà(r) 형 중(中) 정도 크기의. ¶～小子; 미성년의 남자. 십대 남자 / ～桌子; 중간 크기의 탁자.

〔半袋烟〕 bàn dàiyān 담배를 반 대 피우다.〈轉〉 짧은 시간. ¶～工夫; 아주 짧은 시간.

〔半当腰〕 bàndāngyāo 명〈比〉 ⇨〔半岔腰〕

〔半导体〕 bàndǎotǐ 명〖電〗 반도체. ¶～收音机 =〔电晶体收音机〕〔原子粒收音机〕; 트랜지스터 라디오 / ～高音喇叭; 핸드 마이크로폰. 휴대용 확성기 / ～(电子)管 =〔～三极管〕〔～晶体管〕; 트랜지스터(transistor). →〔晶jīng体管〕

〔半岛〕 bàndǎo 명 반도. =〔〈俗〉地dì股①〕

〔半道(儿)〕 bàndào(r) 명 ①도중(途中). ¶在～上; 도중에서 / 在～上停了下来; 도중에서 멈추고 말았다. ②(일의) 중도. 도중. ¶他谈到～就去了; 그는 말하다 말고 가 버렸다. ‖ =〔半半道儿〕 →〔半路(儿)〕

〔半点(儿)〕 bàndiǎn(r) 양 아주 조금. 근소한. ¶～诚意; 조그마한 성의.

〔半点钟〕 bàndiǎnzhōng 명 30분(간). =〔半个钟头〕〔三十分钟〕

〔半吊子〕 bàndiàozi 명 ①무분별하고 충동적인 사람. 촐랑이. 덜렁쇠. ② ⇨〔半瓶醋píngcù〕 ③불성실한 사람.

〔半调子〕 bàndiàozi 명 ⇨〔半瓶醋〕
〔半丁〕 bàndīng 옛날, 16세 이하 13세까지를 '~', 17세 이상의 성년자를 '全quán丁②' 라고 말했음. →〔丁①〕
〔半顿饭〕 bàn dùn fàn ①반회(半回)의 식사. ②〈轉〉잠시 동안.
〔半分(儿)〕 bànfēn(r) 명 ①반. ②(시험이나 게임에서의) 반점(半點). ¶~也不能得; 반 점도 못 따다.
〔半份(儿)〕 bànfèn(r) 명 반분(의). 절반(의).
〔半风子〕 bànfēngzi 명 ⇨〔虱shī①〕
〔半疯(儿)〕 bànfēng(r) 명 반미치광이.
〔半疯不癫〕 bànfēng bùdiān 명 반미치광이. 얼간이. 멍텅구리.
〔半封建〕 bànfēngjiàn 명 반봉건. ¶半殖民地~社会; 반식민지적인 반봉건 사회.
〔半俸〕 bànfèng 명 반감(半減)된 봉급. ¶罚他~了; 5할 감봉에 처했다.
〔半复赛〕 bànfùsài 명〖體〗준준결승.
〔半尴不尬〕 bàn gān bù gà〈成〉이도 저도 아닌 모양. =〔半间不界〕
〔半个大夫〕 bànge dàifu 명 반 사람 몫의 의사《서양 의학(혹은 중국 의학)밖에 모르는 의사를 말함》.
〔半个钟头〕 bànge zhōngtóu 명 ⇨〔半点钟〕
〔半工〕 bàngōng 명 반날〔반나절〕의 일. 반공일. ¶今天上~; 오늘은 반나절만 일한다.
〔半工半读〕 bàn gōng bàn dú〈成〉일하며 공부하다. 고학(苦學)하다. ¶学生自觉地要求~; 학생이 자각하여 일하며 공부하려고 한다.
〔半工半写〕 bàngōng bànxiě 절반은 밀화(密畫), 절반은 사의(寫意)의 필법으로 그리는 화법《'工'은 '工笔', '写'는 '写意'를 가리킴》.
〔半公开〕 bàngōngkāi 명형 반 공개(의). ¶~市场; 반 공개 시장.
〔半官方〕 bànguānfāng 형 (보도, 성명 따위) 준공적(準公的)(인). 반공식적(半公式的)(인). ¶据~消息; 준공적인 보도에 의하면.
〔半灌木〕 bànguànmù 명〖植〗반관목. 아관목(亞灌木).
〔半光〕 bànguāng 명 ⇨〔半(无)光〕
〔半规管〕 bànguīguǎn 명〖生〗(귀의) 삼반규관(三半規管).
〔半酣〕 bànhān 동 얼근히 취하다. 거나하게 취하다.
〔半憨子〕 bànhānzi 명 얼간이. 멍텅구리.
〔半含半吐〕 bàn hán bàn tǔ〈成〉⇨〔半吞半吐〕
〔半货船〕 bànhuòchuán 명 화객선(貨客船).
〔半饥半饱〕 bànjī bànbǎo〈比〉겨우 연명하고 있는 가난한 살림의 비유.
〔半机械化〕 bànjīxièhuà 명 ①인력 또는 가축의 힘으로 기계를 운전하는 일. ②생산 작업의 일부분에 기계를 사용하는 일.
〔半急半恼〕 bàn jí bàn nǎo〈成〉초조하기도 하고 화도 나는 모양.
〔半价〕 bànjià 명 반값. ¶~出售; 반값으로 팔다.
〔半焦〕 bànjiāo 명 콜라이트(coalite). 반해탄(半骸炭).
〔半角印〕 bànjiǎoyìn 명 계인(契印). =〔半印〕
〔半截(儿)〕 bànjié(r) 명 반. 중간 정도. 중도. ¶~烟卷儿; 피우다 만 담배. 담배 꽁초 / 话说了~儿又吞回去了; 말을 반쯤하다가 도로 삼켜 버렸다 / 上~; 윗부분. 상반 / ~儿身子; 반은 환자인 사람 / 凉了~; 이젠 틀렸다고 느끼다. 이건 안 되겠다고 생각하다. →〔半拉〕〔一半(儿)〕〔一截〕
〔半截剑〕 bànjiéjiàn 명〈比〉날카로운 사람.
〔半截塔〕 bànjiétǎ 명〈比〉키다리. →〔大dà高个子〕
〔半截子〕 bànjiézi 명 반. 중도. 얼치기. 어설픔.
〔半截子革命〕 bànjiézi gémìng 명〈俗〉이도 저도 아닌〔어중간한〕혁명.
〔半斤八两〕 bàn jīn bā liǎng〈成〉①피차 일반. 피장파장. 매한가지다. 우열이 없다《1근은 16냥이므로 반근과 8냥은 같은 무게. 주로 나쁜 뜻으로 쓰임》. ②능력과 경력.
〔半斤四两〕 bànjīn sìliǎng〈比〉부족하다. 모자라다. →〔半斤八两〕
〔半精加工〕 bànjīngjiāgōng 명 반쯤 된 마무리 작업.
〔半径〕 bànjìng 명〖數〗반지름. 반경. →〔直zhí径〕
〔半旧〕 bànjiù 명형 중고(中古)(의). =〔半新不旧〕→〔褪tùn旧儿〕
〔半句〕 bànjù 명 반구(半句). 일언반구(一言半句). ¶他饶吃了人家的酒饭，连~道谢的话都没有; 그는 남의 술과 밥을 실컷 먹었으면서도 일언반구 고맙다는 말조차 없다.
〔半句钟〕 bànjùzhōng 명〈古白〉반시간. →〔半点钟〕
〔半决赛〕 bànjuésài 명〖體〗준결승(準決勝). ¶混合双打~; 혼합복식 준결승전.
〔半开〕 bànkāi 동 반쯤 뜨다. ¶~眼儿; ⓐ눈을 반쯤 뜨다.〈比〉모르는 체하다. ⓑ눈을 조금 뜬 사람. 명 (종이의) 반절(半截). ¶~纸; 반절지.
〔半开门儿〕 bànkāiménr 명 ⇨〔暗àn门子〕
〔半开门子〕 bànkāiménzi 명 ⇨〔暗àn门子〕
〔半刻〕 bànkè 명 잠시. 잠깐 동안.
〔半空〕 bànkōng 명 중천. 공중. ¶飞到~去了; 하늘로 날아가 버렸다. 형 충분히 차 있지 않다. ¶~儿的花生; 속알맹이가 반밖에 없는 땅콩.
〔半空中〕 bànkōngzhōng 명 공중.
〔半口儿〕 bànkǒur 명 ①(음식 따위의) 반 입. 아주 적은 것. ¶孩子哭得厉lì害，先给他吃~吧; 아기가 몹시 우니 우선 조금 먹여라. ②(음식물 젖 등이) 모자라는 것. ¶~奶nǎi，孩子怎能养得胖pàng呢? 젖이 모자라서 아이를 어떻게 튼튼하게 키울 수 있겠는가?
〔半枯穗〕 bànkūsuì 명 이삭의 입고병(立枯病).
〔半匡栏(儿)〕 bànkuānglán(r) 명 ⇨〔三sān匡栏(儿)〕
〔半邋遢〕 bànlāta 명 불성실. 엉터리. 부주의.
〔半拉〕 bànlǎ 명 반분(半分). 반개. 반 조각. ¶~西瓜; 수박 반 조각 / ~馒头; 반 조각의 만두 / ~月; 반 개월. 보름 정도 / 歪着~脑袋听着; 머리를 기울여 듣고 있다 / 一个苹ping果掰bāi两半儿，一人吃~; 사과 하나를 둘로 쪼개서 한 사람이 반씩 먹다. →〔半截(儿)〕
〔半拉子〕 bànlǎzi 명〈方〉①반 사람 몫의 노동자. 미성년 근로자. ¶我十三岁那年母亲把我送到地主家去当~; 내가 13살 되던 해에 어머니는 나를 지주의 집에 반 사람 몫의 머슴으로 보냈다. ②반. 절반. ¶大楼修了个~，还没完工; 빌딩은 절반만 건축되고 아직 완성되지 않았다. =〔半拉〕〔半截(儿)〕
〔半劳动力〕 bànláodònglì 명 농촌에서 체력이 약해 반 사람 몫의 노동밖에 할 수 없는 사람. =〔半劳力〕
〔半老〕 bànlǎo 명 중늙은이. 중로(中老). 중노인.

=〔半老人〕
〔半老头(儿)〕 bànlǎotóu(r) ⇨〔老字头(儿)〕
〔半老徐娘〕 bànlǎo xúniáng 명 아직 아름다움을 간직하고 있는 중년의 여성.
〔半礼〕 bànlǐ 명 (손윗사람이 손아랫사람의 경례에 대하여 답하는) 가벼운 답례.
〔半流体〕 bànliútǐ 명 반유동체(半流動體)(의).
〔半流质〕 bànliúzhì 명 반유동식(죽 따위).
〔半路(儿)〕 bànlù(r) 명 ①(길의) 도중. 중도. ¶走到～, 天就黑了; 중간쯤까지 걸으니 해가 저물었다. ②(일의) 도중. 중도. ¶他听讲故事入了神, 不愿意～走开; 그는 이야기를 듣는 데 열중해서, 도중에 가려 하지 않았다 / ～搁事; 도중에서 그만두다. ‖=〔半道(儿)〕〔半路途中〕
〔半路出家〕 bàn lù chū jiā 〈成〉 중년이 된 후에 출가(出家)하다((중도에서) 직업을 바꾸다. 전업(轉業)하다). ¶咱是～比不上人家科班儿出身的; 나는 도중에서 하기 시작했으니까 전문 코스를 나온 사람에게는 당해 낼 수 없다.
〔半路夫妻〕 bàn lù fū qī 〈成〉 중년에 맺어져서 결혼한 부부. ↔〔结jié发夫妻〕
〔半路途中〕 bànlù túzhōng 명 ⇨〔半路(儿)〕
〔半轮明月〕 bànlún míngyuè 명 반달. =〔半月①〕
〔半面〕 bànmiàn 명 얼굴의 반쪽. 물체의 한쪽면. ¶～向左转!《軍》(호령하는) 반 좌향 좌! / ～像; 옆얼굴. 측면.
〔半面之交〕 bàn miàn zhī jiāo 〈成〉 조금 안면이 있는 사이. ¶我和他连～都没有; 나와 그는 아무런 교제도 없다. =〔半面之旧〕
〔半恼(儿)〕 bànnǎo(r) 동 울먹이다. 울먹울먹하다. ¶已经～了, 快别惹他了; 울먹이고 있으니 더 이상 건드리지 마라.
〔半年〕 bànnián 명 반 년.
〔半嗫半嚅〕 bàn niè bàn rú 〈成〉 말하기 어려운 모양.
〔半农半医〕 bànnóng bànyī 명 농업에 종사하면서 의료 활동을 하는 초급 의료 기술자. =〔赤chì脚医生〕
〔半爿天〕 bànpántiān 명 하늘의 반. →〔半边天〕
〔半票〕 bànpiào 명 반표. 반액권. 반액표. ¶学生们旅行可以买～; 학생들의 여행은 반액표를 사면 된다. →〔全quán票〕
〔半瓶醋〕 bànpíngcù 명 얼치기. 반거들충이. ¶一瓶醋不响, ～晃huàng荡; 한 병의 식초는 소리가 나지 않지만, 반만 들어 있으면 소리가 난다(빈 수레가 더 요란하다) / 论农业知识他不过是个～; 농업 지식을 가지고 말하면, 그는 얼치기에 불과하다. =〔半吊子②〕〔半调子〕〔半瓶子〕〔半瓶子醋〕 →〔半通不通〕〔二把刀②〕
〔半坡房〕 bànpōfáng 명 지붕이 한쪽으로 기울어진 집.
〔半旗〕 bànqí 명 (조의를 표하는) 반기. 조기(弔旗). ¶下～ =〔挂～〕; 반기를 게양하다. 조기를 달다.
〔半前晌〕 bànqiánshǎng 명 오전.
〔半球〕 bànqiú 명《地》(지구의) 반구(半球).
〔半人〕 bànrén 명 키〔신장〕의 반. ¶草长zhǎng得～来高; 풀이 사람 키의 반 정도 높이까지 자랐다.
〔半人半鬼〕 bàn rén bàn guǐ 〈成〉 용모가 대단히 추한 (사람).
〔半人马座〕 bànrénmǎzuò 명《天》센타우루스(Centaurus) 자리.
〔半日〕 bànrì 명 〈文〉 반나절. 반일(半日). →〔半天tiān〕
〔半乳糖〕 bànrǔtáng 명《化》갈락토오스(galactose).
〔半三不四〕 bàn sān bù sì 〈成〉 ①엉거주춤 하다. ②한 푼의 값어치도 없는.
〔半山间〕 bànshānjiān 명 산 중턱. 산허리. ¶～的果树区; 산허리의 과수 지구. =〔半山腰〕
〔半山区〕 bànshānqū 명 산 중턱〔허리〕 지구.
〔半山亭子〕 bànshāntíngzi 명 산 중턱에 있는 정자.
〔半山腰〕 bànshānyāo 명 ⇨〔半山间〕
〔半上〕 bànshǎng 명《言》반 3성(중국어의 '上声'(제3성)의 성조(聲調)는, '∨'와 같이 소리의 전반은 내려가는 형이고, 후반부는 올라가는 형임. 이 내려가는 형을 '～'이라고 하며, 올라가는 형 까지 전부를 발음하는 경우는 '全上'이라고 함. '上声'은 다음에 '上声' 이외의 다른 성조의 소리가 계속되는 경우엔 '～'으로 발음됨). =〔半赏〕
〔半晌〕 bànshǎng 명 〈方〉 ①오랜 시간. 한참동안. 반나절. ¶前～; 오전 / 后～; 오후 / 他一来就是～; 한번 왔다 하면 반나절이다. ②약간〔조금〕의 시간. ¶～工夫就做好了; 잠깐 사이에 다 했다. ‖=〔半歇〕
〔半晌午〕 bànshǎngwǔ 명 오전. 정오 전.
〔半舌音〕 bànshéyīn 명 (중국 음운학에서) 반설음(半舌音)(표준어의 'l' 음).
〔半社会主义经济〕 bàn shèhuì zhǔyì jīngjì《經》자본주의 경제와 소농(小農) 경제, 수공업 경제를 사회주의 경제 제도로 개조해 가는 과정에서 나타나는 형태('公私合营' '初级农业生产合作社' 등).
〔半身〕 bànshēn 명 반신(半身). ¶～像xiàng; 반신상(半身像). →〔全quán身〕〔整zhěng身〕
〔半身不遂〕 bànshēn bùsuí 명《漢醫》반신불수. =〔偏piān瘫〕
〔半身入土〕 bànshēn rùtǔ 〈比〉 여생이 얼마 남지 않다. 한쪽 발은 관 속에 디밀고 있다. →〔棺guān材瓤子〕
〔半生〕 bànshēng 명 ①반생. 반평생. =〔半辈子〕 ②반생반사(半生半死). 형 설익다. 덜 익다. ¶煮得～儿的鱼, 怎么能吃呢? 설익은 생선을 어떻게 먹을 수 있겠는가?
〔半生不熟〕 bàn shēng bù shú 〈成〉 ①아직 익지 않다. ②익숙하지 않다. 미숙하다.
〔半失业〕 bànshīyè 명동 반실업(하다). ¶～者; 반실업자.
〔半时〕 bànshí 명 〈文〉 짧은 시간.
〔半时半古〕 bànshí bàngǔ 반은 신식, 반은 구식의. 신식과 구식이 뒤섞인. →〔时兴〕
〔半蚀〕 bànshí 명 ⇨〔偏piān食〕
〔半世〕 bànshì 명 ⇨〔半辈子〕
〔半世人〕 bànshìrén 명 반생을 보낸〔산〕사람. 한창 때를 지낸 사람. ¶我做了～, 还没见过这么奇怪的事; 나의 반평생 중 이렇게 괴상한 것은 본 적이 없다.
〔半丝绵〕 bànsīmián 명형 명주와 무명의 혼방(의).
〔半死不活〕 bàn sǐ bù huó 〈成〉 반생반사(半生半死). 반죽음이 되다. =〔不死不活〕
〔半天〕 bàntiān 명 ①중천. ②꽤 오랜 시간(대체로 한 시간내를 말하며 주관적으로 꽤 긴 동안으로 여겼을 때). ¶找了～了; 꽤 오래 찾았다. =〔好大半天儿〕 ③한나절. ¶上～ =〔早zǎo～〕

〔前～〕; 오전 / 下～ =〔晚～〕〔后～〕; 오후.
〔半通不通〕 bàn tōng bù tōng 〈成〉 어설프게 알다. (지식이) 어설프다. →〔半瓶醋〕
〔半透明〕 bàntòumíng 형 반투명이다.
〔半途〕 bàntú 명 〈文〉 도중. 중도. ¶比赛到～下起雨来了; 경기 중간쯤에 비가 내리기 시작했다. =〔半路(儿)〕
〔半途而废〕 bàn tú ér fèi 〈成〉 중도에서 그만두다.
〔半土半洋〕 bàn tǔ bàn yáng 〈成〉 중국 재래의 방법과 외래의 방법을 절충하다.
〔半吐半咽〕 bàn tǔ bàn yàn 〈成〉 ⇨〔半吞半吐〕
〔半推半就〕 bàn tuī bàn jiù 〈成〉 거절하는 것 같기도 하고 승낙하는 것 같기도 하다. 부즉불리(不卽不離).
〔半吞半吐〕 bàn tūn bàn tǔ 〈成〉 (말을 못 하고) 우물거리다. 말을 할 듯 말 듯 하다. ¶有话直说出来吧, 何必这么～的; 할 얘기가 있으면 서슴없이 말하시오. 그렇게 우물거릴 필요가 있습니까. =〔半含半吐〕〔半吐半咽〕
〔半托〕 bàntuō 명 (탁아소에서) 반나절 혹은 하룻동안을 맡기는 일(‘全quán托’에 대하여 말함). →〔日rì托〕
〔半脱产〕 bàntuōchǎn 동 반쯤 생산에 참가하고 나머지 시간에 다른 일을 하다. 자기의 직무 외에 다른 일을 하다.
〔半文盲〕 bànwénmáng 명 반문맹.
〔半无产阶级〕 bànwúchǎn jiējí 명 반프롤레타리아 계급(다수의 반자작농 · 빈농(貧農) · 수공업자 · 점원 · 행상인 등을 포함함).
〔半(无)光〕 bàn(wú)guāng 명 (섬유 제품 등의) 세미덜(semidull). 반광택.
〔半喜〕 bànxǐ 명 (딸이 태어난) 경사 · 축하. →〔弄nòng瓦〕
〔半下儿〕 bànxiar 명 절반(그릇에 반이 들어 있음). ¶水缸的水剩shèng了～; 물독의 물은 절반이 남아 있다.
〔半下子〕 bànxiàzi 명 하반신(下半身).
〔半夏〕 bànxià 명 《植》 반하(半夏)(구경(球莖)은 구토를 멎게 하는 약제. 진정제. 특히 입덧의 특효약으로 씀). =〔地dì文①〕〔和hé姑〕〔守shǒu田〕〔水shuǐ玉②〕
〔半夏稻〕 bànxiàdào 명 음력 9월에 익는 벼.
〔半仙戏〕 bànxiānxì 명 ⇨〔秋qiū千戏〕
〔半仙之体〕 bànxiān zhī tǐ 비범한 사람.
〔半歇〕 bànxiē 명 〈方〉 ⇨〔半晌〕
〔半心半意〕 bàn xīn bàn yì 〈成〉 열의가 없다. 열심이 아니다. ¶为人民服务不能～; 인민에게 봉사하려면 열의가 없어서는 안 된다.
〔半新〕 bànxīn 거의 새것인. 신품에 가까운.
〔半新不旧〕 bànxīn bùjiù ⇨〔半旧〕
〔半信半疑〕 bàn xìn bàn yí 〈成〉 반신반의(半信半疑).
〔半星〕 bànxīng 명 아주 조금. 약간. ¶不能有～污点; 약간의 오점이 있어도 안 된다.
〔半宿〕 bànxiǔ 명 ①야밤. 밤중. ②하룻밤의 반. =〔半夜②〕
〔半夜(里)〕 bànyè(li) 명 ①한밤중. 심야(深夜). 야밤중. ¶～叫城门; 〈歇〉 야밤에 성문을 두들기다. ‘碰了个大钉子’에 연결되어 큰 장애에 부딛치다. 또는 벽에 부딛치다의 뜻 / 深更～; 심야. ②반야. 반밤. 하룻밤의 반. ¶前～ =〔上～〕; 초저녁부터 자정까지 사이. 이른 밤 / 后～ =〔下～〕; 밤 12시 이후. 늦은 밤. =〔半宿②〕
〔半夜三更〕 bàn yè sān gēng 〈成〉 한 밤중(에). 깊은 밤(에).
〔半阴半晴〕 bànyīn bànqíng 개었다 흐렸다 함(일기 예보 용어).
〔半阴半阳〕 bànyīn bànyáng 중성(中性). →〔阴阳人〕
〔半阴天〕 bànyīntiān 명 약간 흐린 날씨.
〔半音〕 bànyīn 명 《樂》 반음(半音). 반음정.
〔半印〕 bànyìn 명 ⇨〔半角印〕
〔半影〕 bànyǐng →〔本běn影〕
〔半语子〕 bànyǔzi 명 ①말더듬이. ②중도까지의 말. ¶要说就说完了, ～不好嗟jiē; 말을 하려면 다 해야지, 중간에 그만두는 것은 좋지 않다 / ～话; 하다가 만 말. ③말의 표현이 불충분한 사람. 외국어 등의 어설픈 지식.
〔半元音〕 bànyuányīn 명 《言》 반모음(‘普通话’의 ‘因为yīnwei’의 y, w 등).
〔半圆锉〕 bànyuáncuò 명 《機》 반원형 줄칼. 하프 라운드 파일(half round file).
〔半圆刮刀〕 bànyuán guādāo 명 《機》 하프 라운드 스크레이퍼(half round scraper)(굽은 표면을 절삭하는 데 쓰는, 단면이 반원형인 절삭 공구). →〔刮刀〕
〔半圆规〕 bànyuánguī 명 ⇨〔量liáng角器〕
〔半圆形〕 bànyuánxíng 명 반원형. 반달꼴. =〔半月②〕
〔半圆桌〕 bànyuánzhuō 명 반원형의 테이블〔탁자〕.
〔半月〕 bànyuè 명 ①반달. ¶一个～; 1개월 반 / ～市; 한 달에 두 번 서는 장. 보름장. =〔半个月〕 ②반원형. ¶～切qiē; 둥글게 썰기. 반달 썰기. =〔半圆形〕
〔半月刊〕 bànyuèkān 명 반월간. 반 개월에 한 번 발행하는 간행물.
〔半月锁〕 bànyuèsuǒ 명 반달형의 자물쇠.
〔半载〕 bànzǎi 명 〈文〉 반 년. ¶一年～怕办不完; 1년이나 반 년으로는 다 처리할 수 없을 것 같다. ⇒bànzài
〔半载〕 bànzài 명 적재량의 절반 정도 실은 짐. 동 (적재량의) 절반 정도 짐을 싣다. ⇒bànzǎi
〔半真半假〕 bàn zhēn bàn jiǎ 〈成〉 반은 정말이고 반은 거짓. 거짓인지 정말인지 불분명함.
〔半支莲〕 bànzhīlián 명 《植》 채송화.
〔半殖民地〕 bànzhímíndì 명 반식민지. →〔半主权国〕
〔半制品〕 bànzhìpǐn 명 ⇨〔半成品〕
〔半中间〕 bànzhōngjiān 명 중간. 중도. 중간쯤. ¶我在～才上场呢; 나는 중간쯤에서 등장합니다.
〔半中腰〕 bànzhōngyāo 명 〈俗〉 중간쯤. ¶他的话说到～就停住了; 그의 이야기는 도중에서 멈추었다. =〔中间〕〔半截〕
〔半主权国〕 bànzhǔquánguó 명 《政》 반주권국. →〔半殖民地〕
〔半炷香工夫〕 bàn zhù xiāng gōngfu 선향(線香)이 반쯤 타는 시간. 그다지 길지 않은 시간(10분이나 20분쯤).
〔半子〕 bànzǐ 명 〈文〉 사위. →〔女婿〕
〔半子〕 bànzi 명 소 · 돼지의 반 마리 고기.
〔半自动〕 bànzìdòng 명 《工》 반자동. 반오토매틱.
〔半自耕农〕 bànzìgēngnóng 명 반자작농.
〔半醉〕 bànzuì 명 조금 취함. 반취. 형 얼근하게 취하다. ¶喝了个～; 얼근하게 취할 정도로 술을 마셨다.

伴 **bàn** (반)
①(～儿) 명 동반자. 동료. 반려(伴侶). 벗. →〔伴儿〕 ② 동 동반하다. 모시고 다니다. 붙좇다. ¶～他一起去; 그와 함께 가다 / ～舞; ⇓ / ～着音乐跳舞; 음악에 따라서 춤을 추다.
〔伴唱〕 bànchàng 동 연기(演技) 따위에 맞춰서 〔조화를 이루며〕 노래하다. ¶钢琴～; 피아노 반주로 노래하다 / 他们正在给独唱演员～; 그들은 독창자에 맞추어 노래하고 있다.
〔伴唱机〕 bànchàngjī 명 반〔연〕주기.
〔伴当〕 bàndāng 명 ①(옛날의) 종. 하인. =〔伴档〕 ②동아리. 동료. 한패.
〔伴读〕 bàndú 명 ①옛날, 고용인이 주인의 자제와 벗이 되어 공부를 함께 하며 도움을 주는 일. 또, 그런 사람. ②송(宋)·원(元)·명(明)대에 왕실의 자제들에게 독서를 지도한 관직의 이름. 동 함께 공부하다.
〔伴姑〕 bàngū 명 ⇒〔女nǚ傧相〕
〔伴郎〕 bànláng 명 신랑 들러리. =〔男nán傧相〕
〔伴灵〕 bànlíng 명동 〈方〉 ⇒〔伴宿〕
〔伴侣〕 bànlǚ 명 반려(伴侶). 동반자.
〔伴娘〕 bànniáng 명 ①신부 들러리. =〔女nǚ傧相〕 ②(왕비·왕녀의) 시녀.
〔伴儿〕 bànr 명 동반자. 동행자. 일행. 친구. ¶同～; 동반자. 동행자 / 学～; 학교 친구 / 伙～; 직장 동료.
〔伴食〕 bànshí 동 ①배식(陪食)하다. 주빈과 함께 대접받다. ②직책을 다하지 않다(무능한 사람이 유능한 사람 틈에 끼여 어물어물 그 자리를 넘김).
〔伴送〕 bànsòng 동 (다른 것에) 곁들여 보내다. 반송하다.
〔伴宿〕 bànsù 명동 〈方〉 출상(出喪) 전야에 밤샘(하다). =〔伴灵〕〔坐zuò夜〕〔作夜〕
〔伴随〕 bànsuí 동 따르다. 부수(附隨)하다. ¶～着生产的大发展, 必将出现一个文化高潮; 생산이 크게 발달함으로써 반드시 문화의 고조도 나타날 것이다.
〔伴同〕 bàntóng 동 ①(사람·사물을) 동반하다. ¶去年他～朋友来到了北京; 작년에 그는 친구와 함께 베이징에 왔다. ②배석(陪席)하다. 동석하다.
〔伴舞〕 bànwǔ 명동 춤의 상대〔파트너〕(가 되다). =〔〈俗〉货huò腰〕 →〔舞伴〕 동 독창자〔솔로〕에게 맞춰서〔조화를 이루며〕 춤추다.
〔伴星〕 bànxīng 명 《天》 동반성(同伴星).
〔伴音〕 bànyīn 명 영화·TV의 화상에 맞추는 효과음(效果音). →〔声shēng带②〕
〔伴游〕 bànyóu 동 ①안내하다. ②함께 놀다. 동반해서 유람하다.
〔伴之(以)〕 bànzhī(yǐ) 동 〈文〉 (…에 …을) 수반하다. ¶～以巨大变化; (게다가) 거대한 변화를 수반하다.
〔伴种〕 bànzhòng 동 〈方〉 들일을 거들다. 함께 들일을 하다.
〔伴奏〕 bànzòu 명동 반주(하다). ¶京剧所用的主要～乐yuè器是胡琴; 경극(京劇)에 쓰이는 주요 반주 악기는 호궁(胡弓)이다.

坢 **bàn** (반)
명 〈方〉 똥거름. ¶牛niú栏～; 쇠똥거름.

拌 **bàn** (반)
동 ①뒤섞다. ②혼합하다. 휘젓다. 조합(調合)하다. ¶混hùn凝土搅～机; 콘크리트 믹서 / 把洋灰和沙子～在一起; 시멘트와 모래를 함께 섞다. ③무치다. 무친 음식. ④말다툼하다. 논쟁하다. ¶他们俩又～上了; 저 두 사람은 또 말다툼을 시작했다.
〔拌不过〕 bànbuguò 말다툼해서 이길 수 없다. ↔〔拌得过〕
〔拌菜〕 bàncài 명 (음식 따위의) 무침. (bàn cài) 동 버무리다. 무치다.
〔拌草叉子〕 bàncǎo chāzi 명 쇠스랑(베어 놓은 풀을 들어 올리는 농기구).
〔拌豆腐〕 bàndòufu 명 두부에 양념·참기름·소금 등을 섞은 음식.
〔拌肚片〕 bàndǔpiàn 명 돼지·양·소 등의 위(胃)를 산뜻하게 데쳐서 참기름·간장·식초를 섞어 무친 차가운 요리.
〔拌和〕 bànhuò 동 섞다. 뒤섞다. 버무리다. 반죽하다.
〔拌鸡丝〕 bànjīsī 명 삶은 닭고기를 실같이 자르고 오이나 녹두묵·겨자 등을 섞어서 무친 찬 요리.
〔拌磕〕 bànkē 동 (감정적으로) 충돌하다. 명 맺힌 감정.
〔拌凉菜〕 bànliángcài 명 여러 가지 재료를 섞어 만든 차가운 요리. →〔冷lěng盘(儿)〕
〔拌面〕 bànmiàn 동 (삶은) 국수에 양념이나 건더기를 섞다. 명 위와 같이 만든 국수('炸zhá酱面' '芝zhī麻酱面' 등).
〔拌蒜〕 bàn·suàn 동 ①무릎을 굽히지 않고 비틀비틀 걷다. 다리가 꼬이다. ¶喝得两脚～还说没醉呢; 취하여 다리가 꼬일 정도가 되었는데도 아직 취하지 않았다고 한다. ②(일이) 꼬이다. 기술이 미숙하다.
〔拌种〕 bàn·zhǒng 동 《農》 종자에 비료나 살충제를 넣어서 섞다. ¶～器; 위를 하는 기계.
〔拌子〕 bànzi 명 ①섞는 도구. ②〈方〉 ⇨〔柈子〕
〔拌嘴〕 bàn·zuǐ 동 말다툼하다. ¶他们非常和睦hémù, 从来没有拌过嘴; 그들은 매우 화목해서 지금까지 말다툼한 적이 없다. =〔辩嘴〕

绊(絆) **bàn** (반)
① 동 발을 걸다. 발에 걸리다. 발에 걸려 넘어지다. 올가미 따위에 걸리다. ¶走路不留神被石头～倒了; 길을 걷다가 부주의하여 돌에 걸려 넘어졌다 / 他故意～了我一下; 그가 일부러 내 발을 걸었다 / 我被绳子～倒了; 나는 밧줄에 걸려 넘어졌다. ② 동 성가시게 달라붙다. 거치적거리다. 방해가 되다. ¶～手～脚; 손발을 묶다. 거치적거리다. 방해가 되다 / 别让日常事务把你～住了; 일상적인 사무에 너를 얽매이게 하지 마라 / 老叫家务事～着不能出去; 늘 집안일에 얽매어 외출할 수 없다. ③ 명 멍에. 구속. 굴레. ④(～子) 명 올가미. 고삐. 덫.
〔绊创膏〕 bànchuānggāo 명 반창고. =〔胶jiāo布②〕〔橡xiàng皮膏〕
〔绊倒〕 bàndǎo 동 ①발에 걸려 넘어지다. 실족하여 넘어지다. ②실패하다.
〔绊跌〕 bàndiē 동 ①발을 옭아 넘어뜨리다. ②발이 잡혀 넘어지다.
〔绊跟头〕 bàn·gēntou 동 ①걸려서 곤두박질하다. ②일에 실패하다.
〔绊脚〕 bàn·jiǎo 동 ①물건에 걸려 넘어지다. 발이 걸리다. 실패하다. ¶路上石头多, ～; 길 위에 돌들이 많아서 발에 걸린다. ②발에 휘감기다. ③방해가 되다. 거치적거리다. 성가시게 하다. ¶家里有点～的事, 出来晚了; 집안에 성가신 일이 좀 있어서 늦게 나왔다. (bànjiǎo) 명 각반. 감발.

〔棒健〕 bàngjiàn 형 몸이 튼튼하다.
〔棒秸子〕 bàngjiēzi 명 옥수수의 줄기.
〔棒起来〕 bàngqilai ①훌륭하게 되다. 강해지다. ¶那个小伙子～了; 저 젊은이는 훌륭해졌다. ②〈俗〉 음경(陰莖)이 발기하다.
〔棒球〕 bàngqiú 명 〖體〗 ①야구. ¶打～; 야구를 하다 / 赛～; 야구 시합을 하다 / ～队; 야구 팀 / ～手套; 야구 글러브 / ～鞋; 야구 스파이크 / ～护面罩; 마스크. ②야구공. ③크리켓.
〔棒儿〕 bàngr 명 〈方〉 음경(陰莖). →〔鸡jī巴〕
〔棒儿香〕 bàngrxiāng 명 가는 대나무나 나무로 심지를 넣은 선향(線香)《향내를 맡기 위한 고급 선향》.
〔棒实〕 bàngshi 형 몸이 늠름하다. ¶身子骨儿真～; 체격이 참으로 튼튼하다. =〔棒势〕
〔棒势〕 bàngshi 형 ⇨〔棒实〕
〔棒糖〕 bàngtáng 명 자루 달린 캔디.
〔棒头〕 bàngtóu 명 〈方〉 옥수수. =〔稖bàng头〕〔玉米〕
〔棒香〕 bàngxiāng 명 막대기 모양의 (굵은) 선향(線香). =〔棍gùn香〕 →〔线xiàn香〕
〔棒小伙子〕 bàng xiǎohuǒzi 몹시 힘이 센 젊은이. 건강한 청년.
〔棒硬〕 bàngyìng 형 〈方〉 딱딱하다. 매우 단단하다. 튼튼하다. ¶今天的饭煮得～的, 真不好吃; 오늘 밥은 되어서 아주 맛이 없다.
〔棒子〕 bàngzi ①명 막대기. 몽둥이. ②명 〈方〉 옥수수. ¶～秆gǎn儿; 옥수숫대. ③명 사람을 경시·욕하여 부르는 말. ¶高丽～; 한국 사람에 대한 욕말 / 潦倒liáodǎo～要钱; 방탕자가 돈을 뜯다. ④명 지휘봉. ¶挥舞军事～; 전쟁을 지휘하다. ⑤양 〈方〉 병(甁). ¶不管好赖, 能挣zhèng一～酒, 总是运气; 좌우간 술 한 병이라도 벌면, 재수가 좋은 것이다.
〔棒子面〕 bàngzimiàn 명 〈方〉 옥수수 가루. =〔玉米面〕
〔棒子穰儿〕 bàngzirángr 명 옥수수의 속《알을 훑어 내고 남은 속》.
〔棒子手〕 bàngzishǒu 명 ①강도(強盜). ②좀도둑.
〔棒子渣〕 bàngzizhā 명 (거칠게 빻은) 옥수숫가루. =〔棒渣子〕

蚌 bàng (방)
명 〈文〉 ⇨〔蚌bàng〕

棓 bàng (봉)
'棒'의 고체자(古體字). ⇒bèi

稖 bàng (방)
→〔稖头〕

〔稖头〕 bàngtóu 명 〖植〗 〈方〉 옥수수. =〔玉米〕〔玉蜀黍〕〔棒bàng头〕

BAO ㄅㄠ

包 bāo (포)
①동 (종이나 천 따위로) 싸다. ¶细瓷家伙拿纸～上! 사기 그릇류(類)는 종이로 싸라 / 把书～起来; 책을 싸다 / ～上伤口; 상처를 붕대로 감다. →〔兜dōu⑤〕 ②동 씌우다. 입히다. ¶把铜胎的首饰～上金银叶子; 구리 바탕의 장신구(裝身具)에 금은박(金銀箔)을 입히다. ③동 둘러싸다. 포위하다. ¶火苗miáo～住了锅guō台; 불꽃이 부뚜막을 둘러쌌다 / 骑兵分两路～过去; 기병이 두 길로 갈라져 포위해 나갔다. ④동 전 책임을 지다. 청부 맡다. 수주하다. 떠맡다. ¶这工程是谁～下来的; 이 공사는 누가 청부 맡았는가. ⑤동 보증하다. 보장하다. ¶～在我身上; 내가 보증한다 / ～你满意; 만족할 것을 보증합니다. ⑥동 시간적 또는 시기적으로 일을 맡다. ⑦동 매점하다. 전유(專有)하다. ¶这十几斤肉, 他都～了; 이 십몇 근의 고기를 그가 모두 사 버렸다. ⑧동 전세 내다. 대절하다. ¶～月; ⇩ / ～月活; 월간(月間) 계약으로 하는 일 / ～钟点; 시간당(時間當)으로 빌리다 / ～车; ⇩ ⑨(～儿) 명 ㉠꾸러미. 보퉁이. 봉지. ¶行李～; 짐꾸러미 / 纸～; 종이로 싼 것 / 药～; 약포 / 茶叶～; 찻잎 봉지 / 邮～(儿); 소포. ㉡공기(놀이). ⑩명 (물건을 담는) 포대. 가방. 케이스. ¶书～; 책가방 / 皮～; 가죽 가방. ⑪(～儿, ～子) 명 찐빵. 만두《고기나 야채 또는 팥을 넣은 것》. →〔包子〕 ⑫명 종기. 혹. (손발의) 못. ¶腿上起了个大～; 다리에 커다란 혹이 생겼다 / 头上碰了一个～; 머리를 부딪쳐 큰 혹이 생겼다. →〔脓nóng包①〕 ⑬양 포. 꾸러미《싼 것을 세는 데 쓰임》. ¶一～货; 한 보따리의 상품 / 一～茶叶; 찻잎 한 봉지 / 一～洋火; (옛날의) 성냥 한 봉지. ⑭명 인간(人間)을 가리키는 말. ¶憨hān～; 멍텅구리. ⑮명 겉포장《물건을 싸기 위해 사용한 외피》. ¶连～十斤 =〔连皮十斤〕; 겉포장 포함 10근. ⑯동 포함하다. 포괄하다. ¶无所不～; 모든 것을 포함하고 있다 / 一共十万块钱房饭一～在内; 방값·밥값 모두 합쳐 10만 원입니다. ⑰동 (찻잎 같은 것을) 사다. 팔다. ¶～茶叶; 찻잎을 사다〔팔다〕. ⑱명 파오《몽골의 이동식 천막》. =〔蒙古包〕 ⑲동 눈감아 주다. 용서하다. 받아들이다. ¶～涵; ⇩ / 请您～涵着点儿吧; 아무쪼록 봐 주십시오. ⑳명 꾸러기. 투성이. ¶淘气～; 장난꾸러기 / 病～儿; 병투성이. 병주머니. ㉑명 성(姓)의 하나.
〔包板〕 bāobǎn 명 ⇨〔胶jiāo合板〕
〔包办〕 bāobàn 동 ①도급 맡다. 청부 맡다. ②계약에 의해 고용되다. ③떠맡아 하다. ¶～代替; 남의 일을 대신 해 주다. ④독점하다. 독단하다. ¶把持～; 독단하다 / ～婚姻; 부모가 독단적으로 상대를 정해 주는 혼인.
〔包背装〕 bāobèizhuāng 명 (책의) 양식 장정(洋式裝幀).
〔包被(子)〕 bāobèi(zi) 명 기저귀. →〔尿niào布〕〔襁qiǎng褓〕
〔包庇〕 bāobì 동 감싸 주다. 비호하다. 보호하다. ¶～益鸟; 익조를 보호하다.
〔包不住〕 bāobuzhù 싸 둘 수 없다. (끝까지) 숨길 수 없다. ¶纸里～火; 종이로 불을 싸 둘 수는 없다. 〈比〉 반드시 탄로나기 마련이다.
〔包菜〕 bāocài 명 ⇨〔卷juǎn心菜〕
〔包藏〕 bāocáng 동 속내 품다. 싸서 감추다. 포함하다. ¶～祸子; 흉계(凶計)를 품고 있다《음험함》.
〔包槽〕 bāocáo 명 속을 강판(鋼板)이나 양철판을 댄 상자.
〔包产〕 bāo‧chǎn 동 일정량(一定量)을 책임지고 생산하다. 책임 생산을 하다.
〔包产单位〕 bāochǎn dānwèi 명 할당 생산 단위. →〔农nóng业生产责任制〕

〔包产到户〕 bāochǎn dào hù 명 《經》 농가에 대한 기준량 할당 제도《각 농가에 알맞게 생산량 기준을 결정하고, 초과분은 개인 소유, 부족분은 벌금을 내게 하는 방식》.
〔包场〕 bāo·chǎng 동 (영화관·극장·강당 등을) 전부 또는 일부 전세 내다.
〔包抄〕 bāochāo 동 ①《軍》 포위 공격하다. ②《體》 (럭비·축구에서) 커버하다. ‖ =〔兜dōu抄〕
〔包车〕 bāochē 명 ①전세차. ②전용차. ③자가용차. (bāo·chē) 동 차를 세내다.
〔包车组〕 bāochēzǔ 명 ⇨〔包乘组〕
〔包乘制〕 bāochéngzhì 명 열차의 승무 책임제.
〔包乘组〕 bāochéngzǔ 명 전속(專屬) 승무원. ¶3005号机关车的～; 3005호 기관차 전속 승무원. =〔包车组〕
〔包吃〕 bāochī 동 무료로 급식하다.
〔包穿〕 bāochuān 동 (인민 공사 등이) 공사 직원에 의복을 무상으로 주다.
〔包船〕 bāo·chuán 동 배를 전세(專貰) 내다. (bāochuán) 명 전세(專貰) 낸 배. →〔租zū船〕
〔包打官司〕 bāo dǎ guānsi 소송을 맡다. 대리(代理)로 소송을 하다.
〔包打听〕 bāodǎtīng 명 〈方〉 ①옛날, 탐정. 형사. ②소식통.
〔包大段〕 bāodàduàn 동 넓은 면적의 토지를 빌려 경작하다.
〔包单〕 bāodān 명 ①(공사의) 도급 계약서. 청부(請負) 명세서. ②(옷 등을 싼) 짐보따리. →〔包袱fú②〕
〔包底分账〕 bāodǐ fēnzhàng 최저 수입을 보증하고, 부족한 것은 보충하다.
〔包饭〕 bāo·fàn 동 식사를 도급 맡다. 일정한 보수를 받고 음식을 책임지다. ¶～作zuō; 식사 주문 도급 가게. =〔包伙〕 (bāofàn) 명 ①매달 일정액의 식대를 지불하는 식사. ¶吃～; 매달 일정액의 식대를 지불하는 식사를 하다. ②식사가 포함된 노무 공급 제도. ¶～给七块钱; 식사 포함하여 7원을 지급하다.
〔包房〕 bāo·fáng 동 일정 기간 방을 세내다. 장기 투숙하다. (bāofáng) 명 ①장기 투숙방. ②(객차·객선의) 대절 칸. 칸막이 방.
〔包费〕 bāofèi 명 포장비.
〔包封〕 bāofēng 동 포장하여 봉인하다. 명 소포. ¶～由邮奉上; 소포는 우편으로 보내 드리겠습니다.
〔包袱〕 bāofu 명 ①보자기. 보. ¶解开～; 보자기를 풀다 / 打～; 보자기에 싸다 / 拿～包上; 보자기로 싸다. ②보따리. ③(사상적·정신적) 부담. ¶背～; 정신적인 부담을 짊어지다 / 放下～; 사상적인 부담을 덜어 버리다. ④개그. '相xiàng声'이나 '快kuài书' 따위의 웃기는 기법. (전하여) 익살스러운 일. ¶这部电影～真多; 이 영화는 정말 익살맞다. ⑤뇌물. ¶递dì～; 뇌물을 쓰다. ⑥길이 30cm 정도의 종이 봉지로 그 겉에 사망자의 이름을 쓰고, 봉지 속에 '纸钱(儿)' 또는 종이로 만든 '元宝'를 넣은 것《불전 또는 묘지에 바친 후 불태움》.
〔包袱底儿〕 bāofudǐr 명 ①가정에서 오랫동안 사용하지 않고 보존하고 있는 것. 간수해 두고 함부로 꺼내지 않는 귀중품. ②비밀. 숨긴 일. ③가장 잘 하는 기술. 비장의 무기. ¶抖搂～; 가장 잘 하는 비장(祕藏)의 기술을 보이다.
〔包袱皮儿〕 bāofupír 명 보자기.
〔包复〕 bāofù 명 ⇨〔搏bó风〕
〔包盖〕 bāogài 동 건축을 도급 맡다. ¶～房屋; 도급으로 집을 짓다.
〔包干儿〕 bāogānr 동 (일정한 범위 안의) 일을 책임지고 맡다. ¶分段～; 구분해서 담당하다 / 剩下的扫尾活儿由我～; 남은 뒤처리는 모두 내가 맡겠다.
〔包干制〕 bāogānzhì 명 해방 후 잠시 행해진 혁명 간부에 대한 급여 제도의 일종《일정한 표준에 따라 식사를 제공하는 외에, 생활 필수품을 제공하기 위한 현금을 매월 약간씩 지급하였음》. ¶供给制, 工资制及～; 배급제·지급제 및 급료제.
〔包钢圈机〕 bāogāng quānjī 명 《機》 고무 제조용 플리퍼링 메이킹 머신(flippering making machine).
〔包工〕 bāogōng 명 ①도급 공사. 품삯 일. 제품 수량제 공임 지급의 일. ¶大～; 연간(年間) 작업 청부제. =〔包活儿〕 ②청부업자. 노동자의 십장. =〔包工头〕 (bāo·gōng) 동 ①공사를 도급 맡다. 수주하다. ¶～包料; 노동력·재료를 자신이 책임지고 조달하다 / ～不包料; 공사만 도급 맡고 자재는 도급 맡지 않다. ②〈俗〉 (남을) 나무라다. 괴롭히려 하다.
〔包工活〕 bāogōnghuó 명 ①청부 공사(請負工事). 도급 일. ②〈比〉 불량품.
〔包工头〕 bāogōngtóu 명 (옛날의) 노무 공급 청부업자. 노동자의 우두머리(십장). =〔包头②〕〔工头(儿)②〕〔脚jiǎo行头〕 →〔把bǎ头〕
〔包工制〕 bāogōngzhì 명 옛날, 방적업 등에서 행해진 '包工头'에 의한 예속적인 노무 공급 청부 제도. =〔包身制〕
〔包公〕 Bāogōng 명 《人》 포증(包拯)《북송(北宋)의 명재판관》. →〔包拯〕
〔包谷〕 bāogǔ 명 ⇨〔玉yù米〕
〔包雇〕 bāogù 동 종신토록 고용하다.
〔包管〕 bāoguǎn 동 ①보증하다. ¶～来回; 물건이 마음에 들지 않으면 물러 드립니다 / ～退还; 교환 반품을 보증하다. →〔管包〕 ②일체 떠맡다. 부 꼭. 틀림없이. ¶他～不会推辞的; 그는 틀림없이 사퇴하지 않을 것이다 / 那样的事～不会发生; 그런 일은 일어날 리가 없다.
〔包管回换〕 bāoguǎn huíhuàn ⇨〔包管来回(儿)〕
〔包管来回(儿)〕 bāoguǎn láihuí(r) 《商》 (상품의) 반품·교환을 보증하다. =〔包管回换〕〔管保回换〕〔管保来回(儿)〕〔管打来回(儿)〕 →〔包退还洋〕
〔包裹〕 bāoguǒ 명 ①소화물. 소포. 보퉁이. ¶寄～; 소포를 보내다 / ～邮件; 소포 우편물. ②〈俗〉 손재주 없는 사람. 동 ①〈俗〉 남을 속이다. ②싸다. 감싸다. ¶用布把伤口～起来; 헝겊으로 상처를 싸매다.
〔包裹保险〕 bāoguǒ bǎoxiǎn 명 소포(小包) 보험.
〔包含〕 bāohán 동 ①포함하다. ¶这个字～许多的意思; 이 글자에는 여러 가지 뜻이 포함되어 있다. ②참고 견디다. →〔含垢gòu忍辱〕
〔包涵〕 bāohan 동 ①(너그럽게)용서하다. 참아 주다. 양해하다. ¶唱得不好, 大家多多～! 노래를 잘 못하니까 그 점 용서하십시오! / 请您～着点儿吧! 제발 용서해 주십시오! ②다 같이 혜택을 주다. ③이러쿵저러쿵 말하다. 비판하다 ¶我不管, 落不着zháo～; 나는 상관하지 않으니, 이러니저러니 말 듣지 않아도 된다.
〔包涵儿〕 bāohanr 명 흠. 결함. 결점. ¶只有家贫是个小～; 단지 집이 가난한 것이 옥의 티다.
〔包葫芦头儿〕 bāo húlutóur 모든 것을 책임지고

관리하다. 뒤처리를 하다.
〔包换〕 bāohuàn 동 (물건의) 교환을 보증하다.
〔包荒〕 bāohuāng 동 감싸다. 비호하다. ¶她为什么忽然那么替丈夫～起来呢? 그녀는 왜 갑자기 저렇게 남편을 감싸게 되었을까?
〔包婚丧〕 bāo hūnsāng 결혼식·장례식의 무료화《농촌에서 인민 공사 시절에 행하여짐》.
〔包活儿〕 bāohuór 명 ⇨〔包工bāogōng①〕 (bāo.huór) 동 공사를 도급 맡다.
〔包伙〕 bāo.huǒ 동 식사를 도급 맡다. =〔包伙食〕〔包饭〕
〔包伙食〕 bāohuǒshí 동 ⇨〔包伙〕
〔包货〕 bāohuò 동 화물을 포장하다.
〔包机〕 bāojī 동 비행기를 전세 내다. 명 전세기.
〔包价〕 bāojià 명 패키지(package) 요금.
〔包煎药〕 bāojiānyào 명 헝겊 주머니에 넣어 달인 약.
〔包件〕 bāojiàn 명 소포 우편물. ¶你们收～不收? 여기서 소포를 취급합니까?
〔包荐〕 bāojiàn 동 책임지고 추천하다. ¶～人才; 인재(人材)를 책임지고 추천하다.
〔包教〕 bāojiāo 동 정해진 학습 내용을 책임지고 가르치다.
〔包饺子〕 bāo jiǎozi 동 교자(餃子)를 빚다.
〔包教育〕 bāo jiàoyù 학비 등의 무료화(無料化)《농촌에서 인민 공사 시절에 행하여짐》.
〔包巾〕 bāojīn 명 〈方〉 머릿수건.
〔包金〕 bāojīn 명 ①금도금. ¶～首饰; 금박을 입힌 장신구(裝身具)/～作zuō; 금박 세공 금방. →〔镀dù金〕〔赛sài银〕〔涮shuàn金〕 ② ⇨〔包银〕 (bāo.jīn) 동 금도금을 하다.
〔包茎〕 bāojīng 명 ⇨〔包皮③〕
〔包橘〕 bāojú 명 감자(柑子)《홍귤(紅橘)나무의 열매》.
〔包举〕 bāojǔ 동 총괄(總括)하다. ¶～无遗; 남김없이 모두 포함되다.
〔包烤火费〕 bāokǎohuǒfèi 난방비를 책임지다. 연료를 공급하다《공장이나 인민 공사에서 난방비를 부담함을 말함》.
〔包捆〕 bāokǔn 동 묶다. 짐을 꾸리다. ¶因搬家～东西; 이사하려고 짐을 꾸리다.
〔包括〕 bāokuò 동 포괄하다. 포함하다.
〔包括兵险价〕 bāokuò bīngxiǎnjià 명 《商》 전시(戰時) 보험 포함 가격.
〔包括运费送货单〕 bāokuò yùnfèi sònghuòdān 명 《商》 운임 포함 가격 송장(送狀). 시엔에프(C&F) 송장.
〔包揽〕 bāolǎn 동 ①혼자 도맡아 하다. 독점하다. ¶这么多的事, 一个人～不了liǎo; 이렇게 많은 일을 한 사람이 도맡아 할 수는 없다/～生意; 거래를 독점하다. ②총판(總販)하다. ③아무 일에나 간섭하다. ¶～闲事; 하찮은 일에 참견하다. ④이익을 독점하다.
〔包料〕 bāoliào 명 자재의 청부(請負). ¶连工钱带～一共百块钱; 공임과 자재값 합쳐 모두 100원이다.
〔包领〕 bāolǐng 동 (불하(拂下)나 급료 등을) 한꺼번에 받다.
〔包拢〕 bāolǒng 명 보자기. =〔包袱①〕 동 (헝겊이나 종이로) 싸다.
〔包罗〕 bāoluó 동 포괄(包括)하다. 망라하다. ¶～各方面的问题; 각 방면의 문제를 망라하다.
〔包罗万象〕 bāo luó wàn xiàng 〈成〉 모든 것을 망라하다《무엇이든지 완비되어 있다》.
〔包买〕 bāomǎi 동 몽땅 사 버리다. 매점하다. ¶～主; 매점 상인.
〔包瞒着〕 bāománzhe 숨기다. 기만하다. ¶请您～点儿; 제발 비밀로 해 주십시오.
〔包米〕 bāomǐ 명 《植》 〈方〉 옥수수. =〔苞米〕
〔包面标记〕 bāomiàn biāojì 명 하물(荷物) 겉에 다는 집표.
〔包赔〕 bāopéi 동 ①완전히 배상하다. ②배상을 책임지다.
〔包皮(儿)〕 bāopí(r) 명 ①포장 용품. ¶～纸; 포장 용지/连～有十斤; 포장을 포함한 무게가 10근 나간다. =〔袋皮〕 ②덮개. 커버. ③《醫》 포경(包莖). ¶割～; 포경을 수술하다. =〔包头③〕〔包茎〕 ④(물건의) 겉포장.
〔包片(儿)〕 bāopiàn(r) 동 (일정한 지구의) 책임을 지니다.
〔包票〕 bāopiào 명 ①상품의 보증서. =〔保单〕 ②(자신이 있어) 보증함.
〔包前包后〕 bāoqián bāohòu 전후의 처리를 떠맡다.
〔包人儿〕 bāorénr 동 일정 기간, 또는 한 달에 얼마로 첩을 두다.
〔包容〕 bāoróng 동 ①포용하다. 너그러이 봐 주다. =〔涵hán容〕 ②수용하다. 받아들이다.
〔包丧葬〕 bāo sāngzàng (인민 공사 때의) 장례 비용의 무료화.
〔包身工〕 bāoshēngōng 명 옛날의, 예속적 노무 공급 제도인 '包工制' 아래에서 일하던 반(半)노예적 노동자《예속 정도가 심한 것을 '包饭', 정도가 약한 것을 '带dài饭'이라고 하여 구분하였음》.
〔包身制〕 bāoshēnzhì 명 ⇨〔包工制〕
〔包生养〕 bāo shēngyǎng (인민 공사 때의) 출산·양육의 무료화.
〔包税交〕 bāoshuìjiāo 명 《商》 세금 일체를 출하인(出荷人)이 부담하는 하물 인도(荷物引渡), 또는 그 가격.
〔包粟〕 bāosù 명 ⇨〔玉yù米〕
〔包探〕 bāotàn 명 탐정. 형사. ¶～下脚; 탐정의 앞잡이. 끄나풀. =〔包打听〕
〔包套〕 bāotào 동 침식(侵食)하다. 가로채다. 횡령하다. ¶～民地; 인민의 토지를 가로채다/～别人荒地; 남의 황무지를 빼앗다.
〔包头〕 bāotóu ① 동 머리를 천으로 싸다. 스카프를 쓰다. ¶～布; ⓐ터번(turban). ⓑ터번 모양의 여성 모자/～巾; 두건(頭巾). ②(Bāotóu) 명 《地》 내몽고 자치구(內蒙古自治區)에 있는 도시. ③ 명 ⇨〔包皮(儿)③〕
〔包头〕 bāotou 명 ①머리를 싸는 두건(頭巾). 스카프《주로 소수 민족의 것을 이름》. ②(～儿) 헝겊 신 따위의 앞부리에 붙이는 보호용 고무나 가죽.
〔包头菜〕 bāotóucài 명 ⇨〔卷juǎn心菜〕
〔包头的〕 bāotóude 명 배우의 분장사(扮裝師). 동 남자 배우가 여자로 분장하다.
〔包退〕 bāotuì 동 반품을 인수하다. 반품의 인수를 보증하다. ¶～还huán洋; 반품을 인수하고 대금을 돌려 주다. =〔管guǎn退〕 →〔包管来回(儿)〕
〔包围〕 bāowéi 동 ①포위하다. 둘러싸다. ¶亭子被茂密的松林～着; 정자는 울창한 송림으로 둘러싸여 있다. ②여러 사람이 연합하여 한 사람에게 대하여 요구하다. ¶他这也许是受人～吧; 그의 이 일은 아마 주위의 압박으로 마지못해 했을 것이다. ③《軍》 포위 공격하다.

〔包围战〕 bāowéizhàn 명 포위전.
〔包尾子〕 bāowěizi 동《軍》 적의 배후를 습격하다.
〔包喂〕 bāowèi 동 말〔가축〕의 사육을 맡다.
〔包席〕 bāo,xí 동 연회석을 예약하다. (레스토랑 따위의) 테이블을 전세로 빌리다. ¶你们是点菜还是～? 주문하시겠습니까, 아니면 예약을 하시겠습니까? / 他们结婚是在菜馆～的; 그들의 결혼식 피로연은 음식점을 빌려서 하였다.
〔包厢〕 bāoxiāng 명 극장의 특별석(무대 근처의 2층 예약석). 동 특별석을 잡다.
〔包销〕 bāoxiāo 명 독점 판매. 총판(總販). 동 총판하다.
〔包心白〕 bāoxīnbái 명 ⇨〔卷juǎn心菜〕
〔包心菜〕 bāoxīncài 명 양배추. =〔洋白菜〕
〔包羞〕 bāoxiū ⇨〔含hán垢忍辱〕
〔包修〕 bāoxiū 동 수리(修理)·수선(修繕)을 책임지다.
〔包牙〕 bāoyá 명 뻐드렁니. =〔齙牙〕
〔包养〕 bāoyǎng 동 (남자가) 딴살림을 차리다. 두 집 살림을 하다.
〔包叶金〕 bāoyèjīn 명 금박(金箔).
〔包医〕 bāoyī 동 ①전치(全治) 보증으로 치료를 맡다. ②치료 결과를 보증하다. ¶～百病; 어떤 병이라도 꼭 고친다. ‖ =〔包治②〕
〔包医疗〕 bāo yīliáo 인민 공사가 사원(社員)에 대한 의료를 무료로 하다.
〔包银〕 bāoyín 명 극장 주인이 배우에게 주던 출연료. =〔包金②〕
〔包用〕 bāoyòng 동 사용에 만족하실 것을 보증하다. ¶～回换; 상품이 마음에 드시지 않을 경우 바꾸어 드립니다.
〔包馀儿〕 bāoyúr 동 ⇨〔包圆儿①〕
〔包玉米〕 bāoyùmǐ 명 ⇨〔玉米〕
〔包圆儿〕 bāoyuánr 동 ①전부를 일괄해서 인수하다. ¶剩下的这点儿您～吧! 이 남은 부분은 당신이 맡아 주시오! / 剩下的酒我一个人～了; 나머지 술은 모두 나 혼자 맡겠소. =〔包馀儿〕 ②(남은 상품 전부를) 매점(買占)하다. ‖ =〔包园儿〕
〔包月〕 bāo,yuè 동 월정(月定)으로 계약하다. 달로 쳐서 고용하다.
〔包孕〕 bāoyùn 동 내포하다. 포함하다. 포괄하다. ¶～着危机; 위기를 내포하고 있다.
〔包孕句〕 bāoyùnjù 명《言》 포함문(자구(子句)가 모구(母句) 속에 포함된 문장. '我知道他很快乐'(나는 그가 즐겁다는 것을 알고 있다)는 '～'이고, '他很快乐'이라는 자구가 포함되어 있음).
〔包运〕 bāoyùn 동 운송을 청부 맡다.
〔包运费〕 bāoyùnfèi 명《商》 운임. ¶～韩国交货; 운임 포함 한국 항구 도착항 인도.
〔包运价格〕 bāoyùn jiàgé 명《商》 시앤에프(C&F). 운임 포함 가격.
〔包扎〕 bāozā 동 감다. 묶다. 포장하다. ¶～绷带; 붕대를 감다 / ～伤口; 상처를 싸매다.
〔包拯〕 Bāozhěng 명 ①《人》 포증(북송(北宋) 사람으로 공명 정대한 재판관으로 알려졌으며, '包公'·'包青天'이라고도 불리었음). ②(bāozhěng)〈比〉 공명 정대한 인물.
〔包支包结〕 bāozhī bāojié 지출·결손(缺損)을 도맡다.
〔包纸〕 bāozhǐ 명 포장지.
〔包治〕 bāozhì 동 ①완쾌를 보증하다. ②⇨〔包医〕
〔包种〕 bāozhòng 동 도맡아서 농작물·정원수를 심다.
〔包庄〕 bāozhuāng 명 도박에서 규칙을 위반하여 남에게 손해를 끼쳤을 때, 그 손실을 배상하는 일.
〔包装〕 bāozhuāng 동 포장하다. 짐을 꾸리다. ¶～情形; (포장한) 짐의 형태 / ～车间; 포장 공장〔작업장〕 / ～设计; 포장 설계.
〔包装纸〕 bāozhuāngzhǐ 명 포장지.
〔包准(儿)〕 bāozhǔn(r) 부 반드시. 틀림없이. 꼭. ¶他～来; 그는 틀림없이 옵니다.
〔包子〕 bāozi 명 ①(야채·고기·팥 따위의 소를 넣은) 찐빵. 만두. ¶肉～; 고기만두 / 菜～; 야채 만두 / ～有肉不在褶子上; 〈歇〉 만두에 고기가 들어갔어도 겉의 주름에는 나타나지 않는다(표면에 나타나지 않으나 속이 좋음). =〔包儿〕〔〈方〉馒mán头②〕 →〔馒头①〕〔糖táng三角儿〕 ②정표나 행하(行下)로 종이에 싸서 주는 돈. ③레이들(ladle). 쇳물목(녹은 금속액을 담는 그릇).
〔包租〕 bāozū 동 ①(다시 세를 놓기 위해) 집이나 전답을 빌리다. ②풍작·흉작을 불문하고 소작인이 소작료를 지불하다. ③전세 내다. 대절 하다. ¶～汽车; 전세 자동차. ④빌려 주다.
〔包作〕 bāozuò 동 책임지고 제조하다.

苞 bāo (포)

①명《植》 그령. ②명 짚 따위로 싼 물건. 꾸러미. 선물. ③명《植》 포. 화포(花苞). 꽃 떡잎. ④형 우거지다. 무성하다. ¶竹～松茂; 대나무와 소나무가 무성하다. ⑤명 근본. ⑥동 싸다. =〔包〕 ⑦동 한군데에 모이다. ⑧명 꽃봉오리. 꽃망울. ¶开～; 꽃봉오리가 열리다. 〈比〉 기생·창기 등의 머리를 얹어 주다 / 含～欲放的昙tán华; 꽃봉오리를 머금고 지금 막 벌어지려고 하는 칸나(canna).
〔苞谷〕 bāogǔ 명 ⇨〔玉yù米〕
〔苞米〕 bāomǐ 명《植》 옥수수. =〔包米〕〔苞谷gǔ〕〔苞芦lú〕〔苞粟sù〕
〔苞叶〕 bāoyè 명《植》 포엽(包葉).

孢 bāo (포)

→〔孢子〕

〔孢子〕 bāozi 명《植》 포자. ¶～生殖; 포자 생식 / ～植物; 포자식물. =〔胞子〕

炮 bāo (포)

동 ①불에 쬐다〔말리다〕. ¶把湿衣服搁在热炕上～干; 젖은 옷을 온돌 위에서 말리다. ②볶다. ¶～羊肉; 양고기 볶음. ③굽다. ¶～一碟儿肉; 고기를 한 접시 굽다. ⇒páo pào

枹 bāo (포)

명《植》 졸참나무. =〔枹树〕〔枹木〕〔〈方〉小橡树〕 ⇒fú

胞 bāo (포)

명 ①《生》 포자(胞子). ②친형제 자매. 동복(同腹). ¶～伯; 친백부(아버지의 형).

〔胞浆水〕 bāojiāngshuǐ 명《生》 양수(羊水). =〔羊水〕
〔胞姐妹〕 bāojiěmèi 명 친자매.
〔胞叔〕 bāoshū 명 숙부(叔父).
〔胞兄〕 bāoxiōng 명 같은 아버지에게서 난 형. 친형.
〔胞衣〕 bāoyī 명《生》 태막과 태반. 포의. =〔胞胎tāi〕
〔胞子〕 bāozi 명 ⇨〔孢子〕

龅(齙) bāo (포)

→〔龅牙〕〔龅眼龅牙〕

〔必不可少〕 bì bù kě shǎo 〈成〉 결코 없어서는 안 되다. 반드시 필요하다. ¶分工是～的; 분업은 결코 없어서는 안 된다.
〔必传之作〕 bìchuán zhī zuò 명 후세에 반드시 전해질 명작〔명저〕.
〔必当〕 bìdāng 부 반드시. 꼭. ¶我～遵您的吩咐办; 저는 꼭 당신의 분부를 지켜서 행합니다.
〔必得〕 bìdé 틀림없이 얻을 수 있다. 반드시 달성할 수 있다. ¶势在～; 반드시 성공할 기세에 있다. ⇒bìděi
〔必得〕 bìděi …하지 않으면 안 된다. (…할) 필요가 있다. ¶你～去; 너는 가야 한다. ⇒bìdé
〔必定〕 bìdìng 부 반드시. 꼭. 주 '必定'의 부정(否定)은 '未必'이며, '一定'(꼭)의 부정(否定)은 '不一定' 또는 '未必一定'.
〔必恭必敬〕 bì gōng bì jìng 〈成〉 대단히 정중한 모양. 매우 공손한 모양. ¶正在～地听说话; 공손히 삼가 이야기를 듣다. =〔毕恭毕敬〕
〔必将〕 bìjiāng 부 〈文〉 반드시 …하다. 반드시 …이 될 것이다. ¶～成功; 틀림없이 성공할 것이다.
〔必经之路〕 bì jīng zhī lù 〈文〉 반드시 거치지 않으면 안 될 길.
〔必竟〕 bìjìng 명 ⇨〔究jiū竟〕
〔必克尔〕 bìkè'ěr 명 〈音〉 피클(pickle).
〔必然〕 bìrán 명 《哲》 필연. 형 필연적이다. ¶～(的)趋势; 필연적 추세 / ～的因果关系; 필연적인 인과 관계.
〔必然王国〕 bìrán wángguó 명 《哲》 필연의 왕국《인간이 아직 객관 세계의 법칙을 알지 못하고, 의사의 자유도 없이 행동은 필연성의 지배를 받는 경우를 말함》.
〔必然性〕 bìránxìng 명 《哲》 필연성. ¶历史的～; 역사의 필연성. ↔〔偶然性〕
〔必携〕 bìxié 명 필휴. 반드시 휴대하여야 할 것. ¶墨mò场～; 서화를 논하는 데에 필요한 것이라는 의미에서, 서화를 쓰고 그리는 데에 필요한 시문(詩文)을 모은 책 이름.
〔必修〕 bìxiū 형 필수의. ¶～科kē目; 필수 과목.
〔必须〕 bìxū 부 반드시 (…하지 않으면 안 된다). ¶过去我没有作过这种工作, ～从头儿学起; 지금까지 이러한 일을 한 적이 없으니까, 처음부터 배우지 않으면 안 된다. 주 '必须'의 부정은 '不必须'가 아니고, '不必要'·'不必'·'无须'·'不用'임.
〔必需〕 bìxū 동 반드시필요하다. ¶中韩辞典是学中国话的人所～的; 중한 사전은 중국어를 배우는 사람에게 꼭 필요한 것이다 / ～品pǐn; 필수품.
〔必要〕 bìyào 동 반드시 …하지 않으면 안 된다. 필요로 하다. ¶那倒不～; 그것은 필요하지 않다. 명 필요. ¶还有进一步研究的～; 아직 더 연구할 필요가 있다.
〔必要产品〕 bìyào chǎnpǐn 명 《經》 필요생산물. ↔〔剩余产品〕
〔必要劳动〕 bìyào láodòng 명 《經》 필요 노동. ↔〔剩shèng余劳动〕
〔必由之路〕 bì yóu zhī lù 〈成〉 ①반드시 지나가야 하는 길. 피해 갈 수 없는 길. ¶走历史～; 역사의 필연적인 길을 가다. ②준수(遵守)해야 할 결정.
〔必争之地〕 bìzhēng zhī dì 명 반드시 쟁탈해야 할 땅. 쟁탈의 목표.
〔必至〕 bìzhì 동 반드시 그렇게 되다. ¶～要失shī败; 반드시 실패하게 된다 / 岂qǐ不是事有～吗; 반드시 그렇게 되지 않겠는가.
〔必准〕 bìzhǔn 부 반드시. 틀림없이. 정확하게. ¶他是～答应的; 그는 반드시 승낙한다.

邲 Bì (필)
명 《地》 지금의 허난 성(河南省) 정저우(鄭州) 동쪽 지방의 옛 지명.

泌 bì (필)
지명용 자(字). ¶～阳Bìyáng; 비양(泌陽) 《허난 성(河南省)에 있는 현의 이름》. ⇒mì

闭(閟) bì (비)
동 ①문을 닫다. 잠그다. ②삼가다. ③끝나다. 다하다.

苾 bì (필)
명 〈文〉 방향. 향기로운〔좋은〕 냄새.

驰(馝) bì (필)
형 〈文〉 말이 살찐 모양.

珌〈琿〉 bì (필)
명 ①칼집의 끝장식. ②서까래의 끝장식.

毖 bì (비)
동 〈文〉 삼가다. 주의하다. ¶惩chéng前～后; 〈成〉 이전의 실패를 교훈삼아 장래일을 삼가고 조심하다.

铋(鉍) bì (필)
명 《化》 비스무트(Bi: bismuth). 창연(蒼鉛)《금속 원소의 하나》.

秘〈祕〉 bì (비)
음역용 자(音譯用字). ¶～鲁Bìlǔ; ⇩ ⇒mì
〔秘鲁〕 Bìlǔ 명 《地》 페루(Peru)《수도는 '利马'(리마: Lima)》.

闭(閉) bì (폐)
①동 닫다. 다물다. 감다. ¶～门; ⇩ / ～上眼; 눈을 감다 / ～口无言; 입을 다물고 말을 하지 않다 / 把伞sǎn～上了; 양산을 접었다. ②동 막히다. 막혀 통하지 않다. ¶气～; 숨이 막히다 / ～塞; ⇩ ③동 끝내다. 그만두다. ¶～会; ⇩ / ～经; ⇩ ④명 성(姓)의 하나.
〔闭不上嘴〕 bìbushàng zuǐ 입을 다물 수 없다. ¶乐得～; 좋아서 웃음이 멎지 않는다.
〔闭灯〕 bì dēng 〈方〉 전등을 끄다. =〔关灯〕
〔闭关〕 bìguān 동 ①관문(關門)을 닫다. 〈比〉 외부와의 왕래를 끊다. ¶～政策; 쇄국 정책. ②문을 닫고 손님을 만나지 않다. =〔闭门谢客〕 ③항구를 봉쇄하여 무역을 금하다.
〔闭关却扫〕 bì guān què sǎo 〈成〉 외부와의 왕래를 끊다. 세상을 멀리하다. =〔闭门却扫〕〔杜dù门却扫〕
〔闭关锁国〕 bì guān suǒ guó 〈成〉 관문을 닫고 쇄국하다.
〔闭关自守〕 bì guān zì shǒu 〈成〉 관문을 닫고 외부와 왕래를 끊다. =〔闭门自守〕
〔闭果〕 bìguǒ 명 《植》 폐과. 익은 뒤에 과일 껍질이 벌어지지 않고 있는 과일.
〔闭合电路〕 bìhé diànlù 명 《電》 폐회로.
〔闭户〕 bìhù 동 〈文〉 문을 닫아 잠그다. 〈比〉 세속과의 왕래를 끊다. 은거(隱居)하다.
〔闭会〕 bìhuì 명동 폐회(하다).
〔闭结〕 bìjié 동 막히어 굳어지다. 막히다. ¶大便～; 변비하다.
〔闭经〕 bìjīng 명 《醫》 폐경. ¶～期; 폐경기. =

〔经闭〕
〔闭卷考试〕 bìjuàn kǎoshì 명 책을 보지 않고서 보는 시험. ↔〔开kāi卷考试〕
〔闭口〕 bìkǒu 동 입을 다물고 말을 하지 않다. =〔闭口无wú言〕
〔闭口扳头〕 bìkǒu bāntou 명 《機》 복스 렌치.
〔闭口韵〕 bìkǒuyùn 명 《言》 m 또는 b로 끝나는 운모(韻母)《현대 중국어에는 없음》.
〔闭拢〕 bìlǒng 동 닫다. ¶～嘴; 입을 다물다.
〔闭路电视〕 bìlù diànshì 명 폐회로 텔레비전(closed circuit television). CCTV.
〔闭门〕 bì mén 문을 닫다. 〈比〉 은거(隱居)하다. ¶～自保; 문을 닫고 스스로를 지키다.
〔闭门羹〕 bìméngēng 명 문전 박대. ¶飨xiǎng以～; 문전 박대를 하다 / 他来了, 给他个～吃就是了; 그 녀석이 오면 문전 박대를 하면 그만이다.
〔闭门思过〕 bì mén sī guò 〈成〉 집에 틀어박혀 잘못을 반성하고 근신하다(하는일).
〔闭门天子〕 bì mén tiān zǐ 〈成〉 권력이 문 밖에 미치지 않는 천자《밖에서는 꿈쩍 못 하면서 집 안에서만 큰소리치는 사람》.
〔闭门谢客〕 bì mén xiè kè 문을 잠그고 방문객을 사절하다.
〔闭门造车〕 bì mén zào chē 〈成〉 문을 닫아 걸고 각기 제 마음대로 수레를 만들다《자기 마음대로 적당히 하는 일》. ¶～, 出门合辙zhé; 〈諺〉 문을 닫아 걸고 차를 만들어도 그 차는 도로의 바퀴 자국에 잘 맞는다. 어떤 일의 방법이나 결과가 뜻밖에 일치하는 일.
〔闭门自守〕 bì mén zì shǒu 〈成〉 ⇨〔闭关自守〕
〔闭目〕 bìmù 동 눈을 감다. ¶～合十; 눈을 감고 합장하다 / ～遐思; 눈을 감고 생각하다.
〔闭目塞听〕 bì mù sé tīng 〈成〉 보지도 듣지도 않다. 눈을 감고, 귀를 막다《현실에서 떨어져 있는 일》. =〔闭门塞聪〕
〔闭幕〕 bìmù 명동 ①폐막(하다). (연극이) 끝남(끝나다). ②회합〔모임〕이 끝남(끝나다). ¶～词cí; 폐회사.
〔闭气〕 bì qì ①숨이 끊어지다. ②숨이 안 나오다. 숨이 막히다. ¶跌了一交, 闭住气了; 발이 걸려 넘어져 정신을 잃었다. ③숨을 죽이다. 숨을 멈추다. ¶～凝神; 숨을 죽이다 / ～不出; 한 마디도 안 하다. 달다 쓰다 말이 없다.
〔闭塞〕 bìsè 동 ①막다. 막히다. ¶～不通; 막혀서 통하지 않다 / ～住; 막혀 버리다. ②소통되지 않다. (교통이) 불편하다. ¶交通～; 교통이 불편하다. ③(소식에) 어둡다.
〔闭上〕 bìshang 동 닫다. 오므리다. ¶～腿坐; 무릎을 붙이고 앉다.
〔闭歇〕 bìxiē 동 폐점(閉店)하다. 폐업하다.
〔闭眼〕 bì.yǎn 동 ①눈을 감다. ¶闭闭眼睛装不知道; 눈을 감고 모르는 척하다. ②눈을 감고 참다. ¶得dé～就～; 눈을 감고 참을 수 있으면 참는다 / 闭着眼睛说瞎话; 현실을 무시하고 함부로 말하다. ③죽다. ¶一～就完了; 죽으면 만사가 끝장이다. ④최후의 각오를 하다. 목숨을 걸고 부딪치다. ¶我今天和他～, 谁说也不行; 오늘은 그와 목숨을 걸고 싸우겠다. 누가 말려도 안 된다.
〔闭业〕 bìyè 명동 폐업(하다). =〔闭歇〕 →〔倒dǎo闭〕
〔闭音节〕 bìyīnjié 명 《言》 폐음절.
〔闭元音〕 bìyuányīn 명 ⇨〔合hé元音〕
〔闭月羞花〕 bì yuè xiū huā 〈成〉 절세 미인의 형용.
〔闭蛰〕 bìzhé 명동 동면(冬眠)(하다).
〔闭嘴〕 bì zuǐ 입을 다물다. 지껄이지 않다.

毕(畢) bì (필)

①동 끝나다. 완료하다. 완성하다. ¶礼～; 식이 끝나다 / 完～; 완료(하다) / 话犹未～; 이야기가 아직 끝나지 않았다. ②부 완전히. 전부. ¶群贤～至; 많은 현인이 모두 모였다 / 形貌～肖; 모습이 완전히 닮았다 / 真相～露; 진상을 전부 폭로하다. ③명 28수의 하나. ④명 성(姓)의 하나.
〔毕毕剥剥〕 bìbìbōbō 〈擬〉 바삭바삭. 바싹바싹. ¶放在嘴里～的响《鲁迅 阿Q正傳》; 입에 넣고 바삭바삭 씹는 소리를 내다.
〔毕呈〕 bìchéng 동 완전히 나타나다. ¶丑chǒu态～; 추태가 완전히 드러나다.
〔毕恭毕敬〕 bì gōng bì jìng 〈成〉 ⇨〔必恭必敬〕
〔毕加索〕 bìjiāsuǒ 명 《人》 〈音〉 피카소(Pablo Picasso)《스페인의 화가. 프랑스에서 활약. 1881～1973》.
〔毕竟〕 bìjìng 부 필경. 결국. 요컨대. ¶他的话～不错; 그의 말이 결국은 옳다 / 他的错误～是认识问题; 그가 저지른 잘못은 결국 인식상의 문제이다.
〔毕露〕 bìlù 동 전부 나타나다. 드러나다. ¶弄得这两个怪物原形～; 이렇게 해서 이 두 마리의 괴물은 탈이 벗겨졌다.
〔毕命〕 bìmìng 동 죽다《흔히, 비명 횡사를 이름》.
〔毕其功于一役〕 bì qí gōng yú yī yì 〈成〉 한 번 싸워서 성공을 결정짓다《단번에 성공하다》.
〔毕生〕 bìshēng 명 〈文〉 한평생. 일생. 필생(畢生). 전 생애. ¶～难nán忘的回忆; 평생 잊을 수 없는 추억 / ～事业; 필생의 사업. 라이프 워크.
〔毕肖〕 bìxiào 형 ⇨〔逼bī肖〕
〔毕协〕 bìxié 명 《宗》 〈音〉 주교(bishop). =〔主教〕
〔毕宿〕 bìxiù 명동 철야(하다).
〔毕业〕 bì.yè 동 졸업하다. ¶在哪个学校～? 어느 학교를 졸업했는가? (bìyè) 명 졸업. ¶～生; 졸업생 / ～文凭wénpíng =〔～证书〕; 졸업 증서 / ～典礼; 졸업식.
〔毕业论文〕 bìyè lùnwén 명 졸업 논문.
〔毕直〕 bìzhí 형 ⇨〔笔bǐ直〕

庇 bì (비)

①동 덮어 가리다. ¶包～; 싸서 가리다. ②동 감싸 주다. ③동 기대다. ④명 비호.
〔庇护〕 bìhù 명동 비호(庇護)(하다). =〔庇荫②〕
〔庇荫〕 bìyìn 동 ①나무가 햇빛을 막다. ②비호하다. 감싸다.
〔庇佑〕 bìyòu 명동 가호(하다). 비호(하다).

芘 bì (비)

동 〈文〉 가리다. 감싸다. =〔庇①②〕 ⇒ pí

陛 bì (폐)

〈文〉 ①명 궁전(宮殿)의 계단(階段). ②→〔陛下〕
〔陛见〕 bìjiàn 동 〈文〉 천자(天子)를 알현하다.
〔陛卫〕 bìwèi 명 〈文〉 궁전의 수위. 금위대(禁衛隊). =〔陛者〕
〔陛下〕 bìxià 대 폐하《국왕 혹은 황제에 대한 경칭》.

荜(蓽) bì (필)

①→〔荜拨〕 ②명 ⇨〔筚②〕

〔荜拨〕 bìbō 명 《植》 필발(후추과의 풀).

哔(嗶) bì (필) →〔哔叽〕〔哔叽油〕

〔哔叽〕 bìjī 명 《紡》〈音〉 서지(serge). ¶棉细～; 면서지 / 人字～; 능직(綾織) 서지. =〔哔吱〕

〔哔叽油〕 bìjīyóu 명 〈音〉 피치(pitch).

𫗦(饆) bì (필) →〔𫗦饠luó〕

〔𫗦饠〕 bìluó 명 〈文〉 옛날의 식품(‘包子’ 따위).

狴 bì (폐) →〔狴犴〕

〔狴犴〕 bì'àn 명 〈文〉 전설에 나오는 짐승 이름. 옛날에 옥문(獄門)에 그 모양을 그림. 〈轉〉 감옥.

毙(斃〈獘〉) bì (폐) 동 ①쓰러지다. 망하다. ¶多行不义必自～; 불의를 많이 행하면 반드시 스스로 망할 것이다. ②죽다(사람에게 쓸 때는 폄의(貶義)를 포함함). ¶牲畜倒～; 가축이 쓰러져 죽다 / 击～; 사망하다. 쳐죽이다. ③쓰러뜨리다. ④죽이다. ¶跑就～了你! 도망치면 죽여 버린다! ⑤〈俗〉 총살하다. ¶昨天～了一个杀人犯; 어제 살인범 한 사람을 총살했다.

〔毙命〕 bìmìng 동 죽다. 목숨을 잃다. =〔毙死〕

〔毙伤〕 bìshāng 명동 살상(하다). 사상(死傷)(하다).

梐 bì (폐) →〔梐枑〕

〔梐枑〕 bìhù 명 〈文〉(옛날에 관청에서 통행인의 출입을 막기 위해 친) 목책(木柵). 울짱.

筚(篳) bì (필) 명 ①《植》 가시나무. ②대나무 가지로 엉성하게 엮어 만든 울타리. 바자울. ¶篷门～户; ⓐ빈한한 집. ⓑ저의 집. =〔荜②〕

〔筚篥〕 bìlì ⇨〔觱bì篥〕

〔筚路蓝缕〕 bì lù lán lǚ 〈成〉 섶나무로 만든 허술한 수레를 끌고 누더기를 걸치고 산림을 개척하다(창업(創業)의 어려운 모양).

〔筚门〕 bìmén 명 〈文〉 사립문. 섶나무 가지나 대나무 가지로 엮은 문. 〈轉〉 가난한 집.

〔筚门圭窦〕 bì mén guī dòu 〈成〉 가시나무·대나무로 만든 허술한 지게문(초라한 집. 가난한 집).

跸(蹕) bì (필) ①명동 〈文〉 임금의 행차시에 경필(警蹕)(하다). 벽제(辟除)(하다)(통행을 금하였던 일). ②명 〈文〉 임금의 행차시의 어가(御駕). ¶驻zhù ～; 임금이 일시 머무름.

〔跸路〕 bìlù 명 임금이 행차하시는 길.

诐(詖) bì (피) 〈文〉 ①명 변론. ②형 편파적이다. 공정치 않다. ¶～辞; 옳지 않은 말 / ～行为; 부정한 행위.

髲 bì (피) 명 〈文〉 가발. =〔假发〕

畀 bì (비) 동 〈方〉 주다. 주시다. ¶～以重zhòng任; 중임을 맡기다 / 我～钱你; 너에게 돈을 준다.

痹〈痺〉 bì (비) 명동 《漢醫》 마비(되다). ¶～痛tòng; 풍(風)·한(寒)·습(濕) 등의 원인으로 지체가 아프고 마비됨.

箅 bì (비) →〔箅子〕

〔箅子〕 bìzi 명 시룻밑·경그레·망·발 등의 총칭.

贲(賁) bì (비) ①형 장식(裝飾)이 눈부시다. ②명 광명(光明). ⇒bēn

〔贲临〕 bìlín 동 왕림하다. 참석하여 주시다. ¶拨冗～; 바쁘신 중에도 왕림하여 주시다.

〔贲然〕 bìrán 형 빛나는 모양. 밝음의 형용. 무늬가 있는 모양.

〔贲如〕 bìrú 형 눈부시게 꾸민 모양.

庳 bì (비) 지명용 자(字). ¶有～Yǒubì; 유비(有庳)(지금의 후난 성(湖南省)의 옛 지명). ⇒bēi

萆 bì (비, 폐) →〔萆薢〕

〔萆薢〕 bìjiè 명 《植》 비해(萆薢). 쓴마(약재로 쓰임). 동 덮어 가리다. 은폐하다.

婢 bì (비) 명 ①하녀. ¶奴～; 노비. 사내종과 계집종. ②부인(婦人)의 비칭(卑稱).

〔婢女〕 bìnǚ 명 하녀. 계집종.

〔婢仆〕 bìpú 명 비복. 노비. =〔奴婢〕

〔婢学夫人〕 bì xué fū rén 〈成〉 하녀가 마님의 흉내를 내다(어울리지 않음. 겉 모방).

裨 bì (비) 동 ①보충하다. 보익(補益)하다. ¶无～于事; 아무 도움이 안된다 / 于卫生大有～益; 위생상 크게 유익한 바가 있다. ②늘리다. ⇒pí

〔裨补〕 bìbǔ 동 부족한 것이나 결손을 보충하다.

〔裨益〕 bìyì 동 비익(裨益)하다. 이익이 있다. 도움이 되다. ¶～于世; 세상 사람들에게 이익을 주다.

〔裨助〕 bìzhù 동 〈文〉 도움이 되다. ¶补益～; 커다란 도움이 되다.

髀 bì (비, 폐) 명 ①대퇴(大腿). 넓적다리. ②대퇴골(大腿骨). 넓적다리뼈. 요골(腰骨).

〔髀骶〕 bìdǐ 명 원숭이 볼기(털이 없고 가죽이 두꺼운 부분).

〔髀骨〕 bìgǔ 명 《生》 관골(髖骨). 무명골(無名骨).

〔髀肉复生〕 bì ròu fù shēng 〈成〉 오랫동안 말을 타지 않아 허벅지에 살이 붙다(대장부가 재능을 발휘할 기회를 못 가져 하릴없이 헛되이 세월을 보냄을 한탄하는 말). =〔髀肉之叹〕

敝 bì (폐) ①동 해지다. 낡다. 헐다. ¶～衣; ⇩/舌～唇焦; 혀가 헐고 입술이 타다. ②동 피로해지다. 지치다. ③동 버리다. ④〈謙〉 저의. 제(자기의 비칭(卑稱)). ¶～姓; ⇩/～处; ⇩/～校; 저의 학교 / ～公司; 폐사(弊社). 당사(當社). ↔〔贵〕〔宝〕

〔敝处〕 bìchù 명 제 고향. ↔〔贵处〕

〔敝东〕 bìdōng 명 저의 주인. 폐점(弊店)의 주인.

〔敝国〕 bìguó 명 저의 나라. ↔〔贵国〕

〔敝行〕 bìháng 명 저의 가게. 폐점(弊店).

〔敝号〕 bìhào 명 폐점(幣店). ↔〔宝号〕

〔敝眷〕 bìjuàn 명 저의 가족. ↔〔宝眷〕
〔敝人〕 bìrén 명 〈謙〉 저(자기를 낮추는 말). =〔鄙bǐ人〕
〔敝上〕 bìshàng 명 저의 주인. 저의 상사.
〔敝舍〕 bìshè 명 저의 집. 비제(鄙第).
〔敝俗〕 bìsú 명 ①나쁜 풍속. ②저의 향리 풍속.
〔敝屣〕 bìxǐ 명 헌신(폐물). ¶弃之如～; 헌신짝처럼 버리다.
〔敝乡〕 bìxiāng 명 저의 고향.
〔敝姓〕 bìxìng 명 저의 성(姓).
〔敝衣〕 bìyī 명 ①해진 옷. 누더기 옷. ②값어치 없는 하찮은 물건.
〔敝友〕 bìyǒu 명 저의〔제〕 친구.
〔敝帚自珍〕 bì zhǒu zì zhēn 〈成〉 ①자기 것은 나빠도 좋게 보인다. ② 하찮은 물건이라도 소중히 하다. =〔敝帚千金〕
〔敝族〕 bìzú 명 저의 친척. 저의 일족.

蔽 bì (폐)
① 동 덮어 가리다. ¶黄沙～天; 황진(黃塵)이 하늘을 덮다. ② 동 숨기다. ③ 동 싸다. ¶衣不～体; 옷이 해져서 몸을 가릴 수 없다. ④ 동 가로막다. 틀어막다. ⑤ 동 개괄하다. 통틀어 말하다. ¶一言以～之; 한 마디로 말하자면. ⑥ 명 덮개.
〔蔽护〕 bìhù 동 비호하다. 감싸다.
〔蔽匿〕 bìnì 동 〈文〉 은닉하다. 싸서 숨기다.
〔蔽日〕 bìrì 동 〈文〉 해를 가리다. 해를 덮다. ¶浓云～; 두꺼운 구름이 해를 덮고 있다.
〔蔽塞〕 bìsè 동 〈文〉 막다. 가리다. 형 현명하지 못하다.
〔蔽舍〕 bìshè 명 모옥(茅屋). 초가.
〔蔽形术〕 bìxíngshù 명 둔갑술.
〔蔽野〕 bìyě 명 부근 일대. 주위 전체.
〔蔽狱〕 bìyù 동 단죄하다. 판결을 내리다.
〔蔽月羞花〕 bì yuè xiū huā 〈成〉 미인의 형용. 용모가 아름다운 형용. =〔蔽花羞月〕
〔蔽障〕 bìzhàng 동 은폐하다.
〔蔽罪〕 bìzuì 동 죄를 감싸다.

弊〈獘〉 bì (폐)
① 명 폐해. 해. ¶兴利除～; 이로움을 일으키고 폐해를 제거하다 / 有利无～; 이익은 있고 해는 없다. ② 명 악. ③ 명 부정. 부정 행위. ¶作～; 부정 행위를 하다 / 营私舞～; 사리를 꾀하여 부정 행위를 하다. ④ 동 못된 짓을 하다. ⑤ 형 피로하다. 쇠약하다.
〔弊病〕 bìbìng 명 폐해. 악폐. =〔弊端〕
〔弊窦〕 bìdòu 명 폐해의 근원. 악폐의 소굴. ¶～丛cóng生; 폐해가 잇따라 일어나다.
〔弊端〕 bìduān 명 폐해. 악폐. ¶～百出; 악폐가 백출하다. 폐해가 속출하다. =〔弊病〕
〔弊混〕 bìhùn 동 진위(眞僞)가 섞여 있다.
〔弊绝风清〕 bì jué fēng qīng 〈成〉 악폐는 흔적도 없이 풍기(風紀)가 일신(一新)되다(사회가 정화됨).
〔弊田〕 bìtián 명 조세를 물지 않은 전답. 몰래 부치는 논.
〔弊政〕 bìzhèng 명 악정(惡政).

湢 bì (벽)
명 〈文〉 욕실(浴室).

愊 bì (픽, 핍)
→〔愊忆〕
〔愊忆〕 bìyì 형 분개하다. 가슴이 메다. =〔腷臆〕

煏 bì (픽)
동 〈方〉 불에 쬐어 말리다.

腷 bì (픽)
→〔腷臆〕
〔腷臆〕 bìyì 형 ⇨〔愊忆〕

愎 bì (퍅)
형 멋대로 하다. 완고하다. 남의 말을 듣지 않다. ¶刚～自用; 자기의 의견을 강경하게 밀고 나가다.
〔愎拗〕 bì'ào 형 성격이 비뚤어지다.
〔愎谏〕 bìjiàn 동 옹고집이어서 남의 충고를 듣지 않다.
〔愎气〕 bìqì 명 옹고집. 형 자부심이 강하다.

弼 bì (필)
① 동 보좌하다. ¶辅～; 보필하다. ② 명 보좌하는 사람.
〔弼傅〕 bìfù 동 〈文〉 보좌하다. 부육(傅育)하다.
〔弼匡〕 bìkuāng 동 보좌하여 바르게 하다.

皕 bì (벽, 비)
수 이백(二百)의 별칭.

赑(贔) bì (비)
→〔赑屃〕
〔赑屃〕 bìxì 형 어떤 것을 위해 힘을 내는 모양. 명 바다거북의 일종(전설상의 짐승으로, 흔히 돌비석의 대좌로서 새겨짐).

蓖 bì (비)
→〔蓖麻〕
〔蓖麻〕 bìmá 명 《植》 아주까리. 피마자. ¶～子; 아주까리 씨. =〔萆麻〕〔大麻子②〕
〔蓖麻蚕〕 bìmácán 명 《蟲》 아주까리누에.
〔蓖麻油〕 bìmáyóu 명 피마자유(油). 아주까리 기름.

篦 bì (비)
①(～子) 명 참빗. ② 동 (참빗으로) 머리를 빗다. ¶～头; 머리를 빗다 / 把头发用～子～一～; 머리를 참빗으로 빗다. ③(～子) 명 물고기를 잡는 연모. 통발.
〔篦梳〕 bìshū 동 빗질하다.

滗(潷) bì (필)
동 (거르듯이 하여 액체만을) 취하다. 밭다. 짜다. ¶把汤～出去; 국물만 밭다 / 壶里的茶～干了; 다관(茶罐)의 차를 다 따랐다.

辟 bì (벽)
〈文〉 ① 명 천자(天子). 군주. ¶复～; 제위를 잃었던 군주가 위를 회복함. 복위. ② 동 ⇨〔避〕 ③ 동 제거하다. ¶～邪; ⇓ ④ 동 불러 내어 관직을 수여하다. 초치(招致)하다. ⇒pì
〔辟谷〕 bìgǔ 동 〈文〉 벽곡하다. 곡기를 끊다(도가(道家)의 수련법의 하나).
〔辟倪〕 bìní 동 ⇨〔睥pì睨〕
〔辟聘〕 bìpìn〔bìpìng〕 명동 〈文〉 재야의 현인을 불러내어 씀〔쓰다〕.
〔辟邪〕 bìxié 동 사악한 것을 없애다. 악귀를 물리치다. 액막이를 하다. ¶显xiǎn正～; 바른 것을 밝히고, 사악한 것을 물리치다. =〔避邪〕
〔辟易〕 bìyì 동 놀라 무서워서 뒷걸음질을 하다. 쩔쩔매다. ¶项xiàng王瞋chēn目叱chì之, 赤泉侯人马俱惊, ～数里《史記 項羽本紀》; 항우(項羽)가

〔编歌词〕 biāngēcí 동 가사를 짓다.
〔编工〕 biāngōng 명 ①(편물(編物)) 직공. ②편물 작업. 뜨개질.
〔编号〕 biān.hào 동 번호를 매기다. ¶～印字机; 넘버링(numbering) / 给树苗～; 묘목에 (순서대로) 번호를 매기다. (biānhào) 명 일련 번호.
〔编核〕 biānhé 동 〈文〉 편성 심사하다. ¶～预yù算; 예산을 편성 심사하다.
〔编后〕 biānhòu 명 편집 후. ¶～谈; 편집 후기.
〔编户〕 biānhù 동 주민 대장에 등록하다. 명 주민 대장에 편입을 필한 민가(民家). 〈比〉 평민.
〔编谎〕 biānhuǎng 동 거짓말을 꾸며 내다. →〔撒sā谎〕
〔编绘〕 biānhuì 동 〈文〉 그림을 넣어서 편집하다.
〔编级〕 biānjí 동 〈文〉 등급을 매기다.
〔编辑〕 biānjí 명동 편집(하다). →〔编纂〕 명 편집인. 편집자. ¶总zǒng～; 편집장 / ～部; 편집부. →〔编修〕
〔编菅〕 biānjiān 명 멍석. 돗자리.
〔编讲〕 biānjiǎng 동 (이야기 따위를) 지어서 말하다.
〔编结〕 biānjié 동 (털실로) 짜다. 뜨다.
〔编剧〕 biān.jù 동 시나리오를 쓰다. (biānjù) 명 시나리오 작가. ¶他是一位导演兼～; 그는 감독겸 극작가이다. =〔编剧家〕
〔编类〕 biān.lèi 동 ①분류하고 등급을 매기다. ②격(格)을 매기다. ③(물품의) 등급을 나누다.
〔编笠贝〕 biānlìbèi 명《貝》 굵은줄삿갓조개.
〔编练〕 biānliàn 동 〈文〉 편제(編制)하여 훈련하다.
〔编列〕 biānliè 동 ①강(綱)에 따라 분류하다. 등급을 결정하다. 부류에 넣다. ②번호·번지를 매기다.
〔编录〕 biānlù 명 채록(採錄)과 편집.
〔编码〕 biānmǎ 명《電算》 (컴퓨터의) 코딩(coding). (biān.mǎ) 동《電算》 코딩하다.
〔编毛衣〕 biān máoyī ⇨〔打dǎ毛衣〕
〔编目〕 biānmù 동 항목으로 나누다. 목록을 만들다. 명 목록.
〔编年史〕 biānniánshǐ 명《史》 편년사. 연대기(年代記).
〔编年体〕 biānniántǐ 명 편년체《연대순으로 기록·편집해 가는 방식. 예컨대, 춘추(春秋)·춘추곡량전(春秋穀梁傳)·자치통감(資治通鑑) 따위》. →〔纪jì传体〕
〔编排〕 biānpái 동 ①(일정한 순서에 따라) 배열(配列)하다. 배열(排列)하다. 편성하다. 개편(改編)하다. ¶～文艺节目; 문예 프로그램을 편성하다 / 按字母顺序～; 자모 순서에 따라 배열하다. ②유언비어를 퍼뜨리다. 명 (극(劇)의) 편집과 연출.
〔编排秩序〕 biānpái zhìxù 명동 프로그램 편성(을 하다). ¶为着抽签～, 昨天下午召开会议; 추첨에 따라 프로그램을 편성하기 위해, 어제 오후에 회의를 열었다.
〔编派〕 biānpai 동 〈方〉 남의 잘못을 과장해서 왈가왈부하다. 근거 없는 일로 남을 중상하다. ¶～罪状; 죄상을 날조하여 인신 공격을 하다.
〔编遣〕 biānqiǎn 명동 (관청·회사·군대 따위의) 편제를 축소하고 용원(冗員)을 감원(하다).
〔编磬〕 biānqìng 명《樂》 편경《석제(石製) 타악기로, 16개의 '磬'(경쇠)를 하나의 틀에 겲》.
〔编入〕 biānrù 명동 편입(하다).
〔编审〕 biānshěn 명 ①(서적의) 편집과 심사. ②편집 심사자.
〔编事〕 biānshì 동 일을 꾸미다. ¶～讹é人; 일을 꾸며 남을 교묘하게 속이다.
〔编书〕 biānshū 동 서적을 편찬하다.
〔编委〕 biānwěi 명 편집 위원.
〔编舞〕 biānwǔ 명 (발레나 그 외 무대 무용의) 안무(按舞)·구성. =〔编导舞剧〕
〔编席〕 biānxí 동 ①멍석을 짜다. ②석차를 정하다.
〔编戏〕 biānxì 동 극작(劇作)하다. 각본을 쓰다.
〔编线活〕 biānxiànhuó 명 편물(編物) 일.
〔编鞋〕 biānxié 동 (풀 따위로) 신을 삼다.
〔编写〕 biānxiě 동 ①편집하여 쓰다. ¶～讲议; 강의용 프린트를 만들다. ②창작하다. ¶～剧本; 시나리오를 쓰다.
〔编修〕 biānxiū 명동 편수(하다)《사서(史書)일 경우에 흔히 쓰임》.
〔编削〕 biānxuē 동 〈文〉 (배열을 정하거나 내용을 취사(取捨)한다는 뜻으로), 저작(著作) 작업을 하다.
〔编演〕 biānyǎn 동 각본을 써서 연출하다.
〔编译〕 biānyì 명 ①편집과 번역. ②편집을 겸한 번역. 동 편집 번역하다.
〔编印〕 biānyìn 동 편집·인쇄하다. 출판하다.
〔编余〕 biānyú 명 (군대·기관 등) 정리 개편 후의 잉여(인원). 정원. ¶～人员; 정원 외의 인원.
〔编造〕 biānzào 동 ①편성〔작성〕하다. ¶～名册; 명부를 작성하다. ②날조하다. 조작하다. ¶～谎言; 거짓말을 꾸며 대다 / 他的坏huài名声大半都是由反对他的人～出来的; 그의 악평은 태반이 그를 반대하는 사람들이 꾸며 낸 것이다. ③상상으로 이야기를 만들다. ¶古代人～的神话; 고대인들이 꾸민 신화.
〔编者〕 biānzhě 명 (신문·책의) 편집인. 편자. ¶～注; 편자 주석.
〔编者按〕 biānzhě'àn 편자의 말《편집인이 글이나 뉴스 앞에 덧붙이는 의견·평론》.
〔编织〕 biānzhī 동 엮어 짜다. 편직하다. ¶～毛衣; 스웨터를 짜다.
〔编织品〕 biānzhīpǐn 명 편물 제품.
〔编制〕 biānzhì 명동 ①편제(하다). ②(규정·계획 등을) 만들어 내다. ③(편물을) 짜서 만들다. 명 기구(機構)의 구성. 정원(定員)·직무(職務)의 편성.
〔编钟〕 biānzhōng 명《樂》 편종《옛날 악기의 하나. 음률이 다른 작은 종 16개를 2층으로 매단 것》.
〔编撰〕 biānzhuàn 동 편집하다. 편집하여 쓰다.
〔编缀〕 biānzhuì 동 편집하다. 엮다. 배열하고 묶다. ¶～花环; 화환을 엮다 / ～成书; 배열하고 묶어 책을 편찬하다.
〔编组〕 biān.zǔ 동 ①편성하다. ②배열하다. 정렬(整列)시키다. ¶～列车; 열차를 편성하다 / ～站; 조차장(操車場).
〔编纂〕 biānzuǎn 동 〈文〉 편찬하다. ¶～词典; 사전을 편찬하다.

煸 biān (편)

동 〈方〉 뭉근한 불에 끓이기 전에, 야채·고기를 살짝 볶다.

蝙 biān (편)

→〔蝙蝠〕

〔蝙蝠〕 biānfú 명 ①《動》 박쥐. ¶～刺; 《植》 우엉. =〔伏翼〕〔飞鼠〕 ②(박쥐는 새 같으면서 새가

아닌 데서) 양다리 걸침. ¶他是个～; 그는 양다리를 걸치고 있다.

鳊(鯿) **biān** (편)
→〔鳊鱼〕

〔鳊鱼〕 biānyú 명 《魚》 달고기.

鞭 **biān** (편)
① 명 채찍. 회초리. ② 명 옛날 병기의 일종. ¶钢～; (전투용의) 철제(鐵製) 채찍 / 竹节～; 죽절 채찍. ③ 명 채찍 모양의 가늘고 긴 물건. ¶执教～于某校; 모교에서 교편을 잡다. ④ 동 〈文〉 채찍질하다. ¶～之三百; 이것을 3백 번이나 치다 / ～马; 말을 채찍질하다. ⑤ 명 연발 폭죽. ¶一挂guà～; 한 묶음의 연발 폭죽 / ～炮; ⇓ ⑥ 명 동물의 음경. ¶牛niú～; 우신(牛腎) / 海狗～; 해구신.

〔鞭爆〕 biānbào 명 ⇨〔鞭炮pào〕

〔鞭策〕 biāncè 명 말채찍. 동 〈轉〉 편달(鞭撻)하다. ¶～自己; 스스로를 채찍질하다〔격려하다〕.

〔鞭长莫及〕 biān cháng mò jí 〈成〉 ①힘이 미치지 못하는 데가 있다. ②세세한 곳까지 손이 미치지 않다. ‖ =〔鞭长不及马腹〕

〔鞭笞〕 biānchī 동 ⇨〔鞭挞〕

〔鞭虫〕 biānchóng 명 《蟲》 편충.

〔鞭打〕 biāndǎ 동 ①채찍으로 치다. ②(형벌로) 매질하다. ③용기를 북돋우다. 편달하다.

〔鞭打棍捶〕 biān dǎ gùn chuí 〈成〉 ①강박하다. 강제하다. ②곤봉으로 닥치는 대로 치다.

〔鞭杆(儿)〕 biāngǎn(r) 명 채찍의 손잡이. →〔鞭梢(儿)〕

〔鞭缰〕 biānjiāng 명 〈文〉 채찍과 고삐.

〔鞭毛〕 biānmáo 명 《動》 편모.

〔鞭毛虫〕 biānmáochóng 명 《蟲》 편모충.

〔鞭炮〕 biānpào 명 ①대소(大小) 폭죽의 총칭. ②연발 폭죽《여러 개의 작은 폭죽을 기관총의 탄띠처럼 만든 것》. ¶一挂guà～; (발처럼 엮은) 한 줄의 연발 폭죽 / 放fàng～; 연발 폭죽을 터뜨리다. →〔爆bào竹〕 ‖ =〔鞭爆〕

〔鞭辟入里〕 biān pì rù lǐ 〈成〉 (문장이) 투철한 이론으로 문제의 핵심을 찌름. =〔鞭辟近里〕

〔鞭扑〕 biānpū 명동 〈文〉 태형(笞刑)(에 처하다). =〔鞭朴〕

〔鞭器〕 biānqì 명 《蟲》 태선충류(苔蘚蟲類)의 포식기(捕食器).

〔鞭梢儿〕 biānshāor 명 채찍 끝에 달린 끈.

〔鞭尸〕 biānshī 동 〈文〉 송장에 매질하다《죽은 후까지 그 죄를 추궁함》.

〔鞭笋〕 biānsǔn 명 《植》 〈文〉 대나무의 지하경(地下莖).

〔鞭挞〕 biāntà 동 ①편달하다. ㉠채찍으로 때리다. ㉡독려하다. ②〈轉〉 (말·문장으로) 공격하다. 비난하다. 혹평하다. ‖ =〔鞭笞〕〔鞭楚〕〔鞭箠〕

〔鞭刑〕 biānxíng 명 태형(笞刑).

〔鞭竹〕 biānzhú 명 대나무 지하경의 앞쪽 끝의 연한 부분.

〔鞭抓〕 biānzhuā 동 채찍으로 세게 치다.

〔鞭子〕 biānzi 명 채찍. 회초리. ¶挨～; 채찍으로 맞다.

贬(貶) **biǎn** (폄)
동 ①(관위(官位)·계급을) 내리다. 떨어뜨리다. ¶～职; ⇓ ②헐뜯다. 악평하다. ¶褒～; 비판하다 / 落个褒～; 비난을 받는 결과가 되다. ↔〔褒bāo〕 ③가치를 내리다. 가치가 떨어지다. 하락하다.

〔贬驳〕 biǎnbó 동 〈文〉 헐뜯어 물러나게 하다.

〔贬斥〕 biǎnchì 동 ①헐뜯다. 멀리하다. 배척하다. ②관위를 떨어뜨리다. 강등시키다. 명 비난. 배척. ¶长期遭到～; 오랫동안 비난 배척당하다.

〔贬黜〕 biǎnchù 동 ①강직하다. 강등시키다. ②면직하다. 파면하다.

〔贬词〕 biǎncí 명 〈文〉 헐뜯는 말. 험담.

〔贬低〕 biǎndī 동 〈文〉 낮게 평가하다. ¶～新社会; 새로운 사회를 낮게 평가하다.

〔贬官〕 biǎnguān 동 〈文〉 관위(官位)를 낮추다.

〔贬价〕 biǎnjià 동 값을 싸게 하다. 값을 깎다. ¶～抛售; 값을 내려 투매(投賣)하다.

〔贬减〕 biǎnjiǎn 동 〈文〉 낮추다. 감(減)하다.

〔贬落〕 biǎnluò 동 〈文〉 (시세·가격을) 내리다.

〔贬佞〕 biǎnnìng 동 〈文〉 아첨꾼을 물리치다.

〔贬评〕 biǎnpíng 동 〈文〉 악평하다.

〔贬视〕 biǎnshì 동 〈文〉 경시(輕視)하다.

〔贬损〕 biǎnsǔn 동 〈文〉 억압하여 손상하다. 비난하다. 헐뜯다. =〔贬低〕

〔贬为〕 biǎnwéi 동 (…으로) 비방하다. ¶曾把黑种人～未开种族; 일찍 흑인을 미개 종족이라 욕하던 일이 있다.

〔贬下〕 biǎnxià 동 ①(지위·직분·자격을) 떨어뜨리다. 강직(降職)하다. ②품위를 떨어뜨리다. ③좌천하다.

〔贬义(词)〕 biǎnyì(cí) 명 헐뜯고 멸시하는 뜻(을 지닌 말). ↔〔褒bāo义(词)〕

〔贬议〕 biǎnyì 동 〈文〉 악평하다.

〔贬抑〕 biǎnyì 동 〈文〉 억압하다. 값을 묶어 두다.

〔贬意〕 biǎnyì 명 헐뜯는 뜻. 부정적인 뜻.

〔贬糟〕 biǎnzāo 동 마구 비방하다.

〔贬责〕 biǎnzé 동 헐뜯고 책망하다. 힐책(詰責)하다. ¶横遭～; 난폭한 견책을 받다.

〔贬谪〕 biǎnzhé 명동 좌천(左遷)(하다).

〔贬值〕 biǎnzhí 동 값을 내리다. 명동 평가 절하(를 하다). =〔货币贬值〕 ‖ ↔〔增zēng值〕

〔贬职〕 biǎnzhí 동 〈文〉 직위(職位)를 떨어뜨리다.

窆 **biǎn** (폄)
명동 〈文〉 매장(埋葬)(하다). ¶告gào～; (초상집이) 친척·친지에게 매장 날짜를 통지함.

扁 **biǎn** (편)
① 형 편평하다. 납작하다. 넓고 얇다. ¶鸭子嘴～; 오리 주둥이는 납작하다 / 轧～; 롤러로 밀어서 납작하게 하다. ② 동 업신여기다. ¶别把人看～了; 남을 업신여기면 안 된다. ③ 명 편액(扁額). =〔匾〕 ⇒ piān

〔扁柏〕 biǎnbǎi 명 《植》 측백나무. 노송나무.

〔扁陈〕 biǎnchén 명 《化》 〈音〉 벤진(benzine).

〔扁虫〕 biǎnchóng 명 《動》 편형 동물(扁形動物).

〔扁锉〕 biǎncuò 명 평(平)줄. =〔板bǎn锉〕

〔扁担〕 biǎndan 명 멜대. ¶一根～抬到底; 〈諺〉 한 개의 멜대를 끝까지 메다. 있는 힘을 다하다 / ～戏; 인형극 / ～是一条龙 lóng, 一生吃不穷 qióng; 〈諺〉 멜대는 용처럼 큰 힘이 있는 것이어서, 이것만 있으면 한평생 끼니를 거르지는 않는다《부지런히 일만 하면 먹고 산다》.

〔扁担关〕 biǎndanguān 명 멜대를 메고 통과하지 않으면 안 되는 난관(難關)《(젊은이·지식 분자 등이) 한 사람 몫의 육체 노동을 할 수 있게 됨》. ¶过～; 육체 노동을 해내다.

〔扁豆〕 biǎndòu 명 《植》 ①강낭콩. =〔菜豆〕〔火镰扁豆〕 ②까치콩. ‖ =〔萹豆〕〔稨豆〕〔藊豆〕〔蛾眉豆〕

〔扁豆角儿〕 biǎndòu jiǎor 명 《植》 강낭콩 꼬투리.

〔扁额〕 biǎn'é 명 편액.
〔扁方儿〕 biǎnfāngr 명 여자가 머리를 쪽 찌을 때 쓰는 비녀.
〔扁钢〕 biǎngāng 명 《工》 평강(平鋼). ¶ ～坯pī; 슬라브.
〔扁骨〕 biǎngǔ 명 《生》 편평골(扁平骨).
〔扁鲹〕 biǎnjì 명 《魚》 전어(錢魚).
〔扁尖〕 biǎnjiān 명 소금에 절여 말린 죽순(竹筍).
〔扁卷螺〕 biǎnjuǎnluó 명 《魚》 평물달팽이과(科)의 총칭. =〔〈俗〉扁螺〕
〔扁扣〕 biǎnkòu 명 납작한 단추.
〔扁脸〕 biǎnliǎn 명 밋밋한 얼굴.
〔扁萝卜〕 biǎnluóbo 명 《植》 〈方〉 순무. =〔芜wú菁〕
〔扁螺〕 biǎnluó 명 ⇨〔扁卷螺〕
〔扁毛儿畜生〕 biǎnmáor chùsheng 명 조수(鳥獸)의 총칭.
〔扁平〕 biǎnpíng 형 납작하다. 편평하다. ¶ ～足 =〔平足〕; 편평족 / ～脸 =〔扁脸〕; 넓적한 얼굴.
〔扁蒲〕 biǎnpú 명 《植》 박. =〔瓠hù(子)〕〔夜yè开花〕
〔扁青〕 biǎnqīng 명 ⇨〔石shí青①〕
〔扁鹊〕 Biǎnquè 명 《人》 편작《옛날, 노(盧)나라의 명의(名醫) 이름》.
〔扁食〕 biǎnshi 명 〈方〉 만두. ¶ 哑吧吃～, 心里有数了; 〈歇〉 벙어리가 만두를 잠자코 먹고 있으나 몇 개 먹었는지 알고 있다《겉으로는 얌전해 보이지만 허투루 볼 수 없는 사람이다 따위의 뜻으로 씀》. =〔饺子jiǎozi〕
〔扁丝绦〕 biǎnsītāo 명 납작하게 짠 끈.
〔扁塌脸〕 biǎntāliǎn 명 넓적한 얼굴.
〔扁桃〕 biǎntáo 명 ①《植》 아몬드. 편도. ②《漢醫》 편도《과자나 요리에 쓰이는 외에, 기름은 피부의 의용약이나 소화 기관의 염증을 완화시키는 약으로 쓰임》. ③ ⇨〔蟠pán桃①〕
〔扁桃体〕 biǎntáotǐ 명 ⇨〔扁桃腺〕
〔扁桃腺〕 biǎntáoxiàn 명 《生》 편도선. ¶ ～炎; 편도선염. =〔扁桃体〕
〔扁条〕 biǎntiáo 명 《工》 평강(平鋼).
〔扁铁〕 biǎntiě 명 ①《工》 평봉철(平棒鐵)《횡단면이 사각형의 연강(軟鋼)의 재료》. ② ⇨〔铁饼②〕
〔扁头哈那鲨〕 biǎntóu hānàshā 명 《魚》 칠성상어. =〔扁头七鳃sāi鲨〕
〔扁头鸭〕 biǎntóuyā 명 《鳥》 청머리오리.
〔扁形动物〕 biǎnxíng dòngwù 명 《動》 편형 동물.
〔扁圆〕 biǎnyuán 형 둥글고 넓적하다.
〔扁簪〕 biǎnzān 명 넓적한 비녀.
〔扁凿〕 biǎnzáo 명 절삭용 평착(切削用平鑿)《끌의 날이 넓은 것. 보통 6각 혹은 8각의 공구강(工具鋼)으로 만들어짐》. =〔扁铲〕〔扁錾zàn(子)〕
〔扁钻〕 biǎnzuàn 명 《機》 양날 드릴. 플랫드릴(flat drill).
〔扁嘴类〕 biǎnzuǐlèi 명 《鳥》 유금류(游禽類). 판취류(板嘴類)《오리처럼 부리가 납작하고 부드러운 것》.

匾 biǎn (편)
명 ①액(額). 편액. 현판(懸板). ¶ 横～; 가로로 걸어 놓은 편액 / 门上挂着一块～; 문위에 편액이 하나 걸려 있다. ②대나무로 엮은 바구니《둥글고 바닥이 팽팽하며 가장자리가 매우 얕아서 양잠(養蠶)이나 양식(糧食)을 담는 데 사용함》.
〔匾额〕 biǎn'é 명 편액. 액자. 틀. =〔牌额①〕

惼 biǎn (편)
형 〈文〉 (마음이) 좁다. 성질이 급하다.

萹 biǎn (편)
→〔萹豆〕 ⇒ biān
〔萹豆〕 biǎndòu 명 ⇨〔扁豆〕

褊 biǎn (편)
형 〈文〉 ①좁다. 협소하다. ②(도량이) 좁다. 성급하다.
〔褊急〕 biǎnjí 형 소견이 좁다. 성급하다.
〔褊狭〕 biǎnxiá 형 (토지 또는 마음이) 협소하다. 좁고 작다. ¶ 土地～; 토지가 협소하다 / 气量～; 도량이 좁다. =〔褊小〕
〔褊心〕 biǎnxīn 형 〈文〉 생각이 좁다. 명 좁은 생각. =〔褊志〕
〔褊窄〕 biǎnzhǎi 형 좁다. 작다. ¶ 局量～; 도량이 작다.

碥 biǎn (편)
명 〈文〉 강가에 비스듬히 돌출한 바위.

稨 biǎn (변)
→〔稨豆〕
〔稨豆〕 biǎndòu 명 ⇨〔扁豆〕

卞 biàn (변)
① 형 성급하다. 조급하다. =〔卞急jí〕 ② 명 성(姓)의 하나.

汴 Biàn (판, 변)
명 《地》 ①옛 강 이름. ②허난 성(河南省)의 별칭. ③허난 성(河南省) 카이펑(開封)의 별칭.

忭 biàn (변)
동 〈文〉 기뻐하다. 즐기다. ¶ 欢～; 기뻐하며 즐기다.
〔忭贺〕 biànhè 동 〈文〉 기뻐하며 축하하다.
〔忭颂〕 biànsòng 동 기뻐하고 찬양하다.
〔忭跃〕 biànyuè 동 〈文〉 껑충 뛰며 기뻐하다.

苄 biàn (변)
명 《化》 벤질(benzyl). ¶ ～基jī =〔苯běn甲基〕; 벤질 / ～醇chún; 벤질 알코올(benzyl alcohol).

抃 biàn (변)
동 〈文〉 손뼉치다《매우 즐거울 때 두 손을 상대와 마주치는 동작》.
〔抃风舞润〕 biàn fēng wǔ rùn 〈成〉 마음과 뜻이 서로 잘 맞다. 마음이 딱 들어 맞다.
〔抃手〕 biànshǒu 동 〈文〉 손뼉치다. =〔抃掌〕
〔抃舞〕 biànwǔ 동 〈文〉 손뼉을 치며 기뻐 날뛰다. ¶ 欢huān欣～ =〔欢欣鼓舞〕; 너무 즐거워서 손뼉을 치며 기뻐 날뛰다. =〔抃踊〕
〔抃掌〕 biànzhǎng 동 〈文〉 ⇨〔抃手〕

弁 biàn (변)
명 ①옛날의 관(冠)의 하나. ②옛날의 하급 무관(武官). ¶ 武～; 무사. 하급 무관 / 马～; 호위병. ③〈轉〉 모두(冒頭). 첫머리. ¶ ～言; ⇩
〔弁髦〕 biànmáo 명 옛날, 아이의 관(冠)과 이마에 늘어뜨린 머리《성인이 되면 모두 바뀌므로 무용지물의 뜻으로 씀》. ¶ 视国家法令如～; 나라의 법령을 무용지물과 같이 본다. 동 경시하다. ¶ ～法律; 법률을 경시하다.
〔弁冕〕 biànmiǎn 명 옛날 관(冠)의 하나. 명동 수령(이 되다). 수위(首位)(를 차지하다). ¶ ～群

qún英; 다수의 우수한 사람 중 수위를 차지하다.
〔弁言〕 biànyán 명 〈文〉 서문(序文). 머리말.

昪 biàn (변)
〈文〉 ① 형 밝다. ② 동 기뻐하고 즐기다.

变(變) biàn (변)
① 동 (성질·상태가) 변하다. 변화하다. 달라지다. 바뀌다. ¶情况~了; 상황이 달라졌다 / ~了样了; 모양이 변했다 / 天气~了; 날씨가 변했다 / 不但是人心, 连山河都~了; 인심뿐만 아니라 강산마저 변했다 / ~一个方式来试试看; 방식을 바꾸어서 해 보자. ② 동 변화시키다. ¶~农业国为工业国; 농업국을 공업국으로 바꾸다 / ~沙漠为良田; 사막을 좋은 밭으로 바꾸다. ③ 형 변할 수 있는. 변화된. ¶~数; ⇩ / ~态; ⇩ ④ 명 변화. ⑤ 명 임기 응변의 수단. ⑥ 명 이변(異變). 전란. ¶事~; 사변 / ~乱; ⇩ / 城里有了~了; 성 안에 소동이 있었다. ⑦ 명 권도와 모략. 권모 술수. ⑧ 동 팔아서 (돈으로) 바꾸다. ¶~产; ⇩ / 把废旧物品拿出来~了钱; 폐품을 팔아 돈으로 바꾸었다. ⑨ →〔变文〕
〔变把戏〕 biànbǎxi 동명 ⇨〔变戏法(儿)〕
〔变本加厉〕 biàn běn jiā lì 〈成〉 ①일이 더욱더 심해져 가다. ¶他起初就不规矩, 近来更~地坏了; 그는 처음부터 착실하지 않았는데, 근래는 더 심해졌다. ②점점 더 진전되다.
〔变彩〕 biàncǎi 명 《鑛》 원래 무색(無色)의 광물이 다른 물질을 함유하고 있기 때문에 각종 광택을 나타냄을 이름《예컨대, 수정(水晶)에 대한 자수정(紫水晶)》.
〔变产〕 biànchǎn 동 부동산을 팔아 돈으로 바꾸다.
〔变偿〕 biàncháng 동 〈文〉 청산하기 위해 팔아 버리다.
〔变成〕 biànchéng 동 …으로 변하다. …이 되다. ¶把意识~物质力; 의식을 물질력으로 바꾸다 / 他终于~了害群之马了; 그는 마침내 전체에 해로운 사람으로 변했다.
〔变成岩〕 biànchéngyán 명 《鑛》 변성암.
〔变蛋〕 biàndàn 명 ⇨〔皮pí蛋①〕
〔变电站〕 biàndiànzhàn 명 《電》 변전소(變電所)《규모에 따라 '变电所' '变压站' '分fēn电所' '配电室' 등이라고도 함》.
〔变调〕 biàndiào 명 성조(聲調)의 변화《예컨대, 제3성이 연속해서 발음될 경우에는 앞의 제3성은 제2성으로 변화함을 이름》. 명동 ⇨〔转zhuǎn调〕
〔变动〕 biàndòng 명 이변. 명동 ⇨〔更gēng改〕
〔变端〕 biànduān 명 갑자기 일어난 장해·사고.
〔变法〕 biànfǎ 동 제도·법제를 개변하다.
〔变法儿〕 biàn,fǎr 동 다른 방법을 생각하다. 어떻게든 수단을 다 해 보다. ¶只要多动脑筋, 不会变不出法儿来; 머리를 잘 쓰기만 한다면 무슨 방법이 나올 것이다. =〔变着法儿〕
〔变废为宝〕 biàn fèi wéi bǎo 폐물을 쓸 수 있는 것이나 유용한 것으로 만들다《공해 처리 방법》.
〔变革〕 biàngé 명동 개변(하다). 변혁(하다). ¶~现实; 현실을 변혁하다 / 历史~; 역사적 변혁.
〔变格〕 biàngé 명 변격. 본격이 아닌 것. 변격된 것. 동 격식이 변하다. 격식을 바꾸다.
〔变更〕 biàngēng 명동 ⇨〔更改〕
〔变工〕 biàngōng 명 품앗이. 해방구(解放區)에서 행해진 농업 생산에서의 집단적 노동 서로 돕기 조직《농민이 집단적으로 성질 및 형식이 다른 일에서 서로 도와 자기의 노동력(인력·축력·기계력 따위)을 서로 융통해서 쌍방에 유리한 목적을 달성하기 위한 것》. =〔拨bō工〕〔换huàn工〕
〔变宫〕 biàngōng 명 《樂》 칠음(七音)의 하나《'宫'의 변조(變調)로 '宫' 보다 다소 높음》. =〔闰rùn宫〕
〔变古乱常〕 biàn gǔ luàn cháng 〈成〉 예로부터 전해 내려오는 전통 습관을 바꾸어 상규(常規)를 어지럽히다.
〔变故〕 biàngù 명 사고. 변고. ¶这是意想不到的~; 이것은 뜻밖의 재난이다.
〔变卦〕 biàn,guà 동 돌변하다. 변심하다. 결정된 것을 무위(無爲)로 만들다. ¶昨天说得好好的, 今天怎么~了? 어저께는 이야기가 잘 되어 가더니 어째서 오늘 갑자기 마음이 변했을까? / 他的访问日程常常会突然~; 그의 방문 일정은 늘 갑자기 변경된다.
〔变(光)星〕 biàn(guāng)xīng 명 《天》 변광성(變光星). =〔变星〕
〔变好〕 biànhǎo 동 개선하다. 좋아지다.
〔变化〕 biànhuà 명동 변화(하다). ¶坐在火车上, 看得见两旁边儿的景致儿千变万化的倒不腻nì; 기차를 타니 양쪽의 경치가 천변 만화하는 것이 한눈에 보여 싫증이 나지 않는다 / 发生了很大的~; 대단히〔매우〕 변했다 / ~无穷; 변화 무궁하다 / ~万千; 천변 만화하다.
〔变化人〕 biànhuàrén 명 《佛》 불(佛)·보살(菩薩)이 변하여 사람의 몸이 된 것.
〔变坏〕 biànhuài 동 좋지 않게 바뀌다. ¶脸色~; 안색이 나빠지다.
〔变幻〕 biànhuàn 동 ①둔갑하다. ②쉽게 변하다. 갑자기 변하다. 종잡을 수 없이 변하다. ¶~万千; 천변 만화(千變萬化)하다.
〔变换〕 biànhuàn 동 변환하다. 전환하다. 바뀌다. ¶~生shēng活; 생활을 바꾸다 / ~手法; 수법을 바꾸다.
〔变换齿轮〕 biànhuàn chǐlún 명 ⇨〔交jiāo换齿轮〕
〔变计〕 biànjì 동 계략〔대책〕을 바꾸다.
〔变价〕 biànjià 동 ①⇨〔折zhé变〕 ②물품을 시가로 환산해서 팔다. ¶~出售; 시가로 팔다.
〔变焦距镜头〕 biàn jiāojù jìngtóu 명 줌렌즈. =〔变焦距透镜〕〔可kě变焦距镜头〕
〔变节〕 biànjié 동 ①변절하다. 종래의 주장을 바꾸다. 전향하다. ②혁명의 주장을 바꾸어 적에게 타협 투항하다.
〔变尽法儿〕 biàn jìn fǎr 모든 수단을 강구하다. 갖은 수를 다 쓰다.
〔变晶性〕 biànjīngxìng 명 《鑛》 분자의 배열이 변화하여 비결정체(非結晶體)를 결정체로 바꾸는 성질.
〔变局〕 biànjú 명 〈文〉 비상 사태. ¶应付~; 비상 사태에 대응하다.
〔变距〕 biànjù 명 《機》 가변형(可變形) 피치(pitch).
〔变脸〕 biàn,liǎn 동 얼굴빛을 바꾸다. 태도를 싹 바꾸다. 갑자기 성내다. 대결하려는 태도를 취하다. ¶一听这个话立刻变了脸了; 이 말을 듣자마자 즉시 안색을 바꾸었다.
〔变量〕 biànliàng 명 《數》 변량(의 수치). 변수. ↔〔常cháng量〕
〔变流器〕 biànliúqì 명 《電》 변류기. 전류호감기(電流互感器). =〔变流机〕〔换huàn流机〕〔换流器〕
〔变乱〕 biànluàn 명 변란. 소란. 전란. ¶当时的长安处于~之中; 당시의 장안(長安)은 변란에 처해 있었다.

이 훌륭한 거한(巨漢).
〔彪圓〕 biāoyuán 형 크고 둥글다.
〔彪子〕 biāozi 명 난폭한 사람. 만만치 않은 사람.

滮 biāo (표)
형 〈文〉 물이 흐르는 모양.

猋 biāo (표)
〈文〉 ① 형 빠르다. 빨리 달리다. ② 명 폭풍. =〔飙〕

飙(飆〈飇, 飈〉) biāo (표)
명 선풍. 회오리바람. 폭풍. ¶狂kuáng～; 미친 듯이 휘몰아치는 폭풍 / ～～溜liū溜; 어딘가 색다른 데가 있다. 이상한 데가 있다.

摽 biāo (표)
동 〈文〉 ①떨다. 털어 버리다. ②버리다. 던져 버리다. ⇒biào
〔摽榜〕 biāobǎng 동 ⇨〔标榜〕

幖 biāo (표)
명 〈文〉 기(旗).

骠(驃) biāo (표)
명 《動》 흰 반점이 섞인 구렁말. =〔黄huáng骠马〕 ⇒piào

熛 biāo (표)
명 〈文〉 화염(火炎).

标(標) biāo (표)
① 명 〈文〉 (나무의) 우듬지. ② 명 〈文〉 (사물의) 말단(末端). 지엽(枝葉). 표면. ¶～本běn; 일〔사건〕의 본말(本末) / 这个法子只能治zhì～, 不能治本; 이 방법은 지엽적(枝葉的)인 문제를 해결할 뿐이고, 근본적인 문제는 해결할 수 없다. ③ 명 표지(標識). 기호. 부호(符號). ¶～记; ⇓ / 音yīn～; 표음 기호 / 商shāng～; 상표 / 目mù～; 목표 / 路lù～; 도로 표지 / 指zhǐ～; 계획 목표. ④ 명 표준. 지표. ¶超～; (규정된) 표준을 초과하다. ⑤ 동 표명하다. 표시하다. 나타내다. ¶～明míng; ⇓ / ～题tí; ⇓ / ～语yǔ; ⇓ ⑥ 명 표적. ⑦ 명 과녁. ⑧ 명 (우승자에게 주는) 상품. 우승. ¶锦～; 우승컵. 우승기 / 得dé～ =〔夺～〕; 우승을 차지하다. ⑨ 명동 입찰(하다). ¶投～; 입찰하다 / ～价; ⇓ ⑩ 형 훌륭한. 아름다운. ⑪ 동 갑자기 튀어나오다. ¶水～出来了; 물이 왈칵 나왔다. =〔彪④〕 ⑫ 명 청말(清末)의 육군 편제(編制)의 하나. 이후의 '团tuán'에 상당함.
〔标靶〕 biāobǎ 명 표적(標的). =〔标的dì〕
〔标白布〕 biāobáibù 명 《紡》 장쑤 성(江蘇省) 쑹장(松江)에서 나는 옥양목. =〔标布〕〔沙shā布〕
〔标榜〕 biāobǎng 동 ①칭찬하여 떠받들다. 표방하다. ¶～自由; 자유를 표방하다. ②자찬(自讚)하다. 서로 칭찬하다. 치켜세우다. 찬양하다. ¶互相～; 서로 칭찬하다 / 自我～; 자화 자찬하다. ‖ =〔摽榜〕
〔标本〕 biāoběn 명 ①표본. ¶植物～; 식물 표본. ②〈文〉 지엽적인 것과 근본적인 것. ¶采取攻补兼施, ～兼治的疗法; 직접적 치료와 보조적 요법을 함께 실시하고, 지엽적인 것과 근본적인 것을 겸해서 치료하는 요법을 채용함. ③《醫》 의학용 표본.
〔标本虫〕 biāoběnchóng 명 《蟲》 표본벌레.
〔标兵〕 biāobīng 명 ①《軍》 첨병(尖兵). ②열병식(閱兵式) 때 목표로 삼기 위해 세워 두는 초병·목표. ③〈轉〉 모범. ¶知识青年的～; 지식 청년의 모범.
〔标布〕 biāobù 명 ⇨〔标白布〕
〔标称〕 biāochēng 명 공칭(公稱)《제품에 표시한 규격·수치 등》. ¶～马力 =〔名义马力〕; 《機》 공칭 마력.
〔标尺〕 biāochǐ 명 ①《測》 표척《지면·물건의 높이·수심(水深) 등을 측량하는 자》. ②⇨〔表biǎo尺〕 ③(총의) 가늠구멍.
〔标单〕 biāodān 명 ①입찰서(入札書). ②'镖局'의 운송 보고서.
〔标灯〕 biāodēng 명 표지등.
〔标底〕 biāodǐ 명 입찰의 최저 기준 가격.
〔标的〕 biāodì 명 ⇨〔标靶〕
〔标点〕 biāodiǎn 명 구두점(句讀點). ¶加～ =〔点～〕; 구두점을 붙이다〔찍다〕. 동 구두점을 찍다.
〔标点符号〕 biāodiǎn fúhào 명 문장 부호《'句号'(。), '问号'(?), '感叹号'(!), '逗号'(,), '顿号'(、), '分号'(;), '冒号'(:), '引号'(“ ” ‘ ’), '括号'(〔 〕( )), '破折号'(—), '省略号'(……), '间隔号'(·), '书名号'(《 》〈 〉) 등이 있음》.
〔标调〕 biāodiào 동 (중국어의) 성조(聲調)를 기입하다.
〔标定〕 biāodìng 동 (가격·규격 따위를) 정하다. ¶自行～石油价格; 스스로 석유 가격을 정하다 / ～边界线; 경계선을 정하다.
〔标度〕 biāodù 명 눈금. ¶～盘; 문자반. 다이얼(dial).
〔标杆〕 biāogān 명 ① ⇨〔测cè杆〕 ②견본(見本). =〔杆竿②〕
〔标竿〕 biāogān 명 ① ⇨〔测cè杆〕 ② ⇨〔标杆②〕
〔标高〕 biāogāo 명 《測》 표고.
〔标格〕 biāogé 명 풍격(風格). 기품. ¶菊花有坚韧的～和潇洒的风姿; 국화꽃은 강인한 풍격과 깔끔한 자태를 지니고 있다.
〔标购〕 biāogòu 명동 입찰 구입(入札購入)(하다). ¶菲律宾～田料, 韩国得标希望颇高; 필리핀 비료의 입찰 구입은, 한국에 낙찰될 가능성이 매우 높다.
〔标号〕 biāohào 명 (제품의 성능을 나타내는) 등급. ¶高～水泥; 고급 시멘트.
〔标记〕 biāojì 명 기호. 마크. =〔记号〕
〔标记原子〕 biāojì yuánzǐ 명 《物》 표식 원자.
〔标价〕 biāojià 동 가격을 표시하다. ¶明码～; (암호가 아닌) 보통의 숫자로 가격을 표시하다. 명 표시 가격. ¶虽然～是五百元, 实际上总有点儿活动气儿; 표시 가격은 500원이지만 실제로는 어느 정도 융통성이 있을 것이다. =〔标值〕
〔标舰〕 biāojiàn 명 《軍》 표적함(標的艦).
〔标金〕 biāojīn 명 ①옛날, 상하이에서 통용되던 '金条'(막대 모양의 금괴)《97.8%의 금을 함유하고 있으며, 민간의 표준 저울로 1개의 무게가 10냥(兩)에서 20냥(兩)까지 여러 종류가 있었음》. =〔条tiáo金〕 ②입찰 보증금.
〔标篮〕 biāolán 명 물이 얕은 곳이라는 것을 표시하기 위해 항만(港灣) 등에 세운, 장대 끝에 철제(鐵製)의 바구니를 단 것.
〔标量〕 biāoliàng 명 《物》 스칼라(scalar). →〔向xiàng量〕
〔标卖〕 biāomài 동 ①입찰로 매도하다. ¶～广告; 입찰 광고. ②가격을 표기해서 판매하다.
〔标名〕 biāomíng 동 성명(姓名)을 써 넣어 표시하다.
〔标明〕 biāomíng 동 명확하게 표시하다. 표기하

다. ¶～价格; 가격을 명시하다.
〔标牌〕 biāopái 명 제품 마크.
〔标票〕 biāopiào 명 ⇨〔镖单〕
〔标奇立异〕 biāo qí lì yì 〈成〉 ①신기함을 자랑하다. ②기발한 설(說)을 세워 자신의 존재를 과시하다. ③용감하게 혁신적인 창조를 하다. ‖ =〔标新立异〕
〔标旗〕 biāoqí 명 신호. 목표로 하기 위한 기.
〔标签(儿)〕 biāoqiān(r) 명 상표. 레테르(letter). 라벨(label). 꼬리표. ¶对经检验合格的鲜乳, 将予以贴附检查～, 以便识别; 검사에 합격한 우유에는 검사필의 딱지를 붙여, 검사하지 않은 것과 구별하기 쉽게 했다 / 行李～; 꼬리표 / 贴上了骗人的～; 사기꾼이라는 딱지를 붙였다. =〔瓶píng签〕
〔标枪〕 biāoqiāng 명 ①《體》 투창 경기. ②(투창 경기에서 사용하는) 창. ¶掷zhì～; 창을 던지다. ③(고대 무기의) 투창. =〔投tóu枪〕
〔标射〕 biāoshe 동 (액체 등이) 뿜어 나오다. 사출(射出)하다. ¶乳水充足一挤就～出来; 젖이 많아서 조금만 눌러도 뿜어 나온다.
〔标示〕 biāoshì 동 표시하다. 명시하다. ¶他用笔在地图上划了一道红线, ～队伍可从这里通过; 그는 연필로 지도에 붉은 줄을 그어 대오가 이 곳을 통과할 수 있다는 것을 표시해 놓았다.
〔标石〕 biāoshí 명 ⇨〔测cè量标〕
〔标算儿〕 biàosuanr 명 〈京〉 속셈. 예산. ¶做事情得先有个～; 일을 하려면 먼저 예산이 있어야 한다.
〔标塔〕 biāotǎ 명 (비행장의) 관제탑. 목표탑.
〔标题〕 biāotí 명 표제. 제목. 제명(題名). 타이틀. ¶加jiā上副～; 부제(副題)를 붙이다 / ～音乐; 《樂》 표제 음악.
〔标题新闻〕 biāotí xīnwén 명 헤드라인 뉴스(headline-news). 표제 뉴스.
〔标贴〕 biāotiē 동 벽보를 붙이다. ¶不准～! 벽보금지!
〔标贴画〕 biāotiēhuà 명 포스터(poster). →〔宣xuān传画〕
〔标投〕 biāotóu 동 ⇨〔投标〕
〔标新立异〕 biāo xīn lì yì 〈成〉 ⇨〔标奇立异〕
〔标音字母〕 biāoyīn zìmǔ 명 표음 자모.
〔标语〕 biāoyǔ 명 표어. 슬로건. ¶张贴～; 슬로건(을 쓴 포스터)을 벽에 붙이다 / 举着横幅大～游行; 플래카드를 들고 데모 행진을 하다.
〔标语牌〕 biāoyǔpái 명 ①플래카드(placard). ¶他们手持数以百计的～; 그들은 손에 수백 개의 플래카드를 들고 있다. ②간판(看板).
〔标志〕 biāozhì 명 표지(標識). 상징. 지표(指標). ¶韩中友谊不断发展的新～; 한국과 중국의 우정이 끊임없이 발전할 새로운 지표(指標) / 带有红色～的军用飞机; 적색 표지를 띠고 있는 군용기. 동 명시(明示)하다. 상징하다. ¶这次访问～着两国人民间传统友谊和经济合作的进一步的发展; 이번 방문은 양국 국민간의 전통적 우의와 경제 관계가 한층 발전했음을 보여 주고 있다 / 这本身～着两面性的重大变化; 이 자체가 양면성이라는 것에 중대한 변화가 있었다는 것을 나타내고 있다. ‖ =〔标识〕〔标帜〕
〔标志产品〕 biāozhì chǎnpǐn 명 제11차 베이징(北京) 아시안 게임 공식 지정 산품.
〔标志带〕 biāozhìdài 명 《體》 (배구의) 사이드 마커(side marker)《위에 나온 안테나는 '标志杆'라고 함》.
〔标致〕 biāozhi 형 (용모·자태가) 아름답다《주로 여성에 대해 씀》. ¶闻知他有个小姐, 生的十分～; 듣자 하니 그에게는 딸이 있는데, 자태가 매우 아름답게 생겼다고 한다. 동 취지(趣旨)를 잘 나타내어 보이다.
〔标注〕 biāozhù 명 본문(本文)의 난외(欄外)의 주석(注釋).
〔标柱〕 biāozhù 명 ⇨〔测cè杆〕
〔标桩〕 biāozhuāng 명 ⇨〔测cè杆〕
〔标准〕 biāozhǔn 명형 표준(적이다). ¶～尺; 표준척 / 不够gòu～; 기준 미달이다 / 怪不得他的口音这么～呢! 과연 그의 발음은 이렇게 표준적이구나! / 国家～; 농공산품(農工産品)의 정부에서 규정하는 기술 표준 / 合乎～; 표준에 합치하다 / 技术～; 기술 표준 / 符合～的货品; 표준에 맞는 상품.
〔标准大气压〕 biāozhǔn dàqìyā 명 《物》표준 기압.
〔标准电阻〕 biāozhǔn diànzǔ 명 《電》 표준 저항.
〔标准粉〕 biāozhǔnfěn 명 표준 밀가루《밀 100근에서 밀가루 85근을 내도록 한 규격대로 가공한 밀가루》.
〔标准工资〕 biāozhǔn gōngzī 명 표준 임금. 기준 임금.
〔标准公顷〕 biāozhǔn gōngqǐng 명 《度》 표준 헥타르(hectare).
〔标准件〕 biāozhǔnjiàn 명 표준 규격품.
〔标准时〕 biāozhǔnshí 명 《天》 표준시. ¶～区; 표준시 구역.
〔标准台〕 biāozhǔntái 명 트랙터의 통일 계산 단위《견인마력(牽引馬力) 15를 '～'라고 함》.
〔标准音〕 biāozhǔnyīn 명 《言》 표준음.
〔标准语〕 biāozhǔnyǔ 명 《言》 표준어《옛날에는 '官guān话', 해방 전은 '国guó语', 현재는 '普pǔ通话'가 표준어로 되었음》. ¶汉语的普通话是中国的～; 한어의 보통화는 중국의 표준어이다. ↔〔方fāng言〕
〔标准制〕 biāozhǔnzhì 명 ⇨〔国guó际公制〕
〔标准钟〕 biāozhǔnzhōng 명 표준 시계.

膘〈臕〉 biāo (표)

(～儿) 명 (주로 가축의) 기름진 고기. ¶上～; 살찌다 / ～儿不好; 살집이 좋지 않다 / ～多厚; 뭉실뭉실 살이 올라 있다 / 这匹马上了～了; 이 말은 살이 오르기 시작했다 / 这块羊肉没～, 净是瘦shòu的; 이 양고기는 기름기가 없는 살코기뿐이다.
〔膘肥〕 biāoféi 형 ①(돼지 따위가) 지방이 많다. (사람이) 비만(肥滿)하다. ¶～体壮 =〔～腿壮〕; (가축이) 살이 쪄서 억세다. ②(머리·손가락 따위가) 기름때가 배어 있다.
〔膘棱〕 biāoleng 형 만용(蠻勇)이 있다.
〔膘满肉肥〕 biāo mǎn ròu féi 〈成〉 (가축 따위가) 기름지고 살집이 좋다.
〔膘情〕 biāoqíng 명 가축의 비육(肥育) 상황.

瘭 biāo (표)

→〔瘭疽〕
〔瘭疽〕 biāojū 명 《漢醫》 표저.

磦 biāo (표)

→〔朱zhū磦〕

镖(鏢) biāo (표)

명 ①칼집 끝 장식. ②칼끝. ③표창(鏢槍)《던지는 무기》. ④〈方〉 시

계. =〔表〕
〔镖单〕 biāodān 명 옛날, '镖局(子)'에서 발행한 일종의 운송 보험증. =〔镳单〕〔标单②〕〔镖票〕〔镳票〕〔标票〕
〔镖店〕 biāodiàn 명 ⇨〔镖局(子)〕
〔镖局(子)〕 biāojú(zi) 명 옛날, 여객(旅客)이나 화물(貨物)의 안전을 위해 주로 산둥(山東) 사람이 하던 일종의 운송업《각지의 강도와 몰래 연락을 취하고 해마다 여러 차례 금품을 보내어 안전을 도모하고, 또 '镖客' '镖师'(신변 보호인)를 고용하여 호송을 맡겼음. 그것에 쓰인 수레와 배를 '镖车' '镖船'이라고 함. '镖'는, '标' 또는 '镳'라고도 씀. =〔镖店〕〔标局(子)〕〔标店〕 →〔保bǎo镖〕
〔镖客〕 biāokè →〔镖局(子)〕

瀌 biāo (표)
→〔瀌瀌〕

〔瀌瀌〕 biāobiāo 형 비·눈이 심하게 오는 모양.

藨 biāo (표)
명 《植》 ① '鹿藿lùhuò'(쥐눈이콩)의 고칭(古稱). ② '蒯kuǎi草'(기름사초)의 고칭. ③딸기의 일종. ④세모고랭이.

镳(鑣) biāo (표)
명 ①(말의) 재갈. =〔〈俗〉马嚼子〕 ②옛날에, 객상(客商)이 맡긴 물건이나 금전을 안전하게 보관·운반해 주던 일.

穮〈穮〉 biāo (표)
동 〈文〉 제초(除草)하다. 김매다.

表(錶)[13] biǎo (표)
①명 겉. 외면. 외부. 외관. 표면. ¶~面; ⇓ / ~皮; ⇓ / 外~; 외면. 외관. 겉 / 徒tú有其~; 〈文〉 다만 겉만 있을 뿐이다. ②명 〈文〉 용모(容貌). ¶仪yí~; 용모. 단정한 모습. ③명 〈文〉 표시. 안표(眼標). 표지. 모범. ¶墓mù~; 묘표(墓標) / 为wéi人师~; 남의 모범이 되다 / 一~人材; 뛰어난 인물. ④명 미터기. 계기. ¶电diàn~; 전기 계량기 / 水~; 수도 계량기 / 电流~; 전류계 / 自来火~; 가스 계량기 / 湿度~; 습도계. ⑤명 표. ¶年~; 연도 / 图~; 도표 / 填~; 표에 적어 넣다. ⑥명 고모 또는 외삼촌·이모의 자녀의 명칭에 쓰이는 말. ¶~哥; ⇓ / ~妹; ⇓ ⑦명 자(字)《본명 이외의 이름》. =〔表字〕 ⑧명 상주서(上奏書). ⑨동 나타내다. 나타나다. 표현하다. ¶发~; 발표(하다) / 聊liáo~寸心; 적으나마 작은 뜻〔촌지〕을 나타내다 / ~同情; 공감을 나타내다 / ~决心; 결심을 드러내다. ⑩동 말하다. ⑪동 《漢醫》 약물을 써서 감기의 열을 발산시키다. ⑫명 《漢醫》 표《피부와 피하 조직을 뜻함》. ⑬명 시계《손목 시계 또는 회중 시계》. ¶手shǒu~; 손목시계 / 怀huái~; 회중 시계 / 停tíng~; 스톱워치(stop watch).
〔表把儿〕 biǎobàr 명 (시계의) 용두(龍頭). ¶拧nǐng~; 태엽을 감다.
〔表白〕 biǎobái 동 ①말로 나타내다. 발표하다. ¶~自己的观点; 자기의 입장을 표명하다. ②(책임 소재를) 밝히다. ③설명하다. 해석하다.
〔表板〕 biǎobǎn 명 ①계기판. =〔仪yí器表〕 ②시계의 문자판.
〔表报〕 biǎobào 명 통계표. 도표 및 보고서.
〔表背〕 biǎobèi 동 ⇨〔裱褙〕
〔表背匠〕 biǎobèijiàng 명 표구사. =〔裱褙匠〕
〔表本〕 biǎoběn 명 기록표.
〔表笔〕 biǎobǐ 명 《機》 계측기가 피계측물(被計測物)에 접촉하기 위한 붓 모양의 것.
〔表表〕 biǎobiǎo 형 〈文〉 걸출한 모양. 걸출하다. ¶他的仪容~不俗; 그의 풍채는 당당하고 속되지 않다.
〔表册〕 biǎocè 명 괘지(罫紙)로 된 장부.
〔表层〕 biǎocéng 명 《地》 표층(表層).
〔表层硬化〕 biǎocéng yìnghuà 명 ⇨〔表面硬化〕
〔表尺〕 biǎochǐ 명 《軍》 가늠자. 조척(照尺)《총·포의 조준기의 일부인 사정(射程)을 표시해 놓은 눈금 부분을 말함. 조준구는 '表尺板' '游yóu标' '准zhǔn门'의 3부분으로 나뉘어 '准星'과 마주 대하고 있음》. =〔标biāo尺②〕
〔表达〕 biǎodá 동 (사상·감정을) 나타내다. ¶用话来~; 말로 표현하다 / 举行座谈会, 互相~了友谊和希望; 좌담회를 열어, 서로 우의와 희망을 표명했다.
〔表带〕 biǎodài 명 손목시계의 줄.
〔表袋〕 biǎodài 명 시계를 넣는 포켓.
〔表弟〕 biǎodì 명 내외종 사촌 동생《'表兄弟'로서 자기보다 손아래의 사람》. →〔表兄〕
〔表发条〕 biǎofātiáo 명 시계의 태엽.
〔表盖(儿)〕 biǎogài(r) 명 회중시계나 손목 시계의 뚜껑.
〔表哥〕 biǎogē 명 ⇨〔表兄〕
〔表格〕 biǎogé 명 ①도표. 표. ¶画~; 도표를 만들다. ②서식(書式). 양식. ③괘선(罫線).
〔表功〕 biǎogōng 동 ①공적을 표창하다. ②공(功)을 자랑하다.
〔表姑〕 biǎogū 명 아버지의 종자매.
〔表观〕 biǎoguān 명형 외관. 외견(상의). 겉(의).
〔表汗〕 biǎohàn 동 《漢醫》 발한(發汗)을 촉진하다.
〔表盒(儿)〕 biǎohé(r) 명 시계의 케이스.
〔表记〕 biǎojì 동 〈文〉 표기하다. 기록하다. 약속의 표시로 하다. 명 ①기호. 표지. ②기념품.
〔表匠〕 biǎojiàng 명 시계 기술자. 시계공. =〔钟zhōng表匠〕
〔表姐〕 biǎojiě 명 종자(從姉). 고종〔이종. 외종〕 사촌 언니.
〔表姐妹〕 biǎojiěmèi 명 종자매. 친사촌을 제외한 이성(異姓)간을 이름. ¶姑~; 고종 사촌 자매. =〔表姊zǐ妹〕 →〔表兄弟〕
〔表解〕 biǎojiě 명 (통계 따위의) 표. ¶这一类收集了工业农业等国民经济和文化事业各部门的文件资料和~; 이 부류에서는 공업·농업과 같은 국민 경제와 문화 사업의 각 부문의 문서와 자료 및 표(表)를 모았다.
〔表旌〕 biǎojīng 명동 〈文〉 표창(하다). →〔表扬〕
〔表井〕 biǎojǐng 명 수도 계량기의 부착 구멍.
〔表决〕 biǎojué 명동 표결(하다). ¶经大会~, 全体一致通过; 대회의 표결을 거쳐 전원 찬성으로 통과하였다 / 投票~; 표결하다 / 举手~; 거수(擧手)로 표결하다.
〔表决机器〕 biǎojué jīqi 명 〈比〉 투표 기계《어떤 사람의 조정으로 그 사람에게 투표하는 사람 또는 조직》.
〔表决权〕 biǎojuéquán 명 표결권.
〔表壳儿〕 biǎokér 명 시계 뒤딱지.
〔表里〕 biǎolǐ 명 ①바깥과 안. 겉과 속. ¶~如一; 마음에 표리가 없다〔성실하다〕. ②《漢醫》 피부·피하 조직과 내장. ③관계가 밀접하여 떨어질 수 없는 일. ¶这两件事是互相~离不开的; 이 두 가지의 일은 서로 밀접한 관계여서 분리할 수

가 없다.
〔表链(子)〕 biǎoliàn(zi) 명 시계줄.
〔表露〕 biǎolù 동 〈文〉 표명하다. 나타내다.
〔表妹〕 biǎomèi 명 종매. 고종〔이종·외종〕 사촌 누이 동생.
〔表蒙子〕 biǎoméngzi 명 ①시계에 씌워서 먼지를 막는 유리제로서, 종 모양 또는 사각형 덮개〔씌우개〕. ②손목시계의 유리 뚜껑. ‖ =〔表玻璃盖〕
〔表面〕 biǎomiàn 명 ①표면. 외견(外見). ¶～上装作不知道; 겉으로는 모른 척하다. ②사물의 외재 현상(外在現象) 혹은 비본질(非本質) 부분. ¶～现象; 표면적인 현상. ③ ⇨〔表盘〕
〔表面波〕 biǎomiànbō 명 《物》 표면파(表面波). ㉠액체 표면에 중력(重力)의 작용으로 생기는 물결. ㉡서로 다른 두 매질(媒質)의 경계면을 전파하는 파동(波動). 도체(導體)의 표면을 따라 전달되는 전자파 따위.
〔表面测粗表〕 biǎomiàn cècūbiǎo 명 표면 조도계(粗度計).
〔表面淬火〕 biǎomiàn cuìhuǒ 명 ⇨〔表面硬化〕
〔表面光(洁)度〕 biǎomiàn guāng(jié)dù 명 《工》 표면의 거칠기《강(鋼)·철 따위의 공구의 가공된 표면의 매끄러운 정도. 표면의 요철(凹凸)을 계산하여 그 평균치로 나타냄》. =〔表面糙度〕〔表面精度〕
〔表面化〕 biǎomiànhuà 명동 표면화(하다).
〔表面精度〕 biǎomiàn jīngdù 명 ⇨〔表面光(洁)度〕
〔表面硬化〕 biǎomiàn yìnghuà 명 《工》 표면 경화(硬化)《연강(軟鋼) 표면의 경도를 높이기 위한 열처리》. =〔表层硬化〕〔表面淬火〕
〔表面张力〕 biǎomiàn zhānglì 명 《物》 표면 장력(張力)《액체의 표면이 수축하여, 되도록 작은 넓이를 잡으려는 힘》.
〔表明〕 biǎomíng 동 ①확실하게 보이다〔나타내다〕. ¶这种看法～著zhù者对这一事件的背景还缺乏着十分深刻的认识; 이와 같은 견해는 저자가 이 사건의 배경에 대하여 충분히 파고든 인식이 결여되어 있음을 분명히 보이고 있다. ②표명하다.
〔表木〕 biǎomù 명 〈文〉 푯말. 안표(眼標)로 세우는 말뚝.
〔表奶〕 biǎonǎi 동 젖이 잘 나오게 하다. =〔下xià奶①〕
〔表盘〕 biǎopán 명 시계·계기 따위의 눈금〔숫자〕판. =〔〈方〉表面③〕
〔表皮〕 biǎopí 명 《生》 (동식물의) 표피. 〈轉〉 겉. 외관. 외면.
〔表亲〕 biǎoqīn 명 아버지 쪽의 친척.
〔表情〕 biǎoqíng 명 표정. ¶演员的～很好; 배우의 표정이 매우 좋다. 동〈方〉 공을 뽐내는 얼굴을 하다. ¶人家感激才好, 自己～多没意思! 남들이 고맙게 생각해야 되지, 자기 스스로 공을 내세우며 뽐내다니 얼마나 시시한 일인가!
〔表情见意〕 biǎo qíng jiàn yì 〈成〉 감정이나 의사를 잘 나타내다.
〔表瓤儿〕 biǎorángr 명 회중시계·손목시계 내부의 기계(총칭).
〔表嫂〕 biǎosǎo 명 '表兄'(내외종 사촌형)의 아내.
〔表示〕 biǎoshì 동 ①(의사·의견을) 표시하다. ¶等děng次～; 등급(等級)의 표시 / 他对于这件事, 还没有什么～; 그는 이 일에 관하여 아무 의견도 말하지〔나타내지〕 않았다 / 请大家～一下意见; 여러분, 의견을 말씀해 주시오. ②(사물이 어떤 뜻을) 나타내다. ¶绿灯～行人可以通行; 초록색의 램프는 보행자가 지나가도 좋다는 것을 나타낸다. 명 ①표정(表情). ②안표(眼標).
〔表示灯〕 biǎoshìdēng 명 《機》 표시등. 파일럿 램프.
〔表率〕 biǎoshuài 명 ①모범. 본보기. ¶做学生的～; 학생의 모범이 되다. ②대표적 인물.
〔表说〕 biǎoshuō 동 〈文〉 …의 뜻을 나타내다. 설명하다. ¶～家景很穷; 집안 살림이 어렵다는 것을 나타내고 있다.
〔表态〕 biǎo,tài 동 태도를 표명하다. ¶你同意还是不同意也该表个态吧! 너는 찬성인지 아니면 반대인지 반드시 태도를 분명히 해야 한다! / 作～性发言; 자기 입장에 대한 성명.
〔表土〕 biǎotǔ 명 ①《地》 표토(表土). 겉흙. 표층토(表層土). ②《農》 잘 고른 땅. 경토(耕土). →〔底dǐ土〕〔心xīn土〕
〔表外女儿〕 biǎowàinǚ'ér 명 '表姊妹'(종자매)의 딸.
〔表外甥〕 biǎowàisheng 명 '表姊妹'(종자매)의 아들.
〔表显〕 biǎoxiǎn 명동 〈文〉 현양(顯揚)(하다).
〔表现〕 biǎoxiàn 명동 표현(하다). ¶感到愤fèn怒的～; 분노심을 느낀 것의 표현 / 这～在对于子女入学, 升学问题上最为明显xiǎn; 이것은 자녀의 입학·진학에 관한 문제에 가장 확실하게 나타나 있다 / ～紧jǐn张; 긴장 상태를 나타내고 있다. 명 태도·행동·언동. ¶他的～和成就; 그의 행동과 성과 / 在家里的～; 집에서의 행동 / 这个学生一贯～很好; 이 학생은 항상 태도가 좋다 / 不少人在大扫除时, ～很突出; 많은 사람들은 대청소할 때, 두드러진 행동을 보였다 / 他～得非常勇敢; 그의 행동은 대단히 당당하다. 동 고의로 자신을 나타내다.
〔表相〕 biǎoxiàng 명 〈文〉 외견(外見). 외관. 겉보기.
〔表象〕 biǎoxiàng 명 〈文〉 관념. 표상.
〔表形文字〕 biǎoxíng wénzì 명 《言》 상형 문자. =〔象xiàng形文字〕
〔表兄〕 biǎoxiōng 명 '表兄弟'로서 손위인 자. =〔表哥〕→〔表弟〕
〔表兄弟〕 biǎoxiōngdì 명 종형제《친사촌을 제외한 이성(異姓)간을 이름. 고종 형제는 '姑～', 이종 형제는 '親～'라고 함》. →〔字解⑥〕
〔表压〕 biǎoyā 명 게이지(gauge) 압력. 게이지 프레서.
〔表演〕 biǎoyǎn 동 ①연출하다. 연기(演技)하다. ¶～会; 학예회. 연예회 / 他～出来真动人; 그가 연기를 하면 참으로 사람을 감동시킨다. ②모범 동작을 실연(實演)하다. ¶～新操作方法; 새로운 조작 방법을 실연하다. ③재주를 보이다. 피로(披露)하다. 명 상연. 연기.
〔表演唱〕 biǎoyǎnchàng 명 연극과 무용동작을 겸비한 일종의 가무(歌舞) 형식.
〔表演赛〕 biǎoyǎnsài 명 《體》 시범 경기. 공개 경기. 모범 시합. ¶举行划船～; 조정(漕艇) 시범 경기를 하다.
〔表扬〕 biǎoyáng 명동 표창(하다). 표양(하다). ¶受到～; 표창을 받다 / 他的成就值得～; 그가 이룩한 일은 표창할 값어치가 있다.
〔表样〕 biǎoyàng 명 〈文〉 견본. 작은 모형. 수범(垂範). 모범.
〔表姨〕 biǎoyí 명 이종 사촌 자매《이모의 딸을 부를 때의 말》.

〔表意文字〕 biǎoyì wénzì 명《言》 표의(表意) 문자.
〔表音文字〕 biǎoyīn wénzì 명《言》 표음(表音) 문자.
〔表语〕 biǎoyǔ 명《言》(문법 용어에서) '是'자(字)를 쓰는 문장 중의 '是' 이하의 성분을 가리켜서 하는 말. 또, 일반적으로 명사성 술어 및 형용사성 술어를 가리킴.
〔表章〕 biǎozhāng 동 ⇨〔表彰〕 명 ⇨〔奏zòu章〕
〔表彰〕 biǎozhāng 동 (선행(善行)·공로 등을) 표창하다. =〔表章①〕
〔表针〕 biǎozhēn 명 ①계기의 지침(指針). ¶气压的～停止在指定气压的位置上; 기압을 나타내는 지침(指針)이 지정한 기압의 위치에 머물고 있음. ②시계의 바늘. ¶分～; 분침 / 长～; 장침(長針) / 时～; 시침(時針) / 短～; 단침(短針) / 秒miǎo～; 초침(秒針).
〔表疹子〕 biǎozhěnzi 동《醫》(병이 안으로 들지 않도록) 발진을 촉진시키다.
〔表征〕 biǎozhēng 명 표징. 겉에 드러난 특징.
〔表证〕 biǎozhèng 명《漢醫》 표증. 겉으로 드러나는 병의 증세.
〔表侄〕 biǎozhí 명 '表兄弟'의 아들. =〔外wài侄〕
〔表侄女〕 biǎozhínǚ 명 '表兄弟'의 딸.
〔表壮不如里壮〕 biǎo zhuàng bù rú lǐ zhuàng 〈諺〉 외부가 튼튼한 것보다 내부가 튼튼한 것이 낫다(겉보기보다는 알맹이가 중요하다. 남편보다 아내가 견실한 것이 낫다).
〔表坠儿〕 biǎozhuìr 명 회중시계의 줄 끝에 다는 메달·자석 따위의 액세서리.
〔表姊妹〕 biǎozǐmèi 명 종자매(從姊妹)(종자매 중 '堂táng姊妹'(아버지 형제의 딸) 이외의 종자매를 말함). =〔表姐妹〕
〔表字〕 biǎozì 명 자(字)(본명 이외의 이름). →〔别bié号(儿)〕
〔表奏〕 biǎozòu 동〈文〉 문서로 상주하다.

婊 biǎo (표)
(～子) 명 창기. 갈보.

〔婊子〕 biǎozi 명 ①창기. 매춘부. ¶～养的; 〈罵〉 창녀의 자식. 사람 같지 않은 자. 쓸모 없는 인간. ②부녀자를 욕하는 말.

裱 biǎo (표)
①명동 표장(表裝)(하다). 표구(하다). 장정(하다). =〔裝zhuāng潢〕 ②동 도배하다. ③명 어깨걸이. 숄(shawl).

〔裱褙〕 biǎobèi 동 (서화를) 표구하다. ¶～匠; 표구사(師) / 他是～匠, 上天糊云; 〈歇〉 저 사람은 거짓말쟁이다(도배장이는 벽지를 바른다. 곧, 높은 데에 오른다. '糊云'은 높은 데를 바른다는 뜻으로 자음(字音)이 '胡云'(아무렇게나 말하다)에 통함). =〔表背〕
〔裱糊〕 biǎohú 동 도배하다. ¶～匠; 표구사. 도배장이.
〔裱画〕 biǎo.huà 동 그림을 표구하다. ¶～艺人; 표구사.
〔裱墙纸〕 biǎoqiángzhǐ 명 벽지. 도배지.

俵 biào (표)
동 ①나누어 주다. ¶～分; 나누다. ②분산시키다. 분산되다. ¶～散sàn; 분산하다.

摽 biào (표)
동 ①서로 얽히다. 단결하다. ¶两个人～着胳膊走; 두 사람은 팔을 꼭 끼고 걷는다. ②단단히 묶다. ¶把口袋～在车架子上; 자루를 차선반에 붙들어매다. ③착 들러붙다. 붙어서 회롱하다. ¶他们老～在一块儿; 저 사람들과 늘 함께 붙어 다닌다. ④집중하다. ¶～劲; 겨루다. ⑤〈文〉 떨어지다. ¶～梅; ⓐ매실(梅實)이 익어서 나무에서 떨어지다. ⓑ여자가 혼기(婚期)가 되다. ⑥〈文〉 치다. 때리다. ⇒biāo

鳔(鰾) biào (표)
①명 (물고기의) 부레. =〔〈俗〉鱼泡〕 ②명 부레풀. ③동 부레풀로 붙이다. 착 들러붙다. 굳게 단결하다. ¶把桌子腿～一～; 탁자의 다리를 부레풀로 붙이다 / 俩人～在一块儿; 두 사람은 함께 붙어 있다.

〔鳔胶〕 biàojiāo 명 어교(魚膠). 부레풀(민어나 용상어의 부레로 만드는 아교로, 접착력이 강하여 나무 제품을 붙이는 데 쓰임).
〔鳔住〕 biàozhu 동 ①(아교로) 붙이다. ②도망갈 수 없게 감시하다〔감시를 당하다〕. 한곳에 꼼짝 못 하게 하다〔되다〕. ¶给～了不能出来; 한 곳에 꼼짝 못 하게 되어 나갈 수 없다.

BIE ㄅㄧㄝ

憋 biē (별)
①동 참다. 견디다. ¶～着一泡尿; 소변을 참고 있다 / 心里～了许多话要说; 하고 싶은 말을 가슴에 넣어 두고 꾹 참다 / 把嘴一闭～足了气, 脸就通红了; 입을 다물고 숨을 참았더니, 얼굴이 벌겋게 되었다 / 我老～着和您谈谈; 당신과 무척 얘기하고 싶었어요. ②동 막다. 가두다. 막히다. ¶我感冒, 嗓子里发～; 감기가 들어서 목이 잠겼다 / 把狗～在屋里; 개를 집 안에 가두다. ③형 기분이 우울하다. 언짢다. 마음이 울적하다. ¶拿难题～他; 어려운 문제로 그를 곤란하게 만들다. ④동 (막혀서) 공기가 통하지 않다. 숨이 막히다. ¶门窗关住, 真～气; 방문과 창문을 몽땅 닫아 답답하다. ⑤형 성급하다.

〔憋不住〕 biēbuzhù (기분·감정을) 꾹 참지 못하다. ¶天没亮, 就～, 爬起来了; 날도 밝지 않았는데 참을 수가 없어 일어났다. ↔〔憋得住〕
〔憋得慌〕 biēdehuang 기분이 답답하여 못 견디다. 울적하여 견딜 수 없다. 초조하다. 몹시 답답하다. ¶要说也不能说, ～; 말하고 싶어도 말을 할 수 없다. 답답해서 견딜 수가 없다 / 刚爬到半山腰我就觉得～了; 산 중턱까지 올라갔는데 벌써 가슴이 답답하다.
〔憋红〕 biēhóng 동〈比〉 희망을 갖다. ¶本来是憋着红去的, 到了那儿还是不行了; 원래 희망을 갖고 갔었는데, 가 보니까 역시 틀렸다.
〔憋坏〕 biēhuài 동 나쁜 생각을 품다. 흉계(凶計)를 꾸미다. ¶谁猜得着zháo你肚子里又憋什么坏; 네가 어떤 흉계를 꾸미고 있는지 아무도 모를 것이다.
〔憋火〕 biē.huǒ 동 분노를 참다. ¶憋了一肚子火; 마음 속의 분노를 꾹 참다.
〔憋劲〕 biējìn 동 (몸에) 힘을 주다.
〔憋闷〕 biēmèn 형 기분이 찌무룩하다. 우울하다. 답답해서 숨이 막히다. ¶～不开怀; 마음이 울적해서 개운치 않다 / 这程子竟下雨, ～极了; 요즈음 계속 비가 와서 마음이 울적하기 짝이 없다 / 坐轿子又～又颤得慌, 倒是骑马爽快; 가마는 답답하고 또 많이 흔들리므로, 말을 타는 쪽이 기분이

좋다.
〔憋气〕 biē.qì 동 ①숨을 죽이다. ¶憋足了一口气进行潜水; 참을 수 있을 만큼 숨을 죽이고 잠수하다. ②바람을 통하지 않게 하다. 공기의 유통을 막다. ③마음이 우울하여 답답해지다. ¶你憋什么气? 너 무엇 때문에 속 썩고 있니? ④노여움을 참다. ⑤화가 치밀다. ¶真叫人~; 정말로 부아가 난다 / 越想越~; 생각할수록 부아통이 터진다. (biēqì) 형 숨이 막히다. ¶这会开得真~! 이 회의는 정말로 숨이 막힐 정도로 지겹다!
〔憋俏〕 biēqiào 동 ①참을성 있게 횡재(横財)나 진귀한 물건을 찾다. ②어떤 행운을 기대하고 참을성 있게 기다리다.
〔憋屈〕 biēqū 동 마음이 우울하다. 분한 것을 참다.
〔憋上劲〕 biē shàng jìn 마음 속에 지니고 있던 불만이 나오다. 초조함이 심해져서 표면에 나타나다.
〔憋手〕 biēshǒu 형 손에 익숙지 않아 불편하다. 사용하기 거북하다. ¶没有那个真~; 그것이 없으면 손이 설어 정말 곤란하다 / 这是刚买来的, 用起来有点儿~; 이것은 막 사 온 것이어서 약간 거북하다 / 用左手使剪子真~; 왼손으로 가위질을 하자니 매우 거북하다 / 收人少了不觉着~吗; 수입이 적어져 (돈이) 곤란하지 않느냐. =〔〈方〉别biè手〕
〔憋死〕 biēsǐ 형 숨막히다. 좁아서 답답하다. 움직일 수 없다. ¶这屋子窄, 真~我了; 이 방은 좁아서 숨이 막힐 것 같다 / 这么一大堆子儿zǐr都叫你围上了, 真~我了; 이렇게 많은 바둑알〔돌〕로 포위되었다, 이제는 꼼짝할 수가 없다.
〔憋躁〕 biēzào 동 감정이 상하다. 불쾌하다. 심기가 불편하다.
〔憋着大天〕 biēzhe dàtiān 마음 속에 묘책이 있다. 결정적인 수를 쥐고 있다. 성산(成算)이 있다 《'大天'은 카드놀이 등의 으뜸패의 속칭》. ¶他这么不着 zháo 慌是~呢; 그가 이렇게 침착한 것은 심중에 성산이 있기 때문이다.
〔憋着幺蛾子〕 biēzhe yāo'ézi 〈比〉 나쁜 마음을 품다. 악랄한 생각을 하다.
〔憋足了劲〕 biēzúlejìn 동 숨을 죽이고 기대하다. 마른침을 삼키며 기대하다. 이제나 저제나 하고 기다리다. ¶观众都~等着瞧这出好戏; 관객은 이제나 저제나 하고 이 훌륭한 연극(상연)을 기다리고 있다.

鳖(鱉〈鼈〉) biē (별)

명 ①《動》 자라. ¶瓮中之~ =〔瓮中捉~〕; 〈成〉 독 안에 든 쥐. =〔甲jiǎ鱼〕〔团tuán鱼〕〔〈俗〉王八〕〔〈方〉鼋yuán〕 ②자라처럼 모양이 편평(扁平)한 것. ¶海~; 바다거북 / 田~; 물장군 / 马~(子); 말거머리.
〔鳖菜〕 biēcài 명 《植》 고사리.
〔鳖蛋〕 biēdàn 명 자라의 알.
〔鳖甲〕 biējiǎ 명 자라 등딱지《흐물흐물하게 삶아 약용함》.
〔鳖裙〕 biēqún 명 자라 등딱지 주위의 부드러운 살 부분. =〔鳖边〕
〔鳖缩头〕 biēsuōtóu 자라가 목을 움츠리다. 〈比〉 숨어서 나오지 않음.

瘪(癟〈癟〉) biē (별)

→〔瘪三〕 ⇒ biě
〔瘪三〕 biēsān 명 〈方〉 전에 상하이(上海) 거리에서 직업 없이 거지·절도질을 하던 부랑자. 불량소년을 이르던 말. ¶拉报~; 떠돌이. 부랑자. 룸펜(독 Lumpen).

别 bié (별)

①형 별개의. 다른. 딴. 별도의. ¶~种; 다른 종류(의) / ~的东西; 다른 것 / ~有用意; 따로 생각이 있다. ②부 따로. 별도로. ③동 갈라서다. 분리하다. 헤어지다. 이별하다. ¶离~; 이별하다 / 告~; 이별을 고하다 / 永~; 영원히 이별하다 / ~情; 이별의 정. ④동 〈方〉 방향을 바꾸다. 돌리다. ¶~过脸来不看他; 외면하고 그를 보지 않다. ⑤동 꺾다. 구부리다. ¶~起一条腿来; 한쪽 다리를 구부리다. ⑥동 질러 넣다. ¶腰~里一把斧子; 허리에 도끼를 한 자루 꿰어 차다. ⑦동 핀으로 찔러 놓다. ¶~在一起; 함께 모아 핀으로 찔러 놓다. ⑧부 …해서는 안 된다. …하는 것을 그만둬라《금지·제지를 나타냄》. ¶~去! 가지 마라! / ~动! 움직이지 마라! / ~唆; 울면 못 쓴다 / ~开玩笑! 놀리지 마! / 你~客气; 염려 마시고 편히 계십시오《인사말》. ⑨〈方〉 (~是…) …인지도 모른다《추측을 나타냄》. ¶~是忘了; 잊어버렸는지도 모른다 / ~是谣言吧; 혹시 유언비어가 아닐까. ⑩(~说…) …은 말할 것도 없고《…(조차)도 …의 뜻을 나타냄. 뒤에 '即使(就是)…也…' 또는 '(就)连…也…'을 수반함》. ¶动物园的熊猫, ~小孩子喜欢, 连大人也爱看; 아이들이 동물원의 판다를 좋아하는 것은 말할 것도 없고, 어른들도 보고 싶어한다 / ~说小孩子, 就是大人也喜欢看; 아이들은 말할 것도 없고 어른도 좋아하면서 본다. ⑪동 나누다. 구별하다. 판별하다. ¶辨~; 변별하다 / 分~清楚; 똑똑히 구별하다 / ~为三种; 세 종류로 구별하다 / ~其真伪; 그 진위를 판별하다. ⑫명 차별. 차이. ¶天渊之~; 〈成〉 천지의 차. 천양지차 / 新旧有~; 새것과 헌것〔낡은 것〕의 차이가 있다. ⑬동 바늘·안전핀으로 지르다. ⑭명 (子) 꽂는〔지르는〕 것. ⑮〈擬〉 두근두근. ¶心~~地跳; 가슴이 두근거리다. ⑯명 성(姓)의 하나. ⇒ biè
〔别本〕 biéběn 명 부본(副本).
〔别布〕 biébù 요리를 손수 차려 주시는 군요《주인이 요리를 나누어 손님에게 권하는 일에 대해서 하는 말》. →〔布菜〕
〔别肠〕 biécháng 명 ①술독《술을 마실 줄 아는 사람에 대해 하는 말. 다른 것은 별로 먹지 못하지만, 술 마시는 배는 따로 있듯이 얼마든지 마실 수 있다는 것을 말함》. ¶酒有~; 술 들어가는 배는 따로 있다. ②〈文〉 이별하는 마음.
〔别忱〕 biéchén 명 〈文〉 별정(別情). 이별의 정.
〔别称〕 biéchēng 명 별칭(別稱). →〔别号〕
〔别出心裁〕 bié chū xīn cái 〈成〉 다르게 구상해 내다. =〔独dú出心裁〕
〔别处〕 biéchù 명 별처(別處). 다른 곳.
〔别辞〕 biécí 명 별사(別辭). 작별의 말. 이별의 인사.
〔别的〕 biéde 명 ①그 밖의 것. ¶不是~; 다름이 아니라. 실은. ②다른 사람. 다른 것. ¶只要这个, ~都不要; 이것만이 필요할 뿐, 다른 것은 필요 없다 / ~不~; 여담(餘談)은 그만 하고.
〔别第〕 biédì 명 〈文〉 별제(別第). 별장(別莊).
〔别调〕 biédiào 명 다른 식. 다른 방법. 다른 음조. ¶这件事太棘jí手, 总得想个~的办法; 이 일은 너무 까다로워 다른 방법을 생각하여야겠다.
〔别动队〕 biédòngduì 명 《軍》 별동대.

〔别房〕 biéfáng 명 ①옛날, 대가족주의(大家族主義) 가정에서, 자기를 제외한 형 또는 아우의 주거. ↔〔本běn房〕 ② ⇨〔妾qiè①〕
〔别风淮雨〕 bié fēng huái yǔ 〈成〉 고래(古來)의 와자(訛字)('列风淫雨'의 '列'이 '别'로, '淫'이 '淮'로 잘못 쓰인 것인데, 그 신기함이 받아들여져 변한 것을 그대로 쓴 고사(故事)에서 유래됨).
〔别故〕 biégù 명 별고(別故). 다른 이유. 다른 사정. =〔他tā故〕
〔别怪〕 biéguài 이상하게 여기지 마라. 언짢게 생각지 마라.
〔别管〕 biéguǎn ①(…에) 상관없이. (…을) 불문하고. ¶~是谁, 一律要按原则办事; 어떤 사람이건 똑같이 원칙에 따라 하지 않으면 안 된다/~怎么…; 하여간에…. ②상관하지 마라. 놓아 두어라. ¶~他; 그에게 신경을 쓰지 말아라. 그를 상대하지 말아라. ③건드리지 마라. ¶~, 外行管, 怕弄坏了; 건드리지 말아라, 문외한이 만지면 부서진다.
〔别国〕 biéguó 명 타국(他國). 다른 나라.
〔别号(儿)〕 biéhào(r) 명 ①별호(別號). ¶李白字太白, ~青莲居士; 이백의 자는 태백이고, 별호는 청련거사이다. =〔别字②〕〔外wài号(儿)〕 ② ⇨〔绰chuò号(儿)〕
〔别后〕 biéhòu 명 별후(別後). 작별한 후. ¶~已有一年; 작별한 후 벌써 1년이 되었다.
〔别集〕 biéjí 명 개인별의 시문집. ↔〔总集〕
〔别家〕 biéjiā 명 ① 남의 집. ② 타인. 남. ⇒ biéjie
〔别家〕 biéjie 감 안 된다. 그만두어라(제지하는 말). ¶打架呢, ~! 싸우고 있니, 그만둬라! =〔别价〕 ⇒ biéjiā
〔别价〕 biéjie 감 안 된다. 그만둬라. 안돼. ¶~, 你做了总归也要失败的; 그만둬라, 네가 해 봤자 어차피 실패로 돌아간다. =〔别家jie〕〔别咖〕
〔别酒〕 biéjiǔ 명 별주(別酒). 이별주(離別酒). 별배(別杯).
〔别具肺肠〕 bié jù fèi cháng 〈成〉 특별한 생각을 가지고 있다(성격이 삐뚤어져 있다). =〔别具心肠〕
〔别具一格〕 bié jù yī gé 〈成〉 독특한 풍격(風格)을 지니고 있다. ¶你会看到~的丰收景象; 독특한 풍격을 지닌 풍년의 모양을 볼 수 있다.
〔别开生面〕 bié kāi shēng miàn 〈成〉 새로운 경지를 열다. 따로 국면을 펴다. ¶这么样儿~倒是很新鲜; 이와 같이 신 국면을 열면 매우 신선한 맛이 난다.
〔别看〕 bié kàn ① …라고는 하지만. …지만. …에 어울리지 않게. ¶~他年轻, 办事很老练; 그는 젊지만, 일하는 것은 아주 노련하다/~此地小, 可是广阔的天地呀! 이 곳은 작기는커녕 광활한 천지로군! ②그런 것은 아니다. 그렇게 생각해서는 안 된다. ¶你~, 有人说得很好; 그런 것이 아니야, 말을 잘 하는 사람도 있어. ③봐서는 안 된다. 보지 마라.
〔别扣〕 biékòu 명 (서질(書帙) 따위를 죄는) 메뚜기. 잠그는 단추. ¶扣上~; 메뚜기나 단추를 채우다.
〔别离〕 biélí 동 〈文〉 이별〔작별〕하다. 명 별리(別離).
〔别脸〕 biéliǎn 동 모르는 척하다. 고개를 돌리다. 외면(外面)하다. ¶见人老是一~; 사람을 만나면 늘 고개를 홱 돌린다.
〔别律句〕 biélǜjù 명 율구(律句)와 같이 엄격한 규정이 없고, 또한 고시(古詩)의 격(格)이 아닌 구.
〔别论〕 biélùn 동 따로 취급하다. 따로 비평하다. ¶如果他确因有事, 不能来, 则当~; 만약 그가 확실히 일이 있어서 못 온다면, 따로 취급해야 할 것이다.
〔别忙〕 biémáng ①안달하지 마라. 초조하게 굴지 마라. 서두르지 마라. ¶你~! 뭐, 그렇게 서두르지 마세요. ②그건 그렇고(앞의 말을 누르고 뒤에 뜻밖의 말을 꺼내려 할 때 쓰는 말). ¶~咱们明天见! 좋아, 내일 두고 보자(싸움할 때의 말)!
〔别名(儿)〕 biémíng(r) 명 별명. 또 그 이름. ¶'知了'是蝉的~; '知了'는 매미의 별칭이다/~叫做什么? 별명은 무엇이라 하느냐?
〔别趣〕 biéqù 형명 ⇨〔别致〕
〔别人〕 biérén 명 (그 밖의) 사람. 다른 사람. ¶你能做的事, ~也能做; 자네가 할 수 있는 일이라면 다른 사람도 할 수 있다/~屁臭, 自己粪香; 다른 사람의 방귀는 구리지만, 자기 똥은 구리지 않다. 〈比〉 자기 좋을 대로 생각함. 자기 욕심.
〔别人〕 biéren 명 타인. 남. ¶把方便让给~, 把困离留给自己; 쉬운 일은 남에게 양보하고 힘든 일은 자신에게 남겨 놓다. =〔别人家〕
〔别人家〕 biérénjia 명 ⇨〔别人ren〕
〔别生枝节〕 bié shēng zhī jié 〈成〉 따로 사고가 생기다. 일이 파생하다.
〔别史〕 biéshǐ 명 별사(別史)(정사(正史) 이외의 사서(史書)의 한 종류. 편년체(編年體)도 기전체(紀傳體)도 아닌, 중국 역대의 또는 일조(一朝)의 사실(史實)을 서술함).
〔别是〕 biéshì → 〔字解⑨〕
〔别树一帜〕 bié shù yī zhì 〈成〉 별도로 새로운 방법·학파 따위를 수립하다. 스스로 한 파(派)를 만들다.
〔别墅〕 biéshù 명 별장(別莊). =〔别业〕
〔别说〕 bié shuō ①말하지 마라. ¶~了, 我知道了! 알았다, 더 말하지 마라/~笑话了! 농담하지 마! ②…은 물론, …은 말할 필요도 없고(뒤에 '即使〔就是〕…也…' 또는 '连〔就〕…也…'를 동반함). ¶~小孩子, 就是大人也喜欢看; 어린애는 말할 것도 없고, 어른도 기뻐하며 본다/~…就是…; …은 말할 것도 없고 ……조차도…. ③농담이 아니다. 까불지 말라.
〔别送〕 biésòng 나오지 마십시오(작별하고 나오는 객이 주인에게 전송을 사양하는 말). ¶~~! =〔请留步~!〕; 나오지 마십시오.
〔别岁〕 biésuì '小除夕'의 밤에 친척·지인을 초청하여 연회를 베풀다. ↔〔守岁〕
〔别提〕 biétí ①천만의 말씀. 안 됩니다. 말할 필요도 없다. ②말해서는 안 된다. 말 말라. ¶这件事, 您先~吧; 이 일은 잠시 가만히 놓아 둡시다. ③(~了) 농담하지 말아라. 무슨 말을 하는 건가. ¶~了, 我们一夜都没睡; 농담하지 말아라, 우리는 지난 밤 한숨도 못 잤다/~了, 花钱还能买人的命吗! 농담하지 마, 사람의 목숨을 돈으로 살 수 있겠니! ④말할 나위도 없다. 물론이다. ¶这座楼盖得~多结实了; 이 건물 구조의 단단함이란 말할 나위도 없다.
〔别体〕 biétǐ 명 한자(漢字)의 별체(別體). 서법(書法)의 변체(變體).
〔别头〕 biétóu 동 ①고개를 돌리다. ¶别转头去 =〔转zhuǎn过头去〕; 고개를 (뒤로) 돌리다. ②고개를 쑥 치켜들다.

〔别无长物〕 bié wú cháng wù 〈成〉 가난하여 몸에 아무것도 지닌 것이 없다.
〔别无二致〕 bié wú èr zhì 〈成〉 별로 다른 데가 없다. ¶与牛马~; 마소와 하등 다를 바가 없다.
〔别无分店〕 bié wú fēn diàn 다른 데에 지점(支店)이 없습니다《유명한 가게의 지점이라고 사칭하는 것을 막기 위해 종종 이러한 간판을 걸거나 광고를 냈음. '别无分店, 只此一家'라고 씀》.
〔别西墨钢〕 biéxīmò gāng 명 《工》〈音〉 베세머(Bessemer) 강.
〔别想〕 bié xiǎng ①(…라고) 생각 마라. ②(…라고) 생각하면 당치도 않다. (…라고는 전혀) 생각할 수 없다. ¶任凭你喊破嗓子, 也~有人应; 목이 터지게 큰 소리를 친다고 누군가가 응답을 할 것이라고 생각한다면 당치도 않다.
〔别绪〕 biéxù 명 〈文〉 이별의 정. 헤어짐을 아쉬워하는 정.
〔别筵〕 biéyán 명 〈文〉 송별연. 석별연.
〔别样〕 biéyàng 형 그 밖의. 다른. 명형 (~儿) 다른 모양(의). 다른 종류(의).
〔别业〕 biéyè 명 ⇨〔别墅shù〕
〔别有〕 biéyǒu 동 따로 있다. 따로 가지고 있다. ¶~风味; 〈成〉 별난 풍취가 있다 / ~天地; 〈成〉 ⓐ속계를 떠난 경지에 있다. ⓑ남과 다른 심경을 지니다. ⓒ별천지의 가경(佳境)이다. ⓓ달리 활동하는 데가 있다 / ~用心; 〈成〉 마음 속에 딴 생각을 품다. 나쁜 생각을 갖다.
〔别院儿〕 biéyuànr 명 떨어져 있는 뜰.
〔别择〕 biézé 동 〈文〉 감별하여 선택하다.
〔别针(儿)〕 biézhēn(r) 명 ①㉠시침 바늘. ㉡물건을 임시로 고정시켜 두는 바늘. ㉢여성의 머리 장식용 핀. ¶和平鸽的~; 평화 비둘기 핀. ㉣안전핀. =〔扣kòu针〕 ②젬 클립(Gem clip)《서류를 끼우는 것》. =〔回huí纹针〕〔回形夹(条)〕〔回形针〕
〔别致〕 biézhì 형 별스럽다. 색다르다. ¶那个人很~; 저 사람은 아주 괴짜다 / 像窑洞yáodòng这样的住宅, 冬暖夏凉, 也有它~的地方; 이 '窑洞' 같은 집은 겨울은 따뜻하고 여름은 선선하며, 색다른 아취도 있다. 명 각별. ‖ =〔别趣〕
〔别传〕 biézhuàn 명 ①《史》 별전《본전(本傳) 외에 따로 부족한 데를 보충하는 뜻에서 씌어진 기록》. ②한 사람 또는 한 가지 사실에 대한 일사(逸事)·기문(奇聞)을 소설적으로 서술한 것. →〔别bié集〕
〔别子〕 biézǐ 명 ⇨〔支子zhīzǐ〕
〔别子〕 biézi 명 ①(두루마리·서질(書帙) 따위를 죄는) 메뚜기《뿔 따위로 만듦》. ②담배 쌈지의 끈 끝에 매달아 허리띠에 질러서 빠지지 않게 하는 옥(玉)으로 만든 세공품.
〔别字〕 biézì 명 ①취음자(取音字). ②호(號). 별명. =〔别号(儿)〕
〔别嘴〕 biézuǐ 동 어조가 나빠 읽기 어렵다(말하기 어렵다). ¶念着~; 읽기에 어조가 나쁘다.

紱
bié (별)
→〔绒róng紱〕

蹩
bié (별)
〈方〉 ①(~子) 명 절름발이. ②동 절룩거리며 걷다. ③동 발목을 삐다. ④동 천천히 걷다. ¶~到临街的壁角的桌边; 천천히 걸어서 도로를 향한 벽 구석 쪽의 테이블이 있는 곳으로 갔다. ⑤동 물건 사이에 막대기 등을 넣어서 걸리게 하거나 당기거나 하다. ¶他一伸脚把我~倒了; 그는 슬쩍 발을 내밀어 나를 걸어 넘어뜨렸다.

〔蹩脚〕 biéjiǎo 형 〈方〉 품질이 나쁘다. 서투르다. ¶做买卖的手段~; 장사하는 것이 서투르다 / ~货; 조악품 / ~演员; 서투른 배우. 동 ①실의(失意)하다. ②절룩거리다. ③틀려먹다. 돼먹지 않다.
〔蹩脚〕 bié,jiǎo 동 발목을 삐다. 발목을 접질리다.

瘪(癟〈癟〉)
biě (별)
동 ① 바싹 마르다. 쭈그러들다. 찌부러지다. ¶~车胎怎么骑呢? 펑크난 자전거를 어떻게 탈 수 있겠니? / 干~; 바싹 마르다 / 肚子~了; 배가 몹시 고프다 / 气球~了; 풍선이 오그라들었다. ②시들다. ③(힘이 없거나 방법이 없어) 손을 쓸 엄두도 못 내다. 해 볼 도리가 없다. ¶出门没带钱, 受了~了; 돈을 갖지 않고 외출해서 난처하게 되었다 / 这回他受了~了; 이번에는 그도 손을 들었다. ④실망하다. ¶告诉了这个消息后, 他们都~住了; 이 소식을 알리자, 그들은 모두 실망했다. ⇒biē

〔瘪鼻子〕 biěbízi 명 납작코.
〔瘪肚子〕 biědùzi 명 ①쑥 들어간 배. ②납작한 것. ¶~枕头; 납작한 베개.
〔瘪谷〕 biěgǔ 명 쭉정이. ¶~瘪糠; 〈比〉 쓸모 없는 것. 읽어 보아도 시시한 것. 찌꺼기.
〔瘪谷子〕 biěgǔzi 명 쭉정이. 조·벼의 겨 등. =〔凹āo谷子〕
〔瘪葫芦〕 biěhúlu 명 시든 호리병박《마른 사람》. ¶那个人是个~; 저 사람은 말라깽이다.
〔瘪回去〕 biě huí qù 장애가 생겨서 낙심하다. 의기 소침하다. ¶昨天还兴高采烈的呢, 今天~了; 어제는 원기 왕성했는데, 오늘은 완전히 맥이 빠졌다.
〔瘪壳〕 biě,ké 동 의기 소침하다. 사기가 떨어지다. 맥이 풀리다. 실망하다. ¶那件事没有指望儿了, 大家都瘪了壳了; 그 일은 가망이 없어지자 모두 실망했다.
〔瘪了〕 biěle ①움푹 들어가다. 시들다. ②〈俗〉 코가 납작해지다. ③〈俗〉 실패하다. ④〈俗〉 빈털터리가 되다. ⑤죽다.
〔瘪皮〕 biěpí 명 쭈글쭈글한 껍질. 동 ①속이 비다. ¶我的钱包老是~; 내 호주머니는 늘 비어 있다. ②(공 따위가) 짜부라 지다. ③(나이를 먹어 피부가) 주름이 잡히다.
〔瘪气〕 biěqì 동 낙담〔낙심〕하다. 실망하다. ¶受一点打击就~怎么行! 조금 타격을 입었다고 해서 실망하면 어떻게 되니!
〔瘪塌塌(的)〕 biětātā(de) 형 〈方〉 움푹 들어간 모양.
〔瘪萎萎(的)〕 biěwěiwěi(de) 형 시들어 생기가 없는 모양. ¶树叶晒得~的; 나뭇잎이 햇빛을 쬐어 축 늘어지다.
〔瘪住〕 biězhù 동 납작하게 만들다. 어찌할 수 없게 만들다. ¶一提出这个问题, 他可~了; 이 문제를 내면 그는 꼼짝달싹 못할 것이다.
〔瘪子〕 biězi 명 ① 쭉정이. 속이 텅 빈 것. ②〈方〉 좌절(挫折). 실패. 곤란. 지독한 일. ¶吃~; 좌절하다. 실패하다 / 回家来就得温课, 不然明天短不了~! 집에 돌아오거든 복습을 하여라. 그렇지 않으면 내일 혼날 거야.
〔瘪嘴〕 biězuǐ 명 옴팍한 입. 합죽한 입. ¶~子; 합죽이.
〔瘪嘴唇〕 biězuǐchún 명 합죽이 입술.

别(彆)
biè (별)
동 ①활이 뒤틀리다. ②발견하다. 간파(看破)하다. ③붙들다. ¶被巡

警给～着了; 순경에게 붙들렸다. ④파열(破裂)되다. ¶水管～裂; 수도 파이프가 터지다. ⑤품다. 생각하다. 계획하다. 꾸미다. ¶我明白你的小心眼里都～着什么坏呢; 네가 좁은 마음으로 무슨 흉계를 꾸미고 있는지 다 알고 있다. ⑥막다. 가로막다. ¶像～足了的水, 遇见个出口就要激冲出去; 갇힌 물이 빠질 구멍을 찾아 왈칵 쏟아져 나오는 것과 같다. ⑦제외하다. 퇴짜놓다. ⑧억지로 비틀어 열고 가지다. ⑨〈方〉 고집하고 있는 주장을 바꾸게 하다. 반항하다(보통 'bié～不过'로 씀). ¶我想不依他, 可是又～不过他; 나는 그의 의견에 반대하지만, 그렇다고 해서 말로 그에게 반항할 수도 없다. ⇒bié

〔别不过〕 bièbuguò →〔字解⑨〕

〔别筋〕 bièjīn 동 토라져서 말을 안 듣다.

〔别扭〕 bièniu 형 ①마음에 걸리다. 후련하지 못하다. 석연치 못하다. ¶我心里真～! 어쩐지 마음이 후련하지 못하군! ②다루기가 힘들다. 상대하기 어렵다. ¶他那个人真～; 저 녀석은 정말 괴상한 놈이다. ③의견이 맞지 않다. 생각이 일치되지 않다. 사이가 틀어지다. ¶闹～; 의견이 맞지 않다. 사이가 틀어지다. ④(말이나 글이) 매끄럽지 못하다. 부자연스럽다. 유창하지 않다. ¶这段文章很～; 이 문장은 너무 부자연스럽다 / 这句话听起来有点～; 이 말은 듣기에 좀 매끄럽지 못하다. ⑤(성품이) 비틀어지다. 뒤틀리다. 괴팍하다. 변덕스럽다. ¶这个天气真～, 一会儿冷, 一会儿热; 이런 날씨는 정말 변덕스럽다, 춥다 싶으면 금방 더워진다 / 他的脾气挺～, 跟谁都合不来; 그는 천성이 비꼬여서, 아무하고도 마음이 맞지 않는다. ⑥순조로이 일이 진전되지 않는 결과에 불만을 품다. ¶嫌～; 넋두리가 듣기 싫다. ⑦불편하다. 성가시다. ¶这件衣服做得太瘦, 穿着～; 이 옷은 너무 끼게 만들어서 입기에 불편하다 / 隔河涉水, 来往很～; 강이 가로놓여서 물을 건너야 하므로 왕래가 불편하다 / 这件事情～; 이 일은 성가시다〔하기 어렵다〕. 동 반항하다. 거역하다. ¶不便于再～他; 이 이상 그에게 반항할 수만은 없다 / 你怎么老跟我～着; 너는 왜 언제든지 내게 반항하는 거냐.

〔别脾气〕 bièpíqi 명 심술쟁이. =〔拗性子〕

〔别嘴〕 bièzuǐ 동 말대답하다.

BIN ㄅㄧㄣ

邠 **Bīn** (빈)
명 《地》빈 현(邠縣)《산시 성(陝西省)의 현 이름. 현재는 '彬县'으로 씀》. =〔豳〕

玢 **bīn** (빈, 분)
명 〈文〉 줄무늬가 있는 옥(玉). ⇒fēn

〔玢岩〕 bīnyán 명 《鑛》 분암. =〔纹wén岩〕

宾(賓〈賔〉) **bīn** (빈)
① 명 손님. ¶来～; 내빈 / 外～; 외국 손님. ↔〔主zhǔ〕 ② 동 복종하다. ¶其不～也久矣; 복종하지 않게 된 지 벌써 오래 되다. ③ 동 따르다. ④ 동 인도(引導)하다. ⑤ 동 말을 주고받다. ⑥ 명 (중국 전통극에서) 대화. ⑦ 동 손님으로 대우하다. 정중하게 대하다. 거북하게 대하다. ¶您～得我不好意思和您打哈哈了; 네가 손님 대우를 하니까 농담하기가 어렵다. ⑧ 명 성(姓)의 하나. ⇒bìn

〔宾白〕 bīnbái 명 대사(臺辭)《중국 전통극에서 두 사람의 대화를 '宾', 독백을 '白'이라 함》.

〔宾词〕 bīncí 명 빈사(賓詞)《논리학에서 사용함》.

〔宾从〕 bīncóng 명 내빈(來賓)의 수행원. 동 〈文〉 복종하다.

〔宾待〕 bīndài 명 〈文〉 ⇨〔宾接〕

〔宾东〕 bīndōng 명 내빈과 주인《흔히 막료와 장관, 가정 교사와 가장(家長), 점원과 주인 사이를 이름》.

〔宾服〕 bīnfú 동 〈文〉 ①제후(諸侯)가 천자에 공물(貢物)을 바치기 위해 배알하다. ②경복(敬服)하다. 복종하다.

〔宾戈〕 bīngē 명 빙고(bingo). =〔冰高〕

〔宾格〕 bīngé 명 ⇨〔宾位②〕

〔宾贡〕 bīngòng 〈文〉 명 ①외국인이 조정에 들어가 공물(貢物)을 바침. ②타국인으로서 조공하는 사람. 동 ①조공(朝貢)하다. ②신복(臣服)하다.

〔宾馆〕 bīnguǎn 명 손님이 묵는 곳. 영빈관(迎賓館).

〔宾灰燕〕 bīnhuīyàn 명 《鳥》 할미새사촌.

〔宾接〕 bīnjiē 명 〈文〉 손님으로서의 접대. 빈객의 대접. ¶～甚厚; 빈객의 대접이 대단히 정중하다. =〔宾待〕

〔宾客〕 bīnkè 명 빈객. 내객. 내빈(총칭).

〔宾郎〕 bīnláng 명 ⇨〔槟bīng榔〕

〔宾礼〕 bīnlǐ 명 ①손님을 초대했을 때의 송영(送迎)의 예의. ②국제간의 의례(儀禮).

〔宾朋〕 bīnpéng 명 〈文〉 손님과 친구.

〔宾天〕 bīntiān 명 〈文〉 천자(天子)의 죽음.

〔宾位〕 bīnwèi 명 ①손님 자리. 객석. ②《言》 목적격. =〔宾格〕 →〔宾语〕

〔宾席〕 bīnxí 명 ⇨〔西xī席〕

〔宾筵〕 bīnyán 명 〈文〉 손님을 대접하기 위해 베푸는 잔치.

〔宾语〕 bīnyǔ 명 《言》 목적어.

〔宾至如归〕 bīn zhì rú guī 〈成〉 내 집에 돌아온 것처럼 생각되다《대접이 극진함》.

〔宾主〕 bīnzhǔ 명 〈文〉 손님과 주인. 주객(主客).

傧(儐) **bīn** (빈)
① 동 인도(引導)하다. 마중 나가다. ② →〔傧相〕

〔傧相〕 bīnxiàng 명 ①빈객을 안내하는 사람. 의식의 사회자. ②혼례식 때의 신랑 신부의 들러리.

滨(濱) **bīn** (빈)
① 명 물가. ¶海～; 해변 / 湖～; 호숫가. =〔濒〕 ② 동 물가에 접하다. ¶～海; 연해(沿海)에 있다.

〔滨海都市〕 bīnhǎi dūshì 명 임해 도시.

〔滨近〕 bīnjìn 동 〈文〉 …에 임하다. …에 가깝다. ¶上海～黄浦江; 상하이는 황푸 강에 가까이 있다.

〔滨苦菜〕 bīnkǔcài 명 《植》 개씀바귀.

〔滨藜〕 bīnlí 명 《植》 갯는쟁이.

缤(繽) **bīn** (빈)
형 ①색채가 화려한 모양. ②뒤섞이어 어지러운 모양.

〔缤纷〕 bīnfēn 형 ①어지럽다. 난잡하다. ¶落英～; 꽃이 어지러이 떨어지다. ②화려하다. 찬란하다. 찬연하다. ¶五色～ =〔彩色～〕; 색깔이 다양하고 화려한 모양.

槟(檳〈梹〉) **bīn** (빈)
→〔槟子〕 ⇒bīng

〔槟子〕 bīnzi 명 《植》 사과의 일종《보통 사과보다 작음. 화베이(華北)·둥베이(東北)산(産)》. =〔酸suān宾子〕〔闻wén宾子〕 ⇒ bīng

镔(鑌) **bīn** (빈) →〔镔铁〕

〔镔铁〕 bīntiě 명 ①단철(鍛鐵). 정련(精鍊)된 쇠. =〔宾铁〕〔精铁〕 ②〈方〉 양철판.

彬 **bīn** (빈) 〈文〉 ① 형 내용과 외관이 모두 갖추어진 모양. ¶文质～～; 외견의 화려함과 실질이 알맞게 조화되다. =〔斌bīn〕 ② 명 성(姓)의 하나.

〔彬彬〕 bīnbīn 형 〈文〉 ①내용·외관이 모두 갖추어져서 성한 모양. ②너무 소박하지도 않고, 너무 화려하지도 않아 정도가 아주 알맞은 모양. ¶文质～, 然后君子《論語 雍也》; 겉치레와 질이 모두 갖추어져야(내용·외관이 알맞게 갖추어져야) 비로소 덕을 쌓은 군자라고 할 수 있다.

〔彬彬有礼〕 bīn bīn yǒu lǐ 〈成〉 품위 있다. 예절바르다. ¶他扣上西装上衣的扣子, ～地走上一步点了点头; 그는 양복 저고리의 단추를 잠그고 품위 있게 한 발자국 나와서 고개를 끄덕였다.

斌 **bīn** (빈) 형 ⇨〔彬①〕

濒(瀕) **bīn** (빈) ① 동 (물가에) 인접하다. ¶～湖; 호숫가에 접하다. ② 명 물가. ③ 동 접근하다. 임박하다. ¶～危; ⇩

〔濒海〕 bīnhǎi 명 〈文〉 해안. 바다에 연한 땅.

〔濒临〕 bīnlín 동 임박하다. 근접되어 있다. ¶～大海; 큰 바다 가까이에 있다 / ～灭亡; 멸망이 임박해 있다.

〔濒鸰〕 bīnlíng 명 《鳥》 백할미새.

〔濒死〕 bīnsǐ 동 〈文〉 죽음에 직면하다. 거의 죽게 되다.

〔濒危〕 bīnwēi 동 임종(臨終)에 이르다. 위험에 처하다.

〔濒于〕 bīnyú 〈文〉 (…에) 처하다. 임하다. ¶～危境; 위험한 상태에 임하다.

豳 **Bīn** (빈) 명 《地》 옛 지명. 지금의 산시 성(陝西省) 빈현(彬縣)의 일대. =〔邠bīn〕

宾(賓〈賔〉) **bìn** (빈) 동 물리치다. =〔摈①〕 ⇒ bīn

摈(擯) **bìn** (빈) 동 ①배척하다. 물리치다. 배제하다. ¶～而不用; 버리고 사용하지 않다 / ～诸门外; 문 밖으로 내쫓다. ②손님을 맞다.

〔摈斥〕 bìnchì 동 물리치다. 쫓아 내다. ¶～于校门之外; 교문 밖으로 내쫓다 / ～异己; 자기와 동조하지 않은 사람을 배척하다.

〔摈除〕 bìnchú 동 배제하다. 제거하다.

〔摈黜〕 bìnchù 동 몰아 내다. 쫓아 내다.

〔摈弃〕 bìnqì 동 〈文〉 배척하다. 물리쳐 버리다. 파기(破棄)하다. ¶很有前途的研究项目被～了; 장래성이 있는 연구 프로젝트가 파기되었다.

殡(殯) **bìn** (빈) 동 ①죽은 사람을 납관(納棺)해 두다. ¶出～; 출관하다 / 送～; 장송(葬送)하다. ②파묻다.

〔殡车〕 bìnchē 명 영구차(靈柩車).

〔殡殓〕 bìnliàn 명 납관과 출관.

〔殡舍〕 bìnshè 명 관(棺)을 안치하는 사옥(舍屋). =〔殡宫〕〔丙bǐng舍〕

〔殡仪〕 bìnyí 명 장례식. ¶～馆; 장의장.

〔殡葬〕 bìnzàng 동 〈文〉 매장하다.

膑(臏) **bìn** (빈) 명 ⇨〔髌〕

髌(髕) **bìn** (빈) 명 ①무릎뼈. ¶～骨; ⇩ ②옛날의 무릎뼈를 잘라 내던 형벌. ‖ =〔膑〕

〔髌骨〕 bìngǔ 명 《生》 슬개골(膝蓋骨).

鬓(鬢〈髩〉) **bìn** (빈) 명 살쩍《빰의 귀 앞에 난 머리털》.

〔鬓发〕 bìnfà 명 귓가의 털. 살쩍. ¶～苍白; 살쩍이 희끗희끗하다.

〔鬓角儿〕 bìnjiǎor 명 ①살쩍이 늘어져 있는 곳. ②살쩍. 귀밑털. 빈모(鬢毛). ‖ =〔鬓脚儿〕

〔鬓脚儿〕 bìnjiǎor 명 ⇨〔鬓角儿〕

〔鬓乱钗横〕 bìn luàn chāi héng 〈成〉 (여자가) 자리에 막 일어났을 때의 흐트러진 모습.

〔鬓枣〕 bìnzǎo 명 머리를 다듬는 비녀《양쪽이 뾰쪽하고 대추씨 모양임》.

BING ㄅㄧㄥ

冰〈氷〉 **bīng** (빙) ① 명 얼음. ¶冻了～了; 얼음이 얼었다 / 结一层厚～; 두꺼운 얼음이 얼었다 / ～融化了; 얼음이 녹았다. ② 동 (얼음으로) 차게 하다. 식히다. ¶用～～; 얼음으로 차갑게 하다 / 搁在～箱子里～着; 냉장고에 넣어서 차갑게 해 두다 / 拿一瓶～汽水来! 얼음으로 차갑게 한 사이다를 한 병 가지고 와라! / 把汽水～上; 사이다를 차갑게 하다. ③ 형 차다. 시리다. 차갑다. ¶～得慌; 몹시 차갑다. ④ 동 사람을 냉정하게 대하다. 냉대하다. ¶冷语～人; 냉정한 말로 사람을 차갑게 대하다. ⑤ 명 얼음과 같은 결정체. ¶薄荷～; 《化》 박하뇌(menthol) / ～糖; ⇩

〔冰棒〕 bīngbàng 명 ⇨〔冰棍儿〕

〔冰雹〕 bīngbáo 명 《天》 ①우박. ②싸라기눈.

〔冰冰凉〕 bīngbīngliáng 형 ①섬뜩하게 차가운 모양. ②(태도가) 냉랭한 모양. ¶对新事物态度～; 새로운 사물에 대하여 태도가 냉랭하다.

〔冰剥〕 bīngbō 명 《地質》 빙하파흔(氷河爬痕)《빙하의 이동으로 인해 지면에 난 쟁기로 떼어 낸 듯한 흔적》.

〔冰碴儿〕 bīngchár 명 ①박빙(薄氷). 살얼음. ②빙설(氷雪). ¶～汤; 얼음물.

〔冰碴纹儿〕 bīngcháwénr 명 살얼음의 표면과 같은 부정형의 무늬《도자기의 유약의 튼 곳, 생철의 표면, 젖빛 유리 등에 있음》. ¶～的玻璃; 살얼음과 같은 무늬가 있는 젖빛 유리 / 青瓷的釉yòu子上有～; 청자의 겉에는 살얼음과 같은 부정형의 무늬가 있다. =〔冰花〕

〔冰长石〕 bīngchángshí 명 《鑛》 빙장석《무색 투명한 장석의 일종》.

〔冰场〕 bīngchǎng 명 스케이트장. =〔滑冰场〕

〔冰车〕 bīngchē 명 썰매. ¶玩～; 썰매 타고 놀다.
〔冰川〕 bīngchuān 명 빙하. ¶～期 =〔冰期〕; 빙하기. =〔冰河〕
〔冰床(儿)〕 bīngchuáng(r) 명 빙상(氷上) 썰매. =〔冰船〕〔冰排子〕〔凌líng床〕〔拖tuō床(儿)〕
〔冰醋酸〕 bīngcùsuān 명《化》빙초산. =〔冰乙酸〕
〔冰镩〕 bīngcuān 명 천연 얼음을 베어 내기 위해서 사용하는 송곳과 같은 도구.
〔冰袋〕 bīngdài 명 얼음주머니.
〔冰蛋〕 bīngdàn 명 냉동란(冷凍卵). 깬 달걀을 급속 냉동시킨 것.
〔冰刀〕 bīngdāo 명《體》스케이트 날.
〔冰岛〕 Bīngdǎo 명《地》아이슬란드(Iceland)《수도는 '雷léi克雅未克'(레이캬비크: Reykjavik)》. =〔冰洲〕
〔冰灯〕 bīngdēng 명 얼음등《음력 정월 보름날, 사람 또는 집의 모양을 만들어, 그 속에 물을 넣어서 얼린 다음에 가운데에 구멍을 파고 촛불을 켜 놓게 한 것》.
〔冰点〕 bīngdiǎn 명《物》빙점. 응고점(凝固點). ¶本地的冬天, 最冷的时候也不过～下五六度; 이 지방의 겨울은 가장 추운 때에도 영하 5, 6도 정도다.
〔冰点心〕 bīngdiǎnxīn 명 아이스케이크.
〔冰冻〕 bīngdòng 동 ①냉동하다. (얼음으로) 차게 하다. ¶～的汽水; 얼음으로 차게 한 사이다. 냉사이다. ②얼음이 얼다. ¶～三尺, 非一日之寒; 〈諺〉얼음이 3자가 얼려면 하루 추위로는 안 된다《쌓이고 쌓여 어떤 일이 일어남. 원한은 하루에 맺히는 것이 아님》.
〔冰峰〕 bīngfēng 명《地質》설산(雪山). 만년설을 이고 있는 산정(山頂).
〔冰糕〕 bīnggāo 명〈方〉①긴 네모꼴의 아이스캔디. ②아이스크림의 별칭.
〔冰镐〕 bīnggǎo 명 아이스 픽. 피켈(pickel). ¶拄～; 피켈을 짚다.
〔冰疙瘩儿〕 bīnggēdar 명 싸라기눈.
〔冰谷〕 bīnggǔ 명 살얼음과 깊은 골짜기《위험한 곳》.
〔冰挂儿〕 bīngguàr 명 고드름.
〔冰柜〕 bīngguì 명 냉장고.
〔冰棍儿〕 bīnggùnr 명 아이스캔디. =〔冰糕〕〔冰棒〕
〔冰河〕 bīnghé 명 ⇨〔冰川〕
〔冰河时代〕 bīnghé shídài 명 빙하 시대.
〔冰壶〕 bīnghú 명 얼음을 담는 옥호(玉壺)《마음이 맑음》. ¶其心如～秋月; 그 마음은 얼음 항아리와 가을 달과 같이 맑다.
〔冰核儿〕 bīnghúr 명 잘게 부순 얼음 조각.
〔冰花〕 bīnghuā 명 얼음의 무늬. 빙화.
〔冰花糖〕 bīnghuātáng 명 최상등(最上等)의 백설탕.
〔冰肌雪肠〕 bīng jī xuě cháng〈成〉몸도 마음도 결백함을 이름.
〔冰肌玉骨〕 bīng jī yù gǔ〈成〉여성의 살결이 아름다움을 형용하는 말.
〔冰激凌〕 bīngjīlíng 명 ⇨〔冰淇淋〕
〔冰加计〕 bīngjiājì 명 빙열량계(氷熱量計)《얼음의 용해량에 의해 열량을 계산하는 기구》.
〔冰鉴〕 bīngjiàn 명〈文〉사람의 현명함과 어리석음을 정확하게 감별함을 이름.
〔冰窖〕 bīngjiào 명 빙실(氷室). 빙고(氷庫).
〔冰晶〕 bīngjīng 명 빙정(氷晶).
〔冰晶石〕 bīngjīngshí 명《鑛》빙정석. =〔铝lǚ母金石〕
〔冰镜〕 bīngjìng 명 ①〈比〉인격이 고결함을 이름. ②달의 별칭.
〔冰块(儿)〕 bīngkuài(r) 명 빙괴. 얼음덩이.
〔冰楞〕 bīngléng 명 고드름. =〔冰柱①〕
〔冰冷〕 bīnglěng 형 얼음처럼 차다. 차디 차다. ¶～的脸色; 얼음처럼 차가운 안색 / ～的水; 차디찬 물.
〔冰冷处理〕 bīnglěng chǔlǐ 명《工》저온처리(低溫處理). =〔冷处理〕〔零líng下处理〕
〔冰凉〕 bīngliáng 형 얼음과 같이 차다. 차가워지다. ¶两手冻得～; 양손이 얼어 얼음장같이 차다.
〔冰凌〕 bīnglíng 명〈方〉얼음.
〔冰溜〕 bīngliù 명 고드름.
〔冰轮〕 bīnglún 명《天》달.
〔冰帽〕 bīngmào 명 ①《地質》빙모《광대한 지역에 걸쳐서 연중 녹지 않는 얼음 및 눈》. =〔冰台①〕 ②《醫》(머리에 얹는) 빙낭(冰囊). 얼음 주머니.
〔冰奶酪〕 bīngnǎilào 명 ⇨〔冰乳酪〕
〔冰囊〕 bīngnáng 명 (의료에 쓰이는) 빙낭. =〔冰袋〕
〔冰排〕 bīngpái 명 (해상에 떠오른) 부빙(浮氷). 유빙(流氷). 유빙(流氷). ¶船长! 躲～啊! 선장님, 부빙(浮氷)을 피해요!
〔冰排子〕 bīngpáizi 명 ⇨〔冰床(儿)〕
〔冰盘〕 bīngpán 명 ①《天》달. ②큰 접시.
〔冰盘(儿)〕 bīngpán(r) 명 잘게 바순 얼음 위에 과일·마름 열매 따위를 얹어 먹는 음식. →〔冰碗儿〕
〔冰泮〕 bīngpàn 명〈文〉①얼음이나 언 것이 녹음. ②얼음이 녹는 때. 음력 2월《봄날》. 동〈文〉①얼음이 녹다. ②분산하다. 뿔뿔이 흩어지다.
〔冰片〕 bīngpiàn 명 ①얼음 조각. ②《藥》용뇌향(龍腦香). 빙뇌(氷腦). =〔龙lóng脑(香)〕
〔冰瓶〕 bīngpíng 명 아가리가 큰 보온병《아이스캔디 따위를 넣음》.
〔冰淇淋〕 bīngqílín 명 아이스크림. =〔冰激淋〕〔冰激凌〕
〔冰橇〕 bīngqiāo 명 빙상 썰매. →〔冰床(儿)〕〔雪xuě橇〕
〔冰清〕 bīngqīng 형 얼음과 같이 투명하고 청정하다.
〔冰清水冷〕 bīng qīng shuǐ lěng〈成〉냉혹하다. 조금도 온정이 없다.
〔冰清玉洁〕 bīng qīng yù jié〈成〉얼음처럼 맑고 옥처럼 결백하다《인격이 고결함》. =〔玉洁冰清〕
〔冰球〕 bīngqiú 명《體》①아이스 하키. 빙구. ②(아이스 하키의) 퍽(puck).
〔冰人〕 bīngrén 명 옛날, 중매인. 중매장이. =〔冰翁②〕〔冰上人〕〔冰下人〕〔月yuè下老人〕
〔冰刃〕 bīngrèn 명〈文〉시퍼런 칼날. 백인(白刃).
〔冰乳酪〕 bīngrǔlào 명 얼음으로 차게 한 요구르트 비슷한 유제품. =〔冰奶酪〕〔冰乳酥sū〕
〔冰山〕 bīngshān 명 ①얼어붙어 오래도록 녹지 않는 큰 산. ②빙산. ③〈比〉(약한) 배경〔후원자〕. 권세에 의지할 것이 못 됨. ¶～既颓, 他也无法立足了; 권세는 쇠퇴하여, 그도 발붙일 곳이 없게 되었다 / 靠着～作威作福; 의지할 바도 못 되는 배경에 기대어 뽐내다.
〔冰上舞蹈〕 bīngshàng wǔdǎo 명《體》아이스 댄싱.

〔冰上运动〕 bīngshàng yùndòng 명 《體》 스케이트·아이스 하키 따위의 빙상 운동의 총칭.
〔冰舌〕 bīngshé 명 《地質》 빙설(빙하 선단(先端)의 혀 모양으로 된 부분).
〔冰蚀〕 bīngshí 명 《地質》 빙식(氷蝕).
〔冰食〕 bīngshí 명 냉동 식품.
〔冰室〕 bīngshì 명 ⇨〔冰窖yáo〕
〔冰释〕 bīngshì 동 〈文〉 얼음 녹듯 의혹이 풀리다. ¶涣然~; 얼음 녹듯 의혹이 깨끗이 풀리다.
〔冰手〕 bīngshǒu 형 (손이 얼음과 같이) 차갑다. ¶~的凉; 손을 에이듯이 차가움/这些铁家伙真~; 이 쇠로 만든 연장은 참으로 차갑다. ↔〔烫tàng手①〕
〔冰霜〕 bīngshuāng 명 〈文〉 ①얼음과 서리. ②〈比〉 절조(節操). ③태도가 엄숙함. ¶凛若~; 〈成〉 냉엄하여 범(犯)하기 어렵다.
〔冰水〕 bīngshuǐ 명 ①얼음을 금방 녹인 물. ②얼음으로 차갑게 한 물. ③얼음과 같이 차가운 물. →〔冰镇水〕
〔冰塔〕 bīngtǎ 명 《地質》 빙탑. 세락(프 Sérac). 탑상 빙괴(塔狀氷塊).
〔冰台〕 bīngtái 명 ①⇨〔冰帽①〕 ②《植》 쑥의 별명.
〔冰炭〕 bīngtàn 명 얼음과 숯(성질이 달라서 어울리지 않음. 물과 불). ¶~不相容; 〈成〉 사물이 서로 용납되지 않음. 빙탄 불상용/~不同器; 〈成〉 물과 불은 한 그릇에 담을 수 없다.
〔冰糖〕 bīngtáng 명 얼음 사탕. ¶~葫芦; 아가위나 해남화 열매를 대꼬챙이에 꿰어 얼음 사탕 녹인 물을 발라 얼린 과자. 보통 '糖葫芦'라고 부름/~莲子 liánzǐ; 연실(蓮實)의 설탕 절임(말린 연밥의 껍질을 까고 얼음 사탕에 오랫동안 뭉근한 불에 졸인 것으로, 과자나 단 요리에 곁들여 먹으며 혼례나 정월에는 길상(吉祥)으로 반드시 썼음).
〔冰糖子儿〕 bīngtángzǐr 명 알사탕. 드롭스(drops) 따위.
〔冰天雪地〕 bīng tiān xuě dì 〈成〉 혹한 지방. 몹시 추운 곳. ¶东北的三月还是~; 동북 지방의 3월은 아직 얼음과 눈 천지다. =〔雪窖冰天〕
〔冰铁〕 bīngtiě 형 ①(태도·표정이) 차갑다. 냉랭하다. ②(~着) 차갑게 하다. ¶~着脸; 표정을 차갑게 하다.
〔冰桶〕 bīngtǒng 명 ⇨〔冰箱〕
〔冰纨〕 bīngwán 명 얼음처럼 시원해 보이는 얇은 비단. 〈轉〉 얇은 비단을 입힌 둥근 부채.
〔冰碗(儿)〕 bīngwǎn(r) 명 사발에 연잎을 깐 다음 얼음을 넣고 오이, 호두, 살구씨, 마름, 연밥을 잘게 썬 것 등을 담은 여름의 차가운 식품(큰 용기에 담은 것은 '冰盘儿'이라고 함).
〔冰翁〕 bīngwēng 명 〈文〉 ①장인. 빙장. →〔岳yuè父〕 ②⇨〔冰人〕
〔冰戏〕 bīngxì 명 스케이팅 놀이. 얼음지치기.
〔冰隙〕 bīngxì 명 《地質》 (빙하의) 크레바스(프 crevasse).
〔冰下人〕 bīngxiàrén 명 ⇨〔冰人〕
〔冰鲜〕 bīngxiān 명 냉동 해산물.
〔冰箱〕 bīngxiāng 명 ①냉장고. ¶电 diàn~; 전기 냉장고. ②냉동기. ‖=〔冰桶〕
〔冰消瓦解〕 bīng xiāo wǎ jiě 〈成〉 구름이나 안개가 사라지듯 산산이 흩어져 사라짐(와해(瓦解)하다. (오해 따위가) 깨끗이 풀리다. (파멸하여) 형태를 남기지 않다). =〔瓦解冰消〕
〔冰绡〕 bīngxiāo 명 얇은 흰 비단.
〔冰鞋〕 bīngxié 명 스케이트 구두.
〔冰屑〕 bīngxiè 명 얼음을 대패로 밀어서 일어나는 가루. 얼음 가루.
〔冰屑玻璃〕 bīngxiè bōlí 명 스테인드 글라스.
〔冰心〕 bīngxīn 명 〈文〉 얼음과 같이 맑은 마음.
〔冰雪〕 bīngxuě 명 ①빙설. 얼음과 눈. ¶~聪cōng明; 대단히 총명함의 형용. ②응결하여 얼음과 같이 된 눈.
〔冰岩〕 bīngyán 명 《地質》 극한 지대에서 빙설(氷雪)이 장기간에 걸쳐서 쌓여서 암석 모양이 된 것.
〔冰颜〕 bīngyán 명 〈文〉 ①위엄 있는 얼굴. ②냉담한 얼굴. 무뚝뚝한 얼굴. ③얼음처럼 깨끗하고 아름다운 얼굴.
〔冰窖〕 bīngyáo 명 빙실(氷室). 빙고(氷庫). =〔冰室①〕 →〔冰窖jiào〕
〔冰硬〕 bīngyìng 형 차갑고 딱딱하다. ¶他的手~; 그의 손은 차갑고 딱딱하다.
〔冰鱼〕 bīngyú 명 《魚》 뱅어. =〔银鱼〕
〔冰渊〕 bīngyuān 명 〈比〉 위험('如临深渊, 如履薄冰'(깊은 못에 가서 살얼음을 밟는 것과 같다)의 준말).
〔冰原〕 bīngyuán 명 《地質》 빙원(지표면이 온통 두꺼운 얼음으로 덮인 벌판).
〔冰盏儿〕 bīngzhǎnr 명 '酸suān梅汤'을 파는 사람이 울리는 두 개의 놋종발. =〔冰碗儿〕
〔冰照〕 bīngzhào 동 〈翰〉 양해하다. 양찰하다. 헤아려 보살피다. ¶统惟~; 죄다 헤아려 살펴주실 것을 삼가 바랍니다.
〔冰镇〕 bīngzhèn 동 음식물이 상하지 않게 하거나 차게 하기 위해 음식물의 옆에 얼음을 놓아 두다. 얼음에 채우다. ¶~水; 얼음물. 아이스워터/~咖啡; 냉커피. =〔冰振〕
〔冰洲〕 bīngzhōu 명 ⇨〔冰岛〕
〔冰洲石〕 bīngzhōushí 명 《鑛》 빙주석(방해석(方解石)의 가장 순수한 것. 아이슬란드에서 남). →〔方fāng解石〕
〔冰柱〕 bīngzhù 명 ①고드름. ¶天冷得房檐都挂了~了; 날씨가 추워서 처마에는 모두 고드름이 달려 있었다. =〔冰楞〕〔冰铃铛〕〔冰箸〕〔冰锥(儿)〕〔冰条〕 ②한여름에 시원하게 하기 위해 방 안에 두는 얼음 기둥. ③《地質》 빙하 지대의 얼음 기둥.
〔冰柱石〕 bīngzhùshí 명 ⇨〔钟zhōng乳石〕
〔冰爪〕 bīngzhuǎ 명 《體》 (등산용의) 아이젠(Eisen).
〔冰砖〕 bīngzhuān 명 (벽돌 모양으로 만든) 아이스크림.
〔冰锥(儿)〕 bīngzhuī(r) 명 고드름.

并 Bīng (병)
명 《地》 산시 성(山西省) 타이위안(太原)의 별칭. ¶~州剪; 타이위안(太原)산(産)의 가위. 〈比〉 재빠름. 일을 척척 해치움/付诸~州一剪; 싹둑 잘라 버리다. =〔并州zhōu〕 ⇒bìng

栟 bīng (병)
→〔栟榈〕 ⇒bēn

〔栟榈〕 bīnglǘ 명 《植》 종려나무('棕榈'의 구칭).

兵 bīng (병)
명 ①병사. 군대. ¶~在精而不在多, 将在谋而不在勇; 〈諺〉 병사는 그 수의 많고 적음보다도 정예(精銳)함에 달려 있고, 장군은 용맹보다도 그 지모(智謀)에 달려 있다/工农~; ⓐ노동자. 농민. 병사. ⓑ노동자 출신의 병사와 농민 출신의 병사. ②전쟁. 전란. ¶~连祸结; ⇩ ③

할 만한 것이 못 되다. 진기한〔신기한〕 일이 아니다.
〔不足为训〕 bù zú wéi xùn 〈成〉 모범으로 삼기에는 부족하다.
〔不作为犯〕 bù zuò wéi fàn 명 《法》 부작위범. =〔不行犯〕
〔不做美〕 bùzuòměi ①(남을 위하여) 돕지 않다. 심술을 피우다. ②꼴 사납다. ‖ =〔不作美〕
〔不做声〕 bùzuòshēng 소리를 안 내다. 아무 소리 안 하다. 가타부타 말이 없다. =〔不则声〕〔不吱声〕

吥 bù (부)
→〔唝Gòng吥〕

钚(鈈) bù (부, 비)
명 《化》 플루토늄(Pu: plutonium)(방사성 원소).

布〈佈〉B) bù (포)
A) ①명 (무명실·삼실 등으로 짠) 천. ¶棉mián～; 무명. 면포/麻má～; 삼베/花～; 사라사(프 saraça)/印花～; 날염 무명/防水～ =〔雨衣～〕; 방수포. 레인코트 천. ②명 고대의 화폐(貨幣). ③명 가위바위보의 보. ¶石头·剪子·～; 바위·가위·보. ④명 성(姓)의 하나. ⑤동 주인이 요리를 손님의 작은 접시에 담아 주다. **B)** 동 ①널리 전하다. 선포하다. 선언하다. 포고하다. ¶公gōng～; 공포하다/宣xuān～; 선포하다/开诚～公; 성의를 갖고 본심을 모든 사람 앞에 밝히다. ②흩뿌리다. 살포하다. 산재하다. ¶额角上满～皱纹; 이마가 주름투성이다/浓云密～; 짙은 구름이 온 하늘을 뒤덮다. ③배치하다. (적당한 곳에) 늘어놓다. ¶～局; ⇩/～防; ⇩/～下天罗地网; 물샐틈없는 그물을 치다/～下圈套; 덫을 놓다.
〔布包儿〕 bùbāor 명 보퉁이. 보자기에 싼 것.
〔布被〕 bùbèi 명 〈文〉 ①무명 옷. ②무명 이불.
〔布币〕 bùbì 명 《貨》 고대의 동화(銅貨).
〔布帛〕 bùbó 명 직물의 총칭. ¶～菽粟 shūsù; 〈成〉 입는 것과 먹는 것을 통틀어 이르는 말. 일상 필수품.
〔布菜〕 bùcài 동 주인이 요리를 손님의 작은 접시에 담아 주다.
〔布糙衣裳〕 bùcao yīshang 명 〈方〉 무명 옷. ¶家常穿还是～好; 평상시 입기에는 역시 무명 옷이 좋다. =〔布草衣裳〕
〔布厂〕 bùchǎng 명 직포(織布) 공장.
〔布达〕 bùdá 동 〈文〉 널리 일반에게 알리다. 통고하다. ¶专此～; 〈翰〉 이에 특별히 알립니다.
〔布达佩斯〕 Bùdápèisī 명 《地》 부다페스트(Budapest)(‘匈xiōng牙利’(헝가리: Hungary)의 수도).
〔布袋〕 bùdài 명 ①부대. 포대. ¶～装西瓜; 솔직하게. 속임 없이/～里买猫; 속이다. 속아 넘어가다. 사태(事態)가 분명하지 않다. →〔麻袋〕 ②〈轉〉 무능한 사람. ③데릴사위의 별칭.
〔布袋鹅〕 bùdài'é 명 《鳥》 신천옹(信天翁).
〔布掸〕 bùdǎn 명 헝겊 총채.
〔布道〕 bùdào 동 《宗》 포교(布教)하다. 전도하다.
〔布点〕 bùdiǎn 동 점재(點在)하다. (각지에) 분산 배치하다. ¶～下伸, 分散办学; 지방에까지 배치를 넓혀 분산시켜서 학교를 경영하다.
〔布店〕 bùdiàn 명 포목전. =〔布铺〕
〔布碟儿〕 bùdiér 명 노느매기 접시(요리를 덜어 먹는 작은 접시).
〔布丁〕 bùdīng 명 〈音〉 푸딩(pudding). =〔布颠〕〔布甸〕〔布钉〕
〔布兜(子)〕 bùdōu(zi) 명 무명 포대.
〔布尔德〕 bù'ěrdé 명 〈音〉 위원회. 이사회. =〔会议桌〕〔议员们〕
〔布尔乔亚〕 bù'ěrqiáoyà 명 〈音〉 부르주아(프 bourgeois). =〔蒲鲁乔治〕
〔布尔什维克〕 Bù'ěrshíwéikè 명 《史》 〈音〉 볼셰비키(러 Bolsheviki). =〔布尔塞sài维克〕〔鲍尔雪xuě维克〕〔鲍尔札维克〕
〔布贩(儿)〕 bùfàn(r) 명 포목 행상.
〔布防〕 bù,fáng 동 《軍》 ①방비선을 배치하다. ②피켓 라인(picket line)을 치다. 초병(哨兵)을 세우다.
〔布幅〕 bùfú 명 (광고용) 무명으로 만든 기다란 깃발.
〔布复〕 bùfù 동 〈翰〉 답신(答信)을 아뢰다. 회답하다. ¶特此～; 〈翰〉 이에 특별히 답신을 올리는 바입니다.
〔布盖〕 bùgài 명 천으로 만든 덮개.
〔布岗〕 bù,gǎng 동 망꾼·보초를 배치하다〔세우다〕.
〔布告〕 bùgào 명 ①포고. 게시(揭示). ¶明天休假的～贴出来了; 내일은 쉰다는 게시가 붙어 있다. ②일반에 고지(告知)하는 공문서의 이름. ¶为～事; 〈公〉 포고의 건. 동 포고하다. 게시하다. 통지하다.
〔布谷〕 bùgǔ 명 《鳥》 ①뻐꾸기. ②두견(杜鵑).
〔布光〕 bùguāng 명 《撮》 (사진 촬영의) 배광(配光).
〔布褐〕 bùhè 명 〈文〉 허술한 의복.
〔布候〕 bùhòu 〈翰〉 문후(問候) 드리다.
〔布划〕 bùhuà 명동 〈文〉 계획(하다). 처치(하다). ¶要是没个～恐怕以后要弄乱了; 만일 계획이 없으면 아마도 나중에 혼란을 일으킬 것이다.
〔布幌〕 bùhuǎng 명 천으로 만든 간판. 또는 가게 앞의 광고.
〔布机〕 bùjī 명 직기(織機). 베틀.
〔布基纳法索〕 Bùjīnàfǎsuǒ 명 《地》 부르키나 파소(Burkina Faso)(수도는 ‘瓦Wǎ加杜古’(와가두구: Ouagadougou)).
〔布吉胡吉〕 bùjíhújí 명 《樂》 〈音〉 부기우기(boogie-woogie).
〔布加勒斯特〕 Bùjiālèsītè 명 《地》 부쿠레슈티(Bucharest)(‘罗马尼亚’(루마니아: Rumania)의 수도).
〔布景(儿)〕 bùjǐng(r) 명 ①《劇》 무대의 배경. 무대 장치. 세트(set). ¶安置～; 무대 장치. ②《美》 그림의 풍경의 배치.
〔布局〕 bùjú 동 배열·배치·안배·준비하다. ¶统筹安排, 合理～; 전면적으로 계획·안배하여 합리적으로 배치하다. 명 ①배열. 배치. 안배. 분포 상태. 구조. ¶画面的～也颇费匠心; 화면의 구도에도 상당히 고심하다/～也比较合理; 배치의 상태도 보다 합리적이다. ②(운동에서의) 포지션을 잡는 법. ③시문(詩文)의 구성. ④(바둑의) 포석(布石).
〔布恳〕 bùkěn 동 〈翰〉 진술하여 의뢰하다. ¶专zhuān此～; 특히 부탁 말씀 드리겠습니다.
〔布扣(子)〕 bùkòu(zi) 명 헝겊 단추.
〔布拉柴维尔〕 Bùlācháiwéi'ěr 명 《地》 브라자빌(Brazzaville)(‘刚果’(콩고: The Congo)의 수도).

〔布拉伏〕 bùlāfú 명 〈音〉 브라보(bravo). =〔好〕〔妙〕〔好极了〕
〔布拉格〕 Bùlāgé 명 《地》 〈音〉 프라하(Prague) 《'捷克斯洛伐克' (체코슬로바키아: Czechoslovakia)의 수도》.
〔布拉吉〕 bùlāji 명 〈音〉 원피스. =〔连lián衣裙〕
〔布朗运动〕 Bùlǎng yùndòng 명 《物》 브라운 운동(Brownian motion) 《꽃가루에 포함되어 있는 미립자의 수중에서의 운동 현상》. =〔孛bó郎动作〕
〔布朗族〕 Bùlǎngzú 명 《民》 부랑 족(布朗族) 《중국 소수 민족의 하나. 윈난 성(雲南省) 일대에 거주함》.
〔布老恩管〕 bùlǎo'ēnguǎn 명 〈音〉 브라운관(Braun管). =〔布劳恩管〕〔电子束管〕
〔布雷〕 bù,léi 동 《軍》 지뢰〔기뢰〕를 매설〔부설〕하다. ¶～区; 지뢰 매설 지역. =〔埋mái雷〕
〔布帘〕 bùlián 명 천으로 만든 커튼. =〔布门帘〕
〔布料〕 bùliào 명 옷감. 면직물. 면포. 베.
〔布隆迪〕 Bùlóngdí 명 《地》 〈音〉 부룬디(Burundi) 《'布琼布拉' (부줌부라: Bujumbura)의 수도》.
〔布噜布噜〕 bùlǔ bùlǔ 〈擬〉 흔들흔들. ¶尾巴～这么一摆; 꼬리를 이렇게 흔들흔들 흔들다.
〔布噜塞尔〕 Bùlǔsè'ěr 명 《地》 〈音〉 브뤼셀(Brussels) 《'比利时' (벨기에: België)의 수도》.
〔布鲁士〕 bùlǔshì 명 《樂》 〈音〉 블루스(blues). ¶～摇摆乐yáobǎiyuè; 리듬 앤드 블루스(rhythm and blues). =〔布鲁斯〕〔勃柳兹〕
〔布鲁氏菌〕 bùlǔshì jūn 명 《醫》 브루셀라균(Brucella菌) 《가축의 병원균》. →〔波bō浪热〕
〔布洛克经济〕 bùluòkè jīngjì 명 《經》 〈音〉 블록 경제(block economy). =〔社团经济〕〔联盟经济〕
〔布满〕 bùmǎn 동 온통 흩어져 있다. ¶星星～天空; 별이 온 하늘에 흩어져 있다.
〔布面〕 bùmiàn 명 헝겊으로 씌운 표지. ¶～精装本; 헝겊으로 장정(裝幀)한 호화판(豪華版).
〔布幕〕 bùmù 명 막. ¶拉开～; 막을 열다.
〔布匿战争〕 Bùnì zhànzhēng 명 《史》 〈音〉 포에니 전쟁 《기원전 2, 3세기에 로마와 카르타고의 3회에 걸친 싸움》.
〔布袍〕 bùpáo 명 무명 겹옷.
〔布篷〕 bùpéng 명 ①천으로 만든 돛. ②천막. =〔布棚〕
〔布匹〕 bùpǐ 명 피륙. 천의 총칭.
〔布铺〕 bùpù 명 ⇨〔布店〕
〔布气〕 bùqì 명 (도교(道敎)에서) 자신의 남아 돌아가는 기(氣)를 남에게 옮김.
〔布琼布拉〕 Bùqióngbùlā 명 《地》 〈音〉 부줌부라(Bujumbura) 《'布隆迪' (부룬디: Burundi)의 수도》.
〔布伞〕 bùsǎn 명 헝겊으로 된 양산.
〔布散〕 bùsàn 동 〈文〉 흩어지다. 흩뿌리다. ¶该项物质～甚广一时不易收聚; 그 물품은 널리 흩어져 있기 때문에 당장 회수(回收)할 수 없다.
〔布衫儿〕 bùshānr 명 무명으로 만든 긴 홑옷.
〔布扇〕 bùshàn 명 천으로 만든 부채.
〔布商〕 bùshāng 명 포목상(布木商).
〔布施〕 bùshī 명동 《佛》 보시(하다). 희사(하다). ¶现在打破迷信, 肯～的人越来越少了; 요즈음은 미신 타파로, 보시를 하는 사람이 점점 적어졌다.
〔布素〕 bùsù 명 〈文〉 무명으로 지은 검소한 옷.
〔布条〕 bùtiáo 명 가늘고 긴 헝겊.
〔布头(儿)〕 bùtóu(r) 명 헝겊 조각. 천 조각.
〔布娃娃〕 bùwáwa 명 헝겊 인형.
〔布袜(子)〕 bùwà(zi) 명 무명 버선.
〔布网〕 bùwǎng 동 그물을 치다.
〔布纹(儿)〕 bùwén(r) 명 천의 발〔결〕. ¶～纸; 천의 무늬가 있는 종이.
〔布纹纸〕 bùwénzhǐ 명 케임브릭 페이퍼(cambric paper).
〔布闻〕 bùwén 〈翰〉 말씀 드리다. 여쭙다. ¶特为～敬希鉴谅; 특히 말씀 드리오니 양찰하여 주시옵소서.
〔布线〕 bùxiàn 명 《電》 ①포선(布線). ②배선(配線). ¶～图tú; ⓐ포선도. ⓑ배선도.
〔布鞋〕 bùxié 명 헝겊으로 만든 단화. →〔皮鞋〕
〔布谢〕 bùxiè 〈翰〉 사의(謝意)를 표하다. ¶专此～; 〈翰〉 만사 제폐하고 사례 말씀을 올리는 바입니다. =〔道谢〕〔申谢〕
〔布询〕 bùxún 동 〈翰〉 여쭙다. ¶专zhuān此～伫候佳音; 우선 문후 여쭙고 좋은 소식 기다리겠습니다.
〔布样〕 bùyàng 명 피륙의 견본.
〔布衣〕 bùyī 명 ①〈文〉 서민(庶民). 평민. ②무명옷. ¶～蔬食; 〈比〉 생활이 검소함.
〔布衣之交〕 bù yī zhī jiāo 명 〈成〉 가난했을 때부터 사귄 친구.
〔布依族〕 Bùyīzú 명 《民》 〈音〉 부이 족(布依族) 《중국 소수 민족의 하나. 주로 구이저우 성(貴州省) 서남부의 반강(盤江) 유역에 거주함》.
〔布宜诺斯艾利斯〕 Bùyínuòsī'àilìsī 명 《地》 〈音〉 부에노스아이레스(Buenos Aires) 《'阿根廷' (아르헨티나: Argentina)의 수도》.
〔布印子〕 bùyìnzi 명 피륙에 찍은 상표(商標) 도장.
〔布阵〕 bùzhèn 동 《軍》 포진하다. 진을 치다.
〔布政〕 bùzhèng 동 〈文〉 시정(施政)하다. 정치를 시행하다.
〔布置〕 bùzhì 동 ①배치하다. 질서 있게 배분하다. ¶～屋子; 실내의 가구나 장식을 배치하다/～火力; 무기를 배비(配備)하다/在这屋里要开展览会, 你替我～一下吧; 이 방에서 전람회를 열테니 진열해 주게. ②(일을) 꾸미다. 안배〔채비〕하다. 계획〔준비〕하다. ¶预先～一条退路; 미리 도망칠 길을 준비해 놓다/～晚饭; 저녁 식사를 준비하다. 명 배치. 안배. 준비. 계획. ¶～图; 배치도.
〔布庄〕 bùzhuāng 명 무명 도매상.

怖 bù (포)
동 무서워하다. 겁내다. ¶情景可～; 가공할 만한 광경이다/白色恐～; 백색 테러.
〔怖惧〕 bùjù 동 두려워 전전긍긍하다.

埗 bù (포)
지명용 자(字). ¶茶Chá～; 차부(茶埗) 《푸젠 성(福建省)에 있음》.

步 bù (보)
① 명 걸음. 보폭. ¶迈一～; 한 걸음 발을 내딛다/～～登高; 한 걸음 한 걸음 높은 곳에 오르다/两～并走一～; 두 걸음을 한 걸음으로 뛰어 거닐다. 몹시 급하게 걷다/开～走! 앞으로 가! 《구령》. ② 명 (일의 진행하는) 단계. 순서. ¶进一～; 진일보하다/提高～; 한 단계 높이다/下一～怎么办? 다음 단계는 어떻게 하지?/这是初～的观察; 이것은 초보적 관찰이다. ③ 명 정도. 지경. 상태. 처지. ¶穷到这～田地了; 이런 처지로까지 영락했다. ④ 양 옛날, 길이

의 단위. 1보(步)는 5척(尺). 360보는 1리(里)라 했음. ¶一～地; 5척 평방의 토지. ⑤동 걷다. ¶～行; ⇩/散～; 산책하다. ⑥동 〈文〉 밟다. 짓밟다. ¶～人后尘; ⇩ ⑦동 〈方〉 보측(步測)하다. 보폭으로 측량하다. ¶～一～看这块地有多长! 이 땅의 길이가 얼마나 되는지 보측해 보자. ⑧명 바둑의 수. ¶这～(棋)走得极妙; 이 수는 참으로 멋지다. ⑨명 〈文〉 운. 운명. ¶国～艰难; 나라의 운명이 위태롭다/天～; 천운(天運). ⑩명 성(姓)의 하나.

〔步兵〕 bùbīng 명 《軍》 보병. =〔步军〕

〔步步〕 bùbù 부 한 걸음 한 걸음. 점차. ¶～争先; 한 걸음 한 걸음 앞을 다투다/～儿留神; 모든 일에 신경을 쓰다. →〔逐zhú步〕

〔步步高〕 bùbùgāo 명 ① '梯tī子' (사다리)의 별명. ②(2·3단의) 널 선반의 별칭. ③《植》 '백일초'의 별칭.

〔步步高升〕 bù bù gāo shēng 〈成〉 한 걸음 한 걸음 높이 올라가다. 차츰차츰 승진하다.

〔步步儿谎〕 bùbùrhuǎng 거짓말만 하다. =〔寸cùn步儿谎〕

〔步步为营〕 bù bù wéi yíng 〈成〉 ①한 걸음 한 걸음 진지를 구축한 다음 공격하고, 급격한 공격을 하지 않음. ②방비를 엄중히 함. ¶～, 节节设防; 차츰 차츰 진지를 구축하고, 착실하게 방비를 엄중히 한다. ③〈比〉 신중히 하다. ¶干每一件事都要～, 更应打起精神! 매사를 신중히 하여야 하며, 더 한층 정신을 차려야 한다!

〔步测〕 bùcè 명동 보측(하다). ¶～者; 보측자.

〔步长〕 bùcháng 명 (육상 경기 등의) 스트라이드(stride). 보폭(步幅).

〔步程计〕 bùchéngjì 명 보행계(步行計). =〔步数计〕

〔步挫〕 bùcuò 명 《經》 (증권 시세의) 내림새.

〔步道〕 bùdào 명 보도. ¶马路两旁的～; 큰길 양쪽의 보도.

〔步调〕 bùdiào 명 보조. 걸음걸이. ¶～一致; 〈成〉 보조가 맞다《행동이 일치하다》.

〔步跌〕 bùdié 동 《經》 점차 하락하다. →〔步涨〕

〔步队〕 bùduì 명 《軍》 보병대(步兵隊).

〔步伐〕 bùfá 명 보조. 템포(이 tempo). ¶ ～整齐; 보조가 맞다/以一天等于二十年的～向前跃进; 하루가 20년에 맞먹는 템포로 앞을 향해 약진하다. =〔步法①〕

〔步法〕 bùfǎ 명 ①보조(步調). ②《體》 풋워크(footwork).

〔步弓〕 bùgōng 명 ①토지를 재는 활 모양의 자. ②양다리의 거리.

〔步号〕 bùhào 명 보병(步兵) 나팔.

〔步后尘〕 bù hòu chén 〈成〉 ⇨〔步人后尘〕

〔步话机〕 bùhuàjī 명 ⇨〔步谈机〕

〔步脚〕 bùjiǎo 명 《動》 보각《절지 동물, 즉 새우·게·곤충의 보행용 발》. =〔步足〕

〔步军〕 bùjūn 명 ⇨〔步兵〕

〔步犁〕 bùlí 명 《農》 소·말이 끄는 신식 쟁기. 신식 축력(新式畜力) 쟁기《'七吋cùn～'은 보통 1마리의 말〔소〕이 하루에 6묘(畝) 전후의 땅을 경작함》. =〔新式步犁〕

〔步量〕 bùliáng 명동 보측(步測)(하다). →〔步测〕

〔步履〕 bùlǚ 명 〈文〉 걸음. 보행. 행동. ¶～维艰; 〈成〉 ⓐ(노인·환자가) 보행이 어렵다. ⓑ일이 막히어 진전이 어렵다.

〔步码〕 bùmǎ 명 보조(步調). 걸음걸이. =〔步子①〕

〔步辇〕 bùniǎn 명 사람이 끄는 수레.

〔步撵〕 bùniǎnr 명 도보(徒步). 걸어감. =〔〈方〉步碾儿〕〔步行(儿)〕

〔步频〕 bùpín 명 《體》 피치(pitch). 보조(步調).

〔步骑〕 bùqí 명 〈簡〉 보병과 기병.

〔步枪〕 bùqiāng 명 《軍》 보병총. (사격에 쓰이는) 라이플(rifle) 총. ¶自动～; 자동 소총. =〔来lái复枪〕

〔步曲〕 bùqū 명 《蟲》 자벌레. =〔步屈〕

〔步屈〕 bùqū 명 ⇨〔步曲〕

〔步趋〕 bùqū 동 ①걷다. ②따르다. 좇다《'亦yì步亦趋'의 생략》.

〔步儿〕 bùr 명 보수(步數). 걸음. ¶再走两～就到; 이제 2, 3보면〔조금만 더 가면〕 도착한다.

〔步人后尘〕 bù rén hòu chén 〈成〉 남의 발자국을 밟고 걷다《남을 따라 모방하다》. =〔步后尘〕

〔步入〕 bùrù 동 〈文〉 걸어 들어가다. ¶主宾～宴会厅; 주빈(主賓)이 연회장으로 들어갔다.

〔步入正轨〕 bù rù zhèng guǐ 〈成〉 정상 상태로 들어가다.

〔步哨〕 bùshào 명 《軍》 보초. ¶放～; 보초를 세우다.

〔步石〕 bùshí 명 〈文〉 징검돌. 포석(鋪石).

〔步数儿〕 bùshùr 명 ① 순서. 방법. 차례. ② (일의) 진행 상태. 진행 방법〔정도〕. 정황. ¶这个～走错了; 이 진행 방법은 잘못되었다/进行到这个～, 可不能中止; 여기까지 진행되었으면 중지할 순 없다. ③운(運). ¶～走得好; 운이 좋다. =〔运气〕

〔步随〕 bùsuí 동 〈文〉 따라가다.

〔步谈机〕 bùtánjī 명 트랜시버. 워키토키(walkie-talkie). =〔步话机〕〔步行机①〕

〔步天〕 bùtiān 동 《天》 〈文〉 천체(天體)를 측량하다.

〔步头〕 bùtóu 명 물에 연해 있는 땅.

〔步庑〕 bùwǔ 명 복도. 낭하(廊下).

〔步武〕 bùwǔ 동 ①남의 뒤를 따라 걷다《본받다》. ¶～前贤; 옛 현인을 본받다. ②앞사람의 공을 잇다. 명 약간의 간격《'步'는 5자, '武'는 반 걸음》. ¶不过～尺寸之间; 약간의 차에 불과하다.

〔步下辇〕 bùxiàniǎn 명 도보. 보행. 걸어감.

〔步行(儿)〕 bùxíng(r) 동 보행하다. 걸어서 가다. ¶～儿走; 걸어가다/～走需要多少时间? 도보(徒步)로 가면 시간이 얼마나 걸리지?

〔步行虫〕 bùxíngchóng 명 《蟲》 딱정벌레.

〔步行机〕 bùxíngjī 명 ①⇨〔步谈机〕 ②보행기.

〔步行赛〕 bùxíngsài 명 《體》 경보(競步).

〔步檐〕 bùyán 명 〈文〉 낭하(廊下). 복도.

〔步眼〕 bùyǎn 명 보폭(步幅). ¶他～很大; 그는 보폭이 크다《성큼성큼 걷다》.

〔步月〕 bùyuè 동 〈文〉 달빛 아래에서 산책하다.

〔步韵〕 bù,yùn 동 시(詩)를 지을 때 남의 시에 맞추어 모든 연(聯)에 그 원운(原韻)을 쓰다.

〔步战〕 bùzhàn 명 《軍》 도보전(徒步戰).

〔步涨〕 bùzhǎng 동 《經》 점차 등귀(騰貴)하다. 점등(漸騰)하다. →〔步跌〕

〔步障〕 bùzhàng 명 〈文〉 (먼지를 피하는) 장막.

〔步骤〕 bùzhòu 명 ①(일 진행의) 순서. 차례. 절차. 단계. ¶有计划、有～地进行; 계획적으로 순서를 세워서 진행하다/这件事要分三个～进行; 이 일은 세 단계로 나누어 진행해야 한다. ②방침. 방향.

〔步子〕 bùzi 명 ①걸음. 보조. ¶～快了起来; 걸음

이 빨라지다 / 放漫～; 걸음을 늦추다. ②〈轉〉(일의) 순서. 절차.
〔步足〕 bùzú 명 ⇨〔步脚〕
〔步卒〕 bùzú 명 보졸. 옛날의 보병(步兵).

部 bù (부)
①명 부분. ¶内～; 내부 / 其qí中一～; 그 중의 일부 / 北～; 북부 / 局～; 국부 / 分为三～; 세 부로 나누다. ②명 부문. 부류(部類). ¶编辑～; 편집부 / 出版～; 출판부 / 门市～; 판매부. ③명 부하. ④명 기관 · 기업체 등의 조직상의 한 부문. ㉠중앙 관청에서는 국무원의 각 부를 가리킴. ¶铁道～; 철도성 / 外交～; 외무성. ㉡당파 · 단체 등의 각 부를 가리킴. ¶中央宣传～; 중국 공산당 중앙 위원회 선전부. →〔局jú〕 ⑤명 군대. 군인. ¶亲自率～出征; 손수 병사들을 인솔하여 출정하다. ⑥명 군대 따위의 명령 기관, 또는 그의 소재지. ¶司令～; 사령부 / 连～; 중대 본부. ⑦양 ㉠서책이나 영화의 한 벌로 되어 있는 것. ¶三本成一～; 세 권으로 한 벌이 된다 / 一～小说; 소설 한 권 / 一～鲁迅全集; 루쉰 전집 한 질 / 一～电影; 영화 한 편. →〔本〕 ㉡〈方〉 차(車) 또는 기계의 대수를 세는 말. ¶一～机器; 한 대의 기계 / 一～卡车; 한 대의 트럭. =〔辅〕〔架〕 ⑧동 통솔하다. 거느리다. ¶所～五十人奋勇作战; 50명을 거느리고 용전 분투했다.
〔部从〕 bùcóng 명 〈文〉 종자(從者). 수행원.
〔部队〕 bùduì 명 《軍》 ①군대. ②부대. ¶驻京～; 수도 주둔 부대.
〔部分〕 bùfen ①명 부분. 전체 중의 일부. 한 단위. ②일부(의). 부분적(인)〔으로〕. ¶调tiáo整～不合理的地区差chā价; 일부 불합리한 지구적 가격차를 조정하다 / 该港～开始使用了; 당해 항구는 부분적으로 사용을 개시했다 / ～干部; 일부 간부 / 很大一～是青年; 대부분은 청년이다 / 相当一～地; 꽤 많은 부분의 토지〔땅〕. ↔〔全quán部〕
〔部件〕 bùjiàn 명 《機》 조립 부품. →〔零件〕〔附件〕
〔部居〕 bùjū 동 〈文〉 같은 무리의 것이 모여 살다.
〔部勒〕 bùlè 동 〈文〉 부서를 나누어 배치하다. 부서를 나누어 다스리다.
〔部类〕 bùlèi 명 부류.
〔部列〕 bùliè 동 〈文〉 나누어 줄을 세우다. 대열(隊列)을 편성하다.
〔部落〕 bùluò 명 ①부락. 촌락. ②부족. 아직 국가를 형성하지 못한 민족. ¶～社会; 부족 사회.
〔部门〕 bùmén 명 ①부문. ②(사무 계통의) 직장. →〔车chē间〕
〔部曲〕 bùqū 명 〈文〉 ①군대의 행렬. ②부하(部下) 군대. 사인(私人)이 거느리고 있는 군대.
〔部首〕 bùshǒu 명 《言》 부수.
〔部属〕 bùshǔ 명 〈文〉 부하. 속관(屬官).
〔部署〕 bùshǔ 동 (일정한 위치에) 두다. 배치하다. 손을 써 놓다. 《'按排'보다 무거운 어감》. ¶～罪恶计划; 범죄적인 계획의 준비를 갖추다 / ～核武器; 핵무기를 배치하다. 명 배치. ¶兵力～图; 병력 배치도.
〔部位〕 bùwèi 명 부위. 위치《주로 인체의 기관에 대해서 하는 말》. ¶发音～; 발음 부위.
〔部伍〕 bùwǔ 명 〈文〉 부대(部隊).
〔部下〕 bùxià 명 부하.
〔部长〕 bùzhǎng 명 장관. ¶～会议; ⓐ각의(閣議). ⓑ소련의 최고 행정 기관.
〔部帙〕 bùzhì 명 〈文〉 서적(書籍). 질로 된 서적. ¶～浩繁; 서적이 매우 많다.
〔部置〕 bùzhì 동 배치하다. ¶～人员, 分配工作; 인원을 배치하고 일을 할당하다. →〔布置〕

瓿 bù (부)
명 〈文〉 작은 독. 항아리. 단지.

篰 bù (부)
명 〈方〉 대바구니.

埔 bù (포)
지명용 자(字). ¶大Dà～; 다부(大埔)《광둥성(廣東省)에 있는 현 이름》. ⇒pǔ

饰(餔) bù (포)
→〔饰子〕 ⇒bǔ
〔饰子〕 bùzi 명 이유식(離乳食). 젖먹이용 유동식(流動食).

簿 bù (부)
명 ①(～子) 장부(帳簿). ¶登～; 장부에 기입하다 / 电话～; 전화 번호부 / 笔记～; 필기장. 노트 / 练习～; 연습장. ②〈文〉 천자가 거둥할 때의 의장(儀仗). 노부(鹵簿). ③홀(笏).
〔簿册〕 bùcè 명 장부류(類).
〔簿籍〕 bùjí 명 장부. 명부(名簿).
〔簿记〕 bùjì 명 (영업용의) 장부. 부기. ¶～学; 부기학 / ～员 =〔会kuài计员〕; 회계계〔담당〕.
〔簿据〕 bùjù 명 〈文〉 증거가 되는 장부.
〔簿书〕 bùshū 명 〈文〉 공문서(公文書)의 총칭.
〔簿子〕 bùzi 명 ①장부. ¶支票～; 수표철. ②노트. 메모. ¶活页～; 루스리프(loose leaf)식 노트.

埠 bù (부)
명 ①부두. 선착장. 나루터. ②개항장(開港場). ¶开～; 개항하다. ③대도시. ¶本～; 본시(本市). 이 도시 / 外～; 타시(他市). 다른 시 / 本～新闻; (신문의) 시내판.
〔埠际〕 bùjì 명형 도시와 도시 사이(의). 도시간(의). ¶～比赛; 도시 대항 경기 대회.
〔埠头〕 bùtóu 명 〈方〉 ①부두. =〔埠子〕〔埠口〕 ②물에 연(沿)해 있는 땅. =〔步头〕

C

CA ㄘㄚ

拆 **cā** (탁)
동 〈方〉 대소변을 보다. ¶～烂làn污; 책임을 지지 않고 남에게 뒤처리를 시키다(무책임한 짓을 함). ⇒chāi

擦 **cā** (찰)
①동 비비다. 마찰하다. ¶摩拳～掌; 〈成〉 주먹과 손바닥을 비비다(만반의 준비를 하고 기다리다) / ～根火柴; 성냥을 긋다 / ～破了一块皮; 생채기가 한 군데 생겼다. 살갗이 벗어졌다. ②동 문지르다. 닦다. (걸레 따위로) 문질러서 깨끗하게 하다. ¶把桌子～干净吧; 테이블을 깨끗하게 닦아라 / 黑板上的字～掉了吧; 흑판의 글자를 지웠겠지 / 这个表油泥厚了, 得děi～一～; 이 시계는 기름때가 끼었으니 닦아 내야 한다 / ～皮鞋; 구두를 닦다. ③동 칠하다. 얇게 바르다. ¶～粉; ⇩ / ～胭yān脂; 연지를 바르다 / 皮鞋要～上油刷一刷; 구두는 구두약을 칠하고 닦아야 한다. ④명 닦는 것. 지우개. ¶黑板～儿; 칠판 지우개. ⑤동 스치어 닿을락말락 하게 접근하다. ¶飞机～着山顶飞过去; 비행기가 산꼭대기를 스치듯 날아서 넘어갔다 / ～肩而过; 어깨를 스치듯이 지나가다. ⑥동 (오이·무 따위를) 채칼로 썰다. ¶把萝卜～成丝儿; 무를 채치다.

〔擦板〕 cābǎn 명 빨래판.
〔擦棒球〕 cābàngqiú 명〈體〉 (야구의) 파울 팁(foul tip).
〔擦背〕 cā.bèi 동 〈方〉 등물을 하다. 등을 문지르다.
〔擦鼻子〕 cā bízi 창피를 당하다. 창피를 주다.
〔擦笔画〕 cābǐhuà 명 ⇨〔炭tàn笔画〕
〔擦边球〕 cābiānqiú 명〈體〉 (탁구의) 에지 볼. 커버(코트의 가장자리를 맞고 들어가는 공).
〔擦布〕 cābù 명 걸레. 행주.
〔擦不掉〕 cābudiào 비벼도〔닦아도〕 지워지지 않다. ¶这个脏儿怎么也～; 이 때는 아무리 해도 지워지지 않는다.
〔擦窗器〕 cāchuāngqì 명 (자동차의) 윈도 와이퍼.
〔擦床儿〕 cǎchuángr 명 ⇨〔礤cǎ床(儿)〕
〔擦床儿〕 cāchuangr 명 (마루를 훔치는) 걸레.
〔擦掉〕 cādiào 동 문질러 지워 버리다. 닦아 내다.
〔擦粉〕 cāfěn 동 분(粉)을 바르다. ¶～抹mǒ红; 연지와 분을 바르다. 화장하다. 화장을 하고 모양을 내다.
〔擦干〕 cāgān 훔치고 닦아 내어 물기를 없애다.
〔擦干净〕 cā gānjing 깨끗이 닦아 내다.
〔擦光〕 cāguāng 동 ①닦아서 광택을 내다. ¶～料; 광택제 / ～油; 광택을 내는 기름 / ～粉=〔擦亮liàng粉〕; 광택을 내는 분말. ②⇨〔抛pāo光〕
〔擦黑儿〕 cāhēir 명 〈方〉 석양 때. 땅거미. =〔傍晚〕〔擦黑天〕
〔擦黑天〕 cāhēitiān 명 〈方〉 ⇨〔擦黑儿〕
〔擦镜布〕 cājìngbù 명 렌즈 닦는 천.
〔擦拉着走〕 cālāzhezǒu (발에 힘이 없어) 끌면서 걷다.
〔擦脸〕 cā.liǎn ①동 면목을 잃다. 창피를 당하다. ¶这是面子问题, 要是擦了脸大家都不光彩; 이것은 체면 문제로서, 만일 면목을 잃게 된다면 모두가 명예롭지 못하다. ②(cā liǎn) 얼굴을 닦다.
〔擦亮〕 cāliàng 동 번쩍거리게 닦다. 닦아서 광을 내다. ¶～眼睛; 흐린 눈을 닦다(잘못을 깨닫게 하다). 형 희붐하다. 희미하게 밝다. ¶天～; 하늘이 어슴푸레 밝아 오다.
〔擦麦机〕 cāmàijī 명 정맥기(精麥機).
〔擦米〕 cāmǐ 명동 ①탈곡(脫穀)(하다). →〔脱tuō粒〕 ②정미(精米)(하다).
〔擦米机〕 cāmǐjī 명〈機〉 정미기(精米機).
〔擦面子〕 cāmiànzi 동 면목을 잃다.
〔擦抹〕 cāmǒ 동 ①칠하다. 바르다. ②닦다. 문지르다. ¶～了半天还不干净; 오랫동안 문질렀으나 아직 깨끗하지 않다.
〔擦盘子〕 cā.pánzi 동 면목을 잃다. 낯을 깎이다. ¶我不是擦您的盘子; 나는 당신의 체면을 깎고자 하는 것이 아니다.
〔擦屁股〕 cā pìgu 뒤치다꺼리를 하다. ¶你别叫人家给～! 너는 남에게 뒤치다꺼리를 시켜서는 안 돼!
〔擦破〕 cāpò 동 스쳐서 까지다. 문질러 해지다. ¶裤子～了; 바지가 해졌다.
〔擦器〕 cāqì 명〈機〉 와이퍼(wiper).
〔擦儿〕 cār 명 지우개. 닦는 것. ¶黑板～; 칠판 지우개.
〔擦伤〕 cāshāng 명동 찰과상(을 입다).
〔擦身〕 cāshēn 동 몸을 비비대다. 스치다. ¶～坐在他旁边; 그의 옆에 바싹 다가앉다 / ～而过; 곁을 스쳐 지나가다.
〔擦声〕 cāshēng 명 ⇨〔摩mó擦音〕
〔擦拭〕 cāshì 동 닦아 내다. 씻어 내다. ¶～武器; 무기를 닦다.
〔擦铜药(儿)〕 cātóngyào(r) 명 놋쇠를 닦아 광을 내는 약.
〔擦网球〕 cāwǎngqiú 명〈體〉 (탁구의) 네트 인(net in).
〔擦洗〕 cāxǐ 동 (젖은 천 혹은 알코올로) 깨끗하게 닦다. ¶～餐桌; 식탁을 닦다.
〔擦鞋〕 cāxié 동 구두를 닦다. ¶～童tóng; 구두닦이 소년.
〔擦胭脂抹粉儿〕 cāyānzhī mǒfěnr ⇨〔擦脂抹粉①〕
〔擦眼抹泪〕 cāyǎn mǒlèi 눈물을 닦다. ¶看她～地好伤心似的; 그녀는 눈물을 닦으며 무엇인가 몹시 슬픈 듯하다.
〔擦音〕 cāyīn 명 ⇨〔摩mó擦音〕
〔擦油〕 cāyóu 동 ①기름을 바르다. ¶这机器走着很重, 该～了; 이 기계는 작동이 무거워졌으니, 기름을 쳐야 한다. ②기름을 닦아 내다. ¶这衣服拿到洗衣店擦擦油就新鲜了; 이 옷은 세탁소에 보내어 기름을 빼면 깨끗해진다.
〔擦油泥〕 cā.yóuní 동 ①기름때를 닦아 내다. ②(몸의) 때를 씻어 내다.
〔擦澡〕 cā.zǎo 동 물수건 등으로 몸을 닦아 때를

씻어 내다《목욕 대신으로 하는 것》.
〔擦掌摩拳〕 cāzhǎng móquán 손바닥과 주먹을 맞비비며 힘을 주다《한바탕 해 보려고 단단히 준비하다》. ¶在舱门外～,想把我殴打一顿《魏金枝 骗子》; 선실(船室) 입구에서 준비를 하고 있다가 나를 때리려고 하였다. =〔摩拳擦掌〕
〔擦脂抹粉〕 cāzhī mǒfěn ①연지와 분을 바르다. =〔擦胭脂抹粉儿〕 ②겉모양을 내다. 겉치레하다.
〔擦桌布〕 cāzhuōbù 명 ⇨〔搌zhǎn布〕
〔擦字橡皮〕 cāzì xiàngpí 명 고무 지우개. =〔橡皮擦〕
〔擦子〕 cāzi 명 닦는 것. ¶黑hēi板～ =〔黑板擦儿〕; 칠판 지우개.

嚓 cā (찰)
〈擬〉 ①착착. 저벅저벅《발맞추어 가는 구두소리》. ¶一队兵～～地走过去; 일대의 병사들이 저벅저벅하며 지나갔다. ②(차 따위가) 급정거하는 소리. ¶摩托车～的一声站住了; 오토바이가 끽 소리를 내며 멈추었다. ⇒chā

礤 cā (찰)
→〔礓jiāng礤(儿)〕

礤 cǎ (찰)
명 거친 돌. 막돌.

〔礤床(儿)〕 cǎchuáng(r) 명 채칼《오이나 무를 채치는 금속제의 기구》. =〔擦床儿〕

囃 cà (잡)
명 춤출 때 음악의 반주 소리.

CAI ㄘㄞ

偲 cāi (시)
형 재능이 있다. ¶其人美且～; 그 사람은 미모(美貌)에다 재능이 있다. ⇒sī

猜 cāi (시)
① 동 추측하다. 추정하다. 추측하여 맞추다. ¶你～他来不来? 그가 올 것이라고 생각합니까? / 你～～我手里有什么; 내 손 안에 무엇이 있는지 알아맞혀 보아라 / ～对了; 맞았다 / 瞎xiā～; 무턱대고 억측하다. ② 동 의심하다. ¶见～于人; 남에게 의심받다. ③ 명 의심. ¶两小无～; 남녀가 다 어려서 상대방을 의심할 줄 모르다.
〔猜不透〕 cāibutòu 확실하게 추측할 수가 없다. ¶谁也～他这葫hú芦里卖的是什么药; 아무도 그 호리병 속에 넣고 파는 것이 무슨 약인지 알 수가 없다. →〔猜透〕
〔猜不着〕 cāibuzháo 맞지 않다. 추측할 수가 없다. ¶这个谜我可～; 이 수수께끼를 나는 아무리 해도 맞힐 수가 없다.
〔猜猜猜〕 cāicāicāi 가위바위보《가위바위보를 할 때 내는 소리》.
〔猜测〕 cāicè 명동 추측(하다). ¶叫人很难～; 추측하기가 매우 힘들다 / 这不过是～; 이것은 추측에 지나지 않는다.
〔猜得对〕 cāidedui 알아맞히다. 추측해서 맞히다. ¶还是你～; 역시 네 추측이 맞았다.
〔猜灯谜〕 cāidēngmí 명 음력 정월 15일 밤에 등롱에 붙어 있는 수수께끼를 맞히며 노는 행사. →〔灯谜〕
〔猜定〕 cāidìng 동 틀림없다고 지목하다. 추정하다. ¶～那老子一准是坏人; 그 노인을 틀림없는 악인이라고 지목하다.
〔猜断〕 cāiduan 동 유추(類推)하여 판단하다. 추단(推斷)하다. ¶你不明说, 我也能～个九成九; 네가 확실하게 말해 주지 않아도 나는 99퍼센트까지 추단할 수 있다.
〔猜对〕 cāiduì 동 ①추측하여 알아맞히다. ②수수께끼를 알아맞히다.
〔猜度〕 cāiduó 동 추찰(推察)하다. 추측하다. 헤아려 알다. ¶～没有战争; 전쟁은 없을 것이라고 추측하다 / ～别人的心理; 남의 마음을 헤아리다.
〔猜贰〕 cāi'èr 명동 ⇨〔猜疑〕
〔猜忌〕 cāijì 동 시기하다. ¶不要老～别人, 还是自己反省一下儿的好; 언제나 남을 시기하지만 말고 역시 자신을 반성하는 것이 좋다. =〔猜嫌〕
〔猜惧〕 cāijù 동 의심하고 두려워하다. 주뼛주뼛하다. ¶何必整日～, 真是庸yōng人自扰; 온종일 의심만 하며 두려워할 필요가 있겠는가, (그것은) 평범한 사람의 한심한 작태다.
〔猜枚〕 cāiméi 명 술자리에서 하는 놀이의 하나《손에 '瓜guā子(儿)'(오이씨)나 '棋qí子(儿)①'(바둑돌)과 같은 작은 것을 쥐고, 그것이 홀수인가 짝수인가 또는 개수와 색깔 등을 맞힘》. =〔猜单双〕〔猜拳①〕
〔猜谜儿〕 cāi mír〔cāi mèir〕 수수께끼를 풀다〔알아맞히다〕. ¶你有什么就说什么, 为什么让人家～呢? 무슨 일이 있으면 분명히 말하면 될 것을, 어째서 남에게 수수께끼 같은 말을 하는가? / ～剧jù; 퀴즈쇼.
〔猜破〕 cāipò 동 헤아려 맞히다. 추량해서 맞히다. ¶他的意思, 我早～了; 그의 생각은 이미 짐작이 간다〔알아차렸다〕.
〔猜拳〕 cāi,quán 명 ⇨〔猜枚〕 동 ⇨〔划huá拳①〕
〔猜忍〕 cāirěn 동 〈文〉 의심이 많고 잔인하다. ¶～人; 의심이 많고 잔인한 사람.
〔猜仨攥俩〕 cāisā zuànliǎ 〈比〉 신념이 없다. 망설이기 잘하는 성격. ¶这么～的, 成不了大事; 이렇게 확고한 생각이 없으면〔망설이면〕 큰 일을 할 수가 없다.
〔猜算〕 cāisuàn 동 추량하다. 추측하여 계산하다. ¶稍微～一下知道个大概的数儿就行了; 대충 계산하고 대체적인 수를 알면 된다.
〔猜题〕 cāití 동 (시험에서) 출제 문제를 예측하다. ¶迎接考试, 温习功课一定要刻苦地用功, 靠kào～是解决不了问题的; 시험을 앞두고, 학과 복습에 힘써야지 예상 문제에 의지해서는 문제가 해결되지 않는다.
〔猜透〕 cāitòu 동 완전히 추측하여 맞히다. 속까지 들여다보다. ¶我早就～了他没安好心眼; 나는 벌써부터 그의 심성(心性)이 좋지 않다는 것을 훤히 알고 있었다. →〔猜不透〕
〔猜嫌〕 cāixián 동 ⇨〔猜忌〕
〔猜想〕 cāixiǎng 동 추측하다. ¶你～出这是谁干的吗? 이것을 누가 했는지 너는 추측할 수 있느냐?
〔猜寻〕 cāixún 동 추량(推量)하다. 추측하여 찾다.
〔猜压〕 cāiyā 동 (도박에서) 예측을 하고 걸다. ¶压那一门, ～中zhòng了; 그 곳에 걸어서 맞았다.
〔猜疑〕 cāiyí 명동 혐의(를 걸다). 의심(하다). ¶心中～不止; 마음 속으로 늘 의심하다 / 毫～无道理的; 전혀 이치에 맞지 않는 의심이다. =〔猜贰〕
〔猜着〕 cāizháo 동 추측하여 알아맞히다. ¶猜得

着; 알아맞히다 / 猜不着; (몰라서) 알아맞히지 못하다.

〔猜着说〕 cāizheshuō 추측해서 말하다. ¶不要紧, 你～吧; 상관없으니 네 짐작으로 말해 보아라.

〔猜中〕 cāizhòng 동 추측이 들어맞다. 예상이 적중하다. ¶猜得中; 짐작으로 들어맞다. 알아맞히다 / 猜不中; 알아맞히지 못하다 / 我～了; 내 예상이 적중했다.

〔猜子儿〕 cāizǐr 명 어린이의 놀이《구슬 · 조가비 · 잔돌 따위를 양손에 감추고 그 수를 맞히는 놀이》. →〔猜枚〕

才(纔)[B)] **cái** (재)

A) 명 ①재능. 능력. ¶大～小用 =〔大材小用〕; 〈比〉 뛰어난 재능을 충분히 발휘하지 못하다 / 多～多艺; 다재다능 / 德～兼备; 재덕을 겸비하다 / 他有的是～, 就是不好好地学; 그는 재능은 충분한데 공부하려 들지 않는다. ②재주 있는 사람. 인재. ¶他真是个干～; 그는 정말로 재사다 / 干～; 유능한 사람 / 天～; 천재 / 人～; 인재. ③재목을 재는 단위《절단면이 사방 1촌(寸) 길이 12척(尺)인 것》. ④어느 부류의 사람을 비방하는 말. ¶奴～; 노예. ⑤성(姓)의 하나. **B)** 부 ①방금. 지금 막. 이제 막《'～…就…'의 형식으로 두 개의 동작이 근접하여 발생하는 것을 나타냄》. ¶刚～做好了; 방금 다 되었다 / 昨天～来; 어제 막 도착했다 / 你怎么～来就要回去? 너 어째서 오자마자 돌아가려고 하니? / ～坐下就要走; 앉자마자 가려고 한다. →〔刚〕 ②…에야 (비로소)《일의 발생이나 끝맺음이 어느 시점에 이르러서야 비로소 발생했음을 나타냄》. ¶他到了星期五～走; 그는 금요일이 되어서야 출발했다 / 催了几次他～走; 몇 차례 재촉하고 나서야 그는 떠났다 / 你怎么～来? 너 왜 이제서야 오니? ③(어떤 조건 · 원인 · 목적하에서) 비로소 《앞에 일반적으로 '只有' '必须' '除非' 등과 호응하여 쓰임》. ¶只有多练习, ～能提高成绩; 연습을 많이 해야만 성적을 높일 수 있다 / 我听你的话, ～放心了; 나는 너의 말을 듣고서야 비로소 안심했다. ④근근히. 그럭저럭. 겨우《분량이나 재주 등이 적은 것을 말함》. ¶不过～一年; 겨우 일 년밖에 안 되었다 / 庄稼～有一尺高; 농작물은 키가 겨우 한 자밖에 안 된다 / 一共～十个, 不够分; 모두 합쳐야 10개인데 충분치 못하다. ⑤…이야말로. ¶你～是所谓英雄好汉; 자네야말로 이른바 영웅호걸이다. ⑥…이 아니면 안 된다. …이어야 한다. ¶应当做完了～是; 해내야 한다 / 总得看看～能明白; 봐야만 알 수 있다. ⑦참으로. 굉장히. 엄청나게. ¶他～糊涂; 저놈 정말로 얼빠진 놈이다 / 这花儿～好看呢; 이 꽃은 참으로 아름답다. ⑧…같은 것은 어림도 없다《'不bù' 앞에서 상대방의 뜻대로 되지 않음을 나타냄》. ¶我～不吃药; 난 약 같은 것은 안 먹는다 / 哼, 我～不去呢! 흥, 내가 왜 가!

〔才笔〕 cáibǐ 명 ①훌륭한 문장. ②훌륭한 문재(文才).

〔才不胜任〕 cái bù shèng rèn 재능이 그 임무를 감당치 못하다.

〔才储八斗〕 cái chǔ bā dǒu 〈成〉 ⇨〔才高八斗〕

〔才德〕 cáidé 명 〈文〉 재능과 덕행. ¶～兼jiān备; 〈成〉 재덕을 겸비하고 있음. 정치 사상과 업무 능력이 모두 뛰어남.

〔才地〕 cáidì 명 〈文〉 ①재지(才智)와 가문(家門). ②바탕. 재질(才質).

〔才分〕 cáifèn 명 천부의 재능.

〔才干〕 cáigàn 명 솜씨. 수완. 재능. =〔本事〕

〔才高〕 cáigāo 형 재주가 뛰어나다. ¶实在是您～了; 참으로 당신은 재능이 뛰어나군요.

〔才高八斗〕 cái gāo bā dǒu 〈成〉 글재주가 풍부함의 비유. 재능이 비범하다. =〔才储八斗〕〔才贮八斗〕

〔才怪〕 cáiguài 그야말로〔정말〕 이상하다. 기껏 … 일 것이다. ¶你要是还不觉悟, 不吃大亏～; 네가 아직 깨닫지 못했다면 큰 손해를 입을 것이 뻔하다.

〔才华〕 cáihuá 명 〈文〉 밖에 나타난 뛰어난 재능. ¶～焕huàn发; 재기 발랄. 재기가 뛰어남.

〔才将〕 cáijiāng 부 방금. 지금. ¶他～说的话怎么样? 그 사람이 방금 한 말은 어떻습니까? =〔刚才〕

〔才具〕 cáijù 명 〈文〉 ⇨〔才器〕

〔才俊〕 cáijùn 명 〈文〉 재주가 뛰어난 사람. =〔才畯〕

〔才理〕 cáilǐ 명 〈文〉 재능. ¶少shào有～; 젊어서부터 재능이 있었다.

〔才力〕 cáilì 명 재능. ¶～绝人; 재능이 남보다 뛰어나다.

〔才量〕 cáiliàng 명 〈文〉 재능과 도량.

〔才略〕 cáilüè 명 지모(智謀). ¶有文武～; 문무(文武)의 지모를 갖추고 있다.

〔才貌〕 cáimào 명 재능과 용모. ¶才郎女貌; 〈成〉 신랑은 수재이고 신부는 미인《어울리는 신랑 신부》 / ～双全; 재색 겸비.

〔才名〕 cáimíng 명 〈文〉 재주와 학식으로 얻은 명예.

〔才能〕 cáinéng 명 ①재능. 재간. 솜씨. ¶以～拔擢zhuó; 재능으로 발탁하다. →〔才情〕 ②지식과 능력. ‖ =〔材能〕

〔才女〕 cáinǚ 명 재능이 있는 여자.

〔才气〕 cáiqì 명 재기《흔히 문예 방면에 대해서 말함》. ¶～过人; 재기가 남보다 뛰어나다. →〔才华〕

〔才器〕 cáiqì 명 〈文〉 재능과 기량. =〔才具〕

〔才情〕 cáiqíng 명 재주. 재지(才智). ¶看他的文章真是有～; 그의 글을 보면 정말 재주가 있다. →〔才能〕

〔才全德备〕 cái quán dé bèi 〈成〉 재덕 겸비(才德兼備). 재주와 덕을 고루 갖추다.

〔才人〕 cáirén 명 ⇨〔才子〕

〔才色兼备〕 cái sè jiān bèi 〈成〉 재색 겸비. 재주와 미모를 고루 갖추다. =〔才貌双全〕

〔才识〕 cáishí 명 〈文〉 재지(才智)와 식견(識見). 재능과 견식(見識).

〔才士〕 cáishì 명 ⇨〔才子〕

〔才疏学浅〕 cái shū xué qiǎn 〈成〉 식견도 좁고 학문도 깊지 못하다. 천학 비재(淺學菲才).

〔才思〕 cáisī 명 〈文〉 재기(才氣)와 사상. 창작력.

〔才谈〕 cáitán 명 재담. 만담.

〔才童〕 cáitóng 명 〈文〉 재동. 신동(神童)

〔才望〕 cáiwàng 명 재능과 명망.

〔才悟〕 cáiwù 형 〈文〉 총명하다.

〔才学〕 cáixué 명 재능과 학문. ¶别看他年轻, 很有～啊; 그를 젊다고 업신여기면 안 된다. 재능과 학식을 상당히 갖추고 있어.

〔才颖〕 cáiyǐng 형 〈文〉 총명하다. ¶少以～见称; 어려서부터 총명하다고 알려졌다.

〔才媛〕 cáiyuán 명 〈文〉 재원. 재능 있는 여자.

〔才藻〕 cáizǎo 명 〈文〉 문재(文才). 글재주. ¶少shào有～; 젊어서부터 글재주가 있었다.

〔才智〕 cáizhì 명 재능과 지혜.
〔才贮八斗〕 cái zhù bā dǒu 〈成〉 ⇨〔才高八斗〕
〔才子〕 cáizǐ 명 재능이 뛰어난 남자. =〔才人〕〔才士〕→〔材人〕
〔才子佳人〕 cái zǐ jiā rén 〈成〉 재자가인《재덕 있는 남자와 아름다운 여자》. →〔英yīng雄美人〕

材 **cái** (재)
명 ①재목. 재료. 원료. ¶木～; 목재 / 良～; 좋은 재목 / 铁～; 철강재 / 制～工业; 제재공업 / 这棵树不成～; 이 나무는 재목감이 아니다 / 就地取～; 현지에 원료를 조달하다 / 器～; 기구나 재료 / 药～; 제약 재료. ②관(棺). ¶买了一口～, 装殓; 관을 하나 사서 납관(納棺)했다. =〔棺材〕 ③인재(人材). ¶成不了liǎo～; 제 구실을 못하다. 쓸모 없는 인간이 되다 / 人～辈出; 인재가 배출되다. ④재능. 자질. 소질. ¶因～施教; 그 사람의 재능에 따라 교육하다. ⑤자료. ¶题～; 제재 / 教jiào～; 교재 / 取～; 취재(하다). ⑥제조에 사용할 수 있는 천연 산물. ¶五～; 금목수화토(金木水火土).
〔材干〕 cáigàn 명 ①재능. ¶～绝人; 재능이 남보다 뛰어나다. =〔才干〕 ②〈文〉 재목.
〔材积〕 cáijī 명 《土》 재적(材積). 목재의 부피.
〔材伎〕 cáijì 명 재능과 기예.
〔材隽〕 cáijùn 명 〈文〉 준재(俊才). 재능이 뛰어난 사람.
〔材料(儿)〕 cáiliào(r) 명 ①재료. 자재. 자료. 데이터. ¶～书; 자료용 도서 / 种的树全成～了; 심은 나무가 전부 재목이 되었다. ②포목. 천 ③인재로서의 소질. 재능. 가망. ¶有～儿; (인물이) 유망하다 / 你真不是那～; 너는 전혀 그 그릇이 아니다.
〔材料美〕 cáiliàoměi 명 《美》 재료 그 자체의 아름다움《형식미와 대조적으로 쓰임》.
〔材木〕 cáimù 명 재목. 목재.
〔材能〕 cáinéng 명 ⇨〔才能〕
〔材器〕 cáiqì 명 ①(건축·기구(器具)에 쓰이는) 재목. ②〈文〉 재능. →〔才器〕
〔材人〕 cáirén 명 재능 있는 사람. =〔材士〕 →〔才子〕
〔材士〕 cáishì 명 ⇨〔材人〕
〔材武〕 cáiwǔ 명 〈文〉 재능과 무용(武勇).
〔材用植物〕 cáiyòng zhíwù 명 건축이나 기구의 재료로 쓰이는 식물.
〔材质〕 cáizhì 명 ①재질. ②《哲》 질료(質料).

财(財) **cái** (재)
① 명 돈·물질·부동산 기타 유가 물건(有價物件). 금은 재보(金銀財寶). ¶资～; 자재 / 钱～; 금전 / 发～; 돈을 벌다. 부자가 되다 / 贪～舍命; 〈成〉 재물을 탐하다가 목숨을 잃다. ② 동 〈文〉 잘라 내다. 판단하다. ¶～取; 재량하여 채용하다.
〔财安〕 cái'ān 〈翰〉 상인에게 보내는 편지 말미(末尾)에 쓰는 상투어《번창을 축원한다는 뜻》. ¶并祝～; 아울러 번영하심을 기원합니다. =〔财祺〕〔财祉〕〔筹chóu安〕
〔财宝〕 cáibǎo 명 재보. 돈과 진귀한 보배.
〔财币〕 cáibì 명 금전. 재화(財貨).
〔财帛〕 cáibó 명 금전과 포백(布帛) 등의 재산. ¶清酒红人面, ～动人心; 〈諺〉 술은 사람의 얼굴을 붉게 하고, 재물은 사람의 마음을 움직인다.
〔财产〕 cáichǎn 명 재산. 자산. ¶私有～; 사유재산 / 公共～; 공공 재산 / 国家～; 국가의 재산.
〔财产权〕 cáichǎnquán 명 《法》 재산권. =〔产权〕
〔财大气粗〕 cái dà qì cū 〈成〉 돈이 있으면 기세가 거칠다〔콧대가 세다〕.
〔财东〕 cáidōng 명 ①자본가. ②출자자. ③농민이 지주를 부르는 호칭. ④옛날에, 상점 또는 소기업의 소유주.
〔财阀〕 cáifá 명 재벌.
〔财富〕 cáifù 명 부(富). 재산. ¶自然～; 자연의 부(富) / 物质～; 물질적인 부(富) / 精神～; 정신적인 부(富).
〔财赋〕 cáifù 명 ①재화(財貨)와 부과(賦課). ②금전. ¶小人两个是上泰安州刻石镌juān文的, 又没有一分～, 止有几件衣服《水滸傳》; 저희 두 사람은 타이안 주(泰安州)로 비문(碑文)을 새기러 가는 사람으로, 돈은 한푼도 없고 다만 의복 몇 벌만을 가지고 있을 뿐입니다.
〔财黑〕 cáihēi 명 〈方〉 돈에 인색한 사람.
〔财贿〕 cáihuì 명 ①경품. ②뇌물.
〔财货〕 cáihuò 명 재화. 금전.
〔财经〕 cáijīng 명 재정과 경제. ¶～工作; 재정 경제 사업.
〔财会〕 cáikuài 명 재무·회계의 총칭. 경리. ¶～科; 경리과.
〔财礼〕 cáilǐ 명 ⇨〔彩cǎi礼〕
〔财力〕 cáilì 명 재력. ¶～不足, 营业不易发达; 재력이 부족해서 영업 발전이 쉽지 않다.
〔财临旺地〕 cái lín wàng dì 돈은 활기가 있는 곳에 모인다.
〔财虏〕 cáilǔ 명 ⇨〔财奴nú〕
〔财禄〕 cáilù 명 옛날, 재산과 봉록(俸祿).
〔财贸〕 cáimào 명 ①재정과 무역. ¶～系统; 재정 무역의 조직 계통. ②(물자의) 유통(流通).
〔财迷〕 cáimí 명 ①수전노. ¶～心窍; 돈벌이에 혈안이 되다. 돈에 눈이 어두워지다. =〔财迷鬼〕〔财迷精〕 ②구두쇠. ¶～公司; 구두쇠를 욕하는 말.
〔财命(儿)〕 cáimìng(r) 명 ⇨〔财气(儿)〕
〔财能通神〕 cái néng tōng shén 돈이면 귀신도 부린다. =〔钱能通神〕
〔财能壮胆〕 cái néng zhuàng dǎn 〈成〉 돈이 있으면 담력〔배짱〕이 커진다.
〔财奴〕 cáinú 명 수전노. 돈에 노예가 된 사람. =〔财虏〕 →〔财迷〕
〔财祺〕 cáiqí 〈翰〉 ⇨〔财安〕
〔财气(儿)〕 cáiqì(r) 명 재수. 금전에 대한 운수. ¶～很大; 재수가 좋다 / 我买了多少次马票了, 连一次都没中, 真是没～; 나는 마권을 꽤 샀는데, 한 번도 맞지 않으니, 금전의 운수가 전혀 없다. =〔财命(儿)〕〔财缘(儿)〕〔财运〕
〔财权〕 cáiquán 명 ①《法》 재산권. =〔财产权〕 ②경제권.
〔财神〕 cáishén 명 재복(財福)의 신. ¶～日; 결산일 / ～庙; 재복의 신을 모신 사당 / 做买卖的还有拿～往外推的吗? 상인이 어찌 모처럼의 돈벌이를 물리치겠소?
〔财势〕 cáishì 명 재산과 권세.
〔财是英雄胆, 衣是震人毛〕 cái shì yīngxióngdǎn, yī shì zhènrénmáo 〈諺〉 재산은 사람의 담력을 크게 하고, 의복은 사람을 두렵게 하는 외피(外皮)이다《금전의 힘이 매우 큼》.
〔财团〕 cáituán 명 재단. ¶洛克菲勒～; 록펠러 재단.
〔财务〕 cáiwù 명 재무. ¶～制度; 재무 제도.
〔财物〕 cáiwù 명 재물. 재산.
〔财业〕 cáiyè 명 재산과 사업. 재산.
〔财用〕 cáiyòng 명 자본. 자재. 밑천. 비용.

〔财鱼〕 cáiyú 명《魚》 가물치. =〔鳢鱼〕
〔财缘(儿)〕 cáiyuán(r) 명 ⇨〔财气(儿)〕
〔财源〕 cáiyuán 명 재원.
〔财运〕 cáiyùn 명 ⇨〔财气(儿)〕
〔财择〕 cáizé 동〈文〉 저울질하여 고르다. 재량하여 선택하다.
〔财政〕 cáizhèng 명 재정. ¶～赤字; 재정 적자.
〔财政部〕 cáizhèngbù 명 중앙 관청의 하나. 국가의 재정을 맡음《재정 경제부에 해당함》.
〔财政寡头〕 cáizhèng guǎtóu 명 ⇨〔金jīn融寡头〕
〔财政结余〕 cáizhèng jiéyú 명《經》(재무 행정상의) 잉여금. ¶动用历年～十六亿元; 매년 잉여금 16억 원을 유용하다.
〔财政局〕 cáizhèngjú 명《政》 시(市) 또는 현(縣)의 재무 행정 기관.
〔财政年度〕 cáizhèng niándù 명《經》 회계 연도.
〔财政厅〕 cáizhèngtīng 명《政》 성(省) 정부 소속 기관으로, 성(省) 전체의 재정을 맡음. =〔财厅〕
〔财政危机〕 cáizhèng wēijī 명《經》 재정 위기. 파이낸셜 크라이시스.
〔财政资本〕 cáizhèng zīběn 명《經》 금융자본. =〔金jīn融资本〕
〔财祉〕 cáizhǐ〈翰〉 ⇨〔财安〕
〔财主〕 cáizhu 명 ①자본가. ②부자. 재산가. ③농민이 지주를 부르는 호칭.
〔财主秧子〕 cáizhu yāngzi〈罵〉 부자로서 물정을 모르는 멍청이.

裁 **cái**(재)
①동 (칼·가위 등으로 종이나 천을) 베다. 재단하다. 마르다. ¶～衣服; 옷을 재단하다. ②양 종이의 치수를 나타내는 말. ¶对～; 반절/八～纸; 8절지. ③동 줄이다. 절감시키다. ¶把这笔经费～了; 이 경비를 절감하였다. ④동 제거하다. 삭제하다. 철폐하다. 해고하다. ¶～了好些个机关; 많은 관청을 폐지했다/他怎么被～了? 그는 왜 면직되었나? ⑤동 취사를 결정하다《주로 문학 예술에 쓰임》. ¶别出心～; 독창적인 것을 생각해 내다/～其取舍; 그 취사(取捨)를 결정하다. ⑥동〈文〉 판단하다. 결단하다. 처리하다. ¶自～ =〔自杀〕; 자결(하다). 자살(하다)/～夺; 결재하다. →〔财②〕 ⑦명 문장의 체재. 문체. ¶体～; 체재. ⑧동 도모하다. 계획하다. ¶～度; 생각하여 결정하다. ⑨동 제압하다. 억제하다. ¶制～; 제재(하다)/独～者; 독재자/～制; ⇩
〔裁编〕 cáibiān 동 군대를 감축 재편성하다.
〔裁兵〕 cái,bīng 동 군축하다. 병원(兵員)을 감축하다. (cáibīng) 명 군축.
〔裁并〕 cáibìng 동 (기구(機構)를) 정리 합병하다.
〔裁玻璃器〕 cáibōliqì 명 유리 절단기〔자르는 칼〕. =〔裁玻璃刀〕
〔裁布机〕 cáibùjī 명 전동식(電動式) 의복 재단 가위.
〔裁撤〕 cáichè 동 (기구·기관을) 폐지하다. 철회하다.
〔裁成〕 cáichéng 동〈文〉 방법을 강구하여 완성하다. 성취하다.
〔裁尺〕 cáichǐ 명 ⇨〔裁衣尺〕
〔裁处〕 cáichǔ 동 재결하다. 판단하여 처리하다. ¶既然犯了错误只有听凭～; 잘못을 저지른 이상 처분에 따를 수밖에 없다. 명 재결. 판단 처리.
〔裁刀〕 cáidāo 명 재단 칼. 재단 가위.
〔裁底子的〕 cáidǐzide 명 구두 바닥〔창〕을 만드는 직공.
〔裁定〕 cáidìng 명동《法》 재정(하다). (법원이) 적법하냐 아니냐, 정당하냐 아니냐를 결정(하다). ¶～书; 판결문/听从法院～; 법원의 재정을 따르다.
〔裁断〕 cáiduàn 동 ①판단하여 결정하다. ¶要是～得不公平, 怎么叫人心服; 만약 결정이 불공평하다면 어떻게 사람을 심복시킬 수 있겠는가. ②마르다. 재단하다.
〔裁断机〕 cáiduànjī 명《機》 재단기. 커터(cutter).
〔裁夺〕 cáiduó 동 재정(裁定)하다. 결정하다.
〔裁度〕 cáiduó 동〈文〉 추량해서 결정하다. =〔裁量〕
〔裁缝〕 cáiféng 동 옷을 만들다.
〔裁缝〕 cáifeng 명 재단사. 재봉사. ¶～铺; 양복점. 재봉소.
〔裁复〕 cáifù 동〈文〉 답장을 쓰다.
〔裁革〕 cáigé 동〈文〉 정리하여 도태(淘汰)하다.
〔裁鸿〕 cáihóng 동〈文〉 편지를 쓰다. ¶伫zhù候～;〈翰〉 답장을 기다리겠습니다.
〔裁笺〕 cáijiān 동〈文〉 편지를 쓰다.
〔裁减〕 cáijiǎn 동 (인원을) 줄이다. 해고하다. (기구를) 간소화하다. (경비를) 삭감하다. ¶～军费; 군비를 감축하다/～闲散不必要的职员; 불필요한 인원을 정리하다. =〔裁销〕〔裁汰〕
〔裁剪〕 cáijiǎn 동 ①천을 재단하다. ¶～师; 재봉사/服装的～; 재봉. ②(알맞게) 가지런히 하다. (말 따위를 적당히) 배열하다.
〔裁简〕 cáijiǎn 동 (인원·기구를) 간소화하다. 정리하다. 감축하다.
〔裁决〕 cáijué 동〈文〉 결재하다. 재결하다. ¶听候上级机关～;〈公〉 상급 기관의 결재를 기다리다.
〔裁军〕 cáijūn 명동 군축(軍縮)(하다)《'裁减军备'의 준말》. ¶～委员会; 군축 위원회/西方外长谈～; 서유럽 외상(外相)이 군축을 이야기하다/早日实现～消除战争威胁; 조속히 군축을 실현해서 전쟁의 위협을 제거하다.
〔裁开〕 cáikāi 동 재단하다. 마르다. 잘라내다.
〔裁可〕 cáikě 동 재가하다. 결재하여 허가하다《현재는 흔히 한 나라의 원수(元首)가 의정(議定)한 법률안을 비준함을 가리킴》.
〔裁量〕 cáiliàng 동〈文〉 ⇨〔裁度〕
〔裁排〕 cáipái 동〈文〉 안배하다. ¶是兀那当时欢会, ～下今日凄凉《臧懋循 元曲選》; 그 때의 즐거운 만남이 오늘의 처량함을 초래한 것이다. →〔安ān排〕
〔裁判〕 cáipàn 동《法》 재판하다. 심판하다. 명 ①《法》 재판. 심판. ②《體》 심판원. ¶主～员; 주심/司垒～员; (야구의) 누심/～球; (수구의) 뉴트럴 스로(neutral throw). =〔裁判员〕
〔裁去〕 cáiqù 동 (인원을) 줄이다. ¶～一两个店员; 점원을 한두 사람 줄이다.
〔裁人〕 cáirén 동 사람을 줄이다. 인원을 정리하다. ¶那个机关～了; 그 기관은 사람을 줄였다.
〔裁汰〕 cáitài 동 ⇨〔裁减〕
〔裁销〕 cáixiāo 동 ⇨〔裁减〕
〔裁衣〕 cáiyī 동 옷을 재단하다〔마르다〕. →〔下xià剪子〕
〔裁衣尺〕 cáiyīchǐ 명 재봉용 자. =〔裁尺〕
〔裁衣匠〕 cáiyījiàng 명 재단사.
〔裁员〕 cáiyuán 동 감원하다. 인원을 줄이다. 인원을 정리하다.
〔裁择〕 cáizé 동 취사 선택하다.
〔裁纸刀〕 cáizhǐdāo 명 종이 절단 칼. 페이퍼 나

이프.
〔裁纸机〕 cáizhǐjī 명 《機》 종이 재단기.
〔裁制〕 cáizhì 동 절제하다. 제어하다. ¶许多无谓的开支总要～一下才好; 많은 무의미한 지출은 어떻게든지 정리해 버려야 한다.

采〈採〉C) **cǎi** (채)
A) 명 ①사람의 자태·모양·기분. 풍채. 태도. ¶风～; 풍채 / 神～; 표정 풍채 / 无精打～; 의기소침하다 / 兴高～烈; 대단히 흥겨운 형용. ②행운. 호운(好運). ¶得后是自家～, 不得后是自家命; 자손이 있는 것은 행운이고, 자손이 없는 것은 운명이다. **B**) ⇨〔彩〕 **C**) 동 ①따다. 뜯다. 채취하다. ¶～茶; ⇩ / ～桑; ⇩ / 到海底～珠了; 바다 밑에서 진주를 채취하다. ②캐내다. 채굴하다. ¶～煤; ⇩ / ～矿; ⇩ ③채용하다. 가려 뽑다. ¶～坟地; 묘지를 선정하다 / 稿件不好的不～; 원고(原稿)가 좋지 않은 것은 채택하지 않는다. ④찾다. 탐구하다. ¶～买; 사들이다. 구매하다 / ～集标本; 표본을 채집하다 / ～访新闻; 신문의 취재를 하다. ⇒cài

〔采办〕 cǎibàn 동 사들이다. 구입하다. 명 구입담당자. ‖＝〔采购〕
〔采剥〕 cǎibō 동 《鑛》 노천(露天) 채굴하다.
〔采采〕 cǎicǎi 형 〈文〉 ①왕성하고 많은 모양. ②색채가 화려한 모양.
〔采采蝇〕 cǎicǎiyíng 명 《蟲》 〈音〉 체체파리(tsetse fly). ＝〔舌shé蝇〕〔萃萃蝇〕〔崔崔蝇〕〔蚩chī蚩蝇〕
〔采茶〕 cǎichá 동 차(茶)를 따다. ¶～女郎 ＝〔～姑娘〕; 차 따는 아가씨 / ～扑蝶舞; 차 따는 아가씨들이 나비를 좇는 무용. ＝〔摘zhāi茶〕
〔采茶戏〕 cǎicháxì 명 《劇》 지방극의 일종《민간 가무에서 발전한 것으로, '花鼓戏'와 비슷함. 장시(江西)·후베이(湖北)·광시(廣西)·안후이(安徽) 등에 유행하고 있음》.
〔采长补短〕 cǎi cháng bǔ duǎn 〈成〉 장점을 취하고 단점을 보완하다. ¶人哪有十全的, 只有～就行了; 인간에서 완전한 것은 없다. 다만, 장점을 택하고 단점을 버리면 그것으로 족하다. ＝〔截jié长补短〕〔绝jué长补短〕〔弃qì短取长〕〔取qǔ长补短〕
〔采场〕 cǎichǎng 명 《鑛》 채광장(採鑛場).
〔采伐〕 cǎifá 동 벌채하다. ¶～队; 벌채대(伐採隊). 벌목대 / ～迹地; 나무를 다 베어 낸 토지.
〔采访〕 cǎifǎng 동 소식을 묻다. 탐방하다. 취재하다. 인터뷰. ¶～记者 ＝〔～员〕; 취재 기자.
〔采风〕 cǎifēng 동 민요를 수집〔채집〕하다.
〔采购〕 cǎigòu 동 구입하다. 사들이다. ¶～大批货物; 많은 물건을 사들이다. 명 구입 담당자. ‖＝〔采办〕〔采买〕
〔采光〕 cǎiguāng 명동 《建》 채광(하다).
〔采花〕 cǎihuā 동 ①꽃을 따다. ②〈文〉 (여자와) 성교하다. ¶～贼; 여색을 노리는 도적. ‖＝〔踩花〕
〔采集〕 cǎijí 명동 ⇨〔收shōu集〕
〔采辑〕 cǎijí 동 〈文〉 ①삼〔麻〕을 자아서 실을 뽑다. ②문장을 편집하다.
〔采景〕 cǎijǐng 동 (사진 촬영에서) 경치를 고르는 방법.
〔采掘〕 cǎijué 명동 《鑛》 채굴(하다). ¶～矿石; 광석을 채굴하다 / ～煤炭; 석탄을 채굴하다. ＝〔采开〕
〔采开〕 cǎikāi 명동 ⇨〔采掘〕
〔采勘〕 cǎikān 동 (지하 자원을) 탐사하다.
〔采矿〕 cǎikuàng 동 광산을 채굴하다.
〔采莲船〕 cǎiliánchuán 명 ⇨〔跑pǎo旱船〕
〔采莲船儿〕 cǎiliánchuánr 명 일종의 배(船) 모양의 덮개《미혼 여자를 매장할 때 쓰임》. →〔棺guān罩(儿)〕
〔采录〕 cǎilù 동 (민요·민화 따위를) 채록하다.
〔采路〕 cǎilù 동 길 안내를 하다.
〔采买〕 cǎimǎi 동 구매하다.
〔采煤〕 cǎiméi 동 석탄을 채굴하다. ¶～机; 콜픽(coal pick). ＝〔挖煤〕
〔采棉机〕 cǎimiánjī 명 《機》 채면기. 솜 따는 기계.
〔采苗器〕 cǎimiáoqì 명 채묘기. 모 찌는〔뽑는〕 기계.
〔采纳〕 cǎinà 동 받아들이다. ¶～意见; 의견을 받아들이다 / ～建议; 제안을 채택하다.
〔采暖〕 cǎinuǎn 동 《建》 건축물에 난방 장치를 설치하다.
〔采区〕 cǎiqū 명 채굴 지구. 벌채 지구.
〔采取〕 cǎiqǔ 동 ①(흔히 추상적인 것을) 채용하다. 취하다. ¶～缓和政策; 완화 정책을 취하다 / ～可能的手段; 가능한 수단을 채택하다. ②(태도·태세 등을) 취하다. ¶～攻势; 공세로 나오다 / ～强硬的态度; 강경한 태도를 취하다.
〔采荣儿〕 cǎiróngr 동 (닭이) 교미(交尾)하다.
〔采桑〕 cǎisāng 동 뽕(잎)을 따다.
〔采声〕 cǎishēng 명 〈文〉 갈채의 소리.
〔采诗〕 cǎishī 명 고대(古代), 민간에서 유행하던 시가(詩歌)를 수집했던 일《이로써 풍속을 알아, 시정(施政)에 참고했음》. ¶～之官; 채시를 맡은 관리. 채시관.
〔采石场〕 cǎishíchǎng 명 채석장.
〔采试〕 cǎishì 동 시굴(試掘)하다.
〔采探〕 cǎitàn 동 찾다. 알아 내다. ¶他要～秘mì密; 그는 비밀을 캐내려 하고 있다.
〔采听〕 cǎitīng 동 찾아 뒤지다. 탐문하여 찾다.
〔采物〕 cǎiwù 명 〈文〉 채색을 달리한 표장(標章)과 물건《고대(古代)에는 이로써 귀천을 구별했음》.
〔采戏〕 cǎixì 명 옛날, 주사위를 던져서 경품이나 돈을 거는 놀이.
〔采撷〕 cǎixié 동 ①(과일 등을) 따다. ②수집(收集)하다.
〔采写〕 cǎixiě 동 취재하여 쓰다.
〔采薪之忧〕 cǎi xīn zhī yōu 〈謙〉 자기가 병중(病中)임을 가리키는 말. ＝〔采薪之患〕
〔采选〕 cǎixuǎn 동 ⇨〔拣jiǎn选〕
〔采样〕 cǎiyàng 명 견본 추출. 샘플링(sampling).
〔采药〕 cǎiyào 동 약초를 채집하다.
〔采用〕 cǎiyòng 명동 채용(하다).
〔采油泵〕 cǎiyóubèng 명 《機》 채유(採油) 펌프.
〔采运〕 cǎiyùn 동 사들여서 운송하다. ¶到各地去～土产; 방방곡곡을 돌아다니며 그 지방의 토산물을 사들여 운송하다.
〔采择〕 cǎizé 동 〈文〉 채택하다. 선정하다.
〔采摘〕 cǎizhāi 동 (과일·잎 등을) 따다.
〔采制〕 cǎizhì 동 채집 가공하다. ¶～中草药; 한방 약초를 채집 가공하다.
〔采种〕 cáizhǒng 동 채종하다. 씨를 받다.
〔采装〕 cǎizhuāng 동 구입하여 배에 싣다.

寀 **cǎi** (채)
명 고대(古代)의 관(官). 관유지(官有地). ⇒cài

彩〈綵〉② **cǎi** (채)
①명 채색. 색깔. ¶五～影片; 천연색 영화 / 五～; ⓐ오색. ⓑ화려한 색깔. ②명 채색 비단(주로 축제 때 문이나 막에 장식하는 데 쓰임). ¶剪～; (축전 때) 테이프를 끊다 / 张灯结～ =〔悬xuán灯结～〕; 초롱을 달고 오색 비단을 장식하다. ③명 갈채(의 소리). ¶博得了满堂的～声; 만장의 갈채를 받다 / 暴电似地喝了一个大～; 우레와 같은 소리로 갈채했다. ④명 여러 종류〔모양〕. 정채(精彩). ¶丰富多～; 풍부하고 다채롭다. ⑤명 문장(文章). 문채. ⑥명 경품. 상품. ¶～票; ⇓ / 中zhòng～; 당첨되다 / 得了～了; 복권에 당첨되었다 / 堂～ =〔小账〕; 옛날, 요릿집의 계산서에 덧붙이던 10%에 해당하는 서비스료. ⑦명 (중국 전통극에서) 화장하는 일. ¶～排; ⇓ →〔彩旦〕 ⑧명 (중국 전통극에서) 특수한 정황일 때에 쓰이는 기술. 트릭(trick). ¶血～; 사람을 베었을 때의 출혈을 나타내는 기법 / 火～; 도개비불 따위를 피우는 기술 / 带～; 계략이 있다. 속임수가 있다. ⑨명 간계. 남을 속이는 계략. ¶别玩～了; 속임수를 꾸미면 안 된다. ⑩동 광채가 나다. 빛나다. 광영〔영광〕이다. ⑪동 (전쟁터에서) 부상해서 피를 흘리다. ¶～号(儿); 부상병 / 他挂～了; 그는 부상했다. ‖ =〔采B〕

〔彩八行〕 **cǎibāháng** 명 무늬를 넣은 8줄로 된 편지지.

〔彩笔〕 **cǎibǐ** 명 그림 붓. 화필. =〔彩管①〕

〔彩唱〕 **cǎichàng** 풋내기 배우가 분장을 하고 연극함(전문 배우는 이런 말을 쓰지 않음). =〔彩排②〕 ↔〔清qīng唱〕

〔彩车〕 **cǎichē** 명 축제 때 끌고 다니는 장식한 수레.

〔彩绸〕 **cǎichóu** 명 ①빛깔 있는 비단. ②경사 때에 문에 꾸미는 가지각색의 무늬 있는 비단. ③기생 집에서 그 집 기생의 이름을 써서 출입구에 걸어 놓는 간판. =〔花碑〕

〔彩船〕 **cǎichuán** 명 아름답게 장식한 배. =〔彩舟zhōu〕

〔彩带〕 **cǎidài** 명 ①5색 테이프. =〔彩条儿〕 ②오색 비단 · 천 따위의 테이프(장식 · 무도용으로 쓰임). =〔彩练〕

〔彩旦〕 **cǎidàn** 명 《劇》 (중국 전통극에서) 여성 익살꾼 또는 악역.

〔彩蛋〕 **cǎidàn** 명 ①달걀 껍질에 그림을 그린 것(공예 미술품이나 아기 탄생 축하선물용). ②⇨〔皮pí蛋①〕

〔彩灯〕 **cǎidēng** 명 ①아름답게 장식한 초롱. ②일류미네이션(illumination). =〔灯彩①〕〔灯饰〕〔电diàn(光)饰〕

〔彩电〕 **cǎidiàn** 명 컬러 텔레비전('彩色电视机'의 준말).

〔彩调〕 **cǎidiào** 명 《劇》 광시(廣西) 장족(壯族) 자치구 지방의 연극의 하나. 광시 남부에 유행함.

〔彩碟〕 **cǎidié** 명 ⇨〔彩盘〕

〔彩缎〕 **cǎiduàn** 명 색무늬 비단.

〔彩凤随鸦〕 **cǎifèng suíyā** 아름다운 봉황새가 까마귀를 따르다(훌륭한 여자가 하잘것없는 사내의 아내가 됨).

〔彩管〕 **cǎiguǎn** 명 ①⇨〔彩笔〕 ②〈俗〉 컬러 TV의 브라운관.

〔彩号(儿)〕 **cǎihào(r)** 명 부상병.

〔彩虹〕 **cǎihóng** 명 무지개.

〔彩画〕 **cǎihuà** 명 《美》 색채를 쓴 그림. 채색화.

〔彩绘〕 **cǎihuì** 동 채색하다. 명 (그릇의) 채색화. ¶～磁器; 채색 자기.

〔彩活〕 **cǎihuó** 명 5색의 천으로 회의장이나 천막 따위에 장식을 하는 일. →〔彩匠〕

〔彩笺〕 **cǎijiān** 명 색무늬가 들어 있는 편지지.

〔彩匠〕 **cǎijiàng** 명 오색의 천으로 회의장 따위를 장식하는 직공. =〔扎彩匠〕

〔彩轿〕 **cǎijiào** 명 혼례용으로 꾸며 놓은 꽃가마.

〔彩金〕 **cǎijīn** 명 당첨된 상금.

〔彩卷〕 **cǎijuǎn** 명 칼라 필름.

〔彩礼〕 **cǎilǐ** 명 옛날, 약혼 선물로 주던 돈. =〔财cái礼〕 →〔礼事银〕〔聘pìn金〕

〔彩练〕 **cǎiliàn** 명 ⇨〔彩带②〕

〔彩楼〕 **cǎilóu** 명 오색의 비단으로 장식한 '牌pái楼' 모양의 것(경사 때 뜰에 꾸밈). →〔彩牌楼〕

〔彩门〕 **cǎimén** 명 울긋불긋 장식하여 세운 문(환영 아치 따위).

〔彩墨画〕 **cǎimòhuà** 명 《美》 채묵화. 수채화.

〔彩排〕 **cǎipái** 명 《劇》 ①의상을 갖추고 하는 총연습. ②아마추어 연극에서 의상을 갖추고 연기함. =〔彩唱〕

〔彩牌楼〕 **cǎipáilóu** 명 홍살문 모양의 '彩门'. ¶村头搭起了～; 마을 어귀에 축하용의 장식 문이 세워졌다.

〔彩盘〕 **cǎipán** 명 그림 물감 그릇. =〔彩碟〕

〔彩棚〕 **cǎipéng** 명 색종이 · 능직 비단 · 나뭇가지 등으로 장식한 가건물.

〔彩片〕 **cǎipiàn** 명 ⇨〔彩切〕

〔彩票〕 **cǎipiào** 명 복권. 추첨권. →〔奖jiǎng券〕〔中zhòng彩〕

〔彩品〕 **cǎipǐn** 명 경품(景品). 상품.

〔彩屏〕 **cǎipíng** 명 탄생 축하 · 개점 축하 때에 장식한 색채화의 병풍.

〔彩旗〕 **cǎiqí** 명 채색 깃발.

〔彩气儿〕 **cǎiqìr** 명 ①행운. 요행. ②(제비뽑기의) 당첨의 운. ¶没有～哪儿能得头彩呢; 당첨 운이 없는데 어떻게 1등상을 탄단 말인가. 형 요행이다. 행운이다.

〔彩切〕 **cǎiqiè** 명 《劇》 중국 전통극 무대에서 가장 안쪽의 자수(刺繡)를 한 막(여닫지는 않는 것으로, 그 양쪽이 출입구로 되어 있음). =〔彩片〕

〔彩球〕 **cǎiqiú** 명 ①홍색 · 녹색의 비단으로 만든 구형(球形)의 장식. 조화(造花) 등을 구슬같이 포개고 장식실을 늘어뜨린 것. ②⇨〔日rì冕〕

〔彩色〕 **cǎisè** 명 ①채색. 천연색. ¶～印刷片; 천연색 슬라이드 / ～照相; 컬러 사진 / ～胶片; (카메라의) 컬러 필름 / ～电视; 컬러 텔레비전 / ～电脑广告屏 =〔彩色巨型显示屏〕; 전광판 / ～粉笔; 파스텔. ②풍채와 안색.

〔彩色片(儿)〕 **cǎisèpiàn(r)** 명 ①컬러 필름. =〔有yǒu色软片〕 ②천연색 영화 필름. 컬러 영화 필름. =〔彩色影片〕〔五wǔ彩影片〕 ↔〔黑hēi白电影片〕

〔彩觞〕 **cǎishāng** 명 연회에서 연극의 여흥이 있는 것. ¶敬备～, 恭候光临; 〈翰〉 박주(薄酒)(연극의 여흥 있음)를 마련하였으니 부디 왕림하시기 바랍니다. =〔音yīn樽〕 →〔桃táo觞〕

〔彩声〕 **cǎishēng** 명 ①갈채의 소리. ¶～不绝; 갈채의 소리가 그치지 않다. ②꾸민 목소리. 가성.

〔彩饰〕 **cǎishì** 동 오색의 빛깔로 장식하다.

〔彩塑〕 **cǎisù** 명 《美》 채색한 토우(土偶)〔흙 인형〕.

〔彩陶〕 **cǎitáo** 명 《美》 (중국의 선사 · 원시 시대의) 채색 토기.

C

〔彩陶文化〕 cǎitáo wénhuà 명 ⇨〔仰yǎng韶文化〕
〔彩条儿〕 cǎitiáor 명 ⇨〔彩带①〕
〔彩头〕 cǎitóu 명 징조 · 재수가 좋음.
〔彩头〕 cǎitou 명 ①〈方〉 행운. ¶～儿好; 재수 좋은. 행운의. 운이 좋은 / ～话; 재수가 좋은 이야기. ②이익(공동 경영의 경우). ③갈채의 소리. ④《劇》 무대 장치나 소품.
〔彩霞〕 cǎixiá 명 ①아침놀. ②저녁놀.
〔彩鞋〕 cǎixié 명 《劇》 무대에서 신는, 비단에 수를 놓은 바닥이 얇은 신발.
〔彩绣〕 cǎixiù 동 색실로 자수하다.
〔彩衣〕 cǎiyī 명 빛깔이 울긋불긋한 옷.
〔彩衣娱亲〕 cǎi yī yú qīn 〈成〉 색동옷을 입고 부모를 즐겁게 해 드리다. 부모에게 효도를 하다(춘추 말에, 초(楚)나라의 노래자(老莱子)는 나이 70에 색동옷을 입고 부모를 즐겁게 했다는 고사에 나온 말). =〔戏xì彩〕〔老莱衣yī〕 →〔老lǎo莱〕
〔彩印〕 cǎiyìn 명 색채 인쇄. 동 색채를 넣어 인쇄하다.
〔彩釉陶〕 cǎiyòutáo 명 채색 유약(釉藥)을 사용한 도기(陶器).
〔彩舆〕 cǎiyú 명 ⇨〔花huā轿〕
〔彩云〕 cǎiyún 명 채운. 여러 가지 빛깔의 구름. 채색 구름.
〔彩仗〕 cǎizhàng 명 채색 옷을 입은 길흉사의 행렬의 의장(儀仗).
〔彩照〕 cǎizhào 명 컬러 사진.
〔彩纸〕 cǎizhǐ 명 ①색종이. ②컬러 인화지.
〔彩舟〕 cǎizhōu 명 ⇨〔彩船〕
〔彩子〕 cǎizi 명 장식용 오색 비단.

睬〈倸〉 cǎi (채)

동 ①주시하다. 주목하다. ¶～也不～; 거들떠보지도 않다. ②상관하다. 상대하다. ¶不～他; 그를 상대하지 않다 / 扬yáng扬不～; 콧대 높아 아는 체도 하지 않는다. 남을 얕보고 문제삼지 않는다.

踩〈跴〉 cǎi (채)

동 ①뒤쫓다. 미행하다. 도둑을 뒤쫓아 체포하다. 사건을 수사하다. ¶～缉; ⇩ ②밟다. 짓밟다. 양다리로 버티다. ¶～了一脚泥; 밟아서 한쪽 발이 흙투성이가 되었다. 〈比〉 실패했다 / 弟弟～在哥哥的肩上摘枣儿; 동생이 형의 어깨 위에 올라서서 대추를 따다 / 新鞋不～臭狗屎; 새 신 신고 개똥을 밟지 마라(쓸데없는 짓을 하면 신통한 일이란 있을 수 없다). ③발에 힘주어 밟다. ¶～闸; ⇩ / ～缝纫机; 재봉틀을 밟다 / ～扁biǎn; 짓밟아 평평하게 하다.
〔踩案〕 cǎi'àn 동 범인을 추적하다. 사건을 수사하다.
〔踩遍〕 cǎibiàn 동 전부에 걸쳐서 찾다. 샅샅이 찾다.
〔踩寸子〕 cǎicùnzi 명 중국 전통극에서, 여자 배우가 전족화(纏足靴)를 신음. =〔踩跷〕
〔踩蛋儿〕 cǎidànr 동 〈方〉 새가 교미하다. =〔踩甋rǒng儿〕
〔踩道(儿)〕 cǎidào(r) 동 예비 조사를 하다(도둑 따위가 낮에 훔치려고 하는 집을 미리 조사해 둠). =〔踩点〕〔踩路〕
〔踩凳〕 cǎidèng 명 발판.
〔踩点〕 cǎidiǎn 동 ⇨〔踩道(儿)〕
〔踩访〕 cǎifǎng 동 범인의 뒤를 밟다. 범인을 찾아 미행하다.
〔踩风〕 cǎifēng 형 (발걸음이) 경쾌하다. ¶走起路来两脚～; 걷는 것이 경쾌하다.
〔踩高跷〕 cǎigāoqiāo 명동 《舞》 높은 나무 다리를 타는 춤(을 추다)(대말〔죽마〕과 같이 2개의 막대를 발에 매어 보행하는 것. 축제 · 기타의 여흥으로 행하여짐).
〔踩鼓点儿〕 cǎigǔdiǎnr 동 북의 가락에 맞추다. ¶秧歌队, ～颤巍巍地, 缓慢地舞扭着; '앙가대(秧歌隊)'가 북의 가락에 맞추어서 몸을 흔들며 천천히 춤추고 있다.
〔踩咕〕 cǎigu 동 〈方〉 헐뜯다. 욕〔비방〕하다. =〔踩忽〕
〔踩花〕 cǎihuā 동 ⇨〔采花〕
〔踩滑〕 cǎihuá 동 미끄러지다. ¶一下～了脚, 跌了下来; 갑자기 발이 미끄러져서 떨어졌다.
〔踩坏〕 cǎihuài 동 밟아서 못 쓰게 만들다. ¶～麦苗儿; 보리 싹을 밟다.
〔踩获〕 cǎihuò 동 범인의 행적을 추적해 포박하다.
〔踩缉〕 cǎijī 동 (범인을) 추적 체포하다.
〔踩路〕 cǎilù 동 ⇨〔踩道〕
〔踩奶〕 cǎinǎi 젖이 나지 않다(옛날의 미신으로 출생 후 하루 이틀 사이에 남이 오면 부정 타서 젖이 나오지 않는다고 함).
〔踩藕〕 cǎi'ǒu 동 연뿌리를 캐다. 〈轉〉 술에 취한 모양(연뿌리를 캘 때에 발로 연근을 더듬어 찾는 모양이 마치 술에 취한 것처럼 보임).
〔踩盘〕 cǎipán 동 미행해서 정찰하다.
〔踩跷〕 cǎiqiāo 명 중국 전통극에서, '旦dàn角'(여자로 분장한 배우)가 높은 나무 다리를 타는 것. =〔踩寸子〕〔跐cǐ跷〕〔踩跻〕
〔踩甋儿〕 cǎirǒngr 동 〈方〉 ⇨〔踩蛋儿〕
〔踩绳〕 cǎishéng 명 줄타기. 동 줄타기를 하다.
〔踩水〕 cǎishuǐ 동 물을 건너다. 명 선헤엄. =〔立泳〕
〔踩坍〕 cǎitān 동 밟아 무너뜨리다.
〔踩窝子〕 cǎi wōzi (도둑의) 은신처를 수색하다. 은신처를 덮치다.
〔踩熄〕 cǎixī 동 밟아 끄다. ¶把余火～了; 타다 남은 불을 밟아서 껐다.
〔踩线〕 cǎixiàn 명 《體》 (농구의) 터치 라인(touch line).
〔踩闸〕 cǎizhá 동 풋 브레이크를 걸다. 발로 밟아서 브레이크를 걸다.
〔踩着宽〕 cǎizhekuān 동 폭넓게 옆으로 발을 내밟다.

采〈埰〉 cài (채)

→〔采地〕〔采邑〕 =〔〈文〉 寀cài〕 ⇒ cǎi
〔采地〕 càidì 명 고대의 봉건 제후의 봉지. 봉해진 토지. 영지(領地). =〔采邑〕
〔采邑〕 càiyì 명 ⇨〔采地〕

寀 cài (채)

⇒〔采cài〕 ⇒ cǎi

菜 cài (채)

명 ①야채. 채소. =〔青菜〕 ②채소 잎. ③안주. 반찬. ¶酒～儿; 안주 / 白薯也可以当饭吃, 也可以当～吃; 고구마는 밥 대신으로 먹을 수 있고, 반찬으로도 먹을 수 있다. ④요리. ¶中国～; 중국 요리 / 番fān～ =〔西洋～〕; 양식 / 川～; 쓰촨(四川) 요리 / 素～; 채소 요리 / 荤～; 어육 요리. ⑤《植》 유채(油菜). 평지. ¶～子; ⇩ / ～花; ⇩ / ～油; ⇩
〔菜板儿〕 càibǎnr 명 도마. =〔菜板子〕 →〔菜墩子dūnzi〕
〔菜帮(儿,子)〕 càibāng(r, zi) 명 배추 따위의 겉

대나 뿌리 부근의 다소 두껍고 딱딱한 부분. →〔帮③〕
〔菜包〕 càibāo 명 ①야채를 담는 그릇. ②고기 따위를 야채에 싼 요리. ③채소를 넣은 만두. ④⇨〔菜虎子〕 ⑤〈罵〉 식충이. 밥통. 밥벌레. →〔饭fàn桶〕
〔菜饼〕 càibǐng 명 평지 씨앗의 깻묵《비료용》. =〔菜(子)饼〕〔菜枯〕
〔菜场〕 càichǎng 명 ⇨〔菜市〕
〔菜床子〕 càichuángzi 명 채소 가게. =〔菜床儿〕
〔菜单(儿,子)〕 càidān(r,zi) 명 메뉴. 식단표. =〔菜谱〕→〔食shí谱〕
〔菜担(子)〕 càidàn(zi) 명 ①(멜대에 매단) 야채의 짐. ②야채 가게의 좌판.
〔菜刀〕 càidāo 명 식칼.
〔菜地〕 càidì 명 〈文〉 ⇨〔菜圃〕
〔菜碟〕 càidié 명 요리를 담는 작은 접시·쟁반 따위.
〔菜豆〕 càidòu 명 《植》 강낭콩. =〔扁豆①〕〔云豆〕〔云扁豆〕〔芸(扁)豆〕〔二生豆〕〔三生豆〕〔四季豆〕
〔菜墩子〕 càidūnzi 명 도마《통나무의 횡단면으로 만든 것》. →〔菜板儿〕
〔菜饭〕 càifàn 명 ①요리와 밥. ②〈方〉 야채에 고기 따위를 넣고 끓인 것을 밥에 덮은 음식.
〔菜贩〕 càifàn 명 야채 장수. 야채 행상인.
〔菜粉蝶〕 càifěndié 명 《蟲》 배추흰나비.
〔菜干(儿)〕 càigān(r) 명 말린 야채.
〔菜羹〕 càigēng 명 야채 수프.
〔菜梗〕 càigěng 명 야채의 줄기.
〔菜瓜〕 càiguā 명 ①《植》 월과(越瓜). =〔越yuè瓜〕 ②〈罵〉 무능한 사람. 맹추.
〔菜馆〕 càiguǎn 명 요릿집. 레스토랑《가게 이름으로도 씀》.
〔菜合子〕 càihézi 명 밀가루를 반죽하여 만든 피(皮) 속에 야채를 넣어 찌거나 구워서 먹는 식품.
〔菜虎子〕 càihǔzi 명 반찬만 먹는 사람. =〔菜包④〕
〔菜花(儿)〕 càihuā(r) 명 《植》 ①콜리플라워(cauliflower). ②평지꽃. =〔油yóu菜〕
〔菜花蛇〕 càihuāshé 명 《動》 얼룩뱀. =〔缟gǎo蛇〕
〔菜黄色〕 càihuángsè 명 (시든 야채처럼) 윤기 없는 황색. 채숫빛.
〔菜灰〕 càihuī 명 《色》 속샛빛. 거무스름한 녹색.
〔菜货〕 càihuò 명 〈比〉 나약하고 쓸모 없는 사람.
〔菜甲〕 càijiǎ 명 채소 따위의 갓 나온 어린 잎.
〔菜窖〕 càijiào 명 야채를 넣는 움. ¶把蔬菜储藏在～中; 야채를 움 속에 저장하다.
〔菜枯〕 càikū 명 〈方〉 평지씨의 깻묵《비료》.
〔菜筐〕 càikuāng 명 (야채 출하용의) 컨테이너. 채소 광주리.
〔菜篮(子)〕 càilán(zi) 명 시장 바구니.
〔菜绿〕 càilǜ 명 《色》 초록색.
〔菜码儿〕 càimǎr 명 ①음식 가격표. ②〈方〉 국수 위에 얹는 야채 건더기. =〔面miàn码儿〕
〔菜苗〕 càimiáo 명 채소 모종.
〔菜名儿〕 càimíngr 명 요리 이름.
〔菜牛〕 càiniú 명 식용소. 비육우(肥肉牛).
〔菜农〕 càinóng 명 야채 전업 농민.
〔菜藕〕 cài'ǒu 명 삶아서 먹는 보통의 연뿌리. →〔果guǒ藕〕
〔菜扒子〕 càipázi 명 반찬을 자기 쪽으로만 끌어당겨 놓는 사람.
〔菜牌(子)〕 càipái(zi) 명 ①요리 이름이 적힌 나무판. ②야채에 단 가격표. ③야채명과 값을 적은 안내판. ④현금 대신으로 야채를 사는 표.
〔菜盘(子)〕 càipán(zi) 명 요리 접시.
〔菜圃〕 càipǔ 명 〈文〉 채소밭. =〔菜地〕→〔菜园(儿,子)〕
〔菜谱〕 càipǔ 명 ①식단. 메뉴표. ②요리책. ¶中国～; 중국 요리책.
〔菜铺〕 càipù 명 야채 장수. 청과물 상인.
〔菜畦〕 càiqí 명 채소밭. 채마전. →〔菜园(儿,子)〕
〔菜钱〕 càiqián 명 ①야채 대금. ②요리값.
〔菜青〕 càiqīng 명 《色》 짙은 녹색. 올리브색.
〔菜青虫〕 càiqīngchóng 명 《蟲》 배추벌레.
〔菜肉蛋卷〕 càiròudànjuǎn 명 고기·야채가 들어 있는 오믈렛(omelet).
〔菜色〕 càisè 형 (안색 등이) 창백한. 핏기가 없는. (빛이) 약한. 명 〈比〉 굶주린 안색.
〔菜石〕 càishí 명 《鑛》 옥과 같이 투명하고 다소 녹색을 띤 돌《조각해서 장식용으로 씀》.
〔菜市〕 càishì 명 식료품 시장. =〔菜场〕
〔菜蔬〕 càishū 명 ①야채. ¶鲜～; 생야채/干～; 건조 야채/咸～; 절인 야채. ②일상의 식사. 각종 요리.
〔菜苔〕 càitái 명 ⇨〔油yóu菜①〕
〔菜薹〕 càitái 명 개채(芥菜)류의 꽃대《식용》.
〔菜摊(子)〕 càitān(zi) 명 야채를 파는 노점.
〔菜汤〕 càitāng 명 야채 수프.
〔菜团子〕 càituánzi 명 야채를 속에 박은 주먹밥.
〔菜碗〕 càiwǎn 명 요리를 담는 사발.
〔菜瓮〕 càiwèng 명 김칫독. =〔腌yān菜缸〕
〔菜鲜儿〕 càixiānr 명 맏물 야채.
〔菜心〕 càixīn 명 개채(芥菜)류의 어린 꽃대《식용》. =〔芸薹(菜)②〕
〔菜芽儿〕 càiyár 명 야채의 싹.
〔菜蚜〕 càiyá 명 《蟲》 채소의 진디.
〔菜秧子〕 càiyāngzi 명 야채의 잎 또는 줄기.
〔菜肴〕 càiyáo 명 요리. 반찬《주로 '荤hūn菜'를 말함》.
〔菜叶〕 càiyè 명 채소의 잎.
〔菜油〕 càiyóu 명 평지 씨앗의 기름. =〔菜子油〕〔清qīng油〕
〔菜园(儿,子)〕 càiyuán(r,zi) 명 채원. 야채밭.
〔菜站〕 càizhàn 명 야채 집하소(集荷所).
〔菜种〕 càizhǒng 명 채종. 채소의 씨.
〔菜粥〕 càizhōu 명 야채 죽.
〔菜子(儿)〕 càizǐ(r) 명 ①평지 씨앗. ¶～饼; 평지 씨앗의 깻묵. ②야채의 씨앗.
〔菜子油〕 càizǐyóu 명 ⇨〔菜油〕

蔡 cài (채)

명 ①큰 거북. ¶蓍～; 점(을 치다). ②(Cài) 채《주대(周代)의 나라 이름. 허난 성(河南省) 일대에 있었음》. ③성(姓)의 하나.
〔蔡斯凸镜〕 Càisī tūjìng 명 독일 차이스(Zeiss) 회사제의 돋보기.

縩(縩) cài (채)

→〔綷cuì縩〕

CAN ㄘㄢ

参(參) cān (참)

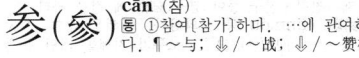

동 ①참여〔참가〕하다. …에 관여하다. ¶～与; ⇩/～战; ⇩/～赞机

务; 중요한 사무에 참여하다. ②만나뵙다. 배알(拜謁)하다. 알현하다. ¶～见; ⇓ ③탄핵(彈劾)하다. ¶～劾; ⇓/～他一本; 상주서(上奏書)를 올려 그를 탄핵하다. ④참조하다. 참고로 하다. ¶～考书; 참고서/～以他书; 다른 책을 참고로 하다/～看注解; 주석을 참조하다. ⑤조사하다. 대조하여 조사하다. ⑥교착(交錯)하다. ⑦〈文〉추천하다. ¶前官没眼, ～你作个教头; 전임자가 분별을 못 하여 너 같은 사람을 무술 사범으로 추천한 것이다. ⇒cēn shēn

〔参案〕 **cān'àn** 명 〈文〉 탄핵 사건.

〔参拜〕 **cānbài** 동 참배하다. 윗사람을 면회하다. 상사를 방문하다. 배알하다.

〔参办〕 **cānbàn** 동 〈文〉 탄핵하여 처벌하다. ＝〔参处〕

〔参半〕 **cānbàn** 명 중간. 반수(半數). ¶疑信～; 반신반의/苦乐～; 괴로움도 있고 낙도 있다.

〔参不透〕 **cānbutòu** 그 뜻을 충분히 이해할 수 없다. ¶这个问题太玄妙了, 我一时实在～; 이 문제는 대단히 깊고 미묘하기 때문에, 이내 뜻을 이해하기에는 무척 어렵다. →〔参透〕

〔参禅〕 **cānchán** 동 《佛》〈文〉 참선하다. ＝〔打dǎ禅〕

〔参朝〕 **cāncháo** 동 (옛날) 궁중에 들어가 조회에 참가하다.

〔参处〕 **cānchǔ** 동 〈文〉 ⇨〔参办〕

〔参订〕 **cāndìng** 동 참조해서 정정하다. ¶～无讹é; 교정이 끝나서 잘못이 없다. ＝〔参定〕

〔参定〕 **cāndìng** 동 ⇨〔参订〕

〔参革〕 **cāngé** 동 〈文〉 탄핵해서 면직하다.

〔参观〕 **cānguān** 명동 참관(하다) ¶老师带学生去～工厂; 선생님이 학생을 데리고 공장을 참관하다.

〔参官〕 **cānguān** 동 〈文〉 관리를 탄핵하다.

〔参劾〕 **cānhé** 동 〈文〉 탄핵하다.

〔参互考订〕 **cān hù kǎo dìng** 〈文〉 서로 참조하고 교정하다.

〔参加〕 **cānjiā** 동 ①참가하다. 출석하다. 가입하다. ¶～革命; 혁명에 참가하다 / ～战斗; 전투에 참가하다/～工作; 취직하다/今天的会议你～不～? 오늘 회의에 너는 참석하느냐? ②(의견을) 내놓다. 발표하다. ¶请你～点意见; 의견을 제시해 주세요.

〔参见〕 **cānjiàn** 동 ①뵙다. 알현(謁見)하다. ¶部下～上司; 부하가 상사를 알현하다. ②참조하다. 대조하다. →〔参看〕

〔参校〕 **cānjiào** 동 ①(인쇄의) 교정을 하다. ②책을 참고하여 교정하다.

〔参究〕 **cānjiū** 동 〈文〉 탄핵하고 규문(糾問)하다.

〔参决〕 **cānjué** 동 〈文〉 참여하여 채결(採決)하다.

〔参军〕 **cān.jūn** 동 군대에 들어가다. ¶他在两年前参了军; 그는 2년 전에 종군했다. 명 연극에서 관리로 분장하는 사람.

〔参看〕 **cānkàn** 동 조사하여 보다. 참조하다. ¶那篇报告写得很好, 可以～; 그 보고서는 매우 잘 쓰여 있으니까 참조하여도 좋다. ＝〔参考〕

〔参考〕 **cānkǎo** 명동 참고(하다). 참조(하다). ¶～书; 참고서/～资料; 참고 자료. 동 ⇨〔参看〕

〔参量〕 **cānliàng** 명 《數》 파라미터(parameter). 매개변수(媒介變數).

〔参灵〕 **cānlíng** 동 장례식 때, 출관(出棺)전에 상제·친척·친구 등이 영구(靈柩)에 절을 하다.

〔参谋〕 **cānmóu** 동 상의하다. 지혜를 내다. ¶大家一～, 问题就解决了; 모두가 지혜를 내면 문제는 해결된다. 명 ①《軍》 참모(參謀). ②상담역.

〔参事〕 **cānshì** 명 참사관.

〔参数〕 **cānshù** 명 《數》 ①파라미터(parameter). 매개 변수. ②어떤 현상·기구(機構)·장치의 한 성질을 나타내는 양(量)《팽창 계수 등》.

〔参天〕 **cāntiān** 동 하늘 높이 솟아 있다. ¶古树～; 고목이 높이 솟아 있다. 명 〈比〉 성덕(聖德)이 높음.

〔参透〕 **cāntòu** 동 〈文〉 깊이 깨닫다. ¶～情理方能做事; 인정과 도리에 깊이 깨달아야 비로소 일을 해낼 수 있다. →〔参不透〕

〔参悟〕 **cānwù** 동 〈文〉 마음에 느껴 깨닫다.

〔参详〕 **cānxiáng** 동 서로 의견을 합치다. ¶还是仔细和朋友～一下儿再决定吧; 그래도 역시 친구들과 자세히 상의하고 결정하도록 하자.

〔参验〕 **cānyàn** 동 비교하여 검증(檢證)하다.

〔参谒〕 **cānyè** 동 〈文〉 방문하고 뵙다.

〔参议〕 **cānyì** 동 〈文〉 모의(謀議)에 참여하다. 의논에 참여하다. 명 참의《민국 시기의 각부 '参事'에 해당함》.

〔参议院〕 **cānyìyuàn** 명 《政》 참의원. 상원(上院)《양원제(兩院制) 국회에서의 상원(上院)》.

〔参与〕 **cānyù** 동 ①참여하다. 참가하다. ¶～政事; 정무에 참여하다. ②가담하다. ③개입하다. ¶不要～别人的事情; 남의 일에 개입하지 마라/～者; ⓐ참여자. 참가자. 가입자. ⓑ가담자. ⓒ개입자. ‖＝〔参预〕

〔参阅〕 **cānyuè** 동 참조하다. 참고하다. ¶关于本项请～十五页; 본항에 관해서는 15페이지를 참조하시오.

〔参杂〕 **cānzá** 동 혼합하다. 뒤섞이다.

〔参赞〕 **cānzàn** 명 참사관(參事官). 동 참가하여 협력하다. ¶～军务; 군무에 관계하여 협력하다.

〔参战〕 **cānzhàn** 동 참전하다.

〔参照〕 **cānzhào** 동 참조하다. 대조하다.

〔参政〕 **cānzhèng** 동 정치(기구(機構)·활동)에 참여하다.

〔参政权〕 **cānzhèngquán** 명 《法》 참정권.

〔参酌〕 **cānzhuó** 동 참작하다. ¶请按旧例～办理; 전례를 참작해서 처리하시기 바랍니다.

〔参奏〕 **cānzòu** 동 〈文〉 탄핵하여 상주(上奏)하다.

〔参佐〕 **cānzuǒ** 명 〈文〉 막료(幕僚). 속료(屬僚).

骖(驂) **cān** (참)

①동 수레에 세 필의 말을 메우다. ②명 3두 마차의 양쪽의 부마(副馬).

〔骖乘〕 **cānshèng** 명 〈文〉 참승. 배승(陪乘)《옛날, 수레를 탈 때 높은 사람을 옆에 모시고 타던 사람》.

鲹(鰺) **cān** (찬)

→〔鲹鲦〕

〔鲹鲦〕 **cāntiáo** 명 《魚》 피라미. ＝〔鲹鱼〕〔鲦鱼〕

餐〈湌, 飡〉 **cān** (찬)

①동 (음식을) 먹다. ¶饱～一顿; 배부르게 먹다/聚～; 회식하다. ②양 끼. 끼니《식사의 횟수를 세는 말》. ¶一日三～; 1일 3식. ③명 요리. 식사. ¶午～; 점심/中～; 중화 요리/西～; 서양 요리/大～; ⓐ서양 요리. ⓑ정식(定食)/努力加～; 잘 잡수시어 몸조리 부디 잘 하십시오.

〔餐布〕 **cānbù** 명 냅킨(napkin).

〔餐车〕 **cānchē** 명 식당차. ＝〔饭fàn车〕

〔餐刀〕 **cāndāo** 명 나이프(knife)《양식용》.

〔餐风宿露〕 cān fēng sù lù 〈成〉 여행의 괴로움을 맛보다. =〔餐风饮yǐn露〕
〔餐馆〕 cānguǎn 명 요릿집.
〔餐盒〕 cānhé 명 찬합. 도시락.
〔餐巾〕 cānjīn 명 냅킨(napkin). ¶～纸; 종이 냅킨.
〔餐具〕 cānjù 명 식기류(食器類).
〔餐牌〕 cānpái 명 메뉴《벽에 거는 나무 판》.
〔餐券〕 cānquàn 명 식권.
〔餐室〕 cānshì 명 ①식당. ②레스토랑.
〔餐台〕 cāntái 명 〈方〉 식탁.
〔餐厅〕 cāntīng 명 ①(호텔·역·공항 등의) 식당. ②레스토랑. ‖ =〔餐堂táng〕
〔餐饮〕 cānyǐn 명 음식과 음료.
〔餐桌〕 cānzhuō 명 식탁.

残(殘) cán (잔)

①형 불완전한. 흠이 있는. 빠져 있는. ¶～品; 흠이 있는 물건/这部书可惜～了; 이 책은 아깝게도 빠진 데가 있다. ②동 해치다. 살상하다. 상해 입히다. ¶～杀; ⇩/同类相～; 〈成〉 같은 무리끼리 서로 해치다/自～; 자신의 몸을 손상시켜 괴롭히다. ③형 흉악하다. ¶～暴; ⇩ ④동 남다. 남기다. ⑤형 남은. 나머지의. ¶岁～; 연말/春～; 늦봄. 만춘(晩春)/冬～; 늦겨울. 만동(晩冬)/～雪; 잔설/封建～余; 봉건 잔재/苟延～喘; 〈成〉 겨우 남은 생명을 부지하다/风烛～年; 〈成〉 풍전등화와 같은 여생.
〔残败〕 cánbài 동 ①파손되어 있다. ¶名胜古迹都～不堪; 명승 고적은 모두 옛 모습을 찾을 길이 없이 황폐해 있다. ②해치다. 파손하다.
〔残暴〕 cánbào 형 무자비하고 난폭하다. 잔학하다. ¶～行为xíngwéi; 잔학 행위.
〔残杯冷炙〕 cán bēi lěng zhì 〈成〉 마시다 남은 술과 먹다 남은 안주. =〔残羹冷炙〕〔残茶剩饭〕
〔残编断简〕 cán biān duàn jiǎn 〈成〉 일부가 없어져서 불완전한 서적. 〈轉〉 단편적인 지식. =〔断编残简〕〔断简残编〕
〔残兵败将〕 cán bīng bài jiàng 〈成〉 패잔한 장병.
〔残兵败卒〕 cánbīng bàizú 명 패잔병.
〔残病〕 cánbìng 명 불구. 병신. =〔残疾ji〕
〔残茶剩饭〕 cán chá shèng fàn 〈成〉 남은 음식. 마시다 만 차와 먹다 만 밥.
〔残喘〕 cánchuǎn 명 빈사(瀕死) 상태의 숨소리. ¶苟延gǒuyán～; 〈成〉 얼마 남지 않은 목숨을 부지하다.
〔残春〕 cánchūn 명 〈文〉 늦봄. 만춘(晩春).
〔残次商品〕 háncì shāngpǐn 명 팔다 남은 하치. 팔다 남은 하등품(下等品).
〔残存〕 cáncún 동 잔존하다. 남아 있다. ¶把仓库里的～物资检点一下; 창고 속에 남아 있는 물자를 점검해 보다/在山区里仍然～着古代的风俗; 산촌에는 옛날 풍속이 그대로 남아 있다.
〔残灯〕 cándēng 명 ①꺼질 듯한 등불. ②'元yuán宵'의 다음 날.
〔残敌〕 cándí 명 잔적. ¶扫荡～; 잔적을 소탕하다.
〔残冬〕 cándōng 명 늦겨울. 만동(晩冬).
〔残饭〕 cánfàn 명 먹다 남은 밥.
〔残匪〕 cánfěi 명 잔적(殘敵), 또는 소탕되고 남은 비적.
〔残废〕 cánfèi 동 몸에 장애가 있다. ¶他左腿～; 그는 왼발이 부자유하다. 명 병신. 불구. ¶你要落了～, 谁管; 네가 만일 병신이 된다면 누가 돌보아 준단 말이냐. =〔残疾ji〕
〔残废院〕 cánfèiyuàn 명 신체 장애인 수용 시설.
〔残膏剩馥〕 cán gāo shèng fù 〈成〉 남겨진 기름과 향기. 여택(餘澤)《옛 사람이 남긴 문학 유산》.
〔残羹剩饭〕 cán gēng shèng fàn 〈成〉 먹다 남은 음식. =〔残羹余汤〕
〔残骸〕 cánhái 명 ①시체. =〔尸shī骸〕 ②잔해.
〔残害〕 cánhài 동 해치다. 살해하다. ¶～生命; 살해하다.
〔残横〕 cánhèng 동 잔학하고 횡포하다.
〔残红〕 cánhóng 명 〈文〉 지고 남은 꽃.
〔残花败柳〕 cán huā bài liǔ 〈成〉 옛날, 몸을 망친 여자. 〈轉〉 기녀(妓女).
〔残毁〕 cánhuǐ 동 훼손하다. ¶～人家的名誉; 남의 명예를 훼손하다.
〔残货〕 cánhuò 명 ①(상품의) 파치. ②팔다 남은 상품. ¶甩shuǎi卖～; 잔품(殘品)을 투매하다. ‖ =〔残品〕
〔残迹〕 cánjì 명 흔적. 자취.
〔残疾〕 cánji 명 ⇨〔残病〕
〔残旧〕 cánjiù 형 낡아서 헐다. 낡아 빠지다. ¶房屋已经很～; 집은 벌써 낡아 빠졌다.
〔残局〕 cánjú 명 ①미해결로 남은 사태. ¶收拾～; 미해결 사태를 수습하다. ②(바둑·장기의) 막판. →〔布bù局〕
〔残苛〕 cánkē 형 ⇨〔残酷〕
〔残酷〕 cánkù 형 잔혹하다. 끔찍하다. ¶～的白色恐怖; 잔혹한 백색 테러/环境极端～起来; 환경이 대단히 가혹해졌다. =〔残苛〕
〔残腊〕 cánlà 명 〈文〉 음력 12월 말.
〔残蜡〕 cánlà 명 〈文〉 타다 남은 초.
〔残黎〕 cánlí 명 〈文〉 몹시 피폐(疲弊)한 백성.
〔残料〕 cánliào 명 남은 것. 쓰다 남은 재료.
〔残留〕 cánliú 동 잔류하다. 남다.
〔残漏儿〕 cánlòur 명 남은 것.
〔残掠〕 cánlüè 동 〈文〉 파괴하고 약탈하다.
〔残年〕 cánnián 명 ①만년(晩年). ¶风烛～; 풍전등화와 같은 여생. =〔残生①〕 ②연말(年末).
〔残品〕 cánpǐn 명 ⇨〔残货〕
〔残破〕 cánpò 형 ①(집 따위가) 황폐하다. (가구 따위가) 파손되다. (옷이) 해지다. (사업 따위가) 파산에 가깝다. ¶战后的市容～不堪; 전후의 도시 모양은 매우 황폐했다. ②불완전하다. 결여되어 있다. ¶这本书倒是不缺页, 只有些～; 이 책은 낙장은 없으나 오손되어 불완전하다.
〔残秋〕 cánqiū 명 〈文〉 늦가을. 만추(晩秋).
〔残缺〕 cánquē 형 결하여 불완전하다. 불비(不備)하다. ¶门窗已经～不全; 문·창이 파손되어 온전한 것이 없다/这部稿子下卷～了; 이 원고는 하권이 빠져 있다.
〔残人害理〕 cán rén hài lǐ 〈成〉 의리와 인정을 저버리다.
〔残忍〕 cánrěn 형 잔인하다. 잔혹하다.
〔残日〕 cánrì 명 〈文〉 석양. 지는 해.
〔残杀〕 cánshā 동 잔혹한 방법으로 죽이다.
〔残山剩水〕 cán shān shèng shuǐ 〈成〉 적의 침략으로부터 벗어나 남은 국토. 아직 점령당하지 않은 약간의 영토《전쟁 후의 황폐한 풍경》.
〔残生〕 cánshēng 명 ①⇨〔残年①〕 ②살아 남은 사람. 잔존자(殘存者).
〔残汤剩水〕 cán tāng shèng shuǐ 먹다 남은 국과 마시다 남은 물. 먹다 남은 찌꺼기.

C

〔残头〕 **cántóu** 형 쓸모 없다. 너절하다. 꼴사납다. ¶你这个～劲儿, 别跟我这儿耍shuǎ嘴皮子; 이 너절한 꼴이라니, 쓸데없는 억지 소리는 하지도 마라. 명 못 쓰게 된 물건. 폐물. ¶这样～的东西谁还要啊? 이렇게 못 쓰게 된 물건을 누가 갖겠는가?
〔残头货〕 **cántóuhuò** 명 ①쓸모 없이 낡은 물건. ②흘게 늦은 인간. 쓸모 없는 인간.
〔残席〕 **cánxí** 명 연회 뒤에 남은 요리. =〔残桌〕
〔残夏〕 **cánxià** 명〈文〉잔서(殘暑). 늦여름.
〔残星〕 **cánxīng** 명 새벽녘의 별.
〔残阳〕 **cányáng** 명 ⇨〔残照〕
〔残肴〕 **cányáo** 명〈文〉먹다 남은 요리.
〔残余〕 **cányú** 명〈文〉잔여. 동 남아 있다. 잔존하다. ¶～份子; 잔당(殘黨)/封建～; 봉건의 잔재/～势力; 잔존 세력.
〔残月〕 **cányuè** 명 ①〈文〉새벽달. ②그믐달.
〔残贼〕 **cánzéi** 동〈文〉해치다. 죽이다.
〔残渣〕 **cánzhā** 명 남은 찌꺼기. 잔재. ¶～余孽niè; 〈比〉남아 있는 악인. 잔존한 나쁜 세력.
〔残照〕 **cánzhào** 명〈文〉석양. =〔残阳〕〔夕阳〕
〔残纸〕 **cánzhǐ** 명 파지(破紙).
〔残桌〕 **cánzhuō** 명 ⇨〔残席〕
〔残滓〕 **cánzǐ** 명 잔재. =〔残渣〕

蚕(蠶)

cán (잠)
①명《蟲》누에. ¶家～; 가잠. 집누에/野～; 야잠. 산누에/养～; 양잠하다. 누에 치다/～会吐丝; 누에는 실을 토한다. ②동 양잠(養蠶)하다.
〔蚕宝宝〕 **cánbǎobǎo** 명〈南方〉누에.
〔蚕箔〕 **cánbó** 명 잠박. 누에 채반. =〔蚕薄〕〔〈方〉蚕帘lián〕〔薄bó曲〕〔曲qū薄〕
〔蚕蔟〕 **cáncù** 명 잠족. 누에섶. =〔蚕山〕〔蚕簇cù〕
〔蚕箪〕 **cándān** 명 (양잠용의) 테를 두른, 밑이 평평하며 둥글고 얕은 대바구니(밑에 종이를 바르고 누에 넣는 데 씀).
〔蚕豆〕 **cándòu** 명《植》잠두(蠶豆). ¶～象; 《蟲》완두바구미. 쌍무늬바구미. =〔罗汉豆〕
〔蚕蛾(儿)〕 **cán'é(r)** 명《蟲》누에나방.
〔蚕妇〕 **cánfù** 명 ⇨〔蚕女〕
〔蚕工〕 **cángōng** 명 누에 치는 일.
〔蚕姑〕 **cángū** 명 ⇨〔蚕女〕
〔蚕花〕 **cánhuā** 명 ①갓 부화한 누에. =〔蚕蚁〕 ②양잠의 수확(收穫). ③《魚》저장 성(浙江省) '吴兴'에서 4월경에 잡히는 작은 새우.
〔蚕家〕 **cánjiā** 명 양잠가.
〔蚕茧(儿)〕 **cánjiǎn(r)** 명 누에고치.
〔蚕茧草〕 **cánjiǎncǎo** 명《植》흰꽃여뀌.
〔蚕连〕 **cánlián** 명 누에의 종지(種紙). 잠란지(蠶卵紙). 잠종지. =〔蚕连纸〕〔蚕纸〕
〔蚕卵〕 **cánluǎn** 명 누에알.
〔蚕眠〕 **cánmián** 명 누에잠.
〔蚕娘〕 **cánniáng** 명 ⇨〔蚕女〕
〔蚕农〕 **cánnóng** 명 양잠을 주로 한 농가. 양잠 농가.
〔蚕女〕 **cánnǚ** 명 양잠을 하는 여자. =〔蚕妇〕〔蚕姑〕〔蚕娘〕
〔蚕蛆(蝇)〕 **cánqū(yíng)** 명《蟲》잠저(蠶蛆). 누엣구더기.
〔蚕蓐〕 **cánrù** 명 잠욕(蠶蓐). 누에를 올려 놓는 거적. 누엣자리.
〔蚕桑〕 **cánsāng** 명 양잠(養蠶)과 뽕나무.
〔蚕沙〕 **cánshā** 명 잠분(蠶糞). 누에똥(비료나 약재로 씀).
〔蚕山〕 **cánshān** 명 ⇨〔蚕蔟〕
〔蚕师〕 **cánshī** 명 양잠 기사(技師).
〔蚕食〕 **cánshí** 동〈比〉잠식하다(누에가 뽕잎을 먹어 가듯 다른 사람의 땅, 또는 다른 나라의 영토를 침략하는 일).
〔蚕食鲸吞〕 **cán shí jīng tūn** 〈成〉서서히 조금씩 침략하여 결국은 병탄(倂呑)해 버리다. =〔鲸吞蚕食〕
〔蚕屎枕〕 **cánshǐzhěn** 명〈方〉누에똥을 넣어서 만든 베개(이 베개를 베고 자면 머리가 가볍고 잠도 잘 와서 일어날 때 머리가 개운하다고 함).
〔蚕事〕 **cánshì** 명〈文〉누에 치는 일. 누에치기.
〔蚕室〕 **cánshì** 명 ①양잠실. ②옛날, 궁형(宮刑)을 집행하던 감방.
〔蚕丝〕 **cánsī** 명 생사(生絲). ¶～夹毛; 명주실과 털실의 교직/～绸缎; 견직물/～废; 생사의 지스러기.
〔蚕蜕〕 **cántuì** 명 누에 껍질(약용으로 씀).
〔蚕业〕 **cányè** 명 양잠업(養蠶業).
〔蚕衣〕 **cányī** 명 ①누에고치의 별명. ②양잠할 때 입는 작업복. ③〈文〉명주 옷.
〔蚕蚁〕 **cányǐ** 명《蟲》애누에. =〔蚁蚕〕
〔蚕蛹〕 **cányǒng** 명《蟲》누에 번데기. ¶～油; 《化》번데기 기름.
〔蚕蛹油〕 **cányǒngyóu** 명 (누에의) 번데기 기름(냄새가 역하며 공업용으로 씀).
〔蚕月〕 **cányuè** 명 누에 치는 계절.
〔蚕纸〕 **cánzhǐ** 명 ⇨〔蚕连lián〕
〔蚕种〕 **cánzhǒng** 명 ⇨〔蚕子(儿)〕
〔蚕子(儿)〕 **cánzǐ(r)** 명 누에알. =〔蚕种〕

惭(慚〈慙〉)

cán (참)
①형 부끄럽다. ②동 부끄러워하다. ¶自～落后; 스스로 뒤떨어진 것을 부끄럽게 생각하다/大言不～; 〈成〉큰 소리를 치고도 부끄럽게 생각지 않는다. ③명 수치.
〔惭德〕 **cándé** 동 ①부덕(不德)함을 부끄러워하다. ②착한 사람이 뜻밖으로 나쁜 짓을 하다.
〔惭恨〕 **cánhèn** 동 (자신에 대해) 부끄러운 나머지 원한을 품다. 부끄러운 나머지 화를 내다. =〔愧kuì恨〕
〔惭惶〕 **cánhuáng** 동〈文〉창피한 것을〔부끄럼을〕 두려워하다.
〔惭悔〕 **cánhuǐ** 동〈文〉참회하다. 부끄럽게 여기며 뉘우치다.
〔惭愧〕 **cánkuì** 형 면구스럽다. 부끄럽다. ¶连这个也不知道, 真～! 이런 것도 모르다니 참으로 부끄럽다!/～万分; 부끄럽기 짝이 없다.
〔惭色〕 **cánsè** 명〈文〉①멋쩍은 모습. ②부끄러워하는 안색〔기색〕.
〔惭悚〕 **cánsǒng** 동〈文〉부끄러워하며 두려워하다. 죄송하여 몸둘 바를 모르다.
〔惭怍〕 **cánzuò** 형〈文〉부끄럽다. 창피하다. =〔愧kuì怍〕→〔惭愧〕

惨(慘)

cǎn (참)
형 ①잔인하다. 악독하다. ¶～无人道; 잔인해서 인간성이란 손톱만큼도 없다. ②처참하다. 참담하다. 비참하다. 처절하다. ¶～不忍睹; ⇩/他们的生活太～了; 그들 생활은 매우 처참하다. =〔憯〕 ③슬퍼하다. 마음 아파하다. ¶替他怪～得慌; 곁에서 보고 있어도 마음 아프다. ④어둠침침하다. ¶灯光～～; 불빛이 어둠침침하다.
〔惨案〕 **cǎn'àn** 명 참혹한 사건. 참사.

〔惨白〕 cǎnbái 형 ①(경치가) 어두워서 선명치 않다. ②핏기가 없다. 창백하다. ¶脸色～; 얼굴에 핏기가 없다.
〔惨败〕 cǎnbài 명동 ①참패(하다). ②석패(惜敗)(하다). 아깝게 지다. ¶以三比二终于～; 아쉽게 3대 2로 졌다.
〔惨暴〕 cǎnbào 형 잔인하다. 명 잔학 행위.
〔惨毙〕 cǎnbì 동 ⇨〔惨杀〕
〔惨变〕 cǎnbiàn 명 〈文〉 비참한 사건. 참사. =〔惨剧〕
〔惨不忍睹〕 cǎn bù rěn dǔ 〈成〉 처참해서 차마 볼 수 없다.
〔惨不忍闻〕 cǎn bù rěn wén 〈成〉 참상을 차마 들을 수 없다.
〔惨恻〕 cǎncè 형 〈文〉 ⇨〔惨怆〕
〔惨怆〕 cǎnchuàng 형 〈文〉 비참하다. =〔惨恻〕
〔惨怛〕 cǎndá 형 〈文〉 근심하다. 걱정하다. 걱정하며 마음 아파하다. ¶民有菜色，～于心《漢書 元帝紀》; 백성은 푸른 채소처럼 안색이 나쁘고 근심에 쌓였으니 마음 아프다.
〔惨淡〕 cǎndàn 형 ①어둠침침하다. ¶天色～; 날씨가 어둠침침하다. ②(경기 · 정세 따위가) 암담하다. 동 고심하다.
〔惨淡经营〕 cǎn dàn jīng yíng 〈成〉 고심 끝에 계획하여 고안하다. ¶这本书是他化了五年心血xuè，～地写成的; 이 서책은 그가 5년 동안 심혈을 기울여 고심한 끝에 쓴 것이다.
〔惨跌〕 cǎndiē 동 〈文〉 (시세가) 폭락하다.
〔惨毒〕 cǎndú 형 잔혹하다. ¶他的心多～! 그의 마음은 어쩌면 저렇게 무자비할까!
〔惨祸〕 cǎnhuò 명 비참한 재앙. 참화.
〔惨急〕 cǎnjí 형 〈文〉 (법이) 몹시 엄격하다.
〔惨叫〕 cǎnjiào 명동 비명(을 지르다).
〔惨劫〕 cǎnjié 명 〈文〉 비참한 천재지변.
〔惨境〕 cǎnjìng 명 비참한 경지. 처참한 상태. ¶处于～; 비참한 상황에 있다.
〔惨沮〕 cǎnjǔ 동 비탄에 잠겨 기운을 잃다.
〔惨剧〕 cǎnjù 명 〈文〉 ⇨〔惨变〕
〔惨绝人寰〕 cǎn jué rén huán 〈成〉 이 세상에 아직 없었던 엄청난 비극《처참한 것이 흡사 지옥 같다》.
〔惨苛〕 cǎnkē 형 〈文〉 잔인하고 가혹하다.
〔惨苦〕 cǎnkǔ 형 몹시 괴롭다. 비참하다. ¶生活～; 생활[살림]이 몹시 괴롭다.
〔惨酷〕 cǎnkù 형 잔인하고 가혹하다. ¶在敌人手下受到极～的待遇; 적의 수중에서 참혹하기 이를 데 없는 고초를 당했다.
〔惨濑人〕 cǎnlàirén 형 두렵다. 겁나다. 사람을 겁나게 하다. ¶鲁智深腮边新剃暴长短须，戗戗地好～《水滸傳》; 노지심(魯智深)은 턱의 깎은 수염이 가시처럼 자라서 보기만 해도 무서운 것 같다.
〔惨厉〕 cǎnlì 형 애처롭다. 처참하다. ¶过去的～情景; 과거의 처참한 정경.
〔惨烈〕 cǎnliè 형 처참하다. 비통하다.
〔惨懔〕 cǎnlǐn 형 〈文〉 혹한의. 몹시 추운.
〔惨绿〕 cǎnlǜ 명 《色》 짙은 녹색. 암(暗)녹색. ¶～少年; 짙은 녹색의 옷을 입은 소년. 〈比〉 경박한 소년.
〔惨切〕 cǎnqiè 형 〈文〉 몹시 슬프다. 뼈에 사무치게 절실하다.
〔惨情〕 cǎnqíng 명 ⇨〔惨状〕
〔惨杀〕 cǎnshā 동 참살하다. =〔〈文〉惨毙〕
〔惨然〕 cǎnrán 형 ①(마음이) 침울하다. ②(노래 따위가) 침울하고 쓸쓸하다. ③처참한 모양. 참혹한 모양.
〔惨伤〕 cǎnshāng 동 〈文〉 슬퍼 마음 아파하다. 비통해하다.
〔惨胜〕 cǎnshèng 동 겨우 이기다. 명 신승(辛勝).
〔惨史〕 cǎnshǐ 명 비참한 역사. =〔血xuè史〕
〔惨死〕 cǎnsǐ 명동 참사(하다).
〔惨痛〕 cǎntòng 형 비통하다. 침통하다.
〔惨无人道〕 cǎn wú rén dào 〈成〉 잔인무도하다. ¶希xī特勒匪徒～地在集中营里杀害了善良的人民; 히틀러(Hitler) 일당은 잔인무도하게도 수용소 안에서 선량한 백성을 죽였다.
〔惨无天日〕 cǎn wú tiān rì 〈成〉 매우 음산한 모양.
〔惨笑〕 cǎnxiào 동 억지로 웃다. 미미하게 웃다. 명 억지웃음. 생기 없는 웃음.
〔惨狱〕 cǎnyù 명 〈文〉 많은 사람이 처형당한 대사건.
〔惨遭失败〕 cǎn zāo shī bài 〈成〉 실패의 쓰라림을 겪다.
〔惨重〕 cǎnzhòng 형 ①비참하다. ¶遭到～的失败; 비참한 실패를 당하다. ②(재해 · 재난 따위 정도가) 심하다. 파멸적이다. ¶损失～; 손실이 매우 크다.
〔惨状〕 cǎnzhuàng 명 참상. 비참한 모양〔상태〕. =〔惨情〕

穇(穇) cǎn (삼) →〔穇子〕

〔穇子〕 cǎnzi 명 《植》 피《곡물의 하나. 식료나 사료로 씀》.

篸(篸) cǎn (잠) 명 〈方〉 쓰레받기. 키의 일종. →〔簸bò箕〕

黪(黲) cǎn (참) 명 엷은 청흑색(青黑色). ¶～黩dú; 혼탁하다 / 黑～～的脸儿; 거무스레한 얼굴.

憯 cǎn (참) 형 ⇨〔惨②〕

灿(燦) càn (찬) 형 ①분명하다. ②산뜻하다. ③눈부시게 빛나다.

〔灿灿〕 càncàn 형 반짝반짝 빛나는 모양. 눈이 부시게 선명한 모습.
〔灿烂〕 cànlàn 형 찬란하게 빛나다. 눈부시다. 선명하다. ¶这一天在中国历史上成为一个～辉煌的日子; 이 날은 중국 역사상 찬란하게 빛나는 날이 되었다 / ～夺目; 빛나고 있어 눈이 부시다.
〔灿然〕 cànrán 형 선명하게 빛나다.
〔灿者〕 cànzhě 명 〈文〉 아름다운 것《미녀》.

掺(摻) càn (참) 명 옛날의 '鼓'(북)의 곡명(曲名). ¶渔阳～挝; 고대 고곡(鼓曲)의 일종. ⇒chān shǎn

孱 càn (잔) 뜻은 '孱chán'과 같고 '孱头'에서만 쓰임. ⇒chán

〔孱头〕 càntou 명 〈罵〉〈方〉 ①변변치 못한 사람. 못난이. ②약골. 겁쟁이. ¶这个～怕事得很; 이 겁쟁이는 곧잘 겁을 낸다.

粲 càn (찬) ①명 정백(精白)한 쌀. ②명 정미(精米) 작업. ③명 식사. ④형 선명하다. 산뜻하다.

C

아름답다. ⑤형 분명한. ⑥형〈文〉이를 드러내고 명랑하게 웃는 모양. ¶～然而笑; 명랑하게 웃다／聊博一～; 조금 기뻐해 주었다.

璨 càn (찬) ①명 아름답게 빛나는 구슬. ②형 선명하다. 밝다. 아름답다. ¶～～; 밝게 빛나는 모양／星光～～; 별빛이 빛나다.

CANG ㄘㄤ

仓(倉) cāng (창) ①명 곡물 창고. 창고. 곳간. ¶米～; 쌀 창고. 쌀광／不透水～; 방수고(防水庫)／～廪实则知礼节; 창고에 양식이 가득 차면 예절을 안다. ②형 당황하다. →〔仓卒〕③부 갑자기. ④명 성(姓)의 하나.

〔仓廒〕cāng'áo 명 곡물 창고. =〔仓敖〕

〔仓场〕cāngchǎng 명 옛날, 관(官)에서 양미를 저장하던 곳. ¶～衙门; 청대(清代) 곡창(穀倉) 감독소.

〔仓储〕cāngchǔ 동 창고에 저장하다.

〔仓卒〕cāngcù 형 창황하다. 갑작스럽다. ¶事出～; 갑작스런 일／走得～什么东西都没顾得带; 허둥지둥 나오느라고 아무것도 가지고 올 겨를이 없었다. =〔仓猝〕

〔仓房〕cāngfáng 명 곡물(穀物) 창고. 광.

〔仓费〕cāngfèi 명 창고료. =〔仓租〕

〔仓庚〕cānggēng 명 ①⇨〔鸧鹒cānggēng〕②⇨〔玄xuán鹤〕

〔仓荒〕cānghuāng 명〈文〉창고 기근. 창고 부족.

〔仓皇〕cānghuáng 형 당황하다. 창황하다. ¶～逃遁; 당황하여 허겁지겁 도망치다／～失措; 당황하여 어찌할 바를 모르다. =〔仓惶〕〔仓黄〕〔苍惶〕〔苍黄〕

〔仓库〕cāngkù 명 ①곡물 창고. ②창고. ¶私用～; 사용(私用)의 창고／公用～; 공용 창고／军用～; 군용 창고／～业; 창고업／书是人类经验的～; 서책은 인류 경험의 창고다.

〔仓老鼠〕cānglǎoshǔ 명〈方〉창고계(係) 또는 창고업 등으로 생활하는 사람. ¶～和老鸹借粮食; 〈比〉광에 있는 쥐가 까마귀한테서 곡식을 빌리다《자기 것은 쓰지 않고 남에게서 물건을 빌림》.

〔仓廪〕cānglǐn 명〈文〉곡물창(穀物倉).

〔仓满腰肥〕cāng mǎn yāo féi〈成〉창고는 가득 차고 주머니는 두둑하다《먹을 것·돈이 흔하다》.

〔仓忙〕cāngmáng 형〈文〉바쁘다. 황급하다. →〔仓皇〕

〔仓鼠〕cāngshǔ 명《動》①명주쥐. ②햄스터(hamster)《실험용 쥐의 하나》.

〔仓鸮〕cāngxiāo 명《鳥》쇠부엉이.

〔仓至仓条款〕cāngzhìcāng tiáokuǎn 명《經》보세 창고 인도 조건《B.W.T》.

〔仓租〕cāngzū 명 창고료. =〔仓费fèi〕

伧(傖) cāng (창) ①형 천하다. 거칠고 몰상식하다. 조야(粗野)하다. ②명 천한 사람. 거칠고 무식한 사람. 시골뜨기. ⇒chen

〔伧父〕cāngfù 명〈文〉시골뜨기. 촌사람《원래 진(晉)의 육기(陸機)가 좌사(左思)를 얕보고 한 말》.

〔伧荒〕cānghuāng 명 ①촌부(村夫)·야인. ②벽촌. 시골 구석.

〔伧人〕cāngrén 명〈文〉촌사람. 비천한 사람.

〔伧俗〕cāngsú 형 비천하고 속되다.

沧(滄) cāng (창) ①형 차다. 춥다. ¶天地之间有～～热; 천지간에는 춥고 더운 변화가 있다. ②형 (물이) 검푸르다. ③(Cāng) 명《地》창 현(滄縣)《허베이 성(河北省)에 있는 현(縣) 이름》.

〔沧沧〕cāngcāng 형〈文〉추운 모양. 싸늘하다. ¶～凉凉; 몹시 추운 상태.

〔沧海〕cānghǎi 명 대해(大海). 대해원(大海原). ¶～巨变; 세상의 큰 변화／～遗珠yízhū; 〈成〉인재(人材)가 파묻혀 있음. 세상에 알려지지 않은 현자(賢者).

〔沧海横流〕cāng hǎi héng liú〈成〉대해(大海)의 흐름이 세차다《세상의 변천이 격심함. 치란흥망(治亂興亡)》.

〔沧海桑田〕cāng hǎi sāng tián〈成〉대해(大海)가 변하여 뽕나무밭이 되다《세상의 변해 가는 것이 격심함》. ¶几经～; 〈文〉몇 번인가 세상의 변화를 겪다／人间正道是～; 변해 가는 것이야말로 바로 인간 세상이다. =〔沧桑〕〔沧桑之变〕

〔沧海一粟〕cāng hǎi yī sù〈成〉큰 바다 속의 한 알의 좁쌀《지극히 작아서 물건의 수로는 헤아릴 것도 없다는 비유》. →〔太tài仓稊米〕

〔沧浪〕cānglàng 형〈文〉물빛의 푸르른 모양. ¶秋水平阔, 一片～; 가을의 강물이 고요히 펼쳐져 있고, 눈에 보이는 것은 온통 푸른빛이다. (Cānglàng) 명《地》옛날의 강 이름. 후베이 성(湖北省)을 흐르는 한수이(漢水) 일부(一部)의 별칭.

〔沧凉〕cāngliáng 형 몹시 춥다.

〔沧茫〕cāngmáng 형〈文〉물이 푸르고 넓고 아득한 모양.

〔沧溟〕cāngmíng 명〈文〉큰 바다. 형〈轉〉바다의 넓고 아득한 모양.

〔沧桑〕cāngsāng ⇨〔沧海桑田〕

〔沧桑之变〕cāng sāng zhī biàn〈成〉⇨〔沧海桑田〕

苍(蒼) cāng (창) ①형 짙은 청색(남색)의. ¶～天; ⇩ ②명 짙은 녹색. ¶～松翠柏; ⇩ ③명 회색. 회백색. ¶两鬓～～; 살쩍에 흰털이 섞이다／面色～白; 안색이 창백하다. ④형 백발이 섞인. 반백(半白)의. ¶～白头发; 백발이 성성한 머리／～髯; ⇩ ⑤형 뼈만 있으나 튼튼한 모양. 나이는 먹었으되 힘이 있는 모양. ⑥형 창황하다. ⑦명 성(姓)의 하나.

〔苍白〕cāngbái 명 회색. 형 창백하다. ¶～脸孔; 창백한 얼굴／～无力; 얼굴이 창백하고 무기력하다.

〔苍苍〕cāngcāng 명 짙은 녹색. 형 ①끝없이 넓고 넓은 모양. ¶～的大海; 끝없이 넓은 바다. ②백발이 성성한 모양.

〔苍翠〕cāngcuì 형 ⇨〔葱cōng翠〕

〔苍耳〕cāng'ěr 명《植》도꼬마리《열매는 '～子'로 한방약으로 쓰임》. =〔耳珰②〕

〔苍发〕cāngfà 명〈文〉백발이 섞인 머리. 희끗희끗한 머리털.

〔苍庚〕cānggēng 명《鳥》꾀꼬리.

〔苍昊〕cānghào 명 ⇨〔苍天①〕

〔苍黄〕cānghuáng 형 ①누렇고 푸르다. 푸르무레하고 누르스름하다. ¶面色～; 얼굴에 생기가 없

다. ②당황하다. =〔仓皇〕 명 청색과 황색《일의 변화》.
〔苍劲〕 cāngjìng 형 (필적이) 원숙하고 힘차다. ¶～的字迹; 원숙하고 힘찬 필적.
〔苍筤〕 cāngláng 명 〈文〉 어린 대나무(빛).
〔苍老〕 cānglǎo 명 반백의 노인. 형 ①(서화의 필력·필세가) 원숙하다. 고담(枯淡)하다. ②나이 들어 보이다. ¶他显得～了; 그는 늙어 보인다.
〔苍凉〕 cāngliáng 형 쓸쓸하다. 적적하다.
〔苍龙〕 cānglóng 명 ①《天》 청룡(青龍)《28 수(宿) 중의 동방(東方)의 7 수》. ②적의 우두머리.
〔苍鹭〕 cānglù 명 《鳥》 왜가리. =〔老lǎo等〕〔长脖老等〕〔灰鹭〕
〔苍氓〕 cāngmáng 명 〈文〉 ⇨〔苍生〕
〔苍茫〕 cāngmáng 형 끝없이 넓고 넓은 모양. ¶一片～的海天景色; 끝없이 넓고 넓은 대해의 풍경. =〔苍苍〕〔苍莽〕
〔苍莽〕 cāngmǎng 형 ⇨〔苍茫〕
〔苍民〕 cāngmín 명 ⇨〔苍生〕
〔苍旻〕 cāngmín 명 ⇨〔苍天①〕
〔苍鸟〕 cāngniǎo 명 〈文〉 매의 별명. →〔鹰yīng〕
〔苍铅〕 cāngqiān 명 《化》 비스무트(Bismuth)《금속 원소》.
〔苍穹〕 cāngqióng 명 〈文〉 하늘. =〔穹苍〕
〔苍髯〕 cāngrán 명 〈文〉 반백의 수염.
〔苍生〕 cāngshēng 명 〈文〉 백성. 국민. 창생. =〔苍氓〕〔苍民〕
〔苍鼠〕 cāngshǔ 명 《動》 들쥐.
〔苍松翠柏〕 cāng sōng cuì bǎi 〈成〉 푸른 소나무와 녹색의 측백나무《사람의 마음이 변함 없음의 비유》.
〔苍苔〕 cāngtái 명 《植》 청태(青苔). 푸른 이끼.
〔苍天〕 cāngtiān 명 ①푸른 하늘. =〔苍昊〕〔苍旻〕〔上苍〕 ②봄.
〔苍头〕 cāngtóu 명 ①노복(奴僕). 하인. ②병졸.
〔苍鹰〕 cāngyīng 명 《鳥》 저광수리. 흰매. =〔黄鹰〕
〔苍蝇〕 cāngying 명 《蟲》 파리. ¶～拍子; 파리채 / ～罩儿; 파리장(帳) / ～纸; (파리약을 칠한) 끈끈이 종이 / ～药; ⓐ파리약. ⓑ남에게 별로 해를 끼치지는 않으나 기분이 좋지 않은 사람의 일컬음 / ～碰壁; 법석을 떨어 실패하다. =〔蝇子〕
〔苍郁〕 cāngyù 형 〈文〉 초목이 퍼렇게 우거진 모양.
〔苍术〕 cāngzhú 명 《植》 삽주.

鸧(鶬) cāng (창)
→〔鸧鹒〕〔鸧鸹〕

〔鸧鹒〕 cānggēng 명 《鳥》 꾀꼬리. =〔仓庚①〕〔黄huáng鹂〕
〔鸧鸹〕 cāngguā 명 《鳥》 재두루미. 검은목두루미. =〔玄xuán鹤〕

舱(艙) cāng (창)
명 (배·비행기의) 선실. 객실. 화물실. ¶货～; 화물칸 / 客～; (배·비행기의) 객실. 선실 / 前～; 뱃머리의 선실 / 订～; 선실을 예약하다.

〔舱板〕 cāngbǎn 명 배의 갑판.
〔舱单〕 cāngdān 명 《商》 적재 화물 명세서. =〔舱口单(子)〕
〔舱底〕 cāngdǐ 명 배 밑.
〔舱顶〕 cāngdǐng 명 상갑판(上甲板).
〔舱房〕 cāngfáng 명 선실. 선창.
〔舱客〕 cāngkè 명 ①(선실의) 선객(船客). ②(비행기의) 탑승객.
〔舱口〕 cāngkǒu 명 선실의 입구. 해치(hatch).
〔舱口单(子)〕 cāngkǒudān(zi) 명 ⇨〔舱单〕
〔舱面〕 cāngmiàn 명 갑판.
〔舱面货〕 cāngmiànhuò 명 《商》 갑판 적재 화물.
〔舱位〕 cāngwèi 명 ①배 또는 비행기의 객석(客席). ¶预订～; 선실을 예약하다. ②선창(船倉)의 공간. 선복(船腹).

藏 cáng (장)
① 동 숨다. 숨기다. 간직하다. 잠적하다. ¶隐～; 숨기다 / 他～在树后头; 그가 나무 뒤로 숨다 / 煤的埋～量; 석탄 매장량 / 笑里～刀; 웃음 속에 칼을 감추다《보기에는 온화하지만 사실은 음험함》 / 有远大计划～之于胸; 원대한 계획을 가슴 속에 품고 있다. ② 동 저장하다. 쌓아 두다. ¶储～; 저장하다 / 收～; 수장하다 / 把东西～起来吧! 물건을 잘 간수해라! / 家里～了很多书; 집에 많은 책을 가지고 있다. ③ 동 품다. ④ 명 성(姓)의 하나. ⇒zàng

〔藏板〕 cángbǎn 명 소장하고 있는 판목(版木), 또는 인본(印本). =〔藏版〕
〔藏庇〕 cángbì 동 〈文〉 숨기다. 감싸다. ¶好人家决不肯～不良份子; 좋은 사람은 결코 불량분자를 숨기거나 하지 않는다.
〔藏藏躲躲〕 cángcang duǒduǒ 살금살금 몸을 숨기다. ¶这孩子一见生人就～的; 이 아이는 낯선 사람을 보면 금방 몰래 숨어 버린다.
〔藏藏掩掩〕 cángcang yǎnyǎn 감추어서 보이지 않도록 하다. ¶干吗～的, 有什么私弊吗? 왜 살금살금 감추느냐, 뭔가 몰래 나쁜 짓이라도 하고 있는 거니?
〔藏储〕 cángchǔ 동 비축하다. 저장하다. ¶他家还有点～的粮食; 저 집에는 아직 비축한 식량이 있다.
〔藏窜〕 cángcuàn 동 〈文〉 도망쳐 숨다.
〔藏躲〕 cángduǒ 동 숨다. 모습을 감추다. ¶为了逃避敌人～到山里去; 적으로부터 도망치기 위해 산 속에 몸을 숨기다 / 无论他～到哪儿去我们也找得出来; 그 녀석이 어떤 곳에 숨더라도 우리는 찾아 낼 수 있다.
〔藏而不露〕 cáng ér bù lòu 〈成〉 숨기고 밖에 나타내지 않다. ¶他虽有本事可是～的; 그는 실력이 있지만 숨기고 나타내지 않는다.
〔藏锋〕 cángfēng 명 ①서법(書法)에서 붓 끝이 나타나지 않도록 씀. ②능력을 밖에 나타내지 않음.
〔藏伏〕 cángfú 동 〈文〉 은닉하다. 숨다.
〔藏钩〕 cánggōu 명 손 안에 물건을 감추고 그것을 알아맞히게 하는 놀이.
〔藏垢纳污〕 cáng gòu nà wū 〈成〉 때나 더러움을 감추다《나쁜 일이나 악인을 비호함을 이르는 말》.
〔藏乖〕 cángguāi 동 바보인 척하다.
〔藏户〕 cánghù 명 〈文〉 물품을 소장한 사람〔소장자〕.
〔藏活〕 cánghuó 동 자기 밑에 거느리고 생활을 시키다. 생존하게 하다. ¶所～豪士, 以百数; 거느리고 있는 호걸이 수백명이 된다.
〔藏奸〕 cángjiān 동 ①〈方〉 능력이 있으면서도 못하는 체하다. ②〈方〉 힘이 있으면서 남을 도우려 하지 않다. ③악인(惡人)을 숨기다. ④근성이 나쁘다. 형 교활하다.
〔藏量〕 cángliàng 명 ⇨〔储chǔ量〕
〔藏龙卧虎〕 cáng lóng wò hǔ 〈成〉 세상에서 숨은 인재. 또 인재가 묻혀 있다.

〔藏六〕 cánglù 명 〈文〉 거북의 별칭《등딱지 속에 머리 · 꼬리 · 사지(四肢)를 감추는 데서 유래》.
〔藏落〕 cángluò 통 ①간수하다. ②슬쩍 자기 것으로 하다. 살짝 감추다.
〔藏卖〕 cángmài 통 밀매하다. 몰래 팔다.
〔藏猫猫〕 cángmāomao 명통 ⇨〔藏猫儿〕
〔藏猫儿〕 cángmāor 명통 숨바꼭질(하다). =〔捉迷藏〕〔藏猫猫〕〔〈方〉 藏蒙蒙儿〕
〔藏闷儿〕 cángmēnr 명통 〈方〉 숨바꼭질(하다).
〔藏蒙哥儿〕 cángménggēr 명통 숨바꼭질(하다).
〔藏匿〕 cángnì 통 〈文〉 숨기다. 감추다. ¶～人犯; 범인을 숨기다.
〔藏怒〕 cángnù 통 〈文〉 노여움을 마음 속에 품다.
〔藏器待时〕 cáng qì dài shí 〈成〉 평소부터 수양을 쌓아서 때를 기다리다.
〔藏身〕 cángshēn 통 〈文〉 몸을 숨기다. ¶～之所; 은신처 / 无处～; 몸을 둘 데가 없다.
〔藏书〕 cángshū 통 서적을 수장(收藏)하다. ¶～家; 서적을 애장하는 사람. 장서가 / ～楼 =〔书楼〕; 도서관의 구칭. 명 장서. 소장한 서적.
〔藏私〕 cángsī 통 ①숨기다. 마음을 터놓고 이야기하지 않다. ②금제품(禁制品)을 숨기다.
〔藏头亢脑〕 cáng tóu kàng nǎo 〈成〉 책임을 회피하는 말 · 태도. ¶明明是他的责任可是问起来他～地推了个干净; 분명히 그의 책임인데도, 따져 물으니까 그는 이러쿵저러쿵 책임을 회피하고 말았다.
〔藏头露尾〕 cáng tóu lù wěi 〈成〉 머리는 숨기고 꼬리만 보이다《진상을 숨기려고 태도가 분명치 않다》.
〔藏心〕 cángxīn 통 속마음을 숨기고 털어놓지 않다.
〔藏形〕 cángxíng 통 〈文〉 모습을 감추다.
〔藏掖(儿)〕 cángyē(r) 통 ①몰래 지니다. ¶夹带～; 금제품(禁制品)을 몰래 지니다. ②숨다. 숨기다. ¶～躲闪; 남몰래 숨다. 명 비밀한 일. 남의 눈을 꺼리는 일《속으로 나쁜 짓을 하고 표면상 감추는 일》. ¶他给大家办事完全公开, 从来没有～; 그가 모두를 위해 하는 일은 공공연하여 조금도 숨김이 없다.
〔藏之名山, 传之其人〕 cáng zhī míng shān, chuán zhī qí rén 〈成〉 가치 있는 것은 사람을 가려서 전하는 것이다.
〔藏智〕 cángzhì 통 〈文〉 지혜를 감추고 나타내지 않다.
〔藏贮〕 cángzhù 통 〈文〉 저장하다.
〔藏拙〕 cángzhuō 통 자기의 단점을 나타내지 않다. 약점을 드러내지 않다.
〔藏踪〕 cángzōng 통 자취를 감추다. 숨다. ¶～匿迹; 자취를 감추다.

驵(駔) căng (장)

→〔驵子〕 ⇒zǎng zù

〔驵子〕 cǎngzi 명 ①거간(居間). 거간꾼. ②무뢰한.

CAO ㄘㄠ

操〈掺〉 cāo (조)

①통 조종하다. 잡다. (손으로) 다루다. (권력 따위를) 장악하다. ¶手～农具; 손으로 농구를 다루다 / ～刀; ⇓ / ～舟zhōu; ⇓ / ～之于一人手中; 〈文〉 한 사람 손에 장악되어 있다 / ～必胜之权 =〔～必胜之券quàn〕; 필승의 관건을 장악하다. ②통 종사하다. 관련하다. ¶～律师业; 변호사업에 종사하다. ③통 (신경을) 쓰다. (걱정을) 하다. ¶～心xīn; 신경을 쓰다. 걱정하다 / ～闲心; 쓸데없는 걱정을 하다. ④명통 훈련 · 연습(을 하다). ¶阅yuè～; 연습을 검열하다 / 打野～; 야외 연습을 하다 / 体tǐ～; 체조 / 早zǎo～; 아침 체조 / 上工间～; 업무 사이에 체조를 하다 / ～帽mào; 운동 모자. 훈련 모자. ⑤통 (외국어나 방언을) 말하다〔쓰다〕. ¶～英语; 영어로 말하다 / ～南音; 남방 사투리로 지껄이다. ⑥통 (거문고 따위를) 타다. ¶～琴; ⇓ ⑦명 절조. 품행. 행실. ¶～守; ⇓ / 节～; 절조. ⑧명 옛날의 거문고 곡조 이름을 '…～'라고 하였음. ¶履lǚ霜～; 이상조(履霜操). ⑨명 성(姓)의 하나.
〔操办〕 cāobàn 통 ①처리하다. 다루다. ¶我替替你哥哥, 给你～! 내가 네 오빠를 대신해서 너의 일을 어떻게 하든 처리해 주마! ②(회의 따위를) 개최하다. (일을) 도맡아 하다. ¶那些有儿有女的, 儿女～他们的后事; 자녀가 있는 사람은 자녀가 그들이 죽은 후의 일을 맡아 본다.
〔操兵〕 cāobīng 통 연병(練兵)하다. 군대를 지휘하다.
〔操柄〕 cāobǐng 통 〈文〉 권력을 장악하다.
〔操场〕 cāochǎng 명 ①운동장. ②연병장. ③(농작물의) 집하장(集荷場).
〔操扯〕 cāochě 통 (적극적으로) 종사하다.
〔操持〕 cāochi 통 ①꾸려 나가다. ¶～家务; 가사를 이리저리 꾸려 나가다. ②생계를 꾸려 나가다. ¶～井臼; 〈成〉 아내로서의 임무를 다하다. ③계획 · 준비하다. ¶听说闺女明天就过门了, 都～好了吗? 따님이 내일 출가한다고 들었는데, 준비는 다 끝냈습니까?
〔操蛋〕 cāodàn 명 〈罵〉 무능한 사람. 통 ⇨〔糙蛋〕
〔操刀〕 cāodāo 통 칼을 손에 잡다. ¶～必割; 일을 함에 시기를 놓치지 않다. 기회가 있으면 즉시 실행하다.
〔操点〕 cāodiǎn 통 점호(點呼)와 체조를 하다.
〔操典〕 cāodiǎn 명 《軍》 교련(教鍊)의 지도 요령을 수록한 서적.
〔操舵〕 cāoduò 통 ⇨〔掌zhǎng舵〕
〔操法〕 cāofǎ 명 교련(教鍊)과 체조 방법.
〔操戈〕 cāogē 통 적대(敵對)하다. 서로 다투다. ¶同tóng室～; 〈成〉 내분(內紛)을 일으키다. 한 패끼리 싸움이 일어나 분열하다.
〔操觚〕 cāogū 통 ①(언론을 주로 하는) 문필(文筆)에 종사하다. ②어떤 사업 또는 예능에 집념하다.
〔操毫〕 cāoháo 통 집필(執筆)하다.
〔操计〕 cāojì 〈文〉 ⇨〔操奇qí计赢〕
〔操家〕 cāojiā 통 집안일을 맡아 하다.
〔操课〕 cāokè 명 ①《軍》 군사 훈련 과목. ②《體》 체조 과목.
〔操劳〕 cāoláo 통 고생하다. 애쓰다. 잘 종사하다. ¶这些分外的事就别～啦! 이와 같은 본분 외의 일로 애쓰는 것은 그만두어라! 명 치우는 일. 힘든 일. ¶他酷kù爱庄稼阮琐碎的～; 그는 곡물 처리장의 번거로운 일을 하는 것을 좋아한다.
〔操练〕 cāoliàn 명통 조련(하다). 연습(하다). 훈련(하다). ¶无论什么技术只要多～自然就熟悉; 어

떤 기술이라도 더 많이 연습하기만 하면 자연히 익숙해진다.
〔操履〕 cāolǚ 명 〈文〉 소행(素行). 품행(品行).
〔操弄〕 cāonòng 동 함부로 취급하다. 농락하다.
〔操奇计赢〕 cāoqí jìyíng 〈文〉 장사꾼이 약삭빠르게 굴어 많은 이익을 얻다. =〔操计jì〕
〔操切〕 cāoqiè 형 지나치게 서두르다. 지나치게 성급하다. ¶这件事他办得太～了; 그는 이 일을 하면서 너무 서두른다.
〔操琴〕 cāoqín 동 거문고를 타다. =〔弹tán琴〕
〔操权〕 cāoquán 동 권력을 장악하다.
〔操神〕 cāo.shén 동 걱정하다. 심로(心勞)하다. ¶～受累; 심로하느라고 지치다.
〔操守〕 cāoshǒu 명 조행(操行). 몸가짐. 생활 태도.
〔操向舵〕 cāoxiàngduò 명 방향타(方向舵).
〔操心〕 cāo.xīn 동 ①마음을 쓰다. 걱정하다. ¶为他们操了许多心; 그들에게 마음을 많이 썼다 / 您不必～了; 걱정하실 필요 없습니다 / 操闲心; 쓸데없는 걱정을 하다. ②주의하다. 마음에 두다. (cāoxin) 명 마음가짐.
〔操行〕 cāoxíng 명 조행. 품행. 몸가짐. ¶这学生～很好; 이 학생은 품행이 매우 좋다.
〔操演〕 cāoyǎn 명동 연습(하다). 훈련(하다). ¶～一个动作, 先要明了这个动作的要领; 어떤 동작을 훈련하려면, 우선 그 동작의 요령부터 잘 알아야 한다.
〔操衣〕 cāoyī 명 체조복. 운동복.
〔操之过急〕 cāo zhī guò jí 〈成〉 성급하게 일을 하다.
〔操舟〕 cāozhōu 동 〈文〉 배를 젓다〔조종하다〕.
〔操纵〕 cāozòng 동 ①조작하다. ¶远距离～; 원거리 조종. 리모트 컨트롤(remote control) / 无线电～; 무선 조종 / ～台; 조종대 / ～杆gǎn; 조종간 / ～仪yí器; 오토메이션 장치. ②〈貶〉 지배하다. 조종하다. ¶～物价; 물가를 조종하다 / ～选举; 선거를 조종하다 / ～市场; 시장을 조종하다 / 背后～; 뒤에서 조종하다 / 暗中～; 배후에서 조종하다 / 受人～; 남에게 조종당하다 / ～在敌人手里; 적에게 마음대로 조종당하고 있다.
〔操作〕 cāozuò 동 조작하다. (손으로) 다루다. 일하다. 명 조작. ¶～率; 조업률. 가동률 / ～系统; (컴퓨터에서) 오퍼레이팅 시스템(operating system) / ～台; 컨트롤 디스크.

糙 cāo (조)
형 ①미정백(未精白)의. ¶～米; ⇩ ②거칠다. 조잡하다. 대략적이다. 엉성하다. ¶粗～; 허술하다. 조잡하다 / 纸面太～; 지면이 매우 거칠다 / 这件活儿做得很～; 이 일은 아주 조잡하게 했다 / ～～地画了一张图; 엉성하게 한 장의 그림을 그렸다. ↔〔細〕
〔糙糙拉拉〕 cāocaolālā 부 아무렇게나. 대충대충. ¶～地洗; 아무렇게나 씻다.
〔糙糙略略〕 cāocaolüèlüè 부 대충. 어림 짐작으로. 힘을 들이지 않고. ¶那件事已经～地办完了; 그 일은 이미 대충 결말이 났다. =〔草cǎo草略略〕
〔糙糙儿〕 cāocāor 부 대충. 대략적으로. ¶瑞宣按着四爷计划先～地在心中造了个预算表《老舍 四世同堂》; 서선은 사야의 계획에 따라 우선 마음 속으로 대충 예산표를 짜 보았다.
〔糙瓷〕 cāocí 명 허술한 도자기. ↔〔细xì瓷〕
〔糙蛋〕 cāodàn 동 혼란하다. 수습할 수 없게 되다. =〔操蛋〕
〔糙点心〕 cāodiǎnxīn 명 ⇨〔粗cū点心〕
〔糙饭〕 cāofàn 명 변변치 못한 밥. 하찮은 밥.
〔糙缝〕 cāoféng 동 대충 꿰매다. 듬성듬성 꿰매다.
〔糙活(儿)〕 cāohuó(r) 명 조잡하게 한 일. 막노동. ↔〔细xì活(儿)〕
〔糙粮〕 cāoliáng 명 수수·조·콩 따위의 잡곡의 일컬음. =〔粗cū粮〕
〔糙米〕 cāomǐ 명 현미(玄米).
〔糙皮病〕 cāopíbìng 명 《醫》 펠라그라(pellagra).
〔糙儿穿〕 cāorchuān 동 ①(신발·양말 등을) 험하게 신다. ②(옷을) 험하게 입다·다루다.
〔糙儿使〕 cāorshǐ 동 험하게〔거칠게〕 사용하다.
〔糙事〕 cāoshì 명 조잡한 일. 거친 일. ¶～, 细事我都可以做; 거친 일이든지 치밀한 일이든지 다 할 수 있다.
〔糙叶树〕 cāoyèshù 명 《植》 푸조나무. =〔朴pǔ树〕
〔糙用〕 cāoyòng 동 거칠게 사용하다. 되는 대로 쓰다.

曹 cáo (조)
명 ①…들. 무리. 도배(徒輩). 동아리. ¶吾wú～; 우리들 / 尔ěr～; 너희들 / 儿ér～; 아이들. ②반별(班別). 군단(群團). ¶分～并进; 반으로 나뉘어서 전진하다. ③원고(原告)와 피고. ④(Cáo) 《地》 주대(周代)의 나라 이름. ⑤옛날의 관직의 직분·직무. ¶部bù～; 소속 관리 / 闲xián～; 한직. ⑥성(姓)의 하나.
〔曹白鱼〕 cáobáiyú 명 《魚》 준치. =〔鳓lè鱼〕
〔曹偶〕 cáo'ǒu 명 〈文〉 붕배(朋輩). 같은 또래의 벗. 동배(同輩). ¶率shuài其～亡之江中《史記 黥布傳》; 그 붕배들을 거느리고 강 속으로 도망쳤다. →〔侪chái辈〕
〔曹司〕 cáosī 명 〈文〉 관직《옛날, 관리의 직무》.
〔曹魏〕 Cáo Wèi 명 《史》 (조씨가 세운 삼국의) 위(魏)나라.

漕 cáo (조)
①동 조운(漕運)하다. (수로(水路)로 곡물을) 수송하다. ¶～船; ⇩ / ～粮; ⇩ ②명 주운(舟運). ③명 성(姓)의 하나.
〔漕船〕 cáochuán 명 미곡을 운송하는 배《'漕粮'에 쓰이던 배》.
〔漕沟〕 cáogōu 명 ⇨〔运yùn河〕
〔漕河〕 cáohé 명 연공(年貢)으로 바친 쌀을 수송하는 수로(水路). =〔运yùn粮河〕
〔漕粮〕 cáoliáng 명 수로(水路)로 운송하는 연공미(年貢米).
〔漕米〕 cáomǐ 명 물길로 운송하는 곡물.
〔漕渠〕 cáoqú 명 ⇨〔运yùn河〕
〔漕水〕 cáoshuǐ 명 강물의 수량〔수위〕. ¶半bàn～; 연간을 통해 수위가 가장 높은 때의 절반 정도의 수량.
〔漕司〕 cáosī 명 연공미(年貢米)의 운송과 그것에 대신하는 세금의 출납 등을 맡았던 관청. 또, 그 관리.
〔漕运〕 cáoyùn 동 조운하다. 배로 운송하다《옛날, 배로 식량을 운반하던 것을 말함》. →〔漕粮liáng〕
〔漕转〕 cáozhuǎn 명 〈文〉 수운(水運)과 육운(陸運). 배에 의한 운송과 차에 의한 운송.

嘈 cáo (조)
형 떠들썩하다. 시끄럽다.
〔嘈嘈〕 cáocáo 동 ①〈方〉 재잘재잘 지껄이다. 쓸데없는 잡담을 하다. ¶～了半天, 没一点儿正经

的；오랫동안 쓸데없는 잡담만 하고 조금도 진지한 말은 하지 않았다. ②〈方〉 비난하다. 헐뜯다. ¶叫他给～很这个样子；그에게 이렇게까지 비난을 당했다/～人；남에게 헐뜯는 말을 하다. 형〈文〉 시끄럽다. ¶鼓乐yuè～；음악을 연주하는 것이 시끄럽다.
〔嘈嘲〕 cáocháo 명동 말다툼(하다).
〔嘈吵〕 cáochǎo 형 고함 치는 소리가 시끄럽다. ¶这儿太～了，另找个清静地方吧；이 곳은 너무 시끄럽다. 다른 데 조용한 장소를 찾아보자. 동 떠들다.
〔嘈耳〕 cáo'ěr 형 떠들썩하다. 소란하다.
〔嘈闹〕 cáonào 동 말다툼으로 소란하다. 시끄럽게 떠들다.
〔嘈音〕 cáoyīn 명 소음(騷音).
〔嘈杂〕 cáozá 형 ①떠들썩하다. 떠들어 대다. ¶人声～；사람의 떠드는 소리가 시끄럽다/听不到一点～的声音；시끄러운 소리가 조금도 들리지 않다. ②뱃속이 꾸르륵거리다.

槽 cáo (조)
①(～子) 명 (가축(家畜)의) 먹이통. 구유. ¶猪～；돼지 구유/马～；말구유. ②(～子) 명 수조(水槽). 물통. ¶水～；물통. 물탱크/酒～；술통. ③(～儿, ～子) 명 홈. 고랑. 홈 모양으로 팬 곳《양쪽이 높게 솟았고 가운데가 '凹' 모양으로 움푹 팬 부분》. ¶刨páo～ =〔挖wā一个～儿〕；홈을 파다/河hé～；하상(河床). 하천 바닥. ④(～儿) 명 수로. 통수로(通水路). ⑤ 양 〈方〉 창문·건물·방 안의 칸막이 단위. ¶一～隔gé扇；방의 칸막이 하나/一～屏píng门；대문을 들어선 곳에 있는 가리개 담 하나.
〔槽刨〕 cáobào 명 홈을 파는 대패.
〔槽车〕 cáochē 명 ⇨〔罐guàn车〕
〔槽床〕 cáochuáng 명 ①주조용(酒造用) 압착기. ②구유틀. 구유대.
〔槽房〕 cáofáng 명 ⇨〔槽坊〕
〔槽坊〕 cáofang 명 양조장. =〔槽房〕
〔槽钢〕 cáogāng 명 요형(凹形)철. 구형강(溝形鋼). 채널형 강.
〔槽糕〕 cáogāo 명 〈方〉 중국식 카스텔라《여러 모양의 틀(크기 5,6센티미터)에 넣어 만든 것》. =〔槽子糕〕
〔槽孔〕 cáokǒng 명 수챗구멍.
〔槽枥〕 cáolì 명 마구간.
〔槽路〕 cáolù 명 통수로(通水路). 물길.
〔槽轮〕 cáolún 명《機》 V형 벨트용 도르래. =〔三sān角皮带轮〕〔〈南方〉 三角皮带盘〕
〔槽面疙瘩〕 cáomiàngēda 명 여드름.
〔槽探〕 cáotàn 명 깊이를 재는 방법의 일종.
〔槽铁〕 cáotiě 명 요형 철. 채널형 철.
〔槽头兴旺〕 cáotóu xīngwàng 가축이 쑥쑥 자라다.
〔槽牙〕 cáoyá 명 구치(臼齒). 어금니.
〔槽子〕 cáozi 명 ①구유. ②수조(水槽). 물통. ③홈. ④〈方〉 ㉠통이나 총알을 채워 두는 통을 세는 말. ㉡방 따위의 칸막이를 세는 말. ¶两～隔扇；두 장의 칸막이.
〔槽子糕〕 cáozigāo 명 〈方〉 중국식 카스텔라.

螬 cáo (조)
→〔蛴qí螬〕

艚 cáo (조)
→〔艚子〕

〔艚子〕 cáozi 명 화물을 싣는 목선(木船).

草〈艸, 騲[10]〉 cǎo (초)
①명 풀. ¶花～；꽃과 풀/野～；들풀. 야초/一棵～；한 포기의 풀. ②명 풀숲. ③명 짚. ¶稻～；볏짚/～鞋；⇓ ④명 초고(草稿). 문안(文案). ¶起～；기초하다/～案；⇓ ⑤동 〈文〉 기고(起稿)하다. ¶～檄xí；격문(檄文)을 기초하다/～拟；⇓ ⑥동 창시하다. ¶～创；⇓ ⑦명 글자체의 하나. ㉠자체(字體)의 하나. 한자의 초서체. →〔草书〕 ㉡알파벳의 필기체. ¶大～；대문자(의 필기체)/小～；소문자(의 필기체). ⑧형 미결정의. 임시의. ⑨형 거칠다. 조잡하다. 세밀하지 않다. 조략하다. ¶潦liáo～；조잡하다. 엉성하다/字写得很～；글자를 갈겨썼다/～～了liǎo事；허둥지둥 끝내다. 일을 적당히 해 치우다. ↔〔细〕 ⑩명 가축의 암컷. ¶～鸡；⇓
〔草案〕 cǎo'àn 명 원안(原案). 초안.
〔草把〕 cǎobǎ 명 풀을 묶은 단.
〔草斑〕 cǎobān 명《魚》 자바리.
〔草包〕 cǎobāo 명 ①멱서리. 가마니. =〔草袋〕 ②풀·짚을 담은 자루〔포대〕. ③〈比〉 등신. 머저리. 바보. 쓸모 없는 인간. ¶你真是个～，连这么点儿事都不会办！ 너는 정말 등신이로구나. 이 정도의 일조차 할 수 없다니！ =〔草鸡毛〕 ④〈方〉 덜렁이.
〔草本〕 cǎoběn 명 ①《植》 풀의 줄기. 초본. ¶～植物；초본 식물. ②초고(草稿).
〔草编〕 cǎobiān 명 민간 수공예품의 일종《옥수수·밀짚·골풀 등으로 엮어 만든 손바구니·모자·과자함·슬리퍼 등의 생활용품》.
〔草标(儿)〕 cǎobiāo(r) 명 물건을 파는 표시로 꽂아 두는 풀《팔고 싶은 물건에 이것을 꽂아 둠》. ¶小姑娘的头上插着一根～《老舍 茶館》；그 어린 소녀의 머리에는 파는 물건이라는 표시의 마른 풀줄기가 꽂혀 있었다/当日将了宝刀插了～上市去卖《水滸傳》；그 날 (재빨리) 보도(寶刀)에 마른 풀줄기를 꽂아 저자에 팔러 갔다. →〔插chā标卖身〕
〔草簿〕 cǎobù 명《商》 원장(元帳). 일기장. =〔草记账〕
〔草草〕 cǎocǎo 부 대강대강. ¶～了事liǎoshì；〈成〉 대강대강 일을 처리하다. 형 ①간략하다. ¶～不恭；이만 총총. 여불비례(餘不備禮)《편지 끝의 용어》. ②난잡하다. 동 마음을 번거롭게 하다.
〔草测〕 cǎocè 명《土》 공사를 시작하기 전에 하는 대강 측량.
〔草叉〕 cǎochā 명《農》 쇠스랑《사료용 풀 따위로 쌓아올리는 데 씀》.
〔草场〕 cǎochǎng 명 초원. 목장.
〔草成〕 cǎochéng 명동 ⇨〔草创〕
〔草虫〕 cǎochóng 명 ①⇨〔草螽〕 ②《蟲》 풀벌레. ③《美》 화초와 곤충을 모티프(프 motif)로 한 중국화.
〔草船〕 cǎochuán 명 초선(草船). 풀배《풀을 묶어서 배 모양으로 만든 것인데, 망령(亡靈)을 보내는 데에 쓰임》.
〔草创〕 cǎochuàng 명 시작. 최초. 창업. 동 창시하다. 창업하다. ‖=〔草成〕
〔草刺儿〕 cǎocìr 명 ①풀의 가시. ②〈比〉 매우 사소한 것. 터럭만한 것. ¶～不値；하잘것없다. 하찮다.

〔草苁蓉〕 cǎocōngróng 명 《植》 으름난초.
〔草丛〕 cǎocóng 명 풀숲.
〔草袋〕 cǎodài 명 ⇨〔草包①〕
〔草底儿〕 cǎodǐr 명 ①초고(草稿). ②결심. ¶心里有了～; 결심이 섰다.
〔草地〕 cǎodì 명 ①초지. 초원. ②잔디. ¶勿踏～! 잔디에 들어가지 마시오!
〔草地网球〕 cǎodì wǎngqiú 명 《體》 〈方〉 론(lawn) 테니스.
〔草地席〕 cǎodìxí 명 돗자리. 멍석.
〔草店〕 cǎodiàn 명 시골 숙박소. 시골 여관.
〔草甸子〕 cǎodiànzi 명 〈方〉 습지. 초원.
〔草垫(子)〕 cǎodiàn(zi) 명 ①(짚으로 만든) 매트(mat). ②(서리·해를 막는) 거적. ③짚으로 만든 깔개.
〔草钉〕 cǎodīng 명 가제본(假製本)한 책.
〔草豆〕 cǎodòu 명 《植》 나비나물.
〔草豆蔻〕 cǎodòukòu 명 《植》 육두구.
〔草杜鹃〕 cǎodùjuān 명 《植》 채송화.
〔草堆〕 cǎoduī 명 ①풀숲. 덤불. ②풀이나 짚의 더미.
〔草墩(子)〕 cǎodūn(zi) 명 높게 쌓은 풀더미.
〔草垛〕 cǎoduò 명 짚더미. 짚가리.
〔草房〕 cǎofáng 명 초가집. =〔草舍②〕〔草屋〕
〔草肥〕 cǎoféi 명 초비. 풀을 썩여 만든 퇴비.
〔草稿〕 cǎogǎo 명 ①원고. 초안. =〔草本②〕 ②초고. ¶打～; 초안을 쓰다. =〔草底儿〕
〔草菇〕 cǎogū 명 《植》 버섯의 일종《자루를 씌운 것 같은 모양이므로, '苞bāo脚菇' '兰lán花菇' 라고도 함》.
〔草挂搭儿〕 cǎoguàdār 명 짚신.
〔草龟〕 cǎoguī 명 《動》 남생이. =〔秦qín龟〕〔山shān龟〕
〔草棍(儿)〕 cǎogùn(r) 명 풀의 줄기. =〔草茎〕
〔草果〕 cǎoguǒ 명 《植》 ①육두구. ②〈方〉 딸기.
〔草合同〕 cǎohétong 명 가계약서(假契約書).
〔草狐〕 cǎohú 명 《動》 여우의 일종《온몸의 털은 회색을 띤 엷은 황색으로 짧음》.
〔草荒〕 cǎohuāng 밭에 풀이 우거져 농작물의 성장에 해가 됨.
〔草黄〕 cǎohuáng 명 《色》 짚같이 누른빛.
〔草灰〕 cǎohuī 명 ①풀을 태운 재. →〔草木灰〕 ②누르스름한 회색《가난한 농민을 경멸하는 말》.
〔草灰羔子〕 cǎohuī gāozi 명 ⇨〔野yě草灰〕
〔草鸡〕 cǎojī 명 ①〈方〉 암탉. =〔母mǔ鸡〕 ↔〔公鸡〕 ②〈比〉 무능한 자. 게으름뱅이.
〔草鸡胆〕 cǎojīdǎn 명 〈比〉 담력이 작은 인간. ¶～办不了大事; 담력이 작은 인간은 큰일을 못 한다.
〔草鸡手〕 cǎojīshǒu 명 〈比〉 작은 일로 쩔쩔매는 쓸모 없는 인간.
〔草记账〕 cǎojìzhàng 명 ⇨〔草簿〕
〔草间求活〕 cǎo jiān qiú huó 〈成〉 눈 앞의 안일만 탐내며 되는 대로 살아 가다. =〔苟gǒu且偷安〕
〔草菅人命〕 cǎo jiān rén mìng 〈成〉 사람의 목숨을 경시(輕視)함.
〔草荐〕 cǎojiàn 명 침대에 까는 짚자리.
〔草浆〕 cǎojiāng 명 보릿짚 따위로 만든 제지용 펄프(pulp).
〔草芥〕 cǎojiè 명 초개. 풀과 쓰레기. 〈比〉 가치 없는 것. 비천한 것. ¶看人简直地如同～似的; 사람 보기를 그야말로 초개같이 여기다.
〔草茎〕 cǎojīng 명 ⇨〔草棍(儿)〕
〔草驹〕 cǎojū 명 갓 태어난 말.
〔草寇〕 cǎokòu 명 ⇨〔草贼〕
〔草兰〕 cǎolán 명 《植》 보춘화. =〔春兰〕
〔草隶〕 cǎolì 명 ⇨〔草书〕
〔草笠〕 cǎolì 명 초립. 사초로 만든 삿갓.
〔草里蛇〕 cǎolishé 명 풀 속의 뱀《뜻밖의 적. 불의의 적》.
〔草帘子〕 cǎoliánzi 명 새끼줄발〔簾〕. 짚으로 만든 발.
〔草料〕 cǎoliào 명 꼴. 마소의 먹이.
〔草庐〕 cǎolú 명 ⇨〔草堂〕
〔草鹭〕 cǎolù 명 《鳥》 보랏빛해오라기. =〔花huā洼子②〕
〔草驴〕 cǎolǘ 명 《動》 암탕나귀. =〔骒kè驴〕 ↔〔叫jiào驴〕
〔草履〕 cǎolǚ 명 짚신.
〔草履虫〕 cǎolǚchóng 명 《蟲》 짚신벌레.
〔草绿〕 cǎolǜ 명 《色》 초록. 초록색.
〔草骡〕 cǎoluó 명 《動》 암노새. =〔骒kè骡〕 ↔〔叫jiào骡〕
〔草麻黄〕 cǎomáhuáng 명 《植》 개속새.
〔草马〕 cǎomǎ 명 《動》 암탕나귀.
〔草码〕 cǎomǎ 명 ⇨〔苏sū州码(字)〕
〔草莽〕 cǎomǎng 명 ①초원(草原). 넓은 들. ②풀숲. ③(관(官)에 대하여) 야(野)·재야(在野)·민간.
〔草茅〕 cǎomáo 명 〈文〉 민간인. 재야 인사. 관직을 갖지 않은 사람. 미천한 사람. 자기의 낮춤말. ¶由一介～言天下事《新唐書 馬周傳贊》; 한낱 야인이 천하의 대사를 논하다 / 草野忧国之士; 재야의 우국지사(憂國志士). =〔草野〕〔草泽①〕〔茅草cǎo②〕
〔草帽(儿)〕 cǎomào(r) 명 맥고모자. 밀짚모자. ¶～辫子 =〔～辫〕; 보릿짚을 땋은 끈.
〔草帽缏〕 cǎomàobiàn 명 보릿짚을 표백하여 얇고 길게 짠 것.
〔草莓〕 cǎoméi 명 《植》 딸기.
〔草煤〕 cǎoméi 명 ⇨〔泥ní炭〕
〔草昧〕 cǎomèi 명 〈文〉 초매. 천지 창조 이전의 혼돈 상태. ¶～初开的时候儿; 천지가 처음으로 창조될 때.
〔草棉〕 cǎomián 명 《植》 솜. 면화. =〔棉花〕
〔草茉莉〕 cǎomòli 명 ⇨〔紫zǐ茉莉〕
〔草木〕 cǎomù 명 초목. 풀과 나무. ¶～之人; 신분이 낮은 사람. 하잘것없는 사람.
〔草木灰〕 cǎomùhuī 명 초목회. 풀과 나무를 태워서 생긴 재《비료로 함》.
〔草木皆兵〕 cǎo mù jiē bīng 〈成〉 하찮은 일에도 무서워서 벌벌 떠는 일《육조(六朝) 시대, 부견(苻堅)이 진(晉)을 공격했을 때, 산의 풀과 나무가 다 적의 군사와 같이 보여서 벌벌 떨었다는 고사에 따름》.
〔草木犀〕 cǎomùxi 명 《植》 전동싸리.
〔草拟〕 cǎonǐ 동 초고(草稿)를 기초하다.
〔草牛〕 cǎoniú 명 ①들에 풀어 놓은 소. 방목소. ②짚으로 만든 소.
〔草棚(儿)〕 cǎopéng(r) 명 초막(草幕). 초가집. =〔草篷〕
〔草篷〕 cǎopéng 명 ⇨〔草棚(儿)〕
〔草皮〕 cǎopí 명 ①잔디. ¶剪jiǎn～; 잔디를 깎다. ②뗏장. 잔디를 심기 위해 잔디를 흙이 붙은 채 사각으로 떼어 낸 것.
〔草坪〕 cǎopíng 명 초원. 잔디밭.
〔草铺〕 cǎopū 명 짚멍석.
〔草契〕 cǎoqì 명 ⇨〔白bái契〕

C

〔草器〕 cǎoqì 명 거적·모자 따위처럼 보릿짚이나 그 밖의 풀로 만든 기구.
〔草签〕 cǎoqiān 동 가조인(假調印)하다. ¶～了贸易协定; 무역 협정에 가조인했다.
〔草窃〕 cǎoqiè 명 도둑. 또는 남을 욕하는 말.
〔草芹菜〕 cǎoqíncài 명 《植》 셀러리의 별칭.
〔草寝〕 cǎoqǐn 명동 〈文〉 야숙(野宿)(하다). ¶露lù宿～; 야숙(野宿)(하다). 노숙(하다).
〔草清簿〕 cǎoqīngbù 명 구식(舊式)의 부기장.
〔草蜻蛉〕 cǎoqīnglíng 명 《蟲》 풀잠자리.
〔草裙舞〕 cǎoqúnwǔ 명 《舞》 훌라 댄스(hula dance).
〔草人(儿)〕 cǎorén(r) 명 짚으로 만든 인형. 허수아비. =〔稻dào草人〕

〔草上飞〕 cǎoshàngfēi 명 〈方〉 강에서 쓰는 배의 일종《구시대의 소형 쾌속선》.
〔草上霜〕 cǎoshàngshuāng 명 양질(良質)의 양피(羊皮)《모근(毛根)은 회흑색이며 끝은 희고 구슬 모양으로 말려 있음》.
〔草芍药〕 cǎosháoyào 명 《植》 산작약.
〔草舍〕 cǎoshè 명 ①〈文〉 저의 집. 누추한 집. →〔舍间〕 ②⇨〔草房〕
〔草绳〕 cǎoshéng 명 새끼(줄).
〔草石蚕〕 cǎoshícán 명 《植》 두루미냉이. =〔宝塔菜〕〔甘露③〕
〔草食动物〕 cǎoshí dòngwù 명 《動》 초식 동물.
〔草市〕 cǎoshì 명 시골 장터.
〔草书〕 cǎoshū 명 초서. =〔草隶〕〔草体①〕〔草字②〕
〔草树胶〕 cǎoshùjiāo 명 《化》 아크로이드(accroides) 고무.
〔草率〕 cǎoshuài 형 경솔하다. 대강대강하다. 소홀히 하다. ¶无论什么工作, 都不能～从事; 무슨 일이고 되는대로 아무렇게나 해서는 안 된다 / ～收兵; 적당히 끝내다. 소홀히 결말을 짓다 / 他做事老这么～; 그가 하는 일은 언제나 이렇게 경솔하다.
〔草酸〕 cǎosuān 명 《化》 옥살산(oxalic acid). 수산(蓚酸). ¶～酰xiān基; 옥살기(基). =〔蓚xiū酸〕〔乙yǐ二酸〕
〔草台班子〕 cǎotáibānzi 명 소규모의 유랑 극단《농촌·소도시에서 이동 공연을 함》.
〔草炭〕 cǎotàn 명 《鑛》 토탄(土炭). 이탄(泥炭). =〔草煤〕 →〔泥ní炭〕
〔草堂〕 cǎotáng 명 〈文〉 ①초가. 초가집. ②은거(隱居)하는 집. ¶庐山～; 백거이(白居易)가 은거하던 집 이름. ‖=〔草庐〕〔茅máo庐〕
〔草藤〕 cǎoténg 명 《植》 등갈퀴나물.
〔草体〕 cǎotǐ 명 ①⇨〔草书〕 ②(알파벳의) 필기체(글자).
〔草剃禽狝〕 cǎotì qínxiǎn 〈比〉 일망타진(하다).
〔草田〕 cǎotián 명 황무지. 개간되지 않은 땅. ¶～轮作; 목초 또는 사료용 풀과 작물의 윤작. 윤재(輪栽).
〔草莛儿〕 cǎotíngr 명 풀의 대(薹). 풀줄기.
〔草头〕 cǎotóu 명 ①《言》 초두《한자 부수의 하나 '菊·茂' 등의 '艹'의 이름》. =〔草字头(儿)〕 ②《植》 거여목.
〔草头大王〕 cǎotóu dàiwáng 명 옛날, 도적의 두목이 왕을 참칭(僭稱)하여 일렀음. =〔草头王〕 →〔草贼〕
〔草头方儿〕 cǎotoufāngr 명 《漢醫》 흔하게 있는 초근목피(草根木皮)를 쓴 처방.
〔草头露〕 cǎotóulù 명 〈文〉 초로(草露)《오래 가지 않는, 덧없는 것》. ¶富贵何如～《杜甫詩》; 부귀가 어찌 풀잎의 이슬보다 나을 것이 있겠는가(풀잎의 이슬보다도 더 허무하다〔덧없다〕).
〔草图〕 cǎotú 명 약도(略圖). 겨냥도. ¶～纸; 스케치 용지.
〔草乌(头)〕 cǎowū(tóu) 명 《植》 바곳《바곳의 뿌리는 외과약(外科藥)·적취(積聚)·심복통(心腹痛) 따위의 약재로 쓰임》.
〔草屋〕 cǎowū 명 ⇨〔草房〕
〔草席(子)〕 cǎoxí(zi) 명 짚방석. 꽃돗자리. ¶编～; 자리를 엮다.
〔草席机〕 cǎoxíjī 명 《機》 자리〔거적〕 제조기(機).
〔草虾〕 cǎoxiā 명 《動》 징거미.
〔草酰〕 cǎoxiān 명 《化》 옥살산(酸)(oxalic acid). ¶～基jī; 옥살산기. =〔乙yǐ二酰〕
〔草鞋〕 cǎoxié 명 짚신. ¶打～; 짚신을 삼다.
〔草鞋底〕 cǎoxiédǐ 명 《動》 그리마.
〔草写〕 cǎoxiě 명 (알파벳의) 필기체. 초서체.
〔草行〕 cǎoxíng 동 〈文〉 풀을 헤쳐 나가다.
〔草行露宿〕 cǎo xíng lù sù 〈成〉 풀을 헤치며 나아가 야숙(野宿)하다《고생을 거듭하면서 여행함》.
〔草羊皮〕 cǎoyángpí 명 값싼 양가죽.
〔草样儿〕 cǎoyàngr 명 ①초고(草稿). ②겨냥도. ③견본(見本).
〔草妖〕 cǎoyāo 명 초목의 변이(變異) 현상.
〔草药〕 cǎoyào 명 《漢醫》 초약. →〔草头方儿〕
〔草药医生〕 cǎoyào yīsheng 명 민간약으로 병을 고치는 민간 의사. →〔江jiāng湖大夫〕
〔草野〕 cǎoyě 명 〈文〉 ⇨〔草茅〕
〔草鱼〕 cǎoyú 명 《魚》 초어《중국·베트남 등지에 분포하며, 잉어와 비슷하나 수염이 없음》.
〔草原〕 cǎoyuán 명 ①초원. 풀밭. ②《地質》 스텝(steppe).
〔草约〕 cǎoyuē 명 ①조약·의정서(議定書)의 초안. ②가계약서(假契約書). =〔草合同〕
〔草泽〕 cǎozé 명 ①〈文〉 민간. 초야. =〔草茅〕 ②풀이 무성한 소택지(沼澤地). ¶深山～; 〈翰〉 깊은 산 속의 소택지.
〔草贼〕 cǎozéi 명 〈文〉 초적. 좀도둑. =〔草寇〕
〔草札〕 cǎozhá 명 〈翰〉 폐간(弊簡)《제가 올린 편지》.
〔草织帽〕 cǎozhīmào 명 밀짚모자. →〔草帽(儿)〕
〔草织物〕 cǎozhīwù 명 밀짚 제품.
〔草纸〕 cǎozhǐ 명 얇은 마분지 모양의 막치 종이. 화장지.
〔草蛭〕 cǎozhì 명 《動》 산거머리. =〔山shān蛭〕
〔草螽〕 cǎozhōng 명 《蟲》 여치. =〔草虫①〕
〔草珠儿〕 cǎozhūr 명 《植》 율무.
〔草酌〕 cǎozhuó 명 〈文〉 특별히 마련하지 않고 (집에) 있는 안주로 술을 마심.
〔草子(儿)〕 cǎozǐ(r) 명 풀씨. =〔草籽zǐ(儿)〕
〔草字〕 cǎozì 명 ①소생(小生)의 자(字). ②⇨〔草书〕
〔草字头(儿)〕 cǎozìtóu(r) 명 ⇨〔草头①〕

懆 cǎo (조)
→〔懆懆〕

〔懆懆〕 cǎocǎo 형 〈文〉 걱정이 되어 불안한 모양.

肏 cào (조)
동 〈俗〉 교합(交合)하다. 성행위를 하다. ¶～你的妈; 〈罵〉 네미 붙을 놈.

〔肏蛋〕 càodàn 동 〈俗〉 ①얼빠진 짓을 하다. ②못쓰게 되다. ¶那件事～了; 그 일은 실패로 끝났다. 명 〈罵〉 바보! 멍청이!

CE ㄘㄜ

册〈冊〉 cè (책)
① 명 책. 책자. 철해 놓은 책. ¶装zhuāng订成～; 철하여〔꿰매어〕 책으로 만들다 / 户hù口～; 호적 대장 / 纪jì念～; 기념 앨범. ② 명 문서. 기록. ③ 명 칙서(勅書). ④ 동 〈文〉 봉작(封爵)하다. 책봉(冊封)하다. ⑤ 양 책. 권《책자를 세는 말》. ¶全书共四～; 전권(全卷) 4권.

〔册次〕 cècì 명 서적 · 책수(冊數)의 순서.

〔册封〕 cèfēng 동 책봉하다. 봉작하다.

〔册府〕 cèfǔ 명 〈文〉 임금의 서고(書庫). =〔策府〕

〔册礼〕 cèlǐ 명 황후(皇后)를 책립하는 의식. →〔册立〕

〔册立〕 cèlì 동 책립하다. 황제가 황후 · 황태자를 봉(封)하여 세우다.

〔册叶〕 cèyè 명 ⇨〔册页〕

〔册页〕 cèyè 명 글 · 그림을 한 장씩 표구한 것을 철한 것. 서화장(書畫帳). =〔册叶〕

〔册账〕 cèzhàng 명 장부.

〔册子〕 cèzi 명 책자. 장정한〔철한〕 책. ¶小xiǎo～; 팸플릿(pamphlet). →〔本běn子①〕〔簿bù子〕

厕(厠〈廁〉) cè (측)
① 명 변소. 화장실. ¶男nán～; 남자(용) 화장실 / 女～; 여자(용) 화장실 / 公～ =〔公共～所〕; 공중 변소 / 水shuǐ ～; 수세식 변소 / 入rù～; 변소에 들어가다. →〔厕所〕 ② 동 〈文〉 참가하다. 가담하다. 어울리다. ⇒si

〔厕身〕 cèshēn 동 ⇨〔厕足〕

〔厕所〕 cèsuǒ 명 ①변소. ¶官中～; (옛날의) 공동 변소. =〔茅厕〕〔茅房〕〔茅司〕〔便所〕 ②전범《W.C.는 war criminal과 통하는 데서 유래》.

〔厕足〕 cèzú 동 몸을 두다. 참가〔참여〕하다. ¶～其间; 그 패에 가담하다. =〔厕身〕

侧(側) cè (측)
① 명 측면. 곁. 옆. ¶楼lóu～; 2층집 옆 / 右～; 오른쪽. 우측. ② 동 (한쪽으로) 치우치다. ③ 동 비스듬히 하다. 기울이다. ¶身子往旁边一～, 让客人先进去; 몸을 조금 옆으로 돌리고 손님을 먼저 들여보내다 / ～着身子; 몸을 비스듬히 하다 / ～着耳朵听; 귀를 기울이고 듣다. ⇒zè zhāi

〔侧柏〕 cèbǎi 명 《植》 측백나무. →〔柏①〕

〔侧扁〕 cèbiǎn 명 측편《붕어나 도미처럼 두께가 얇고 폭이 넓은 것》.

〔侧不楞〕 cèbulēng 〈方〉 (넘어질 듯이) 비틀거리다.

〔侧刀儿〕 cèdāor 명 칼도방《한자 부수의 하나. '刊 · 利' 등의 '刂'의 이름》.

〔侧耳〕 cè'ěr 동 귀를 기울이다. ¶～细听 =〔～倾听〕; 귀를 기울이고 듣다. 명 《植》 송이과(科) · 송이버섯과의 버섯.

〔侧房〕 cèfáng 명 ①측실(側室). 옆방. →〔正zhèng房①〕 ②소실. 측실.

〔侧根〕 cègēn 명 《植》 측근《주근(主根)〔원뿌리〕에서 생기는 지근(枝根)〔받침 뿌리〕》. =〔支zhī根〕

〔侧滚〕 cègǔn 동 (기체(機體)가 공중에서) 횡전(橫轉)하다.

〔侧击〕 cèjī 명동 측면 공격(하다).

〔侧记〕 cèjì 명 방청(傍聽) 기록《신문 표제에 쓰임》.

〔侧金盏花〕 cèjīnzhǎnhuā 명 《植》 복수초(福壽草).

〔侧理纸〕 cèlǐzhǐ 명 측리지. 태지(苔紙)《파래 따위를 원료로 하여 만든 종이》. =〔苔tái笺〕〔陟zhì厘②〕

〔侧脸〕 cèliǎn 명 옆얼굴. 측면.

〔侧媚〕 cèmèi 동 〈文〉 옳지 못한 짓을 하면서까지 남에게 아첨하다.

〔侧门〕 cèmén 명 통용문. 옆문.

〔侧面(儿)〕 cèmiàn(r) 명 측면. →〔正zhèng面(儿)①〕

〔侧面灯〕 cèmiàndēng 명 (차나 배의) 옆에 달린 등. 사이드 라이트. =〔边biān灯〕

〔侧面刃铣刀〕 cèmiànrèn xǐdāo 명 《機》 사이드 프레이즈(side fraise).

〔侧目〕 cèmù 동 외면하다. 곁눈으로 보다《공포 · 놀람을 나타냄》. ¶～而视; ⓐ곁눈질하다. ⓑ머뭇머뭇하며 보다. =〔侧视〕

〔侧身〕 cè¸shēn 동 몸을 비스듬히 하다. ¶～而入; 몸을 옆으로 돌리고 들어가다 / ～投球; 《體》 세트 포지션(set position).

〔侧石〕 cèshí 명 연석(緣石).

〔侧蚀力〕 cèshílì 명 하류(河流)가 양안(兩岸)을 침식하는 힘.

〔侧视〕 cèshì 동 ⇨〔侧目〕

〔侧室〕 cèshì 명 〈文〉 ①첩. 소실. ②옛날, 첩의 자식.

〔侧手翻〕 cèshǒufān 명 《體》 (체조의) 측전(側轉). 옆으로 재주넘기.

〔侧听〕 cètīng 동 귀를 기울여 듣다. 귀담아 듣다. →〔侧耳〕

〔侧头〕 cè¸tóu 동 외면하다. ¶侧过头去; 외면하다. 상대방의 시선을 피하다.

〔侧闻〕 cèwén 동 ⇨〔仄zè闻〕

〔侧卧〕 cèwò 동 〈文〉 옆으로 눕다. 횡와(橫臥)하다.

〔侧铣刀〕 cèxǐdāo 명 《機》 사이드 밀링 커터.

〔侧线〕 cèxiàn 명 측선(側線)《물고기의 양 바깥측면에 보이는 한 줄의 선. 신경이 모인 곳이라 함》.

〔侧厢〕 cèxiāng 명 (회합 등을 위한) 큰 방〔본당〕 옆의 방.

〔侧行〕 cèxíng 동 〈文〉 (도로의) 옆을 걷다. 명 부정한 행동. 사악한 행위.

〔侧压力〕 cèyālì 명 ①《地質》 측압《지각 운동 때, 지층 속에 생긴 수평 방향의 압력》. ②《物》 측압. 측압력. =〔旁páng压力〕

〔侧芽〕 cèyá 명 《植》 곁눈. 측아. =〔腋yè芽〕

〔侧言〕 cèyán 명 〈文〉 일방적인 의론〔주장〕.

〔侧翼〕 cèyì 명 《軍》 (부대 · 함대의) 측면. (좌우의) 양익(兩翼).

〔侧影〕 cèyǐng 명 (사진의) 옆얼굴. 측면상. 프로필(profile).

〔侧泳〕 cèyǒng 명 《體》 (수영의) 횡영(橫泳). 사이드 스트로크.

〔侧枝〕 cèzhī 명 《植》 곁가지.

〔侧重〕 cèzhòng 동 ①편중(偏重)하다. ¶～练liàn气; 기력 연마에 중점을 두다. ②특히 …의 진력(盡力)을 기대하다. ¶这件事非得děi～您; 이 일은 특히 당신이 힘을 써 주셔야 하겠습니다.

〔侧转〕 cèzhuǎn 동 기울이다. ¶把盆子微微～, 用

羹匙将汤舀yǎo来喝; 접시를 조금 기울이고 스푼으로 수프를 떠 먹는다.

测(測) cè (측)
동 ①측량하다. 측정하다. ¶～雨量; 강우량을 측정하다 / ～高度; 고도를 측량하다. ②추측하다. 예측하다. ¶人心难～; 〈成〉 사람의 마음은 헤아리기 어렵다 / 深不可～; 〈成〉 그 깊이를 헤아릴 수 없다. 깊이가 한량없다 / 事出不～; 〈成〉 일은 예측할 수 없이 터지다〔생각지도 못한 데서 일어났다〕 / 推tuī～ =〔猜cāi～〕; 추측(하다) / ～不透tòu; 내다볼 수 없다.

〔测报点〕 cèbàodiǎn 명 지진 예지(豫知) 예보소.
〔测薄仪〕 cèbóyí 명 《工》 두께 재는 계기.
〔测定〕 cèdìng 명동 측정(하다).
〔测度〕 cèduó 동 추측하다. 헤아리다. ¶根据风向～, 今天不会下雨; 풍향에 따르면 오늘은 비가 오지 않겠다.
〔测杆〕 cègān 명 《土》 (측량용) 폴(pole). 측간(測桿). =〔标biāo杆①〕〔标竿①〕〔标柱〕〔标桩〕
〔测高仪〕 cègāoyí 명 《機》 고도계(高度計).
〔测规〕 cèguī 명 《工》 게이지(gauge). 계기. 계측기. ¶工作～; 워킹 게이지 / 检验～; 검사용 게이지 / 校jiào对～; 점검(點檢) 게이지. =〔〈南方〉 戤gài治〕〔量liáng规〕〔验yàn规〕〔样yàng板②〕〔〈北方〉 原yuán器〕
〔测候〕 cèhòu 명동 기상 관측(하다).
〔测谎仪〕 cèhuǎngyí 명 거짓말 탐지기.
〔测绘〕 cèhuì 명동 측량 제도(製圖)(를 하다). ¶～生; 측량사(士).
〔测角器〕 cèjiǎoqì 명 《工》 측각기(결정체의 면의 각을 재는 기계).
〔测距仪〕 cèjùyí 명 거리계(距離計).
〔测勘〕 cèkān 명동 측량(하다). 실측(하다).
〔测揆〕 cèkuí 동 〈文〉 사료(思料)하다. 추측하다. →〔测度〕
〔测力计〕 cèlìjì 명 《工》 다이너모미터(dynamometer). 동력계.
〔测量〕 cèliáng 명동 측량(하다). ¶～地形; 지형을 측량하다 / ～队; 측량대 / ～仪器; 측량기 / ～学; 측량학.
〔测量标〕 cèliángbiāo 명 《测》 측량용의 표지(標識). =〔标石〕〔觇chān标〕
〔测路器〕 cèlùqì 명 《测》 (주행) 거리 측정기.
〔测轮〕 cèlún 명 《测》 측정차(測定車).
〔测面仪〕 cèmiànyí 명 《测》 면적계(面積計). 측면기(測面器). 플래니미터(planimeter).
〔测平仪〕 cèpíngyí 명 《测》 측평기(測平器).
〔测铅〕 cèqiān 명 《测》 측심연(測深鉛)(바다의 깊이를 재는 기구). →〔测深器〕
〔测热器〕 cèrèqì 명 ⇨〔热值计〕
〔测色表〕 cèsèbiǎo 명 컬러미터(컬러 사진 촬영에 사용).
〔测深器〕 cèshēnqì 명 《测》 측심기(해양의 깊이를 재는 기구).
〔测试〕 cèshì 명동 테스트(하다). 시험(하다). 측정(하다).
〔测丝器〕 cèsīqì 명 《测》 금속선(金屬線)의 직경이나 금속편(片)의 두께를 재는 기구.
〔测算〕 cèsuàn 동 측정하여 계산하다. ¶先把需要量～一下! 먼저 수요량을 측정하여 계산해 보시오!
〔测悟〕 cèwù 동 깨닫게 되다. 알게 되다. ¶慢慢地, 他～出来, 事情恐怕不能就这么简单; 그는 일이 아마 그렇게 간단하지는 않으리라는 것을 차츰 알게 되었다.
〔测向器〕 cèxiàngqì 명 《测》 방향 탐지기.
〔测压器〕 cèyāqì 명 압력계.
〔测验〕 cèyàn 명동 시험(하다). 테스트(하다). ¶时事～; 시사 문제 학과의 고사 / 智zhì力～; 지능 테스트 / 定期性～; 정기적 테스트. 동 ①(기계나 일정한 방법으로) 측정하다. ¶～种子的发芽率; 종자의 발아율을 측정하다. ②의사를 알아보다.
〔测音器〕 cèyīnqì 명 측음기.
〔测字〕 cè,zì 동 문자점(文字占)을 치다. =〔拆chāi字〕

恻(惻) cè (측)
형 ①애통하다. ②〈文〉 성실하다.

〔恻然〕 cèrán 형 〈文〉 가엾게 여기는 모양.
〔恻隐〕 cèyǐn 명 〈文〉 측은한 마음. 불쌍하고 딱하게 여기는 마음. ¶忽然发了～; 갑자기 측은한 마음이 생겼다 / ～之心; 측은지심. 측은히 여기는 마음.

策〈筴〉 cè (책)
①명 댓조각(고대(古代)에 종이 대신 글씨를 쓰던 죽편(竹片)). ¶简～; (고대의) 서적 / 史～; (고대의) 사서(史書). ②명 문체의 일종(옛날 과거(科擧)에서 쓰인 문체(文體)의 하나로 흔히 정치·경제를 문답 형식으로 논함). →〔策论〕〔策问〕 ③명 옛날 계산 도구의 하나(모양은 '筹chóu'와 비슷함). ④명 책략. 계략. 방법. ¶计jì～; 계책 / 政zhèng～; 정책 / 良liáng～; 양책(良策) / 上shàng～; 상책. 좋은 계책 / 为wèi何出此下～? 어째서 이런 서투른 계책을 쓰게 되었을까? / 群qún～群力; 〈成〉 여럿이 지혜를 모으고 힘을 합하다 / 画huà～; 획책하다. 계책을 꾸미다. ⑤명동 〈文〉 채찍(질하다). ¶鞭biān～; 채찍질하다. 편달하다 / 执zhí～; 말을 타다. 말을 타고 출진(出陣)하다. ⑥명 문서. ⑦명 사령서(辭令書). ⑧명 지팡이. ⑨〈擬〉 바람·나뭇잎 스치는 소리. ¶秋风落叶, ～有声; 가을 바람과 낙엽이 사각사각 소리를 내고 있다. ⑩명 성(姓)의 하나. ‖ =〔筞〕

〔策反〕 cèfǎn 동 《軍》 (적 편에 잠입하여) 모반을 책동하다. 책동하여 모반하게 하다.
〔策划〕 cèhuà 명동 획책(하다).
〔策励〕 cèlì 동 〈文〉 매질하여 격려하다. 독려하다.
〔策论〕 cèlùn 명 과거(科擧) 때에 과해졌던 '대책(對策)'과 '의론문(議論文)'(또 그것에 사용된 글을 '策文'이라고 함). →〔策问〕
〔策略〕 cèlüè 명 책략. 전술. ¶研究对敌斗争的～; 적에 대한 투쟁의 책략을 연구하다.
〔策马〕 cèmǎ 동 말에 채찍질하다. 전진하다. ¶哲学·社会科学～争先; 철학·사회과학이 크게 약진하다 / ～前进; 말에 채찍질하여 전진하다. 기세를 몰아 전진하다.
〔策勉〕 cèmiǎn 동 〈文〉 고무하다. 격려하다. 열심히 힘쓰다.
〔策骑〕 cèqí 동 〈文〉 승마하다. ¶英女皇和公主两人, 在温莎大公园相将～两匹苏联名马; 영국의 여왕과 왕녀가 윈저 공원에서 두 마리의 소련의 명마에 타다.
〔策士〕 cèshì 명 책사. 책략가.
〔策文〕 cèwén →〔策论〕
〔策问〕 cèwèn 명 옛날, 과거(科擧) 때 과해진 과목의 하나(경의(經義)나 정치에 관해 출제하여 해답 또는 논문을 작성시킴).

〔策线〕 cèxiàn 명 《軍》 군(軍)의 주둔지와 작전 전선(前線) 사이의 요로(要路).
〔策应〕 cèyìng 동 《軍》 (우군이) 호응하여 싸우다.
〔策源地〕 cèyuándì 명 발상지. ¶北京是五四运动的～; 북경은 5·4 운동의 발상지이다.

筴(筞) cè (책)
⇨〔策cè〕⇒jiā

CEI ㄘㄟ

䂣 cèi (쇄)
동 〈方〉 (도자기나 유리 따위를) 깨다. 깨뜨리다. 깨부수다. ¶那么漂亮的茶杯叫他给～了; 저렇게 훌륭한 찻잔을 깨뜨리고 말았다.

CEN ㄘㄣ

参(參) cēn (참)
→〔参差〕〔参错〕⇒cān shēn

〔参差〕 cēncī 형 고르지 않다. 들쭉날쭉하다. ¶这一班学生的程度, ～不齐; 이 학급의 학생의 성적은 고르지 않다. 명 《樂》 퉁소.
〔参错〕 cēncuò〔cāncuò〕 형 뒤섞여 고르지 않다.

岑 cén (잠)
명 ①〈文〉 작고 높은 산(山). ②성(姓)의 하나.

〔岑岑〕 céncén 형 〈文〉 머리가 아픈 모양. 번민하는 모양. ¶头～然; 근심 걱정으로 머리가 아프다.
〔岑寂〕 cénjì 형 조용하다. 쓸쓸하다. ¶四周都～了; 주변은 아주 고요해졌다.

涔 cén (잠)
①명 〈文〉 길 위에 괸 물. ②명 (섶 따위로 만든) 어살, 또 그 어업법. ③형 물방울이 떨어지는 모양. 눈물이 흐르는 모양. ④명 홍수.

〔涔涔〕 céncén 형 ①비가 많이 오는 모양. ②눈물이나 땀이 많이 흐르는 모양. ③하늘이 흐려 어두운 모양. ④번민하는 모양.
〔涔旱〕 cénhàn 명 〈文〉 홍수와 한발.
〔涔水〕 cénshuǐ 명 〈文〉 고인 물.
〔涔蹄〕 céntí 명 ①말발굽 자국에 고인 물. ②〈比〉 약간의 고인 물.
〔涔云〕 cényún 명 〈文〉 비구름.

CENG ㄘㄥ

噌 cēng (증)
①동 〈方〉 꾸짖다. ¶～人; 사람을 꾸짖다 / ～了他一顿; 그를 나무랐다. ②동 〈方〉 결렬되다. 티격나다. ¶他们俩人说～了; 그들 두 사람은 싸우고 헤어졌다. ③〈擬〉 휙. 픽. 싹싹. 푸드덕(빠른 동작으로 나는 소리). ¶麻雀～的一声飞上房; 참새가 휙하고 지붕 위를 날아갔다 / 在木头上锯jù得～～地响; 나무를 켜는 소리가 싹싹 나다. ⇒chēng

层(層) céng (층)
①양 ㉠층. 겹(겹친 것을 세는 말). ¶二～楼; 2층 집 / 底～ =〔一～〕; (빌딩의) 1층 / 两～玻璃窗; 이중 유리창 / 絮上两～棉花; 솜을 겹으로 두다. ㉡(사항·이치 따위의) 종류. 가지. 일면. 부분. ¶还有一～意思; 또 한 가지의 의미가 있다 / 去了一～顾虑; 한 가지 근심을 없앴다. ㉢겹(물체의 표면에서 떼어 내거나 제거할 수 있는 것을 세는 말). ¶桌上布满一～灰; 책상 위에 먼지가 뽀얗게 쌓여 있다 / 一～薄膜; 한 겹의 얇은 막. ②부 거듭하여. 연달아. ¶～累lěi; ⇩ ③명 층을 이루고 있는 것(급(級)·단(段)·계(階)·층(層)). ¶阶jiē～; 계층 / 青年～; 청년층.

〔层板〕 céngbǎn 명 합판. =〔胶jiāo合板〕
〔层报〕 céngbào 동 하급 기관에서 상급 기관으로 순차적으로 보고하다.
〔层层〕 céngcéng 형 여러 층으로 거듭 포개어진 모양. ¶～设防; 겹겹이 방어망을 구축하다.
〔层层包干〕 céngcéng bāogàn 명 단계 청부(공장·공정처(工程處)·공단(工段)·말단 작업 단위를 단계적으로 도급을 맡는 것). →〔全quán面包干〕
〔层层叠叠〕 céngceng diédié 〈比〉 여러 겹으로〔층층이〕 겹쳐 있음.
〔层出不穷〕 céng chū bù qióng 〈成〉 연달아 나타나서 끝이 없다.
〔层次〕 céngcì 명 ①층. 계층. 단계. ¶减少～, 精简人员; 기구(機構)를 간소화하고 인원을 줄인다. ②차례. 순서.
〔层次重叠〕 céngcì chóngdié 여러 겹으로 겹쳐 있다.
〔层次分明〕 céngcì fēnmíng 층의 순서가 분명하다.
〔层叠〕 céngdié 동 겹쳐지다. ¶层层叠叠的白云; 층층이 겹쳐진 흰구름.
〔层峰〕 céngfēng 명 첩첩이 겹친 봉우리. 〈比〉 각 층의 상급 장관.
〔层见〕 céngjiàn 동 종종 보이다. 가끔 나타나다.
〔层见叠出〕 céng jiàn dié chū 〈成〉 ①연달아 나타나다. 속출하다. ②가끔 나타나다.
〔层澜〕 cénglán 명 〈文〉 서로 겹쳐진 큰 파도.
〔层累〕 cénglěi 동 〈文〉 겹쳐 쌓이다. ¶问题层层累累, 不是马上就能解决的; 문제가 산적되어 금방 해결될 일이 아니다. =〔曾累〕
〔层流〕 céngliú 명 《物》 층흐름. 층류.
〔层楼〕 cénglóu 명 〈文〉 층루. 다층집. 이층 이상의 고층 건물.
〔层峦叠嶂〕 céng luán dié zhàng 〈比〉 여러 산이 중첩되어 있는 모양.
〔层台〕 céngtái 명 〈文〉 몇 겹으로 포개어져 이루어진 누대(樓臺).
〔层压〕 céngyā 명 《建》 적층(積層). 라미네이션(lamination). ¶～板; 적층 목재 / ～制件; 적층품. 적층물 / 层(压木)板 =〔胶jiāo合板〕; 합판. 베니어 합판 / ～树脂; 적층 수지(樹脂) / ～玻璃; 합판 유리. =〔叠合〕
〔层云〕 céngyún 명 층운(層雲).
〔层粘纸板〕 céngzhān zhǐbǎn 명 합쳐서 두껍게 만든 종이.
〔层子〕 céngzǐ 명 《物》 스트라톤(straton). ¶～论; 스트라토니즘.

曾

céng (증)
副 전에. 이전에. 일찍이. ¶不～听见; 전에 들은 적이 없다/这里不～见他; 여기서는 전에 그를 본 적이 없다/一夜不～合眼; 밤새도록 한잠도 자지 못했다/他因工作积极, ～被本厂评为模范; 그는 일하는 것이 적극적이었으므로 이 공장에서 모범으로서 상을 받은 적이 있다. =〔曾经〕⇒zēng

〔曾几何时〕 céng jǐ hé shí 〈成〉 얼마 되지 않아. ¶～被爱人唾tuò弃了; 얼마 안 가서 애인한테 혐오감을 주고 버림을 받았다.

〔曾经〕 céngjīng 副 이전에. 이미. 일찍이. 벌써. ¶我～去过中国一趟; 나는 전에 중국에 한 번 간 일이 있다/～沧海; 〈成〉 경험이 풍부하고 세상사에 밝다/～沧海难为水; 일찍이 큰 바다를 본 적이 있어서, 보통 하천은 대수롭게 여기지 않다(세상에 밝은 사람에게는 하늘 밑에 새로운 것은 없다). 注'～'은 어떤 사태가 발생하고 그것이 과거의 일이 된 경우에 쓰임. 따라서, 동사에 '过'를 붙일 수 있음.

〔曾累〕 cénglěi 動 〈文〉 ⇨〔层累〕

〔曾任〕 céngrèn 動 이전에 …의 직무를 맡았다. ¶～外交部亚洲局长; 전에 외무성 아주 국장의 직에 있었다. 名 이전에 지내던 직책.

鄫

Céng (증)
名 《地》 ①옛 나라 이름. 춘추(春秋) 시대 거(莒)에 멸망당함. 지금의 산둥 성(山東省) 이 현(嶧縣)의 동쪽. ②옛 지명. 춘추 때에 정(鄭)나라에 속했음. 지금의 허난 성(河南省) 저청 현(柘城縣)의 북쪽.

嶒

céng (증)
→〔嶒崚róng〕

〔嶒崚〕 céngróng 形 〈文〉 산의 높고 험한 모양. →〔崚léng嶒〕

撍

cèng (층)
動 ⇨〔蹭〕

蹭

cèng (층)
動 ①비비다. 문지르다. 문대다. 어루만지다. ¶把鞋磨～破了; 신발이 닳았다/手上～破了一块皮; 손의 피부가 벗겨졌다. ②(부주의하여 기름·흙탕물 따위를) 묻히다. 스쳐 묻다. ¶写的字还没干, 留神～了; 쓴 글씨가 아직 마르지 않았으니 만지지 않도록 주의하시오/留神～油; 페인트칠 묻지 않도록 주의하시오/孩子～了一身泥了; 아이가 온몸에 흙탕물을 묻혔다. ③발을 질질 끌고 걷다. ¶小脚娘儿, 一步三～; 전족(纏足)을 한 여자가 발을 질질 끌며 걷는다. ④〈方〉 우물쭈물하다. 꾸물거리다. ¶他还在道上一步一步地～呢! 그는 아직도 중도에서 꾸물대고 있다!/快点儿, 别～了; 빨리 해, 꾸물거리지 말고/做事老磨～; 언제나 일을 꾸물거리며 하고 있다. ⑤〈俗〉 (노력 없이) 득을 보다. 남을 등치다. ¶～些吃的, 喝的; 공짜로 먹고 마시고 하다/坐～车; 무임 승차하다. ⑥(시간을) 질질 연기하다. ¶磨～; 우물쭈물하다. ⑦끝장이다. 글렀다. 아뿔싸. ‖=〔撍〕

〔蹭蹭磨磨〕 cèngceng mómó 形 일부러 꾸물거리는 모양.

〔蹭刀〕 cèngdāo 動 창칼 따위를 갈다.

〔蹭蹬〕 cèngdèng 動 ①발을 헛디디다. ②실패하다. 形 불우하다.

〔蹭地〕 cèng.dì 動 발을 땅에 스치면서 걷다.

〔蹭工〕 cènggōng 動 꾸물거려 (일을) 일부러 늦추다. 꾸물거려 시간을 끌다.

〔蹭滑〕 cènghuá 動 더럽고 능갈맞게 굴다.

〔蹭棱子〕 cèngléngzi 動 ①일을 일부러 꾸물대며 늦추다. ¶你愿不愿意做, 说干脆的, 别～! 너는 할 의사가 있는지 없는지 분명히 말해라, 꾸물대지 말고! ②말을 듣지 않다. ¶一说话, 他就～, 结果办不成事反倒惹气; 말을 해도 그는 고분고분 듣지 않기 때문에 일이 되기는커녕 화가 난다.

〔蹭脸〕 cèng.liǎn 動 ①얼굴이 스쳐서 까지다. ②낯을 깎이다. 창피를 당하다.

〔蹭脑袋〕 cèng nǎodai (난처할 때, 마음이 내키지 않을 때, 무서운 생각이 들 때) 싫어하는 모양을 짓다. ¶你一听说, 不用就～, 尽管办不要紧; 말을 들었다고 곧 그런 싫은 얼굴을 하지 말아라, 서슴없이 하는 거야, 문제 없어.

〔蹭破〕 cèngpò 動 ①무지러뜨리다. ②스쳐서 까지다.

〔蹭儿戏〕 cèngrxì 名 연극·흥행을 공짜로 보는 것(‘拿ná蹭儿’ 또는 ‘听蹭儿’는 연극·흥행을 공짜로 보다).

〔蹭伤〕 cèngshāng 動 찰상(擦傷)을 입다.

〔蹭鞋垫〕 cèngxiédiàn 名 (현관에 까는) 신발 문지르개.

〔蹭着走〕 cèngzhezǒu 발을 질질 끌면서 걷다.

CHA ㄔㄚ

叉

chā (차)
①(～子) 名 끝이 갈퀴 모양으로 갈라진 것. 포크(fork) 등속. ¶鱼～ =〔渔～〕; 작살/刀～; 나이프와 포크/钢～; 쇠스랑. ②動 포크·작살 같은 것으로 찌르다. ¶～鱼; 작살로 물고기를 찌르다/拿～子～起一片黄瓜; 포크로 오이 한 쪽을 찍다. ③名 가랑이. ④動 두 손을 깍지 끼다(옛날의 경례(敬禮)). ⑤動 손으로 상대편의 목을 끼고 밀다. ¶～出门去; 문 밖으로 밀어 내다. ⑥動 〈方〉 마작을 하다. ¶能够～麻雀; 마작을 할 줄 안다. ⑦動 손을 바싹 대다. ⑧(～儿) 名 가위(×)표. 벌점(틀림·불가 따위를 나타내는 부호. 또, 인명 따위를 생략할 때도 씀). ¶李～; 이 아무개. 이××/打～; 벌점을 매기다. ×표를 하다. ⇒chá chǎ chà

〔叉巴〕 chābā 動 가랑이〔다리〕를 벌리다. ¶朱老忠瞪着两只眼睛, ～着腿儿站起来; '朱老忠'은 두 눈을 부릅뜨더니 다리를 벌리고 일어났다.

〔叉搬子〕 chābānzi 名 《工》 포크 스패너.

〔叉车〕 chāchē 名 《機》 포크리프트(forklift). =〔插车〕⇒cháchē

〔叉兜儿〕 chādōur 名 중국 옷의 옆에 단 주머니. =〔扠手②〕

〔叉竿〕 chāgān 名 ⇨〔扠手chāshou①〕

〔叉杆〕 chāgǎn 名 삼지창(三枝槍)의 자루.

〔叉杆儿〕 chāgǎnr 名 〈方〉 후원자. 보호자. 배경. (옛날, 기녀의) 기둥 서방. ¶他是那个人的～; 그는 저 사람의 후원자다. =〔杈杆儿〕

〔叉股子话〕 chāgǔzi huà 모순된 앞뒤가 맞지 않는 이야기.

〔叉架〕 chājià 名 아우트리거(outrigger). 기계·기구 따위의 옆으로 튀어나온 부분. 밖으로 낸 받침대. ¶下部～; 보텀 아우트리거(bottom out-

〔茶灶〕 cházào 명 차를 달이는 화로.
〔茶栈〕 cházhàn 명 차 도매상(차의 대량 집하(大量集荷) 및 가공도 함).
〔茶质〕 cházhì 명 《化》 카페인(caffein). =〔咖kā啡质〕
〔茶滞〕 cházhì 명 차의 중독.
〔茶盅〕 cházhōng 명 원통형의 뚜껑이 있는 큰 찻잔.
〔茶舟〕 cházhōu 명 ⇨〔茶托(儿,子)〕
〔茶砖〕 cházhuān 명 ⇨〔茶饼bǐng①〕
〔茶桌〕 cházhuō 명 ①응접용 차탁자. ②조리실에서 식기를 놓아 두는 탁자. ③장례 때 길가에 두어 상주나 참석자에게 차를 내놓는 탁자.
〔茶资〕 cházī 명 ⇨〔茶钱①〕
〔茶子饼〕 cházǐbǐng 명 차 열매를 짠 찌끼(비료로 씀). =〔茶麸〕〔茶枯〕〔茶籽饼〕
〔茶座儿〕 cházuòr 명 ①찻집의 좌석. ②노천 찻집. =〔茶社②〕〔茶室②〕

搽 chá (차)
동 (고약이나 분을) 바르다.
〔搽白鼻哥〕 chábáibígē 〈廣〉 비굴하게 남의 환심을 사려고 하는 사람.
〔搽旦〕 chádàn 명 《劇》 원곡(元曲)의 여자 배역 이름(현재의 '彩cǎi旦' 또는 '花huā旦'에 가까움).
〔搽粉〕 cháfěn 동 ①분을 바르다. ②(문체 따위에) 분식(粉飾)하다. (진상·정체 등을) 카무플라주하다. ‖=〔敷fū粉〕
〔搽胭脂抹粉〕 cháyānzhi mǒfěn 지분(脂粉)을 바르다. 화장하다.
〔搽药〕 cháyào 동 약을 바르다.
〔搽油〕 cháyóu 동 ①(기계 따위에) 기름을 치다. ②기름을 바르다. ③기름을 지우기 위해 문지르다.

茬 chá (치)
① 명 (～儿) (농작물을 베어 낸 뒤의) 그루터기. ¶稻dào～儿; 벼 그루터기 / 豆～儿; 콩 그루터기. ② 양 농사의 횟수를 세는 말. ¶按本地的气候说，要是蔬菜，一年可以种四～; 이 고장의 기후로 보아서, 채소라면 1년에 네 차례 재배할 수 있다. ③ 명 그루. 농작물 재배 순서. ¶回～儿; 그루갈이 / 白薯回～小麦; 고구마의 그루갈이로 밀을 갈다 / 回～地; 그루갈이하는 밭 / 调diào～ =〔轮lún作〕; 윤작(하다) / 重chóng～; 연작(連作)(하다). ④ 명 짧고 꺼칠꺼칠한 머리털이나 수염. 깎다 남은 수염이나 머리털. ¶胡hú子～儿; 다박나룻. 자라는 대로 버려 둔 수염 / 胡子～儿长黑了，要刮了; 수염이 많이 자라 깎아야겠다. ⑤ 명 하다가 만 일. ¶接上～儿; 하던 일을 계속하다 / 接不上～儿; 계속이 잘 안 되다. 사이가 뜨다. ⑥ 양 (광산에서) 발파 횟수. ¶放了五～炮; 다섯 번 발파를 했다. ‖=〔楂②〕
〔茬口〕 chákǒu 명 ①윤작(輪作) 작물의 종류와 윤작의 순서. ②농작물을 거둔 후의 토양의 상태. ¶西红柿～壮，种白菜很合适; 토마토를 수확한 후의 토양 상태는 비옥하므로 배추를 심기에 알맞다. ③동기. 계기. ¶找～; 실마리를 찾다.
〔茬田〕 chátián 명 그루갈이. 그루갈이의 밭.
〔茬子〕 cházi 명 ①그루터기. ②이런 종류. ¶这～人; 이런 종류의 사람.

查〈査〉 chá (사)
① 명 뗏목. =〔槎〕 ② 동 조사하다. ¶～户口; 호구 조사를 하다 / ～个水落石出; 철저하게 조사하다 / 详细地～一～; 자세히 조사하다. ③ 동 검사하다. ¶搜～; 수사하다 / ～血液; 혈액을 검사하다 / ～卫生; 위생 검사를 하다. ④ 동 찾아보다. 들추어 보다. ¶～字典; 자전을 찾다. 자전에서 찾다 / ～资料; 자료를 찾아보다. ⑤ 명 성(姓)의 하나. ⇒zhā
〔查办〕 chábàn 동 조사한 후 처벌하다. ¶撤职～; 면직하여 죄상을 조사한 후 처벌하다.
〔查察〕 cháchá 동 사찰하다. 조사하여 살피다.
〔查抄〕 cháchāo 동 (죄인의 재산을 조사하여) 몰수하다. 압수하다. ¶～家产; 재산을 몰수하다.
〔查传〕 cháchuán 동 조사하여 소환하다.
〔查道车〕 chádàochē 명 (철도의) 보기차(bogie 車).
〔查点〕 chádiǎn 동 점검하다. 하나하나 조사하다. ¶～在货; 재고를 조사하다.
〔查吊〕 chádiào 동 다른 참고 문헌을 꺼내어 조사하다. ¶～前案卷宗; 전 사건(前事件)의 참고 문서를 꺼내어 조사하다.
〔查对〕 cháduì 명 대조. 대질. 동 ①대조하여 조사하다. ②적당한 것을 찾다. 물색하다. ¶～对路的事情; 걸맞은 일을 찾다.
〔查房〕 cháfáng 동 ①(의사가) 회진하다. ②(군대·학교 등의 숙사에서) 순시(巡視)하다.
〔查访〕 cháfǎng 동 탐문 수사를 하다. ¶～了大街小巷; 여기저기 거리를 탐문 조사해 보았다 / ～宝物下落; 보물의 행방을 수소문하다.
〔查放〕 cháfàng 동 자세히 조사하고 석방하다.
〔查封〕 cháfēng 동 차압하다. 압류(押留)하다. =〔查抄〕
〔查告〕 chágào 동 조사하여 알리다.
〔查根问底〕 chá gēn wèn dǐ 〈成〉 샅샅이 조사하다.
〔查号〕 cháhào 동 번호를 조사하다. ¶～台tái; 전화 번호 안내.
〔查核〕 cháhé 동 조사하여 조회〔허가〕하다.
〔查户口〕 cháhùkǒu 동 호구 조사하다.
〔查话台〕 cháhuàtái 명 번호 안내. 번호 문의(전화국의).
〔查获〕 cháhuò 동 ①압수하다. ②조사 체포하다. ③조사 폭로하다. ¶～了地下工厂; 비밀 공장을 조사 폭로하다.
〔查缉〕 chájī 동 신문하여 검거하다.
〔查街〕 chájiē 동 경관이 거리를 순찰하다.
〔查禁〕 chájìn 동 (조사하여) 금지하다. ¶～走私; 밀수를 금지하다.
〔查究〕 chájiū 명동 문초(하다). 추궁(하다).
〔查卷〕 chájuàn 동 보존 서류를 조사하다. 보관 서류로 조사하다.
〔查勘〕 chákān 동 실지 조사하다. 답사하다.
〔查看〕 chákàn 동 조사하다. ¶～货物; 물건을 대조 조사하다.
〔查考〕 chákǎo 동 조사하다. 고사하다. 음미하다. ¶～出土文物的年代; 출토 문물의 연대를 조사하다.
〔查口票〕 chákǒupiào 명 호구 조사 카드.
〔查库〕 chákù 동 창고·금고를 조사하다. ¶～存; 재고품·소지한 돈을 조사하다.
〔查理斯登舞〕 chálǐsīdēngwǔ 명 《樂》 〈音〉 찰스턴(Charleston).
〔查劣〕 chálìe 동 가짜 상품을 조사하다.
〔查明〕 chámíng 동 조사하여 밝히다.
〔查拿〕 cháná 동 조사하여 체포하다. ¶～贼犯; 범인을 조사하여 체포하다.

〔查纳〕 chánà 동 ⇨〔查收〕
〔查票〕 chá,piào 동 표를 조사하다. 검찰(檢札)하다.
〔查频〕 chápín 동 빈도를 조사하다. 명 빈도 조사.
〔查铺〕 chápù 동《軍》(장교가) 취침중의 병사를 순찰하다.
〔查讫〕 cháqì 동 조사가 끝나다. 명 검사필(檢査畢).
〔查洽〕 cháqià 동〈文〉납득하다. 알다.
〔查签〕 cháqiān 동 코멘트하다. 의견을 자세히 아뢰다.
〔查清〕 cháqīng 명 검사필(檢査畢). 동 철저히 조사하다.
〔查入〕 chárù 동 ⇨〔查收〕
〔查三问四〕 chá sān wèn sì〈成〉이것저것 물어 조사하다.
〔查哨〕 cháshào 동《軍》초병(哨兵)을 순시하다.
〔查实〕 cháshí 동 확실히 조사하다. 구명(究明)하다.
〔查收〕 cháshōu 동 조사하여 거두다. 사수하다. ¶即祈～;〈翰〉조사하고 거두어 주시기 바랍니다/谅蒙～;〈翰〉사수하신 것으로 알겠습니다. =〔查纳〕〔查入〕〔察收〕
〔查税〕 cháshuì 명 (수입 물품·입국 소지품 등의) 세금에 관한 검사.
〔查田〕 chátián 동 토지〔전답〕를 측량하다. ¶～运动; 1950년경 중국 공산당 정부가 토지 혁명을 단행한 후, 실시한 토지 측량 조사 운동. 목적은 토지 개혁을 단행한 후 완전히 평등한 분배가 이루어졌는가를 검사한 것.
〔查田定产〕 chátián dìngchǎn 토지 개혁 후(1951년), 토지 증서의 발행 과정에서, 토지를 측량하여 등급을 사정(査定)하고, 그 토지에서의 생산량을 사정함과 동시에 수 년간 생산 추정액을 고정시켜 두는 방법으로, 농업세 징수의 기초가 됨.
〔查问〕 cháwèn 명동 조사 심문(하다).
〔查无实据〕 chá wú shíjù《法》조사했으나 확실한 근거가 없다. 조사한 후 취소하다.
〔查线〕 cháxiàn 동 전화선을 조사(점검)하다.
〔查销〕 cháxiāo 동 조사한 후 취소하다.
〔查询〕 cháxún 명동 문의(하다). ¶～台; 안내소.
〔查验〕 cháyàn 동 검사하다. ¶～护照; 여권을 검사하다.
〔查有实据〕 chá yǒu shíjù《法》조사하니 확실한 증거가 있다(법률·공문서 용어).
〔查阅〕 cháyuè 동 ①검열하다. ②(책 재료를) 조사하다. ¶～技术资料; 기술 관계의 자료를 조사하다.
〔查丈〕 cházhàng 동 토지를 측량하다.
〔查账〕 chá,zhàng 동 장부를 조사하다. 회계 검사를 하다.
〔查账员〕 cházhàngyuán 명 장부 감사인. ¶举行股东大会讨论委任～案; 주주 총회를 열어 감사역의 위임(委任)을 토론하는 의안(議案).
〔查找〕 cházhǎo 동 조사하다. 찾다. 수사하다.
〔查照〕 cházhào 동〈公〉승낙하다(조사하여 …과 같이. …대로 하다). ¶～办理是荷; 지시대로 처리하기 바람/～备案; 조사한 연후에 승인 허가하다/郎希～! 지시대로 처리하기를 바람!
〔查证〕 cházhèng 동 검사하고 증명하다. ¶～属实; 검사 결과 사실임을 증명하다.
〔查知〕 cházhī 동 조사하여 판명하다. ¶一俟sì～通行; 조사하여 판명된 뒤에 처리하다.
〔查酌〕 cházhuó 동 사정을 조사하고 참작하다.
〔查字〕 cházì 동 검자(檢字)하다. ¶～法; 검자법.

嵖 chá (차)
지명용 자(字). ¶～岈Cháyá; 차야 산(嵖岈山)(허난 성(河南省)에 있는 산 이름).

猹 chá (차)
명《動》오소리와 비슷한 야수(野獸)의 일종(루쉰(魯迅)의 소설 "故乡"에 나오는 작은 동물로, 참외·오이 등을 즐겨 먹는다고 함).

楂 chá (차)
①양 그루(농작물을 심은 횟수를 세는 데 쓰임). ¶头～; 첫 그루. 일번작(一番作)/调～; 윤작(輪作)하다. ②(～儿) 명 벼·옥수수 따위의 그루터기. ③명 깎다 남은 수염이나 머리털. ④명 사건이나 일의 하다 남은 부분. ⑤양 (광산에서) 발파 장치를 한 횟수를 세는 데 쓰임. ¶放了五～炮; 발파 장치를 다섯 번 했다. ⑥명 뗏목. =〔槎①〕 ⇒zhā

碴 chá (차)
①동 (깨진 유리·사기 등의 조각으로) 다치다. ¶碎玻璃把手～一个口子; 유리 조각으로 손을 한 군데 다쳤다. ②동 깨지다. 결렬(決裂)되다. ¶碎～了, 打起来; 이야기가 결렬되고 치고 받는 사태가 벌어졌다. ③ →〔碴儿〕 ⇒chā
〔碴口〕 chákǒu 명 이야기의 조리(條理).
〔碴儿〕 chár 명 ①부스러기. 조각. 파편. ¶冰～; 얼음 조각/骨头～; 뼈조각/玻璃～; 유리 파편. ②(그릇의) 갈라진 흠. 흠집. 균열. ¶找～; 흠잡기/碗上还有个破～; 공기에 금이 가 있다. ③(감정이나 사물의) 불화(不和). 파탄. 틈. ¶过去他们俩有～; 그들 두 사람은 과거에 사이가 나빴다. ④결점. 흠. ¶他净找我的～; 그는 내 결점만 찾고 있다/找～打架; 생트집을 잡아 싸움을 걸다. ⑤기회. 찬스. ¶找～把你叫出来; 기회를 보아 너를 불러 내마/这～来的不可善; 이번에는 아무래도 재미 없다. ⑥일. 사항(事項). 좋지 않은 일. ¶我把那个～忘掉了; 나는 그 일을 깨끗이 잊어버렸다/有什么～没有? 무슨 일은 없니?/怎么个～? 무슨 일이야? ⑦이유(理由). ¶他不来是怎么个～? 그가 오지 않는 것은 무슨 까닭입니까? ⑧〈方〉태도. 기색. ¶我看他的～不好; 나는 그의 태도가 좋지 않다고 생각한다. ⑨〈方〉형세. (사물의) 상황〔모양〕. 기세. ¶听听他的话～; 그의 말투를 들어 보아라/说话就打人, 嘆, 好厉害～; 말만 하면 사람을 때리니 정말 지독하군. ⑩언급된 일. 다른 사람이 방금한 말. ¶我们说话你答什么～? 우리가 말을 하는 데 네가 왜 말참견하니?/他把那个～给忘了; 그는 먼저 하던 말을 잊어버렸다. ⑪이발 후에 쥐가 갉아먹은 것처럼 덜 깎여서 남은 머리털.

糌 chá (사)
→〔糌子〕
〔糌子〕 cházi 명 ①그루터기. ②옥수수·쌀·보리 등의 부스러기.

槎 chá (차)
①명 뗏목. ②⇨〔茬chá〕
〔槎牙〕 cháyá 명 ①나무를 벤 자리에서 움돋는 어린 싹. ②가지가 뒤엉킨 모양. ‖ =〔槎丫〕
〔槎桎〕 cházhì 명〈文〉짐승을 잡는 덫.
〔槎子〕 cházi 명〈文〉돼지의 뼈.

察 chá (찰)
동 ①분명히 알다. ②조사하다. 조사하여 밝히다. ¶考~; 고찰하다. 시찰하다 / 监~; 감독·시찰하다 / 观~; 관찰하다 / ~其言, 观其行; 그 언행을 자세히 살피다. =〔考核〕
〔察察〕 cháchá 형 ①결백(潔白)한 모양. ②세세(細細)하게 추구하는 모양. ¶~为明; 사소한 일을 까다롭게 추구하여 현명한 체함.
〔察夺〕 cháduó 동 〈公〉 조사한 뒤에 재결(裁決)하다.
〔察访〕 cháfǎng 동 탐방하다. 가서 조사하다.
〔察核〕 cháhé 동 조사·심사하여 허가하다. =〔察勘〕
〔察合台〕 Cháhétái 명 ①《史》 차가타이 한국(汗國). ②《人》 차가타이《칭기즈 칸의 둘째 아들. 차가타이 한국의 시조(始祖)》.
〔察见渊鱼〕 chá jiàn yuān yú 〈成〉 깊은 물 속의 고기를 조사하다《작은 일·하찮은 일을 야단스럽게 추구하다》.
〔察觉〕 chájué 동 알아차리다. ¶心里大致都~到了; 마음 속으로 거의 알게 되었다. 명 이해.
〔察勘〕 chákān 동 검사하다. 실지로 조사하다.
〔察看〕 chákàn 동 ①자세히 조사하다. ¶~伤情; 상처의 상태를 조사하다. ②사찰하다. 시찰하다.
〔察考〕 chákǎo 동 세세히 조사하다.
〔察貌辨色〕 chá mào biàn sè 〈成〉 상대의 안색으로 판단하다.
〔察明〕 chámíng 동 조사하여 명백히 밝히다. ¶~事实; 사실을 조사하여 밝혀 내다.
〔察探〕 chátàn 동 관찰하여 살피다.
〔察透〕 chátòu 동 간파하다. 통찰하다. ¶妈妈立刻就~了孩子的心情; 어머니는 아이의 기분을 곧 알아차렸다.
〔察言观色〕 chá yán guān sè 〈成〉 남의 안색을 살핌. ¶她却在~, 揣摩着他的用心; 오히려 그녀는 그의 표정을 보고 속셈을 살피고 있다.
〔察验〕 cháyàn 동 조사하여 검증하다.
〔察夜〕 cháyè 동 야경 돌다.
〔察议〕 cháyì 동 〈公〉 사정을 조사하고 처리를 의논하다. ¶该案着即交部~; 그 건(件)은 즉시 소관 부(部)에 넘겨 처리해야 한다.
〔察照〕 cházhào 동 〈文〉 명찰하다. 똑똑히 살피다.
〔察知〕 cházhī 동 〈文〉 찰지하다. 살피어 알다.

檫 chá (찰)
명 《植》 사사프라스(sassafras)《녹나무과의 낙엽 교목》. =〔檫树〕

叉 chǎ (차)
동 다리를 크게 벌리다. 다리를 버티고 서다. ¶~腿; ⇓ / ~着门不让人进来; 입구에 버티고 서 사람을 들어가지 못하게 하다. ⇒chā chá chà
〔叉开〕 chǎkāi 동 다리를 '八'자형으로 벌리다.
〔叉门〕 chǎmén 동 문 안에 버티고 서서 두 팔을 벌리고 출입을 방해하다.
〔叉劈〕 chǎpi 동 엇갈리다. ¶走~了; 엇갈렸다.
〔叉腿〕 chǎtuǐ 동 다리를 벌리고 버텨 서다. ¶那个女人叉着腿站着, 多含碜; 저 여자 다리를 벌리고 서 있는데 어쩌면 그렇게 꼴불견인가.

衩 chǎ (차)
→〔裤kù衩(儿)〕 ⇒chà

鑔 chǎ (차)
동 ⇨〔蹅chǎ〕

蹅 chǎ (차)
동 ①흙탕물을 걸어가다. ¶~雨; ⇓ ②발을 진흙 속에 빠뜨리다. ¶一脚~在烂泥里了; 진창 속에 발이 푹 빠졌다. ③밟다. 짓밟다. ¶鞋都~湿了; 신발이 진창에 완전히 젖어 버렸다. ④발을 들여 놓다. 참견하다. 개입하다. ¶这事你不要~在里头; 이 일에 자네가 관계하지 않는 것이 좋겠네. ‖=〔跴〕
〔蹅蹅〕 chǎtà 동 짓밟다. 밟아 부수다. ¶将你魏国~的粉碎; 너희 위(魏)나라를 분쇄해 버릴 테다.
〔蹅雨〕 chǎyǔ 동 비 오는 진창길을 걷다.

镲(鑔) chǎ (찰)
명 《樂》 자바라 비슷한 일종의 타악기《옛날의 군악기》. ¶~儿哄; 소란을 피어 일을 그르치다.

叉 chà (차)
→〔劈pǐ叉〕 ⇒chā chá chǎ

汊 chà (차)
명 하류(河流)의 갈리는 곳. 분기(分岐) 된 하천. ¶三~水; 강물이 세 갈래로 갈라지는 곳 / 河~子; 분류점(分流點).
〔汊港〕 chàgǎng 명 강의 갈라진 곳. =〔港汊〕
〔汊流〕 chàliú 명 지류. =〔岔流〕
〔汊子〕 chàzi 명 강의 분류점(分流點).

杈 chà (차)
(~儿, ~子) 명 나무의 가장귀. 갈라진 나뭇가지. ¶树~儿; 나무의 가장귀 / 打棉花~; 목화의 가지를 치다. ⇒ chā
〔杈枝〕 chàzhī 명 가지. 가장귀.
〔杈子〕 chàzi →〔字解〕

衩 chà (차, 채)
명 옷의 양쪽 아랫단의 터져 있는 부분. =〔衩口〕 ⇒chǎ

岔 chà (차)
① 명 갈림길. 분기점. ¶旁~儿; 원길에서 갈린 길. 옆길 / 三~路; 세 갈래길. ② 동 다른 방향으로 방향을 전환하다. 길을 바꾸다. ¶车子~上了小道; 차가 작은 길로 방향을 바꿨다. ③ 동 (옆길로) 빗나가다. 어긋나다. ¶走~了道儿了; 길을 잘못 들었다 / 向南~下去; 남쪽으로 빗나가다 / 话~到别处去了; 말이 다른 데로 빗나갔다 / 他们俩说~了, 吵起来; 그들 두 사람은 의견이 틀어져 싸움이 되었다. ④ 동 (말 따위를) 딴 데로 돌리다. 얼버무리다. (곁에서 말참견하여) 말허리를 꺾다. ¶拿话~; 말로 얼버무리다 / 他怕我借钱, 拿话~我了; 그는 돈을 빌려 달라고 할까 봐 말을 다른 데로 돌렸다 / 谈正事别打~; 진지하게 이야기하자, 얼버무리면 안 된다. →〔打dǎ岔〕 ⑤(~儿, ~子) 명 분쟁. 말썽. 사고. ¶出~; 말썽을 일으키다. ⑥ 동 목소리가 변하다. 목이 쉬다. ¶她越说越伤心, 嗓音都~了; 그녀는 이야기하는 동안에 점점 더 슬퍼져서 목이 잠겼다 / 喊得声儿都~了; 소리를 질러 목이 쉬었다. ⑦ 동 착각하다. ¶骡luó子~眼飞跑下去; 노새가 무엇에 놀라 뛰기 시작했다 / 下楼的时候一~眼, 踩空了, 滚下楼梯去了; 계단을 내려올 때, 잘못 보고 헛디뎌 굴러 떨어졌다. ⑧ 동 일치하지 않다. 엇갈리다. 모순되다. ¶这话~了; 그것은 말이 틀리다. ⑨ 동 (시간적으로) 겹치지 않게 하다. 엇갈리게 하다. ¶把这两个会的时间~开; 이 두 회의의 시간을 (겹치지 않게) 서로 조정하다. ⑩(~儿) 명 사기나 기와의 조각. ¶瓦~儿; 기왓조각.

〔岔车〕 cháchē 통 ⇨〔叉chá车〕
〔岔道(儿)〕 chàdào(r) 명 ①갈림길. 기로(岐路). ¶岔岔道道; 길이 여러 갈래로 갈라져 있는 모양. =〔岔路(儿)〕 ②레일의 크로싱. =〔铁道岔道(儿)〕
〔岔道口儿〕 chàdàokǒur 명 도로의 분기점.
〔岔断〕 chàduàn 통 가로막다. ¶他～了我的话; 그는 나의 말을 가로막았다.
〔岔忽〕 chàhū 통 (생각을 갑자기) 혼란케 하다. 중단시키다. 말허리를 꺾다《참견하여 말을 중단시키다》.
〔岔乎开〕 chàhukāi 〈方〉 딴 데로 돌리다. 딴 데로 돌리게 하다. ¶你去说说给～得了; 너 가서 언쟁으로부터 화재를 딴 데로 돌리게 해라.
〔岔换〕 chàhuàn 통 바꾸다. (기분을) 돌리다. 얼버무리다.
〔岔和〕 chàhuo 통 얼버무리다. 딴 데로 돌리다. 〈轉〉 기분 전환을 하다. ¶你别～我, 等我说完了; 말허리를 꺾지 말고, 내 말이 끝날 때까지 기다려라 / 刚说到哪儿了, 一～我忘了; 조금 전에 어디까지 얘기를 했나, 말허리를 꺾는 바람에 잊었다 / 拿话～过去了; 말을 딴 데로 돌렸다 / 出去溜达溜达稍shāo微～～; 산책을 나가 기분 전환을 하다. =〔岔忽hu〕
〔岔开〕 chàkāi 통 ①(길이) 갈라지다. 분기(分岐)하다. ¶公路在这儿～了; 자동차 도로가 이 곳에서 갈라졌다. ②딴 데로 돌리다. 빗나가다. ¶两个人正要争吵, 我给～了; 두 사람이 말다툼을 하려는데, 내가 말을 딴 데로 돌렸다 / 把话～; 말을 딴 데로 돌리다. ③(시간적으로) 겹치지 않게 하다. 물리다. ¶把休假日～; 휴가 날짜를 미루다〔물리다〕 / 把访问的时间～; 방문 시간을 미루다.
〔岔口〕 chàkǒu 명 ①(길 따위의) 분기점. ②(철도의) 건널목.
〔岔口儿〕 chàkǒur 명 ①(길이나 강의) 분기점. ②중요한 곳·때. ③망그러지거나 꺾인 곳. ④말투. 어조. ¶～不对; 말투가 이상하다. ⑤입. 이야기. ¶大家正说在～上, 他就来了; 모두 함께 이야기하고 있는데 그가 왔다.
〔岔流〕 chàliú 명 (강 하류의) 지류(支流). =〔汊流〕
〔岔路(儿)〕 chàlù(r) 명 ⇨〔岔道(儿)①〕
〔岔批儿〕 chàpīr 통 ①엇갈리다. ¶他们俩走～了; 그들 두 사람은 길이 엇갈렸다 / 你们没遇上吗, 那是真～了; 너희들은 마주치지 않았다고? 잠시 엇갈렸었구나. ②실수하다. ¶多留点儿神, 弄出～, 还得费一回事; 되도록 조심해라, 잘못하면 또 한 번 수고를 해야 한다. ③목소리가 갈라지다. ¶嗓子～了; 목소리가 갈라졌다. ‖ =〔岔劈儿〕
〔岔劈儿〕 chàpīr 통 ⇨〔岔批儿〕
〔岔气(儿)〕 chà,qì(r) 통 힘의 과용이나 격심한 움직임으로 가슴이나 옆구리에 통증이 오다. ¶笑岔了气; 큰 소리로 웃었더니 옆구리가 갑자기 아프다. (chàqì(r)) 명 위와 같은 증상.
〔岔曲(儿)〕 chàqǔ(r) 명 잡곡(雜曲)의 하나《'八bā角鼓曲'의 전주곡으로, 흔히 바람·꽃·눈·달을 노래한 짧은 속곡(俗曲)》.
〔岔山地〕 chàshāndì 명 산과 산 사이에 끼여 있는 산.
〔岔声〕 chàshēng 통 목소리가 바뀌다. 목소리가 갈라지거나 쉬거나 하다.
〔岔眼〕 chàyǎn 통 ①잠시 잘못 보다. ②무엇에 놀라다. ¶那匹马～了; 저 말이 무엇에 놀랐다.
〔岔子〕 chàzi 명 ①잘못. 착오. 사고. ¶你放心吧, 出不了～; 마음놓게, 착오가 생기지 않을 테니까. ②갈림길. =〔岔道(儿)①〕

诧(詫) chà (타)

통 ①이상하게 생각하다. 수상쩍게 여기다. ¶～为奇事; 기묘하다고 생각하다. ②속이다. 배신하다. ¶甘言～语; 〈成〉 감언과 기만의 말. ③자랑하다. =〔夸诧〕
〔诧异〕 chàyì 통 이상하게 생각하다. 의아하게 여기다. ¶他怎么会做出这样的事情来了, 连他至近的人也都很～; 그가 왜 이런 일을 저질렀는지 그와 극히 친한 사람조차 아주 이상하게 생각하고 있다.

侘 chà (차)

→〔侘傺〕
〔侘傺〕 chàchì 형 〈文〉 실의에 빠진 모양. ¶～半生, 今幸逢明时, 得为世用; 반평생 불운하였으나, 지금은 다행히 좋은 세상을 만나, 세상에 쓰이게 되었다.

姹〈奼〉 chà (차)

형 아름답다. ¶～女; 소녀 / ～紫嫣红; 꽃이 곱게 피어 있는 모양.

刹 chà (찰)

명 ①불사(佛寺). 절. ¶首～; 본산(本山) / 古～; 오래 된 절. 유서 있는 절 / 名～; 유명한 절. ②순간. →〔刹那〕 ⇒shā
〔刹鬼〕 chàguǐ 명 《佛》 악귀(惡鬼). 사람을 잡아먹는 귀신.
〔刹海〕 chàhǎi 명 《佛》 수륙(水陸)《'刹'는 산스크리트어로 땅을 이름》.
〔刹那〕 chànà 명 〈梵〉 찰나. 일순간. ¶一～就变化了; 일순간에 변했다 / ～间升到了天空; 일순간에 하늘로 올라갔다. =〔刹子(间)〕 ↔〔劫jié簸〕
〔刹土〕 chàtǔ 명 《佛》 국토.
〔刹子(间)〕 chàzi(jian) 명 ⇨〔刹那〕

差 chà (차)

①형 틀리다. 잘못하다. 실수하다. ¶记～了; 잘못 기억했다 / 写～了行; 행을 잘못 적었다 / 说～了; 잘못 말했다. ②형 차가 생기다. 틀리다. ¶～得远; 큰 차이가 있다 / ～不了liǎo多少; 얼마 틀리지 않는다. ③형 모자라다. 부족하다. 충분치 않다. ¶眼力太～; 눈이 잘 보이지 않다. 시력(視力)이 약하다 / ～一道手续; 절차가 한 가지 빠져 있다 / 光线～一点儿; 광선이 조금 부족하다 / ～五分八点; 8시 5분 전. ④형 표준보다 떨어지다. 좋지 않다. 나쁘다. ¶质量太～; 품질이 아주 떨어진다 / 成绩～; 성적이 뒤지다 / 比您的～天地去了; 당신 것에 비하면 하늘과 땅 차이이다. ⑤형 엇갈리다. 맞지 않다. =〔岔③〕 ⑥통 돌리다. 따돌리다. ¶用话～他; 적당히 말해서 그를 따돌리다. ⇒chā chāi cī cuō
〔差不多〕 chàbuduō 부 거반. 대체로. ¶他们俩～高; 그들 두 사람은 대체로 키가 같다 / 过去的事我～都忘了; 지난 일은 나는 거의 잊었다. 형 ①그저 그런 정도다. 큰 차 없다. ¶再举一个例子就～吧; 또 하나의 예를 들면 아마 괜찮겠지 / 这个跟那个质量～; 이것과 그것과는 질이 대체로 같다. =〔差不多少〕〔八九不差十〕 ②('～的'의 형태로) 보통의. 예사로운. ¶这包大米二百斤重, ～的扛不起来; 이 부대의 쌀은 200근의 무게가 나가서, 보통 사람으로는 짊어질 수 없다. ‖ =〔差不离〕
〔差不究竟〕 chàbujiūjìng 형 큰 차가 없다. 대체로 괜찮다. =〔差不上下〕
〔差不离〕 chàbulí 부형 ⇨〔差不多〕
〔差不了〕 chàbuliǎo 형 크게 차이가 없다. 대체로 같다. ¶～多少; 많이 차이가 나지 않는다.

〔差不远〕 chàbuyuǎn 형 크게 다를 바가 없다.
〔差错〕 chàcuò 명 과실. 과오. 착오. ¶是谁的～? 누구의 착오인가요?
〔差点儿〕 chàdiǎnr 부형 ⇨〔差一点儿〕
〔差劲〕 chà.jìn 동 정도가 낮다. 뒤떨어지다. 차이가 있다. ¶他的基础理论还差点劲; 그의 기초 이론은 아직도 약간 뒤져 있다. (chàjìn) 형 서투르다. 뒤떨어져 있다. ¶我没有学好, 唱得还很～; 나는 충분히 배우지 않아서 노래가 아직 서툴다.
〔差劲儿〕 chàjìnr 명 뒤진 데. 서투른 데. 서투른 정도.
〔差进差出〕 chà jìn chà chū 〈成〉 부정하게 얻은 돈은 오래 가지 못한다.
〔差配儿〕 chàpèir 명 한 짝. 외짝(본래 쌍으로 된 것의 한쪽을 이름). ¶～鞋; 한쪽만의 신.
〔差劈儿〕 chàpīr 동 〈京〉 헝클어지다. 뒤얽히다. ¶线一～就容易断; 실이 뒤얽히면 끊어지기 쉽다/喊得嗓子都～了; 소리를 질러 목이 쉬었다.
〔差生〕 chàshēng 명 열등생.
〔差事〕 chàshì 명 탈. 별고(別故). 형 쓸모 없다. 표준에 미치지 못하다. ¶这东西可太～了, 怎么一碰就破了! 이 물건은 너무 형편 없다, 어떻게 조금 닿았을 뿐인데 망그러졌을까! ⇒chāishi
〔差一点儿〕 chàyīdiǎnr ①부 자칫하면. 하마터면(화자가 실현되기를 원치 않을 경우, '～'·'～没'는 모두 실현될 뻔하다가 실현되지 않았다는 안도의 뜻을 나타냄). ¶～烧死; 까딱했더라면 타죽을 뻔했다/～没死; 아슬아슬하게 목숨을 건졌다. ②부 조금 차로. 가까스로. 하마터면(화자가 실현되기를 원할 경우 '～'은 실현되지 않아 애석하다는 뜻. '～没'은 가까스로 실현하였다는 뜻을 나타냄). ¶～赶上了; 조금 더 서둘렀으면 시간에 댔을 텐데/～没赶上; (다행히도) 아슬아슬하게 시간에 댔다. ③(chà (yī) diǎnr) 약간 다르다. 약간 떨어지다[못 하다]. ¶这个和那个～; 이것과 저것은 조금 다르다/这种笔比那种笔～; 이 종류의 붓은 저 종류의 붓보다 좀 못하다. ‖=〔差点儿〕

CHAI ㄔㄞ

拆 chāi (탁)
동 ①(붙이거나 꿰맨 것을) 떼어 내다. 뜯어 내다. ¶～封; 개봉하다. 봉한 것을 뜯다/～被褥; 홑이불을 뜯어 내다. ②(짝·벌로 되어 있는 것을) 흐트러[떼어] 놓다. 풀다. 분해하다. ¶～卸零件; 부품을 떼어 내다/一套书～成零本儿; 한 질의 서책을 낙질본(落帙本)으로 하다. ③부수다. 해치다. ④때려 부수다. ¶～房子; 집을 부수다. ⑤사이를 갈라 놓다. ¶～人家的和气; 남의 사이를 갈라 놓다. ⇒cā
〔拆白〕 chāibái 명 〈南方〉 옛날, 정을 주는 척하며 부녀자들을 속여 금품을 사취하는 일. ¶～党; 정을 주는 척하며 여자들을 속여 금품을 사취하는 불량배 집단/女～; 미인계(美人計)로 금품을 사취하는 여자. 불량 소녀.
〔拆白道绿〕 chāibái dàolǜ 흰 것을 녹색(綠色)이라 한다. 〈比〉 궤변을 농(弄)하다.
〔拆被子〕 chāi bèizi 홑이불을 뜯다(뜯어서 빨다).
〔拆辩〕 chāibiàn〔chèbiàn〕 동 변명하다. 설명하다. ¶就叫刘知寨一同去州里～明白; 당장 유지채도 함께 주청(州廳)으로 보내어 자세히 설명하도록 하였다.
〔拆城〕 chāichéng 동 성벽을 파괴하다.
〔拆除〕 chāichú 동 제거하다. 부수어 철거하다. ¶～城墙; 성벽을 제거하다.
〔拆穿〕 chāichuān 동 ①폭로하다. 파헤쳐 밝혀내다. ¶～他们的秘mì密; 그들의 비밀을 폭로하다/～了说; 확실히 말하자면/～西洋镜; 요지경을 벗기다(내막을 폭로하다). ②구멍을 뚫다. (칸막이를) 터서 통하게 하다. ¶把墙～了走着好方便; 벽을 헐면 다니기에 대단히 편리하다.
〔拆船窝〕 chāichuánwō 명 바닷속의 암초 지대. ¶同志们, 把锚提起来, 冲出～; 동지들, 닻을 올리고 암초 지대로부터 탈출합시다.
〔拆掉〕 chāidiào 동 헐다. 제거하다. 없애다. ¶～非法建筑物; 불법 건축물을 철거하다.
〔拆东墙补西墙〕 chāi dōngqiáng bǔ xīqiáng 동쪽 담을 헐어 서쪽 담을 보수하다(갑(甲)에서 빌려 을(乙)에게 갚다. 아랫돌 빼어 윗돌 괴다. 고식적(姑息的) 수단을 쓰다).
〔拆对(儿)〕 chāiduì(r) 동 2개가 1세트로 된 것을 나누다. ¶这个东西不能～卖; 이것은 (2개 1세트로) 떼어 팔 수 없습니다.
〔拆兑〕 chāiduì 동 ①〈方〉 융통하다. ¶你～我俩钱儿吧! 나한테 돈을 좀 융통해 주게! ②큰돈을 헐다.
〔拆放〕 chāifàng 동 콜 머니(call money)를 대출하다.
〔拆分〕 chāifēn 동 분해하다. 분석하다. ¶要是仔zǐ细～一下也许能查出原因; 만일 자세히 분석하면 혹시 원인을 찾아 낼 수 있을지 모른다.
〔拆封〕 chāifēng 동 서신을 개봉하다. 봉인한 것을 열다[뜯다].
〔拆股〕 chāigǔ 동 조합(組合)을 해산하다. 합자(合資) 경영 단체에서 탈퇴하다.
〔拆骨〕 chāigǔ 동 ①고기를 뼈에서 발라 내다. ②해체하다. ¶香港的拆船业, 每月都有一, 二十艘废船运港～; 홍콩의 선체 해체업에서는, 매월 정해놓고 10～20척의 폐선(廢船)을 들여다 해체하고 있다.
〔拆光〕 chāiguāng 동 남김없이 헐다.
〔拆和气〕 chāi héqì 남의 사이를 갈라놓다.
〔拆毁〕 chāihuǐ 동 부수어 버리다. 헐다. ¶把房子～; 가옥을 헐다.
〔拆伙〕 chāihuǒ 동 ①(단체나 조직을) 해산하다. ②한패끼리 충돌하여 분할되다.
〔拆货〕 chāihuò 명 ①부서진 물건. ¶卖～也值十块钱; 헐어서 팔아도 10원은 된다. ② ⇨〔拆料〕
〔拆价〕 chāijià 명 중개인 값. 중개인이 부르는 값.
〔拆借〕 chāijiè 동 〈方〉 단기간 빌리다.
〔拆开〕 chāikāi 동 ①열다. 개봉하다. ¶把信封儿～了; 편지를 개봉하다. ②떼어 내다. 벗겨 내다. 분해하다. ¶你把床～了拿出去; 네가 침대를 분해하여 가지고 나가라. ③사이를 갈라놓다. ¶我们是顶好的朋友, 你为什么要给我们～? 우리는 좋은 친구인데, 너는 어째서 우리의 사이를 갈라 놓으려 하는 것이냐?
〔拆款〕 chāikuǎn 명 《經》 콜 론(call loan). 콜 머니(call money). 단자(短資). →〔拆放fàng〕〔拆票piào〕
〔拆料〕 chāiliào 명 가옥 또는 담을 헐고 나서 추려 낸 목재·벽돌 따위. =〔拆货②〕
〔拆卖〕 chāi.mài 동 (세트로 된 것을) 분매(分賣)

하다. 해체 매각하다. ¶这套家具不~; 이 세트로 된 가구는 따로따로 팔지 않습니다.

〔拆票〕 chāipiào 명《經》(옛날, 은행 동업자에게 행하던) 단기 대차 어음. ¶两皮~; 기한 2일간의 단기 대차 어음/独天~; 기한 1일간의 단기 대차 어음. →〔拆款〕

〔拆平〕 chāipíng 동 제거하여 평평하게 하다.

〔拆迁〕 chāiqiān 동 건조물을 헐어 다른 곳으로 옮기다.

〔拆墙脚〕 chāi qiángjiǎo〈比〉토대·기초를 부수다. 파괴하다. ¶拆他的墙脚; 그의 발판을 허물다.

〔拆桥〕 chāiqiáo 동 교량을 파괴하다. ¶过河~;〈成〉강을 건너고 다리를 파괴하다.

〔拆散〕 chāisǎn 동 (짝·벌로 된 것을) 떼다. 해체하다. 분해하다. ¶这些瓷器是整套的, 千万不要~了; 이 도자기는 세트로 되어 있으니까 따로 떼어 놓으면 절대로 안 된다. ⇒chāisàn

〔拆散〕 chāisàn 동 (가정·조직을) 분산시키다. 파괴하다. ¶~婚姻; 혼담을 깨다. ⇒chāisǎn

〔拆色银〕 chāisèyín 명 옛날, 공납미가 부족할 때 그 값어치만큼 은으로 대납하는 데, 그 은을 가리키는 말.

〔拆梢〕 chāishāo 동〈方〉①노상에서 부녀자를 희롱하다. ②금전을 강탈하다.

〔拆台〕 chāi,tái 동 ①토대를 파괴하다. 못쓰게 만들다. 실패로 만들다. ¶拆他的台; 그를 실각시키다. ②때려 부수다. 중지하다. ¶事情已经办到这地步, 別想~; 여기까지 해 온 이상, 중지한다는 것은 생각하지 않는 것이 좋다.

〔拆息〕 chāixī 명 예금·대부(貸付) 이자《일변(日邊)》. ¶~市场; 단자(短資) 시장.

〔拆洗〕 chāixǐ 동 (옷·이불 등을) 뜯어서 빨다. ¶~衣裳; 옷을 빨다.

〔拆线〕 chāixiàn 동 ①《醫》(상처 봉합사(縫合絲)를) 뽑다. ②실을 뽑다.

〔拆卸〕 chāixiè 동 분해하다. 해체하다. ¶~工具; 분해용 공구. 해체용 공구/前后10年间, 香港曾~船只共计211艘; 전후 10년간 홍콩에서 합계 211척의 선박을 해체했다.

〔拆信〕 chāi,xìn 동 편지를 뜯다.

〔拆信机〕 chāixìnjī 명 (봉투의) 개봉기(開封機).

〔拆修〕 chāixiū 명동 ⇨〔检jiǎn修〕

〔拆验〕 chāiyàn 동 짐을 펼치고 검사하다. ¶~邮包; 소포를 풀고 검사하다.

〔拆用〕 chāiyòng 동 ①(한데 합쳐진 것을) 흐트러뜨려 쓰다. ②〈方〉자금을 차입해서 쓰다.

〔拆阅〕 chāiyuè 동 (봉한 서류 따위를) 열고〔뜯고〕보다. 명〈翰〉손아랫사람에게 보내는 서간문 수신자의 이름 밑에 쓰는 상투어.

〔拆账〕 chāizhàng 명 (수입의) 비례 분배. (chāi,zhàng) 동 (수입을) 비례 분배하다.

〔拆整〕 chāizhěng 동 합쳐진 것을 흐트러〔떼어〕놓다. ¶~卖零; 합쳐진 것을 떼어서 팔다.

〔拆字〕 chāi,zì 동 글씨로 점을 치다. =〔测字〕

钗(釵) chāi (차)

명 비녀. ¶金~; 금비녀/荆~布裙; 나무 비녀를 꽂고 무명 치마를 입다. ⓐ〈比〉여성의 소박한 복장. ⓑ형처(荊妻). 우처(愚妻)《자기 처의 겸칭》.

〔钗钏〕 chāichuàn 명 ①비녀와 팔찌. 여성의 장신구. ②여성을 나타내는 말.

〔钗钿〕 chāidiàn 명 여성의 머리 장식의 총칭.

〔钗珥〕 chāi'ěr 명 ⇨〔钗环〕

〔钗股〕 chāigǔ 명《美》(회화(繪畫)에서) 묵죽(墨竹)의 곧은 가지.

〔钗光鬓影〕 chāigūang bìnyǐng〈比〉여자의 자태(姿態).

〔钗环〕 chāihuán 명 비녀와 귀걸이〔이어링〕. 여성의 장신구〔액세서리〕의 총칭. =〔钗珥〕

〔钗裙〕 chāiqún 명 ①비녀와 치마. ②〈轉〉여성. 여자.

〔钗梳〕 chāishū 명 비녀와 빗.

〔钗云〕 chāiyún 명〈文〉머리카락. 머리털. 머리.

〔钗簪〕 chāizān 명〈文〉비녀.

〔钗子股〕 chāizigǔ 명《植》금차고(金釵股). 인동덩굴. 겨우살이덩굴《열대 지방과 쓰촨(四川) 성·광둥(廣東) 성의 고목(古木) 위에 기생하는 난초과의 상록 초본(常綠草本). 악성 종기의 해독제, 담열(痰熱) 치료약으로 씀》.

差 chāi (차)

① 동 파견하다. 보내다. ¶~人去问; 사람을 보내어 묻다/钦qīn~大臣; 청대(清代), 황제가 임명한 대신. 흠차 대신. =〔差遣〕 ② 명 사자. 심부름꾼. ¶当~; 말단 관리를 지내다/公~; 관령(官令)에 의한 사자/信~; 우편 배달부. ③ 명동 징용(徵用)(하다). ④ 동 급료를 지급하지 않고 부리다. ⑤ 명 공무(公務). 직무. 파견시켜 하는 일. ¶兼~; 겸직하다/出~; 출장가다/外~; 지방 근무/交~; 복명하다. 공무를 끝내다/开~; ⓐ면직하다. ⓑ군대가 이동하다. ⇒chā chà cī cuō

〔差拨〕 chāibō 동 (임무를 부여하여) 파견하다. 명 하급 관리.

〔差呈〕 chāichéng 동 ⇨〔差送〕

〔差传〕 chāichuán 동 관리를 내보내어 소환하다.

〔差馆〕 chāiguǎn 명 (홍콩(香港)에서) 파출소《경찰》.

〔差害〕 chāihài 동〈方〉중세(重稅)를 징수하다. 명 가혹한 세금.

〔差旅〕 chāilǚ 명 출장 여행.

〔差派〕 chāipài 동 관명(官命)으로 임명 또는 파견하다. =〔差遣〕

〔差票〕 chāipiào 명 체포 영장.

〔差遣〕 chāiqiǎn 동 임명 또는 파견하다. ¶听候~; 임명을 기다리다. =〔差派〕

〔差缺〕 chāiquē 명 관직(官職).

〔差人〕 chāirén 명 ①관청의 사환. ②(홍콩(香港)에서) 순경. (chāi,rén) 동 사람을 파견하다.

〔差使〕 chāishǐ 동 보내다. 파견하다.

〔差使〕 chāishi 명 임시로 위임된 직무. 임시의 관직. ¶守电磨的~最苦; 전동 제분기를 지키는 역할이 가장 힘들다. =〔差事chāishi④〕

〔差事〕 chāishi 명 ①공용(公用). ②공무원. 관리. ③파견되어 하는 일. 출장 용건. ④임시로 위임된 직무. 임시 관직. ⇒chàshì

〔差送〕 chāisòng 동〈翰〉사자(使者)를 시켜 보내어 주다. =〔差呈〕

〔差委〕 chāiwěi 동 관명(官命)으로 임명 또는 파견하다.

〔差务〕 chāiwù 명 공무(公務).

〔差役〕 chāiyì 명 말단 관리. 하급 관리.

侪(儕) chái (제)

〈文〉① 명 무리들. 한패. ¶吾~; 우리들. 오등(吾等). ② 동 결혼하다.

〔侪辈〕 cháibèi 명〈文〉한패. 동아리. 한편. →〔曹cáo偶〕

〔侪等〕 cháiděng 명〈文〉한패. 동아리. 동료.

〔侪居〕 cháijū 동 함께 살다. ¶长zhǎng幼~; 어

른과 어린이가 함께 살다.
〔侪类〕 cháilèi 명 〈文〉 한패. 동료. 동아리. 같은 무리.

茈 chái (새)
→〔茈胡〕⇒cí zǐ

〔茈胡〕 cháihú 명 《植》 시호. =〔柴胡〕

柴〈㾹〉③ chái (시)
①명 땔감. 장작. 땔나무. ¶劈pǐ～; ⓐ팬 장작. ⓑ장작을 패다/拿斧fǔ子劈pī劈pǐ～; 도끼로 장작을 패다/砍kǎn～; 나무를 하다. 섶나무를 베다. ②명 바자울. ③형 바싹 마르다. 시들다. 쭈그러 들다. (무·당근 등에) 바람이 들다. ¶肉发～; 고기가 바싹 마르다/鸡太～了; 닭이 몹시 말랐다/～心的萝卜; 바람이 든 무. ④형 뒤떨어지다. 못하다. 낮다. ¶他英文学得特～; 그는 영어를 전혀 못 한다. ⑤명 성(姓)의 하나.
〔柴把〕 cháibǎ 명 ①장작 묶음. 나뭇단. ②〈轉〉 땔나무. 장작.
〔柴草〕 cháicǎo 명 (땔감으로 쓰이는) 섶나무와 풀.
〔柴厂〕 cháichǎng 명 나뭇간. 장작을 쌓아 두는 헛간.
〔柴车〕 cháichē 명 허술한 수레. 변변치 못한 수레.
〔柴船〕 cháichuán 명 땔나무를 실은 배.
〔柴达木盆地〕 Cháidámù péndì 명 《地》 차이다무(柴達木) 분지《칭하이(青海) 성 중앙부의 분지》.
〔柴担〕 cháidàn 명 ①나뭇짐. ②장작을 메는 멜대.
〔柴刀〕 cháidāo 명 손도끼.
〔柴扉〕 cháifēi 명 ⇨〔柴门〕
〔柴锅〕 cháiguō 명 장작을 때는 화덕〔아궁이〕. →〔柴灶〕
〔柴禾〕 cháihe 명 땔감으로 하는 나무나 짚 따위.
〔柴胡〕 cháihú 명 《植》 시호(柴胡)《뿌리는 해열·진정·강간(強肝)의 약제로 씀》. =〔茈胡〕〔山shān菜〕〔紫zǐ胡〕
〔柴毁〕 cháihuǐ 동 〈文〉 여위다. 쇠약해지다. ¶～骨立; 여위어 뼈가 앙상하게 드러나다.
〔柴火〕 cháihuo 명 장작. ¶～垛; 장작더미. 장작가리.
〔柴火房〕 cháihuǒfáng 명 ⇨〔柴火间〕
〔柴火间〕 cháihuǒjiān 명 나뭇간. =〔柴火房〕
〔柴货〕 cháihuò 명 ①폐물. 팔다 남은 물건. ②쓸모없는 사람.
〔柴鸡〕 cháijī 명 《鳥》 다리에 털이 없는 재래종 닭.
〔柴棘〕 cháijí 동 〈文〉 넌지시 남에게 손상〔상처〕을 입히다. 빗대어 말하다.
〔柴瘠〕 cháijí 형 〈文〉 나무처럼 바짝 마르다. 몹시 여위다.
〔柴荆〕 cháijīng 명 〈文〉 ①섶나무 또는 가시나무. ②〈比〉 쓰러져 가는 집.
〔柴门〕 cháimén 명 〈文〉 사립문. 〈比〉 가난한 집의 대문. =〔柴扉〕
〔柴米〕 cháimǐ 명 ①장작과 쌀. ②생활 필수품. ¶～油盐; 땔감·곡식·기름·소금 등의 생활 필수품.
〔柴米夫妻〕 chái mǐ fū qī 〈成〉 생계를 위해 함께 살게 된 부부.
〔柴木〕 cháimù 명 질이 좋지 않은 목재. 《'花huā梨' '硬yìng木' 등과 구별해서 말함》.
〔柴瘦〕 cháishòu 형 장작처럼 몹시 마르다. 빼빼 마르다.
〔柴水〕 cháishuǐ 명 땔감과 물. ¶没～怎么能做饭? 나무와 물이 없이 어떻게 밥을 짓겠는가?
〔柴炭〕 cháitàn 명 땔나무와 숯. ¶～业; 신탄상(薪炭商). 연료상.
〔柴头炭〕 cháitóutàn 명 잡목(雜木)으로 구운 숯.
〔柴心(儿)〕 cháixīn(r) 명 가운데가 바람 든 것. ¶～萝卜; 바람 든 무.
〔柴薪〕 cháixīn 명 땔나무. 장작.
〔柴油〕 cháiyóu 명 《機》 중유(重油). 디젤유(油). ¶～引擎; 디젤 엔진/～抽水机; 디젤 펌프.
〔柴油打桩机〕 cháiyóu dǎzhuāngjī 명 《機》 디젤 파일 드라이버(diesel pile driver)《말뚝 박기 기계》.
〔柴油机〕 cháiyóujī 명 《機》 디젤 엔진. 디젤 기관. =〔柴油汽机〕〔柴油发动机〕〔狄dí赛尔机〕〔狄塞耳机〕
〔柴油机车〕 cháiyóu jīchē 명 디젤 기관차.
〔柴鱼〕 cháiyú 명 대구포의 일종《대구를 세 갈래로 째서 말린 것》.
〔柴灶〕 cháizào 명 장작을 때는 부뚜막〔아궁이〕.

豺 chái (시)
명 《動》 승냥이《이리 비슷한 맹수》.

〔豺虎〕 cháihǔ 명 ①《動》 승냥이와 호랑이. ②〈比〉 잔인 무도한 사람.
〔豺狼〕 cháiláng 명 탐욕스럽고 잔인한 악인. ¶～当道; 〈成〉 악인이 권력을 한 손에 잡음의 비유/～成性; 〈成〉 흉포하고 탐욕스러운 성격·근성/～野心; 〈成〉 흉포한 야심.
〔豺狼虎豹〕 chái láng hǔ bào 〈成〉 승냥이·이리·호랑이·표범. 〈轉〉 맹수의 총칭. 악인의 총칭.
〔豺漆〕 cháiqī 명 오갈피나무의 별칭.
〔豺声〕 cháishēng 명 승냥이와 같은 흉포한 목소리.

茝 chǎi (채)
명 향초(香草)의 일종으로 인명용 자(字). ⇒zhǐ

䟥 chǎi (책)
(～儿) 명 콩이나 옥수수를 맷돌에 간 것. ¶豆～儿; 맷돌에 간 콩/把玉米磨成～儿; 옥수수를 갈아 옥수수쌀로 만들다.

虿(蠆) chài (채)
명 《動》 전갈의 일종. ¶蜂fēng～有毒; 벌과 전갈에는 독이 있다. 〈比〉 작지만 사람을 해칠 수 있다.
〔虿芥〕 chàijiè 명 가시. 형 험악하게 화를 내는 모양.
〔虿尾〕 chàiwěi 명 〈文〉 전갈의 독 꼬리. 〈比〉 사람을 해치는 놈.

瘥 chài (채)
동 병이 낫다. ¶久病初～; 오랜 병이 간신히 나았다. ⇒cuó

CHAN ㄔㄢ

辿〈𨑨〉 chān (천)
지명용 자(字). ¶龙王～; 룽왕찬(龍王辿)《산시 성(山西省)에 있는 땅 이름).

觇(覘) chān (점) 동 들여다보다. 엿보다. ¶门外有声，往～之; 문 밖에서 소리가 나서 (무슨 일인가 하고) 가서 엿보았다. =〔探看〕

〔觇标〕 chānbiāo 명 《測》 측량표. =〔测cè量标〕

〔觇国〕 chānguó 동 국정(國情)을 정찰하다.

掺(摻) chān (삼) 동 섞다. 섞어 넣다. ¶～搅; 섞다. 섞어 넣다. =〔搀②〕 ⇒càn shǎn

〔掺沙子〕 chān shāzi ①모래를 섞다(농지(農地)가 굳지 않도록 모래를 섞어서 방지함). ②파벌을 만들지 못하도록 다른 사람을 들이다. =〔搀沙子〕

〔掺杂〕 chānzá 동 섞다. 뒤섞다. ¶～土话; 사투리를 섞어 말하다. =〔掺和〕

搀(攙) chān (참) 동 ①돕다. 부축하다. 손을 빌려 주다. ¶你～着那个老头儿吧！ 너는 저 할아버지를 부축해 드려라! / 小孩儿摔倒了，你去～起来吧; 어린애가 넘어졌으니, 가서 일으켜 주어라. ②섞다. 혼입(混入)하다. ¶里面～糖了; 속에 설탕이 섞였다. ③〈俗〉 뒤범벅으로 하다. ¶鞋子～帽子都卖了; 신발도 모자도 모두 팔아 버렸다.

〔搀拌〕 chānbàn 동 섞다. 섞어 넣다.

〔搀淡〕 chāndàn 동 묽게 하다. 희석하다.

〔搀兑〕 chānduì 동 혼합하다. 메우다. ¶把酒精跟水～起来; 알코올과 물을 함께 섞다.

〔搀放〕 chānfàng 동 섞어 넣다. ¶在面粉里要～一些白糖; 밀가루에 설탕을 조금 섞어야겠다.

〔搀扶〕 chānfú 동 ①손을 빌려 주다. 돕다. ¶好好～着老太太! 할머니를 단단히 부축해 드려라! ②(상대방의 손·몸을) 붙잡다. 기대다.

〔搀扶婆〕 chānfúpó →〔搀亲qīn〕

〔搀合〕 chānhé 동 ①뒤섞다. 배합하다. ¶～汽油; 가솔린을 혼합하다. ②끼여들다. ③말려들다.

〔搀乎〕 chānhū 부 함께. 뒤섞여. ¶你别跟他们～出去! 너는 그들과 같이 나가지 말아라!

〔搀话接舌〕 chān huà jiē shé 〈成〉 ①말참견을 하다. ②남을 참소(攙訴)하다.

〔搀混〕 chānhùn 동 혼합하다. 한데 섞다. ¶两种药～在一起了; 두 종류의 약을 한데 섞었다.

〔搀伙〕 chānhuǒ 동 너저분하게 섞어 버리다. ¶棋qí子有黑有白，不要～; 바둑돌에는 흑과 백이 있는데, 섞어 놓지 마라.

〔搀和〕 chānhuo 동 ①섞다. 섞어 넣다. ¶细粮粗粮～着吃; 쌀과 잡곡을 섞어 먹다. ②말려들다. ¶孩子都是孩子，咱们大人就别往里～啦! 아이들은 아이들이니까 우리 어른들이 끼여들 필요는 없다! ③엉망으로 만들다. ¶什么事一碰上他，准得越～越乱; 그가 끼여들면 무슨 일이고 꼭 엉망이 되어 버린다.

〔搀假〕 chānjiǎ 동 ①가짜를 섞다. ②(거짓말을) 섞다.

〔搀糠使水〕 chānkāng shǐshuǐ 〈比〉 가짜를 섞다. 위조하다.

〔搀料〕 chānliào 동 원재료〔원료〕를 섞다.

〔搀炉〕 chānlú 명 ⇨〔猴hóu子炉〕

〔搀乱〕 chānluàn 동 귀찮은 일을 저지르다. 소동을 일으키다.

〔搀起〕 chānqǐ 동 부축하여 일으키다. ¶看! 摔shuāi了不是，快～他来; 봐라! 넘어지지 않았니, 빨리 일으켜 주어라.

〔搀亲〕 chānqīn 명 구식 결혼식 때, 신부가 가마에서 내릴 때 부축하는 일. ¶～太太 =〔搀扶婆〕; 혼가의 의뢰로 신부를 시중드는 부인.

〔搀沙子〕 chān shāzi 모래를 섞다(같은 패거리만 있으면 파벌을 만들기 때문에 다른 사람을 넣어 멤버를 각양각색으로 만들다).

〔搀手〕 chānshǒu 동 손으로 받치다. 받치도록 손을 빌려 주다.

〔搀懈〕 chānxiè 동 쓸데없는 말을 해서 남의 말을 혼란케 만들어 망쳐 놓다. ¶咱们说正经的，你可别～; 진지하게 이야기를 하고 있는데, 쓸데없는 말을 해서 망쳐 놓지 마라.

〔搀言〕 chānyán 동 말참견을 하다. →〔插chā嘴〕〔儳chàn言〕

〔搀用〕 chānyòng 동 혼용(混用)하다. 섞어서 사용하다.

〔搀杂〕 chānzá 동 섞음질을 하다. ¶大米和小米～在一起; 쌀과 좁쌀을 함께 섞다.

〔搀嘴〕 chānzuǐ 동 말참견을 하다. 주제넘은 말을 하다.

幨 chān (첨) 명 옛날에, 수레 둘레에 치던 장막. =〔幨帷〕

襜 chān (첨) ①명 옛날의, 옷의 무릎 앞부분. ¶～褕yú; (소매가 짧은) 홑옷. ②형 복장을 단정히 갖춘 모양.

单(單) chán (선) →〔单于〕 ⇒dān Shàn

〔单于〕 Chányú 명 선우(흉노의 수장(首長)).

婵(嬋) chán (선) 표제어 참조.

〔婵承〕 chánchéng 동 〈文〉 계승하다. 인수하다. ¶弟才疏学浅，～此席抱愧之至; 저는 천학비재(淺學菲才)한데, 이 임무를 맡게 되어 참으로 부끄러울 따름입니다.

〔婵娟〕 chánjuān 형 자태가 아름다운 모양. =〔婵媛①〕 명 달〔月〕의 별칭.

〔婵娟刃〕 chánjuānrèn 명 요염한 칼. 〈比〉 여색(女色)으로 남자를 뇌살함. ¶蛾眉本是～，杀尽风流世上人; 미녀란 본래 살인검(殺人劍)이어서, 세상의 호색가를 뇌살하고 만다.

〔婵连〕 chánlián 명 〈文〉 친족〔혈연〕 관계.

〔婵媛〕 chányuán 형 ①⇨〔婵娟〕 ②마음이 끌리는 모양. 동 관련하다.

禅(禪) chán (선) 명 《佛》 ①선종(禪宗). ②좌선(坐禪). ¶参～; 참선하다. ③깨달음. ⇒shàn

〔禅床〕 chánchuáng 명 《佛》 좌선하는 자리.

〔禅定〕 chándìng 명 《佛》 선정(좌선하여 삼매경에 드는 일).

〔禅法〕 chánfǎ 명 《佛》 선의 가르침. 불법.

〔禅房〕 chánfáng 명 《佛》 ①중의 거처. 선방. ②사원(寺院).

〔禅关〕 chánguān 명 ①좌선을 하는 방. ¶妙公轻易不出～，缘何今日下凡一走; 묘공은 선실(禪室)을 나오는 일이 좀처럼 없었는데, 어째서 오늘은 속세에 나오셨나요. ②선법(禪法)의 관문.

〔禅和子〕 chánhézǐ 명 《佛》 선화(禪和). 선화자(禪和子)(참선하는 사람. 선종 수업 중에 있는 승려). ¶～正打坐间《水滸傳》; 수업 승려는 마침 좌

〔阐明〕 chǎnmíng 동 밝히다. 천명하다. ¶～态度; 태도를 천명하다.

〔阐士〕 chǎnshì 명〈文〉고승(高僧)의 존칭.

〔阐释〕 chǎnshì 동 상세히 설명〔해석〕하다.

〔阐述〕 chǎnshù 동 분명히 말하다. ¶～立场; (말로) 입장을 밝히다／将事件的始末, 经过～明白; 사건의 자초지종·경과를 분명히 말하고 밝히다.

〔阐说〕 chǎnshuō 동〈文〉상세히 설명하다.

〔阐扬〕 chǎnyáng 동 명백히 주장하다. 해명하고 선전하다.

〔阐幽〕 chǎnyōu 동〈文〉숨겨진 것을 드러내어 밝히다.

〔阐幽发微〕 chǎn yōu fā wēi〈成〉심오한 진리를 설명하다. 분명하지 않은 곳에서 확실한 것을 끄집어 내어 계발하다. ¶这种～工作也是很要紧的; 이런 계몽 계발에 관한 일도 매우 중요하다.

啴(嘽) chǎn (천) 형〈文〉완만하고 부드럽다. =〔啴缓huǎn〕⇒tān

冁(囅〈辴〉) chǎn (전) 형〈文〉웃는 모양. ¶～然而笑; 거리낌없이 웃다.

蒇(蕆) chǎn (천) 동〈文〉①완료하다. 완성하다. ¶～事; 일을 끝내다. ②준비하다. =〔蒇备bèi〕

〔蒇饬〕 chǎnchì 동〈文〉경계(警戒)하다.

骣(驏) chǎn (잔) 동 안장 없는 말을 타다. =〔骣骑qí〕

忏(懺) chàn (참) ①동 후회하다. 잘못을 뉘우치다. 참회하다. ¶愧kuì～; 후회하고 고치다. 회개하다. ②명〖宗〗(불교·도교(道教)에서) 참회를 위해 암송하는 경문(經文)의 하나. ¶拜～; 승려가 경문을 외며 부처에게 참회·예배하고 복을 구하다.

〔忏除〕 chànchú 동〈文〉회개하다. 참회하여 죄를 뉘우치다. ¶～罪障《華嚴經》; 참회하여 죄장(罪障)을 없애다.

〔忏礼〕 chànlǐ 명〖佛〗승려가 재계(齋戒)하고 부처에게 죄를 참회하며 행복을 기원하는 의식.

〔忏七〕 chànqī 명 사람이 죽은 지 이레 만에 중을 불러다 독경(讀經)하는 것.

〔忏事〕 chànshì 명 중이 경문(經文)을 외우며 부처에 참회·예배하고 복(福)을 구함.

刬(剗) chàn (잔) ①동 공격하다. 평정(平定)하다. ②→〔一刬chàn〕 ③부 구(舊) 소설·희곡에서 쓰는 말. ㉠단지. 다만. ㉡오히려. 역시. ㉢까닭 없이. 느닷없이. ⇒chǎn

儳 chàn (참) ①동 섞이다. 섞다. ¶勿～言; 말참견하지 마라. ②형 흐트러지다. ③형 고르지〔가지런하지〕 못하다. ④동 적당히 하다. 되는대로 살다. ⑤형 빠르다. ¶～道; 지름길.

〔儳和〕 chànhé 동 혼합하다. 뒤섞다.

〔儳互〕 chànhù 형〈文〉가지런하지 않은 모양.

〔儳头〕 chàntou 명 심술쟁이. 심술꾸러기. ¶这小孩子才～呢; 이 아이는 정말 심술쟁이다.

〔儳头货〕 chàntouhuò 명 ①조악(粗惡)한 물품. ¶这是人家挑tiāo剩下的～; 이것은 남이 고르고 남은 열등품이다. ②못된 인간. 불량배.

〔儳言〕 chànyán 동〈文〉이야기하는데 말참견하다.

嚵 chàn (참) ①명 (동물의) 입. 부리. ¶～子; (동물의) 주둥이. ②동 조금 먹다〔마시다〕. 맛보다.

〔嚵脑门(儿)〕 chànnǎomén(r) 명 ①앞이마가 나온 사람. ②나온 이마.

颤(顫) chàn (전) 동 떨다. 흔들리다. 진동하다. ¶这条扁担担上五六十斤就～了; 이 멜대는 오륙십 근이 되면 흔들흔들한다. ⇒zhàn

〔颤笔〕 chànbǐ 명 붓을 떨면서 쓰는 서법(書法)·화법(畫法).

〔颤动〕 chàndòng 동 진동하다. 흔들리다. 떨다. ¶木板薄了就要～; 널빤지가 얇으면 흔들린다／手～得写不成字; 손이 떨려 글씨를 쓸 수 없다.

〔颤抖〕 chàndǒu 동 (추위·오한으로) 몸이 떨리다. (기뻐서) 울렁거리다. ¶冻得全身～; 온몸이 얼어서 떨리다. 몸이 떨리다／声音～; 소리가 떨리다. ⇒zhàndǒu

〔颤痕〕 chànhén 명 ①절삭(切削) 때의 흔들림 때문에 제품 표면에 생기는 물결 무늬. ②지진계에 기록되는 진파(震波).

〔颤声〕 chànshēng 명 떨리는 목소리.

〔颤巍〕 chànwei 동 흔들리다. 부들부들 떨다. ¶鸟儿一落, 树枝儿就～; 새가 앉자 나뭇가지가 흔들렸다／刚开的花, 迎着风直颤颤巍巍的; 이제 막 피어난 꽃이 바람결에 흔들리고 있다／说话的声音～; 말하는 목소리가 떨고 있다.

〔颤巍巍(的)〕 chànwēiwēi(de) 형 흔들흔들 흔들리는 모양(노인이 걷는 형용). ¶老太太～地走进来; 할머니가 비틀거리며 걸어 들어왔다.

〔颤音〕 chànyīn 명〖樂〗전음. 떤꾸밈음. 트릴(trill)(어떤 음을 길게 늘일 때, 그보다 2도 높은 음을 삽입하여 번갈아 가며 파상(波狀)의 음을 내는 꾸밈음). ¶用～歌唱; 트릴로 노래하다.

〔颤悠〕 chànyou 동 흔들거리다. 흔들리다. 떨다. ¶屋子里闪着～的灯光; 방 안에는 흔들리는 등불이 빛나고 있다.

〔颤悠悠〕 chànyōuyōu 형 흔들리는 모양. 부들부들 떠는 모양. ¶～的花影; 흔들리는 꽃 그림자.

羼 chàn (찬) 동 섞다. 뒤섞이다. 뒤범벅이 되다. 뒤죽박죽이 되다. ¶～人会场; 회의장에 혼잡을 틈타 들어가다. 회의장에 섞여서 들어가다／和那些道士们胡～《紅樓夢》; 그 도사들과 한패가 되어 있다／典籍错乱, 皆由后人所～《顏氏家訓 書證》; 전적이 뒤범벅이 되어 있는 것은 모두 후세 사람이 뒤섞어 놓았기 때문이다.

〔羼入〕 chànrù 동 섞어 넣다.

〔羼水〕 chànshuǐ 동 물을 타다.

〔羼言〕 chànyán 동〈文〉말참견하다.

〔羼杂〕 chànzá 동〈文〉섞다. 뒤섞다. 혼합하다. ¶有其他的色彩～; 그 밖의 빛깔이 뒤섞여 있다.

韂 chàn (첨) →〔鞍ān韂〕

CHANG 彳尢

伥(倀) chāng (창) 명〈比〉악인(惡人)의 앞잡이. ¶为虎作～; 호랑이의 앞잡이가 되다

《악인을 도와 나쁜 짓을 함》/甘为wéi虎～ =〔甘为作～〕;〈成〉자진하여 나쁜 사람의 앞잡이가 되다.
〔伥伥〕chāngchāng 형〈文〉어둠 속을 더듬거리며 가는 모양. ¶若瞽gǔ者之～; 소경이 어둠 속을 더듬으며 가는 것과 같다.
〔伥鬼〕chāngguǐ 창귀. 전설에서, 범에게 잡혀 먹힌 사람의 혼령이 범의 앞잡이가 되어 나쁜 짓을 함을 이르는 말.

昌 chāng (창)
①형 왕성하다. 성대하다. ¶得之者～失之者亡; (이를) 얻는 자는 번영하고 (이를) 잃는 자는 망한다. ②형 수려(秀麗)하다. ③형 옳다. 정당하다. ④동형 번영하다. ⑤동 무성하게 자라다. ⑥동 솔직히 말하다. ¶～言无忌; 솔직히 말하여 꺼릴 게 없다. ⑦명 사물(事物). ¶百～生于土而反于土; 만물은 흙에서 나와 흙으로 돌아간다. ⑧명 성(姓)의 하나.
〔昌本〕chāngběn 명《植》창포의 뿌리《약용(藥用)》.
〔昌朝〕chāngcháo 명〈文〉번영하는 세상《당대의 조정(朝廷)을 일컫는 말》.
〔昌辞〕chāngcí 명〈文〉아름다운 문장.
〔昌蛾〕chāng'é 명 ⇨〔车鳌chē'áo〕
〔昌光〕chāngguāng 명〈文〉상서로운 빛. 서기(瑞氣). 서광.
〔昌盍〕chānghé 명〈文〉가을바람. 추풍(秋風). =〔阊阖③〕
〔昌化石〕chānghuashí 명《鑛》창화석《저장 성(浙江省) 창화 현(昌化縣)에서 산출하는 인장(印章)용으로 쓰는 돌. 반투명한 것을 '昌化冻'이라고 함. 또, 탄사(碳砂)와 같은 붉은 점이 있거나 또는 전체가 붉은 것을 '鸡jī血石' '鸡血冻'이라고 함》.
〔昌尽必殃〕chāng jìn bì yāng〈成〉성운(盛運) 뒤에는 반드시 불운(不運)이 온다.
〔昌隆〕chānglóng 동〈文〉번창하다. 번성하다. 성하다.
〔昌明〕chāngmíng 형 (정치나 문화가) 번창하는 모양. ¶现在还可以看得出当时～的痕迹; 지금도 당시의 융성했던 흔적을 알아볼 수 있다. 명 쓰촨(四川)산(産)의 명차(銘茶)의 이름.
〔昌披〕chāngpī〈文〉형 옷을 입고 띠를 매지 않은 모양. 어울리지도 않고 단정하지 못한 모양. 흐트러진 모양. 동 제멋대로 굴다. =〔猖披〕
〔昌期〕chāngqī 명〈文〉번영한 시대. 태평성대.
〔昌盛〕chāngshèng 형 창성하다. 번성하다.
〔昌时〕chāngshí 명〈文〉융성한〔번창한〕세상. 태평성대.
〔昌鼠〕chāngshǔ 명《魚》병치매가리의 속칭. =〔黑鲳〕
〔昌旺〕chāngwàng 형 번영하고 번창하다. ¶人口～, 家道兴隆《老舍 四世同堂》; 가족이 번창하고 살림 형편이 좋아지다.
〔昌言〕chāngyán 동 직언하다. 올바른 말을 하다. 명 정론(正論). 올바른 말.
〔昌运〕chāngyùn 명 ⇨〔盛shèng运〕
〔昌炽〕chāngzhì 동〈文〉번성하다. 번창하다.

倡 chāng (창)
명 ①배우. 광대. ②예기(藝妓). 기녀(妓女). ③예인(藝人). ⇒chàng
〔倡子〕chāngzi 명 ①예인(藝人). 배우. 광대. 악사. ②기녀. 창녀. 동 소란스럽게 떠들다. 사납게 날뛰다. 혈안이 되다.

阊(閶) chāng (창)
→〔阊阖〕〔阊门〕
〔阊阖〕chānghé 명〈文〉①옛 신화(神話)에 나오는 하늘 위의 문(門). ②궁정의 정문. ③가을바람. =〔昌盍〕〔阊阖风〕
〔阊门〕Chāngmén 명 쑤저우(蘇州)의 성문 이름.

菖 chāng (창)
→〔菖兰〕〔菖蒲〕
〔菖兰〕chānglán 명《植》범부채.
〔菖蒲〕chāngpú 명《植》창포. =〔兰荪〕
〔菖蒲酒〕chāngpújiǔ 명 창포를 잘게 썰어 띄운 술《사기(邪氣)를 쫓는다 하여 단옷날에 씀》.

猖 chāng (창)
①동 떠들다. ②형 어지럽다. 흐트러지다. ③동 미치다.
〔猖獗〕chāngjué 동 ①미치광이짓을 하다. 세력이 왕성하다. ②맹위를 떨치다. 광포(狂暴)하게 행동하다. ¶～一时的敌人, 终究被我们打败了; 한때 광포하기 이를 데 없었던 적들도 결국은 우리들에게 지고 말았다. ③기울다. 넘어지다.
〔猖狂〕chāngkuáng 동형 횡포(橫暴)하다. 미친 듯 날뛰다. 방자하다. ¶我决不能容忍你如此～; 나는 너의 미친 짓을 결코 용서할 수 없다.
〔猖旺〕chāngwàng 동형〈文〉몹시 난폭하다. 몹시 창궐하다.

娼 chāng (창)
명 기녀(妓女). 매춘부. 창녀. ¶男盗女～;〈成〉남자는 도둑놈, 여자는 창녀. 남녀가 모두 부정한 짓을 하다.
〔娼妇〕chāngfù 명 ①옛날, 매춘부. ②〈罵〉화냥년《여자를 욕하는 말》.
〔娼馆〕chāngguǎn 명〈文〉기생집.
〔娼妓〕chāngjì 명 창기. 매춘부.
〔娼家〕chāngjiā 명〈文〉기루(妓樓). 기생집.
〔娼寮〕chāngliáo 명〈文〉기루. 유곽.
〔娼优隶卒〕chāngyōu lìzú 명 옛날, 창기·배우·하급 관리·졸병 등 하층 계급의 사람《비천하고 낮은 사람》.

锠(錩) chāng (창)
인명용 자(字).

鲳(鯧) chāng (창)
명《魚》병어. =〔鲳鱼〕〔镜鱼〕〔平鱼〕〔银鲳〕

长(長) cháng (장)
①형 길다《시간적 또는 공간적 거리를 말함》. ¶天～夜短; 낮은 길고 밤은 짧다/这条街很～; 이 거리는 매우 길다. ↔〔短〕②명 길이. ¶那张桌子～三尺宽二尺; 저 테이블의 길이는 석 자이고, 너비는 두 자이다. ③형 오랜. ④명 장점(長點). ⑤부 언제까지나. 영원히. ⑥동 길게 하다. 늘이다. ¶再～几年一定会更大; 다시 몇 년 더 지나면 틀림없이 더 크게 될 것이다. ⑦형 뛰어나다. 잘하다. ¶～处; ⇩/特～; 특기/展其所～; 그 뛰어난 점을 발휘하다/各有所～; 각기 장점을 가지고 있다/他～于唱歌; 그는 노래를 잘한다. ⇒zhǎng
〔长安道上〕Cháng ān dào shàng〈成〉명리(名利)를 구하는 길《옛날에 관직을 찾아 장안(長安)에 간 데서 유래》.
〔长案〕cháng'àn 명 긴 책상.
〔长白山〕Chángbáishān 명《地》창바이 산《중

국 · 한반도 국경에 있는 산). =〔白头山〕
〔长板凳〕 chángbǎndèng 명 긴 의자. 벤치.
〔长本〕 chángběn 명 《經》 자기 자본. ↔〔短duǎn本〕
〔长臂虾〕 chángbìxiā 명 《動》 징거미.
〔长臂猿〕 chángbìyuán 명 《動》 긴팔원숭이.
〔长边〕 chángbiān 명 (직각 삼각형의) 긴 변. →〔勾gōu股〕
〔长编〕 chángbiān 명 초고(草稿).
〔长便〕 chángbiàn ⇨〔常便①〕
〔长波〕 chángbō 명 《物》 장파(파장 3,000m～30,000m의 전파).
〔长脖〕 chángbó 명 《魚》 용가자미.
〔长脖老等〕 chángbólǎoděng 명 ⇨〔苍cāng鹭〕
〔长脖鹿〕 chángbólù 명 ⇨〔长颈鹿〕
〔长材〕 chángcái 명 〈文〉〈比〉 재능 있는 사람.
〔长长短短〕 chángchang duǎnduǎn 형 길고 짧아서 가지런하지 않다.
〔长城〕 Chángchéng 명 ①《地》 창청(長城). 완리창청(萬里長城). ②(chángchéng) 중국의 국방(國防). ③〈比〉 나라의 대들보.
〔长城卡〕 chángchéngkǎ 명 〈簡〉 (중국 은행에서 발행하는) 창청 신용 카드('长城信用卡'의 약칭).
〔长虫〕 chángchong 명 뱀. =〔长蛇shé〕
〔长抽〕 chángchōu 명 《體》 롱 스매시.
〔长抽短吊〕 chángchōu duǎndiào 명 《體》 (탁구에서) 긴 드라이브와 짧은 샷.
〔长出气〕 chángchūqì 동 ①(임종 때) 크게 신음하다. ②(피로 · 난처할 때나 불만 · 우울할 때) 크게 한숨짓다.
〔长处〕 chángchù 명 장점. 뛰어난 점. ↔〔短duǎn处〕
〔长川〕 chángchuān 부 ⇨〔常川〕
〔长传〕 chángchuán 명 《體》 롱 패스.
〔长春花〕 chángchūnhuā 명 《植》 ①금잔화. ②월계화.
〔长蝽〕 chángchūn 명 《蟲》 긴노린재(보리 · 옥수수 등의 줄기에서 물을 빨아먹는 해충).
〔长此〕 chángcǐ 부 이와 같이. 이 상태로. 죽. ¶两国民的关系～恶化; 양국민의 관계는 이와 같이 죽 악화해 갔다.
〔长此以往〕 cháng cǐ yǐ wǎng 〈成〉 이 상태로 나아가다. 이 식으로 가다. ¶～, 什么时候是尽头呢? 이 상태로 간다면 언제 끝날까? =〔长此因仍〕
〔长存〕 chángcún 명 옛날, '钱qián庄'에서의 정기 예금의 하나(은행의 정기 예금과 달리, 당좌 예금과 같이 수시로 예금하고 수시로 차월(借越)할 수 있었음). 동 영원히 살다. 영원히 존재하다. →〔浮fú存〕
〔长矬〕 chángcuó 명 〈方〉 이유. 까닭. ¶说不出个～; 이유를 말할 수 없다.
〔长的〕 chángde 명 긴 것. ⇒zhǎngde
〔长等短等〕 chángděng duǎnděng 오래 기다리는 모양. ¶～不见来; 아무리 기다려도 도무지 나타나지 않다.
〔长凳(儿)〕 chángdèng(r) 명 ⇨〔板bǎn凳(儿)〕
〔长狄〕 chángdí 명 고대의 북적(北狄)의 하나(키가 보통 사람의 배가 넘었다고 함).
〔长笛〕 chángdí 명 《樂》 플루트. =〔大笛〕
〔长调〕 chángdiào 명 〈文〉 글자 수가 비교적 많은 사(詞)(청나라의 만수사율(萬樹詞律)에는 91자 이상의 것을 말했음).
〔长豆〕 chángdòu 명 《植》 광저기.
〔长度〕 chángdù 명 길이. 치수.
〔长短〕 chángduǎn 명 ①길고 짧음. 긴 정도. ②장점과 단점. ¶说长说短; 어쩌고저쩌고 말하다 / 互有～; 일장일단이 있다. ③(～儿) 길이. ¶五尺～的地面; 5척 길이의 땅 / 这件衣裳～儿不合适; 이 옷은 기장이 맞지 않다. ④변사(變事). 예기치 않은 일. ¶年龄过大的老人不宜远行, 免得出什么～; 나이가 너무 많은 노인은 변사가 없도록 멀리 나가지 않는 것이 좋다. ⑤시비. 우열. ¶背地里说人～是不应该的; 뒤에서 남의 일에 이러니저러니 하는 것은 좋지 않다 / 究竟事或长或短, 我还不知道呢; 결국 무엇이 옳고 그른지 나는 아직 모르겠다. 부 〈方〉 어쨌든 간에. ¶～不要; 어차피 필요 없다 / 明天的欢迎大会你～要来; 내일 환영회에는 어쨌든 오너라.
〔长短句〕 chángduǎnjù ①명 장단구(한 편의 시속에 장구(長句)와 단구가 섞여 있는 것). ② →〔词cí⑤〕
〔长吨〕 chángdūn 명 〈音〉 롱 톤(long ton). →〔英yīng吨〕
〔长耳公〕 cháng'ěrgōng 명 《動》 당나귀에 대한 희칭(戱稱).
〔长耳鸮〕 cháng'ěrxiāo 명 《鳥》 칡부엉이.
〔长法(儿)〕 chángfǎ(r) 명 긴 안목으로 본 방법. 근본적인 방법. ¶头痛医头, 脚痛医脚, 这不是个～; 머리가 아프면 머리를 치료하고, 발이 아프면 발을 치료하는 고식적인 처리는 일시적인 방법에 불과하다.
〔长发贼〕 Chángfàzéi 명 장발적(옛날, 태평천국군(太平天國軍)을 멸시하여 이르던 말). =〔发匪〕
〔长方(儿)〕 chángfāng(r) 명 직사각형.
〔长方脸儿〕 chángfāngliǎnr 명 길쭉하게 네모난 얼굴. ¶只见这人生得～《紅樓夢》; 얼핏 보니, 이 사람은 태어날 때부터 길고 네모난 얼굴을 하고 있다 / 不胖不瘦的～《兒女英雄傳》; 살이 찌지도 마르지도 않은 길고 네모난 얼굴. =〔容róng长脸儿〕
〔长方体〕 chángfāngtǐ 명 《數》 직육면체. 직방체.
〔长方形〕 chángfāngxíng 명 《數》 직사각형. 장방형.
〔长风破浪〕 cháng fēng pò làng 〈成〉 포부가 원대하다('愿乘长风破万里浪'의 준말). →〔乘chéng风破浪〕
〔长歌〕 chánggē 명 긴 노래. 장가. 동 목소리를 길게 뽑아 읊다. ¶～当哭; (장가를 부르거나 시문(詩文)을 빌려) 심중의 비분을 토로하다.
〔长庚〕 chánggēng 명 《天》〈文〉 태백성(太白星)(금성의 별칭). →〔金jīn星①〕〔启qǐ明(星)〕
〔长工〕 chánggōng 명 상용(常傭) 머슴. 장기 계약 머슴. ¶吃～ =〔扛káng长活〕; 지주의 머슴이 되다 / 因为他自己也吃过～, 庄稼地的事, 他都明白; 그 자신이 머슴살이를 한 일이 있었기 때문에 밭일은 무엇이든지 알고 있다 / ～屋; 머슴들의 주거. 고용인의 방. 하인 방. =〔长年①〕〔长活①〕 →〔短duǎn工(儿)〕〔揽lǎn工〕
〔长骨〕 chánggǔ 명 《生》 장골.
〔长鼓〕 chánggǔ 명 《樂》 장구((조선족이나 요족(瑤族) 등의) 큰북의 하나로 가운데가 가늘고 잘록함).
〔长雇〕 chánggù 명 장기 계약의 고용인.
〔长褂子〕 chángguàzi 명 홑겹의 긴 저고리.
〔长关〕 chángguān 명 빗장. ¶下了～, 彻了大锁《董解元 西廂記諸宮調》; 빗장을 벗기고 큰 자물쇠를 열다. →〔插chā关(儿)〕〔门mén闩〕

〔长跪〕 chángguì 동 〈文〉 무릎을 꿇고 상체를 세우다. ¶～而不拜; 무릎만 꿇고 절은 하지 않는다. =〔跽jì〕
〔长滚珠〕 chánggǔnzhū 명 《機》 롤러 베어링(roller bearing).
〔长汉〕 chánghàn 명 ⇒〔天tiān河〕
〔长号〕 chángháo 동 소리를 높여서 울다. ⇒chánghào
〔长号〕 chánghào 명 《樂》 트롬본. ⇒chángháo
〔长河〕 chánghé 명 ①⇒〔天tiān河〕 ②긴 강. 〈比〉긴 과정.
〔长虹〕 chánghóng 명 무지개.
〔长话〕 chánghuà 명 ①〈簡〉 장거리 전화('长途电话'의 약칭). ②긴 이야기.
〔长活〕 chánghuó 명 ① ⇒〔长工〕 ②머슴살이. 머슴일. ¶我给地主扛káng过～; 나는 지주의 머슴살이를 한 적이 있다.
〔长活脸儿〕 chánghuoliǎnr 명 〈方〉 긴 얼굴. 갸름한 얼굴. =〔长合脸儿〕〔长囫脸〕
〔长计〕 chángjì 명 〈文〉 ①영구적인 계획. ②훌륭한 계획. 좋은 계책. 양책(良策).
〔长技〕 chángjì 명 장기. 뛰어난 기능〔재주〕.
〔长假〕 chángjià 명 ①장기 휴가. ②〈比〉 사직.
〔长江〕 Chángjiāng 명 《地》 양쯔 강(揚子江). ¶～后浪推前浪; 창장(長江)의 뒷물결이 앞물결을 민다. 대를 이어 잘 되어 감. =〔大江①〕
〔长豇豆〕 chángjiāngdòu 명 《植》 광저기. =〔长豆角〕→〔豇豆〕
〔长劲〕 chángjìn 명 끈기. 인내력. ¶就好像运动员的长距离赛跑, 没有～是不能达到目的dì地的; 마치 스포츠의 장거리 경주와 같은 것으로서, 끈기가 없으면 목적지에 도달할 수 없다. ⇒zhǎngjìn(r)
〔长鲸〕 chángjīng 명 ①《動》 큰 고래. ②〈比〉 대식가. 술고래. 형 호음(豪飮)하는 모양. =〔饮如长鲸〕
〔长颈鹿〕 chángjǐnglù 명 《動》 기린. =〔长脖鹿〕
〔长颈瓶〕 chángjǐngpíng 명 ⇒〔烧shāo瓶〕
〔长颈乌喙〕 chángjǐng wūhuì 야박한 사람의 인상(목이 길고 입이 뾰족함).
〔长径规〕 chángjìngguī 명 빔 컴퍼스(beam compasses). 긴 컴퍼스. =〔长脚圆规〕
〔长久〕 chángjiǔ 명형 영구(하다). 장구(하다). ¶他翻阅着这分报告～地累索着; 그는 이 보고를 펴서 읽어 보면서 오랫동안 생각하고 있었다. 명 오랫동안. ¶～以来; 훨씬 이전부터.
〔长局〕 chángjú 형 장기간 계속되는 국면·상태. ¶终非～; 결국 오래 끌 국면이 아니다.
〔长句〕 chángjù 명 당(唐)나라 시대, 칠언 고시(七言古詩)를 말함.
〔长距离(赛)跑〕 chángjùlí(sài)pǎo 명 ⇒〔长跑〕
〔长客〕 chángkè 명 장거리 버스 여객 운수.
〔长空〕 chángkōng 명 가없이 넓은 하늘. ¶万里～; 만리 창천. 가없이 넓게 펼쳐진 푸른 하늘. 아득히 높고 먼 하늘.
〔长裤〕 chángkù 명 긴 바지. ↔〔短裤〕
〔长了人中, 短了鼻子〕 chángle rénzhōng, duǎnle bízi 〈俗〉 인중이 길어지면 코는 짧아진다(흔히, 겉모양은 바뀌었어도 내용은 변함이 없는 일). →〔人中〕〔换huàn汤不换药〕
〔长历〕 chánglì 명 만세력(萬歲曆).
〔长里〕 chángli 명 〈俗〉 길이. =〔长度〕 부 ('往～'의 꼴로) 길게. ¶往～放线; 실을 길게 늘이다.
〔长脸〕 chángliǎn 명 긴 얼굴. 말상.
〔长龄〕 chánglíng 명〈文〉 고령. 노년(老年).
〔长龙〕 chánglóng 명 〈比〉 장사진. ¶排着一条～; 장사진을 치다/连日出现购票～; 연일 표를 사는 사람들로 장사진을 이루고 있다.
〔长毛〕 chángmáo(～儿, ～子) 명 옛날, 태평 천국군(太平天國軍)의 멸칭(蔑稱)('长发fà贼'의 별칭). ⇒zhǎngmáo
〔长毛绒〕 chángmáoróng 명 《紡》 플러시천. 견면(絹綿) 비로드. 모헤어(mohair). =〔海hǎi虎绒〕
〔长门永巷〕 cháng mén yǒng xiàng 〈成〉 사람이 찾아오지 않는 늘 (문이) 닫혀 있는 집.
〔长眠〕 chángmián 동 영면하다. ¶～不起; 영원한 잠에 들다. =〔长逝〕
〔长苗枪〕 chángmiáoqiāng 명 끝날이 긴 창.
〔长鸣〕 chángmíng 명 《樂》 장명(옛 악기의 이름. 옛날, 군중(軍中) 신호로 썼음. 현재의 '号hào筒'과 같음).
〔长明灯〕 chángmíngdēng 명 상야등(常夜燈)(불전에 밤낮으로 켜 두는 등불). =〔常明灯〕
〔长命〕 chángmìng 명동 장수(하다).
〔长命百岁〕 chángmìng bǎisuì 오래오래 백 세까지 살다(갓난아기가 태어나서 1개월 되는 때의 '弥mí月②'에 축복하는 말).
〔长命灯〕 chángmìngdēng 명 ⇒〔香xiāng灯〕
〔长命富贵〕 cháng mìng fù guì 〈成〉 장명 부귀(남을 송축(頌祝)할 때 쓰는 말).
〔长命缕〕 chángmìnglǚ 명 단옷날에 어린이의 손발에 오색 실을 감아 주고 장수와 재앙이 없기를 비는 실. =〔长命丝sī〕
〔长命锁〕 chángmìngsuǒ 명 어린이의 목에 걸어 주는 자물쇠 모양으로 만든 구리 또는 은목걸이(어린이의 목에 자물쇠를 채워, 악마의 침입을 막는다는 뜻). =〔金jīn锁片〕
〔长年〕 chángnián 명 〈方〉 ①⇒〔长工〕 ②1년. ¶～六厘; 연리(年利) 6분(分). ③장수(長壽). ④긴 세월. ¶～存款; 거치 예금. 장기 정기 예금. ⇒zhǎngnián
〔长年累月〕 cháng nián lěi yuè 〈成〉 오랜 세월.
〔长袍〕 chángpáo 명 ①(남자용 겹옷, 또는 솜 넣은) 두루마기 모양의 긴 중국 옷. →〔旗qí袍〕 ②가운.
〔长袍儿短褂儿〕 chángpáor duǎnguàr 옷차림이 단정하다. ¶～的, 好像出去拜客; 단정한 옷차림으로 보아, 남을 방문하는 것 같다.
〔长跑〕 chángpǎo 명 《體》 장거리 경주. =〔长距离(赛)跑〕 ↔〔短跑〕
〔长篇大论〕 cháng piān dà lùn 〈成〉 대논문(大論文). 장황한 문장. 장광설(長廣舌)(흔히 비난하는 뜻으로 쓰임).
〔长期〕 chángqī 명 장기간. 오랫동안. ¶～计划; 장기 계획. 장기 플랜/～性; 장기적.
〔长期放款〕 chángqī fàngkuǎn 명 《經》 장기 대부.
〔长期合同〕 chángqī hétong 명 《經》 장기 계약.
〔长钱〕 chángqián 명 옛날, 구멍 뚫린 동전 100개를 100문(文)으로 하던 일반적인 계산법. =〔老lǎo钱②〕〔足zú陌〕〔足钱〕
〔长枪〕 chángqiāng 명 ①긴 창. ②장총.
〔长跷〕 chángqiāo ⇒〔高gāo跷〕
〔长青〕 chángqīng 형 ①영구히 푸르다. 늘 푸르다. ②영구하게 번영하다. ¶～不老; 불로 장생.
〔长驱〕 chángqū 〈文〉 먼 거리를 신속하게 진군

(進軍)하다. ¶～直人, 所向披靡; 파죽 지세로 쳐들어가니 향하는 곳마다 적들이 무너졌다.

〔长驱直人〕 cháng qū zhí rù 〈成〉 ①장구(長驅) 직진하다(진군이 순조로움을 이름). ②먼 거리를 급히 전진하다.

〔长儿〕 chángr 명 ①길이. ¶不够～; 길이가 모자라다. ②오랫동안. ¶不耐～; 오래 가지 못하다.

〔长人〕 chángrén 명 키다리. ¶他的许多朋友中, ～也大有人焉; 그의 여러 친구 중에는 키다리도 꽤 있다.

〔长日〕 chángrì 명 ①'冬dōng至'(동지)의 별칭(동지 이후는 하루하루 날이 길어지므로). ②(여름의) 긴 낮.

〔长日工〕 chángrìgōng 명 주간 노동자. →〔长夜工〕〔昼zhòu工〕

〔长日照植物〕 chángrìzhào zhíwù 명 《植》 장일식물(長日植物).

〔长三〕 chángsān 명 ①골패(骨牌)의 이름. ②〈方〉 옛날, 상하이(上海)의 일류 기생.

〔长三堂子〕 chángsān tángzi 명 옛날, 상하이(上海)의 기생 집.

〔长衫(儿)〕 chángshān(r) 명 ①홑겹의 긴 남성복(육체 노동자 이외의 사람이 입었음). =〔长衣裳〕〔大衫(儿)〕 ②가운.

〔长舌〕 chángshé 명 수다쟁이. 장광설.

〔长蛇〕 chángshé 명 ①장사. 긴 뱀. ②〈比〉 탐욕스럽고 포학한 사람.

〔长蛇阵〕 chángshézhèn 명 장사진. 길게 늘어선 줄. ¶排成～; 길게 늘어서다. 장사진을 치다.

〔长呻短叹〕 cháng shēn duǎn tàn 〈成〉 ⇨〔长吁xū短叹〕

〔长生〕 chángshēng 동 〈文〉 오래 살다. 장수하다. 생명이 길다. ¶～不死; 장생 불사 / ～不老; 장생 불로.

〔长生殿〕 Chángshēngdiàn 명 ①《地》 당(唐)나라 궁전의 이름. 화청궁(華清宮)의 하나. 태종(太宗)이 여산(驪山)(산시 성(陝西省) 린퉁 현(臨潼縣))에 둔 이궁으로 현종(玄宗)이 화청궁이라 고치고, 양귀비(楊貴妃)와 자주 행행(行幸)하였음. ②《書》 청대(清代) 홍승(洪昇)의 장생전 전기(長生殿 傳奇)(현종과 양귀비와의 고사(故事)를 연술(演述)한 것).

〔长生果〕 chángshēngguǒ 명 〈方〉 ⇨〔花huā生〕

〔长生库〕 chángshēngkù 명 전당포를 익살스럽게 하는 말. →〔当dàng铺(子)〕

〔长生禄位〕 chángshēnglùwèi 명 (장수를 빌기 위하여) 생존하고 있는 사람의 이름을 쓴 위패.

〔长胜军〕 chángshèngjūn 명 상승군(常勝軍). ¶广东队击破了有～称号的北京队; 광둥(廣東) 팀은 상승군으로 알려진 베이징(北京) 팀을 격파하였다.

〔长石〕 chángshí 명 《鑛》 장석. 질돌.

〔长逝〕 chángshì 동 〈文〉 죽다.

〔长寿〕 chángshòu 명동 장수(하다). ¶～老人; 장수 노인.

〔长寿菜〕 chángshòucài 명 ⇨〔马mǎ齿苋〕

〔长寿花〕 chángshòuhuā 명 《植》 노란 수선화.

〔长寿面〕 chángshòumiàn 명 혼례 또는 생일날에 먹는 국수.

〔长丝〕 chángsī 명 《紡》 긴 생사(生絲), 또는 화학 섬유.

〔长算短划〕 cháng suàn duǎn huà 〈成〉 여러 가지를 계획하다.

〔长随〕 chángsuí 명 (옛날, 관리의) 심부름꾼. 종자(從者). 종복(從僕). =〔常随〕

〔长谈〕 chángtán 명동 긴 이야기(를 하다). 동 충분히 서로 이야기를 주고 받다.

〔长叹〕 chángtàn 명동 〈文〉 장탄식(하다). 큰 한숨(을 쉬다).

〔长天老日〕 cháng tiān lǎo rì 〈成〉 기나긴 낮(해). ¶～的, 在家里也是睡觉《紅樓夢》; 낮도 기니까 집에 있어도 어차피 낮잠을 잡니다 / 这么～的, 老残, 你蹲在家里作什?《老殘遊記》; 이런 긴 낮에 노잔아, 너는 집 안에 틀어박혀 무엇을 하느냐? =〔长天大日〕

〔长条儿〕 chángtiáojī 좁고 긴 탁자.

〔长条儿〕 chángtiáor 가늘고 긴 물건.

〔长条子〕 chángtiáozi 명 키다리.

〔长挑〕 chángtiao 형 (몸이) 호리호리하다. ¶削肩细腰, ～身材《紅樓夢》; 매끄럽게 흘러내린 어깨와 가는 허리의 호리호리한 몸매.

〔长亭〕 chángtíng 명 〈文〉 ①도로상의 각처에 설치된 여행자의 휴게소. ¶十里一～, 五里一短亭; 십 리(十里)마다 장정(長亭)을 두고, 오 리(五里)마다 단정(短亭)을 두다. ②수도(首都) 성 밖에 설치된 빈객(賓客)의 송영소(送迎所)(옛날, 송별은 언제나 교외에서 행하여졌음. 그래서 '十里～'라는 말이 있음).

〔长统〕 chángtǒng 명 (신발 · 양말의) 발목 윗부분. ¶～袜(子) =〔长袜(子)〕; 스타킹. 긴 양말 / ～皮靴; 부츠(boots) / ～胶皮靴 =〔～雨靴〕; 고무 장화. =〔长筒〕

〔长筒〕 chángtǒng 명 ⇨〔长统〕

〔长途〕 chángtú 명 ①장거리. 장도. ¶～汽车; 장거리 버스(보통 버스는 '公共汽车') / ～旅行; 장거리 여행 / ～赛跑; 장거리 경주 / ～跋涉; 먼 길을 고생스럽게 가다. ②〈簡〉 장거리 전화의 약칭. ¶～电话; 장거리 전화. ‖ ↔〔短途〕

〔长吐〕 chángtǔ 명 《紡》 부잠사(副蠶絲). 생사 부스러기. 풀솜.

〔长腿子〕 chángtuǐzi 명 ①긴 다리. 또, 그런 사람. ②발이 빠른 사람.

〔长袜(子)〕 chángwà(zi) 명 긴 양말. 스타킹. =〔长统袜(子)〕

〔长围〕 chángwéi 명 ①길게 둘러싼 둑〔제방〕. ②길게 이어진 울타리. ㉠성을 지키기 위한 것. ㉡성을 공격하기 위한 것. 동 장시간 적을 포위하다.

〔长尾猴〕 chángwěihóu 명 《動》 긴꼬리 원숭이. =〔长尾猿〕〔果guǒ然〕〔猓guǒ然〕

〔长尾林鸮〕 chángwěilínxiāo 명 《鳥》 올빼미.

〔长吻角鲨〕 chángwěn jiǎoshā 명 《魚》 동방상어.

〔长物〕 chángwù〔〈舊〉 zhàngwù〕 명 남는 물건. 쓸데없는 물건. 〈轉〉 변변한 물건. 보기좋은 것. ¶身无～; ⓐ별로 가진 것이 없다. 빈털터리다. 가난하다. ⓑ검소하다.

〔长夏〕 chángxià 명 〈文〉 ①음력 6월의 별칭. ②긴 여름날.

〔长线〕 chángxiàn 명 ①긴 실. ②긴〔먼〕 거리. ③생산 능력 과잉 기업, 또는 그 제품. 동 공급이 남아 돌다. →〔短duǎn线〕

〔长线放远鹞〕 chángxiàn fàngyuǎn yào 〈諺〉 긴 실은 새매를 멀리 보낸다(자금이 많으면 이익도 많다. 긴 안목으로 보다).

〔长效剂〕 chángxiàojì 명 《藥》 지약(持藥). 항상 지니고 다니는 약. 항상 복용하는 약.

〔长啸〕 chángxiào 동 〈文〉 ①큰 소리로 외치다〔부

르짖다]. ②입을 오므리고 소리를 내다. 휘파람 불다.
〔长心〕 chángxīn 명 ⇨〔长性〕
〔长星〕 chángxīng →〔彗huì②〕
〔长行〕 chángxíng 명 〈文〉 ①먼 데로 가는 여행. ②고대의 주사위 놀이의 일종.
〔长性〕 chángxìng 명 느긋한 마음. 인내심. ¶别着急, 要有～, 慢慢的不怕戒不断《茅盾 霜葉紅似二月花》; 조급해하지 마라. 인내심만 있으면 (아편을) 끊지 못할 리가 없다. =〔长心〕 →〔恒héng心〕
〔长休饭〕 chángxiūfàn 명 (사형수에게 먹이는) 이 세상에서의 마지막 밥. ¶各与了一碗～, 永别酒《水滸傳》; 각자에게 이 세상을 하직하는 밥 한 사발과 술을 주었다.
〔长休告〕 chángxiūgào 명동 〈文〉 장기 휴가를 주어 면직(하다). ¶掾史有罪臧不称职, 辄予～《漢書》; 하급 관리가 죄가 있어 일을 감당할 수 없으므로, 즉시 장기 휴가를 주어 면직시켰다.
〔长袖善舞〕 cháng xiù shàn wǔ 〈成〉 소매가 긴 옷을 입고 있는 사람은 춤추는 게 돋보인다. ¶～, 多钱善贾; 소매가 긴 옷을 입고 있으면 춤을 잘 추고, 돈을 많이 가지고 있으면 장사하기가 수월하다《재력과 수완이 풍부하면 경영을 잘 한다》.
〔长吁短叹〕 cháng xū duǎn tàn 〈成〉 자꾸 탄식하다. 장탄식하다. =〔长呻短叹〕
〔长须鲸〕 chángxūjīng 명 《動》 장수경(長鬚鯨). 긴수염고래. 큰고래.
〔长靴〕 chángxuē 명 장화.
〔长血直流〕 cháng xuè zhí liú 〈成〉 상처를 입어 출혈이 심하다. 피를 줄줄 흘리다.
〔长阳人〕 Chángyángrén 명 《史》 장양인《10만 년 전의 원시인 화석(化石). 1956, 57년에 후베이성(湖北省)의 창양현(長陽縣)에서 발견되었음》. →〔北běi京猿人〕
〔长业交换〕 chángyè jiāohuàn 명 《經》 빅딜. =〔大规模交易〕〔大型交易〕
〔长叶冻绿〕 chángyè dònglǜ 명 《植》 산황나무.
〔长叶绿柴〕 chángyè lǜchái 명 《植》 까마귀베개.
〔长夜〕 chángyè 명 ①긴 밤. 고요하고 한가로운 밤. ¶～室; 분묘(墳墓) / ～饮; 밤새워 마시는 술〔잔치〕. ②암흑 시기. 어두운 세월. ¶～难明; 〈成〉 희망이 보이지 않는 암담한 세월.
〔长夜工〕 chángyègōng 명 야간 노동자. →〔长日工〕
〔长衣裳〕 chángyīshang 명 ⇨〔长衫(儿)①〕
〔长揖〕 chángyī 명 장읍《공수(拱手)하고 약간 위로 올렸다가 그대로 내리는 절을 '揖'라 하고 이 절을 하는 것을 '作zuō揖'라고 함. '揖'의 동작을 크게 하는 것을 '～'라고 함》. ¶～不拜; 장읍만 하고 배복(拜服)하지 않는다《절을 정중하게 하지 않음》.
〔长缨〕 chángyīng 명 〈文〉 긴 띠〔끈〕. 긴 줄.
〔长于〕 chángyú …에 뛰어나다. …에 소질이 있다. ¶他～音乐; 그는 음악에 소질이 있다.
〔长圆〕 chángyuán 명 타원(楕圓). ¶～形; 타원형.
〔长远〕 chángyuǎn 형 길다. 장구하다. ¶从～看来; 긴 안목으로 보면.
〔长远规划〕 chángyuǎn guīhuà 명 ⇨〔远景计划〕
〔长斋〕 chángzhāi 명 《宗》 일 년 내내 비린내나는 것을 먹지 않는 것. 채식만 먹는 것. ¶吃～; 일 년 내내 채식만 하다.
〔长斋绣佛〕 cháng zhāi xiù fó 《佛》 〈成〉 일 년 내내 정진(精進)하여 부처를 섬기다. =〔长斋事shì佛〕
〔长针〕 chángzhēn 명 (시계의) 긴 바늘. =〔分fēn针〕 →〔时shí针〕
〔长枕大被〕 cháng zhěn dà bèi 〈成〉 형제의 의가 좋음《당(唐)나라 현종(玄宗)이 태자였을 때 긴 베개와 큰 이불을 만들어 여러 왕과 함께 잤다는 고사(故事)에서 유래》.
〔长征〕 chángzhēng 명 장정《'二èr万五千里长征'의 준말》. 동 멀리 가다. 원정(遠征)하다.
〔长支〕 chángzhī 명 (점원(店員) 급료의) 가불. 가불금. ¶～透使; 급료의 가불과 금전의 속임수.
〔长至〕 chángzhì 명 〈文〉 ①동지. =〔冬dōng至〕 ②하지(夏至).
〔长治久安〕 cháng zhì jiǔ ān 〈成〉 영구히 안온하다. ¶我国走上了～的大道; 우리 나라는 영구히 안온한 길을 걷고 있다.
〔长桌〕 chángzhuō 명 긴 책상.
〔长子〕 chángzi 명 키다리. ¶那两个, 一个是青眼儿～; 저 두 사람 중 한 사람은 푸른눈을 한 키다리다. =〔大个儿〕 ⇒zhǎngzǐ
〔长足〕 chángzú 명 〈文〉 사물의 진전이 매우 빠름. ¶～(的)进步; 장족의 진보.
〔长足迈进〕 cháng zú mài jìn 〈成〉 큰 폭으로 전진하다. 크게 진전 발전하다.

苌(萇) cháng (장)
①→〔苌楚〕 ② 명 성(姓)의 하나.
〔苌楚〕 chángchǔ 명 《植》 양도(羊桃).

场(場〈塲〉) cháng (장)
① 명 농가(農家)에서 타작 따위를 하는 마당. 농가의 뜰. ¶打～; 탈곡하다. ②양 바람·비 등의 자연 현상이나 일의 경과(經過) 따위를 세는 데 쓰임. ¶头～雪; 첫눈 / 一～大战; 한 차례의 대전쟁 / 这～病; 이번의 병 / 起了一～乱子; 난리를 한바탕 일으키다 / 下了一～雨了; 한차례 비가 내렸다. ③명 〈方〉 시장. ⇒chǎng
〔场次〕 chángcì 수량 연(延) 횟수《강우·싸움 따위》. ⇒chǎngcì
〔场圃〕 chángpǔ 명 농가의 채소밭.
〔场院〕 chángyuàn 명 농가에서 타작일이나 말림일에 쓰이는 마당. 농가의 앞뜰《흔히, 벽이나 울타리로 막음》. =〔场园〕
〔场园〕 chángyuan 명 ⇨〔场院〕

肠(腸) cháng (장)
명 ①(～子) 장. 창자. ②(～子) 〈轉〉 마음. ¶热～人; 열정가 / 柔软～子; 상냥한 마음. 마음씨가 부드럽다 / 衷～; 충심. 진심 / 回～九转; 〈成〉 이모저모를 생각하다 / 牵～挂肚; 〈成〉 근심이 마음 속을 떠나지 않다.
〔肠穿孔〕 chángchuānkǒng 명 《醫》 장천공.
〔肠肚〕 chángdù 명 배짱. 도량(度量). 근성.
〔肠断〕 chángduàn 형 〈文〉 창자가 끊어질 듯 비통〔애통〕하다. 애끓다《비통하여 견딜 수 없다》.
〔肠肥脑满〕 cháng féi nǎo mǎn 〈成〉 호화스럽게 지내어 흉하게 살찐 모양. =〔脑满肠肥〕
〔肠风〕 chángfēng 명 《漢醫》 ①장염. ②내치(內痔) 및 직장 괴혈 출혈.
〔肠梗阻〕 chánggěngzǔ 명 《醫》 장폐색. =〔肠阻塞〕
〔肠骨〕 chánggǔ 명 ⇨〔髂qià骨〕

〔肠管〕chángguǎn 명 《生》 장. 창자.
〔肠慌腹热〕cháng huāng fù rè 〈成〉 매우 당황하다. ¶魂消魄散, ～; 혼비백산하여 놀라 당황하다〔허둥지둥하다〕.
〔肠激酶〕chángjīméi 명 《生》 엔테로키나제(enterokinase).
〔肠加答儿〕chángjiādár 명 《醫》 〈音〉 장카타르.
〔肠痨〕chángláo 명 《漢醫》 장결핵.
〔肠满腰包圆〕chángmǎn yāobāoyuán 〈比〉 수입(收入)이 두둑하다.
〔肠儿〕chángr 명 〈俗〉 동물의 창자로 만든 식품 《소시지 따위》. ¶蒜suàn～; 마늘로 양념한 소시지. →〔香xiāng肠(儿)〕
〔肠热症〕chángrèzhèng 명 《醫》 장티푸스.
〔肠绒毛〕chángróngmáo 명 《生》 융털. 융모. 장융모《소장 내벽 점막(內壁粘膜)상의 융모 조직》.
〔肠伤寒〕chángshānghán 명 《醫》 장티푸스.
〔肠套迭〕chángtàodié 명 《醫》 장중적증(腸重積症). 장중첩증(腸重疊症)《장관 등의 일부가 인접부에 함입하여, 장폐색(腸閉塞)을 일으킴》. '迭'은 '叠'라고도 씀.
〔肠胃〕chángwèi 명 ①《生》 위장. ②〈比〉 요충지.
〔肠腺〕chángxiàn 명 《生》 장선. 창자샘.
〔肠线〕chángxiàn 명 장선《양의 창자로 만든 실로, 외과 수술의 봉합(縫合), 또는 악기의 현(弦), 테니스 라켓의 망(網) 등에 쓰임》. =〔羊肠(缝)线〕
〔肠炎〕chángyán 명 《醫》 장염. 장카타르.
〔肠液〕chángyè 명 《生》 장액. 장선(腸腺)의 분비액.
〔肠衣〕chángyī 명 순대용의 창자. ¶干渍～; 말린 '肠衣' / 盐渍～; 소금에 절인 '肠衣'.
〔肠痈〕chángyōng 명 《漢醫》 ①맹장염. ②맹장주위염.
〔肠子〕chángzi 명 ①〈俗〉 장. 창자. ②마음. 심보. 근성. ¶坏～; 썩어 빠진 근성 / ～都急坏了; 급해서 속이 탈 지경이다 / ～憨hān; 근성이 썩은 사람. 속이 검은 놈. ③소시지. 순대. ¶小～ =〔小红肠〕; 비엔나 소시지.
〔肠子闲半截的穷人〕chángzi xián bànjiéde qióngrén 〈諺〉 창자의 반이 비어 있는 가난뱅이 《배불리 먹지 못한 가난뱅이》.
〔肠阻塞〕chángzǔsè 명 ⇨〔肠梗阻〕

尝(嘗〈嚐〉A))

cháng (상)
A) 동 ①맛(을)보다. ¶这是什么味儿, 我～不出来; 이건 무슨 맛인지 나는 알 수 없다 / 您～～这个菜; 이 음식 맛 좀 보세요 / ～咸淡; 간을 보다. ②경험하다. 체험하다. ¶备～辛苦 =〔备～苦痛〕; 간난 신고를 모두 겪다. ③시험해 보다. B) 부 〈文〉 과거에. 이전에. 일찍이. ¶前年～有事来此; 재작년에 일이 있어 이 곳에 온 일이 있다 / 努力工作, 未～言苦; 애써 일하면서도 괴롭다는 소리를 한 일이 없다 / 未～不可以; 나쁘다는 것은 아니다.
〔尝胆〕chángdǎn ⇨〔卧wò薪尝胆〕
〔尝敌〕chángdí 동 〈文〉 도전(挑戰)해 보고 적의 병력의 대소를 판단하다.
〔尝鼎一脔〕cháng dǐng yī luán 〈成〉 한 가지 일을 보고 만사를 알다.
〔尝寇〕chángkòu 동 〈文〉 도전하여 시험삼아 싸우다.
〔尝试〕chángshì 명동 시험(적으로 해 보다). 실험(하다). 경험(해 보다). ¶～过各种方法; 여러 가지 방법을 시험해 보았다.
〔尝受〕chángshòu 동 (고통 따위를) 받다. 맛보다. ¶他在旧社会～过多少痛苦啊! 그는 구사회에서 얼마나 많은 고통을 받았을까!
〔尝味〕chángwèi 동 맛보다.
〔尝鲜〕cháng.xiān 동 맛보다. ¶蘸zhàn着酱油尝个鲜吧! 간장을 쳐서 간을 보아라.
〔尝新〕cháng.xīn 동 맏물을 먹다〔맛보다〕.
〔尝药〕chángyào 동 약을 권하기 전에 독이 들어 있는지 없는지를 맛보다.

偿(償)

cháng (상)
동 ①변상하다. 배상하다. 보상하다. ¶杀人～命, 欠债还huán钱; 〈諺〉 사람을 죽이면 목숨으로 보상해야 하며, 돈을 꾸면 돈으로 갚아야 한다. ②채우다. 만족시키다. 실현되다. ¶～其宿愿; 숙원을 이루다 / 如愿以～; 소원을 실현하다.
〔偿付〕chángfù 동 (부채 등을) 지불하다〔갚다〕. ¶延期～; 지급 연기. 모라토리엄.
〔偿还〕chánghuán 명동 변제(하다). 상환(하다). ¶～债务; 채무를 갚다.
〔偿命〕cháng.mìng 동 살인죄를 목숨으로 속죄하다. ¶杀人者～; 살인자는 자기 목숨으로 속죄하라. =〔抵命〕
〔偿其大欲〕cháng qí dà yù 〈成〉 큰 야망을 만족시키다. 야심을 달성시키다.
〔偿其宿愿〕cháng qí sù yuàn 〈成〉 숙원을 달성하다.
〔偿钱〕chángqián 동 부채(負債)를 갚다.
〔偿清〕chángqīng 동 완제(完濟)하다. 모두 갚다. ¶欠qiàn他的钱已经～了; 그에게 빚지고 있던 돈을 모두 갚았다.
〔偿失〕chángshī 동 손실을 메우다.
〔偿愿〕chángyuàn 동 숙원(宿願)을 이루다.
〔偿责〕chángzé 동 ①책임을 다하다. ¶虽死不足～; 죽어도 책임을 다할 수 없다. ②채무(債務)를 상환하다. ¶有卖田宅鬻yù子孙以～者矣; 가옥·전답이나 자손을 팔아 채무를 갚은 사람도 있다.

鲿(鱨)

cháng (상)
명 《魚》 자가사리. =〔黄鲿鱼〕

倘

cháng (상)
→〔倘佯〕⇒ tǎng
〔倘佯〕chángyáng 동 자유롭게 걷다. 한가로이 거닐다. ¶逍遥～; 한가로이 자유롭게 거닐다. =〔徜徉〕

徜

cháng (상)
→〔徜徉〕
〔徜徉〕chángyáng 형 제약(制約)을 받지 않고 자유스러운 모양. 동 유유히 배회하다. 한가로이 거닐다. ¶～湖畔; 호반을 소요하다. =〔倘佯〕〔尚shàng羊〕

常

cháng (상)
①명 평상 상태. ②수 〈文〉 옛날 길이의 단위《8척을 '寻', 16척을 1'常'이라 함》. ③명 법칙. ④부 늘. 언제든지. ¶我～～儿洗澡; 나는 늘 목욕을 한다 / ～来～往; 늘상 왕래하다 / 她～去听音乐会; 그녀는 늘 음악회에 간다. ⑤형 영구적인. 오랜. 불변의. 일정한. ¶冬夏～青; 연중(年中) 푸릇푸릇하다 / ～绿树; 상록수 / 反复

无～；〈成〉이랬다저랬다 하다. 변덕스럽다/靠～儿；평소. 언제나. ⑥형 보통의. 평상의. 일반적인. 평소의. ¶～识；상식/正～；정상/失～；보통이 아니다. 상궤를 벗어나다/习以为～；〈成〉점점 습관성이 되다/～务委员；상무 위원. ⑦명 성(姓)의 하나.

〔常爱〕 cháng'ài 부 곧잘. 언제나. 걸핏하면. ¶～下雨；비가 곧잘 온다/他～懒惰；그는 곧잘 게으름을 피운다.

〔常班〕 chángbān 부 늘. 언제나. ¶我～去；나는 언제나 간다. 명 당번. ¶今天是我的～；오늘은 내가 당번이다.

〔常备不懈〕 cháng bèi bù xiè 〈成〉항상 준비를 게을리하지 않다.

〔常备军〕 chángbèijūn 명《軍》상비군(常備軍). ↔〔后hòu备军②〕

〔常便〕 chángbiàn 명 ①방법. ¶你须计较一个～；너는 무슨 방법을 생각하지 않으면 안 된다. =〔长便〕 ②원인. 이유. ¶如何没个心腹的人出来问个～备细；어찌하여 한 사람쯤 믿을 만한 사람이 나와서 이유 등을 상세히 물어 보지 않았느냐.

〔常步走〕 chángbùzǒu《軍》보통 (속도의) 걸음. ¶～！걸음 멈춰！

〔常产〕 chángchǎn 명〈文〉고정 재산. 항산(恒産).

〔常常(儿)〕 chángcháng(r) 늘. 항상. 종종. 언제나(부정을 할 때는 '不常'을 쓰고, '不常常'은 쓰지 않음). ¶她～工作到深夜；그녀는 늘 밤늦도록 일을 한다/他～到这儿来；그는 늘 이 곳에 온다/我们两个人～见面；우리 두 사람은 자주 만난다.

〔常川〕 chángchuān 부 ①늘. 평소. ②노상. 연달아. 끊임없이. ¶～供给；연달아 공급하다/～不息；끊임없다. ‖=〔长川chángchuān〕

〔常春藤〕 chángchūnténg 명《植》①담쟁이덩굴. ②송악.

〔常董〕 chángdǒng 명 상무 이사. =〔常务理事〕

〔常度〕 chángdù 명 평소의 태도. 정해진 법도.

〔常法〕 chángfǎ 명 불변의 방법.

〔常分儿〕 chángfènr 명 정하여진 운. 타고난 운명.

〔常俸〕 chángfèng 명 규정된 봉급. →〔津jīn贴〕

〔常服〕 chángfú 명 평상복. 평복. →〔便biàn服〕

〔常工〕 chánggōng 명 전업(專業) 노동자. 상용 근로자.

〔常规〕 chángguī 명 ①상규(常規). 종래의 규칙. 관례. 관습. ¶打破～；관습을 타파하다/按照～办事；관례대로 일을 처리하다. ②《醫》상용(常用) 처방법.

〔常规战争〕 chángguī zhànzhēng 명《軍》보통 병기를 쓰는 전쟁. 재래식 전쟁(핵전쟁과 구별하여 말함).

〔常轨〕 chángguǐ 명 상궤(常軌). 정상적 방법. 상도(常道). ¶越出～；상도를 벗어나다.

〔常衡〕 chánghéng 명 (귀금속·약물 이외의 일반 물품에 쓰이는) 영·미의 상용 중량 단위법. →〔金jīn衡〕〔药yào衡〕

〔常化〕 chánghuà 명 ⇨〔正zhèng常化〕

〔常会〕 chánghuì 명 정례회(定例會). 정기 모임. ¶开～；정례회를 열다.

〔常会儿〕 chánghuìr〔chánghuǐr〕 부 늘. 언제나. 부단히. ¶他～来；그는 늘 온다.

〔常价〕 chángjià 명〈文〉보통 가격.

〔常见〕 chángjiàn 형 늘 볼 수 있는. 신기하지 않은. ¶～的小故障；흔히 있는 작은 고장. 동 자주 만나다.

〔常将有日思无日〕 cháng jiāng yǒurì sī wúrì 〈諺〉충족할 때에 없을 때를 생각하라.

〔常久〕 chángjiǔ 명 오랫동안. 오래.

〔常客〕 chángkè 명 상객. 단골 손님. 늘 오는 손님.

〔常恐〕 chángkǒng 동 항상 걱정하다. 부〈方〉아마(도). →〔恐怕〕

〔常礼〕 chánglǐ 명 ⇨〔常行礼〕

〔常理〕 chánglǐ 명〈文〉상리. 통상적인 도리. 당연한 이치.

〔常例〕 chánglì 명 상례. 관례(慣例).

〔常量〕 chángliàng 명《數》상수. 정수(定數). =〔恒héng量〕 ↔〔变biàn量〕

〔常绿树〕 chánglǜshù 명《植》상록수.

〔常绿植物〕 chánglǜ zhíwù 명《植》상록 식물. =〔常绿乔qiáo木〕〔常绿灌guàn木〕〔常绿草cǎo木〕

〔常年〕 chángnián 명 ①일 년 동안〔내내〕. ¶他们～不懈地坚持锻练；그들은 일 년 내내 태만하지 않고 단련을 계속했다/～经费；연간 경비. 경상비. ②평년(平年). ③장기간.

〔常期票〕 chángqīpiào 명 정기권(券).

〔常青〕 chángqīng 형〈文〉①늘 푸르다. 사철 내내 푸르다. ②〈比〉항상 번영하다. 언제까지나 변하지 않다. ¶韩中友谊万古～；한중의 우의는 영원히 변하지 않는다.

〔常情〕 chángqíng 명 ①상정. 인지상정(人之常情). ¶按照～，他会回来的；마땅히 그는 돌아올 것이다. ②〈比〉흔히 있는 일. 보통의 일. ¶赔péi赚是买卖的～；돈을 벌거나 손해를 보거나 하는 일은 장사에서는 보통 있는 일이다.

〔常人〕 chángrén 명 보통 사람. 일반인.

〔常忍久耐〕 cháng rěn jiǔ nài 〈成〉오래도록 인내하다.

〔常任〕 chángrèn 명 상임. ¶～理事；상임 이사.

〔常山〕 chángshān 명《植》상산(동남 아시아·중국 남부에 자생하는 범의귀과의 상록 저목(低木). 잎이나 뿌리를 달여서 학질약으로 씀).

〔常山蛇〕 chángshānshé 〈成〉상산의 사세(蛇勢)(수미 상응(首尾相應)하여 공격·방어하고 적이 접근하지 못하도록 하는 병법).

〔常设机关〕 chángshè jīguān 명 상설 기관.

〔常时〕 chángshí 부〈文〉일상적으로. 부단히. 상시.

〔常市〕 chángshì 명〈文〉매일 열리는 시장. 상설 시장.

〔常式〕 chángshì 명〈文〉통상적인 법식. 일정한 규칙.

〔常事〕 chángshì 명 일상적인 일. 일상사. 당연한 일.

〔常事犯〕 chángshìfàn 명《法》국사범·정치범 이외의 범죄.

〔常识〕 chángshi 명 상식.

〔常数〕 chángshù 명《數》상수. ↔〔变biàn数〕

〔常祀〕 chángsì 명〈文〉보통 제사.

〔常态〕 chángtài 명 정상적인 상태. ¶恢复～；정상 상태를 회복하다.

〔常谈〕 chángtán 명 보통 말. 평범한 말. ¶老生～；늘 하는 얘기. 진부한 말.

〔常委〕 chángwěi 명〈簡〉상무 위원(常務委員)('常务委员'의 약칭). ¶～会；상무 위원회.

〔常温〕 chángwēn 명 상온. 항온.

〔常温层〕chángwēncéng 명《地質》중위도(中緯度) 상온층.
〔常温动物〕chángwēn dòngwù 명 정온(定溫) 동물. 상온 동물. 온혈(溫血) 동물.
〔常蚊〕chángwén 명《蟲》집모기.
〔常务〕chángwù 명 일상적인 사무. 일상적인 일. ¶～董事; 상무 이사 / ～委员会; 상무 위원회.
〔常锡滩簧〕ChángXī tānhuáng 명《劇》창저우(常州). 우시(無錫) 등지의 지방극. =〔锡剧〕〔常锡文戏〕→〔滩簧〕
〔常信〕chángxìn 명 보통의 편지. 보통 우편('挂guà号'(등기 우편) 등 특수 우편물에 대하여 말함). =〔平píng信〕
〔常行军〕chángxíngjūn 명《軍》통상적인 행군. →〔急jí行军〕
〔常行礼〕chángxínglǐ 명 일상적인 예의 범절. =〔常礼〕
〔常行儿〕chángxíngr 명 보통. 통상. ¶～礼; 일상의 예의 범절. 부 ①늘. 노다지. 평소. ¶～日子; 평일. ②일반적〔통상적〕으로.
〔常性〕chángxìng 명 보통의 성질〔성격〕.
〔常压〕chángyā 명《物》상압.
〔常言〕chángyán 명 통속적인 속담〔격언〕. ¶～说; 속담에 이르기를.
〔常业〕chángyè 명〈文〉일상적인 업무. 평소의 업무.
〔常义〕chángyì 명〈文〉사람이 행하여야 할 도리.
〔常用〕chángyòng 동 늘 쓰다. 상용하다. ¶～词语; 상용어 / ～药材; 상용 약재.
〔常用对数〕chángyòng duìshù 명《數》상용 대수. =〔十进对数〕
〔常员〕chángyuán 명〈文〉평상시의 인원.
〔常则〕chángzé 명〈文〉통칙(通則).
〔常支费用〕chángzhī fèiyòng 명 통상(通常) 경비. 경상비(經常費).
〔常住〕chángzhù《佛》명 ①고위 승직자(僧職者). ②절. 사원. ③승려의 집물(什物). 동 항상 존재하다. 영원히 변하지 않다. ¶～资本; 고정 자본.
〔常住性〕chángzhùxìng 명 항상성(恒常性). ¶一切过程的～是相对的; 모든 과정의 항상성은 상대적인 것이다.
〔常住资本〕chángzhù zīběn 명《經》고정 자본(固定資本). =〔固gù定资本〕
〔常驻〕chángzhù 동 상주하다. 주재하다. ¶～大使; 주재 대사(駐在大使) / ～记者; 상주 기자. 주재 기자.
〔常准〕chángzhǔn 명〈文〉일정한 기준.

嫦 cháng (상)

→〔嫦娥〕

〔嫦娥〕Cháng'é 명 ①상아(고대 신화 속의 선녀(仙女)로, 선약을 훔쳐 달로 도망침. 문학 작품에서는 미인의 전형임). ②달〔月〕의 별칭. ‖ =〔常娥〕〔姮héng娥〕

裳 cháng (상)

① 명 치마(옛날의, 중국 남녀의 의복). ¶上衣下～; 저고리와 치마. ② →〔裳裳〕⇒ shang

〔裳裳〕chángcháng 형 밝고 아름다운 모양.

厂(廠〈厰〉) chǎng (창)

명 ①공장. ¶工～; 공장 / ～长zhǎng; 공장장 / 工～价格; 공장 가격 / 入rù～; 취직(하다). 공장에 들어가다 / 离lí～ =〔退tuì工〕〔卸xiè工〕; 퇴직(하다). 공장에서 나가다 / 跳tiào～; 전직(轉職)하다. 노동자가 여기저기로 직장을 옮기다 / 关guān～; 작업장 폐쇄(하다). 공장 폐쇄(하다) / 纱～; 방적 공장 / 制钢～; 제강소(製鋼所) / 造船～; 조선소 / 造纸～; 제지 공장. ②(～儿, ～子) 상품을 가공하고 또 쌓아 둘 수 있는 광장을 가지고 있는 상점. ¶煤～; 석탄상(石炭商) / 木～; 목재상 / 花儿～; 온실 등을 갖춘 꽃 재배 업자. ③(～儿) 판잣집. ⇒ān

〔厂部〕chǎngbù 명 공장의 본부. 공장의 사무소.
〔厂党委〕chǎngdǎngwěi 명 ①공장의 공산당 위원회. ②공장의 당위원.
〔厂地〕chǎngdì 명 작업장. 적재장.
〔厂方〕chǎngfāng 명 (근로자측에 대하여) 공장측. 회사측.
〔厂房〕chǎngfáng 명 공장 건물(대개는 작업장을 말함).
〔厂房会议〕chǎngfáng huìyì 명 (공장의) 직장 대회.
〔厂规〕chǎngguī 명 공장의 취업 규칙.
〔厂基〕chǎngjī 명 공장 부지(敷地).
〔厂际〕chǎngjì 형 공장 대(對) 공장(의).
〔厂际竞赛〕chǎngjì jìngsài 명 공장간의 (생산) 경쟁.
〔厂际协作〕chǎngjì xiézuò 명 공장간의 협력.
〔厂家〕chǎngjiā 명 제조(製造)업자. 메이커.
〔厂景〕chǎngjǐng 명 (영화 등의) 스튜디오 세트.
〔厂矿〕chǎngkuàng 명 공장과 광산. ¶～的工业产值增长了百分之九十; 공장·광산의 광공업 생산액은 90% 증가했다.
〔厂来厂去〕chǎnglái chǎngqù 공장 노동자 출신의 대학생이 졸업 후 원공장으로 돌아가는 일. →〔社shè来社去〕
〔厂礼拜〕chǎnglǐbài 명 ⇨〔厂休〕
〔厂龄〕chǎnglíng 명 공장에서의 근속 연수.
〔厂内交货〕chǎngnèi jiāohuò 명《商》공장도(工場渡).
〔厂盘〕chǎngpán 명 공장 매매 기준가. 생산자 가격.
〔厂商〕chǎngshāng 명 ①(옛날) 공장과 가게. ②제조 판매 회사. 제조업자. ¶往wǎng来～; 거래가 있는 제조 회사 / 承包～; (토목 건축 등의) 청부 회사. 하청 공장. →〔厂家〕
〔厂史〕chǎngshǐ 명 공장의 역사.
〔厂丝〕chǎngsī 명 기계에서 빼낸 생사. =〔厂经〕〔机jī器丝〕
〔厂屋〕chǎngwū 명 공장 건축물.
〔厂休〕chǎngxiū 명 공장의 휴일. ¶今天不是～, 饭后, 他们去上班; 오늘 공장은 휴일이 아니므로 식사를 마치면 모두 출근한다. =〔厂礼拜〕→〔公gōng休〕
〔厂长〕chǎngzhǎng 명 공장장.
〔厂长基金〕chǎngzhǎng jījīn 명《經》기업장 기금(국영 기업의 이윤 공제나 또는 원가 인하에 의한 절약으로 얻어지는 기금에서 기업장은 이를 생산의 확장·투자 계획을 초과하는 주택 건설·문화 생활의 필요 및 우수 노동자에 대한 상여로 지출함. '场长基金'은 국영 농장의 기업장 기금).
〔厂址〕chǎngzhǐ 명 ①공장 소재지. ②공장용 토지.
〔厂主〕chǎngzhǔ 명 공장주.
〔厂子〕chǎngzi 명 ①상품을 쌓아 두거나, 가공하는 장소가 있는 가게. ¶木～; 재목상. ②〈口〉

공장. ¶我们的～里新成立了一个车间; 우리 공장에서는 새로 작업장 하나를 만들었다.

场(場〈塲〉) chǎng (장) ①(～儿, ～子) 명 장소. ¶现～; 현장 / 市～; 시장 / 会～; 회장 / 操～; 운동장. 연병장 / 剧～; 극장 / 试～; 시험장. ②명 무대. ¶登～; 등장하다. 출연하다 / 上～; 등장하다 / 下～; 퇴장하다. ③명 (연극의) 장《양사(量詞)로도 쓰임》. ¶三幕七～歌舞剧; 3막 7장의 가무극. ④양 (문예·오락·체육 활동에 쓰이는) 부. 회. 번. ¶一～电影; 1회 상영 / 演出了十二～; 12회 공연했다 / 三幕六～; 3막 6장 / 一～球赛; (구기(球技)의) 1회 시합 / 上半～; (축구 등의) 전반. 하프(half) / 加演一～; 한 회 더 상연하다. ⑤명《物》(텔레비전의) 필드(field)《한 번에 주사(走査)할 수 있는 화면》. ⑥명《物》장. ¶电diàn～; 전기장(電氣場). ⇒chǎng

〔场磁铁〕 chǎngcítiě 명《物》장자석(場磁石)의 철심(鐵心).

〔场次〕 chǎngcì 양 (영화·연극 등의) 장수(場數). 상영·상연 횟수. ¶演出～; 공연 횟수. ⇒chángcì

〔场地〕 chǎngdì 명 장소. 그라운드. 운동장. (항구 따위의) 적하장(積荷場). (공사용의) 빈터. ¶人太多了, ～有限制, 活动不开; 장소에 한정이 있는데 사람이 너무 많아 충분히 활동할 수 없다 / 演出～; 공연 장소 / 圆形～; 로터리.

〔场房〕 chǎngfáng 명 공장·작업장의 건물.

〔场合〕 chǎnghé 명 장면. 경우. 상황. 장소. ¶这老头儿遇到人多的～, 话就多了; 이 노인은 여러 사람이 있는 장소에서는 말이 많아진다 / 在各种～都能应yìng付裕如; 여러 경우에 여유를 갖고 대응할 수 있다.

〔场化〕 chǎnghuà 명〈方〉장소. 곳. ¶到啥shá～去? 어디로 가는가?

〔场记〕 chǎngjì 명《劇·撮》영화의 촬영 기록. 연극의 진행 기록. 촬영〔진행〕 기록자. ¶～员; 스크립터.

〔场界灯〕 chǎngjièdēng 명 항공용 경계등(境界燈). 경계 표지등.

〔场景〕 chǎngjǐng 명《劇》장면. ¶眼前立刻出现一片硝烟滚滚的～; 바로 눈앞에 즉시 초연이 소용돌이치는 장면이 벌어졌다.

〔场论〕 chǎnglùn 명《物》장(場)의 이론.

〔场面〕 chǎngmiàn 명 ①(연극·영화 등의) 장면. 신(scene). 정황. 광경. ¶最后的～; 라스트 신 / 武打～; 격투 장면 / 感人的～; 감동적인 장면 / 惊险的～; 스릴 넘치는 장면 / ～布景; (연극·영화의) 장치. 세트. ②정황. 상황. 국면. ¶不知道是怎么个～; 어찌 된 상황인지 모르겠다 / 这种～之下, 还是少说话好; 이런 상황하에서는 너무 말하지 않는 것이 좋다. ③외관. 외면. 겉모양. 겉치레. ¶他不是～上人; 그는 아주 정직한 사람이다 / 摆～; 겉치레하다 /要这么做, ～好看一点儿; 이렇게 하면, 겉보기는 훌륭하다. ④기획. 개최 모임. ¶盛大的～; 성대한 모임. ⑤경극(京劇) 등의 음악 반주자. 반주 악기《관현 악기를 '文～' '文场②'라고 하고, 타악기를 '武～' '武场②'라고 함》. ⑥세상. 세간. 인정. ¶不懂～; 세정에 익숙지 못하다. 세상 물정을 모르다. ⑦사교장. ¶整天在～上混hùn的人; 종일 사교장에서 지내고 있는 사람.

〔场面(上的)人〕 chǎngmiàn(shangde)rén 명 유력자. 세력자. ¶如今县里几个～, 都是比你长一辈的《茅盾 霜葉紅似二月花》; 지금 이 현내의 유력자들은 모두 너보다 세대가 하나 위인 분들이다.

〔场期〕 chǎngqī 명 (옛날) 과거 시험 기일.

〔场儿〕 chǎngr 명 ⇨〔场子〕

〔场商〕 chǎngshāng 명〈文〉제렴지(製鹽地)에서 직접 소금을 사들인 상인《일반 소금 판매상과 구별하여 이름》.

〔场所〕 chǎngsuǒ 명 ①장소. →〔场地〕 ②시설(施設). ¶文化娱乐～; 문화·오락 시설.

〔场屋〕 chǎngwū 명 ①(옛날) 과거 시험장. ②(옛날) 극장.

〔场长〕 chǎngzhǎng 명 ①(소규모 공장의) 공장장. ②국영 농장장(農場長).

〔场子〕 chǎngzi 명 활동하는 장소. 넓은 장소. ¶交～; 장소를 잘 장만해 놓다. =〔场儿〕

昶 chǎng (창) ①형 해가 길다. 낮이 길다. ②형 막힘이 없다. 자유롭고 편안하다. 느긋하다. ③명 성(姓)의 하나.

钅长(鋹) chǎng (창) 형〈文〉날카롭다.

惝 chǎng〔tǎng〕(창) →〔惝怳〕

〔惝怳〕 chǎnghuǎng〔tǎnghuǎng〕 형〈文〉①실의(失意)하는 모양. ②기분이 언짢은 모양. ③어렴풋한 모양. ‖ =〔惝恍〕

敞 chǎng (창) ①형 널찍하다. 막힘 없이 넓다. ¶这房子很宽～; 이 집은 널찍하다. ②명 높고 평평한 땅. ③동 (장애물이 없도록) 트다. (앞가슴을) 벌리다. ¶～开大门; 대문을 열어 놓다 / ～着口儿; 입이 벌려 있다.〈比〉일이 아직 해결되지 않다 / ～车; 오픈 카(open car). ④형 툭 터놓은. 그칠 줄 모르는. 멋대로의. 자유 방임적인. 무제한의. ¶他嘴～; 그의 입은 매조지가 없다. 수다스럽다. ⑤동 나타내다. 나타나다.

〔敞车〕 chǎngchē 명 ①무개 화차. 오픈 카(open car). ②무개(無蓋)의 짐차. 짐수레.

〔敞地儿〕 chǎngdìr 명 광장(廣場). 너른 땅. 노천.

〔敞话〕 chǎnghuà 명 숨김 없이 털어놓고 하는 이야기.

〔敞怀〕 chǎng.huái 동 ①앞가슴을 벌리다. ②흉금을 터놓다.

〔敞开〕 chǎngkāi 동 ①넓히다. 열어 젖히다. ¶把箱子～; 상자를 열다 / ～思想说心里话; 터놓고 생각한 바를 말하다. ②공표(公表)하다. 공개하다. ③마음껏 하다. ¶～地玩; 실컷 놀다.

〔敞开儿〕 chǎngkāir 부〈方〉①마음껏. 실컷. 과감히. ¶～吃, 没人管你! 아무도 탓하지 않을 테니까 마음껏 드시오! / 有话～说! 할 말이 있으면 툭 터놓고 말해 봐라 / ～乐; 마음껏 즐기다. =〔敞口儿〕 ②전혀.

〔敞口车〕 chǎngkǒuchē 명 무개 화차(無蓋貨車).

〔敞口儿〕 chǎng.kǒur 동〈方〉①입이 벌어져 있다. 봉이 안 되어 있다. ¶～信封; 개봉 봉투. ②겉에 나와 있다. 그 상태로 있다. ¶问题还敞着口儿呢; 문제는 아직 해결이 안 된 채로 있다. 부 마음껏. 실컷. =〔敞开儿①〕

〔敞快〕 chǎngkuài 널찍해서 기분이 좋다.

〔敞脸儿〕 chǎngliǎnr 동부 솔직하다〔히〕. 거리낌없다〔이〕. 숨김없다〔이〕. ¶～说话; 거리낌없이

말하다.
〔敞脸儿表〕 chǎngliǎnrbiǎo 명 (유리 뚜껑이 있는) 회중시계. →〔闷mèn壳儿表〕
〔敞亮〕 chǎngliàng 형 ①널찍하고 밝다. ¶只要屋子~就行; 방이 넓고 밝기만 하면 된다. →〔畅亮〕 ②(사상적으로) 분명하다. ¶学习了这篇文件, 心里更~了; 이 문장을 학습하고 나서 사상〔생각〕이 더욱 뚜렷해졌다.
〔敞领衬衫〕 chǎnglǐng chènshān 명 노타이 셔츠.
〔敞喷〕 chǎngpēn 동 (석유가) 솟아나다. 명 석유의 분출.
〔敞篷〕 chǎngpéng 명 수레 등의 자유 자재로 여닫는 포장. ¶~马车; 포장 달린 마차. =〔敞棚〕
〔敞篷汽车〕 chǎngpéng qìchē 무개차. 오픈 카. =〔敞车〕
〔敞厅(儿)〕 chǎngtīng(r) 명 ①앞쪽에 문이나 문지방이 없는 탁 트인 홀. ②큰 홀.
〔敞笑(儿)〕 chǎngxiào(r) 명동 대소(大笑)(하다).
〔敞着口儿〕 chǎngzhekǒur 동 ①아물지 않다. ¶他的伤还~呢; 그의 상처는 아직 아물지 않았어. ②미(未)해결이다. ¶这个问题还~呢; 이것은 아직 미해결의 문제다. ③〈方〉 실컷 쓰다. 산재(散財)하다. ¶生活好了也不能~过日子; 생활이 나아졌어도 가계(家計)를 긴축시키지 않으면 안 된다.

氅 chǎng (창)

명 ①외투. ¶大~; 외투. ②깃털로 짠 옷. ③〈文〉 깃털로 짠 기(旗) 종류.
〔氅衣〕 chǎngyī 명 ①비옷. 우의. ②〈文〉 도사가 입는 옷.
〔氅衣儿〕 chǎngyir 명 청대(清代) 만 족(满族) 여성의 예복《성장(盛裝)을 할 때 '旗qí袍儿' 위에 한 벌 겉옷처럼 덧입음》.

怅(悵) chàng (창)

형 ①실의(失意)한 모양. ②분하다. 서운하다. ¶走访不遇为~; 〈翰〉 방문했는데 뵙지 못해서 유감스럽습니다《써 놓고 가는 편지의 말》. ③실망하다. ④개탄하다.
〔怅恨〕 chànghèn 동 실망하여 아쉬워하다.
〔怅恍〕 chànghuǎng 형 멀거니〔멍하니〕 있다.
〔怅然〕 chàngrán 형 실망〔낙담〕한 모양. ¶~而返; 낙담하고 돌아가다. =〔怅怅〕
〔怅惋〕 chàngwǎn 형 〈文〉 실망하여 슬퍼하다. 개탄하다. ¶~不已; 언제까지나 슬퍼하며 괴로워 탄식하다.
〔怅惘〕 chàngwǎng 형 ①분하다. 서운하다. ②(얼굴·모양이) 초연(悄然)하다.
〔怅望〕 chàngwàng 동 〈文〉 슬프게 바라보다. 원망스레 바라보다. ¶留恋~; 마음에 걸려〔미련이 있어〕 원망스레 바라보다.
〔怅怏〕 chàngyàng 형 비탄에 잠겨 있다.

韔(韔) chàng (창)

명 활주머니. 활을 넣는 자루.

玚(瑒) chàng (창)

명 옛날, 의식에 쓰인 홀의 일종. =〔玚圭〕 ⇒yáng

畅(暢) chàng (창)

① 형 거침없다. 막힘이 없다. 순조롭다. ¶~行; 술술 순조롭게 진행되다 / ~销; ⇓ / 文气流~; 문장이 거침이 없다. ② 형 후련하다. 통쾌하다. ③ 부 실컷. 매우. 시원하게. 통쾌하게. 즐겁게. ¶~饮; 유쾌히 마시다. 통음하다 / ~所欲言; ⇓ ④ 형 화기(和氣)가 돌다. ⑤ 동 확대(擴大)되다. ⑥ 명 성(姓)의 하나.
〔畅畅〕 chàngchàng 형 유유하고 유쾌한 모양.
〔畅达〕 chàngdá 형 ①(말·문장 등이) 유창하다. ¶文辞~; 문장이 유창하다. ②(교통 등이) 막힘없이 통하다. (차가) 잘 지나가다. ③(음색이) 맑다. ④(성질이) 깔끔하다. 붙임성이 있다.
〔畅好〕 chànghǎo 형 거북함이 없는. 거침이 없이 트인. ¶无猜~的游戏《謝冰心 寄小讀者》; 천진하며 마음으로부터 우러나는 놀이.
〔畅和〕 chànghé 형 유연하다. 유화하다. ¶双方意见融洽会场气氛极为~; 쌍방의 의견이 서로 잘 풀려 회의장 분위기는 아주 부드럽다.
〔畅怀〕 chànghuái 형 유쾌하다. 기분이 좋다. 마음이 느긋하다.
〔畅快〕 chàngkuài 형 유쾌하다. 즐겁다. ¶心情~; 마음이 상쾌하다 / 这个放假日我们要~地玩一玩; 이번 휴가를 우리는 즐겁게 놀려고 한다.
〔畅亮〕 chàngliàng 형 넓고 밝다. →〔敞chǎng亮①〕
〔畅聆〕 chànglíng 〈翰〉 충분히 경청하다. ¶~雅教; 높으신 가르침을 천천히 경청하다.
〔畅茂〕 chàngmào 동 〈文〉 무성하다. 번성하다. ¶草木~, 禽兽繁殖; 초목이 무성하고 금수가 번식하다 / 买卖~; 장사가 번성하다.
〔畅洽〕 chàngqià 동 〈文〉 널리 미치다. 널리 두루 미치다.
〔畅适〕 chàngshì 형 〈文〉 기분이 좋다. 마음이 구애됨 없이 쾌적하다. 느긋이 즐기다.
〔畅遂〕 chàngsuì 동 〈文〉 초목이 죽죽 자라나다.
〔畅所欲为〕 chàng suǒ yù wéi 〈成〉 마음대로 하다. ¶限制重重, 哪能~呢? 이중 삼중으로 제약이 많은데 어떻게 마음대로 할 수 있겠는가?
〔畅所欲言〕 chàng suǒ yù yán 〈成〉 말하고자 하는 것을 충분히 말하다.
〔畅谈〕 chàngtán 동 유쾌하게 이야기하다. 실컷 지껄이다. ¶咱们改天再~; 다른 날 다시 천천히 이야기합시다.
〔畅通〕 chàngtōng 동 순조롭게 통하다. 막힘 없이 통하다. ¶有线电话始终~; 유선 전화가 언제나 막힘 없이 통한다 / ~无阻; 순조롭게 나아가다. 막힘 없이 통하다.
〔畅外〕 chàngwài 명 《漢醫》 피부를 마찰하여 따뜻하게 하는 요법《양생법(養生法)의 하나》.
〔畅旺〕 chàngwàng 형 왕성하게 번영하다. ¶销路~; 팔림새〔판로〕가 좋다.
〔畅想〕 chàngxiǎng 동 자유로이 상상〔생각〕을 펼치다. ¶~未来; 장래 일에 대하여 이리저리 상상을 펼치다.
〔畅销〕 chàngxiāo 동 상품이 잘 팔려 나가다. 판로가 넓다. ¶这种书~了十万部; 이 책은 10만부나 판매가 되었다 / ~书; 베스트 셀러 / ~货; 잘 팔려 나가는 좋은 물건.
〔畅行〕 chàngxíng 동 ①(일이) 잘 풀리다. 순조롭게 진행하다. ②(상품 등이) 잘 팔려 나가다.
〔畅行无阻〕 chàng xíng wú zǔ 〈成〉 아무 지장 없이 순조롭게 진행되다. 원활히 진행되다.
〔畅叙〕 chàngxù 동 마음을 터놓고 이야기하다.
〔畅饮〕 chàngyǐn 동 유쾌하게 술을 마시다. 통음(痛飮)하다. ¶开怀~; 흉금을 터놓고 통음하다.
〔畅游〕 chàngyóu 동 ①느긋이 놀다. 천천히 놀다. ②유유히 유영하다. 마음껏 수영하다.
〔畅月〕 chàngyuè 명 〈文〉 음력 11월의 별칭《이 달에는 만물이 충실하므로 이렇게 이름》.

倡 **chàng** (창)
[동] 제창하다. 수창하다. 앞장 서서 이끌다. ¶提～; 제창하다 / 首～义举; 의거를 수창하다. ⇒chāng

〔倡办〕 chàngbàn [동] 창설을 제의하다.

〔倡导〕 chàngdǎo [명][동] 창도(하다). 제창(하다). 발기(하다). 제안(하다). 발의(하다). ¶～者; 발기인. 창립자. 주창자.

〔倡乱〕 chàngluàn [동] 〈文〉 소요를 주창하다.

〔倡明〕 chàngmíng [동] 〈文〉 언명하다.

〔倡始〕 chàngshǐ [동] 〈文〉 창시하다. ¶～人; 〈文〉 발기인. 창시인.

〔倡首〕 chàngshǒu [동] 맨 처음 주창하다.

〔倡随〕 chàngsuí 〈成〉 부부가 의좋다. →〔夫fū唱妇随〕

〔倡兴〕 chàngxīng [동] 〈文〉 왕성해지다. ¶黄老之学～; (황제 및 노자의) 도교의 학이 흥기하다.

〔倡言〕 chàngyán [동] 공언(公言)하다. ¶～不讳huì; 거리낌없이 공언하다.

〔倡扬〕 chàngyáng [동] 〈文〉 말을 퍼뜨리며 다니다. 말을 퍼뜨리다.

〔倡义〕 chàngyì [동] 〈文〉 의거를 주창〔제창〕하다. →〔起qǐ义〕

〔倡议〕 chàngyì [동] 주창하여 제의〔제안〕하다. ¶我曾经～同他们坐下来谈谈; 우리는 전에 그들과 무릎을 맞대고 이야기하자고 제안한 바가 있다. [명] 제안. 제의. 발의. 발기. ¶提出～; 제안하다 / 和平～; 평화의 제창 / 提出了革命～; 혁명적인 제안을 하였다.

唱 **chàng** (창)
① [동] 노래하다. ¶～歌; ⇩ / ～曲子; 노래를 부르다 / 独～; 독창하다 / 合～; 합창하다. ② [동] 극(劇)의 노래를 부르다. 중국 전통극을 하다. ③(～儿) [명] 노래. 가곡(歌曲). ¶～儿; 노래 / 听～儿; 노래를 듣다. ④ [동] 언명(言明)하다. 성명(聲明)하다. 분명하게 말하다. ¶这件事还是先～明白了好些; 이것은 애초에 분명하게 말해두는 것이 좋다 / 他都～出来了, 我也不好挽回; 그가 모두 성명했으므로 나도 돌이킬 수 없다. ⑤ [동] (라디오 등이) 울리다. 소리를 내다. ⑥ [동] 제창하다. ⑦ [동] 큰 소리로 외치다. ¶鸡～三遍; 닭이 세 번 때를 알리다 / ～名; ⇩ / ～喏; ⇩ ⑧ [명] 성(姓)의 하나.

〔唱白脸〕 chàng báiliǎn 난폭한 체하다. 밉상스러운 말을 하다《중국 전통극의 '白脸' 분장에서》.

〔唱本(儿)〕 chàngběn(r) [명] 극본. 노래 책.

〔唱唱咧咧〕 chàngchangliēliē [동] 큰 소리로 노래를 부르다. ¶只听远远的两个人说说笑笑～地从墙外走进来《兒女英雄傳》; 멀리로부터 두 사람이 웃기도 하고 큰 소리로 노래를 부르기도 하는 소리만이 담 밖에서 들려왔다.

〔唱唱儿〕 chàng.chàngr [동] 가곡을 부르다. ¶～的; ⓐ떠돌이 가수. ⓑ농촌 악대에서 경조사에 임시로 고용되는 사람.

〔唱唱跳跳〕 chàngchangtiàotiào [동] 노래하고 춤추다.

〔唱酬〕 chàngchóu [동] ⇨〔唱和①〕

〔唱词〕 chàngcí [명] (중국 전통극의) 노래 부분. 가사(歌詞). →〔戏xì词(儿)〕

〔唱旦的〕 chàngdànde [명] 여자역(女子役)을 하는 배우.

〔唱独角戏〕 chàng dújiǎoxì 자기 멋대로 굴다. 독판치다. 단독으로 하다.

〔唱段〕 chàngduàn [명] (연극에서) 갖추어진 노래 부분. 창(唱)의 한 구절.

〔唱对台戏〕 chàng duìtáixì 대항적인 언동을 하다. 상대와 맞서다.

〔唱反调〕 chàng fǎndiào 반대 주장을 하고, 반대의 행동을 취하다.

〔唱高调(儿)〕 chàng gāodiào(r) 호언(豪言)하다. 되지도 않을 이상론을 떠벌리다.

〔唱歌〕 chàng.gē [동] 노래 부르다. (chànggē) [명] (초등 학교 교과의) 노래. 창가.

〔唱工(儿)〕 chànggōng(r) [명]《劇》(중국 전통극 등에서) 노래 기교. ¶～戏xì; 춤이 없이 노래를 주로 하는 연극 / ～和做工儿; 노래(의 기능)와 극춤(의 기량) / 他～还不错, 做派可有点儿毛病; 그는 노래는 괜찮으나 극춤에는 좀 부족한 데가 있다. =〔唱功(儿)〕 →〔做zuò工(儿)〕

〔唱好〕 chàng.hǎo [동] ('好!好!'라고 하여) 갈채하다. =〔叫jiào好(儿)〕

〔唱和〕 chànghè [동] ①〈文〉 시사(詩詞)를 서로 주고받다. =〔唱酬〕 ②말을 맞추다. 맞장구 치다. 호응하다.

〔唱黑脸〕 chànghēiliǎn →〔黑脸③〕

〔唱红脸〕 chàng hóngliǎn 관대하고 다정한 체하다《중국 전통극의 '红脸' 분장에서 나온 말》.

〔唱浑〕 chànghún [명] 송대(宋代) 극본의 일종.

〔唱机〕 chàngjī [명] 축음기.

〔唱家〕 chàngjiā [명] 가수. 노래 부르는 사람.

〔唱经〕 chàng.jīng [동] 독경하다. 경문을 외다. =〔诵sòng经①〕

〔唱剧〕 chàngjù [명] 창극.

〔唱礼〕 chànglǐ [동] ①《佛》 법회 때 염불을 하거나 소원을 빌다. ②(의식의 진행을 위해) 큰 소리로 의식의 순서를 말하다.

〔唱卖〕 chàngmài [동] 노랫조로 설명하면서 물건을 팔다.

〔唱慢板〕 chàng mànbǎn 느린 가락으로 노래하다. 〈轉〉 (회의 등을) 질질 끌다.

〔唱名〕 chàng.míng [동] ①이름을 부르다. ②염불을 외다. (chàngmíng) [명]《樂》 계명.

〔唱讴讴〕 chàng'ōu'ōu [동] 콧노래를 부르다.

〔唱片〕 chàngpiàn [명] 〈俗〉 레코드. ¶听～; 레코드를 듣다 / 放～; 레코드를 틀다 / 密纹～; 엘피(LP) 레코드 / 慢速～; 이피(EP) 레코드 / ～舞厅 =〔迪斯科舞会〕; 디스코.

〔唱票〕 chàng.piào [동] 표를 소리 높여 읽다. ¶～时, 不少人家拿出纸笔来记录票数; 표를 소리 높여 읽을 때 많은 사람들이 종이와 필기구를 꺼내어 표수를 기록하였다.

〔唱腔〕 chàngqiāng [명]《劇》(중국 전통극에서의) 곡조. 가락.

〔唱曲(儿)〕 chàngqǔ(r) [명] 가곡. [동] 노래를 부르다.

〔唱曲儿的〕 chàngqǔrde [명] 가수.

〔唱儿〕 chàngr [명] 〈京〉 노래. 가곡. ¶大家闲了都爱听个～; 사람들은 한가로우면 노래를 듣고 싶어한다 / 唱～的; 노래 부르는 사람 / 叫他唱个～; 그에게 노래를 부르게 하다.

〔唱喏〕 chàng.rě [동] 〈古白〉 인사하다《인사말을 하고 공손히 읍(揖)을 하다》. ¶开茶铺之王二拿着茶盏进前～奉茶《清平山堂話本》; 찻집 주인 왕이(王二)는 찻잔을 들고 나아가 인사를 하고 차를 권하였다. →〔声shēng喏〕

〔唱诗班〕 chàngshībān [명] (교회의) 성가대.

〔唱手〕 chàngshǒu [명] 가수.

〔唱书的〕 chàngshūde [명] 소설 따위 고사(故事)

를 악기에 맞추어 창(唱)을 하는 사람.
〔唱双簧〕 chàng shuānghuáng →〔双簧〕
〔唱头〕 chàngtóu 명 (전축의) 픽업(pick up).
〔唱玩艺儿〕 chàng wányìr 잡기(雜技)를 연기하다.
〔唱瘟了〕 chàngwēnle 노래하는 데 활기가 전혀 없다. ¶这场戏像背书似的整个儿～; 이 극은 책을 암송하는 것 같아 전혀 활기가 없다.
〔唱戏〕 chàng.xì 동 〈口〉 연극을 하다. 중국 전통극을 공연하다. ¶今天唱什么戏? 오늘은 무슨 극을 공연하니? / 带了班子到乡下去～; 극단을 이끌고 시골로 공연하러 가다.
〔唱戏的〕 chàngxìde 명 배우. ¶～胡子假毛; 〈歇〉 배우의 수염은 가짜다(「毛」와 「冒mào」는 동음(同音)인 데서, 「…인 체하다」의 뜻). =〔演yǎn员〕→〔戏xì子〕
〔唱先进〕 chàngxiānjìn 선진적(先進的)인 인물을 기리는 노래를 부르다.
〔唱针〕 chàngzhēn 명 레코드 바늘.
〔唱竹板书的〕 chàngzhúbǎnshūde 명 한손에 (박자를 치는) 대쪽을 엮은 것을 울리면서 연의(演義)를 들려 주는 사람.
〔唱做〕 chàngzuò 명 연극의 노래와 연기. ¶～念打; 연극에서 노래·연기·대사·격투·곡예를 이르는 말.

鬯 **chàng** (창)
①명 제주(祭酒)《향주(香酒)》. ②형 〈文〉 막힘이 없다. 거침이 없다. ¶一夕～谈; 하룻밤을 격의 없이 이야기를 나누다 / 草木～茂; 초목이 무럭무럭 무성하다. =〔畅〕

CHAO 彳幺

抄 **chāo** (초)
A) ①동 베끼다. 뽑아 베끼다. ¶～录; ⇩ / ～本; ⇩ / 把稿子～清; 원고를 정서하다 / 照原文～下来; 원문대로 베끼다. ②동 사본을 뜨다. ¶～一副本; 사본을 만들다. ③명 베낀 것. 초록한 책. ¶文～; 산문초 / 诗～; 시초(詩抄). ④명 문서(文書)의 사본. =〔副本〕 ⑤동 표절하다. 도작(盜作)하다. ¶这篇文章是～人家的; 이 문장은 남의 것을 표절한 것이다 / 揭发～袭; 도작을 적발하다. =〔剿chāo〕 ‖ =〔钞③〕 **B**) 동 ①약탈하다. ②(닥치는 대로) 잡아채다. 움켜쥐다. 옆에서 잡아채다. ¶～起一根棍子来打; 장대를 움켜쥐고 치려 들다 / ～起帽子来戴上; 꽉 모자를 움켜잡고 머리에 쓰다 / 由后头～他一把; 뒤에서 그를 꽉 잡았다 / ～别人的买卖太不客气了; 남의 장사를 가로채다니 너무하다 / 实在无路可走, 才～起车把来; 정말 어쩔 도리가 없어 수레 채를 잡았다〔인력거꾼이 되었다〕 / 这些东西没主儿, 谁～着算谁的; 이 물건들은 임자가 없으니, 손에 쥔 사람이 임자다. ③포개 잡다. 팔짱을 끼다. ¶～两只手; 양손을 포개 잡다. ④지름길로 가다. ¶～近道儿走; 지름길로 가다 / ～袭; 지름길로 가 적의 측면에서 급습하다 / 包～; 포위하여 습격하다 / ～敌人的后路; 지름길로 가서 적의 퇴로를 습격하다. ⑤숟가락이나 국자로 뜨다. ¶把菜码儿～一～; 국 속의 건더기를 건지다. ⑥수사(搜查)해서 몰수하다. 압류하다. ¶～家; 가택을 수색하고 압류하다. ⑦뜨거운 물에 살짝 삶다. 데치다. ¶豆芽菜一～就行了; 콩나물은 살짝 데치기만 하면 된다. ⑧종이〔紙〕를 뜨다. ⑨밑에서 들어 올리다. ¶～起车把; 수레의 채를 들어 올리다. ⑩따라서 가다. ¶～过游廊; 복도를 끼고 가다. ⑪보측(步測)하다.
〔抄案〕 chāo'àn 명 ①베낀 문서. ②압류·압수 사건.
〔抄靶子〕 chāo bǎzi 몸수색을 하다. 소지품을 검사하다. 수사하다.
〔抄白〕 chāobái 명 사본. 베낀 것. ¶你且回来我家看～官司榜文《水滸傳》; 너는 우선 우리 집에 가서 관청의 공고 사본을 보아라.
〔抄百总〕 chāo bǎizǒng 총괄하다. 요점을 추리다. ¶一言～; 한 마디로 말하면.
〔抄办〕 chāobàn 동 검거하여 처벌하다.
〔抄暴〕 chāobào 동 ⇨〔钞暴〕
〔抄本(儿)〕 chāoběn(r) 명 사본. 카피(copy).
〔抄捕〕 chāobǔ 동 ⇨〔抄拿〕
〔抄产(业)〕 chāochǎn(yè) 동 재산을 압류하다. 가산(家産)을 몰수하다.
〔抄车〕 chāo.chē 동 차를 추월하다. =〔超车〕
〔抄呈〕 chāochéng 동 문서의 사본을 상급 관청에 제출하다. →〔抄奉〕
〔抄出〕 chāochū 동 찾아 내다. 색출하다.
〔抄撮〕 chāocuō 명 옛날의 시간의 단위《10촬(撮)이 1초(抄), 10초가 1작(勺)이었음》. 〈比〉 극히 미세한 것.
〔抄单〕 chāodān 명 (영수증 따위의) 사본.
〔抄道(儿)〕 chāo.dào(r) 동 지름길로 가다. ¶咱们～走, 两个钟头就到了; 우리는 지름길로 가자, 2시간이면 도착할 것이다. (chāodào(r)) 명 〈口〉 가까운 길. 지름길. ¶走～去赶集要近五里路; 지름길로 해서 시장에 가면 5리는 가깝다.
〔抄赌〕 chāodǔ 동 (옛날, 경찰이) 도박장을 덮치다. =〔抄局〕〔抓zhuā赌〕
〔抄掇〕 chāoduō 동 베끼다. 베껴 모으다.
〔抄夺〕 chāoduó 동 약탈하다. 훔치다.
〔抄发〕 chāofā 동 문서의 사본을 발송하다.
〔抄封〕 chāofēng 동 압류하여 봉인하다. 압류하여 몰수하다.
〔抄奉〕 chāofèng 동 상급 기관에 문서를 베껴서 보내다. →〔抄呈〕
〔抄稿〕 chāogǎo 동 원고를 정서하다〔베껴 쓰다〕.
〔抄根儿〕 chāogēnr 동 요점을 찌르다. 근본을 찌르다. ¶抄着根儿说…; 근본적으로 말하자면….
〔抄拐子〕 chāo guǎizi 발을 걸어 넘어뜨리다. 발을 잡혀 뒹굴다.
〔抄后路〕 chāo hòulù 퇴로를 차단하다.
〔抄获〕 chāohuò 동 압수하다. 압류하다. ¶～大量违禁的物品; 대량의 금제품을 압수하다.
〔抄集〕 chāojí 동 베껴서 모으다.
〔抄家〕 chāo.jiā 동 수사하여 몰수하다. ¶～灭门; 재산을 몰수하고 멸족시키다.
〔抄家伙〕 chāojiāhuǒ 동 ①식기 따위를 치우다. ②무기를 들다. ③연장을 들고 일을 시작하다.
〔抄家货(儿)〕 chāojiāhuò(r) 명 ①몰수된 가구. 압류되어 팔려고 내놓은 가구. ②가난하여 매물로 내놓은 가구류.
〔抄件(儿)〕 chāojiàn(r) 명 (문서의) 사본. 등본.
〔抄近儿〕 chāo.jìnr 동 지름길로 가다. 질러가다. ¶～走; 지름길로 가다.
〔抄录〕 chāolù 동 베끼다. 초록하다.
〔抄掠〕 chāolüè 동 재물을 약탈하다. =〔抄略〕
〔抄米色〕 chāomǐsè 명 《色》 다갈색.

〔抄没〕 chāomò 동 몰수하다. ¶～家产; 재산을 몰수하다.
〔抄拿〕 chāoná 동 경찰이 현장을 덮쳐 체포하다. ¶～赌犯; 도박장을 급습하여 도박범을 잡다. =〔抄捕〕
〔抄平〕 chāopíng 동 (건축 용지를) 판판하게 고르다.
〔抄起〕 chāoqǐ 동 낚아〔잡아〕채다.
〔抄钱〕 chāo·qián 동 남의 돈을 횡령 소비하다.
〔抄缮〕 chāoshàn 동 베끼다. 초록(抄錄)하다.
〔抄身〕 chāo·shēn 동 신체〔소지품〕 검사를 하다.
〔抄事〕 chāoshì 명 〈古白〉 서기(書記). ¶着他在本营～房做个～《水滸傳》; 그에게 본영의 사무소에서 서기 일을 보도록 하였다.
〔抄手(儿)〕 chāoshǒu(r) ①양손을 앞에서 교차시키다. 팔짱을 끼다. ¶他不知道两手放在哪儿好, 撑在腰上, 又放下来, 一会儿又抄在胸前《周立波 暴風驟雨》; 그는 두 손을 어디에 두어야 할지 몰라 허리에 대었다가 또 내리고 잠시 뒤에는 또 팔짱을 끼었다 / 反～; 뒷짐지다. ②손을 소매 속에 넣다. ③방관하다. 모른 체하다. ④착수하다. 명 ①토시. 머프(muff). ②〈四川〉 훈탕. =〔馄饨〕
〔抄手兜儿〕 chāoshǒudōur 명 중국 옷의 윗옷 허리 양쪽의 주머니.
〔抄书〕 chāo·shū 동 책을 베끼다.
〔抄送〕 chāosòng 동 부본(副本)〔사본(寫本)〕을 보내다.
〔抄誊〕 chāoténg 동 베껴 정서하다.
〔抄腿〕 chāo·tuǐ 동 발을 걸다. 딴죽 걸다. 〈轉〉 남을 함정에 빠뜨리다.
〔抄袭〕 chāoxí 동 ①표절하다. ②답습(踏襲)하다. ¶一字一句总喜欢～古人的笔法; 한 자 한 구, 옛 사람의 필법을 그대로 답습함을 좋아하다. ③지름길로 가서 적의 측면을 기습하다.
〔抄写〕 chāoxiě 동 베껴 쓰다. ¶～纸 zhǐ; 트레이싱 페이퍼.
〔抄胥〕 chāoxū 명 〈文〉 관청에서 정서를 하는 하급 관리〔서기〕. =〔钞胥〕
〔抄押〕 chāoyā 동 몰수하다. 압류하다.
〔抄业〕 chāoyè 동 재산을 압류하다.
〔抄音〕 chāoyīn 동 ①소리를 글자로 쓰다. ②어떤 성구(成句)의 음(音)에 맞추어 뜻이 같지 않은 다른 말을 만들다.
〔抄用〕 chāoyòng 동 답습하여 그대로 쓰다.
〔抄造〕 chāozào 동 종이를 뜨다.
〔抄扎〕 chāozhá 동 재산을 압류〔차압〕하다. ¶～了柴皇亲家私《水滸傳》; 황실의 친척인 '柴家'의 재산을 압류하다.
〔抄占〕 chāozhàn 동 금품을 횡령하다.
〔抄着根儿〕 chāozhegēnr 근본부터. 처음부터. ¶～说, 活太长了; 처음부터 이야기를 시작하면, 이야기는 매우 길어진다. =〔从cóng根儿上〕
〔抄纸〕 chāo·zhǐ 동 종이를 뜨다. ¶～作坊zuōfáng; 종이를 뜨는 공장.
〔抄总说〕 chāozǒng shuō 간추려서 말하다.
〔抄走〕 chāozǒu 동 ①닥치는 대로 가지고 가다. ②수색하여 나온 것을 가지고 가다. ③강탈하다.

吵 chāo (초)
→〔吵吵〕 ⇒chǎo

〔吵吵〕 chāochao 동 〈方〉 시끌시끌 떠들다. 법석거리다. ¶一个一个说, 别～; 떠들지 말고, 한 사람씩 순서대로 말해라 / 你们在～什么? 너희들은 무엇을 가지고 법석을 떨고 있니? =〔吵嚷〕

钞(鈔) chāo (초)
①명 금전. 돈. ¶让你破～; 과용케 했습니다. ②명 지폐(紙幣). ¶～票; ⇩ / 外～; 외국 지폐. ③⇨〔抄A〕

〔钞暴〕 chāobào 동 〈文〉 무력으로 난동을 부리다. 약탈 폭행을 하다. ¶遣吴汉等击之, 经岁无功, 而匈奴～日增《後漢書 南匈奴傳》; 오한 등을 보내어 치게 했으나 해를 거듭해도 공은 나타나지 않고, 흉노의 약탈 폭행은 날로 심해져 갔다. =〔抄暴〕
〔钞本〕 chāoběn 명 사본(寫本). =〔抄本〕
〔钞盗〕 chāodào 동 눈을 속여 훔치다.
〔钞夺〕 chāoduó 동 〈文〉 약탈하다. =〔抄夺〕
〔钞发〕 chāofā 동 문서의 사본을 발송하다.
〔钞校〕 chāojiào 동 서적을 베껴 고치다.
〔钞劫〕 chāojié 동 〈文〉 약탈하다.
〔钞录〕 chāolù 동 초록하다. 베껴 내다. =〔抄录〕
〔钞略〕 chāolüè 동 〈文〉 약탈하다. =〔抄略〕
〔钞囊〕 chāonáng 명 〈文〉 지갑.
〔钞票〕 chāopiào 명 지폐(紙幣)(('一元' 이상의 것. '一元' 이하의 것은 '角票')). ¶～纸; 지폐 인쇄 용지. =〔纸钞〕
〔钞写〕 chāoxiě 동 베끼다. 필기하다. =〔抄写〕
〔钞胥〕 chāoxū 명 ⇨〔抄胥〕
〔钞引〕 chāoyǐn 명 송대(宋代)의 지폐의 일종.
〔钞纂〕 chāozuǎn 동 〈文〉 발췌하여 모으다.

怊 chāo (초)
형 〈文〉 슬퍼하는 모양. 실망하는 모양.

〔怊怅〕 chāochàng 형 〈文〉 실의(失意)한 모양. 슬픔에 잠겨 있는 모양.

弨 chāo (초)
〈文〉 ①형 활이 느슨한 모양. ②명 활.

超 chāo (초)
①동 넘다. 초과하다. ¶～龄; 소정의 나이를 넘다 / 出～; 수출 초과하다. ②동 빼어나다. 뛰어나다. ¶高～; 높이 뛰어나다 / ～群; ⇩ / ～短波; 초단파 / ～摩登; 울트라 모던 / ～音波; 초음파 / ～物质的; 초물질적인. ③동 뛰어넘다. ¶挟太山以～北海《孟子 梁惠王上》; 태산을 끼워 넣고 북해를 뛰어넘다 / ～现实; 현실을 초월하다. ④형 멀다. ⑤동 〈文〉 구제하다.

〔超拔〕 chāobá 형 걸출하다. 발군하다. ¶被选为模范的人当然是～的人才; 모범으로 뽑힐 만한 사람은 당연히 걸출한 인재다. 동 ①발탁하다. ②(나쁜 환경·악습에서) 빠져 나오다.
〔超产〕 chāochǎn 명동 초과 생산(하다)(('超额生产'의 준말)). ¶～粮; 초과 생산한 식량.
〔超长程武器〕 chāochángchéng wǔqì 명 《軍》 초장거리 무기.
〔超常儿童〕 chāocháng értóng 명 영재 아동.
〔超超玄著〕 chāo chāo xuán zhù 〈成〉 교묘하여 형적을 나타내지 않다. 현묘(玄妙)하고 불가사의 하다.
〔超车〕 chāo·chē 동 추월하다. ¶不准～! 추월 금지!
〔超尘拔俗〕 chāo chén bá sú 〈成〉 ①세속을 초월하다. ②속된 세상을 떠나다. ③출중하다.
〔超出〕 chāochū 동 (수량·정도·한도를) 넘다. 초과하다. ¶～预料; 예상을 넘다 / ～定额; 정해진 금액·인원을 초과하다.
〔超大牵伸细纱机〕 chāodà qiānshēn xìshājī 명 《紡》 슈퍼 하이 드래프트(super high draft) 정방기(精紡機).

〔超大型油船〕 chāodàxíng yóuchuán 명 초대형 유조선. =〔超级油轮〕
〔超导电性〕 chāodǎodiànxìng 명《物》초전도성(超傳導性).
〔超导体〕 chāodǎotǐ 명《電》초전도체.
〔超等〕 chāoděng 형 월등하게 윗길인. 특상(特上)의. ¶～质量; 최상급 품질/～货; 최상품. =〔超特一〕
〔超低温〕 chāodīwēn 명《物》초저온.
〔超度〕 chāodù 동 ①〈文〉넘다. ②《佛》제도(濟度)하다. 경을 읽어 사자(死者)를 고계(苦界)에서 구원하다. 시아귀(施餓鬼)를 하다.
〔超短波〕 chāoduǎnbō 명《電》초단파.
〔超短裙〕 chāoduǎnqún 명 ⇨〔迷mí你裙〕
〔超额〕 chāo,é 동 지시된 목표액(目標額)을 돌파하다. 표준을 넘다. ¶～完成任务; 임무를 초과 달성하다/～行李需要付多少钱? 중량을 초과한 화물은 얼마를 지불해야 합니까?
〔超额利润〕 chāo'é lìrùn 명《經》초과 이윤.
〔超额剩余价值〕 chāo'é shèngyú jiàzhí 명《經》특별 잉여 가치. ¶～是变相的相对剩余价值; 특별 잉여 가치는 변형된 상대적인 잉여 가치이다.
〔超凡〕 chāofán〈文〉동 범속을 초월하다. 형 비범하다.
〔超凡入圣〕 chāo fán rù shèng〈成〉범인의 영역을 벗어나 성인의 경지에 들어가다《대부분 조예가 깊어짐을 형용함》.
〔超负荷〕 chāofùhè 명《電》과부하.
〔超高〕 chāogāo 명 ①프리보드(freeboard). 건현(乾舷)《흘수선에서부터 상갑판의 윗면까지의 현측(舷側)》. ②수면상(水面上)의 현측.
〔超高频〕 chāogāopín 명《電》마이크로웨이브(microwave). 마이크로파.
〔超高压〕 chāogāoyā 명《電·物》초고압.
〔超格〕 chāogé 동〈文〉보통의 격이나 틀을 뛰어넘다.
〔超国家公司〕 chāoguójiā gōngsī 명 ⇨〔多duō国公司〕
〔超过〕 chāoguò 동 ①추월하다. 앞지르다. ¶他的学问～老师了; 그의 학문은 스승을 앞섰다. ②넘다. 초과하다. 상회하다. ¶～限度; 한도를 넘다/～原来计划; 당초의 계획을 상회하다/凡是价值～了一千元的概不能寄; 값이 천 원(元)을 넘는 것은 일절 송부할 수 없다.
〔超号儿〕 chāohàor 명 특대(特大)호.
〔超忽〕 chāohū 형〈文〉①아득히 먼 모양. 멀리 떨어진 모양. ②기분이 충천하고 상쾌한 모양.
〔超豁〕 chāohuò 동 허락하다. 용서하다. ¶多谢～了《桃花扇》; 허용해 주심을 감사드립니다.
〔超级〕 chāojí 형 초(超). 슈퍼. ¶～商场 =〔～市场〕〔自选市场〕; 슈퍼마켓/～油轮; 매머드 탱크/～大国; 초대국/～接待; 파격적인 우대.
〔超级精密加工〕 chāojí jīngmì jiāgōng 명 ⇨〔超精磨〕
〔超假〕 chāojià 동 휴가를 초과하다.
〔超阶级〕 chāojiējí 형 계급을 초월한.
〔超经济剥削〕 chāo jīngjì bōxuē 명《經》경제외적인 착취.
〔超经济的强制〕 chāo jīngjìde qiǎngzhì 명《經》경제 외의 강제. 경제 외적인 강제.
〔超精磨〕 chāojīngmó 명 초정밀 연마. =〔超级精密加工〕
〔超巨星〕 chāojùxīng 명《天》초거성(supergiant star).
〔超绝〕 chāojué 형〈文〉탁월하다. 발군하다.
〔超空保垒〕 chāokōng bǎolěi 명《軍》(속도 및 적재량이 타의 추종을 불허하는) 대형 비행기.
〔超龄〕 chāo,líng 동 정해진 연령을 초과하다. 나이가 넘다. ¶～团员; 연령을 초과한 중국 공산주의 청년단 단원.
〔超伦〕 chāolún 형〈文〉비할 바 없이 우수하다. 뛰어나다.
〔超期服役〕 chāoqī fúyì 명《軍》재복무.
〔超迁〕 chāoqiān 동 순서를 뛰어넘고 승진하다.
〔超前教育〕 chāoqián jiàoyù 명 조기 교육.
〔超群〕 chāo,qún 동 발군하다. 뛰어나다. ¶～绝伦; (명성·능력 등이) 남보다 뛰어나다.
〔超群出众〕 chāo qún chū zhòng〈成〉걸출하여 무리에서 뛰어나다.
〔超然〕 chāorán 형 ①빼어난 모양. ②구애받지 않는 모양.
〔超然物外〕 chāo rán wù wài〈成〉일반 사회 생활에서 초연해 있다. ¶有些知识分子, 以脱离政治, ～为清高; 일부 지식인은 정치에서 벗어나 일반 사회 생활로부터 초연해 있음을 고결하다고 생각하고 있다.
〔超人〕 chāorén 명 초인. 슈퍼맨.
〔超色〕 chāosè 명 금은의 품질이 우수한 것.
〔超升〕 chāoshēng 동 ①뛰어넘어 승진(昇進)하다. ②《佛》영혼이 승천하다. 극락 왕생하다.
〔超生〕 chāoshēng 동 ①《佛》영혼이 소생하다. 환생하다. ②목숨을 구하다. 돕다. ¶笔下～; 아무쪼록 좋게 써서 도와 주십시오《죄를 범한 사람이 가벼운 처벌을 원할 때의 말》/您给说两句好话口下～; 한 두 마디 좋게 말씀하여 도와 주십시오. ③가족 계획을 초과 생육하다《'超计划的生育'의 준말》.
〔超声波〕 chāoshēngbō 명 ⇨〔超音波〕
〔超时工作〕 chāoshí gōngzuò 명 ⇨〔加jiā点工作〕
〔超视微生物〕 chāoshì wēishēngwù 명《醫》병원성 바이러스.
〔超视综合体〕 chāoshì zōnghétǐ 명《映》비스타비전(Vista Vision)《영화의 와이드 스크린의 하나》.
〔超速开车〕 chāosù kāichē 명 과속. =〔车速过快〕
〔超特一〕 chāotèyī 형 ⇨〔超等〕
〔超特艺综合体〕 chāotèyì zōnghétǐ 명《映》초테크니라마《영화 70mm 방식의 와이드 스크린》.
〔超脱〕 chāotuō 형 자유롭다. 독창적이다. ¶他的字, 信笔写来, 十分～; 그의 글씨는 붓 가는 대로 써서 꽤 자유롭다. 동 벗어나다. 이탈하다.
〔超外差式收音机〕 chāowàichāshì shōuyīnjī 명 슈퍼 라디오.
〔超伍〕 chāowǔ 동〈文〉지위를 넘다. ¶～而言; 그 지위에 지나친 발언을 하다.
〔超新星〕 chāoxīnxīng 명《天》초신성.
〔超诣〕 chāoyì 형〈文〉빼어나게 조예가 깊다.
〔超轶〕 chāoyì 형〈文〉초월하다. 탁월하다.
〔超逸〕 chāoyì 형〈文〉빼어나게 아름답다. 뛰어나게 훌륭하다. 세속을 초월해 있다.
〔超音波〕 chāoyīnbō 명《物》초음파. ¶～测距; 초음파 해저 측량. =〔超声波〕
〔超音速〕 chāoyīnsù 명《物》초음속. ¶～战斗机; 초음속 전투기/～喷气机; 초음속 제트기.
〔超硬刀具磨床〕 chāoyìng dāojù móchuáng 명 초경(硬) 공구 연마기.

〔超员〕 chāoyuán 명 규정을 초과한 인원. 초과 인원. (chāo,yuán) 동 정원을 초과하다.
〔超越〕 chāoyuè 형 ①출중하다. 뛰어나다. 우수하다. ¶他的工作成绩极为~; 그의 업무 성적은 남보다 뛰어나게 훌륭하다. 동 넘다. 넘어서다. 초월하다. ¶有理想才能~现实; 이상이 있음으로써 비로소 현실을 넘어갈 수 있다 / ~障碍赛; (마술의) 장애물 뛰어넘기 경기.
〔超载〕 chāo,zài 동 과적(過積)하다.
〔超支〕 chāo,zhī 동 초과 지불〔지출〕하다. (chāozhī) 명 초과 지출·지불. ¶~户; ⓐ지급 초과 계좌(計座). ⓑ적자 가정.
〔超重〕 chāozhòng 명 《物》 초중 현상. 동 ①적재량을 초과하다. ②중량을 초과하다. ¶~信件; 중량을 초과한 우편물 / ~行李; 초과 수화물.
〔超重(量)级〕 chāozhòng(liàng)jí 명 《體》 초중량급.
〔超重氢〕 chāozhòngqīng 명 《化》 3중 수소. 트리튬(tritium).
〔超轴〕 chāozhóu 동 (기관차가) 견인량을 초과하다.
〔超卓〕 chāozhuó 형 빼어나다. 탁월하다.
〔超子〕 chāozǐ 명 《物》 중핵자(重核子). 하이페론.
〔超自然〕 chāozìrán 명형 초자연(적인). 신비(적인). 신기(神技)(와 같은).

绰(綽) **chāo** (작)
동 ①움켜잡다. ②(야채 따위를) 살짝 데치다. =〔焯chāo〕 ③(일·연구 등에) 착수하다. ⇒chuò

焯 **chāo** (작)
동 (야채 따위를) 살짝 데치다. ¶~菠bō菜; 시금치를 데치다. =〔绰chāo②〕 ⇒zhuō

剿〈勦〉 **chāo** (초)
동 표절(剽竊)하다. ¶~说; ⇓ =〔抄A)⑤〕 ⇒jiǎo
〔剿说〕 chāoshuō 동 〈文〉 (남의 학설을) 표절하다.
〔剿袭〕 chāoxí 동 ①표절하다. ②불시에 습격하다. ‖ =〔抄袭〕

罺 **chāo** (조)
명 〈文〉 작은 그물.

晁〈鼂〉 **cháo** (조)
①→〔晁模油〕 ②명 성(姓)의 하나.
〔晁模油〕 cháomóyóu 명 대풍자유(大風子油).

巢 **cháo** (소)
명 ①(새·벌·개미 따위의) 둥우리. 둥지. 보금자리. ¶众鸟归~; 새가 모두 둥지로 돌아가다 / 乳燕出~; 새끼제비가 둥지에서 날아오르다. ②(도둑의) 소굴. ¶匪~ =〔老~〕; 도적의 소굴. ③집. ④성(姓)의 하나.
〔巢菜〕 cháocài 명 《植》 들완두. ¶小~; 새완두.
〔巢居〕 cháojū 명 나무 위의 주거지. 동 나무 위에서 주거하다.
〔巢窟〕 cháokū 명 ①(새나 짐승의) 집. ②도적이 사는 집. 소굴. ‖ =〔巢窝〕〔巢穴〕
〔巢幕燕〕 cháomùyàn 명 막(幕) 위에 둥지를 친 제비. 〈比〉 매우 위험한 것.
〔巢脾〕 cháopí 명 벌집의 주요 부분을 이루는 6각형의 독방들. 벌은 이 곳에서 유충을 기르며 벌꿀이나 꽃가루를 저장함.
〔巢破分飞〕 cháo pò fēn fēi 〈成〉 둥지가 부서져 흩어져 날아가다(이혼하다). ¶闹得老两口子几乎~; 말다툼한 노부부는 거의 이혼 직전에 이르렀다.
〔巢鼠〕 cháoshǔ 명 《動》 들쥐. =〔茅鼠〕
〔巢箱〕 cháoxiāng 명 (꿀벌의) 벌통.
〔巢穴〕 cháoxué 명 ⇨〔巢窟〕

朝 **cháo** (조)
①명 조정(朝廷). ¶上~; 조정에 나가다 / ~野; 조정과 민간. ②명 군주의 재위(在位) 기간의 일컬음. 조대(朝代). ¶唐~; 당대 / 改~换代; 왕조의 교체. ③명 장. ¶下次儿时有~; 다음 장은 언제 섭니까. ④동 참예(參詣)하다. ¶~山; 명산사찰을 참배하다 / ~了一次山; 산묘(山廟)에 한번 참예하였다. ⑤동 신하가 군주에게 알현하다. ¶来~; 내조하다(제후·속국 또는 타국의 왕이나 사자 등이 알현하기 위해 오다). ⑥개 …으로 향하다(방향). ¶~南走; 남쪽으로 향해서 가다 / 有什么话~着我说罢! 무엇이든 이야기가 있으면 내게 말하십시오! / 门~南开; 문은 남쪽을 향해 있다 / 盆儿~天, 碗儿~地; 식탁이 난잡해져 있는 모양 / ~阳(儿); ⓐ태양 쪽을 향하다. 동향. ⓑ양지. →〔向〕〔往〕〔望〕〔上〕〔对〕 ⑦동 한 곳에 모이다. 귀착하다. ¶百川~海; 수많은 강물이 바다로 흘러들어가다. ⑧명 성(姓)의 하나. ⇒zhāo
〔朝拜〕 cháobài 동 ①신년에 신하들이 황제께 알현하다. ②《宗》 (신불(神佛)에) 참배하다. 예배하다.
〔朝班〕 cháobān 명 〈文〉 조정의 석순(席順)〔석차〕.
〔朝柄〕 cháobǐng 명 〈文〉 조정에서의 정권〔권력〕.
〔朝参〕 cháocān 동 ⇨〔朝见〕
〔朝臣〕 cháochén 명 〈文〉 조신. 조정의 관리.
〔朝代〕 cháodài 명 ①한 왕조가 통치하는 연대. ②(좁은 뜻으로) 한 제왕의 치세.
〔朝顶〕 cháodǐng 동 ①《佛》 산 위의 절이나 사당에 참배하다. ②산 정상에 오르다.
〔朝房〕 cháofáng 명 〈文〉 조정 안의 대기실.
〔朝奉〕 cháofèng 명 〈方〉 ①옛날, 부자. ②전당포의 우두머리.
〔朝服〕 cháofú 명 ①조복. 조정에 출사할 때 입는 옷. ②대례복(大禮服). ‖ =〔朝衣〕〔水shuǐ袍〕
〔朝贡〕 cháogòng 명동 조공(하다).
〔朝冠〕 cháoguān 명 ⇨〔朝帽〕
〔朝贵〕 cháoguì 명 〈文〉 옛날, 조정에서 권세가 있는 사람.
〔朝贺〕 cháohè 동 〈文〉 입궐하여 임금에게 하례(賀禮)하다.
〔朝会〕 cháohuì 명 조회. 고대, 제후가 모여 천자를 뵙는 의식. ⇒zhāohuì
〔朝见〕 cháojiàn 동 조현하다. 입궐하여 황제를 알현하다. =〔朝参〕〔朝觐①〕
〔朝觐〕 cháojìn 동 ①⇨〔朝见〕 ②《宗》 참배하다. (성지를) 순례하여 참배하다.
〔朝考〕 cháokǎo 명 과거(科擧) 시대, 진사에 급제한 자를 천자가 친히 과제를 내려 시험을 실시하는 일.
〔朝帽〕 cháomào 명 〈文〉 조정에 나갈 때 쓰는 모자. =〔朝冠〕
〔朝南〕 cháonán 동 ①남쪽을 향하다. 남향이다. ②햇빛이 비치다.
〔朝前〕 cháoqián 앞을 향하여. ↔〔朝后〕
〔朝日〕 cháorì 동 천자가 태양을 제사 지내다.
〔朝山〕 cháoshān 동 산상(山上)의 절과 묘(廟)에 참배하다. ¶~进香; 영지(靈地) 참배를 하다.
〔朝圣(地)〕 cháoshèng(dì) 명 《宗》 순례지. 메

카. 성지. 참배하는 곳. 동 성지에 참예하다.
〔朝天〕 cháotiān 동 ①옛날, 천자를 알현하다. ②위를 보다〔향하다〕. ¶盆儿~, 碗儿朝地; 식사 후에, 식탁에 그릇이 어지럽게 흩어져 있는 모양.
〔朝天镫〕 cháotiāndèng 명 ①옛날, 금과(金瓜)·월부(鉞斧) 따위와 함께 장렬(葬列)을 선도하는 의장(儀仗)이 갖는 것《등자를 거꾸로 한 모양 같아서 이렇게 불렀음》. ②다리를 구부려 머리 위에 올리는 재주.
〔朝廷〕 cháotíng 명 조정.
〔朝鲜〕 Cháoxiǎn 명《地》조선. ¶~族;《民》중국 소수 민족의 하나. 주로 지린(吉林) 옌볜(延邊) 지구에 거주함 / ~族自治区; 조선족 자치구.
〔朝鲜槐〕 cháoxiānhuái 명《植》개물푸레나무.
〔朝向〕 cháoxiàng 개 …으로 향하다. ¶~相反的方向跑去了; 반대 방향으로 도망쳤다.
〔朝靴〕 cháoxuē 명 옛날, 예장용(禮裝用) 장화.
〔朝阳〕 cháo·yáng 동 태양을 향하다. 햇빛이 쬐다. ¶~花;《植》해바라기. (cháoyáng) 명 양달. ¶~地方; 양달. ⇒zhāoyáng
〔朝野〕 cháoyě 명 ①조야. 조정과 민간. 정부와 민간. ②여당과 야당.
〔朝谒〕 cháoyè 동 조알하다. 입궐하여 알현하다.
〔朝衣〕 cháoyī 명 ⇨〔朝服〕
〔朝仪〕 cháoyí 명 옛날, 군신 조현(朝見)의 의식.
〔朝隐〕 cháoyǐn 명 몸은 벼슬길에 있지만, 마음은 은자(隱者)처럼 담박한 것〔사람〕《관료가 스스로 청고(淸高)함을 보이는 일》.
〔朝着〕 cháozhe 개 …을 향해서. …으로. ¶~目标前进; 목표를 향해 전진하다.
〔朝政〕 cháozhèng 명〈文〉조정. 조정의 정치. 국정.
〔朝中〕 cháozhōng 명 ⇨〔中朝②〕
〔朝珠〕 cháozhū 명 청대(清代), 품관(品官)의 가슴에 장식하는 것《산호나 호박으로 만든 목걸이의 일종》.
〔朝宗〕 cháozōng 동〈文〉①제후가 천자를 배알하다. ②〈比〉사방 팔방에서 한 군데로 모이다. ¶百川~于海; 많은 강물이 바다로 모여 흘러들다.

潮 cháo (조)
①명 조수. 조류. ¶涨~了; 만조가 되었다 / 满~; 만조. 밀물 / 落~; 간조. 썰물. ②명 습기. ¶防fáng~ =〔防湿〕; 방습하다 / ~气qì =〔湿气〕; 습기 / ~度dù =〔湿度〕; 습도 / 药品怕受~; 약품은 습기가 좋지 않다 / 发~; 눅눅해지다. 습기차다. →〔湿shī〕 ③형 습하다. 습기차다. 누지다. ¶屋里很~; 방이 누지다 / 花生~了不好吃; 땅콩은 눅눅해지면 맛이 없다. ④명 조류. 추세. 시류. ¶思~; 사조. 한 시대의 사상의 경향 / 运动由低~至高~; 운동은 저조에서 고조에 이르렀다. ⑤명 사회의 큰 변동〔소동〕. ¶政~; 정변 / 工~; 동맹 파업이나 노동 쟁의 따위 / 学~; 학교 소요 / 闹风~; 소요가 발생하다. ⑥형 (기술이) 낮다. (품질이) 떨어지다. ¶手艺~; 솜씨가 나쁘다. 기술이 뒤져 있다. ⑦형〈方〉순도(純度)가 낮다. ¶银子成分~; 은의 순분(純分)이 낮다 / ~金; 순도가 낮은 금. ⑧(Cháo) 명《地》옛날, 광둥(廣東) 성 차오저우(潮州)의 약칭《현재의 광둥(廣東)성 차오안 현(潮安縣)》. ⑨형〈口〉('新潮'를 줄여) 최신 유행하는. ⑩(~儿) 명 유행하는 것.
〔潮白〕 cháobái 명 (광둥(廣東) 성 차오안 현(潮安縣) 일대에서 생산하는) 백설탕.
〔潮标〕 cháobiāo 명 조위표(潮位標). 해면 높이의 표.
〔潮差〕 cháochā 명 조차. 밀물과 썰물과의 수위의 차.
〔潮干〕 cháogān 명 습기와 건조. 건습.
〔潮干儿〕 cháogānr 형명 다소 습기 있게 건조시킨 (것).
〔潮红〕 cháohóng 명 두 볼의 홍조. 동 홍조를 띠다.
〔潮候〕 cháohòu 명 ⇨〔潮信〕
〔潮呼呼〕 cháohūhū 형 습기 많다. 눅눅하다. ¶~的饼干; 눅눅해진 비스킷 / ~的衣裳怎么能穿呢; 눅눅한 옷을 어떻게 입을 수 있니. =〔潮糊糊〕
〔潮豁〕 cháohuo 동 (가벼운 정도로) 병이 옮다.
〔潮解〕 cháojiě 명《化》조해(潮解).
〔潮金〕 cháojīn 명《鑛》순도가 낮은 금.
〔潮剧〕 cháojù 명《劇》광둥(廣東)의 차오안(潮安)·산터우(汕頭) 일대에서 유행하는 지방극. =〔潮州剧〕
〔潮浪〕 cháolàng 명 ①조수의 물결. ②밀어닥치는 세력. 일이 일어나는 또는 발전하는 기세.
〔潮流〕 cháoliú 명 ①조류. ②시간의 흐름. 시대의 조류. 풍조. 추세. ¶反~; 사회의 부정적(否定的)인 흐름에 반항하다 / 追随~; 시류(時流)에 따르다.
〔潮渌渌(的)〕 cháolùlù(de) 형 습기가 흠뻑 찬 모양. 눅눅〔축축〕한 모양.
〔潮落〕 cháoluò 명 썰물. 간조. ¶~水浅; 썰물로 (바다) 물이 얕다. →〔落潮〕
〔潮脑〕 cháonǎo 명 장뇌(樟腦)《광둥 성(廣東省) 차오저우(潮洲)에서 산출되는 데서 온 말》. =〔樟zhāng脑〕
〔潮气〕 cháoqì 명 습기. ¶满屋都是~的味儿; 온 방안이 습기찬 냄새가 나다 / ~重zhòng; 습기가 심하다.
〔潮热〕 cháorè 명《漢醫》소모열. 형 (날씨가) 찌무룩하다. ¶天气~; 날씨가 습하고 무덥다.
〔潮润〕 cháorùn 형 촉촉하고 윤기 있다. 습기 있다.
〔潮渗渗〕 cháoshènshèn 형 축축하다.
〔潮湿〕 cháoshī 형 ①습기차다. ¶今天很~; 오늘은 매우 구중중하다. ②물기를 띠다. 축축해지다. ¶两只眼睛~了; 양눈이 촉촉해졌다.
〔潮水〕 cháoshuǐ 명 조수. ¶人像~一样涌过来; 인파가 조수와 같이 몰려오다.
〔潮丝丝(的)〕 cháosīsī(de) 형 습기가 조금 찬 모양. 약간 추진 모양. ¶这么~的正好熨yǔn; 이 정도로 좀 눅눅한 것이 다림질하기에는 좋다.
〔潮头〕 cháotóu 명 파도 마루.
〔潮位〕 cháowèi 명 조위(潮位)《밀물과 썰물에 의하여 변하는 해면의 높이》.
〔潮汐〕 cháoxī 명 조석. 조수(潮水)와 석수(汐水). ¶~表; 조석표. 조석의 간만표.
〔潮信〕 cháoxìn 명 ①물때. 조수가 들고 날 때. ②〈比〉월경(月經). ‖ =〔潮候〕
〔潮汛〕 cháoxùn 명 한사리. 대조(大潮).
〔潮音〕 cháoyīn 명 ①파도 소리. ②〈比〉많은 중이 함께 독경하는 소리. ‖ =〔海潮音〕
〔潮阴阴〕 cháoyīnyīn 형 눅눅하다. 축축하다. ¶~的房子住着不卫生; 눅눅한 집에 살면 비위생적이다.
〔潮涌〕 cháoyǒng 동 조수처럼 솟다. 밀물이 밀려들다. ¶~而来; 조수처럼 밀려오다.
〔潮脂糕〕 cháozhīgāo 명 카스텔라. →〔蛋dàn糕〕

嘲〈謿〉 **cháo**〔〈舊〉 **zhāo**〕 (조) 동 ①조소〔조롱〕하다. ¶冷~热骂; 〈成〉 냉소와 심한 욕설 / 聊以解~; 〈成〉 잠시 사람들의 조소에서 벗어나다. 일시적으로 난처한 국면에서 벗어나다. ②유혹하다. ⇒ zhāo
〔嘲谤〕 cháobàng 동 〈文〉 비웃으며 비방하다.
〔嘲拨〕 cháobō 동 놀리어 남의 마음을 끌다. ¶如此佳丽美人, 料他识字, 写个简帖~他; 그 정도의 미인이라면 아마 글씨는 읽을 줄 알겠지, 어디 편지를 써서 건드려 봐야겠다.
〔嘲风咏月〕 cháo fēng yǒng yuè 〈成〉 화조 풍월(花鳥風月) 놀이. 시문(詩文)을 짓는 놀이. =〔嘲风弄月〕
〔嘲讽〕 cháofěng 동 비웃다. 비웃고 빈정대다.
〔嘲歌〕 cháogē 동 아무렇게나〔멋대로〕 노래 부르다. ¶只听得外面有人~《水滸傳》; 밖에서 누군가가 멋대로 부르는 노랫소리만 들린다.
〔嘲诙〕 cháohuī 동 농지거리를 하다. 익살 떨다.
〔嘲骂〕 cháomà 동 조롱하며 매도하다. 비웃으며 욕하다.
〔嘲弄〕 cháonòng 동 조롱하다. 우롱하다. ¶这个促狭鬼专爱~人; 이 음험한 놈은 오로지 남 놀려먹는 것을 즐긴다.
〔嘲惹〕 cháorě 동 조롱하다. ¶酒席之间用些话来~他《水滸傳》; 주석에서 이러쿵저러쿵 말하여 그를 조롱하다.
〔嘲讪〕 cháoshàn 동 조롱하며 비방하다.
〔嘲戏〕 cháoxì 동 (부녀자에게) 농을 걸다. 희롱하다.
〔嘲笑〕 cháoxiào 명동 조소(하다).

吵 **chǎo** (초) ① 형 시끄럽다. 떠들썩하다. ¶~得慌; 대단히 시끄럽다 / 刚睡着zháo, 被孩子~醒了; 막 잠이 들었는데, 아이가 시끄럽게 굴어서 잠이 깼다. ② 동 떠들다. 떠들어 대다. 왁자지껄하다. ¶好好听着, 别~! 잘 들어요. 떠들지 말고! ③ 동 말다툼하다. 언쟁하다. ¶他俩~起来了; 그들 두 사람은 말다툼을 시작했다. =〔打嘴架〕 ④ 동 교란(攪亂)하다. ⇒chāo
〔吵包子〕 chǎobāozi 명 소동을 피우는 사람. 떠들어 대는 사람. 잔소리꾼. 동 떠들어 대다.
〔吵吵闹闹〕 chǎochao nàonào 동 시끄럽게 떠들다.
〔吵吵嚷嚷〕 chǎochao rāngrāng 동 〈京〉 시끄럽게 떠들다. 와글와글 떠들다. ¶我刚才听见你屋里~的, 我以为你跟谁打架; 방금 너의 방에서 요란스레 떠드는 소리가 들려서 나는 네가 누구와 싸우는 줄 알았다.
〔吵翻〕 chǎofān ①(안색을 바꾸고) 말다툼하다. 심하게 논쟁하다. ¶昨儿我跟他~了, 所以今儿他没来; 어제 그와 대판으로 싸워서 그는 오늘 오지 않았다. ②싸워서 사이가 틀어지다.
〔吵家〕 chǎojiā 동 가사(家事)일로 싸우다. ¶~王; 가정에서 잔소리하는 사람.
〔吵架〕 chǎo.jià 동 말다툼하다. ¶两口子感情很好, 从来不~; 두 사람은 부부의 의가 좋아서 이때까지 싸운 일이 없다.
〔吵螺蛳〕 chǎoluósī 동 말다툼하다. 시끄럽게 말하다.
〔吵脑子〕 chǎonǎozi 동 시끄러워 머리가 아파지다.
〔吵闹〕 chǎonào 동 ①말다툼하다. 크게 떠들어 대다. ¶你们为什么~; 너희들은 무엇 때문에 말다툼하고 있는가. ②떠들다. 소란을 피우다. ¶~得使人不能入睡; 시끄러워 잘 수가 없다. 형 소란스럽다. 시끄럽다. ¶人声~; 사람의 목소리가 소란스럽다.
〔吵嚷〕 chǎorǎng 동 ①큰 소리로 마구 떠들어 대다. ¶这么吵吵嚷嚷的, 吓着孩子了; 이렇게 떠들어 대서 아이들을 놀라게 했다. ②마구 시끄럽게 말다툼하다.
〔吵人〕 chǎorén 형 ①(성가시게) 시끄럽다. ¶这种声音真~; 이런 소리는 정말 시끄럽다. ②남을 귀찮게 하다. 시끄럽게 굴다. ¶成心~; 일부러 시끄럽게 하다.
〔吵散〕 chǎosàn 동 (일이나 행사가) 소란으로 엉망이 되다. 떠들어서 망치다.
〔吵窝子〕 chǎo wōzi 떠들어 대다. 시끄럽게 말하다. ¶别~, 自各儿弟兄有话好说; 시끄럽게 떠들지 마라, 한 형제이니, 할 말 있으면 잘 의논하자.
〔吵喜〕 chǎoxǐ 동 (승급·과거 급제 등의 경사를) 큰 소리로 알리다. (기쁜 일을) 떠들썩하게 축하하다. ¶怎么不叫我们来~呢《紅樓夢》; 어찌하여 우리는 기쁜 일에 동참해서는 안 됩니까. =〔闹nào喜②〕 →〔报bào喜〕
〔吵醒〕 chǎoxǐng 동 ①떠들어서 잠을 깨우다. ¶刚睡着, 被孩子~了; 방금 잠이 들었는데, 아이가 떠들어서 깨 버렸다. ②시끄러워 잠이 깨다.
〔吵子〕 chǎozi 명 말다툼. 언쟁. 분쟁. ¶不答应, 又是~; 승낙하지 않으면, 또 한바탕 떠들테다.
〔吵嘴〕 chǎo.zuǐ 동 말다툼하다. 언쟁하다. ¶他们俩成天家~; 저 두 사람은 하루 종일 언쟁을 하고 있다.

炒 **chǎo** (초) 동 ①(기름 등에) 볶다. ¶~菜; ⇩ / ~黄; 노르스름하게 볶다 / ~焦; 눈기까지 볶다 / ~炭; 새까맣게 타도록 볶다 / 糖~栗子; 감률(甘栗). 단밤 / 蛋~饭; 계란 볶음밥. →〔炸〕〔煎〕 ②암거래하다. (투기를 위해) 매매하다. ¶~股; ⇩ ③〈方〉 해고하다. ¶~鱿鱼; ⇩
〔炒饼〕 chǎobǐng 명 '烙lào饼'을 잘게 썰어 고기 등을 넣고 기름으로 볶은 것.
〔炒菜〕 chǎocài ①명 전채(前菜)로 나오는 볶음 요리. ↔〔熬菜〕 ②(chǎo cài) 야채를 기름에 볶다.
〔炒菜锅〕 chǎocàiguō 명 중국 냄비. =〔炒锅〕
〔炒菜面〕 chǎocàimiàn 명 기름으로 볶은 야채를 넣은 가락국수.
〔炒炒七七〕 chǎochaoqīqī 동 시끌시끌 떠들다. ¶有什事~; 무슨 일로 시끌시끌 떠들고 있느냐. =〔吵吵闹闹〕
〔炒蛋〕 chǎodàn ⇨〔炒鸡蛋〕
〔炒豆儿〕 chǎo dòur ①콩을 볶다. ¶枪声像~一样; 총성이 콩볶듯하다. ②(chǎodòur) 명 볶은 콩.
〔炒饭〕 chǎofàn **A**) 명 ①볶음밥. ②볶는 것처럼 하여 데운 밥. **B**) (chǎo fàn) ①밥을 기름에 볶다. ②밥을 볶듯이 하여 데우다.
〔炒风栗〕 chǎofēnglì 명 ⇨〔炒栗子①〕
〔炒肝儿〕 chǎogānr 명 돼지의 간장을 볶은 요리.
〔炒更〕 chǎogēng 동 〈俗〉 잔업(殘業)하다. 초과 근무하다. →〔加班〕
〔炒股〕 chǎogǔ 동 주식 암거래하다. =〔炒股票〕
〔炒股票〕 chǎogǔpiào 동 ⇨〔炒股〕
〔炒锅〕 chǎoguō 명 ⇨〔炒菜锅〕
〔炒海杂拌〕 chǎohǎizábàn 명 해삼·새우·게·전복 등의 달게 조린 요리.
〔炒黑市〕 chǎo hēishì 〈比〉 암거래로 돈을 벌다.

¶囤积居奇, 为一己之私而影响公众利益者, 便是~; 물품을 비축하여 값오르기를 기다려 한밑천 벌려는 것은 자기 개인을 위하여 공중 이익에 영향을 끼치는 것으로서, 이를 "炒黑市"라고 한다.
〔炒红果儿〕 chǎohóngguǒr 명 산사(山査) 나무 열매를 설탕을 넣고 조린 것.
〔炒货〕 chǎohuò 명 호박씨·콩·밤 따위를 구운 것의 총칭.
〔炒鸡蛋〕 chǎojīdàn ①명 달걀 볶음. 스크램블 에그. ②(chǎo jīdàn) 달걀을 부치다. ‖=〔炒蛋〕
〔炒鸡片儿〕 chǎojīpiānr 명 닭고기 조각을 기름으로 볶아 조린 요리.
〔炒鸡丝〕 chǎojīsī 명 닭고기의 잘게 썬 것을 기름으로 볶아 조린 요리. 닭찜.
〔炒鸡杂〕 chǎojīzá 명 닭내장을 볶아서 조린 요리.
〔炒鸡胗〕 chǎojīzhēn 명 닭똥집 볶음.
〔炒辣子鸡〕 chǎolàzijī 명 닭고기에 고추를 넣고 기름으로 볶아 조린 요리.
〔炒冷饭〕 chǎo lěngfàn ①찬밥을 데우다. ②〈比〉 재탕(再湯)하다. ¶说相声尽~就没意思了; 만담은 재탕만 하면 재미가 없다.
〔炒里脊片〕 chǎolǐjǐpiàn 명 돼지고기와 야채를 섞어서 볶은 요리.
〔炒栗子〕 chǎolìzi ①명 단밤. 밤초. =〔炒风栗〕〔糖炒栗子〕 ②(chǎo lìzi) 밤을 볶다.
〔炒蛎蝗〕 chǎolìhuáng 명 굴과 달걀을 볶은 요리.
〔炒买〕 chǎomǎi 동 다투어 사다. 사기에 급하다.
〔炒买炒卖〕 chǎomǎi chǎomài 명 《經》 투기 매매. 암거래.
〔炒米〕 chǎomǐ ①명 몽고(蒙古) 사람이 상식(常食)하는 수수 볶은 것. ②명 화난(華南) 지방에서 찰밥을 말려 냄비에 볶은 것. ¶~花; 쌀의 뻥튀기. ③(chǎo mǐ) 쌀을 볶다.
〔炒面〕 chǎomiàn ①명 볶음 국수. 볶은 메밀 국수. ②명 밀가루를 질냄비에 볶은 것. ③(chǎo miàn) 국수를 기름으로 볶다.
〔炒闹〕 chǎonào 동 와글와글 떠들다. =〔吵闹〕
〔炒肉〕 chǎoròu ①명 볶은 고기. ②(chǎo ròu) 고기를 볶다.
〔炒三鲜〕 chǎosānxiān 명 삼선 볶음('三鲜'은 보통 죽순, 표고버섯, 닭고기 또는 햄을 배합한 것). =〔炒三仙〕
〔炒勺〕 chǎosháo 명 ①부침 뒤집개. ②자루가 달린 중국식 냄비.
〔炒什件儿〕 chǎoshíjiànr 명 계란·오리 내장 등으로 만든 요리.
〔炒鱿鱼〕 chǎo yóuyú 〈俗〉 목을 자르다. 파면하다. 해고하다.

麨(麵,〈䴷〉) chǎo (초) 명 미숫가루(쌀 또는 밀).

耖 chào (초) ①명 밭의 흙덩이를 잘게 부수는 농구(農具). 써레. ②동 흙덩이를 잘게 부수다.

CHE ㄔㄜ

车(車) chē (거, 차) ①(~子)명 차. 탈것(자동차·자전거·인력거 따위). ¶火~; 기차/汽~; 자동차/自行~; 자전거/坦克tǎnkè~; 탱크. 전차/一辆~; 차 한 대/倒dào~; 차를 후진하다/倒dǎo~; 갈아 타다/开~; 차를 운전하다/发~; 발차하다. ②명 수레바퀴가 달린 기계 장치. ¶水~; 수차/滑~; 활차. 도르래/纺fǎng~; 물레/吊diào~; 기중기. ③명 기계. 기기(機器). ¶~床; 선반(旋盤)/开~; 기계를 움직이다/停tíng~; ⓐ기계를 멈추다. ⓑ차를 멈추다/快~; ⓐ기계의 속도를 높이다. ⓑ급행 열차/试shì~; 기계의 시운전을 하다. ④동 선반(旋盤)에 걸어서 갈다. 절삭(切削)하다. ¶~得又光又圆; 선반에 걸어서 번쩍번쩍하고 둥글게 갈아 놓았다. ⑤동 수차(水車)로 물을 퍼올리다. ¶~水灌田; 수차로 물을 길어 논에 관개하다. =〔车水〕 ⑥명 잇몸. ⑦동 수레로 끌다. ¶用板办车~这些木板吧; 짐수레로 이 나무 판자들을 끌자. ⑧동 (몸을) 돌리다. ¶~过头来; 얼굴을 이쪽으로 돌리다. ⑨명 성(姓)의 하나. ⇒jū
〔车螯〕 chē'áo 명 《貝》 큰대합. =〔昌chāng蛾〕
〔车把〕 chēbǎ 명 ①인력거나 일륜차(一輪車)의 채. ②〈東北〉 차부(車夫). ③핸들.
〔车把式〕 chēbǎshi 명 마부. =〔车把势〕
〔车白糖〕 chēbáitáng 명 정제당(精製糖). =〔车糖〕
〔车板〕 chēbǎn 명 모래 또는 진흙 등의 거푸집 제작에 쓰는 판. 형틀 판. =〔刮guā板②〕〔圆yuán刮板〕
〔车不空驶, 船不空舱〕 chē bù kōng shǐ, chuán bù kōng cāng 〈成〉 차에도 배에도 사람이 가득하다(사람의 왕래가 빈번함).
〔车厂子〕 chēchǎngzi 명 ①차량 제조 공장. ②인력거를 세놓는 가게.
〔车场〕 chēchǎng 명 주차장.
〔车尘马迹〕 chē chén mǎ jì 〈成〉 ①각지를 여행하다. 널리 발자국을 남기다. ②동분서주하다. ‖=〔车尘马足〕
〔车船费〕 chēchuánfèi 명 차비와 뱃삯. 여비(旅費). =〔车舟费〕
〔车床〕 chēchuáng 명 《機》 선반(旋盤). ¶车轮~; 차륜용 선반/动轮~; 기관차 차륜용 선반/手摇~; 손틀 선반/卡qiǎ盘~; 정면 선반/复刀~; 조립 선반/高速~; 고속 선반/~工; 선반공. =〔旋床〕〔车床机〕
〔车床夹头〕 chēchuáng jiātou 명 《機》 선반의 돌림쇠. =〔车床夹子〕
〔车床卡盘〕 chēchuáng qiǎpán 명 《機》 선반 고정자.
〔车次〕 chēcì 명 열차〔장거리 버스〕 번호. 차의 운행표.
〔车带〕 chēdài 명 타이어.
〔车殆马烦〕 chē dài mǎ fán 〈成〉 ①여행으로 피로해지다. ②〈轉〉 노동으로 피곤해지다. ‖=〔车怠马烦〕
〔车挡〕 chēdǎng 명 ①범퍼(자동차 등의 완충기). ②트럭 등 짐받이 주위의 틀.
〔车刀〕 chēdāo 명 《機》 선반용 바이트. →〔刨bào刀①〕
〔车到山前必有路〕 chē dào shānqián bì yǒu lù 〈諺〉 수레가 산 앞에 이르면 길은 있는 법이다(궁하면 통한다. 막상 해 보면 해결책이 생긴다). =〔船chuán到桥头自然直〕
〔车到油瓶儿到〕 chē dào yóupíngr dào 〈諺〉 수레가 오면 수레에 칠하는 기름병도 온다(일이 잘 진행되다. 순조롭게 진척되다).

〔车道〕 chēdào 명 차도. ↔〔人rén行道〕
〔车灯〕 chēdēng 명 (차의) 전조등. 헤드 라이트.
〔车蹬〕 chēdēng 명 자전거의 페달.
〔车垫子〕 chēdiànzi 명 ①차의 좌석에 까는 깔개《방석 · 쿠션》. ②(인력거 · 택시 등의) 승객. =〔车座子〕
〔车动铃铛响〕 chē dòng língdang xiǎng 〈諺〉 차가 움직이면 벨이 울린다《무엇인가 했다 하면 곧 과장 선전을 한다》.
〔车队〕 chēduì 명 차의 행렬.
〔车饭钱〕 chēfànqián 명 촌지. 팁《옛날, 연회나 경조사에 모인 다른 집의 사용인이나 차부 · 운전수 등에게 주는 돈》.
〔车房〕 chēfáng 명 차고. =〔车库〕
〔车费〕 chēfèi 명 찻삯. =〔车钱〕〔〈方〉车钿〕
〔车份儿〕 chēfènr 명 차의 임차료(賃借料). 차의 손료(損料). ¶赁的车得天天交～; 빌린 차는 매일 임차료를 지급해야 한다.
〔车夫〕 chēfū 명 마부. 인력거꾼.
〔车服〕 chēfú 명 옛날, 천자가 공신에게 내린 거마와 예복.
〔车辐〕 chēfú 명 바퀴살.
〔车盖〕 chēgài 명 ⇨〔车帐zhàng子〕
〔车杠子〕 chēgàngzi 명 수레의 채.
〔车工〕 chēgōng 명 ①《工》 선반 작업. ¶～车间; 선반 작업장. ②선반공. =〔车床工(人)〕
〔车宫〕 chēgōng 명 ⇨〔行xíng宫〕
〔车钩〕 chēgōu 명 《機》 차량의 연결기.
〔车轱辘(儿)〕 chēgūlu(r) 〈口〉 차바퀴. =〔车毂辘(儿)〕〔车箍辘(儿)〕
〔车轱辘话〕 chēgūluhuà 〈方〉 곱씹는 말. 중언부언. 되뇌는 말. ¶别说～耽误工夫; 같은 말로 시간을 허비하지 마라.
〔车轱辘会〕 chēgūluhuì 명 여럿이 돌려 가며 음식을 내는 연회《'车箍辘会'라고도 씀》. ¶有时找了几个朋友吃个～《紅樓夢》; 때로는 여러 친구들과 돌려 가며 서로 음식을 내기도 하였다. =〔车轮会〕〔车盘会〕
〔车毂〕 chēgǔ 명 수레의 바퀴통.
〔车光〕 chēguāng 동 《機》 선반으로 마무리 가공을 하다.
〔车轨〕 chēguǐ 명 레일.
〔车行〕 chēháng 명 차를 대여 · 판매 · 수리하는 가게.
〔车喝〕 chēhe 동 〈方〉 (농담을 섞어) 부추기다. ¶你别～了, 我们都快打起来了; 부추기는 말은 하지 말게, 지금 우리는 잘못하면 싸우게 생겼다. =〔筛shāi海〕
〔车后喘〕 chēhòuchuǎn 명 〈比〉 응원자. 가세(加勢)하는 사람. 후원자. ¶你何必给他当那个～呢; 너는 하필 그의 후원자가 되었느냐.
〔车户〕 chēhù 명 옛날, 마부를 업으로 하는 집.
〔车豁子〕 chēhuōzi 명 마차몰이꾼《옛날, 마부를 경멸하여 부르던 말》.
〔车祸〕 chēhuò 명 교통 사고, 윤화(輪禍).
〔车技〕 chējì 명 (자전거 등의) 곡예. →〔杂zá技〕
〔车价〕 chējià 명 차의 값〔정가〕.
〔车驾〕 chējià 명 〈文〉 천자가 타는 수레. 어가. 〈轉〉 천자.
〔车架(子)〕 chējià(zi) 명 ①선반(旋盤). ②자전거의 짐받이. ③차대(車臺).
〔车间〕 chējiān 명 공장 또는 사무소에서 직장의 단위. 작업 현장. 직장. ¶～领导; 현장 단위의 지도 책임자.
〔车匠〕 chējiàng 명 수레 목수.
〔车脚钱〕 chējiǎoqián 명 운임. 운송비《인부를 써서 짐을 나르게 때 인부에 대한 비용과 운반비를 포함한 것》.
〔车轿〕 chējiào 명 수레와 가마.
〔车捐〕 chējuān 명 차량세.
〔车口(儿)〕 chēkǒu(r) 명 〈方〉 인력거 · 삼륜차의 집합소《주차하여 손님을 기다리는 곳》.
〔车库〕 chēkù 명 차고. =〔车房〕〔车棚①〕
〔车拦头辆〕 chē lán tóu liàng 수레를 막으려면 앞의 것을 멈추게 해야 한다《세력을 꺾으려면 초장에 콧대를 꺾어라》. ¶不管是谁, 违法都是处分必须～; 누구든 법을 어긴 자는 모두 처벌하여 반드시 싹부터 잘라야 한다.
〔车雷〕 chēléi 명 〈文〉 수레가 울리는 소리.
〔车帘子〕 chēliánzi 명 인력거 앞에 치는 비막이로 드리운 것.
〔车梁木〕 chēliángmù 명 ⇨〔毛máo栋〕
〔车辆〕 chēliàng 명 차량.
〔车辆底架〕 chēliàng dǐjià 명 차대. 차체를 받치는 대.
〔车裂〕 chēliè 명 옛날, 다섯 대의 수레에 죄인의 사지를 묶어 놓고 말에 채찍질하여 사람을 찢어 죽이던 형벌. 차열형. =〔车磔〕
〔车铃〕 chēlíng 명 (자전거의) 종.
〔车轮〕 chēlún 명 수레바퀴. ¶～战 =〔轮番战〕; ⓐ여러 사람이 번갈아 가며 한 사람을 공격하는 일. ⓑ《軍》 파상 공격. ⓒ승자 진출전. 토너먼트 / ～会; 서로 차례차례 초대하는 모임 / ～胎; 타이어 / ～茶; 《植》 질경이 / ～子话; 에둘러 하는 말.
〔车螺纹刀〕 chēluówéndāo 명 나선을 박는 절삭구. =〔〈南方〉车牙刀〕〔〈北方〉挑tiǎo扣刀〕
〔车马费〕 chēmǎfèi 명 거마비. 교통비.
〔车马坑〕 chēmǎkēng 명 (고고학에서) 부장품(副葬品)으로, 말 · 전차(戰車)를 파묻은 구멍.
〔车马人儿〕 chēmǎrénr 〈比〉 거마나 종 등을 부리며 생활이 호화로운 것. ¶不要看他现在穷得讨饭, 从前也是～很阔过一阵呢; 그는 지금에야 밥을 구걸할 만큼 가난하지만 전에는 거마다 종이다 하며 한때 호사를 누렸지요.
〔车马盈门〕 chē mǎ yíng mén 〈成〉 문전에 거마가 가득 차다. 많은 손님이 잇따라 찾아와 문전성시를 이루다.
〔车马之喧〕 chē mǎ zhī xuān 〈成〉 손님 출입이 많은 모양.
〔车门〕 chēmén 명 ①거마의 출입을 위해 설치된 문. ②(차 따위의) 문. 차의 승강구.
〔车牌〕 chēpái 명 자동차 면허증. =〔车照〕
〔车盘会〕 chēpánhuì 명 ⇨〔车轱辘会〕
〔车襻儿〕 chēpànr 명 ①수레를 끄는 밧줄. ②손으로 미는 1륜차의 수레채에 맨 끈《이를 목에 걸어 양손에 미치는 무게를 어깨로 받으며, 동시에 수레의 안정을 꾀함》.
〔车棚〕 chēpéng 명 ①⇨〔车库〕 ②자전거를 두는 곳.
〔车篷子〕 chēpéngzi 명 차의 포장〔덮개〕.
〔车皮〕 chēpí 명 ①(자전거 · 자동차 · 전차의) 차체. ②(화물을 싣지 않은) 화차. ¶运输一万吨货物要多少辆～呢? 만 톤의 화물을 수송하려면 몇 대의 화차가 필요한가?
〔车片鱼〕 chēpiānyú 명 《魚》 병어.
〔车票〕 chēpiào 명 승차권. →〔月台票〕
〔车骑〕 chēqí 명 ①〈文〉 기마 무사. 기병. ②한대(漢代)의 장군의 칭호.
〔车前〕 chēqián 명 《植》 질경이. =〔车前草〕

〔车前子〕 chēqiánzǐ 명 질경이의 씨《이뇨제로 쓰임》.
〔车钱〕 chēqian 명 ①찻삯. ②약초(藥草) 이름.
〔车磲〕 chēqú 명 ⇨〔砗磲〕
〔车褥子〕 chērùzi 명 차의 시트 커버.
〔车上交(货)〕 chēshàng jiāo(huò) 명 ⇨〔货车交(货)〕
〔车身〕 chēshēn 명 차체(車體).
〔车身〕 chē,shēn 동 몸을 돌리다. ¶没等我说完, 她～就走了; 내가 말을 채 끝내기도 전에 그녀는 돌아서서 가 버렸다.
〔车守〕 chēshǒu 명 옛날, 열차의 경비를 맡는 이동 경비원.
〔车水〕 chē,shuǐ 동 디딜 물레방아로 물을 퍼 올리다〔퍼 올려 논에 물을 주다〕.
〔车水马龙〕 chē shuǐ mǎ lóng 〈成〉 거마의 왕래가 빈번한 모양. 교통이 빈번한 모양. ¶门前～; 문 앞에 거마의 왕래가 빈번하다. =〔马龙车水〕
〔车速〕 chēsù 명 차의 속도. ¶～过快; 과속.
〔车速里程表〕 chēsù lǐchéngbiǎo 명 자동차의 속도계.
〔车锁〕 chēsuǒ 명 차의 자물쇠.
〔车胎〕 chētāi 명 차의 타이어. ¶给～打气; 타이어에 공기를 넣다 / ～汽门; 타이어 밸브. =〔轮胎〕〔外胎〕→〔内胎〕
〔车毯〕 chētǎn 명 (자동차 · 인력거 등에) 치는 담요. 또는 까는 담요.
〔车糖〕 chētáng 명 정제당(精製糖). =〔车白糖〕
〔车提〕 chētí 명 차떼기.
〔车钿〕 chētián 명 ⇨〔车费〕
〔车条〕 chētiáo 명 자전거의 바퀴살. =〔辐fú条〕
〔车僮〕 chētóng 명 옛날, 열차 안에서 승객 시중을 보던 급사. →〔列liè车员〕
〔车头〕 chētóu 명 ①차의 앞부분. ¶～灯; 헤드라이트. ②기관차. ③주축(主軸)에 부착된 부분. ④〈南方〉 기계의 운전 속도. ¶快～的引擎; 빠른 속도의 엔진.
〔车头表〕 chētóubiǎo 명 ⇨〔转zhuàn数表〕
〔车腿〕 chētuǐ 명 옛날, 차의 뒷부분 좌우 밑으로 불거져 나온 다리.
〔车围(子)〕 chēwéi(zi) 명 겨울철에 차 둘레를 씌워 놓는 포장. =〔车帷〕
〔车尾〕 chēwěi 명 ①⇨〔顶dǐng针座〕 ②⇨〔车尾(儿)〕
〔车尾(儿)〕 chēwěi(r) 명 차의 후부《'大dà车' '轿jiào车' 따위》. =〔车尾〕
〔车辖〕 chēxiá 명 수레바퀴가 빠지지 않도록 굴대 머리 구멍에 끼우는 비녀장. =〔轴zhóu辖〕
〔车下李〕 chēxiàlǐ 명《植》 산앵두나무.
〔车厢〕 chēxiāng 명 ①객차. 차의 몸체《사람·물건을 싣는 부분》. ¶行李～; 수화물차 / 软席～; 1등 객차 / 硬席～; 2등 객차 / 卧铺～; 침대차. =〔车箱儿①〕 ②차량. ¶三号～; 3호차. ③(자동차의) 짐받이.
〔车箱儿〕 chēxiāngr 명 ①⇨〔车厢①〕 ②인력거 좌석 아래의 물건을 넣어 두는 곳.
〔车削〕 chēxiāo 명동 선반 마무리(를 하다). =〔车制〕
〔车薪杯水〕 chē xīn bēi shuǐ 〈成〉 한 수레의 장작이 타는 것을 한 잔의 물로 끄려 든다《어림도 없는 일. 언 발에 오줌 누기》.
〔车行道〕 chēxíngdào 명 차도.
〔车钥匙〕 chēyàoshi 명 차 열쇠. 자동차 키.
〔车萤孙雪〕 chē yíng sūn xuě 〈成〉 진(晉)나라의 차윤(車胤)이 반딧불을 모아 책을 읽고, 손강(孫康)이 눈 쌓인 빛으로 책을 읽은 일. 형설의 공을 쌓음. 고학함.
〔车用汽油〕 chēyòng qìyóu 명 자동차용 휘발유.
〔车油〕 chēyóu 명 ⇨〔机jī器油〕
〔车辕(子)〕 chēyuán(zi) 명 수레의 긴 끌채.
〔车运〕 chēyùn 명동 차량으로 운반하다. 육상 수송(하다). →〔轮lún运〕
〔车仔〕 chēzǎi 명 〈廣〉 인력거. ¶～佬lǎo; 인력거꾼.
〔车载斗量〕 chē zài dǒu liáng 〈成〉 차로 싣고 말로 될 정도다. 물건이 대단히 많은 모양. ¶聡明特达者八九十人, 如臣之比, ～, 不可胜数 shèngshǔ《三國志 吳書》; 총명하고 특히 뛰어난 자가 8,90명은 있고, 저 같은 자라면 수레에 싣고 되로 될 만큼 흔하여 도저히 헤아릴 수 없을 지경입니다.
〔车闸〕 chēzhá 명 (차량의) 브레이크.
〔车站〕 chēzhàn 명 역. 정거장. 정류장. ¶火～; 역 / 电～; 전동차 역 / 公共汽～; 버스 정류장 / ～交货价格; 정거장 인도 가격.
〔车站交(货)〕 chēzhànjiāo(huò) 명《商》 역인도(驛引渡). =〔火huǒ车站交(货)〕
〔车站码头〕 chēzhàn mǎtou 명 정거장의 화물선용 적화장.
〔车长〕 chēzhǎng 명 열차장(列車長).
〔车帐子〕 chēzhàngzi 명 마차의 차일. 수레의 포장. =〔车盖〕
〔车照〕 chēzhào 명 ①운전 면허증. ②차의 감찰(鑑札). 차량증.
〔车磔〕 chēzhé 명 ⇨〔车裂liè〕
〔车辙(儿)〕 chēzhé(r) 명 ①수레 자국. 수레 지나간 자리. ②〈方〉 차도. 큰길. ¶那孩子整天在～里滚; 저 아이는 하루 종일 큰길에서 놀고 있다.
〔车针〕 chēzhēn 명 재봉틀 바늘.
〔车制〕 chēzhì 명동 ⇨〔车削〕
〔车舟费〕 chēzhōufèi 명 ⇨〔车船费〕
〔车轴(儿)〕 chēzhóu(r) 명《機》 차축. 굴대. 회전축. ¶车轴眼儿; 비녀장 구멍《바퀴에서 빠지지 않도록 멈춤쇠를 끼우기 위한 굴대의 구멍》 / 车轴车床; 굴대 선반.
〔车轴草〕 chēzhóucǎo 명《植》 달구지풀. 도깨비부채.
〔车主〕 chēzhǔ 명 차주. 수레 주인.
〔车转〕 chēzhuǎn 동 〈方〉 몸을 돌리다. ¶他～身来笑了; 그는 몸을 돌리면서 웃었다.
〔车资〕 chēzī 명 찻삯. 승차비.
〔车子〕 chēzi 명 ①차《대부분 소형차를 가리킴》. ②〈方〉 자전거.
〔车走头辆〕 chē zǒu tóu liàng 용기가 있어 선두를 차지하다.
〔车租〕 chēzū 명 인력거 임대료. 차대(車貸).
〔车嘴〕 chēzuǐ 명 수레 앞쪽에 이어져 나온 채의 끝 쪽.
〔车座〕 chēzuò 명 (자전거의) 안장. 차의 좌석. →〔座子③〕
〔车座儿〕 chēzuòr 명 (인력거 · 손님 태우는 자전거 · 택시 등의) 승객. ¶一个～都没有; 한 사람의 승객도 없다. =〔车垫子②〕 →〔乘chéng客〕

俥(俥) chē (거)

→〔大dà车②〕

哶(哶)
chē (차)
→〔哶嗻〕

〔哶嗻〕 chēzhē 명 매우 여위어 있음. 형 몹시 심하다. ¶瘦得很～; 몹시 여위다.

砗(硨)
chē (차,거)
→〔砗磲〕

〔砗磲〕 chēqú 명《貝》거거(車渠)《큰 조개 · 조가비를 갈아 장식에 씀》. =〔车磲〕

尺
chě (척)
명《樂》옛날 중국 음악 음계의 하나《'简谱'에서 2에 해당됨》. →〔工尺〕⇒chǐ

扯〈撦〉
chě (차)
동 ①당기다. 끌다. 잡아당기다. ¶～旗qí; (끈을 잡아당겨) 기를 올리다/把帐子～开; 모기장을 끌어 올리다/他把我也～上了; 그는 나까지 끌어 넣었다/～着脖bó子;〈方〉큰 소리로 (외치다). ②찢다. 째다. 뜯다. 떼다. ¶他把信～了; 그는 편지를 찢었다/把墙上的旧广告～下来; 담벽 위의 낡은 광고를 뜯어 내다/～下一张日历; 일력을 한 장 떼내다. ③찢어지다. 째지다. ④〈轉〉천을 끊다. 천을 사다. ¶～两件衣裳料子; 옷감을 두 벌분 사다. ⑤잡담하다. 한담하다. 입에서 나오는 대로 지껄이다. ¶闲～; 한담하다/胡～; 엉터리로 말하다/～了好些废话; 꽤 쓸데없는 소리를 지껄였다/东拉西～;〈成〉대중없는 말을 장황하게 늘어놓다. ⑥옮기다 ⑦가까스로 (이만큼 크게) 키워 놓다.

〔扯白〕 chě‧bái 동〈方〉거짓말하다.

〔扯(着)脖子〕 chě(zhe) bózi 언성을 높이다. 새된 목소리를 지르다. ¶～叫他回家吃饭; 그에게 집에 와서 밥을 먹으라고 소리를 질러 부르다.

〔扯簸箕〕 chěbòji 동 여인이 고자질하며 돌아다니다.

〔扯布〕 chě‧bù 동 ①천을 찢다. ②포목을 사다. ¶给我～来吧! 내게 천을 사 갖고 오너라. ③포목을 팔다.

〔扯不动〕 chěbudòng ①잡아당겨도 움직이지 않다. 움직일 수 없다. ②찢을 수 없다. ¶这块布很结实扯都～; 이 천은 아주 질겨서 찢을래야 찢을 수 없다.

〔扯长儿〕 chěchángr 동 길게 늘이다. 잡아당기다. ¶这件事咱们～看, 倒看看谁行谁不行; 이 일은 누가 옳은지 누가 그른지를 긴 안목으로 보자.

〔扯大炮〕 chě‧dàpào 동〈廣〉허풍을 떨다.

〔扯淡〕 chě‧dàn 동〈方〉쓸데없는 말을 하다. 엉터리 말을 하다. 허튼 소리를 지껄이다. ¶扯乱淡! 멋대로 지껄이네!/你不用～了, 说正经的吧! 되는 대로 지껄이지 말고 바른 대로 말해라!/什么上级下级, ～!《李英儒 野火春風鬪古城》; 상급이니 하급이니 무슨 허튼 소릴 하고 있는 거야! →〔胡hú说〕

〔扯蛋〕 chě‧dàn 동 엉터리 말을 하다. (chědàn) 명〈罵〉바보. 얼간이.

〔扯倒〕 chědǎo 동 그만두다. 취소하다. ¶倘tǎng不愿意就～罢休; 만일 싫거든 그만두어라.

〔扯帆〕 chě‧fān 동 돛을 달다.

〔扯高〕 chěgāo 동 인상(引上)하다.

〔扯根菜〕 chěgēncài 명《植》낙지다리.

〔扯购〕 chěgòu 동 ⇨〔抢qiǎng购〕

〔扯轱辘圆〕 chěgūluyuán 명 어린이 놀이의 일종으로, 여럿이 손을 잡고 원을 지어 소리를 맞추어 '扯轱辘圆'을 부르면서 빙빙 돎. =〔车chē轱辘圆〕

〔扯挂〕 chěguà 동 (기 따위를) 끈으로 끌어 올려 걸다. ¶把旗子～到旗杆上去; 깃발을 깃대 위에 끌어 올려 걸다.

〔扯后腿〕 chě hòutuǐ ⇨〔拖tuō后腿〕

〔扯坏〕 chěhuài 동 ①찢어서 망가뜨리다. 찢다. ¶～新书; 새책을 찢다. ②(chěhuài) 욕을 하다. ¶你别在老板面前～; 주인 앞에서 욕을 하지 마라. ③못된 짓을 하다.

〔扯谎〕 chě‧huǎng 동 거짓말하다. =〔说谎〕

〔扯毁〕 chěhuǐ 동 찢뜨리다. 잡아당겨 망가뜨리다. ¶快放手, 看把新衣服都～了; 빨리 손을 놓아라, 새 옷을 다 찢겠다.

〔扯活〕 chěhuó 동 도주하다. 달아나다.

〔扯鸡巴蛋〕 chějībadàn 동 입에서 나오는 대로 지껄이다. ¶～! 무슨 소리 하는 거야. 씨부렁대지 마라! 명〈罵〉상머저리. 얼간이.

〔扯家常〕 chě jiācháng 세상 이야기를 하다. 잡담하다.

〔扯架子〕 chě jiàzi ⇨〔摆bǎi架子〕

〔扯开〕 chěkāi 동 ①끌어올리다. 잡아당겨 갈라 놓다. ②되게 지껄여 대다. ¶我们跟他～了; 우리는 그와 크게 지껄여 댔다.

〔扯开嗓子〕 chěkāi sǎngzi 큰 소리로 외치다. 큰 소리로 부르다.

〔扯客观〕 chě kèguān 억지로 객관적인 태도를 취하다.

〔扯空〕 chěkōng 동 ⇨〔撒sā谎〕

〔扯拉〕 chělā 동 ①잡아당기다. ②견제(牽制)하다. ③연관시키다.

〔扯力〕 chělì 명 구매력. 매기(買氣). ¶基于外客大手～依然强旺, 卷烟纸走势续告稳步上扬; 밖으로부터의 큰손들의 매기가 여전히 강성하므로 궐련용지의 시세 동향은 계속 온건한 상승세를 보이고 있다.

〔扯铃〕 chělíng 명 완구의 일종. 지름이 3～5cm의 바둑알 꼴로 양철이나 플라스틱으로 만든 것으로 구멍이 둘 있어 거기에 실을 꿰어 양쪽으로 당겨, 탄력 주며 잡아당기면 윙윙 소리가 남. =〔拉lā哨儿〕

〔扯乱弹〕 chě luàndàn 입에서 나오는 대로 지껄이다. 무책임하게 말을 퍼뜨리다.

〔扯落〕 chěluo 동 괘념하다. 마음을 써서 보살펴 주다. ¶自有那心爱的人儿～着你哩; 물론 너의 그 사랑하는 이가 보살펴 주지. 명 복잡한 관계. ¶那个女人结婚以前～很多呢; 저 여인은 결혼 전에 복잡한 관계가 많았었어요.

〔扯篷〕 chěpéng 동 닻을 바로 끌어올리다. 돛을 달다. 돛을 치다.

〔扯篷船〕 chěpéngchuán 명 돛단배.

〔扯篷拉纤〕 chě péng lā qiàn〈成〉중간에 끼여들어 주선을 하다. 중개하다.

〔扯皮〕 chě‧pí 동 ①서로 으르렁대다. 말다툼하다. ¶科室、车间之间的～现象大大减少了; 각 과의 사무실과 현장 사이에서 서로 으르렁대던 현상은 크게 감소되었다. ②쓸데없는 말을 지껄이다. ¶好了, 我们不要～了, 还是谈正题吧! 좋아, 이젠 잡담은 그만하고 계속 본제(本題)를 얘기하자!/扯了几句皮; 잠시 쓸데없는 말을 지껄였다.

〔扯皮拉纤〕 chě pí lā qiàn〈成〉중재(仲裁)하다.

〔扯皮弄筋〕 chě pí nòng jīn〈成〉남의 흠을 찾다. 이것저것 트집을 잡다. ¶他这个人真难缠, 无论什么事都要～的; 저 사람은 참으로 다루기가

힘들다. 무엇이든지간에 심술궂은 짓만 하니까 말이야.
〔扯屁〕 chě.pì 동 쓸데없는 말을 지껄이다. ¶他那话真有点儿～; 그의 말은 정말 좀 시시하다.
〔扯票(儿)〕 chěpiào(r) 동 ⇨〔撕sī票〕
〔扯旗〕 chě.qí 동 기를 밧줄로 끌어올리다. 기를 올리다. ¶～上去; 기를 올리다 / ～下来; 기를 내리다.
〔扯嗓子〕 chě sǎngzi 소리를 지르다.
〔扯臊〕 chěsào 동 ①엉터리없는 소리를 하다. 수치스러운 말을 하다. ¶他这话不是～吗; 그가 하는 말은 부끄러움도 모르는 소리가 아니냐. →〔白bái扯臊〕 ②쓸데없는 소리를 지껄이다. ¶别在这儿瞎～了, 干活儿去吧! 여기에서 함부로 허튼 소리 하지 말고 일하러 가기나 해요.
〔扯舌头〕 chě.shétou 동 고자질하다. ¶扯老婆舌头; 마누라가 고자질하고 다닌다.
〔扯手〕 chěshǒu 동 손을 힘껏 잡아당기다.
〔扯手〕 chěshou 명 ①〈方〉 고삐. ②(전차 등의) 가죽 손잡이.
〔扯碎〕 chěsuì 동 찢어 발기다. 갈가리 찢다. ¶他气得很, 把整本书都～了; 그는 몹시 화가 나서 책을 마구 찢어 버렸다.
〔扯谈〕 chětán 동 허튼 소리를 하다. 쓸데 없는 이야기를 하다. =〔胡说húshuō〕
〔扯腿〕 chětuǐ 동 ①휑하니 걷기 시작하다. ¶～就跑; 잽싸게 도망쳐 가다. ②다리를 잡아당기다. ¶扯后腿=〔拖tuō后腿〕;〈轉〉 제약하다.
〔扯下〕 chěxià 동 끌어내리다. ¶巴拿马群众～美国使馆星条旗; 파나마 대중은 미국 대사관의 성조기를 끌어내렸다.
〔扯闲盘儿〕 chě xiánpánr 심심풀이로 잡담을 하다.
〔扯闲篇〕 chě xiánpiān 쓸데없는 말을 지껄이다. ¶谁有工夫跟你～? 누가 너하고 잡담할 틈이 있겠느냐?
〔扯销〕 chěxiāo 명 판로. ¶由于东南亚地区的～突告抬头, 买卖复显爽活; 동남아시아 지구의 판로가 갑자기 높아져, 장사는 다시 활기를 띠었다.
〔扯着耳朵腮颊动〕 chězhe ěrduo sāijiá dòng 〈諺〉 귀를 잡아당기면 볼이 움직인다《관계가 밀접하다. 바늘 가는 데 실 간다》.
〔扯住〕 chězhù 동 만류하다. 말리다. ¶昨天叫事情给～了, 所以没能来; 어제는 일이 있어서〔일에 붙잡혀〕 오지 못했다.
〔扯拽〕 chězhuài 동 잡아 끌다. ¶我本来不想去, 经不住他们～只好跟去看看; 나는 본래 가고 싶지 않았지만, 그들에게 끌려 거절하지 못하고 할 수 없이 보러 갔습니다.
〔扯嘴巴〕 chě.zuǐba 동 따귀를 후려 갈기다.

彻(徹) chè (철)

①동 꿰뚫다. 관통하다. ¶贯～; 관철하다 / 冷风～骨; 찬바람이 뼛속에 스미다 / 响xiǎng～云霄; 울림이 하늘에까지 닿다. ②형 통달하다. 정통하다. 명백하다. ③동 벗겨 내다. 제거하다. ④동 부수다. 무너뜨리다.
〔彻查〕 chèchá 동 철저히 조사하다.
〔彻底〕 chèdǐ 동부 철저하다〔히〕. ¶他的抵抗很～; 그의 저항은 매우 철저하다 / 事情办得不～; 일처리가 철저하지 못하다 / ～清查 =〔～澄chéng清〕; 철저히 조사하다 / ～根究; 철저히 추구하다. (chè.dǐ) 동 철저히 하다.
〔彻骨〕 chègǔ 동 뼈에 스미다. 골수에 사무치다. ¶清寒～; 추위가 뼛속까지 스며들다.
〔彻骨贫〕 chè gǔ pín 극빈(極貧). 몹시 가난하다.
〔彻骨儿〕 chègǔr 동 ①뼈에 스미다. ②매우 깊다. ¶～相思; 깊이 연모(戀慕)하다.
〔彻求〕 chèqiú 동 철저하게 연구 검토하다.
〔彻上彻下〕 chè shàng chè xià 〈成〉 시종일관하다.
〔彻头彻尾〕 chè tóu chè wěi 〈成〉 ①처음부터 끝까지. ¶这件事的成功是～靠了群众的支持; 이 일의 성공은 처음부터 끝까지 대중의 지지에 의한 것이다. =〔从cóng头到尾〕 ②철저히. ¶～的骗局; 철두철미한 사기.
〔彻悟〕 chèwù 동 〈文〉 도를 깊이 깨닫다.
〔彻宵〕 chèxiāo 명동 〈文〉 밤샘(을 하다). ¶～达dá旦; 밤을 새어 아침이 되다. =〔彻夜〕
〔彻夜〕 chèyè 명동 ⇨〔彻宵〕

坼 chè (탁)

①동 쪼개지다. ¶～裂; 쪼개지다 / 天寒地～; 땅이 쪼개질 듯이 춥다. ②명 갈라진 금〔틈〕. 째진 틈. ¶卜人占zhān～; 점술사가 갈라진 금으로 점치다. ③동 열리다. 나뉘다.
〔坼兆〕 chèzhào 명 옛날에, 거북의 등딱지를 태워 그 갈라진 금으로 길흉을 점쳤는데, 그 귀갑(龜甲)의 갈라진 틈을 이름.

掣 chè (체, 철)

동 ①끌다. 끌어당기다. 견제하다. ¶牵～; 견제하다 / 他老是～我的肘zhǒu; 그는 언제나 나에게 간섭한다. ②뽑다. 빼다. ¶～签qiān; 제비를 뽑다 / 他赶紧～回脚走了; 그는 서둘러 발을 빼고는 떠났다. ③번쩍하고 지나가다. ¶风驰chí电～; 〈比〉 번개같이 빠르다. 전광석화처럼 빠르다.
〔掣电〕 chèdiàn 명 전광(電光)의 번뜩임《시간의 매우 짧음을 이르는 말》. ¶～似地过去了; 전광처럼 지나가 버렸다.
〔掣动〕 chèdòng 동 동요하다. 교란(攪亂)하다.
〔掣后腿〕 chè hòutuǐ 발을 잡아당기다《뒤에서 견제하다》. =〔拖tuō(后)腿〕
〔掣回〕 chèhuí 동 되찾다. 철회하다. ¶～申请书; 신청서를 취하하다.
〔掣签〕 chè qiān 제비를 뽑다.
〔掣肘〕 chè.zhǒu 동 남의 행동을 방해하다. 견제하다. 누르다. ¶在行动上受到～; 행동상에 제약을 받다 / 他老是掣我的肘; 그는 늘 나를 견제한다.

澈 chè (철)

①형 물이 맑다. ¶澄chéng～ =〔透tòu～〕; 물이 맑다 / 清～可鉴; 맑아서 거울처럼 비추다. ②형 철저하다. ③동 깨닫다.

撤 chè (철)

동 ①제거하다. 치우다. 없애다. ¶我们吃完了, 你把家伙～下去吧! 우리 다 먹었으니 그릇을 치워라! / 天暖了, 火炉可以～了; 날씨가 따뜻해졌으니 난로는 치워도 좋다. ②철수하다. 물러나다. 철회하다. ¶～本; ⇩ / ～退; ⇩ / 向后～; 후퇴하다 / ～回提案; 제안을 철회하다. ③벗겨 떼다. 면직되다. ④후무리다. ⑤줄이다. 경감하다. ⑥치다. 때리다. =〔打〕 ⑦〈方〉 (맛·분량 따위를) 감하다. 경감하다. 줄이다. ¶～味儿; 맛을 싱겁게 하다 / 放点儿醋～～咸xián; 초를 조금 쳐서 짠맛을 묽게 하다.
〔撤保〕 chèbǎo 동 〈文〉 보증을 철회하다. 보증 책임의 계속을 거부하다. =〔退tuì保〕

〔撤本〕 chèběn 통 자본금을 철회하다〔되찾다〕.
〔撤兵〕 chè,bīng 통 군대를 철수시키다. 철병하다.
〔撤差〕 chè,chāi 통 면직하다.
〔撤惩〕 chèchéng 명통 〈文〉 징계 면직(하다).
〔撤出〕 chèchū 통 철퇴하다.
〔撤除〕 chèchú 통 ①면직하다. ②제거하다. 철거하다. ¶～军事设施; 군사 시설을 철거하다.
〔撤佃〕 chè,diàn 통 (옛날, 지주가 억지로) 소작지를 빼앗다.
〔撤调〕 chèdiào 통 전임(轉任)시키다.
〔撤防〕 chè,fáng 통 방비를 철거하다. 군대를 철퇴시키다.
〔撤废〕 chèfèi 통 철폐하다.
〔撤换〕 chèhuàn 통 ①경질(更迭)하다. 바꾸다. ¶～了一批平庸无能, 力不胜任的官吏; 범용하고 능력이 없어, 그 임무에 견딜 수 없는 관리를 경질했다. ②철회하다. 취하하다.
〔撤回〕 chèhuí 통 ①철회하다. 철퇴하다. 회복하다. ¶～提案; 제안을 철회하다. ②불러들이다. 소환하다.
〔撤毁〕 chèhuǐ 통 제거하다. 헐어 버리다.
〔撤火〕 chèhuǒ 통 화로의 불을 제거하다. 난로를 치우다. ¶天气渐暖, 该～了; 날씨가 점점 따스해지니 난로를 치워야겠다.
〔撤军〕 chè,jūn 통 철군하다.
〔撤空〕 chèkōng 통 깨끗이 철퇴하다. 철거하여 비우다.
〔撤离〕 chèlí 통 철수하다. 철퇴하다.
〔撤侨〕 chèqiáo 통 〈文〉 재외 거류민 철수를 하다.
〔撤任〕 chè,rèn 명통 해임(하다).
〔撤水拿鱼〕 chè shuǐ ná yú 물을 없애고 물고기를 잡다(매우 쉬움).
〔撤腿(儿)〕 chè,tuǐ(r) 통 〈比〉 중지하다. 도중에서 그만두다. ¶～就跑; 홱 도망치다.
〔撤退〕 chètuì 통〔軍〕 (진지 혹은 거점을 버리고) 철수하다. 철퇴하다. ¶安全～; 안전히 철수하다.
〔撤脱〕 chètuō 통 빠지다. 도망치다. 그만두다. ¶不想他到要紧时候竟～了; 그가 중요한 때에 빠지리라고는 생각지도 못했다.
〔撤委〕 chèwěi 통 위임을 해제하다.
〔撤席〕 chè,xí 통 식탁을 치우다.
〔撤下〕 chèxià 통 제거하다. 취하(取下)하다.
〔撤销〕 chèxiāo 통 (법령 따위를) 폐지하다. (판결 등을) 무효로 하다. (계약 등을) 취소하다. 철회하다. ¶～处分; 처분을 철회하다 / ～同宪法相抵触的决议; 헌법에 저촉되는 결의를 취소하다 / ～他党内外一切职务; 그의 당 내외에서의 모든 직무를 해임하다. =〔撤消〕
〔撤乐减膳〕 chèyuè jiǎnshàn 낭비를 없애고 사치를 줄이다(마음을 다잡다).
〔撤职〕 chè,zhí 통 면직하다. ¶撤了他的职; 그를 면직시켰다.
〔撤走〕 chèzǒu 통 철거하다. 철수하다. 철퇴시키다. 철수시키다. ¶～基地; 기지를 철거하다.

CHEN ㄔㄣ

抻〈捵〉 chēn (신)〈전〉
통 ①(손으로) 잡아늘이다. ¶越～越长; 잡아당기면 당길수록 길어지다. →〔抻面〕 ②잡아당기다. ¶把衣服～～! 옷을 팽팽하게 잡아당겨라! =〔扯chě①〕 ③시간을 끌다. ④서서히 움직이다. ⑤튀기다.
〔抻劲儿〕 chēnjìnr 명 뻗어 나가는 힘. 오래 계속되는 힘. 내구력(耐久力).
〔抻练〕 chēnlian 통 〈俗〉 (곤란한 문제로 남을) 괴롭히다. 들볶다. ¶这不是故意～人吗? 이것은 일부러 사람을 골탕먹이는 게 아닌가? / 说点儿难懂的话～～他到底怎么样; 좀 알아듣기 어려운 말로 괴롭혀서 그가 어떻게 하는지 보자.
〔抻面〕 chēn,miàn 통 밀가루 반죽을 손으로 늘이다. (chēnmiàn) 명 손으로 친 국수. 수타(手打) 국수. =〔把bǎ儿条〕 ‖ =〔〈方〉 拉lā面〕
〔抻条儿〕 chēntiáor 명 국수 가락. 면발.

郴 Chēn (침)
명 〔地〕 천 현(郴縣)(후난 성(湖南省)에 있는 현 이름).

綝(綝) chēn (침)
①통 멈추다. ②형 좋다. ⇒lín

琛 chēn (침)
명 보물(인명자(人名字)로 씀).

嗔 chēn (진)
통 ①골내다. 화내다. ¶～他来晚了; 그가 지각한 것을 화냈다. =〔生嗔〕〔嗔怒〕 ②(상대방의 행동에) 불만을 품다. 비난하다. 꾸짖다. ¶他～着我说话声音大; 그는 내 말소리가 크다고 불만을 품고 있다.
〔嗔忿忿(的)〕 chēnfènfèn(de) 형 노기를 드러내어 화내는 모양.
〔嗔诟〕 chēngòu 통 〈文〉 화내어 꾸짖다.
〔嗔怪〕 chēnguài 통 비난하다. 책망하다. ¶我做事冒mào昧, 您别～我; 제가 불민한 탓이니, 책망하지 말아 주십시오.
〔嗔喝〕 chēnhè 통 골이 나서 고함치다.
〔嗔恚〕 chēnhuì 통 〈文〉 성내다. 노하다.
〔嗔脸〕 chēn,liǎn 통 〈文〉 뚱한 얼굴을 하다. 기분 나쁜 얼굴을 하다.
〔嗔骂〕 chēnmà 통 〈文〉 화나서 매도하다.
〔嗔目〕 chēnmù 통 눈을 부라리다.
〔嗔睨〕 chēnnì 통 〈文〉 화나서 곁눈으로 흘기다.
〔嗔怒〕 chēnnù 통 화를 내고 노려보다.
〔嗔拳不打笑脸〕 chēn quán bù dǎ xiào liǎn 〈諺〉 남에게 부드럽게 대하면 남에게서 나쁘게 대접받지 않는다(웃는 낯에 침 뱉으랴).
〔嗔色〕 chēnsè 명 〈文〉 화난 얼굴빛.
〔嗔视〕 chēnshì 통 〈文〉 화가 나서 노려보다.
〔嗔心〕 chēnxīn 통 울컥 치밀다. 불쾌하게 생각하다. ¶我是说他呢, 你～干什么! 나는 그 사람 말을 하는데 네가 무엇 때문에 화를 내는 거냐!
〔嗔责〕 chēnzé 통 〈文〉 화가 나서 책망하다.
〔嗔着〕 chēnzhe 통 책망하다. 시무룩해지다. 불만을 품다. ¶别～他多事! 그가 쓸데없는 짓을 한다고 해서 불만을 품지 마라!

瞋 chēn (진)
통 〈文〉 (화가 나서) 눈을 부릅뜨다. 눈을 부라리다. ¶～目而视; 골을 내어 눈을 부릅뜨고 보다.

尘(塵) chén (진)
명 ①티끌. 먼지. ¶灰huī ～; 먼지 / 不染纤xiān～; 조그마한 먼지조차 없다 / 吸～器; 청소기. ②불교 및 도교에서 현세를 이름. ¶红～; 이 세상. 속세. ③더럽.

④〈文〉 흔적. 자국. ⑤매우 작은 수(數). ¶～数; 무수.
〔尘埃〕 chén'āi 명 〈文〉 ①먼지. ②〈比〉 속세의 더러움.
〔尘埃传染〕 chén'āi chuánrǎn 명 《醫》 진애(塵埃) 감염(공기 속 먼지에 묻은 병원체로 인한 감염).
〔尘抱〕 chénbào 명 세속적인 생각. =〔尘襟〕
〔尘暴〕 chénbào 명 큰 모랫바람. 황진(黃塵).
〔尘表〕 chénbiǎo 명 ①〈文〉 더러워진 덧없는 세상 밖. 세속의 밖. ②세속에서 초월한 품격.
〔尘刹〕 chénchà 명 《佛》 진수(塵數)(한없는 수)의 세계. =〔尘尘刹土①〕
〔尘尘〕 chénchén 명 〈文〉 세세(世世). 형 부드러워지는 모양.
〔尘尘刹土〕 chénchén chàtǔ 명 ①⇨〔尘刹〕 ②《佛》 낱낱의 먼지 속에 모두 국토가 있음을 이름. =〔尘尘刹刹〕
〔尘凡〕 chénfán 명 이 세상. 속세간.
〔尘饭涂羹〕 chén fàn tú gēng 〈成〉 아이들이 소꿉장난에서 먼지를 밥이라 하고 흙을 국이라 함(실제로는 쓸모가 없는 것. 하찮은 것).
〔尘肺〕 chénfèi 명 《醫》 진폐(塵肺)(직업병의 하나. 먼지 가루를 장기간 흡입하여 발생하는 폐나 심장의 장애).
〔尘封〕 chénfēng 동 (오래 두어) 먼지가 잔뜩 끼다. 먼지투성이다. 먼지로 막히다.
〔尘垢〕 chéngòu 명 ①먼지. ②더러움. 불결함.
〔尘秽〕 chénhuì 명 〈文〉 더러움. 불결.
〔尘劫〕 chénjié 명 《佛》 영원한 세월.
〔尘芥〕 chénjiè 명 〈文〉 먼지. 진개.
〔尘芥虫〕 chénjièchóng 명 《蟲》 먼지벌레.
〔尘界〕 chénjiè 명 ①〈文〉 속세. =〔尘境〕 ②《佛》 색(色)·성(聲)·향(香)·미(味)·촉(觸)·법(法)의 여섯 가지 부정(不淨). =〔六liù尘〕
〔尘襟〕 chénjīn 명 ⇨〔尘抱〕
〔尘境〕 chénjìng 명 ⇨〔尘界①〕
〔尘卷风〕 chénjuǎnfēng 명 《氣》 선풍. 회오리바람.
〔尘劳〕 chénláo 명 《佛》 번뇌.
〔尘累〕 chénlěi 명 《佛》 세속의 번잡스러움.
〔尘露〕 chénlù 명 《佛》 먼지와 이슬(극히 미세한 것).
〔尘虑〕 chénlǜ 명 《佛》 뜬세상의 번거로운 생각. 더러워진 생각.
〔尘世〕 chénshì 명 속세. 뜬세상. =〔尘凡〕〔尘寰〕〔尘俗〕
〔尘事〕 chénshì 명 세속의 일.
〔尘俗〕 chénsú 명 ⇨〔尘世〕
〔尘土〕 chéntǔ 명 먼지. ¶～飞扬; 먼지가 일다 / ～满天; 먼지가 하늘에 가득하다.
〔尘外〕 chénwài 명 〈文〉 속세의 밖. →〔尘世〕
〔尘务〕 chénwù 명 〈文〉 세상적인 잡무.
〔尘嚣〕 chénxiāo 명 〈文〉 시끌시끌한 속세. 형 떠들썩하다. 시끌시끌하다.
〔尘仪〕 chényí 명 〈文〉 전별품(餞別品). →〔饯jiàn行〕
〔尘缘〕 chényuán 명 《佛》 속세의 인연.

臣 chén (신)
①(～子) 명 신하. ¶忠～; 충신 / 功～; 공신 / 大～; 대신. ②명 신하의 자칭. ③동 복종하다. ④동 관리가 되다.
〔臣服〕 chénfú 동 〈文〉 ①신하로서 군주를 섬기다. ②굴복하여 신으로 칭하다.
〔臣工〕 chéngōng 명 〈文〉 뭇 신하들과 모든 벼슬아치.
〔臣隶〕 chénlì 명 〈文〉 가신. 하인.
〔臣僚〕 chénliáo 명 〈文〉 관리. 공무원.
〔臣邻〕 chénlín 명 〈文〉 좌우에서 보필하는 신하.
〔臣门〕 chénmén 명 가신(家臣)의 집. ¶～如市; 〈成〉 문전 성시를 이루다.
〔臣民〕 chénmín 명 신민. 군주제 국가의 국민. →〔公gōng民〕
〔臣仆〕 chénpú 명 〈文〉 ①신(臣)과 하인(나라에 봉사하는 자를 '臣'이라 하고, 집에 봉사하는 자를 '仆'이라 함). ②노역에 종사하는 죄인.
〔臣妾〕 chénqiè 명 〈文〉 남종(臣)과 여비(妾).
〔臣事〕 chénshì 동 〈文〉 신하로서 섬기다.
〔臣庶〕 chénshù 명 〈文〉 신하.
〔臣下〕 chénxià 명 〈文〉 신하.
〔臣药〕 chényào 명 주약(主藥)을 도와 그 약효를 높이기 위한 약.
〔臣一主二〕 chén yī zhǔ èr 〈成〉 신하로서 섬기는 몸은 하나이나, 임금으로 받들 사람은 많다(어느 나라로 가거나 임금으로 섬길 사람을 찾는 것은 자유라는 뜻).
〔臣子〕 chénzǐ 명 신하. 신.

沉〈沈〉 chén (침)
①동 (물 속에) 가라앉다. 침몰하다. 잠기다. ¶船～了; 배가 침몰했다 / ～底儿; 바닥에 가라앉다 / 木头在水里不～; 나무는 물 속에 가라앉지 않는다 / 红日西～; 해가 서산에 지다 / 星～月落, 旭日xùrì东升; 별과 달이 지고 아침 해가 동쪽에서 솟아오르다. ↔〔浮fú〕 ②동 함몰하다. 침하(沈下)하다. ¶房基往下～; 가옥의 토대가 침하하다. ③형 (무게가) 무겁다. ¶这包袱～得拿不动; 이 보따리는 무거워서 들 수 없다 / 他偏心眼儿, 办事一头儿～; 그는 편견이 있어서, 일을 처리하는 데 한쪽으로 치우친다 / 这筐水果没多～; 이 광주리의 과일은 그리 무겁지 않다. ④동 누르다. 억제하다. 진정시키다. ¶～下脸来; 볼멘 얼굴을 하다. 시무룩한 얼굴을 하다 / ～下心去; 마음을 가라앉히다 / ～住了气; 마음을 진정시키다 / ～不住气; 치미는 분노를 참을 수 없다. ⑤동 연기하다. 지연하다. 기다리다. ¶～一～再办; 좀 기다렸다가 다시 하자. ⑥형 (정도가) 심하다. 깊다. ¶天气阴得这么～, 叫人闷死了; 날씨가 무척 흐려있으므로 찌무룩하여 견딜 수 없다 / 睡得很～; 푹 잤다. ⑦형 (감각이) 무겁다. ¶胳膊～; 팔이 무겁다 / 头～; 머리가 무겁다. ⑧동 빠지다. 탐닉(耽溺)하다. ⑨형 성낸 얼굴을 하다. ⑩동 〈方〉 잠깐 쉬다. 잠깐 자다. ⑪동 주량(酒量)을 넘다. ⑫동 귀가 멀다. ⑬형 침울한. 음산한. ¶～天; 음산한 날씨. ⑭(～子) 명 낚싯봉. ⑮형 기분이 답답한. ⇒'沈' shěn
〔沉不住〕 chénbuzhù (불안·초조·동요·노염 등으로) 안절부절못하다. 마음을 가라앉힐 수 없다. =〔沉不住气〕↔〔沉得住〕
〔沉猜〕 chéncāi 동 의심이 많다. ¶此人～多诡诈; 이 사람은 의심이 많고 음험하다.
〔沉沉〕 chénchén 형 ①무거운 모양. 중압감이 있는 모양. ¶穗子～地垂下来; 이삭이 휘어지게 늘어지다. ②(정도가) 심한 모양. ¶暮气～; 활기가 없다. 점점 노쇠해지다. ③울창하게 우거진 모양. ④깊이 잠든 모양. ¶～入睡; 깊이 잠들다. ⑤심하게 취한 모양.
〔沉得住〕 chéndezhù 복받치는 감정을 억누를 수

있다.
〔沉甸甸(的)〕 chéndiàndiàn(de)〔〈口〉 chéndiāndiān(de)〕 형 묵직한 모양. ¶装了～的一口袋破铜烂铁; 구리나 쇠의 부스러기를 묵직한 자루에 채웠다 / 任务还没有完成, 心里老是～的; 임무를 아직 완수하지 못하여 마음은 늘 납처럼 무겁다.
〔沉淀〕 chéndiàn 명동 침전(하다). ¶～物; 침전물. 앙금 / 水太浑了, ～一下再用; 물이 몹시 흐리니 침전시켜서 쓰세요.
〔沉断〕 chénduàn 동 〈文〉 잘 생각해서 판단하다.
〔沉顿〕 chéndùn 동 〈文〉 돈좌(頓挫)하다. 좌절하다. 주저앉다.
〔沉伏〕 chénfú 형 막히어 통하지 않다. 명 ⇨〔沉脉〕 동 뜻을 이루지 못하다. 세상에 알려지지 않다.
〔沉凫〕 chénfú 명 《鳥》 물오리.
〔沉浮〕 chénfú 명 ①부침. 뜨고 가라앉음. ②〈比〉 영고 성쇠. 인생 무상.
〔沉搁〕 chéngē 동 오래도록 방치하다.
〔沉痼〕 chéngù 명 ①고질병. 숙병. 숙질. ②쉽게 고칠 수 없는 폐습.
〔沉酣〕 chénhān 동 ①〈文〉 술에 푹 취하다. ②〈轉〉 일에 심취하다. ¶～经史; 경서나 사서(史書) 연구〔학문〕에 심취하다.
〔沉厚〕 chénhòu 형 침착하여 중후한 모양.
〔沉积〕 chénjī 동 가라앉아 쌓이다. 침전하다. ¶泥沙～河底; 진흙과 모래가 강바닥에 퇴적하다.
〔沉积岩〕 chénjīyán 명 《地》 퇴적암. =〔水shuǐ成岩〕
〔沉寂〕 chénjì 형 ①잠잠하고 조용하다. ¶像深夜那么～; 마치 심야처럼 고요하다. ②묘연히 소식이 없다. =〔消息沉寂〕 동 감싸 감추다.
〔沉降〕 chénjiàng 동 침하하다. ¶地面～; 지반 침하.
〔沉降硫〕 chénjiàngliú 명 《化》 침강 유황(流黃).
〔沉降碳酸钙〕 chénjiàng tànsuāngài 명 《化》 침강 탄산 칼슘〔沈降炭酸石炭〕. =〔沉降白垩〕
〔沉浸〕 chénjìn 동 탐닉하다. =〔浸沉〕
〔沉井〕 chénjǐng 명 《建》 잠함(潛函). 케이슨(caisson). =〔口沉箱〕
〔沉静〕 chénjìng 형 ①침착하다. 차분하다. ¶他～好hào学, 前途很有希望; 그는 침착하고 배우기를 좋아해 전도가 매우 유망하다. ②고요하다. ¶夜深了, 四围～下来; 밤이 이슥하여 주위가 고요해졌다.
〔沉疴〕 chénkē 명 〈文〉 숙환. 오래 된 중한 지병.
〔沉李浮瓜〕 chén lǐ fú guā 〈成〉 ①참외나 자두를 물에 채워서 차게 하다. ②〈轉〉 여름에 여러 가지로 고안을 짜내어 납량을 취하는 일. ③〈轉〉 참외는 자두보다 모양은 크지만 물에는 뜬다. 즉, 물건의 상이함을 뜻함. ‖ =〔浮瓜沉李〕
〔沉虑〕 chénlǜ 동 〈文〉 깊이 생각하다.
〔沉沦〕 chénlún 동 ①가라앉다. 빠지다. ¶～没顶; 가라앉아 익사하다(타락해 버리다). ②영락하다. ¶真想不到几年没见他竟～到这个地步; 몇 년 동안 그를 만나지 못했지만, 이렇게까지 타락했으리라고는 정말 생각조차 못했다. ③냉대해서 인재를 썩이다.
〔沉脉〕 chénmài 명 《漢醫》 쉽게 짚어지지 않는 깊은 맥. =〔沉伏〕
〔沉闷〕 chénmèn 형 ①(날씨·분위기가) 무겁다. 후련치 않다. 찌무룩하다. ¶这样雨天很～; 이렇게 비가 오는 날은 찌무룩하다 / 开始, 会议的气氛比较～; 처음에는 회의 분위기가 비교적 무거웠다. ②(기분이) 침울하다. 울적하다. 우울하다. ¶心情～; 기분이 우울하다 / 我这两天～得很; 나는 이 2, 3일 동안 매우 울적하다. ③(성격이) 내성적이다. ¶他的性情～; 그의 성격은 내성적이다.
〔沉迷〕 chénmí 동 (흔히 '～于'·'～在'의 꼴로) …에 깊이 빠지다. 탐닉하다. 열중하다. ¶～在幻想里; 환상에 빠지다 / ～于喝酒; 술에 탐닉하다.
〔沉眠〕 chénmián 동 〈文〉 숙면하다.
〔沉绵〕 chénmián 형 〈文〉 병이 오래 끌다. 병이 악화되다.
〔沉湎〕 chénmiǎn 동 〈文〉 (주색 등에) 빠지다. (지나치게) 열중하다.
〔沉渺〕 chénmiǎo 〈文〉 사정이 뚜렷하지 않다. 소식 불명이다. 아무런 소식이 없다. ¶旋又～, 实属憾事; 그 후 곧 소식이 끊어진 것은 매우 유감스러운 일이다.
〔沉没〕 chénmò 동 ①침몰하다. 물에 가라앉다. ②묻혀서 나타나지 않다.
〔沉默〕 chénmò 형 말수가 적다. 말이 적다. 과묵하다. ¶～寡言; 과묵하다. 동 침묵하다. 말이 없다. ¶保持～; 침묵을 지키다 / 他～了一会儿又继续说下去; 그는 잠시 가만히 있더니 다시 말을 계속했다.
〔沉溺〕 chénnì 동 ①물에 빠지다. ②〈文〉 탐닉하다. 빠지다. ¶～于享乐; 향락에 빠지다 / ～于声色; 가무와 여색에 빠지다. 명 《漢醫》 습기 있는 병.
〔沉念〕 chénniàn 동 〈文〉 궁리하다. 깊이 생각하다.
〔沉气〕 chén.qì 동 (불안·동요·초조 등으로 인한) 마음을 가라앉히다. 침착해지다.
〔沉潜〕 chénqián 동 〈文〉 ①깊이 빠져 잠기다. ②〈轉〉 덕화의 향기가 깊이 미치다. ③마음을 가라앉히고 깊이 생각하다.
〔沉砂地〕 chénshādì 명 가는 모래땅.
〔沉水〕 chénshuǐ 명 ① ⇨〔沉香〕 ②《地》 천수이(沉水)(쓰촨 성(四川省) 서홍 현(射洪縣) 동남쪽으로 흐르는 강 이름).
〔沉水香〕 chénshuǐxiāng 명 ⇨〔沉香〕
〔沉水植物〕 chénshuǐ zhíwù 명 《植》 침수(沈水) 식물(말 종류 따위).
〔沉睡〕 chénshuì 동 푹 자다. 숙면하다.
〔沉思〕 chénsī 동 생각에 잠기다. 심사 숙고하다. ¶～细想; 〈成〉 깊이 생각하다.
〔沉邃〕 chénsuì 형 〈文〉 심원하다.
〔沉痛〕 chéntòng 형 ①비통하다. ¶我们～地悼念某某朋友; 우리는 모모 동지를 비통한 마음으로 추도했다. ②엄하다. 용서 없다. ¶～的教训; 엄한 교훈.
〔沉稳〕 chénwěn 형 ①침착하다. 신중하다. ¶这个人很～, 这件事交给他没有错; 그는 매우 신중하니까 이 일을 맡기면 틀림없다. ②평온하다. 편안하다. ¶这几天有点儿病, 睡得不～; 요즈음 몸이 좀 불편해서 편안하게 자지 못했다.
〔沉下脸〕 chénxià liǎn 얼굴을 수그리다. ¶老太太～不声不响; 할머니는 고개를 수그리고 아무 말도 않는다.
〔沉陷〕 chénxiàn 명동 침하(하다). ¶地基～; 지반 침하.
〔沉香〕 chénxiāng 명 《植》 침향(광둥(廣東) 성 등에 나는 향나무로 물보다 무거워 가라앉으므로 '沉水①' '沉水香' '水shuǐ沉'라고 함. 또, 물에 가라앉지 않는 것을 '速sù香'이라고 함). =〔恶è

揭噜〕〔蜜mì香①〕
〔沉箱〕 chénxiāng 명 《建》 케이슨(caisson). 잠함(潛函).
〔沉心〕 chénxīn 동 ①오해하고 좋지 않게 생각하다. ②심사숙고하다.
〔沉酗〕 chénxù 동 〈文〉 술에 탐닉하다.
〔沉压〕 chényā 동 〈文〉 세상에 묻히다. 매몰하다.
〔沉疑〕 chényí 동 〈文〉 의심하여 심려하다. 깊이 의심하다.
〔沉毅〕 chényì 형 침착하고 꿋꿋하다. ¶态度～, 动作敏捷; 태도가 침착하고 동작이 재빠르다.
〔沉阴〕 chényīn 형 〈文〉 찌무룩하게 흐려있음.
〔沉吟〕 chényín 동 ①깊이 생각하다. 숙고하다. ¶他～了一下说, "妈妈, 你忘了!" 그는 잘 생각해 보고 말했다, 어머니 잊어버렸어요! ②망설이다.
〔沉饮〕 chényǐn 동 〈文〉 통음하다.
〔沉勇〕 chényǒng 형 침착하고 용감하다. ¶为wéi人～有大略; 사람됨이 침착하고 큰 계략을 갖고 있다.
〔沉忧〕 chényōu 형 〈文〉 침울하다.
〔沉鱼落雁〕 chén yú luò yàn 〈成〉 미인(美人)의 형용.
〔沉郁〕 chényù 형 침울하다. 우울하다.
〔沉冤〕 chényuān 명 영구히 풀 수 없는 억울한 죄. ¶～莫mò白; 〈成〉 억울한 죄를 풀 수 없다.
〔沉远〕 chényuǎn 형 〈文〉 원대하다.
〔沉灶产蛙〕 chén zào chǎn wā 〈成〉 홍수(洪水)가 매우 심하다.
〔沉渣〕 chénzhā 명 괴어 있는 찌꺼기《남아 있는 부패한 사물》. ¶～浮沫; 가라앉은 찌꺼기와 떠 있는 거품《쓸데없는 것》.
〔沉滞〕 chénzhì 동 ①침체하여 (일이) 진척이 없다. ②오랜 동안 하위(下位)에 있다. 남에게 처져 있다.
〔沉重〕 chénzhòng 형 ①묵직하다. ②침착하다. ③무겁다. ¶～的负担; 무거운 부담. ④중대하다. 심각하다. 호되다. ¶～的损害; 막심한 손해／病势～; 병세가 심각하다.
〔沉重(儿)〕 chénzhòng(r) 명 〈方〉 무거운 책임. 부담. ¶这个～儿还得请你担起来; 이 중임(重任)은 역시 당신이 맡아야 되겠소.
〔沉舟侧畔千帆过, 病树前头万木春〕 chén zhōu cè pàn qiān fān guò, bìng shù qián tou wàn mù chūn 〈成〉 침몰한 배의 옆을 여러 척의 배가 지나가고, 고목(枯木) 앞에서는 여러 나무가 푸르름을 구가하고 있다《옛것은 사라지고, 새롭고 힘있는 것이 자꾸 생김》.
〔沉舟破釜〕 chén zhōu pò fǔ 〈成〉 배수(背水)의 진(陣)을 치다. =〔破釜沉舟〕
〔沉住〕 chénzhù 가라앉히다. 누르다. ¶～气; 마음을 가라앉히다.
〔沉着〕 chénzhuó 명형 (사람의 언동이) 침착(하다). 차분(하다). ¶无论事来得怎么仓促, 他都能～应yìng付, 真有修养; 일이 아무리 갑자기 닥쳐도 그는 모두 침착하게 대처해 나간다. 참으로 수양을 쌓았어／～脸; 침착한 얼굴을 하다. 형《醫》 (색소 따위가) 침착하다.
〔沉滓〕 chénzǐ 명 〈文〉 침전한 찌꺼기. 침전물.
〔沉子〕 chénzi 명 (낚시용) 봉.
〔沉醉〕 chénzuì 동 취하다. 심취하다. ¶～在节日的欢乐里; 축일(祝日)의 즐거움에 취하다／不应～于自己的成绩; 자기 성적에 도취되어서는 안 된다.

忱 **chén** (침)
①명 진실. ¶谢～; 감사하는 마음. 사의(謝意). ②명 실정. ¶下～; 당방(當方)의 실정. ③형 성실한. ¶～挚; 진지하다.
〔忱辞〕 chéncí 명 〈文〉 진심에서 우러나오는 말.

陈(陳) **chén** (진)
①동 늘어놓다. 진열하다. ②동 가지런히 놓다. ③동 진술하다. ¶详～; 상술하다／面～; 만나서 말씀드리다. ④형 오래 된. 묵은 ¶新～代谢; 신진 대사／推～出新; 〈成〉 낡은 것을 밀어 내고 새로운 것을 창조하다／～人; 시대에 뒤진 사람. ⑤형 심한. ⑥동 썩다. ¶这块肉～了; 이 고기는 상했다. ⑦명 《地》 진. 주대(周代)의 국명《현재 허난 성(河南省) 화이양(淮陽) 일대에 위치했음》. ⑧명 《地》 진. 남조(南朝)의 하나《557～589년 진패선(陳霸先)이 세운 나라. 현재의 난징(南京)을 수도로 했음》. ⑨명 성(姓)의 하나. 注 ①②③은 고문(古文)에서는 '阵zhèn'으로도 씀.
〔陈兵〕 chénbīng 동 〈文〉 군대를 배치하다. ¶～边境; 국경에 병력을 배치하다.
〔陈病(儿)〕 chénbìng(r) 명 지병(持病). ¶他又犯了～了; 그는 또 지병이 돋았다.
〔陈藏〕 chéncáng 동 장기간 저장하다. ¶老红酒只因经过～, 所以酒色红得特别可爱; 노홍주(老紅酒)는 오랜 동안 저장해 두므로 술빛이 붉게 물들여져, 특별히 애호할 만한 것이 된다.
〔陈陈〕 chénchén 형 케케묵은. 진부(陳腐)한.
〔陈陈相因〕 chén chén xiāng yīn 〈成〉 진부하여 전혀 새로운 맛이 없다.
〔陈词滥调〕 chén cí làn diào 〈成〉 진부하고 흔한 논조(論調).
〔陈醋〕 chéncù 명 오래 저장한 식초《상등품》.
〔陈腐〕 chénfǔ 형 진부하다. 고리타분하다. ¶～之言; 진부한 말.
〔陈谷〕 chéngǔ 명 묵은 곡식. 묵은 조.
〔陈谷子烂芝麻〕 chén gǔzi làn zhīma ①묵은 곡식과 썩은 참깨《진부하고 쓸데없는 말이나 사물》. ¶正经话撇开不说, 竟说些～, 你们这是干吗má呀? 진실한 말은 조금도 하지 않고 쓸데없는 말만 지껄이고 있으니, 너희들 어쩌자는 건가?／你老抖落～有什么用? 당신은 늘 케케묵은 것을 들고 나와서 무엇에 쓰겠는가? ②오래된 빚. ③옛 이야기.
〔陈规〕 chénguī 명 케케묵은 규칙. ¶打破～, 大胆创造; 옛법을 타파하고 대담하게 창조하다.
〔陈规陋习〕 chén guī lòu xí 〈成〉 낡은 규정이나 관습. =〔陈规旧jiù习〕〔陈规旧矩〕
〔陈话儿〕 chénhuàr 명 오래 된 이야기. 옛날 이야기. ¶就叙起～来; 곧 케케묵은 옛 이야기를 말하기 시작했다.
〔陈货〕 chénhuò 명 오래 된 물건. 고물.
〔陈迹〕 chénjì 명 ①(상처 따위의) 자국. (사건 따위의) 형적. 인상. ②과거의 일. ¶早已成为历史的～; 이미 역사의 지나간 자취가 되었다.
〔陈久〕 chénjiǔ 형 연대가 오래 되다. ¶该物十分～, 无法辨认; 그것은 연대가 너무 오래 되어, 식별할 수가 없다.
〔陈酒〕 chénjiǔ 명 여러 해 저장한 술《상등의》.
〔陈旧〕 chénjiù 형 오래 되다. 케케묵다. ¶那套设备～了; 그 설비는 낡았다／～的观念; 시대에 뒤떨어진 관념／～的房屋; 고가(古家).
〔陈姥姥〕 chénlǎolao 명 〈俗〉 월경대.
〔陈炼〕 chénliàn 동 익숙하다. 숙련되다. ¶他乍来

诸事生疏，等～下来就好了；그는 온 지 얼마 안 되어 여러 가지 사정이 생소하지만 익숙해지면 좋아지겠지.

〔陈粮〕 chénliáng [명] 낡은 곡물.

〔陈列〕 chénliè [동] 진열하다. ¶～品；진열품.

〔陈列窗〕 chénlièchuāng [명] ⇨〔橱chú窗①〕

〔陈列室〕 chénlièshì [명] 진열실.

〔陈妈妈〕 chénmāma [명] 〈俗〉 월경대. 생리대. =〔陈姥姥〕〔月yuè经带〕

〔陈米〕 chénmǐ [명] 묵은 쌀. =〔老米〕

〔陈年〕 chénnián [형] 여러 해 묵은. ¶～老酒；여러 해 묵은 술/～老账；묵은 빚.

〔陈皮〕 chénpí [명] 말린 귤 껍질. ¶～油；오렌지유(油). [형] 케케묵다. ¶～烂账 =〔～旧账〕；오래 된 채무/～梅；건매실(乾梅實)과 말린 귤 껍질로 만든 식품(食品) 이름.

〔陈启〕 chénqǐ [동] 〈文〉 진술하다. 말씀드리다.

〔陈欠〕 chénqiàn [명] 〈文〉 오래된 빚〔꾼 돈〕.

〔陈腔滥调〕 chén qiāng làn diào 〈成〉 진부한 가락. 낡은 투의 어투.

〔陈情〕 chénqíng [동] 진정하다. 충정(衷情)을 진술하다.

〔陈请〕 chénqǐng [동] 사정을 진술하여 청원하다.

〔陈人儿〕 chénrénr [명] ①옛날 사람. ②이전부터 섬기고 있는 사람. 오래 전부터 보살핌을 받던 사람.

〔陈绍(酒)〕 chénshào(jiǔ) [명] 오래 묵은 소흥주(紹興酒).

〔陈设〕 chénshè [동] 진열하다. 장식하다. ¶屋里～着光洁的家具；집 안에는 번쩍번쩍 광을 낸 가구가 장식되어 있다. [명] 장식품. ¶书房里的一切～都很雅致；서재에 장식한 것은 모두가 매우 고상하다.

〔陈师鞠旅〕 chén shī jū lǚ 〈成〉 군대를 정비하다.

〔陈食〕 chénshí [명] ①식체. ②위(胃)에서 소화되지 않은 음식.

〔陈事(儿)〕 chénshì(r) [명] 옛 일. 오래 된 일.

〔陈饰橱〕 chénshìchú [명] 진열장. 장식장.

〔陈述〕 chénshù [동] 진술하다. 말씀드리다.

〔陈述句〕 chénshùjù [명] 평서문(平敍文)《문법 용어》.

〔陈说〕 chénshuō [동] 말하다. 설명하다. ¶～利害；이해를 진술하다. →〔启qǐ白〕

〔陈诉〕 chénsù [동] (고통·불만을) 호소하다. ¶～委屈；불평을 말하다/～痛苦；고통을 호소하다.

〔陈套〕 chéntào [명] 옛날 방식. 진부한 방식. 변치 않는 수단.

〔陈谢〕 chénxiè [동] ①이유를 말하고 사과하다. ②〈文〉 사례의 말을 하다.

〔陈言〕 chényán [명] 〈文〉 진부한 말.

〔陈已〕 chényǐ [부] 이전에. 전에. ¶他～在这儿住过；그는 이전에 이 곳에 산 적이 있다.

〔陈张〕 chénzhāng [동] 〈文〉 늘어놓다. 진열하다.

陈(蔯) chén (진)

→〔茵yīn蔯(蒿)〕

辰 chén (진)

[명] ①십이지(十二支)의 다섯째. 진(辰). 용(龍). →〔干支〕 ②동남(東南)의 방위(方位). ③진시(辰時). 오전 7시～9시. ④해·달·별의 총칭. ¶星～；별. 성좌. ⑤시간. 시각. ¶时～；시각/一个时～；한 시진《현재의 2시간》. ⑥때. 택일. ¶吉日良～；길일/诞dàn～；생일/忌～；명일(命日). 길일. ⑦북극성. =〔北辰〕 ⑧(좋은) 시절(時節). ¶生不逢～；좋은 시절에 태어나지 못하다. ⑨'辰州'의 약칭《옛부명(府名). 지금의 후난 성(湖南省) 위안링 현(沅陵縣)에 있었음》. ¶～砂；주사(朱砂).

〔辰巴洛〕 chénbāluò [명] 〖樂〗〈音〉 쳄발로(cembalo).

〔辰勾盼月〕 chén gōu pàn yuè 〈成〉 대단히 바라고 기다리다《'辰勾'는 수성(水星)의 별칭(別稱)인데, 이 별을 보기가 매우 어려우므로 이르는 말》.

〔辰光〕 chénguāng [명] ①〈方〉 시간. 때. ¶我去的～；내가 갈 때/需要～；시간이 걸리다/～不早了，赶快走吧；시간이 늦었으니 빨리 가자. =〔时候〕〔时间〕 ②아침 햇살.

〔辰刻〕 chénkè [명] 진시(辰時)《오전 7시～9시 사이》. =〔辰时〕

〔辰砂〕 chénshā [명] ⇨〔朱zhū砂〕

〔辰时〕 chénshí [명] ⇨〔辰刻〕

〔辰宿〕 chénsù [명] 〈文〉 별자리. 성좌(星座).

〔辰维〕 chénwéi 〈翰〉 삼가 생각하건대….

〔辰星〕 chénxīng [명] 〈文〉 ①동방의 성수(星宿). =〔房fáng星〕 ②수성(水星)의 별칭. =〔辰勾〕

宸 chén (신)

[명] ①깊숙한 (곳에 있는) 방. ②궁전(宮殿). 〈轉〉 왕위. 제왕. ③제왕(帝王)에 관한 말 앞에 붙이는 말. ¶～居；천자의 거처/～念；천자(天子)의 마음.

〔宸笔〕 chénbǐ [명] 〈文〉 천자의 친필. 어신필(御宸筆). =〔宸翰〕〔宸墨〕

〔宸极〕 chénjí [명] 〈文〉 ①북극성《별 중에 가장 존귀한 것이라는 뜻》. ②천자의 존위(尊位).

〔宸鉴〕 chénjiàn [동] 〈文〉 천자가 친히 보다.

〔宸眷〕 chénjuàn [명] 〈文〉 천자의 은총.

〔宸算〕 chénsuàn [명] 천자의 계책〔생각〕. =〔宸谋〕〔宸谟〕

〔宸垣〕 chényuán [명] 〈文〉 서울.

〔宸旨〕 chénzhǐ [명] 〈文〉 천자의 뜻. 천의(天意).

晨 chén (신)

[명] ①이른 아침. ¶清～；조조(早朝)/凌～五时；새벽 5시. ②별 이름. ③닭이 때를 알리는 일. ④성(姓)의 하나.

〔晨报〕 chénbào [명] 조간.

〔晨炊〕 chénchuī [명] 〈文〉 조반. =〔早zǎo饭〕

〔晨光〕 chénguāng [명] 아침 햇빛. ¶～熹微；새벽 빛이 희미하다.

〔晨昏〕 chénhūn [명] ⇨〔晨夕xī〕

〔晨昏定省〕 chén hūn dìng xǐng 〈成〉 자식이 부모에 행하는 예의로, 밤에는 침소(寢所)를 돌보고 아침에는 안부를 물음. ¶而且连家中～一发也随他的便了；게다가 집에서의 조석 문안마저도 전적으로 그의 마음대로였다. =〔昏定晨省〕

〔晨礼服〕 chénlǐfú [명] 모닝 코트《양복》. =〔常礼服〕〔男子昼礼服〕

〔晨门〕 chénmén [명] 아침 저녁으로 문을 여닫는 사람. 문지기.

〔晨起〕 chénqǐ [동] 〈文〉 아침 일찍 일어나다.

〔晨夕〕 chénxī [명] 〈文〉 아침 저녁. 조석. =〔晨昏〕

〔晨曦〕 chénxī [명] 〈文〉 아침 해〔햇빛〕.

〔晨星〕 chénxīng [명] ①〖天〗 금성 또는 수성. 새벽별. ②드문드문함의 비유. ¶寥若～；새벽 하늘의 별처럼 적다. 극히 드물다.

〔晨夜〕 chényè [명] 아침 일찍부터 밤 늦게까지.

〔晨钟〕 chénzhōng [명] 아침에 치는 종. 새벽종.

〔晨钟暮鼓〕 chén zhōng mù gǔ ⇨〔暮鼓晨钟〕

噌 chēng (쟁)
→〔噌吰〕⇒cēng

〔噌吰〕 chēnghóng 〈擬〉〈文〉 땡땡. 둥둥《종 소리·북 소리》. ¶钟鼓之声~盈耳; 종 소리와 북 소리가 땡땡 둥둥 들려 온다.

丞 chéng (승)
①名 보좌관(補佐官). 차관(次官). ¶府~; 부부지사(副府知事)/县~; 부현지사(副縣知事). ②動 돕다. 보좌하다. ¶~相xiàng; 승상. ③動 받다. ④動 구(救)하다.

承 chéng (승)
①動 (남의 호의를) 받다. …을 입다. …하여 주시다. ¶~教; ⇩/~您过奖; 과찬이십니다/昨~热诚招待, 谢谢; 어제도 정성어린 초대를 받아 감사했습니다/~您指教谢谢; 가르침을 받게 되어 고맙습니다. ②動 받다. 받아 내다. ¶以盆~雨; 대야로 빗물을 받다. ③動 받다. 받들다. ¶~命办理; 명령을 받고 처리하다. ④動 인계받다. 인수하다. 담당하다. 맡다. ¶由我~做; 내가 넘겨 받아 한다/责任由我~当; 책임은 내가 진다. ⑤動 계속하다. 잇다. ¶~继jì; 계승하다. 상속하다/~前文而言; 앞 글을 이어서 말하다/~上启下; ⇩ ⑥動 승인하다. 인정하다. ¶自~其罪; 자기가 자기의 죄를 인정하다/招zhāo~; 자백하다. ⑦動 받치다. ¶用钢梁~着; 강철로 된 대들보로 받치다. ⑧名 성(姓)의 하나.

〔承办〕 chéngbàn 動 책임지고 맡아서 하다. 청부 맡다. ¶这事由他~; 이 일은 그가 맡는다/~人; 《商》 인수인.

〔承包〕 chéngbāo 動 청부 맡다. ¶~工程; 공사를 청부 맡다/~商; 청부업자/~字据; 청부 계약 증서. =〔承揽〕

〔承保〕 chéngbǎo 動 책임지고 보증하다. 보증인이 되다.

〔承报〕 chéngbào 動 《商》 오퍼(offer)를 받다.

〔承尘〕 chéngchén 名 〈文〉 ①옛날, 천자의 행사 때 좌석 위에 설치한 먼지막이의 작은 막. ②⇨〔天tiān花板〕

〔承吃承穿〕 chéng chī chéng chuān 의식(衣食)이 부족함이 없음. 의식이 보장되어 있음.

〔承重孙〕 chéngchóngsūn 名 적손승조(嫡孫承祖)《자신이 적손이면서 부친이 이미 작고하였을 경우 조부모의 상을 당하여서의 자칭》.

〔承宠〕 chéngchǒng 動 〈文〉 군주의 총애를 받다.

〔承担〕 chéngdān 動 담당하다. 맡다. ¶~基础工程; 기초 공사를 맡다/~义务; 의무를 다하다.

〔承当〕 chéngdāng 動 ①책임을 지다. ②떠맡다. 인수하다. ③〈方〉 승낙하다.

〔承典〕 chéngdiǎn 動 빚 저당으로 담보를 잡다. ¶~地; 담보로 잡은 토지.

〔承点〕 chéngdiǎn 名 《工》 지점(支點).

〔承佃〕 chéngdiàn 動 소작하다. →〔佃户〕

〔承顶〕 chéngdǐng 動 권리를 계승하다. (토지·가옥·점포 등을) 전차(轉借)하다.

〔承订〕 chéngdìng 動 주문을 받다.

〔承兑〕 chéngduì 名動 《商》 지급 인수(하다). 지급 승인(하다). ¶~票(据); 인수 어음.

〔承兑后交付单据〕 chéngduìhòu jiāofù dānjù 名 《商》 인수도(引受度) 화환(貨換) 어음. 어음 인수 즉시 선적 서류 교부. D/A. =〔承兑交单〕

〔承兑汇票〕 chéngduì huìpiào 名 《商》 인수필 환어음. 지급 보증 환어음. →〔汇票〕

〔承兑交单〕 chéngduì jiāodān 名 ⇨〔承兑后交付单据〕

〔承恩〕 chéng'ēn 動 〈文〉 은혜를 입다.

〔承发吏〕 chéngfālì 名 《法》 법원의 문서 발송·판결의 집행·물건의 몰수 등을 행하던 직원. 집달관(執達官).

〔承乏〕 chéngfá 動 적합한 사람이 있을 때까지 그 직위에 앉다. ¶~别人的位子; 남이 그만둔 자리에 앉다《관리로 임명됨의 겸사(謙辭)》.

〔承付〕 chéngfù 名 지급 인수(支給引受).

〔承购〕 chénggòu 動 ⇨〔承买〕

〔承管〕 chéngguǎn 動 떠맡다. 책임을 지고 떠맡다. ¶由我一面~; 내가 혼자 도맡고 있다.

〔承荷〕 chénghè 動 ⇨〔荷承〕

〔承欢〕 chénghuān 動 〈文〉 ①(부모나 왕을) 받들어 기쁘게 하다. ¶~膝下; 부모님을 기쁘게 해 드리다. ②남의 비위를 맞추다.

〔承惠〕 chénghuì 動 〈文〉 은혜를 입다. 혜사(惠賜)를 받다. ¶~厚赐, 感激莫名; 〈翰〉 훌륭한 물건을 보내 주셔서 감사한 마음 이루 말할 수 없습니다.

〔承继〕 chéngjì 動 ①이어받다. 상속하다. ¶~权; 상속권/~人; 상속인. ②(부친이나 형제의) 상속자가 되다. 대를 잇는 자가 되다. ③(형제의 아들을) 양자로 하다. 대 이을 자로 하다.

〔承继娘〕 chéngjìniáng 名 양모.

〔承建〕 chéngjiàn 動 건조를 청부 맡다. ¶这条油管将由一家埃āi及公司~; 이 석유 송유관은 이집트의 모회사가 건조를 청부 맡게 될 것이다.

〔承教〕 chéngjiào 動 가르침을 받다. ¶~,~! 가르쳐 주셔서 고맙습니다!

〔承接〕 chéngjiē 動 ①(그릇으로 액체를) 받다. ¶用脸盆~屋顶上漏下来的雨水; 세숫대야로 지붕에서 흘러내리는 빗물을 받다. ②접속하다. 이어받다. ¶~上文; 앞글을 이어받다. ③뒤를 잇다. (왕위를) 계승하다. ④(재산을) 상속하다.

〔承垦〕 chéngkěn 動 (황무지의) 불하를 받아 개간하다.

〔承揽〕 chénglǎn 動 ⇨〔承包〕

〔承梁〕 chéngliáng 名 《機》 (차량의) 받침대. 가로대. ¶车台~; 차체를 받치는 대.

〔承领〕 chénglǐng 動 수취하다. 받다. 불하를 받다. ¶~荒地; 황무지의 불하를 받다.

〔承溜〕 chéngliù 名 ⇨〔檐yán沟〕

〔承露〕 chénglù 名 옛날 두건(頭巾)의 일종.

〔承露盘〕 chénglùpán 名 감로(甘露)를 받는 반《감로는 천하 태평시 하늘에서 내리는 이슬. 한나라 무제는 이것을 받아 마시고 선인이 되려 하였다고 함》.

〔承买〕 chéngmǎi 動 매입을 떠맡다. 구매를 떠맡다. =〔承购〕

〔承卖〕 chéngmài 動 ⇨〔承销〕

〔承蒙〕 chéngméng 動 (…을) 받다. 입다. ¶~照顾; 돌보아 주시다/~热情招待, 十分感激; 따뜻한 초대를 받아서 대단히 감사합니다.

〔承诺〕 chéngnuò 動 승낙하다. ¶既然他~了, 事情就没问题了; 그가 승낙한 이상 일은 간단하다/共同安全~和条约; 공동안전에 관한 서약과 조약.

〔承平〕 chéngpíng 名 〈文〉 태평. ¶累lěi世~; 오래 태평이 계속되다/~时代; 태평한 시대.

〔承启处〕 chéngqǐchù 名 옛날 관청의 접수처. →〔传chuán达室〕

〔承前〕 chéngqián 動 앞 문장을 잇다. →〔待dài

续〕
〔承前启后〕 chéng qián qǐ hòu 〈成〉 ①과거를 이어받아 미래를 개척하다. ②선인의 뒤를 이어 계속 발전시켜 나가다《학문·사업 등을》.
〔承情〕 chéng,qíng 동 ①(선물 따위를) 받다. ②남의 충고·권고·조언을 받아들이다. ③후정(厚情)을 받다. 은혜를 입다. ¶不但他承您的情, 连我也感激不尽了; 그가 당신에게 감사하고 있을 뿐 아니라, 나 역시 고마움을 금치 못하겠습니다.
〔承认〕 chéngrèn 동 ①승인하다. 인정하다. ¶～自己的错儿; 자기의 잘못을 인정하다 / ～他的长处; 그의 장점을 인정하다. ②인수하다. ③자백하다. 긍정하다.
〔承上启下〕 chéng shàng qǐ xià 〈成〉 ①윗글을 받아 아랫글에 연결시키다. ②상급 관청의 지시를 받아 하부에 미치게 하다. ‖ =〔承上起下〕
〔承上文〕 chéng shàngwén 승전. 앞 문장에서 이어짐. =〔承接上文〕
〔承审〕 chéngshěn 동 〈文〉 심문을 맡다.
〔承审员〕 chéngshěnyuán 명 옛날, 현장(縣長)을 보좌하여 소송 심리를 맡았던 법관《뒤에 '审判官'이라 하였음》.
〔承受〕 chéngshòu 동 ①인수하다. 승낙하다. ¶～汇票 =〔承兑duì汇票〕; 지급 승낙 환어음. ②인계 맡다. (재산·권리 등을) 계승하다. ③받다. ¶～恩惠; 혜택을 받다. ④견디다. ¶～不起压力; 압력에 견디지 못하다.
〔承售〕 chéngshòu 동 ⇨〔承销〕
〔承索即奉〕 chéngsuǒ jífèng 신청을 주시는 대로 곧 송부해 드리겠습니다《광고용문》. =〔承索即寄〕
〔承题〕 chéngtí 명 팔고문(八股文)의 제2고(股)《'破题'를 받아서 더 한 걸음 나가 설명하는 부분》. →〔八bā股①〕
〔承祧〕 chéngtiāo 동 조상의 제사를 이어받다〔받는 아들〕. ¶～子zǐ; 사자.
〔承望〕 chéngwàng 동 바라다. 희망하다. 원하다. 예상하다《대개 부정적으로 쓰이며 뜻밖의 느낌을 나타냄》. ¶不～您居然会来了; 당신이 와 주시다니 뜻밖의 행복입니다 / 谁～流落在烟花巷! 《紅樓夢》; 그 누가 화류계에 영락하기를 바라겠는가!
〔承委〕 chéngwěi 동 〈文〉 위임을 받다.
〔承问〕 chéngwèn 동 물음을 받다.
〔承窝〕 chéngwō 명 ①축(軸)받이. ②소켓.
〔承袭〕 chéngxí 동 ①〈文〉 (부친의 작위를) 인계하다. ②답습하다.
〔承先启后〕 chéng xiān qǐ hòu 〈成〉 선인(先人)의 뒤를 계승하여 새것을 창조하다《학문·사업에서》. ¶学问之道无他, ～, 继往开来; 학문의 도는 다른 것이 아니라, 선인의 뒤를 계승하여 새것을 창조하고, 과거의 성과를 이어받아 미래를 개발하는 것이다.
〔承销〕 chéngxiāo 동 위탁 판매하다. ¶～人; 수탁 판매인. =〔承卖〕〔承售〕
〔承修〕 chéngxiū 동 수리를 떠맡다. ¶～各种钟表; 각종 시계 수리를 떠맡다.
〔承询〕 chéngxún 동 〈文〉 물으심을 받다. ¶～某某一事, …; 조회하신 ○○건은 ….
〔承印〕 chéngyìn 동 인쇄를 떠맡다〔청부하다〕.
〔承应〕 chéngyìng 동 승낙하다. ¶主任～了他们的要yāo求; 주임은 그들의 요구를 승낙했다.
〔承允〕 chéngyǔn 동 〈文〉 승낙하다.
〔承运〕 chéngyùn 동 ①운송을 맡다. ¶应与～的铁路局签运输合同; 운송을 맡은 철도국과 운수 계약을 맺어야 한다 / ～人; 운송업자. ②천명(天命)을 받다.
〔承载〕 chéngzài 동 하중(荷重)을 견디다〔이겨 내다〕. ¶～能力; 하중(荷重) 능력.
〔承造〕 chéngzào 동 청부하여 만들다〔건축하다〕. ¶由某建筑公司～; 모건축 회사가 청부하다.
〔承招〕 chéngzhāo 동 ①자백(自白)하다. ②초대(招待)를 받다.
〔承制〕 chéngzhì 동 제조를 떠맡다. 주문을 받아 제조하다.
〔承种〕 chéngzhòng 동 청부하여 경작하다. ¶招佃户～; 소작인에게 소작시키다.
〔承重〕 chéngzhòng 명 ①《建》 하중(荷重). ②→〔传chuán重〕
〔承嘱〕 chéngzhǔ 동 의뢰(依賴)를 받다.
〔承转〕 chéngzhuǎn 동 상급 공문을 받아 하급으로 돌리다. 하급의 공문을 받아 상급으로 돌리다.
〔承租〕 chéngzū 동 (토지·가옥 등을) 빌리다. ¶～房屋; 가옥을 빌리다.
〔承做〕 chéngzuò 동 주문을 받아 만들다. ¶～西服; 양복 재봉의 주문을 받다.

成 chéng (성)

① 동 성공하다. 이루다. 완성하다. ¶事情已经～了; 일은 이미 이루어졌다 / 房子盖～了; 집이 세워졌다 / 这大楼是五十天完～的; 이 빌딩은 50일 걸쳐 완성한 것이다. ↔〔败bài③〕 ② 동 완성시키다. 성사시키다. ¶～人之美; ⇩ / 玉～其事; 남을 도와서 일을 성사시키다. ③ 동 …이 되다. 발전해서 …이 되다. 변해서 …이 되다. ¶他～了个律师了; 그는 변호사가 되었다 / 忧yōu思～病; 〈成〉 걱정을 해서 병이 나다 / 两个人～了好朋友; 두 사람은 좋은 친구가 되었다 / 想不到这件事却～了问题; 이 일이 오히려 문제가 되리라고는 생각지도 못 했다. ④ 동 (동사 뒤에 와서) …이 되다. …로 변하다. ¶水变～汽; 물이 수증기로 변하다 / 雪化了～水; 눈이 물로 변했다 / 长zhǎng～人; 자라서 성인이 되다 / 这些素材打算写～一个剧本; 이 소재는 극본으로 쓸 계획이다. ⑤ 동 성숙하다. 충분히 성장하다. ¶～人; ⇩ / ～虫; ⇩ / ～熟; ⇩ ⑥ 명 성과. 성취. ¶不能坐享其～; 앉아서 성과를 얻을 수 없다 / 收～ =〔年～〕; 수확. ⑦ 형 기성(旣成)의. 기존의. 이미 만들어 놓은. 기정(旣定)의. 성숙한. ¶～品; 완성품 / ～局; 기성(旣成)의 국면 / 既～事实; 기정사실 / ～人; 성인. ⑧온통. 전체의. …가득《수량이 어떤 단위에 이름을 나타내는 말》. ¶～年; 만(滿) 1년 / ～天; 종일 / ～倍增加; 배증하다 / ～对～双; 쌍을 이루고 있다 / ～桌的酒席; 탁자를 단위로 하는 요리. 정석 요리. ⑨구성물의 한 요소. ¶～分; 성분 / ～员; 구성원. ⑩좋다. 상관없다《동의·허가를 나타냄》. ¶这么办～不～? 이렇게 하면 됩니까? / 不去不～; 가지 않으면 안 된다 / ～! 我办去; 좋다! 내가 하러 가겠다. ⑪ 형 훌륭하다. 장하다. 굉장하다《능력을 칭찬하는 말》. ¶那个人真～! 저 사람 참 장하다! 저 사람은 참말 대단한 사람이다! ⑫ 동 평화를 가져오다. 강화(講和)하다. ¶求～; 강화를 청하다. ⑬ 양 10분의 1. 1할. 10퍼센트. ¶八～; 8할 / 九～新的车; 신품이나 마찬가지인 차. ⑭ 명 층(層). 계단(階段). ¶七～台; 7단의 대(臺). ⑮ 양 옛날 사방 10리의 땅. ¶有田一～《左傳 哀公元年》; 전답 10리를 소유하다. ⑯(～儿) 명 전망. 희망. ⑰ 명 성(姓)의 하나.
〔成案〕 chéng'àn 명 ①이미 정해진 안. 성안. ②

구례. 판례.
〔成百上千〕 chéng bǎi shàng qiān 〈成〉 수백·수천에 달하다. ¶由于丧失这个市场, 使～的机工失业; 이 시장을 잃음으로써 수백·수천이라는 많은 기계공을 실직시키게 된다.
〔成百万〕 chéngbǎiwàn 수 기천 기만(幾千幾萬). ¶～的群众; 기천 기만의 군중.
〔成败〕 chéngbài 명 성공과 실패.
〔成败利钝〕 chéng bài lì dùn 〈成〉 성공과 실패, 순조로움과 난관. ¶只要对国家有利的事, 就应当不顾～地去做; 국가에 유익한 일이라면 성패를 도외시하고 해야 한다.
〔成班人〕 chéngbānrén 명 옛날, 극단의 단장. =〔班主〕
〔成帮成群〕 chéng bāng chéng qún 〈成〉 무리를 이루다.
〔成帮结伙〕 chéng bāng jié huǒ 〈成〉 무리를 이루다. (여러 사람이) 한패를 만들다. 파벌을 만들다. 그룹을 만들다.
〔成本〕 chéngběn 명 《經》 ①코스트. 원가(原價). ¶～核算; 원가 계산/生产～; 제조 원가. 생산비/这是由于生产数量增加的结果, 降jiàng低～; 이것은 생산 수량의 증가로 원가가 저하되었다. =〔底本(儿)②〕 ②자본금.
〔成本大套〕 chéng běn dà tào 〈成〉 책으로 될 만큼 방대하다.
〔成本价格〕 chéngběn jiàgé 명 《經》 비용 가격.
〔成本会计〕 chéngběn kuàijì 명 《經》 원가 계산.
〔成材〕 chéng,cái 동 ①유용한 인간이 되다. ¶孩子不教育怎么能～呢? 아이를 교육시키지 않으면 어떻게 유용한 인간이 되겠는가? ②재목(材木)이 되다. ¶～的木头; 재목이 된 나무.
〔成材林〕 chéngcáilín 명 목재로 쓸 수 있을 만큼 자란 숲.
〔成齿〕 chéngchǐ 명 ⇨〔恒héng齿〕
〔成虫〕 chéngchóng 명 (곤충의) 성충.
〔成仇〕 chéng,chóu 동 원수가 되다. 사이가 틀어지다. ¶他们俩所成了仇了, 一见面儿就要吵嘴; 그들 두 사람은 완전히 사이가 틀어져서 만나기만 하면 말다툼한다.
〔成春〕 chéngchūn 동 병이 낫다. ¶著zhuó手～; 〈成〉 손을 대기만 하면 병이 낫는다(명의에 대한 칭찬의 말).
〔成词〕 chéngcí 동 〈文〉 소송하다〔이 되다〕.
〔成单〕 chéngdān 명 《商》 계약서.
〔成道〕 chéngdào 동 도를 깨치다. =〔得dé道①〕
〔成德〕 chéngdé 명 〈文〉 완성된 덕.
〔成典〕 chéngdiǎn 명 〈文〉 성문(成文)이 된 법전.
〔成丁〕 chéngdīng 명 성년(成年)이 된 남자.
〔成堆〕 chéng,duī 동 산적(山積)하다. ¶问题成了堆了; 문제가 산적하였다/～成垛; 높이 쌓인 모양. (chéngduī) 명 한 무더기. ¶～的蔬菜; 한 무더기의 야채.
〔成对成双〕 chéngduì chéngshuāng 한 쌍이 되다. 커플이 되다.
〔成法〕 chéngfǎ 명 이미 정해진 법률. 조문으로 되어 있는 법률.
〔成方〕 chéngfāng 형 네모져 있다. (～儿) 명 옛날부터 알려져 있는 처방(의사가 증상을 보고 쓰는 처방에 대하여). ¶买～的药; 정해진 처방에 따르는 약을 사다.
〔成分〕 chéngfen 명 ①퍼센티지. ②구성 요소. ¶化学～; 화학 원소. ③계급의 차이. ¶学生～; 학생 출신. ④성원(成員). 구성 멤버. ⑤비용. 생산비. 비목(費目). ¶生产～; 생산 비용. ⑥《言》 문장을 조성하는 각 부분. ¶语气～; 어기를 나타내는 부분. ‖ =〔成份〕
〔成风〕 chéngfēng 동 ①기풍을 이루다. 일반적이 되다. 진기하지 않게 되다. ¶勤俭～; 근검의 기풍이 일반화되다. ②풍격을 이루다. 풍격이 되다. ¶他的写作手法逐渐～; 그의 창작 수법은 이제 그만의 풍격을 이루어 가고 있다.
〔成佛〕 chéngfó 동 성불하다.
〔成服〕 chéngfú 동 상복(喪服)을 입다. ¶遵礼～; 예법에 따라 상복을 입다. 명 기성복.
〔成个儿〕 chénggèr 동 ①(사물이) 자랄 만큼 자라다. 성숙하다. ¶果子已经～了; 과일이 벌써 익었다/这个西瓜还不能吃, 没～呢; 이 수박은 아직 먹을 수 없어, 익지 않아서. ②일정한 형태를 이루다. 숙달하다. ¶他的字写得不～; 그의 글씨는 아직 숙달되지 못했다/他长成了个儿了; 그는 제 구실은 할 수 있는 사람으로 되었다. 명 통째로. 전부. (쪼개지 않고) 한 개 전부. ¶～的买; 통째로 사다.
〔成功〕 chénggōng ① 명동 성공(하다). 완성(하다). ¶获得相当大的～; 꽤 큰 성공을 거두다/失败是～之母; 실패는 성공의 어머니다/这项试验终于获得了～; 이번 실험은 마침내 성공을 거두었다/有～的希望; 성공할 가망이 있다. ② 형 성공적 이다. ¶大会开得很～; 대회가 성공적으로 열렸다/这次演出很～, 受到大家一致好评; 이번 공연은 매우 성공적이어서 사람들에게서 일치된 호평을 받았다. ↔〔失shī败〕 ③(동사 뒤에 쓰여) …이 되다. …이 이루어지다. ¶研究～了; 다 연구되었다/老想着去, 也没有去～; 가려고 했으나 끝내 가지 못했다/由形容词转变～的; 형용사로부터 전성된 것이다.
〔成规〕 chéngguī 명 상규(常規). 기존의 규정〔규범. 방식〕. ¶墨守～; 종래의 규정을 묵수하다/打破～; 종래의 관례를 깨다.
〔成果〕 chéngguǒ 명 성과. ¶获得丰硕的～; 큰 성과를 올리다.
〔成裹〕 chéngguo 동 〈北方〉 짜다. 꿰매다. 맴질하다. 붙이다. 마무리하다. ¶太太坐在挨窗户在那里～帽头儿呢《兒女英雄傳》; 마나님은 창가에 앉아서 모자를 마무리하고 있다.
〔成行〕 chéng,háng 동 열을 짓다. 줄을 이루다. ¶树木～; 나무가 열을 짓고 있다. ⇒chéngxíng
〔成欢〕 chénghuān 동 〈文〉 즐거움을 다하다. 명 남녀간의 즐거운 모임.
〔成婚〕 chéng,hūn 동 결혼하다. ¶他成了婚了; 그는 결혼했다. =〔成礼②〕
〔成活〕 chénghuó 동 (동식물이) 활착(活着)하다. 잘 자라다.
〔成吉思汗〕 Chéngjísī Hán 명 《人》 칭기즈 칸(Chingiz Khan)《원(元)나라의 태조. 1162～1227》.
〔成绩〕 chéngjì 명 성적. ¶～良好; 성적이 양호하다/～单; 성적표/各方面的工作都有很大的～; 각 방면의 일은 모두 큰 성과가 있다.
〔成家〕 chéng,jiā 동 ①가정을 꾸미다. 결혼하여 가정을 가지다. ¶～立业 =〔～立户〕; 일가를 이루다. 살림을 차려 독립하다. ②(학술·예술 등에서) 일가를 이루다. ¶整天想着个人成名～的人, 不可能好好儿工作; 항상 자기 혼자만 출세하여 이름을 떨치려고 생각하고 있는 사람은 일을 훌륭하

게 해낼 수 없다.
〔成价〕 chéngjià 명 거래 가격.
〔成奸〕 chéngjiān 동 간통이 성립되다. 간통하다.
〔成见〕 chéngjiàn 명 ①이미 이루어진 구상(構想). 선입관. ¶固执～; 선입견을 고집하다. ②가망. 전망.
〔成交〕 chéngjiāo 동 거래가 성립되다. 성약(成約)하다. ¶～单; 매매 거래 성립 총계표(總計表)/～量; 거래량. 명 성약.
〔成交价格〕 chéngjiāo jiàgé 명〘經〙 계약 가격.
〔成精作怪〕 chéng jīng zuò guài 〈成〉 ①사물·짐승이 연공(年功)을 쌓아 요괴가 되어 사람에게 앙화를 입히다. ②아이가 어른 뺨치게 영리하다.
〔成就〕 chéngjiù 명 성과. 업적. 공적. ¶获得dé了新的～; 새로운 성과를 거두었다/有～的科学家; 업적이 있는 과학자. 동 완성되다. 성취하다. 완수하다.
〔成局〕 chéngjú 명 ①기성(既成)의 국면(局面). ②이미 결정된 일. 동 도박(賭博)을 하기 시작하다.
〔成句〕 chéngjù 명 성구. (chéng.jù) 동 ①말이 되다. ②글이 되다.
〔成军〕 chéngjūn 동 군〔팀〕을 편성하다. ¶无法～; 군〔팀〕을 편성하려 해도 방법이 없다.
〔成昆铁路〕 Chéng Kūn tiělù 명 쓰촨 성(四川省) 청두(成都)로부터 윈난 성(雲南省) 쿤밍(昆明)에 이르는 철도(1085km).
〔成了〕 chéngle ①좋다(긍정의 대답). ¶这么写怎么样? ～, 写下去吧! 이렇게 쓰면 어떨까, 좋아, 계속해서 쓰도록 해! ②(일이) 성취되다. ¶事情～; 일이 성공했다. ③충분하다. ¶～, 不要了; 충분합니다. 더 필요치 않습니다. ④성취했다(補語用). ¶手续已经办～; 수속은 이미 끝났다.
〔成礼〕 chénglǐ 동 ①〈文〉 의식을 마치다. ②⇨〔成婚〕
〔成立〕 chénglì 동 ①성인으로서 자립하다. ②성립하다. ③이루어지다. 주장할 수 있다. 이치에 맞다. ¶这个论点, 不能～; 이런 논점은 성립되지 않는다.
〔成例〕 chénglì 명 전례. 관례. ¶模仿已有的～; 이미 있었던 전례를 모방하다.
〔成粒器〕 chénglìqì 명〘機〙 과립(顆粒)으로 하는 기계.
〔成殓〕 chéngliàn 동 〈文〉 입관(入棺)을 마치다.
〔成龙〕 chéng.lóng 동 ①하나로 모아지다. 하나의 형태를 만들다. 한 계열(系列)을 만들다. ②우쭐하다. 기어오르다. ¶把他给惯得成了龙了; 그를 버릇없이 가르치고 말았다. ③용이 되다. ④입신 출세하다. 훌륭한 인물이 되다. ¶～变虎; 걸물(傑物)이 되다.
〔成龙配套〕 chéng lóng pèi tào (기계·설비 따위를) 조합하여 완성하다. ¶使排灌设备～; 배관 설비를 함께 조합하여 배수 관개망(排水灌漑網)을 정비하다. =〔配套成龙〕
〔成眠〕 chéngmián 동 〈文〉 잠들다. ¶夜不～; 밤에도 잠들지 못하다. =〔成寐〕→〔入rù睡〕
〔成名〕 chéng.míng 동 〈文〉 ①이름을 이루다. 유명해지다. ¶这是他～以后的作品; 이것은 그가 유명해진 이후의 작품이다. ②옛날, 과거에 급제하다. ③옛날, 아이가 태어난 후 석 달 뒤에 부친이 아이에게 이름을 지어 주다.
〔成名成家〕 chéng míng chéng jiā 〈成〉 명성을 떨치고 일가를 이루다.
〔成命〕 chéngmìng 명 ①이미 내린 명령. ¶收回～; 명령을 철회하다. ②정해진 운명.
〔成年〕 chéngnián 명 ①성년. 정년(丁年). ¶～期; 성년기/～人; 성인/未～; 미성년. ②몇 년이나. ③〈口〉 1개년. 1년 내내. =〔整年〕
〔成年家〕 chéngniánjie 명 〈方〉 1년 내내. 1년 중. =〔成年③〕〔成年价〕
〔成年累月〕 chéng nián lěi yuè 〈成〉 긴 세월. 오랜 세월.
〔成年人〕 chéngniánrén 명 성인자. 어른.
〔成盘〕 chéngpán 명〘商〙 거래 가격.
〔成批〕 chéngpī 형 ①대량의. ¶汽车生产的～性; 자동차 생산의 대량성. ②집단을 이루고 있는. 다수의. ¶～处理; (컴퓨터에서) 일괄(一括) 처리.
〔成片〕 chéngpiàn 명 이 일대(一帶). 전부. ¶～树被风刮倒; 이 일대의 나무가 바람으로 말미암아 쓰러졌다.
〔成品〕 chéngpǐn 명 제품. 완성품.
〔成器〕 chéngqì 동 ①유용한 그릇이 되다. ¶玉不琢, 不～; 〈成〉 옥도 갈지 않으면 유용한 그릇이 되지 못한다. ②유용한 인물이 되다. ¶那孩子不～; 저 아이는 제 구실할 인물은 못 된다. =〔成材①〕〔成人①〕 명 좋은 그릇. ¶～不鬻yù于市; 〈成〉 양품(良品)은 가게에 벌여 놓아도 팔리지 않는다.
〔成气候〕 chéng qìhou 〈方〉 ①(물건이나 짐승 따위가) 둔갑하여 요괴가 되다. ②물건이 되다. 값이 나다. 훌륭하게 되다. 성공하다. ¶等成了气候, 这辛苦就没白吃了; 잘만 되면 이 고생이 헛되지 않을 것이다/这孩子多咱也成不了气耗; 이 아이는 아무리 지나도 쓸 만한 재목은 되지 못한다. ‖=〔成气耗〕
〔成千〕 chéngqiān 수 몇천(이나 되는). ¶～的人; 기천 명(幾千名)/～成万; 수천 수만.
〔成千上万〕 chéng qiān shàng wàn 〈成〉 수천 수만. 수가 대단히 많음을 형용. ¶～的群众夹道热烈欢迎; 수천 수만의 군중이 길 양쪽에 줄지어 서서 열렬히 환영하다/每逢夏令, 就有～的人到这儿来避暑; 여름이 되면 수많은 사람들이 이 곳으로 피서를 온다. =〔上千上万〕〔成千成万〕〔成千累万〕〔累lěi千累万〕
〔成亲〕 chéng.qīn 동 결혼하다. ¶他最近才成的亲; 그는 최근에 비로소 결혼했다.
〔成全〕 chéngquán 동 ①완전히 하다. 완성시키다. ¶～他; 그의 체면을 세워 주다. ②남을 도와 일을 성취시키다. ¶～好事; 남의 좋은 일·혼담·남녀 교제 등을 성사시켜 주다/那个孩子父亲死了, 没法子我来～他吧; 저 아이의 부친이 죽었으니 내가 도와 줄 수밖에 없다.
〔成群〕 chéngqún 동 무리를 이루다. 군집하다. ¶儿ér女～; 무리를 이룰 만큼 많은 자녀가 있다.
〔成群打伙〕 chéng qún dǎ huǒ 〈成〉 조(組)가 되다. 동반자가 되다. 무리가 되다. 그룹을 이루다. ¶十几个人～地来了; 십여 명이 조를 이루어 몰려왔다/这一帮～的学生; 이 한 무리의 학생.
〔成群结队〕 chéng qún jié duì 〈成〉 무리를 이루어 대(隊)를 짓다.
〔成儿〕 chéngr 명 가망. 전망. ¶这是准有～; 이것은 반드시 성공할 가망이 있다. 양 할(割). 10분의 1. ¶三～; 3할.
〔成人〕 chéngrén 명 ①성년에 다다른 남자. 어른. 훌륭한 사람. ¶～气; 어른 같은/长大～; 어른이 되다. ②완전한 인간. ¶不～; 난봉꾼.
〔成人〕 chéng.rén 동 ①훌륭한 사람이 되다. ②머리를 얹다(아내를 얻다).

틈타 침입하는 것을 조심하여야 한다. =〔乘隙〕
〔乘警〕 chéngjǐng 명 (철도·선박 등의) 공안관. 공안 경찰.
〔乘客〕 chéngkè 명 승객(기차·전차·배 따위의 승객). =〔搭dā客〕→〔车chē座儿〕
〔乘空(儿)〕 chéngkòng(r) 동 틈을 타다. 한가한 때를 이용하다.
〔乘凉〕 chéng.liáng 명동 납량(納涼)(하다). ¶～树; 나무 그늘을 만들기 위한 수목 / 出去～; 바람 쐬러 나가다 / 到河边去～; 강가로 바람 쐬러 나가다. =〔〈方〉乘风凉〕
〔乘龙〕 chénglóng 동 〈文〉 시기를 타다〔타고 용처럼 비약하다〕. 명 사위. ¶～佳婿; 훌륭한 사위.
〔乘幂〕 chéngmì 명 《數》 거듭제곱. 멱. 멱수. =〔乘方〕
〔乘人之危〕 chéng rén zhī wēi 〈成〉 남의 약점을 이용하다.
〔乘胜前进〕 chéng shèng qián jìn 승리를 힘입어 전진하다.
〔乘时〕 chéngshí 동 〈文〉 기회를 타다. ¶～趋qū利; 기회를 타고 이문에 치우치다. →〔乘机①〕
〔乘势〕 chéngshì 동 기세를 타다. =〔趁chèn势〕
〔乘数〕 chéngshù 명 《數》 (곱셈의) 승수.
〔乘务员〕 chéngwùyuán 명 (열차·배·비행기·버스 등의) 승무원.
〔乘隙〕 chéngxì 동 ⇨〔乘间〕
〔乘闲〕 chéngxián 동 빈틈을 타다.
〔乘兴〕 chéngxìng 동 흥에 젖다〔겹다〕. ¶～而来, 兴尽而返; 흥에 겨워 왔으나, 흥이 깨져서 돌아가다.
〔乘凶〕 chéngxiōng 동 부모가 사망하여 상복을 입기 전에 결혼하다(옛날에 상중에는 결혼할 수 없었고, 이 기간이 길었으므로 이 습관이 있었음). =〔娶qǔ孝服〕
〔乘虚〕 chéngxū 동 〈文〉 허를 틈타다〔찌르다〕. ¶～而人 =〔～蹈隙dǎoxì〕; 허를 타고 들어오다.
〔乘舆〕 chéngyú 명 〈文〉 ①천자가 타는 수레. ②〈轉〉 천자. 동 수레를 타다.
〔乘晕宁〕 chéngyùnníng 명 《藥》 드라마민(Dramamin)(배 멀미·비행기 멀미 예방약의 상표명).
〔乘坐〕 chéngzuò 동 (탈것에) 타다.

椉 chéng (승)

〈文〉 ⇨〔乘chéng〕 ⇒shèng

惩(懲) chéng (징)

동 ①혼내 주다. 징계하다. ¶严～; 엄하게 벌하다 / 重～; 엄중하게 처벌하다. ②경계하다.
〔惩办〕 chéngbàn 명동 처벌(하다). 징벌(하다). ¶从重～; 엄중히 처벌하다 / ～主义; 응보(應報)주의.
〔惩处〕 chéngchǔ 명동 처벌(하다). ¶依法～; 법에 따라 처벌하다.
〔惩创〕 chéngchuàng 동 〈文〉 ①응징하다. =〔惩艾〕 ②자제하다.
〔惩恶〕 chéng'è 동 〈文〉 악인을 징계하다.
〔惩罚〕 chéngfá 명동 징벌(하다). ¶受到～; 징벌을 받다 / 予以～; 처벌하다 / 敌人得到了应有的～; 적은 당연한 처벌을 받았다.
〔惩忿窒欲〕 chéng fèn zhì yù 〈成〉 분노를 억누르고 욕심을 짓눌러 자제하는 일.
〔惩羹吹齑〕 chéng gēng chuī jī 〈成〉 자라 보고 놀란 가슴 솥뚜껑 보고 놀란다(지나치게 경계하다).
〔惩戒〕 chéngjiè 동 ①(지난날의 실패를 거울삼아) 경계하다. ¶如果屡经失败而不能～, 怎能改善呢; 만일 종종 실패만 하고 경계하지 못한다면 어찌 개선 따위를 할 수 있을까. ②징계하다. 처벌하다. ¶犯了这么严重的错误一定要～; 이런 중대한 과오를 범한다면 반드시 처벌받는다.
〔惩戒处分〕 chéngjiè chǔfèn 명 《法》 징계 처분.
〔惩警〕 chéngjǐng 동 〈文〉 경계하다.
〔惩款〕 chéngkuǎn 명 벌금. 동 벌금을 과하다.
〔惩前毖后〕 chéng qián bì hòu 〈成〉 과거의 잘못·실패를 후일에 거울로 삼다. ¶～, 治病救人; 전의 잘못을 교훈삼아, 병을 고쳐 사람을 구하다. =〔惩毖〕
〔惩劝〕 chéngquàn 동 〈文〉 악을 징계하고 선을 권장하다(권선징악).
〔惩凶〕 chéngxiōng 동 죄인을 벌하다. ¶～赔偿; 죄인을 벌하고 배상금을 물게 하다.
〔惩一警百〕 chéng yī jǐng bǎi 〈成〉 일벌 백계(一罰百戒).
〔惩治〕 chéngzhì 동 징계하다. 처벌하다. ¶他老不听话, 要～他; 그는 언제나 말을 듣지 않으니, 처벌해야 한다.

塍〈堘〉 chéng (승)

명 〈方〉 논두둑길. =〔田塍〕

澄〈澂〉 chéng (징)

① 형 (물이) 매우 맑다. ¶～澈; ⇩ ② 동 맑게 하다. 분명하게 하다. ¶～清; ⇩ ⇒dèng
〔澄碧〕 chéngbì 형 맑고 푸르다.
〔澄彻〕 chéngchè 형 ⇨〔澄澈〕
〔澄澈〕 chéngchè 형 맑디맑다. 매우 맑다. =〔澄彻〕
〔澄空〕 chéngkōng 명 맑게 갠 하늘.
〔澄款〕 chéngkuǎn 동 〈文〉 청산(清算)하다.
〔澄明〕 chéngmíng 형 맑게 개어 있다.
〔澄清〕 chéngqīng 형 깨끗하게 맑다. ¶湖水碧绿～; 호수가 파랗게 맑다. 동 ①깨끗이 하다. 평정(平定)하다. ¶～天下; 천하를 평정하다. ②청산(清算)하다. ③(인식·문제 등을) 명확하게 하다. 해명하다. ¶～了糊涂观念; 혼란한 관념을 분명하게 하다. ⇒dèngqīng
〔澄心〕 chéngxīn 동 마음을 맑게 하다.
〔澄莹〕 chéngyíng 형 맑고 투명하다.

橙 chéng (등)

명 ①《植》 등자나무. ②(～子) 등자나무 열매. ③오렌지색.
〔橙黄〕 chénghuáng 명 《色》 등황색. 오렌지색.
〔橙黄素〕 chénghuángsù 명 ⇨〔胡hú萝卜素〕
〔橙精〕 chéngjīng 명 등자의 엑스.
〔橙皮〕 chéngpí 명 《漢醫》 등피.
〔橙汁〕 chéngzhī 명 ①오렌지 에이드(orangeade). ②오렌지즙(汁). 주스(juice).
〔橙子〕 chéngzi 명 등자나무의 열매. 오렌지.

逞 chěng (령,정)

① 형 씩씩하다. ② 형 만족하고 기분 좋다. 마음에 만족을 얻다. ③ 동 (나쁜 의도(意圖)를) 성취하다. 성공하다. ¶得dé～; 계획을 완수하다. ④ 동 늦추다. ⑤ 동 풀다. ⑥ 동 (재능·기량 따위를) 자랑하다. 과시하다. 우쭐대다. ¶～能; ⇩ / ～强; ⇩ / ～威风; (권력을 믿고) 젠체하다. ⑦ 동 마음대로 하다(하게 하다). 방임하다. ¶～凶xiōng; 흉포를 마음껏 부리다 /

～欲yù；하고 싶은 대로 하다／不要～着孩子淘气；아이들의 장난을 방임해서는 안된다. →〔逞着①〕 ⑧ 동 꾹 참다. 인내하다. ¶～着不说；참고 가만히 있다.

〔逞脸〕 chěngliǎn 동 ①제멋대로 하다. ¶你休～多嘴多舌的；제멋대로 지껄이면 안 된다. ②제멋대로 하게 두다. 멋대로 날뛰게 하다. ¶一则是怕逞了凤丫头的脸；첫째는 봉이란 계집을 설치게 만드는 일이 되지 않을까 하여 두렵다.

〔逞能〕 chěng.néng 동 ①솜씨를 자랑하다. 치켜세우는 바람에 신이 나다. 중뿔나게 나서다. ¶不是我～, 一天走这么百把里路不算什么；자랑은 아니지만, 하루에 백 리(里)쯤 걷는 것은 아무것도 아니다. ②무리를 하다(체면 때문에 실력 이상의 짓을 하려 함). ¶这个太重, 你拿不动, 千万不要～；이것은 무거워서 너는 들 수 없으니 무리하면 안 된다.

〔逞强〕 chěngqiáng 동 젠체하다. 위세를 부리다. 재주를 자랑하다. ¶有人在眼前他就要～；누가 눈앞에 있으면 그는 강한 체한다／他本没特长, 偏好hào向人～；그는 원래 특출한 점이 없는데도 사람 앞에서는 잘난 체하기를 좋아한다／～好hào胜；승벽(勝癖)을 부리다.

〔逞势〕 chěngshì 동 세력을 자랑하다. 권력을 부리다. 뽐내다.

〔逞威风〕 chěng wēifēng 위풍을 떨다. 뽐내다.

〔逞性妄为〕 chěng xìng wàng wéi 〈成〉 생각나는 대로 멋대로 행동하다.

〔逞性子〕 chěng xìngzi 〈方〉 자기 좋을 대로 하다. 버릇없이 굴다. 제멋대로 굴다.

〔逞凶〕 chěngxiōng 동 제멋대로 흉악한 짓을 하다. 흉포한 짓을 제멋대로 하다. ¶狗腿子抡起鞭子就～；앞잡이는 채찍을 휘두르며 흉포하게 굴었다.

〔逞意〕 chěngyì 동 멋대로 행동하다.

〔逞勇〕 chěngyǒng 동 힘자랑을 하다.

〔逞着〕 chěngzhe 동 ①제멋대로 …하다. ¶～丫头们要我的强；하녀들이 나를 업신여기는 것을 내버려 두다. ②겉으로 허세 피우다. ¶他很穷, 但还～不露出来；그는 굉장히 가난하지만, 꾹 참고 겉으로 나타내지 않는다.

〔逞着劲儿〕 chěngzhejìnr 강한 체하다. 억지로 참다. 허세를 부리다. ¶要强的人总是～把苦处埋在心里；꼭 이기려는 사람은 무엇이든 억지로 참으면서 괴로운 일을 가슴에 묻어 두고 말하지 않는다.

〔逞志〕 chěngzhì 동 〈文〉 마음대로 하다. 큰 뜻을 펴다.

裎

chěng (정)
명 (앞을 여미는) 홑옷. ⇒chéng

骋(騁)

chěng (빙)
동 ①똑바로 달리다. 빨리 달리다. ¶驰chí～；질주하다. 빨리 달리다／汽车在公路上驰～；자동차가 고속 도로를 달린다(제멋대로 하게 하다). ②활짝 열어젖히다.

〔骋步〕 chěngbù 동 뛰다. 달리다.

〔骋驰〕 chěngchí 동 전력을 다해서 뛰다.

〔骋怀〕 chěnghuái 동 흉금을 터놓다.

〔骋目〕 chěngmù 동 눈을 크게 뜨고 먼 곳을 바라보다. ＝〔骋目远眺〕

〔骋能〕 chěngnéng 동 득의양양하여 무리를 하다. 재주를 자랑하고 우쭐해지다.

秤

chèng (칭)
명 ①저울. 천칭(天秤). ¶台～；앉은뱅이 저울／杆～；대저울／钩gōu ～；갈고리 저울／过～；저울에 달다／用～称chēng一称chēng；저울질하다. ＝〔称chèng〕 ②중량의 단위(15근). ③공평(公平).

〔秤不离砣〕 chèng bù lí tuó 〈諺〉 저울대와 추는 떨어질 수 없다(불가분의 밀접한 관계).

〔秤锤〕 chèngchuí 명 ⇨〔秤砣〕

〔秤锤儿虽小, 能压千斤〕 chèngchuír suī xiǎo, néng yā qiānjīn 〈諺〉 추는 작아도 무게를 달 수 있다(고추는 작아도 맵다). ¶年纪小, 怕什么! ～；젊은 게 뭘 두려워해! 고추는 작아도 맵단 말이다! ＝〔秤锤小, 压千斤〕

〔秤杆(儿)〕 chènggǎn(r) 명 천칭의 대 부분. 저울대.

〔秤钩(儿, 子)〕 chènggōu(r, zi) 명 천칭 끝의 걸쇠〔고리〕.

〔秤毫〕 chèngháo 명 대저울의 끈. ＝〔秤纽〕

〔秤花〕 chènghuā 명 ⇨〔秤星(儿)〕

〔秤纽〕 chèngniǔ 명 대저울로 물건을 달 때 손으로 잡는 끈저울의 손잡이. 저울끈. ＝〔秤毫〕

〔秤盘子〕 chèngpánzi 명 저울판. 저울의 접시.

〔秤平斗满〕 chèng píng dǒu mǎn 〈成〉 근량(斤量)·분량이 넉넉하다(손해가 되지 않음. 남에게 손해를 끼치지 않음).

〔秤桥〕 chèngqiáo 명 저울 받침. ＝〔磅bàng桥〕

〔秤砣〕 chèngtuó 명 〈口〉 천칭의 추. 저울추. ¶～掉在井里；〈歇〉 저울추가 우물에 빠지다. 풍덩 하는 소리가 '不懂'(bùdǒng)이 되므로 모른다는 뜻으로 쓰임／吃了～铁了心；저울추를 먹고 마음이 쇠가 되었다(결심이 굳다. 각오가 정해지다). ＝〔秤锤〕〔秤铊〕

〔秤星(儿)〕 chèngxīng(r) 명 저울눈. ＝〔秤花〕

〔秤子〕 chèngzi 명 천칭(天秤).

称(稱)

chèng (칭)
명 ⇨〔秤①〕 ⇒chèn chēng

牚

chèng (탱)
명 ①지주(支柱). ②(～儿) (책상·의자 다리의) 가름대. ⇒chēng

CHI ㄔ

吃〈喫〉A)

chī (흘) 〈끽〉
A) ①동 먹다. 마시다. 피우다. 빨다. ¶～饭；밥을 먹다. 식사를 하다／～茶 ＝〔喝茶〕；차를 마시다／～烟 ＝〔抽烟〕；담배를 피우다／～奶；젖을 빨다／～药；약을 먹다. ②동 (…에서) 식사하다. 외식하다. ¶～食堂；식당에서 식사하다／～馆子；⇩／请两位～小馆；두 사람을 작은 요릿집으로 초대하다. ③동 빨아들이듯이 하여 제 것을 만들다. 약취(略取)하다. 소매치기하다. ¶给小绺～去了；소매치기에게 날치기당했다. ④동 (바둑알·장기쪽을) 따먹다. (전쟁에서 적을) 소멸하다. 전멸시키다. ¶拿车jū～他的炮；(장기에서) 차(車)로 그의 포(炮)를 따먹다／～了敌人一个营；적의 1개 대대를 섬멸하다. ⑤동 …으로 생활하다〔살아가다〕. ¶～利钱；이자로 살아가다／一家子～他一个人；온 집안 사람이 그 한 사람을 의지하여 생활하고 있다. ⑥동 먹혀들다. 받아들이다. 감수하다. ¶不～钉子；못을 받지 않는다(못이 들어가지 않는다)／不～捧；부추김에 넘어가지 않다／

～软不～硬;〈成〉 부드럽게 나오면 받아들이지만 세게 나오면 반발하다 / 不～那一套; 그 수에는 넘어가지 않는다. ⑦動 지탱하다. 견디다. ¶～不住太大的分量; 너무 무거운 중량에는 견디어 낼 수 없다. ⑧…을 입다. 받다. …에게 …당하다. ¶～眼前亏; 뻔히 알고 있는 손해를 보다 / ～棍子; 곤봉으로 맞다 / ～那厮骗sīpiàn了; 저놈한테 속았다 / 休走, ～我一刀; 잠깐, 내 칼을 받아라 / ～她打骂; 그녀에게 맞기도 하고 욕도 먹었다. =〔被〕 ⑨動 가로막다. 가리다. ¶不～柱子的座位; 기둥에 가려지지 않는 좌석. ⑩名 먹을 것. ¶要～有～; 먹고 싶은 것은 무엇이든지 있다. ⑪名 식사. ¶一顿～; 한 끼의 식사. ⑫名 먹음. 먹기. ⑬動 (어떤 물체에) 들어가다. 삽입하다. (물에) 잠기다. ¶～刀不浅; 칼에 찔리어 깊은 상처를 입다 / 这条船～水浅; 이 배는 물에 얕게 잠겼다. ⑭動 (액체를) 빨아들이다. 흡수하다. ¶这菜很～油; 이 요리는 기름이 많이 든다 / 这边儿的地不～水; 이 부근의 땅은 배수가 좋지 않다. ⑮動 거스르다. 반발하다. ¶他一定～你的; 그는 꼭 자네에게 반발할 게다. ⑯動 기화로 삼다. 틈을 타다. 속이다. ¶～他的空子; 그의 허점을 이용하다 / 勾结着～人; 결탁하여 사람을 속이다. ⑰動 손상하다. 소모하다. ¶～鞋; 신발을 닳게 하다〔닳리다〕. ⑱動 판단하다. ¶～准他不是坏人; 그는 필시 악인은 아니라고 생각한다. **B)** 動 더듬거리다. ¶口～; 말을 더듬다 / ～～; 더듬거리는 모양.

〔吃霸王饭〕 **chī bàwángfàn** 〈廣〉 음식 값을 물지 않고 달아나다. ¶一个男子因～而被捕; 한 사내가 음식을 먹고 도망치다 붙잡혔다.

〔吃白饭〕 **chī báifàn** ①일하지 않고 먹다. ②음식에 젓가락도 대지 않다《눈으로만 먹다》. ③식객(食客) 노릇을 하다.

〔吃白食〕 **chī báishí** 공짜로 먹다. 무전 취식하다.

〔吃白相饭〕 **chī báixiāngfàn** 〈南方〉 일정한 직업이 없이 놀며 지내다. 빈둥빈둥 살아가다.

〔吃败仗〕 **chī bàizhàng** 싸움에 지다. 진 싸움이 되다.

〔吃饱〕 **chībǎo** 動 배불리 먹다. ¶～穿暖; 의식(衣食)이 넉넉하다. =〔吃个饱〕

〔吃本〕 **chī.běn** 動 본전을 잘라먹다. 결손이 나다. 손해 보다. =〔亏kuī本〕

〔吃瘪子〕 **chībiězi** 動 굴복당하다. 져서 물러서다. ¶明知不可为而为还能不～; 해서는 안 될 것을 분명히 알면서도 하였으니 혼쭐나지 않을 수 없다.

〔吃不饱〕 **chībubǎo** 충분히 먹지 못하다. 끼니를 거르다. ↔〔吃得饱〕

〔吃不出来〕 **chībuchū.lái** 맛을 분간할 수 없다. 무슨 물건인지 알 수 없다. ¶我～是什么做的; 무엇으로 만들었는지 먹어 보아도 모르겠다.

〔吃不得〕 **chībude** ①(해롭기 때문에) 먹을 수 없다. ¶河豚鱼有毒～; 복어는 독이 있어서 먹을 수 없다. ②(맛이 없어) 먹을 수 없다. ¶这菜酸得～; 이 음식은 시어서 먹을 수 없다. ③견디어 내지 못하다. ¶～苦; 괴로움을 참을 수 없다. ‖↔〔吃得〕

〔吃不动〕 **chībudòng** ①(많이 먹었으므로 그 이상은) 먹을 수 없다. ¶菜太多了, 已经都～了; 요리가 너무 많군요. 많이 먹어서 이젠 더 먹을 수가 없어요. ②(이가 아픈 것 따위로) 먹을 수 없다. ¶我牙不好, ～那么硬的; 이가 나빠서 그렇게 딱딱한 것을 먹을 수 없다.

〔吃不服〕 **chībufú** (음식이) 입에 맞지 않다. ¶生冷的东西我总～; 날음식은 아무래도 입에 맞지 않는다. ↔〔吃得服〕

〔吃不惯〕 **chībuguàn** 먹는 데 익숙하지 않다.

〔吃不开〕 **chībukāi** ①먹고 살 수 없다. ②안면이 좁다. 뽐낼 수 없다. 체면이 안 서다. ③통용되지 않다. 상대해 주지 않다. 환영받지 못하다. ¶他的理论～; 그의 이론은 통하지 않는다. ‖↔〔吃得开〕

〔吃不克化〕 **chībukèhuà** ①소화할 수 없다. ②견딜 수 없다. 부담할 수 없다. ¶这么大的责任我实在～; 이렇게 큰 책임을 나는 도저히 질 수 없다/ 这个罪他～; 이 죄를 그는 보상할 수 없다.

〔吃不来〕 **chībulái** (입에 맞지 않거나 생소하여) 먹지 못하다. ¶牛肉我还吃得来, 猪肉就～; 나는 쇠고기는 먹을 수 있어도, 돼지고기는 못 먹는다. ↔〔吃得来〕

〔吃不了〕 **chībuliǎo** (양이 많아서) 다 못 먹다. ¶这么多的菜我们两个人～; 이렇게 많은 요리는 우리 둘이서 다 못 먹는다. ↔〔吃得了〕

〔吃不了, 兜着走〕 **chībuliǎo, dōuzhezǒu** 먹을 수 없어 싸 가지고 가다. 〈比〉 감당할 수 없을 뿐 아니라 끝까지 책임을 져야 한다. 신물이 날 정도로 되게 맛을 보다〔경험하다〕. ¶这件事搞不好的话, 你可要～; 이 일이 잘 안 되면, 네가 책임을 져야 한다.

〔吃不起〕 **chībuqǐ** ①(돈 또는 자격이 없어) 먹을 수 없다. ②견디지 못하다.

〔吃不上〕 **chībushàng** ①끼니를 잇지 못하다. 먹고 살 수 없다. ¶他没有手艺, 这行总是～的; 그 같이 서툰 재간으로서는 이 장사로 밥을 먹을 수 없다 / 他穷得～了; 그는 가난하여 끼니를 못 댄다. ②먹을 기회를 놓치다. ¶去晚了就～饭了; 늦으면 먹을 기회를 놓친다.

〔吃不透〕 **chībutòu** (뜻 따위를) 헤아릴 수 없다. ¶他的意思我～; 그의 뜻은 나로서는 헤아릴 수 없다.

〔吃不下去〕 **chībuxià.qù** ①배가 불러 더 못 먹겠다. ②(입에 넣어도) 넘어가지 않는다. ‖↔〔吃得下去〕

〔吃不消〕 **chībuxiāo** 견디어 내지 못하다. 이건 참 못 견디겠다. ¶这文章真让看的人～; 이 문장은 정말로 읽는 사람을 질리게 한다. ↔〔吃得消〕

〔吃不着〕 **chībuzháo** (그것이 없어서) 먹을 수 없다. 먹지 못하다.

〔吃不住〕 **chībuzhù** 지탱할 수 없다. ¶机械太沉, 这个架子恐怕～; 기계가 너무 무거워서 아마 이 밑받침으로는 지탱할 수 없을 것이다 / 怕他身体～劝他多休息; 그는 몸이 지탱할 수 없을 테니 잘 쉬도록 권하였다. ↔〔吃得住〕

〔吃不住劲〕 **chībuzhùjìn** 감당할 수 없다. 힘을 쓸 수 없다. ¶老华听了这话, 心里～; 화씨는 그 말을 듣고 야속한 생각을 하였다 / 分量倒是不沉, 就是光出溜的～, 不好搬; 무게는 그리 무겁지 않는데, 다만 미끄러워 힘을 쓸 수가 없어 나르기 어렵다.

〔吃不准〕 **chībuzhǔn** (사물에 대하여) 자신이 없다.

〔吃茶〕 **chīchá** 動 ①차를 마시다《화중(華中)·화난(華南)에서는 '～', 화베이(華北)에서는 '喝hē茶', 광둥(廣東)에서는 '饮yǐn茶'라고 함》. ¶～文学; 저회(低徊) 취미를 주로 하고 세상사를 초월한 문학. ②〈比〉 약혼하다《여자가 약혼할 때 차를 보내는 데서》.

〔吃吃〕 **chīchī** 〈擬〉 흐흐. 킬킬《조심스레 웃는 웃

음).

〔吃吃喝喝〕 chīchīhēhē 동 먹고 마시다. ¶他尽jǐn交些～的朋友; 그는 그저 먹고 마시는 친구들과만 사귄다.

〔吃出甜头儿〕 chīchū tiántour 맛이 나다. 맛을 들이다.

〔吃穿〕 chīchuān 명 의식(衣食). ¶千里作官无非为的是～; 멀리 고향을 떠나 관리 생활을 하는 것도 모두 의식 때문이다.

〔吃穿使用〕 chīchuān shǐyòng 〈比〉 생활 필수품.

〔吃醋〕 chī,cù 동 질투하다. 강짜 부리다(주로 남녀 관계에 많이 쓰임). =〔嫉忌〕

〔吃大锅饭〕 chī dàguōfàn ①⇨〔吃大灶〕 ②→〔大锅饭〕

〔吃大户〕 chīdàhù 〈方〉 옛날, 흉년이 들었을 때에 빈민이 떼를 지어 지주나 부잣집을 습격하여 빼앗거나 먹거나 하던 일.

〔吃大灶〕 chī dàzào (많은 사람이 또는 많은 가족이 함께 대식당에서) 보통 식사를 하다. =〔吃大锅饭①〕

〔吃刀〕 chīdāo 동 칼을 맞다. 명《機》 절단기의 칼자국. ¶～深度; 절단기의 칼 길이.

〔吃得过儿〕 chīdeguòr 먹기에 적당하다. 또, 그 때. ¶菜园子的黄瓜～了吧; 밭의 오이는 제철이 되었다.

〔吃得开〕 chīdekāi 환영을 받다. 인기 있다. 얼굴이 넓다〔통하다〕. ¶这种新农具在农村很～; 이런 새 농기구는 농촌에서 아주 평이 좋다 / 不要紧, 他～, 这点小事难不倒他; 괜찮아, 그는 얼굴이 통하므로 이런 것쯤으로 곤란해하지는 않아. →〔吃不开〕

〔吃得老学得老〕 chī de lǎo xué de lǎo 〈成〉 아무리 나이를 먹어도 배울 것은 얼마든지 있다.

〔吃得消〕 chīdexiāo 소화해 낼 수 있다. 견딜 수 있다. 참을 수 있다. ¶高空飞行, 要身体结实才～; 고공 비행은 몸이 튼튼해야만 견딜 수 있다. ↔〔吃不消〕

〔吃掉〕 chīdiào 동 ①먹어 없애다. ②(적 등을) 해치우다. ③(바둑·장기·체스(chess) 따위에서) 상대의 말을 따다.

〔吃豆腐〕 chī dòufu 〈南方〉 ①남을 놀리다. 남을 조롱해서 곤혹스럽게 만들다. ¶不要随便吃人豆腐; 함부로 사람을 놀리지 마라 / 见人就～; 사람의 얼굴만 보면 놀린다. ②여자에게 못된 장난을 하다. ③명 노인을 욕하는 말(장례 때 두부 음식을 쓰는 데서).

〔吃独门儿〕 chī dúménr 특수한 기능으로 생활하고 그것을 남에게 전수하려 하지 않음.

〔吃独食(儿)〕 chī dúshí(r) 독차지하다. 이익을 독점하다.

〔吃耳光〕 chī ěrguāng 따귀를 맞다.

〔吃饭〕 chī,fàn 동 ①식사를 하다. ¶吃现成的饭; 수고하지 아니하고 재미를 보다 / ～不管事; 자기의 본분(本分)을 다하지 않다. ②생활을 유지하다. ¶吃资历饭; 이력을 생계의 수단으로 삼다 / ～防噎 fángyē; 밥을 먹으면서도 목이 멜까 걱정하다(일을 매우 신중하게 함). ③(chī fàn) (쌀) 밥을 먹다. ¶～泡汤; 〈歇〉 밥을 먹는데 국을 붓다(죽을 먹을 운명이라 역경에서 헤어나지 못함).

〔吃饭不饱, 喝酒不醉〕 chīfàn bùbǎo, hējiǔ bùzuì 밥을 먹어도 배가 차지 않고, 술을 마셔도 실컷 취하지 않다(돈이 몇 푼 되지 않다).

〔吃饭穿衣量家当儿〕 chīfàn chuānyī liáng jiādāngr 〈諺〉 생활은 신분에 맞게 하라.

〔吃飞〕 chīfēi 동 '大dà鼓书'를 들을 때 관객이 곡목을 지정해서 주문하다.

〔吃粉笔面儿的〕 chīfěnbǐmiànrde 명 〈貶〉 분필 가루를 먹는 사람(교원에 대한 경멸의 말).

〔吃粪〕 chīfèn 〈罵〉 똥이나 먹어라.

〔吃俸禄〕 chī fènglù 봉급 생활을 하다.

〔吃公东(儿)〕 chī gōngdōng(r) 각추렴하다(각자가 배당액을 내어 연회를 하는 것).

〔吃狗屎〕 chī gǒushǐ 〈比〉 엎드려 얼굴을 땅에 대다.

〔吃股份〕 chīgǔfen 명 옛날, 우두머리 점원 등이 영업 이익의 배당을 받던 일.

〔吃挂络儿〕 chī guàlàor 연루되다. 말려들다. ¶你这官司, 八成儿是～了; 자네의 이 소송 사건은 십중팔구는 말려든 것이다. =〔吃挂涝儿〕

〔吃官饭〕 chī guānfàn ①나라의 녹(祿)을 먹다. 벼슬살이하다. 관리가 되다. ②형무소에 들어가다.

〔吃官司〕 chī guānsi 재판 거리가 되어 처벌을 받거나 투옥되다.

〔吃馆子〕 chī guǎnzi 요정에 가서 식사를 하다.

〔吃光〕 chīguāng 동 먹어 치우다. 먹어서 아무것도 남기지 않다. ¶那么些盘pán菜都～了; 저렇게 몇 접시나 되는 요리를 다 먹어 치웠다.

〔吃喝〕 chīhē 동 먹고 마시다. ¶～些东西; 먹을 것을 조금 입에 넣다 / ～嫖赌piáodǔ; 식도락·아편질·계집질·노름의 네 가지 도락(道樂) / ～不分; 음식에 네 것 내 것을 가리지 않다. 교분이 두텁다.

〔吃喝拉撒睡〕 chī hē lā sā shuì ①먹고 싸고 잠자다. ②〈比〉 하루 종일 아무 일도 않고 빈둥거리다.

〔吃喝儿〕 chīhēr 명 음식. 음식비. ¶～太贵; 음식비가 너무 높다.

〔吃喝玩乐〕 chī hē wán lè 먹고 마시고 놀며 즐기다. 향락에 빠져 세월을 보내다. ¶每天～, 不好工作; 매일 향락에 빠져 일을 잘 하지 않다.

〔吃黑枣儿〕 chī hēizǎor 〈比〉 총알을 맞다. 총살당하다(불량배나 도적 등의 은어). ¶～是当土匪的下场; 총살당하는 것이 비적의 말로이다.

〔吃花酒〕 chī huājiǔ 옛날, 기생 집에서 음식을 먹는다든가, 요릿집에 기생을 불러서 먹고 마시다(그 연회를 '花局'이라고 함).

〔吃灰〕 chīhuī 동 먼지를 뒤집어쓰다.

〔吃回头草〕 chī huítoucǎo 일단 그만두기로 한 일을 다시 하다.

〔吃荤〕 chīhūn 동 육식(肉食)을 하다. 비린 것을 먹다. ↔〔吃斋〕

〔吃货儿〕 chīhuòr 명 ①가축. ②〈罵〉 식충이. 밥벌레. 밥통.

〔吃剑才〕 chījiàncái 명 〈古白〉〈罵〉 저주받아 죽을 놈. 죽일 놈. →〔该gāi杀〕

〔吃将〕 chījiàng 명 먹보. 대식가.

〔吃教〕 chījiào 〈貶〉 예수를 팔아 밥 빌어 먹다. =「〔吃(洋)教〕

〔吃角子老虎〕 chījiǎozi lǎohu 명 슬롯 머신(slot machine). =〔吃角(子)机〕

〔吃紧〕 chījǐn 형 (군사·정치 정세·금융 시장 등이) 긴박하다. 절박하다. 긴장하다. ¶金融～; 금융이 긴박하다 / 边防～; 국경 지방의 방비가 긴박해 있다.

〔吃劲(儿)〕 chījìn(r) 형 힘이 들다. (chī,jìn(r)) 동 견디다. ¶吃不住劲(儿); 참을 수가 없다.

〔吃惊〕 chī,jīng 동 놀라다. ¶吃了一惊; 깜짝 놀라

다 / ～受怕; 놀라서 벌벌 떨다. =〔受shòu惊〕

〔吃酒〕 chī jiǔ ①술을 마시다. ②구식 결혼식의 의식의 하나. ㉠ '吃喜酒' 의 뜻으로 참석자가 축하주를 마시는 일. ㉡ '喝交杯酒' 의 준말로, 신랑 신부가 천지(天地)에 배례한 후 신방에 들어가 합환주를 마시는 것.

〔吃开〕 chīkai 동 먹고 지낼 수 있다. 직업이 있다.

〔吃客〕 chīkè 명 음식점 손님.

〔吃空〕 chīkōng 동 ①(돈을) 다 써 버리다. ②비우다.

〔吃空头〕 chī kōngtóu 인원수를 불려서 보고하여 그 여분의 급료를 착복하다.

〔吃空子〕 chī kòngzi 허를 찌르다. 틈을 노리다. ¶吃你的空子害你; 자네의 허를 노리어 해치려 한다.

〔吃口〕 chīkǒu ① 명 식사하는 사람의 수. 식구. ¶他家里～少; 저 집은 식구가 적다. ② 동 가끔 간식을 하다. →〔吃零líng嘴(儿)〕 ③ ⇒〔结jiē巴〕

〔吃苦〕 chī,kǔ 동 ①고통을 맛보다. 고생하다. ¶不能再吃二遍苦; 고생을 두 번 다시 맛볼 수는 없다. ②괴로움을 견디다. ¶不怕～的人 =〔肯～的人〕; 괴로움을 두려워하지 않는 사람. 인내심 많은 사람 / ～耐劳; 괴로움을 참고 수고를 견디다. 강경히 버티다. →〔受shòu苦①〕

〔吃苦头〕 chī kǔtou 고통을 당하다. 쓴 맛을 보다. ¶蛮干是要～的; 억지를 쓰면 고통을 당할 것이다.

〔吃苦子〕 chī kǔzi 혼나다. 학대를 받다.

〔吃亏〕 chī,kuī 동 ①손해 보다. 밑지다. ¶做了生意吃了大亏; 장사를 해서 크게 손해를 보았다. ②골탕을 먹다. 되게 혼나다. (실패의) 쓰라림을 겪다. ¶他吃了自私的亏; 그는 이기적이었기 때문에 괴로움을 겪었다 / 我吃过媒人的亏; 나는 중매쟁이의 농간에 넘어간 적이 있다. ③ (조건이) 불리해지다. 부 애석하게도. 아깝게. 불행하게도. ¶～是哑巴; 불행히도 벙어리이다 / 这个机会很不错, ～他不在京; 이 찬스는 천재일우의 기회인데 아깝게도 그가 서울에 없다.

〔吃老本(儿)〕 chī lǎoběn(r) ①자본을 잠식하다. 밑천을 까먹다. ¶～买卖; 밑지는 장사. ②이전의 경험·지식에 의존하다. 과거의 공로로 살아가다. ¶靠～对付工作; 과거의 경험에 비추어 그럭저럭 일에 대처하다.

〔吃老拳〕 chī lǎoquán 주먹으로 호되게 맞다.

〔吃老子〕 chī lǎozi 부모에게 얹혀 살다.

〔吃了由脊梁骨下去〕 chīle yóu jǐlianggǔ xiàqù 〈比〉 안심하고〔근심 걱정 없이〕 먹고 지낼 수 없다.

〔吃累〕 chīlèi 동 고생하다. ¶道路不好可～了; 길이 나빠서 정말 고생했다.

〔吃冷饭〕 chī lěngfàn ①찬밥을 먹다. ②〈方〉 냉대를 받다. ¶对于一些能力差的就给他们～; 능력이 떨어지는 사람에 대해서는 냉대한다.

〔吃里爬外〕 chī lǐ pá wài 〈成〉 양육해 주는 쪽을 배반하고 외부와 내통하다. 은혜를 원수로 갚다.

〔吃力〕 chīlì 형 힘겹다. 힘들다. ¶爬山很～; 등산은 매우 힘들다. 동 수고하다. 고생하다. 힘을 들이다. ¶～不讨好; 〈諺〉 고생만 하고 좋은 소리도 못 듣다.

〔吃利生活者〕 chīlì shēnghuózhě 명 고리 대금업으로 생활하는 사람.

〔吃粮〕 chī,liáng 동 ①양식을 먹다. ¶吃农村粮; 농촌 밥을 먹다《농촌에 호적이 있음》/ 吃商品粮; 상품의 밥을 먹다《도시에 호적이 있음》. ②옛날에, 군인이 되다.

〔吃零嘴(儿)〕 chī língzuǐ(r) 간식을 먹다. =〔吃零食〕〔〈方〉 吃嘴〕

〔吃螺蛳〕 chī luósi 《劇》 대사를 잊고 막히다.

〔吃门子〕 chī ménzi 부잣집을 등쳐 먹다.

〔吃闷棍〕 chī mèngùn 까닭 없이 매맞거나 볶이는 일. ¶吃了一记闷棍; 아닌 밤중에 홍두깨격으로 당하다.

〔吃墨纸〕 chīmòzhǐ 명 압지(壓紙). ¶～垫; 압지틀.

〔吃奶的劲〕 chīnǎi de jìn 젖 빠는 힘. 〈比〉 필사적인 힘. ¶～都使出来了; 젖먹던 힘까지 다 냈다.

〔吃腻〕 chīnì 동 (실컷 먹어서) 물리다. ¶肉已经～了; 고기는 이미 물렸다.

〔吃趴下〕 chī pāxià (재산 따위를) 탕진하다. ¶照这样儿过, 一定～了; 이런 식으로 살아간다면 틀림없이 탕진하고 말 것이다.

〔吃怕〕 chīpà 동 지긋지긋하다. 신물이 나다《'吃腻' 보다 정도가 심함》. ¶这种鱼我过去吃得太多了, ～了; 이 생선은 과거에 너무 많이 먹어서 이제는 넌더리난다 / 办这种麻烦事, 真是～了; 이런 성가신 일은 이젠 질색이다.

〔吃排头〕 chī páitóu 〈方〉 꾸중 듣다《원래는 상하이(上海) 방언》. ¶吃一顿排头; 한차례 꾸중을 듣다 / 当心～; 꾸중 듣지 않도록 조심하여라 / 吃了很大的排头了; 몹시 야단맞다.

〔吃派饭〕 chī pàifàn 중앙이나 지방 간부가 임시로 농촌에 들어가 활동할 때 현지의 배정한 농가에서 식사를 하다.

〔吃捧〕 chīpěng 동 남이 치켜세워 우쭐해지다.

〔吃偏饭〕 chī piānfàn 〈比〉 특별식을 먹다. 특히 귀여워하다. ¶对于一些所谓优等生就给他们～; 약간의 이른바 우등생에 대해서는 특별한 우대를 한다.

〔吃葡萄〕 chīpútao 〈比〉 하나하나 해결하다.

〔吃其全鸭〕 chī qí quányā 〈比〉 영패(零敗)하다. ¶香港足球队在河内三战～; 홍콩 축구 팀은 하노이에서 세 번 싸워 영패했다. →〔吃鸭蛋〕

〔吃钱〕 chīqián 동 웃돈을 떼다. 돈을 중간에서 가로채다. ¶叫他买东西, 他常爱～; 그는 물건을 사오라고 시키면 언제나 삥땅친다.

〔吃钱货〕 chīqiánhuò 명 돈벌레. ¶半新汽车, 价钱虽然便宜, 倒是个～呀, 你看, 时不常儿的得花修理费呢; 중고 자동차는 값은 싸지만 돈벌레야. 항상 수리비가 들어가니 말일세.

〔吃请〕 chīqǐng 동 초대받아 식사하다. ¶不～, 不受贿huì; 식사 초대도 거절하고 뇌물도 받지 않는다.

〔吃儿〕 chīr 명 〈北方〉 ①먹을 것《주로 반찬이나 식사를 말함》. ¶今天有什么好～? 오늘은 뭐 맛있는 것이 있니? ②사료. 먹이. ¶猪在圈里嗡嗡着要～; 돼지가 울 안에서 꿀꿀거리며 먹이를 바라고 있다.

〔吃人〕 chī rén **A**) 남을 잡아먹다. 남을 깔보다. ¶～不吐骨头; 사람을 잡아먹고도 뼈를 뱉어 내지 않다《냉혹 무정함》. **B**) (chī,rén) 동 ①남의 것을 착복하다. 남을 등치다. ②남에게 의지하여 살아가다. ③(술·음식 등을) 남에게서 우려 내다.

〔吃人家〕 chī rénjiā 남의 것을 먹다. 남이 먹여주다. ¶～的嘴软, 使人家的手短; 〈諺〉 남에게 뇌물을 받으면 원칙을 지키기 어렵다.

〔吃人情〕 chī rénqíng 뇌물을 받다.

〔吃软〕 chīruǎn 동 허리를 굽히고 나오는 사람에게 무르다. ¶～不吃硬yìng; 〈諺〉 강경 수단으로

는 상대방을 복종시키기 힘들고, 부드럽게 대하면 상대방을 항복시킬 수 있다.

〔吃软饭〕 chīruǎnfàn 명동 〈方〉 기둥서방(이 되다). 마누라에게 매춘을 시켜서 밥을 먹고 살다〔삶〕.

〔吃三天饱就忘挨饿〕 chī sāntiān bǎo jiù wàng ái'è 〈諺〉 목구멍만 넘어가면 뜨거움을 잊는다(괴로움도 그 때가 지나가면 간단히 잊어버림. 어려울 때 남에게 받은 은혜도 형편이 좋아지면 잊어버림).

〔吃伤〕 chīshāng 동 ①식중독에 걸리다. ②실컷 먹어 물리다.

〔吃烧饼赔唾沫〕 chī shāobǐng péi tuòmo 소병(燒餠)을 먹는 데에도 침을 소비해야 한다(무엇이든 공짜는 없다).

〔吃生活〕 chī shēnghuo 〈南方〉 꾸중 듣다. ¶你不要偷懒, 当心老板来了～; 게으름 피우지 말고, 주인이 오면 꾸중 듣지 않도록 조심해라.

〔吃生米(儿)的〕 chīshēngmǐ(r)de 명 〈南方〉 앞뒤를 가리지 않는 사람. 권세 등을 두려워하지 않는 사람. 무슨 짓을 할지 알 수 없는 사람. ¶他如果遇着～一样逮dǎi苦子; 그가 만일 권세를 두려워하지 않는 사람을 만났다면 똑같이 호된 욕을 보게 될 것이다.

〔吃食(儿)〕 chī.shí(r) 동 (새나 가축 등이) 먹이를 먹다. ¶母鸡生病, 不～了; 어미닭이 병이 나서 모이를 먹지 못한다.

〔吃食〕 chīshi 명 ①〈口〉 먹을 것. 음식. ¶这旅馆的～不坏; 이 여관의 음식은 나쁘지 않다. ②〈方〉 간단한 음식. ¶～担; 간단한 음식을 파는 노점.

〔吃食篓儿〕 chīshilǒur 명 음식을 넣는 광주리.

〔吃食堂〕 chī shítáng 식당에서 식사를 하다.

〔吃柿子拣软的〕 chī shìzi jiǎn ruǎnde 〈歇〉 감을 먹을 때 연한 것을 골라잡다. 쉬운 일을 골라서 하다. 얌전한 사람을 머저리로 여긴다. 약한 곳을 먼저 찌른다.

〔吃事〕 chīshì 동 사기(詐欺)치다. 사기 행위를 하다. ¶他们都是～的, 你多留神吧; 저놈들은 모두 협잡꾼이니, 조심해라.

〔吃手〕 chīshǒu 동 힘들다. 형 성가시다.

〔吃输东儿〕 chī shūdōngr 내기에 진 사람에게 한 턱 얻어먹다.

〔吃谁饭服谁管〕 chī shuí fàn fú shuí guǎn 〈諺〉 밥을 먹여 준 사람에게는 그 지배를 받게 된다(남의 신세를 지면 그 사람 말을 듣게 된다).

〔吃水〕 chīshuǐ A) 명 ①〈方〉 식용수. 식수. ②배의 흘수. ¶这船～三米; 이 배의 흘수는 3m이다 / ～线; 흘수선. B) 동 수분을 흡수하다. ¶这块地不～; 이 땅은 배수가 잘 안 된다. C) (chī shuǐ) 물을 마시다. ¶～别忘了淘táo井的 =〔～不忘挖wā井人〕; 〈諺〉 물을 마시며 우물을 판 사람을 잊지 않는다(근본을 이룩한 사람을 잊지 않는다).

〔吃私(儿)〕 chīsī(r) 동 ①사복(私腹)을 채우다. ②중간에 서서 금전 따위를 속여 먹다. =〔中饱〕〔贪污〕

〔吃素〕 chī.sù 동 《佛》 정진(精進)하다. 소(素)하다. 육식을 하지 않다.

〔吃糖〕 chī.táng 동 ①눈깔사탕을 먹다. ②〈轉〉 약혼〔결혼〕하다(약혼〔결혼〕할 때 친구에게 사탕을 보내는 관습이 있음). ¶我们快要吃他们的糖了; 그들은 곧 약혼〔결혼〕을 할 것이다 / 你们什么时候请～? 자네들은 언제 약혼〔결혼〕을 할 것인가? →〔吃喜酒〕

〔吃甜头〕 chī tiántou 재미를〔이득을〕 보다. ¶他坐享xiǎng几万元的分账, 真是～; 그는 앉아서 수만 원의 배당을 받게 되므로 대단한 재미를〔이득을〕 본다 / 吃出甜头了, 还想下回; 맛을 들여 또 다음번을 생각한다.

〔吃铁丝屙笊篱〕 chī tiěsī ē zhàoli 〈歇〉 철사를 삼켜서 소쿠리를 만들어 내다('肚子里编'(뱃속에서 엮어 내다)이 뒤에 이어져 근거 없는 일을 날조하다의 뜻).

〔吃透〕 chītòu 동 〈比〉 완전히 이해하다. 납득하다. ¶～文件精神; 문건의 정신을 완전히 이해하다 / ～两头; 양쪽 다 완전히 이해하다(대개는 이론적으로 이해하고 실전에도 응용할 수 있음을 가리킴).

〔吃头儿〕 chītour 명 ①먹어 볼 만한 가치. 먹을 맛. ¶没有～; 맛없다. ②(가축 따위의) 식욕.

〔吃瓦片儿〕 chī wǎpiànr 〈方〉 집을 세놓고 그 세(稅)로 생활함(풍자하는 말).

〔吃卫生丸〕 chī wèishēngwán 〈俗〉 총살당하다. =〔吃卫生球〕

〔吃味儿〕 chī.wèir 동 ①마음에 두다. 신경쓰다. ¶他说那话没别的意思, 你甭～; 그가 그런 말을 하는 것은 다른 뜻이 없으니 마음 쓸 것 없네. ②흥미가 나다. 취미가 붙다. ¶他用功已经吃进味儿去了; 그는 공부에 이미 흥미가 나기 시작했다.

〔吃兀突碰〕 chī wù tū pèng 장애를 당하다. 거절당하다. =〔碰钉子〕

〔吃稀的拿干的〕 chīxīde nágānde 밥도 얻어먹고 돈까지 받다. ¶～, 得给人干gàn活儿; 밥도 먹고 또 돈까지 받았으니 이쪽도 한몫 해 드려야겠다.

〔吃席〕 chīxí 동 (낱접시가 아닌) 상(床)요리를 먹다.

〔吃喜酒〕 chī xǐjiǔ 축하술을 마시다. 결혼식에 참석하다.

〔吃闲饭〕 chī xiánfàn 일을 하지 않고 밥을 먹다. 식객으로 있다. ¶他家有一个～的; 그의 집에는 식객 한 사람이 있다.

〔吃闲嘴〕 chī.xiánzuǐ 동 간식하다.

〔吃现成(儿)饭〕 chī xiànchéng(r) fàn 수고하지 않고 가만히 앉아서 재미 보다. 불로 소득하다.

〔吃香〕 chīxiāng 형 인기가 있다. 평판이 좋다. ¶这种花布在群众中很～; 이런 무늬의 옷감은 대중에게 아주 인기가 좋다. =〔打腰①〕 (chī.xiāng) 동 좋은〔맛있는〕 음식을 먹다.

〔吃相〕 chīxiàng 명 먹는 모양〔태도〕. ¶～不雅yǎ; 먹는 품이 천하다.

〔吃宵夜〕 chī xiāoyè 밤참을 먹다. 야식하다. ¶正在～, 忽闻叩门之声; 야식을 먹고 있는데, 갑자기 문 두드리는 소리가 들렸다. =〔吃消夜〕〔吃夜宵〕

〔吃小亏占大便宜〕 chī xiǎo kuī zhàn dà piányi 〈諺〉 작은 것을 손해 보고 큰 이익을 얻다.

〔吃小灶〕 chī xiǎozào 특별식을 먹다. =〔吃小锅饭〕

〔吃心〕 chīxīn 동 ①걱정하다. 마음을 쓰다. 끙끙 앓다. ¶你别～, 我说的是他; 걱정하지 마라. 내가 말하는 것은 그다 / 为这么点儿事不必那么～; 이 정도의 일로 그렇게 끙끙 앓을 필요는 없다. ②의심하다. 명 욕심. 탐욕스러운 마음. ¶这位老爷～大; 이 영감의 욕심은 굉장하다.

〔吃虚儿〕 chī xūr 〈北方〉 웃돈을 떼다. 도중에서 돈을 가로채다. ¶替朋友买东西哪儿能～呢; 친구를 대신해 물건을 사는데 어찌 웃돈을 떼어먹을 수 있겠는가. =〔吃蓄xù儿〕

〔吃鸭蛋〕 chī yādàn ①영패(零敗)하다. ¶昨天的

比赛，吃了鸭蛋了；어제 시합에서는 영패했다. ②시험에서 영점(零點)을 받다.
〔吃哑吧亏〕chī yǎba kuī 손해를 보거나 남에게 시달리고 있으면서 묵묵히 남에게 말을 못 하다. 책임을 지울 수 없는 손실을 보다. 어리석게 손해를 보다. →〔烧shāo鸡〕
〔吃烟〕chī yān 담배를 피우다.
〔吃眼前亏〕chī yǎnqiánkuī 빤히 보면서 손해를 보다. ¶好汉不～；〈諺〉똑똑한 사내는 빤히 보면서 손해보는 따위의 짓은 않는다.
〔吃厌〕chīyàn 동 물리도록 먹다.
〔吃秧子〕chī yāngzi 세상 물정 모르는 부잣집 도련님을 속여서 봉으로 삼다. 사람을 봉으로 삼아 단물을 빼먹다. ¶拿他当dàng冤大头～去；그를 좋은 봉으로 삼아 밥먹으러 가다. →〔架jià秧子〕
〔吃洋饭〕chī yángfàn 외국인에게 의지하여 생활하다.
〔吃药〕chī·yào 동 약을 먹다.
〔吃夜宵〕chī yèxiāo ⇨〔吃宵夜〕
〔吃一顿，挨一顿〕chī yīdùn, ái yīdùn 한 끼를 먹고는 한 끼를 굶다(빈궁이 심한 것).
〔吃一堑，长一智〕chī yī qiàn, zhǎng yī zhì 〈諺〉한 번 좌절하면, 그만큼 현명해진다(실패는 좋은 선생이다). ¶～，他们不敢再冒mào这个险吧；그들은 한 번 실패한 만큼 현명해졌으니, 두 번 다시 이런 모험은 하지 않을 것이다.
〔吃硬〕chīyìng 상대방이 강경하게 나오면 듣는다. ¶～不吃软；〈諺〉강경하게 나오면 유순하게, 부드럽게 나오면 강경하게 나온다.
〔吃油纸〕chīyóuzhǐ 명 ①염색 집에서 쓰는, 기름을 흡수하는 종이. ②(화장용) 기름종이.
〔吃鱼〕chīyú 동 ①생선을 먹다. ②〈俗〉(키스할 때) 입을 맞추며 혀를 빨다.
〔吃冤枉的〕chī yuānwang de 먹는 일 외에는 재주가 없는 사람. 식충이.
〔吃载〕chīzài 명 선박의 적재량. ¶～重；적재량이 많다.
〔吃斋〕chī·zhāi 동 ①소(素)하다. 정진 결재(精進潔齋)하다. =〔吃素〕②승려가 식사를 하다.
〔吃着〕chīzháo 먹을 수 있게 되다. 먹게 되다. ¶没吃过的东西也～了；먹어 본 일이 없는 (진귀한) 것도 먹을 수 있게 되었다 / 吃不着；(먹을 것이 없어서) 먹을 수 없다.
〔吃着对门谢隔壁〕chīzhe duìmén xiè gébì 〈比〉잘못 짚다. 착각하다. 엉뚱한 짓을 하다.
〔吃着碗里瞧着锅里〕chīzhe wǎnli qiáozhe guōli 〈比〉욕심이 많음.
〔吃重〕chīzhòng 형 ①책임이 무겁다. ¶他在这件事上很～；그는 이 일에 있어서 책임이 아주 무겁다. ②힘겹다. 어렵다. ¶搞翻译对我来讲，是很～的事；번역은 나에게 있어 힘든 일이다. 명 적재량(積載量). ¶这辆车～多少? 이 차의 적재량은 어느 정도입니까?
〔吃住〕chīzhù 명 식(食)과 주(住). ¶～不成问题；식사와 주거는 문제 없다. 동 생활하다. ¶他在厂里～，经常不回来；그 사람은 공장에서 생활하고 늘 (집에) 오지 않는다.
〔吃着不尽〕chīzhuó bùjìn 의식(衣食)이 풍족하다.
〔吃子(儿)〕chī·zǐ(r) 동 (바둑에서) 돌을 따내다〔따먹다〕.
〔吃租子〕chīzūzi 동 집세나 소작료 따위로 생활을 꾸려 나가다. =〔吃租儿〕→〔吃瓦片儿〕
〔吃嘴(儿)〕chī·zuǐ(r) 동 ①간식하다. =〔吃零嘴(儿)〕②맛있는 것을 먹다. ¶节下也不过是吃一天的嘴儿；명절이라 해도 단 하루 맛나는 것을 먹을 뿐이다.
〔吃罪〕chī·zuì 동 벌을 받다. ¶～不起；벌받는 고통을 견딜 수 없다.
〔吃罪名〕chī zuìmíng 법률의 제재를 받다. =〔打dǎ罪名〕

哧 chī (적)
〈擬〉①웃음 따위를 터뜨릴 때 나는 소리. ¶～～地笑；낄낄 웃다. ②천을 째거나 탄환이 날아갈 때 나는 소리. ¶～的一声撕下一块布来；찍 하고 천 한 조각을 찢었다.
〔哧溜〕chīliū 〈擬〉쭈르르(미끄러지는〔질질 끌리는〕소리. 또, 그 모양). ¶～一下滑了一交；쭈르르 미끄러졌다.

絺(絺) chī (치)
명 〈文〉①얇은 갈포(葛布). 상질(上質)의 갈포. ②꿰맨 의복. 지은 옷. ③성(姓)의 하나.
〔絺纩〕chīkuàng 명 ①갈포와 솜. ②여름 (옷)과 겨울(옷).

瓻 chī (치)
명 도제(陶製)의 술병.

胵 chī (치)
→〔膍pí胵〕

鸱(鴟) chī (치)
명 ①《鳥》새매의 옛 명칭. =〔鹞yào鹰〕②《鳥》올빼미. ③술그릇.
〔鸱脚莎〕chījiǎosuō 명 《植》조개풀.
〔鸱甍〕chīméng 명 (솔개 부리 모양의) 지붕의 귀와(鬼瓦). =〔鸱尾〕〔鸱吻〕
〔鸱目虎吻〕chī mù hǔ wěn 〈成〉올빼미 같은 눈매와 범의 아가리(흉포한 얼굴). ¶此人生来～凶狠之极，必非善类；이 사람은 날 때부터 아주 흉포하게 생겼으니, 반드시 좋은 무리는 아닐 것이다.
〔鸱视〕chīshì 동 올빼미 같은 눈초리로 보다. 형 〈轉〉탐욕스럽다.
〔鸱鸮〕chīxiāo 명 《鳥》올빼미. =〔鸱枭〕
〔鸱鸺〕chīxiū 명 《鳥》부엉이. =〔猫头鹰〕

蚩 chī (치)
〈文〉①형 무지(無知)하다. 우매(愚昧)하다. ②형 추하다. 못생기다. =〔媸〕③동 웃다. 비웃다. =〔嗤①〕
〔蚩尤〕Chīyóu 명 ①전설(傳說) 시대의 제후(諸侯)의 한 사람(싸움을 즐겼으며 황제(黃帝)에게 평정됨). ②악인(惡人)의 대칭(代稱).
〔蚩蚩蝇〕chīchīyíng 명 《蟲》체체파리.

嗤 chī (치)
①동 〈文〉조소하다. 비웃다. ¶～笑；⇩ ②접미 …을 계속하다(주로 손을 쓰는 동작의 단음(單音) 동사 뒤에 붙여, 그 동작의 연속·반복을 나타냄. 항상 경성(輕聲)으로 발음됨). ¶嚼jué～；계속 씹다 / 咬yǎo～；계속 물다 / 抠kōu～；(손가락이나 손톱으로) 계속 후비다 / 撇piě～；손가락으로 가려내 버리다 / 翻fān～；계속 돌다 / 掰bāi～；반복하여 쪼개다. ③〈擬〉피륙 따위를 찢거나 총알이 날아가는 소리. ¶～的一声撕破了；찍 하고 (종이나 천 등이) 찢어졌다 / ～～，子弹一个一个飞过去；총알이 잇달아 퓽퓽 날아갔다.
〔嗤鄙〕chībǐ 동 〈文〉냉소하고 경멸하다.

〔嗤诋〕 chīdǐ 동 〈文〉 비웃고 욕하다.
〔嗤笑〕 chīxiào 동 〈文〉 조소하다. =〔蚩笑〕
〔嗤之以鼻〕 chī zhī yǐ bí 〈成〉 콧방귀 뀌다. 냉소하다.

媸 chī (치)
형 〈文〉 용모가 추하다. 밉다. ¶求妍更~; 예뻐지려고 하다가 오히려 더 흉하게 되다. ↔〔妍yán〕

眵 chī (치)
명 눈곱. =〔眼眵〕〔〈方〉 眼屎〕〔〈方〉 眵目糊〕

笞 chī (태)
①동 매질하다. 대쪽으로 때리다. ¶鞭~; 채찍질하다. =〔笞掠〕〔笞箠chuí〕 ②명 대쪽으로 만든 형구(刑具). =〔〈俗〉 小板子〕
〔笞楚〕 chīchǔ 동 매질하고 징계하다.
〔笞骂〕 chīmà 동 매질하며 매도하다. =〔笞诟gòu〕
〔笞辱〕 chīrǔ 동 매질하고 수치를 주다.
〔笞刑〕 chīxíng 명 태형.
〔笞责〕 chīzé 동 매질하면서 질책하다.
〔笞杖〕 chīzhàng 명 태형과 장형.
〔笞罪〕 chīzuì 명 태형에 해당하는 죄.

摛 chī (치)
동 〈文〉 펴다. 펼치다. 뿌리다. ¶英名远~; 명성이 멀리까지 들리다 / 铺pū采~文; 문사(文詞)를 꾸미다.
〔摛藻〕 chīzǎo 동 말을 과장하다. 명 교묘히 표현된 글.

螭 chī (리)
명 ①교룡(蛟龍)(전설(傳說)에 나오는 뿔 없는 용(龍). 고대의 건축 장식으로 쓰임). ②→〔魑魅〕
〔螭魅〕 chīmèi 명 ⇨〔魑魅〕

魑 chī (리)
→〔魑魅〕
〔魑魅〕 chīmèi 명 (전설 속에 나오는) 산중에 살며 사람을 해치는 괴물(怪物). =〔螭魅〕
〔魑魅魍魉〕 chī mèi wǎng liǎng 〈成〉 ①여러 요괴. ②좋지 못한 짓을 하여 물의(物議)를 일으키는 자들.

黐 chī (리)
명 끈끈이. 감탕. =〔黐胶jiāo〕

痴〈癡〉 chī (치)
①형 멍청하다. 머리가 둔하다. ②명 미치광이. ③동 〈方〉 정신이 이상해지다. 미치다. ④동 매혹되다. 지나치게 빠져서 정상적인 판단력을 잃다. ¶书~; 책벌레 / 情~; 색욕에 사로잡혀 이성을 잃는 일.
〔痴騃〕 chī'ái 형 둔하다. 멍청하다.
〔痴爱〕 chī'ài 명 맹목적인 애정.
〔痴病〕 chībìng 명 ⇨〔精jīng神病〕
〔痴痴地〕 chīchīde 부 멀거니. 정신 나간 듯이.
〔痴虫〕 chīchóng 명 사랑의 포로가 된 사람.
〔痴呆〕 chīdāi 형 멍청하다. 미련하다.
〔痴呆呆(的)〕 chīdāidāi(de) 형 멍(청)한 모양. ¶他瞪着失神的眼睛, ~地看着窗外; 그는 얼빠진 눈으로 멍청하게 창밖을 쳐다보고 있었다.
〔痴癫〕 chīdiān 형 제 정신이 아니다. 미쳤다.
〔痴钝〕 chīdùn 형 〈文〉 우둔하다. 미련하다.
〔痴肥〕 chīféi 형 미련하게 살만 쪄 있다. 살찌고 보기 흉하다. ¶~臃肿; 〈成〉 뒤룩뒤룩 살쪄 있다.
〔痴汉〕 chīhàn 명 ①얼간이. 바보. 머저리. ②색광(色狂).
〔痴话〕 chīhuà 명 공연한 소리. 헛소리.
〔痴累〕 chīlèi 명 귀찮음. 하찮은 번거로움. 쓸데없는 짓. ¶什么造化呀, 都是~; 복은 무슨 복입니까. 다 쓸데없는 짓일 뿐입니다.
〔痴迷〕 chīmí 동 미혹에 빠지다. 열중하여 정신을 못 차리다.
〔痴男怨女〕 chī nán yuàn nǚ 〈成〉 치정(癡情) 때문에 고민하는 남녀. 색정에 빠진 남녀.
〔痴念〕 chīniàn 명 망상에 사로잡힌 생각. 어리석은 생각.
〔痴气〕 chīqi 명 미련함.
〔痴情〕 chīqíng 명 치정. 색정에 대한 망상.
〔痴人〕 chīrén 명 바보. 치인. ¶~说梦; 〈成〉 ⓐ바보에게 꿈 이야기를 하다(오해가 생기기 쉬움). ⓑ바보가 꿈 이야기를 하다(실현 불가능한 황당무계한 이야기) / ~痴福; 바보이기 때문에 도리어 얻게 된 행복.
〔痴睡〕 chīshuì 동 정신 없이〔세상 모르고〕 자다.
〔痴望〕 chīwàng 동 멍하니 보다. 멍청히 입을 벌리고 보다.
〔痴物〕 chīwù 명 어리석은 자. 얼간이. 바보. 머저리.
〔痴想〕 chīxiǎng 명 어리석은 생각. 동 망상하다.
〔痴想头〕 chīxiǎngtou 명 어리석은 생각. 〈轉〉 음탕한 생각.
〔痴笑〕 chīxiào 명 멍청한 웃음. 동 무의식적으로 웃다.
〔痴心〕 chīxīn 명 ①공상(空想). 망상(妄想). 헛된 기대(期待). ¶~妄想; 〈成〉 불가능한 일을 망상하다. ②치정(癡情). 동 미쳐서 제 정신을 잃어버리다.
〔痴性〕 chīxìng 명 어리석은 버릇. 나쁜 버릇.
〔痴长〕 chīzhǎng 동 〈謙〉 쓸데없이 나이만 먹다(연장자의 겸사말). ¶我~你几岁, 也没有多学到什么东西; 나는 당신보다 쓸데없이 나이만 몇 살 더 먹었을 뿐, 특별히 많이 배우지도 못했습니다.
〔痴子〕 chīzi 명 〈方〉 ①멍청이. 바보. ②미치광이.

池 chí (지)
명 ①물 웅덩이. ②(~子) 못. 풀(pool). ¶游泳~; 수영 풀. ③해자(垓字). ¶城~; 성벽과 해자. ④주위보다 낮게 패어 들어간 곳. ¶乐~; 오케스트라의 연주석 / ~座; 극장의 아래층 중앙 일등 관람석 / 舞~; 무대. 스테이지(stage). ⑤호(湖)(지명용(地名用)). ⑥성(姓)의 하나.
〔池壁〕 chíbì 명 수영 풀의 벽. ¶触~; 《體》 (수영 경기에서) 터치하다.
〔池鹭〕 chílù 명 《鳥》 붉은털해오라기. =〔红hóng毛鹭〕〔花huā洼子①〕〔沙shā鹭〕
〔池汤〕 chítāng 명 대중 목욕탕의 욕조(浴槽). ¶我洗~; 나는 공중 목욕탕에서 목욕한다. =〔池堂〕〔池塘③〕
〔池堂〕 chítáng 명 ⇨〔池汤〕
〔池塘〕 chítáng 명 ①못. ②저수지. ③⇨〔池汤〕
〔池田〕 chítián 명 (양어나 연꽃·마름 재배 따위에 쓰는) 못.
〔池盐〕 chíyán 명 함수호(鹹水湖)에서 채취한 소금.
〔池鱼〕 chíyú 명 ①《魚》 갈고등어. ②못 속의 고기.
〔池鱼姑〕 chíyúgū 명 《魚》 전갱이.
〔池鱼笼鸟〕 chí yú lóng niǎo 〈成〉 연못 물고기

와 새장의 새《자유를 잃은 사람의 비유》.
〔池鱼受殃〕 chí yú shòu yāng 〈成〉 ⇨〔池鱼之殃①〕
〔池鱼之殃〕 chí yú zhī yāng 〈成〉 ①횡액(横厄)《뜻밖의 재앙과 액운》. ¶受～; 횡액에 말려들다. =〔池鱼受殃〕〔池鱼之祸〕 ②연소(延燒). ¶府上没遭～, 真是万幸; 댁에서는 연소를 면하여서 참으로 천만 다행입니다.
〔池浴〕 chíyù 동 (공동 욕조에 들어가) 목욕하다. →〔洗xǐ澡〕
〔池沼〕 chízhǎo 명 ①못《둥근 것을 '池', 구불구불한 것을 '沼'라 함》. ②못과 늪.
〔池中物〕 chízhōngwù 명 보통 사람. 남의 밑에서 만족하고 있는 사람.
〔池子〕 chízi 명 ①못. ②욕조. =〔池汤〕 ③극장의 아래층 중앙 일등 관람석. ¶小～; 무대 양측의 관람석. =〔池座〕 ④무대(舞臺). 스테이지(stage).
〔池座〕 chízuò 명 ⇨〔池子③〕

弛 chí (이)
동 〈文〉 ①풀다. 풀어지다. 느슨해지다. ¶绳shéng索松～; 밧줄이 느슨해지다 / ～张自如; 마음대로 늦추거나 당기거나 하다. ②해제하다. ¶～禁; ⇩ ③방치하다. ¶废fèi～; 폐하다.
〔弛惰〕 chíduò 동 〈文〉 마음을 놓고 방심하다. 게을리하다.
〔弛废〕 chífèi 동 〈文〉 쇠퇴해지다.
〔弛缓〕 chíhuǎn 동 (정신 상태나 규율 등이) 느슨해지다〔완화되다〕. ¶紧张的心情渐渐～下来; 긴장된 마음이 점점 풀어지다.
〔弛禁〕 chíjìn 동 해금(解禁)하다.
〔弛累〕 chílei 동 폐를 끼치다. 주체스럽게 되다. 명 폐. 성가심.
〔弛张〕 chízhāng 명 〈文〉 느슨해짐과 팽팽해짐. 〈轉〉 홍망. 동 느슨해졌다 팽팽해졌다 하다.
〔弛张热〕 chízhāngrè 명 〘醫〙 이장열.

驰(馳) chí (치)
동 ①질주하다. 달리게 하다. ¶马～甚速; 말이 매우 빨리 달리다. ②거마(車馬)를 달리다. ③날리다. 떨치다. (널리) 알려지다. ¶四方～名; 천하에 이름을 날리다. ④마음이 쏠리다. (멀리 떨어져 있는 사람을) 생각하다. 그리워하다. ¶～念; ⇩
〔驰报〕 chíbào 동 급히 알리다.
〔驰辩〕 chíbiàn 동 말을 교묘히 하다.
〔驰禀〕 chíbǐng 동 급히 알리다.
〔驰骋〕 chíchěng 동 ①(말을 타고) 질주하다. 여기저기 말을 달려 다니다. ¶～沙场; 전장을 뛰어다니다. ②활약하다. ¶～文坛数十年; 문단 생활을 한 지 수십 년이다. ③사냥하다. ‖=〔驰骤zhòu〕
〔驰传〕 chíchuán 명 ⇨〔驰驿〕
〔驰函〕 chíhán 동 편지를 지급(至急)으로 부치다.
〔驰结〕 chíjié 동 〈文〉 사모의 정을 깃들이다. 간절한 생각을 먼 친구에게 보내다.
〔驰竞〕 chíjìng 동 〈文〉 서로 경쟁하다. ¶各相～; 제각기 다투다〔겨루다〕.
〔驰马〕 chímǎ 동 〈文〉 말을 달리다.
〔驰名〕 chímíng 동 유명하다. 명성을 떨치다. ¶全球～; 전세계적으로 유명하다 / ～中外; 국내외에 그 이름을 떨치다. =〔驰誉〕
〔驰念〕 chíniàn 동 〈文〉 생각하다. 그리워하다. ¶～弥mí深; 그리워하는 마음이 점점 깊어 가다. =〔驰思〕〔驰系〕〔驰心〕
〔驰聘〕 chípìn 동 〈文〉 초빙에 응하다. ¶失掉自信, 不敢～; 자신을 잃어 초빙에 응할 수 없다.
〔驰驱〕 chíqū 동 ①(말을 타고) 빨리 달리다. ②제멋대로 하다. ③〈文〉 남을 위해 최선을 다하다.
〔驰书〕 chíshū 동 〈文〉 지급 서신을 내다.
〔驰突〕 chítū 동 〈文〉 질주하다. 돌진하다. ¶往来～, 如人无人之境; (전장(戰場) 따위에서) 종횡무진으로 돌진하여 마치 무인지경을 가는 듯하다.
〔驰檄〕 chíxí 동 〈文〉 격문을 띄우다.
〔驰驿〕 chíyì 명 옛날, 관리가 여행할 때 연도(沿道)의 지방관이 숙소·말·인부 그 밖의 일체의 것을 도와 주는 일. =〔驰传〕
〔驰誉〕 chíyù 동 ⇨〔驰名〕
〔驰援〕 chíyuán 동 응원하러 급히 달려오다.
〔驰骤〕 chízhòu 동 〈文〉 빨리 달리다. 질주하다. ¶纵横～; 〈成〉 종횡으로 뛰어다니다. =〔驰骋〕

迟(遲) chí (지)
①형 느리다. 더디다. 굼뜨다. ¶～～不去; 꾸물거려 가려고 하지 않다 / 事不宜～, 快动手吧; 일은 우물쭈물하고 있을 수 없으니 빨리 시작해라. ②형 늦다. 늦게 되다. ¶我来～了; 늦었습니다 / 不～到, 不早退; 지각도 안 하고 조퇴도 안 한다 / ～一会儿我就去; 조금 있다가 갈게. ③형 (머리의 회전이) 둔하다〔느리다〕. ¶心～眼钝; 멍청해서 눈치가 없다. ④명 성(姓)의 하나.
〔迟笨〕 chíbèn 형 동작이 느리고 둔하다.
〔迟迟〕 chíchí 형 ①지지부진하다. 꾸물꾸물하다. ¶～不决; 꾸물거리며 결정하지 못하다. ②〈文〉 느긋하다. 유연(悠然)하다. ¶威仪～《禮記 孔子閑居》; 행동거지가 느긋하다. ③〈文〉 느슨하다. 평온하다. ¶春日～《詩經 豳風 七月》; 봄날은 화창하며 길다.
〔迟迟顿顿〕 chíchi dùndun 형 말을 더듬거리는 모양. ¶～地说; 더듬거리며 지껄이다.
〔迟旦〕 chídàn 명 〈文〉 여명. 새벽. =〔迟明〕
〔迟宕〕 chídàng 동 망설이다. 꾸물꾸물하다.
〔迟到〕 chídào 동 지각하다. 연착(延着)하다. ¶对不起! 我～了! 刚才公共汽车在半道儿上抛pāo了锚…; 지각해서 미안합니다! 조금 전에 버스가 도중에서 고장이 나서….
〔迟钝〕 chídùn 형 ①지둔하다. 둔감하다. ¶神经～; 신경이 무디다. ②말이 막히다. 주저하다. ¶他～了一下接着说下去; 그는 잠시 말이 막혔으나 다시 말을 계속했다. ‖=〔迟顿〕
〔迟付〕 chífù 명 (임금의) 지불 연체(延滯).
〔迟缓〕 chíhuǎn 형 느리다. 우물쭈물하다. ¶这件事要赶快办, 不能～! 이 일은 빨리 처리해야지 우물쭈물해서는 안 된다!
〔迟回〕 chíhuí 동 배회하다. 망설이다.
〔迟留〕 chíliú 동 체류하다. 머물다.
〔迟脉〕 chímài 명 〘漢醫〙 지맥(遲脈).
〔迟慢〕 chímàn 형 느리다. 늦다. ¶不忙呢, 稍微～个两三天不要紧; 허둥댈 것 없다. 2·3일쯤 늦는다 해서 큰일날 것 없다.
〔迟明〕 chímíng 명 〈文〉 ⇨〔迟旦〕
〔迟暮〕 chímù 명 〈文〉 ①만년(晩年). 노년. ②황혼. ‖=〔迟莫〕
〔迟日〕 chírì 명 〈文〉 봄날.
〔迟误〕 chíwù 동 늦어서 일을 잡치다. 늦다. 늦게 하다. ¶～您使; 오랫동안 빌려 써서 죄송합니다《돌려 줄 때의 인사말》/ 快送去吧! 别～他用; 빨리 보내라! 저쪽에서 쓰는 데 차질이 있게 하지 말고.

〔迟效肥料〕 chíxiào féiliào 명《農》지효성 비료. 효력이 더딘 비료.
〔迟延〕 chíyán 동 늦어지다. 오래 끌다. ¶现在的任务很紧急, 一秒miǎo钟也不能～了; 현재의 임무는 매우 긴급해서, 1초라도 지연시킬 수 없다.
〔迟疑〕 chíyí 동 주저하다. 망설이다. ¶～不决; 망설이며 결정하지 못하다.
〔迟早〕 chízǎo 부 조만간. 머지않아. ¶～准有报应; 조만간 보응이 온다. 명 이름과 늦음. 시간. ¶此事的结束只是～的问题; 이 일의 결말은 다만 늦느냐 이르냐의 문제〔시간 문제〕이다.
〔迟滞〕 chízhì 형 느리다. 완만하다. 잘 통하지 않다. ¶水流～; 물 흐름이 완만하다. 동 지체하다. 지연하다. ¶～敌人的行动; 적의 행동을 지연시키다.
〔迟装费〕 chízhuāngfèi 명 체선료(滯船料). 일수 초과 할증료.

坻 chí (저)
명〈文〉작은 섬. 물에 둘러싸인 땅. ⇒dǐ

茌 Chí (치)
지명용 자(字). ¶～平; 츠핑(茌平)《산둥 성(山東省)에 있는 현 이름》.

持 chí (지)
동 ①가지다. 잡다. 쥐다. ¶～枪; 총을 잡다 / ～票取现; 수표를 가지고 가서 현금을 받다 / ～不同政见者; 정견이 다른 사람. ②받들어 돕다. ③지지하다. 유지하다. 견지하다. ¶坚～; 견지하다 / 维～; 유지하다 / 支～; 지지하다. ④대항하다. ¶相～不下; 대치(對峙)하여 양보하지 않다. ⑤꾸려 나가다. (분쟁 따위를) 처리하다. 관리하다. 다스리다. ¶勤俭～家; 근면 절약하여 집안일을 다스리다. ⑥주장하다. ¶～之有故; 그럴 만한 증거가 있어 주장하다 / ～论; ⇩
〔持笔〕 chí.bǐ 동 글을 짓다.
〔持刀〕 chí.dāo 동 칼을 잡다.
〔持法〕 chífǎ 동 법을 지키다. 법에 따르다. ¶～森严; 법을 지키기가 엄격하다.
〔持服〕 chífú 동 3년상을 입다. =〔持丧sāng〕
〔持公〕 chígōng 동 공평〔공정〕하게 유지하다.
〔持衡〕 chíhéng 동〈文〉사람의 재능을 비평하다.
〔持戟〕 chíjǐ 명〈文〉전사(戰士). ¶～百万; 백만의 전사.
〔持家〕 chíjiā 동 ①가업(家業)을 유지하다. ②집안 살림을 처리하다. ③가정을 갖다.
〔持节〕 chíjié 동〈文〉①사절로서 국외로 나가다. ②지조를 지키다.
〔持戒〕 chíjiè 동 승려가 계율을 지키다.
〔持久〕 chíjiǔ 동 오래 견디다. 영속시키다. ¶～和平; 평화를 영속시키다. 항구 평화 / 又要有干劲, 又要～; 하고 싶은 마음이 있어야 하며, 또 중지함이 없어야 한다 / ～性; 내구도(耐久度). 지구성.
〔持牢〕 chíláo 동 확실히 파악하다. (원칙 등을) 굳건히 지키다. ¶要～原则才不至于犯大错误; 원칙을 확실하게 파악해야 비로소 큰 잘못을 저지르지 않는다.
〔持两端〕 chí liǎngduān ①두〔딴〕 마음을 품다. 양다리 걸치다. ②정견(定見)이 없음.
〔持论〕 chílùn 명동 지론(을 펴다). 주장(하다).
〔持满〕 chímǎn 동 ①높은 지위를 지속하다. ②활을 충분히 잡아당기다.
〔持票〕 chípiào 동《商》어음을 지참(持參)하다. ¶～人; (어음·수표 등의) 지참인.
〔持平〕 chípíng 형 공정하다. 공평하다. 동 (수량·가격의) 같은 수준을 유지하다. 공평을 유지하다.
〔持枪〕 chíqiāng 동 총을 잡다. 감《軍》(구령) 앞에 총!
〔持球〕 chíqiú《體》명 (배구에서) 홀딩(holding). 동 공을 잡다. ¶～触杀; 터치 아웃(touch out).
〔持身〕 chíshēn 동 몸을 삼가다. 처신하다.
〔持胜〕 chíshèng 동 우세를 유지하다.
〔持守〕 chíshǒu 동 고집하다. 지조를 지키다.
〔持行〕 chíxíng 동 수행(修行)하다.
〔持续〕 chíxù 동 지속하다. ¶那个议案～讨论了许久还没能决定; 저 의안은 오랫동안 계속 심의했으나 아직 결정할 수가 없다.
〔持循〕 chíxún 동〈文〉준수하다. 지키어 따르다. →〔遵zūn行〕
〔持养〕 chíyǎng 동 ①기르다. 보양하다. ②돕다. 도와서 성취시키다.
〔持意〕 chíyì 동 자기 의견을 고집하다. 우기다.
〔持盈〕 chíyíng 동 성취한 일을 유지하다. 현상을 유지하다. ¶～保泰; 지위 또는 현상을 유지하다.
〔持有〕 chíyǒu 동 가지고 있다. 소지하다. 품고 있다. ¶～不同的政见; 다른 정견을 갖고 있다 / ～护照; 여권을 소지하다.
〔持有人〕 chíyǒurén 명 소지인(所持人). 지참인. ¶外汇投资的股票应准～在海外中国银行抵押或透支; 외국 투자의 주식은 그 소지인이 해외에 있는 중국 은행에서 저당에 넣거나 또는 대월(貸越) 받을 수 있도록 허가해야 한다.
〔持赠〕 chízèng 동〈文〉스스로 지참하여 보내다.
〔持斋〕 chízhāi 동 육식을 끊고 몸을 깨끗하게 하다.
〔持正〕 chízhèng 동〈文〉①정도(正道)를 지키다. ②중도(中道)를 지켜 치우치지 않다. 공평하다.
〔持之以恒〕 chí zhī yǐ héng〈成〉지속하다. 항상 태만하지 않다. ¶技术革新要～; 기술 혁신은 꾸준히 지속해야만 한다.
〔持之有故〕 chí zhī yǒu gù〈成〉(주장·의견에) 일정한 근거가 있다.
〔持志〕 chízhì 동〈文〉지조를 견지하다.
〔持重〕 chízhòng 형 신중하다. 조심성이 많다. ¶这件事要交派个老成～的人才能放心; 이 일은 노련하고 신중한 사람을 보내어 하게 해야만 안심할 수 있다. 동 자중(自重)하다.

匙 chí (시)
명 ①(～子) 숟가락. 손잡이가 짧은 사기 숟가락. =〔调羹tiáogēng〕 ②(～儿) 작은 숟가락. ¶茶～儿; 티스푼. ③성(姓)의 하나. ⇒shi
〔匙孔〕 chíkǒng 명〈方〉열쇠 구멍.
〔匙箸杯碟〕 chí zhù bēi dié 명 숟가락·젓가락·잔·작은 접시 등 자질구레한 식기의 총칭.
〔匙子〕 chízi 명 숟가락. 스푼.

墀 chí (지)
명〈文〉현관의 돌계단 위의 땅. ¶丹～; (궁전에서) 붉게 칠한 돌계단 위의 땅. =〔阶墀〕

漦 chí (시)
명〈文〉침. 타액.

踟 chí (지)
→〔踟蹰〕

〔踟蹰〕 chíchú 동 주저하다. 망설이다. 머뭇거리다. ¶～不前; 머뭇거리며 나아가지 못하다 / 当行与否, ～未定; 가야 할지 말아야 할지 주저하며 결정하지 못하다. =〔踟躇〕

篪〈竾, 箎〉
chí (지)
명 죽관(竹管)으로 만든 고대의 악기《구멍이 여덟 개이고, 피리〔笛〕와 비슷함》.

尺
chǐ (척)
① 양 척(尺). 길이의 단위《'寸'의 10배, '丈'의 1/10, 미터(m)의 1/3에 해당함》. ② 명 (～子) 자. ¶一杆 ～; 한 자루의 자 / 皮～; 줄자 / 丁字～; 티(T)자 / 折～; 접자. ③ 명 길이. 치수. ④ 명 편지. ⑤ 동 자로 재다. ⑥ 명 자처럼 생긴 것. ¶镇～; 문진(文鎭) / 计算～; 계산자. ⑦ 명 《漢醫》 손목의 맥을 짚는 곳. =〔尺中〕 ⇒chě

〔尺八〕 chǐbā 명 피리의 일종《길이 1척(尺) 8촌(寸), 정면에 여섯 구멍, 뒤에 한 구멍이 있음》.

〔尺版〕 chǐbǎn 명 옛날, 조현(朝見) 때 지니는 1척의 홀(笏)《신분이 낮은 서기가 지니는 것》. ¶久为～斗食之吏; 오래도록 아전으로 있었다.

〔尺璧〕 chǐbì 명 지름 한 척의 구슬. 〈轉〉 귀중한 물건.

〔尺兵〕 chǐbīng 명 〈文〉 작은 무기. 척촌(尺寸)의 무기.

〔尺寸〕 chǐcun 명 ①치수. 길이. ¶量liáng～; 치수를 재다. =〔尺度①〕 ②절도(節度). ¶他, 人很稳健, 凡事都有个～; 그는 사람됨이 온건하고 모든 일에 절도가 있다 / 拿着～说话; 절도를 가지고 이야기하다. 적당히 이야기하다. ③규칙. ¶不合～的行动; 규칙에 맞지 않는 행동. ④한 자나 한 치. 〈轉〉 사소함. ¶～之功; 작은 공로.

〔尺寸单子〕 chǐcun dānzi 명 치수표. ¶开～; 치수표를 쓰다.

〔尺寸线〕 chǐcunxiàn 명 제도의 치수선.

〔尺动脉〕 chǐdòngmài 명 《生》 척골 동맥.

〔尺牍〕 chǐdú 명 〈文〉 서간. 편지《고대(古代)의 서간은 길이가 약 1척(尺) 정도였음》.

〔尺度〕 chǐdù 명 ①⇨〔尺寸①〕 ②척도. 표준. ¶放宽～; 표준을 완화하다 / 实践是检验真理的～; 실천은 진리를 검증하는 척도이다.

〔尺短寸长〕 chǐ duǎn cùn cháng 〈成〉 사람에게는 각기 장단점이 있다. ¶你有的别人不一定有, 可是别人有的你也不一定有啊! 要知道～; 네가 가지고 있는 것을 남이 반드시 가지고 있는 것은 아니다, 그렇다고 남이 가지고 있는 것을 너 또한 반드시 가지고 있는 것도 아니다! 사람에게는 제각기 장단점이 있다는 것을 알아야 한다.

〔尺幅千里〕 chǐ fú qiān lǐ 〈成〉 한 자 크기의 작은 그림이지만 기우천리(氣宇千里)의 광대함을 표현하고 있다《외형은 작지만 많은 내용을 포함하고 있음》.

〔尺骨〕 chǐgǔ 명 《生》 척골《전박(前膊)에 있는 두 뼈의 안쪽에 있는 뼈, 상박골과 요골(橈骨)에 연결됨》.

〔尺蠖〕 chǐhuò 명 ①《蟲》 나비나 나방의 유충. 자벌레. ②〈比〉 일단 움츠렸다가 뻗어 나감.

〔尺锦〕 chǐjǐn 명 〈文〉 짧고 훌륭한 문장.

〔尺口〕 chǐkǒu 명 〈文〉 갓난아기. 유아(幼兒).

〔尺码(儿)〕 chǐmǎ(r) 명 ①치수. 사이즈(size). 길이. ¶各种～的帽子都齐全; 여러 치수의 모자가 모두 갖추어져 있다. =〔〈方〉 尺头儿①〕 ②기준. 수준.

〔尺铁〕 chǐtiě 명 〈文〉 작은 무기. ¶兵尽矢穷, 人无～; 병기는 다 쓰고 화살은 떨어져 무기를 지닌 자가 없다.

〔尺头〕 chǐtou 명 피륙. 옷감. ¶送一块～随便他们做什么穿吧; 피륙을 한 필 보내어 그들 마음대로 무엇을 지어 입도록 합시다.

〔尺头儿〕 chǐtóur 명 〈方〉 ①⇨〔尺码(儿)①〕 ②자투리 천.

〔尺五〕 chǐwǔ 명 한 자 다섯 치. 〈轉〉 지근(至近)한 거리.

〔尺中〕 chǐzhōng 명 《漢醫》 맥을 볼 때 인지(人指)·중지(中指)·약지(藥指)의 세 손가락을 손목에 대는데, 약지가 닿는 부위를 이름《이 부위의 맥을 '尺脉'·'尺泽'이라 함》.

〔尺桩〕 chǐzhuāng 명 측량대. 폴(pole).

〔尺子〕 chǐzi 명 ①자. ②기준. 표본. ¶不能拿我们当～; 우리를 기준으로 삼을 수는 없다.

呎
chǐ (척)
양 《度》 길이의 단위. 피트(feet)《지금은 '英yīng尺'를 씀》.

蚇
chǐ (척)
→〔蚇蠖〕

〔蚇蠖〕 chǐhuò 명 자벌레. =〔尺蠖〕

侈
chǐ (치)
형 ①사치스럽다. 낭비가 심하다. ②광대(廣大)하다. ③많다. 과분하다. ④과장되다.

〔侈傲〕 chǐ'ào 형 〈文〉 방자하고 우쭐거리다.

〔侈放〕 chǐfàng 형 〈文〉 사치하고 방종하다.

〔侈论〕 chǐlùn 명동 〈文〉 허풍(을 떨다).

〔侈靡〕 chǐmí 형 〈文〉 사치스럽고 음탕 문란하다.

〔侈奢〕 chǐshē 명형 ⇨〔奢侈〕

〔侈饰〕 chǐshì 〈文〉 명 사치스러운 장식. 동 화려하게 장식하다.

〔侈谈〕 chǐtán 동 ①과장해서 말하다. 큰소리 치다. ②많이 이야기하다. ¶席间诸人～文学问题; 그 자리에서 모두들 문학 문제를 많이 논했다. 명 큰소리. 허풍. 과대해서 실제와는 동떨어진 이야기.

齿(齒)
chǐ (치)
① 명 이. 치아. ¶乳～ =〔乳牙〕; 젖니 / 恒～; 영구치 / 犬～; 송곳니 / 唇亡～寒; 〈成〉 입술이 없으면 이가 시리다《서로 밀접한 관계에 있다》. =〔牙yá①〕〔牙齿〕 ② 명 〈文〉 연령. ¶～德具尊; 나이가 많고 인덕도 높아 존경할 만한다 / 马～徒增; 〈成〉 쓸데없이 나이만 먹다. ③ 명 종류. ④(～儿) 명 이처럼 벌여 놓은 것. ¶锯～儿; 톱니 / 梳子～儿; 빗살. ⑤ 동 비교하다. 비견(比肩)하다. ⑥ 명 주사위. ⑦ 동 〈文〉 언급하다. 상대하다. 문제삼다. ¶不足～数; 말할 것이 못 된다. 문제가 되지 않는다 / 行为恶劣, 人所不～; 행동이 못되어 남이 상대하지 않다 / 挂～; 언급하다.

〔齿敝舌存〕 chǐ bì shé cún 〈成〉 ⇨〔齿亡舌存〕

〔齿槽〕 chǐcáo 명 《生》 치조. 잇몸.

〔齿唇音〕 chǐchúnyīn 명 ⇨〔唇齿音〕

〔齿次〕 chǐcì 명 〈文〉 장유(長幼)의 순서.

〔齿德〕 chǐdé 명 연령과 덕망.

〔齿德俱尊〕 chǐ dé jù zūn 〈成〉 연령·덕행 모두 존경할 만하다.

〔齿镐〕 chǐgǎo 명 《農》 써레.

〔齿垢〕 chǐgòu 명 ①주점(酒店). ②(보일러의) 물때. ③치석(齒石).

〔齿冠〕 chǐguān 명 《生》 치관.

〔齿轨〕 chǐguǐ 명 아프트식(Abt 式) 궤도.
〔齿及〕 chǐjí 동 〈文〉 ①언급하다. ②신경을 쓰다. 근심하다. 문제시하다. ¶何足～? 어찌 문제삼을 만한가?
〔齿颈〕 chǐjǐng 명 《生》〈北方〉 치경.
〔齿宽〕 chǐkuān 명 이의 가로폭.
〔齿类〕 chǐlèi 동 유별(類別)하다.
〔齿冷〕 chǐlěng 동 〈文〉 마음 속으로 웃다. 비웃다. ¶令人～; 냉소를 사다. 비웃음을 사다.
〔齿列〕 chǐliè 명 ①치열. ②〈文〉 치열과 같이 동등하게 줄섬.
〔齿录〕 chǐlù 동 〈文〉 수록하다. 명 옛날, 과거(科擧)의 동기(同期) 급제자 명부(성명·나이·본적 등을 기록함). →〔科kē举〕
〔齿轮〕 chǐlún 명 《機》 기어(gear). ¶头档～; 1단 기어(gear) / 二档～; 2단 기어 / ～铣刀; 기어 커터(gear cutter) / 自动～; 자동 기어.
〔齿轮毂〕 chǐlúngǔ 명 《機》 기어 호브(gear hob).
〔齿轮机〕 chǐlúnjī 명 《機》 기어 절삭기.
〔齿轮链转滑车〕 chǐlún liànzhuǎn huáchē 명 기어의 체인 블록.
〔齿轮铣刀〕 chǐlún xǐdāo 명 《機》 기어 커터(gear cutter). =〔铣齿轮刀〕
〔齿轮箱〕 chǐlúnxiāng 명 《機》 기어 박스(gear box).
〔齿鸟类〕 chǐniǎolèi 명 《鳥》 치조류(齒鳥類)(고대의 조류로 이가 있고 날개가 없으며 다리가 발달되었음. 그 화석은 흔히 백악계에서 발견됨).
〔齿腔〕 chǐqiāng 명 《生》 치강(齒腔).
〔齿桥〕 chǐqiáo 명 가공 의치. 브리지(bridge).
〔齿龋〕 chǐqǔ 명동 충치(가 생기다). =〔齿蠹dù〕
〔齿数〕 chǐshǔ 동 〈文〉 언급하다. 제기하다. ¶不足～; 언급할 만한 것이 못 된다.
〔齿髓〕 chǐsuǐ 명 《生》 치수(齒髓). =〔〈俗〉 牙yá髓〕
〔齿条〕 chǐtiáo 명 《機》 래크(rack). =〔〈南方〉 百bǎi脚牙〕〔牙yá板①〕〔牙条〕
〔齿痛〕 chǐtòng 명 치통.
〔齿亡舌存〕 chǐ wáng shé cún 〈成〉 견강(堅剛)한 것보다 유연(柔軟)한 것이 오히려 오래 존속됨. =〔齿敝舌存〕
〔齿望〕 chǐwàng 명 연령과 성망(聲望).
〔齿吻〕 chǐwěn 명 〈文〉 이와 입술.
〔齿音〕 chǐyīn 명 《言》 치음('齿头音'(j, q, x)과 '正齿音'(zhi, chi, shi)으로 나뉨).
〔齿龈〕 chǐyín 명 《生》 치경(齒莖). 잇몸. =〔〈俗〉 牙床①〕
〔齿龈炎〕 chǐyínyán 명 《醫》 치은염.
〔齿杖〕 chǐzhàng 명 옛날, 70세가 된 늙은 신하에게 천자가 내리는 지팡이. =〔王wáng杖〕

耻〈恥〉 chǐ (치)
① 형 부끄럽다. 수치스럽다. ¶可～的事; 수치스러운 일. ② 동 창피를 주다. 모욕을 주다. ¶～笑; 모욕을 주며 웃다 / 被人～; 남에게 수치를 당하다. ③ 명 수치. 모욕. ¶～辱; ⇩ / 奇～大辱; 대단한 치욕 / 雪～; 설욕하다 / 不以为～, 反以为荣; 치욕이라 여기지 않고 도리어 영광으로 여기다.
〔耻骨〕 chǐgǔ 명 《生》 치골(恥骨).
〔耻辱〕 chǐrǔ 명 치욕. 수치.
〔耻笑〕 chǐxiào 동 멸시와 조소하다. 비웃다. 명 멸시와 조소.
〔耻心〕 chǐxīn 명 부끄럽게 생각하는 마음. 수치심.

豉 chǐ (시)
명 된장. 청국장 따위. →〔豆豉〕
〔豉虫〕 chǐchóng 명 《蟲》 물매암이. =〔豉豆虫〕〔豉母虫〕
〔豉酒〕 chǐjiǔ 명 '豆豉'로 만든 술.

褫 chǐ (치)
동 〈文〉 ①벗기다. ②탈취하다. 뜯어 내다. ③박탈하다.
〔褫夺〕 chǐduó 동 박탈하다. ¶～公权; 공민권을 박탈하다 / ～国籍; 국적을 박탈하다.
〔褫革〕 chǐgé 동 ①빼앗다. 박탈하다. ②면직시키다. 파면시키다. ③(살을) 벗겨내다.
〔褫官〕 chǐguān 동 관직을 박탈하다.
〔褫魄〕 chǐpò 동 혼을 빼앗기다. 얼이 빠지다.
〔褫职〕 chǐzhí 동 직위를 빼앗다. 면직시키다.

彳 chì (척)
→〔彳亍〕
〔彳亍〕 chìchù 동 〈文〉 조금 걷다가 잠깐 멈추다. 천천히 걷다('彳'은 왼발의 걸음, '亍'은 오른발의 걸음을 말함). ¶独自在河边～; 혼자 강가를 천천히 거닐다 / ～不前; 머뭇거리며 나가지 않다.

叱 chì (질)
동 ①꾸짖다. ②큰 소리 지르다. ③(이름을) 부르다.
〔叱叱〕 chìchì 〈擬〉〈文〉 ①혀를 차는 소리. 나무라는 소리. ②가축류를 쫓는 소리.
〔叱呵〕 chìhē 동 ⇨〔叱骂〕
〔叱喝〕 chìhè 동 야단치다.
〔叱呼〕 chìhū 동 꾸짖다.
〔叱骂〕 chìmà 동 큰 소리로 꾸짖다. =〔叱呵〕
〔叱名〕 chìmíng 동 ①(큰 소리로) 이름을 부르다. ②〈翰〉 이름을 말씀드리다〔아뢰다〕. ¶尊大人前祈代～叩安; 춘부장께 제 이름을 아뢰고 대신 문안드려 주십시오.
〔叱责〕 chìzé 동 꾸짖으며 나무라다.
〔叱咤〕 chìzhà 명 성낸 소리. 동 질타하다. ¶～风云; 〈成〉 일갈(一喝)로 풍운을 일으키다(세력·위세가 큼).
〔叱正〕 chìzhèng 동 〈文〉 질정하다. ¶务wù祈～; 〈翰〉 부디 질정을 내려 주십시오. →〔雅yǎ正〕

斥 chì (척)
① 동 물리치다. ¶排～; 배척하다. ② 동 비난하다. 책망하다. ¶申～; 꾸짖다 / 遭到～责; 질책당하다. ③ 동 나타나다. ④ 동 개척(開拓)하다. 확장하다. ⑤ 동 상황을 살피다. 탐색하다. 정찰하다. ¶～候; 적정(敵情)을 정찰하다. ⑥ 명 염분(鹽分)을 품은 해변가의 땅. ⑦ 형 뒤덮여 퍼지다. ¶充～; 가득 차서 퍼지다. 가득 차다.
〔斥罢〕 chìbà 동 파면하다.
〔斥斥〕 chìchì 형 〈文〉 광대한 모양.
〔斥打〕 chìdǎ 동 나무라다. 책망하다.
〔斥地〕 chìdì 동 토지를 개척하다. =〔斥土〕
〔斥革〕 chìgé 동 〈文〉 파면하다.
〔斥候〕 chìhòu 명동 《軍》 척후(하다).
〔斥力〕 chìlì 명 《物》 척력. 반발력.
〔斥卤〕 chìlǔ 명 〈文〉 염분(鹽分)이 많아서 경작에 적합지 않은 토지. 알칼리성 토양.
〔斥骂〕 chìmà 동 꾸짖어 욕하다.
〔斥卖〕 chìmài 동 〈文〉 매각(賣却)하다.

〔斥骑〕 chìqí [명] 《軍》 기병 척후(騎兵斥候).
〔斥土〕 chìtǔ [동] ⇨〔斥地〕
〔斥退〕 chìtuì [동] ①학생을 제명시키다《징벌》. ②(관리를) 파면시키다. ③사람을 멀리하다. 물러나 있도록 호령하다.
〔斥为〕 chìwéi [동] …로 하여 물리치다. ¶把他的话~借口; 그의 말을 구실로 하여 물리치다.
〔斥责〕 chìzé [동] 꾸짖고 책망하다. 규탄하다.
〔斥逐〕 chìzhú [동] 추방하다. 내쫓다.
〔斥资〕 chìzī [동] 자금을 대다. ¶~创建学校; 학교를 창립하는 데 자금을 대다.

饬(飭) chì (칙)
〈文〉 ① [동] 〈公〉 훈계하다. 경계하다. 명령하다《상급 기관으로부터 소속 하급 기관에 내리는 데에 쓰임》. ¶~其从速调查呈报; 시급히 조사해서 보고하도록 명령하다 / 通~; 전체에 명령하다 / ~遵zūn; 준수하도록 명령하다. ② [동] 정돈하다. 정리하다. 바로잡다. ¶整~纪律; 기율을 바로잡다 / ~正; ⇩ / 匡kuāng~天下; 천하를 바로잡다. ③ [동] 삼가다. 근신하다. ¶谨~; 근신하다. ④〈公〉 [명] 상급 관청이〔관리가〕 하급 관청〔관리〕에 일을 위임할 때의 공문.
〔饬捕〕 chìbǔ [동] 체포할 것을 명령하다. =〔饬拿〕
〔饬查〕 chìchá [동] 조사를 명하다.
〔饬呈〕 chìchéng [동] 〈翰〉 인편으로 보냅니다《인편(人便)으로 편지를 보낼 때에 봉투 위에 적는 말》. =〔饬纪〕〔饬交〕〔饬价〕〔饬送〕
〔饬催〕 chìcuī [동] 경고하여 독촉하다. 재촉하다.
〔饬厉〕 chìlì [동] 〈文〉 스스로 경계하고 격려하다.
〔饬令〕 chìlìng [동] 〈公〉 명령하다.
〔饬拿〕 chìná [동] ⇨〔饬捕〕
〔饬派〕 chìpài [동] 〈公〉 파견을 명령하다. 파견하다. 보내다.
〔饬属〕 chìshǔ [동] 부하(部下)에게 명령하다.
〔饬正〕 chìzhèng [동] 조정하여 바로잡다.
〔饬知〕 chìzhī [동] 〈公〉 명령하여 알리다.

赤 chì (적)
① [명] 적색. ② [형] 진실한. ¶~心; ⇩ ③ [형] 텅 빈. ¶~手空拳; 손에 아무것도 안 가짐. 빈 주먹. ④ [형] 알몸의. 벌거벗은. ⑤ [명] 혁명·공산당의 상징. ⑥ [동] 드러내놓다. ⑦ [형] 붉다. ⑧ [명] 성(姓)의 하나.
〔赤白痢〕 chìbáilì [명] 《漢醫》 적백리.
〔赤包儿〕 chìbāor [명] 《植》 쥐참외. ¶~是一种小瓜, 红了以后, 北平的儿童拿着它玩《老舍 四世同堂》; 쥐참외는 일종의 작은 오이로 붉어지면 베이징(北京)의 아이들이 그것을 장난감삼아서 논다. =〔赤包子〕 →〔王wáng瓜②〕
〔赤背〕 chì.bèi [동] 웃통을 벗다. 옷을 벗어 상반신을 드러내다. =〔赤膊〕 (chìbèi) [명] 상반신 나체. 반라(半裸).
〔赤膊〕 chì.bó [동] 웃통을 벗다. ¶王胡在那里赤着膊捉虱子《鲁迅 阿Q正傳》; 왕호가 저기서 웃통을 벗고 이를 잡고 있다. (chìbó) [명] 상반신 나체.
〔赤膊船〕 chìbóchuán [명] 〈南方〉 (장식이나 차양 따위가 없는) 작은 배.
〔赤膊上阵〕 chì bó shàng zhèn 〈成〉 몸에 무기를 지니지 않고 싸움터에 나감《ⓐ용감하게 정신을 집중하여 일을 맞이함. ⓑ앞뒤 구별 없이 일을 처리함. ⓒ공공연하게 나쁜 짓을 함》.
〔赤车使者〕 chìchēshǐzhě [명] 《植》 층층나무.
〔赤忱〕 chìchén [명] 적성(赤誠). 성실한 마음. 정성(精誠).
〔赤诚〕 chìchéng [명] 진심. 열성《주로 부사적 용법으로 쓰임》. ¶~待人; 진심으로 사람을 대하다. =〔赤心〕
〔赤带〕 chìdài [명] 《漢醫》 적대하(赤帶下). →〔白bái带〕
〔赤胆〕 chìdǎn [형] 성실하다. 충성심이 있다. [명] 정성. 충심.
〔赤胆忠心〕 chì dǎn zhōng xīn 〈成〉 대단한 충성심. 일편단심. ¶~为人民; 인민을 위해 충성을 다하다.
〔赤道〕 chìdào [명] 《天》 적도. ㉠지구 적도. →〔黄huáng道①〕 ㉡천구(天球) 적도《지구 적도면을 무한히 확대한 경우 천구를 자르는 선이 형성하는 대원(大圓)》.
〔赤道几内亚〕 Chìdào Jǐnèiyà [명] 《地》 적도 기니(Equatorial Guinea)《수도는 '马mǎ拉博'(말라보: Malabo)》.
〔赤道流〕 chìdàoliú [명] 《地》 적도류. 적도해류.
〔赤道仪〕 chìdàoyí [명] 《天》 적도의.
〔赤地〕 chìdì [명] 〈文〉 (재해나 가뭄으로) 풀 한 포기 나지 않은 땅. 적지. ¶~千里; 〈成〉 재해로 황폐한 넓고 넓은 논밭.
〔赤豆〕 chìdòu [명] 《植》 붉은팥.
〔赤根菜〕 chìgēncài [명] ⇨〔菠bō菜〕
〔赤根草〕 chìgēncǎo [명] 《植》 시금치의 별칭.
〔赤光光〕 chìguāngguāng [형] ⇨〔赤条条〕
〔赤褐色〕 chìhèsè [명] 《色》 적갈색.
〔赤红〕 chìhóng [명] 《色》 진홍색. 심홍색.
〔赤红脸(儿)〕 chìhóngliǎn(r) [명] 불그레한 얼굴.
〔赤狐〕 chìhú [명] 《動》 불여우. =〔红hóng狐〕〔火huǒ狐〕
〔赤箭〕 chìjiàn [명] 《植》 수자해좆. =〔离lí母〕
〔赤脚〕 chìjiǎo [명] 맨발. (chì.jiǎo) [동] 맨발이 되다. ¶赤着脚走路; 맨발로 걷다.
〔赤脚医生〕 chìjiǎo yīshēng [명] 맨발의 의사. 농촌의 보건원《농촌에서 농업에 종사하면서 의료·위생 업무를 담당하는 초급 의료 종사자》. =〔草cǎo鞋医生〕〔农nóng村红医〕
〔赤金〕 chìjīn [명] ①불그스름한 금. ②구리의 구칭. ③순금《18금은 '七五成金', 14금은 '五八三成金'이라 함》.
〔赤津津〕 chìjīnjīn [형] 피가 흐르는 모양. ¶~鲜血流; 선혈이 줄줄 흐르다.
〔赤紧的〕 chìjǐnde [부] 〈古白〉 갑자기. 별안간.
〔赤经〕 chìjīng [명] 《天》 적경.
〔赤颈鸭〕 chìjǐngyā [명] 《鳥》 홍머리오리. =〔赤颈凫〕
〔赤口白舌〕 chì kǒu bái shé 〈成〉 이러쿵저러쿵 인신 공격을 하다.
〔赤口毒舌〕 chì kǒu dú shé 〈成〉 몹시 사람을 매도하다.
〔赤老〕 chìlǎo [명] 〈罵〉 ①〈古白〉 군인을 욕하는 말. ②〈南方〉 무뢰한. ‖ =〔赤佬〕
〔赤练蛇〕 chìliànshé [명] 《動》 율모기《뱀의 일종》. =〔赤楝蛇〕〔赤炼蛇〕
〔赤磷〕 chìlín [명] 《化》 적린. =〔红hóng磷〕 →〔白bái磷〕
〔赤鹿〕 chìlù [명] 《動》 ①고라니. ②백두산사슴.
〔赤露〕 chìlù [동] 발가벗다. (몸을) 드러내다. ¶~着胸口; 가슴을 열어 젖히고 있다.
〔赤裸裸〕 chìluǒluǒ〔chìluōluō〕 [형] ①벌거벗은. 알몸의. →〔赤身露体〕 ②적나라 하다. ¶~的强盗逻辑; 적나라한 강도의 이론.

〔赤眉〕 Chìméi 명 적미(전한말(前漢末)에 왕망에게 반대하여 일어난 농민 봉기군. 눈썹을 붉게 칠했음). ¶～起义; 적미 봉기.
〔赤霉〕 chìméi 명 붉은곰팡이. ¶～病; (보리의) 적수(赤銹)병 / ～素; 《藥》 ⓐ지베렐린(gibberellin)(식물 생장 촉진제). ⓑ에리드로마이신(erythromycin).
〔赤贫〕 chìpín 형 〈文〉 극빈하다. 몹시 가난하다. ¶～户; 가난해서 아무것도 없는 집 / ～如洗; 〈成〉 씻은 듯이 가난하다.
〔赤色〕 chìsè 명 ①적색. ②공산주의 · 혁명을 상징함. →〔白báI色〕〔红hóng色〕
〔赤色国际〕 chìsè guójì 명 ⇨〔第dì三国际〕
〔赤砂(糖)〕 chìshā(táng) 명 흑설탕 또는 적설탕. =〔赤糖〕〔红hóng糖〕〔黑hēi糖〕〔黄huáng糖〕
〔赤芍〕 chìsháo 명 《植》 적작약. →〔白bái芍〕
〔赤舌烧城〕 chì shé shāo chéng 〈成〉 참언하는 사람의 혀는 성까지도 태운다(참언의 무서움을 이름).
〔赤身〕 chìshēn 명 알몸. (chì‚shēn) 동 알몸이 되다. ¶～露体; 〈成〉 몸에 실오라기 하나 걸치지 않다.
〔赤手〕 chìshǒu 명 맨손. 맨몸.
〔赤手成家〕 chì shǒu chéng jiā 〈成〉 맨몸으로 집을 일으키다. 자수 성가하다. =〔白bái手起家〕
〔赤手空拳〕 chì shǒu kōng quán 〈成〉 적수 공권. 아무것도 가진 것이 없다.
〔赤松〕 chìsōng 명 《植》 소나무.
〔赤苏〕 chìsū 명 《植》 차조기.
〔赤糖〕 chìtáng 명 적설탕.
〔赤陶〕 chìtáo 명 《工》 테라 코타(terra cotta).
〔赤体〕 chìtǐ 명 〈文〉 알몸.
〔赤条精光〕 chì tiáo jīng guāng 〈成〉 ①알몸인 모양. ②아무것도 없이 빈털터리인 모양.
〔赤条条(的)〕 chìtiáotiáo(de)〔chìtiāotiāo〕 형 ①알몸의. 맨몸뚱이의. ¶脱得～的小心着凉, 快点儿泡进浴池去; 알몸이 되어 감기 걸리지 않도록 빨리 욕조로 들어가라. ②장식 없는. 발가벗은. 꾸밈없는. ¶彩饰已经拆走了, 只剩下～的木架子立在那里; 오색의 장식도 치워지고 다만 앙상한 나무틀만이 거기에 서 있을 뿐이다. ‖=〔〈方〉 赤光光〕
〔赤铁矿〕 chìtiěkuàng 명 《鑛》 적철광. 산화철. =〔三sān氧化二铁〕
〔赤铜〕 chìtóng 명 《鑛》 적동(赤銅). 자동(紫銅) =〔紫铜〕
〔赤铜矿〕 chìtóngkuàng 명 《鑛》 적동광.
〔赤土〕 Chìtǔ 명 ①《地》 적토국(옛날, 수(隋)나라 양제(煬帝) 때 남방에 있던 나라). ②(chìtǔ) 《鑛》 적토. 주토(朱土).
〔赤外线〕 chìwàixiàn 명 ⇨〔红hóng外线〕
〔赤纬〕 chìwěi 명 《天》 적위(赤緯).
〔赤卫队〕 chìwèiduì 명 ①적위대(제2차 국내 혁명 전쟁 시기에 혁명 근거지의 대중에 의해 조직된, 생산에서 벗어나지 않는 무장 조직을 말함). ② ⇨〔赤卫军〕
〔赤卫军〕 chìwèijūn 명 적위군(러시아 10월 혁명 초기에 반혁명을 진압하기 위하여 노동자에 의해 조직된 무장 조직. 홍군(紅軍)의 전신). =〔赤卫队②〕
〔赤县〕 Chìxiàn 명 〈文〉 중국을 말함. →〔神Shén州①〕
〔赤小豆〕 chìxiǎodòu 명 《植》 ①(붉은)팥. ②잠두의 일종.
〔赤心〕 chìxīn 명 진심. 충심. ¶～相待; 진심으로 응대하다. =〔赤胆〕
〔赤熊〕 chìxióng 명 《動》 붉은곰.
〔赤血球〕 chìxuèqiú 명 ⇨〔红hóng血球〕
〔赤杨〕 chìyáng 명 《植》 오리나무.
〔赤腰燕〕 chìyāoyàn 명 《鳥》 귀제비.
〔赤子〕 chìzǐ 명 ①갓난아기. ¶～之心; 〈成〉 천진난만한 마음. ②〈比〉 백성.
〔赤字〕 chìzì 명 결손. 부족. 적자. ¶一亿元的～; 1억 원의 적자 / 财政～; 재정 적자 / 弥补～; 적자를 메우다 / ～开支出; 적자 지출.
〔赤足〕 chì‚zú 동 맨발이 되다. 발을 벗다. (chìzú) 명 맨발. ¶～鹬; 《鳥》 붉은발도요.
〔赤嘴鸥〕 chìzuǐōu 명 《鳥》 붉은부리갈매기.

抶

chì (질)
명동 채찍(질하다).

炽(熾)

chì (치)
형 불이 센 모양. 왕성한 모양. ¶～热; ⇩ / 火～; ⓐ불길이 세차다. ⓑ활기차다. 왕성하다.
〔炽烈〕 chìliè 형 ①불길이 세다. ②열렬하다. 치열하다. ¶促进韩中友好的～愿望; 한중 우호를 촉진하려는 열렬한 여망.
〔炽热〕 chìrè 형 기세가 왕성한 모양. 열렬한 모양. 작렬하는 모양. ¶～的阳光; 작렬하는 태양.
〔炽盛〕 chìshèng 형 ①(불길이) 세다. ②번성하다.
〔炽炭〕 chìtàn 명 불길이 센 탄. 동 숯이나 석탄을 태우다.
〔炽燥〕 chìzào 형 더워서 건조하다. 건조하여 타는 듯이 덥다.

翅〈翄〉

chì (시)
① 명 날개. =〔翅膀〕 ② 명 지느러미. ③ 명 (～子) 상어 지느러미. =〔鱼翅〕 ④ 동 날다. ⑤ 부 〈文〉 단지. 다만. =〔啻chì〕 ⑥ 명 (～儿) 물건 양쪽의 날개같이 나온 부분. ¶香炉～; 향로 양쪽의 날개 부분. ⑦ 명 《植》 시과(翅果)의 날개 부분.
〔翅膀(儿)〕 chìbǎng(r) 명 ①(새나 곤충의) 날개. ¶收起～; 날개를 접다. ②물체의 모양이나 작용이 날개와 같은 부분. ¶扇～; 활개치다 / 飞机～; 비행기의 날개 / ～硬了; 날개가 굳어지다. 〈比〉 자립하다.
〔翅饼〕 chìbǐng 명 (식품으로서의) 상어 지느러미(중국 요리용으로, 상어 지느러미의 껍질을 벗어 버리고 수염처럼 만든 것을 네모 또는 동그라미 모양으로 말려 굳힌 것). →〔鱼yú翅〕
〔翅菜〕 chìcài 명 상어 지느러미의 요리.
〔翅果〕 chìguǒ 명 《植》 시과. 익과(翼果)(단풍나무 · 물푸레나무 등 과일 껍질이 날개 모양을 하고 있어서 바람에 날아 흩어지는 씨앗).
〔翅脉〕 chìmài 명 《蟲》 시맥(곤충의 얇은 날개에 보이는 맥).
〔翅鞘〕 chìqiào 명 《蟲》 시초. 딱지날개. =〔鞘翅〕
〔翅席〕 chìxí 명 상어 지느러미 요리가 나오는 고급 연회석. =〔翅子席〕
〔翅子〕 chìzi 명 ①상어 지느러미. ②〈方〉 날개.

敕〈勅, 勑〉

chì (칙)
① 명 임금의 조칙(詔勅). 칙령(勅令). ② 명 도사(道士)가 주술(呪術)에 쓰는 명령. ③ 동 경계하다. 삼가다. =〔饬③〕
〔敕赐〕 chìcì 명 하사품. 동 하사받다.

〔敕封〕 chìfēng 동 ①칙명(勅命)으로 (제후 따위를) 봉하다. ②→〔敕授〕

〔敕勒〕 chìlè 동 귀신을 제어하다《도교(道教)의 말로, 부적 주문에 '敕令'이라고 써서 귀신을 제어함》.

〔敕令〕 chìlìng 명동 〈文〉 칙령(을 내리다).

〔敕命〕 chìmìng 명 ①칙명. 임금의 명령. ②명(明)·청(清) 시대의 육품관(六品官) 이하의 벼슬에게 토지와 작위(爵位)를 내리는 사령(辭令).

〔敕授〕 chìshòu 동 명(明)·청(清) 시대의 제도로, 칙명에 의해 육품관(六品官) 이하의 관리를 봉하다《증조부모·조부모·부모 및 아내의 생존자를 봉함을 '敕封②', 사망자를 봉함을 '敕赠'라고 했음》.

鹈(鶒〈鷘〉)

chì (칙)
→〔鸂xī鶒〕

啻

chì (시)
부 〈文〉 단지. 겨우. 뿐《항상 '不'·'岂qǐ' 등의 부정사(否定詞) 또는 반어(反語)를 수반함》. ¶不～ =〔不但〕〔不仅〕〔不只〕; 다만 …뿐만 아니라 / 何～; 어찌 …뿐이랴. =〔翅⑤〕

傺

chì (제)
→〔侘chà傺〕

瘈

chì (계)
→〔瘈疭〕 ⇒ zhì

〔瘈疭〕 chìzòng 명 《漢醫》 손가락의 경련 증세. =〔瘛chì疭〕

瘛

chì (계)
→〔瘛疭〕

〔瘛疭〕 chìzòng 명 《漢醫》 경련 증세. 계종. =〔瘈chì疭〕

CHONG ㄔㄨㄥ

充

chōng (충)
①형 충만하다. 충분하다. 가득 차다. ¶～沛; 넘쳐 흐르다 / ～满; ⇩ / ～分; ⇩ ②동 (가득) 채우다. 보충하다. ¶～电; ⇩ / ～饥; ⇩ ③동 …이 되다. 담임하다. 종사하다. ¶～老爷; 나리가 되다. 나리처럼 행세를 하다 / 曾～校长; 전에 교장직에 있던 적이 있다. ④동 …인 체하다. ¶～行家; 전문가인 체하다 / ～能干; 유능한 체하다. ⑤동 충당하다. ¶～做军用; 군용에 충당하다. ⑥동 속이다. 사칭하다. ¶拿假货～真货卖; 가짜를 진짜로 속여 팔다 / 无赖子冒～学生在学校里偷东西了; 불량배가 학생을 사칭하고 학교 안에서 도둑질을 했다. ⑦명 성(姓)의 하나.

〔充畅〕 chōngchàng 형 ①흡족하다. 유감 없다. ②(상품 공급·문세(文勢) 따위가) 충실하고 원활하다.

〔充斥〕 chōngchì 동 충만하다. 많이 있다. 범람하다. ¶市场游资～; 시장에는 유휴 자금이 넘쳐 있다.

〔充磁〕 chōng,cí 동 《物》 자화(磁化)하다.

〔充当〕 chōngdāng 동 (…이) 되다. 직무를 담당하다. ¶～教授; 교수직을 맡다.

〔充得过去〕 chōngdeguòqù 담당할 능력이 있다. 그 임무를 감당할 수 있다.

〔充电〕 chōng,diàn 동 ①《電》 충전(하다). ②〈比〉 (휴식을 통해 체력과 정신력 등이나, 재학습을 통해 지식을) 보충하다.

〔充耳〕 chōng'ěr 동 〈文〉 귀를 막고 들으려고 하지 않다. 명 고대의 관(冠) 양쪽에 드리운 옥.

〔充耳不闻〕 chōng ěr bù wén 〈成〉 귀를 막고 들으려고 하지 않다. 못 들은 체하다. ¶我屡次告诉他, 他总是～; 내가 몇 번이고 그에게 말했지만, 그는 절대로 귀를 기울이려 하지 않았다.

〔充发〕 chōngfā 동 유형(流刑)에 처하다. →〔充军〕

〔充分〕 chōngfèn 형 충분하다. ¶～的材料; 충분한 자료 / ～交换意见; 충분히 의견을 교환하다. 부 가능한 한. 될 수 있는 대로. 극력. ¶～发挥人的积极性; 될 수 있는 대로 남의 적극성을 내게 하다. ‖ =〔充量〕

〔充羔皮〕 chōnggāopí 명 《紡》 아스트라한(astrakhan).

〔充格〕 chōnggé 형 ①(사상·표현 따위가) 풍부하다. ②(옷 따위가) 낙낙하다. ③(장소가) 여유가 있다.

〔充公〕 chōng,gōng 동 《法》 몰수하여 공용(公用)에 충당하다. 몰수하다.

〔充行家〕 chōng hángjia 정통한 척하다. 전문가인 체하다. ¶他～也不行, 马脚露lòu得也快了; 겉을 꾸미려고 해도 안 돼. 이내 마각을 드러낼 거야.

〔充饥〕 chōng,jī 동 요기하다. 배를 채우다. ¶画饼～; 〈成〉 그림 속의 떡으로 요기하다《실속이 없음》 / 先不要管什么, 只能～的都可以买来; 우선 무엇이든 상관하지 말고 배를 채울 수 있는 것이면 무엇이든 사 와라.

〔充军〕 chōng,jūn 동 옛날의 유형(流刑)으로, 범죄자를 먼 곳에 보내 병영에서 고역(苦役)을 하게 하다. →〔充发〕〔配pèi军〕

〔充量〕 chōngliàng 형부 ⇨〔充分〕

〔充闾〕 chōnglǘ 동 〈文〉 가문이 번성하다《득남을 축하하는 말로 쓰임》.

〔充满〕 chōngmǎn 동 충만하다. 가득 차다. ¶欢呼声～了会场; 환호의 소리가 회장에 가득 차 있다 / ～信心; 자신에 차 있다.

〔充名冒籍〕 chōngmíng màojí 남의 성명·호적을 사칭하다.

〔充能干(儿)〕 chōng nénggàn(r) 수완이 있는 체하다. 유능한 체하다. ¶他什么都不会, 偏要～; 그는 아무것도 할 수 없으면서 유능한 체한다. =〔充能梗〕

〔充胖子〕 chōng pàngzi 살이 찐 것처럼 보이게 하다. 〈比〉 앙버티다. 거드름 피우다.

〔充沛〕 chōngpèi 형 넘쳐 흐르다. 가득 차다. 왕성하다. ¶精力～; 활기가 넘치다 / 雨量～; 우량이 많다.

〔充皮〕 chōngpí 명 ①리놀륨(linoleum). ②모조(模造) 가죽.

〔充皮纸〕 chōngpízhǐ 명 모조(模造) 피지.

〔充其量〕 chōngqíliàng 부 많아야. 기껏해서. 고작. 최대한. ¶～十天就可以完成这个任务; 오래 걸려 봤자 열흘이면 임무를 완수할 수 있다.

〔充任〕 chōngrèn 동 담임하다. 담당하다. ¶挑选能干的人～这个职; 유능한 사람을 뽑아 이 직무를 담당시키다.

〔充塞〕 chōngsè 동 ①가득 차다. 충만하다. =〔充牣rèn〕 ②충실하게 하다. ¶～教育内容; 교육 내

용을 알차게 만들다.

〔充实〕 chōngshí 형 충실하다. 풍부하다. ¶文章的内容～; 문장의 내용이 충실하다. 동 충실하게 하다. 강화하다. ¶下派干部～基层; 간부를 하층으로 돌려서 하부 조직을 강화하다.

〔充数(儿)〕 chōng,shù(r) 동 인원수(人員數)를 채우다. 숫자를 채우다. ¶滥竽～; 무능한 사람이 머릿수만 채우다.

〔充血〕 chōngxuè 명동 《醫》 충혈(되다). ¶脑nǎo～; 뇌충혈.

〔充溢〕 chōngyì 동 가득 넘치다. 충만하다. 넘쳐흐르다. ¶孩子们的脸上, ～着幸福的笑容; 아이들은 얼굴 가득히 행복스러운 듯한 웃음을 띠고 있다.

〔充盈〕 chōngyíng 형 ①가득하다. 충만하다. ¶财力～; 경제력이 충실하다. ②〈文〉 풍만하다. 살찌다.

〔充裕〕 chōngyù 형 여유가 있다. 풍부하다. ¶经济～; 생활이 풍족하다 / 时间～; 시간이 충분히 있다. =〔充充裕裕〕

〔充质〕 chōngzhì 명형 모조(의). ¶～赤鸡皮纸; 모조의 크라프트지(紙) · 유산지(硫酸紙) · 하도롱지(紙) 따위.

〔充足〕 chōngzú 형 충분하다. 충족하다. =〔十足②〕

〔充作〕 chōngzuò 동 …에 충당하다.

茺

chōng (충)
→〔茺蔚〕

〔茺蔚〕 chōngwèi 명 《植》 익모초(益母草).

冲〈沖, 衝 A)B)〉

chōng (충)
A) ①명 큰길. 한길. ②명 요로(要路). 요충(要衝). 중요한 곳. ¶要～; 요충. 긴요한 곳 / 首当其～; 앞장 서서 주요 업무를 처리하다. ③동 직진(直進)하다. 돌진하다. 돌파하다. ¶俯～轰炸机; 급강하 폭격기 / 横～直撞; 앞뒤 가리지 않고 돌진하다 / ～出重围; 겹겹이 싸인 포위를 돌파하다 / 一齐地～下去了; 일제히 돌격했다. ④동 충돌하다. 부딪치다. ¶臭chòu味～上鼻子来; 악취가 코를 찌르다. ⑤동 액(厄)때움하다. ¶～喜xǐ; ⇩ ⑥형 〈文〉 나이가 어리다. ¶～年; ⇩ / ～龄líng; ⇩ ⑦동 〈方〉 (칼로) 휘어지듯 싹둑 자르다. ¶用剪子～布; 가위로 천을 자르다. ⑧명 《天》 충(衝)《행성 · 달 등이 지구에 대해 태양과 정반대의 방향에 있는 상태》. **B)** ①동 (끓는) 물을 붓다. 물에 풀다. ¶～茶; ⇩ / ～鸡jī蛋; ⇩ / 用开水～服; 열탕(熱湯)에 타서 복용하다. ②동 세찬 물로 가시다〔씻다〕. ¶～洗; 물을 부어서 씻다 / 上面有泥土, 用水～～; 진흙이 묻어 있어서 물로 씻어 내다 / 便后～水; 용변 후에 물로 씻어 내리다. ③동 곧바로 위로 뛰어오르다. 용솟음쳐 오르다. ④동 (홍수 따위가) 휩쓸다. ¶水库修好了, 再不怕大水～庄稼了; 댐을 수리하여서, 다시는 홍수로 농작물이 유실될 걱정은 없다. ⑤동 더운물로 삶다. 더운물을 부어 반죽하다. ⑥형 독하다. ¶这枝烟太～; 이 담배는 너무 독하다. ⑦형 겸허하다. ¶谦～; 겸허하다. ⑧형 노한 모양. ¶怒气～～; 잔뜩 성나다. ⑨형 차감(差減) 계산하다. ¶～账; ⇩ ⑩동 《撮》 사진을 현상하다. **C)** 명 〈方〉 산지(山地)에 있는 평지. ¶～田; 산지에 있는 밭 / 翻过山就有很大的～; 산을 넘으면 넓은 평지가 있다. **D)** 명 성(姓)의 하나. ⇒chòng

〔冲鼻〕 chōngbí 동 코를 찌르다. ¶～的气味; 코를 찌르는 냄새.

〔冲波板〕 chōngbōbǎn 명 《體》 서프 보드(surf board). 서핑(surfing).

〔冲茶〕 chōng chá 차를 우려 내다.

〔冲程〕 chōngchéng 명 《機》 행정(行程). 스트로크(stroke). ¶四～(循环)发动机; 4사이클 엔진. =〔行xíng程③〕

〔冲冲〕 chōngchōng 형 감정이 격한 모양. ¶怒气～; 잔뜩 화가 나다.

〔冲出〕 chōngchū 동 탈출하다. 돌파하여 나가다. ¶约有一百名二十三日～巴黎; 약 100명은 23일, 파리를 탈출했다.

〔冲刺〕 chōngcì 명동 《體》 대시(하다). 스퍼트(spurt)(하다). ¶最后的～; 라스트 스퍼트. 명 〈比〉 전력 투구. 막바지 노력.

〔冲淡〕 chōngdàn 동 ①(물이나 다른 액체를 부어) 묽게 하다. 희석하다. ¶把80°酒精～为50°的; 80°의 알코올을 50°로 희석하다 / 饭前也不要大量饮水, 否则胃液被～了; 밥 먹기 전에 물을 많이 마시지 마라. 그렇지 않으면 위액이 묽어진다. =〔稀xī释〕 ②(분위기 · 효과 · 감정 등을) 부드럽게 하다. 풀다. 약하게 하다. ¶用笑谈来～当时僵jiāng持的气氛; 우스운 말로 그 자리의 딱딱한 분위기를 부드럽게 하다.

〔冲淡剂〕 chōngdànjì 명 ⇨〔信xìn那水〕

〔冲倒〕 chōngdǎo 동 (센 힘으로) 밀어 넘어뜨리다. 쳐서 넘어뜨리다. ¶冷不防地把我～; 갑자기 나를 부딪쳐 넘어뜨렸다.

〔冲道〕 chōngdào 형 용감하게 말하고 행동하여 아무것도 두려워하지 않다. 겁이 없다. ¶这小孩儿真～, 哪儿都敢去; 이 아이는 정말 겁이 없어 아무 데나 두려움 없이 간다.

〔冲堤刷岸〕 chōngdī shuā'àn 큰물이 나서 둑을 허물고 언덕을 쓸어 버리다.

〔冲动〕 chōngdòng 동 ①분격하다. 흥분하다. ¶他很容易～; 그는 쉽게 흥분한다 / 不要～, 应当冷静考虑问题; 흥분하지 말고 냉정하게 문제를 고려해야 한다. ②폭발적으로 나오다. 충동적으로 행동하다. 명 충동.

〔冲犯〕 chōngfàn 동 (언동이) 상대방을 거슬리게 하다. 불쾌감을 사다. ¶他的话～了叔父; 그의 말이 숙부를 화나게 했다.

〔冲粉纸〕 chōngfěnzhǐ 명 모조 아트지(art紙).

〔冲锋〕 chōngfēng 동 《軍》 (적진으로) 돌격하다. ¶打～; 돌격하다 / ～号; 돌격 나팔 / ～枪; ⓐ휴대 기관총. ⓑ자동 소총. =〔冲击①〕

〔冲锋陷阵〕 chōng fēng xiàn zhèn 〈成〉 돌격하여 적진을 함락시키다. 용감하게 돌진함을 형용. ¶每一个战士都是～的英雄; 모든 병사가 다 적진에 돌격하는 영웅이다.

〔冲服〕 chōngfú 동 ①더운물 또는 술에 타서 약을 마시다. ②달인 물로 복용하다.

〔冲和〕 chōnghé 형 〈文〉 (성정이) 온화하다. 부드럽다.

〔冲昏〕 chōnghūn 동 기뻐서 어찌할 바를 모르다. 이성을 잃다. ¶胜利～了头脑; 승리하여 기뻐서 어찌할 바를 모르다.

〔冲击〕 chōngjī 동 ①(물이) 심하게 부딪치다. ¶海浪～着山崖; 물결이 벼랑에 심하게 부딪치다. ②〈比〉 (사람이 물처럼) 심하게 밀어닥치다. 명동 ① 돌격(하다). ¶不断遭到有力的～; 끊임없이 유력한 돌격을 당했다 / 向帝国主义进行～; 제국주의에 대하여 돌격하다. =〔冲锋〕 ②비판 투쟁(하다). ¶他在文化大革命当中, 受到～; 그는 문화

〔崇敬〕 chóngjìng 명동 숭경(하다).
〔崇楼杰阁〕 chóng lóu jié gé 〈成〉 높고 훌륭한 건물.
〔崇论闳议〕 chóng lùn hóng yì 〈成〉 탁절(卓絶)한 논의(論議)·의견.
〔崇日〕 chóngrì 명 〈文〉 종일(終日).
〔崇尚〕 chóngshàng 동 〈文〉 존중하다. 숭배하다. ¶～正义; 정의를 숭상하다.
〔崇外〕 chóngwài 동 〈貶〉 외국을 숭배하다. 외국의 사물을 숭배하다. ¶～思想; 외국·외국의 것은 모두 좋다는 생각·관점. =〔崇洋〕
〔崇文门〕 Chóngwénmén 명 베이징(北京)의 성문(城門) 이름('哈hǎ达门'이라고도 하며, 내성(內城)의 동남쪽 모퉁이에 있음).
〔崇崖〕 chóngyá 명 〈文〉 높은 벼랑. 아득히 높은 낭떠러지.
〔崇洋〕 chóngyáng 동 배외(拜外)하다. 외국의 사상〔문물〕을 숭배하다. ¶～思想; 배외(拜外) 사상. =〔崇外〕
〔崇洋媚外〕 chóng yáng mèi wài 〈成〉 외국에 도취함. 외국 숭배.
〔崇朝〕 chóngzhāo 명 〈文〉 아침부터 낮까지. 하루 아침. 아침나절.

宠(寵) chǒng (총)

① 명동 총애(하다). 사랑(하다). ¶得dé～; 총애를 받다/失～; 총애를 잃다/猥蒙尊～; 〈翰〉 황송하게도 후의(厚誼)를 베풀어 주심을 받았습니다. ② 명동 편애(하다). ③ 명 〈文〉 첩(妾). ¶纳nà～; 첩을 들이다. ④ 명 영광. 영예.
〔宠爱〕 chǒng'ài 명동 총애(하다).
〔宠拔〕 chǒngbá 동 〈文〉 총애하여 등용하다. 특별히 발탁하다.
〔宠嬖〕 chǒngbì 동 〈文〉 마음에 들어 사랑하다. 명 마음에 드는 사람.
〔宠臣〕 chǒngchén 명 〈文〉 총신. 마음에 드는 신하.
〔宠赐〕 chǒngcì 동 〈文〉 총애하여 물품을 하사하다. 명 융숭한 하사품. ¶承颁～, 无任感激; 〈翰〉 귀중한 선물을 받고 감격을 이기지 못합니다. ‖ =〔宠贶〕〔宠锡〕
〔宠儿〕 chǒng'ér 명 ①사랑하는 자식. 애아(愛兒). ②세상에 때를 만난 사람. ③〈比〉 운이 좋은 사람. 풍운아. ¶他是时代的～; 그는 시대의 총아다/一个政治骗piàn子成了资本主义社会的～; 정계의 사기꾼이 자본주의 사회의 총아가 되었다.
〔宠妃〕 chǒngfēi 명 〈文〉 총애를 받는 왕비.
〔宠顾〕 chǒnggù 동 〈文〉 총애하여 돌봐 주다.
〔宠惯〕 chǒngguàn 동 지나치게 응석받이로 기르다.
〔宠光〕 chǒngguāng 명 〈文〉 특별한 총애를 받는 영광. 군주의 은덕.
〔宠坏〕 chǒnghuài 동 지나치게 귀여워해서 버릇없게 만들다. ¶她～了闺女; 그녀는 딸을 응석받이로 만들었다.
〔宠姬〕 chǒngjī 명 〈文〉 애첩. 굄을 받는 계집.
〔宠利〕 chǒnglì 명 〈文〉 은총과 이로운 관록.
〔宠命〕 chǒngmìng 명 〈文〉 은명(恩命). 임금의 은총 있는 명령.
〔宠妾〕 chǒngqiè 명 〈文〉 애첩. →〔宠姬〕
〔宠任〕 chǒngrèn 동 귀여워하며 신뢰하다.
〔宠辱不惊〕 chǒng rǔ bù jīng 〈成〉 이해 득실을 도외시하다. 영욕(榮辱)을 개의치 않다.
〔宠辱若惊〕 chǒng rǔ ruò jīng 〈成〉 분에 넘치는 총애나 대우를 받아 마음이 불안하다. =〔受宠若惊〕
〔宠物〕 chǒngwù 명 애완 동물.
〔宠信〕 chǒngxìn 동 〈文〉 총애하고 신임하다. ¶～阿谀奉承的人; 아첨하는 사람을 총애하고 신임하다.
〔宠幸〕 chǒngxìng 동 〈文〉 총애하다. 사랑을 주다. 명 총애.
〔宠异〕 chǒngyì 동 〈文〉 특별히 총애하다.
〔宠遇〕 chǒngyù 〈文〉 동 특별히 귀여워하다〔대우하다〕. 명 특별한 대우.
〔宠招〕 chǒngzhāo 명 〈翰〉 초대(招待). ¶承您～, 感谢不尽; 초대해 주셔서 고맙기 그지없습니다.
〔宠子〕 chǒngzǐ 명 〈文〉 총애받는 아이〔자식〕.

冲〈衝〉 chòng (충)

① 동 …으로 향하다. …을 대(對)하다. ¶～南的大门; 남향 대문. ② 개 …향하여. …대하여. ¶这话是～他说的; 이 말은 그를 향해 한 것이다/他～我招了招手; 그는 나를 향해 손을 흔들었다/～着这树看; 이 나무 쪽을 (똑바로) 보다. ③ 형 힘차다. 세차다. 맹렬하다. ¶年青人有一股～劲儿; 젊은이에게는 패기가 있다/水流得真～; 물의 흐름이 맹렬하다/他说话很～; 그는 말 하는 것이 너무 과격하다. ④ 형 (냄새 등이) 강하다. 독하다. ¶～气味; 독한 냄새/这酒真～; 이 술은 정말로 독하다/这个烟挺～; 이 담배는 매우 독하다. ⑤ 동 체면을 세우다. 안면(顔面)을 보아서 …해 주다. ¶～朋友; 친구의 체면을 세우다/不能～着私人情面; 사정(私情)에 얽매여 있을 수는 없다. ⑥ 형 겁을 안 내다. 대담하다. ⑦ …로 말해도. …에 근거해도. …의 체면상. ¶～着他的地位, 也不会做这样昧良心的事; 그의 지위로 보더라도 이런 덕의(德義)에 어긋난 짓을 할 리가 없다. ⑧ 동 《機》 프레스(press)로 구멍을 뚫다. =〔冲眼〕 ⑨ 형 성(盛)하다. ¶买卖很～; 장사가 매우 번창하다. ⇒chōng
〔冲床〕 chòngchuáng 명 《機》 압천기(壓穿器). 펀치 프레스(punch press). =〔冲孔机〕〔冲压yā机①〕〔压力机〕〔铳床〕〔压力③〕〔压机〕
〔冲盹儿〕 chòngdǔnr 동 〈方〉 꾸벅꾸벅 졸다. =〔打dǎ盹儿〕
〔冲劲儿〕 chòngjìnr 명 ①패기. 과감성. 적극성. ¶这小伙子真有股～, 一个人干了两个人的活儿; 이 젊은이는 정말 패기가 있어, 한 사람이 두 사람 일을 했다. ②(냄새·기세의) 강렬한 자극성. ¶这酒有～, 少喝点儿; 이 술은 자극성이 있으니, 조금만 마셔라.
〔冲孔〕 chòngkǒng 동 ⇨〔钻zuān孔〕
〔冲面子〕 chòngmiànzi 동 체면을 세우다. 체면을 보아 주다.
〔冲模〕 chòngmú 명 《機》 (펀치플레이스로 사용하는) 다이스(dies).
〔冲切〕 chòngqiē 명 《機》 다이컷. 종이 천공기.
〔冲日头说〕 chòng rìtou shuō 하늘에 맹세하여 말하다.
〔冲头〕 chòngtou 명 《機》 펀치. 드리프트(drift).
〔冲压机〕 chòngyājī 명 ① ⇨〔冲床〕 ②스탬핑(stamping) 프레스.
〔冲眼〕 chòngyǎn 동 펀치로 박거나 뽑다.
〔冲字机〕 chòngzìjī 명 《機》 각자기(刻字器). =〔刻kè字器〕
〔冲子〕 chòngzi 명 《機》 펀치(punch). =〔铳子〕

眈 chòng
동〈方〉(피곤하여) 졸다. ¶～一～; 선잠 자다.

铳(銃) chòng (총)
①명 총포(銃砲). ¶火～; 화승총(火繩銃). ②명 도끼의 자루를 박는 구멍. ③형 심하다. 맹렬하다. ④(～子) 명 천공기(穿孔器).

CHOU ㄔㄡ

抽 chōu (추)
동 ①꺼내다. 뽑다. 빼다. ¶～丝sī; ⇩/～签qiān儿; 제비를 뽑다. ②(일부분을) 빼내다. 추출하다. ¶～査chá; ⇩ ③끌어 내다. ④(싹이나 가지가) 나오다. ¶新笋sǔn初～; 죽순이 나오기 시작하다. ⑤홀짝홀짝 마시다. ⑥오그라들다. 줄다. ¶这布一洗就～了一寸; 이 천은 빨았더니 한 치가 줄었다/价钱～了; 가격이 내렸다. ⑦(가늘고 긴 것, 혹은 부드러운 것으로) 두들기다. ¶～打身上的尘土; 몸의 먼지를 털다/拿鞭biān子～了一顿; 매를 한 번 대었다. ⑧빨다. 빨아들이다. ¶～烟; 담배를 피우다/～鼻儿; 콧물을 훌쩍거리다. ⑨부축해서 일으키다. 손을 잡아 주다. ¶小孩子摔倒了, 快把他～起来; 어린애가 넘어졌으니 빨리 일으켜 주어라. ⑩징발하다. ¶～壮丁; 장정을 징발하다.

〔抽拔〕 chōubá 동 뽑다. 발탁하다.
〔抽板〕 chōubǎn 동 발판을 빼 버리다(사람을 궁지에 빠뜨리다). ¶想～; 궁지에 빠뜨리려고 한다.
〔抽鼻儿〕 chōu·bír 동 콧물을 훌쩍거리다.
〔抽膘〕 chōubiāo 동 (가축이) 여위다.
〔抽剥〕 chōubō 동〈文〉착취하다.
〔抽补〕 chōubǔ 동 빼거나 보태다. 취사(取捨)하다. ¶在其他收入的分配上加以～平衡; 그 밖의 수입의 분배에 대해서는 취사하여 평균한다.
〔抽彩〕 chōu·cǎi 동 복권을 추첨하다.
〔抽査〕 chōuchá 명동 추출 검사(하다). ¶～样品; 샘플링(sampling). 표본 추출/ ～了几个施工现场, 检査安全方面的问题; 몇 개의 시공 현장을 뽑아서 안전 방면의 문제점을 조사하다.
〔抽抽〕 chōuchou 동 줄다. 오그라들다. 작아지다. 기세(氣勢)가 오르지 않다. ¶衣裳～着; 옷이 줄어들다/他现在～了; 그는 지금 기운이 없다/哪有越长zhǎng越～的! 자랄수록 줄어드는 것이 어디에 있는가!
〔抽抽咽咽〕 chōuchouyèyè 흑흑 흐느껴 울다. ¶半天方～的道; 한참 있다가 간신히 흐느껴 울며 말했다. =〔抽抽搭dā搭〕
〔抽出〕 chōuchū 동 빼내다. 추출하다.
〔抽搐〕 chōuchù 명〖醫〗경련이나 종아리에 일어나는 쥐 따위. 동 ①경련을 일으키다. ‖=〔抽搦〕〔搐搦〕 ②⇨〔抽搭①〕
〔抽打〕 chōudǎ 동 매질하다. 갈기다. ¶用鞭子～得浑身是伤; 채찍으로 온몸이 상처가 나도록 매질했다.
〔抽打〕 chōuda 동 (먼지 등을) 털다. ¶请把我的衣服～～! 내 옷을 털어 주십시오! 명 먼지떨이. 총채.
〔抽搭〕 chōuda 동 ①흐느껴 울다. ¶姑娘一边儿说一边儿～; 처녀가 말을 하면서 흐느껴 운다. =〔抽搐②〕 ②(탁탁) 털다. ¶你把身上的土～～; 몸의 흙을 털어라.
〔抽刀〕 chōu·dāo 동 칼을 빼다〔뽑다〕. =〔拔bá刀〕
〔抽地〕 chōu·dì 동 ①지주가 농민에게 빌려 주었던 토지를 거두어들이다. ②빚〔차금〕의 담보로 잡혔던 토지를 (빚을 갚고) 찾다.
〔抽调〕 chōudiào 동 (물자 조달에서) 일부를 빼돌리다. (인원 이동에서) 일부를 배치 전환하다. ¶上级从邻县～了很多干部来支援我们; 상급 기관이 이웃 현으로부터 다수의 간부를 빼내어 우리를 지원했다.
〔抽丁〕 chōu·dīng 동 옛날, 장정을 징발하다. =〔抽壮丁〕
〔抽动〕 chōudòng 동 경련하다. 실룩거리다. ¶腮上一小块肉直～; 볼의 근육이 자꾸 경련을 일으키다.
〔抽斗〕 chōudǒu 명〈方〉서랍. =〔抽屉ti〕
〔抽肥补瘦〕 chōu féi bǔ shòu〈成〉많은 데서 빼다가 적은 곳에 보충하다.
〔抽分〕 chōufēn 동 ①수수료를 받다. 남의 이익의 일부를 가로채다. ②퍼센티지〔백분비〕를 내다. ③〈文〉이금세(釐金稅)를 받다. 명〖數〗번분수(繁分數).
〔抽风〕 chōu·fēng 명동⇨〔抽疯①〕 명⇨〔惊jīng风①〕 동 (일정한 장치를 이용하여) 공기를 빨아들이다. 공기를 보내다. ¶～机; 배기기. 환풍기.
〔抽疯〕 chōu·fēng 명동 ①〖醫〗경련(痙攣)(을 일으키다). 간질(을 일으키다). =〔抽风①〕 ②방자한 행동(을 하다).
〔抽扶〕 chōufú 동 들어올리다. 부축하다. ¶把老太太～起来; 할머니를 부축하여 일으키다.
〔抽个儿〕 chōu·gèr 동 오그라들다.
〔抽功夫(儿)〕 chōu gōngfu(r) ⇨〔抽空(儿)〕
〔抽股〕 chōugǔ 동 ⇨〔退tuì股〕
〔抽还〕 chōuhuán 동 추첨으로 상환하다.
〔抽换〕 chōuhuàn 동 ⇨〔抽梁换柱〕
〔抽筋(儿)〕 chōu·jīn(r) 동 ①〈俗〉경련을 일으키다. 쥐가 나다. ¶腿受了寒, 直～; 한기를 받아 발에 계속 경련이 일어나다. ②힘줄을 빼내다.
〔抽筋(儿)〕 chōujin(r) 명 근육의 경련.
〔抽筋拔骨〕 chōu jīn bá gǔ〈成〉고심하다. 뼈를 깎는 고생을 하며 노력하다. ¶～地凑几个钱, 又被官人吃去了; 뼈를 깎는 노력으로 얼마 안 되는 돈을 모았으나 관리에게 몰수당했다. →〔剥bō皮抽筋〕
〔抽紧〕 chōujǐn 동 ①꽉 잡아당기다. ②단단히 죄다.
〔抽考〕 chōukǎo 동 ①몇 사람을 임의로 뽑아 시험치다. ②학습한 것의 일부를 불시에 시험치다.
〔抽空(儿)〕 chōu·kòng(r) 동 시간〔틈〕을 내다. ¶他工作很忙, 可是还～学习; 그는 일이 매우 바쁘나, 시간을 내어서 공부한다. =〔抽功夫(儿)〕
〔抽口儿〕 chōukǒur 명 염낭. 두루주머니.
〔抽冷子〕 chōu lěngzi 부 돌연. 불의에. 갑자기.
〔抽梁换柱〕 chōuliáng huànzhù 동 몰래 바꿔치다. ¶这几包他们都给～了, 我不能要了; 이 몇 부대는 그들이 모두 살짝 바꿔치기를 해서 나는 받을 수 없다. =〔抽换〕
〔抽搦〕 chōunuò 명동 ⇨〔抽搐〕
〔抽派〕 chōupài 동 선발하여 파견하다.
〔抽气〕 chōu·qì 동 ①헐떡이다. ②공기를 빼다. ¶～机;〖機〗진공 펌프. ③숨을 들이마시다. ¶他倒抽了一口冷气; 그는 찬 공기를 단숨에 들이

마셨다.
〔抽签(儿)〕 chōu·qiān(r) 동 ①제비 뽑다. 추첨하다. ②관객이 종막(終幕)을 기다리지 않고 퇴장하다. 명 도박의 하나.
〔抽球〕 chōuqiú 명 《體》(테니스·탁구 등의) 드라이브(drive). 스트로크(stroke). (chōu·qiú) 동 《體》 드라이브하다.
〔抽取〕 chōuqǔ 동 빼내다. 뽑아 내다.
〔抽杀〕 chōushā 명 《體》 스매시(smash). 동 《體》 스매싱하다.
〔抽纱〕 chōushā 명 실오을 뽑아, 그 자리에 여러 가지 모양을 넣은 레이스. 드론 워크(drawn work). ¶汕Shān头的～制品最有名; 산터우(汕頭)의 드론 워크 제품은 아주 유명하다.
〔抽身〕 chōu·shēn 동 몸을 빼내다. 빠져 나오다. ¶～不暇; 빠져나올 틈〔시간〕이 없다.
〔抽收〕 chōushōu 동 징수(徵收)하다.
〔抽手〕 chōu·shǒu 동 손을 떼다. 그만두다.
〔抽水〕 chōu·shuǐ 동 ①⇨〔抽头(儿)〕 ②물을 빨아올리다. ¶～马桶; 수세식 변기. ③(천 따위가) 물에 잠기어 줄다.
〔抽水船〕 chōushuǐchuán 명 펌프로 양수(揚水)하여 관개를 하는 배. 양수선.
〔抽水管〕 chōushuǐguǎn 명 흡수관(吸水管).
〔抽水机〕 chōushuǐjī 명 빨펌프. 양수기. =〔泵bèng〕
〔抽税〕 chōu·shuì 동 세금을 징수하다. ¶政府庞大的开支的来源只有两个, 一是～, 二是借债; 정부의 방대한 지출의 재원은 단지 두 가지뿐인데, 하나는 징세요 다른 하나는 차금(借金)이다. =〔抽捐〕〔抽课〕
〔抽丝〕 chōusī 동 고치에서 생사(生絲)를 뽑다. 형 완만(緩慢)한 모양. 병이 차차로 나아지는 모양. ¶病去如～; 병이 조금씩 차도가 있다.
〔抽穗〕 chōu·suì 동 이삭이 패다.
〔抽缩〕 chōusuō 동 오그라들다. 수축하다. ¶这种布一洗就～; 이런 종류의 무명천은 빨면 준다. =〔揺缩〕
〔抽薹〕 chōutái 동 (채소 등의) 대가 너무 자라다.
〔抽提〕 chōutí 명동 《化》 추출(抽出)(하다). 달여 우려 냄〔내다〕. 짜냄〔내다〕.
〔抽屉〕 chōuti 명 서랍. ¶拉开～; 서랍을 열다. =〔抽替〕〔〈方〉抽斗〕
〔抽条〕 chōutiáo 동 〈方〉 질(質)을 낮추다. 품질을 떨어뜨리다. ¶因为面贵, 烧shāo饼也～了; 밀가루가 비싸서 전병도 품질이 떨어졌다. 명 《魚》 멸치.
〔抽头(儿)〕 chōu·tóu(r) 동 ①전달할 돈〔물건〕의 일부를 떼어먹다. ②(도박판 등에서) 자릿세〔개평〕를 떼다. ¶开设赌dǔ档～; 도박판을 만들고 자릿세를 뜯어 내다. ‖ =〔抽水①〕
〔抽腿〕 chōu·tuǐ 동 다리를 걸다《비유적으로도 쓰임》.
〔抽象〕 chōuxiàng 명형 추상(적이다). ¶～的概念; 추상적 개념 / 不要这样～地谈问题; 이렇게 추상적으로 문제를 논하지 마라. ↔〔具jù体〕
〔抽象劳动〕 chōuxiàng láodòng 명 《經》 추상적 노동. ¶～和具体劳动是体现在商品中的劳动的两方面; 추상적 노동과 구체적 노동은 상품 속에 체현되어 있는 노동의 두 면이다. ↔〔具jù体劳动〕
〔抽薪止沸〕 chōu xīn zhǐ fèi 〈成〉 가마 속의 끓는 것을 멈추려면 가마 밑의 땔감〔장작〕을 끌어내는 것이 좋다《근본적인 해결을 하는 일》. →〔釜fǔ底抽薪〕
〔抽绣〕 chōuxiù 명 드론 워크(drawn work)《실올을 뽑아, 그 자리에 여러 가지 모양을 넣은 레이스》.
〔抽血〕 chōuxuè 명 《醫》 채혈(採血). 사혈(瀉血).
〔抽芽(儿)〕 chōu·yá(r) 동 싹이 트다.
〔抽烟〕 chōu·yān 동 담배를 피우다. ¶请允许我～! 담배를 피워도 괜찮습니까! =〔吃chī烟〕〔吸xī烟〕
〔抽羊癫疯〕 chōu yángdiānfēng 간질을 일으키다. =〔抽羊角jiǎo疯〕
〔抽样〕 chōu·yàng 동 (검사하려고) 견본을 뽑아 내다. ¶～法; 표본 추출법.
〔抽样调查〕 chōuyàng diàochá 명 표본 추출에 의한 조사. 샘플링(sampling).
〔抽噎〕 chōuyē 동 흐느껴 울다. ¶他看完信, 忍不住～起来; 그는 편지를 다 보고서는 참을 수 없어 흐느끼기 시작했다. =〔抽咽yè〕
〔抽绎〕 chōuyì 동 〈文〉 뽑아 내어 정리하다. (조리(條理)를) 추출하다. 실마리를 뽑아 내다. =〔䌷chōu绎〕
〔抽印〕 chōuyìn 동 발췌(拔萃) 인쇄하다. ¶～本; 발췌 인쇄본.
〔抽油机〕 chōuyóujī 명 채유(採油) 펌프.
〔抽着疼〕 chōuzheténg 욱신욱신 쑤시면서 아프다.
〔抽枝〕 chōu·zhī 동 가지를 내다〔치다〕.
〔抽制〕 chōuzhì 명동 《工》 (금속선·관〔파이프〕 등을) 뽑아내기〔뽑아 만들어 내다〕.
〔抽绉(儿)〕 chōu·zhòu(r) 동 오그라들어 주름이 잡히다. ¶～得像个干橘子; 말라 비틀어진 귤처럼 오그라들어 쭈글쭈글하다.
〔抽擢〕 chōuzhuó 동 〈文〉 발탁하다.
〔抽子〕 chōuzi 명 자루〔주머니〕의 아가리를 죄는 끈.
〔抽嘴巴〕 chōu·zuǐba 동 빰을 치다.

䌷(紬) chōu (주)

동 〈文〉 꺼내다. 순서 있게 늘어놓다. ¶～绎 =〔抽绎〕; 실마리를 꺼내다〔찾아 내다〕. ⇒chóu

搊(㨨) chōu (추)

동 ①〈文〉 악기를 연주하다. ¶～弹; 탄주하다. ② 〈文〉 뒤집다. ¶把箱子～过来; 상자를 뒤집다. ③경련을 일으키다. ④구애(拘礙)하다. ⑤〈方〉 도와서 일으키다. 부축하다. ¶劳驾, ～我一把儿; 미안합니다. 좀 거들어 주십시오. =〔抽⑨〕 ⇒zhòu
〔搊扶〕 chōufú 동 〈古白〉 도와서 일으키다. 거들어 주다. 부축하다. =〔搀chān扶〕

篘(篘) chōu (추)

① 명 술을 거르는 그릇. ② 동 (술을) 거르다.

瘳 chōu (추)

동 〈文〉 ①병이 낫다. ②손상하다. 손해 보다.

犨 chōu (주)

〈文〉 ①〈擬〉 소가 헐떡거리는 소리. ② 동 튀어나오다. 떠오르다.

仇〈讎, 讐〉 chóu (구) 〈수〉

① 명 원수. 적. ¶嫉恶jíwù若～; 〈成〉 원수처럼 미워하다 / 恩将～报; 〈成〉 은혜를 원수로 갚다. ② 명 원한. ¶冤yuān～; 원한 / 记～; 앙심을 품다 / 有～报～; 원한이 있으면 보복하다 / 深～大恨; 깊은 원한 / 他们两个有～; 그들 두 사람은

틀어졌다. ③ 동 원망하다. 적으로 여기다. ¶～视; 적대시하다. ‖＝〔雠chóuB〕⇒qiú
〔仇扳〕 chóubān 동 원수를 갚기 위해 남을 끌어들이다.
〔仇敌〕 chóudí 명 구적. 원수.
〔仇疙瘩〕 chóugēda 명 마음에 맺힌 원한. ¶他跟穷人系上～; 그는 가난한 사람에게 원한을 샀다.
〔仇恨〕 chóuhèn 동 원망하다. 증오하다. ¶极端～; 극도로 미워하다. ＝〔仇怨〕 명 원한. 증오. ¶数不尽的仇和恨; 헤아릴 수 없는 여러 가지 원통한 일/深仇大恨; 깊은 원한/报仇解恨; 원한을 풀다/千仇万恨; 중첩되는 원한/旧恨新仇; 묵은 원한과 새 원한/阶级仇民族恨; 계급적 민족적 원한.
〔仇货〕 chóuhuò 명 적국 제품(敵國製品). ¶抵dǐ制～; 적국 제품을 배척하다. 적국 제품의 불매동맹을 하다.
〔仇家〕 chóujiā 명 원수. ＝〔仇人〕
〔仇口儿〕 chóukǒur 명 원수 사이. ¶他们俩是～; 그들 두 사람은 원수 사이이다.
〔仇匹〕 chóupǐ 명 〈文〉 같은 동아리. 동배(同輩).
〔仇气〕 chóuqì 명 원한. 미움. 증오.
〔仇人〕 chóurén 명 원수. ¶～转zhuǎn弟兄; 전생의 원수가 형제로 태어나다《형제 사이가 나쁨의 형용》. ＝〔仇家〕
〔仇杀〕 chóushā 동 원한 때문에 살해하다. 명 원한에 의한 살인.
〔仇视〕 chóushì 동 원수처럼 여기다. ＝〔敌dí视〕
〔仇隙〕 chóuxì 명 〈文〉 서로 원망하여 어긋난 사이. 원한.
〔仇怨〕 chóuyuàn 동 ⇨〔仇恨〕

绌(紬) chóu (주)
명 〈文〉 견직물. ⇒chōu

俦(儔) chóu (주)
명 〈文〉 동류(同類). 동배(同輩). 동아리. ¶～类 ＝〔～侣lǚ〕; 친구. 한패.

𢢞(懤) chóu (주)
→〔𢢞𢢞〕

〔𢢞𢢞〕 chóuchóu 형 〈文〉 근심하는 모양.

帱(幬) chóu (주)
명 〈文〉 ①방장(房帳). 장막. ＝〔帱帐zhàng〕 ②차(車)〔수레〕의 덮개. ＝〔车chē帷〕 ⇒dào

畴(疇) chóu (주)
〈文〉 ① 명 옛날. 이전. ＝〔畴曩nǎng〕〔畴日〕〔畴昔〕 ② 명 논밭. ③ 명 밭의 고랑. ④ 대 누구. ⑤ 명 같은 부류. 동아리. 동류. 동배(同輩). ¶物各有～; 사물에는 각기 그 부류가 있다/范fàn～; 유별된 범위. 범주(範疇). ⑥ 형 같다. ⑦ 동 세습(世襲)하다.
〔畴辈〕 chóubèi 명 〈文〉 동배(同輩).
〔畴官〕 chóuguān 명 〈文〉 세습 관리. 동 조상의 사업을 세습하다.
〔畴类〕 chóulèi 명 〈文〉 동류. 동아리.
〔畴人〕 chóurén 명 ①대대로 조상의 업(業)을 계승하는 사람. ＝〔畴官〕 ②옛날의, 천문 산수학자. 역산가(曆算家).
〔畴昔〕 chóuxī 명 〈文〉 이전. 옛날. ¶追思～感慨无量; 옛날 일을 생각하면 감개무량한 바가 있다.

筹(籌) chóu (주)
① 명동 계획(하다). 기획(하다). ¶一～莫展; 〈成〉 계획이 하나도 잘 되는 게 없다/统～; 종합적으로 계획하다. ② 명 (대·나무·상아 등으로 만든) 산(算)가지《수를 세는 데 쓰이는 도구》. ¶算～; 산가지/酒～; 주연(酒宴) 때, 술잔의 수를 세는 산가지/觥gōng～交错; 〈成〉 술잔과 술잔을 세는 산가지가 뒤섞이다. 주연이 성황을 이루다. ③ 양 사람을 세는 단위. ¶六～好汉; 6명의 호한. ④ 동 돈을 마련하다. 융통하다. ¶～了一笔款; 한몫의 돈을 마련했다.
〔筹办〕 chóubàn 동 ①계획하여 시행하다. ¶～处; 창립 사무소. ②(자금·자재 등을) 조달하다. ¶～款kuǎn项; 돈을 조달하다.
〔筹备〕 chóubèi 동 〈文〉 ①변통하다. 조달하다. ②주비하다. 준비하다. ¶～处chù; 설립 사무소/～委员会; 주비 위원회. 준비 위원회.
〔筹拨〕 chóubō 동 〈文〉 ①조달하여 지불하다. ②일부의 지불을 준비하다.
〔筹策〕 chóucè 명동 〈文〉 계획(하다). ＝〔筹略〕
〔筹措〕 chóucuò 동 융통 조달하다. ¶～旅费; 여비를 마련하다.
〔筹垫〕 chóudiàn 동 돈을 마련하여 대신 지불하다. 입체(立替)하여 지불 조치를 취하다.
〔筹定〕 chóudìng 동 계획하여 결정하다. 책정(策定)하다.
〔筹度〕 chóuduó 동 〈文〉 계획하다.
〔筹画〕 chóuhuà 동명 ⇨〔筹划〕
〔筹划〕 chóuhuà 동 궁리하다. 계획하다. 기획하다. 명 계획. ‖＝〔筹画〕
〔筹集〕 chóují 동 융통하여 돈을 모으다. 조달하다. ¶～资金; 자금을 조달하다.
〔筹建〕 chóujiàn 동 건설을 계획하다. 설립(設立)을 계획하다. ¶～工厂; 공장을 건설할 계획을 세우다.
〔筹借〕 chóujiè 동 (돈 등을) 빌릴 계획을 하다. (돈을) 꿀 궁리를 하다. ¶～巨款; 거액의 차입(借入)을 계획하다.
〔筹款〕 chóu.kuǎn 동 ①돈을 융통하다. 돈을 모으다. ②방책을 강구하다. (chóukuan) 명 조달한 돈.
〔筹略〕 chóulüè 명동 ⇨〔筹策〕
〔筹码(儿)〕 chóumǎ(r) 명 ①(수를 세거나 계산할 때 쓰이는) 산가지《옛날에 주로 도박할 때 쓰였음》. ②수량(數量). ③《商》 화폐 또는 화폐를 대신하던 것《증권류》. ④수단. 근거. ‖＝〔筹马〕
〔筹谋〕 chóumóu 동 (계략·계획·책략 등을) 꾸미다. 방법을 강구하다.
〔筹募〕 chóumù 동 계획하여 모집하다. (돈을) 계획하여 모으다.
〔筹商〕 chóushāng 동 상의(商議)하다. 계획 상담하다.
〔筹设〕 chóushè 동 〈文〉 계획하여 개설하다.
〔筹算〕 chóusuàn 동 ①(산가지로) 계산하다. ②산정(算定)하다. 산출하다. ③예측하다. 고려에 넣다.
〔筹委〕 chóuwěi 명 〈簡〉 ①준비 위원회. ②준비 위원.
〔筹饷〕 chóuxiǎng 동 (군대 등의) 급료를 조달하다.

踌(躊) chóu (주)
동 주저하다. 망설이다. ¶～躇chú了半天, 还打不定主意zhǔyi; 오랫동안 망설였으나 아직도 생각이 결정되지 않다.
〔踌躇〕 chóuchú 동 주저하다. 망설이다. ¶～不前; 주저하고 앞으로 나아가지 않다/他毫不～地

〔出神入化〕 chū shén rù huà 〈成〉 ①(기예가) 입신의 경지에 이르다. 숙달하다. 입신의 기예. ¶我国京剧演员～的表演, 使得国际友人赞口不已; 우리 나라 경극 연기자들의 입신의 경지는 외국인의 절찬을 받았다. ②이 세상을 초월함.

〔出生〕 chūshēng 명동 출생(하다). ¶～率; 출생률. 동 몸을 바치다.

〔出生入死〕 chū shēng rù sǐ 〈成〉 ①생명의 위험을 무릅쓰다. 결사적인 행동을 하다. ¶～地跟敌人作战; 생명의 위험도 돌보지 않고 적과 싸우다. ②생사의 경지를 헤매다.

〔出声〕 chū·shēng 동 목소리를 내다. 소리를 내다. 말하다.

〔出师〕 chū·shī 동 ①(도제·제자가) 연기(年期)가 차서 독립(獨立)하다. 수습 기간이 끝나다. ¶他出了师之后已经三年了; 그는 수습 기간을 마친 지 벌써 3년이 되었다. ②출병(出兵)하여 적을 치다. ¶～不义; 출병에 명분이 없다/～表; 출사표(제갈공명(諸葛孔明)이 촉(蜀)의 후주(後主) 유선(劉禪)에게 올린 상주문. 전·후 출사표가 있으며, 명문으로 전해짐).

〔出使〕 chū·shǐ 동 사절로서 외국에 나가다. ¶～各国; 대·공사로서 각국에 주재하다.

〔出示〕 chūshì 동 보이다. 제시하다. ¶～证件; 증거 서류를 제시하다.

〔出世〕 chūshì 동 〈文〉 ①탄생하다. 태어나다. ¶这里就是他～的地方; 이 곳이 그가 태어난 곳이다. ②세상에 나오다. (새로이) 생겨나다. 나타나다. ¶旧制度要灭亡, 新制度要～了; 구제도가 소멸하고 새로운 제도가 나타날 것이다. ③〖佛〗 출가(出家)하다. ④〖佛〗 속세(俗世)를 초월하다.

〔出世作〕 chūshìzuò 명 〈文〉 처녀작.

〔出仕〕 chūshì 동 〈文〉 관직에 취임하다.

〔出事〕 chū·shì 동 ①소동을 일으키다. ②사고·사건이 발생하다〔일어나다〕. ¶～地点; 사고 발생 지점/～那天他没在家; 사건 발생 당일, 그는 집에 없었다. ③사망하다. 초상이 나다.

〔出手〕 chū·shǒu 동 ①팔다. 팔리다. ¶他不肯～; 그는 팔아 버리려고 하지 않는다/～货; 매각품. 잘 팔리는 물건/容易～; 쉽게 팔리다/～得卢; 〈成〉 단숨에 승리를 거두다('卢'는 윷에서 최고의 끗수). ②손을 쓰다〔대다〕. 손을 빌려 주다. 떠맡다. ¶我～给你做吧; 내가 손을 써 주지/这个事情有希望, 你～办吧; 이 일은 유망하니 자네가 맡게. ③꺼내다. ¶一～就给了两块钱; 꺼내는 대로 2원을 그에게 주었다. ④돈을 내다. 돈을 쓰다. ¶他～不大, 不像富户; 그는 별로 돈을 쓰지 않는다. 부자는 아닌 것 같다. ⑤손찌검을 하다. 완력을 휘두르다. ¶双方都～, 好容易才劝开; 쌍방이 주먹다짐이 되어 버려 겨우 말렸다. ⑥갑자기 손에서 떨어뜨리다. ¶啊了一声, 杯子出了手; 앗 하고 외마디 소리, 술잔은 손에서 떨어져 버렸다. ⑦탈고(脫稿)하다.

〔出手〕 chūshǒu ①명 옷소매 길이. 화장. ②명 (처음 보인) 솜씨. 역량. ¶我跟他下了几着, 就觉得他～的确不凡; 그와 몇 번 쳐 보니, 그것만으로 대단한 솜씨인 것을 알았다. ③⇨〔打出手〕

〔出首〕 chūshǒu 동 ①(남의 죄를) 고발하다. ②〈古白〉 자수(自首)하다. ¶犯人到公安局～了; 범인이 경찰에 자수하였다.

〔出售〕 chūshòu 동 발매(發賣)하다. 팔다. 발행하다. ¶～品; 매물(賣物). 팔 물건/廉lián价～; 염가 판매/随其行háng情～; 시황(市況)에 따라 팔다/吉房～; 집 팝니다(게시). →〔出租〕

〔出书〕 chū·shū 동 책을 내다. 책을 출판하다.

〔出数儿〕 chū·shùr 동 붇다. 늘다. ¶新米做饭不大～; 햅쌀로 지은 밥은 별로 늘지 않는다.

〔出水〕 chūshuǐ 동 ①물이 나오다. 물이 나오게 하다. ②물에서 나오다. 수면으로 올라오다. ¶～才见两腿泥; 강에서 올라와 비로소 두 발에 진흙이 묻어 있음을 알다(일이 이루어진 후에야 그 옳고 그름을 알 수 있다). ③출항(出港)하다. ¶～单; 출항 허가증. 명 ①〖商〗 프리미엄. ②〖商〗 현금 지불. ¶～簿; 현금 지불부. ③기생이 자유의 몸이 됨. =〔从良〕

〔出水芙蓉〕 chūshuǐ fúróng 명 못에 핀 연꽃(문자(文字)의 아름다움. 또, 여성의 아름다움). =〔初发芙蓉〕

〔出台〕 chū·tái 동 ①출장(出場)하다. ②〈比〉 공공연히 이름을 내놓고 활동하다.

〔出堂〕 chūtáng 명동 관(棺)이 안치되어 있던 집에서 영구(靈柩)가 떠남〔떠나다〕. →〔起qǐ灵〕

〔出逃〕 chūtáo 동 도망하다. 탈출하다.

〔出题〕 chū·tí 동 ⇨〔命mìng题〕

〔出题目〕 chū·tímù 동 (시험) 문제를 내다. 출제하다.

〔出天花〕 chūtiānhuā 동 ⇨〔出痘〕

〔出条子〕 chūtiáozi 동 〈北方〉 옛날, 기녀(妓女)가 손님의 부름에 응해 술자리에 나가다. =〔〈南方〉出局③〕〔〈南方〉出堂差〕 ↔〔叫jiào条子〕

〔出粜〕 chūtiào 동 곡식을 내다 팔다.

〔出挑〕 chūtiao 동 (젊은이의 체격·용모·지능이 훌륭하게) 발육하다. 성장하다. ¶不满一年, 他就～成师傅的得力助手; 일 년 남짓해서, 그는 스승의 훌륭한 조수로 성장했다/这位姑娘越来越有～; 이 아가씨는 점점 더 예뻐진다. =〔出落〕〔出跳〕〔出脱④〕

〔出庭〕 chū·tíng 동 법정에 나가다.

〔出头〕 chū·tóu 동 ①두각을 나타내다. 남보다 뛰어나다. 출세하다('出人头地'의 약칭). ¶像你这么懒惰, 多咱有～的日子呢? 너 같은 게으름뱅이는 언제나 출세할 수 있겠냐?/他的学问～; 그의 학문은 남보다 뛰어나다. ②얼굴을 내밀다. 책임을 지다. ¶这件事, 请你替我～; 이 일은 나를 대신해서 얼굴을 내밀어 주게. =〔出来④〕〔出面①〕 ③산출하다. ¶金子～得旺; 금(金)의 산출이 한창이다. ④곤경에서 벗어나다. ¶～有日; 곧 햇빛을 볼 날이 있다. ⑤ …이상이 되다. …남짓하다. ¶有俩月～了吧; 두 달 남짓 되겠지요/四十～的年纪; 40을 넘은 나이. ⑥어떤 정도 이상이 되다. 심하다. ¶坏(得)～了; 매우 나쁘다. ⑦부스럼의 상처 자리가 벌어지다.

〔出头椽子先烂〕 chū tóu chuánzi xiān làn 〈諺〉 튀어 나온 서까래가 먼저 썩는다(시비를 일으키기 쉬운 곳에 먼저 나서는 사람은 화를 당하기 쉽다).

〔出头的〕 chūtóude 명 ①발기인(發起人). ②고발인. ③표면에 나서서 지도적 역할을 하며 책임을 지는 사람.

〔出头露脸〕 chū tóu lòu liǎn 〈成〉 남 앞에 얼굴을 내밀다. 표면에 나서서 일을 하다. ¶什么事都得děi我～! 무슨 일이든지 내가 얼굴을 내밀어야 한다!

〔出头露面〕 chū tóu lòu miàn 〈成〉 ①표면에 얼굴을 내밀다. 표면에 서다. ¶现在～的事情, 万万做不得; 요새 같은 세상에 표면에 서는 일은 절대로 해서는 안 된다. ②여러 사람이 있는 곳에 나타나다.

〔出土〕 chū.tǔ 동 ①(옛 기물(器物) 등이 땅 속에 파묻혀 있던 것을) 발굴하다. ¶～品; 발굴품. 출토품 / ～文物; 출토 문물. =〔出土儿①〕 ②(새싹이) 땅 속에서 나오다.

〔出土儿〕 chūtǔr 동 ①⇨〔出土①〕 ②사람이 태어나다. ¶刚～就有财产; 나면서부터 재산을 가지고 있다. ③식물(植物)의 싹이 트다.

〔出推〕 chūtuī 동 (토지·건물·증권 등 값 나가는 것을) 양도하다.

〔出脱〕 chūtuō 동 ①⇨〔开kāi脱〕 ②탈출하다〔시키다〕. 구출하다. ¶设法～她的丈夫; 그녀의 남편을 구출하는 방법을 강구하다. ③매출(賣出)하다. 팔아 버리다. ¶家产都叫败家子给～了; 집의 재산은 모두 방탕한 자식이 팔아 버렸다. =〔脱售〕 ④⇨〔出挑〕

〔出外〕 chūwài 동 ①여행하다. 해외로 나가다. 타성(他省)에 여행하다. ¶出了趟 tàng外; 먼 곳으로 한 번 여행을 했다. ②외출하다.

〔出亡〕 chūwáng 동 〈文〉 ⇨〔出奔bēn〕

〔出位〕 chūwèi 동 〈文〉 분을 넘다. 분수를 모르다. ¶君子思不出其位; 군자는 생각함에 있어 본분에 벗어나지 않는다.

〔出味(儿)〕 chū.wèi(r) 동 요리를 맛나게 만들다. ¶有的人做什么菜都～, 有的不～; 사람에 따라서 어떤 요리를 만들어도 맛이 나게 만드는 사람이 있고, 그렇지 않은 사람이 있다.

〔出窝儿〕 chū.wōr 동 ①독립해서 세상에 나가다. ②집을 나가다.

〔出息〕 chūxī 명 ①날숨. 토해 내는 숨. ②〈方〉 수익(收益). 늘어난 이식(利息). ¶那件事～很大; 그 일은 이익이 크다 / 所存的款子, ～六厘; 예금은 이식이 6부이다.

〔出息〕 chūxi 명 전도(前途). 장래성. 발전성. ¶没～的; 장래성 없는 인간. 망나니. 밥벌레 / 他是个有～的青年; 그는 전도 유망한 청년이다. 동 ①〈方〉 향상하다. 진보하다. (젊은이의 용모 등이 아름답게) 성장·발육하다. ¶这孩子比去年～多了; 이 아이는 작년보다 훨씬 좋은 아이가 되었다 / 那姑娘更～得漂亮了; 저 아가씨는 전보다 한층 예뻐졌다 / 这孩子将来一定有～; 이 아이는 앞으로 틀림없이 발전한다 / 好hào吃懒做的人是最没～的; 번둥번둥 지내고 있는 사람은 제일 가망이 없는 인간이다 / 这么点儿事都办不了, 真没～; 요만큼의 일도 하지 못하다니, 정말 한심한 놈이다 ②출세하다. 승진하다.

〔出席〕 chū.xí 동 출석하다《보통, 발언권·표결권을 가진 구성원이 회의에 참석하는 일》. ¶报告～人数; 출석자 수를 보고하다.

〔出鲜〕 chūxiān ①진귀(珍貴)한 것을 내놓다. 보기 드문 일을 하다. ②〈轉〉 결점을 내놓다. ¶你等着, 老船长～了; 자, 보고 있게, 늙은 선장이 뭔가 일을 저지를 테니까.

〔出险〕 chū.xiǎn 동 ①위험에서 벗어나다. ¶营救遇难的人～了; 조난자를 구출하고 위험에서 벗어났다. ②사고를 일으키다. ¶火车～了; 기차가 사고를 일으켰다.

〔出线〕 chūxiàn 명 《體》 오버라인.

〔出线外〕 chūxiànwài 《體》 명 (탁구·테니스의) 아웃. (chū.xiànwài) 동 아웃이 되다.

〔出现〕 chūxiàn 동 ①출현하다. ②발견되다.

〔出项〕 chūxiàng 명 지출금. =〔出款〕

〔出相〕 chū.xiàng 동 ①본성〔본심〕을 드러내다. ②〈比〉 익살스러운 말을 하다. 탄로나다. ¶他好hào～, 受先生申斥; 그는 흔히 익살스러운 짓을 해서, 선생님께 야단을 맞는다.

〔出血〕 chūxiě 동 피가 나다. ⇒chūxuè

〔出新〕 chū.xīn 동 새로운 것을 내놓다. 새로운 느낌이 들다.

〔出行〕 chūxíng 동 멀리 딴 고장에 가다.

〔出姓〕 chūxìng 명 중이나 도사(道士)가 출가(出家)하여 성(姓)을 버리는 일.

〔出虚恭〕 chū.xūgōng 동 방귀를 뀌다.

〔出血〕 chūxuè 명동 출혈(하다). ⇒chūxiě

〔出巡〕 chūxún 동 ①임금이 지방으로 행차하다. ②시찰 또는 검사하러 가다.

〔出押〕 chūyā 동 저당(抵當)으로 내놓다.

〔出芽(儿)〕 chū.yá(r) 동 ①(식물이) 싹이 나다. ②(동·식물의) 출아(出芽)하다. ¶～生殖; 아생(芽生) 생식. 출아법.

〔出牙笏〕 chūyáhù 명 《劇》 중국 전통극에서, 배우 등에게 주지(周知)시키는 것을 상아(象牙) 혹은 골제(骨製)의 홀(笏)에 써서 '戏规'의 옆에 세워 놓는 일. →〔戏xì规〕

〔出言〕 chūyán 동 〈文〉 말을 하다. ¶～不逊xùn; 〈成〉 말하는 것이 불손하다 / ～有章; 말하는 것이 조리가 있다 / ～无状; 예의 없이 말하다.

〔出眼〕 chūyǎn 형 훌륭하다. 볼품이 있다. ¶摆着些不～的苹果和梨; 그다지 좋지도 않은 사과와 배를 늘어놓다.

〔出殃〕 chūyāng 동 죽은 사람의 혼이 돌아옴. =〔回huí煞〕

〔出洋〕 chū.yáng 동 양행하다. 외국에 가다. ¶～考察; 외국으로 시찰을 가다.

〔出洋相〕 chū yángxiàng 〈俗〉 보기 흉한 모습을 드러내다. 추태를 드러내다. 웃음거리가 되다. ¶少喝点吧, 省得回头～; 나중에 꼴불견이 되지 않도록 조금만 마셔라. =〔出洋像〕

〔出迎〕 chūyíng 동 마중 나가다. 출영하다.

〔出游〕 chūyóu 동 유력(遊歷)하다. 여행하러 나가다.

〔出于〕 chūyú …에서 나오다. ¶～无wú奈; 어쩔 수 없이 그렇게 하였다 / ～意表之外; 예상 밖이다 / ～自愿; 자발적으로 희망한 것이다.

〔出远门儿〕 chū yuǎnménr 멀리 여행을 떠나다. 외출하여 멀리 가다.

〔出院〕 chū.yuàn 동 (입원 환자가) 퇴원하다. →〔入rù院〕

〔出月(儿)〕 chūyuè(r) 명 다음 달. =〔下xià月〕

〔出月子〕 chūyuèzi 명 산부(産婦)가 해산 1개월쯤 되어 몸이 회복되는 일. →〔坐月子〕

〔出韵〕 chūyùn 동 시(詩)를 지을 때 압운(押韻)을 잘못하다.

〔出灾〕 chūzāi 동 재난을 피해 도망가다.

〔出渣口〕 chūzhākǒu 명 《工》 (용광로의) 용재(鎔滓) 유출구. 광재 배출구.

〔出战〕 chūzhàn 동 싸움에 나가다. 시합에 나가다.

〔出栈凭单〕 chūzhàn píngdān 명 《商》 (창고에서 물품을 꺼낼 때 사용하는) 출고증. 출고 지시서.

〔出张〕 chūzhāng 동 (마작에서) 패(牌)를 내놓다. ¶～的时节, 她的牌摺得很响《老舍 四世同堂》; 패를 내놓을 때, 그녀는 무척 큰 소리로 패를 낸다.

〔出账〕 chū.zhàng 동 지출한 돈을 장부에 기입하다. ¶这笔钱出你的账; 이것은 당신 계산에 달겠다. (chūzhàng) 명 지출금.

〔出蛰〕 chūzhé 동 동물이 동면(冬眠)을 마치고,

지상에 나오다. →〔启qǐ蛰〕
〔出诊〕 chūzhěn 명 의사의 왕진. (chū,zhěn) 동 왕진하다. =〔出马③〕 →〔门mén诊〕
〔出疹子〕 chū zhěnzi 《醫》 발진(發疹)하다. 홍역에 걸리다.
〔出阵〕 chū,zhèn 동 ①〈文〉 출진하다. 전장에 나가다. =〔上shàng阵①〕 ②《佛》 중이 많은 사람 앞에 나가 문답하다《그 끝난 것을 '入rù阵'이라고 함》.
〔出征〕 chū,zhēng 동 출정하다. 원정(遠征)하다. ¶我国乒乓球队将要～柏bó林; 우리 탁구 팀은 머지않아 베를린에 원정 간다.
〔出众〕 chūzhòng 동 출중하다. ¶他特别～; 그 사람은 한층 출중하다.
〔出主意〕 chū zhǔyi〔〈京〉 chū zhúyi〕 생각해내다. 의견을 정하다.
〔出赘〕 chūzhuì 동 데릴사위를 들이다. 데릴사위가 되다.
〔出资〕 chūzī 동 출자하다. 자금을 공급하다.
〔出子〕 chūzi 양 한 차례. 한 번. ¶一～; 한 번 / 打一～; 한 번 때리다.
〔出走〕 chūzǒu 동 가출(家出)하다. 도망가다.
〔出租〕 chūzū 동 세를 놓다. 임대하다. ¶～小说; 대본(貸本) / ～图书; 책을 빌려주다 / ～人; 임대인(賃貸人) / ～房屋; 셋집 / ～照相机; 대여(貸與) 카메라.
〔出租汽车〕 chūzū qìchē 명 택시.

郜 chū (출)
지명용 자(字). ¶～江Chūjiāng; 《地》 추장(郜江)《쓰촨(四川)에 있는 땅 이름》.

初 chū (초)
① 명 처음. 최초. ¶年～; 연초 / 月～; 월초. ② 형 제1의. 처음의. 최초의. ¶～伏fú; ⇓ / ～稿gǎo; ⇓ / ～诊; ⇓ ③ 부 최초로. 처음으로. 이제 막. 방금. ¶～次见面; 처음 뵙겠습니다 / ～会; ⇓ / ～登舞台; 처음으로 무대에 오르다 / ～学乍zhà练; 이제 갓 배웠다. 미숙하다 / 红日～升; 붉은 태양이 지금 막 떴다. ④ 형 초급(初級)의. 초등(初等)의. 기초적인. ¶～级; ⇓ / ～等; ⇓ ⑤ 명형 원래(의). 본디(의). ¶～衷zhōng; ⇓ / ～志; ⇓ / 和好如～; 종전처럼 화목해지다. ⑥ 명 음력의 1일부터 10일까지에 붙이는 말. ¶～二; 초이틀. 2일. ⑦ 명 성(姓)의 하나.
〔初版〕 chūbǎn 명 (서적의) 초판. =〔第dì一版〕
〔初步〕 chūbù 명형 첫걸음(의). 제1단계(의). 초보적(인). 대체적(인). ¶～计划huà; 제1단계의 계획 / 根据中央有关部门的～统计材料; 중앙의 관계 당국의 대충의 통계 자료에 따르면 / ～分析; 초보적 분석(을 하다).
〔初潮〕 chūcháo 명 첫월경. 초경.
〔初出茅庐〕 chū chū máo lú 〈成〉 신출내기이다. 신참이다. ¶～的青年记者; 신출내기 기자.
〔初创〕 chūchuàng 동 처음〔막〕 창립하다. 명 시초. 초창. ¶～时期; 초창기 / ～阶段; 창립 단계.
〔初春〕 chūchūn 명 ①초봄. 이른 봄. ②음력 정월. ③봄철의 첫 번째 달.
〔初次〕 chūcì 명 처음. 첫 번. 제1회. ¶～见面! 처음 뵙겠습니다! / 我～到这儿来, 觉得一切都很新鲜; 나는 처음 이 곳에 와서 모든 것이 다 신선하게 느껴진다. =〔头一次〕〔头一回〕
〔初登舞台〕 chū dēng wǔtái 첫 무대를 밟다. 〈轉〉 처음으로 공식 석상에 나가다.
〔初等〕 chūděng 형 ①비교적 낮은. ②초급의.
〔初等教育〕 chūděng jiàoyù 명 초등 교육.
〔初冬〕 chūdōng 명 ①초겨울. 초동. ②겨울의 첫 달. 음력 10월.
〔初发芙蓉〕 chūfā fúróng 명 갓 핀 연꽃. 〈比〉 시작(詩作)이 청신(清新)함. =〔出水芙蓉〕
〔初犯〕 chūfàn 명 《法》 초범(자).
〔初伏〕 chūfú 명 초복. 하지(夏至) 다음의 제3의 경일(庚日)을 말함. =〔头伏〕 →〔三伏〕
〔初稿〕 chūgǎo 명 ①초고. 제1회의 원고. ②미정고(未定稿).
〔初更〕 chūgēng 명 〈文〉 초경. 초야《오후 7시부터 9시경까지》. =〔初鼓〕〔甲jiǎ夜〕〔头tóu更〕〔戌xū刻〕〔戌时〕〔一yī更〕〔一鼓〕 →〔五wǔ更〕
〔初会〕 chūhuì 동 ①처음 만나다. ②처음 뵙습니다《인사말》. 명 초대면.
〔初婚〕 chūhūn 명 ①초혼. ②신혼(新婚).
〔初基〕 chūjī 명 〈文〉 기초. 근원. =〔始shǐ基〕
〔初级〕 chūjí 명 초급. ¶～读本; 초급 독본 / ～线圈; 《物》 1차 코일.
〔初级产品〕 chūjí chǎnpǐn 명 제1차 제품. 각종 원료 및 연료.
〔初级社〕 chūjíshè 명 〈簡〉 초급 합작사(合作社) 《'初级农nóng业生产合作社'의 약칭》.
〔初级小学〕 chūjí xiǎoxué 명 초급 소학교. =〔初小〕
〔初级中学〕 chūjí zhōngxué 명 초급 중학교. =〔初中〕
〔初几儿〕 chūjǐr 명 초순(初旬)께의 (불확정한) 어느 날.
〔初间〕 chūjiān 명 ①〈文〉 월초(月初). 초순. ②〈古白〉 처음.
〔初交(儿)〕 chūjiāo(r) 명 처음으로 사귐. 갓 사귐. ¶我们是～, 对他不太了解; 우리는 사귄 지 얼마 안 되어서 그 사람에 관한 일은 잘 모른다.
〔初阶〕 chūjiē 명 〈文〉 ①처음 취임하는 지위. ②초보(初步).
〔初具〕 chūjù 동 대체로 구비되어 있다. ¶～雏形; 대강 모양을 갖추었다.
〔初开〕 chūkāi 명 ①시작. ② ⇨〔开盘(儿)〕
〔初亏〕 chūkuī →〔食shí相〕
〔初来乍到〕 chū lái zhà dào 〈成〉 갓 오다. 갓 도착하다.
〔初恋〕 chūliàn 명 ①첫사랑. ②갓 사랑을 시작하던 때.
〔初凉〕 chūliáng 명 〈文〉 최초의 선선함. 초가을의 기후.
〔初露锋芒〕 chū lù fēng máng 〈成〉 처음으로 예봉(鋭鋒)을 드러내다. 재능·힘을 처음으로 나타내다.
〔初眠〕 chūmián 명 (누에의) 첫잠.
〔初民〕 chūmín 명 원시 사회 사람.
〔初末〕 chūmò 명 〈文〉 최초와 종말.
〔初年〕 chūnián 명 초기 무렵. 첫해.
〔初期〕 chūqī 명 초기. ¶战争～; 전쟁 초기.
〔初起〕 chūqǐ 명부 ⇨〔起头(儿)〕
〔初秋〕 chūqiū 명 ①초가을. ②가을의 첫달. 음력 7월.
〔初赛〕 chūsài 명 《體》 제 일회전. 첫 경기.
〔初丧〕 chūsāng 명 초상《사람이 죽어서 장사지낼 때까지의 동안》.
〔初审〕 chūshěn 명 《法》 제1심.
〔初生〕 chūshēng 형 갓 태어난. ¶～的犊dú儿不怕虎; 〈諺〉 ⓐ갓 태어난 송아지는 범을 두려워하

지 않는다《하룻강아지 범 무서운 줄 모른다》. ⓑ〈比〉 젊은이는 두려움이 없고 용감하다. 동 갓 태어나다.
〔初始化〕 chūshǐhuà 명《電算》(컴퓨터의) 포맷(format). =〔格式化〕
〔初试〕 chūshì 명 ①최초의 시도(試圖). ②제1차 시험.
〔初岁〕 chūsuì 명〈文〉 세초(歲初). 1년이 막 시작하는 때.
〔初头(儿)〕 chūtóu(r) 명 ①〈方〉(해 또는 달의) 처음. 초두. ¶一九九九年～; 1999년 초/三月～; 3월 초. ②처음. 시작.
〔初夏〕 chūxià 명 ①초여름. ②여름의 첫달. 음력 4월.
〔初小〕 chūxiǎo 명 ⇨〔初级小学〕
〔初心〕 chūxīn 명〈文〉 ①처음에 생긴 마음. 초지(初志). ②《佛》 처음으로 불도(佛道)에 드는 마음.
〔初性〕 chūxìng 명〈文〉 태어날 때부터의 성질. 천성.
〔初学〕 chūxué 동 처음 배우기 시작하다. 명 초학. ¶～的人; 초학자.
〔初旬〕 chūxún 명 초순. 매달 초하루부터 십일까지의 10일간.
〔初叶〕 chūyè 명〈文〉 초기. 초두. 초엽. ¶二十一世纪～; 21세기 초엽.
〔初夜〕 chūyè 명 ①초저녁. 초경(初更). ②결혼 첫날 밤.
〔初一〕 chūyī 명 (음력의) 초하루. ¶大年～; 정월 초하루. 설날/逃了～, 逃不了月半; 〈諺〉(채무·임무 등을) 오래 피할 수 없다. 조만간 …이 되다.
〔初元〕 chūyuán 명 ①〈文〉 임금이 즉위한 해. 원년(元年). (Chūyuán) ②한(漢) 원제(元帝)의 연호《B.C 48～44》.
〔初愿〕 chūyuàn 명 ⇨〔初衷〕
〔初月〕 chūyuè 명〈文〉 ①초승달. ②정월.
〔初诊〕 chūzhěn 명《醫》 초진.
〔初志〕 chūzhì 명 ⇨〔初衷〕
〔初中〕 chūzhōng 명 ⇨〔初级中学〕
〔初衷〕 chūzhōng 명 초지(初志). 맨 처음 생각〔심원(心願)·소망·지향〕. ¶虽然经过百般挫折, 但不改～; 여러 번 좌절했지만, 초지를 바꾸지 않는다. =〔初愿〕〔初志〕
〔初祖〕 chūzǔ 명《佛》 종파(宗派)의 창시자.

摴
chū (저)
→〔摴蒱〕

〔摴蒱〕 chūpú 명 저포《도박의 일종. 주사위를 던져 맞히면 4곱을 타는 노름》. =〔樗蒲〕

樗
chū (저)
①《植》 가죽나무. =〔臭chòu椿〕 ②→〔樗蒲〕

〔樗蒲〕 chūpú 명 ⇨〔摴蒱〕

刍(芻)
chú (추)
〈文〉 ①동 풀을 베다. ②동 꼴을 주어 기르다. 가축을 사육하다. ③명 꼴. 마초. ④명 풀을 베는 사람. ⑤명 초식동물. 소·말·양 따위. ⑥명 짚. ⑦명〈轉〉 자기 의견.

〔刍槁〕 chúgǎo 명〈文〉(가축 사육용의) 짚. 건초.
〔刍狗〕 chúgǒu 명 추구. 〈比〉 폐물로 버려지는 것《옛날에, 풀로 개 모양을 만들어 제사 때에 이것을 쓰고 끝나면 버렸음》.
〔刍豢〕 chúhuàn 명〈文〉 가축《'刍'는 풀을 먹는 가축. '豢'은 곡식을 먹는 가축》.
〔刍粮〕 chúliáng 명〈文〉 사료용(飼料用)의 건초(乾草).
〔刍秣〕 chúmò 명〈文〉 마소의 먹이. 꼴.
〔刍牧〕 chúmù 동〈文〉 방목(放牧)하여 가축에게 풀을 먹이다. 가축을 사육하다.
〔刍荛〕 chúráo 명〈文〉 ①꼴을 베는 사람〔일〕. 땔나무를 하는 사람〔일〕. ②〈謙〉 야인(野人). 비천한 놈《스스로를 낮추는 말》. ¶～之言; 비견(卑見)/敢贡～; 감히 비견을 말씀드립니다.
〔刍菽〕 chúshū 명〈文〉 풀과 콩.
〔刍言〕 chúyán 명〈謙〉 ⇨〔刍议〕
〔刍议〕 chúyì 명〈謙〉(저의) 보잘것 없는 의견. =〔刍言〕

鸰(鶵)
chú (추)
①명 ⇨〔雏〕 ②→〔鹓yuān鸰〕

雏(雛)
chú (추)
명 ①병아리. (조류의) 새끼. ¶～鸡 =〔鸡～〕; 병아리/～燕; 제비 새끼. ②어린이. ③최초의 것. ‖ =〔鸰①〕

〔雏凤〕 chúfèng 명 ①《鳥》 어린 봉황. ②〈比〉 훌륭한 젊은이.
〔雏鸡儿〕 chújīr 명《鳥》 병아리.
〔雏菊〕 chújú 명《植》 데이지(daisy).
〔雏儿〕 chúr 명 ①병아리《경험이 적은 아이. 세상을 모르는 풋내기》. ②소녀(少女). ¶不知是哪个庵里的～《紅樓夢》; 어느 여승방(女僧房)의 여자애일까. ③옛날, 동기(童妓)를 일컬었음.
〔雏形〕 chúxíng 명 ①원형(原形). ②(작은) 모형.

除
chú (제)
①동 제거하다. 떼어 내다. 없애다. ¶～草; ⇩/排～; 배제하다/为民～害; 백성을 위해 해로움을 제거하다. ② …을 제외하고. …외에는. ¶～此以外; 이 이외에. 이 밖에/～照常工作外, 更须加倍警惕; 평상시와 같이 작업하는 외에, 또 더 한층 경계하지 않으면 안 된다/～了他谁都行; 그 사람이 아니면 아무라도 좋다. →〔除非〕〔除外〕 ③…일뿐더러. ¶甘生那样胡行怎么～不办罪还能作官? 감생은 저렇게 터무니없는 짓만 하고도 어찌하여 처벌당하지 않을뿐더러 오히려 관리 노릇을 하고 있을 수 있는가? ④동 고쳐지다. 변하다. ⑤동《數》 나누다. 나눗셈하다. ¶十～以二等于五 =〔十以二来～是五〕〔十被二～等于五〕〔拿二～十是五〕; 10 나누기 2는 5. ⑥동 열다. 펼치다. ⑦명〈文〉 계단. 섬돌. 층층다리. ⑧명 섣달 그믐. 제야(除夜). ⑨명 달(月)의 이칭(異稱). ⑩동 관직을 내려 주다. 임관(任官)하다. ¶～授; ⇩

〔除霸〕 chúbà 동 보스를 제거하다.
〔除拜〕 chúbài 동〈文〉 관직에 임명하다. =〔除官〕〔除授〕
〔除暴安良〕 chú bào ān liáng〈成〉 포학(暴虐)한 사람을 없애고, 선량한 백성을 편안하게 하다. ¶～的英雄好汉; 포학한 사람을 없애고 선량한 백성을 편안하게 하는 영웅 호걸. =〔锄暴安良〕
〔除不开〕 chú bukāi (산수 계산에서) 나눌 수 없다.
〔除草〕 chú/cǎo 동 제초하다. (chúcǎo) 명 제초. ¶～机; 제초기/～药; 제초약/～剂jì; 제초제.
〔除尘器〕 chúchénqì 명 클리너. (진공) 청소기.

=〔吸尘器〕

〔除虫菊〕 chúchóngjú [명] 《植》 제충국. =〔虫菊〕

〔除虫菊素〕 chúchóngjúsù [명] 《藥》 피레드린(pyrethrin).

〔除臭〕 chúchòu [동] 탈취하다. 냄새를 제거하다.

〔除出〕 chúchū [접] ⇨〔除了〕

〔除此之外〕 chúcǐ zhīwài 이외에. ¶～一律免费; 이 외에는 모두 무료/～, 别无办法; 이 밖에 방법이 없다. =〔除此以外〕

〔除掉〕 chú.diào [동] 제거하다. 제외하다. ¶一时除不掉; 한번에 없앨 수 없다/～他们两个人, 其余的都赞成; 그들 두 사람을 제외하고 나머지 사람은 모두 찬성이다. =〔除去〕 [접] ⇨〔除了〕

〔除恶务尽〕 chú è wù jìn 〈成〉 철저하게 (악을) 제거하다. ¶既然有了错误, 就该～; 이미 잘못이 있는 이상, 철저하게 제거하여야 한다. =〔去qù恶务尽〕

〔除法〕 chúfǎ [명] 《數》 제법. 나눗셈.

〔除非〕 chúfēi [접] ①…이 아니고서는. ～를 제외하고는. ¶～是他不行; 그가 아니고서는 안 된다/～这么办, 再没有别的好办法; 이렇게 하는 것 외에 더 다른 좋은 방법은 없다. ②다만〔오직〕…하여야. …함으로써 비로소(뒤에 '才cái'·'否则'·'不然' 등과 호응하여 조건을 나타냄). ¶～过半数会员出席大会才开得成; 과반수의 회원이 출석함으로써 비로소 대회는 성립된다/只～得这三个人方才完得这件事; 오직 이 세 사람이 있어야만 비로소 이 일이 완성될 수 있다. ③…할 필요가 있다. ¶倘若要他来, ～你去请; 만약 그가 와야 한다면 자네가 가서 부탁하지 않으면 안된다/～你去请他, 否则他不会来的; 네가 가서 부탁하지 않으면 안 된다. 만약 그렇지 않으면 그는 오지 않을 것이다. ‖=〔除是〕 [부] 꼭. 반드시. ¶～是个傻子; 틀림없이 멍청이다/～如此; 반드시 이렇지 않고서는 안 된다.

〔除服〕 chú.fú [동] 탈상하다. 상복을 벗다. =〔除丧〕 (chúfú) [명] 탈상(脫喪).

〔除根(儿)〕 chú.gēn(r) [동] 근원을 제거하다. 철저하게 없애다.

〔除害〕 chú.hài [동] 해가 되는 것을 제거하다. ¶为人民～兴利; 백성을 위해 해로운 것을 제거하고 이(利)로운 일을 일으키다.

〔除号〕 chúhào 《數》 산수의 제법(除法) 부호(÷).

〔除籍〕 chújí [동] ⇨〔除名〕

〔除奸除霸〕 chújiān chúbà 간악(奸惡)한 무리와 정복자(征服者)를 제거하다. 매국노(賣國奴)와 보스(boss)를 일소(一掃)하다.

〔除九〕 chújiǔ [명] ⇨〔出chū九〕

〔除旧布新〕 chú jiù bù xīn 〈成〉 낡은 것을 제거하고 새로운 것을 발전시키다. =〔去qù旧布新〕

〔除圈〕 chú.juàn [동] 축사(畜舍)에 깐 짚을 치우다.

〔除开〕 chúkāi [동] 빼 버리다. 제거하다. [접] ⇨〔除了〕

〔除了〕 chúle [접] ①…를 제외하고(는)('外'·'之外'·'以外'·'而外' 등이 호응되어 쓰임). ¶～他, 所有的人都出去了; 그 사람 외는 모두 나갔다. ②…외에 또. …외에…도('也'·'还'·'只' 등과 호응하여 어떤 것 외에 또 다른 것이 있음을 나타냄). ¶～小说, 鲁迅还写了许多杂文; 소설 외에 루 쉰(魯迅)은 또 많은 수필을 썼다. ③…아니면 …하다('就是'와 연용(連用)하여 '이것 아니면 저것이다'라는 뜻을 나타냄). ¶刚生下来的孩子, ～吃就是睡; 갓 태어난 아이는 먹지 않으면 잠잔다. ‖=〔除去〕〔除开〕〔除出〕〔除掉了〕

〔除名〕 chú.míng [동] 제명하다. 제적(除籍)하다. =〔除籍〕

〔除刨〕 chúpáo [동] 제거하다.

〔除刨净剩〕 chú páo jìng shèng 〈成〉 쓰고 난 후에 남은 것. 남은 찌꺼기.

〔除皮〕 chúpí [명] 겉포장의 무게를 뺀 알맹이. =〔除包皮〕

〔除破〕 chúpò [동] ⇨〔破除〕

〔除去〕 chúqù [동] 제거하다. [접] ⇨〔除了〕

〔除却〕 chúquè [동] 제거하다. 없애다.

〔除日〕 chúrì [명] 〈文〉 섣달 그믐날.

〔除丧〕 chú.sāng [동] ⇨〔除服〕

〔除沙〕 chúshā [동] 누에의 똥을 치다.

〔除是〕 chúshì [접] ⇨〔除非〕

〔除授〕 chúshòu [동] 〈文〉 ⇨〔除拜〕

〔除数〕 chúshù [명] 《數》 (나눗셈의) 제수.

〔除四害〕 chú sìhài 모기·파리·쥐·빈대를 퇴치하다.

〔除汰〕 chútài [동] 〈文〉 제거하다. 도태시키다.

〔除碳〕 chú.tàn [동] 《工》 탈탄하다(강철(鋼鐵)·쇠 속에 함유된 탄소(炭素)를 전부 또는 일부 제거하는 일). =〔脱tuō碳〕

〔除外〕 chúwài [동] 제외하다. 계산에 넣지 않다. ¶把不合规格的～, 还有不少质量够不上标准的; 규격에 맞지 않는 것 이외에도, 품질이 표준에 이르지 못한 것이 적잖게 있다.

〔除夕〕 chúxī [명] 섣달 그믐 밤. =〔大年三十(儿)〕〔三十儿〕〔大年夜〕

〔除销〕 chúxiāo [동] 〈文〉 상쇄(相殺)하다. 지우다.

〔除锈〕 chú.xiù [동] 녹을 제거하다.

〔除夜〕 chúyè [명] 제야. 섣달 그믐날 밤. →〔除夕〕

〔除莠剂〕 chúyǒujì [명] 《農》 제초제(除草劑).

〔除月〕 chúyuè [명] 음력 섣달의 별칭.

〔除罪〕 chú.zuì [동] 〈文〉 죄를 용서하다.

滁 Chú (저)

[명] 《地》 ①추수이 강(滁水)(안후이 성(安徽省)에 있는 강 이름). ②추 현(滁縣)(안후이 성(安徽省)에 있는 현 이름).

蜍 chú (여)

→〔蟾chán蜍〕

篨 chú (저)

→〔籧qú篨〕

锄(鋤〈耡〉) chú (서)

① [명] 괭이. 호미. ② [동] 괭이로 흙을 파 뒤집다. (풀을) 뽑다. 김매다. ③ [동] 제거하다. 없애다. ¶～奸; ⇩

〔锄草〕 chú.cǎo [동] 가래로 풀을 땅에서 갈아 없애다. 김매다. →〔拔bá草〕

〔锄草机〕 chúcǎojī [명] 《機》 제초기(除草機).

〔锄掉〕 chúdiào [동] 뿌리째 뽑다. 근절(根絶)시키다. ¶～毒草; 독초를 근절시키다.

〔锄耕〕 chúgēng [동] 경작하다. 가래로 갈다.

〔锄骨〕 chúgǔ [명] 《生》 서골(콧구멍을 좌우로 가르고 있는 비강(鼻腔) 속의 사방형(斜方形)의 뼈).

〔锄奸〕 chú.jiān [동] 배반자〔적과 내통하는 자〕를 제거하다. ¶～工作; 매국노 일소 공작.

〔锄苗〕 chú.miáo [동] 모종판의 잡초 뽑다.

〔锄刨〕 chúpáo [동] 논밭을 갈다.

〔锄强扶弱〕 chú qiáng fú ruò 〈成〉 강한 자를 누르고 약한 자를 돕다.

〔锄松〕 chúsōng 동 쟁기로 흙을 부드럽게 하다. 쟁기로 표토(表土)를 얇게 갈다.
〔锄田〕 chútián 동 밭을 갈아 일구다.
〔锄头〕 chútou 명 〈方〉 괭이.
〔锄头雨〕 chútóuyǔ 명 〈方〉 밭을 가는 데 안성맞춤인 비.
〔锄土〕 chú.tǔ 동 (쟁기로) 흙을 갈아 엎다.
〔锄耘〕 chúyún 동 〈文〉 경작하다.

厨〈廚, 厨〉 chú (주) 명 ①주방. 부엌. ②주인(主人). ③궤짝. 찬장. =〔橱〕 ④(～子) 요리사. 쿡(cook). =〔厨房②〕〔厨役〕〔厨师傅〕〔厨司〕
〔厨刀〕 chúdāo 명 식칼. =〔菜cài刀〕
〔厨房〕 chúfáng 명 ①부엌. 주방. 조리실. ②요리사. =〔厨子〕
〔厨工〕 chúgōng 명 요리사. 쿡(cook). =〔厨夫〕
〔厨柜〕 chúguì 명 식기(食器)를 넣어 두는 찬장.
〔厨具〕 chújù 명 주방 기구. 요리 기구.
〔厨娘〕 chúniáng 명 여자 요리사.
〔厨人〕 chúrén 명 ⇨〔厨子〕
〔厨师〕 chúshī 명 요리사. →〔厨师傅〕〔厨子〕〔案àn儿上的〕〔掌zhǎng灶(儿的)〕
〔厨师傅〕 chúshīfu 명 요리사. 숙수. =〔大司务〕
〔厨手〕 chúshǒu 명 ⇨〔厨司〕
〔厨司〕 chúsī 명 요리사. 쿡. =〔厨手〕 →〔厨师〕
〔厨司头子〕 chúsītóuzi 명 요리사. 주임 쿡. 치프 쿡.
〔厨司务〕 chúsīwù 명 주방장.
〔厨瓮〕 chúwèng 명 물독. 부엌의 물항아리.
〔厨下〕 chúxià 명 〈文〉 부엌.
〔厨役〕 chúyì →〔字解④〕
〔厨灶〕 chúzào 명 부뚜막.
〔厨子〕 chúzi 명 쿡. 요리사. =〔厨人〕

幮〈幮〉 chú (주) 명 네모난 장막. 모기장.

橱〈櫥〉 chú (주) (～儿, ～子) 명 장롱. 궤짝. ¶衣～; 옷장 / 书～; 서가. 책장 / 碗～; 찬장.
〔橱窗〕 chúchuāng 명 ①쇼 윈도(show window). 진열창. =〔陈列窗〕 ②(도편(圖片) 등의) 전시(展示) 케이스.
〔橱隔〕 chúgé 명 (진열장 등의) 선반 널. 선반의 판자(板子).
〔橱柜(儿)〕 chúguì(r) 명 ①찬장. ②탁자로도 쓸 수 있는 작은 찬장. =〔橱柜桌儿〕〔柜橱(儿)〕
〔橱门〕 chúmén 명 장롱·찬장 등의 문.

蹰〈躕〉 chú (주) →〔踟chí蹰〕

躇 chú (저) →〔踌chóu躇〕

处(處〈處, 処〉) chǔ (처) 동 ①〈文〉 살다. 거주하다. 생활하다. ¶穴居野～; 동굴이나 들판에서 살다. ②(어떤 상황에) 처하다. ㉠몸을 그 곳에 두다. 처신하다. ¶～世; 세상에 처하다. 처세하다 / ～在任何环境, 他都能坚持原则; 어떠한 환경에 처하건 그는 항상 원칙을 견지할 수 있다. ㉡어떤 장소·자리·지위에 있다. ¶地～要冲; 땅이 요충에 해당된다 / 出～进退; 〈成〉 취임·사퇴 따위의 일신의 진퇴. ㉢처벌하다. ¶～以徒刑; 징역에 처하다. ③함께 살다. 더불어 지내다. (어울려) 사귀다. ¶～朋友; 친구와 사귀다 / 相～得好; 사이좋게 지내다 / ～不来; 사귀기가 쉽지 않다 / 他的脾气好, 容易～; 그는 성질이 좋아서 사귀기가 쉽다 / 和平共～; 평화적으로 공존하다 / 相～多年; 다년간 같이 지내다. ④결정·처단하다. 처리·처분하다. 조처를 취하다. ¶～得公平; 공평하게 처리하다 / ～理家务; 가사를 처리하다. ⑤만족하다. ⑥제재(制裁)하다. ⑦별거하다. ⇒ chù
〔处办〕 chǔbàn 동 〈文〉 ①처리하다. ②처벌하다.
〔处得来〕 chǔdelái 동 잘 처리해〔대처해〕 나갈 수 있다. 사귈 수 있다. ↔〔处不来〕
〔处断〕 chǔduàn 동 〈文〉 처단하다. 처치하다.
〔处对〕 chǔduì 동 ①사이가 원만하다. 잘 어울리다. 사이 좋게 지내다. ②잘 처리하다. 처치하여 바르게 하다.
〔处罚〕 chǔfá 동 처벌하다.
〔处方〕 chǔfāng 명동 처방(하다). 명 〈文〉 처방전(處方箋).
〔处分〕 chǔfèn 명동 ①처분(하다). 처벌(하다). ¶～主谋者; 주모자를 처분하다. ②〈文〉 처치(하다).
〔处馆〕 chǔguǎn 동 옛날, 가정 교사로 입주하다.
〔处家〕 chǔjiā 동 가사를 처리하다.
〔处境〕 chǔjìng 명 (놓여진) 상태. 환경. 처지. 입장. ¶～困难; 상태가〔처지가·입장이〕 곤란하다 / 那么, 我的～就困难了; 그러면 내 입장이 곤란하다.
〔处决〕 chǔjué 동 ①처단하다. ②사형을 집행하다.
〔处理〕 chǔlǐ 동 ①처리하다. 해결하다. 안배하다. ¶～家务; 가사를 처리하다 / 酌情～; 정상을 참작하여 처리하다 / 妥为～; 타당하게 처리하다 / 如何～; 어떻게 처리할 것인가 / 请你自行～; 스스로 처치하십시오 / 热化学～; 열화학 처리. ②처분하다. ¶～积压商品; 재고품을 처분하다.
〔处女〕 chǔnǚ 명 ①처녀. 미혼의 여성. =〔处子①〕 ②어사(語詞)의 앞에 두어, 그것이 제1의 것〔처음〕임을 나타냄. ¶～作; 처녀작 / ～航海; 처녀 항해.
〔处女带〕 chǔnǚdài 명 헤어 밴드.
〔处女地〕 chǔnǚdì 명 처녀지.
〔处士〕 chǔshì 명 재야(在野) 인사〔선비〕. =〔处子②〕
〔处世〕 chǔshì 동 처세하다. ¶～接物; 사회 생활을 하다.
〔处事〕 chǔ.shì 동 〈文〉 일을 처리하다. 몸소 뛰어들어 일에 대응하다.
〔处暑〕 chǔshǔ 명 처서.
〔处死〕 chǔsǐ 사형에 처하다. ¶这些家伙都应该～; 이 놈들은 모조리 사형시켜야 한다.
〔处窝子〕 chǔwōzi 명 진취성이 없는 사람. 빙충맞은 사람. 꽁생원. 동 빙충맞다. 남 앞에 나서는 것을 수줍어하다. ¶别看他在家这么厉害, 出去可～呢; 그는 집에서는 이렇게 장난이 심하지만, 밖에 나가면 부끄럼을 잘 탄다. ‖=〔杵窝子〕〔怵窝子〕
〔处心〕 chǔxīn 동 〈文〉 ①마음을 가라앉히다. ②마음에 두다. 명 〈文〉 마음가짐.
〔处心积虑〕 chǔ xīn jī lǜ 〈成〉 노심초사하다. 애쓰다. 고심참담(苦心慘擔)하다.
〔处刑〕 chǔxíng 동 《法》 처형하다.

〔处于〕 chǔyú [동] (…에) 처해 있다. (…의 상태·입장에) 있다. ¶～分裂状态; 분열 상태에 있다 / ～优势; 우세한 상태에 있다.
〔处约〕 chǔyuē [동]〈文〉곤궁한 환경에 처하다.
〔处斩〕 chǔzhǎn [동] 참형(斬刑)에 처하다.
〔处之泰然〕 chǔ zhī tài rán〈成〉태연한 자세를 취하다. 침착하게 일을 처리하다.
〔处治〕 chǔzhì [동] ①처분하다. ②처벌하다. ③다스리다. 통치하다. [명] 처벌. ¶给予犯罪分子严厉的～; 범죄자를 엄벌에 처하다.
〔处置〕 chǔzhì [명][동] ①처치(하다). 처분(하다). 처리(하다). ¶转让, 出售或用其它方式来～; 양도·매각 또는 기타 방법으로 처분하다. ②처벌(하다). ¶少不得拿几个为头的依法～; 주모자 중 몇 사람은 법에 의해 처벌해야 한다.
〔处子〕 chǔzǐ [명] ① ⇨〔处女①〕 ② ⇨〔处士〕

杵 chǔ (저)
① [명] 절굿공이. ② [명] 빨랫방망이. =〔棒槌 bàngchuí〕 ③ [동] (가늘고 긴 것으로) 찌르다. ¶用手指头～他一下; 손가락으로 그를 한 번 찌르다. ④ [동]〈京〉남에게 몰래 주다. ¶～给他点儿钱了; 그에게 몰래 돈을 주었다 / 拿黑～; 아마추어 배우가 보수(報酬)를 받는 연극에 몰래 출연하다.
〔杵臼交〕 chǔjiùjiāo〈比〉〈文〉귀천의 구별 없이 하는 교제.
〔杵头(儿, 子)〕 chǔtóu(r, zi) [명] 절굿공이. ¶～掉在碓duì臼里; 절굿공이가 절구 속으로 떨어지다《진실되어 거짓이 없음》.
〔杵头儿柿子〕 chǔtóur shìzi [명]《植》절굿공이 모양으로 가늘고 긴 감.
〔杵窝子〕 chǔwozi [명][동] ⇨〔处chǔ窝子〕
〔杵子〕 chǔzi [명] 주먹. ¶给他一～; 그를 주먹으로 한 대 쥐어박아 줬다. =〔拳头〕

础(礎) chǔ (초)
[명] 주춧돌. 초석. ¶基～; 기초. 토대 / ～石; 초석.
〔础润知雨〕 chǔ rùn zhī yǔ〈成〉주춧돌이 물기에 젖어 축축해진 것을 보고 비가 올 것을 알다. 작은 것에서 전체 또는 깊은 속내를 미루어 앎.

储(儲) chǔ (저)
① [동] 저금하다. ② [동] 저장하다. 축적하다. ③ [명] 임금의 후사(後嗣). ④ [형] 부(副)의. 준비의. ⑤ [명] 성(姓)의 하나.
〔储备〕 chǔbèi [동] (물자를) 비축하다. 저장하다. ¶～粮食; 식량을 비축하다 / 黄金～; 금준비. 금화 준비 / 外汇～; 외화 준비고. [명] 저축. 비축(품). ¶～年年增长; 비축이 해마다 증가하고 있다.
〔储备粮〕 chǔbèiliáng [명] 비축 곡물.
〔储备基金〕 chǔbèi jījīn [명]《經》준비금. 비축 기금.
〔储藏〕 chǔcáng [명][동] ①저장(하다). 축적(蓄積)(하다). 보존(하다). ②매장(埋藏)(하다).
〔储藏量〕 chǔcángliàng [명] ⇨〔储量〕
〔储存〕 chǔcún [동] 저장하다. 비축하다. ¶～能源; 에너지를 비축하다.
〔储户〕 chǔhù [명] ①예금자. =〔存户〕 ②예금 계좌.
〔储积〕 chǔjī [동] 저축하다.
〔储金〕 chǔjīn [명] ①예금. ②모은 돈. (chǔ.jīn) [동] 예금하다.
〔储君〕 chǔjūn [명]〈文〉황태자. =〔储嫡〕〔储宫〕〔储嗣〕
〔储款〕 chǔkuǎn [명][동] 저금(하다).
〔储量〕 chǔliàng [명] 저장량. 매장량. =〔储藏量〕〔藏cáng量〕
〔储气罐〕 chǔqìguàn [명] 가스 탱크.
〔储气柜〕 chǔqìguì [명] 가스 저장고.
〔储券〕 chǔquàn [명] ⇨〔储蓄券〕
〔储水池〕 chǔshuǐchí [명] 저수지.
〔储血〕 chǔxuè [명] 헌혈.
〔储胥〕 chǔxū [명]〈文〉①하인(下人). 종. ¶憎其人者, 憎其～;〈諺〉그 사람이 미우면 그 하인까지 밉다. ②군중(軍中)에 설치되어 적(敵)을 막는 데 쓰이는 울타리.
〔储蓄〕 chǔxù [명][동] 저축(하다). 비축(하다). ¶活期～; 보통 예금 / 定期～; 정기예금 / 将每月花不完的钱都～起来; 매월 쓰고 남은 돈을 모두 저축해 둔다. =〔蓄xù积〕〔贮zhù蓄〕
〔储蓄存款〕 chǔxù cúnkuǎn [명] 저축 예금.
〔储蓄券〕 chǔxùquàn [명] 저축 채권. =〔储券〕
〔储蓄所〕 chǔxùsuǒ [명] 예금 취급소. (인민) 은행의 영업소.
〔储蓄银行〕 chǔxù yínháng [명] 저축 은행.
〔储油构造〕 chǔyóu gòuzào [명]《地質》석유 광상(鑛床). 석유 함유 지질 구조.
〔储油罐〕 chǔyóuguàn [명] 저유(貯油) 탱크. 유조(油槽).
〔储油量〕 chǔyóuliàng [명] 석유 매장량. ¶这里～也不下于大庆; 이 곳은 석유 매장량도 다칭(大慶) 유전 못지않다.

楮 chǔ (저)
[명] ①《植》닥나무《종이 원료》. =〔构gòu树〕〔縠gǔ〕 ②〈文〉종이. ③〈俗〉'纸钱'의 속칭. ④성(姓)의 하나.
〔楮毫〕 chǔháo [명]〈文〉종이와 붓.
〔楮敬〕 chǔjìng [명] 향전(香奠)《문상의 부조금을 넣은 봉투 위에 쓰는 글귀》.
〔楮墨〕 chǔmò [명]〈文〉종이와 먹. ¶～难尽; 지면이 모자라서 다 쓸 수 없다.
〔楮钱〕 chǔqián [명] ⇨〔纸zhǐ钱(儿)〕
〔楮先生〕 chǔxiānsheng 종이의 별칭《종이를 의인화함》.
〔楮纸〕 chǔzhǐ [명] 닥나무 껍질 섬유로 만든 종이.

褚 Chǔ (저)
[명] 성(姓)의 하나. ⇒zhǔ

楚 chǔ (초)
A) ① [명]《植》모형(牡荊). ② [형] 분명하다. 선명하다. 뚜렷하다. →〔清楚〕 ③ [명]〈文〉고통. 슬픔. ¶苦～; 고초 / 痛～; (심적) 고통. ④ [명] 회초리. 매. ¶因此他令尊也曾下死笞chī～过几次竟不能改《紅樓夢》; 그래서, 춘부장께서도 여러 번 회초리로 때리기도 하셨으나, 그래도 끝내 고쳐지지는 않았습니다. **B**) (Chǔ) [명] ①초. 춘추(春秋) 시대의 한 나라《현재의 양호(兩湖)·안후이(安徽)·저장(浙江)·허난(河南) 남부를 영유했으나 진(秦)나라에 멸망당했음》. ②후난(湖南)·후베이(湖北)의 총칭《특히, 후베이 성(湖北省)을 지칭》. ③성(姓)의 하나.
〔楚材晋用〕 Chǔ cái Jìn yòng〈成〉자국의 인재가 타국을 위해 쓰임.
〔楚楚〕 chǔchǔ [형]〈文〉①산뜻한 모양. 깔끔한 모양. ¶衣冠～; 옷차림이 깔끔하다. ②여자가 가냘프고 어여쁜 모양. ③초목이 군생(群生)한 모양.

〔楚辞〕 Chǔcí 명 《書》 초사(초나라 굴원(屈原)의 '离lí骚'와 송옥(宋玉)의 초혼(招魂) 등 20여 편을 한(漢)나라의 유향(劉向)이 편찬한 것. 초나라의 노래라는 뜻임).

〔楚弓楚得〕 Chǔ gōng Chǔ dé 〈成〉 초나라 사람이 활을 잃어버리고 초나라 사람이 줍는다. 〈比〉 이익이 남의 손에 넘어가지 않음(초왕(楚王)이 초(楚)나라에서 활을 잃어버렸을 때 '자국(自國) 사람이 주워서 쓴다면 마찬가지가 아니냐'라고 한 고사(故事)에 의함).

〔楚馆秦楼〕 chǔguǎn qínlóu 명 〈文〉 기루(妓樓). 유곽(遊廓).

〔楚河汉界〕 Chǔhé Hànjiè ①고대(古代) 초나라와 한(漢)나라의 경계를 가리킴. ②〈比〉 중국 장기에서, 쌍방의 경계. ¶～, 各不相犯; 각자의 영역(領域)을 지키고, 서로 침범하지 않다.

〔楚剧〕 chǔjù 명 《劇》 후베이 성(湖北省)과 장시 성(江西省) 일부에서 유행하는 지방극의 이름(원명은 '花鼓戏').

〔楚木〕 chǔmù 명 《植》 모형(牡荊).

〔楚囚〕 chǔqiú 명 초나라의 포로. 〈轉〉 처지가 딱하게 됨. 역경에 처한 사람.

〔楚声〕 chǔshēng 명 초나라 지방의 노랫 가락. 〈比〉 격앙 비분(激昂悲憤)한 노랫 소리.

〔楚腰〕 chǔyāo 명 〈比〉 여자의 가는 허리. 가늘고 나긋나긋한 미인의 허리.

齼(齭) chǔ (초)

형 〈文〉 이가 (콕콕 쑤시며) 아프다.

亍 chù (촉)

→〔彳chì亍〕

处(處〈虙, 処〉) chù (처)

①명 곳. 장소. ¶住～; 주소/停车～; 주차장/贵～是哪儿? 당신의 고향은 어디입니까?/心灵深～; 마음의 깊은 곳. =〔所〕 ②명 (우열을 평가할 때의) 부분. 곳. 점. ¶长cháng～; 장점/短～; 단점/好～; 좋은 점. 이익/坏～; 결점/益～; 이점(利點). ③(～儿) 명 일. 것. ¶大～不算, 小～算; 큰 일은 상관하지 않고 작은 일만을 타산적으로 하다. ④명 기관·조직의 일부문. 부. 처. ¶办事～; 사무소/人事～; 인사부/总务～; 총무부/问讯～; 안내소. →〔局jú①〕 ⑤양 장소·위치를 세는 말. ¶一～地方; 한 곳/买一～房子; 집 한 채를 사다. ⇒chǔ

〔处处(儿)〕 chùchù(r) 도처에. 이르는 곳마다. 어디서나. ¶～都有; 어디든지 있다/老李～都帮助他; 이씨는 모든 면에서 그를 도와 준다/～老鸹一般黑; 〈諺〉 어느 곳의 까마귀나 모두 검다(어디서나 어느 것이나 모두 같다. 악인(惡人)은 모두 한가지다). =〔到处〕

〔处处拨拨〕 chùchu bōbō 이것저것. ¶～得děi花钱; 이런 일 저런 일에 돈이 든다.

〔处所〕 chùsuǒ 명 곳. 장소. ¶重要的～; 중요한 장소.

〔处长〕 chùzhǎng 명 처장. 부장(部長).

怵 chù (출)

동 ①무서워하다. 겁을 먹다. ②흠칫하다. 기가 죽다. 주눅들다. 주춤하다. ¶心里打～; 흠칫흠칫 놀라다/放开胆子讲话, ～什么? 마음을 대담하게 먹고 말해라, 무엇이 두렵단 말인가? =〔发怵〕 ③놀라다. ¶～惕恻隐之心; 남의 일에도 깜짝깜짝 놀라는 측은한 마음. 깊은 동정. ④꾀다. 유혹하다.

〔怵场〕 chùchǎng 동 겁내다. 주눅들다. 기가 죽다. 그 자리에서 얼다. =〔憷场〕

〔怵怵忐忐〕 chùchutǎntǎn 형 흠칫흠칫 놀라다. 무서워 떨다. 겁먹다.

〔怵见〕 chùjiàn 동 〈文〉 남을 만나는 것을 두려워하다. 낯을 가리다. →〔认rèn生〕

〔怵目惊心〕 chù mù jīng xīn 〈成〉 눈을 부릅뜨고 놀라다. =〔触目惊心〕

〔怵迫〕 chùpò 동 〈文〉 이(利)에 유혹되고 위력에 핍박당하다.

〔怵然〕 chùrán 형 〈文〉 무서워서 경계하는 모양.

〔怵神儿〕 chùshénr 동 불안에 떨다. 벌벌 떨다.

〔怵事〕 chùshì 동 사물〔일〕에 대해 쭈뼛〔머뭇〕거리다.

〔怵疼〕 chùténg 동 인색해서 내기를 아까워하다. ¶明天一个人摊五百块钱, 谁～谁别去; 내일 일인당 5백 원씩 분담하는데, 아까운 사람은 가지 마라.

〔怵惕〕 chùtì 동 〈文〉 무서워하다. 기가 죽다. 주눅이 들다. 흠칫하다.

〔怵头〕 chùtóu 동 〈方〉 기가 죽다. 겁나다. ¶冬天我就～出门儿; 겨울엔 아무래도 나가기가 싫어진다.

〔怵头怵脑〕 chùtóu chùnǎo 벌벌 떨다. 기가 죽다. ¶因为没预备功课, 对于上课有点儿～了; 수업 준비를 하지 않았기 때문에, 교실에 들어가기가 무섭다.

〔怵窝子〕 chùwōzi 명동 ⇨〔处chǔ窝子〕

绌(絀) chù (출)

형 〈文〉 부족하다. 결핍하다. ¶发～ =〔短～〕; 부족하다. 모자라다/经费支～; 경비 지출이 부족하다/财源支～; 재원이 고갈되다/相形见～; 〈成〉 견주어 보니 못해 보이다.

黜 chù (출)

동 〈文〉 ①떨어뜨리다. 내리다. ②물리치다. 그만두게 하다. 파면〔면직〕시키다. ¶因违犯纪律被～; 규율을 위반해서 면직당했다/～退; ⇩/罢～; 면직하다. ③제거하다.

〔黜斥〕 chùchì 동 〈文〉 물리치다.

〔黜废〕 chùfèi 동 〈文〉 면직(免職)하다.

〔黜革〕 chùgé 동 〈文〉 면직(免職)시키다. 해직하다.

〔黜官〕 chùguān 동 〈文〉 면직하다. 파면하다.

〔黜华〕 chùhuá 동 〈文〉 허식(虛飾)을 없애다.

〔黜免〕 chùmiǎn 동 〈文〉 파면시키다. 면직시키다.

〔黜升〕 chùshēng 명 〈文〉 파면과 승진.

〔黜退〕 chùtuì 동 〈文〉 면직하다. 파면하다.

〔黜职〕 chùzhí 동 〈文〉 면직시키다. 해임하다.

〔黜陟〕 chùzhì 명 〈文〉 출척. 격하(格下)와 승진.

柷 chù (축)

명 옛날의 악기(목제(木製)의 상자 모양).

諔(諔) chù (숙)

→〔諔诡〕

〔諔诡〕 chùguǐ 형 〈文〉 ①기이(奇異)하다. ②우습다. 괘사스럽다.

俶 chù (숙)

동 〈文〉 ①시작하다. ②만들다. ③매만져 가다듬다. 정돈하다. ¶～装zhuāng; 옷차림을 가다듬다. ⇒tì

畜 chù (축)
명 ①가축. ¶家～ =〔牲shēng～〕; 가축/人～两旺; 사람도 가축도 모두 번성하다. ②금수. 짐승. ⇒xù
〔畜肥〕 chùféi 명 (비료용의) 가축 분뇨. 외양간 두엄.
〔畜圈〕 chùjuàn 명 (가축의) 우리. 외양간.
〔畜栏〕 chùlán 명 가축의 우리.
〔畜类〕 chùlèi 명 ①짐승. ②〈罵〉 짐승 같은 놈.
〔畜力农具〕 chùlì nóngjù 명 축력용 농기구.
〔畜鹭〕 chùlù 명 〖鳥〗 황로.
〔畜牲〕 chùshēng 명 ①가축. ②⇨〔畜生〕
〔畜生〕 chùsheng 명 ①축생. 금수. ②〈罵〉 짐승 같은 놈. ¶"～!"阿Q怒目而视的说《鲁迅 阿Q正傳》; "짐승 같은 놈아!" 아Q는 매섭게 쏘아 보며 말했다. ‖ =〔畜牲②〕

滀 chù (축)
동 〈文〉 물이 괴다〔모이다〕. 〈轉〉 불만이 쌓이다. ⇒xù

搐 chù (축)
동 ①(근육이) 땅기다. 경련이 일다. 쥐가 나다. ¶浑身抽～作痛; 전신의 근육이 땅기고 아프다. ②견제하다.
〔搐动〕 chùdòng 동 근육이 땅겨 떨리다. ¶全身～了一下; 온몸에 한 차례 경련이 일었다.
〔搐风〕 chùfēng 명동 ①〖漢醫〗 쥐(가 나다). 경련(이 일다). 간질(을 일으키다). =〔抽风〕〔抽疯〕 ②미친(것 같은) 행동(을 하다).
〔搐搦〕 chùnuò 명동 〖漢醫〗 경련(을 일으키다). =〔抽chōu搐〕
〔搐缩〕 chùsuō 동 ⇨〔抽缩〕

触(觸) chù (촉)
동 ①〈文〉 뿔로 받다. 대고 버티다. ¶羝羊～藩; 〈成〉 숫양이 뿔로 울타리를 들이받다《진퇴양난에 빠져 꼼짝 못하게 됨》. ②부딪(치)다. 닿다. 손대다. ¶～电; 감전되다/一～即发; 〈成〉 일촉즉발/～目; ⇩/接～; 접촉하다/～及痛处; 아픈 데를 건드리다/不准手～物品! 물건에 손을 대지 마시오! ③느끼다. 마음에 닿다. ¶忽有所～; 뭔가 마음에 와 닿는 것이 있다/感～; 감촉.
〔触处〕 chùchù 〈文〉 어디든지. 도처에. ¶～皆是 =〔触地皆是〕〔处处皆是〕; 〈成〉 어디에나 있다. 어디서나 다 그러하다. →〔处chù处(儿)〕〔到dào处〕
〔触大哄小〕 chù dà hǒng xiǎo 〈成〉 어른에게 꾸지람을 듣고, 아이에게 화풀이를 하다. 시어미 미워서 개 옆구리 찬다.
〔触电〕 chù.diàn 동 감전하다〔되다〕. ¶～牺xī牲了; 감전되어 죽었다. (chùdiàn) 명 감전.
〔触动〕 chùdòng 동 ①부딪치다. 충돌하다. ¶忽然～了什么, 响了一下; 돌연 무언가에 부딪쳐 소리가 났다. ②감동시키다. (마음을) 움직이다. ¶这些话～了老人的心事; 이런 말은 노인의 가슴 속에 있는 고뇌에 와 닿았다. ③(흔히 추상적인 것에) 닿다. 건드리다. 움직이다. ¶这句话～了他的自尊心; 이 말은 그의 자존심을 건드렸다/骤然间～了他的记忆; 순간적으로 그의 기억을 되살렸다.
〔触发〕 chùfā 동 유발하다. 감정이 움직이다.
〔触犯〕 chùfàn 동 기휘(忌諱)에 저촉되다. 남의 노여움을 사다. ¶一时～了这样人家, 不但官爵, 只怕连性命也难保呢《紅樓夢》; 어쩌다 이런 사람의 비위에 거슬리면, 관작뿐만 아니라, 목숨까지도 위험하다.
〔触肺管〕 chù fèiguǎn 폐부(肺腑)를 찌르다. 급소를 찌르다. ¶你好利害, 昨儿那几句话真触了肺管子了; 너 정말 대단하구나. 어제 한 그 말은 정말 급소를 찔렀어.
〔触感〕 chùgǎn 명 ⇨〔触觉〕
〔触官〕 chùguān 명 〖生〗 촉관.
〔触击〕 chùjī 명 〖體〗 (야구에서) 번트(bunt). ¶跑而～; 번트 앤드 런(bunt and run)/抢qiǎng分～; 스퀴즈 번트(squeeze bunt)/上shàng垒～; 세이프티 번트(safety bunt)/牺xī牲～; 희생 번트.
〔触机〕 chùjī 동 〈文〉 영감(靈感)을 불러일으키다. =〔触动灵机〕
〔触及〕 chùjí 동 (…에까지) 미치다〔언급하다〕. ¶对这个问题, 不敢～; 이 문제에 대해서는 감히 언급하지 못하겠다/～人们的灵魂; 사람들의 심금을 울리다.
〔触谏〕 chùjiàn 동 〈文〉 금령(禁令)을 어기며 간(諫)하다.
〔触礁〕 chù.jiāo 동 좌초하다. 암초에 부딪치다.
〔触角〕 chùjiǎo 명 ①〖動〗 촉각. →〔触手〕〔触须〕 ②〖數〗 접각(接角).
〔触景伤情〕 chù jǐng shāng qíng 〈成〉 그 정경(情景)을 보고 마음을 아파하다.
〔触景生情〕 chù jǐng shēng qíng 〈成〉 실제의 정경(情景)에 접하고 감동이 일다.
〔触觉〕 chùjué 명 〖生〗 촉각. =〔触感〕
〔触类旁通〕 chù lèi páng tōng 〈成〉 한 가지를 보고 다른 것을 유추(類推)하다. 하나를 보고 다른 것을 헤아리다.
〔触媒〕 chùméi 명 촉매제. =〔催cuī化剂〕
〔触霉头〕 chù méitóu 〈方〉 혼(줄)나다. 고배(苦杯)를 들다. 지독〔불운〕한 일을 당하다. =〔触楣头〕〔倒dǎo霉〕
〔触摸〕 chùmō 동 닿다. 접촉하다.
〔触目〕 chùmù 동 ①눈에 띄다. ¶～皆是; 〈成〉 눈에 들어오는 것이 다 그렇다. 도처에서 볼 수 있다. ②〈方〉 두드러지다. 주의〔주목〕를 끌다. ¶菊花开得更～了; 국화꽃은 한층 더 두드러지게 피었다.
〔触目惊心〕 chù mù jīng xīn 〈成〉 눈에 보이는 것 모두가 마음을 아프게 한다. ¶看到那种惨象, 真是～; 그런 참상을 보니 참으로 마음이 아프다. =〔触目伤心〕〔怵目惊心〕
〔触逆〕 chùnì 동 〈文〉 거스르다. 노여움을 사다.
〔触怒〕 chùnù 동 진노케 하다. 노여움을 사다.
〔触气〕 chùqì 동 까닭 없이 싫다〔밉다〕.
〔触杀〕 chùshā 〖體〗 명 (야구에서) 터치 아웃(*touch out*). 동 터치 아웃되다.
〔触杀剂〕 chùshājì 명 〖農〗 (살충제 중의) 접촉제(接觸劑)《제충국(除蟲菊)·BHC 따위》.
〔触手〕 chùshǒu 명 〖動〗 촉수.
〔触暑〕 chùshǔ 동 더위를 먹다. =〔中zhòng暑〕
〔触痛〕 chùtòng 동 아픈 곳을 건드리다. 명 〖醫〗 과민《압박 또는 촉각(觸覺)에 대하여 이상한 통각(痛覺)이 있음》.
〔触网〕 chùwǎng 동 ①〈文〉 법에 저촉되다. 법을 어기다. ②〖體〗 (배구에서) 네트 터치(net touch)하다.
〔触物伤情〕 chù wù shāng qíng 〈成〉 사물(事物)을 대하고 감상적이 되다.
〔触兴〕 chùxìng 동 흥미를 자아내다.
〔触须〕 chùxū 명 ①〖動〗 촉각(觸角). ②촉침(觸

针).
〔触眼〕 chùyǎn 동 〈文〉 남의 눈을 끌다.
〔触缘球〕 chùyuánqiú 명 《體》 (탁구의) 에지 볼(edge ball).
〔触诊〕 chùzhěn 명동 《醫》 촉진(觸診)(하다).

憷 chù (초)
동 두려워하다. ¶他遇到任何困难的事, 也不发～; 그는 어떤 곤란에 부닥쳐도 두려워하지 않는다.
〔憷场〕 chùchǎng 동 ⇨〔怵场〕

斶 chù (촉)
인명용 자(字).

歜 chù (촉)
〈文〉 ① 동 격노하다. ② 형 혈기가 왕성하다.

矗 chù (촉)
〈文〉 ① 동 우뚝 서다. 높이 치솟다. ¶～立 lì; ⇩ ② 형 초목이 무성하다.
〔矗灯〕 chùdēng 명 발이 높은 등롱(燈籠).
〔矗立〕 chùlì 동 〈文〉 우뚝 솟다. ¶～在天空; 하늘에 우뚝 솟아 있다. =〔高矗〕
〔矗起〕 chùqǐ 동 〈文〉 높이 우뚝 솟다.
〔矗然〕 chùrán 형 〈文〉 높이 우뚝 솟은 모양.
〔矗天矗地〕 chùtiān chùdì 우뚝 솟다. ¶阳光大厦真是～的; 선샤인 빌딩은 아주 높이 우뚝 솟아 있다.

CHUA ㄔㄨㄚ

欻〈歘〉 chuā (훌)
①〈擬〉 저벅저벅. 척척. ¶一队队的民兵走起来～～的, 非常整齐; 민병 1대대가 가지런히 저벅저벅 발을 맞추어 행진한다. ② →〔欻拉〕 ⇒xū
〔欻拉〕 chuālā 〈擬〉 치익. 촤악(끓는 기름에 무엇을 넣었을 때 나는 소리). ¶～的响; 치익 소리를 내다.

CHUAI ㄔㄨㄞ

揣 chuāi (췌)
동 ①옷 안에 감추다. 간직하다. 품다. 넣다. ¶把它～在腰带荷包里; 그것을 허리에 맨 주머니 속에 쑤셔 넣었다 / ～在怀里; 품 안에 품다. ②(힘을 주어) 비비다. ¶把衣服洗了又～; 옷을 빨면서 비비고 또 비볐다. ③(가축이) 새끼를 배다. ⇒chuǎi chuài
〔揣大〕 chuāidà 동 고생하면서 자라다. ¶我们是野菜糟糠～的; 우리들은 들풀과 지게미·겨를 먹으며 고생하면서 자랐다.
〔揣面〕 chuāi·miàn 동 ⇨〔搋面〕
〔揣手(儿)〕 chuāi·shǒu(r) 동 팔짱을 지르다. ¶天冷一出去就要揣着手儿; 날이 추워서, 밖에 나가면 곧 팔짱을 질러야 한다. =〔搋手(儿)〕

搋 chuāi (차)
동 ①(손에 힘을 주어) 이기다. 반죽하다. 비비다. ¶把衣服洗了又～; 옷을 물에 빨고 다시 또 비비다. ②(손이나 물건을) 품 속·호주머니 따위에 넣다. 옷가지로 감싸다. ¶把钱～起来; 돈을 품 속에 넣다 / ～着孩子睡了; 어린애를 옷으로 감싸서 잠재웠다. ③숨기다. 감추다. ¶怀里～着什么? 품 속에 무엇을 감추고 있는가? / 不用和我～着明白装糊涂; 내게 뻔한 일을 가지고 숨기고 시치미 떼어도 소용 없다.
〔搋和〕 chuāihe〔chuāihuo〕 동 이기어 반죽하다. ¶～面粉; 밀가루를 이기어 반죽하다.
〔搋坏〕 chuāihuài 동 나쁜 생각을 품다. =〔揣坏〕
〔搋面〕 chuāi·miàn 동 밀가루를 힘껏 반죽하다. =〔揣面〕
〔搋起来〕 chuāiqilai 〈北方〉 품 속에 넣어 두다. 〈轉〉 생각을 가슴 속에 간직해 두다. ¶这个人不容易打交道, 他有意见总是～; 이 사람은 사귀기가 어렵다. 의견이 있어도 통 말을 하지 않는다.
〔搋手(儿)〕 chuāi·shǒu(r) 동 팔짱을 지르다. ¶他搋着手在一边看热闹; 그는 팔짱을 끼고 곁에서 방관만 하고 있다. =〔揣手(儿)〕

膗 chuái (최)
형 〈方〉 뒤룩뒤룩〔퉁퉁〕하게 살쪄 있다. 살이 쪄서 동작이 둔하다. ¶穿～了; 껴입어 뚱뚱해졌다 / 看他那～样! 그의 저 뒤룩뒤룩 살찐 꼴이라니! / 他长得～, 太难看; 그는 뒤룩뒤룩 살이 쪄서 아주 보기 흉하다.
〔膗猪〕 chuáizhū 명 ①살찐 돼지. ②〈轉〉 뚱뚱보. ¶胖得～似的; 돼지처럼 살이 쪘다.

揣 chuǎi (췌)
① 동 미루어 헤아리다〔짐작하다〕. 대중잡다. 추량(推量)하다. ¶～度duó; ⇩ / 不～冒昧; 당돌한 실례도 무릅쓰고. ② 명 성(姓)의 하나. ⇒chuāi chuài
〔揣测〕 chuǎicè 동 추측하다. ¶据我～, 他已经离开全州了; 내 추측으론 그는 이미 전주(全州)를 떠났다.
〔揣定〕 chuǎidìng 동 추정(推定)하다.
〔揣度〕 chuǎiduó 동 어림하다. 추측하다. 대중잡다. 짐작하다. ¶我～他不来; 나는 그가 오지 않을 것이라 생각한다.
〔揣骨〕 chuǎigǔ 동 골상(骨相)을 보다. =〔模mō骨〕
〔揣摩〕 chuǎimó 동 ①추측〔추량〕하다. 헤아리다. 통찰(洞察)하다. ¶～人的心里; 남의 마음 속을 통찰하다. ②(의도 등을) 따져 보다. ‖ =〔揣摸〕
〔揣摩简练〕 chuǎi mó jiǎn liàn 〈成〉 노력하여 잘 단련하다. 조심하고 노력하다. 애써 연마하다.
〔揣情度理〕 chuǎi qíng duó lǐ 〈成〉 정리(情理)를 잘 헤아리다. 인정과 도리를 잘 살피다.
〔揣想〕 chuǎixiǎng 동 추측하다.

啜 Chuài (철)
명 성(姓)의 하나. ⇒chuò

揣 chuài (췌)
→〔挣zhèng揣〕 ⇒chuāi chuǎi

踹 chuài (천)
동 ①(짓)밟다. 발을 디디다. ¶～破营盘; 적의 진영을 짓밟아 무찌르다 / ～足而怒; 발을 동동 구르며 노하다 / 没留神一脚～在水沟里; 그는 그만 발을 헛디뎌 도랑에 빠졌다. ②(발로) 차다. ¶一脚把门～开; 발로 문을 박차서 열다 / 一脚把敌人～倒; 발로 적을 차서 쓰러뜨리다. ③('～了'의 형태로) 깨뜨리다. 망그러〔부숴〕뜨리다. 깨지다. 틀어지다. ¶他把我们的婚姻给～了;

〔穿往〕 chuānwǎng 동 ①경조사(慶弔事)에 오가며 친밀히 지내다. ②거래하다.
〔穿线〕 chuān∙xiàn 동 ①실〔끈〕을 꿰다. ②가운데서 중계 역할을 하다. 연계를 지어 주다.
〔穿小鞋〕 chuān xiǎoxié (앙갚음으로) 모진 일을 당하게 하다. 들볶다. 냉대하다. ¶你这样得罪他, 将来他会给你～; 그의 기분을 상하게 했으니까 언젠가는 그가 자네를 괴롭힐 걸세.
〔穿孝〕 chuān∙xiào 동 상복(喪服)〔거상〕을 입다. ¶他穿谁的孝? 저분은 누구의 상(喪)을 당하셨나요? =〔挂guà孝〕
〔穿鞋〕 chuān∙xié 동 신을 신다. ¶～的不知道光脚的苦; 신을 신은 사람은 맨발인 사람의 괴로움을 모른다(부자는 가난한 사람의 고통을 모른다).
〔穿鞋戴帽〕 chuānxié dàimào 〈比〉 문장을 쓰거나 연설을 할 때 상투적이고 정치적인 교훈을 끼어 넣다.
〔穿新鞋高抬脚〕 chuān xīnxié gāotái jiǎo 새 신을 신으면 발을 높이 들며 보란 듯이 걷는다(하찮은 일에 우쭐대며 뽐내다).
〔穿新鞋走老路〕 chuān xīnxié zǒu lǎolù 새 신을 신고 본래의 길을 걷다(겉은 변해도 그 속은 변하지 않는다). →〔换huàn汤不换药〕
〔穿行〕 chuānxíng 동 빠져 나가다. 통과하다. 지나다니다.
〔穿一条连裆裤〕 chuān yī tiáo liándāngkù 가랑이가 하나로 된 바지를 입다(한통속이 되다. 기맥이 서로 통하다).
〔穿衣镜〕 chuānyījìng 명 큰 체경(體鏡).
〔穿用〕 chuānyòng 동 착용하다. 명 의복과 일용품. ¶～不缺; 입는 것도 일용품도 부족함이 없다.
〔穿窬〕 chuānyú 동 〈文〉 벽에 구멍을 뚫고 들어가서 도둑질을 하다.
〔穿越〕 chuānyuè 동 (산 따위를) 지나가다. 넘다.
〔穿云裂石〕 chuān yún liè shí 〈成〉 노랫소리가 쩌렁쩌렁하고 새된 형용.
〔穿凿〕 chuānzáo 동 〈文〉 ①뚫다. 구멍을 뚫다. ②억지를 부리다. 견강부회(牽強附會)하다. ¶此为～附会之说, 殊不可信; 이건 억지 부리는 말이라서 전연 믿을 수 없다. =〔穿凿附会〕 ③무시하다.
〔穿章儿〕 chuānzhāngr 명 복장. ¶看他的～打扮儿, 境遇像很不错的样子; 그의 옷차림을 보니 처지가 꽤 좋은 모양이다.
〔穿罩〕 chuānzhào 명 ⇒〔穿着zhuó〕
〔穿针〕 chuān∙zhēn 동 바늘에 실을 꿰다.
〔穿针引线〕 chuān zhēn yǐn xiàn 〈成〉 ①바느질을 하다. ¶她能够～, 还能衲袜底子; 그녀는 바느질도 잘하고, 또한 신발 바닥도 꿰맬 수도 있다. ②남과 관계를 맺다. ③중계 역할을 하다.
〔穿装〕 chuānzhuāng 동 옷을 입다. 명 옷. 복장. ‖ =〔穿扎zā〕
〔穿着〕 chuānzhuó 명 〈文〉 복장. 옷차림. 옷매무새. =〔穿罩zhào〕〔衣yī着〕

传(傳) chuán (전)

동 ①전하다. ㉠가르쳐 전하다. 전수하다. ¶口～; 구전하다. 입으로 전하다 / 师父把手艺～给徒弟; 스승이 제자에게 기술을 전하다. ㉡(많은 사람에게) 널리 알리다. 퍼뜨리다. 전파하다. ¶～单; 전단. 선전 삐라 / ～舌 =〔～是非〕; 고자질하다 / 流～; 널리 퍼지다. 유포하다 / 胜利的消息～遍了全国; 승리의 소식은 전국 방방곡곡에 퍼졌다. ㉢중계해서 알리다. ¶由前向后～; 앞에서 뒤로 차례로 전하다. ㉣(전기·열 따위가) 통하다. ¶～电; 전기를 통하다 / ～热; 열을 전도하다. ㉤옮다. 전염되다. ¶这种病～人; 이런 병은 남에게 전염된다. ②불러 내다. 호출〔소환〕하다. ¶～人; 사람을 불러내다 / 我～他来, 他倒叫我找他去; 내가 그를 불렀더니 도리어 나더러 그 쪽으로 오라고 한다. ③(의견 감정 등을) 표현하다. 나타내다. ¶眉目～情; 〈成〉 추파를 보내다. ④계속되다. ⇒zhuàn
〔传案〕 chuán'àn 동 《法》 법정에 소환하다. ¶～查讯; 소환해서 심문하다.
〔传帮带〕 chuán bāng dài 경험을 전하고(傳授), 배우는 것을 도와 주고(幇助), 앞장 서서 인도함(帶領).
〔传报〕 chuánbào 동 〈文〉 통지하다.
〔传杯〕 chuánbēi 동 (술잔 하나로) 돌려가며 마시다.
〔传遍〕 chuánbiàn 동 널리 전해지다〔전파되다〕. ¶这个消息～了全国; 이 뉴스는 전국으로 널리 퍼졌다.
〔传禀〕 chuánbǐng 동 〈文〉 윗사람에게 전하다.
〔传播〕 chuánbō 동 전파하다. 전파되다. (씨를) 뿌리다. ¶～经验; 경험을 널리 전하다 / ～媒介; 보도 기관. 매스 미디어(mass media) / ～影响; 영향을 넓히다. 명 전파. 살포. 보급.
〔传布〕 chuánbù 동 전파하다. 퍼지다. ¶苍cāng蝇～瘟疫; 파리는 나쁜 병을 퍼뜨린다.
〔传抄本〕 chuánchāoběn 명 전초본(傳抄本). 전사본(轉寫本).
〔传出神经〕 chuánchū shénjīng 명 《生》 원심(遠心) 신경. 운동 신경. =〔运动神经〕
〔传达〕 chuándá 동 전하다. 전달하다. ¶～命令; 명령을 전하다 / 请求～; 중간 전달을 부탁하다 / ～上级的指示; 상급의 지시를 전달하다. 명 ①(관청·학교·공장 등의) 접수. ¶～室; 접수실. ②(관청·학교·공장 등의) 접수원. 수위.
〔传达处〕 chuándáchù 명 접수〔안내〕처. →〔问事处〕
〔传代〕 chuán∙dài 동 대대로 전하다. ¶～接宗jiēzōng; 자손 대대 뒤가 끊이지 않게 하다.
〔传单〕 chuándān 명 광고나 선전의 삐라. 전단. ¶撒～; 삐라를 뿌리다.
〔传导〕 chuándǎo 명 ①《物》 전도(傳導). ¶热～; 열전도. ②《生》 (지각의) 전도. 동 전도하다.
〔传道〕 chuán∙dào 동 ①성인(聖人)의 길을 전하다. ②포교하다. 전도하다.
〔传灯〕 chuándēng 동 《佛》 조사(祖師)의 법통을 전하다.
〔传递〕 chuándì 동 ①차례로 넘겨 주다. (공을) 패스하다. ¶～运砖; 벽돌을 차례차례 다음으로 넘겨 주다. ②(구체적인 것을) 넘겨 주다. ¶～情报; 정보를 넘겨 주다. ③시험장에서 종이 쪽지를 넘겨 주어 부정 행위를 하다.
〔传电〕 chuán∙diàn 동 ①전기를 통〔전〕하다. ②감전되다. (chuándiàn) 명 전기 전도(傳導). 감전.
〔传动〕 chuándòng 명동 전동(하다). ¶～带; 동력용 벨트. 명 《機》 드라이브 기어(drive gear).
〔传动比〕 chuándòngbǐ 명 《機》 전동비. =〔转zhuàn速比〕〔速比〕
〔传动滑轮〕 chuándòng huálún 명 《機》 드라이빙 풀리(driving pulley). 전동 도르래. 피대를 감는 바퀴〔풀리〕. →〔滑车〕

〔传动机〕 chuándòngjī 명 컨베이어.
〔传动(皮)带〕 chuándòng (pí)dài 명 《機》 피대. 트랜스 미션 벨트. =〔皮带②〕
〔传动器〕 chuándòngqì 명 《機》 클러치(clutch). 연축기(連軸機).
〔传动轴〕 chuándòngzhóu 명 《機》 운전축(運轉軸). 드라이빙 샤프트(driving shaft). =〔动轴〕
〔传法〕 chuánfǎ 동 ①《佛》 법을 제자에게 가르쳐 주다. ②〈文〉 옛 법을 준수하다〔지키다〕.
〔传饭〕 chuán,fàn 동 식사를 알리다.
〔传粉〕 chuánfěn 명동 《植》 수분(授粉)(하다).
〔传感器〕 chuángǎnqì 명 《電》 (전자 공학의) 센서. 감지 신호 장치.
〔传告〕 chuángào 동 서로 전하다. 전달하다. ¶互相～; 서로 전하다 / ～喜讯; 희소식을 전하다.
〔传观〕 chuánguān 동 (사진 · 그림 따위를) 돌아가며 보다. 차례로 넘겨 보다.
〔传呼〕 chuánhū 동 전해서 부르다. 불러 내다. ¶～邻居; 이웃 사람을 불러 내다. 명 불러 냄. 호출. ¶～电话; 호출 전화.
〔传呼机〕 chuánhūjī 명 무선 호출기(beeper). =〔BP机〕〔寻呼机〕
〔传话〕 chuánhuà 명 전언(傳言). ¶～筒; 메가폰. (chuán,huà) 동 ①말을 전하다. ¶请你把我的话传给他; 내 말을 그에게 전해 주시오. ②통역하다. ③고자질하다. =〔串话②〕
〔传唤〕 chuánhuàn 동 《法》 소환하다.
〔传鸡〕 chuánjī 동 〈俗〉 닭병이 돌다.
〔传家〕 chuán,jiā 동 집안 대대로 전하다. ¶～宝; 대대로 전하는 가보. →〔家传〕
〔传见〕 chuánjiàn 동 불러 내어서 만나다.
〔传教〕 chuánjiào 동 《宗》 선교하다. 포교하다. 명 포교. ¶～士; 선교사. 포교사.
〔传接〕 chuánjiē 《體》 명 (릴레이 경주에서) 배턴을 주고받는 일. 동 (배턴을) 주고받다.
〔传戒〕 chuánjiè 동 《佛》 새로 출가한 승려에게 불교 계율을 가르치다. 수계(授戒)하다.
〔传经〕 chuánjīng 동 ①경(經)을 전하다. ②진수(眞髓) · 경험을 전하다. ¶～送宝; 〈成〉 학습 또는 작업의 귀중한 경험이나 성과를 다른 데에 전하다.
〔传开〕 chuánkāi 동 널리 퍼지다〔퍼뜨리다〕. 전파하다. 사방으로 퍼지다. ¶这个消息立刻就～了; 이 소식은 즉시 퍼졌다.
〔传看〕 chuánkàn 동 회람하다. 돌려 가며 보다. =〔传观guān〕〔传阅〕 →〔传帖〕
〔传来〕 chuánlái 명동 전래(하다). ¶祖先～的; 조상으로부터 전해 온 것. 동 말이〔소문이〕 들려오다. ¶～之言不可听; 소문에 귀를 기울이면 안된다.
〔传令〕 chuán,lìng 동 명령을 전달하다. ¶～嘉奖; 포상(褒賞) 명령을 전달하다. (chuánlìng) 명 전령.
〔传流〕 chuánliú 동 (사상 · 주의 · 교의(教義) 등이) 널리 세상에 퍼지다. ¶～着这种思想; 이러한 사상이 널리 퍼져 있다. =〔流传〕
〔传媒〕 chuánméi 명 〈簡〉 공개 중매. =〔传播媒介〕
〔传名〕 chuánmíng 동 〈文〉 이름이 전해지다. 명성을 떨치다. ¶～不朽xiǔ; 이름을 영원히 떨치다.
〔传票〕 chuánpiào 명 ①《法》 영장. 소환장. ②《商》 전표.
〔传奇〕 chuánqí 명 ①당(唐) · 송(宋) 시대에 문어(文語)로 쓰여진 단편 소설. ②명(明) · 청(清) 시대에 유행한 장편 희곡. ③전기(傳奇). ¶～式的人物; 전기적인 인물. ④로맨스. 낭만. ¶～主义; 로맨티시즘.
〔传情〕 chuán,qíng 동 (사랑을) 눈짓으로 전하다. 추파를 보내다. ¶眉目～; 〈成〉 사랑어린 눈짓을 하다. 눈으로 말하다.
〔传球〕 chuánqiú 《體》 동 (구기(球技)에서) 볼을 패스하다. 명 (구기에서의) 패스. ¶三角～; 삼각 패스.
〔传染〕 chuánrǎn 동 (질병 또는 나쁜 버릇이) 전염하다. 옮다. ¶～病; 전염병. →〔疫yì病〕
〔传嚷〕 chuánrǎng 동 떠들썩하게 전해지다. ¶都～动了, 还瞒得了liǎo谁? 온통 소문이 돌았으니, 누구를 속일 수 있단 말인가?
〔传热〕 chuánrè 동 《物》 열(熱)을 전하다.
〔传人〕 chuánrén 명 (학문 · 기술 등의) 계승자. 후계자. (chuán rén) 동 ①《法》 소환하다. 구인(拘引)하다. ¶～票; 호출장. 소환장. ②남에게 전하다〔전수하다〕.
〔传入神经〕 chuánrù shénjīng 명 《生》 구심(求心) 신경. 감각 신경. =〔感gǎn觉神经〕
〔传舌〕 chuánshé 동 타인에게 고자질하다. 말을 퍼뜨리다.
〔传神〕 chuánshén 형 (예술 작품이) 진짜와 똑같다. 생생하다. ¶特点还是图案设计得生动～; 특징은 역시 도안이 생생하게 진짜에 가까운 디자인으로 되어 있다는 점이다 / 这张人象画得很～; 이 인물상은 진짜에 가깝게 그려졌다. 명동 초상화(를 그리다). →〔写xiě真〕
〔传审〕 chuánshěn 동 소환하여 문초하다.
〔传声器〕 chuánshēngqì 명 마이크로폰(microphone). ¶带式～; 핸드 마이크.
〔传声筒〕 chuánshēngtǒng 명 ①메가폰. =〔话筒③〕 ②〈比〉 남이 하는 말을 그대로 퍼뜨릴 뿐 주견이 없는 자.
〔传尸痨〕 chuánshīláo 명 《漢醫》 폐결핵.
〔传食〕 chuánshí 동 〈文〉 여러 곳을 기식(寄食)하며 돌아다니다.
〔传世〕 chuánshì 동 〈文〉 ①(진귀한 보물 · 저작이) 후세에 전하다. ②자손 대대로 전하다.
〔传世古〕 chuánshìgǔ 명 ①흙에 파묻히지 않고 사람에게서 사람으로 전해 내려온 고물(古物). ②《美》 자갈색 반점이 있는 동기(銅器).
〔传事处〕 chuánshìchù 명 중개소. 접수처.
〔传授〕 chuánshòu 동 전수하다. 가르쳐 전하다.
〔传输〕 chuánshū 명동 《電》 전송(하다). ¶～线; 전송선.
〔传输器〕 chuánshūqì 명 《機》 벨트 콘베어(belt conveyer).
〔传述〕 chuánshù 동 ⇨〔传说〕
〔传说〕 chuánshuō 명 ①전설. ②소문. 풍설. ¶那仅仅是个～; 그것은 단지 소문에 지나지 않는다. 동 (말로) 전해지다. ¶现在仍然～着; 지금까지도 전해 내려오고 있다 / ～他已经死了; 들리는 바로는 그는 이미 죽었다고들 한다. =〔传述〕
〔传诵〕 chuánsòng 동 〈文〉 입에서 입으로 전해지며 읽다〔읊다〕. 자자하게 입에 오르내리다.
〔传颂〕 chuánsòng 동 〈文〉 전해 내려오며 칭송하(되)다.
〔传送带〕 chuánsòngdài 명 《機》 ①컨베이어(conveyor). ¶(～)流水作业法; 컨베이어 시스템. =〔输shū送机〕 ②벨트 컨베이어. =〔皮pí带(式)输送机〕 ③벨트 컨베이어의 벨트.

〔传帖〕 chuántiě 명 회람(回覽). →〔传看〕
〔传统〕 chuántǒng 명 전통. ¶革命～; 혁명의 전통/～观念; 전통적 관념.
〔传统家庭〕 chuántǒng jiātíng 명 전통 가정《3대가 함께 사는 것》. ↔〔核心家庭〕
〔传闻〕 chuánwén 동 전문하다. 전하여 듣다. 명 전문(傳聞). 뜬소문. 루머.
〔传闻失实〕 chuán wén shī shí 〈成〉 간접적으로 들은 것은 확실성이 부족하다. 뜬소문은 어디까지나 뜬소문이다.
〔传习〕 chuánxí 동 전습하다. 전수받아 익히다《배운 것을 전수하여 다른 사람에게도 가르쳐 주는 일》.
〔传檄〕 chuánxí 동 〈文〉 격문(檄文)을 돌리다.
〔传下来〕 chuánxialai 동 ①대대로 전해 오다. ②호출하다. 소환하다.
〔传下去〕 chuánxiaqu 동 (이야기·서류 따위를) 전하여 가다. ¶把话～; 이야기를 (차례차례) 전해 가다.
〔传销〕 chuánxiāo 명 《經》 다단계 판매.
〔传写〕 chuánxiě 동 전사(傳寫)하다. 서로 전하여 베끼다.
〔传薪〕 chuánxīn 동 〈文〉 스승이 제자에게 전수하다.
〔传信〕 chuán∙xìn 동 ①소식을 전하다. 편지를 전하다. ②〈文〉 자기의 소신을 전하다. (chuánxìn) 명 인편으로 전한 소식〔편지〕.
〔传信鸽〕 chuánxìngē 명 전서구(傳書鳩). =〔传书鸽〕〔信鸽〕〔〈文〉飞fēi奴〕
〔传宣〕 chuánxuān 동 〈文〉 칙명(勅命)과 선시(宣示)를 전달하다.
〔传讯〕 chuánxùn 《法》 동 구속 연행하여 신문(訊問)하다. 명 소환 신문. ‖=〔传究〕
〔传言〕 chuányán 〈文〉 동 말을 전하다. 말을 퍼뜨리다. ¶～过话, 多讨人骂; 〈諺〉 말을 퍼뜨리고 다니는 사람은 어쨌거나 사람들에게 욕을 많이 얻어먹는다. 명동 발언(하다). 명 떠도는 말. 소문.
〔传扬〕 chuányáng 동 널리 퍼뜨리다〔퍼지다〕. 전파하다. 소문을 내다. ¶这事在工厂里很快地～开了; 이 일은 공장 내에 이내 퍼져 나갔다.
〔传衣钵〕 chuányībō 동 ①《佛》 의발을 전하다. ②〈轉〉 학술·예능 등을 제자에게 전수하다.
〔传艺〕 chuányì 동 기능 또는 기술을 전하다.
〔传译〕 chuányì 동 통역하다. ¶即时～; 동시 통역.
〔传阅〕 chuányuè 동 회람하다. 돌려 가며 보다. ¶纷纷～儒家著作; 유가의 저작을 빈번히 돌려 가며 읽다.
〔传真〕 chuánzhēn 명동 ①초상화(를 그리다). ②팩시밀리(facsimile). 사진 전송(傳送)(하다). ¶～设备; 사진 전송 장치/～照片 =〔～照相〕〔电diàn传照〕; 전송 사진/～电报; 팩시밀리(facsimile). 동 진실을 전하다.
〔传真通信〕 chuánzhēn tōngxìn 명 팩시밀리(facsimile) 통신. 복사 전송 장치.
〔传知〕 chuánzhī 동 〈文〉 전달하다.
〔传旨〕 chuánzhǐ 동 옛날, 내각이 왕의 유시(諭示)를 전달하다.
〔传种〕 chuán∙zhǒng 동 (동·식물의) 씨를 남기다. 수컷의 씨를 암컷에 교배시키다. ¶养马要选择优良的品种来～; 말을 기르려면 좋은 품종의 수컷을 암컷에 교배시켜야 한다.
〔传重〕 chuánzhòng 동 장례나 제사의 무거운 책임을 손자에게 전하다《아들이 일찍 사망한 경우, 장례나 제사를 손자에게 시키는 일. 손자의 입장에서 말하면, '承chéng重'이며, 그 손자를 '承重孙'이라고 함》.
〔传子〕 chuánzǐ 동 〈文〉 자손에게 전하다.
〔传子不传女〕 chuán zǐ bù chuán nǚ 〈諺〉 아들에게는 전해 주어도 딸에게는 전해 주지 않는다《옛날 중국에서, 가전(家傳)의 기술을 아들에게만 전수시킨 데서 유래》.
〔传宗接代〕 chuán zōng jiē dài 〈成〉 대대로 계승하다. 혈통을 잇다.

chuán (선)

船〈舩〉 명 배. 선박. ¶一只～; 한 척의 배/货～; 화물선/轮lún～; 기선(汽船)/帆fān～; 돛단 배. 범선(帆船)/客～; 객선/拖tuō～; 터그보트(tugboat). 예인선(曳引船)/开～; 출범하다/坐～; 승선하다. 배에 오르다/下～; 하선하다. 배에서 내리다/上水～; (내강 항로의) 상행선(上行船)/下水～; (내강 항로의) 하행선(下行線). =〔舡chuán〕
〔船板〕 chuánbǎn 명 갑판(甲板). 덱(deck). =〔船面〕
〔船帮〕 chuánbāng 명 ①뱃전. 현측(舷側). =〔船舷〕 ②선단(船團).
〔船帮水, 水帮船〕 chuán bāng shuǐ, shuǐ bāng chuán 〈成〉 서로 도와 주기도 하고 서로 도움을 받기도 한다. 서로 돕다. =〔鱼yú帮水, 水帮鱼〕
〔船边交(货)〕 chuánbiānjiāo(huò) 명 《商》 선측 인도. F.A.S.(Free Alongside Ship). ¶～价(格) =〔靠kào船价格〕; 선측도 인도 가격. =〔船舷交(货)〕
〔船舶〕 chuánbó 명 선박《배의 총칭》. →〔舰jiàn艇〕
〔船舶遇险证明〕 chuánbó yùxiǎn zhèngmíng 명 선장 해난 증명서(船長海難證明書). 캡틴즈 프로테스트(captain's protest). =〔船长海难证书〕
〔船埠〕 chuánbù 명 선착장. 부두. 배를 대는 잔교(棧橋). =〔码mǎ头①〕
〔船舱〕 chuáncāng 명 ①선실(船室). ②짐을 넣어 두는 선창(船倉). ③선복(船腹).
〔船册〕 chuáncè 명 선박 증서.
〔船厂〕 chuánchǎng 명 ①조선소(造船所). =〔造船厂〕 ②(Chuánchǎng) 《地》 지린(吉林)의 구칭.
〔船钞〕 chuánchāo 명 톤세. ¶～执照; 톤세 납부증. =〔吨dūn税〕
〔船单〕 chuándān 명 용선(傭船) 계약서.
〔船挡〕 chuándǎng 명 뱃전의 물결막이.
〔船到江中补漏迟〕 chuán dào jiāngzhōng bǔ lòu chí 〈諺〉 배가 강가를 떠난 후에는 새는 것을 손질해도 늦다《때는 이미 늦음. 행차 뒤에 나팔》. =〔船到江心补漏迟〕
〔船到桥头自然直〕 chuán dào qiáotou zìrán zhí 〈諺〉 배는 다리 어귀에 이르면 저절로 똑바르게 된다《막상 해 보면 생각보다 쉽다. 궁하면 통한다》.
〔船底〕 chuándǐ 명 선저. ¶～货; 배 밑바닥짐.
〔船底鱼〕 chuándǐyú 명 《魚》 빨판상어.
〔船丁鱼〕 chuándīngyú 명 《魚》 보리멸.
〔船东〕 chuándōng 명 ⇒〔船主②〕
〔船舵〕 chuánduò 명 배의 키. ¶掌～; 키를 잡다.
〔船帆〕 chuánfān 명 (배의) 돛.
〔船方〕 chuánfāng 명 《商》 선박 회사. 본선(本船). 선주.

〔船房〕 chuánfáng 명 선실.
〔船匪〕 chuánfěi 명 해적.
〔船费〕 chuánfèi 명 뱃삯. 선임. 선박 요금. →〔船脚〕
〔船夫〕 chuánfū 명 뱃사공. 선부(船夫). 수부(水夫). →〔船家〕
〔船篙〕 chuángāo 명 삿대. 상앗대.
〔船工〕 chuángōng 명 ①뱃사공. →〔船家〕 ②조선공(造船工).
〔船公〕 chuángōng 명 〈文〉 뱃사공.
〔船骨〕 chuángǔ 명 ⇨〔龙lóng骨①〕
〔船户〕 chuánhù 명 ①⇨〔船家①〕 ②〈方〉 (배를 주거로 하는) 수상 생활자.
〔船伙〕 chuánhuǒ 명 선원. 배의 승무원.
〔船货〕 chuánhuò 명 배의 적하(積荷).
〔船货详单〕 chuánhuò xiángdān 명 《商》 (선박) 적하(積荷) 목록. 적하 명세서. 매니페스토(manifesto).
〔船籍〕 chuánjí 명 선박의 국적. →〔船旗国〕
〔船脊骨〕 chuánjǐgǔ 명 ⇨〔龙lóng骨①〕
〔船籍港〕 chuánjígǎng 명 선적항.
〔船价〕 chuánjià 명 뱃삯. 선임(船賃).
〔船驾不住风〕 chuán jià bu zhù fēng 〈諺〉 바람이 불면 배는 움직이지 않을 수 없다(힘 앞에는 굴복해라).
〔船家〕 chuánjia 명 ①뱃사공. =〔船户①〕 ②배의 임차료(賃借料).
〔船笺〕 chuánjiān 명 ⇨〔连lián史纸〕
〔船匠〕 chuánjiàng 명 배를 만드는 목공. 선장(船匠).
〔船脚〕 chuánjiǎo 명 배로 짐을 나르는 삯. 뱃삯. 선임(船賃). =〔水脚〕
〔船捐〕 chuánjuān 명 선세(船稅).
〔船壳〕 chuánké 명 〈方〉 선체(船體).
〔船老大〕 chuánlǎodà 명 ①〈俗〉 선장. 사공. ②〈方〉 개인 소유의 배의 임자. 선주. ③〈方〉 선원.
〔船力〕 chuánlì 명 (민간 선박의) 운임.
〔船楼〕 chuánlóu 명 (배의) 망루. 선루.
〔船橹〕 chuánlǔ 명 배의 노(櫓).
〔船面〕 chuánmiàn 명 갑판. =〔船板〕
〔船民〕 chuánmín 명 선민. 수상 생활자. →〔蛋dàn民〕
〔船牌〕 chuánpái 명 ①배의 등록 증명서. ②뱃전.
〔船篷〕 chuánpéng 명 ①돛. ②(지붕 따위를 덮는) 배의 뜸. 덮개.
〔船票〕 chuánpiào 명 배표.
〔船破有底〕 chuán pò yǒu dǐ 〈成〉 배는 파괴되어도 아직 밑바닥이 남아 있다(썩어도 준치. 큰 강에는 물이 끊이지 않는다). ¶别看他的买卖亏空了不少钱, 究竟他是多年的大商家, ～呢; 그는 장사에서 많은 손해를 입었지만 그래도 그는 오랫동안 장사를 한 대상인이다, 부자는 망해도 3년 간다.
〔船破又遇顶头风〕 chuán pò yòu yù dǐngtóufēng 〈諺〉 배가 파선된 데다 역풍까지 만나다. 엎친 데 덮친 격. 설상가상(雪上加霜).
〔船期〕 chuánqī 명 선적기(船積期). 선박 출항〔출범〕 기일.
〔船旗国〕 chuánqíguó 명 선적국(배에 국적을 표시한 기의 소속국).
〔船钱〕 chuánqián 명 뱃삯. 선임(船賃).
〔船桥〕 chuánqiáo 명 선교(船橋). (배의) 다리.
〔船蛆〕 chuánqū 명 ①《動》 갯강구. ②《貝》 좀조개.
〔船容量〕 chuánróngliàng 명 배〔선박〕의 적재량.
〔船上交(货)〕 chuánshàng jiāo(huò) 명 《商》 본선 인도. F.O.B.(Free On Board). ¶～价(格); 본선 인도 가격. F.O.B. 가격. =〔港口交(货)〕
〔船梢〕 chuánshāo 명 선미(船尾). 고물. =〔船艄〕〔船尾〕 ↔〔船头〕
〔船身〕 chuánshēn 명 선체.
〔船首〕 chuánshǒu 명 선수. 뱃머리. 이물. =〔船头〕 ↔〔船尾〕
〔船水单〕 chuánshuǐdān 명 선세(船稅) 영수증.
〔船艘〕 chuánsōu 명 배. 선박. =〔船只〕
〔船速〕 chuánsù 명 배의 속도.
〔船索〕 chuánsuǒ 명 배의 로프. 뱃줄.
〔船台〕 chuántái 명 (조선소의) 선대(船臺). 조선대(造船臺).
〔船体〕 chuántǐ 명 선체.
〔船跳板〕 chuántiàobǎn 명 (배와 부두를 연결하는) 승강용 사다리. 현제(舷梯).
〔船头〕 chuántóu 명 선수(船首). 뱃머리. 이물. ¶～上跑马, 走头无路; 〈歇〉 뱃머리에서 말을 타고 달리게 하면 갈 곳이 없다. ⓐ평판이 나빠 어디에 가도 상대해 주지 않다. ⓑ직업도 먹을 것도 없어 궁지에 몰리다. =〔船首〕
〔船桅〕 chuánwéi 명 배의 마스트. 돛대.
〔船尾〕 chuánwěi 명 선미. 고물. ↔〔船首〕
〔船位〕 chuánwèi 명 ①선위. ¶～推算法; (천문 관측에 의한) 선위(船位)의 추산법. ②(배의) 숙박 시설. ¶订～; (배의) 예약을 하다.
〔船坞〕 chuánwù 명 ①독(dock). 선거(船渠). ¶～费; 입거료(入渠料)／～堆栈单; 선거 창하증권(船渠倉荷證券). =〔船澳〕〔船渠〕 ②배 닿는 데. 계선장(繫船場).
〔船舷〕 chuánxián 명 ⇨〔船帮①〕
〔船形帽〕 chuánxíngmào 명 지 아이 모자(G.I. 帽子).
〔船腰〕 chuányāo 명 배의 폭.
〔船业主〕 chuányèzhǔ 명 배의 소유자. 선주.
〔船用油〕 chuányòngyóu 명 벙커유(油).
〔船邮〕 chuányóu 명 선박 우편.
〔船员〕 chuányuán 명 선원.
〔船员收货单〕 chuányuán shōuhuòdān 명 선원 수취증(船員受取證)
〔船运〕 chuányùn 명 배에 의한 수송.
〔船闸〕 chuánzhá 명 항행용 수문. ¶两个带有码头设备的大型～; 2개의 부두 설비를 한 대형 수문.
〔船长〕 chuánzhǎng 명 선장.
〔船长副本〕 chuánzhǎng fùběn 명 선하(船荷)증권의 선장 소지의 부본(副本). 캡틴즈 카피. =〔船长提单存根〕
〔船长遇险报告书〕 chuánzhǎng yùxiǎn bàogàoshū 명 해사 보고서(海事報告書).
〔船照〕 chuánzhào 명 배의 감찰(鑑札). 선박 통행권.
〔船只〕 chuánzhī 명 선박(船舶). ¶～保险; 선체 보험／～停舶处; 배의 정박지.
〔船中老鼠, 舱内觅食〕 chuánzhōng lǎoshǔ, cāngnèi mìshí 〈諺〉 배 안의 쥐는 선창에서 먹을 것을 찾는다(사람은 각기 그 직업으로 생활을 한다. 송충이는 솔잎을 먹어야 한다).
〔船主〕 chuánzhǔ 명 ①선장. ②선주. 배 임자. =〔船东〕
〔船资〕 chuánzī 명 〈文〉 뱃삯. 선임.

遄 **chuán** (천)
①형 왕래가 빈번하다. ②부 빨리. 신속히. 급히. ¶～往; 급히 가다／～返故乡; 서둘러

서 고향에 돌아가다. ③부 자주. 종종.

篅〈圌〉 chuán (천)
명 〈方〉 곡물을 넣어 저장하는 시설. =〔囤dùn〕 ⇒ '圌' Chuí

椽 chuán (연)
명 ①《建》 서까래. ¶出头~子先烂; 모난 돌이 정 맞는다. ②사다리.

〔椽笔〕 chuánbǐ 명 〈比〉〈文〉 대문장(大文章). 훌륭한 문장.

〔椽料〕 chuánliào 명 서까래 재목.

〔椽柱〕 chuánzhù 명 〈文〉 굵은 기둥.

〔椽子〕 chuánzi 명 《建》 서까래. =〔椽条〕

舛 chuǎn (천)
동 ①틀리다. 어긋나다. 잘못하다. ¶命途多~ =〔时乖guāi命~〕; 〈成〉 운수가 좋지 않다. 시운이 불길하다 / 讹é~; (문자의) 착오. 잘못. ②반(叛)하다. 배반하다. ¶~逆nì; ⇩ ‖ =〔僢〕〔踳〕

〔舛驳〕 chuǎnbó 형 〈文〉 혼잡하고 어수선하여 틀림이 많다. 잡다한 것이 뒤섞여 있다.

〔舛驰〕 chuǎnchí 동 〈文〉 반대 방향으로 달리다.

〔舛错〕 chuǎncuò 명 착오. 잘못.

〔舛错〕 chuǎncuo 명 (의외의) 잘못. 실패. ¶不会有~; 절대로 실패할 리 없다. 형 들쭉날쭉하다.

〔舛讹〕 chuǎn'é 명 〈文〉 착오. 실수.

〔舛互〕 chuǎnhù 동 〈文〉 ①교착하다. 서로 어긋나다. ②배반하다. 저버리다.

〔舛逆〕 chuǎnnì 동 〈文〉 ①반역하다. 위배하다. ②순서가 역전하다.

〔舛忤〕 chuǎnwǔ 동 위반하다. 어기다. ¶~命令; 명령을 어기다.

〔舛误〕 chuǎnwù 명 〈文〉 착오.

喘 chuǎn (천)
①동 허덕[헐떡]거리다. 숨이 차다. ¶累得直~; 지쳐서 계속 헐떡이다 / 吁xū吁~; 헉헉하고 숨을 헐떡이다. ②동 (피곤하거나 해서) 한숨 돌리다. 잠깐 쉬다. ¶笑得~不过气儿来; 우스워서 숨이 막힐 지경이다. ③명 숨. 호흡. 목숨. ¶苟gǒu延残~; 얼마 남지 않은 목숨을 구차히 이어 가고 있다. ④명 《醫》〈簡〉 '气喘' (천식)의 약칭.

〔喘不上气〕 chuǎn bu shàng qì 동 (괴로워서) 숨이 막히다. 숨차 헐떡이다.

〔喘喝〕 chuǎnhè 명동 《漢醫》 천식으로 숨이 차서 겨우 말하다〔또는 그런 증세〕.

〔喘急〕 chuǎnjí 명 《漢醫》 기관지 천식.

〔喘鸣〕 chuǎnmíng 명 《漢醫》 천식으로 목이 울리는 소리.

〔喘气(儿)〕 chuǎn.qì(r) 동 ①헐떡이다. 숨을 가쁘게 쉬다. ¶走这么几步就喘不过气来; 요 정도 걸었는데 벌써 숨이 가빠진다. ②한숨 돌리다. 잠깐 쉬다. ¶你累了一天, 也该喘喘气儿了; 너는 하루 종일 애썼으니까 한숨 돌려야 해 / 喘一口气; 잠깐 쉬다. 한숨 돌리다. 명 《醫》 천식.

〔喘息〕 chuǎnxī 명 《漢醫》 천식. 동 ①(숨을) 허덕[헐떡]이다. ¶~未定; 헐떡거림이 아직 멎지 않다. ②한숨 돌리다. 잠깐 쉬다.

〔喘吁吁(的)〕 chuǎnxūxū(de) 형 숨을 헐떡이는 모양. ¶累得~的; 지쳐서 헉헉하다. =〔喘嘘嘘(的)〕

僢 chuǎn (천)
동 ⇨〔舛〕

踳 chuǎn (준)
동 ⇨〔舛〕

串 chuàn (천)
①동 끈으로 꿰다. 꼬챙이에 꿰다. 염주알처럼 죽 잇달아 (실에) 꿰다. ¶~贯; ⇩ / ~上一~; 꿰어서 한 꼬치로 하다 / 数珠是把许多珠子~连在一起的; 염주는 많은 알을 실에 꿴 것이다. ②(~儿) 양 꼬치. 꿰미. 두름〔한데 이어 꿴 것을 말함〕 / 珠子~儿; 구슬을 염주 이어 꿰듯 한 것 / 人们连成一~; 사람들이 한 줄〔일렬〕이 되다 / 一~骆驼; 한데 이은 낙타. ③동 한통속이 되어〔결탁해서〕 못된 짓을 하다. ¶勾gōu~; 한통속이 되다 / ~供; ⇩ / ~话; ⇩ ④동 어긋나다. 잘못 잇다. 혼선이 되다. ¶电话~线; 전화가 혼선되다. 전화를 잘못 연결하다. ⑤동 빗나가다. 벗어나다. ¶说~了; 이야기가 빗나갔다 / 看~了行; 행을 잘못 보았다. 행이 틀렸다. ⑥동 (냄새 따위가) 스미다. 배다. ¶~烟; 요리에서 연기 냄새가 나다 / 东西~味儿; 고약한 냄새가 배었다. ⑦동 감전(感電)되다. ¶要摘下电灯泡的时候让电~了; 전구를 빼려고 할 때 감전되었다. ⑧동 (남의 집에) 드나들다. 돌아다니다. ¶~亲戚; 친척 집을 돌아다니다 / 到处乱~; 여기저기 싸다니다. ⑨동 연극에 출연하다. ¶戏中~戏; 극중에서 연기하다. ⑩명 《商》 어음. ⑪동 이 곳〔병〕에서 저 곳〔병〕으로 따라 옮기다. ¶把这壶酒~回原来的瓶子里去; 이 주전자〔술병〕의 술을 원래의 병에 도로 따라 부어라. ⑫명 친한 사람. 친척. ¶亲~; 친척.

〔串鼻子〕 chuàn bízi 한통속이 되다. 서로 기맥을 통하다. =〔勾搭〕〔勾结〕

〔串弊〕 chuànbì 동 공모해서 나쁜 짓을 하다. =〔串通作弊〕

〔串并联〕 chuàn bìnglián 명 《電》 직병렬(直竝列) 접속.

〔串单〕 chuàndān 명 ⇨〔串票〕

〔串地〕 chuàndì 동 뿌리를 파헤쳐 밭의 땅을 고르다.

〔串电〕 chuàn.diàn 동 ①(전화나 라디오가) 혼선되다. 잡음이 들어가다. ②감전(感電)되다.

〔串房檐儿〕 chuàn fángyánr ①〈京〉 셋방살이를 전전하다. ¶而今房租大, ~真吃亏; 지금은 집세가 비싸기 때문에 셋방살이를 하면 손해다 / 有了宿舍, 可不再~了; 숙사가 생겨서 더 이상 돌아다니며 살지 않게 되었다. =〔串瓦檐儿〕 ②늘 이사하는 사람. ③거지·탁발승 등이 집집마다 구걸하며 돌아다니는 일.

〔串供〕 chuàngòng 동 (범인이) 공모해서 허위의 진술을 하다〔말을 맞추다〕.

〔串贯〕 chuànguàn 동 꿰뚫다. 관통하다.

〔串行传递〕 chuànháng chuándì 명 《電算》 (컴퓨터에서) 직렬 전송(直列傳送).

〔串胡同儿〕 chuàn hútongr ①골목을 돌아다니다. 〈轉〉유곽에서 놀다. ②〈轉〉 손가락으로 발가락 사이의 때를 후벼내다.

〔串花〕 chuànhuā 동 《生》 각기 다른 품종의 농작물이 유성 잡교(有性雜交)하다.

〔串话〕 chuànhuà 동 ①말을 맞추다. 공모(共謀)하다. ②일러바치다. =〔传chuán话③〕 명 ⇨〔串音〕

〔串换〕 chuànhuàn 동 바꾸다. 서로 교환하다. ¶~优良品种; 우량종을 서로 교환하다.

〔串激〕 chuànjī 명 《電》 직렬식 여자(直列式勵

磁). ¶～发电机; 직렬형 발전기.

〔串计〕 chuànjì 동 한통속이 되어〔공모하여〕 못된 짓을 꾀하다.

〔串江湖〕 chuàn jiānghú 세상을 떠돌아다니다. 떠돌이 생활을 하다.

〔串讲〕 chuànjiǎng 동 ①자구마다 해석하다《언어의 교수 방법》. ②(장·절별로 강의를 한 후) 전체를 통하여 설명하다. 개괄하다. ¶要不～, 尽管每个词都懂了, 也还不能把意思连贯起来; 전체를 통하여 설명하지 않으면 뜻이 연결되지 않는다.

〔串街〕 chuànjiē 동 이 거리 저 거리로 어슬렁거리며 싸다니다.

〔串疽〕 chuànjū 명《漢醫》 등창. =〔老lǎo鼠钻〕

〔串客〕 chuànkè 명〈俗〉 인형을 조종하는 사람.

〔串来串去〕 chuànlái chuànqù 여기 저기를 쏘다니다.

〔串连〕 chuànlián 명동 ⇨〔串联〕

〔串联〕 chuànlián 동 ①(순서를 따라서) 연락을 취하다. 꾀다. =〔串通②〕 ②한통(속)이 되다. 결탁하다. =〔串通①〕 ③경험을 교류하(기 위해 순차적으로 방문하)다. ④《電》 직렬(直列) 연결 하다. 명 (경험 교류를 위한) 방문. ‖ =〔串连〕

〔串铃〕 chuànlíng 명 많은 방울을 한 가닥의 실에 꿴 것《옛날, 여기저기 돌아다니는 점쟁이·매약 행상인 따위가 흔들거나 노새 따위의 목에 거는 방울》.

〔串楼〕 chuànlóu 이 건물에서 저 건물로 건너가다.

〔串门〕 chuàn·mén 동 남의 집을 돌아다니다. ¶～上户 =〔～走户〕; 남의 집을 찾아(돌아)다니다.

〔串门儿〕 chuànménr ⇨〔串门子〕

〔串门子〕 chuàn ménzi 〈口〉 이집 저집 돌아다니며 놀다. (잡담하러 남의 집을) 돌다. 이웃에 놀러 가다. ¶整天价～, 老不着zháo家; 하루 종일 수다 떨고 다니느라 늘 집에 붙어 있지 않다. =〔串门儿〕〔穿chuān门儿〕〔撞zhuàng门子〕

〔串谋〕 chuànmóu 동 ①공모하다. 서로 짜다. ②협의(協議)하다.

〔串炮〕 chuànpào 명 한 줄에 꿰맨 폭죽.

〔串泡放血〕 chuànpào fàngxuè 피멍을 터뜨려서 피를 내다.

〔串皮〕 chuànpí 동《漢醫》 약을 복용한 후 약효가 온몸에 퍼지다.

〔串骗〕 chuànpiàn 동 한통속이 되어〔공모하여〕 속이다. 서로 짜고 속이다.

〔串票〕 chuànpiào 명 납세 영수증. =〔串单〕〔串纸〕

〔串气〕 chuànqì 동 기맥을 통하다. 한통속이 되다. 내통하다. ¶他跟敌人～了, 要造反了; 그는 적과 내통해서 모반하려고 한다.

〔串气儿〕 chuàn·qìr 동 ①숨이 이어지다. ②끊임없이 계속되다.

〔串窃〕 chuànqiè 동 공모하여 훔치다.

〔串亲〕 chuànqīn 동 친척 집을 돌아다니며 방문하다. =〔串亲戚〕

〔串亲戚〕 chuàn qīnqi 친척을 찾아다니다. =〔串亲〕

〔串儿〕 chuànr 명 ⇨〔串子①③〕

〔串人〕 chuànrén 명 공모자. 동 남과 결탁하다.

〔串双簧〕 chuàn shuānghuáng 한패가 되다. ¶他们同英法～; 그들은 영국·프랑스와 한패이다. →〔双簧〕

〔串唆〕 chuànsuō 동 꼬드기다. 교사하다.

〔串堂风〕 chuàntángfēng 명 실내를 통하는 바람. =〔穿chuān堂风〕〔过guò堂风〕

〔串屉儿〕 chuàntìr 동 식은 음식을 찜통에 넣어 다시 찌다.

〔串通〕 chuàntōng 동 ①한통속이 되다. 기맥을 통하다. =〔串联②〕 ②연락을 취하다. 꾀다. =〔串联①〕 ③꼬드기다. 부추기다. ¶本来挺好的孩子, 都叫他们给～坏了; 본래는 착한 아이였는데, 그들 꾐에 빠져 나빠졌다.

〔串通一气〕 chuàn tōng yī qì 〈成〉 한패가 되다. 서로 내통하다. ¶～, 互相包庇; 한패가 되어 서로 감싸다.

〔串同〕 chuàntóng 명동 ⇨〔勾gōu结〕

〔串吞〕 chuàntūn 동 한패가 되어 속여 빼앗다.

〔串窝子病〕 chuànwōzibìng 명〈俗〉 전염병.

〔串戏〕 chuànxì 동 ①연극에 출연하다. →〔反fǎn串(儿)〕 ②아마추어 배우가 직업 배우와 함께 출연하다. →〔下xià海④〕

〔串线〕 chuànxiàn 동 전화가 혼선되다.

〔串乡〕 chuàn·xiāng 동 (판매·수매·기예 팔기·의사 노릇을 하기 위해) 이 마을에서 저 마을로 돌아다니다. ¶我～送货; 저는 이 마을에서 저 마을로 물품을 전하고 돌아다녀요.

〔串乡游街〕 chuàn xiāng yóu jiē 〈成〉 (행상(行商) 등이) 손님을 찾아 마을이나 거리를 돌아다니다.

〔串烟〕 chuàn·yān 동 삶은 음식에 연기 냄새가 배다.

〔串演〕 chuànyǎn 동 ①취미삼아 연극을 하다. ②배역을 맡다. 출연하다.

〔串秧儿〕 chuànyāngr 명 〈口〉 ①(동식물의) 잡종. 교잡하여 변화된 잡종. ②〈罵〉 튀기. 잡종. 혼혈아.

〔串音〕 chuànyīn 명 전신·전화 따위의 혼선. =〔串话〕

〔串悠〕 chuànyōu 동 ⇨〔串游〕

〔串游〕 chuànyóu 동 어슬렁거리다. 산책하다. =〔串悠〕

〔串宅门儿〕 chuàn zháiménr ①행상인이 집집마다 돌아다니다. ②하인 등이 (한군데에 자리를 잡지 못하고) 이집 저집 떠돌아다니다.

〔串辙〕 chuànzhé 동 (이야기나 문장이) 본줄기에서 벗어나다. 앞뒤가 혼란하다. ¶说串了辙了; 이야기가 탈선했다.

〔串证〕 chuànzhèng 동 죄인이 공모하여 〔한패가 되어〕 증거를 내세우다.

〔串珠(儿)〕 chuànzhū(r) 명 ①구슬을 염주처럼 실에 꿴 것. ②꼬챙이에 꿴 것.

〔串子〕 chuànzi 명 ①꼬챙이에 꿴 것. =〔串儿〕 ②창고에 넣은 화물의 영수증. ③꼬챙이. 꼬치. =〔串儿〕

钏(釧)

chuàn (천)
(～子) 명 팔찌. ¶银～; 은 팔찌. =〔镯zhuó子〕

〔钏钗〕 chuànchāi 명 ①팔찌와 비녀. ②〈比〉 여자.

CHUANG ㄔㄨㄤ

创(創)

chuāng (창)
명 ①창상(創傷). 상처. ¶刀～; 도상(刀傷). ②타격. 손해. ¶～巨痛深; ⇩ / 予以重～; 중대한 손해를 주다. ⇒

chuàng
〔创痕〕 chuānghén 명 상처 자국. 흉터.
〔创巨痛深〕 chuāng jù tòng shēn 〈成〉 상처가 깊고 통증이 심하다《타격이 크다》. =〔疮巨痛深〕
〔创口〕 chuāngkǒu 명 ⇨〔疮口〕
〔创面〕 chuāngmiàn 명 상처의 표면.
〔创伤〕 chuāngshāng 명 창상. 상처. 〈比〉 상처. 큰 타격. ¶医治战争的～; 전쟁으로 인한 상처를 치료하다.
〔创痍〕 chuāngyí 명 ⇨〔疮痍〕

疮(瘡) chuāng (창)
명 ①종기. 부스럼. ¶头上长zhǎng了～了; 머리에 부스럼이 생겼다 / 奶～; 유선염(乳腺炎) / 杨梅～; 악성 매독 발진 / 疱pào～; 포창. 천연두. ②외상(外傷). 상처. ¶金～ =〔刀～〕; (칼에) 베인 상처. 찔린 상처.
〔疮疤〕 chuāngbā 명 ①종기·상처 따위가 나은 자국. 부스럼 자국. 상처 자국. ¶原子～; 원자 폭탄에 의한 상처 자국. 켈로이드 / 脸上的～; 얼굴의 상처 자국. =〔疤疤子〕 ②〈比〉 결점(缺點). 단처. 아픈 곳. ¶揭你的～! 자네의 약점을 폭로하겠다!
〔疮瘢〕 chuāngbān 명 부스럼 자국.
〔疮痂〕 chuāngjiā 명 (부스럼·상처의) 딱지.
〔疮疖〕 chuāngjiē 명 부스럼.
〔疮巨痛深〕 chuāng jù tòng shēn 〈成〉 상처가 크고 통증이 심하다《타격이 큼》. =〔创巨痛深〕
〔疮口〕 chuāngkǒu 명 종기·상처 따위의 터진 구멍. =〔创口〕
〔疮痨〕 chuāngláo 명 고름이 마를 새 없이 짓물러서 낫기 힘든 종기.
〔疮痏〕 chuāngwěi 명 〈文〉 상처 자국.
〔疮疡〕 chuāngyáng 명 부스럼. 종기.
〔疮痍〕 chuāngyí 명 〈文〉 ①상처. ②〈比〉 질고(疾苦). 손해. 고통. ¶满目～ =〔～满目〕; 〈成〉 상처투성이다. 만신창이다. ‖ =〔创痍〕

窗〈窓, 窻, 牕, 牕, 牎〉 chuāng (창)
명 ①(～儿, ～子) 창(문). ¶玻bō璃～; 유리창 / ～户; ⇓ ②동학(同學)의 사람. ¶同～ =〔～友〕; 동창.
〔窗板〕 chuāngbǎn 명 (창의) 비막이 덧문. 빈지문.
〔窗玻璃〕 chuāngbōlí 명 창유리.
〔窗橱〕 chuāngchú 명 진열창. 쇼 윈도. =〔橱窗〕
〔窗洞(儿)〕 chuāngdòng(r) 명 〈方〉 창 위의 벽에 낸 구멍. 창구멍. 공기창.
〔窗格子〕 chuānggézi 명 창살. 창의 격자. =〔窗棂(子)〕〔窗户磴儿〕
〔窗根儿〕 chuānggēnr 명 창문의 아래 부분.
〔窗户〕 chuānghu 명 창문. ¶～台儿; 창틀 하부의 가로나무 / ～纸; ⓐ창호지. ⓑ〈比〉 안색이 창백한 모양. ⓒ〈比〉 아주 가까운 거리의 형용 / ～挡儿; 창가리개《커튼·차양·덧문 따위》 / ～磴dèng儿 =〔窗格子〕; 창살 / ～帘儿; 커튼. 차양. 블라인드 / ～眼儿; 창살 사이의 공간. 창호지가 찢어진 구멍 / ～缝儿; 창틈.
〔窗花(儿)〕 chuānghuā(r) 명 색종이를 접어서 여러 모양으로 오린 것《정월에 창을 장식하는 데 쓰임》.
〔窗口〕 chuāngkǒu 명 ①창문. ②(～儿) 창가. 창문 옆. ¶站在～远望; 창가에 서서 먼 곳을 바라보다. ③창구. ¶～工作差不多都是由女职员担任; 창구의 일은 대개 여직원이 담당하고 있다. ④〈比〉 정신상·물질상에서 각종 현상·수준을 보여 주는 곳. ¶眼睛是心灵的～; 눈은 영혼의 창구이다 / 王府井是北京商业的～; 왕푸징(王府井)은 베이징 상업의 창구다.
〔窗口行业〕 chuāngkǒu hángyè 명 〈比〉 상업·서비스업과 교통 운수 부문 등의 창구 업무를 하는 직업.
〔窗框〕 chuāngkuàng 명 창틀. =〔窗架〕
〔窗帘(儿)〕 chuānglián(r) 통 창의 커튼. 블라인드. ¶～纱; 커튼의 레이스 / 拉开～; 커튼을 열(어 젖히)다 / 安上～; 커튼을 달다.
〔窗棂(子)〕 chuānglíng(zi) 명 ⇨〔窗格子〕
〔窗幔〕 chuāngmàn 명 ①창의 커튼. ②(내리닫이식의) 차양.
〔窗门〕 chuāngmén 명 〈方〉 창문.
〔窗明几净〕 chuāng míng jī jìng 〈成〉 창은 밝고 책상은 깨끗하다《청아(清雅)한 서재(書齋)나 거실을 이름》.
〔窗幕钢轨〕 chuāngmù gāngguǐ 명 커튼 레일.
〔窗纱〕 chuāngshā 명 여름에 창에 바르는 사(紗) 또는 금속망.
〔窗扇〕 chuāngshàn 명 여닫는 창(틀).
〔窗饰〕 chuāngshì 명 창문 장식《장식 커튼》.
〔窗台(儿)〕 chuāngtái(r) 명 창의 하부의 가로나무 부분. 창문받이. =〔窗户台儿〕〔窗沿〕
〔窗屉(儿, 子)〕 chuāngtì(r, zi) 명 〈方〉 망창(網窓)의 틀.
〔窗帷〕 chuāngwéi 명 창의 커튼《중간에서 밑의 부분》.
〔窗沿〕 chuāngyán 명 ⇨〔窗台(儿)〕
〔窗友〕 chuāngyǒu 명 동창. 학교 친구.
〔窗子〕 chuāngzi 명 창(窓)

床〈牀〉 chuáng (상)
① 명 침대. 베드. ¶一张～ =〔一架～〕; 1대의 침대 / 卧wò～; ⓐ침대에서 자다. 침대에 눕다. ⓑ침대. 침상. 베드 / 单人～; 싱글 베드 / 双人～; 더블 베드 / 铺pū～; 침구를 깔다〔펴다〕 / 叠dié～; 침상을 치우다. ② 양 침구의 수를 세는 말. ¶一～被窝; 침구 한 채 / 一～铺盖; 이불 한 채. ③(～子) 명 물건을 놓거나 걸쳐 세우는 대(臺). ¶笔～; 필가(筆架). 붓걸이. ④(～子) 명 〈轉〉 가게. ¶菜～; 야채 가게 / 鱼～; 어물전. ⑤ 명 베드·대(臺) 모양의 넓은 평면을 가진 것. ¶刨bào～; 평삭반. 플레이너(planer) / 河～; 하상. 강바닥 / 苗～; 묘상. 못자리 / 牙～; 잇몸집. 치경.
〔床板〕 chuángbǎn 명 ①목제(木製) 침대의 판자. ②《機》 베드 플레이트.
〔床边〕 chuángbiān 명 침대 언저리. 머리맡.
〔床布〕 chuángbù 명 침대보.
〔床襜〕 chuángchān 명 침대 하부의 둘레를 덮어 가리는 천.
〔床单(儿, 子)〕 chuángdān(r, zi) 명 침대의 시트.
〔床底下放风筝〕 chuáng dǐ xià fàng fēngzheng 〈成〉 침대 밑에서 연 띄우기《아무리 높이려 해도 한도가 있음》.
〔床垫〕 chuángdiàn 명 침대의 매트. ¶弹簧～; 스프링 매트(spring mat).
〔床架(子)〕 chuángjià(zi) 명 ①침대의 틀. ¶铜～; 놋쇠로 만든 침대틀. ②《機》 (공작 기계의)

베드.
〔床脚〕 chuángjiǎo 명 ①침대의 다리. ②《機》 레그(leg).
〔床铺〕 chuángpù 명 침대와 이불. 잠자리.
〔床前地毯〕 chuángqián dìtǎn 침대 앞에 까는 매트〔양탄자〕.
〔床褥〕 chuángrù 명 침대에 까는 요.
〔床上安床〕 chuáng shàng ān chuáng 〈成〉 침대 위에 침대를 겹쳐 쌓다《옥상 가옥(屋上架屋)하다. 불필요한 짓을 하다》. →〔屋wū上架屋〕
〔床虱〕 chuángshī 명 《蟲》 빈대. =〔臭chòu虫〕
〔床榻〕 chuángtà 명 침대의 총칭《큰 것을 '床', 가느다랗게 긴 것을 '榻'라고 함》.
〔床毯〕 chuángtǎn 명 (침상용) 모포. 담요.
〔床屉子〕 chuángtìzi 명 중국식 침대에서 스프링의 작용을 하는 부분《종려나무의 끈이나 버들가지 또는 철사 등으로 엮음》. =〔床绷〕
〔床头〕 chuángtóu 명 침대의 머리맡. ¶~语; 부부가 잠자리에서 하는 이야기 / ~柜guì =〔~小柜〕〔~桌〕; (침대 옆의) 사이드 테이블 / ~灯; 침대 머리맡 전등. 베드 사이드 램프(bedside lamp) / ~金尽; 〈成〉 빈곤해지다.
〔床头人〕 chuángtóurén 명 아내의 별칭.
〔床头捉刀人〕 chuángtóu zhuōdāorén 명 문장을 대신 써 주는 사람. →〔捉刀〕
〔床帷〕 chuángwéi 명 〈文〉 침대에 치는 모기장.
〔床位〕 chuángwèi 명 ①(기차·기선의) 침대. ¶~票; 침대권. ②(병원·기숙사·호텔 등의) 침대.
〔床席〕 chuángxí 명 침대에 까는 돗자리.
〔床沿儿〕 chuángyánr 명 침대의 가장자리.
〔床毡〕 chuángzhān 명 침대의 아래에 까는 담요.
〔床帐〕 chuángzhàng 명 ①침대에 둘러치는 커튼. ②침대용 모기장.
〔床罩〕 chuángzhào 명 침대 덮개. 베드 커버.
〔床子〕 chuángzi 명 ①공작(工作) 기계. =〔机床①〕 ②〈方〉 노점용(露店用)의 상품대(臺). 〈轉〉 가게. ¶鱼~; 생선 가게.

噇 chuáng (당)
동 〈方〉 폭음 폭식(暴飮暴食)하다.

幢 chuáng (당)
①명 기드림에 쓰이는 기(旗). ¶幡~ =〔~幡〕; 《佛》 불당을 꾸미는 기. ②명 《佛》 불명(佛名)이나 경문(經文)이 새겨져 있는 석주(石柱). ¶经~; 경문을 새기는 석주(石柱) / 石~; 불명(佛名)을 새기는 석주(石柱). ③명 수레에 치는 휘장. ④형 (그림자가) 흔들리는 모양. ¶灯下人影~~; 불빛 아래 사람의 그림자가 움직인다. ⇒zhuàng
〔幢幢〕 chuángchuáng 형 그림자가 흔들려 어른거리는 모양. ¶人影~; 사람의 그림자가 흔들흔들 어른거리다.
〔幢幡〕 chuángfān →〔字解①〕
〔幢麾〕 chuánghuī 명 옛날의, 의장(儀仗)의 기(旗).
〔幢节〕 chuángjié 명 ①옛날, 명령을 전달할 때, 그 신빙도를 확실히 하기 위한 부신(符信). ②의장《의식에 쓰이는 무기나 물건》.

磑 chuáng (당)
지명용 자(字). ¶流波~; 《地》 류보창(流波磑)《안후이 성(安徽省)에 있는 땅 이름》.

闯(闖) chuǎng (틈)
동 ①돌입하다. 갑자기〔불시에〕 뛰어들다. ¶往里~; 불시에 들어오다 / ~进去; 느닷없이 뛰어들어가다. ②몸으로 부딪치다. 충돌하다. ¶想法子~过这一关去; 방법을 강구하여 이 난관을 뚫다. ③뜻하지 않게 좋지 않은 결과를 가져오다. ④경험을 쌓다. 수련하다. ¶~练; 세상에 나가 고생하다. 경험을 쌓다 / 他这几年~出来了; 그는 요 몇 년 동안 단련을 받았다. ⑤화(禍)를 부르다. 문제를 일으키다. ⑥끼여들다. ⑦이리저리 돌아다니다. 떠돌다. 드나들다. ¶~荡; ⇩ ⑧만나다. ⑨개척하다.
〔闯出〕 chuǎngchū 동 ①(곤란을 배제(排除)하고) 타개(打開)〔개척〕하다. ¶为治山~了新路; 치산에 새로운 길을 열다. ②뛰어〔튀어〕나오다.
〔闯出头〕 chuǎngchūtóu 동 고달픈 수련을 쌓은 끝에 두각을 나타내다.
〔闯大运〕 chuǎng dàyùn 무모하게 큰 일에 대들다《되든 안 되든 해 보다》.
〔闯荡〕 chuǎngdàng 동 ①타향에서 생계를 유지하다. 떠돌이 생활을 하다. →〔闯江湖〕 ②감연(敢然)히 곤란에 맞서다.
〔闯倒〕 chuǎngdǎo 동 부딪쳐 넘어뜨리다. 부딪쳐 쓰러뜨리다.
〔闯道〕 chuǎng.dào 동 남의 앞길을 가로지르다.
〔闯翻〕 chuǎngfān 동 부딪쳐〔들이받아〕 뒤집히게 하다.
〔闯关〕 chuǎng.guān 동 ①이겨 내다. 극복하다. 관문을 돌파하다. ¶闯难关; 난관을 돌파하다. ②세관(稅關)의 눈을 속이다.
〔闯关东〕 chuǎng Guāndōng (내륙에 있는 사람이) 산하이관(山海關) 동쪽 지방에 기근 때문에 피해 가다. 〈比〉 타향에서 근근히 생계를 유지하다.
〔闯光棍儿〕 chuǎng guānggunr 깡패 생활을 하다. 협객 노릇을 하며 지내다.
〔闯过去〕 chuǎngguòqu 동 덮어놓고 돌파하다.
〔闯红灯〕 chuǎng hóngdēng 적신호〔정지 신호〕를 무시하고 쏜살같이 몰다.
〔闯婚〕 chuǎng.hūn 동 혼인 때 궁합 따위〔상대〕를 보지 않고 정하다. 〈轉〉 무모하게〔운을 하늘에 맡기고〕 해 보다. ¶管他怎么个结果, 给他个~; 어떤 결과가 되든 관계 없이 운을 하늘에 걸고 해 보자.
〔闯祸〕 chuǎng.huò 동 (무모한 짓을 하여) 화를 부르다. 잘못을 저지르다. ¶~东闯! 요 재수 없는 새끼! / 你~了; 그것 봐라 (그럴 줄 알았어) / 你开车要小心, 千万别~; 안전 운전을 해서 절대로 사고를 내지 말도록 하게.
〔闯江湖〕 chuǎng jiānghu (옛날, 점쟁이·곡예사·약장수·돌팔이 의사 등을 하면서) 세상을 떠돌아다니다. 떠돌이 생활을 하다.
〔闯将〕 chuǎngjiàng 명 ①용장(勇將). 투장(鬪將). ②무법자.
〔闯劲〕 chuǎngjìn 명 (일에 대해) 돌진해 나아가는 힘. 추진력. 개척 정신. 용맹심(勇猛心). ¶他缺乏~; 그는 용맹심이 부족하다.
〔闯进〕 chuǎngjìn 동 난입(亂入)〔틈입〕하다. 뛰어들다. =〔闯入〕
〔闯开〕 chuǎngkāi 동 힘껏 부딪쳐 열다. 확 열다. ¶~门进去; 문을 확 열고 들어가다.
〔闯练〕 chuǎngliàn 동 세상사에 연달(練達)하다. 실생활 속에서 단련하다. 경험을 쌓다. ¶他没见过世面, 总得~~才好; 그는 세상을 모르니까 세상에 내보내어 고생을 시켜야 한다.

〔闯路子〕 chuǎng lùzi 목적을 향해 필사적으로 돌진하다. 목표를 향해 앞뒤 생각 없이 돌진하다.

〔闯门而入〕 chuǎng mén ér rù 〈成〉 아무 말 없이 갑자기 뛰어들어가다.

〔闯门子〕 chuǎng·ménzi 동 ①…에 운동하다. …의 환심을 사다. ②귀찮게 남의 집을 드나들다. 함부로 남의 집에 들어가다.

〔闯南走北〕 chuǎng nán zǒu běi 〈成〉 각지를 돌아다니다. =〔走南闯北〕

〔闯牌子〕 chuǎngpáizi 동 (무뢰한들이 무서운 짓을 해서) 악명을 떨치다.

〔闯入〕 chuǎngrù 동 틈입하다. 갑자기 뛰어들어가다. →〔突tū入〕

〔闯丧〕 chuǎngsāng 동 헤매고 다니다. 볼일도 없이 쏘다니다. ¶你跑哪儿~去了? 너는 어딜 헤매고 다녔느냐? =〔撞zhuàng丧②〕

〔闯上〕 chuǎngshang 동 (돌아다니다가) 마주치다. 뜻밖에 당하다. ¶~了哨兵; 초계병(哨戒兵)과 마주쳤다.

〔闯事〕 chuǎng·shì 동 ①사건을 일으키다. 일을 저지르다. ②(일시 모면하기 위해) 덮어놓고 해 보다. ¶我不过闯闯事, 哪儿有把握呢; 나는 임시 변통으로 하고 있는 것인데, 어디 자신 같은 것이 있겠습니까.

〔闯王〕 chuǎngwáng 명 ①명(明)나라의 이자성(李自成)의 별칭. ②〈轉〉 흉포(凶暴)한 사람. ¶不问青红皂白, 你就拿刀动杖的, 真成了~了; 무턱대고 칼이나 몽둥이를 휘두르다니 너는 정말 흉포한 놈이다.

〔闯席〕 chuǎng·xí 동 초대도 받지 않고 남의 연회석에 들어가다. ¶~的; 불청객.

〔闯运气〕 chuǎng yùnqì 운에 맡기고 부딪쳐 보다.

〔闯阵〕 chuǎng·zhèn 동 적진에 돌진하다.

〔闯字号〕 chuǎng·zìhao 동 (가게의) 이름을 알리다[선전하다].

〔闯子〕 chuǎngzi 명 난폭한 사람.

〔闯座〕 chuǎng·zuò 동 비집고 들어와 자리에 앉다.

沧(滄) chuàng (창)

형 〈文〉 춥다. 차다.

创(創〈刱, 剏〉) chuàng (창)

동 ①시작하다. 처음으로 하다. 창조[창설]하다. 발명하다. ¶~新记录; 신기록을 세우다 / 首~一种新样式; 새 양식을[뉴 모드를] 창출하다 / ~办; ⇩ ②혼내 주다. ⇒chuāng

〔创办〕 chuàngbàn 동 창립[창설]하다. 창업하다. ¶~人; 창설자. 창립자 / 从~到现在; 창립에서 현재까지.

〔创导〕 chuàngdǎo 동 창조하고 지도하다. ¶~了开国的机运; 개국(開國)의 기운을 창조하고 지도했다.

〔创获〕 chuànghuò 명 (노력하여 얻은) 첫 수확·체득(體得)·발견·발명·업적. ¶许多老工人有不少的~; 여러 숙련공들은 많은 발명을 했다.

〔创纪录〕 chuàng jìlù 동 ①신기록을 세우다. ②종전의 사례를 깨다.

〔创家立业〕 chuàng jiā lì yè 〈成〉 가업(家業)을 일으키다.

〔创见〕 chuàngjiàn 명 ①처음 있는 일. 미증유(未曾有)의 것. ②독창적인 견해.

〔创建〕 chuàngjiàn 동 창립하다. 창설하다.

〔创举〕 chuàngjǔ 명 최초의 거행(擧行)[시도]. 첫 번째 기획. ¶这次电影周在亚洲是~; 이번의 영화 주간은 아시아에서는 최초의 기획이다.

〔创刊〕 chuàng·kān 동 정기 출판물을 창간하다. ¶~号; 창간호.

〔创立〕 chuànglì 동 일으키다. 창립하다.

〔创牌儿〕 chuàngpáir 동 상품 따위의 선전을 하다. ¶头十天贱卖~; 처음 열흘 동안은 싸게 팔아 선전을 한다.

〔创牌子〕 chuàng páizi ①명성을 넓히다. ②샌드위치 맨(앞뒤로 광고판을 달고 다니는 선전꾼).

〔创辟〕 chuàngpì 동 처음으로 열다. ¶~了新的境地; 새로운 경지를 열었다.

〔创设〕 chuàngshè 동 ①창립하다. ②창조하다. 만들다. ¶为我们的学习~有利的条件; 우리들의 학습을 위해 유리한 조건을 만들어 내다.

〔创始〕 chuàngshǐ 동 창시하다. 시작하다. ¶~人; 창립자.

〔创世〕 chuàngshì 명 천지의 시초. 천지 개벽. 천지 창조. ¶~记jì; 〖書〗 창세기. 기독교 구약성서 제1권. 천지 개벽·만물 창조의 이야기가 실려 있음. (chuàng·shì) 동 창세하다.

〔创土机〕 chuàngtǔjī 명 〖機〗 스크레이퍼(scraper).

〔创新〕 chuàng·xīn 동 새로운 것을 만들다. 신기축(新機軸)을 이룩하다. ¶他们敢于~; 그들은 겁내지 않고 새로운 것을 만들어 낸다.

〔创业〕 chuàng·yè 동 사업을 시작하다. ¶没有老一辈的艰苦~, 哪里会有今天? 옛 세대(世代)의 사람들이 고생하여 기초를 닦아 주지 않았다면, 어떻게 오늘(의 세상)이 있을 수 있겠는가? / 守摊tān不~; 현상에 안주하여 새롭게 일을 시작하려고 하지 않다.

〔创议〕 chuàngyì 명동 새로운 의견 제의(하다). 「발의(하다).

〔创艾〕 chuàngyì 동 〈文〉 무서워하며 경계하다.

〔创亦难, 守亦难, 知难不难〕 chuàng yì nán, shǒu yì nán, zhī nán bù nán 〈成〉 창업도 수성(守成)도 어렵지만, 어렵다는 것을 알고 노력하면 그다지 곤란하지는 않다.

〔创意造言〕 chuàngyì zàoyán 〈文〉 생각이나 문장(의 말)을 독창적으로 만들어 내다.

〔创造〕 chuàngzào 동 창조하다. 발명하다. 만들다. ¶~新记录; 신기록을 세우다 / ~性; 창조성. 창조적.

〔创造社〕 Chuàngzàoshè 명 창조사(1921년 궈모뤄(郭沫若)·위 다푸(郁達夫) 등 재일 유학생이 중심이 되어 설립한 문학 단체. 잡지 '创造季刊' 등에 의해 '文学研究会'에 대항했음).

〔创制权〕 chuàngzhìquán 명 〖政〗 법률 제정의 권리('复决权'·'罢免权'·'选举权'과 함께 三民主义에 의한 국민의 4대 권리의 하나).

〔创作〕 chuàngzuò 동 (문학·예술 등을) 창작하다. 명 창작품. 문예 작품.

怆(愴) chuàng (창)

동 〈文〉 슬퍼하다. ¶凄qī~; 슬프다. 비통하다 / 悲~; 몹시 슬퍼하다.

〔怆然〕 chuàngrán 형 〈文〉 슬퍼하는 모양. ¶~泪lèi下; 슬프게 눈물을 흘리다.

CHUI ㄔㄨㄟ

吹 chuī (취)

동 ①(바람이) 불다. ¶风~日晒; 〈成〉 비바람을 맞고 햇볕을 쬐다 / 今天什么风儿把你~

来了? 오늘은 무슨 바람이 불었기에 네가 다 왔지? ②입김을 불다. (악기 따위를) 불다. ¶～笛; 피리를 불다 / ～奏乐; 취주악. ③허풍 치다. 흰소리 치다. ¶他竟会～; 그는 큰소리〔허풍〕만 치고 있다 / 胡～乱嗙pǎng; 함부로 허풍 떨다 / 先别～, 做出具体成绩来再说! 큰소리는 일의 성과를 보고 나서 치는 게 어때! ④선전하다. 추천하다. 칭찬하다. ¶～嘘; ⇩ / ～得天花乱坠; 미사 여구로 교묘히 지껄이다. 허풍 떨다. ⑤('～了'의 형태로) 일이 틀어지다. (약속 · 일 따위를) 무효로 만들다. 그만두다. 파기〔해소〕하다. (두 사람 사이가) 벌어지다. ¶事情～了; 일이 틀어졌다 / 他们俩～了; 그 두 사람은 깨졌다 / 我们俩的婚约～了; 우리 두 사람의 혼약은 깨졌다 / 病了没几天就～了; 며칠 앓지도 않고 죽었다.

〔吹嘴〕 chuī.bié 동 휘파람을 불다. →〔吹口哨(儿)〕

〔吹玻璃〕 chuībōli 동 (공장에서) 유리를 불다.

〔吹吹打打〕 chuīchui dǎdǎ 나팔을 불고 북을 치다(허풍을 떨거나 과장해서 말하다).

〔吹吹拍拍〕 chuīchui pāipāi 자랑하기도 하고, 추어 주기도 하다. ¶～, 拉拉扯扯; 자랑하고 추어주며 한패가 되다.

〔吹打〕 chuīdǎ 동 ①(관악기와 타악기로) 연주하다. ¶～弹拉tánlā; (여러 악기로) 연주하다 / ～的; 악사(樂師) / 八十岁学～, 老来忙; ⓐ노망 부리다. ⓑ주책 부리다. ②허풍을 떨다. 큰〔흰〕소리 치다. 자기 선전을 하다. ③(비 · 바람이) 습격하다. 기습하다. 명 음악.

〔吹打乐〕 chuīdǎyuè 명〘樂〙 ①장쑤(江蘇) 남부에 유행하고 있는 민간 음악(주된 악기는 피리와 북). ②중국의 관악기와 타악기의 합주.

〔吹大牛〕 chuī dàniú 엄청난 허풍을 떨다.

〔吹大气〕 chuī dàqì 〈方〉 큰소리 치다. 허풍을 떨다.

〔吹灯〕 chuī.dēng 동 ①등불을 불어서 끄다. ②중단이 되다. 중도에 흐지부지되다. 없어지다. ¶那件事后来～了; 그 일은 그 후에 흐지부지돼 버렸다. ③죽다. 쓰러지다. ¶没想到那么结实的人会～了; 그런 튼튼한 사람이 죽다니 정말 뜻밖이었다. ④ ⇨〔喷pēn灯〕

〔吹灯拔蜡〕 chuīdēng bálà 〈比〉 인간사(人間事)가 이미 끝나다. 죽다.

〔吹灯散伙〕 chuīdēng sànhuǒ 등불을 불어 끄고 동아리를 해산하다(합동 사업의 해체, 또는 단체의 해산을 말함).

〔吹笛〕 chuī.dí 동 피리를 불다.

〔吹法螺〕 chuīfǎluó 동 ①〘佛〙 부처가 설법하다. ② ⇨〔吹牛〕

〔吹风〕 chuī.fēng 동 ①바람이 불다. =〔刮风〕 ②(머리를) 드라이어로 말리다. ③바람을 쐬다. 바람을 맞다. ¶吃了药别～! 약을 먹었으면 바람을 쐬어서는 안 된다! ④(～儿) 넌지시 비추다. ¶他～儿要咱们邀请他参加晚会; 그는 넌지시 우리가 그를 파티에 초청해 주도록 말을 비추었다. ⑤헛소문을 퍼뜨리다. 낭설을 퍼뜨리다. ¶有人往我们耳朵里边～; 우리들 귀에 소문을 퍼뜨리는 자가 있다.

〔吹风管子〕 chuīfēng guǎnzi 명〘機〙 송풍관(送風管).

〔吹风呼哨〕 chuīfēng hūshào 휘파람을 불다. ¶都拖枪拽棒跟着那个大汉～来寻武松《水滸傳》; 모두 창이나 몽둥이를 들고 그 큰 사나이를 따라 휘파람을 신호로 무송(武松)을 찾아왔다.

〔吹风机〕 chuīfēngjī 명 드라이어. 헤어드라이어. =〔鼓gǔ风机〕

〔吹风炉〕 chuīfēnglú 명 ⇨〔转zhuàn炉〕

〔吹拂〕 chuīfú 동 〈文〉 ①(산들바람이) 불다. 어루만지다. ¶春风～在脸上; 봄바람이 볼을 어루만지다. ②선전하다. 남을 거들어 말해 주다.

〔吹干〕 chuīgān 동 바람을 쐬어 말리다. ¶～了就行了; 바람에 말리면 된다.

〔吹歌〕 chuīgē 명〘樂〙 옛날, 북방 농촌에서 길흉사(吉凶事)가 있을 때에 행하는 음악(현재는 각종 회합 때에 연주됨. 관악기를 주로 하는 지방색이 풍부한 음악. 그 조직을 '～会'라고 함).

〔吹鼓手〕 chuīgǔshǒu 명 ①옛날, 혼례(婚禮)나 장례식 때의 악사(樂師). ¶八十岁学～; 〈諺〉 노인이 되어서 공부를 시작하다. 만학(晚學)하다. ②〈比〉 남에게 빌붙는 사람. 간살 부리는 사람. ‖ =〔吹手〕

〔吹臌〕 chuīgǔ 동 불어서 부풀리다.

〔吹管〕 chuīguǎn 명〘化〙 취관(吹管)(화학(化學) · 광물(鑛物) 분석 용구).

〔吹管分析〕 chuīguǎn fēnxī 명〘化〙 취관 분석.

〔吹海螺〕 chuī.hǎiluó 동 소라를 불다. 〈比〉 허풍을 떨다.

〔吹号〕 chuī.hào 동 나팔을 불다.

〔吹胡子〕 chuī.húzi 동 불끈 화를 내다. 성을 내다. ¶～瞪眼; 성이 나서 눈을 부라리다〔부릅뜨다〕.

〔吹葫芦〕 chuī.húlu 동 〈比〉 ①큰 소리를 지르다. ② ⇨〔吹牛〕

〔吹乎〕 chuīhu 동 ①호령하다. 호통〔야단〕치다. ¶把他～一顿; 그를 한바탕 호통쳤다. ②자랑하다. 허풍떨다. 큰소리 치다. =〔吹牛〕

〔吹灰〕 chuīhuī 동 ①재를 불다. ¶～之力; 〈比〉 매우 쉬운 일 / 不费～之力; 아주 약간의 힘밖에 들지 않다. 거저먹기이다. ②(chuī.huī) 면목〔체면〕을 잃다. ¶吹了一脸灰; 면목을 잃다.

〔吹火筒〕 chuīhuǒtǒng 명 불을 일으킬 때 부는 대통. =〔吹筒②〕

〔吹葭〕 chuījiā 명 〈文〉 양기(陽氣)가 발동(發動)함(옛날, 기상(氣象)을 관찰할 때 갈대의 재를 이용한 데서 온 말).

〔吹箭筒〕 chuījiàntǒng 명 입으로 화살을 부는 통. =〔吹筒③〕

〔吹口琴〕 chuī.kǒuqín 동 하모니카를 불다.

〔吹口哨(儿)〕 chuī.kǒushào(r) 동 휘파람을 불다. →〔打dǎ呼哨(儿)〕

〔吹喇叭〕 chuī.lǎba 동 ①나팔을 불다. ② ⇨〔吹牛〕 ③ ⇨〔吹捧〕

〔吹了〕 chuīle (일이) 틀어지다. 중지되다. 실패하다. ¶这门婚事～; 이 혼담은 깨졌다.

〔吹擂〕 chuīlèi 동 ⇨〔吹牛〕

〔吹冷风〕 chuī.lěngfēng 동 〈比〉 냉담한 말을 퍼붓다. 물을 끼얹다. =〔吹阴风〕

〔吹炼〕 chuīliàn 명〘工〙 (고로(高爐)의) 블로잉(blowing).

〔吹晾〕 chuīliang 동 바람을 쐬어 말리다. ¶等墨～～再折上吧; 먹이 마른 후에 접어라.

〔吹毛〕 chuī.máo ①(날붙이의 날이 얼마나 잘 드나) 털을 놓고 불(어서 시험해 보)다. ② 명 〈比〉 매우 손쉬운 일.

〔吹毛求疵〕 chuī máo qiú cī 〈成〉 털을 불어 흉터를 찾다(일부러 남의 흠〔탈〕을 잡다). =〔吹毛寻孔〕

〔吹灭〕 chuīmiè 동 불어서 끄다.

〔吹牛〕 chuī.niú 동 허풍을 떨다. 흰소리를 치다. ¶～大王; 거짓말 대장/吹大牛; 허풍을 대단히 떨다/这么一来, 他又有一个牛好向朋友吹了; 이렇게 되면, 그는 또 한 가지 친구들에게 흰소리를 칠 거리가 생긴 셈이 된다. =〔吹法螺②〕〔吹乎②〕〔吹葫芦②〕〔吹喇叭②〕〔吹擂〕〔吹牛屄〕〔吹牛膀股〕〔吹牛皮〕〔吹牛腿〕〔吹气冒烟儿②〕〔吹嘴〕〔〈廣〉车chē大炮〕

〔吹嗙〕 chuīpǎng 동 허풍을 떨다. ¶信口～, 旁若无人; 멋대로 허풍을 떨고, 방약 무인이다.

〔吹捧〕 chuīpěng 동 치켜세우다. 떠받들다. 추어올리다. ¶把孔子～成宇宙之伟人; 공자(孔子)를 우주의 위인이라고 떠받들다. =〔吹喇叭③〕

〔吹气冒烟儿〕 chuī qì mào yānr ①털을 곤두세우고 성내는 모양. =〔吹胡子〕 ② ⇨〔吹牛〕

〔吹腔〕 chuīqiāng 명 《樂》 중국 전통극 가락의 하나(원래 '弋yì阳腔'의 변체(變體)를 말했으나, 현재는 피리로 반주하는 것의 총칭(總稱)).

〔吹求〕 chuīqiú 동 (결점을) 꼬치꼬치 들추어 내다. =〔吹毛求疵〕

〔吹曲儿〕 chuī.qǔr 동 음악을 취주(吹奏)하다.

〔吹散〕 chuīsàn 동 불어 흩뜨리다.

〔吹沙〕 chuīshā 명 《魚》 상어.

〔吹哨(儿,子)〕 chuī.shào(r,zi) 동 휘파람을 불다. 호루라기를 불다.

〔吹蚀〕 chuīshí 명 《地質》 디플레이션(deflation). 풍식(風蝕) 작용.

〔吹手〕 chuīshǒu 명 ⇨〔吹鼓手〕

〔吹台〕 chuītái 동 그만두다. 소홀히 하다. 못 쓰게 되다. 죽다. 끝장나다. ¶那件事～了; 그 일은 그만두었다/那个人～了; 그 사람은 죽었다.

〔吹台裂哄〕 chuītái lièhòng ①(연극 따위) 흥행을 끝마치다. ②(계획·일 따위가) 깨지다. 틀어지다. (공동 사업이) 실패해서 그만두게 되다.

〔吹弹〕 chuītán 동 음악을 연주하다('吹'는 관악기를 취주(吹奏)하는 일, '弹'은 현악기를 타는 일). ¶～歌唱; 음악을 연주하고 노래를 부르다.

〔吹糖人儿(的)〕 chuītángrénr(de) 명 ①물엿을 불어서 여러 가지 모양으로 만들어 파는 사람. ②〈比〉 ㉠콧대가 센 사람. ㉡불같이 화가 나 있는 사람.

〔吹腾〕 chuīténg 동 ①크게 떠벌리다. 과장하다. ¶这是实话, 咱们自己人用不着～; 이 얘기는 사실이니, 우리 사이에 떠벌릴 필요는 없다. ②말을 퍼뜨리다.

〔吹筒〕 chuītǒng 명 ①(사냥에 쓰이는) 새나 짐승 소리를 내어 새·짐승을 유인하는 피리. ② ⇨〔吹火筒〕 ③ ⇨〔吹箭筒〕

〔吹筒箭〕 chuītǒngjiàn 명 대통에 넣고 입으로 불어 쏘는 화살.

〔吹网〕 chuīwǎng 동 〈文〉 바람을 불어 넣어 그물을 부풀게 하려 하다(불가능한 짓을 하다. 미친 짓을 하다).

〔吹(个)弯儿〕 chuī(ge) wānr (드라이어 따위로) 길을 들이다. ¶要不要～? (머리에) 웨이브를 넣을까요?

〔吹熄〕 chuīxī 동 불어서 끄다.

〔吹箫〕 chuī.xiāo 동 ①퉁소를 불다. ②빌어먹다. ¶～乞qǐ食; 걸식을 하다(전국시대, 오자서(伍子胥)가 오(吳)나라에서 퉁소를 불고 다니며 걸식을 한 고사에서 유래함).

〔吹嘘〕 chuīxū 동 ①선전하다. 자기 선전을 하다. 과장해서 말하다. ②(남을 위해) 좋게 말하다. 치켜세우다.

〔吹氧〕 chuī yǎng 산소를 불어넣다. ¶～会; 기합을 넣는 모임. 격려회.

〔吹影镂尘〕 chuī yǐng lòu chén 〈成〉 그림자를 불어 없애고, 먼지에 파서 새기려 하다(헛수고를 하다. 형적〔흔적〕이 남지 않다).

〔吹云泼墨〕 chuīyún pōmò 명 《美》 수묵화(水墨畫) 화법의 하나('吹云'은 소위 '吹墨'의 법으로 물에 적신 종이에 먹물을 뿜어서 구름을 그리는 화법. '泼墨'은 수묵의 점으로 산을 그리는 법).

〔吹植〕 chuīzhí 동 추천하여 직장을 얻어주다. =〔吹嘘培植〕

〔吹指〕 chuīzhǐ 동 손가락을 입에 대고 소리를 내다.

〔吹皱一池春水〕 chuīzhòu yīchí chūnshuǐ 〈歇〉 남의 일에 쓸데없이 참견을 하다('风乍起, ～'에서 온 말).

〔吹奏〕 chuīzòu 동 《樂》 취주하다.

〔吹奏乐〕 chuīzòuyuè 명 《樂》 취주악.

〔吹嘴〕 chuī.zuǐ 동 ⇨〔吹牛〕

炊 chuī (취)

①동 밥을 짓다. ¶～米成饭; 쌀로 밥을 짓다. ②명 밥. ¶巧妇难为无米之～; 〈諺〉 살림 잘 하는 주부라도 쌀 없이는 밥을 못 짓는다(없으면 어쩔 도리가 없다).

〔炊骨易子〕 chuī gǔ yì zǐ 〈成〉 뼈로써 밥을 짓고, 자식을 남과 바꿔 잡아먹다(극도의 식량 결핍의 참상을 이름).

〔炊桂〕 chuīguì 동 계수나무를 때다(물자 결핍에 물가가 등귀하다). ¶食玉～; 주옥같이 비싼 쌀을 먹고, 계수나무같이 비싼 장작으로 밥을 짓다.

〔炊火〕 chuīhuǒ 명 〈文〉 밥 짓는 연기.

〔炊金馔玉〕 chuī jīn zhuàn yù 〈成〉 호화로운 음식물을 먹고 호사스런 생활을 하다.

〔炊具〕 chuījù 명 취사 도구. 부엌 살림.

〔炊沙作饭〕 chuī shā zuò fàn 〈成〉 헛수고하다.

〔炊事〕 chuīshì 명동 취사(하다). ¶～班; 취사반/～员; (군대·학교 등의) 취사부(夫·婦). 요리사.

〔炊烟〕 chuīyān 명 ①아궁이의 연기. 밥 짓는 연기. ②〈文〉 인가(人家).

〔炊帚〕 chuīzhou 명 대쪽을 가늘게 쪼개어 묶은 것으로 통·냄비 따위를 닦아 씻는 기구. 설거지솔. 수세미. =〔筅xiǎn帚〕

垂 chuí (수)

①동 늘어지다. 드리우다. ¶～钓; ⇩/帘子～着; 발이 드리워져 있다. ②동 〈敬〉〈文〉 …을 내리다. …을 내려 주시다(하급자의 상급자에 대한 겸양어). ¶～询; ⇩/～念; ⇩/～顾; ⇩ ③동 〈文〉 전해져 가다. 후세로 전하다. ¶名～千古; 이름을 만고에 드리우다/永～不朽xiǔ; 〈成〉 영원히 불후의 명성을 남기다. ④동 〈文〉 가까워지다. 거의 다 되다. 거의 …이다. ¶攻败～成; 마지막 고비에서 실패하다/～暮; 해가 바야흐로 지려고 하다. 저녁 무렵. ⑤명 가. 가장자리. ⑥명 변두리. 변경(邊境). ¶边～; 변경.

〔垂爱〕 chuí'ài 동 〈翰〉 (특별한) 호의·총애를 받다. 명 호의. 친절. 두터운 정.

〔垂白〕 chuíbái 동 〈文〉 머리가 희어지려고 하다.

〔垂察〕 chuíchá 동 〈翰〉 미루어 헤아려 주시다.

〔垂成〕 chuíchéng 동 〈文〉 거의 이루어지려 하다. ¶功败～; 〈成〉 거의 다 되어 가다가 실패하다.

〔垂垂〕 chuíchuí 부 〈文〉 점차. 서서히.

〔垂带〕 chuídài 명 《建》 궁전 등 계단의 중앙, 또

는 좌우에 설치된 조각(彫刻) 장식.
〔垂钓〕 chuídiào 동 〈文〉 낚시하다.
〔垂发〕 chuífà 명 ⇨〔垂髫〕
〔垂范〕 chuífàn 동 〈文〉 모범을 보이다.
〔垂芳〕 chuífāng 동 〈文〉 훌륭한 이름을 후세에 남기다. →〔流liú芳〕
〔垂拱〕 chuígǒng 동 옷을 드리우고 팔짱을 끼다(하는 일이 없는 모양). ¶～而治; 무위지치(無爲之治). 성인의 덕이 지대하여서 아무 일을 하지 않아도 저절로 다스려짐. =〔垂衣拱手〕
〔垂顾〕 chuígù 명동 〈文〉 애고(愛顧)(를 입다).
〔垂花门〕 chuíhuamén 명 구식 저택(邸宅)의 '二门'의 상부에 아치 모양을 만들고 거기에 조각이나 채화(彩畫)가 돼 있는 문.
〔垂鉴〕 chuíjiàn 동 〈翰〉 보아 주시다. ¶伏乞～; 삼가 보아 주시기를 바랍니다.
〔垂绝〕 chuíjué 동 〈文〉 거의 죽어 가다.
〔垂老〕 chuílǎo 〈文〉 동 나이를 먹다. 노인이 되다. 늙다. 명 노년(老年). ¶～之年; 늘그막. 만년(晩年).
〔垂泪〕 chuílèi 동 〈文〉 눈물을 흘리다.
〔垂帘〕 chuílián 동 ①수렴청정하다. 황태후가 섭정하다. ②발을 드리우다.
〔垂怜〕 chuílián 동 〈文〉 불쌍히 여기다.
〔垂谅〕 chuíliàng 동 〈翰〉 양찰하시다. 헤아려 살피시다.
〔垂柳〕 chuíliǔ 명 《植》 ①수양버들. ②왕버들.
〔垂露〕 chuílù 수로(서법(書法)의 하나. 세로로 내리긋는 획의 끝을 삐치지 않고 붓을 눌러 멈추는 법. 한(漢)나라의 중랑(中郎) 조희(曹喜)가 창시함).
〔垂纶〕 chuílún 동 〈文〉 낚시질하다.
〔垂名〕 chuímíng 동 〈文〉 명예를 후세에 남기다.
〔垂暮〕 chuímù 명 〈文〉 ①날이 저물 무렵. ②〈比〉 늘그막. 만년(晩年). ¶(西夕)～(之)年; 만년.
〔垂念〕 chuíniàn 동 〈翰〉 보살펴 주시다. 배려하시다. ¶承蒙～, 感谢不尽; 보살펴 주셔서 고맙기 이를 데 없습니다. =〔垂眷〕 →〔关guān垂〕
〔垂泣〕 chuíqì 동 〈文〉 소리를 죽이고 울다.
〔垂青〕 chuíqīng 동 〈翰〉 특별히 호의를 보이시다. ¶荷蒙～, 感激无既; 호의를 베풀어 주시어 감사하기 이를 데 없습니다. →〔青眼〕〔清鉴〕
〔垂示〕 chuíshì 동 수교(垂教)하다. 가르쳐 주다.
〔垂世〕 chuíshì 동 〈文〉 세상에 널리 전하다.
〔垂手〕 chuíshǒu 동 ①양손을 드리우다(경의의 표시). ¶～侍立; 양손을 드리우고 공손히 서 있다. ②두 손을 늘어뜨리(고 아무 일도 안하)다. ¶～而得; 〈成〉 쉽게 손에 넣다. 수고하지 않고 손에 넣다.
〔垂死〕 chuísǐ 동 죽음에 직면하다. 죽을 것 같다. ¶～挣扎zhēngzhá; 〈成〉 단말마의 모질음. 최후의 저항.
〔垂堂〕 chuítáng 명 〈文〉 마루 끝. 또는 처마 밑(위험한 곳). ¶千金之子, 不坐～; 천금과 같이 귀한 자식은 마루 끝에는 앉지 않는다.
〔垂体〕 chuítǐ 명 《生》 뇌하수체. ¶～前叶激素; 뇌하수체 전엽(前葉) 호르몬. =〔脑nǎo垂体〕〔脑下垂体〕
〔垂涕〕 chuítì 동 〈文〉 울다. 눈물을 흘리다.
〔垂髫〕 chuítiáo 명 〈文〉 ①아이의 땋아 늘어뜨린 머리. ②〈轉〉 아이. 어린이. 유년(幼年). ‖=〔垂发〕
〔垂听〕 chuítīng 동 〈文〉〈謙〉 경청하여 주시다. 들어 주시다.
〔垂统〕 chuítǒng 동 〈文〉 통서(統緖)를 후세에 전하다.
〔垂头丧气〕 chuí tóu sàng qì 〈成〉 풀이 죽은 모양. 숨죽은 듯한 모양. 풀이 죽은 모양. 낙담한 모양. =〔垂头搨tà翼〕
〔垂橐〕 chuítuó 동 〈文〉 텅 빈 주머니를 늘어뜨리다. 명 가난.
〔垂亡〕 chuíwáng 동 멸망에 다다르다.
〔垂危〕 chuíwēi 동 〈文〉 ①위기에 빠지다. ②빈사(瀕死) 상태이다. 위독하다.
〔垂问〕 chuíwèn 동 〈翰〉 물으시다. 하문(下問)하시다. =〔垂询〕
〔垂下〕 chuíxià 동 늘어뜨리다.
〔垂涎〕 chuíxián 동 〈文〉 ①(먹고 싶어) 침을 흘리다. ②〈比〉 부러워하다. 탐내다. ¶～三尺; 〈成〉 탐내어 침을 석 자나 흘리다/～欲滴; 〈成〉 몹시 가지고 싶은 욕망이 일어나다.
〔垂线〕 chuíxiàn 명 《數》 수선(垂線). 수직선. =〔垂直线〕
〔垂线足〕 chuíxiànzú 명 《數》 수족(垂足). =〔垂趾〕
〔垂心〕 chuíxīn 명 《數》 수심.
〔垂询〕 chuíxún 동 〈翰〉 하문(下問)하다. =〔垂问〕
〔垂训〕 chuíxùn 동 가르침〔교훈〕을 내리다. 윗사람이 아랫사람을 가르치다. 명 후세에 전하는 교훈. ‖=〔垂教〕
〔垂杨柳〕 chuíyángliǔ 명 《植》 수양버들. =〔〈文〉柳①〕〔水shuǐ杨②〕
〔垂佑〕 chuíyòu 동 〈文〉 도와 주다. ¶上天～; 하늘이 도와 주다.
〔垂照〕 chuízhào 명 ⇨〔垂注〕
〔垂直〕 chuízhí 명 수직. ¶～起落飞机; 수직 이착륙 비행기.
〔垂直舵〕 chuízhíduò 명 (항공기의 꼬리 부분에 수직으로 달려 있는) 방향타(方向舵).
〔垂直关系〕 chuízhí guānxi 명 상급과 하급과의 종(縱)의 관계. →〔水shuǐ平关系〕
〔垂直领导〕 chuízhí lǐngdǎo 명 (상급으로부터 하급으로) 종적인 지도.
〔垂直面〕 chuízhímiàn 명 《數》 수직면.
〔垂直平分线〕 chuízhí píngfēnxiàn 명 《數》 수직 2등분선.
〔垂直线〕 chuízhíxiàn 명 《數》 수선(垂線). 수직선.
〔垂趾〕 chuízhǐ 명 《數》 수선족(垂線足). =〔垂足〕
〔垂注〕 chuízhù 명 〈翰〉 배려. =〔垂照〕
〔垂准〕 chuízhǔn 명 수직기(垂直機).

陲 chuí (수)
명 〈文〉 변경. 국경 (지방). 경계에 닿아 있는 곳. ¶边～; 변경/东～; 동쪽 국경 지방.

捶〈搥〉 chuí (추)
동 ①방망이로 치다. 때리다. ¶～衣裳; 옷을 방망이질하여 빨다. ②망치로 치다. ③주먹으로 치다. ¶～背; ⇩/把他～哭了; 주먹으로 그를 쥐어박아 울렸다/顿足～胸; 발을 구르며 가슴을 치다. ④채찍질하다. ¶～马; 말에 채찍질을 하다.
〔捶板石〕 chuíbǎnshí 명 다듬잇돌. 빨랫돌. =〔捶布石〕
〔捶背〕 chuí.bèi 동 (안마를 위해) 어깨나 등을 두드리다.
〔捶布〕 chuí.bù 동 다듬이질하다. ¶～石; 다듬잇돌. 빨랫돌.
〔捶打〕 chuídǎ 동 ①(주먹으로) 톡톡 가볍게 치

다. ②방망이로 때리다〔두드리다〕. ¶～衣服; 빨래를 방망이질하다.

〔捶鼓〕 chuí.gǔ 동 북을 두드리다.

〔捶金箔〕 chuí jīnbó 망치로 두드려 펴서 금박(金箔)을 입히다.

〔捶鲁〕 chuílǔ 형 우둔하다.

〔捶儿〕 chuír 명 물건을 두드리는 방망이. =〔槌儿〕〔捶子〕

〔捶台拍凳〕 chuí tái pāi dèng 〈成〉 격노하여 탁자나 의자를 치다. ¶～大哭大骂了一场; 탁자나 의자를 치면서 울고불고 욕을 하며 한바탕 날뛰었다.

〔捶腿〕 chuí.tuǐ 동 (안마하기 위해) 발을 두드리다.

〔捶心泣血〕 chuí xīn qì xuè 〈成〉 가슴을 치며 피눈물을 흘리다(몹시 슬퍼하는 모양). =〔椎心泣血〕

〔捶胸〕 chuíxiōng 동 감정이 치밀어 자기의 가슴을 치다. ¶～跌脚 =〔～顿足〕; 〈成〉 (슬픔·분함이 극단에 이르러) 가슴을 치거나 발을 동동 구르는 모양.

〔捶腰〕 chuí.yāo 동 허리를 두드리다. 허리를 안마하다.

〔捶钟〕 chuí.zhōng 동 방망이로 종을 치다. → 〔撞zhuàng钟〕

〔捶子〕 chuízi 명 ⇨〔捶儿〕

棰 chuí (추)
〈文〉 ① 명 짧은 막대기. ② 동 막대기로 치다. 매질하다. ③ 명 매. 채찍.

锤(錘〈鎚〉) chuí (추)
①(～子) 명 (저울의) 추. 분동(分銅). =〔秤锤〕 ② 명 고대(古代)의 병장기(나무 끝에 둥근 쇠뭉치를 단 것). ③(～儿, ～子) 명 물건을 두드리는 도구. 쇠망치. 해머. ¶铁～; 쇠망치/气～; 에어해머/机械～; 기계 해머/球头～; 볼 해머(ball hammer)/电～; 전기 해머/填隙～; 코킹 해머(calking hammer). ④ 동 (쇠망치로) 두드리다. 벼리다. 단련하다. ¶千～百炼; 〈成〉 골백번이나 쳐서 단련하다(수없이 괴로운 시련을 겪음)/经历～而成长起来; 단련의 결과로서 성장하였다. ⑤(～子) 양 장사·거래의 횟수를 나타냄(흔히, 한 번에 한함). ¶一～买卖; 한 번만의 장사.

〔锤骨〕 chuígǔ 명 《生》 추골. 망치뼈. =〔槌骨〕

〔锤炼〕 chuíliàn 동 ①연마하다. 단련하다. ②(문장을) 다듬다.

〔锤头〕 chuítóu 명 쇠망치의 머리 부분.

〔锤砧〕 chuízhēn 명 《機》 모루.

〔锤子〕 chuízi 명 ①저울추. ②쇠망치. 장도리.

箠 chuí (추)
〈文〉 ① 명 채찍. ② 동 채찍질하다. ¶～楚chǔ =〔捶拉〕; 채찍으로 치는 형벌(학정에 비유함).

圌 Chuí (천)
명 《地》 추이 산(圌山)(장쑤 성(江蘇省)에 있는 산 이름). ⇒ '篅' chuán

椎 chuí (추)
① 명 망치. 두드리는 도구. ② 동 치다. 두드리다. ¶～鼓; 북을 치다. ③ 형 어리석다. ⇒zhuī

〔椎心泣血〕 chuí xīn qì xuè 〈成〉 너무 슬퍼서 마음이 아픈 모양.

槌 chuí (추)
①(～儿, ～子) 명 두드리는 막대기. (북 따위의) 채. ¶棒～; (빨래) 방망이/鼓～子; 북채. ② 동 치다.

〔槌骨〕 chuígǔ 명 ⇨〔锤骨〕

〔槌鲸〕 chuíjīng 명 《動》 망치고래(몸길이 6m 남짓하고, 머리 부분은 돌출되어 있음).

〔槌球〕 chuíqiú 명 《體》 크로케(croquet)(잔디 위에 가는 쇠막대를 굽혀서 만든 6개의 기둥문을 세우고, 나무공을 나무 방망이로 쳐서 문기둥 안을 통과시켜 승부를 겨루는 놀이). ¶～具; 크로케 세트.

CHUN ㄔㄨㄣ

杶(櫄) chūn (춘)
명 《植》 참죽나무. 향춘(香椿).

春〈旾〉 chūn (춘)
명 ①봄. ¶～天; 봄/初～; 초봄/温暖如～; 봄처럼 따뜻하다. ②색정(色情). 욕정. 연애의 정. ¶怀～; (혼기가 되어) 연정을 품다. 처녀티가 나다/思～期; 사춘기. ③젊은 시절. ④술(酒)(당대(唐代)에 부르던 말). ⑤〈比〉 (봄과 같은) 생명력·생기(生氣). ¶妙手回～ =〔著zhuó手成～〕; 〈成〉 기사 회생의 명의(名醫). 의술이 뛰어나다. ⑥성(姓)의 하나.

〔春安〕 chūn'ān 명 〈翰〉 봄철에 건강하시기를 기원합니다(옛날 서간문의 맺음말로 쓰였음). ¶此肃, 顺颂～; 이만 줄이면서 봄철에 편안하시기를 기원합니다. =〔春祺〕〔春祉〕

〔春冰〕 chūnbīng 명 봄의 살얼음〔박빙〕(위험한 일을 이름). ¶虎尾～; 〈成〉 호랑이 꼬리를 밟거나 박빙을 밟듯이 위험하다/～秋云; 얇은 것을 형용하는 말.

〔春饼〕 chūnbǐng 명 밀가루를 반죽해서 얇게 펴서 구운 것으로 입춘(立春)에 먹는 음식. =〔薄báo饼〕

〔春播〕 chūnbō 명동 봄 파종(을 하다).

〔春不老〕 chūnbùlǎo 명 《植》 〈方〉 갓. =〔雪里红〕

〔春菜〕 chūncài 명 갓의 별칭. ¶～丝儿sīr; 갓 뿌리를 절인 것을 가늘게 썬 것. =〔芥jiè菜〕

〔春蚕〕 chūncán 명 봄누에. 춘잠.

〔春册〕 chūncè 명 춘화첩(春畵帖). =〔春宫册〕

〔春潮〕 chūncháo 명 봄철의 조수. 〈比〉 빠르고 거센 기세.

〔春绸〕 chūnchóu 명 ⇨〔线xiàn春〕

〔春葱〕 chūncōng 명 봄파. 〈轉〉 나긋나긋한 여성의 손가락.

〔春大麦〕 chūndàmài 명 봄에 씨앗을 뿌린 보리. 봄보리.

〔春灯〕 chūndēng 명 '灯节'(음력 정월 보름)에 장식하는 초롱.

〔春凳〕 chūndèng 명 등받이가 없는 긴 걸상의 일종.

〔春地〕 chūndì 명 봄에 파종을 할 논밭.

〔春点(儿)〕 chūndiǎn(r) ⇨〔黑hēi话①〕

〔春肥〕 chūnféi 명 《農》 봄 거름. 봄 비료.

〔春分〕 chūnfēn 명 춘분(24절기 중의 하나). ¶～点; 춘분점. 춘분날에 태양이 통과하는 점/～昼zhòu夜停; 〈文〉 춘분에는 밤낮의 길이가 같다.

〔春风〕 chūnfēng 명 ①봄의 훈훈한 바람. ¶～一

度; 봄바람이 한 차례 지나가다. ②〈比〉온화한 표정. 기쁜 표정. ¶～满面; 희색이 만면하다. ③〈轉〉자애로운 스승의 가르침. ¶～化雨;〈成〉봄바람. 봄비와 같이 화육(化育)하는 일《좋은 교육의 비유》. ④〈比〉남녀의 교합.

〔春风风人〕 chūn fēng fēng rén 〈成〉 적절한 때에 교육·원조를 해 주다《은혜와 혜택이 군중에 미침》.

〔春孵〕 chūnfū 명 봄의 부화(孵化).

〔春耕〕 chūngēng 명《農》춘경. 봄갈이. 봄의 들일. ¶～忙; 봄의 들일로 바쁘다.

〔春宫(儿)〕 chūngōng(r) 명 ①황태자의 주거(住居). =〔东宫①〕 ②춘화(春畫)《송(宋) 화원(畫苑)에 춘궁비희도(春宮祕戲圖)가 있어, 그 후에 춘화〔음란한 그림·사진〕를 '～'이라고 하게 되었음》. ¶～电影; 포르노 영화. =〔春画(儿)〕〔春宫图〕

〔春菇〕 chūngū 명 입춘 후에 수확한 버섯.

〔春灌〕 chūnguàn 명《農》봄의 관개(灌漑).

〔春光〕 chūnguāng 명〈文〉춘광. 봄 날씨. 봄 경치. ¶～明媚; 봄의 경치가 아름다운 모양.

〔春寒〕 chūnhán 명〈文〉이른 봄의 추위. 꽃샘추위. ¶～料峭liàoqiào;〈成〉이른 봄의 추위가 살을 에는 듯하다 / ～, 诸祈珍重;〈翰〉이른 봄의 추위에 몸조심하시기 바랍니다.

〔春旱〕 chūnhàn 명 봄가뭄. 봄의 한발.

〔春花〕 chūnhuā 명 봄꽃.

〔春花作物〕 chūnhuā zuòwù 봄철에 꽃 피는 작물.

〔春华〕 chūnhuá 〈文〉①명 봄꽃. ②〈轉〉왕성한 모양. ③〈轉〉외부에 나타난 아름다움. ¶～秋实;〈成〉ⓐ봄의 꽃과 가을의 열매. ⓑ봄에 꽃이 피고 가을에 열매를 맺는다. ⓒ외부의 아름다움과 내부의 충실. →〔芳fāng华〕 ④〈比〉아름다운 문사.

〔春化处理〕 chūnhuà chǔlǐ 명《農》춘화 처리. =〔春化法〕〔春莳法〕

〔春画(儿)〕 chūnhuà(r) 명 ⇨〔春宫(儿)②〕

〔春晖〕 chūnhuī 명〈文〉①봄 햇살. ②〈比〉부모의 비호. 은혜와 사랑.

〔春季〕 chūnjì 명 봄철. 봄 계절. ¶～天儿;〈方〉봄철.

〔春祭〕 chūnjì 명 ①옛날, 천자가 행차하여 행하였던 봄 제사. ②청명절의 묘제(墓祭).

〔春假〕 chūnjià 명 봄 휴가〔방학〕. ¶放～; 봄방학이 되다.

〔春江水暖鸭先知〕 chūn jiāng shuǐ nuǎn yā xiān zhī 〈成〉 봄 강물이 따뜻해진 것은 오리가 먼저 안다《생활을 몸소 실천한 사람만이 사물의 새로운 변화를 앎》.

〔春节〕 chūnjié 명 ①입춘(立春). ②봄철《입춘에서 입하까지》. ③(Chūnjié) 구정(舊正). 음력설.

〔春景天儿〕 chūnjingtiānr 명〈方〉봄. 봄철. =〔〈方〉春见天儿〕

〔春卷(儿)〕 chūnjuǎn(r) 명 밀가루 반죽을 얇게 펴서 그 속에 고기·표고버섯·부추·숙주나물·냉이 따위를 돌돌 말아 찌거나 기름에 튀긴 음식《정월에 먹음》.

〔春困秋乏〕 chūn kùn qiū fá 〈成〉 봄에는 졸음이 오고 가을에는 피로하기 쉽다.

〔春兰〕 chūnlán 명《植》보춘화. 춘란. 한란. =〔兰花〕

〔春兰秋菊〕 chūn lán qiū jú 〈成〉 봄의 난초와 가을 국화《각기 특징이 있어 그때 그때에 적합한 사물》.

〔春雷〕 chūnléi 명 ①봄날의 우레. ②〈比〉큰 일이 일어날 전조(前兆).

〔春联(儿)〕 chūnlián(r) 명 춘련. 정월에 문(門)에 붙이는 붉은 종이에 쓴 대구(對句). →〔春条(儿)〕〔门对(儿)〕

〔春霖〕 chūnlín 명〈文〉봄비.

〔春令〕 chūnlìng 명 ①봄철. 봄의 계절. ②봄의 기후. ¶冬行～; 겨울 날씨가 봄날처럼 따뜻하다.

〔春露秋霜〕 chūn lù qiū shuāng 〈成〉 ①봄의 이슬과 가을의 서리《자애와 위엄》. ②계절에 따라 조상의 제사·성묘를 하는 일.

〔春罗〕 chūnluó 명 얇은 견직물. 사(紗).

〔春麻〕 chūnmá 명 봄에 베는 삼(麻).

〔春麦〕 chūnmài 명 ⇨〔春小麦〕

〔春满人间〕 chūn mǎn rén jiān 〈成〉 온 천하에 봄의 기운이 넘침《완전히 봄다워짐》.

〔春忙〕 chūnmáng 명 봄의 농번기.

〔春梦〕 chūnmèng 명 봄 꿈. 덧없는 꿈. 공상. 순간의 기쁨. ¶富贵只是一场cháng ～; 부귀는 다만 한바탕의 덧없는 꿈이다.

〔春杪〕 chūnmiǎo 명〈文〉늦봄. 만춘.

〔春明〕 chūnmíng 명 당대(唐代)의 수도의 문 이름.〈轉〉서울. =〔京jīng师〕

〔春牛〕 chūnniú 명 옛날, 입춘 전날 두드리며 봄을 맞이하던 진흙을 바른 종이소. =〔泥ní牛〕〔土tǔ牛〕 →〔打dǎ春①〕

〔春女〕 chūnnǚ 명〈文〉과년(瓜年)한 처녀.

〔春暖花开〕 chūn nuǎn huā kāi 〈成〉 봄철 화창한 날씨에 꽃이 핌《봄의 절기가 좋은 모양》.

〔春期〕 chūnqī 명 사춘기.

〔春起〕 chūnqǐ 명〈文〉초봄. 이른 봄. 초춘.

〔春气〕 chūnqì 명 봄 기운. 봄의 양기.

〔春情〕 chūnqíng 명 ①봄날의 정취. ②색정. 정욕. ¶～发动期; 사춘기. =〔春心①〕

〔春秋〕 chūnqiū 명 ①봄과 가을. 해. 세월. ¶～穿; 춘추복(服). ②〈比〉나이. ¶～正富; 나이가 한창이다 / ～高; 나이를 먹었다. ③(Chūnqiū)《書》춘추《중국 고대 편년체의 사서(史書)》. ④(Chūnqiū)《史》춘추 시대《B.C. 722～481년의 242년간을 이름》.

〔春秋鼎盛〕 chūn qiū dǐng shèng 〈成〉 장년(壯年). 혈기 왕성한 때.

〔春秋儿〕 chūnqiūr 명 봄과 가을의 기후가 좋은 때. ¶现在天气太冷, 不如等～再去; 지금은 날씨가 너무 추우니까, 날씨가 좋아진 후에 가는 것이 좋다.

〔春秋衫〕 chūnqiūshān 명 춘추복. =〔两liǎng用衫〕

〔春秋四季儿〕 chūnqiū sìjìr 명 1년 4계절.

〔春日〕 chūnrì 명〈方〉①봄날. ②봄.

〔春日霉素〕 chūnrì méisù 명《化》카수가마이신(kasugamycin). =〔春雷霉素〕

〔春色〕 chūnsè 명〈文〉①춘색. 봄의 경치. ②〈比〉기쁨의 표정. 술 마신 후 즐거워하는 표정. ③〈比〉색정의 느낌.

〔春纱〕 chūnshā 명 사(紗)《얇은 견직물의 일종》.

〔春山〕 chūnshān 명 ①봄의 산. ②〈比〉여성의 눈썹.

〔春上〕 chūnshàng 명〈口〉봄. 봄철. ¶今年～雨水多; 금년 봄은 비가 많이 왔다. 注 '夏上' '秋上' '冬上'이라고는 하지 않음.

〔春声〕 chūnshēng 명〈文〉봄의 강의 흐름이나 새의 지저귀는 소리.

〔鹑居〕 chúnjū 명 〈比〉 메추라기와 같이 주소가 일정하지 않은 것.
〔鹑衣〕 chúnyī 명 (메추라기의 꼬리가 가지런하지 못한 것처럼) 자락이 너덜너덜 떨어진 낡은 옷. ¶～百结; 〈成〉 더덕더덕 기운 초라한 옷.

醇〈醕〉 chún (순) ① 명 (주정(酒精)이 많이 함유된) 진한 술. ② 형 황공스러운. 조심성 깊은. ③ 형 〈文〉 순수하다. 순박하다. ④ 명 《化》 주정(酒精). 알코올. ¶一炭完基～; 메틸알코올 / 甲jiǎ～; 메타놀 / 乙yǐ～; 에틸알코올 / 丙三～; 글리세린 / 杂zá～油; 퓨젤(fusel)유.
〔醇备〕 chúnbèi 형 〈文〉 순수하고 완전하다. ¶德行～, 靡有愆失; 덕행이 완전하며 과실이 없다.
〔醇醇〕 chúnchún 형 〈文〉 온화〔중후·화목〕한 모양.
〔醇粹〕 chúncuì 형 〈文〉 순수하다. 섞임이 없다. =〔纯粹〕
〔醇和〕 chúnhé 형 (성질·맛 따위가) 순하다. 순량 온후(純良溫厚)하다.
〔醇厚〕 chúnhòu 형 ①(맛·향기가) 순수하고 진하다. ② ⇨〔淳厚〕
〔醇化〕 chúnhuà 명 〈文〉 순박하고 온후한 교화(教化). 동 ①〈文〉 미화하다. 순화하다. ②《化》 알코올화하다. ¶～物; 알콕시화물(alkoxy化物).
〔醇解〕 chúnjiě 명 《化》 알코올 분해.
〔醇谨〕 chúnjǐn 형 〈文〉 온후하고 신중하다. ¶～老成; 온후 신중하며 어른스럽다.
〔醇精〕 chúnjīng 명 《化》 에틸에테르. →〔醚mí〕
〔醇酒〕 chúnjiǔ 명 〈文〉 순수한 좋은 술. 감칠맛이 나는 술. =〔醇醪〕
〔醇醨〕 chúnlí 명 〈文〉 진한 술과 물을 탄 묽은 술. 〈轉〉 순박한 풍속과 경박한 풍속.
〔醇醴〕 chúnlǐ 명 〈文〉 진한 단술.
〔醇美〕 chúnměi 형 〈文〉 순수하고 아름답다.
〔醇酞〕 chúnnóng 명 〈文〉 ①진한 술. ②〈比〉 풍속이 순박함.
〔醇朴〕 chúnpǔ 형 꾸밈이 없이 인정이 많다.
〔醇儒〕 chúnrú 명 〈文〉 순수하게 유교에 충실한 학자. 잡학(雜學)을 하지 않고 본래의 길을 정진하는 학자. =〔纯儒〕
〔醇酸〕 chúnsuān 명 《化》 알코올 산(酸). ¶～树脂; 알키드수지(alkyd樹脂)《주로 접착제·도료(塗料)로 씀》.

蠢〈惷〉B) chǔn (준) A) 동 〈文〉 벌레가 기다. 꿈틀거리다. ¶～动; 준동하다. 〈比〉 악인의 교란 활동. B) 형 ①멍청하다. 어리석다. 우둔하다. 얼이 빠지다. ¶这个人真太～了; 이놈은 정말 멍청하다 / ～东西; 멍청이. 얼간이 / 不～不俏; 멍청이도 아니지만 현명하지도 않다. ②(몸이) 뚱뚱하여 볼품이 없다. 못생기다. ¶他长zhǎng得～, 怪难看的; 저놈은 피둥피둥 살이 쪄서 몹시 꼴사납다 / 他的鼻子长得好～了; 저 녀석의 코는 정말 못생겼다. ③서투르다.
〔蠢笨〕 chǔnbèn 형 ①어리석다. 머리가 둔하다. =〔蠢愚〕 ②꼴이 흉하다. 서투르다. (동작이) 굼뜨다. ¶他身体肥胖, 动作～; 그는 몸이 뚱뚱해서 동작이 둔하다.
〔蠢笨愚拙〕 chǔnbèn yúzhuō 우둔하고 졸렬하다.
〔蠢材〕 chǔncái 명 〈罵〉 바보. 멍청이. 미련한 놈. =〔蠢才〕〔蠢货〕〔蠢人〕
〔蠢蠢〕 chǔnchǔn 형 ①벌레의 움직이는 모양. ②〈文〉 (국가·사회가) 어지러운 모양. ③예의가 없는 모양.
〔蠢蠢欲动〕 chǔn chǔn yù dòng 〈成〉 벌레가 꿈틀거리기 시작하다《악한 자〔적 또는 불순 분자〕가 나쁜 짓을 하려고 하는 일》. ¶敌人又在～; 적이 또다시 준동하려고 한다.
〔蠢动〕 chǔndòng 동 ①(벌레가) 꿈틀거리다. 준동하다. ②〈比〉 악한 자〔불순 분자〕가 행동하기 시작하다.
〔蠢孩子〕 chǔnháizi 동 멍청한 아이. 바보 같은 아이.
〔蠢话〕 chǔnhuà 명 어리석은 말.
〔蠢货〕 chǔnhuò 명 ⇨〔蠢材〕
〔蠢驴〕 chǔnlǘ 명 〈罵〉 바보. 멍텅구리.
〔蠢人〕 chǔnrén 명 ⇨〔蠢材〕
〔蠢事〕 chǔnshì 명 바보스러운 짓. 어리석은 짓.
〔蠢态〕 chǔntài 명 얼이 빠진 모습.
〔蠢物〕 chǔnwù 명 보기 흉한 놈. 못생긴 놈. 멍청한 놈. ¶你且同我到警幻仙姑宫中, 将这～交割清楚《紅樓夢》; 우선 나하고 함께 경환 선녀의 궁중으로 가서, 이 어리석은 놈을 선녀에게 넘겨 주자.
〔蠢猪〕 chǔnzhū 명 얼간이. 멍청이. ¶～式的仁义道德; 얼빠진 인의 도덕.

CHUO ㄔㄨㄛ

逴 chuō (탁) 〈文〉 ① 형 멀다. ② 형 높다. ③ 동 초월하다.
〔逴跞〕 chuōluò 형 훌륭하다. 뛰어나다.

踔 chuō (탁) 〈文〉 ① 동 뛰다. 뛰어넘다. ② 형 낫다. 뛰어나다. ③ 동 초월하다.
〔踔绝〕 chuōjué 형 〈文〉 탁월하다. 빼어나다. 뛰어나다. ¶～独立; 남다르게 홀로 뛰어나다.
〔踔厉风发〕 chuō lì fēng fā 〈成〉 ①기세가 성하여 당할 수 없는 모양. ②말이 그칠 새 없이 흘러나오다.
〔踔远〕 chuōyuǎn 형 〈文〉 ①아득히 멀다. ②〈轉〉 높고 원대하다.

戳 chuō (착) ① 동 (뾰족한 것으로) 찌르다. 찔러서 뚫다. ¶把一只狼～死了; 이리 한 마리를 찔러 죽였다 / 用指zhǐ头～破了窗户纸; 손가락으로 문창호지에 구멍을 뚫었다 / 一～就穿; 찌르자마자 구멍이 나다 / ～了一刀; 일격(一擊)을 가했다. ② 동 (기다란 것이 딱딱한 것에 부딪쳐) 다치다. 상하다. 삐다. 접질리다. ¶打球～伤了手; 야구 하다가 손가락을 삐었다 / 钢笔尖儿～坏了; 펜촉이 (부딪쳐) 망가졌다. ③ 동 〈方〉 똑바로 세우다. ¶～着腿坐起来; 무릎을 세우고 앉다 / 把一口袋面粉～在地上; 밀가루 부대를 땅 위에 곧추세우다. ④(～儿, ～子) 명 〈俗〉 인감. 스탬프. 도장. =〔图章〕〔图书〕〔印〕 / 盖～儿; 날인하다 / 票上没～着日子; 표에 일부인(日附印)이 찍혀 있지 않다. ⑤ 명 창(槍).
〔戳薄〕 chuōbó 동 〈文〉 질책(叱責)하다. 나무라다.
〔戳不住〕 chuōbuzhù ①세워 놓을 수 없다. ②믿고 있을 수 없다. (외관이) 빈약하다. 믿음직스럽지 못하다. ③납득시킬 만한 능력이 없다.
〔戳穿〕 chuōchuān 동 ①꿰뚫다. 꿰찌르다. ②폭

로하다. 들추어 내다. ¶～假面具; 가면을 벗기다. 정체를 폭로하다.
〔戳打〕 chuōdǎ 통 손가락으로 찌르듯이 톡톡 두드리다.
〔戳的戳的〕 chuōde chuōde〈擬〉어린아이·노인이 아장아장〔비실비실〕 걷는 모양. ¶小孩儿～走; 어린아이가 아장아장 걷다.
〔戳得住〕 chuōdezhù ①세울 수가 있다. ②믿음직하다.
〔戳点〕 chuōdiǎn 통 ①뾰족한 것으로 찌르다. ¶～着文明棍说; 지팡이로 찌르면서 말하다. ②손가락으로 직접 가리키다.
〔戳肺管子〕 chuō fèiguǎnzi 아픈 데를〔약점을〕 찌르다. 급소를 찌르다. ¶你这话, 他听了真～; 자네의 이 말을 들으면 그는 놀라서 찔끔할 것이다.
〔戳个儿〕 chuōger〔〈京〉 chuǒger〕 명 풍채. 체격. ¶他～也好, 话也说得过去; 그는 풍채도 좋고, 말도 그런대로 잘 한다.
〔戳脊梁骨〕 chuō jǐ liáng gǔ〈比〉뒤에서 욕을 하다. 뒤에서 헐뜯다. ¶让人～; 남한테서 험담을 듣다. 남에게 손가락질을 받다.
〔戳记〕 chuōjì 명 (조직·단체 등의) 인(印). 스탬프. ¶骑缝～; 계인(契印).
〔戳烂〕 chuōlàn 통 엉망으로 무너뜨리다. ¶我们要～纸老虎; 우리는 종이 호랑이(와 같은 적)을 엉망으로 쳐부수지 않으면 안 된다.
〔戳纱〕 chuōshā 통 얇은 비단〔사(紗)〕에 수를 놓다. 명 수놓은 얇은 비단.
〔戳伤〕 chuōshāng 통 찔러서 상처를 내다〔입다〕. 명 찔린 상처.
〔戳舌(儿)〕 chuōshé(r) 통 남의 말을 비방해서 말하다. 말이 많다. ¶两头儿～, 献勤出尖儿; 양쪽이 다 수다쟁이로 남의 비위를 맞추는 일은 기막히게 잘 한다.
〔戳事〕 chuōshì 통 남을 속여 이익을 얻다〔재미를 보다〕. ¶他就仗着这一身衣裳和这张利口到处～; 그는 이 옷과 좋은 말솜씨로 여러 곳에서 남을 속이고 잇속을 차리고 있다.
〔戳手〕 chuōshǒu 통 손가락을 다치다.
〔戳死〕 chuōsǐ 통 찔러 죽이다.
〔戳心〕 chuōxīn 통 ①마음을 자극하다. ¶～灌髓; 사람을 크게 자극시키다. ②격려하다. 북돋다. 고무(鼓舞)하다. ③기분을 상하게 하다.
〔戳印〕 chuōyìn 명 도장. 인장. 통 ①도장을 찍다. ②부딪쳐서 자국을 남기다.
〔戳子〕 chuōzi →〔字解④〕

辵
chuò (착)
①통〈文〉갑자기 멈춰 섰다가 갑자기 다시 가다. ②명 '走zǒu之儿'(한자 부수의 책받침'辶')의 원형.

娖
chuò (착)
통〈文〉①삼가고 조심하다. 온순하다. ¶～～廉谨; 조신하고 성실하다. ②(대오를) 정돈하다.

惙
chuò (철)
〈文〉①형 근심하는 모양. =〔惙惙〕 ②형 피곤한〔지쳐 있는〕 모양. ③통 ⇨〔辍①〕

啜
chuò (철)
통 ①홀짝이다. 홀짝홀짝 마시다. ¶～粥zhōu; 죽을 홀짝이다. ②흐느껴 울다. ⇒chuài
〔啜面〕 chuòmiàn 통〈文〉볼에 입을 맞추다.
〔啜茗〕 chuòmíng 통〈文〉차를 마시다.
〔啜泣〕 chuòqì 통 흐느껴 울다.
〔啜菽饮水〕 chuò shū yǐn shuǐ〈成〉콩죽을 먹고 물을 마시다《가난한 생활을 함》.
〔啜汁〕 chuòzhī 통〈文〉나머지 액체〔국물〕를 마시다.〈比〉…(한) 덕을 입다. 신세를 지다.
〔啜赚〕 chuòzuàn 통〈文〉속여서 재물이나 이익을 빼앗다. 호려 내다.

辍(輟)
chuò (철)
통 ①그만두다. ¶日夜不～; 낮과 밤으로 쉬지 않다. 주야 겸행. =〔惙③〕 ②방치(放置)하다.
〔辍笔〕 chuòbǐ 통 문장·회화(繪畫)의 제작을 중도에서 그만두다.
〔辍工〕 chuògōng 통 일을 그만두다. →〔辍业〕
〔辍学〕 chuòxué 통 학문을 중단(中斷)하다. 중도 퇴학하다. ¶因病～; 병으로 중도 퇴학하다. =〔辍课〕
〔辍演〕 chuòyǎn 통 휴연(休演)하다.
〔辍业〕 chuòyè 통 폐업하다.

歠
chuò (철)
〈文〉①통 마시다. 홀짝홀짝 마시다. ②명 홀짝 들이마실 것《죽·뜨거운 국 따위》.

婼
chuò (착)
〈文〉①통형 순종하지 않다. 거역하다. ②명 성(姓)의 하나. ⇒ruò

绰(綽)
chuò (작)
①형 완만하다. 너그럽다. 여유가 있다. 풍부하다. 넓다. ¶～～;〈文〉여유가 있는 모양/手头儿宽～; 살림이 여유가 있다. 유복(裕福)하다/生活阔～; 생활이 넉넉하다/屋子宽～; 방이 넓다. ②형 정숙한. 얌전한. ③명 별명. 닉네임. ⇒chāo
〔绰绰有余〕 chuò chuò yǒu yú〈成〉여유작작(餘裕綽綽)하다. 매우 여유가 있다. =〔绰乎有余〕〔绰有余裕〕
〔绰号(儿)〕 chuòhào(r) 명 별명. ¶黑旋风是李逵的～; 흑선풍(黑旋風)은 이규(李逵)의 별명이다. =〔外wài号〕〔别号(儿)②〕〔浑号〕〔混号〕
〔绰乎有姿〕 chuò hū yǒu zī〈成〉단아하고 아름다운 모양. 기품이 있고 어여쁜 모양.
〔绰约〕 chuòyuē 형〈文〉(여성의 자태가) 단아하고 아름답다. =〔婥约〕

龊(齪)
chuò (착)
→〔龌wò龊〕

擉
chuò (착)
①통 찌르다. ②명 작살《물고기를 찌르는 도구》.

CI ㄘ

刺
cī (자)
〈擬〉①주르르. 죽《미끄러질 때 나는 소리》. ¶～的一声, 滑了一个跟头; 주르르 미끄러져 넘어졌다. ②칙칙. 탁탁. 톡. 지직. ¶花炮点着了, ～～地直冒火星; 폭죽에 불이 붙자 탁탁 불똥을 튀긴다. ⇒cì
〔刺棱〕 cīlēng〈擬〉휙. 살짝. 주르르《미끄러지거나 빠르게 움직이는 소리》. ¶猫～一下跑了; 고양이가 휙 도망쳤다.
〔刺溜〕 cīliū〈擬〉①주르르. 쭉《미끄러지는 소리》.

¶不留神，～一下滑倒了；주의를 하지 않아서 쭉 미끄러져서 쓰러졌다. ②휙. 핑핑《빠르게 지나가는 소리》. ¶子弹～～地从耳边擦过去；탄환이 귓가를 핑핑 스쳐 갔다.

呲 cī (차)
①동 질책하다. 호되게 꾸짖다. ¶挨～；호되게 야단맞다. ②(～儿) 명〈俗〉질책. 야단. 호된 꾸중. ⇒zī

〔呲嘚〕cīde 동〈俗〉질책하다. 호되게 꾸짖다. ¶挨了～；야단맞았다. =〔呲得〕

〔呲啦〕cīlā〈擬〉①비단 등을 째는 소리. 찍찍. ¶把布撕得～～地响；천을 찍찍 찢었다. ②쓰쓰. 찍찍《사람의 버릇 또는 치아의 장애 등으로 말할 때 나는 날카롭고 자극적 음성을 이르는 말》. ¶他说话～～了，叫人听不痛快；그는 이야기할 때 새된 소리가 나서 귀에 거슬린다.

〔呲儿〕cīr 명 질책. 꾸중. ¶挨了～了；꾸중 들었다.

〔呲儿嚓〕cīrcā〈擬〉칙《성냥 긋는 소리》.

疵 cī (자)
①명 잘못. 결점. 흠. ¶完美无～；〈成〉완전하여 결점이 없다. ②명 흠. 상처. ¶吹毛求～；〈成〉억지로 남의 죄를 찾아 내다. =〔玼③〕③동 손상시키다. 상하게 하다.

〔疵病〕cībìng 명〈比〉과실. 잘못. 결점.

〔疵布〕cībù 명 흠집이 있는 천.

〔疵点〕cīdiǎn 명 (작은) 흠. 결점. ¶肉眼都看不见～；육안으로는 흠을 볼 수 없다.

〔疵颣〕cīlèi 명〈文〉흠. 결점.

〔疵疠〕cīlì 명 ①병(病). 질병. ②재해(災害).

〔疵毛〕cīmáo 동 ①〈方〉장난치다. 일을 시끄럽게 만들기를 좋아한다. ②〈方〉실수하다. 명 성을 잘 내는 성질〔사람〕.

〔疵谬〕cīmiù 명〈文〉결점. 잘못. 과실.

〔疵儿〕cīr 명 결점. ¶他的卷juàn子一点儿～都没有；그의 답안은 조금도 결점이 없다.

〔疵瑕〕cīxiá 명〈文〉하자(瑕疵). 과실. 죄과(罪過).

〔疵牙〕cīyá 동 이를 드러내다. ¶～瞪眼；이를 드러내고 눈을 부릅뜨고 화를 내다 / ～子；빼드렁니가 난 사람. =〔龇zī牙〕

跐 cī (자)
동 발을 헛디디다. 발이 미끄러지다. ¶登～了；(계단이나 비탈길에서) 발이 미끄러졌다 / 脚一～，掉在水里了；발이 미끄러져서 물 속에 빠졌다. ⇒cǐ

〔跐脚〕cī,jiǎo 동 ①발을 미끄러뜨리다. ②실패하다.

〔跐溜〕cīliū 동 (발이) 미끄러지다. 형 빠른 모양.

差 cī (차)
①명 등급. 등차. ②형 고르지 않다. 들쭉날쭉하다. ¶参cēn～不齐；〈成〉가지런하지 않다. 들쭉날쭉하다 / 一排椅子放得参～不齐；한 줄로 늘어선 의자가 정연하지 않고 들쭉날쭉하다. →〔参cēn差〕⇒chā chà chāi cuō

〔差池〕cīchí 명 차별. 차이. =〔参差〕형 가지런하지 못하다.

词(詞) cí (사)
명 ①(～儿) 단어. ¶单音～；단음절어. ②(～儿) 말. 어구(語句). 문구(文句). 가사(歌詞). ¶振振有～；〈成〉말투가 생기에 넘치고 있다. 당당하게 말하다 / 演讲～；연설문 / 歌～；가사 / 名～；《言》명사. ③할말. 주장(主張). ¶各执一～；각자 자기의 주장을 고집하다 / 一面之～；일방적인 주장. ④하나의 개념을 나타내는 말. ¶义正～严；이유가 정당하고 충분하며 발언이 날카롭고 엄하다. ⑤사(詞)《운문의 일종. 오언시(五言詩)·칠언시(七言詩)·민간 가요 등이 발전한 것. 당대(唐代)에 일어나 송대(宋代)에 성행(盛行)하였음. 원래는 음악에 맞추어 노래 부르던 일종의 시체(詩體)였음. '诗shī馀' '长cháng短句'라고도 불림》. →〔填tián词〕⑥소송(訴訟).

〔词不达意〕cí bù dá yì〈成〉말〔글〕의 뜻이 잘 통하지 않다. ¶他说的话～；그가 하는 말뜻이 잘 통하지 않는다 / 我原来拙嘴笨腮，如果有～的地方请诸位原谅；저는 원래 말주변이 없습니다. 만일, 뜻이 통하지 않더라도 부디 용서 있으시기 바랍니다.

〔词采〕cícǎi 명〈文〉사채(詞彩). 말의 멋진 표현. 시문(詩文). =〔词彩①〕

〔词彩〕cícǎi 명 ①⇨〔词采〕②말의 뉘앙스.

〔词场〕cíchǎng 명 옛날, 희곡·만담·이야기 따위를 들려 주던 연예장.

〔词典〕cídiǎn 명 사서(辭書). 사전《본래 단어를 모은 사서를 말하고 '辞典'은 어구(語句)·성어(成語) 등을 수록한 사서를 말함. 최근에는 '～'을 많이 씀》. =〔辞典〕→〔字zì典〕

〔词调〕cídiào 명 사(詞)의 격조(格調).

〔词法〕cífǎ 명《言》형태론. →〔句jù法〕〔语yǔ法〕

〔词锋〕cífēng 명〈文〉문장·의론의 방향〔화살〕.

〔词根〕cígēn 명《言》어근(語根). →〔词缀〕

〔词华〕cíhuá 명 ⇨〔词藻〕

〔词话〕cíhuà 명 ①사(詞)의 형식과 내용에 관한 논평. ②문사(文士)의 일화를 적은 책. ③산문에 운문을 섞은 설화(說話) 문학.

〔词汇〕cíhuì 명 어휘. ¶～丰富；어휘가 풍부하다 / 基本～；기본 어휘.

〔词汇学〕cíhuìxué 명《言》어휘학(語彙學).

〔词句〕cíjù 명 ①문장. 어구. ②표현. ¶改变一点～；표현을 조금 바꾸다.

〔词类〕cílèi 명《言》품사.

〔词林〕cílín 명 ①사림. 문인(文人) 또는 시문(詩文)이 모이는 곳〔문단〕. 시가 문장(詩歌文章)을 모은 것. ¶渔猎～；시문(詩文)의 정수(精粹)를 찾아 모으다. =〔词曹〕〔辞林〕〔文wén苑〕②옛날, 한림원(翰林院)의 별칭《명(明)나라 광무제(光武帝) 때, 한림원을 세워 편액(扁額)에 '词林'이라고 쓴 데서 유래함》.

〔词令〕cílìng 명 ⇨〔辞令〕

〔词律〕cílǜ 명 ①문장·시의 격(格)과 율(律). ②《書》청(淸)나라 만수(萬樹)의 저서《원래 20권. 뒤에 서본립(徐本立)이 《사율습유(詞律拾遺)》8권을 지었고, 두문란(杜文瀾)도 《사율보유(詞律補遺)》를 지었음》.

〔词牌〕cípái 명 사조(詞調) 또는 곡조의 각종 명칭《'西江月' '蝶变花' 등》.

〔词谱〕cípǔ 명 사보《각종 사(詞)의 곡조(曲調) 형식을 모아서 시를 짓는 데 이용하는 책》.

〔词曲〕cíqǔ 명 사곡. 사와 곡《사(詞)가 음악과 함께 불리지 않게 되면서부터, 곡이 생겼음. 사는 문자의 평측(平仄)만을 구별해서 배열하지만, 곡은 평상거(平上去)의 삼성(三聲)을 구별함》.

〔词人〕círén 명 ①사인(詞人). 문사(文士). =〔词客〕〔辞人〕②사(詞)를 잘 짓는 사람.

〔词书〕císhū 명 사전. =〔词典〕

〔词讼〕císòng 명 ⇨〔辞讼〕

〔词素〕císù 명《言》어소(語素). 형태소(形態素).

=〔语yǔ素〕→〔词根〕〔词缀〕
〔词头〕 cítóu 명 접두사. 접두어. =〔前qián缀〕〔语yǔ头〕
〔词尾〕 cíwěi 명《言》접미사. 접미어. =〔后hòu缀〕〔语yǔ尾〕
〔词形〕 cíxíng 명《言》어형(語形).
〔词性〕 cíxìng 명《言》문법상, 각각의 단어가 가지고 있는 성질(예를 들면, '一把锯'에서 '锯'는 명사의 성질을 갖고, '锯木头'에서 '锯'는 동사의 성질을 가짐).
〔词序〕 cíxù 명《言》어순(語順).
〔词义〕 cíyì 명 ⇨〔语yǔ义〕
〔词意〕 cíyì 명 말의 뜻. =〔辞意〕
〔词余〕 cíyú 명 ⇨〔曲qǔ③〕
〔词语〕 cíyǔ 명《言》자구(字句). 어구(語句). ¶避免方言~; 방언 어휘를 피하다 / 对课文中的生僻~都作了简单的注释; 본문 속의 새로 나온 자와 벽자(僻字)에 대해서는 모두 간단한 주석을 달았다.
〔词源〕 cíyuán 명 ①《言》어원(語源). =〔辞源〕 ②〈文〉무궁 무진한 문사(文詞).
〔词韵〕 cíyùn 명《言》사(詞)를 지을 때 근거가 되는 조운 자수(調韻字數). 또는 그것을 기록한 것.
〔词藻〕 cízǎo 명〈文〉①문장의 멋진 표현〔수식〕. 시문(詩文)의 아름다운 어구(語句). ②시가 문장(詩歌文章)을 짓는 재능. ‖=〔词华〕〔辞藻〕
〔词章〕 cízhāng 명 ①문장(시(詩)·사(詞)·부(賦)·변려문(騈儷文)·잡문(雜文) 등을 포함한 통칭). ②글을 쓰는 기술. 문장. 기교. ‖=〔辞章〕
〔词致〕 cízhì 명〈文〉언론 문사(文辭)의 운치. 정취. ¶玄妙有~《世說新語》; 문장이 깊고 미묘하여 운치가 있다. =〔辞致〕
〔词状〕 cízhuàng 명 고소장(告訴狀).
〔词缀〕 cízhuì 명《言》접사(接辭).
〔词宗〕 cízōng 명〈文〉시가(詩歌)·문장의 대가(大家). =〔辞宗〕
〔词组〕 cízǔ 명《言》구(句). 프레이즈(phrase). =〔短duǎn语〕

祠 cí (사)

①명 사당. 신전(神殿). ¶宗~; 종묘 / 先贤~; 선현을 모신 사당 / 土地~; 토지신을 모신 사당. ②명 제사의 총칭. ③동 신을 모시다. (신에게) 제사를 지내다.
〔祠官〕 cíguān 명〈文〉제관(祭官). 신관(神官).
〔祠器〕 cíqì 명 제사에 쓰이는 도구. 제기(祭器).
〔祠坛〕 cítán 명 제단(祭壇). 제사 지내는 장소. 영단(靈壇).
〔祠堂〕 cítáng 명 조상 또는 현인(賢人)을 모신 신당(神堂)이나 방. 사당.

茨 cí (자)

①명《植》납가새. ②명《植》가시나무(가시가 있는 관목의 총칭). ③명 지붕을 이는 새 따위. ④동 새로 지붕을 이다. ⑤동 쌓다. 모으다. 흙을 쌓아올리다. ⑥명 성(姓)의 하나.
〔茨冈人〕 cígāngrén 명 ⇨〔吉jí卜赛人〕
〔茨菰〕 cígu 명《植》자고(慈姑). 쇠귀나물. =〔慈姑cígu〕〔白地栗báidìlì〕
〔茨菇叶〕 cíguyè 명《劇》①여자로 분장한 배우가 청색의 얇은 비단을 머리에 한 번 감고 살짝 부위에 고정시킨 차림(검소한 차림을 나타냄). ②무장(武將) 역을 맡은, 남자로 분장한 배우가 쓰개의 중앙에 다는 금속제의 쇠귀나물 잎 모양의 것(용맹을 나타냄).
〔茨槐〕 cíhuái 명 ⇨〔刺cì槐〕
〔茨棘〕 cíjí 명 ①가시나무. ②〈比〉곤란. 분란(紛亂).
〔茨墙〕 cíqiáng 명 가시나무 울타리.
〔茨楸〕 cíqiū 명《植》엄나무. =〔刺楸〕

瓷〈甆〉 cí (자)

명 자기(磁器). ¶搪táng~; 법랑을 입힌 철기(鐵器) / 搪~器; 법랑을 입힌 기구(器具) / 陶táo~; 도기와 자기. =〔磁②〕
〔瓷雕〕 cídiāo 명《美》자기로 만든 조각물〔공예 미술품〕.
〔瓷墩子〕 cídūnzi 명 자기로 만든 북 모양의 의자.
〔瓷饭碗〕 cífànwǎn 명〈比〉불안정한 직업이나 수입. =〔泥饭碗〕↔〔铁饭碗〕
〔瓷缸〕 cígāng 명 자기로 만든 항아리.
〔瓷公鸡〕 cígōngjī 명〈比〉구두쇠. ¶这人是个~, 一毛不拔; 이 사람은 지독한 구두쇠로 터럭 하나도 뽑아 주지 않는다.
〔瓷公鸡, 铁仙鹤〕 cígōngjī, tiěxiānhè 명〈比〉자기로 만든 수탉, 쇠로 만든 학(지독한 구두쇠). ¶他是~, 向来一毛不拔, 哪里会请客; 그는 얼마나 구두쇠인지, 남에게 터럭 하나 뽑아 준〔재물을 제공한〕일이 없는데, 어디 초대 같은 것을 할 리가 있겠어.
〔瓷固〕 cígu 명 임종 때, 눈을 크게 뜨고 움직이지 않는 모양.
〔瓷蓝〕 cílán 명 코발트 블루(cobalt blue).
〔瓷皿〕 címǐn 명 자기 접시.
〔瓷盘〕 cípán 명 자기로 만든 큰 접시.
〔瓷盆〕 cípén 명 ①사기 자배기(설거지나 빨래에 쓰임). ②법랑을 입힌 세면기.
〔瓷坯〕 cípī 명 아직 굽지 않은 자기(磁器).
〔瓷瓶〕 cípíng 명 ①도자기 술병·꽃병 따위. ②⇨〔绝jué缘子〕
〔瓷漆〕 cíqī 명 에나멜 페인트. ¶快kuài干~; 속건성 에나멜 페인트.
〔瓷器〕 cíqì 명 자기. 사기그릇. ¶~铺pù; 사기전.
〔瓷石〕 císhí 명 도토(陶土). =〔瓷土〕
〔瓷实〕 císhi 형〈方〉(촘촘하고) 단단하다. 충실하고 견고하다. ¶用烂纸填~了, 别叫这些鸡蛋晃荡坏了; 휴지를 꽉 채워서 계란이 흔들려 깨지지 않도록 해라 / 房子盖得~; 집을 견고하게 지었다 / 一身~的肉; 튼튼한 몸. 단단한 근육질의 몸 / 打夯hāng机把地夯得挺~; 래머(rammer)로 땅을 단단히 다졌다.
〔瓷胎〕 cítāi 명 자기(磁器)를 만드는 데 쓰이는 돌가루. 자태(瓷胎).
〔瓷土〕 cítǔ 명 도토(陶土). =〔〈俗〉白bái土①〕〔陶táo土〕〔〈方〉坩gān子土〕
〔瓷娃娃〕 cíwáwa 명 자기제(磁器製)의 어린이의 인형.
〔瓷瓦〕 cíwǎ 명 오지 기와. ¶~儿; 사깃조각. 자기의 깨진 조각.
〔瓷碗〕 cíwǎn 명 ①도자기로 된 찻종. ②⇨〔绝jué缘子〕
〔瓷窝〕 cíwō 명 뚜껑이 있는 큰 사기 그릇.
〔瓷窑〕 cíyáo 명 자기를 굽는 가마.
〔瓷业〕 cíyè 명 요업(窯業). 자기 제조업.
〔瓷枕〕 cízhěn 명 자침(瓷枕). 도침(陶枕).
〔瓷珠儿〕 cízhūr 명 ⇨〔绝jué缘子〕
〔瓷砖(儿)〕 cízhuān(r) 명 타일. ¶铺~; 타일을 깔다 / 揭~; 타일을 떼어 내다. =〔磁砖(儿)〕

薋(薋) cí (자)
동 〈文〉 잡초를 쌓아올리다.

茈 cí (자)
→〔凫fú茈〕⇒chái zǐ

雌 cí (자)
형 ①암컷의. ¶～鸡; 암탉/～兔tù; 암토끼/一决～雄; 〈成〉 자웅을 겨루다. 승부를 겨루다. ↔〔雄〕→〔母mǔ③〕〔牝pìn〕②연약한.

〔雌蝉〕 cíchán 명 《蟲》 암매미.
〔雌答〕 cída 동 〈古白〉 꾸짖다. 질책하다. ¶薛亲qìng家渴渴的, 是他闺女～的; 설씨는 우울하고 짜증스러웠는데, 자기 딸에게 야단맞았기 때문이다.
〔雌儿〕 cí'ér 명 ①계집. 암컷《옛날, 기생을 경멸하여 이르는 말》. ¶我问你, 间壁这个～是谁的老小? 너에게 묻겠는데 옆집 계집은 누구네 가족이냐? ②질책. 꾸중.
〔雌风〕 cífēng 〈文〉 ①명 비루하고 악함. 천박한 풍속〔풍습〕. ¶此所谓庶人之～也《宋玉 風賦》; 이것이 소위 서인(庶人)의 속되고 악한 풍기(風紀)다. ②형 여성적인. 음침하고 그늘진. 습기 차서 기분이 나쁜. →〔雄xióng风〕 ③〈比〉 닳고 닳은 여자의 위세. 성질이 사납고 질투심이 강한 기질.
〔雌蜂〕 cífēng 명 《蟲》 암벌《특히 꿀벌의 암컷을 가리키며, 여왕벌과 일벌도 포함함》. =〔母mǔ蜂〕
〔雌伏〕 cífú 동 〈比〉 ①남에게 굴복하다. ②물러나서 세상에 숨어 버리다. →〔雄xióng飞〕
〔雌狗〕 cígǒu 명 ⇨〔母mǔ狗①〕
〔雌核〕 cíhé 명 자성(雌性) 배우자의 세포핵.
〔雌虹〕 cíhóng 명 〈文〉 암무지개《쌍무지개가 섰을 때, 그 중 색이 엷고 흐릿한 무지개》. =〔挈qiè贰〕〔副fù虹〕
〔雌花〕 cíhuā 명 《植》 암꽃. =〔雌蕊ruǐ花〕
〔雌黄〕 cíhuáng 명 《鑛》 석웅황(石雄黃). 계관석(鷄冠石). 동 ①〈文〉 글을 첨삭(添削)하다. 시문(詩文)을 고치다. ¶妄下～; 함부로 (글자 따위를) 고치다. ②〈文〉 함부로 비평하다. (진상을 숨기거나 밝히지 않고) 멋대로 비난하다. ¶信口～; 입에서 나오는 대로 함부로 비평을 하다.
〔雌节〕 cíjié 〈比〉 물러나서 소극적으로 절조(節操)를 지킴.
〔雌老虎〕 cílǎohu 명 〈比〉 성질이 괄괄한 여자. 내 주장하는 여자.
〔雌懦〕 cínuò 형 〈文〉 나약하다. 약하디약하다.
〔雌蕊〕 círuǐ 명 《植》 암술. 암꽃술.
〔雌声〕 císhēng 명 〈文〉 ①부드럽고 가날픈 여성적인 목소리. ②낮은 목소리.
〔雌(素)酮〕 cí(sù)tóng 명 《化》 에스트론(estrone). =〔雌激素酮〕〔雌甾酚酮〕
〔雌蟹〕 cíxiè 명 《動》 암게. =〔团tuán脐蟹〕↔〔雄xióng蟹〕
〔雌性〕 cíxìng 명 ①암컷. ¶～激素; 여성 호르몬. ②여성의 매력.
〔雌雄〕 cíxióng 명 ①자웅. 암컷과 수컷. ②〈比〉 승부(勝負). 우열. ¶势均力敌, 不分～; 힘이 서로 엇비슷하여, 승패를 가릴 수 없다. ③쌍〔짝〕을 이루는 것.
〔雌雄同体〕 cíxióng tóngtǐ 명 《生》 자웅 동체.
〔雌雄同株〕 cíxióng tóngzhū 명 《植》 자웅 동주. 암수한그루.
〔雌雄异体〕 cíxióng yìtǐ 명 《動》 자웅 이체.
〔雌雄异株〕 cíxíong yìzhū 명 《植》 자웅 이주. 암수딴그루.
〔雌牙露嘴〕 cí yá lù zuǐ 〈成〉 ⇨〔龇zī牙咧嘴〕
〔雌甾二醇〕 cízāi'èrchún 명 《藥》 에스트라디올(estradiol)《난소 호르몬의 일종》.

兹 cí (자)
→〔龟Qiū兹〕〔兹梨〕⇒zī

〔兹梨〕 cílí 명 산둥(山東) 특산의 배.

慈〈慈〉 cí (자)
① 동 (부모가 자식을, 또는 윗사람이 아랫사람을) 귀여워하다. 사랑하다. 애호하다. ¶敬老～幼; 노인을 공경하고 어린이를 사랑하다. ② 명 어머니. ¶家～; 나의 어머니/令～; 자당(慈堂). ③ 명 자애(慈愛). 사랑. ④ 형 자애롭다. 정이 깊다. 애정이 깊다. ¶心～面软; 마음이 따뜻하고 얼굴이 온화하다/～母; ⇓/仁～; 인자하다. ⑤ 명 성(姓)의 하나.

〔慈蔼〕 cí'ǎi 형 상냥하고 온화하다.
〔慈爱〕 cí'ài 명형 자애(롭다). ¶母亲向来是～的; 어머니는 늘 자애롭다. 동 자애를 베풀다.
〔慈悲〕 cíbēi 명 《佛》 자비. 동 동정하다. 자비를 베풀다. ¶请您～～吧; 아무쪼록 자비를 베풀어 주십시오.
〔慈不掌兵〕 cí bù zhǎng bīng 〈成〉 자비심이 있는 사람은 병사를 통솔할 수 없다. =〔慈不将兵〕
〔慈肠〕 cícháng 명 동정심이 많은 마음.
〔慈葱〕 cícōng 명 《植》 골파.
〔慈父〕 cífù 명 〈文〉 자부. 자애로운 아버지.
〔慈躬〕 cígōng 명 〈文〉 (자식이 부모에 대해 쓰는) 존체(尊體). ¶～深泰; 〈翰〉 존체 만안하십시오.
〔慈姑〕 cígu 명 ①며느리가 시어머니를 일컫는 말. ②《植》 자고. 쇠귀나물. ¶～糕gāo; 쇠귀나물로 만든 과자. =〔慈菇〕〔慈菰〕〔茨菰〕〔茨菇〕〔白bái地栗〕〔河hé凫茈〕〔借jiè姑〕
〔慈和〕 cíhé 형 자애롭고 온화하다.
〔慈惠〕 cíhuì 명동 〈文〉 자혜(를 베풀다).
〔慈眉善目〕 cí méi shàn mù 〈成〉 상냥하고 부드러운 모양. 자비로운 얼굴. =〔慈眉善脸〕
〔慈命〕 címìng 명 〈文〉 어머니의 분부. 어머니의 명령.
〔慈母〕 címǔ 명 ①〈文〉 자애로운 어머니. =〔慈亲〕 ②옛날, 어머니를 여읜 뒤 자기를 길러 준 서모(庶母).
〔慈母严父〕 címǔ yánfù 자모 엄부. 자애로운 어머니와 엄한 아버지. 어머니와 아버지.
〔慈软〕 círuǎn 형 사람이 착하고 상냥하다(‘心xīn慈面软’의 준말). ¶人们因为她平日为人～而忽略了她刚毅的性格; 사람들은 그녀가 평소에는 사람이 착하고 상냥한 여성이었기 때문에 그녀의 억센 성격을 등한시했던 것이다.
〔慈善〕 císhàn 형 자비롭다. 동정심이 많다. ¶～事业; 자선 사업.
〔慈善家〕 císhànjiā 명 자선가. 자선 사업을 하는 사람.
〔慈氏〕 císhì 명 《佛》 미륵 보살.
〔慈侍下〕 císhìxià 명 ①옛날, 이력서에 삼대(三代)의 혈통을 써 넣을 때, 아버지를 여의고 어머니만 생존하면 ‘～’라고 썼음. ②부모가 돌아가시고 계모만 생존시, 사망 통지서에 자기 이름을 쓸 때 ‘孤哀子～某某’와 같이 씀.
〔慈孙〕 císūn 명 〈文〉 효자. 효손(孝孫).
〔慈闱〕 cíwéi 명 〈文〉 어머니. =〔慈壶〕〔慈帏〕
〔慈乌〕 cíwū 명 《鳥》 갈까마귀.
〔慈祥〕 cíxiáng 형 자상하다. 자비롭고 상냥하다.

〔慈孝〕 cíxiào 동 부모를 사랑하고 효(孝)를 다하다.
〔慈心〕 cíxīn 명 〈文〉 자비심.
〔慈训〕 cíxùn 명 〈文〉 ①자훈. 어머니의 교훈. ②정성어린 가르침. ‖ =〔慈诲〕
〔慈颜〕 cíyán 명 〈文〉 자애로운 얼굴《존장자(尊長者)의 면모(面貌)를 말할 때 씀》.
〔慈幼〕 cíyòu 동 〈文〉 어린이를 사랑하고 귀여워하다. 어린이에게 자애를 베풀다.
〔慈谕〕 cíyù 명 ①자식이 어머니의 교훈·명령을 가리켜 이르는 말. ②어머니로부터의 편지.
〔慈照〕 cízhào 동 〈翰〉 보아 주시기 바랍니다《부모·조부모 등 직계 존속에 씀》. =〔慈鉴〕〔慈览〕
〔慈竹〕 cízhú 명 《植》 대나무의 일종《광둥(廣東)·광시(廣西)·저장(浙江) 일대에서 산출되며 높이 7.8m 뭉쳐 나며 한 무리가 수백 본(本)에 이름. 사방에 퍼지지 않고 주간(主竿)을 중심으로 자손이 둘레를 지키고 있는 모양을 하고 있는 데서 연유함. 죽세공에 적합함》. =〔慈孝竹〕〔孝xiào竹〕〔义yì竹〕〔子zǐ母竹〕

磁 cí (자)
명 ①자석. ¶～性; ⇩ / ～力; ⇩ =〔吸铁石〕 ② ⇨〔瓷〕
〔磁棒〕 cíbàng 명 《電》 막대 자석.
〔磁暴〕 cíbào 명 《物》 자기 폭풍. =〔磁狂〕〔磁岚〕
〔磁北〕 cíběi 명 《物》 자북. 자기 북극(磁氣北極).
〔磁场〕 cíchǎng 명 《物》 자장. =〔磁界〕
〔磁场强度〕 cíchǎng qiángdù 명 《物》 자계(磁界) 강도.
〔磁赤道〕 cíchìdào 명 《物》 자기(磁氣) 적도. =〔地dì磁赤道〕〔无wú倾线〕
〔磁畴〕 cíchóu 명 《物》 자구(磁區). 자기 구역.
〔磁带〕 cídài 명 《電》 자기〔녹음〕 테이프. ¶～录像; 비디오 테이프 / ～录像机; 브이 티아르(VTR) / ～录音机; 테이프 리코더.
〔磁导率〕 cídǎolǜ 명 ⇨〔导磁率〕
〔磁电〕 cídiàn 명 《物》 유도 전기.
〔磁感应〕 cígǎnyìng 명 《物》 자기 유도(磁氣誘導). 자기 감응. =〔磁诱导〕
〔磁感应强度〕 cígǎnyìng qiángdù 명 《物》 자기 감응 강도.
〔磁钢〕 cígāng 명 《物》 영구 자석. =〔永yǒng久磁铁〕
〔磁鼓〕 cígǔ 명 《電算》 (컴퓨터의) 자기 드럼. ¶～存储器; 자기 드럼 기억 장치.
〔磁固〕 cígu 동 (임종 때에) 눈이 경련을 일으키다.
〔磁合金〕 cíhéjīn 명 자석(磁石) 합금. 자성(磁性) 합금.
〔磁核(儿)〕 cíhé(r) 명 〈方〉 어리석은〔바보같은〕 사람.
〔磁化〕 cíhuà 명 《物》 자기화(磁氣化). 자화(磁化).
〔磁化力〕 cíhuàlì 명 《物》 자화력.
〔磁极〕 cíjí 명 《物》 ①자극(磁極). 자기극. ②지구 자력(磁力)의 남극과 북극.
〔磁界〕 cíjiè 명 ⇨〔磁场〕
〔磁卡〕 cíkǎ 명 전화카드.
〔磁卡电话〕 cíkǎ diànhuà 명 카드공중전화.
〔磁控管〕 cíkòngguǎn 명 《機》 마그네트론(magnetron). 자전관(磁電管).
〔磁力〕 cílì 명 《物》 자력. ¶～轫rèn; 자기 제동기(磁氣制動機) / ～勘探; 자력 탐광(探鑛). 자력 탐사.
〔磁力计〕 cílìjì 명 《物》 자력계.
〔磁力线〕 cílìxiàn 명 《物》 자력선. 자기력선(磁氣力線). →〔磁场〕
〔磁力选矿〕 cílì xuǎnkuàng 명 《物》 자력 선광(磁力選鑛).
〔磁流〕 cíliú 명 《物》 자류.
〔磁路〕 cílù 명 《物》 자기 회로. 마그네틱 회로.
〔磁能〕 cínéng 명 《物》 마그네틱 에너지.
〔磁盘〕 cípán 명 《電算》 (컴퓨터의) 자기 디스크. ¶～存储器; 자기 디스크 메모리. 디스크 파일(disk file).
〔磁偏角〕 cípiānjiǎo 명 《物》 편각. 방위각. =〔偏角①〕〔方fāng位角〕
〔磁瓶〕 cípíng 명 애자(碍子). 뚱딴지.
〔磁漆〕 cíqī 명 에나멜 페인트. =〔珐琅〕〔搪漆〕〔搪瓷〕
〔磁气〕 cíqì 명 《物》 자기.
〔磁强计〕 cíqiángjì 명 《物》 자력계.
〔磁倾角〕 cíqīngjiǎo 명 《物》 복각(伏角). 경각(傾角). =〔倾角①〕〔伏fú角〕
〔磁石〕 císhí 명 ① ⇨〔磁铁〕 ②자철광(磁鐵鑛).
〔磁石发电机〕 císhí fādiànjī 명 《機》 자석 발전기. =〔磁电机〕〔〈音〉 麦mài尼多〕
〔磁实〕 císhi 형 ①(물건이) 견고하다. (만듦새가) 단단하다. ¶这房子盖得很～; 이 집은 단단하게 되어 있다. ②(체격이) 튼튼하다. ¶他身子骨儿挺～; 그의 체격은 매우 튼튼하다. ③착실하다. 실수가 없다. ¶他学习得很～; 그는 매우 착실히 공부한다. ④빈틈이 없다. 굳어져 있다. ¶打夯以后, 地基就～了; 달구질을 한 후, 토대가 굳어졌다.
〔磁体〕 cítǐ 명 《物》 자성체.
〔磁铁〕 cítiě 명 자석(磁石). 마그넷. ¶马蹄形～; 말굽 자석 / 棒～; 막대 자석 / 永久～; 영구 자석 / 暂zàn时～; 일시 자석. =〔磁石①〕〔慈石〕〔〈俗〉 吸xī铁石〕
〔磁铁开关〕 cítiě kāiguān 명 자석 스위치. 마그넷 스위치.
〔磁铁矿〕 cítiěkuàng 명 《鑛》 자철광.
〔磁通(量)〕 cítōng(liàng) 명 《物》 자속(磁束). 자기력선속(磁氣力線束).
〔磁头〕 cítóu 명 《電》 (자기)헤드(head).
〔磁图〕 cítú 명 자기도(磁氣圖).
〔磁效应〕 cíxiàoyìng 명 《物》 자기(磁氣) 효과.
〔磁心〕 cíxīn 명 《電》 코어(core)《트랜스나 코일의 철심(鐵心)》.
〔磁星〕 cíxīng 명 자기장(磁氣場)을 지닌 항성(恒星).
〔磁性〕 cíxìng 명 《物》 자성.
〔磁性瓷〕 cíxìngcí 명 ⇨〔铁tiě氧体〕
〔磁性卡盘〕 cíxìng qiǎpán 명 《機》 자성 바이스(vice). =〔磁性虎钳〕〔〈南方〉 吸xī铁轧头〕
〔磁性体〕 cíxìngtǐ 명 《物》 자성체. =〔磁质〕
〔磁悬浮列车〕 cíxuánfú lièchē 명 자기 부상 열차. =〔磁悬浮火车〕
〔磁选〕 cíxuǎn 명 《鑛》 자기력 선광(選鑛).
〔磁诱导〕 cíyòudǎo 명 ⇨〔磁感应〕
〔磁针〕 cízhēn 명 《物》 자침. =〔吸xī针〕
〔磁质〕 cízhì 명 ⇨〔磁性体〕
〔磁轴(线)〕 cízhóu(xiàn) 명 《物》 자축《자석의 양 자극(兩磁極)을 잇는 직선》.
〔磁砖(儿)〕 cízhuān(r) 명 ⇨〔瓷砖(儿)〕
〔磁子〕 cízi 명 《物》 자자. 마그네톤.
〔磁子午线〕 cízǐwǔxiàn 명 《物》 자기 자오선. =〔地dì磁子午线〕

=〔差〕〔坏〕 ④《化》 차아(次亞). ¶～氯酸盐; 차아염소산염. ⑤양 회. 번. 차례(횟수를 나타내는 말). ¶头一～; 처음으로. 최초/第二～; 제2회. 두 번째/上～; 전회. 요전번/下～; 다음 번. 이 다음/这～; 이번/来了三～; 세 번 왔다/进行几～会谈; 몇 차례 회담을 하다/初～来北京; 처음으로 베이징에 오다. ⑥동 〈文〉 묵다. 숙박하다. ¶大军～于江北; 대군이 강북(江北)에 주둔했다/师～于长城; 군대가 장성(長城)에 머물다/船～沪上; 배가 상하이(上海)에 정박하다. ⑦명 여행 도중에 머무는 장소. 숙소. ¶客～; 여행중의 임시의 거처(居處). 여관/途～; 도중 숙소/旅～; 여행중 잠시 머무는 곳/舟～; 배가 항해 도중 머무는 곳. ⑧명 …의 가운데〔중간〕. 장소. ¶胸～; 가슴 속. 흉중/言～; 말 가운데. ⑨동 〈文〉 이르다. 다다르다. ¶恨之～骨; 원한이 뼈에 사무치다. ⑩명 성(姓)의 하나.

〔次比〕 cìbǐ 〈文〉 명 차례. 순서. 배열(排列)의 선후(先後). 동 동등하게 보다. ¶而世俗又不能与死节者～《司馬遷 報任少卿書》; 또한 세상에서도 절개를 지키고 죽은 사람과는 동등하게 보지는 않는다.

〔次布〕 cìbù 명 품질이 떨어지는 면포(綿布).

〔次成岩〕 cìchéngyán 명 《鑛》 쇄설암(碎屑岩).

〔次大陆〕 cìdàlù 명 《地》 아대륙(亞大陸). 준(準)대륙.

〔次的〕 cìde 명 2등급의 것. 열등한 것. ¶新来的货有点儿～吧? 새로 들어온 물건 중에는 조금 나쁜 것도 있겠지?

〔次等〕 cìděng 명형 제2등(의). 다음(의). ¶～货; 2급품/～明星; 2류 스타. 명 뒤떨어진 것. 못한 것.

〔次第〕 cìdì 명 ①순서. 차례. ¶～不同; 순서 부동. =〔次序〕 ②두서(頭緖). 처음. 실마리. ③상황. 모양. ¶梧桐更兼细雨, 到黄昏点点滴滴, 这～怎一个愁字了得?《李清照 聲聲慢詞》; 오동나뭇잎 위로 가랑비가 내리고, 황혼이 질 때 물방울이 떨어지니 이 모양을 어찌 '수(愁)' 자 하나로 표현할 수 있겠는가. 부 순서를 따라. 계속해서. ¶～人座; 순서대로 자리에 앉다/局部扩建, 已～开始; 부분적인 확장 공사는 이미 순서대로 시작되고 있다/余有二十余, ～知落矣; 아직 20여 개가 남아 있지만 그것들도 차례로 빠져 버릴 것이다.

〔次房〕 cìfáng 명 차남(次男)의 집. 차남의 가계. 분가(分家)의 계통.

〔次骨〕 cìgǔ 형 〈文〉 뼈에 사무치다(가혹하다. 심각하다). ¶恨之～; 〈成〉 대단히 남을 원망하다. 원한이 골수에 사무치다.

〔次后〕 cìhòu 명 〈文〉 이후. 금후.

〔次货〕 cìhuò 명 2류품.

〔次级线圈〕 *cìjí xiànquān* 명 《電》 2차 코일(coil). =〔副线圈〕

〔次磷酸〕 cìlínsuān 명 《化》 하이포아인산(亞燐酸).

〔次硫酸钠〕 cìliúsuānnà 명 《化》 히드로술파이트(hydrosulfite). =〔保bǎo险粉〕

〔次氯酸〕 cìlǜsuān 명 《化》 하이포아염소산(亞鹽素酸)(삼베·무명 따위의 표백제로 사용함).

〔次氯酸钙〕 cìlǜsuāngài 명 《化》 하이포아염소산(亞鹽素酸) 칼슘(보통 '漂piǎo(粉)精'(고도의 표백분)이라고 함).

〔次氯酸钾〕 cìlǜsuānjiǎ 명 《化》 하이포아염소산(亞鹽素酸) 칼륨.

〔次氯酸钠〕 cìlǜsuānnà 명 《化》 하이포아염소산(亞鹽素酸) 나트륨.

〔次男〕 cìnán 명 ⇨〔次子〕

〔次年〕 cìnián 명 〈文〉 익년(翌年). 이듬해.

〔次女〕 cìnǚ 명 〈文〉 차녀.

〔次贫〕 cìpín 형 매우 가난하다.

〔次品〕 cìpǐn 명 질 낮은 물건. 조악품(粗悪品). →〔正zhèng品〕

〔次轻量级〕 cìqīngliàngjí 명 《體》 (역도 등에서) 페더(feather)급.

〔次日〕 cìrì 명 〈文〉 다음 날. 이튿날. 익일(翌日).

〔次生〕 cìshēng 명 차생. 제2차. 제2기(제2차 생성의 것. 간접적으로 생긴 것. 파생한 것). ¶～林; 차생 삼림(森林)/～矿物; 차생 광물. 2차 광물.

〔次室〕 cìshì 명 〈文〉 첩(妾).

〔次数(儿)〕 cìshù(r) 명 횟수(回數). ¶～年年增加着; 횟수는 해마다 증가하고 있다.

〔次息〕 cìxī 명 ⇨〔次子〕

〔次席〕 cìxí 명 ①차석. 두 번째 좌석〔자리〕. ②도지죽(桃枝竹)으로 엮은 자리.

〔次序〕 cìxù 명 순서. 차례. ¶按着～; 차례차례로/按照～安排; 순서에 따라 안배하다.

〔次要〕 cìyào 형 2차적인. 부차적인. 두 번째로 중요한. ¶～问题; 2차적인 문제/形式是～的; 형식은 부차적인 것이다.

〔次要课〕 cìyàokè 명 그다지 중요하지 않은 학과〔과목〕. ¶所谓～如体育、图画、音乐等等他样样精通; 이른바 별로 중요하지 않은 학과, 예를 들어, 체육·미술·음악 등을 그는 모두 썩 잘한다.

〔次一击球员准备区〕 cìyījī qiúyuán zhǔnbèiqū 명 《體》 (야구에서) 넥스트 베터즈 서클(next batter's circle).

〔次一头〕 cìyītóu 명 제2위. 다음의 위치. (cì,yītóu) 동 한 급 아래다. 다음 가다. ¶咱们都次他一头的; 우리들은 모두 그보다도 한 급 아래다.

〔次乙基〕 cìyǐjī 명 《化》 에틸렌기(ethylene基).

〔次于〕 cìyú 동 〈文〉 …의 다음 가다. …보다 뒤떨어지다. ¶杂牌货的品质究竟～名厂出品; 군소(群小) 메이커의 품질은 아무래도 유명 메이커보다 뒤떨어진다.

〔次元〕 cìyuán 명 차원.

〔次韵〕 cìyùn 동 남의 시의 운에 맞추어 시를 짓다.

〔次长〕 cìzhǎng 명 옛날, (정부 각부의) 차관(현재의 '副fù部长'에 해당함).

〔次之〕 cìzhī 동 〈文〉 …의 다음 가다. ¶该省矿藏, 以锡最多, 铜～; 이 성(省)의 매장 광물은 주석(朱錫)이 가장 많고, 구리가 그 다음으로 많다.

〔次中量级〕 cìzhōngliàngjí 명 《體》 (역도 등에서) 웰터(welter)급.

〔次中音号〕 cìzhōngyīnhào 명 《樂》 테너 호른(tenor horn).

〔次重量级〕 cìzhòngliàngjí 명 《體》 (역도 등의) 미들 헤비(middle heavy)급.

〔次篆〕 cìzhuàn 명 별호(別號). =〔次印〕〔次章〕 →〔雅yǎ篆〕

〔次子〕 cìzǐ 명 둘째 아들. =〔次男〕〔次息〕

〔次最轻量级〕 cìzuìqīngliàngjí 명 《體》 (역도 등에서) 플라이(fly)급.

佽

cì (차)

〈文〉 ①동 (금전으로) 돕다. 원조하다. ¶～助; 원조하다. ②동 늘어서다. 나란히 존재하다. ③명 편리함. 귀중함.

刺 **cì** (자)
①동 (바늘·가시 따위로) 찌르다. ¶针灸大夫把一根细钢针～到膝下的皮肤里; 침술사가 가는 침을 무릎 아래 살갗에 놓다 / 用刺刀～中敌人胸膛; 총검으로 적의 가슴팍을 찌르다. ②동 암살하다. ¶行xíng～; 암살하다 / 被～; 암살당하다 / ～客; ⇓ ③동 바늘로 꿰매다. 수를 놓다. 자수하다. ④동 자극하다. ¶～鼻; ⇓ / ～目; ⇓ / 这个话太～耳; 이 말은 몹시 귀에 거슬린다. ⑤동 헐뜯다. 비난하다. 비방하다. 책하다. ¶讥～, 讽～是批评人的坏处时的一种方式; 나무라거나 비방하는 것은 남의 나쁜 점을 비난할 때의 수법이다. ⑥동 정찰하다. 염탐하다. ¶～人阴事; 남의 약점을 염탐하다. ⑦동 삿대질하다. 배를 젓다. =〔撑chēng④〕 ⑧명 명함. ¶投～; 명함을 내놓다. 방문하다. ⑨명 까끄라기. 까락. ¶麦～; 보리 까끄라기 / 手上扎了一个～; 손에 가시가 박혔다 / 叶子上有～儿; 잎사귀에 가시가 있다. ⑩(～儿) 명 (생선 등의) 가시. ¶这种鱼肉肥～少; 이런 생선은 살이 많아서 잔가시가 적다. ⑪명 대나무나 나무 따위의 뾰족한 부분. 또, 뾰족한 것. ¶黄蜂尾后有毒～; 벌의 꽁지에는 독침이 있다 / 他说话有～; 그의 말에는 가시가 있다. ⑫명 총에 꽂은 검(劍). ⑬명 (펜싱의) 찌르기. ⑭동 문신(文身)하다. ⇒cī

〔刺鲅〕 cìbá 명 《魚》 전갱이. =〔竹筴鱼〕
〔刺柏〕 cìbǎi 명 《植》 향나무. =〔桧guì〕
〔刺鼻〕 cìbí 동 냄새가 코를 찌르다.
〔刺鲳〕 cìchāng 명 《魚》 샛돔.
〔刺穿〕 cìchuān 동 찔러서 꿰뚫다.
〔刺船〕 cìchuán 동 〈文〉 배를 젓다.
〔刺刺〕 cìcì 형 수다스러운 모양.
〔刺刺不休〕 cì cì bù xiū 〈成〉 끊임없이 잔소리 따위를 늘어놓다. 쉴새없이 지껄이다. ¶说几句就算了, ～地说多讨厌呀! 두세 마디면 끝날 것을 장황하게 늘어놓으니, 얼마나 성가신가!
〔刺促〕 cìcù 형 〈文〉 불안한 모양. 세상일에 안달하는 모양.
〔刺打〕 cìda 동 〈方〉 욕하며 꾸짖다.
〔刺刀〕 cìdāo 명 총검(銃劍). ¶上～! 꽂아 칼(구령)! / 下～! 빼어 칼!(구령) / ～见红; 총검이 빨갛게 되다(마치 실전(實戰)과 같음. 가차없음). =〔枪qiāng刺〕
〔刺蛾〕 cì'é 명 《蟲》 (노랑)쐐기나방. =〔刺虫蛾〕〔雀què瓮蛾〕
〔刺耳〕 cì'ěr 형 ①(자기의 약점을 찔리어) 귀가 따갑다. 귀에 거슬리다. 듣기 거북하다. ¶别人提这件事就觉得～; 남이 이 일에 대해 언급하면 듣기 거북하다. ②음성에 가시가 돋쳐 있다.
〔刺讽〕 cìfěng 동 〈文〉 빈정대다. 풍자하다.
〔刺股〕 cìgǔ 동 졸음을 쫓아 가며 열심히 공부하다(옛날, 소진(蘇秦)이 공부하다가 졸음이 오면 허벅지에 송곳을 찔러서 졸음을 쫓았다는 고사에서 나온 말).
〔刺骨〕 cìgǔ 동 (추위 혹은 원한이) 뼈를 찌르다. 뼈에 스미다. ¶寒风～; 차가운 바람이 뼈에 스미다 / 恨之～; 원한이 뼈에 사무치다.
〔刺海兔〕 cìhǎitù 명 《動》 바늘군소. =〔海珠〕
〔刺槐〕 cìhuái 명 《植》 아카시아. =〔茨cí槐〕〔洋yáng槐〕〔针zhēn槐〕
〔刺激〕 cìjī 명동 자극(하다). 흥분(시키다). ¶这样的～谁也感觉难以忍受; 이런 자극은 어느 누구도 참을 수 없다고 생각된다 / 物质～; 물질적 자극 / 不要用抱怨的话来～他; 원망하는 말로 그를 자극하지 마라 / ～食欲; 식욕을 자극하다. =〔刺戟〕
〔刺激素〕 cìjīsù 명 ⇨〔激素〕
〔刺激物〕 cìjīwù 명 ①《醫》 흥분제. ②흥분성 음료. 자극물.
〔刺戟〕 cìjǐ 명동 ⇨〔刺激〕
〔刺蓟菜〕 cìjìcài 명 《植》 조뱅이. 조방가새. 소계(小蓟). =〔大dà蓟〕
〔刺客〕 cìkè 명 자객. 암살자.
〔刺老鸦〕 cìlǎoyā 명 《植》 드릅나무. =〔刺龙牙〕
〔刺藜〕 cìlí 명 《植》 가시복.
〔刺蓼〕 cìliǎo 명 《植》 며느리미씨깨.
〔刺骂〕 cìmà 동 욕하다. 매도(罵倒)하다. 풍자〔비방〕하다.
〔刺毛〕 cìmáo 명 《植》 자모(식물의 표피(表皮)에 있는 털의 한 가지. 쐐기풀의 가시 따위).
〔刺玫(花)〕 cìméi(huā) 명 《植》 해당화(의 꽃)(향료(香料)). =〔蔷花〕〔蔷玫〕
〔刺面〕 cìmiàn 동 얼굴에 문신을 하다. 명 문신형(刑)을 받은 죄인의 얼굴.
〔刺谬〕 cìmiù 동 모순되다. 부합되지 않다. 원만하지 못하다. 지장이 있다. ¶言语～; 말에 모순이 있다 / 他这件事办得非常～, 完全违反我的话了; 그의 이 방식은 타당치 않다. 내가 말한 것과는 완전히 다르다.
〔刺目〕 cìmù 동 ⇨〔刺眼〕
〔刺挠〕 cìnao 형 〈北方〉 근질거리다. 가렵다. ¶有好几天没洗澡了, 身上～得很; 며칠이나 목욕을 못해서 몸이 대단히 가렵다 / 头发根全直～得慌; 머리털 뿌리가 한꺼번에 근질근질 가려워졌다 / 越挠越～; 긁으면 긁을수록 더 가렵다. =〔刺闹〕〔刺痒〕
〔刺配〕 cìpèi 동 옛날, 죄인의 이마에 자자(刺字)해서 먼 곳으로 유배시키다.
〔刺枪术〕 cìqiāngshù 명 《軍》 총검술(銃劍術).
〔刺青〕 cìqīng 명동 자자(刺字)(하다). 문신(文身)(하다). =〔点diǎn青〕〔雕diāo青〕
〔刺楸〕 cìqiū 명 《植》 엄나무. =〔刺树〕〔刺桐〕
〔刺儿菜〕 cìrcài 명 ⇨〔小xiǎo蓟〕
〔刺儿松〕 cìrsōng 명 《植》 소나무.
〔刺儿头〕 cìrtóu 명 ①(보풀이 인 것처럼) 머리카락을 길게 기른 머리. ②〈比〉 취급하기 까다로운 인간. 교활하여 상대하기 어려운 사람. 여간내기가 아닌 작자. ¶谁也不敢惹～; 누구도 까다로운 사람에게는 비위를 건드리지 않는다.
〔刺儿鱼〕 cìryú 명 《魚》 전어.
〔刺人〕 cìrén 동 ①자극하다. 흥분시키다. ②빈정대다. ③저격하다.
〔刺杀〕 cìshā 동 ①《軍》 척살(刺殺)하다. 찔러 죽이다. ②(무기를 사용해) 암살하다. 명 총검 돌격.
〔刺伤〕 cìshāng 동 찔러서 상처를 입히다. ¶～自尊心; 자존심을 상하게 하다.
〔刺参〕 cìshēn 명 《動》 자삼(해삼의 일종). =〔沙shā噀〕
〔刺史〕 cìshǐ 명 자사. 한(漢)·당(唐) 시대의 주(州)의 장관(후세에는 지방 장관을 호칭했으며, 청(淸)나라 때는 지주(知州)의 존칭이 됨).
〔刺死〕 cìsǐ 동 (칼 따위로) 찔러 죽이다.
〔刺穗蓼〕 cìsuìliǎo 명 《植》 바늘명아주.
〔刺探〕 cìtàn 동 ①정찰하다. 밀탐하다. ②(남을) 좇으며 노리다. ③(기회를) 엿보다〔노리다〕.
〔刺疼〕 cìténg 동 (바늘·가시 따위에) 찔린 듯이 아프다.
〔刺痛〕 cìtòng 동 ①찌르듯이 아프다. ②찌르는 듯

한 아픔을 느끼게 말하다(흔히, '~了'의 꼴로 쓰임). ¶这句话~了他的心; 이 말은 그의 마음을 찌르는 듯이 아프게 했다.
〔刺头儿〕 cìtóur 명 빈틈없는 녀석. 다루기 힘든 사람. ¶对这个软硬不吃的~, 可怎么办呢? 강경이나 온건 어느 쪽으로도 통하지 않는 빈틈없는 이 녀석한테는 어떻게 해 줄까?
〔刺网〕 cìwǎng 명 자망. 걸그물.
〔刺猬〕 cìwei 명《動》고슴도치. ¶饿汉子捉住个胖~; 〈歇〉 배고픈 사나이가 살찐 고슴도치를 잡았다(나 먹자니 배부르고 남 주자니 아깝다). =〔刺蝟〕〔猬〕
〔刺细胞〕 cìxìbāo 명《動》자세포. 바늘 세포.
〔刺线〕 cìxiàn 명 철조망. =〔刺铁丝〕
〔刺心〕 cìxīn 동 마음을 찌르다. 마음을 자극하다. ¶她听见这些话觉得~; 그녀는 이 이야기를 듣고 가슴이 찢어지는 것 같았다.
〔刺绣〕 cìxiù 명 수. 자수. ¶~针; 수바늘. 동 수놓다.
〔刺讯〕 cìxùn 동 구명(究明)하다. 규명(糾明)하다. ¶这件事情, 我非得~出真象来; 이 사건은 내가 반드시 진상을 규명해야 한다.
〔刺牙〕 cìyá 동 (너무 뜨겁거나 찬 것을 먹어) 이가 새큰거리다〔시리다〕. =〔激jī牙〕〔镇zhèn牙〕
〔刺眼〕 cìyǎn 동 ①눈을 자극하다. 눈이 부시다. ②남의 이목을 끌다. 눈에 거슬리다. ‖ =〔刺目〕
〔刺痒〕 cìyang 형 가렵다. ¶蚊子咬了一下, 很~; 모기에 물려 몹시 가렵다. =〔刺挠〕
〔刺谒〕 cìyè 동 〈文〉 명함을 내놓고 면회를 청하다.
〔刺议〕 cìyì 동 〈文〉 비난〔비방〕하다.
〔刺鱼〕 cìyú 명《魚》큰가시고기.
〔刺榆〕 cìyú 명《植》참느릅나무.
〔刺针〕 cìzhēn 명 강장 동물(腔腸動物)의 자세포(刺細胞) 바깥면에 있는 침(針)(감각 기관의 일종). 동 바늘로 찌르다.
〔刺猪〕 cìzhū 명《動》호저(豪猪).
〔刺字〕 cìzì 명동 자자(하다)(옛날, 중국 형벌의 하나. 죄인의 얼굴이나 팔 따위의 살을 파고 흠을 내어 죄명을 찍어 넣던 일). ¶~贼; 자자(刺字)를 당한 도적. →〔墨mò刑〕〔黥qíng面〕

伺
cì (사)
→〔伺候〕 ⇒ sì

〔伺候〕 cìhou 동 ①문안 드리다. ②시중 들다. 모시다. ¶~病人; 환자를 돌보다 / 不是分fèn内的事, ~不着zháo; 직무 외의 일은 시중들 의무가 없다. ③섬기다.

赐(賜)
cì (사)
① 동 (윗사람이 아랫사람에게) 주다. 하사하다. 내리다. ¶希~回音; 부디 답장을 보내 주시기를 바랍니다 / 赏~; 상을 주다. ② 명 하사품. 은혜. 혜택. ¶皆受其~; 모두 그 은혜를 받다. ③ 동 자신에 대한 타인의 행위를 겸손하게 말하다. ¶敬希~知时日; 〈翰〉 아무쪼록 일시를 알려 주시기 바랍니다 / 尚祈~复; 〈翰〉 답장을 주신다면 다행으로 생각하겠습니다 / 如蒙~顾至所欢迎; 〈翰〉 만약 특별히 찾아 주신다면 지극히 환영하는 바입니다. ④ 동 〈文〉 다하다. ¶不~; 〈翰〉 (글의 말미에서) 다 말할 수 없음의 뜻. ⑤ 명 성(姓)의 하나.
〔赐保命〕 cìbǎomìng 명《生》〈音〉 스페르민(spermine).
〔赐福〕 cìfú 동 〈文〉 행복을 주시다.
〔赐复〕 cìfù 동 〈翰〉 답신(答信)을 보내 주시다. ¶请即~为荷! 즉시 답신을 보내 주시면 고맙겠습니다!
〔赐告〕 cìgào 동 〈文〉 임금이 휴가를 주시다.
〔赐购〕 cìgòu 동 사 주시다. 주문해 주시다.
〔赐顾〕 cìgù 동 〈文〉 애고(愛顧)해 주시다(가게에서 고객에 대해 이름). ¶~诸位; 특별히 돌봐 주시는 고객 여러분 / 如蒙~, 必当格外克己以副雅意; 애고해 주신다면 특별히 (값을) 싸게 해서 마음에 드시도록 힘쓰겠습니다.
〔赐函〕 cìhán 동 〈翰〉 편지를 받다〔해 주시다〕.
〔赐贺〕 cìhè 동 〈翰〉 축하를 해 주시다〔받다〕.
〔赐惠〕 cìhuì 동 〈文〉 은혜를 베풀다. =〔赐恩〕
〔赐教〕 cìjiào 동 〈敬〉 가르쳐 주다. ¶不吝~; 아낌없는 가르침을 주시다.
〔赐赏〕 cìshǎng 〈文〉 동 상을 내리다〔주다〕. 명 하사품.
〔赐谥〕 cìshì 명 〈文〉 시호(諡號)(대관(大官)이 사후에 받는 칭호). 동 시호를 하사하다.
〔赐死〕 cìsǐ 동 〈文〉 사약(死藥)을 내리다(황제로부터 자결의 명을 받는 일).
〔赐下〕 cìxià 동 보내어 주시다. ¶望乞早日~; 조속히 보내 주시기 바랍니다.
〔赐予〕 cìyǔ 동 〈文〉 수여하다. 하사하다.
〔赐正〕 cìzhèng 동 〈文〉 정정하여 주시다. ¶敬祈~为荷; 〈翰〉 부디 정정해 주십시오.

CONG ㄘㄨㄥ

匆〈悤, 怱, 忩〉
cōng (총)
형 ①창황(蒼黃)하다. 급하다. 바쁘다. ¶来去~~; 왕래가 분주하다. ②서두르다. ③당황하다.
〔匆匆〕 cōngcōng 형 분주한 모양. 황급한 모양. ¶行色~; 행색이 분주하다 / 无故~; 이유 없이 바쁘다 / 他换上衣服又~地到工地去了; 그는 옷을 갈아 입고서 황급히 작업 현장으로 갔다 / ~吃了一顿饭; 급하게 밥을 먹었다.
〔匆卒〕 cōngcù 형 ⇨〔匆促〕
〔匆促〕 cōngcù 형 바쁘다. 총망하다. 촉박하다. ¶~起程; 황망히 출발하다 / 因为动身的时候太~了, 把稿子忘在家里没带来; 출발할 때 너무나 경황이 없어 원고를 집에 두고 가져오지 못했다. =〔匆卒〕〔匆猝〕
〔匆遽〕 cōngjù 형 〈文〉 바쁘다. 분주하다. ¶~之间难免有失; 바쁠 때는 실수가 있기 마련이다.
〔匆碌〕 cōnglù 형 〈文〉 바쁘다. ¶终日~难获余暇; 종일 바빠서 틈을 내기가 힘들다.
〔匆忙〕 cōngmáng 형 총망하다. 매우 바쁘다. ¶乘客们~地上了火车; 승객은 바삐 기차에 올랐다.

葱〈蔥〉
cōng (총)
명 ①《植》파. ¶一根~; 파 한 뿌리 / 洋~; 양파 / 大~; 대파 / 小~(儿); 봄에 새로 나온 햇파 / 分~; 실파. ②청색(青色). ¶~翠; ⇩ / ~绿; ⇩
〔葱白〕 cōngbái 명 아주 엷은 남색.
〔葱白儿〕 cōngbáir 명 파의 흰 밑동. =〔葱心xīn〕
〔葱白头〕 cōngbáitóu 명 파의 흰 밑동 부분.
〔葱葱〕 cōngcōng 형 초목이 파랗게 무성한 모양.
〔葱翠〕 cōngcuì 형 짙푸르다. ¶~的竹林; 짙푸르게 무성한 대숲. =〔苍翠〕

〔葱胡子〕 cōnghúzi 명 파뿌리.
〔葱花(儿)〕 cōnghuā(r) 명 ①잘게 썬 파. ②파의 둥근 꽃.
〔葱花儿饼〕 cōnghuārbǐng 명 파를 잘게 썰어 넣고 지진 밀가루 지짐. =〔葱花烙lào饼〕
〔葱黄〕 cōnghuáng 명 엷은 황색. 연노랑.
〔葱茏〕 cōnglóng 형 짙푸르게 무성하다. ¶～的松树林; 파랗게 울창한 소나무 숲. =〔葱郁〕
〔葱胧〕 cōnglóng 형 〈文〉 빛을 받아 아름답게 빛나는 모양.
〔葱绿〕 cōnglǜ 명 엷은 녹색. 노르스름한 연둣빛. =〔葱心儿绿〕 형 (초목이) 짙푸르다.
〔葱丝(儿)〕 cōngsī(r) 명 가늘게 썬 파.
〔葱头〕 cōngtou 명 양파. =〔洋葱〕
〔葱心〕 cōngxīn 명 파의 흰 밑동. ¶～儿绿rlǜ; 노르스름한 연둣빛. =〔葱白儿〕
〔葱油饼〕 cōngyóubǐng 명 밀가루를 반죽하여 잘게 썬 파·기름·소금을 넣고 둥글게 구워 낸 음식.
〔葱郁〕 cōngyù 형 ⇨〔葱茏〕

囱 cōng (총)
→〔烟yān囱〕

骢(驄) cōng (총)
명 〈文〉 총이말. 청총마(青驄馬). ¶五花～; 얼룩말.

璁 cōng (총)
명 〈文〉 옥(玉) 비슷한 아름다운 돌.

熜 cōng (총)
명 〈文〉 ①약한 불. ②열기(熱氣).

苁(蓯) cōng (종)
→〔苁蓉〕

〔苁蓉〕 cōngróng 명 《植》 초종용(草蓯蓉)과 육종용(肉蓯蓉)의 총칭.

玐(瑽) cōng (종)
→〔玐琤〕

〔玐琤〕 cōngróng 〈擬〉 짤랑짤랑. 쨍그랑《패옥(佩玉)이 서로 스치는 소리》.

枞(樅) cōng (종)
①명 《植》 전나무. =〔冷lěng杉〕 ②동 치다. ③명 성(姓)의 하나.
⇒zōng

锹(鏦) cōng (총, 창)
①명 〈文〉 짧은 창《옛날 무기》. ②동(창으로) 찌르다. ③〈擬〉 금속이 울리는 소리. ¶～～铮zhēng铮; 금속이 울리는 소리 / 剑jiàn戟铮～; 칼싸움 소리가 계속해서 울리다.

聪(聰) cōng (총)
①형 귀가 밝다. ¶耳～目明; 〈成〉 귀와 눈이 밝다. 청각과 시각이 모두 민첩하고 영리하다. ②명 〈文〉 청각(聽覺). ¶左耳失～; 왼쪽 귀의 기능을 잃었다. ③형 영리하다. 총명하다.

〔聪慧〕 cōnghuì 형 총명하다. 지혜롭다. ¶那个人～极了; 저 사람은 매우 지혜롭다.
〔聪敏〕 cōngmǐn 형 총명하다. 영리하다. ¶～头脑; 총명하고 예민한 두뇌 / 那个孩子很～; 저 아이는 매우 영리하다.
〔聪明〕 cōngmíng 형 ①귀·눈이 예민하다. ②천성이 뛰어나게 민활하다.
〔聪明〕 cōngming 형 머리가 좋다. 영리하다. ¶～一世, 糊涂一时; 〈諺〉 원숭이도 나무에서 떨어질 때가 있다. 천려 일실(千慮一失) / ～能干; 총명하고 유능하다 / 既～又用功; 머리도 좋고 공부도 열심히 한다 / ～反被～误; 〈諺〉 책사(策士)가 책략에 넘어가다. =〔聪悟〕〔聪颖〕 ↔〔糊涂〕〔笨①〕
〔聪颖〕 cōngyǐng 형 ⇨〔聪明ming〕
〔聪哲〕 cōngzhé 형 〈文〉 영리하다. 현명하다.

从(從) cóng (종)
①동 좇아가다. 뒤따르다. (…을) 따르다. ¶愿～其后; 그 뒤를 따르고자 한다 / ～众; ⇩ / ～风而靡; 바람 부는 대로 나부끼다. ②동 복종하다. 순종하다. 말을 듣다. ¶言听计～; 〈成〉 말한 것이 채택되고 계획이 실현되다《신용이 두터운 모양》 / ～命; ⇩ / 服～; 복종(하다) / 在家～父, 出门～夫, 夫死～子也; 집에서는 아버지에게 복종하고, 출가하면 남편에게 복종하고, 남편이 죽은 후에는 자식을 따른다. ③동 종사하다. 참가하다. ¶～政; 정치를 하다 / ～公; 공사에 종사하다 / ～军; ⇩ / ～商; 상업에 종사하다. ④동 어떤 원칙·방침에 따르다. 한쪽에 기울다. ¶～宽处理; 관대히 처리하다 / ～速解决; 재빨리 해결하다 / 诸事～俭; 모든 일에 검약하다 / 薪水～丰; 급료는 넉넉하게 주다 / ～新再做; 새롭게 다시 하다. ⑤동 굴복하다. ¶至死不～; 죽어도 굴복하지 않다. ⑥개 …부터. …에서《시간적·공간적인 기점(起點)을 가리킴》. ¶～这儿到那儿; 여기에서 저기까지 / ～头至尾; 처음부터 끝까지 / ～哪儿来的? 어디에서 왔는가? =〔由〕〔打〕 ⑦부 …하려고 해도 할 수 없다. …할 방법이 없다《부정사(否定詞) '无wu'를 동반하여》. ¶无～入手; ⓐ입수할 방법이 없다. ⓑ착수할 방법이 없다. 손을 댈 수가 없다. / 无～插足; 발을 들여 놓을 수가 없다. ⑧접 …하고 나서. 그래서. 그리하여. ¶经此讨论, ～而深入研究; 이 토론을 거치고 나서 깊이 연구하다. ⑨부 이제까지. 여태껏. ¶～没见过; 지금까지 만난 적이 없다 / ～不迟到; 지금까지 지각한 일이 없다. =〔从来〕 ⑩개 …에서. …을《경유(經由)하는 곳을 가리킴》 / ～门前路过; 문 앞을 지나가다. ⑪명 종자(從者). 수행원. ¶仆～; 종복 / 侍～; 시종 / ～者如云; 〈成〉 따르는 자가 구름처럼 많다. ⑫명 부차적인 것. ¶不分首～; 주범·종범의 구별 없이 벌하다 / ～犯; ⇩ / 主～; 주종. ⑬명 옛날, 위계(位階)의 같은 등급에서 정(正)의 아래에 있음을 나타내는 말. ¶～三位; 종삼품. ⑭명 같은 할아버지의 동족(同族)에서 친족 관계를 나타내는 말《혈족 중에서 관계가 먼 사람을 가리키기도 함》. ¶～兄弟; 종형제 / ～母; 이모. 注 ⑪⑫⑭의 경우, 구음(舊音)은 zòng. ⑮명 성(姓)의 하나.

〔从便〕 cóngbiàn 부 〈文〉 형편 좋은 대로. 마음대로. ¶如何之处, 请～安排; 〈翰〉 만사 편리하신 대로 안배하여 처리하십시오.
〔从表兄弟〕 cóngbiǎoxiōngdì 명 고종·이종 사촌 형제. →〔从堂兄弟〕
〔从表侄〕 cóngbiǎozhí 명 조카. 고종·이종 사촌의 아들.
〔从伯〕 cóngbó 명 종백. 큰아버지《아버지보다 나이가 많은 친사촌 형님》.
〔从不〕 cóngbù 부 이 때까지 …하지 않다. ¶～讲假话; 지금까지 거짓말을 하지 않다.
〔从长计议〕 cóng cháng jì yì 〈成〉 천천히 상의

가) 조잡하다. 겉날리다. 서투르다. ¶手工很～; 수공이 매우 조잡하다. =〔粗剌③〕
〔粗茶淡饭〕 cū chá dàn fàn 〈成〉 변변치 못한 음식《검소한 생활》. =〔淡饭粗茶〕
〔粗柴油〕 cūcháiyóu 명 《化》 가스 오일.
〔粗蠢〕 cūchǔn 형 경솔하다. 덜렁대다. 우둔하다. ¶一个～的人怎么做那个精细的事呢? 이런 덜렁이가 그런 치밀한 일을 어떻게 할 수 있겠는가?
〔粗瓷〕 cūcí 명 허술한 도자기. 유약(釉藥)을 바르지 않고 저열에 구운 도자기. ↔〔细xì瓷〕
〔粗粗拉拉〕 cūculālā 형 거칠다. 조잡하다. ¶我的手一到冬天就～的; 내 손은 겨울만 되면 거칠거칠해진다 / 这点儿活儿做得～的, 一点不细致; 이 제품은 조잡하게 만들어져 조금도 정교하지 않다. =〔粗拉拉〕
〔粗大〕 cūdà 형 ①거칠다. 굵다. 큼직하다. ¶～的手掌; 큼직한 손바닥 / 他用～的胳膊抱住孩子; 그는 굵다란 팔로 어린아이를 안았다. ②(소리가) 굵다. 크다. ¶发出～的鼾声; 큰 소리로 코를 골다.
〔粗点心〕 cūdiǎnxīn 명 변변치 못한 과자. 막과자. ¶请用点儿～; 변변치 못한 과자지만 좀 드십시오. =〔糙cāo点心〕
〔粗钉〕 cūdīng 명 가제본(假製本).
〔粗定〕 cūdìng 동 거의 결정되다. 대강 정해지다. ¶大局～; 대세는 거의 결정되다.
〔粗读〕 cūdú 동 대충 읽다. ¶～了一下当天的报纸; 당일의 신문을 대강 읽었다.
〔粗帆布〕 cūfānbù 명 투박한 범포(帆布). 캔버스(canvas). ↔〔细帆布〕
〔粗纺〕 cūfǎng 명 《紡》 조방《방적(紡績) 과정에서 섬유를 조방기(粗紡機)로 다시 가늘게 뽑아 꼬아 내는 일》.
〔粗放〕 cūfàng 형 ①세밀하지 않고 거칠다. ②조방하다.
〔粗放农业〕 cūfàng nóng yè 명 《農》 조방 농업《자연물·자연력의 작용을 주로 하고 자본·노력(勞力)을 들이는 일이 적은 농업》. ↔〔集jí约农业〕
〔粗榧〕 cūfěi 명 《植》 비자(榧子)나무 비슷한 상록 교목의 하나《열매는 비자나무와 비슷해서 둥글고 기름을 짬. 재목은 가구 제조에 쓰임》.
〔粗风暴雨〕 cū fēng bào yǔ 〈成〉 갑자기 쏟아지는 폭풍우.
〔粗服乱头〕 cū fú luàn tóu 〈成〉 허술한 옷과 흐트러진 머리《옷차림에 무관심함. 단정치 못한 용모. 또는, 문장(文章)의 본질을 가리킴》.
〔粗工〕 cūgōng 명 ①조잡한 일. ②잡역(雜役) 노동자.
〔粗犷〕 cūguǎng 형 ①거칠고 난폭하다. ¶这小伙子长得高大, 略显～; 이 젊은이는 키가 크고 몸집도 커서 좀 난폭하게 보인다. ②호방(豪放)하다. 걸걸하고 소탈하다. ¶是什么使他的～和细心连在一起呢? 무엇이 그의 호방함과 세심함을 하나로 묶고 있는 것일까?
〔粗豪〕 cūháo 형 ①호쾌하고 깔끔하다. ②용감하고 씩씩하다. 분방(奔放)하다. ¶汽笛发出～的声音; 기적은 용장(勇壯)한 소리를 내었다.
〔粗喉咙大嗓子〕 cū hóulong dà sǎngzi 크고 난폭한 목소리. 크고 탁한 목소리.
〔粗厚〕 cūhòu 형 굵고 두껍다. 굵고 투툼하다. ¶～的大手; 굵고 두툼한 큰 손.
〔粗花呢〕 cūhuāní 명 ⇨〔粗呢〕
〔粗话〕 cūhuà 명 ①비속(卑俗)한 말. ②외설(猥褻)스러운 이야기.
〔粗活(儿)〕 cūhuó(r) 명 ①막일. 노동. ¶差个～; 노동력이 부족하다. ②노동자.
〔粗货〕 cūhuò 명 조제품(粗製品). 조잡하게 만든 물건. =〔糠货〕
〔粗具规模〕 cū jù guī mó →〔字解⑧〕
〔粗看〕 cūkàn 동 대강 보다. 슬쩍 보다. ↔〔细xì看〕
〔粗剌〕 cūla 형 ①침착하지 못하다. ②무책임하다. ③ ⇨〔粗糙②〕 ‖ =〔粗拉〕
〔粗老〕 cūlǎo 형 (고기가) 거칠고 질기다.
〔粗冷〕 cūlěng 형 굵은 모사(毛絲). =〔粗绒线〕
〔粗粒〕 cūlì 명 굵은 알갱이. ¶～田料; 알갱이가 굵은 화학 비료 / ～货; 알이 굵은 물품.
〔粗粝〕 cūlì 명 ①〈文〉 찧[도정하]지 않은 쌀. 현미. ②변변치 않은 음식물.
〔粗粮〕 cūliáng 명 잡곡《쌀·보리에 대해서 옥수수·수수·좁쌀·콩류 등을 말함》. =〔〈方〉 糙cāo粮〕 ↔〔细xì粮〕
〔粗劣〕 cūliè 형 거칠고 좋지 못하다. 거칠고 나쁘다.
〔粗陋〕 cūlòu 형 허술하다. 정교하지 못하다. 볼품없다. ¶这所房子盖得很～; 이 집은 아주 허술하게 지었다.
〔粗鲁〕 cūlu 형 ①(성격이나 행동이) 우악스럽다. 거칠다. ¶行动很～; 행동이 매우 우악스럽다 / 言谈～; 말을 함부로 하다. ②우둔하다. 멍청하다.
〔粗略〕 cūlüè 형 치밀하지 않은. 간략한. 대략적인. 대충의. ¶得到～的了解; 그런대로 이해하다 / 这个数子只是～估计; 이 숫자는 대략적인 추측에 불과하다.
〔粗麻布〕 cūmábù 명 《紡》 건니(gunny). 주트(jute)로 짠 천. 올이 굵은 삼베.
〔粗麦〕 cūmài 명 《植》 연맥(燕麥).
〔粗莽〕 cūmǎng 형 조잡하다. 사려가 없다. 거칠고 경솔하다.
〔粗眉〕 cūméi 명 굵은[짙은] 눈썹.
〔粗眉大眼〕 cū méi dà yǎn 〈成〉 짙은 눈썹에 커다란 눈《위엄 있는 용모》.
〔粗米〕 cūmǐ 명 현미(玄米).
〔粗磨〕 cūmó 동 초벌 갈다. 대강 갈다. ¶～去皮; 애벌 갈아서 겉껍질을 벗기다.
〔粗呢〕 cūní 명 《紡》 트위드(tweed). =〔粗花呢〕
〔粗皮栎〕 cūpílì 명 《植》 굴참나무.
〔粗皮蛙〕 cūpíwā 명 《動》 옴개구리.
〔粗气〕 cūqì 명 거칠게 쉬는 숨. ¶喘着～跑来了; 숨을 거칠게 몰아 쉬며 달려왔다.
〔粗气油〕 cūqìyóu 명 《化》 나프타(naphtha).
〔粗浅〕 cūqiǎn 형 ①우둔하고 천박(淺薄)하다. 조잡하다. ¶谈一谈自己的～看法; 자기의 천박한 견해를 말하다. ②내용이 깊지 않다. 알기 쉽다. ¶像这样～的道理, 你还不懂吗? 이렇게 쉬운 도리도 너는 아직 모르느냐?
〔粗人〕 cūrén 명 ①거칠고 예절 없는 놈. ②어릴 때 팔리어 가서 자란 뒤 첩이나 하녀로 팔리는 여자. ③덜렁거리는 사람.
〔粗绒〕 cūróng 명 《紡》 커지(kersey)천.
〔粗嗓门〕 cūsǎngmén 명 굵직한 목소리. 탁한 목소리. ¶～的人; 목소리가 굵직한 사람. 목소리가 탁한 사람.
〔粗纱〕 cūshā 명 《紡》 굵은 무명실. ¶～机; 방사기(紡絲機). ↔〔细纱〕
〔粗纱头机〕 cūshātóujī 명 《機》 피커. 조방기(粗

紡機).
〔粗砂(糖)〕 cūshā(táng) 명 굵은 설탕. 싸라기 설탕.
〔粗声〕 cūshēng 명 굵고 큰 목소리. 거친 목소리. ¶～大气 =〔～粗气〕; 〈成〉 말투가 거칠다.
〔粗声暴语〕 cū shēng bào yǔ 〈成〉 거칠고 난폭한 말. 매우 난폭한 목소리와 말.
〔粗绳〕 cūshéng 명 약간 굵은 노끈. ↔〔绳①〕
〔粗实〕 cūshi 형 굵고 튼튼하다. ¶这张桌子的腿很～; 이 탁자의 다리는 굵고 튼튼하다.
〔粗手笨脚〕 cū shǒu bèn jiǎo 〈成〉 ①손재주가 없다. 서툴다. ↔〔手巧qiǎo〕 ②(일을 하는 데) 거칠다. 덜렁거리다.
〔粗梳〕 cūshū 명 《紡》 소면(梳綿). 소모. 카딩 (carding).
〔粗疏〕 cūshū 형 면밀하지 않다. 세심하지 않다.
〔粗率〕 cūshuài 형 ①거칠고 난폭하다. 경솔하다. ¶他人很～; 그는 사람됨이 경솔하다. ②변변치 못하다. 허술하다.
〔粗丝〕 cūsī 명 ①굵은 명주실. ②질이 낮은 고치에서 뽑은 조악한 명주실.
〔粗饲〕 cūsì 명 조악한 사료. ¶耐nài～的家畜; 조악한 사료로 사육하는 가축.
〔粗饲料〕 cūsìliào 명 풀·짚과 같은 거친 사료. ↔〔精jīng饲料〕
〔粗松〕 cūsōng 형 거칠다. 거칠고 성기다. 치밀하지 못하다. ¶一条～的绳子; 한 가닥의 거칠고 성긴 줄〔새끼줄〕.
〔粗俗〕 cūsú 형 속되다. 천박하다. ¶他的谈吐, 举止怎么那么～? 그의 말투나 행동거지는 왜 저렇게 천박할까? ↔〔文雅〕
〔粗糖〕 cūtáng 명 굵은 설탕.
〔粗体大膀〕 cū tǐ dà bǎng 〈成〉 위엄 있고 우람한 체격.
〔粗通〕 cūtōng 동 대강 통하다. 조금 알다. ¶～中国语; 중국어를 조금 알다.
〔粗腿〕 cūtuǐ 명 ①굵은 다리. ②〈比〉 강한 세력자. 보스. ¶抱～, 借势头; 보스와 결탁하여 그 위세에 의지하다.
〔粗腿病〕 cūtuǐbìng 명 《醫》 〈方〉 상피병(象皮病).
〔粗细〕 cūxì 명 ①굵기. 굵은 정도. ¶只有火柴杆那样～; 성냥개비 정도의 굵기밖에는 안 된다. ②거침과 고움. ¶～活; 힘드는 일과 자질구레한 일. ③세심함. 정성. 세련과 조야(粗野). ¶地里出粮多少, 也看活的～; 밭에서 얼마만큼의 수확이 있는가는 공을 얼마나 들였느냐에 달려 있다.
〔粗线条〕 cūxiàntiáo ①(글씨·그림에서) 굵은 선. ②대범(한 성격). 앞뒤 생각 없이 덮어놓고 함. ¶他为人表面上～; 그의 사람됨은 겉으로는 대범하다.
〔粗削〕 cūxiāo 명 《機》 애벌 마무리하는 공구. 초벌깎기. =〔粗刨bào〕〔粗车〕〔车chē毛刀〕〔车毛máo坯〕〔毛刀〕〔刨毛坯〕
〔粗削刀具〕 cūxiāo dāojù 명 《機》 애벌 깎기 절삭 공구. =〔〈北方〉 开kāi荒刀〕〔〈南方〉 毛máo坯刀〕
〔粗斜纹布〕 cūxiéwénbù 명 《紡》 데님(denim) 등의 두껍고 질긴 천.
〔粗心〕 cūxīn 형 조심성이 없다. 경솔하다. 세심하지 못하다. ¶说话不要～! 말은 경솔히 해서는 안 된다! ↔〔细心〕
〔粗心大胆〕 cū xīn dà dǎn 〈成〉 방심하다. 소홀하게 생각하다. ¶咱们可也别太～; 너무 소홀히 생각하지 말자.
〔粗心大意〕 cū xīn dà yì 〈成〉 덜렁덜렁해서 조심성이 없다. 경솔하다. ¶做任何一件事情都不能～, 忽略任何一个小地方, 都会造成损失; 어떤 일을 하건 간에 엉터리로 해 버려서는 안 된다. 어떤 작은 곳이라도 소홀히 하면 손실을 초래하게 마련이다.
〔粗心浮气〕 cū xīn fú qì 〈成〉 덜렁대며 침착하지 못하고 경솔하다.
〔粗哑〕 cūyǎ 형 목소리가 굵고 가라앉아 있다. 목소리가 탁하다. ¶～声; 탁한 목소리. 탁성.
〔粗有头绪〕 cūyǒu tóuxù →〔字解⑧〕
〔粗乐〕 cūyuè 명 《樂》 징이나 북 따위 타악기만으로 연주하는 음악(관현악 등에 대하여 이름).
〔粗躁〕 cūzào 형 조급하고 침착성이 없다.
〔粗针大线〕 cūzhēn dàxiàn 거친 바느질. 초벌시침.
〔粗枝大叶〕 cū zhī dà yè 〈成〉 조잡하다. 날림이다. 덜렁덜렁하다. ¶他～地写完了稿子, 因此写得不够明确的地方不少; 그는 꼼꼼하지 않게 원고를 써 버렸으므로 명확하지 않은 곳이 적지 않다.
〔粗支头〕 cūzhītóu 명 방직의 굵은 번수(番手).
〔粗纸〕 cūzhǐ 명 거칠고 조잡한 종이. ↔〔细xì纸②〕
〔粗制滥造〕 cū zhì làn zào 〈成〉 조잡하게 되는 대로 마구 만들다. 책임 없이 일을 대강대강 해치우다.
〔粗制品〕 cūzhìpǐn 명 조제품. 거칠게 가공한 제품. 또는 조악(粗惡)하게 제조한 상품.
〔粗中有细〕 cū zhōng yǒu xì 〈成〉 대범하지만 세세한 데에도 마음을 쓰다.
〔粗重〕 cūzhòng 형 ①(기구 등이) 쓸데없이 무겁기만 하고 품질이 좋지 않다. ↔〔细软xìruǎn〕 ②(손발이) 크고 힘이 있다. ¶～的手; 커다란 손. ③굵고 색깔이 짙다. ¶眉毛显得浓黑～; 눈썹이 새까맣고 짙다. ④(일이) 힘들다. ¶他干起活儿来, 从最～的到最琐碎的, 一向都是抢先去做; 그는 일이라면 언제나 가장 힘든 일에서부터 자잘한 일까지 무엇이고 앞을 다투어 한다. ⑤목소리가 굵고 거칠다. ¶～的嗓音; 굵고 탁한 목소리.
〔粗馔〕 cūzhuàn 명 〈文〉 검소한 음식. 허술하고 변변치 않은 음식.
〔粗奘〕 cūzhuǎng 형 크고 굵다.
〔粗壮〕 cūzhuàng 형 ①(몸이) 늠름하다. 투박하다. ¶身材～; 체격이 늠름하다. ②(물체가) 굵고 튼튼하다. ¶～的绳子; 굵고 튼튼한 줄. ③(목소리가) 굵다. 크다.
〔粗拙〕 cūzhuō 형 거칠고 조잡하다. ¶别看手工～, 做得可是真结实; 세공물이 거칠고 조잡하다고 업신여겨서는 안 된다. 오히려 아주 단단하게 만들어졌다.
〔粗字体〕 cūzìtǐ 명 고딕체.
〔粗子〕 cūzi 명 《紡》 ①굵은 실. ②조방(粗紡).
〔粗嘴伯劳〕 cūzuǐbóláo 명 《鳥》 칡때까치.

徂 cú (조)

동 〈文〉 ①가다. 도착하다. ¶自西～东; 서쪽에서 동쪽으로 가다. ②지나가다. ¶岁月其～; 세월이 지나가다. ③시작하다. ④ ⇨〔殂cú〕
〔徂来〕 cúlái 동 〈文〉 왕래하다. (Cúlái) 명 《地》 추라이 산(徂來山)(산둥 성(山東省) 타이안 현(泰安縣)에 있는 산 이름).
〔徂暑〕 cúshǔ 동 〈文〉 더워지기 시작하다. 명 음력 6월의 별칭.
〔徂谢〕 cúxiè 동 〈文〉 ①죽다. ②쇠퇴하다.

殂 cú (조)
동 〈文〉 사망하다. 죽다. =〔徂④〕

〔殂谢〕 cúxiè 동 〈文〉 사망하다. =〔殂落〕

卒 cù (졸)
부 갑자기. ¶ ~倒; 졸도하다 / ~中; 《漢醫》 중풍(中風). =〔猝〕 ⇒ zú

〔卒暴〕 cùbào 부 〈文〉 갑자기. 별안간에.

〔卒卒〕 cùcù 형 〈文〉 총망하다. 분주하다. ¶ ~无须臾yú之暇; 분주해서 조그마한 짬도 없다.

〔卒倒〕 cùdǎo 명 《漢醫》 뇌빈혈 또는 뇌출혈《어지럽고 갑자기 쓰러지므로 이 이름이 있음》. 동 (뇌빈혈·뇌출혈로) 졸도하다.

〔卒尔〕 cù'ěr 부 〈文〉 ①별안간에. 뜻밖에. 불쑥. ②경솔하게.

〔卒遽〕 cùjù 부 〈文〉 갑자기. 급히.

〔卒然(间)〕 cùrán(jiān) 부 돌연. 갑자기. 불시에. ¶ 他~死了; 그는 갑자기 죽었다.

〔卒死〕 cùsǐ 명동 〈文〉 급사(하다).

〔卒乍〕 cùzhà 부 〈文〉 갑자기. 돌연. ¶ ~拦他不住; 갑자기 그를 막을 수는 없었다.

〔卒中(风)〕 cùzhòng(fēng) 명 《漢醫》 졸중. 중풍. =〔中风〕

猝 cù (졸)
부 〈文〉 돌연. 갑자기. 별안간. ¶ ~生变化; 갑자기 변화가 일어나다 / ~不及防; ⇓ / 匆~; 바쁘다. 분주하다.

〔猝毙〕 cùbì 동 〈文〉 횡사(橫死)하다.

〔猝不及防〕 cù bù jí fáng 〈成〉 급해서 방어할 틈이 없다. 돌연한 일이라 손을 쓸 도리가 없다.

〔猝倒病〕 cùdǎobìng 명 《農》 (식물의) 입고병(立枯病).

〔猝然间〕 cùránjiān 부 돌연. 갑자기. 느닷없이. ¶ ~不知如何是好; 뜻밖이라 어떻게 해야 좋을지 모르겠다.

促 cù (촉)
①동 재촉하다. 독촉하다. ¶ 督~; 독촉하다 / 催cuī~; 재촉하다 / ~其发展; 그 발전을 촉진하다. ②형 (시간이) 절박하다. 촉박해지다. 임박하다. ¶ 时间短~; 시간이 촉박하다 / 急~ =〔迫pò~〕; 촉박하다. ③형 좁다. 좀스럽다. 곰상스럽다. ④동 가까이 하다. 접근하다. ¶ ~膝谈心; 무릎을 맞대고 마음을 터놓고 이야기하다.

〔促病〕 cùbìng 명 급작스러운 병. 급병(急病).

〔促步〕 cùbù 동 〈文〉 바삐 걷다. 명 빠른 걸음. 종종걸음.

〔促成〕 cùchéng 동 촉진하다. 독촉하여 완성시키다.

〔促急〕 cùjí 형 서두르다. 재촉하다.

〔促减〕 cùjiǎn 동 재촉하여 줄어들게 하다. 감소시키다. 소모시키다. ¶ ~寿算; 수명을 단축시키다.

〔促节竹〕 cùjiézhú 명 마디가 촘촘한 대나무.

〔促进〕 cùjìn 동 촉진하다. 독촉하다. ¶ ~农业的发展; 농업의 발전을 촉진하다. 명 촉진력. ¶ ~派; 전진 확대파. 진보파. ↔〔促退〕

〔促脉〕 cùmài 명 《漢醫》 빠르고 불규칙한 맥.

〔促忙〕 cùmáng 형 황망하다. →〔匆忙〕

〔促拍〕 cùpò 명 가곡(歌曲)의 빠른 템포. =〔簇拍〕

〔促请〕 cùqǐng 동 〈文〉 요청하다.

〔促肾上腺皮质激素〕 cùshènshàngxiàn pízhì jīsù 명 《生》 코르티코트로핀(corticotropin)《부신 피질 자극 호르몬》.

〔促声〕 cùshēng 명 《言》 입성(入聲)《'舒shū声'에 대해서 말함》.

〔促使〕 cùshǐ 동 ①…하게 만들다. ¶ ~他的世界观发生根本性的转变; 그의 세계관에 근본적인 변화가 일도록 만들다. ②촉진하다.

〔促退〕 cùtuì 동 퇴보를 재촉하다. ¶ ~派; 후퇴파. ↔〔促进〕

〔促膝〕 cùxī 동 〈文〉 무릎을 맞대다. ¶ ~而谈 =〔~地交谈〕; 무릎을 맞대고 환담하다.

〔促狭〕 cùxiá 형 ①도량이 좁고 곰상스럽다. ②음험하다. ¶ 你可小心, 这家伙~; 너 조심해라, 이 놈은 아주 음흉하니까. ③장난이 심하다. ¶ 他真~, 惯会恶作剧; 그는 정말 장난이 심해 못된 장난을 잘 친다.

〔促狭鬼〕 cùxiáguǐ 명 〈罵〉 ①도량이 좁고 곰상스러운 사람. ②음험한 사람.

〔促狭嘴〕 cùxiázuǐ 형명 심술궂고 입이 걸다〔건 사람〕.

〔促销〕 cùxiāo 동 제품의 판매를 촉진하다.

〔促织〕 cùzhī 명 《蟲》 귀뚜라미. =〔蟋蟀〕

〔促装〕 cùzhuāng 동 〈文〉 서둘러〔급히〕 여장을 꾸리다. 채비를 서두르다.

〔促坐〕 cùzuò 동 〈文〉 자리를 가까이하고 앉다. 무릎을 맞대고 앉다.

蹙 cù (축)
〈文〉 ①형 닥치다. 급박하다. 긴박하다. ¶ 形势迫~; 정세가 급박하다. =〔蹴②〕 ②동 오그라들다. 좁아지다. ③동 얼굴을 찌푸리다. 찡그리다. ¶ 眉头紧~; 눈살을 찌푸리다. ④형 궁박하다. ⑤동 괴롭히다. ⑥동 밟다. ⑦동 차다. 지르다.

〔蹙蹙〕 cùcù 형 〈文〉 웅크려서 작아진 모양. 오므라든 모양.

〔蹙额〕 cù'é 동 이마를 찌푸리다.

〔蹙金〕 cùjīn 명 자수(刺繡) 수법의 하나. 금실로 자수를 하고 그 무늬의 표면이 평평하지 않고 오므라든 것.

〔蹙然〕 cùrán 형 〈文〉 걱정하는 모양. 불안한 모양.

酢 cù (초)
명 식초. =〔醋①〕 ⇒ zuò

〔酢浆草〕 cùjiāngcǎo 명 《植》 괭이밥.

醋 cù (초)
명 ①식초. ②〈比〉 질투. ¶ 吃~; 질투를 하다 / 看了这个光景~得了不得; 이 광경을 보고 몹시 질투〔강샘〕하였다 / 他又吃~儿了; 그는 또 질투했다. ③신맛.

〔醋大〕 cùdà 명 가난한 사람. 가난한 서생(書生). =〔措大〕

〔醋罐子〕 cùguànzi 명 ①식초를 담는 병. ②질투하는 사람. 샘바리.

〔醋海生波〕 cù hǎi shēng bō 〈成〉 질투를 하여 소동을 벌이다.

〔醋浆〕 cùjiāng 명 《植》 꽈리. =〔酸suān浆〕

〔醋劲儿〕 cùjìnr 명 ①식초의 산미(酸味)의 정도. ②질투심(의 정도). ¶ 他的~不小; 그의 질투심은 강하다.

〔醋溜〕 cùliū 명 요리법의 하나. 갈분으로 만든 양념 초장을 친 것. ¶ ~鱼; 생선을 기름에 튀겨 녹말 가루로 만든 초장을 친 것.

〔醋烹〕 cùpēng 명 요리법의 하나《냄비에 기름을 두르고 식초·소금 등을 넣고 살짝 볶아 냄》. ¶ ~豆芽; 콩나물볶음.

〔醋片〕 cùpiàn 명 아세틸 셀룰로오스제(acetyl cellulose製) 필름.

〔醋酸〕 cùsuān 명 《化》 아세트산. ¶冰bīng～; 빙초산 / ～钾jiǎ; 아세트산 칼륨 / ～乙酯; 아세트산 에틸. =〔乙yǐ酸〕
〔醋酸铅〕 cùsuānqiān 명 《化》 아세트산납 초산연 (단맛이 있으며, 물에 녹여 찜질하는 데 씀). =〔铅糖〕
〔醋酸丝〕 cùsuānsī 명 《化》 아세테이트. 아세테이트 인견(人絹). =〔醋酸纤维〕〔醋纤丝〕〔醋酯纤维〕〔赛sài龙〕 注 '赛龙'은 상품명 에스트론(estron)의 음역자.
〔醋酸盐纤维〕 cùsuānyánxiānwéi 명 아세테이트 셀룰로오스 섬유.
〔醋坛子〕 cùtánzi 명 ①식초를 담는 도기(陶器) 항아리. ②〈比〉 질투가 많은 사람을 풍자하는 말.
〔醋瓮〕 cùwèng 명 식초를 담는 단지〔항아리〕.
〔醋心〕 cùxīn 동 위산이 나오다. 생목이 오르다. ¶白薯吃多了, 常会～的; 고구마를 많이 먹으면 생목이 오르는 일이 흔히 있다.
〔醋性〕 cùxìng 명 ①산미(酸味). 신맛. ②질투심.
〔醋意〕 cùyì 명 질투심. ¶闹(发)～; 질투하다. =〔醋性②〕
〔醋糟〕 cùzāo 명 ①식초를 짜고 난 찌꺼기. ②〈罵〉 산시(山西) 사람을 욕으로 하는 말.

蔟

cù (족)
①명 잠족(蠶簇). 누에섶. =〔蚕cán蔟〕 ②동 떼지어 모이다.

簇

cù (족)
①동 무리를 이루다. 무리지다. ¶花团锦～; 떨기 떨기 핀 꽃이 비단이 무리를 진 것처럼 눈부시게 아름답다 / 团团～～; 떼지어 모여 있다. 군집해 있다. ②동 떼지어 모이다. 군집하다. 한 군데로 모여 있다. ¶一群人～拥着; 한 무리의 사람들이 한군데로 모여 있다 / 群山攒cuán～; 군산(群山)이 모여 겹쳐져 있다. ③명 화살촉. ④양 무리. 무더기. 다발. 떼(무리진 것을 세는 말). ¶一～人; 한 무리의 사람 / 一～鲜花; 한 다발의 꽃. ⑤부 매우. 대단히. ¶～新; 매우 새롭다.
〔簇花茶藨〕 cùhuāchábiāo 명 《植》 까마귀밥여름나무.
〔簇居〕 cùjū 동 군거(群居)하다.
〔簇生〕 cùshēng 동 군생(群生)하다.
〔簇生卷耳〕 cùshēngjuǎn'ěr 명 《植》 점나도나물.
〔簇射〕 cùshè 명 《物》 복사(輻射). ¶宇宙线～; 우주선 복사.
〔簇新〕 cùxīn →〔字解⑤〕
〔簇拥〕 cùyōng 동 무리지어 둘러싸다. ¶学生们～着自己的代表, 热烈地欢呼着; 학생들은 자기들의 대표를 떼지어 둘러싸고 열렬하게 환호성을 올리고 있다. =〔簇捧〕

憱

cù (추)
형 〈文〉 마음이 가라앉지 않는 모양.

趣

cù (촉)
①동 재촉하다. 촉구하다. ②부 속히. 서둘러. ¶～治行装; 급히 행장을 챙기다. ⇒qù

蹴〈蹵〉

cù (축)
동 ①차다. 지르다. ¶～鞠; ⇩ =〔踢tī①〕 ②밟다. ¶不能一～而就; 한 번에 성공 못한다. ⇒jiu
〔蹴鞠〕 cùjū 명 축국(옛날의 공치기놀이의 하나).
〔蹴然〕 cùrán 형 〈文〉 ①근신하는 모양. 공경하는 모양. ②불안한 모양.
〔蹴踏〕 cùtà 동 밟다.
〔蹴踏蹴踏〕 cùtacùtà 〈擬〉 찍찍(짚신 등을 끄는 소리).

踧

cù (축)
①→〔踧踖jí〕 ②형 ⇨〔蹙①〕
〔踧踖〕 cùjí 형 〈文〉 공손하고 삼가는 모양.

CUAN ㄘㄨㄢ

汆

cuān (탄)
①동 끓는 물에 넣고 살짝 익히다. 데치다 ('炖'보다 짧은 시간). ¶用鱼～汤; 생선국을 끓이다 / ～丸子; ⇩ / ～黄瓜片儿; 오이국. =〔撺⑥〕 ②동 강한 화력으로 빨리 물을 끓이다. ¶～了一汆子水; 센 불로 물 한 '汆子'를 끓였다. ③→〔汆子①〕
〔汆儿〕 cuānr 명 ⇨〔汆子①〕
〔汆汤〕 cuāntāng 동 국을 만들다. 명 고깃국이나 생선국.
〔汆丸子〕 cuānwánzi 명 완자탕.
〔汆鸭肝〕 cuānyāgān 명 집오리의 간을 넣고 끓인 국.
〔汆羊肉〕 cuānyángròu 명 담박한 맛이 나는 국물에 살짝 익힌 양고기.
〔汆子〕 cuānzi 명 ①물 끓이는 양철통(가늘고 긴 모양으로 난로 속에 박아 넣고 물을 끓임). =〔汆儿〕 ②'汤tāng面'(국말이 국수)에 부어 넣는 것 (국물·고기·야채 등의 총칭).

撺(攛)

cuān (찬)
동 〈方〉 ①동댕이치다. 내던지다. ¶把两个尸首～在火里烧了《水浒傳》; 두 구의 시체를 불 속에 던져 넣어 태웠다. ②교사하다. 꼬드기다. 격려하다. 권하다. ③서둘러 하다. ¶临时旋xuàn～; 때가 임박해서 급히 하다 / ～功课; 공부를 급히 서둘러서 하다. ④서둘러서 팔아 치우다. ⑤(～儿) 벌컥 화내다. ¶他～儿了; 그는 벌컥 화를 냈다. ⑥⇨〔汆①〕
〔撺掇〕 cuānduo 동 〈口〉 교사하다. 부추기다. 선동하다. 권하다. ¶他一再～我学滑冰; 그는 몇 번이나 나에게 스케이트를 배우도록 권했다. =〔撺弄nong〕〔撺怂song〕
〔撺弄〕 cuānnong 동 부추기다. 속이어 …시키다. ¶这场是非shìfei是谁～出来的? 이 소동은 누가 꼬드기어 일어난 것이냐? =〔撺掇〕
〔撺弦子〕 cuān,xiánzi 동 화를 내다.

镩(鑹)

cuān (찬)
①명 얼음 깨는 송곳. =〔冰镩〕 ②동 송곳으로 얼음을 깨다. ¶～冰; 얼음을 깨다.
〔镩子〕 cuānzi 명 아이스 픽(ice pick). 얼음을 깨는 송곳. =〔冰镩〕

蹿(躥)

cuān (찬)
동 ①펄떡 뛰다. 팔딱 뛰어오르다. ¶猫～到房顶上去了; 고양이가 지붕 위에 뛰어올랐다 / 身子往上一～把球接住; 훌쩍 뛰어올라 공을 받아 내다. ②〈方〉 뿜어 내다. ¶鼻子～血; 코피가 쏟아지다. ③노하다. ¶招他～了一大阵; 그를 몹시 화나게 했다. ④살금살금 달아나다.
〔蹿鞭杆子〕 cuānbiāngǎnzi 명 설사의 속칭. ¶因

〔大有可为〕 dà yǒu kě wéi 〈成〉 전도가 매우 유망하다. 큰 발전의 여지가 있다. ¶我们的事业～; 우리의 사업은 매우 유망하다.
〔大有年〕 dàyǒunián 명 대풍년.
〔大有人在〕 dà yǒu rén zài 〈成〉 그런 사람은 얼마든지 있다.
〔大有文章〕 dà yǒu wén zhāng 〈成〉 ①큰 뜻이 있다. ¶这里面～; 여기에는 숨겨진 뜻이 있다. ②대단히 솜씨를 발휘할 여지가 있다. ¶综合利用～可做; 종합이용은 크게 할 만한 가지가 있다.
〔大有作为〕 dà yǒu zuò wéi 〈成〉 충분히 능력을 발휘할 여지가 있다. 크게 이바지할 수 있다.
〔大鱼吃小鱼, 小鱼吃虾米〕 dàyú chī xiǎoyú, xiǎoyú chī xiāmǐ 〈諺〉 큰 고기는 작은 고기를 먹고, 작은 고기는 작은 새우를 먹는다《약한 자를 괴롭히다. 언제나 자기보다 아래가 있다. 대(大)는 소(小)를 희생한다》.
〔大愚〕 dàyú 명 〈文〉 대우(大愚). 매우 어리석음. 또, 그런 사람. ¶～不灵líng; 더없는 바보.
〔大雨〕 dàyǔ 명 호우. 큰비. ¶～倾qīng盆 =〔～如rú注〕; 〈成〉 큰비가 억수로 쏟아지다 / ～时行; 큰비가 이따금 쏟아지다.
〔大元手套〕 dàyuán shǒutào 명 (야구의) 케쳐 미트. =〔连指手套〕
〔大元帅〕 dàyuánshuài 부 《軍》 대원수.
〔大员〕 dàyuán 명 ①옛날, 고관. ②⇨〔大圜〕
〔大圜〕 dàyuán 명 〈文〉 하늘. =〔大员②〕
〔大远地〕 dàyuǎnde 부 아주 멀리. 먼 데서. ¶～找他去; 멀리 그를 찾아가다.
〔大院(儿)〕 dàyuàn(r) 명 ①안뜰. 안마당. ②⇨〔大杂院儿〕
〔大约〕 dàyuē 부 ①대체로. 대략. 대강. …정도. ¶他～有十六七岁了; 그는 대략 16, 7세쯤일 것이다. ②아마. 다분히. 필시. ¶他～是参加劳动去了; 그는 아마도 일하러 갔을 것이다. ‖ =〔〈方〉大约摸〕
〔大约摸〕 dàyuēmo 동 대강 추측하다. 대충 짐작을 하다. 부 ⇨〔大约〕
〔大月〕 dàyuè 명 ①큰 달《양력에 31일이 있는 달》. ②⇨〔大尽〕
〔大阅〕 dàyuè 명 군대의 대검열.
〔大跃进〕 dàyuèjìn 명 ①대약진. 비약적인 발전. ②《政》 대약진 운동《1958년 중국 공산당이 전개한 농공업 약진 운동을 말함》.
〔大晕头〕 dàyūntóu 명 팔푼이. 봉《어리석어서 남에게 속기를 잘 하는 사람》.
〔大运〕 dàyùn 명 ①(점술 용어로) 10년에 한 번씩 바뀌는 운. ②천명(天命).
〔大杂烩〕 dàzáhuì 명 ①여러 가지 재료를 한데 섞어 끓인 음식. ②〈比〉 잡탕. 여러 가지를 한데 섞음〔그러모은 것〕. ¶这篇文章是各种思想的～; 이 문장은 여러 가지의 사상을 뒤섞은 것이다.
〔大杂院儿〕 dàzáyuànr 명 '院子'(마당)를 둘러싸고 있는 건물로 빈민의 연립 가옥. =〔大院(儿)②〕
〔大枣〕 dàzǎo 명 말린 대추《완화 강장제》.
〔大灶(儿)〕 dàzào(r) 명 ①(벽에 붙박이로 붙여서 만든) 아궁이. ②(공동 취사·집단 급식으로 하는) 대중 식사. ¶在人民公社里大家吃～的饭; 인민 공사에서는 모두 공동 취사의 밥을 먹는다.
〔大砟〕 dàzhǎ 명 〈方〉 ⇨〔无wú烟煤〕
〔大宅〕 dàzhái 명 ①〈文〉 천지(天地). ②⇨〔灵líng宅〕
〔大宅门(儿)〕 dàzháimén(r) 명 큰 집〔저택〕.
〔大展身手〕 dà zhǎn shēn shǒu 〈成〉 ⇨〔大显身手〕
〔大战〕 dàzhàn 명 ①큰 전쟁. 대전. ¶世界～; 세계 대전. ②생산에 대한 전력 투구.
〔大张其词〕 dà zhāng qí cí 〈成〉 (실제 이상으로) 과장해서 또는 훌륭하다고 말하다.
〔大张旗鼓〕 dà zhāng qí gǔ 〈成〉 대대적으로 선전하다. 대대적으로 하다. ¶～地进行竞选; 대대적으로 선거 운동을 하다.
〔大涨〕 dàzhǎng 명동 폭등(하다). 분등(奔騰)(하다).
〔大掌柜的〕 dàzhǎngguìde 명 〈文〉 (옛날, 상점·식당 등의) 지배인.
〔大丈夫〕 dàzhàngfu 명 대장부. 훌륭한 〔용감한〕 남자.
〔大账〕 dàzhàng 명 ①연말 결산. ¶算～; 연말 결산을 하다. ②원장(元帳). ③빚. 차금(借金). ¶只好使～过日子; 빚지고 살 수밖에 없다.
〔大睁(俩)眼儿的〕 dàzhēng (liǎ)yǎnrde 똑똑히 보이다. 눈에 잘 띄다. 빤히 들여다보이다. ¶～事情, 你还撒谎; 빤한 일인데도, 넌 아직도 거짓말을 하고 있구나 / ～, 怎能瞎说呢? 빤한 일인데도 어째서 헛소리만 늘어놓고 있느냐? =〔大睁白眼儿的〕
〔大政〕 dàzhèng 명 나라의 정치. 국정(國政). ¶～方针; 나라의 정치 방침.
〔大旨〕 dàzhǐ 명 요지(要旨). =〔大指②〕
〔大指〕 dàzhǐ 명 ①⇨〔大拇指〕 ②⇨〔大旨〕
〔大志〕 dàzhì 명 대지(大志). 큰 뜻. ¶胸怀～; 큰 뜻을 품다 / 树雄心, 立～; 웅심(雄心)을 품고 큰 뜻을 세우다.
〔大治〕 dàzhì 명 태평(太平). 동 잘 다스려지다. ¶天下～; 천하가 잘 다스려지다.
〔大致〕 dàzhì 부 ①대략. 대강. ¶检查～完了; 검사가 대충 끝났다. ②대개. 아마.
〔大智若愚〕 dà zhì ruò yú 〈成〉 큰 지혜를 가지고 있는 사람은 잔재주를 부리지 않기 때문에 얼른 보기에는 어리석은 사람같이 보인다. ¶请您～地听着, 可别说旁岔话; 말참견하지 말고 어리석은 사람처럼 잠자코 들어 주십시오.
〔大众〕 dàzhòng 명 대중(大衆). 중인(衆人). ¶～化; 대중화(하다) / ～文学; 대중 문학. 속문학(俗文學).
〔大轴〕 dàzhóu 명 《機》 굴대. 축. 샤프트(shaft). →〔轴①〕
〔大轴子〕 dàzhòuzi 명 《劇》 (중국 전통극에서) 그날 프로그램 중 맨 나중에 하는 상연물. =〔大轴戏〕〔大胄子〕〔压yā台戏〕
〔大主教〕 dàzhǔjiào 명 《宗》 대주교.
〔大著〕 dàzhù 명 ⇨〔大作〕
〔大专〕 dàzhuān 명 ①대학과 단과 대학. ②전문대학.
〔大专学校〕 dàzhuān xuéxiào 명 〈簡〉 대학과 전문 학교《'大学'(종합 대학)·'专科学校'(전문학교)·'学院'(단과 대학)에서 한 글자씩 취한 것임》. =〔大专院校〕
〔大专院校〕 dàzhuān yuànxiào 명 ⇨〔大专学校〕
〔大篆〕 dàzhuàn 명 대전(大篆)《서체의 하나. 주(周)나라 선왕(宣王) 때 태사(太史)인 주(籀)가 만든 데서 '籀zhòu文'이라고도 함》.
〔大庄稼〕 dàzhuāngjia 명 ①주식이 되는 작물《북방에서는 쌀·맥류·조·피·수수·옥수수 따위를, 남방에서는 쌀·맥류를 일컬음》. ②〈方〉 가을에 수확되는 작물. =〔大秋作物〕

〔大资本〕 dàzīběn 명 대자본. ¶～经jīng营; 대자본 경영. =〔大本②〕

〔大资产阶级〕 dàzīchǎn jiējí 명 대(大)부르주아지. 대자본가 계급.

〔大字〕 dàzì 명 큰 글자.

〔大字报〕 dàzìbào 명 대자보.

〔大字本〕 dàzìběn 명 《印》 대형 활자본.

〔大字标题〕 dàzì biāotí 명 (신문·잡지 기사의) 특대 표제〔헤드라인〕.

〔大字号眼儿〕 dàzìhaoyǎnr 명 큰 상점〔가게〕.

〔大自然〕 dàzìrán 명 대자연. ¶向～开战; 대자연에 도전하다 / 改造～; 대자연을 개조하다.

〔大宗〕 dàzōng 명 ①주요 생산물이나 상품. ¶出产以棉花为～; 면화가 주요 산물이다 / 买进～货物; 대량의 상품을 사들이다. ②⇨〔大姓①〕 ③옛날의 가족 제도에서 시조(始祖) 다음이 되는 사람. 명형 대량(의). 거액(의). 큰 몫(의).

〔大宗师〕 dàzōngshī 명 〈簡〉 청대(清代) 각 성(省)의 교육행정 장관. =〔学xué政〕

〔大总统〕 dàzǒngtǒng 명 대통령.

〔大族〕 dàzú 명 ①대가족(세대). ②명문(의 집안).

〔大嘴儿〕 dàzuǐr 명 ①큰 입. ¶大嘴乌鸦; 《鳥》 큰부리까마귀. ②〈比〉 대식가(大食家).

〔大作〕 dàzuò 명 대저(大著). 대작. 〈轉〉 귀저(貴著). =〔大著〕 동 ①크게 하다. ¶～文章; 크게 캠페인을 전개하다. ②〈文〉 크게 일어나다. ¶狂kuáng风～; 광풍이 크게 일다 / 瘴zhàng疫～; 전염병이 크게 유행하다.

〔大做特做〕 dà zuò tè zuò 〈成〉 일을 떠벌려서 하다.

〔大做学问〕 dàzuò xuéwèn 열심히 궁리하다〔생각을 짜내다〕.

汏 **dà** (대)
동 〈吳〉 씻다. 헹구다. →〔洗xǐ①〕〔涮shuàn①〕

跶(撻) **da** (달)
→〔圪gē跶〕

纮(縫) **da** (달)
→〔纥gē纮〕

疸 **da** (달)
→〔疙gē疸〕 ⇒ dǎn

塔 **da** (탑)
→〔圪gē塔〕 ⇒ tǎ

嶝 **da** (탑)
→〔屹gē嶝〕

瘩〈瘩〉 **da** (답)
→〔疙gē瘩〕 ⇒ dá

DAI ㄉㄞ

呆〈獃〉 **dāi** (태) 〈애〉
①형 우둔하다. 멍청하다. 미련하다. ¶～子 =〔～汉〕〔～人〕; 멍청이. 얼간이. 바보. ②형 무표정하다. 멍하다. 어리둥절하다. ¶～～地站着; 멍하니 서 있다 / 发～; 멍청하게 있다 / 吓～了; 놀라서 어리둥절하다. ③동 체재(滯在)하다. 머무르다. =〔待dāi〕 ④동 일없이 빈둥거리다. ¶不啦, 我～不住! 아니, 나는 빈둥거리며 지낼 수는 없다. ⑤형 정체하다. 유동하지 않다. 활발하지 않다.

〔呆霸王〕 dāibàwáng 명 멍청한 폭군《아무것도 모르면서 게다가 온갖 횡포를 일삼는 도배(徒輩)》.

〔呆板〕 dāibǎn 형 (표현에) 변화가 없다. 무표정하다. 융통성이 없다. 생기가 없다. 단조롭다. 어색하다. ¶这篇文章写得太～了! 이 문장은 표현이 너무 단조롭다! / 他是～人, 不会应yìng酬; 저 사람은 융통성이 없어서 교제는 서투르다.

〔呆笨〕 dāibèn 형 ①멍해있다. ②멍청하다. 우둔하다. 어리석다. ③서투르다.

〔呆不下〕 dāibuxià 멍하니 있을 수는 없다. 그냥 있을 수는 없다.

〔呆答孩〕 dāidáhái 〈古白〉 넋을 잃고 멍하니 있다. ¶则索～倚定门儿待; 다만 멍하니 문에 기대어 기다릴 수밖에 없었다. =〔呆打孩〕

〔呆大胆儿〕 dāidàdǎnr 명 겉으로는 말없이 멍한 것 같으나 담력이 큰 사람.

〔呆呆地〕 dāidāide 부 멍하니. ¶～瞅chǒu人; 멍하니 사람을 쳐다보다.

〔呆瞪瞪〕 dāidèngdèng 형 바보처럼 멍하니 사람을 바라보는 모양.

〔呆钝〕 dāidùn 형 정체하여 움직임이 없다. 움직임이 둔하다. ¶市面～; 시황(市況)은 불경기이다.

〔呆搁头寸〕 dāigē tóucùn 명 (쓰지 않고) 놀리는 돈. 노는 돈. 유자(遊資). 유금(遊金).

〔呆工钱〕 dāigōngqián 명 ⇨〔计jì时工资〕

〔呆话〕 dāihuà 명 실〔부질〕없는 이야기. 재미도 없는 이야기. 시시한 말.

〔呆货〕 dāihuò 명 〈罵〉 얼간이 같은 놈.

〔呆看〕 dāikàn 동 넋을 잃고 바라보다. 멀거니 바라보다.

〔呆磕磕〕 dāikēkē 형 멍하니 있는 모양. ¶只是～地发愣《紅樓夢》; 다만 멍하니 넋을 잃고 있을 뿐이다.

〔呆老汉〕 dāilǎohàn 명 얼빠진 노인. 노망한 늙은이.

〔呆老实〕 dāilǎoshi 형 우직하다. 고지식하다.

〔呆里撒奸〕 dāilǐsājiān 겉보기에는 바보처럼 보이지만, 실은 음흉하고 엉큼하다. ¶你休～, 说长道短, 我手里使不得巧语花言, 帮闲钻懒; 〈古白〉 넌 바보인 것처럼 꾸미고 중언부언 말을 늘어놓고 있는데, 내 편에서 보면, 놀려 두고 거저 먹이기만 할 수는 없다.

〔呆立〕 dāilì 동 〈文〉 우두커니 서 있다.

〔呆料〕 dāiliào 명 ①쓸모 없이 남은 재료. ②〈罵〉 멍청이. 바보. 얼간이. 동 재료를 헛되이 쓰다.

〔呆木头〕 dāimùtóu 형 〈南方〉 우직(愚直)하다. ¶你简直是很～, 连这点人情世故都不懂; 너는 정말 고지식하구나, 이런 세상 물정도 모르다니.

〔呆鸟〕 dāiniǎo 명 《鳥》 할미새사촌.

〔呆屁〕 dāipì 명 소리 없이 뀌는 방귀.

〔呆气〕 dāiqì 형 멍청하고 트릿한 모양. 명 무기력한〔멍청한〕 태도. ¶他把他父亲那一副～活露出来了; 그는 그 아버지와 마찬가지로 멍청한 태도를 그대로 드러내고 있다.

〔呆钱〕 dāiqián 명 노는 돈. 이익이 생기지 않는 돈. 유금(遊金).

〔呆人有呆福〕 dāirén yǒu dāifú 〈諺〉 바보에게는 바보 나름의 행복이 있다.

〔呆若木鸡〕 dāi ruò mù jī 〈成〉 나무로 새긴 닭

모양으로 가만히 있는 모양《망연자실하다》.
〔呆头呆脑〕 dāi tóu dāi nǎo 〈成〉 멍청한 모양. 얼빠진 모양. 융통성이 없는 모양. ¶老太太, ～还在想什么? 할머니, 아직도 멍하니 무엇을 생각하십니까?
〔呆望〕 dāiwàng 동 멍하니 바라보다.
〔呆下去〕 dāixiàqu 계속 머무르다. =〔待下去〕
〔呆想〕 dāixiǎng 명동 바보 같은 생각(을 하다). 터무니없는 생각(을 하다).
〔呆小症〕 dāixiǎozhèng 명 《醫》 크레틴(cretin)병. =〔克汀病〕
〔呆笑〕 dāixiào 동 바보처럼 웃다. 히쭉히쭉 웃다.
〔呆信〕 dāixìn 명 배달 불능으로 우체국에 쌓여 있는 우편물. 체화(滯貨) 우편물. 동 맹신하다.
〔呆性物质〕 dāixìng wùzhì 명 《化》 불활성 물질.
〔呆账〕 dāizhàng 명동 회수 불능의 대부(貸付)(를 하다). 대손(貸損)(을 보다). =〔挞tà账〕
〔呆着〕 dāizhe 동 멍하니 있다. ¶别～, 找活儿干吧! 멍하니 있지 말고 일을 찾아서 해라! =〔待dāi着〕
〔呆着脸〕 dāizheliǎn ①멍하니 있다. 얼떨떨해 있다. ② 부 멍청한 얼굴로. 얼빠진 얼굴로.
〔呆滞〕 dāizhì 형 ①막히다. 정체하다. ¶销路～; 판로(販路)가 막히다 / 避免资金～; 자금 회전의 정체를 피하다. ②생기가 없다. 활기가 없다. ¶两眼～无神; 눈이 개개 풀리어 생기가 없다.
〔呆住〕 dāizhù 동 꼼짝 않고 멍하니 있다.
〔呆子〕 dāizi 명 바보. 얼간이. 멍청이.

呔〈呀〉 **dāi** (대)
감 〈古白〉 큰 소리로 사람을 불러 주의를 환기시키거나 행동을 제지할 때 내는 소리. 야! 이봐! 《구(舊)소설·희곡에 흔히 쓰임》. ¶～, 我在这儿哪; 이봐, 나 여기 있어 / ～, 住口! 어이, 입 닥쳐! ⇒tǎi

待 **dāi** (대)
동 〈口〉 체재(滯在)하다. 머무르다. 거처하다. ¶～一会儿再走; 잠시 있다가 가다 / ～了三年; 3년간 살았다. ⇒dài
〔待不了〕 dāibuliǎo (한 곳에) 오래 (머물러) 있을 수 없다. ↔〔待得了〕
〔待不住〕 dāibuzhù 가만히 머물러 있을 수 없다. ¶我再也～了; 나는 이제 머물고 있을 수 없다.
〔待(一)待儿〕 dāi(yī)dair 잠시 기다리다〔쉬다〕.
〔待(一)会儿〕 dāi(yī)huìr 부 잠시. 이따가. ¶～他一定来; 잠시 있으면 그는 꼭 온다.

歹 **dǎi** (대)
① 형 좋지 않다. 나쁘다. ¶～人; ⇩ ② 명 나쁜 일〔짓〕. ¶为wéi非作～; 〈成〉 제멋대로 나쁜 짓을 하다. 온갖 나쁜 짓을 다하다 / 有好有～; 좋은 일도 있고 나쁜 일도 있다 / 好～; 좋고 나쁨. 좋은 것과 나쁜 것. 〈比〉 어쨌든 간에. 좋거나 나쁘거나.
〔歹处〕 dǎichu 명 결점. 단점. =〔坏处〕
〔歹东西〕 dǎidōngxi 명 〈罵〉 나쁜 놈.
〔歹毒〕 dǎidú 형 〈方〉 음험하고 악랄하다. 엉큼하다. 음험하다. ¶他太～了, 没人敢和他交朋友; 그는 너무 악랄해서, 아무도 그를 감히 친구로 사귀려는 사람이 없다 / 这家伙～不～! 이놈, 이렇게 악랄할 수가! =〔歹斗〕
〔歹话〕 dǎihuà 명 ①나쁜 이야기. 못된 일에 대한 이야기. ②욕. ¶说～; 욕하다.
〔歹念头〕 dǎiniàntou 명 나쁜 생각. ¶怀～; 나쁜 생각을 품다.
〔歹人〕 dǎirén 명 〈方〉 악인. 악당《흔히 강도를 가리킴》. =〔坏人〕 ↔〔好人〕
〔歹徒〕 dǎitú 명 악인. 악당.
〔歹心〕 dǎixīn 명 나쁜 마음. ¶起了～; 못된 마음을 일으키다.
〔歹意〕 dǎiyì 명 ①나쁜 마음. 악의. ②살의(殺意).
〔歹竹出好笋〕 dǎi zhú chū hǎo sǔn 〈成〉 나쁜 대나무에서 좋은 죽순이 나오다. 개천에서 용 나다.

逮 **dǎi** (체)
동 (붙)잡다. 체포하다. ¶～住了特务; 간첩을 잡았다 / ～了去了; 체포하여 연행했다 / ～到机会; 기회를 잡다 / 猫～老鼠; 고양이가 쥐를 잡다. ⇒dài
〔逮理〕 dǎi.lǐ 동 이유를 파악하다.
〔逮着〕 dǎizháo 동 ①붙잡다. ¶～了一只耗hào子; 쥐 한 마리를 잡았다. ②찾아 내다. ¶他～什么, 吃什么; 그는 찾아 낸 것은 무엇이든지 먹는다.
〔逮住〕 dǎizhù 동 붙잡다.

傣 **Dǎi** (대)
명 《民》 다이족《중국 소수 민족의 하나. 윈난 성(雲南省)에 거주함》.
〔傣剧〕 Dǎijù 명 다이족의 희곡극.
〔傣族〕 Dǎizú 명 《民》 다이족《중국 소수 민족의 하나. 윈난 성(雲南省)에 거주함》.

大 **dài** (대)
→〔大夫fu〕〔大黄〕〔大王〕 ⇒dà
〔大夫〕 dàifu 명 〈口〉 의사(醫師). ¶请～; 의사를 부르다. ⇒dàfū
〔大黄〕 dàihuáng ①《藥》 대황《약초》. ②《色》 진노란색.
〔大王〕 dàiwáng 명 (연극·구(舊)소설에서) 국왕 또는 도둑 등의 두목. ⇒dàwáng

轪(軑) **dài** (대)
명 〈文〉 ①바퀴통의 철제 덮개. ②바퀴. ③(Dài) 전한(前漢)의 나라 이름《허난 성(河南省), 광산 현(光山縣)》.

代 **dài** (대)
① 동 대신하다. 대리하다. ¶我～你写吧! 내가 당신 대신 쓰겠소! / 主任不在时, 由老王～; 주임이 부재시에는 왕씨가 대리한다. ② 명 대리. ¶～局长; 국장 대리. ③ 명 (시)대. 조대(朝代). ¶古～; 고대 / 近～; 근대 / 当～英雄; 당대의 영웅 / 年～; 연대 / 清～; 청대 / 现～; 현대. ④ 명 세대. ¶第二～; 제2대 / ～相传; 대대로 전해지다 / 爱护下一～; 다음 세대를 애호하다. ⑤ 명 《地質》 대. ¶古生～; 고생대 / 新生～; 신생대. ⑥ 명 성(姓)의 하나.
〔代办〕 dàibàn 동 대신 처리하다. 대행〔대리〕하다. ¶～所; 취급소. 대리점 / 储蓄～所; 저축 대리점. 명 ①대리 공사(公使). ¶临时～; 임시 대리 공사〔대사〕. ②변리(辨理) 공사.
〔代办处〕 dàibànchǔ 명 취급소. 대리점.
〔代办人〕 dàibànrén 명 ⇨〔代理人①〕
〔代抱不平〕 dài bào bù píng 곁에서 분개하다. 의분을 느끼다. =〔代打不平〕〔代为不平〕
〔代笔〕 dài.bǐ 동 대필하다. 대서하다. (dàibǐ) 명 대필. 명동 ⇨〔代书〕
〔代表〕 dàibiǎo 명동 ①대표(하다). ¶以她为～的访华团; 그녀를 대표자로 하는 방중단 / ～人物; 대표적 인물 / ～性; 대표적. ②대리(하다). ¶他～主任讲话; 그는 주임을 대신하여 말을 했다.
〔代表大会〕 dàibiǎo dàhuì 명 대표 대회.

〔代表作〕 dàibiǎozuò 명 대표작.
〔代哺〕 dàibǔ 동 〈文〉 음식을 씹어서 어린 아이에게 먹이다.
〔代步〕 dàibù 〈文〉 동 걸음을 대신하다. 〈轉〉 말·자동차 따위를 타다. 명 〈轉〉 자동차·배·말 따위의 탈 것《교통 수단》.
〔代茶〕 dàichá 명 남자 쪽에서 약혼 예물로 주는 돈. =〔茶礼〕
〔代拆代行〕 dàichāi dàixíng (대리의 지위에 있는 사람이 서면을 개봉하여) 사무를 대행하다. 사무 대행.
〔代偿〕 dàicháng 명 《醫》 대상 작용《장기(臟器)가 위축할 때 장기가 팽대하며 조절하는 작용》.
〔代筹〕 dàichóu 동 〈文〉 대신해서 계획을 세우다. 대신 획책하다.
〔代传〕 dàichuán 동 (방문자를) 맞아 주인에게 전하다.
〔代词〕 dàicí 명 《言》 대명사. =〔代名词①〕
〔代达〕 dàidá 동 〈文〉 대신 전(달)하다.
〔代打不平〕 dài dǎ bù píng ⇨〔代抱不平〕
〔代打者〕 dàidǎzhě 명 《體》 (야구에서의) 핀치 히터(pinch hitter).
〔代代花〕 dàidàihuā 명 《植》 등자나무《꽃은 '花茶'에 쓰임》. =〔玳玳花〕
〔代代相传〕 dàidài xiāngchuán 대대로 전수하다.
〔代当〕 dàidāng 동 〈文〉 대리하다. 대신하다. ⇒ dàidàng
〔代当〕 dàidàng 명 옛날, 시골의 작은 전당포. ⇒ dàidāng
〔代电〕 dàidiàn 명 〈公〉 〈簡〉 전보 형식의 공문《빠르고 간편하므로 잘 이용됨》. =〔快邮代电〕
〔代垫〕 dàidiàn 동 〈文〉 대신 지불하다〔물어 주다〕.
〔代奠〕 dàidiàn 명 옛날, 부의(賻儀)·향전(香奠)《부의금 봉투 겉면에 쓰는 문구》.
〔代订〕 dàidìng 동 〈文〉 대리로 주문하다. =〔代定〕
〔代放〕 dàifàng 동 〈文〉 대리로 대부(貸付)하다.
〔代付〕 dàifù 동 〈文〉 대신 지불하다. 대납을 하다.
〔代沟〕 dàigōu 명 세대차(世代差).
〔代购〕 dàigòu 명동 〈文〉 대리 구입(하다).
〔代购代销〕 dàigòu dàixiāo 대리 구매·대리 판매(하다).
〔代管〕 dàiguǎn 동 〈文〉 대신 돌보다. 대신하여 관리하다.
〔代号(儿)〕 dài.hào(r) 동 부호화(化)하다. (dàihào(r)) 명 ①(정식 명칭의 대신이 되는) 부호. ②《軍》 소속 계급을 나타내는 기호. ③암호.
〔代际〕 dàijì 명 세대간.
〔代价〕 dàijià 명 ①물건 값. 대금(代金). ②〈文〉 대가(代價). ¶这一战敌军付出了重大～; 이 일전(一戰)에 적은 중대한 대가를 치뤘다.
〔代交〕 dàijiāo 동 〈文〉 ①대신 주다〔지불하다〕. ②중개하다.
〔代脚〕 dàijiǎo 명 발을 대신하는 것《자동차·말 따위》.
〔代金〕 dàijīn 명 대금. 실물 가치에 맞먹는 현금.
〔代客〕 dàikè 명 중개인. 중개 상인. 브로커.
〔代课〕 dài.kè 동 대신 강의〔수업〕하다. ¶张老师病了, 今天你给代一下课吧; 장 선생님이 아프니까 오늘은 당신이 대신 강의해 주십시오.
〔代揆〕 dàikuí 명 〈文〉 총리 대신 대리(總理大臣代理).
〔代兰德〕 dàilándé 명 〈音〉 폭군(暴君)(tyrant).
〔代劳〕 dàiláo 동 ①대신 수고해 주십시오《남에게 수고해 달라고 부탁할 때의 말》. ¶这件事就请你～了; 이 일은 대신 수고해 주시기 부탁드립니다. ②대신 수고하다. 대신 일을 하다. ¶这事由我～吧! 이 일은 제가 대신 하겠습니다!
〔代理〕 dàilǐ 명동 대리(하다). 대행(하다). 명 대리자. 대행자.
〔代理人〕 dàilǐrén 명 ① 에이전트(agent). 대리인. 대리점. =〔代办人〕〔经jīng理人〕 →〔代理(商)〕 ②《法》 (법정) 대리인. ③앞잡이. 부하.
〔代理(商)〕 dàilǐ(shāng) 명 《商》 총대리점. 대리상. ¶总zǒng～ =〔总经理②〕〔独dú家经理〕; 총대리인(점). =〔代办(商)〕
〔代立〕 dàilì 동 〈文〉 대신 증서를 내놓다〔상대방에게 건네 주다〕
〔代铃〕 dàilíng 명 아이가 태어난 지 만 한 달에 보내는 축의금《옛날 습관에서는 방울을 보냈음》. =〔弥mí月〕
〔代领〕 dàilǐng 동 〈文〉 대리 수령하다. ¶如委托他人～, 应有委托证明; 다른 사람에게 위탁해서 수령할 경우에는 위탁 증명을 필요로 한다.
〔代码〕 dàimǎ 명 《電算》 (컴퓨터의) 코드. 부호. 암호.
〔代买货物清单〕 dàimǎi huòwù qīngdān 명 대리 매입 명세서.
〔代脉〕 dàimài 명 《漢醫》 결대맥(結代脈).
〔代面〕 dàimiàn 명 ⇨〔面具②〕 동 〈文〉 서신으로 면담을 대신하다.
〔代名词〕 dàimíngcí 명 ①《言》 대명사. =〔代词〕 ②대명사. ¶诸葛亮在民间传说中成了智慧的～; 민간 전설 속에서, 제갈량(諸葛亮)은 지혜의 대명사가 되었다.
〔代纳密斯〕 dàinàmìsī 명 《物》 〈音〉 역학(力學). 다이나믹스(dynamics).
〔代那模〕 dàinàmó 명 《電》 〈音〉 발전기. 다이나모(dynamo). =〔代那谟〕〔狄纳莫〕
〔代庖〕 dàipáo 동 〈文〉 대신 일하다. 대행하다. ¶越yuè俎～; 〈成〉 월권 행위를 하다 / 您请假保养几天吧, 您的课我给您～; 며칠 휴가를 얻어 몸조리 하십시오. 당신의 수업은 제가 대신 해 드리겠습니다. =〔庖代〕
〔代培生〕 dàipéishēng 명 위탁생.
〔代前期〕 dàiqiánqī 명 《史》 선사 시대(先史時代).
〔代人作嫁〕 dài rén zuò jià 〈成〉 다른 사람의 신부 옷을 만들다. 헛수고를 하다.
〔代乳粉〕 dàirǔfěn 명 분유의 대용품《두유(豆乳) 등》.
〔代入法〕 dàirùfǎ 명 《數》 대입법.
〔代收〕 dàishōu 동 대신 받다〔접수하다〕.
〔代收货价邮件〕 dàishōu huòjià yóujiàn 명 대금 교환 우편.
〔代收款项票据〕 dàishōu kuǎnxiàng piàojù 명 《商》 대금 대리 인수 증서.
〔代手〕 dàishǒu ① 명 〈文〉 대리(인). 대신(하는 사람). ② ⇨〔带手〕
〔代售〕 dàishòu 명동 〈文〉 대리 판매(하다). 위탁 판매(하다). ¶～邮票处; 우표 대행 판매점. =〔代销〕
〔代书〕 dàishū 명동 대서(하다). ¶～人 =〔代书的〕; 대서인 / ～房fáng; 대서소. 대서방. =〔代笔〕〔代字〕
〔代数〕 dàishù 명 《數》 대수. 대수학.
〔代数方程〕 dàishù fāngchéng 명 《數》 대수 방정식.

〔代数根〕 dàishùgēn 명《數》대수근.
〔代数和〕 dàishùhé 명《數》대수합.
〔代数式〕 dàishùshì 명《數》대수식.
〔代数学〕 dàishùxué 명《數》대수학.
〔代替〕 dàitì 동 대신하다. 대체하다. 바꾸다. ¶用国产品～进口货; 국산품으로 수입품을 대체하다. =〔替代〕
〔代替物〕 dàitìwù 명 대체물.
〔代天巡狩〕 dàitiān xúnshòu 옛날, 황제를 대리해서 지방을 순시하다.
〔代为〕 dàiwéi 동〈文〉대신해서 …하다. …의 대신으로 …하다. ¶～办bàn理; 대신해서 취급하다 / ～保bǎo管; 대신 보관하다.
〔代为不平〕 dài wéi bù píng ⇨〔代抱不平〕
〔代位〕 dàiwèi 동〈文〉대신 맡아서 하다. 지위를 대신하다.
〔代销〕 dàixiāo 명동 대리 판매(하다). =〔代售〕
〔代销人〕 dàixiāorén 명 대리 판매인.
〔代谢〕 dàixiè 명동 ①신구(新舊) 교체(하다). ②신진 대사(하다). ¶新陈～; 신진대사 / ～作用; 대사 작용.
〔代兴〕 dàixīng 동〈文〉대신 흥하다. 대신 패권을 잡다.
〔代行〕 dàixíng 명동〈文〉대행(하다). ¶～职zhí务; 직무를 대행하다.
〔代序〕 dàixù〈文〉동 ①차례로 교체하다〔바뀌다〕. ②머리말에 대신하다. 명 서문〔머리말〕을 대신하는 글.
〔代言〕 dàiyán 동 ①대신 말하다. ②말을 대신하다. ¶以笔～; 글로 말을 대신하다.
〔代言人〕 dàiyánrén 명 대변자(代辯者). →〔发fā言人〕
〔代议制〕 dàiyìzhì 명 대의제(代議題). =〔议会制〕
〔代役租〕 dàiyìzū 명 옛날, 부역을 대신해서 바치던 세금.
〔代印〕 dàiyìn 동 대리로 날인하다. 〈轉〉남의 직무를 대행하다.
〔代营〕 dàiyíng 동 대리 경영하다. ¶～食堂; 대리 경영 식당.
〔代用〕 dàiyòng 명동 대용(하다). ¶～品; 대용품.
〔代邮〕 dàiyóu 동 우송하다.
〔代支〕 dàizhī 동〈文〉대신 지불하다.
〔代字〕 dàizì 명동 대서(代書)(하다). =〔代笔〕〔代书〕 명 대체(代替) 문자. 동 문자로 바꾸다.
〔代字号〕 dàizìhào 명《印》파상(波狀) 기호《파상 대시(dash), 즉 '～'》.
〔代作〕 dàizuò 동〈文〉①대신 만들다. ②대신으로 하다. 대행하다.

岱 Dài (대)
명《地》태산(泰山)의 별명. =〔岱宗Dàizōng〕〔岱岳Dàiyuè〕〔泰山〕

玳〈瑇〉 dài (대)
→〔玳瑁〕

〔玳瑁〕 dàimào 명 ①《動》대모《바다거북의 하나》. ②대모갑(玳瑁甲). ¶～边的眼镜; 대모테 안경 / ～镯zhuó; 대모 팔찌.

贷(貸) dài (대)
①동 (돈을) 빌리다. 대출하다. ¶向银行～款; 은행 대부를 받다 / 银行～给公社一笔款; 은행이 공사에 돈을 대출해 주다. ②동 베풀다. ③동〈文〉용서하다. 너그러이 봐 주다. ¶决jué不宽～; 〈成〉결코 눈감아 주지 않다. ④동〈文〉(죄·책임 등을) 전가하다. ¶旁～; 옆사람에게 (책임을) 전가하다. ⑤명《商》대부금. ¶农～; 농업 대부금.
〔贷出〕 dàichū 동 대출하다. 대부하다.
〔贷方〕 dàifāng 명 (부기의) 대변. 대항. =〔付方〕 ↔〔借jiè方〕
〔贷放〕 dàifàng 명동 대부(貸付)(하다).
〔贷给〕 dàigěi 동 대여하다. 대부하다. ¶银行～集体农场的长期贷款; 은행이 집단 농장에 대여한 장기 대부금.
〔贷款〕 dài.kuǎn 동 대부〔대출, 차입〕하다. (dàikuǎn) 명 대부금. 차관(借款). ¶长期～; 장기 대부 / 活期～; 당좌 대부 / 信用～; 신용 대부.
〔贷粮〕 dàiliáng 동 식량을 대여하다.
〔贷入〕 dàirù 동 돈을 빌리다. 돈을 차입하다.
〔贷赊〕 dàishē 명동 ①외상 매출(하다). ②외상 매입(하다).
〔贷帖〕 dàitiě 명 차용(借用) 증서.
〔贷项〕 dàixiàng 명《商》(부기의) 대변 계정(貸邊計定). =〔付fù项〕
〔贷主〕 dàizhǔ 명 대주(貸主). 빌려 주는 사람.
〔贷子〕 dàizi 명 빚. 부채(負債).

袋 dài (대)
①(～儿) 명 자루. 포대. 주머니. ¶布～; 천으로 만든 부대 / 衣～; (옷의) 호주머니. 포켓 / 米～; 쌀자루 / 酒囊饭～; 〈比〉밥주머니. 밥통《쓸모없는 사람》 / ～里没有血xuè的穷光蛋; 주머니 속에 동전 한 푼 없는 가난뱅이. ②(～儿) 양 부대. 포대. 자루. 가마니《부대에 넣은 것을 세는 단위》. ¶一～儿面; 밀가루 한 부대 / 一～米; 쌀 한 자루. ③양 대《담배에 쓰이는 말》. ¶一～烟; 담배 한 대.
〔袋表〕 dàibiǎo 명〈廣〉회중시계.
〔袋茶〕 dàichá 명 티 백(tea bag)《1회용 분량을 종이 봉지에 넣은 차》.
〔袋袋〕 dàidai 명〈方〉자루. 주머니. 포켓.
〔袋底朝天〕 dàidǐ cháotiān 자루 밑바닥이 하늘을 보다《텅텅 비다. 빈털터리가 되다》. ¶赌徒输到～; 노름꾼이 거덜이 될 때까지 잃다.
〔袋泡茶〕 dàipàochá 명 티 백(tea bag).
〔袋皮〕 dàipí ⇨〔包bāo皮(儿)①〕
〔袋兽〕 dàishòu 명《動》(캥거루와 같은) 유대류(有袋類)의 동물.
〔袋鼠(儿)〕 dàishǔ(r) 명《動》캥거루. =〔大dà袋鼠〕
〔袋糖〕 dàitáng 명 봉지에 든 캔디.
〔袋装〕 dàizhuāng 동 봉지에 넣다. 명형 봉지들이(의).
〔袋子〕 dàizi 명 ①자루. 주머니. 포대. ¶面～; 밀가루 포대. ②〈南方〉중국 윗옷의 양쪽 호주머니.

紿 dài (대)
명《紡》〈音〉데니어(denier)《실의 굵기의 단위. '旦dàn'의 구칭》.

黛〈黱〉 dài (대)
명 ①눈썹 그리는 먹. ②눈썹먹으로 그린 눈썹. 〈比〉여성. ③검푸른색.
〔黛蛾〕 dài'é 명 ⇨〔黛眉〕
〔黛鬟〕 dàihuán 명〈文〉(여자의) 검은 머리.
〔黛绿〕 dàilǜ 명〈文〉검푸른빛. 짙은 녹색.
〔黛螺〕 dàiluó 명 ①청록색 안료의 하나. ②〈文〉여인의 짙게 그린 눈썹과 둘둘 말아 올린 쪽찐 머리의 형용.

〔黛眉〕 dàiméi 동 눈썹을 그리다. 명 먹으로 그린 눈썹. 〈比〉 미녀. =〔黛蛾〕
〔黛青〕 dàiqīng 명 《色》 짙은 청색.

迨 dài (태)
〈文〉 ①동 (…에) 미치다. 이르다〔달하다〕. ¶～下周再行续谈; 내주에 가서 다시 의논합시다 / 出国～一月矣; 출국한지 벌써 한 달이 되었다. =〔等děng到〕 ②개 …을 틈타서. ¶～其未渡河而击之; 아직 도하하지 않은 것을 틈타서 격파하다. =〔趁chèn着〕

绐(紿) dài (태)
동 〈文〉 기만하다. 속이다.

骀(駘) dài (태)
→〔骀荡〕 ⇒ tái

〔骀荡〕 dàidàng 형 〈文〉 ①봄이 화창하다. 태탕하다. ¶春风～; 봄의 화창한 모양. ②넓고 크다. ③침착하다. ④소리가 기복(起伏)이 있다.

怠 dài (태)
①형 태만하다. 게으르다. ②동 〈文〉 게으름 피우다. 소홀히 하다. 소홀히 다루다. ¶始终不～; 시종 게으름을 피우지 않다 / 懈xiè～; 게으름을 피우다 / 倦juàn～; 권태롭다. 지쳐서 싫증나다 / ～于听断; 판결을 내리는 일을 게을리하다〔소홀히 하다〕.
〔怠傲〕 dài'ào 명형 ⇨〔怠惰〕
〔怠弛〕 dàichí 동 〈文〉 게으르고 해이하다.
〔怠惰〕 dàiduò 명형 〈文〉 나태(하다). =〔怠傲〕
〔怠废〕 dàifèi 동 〈文〉 게으름을 피우고 일을 하지 않다. =〔怠荒〕
〔怠耕〕 dàigēng 동 농사를 게을리하다.
〔怠工〕 dài,gōng 동 (노동자가) 태업하다. 사보타주(프 sabotage)하다. (dàigōng) 명 태업. 사보타주. ¶各大铁路工人实行怠罢工, 煤矿工人也实行～、罢工; 각 큰 철도 회사의 노동자는 태업이나 파업을 하고, 광산 노동자도 태업과 파업에 들어갔다. ‖ =〔怠业〕
〔怠忽〕 dàihū 동 〈文〉 태만하고 소홀히 하다. ¶～职守; 직책을 게을리하다.
〔怠缓〕 dàihuǎn 동 〈文〉 게으름을 피우면서 늑장을 부리다. 게으르고 해이하다.
〔怠荒〕 dàihuāng 동 ⇨〔怠废〕
〔怠倦〕 dàijuàn 동 〈文〉 질력나다. 싫증나다. 넌더리나다.
〔怠课〕 dàikè 동 (동맹하여) 수업을 사보타주하다. 동맹 휴학〔휴교〕하다.
〔怠慢〕 dàimàn 동 ①태만히 하다. 등한히 하다. 소홀히 하다. 쌀쌀맞게 하다. ¶他一看见是舅舅, 不敢～, 连忙站起来招呼; 그는 외삼촌을 알아보고, 소홀히 대할 수 없어, 급히 일어나 인사했다. ②냉대〔푸대접〕하다. 명 〈套〉 소홀히 대접한 데 대한 사과말. ¶～之处, 请勿见怪; 대접이 소홀한 데 대해 아무쪼록 언짢게 생각하지 마십시오.
〔怠散〕 dàisàn 형 흐리터분하고 야무진 데가 없다. 게으르고 흐리터분하다.
〔怠息〕 dàixī 동 〈文〉 게으름 피우며 쉬다〔놀다〕. ¶不敢～; 게으름 피우며 쉬는 일은 결코 하지 않겠습니다.
〔怠隙〕 dàixì 명 〈文〉 게으름 피우고 있는 틈. ¶伺sì其～《三國志》; 그가 게으름을 피우고 있는 틈을 타서.
〔怠业〕 dàiyè 명동 ⇨〔怠工〕

殆 dài (태)
〈文〉 ①형 위험하다. 위태롭다. ¶危～; 매우 위태롭다. ②부 거의. 아마도. 대개. 대체로. ¶～不可得; 거의 얻기 힘들다 / ～至一载; 이럭저럭 1년이 되어 간다. ③부 겨우. 간신히. 가까스로. ¶～存而已; 겨우 남아 있을 뿐이다. ④동 접근하다. ⑤동 두려워하다. ⑥형 피로하다. 피곤하다. ⑦동 …이 되려 하다.
〔殆及〕 dàijí 부 〈文〉 거의. 거반.
〔殆尽〕 dàijìn 동 〈文〉 거의 다 하다.
〔殆庶〕 dàishù 동 〈文〉 …에 거의 가까울 것이다. 거의 …일 것이다.
〔殆死不活〕 dàisǐ bùhuó 〈文〉 반생반사(半生半死). 반죽음.
〔殆无〕 dàiwú 동 〈文〉 거의 없다.
〔殆于〕 dàiyú 부 〈文〉 거의. ¶～不可《孟子》; 거의 불가하다.

甙 dài (대)
명 《化》 글리코시드(glycoside). 배당체(配糖體)《'苷gān' 은 구칭》. =〔配糖物〕

带(帶) dài (대)
①(～儿, ～子) 명 띠. 밴드. 벨트. 끈. 리본. ¶皮～; 가죽 벨트 / 腰～; 허리띠. 벨트 / 鞋～儿; 신발끈 / 绷～; 붕대. ②명 타이어. ¶轮～ =〔车～〕; 타이어. =〔轮胎〕 ③명 지역. 구역. 일대. ¶温～; 온대. ④명 《醫》 대하증《부인병》. ⑤동 달리다. 붙어 있다. 부대(附帶)하다. ¶～叶子的橘子; 잎이 달린 귤 / 他们书店里～卖文具; 그들 서점에서는 문구도 곁들여 팔고 있다. ⑥동 몸에 지니다. 가지고 있다. ¶您～着表吗? 시계를 차고 계십니까? / ～钱qián; 돈을 지니다 / ～眼镜; 안경을 쓰다 / 要下雨, ～把伞去吧; 비가 오려고 하니, 우산을 가지고 가라. →〔拿ná〕〔挎kuà〕〔提tí〕〔捧pěng〕〔端duān〕 ⑦동 곁에서 떼지 않고 기르다. ¶把他们～到这么大; 그들을 이토록 크게 키워 왔다. ⑧동 데려오〔가〕다. 거느리다. 앞장서다. 인솔하다. 안내하다. ¶～小孩儿上外婆家去; 아이를 데리고 외할머니 댁에 가다 / ～路; 길 안내를 하다 / ～兵; ⇩ / ～徒弟; ⇩ =〔领lǐng④〕 ⑨동 돌보다. ¶母亲～孩子; 어머니가 아이를 돌보다. =〔照管〕 ⑩동 계제에 …하다. 하는 김에 …을 하다. ¶李先生叫我给您～个话儿来; 이선생이 당신에게 말을 전해 달라고 부탁하였습니다 / 要托他～点儿东西; 그에게 물건을 좀 전해 달라고 부탁하려 한다 / 上街～包茶叶来; 시내에 나간 김에 차 한 봉지를 사 와라 / 写信的时候给我～一笔问个好儿; 편지를 쓰시는 김에 안부를 좀 전해 주십시오. →〔带好儿〕〔带信儿〕〔捎shāo带〕 ⑪동 나타나다. 띠다. 머금다. ¶面～愁chóu容; 얼굴에 근심이 서려 있다 / ～着点儿酸suān味儿; 약간 신맛이 있다. ⑫(连…～…) …에서 …까지. ¶连房～饭一包在内; 방세도 식대도 포함한다 / 连老师～学生有五百; 선생으로부터 학생까지 도합 5백명 있다 / 连来～去得děi四天; 갔다가 돌아올 때까지 나흘 걸리다. ⑬동 걸리다. 끌어당기다. 증거로 삼다. 연루되다. ¶一伸手, ～翻了一杯茶; 손을 쭉 뻗다가 손에 찻잔이 걸려 뒤엎고 말았다 / 加劲儿～辔pèi头; 말고삐를 힘껏 당기다 / 他们议论他, 连我们也～上了; 그들은 그에 대해서 논쟁을 하면서 우리들의 일까지 증거로 내세웠다 / 叫车子～了个跟头; 수레에 걸려 넘어졌다 / ～上门; 문을 (열고 들어오는 즉시) 닫다. ⑭동 이끌어〔지도하여〕 활동하게 하다. ¶他这样一来, ～得大家

勤快了; 그가 이렇게 하자 모두 열심히 일했다.
〔带案〕 dài'àn 동 법정에 소환하다.
〔带班〕 dài.bān 동 ①그룹을 지도하다. 그룹을 이끌다. ②(각 직장에서의) 일의 지도에 임하다. 일의 지도를 맡다.
〔带兵〕 dài bīng ①군대를 인솔하다. ¶～的; 대장. 지휘자. ②무기를 휴대하다.
〔带病延年〕 dài bìng yán nián 〈成〉 지병(持病)이 있으면서도 오래 살다.
〔带不了〕 dàibuliǎo 휴대할 수 없다. 지참할 수 없다. 데려갈 수 없다.
〔带彩〕 dàicǎi 동 상처를 입다. 부상당하다. ¶我看昨儿运回好些个兵来都～了; 어제 많은 병정들이 후송돼 온 것을 보았는데, 모두 부상을 입고 있었다.
〔带呈〕 dàichéng 동 〈文〉 가져다가 바치다〔드리다〕.
〔带出来〕 dài.chu.lai 띠게 되다. 나타나다. ¶脸上带出气色来了; 얼굴에 노기가 나타났다.
〔带刺儿〕 dài.cìr 동 (말에) 가시가 있다. ¶说话别～! 가시 돋친 말을 하지 마라!
〔带搭不理〕 dài dā bù lǐ 〈方〉 상대하려 들지 않는 모양. 본체만체하는 모양. ¶他～地说着, 就出去套车了; 그는 되는대로 응답하고, 가축에 수레를 메우러 나갔다. =〔带理不理〕
〔带大〕 dàidà 동 (아이를) 곁에 두고 키우다. 슬하에서 키우다.
〔带道(儿)〕 dài.dào(r) 동 길 안내를 하다. =〔带路〕〔领导(儿)〕
〔带电〕 dàidiàn 명 《電》 대전. (dài.diàn) 동 전기를 띠다. 대전하다. ¶～体; 대전체 / ～导线; 활선(活線)《전류가 통하고 있는 전선》/ ～作业; 활선 작업.
〔带动〕 dàidòng 동 ①(동력을 전달하여) 움직이게 하다. 전동(傳動)하다. ¶用电或蒸气～机器; 전기나 증기로 기계를 움직이다. ②선도(先導)하다. 유도하다. 이끌다. 촉진하다. ¶在他～下, 建设速度大大加快了; 그의 선도하에서 건설 속도는 더더욱 빨라졌다 / ～大家学习; 모두를 이끌어 학습시키다.
〔带豆〕 dàidòu 명 《植》 광저기.
〔带犊子〕 dài dúzi 덤받이를 데리고 개가하다. 덤받이를 데리고 들어가다. (dàidúzi) 명 덤받이. 의붓자식.
〔带肚子〕 dài.dùzi 동 (임신해서) 배가 불룩해지다. =〔带身子〕 (dàidùzi) 명 옛날, 지방에 부임하는 관리에게 돈을 꾸어 준 사람이 그 관리의 고문 또는 사용인의 형식으로 따라가서, 그 빌려 준 돈을 회수할 때까지 머무는 것.
〔带发修行〕 dàifà xiūxíng 머리를 깎지〔삭발하지〕 않고 절간에 들어가 수업하다.
〔带分数〕 dàifēnshù 명 《數》 대분수.
〔带钢〕 dàigāng 명 《機》 대강(帶鋼). 스틸스트립.
〔带个好(儿)〕 dàigehǎo(r) 안부 전해 주다. ¶你见了他, 替我～; 그를 만나거든 내 대신 안부 전해 주십시오.
〔带钩〕 dàigōu 명 벨트의 쇠장식. 쇠테.
〔带故〕 dàigù 동 이유가 있다. 관련이 있다. 인연이 있다. ¶沾zhān亲～; 〈成〉 연고 관계가 있다 / ～就缺勤真不好; 친한 관계라고 해서 결근하는 것은 정말로 좋지 않다.
〔带好儿〕 dài.hǎor 동 …에게 안부를〔문안을〕 전하다. ¶替我给老太太～; 제 대신 어머님에게 안부 전해 주십시오. →〔带个好(儿)〕
〔带葫芦〕 dàihúlu 명동 〈貶〉 의붓자식(을 데리고 오다). =〔〈南方〉 拖tuō油瓶〕
〔带花(儿)〕 dài.huā(r) 동 ①(전투에서) 부상(負傷)하다. =〔挂guà彩②〕 ②겉을 꾸미다. 허세 부리다. ¶你别～; 허세 부리지 마라. (dàihuā(r)) 형 무늬가 들어 있는. ¶～的信纸; 무늬가 있는 편지지.
〔带坏〕 dàihuài 동 (덩달아) 나빠지다. 나쁜 영향을 받다. ¶许多同志被这种作风～了; 많은 동지들은 이런 기풍에 영향을 받아 나빠졌다.
〔带回〕 dàihuí 갖고〔데리고〕 돌아가다〔오다〕. ¶把小孩～来; 아이를 데리고 오다.
〔带甲〕 dàijiǎ 동 (갑옷으로) 무장하다.
〔带脚儿〕 dàijiǎor 부 겸사겸사. 하는 길에. ¶多咱您～去一趟就行了; 언제 겸사겸사 한 번 둘러보시면 좋겠습니다.
〔带劲(儿)〕 dài.jìn(r) 형 ①힘이 있다. 원기가 좋다. ¶快到目的地了, 大家走得更～了; 목적지가 가까워지자, 모두들 더욱 힘있게 걸었다. ②눈치가 보이다. ¶不～; 그런 눈치는 없다. 그렇게는 보이지 않는다. ③흥미를 끌다. 재미있다. 마음이 내키다. ¶下象棋不～, 还是打球吧! 장기는 재미 없다, 역시 공놀이를 하자! ④고조에 달하다. 격렬해지다.
〔带锯〕 dàijù 명 《機》 띠톱. 엔드리스 소(endless saw). 밴드 소(band saw). ¶～机jī; 띠톱반(盤). 띠톱 제재기(製材機).
〔带菌者〕 dàijūnzhě 명 《醫》 보균자.
〔带壳花生〕 dàiké huāshēng 명 껍질째의 땅콩. →〔花生米〕
〔带壳粮〕 dàikéliáng 명 겉곡식. =〔原yuán粮②〕
〔带口病〕 dàikǒubìng 명 말을 덧붙이는 버릇. 이것저것 말하는 버릇.
〔带口信〕 dàikǒuxìn 전갈을 가지고 가다〔오다〕.
〔带口之言儿〕 dàikǒu zhī yánr 이야기 하는 김에. ¶这个问题, 你～地跟领导上谈谈; 이 문제는, 네가 이야기 하는 김에 지도층 사람들에게 이야기해 보라. =〔顺口之言儿〕
〔带来〕 dài.lai 동 ①(휴대하여) 가져오다. ②초래하다. ¶给社会生产力～了极大的破坏; 사회 생산력에 매우 큰 파괴를 초래했다.
〔带累〕 dàilěi〔dàilei〕 동 폐를 끼치다. 언걸먹다. 후림불에 걸려들(게 하)다. 말려들게 하다. ¶这件事把他也～上了; 이 사건에 그도 말려들게 되었다.
〔带理(儿)不理(儿)〕 dàilǐ(r) bùlǐ(r) 변변히〔별반〕 상대하지 않다. 본체만체하다. ¶看他那～的样子我心里就冷了; 그의 본체만체하는 태도를 보자, 내 마음은 곧 냉정해졌다.
〔带零〕 dài.líng 동 나머지가 있다. 우수리가 있다. ¶三十带点儿零; 30을 겨우 넘기다.
〔带领〕 dàilǐng 동 ①인솔하다. 거느리다. 데리고 가다. ¶老同学～新同学去见老师; 상급생이 신입생을 데리고 선생님을 만나뵈러 가다. ②지도하다. 지휘하다.
〔带路〕 dài.lù 동 길 안내를 하다. ¶给您～; 안내해 드리겠습니다 / ～的; 길 안내인. =〔带道(儿)〕〔领导(儿)〕
〔带路人〕 dàilùrén 명 (혁명의) 선도자.
〔带轮〕 dàilún 명 《機》 벨트 바퀴. 피대 바퀴.
〔带轮布景〕 dàilún bùjǐng 명 《劇》 가로닫이 막.
〔带卖〕 dàimài 동 부수적으로〔끼워서〕 팔다. 겸해서 팔다. ¶～些日用品; 일용품도 부수적으로 조금 팔고 있다.

〔带毛革〕 dàimáogé 명 생가죽〔가공하지 않은 가죽〕. 모피.
〔带门〕 dài mén (문을 연 손으로) 곧바로 문을 닫다. 문을 연 김에 그 손으로 닫다. =〔随手带门〕
〔带恼〕 dàinǎo 동 〈文〉 노여움을 띠다. 노여움을 드러내다.
〔带枪〕 dàiˌqiāng 동 총기를 휴대하다.
〔带挈〕 dàiqiè 동 〈文〉 밀어 주다. 발탁하다. 후원하다. ¶他只有三十岁，在前辈们的～下，跃登政坛; 그는 겨우 서른 살로 선배들의 지원을 받아, 일약 정계에 진출하였다 / 原来他之所以能够飞黄腾达，完全是靠他的媳妇～的; 원래 그가 계속 출세할 수 있었던 것은, 순전히 아내 쪽 연줄에 의한 것이었다.
〔带球〕 dàiqiú 명 《體》 드리블(dribble). ¶～过人; 드리블로 수비를 피하다 / ～走; 《體》(농구에서) 트래블링(traveling)(파울).
〔带去〕 dàiˌqu 동 ① 휴대하고〔가지고〕 가다. ②데리고 가다. 연행하다.
〔带韧〕 dàirèn 명 밴드 브레이크(bandbrake).
〔带日下雨〕 dàirì xiàyǔ 여우비가 오다. 해가 났는데 비가 오다.
〔带伤〕 dàiˌshāng 동 상처를 입다. 부상하다. →〔带彩〕〔受shòu伤〕
〔带身子〕 dàishēnzi 동 임신하다. =〔带肚子〕
〔带声〕 dàishēng 명 ⇨〔带音〕
〔带式输送机〕 dàishì shūsòngjī 명 ⇨〔皮pí带(式)输送机〕
〔带手〕 dàishǒu 명 요릿집·식당의 웨이터가 가지고 있는 수건《오른쪽 어깨에 타월과 비슷한 수건을 걸치고 있다가 필요할 때마다 내려서 사용함》. =〔代手②〕
〔带手带脚〕 dàishǒu dàijiǎo 동 방해〔장애〕가 되다. 거치적거리다.
〔带手儿〕 dàishǒur 부 〈方〉…하는 김에. 겸제에. ¶～拿点儿来! 손 간 김에 조금 갖고 와라!
〔带水〕 dàishuǐ 동 도선(導船)〔수로 안내〕하다.
〔带说不说〕 dài shuō bù shuō 〈成〉 ⇨〔待说不说〕
〔带送〕 dàisòng 동 〈文〉 동송(同送)하다. 함께 보내다.
〔带套〕 dàitào 명 ⇨〔环huán带①〕
〔带条纹〕 dài tiáowén 줄무늬가 나 있다.
〔带同〕 dàitóng 동 〈文〉 대동하다. 동행하다.
〔带头(儿)〕 dàiˌtóu(r) 동 선두에 서서 지도하다. 솔선수범하다. 선창하다. 앞장서다. ¶～作用 =〔火huǒ车头作用〕; 지도적 역할. 앞장 서서 하는 활동. 솔선수범하는 역할 / ～下放; 솔선해서 지방에 나가 노동하다 / ～冲向敌阵; 선두에 서서 적진에 돌진하다 / 在工地上他经常起～作用; 공사 현장에서 그는 항상 솔선수범하고 있다 / 闹nào事的～人物; 분쟁의 지도자. =〔〈俗〉 打dǎ幺〕〔领lǐng头(儿)〕
〔带头倡导〕 dàitóu chàngdǎo 선두에 서서 큰 소리로 외치다.
〔带头人〕 dàitóurén 명 선도적 인사. 리더. ¶先进生产者是建设社会主义的～; 선진 생산자는 사회주의를 건설하는 데 있어 선도적인 인사다.
〔带徒弟〕 dàiˌtúdi 동 제자를 거느리다. 제자를 가르치다.
〔带位员〕 dàiwèiyuán 명 좌석 안내인.
〔带下〕 dàixià 명 《漢醫》 백대하.
〔带小数〕 dàixiǎoshù 명 《數》 대소수.
〔带孝〕 dàiˌxiào 동 ⇨〔戴孝〕
〔带信〕 dàixìn 동 편지를 가지고 가다.
〔带信儿〕 dàiˌxìnr 동 전언하다. 말을 전하다.
〔带音〕 dàiyīn 명 《言》 유성음(有聲音). ¶不～ =〔不带声〕; 무성음. =〔带声〕 →〔清qīng音③〕〔浊zhuó音〕
〔带引〕 dàiyǐn 동 앞장 서서 이끌다. ¶～他们走上解放的道路; 그들을 유도해서 해방의 길로 나아가게 하다.
〔带鱼〕 dàiyú 명 《魚》 갈치. =〔白带鱼〕〔刀dāo鱼①〕〔刀条儿鱼〕〔鲂鱼①〕〔海刀鱼〕〔裙带鱼〕
〔带鱼鲨〕 dàiyúshā 명 ⇨〔银yín鲛〕
〔带崽儿〕 dàiˌzǎir 동 (동물이) 새끼를 배다.
〔带脏字儿〕 dàizāngzìr (남을 욕하는 데) 더러운 말을 쓰다. ¶骂mà人别～; 남을 욕할 때에도 더러운 말을 쓰지 마라.
〔带征〕 dàizhēng 동 부가하여 징수하다.
〔带职〕 dàiˌzhí 동 (직무를) 보유하다. ¶～学习; 직을 가지고 (학교에 가서) 공부하다.
〔带住〕 dàizhù 동 ①〈方〉 그만두다. 그치다. ②붙잡다.
〔带子〕 dàizi 명 ①녹음〔녹화〕 테이프. ②띠·벨트·끈·리본 따위의 총칭. ¶紧～; 띠를 (죄어) 매다 / 解～; 띠를 풀다.
〔带走〕 dàizǒu 동 가지고 가다. ¶词典被他～了; 사전은 그가 가지고 갔다.
〔带罪立功〕 dài zuì lì gōng 〈成〉 ⇨〔戴罪立功〕

待 dài (대)

①동 다루다. 대접하다. 대우하다. ¶对duì～; 대처하다. 응대하다 / 招zhāo～; 접대하다 / 优yōu～; 우대하다 / 虐nüè～; 학대하다. ②동 기다리다. 오기를 기다리다. ¶等děng～; 기다리다 / 急jí不可～; 급해서 기다릴 수 없다. 기다릴 수 없을 만큼 긴급하다 / 还有～于改进; 아직도 개선할 점이 있다 / 百业～兴; 갖가지 사업이 부흥을 기다리다. ③조동 〈方〉〈古白〉 …하려 하다. ¶～问他时，他已去了; 그에게 물어 보려 했을 때는 벌써 가 버렸다. =〔正要〕〔将〕 ④조동 …할 작정이다. =〔打算〕 ⑤동 필요로 하다. ¶自不～言; 말할 필요조차 없다. ⑥동 쉬다. ¶忙什么，～～罢; 좀 쉬십시오. ⑦조동 …해야 하다. ¶～调查; 조사해야 한다. ⑧동 용서하다. ⇒dāi
〔待毙〕 dàibì 동 〈文〉 죽음을 기다리다. ¶我们得想法儿冲出去，不能这样坐以～; 어떻게든 방법을 짜내어 돌파하자. 이렇게 앉아서 죽음을 기다리고 있을 수는 없다.
〔待避〕 dàibì 동 ①퇴피(退避)하다. 물러나서 위험을 피하다. ¶在道路两旁～; 길 양쪽으로 퇴피하다. ②대피(待避)하다. ¶列车开进会让线～; 열차가 대피선으로 들어가 대피하다.
〔待…不…〕 dài…bù… …할 듯 말 듯한 태도를 취하다. ¶待理不理; 본체만체하다. 변변히 응대하지 않다 / 待说不说; 말하려다가 그만두다 / 待做不做; 하는 체하면서 하지 않다.
〔待不好〕 dàibuhǎo 냉대하다.
〔待茶〕 dàiˌchá 동 손님에게 차를 내놓다. 차 대접을 하다. ¶他不懂得～，不会应酬; 그는 차 대접할 줄도 모르고, 교제〔응대〕할 줄도 모른다.
〔待查〕 dàichá 동 〈文〉 조사할 필요가 있다. 조사할 예정이다.
〔待产〕 dàiˌchǎn 동 출산을 기다리다. 산기(産氣)가 돌다.
〔待偿〕 dàichang 동 ①접대하다. ②마음을 쓰다. 배려하다.

〔待承〕 dàicheng 동 접대하다. 응대하다. 모시다. ¶老汉拿出最好的东西～客人; 노인은 제일 좋은 것을 갖고 나와 손님을 대접했다. =〔待称〕
〔待次〕 dàicì 동 〈文〉 임관(任官) 또는 보직(補職)의 순서를 기다리다.
〔待搭不理〕 dài dā bù lǐ 〈成〉 ⇨〔待理不理〕
〔待旦〕 dàidàn 동 〈文〉 동트기를 기다리다. 날새기를 기다리다.
〔待发〕 dàifā 동 〈文〉 곧 떠나다. …와 동시에 출발하다. 막 출발하려고 하다.
〔待饭〕 dàifàn 동 식사 대접을 하다.
〔待好〕 dàihǎo 동 좋은 대우를 하다. 우대하다.
〔待厚〕 dàihòu 동 후대하다.
〔待候〕 dàihòu 동 〈文〉 ①오기를 기다리다. ②접대하다.
〔待机〕 dàijī 동 대기하다. 기회〔시기〕를 기다리다. ¶～而行; 기회를 기다려 행하다.
〔待价〕 dàijià 동 〈文〉 적당한 값을 기다렸다가 팔다. 값이 오르기를 기다리다. ¶～而沽; 〈成〉 값이 오르는 것을 기다렸다가 팔다.
〔待见〕 dàijian 동 〈京〉 귀여워하다. 좋아하다. 총애하다. ¶我不～他; 나는 저 사람을 좋아하지 않는다.
〔待决〕 dàijué 동 해결을 기다리다. 해결해야만 하다. ¶两国之间, 仍存在着～的问题; 양국 사이에는 아직 해결을 필요로 하는 문제가 남아 있다.
〔待考〕 dàikǎo 동 ①고려할 필요가 있다. 조사 연구를 기다리다. ¶这个还要～; 이것은 아직 고려해야한다. ②시험을 기다리다. 시험의 예정이 있다.
〔待客〕 dài.kè 동 손님을 접대하다. ¶～厅; 응접실/这菜是预备～的; 이 음식은 손님 접대용으로 마련한 것이다.
〔待理〕 dàilǐ 동 〈文〉 처리를 기다리다.
〔待理不理〕 dài lǐ bù lǐ 〈成〉 변변히 응대도 하지 않다. 본체만체하다. 냉담하게 대하다. ¶应yìng酬人别这么～的; 사람을 응대하는 데 그렇게 냉담하게 굴면 못쓴다. =〔待搭不理〕
〔待脸(儿)〕 dàiliǎn(r) 동 어리둥절하여 앞으로 나아가지 못하다.
〔待料〕 dàiliào 동 (생산 공장에서) 원료가 도착하기를 기다리다. ¶停工～的困难; 조업 정지나 원료를 기다리는 등의 어려움.
〔待命〕 dàimìng 동 〈文〉 명령을 기다리다. 대명(待命)하다. ¶原地～; 그 자리에서 명령을 기다리다.
〔待人〕 dài.rén 동 ①사람을 기다리다. ②접대하다. ¶～很客气; 공손하게 접대하다/～接物; 〈成〉 사람이나 물건에 접하는 태도. 교제.
〔待人员〕 dàirényuán 명 취업 대기 인원(국가로부터 직장이 주어지길 기다리는 사람들).
〔待商〕 dàishāng 동 〈文〉 상의를〔의논을〕 기다리다.
〔待时〕 dàishí 동 〈文〉 잠시 기다리다. 좋은 시기를 기다리다. ¶～而动; 시기를 기다렸다가 행동을 취하다〔착수하다〕. →〔待机〕
〔待说不说〕 dài shuō bù shuō 〈成〉 변죽만 울리고 좀처럼 말하지 않다. 말할 듯 말 듯하다. =〔带说不说〕〔带言不语〕
〔待死〕 dàisǐ 동 〈文〉 죽음을 기다리다. ¶～不活; 〈成〉 소생할 가망이 없다.
〔待宵草〕 dàixiāocǎo 명 《植》 금달맞이꽃. =〔月见草〕
〔待续〕 dàixù 동 〈文〉 계속되다(연재물에서 다음 회에 계속될 경우 등에 씀). →〔承chéng前〕
〔待要〕 dàiyào 조동 …하려고 하다. …할 작정이다. ¶～回家, 可没有车费; 집에 돌아가려고 해도 교통비가 없다.
〔待业〕 dàiyè 동 취직을 기다리다.
〔待业青年〕 dàiyè qīngnián 명 미취업자(직장 배속을 아직 받지 못한 젊은이).
〔待用〕 dàiyòng 동 임박해서〔절박하게〕 필요로 하다.
〔待遇〕 dàiyù 명동 (봉급·급료 등의) 대우(하다). ¶～从优支给; 급료는 우대해서 지급한다. 동 ①(남과) 상대하다. 응대하다. 다루다. ②(권리·사회적 지위등) 대우하다. ¶政治～; 정치상의 대우.
〔待遇条件〕 dàiyù tiáojiàn 명 ⇨〔劳láo动条件〕
〔待运〕 dàiyùn 동 〈文〉 적재를 기다리다. 운반을 기다리다.
〔待字〕 dàizì 동 〈文〉 약혼이 정해지기를 기다리다. 혼기의 처녀가 약혼 전이다. ¶～闺guī中; 아직 정혼자가 없다. =〔待年〕
〔待罪〕 dàizuì 동 대죄하다. 죄를 기다리다〔심판을 기다리다〕. 〈轉〉 옛날, 관리가 봉직(奉職)하고 있음을 겸손하게 이른 말.
〔待做不做〕 dài zuò bù zuò 〈成〉 하려고 하면서도 하지 않다. 그 기색만 보이고 하지 않다.

逮 dài (체, 태)
동 ①〈文〉 (…에) 이르다. 미치다. ¶～乎清季; 청말(清末)에 이르다/力有未～; 힘이 아직 미치지 않은 데가 있다. ②잡다. 체포하다(뜻은 '逮dǎi'와 같고 단지 '逮捕'의 경우에 dài로 읽음). ⇒dǎi
〔逮捕〕 dàibǔ 명동 체포(하다). ¶～状; 구속영장. 체포장/～入狱中; 투옥하다.
〔逮后〕 dàihòu 〈文〉 그 후에 이르기까지. 후일이 되어도.
〔逮今〕 dàijīn 〈文〉 현재에 이르기까지.
〔逮夜〕 dàiyè 명 《佛》 기일(忌日)의 전날 밤.

埭 dài (태)
①명 〈方〉 둑. 제방. ②지명용 자(字). ¶石～Shídài; 스다이(石埭)(안후이 성(安徽省)에 있는 현 이름).

叇(靆) dài (태)
→〔叆ài叇〕

戴 dài (대)
①동 (머리에) 쓰다. 이다. (몸에) 착용하다. ¶～红领巾; 빨간 스카프를 두르다/～帽子; 모자를 쓰다/～发卡; 머리핀을 꽂다/～眼镜; 안경을 쓰다/不共～天; 불구대천의 원수. 같은 하늘을 이고 살 수 없는 원수. ②동 존경하여 추대하다. 모시다. ¶爱ài～; 기꺼이 추대하여 받들다/拥～; 추대하여 모시다. ③명 성(姓)의 하나.
〔戴奥锌〕 dài'àoxīn 명 《化》 〈音〉 다이옥신(dioxin).
〔戴白〕 dàibái 명 〈文〉 노인. 동 ⇨〔戴孝xiào〕
〔戴大帽子〕 dài dàmàozi 〈比〉 어려운 문제 또는 절대적인 권위로 억눌러 반항할 수 없게 하다. ¶他一讨论起来, 就拿会长的话来给人～; 그는 토론만 하게 되면 회장이 한 말을 들먹여서 강압적으로 나온다.
〔戴高乐〕 Dàigāolè 명 《人》 〈音〉 드골(de Gaulle)(프랑스의 정치가, 1890～1970).
〔戴高帽(儿,子)〕 dài gāomào(r, zi) 〈比〉 아첨에 넘어가다. 우쭐해지다. 신명이 나다. ¶你别给

我～; 너, 나를 비행기 태우지 마라 / 他爱～; 그는 아첨에 넘어가길 잘한다 / ～游街; 운두 높은 삼각 모자를 씌우고 시내를 끌고 다니다(옛날, 지주나 악인에 대해서, 나중에는 범죄 분자에 대해서 행해지는 일종의 징벌 방법).

【戴冠郎】 dàiguānláng 명 '公gōng鸡'(수탉)의 별칭. =〔公鸡〕

【戴菊莺】 dàijúyīng 명 《鳥》 상모솔새.

【戴绿帽子】 dài lǜmàozi 〈比〉 ⇨〔戴绿头巾〕

【戴绿头巾】 dài lǜtóujīn 〈比〉 ①오쟁이를 지다. 아내가 다른 남자와 놀아나다. ¶不是甘心戴这一顶绿头巾; 좋아서 오쟁이를 지는 것은 아니다. ② (dàilǜtóujīn) 〈貶〉 아내가 다른 남자와 놀아나는 것을 모르는 남자. ‖ =〔戴绿帽子〕

【戴帽子】 dài màozi ①모자를 쓰다. ②〈比〉 딱지를 붙이다. 낙인 찍다. 판정하다. ¶给人戴红帽子; 빨갱이로 낙인을 찍다. ③차액을 챙기다. 구전을 떼다. ¶让他～; 그로 하여금 매매 이윤을 챙기게 하다 / 我只要十元, 帽子随你去戴, 多卖了算你的; 나는 단지 10원이면 되니 네가 마음대로 구전을 떼어라. 비싸게 팔면 그만큼 네 것이다.

【戴目】 dàimù 동 눈을 치뜨다(거만한 태도의 형용).

【戴辔头】 dài pèitou (말의) 재갈을 물리다.

【戴盆望天】 dài pén wàng tiān 〈成〉 쟁반을 머리에 쓴 채로 하늘을 쳐다보다(하는 일과 목적이 일치하지 않다).

【戴胜】 dàishèng 명 《鳥》 후투티. 오디새. =〔呼hū哱哱〕〔山shān和尚〕

【戴炭篓子】 dài.tànlǒuzi 동 아첨에 넘어가다. 우쭐해지다. ¶给他一个炭篓子戴上, 什么事都应承; 그를 한번 치켜세우면 무슨 일이든지 떠맡아 준다. =〔戴高帽子〕

【戴孝】 dài.xiào 동 (어버이를 여의어) 상장(喪章)을 달다. 상복을 입다. =〔戴白〕〔带孝〕

【戴星而出, 戴星而入】 dài xīng ér chū, dài xīng ér rù 〈成〉 별을 머리에 이고 집을 나가서, 별을 이고 돌아오다(아침 일찍 나가서 밤늦게 돌아오다. 일에 힘쓰는 모양).

【戴月披星】 dài yuè pī xīng 〈成〉 달빛을 이고 별빛을 받으며 밤길을 서둘다(꼭두새벽부터 밤늦게까지 일하다).

【戴罪立功】 dài zuì lì gōng 〈成〉 공적을 세워서 죄과를 보상하다. =〔带罪立功〕

襶

dài (대)
→〔褦nài襶〕

DAN ㄉㄢ

丹

dān (단)
①명 단사(丹砂). ②명형 붉은색(의). 적색(의). ③동 붉게 칠하다. ④명 고아서 이겨 만든 약(보통 과립(顆粒) 또는 분말). ¶仙～; 단약 / 灵～妙药; 약효가 신기한 영약. ⑤명 단심(丹心). ⑥명 성(姓)의 하나.

【丹不尔】 dānbù'ěr 명 《樂》 단부르(위구르 족(族)의 5현 현악기). =〔弹dàn布尔〕〔弹波尔〕〔弹拨儿〕

【丹墀】 dānchí 명 〈文〉 궁전의 섬돌 맨 위의 붉은 칠을 한 회랑(回廊).

【丹顶鹤】 dāndǐnghè 명 《鳥》 두루미. =〔白bái鹤〕〔仙xiān鹤①〕 →〔鹤〕

【丹鼎】 dāndǐng 명 〈文〉 도사가 불로불사의 단약을 이겨서 만들 때 쓰는 그릇.

【丹毒】 dāndú 명 《醫》 단독. =〔《漢醫》 火huǒ瘅〕

【丹方】 dānfāng 명 ①도사가 단약을 이기는 기술. =〔丹诀〕 ② ⇨〔单方①〕

【丹房】 dānfáng 명 ①도사가 불로불사의 단약을 이겨 만드는 건물. ② ⇨〔道dào观〕

【丹粉】 dānfěn 명 《美》 단사(丹砂) 등으로 만든 붉은색 그림물감.

【丹枫】 dānfēng 명 〈文〉 단풍(나무).

【丹桂】 dānguì 명 《植》 박달목서.

【丹桂移】 dānguìyí 명 《植》 고사리삼.

【丹红】 dānhóng 명 《色》 단홍색.

【丹红纸】 dānhóngzhǐ 명 빨간 종이.

【丹黄】 dānhuáng 명 〈文〉 옛날, 공부할 때 책에다 권점(圈點)을 찍기 위해 쓰던 붉은색과 노란색 안료.

【丹雘】 dānhuò 명 《染》 빨간 페인트에 쓰이는 안료의 하나.

【丹精】 dānjīng 명 은(銀)의 별칭.

【丹马布】 dānmǎbù 명 《紡》〈音〉 다마스크클로스(damaskcloth)(테이블보 따위에 씀).

【丹麦】 Dānmài 명 《地》〈音〉 덴마크(Denmark)(수도는 '可本哈根'(코펜하겐: Copenhagen)).

【丹宁】 dānníng 명 《化》〈音〉 타닌(tannin). ¶～酸; 타닌산(酸). =〔单宁〕

【丹皮】 dānpí 명 《藥》 모란의 뿌리 껍질(한약에 쓰임).

【丹铅】 dānqiān 명 (옛날, 책을 교정할 때 썼던) 단사(丹砂)와 백연(白鉛) 가루. 〈轉〉 교정(校訂).

【丹青】 dānqīng 명 ①〈文〉 단청(빨강과 파란색의) 그림물감. ②〈轉〉 그림. ¶～妙笔; 단청의 뛰어난 그림〔절묘한 그림〕을 그리다. ③역사책.

【丹色】 dānsè 명 단색. 붉은색. 붉은갈색.

【丹砂】 dānshā 명 주사(朱砂). =〔朱zhū砂〕

【丹参】 dānshēn 명 《植》 단삼(丹蔘)(뿌리는 약재로 쓰임). =〔山shān参②〕

【丹田】 dāntián 명 《生》 단전(배꼽 아래 1치 반 또는 3치의 곳을 '丹田'라 하고, 정수리를 '黄huáng宫'라고 함).

【丹土】 dāntǔ 명 붉은 흙.

【丹曦】 dānxī 명 〈文〉 붉은 태양.

【丹虾】 dānxiā 명 《動》 대하. 왕새우.

【丹霄】 dānxiāo 명 〈文〉 붉게 노을진 하늘.

【丹心】 dānxīn 명 〈文〉 단심. 적심. 진심. 충성심. =〔丹忱〕〔丹诚〕〔丹款〕〔丹悃〕〔丹魄〕

【丹药】 dānyào 명 《藥》 단약.

【丹灶】 dānzào 명 '丹药'을 고는 화덕. ¶筑～炉; 〈比〉 장수(長壽)하다.

【丹诏】 dānzhào 명 칙명(勅命).

【丹朱】 dānzhū 명 주(朱). 붉은색. 주색.

【丹竹】 dānzhú 명 《植》 붉은색 대나무의 일종.

单(單)

dān (단)
①형 홑의. 단일의. 하나의. ¶～人床; 싱글 베드 / ～价jià; 단가(單價) / ～利lì息; 단리(單利) / 剩shèng了一个～只的鞋, 配不上一双; 한 짝 신발만 남았으니 한 켤레로 짝을 맞출 수 없다. ↔〔双shuāng①〕 ②형부 혼자의〔서〕. 고독한. 단독으로. 별개로. ¶孤gū～; 고독하다. 외롭다. 외톨이다 / ～行条例; 단행 조례(單行條例) / 我是～来的; 나는 혼자 왔습니다 / 这瓶药要～放在一边; 이 병의 약은

를, 그 달 중에 모두 끝냈다.
〔当折〕 dàngzhé 명 전당포 통장.
〔当真〕 dàngzhēn 형 ①진정이다. ②정말이다. ¶这话～? 그 이야기는 정말인가? 동 정말로 받아들이다. ¶这是跟你闹着玩儿的, 你别～! 이건 농담입니다. 곧이듣지 마십시오!
〔当主〕 dàngzhǔ 명 저당잡힌 사람.
〔当作〕 dàngzuò 동 ⇨〔当做〕
〔当做〕 dàngzuò 동 …으로 간주하다. …으로 생각하다. ¶不要把我的话～耳旁风! 나의 말을 건성으로 흘려 들어서는 안 된다! / 把他～自己的亲哥哥; 그를 자신의 친형으로 생각하다. =〔当成〕〔当作〕

垱(壋) dàng (탕)
①명〈方〉관개용의 작은 둑. ¶筑zhù～挖塘; 둑을 쌓고 못을 파다. ②지명용 자(字). ¶杨家～; 양자당(楊家壋)《후베이 성(湖北省) 짜오양 현(棗陽縣) 북부에 있는 땅이름》.

挡(擋) dàng (당)
→〔摒bìng挡〕 ⇒dǎng

档(檔) dàng (당)
①명 (격자로 짠) 선반이나 장《대부분 서류를 보관하는 데 쓰임》. ¶归～; 문서를 서류함에 보관하다. ②명 (각 기관에 보관하는) 문헌. 서류. 조서(調書). ¶查chá～; 보존 서류를 조사하다. ③(～儿, ～子) 양〈方〉㉠사항·사건을 세는 데 쓰임. ㉡조(組). 단(團)《조(組)로 된 민간 속곡(俗曲). 예능·곡예를 세는 데 쓰임》. ④(～儿) 명 (가구 따위의 흔들림을 막기 위한) 가로대. 가로장. ¶桌子的横～儿; 책상의 가로대 / 算盘上的～; 주판의 틀. ⑤명《機》기계의 속도 단계를 나타냄. ¶有十二～速度; 12단계의 속도를 낼 수 있다. ⑥명 (상품·생산품의) 등급. ¶高～商品; 고급 상품 / 低～商品; 저급품.
〔档案〕 dàng.àn 명 관청의 기록. 관청의 문서. ¶归档在案; 기록에 남겨 보존하다 / ～柜; 서류 보존함(保存函) / 各朝的～是最确实的历史资料; 각 조(朝)의 보존 서류는 가장 확실한 역사 자료이다.
〔档册〕 dàngcè 명 공문서 철.
〔档房〕 dàngfáng 명 관청의 문서 보관실.
〔档卷〕 dàngjuàn 명 관청의 보관 문서.
〔档儿〕 dàngr 명 가로대. 가로장. 양 ⇨〔档子①〕
〔档子〕 dàngzi 양〈方〉①사항·사건을 세는 단위. ¶一～事; 하나의 사건 / 好几～事一齐来, 可忙坏了; 여러 가지 일거리가 한꺼번에 생겨서 바빠 죽겠다. =〔当儿〕 ②조(組)로 이루어진 민간 예능·곡예를 세는 말. ¶刚过去两～龙灯, 又来了一～耍狮子的; 방금 2조의 '龙灯' 춤이 지나가더니 이번에는 사자놀이의 조가 왔다.

宕 dàng (탕)
〈文〉①형 방탕하다. 구속받지 않다. ¶跌～; 질탕하다. =〔荡dàngB)①〕 ②동 연장하다. 연기하다. 지연시키다. ¶延～; 연기하다. ③형 치우치다. ④명 동굴(洞窟).
〔宕户〕 dànghù 명 ①돌을 자르는 인부. 채석공(採石工). ②《商》〈文〉외상값을 치르지 않은 사람.
〔宕延〕 dàngyán 동 연기하다. 천연(遷延)하다. 늦게 하다.
〔宕账〕 dàngzhàng 명〈文〉지불을 끌어 미불로 되어 있는 계정.

菪 dàng (탕)
→〔莨làng菪〕

砀(碭) dàng (탕)
①지명용 자(字). ¶～山Dàngshān; 당산(碭山)《안후이 성(安徽省)에 있는 현 이름》. ②명 성(姓)의 하나.

荡(蕩〈盪〉A)) dàng (탕)
A) 동 ①모두 없애다. 일소(一掃)하다. ¶倾家～产; 〈成〉재산을 모두 탕진하다 / 扫～; 소탕하다. 완전히 제거하다. ②씻다. 씻어 헹구다. ¶冲～; 물을 끼얹어 씻다 / ～口 =〔漱口〕; 양치질하다. ③흔들리다. 흔들려 움직이다. 흔들다. ¶动～; 흔들리다 / 飘～; 바람에 흔들려 움직이다〔펄럭이다〕 / ～秋千 =〔打秋千〕; 그네를 뛰다. ④어슬렁거리며 걷다. 하는 일 없이 빈둥거리다. ¶游～; 어슬렁거리다. B) ①형 방탕하다. 방종하다. 방자하다. ¶淫～; 음탕하다 / 放～; 방탕하다 / ～子; ⇩ =〔宕①〕 ②명 늪. 얕은 호수《물이 괴어 갈대 등이 난 저지(低地)》. ¶～田; 갈대밭《갈대밭을 개간해서 만든 논밭》 / 芦花～; 갈대가 우거진 물가. ③명 웅덩이. 분뇨 구덩이. ¶水～; 물웅덩이 / 肥～; 비료〔분뇨〕 구덩이. =〔凼〕 ④(～子) 명 직업 없이 빈들거리는 건달.
〔荡产〕 dàngchǎn 동 재산을 모두 써 버리다.
〔荡船〕 dàng chuán ①배를 젓다. ②(dàngchuán) 명 배 모양의 유동 원목(遊動圓木).
〔荡荡〕 dàngdàng 형 광대하여 끝이 없는 모양. 가없이 넓은 모양. ¶浩hào浩～的队伍向北开去; 엄청나게 많은 인원의 대열이 북쪽을 향해서 이동하다.
〔荡荡悠悠〕 dàngdangyōuyōu 형 흔들흔들 흔들리는 모양. 일렁일렁 일렁이는 모양('荡悠'로는 쓰지 않음).
〔荡涤〕 dàngdí 동 ⇨〔洗xǐ涤〕
〔荡动〕 dàngdòng 동 흔들거리다.
〔荡费〕 dàngfèi 동 낭비하다. 탕진하다.
〔荡妇〕 dàngfù 명 탕부. 부정한〔방탕한〕 여자. =〔荡女〕
〔荡检逾闲〕 dàngjiǎn yúxián 동〈文〉예의 범절을 무시하다.
〔荡尽〕 dàngjìn 동 탕진하다. 다 써 버리다.
〔荡寇〕 dàngkòu 동 적(賊)을 정벌하다.
〔荡马〕 dàngmǎ 명《劇》중국의 전통극에서 타고 있는 말이 사납게 날뛰는 것을 표현하는 연기.
〔荡马路〕 dàng mǎlù〈南方〉거리를 떠돌아다니다. 거리를 어슬렁거리다.
〔荡没〕 dàngmò 동 물에 완전히 잠기다.
〔荡木〕 dàngmù 명《體》유동 원목(遊動圓木). =〔浪làng木〕〔浪桥②〕
〔荡女〕 dàngnǚ 명 ⇨〔荡妇〕
〔荡平〕 dàngpíng 동 소탕하여 평정하다. ¶～叛乱; 반란을 평정하다.
〔荡清〕 dàngqīng 동 깨끗이 소탕하다.
〔荡然〕 dàngrán 형 깨끗이(몽땅) 없어지는 모양. ¶～无存; 〈成〉전부 없어져 남지 않다.
〔荡神〕 dàngshén 동 열중하다. 넋을 잃다.
〔荡滩地〕 dàngtāndì 명 해안이나 강안(江岸)의 물가.
〔荡析〕 dàngxī 동〈文〉이산(離散)하다. 이리저리 흩어지다.
〔荡漾〕 dàngyàng 동 (물·파도·공기·노랫소리 등이) 흔들려 움직이다. 떠돌다. 울리다. ¶～着

他的嘹亮的歌声；맑고 큰 그의 노랫소리가 흘러나오고 있다.
〔荡摇〕dàngyáo 동 흔들려 움직이다.
〔荡意〕dàngyì 명 ①방종한 마음. ②음탕한 마음. 동 마음을 깨끗이 하다.
〔荡意平心〕dàngyì píngxīn 생각을 정리하다. 마음을 깨끗이 하고 가라앉히다.
〔荡志〕dàngzhì 동 ①마음을 현혹시키다. ②기분을 풀다.
〔荡舟〕dàngzhōu 동〈文〉①배를 젓다. ②배를 손으로 밀어 움직이다.
〔荡子〕dàngzǐ ①→〔字解B)④〕②명 타향에서 유랑하는 자. =〔宕子〕
〔荡子〕dàngzi 명 (재봉용의) 주걱《줄치는 기구》. ¶打～; 주걱으로 줄을 긋다.

DAO ㄉㄠ

刀 **dāo** (도)
①(～儿) 명 칼. 칼붙이. ¶一把菜～; 식칼 한 자루/动dòng～; 칼부림에 이르다/这小～子很快; 이 칼은 잘 든다/铡zhá～; 작두/铣～; 날개칼. 프레이즈 커터(fraise cutter). ② 명 칼 모양을 한 것. ¶裁cái玻璃～; 유리 자르는 칼/冰bīng～; 스케이트화의 에지〔블레이드〕/瓦wǎ～; 기와를 이을 때 쓰는 흙손. ③명〈文〉옛날, 칼 모양의 화폐. ④양 ㉠종이를 세는 말《보통 100장》. ¶一～纸; 종이 100장. →〔令lǐng〕〔领lǐng⑪㉡〕㉡베는 동작의 횟수를 나타내는 말. ¶切三～; 세 번 베다. ⑤명 성(姓)의 하나.
〔刀疤〕dāobā 명 칼에 다친 자국. =〔刀瘢〕
〔刀把儿〕dāobàr 명 ①칼자루. =〔刀柄〕②〈比〉권력. 무력. 힘. ③〈方〉약점. 꼬투리. →〔把柄〕‖=〔刀把子〕
〔刀把子〕dāobàzi 명 ⇨〔刀把儿〕
〔刀瘢〕dāobān 명 도흔. 칼에 벤 흉터. =〔刀疤〕
〔刀背(儿)〕dāobèi(r) 명 칼등. ¶把钱花在～上; 쓸데없는 데 돈을 쓰다. 쓸데없는 돈을 쓰다. ↔〔刀脸liǎn(儿)〕
〔刀笔〕dāobǐ 명〈文〉도필《옛날에, 대나무에 문자를 새기던 칼. 또, 오자(誤字)를 긁어 고치는 데 쓰던 칼》.〈轉〉(소송 관계의) 문서를 작성하는 일. ¶弄nòng～; 소송 서류를 만들다/～郎láng; 대서인/～吏; 문서 담당 관리.
〔刀币〕dāobì 명〈文〉칼 모양의 중국 고대의 동화(銅貨).
〔刀兵〕dāobīng 명〈文〉무기.〈轉〉군사. ¶动dòng～; 전쟁하다/～四起; 병란이 사방에서 일어나다.
〔刀柄〕dāobǐng 명 절삭(切削)공구의 손잡이. 공구의 손잡이. =〔〈北方〉刀把儿①〕〔〈北方〉刀杆〕〔〈南方〉刀排〕
〔刀布〕dāobù 명 도화(刀貨)와 포전(布錢)《둘 다 중국 고대의 청동제 화폐》.
〔刀裁笔画〕dāo cái bǐ huà〈成〉칼로 자르고 붓으로 그리다《가지런하게 정리하다》. ¶菜畦好像～的, 又平又齐; 야채밭의 이랑이 자를 댄 것처럼 판판하고 가지런하다.
〔刀叉〕dāochā 명 나이프와 포크.
〔刀插〕dāochā 동〈文〉침략하다. ¶～中国之梦; 중국을 침략하려는 야심.
〔刀蛏〕dāochēng 명《貝》대맛조개.
〔刀尺〕dāochǐ 명 가위와 자《사람을 임면(任免)함》. ¶妄弄～; 인사 임면을 마음대로 하다.
〔刀尺〕dáochi 동 ①모양을 내다. 꾸미다. ②(헌 것을) 새것처럼 보이게 하다. 화려하게 꾸미다. ‖=〔捯饰〕
〔刀疮药〕dāochuāngyào 명《漢醫》칼에 벤 상처에 바르는 약.
〔刀带〕dāodài 명 칼 차는 끈.
〔刀刀见血〕dāo dāo jiàn xiě〈比〉한 마디 한 마디가 신랄하다. 언동이 철저하여 조금도 용서가 없다.
〔刀豆〕dāodòu 명《植》작두콩.
〔刀豆三七〕dāodòu sānqī 명《植》노랑매미꽃.
〔刀法〕dāofǎ 명 검술(劍術).
〔刀匪〕dāofěi 명 흉기를 가지고 있는 비적(匪賊).
〔刀锋〕dāofēng 명 ⇨〔刀尖(儿)①〕
〔刀斧手〕dāofǔshǒu 명 ①《劇》조정이나 관공서에서 칼을 들고 서 있는 수위역. ②망나니. 사형 집행인.
〔刀斧子〕dāofǔzi 명 사형 집행인.
〔刀杆吊架〕dāogǎn diàojià 명《機》아버(arbor). 축. 굴대. =〔刀杆支架〕
〔刀耕火种〕dāo gēng huǒ zhòng〈成〉화전(火田) 경작.
〔刀工〕dāogōng 명 ①(칼로 썰거나 저미는) 칼솜씨. =〔刀功〕②도공.
〔刀光剑影〕dāo guāng jiàn yǐng〈成〉칼의 빛과 검(劍)의 그림자《격렬한 싸움. 또는 살기등등한 위험한 모양》. ¶缓和的帷幕后面看到～; 유화의 장막 뒤에는 흉흉한 기미가 엿보인다.
〔刀圭〕dāoguī 명《藥》약의 분량을 재는 숟가락의 하나.〈轉〉의술(醫術).
〔刀痕〕dāohén 명 칼자국. 절삭기(切削機)로 깎은 자리〔흔적〕. =〔刀花〕〔刀印〕〔走zǒu刀痕〕
〔刀护手〕dāohùshǒu 명 칼의 날밑.
〔刀花〕dāohuā 명 ⇨〔刀痕〕
〔刀架(子)〕dāojià(zi) 명 ①《機》공작 기계의 절삭구(切削具), 또는 그 손잡이를 고정해 두는 대(臺). ②안전 면도기의 본체《면도날은 '刀片(儿)'》.
〔刀尖(儿)〕dāojiān(r) 명 ①칼끝. 에지(edge)의 끝. =〔刀锋〕②〈比〉위험함.
〔刀剪药〕dāojiǎnyào 명《植》범꼬리.
〔刀匠〕dāojiàng 명 ⇨〔刀子匠〕
〔刀将〕dāojiàng 명 명(名)조리사. ¶以～见称; 명(名)조리사로 알려지다.
〔刀搅柔肠〕dāo jiǎo róucháng〈比〉이것저것 고민하는 모양.
〔刀具〕dāojù 명《機》절삭 공구의 총칭. =〔割gē削工具〕〔切qiē(削工)具〕〔刃rèn具〕
〔刀具钢〕dāojùgāng 명《工》칼 만드는 강철. 공구용강(工具用鋼).
〔刀具角度〕dāojù jiǎodù 명《工》절삭 각도. 깎는 각도.
〔刀具磨床〕dāojù móchuáng 명《機》공구 연삭반(工具研削盤). 공구 연마대. =〔〈俗〉出chū口磨床〕〔工gōng具磨床〕
〔刀锯〕dāojù 명 칼과 톱.〈比〉형벌《고대엔 사람 처형에 칼과 톱을 썼음》.
〔刀口〕dāokǒu 명 ①칼날. ②〈比〉가장 긴요〔유효〕한 곳. ¶钱要花在～上; 돈은 가장 유효하게 써야 한다. ‖=〔刀刃(儿)〕③《醫》수술의 벤 자리.

〔刀来枪挡〕 dāo lái qiāng dǎng 〈成〉 칼이 쳐들어오면 창으로 막다《서로 한 치의 양보도 없이 맞서다》. ¶话里都带着刺cì, ~的, 各不相让; 말 속에 가시가 있어 서로 한 치의 양보도 없이 맞서다.
〔刀螂〕 dāolang 명 《蟲》〈方〉 버마재비. =〔螳táng螂〕
〔刀脸(儿)〕 dāoliǎn(r) 명 ① ⇨〔刀刃(儿)〕 ②도신(刀身).
〔刀马旦〕 dāomǎdàn 명 《劇》 중국 전통극에서, 무예에 능한 여걸(女傑) 역.
〔刀门〕 dāomén 명 창이나 칼을 교차시켜 문처럼 만든 것《위병이 서로 마주 서서 무기(창·칼 등)를 교차시켜 문처럼 만듦》.
〔刀墨〕 dāomò 명 도묵《옛날, 작은 칼로 이마에 상처를 내고 문신하던 중국의 형벌》.
〔刀牌手〕 dāopáishǒu 명 《軍》 칼과 방패를 가진 병사.
〔刀皮〕 dāopí 명 《機》 혁지(革砥). 면도칼을 가는 가죽 띠. =〔剃tì刀皮〕
〔刀片(儿)〕 dāopiàn(r) 명 ①안전 면도날. ¶一片保险~; 한 장의 안전 면도날. ②절삭(切削) 공구의 날. =〔刀头②〕
〔刀枪〕 dāoqiāng 명 칼과 총. 〈轉〉 무기. ¶~入库, 马放南山; 칼과 총을〔무기를〕 입고시키고, 병마를 산에 풀어 놓다. 〈比〉 ⓐ전쟁을 포기하고 평화를 바라다. ⓑ경계심을 늦추다.
〔刀鞘(儿)〕 dāoqiào(r) 명 칼집.
〔刀儿〕 dāor 명 칼. 날붙이(‘刀子’ 보다 작음). ¶铅笔~; 연필깎이 / 小~; 나이프 / 剃~; 면도칼.
〔刀刃(儿)〕 dāorèn(r) 명 ①칼날. ¶~钝dùn了; 날이 무디어졌다. ②긴요한 곳. ¶钱花在~上; 가장 요긴하게 돈을 쓰다. ‖ =〔刀口①②〕〔刀脸(儿)①〕
〔刀山火海〕 dāo shān huǒ hǎi 〈成〉 칼을 꽂은 산과 불바다《몹시 위험함》. ¶哪怕~, 也没啥可怕; 설령 칼을 꽂은 산과 불바다일지라도 두려울 것은 없다. =〔火海刀山〕
〔刀山剑树〕 dāo shān jiàn shù 〈成〉 도검이 삼엄하게 늘어서 있는 광경. 혹독한 형벌.
〔刀山油锅〕 dāo shān yóu guō 〈成〉 검의 산과 기름이 끓는 냄비《아주 어려운 일의 형용》.
〔刀勺〕 dāosháo 명 식칼과 국자. 〈轉〉 주방 기구.
〔刀手〕 dāoshǒu 명 칼을 쓰는 사람. 무기로 칼을 지니고 있는 사람.
〔刀头〕 dāotóu 명 ①칼날. ② ⇨〔刀片(儿)②〕
〔刀头蜜〕 dāo tóu mì 〈成〉 꿀에 칼날〔바늘〕이 들어 있다《겉은 꿀처럼 달콤하지만, 그 이면에는 위험성이 있는 것》. ¶刀头之蜜; 위험을 무릅쓰고 큰 이익을 취하는 것.
〔刀下留情〕 dāo xià liú qíng 〈成〉 적당히 봐 주다. 고려하다.
〔刀削面〕 dāoxiāomiàn 명 칼국수《산시 성(山西省)의 것이 유명》.
〔刀销〕 dāoxiāo 명 《機》 커터핀(cutter pin).
〔刀械〕 dāoxiè 명 날붙이. 흉기.
〔刀形开关〕 dāoxíng kāiguān 명 《機》 나이프 스위치(knife switch). 도형(刀形) 개폐기(開閉器). =〔〈北方〉 刀闸〕〔〈南方〉 闸zhá刀开关〕
〔刀印儿〕 dāoyìnr 명 ①날붙이로 벤 자리. ¶切出~来; 날붙이로 상처를 내다. ②베어 낸 자리. ¶划入一分深的~; 1푼 깊이로 칼집을 내다.
〔刀鱼〕 dāoyú 명 《魚》 ①갈치. =〔带鱼〕 ②웅어.
〔刀扎肺腑〕 dāo zhā fèi fǔ 〈成〉 칼로 폐부를 찌르다《마음에 깊은 감명을 받다》.
〔刀斩斧齐〕 dāo zhǎn fǔ qí 〈成〉 칼로 벤 듯이 가지런하다《매우 정연한 모양》.
〔刀锥〕 dāozhuī 명 〈比〉 아주 적은 이익.
〔刀子〕 dāozi 명 〈口〉 칼. 나이프(‘刀儿’ 보다 상대적으로 큼). ¶那人说出的话像~似的; 저 사람이 하는 말은 칼처럼 날카롭다 / ~嘴, 豆腐心; ⓐ입으로는 날카로우나 마음은 상냥하다. ⓑ허세부리다.
〔刀子匠〕 dāozijiàng 명 도공(刀工). =〔刀匠〕
〔刀俎〕 dāozǔ 명 〈文〉 식칼과 도마. 〈轉〉 압박자·박해자.

忉

dāo (도)
형 〈文〉 근심하는 모양.

〔忉忉〕 dāodāo 형 우려〔근심〕하는 모양.

叨

dāo (도)
동 중얼대다. ⇒ dáo tāo

〔叨叨〕 dāodao 동 ①재잘재잘 지껄이다. 쉴새없이 지껄이다. ②중얼중얼 말하다. ¶只他一个在~, 别人都插不上嘴! 혼자서만 계속 중얼거리고 있어, 다른 사람은 한 마디 끼여들 여지도 없다.
〔叨登〕 dāodeng 동 〈口〉 ①(많은 것들 속을) 휘젓다. 휘저어 어지르다. 뒤죽박죽으로 만들다. ¶把衣服~出来晒晒! 옷을 끄집어 내어 말리시오! ②전의 일을 다시 끄집어 내다. ¶事情已经过去了, 还~什么! 이미 지나간 일인데, 무얼 또다시 끄집어 내느냐! ③반복하다. ¶这点工作他~没完了; 이런 작은 일을 그는 계속 반복하면서도 아직 끝내지 못했다.
〔叨动〕 dāodòng 동 뒤집어 엎다.
〔叨翻〕 dāofan 동 〈京〉 한 말을 또 말하다. 되풀이해서 말하다. ¶别~了; 몇 번이나 장황하게 말하지 마라 / 他说完了还得~; 그는 말을 마치고는 또 말하려 한다.
〔叨唠〕 dāolao 동 〈口〉 (원망·불만을) 투덜거리다. ¶别净~人家, 也想想自己; 남을 투덜투덜 원망만 하지 말고, 스스로도 생각하시오.
〔叨念〕 dāoniàn 동 혼잣말하다. 입 속으로 쉴새없이 중얼거리다. =〔咄念〕〔自言自语〕

鱽(魛)

dāo (도)
→〔鱽鱼〕

〔鱽鱼〕 dāoyú 명 《魚》 ① ⇨〔带鱼〕〔刀鱼dāoyú〕 ②웅어. =〔风尾鱼〕

氘

dāo (도)
명 《化》 듀테륨(D: deuterium). 중(重)수소. =〔重zhòng氢〕

叨

dáo (도)
→〔叨咕〕 ⇒ dāo tāo

〔叨咕〕 dáogu 동 종알〔투덜〕거리다. 원망하다. ¶你不~他, 他脑瓜子就不痛了; 네가 툴툴거리지 않으면, 그 사람도 머리 아프지 않을 것이다.

捯

dáo (도)
동 〈方〉 ①(두 손을 번갈아 들며 실·끈 따위를) 잡아당기다. 끌어당기다. ¶把风筝~下来; 연을 잡아당겨 내리다 / 用手~线; 손으로 실을 잡아당기다. ②추구(追求)하다. 원인을 캐다. 실마리를 찾다. ¶这件事到今天还没~出头来呢! 이 사건은 오늘까지도 아직 실마리를 잡지 못하고 있다! ③수식(修飾)하다.
〔捯不出手〕 dáobuchū shǒu 일손을 비울 틈이

없다. (바빠서) 일손을 뗄 수 없다. ¶这两天庄稼活儿忙, ～来帮你盖房; 요 2, 3일 동안 밭일이 바빠서 당신이 집 짓는 데 거들어 줄 짬을 낼 수가 없다.

〔捯饬〕 dáochi 동 〈方〉 ①꾸미다. 치장하다. ¶哪儿有十七八岁的大姑娘不爱～的; 처녀치고 치장하는 것을 싫어하는 사람이 어디 있습니까. ②수선하여 새것으로 만들다. 손질하다. ¶～货儿 huòr; 고물을 새것처럼 만든 물건 / 这只手表真不错, 看不出是～货儿; 이 손목시계는 아주 근사해서 수선한 것으로 보이지 않는다. ‖ =〔刀尺〕

〔捯根儿〕 dáo,gēnr 동 〈方〉 추구하다. 근원에 다가가다. ¶得想法子～; 근본 원인을 알아내지 않으면 안 된다.

〔捯弄〕 dáonòng 동 팔다. 판매하다. 장사하다. ¶很多失业的人在城市与乡村之间～小卖买; 많은 실업자들이 도시와 시골에서 행상을 한다.

〔捯气儿〕 dáo,qìr 동 ①(죽기 직전의) 벅찬 숨을 쉬다. 헐떡이듯이 숨을 들이키다. ②〈比〉 말씨가 빠르고 수다스럽다. ‖ =〔倒气儿〕

〔捯线〕 dáo,xiàn 동 실을 감아 당기다.

导(導) dǎo (도)

동 ①이끌다. 인도하다. ¶～向正轨 guǐ; 올바른 길로 인도해 주다 / ～向胜利; 승리로 이끌다 / 领lǐng～; 영도하다. 통솔하여 지도하다. ②전도(傳道)하다. ¶～热; ⇓ / ～电; ⇓ ③가르쳐 지도하다. ¶教～; 교도하다 / 指～; 지도하다 / 倡～; 창도하다.

〔导板〕 dǎobǎn 명 ⇨〔倒板〕

〔导板轭〕 dǎobǎn'è 명 안내판. 안내표지.

〔导标〕 dǎobiāo 명 항로 표지.

〔导播人员〕 dǎobō rényuán 명 (방송) 프로듀서. ¶广播电台的～; 방송국의 프로듀서.

〔导程〕 dǎochéng 명 《機》 리드(lead). 나사가 1 회전하여 전진하는 거리.

〔导磁率〕 dǎocílǜ 명 《物》 전자성(電磁性)의 투과율.

〔导弹〕 dǎodàn 명 《軍》 ①유도탄. 미사일. ¶地对地～; 지대지 미사일 / ～基地; 미사일 기지 / ～核武器; 핵미사일 / ～发射井; 미사일 지하 발사대 / ～核潜艇; 미사일 적재 핵잠수함. ②유도 비상체(飛翔體). ③유도 병기.

〔导弹舰〕 dǎodànjiàn 명 미사일함(艦).

〔导电〕 dǎodiàn 《物》 명 전기 전도. ¶～体; 전도체. (dǎo,diàn) 동 전기를 전도하다.

〔导杆销〕 dǎogǎnxiāo 명 《機》 안내핀. ¶牵qiān引棒～; 견인봉(牽引棒) 안내핀.

〔导管〕 dǎoguǎn 명 ①《機》 파이프. 덕트(duct). 도관(導管). 송수관. ②《植》 도관. ③《動》 맥관(脈管).

〔导航〕 dǎoháng 동 (레이더나 무선 표지로) 비행기·기선의 항행을 유도하다. ¶无线电～; 무선 유도 / ～台; 관제탑.

〔导火线〕 dǎohuǒxiàn 명 ①《軍》 도화선. =〔导火索〕 ②〈比〉 사건 발생의 직접 원인.

〔导坑〕 dǎokēng 명 《鑛》 도갱(터널 공사에서 예비적으로 파는 직경 3, 4 미터의 굴).

〔导流〕 dǎoliú 명 《土》 물길을 다른 데로 돌림.

〔导轮〕 dǎolún 명 《機》 안내 바퀴. 가이드 휠 (guide wheel)(직기(織機) 따위에 쓰는 활차(滑車)). =〔压yā带轮〕

〔导论〕 dǎolùn 명 서론(序論).

〔导螺杆〕 dǎoluógǎn 명 《機》 리드 스크루(lead screw). 급동공간(給動槓桿).

〔导盲狗〕 dǎománggǒu 명 《動》 맹도견(盲導犬).

〔导纳〕 dǎonà 명 《電》 어드미턴스(admittance).

〔导尿〕 dǎo,niào 명 《醫》 도뇨(導尿).

〔导尿管〕 dǎoniàoguǎn 명 《醫》 카테테르(Katheter). 도뇨관(導尿管).

〔导热〕 dǎorè 명 《物》 열전도.

〔导热系数〕 dǎorè xìshù 명 《物》 열전도율. =〔导热率〕〔导热性〕

〔导师〕 dǎoshī 명 ①《佛》 도사. ②지도자. 리더. ③지도 교관(教官).

〔导数〕 dǎoshù 명 《數》 도함수.

〔导丝杆〕 dǎosīgǎn 명 《紡》 얀 가이드(yarn guide). 실길. ¶～柄bǐng; 얀 가이드 홀더 (yarn guide holder).

〔导丝杠〕 dǎosīgàng 명 《機》 가이드 스크루 (guide screw). 회전 조정 나사. =〔〈北方〉 丝杠〕〔〈南方〉 长cháng螺丝〕

〔导体〕 dǎotǐ 명 《物》 도체. =〔良liáng导体〕

〔导线〕 dǎoxiàn 명 《電》 코드(cord). 도선.

〔导向〕 dǎoxiàng 동 ①(어떤 방면으로) 나아가다. 발전하다. ¶这次会谈～两国关系的正常化; 이번 회담은 양국 관계의 정상화 방향으로 나가고 있다. ②(방향을) 인도하다. 유도하다. ¶这种火箭的～性能良好; 이 로켓의 방향 유도 성능은 아주 좋다.

〔导言〕 dǎoyán 명 서언. 말머리.

〔导演〕 dǎoyǎn 《映》 명 영화 감독. 극의 연출가. ¶大女儿是画家, 二女儿是电影～; 장녀는 화가이고, 차녀는 영화 감독이다. 동 감독하다. 연출하다.

〔导扬〕 dǎoyáng 동 (어떤 방향으로) 조장(助長)하다. 발양(發揚)하다.

〔导音〕 dǎoyīn 명 《樂》 이끎음. 도음(導音). =〔感gǎn音〕

〔导引〕 dǎoyǐn 명 〈文〉 도인(중국 고대의 양생법(養生法)의 하나. 복식 호흡을 주로 함). =〔引导〕〔道dào引②〕〔接jiē引②〕

〔导游〕 dǎoyóu 동 (유람자를) 안내하다. ¶～小册; 관광 안내서. 명 관광 안내원. 관광 가이드.

〔导诱〕 dǎoyòu 동 꾀어 내다. 유인해 내다. ¶将带来的饵品, 抛弃山洞进口处, ～山猪离穴; 가지고 온 먹이를 동굴 입구에 던져, 멧돼지를 밖으로 꾀어 내다.

〔导源〕 dǎoyuán 동 ①발원(發源)하다. ¶黄河～于青海; 황허(黃河)는 칭하이 성(青海省)에서 그 근원을 발한다. ②〈比〉 …에 기원을 갖다. 유래하다. ¶认识～于实践; 인식은 실천으로부터 유래한다.

〔导治〕 dǎozhì 동 (일정한 방향으로 흐름을 인도하여) 강을 다스리다. ¶～汉江; 한강의 흐름을 다스리다.

〔导致〕 dǎozhì 동 (어떤 결과를) 야기하다. 초래하다. ¶～意外的失败; 뜻하지 않은 실패를 초래하다.

岛(島) dǎo (도)

명 섬. ¶半bàn～; 반도 / 群～; 군도 / 安全～; 안전 지대. =〔岛子zi〕〔海hǎi岛〕

〔岛国〕 dǎoguó 명 섬나라.

〔岛弧〕 dǎohú 명 《地》 활꼴로 이어져 있는 군도(群島).

〔岛际贸易〕 dǎojì màoyì 명 섬과 섬 사이의 무역. ¶外国人不得在印尼从事～; 외국인은 인도네시아에서 섬과 섬 사이의 무역에 종사할 수 없다.

는 소리). ④ 부 역으로. 거꾸로. ¶ ～算; ⇓/～着过儿说; 거꾸로 말하다. ⑤ 부 도리어. 오히려 (예측이나 일반 상식에 반대되는 뜻을 나타냄). ¶ 肥料上多了, ～长不好; 비료를 너무 주면 도리어 성장에 나쁘다/我～要跟您请教! 저야말로 오히려 당신에게 가르침을 부탁드려야겠습니다!/春天到了, 天气～冷起来了; 봄이 되었는데, 날씨는 도리어 추워졌다. →〔反fǎn而〕〔反倒〕 ⑥ 부 예상외로. 오히려. 어쩌면. …의 편이(의외의 생각지도 않았다는 어투를 나타내는 말). ¶ 这么办～好; 이렇게 하는 것이 오히려 좋다/你太客气, ～显得见外了; 자네 너무 사양하면 오히려 서먹서먹해지네. ⑦ 부 역접 관계를 나타냄. ¶ 你说得～很容易, 可事情没那么好办的; 자네는 쉽게도 말하지만, 일은 그렇게 간단하지만은 않다네. ⑧ 부 양보를 나타냄. ¶ 我跟他认识～认识, 就是不太熟; 나는 그를 좀 알기는 알지만, 그다지 잘 알지는 못한다. ⑨ 부 (완전하다고는 할 수 없지만) 제법. 어지간히. 상당히. 아쉬운 대로. 그럭저럭. 약간. 별로(…하지 않다). ¶ 好～好, 可是太麻烦; 좋기는 하지만 상당히 귀찮다/～还算好; 아쉬운 대로 좋은 편이다/他～是个有出息的人; 그는 꽤 견실한 사람이다/那～是的; 그것은 그저 그렇지요/我～有个主意; 내게 조금은 생각이 있다/这个问题, 我～没注意过; 이 문제는, 내가 별로 주의해서 본 적이 없다/钱～不在乎; 돈에 관한 것은 별로 문제로 삼지 않는다〔문제가 아니다〕. ⑩ 부 재촉이나 힐문을 나타냄. ¶ 你～说呀; 빨리 말해라/你～去不去呀? 너는 가는 거냐 마는 거냐? ⇒dǎo

〔倒八字须〕 dàobāzìxū 명 카이제르 수염(양쪽 끝이 위로 올라간 八자 수염).

〔倒背〕 dàobēi 동 거꾸로 메다. ¶ ～着枪走过来了; 총을 거꾸로 메고 왔다. ⇒dào·bèi

〔倒背〕 dào·bèi 동 ①(끝에서부터 거꾸로) 암송하다. 암송을 매우 잘하다. ¶ 宪法他可以～如流; 그는 헌법을 줄줄 욀 수 있다. ②(～手(儿)) 뒷짐을 지다. ¶ 他～着双手, 慢慢腾腾地走着来了; 그는 뒷짐을 지고 천천히 걸어왔다. ⇒dàobēi

〔倒拨〕 dàobō 동 거꾸로 돌리다. ¶ ～时计; 시계 바늘을 거꾸로 돌리다.

〔倒不如〕 dàoburú 오히려 …만 못하다. 도리어 …(하)는 쪽이 낫다. ¶ 吃药～休息的好; 약을 먹기보다 쉬는 것이 낫다.

〔倒彩〕 dàocǎi 명 ⇨〔倒好(儿)〕

〔倒插〕 dàochā 명 추서법(追敍法)(시나 산문의 서술에서 순서를 바꿔서 서술하는 수사법). =〔倒插法fǎ〕〔倒插笔〕〔倒岔chà笔〕

〔倒插门(儿)〕 dàochāmén(r) 명 옛날의 데릴사위. ¶ ～的女婿; 데릴사위/把蒋竹山～招进来成夫妇; 장죽산(蒋竹山)을 데릴사위로 맞아들여 부부로 맺어 주었다. =〔倒踏门〕〔倒装门儿〕

〔倒茶〕 dào·chá 동 차를 따르다. ¶ ～拿烟; 차를 따라 주고 담배를 권하고 하다/～来! 차를 갖고 오너라!

〔倒产〕 dàochǎn 명동 ⇨〔逆nì产〕

〔倒车〕 dào·chē 동 차를 후진시키다. ¶ 开～; ⓐ 차를 후진시키다. ⓑ시류에 역행하다. ⇒dǎo·chē

〔倒持泰阿〕 dào chí tài ē 〈成〉 태아(太阿)의 명검을 거꾸로 잡다(칼자루는 다른 사람이 쥐다. 남에게 큰 권한을 주고 스스로는 곤경에 처한다. 태아는 옛날의 보검(寶劍)). =〔倒持太阿〕〔泰阿倒持〕〔太tài阿倒持〕

〔倒抽一口气〕 dàochōu yī kǒu qì 깜짝 놀라서〔실망해서〕 숨을 삼키다.

〔倒出〕 dàochū 동 비우다. 따라 내다. ¶ 把桶里的水都～来吧! 통 속의 물을 모두 비워라!

〔倒春寒〕 dàochūnhán 명 ①봄철에 닥치는 폭풍우. ②(한랭 전선의 영향으로 인하여) 봄철에 닥치는 추위.

〔倒刺〕 dàocì 명 ①손거스러미. =〔倒流刺〕 ②낚싯바늘. 작살(의 갈고리).

〔倒错〕 dàocuò 명동 (상하가) 전도(되다). 도착(倒錯)(하다).

〔倒打〕 dàodǎ 동 손등으로 치다. =〔倒手打〕

〔倒打锣儿〕 dàodǎluór 모든 일이 엉망으로 되다. 모든 것이 거꾸로 되다.

〔倒打一耙〕 dào dǎ yī pá 〈成〉 (비난·항의 따위를) 되받아 쏴붙이다. 역습하다. ¶ 人家好心劝他, 他倒～; 사람이 좋은 말로 일러주는데 그는 되받아 쏘고 있다. =〔倒打一瓦〕

〔倒挡〕 dàodǎng 명 《機》 백 기어. 후진 기어.

〔倒倒〕 dàodao 형 〈北方〉 노인이 자신의 나이에 걸맞지 않다. 노인이 젊은이처럼 행동하다. ¶ 这个老头儿, 这么大年纪, 怎么这么～啊; 이 노인은 이렇게 나이가 많은데도 어째서 이처럼 노인답지 않은 일을 하는 것일까. →〔倒流话〕 명동 ⇨〔倒倒(脚儿)〕

〔倒倒(脚儿)〕 dàodao(jiǎor) 명 걸음걸이의 한 습관으로, 발이 땅에 닿는 것과 동시에 뒤쪽으로 발뒤꿈치를 끄는 듯한 걸음걸이. ¶ 这孩子有点儿～; 이 아이는 약간 발뒤꿈치를 끌며 걷는다. 동 후퇴하다. ‖ =〔倒倒〕

〔倒吊着刷井〕 dàodiàozhe shuājǐng 거꾸로 매달려 우물을 청소하다. 〈比〉 매우 괴로운 일을 하다. ¶ 叫他～, 他也是甘心情愿的; 아무리 괴로운 일을 시켜도 그는 기꺼이 자진해서 일한다.

〔倒掉〕 dàodiào 동 버리다. ¶ 他把垃圾～了; 그는 쓰레기를 버렸다.

〔倒蹲儿〕 dàodūnr 동 쾅당 하고 앉다. 엉덩방아를 찧다.

〔倒躲〕 dàoduǒ 동 뒤로 물러서며 피하다. 뒤로 피하다.

〔倒反〕 dàofǎn 부 〈方〉 도리어(뜻밖에도). 의외로. ¶ 他平日很会说话, 这时～一句话也说不出来; 그는 여느 때는 말주변이 좋았는데, 이 때는 도리어 한 마디도 못 했다. =〔反倒〕

〔倒飞〕 dàofēi 동 배면(背面) 비행을 하다. 공중회전을 하다. ¶ 这种直升飞机可以左右横飞, ～; 이 헬리콥터는 좌우 옆돌기와 공중 제비를 할 수 있다. 명 배면 비행. 공중 회전.

〔倒粪〕 dào·fèn 동 쌓아 두었던 퇴비를 뒤엎어 다시 섞어서 완숙(完熟)시키다.

〔倒粪〕 dàofèn 동 〈方〉 한 말을 뇌고 되뇌다. 곱씹다. ¶ 他在会议上最能～; 그는 회의 때에 가장 말이 많다.

〔倒勾踢球〕 dàogōu tīqiú 명 《體》 (축구의) 발리킥(volley kick)(떠 있는 공을 넘어지면서 차기).

〔倒关牙〕 dàoguānyá 명 아랫니가 윗니 앞으로 나온 입〔사람〕. =〔兜dōu齿子〕

〔倒灌〕 dàoguàn 동 ①흘려 넣다. 주입하다. ②역류(逆流)하다.

〔倒过来〕 dàoguolái 거꾸로 하다. ¶ ～拿; 거꾸로 하여 쥐다.

〔倒过来算〕 dàoguolai suàn 역산(逆算)하다.

〔倒过儿〕 dào·guòr 동 〈京〉 뒤집다. 거꾸로 하다.

¶ 把号码～就对了; 번호를 뒤집으면 맞는다 / ～是我…; 반대로 이것이 만일 나라면…. =〔使颠倒〕

〔倒行〕 dàoháng 명 끝부터 센 줄. ⇒dǎo.háng dàoxíng

〔倒好(儿)〕 dàohǎo(r) 명 관극자(觀劇者)가 배우의 연기가 서투를 때에 던지는 야유. ¶喊～ =〔喝～〕; (배우에게) 야유를 던지다. =〔倒彩〕

〔倒货〕 dàohuò 동 물건을 팔다. 물품을 운송하다. 물건을 교환하다. ⇒dǎohuò

〔倒剪双手〕 dàojiǎn shuāngshǒu 두 손을 뒤로 묶다. ¶她～双臂, 在墙根上窝着呢; 그녀는 두 팔이 뒤로 묶여, 담 밑에 쭈그리고 있다.

〔倒睫〕 dàojié 명 위로 뻗친 눈썹.

〔倒景儿〕 dàojǐngr 명 ⇨〔倒影(儿)①〕

〔倒酒〕 dào.jiǔ 동 술을 따르다. →〔斟zhēn①〕

〔倒句〕 dàojù 명 《言》 도치문(倒置文).

〔倒卷〕 dàojuǎn 동 되감다. ¶～胶卷; 필름을 되감다.

〔倒开花〕 dàokāihuā 동 제철 아닌 때에 꽃이 피다《노인이 늦바람이 나다》.

〔倒空〕 dàokōng 명 《印》 복자(伏字).

〔倒空〕 dàokōng 동 쏟고 비우다. ¶～一个桶; 통 하나를 쏟아서 비우다.

〔倒空吐净〕 dào kōng tǔ jìng 〈成〉 모든 것을 숨김없이 다 고백하다.

〔倒控〕 dàokòng 동 《法》 가해자가 피해자를 거꾸로 고소하다.

〔倒苦水〕 dào kǔshuǐ 〈比〉 (과거에 받은) 고통을 털어놓다.

〔倒冷饭〕 dào lěngfàn 남은 밥을 얻어서 그릇에 담다. 남은 밥을 얻으러 돌아다니다. ¶老花子每天在街头～; 거지가 매일 거리에서 남은 밥을 얻으러 돌아다닌다.

〔倒立〕 dàolì 명 《體》 (체조의) 물구나무서기. 동 물구나무서기를 하다. ‖ =〔竖shù蜻蜓〕〔〈方〉 拿ná大顶〕

〔倒链〕 dàoliàn 명 체인 블록.

〔倒溜〕 dàoliū 동 엉터리로〔함부로〕 이치에 맞지 않는 말을 하다.

〔倒流〕 dàoliú 동 거슬러 흐르다. 역류하다. ¶～儿; 술단지에서 술을 푸는 데 쓰이는 사이펀(siphon) / 河水不能让它～! 강물을 역류시킬 수는 없다!

〔倒流刺〕 dàoliúcì 명 ⇨〔倒刺 ①〕

〔倒流话〕 dàoliúhuà 명 나이 먹은 사람답지 않은 말. ¶那老头子净说～; 저 노인은 나이 먹은 사람답지 않은 말만 한다.

〔倒轮闸〕 dàolúnzhá 명 코스터 브레이크(coaster brake)《페달을 반대로 밟아 세우는 자전거 브레이크》. =〔反fǎn踏板煞车〕

〔倒盘〕 dàopán 동 테이프를 되감다. 명 ⇨〔倒盘儿〕

〔倒盘儿〕 dàopán(r) 명 ①원가보다 싼 가격. ¶卖～; 원가보다 싸게 팔다. ②한 때 비싼 값을 부르던 것이 내린 값. ‖ =〔倒盘〕

〔倒赔〕 dàopéi 동 배상〔변상〕하다.

〔倒片〕 dào piàn 필름을 되감다. ¶～机; 필름을 되감는 기계.

〔倒仆〕 dàopū 동 넘어져서 땅에 엎어지다. ¶他让石头绊了脚, 猛地～在地上; 그는 돌에 걸려 갑자기 땅바닥에 엎어졌다.

〔倒生〕 dàoshēng 명동 ⇨〔逆nì产〕

〔倒是〕 dàoshì 부 도리어. 오히려. 의외로. ¶跑了一身汗, 病～好了; 달려서 온몸에 땀을 흘렸더니 의외로 병이 좋아졌다 / 你说得～简单, 你试试看! 너는 간단하게 말하는데, 한 번 해 보려무나!

〔倒收付息〕 dàoshōu fùxī 명 《經》 역금리(逆金利). 마이너스 금리.

〔倒手〕 dàoshǒu 동 손등을 뒤집다. ¶～打; 손등으로 치다. ⇒dǎoshǒu

〔倒数〕 dàoshǔ 동 거꾸로 세다. 뒤에서부터 세다. ¶～第三行; 끝에서 셋째줄 / 他是～第一名; 그는 꼴찌에서 일등이다. ⇒dàoshù

〔倒数〕 dàoshù 명 《數》 역수(逆數). ⇒dàoshǔ

〔倒水〕 dàoshuǐ 동 (그릇을 기울여서) 물을 쏟다. 명 우수리를 뗀 돈. 개평 뗀 돈.

〔倒算〕 dàosuàn 명동 역청산(逆淸算)(하다)《전국적으로 해방되기 전, 지주나 부농이 반동정권을 배경으로, 일단 혁명 정권 농민에게 분배한 토지를 농민으로부터 다시 빼앗은 일》.

〔倒锁〕 dàosuǒ 동 밖에서 자물쇠를 잠그다.

〔倒踏门〕 dàotàmén 명 ⇨〔倒插门(儿)〕

〔倒贴〕 dàotiē 동 ①거꾸로 붙이다. ②(～儿)(여자가 남자에게) 거꾸로 돈을 바치다. ③(～儿) 돈을 얹어 물건을 주다.

〔倒贴门神〕 dàotiē ménshén ('门神'을 거꾸로 붙이는 데서) 일부러 이의(異議)를 제기하다.

〔倒退〕 dàotuì 동 ①거슬러 올라가다. ¶～十几年; 10수 년 전으로 거슬러 올라가다. ②후퇴하다. ¶～几步; 몇 발자국 뒤로 물러서다. 명 후퇴. 역행. ¶想把历史拉向～; 역사를 역행시키려 하다.

〔倒屣〕 dàoxǐ 동 〈文〉 (황급하게 손님을 맞이하느라) 신발을 거꾸로 신다《후한(後漢)의 채옹(蔡邕)이 친구가 찾아왔을 때, 신발을 신을 겨를이 없어, 거꾸로 신고 맞이한다는 고사에 따름》.

〔倒现〕 dàoxiàn 동 ①거꾸로 나타나다〔보이다〕. ②현금을 유용(流用)하다.

〔倒陷〕 dàoxiàn 동 (병이) 내공(內攻)하다. ¶痘疮～; 천연두가 내공하다.

〔倒行〕 dàoxíng 동 역행하다. 명 역행. ¶～路线; 역(逆)코스. ⇒dǎo.háng dàoháng

〔倒行逆施〕 dào xíng nì shī 〈成〉 시류에 역행하다. 도리를 무시하고 강행하다. 억지를 부리다.

〔倒许〕 dàoxǔ 부 혹시 …일지도 모른다. ¶～有点希望; 희망이 좀 있을지도 모른다. =〔也许〕

〔倒叙〕 dàoxù 명 시간의 순서를 거꾸로 하여 기술하는 수법. ¶～法; 도서법(倒敍法).

〔倒宣传〕 dàoxuānchuán 명동 역선전(하다).

〔倒悬〕 dàoxuán 동 〈文〉 거꾸로 매달리다. 명 〈比〉 거꾸로 매달린 듯한 괴로움. 말할 수 없는 고통. ¶苦如～; 고통이 극도에 이르다.

〔倒牙〕 dàoyá 명 《機》 〈南方〉 왼나사. =〔左zuǒ螺纹〕 ⇒dǎoyá

〔倒烟〕 dàoyān 연기가 역류하다. 연기가 굴뚝쪽으로 나가지 않고 안으로 되돌아 나오다.

〔倒焰炉〕 dàoyànlú 명 ⇨〔反fǎn射炉〕

〔倒仰儿〕 dàoyǎngr 동 〈方〉 벌렁 나자빠지다. ¶被推了个～; 밀리어 벌렁 나동그라졌다 / 滑huá一个～; 미끄러져 벌렁 나동그라졌다 / 吓xià了个～; 깜짝 놀라 벌렁 나자빠지다 / 气qì我个～; 화가 나서 쓰러질 지경이었다. =〔大dà仰颏〕〔大仰颏儿〕

〔倒也罢了〕 dàoyěbàle 그럭저럭 그런대로 괜찮다.

〔倒页〕 dàoyè 명 순서가 뒤바뀌어 있는 페이지.

〔倒因为果〕 dào yīn wéi guǒ 〈成〉 원인을 거꾸로 결과로 삼다.

〔倒影(儿)〕 dàoyǐng(r) 명 ①거꾸로 비친 그림자. 물에 비치는 그림자. =〔倒景儿〕 ②석양(夕陽).
〔倒月的〕 dàoyuède 명 월정(月定) 고용인·노동자. =〔月工〕
〔倒栽葱〕 dàozāicōng 동 나동그라지다. 곤두박이다. 곤두박이치다. ¶摔个～; 거꾸로 곤두박질하다.
〔倒载干戈〕 dào zài gān gē 〈成〉 휴전하다. 전쟁을 그만두다. =〔倒置干戈〕
〔倒脏土的〕 dàozāngtǔde 명 청소원.
〔倒着个儿〕 dàozhe gèr 거꾸로 (하다). ¶～拿着; 거꾸로 들고 있다.
〔倒置〕 dàozhì 동 거꾸로 놓다. 명 도치.
〔倒置干戈〕 dào zhì gān gē 〈成〉 ⇨〔倒载干戈〕
〔倒转〕 dàozhuǎn 부 〈方〉 오히려. 도리어. ¶你把事情做坏了, ～来怪我; 자네는 스스로 일을 그르치고 오히려 나를 탓하고 있다. =〔反倒〕 동 거꾸로 돌리다. 반전(反轉)하다. ¶拉历史车轮～; 역사의 수레바퀴를 거꾸로 돌리다.
〔倒装〕 dàozhuāng 동 ①거꾸로 놓다〔넣다〕. ②《言》 도치하다. ¶～句; 도치문(倒置文).
〔倒装门(儿)〕 dàozhuāngmén(r) 데릴사위로 들어가다. =〔倒插门(儿)〕
〔倒坐〕 dàozuò 동 무릎을 꿇고 앉다.
〔倒座儿〕 dàozuòr 명 ① '正房' 에 대하여 세운 대문 쪽의 채. =〔前房qiánfáng〕 ②열차·배의 진행 방향과 반대가 되는 좌석.

帱(幬) dào (도)
동 〈文〉 덮다. =〔焘①〕 ⇒ chóu

焘(燾) dào〔tāo〕 (도)
① 동 덮다. =〔帱dào〕 ②널리 감싸서 비추다의 뜻으로, 인명용 자(人名用字).

悼 dào (도)
동 ①애도하다. ¶追～; 추도하다 / 哀～; 애도하다. ②측은하고 애석하게 생각하다.
〔悼词〕 dàocí 명 조사(弔辭). 추도사. ¶致～; 조사를 읽다. =〔悼辞〕
〔悼念〕 dàoniàn 동 애도하다. 추모하다.
〔悼丧〕 dàosàng 동 〈文〉 물품 또는 사람을 잃고 애석히 여기며 슬퍼하다.
〔悼痛〕 dàotòng 동 〈文〉 애통해하다.
〔悼亡〕 dàowáng 동 ①죽은 아내를 애도하다. ②〈比〉 아내를 잃다.
〔悼惜〕 dàoxī 동 (남의 죽음을) 슬퍼하고 아까워하다. 애석해하다.
〔悼心失图〕 dào xīn shī tú 〈成〉 너무 슬퍼서 계획〔할 일〕을 내던지다.
〔悼唁〕 dàoyàn 동 〈文〉 애도의 말을 하다.

盗〈盜〉 dào (도)
① 동 훔치다. 도둑질하다. ¶欺世～名; 〈成〉 세상 사람을 속이고 명성을 도둑질하다 / ～卖公物; 공공물건을 훔쳐서 팔다. ② 명 도둑. 도적. ¶男～女娼; 〈成〉〈罵〉 남자는 도적, 여자는 창녀《못된 것들》/ 强～; 강도 / 大～; 대도. 큰 도둑 / 防fáng～; 도난에 대비하다. ③ 동 (쥐·도적이) 구멍을 뚫다. ¶耗hào子～窟kū窿; 쥐가 구멍을 뚫다 / 贼zéi～窟窿; 도둑이 (숨어들기 위해) 구멍을 뚫다.
〔盗案〕 dào'àn 명 《法》 절도 사건. 도난 사건.
〔盗本垒〕 dàoběnlěi 명 《體》 (야구의) 홈스틸(home steal). 스틸링 홈(stealing home).
〔盗犯〕 dàofàn 명 도범. 절도 범인.
〔盗匪〕 dàofěi 명 ⇨〔盗贼〕
〔盗庚〕 dàogēng 명 《植》 금불초(金佛草). =〔旋xuán复花〕
〔盗汗〕 dàohàn 명 《漢醫》 도한. (잠잘 때의) 식은땀. =〔虚xū汗②〕〔自zì汗〕
〔盗伙〕 dàohuǒ 명 도적(盜賊)패.
〔盗劫〕 dàojié 동 강도질을 하다.
〔盗寇〕 dàokòu 명 ⇨〔盗贼〕
〔盗魁〕 dàokuí 명 ⇨〔盗首〕
〔盗卖〕 dàomài 동 (국가·기업·단체 등의 공공물을) 빼돌리다. 팔아 먹다. ¶～公物; 공공물을 팔아 먹다.
〔盗名〕 dàomíng 동 〈文〉 남의 이름을 도용하다.
〔盗墓〕 dào,mù 동 도굴하다. 무덤을 파헤쳐 훔치다. =〔〈文〉 盗椁〕
〔盗骗〕 dàopiàn 동 속여서 훔치다. ¶～国家资财; 국가의 물자나 재산을 속여서 편취하다.
〔盗窃〕 dàoqiè 동 절도하다. 훔치다. ¶～案àn; 절도 사건 / ～保险; 도난 보험.
〔盗取〕 dàoqǔ 동 절취〔횡령〕하다. 훔쳐서 갖다.
〔盗儒〕 dàorú 명 〈文〉 언행이 일치하지 않는 유학자. 도유.
〔盗杀〕 dàoshā 동 훔친 다음에 죽이다. 도살하다.
〔盗首〕 dàoshǒu 명 〈文〉 도적의 두목〔괴수〕. =〔盗魁〕
〔盗薮〕 dàosǒu 명 〈文〉 도적의 소굴.
〔盗用〕 dàoyòng 동 도용하다. 횡령하다. ¶～公款; 공금을 횡령(하다).
〔盗赃〕 dàozāng 명 〈文〉 도난품. 훔친 물건. 장물(臟物).
〔盗贼〕 dàozéi 명 도적. ¶～充chōng斥; 도적이 횡행하다. =〔盗匪〕〔盗寇〕
〔盗憎主人〕 dào zēng zhǔ rén 〈成〉 악인(惡人)이 도리어 원한을 품다.

道 dào (도)
① (～儿) 명 길. 도로. ¶人行～; 인도 / 街～; 시가. 거리 / 旱～; 육로 / 火车～; 철도 / 康庄大～; 넓고 평탄한 대로 / 羊肠小～; 꾸불꾸불한 오솔길. ② 명 수로(水路). 흐름. ¶河～; 하도. 하천이 흐르는 길 / 水～; 수로 / 黄河改～; 황허(黃河)가 흐름을 바꾸다. ③ 명 방향. 방법. 도리. 조리. ¶志同～合; 지향하는 데가 일치하다 / 同行同～; 동업자 / 养生之～; 양생법 / 即以其人之～, 还治其人之身; 그 사람의 방법으로 그 사람을 다스리다 / 不～; 도리가 아니다 / 头头是～; 모든 것이 조리에 맞다 / 干啥有啥～; 저 나름의 좋은 수법이 있다 / 照他的～儿办; 그의 방법대로 하다. ④ 명 기예. 기술. ¶医～; 의술. ⑤ 명 도덕. ¶～义; 도의. ⑥ 명 학술 또는 종교의 사상 체계. ¶传～; 전도하다. ⑦ 명 도가(道家). 도교(道教). 도교도(道教徒). ¶～院; 도교의 사원 / ～经; 도교의 경문 / ～士; 도사. 도교의 승 / 老～; 도사. ⑧ 명 일부의 종교 조직을 이르는 말. ¶一贯～; 《史》 일관도. 중국의 종교적 비밀 결사의 하나. ⑨ 동 말하다. ¶说长～短; 이러쿵저러쿵 남을 비평하다 / 能说会～; 능변이다. 말을 잘하다 / 称～; 칭찬하다 / 常言～; 속담에 이르기를. ⑩ 동 말로서 마음을 나타내다. ¶～贺 =〔～喜〕; 축하의 말을 하다. ⑪ 동 이르다《문어(文語)의 '曰' 에 해당하며 회화문의 도입(導入)에 씀》. ⑫ 동 생각하다. ¶我～是谁打枪, 原来是邻居放鞭炮! 누가 총을 쏘았나 생각했는데, 웬걸 이웃에서 폭죽을 터뜨리고 있는 게 아냐! =〔以yǐ为〕〔认rèn为〕 ⑬ 명 옛날의 행정 구역. ⑭ (～儿, ～子)

명 줄. 선(線). ¶红～儿; 붉은 줄/铅笔～儿; 연필로 그은 선. ⑮양 사물(事物)을 세는 말. ㉠가느다란 선상(線狀)의 것 ¶一～缝线; 한 줄기의 터진 데/一～河; 한 줄기의 강/一～红线; 붉은 선 1줄/一～口子; 한 줄의 갈라진 금. ㉡관문. 출입구. 경과. ¶两～门; 2개의 문/过一～关; 관문을 하나 지나다/过好几～手; 몇 사람의 손을 거치다. ㉢명령이나 표제·문제 따위에 쓰임. ¶三～题; 3문(問)의 문제/一～命令; 하나의 명령. ㉣횟수. 도수(度數). ¶洗了三～; 3번 씻었다/换两～水; 물을 두 번 갈다/上了三～漆; 칠을 세 번 했다/中国菜是一～一～上的; 중국 요리는 한 코스씩 나온다. ㉤종류. ¶这～货; 이런 종류의 물건/你说的是哪～话? 자네가 말하는 것은 어떤 것인가? ⑯명《電算》(컴퓨터의) 트랙(자기 테이프의 기억 장치가 연속하여 정보를 기억하는 선상의 부분). ⑰명 성(姓)의 하나.

〔道安〕 dào'ān 동〈翰〉 문안하다. 안부를 묻다.

〔道安置〕 dào'ānzhì 동〈古白〉 취침시 인사를 하다. '안녕히 주무십시오' 하고 인사하다.

〔道白〕 dàobái《劇》명 연극의 대사(臺詞). 동 대사를 말하다. ‖=〔说shuō白〕→〔作派〕〔作排〕

〔道班〕 dàobān 명 도로 수리반. ¶～工人; 도로 수리공.

〔道别〕 dào,bié 동 작별을 고(告)하다. 작별인사를 하다. ¶他亲热地跟朋友道了别了; 그는 다정하게 친구에게 작별을 고했다. =〔告gào别〕

〔道…不…〕 dào…bù… 〈方〉 뜻이 상반되는 단음 형용사를 뒤에 놓고 '…도 아니고 …도 아니다'라는 뜻을 나타내는 성어(成語) 형식의 말을 만듦. ¶道长不短; 길지도 않고 짧지도 않다/道大不小; 크지도 작지도 않다.

〔道不去〕 dàobuqù 도리에 맞지 않다. ¶那人做事, 有些～的地方; 저 사람의 하는 짓은 좀 도리에 맞지 않는 점이 있다.

〔道不拾遗, 夜不闭户〕 dào bù shí yí, yè bù bì hù 〈成〉 길에 떨어진 물건도 줍지 않고, 밤에 문도 잠그지 않다(세상이 태평함).

〔道叉〕 dàochā 명 도로의 교차.

〔道碴〕 dàochá 명《土》 자갈.

〔道岔〕 dàochà 명 ①⇨〔转zhuǎn辙机〕 ②〈方〉 철도의 건널목.

〔道岔子〕 dàochàzi 명 ①길의 교차점. ②철도의 건널목.

〔道场〕 dàochǎng 명《佛》 ①불사(佛事). ¶做～; 불사를 행하다. ②불사를 하는 장소. 도장(道場). ③불교 사원.

〔道床〕 dàochuáng 명 노상(路床). 노반(路盤).

〔道次〕 dàocì 명 가는 도중. 가는 길.

〔道道儿〕 dàodaor 명 ⇨〔道道(子)②〕

〔道道(子)〕 dàodao(zi) 명〈方〉 ①선. 줄. ¶书上划满了红～; 책에 붉은 줄이 잔뜩 그어져 있다. ②방법. 수단. 궁리. 생각. ¶～多; 여러 가지 방법이 있다/不要着zháo了他的～; 그의 수에 넘어가지 마라/想了好多年, 还没有想出～来呢; 몇 년을 생각해 보았으나 아직 방법을 생각해 내지 못하고 있다. =〔道道儿〕〔道儿④〕

〔道德〕 dàodé 명 도덕. 윤리. ¶～抵制; 도의적 제재(制裁).

〔道德经〕 Dàodéjīng 명 ⇨〔老子lǎozǐ②〕

〔道德品质〕 dàodé pǐnzhì 명 도덕과 품격.

〔道地〕 dàodì 형 ①⇨〔地道①〕 ②진실하다. 고지식하고 조신하다. ¶那个女人不～; 저 여자는 불성실하다〔품행이 나쁘다〕. 명 (나중에 물러설) 여유. 여지. ¶把话说得太满了, 将来恐怕没有～了; 너무 자신만만한 소리를 하고 나면, 나중에 물러설 여지가 없게 될 염려가 있다.

〔道钉〕 dàodīng 명 (철도의) 침목정(枕木釘). =〔狗gǒu头钉〕〔轨guǐ道钉〕

〔道兜〕 dàodōu 명 도사(道士)가 쓰는 두건(頭巾)의 일종.

〔道尔顿制〕 Dào'ěrdùnzhì 명《物》 돌턴 플랜(Dalton plan). =〔道尔顿法〕

〔道乏〕 dào,fá 동 남에게 수고를 끼치게 한데 대한 사의를 말하다. ¶他还要亲自来给你～呢! 그는 당신에게 수고했다는 인사를 하려고 몸소 오려고 합니다! =〔道劳〕

〔道烦恼〕 dào,fánnǎo 동 조상(弔喪)하다. 문상하다. =〔道恼〕→〔道唁yàn〕

〔道夫〕 dàofū 명《紡》〈音〉 도퍼(doffer).

〔道高一尺, 魔高一丈〕 dào gāo yīchǐ, mó gāo yīzhàng 〈諺〉 도(道)는 높이가 한 자〔尺〕인데, 마(魔)는 높이가 한 장(丈)이 된다(나쁜 일은 좋은 일을 압도할 만큼 큰 법이다. 하나의 성과를 올리면 또 큰 곤란이 온다). →〔魔高一尺, 道高一丈〕

〔道根〕 dàogēn 명〈文〉 도덕의 근본.

〔道姑〕 dàogū 명 여자 도사(道士).

〔道故〕 dàogù 동〈文〉 옛말을 하다. 회고담(懷古談)을 하다.

〔道冠儿〕 dàoguānr 명 도관. 도사(道士)의 건(巾).

〔道观〕 dàoguàn 명 도교(道教)의 사원. =〔道士庙〕〔道院〕〔丹房②〕

〔道号〕 dàohào 명 수도자의 별호(別號). 도호. ¶那人～卧wò龙; 그는 수도자로서의 도호를 와룡(臥龍)이라고 한다.

〔道贺〕 dào,hè 동 ⇨〔道喜〕

〔道行〕 dàoheng〔dàohang〕 명〈口〉 ①(종교·미신상의) 법술(法術). 법력. ¶这鬼有些～; 이 유령은 법술을 좀 지니고 있다. ②〈比〉 기능. 솜씨. 재주. ¶他才练了两年的工夫, 他的～可不少啊! 그는 2년밖에 연마하지 않았는데 솜씨가 대단하네! ‖=〔道力〕〔道数〕

〔道候〕 dàohòu 동 ⇨〔问wèn候〕

〔道会门〕 dàohuìmén 명 일관도(一貫道)·삼합회(三合會)·홍문(洪門) 등 민간의 미신적 신앙 단체나 비밀 결사를 말함. =〔会道门〕→〔道门(儿)〕

〔道及〕 dàojí 동〈文〉 언급하다.

〔道家〕 Dàojiā 명《哲》 ①도가(황제(黃帝)·노자(老子)·장자(莊子)의 설(說)을 조술(祖述)한 학파). →〔九jiǔ家〕 ②⇨〔道教〕

〔道教〕 Dàojiào 명《宗》 도교(원시천존(元始天尊)과 태상노군(太上老君)을 교조(教祖)로 하여, 동한(東漢)의 장도릉(張道陵), 즉 '张大师'에 의하여 창시된 종교). =〔道家②〕〔玄xuán教〕

〔道叫〕 dàojiao 동 ①큰 소리로 외치다. ②말하다. (말을) 내뱉다. ¶把自己的臭事, 全～出来了; 자기의 뒤가 구린 일을 몽땅 말해 버렸다.

〔道经〕 dàojīng 명 ①(도교(道教)의) 경(經). ②도사(道士)가 독경하여 죽은 사람을 제도(濟度)하는 일.

〔道具〕 dàojù 명 ①《劇》(연극 무대의) 대도구·소도구. ②《佛》 불교에서 사용하는 도구. 불법 수업에 도움이 되는 일체의 도구류.

〔道君〕 dàojūn 명 도교의 신(神).

〔道口(儿)〕 dàokǒu(r) 명 ①십자로의 입구. 길의

产～加倍增加; 기계를 이용하면 생산을 배증할 수 있다.

〔得意〕 déyì 동 ①마음에 들다. ¶我最～这个; 나는 이것이 제일 좋다 / ～之作; 회심(會心)의 작품. ②환경이 좋다. ¶他也正在不～; 그도 마침 여의치 않다. ③마음먹은 대로 되다. 득의양양해지다. ¶开始～地做他的美梦了; 잘됐다는 듯이 그의 즐거운 꿈을 좇기 시작했다 / ～洋洋 =〔～扬扬〕; 득의만면한 모양 / ～忘形; 득의하여 우쭐한 모양. ④근무에 대하여 묻다. ¶你在哪里～? 당신은 어디에 근무하고 있습니까? ⑤시험에 합격하다.

〔得意忘言〕 dé yì wàng yán 〈成〉 말의 요지를 알게 되면 그것을 설명한 말이 필요 없게 된다《서로 말을 하지 않아도 뜻을 알게 된다》.

〔得用〕 déyòng 형 ①쓸모 있다. 쓸 만하다. 쓰기 쉽다. ¶这把剪子很～; 이 가위는 아주 쓸 만하다. ②능력이〔솜씨가〕 있다.

〔得鱼忘筌〕 dé yú wàng quán 〈成〉 물고기를 잡고 나면 통발에 대한 것을 잊어버리다《성공하고 나서 그 대본(大本)을 잊어버림》.

〔得沾余沥〕 dé zhān yú lì 〈成〉 남는 물건을 받다.

〔得着风就是雨〕 dézhao fēng jiùshi yǔ 〈諺〉 지레짐작하다.

〔得知〕 dézhī 〈諺〉 알게 되다. 알다. ¶经该公司之介绍～你方资力状况; 그 회사의 소개로 당신의 자산 상태를 알았습니다.

〔得职〕 dézhí 동 〈文〉 각기 알맞은 직업을 얻다.

〔得志〕 dézhì 동 뜻을 이루다.

〔得中〕 dézhòng 동 옛날, 과거 시험에 합격하다.

〔得主〕 dézhǔ 명 (경기나 대회 등에서) 상이나 메달을 받은 사람. 수상자.

〔得罪〕 dézuì 동 ①…에 실례가 되다. …의 기분을 상하게 하다. ¶～人的地方不少; 남에게 많은 실례를 저질렀다 / 这次可真～了他了; 이번에는 정말 그에게 실례를 저질렀다〔그에게 잘못을 저지르고 말았다〕. →〔开kāi罪〕 ②실례했습니다. 미안합니다《사과할 때 쓰는 말》. ¶～! ～! 대단히 실례했습니다!

锝(鍀) dé (덕)
명 〖化〗 테크네튬(Tc: technetium)《방사성 원소의 하나》.

德〈悳〉 dé (덕)
명 ①도덕. 덕. 품행. ¶美～; 미덕 / ～才兼备; ⓐ재덕 겸비. ⓑ사상과 전문(專門)을 겸비하다. ②은혜. 혜택. ¶以～报怨; 덕으로써 원한을 갚다. ③마음. 신념. ¶离心离～; 〈成〉 마음이 제각기 흩어지다. 호흡이 맞지 않다. ④(Dé) 〖地〗 〈簡〉 '德国' '德意志国' (독일)의 약칭. ⑤이익. ⑥성(姓)의 하나.

〔德便〕 débiàn 〈文〉 (편리하게 되어, 형편이 좋아져) 고맙다. ¶早日增设厕cè所, 实为～; 빨리 변소를 증설해 준다면 편리해서 고맙겠다.

〔德操〕 décāo 명 덕조. 굳은 절조(節操).

〔德高量海〕 dé gāo liàng hǎi 〈成〉 인격이 훌륭하고 도량이 넓다.

〔德高望重〕 dé gāo wàng zhòng 〈成〉 덕이 높고 성망(聲望)이 있다.

〔德躬〕 dégōng 명 〈翰〉 존체(尊體). 옥체(玉體). ¶伏fú愿～永泰; 길이길이 옥체 만강하시기를 엎드려 빕니다.

〔德国〕 Déguó 명 〖地〗 독일《수도는 '柏林' (베를린: Berlin)》. ¶～话 =〔～语〕〔德文〕; 독일어. =〔德意志〕

〔德黑兰〕 Déhēilán 명 〖地〗 〈音〉 테헤란(Teheran)《'伊Yī朗' (이란)의 수도》.

〔德化〕 déhuà 동 〈文〉 덕으로 감화시키다.

〔德教〕 déjiào 명 〈翰〉 교시. 가르치심.

〔德拉克马〕 délākèmǎ 명 〈音〉 드라크마(Drachma)《그리스의 통화 단위》.

〔德里时代〕 Délǐ Shídài 명 데일리 타임스《인도의 뉴델리에서 발간하는 주간지》.

〔德律风〕 délǜfēng 명 〈音〉 전화《텔레폰(telephone)》. =〔德利风〕〔爹里风〕

〔德律维雄〕 délǜwéixióng 명 〈音〉 텔레비전. =〔德利(机)〕

〔德门〕 démén 명 〈文〉 덕문《덕행을 행하는 집안》.

〔德谟克拉西〕 démókèlāxī 명 〈音〉 데모크라시(democracy). =〔民主(主义)〕〔德汉克拉西〕〔德莫格拉欺〕

〔德色〕 désè 명 〈文〉 남에게 좋은 일을 해 주고 마음으로 만족을 느끼고 있는 모양. ¶面有～; 얼굴에 선행을 하고 만족해하는 기색이 있다.

〔德士〕 déshì 명 ①〈文〉 덕사《승려의 별칭》. ②〈廣〉 택시. =〔的dì士〕

〔德望〕 déwàng 명 덕망.

〔德文〕 Déwén 명 독일어. =〔德语〕

〔德行〕 déxíng 명 덕행. ¶～素sù著; 그 덕행은 전부터 유명하다 / 他家没有～, 才出这样子弟; 그의 집에서는 덕행을 행한 적이 없으니까, 이런(못된) 자식이 생기는 것이다.

〔德行〕 déxing 〈方〉 꼴불견이다. 꼴보기 싫다. ¶瞧～! 저 꼬락서니라니! / 你看他那小样儿, 真他妈～! 저 녀석의 저 꼴이 뭐람. 정말 지겨워! =〔德性xing〕

〔德性〕 déxìng 명 덕성.

〔德性〕 déxing ⇨〔德行xing〕

〔德意志〕 Déyìzhì 명 〖地〗 〈音〉 독일. 도이치《통칭은 '德国'》. ¶～新闻社; 디피에이(DPA) 통신.

〔德音〕 déyīn 명 ①좋은 말. ②좋은 평판. ③〈翰〉 회답. ¶恭gōng候～; 회답을 기다립니다.

〔德宇〕 déyǔ 명 〈文〉 인품(人品). 사람 됨됨이.

〔德语〕 Déyǔ 명 독일어.

〔德育〕 déyù 명 덕육.

〔德政〕 dézhèng 명 덕정. 백성에게 유익한 정치.

〔德政碑〕 dézhèngbēi 명 덕정비《옛날, 주민이 그 지방 관리의 덕정을 칭송하기 위해 세운 비》.

地 de〔di〕 (지)
조 동사와 형용사를 수식하는 경우에는 '地'를, 그 밖의 경우는 '的de'를 씀. 특히, 형용사 앞에 정도를 나타내는 부사가 있으면 '地'를 씀. ¶慢慢～走; 천천히 걷다 / 天渐渐～冷了; 날씨가 점점 추워졌다 / 实事求是～处理问题; 실사구시의 정신으로 문제를 처리하다. ⇒dì

底 de (저)
조 ⇨〔的de①㉡〕 ⇒dǐ

的 de (적)
조 ①한정어의 뒤에 붙이는 조사. ㉠한정어와 중심어의 관계가 보통의 수식 관계에 있음. ¶铁～纪律; 철의 규율 / 幸福～生活; 행복한 생활. ㉡한정어와 중심어의 관계가 영속 관계에 있음. …의. ¶我～皮包; 나의 가방 / 我～母亲; 나의 어머니. =〔底de〕 ㉢형식은 한정어와 중심어의 관계이나 2개가 동격인 경우 '的'의 뒤에 지시 대사(指示代詞)를 놓을 때도 있음. ¶明天出发～消息; 내일 출발한다는 소식. ㉣한정어가 인명 또는 인칭 대사(人稱代詞)로 중심어가 직무 또는 신분을 가리키는 명사일 때 그 사람의 직무·신분을 나타냄. ¶谁～介绍人? 누가 소개자입니까. ㉤한정어가 사람을 가리키는 명사 또는 인칭 대사(人稱代詞)로 중심어가 앞의 동사와 합쳐서 하나의 뜻을 나타낼 때 그 사람이 그 동작의 대상임을 나타냄. ¶开他～玩笑; 그에게 농담을 하다/找我～麻烦; 나한테 성가시게 달라붙다. ②중심어를 취하지 않고 '的'로 끝내어 체언화하는 조사. ㉠앞에서 언급한 사람이나 사물을 생략할 경우. ¶这是我～, 那才是你～; 이것은 나의 것이고, 저것이 바로 자네 것이다. ㉡사람·사물을 가리킴. ¶男～; 남자/送报～; 신문 배달인/吃～; 먹을 것. ㉢상황을 강조함. ¶无缘无故～, 你着zháo什么急～? 아무런 까닭도 없이, 자네는 무얼 그렇게 초조하게 굴고 있나? ㉣주어와 일치되는 인칭 대사(人稱代詞)에 '的'를 붙이어 동사 뒤에 놓으면, 그 사람과 어떤 일이 관계가 없다. 또는 어떤 일이 다른 사람과 관계가 없음을 나타냄. ¶这里用不着你～, 你只管睡你～去; 여기는 자네가 할 일이 없으니, 상관하지 말고 가서 자거라. ㉤'的'를 같은 동사·형용사 사이에 끼워 2개 이상 이어서 사용하면 각각의 동작 또는 상태를 나타냄. ¶推～推, 拉～拉; 미는 사람은 밀고, 잡아당기는 사람은 잡아당긴다. 미는 사람도 있고, 끄는 사람도 있다/说～说, 笑～笑; 이야기하는 사람은 이야기하고, 웃는 사람은 웃는다. ㉥술부의 동사의 뒤 또는 문말에 사용하여 흔히 '是'와 호응하고, 그 동작을 행하는 사람 또는 시간·장소·방법 등을 강조함. ¶他是刚从北京来～; 그는 베이징에서 금방 왔다/谁买～票? 누가 표를 샀습니까? 注 이 용법은 과거의 일에 한함. ③평서문의 문말에 붙여 '본래'·'전부터 …하고 있었다'라는 불변·확인의 뜻을 첨가하는 조사. ¶这件事儿我知道～; 이 사건을 나는 알고 있(었)다. 注 이 경우 '我是知道的'으로도 하지만, '是'가 들어가면 설명·해석의 어기로 되어 '나는 알고 있단 말이다', '나는 알고 있었단 말이다'로 됨. ④성어·성어 형식의 말이나 겹치는 말에 붙어 상태를 나타내는 조사. ¶花得干干净净～; 깨끗이 쓰다. ⑤ 2개의 동류(同類)의 말 또는 연어(連語)의 뒤에 붙어 '…따위'·'…의 유(類)'라는 뜻을 나타내는 조사. ¶破铜烂铁～, 他捡来一大筐; 헌 구리광과 쇠붙이 따위를 그는 바구니 가득히 주워 왔다/樱花梅花～; 벚꽃이랑 매화랑. =〔什么的〕 ⑥ 2개의 수량사(數量詞) 사이에서 쓰이는 조사. ㉠〈俗〉 곱하는 것을 나타냄. ¶这间屋子是五米～三米, 合十五平方米; 이 방은 5m×3m로 15m²가 된다. ㉡〈方〉 보태는 것을 나타냄. ¶两个～三个, 一共五个; 2개+3개 해서 전부 5개이다. ⑦⇨〔得de ①㉠②〕 ⇒dí dì

〔…的话〕 …dehuà 조 …하다면. …이면《실현되지 않은 일. 확정되지 않은 일. 또는 사실에 반하는 일을 기술한 글 뒤에 붙어 그 사태를 가정하는 데 쓰임. 또, 흔히 문장 첫머리에 '如果'·'要是' 등의 접속사가 붙어 호응함》. ¶如果你有事～, 就不用来了; 만일 당신한테 일이 있으면 오지 않아도 괜찮습니다.

得

de (득)
①조 동사 뒤에 붙어서 가능을 나타냄. ㉠단독으로 쓰이지 않는 경우. ¶看～见; 볼 수 있다. 보이다/拿～动; 들어서 옮길 수 있다/过～去; 지나갈 수 있다/办～到; 처리할 수 있다. 注 부정을 할 때는 '不'를 사용함. ¶看不见; 볼 수 없다/拿不动; 들어서 옮길 수 없다/办不到; 처리할 수 없다. =〔的de⑦〕 ㉡단독으로 쓰이는 경우. ¶要～; 좋다. 괜찮다. 注 부정을 할 때에는 '～不得'를 사용함. ¶哭不～; 울 수 없다/笑不～; 웃을 수 없다. ②조 동사·형용사의 뒤에 붙어서, 그 결과나 정도를 나타내는 보어를 유도하는 말. ¶写～非常好; 아주 잘 썼다/跑～快; 아주 빨리 달리다/做～不错; 만듦새가 훌륭하다/好～很; 아주 훌륭하다. 매우 좋다/天气热～很; 날씨가 몹시 덥다. 注 1) '写得好'의 부정은 '写得不好'임. 2) 동사가 목적어를 수반할 때는 동사를 중복해서 '写字写～很好'라 하고 '写字～很好'라 말하지 않음. =〔的de⑦〕 ③조 일정한 동사 뒤에 붙어서 동작이 이미 완료한 것을 나타내는 말. …에. ¶出～门来; 문을 나섰다/说～头来; 처음으로 말해 두다/他坐～楼上看街上的热闹; 그는 2층에 앉아서 거리에 번잡함을 보고 있다. ④ 접미 사고력·지각(知覺)에 관한 몇몇 동사의 접미사. ¶记～; 외고 있다/记不～; 잊었다. ⇒dé děi

〔-得出来〕 -dechūlái (동사 뒤에 놓여) 안에서 밖으로 나가거나 사물(事物)을 완성하거나 발견·식별할 수 있음을 나타냄《'-不出来'는 불가능을 나타냄》. ¶作～; 만들어 낼 수 있다/看～; 분간할 수 있다/闻～; (냄새를) 알아 낼 수 있다.

〔-得到〕 -dedào 동사 뒤에 놓여, 동작이 어떤 위치·정도까지 도달할 수 있다는 뜻을 나타내는 말. ¶样样都做～; 이것도 할 수 있고 저것도 할 수 있다. ↔〔-不到〕

〔-得动〕 -dedòng ①(동사 뒤에서) 위치를 바꾸거나 움직일 수 있는 힘이 있다는 뜻을 나타내는 말. ¶不重, 我一个人搬～; 무겁지 않아. 나 혼자 나를 수 있다. ②물리적으로 효과를 미칠 수 있는 힘이 있다는 뜻을 나타내는 말. ¶刀子很快, 切～; 날붙이가 잘 들어서 자를 수 있다. ↔〔-不动〕

〔-得过〕 -deguò 상대방보다는 낫다는 뜻을 나타내는 말. ¶说～他; 그에게 말로는 지지 않는다. ↔〔-不过〕

〔-得过来〕 -deguò.lái (동사 뒤에 두어) ①어떤 곳을 경유해서 올 수가 있다는 뜻을 나타내는 말. ¶那座桥过～过不过来? 저 다리는 건너올 수 있습니까? ②정상적인 상태로 돌아올 수 있다는 뜻을 나타내는 말. ¶他的毛病谁能改～呢? 그의 결점을 누가 고칠 수 있을까요? ③동작의 결과로 어떤 것이 반전(反轉)할 수 있다는 뜻을 나타내는 말. ¶那条胡同不窄, 磨得过车来; 그 골목은 좁지 않으니까 차를 돌릴 수 있다. ④동작이 골고루 미칠 수 있다는 뜻을 나타내는 말. ¶客人不多, 张罗～; 손님이 많지 않으므로 골고루 대접할 수 있다. ↔〔-不过来〕

〔-得过去〕 -deguò.qù 동사 뒤에 놓여, 어떤 경험을 겪어 나갈 수 있음을 나타냄. …할 수 있다. (잘) …해낼 수 있다. ¶走～; 걸어갈 수 있다/忍rěn～; 참을 수 있다/这句话说～; 그 이야기는 조리가 닿는다〔주장할 수 있다〕. ↔〔-不bu过去〕

〔-得过儿〕 -deguòr ①(동사 뒤에 두어) …하기에 알맞은 시기이다. …하기에 알맞다. ¶这件衣裳我买～; 이 옷는 내가 사기에 알맞다. ②동사 뒤에 두어 '충분히 …할 수 있다'란 뜻을 나타내는 말. ¶你别看钱不多, 车还可以, 还骑～; 싸다고 얕잡아 보지 마라. 차는 그런대로 괜찮아서 충분히 탈 수 있으니까.

〔-得很〕 -dehěn (형용사 · 동사 뒤에서) 정도가 심함을 나타내는 말. 대단히〔매우〕…이다. ¶好～; 매우 좋다.

〔-得慌〕 -dehuāng (동사 · 형용사 뒤에 두어) 감각상 어느 정도를 초과하고 있음을 나타내는 말. ¶饿～; 몹시 시장하다 / 今天冷～; 오늘은 대단히 춥다.

〔-得及〕 -dejí 동사 뒤에 놓여, 제시간에 댈 수 있음을 나타냄(‘-不bu及’는 불가능을 나타냄). ¶来～; 족하다. 괜찮다.

〔-得开〕 -dekāi ①(동사 뒤에 두어) 사물을 확대 · 분리 · 전개 · 수용할 수 있다는 뜻을 나타내는 말. ¶这只箱子容易打～; 이 상자는 쉽게 열린다 / 不忙, 分～身子; 바쁘지 않으니까 몸을 빼낼 수 있다. ②(동사 뒤에 두어) 장소적으로 여유가 있으며 동작할 수 있다는 뜻을 나타내는 말. ¶这张床大一点, 伸～腿; 이 침대는 조금 크니까 발을 뻗을 수 있다.

〔-得来〕 -delái ①동사 뒤에 두어, 동작의 결과가 말하는 사람 쪽으로 접근할 수 있다는 뜻을 나타내는 말. ¶当天回～回不来? 당일로 돌아올 수 있겠는가 없겠는가? ②경험 · 습득이 충분하거나 습관상 익숙하여 할 수 있다는 뜻을 나타내는 말. ¶中国菜我吃～; 중국 음식을 먹을 수 있다. ↔〔-不来〕 ③〈方〉 형용사 뒤에 두어 정도가 심함을 나타내는 말. ¶忙～; 몹시 바쁘다. =〔-得很〕

〔-得了〕 -deliǎo ①동사 또는 형용사의 뒤에 두어, ‘끝까지 …할 수 있다’란 뜻을 나타내는 말. ¶吃～; 먹을 수 있다. ↔〔-不了〕 ②어떻게든 되다. ¶不～; 큰일이다. 어찌할 도리가 없다. ③동사의 뒤에 두어, ‘그렇게 될 수 있다’란 뜻을 나타내는 말. ¶哪儿能忘～您的好意呀? 어찌 당신의 호의를 저버릴 수 있겠습니까? ↔〔-不了〕

〔-得起〕 -deqǐ ①(동사 뒤에서) 경제적인 능력상 가능하다는 뜻을 나타내는 말. ¶价钱贵一点儿我也买～; 값이 조금 비싸더라도 살 수 있다. ②역량상 가능하다는 뜻을 나타내는 말. ¶那件事我担～; 그것은 내가 맡을 수 있다. ③정신상 견디어 낼 수 있다는 뜻을 나타내는 말. ¶什么人我都对～; 아무에게라도 마주 대할 수 있다. ↔〔-不起〕

〔-得去〕 -deqù ①동사 뒤에 두어, 동작의 결과를 말하는 사람에서 멀어져 감을 나타내는 말. ¶那儿并不太远我送～; 거기는 별로 멀지 않으니까 보낼 수 있다. ②마음 속에 맺힘이 없이 통할 수 있다는 뜻을 나타내는 말. ¶我对他过～; 나는 그에게 미안하게 여길 것이 없다. ↔〔-不去〕

〔-得上〕 -deshàng →〔-不bu上〕

〔-得上来〕 -deshàng.lái →〔-不bu上来〕

〔-得下〕 -dexià ①동사 뒤에 두어, ‘장소가 있어서 수용할 수 있다’란 뜻을 나타내는 말(보통 앞뒤에 수량을 나타내는 말이 옴). ¶人不多, 坐～; 사람이 많지 않으니까 앉을 수 있다. ②동사 뒤에 두어, ‘…해 둘 수 있다’란 뜻을 나타내는 말. ¶定～坐儿; 좌석을 예약해 둘 수 있다. ③동사 뒤에 두어, 위에서 아래로 동작이 이루어짐을 나타내는 말. ¶跳～电车; 전차에서 뛰어내릴 수 있다. ↔〔-不下〕

〔-得下去〕 dexià.qù →〔-不bu下去〕

〔-得着〕 -dezháo ①(동사 뒤에 두어) 동작이 대상에 도달할 수 있다는 뜻을 나타내는 말. ¶十万块钱也借～; 10만 원이라도 꿀 수 있다. ②(동사 뒤에 두어) 동작이 대상에 미치는 것이 허용된다는 뜻을 나타내는 말. ¶别人的钱也花～吗? 남의 돈도 쓸 수 있습니까? ↔〔-不着〕

〔-得住〕 -dezhù 동사 뒤에 두어, 동작 · 상태가 안정 · 확립 · 정지(靜止) · 부동성을 지니며, ‘움직임이 멎다’ 또는 ‘움직임을 멎게 하다’란 뜻을 나타내는 말. ¶纸里包～火吗? 종이 속에 불을 싸둘 수 있는가? ↔〔-不住〕

肽 de〔te〕 (특)
→〔肋lē肽〕

DEI ㄉㄟ

嘚 dēi (덕)
(～儿) 감 이러(말 · 당나귀를 앞으로 몰 때 지르는 소리). ⇒dē

得 děi (득)
①조동〈口〉…해야 한다. …하지 않으면 안 되다. 注 부정은 ‘不用’ ‘甭’ ‘无须’를 씀. ¶～快去快回来; 빨리 갔다 빨리 돌아와야 한다 / 非～去一趟不行; 반드시 한 번은 가지 않으면 안 된다. ②동〈口〉(시간이나 돈이) 들다. 걸리다. 필요하다. 注 부정은 ‘不用’ ‘用不了’를 씀. ¶～几时回来? 언제(까지 걸려서) 돌아올 거냐? / 至少～一千块钱; 적어도 천 원은 든다. ③ →〔得亏〕 ④동〈口〉(추측의 필연성을 나타내어) …임에 틀림없다. 注 부정형식이 없음. ¶准～修沟; 반드시 도랑을 고칠 것에 틀림없다. ⑤형〈京〉 극히 만족하다. 지극히 좋다. 흡족하다. ¶家里的饭吃着zhe～呀; 집의 밥이 맛이 있다. ⑥동〈京〉 눈에 띄다. 만나다. ¶她一到商店～什么要什么; 그녀는 가게에 들어서면 눈에 띄는 것은 모두 갖고 싶어한다. ⇒dé de

〔得亏〕 děikuī 부〈京〉 다행스럽게도. …기에 망정이지. ¶～我来得早, 不然又见不着他了; 빨리 왔기에 망정이지, 그렇지 않았으면 그를 못 만날 뻔했다.

DEN ㄉㄣ

扽〈撜〉 dèn (돈)
동 ①(새끼나 끈 · 의복 따위를) 팽팽하게 당기다. ¶把线～断了; 실을 잡아당겨 끊어졌다 / 把袖子～一～; 소매를 꽉 당기다. ②〈方〉 꽉 잡아〔끌어〕당기다. ¶你～住了, 不要松手! 그대로 당겨라, 손을 늦추지 말고! ③〈方〉 고의로 시간을 끌다.

DENG ㄉㄥ

灯(燈) dēng (등)
명 ①등. 등불. ¶电diàn～; 전등 / 荧yíng光～ =〔日rì光～〕; 형광등 / 安ān全～; 안전등 / 路～; 가로등 / 点diǎn～; 점등하다. 등불을 켜다 / 灭miè～; 불〔등불〕을 끄다 / 开kāi～; 전등을 켜다 / 关guān～; 전등을 끄다. ②(버너 · 램프 등의) 액체 또는 기체를

사용하는 가열용 연소기. ¶酒精～; 알코올 램프 / 本生～; 분젠 버너. ③〈俗〉(라디오·텔레비전 등의) 진공관. ¶五～收音机; 5극 라디오.

〔灯不点不亮〕 dēng bùdiǎn bùliàng 〈諺〉 등불도 켜지 않으면 밝지 않다(무슨 일이든지 해 보지 않고서는 할 수 없다).

〔灯彩〕 dēngcǎi 명 ①(무대 도구인) 조명등. 일류미네이션. =〔灯饰〕〔灯光饰〕〔彩灯②〕 ② ⇨〔花huā灯②〕

〔灯草〕 dēngcǎo 명 심지.

〔灯船〕 dēngchuán 명 등선. 등대선. 라이트 쉽.

〔灯粉〕 dēngfěn 명 마그네시아(magnesia) 시멘트.

〔灯夫〕 dēngfū 명 옛날, 가로등·문 앞의 등불 따위를 켜는 사람.

〔灯光〕 dēngguāng 명 ①불빛. =〔灯亮儿〕 ②광도(光度). 럭스(Lx). →〔勒lè克司〕 ③《劇》 조명 설비.

〔灯光饰〕 dēngguāngshì 명 ⇨〔灯彩①〕

〔灯号〕 dēnghào 명 등불 신호. =〔灯语〕

〔灯黑〕 dēnghēi 명 램프 블랙(검댕으로 만든 안료).

〔灯红酒绿〕 dēng hóng jiǔ lǜ 〈成〉 ①화류계의 홍청거리는 모양. ②(부자의) 사치스럽고 향락적인 생활.

〔灯虎(儿)〕 dēnghǔ(r) 명 ⇨〔灯谜〕

〔灯花(儿)〕 dēnghuā(r) 명 불심지 끝이 타서 맺힌 불똥. 등화(이것이 생기면 재수가 좋다고 함). ¶～爆喜; 심지 끝이 꽃 모양으로 타서 재수가 좋다.

〔灯会〕 dēnghuì 명 '元宵节'(정월 대보름) 밤에 초롱불을 구경하는 오락적인 모임(상연물(上演物)도 행함).

〔灯火〕 dēnghuǒ 명 등화. 등불. ¶万家～; 〈比〉 도시의 밤 경치가 화려한 모양.

〔灯火管制〕 dēnghuǒ guǎnzhì 등화 관제.

〔灯火辉煌〕 dēnghuǒ huīhuáng 등불이 휘황 찬란하다.

〔灯架〕 dēngjià 명 촛대. =〔灯檠qíng〕

〔灯节〕 Dēngjié 명 ⇨〔元Yuán宵节〕

〔灯烬油干〕 dēng jìn yóu gān 〈成〉 점점 궁지에 몰리다.

〔灯具〕 dēngjù 명 조명 기구.

〔灯口〕 dēngkǒu 명 램프 소켓. =〔灯座①〕

〔灯亮儿〕 dēngliàngr 명 등불. =〔灯光①〕

〔灯笼〕 dēnglong 명 ①초롱. 등롱(燈籠). ¶纸糊的～, 里外亮; 종이 등롱은 안팎이 다 밝다(마음속에 품은 일이 곧 얼굴에 나타나다) / ～草; 《植》 꽈리 / ～花; 《植》홀아비꽃대 / ～裤(子); 아랫단을 발목에 매는 풍신한 바지. 골프 바지. 니커보커즈(knickerbockers) / ～椒; 《植》 피망. ②초롱 모양으로 썬 요리의 이름.

〔灯煤〕 dēngméi 명 램프의 그을음.

〔灯迷〕 dēngmí 명 아편 중독(환자). ¶犯了～; 아편에 중독되었다.

〔灯谜〕 dēngmí 명 '灯节' 밤에 초롱에 쓴 수수께끼(구경꾼이 이것을 풀면서 놂). ¶猜～ =〔打～〕; '灯谜'를 풀다. =〔灯虎(儿)〕

〔灯苗(儿)〕 dēngmiáo(r) 명 램프의 불꽃.

〔灯捻(儿,子)〕 dēngniǎn(r,zi) 명 등의 심지. 등심.

〔灯泡(儿,子)〕 dēngpào(r,zi) 명 ①〈口〉 전구. ¶整流～; 정류용(整流用) 전구. =〔电灯泡〕 ②〈方〉 진공관.

〔灯期〕 dēngqī 명 등롱을 관상하는 계절.

〔灯伞〕 dēngsǎn 명 (전등·램프의) 갓.

〔灯纱〕 dēngshā 명 맨틀(mantle). 가스 맨틀.

〔灯扇铺〕 dēngshànpù 명 초롱이나 부채를 파는 가게.

〔灯饰〕 dēngshì 명 ⇨〔灯彩①〕

〔灯丝〕 dēngsī 명 《電》 필라멘트(filament). ¶～电池组; 필라멘트 배터리. =〔自热丝〕

〔灯塔〕 dēngtǎ 명 ①등대(燈臺). ②불이 켜 있는 해상 표지(標識).

〔灯台〕 dēngtái 명 ①(기름으로 켜는) 초롱. 등불. ¶丈八～照远不照近; 〈諺〉 등잔 밑이 어둡다. ②촛대. ③등대. ¶～草; 《植》 등대풀 / ～树 =〔棶lái木〕; 《植》 층층나무.

〔灯筒〕 dēngtǒng 명 램프의 등피(燈皮).

〔灯头〕 dēngtóu 명 ①버너(burner). 분연기(噴燃器). ¶煤气～; 가스 버너. ②소켓. 키소켓. ③등불. 전등. ④전등의 수. ¶按～交费; 전등 수로 요금을 지불하다. ⑤램프의 등피받침.

〔灯头儿〕 dēngtóur 명 램프의 불꽃 끝.

〔灯碗儿〕 dēngwǎnr 명 등잔.

〔灯心〕 dēngxīn 명 등심. 심지. =〔灯芯〕

〔灯心草〕 dēngxīncǎo 명 《植》 골풀. 등심초.

〔灯心绒〕 dēngxīnróng 명 《紡》 코르덴. =〔条tiáo绒〕

〔灯影(儿)〕 dēngyǐng(r) 명 등불의 그림자. ¶～憧憧chōngchōng; 등불의 그림자가 흔들리는 모양.

〔灯油〕 dēngyóu 명 등유(일반적으로 '煤méi油'를 씀).

〔灯油火耗〕 dēngyóu huǒhào 명 야간에 필요한 비용. 등화대(燈火代).

〔灯语〕 dēngyǔ 명 ⇨〔灯号〕

〔灯盏〕 dēngzhǎn 명 등잔. 등의 기름 접시.

〔灯罩(儿)〕 dēngzhào(r) 명 ①램프의 등피. ②전등의 갓.

〔灯烛〕 dēngzhú 명 등촉. 등불과 촛불. 등화류의 총칭. ¶～辉huī煌; 등촉이 휘황하다.

〔灯桩〕 dēngzhuāng 명 등화 표지(標識)의 말뚝.

〔灯座〕 dēngzuò 명 ①소켓(socket). =〔灯口〕 ②대형의 전기 스탠드.

登 **dēng** (등)

통 ①오르다. (위로) 올라가다. ¶～山; 등산하다 / 一步～天; 〈成〉 단번에 높은 경지〔지위〕에 오르다 / ～陆; ⇩ / ～机; 비행기에 탑승하다. ②기재하다. 게재하다. 등재(登載)하다. 올리다. ¶在报纸上～广告; 신문에 광고를 게재하다 / ～记; ⇩ / ～账; 장부에 올리다. ③(곡물이) 익다. 열매 맺다. ¶五谷丰～; 오곡이 풍요하게 무르익다. ④〈方〉 태우다. 올려놓다. ¶拿两脚～孩子; 어른이 누워서 두 발 위에 애를 태우고 어르다. ⑤(페달 따위를) 밟다. 밟아 누르다. 발을 걸치다. ¶～水车; 물방아를 밟다 / ～在窗台儿上擦窗户; 창문 틀에 발을 걸치고 창문을 닦다. ⑥〈方〉 (신을) 신다. (바지를) 입다. ¶～靴xuē子; 장화를 신다 / ～上裤kù子; 바지를 입다. ⑦받들다.

〔登岸〕 dēng'àn 통 ⇨〔登陆〕

〔登板儿〕 dēngbǎnr 명 깔판. 발판.

〔登报〕 dēng.bào 통 신문에 게재하다〔싣다〕. ¶～声shēng明; 신문에 게재하여 성명하다.

〔登册〕 dēng.cè 통 등기(登記)하다. 등록하다. =〔注册〕

〔登场〕 dēng.cháng 통 수확한 곡물을 광장〔타작

마당]에 나르다. ¶大豆～之后, 要马上晒; 콩을 광장에 나른 후에, 곧 말려야 한다. ⇒dēng, chǎng
〔登场〕 dēng,chǎng 동 ①(무대에) 등장하다. ¶粉墨～; 화장을 하고 등장하다. 악인이 매무새를 다듬고 모습을 나타내다. ②시장에 나돌다. ¶新货已～; 새로운 물건이 이미 나돌았다. 부 〈方〉〈古白〉즉시. 당장에. ⇒dēng,cháng
〔登朝〕 dēngcháo 동 〈文〉 (조정에) 출사(出仕)하다. 등조하다.
〔登车〕 dēng chē 차를 타다. 승차하다. =〔上shàng车〕
〔登程〕 dēngchéng ⇨〔起qǐ程〕
〔登出来〕 dēngchulai 게재하다. (신문 등에) 싣다. 발표되다. ¶报上登出那个消息来了; 신문에 그 소식이 실렸다.
〔登船〕 dēng chuán 배를 타다. 승선하다.
〔登春台〕 dēngchūntái 〈文〉〈比〉 태평한 세상을 만나다.
〔登第〕 dēngdì 동 〈文〉 급제하다. →〔登科kē〕
〔登东〕 dēngdōng 동 〈古白〉 변소에 가다.
〔登峰造极〕 dēng fēng zào jí 〈成〉 ①최고봉〔산정〕에 다다르다. ②조예가 깊어 그 극(極)에 달하다. 사물의 극단에 다다르다.
〔登高〕 dēnggāo 동 ①높은 곳에 오르다. ¶～一呼; 영향력 있는 사람이 선두에 서서 제창하다. ②지붕에 오르다(지붕에 오를 때 옆집에 대한 인사말로 쓰기도 함). ③음력 구월 구일 중양절(重陽節)에 조그마한 언덕에 올라가 주연을 베풀다. ¶～节; 중양절(重陽節).
〔登革热〕 dēnggérè 명 〖醫〗〈音〉 뎅기열(dengue熱). =〔骨痛热〕
〔登钩〕 dēnggōu 명 (등산의) 하켄(Haken). 안전 갈고리.
〔登鬼录〕 dēng guǐlù 귀적(鬼籍)에 들다. 죽다.
〔登机〕 dēng,jī 동 (비행기에) 탑승하다. ¶～牌; 탑승 카드.
〔登基〕 dēng,jī 동 즉위하다. =〔登极〕〔登位〕
〔登即〕 dēngjí 부 〈文〉 즉시. 즉각.
〔登极〕 dēng,jí 동 ⇨〔登基〕
〔登记〕 dēngjì 명동 ①등기(하다). 등록(하다)(주로 법률상의 수속 따위에 쓰임). ②(호텔 따위에) 체크인(check-in)(하다). →〔注zhù册〕
〔登记吨〕 dēngjìdūn 양 (배의) 등록 톤수(선박의 적재량을 나타내는 단위. 100입방 피트를 1'～'으로 함). =〔吨②〕
〔登科〕 dēngkē 동 옛날, 과거 시험에 합격하다. =〔登榜〕
〔登坑〕 dēngkēng 동 ①〈南方〉 대변을 보다. ②〈俗〉 경관이 덮치다. ③관을 무덤에 넣다.
〔登临〕 dēnglín 동 ①〈文〉 높은 곳에 올라 먼 데를 바라보다. ②〈比〉 명승 고적을 찾다.
〔登龙门〕 dēnglóngmén 명 등용문. 출세의 관문. 동 〈比〉 (유력한 사람의 후원을 얻어) 출세하다. →〔龙门〕
〔登陆〕 dēng,lù 동 상륙하다. ¶敌前～; 적전 상륙/～艇; 상륙용 주정/～证; 양륙(揚陸) 증명서.
〔登录〕 dēnglù 명동 ⇨〔注zhù册〕 명 〖電算〗 로그온(log-on). ¶～名; 로그온 네임.
〔登门〕 dēng,mén 동 방문하다. ¶～找他; 그를 방문하다/～上户; 남의 집을 방문하다/～拜师; 찾아가서 제자가 되다〔가르침을 받다〕. =〔登堂〕
〔登攀〕 dēngpān 동 등반하다. 기어오르다. ¶世上无难事, 只要肯～; 〈成〉 세상에 어려운 일은 없다, 다만, 극복하려고만 하면. =〔攀登〕
〔登山〕 dēng,shān 동 등산하다. 산에 오르다. ¶～服; 등산복/～运动; 등산 운동/～协会; 등산 협회/～家jiā; 등산가/～队duì; 등산대/～电车; 등산 전차/～踏tà水 =〔～监水〕; 산수의 경치를 탐승하며 다니다. =〔爬pá山〕
〔登时〕 dēngshí 부 〈文〉 즉시. 곧. 당장에. ¶我～就去; 나는 곧 갑니다/～(之)间; 잠깐 사이에.
〔登市〕 dēng,shì 동 (계절성의 물건이) 시장에 나오다〔내다〕. ¶出厂～; 공장에서 출고하여 시장에 내다.
〔登台〕 dēng,tái 동 ①무대〔연단〕에 나오다. 등단하다. ¶～演说; 연단에 서서 연설하다. ↔〔下台〕 ②〈轉〉 국가의 정무(政務)에 관여하다.
〔登堂入室〕 dēng táng rù shì 〈成〉 ⇨〔升shēng堂入室〕
〔登梯爬高(儿)〕 dēngtī págāo(r) 〈諺〉 높은 곳에 기어오르다. ¶这孩子真淘气, 整天～的; 이 아이는 장난이 심해서, 하루 종일 높은 데에 오르기만 한다.
〔登天〕 dēng,tiān 동 등천하다. 하늘에 오르다(어렵다). ¶比～还难呢! 하늘에 올라가기보다 어렵구나.
〔登徒子〕 dēngtúzi 명 호색한(好色漢). 색마.
〔登腿〕 dēng,tuǐ 동 발을 뻗다. 다리를 뻗다.
〔登位〕 dēng,wèi 동 ⇨〔登基〕
〔登遐〕 dēngxiá 명동 〈文〉 등하(하다). 붕어(崩御)(하다). =〔登假〕
〔登仙〕 dēngxiān 동 ①신선(神仙)이 되다. =〔成仙〕 ②〈比〉 죽다.
〔登样〕 dēng,yàng 형 〈方〉 아름답다. 보기에 좋다. 명 보통 정도.
〔登用〕 dēngyòng 동 등용하다. ¶～人才; 인재를 등용하다. =〔登庸〕
〔登载〕 dēngzǎi 동 (뉴스나 글 등을 신문 등에) 등재하다. 기재하다. 게재하다.
〔登直〕 dēngzhí 동 (발을 땅에 대고) 똑바로 뻗다. 쭉 뻗다.
〔登舟〕 dēng,zhōu 동 〈文〉 배에 오르다. 배를 타다.
〔登字头(儿)〕 dēngzìtóu(r) 명 필발밑(한자 부수의 하나. '发·登' 등의 '癶'의 이름).

噔 dēng (등)

〈擬〉 동동. 쿵쿵. 쾅(무거운 물건이 땅에 떨어지거나 물체에 부딪치는 소리). ¶～～地走上楼来; 쿵쿵 하고 2층에 올라오다/～的一拳打在桌子上; 쾅 하고 주먹으로 책상을 쳤다.

簦 dēng (등)

명 ①옛날, 자루가 달린 우산. ②〈方〉 삿갓.

蹬 dēng (등)

동 ①오르다. (위로) 올라가다. ¶～梯子; 사다리에 오르다. ②(다리를) 뻗다. 버티다. (발로) 밟다. 밟아 누르다. ¶～自行车; 자전거를 밟다/～被子; (잠자면서) 이불을 차다/～了两～; 발을 동동 구르다/～三轮车的; 삼륜차 운전수(영업용). ③발을 틀어 넣다. ¶～上鞋; 신을 신다. ④쪼그리고 앉다. ¶～在门口儿歇凉; 입구 쪽에 앉아서 바람을 쐬고 있다. =〔蹲dūn①〕 ⑤〈方〉해치우다. 짓밟다. ¶他爱～人; 그는 남을 짓밟기를 좋아한다. ⑥〈方〉따돌리다. 제외하다. ¶把我～出来; 나를 제외시켜 주십시오. ⇒dèng
〔蹬板儿〕 dēngbǎnr 명 (베틀·재봉틀 따위의) 발판.

〔蹬踹〕 dēngchuai 동 ①발로 밟아 부수다. 짓밟다. ¶看! 把褥子都～烂了; 아니! 요를 온통 짓밟아 버렸잖아. ②발을 동동 구르다.
〔蹬梯子〕 dēng.tīzi 동 사다리를 올라가다. =〔登梯〕
〔蹬腿儿〕 dēng.tuǐr 동 〈俗〉 죽다. ¶那个坏蛋呀, 早该～了; 저 악당 녀석, 빨리 죽어 버려라. =〔蹦chuài腿儿〕
〔蹬鞋踩袜子〕 dēngxié cǎiwàzi (신을 밟았거나 양말을 밟았거나 하는) 사소한 분쟁. ¶人跟人来往, 不能没个～的事; 사람이 내왕하다 보면, 사소한 분쟁이 없을 수 없는 것이다. =〔登鞋踩袜子〕

等 děng (등)

①명 등급(等級). ¶优～; 우등/超～品; 특상품/头～货; 일등품/共分三～; 전부를 3등급으로 나누다. ②종류. ¶这～事; 이런 일/此～人; 이런 사람. ③형 동등하다. 같다. ¶～于没说; 말하지 않는 것과 같다/高低不～; 고저가 같지 않다/三加五～于八; 3 더하기 5는 8. ④명 작은 저울. =〔戥〕 ⑤동 기다리다. ¶～火车; 기차를 기다리다/白～; 기다리다가 허탕치다/我～他回来; 나는 그가 돌아오기를 기다리고 있다/～到…就…; …하는 것을 기다려 곧. …하는 대로. =〔候hòu①〕〔待dài②〕 ⑥동 (…할 때까지) 기다리다. ¶～雨yǔ停了再回去; 비가 그치고 나서 돌아간다/～我写完信再去; 내가 편지를 다 쓰고 나면 가자. ⑦동 이내 …하고 싶다. 곧 …하고 싶어하고 있다. ¶我～钱用; 당장 돈이 필요하다/你赶快送去吧, 她～报看; 빨리 갖다 주어라. 그 여자는 빨리 신문을 읽고 싶어하니까/我得赶快把水送去, 大家正～着喝呢; 뜨거운 물을 빨리 가지고 가야 해. 모두 마시고 싶어하니까. ⑧조 …등[따위]. ㉠열거하고, 그 외에 아직도 있다는 뜻을 나타냄. ¶砖zhuān、瓦wǎ、石灰～都预yù备好了; 벽돌과 기왓장·석회 등 모두 틀림없이 준비하였다/铁、铜、煤、石油～～各主要矿产品; 철·구리·석탄·석유 등의 각 주요 광산물. ㉡열거한 낱말의 마지막에 붙임. ¶北京、天津、上海、汉口、广州～五个大城市的市长; 베이징(北京)·톈진(天津)·상하이(上海)·한커우(漢口)·광저우(廣州) 등 5대 도시의 시장(市長). ⑨조 〈文〉 (인칭 대명사 또는 사람에 관한 명사 뒤에 붙여) 복수를 나타내는 말. ¶我～; 우리들/你～; 당신들. ⑩조 '这'·'那'의 뒤에 붙여 '这样'·'这种'·'那样'·'那种'의 뜻을 나타내는 말.

〔等比级数〕 děngbǐ jíshù 명 《數》 등비 급수. =〔倍bèi级数〕
〔等边三角形〕 děngbiān sānjiǎoxíng 명 《數》 등변 삼각형.
〔等不到〕 děngbudào (…까지) 기다릴 수 없다. =〔等不上〕
〔等不得湿, 晒不得干儿〕 děng bù dé shī, shài bù dé gānr 〈比〉 가만히 기다리고 있을 수 없다. 성급하다. ¶他是个～的脾气; 그는 성미가 매우 급하다.
〔等不及〕 děngbují 기다릴 수 없다. ¶他早就～了; 그는 벌써 기다릴 수 없게 되었다.
〔等差〕 děngchā 명 ①명 ⇨〔等次〕 ②등차. 등급의 차이. ¶～级jí数; 《數》 등차 급수.
〔等成品〕 děngchéngpǐn 명 ①미가공 원료. ②반(半)제품.
〔等次〕 děngcì 명 등급. ¶～表示; 등급 표시. =〔〈文〉 等差①〕〔〈文〉 等衰〕
〔等衰〕 děngcuī 명 ⇨〔等次〕
〔等待〕 děngdài 동 기다리다. 시간을 주다. 유예를 주다. ¶～时机; 시기를 기다리다/～命令; 명령을 기다리다/对于这一部分人, 我们应当有所～; 이 일부분의 사람에 대해서는, 우리가 유예를 주어야만 한다.
〔等到…〕 děngdào… 접 …까지 기다려서. ¶～明天; 내일까지 기다려서. 내일이 되고 나서.
〔等等〕 děngděng 조 기타. 등등(복수의 사물을 병렬할 때 맨 끝에 씀). ¶工业、商业、农林业～; 공업·상업·농림업 등.
〔等第〕 děngdì 명 〈文〉 (사람의) 순위. 등급.
〔等而下(之)〕 děng ér xià (zhī) 〈成〉 ①점점 낮아지다. 점차 못하다. 점점 나빠지다. ②그것보다 이하(는). 그보다 아래는. ¶数一数二的尚且如此, ～的就不必谈了; 첫째, 둘째를 다투는 사람조차 이러한데, 그 이하의 사람은 말할 필요도 없다.
〔等烦〕 děngfán 동 기다리다 지치다. 지겹도록 기다리다. ¶叫他赶快来, 我们～了; 그에게 빨리 오라고 해라. 우린 기다리다 지쳤다.
〔等分〕 děngfēn 명동 《數》 등분(하다).
〔等份〕 děngfèn 명동 등분(하다). 같은 분량(으로 하다). ¶分成三～; 삼등분하다.
〔等高线〕 děnggāoxiàn 명 《地》 등고선.
〔等高种植〕 děnggāo zhòngzhí 명 《農》 ①등고선(等高線) 재배. ②등고선 대상(帶狀) 재배.
〔等号〕 děnghào 명 《數》 등호. 이퀄 부호('=' 표).
〔等候〕 děnghòu 동 〈文〉 (주로 구체적인 대상을) 기다리다. ¶～消息; 소식을 기다리다/～命令; 명령을 기다리다.
〔等会儿〕 děnghuìr ⇨〔等(一)会儿〕
〔等级〕 děngjí 명 ①등급. 정도. ¶按商品～规定价格; 상품의 등급에 따라 가격을 정하다. ②계급.
〔等急〕 děngjí 동 기다리다 지치다. 조바심내며 기다리다.
〔等价〕 děngjià 명 《經》 등가(等價). ¶～交换; 등가 교환.
〔等价物〕 děngjiàwù 명 《經》 등가물(等價物). ¶谷物是另一商品的～; 곡물은 다른 상품의 등가물이다.
〔等价形式〕 děngjià xíngshì 명 《經》 등가 형식. ¶用自己使用价值表现另一商品价值的商品处于～中; 자기의 사용 가치로 다른 상품의 가치를 나타내는 것을 등가형식이라 한다.
〔等角形〕 děngjiǎoxíng 명 《數》 등각 다각형.
〔等距离〕 děngjùlí 명 등거리. 같은 거리. ¶采取自主的, ～的中立政策; 자주적·등거리의 중립 정책을 택하다.
〔等郎媳〕 děnglángxí 명 ⇨〔童tóng养媳〕
〔等类〕 děnglèi 조 …따위. …등. ¶铅笔、毛笔、钢笔、圆珠笔～; 연필·붓·펜·볼펜 따위.
〔等离子体〕 děnglízǐtǐ 명 《物》 플라스마(plasma).
〔等量齐观〕 děng liàng qí guān 〈成〉 동등하게 보다. 동렬(同列)로 생각하다. ¶这两部小说差得很远了, 怎么能～呢? 이 두 소설은 차이가 큰데, 어떻게 동등하게 볼 수 있는가?
〔等伦〕 děnglún 명 〈文〉 동배(同輩). 동아리.
〔等门(儿)〕 děngmén(r) 동 귀가(歸家)하는 사람을 (문을 열어 주기 위해) 기다리다.
〔等米下锅〕 děng mǐ xià guō 〈成〉 쌀을 기다렸

다가 냄비에 넣다《여유가 없는 살림》.
〔等腻〕 dĕngnì 동 기다려서 지치다.
〔等日〕 dĕngrì 부 수일 후. 며칠 지나서.
〔等熵〕 dĕngshāng 명 《物》 등(等)엔트로피(entropy). ¶～线; 등엔트로피선(線).
〔等身〕 dĕngshēn 명 등신. ¶～金jīn; 자기 몸과 같은 무게의 금 / ～书shū; 자기 키와 같은 높이의 저서.
〔等深线〕 dĕngshēnxiàn 명 《地》 등심선.
〔等什么〕 dĕng shénme ①무엇을 기다리느냐. ②(…하지 않고) 어떻게 하겠는가. (…하지) 않을 수 없다. ¶这件事, 要照这么办不失败～; 이 일을 만일 이렇게 하면 실패하지 않을 수 없을 것이다.
〔等式〕 dĕngshì 명 《數》 등식.
〔等死〕 dĕng sǐ 죽음을 기다리다. ¶只好～了; 죽음을 기다릴 수밖에 없다.
〔等速运动〕 dĕngsù yùndòng 명 《物》 등속도 운동.
〔等同〕 dĕngtóng 동 〈文〉 같다고 간주하다. 같이 취급하다. ¶不能把这两件事～起来! 이 두 가지 일을 같이 다룰 수는 없다!
〔等外〕 dĕngwài 명 표준 외. ¶～品; 등외품. 불합격품.
〔等温层〕 dĕngwēncéng 명 《地》 등온층.
〔等温线〕 dĕngwēnxiàn 명 《氣》 등온선.
〔等闲〕 dĕngxián 〈文〉 동 예사로 보다. 등한히 하다. ¶～视之; 〈成〉 가볍게 보다. 등한시하다 / 不可～; 등한히 할 수 없다. 부 이유 없이. 까닭 없이. ¶～平地起波浪; 까닭 없이 평지 풍파를 일으키다. 형 흔히 있다. 예사롭다. 보통이다. ¶事非～; 일은 수월찮다 / ～人不得进来; 일반 사람의 입실〔입장〕을 금하다.
〔等效〕 dĕngxiào 명동 《電》 등가(等價)〔등치(等値)〕(이다).
〔等压线〕 dĕngyāxiàn 명 《地》 등압선(等壓線).
〔等腰三角形〕 dĕngyāo sānjiǎoxíng 명 《數》 이등변 삼각형.
〔等(一)会儿〕 dĕng(yi)huìr 잠시 기다려. 좀 있다가. 조금 사이를 두고《'等(一)会儿'은 '等一下'보다 약간 긴 시간을, '等(一)等(儿)'은 양자의 중간에 해당함》. ¶～再来吧! 좀 있다가 다시 오너라! / 你干么走那么快, 等等儿我; 너 왜 그렇게 빨리 가니, 좀 기다려. =〔等会儿〕〔赶会儿〕
〔等因奉此〕 dĕngyīn fèngcǐ ①〈翰〉 보내신 취지 잘 알았습니다, 따라서 …《'等因'은 옛날의 공문서에서, 상급 관청에서의 지령(指令)을 인용할 때의 맺음말. '奉此'는 삼가 받는다는 뜻》. ②〈比〉 공식적인 행사나 틀에 박힌 문장.
〔等用〕 dĕng.yòng 동 급히〔당장〕 필요하다.
〔等于〕 dĕngyú ①(수량이) …와 같다. 맞먹다. ¶三加二～五; 3 더하기 2는 5다 / 三乘三～九; 3 곱하기 3은 9다. ②…과 같다. …과 마찬가지이다. ¶不识字就～瞎子; 글씨를 모르는 사람은 장님이나 마찬가지이다 / 在这方面他们的努力几乎～零; 이 방면에서의 그들의 노력은 거의 제로다.
〔等雨量线〕 dĕngyǔliàngxiàn 명 《氣》 등우량선(等雨量線).
〔等着〕 dĕngzhe ①기다리고 있다. ¶我在这儿～; 나는 이 곳에서 기다리고 있다. ②기다리고 (…하다). ¶快给我买来吧, 我～用哪; 빨리 사 오너라. 내가 쓰려고 기다리고 있으니까.
〔等着瞧吧〕 dĕngzhe qiáoba 어디 두고 보자!
〔等值线〕 dĕngzhíxiàn 명 《地》 등치선.
〔等质〕 dĕngzhì 명 《化》 균질(均質).
〔等子〕 dĕngzi 명 ⇨〔戥子〕

戥 dĕng (등)
①→〔戥子〕 ②동 (작은 저울로) 달다.
〔戥秤〕 dĕngchèng 명 ⇨〔戥子〕
〔戥星〕 dĕngxīng 명 작은 저울에 새긴 눈.
〔戥子〕 dĕngzi 명 (금·은·약품을 다는) 작은 저울. =〔等子〕〔戥秤〕

邓(鄧) dèng (등)
명 ①옛 나라 이름. ②옛 지명《허난 성(河南省)》. ③성(姓)의 하나.

凼 dèng
지명용 자(字). ¶～脚jiǎo; 구이저우(貴州) 성 싱산 현(興山縣)에 있는 지명.

凳〈櫈〉 dèng (등)
(～儿, ～子) 명 (등받이가 없는) 걸상의 총칭. ¶圆yuán～; 둥근 의자 / 方fāng～; 네모난 걸상 / 一张矮ǎi～; 키가 낮은 걸상 한 개 / 一条板bǎn～ =〔一条长cháng～〕; 옆으로 긴 의자 한 개 / 竹～儿; 대나무 걸상 / ～套儿tàor; 걸상보〔커버〕. →〔椅yǐ〕
〔凳子〕 dèngzi 명 걸상. 등받이가 없는 의자.

澄〈瀓〉 dèng (징)
①형 (물이) 가라앉아 맑다〔깨끗하다〕 ②동 불순물을 침전시키다. 가라앉혀 맑게 하다. 깨끗하게 가라앉히다. ¶～清; ⇓ ⇒chéng
〔澄干〕 dènggān 동 말리다. 액체를 떠내고 고체만을 남기다. ¶你把这缸瓦里的水～了! 이 항아리 안의 물을 퍼내고 말려라!
〔澄浆泥〕 dèngjiāngní 명 도토(陶土). 백점토(白粘土).
〔澄清〕 dèng.qīng 동 ①(물 따위를) 맑게 하다. 침전시키다. ¶这水太浑, ～之后才能用; 이 물은 너무 흐려서, 가라앉혀 맑아져야 쓸 수 있다. ②구분을 짓다. 차이(差異)를 확실히 하다. ¶～意见分歧; 의견 차이를 확실히 하다. ⇒chéngqīng
〔澄沙〕 dèngshā 명 걸른 팥소. ¶～包子; 고운 팥소와 설탕·깨·건과를 넣어 만든 만두. =〔洗xǐ沙〕

墱 dèng (등)
명 ①작은 판자. ②널다리.
〔墱道〕 dèngdào 명 ①널다리. ②비탈길.

嶝 dèng (등)
명 〈文〉 오르막길. 비탈길. 등산길.

磴 dèng (등)
①명 돌층계. ②명 징검돌. ¶～道; 징검돌이 있는 길. ③(～儿) 양 돌층계·사다리의 계단을 세는 데 쓰임. ¶他一～一～慢慢往上走; 그는 한 계단 한 계단 천천히 걸어 올라갔다.

瞪 dèng (징)
동 ①눈을 부릅뜨고 보다. 흘겨보다. 성난 모양으로 노려보다. ¶你～着我作什么? 나를 노려보면 어쩔 테냐? ②눈을 크게〔휘둥그렇게〕 뜨다. ¶他把眼睛都～圆了; 그는 눈알을 둥그렇게 떴다.
〔瞪神〕 dèngshén 동 멍해지다. 멍하니 있다.
〔瞪眼〕 dèng.yǎn 동 ①깜짝 놀라 눈을 크게 뜨다. 어처구니없어 멍해져 버리다. ②(성나서) 노려보다. 부라리다. ¶～歪脖; 노하다.
〔瞪直〕 dèngzhí 동 응시하다. 눈여겨보다.

镫(鐙) dèng (등)
명 ①등자(鐙子). ¶马~; 말등자/执鞭随~;〈成〉수고를 마다 않고 남에게 봉사하다. ②옛날, '灯'과 통용함.

蹬 dèng (등)
→〔蹭cèng蹬〕⇒dēng

DI ㄉㄧ

氐 dī (저)
명 ①28수(宿)의 하나. ②(Dī) 중국 고대의 서부 민족. ⇒dǐ

低 dī (저)
①형 낮다. ㉠키·사물의 높이가 낮다. ¶弟弟比哥哥~一头; 동생은 형보다 머리 하나가 작다. ㉡지세(地勢)가 아래쪽에 위치하다. ¶~地; 저지대. ㉢목소리·소리가 작다. ¶~声讲话; 낮은 목소리로 이야기하다. ㉣정도가 떨어지다. ¶政治水平~; 정치 수준이 낮다. ㉤등급이 아래이다. ¶我比哥哥~一班; 나는 형보다 한 학년 아래이다/~人一等; 남보다 한 단계 떨어지다. ㉥값이 싸다. ¶最~的价钱; 최저의 가격. ↔〔高gāo〕 ②동 고개를 숙이다. ¶~头; 고개를 숙이다. ③동 (소리를) 낮추다.

〔低矮〕 dī'ǎi 형 낮다. ¶~的房子; 낮은 건물.
〔低昂〕 dī'áng 명 ①오름과 내림. ②상향(上向)과 하향(下向).
〔低卑〕 dībēi 형 비열하다. 비천하다.
〔低产〕 dīchǎn 형 생산고가 낮다. ¶~油井; 생산량이 낮은 유정/~田; 수확고가 낮은 경작지.
〔低潮〕 dīcháo 명 ①간조(干潮). =〔干潮②〕 ②저조(低調). 침체 상태. ¶处于~; 침체 상태에 있다.
〔低沉〕 dīchén 형 ①잔뜩 흐려 있다. 우중충하다. ¶天空~, 大雨将至; 하늘이 흐려, 금방이라도 큰 비가 내릴 것 같다. ②(목소리가) 낮다. 가라앉아 있다. ¶~却又有力的嗓音; 가라앉아 있으나 힘찬 목소리. ③(마음이) 침울하다. 의기소침하다. ¶士气~; 사기가 떨어지다.
〔低吹尘〕 dīchuīchén 명〖氣〗풍진(風塵).
〔低垂〕 dīchuí 동 ①시세가 내리다. ②낮게 드리우다. 아래로 늘어지다. ¶柳枝~湖面; 버들가지가 호면(湖面)에 낮게 늘어지다/~着头; 머리를 떨구고.
〔低次〕 dīcì 형 열등하다. 조악(粗惡)하다.
〔低存高贷〕 dīcún gāodài 낮은 이자로 맡고 높은 이자로 꾸어 주다.
〔低搭〕 dīda 형 ⇨〔低道〕
〔低荡〕 dīdàng 명〖政〗〈音〉데탕트(프 détente).
〔低档〕 dīdàng 형 저급의. 하등의. ¶~商品 =〔~产品〕; 저급품.
〔低道〕 dīdao 형 천하다. 저급하고 비천하다. ¶唱戏也是正当艺术, 并不~; 창극이나 연극도 정통 예술로, 결코 저급하지 않다/他的人格儿~; 그의 인격은 천하다. =〔低搭〕〔卑微〕
〔低等动物〕 dīděng dòngwù 명〖動〗하등 동물.
〔低低〕 dīdī 형 ①(목소리·소리가) 낮다. ¶~地说; 소곤소곤 말하다. ②(건물이) 낮다. ¶~的房屋; 낮은 집.
〔低地国家〕 dīdì guójiā 명 저지(低地) 국가(네덜란드·벨기에 따위).
〔低跟鞋〕 dīgēnxié 명 로 힐(low heeled shoes). 굽이 낮은 구두. ↔〔高跟鞋〕
〔低估〕 dīgū 동 과소 평가하다. 낮게 견적(見積)하다. 얕보다. ¶不应加以~; 낮게 평가할 것이 아니다.
〔低耗〕 dīhào 형〈文〉소모율이 낮다. 생산량이 높고, 소모가 적다.
〔低回〕 dīhuí 동〈文〉①왔다갔다 하다. 배회하다. =〔低徊〕〔徘pái徊〕 ②연연하여 떠나지 못하다.
〔低徊〕 dīhuí 동 ⇨〔低回①〕
〔低货〕 dīhuò 명 열등품(劣等品). 하등품.
〔低级〕 dījí 형 ①초보의. 낮은 단계의. ¶由~到高度逐步发展; 낮은 단계에서 높은 단계로 순서를 따라 발전한다. ②저급이다. 천하다. ¶~趣味; 저속한 취미.
〔低贱〕 dījiàn 형 ①(신분 따위가) 낮다. 비천하다. ②(문체·말에) 품위가 없다. ③(사람이) 세련되어 있지 않다. ④(태생이) 비천하다. ⑤(마음·행동이) 용렬하다. 야비하다.
〔低空〕 dīkōng 명 저공. ¶~飞行; 저공 비행.
〔低栏〕 dīlán 명〖體〗로허들(low hurdle). ¶~赛sài跑; 로허들 레이스/200公尺~; 200미터 허들. ↔〔高gāo栏〕
〔低廉〕 dīlián 형 저렴하다. ¶价目~ =〔售shòu价~〕; 값이 싸다. 가격이 저렴하다/物价~; 물가가 저렴하다.
〔低劣〕 dīliè 형 (질이) 낮다. 저열하다.
〔低落〕 dīluò 동 ①(평가(評價)가) 내려가다. 하락하다. ¶声望~了; 평판이 떨어졌다. ②(힘 따위가) 떨어지다. ¶学生的读书能力一点也没有~了; 학생의 독서력은 조금도 떨어지지 않았다/士气~; 사기가 떨어지다.
〔低眉〕 dīméi 동〈文〉눈썹을 나직하게 하고 눈을 내리뜨다. 억지로 온순하고 부드러운 표정을 짓다.
〔低眉耷拉眼〕 dīméi dāla yǎn 눈을 내리뜨고 보다.〈比〉남을 경멸하는 표정을 하다. ¶翘点小尾巴, ~看群众; 조금 득의양양해져서, 대중을 얕보다.
〔低门户〕 dīménhù 명 격식이 낮은 집.
〔低迷〕 dīmí 형 ①멍한 모양. ②헤매는 모양.
〔低面鞋〕 dīmiànxié 명 발등이 낮은 중국식 신발.
〔低能〕 dīnéng 형 저능하다. ¶~儿ér; 저능아/~下驷sì; ⓐ능력이 낮은 하찮은 말. ⓑ〈比〉수완이 없어 남에게 부림을 당하는 사람.
〔低抛靶房〕 dīpāo bǎfáng 명〖體〗(클레이 사격의) 로 하우스(low house).
〔低频〕 dīpín 명〖電〗저주파(低周波).
〔低气压〕 dīqìyā 명〖氣〗저기압.
〔低热〕 dīrè 명〖醫〗미열.
〔低人一等〕 dī rén yī děng〈成〉남보다 격이 한 층 떨어지다. 다른 사람보다 열등하다. ¶那种认为当清洁工就~的思想, 是陈腐的旧观念; 그런 청소부가 되면 격이 한층 떨어지리라는 생각은 진부한 낡은 관념이다.
〔低三下四〕 dī sān xià sì〈成〉①신분이 낮은 모양. ②비하(卑下)한 모양. 예예 하고 굽실굽실 아첨하는 모양. ¶那个人没出息, 好hào做~的事; 그 사람은 글렀어, 굽실거리며 아첨하기를 좋아하니말야.
〔低嗓子〕 dīsǎngzi 명 낮은 소리. 작은 목소리.
〔低烧〕 dīshāo 명 낮은 발열. 미열. →〔高gāo烧〕
〔低声〕 dīshēng 명 낮은 소리. (dī.shēng) 동 목

소리를 낮추다. ¶～下气; 〈成〉 목소리를 낮추어 겸손히 말하다. 굽신거리다.
〔低声波〕 dīshēngbō 명 《物》 초저주음파(超低周音波). 가청하음파(可聽下音波). =〔次cì声波〕
〔低湿〕 dīshī 명형 저습(하다). =〔下xià湿〕
〔低手投法〕 dīshǒu tóufǎ 명 《體》 (야구의) 언더스로(under-throw).
〔低首〕 dī.shǒu 동 ⇨〔低头①〕
〔低首下心〕 dī shǒu xià xīn 〈成〉 굴복하여 온순한 모양. 고개를 숙이고 황송해 하는 모양. =〔低首下气〕〔低心下气〕
〔低俗〕 dīsú 형 저속하다. ¶言语～; 말이 저속하다.
〔低碳钢〕 dītàngāng 명 《工》 저탄소강(低炭素鋼).
〔低头〕 dī.tóu 동 ①머리를 숙이다. ¶～不语; 머리를 숙이고 잠자코 있다 / ～丧气; 기운이 없다. =〔低首〕 ②〈比〉 굴복하다. ¶他在任何困难面前都不～; 그는 어떠한 곤란에도 굴복하지 않는다.
〔低洼〕 dīwā 명 낮은 곳. 저지(低地). 형 움푹 패다.
〔低微〕 dīwēi 형 ①(목소리가) 희미하다. ¶～的呻吟; 희미한 신음 소리. ②(신분이) 낮다.
〔低纬度〕 dīwěidù 명 《地》 저위도.
〔低温〕 dīwēn 명 저온. ¶～消毒; 저온 살균 / ～多雨; 기온이 낮고 비가 계속되는 날씨.
〔低温恒温器〕 dīwēn héngwēnqì 명 《機》 저온 정온기(低溫定溫器).
〔低息〕 dīxī 명 《經》 낮은 이자. 저리(低利). ¶～贷款 =〔低利贷款〕; 저리 대부(금).
〔低下〕 dīxià 형 (생산 수준·사회적 지위 등이 일반 수준보다) 낮다. ¶政治地位～; 정치 지위가 낮다 / 生产管理水平～; 생산 관리 수준이 낮다. 동 숙이다. ¶～头; ⓐ머리를 숙이다. ⓑ사과하다.
〔低心〕 dīxīn 명 〈文〉 나쁜 마음. 좋지 않은 심보. ¶你不知他安着什么～; 너는 그가 무슨 나쁜 마음을 품고 있는지 모른다.
〔低血糖〕 dīxuètáng 명 《醫》 저혈당(증).
〔低压〕 dīyā 명 ①《物》 저압. ②《電》 저전압. ③《醫》 저혈압. ④《氣》 저기압. 저압대. ¶～槽; 기압골.
〔低哑〕 dīyǎ ①형 목소리가 낮게 쉬어 있다. ¶用～的声音回答; 낮게 쉰 목소리로 대답하다. ②〈擬〉 삐걱삐걱. ¶本待欲睡, 忽听得大门儿～; 자려던 참이었는데 대문짝이 갑자기 삐걱삐걱 하는 소리가 들렸다.
〔低言悄语〕 dī yán qiǎo yǔ 〈成〉 낮은 소리로 소곤소곤 이야기하다.
〔低颜〕 dīyán 형 〈文〉 조심스럽다. 겸손하다.
〔低音〕 dīyīn 명 《樂》 저음. ¶女～; 알토(alto) / 男～; 베이스 / ～口琴; 저음 하모니카 / ～喇叭; 우퍼(woofer). 저음용 확성기.
〔低音(大)提琴〕 dīyīn (dà)tíqín 명 《樂》 콘트라베이스. =〔倍bèi大提琴〕
〔低吟浅唱〕 dī yín qiǎn chàng 〈成〉 낮은 목소리로 노래하다.
〔低语〕 dīyǔ 동 〈文〉 낮은 소리로 이야기하다. 소근소근 말하다. =〔小xiǎo语〕
〔低云〕 dīyún 명 《氣》 하층운(下層雲).

羝
dī (저)
명 〈文〉 숫양. ¶～羊触藩; 〈成〉 숫양이 뿔로 울타리를 받다《진퇴양난이 되다》. =〔公羊〕

堤〈隄〉
dī (제)
명 ①제방. 둑. ②(오지 그릇의) 실굽.
〔堤岸〕 dī'àn 명 제방. ¶修～; 제방을 구축하다.
〔堤坝〕 dībà 명 제방. 봇둑. ¶冲垮了～; 물이 제방을 무너뜨렸다.
〔堤底〕 dīdǐ 명 제방의 바닥 부분.
〔堤防〕 dīfáng 동 ①막다. ②조심하다. 명 제방. ¶培修～; 제방을 수축하다.
〔堤工〕 dīgōng 명 하천의 제방 공사.
〔堤牛子〕 dīniúzi 명 둑 위의 흙더미.
〔堤坡〕 dīpō 명 제방의 경사면. ¶用石头砌qì～; 돌로 제방의 경사면을 쌓다.
〔堤塘〕 dītáng 명 제방. 호안(護岸).
〔堤围〕 dīwéi 명 ①제방으로 둘러싸인 마을. 윤중(輪中)《광둥 성(廣東省) 주장 강(珠江) 하구에 발달한 것이 유명함》. ②제방.

提
dī (제)
→〔提防〕〔提溜〕 ⇒ tí
〔提防〕 dīfang 동 조심하다. 경계하다. 마음의 준비를 갖추다. ¶你～着他点儿; 그를 좀 조심해라 / ～坏人破坏; 불순 분자의 파괴를 경계하다.
〔提溜〕 dīliu 동 〈北方〉 손에 들다. ¶～的筐子; 바스켓 / 手里～着一条鱼; 손에 물고기 한 마리를 들고 있다 / ～不动; 무거워서 들고 있을 수 없다. =〔滴溜〕
〔提溜着心〕 dīliuzhe xīn 흠칫흠칫하다. 안심이 되지 않다. 조마조마해하다. ¶你一放学就快回家, 别叫娘～! 학교가 끝나면 곧 집으로 돌아오너라, 어머니에게 걱정을 끼치면 안 돼요. =〔提着心〕

䃅(磾)
dī (제)
인명용 자(字).

滴
dī (적)
①명 물방울. ¶汗～; 땀방울 / 水～; 물방울. ②동 (물방울이) 떨어지다. 듣다. 떨어뜨리다. ¶～眼药; 안약을 넣다. ③양 방울《떨어지는 액체를 세는 데 쓰임》. ¶两～眼泪; 눈물 두 방울.
〔滴虫〕 dīchóng 명 《蟲》 적충. 섬모충(纖毛蟲).
〔滴答〕 dīdā 〈擬〉 ①뚝뚝. 똑똑《물이 떨어지는 소리》. ¶窗外滴滴答答, 雨还没有停; 창 밖에서는 빗물이 뚝뚝 떨어지고, 비는 아직 그치지 않았다. ②똑딱똑딱《시계추가 흔들리는 소리》. ¶屋里异常寂静, 只有钟摆～～地响着; 방 안이 매우 조용해서, 똑딱똑딱 시계추 소리만 나고 있다. ③또또또《무전기 등의 소리》. ‖ =〔滴搭〕〔滴嗒〕〔嘀嗒〕
〔滴答〕 dīda 동 (물방울이) 떨어지다. 뚝뚝 떨어지다. ¶屋顶上的雪化了, ～着水; 지붕 위의 눈이 녹아서 물방울이 뚝뚝 떨어진다. =〔滴搭〕〔滴嗒〕〔嘀嗒〕
〔滴滴〕 dīdī ①형 물방울이 똑똑 떨어지는 모양. ②형용사 뒤에 붙어 정도를 강조하는 형용사어미. ¶她娇jiāo～的, 跟个小姐似的; 그녀는 애교가 철철 넘치는 것이 꼭 처녀같다.
〔滴滴金儿〕 dīdījīnr 명 지승(紙繩)에 화약을 넣어 만든 불꽃. =〔滴滴星儿〕
〔滴滴涕〕 dīdītì 명 《藥》 〈音〉 디디티(D.D.T.)《살충제》. =〔滴滴地〕〔滴滴威〕
〔滴定〕 dīdìng 명 《化》 적정. ¶～试验; 적정시험.
〔滴定管〕 dīdìngguǎn 명 《化》 뷰렛(burette). =〔玻璃量管〕
〔滴管〕 dīguǎn 명 ①점적계(點滴計). 피페트. ②

(만년필의) 스포이트.
〔滴滑〕 dīhuá 동 (눈을) 두리번거리다.
〔滴剂〕 dījì 명 《醫》 점적약(點滴藥).
〔滴酒不闻〕 dī jiǔ bù wén 〈成〉 술을 한 방울도 입에 대지 않는다.
〔滴沥〕 dīlì 〈擬〉 후두둑 후두둑(빗물이 떨어지는 소리).
〔滴里搭拉〕 dīlidālā 〈擬〉 후두둑. 주룩주룩(물방울이 떨어지는 모양).
〔滴里嘟噜〕 dīlidūlū ①(작고 둥근 것이) 많이 모인 모양. ¶架上的葡萄结得～的; 시렁에는 포도가 주렁주렁 달려 있다. ②(외국어 따위를) 재잘재잘 지껄이는 모양. =〔嘀里嘟噜〕
〔滴溜溜(的)〕 dīliūliū(de) 〈擬〉 빙글빙글. 데굴데굴. 뱅그르르. ¶他～地转动了一双大眼睛; 그는 커다란 두 눈을 이리저리 굴렸다.
〔滴溜儿〕 dīliūr 〈擬〉 ①데굴데굴·빙빙 도는 모양. ¶～转; 데굴데굴 구르다 / 忙得他在家里～转; 그는 바빠서 집에서 이리 뛰고 저리 뛰고 한다. ②동그란 모양. ¶两个眼睁得～圆; 두 눈을 동그랗게 뜨다. 형 동그랗다.
〔滴溜(儿)圆〕 dīliū(r)yuán 형 동그랗다. 둥그렇다. ¶～的球; 동그란 구슬 / ～的一个大脑袋; 동그란 큰 머리.
〔滴漏〕 dīlòu 명 물시계의 물방울.
〔滴瓶〕 dīpíng 명 《化》 점적병(點滴瓶).
〔滴水〕 dīshui 명 ①물방울. ②(처마 끝의) 내림새 기와. ③처마에서 떨어지는 빗물을 잘 빠지도록 하기 위해 남겨 둔 이웃집과의 틈.
〔滴水不漏〕 dī shuǐ bù lòu 〈成〉 ①한 방울의 물도 새지 않는다. ②한 치의 빈틈도 없는 모양. ¶她可是个谨慎之人, 说出话来～; 그녀는 근엄해서, 이야기를 하면서도 한 마디 실수도 없다.
〔滴水成冰〕 dī shuǐ chéng bīng 〈成〉 떨어지는 물방울이 얼음이 되다(매우 춥다).
〔滴水穿石〕 dī shuǐ chuān shí 〈成〉 낙숫물이 돌을 뚫는다(무슨 일이나 끈기 있게 노력하면 반드시 성공한다). =〔水滴石穿〕
〔滴水瓦〕 dīshuiwǎ 명 (처마 끝의) 내림새 기와.
〔滴水檐〕 dīshuǐyán 명 처마 끝. ¶他站在～前; 그는 처마 끝에 서 있다.
〔滴下〕 dīxia 동 방울져 떨어지다.
〔滴血〕 dī xiě 핏방울이 떨어지다.
〔滴血〕 dīxuè 명 핏방울을 떨어뜨려 육친인가 아닌가를 가리는 방법.
〔滴药〕 dīyào 명 점적약(點滴藥). (dī,yào) 동 약을 넣다〔떨어뜨리다〕.
〔滴珠〕 dīzhū 명 옛날, 무게 한 냥 내외의 작은 은괴(銀塊)를 이르던 말.
〔滴子〕 dīzi 명 ①목걸이 한가운데에 있는 큰 구슬이나 장식. ②스포이트(네 spuit).

嘀
dī (저)
→〔嗒嗒〕〔嘀里嘟噜〕 ⇒ dí
〔嘀嗒〕 dīdā 〈擬〉 ⇨〔滴答dā〕
〔嘀嗒〕 dīda 동 ⇨〔滴答da〕
〔嘀里嘟噜〕 dīlidūlū ⇨〔滴里嘟噜〕

樀
dī (적)
→〔樀樀〕
〔樀樀〕 dīdī 〈擬〉 똑똑(문을 두드리는 소리).

镝(鏑)
dī (적)
명 《化》 디스프로슘(Dy: dysprosium)(금속 원소). ⇒ dí

狄
Dí (적)
명 ①중국 북방의 종족 이름. ②성(姓)의 하나.
〔狄克推多〕 díkètuīduō 명 《政》 〈音〉 딕테이터(dictator). 독재자.
〔狄塞耳机〕 dísàiěrjī 명 《機》 디젤 엔진. =〔狄塞尔机〕〔第则尔发动机〕〔提士引擎〕〔柴油机〕
〔狄牙〕 Díyá 《人》 제(齊)나라의 환공(桓公)을 섬기던 명요리사인 의적(儀狄)과 역아(易牙). 〈轉〉 명요리사.

荻
dí (적)
《植》 물억새.

迪〈廸〉
dí (적)
① 명 길. ② 동 인도하다. 이끌다. ¶启～; 계발하다. 인도하다.
〔迪吉〕 díjí 형 경사스럽다. ¶福履～; 더욱 평안하고 건강하시다.
〔迪斯科〕 dísīkē 명 〈音〉 디스코(disco). =〔的士够格〕〔的士高〕
〔迪斯尼〕 Dísīní 명 ①《人》 〈音〉 디즈니(Walt Disney)(미국 영화 제작자, 1901～1966). ②영화 제작사.
〔迪厅〕 dítīng 명 디스코테크(discothèque).

頔(頔)
dí (적)
① 형 아름답다. ②인명용 자.

笛
dí (적)
명 ①(～儿, ～子) 《樂》 피리. 저. 횡적. ¶立～; 바순(bassoon) / 长～; 플루트(flute) / 吹～子 =〔吹～儿〕; 피리를 불다. ②휘슬. 호각. ¶警～; 경적 / 汽～; 기적.
〔笛鲷〕 dídiāo 명 《魚》 물퉁돔.
〔笛膜(儿)〕 dímó(r) 명 《樂》 피리청(피리의 왼쪽에서 두 번째의 구멍에 붙이는 얇은 막으로, 대나무·갈대의 줄기로 만듦).
〔笛子〕 dízi 명 《樂》 피리.

的
dí (적)
형 진실의. 실제의. 확실한. ⇒ de dì
〔的当〕 dídàng 형 확실하고 타당하다. ¶这个评语十分～; 이 평어는 매우 확실하고 타당하다.
〔的款〕 díkuǎn 명 확실한 현금 잔액.
〔的确〕 díquè 부 확실히. 참으로. 실로. ¶现在～进步多了; 지금은 확실히 많이 진보했다 / 他～有几个特点; 그는 확실히 몇 가지의 장점이 있다.
〔的确良〕 díquèliáng 명 《紡》 〈音〉 데이크런(Dacron). =〔的确凉〕〔涤确良〕〔达可纶〕
〔的然〕 dírán 부 〈文〉 확연히. 분명히. 확실히.
〔的士〕 díshì 명 〈音〉 〈方〉 택시(taxi).
〔的证〕 dízhèng 명 〈文〉 확실한 증거. 확증(確證).

籴(糴)
dí (적)
① 동 〈文〉 (곡물을) 사들이다. ↔〔粜tiào〕 ② 명 사들인 미곡. ③ 명 곡물을 사들이는 업자.

涤(滌)
dí (척)
동 ①씻다. ②쓸어 버리다. ¶～除旧习; 구습을 쓸어 버리다.
〔涤除〕 díchú 동 ①씻어 없애다. ②제거하다. ¶～恶习; 악습을 제거하다.
〔涤荡〕 dídàng 동 〈文〉 씻어 버리다. 세척하다.
〔涤纶〕 dílún 명 《紡》 〈音〉 테릴렌(terylene). =〔绦纶〕〔特纶〕〔特丽纶〕〔缇缟纶〕

〔涤瑕荡垢〕 dí xiá dàng gòu 〈成〉 상처를 씻어 내고 때를 벗겨 내다《과거의 실패·면목을 일신(一新)하다》.

敌(敵) **dí** (적)
① 명 적. 상대. ¶～人; ⇩ / ～军; ⇩ / 仇～; 원수 / 分清～我; 적인지 아군인지를 확실하게 하다. ② 동 저항하다. 대항하다. ¶寡不～众; 〈成〉 중과부적이다 / 你～得过他吗? 너는 그를 당할 수 있느냐? ③ 동 (역량이) 백중(伯仲)하다. 필적하다. ¶势均力～; 세력이 백중하다.

〔敌百虫〕 díbǎichóng 명 《藥》 디프테렉스(Dipterex)《농업용 살충제의 일종》.
〔敌稗〕 díbài 명 《藥》 디시피에이(DCPA)《논의 제초제의 일종》.
〔敌兵〕 díbīng 명 ①적병. ②적의 병력.
〔敌不过〕 díbuguò 당해 내지 못하다. ¶～他; 그에게는 당할 수 없다. ↔〔敌得过〕
〔敌不住〕 díbuzhù 당해 낼 수 없다.
〔敌产〕 díchǎn 명 적의 재산.
〔敌巢〕 dícháo 명 적의 본거(지).
〔敌挡〕 dídǎng 명 적대하다. 대항하다.
〔敌党〕 dídǎng 명 《政》 반대당.
〔敌得过〕 dídeguò 적대할 수 있다. 이길 수 있다. ↔〔敌不过〕
〔敌敌畏〕 dídíwèi 명 《藥》 〈音〉 유기인산제 디디브이피(D.D.V.P.)《유기인계(有機燐系) 살충제의 일종》.
〔敌对〕 díduì 명동 적대(하다). ¶～态度; 적대적 태도 / ～情绪; 적의(敵意).
〔敌对行为〕 díduì xíngwéi 명 적대 행위.
〔敌国〕 díguó 명 ①적국. ②〈文〉 국력이 비슷한 나라. 동 〈文〉 나라에 필적할 만하다. ¶富fù可～; 그 부(富)는 (한 나라에 필적할 정도의) 막대한 것이다 / ～(之)富; 막대한 부.
〔敌后〕 díhòu 명 적의 후방.
〔敌机〕 díjī 명 적기. 적의 비행기.
〔敌间〕 díjiàn 명 ⇨〔敌探〕
〔敌军〕 díjūn 명 적군.
〔敌忾〕 díkài 명 〈文〉 적개심. ¶～同仇chóu = 〔同仇～〕; 〈成〉 공동의 적에게 적개심을 불태우다.
〔敌寇扰边〕 dí kòu rǎo biān 〈成〉 적군이 국경을 어지럽히다.
〔敌礼〕 dílǐ 명 〈文〉 대등한 예의.
〔敌楼〕 dílóu 명 《軍》 성벽 위에 있는 적정(敵情)을 살피는 망루.
〔敌耦〕 dí'ǒu 〈文〉 명 호적수(好敵手). 역량이 백중(伯仲)한 상대. 동 필적하다.
〔敌情〕 díqíng 명 적정《특히, 적의 아군에 대한 행동의 정황》. ¶了解～; 적정을 샅샅이 알아보다 / 侦察～; 적정을 정찰하다 / ～严重; 적정을 엄중하다 / ～观念; 적에 대한 경계심.
〔敌酋〕 díqiú 명 적의 두목.
〔敌壤〕 dírǎng 명 〈文〉 적지(敵地).
〔敌人〕 dírén 명 적.
〔敌视〕 díshì 동 ⇨〔仇chóu视〕
〔敌手〕 díshǒu 명 적수. (좋은) 상대. 기량이 필적하여 좋은 상대가 되는 사람.
〔敌台〕 dítái 명 적의 무선 방송국.
〔敌探〕 dítàn 명 적의 스파이. =〔敌间jiàn〕〔敌特〕
〔敌特〕 dítè 명 ⇨〔敌探〕
〔敌顽〕 díwán 명 〈文〉 (완강한) 적.
〔敌伪〕 díwěi 명 ①(적의) 괴뢰 정권. ②적의 앞잡이.
〔敌我〕 díwǒ 명 적과 우리 편. ¶～形势; 적과 우리 편과의 형세 / ～不分; 적과 아군을 혼동하다.
〔敌我矛盾〕 díwǒ máodùn 명 적대 계급과의 사이의 모순. 적대적 모순.
〔敌焰〕 díyàn 명 적의 기염〔기세〕.
〔敌意〕 díyì 명 적의. 적대시하는 마음.
〔敌占区〕 dízhànqū 명 적이 점령한 지구.
〔敌阵〕 dízhèn 명 적진.

觌(覿) **dí** (적)
동 〈文〉 ①보다. 만나다. ②회견하다. ③알현(謁見)하다.

〔觌面〕 dímiàn 동 얼굴을 맞대다. 직접 만나다. ¶～交谈; 얼굴을 맞대고 이야기하다.

髢 **dí** 〔〈舊〉 dì〕 (체)
→〔髢髢〕

〔髢髢〕 dídí 명 〈方〉 ①(머리에 넣는) 다리. ②가발.

鬄 **dí** (저)
① 명 상투. ② →〔鬄髻〕

〔鬄髻〕 díjì 명 (머리에 덧넣는) 소용돌이 모양으로 감은 다리.

嘀〈啾〉 **dí** (저)〈적〉
→〔嘀咕〕 ⇒ dī

〔嘀咕〕 dígu 동 ①수군거리다. 소곤거리다. 속닥거리다. ¶你们～什么呢? 너희들 무엇을 수군거리니? ②겁내어 흠칫하다. ③의심하다. ¶他老～这件事; 그는 언제나 이 일을 의심하고 있다. ④조바심하다. 애태우다. ⑤만지작거리다. 주무르다. ¶别把东西～坏了; 물건을 만지작거려 망가뜨리면 안 된다. ‖ =〔笛dí咕〕

嫡 **dí** (적)
① 명 본처. 정실(正室). ¶～出; 적출. 본처 소생 / ～子; ⇩ / ～长; ⇩ ② 명 본처가 낳은 맏아들. ③ 형 일가의. 혈통이 가장 가까운. ¶～亲; ⇩

〔嫡传〕 díchuán 명형 직계(의). 정통(의). ¶孟子是孔子的～徒孙; 맹자는 공자의 직계 제자의 제자이다.
〔嫡嫡亲亲〕 dídiqīnqīn 형 친혈육이다《'嫡亲'의 변화형》.
〔嫡母〕 dímǔ 명 〈文〉 적모(嫡母)《서자가 아버지의 본처를 일컫는 말》.
〔嫡派〕 dípài 명 〈文〉 정통. 직계(直系). ¶～真zhēn传; (기술·무예 따위의) 직계〔정통〕파 / ～军队; 직계군. 직계 부대. =〔嫡流〕〔嫡系〕
〔嫡妻〕 díqī 명 본처. =〔嫡配〕〔嫡室〕
〔嫡亲〕 díqīn 명 부계 혈연. 육친. ¶他们是～弟兄, 可一点儿也不像; 그들은 친형제인데 조금도 닮지 않았다.
〔嫡庶〕 díshù 명 〈文〉 ①본처와 첩. ②적자와 서자.
〔嫡嗣〕 dísì 명 사자(嗣子). 적자(嫡子).
〔嫡堂〕 dítáng 명 동조친. 할아버지를 같이하는 친족.
〔嫡系〕 díxì 명 ⇨〔嫡派〕
〔嫡裔〕 díyì 명 〈文〉 직계 자손.
〔嫡长〕 dízhǎng 명 〈文〉 (본처에게서 태어난) 장남.
〔嫡子〕 dízǐ 명 〈文〉 ①본처의 아들. ②장남. 사자(嗣子).

镝(鏑) dí (적)
①명 화살촉. =〔箭头〕 ② →〔镝衔〕 ⇒dī
〔镝衔〕 díxián 명 말의 재갈.
蹢 dí (적)
명 〈文〉 발굽. =〔蹄子〕 ⇒zhí
翟 dí (적)
명 ①《動》 꽁지 긴 야생 꿩. ②꿩의 깃《춤추는데 쓰임》. ③묵자(墨子)의 이름. ⇒zhái
氐 dǐ (저)
〈文〉 ①명 근본(根本). 근원. ②부 대저. 대개. ⇒dī
诋(詆) dǐ (저)
동 〈文〉 ①책망하다. ¶丑～; 매도하다. 면책(面責)하다. ②폭로하다. ③모욕 주다. ④기만하다. 속이다.
〔诋毁〕 dǐhuǐ 동 〈文〉 비방하다. 중상하다. ¶吹毛求疵地～我; 흉을 들추어 내며 나를 중상하다.
〔诋谩〕 dǐmàn 동 〈文〉 비방하고 깔보다.
邸 dǐ (저)
명 ①제후(諸侯)가 내조(來朝)하였을 때의 숙박소. ②왕후(王侯)의 저택. ③저택. ④성(姓)의 하나.
〔邸报〕 dǐbào 명 옛날의 관보(官報). =〔邸钞〕〔宫gōng门抄〕
〔邸第〕 dǐdì 명 〈文〉 제후〔왕〕의 저택.
〔邸店〕 dǐdiàn 명 〈文〉 상점.
底 dǐ (저)
①(～儿, ～子) 명 밑. 바닥. ¶锅～; 냄비 바닥 / 鞋～; 신바닥 / 井～; 우물 바닥 / 海～; 해저. ②(～儿, ～子) 명 기초. 토대. 소질. 소양. 기본 교양. ¶打～; 기초를 만들다 / 家～厚实; 집 재산이 풍족하다 / 心里有了～; 마음에 의지할 곳이 생겼다 / 心里没～; 의지할 곳이 없다〔확신이 없다〕. ③(～儿, ～子) 명 원고. 대장(臺帳). 근거가 되는 기록. ¶草～; 초고(草稿) / 打～; 원고를 만들다 / ～本; ⇩ / 留个～; 초안을 남겨 두다. ④명 말(末). 끝. ¶月～; 월말 / 年～; 연말 / 一年到～; 1년 내내 / 念到～; 끝까지 읽다. ⑤(～儿, ～子) 명 일의 전말. 내막. 내정. 경위. 저의. ¶摸～儿; 내정을 살피다 / 把我的～全抖出来了; 나의 내막을 온통 하나도 숨김없이 들추어 냈다 / 刨根问～; 〈成〉 꼬치꼬치 캐묻다. ⑥(～子) 명 나머지. ¶货～子; 잔품(殘品). ⑦동 못하다. 떨어지다. ⑧동 〈文〉 이르다. 도달하다. ¶终～于成; 드디어 성공하다. ⑨(～儿, ～子) 명 바탕. 도안(圖案)의 밑바탕. ¶白～儿红花碗; 흰 바탕에 붉은 무늬의 공기. ⑩(～子) 명 출신. 성분. 신분. ⑪명 도박에서 처음에 각자가 갖고 있는 돈의 단위를 나타내는 말. 몫《각자 1만원씩으로 시작하면 '一～'라고 함》. ⑫(～儿) 명 계획. ¶打～; 계획을 세우다. ⑬(～子) 명 원가(原價). ¶这笔货来的～子大; 이 종류의 물품은 원가가 비싸다. ⑭대 〈文〉 어떠한. 무엇. ¶～事; 무슨 일 / ～处; 어디. ⑮명 성(姓)의 하나. ⇒de
〔底案〕 dǐ'àn 명 ①사건의 전말을 쓴 서류. ②사전에 준비한 대책.
〔底把儿〕 dǐbǎr 명 (감 따위의) 열매의 꼭지.
〔底疤儿〕 dǐbar 명 〈方〉 ①부스럼 자국. ②〈轉〉 (깨끗하게 결말을 내지 않은) 나머지. ¶你干活儿怎么老留～啊! 너는 왜 항상 일을 마무리짓지 않느냐!
〔底版〕 dǐbǎn 명 ⇨〔底片piàn〕
〔底本(儿)〕 dǐběn(r) 명 ①저본. 원본. 고본(稿本). 대본(臺本). ②생산 원가.
〔底边〕 dǐbiān 명 《數》 밑변. 저변. =〔底条〕
〔底财〕 dǐcái 명 숨겨 둔 재산.
〔底舱〕 dǐcāng 명 ①뱃바닥. ②뱃바닥에 있는 선실. ③3등 선실.
〔底册〕 dǐcè 명 원장(元帳). 원부(原簿). ¶清抄两份, 一份上报, 一份留做～; 2부(部)를 정서하여 1부는 상신하고, 1부는 원부로 남기다.
〔底层〕 dǐcéng 명 ①최하층. 맨 아래층. ¶从书架的最～抽出两本书; 책꽂이 맨 아랫단에서 책 두 권을 꺼냈다. →〔基jī层〕 ②(빌딩의) 1층. ¶在楼房当街的～搞商业网点; 길에 접하고 있는 건물 1층에 상가(商街)를 만들다 / 双层床的～; 2단식 침대의 아랫단. =〔一层〕〔楼lóu底(下)〕〔一楼〕
〔底朝天〕 dǐ cháo tiān 뒤집어엎다. 거꾸로 하다. ¶我把箱子翻了个～, 也没找到那本书; 나는 트렁크를 뒤집고 보았으나, 그 책은 찾지 못했다.
〔底刺流网〕 dǐcìliúwǎng 명 (어업의) 저류망(底流網).
〔底垫〕 dǐdiàn 명 ①밑바탕. 기초. ②밑에 까는 것.
〔底定〕 dǐdìng 동 〈文〉 ①진정(鎭定)하다. ②난을 평정하다.
〔底度〕 dǐdù 명 전력의 기본 소비량.
〔底肥〕 dǐféi 명 《農》 밑거름. ¶春种结球白菜, 在栽种时必须施足～, 在生长期间再追肥二三次; 봄에 심는 배추는 심기 전에 밑거름을 듬뿍 주고, 성장 기간 중에 두서너번 거름을 더 주어야 한다. =〔基jī肥〕
〔底分〕 dǐfēn 명 계산의 기본액. 기본 숫자.
〔底粪〕 dǐfèn 명 《農》 밑거름으로 쓰는 유기 비료.
〔底封里〕 dǐfēnglǐ 명 속표지의 안쪽. =〔封三〕
〔底封面〕 dǐfēngmiàn 명 속표지. 안겉장. =〔封底〕
〔底稿(儿)〕 dǐgǎo(r) 명 ①원고(原稿). ②구상(構想).
〔底格里斯河〕 Dǐgélǐsī hé 명 《地》 〈音〉 티그리스강(江).
〔底根(儿)〕 dǐgen(r)〔dìgen(r)〕 명 ①근원. 내정(內情). ②이전(以前). 옛날. ③신발의 뒤축. =〔底跟儿〕 ④본래. 본시.
〔底工〕 dǐgōng 명 기본 기술《흔히, 희곡(戲曲)의 연기(演技) 기술 등에 대해서 이름》.
〔底衡〕 dǐhéng 명 (배의) 바닥짐. 밸러스트(ballast).
〔底火〕 dǐhuǒ 명 ①묻어 둔 불. 아궁이 속에 남아 있는 불. 불씨. ②〈俗〉 뇌관(雷管).
〔底货〕 dǐhuò 명 ①잔품. 재고품. =〔存cún货〕〔存底货〕 ②바닥짐. 밸러스트(ballast). =〔压底仓物〕〔底衡〕
〔底基〕 dǐjī 명 기초.
〔底极〕 dǐjí 명 〈文〉 궁극. 종국(終局). 마지막.
〔底价〕 dǐjià 명 최저 표준 가격. 바닥 시세. =〔底码①〕
〔底架〕 dǐjià 명 《機》 (자동차 따위의) 섀시 프레임(Chassis frame). 차대(車臺).
〔底角〕 dǐjiǎo 명 《數》 밑각.
〔底金〕 dǐjīn 명 ⇨〔定dìng钱〕
〔底襟(儿)〕 dǐjīn(r) 명 중국 옷의 앞섶.
〔底裤〕 dǐkù 명 ⇨〔衬chèn裤〕
〔底犁〕 dǐlí 명 《農》 기초 쟁기. 기초 플라우(plow).

〔底里〕 dǐlǐ 명 실정. 속사정. ¶不知～; 실정·내정을 모르다 / ～根由; (속에 있는) 사정. 까닭.

〔底料〕 dǐliào 명 ①체질. ②소지(素地). 본바탕.

〔底漏〕 dǐlòu 명 ①눈에 보이지 않는 출비(出費). ¶别看他家收入多, ～也不少; 그의 집은 수입이 많은 것 같지만, 눈에 보이지 않는 출비도 적지 않다. ②〈比〉 며느리가 친정에 생활비 등을 보냄.

〔底码〕 dǐmǎ 명 ①⇨〔底价〕 ②최저. 최소. ③옛날, 금융업에서 규정한 최저 한도의 대부 이자율. ④표준율. ⑤생각. 표준.

〔底面〕 dǐmiàn 명 ①《數》 저면(底面). 밑면. ②밑바닥.

〔底牌〕 dǐpái 명 ①으뜸패. →〔王wáng牌①〕 ②〈比〉 비장의 카드. ③〈轉〉 급소. ¶他也会把她的～揭开来, 现在他是尽量容忍, 保留住她的面子; 그도 그녀의 급소를 폭로할 수 있지만, 지금은 가급적 참고 그녀의 체면을 유지해 주고 있다. ②마작에서 자모(自摸)할 수 없는 7겹(14장)의 패.

〔底盘〕 dǐpán 명 ①《經》 바닥 시세. ②차대(車臺). 섀시. =〔车che底盘〕〔车台〕 ③《電》 (전자기기의) 기판(基板). 섀시.

〔底盘(儿)〕 dǐpán(r) 명 (꽃병 따위의) 밑(바닥). ¶这是～大的花瓶, 摆着稳当; 이 꽃병은 밑바닥이 넓어 안정감이 있다.

〔底片〕 dǐpiàn 명 (사진의) 네가. 음화. 원화. ¶未曝光～; 미감광(未感光) 원판 / 硬片; 건판(乾板). =〔底版〕

〔底栖生物〕 dǐqī shēngwù 명 《動》 (물 밑에 군생하는) 저생(底生) 생물.

〔底漆〕 dǐqī 명 (페인트 따위의) 초벌칠.

〔底气〕 dǐqì 명 ①각오. 자신. ②저력(底力). 잠재력. ¶给他增加了信心和～; 그에게 신념과 저력을 북돋아 주었다. ③(말하거나 노래 부르는) 힘. 기력. ¶他～足, 唱起来嗓音洪亮; 그는 힘이 좋아 노래를 하면 목소리가 우렁차다.

〔底缺〕 dǐquē 명 결원(缺員)이 된 직(職).

〔底儿〕 dǐr 명 ①밑. 바닥. ¶兜着～来; 철저하게 하다. ②기초. ¶英文我有点儿～; 나는 영어 기초가 조금 있다. ③원가. ④점포의 상품이나 도구 따위. =〔铺底〕 ⑤원고. ⑥전망. 생각. ⑦사전 계획. ¶下个～; 계획을 세우다. ⑧내막. 내정. 저의.

〔底儿棒〕 dǐr bàng 〈俗〉 기초가 튼튼하다〔확고하다〕.

〔底儿掉〕 dǐr diào ①완전히 실패하다. ②몽땅. 남김없이. ¶说个～; 남김없이 말하다.

〔底绒儿〕 dǐróngr 명 모피의 모근부에 나있는 부드러운 털.

〔底色〕 dǐsè 명 (직물 따위의) 바탕색.

〔底衫〕 dǐshān 명 속옷. →〔小xiǎo褂(儿)〕

〔底墒〕 dǐshāng 명 《農》 파종 전의 밭의 수분 보유도. ¶蓄足～; 밭의 수분 보유도를 충분히 높이다.

〔底视图〕 dǐshìtú 명 《工》 하면도(下面圖).

〔底数〕 dǐshù 명 ①《數》 저수(예컨대, a^n의 a를 말함). ②(사건의) 경위. 진상. ¶心里有了～; 사건의 경위를 알다.

〔底条〕 dǐtiáo 명 ⇨〔底边〕

〔底图〕 dǐtú 명 기본도(基本圖).

〔底土〕 dǐtǔ 명 표토(表土) 아래의 토층(土層).

〔底细〕 dǐxi 명 〈文〉 ①상세한 내용. 속사정. ¶盘盘～; 자세한 내용을 묻다 / 摸到了～; 내정을 파악하다. ②내력. 신원. ¶没有摸清他的～; 그의 정체를 확실히 파악하지 못하였다.

〔底下〕 dǐxia 명 ①밑. 아래. ¶树～; 나무 아래 / 窗户～; 창 아래. ↔〔上头〕 ②다음. 차회(次回). ¶～是我想要讲的话; 다음은 내가 하고 싶었던 말이다. ③금후. 이후. 나중. ¶～请多多照应吧; 앞으로 잘 부탁드립니다. ④…에 속함. …의 방면. ¶笔～不错; 문장을 잘 쓰다 / 手～工作多; 주위에 일이 쌓여 있다〔할 일이 많다〕.

〔底下人〕 dǐxiarén 명 옛날의 하인. 고용인. 부하. 종.

〔底线〕 dǐxiàn 명 언더 라인. 밑줄.

〔底薪〕 dǐxīn 명 기본급. →〔工gōng资〕

〔底样〕 dǐyàng 명 (복사 또는 모형 작성의) 기본이 되는 견본·원본·원형.

〔底釉〕 dǐyòu 명 (도자기의) 바탕에 칠하는 유약. =〔地釉〕

〔底蕴〕 dǐyùn 명 〈文〉 ①온축(蘊蓄). 깊이 쌓은 학식(學識). ②자세한 사정. 상세한 사정. 실정. ¶不知其中～; 그 자세한 내용은 모른다. ③내정(內情). 내막.

〔底账〕 dǐzhàng 명 대장. 원부. =〔底簿〕〔底册〕

〔底止〕 dǐzhǐ 〈文〉 동 멈추다. 멎다. 명 끝. 마지막. ¶不知～; 그칠 줄을 모르다.

〔底滞〕 dǐzhì 동 〈文〉 막히다. 일이 잘 진척되지 않다.

〔底子〕 dǐzi 명 ①밑. 바닥. ¶鞋～; 신발바닥. ②기초. 소양. ¶有古文的～; 고문에 소양이 있다 / 他的～不大好, 可是学习很努力; 그는 기초가 별로 좋지 않으나, 매우 열심히 공부한다. ③〈方〉 (도안 따위의) (밑)바탕. ¶画画儿要打个～; 그림을 그리려면 밑그림을 그려야 한다. ④원가. 원료. 밑천. ¶～重; 원가가 비싸다/ 他的身体～是好的; 그는 몸 바탕이 튼튼하다. ⑤내막. 내정. 경위. ¶把～摸清了; 일의 경위를 살펴서 밝혔다. ⑥나머지. ¶粮食～; 나머지 식량.

〔底座(儿)〕 dǐzuò(r) 명 ①대(臺). 대좌(臺座). ②(도자기 따위의) 실굽.

坻 dǐ (저)

지명용 자(字). ¶宝Bǎo～; 바오디(寶坻) (허베이 성(河北省)에 있는 현 이름). ⇒ chí

抵〈牴, 觝〉⑪ dǐ (저)

동 ①필적하다. 맞먹다. 상당하다. ¶家书～万金; 집에서 온 편지는 만금과 맞먹는다 / 一个～两个; 한 사람이 두 사람에 필적하다. ②저항하다. 버티다. 견디다. ¶～住来自外面的压力; 외부로부터의 압력을 견디어 내다. ③받치다. 고이다. ¶以棍～门; 막대기로 문을 받쳐 놓다 / 他用手～着下巴颏儿; 그는 턱을 괴고 있다. ④저당잡히다. ¶用房屋作～; 가옥을 저당 잡히다. =〔抵押〕 ⑤〈文〉 다다르다. 도착하다. ¶安～; 안착하다 / 平安～京; 무사히 베이징에 도착하다. ⑥적당히 어르다. ¶拿一堆破山西票来～我; 한 뭉치의 산시(山西)의 헌 지폐로 나를 쫓아 버리려고 수작한다. ⑦소용〔도움〕되다. ¶究竟～了些什么事? 결국 무슨 소용이 있겠는가? ⑧범하다. 저촉되다. ¶～触; ⇓ / ～牾; ⇓ ⑨내던지다. ¶～地; 땅에 내던지다. ⑩균형을 잡다〔잡히다〕. 상쇄하다. 대차(貸借) 없이 되다. ¶两相～销; 서로 상쇄(相殺)하다〔삭치다〕 / 出入相～; 수입·지출의 균형이 잡히다 / 乐lè不～苦; 즐거움이 괴로움에 미치지 못하다. ⑪(소·염소 따위의 뿔로) 버티거나 밀다.

〔抵补〕 dǐbǔ 동 〈文〉 보전(補塡)하다. 결손을 메꾸

다. ¶～损失; 손실을 메꾸다.
〔抵不了〕 **dǐbuliǎo** ①도저히 당해 낼 수 없다. 막을 수 없다. ②소용없다. ¶对于他, 你的劝告～什么? 그에 대한 자네의 충고가 무슨 소용이 있겠는가? ‖↔〔抵得了〕
〔抵不上〕 **dǐbushàng** (수(數)가 부족하여) 지탱할 수 없다. 당해 낼 수 없다.
〔抵不住〕 **dǐbuzhù** 저항 못 하다. 당해 내지 못하다. 버틸 수 없다.
〔抵偿〕 **dǐcháng** 동 배상하다. 상환하다. ¶～损失; 손실을 배상하다.
〔抵偿摆〕 **dǐchángbǎi** 명 온도 변화의 영향을 받지 않고, 항상 일정한 길이를 유지하는 진자(振子).
〔抵偿器〕 **dǐchángqì** 명 《機》 각종 제어기 · 보정기(補正器).
〔抵触〕 **dǐchù** 명동 저촉(하다). 충돌(하다). 모순(되다). ¶～思想; 반대의 생각 / 相互～; 상호 모순. =〔牴触〕 동 위화감(違和感)을 느끼다. ¶～精绪; 위화감.
〔抵达〕 **dǐdá** 명동 〈文〉 도착(하다). ¶～南京; 난징(南京)에 도착하다.
〔抵挡〕 **dǐdǎng** 동 방지하여 막다. 저항하다. 버티어 내다. ¶～洪水; 홍수를 방지하여 막다 / ～不住; 방지하여 막을 수 없다.
〔抵当〕 **dǐdàng** 동 저당잡히다. 저당하다.
〔抵得上〕 **dǐdeshàng** …까지도 필적하다. …에 상당하다. ¶～医学院毕业的学生; 의과대를 졸업한 학생에 필적하다.
〔抵敌〕 **dǐdí** 동 적대하다. 대항하다. ¶～不住; 대항할 수 없다.
〔抵对〕 **dǐduì** 동 덤비다. 반항하다. 맞서다.
〔抵兑〕 **dǐduì** 동 〈文〉 환전(換錢)하다. 돈을 바꾸다.
〔抵法〕 **dǐfǎ** 동 〈文〉 (법에 따라) 형벌을 받다. 복죄(服罪)하다.
〔抵港〕 **dǐgǎng** ① 동 〈文〉 착항(着港)하다. 입항하다. =〔抵埠〕 ② (dǐ Gǎng) 홍콩(香港)에 도착하다.
〔抵过〕 **dǐguò** 동 필적하다. ¶两个人～三个人; 두 사람이 세 사람과 필적하다.
〔抵还〕 **dǐhuán** 명동 〈文〉 변제(하다). 상환(하다). =〔抵付〕
〔抵换〕 **dǐhuàn** 동 ①교환하다. 상환(相換)하다. 바꿔치다. ¶拿不好的东西～好货; 좋지 않은 물건을 좋은 물건으로 교환하다. ②배상〔보상〕하다.
〔抵价〕 **dǐjià** 동 값으로 계산하여 상쇄하다.
〔抵交〕 **dǐjiāo** 동 저당물로 넘겨 주다.
〔抵借〕 **dǐjiè** 동 저당잡히고 돈을 빌리다.
〔抵抗〕 **dǐkàng** 명동 저항(하다). 거부(하다). ¶～运动; 저항 운동.
〔抵抗器〕 **dǐkàngqì** 명 (전기) 저항기. =〔电diàn阻器〕
〔抵赖〕 **dǐlài** 동 (자기의 과실이나 범죄를) 부인하다. 변명하여 발뺌하다. ¶明明是你干gàn出来的坏事, 你还敢～吗; 분명히 네가 잘못한 일인데, 아직도 시치미를 떼느냐.
〔抵拢〕 **dǐlǒng** 동 접근하여 닿다. 접촉하다. ¶汽车～他的身子了; 자동차가 그의 몸을 스쳤다.
〔抵冒〕 dǐmào 동 대들다. 반항하다.
〔抵命〕 **dǐ,mìng** 동 (자기의) 목숨으로 보상하다. ¶杀人～; 사람을 죽인 죄를 자기 목숨으로 보상하다. =〔偿cháng命〕
〔抵事〕 **dǐ,shì** 동 〈方〉 소용되다. 쓸모가 있다(주로 부정문에 씀). ¶那抵什么事? 그게 무슨 소용이 되는가? / 究竟抵不～, 试一试看! 도대체 소용이 되는지 안 되는지 시험해 봅시다! =〔顶事〕
〔抵饰〕 **dǐshì** 동 〈文〉 자기의 잘못을 교묘한 말로 덮어서 숨기다.
〔抵受〕 **dǐshòu** 동 저항하여 견디다. 지탱하다. ¶旧的木板～不了liǎo; 낡은 널빤지로는 견디지 못한다.
〔抵死〕 **dǐsǐ** 부 끝까지. 죽어도. 한사코. ¶～反抗; 끝까지 반항하다. 동 죽음에 이르다.
〔抵头〕 **dǐtou** 명 대상(代償)이 되는 물건.
〔抵牾〕 **dǐwǔ** 동 〈文〉 상충하다. 어긋나다. 충돌하다.
〔抵瑕蹈隙〕 **dǐ xiá dǎo xì** 〈成〉 남의 단점〔결점〕을 캐다.
〔抵项〕 **dǐxiàng** 명 〈文〉 ①담보 물품. ②유용(流用)하는 돈. ¶我把这一项人家的存款暂且挪用吧, 人家来取的时候儿我还有～可以补的; 잠시 다른 사람의 예금을 빌려쓰자, 인출하러 왔을 때는 내게 보충할 만한 돈이 있으니까.
〔抵销〕 **dǐxiāo** 동 상쇄(相殺)하다. ¶这两种药可别同时吃, 否则药力就～了; 이 두 종류의 약을 동시에 먹어서는 안 된다, 그렇지 않으면 약의 효과가 상쇄된다. =〔抵消〕
〔抵押〕 **dǐyā** 명동 저당(잡히다). ¶～放款; 담보부 대출 / ～品; 담보 물품. 저당품 / ～权; 저당권 / ～透支; 저당 대월(貸越).
〔抵御〕 **dǐyù** 동 〈文〉 막다. 방어하다. ¶～风寒; 추위를 막다.
〔抵债〕 **dǐ,zhài** 동 채무를 갚다. 빌린 돈의 변제에 충당하다.
〔抵掌而谈〕 **dǐ zhǎng ér tán** 〈成〉 허물없이 이야기하다. 담소하다.
〔抵账〕 **dǐ,zhàng** 동 (채무를 다른 물품 · 노력(勞力)으로) 변제(辨濟)에 충당하다.
〔抵针〕 **dǐzhēn** 명 골무.
〔抵制〕 **dǐzhì** 동 보이콧하다. 배척하다. ¶提倡国货, ～外货; 국산품을 장려하고 외국 상품은 배척하자.
〔抵桩〕 **dǐzhuāng** 동 〈南方〉 마음을 정하다. 작정하다.
〔抵罪〕 **dǐ,zuì** 동 〈文〉 ① (그에 상응한) 벌을 받다. ②속죄하다.

弤 **dǐ** (저)
명 〈文〉 장식 조각이 되어 있는 활.

柢 **dǐ** (저)
명 〈文〉 나무의 뿌리. 〈轉〉 기초. 근본. ¶根深～固; 〈成〉 뿌리가 깊고 단단하게 뻗어 있다.

砥 **dǐ〔zhǐ〕** (지)
〈文〉 ① 명 (끝마무리용의 고운) 숫돌. =〔砥石〕 ② 동 숫돌에 갈다. 〈轉〉 연마하다.
〔砥砺〕 **dǐlì** 명 숫돌. 동 ①연마하다. ②격려하다. ¶互相～; 서로 격려하다.
〔砥平〕 **dǐpíng** 형 〈文〉 숫돌처럼 판판하다.
〔砥柱中流〕 **dǐ zhù zhōng liú** 〈成〉 ⇨〔中流砥柱〕

骶 **dǐ** (저)
명 《生》 엉덩이. 볼기.
〔骶骨〕 **dǐgǔ** 명 《生》 미저골(尾骶骨). 꽁무니뼈. =〔骶椎〕〔荐骨〕〔荐椎〕

地 **dì** (지)
명 ①지구(地球). 대지(大地). ¶天～; 천지 / ～层; ⇩ / ～质; ⇩ ②육지. ¶～面; 지

면. 지상 / 高～; 고지 / 山～; 산지 / ～下水; 지하수 / 低～; 저지. ③토지. 밭. 논. ¶荒～; 황무지 / 下～干活儿; 밭에 나가 일하다 / ～很肥; 토지가 매우 비옥하다. ④바닥. ¶水泥～; 시멘트 바닥. ⑤마루. ¶屋～; 집의 봉당. ⑥지구(地區). 지방. 지역. ¶本～; 당지(當地) / 内～; 오지(奧地) / 外～; 외지 / 殖zhí民～; 식민지. ⑦곳. 장소. 지점. ¶产～; 산지 / 目的～; 목적지 / 所在～; 소재지. ⑧지위. 입장. ¶易～则皆然; 〈文〉 입장을 바꾸어 보면 모두 같다 / 不败之～; 불패(不敗)의 지위. ⑨지경. 단계. ¶见～; 견지 / 境～; 경지. ⑩(직물·도안 따위의) 바탕. ¶白～墨字; 흰 바탕에 검은 글자. ⑪도정(道程). ¶里把～; 1리 정도의 거리. ⇒de

〔地岸〕 dì'àn 명 밭의 가장자리. ¶用大块石头砌～; 큰 돌로 밭의 가장자리를 쌓아올리다.

〔地霸〕 dìbà 명 지방의 악덕 보스.

〔地柏枝〕 dìbǎizhī 명 《植》 꼬리고사리.

〔地板〕 dìbǎn 명 ①마루청. ¶铺～; 마루청을 깔다 / ～擦子; 몹(mop). ②널마루. ③〈方〉 지면. 토지. 논밭.

〔地薄人穷〕 dì báo rén qióng 〈成〉 땅이 메마르고 사람들이 가난한 모양.

〔地保〕 dìbǎo 명 ⇨〔保长〕

〔地堡〕 dìbǎo 명 《軍》 지하 진지. 토치카(러 totschka).

〔地蹦子〕 dìbèngzi 명 《蟲》 알톡토기.

〔地表〕 dìbiǎo 명 《地質》 지표. →〔表土①〕

〔地鳖〕 dìbiē 명 《蟲》 ①물바퀴. ②《動》 쥐며느리. ‖ =〔土鳖〕〔䗪zhè虫〕

〔地波〕 dìbō 명 《電》 지상파(地上波). 표면파(表面波).

〔地薄〕 dìbó 형 땅이 메마르다. ¶～人穷; 땅이 메말라 사람들이 가난한 모양. =〔地瘦〕

〔地鵏〕 dìbǔ 명 ⇨〔大dà鸨〕

〔地步〕 dìbù 명 ①사정. 처지. 지경. 상태. 형편 《주로 나쁜 상태》. ¶事情已经到这个～; 일이 (악화되어) 이미 이 지경에 이르다. ②〈文〉 발판. 지위. ③…만큼. …정도. …로까지. ¶他兴奋得到了不能入睡的～; 그는 흥분해서 잠을 이루지 못할 정도에 이르렀다. ④여지. ¶留～; 여지를 남기다.

〔地财〕 dìcái 명 〈方〉 개인이 땅 속에 묻은 재물.

〔地蚕〕 dìcán 명 ①《植》 감로. =〔草cǎo石蚕〕 ② ⇨〔蛴qí螬〕 ③ ⇨〔地老虎〕

〔地槽〕 dìcáo 명 《建》 건축의 기초 공사를 위해 땅에 파는 도랑.

〔地层〕 dìcéng 명 《地質》 지층. ¶～学; 지층학 / ～图; 지층도.

〔地产〕 dìchǎn 명 부동산. 토지 소유권. ¶～价格; 토지 가격 / ～公gōng司; 토지 회사.

〔地产品〕 dìchǎnpǐn 명 토산품.

〔地铲〕 dìchǎn 명 스콥(네 schop). 삽.

〔地场儿〕 dìchǎngr 명 장소. 곳. ¶他很想找个发作的～; 그는 화풀이할 곳을 찾고 싶었다.

〔地秤〕 dìchèng 명 계량대《지면과 동일 평면에 설치되어 차와 함께 계량할 수 있는 것》.

〔地磁〕 dìcí 명 《物》 지자기(地磁氣).

〔地磁变〕 dìcíbiàn 명 《物》 자기(磁氣) 폭풍.

〔地磁赤道〕 dìcí chìdào 명 ⇨〔磁赤道〕

〔地磁子午线〕 dìcí zǐwǔxiàn 명 ⇨〔磁子午线〕

〔地达风〕 dìdáfēng 명 〈音〉 딕터폰(dictaphone).

〔地大物博〕 dì dà wù bó 〈成〉 토지가 넓고 산물·자원이 풍부하다.

〔地带〕 dìdài 명 지대. 지역. 지구(地區).

〔地胆〕 dìdǎn 명 《蟲》 가뢰.

〔地蛋〕 dìdàn 명 《植》 감자. =〔山药蛋〕

〔地道〕 dìdào 명 지하도. 지하 터널. ¶挖掘～; 지하도를 파다.

〔地道〕 dìdao 형 ①진짜의. 본고장의. 명산지의. ¶～货; 진짜 / ～药材; 본고장의 약재. ②질이 좋다. 단단〔튼튼〕하다. ¶这个东西真～; 이 물건은 아주 질이 좋다 / 他干的活儿真～; 그가 한 일은 매우 튼튼하다. =〔道地①〕 ③순수한. 진정한. 정말로. ¶她的北京话说得真～; 그녀는 진짜 북경어(北京語)를 한다.

〔地底电车〕 dìdǐ diànchē 명 지하철. =〔地铁〕

〔地点〕 dìdiǎn 명 지점. 장소. 위치. ¶开会～; 회장 / 工作～; 직장의 소재지.

〔地垫〕 dìdiàn 명 돗자리. 골풀 따위로 만든 깔개.

〔地丁〕 dìdīng 명 ①《植》 호제비꽃《화농증 치료에 쓰임》. ②〈文〉 옛날, 지조(地租)와 인두세(人頭稅).

〔地东〕 dìdōng 명 〈方〉 지주(地主).

〔地动〕 dìdòng 명 〈口〉 지진. =〔地震〕

〔地洞〕 dìdòng 명 굴《방공호 따위》.

〔地豆〕 dìdòu 명 《植》 〈方〉 감자. =〔马铃薯〕

〔地段(儿)〕 dìduàn(r) 명 지역. 구역.

〔地段门诊部〕 dìduàn ménzhěnbù 도시의 한 구(區)·동(洞)의 주민을 위한 진료소.

〔地对地导弹〕 dìduìdì dǎodàn 명 《軍》 지대지(地對地) 미사일.

〔地对空导弹〕 dìduìkōng dǎodàn 명 《軍》 지대공(地對空) 미사일.

〔地遁〕 dìdùn 명 땅 속으로 숨어 들어가 도망치는 술법.

〔地耳草〕 dì'ěrcǎo 명 《植》 애기고추나물.

〔地方〕 dìfāng 명 ①지방《중앙에 대하여 각급 지방 행정 구획을 이름》. ¶～城市; 지방 도시 / ～工业; 지방 공업 / ～话; 사투리 / ～色彩; 지방색. 향토색. ↔〔中央〕 ②당지(當地). 그 지방. ¶他常给～上的人做好事; 그는 언제나 그 고장 사람을 위해 좋은 일을 한다.

〔地方〕 dìfang 명 ①(～儿) 장소. 곳. ¶中国百货公司在什么～? 중국 백화점은 어디에 있습니까? / 有～没有? (탈것의) 자리가 비어 있느냐? ②부분. 곳. 점(點). ¶这话有对的～, 也有不对的～; 이 말은 옳은 점도 있고, 틀린 점도 있다. ③청조(淸朝)와 민국(民國) 초년의 향촌에서의 치안(治安) 담당자.

〔地方病〕 dìfāngbìng 명 《醫》 풍토병.

〔地方干部〕 dìfāng gànbu 명 지방 간부. 지방의 공직(公職) 인원.

〔地方国营企业〕 dìfāng guóyíng qǐyè 명 지방 국영 기업.

〔地方料票〕 dìfāng liàopiào 명 (중화 인민 공화국의) 지방 사료 배급표.

〔地方民族主义〕 dìfāng mínzú zhǔyì 명 소수 민족주의《일찍이 소수 민족 안에 존재하고 있던 고립적·보수적·배타적인 민족주의》.

〔地方时〕 dìfāngshí 명 지방시(地方時). →〔北běi京时间〕

〔地方税〕 dìfāngshuì 명 지방세.

〔地方武装〕 dìfāng wǔzhuāng 명 지방의 무장 세력.

〔地方戏〕 dìfāngxì 명 《劇》 지방극《어떤 지방에서 생겨나, 그 지방의 사투리로 공연되는 연극 '川chuān剧' '越yuè剧' 등》.

〔地方性植物〕 dìfāngxìng zhíwù 명 지역성 식물. 풍토성 식물. =〔风土性植物〕

〔地方志〕 dìfāngzhì 명 지방지(地方誌).

〔地方主义〕 dìfāng zhǔyì 명 지방주의. ¶～是宗派主义的一种表现; 지방주의란 종파주의의 일종의 표현이다.

〔地缝儿〕 dìfèngr 명 땅의 갈라진 틈.

〔地肤〕 dìfū 명 《植》 대싸리(‘～子’(열매)는 약용). =〔落luò帚〕〔扫sào帚〕〔扫帚菜〕〔扫帚草〕〔王wáng彗〕〔帚zhǒu草〕

〔地府〕 dìfǔ 명 저승. 저 세상. ¶他早入了～了吧! 그는 벌써 저승에 들어가 있겠지!

〔地赋〕 dìfù 명 〈文〉 지조(地租). 지세.

〔地格〕 dìgé 명 ①(관상학에서의) 턱. ¶天庭饱满, ～方圆; 이마는 넓고, 턱은 둥그렇다(좋은 관상). =〔地阁〕 ②원고 용지의 하란(下欄).

〔地根儿〕 dìgēnr 명 처음. 근본. =〔地起〕

〔地埂〕 dìgěng 명 (논·밭의) 두둑.

〔地沟〕 dìgōu 명 지하 수로(水路). 암거(暗渠).

〔地股〕 dìgǔ 명 ①반도(半島). =〔半岛〕 ②《經》 현물 출자주(現物出資株).

〔地骨〕 dìgǔ 명 《植》 ①고삼. =〔苦参〕 ②구기자나무.

〔地骨皮〕 dìgǔpí 명 《藥》 구기자 뿌리의 껍질.

〔地瓜〕 dìguā 명 《植》〈方〉 ①고구마. ¶～干=〔～干子〕; 썰어 말린 고구마. =〔番薯〕〔甘薯〕 ②⇨〔豆dòu薯〕

〔地瓜儿苗〕 dìguārmiáo 명 《植》 쉽싸리.

〔地光〕 dìguāng 명 《地質》 지진 전에 볼 수 있는 발광(發光) 현상.

〔地广人稀〕 dì guǎng rén xī 〈成〉 땅은 넓은데 인구는 적다.

〔地广人众〕 dì guǎng rén zhòng 〈成〉 땅이 넓고 인구가 많다.

〔地滚球〕 dìgǔnqiú 명 《體》 (야구 따위에서) 땅볼. ¶地滚传chuán球; (축구에서) 땅볼 패스.

〔地果〕 dìguǒ 명 《植》 낙화생. 땅콩.

〔地壕〕 dìháo 명 《地質》 지구(地溝). 지층이 내려앉아 생긴 계곡.

〔地核〕 dìhé 명 《地質》 지핵. (지구의) 중심핵(中心核). 코어(core).

〔地胡椒〕 dìhújiāo 명 《植》 중대가리풀.

〔地户〕 dìhù 명 〈文〉 차지인(借地人).

〔地花菜〕 dìhuācài 명 《植》 마타리. 패장.

〔地黄〕 dìhuáng 명 《植》 지황(현삼과(玄蔘科)에 속하는 다년생 초본으로, 뿌리와 줄기는 약용으로 쓰이며, 보혈·강심(強心)의 작용이 있음). =〔地髓〕〔芐hù〕〔牛niú奶子〕〔芑qǐ①〕

〔地黄牛〕 dìhuángniú 명 참대로 만든 팽이. →〔陀tuó螺〕

〔地毁房塌〕 dì huǐ fáng tā 〈成〉 땅〔밭〕은 무너지고 집은 넘어지다. ¶洪水把锦江地域冲了个～; 홍수가 금강 지역을 덮쳐 토지와 가옥을 엉망으로 만들었다.

〔地货〕 dìhuò 명 ①그 고장의 산물. ②본바닥의 것.

〔地积〕 dìjī 명 지적(地積). 토지의 면적.

〔地基〕 dìjī 명 ①주택지. 택지. 가옥의 부지(敷地). ¶买～; 토지를 구입하다. ②(건축물을 세우는) 기초. 토대. 지반. ¶～起码要打一米深; 토대가 되는 곳은 적어도 1m 깊이로 달구질을 해야 한다.

〔地极〕 dìjí 명 《地質》 지구의 남극과 북극.

〔地籍簿〕 dìjíbù 명 토지 대장.

〔地脊〕 dìjǐ 명 산맥.

〔地价〕 dìjià 명 지가(地價). 토지의 가격.

〔地价税〕 dìjiàshuì 명 지세(地稅).

〔地角〕 dìjiǎo 명 〈文〉 땅 끝. ¶天tiān涯～ =〔～天涯〕〔天涯海角〕; 하늘 끝과 땅 끝/田～; 밭 가장자리나 공터의 귀퉁이/纳沙布～; 노삿푸(納沙布) 곶(岬)(일본 홋카이도(北海道) 네무로(根室) 반도 끝에 있는 곶).

〔地脚〕 dìjiǎo 명 (서적에서 지면(紙面) 아래의) 여백.

〔地脚〕 dìjiao 명 〈方〉 토대. ¶打～; 토대를 만들다.

〔地脚螺钉〕 dìjiǎo luódīng 명 《機》 기초 볼트(bolt). =〔地脚螺栓〕〔底dǐ脚螺钉〕

〔地窖〕 dìjiào 명 (저장용의) 구덩이. 지하실.

〔地界(子)〕 dìjiè(zi) 명 토지·전답의 경계.

〔地锦〕 dìjǐn 명 《植》 ①담쟁이덩굴. =〔爬山虎〕 ②땅빈대. =〔地锦草〕

〔地锦槭〕 dìjǐnqī 명 《植》 고로쇠나무.

〔地尽其力〕 dì jìn qí lì 〈成〉 토지가 그 지니고 있는 힘을 다하다.

〔地久天长〕 dì jiǔ tiān cháng 〈成〉 ⇨〔天长地久〕

〔地坑〕 dìkēng 명 땅의 팬 곳. 구덩이.

〔地块〕 dìkuài 명 ①《地質》 지괴(지각(地殼)의 융기(隆起) 또는 함몰에 의해 생긴 단층). ②《農》 (경작지(耕作地)의) 구(區). 구획지.

〔地拉那〕 Dìlānà 명 《地》〈音〉 티라나(Tirana)(‘阿Ā尔巴尼亚’(알바니아: Albania)의 수도). =〔底Dǐ拉那〕

〔地籁〕 dìlài 명 〈文〉 땅울림.

〔地牢〕 dìláo 명 지하 감옥.

〔地老虎〕 dìlǎohǔ 명 《蟲》 굼벵이. =〔〈方〉 地蚕③〕〔〈方〉 切qiē根虫②〕〔〈方〉 土tǔ蚕〕

〔地老天荒〕 dì lǎo tiān huāng 〈成〉 길고 긴 세월(을 지나다). ¶山海经, 列子等书里, 告诉了我们许多～时代的有趣的故事; 산해경(山海經)·열자(列子) 등은 오랜 세월의 재미있는 고사(故事)를 이야기하고 있다. =〔天荒地老〕

〔地雷〕 dìléi 명 《軍》 지뢰. ¶埋mái～ =〔布～〕; 지뢰를 매설하다/防坦克～; 탱크 방어의 지뢰/～场; 지뢰원(地雷原)/～战; 지뢰전.

〔地垒〕 dìlěi 명 《地質》 지루(地壘). 홀스트(Holst).

〔地塄〕 dìléng 명 〈方〉 (논·밭의) 두둑. 두렁.

〔地梨〕 dìlí 명 《植》 ①벗풀. ②〈方〉 쇠귀나물. =〔荸bí荠〕

〔地里〕 dìlǐ 명 〈文〉 도정(道程). 길의 거리. ¶～又远; 길도 또한 멀다.

〔地里〕 dìli 명 ①들. ¶～的事情; 들일. ②밭. ¶小xiǎo麦～; 밀밭. ③(햇빛·달빛이) 비치는 곳. ¶月yuè亮～; 달빛이 비치는 곳.

〔地里活〕 dìli huó 들일. ¶还是～实在; 역시 농사일이 확실하다.

〔地理〕 dìlǐ 명 《地》 ①지리(학). ¶熟悉～民情; 지리와 민정을 자세히 알고 있다/～特点; 지리적 특징/～学; 지리학. ②⇨〔风fēng水〕

〔地理图〕 dìlǐtú 명 〈比〉 그 지방의 사정에 매우 밝은 사람.

〔地力〕 dìlì 명 ①토지의 생산력. ¶用肥料加强～; 비료를 써서 지력을 높이다. ②⇨〔地栗〕

〔地利〕 dìlì 명 ①지리적 우세함. ¶天时～; 천시지리. 하늘이 주신 호기와 토지의 비옥함〔지세의 이점〕. ②농작물을 심기에 유리한 토지 조건.

〔地利舌〕 dìlìshé 명 〈音〉 (사과의) 딜리셔스

(Delicious).
〔地沥青〕 dìlìqīng 명 지역청. 천연산의 아스팔트. =〔土沥青〕
〔地栗〕 dìlì 명 《植》〈方〉 쇠귀나물. =〔荸bí荠〕〔地力②〕
〔地邻〕 dìlín 동 두 집의 경지가 서로 인접하다.
〔地灵〕 dìlíng 형 토지가 영수(靈秀)하다. ¶～人杰; 〈成〉 영기 있는 토지에는 걸출한 선비가 난다.
〔地流平〕 dìliúpíng 명 〈比〉 지면(地面). ¶摔倒shuāidǎo～; 땅바닥에 나뒹굴다.
〔地龙〕 dìlóng 명 《動》 지렁이. =〔蚯qiū蚓〕
〔地楼〕 dìlóu 명 지층. ¶地下二楼; 지하 2층.
〔地漏〕 dìlòu 명 《建》 배수구(排水溝).
〔地脉〕 dìmài 명 (미신에서 말하는) 지형(地形)의 상(相). 지맥. 토맥.
〔地幔〕 dìmàn 명 《地質》 맨틀(mantle)《지각과 지핵 사이의 부분》.
〔地貌〕 dìmào 명 《地質》 지모. 땅 거죽의 생김새.
〔地霉素〕 dìméisù 명 《藥》 테라마이신(Terramycin). =〔土霉素〕
〔地面〕 dìmiàn 명 ①지면. 지상. ¶～控制; 지상 제어. ②(가옥 내부 및 그 주위의) 포장된 바닥. ¶瓷砖～; 타일을 깐 마루/混凝土～; 콘크리트 바닥. ③(～儿) 〈口〉 (행정 관할의) 구역. ¶这里是山东～; 이 곳은 산둥(山東) 지역이다. ④⇨〔地盘(儿)②〕
〔地面儿〕 dìmiànr 명 〈口〉 당지(當地). ¶他在～上很有威信; 그는 그 고장에서 매우 위신이 있다.
〔地名〕 dìmíng 명 지명.
〔地母〕 dìmǔ 명 지신(地神)《험지(險地)·고개 등에 모심》.
〔地亩〕 dìmǔ 명 토지. 논밭. ¶丈量～; 논밭을 측량하다. =〔田地〕
〔地排灯〕 dìpáidēng 명 로어호리즌틀 라이트(lower horizontal light)《수평선 이하를 비추는 등》.
〔地盘(儿)〕 dìpán(r) 명 ①《地質》 지반. ②세력 범위. 세력권. 지반. ¶稳定和扩大自己的～; 자신의 지반을 안정시키고 확대하다. =〔地面④〕
〔地皮〕 dìpí 명 ①(가옥 건축용의) 토지. 부지. ②⇨〔地皮儿①〕 ③〈比〉 토지의 주민. ¶刮～; 가렴주구(苛斂誅求).
〔地皮儿〕 dìpír 명 ①지표(地表). 지면. ¶下雨以后, ～还没有干; 비가 온 후에 지면이 아직 마르지 않았다/～雨; 땅을 촉촉하게 적실 정도의 비. 조금 오는 비. =〔地皮②〕 ②《經》 경제 상황. ¶～很紧; 경제 상태가 매우 나쁘다.
〔地痞〕 dìpǐ 명 본토박이의 불량배〔건달〕. =〔地棍〕〔土棍〕〔把棍〕
〔地平面〕 dìpíngmiàn 명 ⇨〔水shuǐ平面〕
〔地平线〕 dìpíngxiàn 명 《地》 지평선.
〔地铺〕 dìpù 명 마루에 설비한 침상(寢牀)《대(臺)를 놓고 널판지를 걸침》. ¶搭～ =〔打～〕; 마루에 침상을 만들다.
〔地祇〕 dìqí 명 〈文〉 지신. 땅의 신(神). ¶天神～; 천지의 신. 여러 신들.
〔地气〕 dìqì 명 ①음기(陰氣). ②⇨〔土气tǔqì〕 ③⇨〔土气儿〕
〔地契〕 dìqì 명 땅 문서. 토지 매매의 계약서.
〔地钱〕 dìqián 명 《植》 우산이끼.
〔地壳〕 dìqiào 명 《地質》 지각.
〔地勤〕 dìqín 명 (항공 관계에서의) 지상 근무. ¶～人员; 지상 근무원. ↔〔空勤〕
〔地秋把儿〕 dìqiūbǎr 명 〈方〉 건초(乾草).
〔地球〕 dìqiú 명 지구. ¶～物理年; 국제 지구 관측년/～化学; 지구 화학/～物理学; 지구 물리학.
〔地球村〕 dìqiúcūn 명 지구촌. =〔世界村〕
〔地球仪〕 dìqiúyí 명 지구의. 지구의 모형.
〔地区〕 dìqū 명 ①지구. 지역. ¶华北～; 화베이(華北) 지구/多山～; 산이 많은 지구/这个～最适宜种小麦; 이 지구는 밀을 재배하기에 가장 적합하다. ②그 토지. 지방. ¶～干部; 그 지방의 간부/～工业; 그 지방의 공업. ③독립하지 못한 지역《식민지 등》.
〔地蛆〕 dìqū 명 《蟲》 구더기《파리의 유충》.
〔地权〕 dìquán 명 토지 소유권.
〔地儿〕 dìr 명 〈方〉 ①토지. 전지(田地). 밭. ②(천·종이 따위의) 바탕. ③좌석. 장소. ¶我来迟了, 已经没～了; 늦게 왔더니 이미 자리가 없다.
〔地热〕 dìrè 명 《地質》 지열 에너지. ¶～能源; 지열 에너지/～发电; 지열 발전/～学; 지열학.
〔地上〕 dìshàng 명 지상.
〔地上〕 dìshang 명 지면(地面). 땅바닥.
〔地上茎〕 dìshàngjīng 명 《植》 땅위줄기. 지상경. ↔〔地下茎〕
〔地上权〕 dìshàngquán 명 《法》 지상권.
〔地少人多〕 dìshǎo rénduō 땅은 좁고 인구(人口)는 많다. ↔〔地广人稀〕
〔地声〕 dìshēng 명 《地質》 땅울림. 지명(地鳴)《지진 때, 대지가 흔들려 울리는 소리》.
〔地史学〕 dìshǐxué 명 《地》 지사학.
〔地势〕 dìshì 명 ①《地》 지세. ②지위.
〔地瘦〕 dìshòu 형 ①땅이 척박하다. 명 척지(瘠地). 척박한 땅. ‖ =〔地薄〕
〔地台〕 dìtái 명 《地》 고원(高原). 대지(臺地).
〔地摊(儿)〕 dìtān(r) 명 ①길 위에 널빤지·천·종이를 펴 놓고 물건을 늘어놓는 노점. ②땅바닥이나 마룻바닥에 그대로 앉는 것. =〔地座儿〕
〔地摊文学〕 dìtān wénxué 명 저질 문학.
〔地坛〕 dìtán 명 〈文〉 지단(地壇)《옛날에, 제왕이 지신(地神)을 제사 지내던 자리, 또 그 제단(祭壇)》. =〔〈文〉方fāng丘(坛)〕〔〈文〉方泽〕
〔地毯〕 dìtǎn 명 양탄자.
〔地铁〕 dìtiě 명 〈簡〉 지하철《'地下铁道'의 약칭》. =〔地下铁(路)〕
〔地头〕 dìtóu 명 ①논·밭의 가장자리〔두렁〕. ¶～休息; 논밭에서의 휴식. ②〈方〉 목적지. ¶快到～了, 你准备下车吧; 이제 곧 목적지에 도착할 테니까, 차에서 내릴 준비를 하십시오. ③본고장. 그 지방. ¶～鬼; 본토박이의 불량배. =〔地头儿〕
〔地头儿〕 dìtóur 명 ①〈方〉 당지(當地). 본지(本地). 그 고장. ¶你～熟, 联系起来方便; 자네는 이 고장에 익숙하니까 (여러 사람과) 연락하기에 편리하다. ②책장의 아래쪽 여백. →〔天地头〕 ③지방의 보스(boss).
〔地头蛇〕 dìtóushé 명 본바닥의 건달〔불량배〕. ¶好人不惹～; 〈諺〉 착한 사람은 그 고장의 불량배를 상대하지 않는다. 군자는 화(禍)가 되는 것을 멀리한다
〔地图〕 dìtú 명 지도. ¶墙上挂着一张世界～; 벽에 세계 지도가 걸려 있다.
〔地土〕 dìtǔ 명 ①토지. ②묘지. ③지방. 장소. ④목적(지).
〔地望〕 dìwàng 명 〈文〉 지위와 명망.
〔地委〕 dìwěi 명 《政》〈簡〉 중국 공산당의 지방 조직《'地区委员会'의 약칭. 현(縣) 이상 성(省) 이

하의 조직》.
〔地位〕 dìwèi 명 ①위치. 지위. ¶国际～; 국제적 지위 / 占重要～; 중요한 위치를 차지하다. ②(인간 또는 물품이 점용하고 있는) 장소.
〔地温〕 dìwēn 명 《氣》 지온.
〔地文〕 dìwén 명 ①⇨〔半bàn夏〕 ②《地質》 지문. ¶～学; 자연 지리학. 지문학.
〔地屋子〕 dìwūzi 명 주거용의 동굴.
〔地五加〕 dìwǔjiā 명 《植》 거지덩굴.
〔地物〕 dìwù 명 (지물. 건축물·도로 등) 인간이 만들어 놓은 것.
〔地席〕 dìxí 명 골풀로 친〔엮은〕 돗자리.
〔地峡〕 dìxiá 명 《地質》 지협. =〔地颈〕〔地腰〕
〔地下〕 dìxià 명 ①지하. 땅 속. ¶～铁道 =〔地铁〕; 지하철 / ～天线; 매설(埋設) 안테나 / ～火; 〈比〉 오랫동안 쌓이고 쌓인 불만. ②지상. ¶落在～; 지상에 떨어지다. ③저승. 황천. ④지하 활동. 비합법 활동. ¶～党; 비합법 정당 / ～工作; 지하 활동.
〔地下〕 dìxia 명 ①지면. 땅바닥. ¶～一点儿灰尘都没有; 바닥에는 먼지가 조금도 없다. ②마루 위. ¶掉在～; 마루 위에 떨어지다.
〔地下茎〕 dìxiàjīng 명 《植》 땅속 줄기. 지하경. ↔〔地上茎〕
〔地下室〕 dìxiàshì 명 지하실.
〔地下水〕 dìxiàshuǐ 명 지하수. ¶～资源; 지하수 자원.
〔地下铁道〕 dìxià tiědào 명 지하철. ¶～已经通车了; 지하철은 이미 개통했다. =〔地铁〕
〔地下修文〕 dìxià xiūwén 〈比〉 문인이 요절(夭折)하다.
〔地仙〕 dìxiān 명 《植》 구기자나무.
〔地线〕 dìxiàn 명 《電》 접지선(接地線). 어스선(earth線).
〔地心〕 dìxīn 명 《地質》 지심《지구의 중심》.
〔地心引力〕 dìxīn yǐnlì 명 지구 인력. =〔地心吸xī力〕〔重力〕
〔地形〕 dìxíng 명 지형. ¶中国～复杂; 중국은 지형이 복잡하다.
〔地羊〕 dìyáng 명 ⇨〔鼢fén鼠〕
〔地杨莓〕 dìyángméi 명 《植》 딸기의 별칭.
〔地衣〕 dìyī 명 《植》 ①이끼류. ②지의류(地衣類) 《균류(菌類)와 조류(藻類)와의 공동체를 이루는 식물의 한 무리》.
〔地役权〕 dìyìquán 명 《法》 지역권.
〔地窨子〕 dìyìnzi 명 〈口〉 지하실. 구덩이.
〔地釉〕 dìyòu 명 (도자기의) 밑바탕에 칠하는 유약.
〔地鱼〕 dìyú 명 《魚》 넙치.
〔地榆〕 dìyú 명 《植》 오이풀.
〔地舆〕 dìyú 명 〈文〉 대지. ¶～图tú; 지도의 구칭(舊稱).
〔地狱〕 dìyù 명 《宗》 지옥. ¶～无门自己寻; 〈諺〉 지옥에는 문 같은 것이 없는데도, 스스로 나쁜 짓을 해서 빠져 들어가는 것이다. ↔〔天tiān堂①〕
〔地域〕 dìyù 명 ①지역. ②향토. 지방. ③《體》 (농구 따위의) 지역.
〔地缘政治学〕 dìyuán zhèngzhìxué 명 지정학(地政學).
〔地藏〕 dìzàng 명 《佛》 지장보살(地藏菩薩).
〔地窄搜邻〕 dì zhǎi sōu lín 〈成〉 자기 땅이 좁아 이웃집 땅을 침범하다.
〔地照〕 dìzhào 명 《法》 토지 소유권 등기필의 증서. =〔地券〕
〔地震〕 dìzhèn 명 《地質》 지진. ¶～海啸; 지진에 의한 해일. =〔〈俗〉 地动〕
〔地震波〕 dìzhènbō 명 《地質》 지진파.
〔地震烈度〕 dìzhèn lièdù 명 《地質》 진도.
〔地震区〕 dìzhènqū 명 《地質》 지진대(地震帶).
〔地震仪〕 dìzhènyí 명 지진계.
〔地震震级〕 dìzhèn zhènjí 명 《地質》 매그니튜드(magnitude). 단지.
〔地政〕 dìzhèng 명 《政》 토지 행정.
〔地支〕 dìzhī 명 지지. 12지(支)《즉, 자(子)·축(丑)·인(寅)·묘(卯)·진(辰)·사(巳)·오(午)·미(未)·신(申)·유(酉)·술(戌)·해(亥)》. =〔十shí二辰〕〔十二支〕〔十二子〕 ↔〔天tiān干〕 →〔干gān支〕
〔地址〕 dìzhǐ 명 소재지. 주소. 수신인명(受信人名). ¶写～; 수신인의 이름을 쓰다.
〔地志〕 dìzhì 명 지지(地誌). ¶～学; 《地》 지지학.
〔地质〕 dìzhì 명 《地質》 지질. ¶～学; 지질학 / ～力学; 지질 역학 / ～部; 지질부《중앙 정부의 관청 이름》.
〔地轴〕 dìzhóu 명 ①지축. ②《機》 〈南方〉 기계를 지면 또는 대(臺) 위에 설치할 때의 주축(主軸).
〔地主〕 dìzhǔ 명 ①(다른 지방에서 온 사람에 대한) 본지방 사람. 본토인. ¶略lüè尽～之谊; 그 고장 사람으로서의 친절을 다하다. ②논밭의 소유자. 지주.
〔地主老财〕 dìzhǔ lǎocái 명 ①지주와 부자. ②대지주.
〔地著〕 dìzhù 명동 토착(土着)(하다).
〔地啄木〕 dìzhuómù 명 《鳥》 개미잡이(새)《딱따구리과 개미잡이속의 총칭》.
〔地租〕 dìzū 명 《經》 지조(地租).
〔地嘴〕 dìzuǐ 명 《地》 갑(岬). 곶.
〔地座儿〕 dìzuòr 명 ⇨〔地摊(儿)②〕

弟

dì (제)
① 명 동생. ② 대 〈謙〉 소생(小生). 저. ③ 명 손아래의 친한 사람에 대한 호칭. ¶老～; 자네. 동생. ④ 명 같은 세대(世代)의 친척에서 손아래 남자. ¶表～; 외사촌 동생. ⑤ 명 문인(門人). 문제(門弟). 제자. ¶徒～; 도제. ⑥ 명 성(姓)의 하나. ⇒tì
〔弟弟〕 dìdi 명 아우. 남동생. ¶～俩; 두 형제 / 他没有～, 只有一个姊姊; 그는 남동생은 없고, 단지 누나가 하나 있을 뿐이다. ↔〔哥哥〕
〔弟妇〕 dìfù 명 제수(弟嫂). 아우의 아내.
〔弟妹〕 dìmèi 명 ①남동생과 여동생. ②〈口〉 동생의 아내. 계수(季嫂).
〔弟男子侄〕 dìnán zǐzhí 명 친족 중에서 자기보다 손아래 남자 전부를 이르는 말.
〔弟兄〕 dìxiong 명 ①형제(兄弟). ¶他们是亲～; 그들은 친형제이다. ②동지(同志)《친한 사이끼리의 호칭》.
〔弟子〕 dìzǐ 명 학생. 제자.
〔弟子孩儿〕 dìzǐháir 명 〈古白〉 풋내기. 애송이.

俤

dì (제)
인명용 자(字).

递(遞)

dì (체)
① 부 차례차례로. 순서대로. 점차로. ¶～增; ⇩ / ～减; ⇩ ② 동 차례로 건네〔넘겨〕 주다. ¶一个～一个地传chuán到前边儿去; 차례로 한 사람씩 건네 주어 앞으로 보내다. ③ 동 건네 주다. 내놓다. ¶～名míng片; 명함을 내놓다 / ～国guó书; 신임장을 봉정

(棒呈)하다 / 把墨水(儿)～给我吧; 잉크를 저에게 집어〔건네〕 주십시오 / ～给我耳朵! 잠깐 귀 좀 빌려 주게!
〔递包袱〕 dì bāofu 〈俗〉 뇌물을 보내다.
〔递禀〕 dìbǐng 동 상신(上申)하다. 구신(具申)하다.
〔递补〕 dìbǔ 동 순차(順次)로 보충하다.
〔递层〕 dìcéng 명 《言》 점층법(漸層法).
〔递呈〕 dìchéng 동 제출하다. 내밀다.
〔递次〕 dìcì 차례로. 순서를 따라서. ¶对上述问题, ～予以说明; 위에서 말한 문제에 대하여, 차례로 설명을 하다.
〔递给〕 dìgěi 동 넘겨 주다. 건네다. ¶～我那个铅笔吧; 그 연필 좀 집어서 저에게 주십시오.
〔递过〕 dìguò 동 건네다. 내밀다. ¶～信; 편지를 건네다.
〔递和气(儿)〕 dì héqì(r) 붙임성 있게 남을 대하다.
〔递换〕 dìhuàn 동 차례로 바꾸다〔교체되다〕.
〔递加〕 dìjiā 동 체증(遞增)하다. 차츰 증가하다. 점차 많게 하다.
〔递减〕 dìjiǎn 동 체감하다. 점차 줄이다〔줄다〕. ¶产品的成本随着生产率的提高而～; 생산성의 상승에 따라서 제품의 원가는 체감한다.
〔递件〕 dìjiàn 동 문서를 제출하다.
〔递降〕 dìjiàng 동 순차적으로 내리다. ¶冬天以来气温平均每日～一度; 겨울이 되면서 날마다 기온이 평균 1도씩 내려간다.
〔递交〕 dìjiāo 동 직접 건네 주다. ¶～本人; 본인에게 직접 건네 주다.
〔递解〕 dìjiè 동 옛날, 범인을 차례로 호송하다.
〔递进〕 dìjìn 동 차례로 앞으로 나아가다.
〔递口风〕 dì kǒufēng 넌지시 귀띔을 하다.
〔递升〕 dìshēng 동 차례차례 승진하다. 차차 오르다. ¶气温～; 기온이 차차 오르다.
〔递实价〕 dìshíjià 명 《商》 펌 비드(firm bid) 《(거래소의) 기한부 지정가(指定價) 매입 주문》.
〔递手〕 dìshǒu 동 차례로 건네 주다.
〔递送〕 dìsòng 동 ①보내다. ②공문 · 편지를 보내다. ③우편물을 배달하다. ¶～信件; 편지를 배달하다.
〔递投〕 dìtóu 동 (편지 등을) 건네 주다.
〔递嘻和儿〕 dì·xīher 〈京〉 간살부리는 웃음을 웃다. 아첨하다. ¶看他这～劲儿不定有什事要求你哪! 그가 이처럼 알랑거리는 것을 보니 무엇인지 자네에게 요구할 것이 있는지 모르겠다!
〔递信〕 dì·xìn 동 편지를 보내다. 통신하다.
〔递眼色〕 dì yǎnsè 눈짓을 하다.
〔递增〕 dìzēng 동 체증하다. 점점 늘다〔늘리다〕. ¶每年～百分之十四点儿七; 매년 14.7%씩 증가해 가다.
〔递字儿〕 dìzìr 동 소장(訴狀)을 제출하다. ¶怎么能打赢了官司呢? ～, 催案子, 都得花钱; 어떻게 소송에 이기겠느냐. 소장을 내야지, 또 그 독촉을 해야지, 모두 돈을 쓰지 않으면 안 되는데.

娣 dì (제)
명 〈文〉 ①옛날, 손아랫동서. ②옛날, 언니가 여동생을 이르던 말.

睇 dì (제)
동 ①〈文〉 곁눈으로 보다. ②〈廣〉 보다.

第 dì (제)
① 접두 제《수사(數詞) 앞에 쓰여 순서를 나타냄》. ¶～三课; 제 3 과. ② 명 (봉건 사회 관료의) 저택. ¶府～; 저택 / 门～; 가문. 문벌. ③ 명 〈文〉 과거 급제. 등급. ¶及～; (옛날 과거 시험에) 합격하다 / 落～; 낙제하다. ④ 부 〈文〉 다만. 그런데. 그러나. ¶运动有益于健康, ～不宜过于剧烈; 운동은 건강에 좋지만, 그러나 너무 심하면 좋지 않다 / ～不知需时几日; 다만, 며칠이 걸릴지는 알 수 없다.
〔第八艺术〕 dì bā yìshù 제8예술. 영화.
〔第二〕 dì'èr 수 ①제2. ②다음. ¶～天; 다음 날. 익일(翌日). ③이세(二世). ¶麦克阿瑟～; 맥아더 2세.
〔第二次国内革命战争〕 Dì Èr Cì Guónèi Gémìng Zhànzhēng 명 《史》 제2차 국내 혁명 전쟁《1927년 8월～1937년 7월, 난창(南昌) 봉기부터 장정(長征) · 항일 전쟁 기간에 이르기까지의 국내 혁명 전쟁》.
〔第二代〕 dì'èrdài 명 ⇨〔下xià一(世)代〕
〔第二国际〕 Dì Èr Guójì 명 《史》 제2 인터내셔널. 국제 사회주의 노동자 동맹. =〔国际社会党〕〔黄色国际〕
〔第二轮〕 dì'èrlún 명 (영화의) 재개봉. ¶～电diàn影院; 재개봉 상영관. →〔首shǒu轮〕
〔第二命题〕 dì'èr mìngtí 명 ⇨〔小xiǎo前提〕
〔第二审〕 dì'èrshěn 명 《法》 제2심(審). 상소심(上訴審).
〔第二声〕 dì'èrshēng 명 《言》 제2성. 양평성(陽平聲). →〔四sì声②〕
〔第二世界〕 Dì Èr Shìjiè 명 《政》 제2 세계. 초대국 미 · 러 양국과 발전 도상국과의 사이에 있으며, 경제가 비교적 발전하고 있는 국가. →〔第三世界〕〔第一世界〕
〔第二手〕 dì'èrshǒu 명 ①제2인자. ② ⇨〔二手货〕
〔第二天〕 dì'èrtiān 명 ①이틀째. ②이튿날. 그 다음 날. ¶～早上就可以到北京; 다음 날 아침에는 베이징(北京)에 도착할 수 있습니다.
〔第二信号系统〕 dì'èr xìnhào xìtǒng 명 《生》 제2신호계.
〔第二性〕 dì'èrxìng 명형 2차적(이다). →〔第一性〕
〔第二宇宙速度〕 dì'èr yǔzhòu sùdù 명 《物》 제2 우주 속도《초속 11.2km》.
〔第二职业〕 dì'èr zhíyè 명 부업(副業).
〔第根儿〕 dìgēnr 부 〈方〉 처음부터. ¶这件事我～就不赞成; 이 일은 나는 처음부터 불찬성이다.
〔第老的〕 dìlǎode 명 (형제 또는 자매 중의) 막내.
〔第三〕 dìsān 수 제3.
〔第三产业〕 dìsān chǎnyè 명 제3차 산업. 서비스 산업.
〔第三次国内革命战争〕 Dì Sān Cì Guónèi Gémìng Zhànzhēng 명 《史》 제3차 국내 혁명 전쟁《1945년 9월～ 1949년 10월, 항일 전쟁 종결에서 국민당 패배까지의 국내 혁명 전쟁》. →〔解jiě放战争〕
〔第三次浪潮〕 dìsāncì làngcháo 명 제 3의 물결《정보화 사회와 전자 기술 · 생명 공학 · 우주 항공 · 로봇 등의 최첨단 기술》.
〔第三等级〕 dì sān děngjí 명 《史》 제3 계급《프랑스 혁명 전의 농민 · 상인 · 수공업자 · 자본가 계급》.
〔第三国〕 dìsānguó 명 제3국.
〔第三国际〕 Dì Sān Guójì 명 《史》 제3 인터내셔널. 코민테른(Comintern). =〔赤chì色国际〕〔红hóng色国际〕
〔第三人称〕 dìsānrénchēng 명 《言》 3인칭.
〔第三声〕 dìsānshēng 명 《言》 제3성. 상성(上聲). →〔四sì声②〕

〔第三世界〕 Dì Sān Shìjiè 명 《政》 제3세계《아시아·아프리카·라틴 아메리카 등의 발전 도상국》.
〔第三势力〕 Dìsān shìlì 명 제3세력《1930년～1940년, 국민당과 공산당의 중간에 있었던 여러 단체 및 파(派)》.
〔第三系〕 Dìsānxì 명 《地質》 제3기층(紀層).
〔第三者〕 dìsānzhě 명 ①《法》 제삼자. 당사자 이외의 사람 또는 단체. ¶以～的身份发表意见; 제삼자의 입장에서 의견을 발표하다. ②〈婉〉 (부부 이외의) 제삼자. 애인《남녀의 삼각 관계를 가리킴》.
〔第三种人〕 dìsānzhǒngrén 명 좌익과 우익의 중간에서 정치적인 문학에 반대하는 사람.
〔第四阶级〕 dìsì jiējí 명 《史》 ①제4계급. 노동 계급. ②제4계급. 언론계.
〔第四声〕 dìsìshēng 명 《言》 제4성. →〔四声②〕
〔第四系〕 Dìsìxì 명 《地質》 제4기층(紀層).
〔第佗〕 dìtuó 명 〈音〉 데이터(data). =〔棣达〕〔弟佗〕
〔第五纵队〕 dìwǔ zòngduì 명 《史》 제5열. 스파이〔간첩〕 조직. =〔第五部队〕
〔第一〕 dìyī 수 ①제1. 첫(번)째. ¶～课; 제1과 / 获得～名; 수석을 했다 / 全国～; 전국 제일 / 倒数～; 꼴찌에서 첫째 / 他是报名入社的～个人; 그는 제일 먼저 회사에 입사 지원을 한 사람이다. ②〈轉〉 가장 중요하다. ¶～紧jǐn要的问题; 가장 긴요한 문제.
〔第一把交椅〕 dìyībǎ jiāoyǐ ⇨〔头tóu把交椅〕
〔第一把手〕 dìyī bǎshǒu 직장에서의 최고 책임자.
〔第一版〕 dìyībǎn 명 (서적의) 제1판. =〔初版〕
〔第一次〕 dìyīcì 명 제1차. 제1회. 최초. 처음. ¶～世界大战zhàn; 제1차 세계 대전.
〔第一次国内革命战争〕 Dì Yī Cì Guónèi Gémìng Zhànzhēng 명 《史》 제1차 국내 혁명 전쟁《1924년～1927년, 북벌(北伐)을 거쳐 국공 합작(國共合作)까지의 국내 혁명 전쟁》.
〔第一道防线〕 dìyīdào fángxiàn 명 《軍》 제1 방어선.
〔第一个〕 dìyīge 수 첫 번째의(하나). 제1. 제1차. ¶～五年计划; 제1차 5개년 계획 / 这是你～不对; ⓐ이것은 첫째로 네 잘못이다. ⓑ이것은 너의 첫 번째 틀린 점이다.
〔第一国际〕 Dì Yī Guójì 명 《史》 제1 인터내셔널.
〔第一季度〕 dìyī jìdù 명 제1사분기(第一四分期). ¶今年～产量比去年同期增加了两倍; 금년 제1사분기의 생산량은 작년 같은 시기의 3배가 되었다.
〔第一流〕 dìyīliú 명 일류. 최상급. 최고급. ¶～的学者; 일류 학자 / 中国～的大油田; 중국 톱 클래스의 대유전(大油田).
〔第一名〕 dìyīmíng 명 넘버 원(인 사람). 제1위.
〔第一人称〕 dìyīrénchēng 명 《言》 1인칭.
〔第一任〕 dìyīrèn 명 초대(初代).
〔第一声〕 dìyīshēng 명 ①《言》 제1성. 음평성(陰平聲). →〔四sí声②〕 ②최초의 발언. 제1성. ¶他喊出～; 그가 제1성을 냈다.
〔第一世界〕 Dì Yī Shìjiè 명 《政》 제1세계. 미국·러시아 양 초강대국.
〔第一手〕 dìyīshǒu 명 제1의 영수. 제1인자. 형 ①직접 손에 넣은. 직접의. 원시의. ¶～资料; 기초자료. ②가장 중요한. ¶近来许多人把乾隆年间公布的"禁书"作为研究明清之间的历史的～资料; 근래 많은 사람이 건륭(乾隆) 연간에 공포된 '금서(禁書)'를 명청(明淸)의 역사를 연구하는 가장 중요한 자료로 삼고 있다.
〔第一线〕 dìyīxiàn 명 제1선. 최전선《추상적으로 쓰기도 함》.
〔第一性〕 dìyīxìng 명형 일차적(이다).
〔第一义〕 dìyīyì 명 ①《哲》 제1의(第一義). 가장 중요한 이유〔까닭〕. ②《佛》 제일의(第一義). 제일의제(第一義諦).
〔第一遭〕 dìyīzāo 수 첫 번째. ¶让我在几千人面前讲话, 那是我一生～的; 나에게 수천 명 앞에서 이야기하게 하다니, 내 평생에 처음 있는 일이다.
〔第宅〕 dìzhái 명 〈文〉 저택. 고급 주택. =〔宅第〕〔第舍〕
〔第主〕 dìzhǔ 명 〈文〉 집 주인. 저택의 주인.

玓 dì (적)

→〔玓珠〕

〔玓珠〕 dìlì 명 주옥(珠玉)의 빛. 형 구슬이 빛나다.

杕 dì (체)

① 형 〈文〉 나무 한 그루가 외따로 서 있는 모양. ¶～杜; 형제가 없는 독신 생활. ② 인명용 자(字). ⇒duò

的 dì (적)

① 명 과녁. 〈比〉 목표. 대상. ¶中zhòng～; 과녁에 맞다 / 无wú～放矢; 과녁 없이 활을 쏘다. 목적 없이 일을 하다 / 目～; 목적. ② 형 명백〔분명〕하다. ③ 부 분명히. ⇒de dí

〔的的〕 dìdì 형 밝게 빛나는 모양. ¶明月～; 밝은 달이 교교히 빛나다.
〔的铃铃〕 dìlínglíng 〈擬〉 따르릉 따르릉《전화 따위의 소리》.
〔的苪玛〕 dìruìmǎ 〈音〉 딜레마(dilemma).
〔的士够格〕 dìshìgòugé 명 〈音〉 디스코테크(discothèque). =〔的是够格〕〔迪斯科〕

菂 dì (적)

명 〈文〉 연밥. 연꽃 열매. =〈口〉 莲子〕

髢 dì (적)

→〔髢髻〕

〔髢髻〕 dìjì 명 〈文〉 상투.

帝 dì (제)

명 ①임금. 천자. ¶皇～; 황제 / 称～; 황제로 칭하다. ②우주의 창조자. 주재자(主宰者). ¶上～; 상제. 하느님. ③〈簡〉 제국주의. ¶反fǎn～; 반제국주의.

〔帝俄〕 Dì'é 명 제정 러시아. =〔沙shā俄〕
〔帝国〕 dìguó 명 제국. ¶罗马～; 로마 제국 / 大英～; 대영 제국.
〔帝国主义〕 dìguó zhǔyì 명 《政》 제국주의.
〔帝号〕 dìhào 명 천자(天子)의 칭호.
〔帝虎〕 dìhǔ 명 〈文〉 오자(誤字). ¶书三写鱼成鲁, 帝成虎; 글씨를 세 번 쓰는 가운데 '鱼' 자는 '鲁' 자가 되고, '帝' 자는 '虎' 자가 된다.
〔帝君〕 dìjūn 명 신에 대한 존칭. ¶关Guān圣～; 관우(關羽)를 신으로 받들어 일컫는 존칭.
〔帝阙〕 dìquè 명 〈文〉 궁문(宮門). 궁궐. =〔凤fèng阙〕
〔帝师〕 dìshī 명 〈文〉 황제의 군대. 황군(皇軍).
〔帝王〕 dìwáng 명 제왕. 군주(君主). =〔帝皇〕
〔帝位〕 dìwèi 명 제위. =〔帝祚〕
〔帝业〕 dìyè 명 〈文〉 제업. 제왕의 업적. =〔帝绪〕
〔帝政〕 dìzhèng 명 제정(帝政).
〔帝制〕 dìzhì 명 《政》 군주제(君主制).
〔帝子〕 dìzǐ 명 〈文〉 제왕의 자녀.

谛(諦) dì (체)
① 부 〈文〉 자세히. 상세히. 소상히. ¶～视; ⇩ ② 동 상세히 하다. ③ 명 《佛》 의의. 도리. ¶真～; 진체. 참의 뜻.
〔谛视〕 dìshì 동 〈文〉 자세히 보다. ¶凝神～; 정신을 집중하고 자세히 보다.
〔谛听〕 dìtīng 동 〈文〉 소상히 듣다. ¶屏息～; 숨을 죽이고 소상히 듣다.

蒂〈蔕〉 dì (체)
명 ①(과실의) 꼭지. ②(꽃)꼭지. ③〈文〉 근본. ¶根深～固; 〈成〉 기초가 단단하다.
〔蒂腐病〕 dìfǔbìng 명 감귤의 흑점병(黑點病).
〔蒂芥〕 dìjiè 명 (마음에) 맺힌 감정.
〔蒂托〕 dìtuō 명 (가지·토마토 등의) 꼭지.

缔(締) dì (체)
동 ①맺다. 체결하다. 계약하다. ②제약하다. 제한하다. 단속하다. ¶取～; 제한하다. 취체하다.
〔缔建〕 dìjiàn 동 〈文〉 ①(큰 사업을) 완수하다. ②(중요한 관계를) 맺다.
〔缔交〕 dìjiāo 동 ⇨〔结jié交〕
〔缔结〕 dìjié 동 체결하다. ¶～邦交; 국교(國交)를 맺다 / ～条约; 조약을 체결하다.
〔缔盟〕 dìméng 동 동맹을 맺다. 맹약(盟約)하다. 약맹하다.
〔缔姻〕 dìyīn 동 혼인을 맺다. 인척 관계가 되다.
〔缔约〕 dìyuē 동 조약을 맺다.
〔缔约国〕 dìyuēguó 명 체약국. 서로 조약을 맺은 나라.
〔缔造〕 dìzào 동 (위대한 사업을) 창립하다. 창건하다. 건립하다. ¶～者; 창조자.

禘 dì (체)
명 〈文〉 고대, 제사(祭祀)의 일종.

碲 dì (제)
명 《化》 텔루륨(라 Te: tellurium)(비금속 원소의 하나).

棣 dì (체)
①→〔棣棠〕 ② 명 산앵두 나무. =〔棠棣〕 ③ 명 〈文〉 아우. ¶贤～; 현제(賢弟). =〔弟〕
〔棣棠〕 dìtáng 명 《植》 죽도화나무.

䗖(螮〈蝃〉) dì (체)
→〔䗖蝀〕
〔䗖蝀〕 dìdōng 명 〈文〉 무지개의 별칭.

踶 dì (제)
동 〈文〉 발로 차다.

地 di (지)
'地de'의 우음(又音).

DIA ㄉㄧㄚ

嗲 diǎ
형 〈方〉 ①응석〔어리광〕 부리는 소리나 자태. ¶撒娇犯～; 응석 부리다 / 说～话; 어리광 부리며 말하다 / 孩子在母亲面前哪儿有不～的? 어머니 앞에서 응석을 부리지 않는 아이가 어디 있는가? ②좋다. 우수하다. ¶味道蛮～! 맛이 정말 좋다!

DIAN ㄉㄧㄢ

掂〈敁〉 diān (점)〈첨〉
동 ①손바닥에 놓고 무게를 재다. ¶你～一～有多重; 얼마나 되는지 손으로 재 보시오. ②손바닥을 위로 하고 가슴 앞에서 아래위로 흔들다(아깝다는 기분을 나타낼 때 노인들이 흔히 하는 동작). ¶人们～着手叹息; 사람들이 아깝다는 듯이 손을 흔들며 한숨을 쉬다.
〔掂对〕 diāndui 동 〈方〉 ①짐작하다. 어림쳐서 헤아리다. ¶大家～～, 看怎么办好; 어떻게 하면 좋을지 모두들 생각해 주시오. ②(임무·근무를) 바꾸다. 교환하다. ‖ =〔掂配〕
〔掂掇〕 diānduo 동 ①손바닥에 놓고 무게를 재다. ¶你～～这包裹有多重; 이 소포의 무게가 얼마나 나가는지 가늠해 봐라. ②짐작하다. 따져보다. ¶你～着办吧, 我没有什么意见; 자네가 적당히 생각해서 해 주게, 나는 아무 의견이 없네. ③어림잡다. 헤아리다. ¶我～着这么办能行; 내 예측으로는 이렇게 해도 괜찮다. =〔掂掇〕
〔掂过(儿)〕 diānguò(r) 동 몇 번이나 싫어하는 말을 하다. 같은 일을 가지고 자꾸 빈정거리다. ¶他还要嘴里掂十来个过儿呢! 그는 아직도 똑같은 것을 열 번씩이나 되씹으며 빈정대고 있답니다!
〔掂斤播两〕 diān jīn bō liǎng 〈成〉 일의 이해득실을 이리저리 재어 보고 생각하다. 일의 형편을 세밀하게 계산해 보다. 잔일에 마음을 쓰다. =〔掂斤掂两〕〔掂斤簸两〕〔掂斤掰两〕
〔掂斤量〕 diān jīnliàng ①손대중으로 무게를 달다. ②〈轉〉 인물(人物)을 시험하다.
〔掂量〕 diānliang 동 ①손바닥에 놓고 무게를 재다. ¶他把戒指放在手里一～, 就知道不是纯金的; 그는 반지를 손바닥에 놓고 무게를 재어 보고, 이내 순금이 아님을 알았다. ②짐작하다. 가늠하다. 헤아리다. ¶事情就是这些, 各组回去～着办得了; 일은 바로 이것뿐이니, 각 조는 돌아가서 적당히 헤아려서 처리하기 바란다.
〔掂配〕 diānpèi 동 ⇨〔掂对〕
〔掂三掂〕 diānsāndiān 〈京〉 심사 숙고하다.
〔掂算〕 diānsuàn 동 ①손으로 무게를 재다. ②마음 속으로 가만히 헤아리다. ③눈 짐작으로 적당히. ¶由你～着办吧; 네가 적당히 하여라.

傎 diān (전)
형 〈文〉 뒤섞여서 어수선하다.

滇 Diān (전)
명 《地》 윈난 성(雲南省)의 별칭. ¶～池 =〔昆明池〕; 윈난 성에 있는 호수 이름 / ～红; 윈난 성에서 나는 홍차 / ～剧; 윈난 성의 지방극.
〔滇苦菜〕 diānkǔcài 명 《植》 쇠서나물 근연종(近緣種).
〔滇缅路〕 diānmiǎnlù 명 '云南省'의 미얀마 루트(route).

颠(顛) diān (전)
① 동 아래위로 흔들리다. ¶～得难受; 흔들리어 못 견디겠다 / 车～得厉害; 차가 몹시 흔들리다. ② 동 넘어지다. 쓰러

지다. 떨어지다. 뒤집다. 뒤집히다. ¶～倒dǎo; ⇩/～覆; ⇩/～扑不破; ⇩/书放～倒了; 책이 거꾸로 놓였다. ③동 껑충껑충 뛰다. 달리다. ¶连跑带～; 껑충껑충 뛰어가다/整天跑跑～～; 하루 종일 바삐 뛰어다니다/对不起, 我得儿～了; 미안하지만, 실례해야겠네. ④동〈方〉나가다. 떠나다. ¶我的话没说完, 他就～儿了; 내 이야기가 끝나지 않았는데도 그는 나갔다. ⑤동 ⇨〔癫〕⑥명 정수리. ¶华～; 백발이 섞인 머리/白发盈～; 머리가 온통 백발이다. ⑦명 꼭대기. 정상(頂上). ¶山～; 산의 정상/塔tǎ～; 탑의 꼭대기/树～; 나무 우듬지. ⑧명 (일의) 시작. 근본. 시초. ¶～末; 일의 전말. ⑨명 성(姓)의 하나.

〔颠簸〕diānbǒ 동 ①흔들리다. ¶风大了, 船身更加～起来; 바람이 강해져서, 배가 더욱더 흔들리기 시작했다. ②거꾸로 하다.

〔颠倒〕diāndǎo 동 ①뒤집히다. 뒤집다. 거꾸로 하다. ¶把这两个字～过来就顺了; 이 두 자를 뒤바꾸면 뜻이 통한다. ②착란하다. 뒤범벅이 되다. ¶神魂～; 정신이 착란되다. ‖ =〔丁倒〕

〔颠倒黑白〕diān dǎo hēi bái〈成〉흑백을 전도하다. 사실을 왜곡하다.

〔颠倒是非〕diān dǎo shì fēi〈成〉시비를 전도하다.

〔颠跌〕diāndiē 동〈文〉발이 걸려 넘어지다. 좌절하다. =〔颠蹶〕

〔颠顶〕diāndǐng 명 정상. 꼭대기.

〔颠顿〕diāndùn 동 일에 지장이 생기다. 곤란하여 좌절하다.

〔颠翻〕diānfān 동 뒤집히다. 뒤집다.

〔颠覆〕diānfù 동 전복하다. 전복시키다.

〔颠个儿〕diān gèr 모양이 거꾸로 되다. 뒤집혀지다.

〔颠磕〕diānke 동 ①덜덜거리며 흔들리다. ②(생활상이) 바뀌어 달라지다.

〔颠来倒去〕diān lái dǎo qù〈成〉⇨〔翻fān来覆去〕

〔颠连〕diānlián 형〈文〉①곤란하고 고통스럽다. ②계속되어 끊임이 없다.

〔颠毛〕diānmáo 명 머리 꼭대기의 털.

〔颠冥〕diānmíng 동 망설이다. 혼란하다.

〔颠末〕diānmò 명〈文〉전말.

〔颠沛〕diānpèi 동〈文〉①쓰러지다. 뒤집히다. ②〈比〉곤궁해져서 영락하다. 좌절하다. 궁핍해지다. ¶～流离;〈成〉영락하여 방랑하다/～奔波; 고생하며 뛰어다니다.

〔颠仆〕diānpū 동 발이 걸려 넘어지다.

〔颠扑不破〕diān pū bù pò〈成〉(이론·학설 따위를) 절대로 뒤엎을 수 없다. ¶～的真理; 영구히 깨뜨려지지 않을 진리. 천고불멸(千古不滅)의 진리.

〔颠茄〕diānqié 명《植》벨라도나(belladonna)《아트로핀의 원료》.

〔颠儿〕diānr 동〈京〉①밖으로 나가다. ②도망치다. ¶放下筷子就～了; 젓가락을 놓자마자 달아났다. ③걷다. ¶就这么几步路, 我们～着去吧! 얼마 안 되는 거리니까 걸어서 갑시다!

〔颠三倒四〕diān sān dǎo sì〈成〉①(말이나 일의) 순서가 뒤죽박죽인 모양. 종잡을 수 없는 모양. ¶我这个人向来是～的; 저는 원래 엉망진창인 인간입니다. ②(정신 상태가) 흐린 모양. ¶叫女人迷得～; 여자에게 홀려서 정신을 못차리다.

〔颠蒜〕diānsuàn 명 건망증이 심한 사람.

〔颠坠〕diānzhuì 동〈文〉굴러 떨어지다.

攧(攧) diān (전)
동〈古白〉발이 걸려 넘어지다. ¶～下来; 걸려 넘어지다.

巅(巔) diān (전)
①명 산꼭대기. ¶～峰; 최고봉. =〔山巅〕②동 떨어지다.

〔巅巅儿〕diāndiānr 명 시골뜨기. →〔老赶〕〔白帽盔儿〕〔山喀咕〕

〔巅峰状态〕diānfēng zhuàngtài 명 최상(最上)의 컨디션.

癫(癲) diān (전)
명동 발광(發狂)(하다). 정신 착란(을 일으키다). ¶疯～; 풍전. 미치광이/发～; ⓐ발광하다. ⓑ(미친 듯이) 열중하다. =〔颠⑤〕

〔癫狂〕diānkuáng 명 미치광이. 풍전(瘋癲). 형 (언행이) 경솔하다. 경박하다.

〔癫痫〕diānxián 명《醫》간질. 지랄병. =〔羊痫风〕〔羊角疯〕

〔癫子〕diānzi 명 미치광이.

典 diǎn (전)
①명 법칙. 규칙. 기준. ¶～范; ⇩/～章; ⇩ ②명 (표준이 되는) 서적. ¶药～; 약전/词～; 사전/字～; 자전. ③명 의식. 전례(典禮). 식전. ¶毕bì业～礼; 졸업식/开国大～; 건국의 대전. ④명 전고(典故). ¶引yǐn经据～; (담화나 문장에) 경서(經書)나 고전의 내용을 인용해서 말하다/他写文章爱用～故; 그는 문장을 쓸 때 고사를 잘 인용한다. ⑤동 (토지·부동산을) 저당잡히다. 또는 저당을 잡다. ¶出～房子; 집을 저당잡히다/～了几间房子住; 방 몇 칸을 저당으로 잡고 (그 곳에) 살다. →〔当dàng⑨〕⑥동〈文〉취급하다. 담당하다. 주재(主宰)·주관하다. ¶～试shì; 시험에 관한 일을 주관하다. 또, 그 관리. ⑦명〈方〉전당포《주로 명칭으로 씀》. ⑧명 성(姓)의 하나.

〔典册〕diǎncè 명 ⇨〔典籍〕

〔典策〕diǎncè 명 ⇨〔典籍〕

〔典当〕diǎndàng 동 전당 잡히다. ¶～业; 전당업/～行 =〔～铺〕; 전당포. =〔典押〕명 전당포.

〔典范〕diǎnfàn 명 ①전범. 모범. ②모범이 되는 사물. 전형(典型). ¶树立了～; 모범을 세웠다.

〔典房契〕diǎnfángqì 명 가옥을 저당잡힌 증서.

〔典故〕diǎngù 명 ①전고. 고사(故事). ¶使用～; 전고를 사용하다/这个成语儿有什么～? 이 성어는 어떤 전고가 있느냐? ②고사 내력(故事來歷). (어떤 일에 관련된) 이야기. 내력. ¶他们不知道这里在旧社会的苦辣～; 그들은 구사회에서의 이 곳의 고통스러웠던 이야기를 모른다.

〔典故〕diǎngu 명 (여러 가지) 요구. 주문. ¶那个人～太多了; 저 사람은 요구가 너무 많다.

〔典籍〕diǎnjí 명 도서(圖書). =〔典册〕〔典策〕〔牒dié籍〕

〔典价〕diǎnjià 명 저당·전당잡힌 가격.

〔典借〕diǎnjiè 동 저당을 잡고 돈을 빌려주다.

〔典礼〕diǎnlǐ 명 의식. ¶入学～; 입학식/举行～; 식을 거행하다.

〔典卖〕diǎnmài 동 ①전당 잡히다. ②되사는 조건으로 팔다.

〔典票〕diǎnpiào 명 ⇨〔当dàng票(儿)〕

〔典妻鬻子〕diǎn qī yù zǐ〈成〉처를 전당 잡히고 자식을 팔다《생활의 곤궁함의 비유》.

〔典契〕diǎnqì 명 (토지·가옥의) 저당권 설정 증서. 저당 계약서.

〔典守〕 diǎnshǒu 동 보관하다.
〔典物〕 diǎnwù 명 ①저당물. ②⇨〔典章〕
〔典型〕 diǎnxíng 명 모델. 전형. ¶用～示范的方法推广先进经验; 모델 케이스로 시범을 보이는 방법에 따라 선진적인 경험을 넓히다. 형 전형적이다《흔히 '不～', '很～'의 꼴로 씀》. ¶这件事很～, 可以用来教育群众; 이 일은 전형적이기 때문에 대중을 교육하는 데에 쓸 수 있다.
〔典押〕 diǎnyā 동 ⇨〔典当〕
〔典雅〕 diǎnyǎ 형 전아하다. 우아하다. 아름답다. ¶文笔～; 우아한 필치이다.
〔典章〕 diǎnzhāng 명 제도 문물. 법령 제도. =〔典物②〕
〔典证〕 diǎnzhèng 명 출전. 전거.
〔典制〕 diǎnzhì 명 의식과 제도.
〔典主〕 diǎnzhǔ 명 전당 잡히는 사람.

痶 diǎn (전)
→〔痶脚(儿)〕

〔痶脚(儿)〕 diǎn.jiǎo(r) 동 발을 절다. 절뚝거리다. =〔点脚(儿)〕

碘 diǎn (전)
명《化》요오드(I: iodine). 옥도. 옥소(沃素). ¶～仿; 요오드포름 / ～锌; 요오드화 아연(亞鉛).

〔碘酊〕 diǎndīng 명《化》요오드팅크. 옥도 정기. =〔碘酒〕
〔碘仿〕 diǎnfǎng 명《化》요오드포름(iodoform). =〔沃碘仿姆〕〔沃度仿姆〕〔黄碘〕
〔碘化钠〕 diǎnhuànà 명《化》요오드화 나트륨.
〔碘化银〕 diǎnhuàyín 명《化》요오드화 은.
〔碘酒〕 diǎnjiǔ 명 ⇨〔碘酊〕
〔碘片〕 diǎnpiàn 명《化》요오드의 결정편(結晶片)《자흑색으로 광택이 있음》.
〔碘酞钠〕 diǎntàinà 명〔藥〕용성(溶性) 요오드프탈레인. =〔可kě溶性碘酞〕

点(點) diǎn (점)
①(～儿) 명 (액체의) 방울. ¶水～; 물방울 / 雨～儿; 빗방울. ②(～儿) 명 작은 흔적〔얼룩〕. 반점. ¶墨～儿; 잉크의 얼룩 / 斑～; 반점 / 污～; 오점 / 溅泥～; 진흙이 튀어오르다. ③ 명〔數〕점. ¶基准～; 기준점 / 两线的交～; 두 선의 교점. ④(～儿) 명 소수점. ¶三四二～儿六 =〔三百四十二～儿六〕; 342.6 / 零～五; 0.5. ⑤(～儿) 명 점《한자획의 하나. "、"》. ¶三～水; 삼수변(氵). ⑥ 양 ㉠(～儿) 소량. 조금. ¶～小事; 사소한 일 / 我一～儿都不要; 나는 전혀 필요하지 않다 / 简单～儿! 간단히! / 小心一～儿! 조심해! ㉡사항《의견·희망·내용 등》을 세는 말. ¶还有两～要商讨; 아직 두 가지 상의하여 검토해야 할 점이 있다. ⑦ 명 (시간의 단위) 시. 시간. ¶三～钟; 3시. 3시간 / 五～三刻(钟); 5시 45분. ⑧ 명 포인트《활자와 자형(字型)의 크기를 나타내는 단위》. ⑨ 명 점수. =〔分〕 ⑩ 명 일정한 위치. 정도. ¶地dì～; 지점 / 起qǐ～; 기점 / 终zhōng～; 종점 / 冰bīng～; 빙점 / 沸～; 비등점 / 顶dǐng～; 정점. ⑪ 명 기점. 거점. 근거지. ¶居jū民～; 주거 지역. 국민의 주택. ⑫ 명 (일정한) 시간. ¶火车误～; 기차가 늦다 / 到～了; 시간이 되었다. ⑬ 명 사물의 방면. 부분. 면. 문제점을 나타냄. ¶重zhōng～; 중점 / 缺quē～; 결점 / 优yōu～; 장점 / 要～; 요점 / 这一～, 请你明白清楚; 이 점은 꼭 확실하게 알아 주십시오. ⑭ 명 간식. 가벼운 식사. ¶茶～; 다과 / 早～; 간단한 아침 식사. ⑮ 명 철제 운판(雲版)《기상·식사·시간 따위를 때려서 알리는》. ⑯ 동 하나하나 다시 조사하다. 수를 확인하다. ¶～检jiǎn =〔～验yàn〕; 점검하다 / ～名míng; 출석을 부르다. 점호를 하다 / ～明; 일일이 조사해서 확실하게 하다 / 你～～件jiàn数儿对不对! 건수〔물품수〕가 맞는지 숫자를 맞추어 보시오. ⑰ 동 점〔표시〕을 써 넣다. 지적하다. 지정하다. 가리키다. 주문하다. ¶明míng～; 확실하게 지적하다 / 他是聪用人, 一～就明白了; 그는 총명한 사람이라 지적해 주면 바로 안다 / 略lüè微一～就知道; 조금 지적해 주면 이내 알 수 있다 / ～菜cài; 요리를 주문하다 / ～着名儿叫他去; 지명을 하여 그를 가게 하다. →〔点播bō〕 ⑱ 동 (머리나 손을) 상하로 움직이다. 끄덕이다. ¶他～了头就答应了; 그는 고개를 끄덕이고 승낙하였다. ↔〔摇yáo①〕 ⑲ 동 (가볍게) 닿다. 조금 대다. 건드리다. ¶用手指头轻qīng轻一～; 손가락으로 살짝 건드리다 / 用棍gùn子～地; 막대기로 땅을 찌르다 / 脚jiǎo不～地地di跑了; 발이 땅에 닿지 않을 만큼 빨리 달려갔다 / 蜻qīng蜓～水; 잠자리가 획획 수면을 스치다. ⑳ 동 불을 붙이다. 불을 켜다. ¶～灯; ⇩ / ～蚊香; 모기향에 불을 붙이다 / 老李是火爆性子, 一～就着; 이군은 격하기 쉬운 성질이어서 부추기면 금방 발끈한다. ㉑ 동 소각시키다. ¶～房子; 집을 태워 버리다. ㉒ 동 (액체를) 한 방울씩 떨어뜨리다. ¶～了一些眼药; 안약을 조금 넣었다. ㉓ 동 간식으로 먹다. 집어먹다. ¶～了一半猪zhū舌头; 돼지의 혀를 절반 집어먹었다 / 你～～; 좀 드십시오. →〔点心xīn〕 ㉔ 동 점파(點播)하다. ¶～花生; 땅콩을 점파하다. →〔点播①〕 ㉕ 동 장식하다. 꾸미다. 두드러지게 하다. ¶装～; 꾸며 놓다. 장식하다 / ～景; ⇩ ㉖ 동 점을 찍다. ¶～句; 구두점을 찍다 / ～一个点儿; 한 개의 점을 찍다 / 画龙～睛; 〈成〉 화룡점정. ㉗ 명 옛날, '更gēng'의 1/5의 시간을 가리킴. ¶五更三～; 동트기 전. 새벽. →〔五wǔ更〕 ㉘ 동 ⇨〔踮diǎn〕

〔点兵派将〕 diǎn bīng pài jiàng 〈成〉 병사를 뽑고 장수를 파견하다. 인원을 배치하다. =〔点兵遣将〕
〔点播〕 diǎnbō 동 ①《農》점파하다. =〔点种zhǒng〕 ②(라디오 등에서) 신청하다. ¶听众～的音乐节目; 청중이 신청한 음악 프로. ③⇨〔点拨〕
〔点拨〕 diǎnbo 동 〈口〉 ①지적하여 가르치다. 이끌어 주다. ②부추기다. 꼬드기다. ‖ =〔点播③〕
〔点不透〕 diǎnbutòu 지적해도 통하지 않다. ¶那件事我怎么点也～他; 그 일은 내가 아무리 지적해 주어도 그에게는 통하지 않는다.
〔点不着〕 diǎnbuzháo (점화(點火)해도) 불이 붙지 않다.
〔点补〕 diǎnbu 동 요기하다. ¶就开饭了, 先～点儿, 吃多了, 等会儿吃不下饭了; 곧 식사 준비를 하겠지만, 우선 요기를 좀 해라. 많이 먹으면 이따가 밥 못먹는다.
〔点菜〕 diǎn.cài 동 ①요리를 한 가지씩 주문하다. ②특별히 요리를 지적하여 주문하다.
〔点茶〕 diǎn.chá 동 차를 끓이다. →〔沏qī茶〕
〔点查〕 diǎnchá 동 점검하여 조사하다.
〔点唱〕 diǎnchàng 동 중국 전통극이나 가곡의 곡목을 지정하여 연예인에게 노래하게 하다. =〔点曲〕 →〔点戏〕

〔点钞机〕 diǎnchāojī 명 지폐 계산기. ¶自动～; 자동 지폐 계산기.
〔点穿〕 diǎnchuān 동 ①⇨〔点破〕 ②⇨〔揭jiē发〕
〔点窜〕 diǎncuàn 동 글을 첨삭(添削)하다. 자구를 고치다. ¶经他一～, 这篇文章就好多了; 그의 자구 수정을 거쳐 이 문장은 많이 좋아졌다.
〔点灯〕 diǎn.dēng 동 등불을 켜다. ↔〔灭灯〕
〔点滴〕 diǎndī 명 ①점적. 물방울. ②근소함. 사소함. ¶重视别人的～经验; 다른 사람의 사소한〔작은〕 경험을 중시하다. ③《醫》 점적(주사). ¶打葡萄糖～; 포도당 점적 주사를 놓다.
〔点点〕 diǎndiǎn 동 ①점을 치다. ¶别忘了～; 점을 치는 것을 잊지 마라. ②세다. 조사하다. ¶把钱～; 돈을 세다.
〔点点〕 diǎndian 명 점(點). 동그라미. ¶有～; 점이 있다.
〔点点叉叉〕 diǎndianchāchā 동 점을 찍거나 × 표를 표시하다.
〔点定〕 diǎndìng 동 ①(글씨·글을) 고치다. ②(몇 개 중에서) 지정하다. 주문하다. ¶～了三种菜; 세 가지 요리를 주문했다.
〔点厾〕 diǎndū 동 《美》 화가가 마음 내키는 대로 색을 칠하여 윤색(潤色)하다(‘厾’는 손가락·막대 등으로 가볍게 찌르거나 닿게 하는 일).
〔点发〕 diǎnfā 명 ⇨〔点射〕
〔点放〕 diǎnfàng 동 (불을 켜서) 밝히다. ¶～灯dēng笼; 등불을 밝히다.
〔点鼓〕 diǎngǔ 동 북을 가볍게 치다.
〔点鬼火〕 diǎn guǐhuǒ 도깨비불을 붙이다(음모를 꾸미다. 넌지시 선동하다).
〔点焊(接)〕 diǎnhàn(jiē) 명동 《工》 스폿 용접(하다). 점 용접(하다). =〔点熔接〕
〔点号〕 diǎnhào 명 《言》 콤마(comma)(,). =〔读号〕
〔点化〕 diǎnhuà 동 ①도교(道敎)의 전설에서 신선이 술법을 써서 물건을 변화시키다. ②〈比〉 교화(敎化)하다.
〔点画〕 diǎnhuà 동 ①윤곽을 그리다. ②도형을 뜨다. 명 ①점선. =〔虚线〕 ②《美》 점묘법(點描法).
〔点火〕 diǎn.huǒ 동 ①점화하다. 불을 켜다〔밝히다〕. →〔对duì火〕〔生shēng火〕 ②〈比〉 선동하여 일을 일으키다. ¶煽风～; 불을 붙여 부채질하다. 선동하다. 명 《機》 점화. 발화. ¶～装置; 발화 장치/用火柴～; 성냥으로 불을 붙이다.
〔点火就着〕 diǎnhuǒ jiù zháo 불을 붙이면 금세 붙는다. 〈轉〉 사소한 일로 이내 화를 낸다.
〔点火线圈〕 diǎnhuǒ xiànquān 명 《電》점화 코일.
〔点货〕 diǎn.huò 동 ①물품을 조사하다. ②상품의 재고 조사를 하다.
〔点饥〕 diǎn.jī 동 허기를 면하기 위해 조금 먹다. 입매하다.
〔点家伙〕 diǎn jiāhuo 도구의 수를 대조하다. 도구를 점검하다. ¶厨子现在～呢; 조리사는 지금 도구를 점검하고 있다.
〔点检〕 diǎnjiǎn 동 점검하다. =〔点验〕
〔点将〕 diǎn.jiàng 동 대장(大將)을 지명하다. 선수를 뽑다. 지명하여 어떤 일을 시키다. 명 연회석에서 하는 가위바위보의 일종(한 사람을 지명하여 가위바위보를 하여 진 사람이 술을 마심).
〔点交〕 diǎnjiāo 동 점검하여 넘겨 주다. 넘겨 주다.
〔点脚(儿)〕 diǎn.jiǎo(r) 동 다리를 절다. ¶点着脚(儿)走; 다리를 절면서 걷다. =〔瘸脚(儿)〕
〔点接〕 diǎnjiē 동 ⇨〔点收〕
〔点金成铁〕 diǎn jīn chéng tiě 〈成〉 훌륭한 것에 손을 대어〔매만져서〕 하찮은 것이 되게 하다. ↔〔点铁成金〕
〔点金乏术〕 diǎnjīn fáshù 신선이 마법을 써서 돌을 금으로 하는 ‘点石成金’ 술법이 다해 버리다. 〈轉〉 백계(百計)가 다하다. 어찌 도리가 없다.
〔点金术〕 diǎnjīnshù 명 물건을 금(金)으로 바꾸는 마술(魔術). ¶我不会～, 哪能来钱呢? 나는 금을 만드는 마술 같은 것은 할 수 없는데, 어떻게 돈을 만들어 낼 수 있겠는가? →〔炼liàn金术〕
〔点睛〕 diǎnjīng ①정점하다. 사람이나 짐승을 그릴 때 맨 마중에 눈동자를 찍다. ②〈比〉 마지막 마무리를 하다.
〔点景〕 diǎn.jǐng 동 《美》 점경하다. 풍경화에 정취를 더하기 위해 악센트를 주다〔주는 것〕.
〔点句〕 diǎnjù 동 구두점(句讀點)을 찍다.
〔点勘〕 diǎnkān 동 책의 내용을 조사하여 정정(訂正)하다.
〔点亮〕 diǎnliàng 동 등불을 밝히다. ¶～了油灯; 램프에 불을 붙여 밝게 했다.
〔点卤〕 diǎnlǔ 동 두부에 간수를 넣다(굳히기 위해서).
〔点卯〕 diǎn.mǎo 동 옛날, (관청에서) 출근 점호를 하다. 〈轉〉 출근 도장을 찍다. ¶点个卯就走; 얼굴만 내밀고 바로 돌아가다. ‖=〔画huà卯〕
〔点面结合〕 diǎnmiàn jiéhé 어떤 지점의 경험 성과를 전면적으로 넓힘.
〔点名〕 diǎn.míng 동 ①점호하다. 출석을 부르다. ¶～簿 =〔～册〕; 출석부. ②지명하다. ¶他要求派人支援, ～要你去; 그는 지원을 위해 자네를 지명하여 파견해 달라고 요청했다.
〔点明〕 diǎnmíng 동 일일이 조사하여 밝히다.
〔点派〕 diǎnpài 동 선발하여 파견하다.
〔点破〕 diǎnpò 동 ①(뾰족한 것으로) 찔러서 깨다. ②지적하다. 폭로하다. 약점을 찌르다. 들추어 내다. ¶开头我也没有留神, 倒是我屋里人给我～的; 처음에는 나도 주의하지 않았던 것을 집사람이 지적해 주었다. ‖=〔点穿①〕
〔点钱〕 diǎn qián 돈을 세다. 돈을 세어 확인하다. ¶当面～不为薄; 면전에서 돈을 세어 확인해도 박정한 것은 아니다. 돈은 그 자리에서 셈해 보는 것이다.
〔点枪〕 diǎn qiāng 창끝을 들이대다. ¶冷不防地～, 吓他一跳; 갑자기 창끝을 들이대어, 그는 깜짝 놀랐다.
〔点雀子〕 diǎn qiāozi (피부의) 점이나 기미를 빼다. ¶用药yào膏～; 연고(軟膏)를 발라서 기미를 빼다.
〔点清〕 diǎnqīng 동 (하나씩) 모조리 조사하다. 밝혀 내다.
〔点儿〕 diǎnr 명 ①조금. →〔一点(儿)〕 ②물방울. ③자그마한 흔적. ④튄 물·진흙 따위. ¶黑泥～; 튀어 붙은 시꺼먼 진흙. ⑤〈俗〉 시운. 불운(不運). ¶即使不幸赶到～上, 他必定有办法; 설사 불행하게 악운이 닥친다 하더라도 그는 반드시 어떤 방법이 있을 것이다 / ～背 =〔～低dī〕; 불운하다. 운이 나쁘다. ⑥〈俗〉 급소. 요점. 약점. ¶他竟诈欺人, 这一次可遇见～了; 그는 남을 속이고만 있는데, 이번만은 아픈 데를 찔렸다〔약점을 잡혔다〕. ⑦소수점.
〔点燃〕 diǎnrán 동 불태우다. (성냥 등으로) 불을

붙이다. ¶～一枝香烟; 담배 한 개비에 불을 붙이다.

〔点染〕 diǎnrǎn 동 ①《美》그림에 배경을 그려넣거나 색칠을 하다. ②〈轉〉문장을 윤색하다.

〔点人儿〕 diǎn∙rénr 동 사람을 지명하다. →〔叫jiào条子〕

〔点绒〕 diǎnróng 명 《紡》작은 점무늬를 넣은 모직(毛織)천. =〔点花呢〕

〔点熔接〕 diǎnróngjiē 명동 ⇨〔点焊(接)〕

〔点射〕 diǎnshè 명 점사. 단속적인 사격. =〔点发〕

〔点施〕 diǎnshī 명 《農》시비(施肥)의 한 방법《평행으로 탄 고랑에 일정한 간격으로 구멍을 파고 밑거름을 주는 일》. =〔穴xué施〕

〔点石成金〕 diǎn shí chéng jīn 〈成〉(신선이 돌을 가리키면 즉시 금으로 변한다는 전설에서) 하찮은 것을 가치 있는 것으로 만듦. 개작(改作)·첨삭하여 시문(詩文)을 훌륭하게 고쳐 쓰다. =〔点铁成金〕↔〔点金成铁〕

〔点事不点人〕 diǎnshì bùdiǎnrén 일을 비평하지만, 한 인간을 비평하지 않는다.

〔点收〕 diǎnshōu 동 일일이 점검하여 인수하다. 사수(查受)하다. ¶按清单～; 명세서(明細書)에 따라서 사수하다. =〔点接〕

〔点收差〕 diǎnshōuchà 명 《物》(렌즈의) 코머(comma) 수차.

〔点手(儿)〕 diǎn∙shǒu(r) 동 손짓하여 부르다. =〔招手(儿)〕

〔点首〕 diǎn∙shǒu 동 ⇨〔点头(儿)〕

〔点数(儿)〕 diǎn shù(r) 수를 조사〔대조〕하다.

〔点水〕 diǎn shuǐ ①물에 조금 닿게 하다. ②물을 떨어뜨리다. ¶点一滴水; 물을 한 방울 떨어뜨리다.

〔点苔〕 diǎntái 명 《美》산수(山水)의 경치를 그릴 때, 암석의 표면이나 사이에 초목을 점묘(點描)함.

〔点题〕 diǎn∙tí 동 담화나 문장의 요점을 요약하다.

〔点铁成金〕 diǎn tiě chéng jīn 〈成〉(신선이 무쇠에 손가락을 대면 즉시 금(金)으로 변한다는 전설에서) 마법으로 금을 만들다《조금 손을 대어 서툰 문장을 훌륭하게 만들다》. ¶这稿子经您一改, 真是～了; 이 원고는 당신의 손을 거쳐서 몰라보게 훌륭하게 되었습니다. =〔点石成金〕↔〔点金成铁〕

〔点头(儿)〕 diǎn∙tóu(r) 동 끄덕이다. 수긍하다. 동의하다. ¶～之交; 조금 아는 정도의 교분/～哈腰 =〔～躬腰〕; 머리를 숙이고 허리를 굽혀 인사하다《보통 인사》/～咂嘴; 머리를 끄덕이고 혀를 차며 감탄하다/～同意; 머리를 끄덕여 동의하다/不肯～; 승낙하려고 하지 않다/点了下头; 끄덕하고 수긍했다. =〔点首〕↔〔摇yáo头〕

〔点头虎耳草〕 diǎntóuhǔ'ěrcǎo 명 《植》씨눈바위취.

〔点透〕 diǎntòu 동 ①꿰뚫다. ②들추어 내다. 폭로하다. ¶这一句话把他的秘密～; 이 말이 그의 비밀을 폭로했다.

〔点污〕 diǎnwū 동 〈文〉오점을 남기다. 더럽히다.

〔点戏〕 diǎn xì 희망하는 연극을 지정하다.

〔点线〕 diǎnxiàn 명 ①점과 선. ②점선(點線)(“…”). →〔虚xū线①〕 (diǎn∙xiàn) 동 점선을 긋다. →〔锁suǒ线〕

〔点香〕 diǎn∙xiāng 동 향을 피우다.

〔点心〕 diǎn∙xīn 동 〈方〉(허기를 면하기 위해) 요기하다. 가볍게 먹다. ¶吃点儿饼干～～! 비스킷이라도 들면서 요기해요!

〔点心〕 diǎnxin 명 ①가벼운 식사《국수 따위》. ②간식으로 먹는 것《국수·과자·케이크 따위》. ¶～盒hé子; 과자 상자/～铺pù; 과자점. ③디저트 또는 요리 중간에 나오는 것《'咸点心'(새우만두·훈탕 따위)과 '甜点心'(카스텔라·월병(月餠) 따위)이 있음》. →〔小xiǎo吃①②〕

〔点醒〕 diǎnxǐng 동 지적하여 깨닫게 하다. 지적하여 각성시키다.

〔点穴〕 diǎn∙xué 동 ①권법(拳法)에서, 급소를 치다. 급소를 찌르다. ②지관(地官)이 묘소를 선정하다.

〔点验〕 diǎnyàn 동 ⇨〔点检〕

〔点雁儿〕 diǎnyànr 명 엄호 변《한자 부수의 하나. '广·店' 등의 '广'의 이름》.

〔点着〕 diǎnzháo 동 점화(點火)하다. 불이 붙다. ¶高炉用木柴～焦炭后, 就要送热风; 고로는 장작으로 코크스에 점화하면, 곧 열풍(熱風)을 보내야 한다.

〔点阵〕 diǎnzhèn 동 《物》격자(格子)《원자로 안에서 핵분열성 물질과 비핵분열성 물질이 규칙적으로 배열된 상태》.

〔点钟〕 diǎnzhōng 명 ①시각. ②시간.

〔点种〕 diǎn∙zhǒng 동 《農》점파(點播)하다. ⇒ diǎnzhòng

〔点中〕 diǎnzhòng 동 정확히 지적하다. ¶～了思想的症zhēng结所在; 사상상(思想上)의 암적 소재를 정확히 지적했다.

〔点种〕 diǎnzhòng 명 점파. ¶挑tiāo水～; 씨를 뿌리는 곳에만 물을 뿌리고 파종하는 방법. ⇒ diǎn∙zhǒng

〔点缀〕 diǎnzhui 명 ①꾸밈. 장치. 치장. ②취미. 동 공들여 꾸미다. 장식하다. ¶摆上几块石头～～吧! 돌을 몇 개 놓아 꾸밉시다!

〔点字〕 diǎnzì 명 (맹인용의) 점자. =〔盲字〕

〔点子〕 diǎnzi 명 ①(액체의 작은) 방울. 반점. 작은 흔적. ¶雨～; 빗방울/～市布; 물방울 무늬의 옥양목. ②〈方〉생각. 방법. ¶想～; 방법을 생각하다/这是谁出的～? 이것은 누가 생각해 냈는가? ③의미. 암시. ¶他挥手想叫她回去, 可是她不懂这个～; 그는 손을 흔들어 그녀를 돌려 보내려고 했으나, 그녀는 이 뜻을 알지 못했다. ④형세. 상황. ¶一看～不对, 就逃跑了; 상황이 이상하다고 보아 곧 도망쳤다. ⑤요점. 급소. 포인트. ¶他的话说到～上; 그의 말은 급소를 찌르고 있다. ⑥타악기의 박자. 리듬. ¶踩着鼓～跳舞; 북장단에 맞춰서 춤추다. ⑦〈方〉소량. 조금(만). ¶这个病抓～药吃就好了; 이 병은 약을 조금 사서 먹으면 낫는다.

踮〈跕〉 diǎn (점)〈접〉 동 발끝으로 서다. 발돋움을 하다. ¶～着脚向前看; 발돋움하고 앞을 보다. =〔点diǎn㉘〕⇒'跕' dié

〔踮脚(儿)〕 diǎnjiǎo(r) 동 〈方〉절룩거리다.

电(電) diàn (전) ① 명 전기. ¶走了～了; 누전되었다/～改变了农村的面貌; 전기는 농촌의 면모를 바꾸었다. ② 명 번개. ③ 명 전신. 전보. ¶～报; ⇩/通～; 공개 전보/急～; 급전/通～致贺; 전보를 쳐서 축하하다. ④ 동 전기가 흐르다. 감전하다. ¶电门可能有毛病, 我一开灯, ～了我一下; 스위치에 고장이 있는 것 같다, 내가 전지를 켜자마자 찌르르 전기가 왔다. ⑤ 명 〈簡〉전화. ¶～话; 전화. ⑥ 동 타전(打

電)하다. 전보치다. ¶即～上级请示; 즉시 상부에 타전하여 지시를 바라다. ⑦ 동 분명히 보다. ¶台～; 보시옵기 바라나이다.

〔电板〕 diànbǎn 명 〖印〗 부식 동판. 전기판.

〔电版〕 diànbǎn 명 〖印〗 일렉트로타이프(electrotype).

〔电棒(儿)〕 diànbàng(r) 명 〈方〉 회중 전등. =〔手电筒〕

〔电报〕 diànbào 명 전보. 전신. ¶打dǎ～; 전보를 치다/发fā～; 전보를 보내다/普通～; 보통 전보/加jiā急～ =〔急jí电〕; 지급(至急) 전보/～局jú; 전신국/～费fèi; 전보료(電報料)/～员yuán; 전보 통신원/～纸zhǐ; 전보 발신지(發信紙)/～稿儿gǎor; 전보 원고/～密mì码书; 전보 암호문/～码本; 코드북(code book)/～机; 전신기(電信機). 전보기(電報機). →〔传chuán真(电报)〕

〔电报挂号〕 diànbào guàhào 명 코드 어드레스. 전신 약호(電信略號). =〔电挂〕

〔电表〕 diànbiǎo 명 〖電〗 ①전기 미터. ②전기 테스터(tester). 회로계(回路計). ③전기 시계.

〔电冰箱〕 diànbīngxiāng 명 전기 냉장고.

〔电波〕 diànbō 명 ⇨〔电磁波〕

〔电铲〕 diànchǎn 명 〖機〗 전기삽.

〔电厂〕 diànchǎng 명 발전소. =〔发fā电厂〕

〔电场〕 diànchǎng 명 〖電〗 전기장(電氣場). 일렉트릭 필드(electric field).

〔电唱机〕 diànchàngjī 명 전축. =〔电唱盘〕〔〈方〉电转儿〕

〔电唱收音机〕 diànchàng shōuyīnjī 명 포노라디오(phonoradio)《전축과 라디오가 하나로 되어 있는 것》.

〔电唱头〕 diànchàngtóu 명 픽업(pickup). =〔拾shí音器〕

〔电唱针〕 diànchàngzhēn 명 축음기 픽업의 바늘.

〔电车〕 diànchē 명 ①전차. ¶～厂chǎng; 전차 차고. ②트롤리(trolley) 버스. ③〈方〉 자동차. ¶～道; ⓐ전찻길. ⓑ자동차 도로. ⓒ가도(街道).

〔电陈〕 diànchén 동 〈文〉 전보로 진술하다.

〔电称〕 diànchēng 동 〈文〉 전보로 말하다.

〔电池〕 diànchí 명 전지. ¶干gān～; 건전지/太阳能～; 태양 전지. 솔라 셀(solar cell). →〔电瓶〕

〔电池组〕 diànchízǔ 명 배터리(battery).

〔电除尘器〕 diànchúchénqì 명 전기 집진기(電氣集塵器).

〔电传〕 diànchuán 동 전송(電送)하다. ¶～照片 =〔～真〕; 전송 사진/～照象; 텔레포토그래프(telephotograph).

〔电传(打字电报)机〕 diànchuán (dǎzìdiànbào) jī 명 〖機〗 텔레타이프(teletype). 텔레프린터(teleprinter). 인쇄 전신기(印刷電信機).

〔电吹风〕 diànchuīfēng 명 전기 드라이어.

〔电锤〕 diànchuí 명 〖機〗 전기 해머.

〔电瓷瓶〕 diàncípíng 명 〖電〗 자기 애자(磁器碍子).

〔电磁〕 diàncí 명 〖電〗 전자기(電磁氣). 일렉트로마그네틱(electromagnetic).

〔电磁波〕 diàncíbō 명 〖電〗 전자기파(電磁氣波). =〔电波〕〔电浪〕

〔电磁场〕 diàncíchǎng 명 〖電〗 전자기장(電磁氣場).

〔电磁感应〕 diàncí gǎnyìng 명 〖電〗 전자기 유도(電磁氣誘導).

〔电磁喇叭〕 diàncí lǎba 명 〖電〗 전자기 혼(電磁氣horn). 일렉트로마그네틱혼(electromagnetic horn).

〔电磁石〕 diàncíshí 명 전자석(電磁石). 전기 자석.

〔电磁铁〕 diàncítiě 명 〖電〗 전기 자석〔마그넷〕.

〔电磁钟〕 diàncízhōng 명 전자 시계.

〔电促〕 diàncù 동 〈文〉 전보로 재촉하다. ¶～某人晋京就任; 전보로 아무개를 상경(上京)하여 취임할 것을 재촉했다.

〔电达〕 diàndá 동 〈文〉 전보로 전달하다.

〔电单车〕 diàndānchē 명 〈方〉 오토바이. =〔摩mó托车〕

〔电导〕 diàndǎo 명 〖物〗 컨덕턴스(conductance). 전기 전도(傳導).

〔电导率〕 diàndǎolǜ 명 전기 전도율. 전도율.

〔电灯〕 diàndēng 명 전등. ¶～杆; 전주에 달려 있는 등/开～; 전등을 켜다/关～; 전등을 끄다/这儿要安一盏zhǎn～; 여기에 전등을 하나 달아야겠다.

〔电灯泡(儿)〕 diàndēngpào(r) 명 ①전구. =〔灯泡(儿)①〕 ②〈轉〉 벽창호. ③〈罵〉 대머리.

〔电灯丝〕 diàndēngsī 명 전구의 필라멘트(filament).

〔电点火〕 diàndiǎnhuǒ 명 〖電〗 전기 점화.

〔电吊〕 diàndiào 명 전기 크레인(電氣crane).

〔电订〕 diàndìng 명 〈文〉 전보로 주문하다.

〔电动〕 diàndòng 명 〖電〗 전동. ¶～泵bèng; 전동 펌프/～记分牌; 전기 스코어보드(scoreboard).

〔电动裁判器〕 diàndòng cáipànqì 명 〖體〗 전기 심판기(電氣審判器).

〔电动锤〕 diàndòngchuí 명 ⇨〔空kōng气锤〕

〔电动吊车〕 diàndòng diàochē 명 가공삭도. 로프웨이(ropeway). =〔悬xuán空缆车〕

〔电动飞弹〕 diàndòng fēidàn 명 유도탄. 미사일. =〔导dǎo(向飞)弹〕

〔电动缝纫机〕 diàndòng féngrènjī 명 전기 재봉틀.

〔电动扶梯〕 diàndòng fútī 명 에스컬레이터(escalator). ¶坐～上去; 에스컬레이터로 올라가다. =〔电动楼梯〕〔电楼梯〕〔电梯②〕〔活huó动电梯〕〔升shēng降梯〕〔自zì动电梯〕〔自动扶梯〕〔自动楼梯〕

〔电动广告〕 diàndòng guǎnggào 명 전광 광고(電光廣告).

〔电动葫芦〕 diàndòng húlu 명 전동 호이스트(電動hoist). 전기 호이스트《'起qǐ重机'의 일종》.

〔电动机〕 diàndòngjī 명 전동기(電動機). 원동기(原動機). =〔〈北方〉电滚子①〕〔〈北方〉滚gǔn子〕〔马mǎ达〕

〔电动机车〕 diàndòng jīchē 명 전기 기관차.

〔电动剪发器〕 diàndòng jiǎnfàqì 명 전기 이발기.

〔电动锯〕 diàndòngjù 명 ⇨〔电锯〕

〔电动留声机〕 diàndòng liúshēngjī 명 전축(電蓄). 전기 축음기.

〔电(动)势力〕 diàn(dòng)shìlì 명 〖電〗 기전력(起電力).

〔电动吸尘器〕 diàndòng xīchénqì 명 전기 청소기.

〔电动洗衣机〕 diàndòng xǐyījī 명 전기 세탁기.

〔电动扬声器〕 diàndòng yángshēngqì 명《電》가동 코일 확성기(可動coil擴聲器). 다이내믹 스피커(dynamic speaker).
〔电动自动门〕 diàndòng zìdòngmén 명 자동 도어(自動door).
〔电度表〕 diàndùbiǎo 명《電》전력계(電力計). =〔电表①〕〔火huǒ表①〕
〔电镀〕 diàndù 명동 전기 도금(하다).
〔电法勘探〕 diànfǎ kāntàn 명《鑛》전기적 탐사(探査).
〔电饭煲〕 diànfànbāo 명〈廣〉전기솥. 취반기(炊飯器). ¶自动～; 자동 전기밥솥.
〔电饭锅〕 diànfànguō 명 전기밥솥. 전기솥.
〔电费〕 diànfèi 명 전기 요금. ¶每月的～也交不起; 매달의 전기 요금도 내지 못한다.
〔电(风)扇〕 diàn(fēng)shàn 명 선풍기. ¶吊diào式～ =〔吊(风)扇〕; 천장 선풍기 / 立lì式～; 입식 선풍기(높이가 큰 것) / 台tái式～ =〔台(风)扇〕; 탁상용 선풍기(높이가 낮은 보통형).
〔电复〕 diànfù 동〈文〉전보로 회답하다.
〔电杆〕 diàngān 명 ⇨〔电线杆〕
〔电杆架〕 diàngānjià 명《機》팬터그래프(pantagraph)(전차·전기 기관차의 집전 장치).
〔电感〕 diàngǎn 명《電》인덕턴스(inductance). =〔感应yīng率〕
〔电缸〕 diàngāng 명 ①〈北方〉전차(電車) 등의 운전대에 장치되어 있는 상자 모양의 제어기(制御器). →〔控kòng制器〕 ②변압기(變壓器)의 일종.
〔电缸子油〕 diàngāngzi yóu 명〈俗〉변압기 기름.
〔电镐〕 diàngǎo 명《機》①전기 착암기. ②전기〔동력〕삽.
〔电告〕 diàngào 동〈文〉전보로 통고하다. =〔电致〕
〔电工〕 diàngōng 명 ①전기 공학. ②전기 기술. ¶～技术; 전기 공학 기술 / ～器材; 전기 공사용 자재. ③전기공.
〔电工学〕 diàngōngxué 명 전기 공학. =〔电工①〕
〔电功率〕 diàngōnglǜ 명《電》전력(電力). 전기력. →〔瓦wǎ特〕
〔电购〕 diàngòu 동〈文〉전보 또는 전화로 주문 구입하다.
〔电挂〕 diànguà 명 전신 약호. 코드 어드레스(cord address). =〔电报挂号〕
〔电灌〕 diànguàn 명 전력 관개(灌漑). ¶～站; 양수 펌프장. 동 관개하다. 양수하다.
〔电光〕 diànguāng 명 ①전광(電光). ②번갯불. ③〈比〉시각의 짧음·행동의 민첩함을 비유.
〔电光纱〕 diànguāngshā 명《紡》가스실(gassed yarn)〔주란사실〕의 직물.
〔电光石火〕 diàn guāng shí huǒ〈成〉전광석화. 몹시 짧은 시간. 재빠른 동작(번개나 부싯돌의 불이 번쩍이는 것처럼 모든 일의 변화와 소멸이 지극히 빠른 것을 형용).
〔电光朝露〕 diàn guāng zhāo lù〈成〉전광과 아침 이슬(인생의 덧없음).
〔电滚子〕 diàngǔnzi 명〈北方〉①모터. =〔电动机〕 ②발전기.
〔电锅〕 diànguō 명 ①전기솥. ¶电饭锅; 전기밥솥. ②전기보일러.
〔电焊〕 diànhàn 명동 전기 용접(하다).
〔电焊电极〕 diànhàndiànjí 명 ⇨〔电焊条〕
〔电焊机〕 diànhànjī 명 용접기(鎔接機). =〔电焊枪qiāng〕
〔电焊条〕 diànhàntiáo 명 용접용 전극(電極). 용접봉(鎔接棒). =〔电焊电极〕
〔电荷〕 diànhè 명《電》전하(電荷). ¶正zhèng～; 양(陽)전하 / 负fù～; 음(陰)전하.
〔电弧〕 diànhú 명《電》아크(arc). 전호. ¶～炉; 아크로.
〔电弧焊接〕 diànhú hànjiē 명 아크 용접. =〔弧焊〕〔电焊〕
〔电弧焊条〕 diànhú hàntiáo 명 아크 용접봉(溶接棒).
〔电花〕 diànhuā 명 전기 불꽃. 스파크(spark). =〔电火花〕
〔电花加工法〕 diànhuā jiāgōngfǎ 명《工》(불꽃) 방전(放電) 가공법(스파크 방전으로 금속 세립(細粒)이 타서 떨어지는 현상을 이용하여 금속을 가공하는 방법).
〔电化教育〕 diànhuà jiàoyù 명 시청각 교육. LL 교육. =〔电教〕
〔电化学〕 diànhuàxué 명 전기 화학.
〔电话〕 diànhuà 명 전화. ¶打～; ⓐ전화를 걸다. ⓑ내통(內通)하다 / ～簿子 =〔～号码簿〕〔～号码本〕; 전화번호부 / 接～; ⓐ전화를 받다. ⓑ전화의 교환을 하다 / 挂～; 전화를 끊다 / ～号码; 전화번호 / 接到他的～; 그의 전화를 받다 / ～接线员 =〔～员〕〔话务员〕; 전화 교환수 / ～总机; ⓐ전화 교환대. ⓑ대표 전화 / ～用户; 전화 가입자 / ～亭tíng; 전화박스 / 公用～; 공중전화 / ～串线; 전화가 혼선되다.
〔电话购物〕 diànhuà gòuwù 명 전화 판매. 텔레마케팅.
〔电话会议〕 diànhuà huìyì 명 전화 회의. 전화를 통하여 행하는 회의.
〔电汇〕 diànhuì 명 전신환. ¶～委托书; 전신 송금 의뢰서. →〔信汇〕〔票汇〕
〔电火花〕 diànhuǒhuā 명 ⇨〔电花〕
〔电击〕 diànjī 명 전기 충격.
〔电机〕 diànjī 명《電》전기 기계(특히 '电动机' '发fā电机'를 가리킴).
〔电极〕 diànjí 명《電》전극(電極). ¶～板 =〔极板〕〔〈南方〉铅qiān煤板〕; 전극판 / 阳～; 양전극 / 阴～; 음전극. =〔极〕
〔电计〕 diànjì 명《電》테스터(tester)(전압·전류·저항·용량 등 전기 회로의 각종 시험을 행하기 위한 지시 계기). =〔电表②〕
〔电键〕 diànjiàn 명 전건. 전신(電信) 발신용의 키(key).
〔电解〕 diànjiě 명《化》전기 분해. ¶～铜; 전해동(電解銅) / ～铁; 전해철(電解鐵)
〔电介质〕 diànjièzhì 명《物》유전체(誘電體). 전매질(電媒質). =〔绝jué缘体〕
〔电井〕 diànjǐng 명 전동 펌프. 모터 펌프(가 달린 우물).
〔电锯〕 diànjù 명 전기톱. =〔电动锯〕
〔电决〕 diànjué 명 전기 사형(死刑). 동 전기의자로 처형하다. ‖=〔电毙bì〕〔电刑〕
〔电开〕 diànkāi 동 전보로 개설하다. ¶～信用状; 전보로 개설한 신용장.
〔电开关〕 diànkāiguān 명 전기 스위치.
〔电抗〕 diànkàng 명《電》리액턴스(reactance). 전기 저항.
〔电烤炉〕 diànkǎolú 명 전기 오븐(oven). =〔电烤箱〕
〔电控〕 diànkòng 명《電》전기 제어.

〔电扣〕 diànkòu 명 벨의 누름단추.

〔电喇叭〕 diànlǎba 명 확성기. 라우드스피커(loudspeaker).

〔电缆〕 diànlǎn 명 ①케이블(많은 피복(被覆)된 구리 철사를 하나로 묶어 다시 그것을 하나로 하여 피복한 굵은 전선). ¶～车; 케이블카. ②(전기) 코드.

〔电缆输送机〕 diànlǎn shūsòngjī 명 삭도 운반기(索道運搬機). 텔퍼(telpher).

〔电烙铁〕 diànlàotiě 명 ①《機》전기 땜인두. ②전기 다리미.

〔电离〕 diànlí 명 ①《電》 전리(電離). ¶～层; 전리층. ②《化》 이온화(化).

〔电离子交换树脂〕 diànlízǐ jiāohuàn shùzhī 명 이온 교환 수지(樹脂).

〔电犁〕 diànlí 명 《農》 전기 경운기.

〔电力〕 diànlì 명 ①전력. ②전력량.

〔电力戽水站〕 diànlì hùshuǐzhàn 명 관개용(灌漑用) 모터 펌프장.

〔电力机车〕 diànlì jīchē 명 전기 기관차.

〔电力扩声器〕 diànlì kuòshēngqì 명 확성기. 다이내믹 스피커(dynamic speaker).

〔电力网〕 diànlìwǎng 명 전력 계통. =〔电力系统〕〔供gòng电系统〕

〔电力增幅器〕 diànlì zēngfúqì 명 전력 증폭기.

〔电力站〕 diànlìzhàn 명 ⇨〔电站〕

〔电脸〕 diànliǎn 동 얼굴을 전기 마사지하다.

〔电量计〕 diànliàngjì 명 《電》 전해(電解) 전량계.

〔电疗〕 diànliáo 명 전기 치료. 동 전기 치료를 하다. ¶～法; 전기 치료법.

〔电料〕 diànliào 명 전기 재료. ¶～店 =〔～行háng〕; 전기 재료 상회.

〔电铃〕 diànlíng 명 벨. ¶按～; 벨을 누르다 / 开车的～响了; 발차 벨이 울렸다.

〔电令〕 diànlìng 동 전보로 명령하다. 명 전령. 전명(電命). ‖ =〔电饬〕

〔电流〕 diànliú 명 《電》 전류.

〔电流表〕 diànliúbiǎo 명 전류계. =〔安ān培计〕

〔电流子〕 diànliúzi 명 《機》 벨트 컨베이어(belt conveyer).

〔电溜子〕 diànliùzi 명 《鑛》 체인 컨베이어(chain conveyor).

〔电楼梯〕 diànlóutī 명 ⇨〔电动扶梯〕

〔电炉〕 diànlú 명 ①전기 난로. ②전기 풍로. ③전기 오븐. ④전기로(爐)

〔电路〕 diànlù 명 《電》 회로. 회선. =〔轮lún道〕

〔电驴(子)〕 diànlǘ(zi) 명 〈方〉 오토바이. =〔摩mó托车〕

〔电码(儿)〕 diànmǎ(r) 명 ①전신 부호. ②한자(漢字) 전보를 칠 때 한자에 대체되는 숫자(數字)(예를 들면, '电'은 7193으로 표시됨).

〔电码本(子)〕 diànmǎ běn(zi) 명 전신 부호장(符號帳). 코드 북(code book). =〔电报本〕

〔电鳗〕 diànmán 명 《魚》전기 뱀장어.

〔电门〕 diànmén 명 ①스위치. ¶开～; 스위치를 켜다 / 关～; 스위치를 끄다 / ～塞; 플러그. →〔开关〕 ②전기가 전구에 닿는 곳.

〔电磨〕 diànmò 명 전동 제분기(製粉機).

〔电木〕 diànmù 명 《化》 베이클라이트(bakelite).

〔电脑〕 diànnǎo 명 《電算》 컴퓨터. ¶语言～; 워드 프로세서(word processor) / 个人～; 퍼스널 컴퓨터(personal computer) / 微(型)～; 마이크로 컴퓨터 / 灌进～; 컴퓨터에 기억시키다 / ～存储器; 메모리 / ～电视机; TV 게임기.

〔电脑病毒〕 diànnǎo bìngdú 명 《電算》 컴퓨터 바이러스. =〔计算机病毒〕

〔电脑补助成像〕 diànnǎo bǔzhù chéngxiàng 명 《電算》 컴퓨터 그래픽 합성.

〔电脑动画〕 diànnǎo dònghuà 명 애니메이션(animation).

〔电脑绘画〕 diànnǎo huìhuà 명 《電算》 컴퓨터 그래픽(computer graphic).

〔电脑千年虫〕 diànnǎo qiānnián chóng 명 《電算》 밀레니엄 버그(Millennium bug). Y2K (컴퓨터의 2000년 인식 오류). =〔千年虫〕

〔电脑贼〕 diànnǎozéi 명 《電》 해커(hacker). =〔电脑恐怖份子〕〔黑客〕

〔电能〕 diànnéng 명 전기 에너지.

〔电钮〕 diànniǔ 명 전기 스위치.

〔电瓶〕 diànpíng 명 ⇨〔蓄xù电池〕

〔电气〕 diànqì 명 전기. ¶～化; 전화(電化)(하다).

〔电气火车〕 diànqì huǒchē 명 전기 기관차.

〔电气石〕 diànqìshí 명 《鑛》 전기석(電氣石).

〔电气仪表〕 diànqì yíbiǎo 명 전기 계기(計器).

〔电器〕 diànqì 명 전기 기구.

〔电桥〕 diànqiáo 명 《電》 브리지(bridge). ¶～电路; 브리지 회로.

〔电球座〕 diànqiúzuò 명 소켓(socket).

〔电热〕 diànrè 명 전열(電熱). ¶～水壶; 전기 포트.

〔电热厂〕 diànrèchǎng 명 화력 발전소. =〔热电厂〕→〔电站〕

〔电热丝〕 diànrèsī 명 전열선.

〔电容〕 diànróng 명 《電》 전기 용량.

〔电容器〕 diànróngqì 명 콘덴서(condenser). 축전기. ¶可变～; 가변 축전기. =〔容电器〕

〔电闪〕 diànshǎn 명 전광. 번개.

〔电扇〕 diànshàn 명 선풍기. =〔电风扇〕

〔电渗析〕 diànshènxī 명 《化》 전기 투석(電氣透析)(electrodialysis).

〔电声〕 diànshēng 명 《電》 전기 음향.

〔电石〕 diànshí 명 《化》 ①카바이트. 탄화 칼슘. ¶～气 =〔乙炔yǐquē〕; 아세틸렌 / ～灯 =〔水月灯〕; (아세틸렌) 가스등 / ～焊接; 아크 용접(통칭 '电焊hàn') / ～焊条; 아크 용접봉. ②라이터돌.

〔电示〕 diànshì 동 〈文〉 전보나 전화로 알리다. 전보로 지시하다.

〔电势〕 diànshì 명 ⇨〔电位〕

〔电视〕 diànshì 명 텔레비전. ¶看～; 텔레비전을 보다 / ～照相; 전송 사진 / ～摄象机 =〔～摄影机〕〔～照影机〕; 텔레비전 카메라 / ～播送网; 텔레비전(TV) 네트워크.

〔电视播送站〕 diànshì bōsòngzhàn 명 텔레비전 방송국(보통 '电视台' 라고 함).

〔电视大学〕 diànshì dàxué 명 텔레비전에 의한 통신 교육 대학('电大' 라고도 함).

〔电视电话〕 diànshì diànhuà 명 텔레비전 전화.

〔电视发射机〕 diànshì fāshèjī 명 텔레비전 송신기.

〔电视广播〕 diànshì guǎngbō 명 텔레비전 방송.

〔电视广播剧〕 diànshì guǎngbōjù 명 텔레비전 드라마. =〔电视剧〕

〔电视广播卫星〕 diànshì guǎngbō wèixīng 명 방송 위성.

〔电视国际转播〕 diànshì guójì zhuǎnbō 명 텔레비전 국제 중계.

〔电视机〕 diànshìjī 명 텔레비전 수상기. ¶彩cǎi色～; 컬러텔레비전(수상기). =〔电视接收机〕〔收影机〕
〔电视记者〕 diànshì jìzhě 명 텔레비전 방송 기자.
〔电视教学〕 diànshì jiàoxué 명 텔레비전 방송 수업.
〔电视接收机〕 diànshì jiēshōujī 명 ⇨〔电视机〕
〔电视接收天线〕 diànshì jiēshōu tiānxiàn 명 텔레비전 수신 안테나.
〔电视剧〕 diànshìjù 명 ⇨〔电视广播剧〕
〔电视课〕 diànshìkè 명 텔레비전 강좌. ¶电视大学自开办以来, 约有数万人收看～; 텔레비전 대학 개설 이래, 약 수만의 시청자가 텔레비전 강좌를 시청해 왔다.
〔电视屏〕 diànshìpíng 명 (텔레비전의) 스크린.
〔电视墙〕 diànshìqiáng 명 멀티비전(multi-vision). =〔彩电墙〕
〔电视摄象机〕 diànshì shèxiàngjī 명 텔레비전 카메라.
〔电视台〕 diànshìtái 명 텔레비전 방송국(‘电视播送站’은 별칭).
〔电视卫星转播〕 diànshì wèixīng zhuǎnbō 명 텔레비전 위성 중계.
〔电视问讯台〕 diànshì wènxùntái 명 텔레비전 안내대(큰 역에서 여객이 대(臺) 위에 올라가 물으면 멀리 떨어진 곳에 있는 안내 담당자가 텔레비전으로 그 사람을 보면서 대답함).
〔电视系列片〕 diànshì xìlièpiàn 명 TV시리즈(series). =〔系列片〕〔电视系列剧〕
〔电视演员〕 diànshì yǎnyuán 명 텔레비전 탤런트.
〔电枢〕 diànshū 명 《電》 전기자(電機子). 발전기의 발전자. 아마추어(armature).
〔电刷〕 diànshuā 명 《電》 브러시(brush). =〔煤méi精刷〕〔炭tàn精刷〕
〔电水〕 diànshuǐ 명 ①(축전지 속의) 전해액(電解液). ②휘발유. ¶～煲; 〈方〉 전기로 물 끓이는 주전자. =〔汽油〕
〔电死〕 diànsǐ 명동 감전사(하다).
〔电送〕 diànsòng 명동 전송(하다).
〔电台〕 diàntái 명 ①무선 전신국. =〔无线电台〕 ②방송국. =〔广播电台〕 ③무선 통신기. ¶他把～紧紧地抱在怀里; 그는 통신기를 꼭 껴안았다. ④선박의 무선 전신 전화실. ¶～长 =〔一电报员〕; 통신장.
〔电烫〕 diàntàng 명 퍼머넌트(permanent). 파마. 동 파마하다.
〔电梯〕 diàntī 명 엘리베이터(elevator). =〔升降机〕
〔电剃刀〕 diàntìdāo 명 전기 면도기.
〔电艇〕 diàntǐng 명 전기 발동선.
〔电筒〕 diàntǒng 명 ①원통형의 회중전등. =〔手电筒〕 ②(등대의) 회전등(回轉燈).
〔电头〕 diàntóu 명 (신문·전보 등의) 날짜 기재선(線).
〔电托〕 diàntuō 동 전보로 의뢰하다.
〔电网〕 diànwǎng 명 ①전기를 통한 철조망. ②배전망.
〔电位〕 diànwèi 명 《電》 전위(電位). =〔电势〕
〔电文〕 diànwén 명 전문(電文).
〔电析〕 diànxī 명동 《化》 전해 분석(하다).
〔电匣子〕 diànxiázi 명 〈方〉 라디오(보통 ‘收shōu音机’라고 함).
〔电线〕 diànxiàn 명 전선. ¶接～; 전선을 잇다 / ～厂; 전선 공장.
〔电线杆〕 diànxiàngān 명 전봇대. 전주. ¶～上绑bǎng鸡毛; 〈歇〉 전봇대에 닭 털을 붙들어 매다(대단한 담력). =〔电杆〕
〔电信〕 diànxìn 명 전신.
〔电信局〕 diànxìnjú 명 전신국.
〔电刑〕 diànxíng 명동 ⇨〔电决〕 동 전기 고문을 받다.
〔电学〕 diànxué 명 전기학.
〔电询〕 diànxún 동 〈文〉 전보로 조회하다〔문의하다〕.
〔电鲟〕 diànxún 명 《魚》 발전어(發電魚). 전기어(電氣魚)(전기뱀장어·전기가오리 따위). =〔电鱼〕
〔电训〕 diànxùn 동 〈文〉 전보로 훈령을 내리다.
〔电讯〕 diànxùn 명 ①전보 통신. 전신. ②전보·전화에 의한 뉴스. ③무선 신호. 동 (전보·전신·무전으로) 통신하다.
〔电压〕 diànyā 명 《電》 전압.
〔电压计〕 diànyājì 명 《電》 전압계. =〔电压表〕〔伏fú特计〕
〔电压控制器〕 diànyā kòngzhìqì 명 전압 조절기.
〔电盐〕 diànyán 명 《化》 암모니아.
〔电眼〕 diànyǎn 명 《電》 ①전기 판정. 포토 피니시(photo finish). ②(라디오 등의) 매직 아이(magic eye).
〔电眼扉〕 diànyǎnfēi 명 매직 아이가 부착된 자동문.
〔电唁〕 diànyàn 동 〈文〉 조전(弔電)을 치다. →〔唁电〕
〔电邀〕 diànyāo 동 〈文〉 전보로 초청하다. ¶他们昨天接到中国教育学会的～, 今天已电复应yìng邀了; 그들은 어제 중국 교육 학회로부터 전보로 초청을 받았으나, 오늘 벌써 응낙의 답전을 보냈다.
〔电冶〕 diànyě 명 《電》 전기 야금(電氣冶金). 전열 제련(電熱製鍊). ¶～金; 전기 야금.
〔电椅(子)〕 diànyǐ(zi) 명 전기의자. ¶判处他坐～; 그를 전기의자로 처형한다는 판결을 하다.
〔电影(儿)〕 diànyǐng(r) 명 영화. ¶放映～ =〔开映～〕; 영화를 상영하다 / 有声～; 토키. 발성 영화 / 无声～; 무성 영화 / 宽kuān银幕～; 와이드스크린(wide screen) 영화 / 五彩～; 천연색 영화 / ～放映机; 영사기 / ～剧本; 시나리오 / ～演员; 영화배우〔출연자〕 / ～插曲; 영화 주제가 / ～导演; 영화감독 / ～软片; 영화 필름 / ～明星; 영화 스타 / ～胶片; 영화용 필름 / ～圈儿 =〔影界〕; 영화계 / ～迷; 영화광. 영화팬.
〔电影放映队〕 diànyǐng fàngyìngduì 명 (영화) 순회 상영대(巡回上映隊).
〔电影节〕 diànyǐngjié 명 영화제. ¶戛纳～; 칸 영화제.
〔电影批评〕 diànyǐng pīpíng 명 ⇨〔影评〕
〔电影片儿〕 diànyǐngpiānr 명 영화 필름.
〔电影票〕 diànyǐngpiào 명 (영화관) 입장권.
〔电影事业〕 diànyǐng shìyè 명 ⇨〔影业〕
〔电影院〕 diànyǐngyuàn 명 영화관. =〔影戏馆〕〔影(戏)院〕
〔电影制片厂〕 diànyǐng zhìpiànchǎng 명 (영화) 촬영소.
〔电影周〕 diànyǐngzhōu 명 영화 주간(週間). ¶亚洲～在京开幕; 아시아 영화 주간 베이징(北京)에서 개막.
〔电泳〕 diànyǒng 명 《物》 전기 이동. 전기 영동

(電氣泳動).
〔电油〕 diànyóu 명〈方〉가솔린. =〔汽油〕
〔电玉粉〕 diànyùfěn 명《化》몰딩 파우더(moulding powder).
〔电源〕 diànyuán 명《電》전원. ¶～电路; 전원회로/～软线; 전원 코드.
〔电晕〕 diànyùn 명《電》코로나 현상.
〔电熨(斗)〕 diànyùn(dou) 명 전기 다리미.
〔电灶〕 diànzào 명 전기 레인지. 전기 풍로.
〔电渣焊接〕 diànzhāhànjiē 명《機》일렉트로슬래그(electroslag) 용접《전기 용접의 일종》.
〔电闸〕 diànzhá 명〈北方〉스위치《'闸'라고도 하며, 강전(強電)에 쓰이는 대형 스위치. 작은 전등 스위치 따위는 '电门' 등으로 부름》.
〔电站〕 diànzhàn 명 발전소. ¶水～; 수력 발전소. =〔电力站〕〔发fā电站〕
〔电召〕 diànzhào 동〈文〉전보(電報)로 소집하다.
〔电针疗法〕 diànzhēn liáofǎ 명《漢醫》전침 요법. 침에 미량의 전기를 통하여 효과를 거두는 방법.
〔电知〕 diànzhī 동〈文〉전보(電報)로 알리다.
〔电致〕 diànzhì 동 ⇨〔电告〕
〔电钟〕 diànzhōng 명 ①벨. ②전기 시계.
〔电珠〕 diànzhū 명 꼬마 전구(電球).
〔电铸〕 diànzhù 명동《機》전기 주조(하다). ¶～版; 전기판(版). 일렉트로타이프(electrotype).
〔电转儿〕 diànzhuànr 명〈方〉전기 축음기. =〔电唱机〕
〔电咨〕 diànzī 동《電》(동급 기관 상호간에) 전보로 조회하다.
〔电子〕 diànzǐ 명《物》전자. ¶～手表; 전자 시계.
〔电子出版〕 diànzǐ chūbǎn 명 전자 출판.
〔电子伏特〕 diànzǐ fútè 명《物》전자 볼트. eV(electron volt)《에너지의 단위》.
〔电子干扰〕 diànzǐ gānrǎo 명《物》델린저 현상(Dellinger 現象). ¶后来查明, 这实际上是～造成的; 그것이 실은 델린저 현상 때문이었다는 것을 후에 알게 되었다.
〔电子购物〕 diànzǐ gòuwù 명 홈쇼핑(home-shoping).
〔电子管〕 diànzǐguǎn 명《物》전자관. 진공관. ¶～三极管; 3극 전자관/～厂chǎng; 진공관 공장. =〔真zhēn空管〕〔〈俗〉灯dēng泡(儿)②〕
〔电子回旋加速器〕 diànzǐ huíxuán jiāsùqì 명 베타트론(betatron). 전자 가속장치.
〔电子计算机〕 diànzǐ jìsuànjī 명 컴퓨터. 전자 계산기. =〔电脑〕
〔电子计算器〕 diànzǐ jìsuànqì 명 전자식 탁상 계산기. 전자 계산기. =〔手携电子计算机〕〔小型电子计算机〕
〔电子教学〕 diànzǐ jiàoxué 명 시청각 기자재를 이용한 수업《LL 등》. →〔电化教育〕
〔电子流〕 diànzǐliú 명《電》전자류. 전자의 흐름.
〔电子炉〕 diànzǐlú 명 전자 레인지〔오븐〕.
〔电子枪〕 diànzǐqiāng 명 전자총.
〔电子琴〕 diànzǐqín 명 전자 오르간.
〔电子闪光管〕 diànzǐ shǎnguāngguǎn 명 사진 촬영용의 스트로보(Strobo) 섬광구(閃光球). 크세논(Xenon) 방전관.
〔电子闪光器〕 diànzǐ shǎnguāngqì 명 ⇨〔万wàn次闪光(灯)〕
〔电子商务〕 diànzǐ shāngwù 명 전자 상거래. =〔网上交易〕
〔电子束〕 diànzǐshù 명《電》(전자)빔(beam). 전자선(線).
〔电子望远镜〕 diànzǐ wàngyuǎnjìng 명 전자 망원경.
〔电子显微镜〕 diànzǐ xiǎnwēijìng 명 전자 현미경.
〔电子学〕 diànzǐxué 명 전자 공학. =〔无wú线电电子学〕
〔电子音乐〕 diànzǐ yīnyuè 명 전자 음악.
〔电子邮件〕 diànzǐ yóujiàn 명《電算》(인터넷 전자) 메일. E-mail.
〔电子乐器〕 diànzǐ yuèqì 명《樂》신시사이저(Synthesizer). =〔电子音合成器〕〔电子音响合成琴〕
〔电子资讯产业〕 diànzǐ zīxùn chǎnyè 명 정보통신 사업.
〔电阻〕 diànzǔ 명《電》전기 저항. ¶～率; 전기저항비(比)/～器; 저항기.
〔电钻〕 diànzuàn 명 전기 드릴.
〔电嘴〕 diànzuǐ 명〈方〉스파크 플러그(spark plug). =〔火花塞〕

佃 diàn (전)
①명 소작. 소작인. ¶永～权; 영대(永代) 소작권. ②동 소작하다. ¶～来的田; 소작으로 짓고 있는 논. ⇒tián
〔佃夫〕 diànfū 명 소작인.
〔佃户〕 diànhù 명 소작 농가. 소작인. =〔佃客〕〔佃农〕
〔佃民〕 diànmín 명 소작민.
〔佃农〕 diànnóng 명 ⇨〔佃户〕
〔佃契〕 diànqì 명 소작 증서. =〔佃券〕〔佃帖〕〔佃字〕
〔佃权〕 diànquán 명 소작권.
〔佃田〕 diàntián 동 논밭을 소작하다.
〔佃主〕 diànzhǔ 명 지주.
〔佃租〕 diànzū 명 소작료. ¶缴jiǎo～; 소작료를 납부하다.

甸 diàn (전)
①명 옛날, 교외(郊外)를 일컫던 말. ②지명용 자(字). ¶缅Miǎn～; 미얀마. ③→〔甸子〕 ④→〔沉甸甸(的)〕
〔甸子〕 diànzi 명〈方〉방목지(放牧地).

钿(鈿) diàn (전)
명 황금 등을 상감(象嵌)한 장신구. ¶宝～; 황금 등으로 상감한 비녀/～螺 =〔螺～〕; 나전. ⇒tián

阽 diàn〔yán〕(점)
〈文〉①형 위험하다. =〔阽危wēi〕 ②동 접근하다. 임(臨)하다.

店 diàn (점)
명 ①가게. 상점. ¶零售～; 소매점/百货商～; 백화점/文具～; 문구점. ②여관. 여인숙. ¶找了一个～住下了; 한 여인숙을 찾아서 들어가 묵었다.
〔店簿〕 diànbù 명 ①숙박 대장. ¶宪兵三更半夜的来把～都查过了; 헌병이 한밤중에 와서 숙박 대장을 모두 조사하였다. ②가게 장부. ¶铺子着了火, 得先把～抢出来; 가게에 불이 나면 우선 장부부터 먼저 들고 나와야 한다.
〔店底〕 diàndǐ 명 가게에 현재 있는 상품. 재고품.
〔店东〕 diàndōng 명 ①옛날, 여관 주인. ②옛날, 가게 주인.
〔店房〕 diànfáng 명 ①점포. ②여인숙의 방.
〔店规〕 diànguī 명 상점의 규칙.
〔店号〕 diànhào 명 점포.
〔店伙〕 diànhuǒ 명 점원.

〔店家〕 diànjiā [명] ①(옛날, 여관·술집·식당의) 주인 또는 지배인. ②〈方〉 점포. →〔店铺〕
〔店靠巧人开〕 diàn kào qiǎorén kāi 〈轉〉 수완가가 아니면 가게를 유지할 수 없다. 가게는 머리를 잘 쓰는 사람이 시작하도록 하라《상업계의 속담》.
〔店面〕 diànmiàn [명] 가게 앞. 점두(店頭).
〔店铺〕 diànpù [명] 점포. 상점. =〔店肆〕〔店号〕
〔店前交货〕 diànqián jiāohuò [명]《商》상품을 매입자의 점두까지 운반해 주기로 하는 거래.
〔店钱〕 diànqián [명] 숙박비.
〔店堂〕 diàntáng [명] (상점의) 매장. (식당의) 홀.
〔店头交(货)〕 diàntóu jiāo(huò) [명]《商》점두까지 지참한 후의 인도(引渡). 점두 지참 인도. =〔送交〕
〔店小二〕 diànxiǎo'èr [명] 〈古白〉 술집이나 요릿집의 종업원.
〔店友〕 diànyǒu [명] 점원. 지배인.
〔店有店规, 铺有铺规〕 diàn yǒu diànguī, pù yǒu pùguī 〈諺〉 여인숙에는 여인숙의 규칙이 있고, 점포에는 점포의 규칙이 있다《무슨 일에나 일정한 규칙이 있는 법이다》.
〔店员〕 diànyuán [명] 점원《'店伙' '店友' '铺pù伙'는 구칭(舊稱)》.

坫 diàn (점)
[명] ①옛날, 방 안에 음식·그릇 등을 놓던 대(臺)나 선반. ②〈文〉 병풍·칸막이 따위.

玷 diàn (점)
①[명] 옥(玉)의 티. 과실. 치욕. ¶白圭guī之～; 백옥(白玉)의 티《약간의 실수》. ②[동] 흠을 내다. 더럽히다. 욕보이다. ¶那女子力弱不支, 竟遭～了; 그 여자는 힘이 약하여 버티지 못하고 끝내 욕을 당했다.
〔玷辱〕 diànrǔ [동] 더럽히다. 욕되게 하다.
〔玷污〕 diànwū [동] 더럽히다. 욕되게 하다. ¶～名誉; 명예를 더럽히다.

惦 diàn (점)
[동] ①간절히 생각하다. ②염려하다. ¶心里老～着工作; 마음은 언제나 일에 대해서 염려하고 있다. [注] 단독 사용시에는 '～着'이 됨.
〔惦怀〕 diànhuái [동] 언제나 마음 속에 생각하고 있다.
〔惦记〕 diànjì [동] (잊지 않고) 걱정하다. 염려하다. ¶父母很～着你; 부모님은 당신을 무척 걱정하고 계시다 / 叫你～, 谢谢; 걱정해 주셔서 대단히 고맙습니다. =〔惦挂〕〔惦念〕
〔惦念〕 diànniàn [동] ⇨〔惦记〕

垫(墊) diàn (점)
①(～儿, ～子) [명] 깔개. 까는 물건. ¶椅～ =〔靠～〕; (소파의) 쿠션 / 桌～儿; 테이블 깔개. ②[동] (밑에) 깔다. 대다. ¶这个书架子不稳, ～一块木头; 이 책장은 건들건들하니, 나뭇조각 한 장을 밑에 대자 / 抽屉里～一张纸; 서랍에 종이를 한 장 깔다 / 把褥子～上; 요를 깔다 / 熨衣服最好在上面～块布; 옷을 다림질할 때는 위에 헝겊을 한 장 까는 것이 좋다. ③[동] 잠깐 돈을 대신 지불하다. ¶这钱我先给你～上; 이 돈은 우선 내가 대신하여 지불해 둔다. ④[동] 요기를 하다. ¶先～一～, 恐怕回头吃白兰地的时候肚子太空; 먼저 조금 요기를 해 두자, 나중에 브랜디를 마실 때 빈 속이면 안 될 테니까. ⑤[동] 틈〔구멍〕을 메우다. 공백을 메우다. ¶正戏还没开演, 先～一出小戏; 예정된 연극이 아직 시작되지 않아서 먼저 간단한 연극으로 공백을 메우다. ⑥[동] (무엇을 넣어) 두텁게 하다. 평평히 하다. ¶～猪圈; 돼지우리에 짚이나 흙을 깔다 / ～道; 길을 평평히 고르다 / 用土～坑; 흙으로 구멍을 메우다. ⑦[명]《機》패킹(packing). 틈막이. ¶橡皮～; 고무 패킹 / 绳～; 코드 패킹 / 轴～; 차축 패킹.
〔垫板〕 diànbǎn [명] ①밑에 까는 판자. ②《機》받침판. 덧쇠. 라이너(liner).
〔垫办〕 diànbàn [동] 대신 처리하다. 대신하여 해주다. ¶那事我还没办哪, 你给我～吧; 그 일은 아직 하지 않았어. 네가 대신 해 주어.
〔垫备〕 diànbèi [명][동] 보충(하다).
〔垫背〕 diànbèi [명] ①입종 때 등 밑에 대는 것. ②〈轉〉죽음의 동반자. 대신 희생하는 사람. 남의 일에 말려든 사람. ‖ =〔垫背的〕 (diàn.bèi) [동] 〈方〉 대신 희생되다. 죄를 덮어씌우다. 언걸을 입게 하다.
〔垫背钱〕 diànbèiqián [명] 옛날, 납관(納棺)할 때, 시체 밑에 까는 동전《죽은이의 나이 수대로 넣음》.
〔垫被〕 diànbèi [명] 요. ↔〔盖gài被〕 [명][동] 대신〔대역〕(이 되다). ¶他是我的～的; 그는 내 대신이다 / 不能叫朋友给～; 친구를 희생시킬 수는 없다.
〔垫本〕 diànběn [동] 출자〔투자〕하다. 증자하다.
〔垫拨〕 diànbō [동] 입체(立替)하여 지출하다.
〔垫步〕 diàn.bù [동] 앙감질하다. 한 발로만 뛰다.
〔垫补〕 diànbu [동] 〈方〉 ①(돈이 부족할 때 잠시) 타인의 돈을 빌리거나, 다른 용도의 돈을 융통하다. ②간식을 먹다. =〔点补〕 ③ ⇨〔垫底(儿, 子)④〕
〔垫踹儿〕 diànchuàir [동] ①남 때문에 노력(勞力)이나 금전을 헛되이 쓰다. 남 때문에 쓸데없는 걱정을 하다. ②아무에게나 무턱대고 분풀이하다. 남에게 마구 분풀이하다. ¶拿我～; 나에게 분풀이하다. ‖ =〔垫喘窝〕
〔垫底(儿, 子)〕 diàn.dǐ(r, zi) [동] ①밑에 깔다. ②(요리 등에서) 주된 재료로 쓰다. ③배를 채워 두다. 조금 먹다. ④미리 손을 쓰다. 복선을 깔다. ¶怕他拽zhuài住不放, 先拿话～说今天有要紧的事, 等到两点钟一定得走; 그가 억지로 잡고 놓지 않을 것을 염려하여 미리 오늘은 중요한 일이 있어 2시에는 꼭 가야 한다고 선수를 쳐 놓다. =〔垫补③〕 ⑤준비하다. 사전 교섭을 하다.
〔垫发〕 diànfā [동] 입체하다. 대신 지불하다. ¶～货款; 상품 대금을 입체하다.
〔垫付〕 diànfù [동] 입체하다. 잠시 돈을 대신 지불하다. ¶让人～旅费; 남에게 여비를 대신 지불하게 하다. =〔垫缴〕
〔垫话〕 diàn.huà [동] ①만담에서 대담자가 서로 상대방을 치켜세우면서 이야기를 진행하다. ②남을 대신하여 거듭 말을 전하다.
〔垫肩〕 diànjiān [명] ①어깨받침《짐을 어깨에 멜 때 대는 헝겊》. ②양복의 어깨 부분에 채워 넣는 것. 패드.
〔垫脚〕 diànjiǎo [명] 〈口〉 축사(畜舍)에 까는 풀이나 짚《나뭇잎·흙 등도 쓰며 비료용》. (diàn.jiǎo) [동] ①짓밟다. ¶你别～了; 발로 짓밟아서는 안 돼. ②발돋움을 위해 밑에 괴다. 〈轉〉 (일이 어그러지기 시작할 때) 물러날 기회를 포착하다. ¶没有～的地方儿, 叫他怎么下得来台呢; 좋은 기회가 나지 않는데, 그가 어떻게 몸을 뺄 수가 있겠는가. ‖ =〔掂diān脚〕
〔垫脚凳〕 diànjiǎodèng [명] 발판. 디딤판.
〔垫脚石〕 diànjiǎoshí [명] ①발판. 디딤돌. ②출세

의 발판.
〔垫缴〕 diànjiǎo 동 ⇨〔垫付〕
〔垫圈〕 diàn.juàn 동 축사(畜舍)에 짚이나 풀을 깔다. ⇒diànquān
〔垫款〕 diànkuǎn 명 입체(立替)한 돈. 일시 차입금. (diàn.kuǎn) 동 돈을 입체하다.
〔垫领〕 diànlǐng 동 깃을 달다.
〔垫密片〕 diànmìpiàn 명《機》개스킷(gasket)(물이 새지 않도록 피스톤이나 관의 이음매를 메우는 고무·금속·새끼줄 따위).
〔垫木〕 diànmù 명 철도의 침목(枕木).
〔垫尿布〕 diànniàobù 명 기저귀. =〔尿布〕 동 기저귀를 채우다〔대다〕
〔垫片〕 diànpiàn 명《機》공작물의 바닥면을 고르(게 하)기 위해 까는 얇은 쇳조각. =〔填tián隙片〕
〔垫铺儿〕 diànpūr 동 〈比〉 뒷일을 위해 준비 공작을 해 두다. 미리 이야기해 놓다. 미리 손을 쓰다. ¶你不用～, 我知道; 나는 알고 있으니까, 사전 공작을 할 필요 없다 / 你不用挂念了, 那件事我已经～; 자네는 마음 쓸 필요가 없네, 그 일은 내가 미리 말해 놓았으니. =〔铺褥子〕
〔垫钱〕 diàn.qián 동 돈을 입체하다. (diànqián) 명 입체금(立替金).
〔垫球〕 diànqíu 명《體》(배구에서) 언더핸드 리시브(underhand receive)(몸 아래쪽에서 두 손을 모아서 하는 리시브). =〔垫击〕
〔垫圈〕 diànquān 명《機》똬리쇠. 워셔(washer). 개스킷(gasket). ¶开口～ =〔C形～〕; 시형(C型) 워셔. =〔衬chèn片〕〔华司〕 ⇒diàn.juàn
〔垫褥〕 diànrù 명 ①(침대의) 매트리스. ¶铺～; 매트리스를 깔다. ②(의자의) 깔개. 쿠션.
〔垫上〕 diànshàng 동 ①돈을 입체하다. ¶那笔钱我给～吧! 그 돈은 내가 입체하겠소! ②밑에 대다. 위에 깔다. ¶把褥子～吧! 요를 까시오!
〔垫上运动〕 diànshàng yùndòng 명《體》(체조의) 마루 운동.
〔垫舌根板子〕 diàn shégēnbǎnzi 설화(舌禍)의 원인을 만들다. 언질을 남기다.
〔垫舌头〕 diàn shétou (턱을 쳐서) 혀를 깨물다.
〔垫套〕 diàntào 명 쿠션 커버(cushion cover).
〔垫戏〕 diànxì 명《劇》①대체 상연물(상영 불능이 된 연극을 다른 연극으로 메움). ②공백을 메우는 연극.
〔垫一笔〕 diàn yībǐ 동 ①돈을 한몫 입체(立替)해 주다. ¶我替他～钱了; 나는 그에게 돈을 한몫 입체해 주었다. ②〈轉〉 주석(註釋)을 달다. ¶这句的意思恐怕人家看不明白, 我～吧; 이 구(句)의 의미는 다른 사람이 보아도 모를 것 같으니, 내가 주석을 달아 놓겠다.
〔垫用〕 diànyòng 동 돈을 입체(立替)하다. 입체받아 쓰다. ¶那笔款子我先拿去～了; 그 돈은 내가 우선 입체하여 써 버렸다.
〔垫辕窝〕 diàn yuánwō ①바퀴 자국을 메우다. ②남을 희생시키다. 벌충하는 데에 이용하다.
〔垫债〕 diàn.zhài 동 부채를 입체하다.
〔垫账〕 diàn.zhàng 동 남의 계정을 입체하다.
〔垫支〕 diànzhī 동 (부족한 돈을) 입체(立替)하다.
〔垫纸〕 diànzhǐ 명 대지(臺紙).
〔垫砖〕 diàn.zhuān 동 벽돌을 밑에 깔다.
〔垫子〕 diànzi 명 ①방석. 깔개. 매트. 쿠션(cushion). ¶草～; 짚으로 만든 방석 / 椅～; 의자 쿠션〔방석〕 / 褥～; 매트리스(요) / 茶杯～; 찻잔 받침 / 蹭鞋～; 도어매트(doormat) / 体操～; 체조용 매트. ②월경대의 별칭. ¶她现在带～呢; 그녀는 지금 월경 중이다.

淀(澱)[A)] diàn (전)
A) ① 명 찌꺼기. 침전물. 앙금. ¶沉～; 침전. ② 명동 침전(시키다). ¶～粉; ⇓ B) 명 얕은 내나 호수(주로 지명용 자(字)로 씀). ¶白洋～; 바이양뎬(白洋淀)(허베이 성(河北省)에 있는 호수 이름).
〔淀粉〕 diànfěn 명 녹말. 전분. =〔小粉〕
〔淀粉酶〕 diànfěnméi 명《化》디아스타아제(diastase).
〔淀积作用〕 diànjī zuòyòng 명《地質》토양의 퇴적(堆積) 작용.

靛 diàn (전)
① 명《染》청람(青藍). ¶～蓝; ⇓ / ～粉; 분말로 되어 있는 인조람 염료(人造藍染料) / 干～; 건조람. ② 명《色》남빛. 남색. ③ 동 쪽으로 물들이다.
〔靛白〕 diànbái 명《染》인디고 화이트(indigo white).
〔靛缸里拉不出白布来〕 diàngāngli lābuchū báibù lai 〈諺〉 남빛 물감 항아리에서 흰 천을 꺼낼 수 없다(나쁜 사람 사이에서 선인이 나오지 않는다. 외덩굴에 가지 열릴까).
〔靛红〕 diànhóng 명《化》이사틴(isatin).
〔靛精〕 diànjīng 명《色》인디고(indigo).
〔靛颏儿〕 diànkér 명《鳥》〈口〉 울새.
〔靛蓝〕 diànlán 명《染》쪽. 남빛. ¶人造～; 인조람 / 天tiān然～; 천연람. =〔〈方〉 靛青②〕〔蓝靛②〕
〔靛青〕 diànqīng 명 ①《色》짙은 남색. ② ⇨〔靛蓝〕
〔靛色〕 diànsè 명《色》남색.

奠 diàn (전)
① 동 정하다. 수립하다. ¶～基; ⇓ ② 동 제물을 바치어 죽은 사람을 제사 지내다. ¶祭～; 제사 지내다. ③ 동 안치(安置)하다. ④ 동 건립하다. ⑤ 명 부의(賻儀).
〔奠茶〕 diànchá 동 신에 차를 바치다.
〔奠定〕 diàndìng 동 안정되다. 평온하여지다. 평정(平定)하다. 기초를 정하다. ¶～了统一的基础; 통일의 기초를 정하였다. =〔奠立〕
〔奠都〕 diàndū 동 도읍을 정하다. ¶～在北京; 베이징(北京)에 수도를 정하다.
〔奠基〕 diànjī 동 초석(礎石)을 정하다. 기초를 만들다. ¶～礼lǐ =〔～仪式〕; 정초식 / ～人; 기초를 만든 사람. 창립자 / 现代中国文学艺术中现实主义的～人和伟大代表是鲁迅; 현대 중국 문학 예술의 사실주의 창시자이면서 위대한 대표자는 노신이다.
〔奠基石〕 diànjīshí 명 초석.
〔奠祭〕 diànjì 동 제사 지내다. ¶鬼节的时候, 家家～亡人; '鬼节' 때에는 집집마다 망령에 제사 지낸다.
〔奠金〕 diànjīn 명 ⇨〔奠敬〕
〔奠敬〕 diànjìng 명 부의(賻儀)(봉투·주머니에 써넣는 말). =〔奠金〕〔奠仪〕〔吊diào尊〕〔香仪〕〔奠分〕
〔奠酒〕 diànjiǔ 동 〈文〉 땅에 술을 뿌리다(옛날, 제사 의식의 하나). =〔奠浆jiāng〕
〔奠仪〕 diànyí 명 ⇨〔奠敬〕

殿 diàn (전)
명 ①훌륭한 가옥. ②궁전. 신전(神殿). 불전(佛殿). ¶宫～; 궁전 / 佛～; 불전. ③최

대단한 수완가이므로 앞으로 한 집안을 책임지고 일으킬 수 있을 것이다. =〔顶立门户〕
〔顶门心〕 dǐngménxīn 명 《生》 (갓난아이의) 숫구멍. 숨구멍. 정문(頂門). =〔囟xìn门(儿)〕
〔顶名(儿)〕 dǐng.míng(r) 동 명의(名儀)를 속이다. 남의 이름을 사칭(詐稱)하다. (dǐngmíng(r)) 형 명목뿐인. 이름뿐인. ¶他成了个～的团员; 그는 명목뿐인 단원이 되었다.
〔顶牛儿〕 dǐng.niúr 동 〈比〉 고집을 부리다. (말로) 남에게 대들다. 고의로 남의 비위를 거스르다. 자설(自說)을 양보하지 않다. 정면 충돌하다. ¶这两节课排得～了; 이 두 수업은 시간표가 겹쳐 있다 / 今天就公开顶上牛了; 오늘은 노골적으로 대들었다. 명 ⇨〔接龙〕
〔顶盘(儿)〕 dǐngpán(r) 동 옛날, 도산(倒産)한 가게를 양도받아 계속 영업하다. ↔〔招zhāo盘〕
〔顶棚〕 dǐngpéng 명 (반자로 된) 천장. ¶糊～; 천장에 종이를 바르다. =〔顶槅〕
〔顶篷〕 dǐngpéng 명 ①판자로 된 천장. ②《機》 (자동차의) 지붕 덮개.
〔顶批〕 dǐngpī 명 문장 상란(上欄)에 써 넣은 평어(評語).
〔顶起来〕 dǐngqilái (머리로) 밀어 올리다. (밑으로부터) 돋아나다. ¶一棵嫩芽也能把土～; 한 포기의 새싹도 흙을 밀어 올릴 수 있다.
〔顶钱〕 dǐng.qián 동 (돈으로의) 값어치가 있다.
〔顶钱〕 dǐngqian 명 권리금. =〔顶费〕
〔顶球〕 dǐngqiú 명동 《體》 (아식 축구의) 헤딩(heading)(을 하다).
〔顶缺〕 dǐng.quē 동 결원(缺員)을 메우다. 공석(空席)을 메우다. ¶顶他的缺; 그의 후임자가 되다.
〔顶儿〕 dǐngr ①명 극한. 꼭대기. 정점(頂點). 한계. 최상. ¶到了～啦! 한계점에 이르다. ② →〔字解 ①②〕 ③명 ⇨〔顶子②〕
〔顶儿尖儿〕 dǐngrjiānr 명 최상급. 최첨단(最尖端). ¶～的模mó特儿; 최상급의 모델.
〔顶人〕 dǐng.rén 동 ①(머리로) 남을 받다. (머리로) 박치기하다. ②남에게 거역하다.
〔顶上〕 dǐngshàng 명 ①꼭대기. 정상(頂上). 머리 위. ¶将辫子盘在～; 변발을 머리 위에 틀어 올리다. ②최고. 최상. ¶这是～货; 이것은 최상품이다.
〔顶上〕 dǐngshang 동 버티다. 떠받치다. ¶把门～; 문을 받쳐 놓다 / ～工夫; 시간을 허비하다.
〔顶上羽纱〕 dǐngshàng yǔshā 명 《紡》 알파카(alpaca).
〔顶少〕 dǐngshǎo 형 가장 적다. 부 적어도. =〔至zhì少〕
〔顶事(儿)〕 dǐng.shì(r) 동 쓸모가 있다. 유능하다. 효력이 있다. 효과가 있다. ¶他不～; 그는 쓸모가 없다 / 这剂药真～; 이 약은 정말 잘 듣는다. =〔抵dǐ事(儿)〕
〔顶视图〕 dǐngshìtú 명 부감도(俯瞰圖). =〔俯fǔ视图〕
〔顶手〕 dǐngshǒu 명 가짜 인물. 대리인. 대역(代役).
〔顶首〕 dǐngshǒu 동 돈을 내고 남의 직업 또는 재산을 양도받다.
〔顶数〕 dǐngshǔ 동 제일 …이다. ¶家里～姐姐厉害; 집에서는 언니가 제일 엄하다.
〔顶数(儿)〕 dǐng.shù(r) 동 ①숫자를 채우다. ¶别拿不合格的产品～; 불합격품으로 숫자를 채우지 마라. ②효력이 있다. 쓸모가 있다. 유용하다(주로 부정적으로 쓰임). ¶你说的不～; 네가 말한 것은 쓸모가 없다.
〔顶嗉儿〕 dǐngsùr 동 ①목이 멜 정도로 많이 먹다. ②〈比〉 뇌물 따위를 마구 집어삼키다.
〔顶替〕 dǐngtì 동 ①가짜〔대역(代役)〕를 내세우다. 속이다. ②(일·직무를) 이어받다. 대신하다. ¶他走了, 谁来～? 그가 가 버렸으니 누가 대신 하느냐?
〔顶天立地〕 dǐng tiān lì dì 〈成〉 의연(毅然)히 대지를 밟고 있는 모양. 아무것도 겁내지 않는 씩씩한 모양(영웅적 기개(氣槪)를 형용하는 말). ¶～的男子汉; 영웅적 기개를 지닌 사내 대장부.
〔顶天儿〕 dǐngtiānr 명 〈比〉 최상. 최고. 극도. ¶这个价儿就算～了; 이 값은 최고의 것이다. (dǐng.tiānr) 동 절정에 이르다. 더할 나위 없는 최고이다.
〔顶头〕 dǐngtóu 명 ①정상(頂上). 꼭대기. ②〈轉〉 맞은편. 정면. 직접. ¶～风; 맞바람. 역풍(逆風) / ～碰见; 딱 마주치다 / ～上司; 〈口〉 직속 상관. =〔迎yíng头〕 ③맨 끝. 막다른 곳. ¶他住在那个～的门儿里; 그는 저 맨 끝의 문 안의 집에 살고 있다. 동 머리를 맞부딪치다. 머리로 서로 떠받다. ¶那两只羊直～; 저 두 마리의 양은 계속해서 머리를 맞부딪치고 있다.
〔顶头灰〕 dǐngtóuhuī 명 (담배 따위의) 끄트머리의 재.
〔顶头门儿〕 dǐngtóuménr 명 막다른 골목의 맨 끝. ¶胡同儿尽溜头儿的那个～是他家; 막다른 골목의 맨 끝 집이 그의 집이다.
〔顶碗〕 dǐngwǎn 명 머리 위에 사발을 올려놓고 연기하는 곡예(曲藝)의 하나.
〔顶瓮竞走〕 dǐngwèng jìngzǒu 물동이를 이고 뛰는 경주.
〔顶窝儿〕 dǐng.wōr 동 (친자(親子)가 죽어서) 양자를 들여 대(代)를 잇다.
〔顶五儿〕 dǐngwǔr 명 ①옛날, 중국에서 전당 잡히는 기간 만기 후 다시 연기해 주는 5일중의 마지막 날. ②〈比〉 마지막 날. 최후의 날.
〔顶箱〕 dǐngxiāng 명 〈方〉 장롱 위에 놓는 작은 상자.
〔顶心〕 dǐngxīn 명 ①사물을 받치는 굴대. ②⇨〔顶针〕
〔顶芽〕 dǐngyá 명 《植》 꼭지눈. 정아.
〔顶药〕 dǐngyào 명 《漢醫》 숨은 병을 밖으로 나타나게 하는 약.
〔顶叶〕 dǐngyè 명 ①《生》 두정엽(頭頂葉). ②《植》 줄기 끝에 있는 잎.
〔顶用〕 dǐng.yòng 동 쓸모가 있다. 소용되다. ¶这种说法, 顶什么用? 이렇게 말하는 것이 무슨 소용이 있겠는가? / 不～的东西, 再便宜也别买; 쓸모없는 물건은 아무리 싸더라도 사서는 안 된다.
〔顶账〕 dǐng.zhàng 동 (빌려 준 돈이나 외상 대신에 물건을 잡고 셈을) 상쇄(相殺)하다.
〔顶着〕 dǐngzhe …을 거스르고. …을 무릅쓰고. ¶～雨来; 비를 무릅쓰고 오다.
〔顶针〕 dǐngzhēn 명 ①《機》 중심. 심(心). ¶～架; 중심대 / ～轴; 중심축. =〔顶尖〕〔顶心〕 ②⇨〔顶真〕
〔顶针(儿)〕 dǐngzhen(r) 명 골무. =〔针箍儿gūr〕
〔顶真〕 dǐngzhēn 형 〈方〉 진실하다. 성실하다. 착실하다. ¶大事小事他都很～; 그는 큰일이건 작은 일이건 모두 매우 진지하다. =〔叫真儿〕〔认真〕 명 수사법의 하나로, 앞 문장의 끝 단어가 뒷 문장의 첫머리 단어로 되게 하는 방법. =〔顶针②〕

〔顶踵〕 dǐngzhǒng 명 머리와 발뒤꿈치. ¶～竭jié力; 온갖 노력을 다하다.

〔顶珠(儿)〕 dǐngzhū(r) 명 ⇨〔顶子②〕

〔顶住〕 dǐng,zhù 동 버티어 내다. 감당해 내다. 견디다. ¶～压力; 압력을 견디다. ↔〔顶不住〕

〔顶柱〕 dǐngzhù 명 지주(支柱). 버팀목.

〔顶撞〕 dǐngzhuàng 동 ①거역하다. 대들다. 말대꾸하다. ¶你别～他; 그에게 거역하지 마라 / 当面～领导; 마주 대하며 상사에게 대들다. ②거절하다. ③해 치우다.

〔顶子〕 dǐngzi 명 ①(정자(亭子)·탑·가마 등의) 맨 꼭대기의 장식 부분. ②청조(清朝) 때 관리 제모(制帽) 위에 붙이는 등급을 나타내는 구슬. =〔顶戴〕〔顶儿〕〔顶珠(儿)〕 ③지붕. ¶挑tiǎo～; 지붕을 고쳐 이다. =〔房顶〕

〔顶走〕 dǐngzǒu 동 ①(나중 사람이 앞 사람을) 쫓아 내다. ②다른 것을 압도하고 몰아 내다. 축출하다.

〔顶嘴〕 dǐng,zuǐ 동 〈口〉 거역하여 말하다. 말대꾸하다. ¶你还跟我～吗? 너는 그래도 나한테 말대꾸하려는 거냐? =〔强嘴①〕

酊 dǐng (정)

→〔酩mǐng酊〕 ⇒dīng

鼎 dǐng (정)

①명 옛날의 귀가 두개 달린 세발솥. ②명 〈方〉 냄비. 솥. ¶～间jiān; 부엌. ③동 셋이 마주 대하다. 삼자(三者)가 병립(竝立)하다. ¶三国～立; 삼국이 정립(鼎立)하다. ④명 〈比〉 〈文〉 제위(帝位). 왕위. ⑤부 〈文〉 바야흐로. 바로. ¶～盛; 바야흐로 한창 때이다. =〔锅〕 ⑥형 〈文〉 크다. ¶～力; ⇓

〔鼎鼎〕 dǐngdǐng 형 성대한 모양. 명성이 들날리는 모양. ¶大名～; 명성이 높다 / ～大名 =〔顶顶大名〕; 〈成〉 대단한 명성.

〔鼎沸〕 dǐngfèi 동 〈文〉 의론이 들끓다〔분분하다〕. 시끌시끌하다. ¶人声～; 사람 소리가 시끄럽다.

〔鼎革〕 dǐnggé 동 〈文〉 혁신하다. 경신하다. 옛 것을 버리고 새롭게 하다. 왕조가 바뀌다. =〔鼎新〕

〔鼎锅〕 dǐngguō 명 밥을 하거나 물을 끓이는 데 쓰는 냄비·솥 따위.

〔鼎力〕 dǐnglì 명 〈文〉 큰 힘(남의 역량에 대한 경칭이나 의뢰·감사할 때 쓰임). ¶多蒙～协助, 无任感谢; 여러 가지로 힘을 써 주셔서 감사하기 이를 데 없습니다 / 全仗您的～; 전적으로 당신의 큰 힘만 믿습니다. 동 진력하다.

〔鼎立〕 dǐnglì 동 〈文〉 세 세력이 상대하여 병립하다. 정립하다. ¶三国～的局面; 삼국 정립의 국면. =〔鼎峙zhì〕

〔鼎盛〕 dǐngshèng 형 〈文〉 바야흐로 한창 때이다. ¶春秋～; 한창 혈기 왕성한 때(의 나이다).

〔鼎食〕 dǐngshí 동 〈文〉 대가족의 많은 사람이 함께 식사하다. ¶钟鸣～之家; 종을 울리며 솥을 늘어놓고 식사하는 대가정.

〔鼎位〕 dǐngwèi 명 〈文〉 재상(宰相)의 직위.

〔鼎新〕 dǐngxīn 동 ⇨〔鼎革gé〕

〔鼎言〕 dǐngyán 명 〈文〉 무게 있는 말. 중요한 말. 〈轉〉 귀하의 말씀.

〔鼎业〕 dǐngyè 명 〈文〉 제업(帝業).

〔鼎运〕 dǐngyùn 명 〈文〉 국운(國運). =〔鼎祚〕

〔鼎峙〕 dǐngzhì 동 ⇨〔鼎立〕

〔鼎足〕 dǐngzú 명동 〈文〉 정립(鼎立)(하다). ¶～而立 =〔～而居〕; 〈成〉 세 세력이 정립하다 / 势成～; 세 세력이 정립한 기세가 되다 / ～之势; 〈成〉 세 세력이 대립하는 국면〔정세〕.

〔鼎族〕 dǐngzú 명 〈文〉 호족(豪族). 명문 거족.

订(訂) dìng (정)

동 ①(조약·계약·계획·규칙을) 정하다. 체결하다. ¶～条约; 조약을 맺다 / ～合同; 계약을 정하다〔맺다〕 ②주문하다. 예약하다. 신청하다. ¶～报; ⇓ / 预～; 예약하다 / ～婚; ⇓ =〔定④〕 ③(문자상의 잘못을) 교정하다. 정정(訂正)하다. ¶考～; 고증하여 교정하다 / 修～; 수정하다. ④철(綴)하다. 장정(裝幀)하다. ¶装～; 장정(하다) / 合～本; 합본 / 用纸～成一个本子; 종이를 철해서 한 권의 책을 만들다.

〔订报〕 dìngbào 동 신문을 주문〔신청〕하다. ¶上报馆～去; 신문사에 신문을 신청하러 가다 / ～处chù; 신문 구독 신청소. =〔定报〕

〔订出〕 dìngchū 동 (정해서) 만들어 내다. 제정하다. 구체적으로 정하다. ¶～规律; 법칙을 정하다.

〔订单〕 dìngdān 명 주문서. =〔定单〕〔订货单〕

〔订定〕 dìngdìng 동 (규칙·계약 등을) 정하다. ¶～会议日程; 회의 일정을 정하다.

〔订对〕 dìngduì 동 〈文〉 조사 대조하다. 음미하다.

〔订费〕 dìngfèi 명 ①주문 대금. ②계약금. ③구독료. =〔订阅费〕

〔订购〕 dìnggòu 동 주문하여 사다. 발주(發注)하다. ¶～全集; 전집을 주문하여 사다. =〔定购②〕

〔订合同〕 dìng hétong 계약을 맺다.

〔订户〕 dìnghù 명 (우유 등의) 정기 구매자. (신문·잡지 등의) 정기 구독자. ¶报纸～; 신문 구독자. =〔定户〕

〔订婚〕 dìng,hūn 동 약혼하다. ¶～戒指; 약혼 반지. =〔定婚〕〔订亲〕〔定亲〕 →〔许嫁〕

〔订活〕 dìng huó ①일을 주문〔부탁〕하다. ②(dìnghuó) 명 청부 맡은 일. 주문 받은 일. ‖ =〔定活①〕

〔订货〕 dìng huò (물품을) 주문하다. 발주하다. (dìnghuò) 명 주문(품). ¶承受～ =〔接受～〕; 주문을 맡다. 수주하다 / 反对～; 카운터 오더(counter order) 반대 주문 / ～单; 주문서 / ～簿; 주문부 / 样本～; 견본에 의한 주문 / ～目录; 카탈로그(catalogue). 주문용 상품 목록. ‖ =〔定货〕

〔订货账〕 dìnghuòzhàng 명 주문 상품 대장. =〔定货账〕

〔订交〕 dìngjiāo 동 ①교제를 맺다. ②국교를 맺다.

〔订款〕 dìngkuǎn 명 보증금. =〔订金〕

〔订立〕 dìnglì 동 (조약·계약 등을) 체결하다. ¶～条约; 조약을 맺다 / ～了贸易协定; 무역 협정을 체결했다 / ～合同 =〔～契约〕; 계약을 맺다.

〔订留金〕 dìngliújīn 명 유능한 직공 또는 기사가 다른 데로 고용되는 것을 막기 위하여 고용주가 주는 일종의 계약금.

〔订律〕 dìnglǜ 동 법률을 정하다.

〔订盟〕 dìngméng 동 동맹하다. 동맹을 맺다.

〔订明〕 dìngmíng 동 〈文〉 분명히 정하다. 정해서 분명히 하다.

〔订票〕 dìng,piào 동 (표·입장권 등의 예매권을) 예약하다. 예약하여 사다. (dìngpiào) 명 매매 계약서. ‖ =〔定票〕

〔订期〕 dìngqī 동 기일·기한을 정하다. 명 결정된

기일〔기한〕.
〔订钱〕 dìngqián 명 ⇨〔定钱〕
〔订亲〕 dìng.qīn 동 ⇨〔订婚〕
〔订书〕 dìng shū ①책을 주문하다. ②제본하다. ‖＝〔钉书〕
〔订书机〕 dìngshūjī 명 ①호치키스. 서철기(書綴機). ＝〔钉书机〕〔钉书器〕〔装zhuāng订器〕 ②제본기(製本機). ‖＝〔订书器〕
〔订妥〕 dìngtuǒ 동 ⇨〔定妥〕
〔订险〕 dìngxiǎn 동 보험을 계약하다. ＝〔订保〕→〔保bǎo险〕
〔订约〕 dìng.yuē 동 ①약속을 정하다. ②협정·조약을 체결하다. ③(혼약·교제를) 맺다. (dìngyuē) 명 결정한 약속. ‖＝〔定约〕
〔订阅〕 dìngyuè 동 (신문·잡지 등을) 주문〔예약〕하여 구독하다. ¶～报章; 신문을 주문하여 구독하다 / ～费; 구독료. ＝〔定阅〕
〔订正〕 dìngzhèng 동 (글자의 잘못이나 글 등을) 정정〔수정〕하다. ¶～了原稿中的错误; 원고의 잘못을 정정했다.
〔订制〕 dìngzhì 동 주문하여 만들다. ¶～家具; 가구를 주문하여 만들다 / ～机器; 기계를 주문하여 만들다. ＝〔订造〕〔定制〕〔定造〕
〔订座〕 dìngzuò 동 좌석을 예약하다.

饤(飣) dìng (정)
→〔饾dòu饤〕

钉(釘) dìng (정)
동 ①못을 박다. (못을 박아서) 철하다. ¶～钉子dīngzi; 못을 박다 / 他用几块木板～了个箱子; 그는 몇 장의 널빤지로 상자를 만들었다 / ～成本子; 철하여 책으로 만들다. ②꿰매다. 단추 등을 달다. ¶～扣子; 단추를 달다. ⇒dīng
〔钉册子〕 dìng cèzi 장부를〔공책을〕 철하다. 철하여 장부〔공책〕를 만들다.
〔钉车尾儿〕 dìng chēyǐr 〈比〉 여자의 꽁무니를 쫓아다니다.
〔钉带子〕 dìng dàizi ①끈을 꿰매어 달다. ¶婴儿的衣服不带纽子, 差不多都～; 아이의 옷에는 단추를 달지 않고 대개 띠를 단다. ②(dìngdàizi) 명 허리에 꿰매단 띠.
〔钉钉机〕 dìngdīngjī 명 못 박는 기계.
〔钉封〕 dìngfēng 동 (못질 따위를 하여) 밀봉(密封)하다. ¶～文书; 문서를 봉하다.
〔钉符号〕 dìng fúhào 표지(標識)가 되는 것을 못 따위로 박다.
〔钉牢〕 dìngláo 동 단단하게 못박다.
〔钉钮子〕 dìng niǔzi 단추를 달다.
〔钉上〕 dìngshang 동 못질을 해 놓다. 고정시키다.
〔钉书〕 dìngshū 동 서적을 장정(裝幀)하다. 제본(製本)하다. ¶～器; 호치키스(hotchkiss) / ～针; 호치키스침.
〔钉死〕 dìngsǐ 동 못으로 단단히 고정시키다.
〔钉一板〕 dìng yī bǎn 다짐하다. ¶给他～; 그에게 다짐을 하다.
〔钉掌〕 dìng.zhǎng 동 편자를 박다.
〔钉住〕 dìngzhù 동 못질을 해서 고정시키다. ¶把木板～; 널빤지에 못질을 해서 고정시키다.

定 dìng (정)
①동 안정시키다. 안정되다. 진정되다. 진정시키다. ¶大局已～; 대국은 이미 안정되었다 / 心神不～; 심신이 불안정하다 / 坐～; 좌정하다. ②동 평온하게 하다. ③동 정하다. 정해지다. 결정하다. 확정하다. ¶已经～了; 이미 정해졌다〔정했다〕 / 还没～好; 아직 확실하게 정해져 있지 않다 / ～地方(儿); 장소를 정하다 / 约yuē～; 약속(하다) / 商～; 의논해서 결정하다 / 说shuō～; 이야기해서 정하다 / 去～了; 가기로 정했다. 반드시〔꼭〕 간다 / 打～了官司了; 고소하기로 정했다 / ～于五日动身; 5일에 출발하기로 정했다. ④동 주문하다. 예약하다. ¶～报; ⇩ / ～座位; 좌석을 예약하다 / ～了一批货; 많은 상품을 주문했다. ＝〔订dìng②〕 ⑤동 굳어지다. 엉기다. 응결하다. ¶血～上了; 피가 엉겼다 / 糖汁～成坨tuó子; 설탕즙이 (굳어서) 덩어리가 되었다. ⑥동 약혼하다. ¶他已经～下了, 可还没娶; 그는 벌써 혼담은 정해져 있으나 아직 결혼은 하지 않았다. ⑦동 잠들어 조용해지다. ¶夜深人～; 밤은 깊고 사람들은 잠들어 조용해지다. ⑧동 움직이지 않게 하다. ¶～眼睛; 뚫어지게 바라보다. ⑨명 납폐(納幣). 납채. ¶放～; 납채를 보내다. ⑩부 〈文〉 반드시. 꼭. 틀림없이. ¶～要下雨; 틀림없이 비가 내리려 한다 / ～能成功; 틀림없이 성공할 수 있다. ⑪형 규정된. 정해진. 이미 확정된. 변하지 않는. ¶～论; ⇩ / ～理; ⇩ / ～期; ⇩
〔定案〕 dìng'àn 명 결말이 난 안건. 정해진 계획·방책·의안. (dìng.àn) 동 ①사건을 판정하다. ¶证据确凿, 可以～; 증거가 확실하므로, (사건을) 판결할 수 있다. ②안건·방책에 최종 결정을 내리다. ¶经过一定的讨论, 才能～; 어느 정도의 토론을 거쳐야 마지막 결정을 내릴 수 있다.
〔定报〕 dìngbào 동 ⇨〔订报〕
〔定本〕 dìngběn 명 (서적의) 결정판.
〔定比(定)律〕 dìngbǐ(dìng)lǜ 명 《化》 정비례(定比例)의 법칙.
〔定必〕 dìngbì 부 반드시. 틀림없이. 기필코. ＝〔必定〕
〔定编〕 dìngbiān 동 편제를 확정하다.
〔定测〕 dìngcè 명 《建》 측량하여 위치를 결정하다. ¶～桥基; 교각(橋脚)의 위치를 측량하여 결정하다.
〔定策〕 dìngcè 동 〈文〉 ①대책을 세우다. ②천자를 옹립하다.
〔定产〕 dìng.chǎn 동 (농업) 생산량을 결정하다. (dìngchǎn) 명 (논밭의) 기준 생산량.
〔定场白〕 dìngchǎngbái 명 《劇》 중국 전통극에서, 등장 인물이 제일 처음 무대에 등장하여 말하는 자기 소개의 독백(獨白).
〔定场诗〕 dìngchǎngshī 명 《劇》 중국 전통극에서, 등장 인물이 '定场白'에 이어 부르는 시.
〔定成〕 dìngchéng 동 ①응고하여 …가 되다. ¶熔化的金属～块; 녹은 금속이 응고하여 덩어리가 되다. ②…로 정하다. 정해서 …로 하다. ¶～纲领; 강령으로 정하다. 정해서 강령으로 하다.
〔定尺寸〕 dìngchǐcun ①명 사이징(sizing). ②(dìng chǐcun) 사이즈(size)를 정하다.
〔定出〕 dìngchū 동 (구체적으로) 정하다. ¶～斗争策略; 투쟁 전술을 정하다.
〔定单〕 dìngdān 명 주문서. 발주서(發注書). ＝〔订(货)单〕
〔定当〕 dìngdāng 부 반드시. 꼭. ⇒dìngdàng
〔定当〕 dìngdàng 형 ⇨〔妥tuǒ当〕 ⇒dìngdāng
〔定点〕 dìngdiǎn 명 ①결정된 지점 또는 부문. ¶～劳动; 일정한 장소에서 노동하다 / ～观测; 정점(定點) 관측. ②《物》 정점. 스폿(spot). 동 정점

에 이르다.

〔定调子〕 dìng diàozi ①부류(部類)·범위 따위를 정하다. 위치〔방향〕을 결정짓다. 기조(基調)를 정하다. ¶对复杂的事情, 不要随便～; 복잡한 사안을 경솔하게 결정지어서는 안 된다. ②《樂》(…을) 주음조(主音調)로 하다. 박자를 맞추다.

〔定鼎〕 dìngdǐng 동〈文〉①수도(首都)를 정하다. ②〈比〉천하를 장악하다.

〔定冻儿〕 dìngdòngr 동 묵 따위를 만들다. ¶那盆里的汤都～了; 저 그릇의 국물이 다 묵이 되었다.

〔定都〕 dìng.dū 동 수도를 정하다.

〔定断〕 dìngduàn 동 결정〔결단〕을 내리다.

〔定夺〕 dìngduó 동 가부(可否)를 결정하다. ¶等讨论后再行～; 토론 후에 가부를 결정하자 / 另行～; 따로 가부를 결정하다 / 自行～之权; 자기가 결정을 내릴 권한 / 这件事得请会长～; 이 일은 회장님에게 결정을 바라야 한다. =〔裁cái夺〕

〔定额〕 dìng'é 명 정액. 정원. 정량(定量). 노르마(norma). ¶～制度; 노르마〔표준 작업량〕 제도 / 生产～; 생산 노르마. 책임 작업량 / 装载～; 규정 적재량 / ～员; 노르마 조사원 / 追求～, 不顾质量; 노르마만을 추구하고, 질이 좋고 나쁨을 고려하지 않다.

〔定而不可移〕 dìng ér bù kě yí〈成〉일정 불변하다. 결코 변하지 않다. ¶～的条件; 결코 변하지 않는 조건.

〔定分〕 dìng.fēn 동 ①몫을 정하다. ②점수를 정하다.

〔定分〕 dìngfèn 명 정해진 운명. ¶浮世有～, 饥饿岂可逃; 뜬 세상에는 정해진 운명이 있으니, 굶주림에서 어찌 벗어날 수 있겠는가.

〔定风旗〕 dìngfēngqí 명《氣》풍향기(風向旗).

〔定稿〕 dìnggǎo 명 최종적으로 손질을 끝낸 원고. ¶这已经是～, 可以付印; 이것은 최종 원고이니까, 인쇄에 넘겨도 된다. 동 (원고를) 마지막 손질하다. 탈고하다. ¶词典正在修改, 尚未～; 사전은 지금 개정(改訂) 중이며, 아직 탈고되어 있지 않다.

〔定更(天)〕 dìnggēng(tiān) 명 옛날, 초경(初更)이 알려지는 시각. =〔起qǐ更(天)〕

〔定购〕 dìnggòu 동 ①정량(定量) 구입을 하다. ②주문하여 사다. ¶～即付; 현금 지불의 주문. =〔订购〕

〔定关节〕 dìngguānjié 명《生》봉합 관절(縫合關節). 뼈 관절의 일종. =〔缝féng合关节〕

〔定规〕 dìngguī 명 일정한 법규. 규정. ¶什么事都有个～, 办起来才不发生困难; 무슨 일이든지 규정이 있어야만, 일할 때 곤란한 일이 일어나지 않는다. 부〈方〉반드시. 기어코. ¶叫他不要去, 他～要去; 그에게 가지 말라고 하는데도, 그는 기어코 가려고 한다.

〔定规〕 dìnggui 동 ①〈方〉결정하다. ¶买电视的事明天再～吧! 텔레비전 사는 일은 내일 다시 정합시다! / 日子已经～了吗? 날짜는 벌써 정했는가? ②안심하다. 편안해지다. ¶吃下这药去心里～点儿; 이 약을 먹으면 기분이 가라앉는다.

〔定后儿跟〕 dìng hòurgēn 뒤쫓아다니다. 뒤따라다니다.

〔定户〕 dìnghù 명 ⇨〔订户〕

〔定滑轮〕 dìnghuálún 명 고정 도르래. →〔滑车①〕

〔定婚〕 dìng.hūn 동 ⇨〔订婚〕

〔定活〕 dìnghuó ①⇨〔订活〕 ②명 (예금의) 옛날, 정기(定期)와 당좌(當座). ¶～两便存款; 정기 당좌 수의(隨意) 예금(일정 기간내에 인출하지 않으면 정기 예금에 준하여 이자 계산을 하는 당좌 예금).

〔定货〕 dìnghuò ⇨〔订货〕

〔定计〕 dìng.jì A) 동 예정하다. 준비를 갖추다. 계획을 정하다. B) (dìngjì) 부 반드시. 꼭. 명 미리 꾸며 놓은 계획. ¶这本是他们的～; 이것은 본래 그들이 미리 짜 놓은 계획이다.

〔定价〕 dìngjià 명 정가. ¶～单 =〔～表〕; 정가표 / ～不二; 정가에 에누리 없음. (dìng.jià) 동〈文〉값을 정하다.

〔定检〕 dìngjiǎn 명 정기 검사. =〔定时检查〕

〔定见〕 dìngjiàn 명 정견. 일정한 견해〔주장〕.

〔定金〕 dìngjīn 명〈方〉⇨〔定钱〕

〔定睛〕 dìngjīng 동 뚫어지게 바라보다. 눈여겨보다. 주시하다. ¶～细看; 눈여겨 자세히 보다.

〔定居〕 dìng.jū 동 거처를 정하다. 정주〔정착〕하다. ¶～农村; 농촌에 정주하다 / 到这里～下来; 이 곳에 정주하게 되었다.

〔定居点〕 dìngjūdiǎn 명 정착 지구. ¶牧民～; 유목민의 정착 지구.

〔定局〕 dìngjú 동 (최종적인) 국면이 결정되다. 정세가 낙착되다. (최종적으로) 결정을 하다. ¶事情还没～, 明天可以再研究; 일이 아직 최종적으로 결정되지 않았으니까 내일 다시 한 번 검토하자. 명 움직일 수 없는〔정해진〕 국면. ¶今年丰收已成～; 금년의 풍작은 이미 확정적이다.

〔定据〕 dìngjù 명 계약 증서.

〔定礼〕 dìnglǐ 명 납폐. 납채. ¶下～; 납채를 보내고 혼약을 맺다.

〔定理〕 dìnglǐ 명 ①불변의 진리. ②《數》정리.

〔定立〕 dìnglì 동 (계약을) 맺다. 정하다. ¶～章程; 규칙을 정하다.

〔定例〕 dìnglì 명 상례(常例). 보기. ¶这差不多成了～了; 이것은 거의 상례가 되었다.

〔定量〕 dìngliàng 동《化》양을 정하다. 정량하다. 명 정해진 양. 정량. ¶～分配; 정량 분배 / ～供应; 정해진 양을 공급하다.

〔定量分析〕 dìngliàng fēnxī 명《化》정량 분석.

〔定律〕 dìnglǜ 명 일정한 규칙. (과학상의) 법칙. 注 '规律'도 법칙으로 번역이 되지만, '定律'는 객관 존재에 있어서의 사물의 내부 관계를 이름. ¶阿基米德～; 아르키메데스(Archimedes)의 법칙 / 格勒善～; 그레샴(Gresham)의 법칙.

〔定率〕 dìnglǜ 명동 ①공정 가격(을 정하다). ②임금·할인 등의 비율(을 정하다).

〔定轮〕 dìnglún 명《機》고정 도르래. =〔〈南方〉紧jǐn皮带盘〕〔〈北方〉死sǐ(皮带)轮〕〔紧轮〕 ↔〔游yóu轮〕

〔定论〕 dìnglùn 명 정설. 정론.

〔定脉案〕 dìng mài'àn 진단을 내리다. 판단을 내리다.

〔定苗〕 dìng.miáo 동《農》최종적으로 잘 자란 모종은 남겨두고 나머지 것은 솎아 내다. →〔间jiàn苗〕

〔定名〕 dìng.míng 동 명명(命名)하다. 이름을 붙이다. 注 사람에게는 쓰지 않음. ¶这个公社～为大同公社; 이 회사는 대동 공사(大同公社)라고 명명한다.

〔定牌商标〕 dìngpái shāngbiāo 명《經》주문자 상표(O.E.M).

〔定盘〕 dìngpán 명 정해진 시세. 일정한 시세. (dìng.pán) 동 ①시세를 정하다. ②일을 매듭짓

〔都伯林〕 Dūbólín 명《地》 더블린(Dublin)《'爱尔兰'(아일랜드: Ireland)의 수도》.
〔都城〕 dūchéng 명 〈文〉 서울. 수도(首都). =〔都门〕
〔都督〕 dūdū 명 도독《벼슬 이름. 역대 그 임무가 다른데, 민국(民國) 초기에는 각 성(省)에 두었던 군정 장관(軍政長官) 이름. 후에 '将jiāng军①'으로 고치고, 다시 '督军'으로 이름을 바꾸고, 다시 '督办'으로 고쳤음》.
〔都会〕 dūhuì 명 ⇨〔都市〕
〔都拉铭〕 dūlāmíng 명 〈音〉 두랄루민(duralumin). =〔硬铝〕〔杜拉铝〕〔笃铝〕
〔都噜〕 dūlu 동양 ⇨〔嘟噜〕
〔都市〕 dūshì 명 도시. 도회. =〔都会〕 →〔城chéng市〕
〔都雅〕 dūyǎ 형 〈文〉 우아하다. ¶容róng貌～; 용모가 우아하다.

阇(闍) dū (도) 명 〈文〉 성문(城門) 위의 대(臺). 망루. ⇒shé

嘟 dū (도) ①〈擬〉 뚜뚜《나팔 부는 소리》. ②동〈方〉 부루퉁해서 입을 비쭉 내밀다. ¶～起了嘴, 一言不发; 뾰로퉁해서 한 마디도 하지 않다.
〔嘟嘟〕 dūdū ①〈擬〉 뚜우뚜우. 빵빵《나팔·기적 소리》. ¶喇lǎ叭～响xiǎng; 나팔이 뚜우뚜우 울린다 / 汽qì车～; 자동차가 빵빵 소리를 낸다. ②동〈俗〉 재잘거리다. 투덜거리다. ¶小孩和她嘈～; 아이가 그 여자에게 재잘거린다. ‖=〔都都〕
〔嘟勒儿〕 dūler 명 혀끝을 들고 그것을 연속적으로 진동시켜 내는 음(音). ¶打～; 혀끝을 들고 진동시켜 소리를 내다.
〔嘟噜〕 dūlu 동 ①입 속에서 중얼거리다. 소곤거리다. =〔嘟囔〕 ②축 늘어지다. ¶脖子下头～着肉; 목 밑에 살이 늘어져 있다. 양 송이. 꾸러미《한 덩어리로 달려 있는 것을 세는 말》. ¶一～葡萄; 한 송이의 포도 / 一～钥匙; 한 꾸러미의 열쇠. ‖=〔都噜〕
〔嘟囔〕 dūnang 동 중얼거리다. 투덜거리다. 소곤거리다. ¶嘴里不住地～; 입 속에서 자꾸만 투덜거리다 / 别～了, 有什么好事说给大家听听; 소곤소곤하지 말고 뭔가 좋은 일이 있으면 모두에게 말해 들려 주어라. =〔嘟噜〕〔嘟哝〕
〔嘟念〕 dūniàn 동 투덜거리다. 불평하다.
〔嘟哝〕 dūnong 동 ⇨〔嘟囔〕
〔嘟嘴〕 dū.zuǐ 동 입을 삐죽 내밀다. ¶她嘟着嘴, 气得说不下去; 그녀는 입을 삐죽 내밀고, 너무 화가 나서 말도 잇지 못했다.

豚〈启〉 dū (돈) 〈독〉 (～儿, ～子) 명 〈方〉 ①엉덩이. =〔屁股〕 ②벌·전갈 등의 미부(尾部)《특히 독침(毒針)》.

督 dū (독) ①동 감독하다. 단속하다. 감시하다. ¶监～; 감독하다. ②동 재촉하다. 독촉하다. ¶把他的火儿给～上来了; 그의 화를 더욱 돋구었다. ③동 자신이 주장이 되어 일을 하다. 인솔하다. ¶～师; 군대를 이끌고 싸우다. ④명 장관(長官). ⑤명 물건의 한가운데. ⑥명 성(姓)의 하나.
〔督办〕 dūbàn 동 감독하여 처리하다. 명 감독. ‖=〔督管〕〔督理〕
〔督察〕 dūchá 동 감독하다. 감찰하다.
〔督促〕 dūcù 명동 독촉(하다). 재촉(하다). ¶～提早完成; 앞당겨 완성하도록 독촉하다. =〔督催〕
〔督催〕 dūcuī 명동 ⇨〔督促〕
〔督导〕 dūdǎo 동 〈文〉 감독 지도하다.
〔督抚〕 dūfǔ 명 총독과 순무(巡撫)《명·청대(明·清代)의 최고 지방 장관》. =〔大府②〕
〔督工〕 dūgōng 동 공사를 감독하다.
〔督管〕 dūguǎn 동명 ⇨〔督办〕
〔督军〕 dūjūn 명 민국(民國) 초의 성(省)의 최고 지방 장관.
〔督理〕 dūlǐ 동명 ⇨〔督办〕
〔督粮道〕 dūliángdào 명 명(明)·청대(清代) 각 성(省)에서 양미(糧米) 운송을 주관한 관리. =〔粮道〕
〔督率〕 dūshuài 동 감독 인솔하다. =〔督带〕
〔督学〕 dūxué 명 옛날의 독학관(督學官)《이전에는 '视shì学'라고 했음》.
〔督战〕 dūzhàn 동 전투를 독려하다.
〔督阵〕 dūzhèn 동 〈文〉 전쟁터에서 지휘하다. 군대를 지휘하다.

独(獨) dú (독) ①명 한 사람. 하나. 단독. 혼자. ¶～子; ⇩ / 无～有偶ǒu; 〈成〉 혼자가 아니고 짝이 있다 / ～木不成林; 한 그루의 나무로는 숲이 이루어지지 않는다《한 개인이나 한 단위로써는 힘이 미약해서 큰 일을 이룰 수 없음》. ②부 혼자. 홀로. ¶～唱; ⇩ / 他～坐在屋子里; 그 사람 혼자 방 안에 앉아 있다 / ～来～行; 〈成〉 마음대로 행동하다. ③명 외돌토리. 의지할 데 없는 노인. ¶鳏guān寡孤～; 고독하고 의지할 데 없는 사람들. ④부 다만. 단지. 유독. 오직. ¶大伙都齐了, ～有他还没来; 모두 와 있는데 유독 그 사람만 아직 오지 않았다 / 不～…; 단지 …일〔할〕 뿐 아니라. ⑤형 〈口〉 이기적이다. ¶这孩子太～了, 从来不让别人动自己的玩具; 이 아이는 너무 이기적이어서 자기의 장난감을 다른 사람이 사용하지 못하게 한다.
〔独霸〕 dúbà 동 독점하다. 제패하다. (폭력으로) 군림하다. ¶他是个～一方的地头蛇; 그는 한 구역에서 군림하고 있는 깡패다.
〔独白〕 dúbái 명《劇》 독백. 모놀로그.
〔独豹〕 dúbào 명《鳥》 능에.
〔独步〕 dúbù 명 독보적. 최량(最良). 첫째. 동 홀로 걷다.
〔独步一时〕 dú bù yī shí 〈成〉 어떤 시대에 있어서 둘도 없이 훌륭하다《한 시대에 독보하다》.
〔独裁〕 dúcái 명동 독재(하다). ¶～者zhě; 독재자.
〔独操〕 dúcāo 동 〈文〉 독점하다.
〔独唱〕 dúchàng 명동 독창(하다). 솔로(로 노래하다).
〔独出心裁〕 dú chū xīn cái 〈成〉 독창적인 생각을 내놓다. 독특한 방법을 만들어 내다.
〔独处〕 dúchǔ 동 〈文〉 혼자 살다. 독거(獨居)하다.
〔独创〕 dúchuàng 명형 독창(적이다). ¶～性; 독창성. 동 독창적으로 일을 하다. ¶～一格; 〈成〉 독창적으로 하나의 품격을 이루다.
〔独单〕 dúdān 부 〈俗〉 오직. 단지. 다만. 명 침실 하나에 부엌 딸린 주택.
〔独胆英雄〕 dú dǎn yīng xióng 〈成〉 뛰어나게 대담하고 과감한 사람. 용감무쌍한 사람.
〔独当一面〕 dú dāng yī miàn 〈成〉 어느 범위〔분야〕를 혼자서 맡다. 혼자 독자적으로 일하다. 혼자서 거침없이 해내다.

〔独到〕 dúdào 명 독특하게 뛰어난 점. 독자적인 경지. ¶有～之处; 독특한〔뛰어난〕 점이 있다 / 这是他的～; 이것이 그의 독특한 점이다〔독자적인 경지다〕.
〔独断〕 dúduàn 명동 독단(하다). ¶～独行xíng =〔～专行〕;〈成〉독단 전횡하다.
〔独房〕 dúfáng 명 단독 주택. 독립 가옥. 별채.
〔独峰驼〕 dúfēngtuó 명《動》단봉 낙타. =〔单dān峰驼〕
〔独夫〕 dúfū 명〈文〉①독신 남자. ②필부(匹夫). ③인심을 잃은 고독한 자.〈比〉폭군(暴君). ¶～民贼zéi; 포악한 독재자.
〔独个儿〕 dúgèr 부 혼자. 단독. ¶～做成功了; 혼자서 해냈다. 명 홀몸. 독신.
〔独根独苗〕 dúgēn dúmiáo〈方〉독자. 외동이. ¶～的一个女孩子; 외동딸. 무남독녀. =〔独根苗〕〔〈方〉独根苗苗〕〔独根儿〕
〔独根孤种〕 dúgēn gūzhǒng 외아들. 독자.
〔独根儿〕 dúgēnr〈方〉⇨〔独根独苗〕
〔独根子〕 dúgēnzi 명 고독을 좋아하는 사람. ¶他就是这么个～性, 跟谁也合不来; 그는 이처럼 고독을 좋아하는 성미여서 누구하고도 잘 어울릴 수가 없다 / 过团体生活, 这～调diào儿可得děi改一改; 단체 생활을 하려면, 이런 고독을 좋아하는 생활 태도를 바꿀 필요가 있다.
〔独孤〕 Dúgū 명 복성(複姓)의 하나.
〔独户〕 dúhù 명 의지할 사람이 없는 가정〔집안〕.
〔独活〕 dúhuó 명《植》①땅두릅. =〔土当归〕 ②멧두릅.
〔独家〕 dújiā 명 ①자가(自家)〔자체〕의 독특함. ¶～产品; 자가의 독특한 제품. ②한 집뿐임. ¶～经售; 독점 판매.
〔独家代理〕 dújiā dàilǐ 명 ⇨〔总zǒng代理〕
〔独家经理〕 dújiā jīnglǐ 명 ⇨〔总zǒng代理〕
〔独家新闻〕 dújiā xīnwén 명 독점 뉴스.
〔独间〕 dújiān 명 방 하나만 있는 독채.
〔独间儿〕 dújiānr 명 별채의 방. 따로 떨어진 방.
〔独见〕 dújiàn 명〈文〉자기만의 의견.
〔独角戏〕 dújiǎoxì 명 ①《劇》일인 연극. 모노드라마(monodrama). =〔单dān边戏〕 ②〈南方〉만담. ③〈轉〉혼자 모든 일을 도맡아 처리하는 것. ¶唱chàng～; 일인 연극을 하다. (어떤 일을) 혼자서 처리하다. ④고립 무원(孤立無援)의 형용. ‖ =〔独脚戏〕
〔独角仙〕 dújiǎoxiān 명《蟲》투구벌레(수컷). →〔甲jiǎ虫〕
〔独脚〕 dújiǎo 명 ①외발. ¶～桌; 다리가 하나인 탁자 / ～金鸡;《植》고사리삼 / ～蜂;《蟲》송곳벌. ②한 사람. ¶～道白; 혼자 하는 대사. 독백(獨白). ③한쪽 다리(만 있는 사람). 절름발이. =〔独脚人〕
〔独居〕 dújū 동 혼자 살다.
〔独居石〕 dújūshí 명《鑛》모나자이트(monazite)《토륨(thorium) 광석으로서 중요함》.
〔独具匠心〕 dú jù jiàng xīn〈成〉독자의 창조성을 갖추고 있다. 독자의 경지에 이르다. ¶～的艺术品; 독창성 있는 예술품.
〔独具一格〕 dú jù yī gé〈成〉독자적인 풍격을 갖추다.
〔独具只眼〕 dú jù zhī yǎn〈成〉독자의〔탁월한〕 견식을 가지고 있다.
〔独揽〕 dúlǎn 동 독점하다. 한 손에 쥐다. ¶～经济大权; 경제 대권을 독점하다.
〔独力〕 dúlì 명부 혼자의 힘(으로). 자력(自力)(으로). ¶～经营; 혼자의 힘으로 경영하다 / ～难行; 혼자의 힘으로는 하기 어렵다.
〔独立〕 dúlì 명동 독립(하다). ¶宣布～; 독립을 선포하다. 동 ①홀로 서다. ¶～山巅的苍松; 산꼭대기에 홀로 서 있는 푸른 소나무. ②독자적으로 하다. ¶～工作; 독자적으로 일하다 / ～思考; 혼자서 생각하다. 명 군대의 독립 조직. ¶～营; 독립 대대(大隊).
〔独立国〕 dúlìguó 명 독립국.
〔独立旅〕 dúlìlǚ 명《軍》독립 여단(旅團).
〔独立师〕 dúlìshī 명《軍》독립 사단(師團).
〔独立性〕 dúlìxìng 명 독립성. 독립적. 자주성. 자주적.
〔独立王国〕 dúlì wángguó 명 ①독립 왕국. ②〈轉〉(다른 사람의 관여를 허락하지 않는) 독자적인 영역. ¶他把自己主管的单位变成了～; 그는 자기가 주관하는 부문을 독자적인 영역으로 만들었다.
〔独立自主〕 dúlì zìzhǔ 명 자주 독립.
〔独利则败〕 dú lì zé bài〈成〉이익을 독점하려고 들면 반드시 실패한다.
〔独龙族〕 Dúlóngzú 명《民》두룽 족《중국 소수민족의 하나. 윈난 성(雲南省)에 거주함》.
〔独鹿〕 dúlù 명〈文〉회오리바람. 선풍(旋風).
〔独轮车〕 dúlúnchē 명〈南方〉일륜차(一輪車)《손으로 미는 손수레》. ¶独木轮小车; 나무로 만든 일륜차. =〔小xiǎo车(儿)①〕
〔独门独院〕 dúmén dúyuàn 문과 뜰을 단독으로 갖춘 집. 독립 가옥. 한 채로 지은 건물. =〔独门独户〕
〔独门方子〕 dúmén fāngzi 명《藥》가문에 전해 오는 비방.
〔独门儿〕 dúménr 명 ①단지 한 집. ②문외 불출(門外不出)의 비전(秘傳)·비법(秘法).
〔独门热货〕 dúmén rèhuò 독점적인 특매(特賣) 상품.
〔独木〕 dúmù 명〈文〉한 그루의 나무. ¶～不成林;〈諺〉한 그루의 나무는 숲을 이루지 못한다. 한 사람의 힘으로는 아무것도 할 수 없다 / ～船chuán =〔～舟zhōu〕; 통나무배.
〔独木难支〕 dú mù nán zhī〈成〉한 그루의 나무로는 큰 건물을 버틸 수 없다《큰 일은 혼자서는 감당할 수 없다》. =〔一木难支〕
〔独木桥〕 dúmùqiáo 명 독목교. 외나무다리. =〔〈文〉独梁〕
〔独幕剧〕 dúmùjù 명《劇》일막극(一幕劇). 단막극. →〔多duō幕剧〕
〔独辟蹊径〕 dú pì xī jìng〈成〉스스로 길을 개척하다《독창적으로 새로운 스타일·방법을 만들어 내다》.
〔独人〕 dúrén 명〈文〉혼자. 오직 한 사람.
〔独善其身〕 dú shàn qí shēn〈成〉자기 생각만 하고 남을 돌보지 않다.
〔独身〕 dúshēn 명 ①독신. ¶～主zhǔ义; 독신주의 / ～宿舍; 독신자 숙사. ②단신. 홀몸. ¶十几年～在外; 혼자서 10여 년이나 객지에서 지내다.
〔独生(儿)子〕 dúshēng(ér)zi 명 외아들. 독자. =〔独子〕
〔独生女〕 dúshēngnǚ 명 외딸. 독녀(獨女). =〔独女〕
〔独生子女证〕 dúshēng zǐnǚzhèng 명 일인 자녀 증명서《부부가 자식을 하나만 두겠다고 신청하면 관계 부서에서 발행해주는 것》.
〔独树一帜〕 dú shù yī zhì〈成〉독자적으로 한

부탁드립니다.
〔渎职〕 dúzhí 명동 독직(하다). ¶～行为; 독직 행위.

棱(櫝〈匵〉) dú (독) 명 ①궤. 장. =〔柜guì子〕 ②함(函). 상자. ¶买～还珠; 〈成〉 취사 선택이 부적당하다(초(楚)나라 사람이 목련 상자를 만들어 주옥으로 장식하고 그 안에 구슬을 넣어 정(鄭)나라 사람한테 보냈던 바, 상자만 사고 구슬은 돌려 보냈다는 고사). =〔匣xiá子〕

殎(殰) dú (독) 동 〈文〉 유산하다. 낙태하다.

犊(犢) dú (독) (～儿, ～子) 명 ①송아지. ¶初生～儿不怕虎; 〈諺〉 하룻강아지 범 무서운 줄 모른다. ②〈轉〉 아이. 자식. ¶带～; 덤받이를 데리고 재혼하다.
〔犊不畏虎〕 dú bù wèi hǔ 〈諺〉 하룻강아지 범 무서운 줄 모른다.
〔犊子〕 dúzi 명 ①《動》 송아지. ②어린 아이.

牍(牘) dú (독) 명 ①목간(木簡)(옛날, 글자를 새기던 나뭇조각). ②문서. ¶文～; 문서/商shāng业尺～; 상업 통신문. ③편지. =〔尺chǐ牍〕

讟(讟) dú (독) 명 〈文〉 원망하는 말.

黩(黷) dú (독) 동 〈文〉 ①더럽히다. 욕보이다. ②때묻다. 더러워지다. ③방자하게 굴다. 경솔하게 굴다.
〔黩武〕 dúwǔ 동 〈文〉 전쟁을 좋아하다. 함부로 무력을 쓰다. ¶穷兵～; 〈成〉 병력을 남용하여 전쟁을 일삼다.
〔黩职〕 dúzhí 동 〈文〉 독직(瀆職)하다. 직위를 이용해서 부정한 짓을 하다.

顿(頓) dú (돌) →〔冒Mò顿〕 ⇒dùn

髑 dú (촉) →〔髑髅〕
〔髑髅〕 dúlóu 명 해골.

肚 dǔ (두) (～儿, ～子) 명 (요리용의) 가축 내장의 위(胃). ¶羊～; 양의 위/猪～; 돼지의 위/～丝儿; 위 주머니를 잘게 썬 것. ⇒dù
〔肚子〕 dǔzi →〔字解〕

笃(篤) dǔ (독) 형 ①두텁다. 극진하다. ¶信心甚shèn～; 믿음이 매우 두텁다. ②잡것이 섞이지 않다. ③진심이 담기다. 성실하다. ¶～行而不倦; 성실하게 하면서 게으름을 피우지 않다. ④(병이) 위중하다. =〔病笃〕
〔笃诚〕 dǔchéng 형 ⇒〔笃厚〕
〔笃定〕 dǔdìng 형 〈方〉 ①틀림 없다. 자신있다. 확실하다. ¶～泰山; 〈成〉 확실하다. 틀림없다. ②침착하다.
〔笃厚〕 dǔhòu 형 인정이 많고 성실하다. 친절하고 정직하다. =〔笃诚〕
〔笃疾〕 dǔjí 형 〈翰〉 위독하다.
〔笃实〕 dǔshí 형 ①독실하다. ¶～敦厚; 독실하고 정이 두텁다. ②충실〔견실〕하다. ¶他的学问很～; 그의 학문은 매우 견실하다.
〔笃信〕 dǔxìn 동 깊이 믿다.
〔笃行〕 dǔxíng 명 〈文〉 독행. 독실한 행실.
〔笃学〕 dǔxué 동 열심히 학문에 힘쓰다.
〔笃幽幽(的)〕 dǔyōuyōu(de) 형 천천히 하는 모양. 느릿느릿한 모양. ¶水牛～地走着; 물소가 느릿느릿 걷고 있다.
〔笃志〕 dǔzhì 명 〈文〉 독지. (모임이나 사업 등에 대한) 두터운 뜻〔마음〕.

堵 dǔ (도) ①동 막다. 차단하다. ¶水沟～住了; 도랑이 막혔다/～老鼠洞; 쥐구멍을 막다/拿手巾～住她的嘴; 수건으로 그녀의 입을 막다/别～着站着; 막아 서지 마라/～不住大家的嘴; 여러 사람의 입을 틀어막을 수는 없다. ②동 기분이 우울〔답답〕해지다. ¶心里～得慌; 마음 속이 우울해서 견딜 수가 없다. ③명 〈文〉 담. 울타리. ¶观者如～; 구경꾼이 많다. ④양 담을 세는 데 쓰이는 말. ¶一～墙; 하나의 담. ⑤명 성(姓)의 하나.
〔堵车〕 dǔ‧chē 동 차가 막히다. ¶这个路口经常～; 이 길목은 차가 자주 막힌다.
〔堵耳不听〕 dǔ ěr bù tīng 〈成〉 남의 말에 귀를 기울이지 않다. ¶～人家的话; 남의 말을 듣지 않다.
〔堵击〕 dǔjī 동 요격(邀擊)하다. 영격(迎擊)하다.
〔堵渐防微〕 dǔ jiàn fáng wēi 〈成〉 (혼란이나 재해가) 확대되지 않도록 미리 수단을 강구하다. 미연에 방지하다.
〔堵剿〕 dǔjiǎo 동 〈文〉 퇴로를 막고 토벌(討伐)하다.
〔堵截〕 dǔjié 동 통과하지 못하게 하다. 차단하다. 끊다. 막다. ¶～敌人的退路; 적의 퇴로를 끊다.
〔堵口〕 dǔ‧kǒu 동 ①입구나 출구를 가로 막다. ②파손된〔터진〕 곳을 막다〔메우다〕
〔堵窟窿〕 dǔkūlong 동 ①구멍을 메우다. ②〈轉〉 빚을 갚다. ¶这钱先别胡花, 留着～吧! 이 돈은 함부로 사용하지 말고, 간직해 두었다가 빚을 갚도록 해라!
〔堵漏子〕 dǔ lòuzi ①새는 곳을 틀어막다. ②〈轉〉 실수를 감싸주다. ¶我在工作上捅了漏子, 你马上就替我去～; 내가 일을 하다가 실수를 하면, 당신은 곧 나의 실수를 감싸 주시오.
〔堵门(儿)〕 dǔ‧mén(r) 동 입구를 가로막다. ¶～要债; 입구를 막고 서서 빚을 독촉하다.
〔堵门儿雨〕 dǔménr yǔ 〈比〉 장마비.
〔堵闷〕 dǔmèn 동 (기분이) 침울해지다.
〔堵气〕 dǔ‧qì 동 화를 내다. 불끈하다. =〔赌气(子)①〕
〔堵墙〕 dǔqiáng 명 울타리. 담.
〔堵丧〕 dǔsang 동 ①앙알거리다. 잔소리하다. ②말대꾸하며 대들다. ¶我好心劝他, 他反倒～我; 나는 호의를 가지고 충고하는데도 그는 오히려 나에게 대든다. ‖ =〔堵噎yē〕
〔堵塞〕 dǔsè 동 ①막다. 가로막다. ¶公路被塌下来的山石～了; 자동차 길은 산사태로 인한 돌로 막혀 버렸다. ②(부족·결점을) 보충하다. 메우다. ¶～工作中的漏洞; 일의 결함을 보충하다.
〔堵死〕 dǔsǐ 동 ①(목이) 막혀서 죽다. ¶被痰～; 담이 걸려서 죽다. ②꽉 막다. 막아버리다. ¶～门; 입구를 꽉 막다. ③막혀서 쓸모없게 되다. 꽉 차서 통하지 않다. ¶烟囱孔被煤烟子～; 굴뚝 구멍이 검댕으로 막혀서 쓸모없게 되다.

〔堵头儿〕 dǔtóur 명 (병 따위의) 마개. 뚜껑.
〔堵窝(儿)〕 dǔ,wō(r) 동 자고 있을 때 습격하다. 집으로 몰려가다. 집 앞을 가로막다.
〔堵心〕 dǔxīn 형 기분이 울적하다. 불쾌하다.
〔堵心棚〕 dǔxīnpéng 명 출입구에 받쳐서 세운 선반. 〈轉〉 마음에 걸리는 일. 걱정거리. ¶前头又搭上了～; 눈앞에 또 걱정거리가 생겼다.
〔堵住〕 dǔzhù 동 막다. 메우다. ¶～门口; 입구를 막아 서다 / ～嘴不说; 입을 다물고 말을 하지 않다.
〔堵嘴〕 dǔ,zuǐ 동 ①말을 가로막다. 남의 발언을 억제하다. ②말문이 막히다.

赌(賭) dǔ (도)
①명동 노름〔도박〕(을 하다). ¶十～九骗 piàn; 노름꾼의 십중팔구는 속임수를 쓴다 / 人不对不～; 동등한 사람끼리가 아니라면 도박은 하지 마라 / 设～抽头; 도박판을 벌여 자릿세로 판돈을 뜯어 내다. ②동 내기하다. 내기를 걸다. ¶我说这次的锦标一定是我们的, 你敢跟我～吗? 이번 우승은 틀림없이 우리의 것이야, 네가 감히 나와 겨루겠다는 거냐? =〔打dǎ赌〕 ③동 〈方〉 단단히 (정신 차려) …하다. 지지 않으려고 …하다. ¶～一～看! 정신 단단히 차리고 한 번 해 봐!
〔赌案〕 dǔ'àn 명 《法》 도박 사건.
〔赌本〕 dǔběn 명 ①도박 밑천. ②〈比〉 모험적인 일을 할 때의 의지할 곳〔것〕.
〔赌博〕 dǔbó 명동 노름(하다). 도박(하다). =〔博局①〕
〔赌博场〕 dǔbóchǎng 명 노름판. 도박장. ¶～无父子; 노름판에서는 부자(父子)도 없다. =〔赌场〕
〔赌场〕 dǔchǎng 명 ⇨〔赌博场〕
〔赌筹〕 dǔchóu 명 마작에서 계산하는 데 쓰이는 작은 대나무 조각. →〔筹码(儿)①〕
〔赌东道〕 dǔ dōngdào 한턱내는 내기를 하다. ¶要是～的话, 保管你输; 먹기 내기라면, 자네가 질 것은 뻔한 일이다. =〔赌东(儿)〕
〔赌尔焉〕 dǔ'ěryān 명 《植》 〈音〉 두리안(durian).
〔赌犯〕 dǔfàn 명 《法》 도박범.
〔赌房〕 dǔfáng 명 도박장.
〔赌鬼〕 dǔguǐ 명 노름꾼. 도박 상습자.
〔赌棍〕 dǔgùn 명 노름만 하는 불량배.
〔赌伙〕 dǔhuǒ 명 노름 친구. 도박 패거리. =〔赌友(儿)〕
〔赌局〕 dǔjú 명 ①도박. ②도박장.
〔赌具〕 dǔjù 명 도구. 도박의 도구(道具).
〔赌客〕 dǔkè 명 도박장의 단골.
〔赌窟〕 dǔkū 명 〈文〉 도박의 소굴. =〔赌窝〕
〔赌媒〕 dǔméi 명 (도박장에서의) 주사위 던지기.
〔赌命〕 dǔmìng 동 〈文〉 목숨을 걸다.
〔赌痞〕 dǔpǐ 명 도박 상습꾼.
〔赌棋〕 dǔqí 동 내기 장기를〔바둑을〕 두다.
〔赌气(儿)〕 dǔ,qì(r) 동 ⇨〔赌气(子)①〕
〔赌气(子)〕 dǔ,qì(zi) 동 ①화를 벌컥 내다. 발끈하다. ¶他一～就走了; 그는 발끈해서 가 버렸다. =〔赌气(儿)〕〔堵气〕 ②분발하여 일어나다. ③고집을 부리다.
〔赌钱〕 dǔ,qián 동 도박하다. 돈을 걸다.
〔赌赛〕 dǔsài 동 승부를〔우열을〕 겨루다. =〔赌胜〕
〔赌神发咒〕 dǔ shén fā zhòu 〈成〉 신을 두고 맹세하다.
〔赌摊〕 dǔtān 명 이동식 도박장.
〔赌头儿〕 dǔtóur 명 노름판의 주인. 물주.
〔赌头〕 dǔtou 명 도박에 건 금품.
〔赌徒〕 dǔtú 명 도박꾼. 노름꾼.
〔赌债〕 dǔzhài 명 노름빚.
〔赌咒〕 dǔ,zhòu 동 맹세하다. ¶凭天～; 하늘에 맹세하다. =〔发誓〕〔起誓〕
〔赌注〕 dǔzhù 명 도박에 건 것. 도박에 태운 돈. ¶以自己的命运为～; 자신의 운명을 걸다.

睹〈覩〉 dǔ (도)
동 보다. ¶目～眼见; 분명히 눈으로 보다 / 不忍目～; 목불인견(目不忍見) / ～物思人; 〈成〉 (그 사람에게 관계 있는) 물건을 보면 그 사람을 생각하게 된다 / 熟视无～; 〈成〉 보고도 못 본 체하다 / 有目共～; 〈成〉 모두가 보아 알고 있다.

芏 dù (도, 토)
→〔茳jiāng芏〕

杜〈敼〉② dù (두)
①명 《植》 팥배나무. ②동 막다. 근절하다. 뿌리 뽑아 없애다. ¶～绝流弊; 오랫동안의 폐해를 근절시키다. ③명 성(姓)의 하나.
〔杜弊〕 dùbì 동 〈文〉 폐해를 근절시키다.
〔杜合金〕 dùhéjīn 명 《化》 다우메탈(Dowmetal). =〔金美合金〕
〔杜蘅〕 dùhéng 명 《植》 두형. =〔杜衡〕
〔杜渐〕 dùjiàn 동 〈文〉 일을 미연(未然)에 막다. ¶～防萌; 〈成〉 사물의 싹트는 시초를 막아 후환을 없애다.
〔杜鹃〕 dùjuān 명 ①《鳥》 두견새. =〔布谷〕〔杜宇〕 ②《植》 진달래. ¶～花; ⓐ진달래꽃. ⓑ철쭉꽃.
〔杜绝〕 dùjué 동 ①(좋지 않은 일을) 끊어 없애다. 뿌리 뽑다. 철저히 막다. ¶～错误做法; 틀린 방법을 없애다 / ～贪污和浪费; 탐오와 낭비를 근절하다. ②(옛날, 부동산 매매 계약서에) 되물리지 못한다는 조건으로 팔다.
〔杜康〕 Dùkāng 명 ①주(周)나라 때, 술을 잘 빚은 명인의 이름. ②(dùkāng) 〈轉〉 술.
〔杜客〕 dùkè 동 〈文〉 손님을 끊다〔사절하다〕. ¶闭bì门～ =〔闭门不纳〕; 문을 잠그고 면회를 사절하다.
〔杜口〕 dùkǒu 동 〈文〉 입을 봉하다. 침묵하다.
〔杜老婆子〕 dùlǎopózi 아는 체와 잔소리를 많이 하는 할머니. ¶他跟～一个样; 그는 마치 잔소리가 많은 할머니 같다.
〔杜梨〕 dùlí 명 《植》 〈俗〉 팥배나무(의 열매). =〔〈文〉 甘gān棠〕〔棠táng梨〕〔土tǔ梨〕
〔杜丽雀〕 dùlìquè 명 《鳥》 찌르레기.
〔杜乱〕 dùluàn 동 〈文〉 난리를 방지하다.
〔杜卖〕 dùmài 동 남김없이 다 팔다. ¶～尽根; 송두리채 다 팔아 버리다.
〔杜门〕 dùmén 동 〈文〉 집 안에만 틀어박혀 밖에 나가지 않다. ¶～不出; 두문불출하다 / ～谢客; 문을 닫고 면회를 사절하다.
〔杜松〕 dùsōng 명 《植》 두송. 노간주나무.
〔杜宇〕 dùyǔ 명 ⇨〔杜鹃①〕
〔杜仲〕 dùzhòng 명 《植》 두충(두충과의 낙엽 교목. 껍질 말린 것을 닳여서 강장약으로 사용함).
〔杜仲胶〕 dùzhòngjiāo 명 두충의 수지(樹脂).
〔杜撰〕 dùzhuàn 동 ①날조하다. ②되는대로 하다. ③저작(著作)·문장에 잘못〔틀림〕이 많다.
〔杜撰(儿)〕 dùzhuàn(r) 명 ①허구(虛構). 조작. 꾸며 낸 일. ¶这个故事写的是真人真事, 不是～儿的; 이 이야기는 실재의 인물과 실지로 있었던 일

편. 까닭. 자세한 사정. 자초지종. 경위. ¶我一问起方知～; 물어 본즉, 그 까닭을 알게 되었다. =〔端底dì〕 ‖ 囲 '端的'는 조기백화(早期白話)에서 많이 보임.
〔端端〕 duānduān 형 정연하다. 반듯하다. ¶～有理; 도리가 정연하다.
〔端端正正〕 duānduānzhèngzhèng 형 단정하다. 바르다.
〔端饭〕 duān fàn 밥을 (담아서 받들어) 나르다. 밥을 내놓다. ¶～来! 밥을 가져오너라!
〔端方〕 duānfāng 형 〈文〉 올바르다. 방정〔단정〕하다. ¶品行～; 품행이 단정하다.
〔端锅〕 duānguō 동 ①(노름 따위에서) 자기 혼자서 모두 따 버리다. 혼자서 이기다. 이익을 독점하다. ¶大伙儿的利益你一个人～那可不成; 모두의〔전체의〕 이익을 너 혼자서 독점하려 하다니 괘씸하다. ②실업하다. 해고되다.
〔端架子〕 duān jiàzi 〈方〉 젠체하다. 거만을 떨다. 건방지게 굴다.
〔端肩膀儿〕 duān jiānbǎngr 어깨를 쭉 펴다.
〔端节〕 Duānjié 명 ⇨〔端午(节)〕
〔端居〕 duānjū 명 〈翰〉 평소. 평상시.
〔端赖〕 duānlài 동 〈文〉 오로지〔전적으로〕 …에 의하다〔덕택이다〕. ¶他有今日～父亲培植; 그가 오늘날과 같이 된 것은 전적으로 부친이 애쓴 덕택이다.
〔端丽〕 duānlì 형 단정하고 아름답다.
〔端良〕 duānliáng 형 선량하다. 어질다.
〔端量〕 duānliáng 동 (눈대중으로) 짐작하다. 어림잡다. ¶你～～这件东西多重; 이 물건의 무게가 얼마나 되는지 어림잡아 봐라.
〔端门〕 duānmén 명 궁전의 정문.
〔端面(儿)〕 duānmiàn(r) 명 《工》 ①원주형 기계 부품 등의 양단의 평면. ②축의 직각 평면.
〔端面孔〕 duān miànkǒng 무뚝뚝한〔시무룩한〕 얼굴을 하다. ¶他～仿佛没听见一样; 그는 무뚝뚝한 얼굴을 하며 못 들은 척하고 있다.
〔端木〕 Duānmù 명 복성(複姓)의 하나.
〔端倪〕 duānní 명 〈文〉 단서. 실마리. ¶毫无～; 단서가 조금도 없다 / 略有～; 단서가 조금 있다 / ～已见; 징조가 이미 나타나고 있다.
〔端起来〕 duān.qi.lai 동 ①한 손 또는 양손으로 받들어 올리다. ②허세를 부리다. 의젓한 체하다.
〔端然〕 duānrán 형 단정하다.
〔端人正士〕 duānrén zhèngshì 〈文〉 품행이 방정한 사람. =〔端士〕
〔端肃〕 duānsù 형 건실하고 정직하다. 방정하다.
〔端头〕 duāntou 명 원인. 까닭.
〔端五〕 Duānwǔ 명 ⇨〔端午(节)〕
〔端午(节)〕 Duānwǔ(jié) 명 단오. 단오절《음력 5월 5일》. =〔端节〕〔端五〕〔端阳(节)〕〔重五〕〔重午〕
〔端溪〕 Duānxī 명 《地》 돤시《광둥 성(廣東省) 광저우 시(廣州市)의 서쪽에 있는 계류(溪流)로, 최상의 연석(硯石)이 되는 '端石'을 산출함》.
〔端线〕 duānxiàn 명 《體》 사이드라인. 골라인. (테니스의) 베이스 라인(base line). (탁구의) 엔드 라인.
〔端详〕 duānxiáng 명 일의 경위. 자세한 사정. ¶听～; 자세한 사정을 듣다. 형 언행이 조용하고 침착하다. 점잖다. 우아하다.
〔端详〕 duānxiang 동 ⇨〔端相〕
〔端相〕 duānxiang 동 자세히 보다. 찬찬히 보다. 상황을 살피듯이 보다. ¶～了半天, 也没认出是谁; 자세히 보았으나, 역시 누구인지 모르겠다. =〔端详xiang〕
〔端绪〕 duānxù 명 (사건의) 실마리. 단서. ¶有了～了; 실마리가 잡혔다.
〔端雅〕 duānyǎ 형 〈文〉 단정하고 우아하다.
〔端砚〕 duānyàn 명 광둥 성(廣東省) 돤시(端溪)의 '端石'로 만든 벼루. →〔端溪〕
〔端阳(节)〕 Duānyáng(jié) 명 ⇨〔端午wǔ(节)〕
〔端月〕 duānyuè 명 〈文〉 정월(正月).
〔端着金碗讨饭吃〕 duānzhe jīnwǎn tǎo fàn chī 〈諺〉 황금 밥공기를 내밀고 걸식하다《아깝게도 훌륭한 것을 헛되게 쓰다》.
〔端正〕 duānzhèng 형 ①단정하다. 깔끔하다. ¶安排～了; 틀림없이 준비해 놓았다 / 五官～; 오관이 단정하다. 이목구비가 단정하다. ②바르다. 방정하다. ¶品行～; 품행이 방정하다. 동 (태도·사상·방향 등을) 바르게 하다. 바로잡다. ¶～了政治方向; 정치의 방향을 바르게 하였다.
〔端庄〕 duānzhuāng 형 (언행·표정 등이) 단정하고 장중하다. ¶仪态～; 태도나 동작이 단정하고 무게가 있다 / 行止～; 거동이 단정하고 장중하다.
〔端子〕 duānzǐ 명 《電》 커넥터. 단자.

短 duǎn (단)

①형 짧다. ㉠공간적으로. ¶～距离; 단거리 / 舌头～了; 혀가 짧다. ㉡시간적으로. ¶天长夜～; 해가 길고 밤이 짧다 / 时间太～; 시간이 너무 짧다. ‖↔〔长cháng①〕 ②동 결핍되다. 부족하다. 모자라다. ¶还～一个酒杯; 아직 술잔이 하나 모자란다 / ～一个点儿; (글자에) 점이 하나 빠졌다 / 别人都来了, 就～他一个人了; 다른 사람은 다들 왔는데, 그 사람만이 없다. ③동 빚지다. ¶～你三块钱; 자네한테 3원 꾼 것이 있다. ④(～儿) 명 단점. 결점. ¶护～; 결점을 감싸 주다 / 取长补～; 〈成〉 남의 장점을 취하여 자신의 단점을 메우다 / 揭人的～; 남의 결점을 들추어 내다. ⑤동 사람의 과실을 지적하다.
〔短袄(儿)〕 duǎn'ǎo(r) 명 허리까지 오는 안을 댄〔솜을 둔〕 웃옷.
〔短本〕 duǎnběn ①명 《經》 차입 자본(借入資本). ↔〔长cháng本〕 ②(duǎn běn) 자본이 부족하다.
〔短笔〕 duǎnbǐ 형 〈文〉 글재간이 없다. ¶但恨～; 다만, 글재간이 없음이 유감이다.
〔短边〕 duǎnbiān 명 (직각 삼각형의) 짧은 변.
〔短兵〕 duǎnbīng 명 〈文〉 칼이나 창 따위의 짧은 병기.
〔短兵相接〕 duǎn bīng xiāng jiē 〈成〉 ①백병전. 격렬한 투쟁〔승부〕. ②백병전을 벌이다.
〔短波〕 duǎnbō 명 《電》 단파. ¶～收shōu音机; 단파 수신기.
〔短不了〕 duǎnbuliǎo ①없어서는 안 되다. 꼭 필요하다. ¶人一天～水; 사람은 물 없이는 하루도 살 수 없다 / 那是～的; 그것은 없어서는 안 되는 일이다. ②면할 수 없다. 부득이하다. 꼭 …하게 되다. …하기 마련이다. ¶过两天我～往这边来; 이틀 후에는 내가 꼭 이 곳으로 오게 된다.
〔短才〕 duǎncái 명 〈謙〉 둔재.
〔短长〕 duǎncháng 명 ①(길이의) 장단. ②장단점. 우열. 좋고 나쁨. ¶人各有～; 사람은 저마다 장단점이 있다 / 一较jiào～; 우열을 견주어 보다. ‖ =〔长短〕 ③변고. ¶他们有了什么～吗? 그들에게 무슨 변고라도 생겼는가?
〔短程〕 duǎnchéng 명 단거리. 짧은 거리.
〔短吃短穿〕 duǎn chī duǎn chuān 〈成〉 의식

(衣食)이 부족하다. 먹고 살기 어렵다.
〔短尺少秤〕 duǎn chǐ shǎo chèng 〈成〉 계량 부족(計量不足).
〔短丑〕 duǎnchǒu 형 키가 작고 추하다〔보기 흉하다〕.
〔短处〕 duǎnchu 명 단점. 결점. =〔缺quē点〕
〔短传〕 duǎnchuán 명동 ⇨〔短递〕
〔短促〕 duǎncù 형 촉박〔절박〕하다. ¶时间～; 시간이 촉박하여 여유가 없다.
〔短打〕 duǎndǎ 명 ①《劇》 짧은 윗옷과 바지 차림으로 하는 배우의 난투 장면. 맨주먹이나 짧은 무기로 하는 배우의 난투 장면. ②(～儿) 간편한 복장.
〔短打武生〕 duǎndǎ wǔshēng 명 무술 배우.
〔短大衣〕 duǎndàyī 명 짧은 코트〔외투〕.
〔短刀〕 duǎndāo 명 단도.
〔短笛〕 duǎndí 명 《樂》 피콜로(piccolo).
〔短递〕 duǎndì 명동 (축구·럭비 등의) 쇼트 패스(를 하다). =〔短传〕
〔短点〕 duǎndiǎn 명 (전신 부호(電信符號)의) 단점.
〔短点儿〕 duǎndiǎnr 형 ①약간 짧다. ②점이 빠져 있다. ¶这个字～; 이 글자는 점이 빠졌다. ③약간 모자라다. ¶还～钱; 아직 돈이 좀 모자란다.
〔短短〕 duǎnduǎn 형 아주 짧다. ¶在这～的时间内, 把所有问题都解决是不可能的; 이런 아주 짧은 시간 안에 모든 문제를 모두 해결하는 것은 불가능하다.
〔短吨〕 duǎndūn 명 ⇨〔美měi吨〕
〔短多短少〕 duǎnduō duǎnshǎo 얼마나 부족하든 간에. 얼마든 부족한 만큼은. ¶～他都负责补上; 부족분은 그가 모두 책임을 지고 보충해 준다.
〔短耳鸮〕 duǎn'ěrxiāo 명 《鳥》 쇠부엉이. =〔短耳猫头鹰〕
〔短干部〕 duǎngànbù 명 임시 간부.
〔短工(儿)〕 duǎngōng(r) 명 ①날품팔이 노동자. ②임시 고용의 머슴. ③임시공(工). ‖→〔长工〕
〔短骨〕 duǎngǔ 명 《生》 단골. 짧은 뼈.
〔短褂(儿)〕 duǎnguà(r) 명 저고리《짧은 웃옷》. ↔〔长cháng衫(儿)①〕
〔短管炮〕 duǎnguǎnpào 명 《軍》 포신(砲身)의 길이가 구경(口徑)의 12배 이하인 대포.
〔短棍〕 duǎngùn 명 짧은 막대. 릴레이 경주 등의 배턴(baton).
〔短号〕 duǎnhào 명 《樂》 코넷(cornet).
〔短横〕 duǎnhéng 명 짧은 밑줄〔언더라인〕.
〔短划〕 duǎnhuá 명 하이픈(hyphen).
〔短货〕 duǎnhuò 동 《商》 상품이 동이 나다. 품절(品切)이 되다.
〔短计〕 duǎnjì 명 단계. 졸렬한 계획.
〔短柬〕 duǎnjiǎn 명 〈翰〉 짧은 편지.
〔短见〕 duǎnjiàn 명 ①나쁜 생각. ¶～是万寻不得的; 나쁜 생각을 해서는 안 된다. ②천박한 생각. 단려(短慮). 짧은 생각. ¶～寡闻; 견문이 좁다. ↔〔高gāo见〕 ③자살. ¶寻xún～; 자살을 하다.
〔短剑〕 duǎnjiàn 명 단도. 단검.
〔短交〕 duǎnjiāo 동 매도(賣渡)한 상품의 수량이 부족하다.
〔短角果〕 duǎnjiǎoguǒ 명 《植》 단각과(短角果).
〔短角牛〕 duǎnjiǎoniú 명 《動》 쇼트혼《영국산 육용우(肉用牛)》.
〔短局〕 duǎnjú 명 오래 계속되지 않는 국면.
〔短句〕 duǎnjù 명 짧은 구.
〔短剧〕 duǎnjù 명 촌극(寸劇). 짧은 극.
〔短撅撅(的)〕 duǎnjuējuē(de) 형 (옷 따위가) 껑뚱한 모양.
〔短裤〕 duǎnkù 명 반바지. 쇼트 팬츠. ↔〔长裤〕
〔短来请安〕 duǎn lái qǐng'ān 〈翰〉 자주 찾아뵙고 인사드리지 못했습니다. 격조(隔阻)했습니다.
〔短礼〕 duǎn.lǐ 동 ①결례하다. 실례하다. ②격조(隔阻)하다.
〔短历练〕 duǎn lìlian 경험이 부족하다. ¶是我～的过; 제가 경험이 부족한 탓입니다.
〔短路〕 duǎnlù 명동 《電》 단락(短絡)(되다). 쇼트(되다). =〔捷jié路〕 동 〈方〉 길목을 지키고 있다가 노략질하다. ¶～营生; 강도질로 살아가다.
〔短毛独活〕 duǎnmáo dúhuó 명 《植》 어수리.
〔短命〕 duǎnmìng 명형 요절(하다). 단명(하다). ¶～鬼; 〈罵〉 급살맞을 놈. 쓸모없는 놈. 천벌을 받을 놈.
〔短跑〕 duǎnpǎo 명 《體》 단거리 경주. ¶他是～名将; 그는 단거리의 명선수다. =〔短距离(赛)跑〕 동 조금 달리다.
〔短篇〕 duǎnpiān 명 단편.
〔短篇小说〕 duǎnpiān xiǎoshuō 명 단편소설. ¶～选; 단편 소설 선집.
〔短片儿〕 duǎnpiàn(r) 명 〈俗〉 단편 영화. ↔〔长片儿〕
〔短票〕 duǎnpiào 명 단기 고리 대금 차용증.
〔短平快扣球〕 duǎnpíng kuài kòuqiú 명 《體》 (배구의) 퀵 스파이크.
〔短评〕 duǎnpíng 명 단평. 짧고 간단한 비평.
〔短期〕 duǎnqī 명 단기(일). 단기간.
〔短气〕 duǎn.qì 동 ①자신을 잃다. 낙담하다. 의기소침하다. ¶人生不如意事常八九, 何必～; 인생이란 마음먹은 대로 되지 않는 것이 십중팔구인데, 어째서 낙담하느냐. ②《漢醫》 숨을 헐떡거리다. 숨이 차다.
〔短浅〕 duǎnqiǎn 형 (견식이) 좁다. (생각이) 얕다. 소갈머리가 없다. 근시안적이다. ¶目光～; 사려가 깊지 못하다 / 见识～; 견식이 짧고 얕다.
〔短欠〕 duǎnqiàn 동 ①부족하다. ②빚지다.
〔短枪〕 duǎnqiāng 명 ①짧은 총. ②⇨〔手shǒu枪①〕
〔短情〕 duǎnqíng 동 은혜를 모르다. 은혜를 느끼지 못하다.
〔短球〕 duǎnqiú 명 《體》 ①(탁구·배드민턴의) 드롭 쇼트(drop shot). 드롭 스트로크(drop stroke). ②(탁구·축구의) 쇼트 볼(shot ball).
〔短缺〕 duǎnquē 명동 결핍(하다). 부족(하다). ¶物资～; 물자가 결핍하다 / 物品～黑市猖獗; 물건이 부족해지자 암시장이 활기를 띠고 있다.
〔短裙〕 duǎnqún 명 쇼트 스커트. 짧은 치마. ¶超chāo～ =〔迷mí你裙〕; 미니 스커트.
〔短儿〕 duǎnr 명 결점. 단점. 약점. 아픈 데. ¶抓住他的～; 그의 약점을 잡다.
〔短人〕 duǎnrén 동 일손이 모자라다.
〔短衫〕 duǎnshān 명 짧은 셔츠. 짧은 윗도리〔저고리〕.
〔短上衣〕 duǎnshàngyī 명 재킷. 짧은 상의.
〔短少〕 duǎnshǎo 동 부족하다. 모자라다. 부채가 되다. ¶还～一百元; 아직 백원이 부족하다.
〔短神〕 duǎnshén 형 원기가 부족하다. 기력이 쇠진하다.
〔短时间〕 duǎnshíjiān 명 단시간. ¶短时(间)存

储; (컴퓨터의) 일시(一時) 기억.
〔短视〕 duǎnshì 명 근시(近視). 형 근시안적인. ¶对这个问题采取了极为～的政策; 이 문제에 대해서 매우 근시안적인 정책을 취했다.
〔短寿〕 duǎnshòu 형 단명하다. ¶～命; 《機》 쇼트 라이프. 사용 기간이 짧다.
〔短艇竞赛〕 duǎntǐng jìngsài 명 《體》 보트 경주〔레이스〕. 레가타(regatta). =〔短艇比赛〕〔划huá艇赛〕
〔短统袜〕 duǎntǒngwà 명 ①하이 속스. 여성의 짧은 양말. ② ⇨〔短袜〕
〔短统靴〕 duǎntǒngxuē 명 앵글 부츠. =〔短筒靴〕
〔短途〕 duǎntú 명형 단거리(의). 근거리(의). ¶～运输; 근거리 수송. ↔〔长cháng途〕
〔短腿裤子〕 duǎntuǐ kùzi 명 반바지. 쇼트 팬츠.
〔短袜〕 duǎnwà 명 짧은 양말. =〔短统袜②〕
〔短外套〕 duǎnwàitào 명 토퍼 코트. 반코트.
〔短尾鲅〕 duǎnwěibà 명 《魚》 강준치.
〔短文〕 duǎnwén 명 단문. 짧은 문장.
〔短吻鳄〕 duǎnwěn'è 명 《動》 (미국산) 악어.
〔短线〕 duǎnxiàn 명 ①짧은 실. ②짧은 거리. ③생산 능력이 부족한 기업, 또는 수요에 따라가지 못하는 제품. ¶要坚决增加～的产品生产; 공급 부족의 상품은 단연 증산하여야 한다.
〔短小〕 duǎnxiǎo 형 ①짧고 간단하다. ②몸집이 작다. ¶身材～; 몸집이 작다.
〔短小精悍〕 duǎn xiǎo jīng hàn 〈成〉 ①몸집은 작지만 날쌔고 용감하다. ②(문장이나 연극 등이) 간결하다. 짧지만 박력이 있다.
〔短卸〕 duǎnxiè 명 《商》 하역된 화물의 부족.
〔短信〕 duǎnxìn 명 짧은 편지.
〔短行〕 duǎnxíng 명 단점. 결점.
〔短袖〕 duǎnxiù 명 ①반소매. ¶～衫儿; 반소매 셔츠. ②짧은 소매.
〔短学〕 duǎnxué 형 학력〔학문〕이 부족하다.
〔短训班〕 duǎnxùnbān 명 단기 훈련반(短期訓練班). ¶夏季汉语～; 하계 중국어 세미나.
〔短靿儿〕 duǎnyàor 형 신〔양말〕의 운두가 낮거나 목이 짧다. ¶～鞋xié; 단화 / ～袜wà; 짧은 양말. ↔〔高gāo靿儿〕
〔短叶赤松〕 duǎnyè chìsōng 명 《植》 소나무. 육송.
〔短音〕 duǎnyīn 명 《言》 단음.
〔短语〕 duǎnyǔ 명 《言》 둘 이상의 단어의 결합. 구(句). 연어(連語).
〔短运单〕 duǎnyùndān 명 《商》 화물의 하역 부족 증명서.
〔短暂〕 duǎnzàn 형 (시간적으로) 짧다. ¶～的一瞬; 짧은 한순간 / 作～停留; 짧은 체재를 하다.
〔短针〕 duǎnzhēn 명 (시계의) 짧은 바늘. =〔时shí针②〕
〔短中抽长〕 duǎn zhōng chōu cháng 〈成〉 나쁜 것 가운데서 비교적 좋은 것을 고르다. 단점 중에서 장점을 찾아 내다.
〔短重〕 duǎnzhòng 명 중량 부족.
〔短轴〕 duǎnzhóu 명 《機》 깊이 끼운 볼트. 스터드(stud).
〔短住〕 duǎnzhù 동 부족하여 곤란하다. 돈 마련이 안 되다. ¶他～了盘费了; 그는 여비가 부족해서 곤란에 처해 있다 / 您要～了的时候, 告诉我一声儿; 만일 돈 융통이 되지 않아 곤란할 경우에는 나에게 한 마디 말해 다오.
〔短装〕 duǎnzhuāng 명 짧은 윗도리와 바지만 입은 경쾌한〔간편한〕 복장. ¶穿～; 바지와 윗도리만 입다 / ～打扮儿; 경장(輕裝).
〔短嘴老鹳草〕 duǎnzuǐ lǎoguàncǎo 명 《植》 이질풀.

段 duàn (단)
①양 ㉠긴 것을 몇 개로 나눈 부분을 세는 말. ¶两～木头; 목재 두 토막 / 一～铁路; 선로의 한 구간. ㉡일정한 시간의 길이를 나타내는 말. ¶一～时间; 한동안의 시간. ㉢사물의 한 부분. ¶一～文章; 한 단락의 문장. ②명 (야채나 고기의) 작게 자른 것. ③명 성(姓)의 하나.
〔段落〕 duànluò 명 단락. 구획. 결착(結着). ¶告gào一～; 일단락 짓다.
〔段位〕 duànwèi 명 (바둑의) 단위.
〔段长〕 duànzhǎng 명 한 구역의 장(長) 〔우두머리〕《철도의 '线xiàn路段' (보선구간) 등에 쓰임》.
〔段子〕 duànzi 명 한 절(節). (야담이나 연극의) 한 단락.

塅 duàn (단)
명 〈方〉 평탄하고 넓은 땅《흔히 지명(地名)에 많이 쓰임》. ¶田心～Tiánxīnduàn; 톈신돤(田心塅)《후난 성(湖南省)에 있는 땅 이름》.

缎(緞) duàn (단)
명 단자(緞子). ¶绸chóu～; 견직물 / 素～; 무늬 없는 단자. =〔缎子〕
〔缎带〕 duàndài 명 (여성의 머리 장식이나 화환의) 리본. 댕기.
〔缎纹〕 duànwén 명 《紡》 무늬가 있는 주단. 주단 무늬. ¶绸～; 주단. 비단의 총칭 / ～布; 새틴(satin).
〔缎鞋〕 duànxié 명 주단으로 만든 중국 여성의 신.
〔缎子〕 duànzi 명 단자. 새틴(satin).

煅 duàn (단)
동 ①단조(鍛造)하다. ②구워서 만들다. 굽다. ③구워서 약의 극성(劇性)을 약화시키다《중국 전통의 제약법의 하나》.
〔煅烧〕 duànshāo 동 하소(煅燒)하다.
〔煅烧炉〕 duànshāolú 명 하소로(煅燒爐).
〔煅烧石膏〕 duànshāo shígāo 명 하소(煅燒)〔불에 구운〕 석고.
〔煅石灰〕 duànshíhuī 명 ⇨〔石灰①〕

椴 duàn (단)
명 《植》 ①참피나무. ②무궁화나무.

碫 duàn (단)
명 〈文〉 숫돌.

锻(鍛) duàn (단)
동 ①쇠를 쳐서 단련하다. ②단련하다. ③금속을 접합(接合)하다. =〔锻接jiē〕
〔锻锤〕 duànchuí 명 《機》 단조용 해머.
〔锻工〕 duàngōng 명 ①단조(鍛造). 대장일. ¶～车间; 대장간. ②단조공. 대장장이.
〔锻件(儿)〕 duànjiàn(r) 명 단조품.
〔锻接〕 duànjiē 동 《工》 〈簡〉 단접하다《가열한 금속을 타격 또는 가압하여 하는 용접》. =〔锻工焊接〕〔锻焊〕
〔锻炼〕 duànliàn 동 ①쇠를 불리다. ②〈轉〉 (몸이나 정신을) 단련하다. ¶～身体; 몸을 단련하다 / 我～去; 나는 트레이닝하러 간다 / 我到农村劳动～已经一年多了; 농촌에서 노동하며 몸을 단련하

게 된 지 벌써 1년 남짓 된다 / 久经～的部队员; 오랜 동안 단련을 쌓아 온 부대원.
〔锻炉〕 duànlú 명 단야로(鍛冶爐).
〔锻模〕 duànmú 명 《工》 단조용 주형(鑄型). 포징다이(forging die).
〔锻坯〕 duànpī 명 단조 조재(鍛造粗材).
〔锻铁〕 duàntiě 명 단철(鍛鐵). 연철(鍊鐵). =〔熟shú铁〕
〔锻压〕 duànyā 명 《工》 단압(鍛壓). 단조(鍛造)와 압연(壓延).
〔锻造〕 duànzào 명동 《工》 단조(하다). ¶～钻zuàn头; 단조 드릴 / ～机; 단조 프레스.

断(斷)

duàn (단)
①동 (긴 것이 중간에서) 끊기다. 잘리다. 절단되다. ¶电线～了; 전선이 끊겼다 / 风筝线～了; 연의 실이 끊어졌다 / 把绳子剪～了; 끈을 가위로 잘랐다. ②동 끊어지다. 단절하다. 끊다. ¶～了连系了; 연락을〔연계를〕 끊었다 / ～水; 단수하다 / 音讯～了; 소식이 끊겼다. ③동 〈比〉 (오래 된 것이나 좋지 않은 일을) 끊다. ¶～酒; 술을 끊다 / ～烟; 담배를 끊다 / ～奶nǎi =〔～乳rǔ〕; 젖을 떼다. 이유(離乳)하다. ④동 판단〔결정〕하다. 판정〔판가름〕하다. ¶当机立～; 기회를 놓치지 않고 즉석에서 결정을 내리다 / ～定真伪; 진위를 가리다 / 优柔寡～; 우유부단하다. ⑤부 〈文〉 꼭. 반드시. 단연코. 절대로(주로 부정형(否定形)으로 쓰임). ¶～无此理; 절대로 이럴 리가 없다. 당치도 않다 / ～不同意; 결단코 동의치 않다. ⑥동 〈俗〉 (값 따위를) 알아맞히다. ¶你～(一)～这书值多儿钱; 이 책이 얼마나 하는지 알아맞혀 봐라 / ～价jià钱; 가격을 알아맞추다.
〔断案〕 duàn,àn 동 《法》 안건을 판결하다. 재단을 내리다. 판정을 내리다. ¶那位审shěn判员～如神; 그 판사는 판결하는 것이 귀신 같다. (duàn-àn) 명 (논리학에서의) 결론. =〔结jié论〕
〔断编残简〕 duàn biān cán jiǎn 〈成〉 ⇨〔残编断简〕
〔断不〕 duànbù 부 결코 …하지 않다. ¶～同意; 결코 동의하지 않다 / ～放松; 결단코 손을 늦추지 않다.
〔断不了〕 duànbuliǎo 동 끊어질 수 없다. 〈轉〉 끊임없이. 부단히. 언제나. ¶老二和她～见面, 两个和和气气的; 차남과 그녀는 늘 만나고 있으며, 두 사람은 매우 사이가 좋다.
〔断不透〕 duànbutòu 확실히 단정할 수 없다. 단정이 확실치 않다.
〔断才〕 duàncái 명 〈文〉 결단력.
〔断层〕 duàncéng 명 《地質》 단층.
〔断肠〕 duàncháng 동 〈比〉 애간장이 녹다. 애끊다. 참을 수 없이 슬프다. ¶～人; 실망한 사람.
〔断肠草〕 duànchángcǎo 명 《植》 향부자. 단장초.
〔断成〕 duànchéng 동 ①완전히 끊다. 끊는 데 성공하다. ¶他的烟已经～了; 그의 아편 중독은 완전히 끊을 수 있었다. ②잘 되도록 중재하다. ¶～不断散sàn; 〈成〉 잘 되도록 중재하여, 이산(離散)하는 것은 막다.
〔断炊〕 duàn,chuī 동 먹을 것이 없다. 끼니를 거르다.
〔断代〕 duàndài 동 ①후사(後嗣)가 없다. 집안의 손이 끊어지다. ②시대를 구분하다. ¶中国历史的～也有几个想法; 중국 역사의 시대 구분에도 여러 가지 견해가 있다 / ～史shǐ; 한 대 한 대 구획하여 씌어진 역사. 단대사.
〔断道儿的〕 duàndàorde 명 옛날, 노상 강도.
〔断电〕 duàndiàn 명동 정전(이 되다). =〔停tíng电〕
〔断定〕 duàndìng 명동 단정(하다). ¶结果如何, 很难～; 결과가 어떻게 될지, 단정하기 어렵다.
〔断断〕 duànduàn 부 절대로. 단연코(부정형으로만 씀). ¶～使不得; 절대로 할 수 없다. 절대로 안 된다.
〔断断续续〕 duànduanxùxù 끊어졌다 이어졌다 하며. 단속적인. ¶和平谈判～还没了liǎo结; 평화 교섭은 끊어졌다 이어졌다 하며 아직 결말을 보지 못하고 있다.
〔断顿(儿)〕 duàn,dùn(r) 동 끼니를 거르다. 하루 세 끼를 제대로 먹지 못하다.
〔断发文身〕 duàn fà wén shēn 〈成〉 머리를 짧게 깎고 문신(文身)을 하다(옛날, 만족(蠻族)에 대한 형용).
〔断根〕 duàn,gēn 동 뿌리를 자르다. 뿌리를 뽑다. (병이) 근치되다. ¶你的病, 吃这个药准能～; 네 병은 이 약을 먹으면 틀림없이 근치된다.
〔断喝〕 duànhè 동 호통치다. ¶贾政一声～; "无知的畜生! 你能知道几个古人?"《紅樓夢》; 가정이 호통치며 말하였다. "이 무식한 개 같은 놈아! 네가 옛 사람을 몇 명이나 알고 있단 말이냐?"
〔断黑〕 duànhēi 동 〈方〉 날이 새다. ¶天已经～了; 날이 벌써 밝았다. =〔离lí黑〕
〔断后〕 duàn,hòu 동 ①자손이 끊어지다. =〔断嗣〕 ②《軍》 (후퇴시에) 후위 부대를 내어 엄호하다. ③《軍》 적의 퇴로를 끊다.
〔断乎〕 duànhū 부 절대로. 단연코(부정형으로 씀). ¶～不可; 절대로 안 된다.
〔断货〕 duànhuò 동 재고(在庫)가 바닥나다. 스톡이 없어지다.
〔断祸福〕 duàn huòfú 사람의 운명을 예언하다.
〔断间〕 duànjiān 명 (큰 방을 칸으로 막아 만든) 작은 방.
〔断简残编〕 duàn jiǎn cán biān 〈成〉 ⇨〔残编断简〕
〔断交〕 duànjiāo 동 ①절교하다. ②국교를 단절하다.
〔断结〕 duànjié 동 판가름하여 결말을 짓다.
〔断金〕 duànjīn 쇠를 자르다. 〈比〉 (우정이) 강고(強固)하다〔두텁다〕. ¶二人同心, 其利～《易經 繫辭傳》; 두 사람이 마음을 합치면 쇠를 자를만큼 강고해진다 / ～侣lǚ =〔～契qì〕; 두터운 교분.
〔断句〕 duàn,jù 동 중국의 고서(古書)를 읽을 때 뜻에 따라 구두점을 찍다. 또는 끊는 곳에 동그라미표를 하다.
〔断决〕 duànjué 동 〈文〉 단호히 결정하다.
〔断绝〕 duànjué 동 단절하다. 끊어 버리다. ¶～外交关系; 외교 관계를 단절하다 / ～邦bāng交; 국교를 단절하다 / ～来往; 왕래를 끊다 / ～交通; 교통을 차단하다. =〔绝断〕
〔断开〕 duànkāi 동 ①나누다. 사이를 떼다. ②《電》 스위치를 끄다.
〔断口〕 duànkǒu 명 ①갈라진 틈. 단면. ②《鑛》 광물의 깨진 면.
〔断梁胡子〕 duànliáng húzi 명 코 아래 부분이 끊어져 있는 수염.
〔断粮〕 duàn,liáng 동 식량이 떨어지다. 식량을 끊다. ¶～绝草; 〈成〉 식량도 사료도 모두 떨어지다.
〔断裂重量〕 duànliè zhòngliàng 명 《工》 파괴 하

〔对了〕 duìle 그렇습니다. 그와 같습니다. 맞습니다. ¶你要的是这个吗? ～, 是那个; 자네가 필요한 것은 이것인가? 그렇습니다. 그것입니다.
〔对垒〕 duìlěi 동 (바둑·장기·구기 경기 등에서) 대전하다. 대치하다. ¶兹将比赛全部～秩序列后; 여기에 전 시합의 대전 순서를 다음과 같이 열기(列記)한다.
〔对立〕 duìlì 명동 대립(하다). ¶这是完全～的两种意见; 이것은 완전히 대립되는 두 가지 의견이다.
〔对立面〕 duìlìmiàn 명 ①《哲》안티테제. (독 Antithese). 반정립(反正立). ②대립면. 대조면. ¶为自己树立～; 자기 자신을 위해서 대립되는 사람을 세우다.
〔对立统一规律〕 duìlì tǒngyī guīlǜ 명《哲》대립물(對立物)의 통일 법칙.
〔对联(儿)〕 duìlián(r) 명 ①대련《종이나 헝겊에 쓰거나, 또는 나무·대나무에 새긴 대구(對句)》. ②대구를 2개로 나누어 써서 입구·벽 등에 붙이거나 걸어 놓은 것. ‖=〔对儿②〕〔对子②〕〔对字〕
〔对脸(儿)〕 duìliǎn(r) 동 얼굴을 마주하다. 마주대하다. ¶俩人～坐着; 두 사람은 마주 보고 앉아 있다/走了个～; 가다가 딱 마주쳤다.
〔对流〕 duìliú 명《物》대류.
〔对流层〕 duìliúcéng 명《氣》대류권(對流圈). =〔变biàn温层〕
〔对流雨〕 duìliúyǔ 명《氣》대류우(對流雨).
〔对硫磷乳油〕 duìliú lín rǔyóu 명《化》파라티온 유유(乳油).
〔对路〕 duì.lù 동 ①용도에 적합하다. 수요에 맞다. ¶这种货运到山区可是不～; 이런 상품은 산간지방에 보내어도 수요에 맞지 않는다. ②기호에 맞다. 취향에 맞다. 마음에 들다. ¶不～的货; 기호에 맞지 않는〔잘 팔리지 않는〕 상품/～的事情; 알맞은 일. =〔对劲(儿)①〕
〔对骂〕 duìmà 동 서로 욕하다. 서로 맞대 놓고 욕하다. =〔相骂〕
〔对门(儿)〕 duìmén(r) 명 ①맞은편. 건너편. ¶～的房子; 맞은편 집/～有一家饭馆子; 맞은편에 음식점이 한 집 있다. ②건넛집. 맞은편 집. ¶我们家～新搬来一家广东人; 우리 집 건넛집에 새로 광둥(廣東) 사람 한 가족이 이사 왔다.
〔对面(儿)〕 duìmiàn(r) 명 ①맞은편. ¶～就是邮局; 맞은편이 우체국입니다. ②바로 앞. ¶～来了一个人; 정면에서 한 사람이 왔다/夜里黑乎乎的～什么也瞧不见; 밤은 캄캄해서 바로 앞도 안 보인다. 동 얼굴을 마주 보다. 맞대면하다. ¶～不相逢; 〈成〉 서로의 마음을 알지 못하면 매일 마주 보고 있어도 모르는 사람과 같다(′～不相识′ 라고도 함).
〔对明〕 duìmíng 동 대질하여 〔시켜〕 사정을 밝히다.
〔对命〕 duìmìng 동 목숨을 걸다. ¶我跟他～! 나는 그와 끝까지 해 볼 테다! =〔拼pīn命〕
〔对牛弹琴〕 duì niú tán qín 〈成〉 쇠귀에 경읽기. =〔对驴抚琴〕
〔对偶〕 duì'ǒu 명 ①쌍. 짝. ②대우《시(詩)나 문장 수사법(修辭法)의 하나로, 자구(字句)를 상대시켜 형식을 갖춘 것》. ¶～工整; 대구(對句)가 썩 잘 짜여 있다. =〔对仗②〕
〔对耦〕 duì'ǒu 명 〈文〉 배우자. 부부.
〔对牌〕 duìpái 명 〈文〉 목패(木牌)의 인환증(引換證). ¶贾jiǎ珍便命人取宁国府的～《紅樓夢》; 가진(賈珍)은 사람을 시켜서 영국부(寧國府)의 증명인 목패를 가져오게 하였다.
〔对票〕 duìpiào 명 물표. 보관증. 어음. 수표 등. (duì.piào) 동 어음·보관증·수표 따위를 대조하여 확인하다.
〔对平〕 duìpíng 명 천평칭(天平秤). 동 고저(高低)·장단(長短) 없이 꼭 맞추다.
〔对枰〕 duìpíng 동 바둑을 두다. 대국하다.
〔对枪〕 duìqiāng 명《劇》중국 전통극의 창을 들고 하는 난투극의 하나로, 기량이 백중해서 무승부로 끝나는 것. ↔〔快kuài枪②〕
〔对区〕 duìqū 명 (농구 등의) 상대편 코트〔지역〕. ↔〔本区〕
〔对儿〕 duìr 명 ①상대. 대항할 수 있는 것. 적수. ¶没～; 무적. 제일인자/没～, 真是! 상대가 없으니, 참!《애석한 모양》 ② ⇨〔对联(儿)〕
〔对儿戏〕 duìrxì 명《劇》중요한 역할을 하는 사람이 두 사람 있는 연극.
〔对审〕 duìshěn 명동《法》대심(하다). =〔对供〕
〔对生〕 duìshēng 명《植》마주나기. 대생.
〔对诗〕 duì.shī 동 시로 응수(應酬)하다. ¶儿子同媳妇对了诗; 아들과 며느리는 시로 응수했다.
〔对式〕 duìshì 형 알맞다. 적합하다. (duì.shì) 동 (일이) 잘 되다. ¶对了式, 也许得dé总长也不一定; 일이 잘 되면 총장이 될지도 모른다. ‖=〔对事〕〔对势〕
〔对事〕 duìshì 동형 ⇨〔对式〕
〔对手〕 duìshǒu 명 ①(시합의) 상대. ¶我们的～是个素负盛名的球队; 우리의 상대는 본래부터 명성이 높은 팀이다. ②호적수(好敵手). ¶讲拳术, 他不是你的～; 권법(拳法)에 있어서, 그는 자네의 상대가 안 되네. =〔对家〕 ‖=〔对头tou③〕 동 호흡이 잘 맞다.
〔对手拳〕 duìshǒuquán 명 (가위바위보의) 무승부.
〔对手赛〕 duìshǒusài 명 경쟁 대상을 정해 놓고 하는 증산(增産) 경쟁.
〔对数〕 duìshù 명《數》대수. ¶～表; 대수표/常用～; 상용 대수/双曲线～; 쌍곡선 대수/自然～; 자연 대수.
〔对数方程〕 duìshù fāngchéng 명《數》대수 방정식.
〔对水〕 duìshuǐ 동 물을 타다. 물을 타서 묽게 하다. ¶牛奶里头～; 우유에 물을 타다.
〔对说对讲〕 duìshuō duìjiǎng 직접 만나서 이야기〔협의〕하다.
〔对台经〕 duìtáijīng 명 사람이 죽었을 때, 불교·도교·라마교의 승려가 함께 독경(讀經)하는 것.
〔对台戏〕 duìtáixì 명 ①두 개의 극단이 경쟁을 위해 같은 내용을 가지고 동시에 공연하는 것. ② 〈轉〉 (같은 일로) 겨루는 것. ¶唱～ =〔演～〕; 대항하다.
〔对天明誓〕 duì tiān míng shì 〈成〉 하늘에 맹세하다. 천지신명에 맹세하다. ¶这件事我敢～; 이 일은 내가 하늘에 맹세할 수 있다.
〔对条(儿)〕 duìtiáo(r) 명 교환권(交換券). 인환증(引換證).
〔对头〕 duì.tóu 동 ①맞다. ¶方法对了头, 效率就高; 방법이 맞으면 효율이 높다. ②마음이 맞다《흔히 부정(否定)에 쓰임》. ¶两个人脾气不～, 处不好; 두 사람은 마음이 맞지 않아 사이가 나쁘다. (duìtóu) 형 ①알맞다. 적당하다. 순당(順當)하다. ¶解释得不～; 해석이 빗나가다. ②정상적(正常的)이다《흔히 부정(否定)으로 쓰임》. ¶他的脸色不～, 恐怕是病了; 그의 안색이 이상한데 아마 병이 난 것 같다.

〔对头〕 duìtou 명 ①원수. 적수. ¶死～; 목숨을 건 원수. 불구 대천의 원수. ②반대 방향. 전방(前方). ③ ⇨〔对手①②〕
〔对头错车〕 duìtóu cuòchē 명동 정거장에서 상하행선 열차가 마주 지나가는 일〔지나가다〕.
〔对头焊接〕 duìtóu hànjiē 명동 《工》 충합용접(衝合鎔接)(하다). 버트 웰드(butt weld)(하다). 밀착 용접(하다).
〔对头铆〕 duìtóumǎo 명 《工》 맞대는 리벳(rivet). →〔对头焊接〕
〔对外〕 duìwài 명 대외. ¶～关系; 대외 관계 / ～援助; 대외 원조 / ～贸易 =〔外贸〕; 대외 무역 / ～贸易部; 대외 무역부 / ～经济联络部; 대외 경제 연락부 / ～开放; 외국에〔일반에게〕 개방하다.
〔对(位)〕 duì(wèi) 명 ①《化》 파라위(para位). ②《樂》 대위.
〔对位法〕 duìwèifǎ 명 《樂》 대위법.
〔对味儿〕 duì.wèir 동 ①구미(口味)에 맞다. ¶正对我的味儿; 내 입맛에 딱 맞는다. ②마음에 들다. 마음이 맞다. 뜻이 맞다(흔히 부정(否定)에 쓰임). ¶话很别扭, 很不～; 말이 부자연스러워 매우 마음에 들지 않는다.
〔对胃口儿〕 duì wèikǒur 형 ① ⇨〔合hé口味〕 ② 취향에 맞다. 성미에 맞다.
〔对舞〕 duìwǔ 명 듀엣(duet). 파드되(프 pas de deux).
〔对舞者〕 duìwǔzhě 명 춤의 상대자.
〔对席〕 duìxí 동 서로 마주 보다. 마주 보고 앉다.
〔对戏〕 duìxì 명동 《劇》 무대 연습(을 하다). 리허설(을 하다).
〔对虾〕 duìxiā 명 《動》 대하(大蝦). ¶～喷儿; 대하의 출회기(出廻期)〔한창 나오는 시기〕. =〔明虾〕〔大虾〕
〔对相〕 duìxiāng 명동 맞선(을 보다). ¶～对中zhòng; 맞선을 보고 양쪽이 다 마음에 들다 / ～对看 =〔相看〕; 맞선을 보다.
〔对象〕 duìxiàng 명 ①대상. ¶研究的～; 연구 대상. ②결혼·연애의 상대. ¶找～; 결혼의 상대를 구하다 / 他有～了; 그에게 연인이 있다. →〔爱人〕 ③마음속의 사람.
〔对消〕 duìxiāo 동 상쇄(相殺)하다. ¶甲乙双方将旧欠～; 갑·을 쌍방은 오래 된 빚을 서로 상쇄하였다.
〔对心事〕 duìxīnshì 명 마음에 드는 것.
〔对心(思)〕 duì xīn(si) 마음에 들다. ¶你说的这番话真对我的心思; 네가 하는 이 말은 정말로 내 마음에 든다.
〔对汛〕 duìxùn 명 양국〔두 지역〕 경계를 쌍방에서 파병하여 순시하는 일.
〔对眼〕 duì.yǎn 동 〈俗〉 눈에 들다. 마음에 들다. 마음이 맞다. ¶不～的人; 마음에 들지 않는 사람 / 这货不～; 이 물건은 마음에 들지 않는다.
〔对眼(儿)〕 duìyǎn(r) 명 내사시(內斜視)의 통칭.
〔对验〕 duìyàn 동 대조하다. 서로 비교하다. 맞춰 보다. (서로) 다른 점을 조사하다.
〔对样〕 duì.yàng 동 ①어울리다. ②볼품이 나다. 모양이 나다.
〔对音〕 duìyīn 동 음을 맞추다. →〔调tiáo音〕
〔对饮〕 duìyǐn 동 마주 앉아서 술을 마시다. 대작하다. =〔对酌〕
〔对应〕 duìyìng 명동 대응(하다). 상응(하다). ¶～原理; 《物》 대응 원리(對應原理). 상응(相應) 원리.
〔对于〕 duìyú …에 있어서는. …에는(동작·작용·상태가 관련된 대상을 동사나 형용사 앞 또는 문장 앞에서 나타냄). 注1 용법(用法)은 字解⑲와 거의 같으며, 일반적으로 '对于'를 쓰는 곳은 모두 '对'로 바꿀 수 있음. 그러나 전부를 대치할 수는 없음. 注2 인간 관계를 나타낼 때는 '对'만을 씀. ¶大家对我很热情; 모두들 나에게 친절히 대해 준다. 注3 '对'는 조동사·부사의 앞 또는 뒤, 혹은 주어 앞에 쓰이며 뜻은 변하지 않음. 그러나 '对于'는 조동사·부사 뒤에서는 쓰이지 않음. ¶我们会对这件事做出结论的 =〔我们对〔对于〕这件事会做出结论的〕〔对〔对于〕这件事, 我们会做出结论的〕; 우리들은 이 일에 대해 지금부터 결론을 낸다 / 这是我们～试验的初步设想; 이것은 실험에 대한 우리들의 초보적인 구상이다 / 这种气体～人体有害; 이런 기체는 인체에 유해하다.
〔对月〕 duìyuè 명 첫 근친(覲親)(신부가 결혼 1개월 후에 친정에 가서 며칠 묵고 오는 풍습).
〔对仗〕 duìzhàng 동 대전하다. 경쟁하다. 명 ①대전. 경쟁. ②(수사학의) 시문(詩文)의 대우(對偶). =〔对偶②〕
〔对照〕 duìzhào 동 ①대조하다. 비교해 보다. ¶把译文～原文加以修改; 번역문과 원문을 대조하여 수정하다 / ～表; 대조표. ②대비(對比)하다. ¶言文～商业通信; 구어문·문어문 대조의 상업 통신문. 명 대조. 콘트라스트. ¶形成鲜明的～; 뚜렷한 콘트라스트〔대조〕를 이루고 있다.
〔对折〕 duìzhé 명 50% 할인. ¶打～; 50% 할인하다.
〔对辙儿〕 duì.zhér 동 마음이 꼭 맞다. 기분이 꼭 맞다.
〔对着干〕 duìzhe gàn ①대결(對決)하다. ②정면으로 대항하여 일을하다. ¶他总是爱跟别人～; 그는 언제나 남에게 대항하여 일을 한다.
〔对阵〕 duìzhèn 동 〈文〉 대진하다.
〔对正〕 duìzhèng 동 ①꼭 맞다. 맞춰서 꼭 맞게 하다. ¶两块板儿没～; 2장의 판자가 꼭 맞지 않다. ②맞춰 보다.
〔对证〕 duìzhèng 동 대조하여 확인하다. (증거를) 대조하다. ¶～笔迹; 필적을 대조 확인하다. 명 대조. 서로 맞춰봄.
〔对症〕 duì.zhèng 동 병의 증세에 맞추다.
〔对症下药〕 duì zhèng xià yào 〈成〉 병의 상태에 따라 투약하다. 〈轉〉 사정에 따라 적절히 처리하다. =〔对病下药〕〔对症发药〕〔对症投方〕
〔对质〕 duìzhì 동 ①《法》 대질하다. ¶传chuán到公堂去～; 법정에 출두시켜 대질시켜 추궁하다. ②쌍방이 서로 추궁하다. 명 증거.
〔对峙〕 duìzhì 동 〈文〉 ①마주 서다. ②대치하다. 서로 맞서다.
〔对钟〕 duìzhōng 동 (괘종시계나 자명종 시계의) 시간을 맞추다.
〔对轴〕 duìzhóu 명 《機》 중간축(counter shaft). =〔吊diào挂轴〕
〔对拽〕 duìzhuài 동 서로 마주 보고 잡아당기다.
〔对状〕 duìzhuàng 동 소장(訴狀)과 구두 진술을 대조하다.
〔对准〕 duìzhǔn 동 ①똑바로〔정확하게〕 맞추다. ¶～了表; 시계를 정확하게 맞추다. ②초점을 맞추다. 목표를 겨누다. ¶～焦点; 초점을 똑바로 맞추다 / 把枪口～敌人; 총구를 적에게 겨누다. (duìzhǔn) 명 《機》 정돈선(整頓線).
〔对酌〕 duìzhuó 동 ⇨〔对饮〕
〔对字〕 duìzì 명 ⇨〔对联(儿)〕
〔对子〕 duìzi 명 ①대구(對句). 짝을 이루고 있는

E

E ㄜ

阿 ē (아)
①동 아첨하다. 알랑거리다. 한쪽으로 치우치다. ¶～谀; ⇓/～附fù; ⇓/曲qū学～世; 〈成〉진리에 어긋나는 학문으로 세속에 아부하다/～其所私; 〈成〉정실에 얽매여 아부하다/守正不～; 〈成〉바른 길을 취하고 아첨하지 않다. ②명〈文〉큰 구릉(丘陵). 높은 언덕. ③명〈文〉모서리. 돌아가는 모퉁이. ¶山～; 산의 습곡(褶曲). 산모퉁이/水～; 물가. ④명〈文〉기둥. 용마루. ¶四～; 네 기둥에 지붕만을 올린 집. 정자. ⑤(Ē) 명《地》아 현(阿縣)《산둥 성(山東省) 둥아 현(東阿縣)을 가리킴》. ¶～胶; ⇓ ⑥명 성(姓)의 하나. ⑦동 가담하다. ⇒ā ǎ '啊' a

〔阿保〕ēbǎo〈文〉동 보호하고 부양하다. 보육하다. ¶尝有～之功《漢書 宣帝紀》; 전에 보육한 공적이 있다. 명 ①보모(保姆). ②가까운 신하.

〔阿鼻〕ēbí 명《佛》〈梵〉아비(阿鼻)《끊임없이 고통을 받는다는 뜻으로 지옥 중 가장 고통스러운 곳》. ¶～地狱; 아비 지옥.

〔阿谄〕ēchǎn 동〈文〉아첨하다. 알랑거리다.

〔阿城〕Ēchéng 명 ⇨〔阿房fáng宫〕

〔阿党〕ēdǎng 동〈文〉①아첨하여 한패가 되다. ¶不～, 不私色; 아첨하여 한패가 되지 않고 공사를 분명히 가리다. ②법을 어지럽히며 사리(私利)를 좇다.

〔阿房宫〕Ēfánggōng〔Ēpánggōng〕명《史》아방궁《진시황(秦始皇) 35년에 세운 궁전. 유적은 산시 성(陝西省) 장안 현(長安縣) 서북쪽, 어방 촌(阿房村)에 있음》. =〔阿城〕

〔阿奉〕ēfèng 동 아첨하다. ¶他生性亢直, 不肯～上官; 그는 성질이 강직해서, 상관에 아첨하려고 하지 않는다.

〔阿附〕ēfù 동〈文〉아첨하다. 아부하다. ¶～权贵; 권세 있는 사람이나 신분이 높은 사람에게 아첨하다. =〔阿媚〕〔趋qū附〕〔谐xié附〕→〔趋炎附势〕〔巴bā结〕

〔阿含〕ēhán 명《佛》〈梵〉①아함(범 Āgama)《모든 법은 이 곳에 귀착하여 새어 나감이 없다〔歸法〕는 뜻. 소승경(小乘經)의 총칭》. ②아함경(阿含經).

〔阿好〕ēhào 동〈文〉남이 좋아하는 것에 영합하다. 아첨하다.

〔阿吽〕ēhōng 명《佛》〈梵〉아훔(범 a-hum). 모든 문자 음성(文字音聲)의 근본을 가리킴《'阿'는 입을 벌리고 내는 소리, '吽'은 입을 다물고 내는 소리를 말함》.

〔阿胶〕ējiāo 명《藥》산둥 성(山東省) 둥아 현(東阿縣)에서 생산되는 아교《검정 당나귀 또는 쇠가죽을 삶아 만든 것으로, 영양제로 쓰임》. =〔驴lǘ(皮)胶〕

〔阿金溺银〕ējīn niàoyín 금과 은을 낳다《재산을 늘리다》. ¶养儿ér不在～, 只要见景生情; 자식을 낳아 기르는 것은 재물을 얻으려는 것이 아니라, 다만 위급할 때 부모를 돌봐 주면 그것으로 족하다.

〔阿罗汉〕ēluóhàn 명 ⇨〔罗汉①〕

〔阿媚〕ēmèi 동〈文〉아첨하다.

〔阿弥陀佛〕Ēmítuófó 명《佛》〈梵〉아미타불(범 amitābha)《불교에서 서방 극락 세계 최대의 부처》. =〔弥陀〕감 ①기원(祈願)이나 감사의 뜻을 나타내는 말. ¶～, 这个难关算过了; 아아 고마워라, 이 난관도 그럭저럭 넘기게 되었군. ②(놀람과 두려움에서) 제발 살려 줍쇼. ③(비난하여) 천벌을 받을….

〔阿难(陀)〕Ēnán(tuó) 명《佛·人》〈梵〉아난다(범 Ānanda)《석가여래(釋迦如來)의 십대 제자 중의 하나》.

〔阿耨多罗〕ēnòuduōluó 명《佛》〈梵〉아누다라(범 anuttara)《최상(最上)의 뜻》. ¶～三藐三菩提; 아누다라 삼먁 삼보리《부처의 최상의 지혜》.

〔阿那〕ēnuó 형 ⇨〔婀娜〕

〔阿旁〕ēpáng 명 ①《佛》〈梵〉아방(阿防)《지옥의 귀졸(鬼卒) 이름으로, 머리는 소, 몸은 사람의 모양을 하고 있어 '牛头～' '牛首～'라고도 함》. ②〈轉〉귀신처럼 흉악한 인간. ‖=〔阿傍〕

〔阿傍〕ēpáng 명 ⇨〔阿旁〕

〔阿热〕Ērè 명 복성(複姓)의 하나.

〔阿阇梨〕ēshélí 명《佛》〈梵〉아사리(범 ācārya)《제자의 행위를 바로잡아 주고, 사범(師範)이 될 만한 사람. 고승(高僧)에 대한 경칭》.

〔阿史德〕Ēshǐdé 명 복성(複姓)의 하나.

〔阿史那〕Ēshǐnuó 명 복성(複姓)의 하나.

〔阿屎〕ēshǐ 동〈古白〉대변을 보다. ¶他破了腹要～哩! 그는 배탈이 나서 대변을 보려는구나!

〔阿世〕ēshì 동〈文〉세상〔세속〕에 아첨하다. ¶曲学～之徒; 곡학 아세하는 무리.

〔阿顺〕ēshùn 동〈文〉알랑거리며 좇다('阿比顺从'의 준말). ¶～邪谋; 아첨하여 부정한 계획에 참가하다.

〔阿私〕ēsī 동 정실에 흘러 편파적이다. 한쪽만 편들다.

〔阿魏〕ēwèi 명《植》아위《구충제·통경제·경련 치료제로 쓰임》. =〔〈文〉兴xīng渠〕

〔阿修罗〕ēxiūluó 명《佛》〈梵〉아수라(범 āsura). =〔修罗〕

〔阿徇不公〕ēxún bùgōng 윗사람에게 아첨하고 사리(私利)에 치우쳐 불공평하다.

〔阿谀〕ēyú 동〈文〉아당하다. 아첨하다. ¶～奉承=〔～逢迎〕; 아첨하여 영합(迎合)하다. 알랑거리다/～苟合之徒; 아첨하여 적당히 영합하는 무리. =〔谄谀〕

〔阿者〕ēzhě 명〈古白〉모친. 어머니. ¶～, 你这般没乱慌张, 到的那里?《元曲 拜月亭》어머니, 이렇게 허둥지둥 어디를 가세요?

屙 ē (아)
동〈方〉대소변(大小便)을 보다. 배설하다. ¶～屎shǐ; 대변을 보다/～尿niào; 소변을 보다/～痢; 설사를 하다. =〔痾ē〕

婀 ē (아)
→〔媕ān婀〕

婀 ē (아)
→〔婀娜〕

〔婀娜〕 ēnuó〔〈舊〉ěnuǒ〕 형 간드러지고 아름답다. 날씬하고 아름답다. =〔阿那〕

痾 ē (아)
명〈文〉(질)병.

屙 ē (아)
동〈方〉⇨〔屙〕

讹(訛〈譌〉①) é (와)
①명 잘못. 틀림. ¶以～传～;〈成〉잘못을 잘못된 채로 전하다 / 书中"生"字为"主"字之～; 책 속의 "生"이란 글자는 "主"라는 자의 오식이다. ②동 속이다. 기만하다. ¶你别～我! 나를 속이지 마라! ③동 (돈·이득 등을) 편취하다. 등치다. ¶～人家的钱; 남의 돈을 편취하다 / 他有一次～过我一笔钱; 그는 한 차례 내 돈을 사취한 적이 있다. ④명 성(姓)의 하나.

〔讹病〕 ébìng 동 병이라고 속이다. 꾀병을 부리다. 명 꾀병. ‖ =〔讹疾〕

〔讹差〕 échā 동 잘못하다. 틀리다. ¶你可别把账给弄～了; 계산을 틀리게 하지 마라.

〔讹传〕 échuán 동 와전(訛傳)되다. 잘못 전해지다. 명 와전. 잘못 전해진 소문. ¶这是～, 您还当dàng真? 이것은 잘못 전해진 것인데, 당신은 아직도 정말이라고 여기십니까?

〔讹舛〕 échuǎn 명 착오. 잘못. 틀림. ¶这件事也许有点～吧; 이 일은 착오가 좀 있을지도 모릅니다. →〔错cuò谬〕

〔讹词儿〕 écír 명 트집 잡는 말. 자기 잘못을 남에게 덮어씌우는 말.

〔讹错〕 écuò 명 착오.

〔讹夺〕 éduó 명〈文〉오자(誤字)와 탈자(脫字). ¶这也许是～的地方, 最好再和原文对一对; 이 곳은 오자 탈자가 있을지도 모르니까, 다시 한 번 원문과 대조해 보아야 한다.

〔讹火〕 éhuǒ 명〈文〉야화(野火). 들불.

〔讹疾〕 éjí 명동 ⇨〔讹病〕

〔讹搅〕 éjiǎo 동 속이다. 편취하다. ¶这明明儿是我的, 你别～呀! 이것은 분명히 내 것이다. 너 사람을 속이지 마라!

〔讹赖〕 élài 동〈方〉트집을 잡아 가로채다. ¶讹地赖房; 트집을 잡아 토지와 가옥을 횡령하다 / 谁都知道他最喜欢～人家银钱; 남에게 트집을 잡아 금전을 횡령하기를 그가 가장 즐겨 한다는 것은 누구나가 다 알고 있다.

〔讹谬〕 émiù 명 오류. 잘못. 착오.

〔讹谋〕 émóu 동 사기하다〔치다〕. ¶～人家的家财还能算是人吗? 남을 속여서 재산을 편취하는 사람을 그래도 인간이라고 할 수 있겠는가?

〔讹人〕 érén 동 남〔사람〕을 속이다. ¶你别当dàng人家是傻子～啊! 사람을 바보 취급하고 속이려고 하지 마라!

〔讹兽〕 éshòu 명 신이경(神異經)에 기술되어 있는 짐승 이름(모습은 토끼와 비슷하고, 사람의 얼굴을 하고 있으며 말을 할 줄 알고 늘 사람을 속임).

〔讹头〕 étou 명 남을 등치기 위한 트집. ¶找～生事; 남을 등치거나 협박할 트집을 잡아 일을 일으키다.

〔讹脱〕 étuō 명 (글자·문장의) 잘못이나 유루(遺漏).

〔讹妄〕 éwàng 동〈文〉거짓말하다. 속이다.

〔讹诬〕 éwū 동〈文〉거짓 날조하다. 중상·모함하다.

〔讹误〕 éwù 명 (문자·문장의) 오류. 착오.

〔讹言〕 éyán 명 거짓말. 헛소문. 유언(流言). ¶这都是～, 你干么这么相信呀; 이것은 모두 헛소문인데, 넌 어째서 그렇게 믿는 거냐. =〔讹谣yáo〕

〔讹音〕 éyīn 명 사투리 발음. 부정확한 발음.

〔讹诈〕 ézhà 동 ①편취〔사취(詐取)〕하다. 협잡하다. 등치다. ②위협하다. 명 위협. 협박. ¶核～; 핵에 의한 위협 / 经济～; 경제적인 협박.

〔讹字〕 ézì 명〈文〉오자(誤字).

吪 é (와)
동〈文〉①움직이다. ②변하다. 변화시키다. ③속이다.

囮 é (와)
→〔囮子〕

〔囮子〕 ézi 명《動》후림새. 미끼새. =〔圝yóu子〕

俄 é (아)
①부 느닷없이. 갑자기. 별안간. 금세. ¶～顷之间; 순식간(에) / ～见一人驰过; 갑자기 한 사람이 급히 지나가는 것이 보였다. ②(É) 명《地》〈簡〉러시아('俄罗斯'의 약칭).

〔俄而〕 é'ér 부〈文〉①갑자기. ¶～暴雨骤至; 갑자기 폭우가 쏟아졌다. ②이윽고. 곧. 머지않아. ‖ =〔俄尔〕

〔俄尔〕 é'ěr 부 ⇨〔俄而〕

〔俄尔辛〕 é'ěrxīn 명《化》오르신(orcine). 오르시놀(orcinol).

〔俄国〕 Éguó 명《地》〈簡〉러시아('俄罗斯国'의 약칭). ¶～革命; 러시아 혁명 / ～语 =〔～话〕〔俄文〕; 러시아어 / ～教会; 러시아 정교회(正教會) / ～羔皮; 아스트라한(astrakhan).

〔俄列夫油〕 élièfū yóu 명〈音〉올리브유(olive 油). =〔橄榄油〕〔阿利夫油〕

〔俄罗斯〕 Éluósī 명《地》〈音〉러시아. 아라사. ¶苏维埃～ =〔苏俄〕; 소비에트 러시아. =〔罗宋〕

〔俄罗斯族〕 Éluósī zú 명《民》①오로스 족(러시아)(중국 소수 민족의 하나. 新疆 위구르 자치구 이리(伊犁) 및 우루무치(烏魯木齊) 시에 분포하고 있음). ②러시아 족(구소련의 대다수를 차지하는 민족).

〔俄侨〕 éqiáo 명 러시아 교민(僑民).

〔俄顷〕 éqǐng 명 ①〈文〉홀연. 갑자기. 순식간. 삽시간. ②〈音義〉데시아틴(deciatine)(러시아 지적(地積) 단위의 하나).

〔俄然〕 érán 부〈文〉갑자기. 느닷없이.

〔俄人〕 Érén 명 러시아인.

〔俄式衬衫〕 Éshì chènshān 루바시카(rubashka)(러시아의 남자 민속 의상).

〔俄斯克〕 ésīkè 명〈音〉보드카(러 vodka). =〔俄得克〕

〔俄文〕 Éwén 명 러시아어. =〔俄国语〕〔俄语〕

〔俄延〕 éyán 동 시간이 걸리다. 늦어지다. 시간을 끌다. 주저하다.

〔俄语〕 Éyǔ 명 ⇨〔俄文〕

涐 É (아)
명《地》어수이(涐水)(현재의 쓰촨 성(四川省) 다두 허(大渡河)의 고칭(古稱)).

莪 é (아)
명《植》쑥의 일종. ¶～蒿hāo; 미나리.

环〕 ② ⇨〔苍cāng耳〕
〔耳刀(儿)〕 ěrdāo(r) 명 병부절《한자 부수의 하나. '即'·'卷' 등에서 '卩'·'㔾'의 이름》.
〔耳底〕 ěrdǐ 명 ①귓속. ② ⇨〔耳朵底子〕
〔耳朵〕 ěrduo 명 ①귀. ¶～聋 =〔～背〕; 귀가 먹다 / 掏～; 귀를 후비다 / 咬～; 귓속말 하다 / ～垂儿; 귓불 / 在～上说; 귓전에 대고 말하다. ②《樂》〈音〉 알토(alto).
〔耳朵底子〕 ěrduodǐzi 명 《醫》〈方〉 중이염. =〔耳底②〕〔中耳炎〕
〔耳朵尖〕 ěrduo jiān 귀가 밝다. =〔耳朵快〕
〔耳朵帽(儿)〕 ěrduomào(r) 명 (방한용) 귀걸이. 귓집. =〔耳包儿〕〔耳包子〕〔耳套(儿)〕〔暖nuǎn耳〕
〔耳朵软〕 ěrduo ruǎn 귀가 여리다. 남의 말을 쉽게 곧이듣다. ¶他～, 架不住三句好话; 저 사람은 남이 하는 말을 곧이듣기 때문에 사소한 감언(甘言)에도 금세 넘어간다. =〔耳软〕〔耳根子软〕
〔耳朵眼(儿)〕 ěrduoyǎn(r) 명 ①귓구멍. ¶～有耳屎shǐ; 귓구멍에 귀지가 있다. →〔外wài耳〕 ②귀걸이를 끼우기 위해 귓불에 뚫은 구멍.
〔耳而目之〕 ěr ér mù zhī 〈成〉 들은 소문만으로 사물을 판단하다.
〔耳房〕 ěrfáng 명 '正房'의 양쪽으로 붙어 있는 작은 방.
〔耳粪〕 ěrfèn 명 ⇨〔耳垢gòu〕
〔耳风〕 ěrfēng 명 〈方〉 뜬 소문. 풍문(風聞). ¶这个人近来很不检点, 我也有个～; 이 사람은 최근 아주 신중하지 못하다. 나도 그런 일을 풍문에 듣고 있다.
〔耳福〕 ěrfú 명 귀의 보양(保養)《재미있는 일 등을 듣고 귀를 즐겁게 해 주는 일》. →〔口kǒu福〕〔眼yǎn福〕
〔耳根〕 ěrgēn 명 ①(～子) 귀뿌리. ¶他的脸一直红到～; 그의 얼굴은 귓뿌리까지 발개졌다 / ～子软 =〔耳朵软〕; 남의 말을 쉽사리 곧이듣는다. =〔耳朵根子〕 ②《佛》 청각(聽覺)《육근(六根)의 하나》. ¶硬着～; 안 들리는 체하다. ③(～儿)〈方〉 귀.
〔耳根底下〕 ěrgēndǐxià 명 ⇨〔耳根前〕
〔耳根前〕 ěrgēnqián 명 귓전. 귀 언저리. ¶人都在我～说你的学问有了, 该劝你出去作官《儒林外史》; 사람들이 모두 나의 귓전에 학문이 있으니까 벼슬아치를 해야 한다고 말한다. =〔耳根底下〕
〔耳根台子〕 ěrgēn táizi 명 귓바퀴의 뒤쪽 언저리.
〔耳垢〕 ěrgòu 명 귀지. ¶掏tāo～; 귀지를 후비다. =〔耳粪fèn〕〔耳秽huì〕〔耳蜡là〕〔耳塞sai〕〔耳屎shǐ〕〔耳脂zhī〕〔耵dīng聍〕
〔耳鼓(膜)〕 ěrgǔ(mó) 명 ⇨〔鼓膜〕
〔耳刮子〕 ěrguāzi 명 ①귀 뒤의 (융기한) 부분. ②〈轉〉(뺨)따귀. ¶打dǎ～ =〔给gěi～〕; 따귀를 때리다 / 吃～; 따귀를 맞다. ‖ =〔耳巴子〕〔耳瓜子〕〔耳聒子〕〔〈方〉 耳掴子〕〔耳光(子)〕 →〔撇piē子〕〔嘴zuǐ巴①〕
〔耳掴子〕 ěrguāizi 명 ⇨〔耳刮子〕
〔耳光(子)〕 ěrguāng(zi) 명 ⇨〔耳刮子〕
〔耳郭〕 ěrguō 명 《生》 귓바퀴. 이각(耳殼).
〔耳毫〕 ěrháo 명 ①귓속의 털. =〔耳毛〕 ②중국 전통극이나 회화(繪畫)에서 천하고 촌스러운 사람을 표현할 경우, 귀 위에 곤두서게 붙인 털.
〔耳乎〕 ěrhu 동 걸어오는 말에 주의를 기울이다. ¶告诉你话, 你怎么不～哇? 너에게 말을 걸고 있는데, 너는 어째서 귀를 기울이지 않느냐?
〔耳环〕 ěrhuán 명 이어링. 귀걸이.
〔耳秽〕 ěrhuì 명 ⇨〔耳垢gòu〕
〔耳机(子)〕 ěrjī(zi) 명 ①수화기. ¶抓～; 수화기를 들다. =〔受话机〕〔话筒〕 ②이어폰. ‖ =〔听筒〕
〔耳尖〕 ěrjiān 형 귀가 밝다. 청각이 예민하다. =〔耳朵尖〕〔耳快〕 명 귀의 끝.
〔耳鉴〕 ěrjiàn 동 귀로 사물을 보다. 〈比〉 생각이 얕다.
〔耳镜〕 ěrjìng 명 《醫》 이경(耳鏡).
〔耳倦〕 ěrjuàn 동 〈文〉 듣는 것이 싫증나다. 싫증이 나도록 많이 듣다.
〔耳科〕 ěrkē 명 《醫》 이과(耳科).
〔耳孔〕 ěrkǒng 명 《生》 외이공(外耳孔). 귓구멍.
〔耳力〕 ěrlì 명 청력.
〔耳聋〕 ěrlóng 형 귀먹다. ¶～眼花; 〈成〉 귀는 들리지 않고 눈은 흐리다《노인의 청각·시각의 쇠퇴. 또는 사물에 대한 감각이 둔함》.
〔耳聋口吃〕 ěrlóng kǒuchī ①귀는 멀고 말은 더듬다. ②〈比〉 쓸모없는 사람.
〔耳漏〕 ěrlòu 명 《醫》 이루.
〔耳轮〕 ěrlún 명 ①(～子) 《生》 귓바퀴. ②〈文〉 귀.
〔耳满鼻满〕 ěrmǎn bímǎn 〈比〉 귀에 못이 박히도록 듣(고 있)다. ¶人说你周舍的名子, 说的我～《元雜劇》; 당신의 주사라는 이름을 사람들이 귀에 못이 박힐 정도로 말한다.
〔耳毛〕 ěrmáo 명 ⇨〔耳毫①〕
〔耳门〕 ěrmén 명 ①정문(正門) 옆의 곁문. 협문. =〔耳门子〕 ②《漢醫》 귀 뒤의 뜸 놓는 곳.
〔耳鸣〕 ěrmíng 명 이명. 귀울음(병).
〔耳膜〕 ěrmó 명 《生》 고막. ¶～炎; 고막염.
〔耳目〕 ěrmù 명 ①귀와 눈. ②〈轉〉 세상의 이목. 남의 이목. ¶遮掩～; 이목을 가리다. 남의 눈을 속이다. ③식견. 견문(見聞). ¶～不广; 견문이 넓지 않다. ④은밀한 역할을 하는 자. 밀고하는 자. 스파이. ¶他是上头的～; 그는 상사의 스파이다 / 他的～很多, 你得děi留神; 그에겐 일러바치는 자가 많으니까, 자네 조심해야 되네. 명동 감시(하다). 감독(하다). ¶～难周; 감독 불충분.
〔耳目官〕 ěrmùguān 명 옛날, '御yù史'의 별칭《천자의 귀가 되고 눈이 되는 관직이라는 뜻》.
〔耳目一新〕 ěr mù yī xīn 〈成〉 보는 것, 듣는 것 모두가 진기하다. 견문이 새로워지다. 이목을 일신하다.
〔耳衄〕 ěrnǜ 명 《醫》 이출혈(耳出血).
〔耳旁风〕 ěrpángfēng 건성으로 듣다. 마이동풍. ¶你只当了～; 너는 그저 건성으로 듣고 있었다. =〔耳边风①〕
〔耳屏〕 ěrpíng 명 《生》 이주(耳珠)《귓구멍 앞에 있는 소돌기(小突起)》.
〔耳壳〕 ěrqiào 명 《生》 이각(耳殼). 귓바퀴. =〔耳翼〕 →〔耳郭〕
〔耳圈〕 ěrquān 명 이어링. 귀걸이. =〔耳环huán〕〔耳珰dāng①〕
〔耳热〕 ěrrè 형 (흥분하거나 해서) 귀가 화끈해지다. ¶酒后～; 술 마신 후에 귀가 화끈해지다.
〔耳濡目染〕 ěr rú mù rǎn 〈成〉 항상 보고 들어서, 귀에 익고 눈에 익다. 많이 듣고 보고하여 자연히 배우다. =〔耳习目染〕〔目濡耳染〕
〔耳软心活〕 ěr ruǎn xīn huó 〈成〉 주견이 없이 남의 말을 경솔하게 믿다.
〔耳塞〕 ěrsāi 명 ①이어폰(earphone). ②(수영 등에 쓰이는 방수용) 귀마개.
〔耳塞〕 ěrsai 명 ⇨〔耳垢gòu〕
〔耳扇〕 ěrshàn 명 방한모의 두 귀를 덮어씌우는 부분.

〔耳勺子〕 ěrsháozi 명 따귀 때림.
〔耳生〕 ěrshēng 형 귀에 설다. ↔〔耳熟〕
〔耳识〕 ěrshí 명《佛》이식(육식(六識)의 하나. 소리를 분간할 수 있는 능력).
〔耳食〕 ěrshí 동〈文〉설듣다. 남이 하는 말을 그대로 곧이듣다. ¶～之谈, 不足为据; 설들은 말은 증거가 되지 못한다.
〔耳屎〕 ěrshǐ 명〈俗〉귀지. =〔耳垢〕
〔耳熟〕 ěrshú 형 귀에 익숙하다. 귀에 익다. ¶～能详;〈成〉귀에 익어서 자세히 이야기할 수 있다. ↔〔耳生〕
〔耳刷子〕 ěrshuāzi 명 귀를 후비는 보드라운 솔.
〔耳顺〕 ěrshùn 형 귀에 거슬리지 않다. ¶这戏词我听着倒还～; 이 극의 대사는 그런대로 귀에 거슬리지 않는다. 명〈文〉60세(《논어(論語)의 '六十而～'에서 나옴).
〔耳套(儿)〕 ěrtào(r) 명 방한용(防寒用)의 귀걸이. =〔耳朵帽(儿)〕
〔耳提面命〕 ěr tí miàn mìng〈成〉친절히 이끌어 가르치다. 간곡하게 타이르다.
〔耳听〕 ěrtīng 동 귀로 듣다. ¶～是虚, 眼见为实;〈成〉듣는 것은 거짓이요, 보는 것은 진실이다.
〔耳听八方〕 ěr tīng bā fāng〈成〉팔방으로 귀를 기울이다. 기민(機敏)하다. ¶生在这个社会里, 要是没有一种眼观六路, ～的本事, 是不成的; 이 사회를 살아 나가려면 눈치 빠르고 기민한 재주가 없으면 안 된다. =〔耳听六路〕→〔眼yǎn观八方〕
〔耳听目睹〕 ěr tīng mù dǔ〈成〉실제로 견문하다. 직접 보고 듣다. =〔耳听目见〕〔耳闻目睹〕
〔耳庭腔〕 ěrtíngqiāng 명《生》전정(前庭). =〔前qián庭〕
〔耳挖勺(儿)〕 ěrwāsháo(r) 명 ⇨〔耳挖子①〕
〔耳挖子〕 ěrwāzi 명 ① 귀이개. =〔〈方〉耳挖勺(儿)〕〔挖耳(朵)②〕 ②귀이개 달린 비녀.
〔耳闻〕 ěrwén 동 귀로 듣다. (비밀사를) 귀에 담다. ¶他那种种不端的行为, 我都有个～; 그의 여러 가지 좋지 못한 행위를, 나는 다 듣고 있다 / 我在外头做的事, 他大概有个～; 내가 밖에서 한 일을, 그는 아마 들었을 게다 / ～不如目见;〈諺〉백문이 불여일견.
〔耳蜗〕 ěrwō 명《生》와우(蝸牛) 나선관(螺旋管) 문. 와우관.
〔耳习目染〕 ěr xí mù rǎn〈成〉늘 보아서 익숙하고 들어서 익숙하다. 듣고 보는 동안에 저절로 터득하다. =〔耳濡rú目染〕〔目濡耳染〕
〔耳下腺〕 ěrxiàxiàn 명《生》이하선. =〔腮sāi腺〕
〔耳下腺炎〕 ěrxiàxiànyán 명《醫》이하선염. 항아리 손님. =〔腮腺炎〕〔流liú行性耳下腺炎〕〔痄zhà腮〕
〔耳小骨〕 ěrxiǎogǔ 명《生》이소골.
〔耳性〕 ěrxìng 명 기억력. ¶怎么嘱咐你的话老记不住呢, 太没～了; 너는 부탁한 일을 어째서 언제나 기억하지 못하냐. 기억력이 너무 없구나.
〔耳穴〕 ěrxué 명《漢醫》이혈(耳穴)(이각(耳殼)의 일정 부위에 특히 민감하게 반응하는 경혈. 이 곳에 침을 놓음).
〔耳学〕 ěrxué 명 얻어 들은〔배운〕학문 · 풍월.
〔耳丫子〕 ěryāzi 명 귀(귀 전체를 말함). ¶火狐皮帽的耳扇往两边翘起, 露出半截～; 붉은 여우 가죽 모자의 귀마개가 좌우로 젖혀져서, 귀가 반쯤 드러났다.
〔耳咽管〕 ěryānguǎn 명《生》이관(耳管). 유스타키오관(Eustachio管). 구씨관(歐氏管). =〔欧ōu氏管〕
〔耳炎〕 ěryán 명《醫》이염.
〔耳衣〕 ěryī 명〈文〉옛날, 방한용(防寒用)의 귀마개.
〔耳溢〕 ěryì 명《醫》귀에서 진물이 나는 병. =〔聤tíng耳〕
〔耳翼〕 ěryì 명 ⇨〔耳壳qiào〕
〔耳音〕 ěryīn 명 말을 듣고 분간하는 능력. 알아듣는 능력. ¶口音总是不清楚, ～也不好; 발음이 아무래도 명확하지 않고, 알아듣는 능력도 좋지 않다.
〔耳语〕 ěryǔ 명동〈文〉귀엣말(하다). 귓속말(하다).
〔耳针疗法〕 ěrzhēn liáofǎ 명《漢醫》이침요법(귀에 침을 놓음. 또는 침을 놓는 치료법).
〔耳枕(儿)〕 ěrzhěn(r) 명 중간에 귀가 들어갈 만한 구멍이 있는 베개.
〔耳珠〕 ěrzhū 명 귀걸이 구슬.
〔耳坠儿〕 ěrzhuìr 명〈口〉⇨〔耳坠子〕
〔耳坠子〕 ěrzhuìzi 명 귀걸이. =〔耳坠儿〕
〔耳子〕 ěrzi 명 기물(器物)의 귀. 손잡이. →〔把bà儿〕

洱 Er (이)
명《地》얼하이(洱海)(윈난 성(雲南省)에 있는 호수 이름).

饵(餌) ěr (이)
① 명 (쌀가루 · 밀가루를 주로 써서 만든) 과자. 케이크. ¶果guǒ～; (간식용의) 과자. ② 명 음식의 총칭. ¶药yào～; 약. ③ 명 낚시 미끼. ¶鱼～; 낚시 미끼 / 钓diào～; 낚싯밥 / 香xiāng～; 향기나는 낚싯밥〔미끼〕. ④ 명 (사람을 꾀어 이끄는) 미끼. ⑤ 명 동물의 근육 · 힘줄. ⑥ 동〈文〉이익으로써 사람을 꾀다. ¶～以重利; 많은 이익으로써 사람을 낚다. ⑦ 동〈文〉마시다. 먹다. ¶～药yào; 약을 먹다.
〔饵敌〕 ěrdí 동〈文〉적을 미끼로 유인하다. ¶以此～诱其深入; 이것으로 적을 유인하여 깊이 관여하게 하다.

珥 ěr (이)
〈文〉① 명 (진주(眞珠)나 옥(玉)으로 만든) 귀걸이. ② 명 칼의 날밑. ③ 명 햇무리. ④ 동 끼우다.
〔珥笔〕 ěrbǐ 동〈文〉붓을 관(冠) 옆에 꽂다(옛날, 기록을 관장하는 사관(史官)은 조정에 들어갈 때, 늘 이렇게 하였음).
〔珥貂〕 ěrdiāo 명 ①한대(漢代), 시중(侍中) · 상시(常侍) 등과 같은 고관이 관에 꽂았던 담비 꼬리의 장식. ②〈轉〉고관(高官).

铒(鉺) ěr (이)
명《化》에르븀(Er: erbium).

二 èr (이)
① 수 2. 둘. 注 '两'과 '二'의 차이. ㉠수를 읽을 때에는 '二'를 쓰며 '两'은 쓰지 않음. ¶一, ～, 三, 四…; 1, 2, 3, 4…. ㉡소수와 분수는 '二'만을 씀. ¶零点～; 0.2 / 三分之～; 2/3. ㉢서수(序數)도 '二'만 씀. ¶第～; 제2 / ～哥; 둘째 형. ㉣전통적 도량형 단위인 '尺' · '斤' · '丈' 등의 앞에서는 '两' · '二' 둘 다 쓰지만, '二丈两' · '两丈两'이라고는 쓰지 않음. 새로운 도량형 단위 앞에서는 보통 '两'을 씀. ¶两吨; 2톤. ㉤'千' · '万' · '亿' 또는 '百' 앞에는 보통 '二'을 쓰는데 '两'도 쓸 수 있음. 두 자리 또는 그 이상의 단위를 나타낼 때, 보통

'两'이 계속되지 않으며, 뒤는 '二'를 씀. ¶两万~千~百; 22,200. ㉥두 자리 이상의 숫자에서 한 자리·십 자리에는 '二'를 씀. ¶十~; 12 / ~百~十~=〔两百~十~〕; 222 / 一千~百~十五; 1,225. ㉦양사(量詞) '个'·'只'·'本'·'件' 등의 앞이 한 자리 숫자인 경우는 '两'을 씀. 단, '两位'는 '二位'라고도 함. 두 자리 이상의 숫자인 경우는 '二'을 씀. 습관상 양사(量詞)를 붙이지 않고 쓰이고 있는 것, 예컨대 '二人', '两人'·'二字' '两字' 등도 양사(量詞)를 붙인 경우에는 반드시 '两个人'·'两个字'등으로 씀. ㉧성어(成語)·숙어(熟語) 중의 '二'와 '两'은 각기 고정적(固定的)으로 씀. 예컨대, '一是一, 二是二'·'三言两语' 등. ㉨'양쪽 다' '두 개 중 어느 쪽이든'의 뜻에서는 반드시 '两'을 씀. ¶两相情愿; 〈成〉 양쪽이 다 원하다. ㉩어림수('几jǐ'의 뜻)는 '两'을 씀. ¶说两句话; 두서너 마디 이야기하다 / 到杭州去玩两天; 항저우로 2, 3일 놀러가다. ② 명 비류(比類). 비교할 것. ③ 수 둘째. 다음번째. 두 번. ¶第~天; 다음날. ④ 동 두 개로 만들다. 따로이 하다. ⑤ 형 가짜의. ¶~孔明; 가짜 제갈 공명. ⑥ 형 두 가지의. 다른.

〔二氨酚〕 èr'ānfēn 명 〈音〉 ⇨〔阿ā米多尔〕

〔二八〕 èrbā 명 〈文〉 ①16명. ¶女乐~《左傳》; 여악(女樂) 16명. ②(여자의) 16세. →〔二八年华〕 ③음력 16일. ④고대의 무용은 8명씩 두 줄로 추었음. ⑤《佛》 밀교(密敎)에서는 16의 숫자로 원만·무진함을 나타냄.

〔二八年华〕 èrbā niánhuá 명 〈文〉 16세 처녀의 한창 아리따운 나이.

〔二八月〕 èrbāyuè 명 음력 2월과 8월. 〈轉〉 농한기.

〔二八月(的)庄稼人〕 èrbāyuè(de) zhuāngjiarén 명 음력 2월과 8월의 농한기에만 들일을 하는 농부《얼치기 농부》.

〔二把刀〕 èrbǎdāo 〈方〉 명 ①두 자루의 칼. ②지식·기술 등이 미숙한 사람. 얼치기. ¶我的中国话是 ~呀; 나의 중국어는 겨우 초보 정도 입니다. ③미숙한 요리인(料理人). =〔帮案(儿)的〕 형 (지식·기술이) 미숙하다. 어설프다. 대강 알다.

〔二把手〕 èrbǎshǒu 명 두 번째 책임자.

〔二把子〕 èrbǎzi 명 조수. ¶因此愈yù来愈感到有招个新的~的必要; 그래서 점점 새로운 조수를 고용할 필요를 느끼게 되었다.

〔二百二(十)〕 èrbǎi'èr(shí) 명 〈口〉 ⇨〔红hóng药水〕

〔二百五〕 èrbǎiwǔ 명 ①〈口〉 천치·멍청이·바보·멍텅구리. ②〈方〉 어중간한 사람. 반거들충이. =〔半瓶醋〕

〔二班〕 èrbān 명 〈南方〉 (옛날, 상사(商社)의) 부지배인. →〔大dà班①〕

〔二班制〕 èrbānzhì 명 이교대제(二交代制).

〔二倍体植物〕 èrbèitǐ zhíwù 명 《植》 이배체 식물.

〔二苯胺〕 èrběn'àn 명 《化》 디페닐아민(diphenylamine).

〔二苯乙烯染料〕 èrběnyǐxī rǎnliào 명 《化》 스틸벤 염료(stilbene染料).

〔二变〕 èrbiàn 명 칠음(七音) 중의 변궁(變宮)과 변치(變徵).

〔二遍苦, 二茬罪〕 èrbiànkǔ, èrcházuì 두 번째의 고통. 두 번째의 괴로움. ¶吃二遍苦, 受二茬罪; 두 번째의 괴로움을 받다.

〔二伯〕 èrbó 명 둘째 백부(伯父).

〔二不棱〕 èrbùléng 형 〈方〉 멍청하다. =〔二不愣登〕

〔二不愣登〕 èrbùléngdēng 형 ⇨〔二不棱〕

〔二部曲〕 èrbùqǔ 명 《樂》 이부곡.

〔二部制〕 èrbùzhì 명 이부제《주로 초·중학교의 이부 수업(二部授業) 제도》.

〔二彩〕 èrcǎi 명 (복권 추첨에서) 두 번째 제비뽑기.

〔二层舱〕 èrcéngcāng 명 중갑판(中甲板). 트윈 데크.

〔二层楼〕 èrcénglóu 명 이층 건물. 이층 집.

〔二茬(儿)〕 èrchá(r) 명 ①이모작. 양그루. 그루갈이. ¶~庄zhuāng稼; 이모작. 그루갈이. ②〈俗〉 베어 낸 뒤에 다시 돋아나는 것. 움돋이. ¶~头发; 머리를 깎은 뒤에 다시 자란 머리카락. ‖=〔二楂(儿)〕 →〔茬③〕

〔二楂(儿)〕 èrchá(r) 명 ⇨〔二茬(儿)〕

〔二场〕 èrchǎng 명 영화·연극 등의 (하루 중의) 두 번째 상연. →〔两liǎng场〕

〔二朝廷〕 èrcháotíng 명 (외국 또는 반동 세력하의) 독립 왕국. 괴뢰 정부.

〔二车〕 èrchē 명 (기선의) 2등 기관사. →〔大车〕

〔二臣〕 èrchén 명 ⇨〔贰臣〕

〔二乘〕 èrchéng 명 《佛》 대승(大乘)과 소승(小乘).

〔二持〕 èrchí 명 《佛》 불계(佛戒)의 두 방면《하나는 '止zhǐ持'라고 하여 행동·언어·정신을 억제하여 모든 악행을 하지 않는다는 오계(五戒)·팔계(八戒)와 같은 것을 말함. 다른 하나는 '作zuò持'라고 하여 적극적으로 선업(善業)하여 보시(布施)·기도하는 것 등을 말함》.

〔二尺半〕 èrchǐbàn 명 〈俗〉 (군복 등의) 제복. ¶穿上一身~, 啥shà也不要了; 군복을 몸에 걸치고 있으면, 그 밖에는 아무것도 필요 없다.

〔二重〕 èrchóng 형 이중(의). ¶~国籍; 《法》 이중 국적.

〔二重唱〕 èrchóngchàng 명 《樂》 이중창.

〔二重工资制〕 èrchóng gōngzīzhì 명 《經》 생산고(生産高)와 시간에 따라 계산하여 지불하는 병산(竝算) 노임 지급제.

〔二重腿〕 èrchóngtuǐ 다리를 꼬다. →〔二郎腿〕

〔二重性〕 èrchóngxìng 명 이중성.

〔二重奏〕 èrchóngzòu 명 《樂》 이중주. 듀엣.

〔二传手〕 èrchuánshǒu 명 ①《體》 (배구의) 세터(setter). ②중간 역할. 중개.

〔二次方〕 èrcìfāng 명 《數》 평방(平方). 자승(自乘).

〔二次方程〕 èrcì fāngchéng 명 《數》 이차 방정식.

〔二次革命〕 Èrcì gémìng 명 2차 혁명《쑨원(孫文)이 신해(辛亥) 혁명 후, 1913년 위안 스카이(袁世凱)의 독재에 반대해서 일으킨 전쟁》.

〔二次加热器〕 èrcì jiārèqì 명 《機》 재열기(再熱器).

〔二次曲面〕 èrcì qūmiàn 명 《數》 2차 곡면.

〔二大〕 èrdà 명 둘째 백부. =〔二伯父〕

〔二大流〕 èrdàliú 명 ⇨〔二流子①〕

〔二当家〕 èrdāngjiā 명 ①둘째 주인《주인 다음 가는 지위에 있는 사람》. ②주인공과 같이 행세하는 사람.

〔二挡〕 èrdǎng 명 《機》 세컨드 기어(gear). 제2 기어.

〔二道贩子〕 èrdào fànzi 명 (투기 전매를 전문으로 하는) 브로커. 암거래상. →〔倒dǎo爷〕

E

〔二道毛〕 èrdàomáo 혱 〈方〉 성실하지 못하다. 야무지지 못하다. 명 건달.
〔二等〕 èrděng 명형 이등(의). 이류(의). ¶～残废军人; 제2급 상이 군인. 명 두 등급.
〔二地主〕 èrdìzhǔ 명 ①마름. 사음(舍音). 지대(地代)를 징수하는 사람. ②빌린 토지를 다시 전대(轉貸)하는 사람. 토지 거간꾼. →〔二房东〕
〔二叠纪〕 Èrdiéjì 명 《地質》 이첩기(二疊紀). 페름기.
〔二叠系〕 Èrdiéxì 명 《地質》 이첩계. 페름계.
〔二丁〕 èrdīng 명 돼지고기와 닭고기를 주사위 모양으로 잘게 썬 것.
〔二二迟迟〕 èr'èr chíchí 주저하며 꾸물거리다. 머뭇거리다. 주춤거리다. ¶他做事～的; 그는 일을 하는 것이 주저하며 꾸물거린다.
〔二二忽忽〕 èr'èr hūhū 태도가 애매하다. 망설이다. 어찌할 바를 모르다. ¶看他那样～的, 似乎还没有决定做不做; 그가 망설이고 있는 것을 보니, 아직 할지 안 할지 결정하지 않은 것 같다. =〔二二乎乎〕 →〔二愣leng〕
〔二二三〕 èr'èrsān 명 《樂》 디디티(D.D.T.).
〔二翻〕 èrfān 통 ①두 번 뒤집어지다. ②또다시 전대로 번창하다. ¶～时兴起来; 전에 번창〔유행〕하던 것이 다시 번창하기 시작하다.
〔二反脚〕 èrfǎnjiǎo 한번 간 것이 다시 복귀하다. ¶我看, 可以叫他～进来; 그를 다시 복귀시켜도 좋다고 생각한다 / 而今既然～地再到北京, 一定要弄一手儿漂亮的叫你们瞧瞧; 이번에 다시 베이징으로 돌아온 이상, 반드시 뛰어난 솜씨를 발휘하여 너희들에게 보여 주겠다. =〔二返回头〕〔二返投唐〕
〔二返回头〕 èrfǎn huítóu ⇨〔二反脚〕
〔二返投唐〕 èrfǎn tóutáng ⇨〔二反脚〕
〔二房〕 èrfáng 명 ①첩(妾). =〔姨太太〕〔偏房〕 ②가족 중 둘째 항렬의 계통.
〔二房东〕 èrfángdōng 명 세로 얻은 집을 다시 남에게 세를 놓는 사람.
〔二分〕 èrfēn 명 춘분(春分)과 추분(秋分). 통 〈文〉 이분하다. 둘로 나누다.
〔二分点〕 èrfēndiǎn 명 《天》 주야 평분점(晝夜平分點). 분점(分點).
〔二分裂〕 èrfēnliè 명 《生》 이분열. 이분열법.
〔二分音符〕 èrfēn yīnfú 명 《樂》 이분음표.
〔二伏〕 èrfú 명 중복(中伏). =〔中zhōng伏〕 →〔伏天〕
〔二氟化铁〕 èrfúhuàtiě 명 《化》 플루오르화 제일철.
〔二副〕 èrfù 명 ①기선(汽船)의 사무 차장. ②이등 항해사. →〔大dà副〕
〔二杆子〕 èrgānzi 명 〈方〉 얼간이. 멍청이. ¶～脾气; 편벽되고 난폭한 기질 / 你净说～话, 哪有那宗事儿哩? 너는 얼간이 같은 소리만 하고 있는데 어디 그런 게 있니?
〔二哥〕 èrgē 명 ①둘째 형. ②동생에 대한 호칭.
〔二胳臂〕 èrgēbei 명 《生》 팔뚝. →〔大dà胳臂〕
〔二更〕 èrgēng 명 〈文〉 이경. 해시(亥時)《옛날, 오후 9시에서 11시경》. =〔乙yǐ夜〕〔二鼓〕〔亥hài时〕 →〔五wǔ更〕
〔二公子〕 èrgōngzǐ 명 〈敬〉 옛날, 둘째 도령《차남의 경칭》.
〔二姑娘〕 èrgūniang 명 〈敬〉 둘째 딸. 둘째 아가씨.
〔二股眼〕 èrgǔyǎn 명형 ⇨〔二五眼〕
〔二管轮〕 èrguǎnlún 명 (배의) 이등 기관사. →〔管轮(的)〕
〔二闺女〕 èrguīnǚ 명 (미혼의) 차녀(次女).
〔二鬼子〕 èrguǐzi 명 위군(僞軍). 괴뢰 정부의 군대. 괴뢰군《특히 항일 전쟁 시기의 괴뢰 정권하의 군대를 가리킴》.
〔二柜〕 èrguì 명 옛날, 둘째 지배인. =〔二掌zhǎng柜〕 →〔老lǎo板〕
〔二锅头〕 èrguōtóu 명 두 번 짜낸 소주《증류할 때, 맨 처음 나온 것과 마지막에 나온 것을 제거한 약간 순수한 소주. 알코올 함량은 60～70%》.
〔二胡〕 èrhú 명 《樂》 호궁(胡弓)보다 약간 크고 자루를 나무로 만든 악기《호궁보다 저음(低音)을 내며 호궁과 합주함》. =〔南nán胡〕〔嗡hū嗡儿〕
〔二虎〕 èrhǔ 명 바보. 멍청이. ¶看你这～, 人家不要的, 你们捡回来《周立波 暴風驟雨》; 너도 얼빠진 사람이구나, 다른 사람이 필요로 하지 않는 것을 주워 오다니 말이다. =〔胡hú涂虫〕 혱 건성이다. 엉터리이다. 꼼꼼하지 않다. 소홀하다. =〔麻má胡〕〔马mǎ虎〕
〔二乎〕 èrhu 통 〈方〉 ①두려워하다. 위축되다. ¶他在困难面前向来不～; 그는 곤란에 직면해도, 지금껏 위축된 일은 없다. ②망설이다. 의혹을 품다. ¶你越说越把我弄～了; 네가 말하면 말할수록 나는 망설여진다 / 他～了半天也没拿出个主意来; 그는 오랫동안 꾸물대고 있었지만 의견을 내지 못했다. 혱 희망이 거의 없다. ¶我看这件事～了; 내가 보기에는 이 일은 틀렸다고〔가망이 없다고〕 생각한다. ‖ =〔二忽〕
〔二忽〕 èrhu 통형 ⇨〔二乎〕
〔二花脸〕 èrhuāliǎn 명 《劇》 중국 전통극에서, 적장(賊將)·악당 등으로 분장(扮裝)하는 역(役)의 이름. =〔架子花〕〔二花面〕
〔二花面〕 èrhuāmiàn 명 ⇨〔二花脸〕
〔二化螟蛾〕 èrhuà míng'é 명 《蟲》 이화명나방.
〔二话〕 èrhuà 명 ①다른 말. 다른 의견. 두 말《후회·원한·필요로 하는 조건 따위를 가리키며, 흔히 부정문에 쓰임》. ¶～不说, 一棒子打去; 그대로 아무 말도 않고 막대로 한 대 후려 갈겼다. ②불평. 이의(異議). 불만. ¶为了工作再苦再累, ～不说; 일 때문이라면 아무리 힘들어도 불만이 없다.
〔二黄〕 èrhuáng 명 경극(京劇)의 중심을 이루는 가조(歌調)《황피(黃陂)·황강(黃崗)의 두 현(縣)에서 일어났으므로 이렇게 부름》. =〔二簧〕 →〔西皮xīpí〕
〔二荤铺〕 èrhūnpù 명 옛날 음식점의 하나《간단한 식사나 차를 파는 식당. '清qīng茶馆'(차만을 제공하는 찻집)에 대한 말》.
〔二婚儿〕 èrhūnr 명 ⇨〔二婚头〕
〔二婚头〕 èrhūntóu 명 옛날, 재혼한 여자《경시(輕視)하는 뜻이 있음》. ¶天祥没有儿女, 杨氏是个～, 初嫁时带个儿女来《今古奇觀》; 천상에게는 아이가 없었는데, 양씨는 재혼한 부인으로 시집올 때에 아이들을 데리고 왔다. =〔二婚儿〕
〔二混子〕 èrhùnzi 명 ⇨〔二流子①〕
〔二和〕 èrhuò 명 ①(차나 약의) 재탕. ¶～茶; 재탕한 차 / 晴雯服了药, 至晚间又服了～《紅樓夢》; 청문은 약을 먹고, 밤이 되고 나서 다시 재탕을 먹었다. ②두 번째 세척.
〔二惑二信〕 èr huò èr xìn 〈成〉 반신반의하는 모양. 믿기 어려운 모양.
〔二级风〕 èrjífēng 명 《氣》 남실바람《풍력 2의 바람》.
〔二极管〕 èrjíguǎn 명 《電》 이극진공관. 다이오드

(diode).
〔二家花〕 èrjiāhuā 명 《植》 자웅 이체(雌雄異體). 암수딴몸.
〔二甲苯〕 èrjiǎběn 명 《化》 크실렌. 디메틸벤젠.
〔二甲苯胺〕 èrjiǎběn'àn 명 《化》 디메틸아닐린.
〔二价〕 èrjià 명 에누리. 이중 가격. ¶言无～ =〔不～〕; 에누리 없음.
〔二尖瓣〕 èrjiānbàn 명 《生》 이첨판. 승모판(僧帽瓣).
〔二煎〕 èrjiān 명 《漢醫》 (약의) 재탕. →〔二和〕
〔二件套〕 èrjiàntào 명 (의복의) 투피스.
〔二校〕 èrjiào 명 재교(再校). 두 번째의 교정.
〔二姐〕 èrjiě 명 둘째 누님.
〔二斤半〕 èrjīnbàn 명 〈方〉 머리.
〔二进制〕 èrjìnzhì 명 《數》 이진법(二進法). ¶～的; 이진수(二進數) / ～数; 이진수에 쓰이는 숫자. =〔二进位制〕
〔二口虫〕 èrkǒuchóng 명 《蟲》 디스토마(소·말·양 등의 간장에 기생하는 흡반을 가진 벌레).
〔二拉八当〕 èrlabādàng 결단이 내려지지 않다. 일이 잘 이루어지지 않고, 중도에서 머뭇거리다. ¶事情还～的呢, 先别认真; 아직도 일이 해결되지 않았으니, 우선 진담으로 받아들이지 마라.
〔二来〕 èrlái 둘째로는. ¶一来…～… =〔一则zé…二则…〕; 첫째로는… 둘째로는….
〔二来来〕 èrláilái 명 재혼한 여자. 명형 제이류(의).
〔二赖子〕 èrlàizi 명 ⇨〔二流子①〕
〔二蓝〕 èrlán 명 《色》 엷은 남색.
〔二郎神〕 Èrlángshén 명 전설상의 신. 이랑신.
〔二郎腿〕 èrlángtuǐ 명 〈方〉 다리를 꼬고〔포개고〕 앉은 자세. ¶他立刻坐到沙发上跷qiāo起～; 그는 곧 소파에 걸터앉아 다리를 꼬았다.
〔二老〕 èrlǎo 명 〈文〉 ①(늙은) 부모. ¶～都快八十岁了, 非常精神; 부모님이 곧 80세가 됩니다만, 매우 건강하십니다. =〔二人①〕 ②(Èrlǎo) 《化》 백이와 태공망. 백이와 숙제.
〔二类商品〕 èrlèi shāngpǐn 명 이류 상품(국무원(國務院)의 각 주관부가 관리하는 비교적 중요한 상품. 돼지고기·달걀·재봉틀·자동차 등).
〔二类物资〕 èrlèi wùzī 명 《經》 이류 물자(국무원의 각 주관부가 분배를 실행하고 있는 비교적 중요한 물자. 광석·방직 기계 등). =〔部管物资〕
〔二愣子〕 èrlèngzi 명 ①덜렁쇠. 경망〔경솔〕한 사람. ②무모한 사람. 분별없이 행동하는 사람.
〔二愣〕 èrleng 동 ①두려워하다. 겁내다. ¶你这样欺压人, 我决不～; 이렇게 사람을 들볶아도 나는, 절대로 두려워하지 않는다. ②깜짝 놀라 멍청해지다. 주저하다. ¶他一听钱多, 有点儿～; 그는 금액이 많다는 것을 듣고 조금 주저했다 / 他听了这话, 这么一～, 半晌说不出话来; 그는 이 말을 듣고 깜짝 놀라, 한동안 말도 하지 못했다. ③희망이 없다.
〔二连缸〕 èrliángāng 명 《機》 이연통(二連筒). ¶卧型～水平动喷雾机; 가로형 이연통 수평동 분무기. →〔三sān连缸〕
〔二联式车床〕 èrliánshì chēchuáng 명 《機》 연결식 선반(旋盤).
〔二流打瓜〕 èrliú dǎguā 성실하지 못하고 엉터리인. 빈들거리는. =〔二流打挂〕〔二流大挂〕
〔二流货〕 èrliúhuò 명 이류품.
〔二流子〕 èrliúzi〔èrliūzi〕 명 ①건달. 무위 도식배(無爲徒食輩). 무뢰한. 깡패. 한인(閒人). =〔二大流〕〔〈北方〉 二混子〕〔二赖子〕〔〈京〉 混hùn混儿〕〔〈方〉 屯tún溜子〕 ②자진해서 협력하려 들지 않는 인간.
〔二硫化炭〕 èrliúhuàtàn 명 《化》 이황화 탄소.
〔二硫化铁〕 èrliúhuàtiě 명 《化》 이황화철.
〔二硫化物〕 èrliúhuàwù 명 《化》 이황화물(二黃化物).
〔二六板〕 èrliùbǎn 명 《劇》 경극(京劇) 중의 곡조 이름.
〔二楼〕 èrlóu 명 이층.
〔二路货〕 èrlùhuò 명 2급품. 이등품.
〔二路角儿〕 èrlùjuér 명 《劇》 주연 다음으로 중요한 역할을 맡은 연기자. =〔二路脚儿〕
〔二路儿〕 èrlùr 명형 이등(의). 이류(의).
〔二律背反〕 èrlǜ bèifǎn 명 《哲》 이율 배반.
〔二氯化铁〕 èrlǜhuàtiě 명 《化》 염화제일철(鹽化第一鐵).
〔二氯化锡〕 èrlǜhuàxī 명 《化》 염화제일 주석.
〔二轮〕 èrlún 형 ①〈俗〉 엉터리다. 무책임하다. ②이류(二流)의. →〔第dì二轮〕
〔二马一虎〕 èrmǎ yīhǔ 엉터리다. 무책임하다. 대강대강하다. →〔马马虎虎〕
〔二毛〕 èrmáo 명 〈貶〉 ①희끗희끗한〔반백인〕 머리. =〔二色〕 ②머리털이 희끗희끗한 노인. ③둘째 아들놈.
〔二毛皮〕 èrmáopí 명 생후 1개월 전후의 새끼양의 모피.
〔二毛子〕 èrmáozi 명 ①옛날, 서양인에게 고용된 중국인, 또는 중국인 기독교 신자를 욕하는 말. →〔大dà毛子〕 ②(헤이룽 장(黑龍江) 지방에서) 두 살 된 양(한 살짜리를 '库kù尔布子'라고 함).
〔二门(儿, 子)〕 èrmén(r, zi) 명 바깥 문을 들어서서 '院子'의 입구에 있는 둘째 문. →〔大门〕
〔二米(子)饭〕 èrmǐ(zi)fàn 명 쌀과 좁쌀을 섞어 지은 밥.
〔二米禁线〕 èrmǐ jìnxiàn 명 《體》 (수구(水球)의) 2m 라인.
〔二拇指(头)〕 èrmuzhǐ(tou) 명 〈口〉 집게 손가락. 식지(食指). =〔二拇〕〔二指〕
〔二奶奶〕 èrnǎinai 명 ①첩(妾). ②둘째 형수.
〔二萘品苯〕 èrnàipǐnběn 명 《化》 피센(picene). =〔苉pǐ〕
〔二年根〕 èrniángēn 명 2년생 식물의 뿌리.
〔二年生植物〕 èrniánshēng zhíwù 명 《植》 2년생 식물.
〔二女儿〕 èrnǚ'ér 명 둘째딸. 차녀. →〔二小儿〕
〔二盘〕 èrpán 명 《商》 (거래소에서) 그 날의 전·후장 후의 둘째 매매 거래. →〔开kāi盘(儿)〕
〔二皮脸〕 èrpíliǎn 명 〈京〉 철면피(주로 연소자의 태도를 말함).
〔二撇鸡〕 èrpiějī 명 팔자 수염. 카이저 수염. ¶他留起长达十八吋的～; 그는 18인치나 되는 카이저 수염을 기르고 있다.
〔二七大罢工〕 Èr Qī DàBàgōng 명 2·7 동맹파업(1923년 2월 7일, '京汉铁路总工会'의 결성대회를 계기로, 군벌 우 페이푸(吳佩孚)에 의해서 강행된 노동자 학살 사건에 항의한 스트라이크). =〔二七惨案〕〔二七纪念〕〔二七事件〕
〔二气〕 èrqì 명 〈文〉 ①음양의 두 기(氣). ②기(氣)의 부조화. ¶人～则成病《淮南子 說山》; 사람의 기가 조화를 이루지 못하면 병에 걸린다.
〔二亲〕 èrqīn 명 〈文〉 부모. 양친.
〔二勤〕 èrqín 명 〈簡〉 '勤俭建国, 勤俭持家'의 약어.
〔二嗪农〕 èrqínnóng 명 《農》 〈音義〉 다이아지논

(diazinon).
〔二青〕 èrqīng 명 죽순의 껍질을 벗겨 낸 것(‘扁biǎn尖’(말린 죽순)의 재료가 됨).
〔二青皮〕 èrqīngpí 명 건방진 젊은 놈〔녀석〕.
〔二氰化汞〕 èrqínghuàgǒng 명 《化》 시안화수은(염색·사진 공업·소독에 쓰임).
〔二巯基丙醇〕 èrqiújī bǐngchún 명 《藥》 디메르카프롤(dimercaprol). 발(BAL)(중금속 비소 화합물 해독제). =〔二巯氢基丙醇〕〔双shuāng巯代甘油〕〔不bù列颠抗路易士毒气〕
〔二染儿〕 èrrǎnr 명 〈方〉(퇴색한 것을) 다시 염색한 것. ¶别看是~竟跟新的一样; 다시 염색했다고 해서 우습게 보지 마라, 새것과 똑같으니까.
〔二人〕 èrrén 명 ①〈文〉 부모. ¶有怀~; 부모를 생각하다. =〔二老〕 ②두 사람. ¶~同一心, 黄土变成金; 두 사람이 마음을 합치면 황토도 금으로 바뀐다 / ~同心, 其利断金; 두 사람이 힘을 합치면 쇠를 끊을 힘이 생긴다.
〔二人凳〕 èrréndèng 명 2인용 걸상.
〔二人夺〕 èrrénduó 명 속에 칼을 장치한 지팡이.
〔二人台〕 èrréntái 명 《劇》 ①내몽고 자치구에서 유행하는 일종의 연예(반주에 맞춰 두 사람이 노래하며 춤을 춤). ②‘二人台’가 발전하여 생긴 신흥극(新興劇).

〔二人抬〕 èrréntái 명 등의자(藤椅子) 모양의 두 사람이 메는 가마. →〔肩jiān舆〕〔轿jiào〕
〔二人转〕 èrrénzhuàn 명 ①헤이룽장(黑龍江)·지린(吉林)·랴오닝(遼寧) 일대에서 유행한 일종의 연예(반주에 맞춰 두 사람이 춤을 추면서 노래함). ②‘二人转’에서 발전하여 생긴 지방극. →〔吉jí剧〕
〔二刃镰〕 èrrènlián 명 양날이 있는 낫.
〔二腮类〕 èrsāilèi 명 《動》 이새류. 연체 동물의 두족(頭足)류.
〔二三〕 èrsān 명 두셋. 사소한 수. 약간. ¶~道士席其间; 두세 명의 도사가 그 사이에 자리잡고 있다. 동 자주 바꾸다. ¶~其德《詩經 衛風》; 〈成〉 사상이나 절조〔절개〕를 자주 바꾸다.
〔二色〕 èrsè 명 ⇨〔二毛①〕
〔二少奶奶〕 èr shàonǎinai 명 둘째 며느리.
〔二少爷〕 èrshàoye 명 둘째 아드님.
〔二生豆〕 èrshēngdòu 명 《植》 강낭콩.
〔二十八调〕 èrshíbādiào 명 《樂》 이십팔조(二十八調)(궁(宮)·상(商)·각(角)·우(羽)의 사성(四聲)에는 각기 칠조(七調)가 있으므로 합쳐서 이십팔조라고 함).
〔二十八星瓢虫〕 èrshíbāxīng piáochóng 명 《蟲》 이십팔수 표충(二十八宿瓢蟲). 이십팔점박이무당벌레. =〔〈俗〉 花huā大姐〕〔〈俗〉 花媳妇儿〕
〔二十八宿〕 èrshíbāxiù 명 《天》 이십팔수. =〔二十八舍shè〕〔二十八星〕
〔二十四节气〕 èrshísì jiéqì 명 이십사 절기. =〔二十四节〕〔二十四候〕
〔二十四开〕 èrshísì kāi 명 ①24캐럿. 24금. 순금(純金). ②《印》(신문·인쇄 따위의) 원지(原紙)의 24분의 1.
〔二十四史〕 Èrshísìshǐ 명 《書》 이십사사(청나라의 건륭(乾隆) 연간에 정한 중국 역대의 정사(正史)).
〔二十五史〕 Èrshíwǔshǐ 명 《書》 이십오사(‘二十四史’에 《新元史》를 더한 것).
〔二事〕 èrshì 명 쓸데없는 일. 부질없는 일. →〔闲xián事〕
〔二手货〕 èrshǒuhuò 명 중고품. =〔第二手②〕
〔二手商品〕 èrshǒu shāngpǐn 명 중고 상품.
〔二手烟〕 èrshǒuyān 명 간접 흡입하는 담배 연기.
〔二竖〕 èrshù 명 〈文〉 병마(病魔). 질병.
〔二竖为虐〕 èr shù wéi nüè 〈成〉 병으로 인하여 고통을 받음.
〔二水货〕 èrshuǐhuò 명 (최상등품 다음가는) 상등품.
〔二水儿〕 èrshuǐr 명 한 번 사용했던 것.
〔二太太〕 èrtàitai 명 ①첩. ②〈敬〉 형제의 순서가 두 번째가 되는 사람의 부인.
〔二碳化钙〕 èrtànhuàgài 명 《化》 탄화칼슘. =〔电diàn石〕
〔二套车〕 èrtàochē 명 쌍두 마차.
〔二踢脚〕 èrtījiǎo 명 두번 (터지는) 소리가 나는 폭죽. =〔二踢子〕
〔二体人〕 èrtǐrén 명 어지자지(한몸에 남녀 두 성기관을 가진 사람). =〔二形人〕〔〈俗〉 二性子④〕〔〈俗〉 二尾子〕
〔二天〕 èrtiān 부 〈方〉 하루 이틀 후에. 나중에. 딴 기회에. ¶我~再来; 나중에 다시 오겠습니다.
〔二停(儿)〕 èrtíng(r) 명 ①10분의 2. 2할(割). =〔十停儿的二停(儿)〕 →〔停⑥〕 ②좌우 또는 상하의 두 부분으로 나누어지는 한자의 구조(예를 들면, ‘명(明)’은 좌우, ‘운(雲)’은 상하의 두 부분으로 나뉘어 있음).
〔二万五千里长征〕 Èrwànwǔqiānlǐ chángzhēng 명 《史》 이만오천 리 장정(1934년부터 1936년에 걸쳐서 홍군(紅軍)이 화중(華中)·화난(華南)의 혁명 근거지로부터 산시(陝西)·간쑤(甘肅) 일대로 대규모의 전략적 이동을 감행한 것을 말함). =〔长征〕〔万里长征〕〔西xī迁〕
〔二维〕 èrwéi 명 《數》 2차원. ¶~电路; 2차 회로.
〔二位〕 èrwèi 명 두 분(두 사람의 존칭. 마주 얼굴을 대하고 있을 때에 ‘二位’가 쓰임). =〔两liǎng位〕
〔二乌眼〕 èrwūyǎn 형명 ⇨〔二五眼〕
〔二屋(儿)里〕 èrwū(r)li 명 엇갈림. 어긋남. 다른 방면. 샛길. ¶说的好好儿的, 这又说到~去了《兒女英雄傳》; 이야기가 잘 되었는데, 또 말이 샛길로 빠져 버렸다.
〔二五〕 èrwǔ 명 2할 5푼. 25%.
〔二五八〕 èrwǔbā 형 ①좋지 않다. ②문외한이다. 생무지다.
〔二五减租〕 èrwǔ jiǎnzū 명 2할 5푼의 소작료 인하(제1차 국내 혁명 전쟁 때에 중국 공산당이 제출하고, 나중에 해방구에서 ‘土tǔ地改革’ 전에 실시되었음).
〔二五眼〕 èrwuyǎn 형 〈方〉 ①(물건의 질이) 좋지 못하다. 조악〔열악〕하다. ¶那个东西太~, 我不要买; 저 물건은 너무 나빠서 살 생각이 없다. ②(일솜씨가) 서투르다. 능력이 모자라다. 명 아둔패기. 바보. 서투른 사람. 데퉁바리. ‖ =〔二古眼〕〔二股眼〕〔二乌眼〕
〔二五一十〕 èrwǔ yīshí 이오(二五)는 십(평범함. 뛰어난 것이 없음). ¶二五不知一十的; 평범한 사람.
〔二细子布〕 èrxìzi bù 명 《紡》 무명천의 하나(‘白bái粗布’보다 약간 좋은 것).
〔二下子〕 èrxiàzi 명 ⇨〔两liǎng下子〕
〔二项式〕 èrxiàngshì 명 《數》 이항식(二項式).
〔二象性〕 èrxiàngxìng 명 《物》 이중성(二重性).
〔二硝基〕 èrxiāojī 명 《化》 디니트로(dinitro)(화학

기명(化學基名)). ¶～氯化苯; 디니트로클로로벤젠(dinitrochlorobenzene) / ～苯; 디니트로벤젠.

〔二小儿〕 èrxiǎo'ér 명 둘째 아들. 차남. ¶大小儿七岁, ～还在怀抱儿呢; 장남은 7세이며, 차남은 아직 갓난아기입니다.

〔二小子〕 èrxiǎozi 명 ①허드렛일〔하급 일〕을 하는 사람. ②주구(走狗). 앞잡이.

〔二写〕 èrxiě 명 옛날, 중국에 있던 외국 상사의 부지배인.

〔二心〕 èrxīn 명 ①두 마음. 이심(異心). =〔贰心〕→〔异yì心〕 ②마음이 산란함. 갈피를 못 잡음. 열의가 없음.

〔二形花〕 èrxínghuā 명 《植》 이형화.

〔二形人〕 èrxíngrén 명 ⇨〔二体人〕

〔二性子〕 èrxìngzi 명 ①이도 저도 아닌 것. ②중성(中性)의 것. ¶～水; 경수(硬水)도 아니고 연수(軟水)도 아닌 물. ③변덕스러운 사람. 마음이 늘 변하기 쉬운 사람. ④남녀추니. 어지자지. =〔二体人〕〔二尾子〕 ⑤저능(低能). 어리보기. 얼간이. ⑥달고도 매운 것. ⑦혼혈아.

〔二姓〕 èrxìng 명 〈文〉 ①(결혼하는 남녀의) 양가(兩家). ②이군(二君). 두 왕조의 군주. ③이부(二夫). 두 남편.

〔二姓之好〕 èr xìng zhī hǎo 〈成〉 혼인으로 맺어진 양가(兩家).

〔二盐基酸〕 èryánjīsuān 명 《化》 이염기산(二鹽基酸).

〔二氧化〕 èryǎnghuà 명 《化》 이산화(二酸化).

〔二氧化氮〕 èryǎnghuàdàn 명 《化》 이산화질소(二酸化窒素).

〔二氧化硅〕 èryǎnghuàguī 명 《化》 이산화규소. =〔硅酐〕

〔二氧化硫〕 èryǎnghuàliú 명 《化》 이산화황(二酸化黃). 아황산 가스. 아황산 무수물(亞黃酸無水物). =〔亚yà硫酐〕

〔二氧化锰〕 èryǎnghuàměng 명 《化》 이산화 망간. =〔锰粉〕

〔二氧化铅〕 èryǎnghuàqiān 명 《化》 과산화연(過酸化鉛).

〔二氧化氢〕 èryǎnghuàqīng 명 《化》 과산화 수소(過酸化水素).

〔二氧化钛〕 èryǎnghuàtài 명 《化》 이산화 티탄.

〔二氧化碳(气)〕 èryǎnghuàtàn(qì) 명 ⇨〔碳(酸)气〕

〔二氧化物〕 èryǎnghuàwù 명 《化》 이산화물(二酸化物). 이산화 화합물.

〔二一个〕 èryige 명 두 번째(의 하나). =〔第dì二个〕〔第二一个〕

〔二一添作五〕 èryī tiān zuò wǔ ① 《數》 이일첨작오(二一添作五)《1÷2=0.5라는 구귀가(九歸歌)의 하나》. ②둘로 나누다. 이등분하다. ¶剩下的我们再～; 나머지는 우리들이 다시 이등분한다. ③떳떳하게. 미련 없이. 기분 좋게. ¶来, ～, 咱俩喝一盅; 자, 기분 좋게 한 잔 하자.

〔二一样〕 èryiyàng 명 제2의 것. 두 번째의 것.

〔二姨太太〕 èr yítàitai 명 ⇨〔姨太太①〕

〔二乙苯胺〕 èryǐběn'àn 명 《化》 디에틸아닐린.

〔二乙醚〕 èryǐmí 명 《化》 에테르.

〔二尾子〕 èryǐzi 명 ⇨〔二体人〕

〔二有〕 èryǒu 명 지출에는 증빙(證憑)이, 예산에는 계획이 있어야 함.

〔二元〕 èryuán 명 《數》 2차원. 2원성. ¶～方程式; 《數》 2차 방정식. 형 《化》 두 성분으로 된.

〔二元醇〕 èryuánchún 명 《化》 이가(二價) 알코올.

〔二元论〕 èryuánlùn 명 《哲》 이원론.

〔二元酸〕 èryuánsuān 명 《化》 이염기산.

〔二则〕 èrzé 명 둘째 항목. 부 둘째로는. 게다가 또. ¶待要不叫他伏侍, 他又必不依, ～定要惊动别人《紅樓夢》; 그에게 시중을 들지 말라고 하면 틀림없이 듣지 않을 것이며, 게다가 반드시 사람들을 놀라게 할 것이다. →〔一yī则〕

〔二闸〕 èrzhá 명 《機》 제 2 기어(gear).

〔二者必居其一〕 èrzhě bì jū qíyī 필경 둘 중의 하나이다. 양자택일. ¶或者把老虎打死, 或者被老虎吃掉, ～; 호랑이를 쳐 죽이느냐, 호랑이에게 잡아먹히느냐 둘 중의 하나이다.

〔二者归一〕 èrzhě guīyī 둘이 하나로 합쳐지다.

〔二指〕 èrzhǐ 명 ⇨〔二拇指(头)〕

〔二至〕 èrzhì 동지와 하지. ¶～二分; 동지·하지와 춘분·추분 / ～点; 《天》 이지점(二至點)《동지점과 하지점》.

〔二致〕 èrzhì 형 〈文〉 일치하지 않다. 서로 다르다. ¶这故事与以前的绝无～; 이 이야기는 이전 것과 전혀 다른 점이 없다.

〔二主〕 èrzhǔ 명 ①《法》 원고와 피고. ②두 사람의 주인.

〔二篆〕 èrzhuàn 명 대전(大篆)과 소전(小篆).

〔二尊〕 èrzūn 명 《佛》 석가(釋迦)와 미타(彌陀).

〔二尊人〕 èrzūnrén 명 〈文〉 양친(兩親)의 존칭.

弍 èr (이)
명 '二'의 갖은자('贰'의 약자(略字)로 쓰임).

贰(貳) èr (이)
①명 '二'의 갖은자. ②동 배신〔반역〕하다. 변절하다.

〔贰臣〕 èrchén 명 〈文〉 두 임금을 섬기는 신하. 절조없는 신하. =〔二臣〕

〔贰心〕 èrxīn 명 〈文〉 두 마음. ¶～不定; 결정하지 못하고 갈팡질팡하는 모양. =〔二心〕

〔贰言〕 èryán 명 〈文〉 이의(異議). 반대의 말.

樲(樲) èr (이)
→〔樲棘〕

〔樲棘〕 èrjí 명 《植》 〈文〉 (개량종이 아닌 신맛의) 대추. =〔酸枣(儿)suānzǎo(r)〕

刵 èr (이)
명 옛날, 귀를 베어 내는 형벌.

佴 èr (이)
①명 부(副). 도움. ②동 〈文〉 늘어서다. 놓다. 머무르다. ⇒Nài

F

FA ㄈㄚ

发(發) **fā** (발) ①동 발생하다. 발생시키다. 일어나다. 일으키다. 나오다. 내다. 쏘다. 표면에 (드러)내다. ¶～生; 발생하다/～电; ⇓/～光; 빛을 내다/～芽; 발아하다/～汗; 땀을 내다/～挥; 발휘하다. ②동 발하다. 시작하다. 일으키다. ¶～动; 발동하다/～起; 발기하다/～病; 발병하다/～脾pí气; 화내다. 부아를 일으키다. ③동 열다. 들춰내다. 폭로하다. ¶～现; 발견하다/揭jiē～; (음모 따위를) 폭로하다. 적발하다/～仓cāng济贫; 쌀창고를 열어 빈민을 구제하다/～冢; 무덤을 파헤치다. ④동 보내다. 발송하다. 파견하다. ¶～电报 =〔打电报〕; 전보를 치다/～信人; 발신인/～行李; 수화물을 보내다/～兵; 군대를 파견하다. ⑤동 내다. 지급하다. 나눠 주다. ¶～命令; 명령하다/～工资; 급료를 지급하다/～传单; 전단을〔삐라를〕 배포하다/～给大家; 모두에게 나눠 주다. ↔〔领lǐng⑦〕 ⑥동 발전하다. 확대하다. 커지다. ¶～扬; ⇓/～育; ⇓/～展; ⇓ ⑦동 (갑자기) 부자가 되다. 풍부해지다. ¶暴～户; 벼락부자. 졸부(猝富)/他一下子就～了; 그는 한 번에 돈을 벌었다. ⑧동 발산하다. 방출하다. ¶挥～; 휘발(하다)/蒸zhēng～; 증발(하다). ⑨동 떠나다. 출발하다. ¶出～; 출발하다/朝～夕至; 아침에 떠나 저녁에 도착하다. ⑩동 (옛날, 범인을) 호송하다. 귀양 보내다. ¶把犯人～到边疆去; 범인을 변방에 귀양보내다. →〔押yā③〕〔解jiè〕 ⑪동 조짐을 보이다. 낌새가 있다. …을 띠게 되다. …이〔하게〕 되다. ¶味儿～酸; 맛이 시큼해지다/树shù叶儿～黄; 나뭇잎이 누래지다/天儿～白; 하늘이 희붐히 밝아졌다/人老了手脚～笨bèn; 사람이 늙으면 손발이 말을 안 듣게 된다. ⑫동 교부하다. 주다. ¶～选民证; 선거권·피선거권의 자격 증명서를 교부하다. ⑬동 (환·어음 따위를) 발행하다. ⑭동 발효하다〔시키다〕. 부풀리다. (건조한 것을 물에) 불리다. ¶～海带; 다시마를 물에 불리다/面～了; (반죽한) 밀가루가 발효해서 부풀었다/～得不好; 발효가 불충분하다. ⑮동 감각이 일어나다. 느끼(게 되)다. ¶～烧; (얼굴 등이) 화끈 달아오르다. 열이 나다/浑身～痒; 온몸이 가렵다. ⑯동 〈文〉 꽃이 피다. ¶桃花怒nù～; 복숭아꽃이 만발하다. ⑰동 발사하다. 쏘다. ¶～枪 =〔放fàng枪〕〔开kāi枪〕; 발포(發砲)하다. 총을 쏘다. ⑱양 발(총탄·포탄을 세는 데 쓰임). ¶枪膛里只剩下一～子zǐ弹; 총 속에는 탄알이 한 발밖에 남아 있지 않다. ⇒fà

〔发白〕 fābái 동 ①동이 트다. 새벽이 되다. ¶东方～; 동쪽에서 동이 트다. ②(안색이) 창백해지다. ¶脸色～; 안색이 창백해지다. ③하얗게 바래다.

〔发斑伤寒〕 fābān shānghán 명 ⇨〔发疹窒扶斯〕

〔发板〕 fābǎn 동 딱딱해지다. 굳어지다. 완고해지다.

〔发榜〕 fā,bǎng 동 시험 결과를 발표하여 게시하다. 합격자를 발표하다. =〔放榜〕

〔发包〕 fābāo 동 (건축 공사·상품 가공 등을) 청부 주다. 하청 주다. 도급 주다. →〔包工①〕

〔发饱〕 fābǎo 동 배부르기 시작하다. 배부르다.

〔发报〕 fā,bào 동 전신을〔전보를〕 발신하다. ¶～机; 발신기(發信機)/～人; 발신인.

〔发背〕 fābèi 명 《漢醫》 등에 생기는 종기.

〔发笨〕 fābèn 동 서툴러지다. 우둔하게 되다.

〔发变〕 fābian 동 발육 변화하다. 성장하며 변하다. ¶这姑娘～得更好看了; 이 아가씨는 커 가면서 점점 예뻐졌다.

〔发标〕 fā,biāo 동 〈方〉 위세를 떨치다. 으스대다. 뻐기다. ¶只是回家来对着老婆孩子～《老殘遊記》; 다만, 집으로 돌아가 처자에게 호통을 치며 뽐낼 뿐이다.

〔发飙〕 fābiāo 동 (말하거나 행하는 일이) 상례를 벗어나다. ¶他说话一点儿不靠边儿了, 又～了; 그 녀석이 하는 말은 조금도 조리에 닿지 않고, 또 상궤(常軌)를 벗어난다.

〔发表〕 fābiǎo 명동 ①발표(하다). 공표(하다). ¶～谈话; 담화를 발표하다/～公报; 성명서를 발표하다. ②게재(하다). 싣다. ¶报纸上～了他的论文; 그의 논문이 신문에 게재되었다. 동 《漢醫》 체내의 사기(邪氣)를 발산시키다. =〔解jiě表〕

〔发憋〕 fābiē 동 (목이) 막히다〔메다〕.

〔发兵〕 fābīng 동 출병하다. 군대를 파견하다.

〔发病〕 fā,bìng 동 발병하다. ¶～率; 이병률(罹病率).

〔发布〕 fābù 명동 공포(하다). 공표(하다). ¶～命令; 명령을 내리다/～新闻; 뉴스를 공표하다. →〔公gōng布〕

〔发财〕 fā,cái 동 부(富)를 축적하다. 돈을 벌다('开发财源'의 뜻). ¶他现在发了财了; 그는 지금 부자가 되었다/发洋财; (외국인 상대로) 큰돈을 벌다/祝你多多～; 〈套〉 (상인(商人)의 인사말로서) 돈 많이 버십시오/～致富; 돈을 벌어 부자가 되다.

〔发财饭〕 fācáifàn 명 은혜의 밥. ¶施舍一碗～! 한 그릇 적선해 주십시오!(옛날, 거지가 먹을 것을 구걸할 때 쓰던 말).

〔发柴〕 fāchái 동 물기가 없어지다. 바싹 말라 버리다. ¶萝卜～了; 무가 바싹 말라 버렸다.

〔发颤〕 fāchàn 동 (추위 등으로) 몸이 떨리다. ¶今天真冷, 我烤着火, 还有点～呢; 오늘은 몹시 추워서 불을 쬐고 있어도 여전히 떨린다. =〔发战zhàn〕

〔发钞〕 fāchāo 동 지폐를 발행하다.

〔发潮〕 fācháo 동 습기 차다. ¶天快下雨了, 墙有点儿～; 벽이 축축해진 것을 보니, 당장에라도 비가 올 것만 같다. =〔犯fàn潮〕

〔发痴〕 fā,chī 동 〈方〉 ①⇨〔发呆dāi〕 ②⇨〔发疯①〕

〔发愁〕 fā,chóu 동 ①근심하다. 슬퍼하다. 걱정하다. ②(좋은 생각이나 방법이 없어) 골치가 아프다. ¶真叫人～; 참으로 골치가 아프다/我看了教科书就～; 나는 교과서를 보기만 하면 머리가 아

스 / ～绉纱;《紡》크레프 드 신(crêpe de chine)《양복감》. =〔法兰西〕
〔法国号〕 fǎguóhào 명《樂》프렌치 호른(French horn). =〔法国铜角〕〔圆yuán号〕
〔法海〕 fǎhǎi 명 불법(佛法)의 광대한 모양.
〔法号〕 fǎhào 명 ⇨〔法名〕
〔法华〕 fǎhuá 명《佛》법화. ¶～经 =〔莲lián经〕; 묘법 연화경(妙法蓮華經)의 약어 / ～宗; 법화종(法華宗). 천태종(天台宗).
〔法绘〕 fǎhuì 명〈敬〉당신의 작품. 당신이 그리신 그림.
〔法货〕 fǎhuò 명 ⇨〔法币bì〕
〔法纪〕 fǎjì 명 법률과 규율. ¶目无～; 법률도 규율도 안중에 없다.
〔法家〕 Fǎjiā 명 ①법가《전국(戰國) 시대의 한 학파로 법률을 존중하고 형벌을 엄중히 함으로써 치국(治國)의 요체로 삼는다고 주장함. 이리(李悝)·상앙(商鞅)·한비자(韓非子) 등이 이에 속함》. ②(fǎjiā)〈文〉대가(大家).
〔法界〕 fǎjiè 명 ①〈簡〉사법계. ②《佛》법계. 중생의 본성.
〔法界宗〕 Fǎjièzōng 명《佛》화엄종(華嚴宗).
〔法禁〕 fǎjìn 명 금령(禁令). 법도(法度).
〔法警〕 fǎjǐng 명《法》〈簡〉①사법 경찰 직원. ②집행리(執行吏). 법정의 간수.
〔法酒〕 fǎjiǔ 명〈文〉①조정에서의 정식 연회. ②법주《곡물·물 및 누룩의 양에 규정〔법〕이 있고, 이것에 의해서 제조한 술》. =〔官醖yùn〕
〔法拉〕 fǎlā 명《電》패러드(farad).
〔法兰〕 fǎlán 명 ⇨〔凸tū缘〕
〔法兰管〕 fǎlánguǎn 명《機》플랜지관(flange 管). =〔凸tū缘管〕
〔法兰盘〕 fǎlánpán 명 ⇨〔凸tū缘〕
〔法兰绒〕 fǎlánróng 명《紡》플란넬(flannel). =〔佛兰绒〕
〔法蓝〕 fǎlán 명 ⇨〔珐fà蓝〕
〔法郎〕 fǎláng 명〈音〉프랑《프랑스·스위스 등의 화폐 단위》.
〔法琅〕 fǎlang 명 ⇨〔珐fà琅〕
〔法理〕 fǎlǐ 명 ①《法》법리. ¶～学; 법리학. ②《佛》불교의 진리.
〔法力〕 fǎlì 명 ①불법의 힘. ②〈轉〉신통력(神通力).
〔法利赛人〕 Fǎlìsàirén 명 ①《宗》바리새인(pharisees人). ②위선자.
〔法令〕 fǎlìng 명《法》법령(法令).
〔法箓〕 fǎlù 명 도가(道家)의 술서(術書).
〔法律〕 fǎlǜ 명《法》법률. ¶服从中华人民共和国宪法和～; 중화 인민 공화국 헌법 및 법률에 따른다.
〔法律顾问处〕 fǎlǜ gùwènchù 명 대도시 등에 설치된 변호사의 기구(機構).
〔法轮〕 fǎlún 명《佛》윤회(輪廻)의 법칙.
〔法螺〕 Fǎluó 명 ①《具》소라고둥. ②《樂》법라. 소라(小鑼).
〔法码(儿)〕 fǎmǎ(r) 명 저울추. 분동(分銅). =〔法马〕〔砝码〕
〔法盲〕 fǎmáng 명 법맹《법률 지식이 없는 사람》.
〔法门〕 fǎmén 명 ①《佛》불도(佛道)에 드는 문. ②(학문·수행 따위의) 요령. 방법. ¶取巧图便的～; 요령이 좋고 빈틈이 없는 방법 / 不二～; 유일한 방법.
〔法名〕 fǎmíng 명《佛》법명(法名). =〔法号〕
〔法葡萄酒〕 fǎpútaojiǔ 명 브랜디.
〔法器〕 fǎqì 명 ①《佛》불제자의 소질이 있는 사람. ②《佛》법회(法會)에서 승려나 도사가 사용하는 악기. 기물(器物). ③법도(法度).
〔法权〕 fǎquán 명《法》법적 권리. ¶资产阶级～的残余; 부르주아지적 권리의 잔재.
〔法人〕 fǎrén 명《法》법인.
〔法绒〕 fǎróng 명《紡》플란넬. =〔法兰绒〕
〔法身〕 fǎshēn 명《佛》①법신. 불신(佛身). 부처의 본성. ②불상(의 높이). ¶～有七八尺高; 불상의 높이가 7, 8척.
〔法绳〕 fǎshéng 명 오랏줄. 포승.
〔法师〕 fǎshī 명 ①《佛》법사. 덕이 있는 고승《승려 또는 도사에 대한 존칭》. →〔和hé尚〕 ②(기술(奇術)이나 마술을 써서 악마를 쫓아 내거나 기우(祈雨) 등을 하는) 도사(道士).
〔法式〕 fǎshì 명 법식. 표준이 되는 격식. ¶营yíng造～;《書》북송(北宋) 시대에 생긴, 중원(中原)의 관식(官式) 건축의 규범서.
〔法事〕 fǎshì 명《佛》법사(法事). 법요(法要).
〔法书〕 fǎshū 명 ①서예의 전범(典範)이 되기에 족한 글씨. ②법서. 법전(法典)과 같은 책. ③〈敬〉어서(御書)《남이 쓴 글씨에 대한 높임말》.
〔法术〕 fǎshù 명 ①옛날, 법가(法家)의 나라를 다스리는 학술. ②옛날, 도사나 무파(巫婆) 등이 행한 미신의 무술(巫術). 마법(魔法).
〔法数〕 fǎshù 명《數》법수.
〔法台〕 fǎtái 명 승려나 도사가 법회를 하는 대.
〔法堂〕 fǎtáng 명 옛날의 법정.
〔法帖〕 fǎtiè 명 법첩《유명 서예가의 글씨 탁본(拓本) 또는 인본(印本)》. =〔墨mò帖〕 →〔碑bēi帖〕〔字zì帖〕
〔法庭〕 fǎtíng 명《法》법정(法廷). →〔法院〕〔公gōng堂①〕
〔法统〕 fǎtǒng 명 ①헌법과 법률의 전통《통치 권력의 법적 근거. 권력의 합법성》. ②법적 전통성.
〔法王〕 fǎwáng 명 ①로마 교황〔법왕〕. =〔教jiào皇〕 ②《佛》불타.
〔法网〕 fǎwǎng 명 법망(法網). ¶～难逃; 법망을 벗어나기가 어렵다〔쉽지 않다〕.
〔法文〕 Fǎwén 명 ①프랑스어. =〔法国文〕. ②(fǎwén)《法》법률의 명문(明文). 조문.
〔法西斯〕 fǎxīsī 명〈音〉①파쇼(이 fascio). ¶～蒂dì; 파시스트 / ～党; 파시스트 당. ②파쇼적(경향·운동·체제 등). ‖ =〔棒喝团〕
〔法西斯主义〕 fǎxīsī zhǔyì 명 파시즘. =〔棒bàng喝主义〕〔棒斧主义〕〔泛fàn系主义〕〔国guó家社会主义②〕
〔法系〕 fǎxì 명《法》법률의 계통.
〔法像〕 fǎxiàng 명 불상.
〔法新社〕 Fǎxīnshè 명 프랑스 통신사(通信社)(AFP). ¶～驻华盛顿记者; AFP 통신사의 워싱턴 주재 기자. =〔法国新闻社〕
〔法性〕 fǎxìng 명《佛》법성. 법의 본성.
〔法学〕 fǎxué 명 법학.
〔法眼〕 fǎyǎn 명 ①《佛》법안《보살의 눈. 승려의 안식(眼識)》. ②당신의〔상대방의〕 안식. ¶难逃老师～; 선생님의 안식에는 정말 놀랐습니다.
〔法衣〕 fǎyī 명 ①《佛》법의《가사(袈裟). 승복. 승의》. ②《法》법복《가운. 사법관(司法官)의 제복》.
〔法医〕 fǎyī 명 ①법의학. ¶～学; 법의학. ②감정의(鑑定醫).
〔法益〕 fǎyì 명《法》법익《법률에 의해서 보호되는 이익》.
〔法雨〕 fǎyǔ 명《佛》법우《불법(佛法)의 은혜가 자

F

우(慈雨)와 같이 사람에게 쏟아짐을 말함).
〔法语〕 fǎyǔ 명 ①(Fǎyǔ) 《言》 프랑스어. ②《佛》 법어(불법을 설파한 말). ③〈文〉 정면에서의 충고. 예법 교회(禮法敎誨)의 말.
〔法源〕 fǎyuán 명 《法》 법의 본원(本源). ¶民法以惯习为～; 민법은 관습을 법의 본원으로 한다.
〔法院〕 fǎyuàn 명 《法》 법원. ¶高级～; 고등 법원 / ～组织法; 법원 조직법. →〔检jiǎn察〕
〔法则〕 fǎzé 명 ①법칙. 규율. ¶自然～; 자연 법칙. ②모범.
〔法章〕 fǎzhāng 명 〈文〉 법칙. 법례(法例).
〔法杖〕 fǎzhàng 명 ①〈文〉 범죄인이 사실을 자백하지 않을 때에 가하는 지팡이에 의한 고문. ②《佛》 석장(錫杖).
〔法正〕 fǎzhèng 명 남에게 자기의 글씨를 보낼 때, 상대방의 이름 아래에 겸손해서 쓰는 말. →〔雅yǎ正〕
〔法政〕 fǎzhèng 명 옛날, 법률과 정치의 총칭. →〔政法〕
〔法旨〕 fǎzhǐ 명 (미신에서 말하는) 신의 취지〔뜻〕.
〔法制〕 fǎzhì 명 《法》 ①법제. 법률 제도. ②적법 수속. 합법 수속. 적법성. ③법질서.
〔法治〕 fǎzhì 명 ①법치(법에 따라 나라를 다스림). ②《史》 선진(先秦) 시대, 법가(法家)가 주장한 법에 따라 나라를 다스리는 일.
〔法子〕 fǎzi 명 방법. 수단.
〔法座〕 fǎzuò 명 ①옥좌(玉座). =〔法坐〕 ②《佛》 법연(法筵). 불법을 설하는〔강론하는〕 좌석. =〔法筵〕

F

砝

fǎ (법)
→〔砝码〕

〔砝码〕 fǎmǎ 명 ①분동(分銅). 저울추. =〔法码(儿)〕 ②〈方〉 방법.

发(髮)

fà (발)
명 ①두발. ¶白～; 백발 / 毛～; 모발 / 理～; 이발. =〔头发〕 ②초목(草木). ⇒fā

〔发辫〕 fàbiàn 명 변발.
〔发菜〕 fàcài 명 《植》 쓰촨(四川)·산시(陝西)·산시(山西)·칭하이(青海) 등 산골짜기에서 나는 수초(水草)(국 따위에 넣음). =〔头tóu发菜〕
〔发插〕 fàchā 명 ①머리핀. ② ⇨〔发夹(子)〕
〔发带(儿)〕 fàdài(r) 명 리본. 헤어 밴드.
〔发短心长〕 fà duǎn xīn cháng 〈成〉 나이도 먹고 지모(智謀)도 뛰어남.
〔发匪〕 fàfěi 명 ⇨〔长cháng发贼〕
〔发膏〕 fàgāo 명 포마드(pomade). ¶擦～; 포마드를 바르다.
〔发孩儿〕 fàháir 명 〈京〉 소꿉친구. 어렸을 적 친구. ¶他们是～的朋友; 그들은 소꿉친구다.
〔发际〕 fàjì 명 (머리털이) 난 언저리.
〔发髻〕 fàjì 명 상투. 쪽.
〔发夹(子)〕 fàjiā(zi) 명 헤어핀. 머리 핀. =〔发插②〕〔发卡〕〔发针〕
〔发剪〕 fàjiǎn 명 이발용 가위.
〔发浆〕 fàjiāng 명 헤어 크림(hair cream).
〔发晶〕 fàjīng 명 《鑛》 풀무늬가 들어 있는 수정.
〔发蜡〕 fàlà 명 포마드.
〔发绺〕 fàliǔ 명 ⇨〔头tóu发绺〕
〔发露〕 fàlù 명 헤어로션.
〔发杪〕 fàmiǎo 명 〈文〉 머리카락의 끝.
〔发妻〕 fàqī 명 〈文〉 본처. 조강지처.
〔发卡〕 fàqiǎ 명 ⇨〔发夹〕
〔发乳〕 fàrǔ 명 헤어 크림.
〔发式〕 fàshì 명 ⇨〔发型〕
〔发刷〕 fàshuā 명 헤어 브러시.
〔发套〕 fàtào 명 ①가발. ②헤어네트.
〔发网〕 fàwǎng 명 헤어네트. =〔押yā发〕
〔发小儿〕 fàxiǎor 명 죽마고우(竹馬故友). 소꿉동무. =〔发小儿的弟兄〕〔发角之交〕
〔发型〕 fàxíng 명 헤어스타일. =〔发式〕
〔发癣〕 fàxuǎn 명 《醫》 백선(白癬). 기계총. =〔白bái癣①〕
〔发油〕 fàyóu 명 ①헤어 로션. ②포마드. 머릿기름.
〔发针〕 fàzhēn 명 (긴) 헤어핀. 머리 핀.
〔发指〕 fàzhǐ 동 머리카락이 곤두서다. 〈比〉 분노〔격노〕하다. ¶令人～; 격노시키다.

珐〈琺〉

fà (법)
→〔珐蓝〕〔珐琅〕

〔珐蓝〕 fàlán 명 칠보(七寶)(에나멜을 칠하여 구워 낸 것). =〔法蓝〕
〔珐琅〕 fàláng 명 법랑. ¶～铁器; 법랑 철기(鐵器) / ～铁盆; 법랑으로 만든 세면기. =〔法fǎ琅〕〔搪táng磁〕〔搪瓷〕
〔珐琅局〕 fàlángjú 명 법랑기(琺瑯器) 상점.
〔珐琅质〕 fàlángzhì 명 법랑질. 에나멜질. =〔釉yóu质〕
〔珐琅作〕 fàlángzuō 명 법랑기 제작소.

㕹

fa (벌)
조 〈方〉 어기 조사(語氣助詞)('吗ma'와 같음).

FAN ㄈㄢ

帆〈帆, 颿〉

fān (범)
명 돛. ¶一～风顺; 〈成〉 순풍에 돛을 달다(일이 순조롭게 되어 가다).

〔帆板〕 fānbǎn 명 《體》 윈드 서핑.
〔帆布〕 fānbù 명 범포. 캔버스(canvas). 즈크(네 doek). ¶～油; 콜타르 칠한 방수포(防水布) / ～鞋; 즈크신 / ～床; 즈크의 휴대용 침대.
〔帆船〕 fānchuán 명 ①돛배. 범선. ¶机～; 기범선. ②요트.
〔帆竿〕 fāngān 명 ⇨〔帆樯〕
〔帆桁〕 fānhéng 명 (돛대의) 활대. 돛 위에 가로 댄 나무.
〔帆篷〕 fānpéng 명 배의 돛.
〔帆樯〕 fānqiáng 명 돛대. ¶～如林; 돛대가 숲처럼 즐비하게 서 있는 모양(배가 많음). =〔帆竿〕
〔帆索〕 fānsuǒ 명 용총줄. 마룻줄. 이어줄.

番

fān (번)
①양 순서를 나타내는 말. ¶～号(儿); ⇩ ②양 ㉠종류. 종. ¶别有一～风味; 별다른 아주 독특한 맛이 있다 / 别有一～天地; 따로 아주 다른 세상이 있다. ㉡회. 번. 차례. ¶三～五次; 〈成〉 여러 번. 몇 번이고 / 翻了一～; 배증(倍增)했다 / 思考一～; 한 차례 생각하다 / 解说一～; 한바탕 해설하다 / 留一～心; 한 번 유의하다. ③명 서융(西戎)의 일종. =〔蕃fān〕 ④명형 외국(의). 이민족(의). ¶～书; 외국 서적 / ～夷; 이

민족. ⑤ 동 교대(交代)로 하다. ⇒pān
〔番邦〕 fānbāng 명 〈文〉 ①외국. ②야만인의 나라.
〔番舶〕 fānbó 명 〈文〉 외국선(外國船).
〔番菜〕 fāncài 명 양(洋)요리. 양식.
〔番茨粉〕 fāncífěn 명 〈廣〉 고구마 가루.
〔番代〕 fāndài 동 〈文〉 번갈아 가며 교대하다.
〔番地〕 fāndì 동 〈文〉 이역(異域).
〔番佛〕 fānfó 명 옛날, 외국 은화·외국 화폐.
〔番狗〕 fāngǒu 명 양견(서양 개).
〔番瓜〕 fānguā 명 《植》 ①〈方〉 호박. =〔南瓜〕 ②⇨〔番木瓜〕
〔番鬼〕 fānguǐ 명 〈廣〉 코쟁이. 양놈. =〔番鬼佬〕
〔番号(儿)〕 fānhào(r) 명 ①번호. 넘버. ②《軍》 부대의 번호〔칭호〕.
〔番红花〕 fānhónghuā 명 《植》 사프란(네 saffraan)《붓꽃과의 다년생 약용 식물》. =〔洎jì夫蓝〕→〔藏zàng红花〕
〔番枧〕 fānjiǎn 명 〈方〉 비누. 빨랫비누. =〔番碱〕→〔枧①〕〔肥féi皂〕
〔番椒〕 fānjiāo 명 《植》 고추. =〔辣là椒〕
〔番蕉〕 fānjiāo 명 ⇨〔苏sū铁〕
〔番经〕 fānjīng 명 라마교의 경전(經典).
〔番荔枝〕 fānlìzhī 명 《植》 번려지. 커스터드(custard) 애플. =〔菩pú提果〕
〔番木鳖〕 fānmùbiē 명 《植》 번목별. 마전자(馬錢子). 스트리키니네나무《마전과(科) 인도 원산의 고목(高木). 꽃이 희며 이 씨에서 스트리키니네를 채취함》. ¶～酊dīng; 호미카 팅크/～浸jìn膏; 호미카 엑스. =〔马mǎ钱④〕〔马钱子①〕
〔番木鳖硷〕 fānmùbiējiǎn 명 《藥》 스트리크닌(strychnine). =〔番目鳖素〕〔马钱子素〕〔〈音〉士的年〕〔〈音〉士的宁〕〔〈音〉司脱人格宁〕
〔番木瓜〕 fānmùguā 명 《植》 파파야. ¶～树; 열대 아메리카 원산의 파파야과의 고목(高木)/～酶méi; 《化》 파파인. =〔番瓜②〕〔蕃瓜〕〔木瓜④〕〔蕃木瓜〕〔万wàn寿果〕
〔番茄〕 fānqié 명 《植》〈南方〉 토마토. ¶～酱; 토마토 케첩/～汁; 토마토 주스. 토마토 소스. =〔番柿〕〔西洋柿〕〔〈南方〉洋柿子〕〔〈京〉西红柿〕
〔番僧〕 fānsēng 명 《佛》 라마승(喇嘛僧).
〔番石榴〕 fānshíliú 명 《植》 구아바(guava)《생식하거나, 젤리 과자의 원료로 함. 上海에서는 '鸡屎jīshǐ果'라고 함. 오후에 이것을 먹으면 닭똥과 같은 변이 나오므로 이런 이름이 있음. '珠江' 상류에서는 '番稔'이라고도 함》. =〔蕃石榴〕
〔番柿〕 fānshì 명 ⇨〔番茄〕
〔番薯〕 fānshǔ 명 《植》〈方〉 고구마. =〔甘薯〕〔白薯〕〔地瓜〕
〔番戍〕 fānshù 동 교대로 지키다. 교대로 보초 수비에 서다. ¶要塞上昼夜有哨兵～; 요새에서는 보초병이 주야 교대로 수비하고 있다.
〔番摊〕 fāntān 명 ⇨〔摊蒲〕
〔番泻叶〕 fānxièyè 명 《藥》 센나(senna) (잎). ¶～流liú浸膏; 센나유(油).
〔番杏〕 fānxìng 명 《植》 번행초.
〔番夷〕 fānyí 명 〈文〉 이민족. 야만인.
〔番子〕 fānzi 명 〈廣〉 외국인. =〔番鬼子〕〔老lǎo番〕

蕃 fān (번)
명형 ⇨〔番④〕 ⇒fán

幡 fān (번)
① 명 깃발. 수직으로 거는 좁고 긴 깃발. ¶～旗qí; 깃발. =〔旛fān〕 ②→〔幡然rán〕
〔幡幢〕 fānchuáng 명 기치(旗幟).
〔幡盖〕 fāngài 명 깃발이나 일산(日傘).
〔幡杆〕 fāngān 명 상가의 문 앞에 세웠다가 장송(葬送)할 때에 들고 가는 기치의 깃대. ¶～账zhàng =〔门鼓账〕; 부모의 사후에 갚기로 약속하고 꾸어 쓰는 돈.
〔幡架子〕 fānjiàzi 명 '幡儿'을 세우는 받침(대).
〔幡儿〕 fānr 명 상가(喪家)의 문 앞에 세우는 기치《출관할 때는 상주가 들고 감》. ¶打～; 상가에 기치를 세우다.
〔幡然〕 fānrán 부 〈文〉 깨끗이. 별안간에 마음이 변하는 모양. 번연(飜然)히. ¶我们希望经过自己的觉悟, 他们能够～悔悟; 그들 자신의 자각을 통해서 마음을 바꾸어 회개하도록 희망하다. =〔翻然〕
〔幡伞〕 fānsǎn 명 장례 행렬에 쓰이는 깃발 달린 일산(日傘).
〔幡信〕 fānxìn 명 〈文〉 옛날의 전령용(傳令用) 깃발.

旛 fān (번)
명 ⇨〔幡①〕

繙(繙) fān (번)
동 ⇨〔翻②〕 ⇒fán

藩 fān (번)
① 명 울타리. ② 명 담. ③ 명 봉건 시대 제후(諸侯)의 속국. 속지. ④ 동 수호(守護)하다. ⑤ 명 〈文〉〈轉〉 변방 지역.
〔藩国〕 fānguó 명 제후(諸侯)의 나라.
〔藩篱〕 fānlí 명 〈文〉 ①울타리. 담. 〈轉〉 ㉠문. ㉡칸막이. ¶谁也逃不出这个～; 누구도 이 울타리에서 빠져 나갈 수 없다. ②범위.
〔藩屏〕 fānpíng 〈文〉 명 옛날, 왕실을 지키는 제후. 동 보위하다.
〔藩属〕 fānshǔ 명 봉건 시대의 속국. 속지.
〔藩障〕 fānzhàng 동 보장하다.
〔藩镇〕 fānzhèn 명 당대(唐代)에 변경 지역에 설치한 절도사(節度使). ¶～割据; 군웅(群雄) 할거.

翻〈飜〉 fān (번)
동 ①책을 펼치다. 종이를 넘기다. ¶～一篇儿 =〔～一页〕; 책장을 넘기다. ②번역하다. 통역하다. ¶把中文～成韩文; 중국어를 한국어로 번역하다. =〔繙〕 ③(깃발이) 펄럭이다. ¶翩piān～; 휘날리다. ④뒤집(히)다. ㉠전복(顚覆)하다〔시키다〕. ¶车～了; 차가 뒤집혔다. ㉡번복하다. 뒤엎다. ¶有罪判决～了; 유죄 판결이 뒤집혔다. ㉢(몸을) 뒤척이다. ¶～来覆去总睡不着觉; 이리 뒤척 저리 뒤척하면서 한잠도 못 이루다. ⑤되풀이 하다. 다시 문제 삼다. ¶又把这个问题～出来了; 이 문제를 또다시 들고 나왔다〔다시 재연시켰다〕. ⑥고쳐〔다시〕 만들다. 수리하다. ¶～盖; 집을 다시 짓다. ⑦반대로 하다. ⑧반박하다. ¶～他几口; 그에게 몇 마디 반박하다. ⑨어지럽히다. 혼잡하다. 붐비다. ¶直～一天; 하루 종일 붐비다. ⑩(물건을 찾기 위해) 뒤지다. 헤집다. ¶你别～我的东西; 내 물건을 뒤지지 마라/从他的箱子里～出来了; 그의 상자 속부터 뒤지기 시작했다. ⑪거역하다. 반항〔반대〕하다. 대들다. ¶你跟我～儿～儿吗? 너 나한테 대드는 거야? ⑫(～儿) 화〔성〕내다. ¶他又～了; 그는 또 화를 냈다/别把我招～了; 나를 성나게 할 짓은 하지 마라. ⑬(～儿)(사이가) 버

F

성기다. 틀어지다. ¶他们俩闹～了; 그 두 사람은 사이가 틀어졌다. ⑭눈을 부라리다. ¶他～了我一眼; 그는 나에게 눈을 부라렸다. ⑮넘(어가)다. 뛰어〔타고〕넘다. ¶～山越岭; 〈成〉 산을 넘고 또 넘다. ⑯배로 늘(리)다. ¶～了一番; 배가 되었다 / 生产～一番; 생산이 배가 되다. ⑰땅을 파헤치다. ⑱방향을 바꾸다. 방향이 바뀌다. ¶把身～了; 바른 방향으로 방향을 바꾸다. ⑲태도를 바꾸다. 태도가 바뀌다. ⑳책을 복제(複製)하다. 번각(飜刻)하다.

〔翻案〕 fān.àn 동 ①《法》 판결을 뒤집어 엎다. ②지금까지의 정설(定說)을 뒤집다. ¶翻历史的案; 사실(史實)을 뒤집다 / ～文章 =〔反fǎn跌～〕; 반대의 학설을 진술하는 문장. ③면죄하다. 명예 회복하다. 복권(復權)시키다.

〔翻把〕 fān.bǎ 동 〈方〉 ①세력을 다시 회복하다. ¶～账; 세력을 다시 회복하였을 때를 위한 비망록(備忘錄)(토지 개혁을 위해서 지주가 어쩔 수 없이 헌납한 토지나 돈, 투쟁 결과 몰수된 땅이나 그 밖의 일체의 것을 기록한 장부). ②(앞에서 한 말·약속을) 뒤집다. 번복하다. 무효로 하다.

〔翻白〕 fānbái 동 눈을 부라리다. ¶～大眼珠子; 눈을 크게 부라리다.

〔翻白草〕 fānbáicǎo 명 《植》 솜양지꽃.

〔翻白眼(儿)〕 fān báiyǎn(r) ①눈을 까뒤집다. ¶气得老头儿直～; 아버지가 화가 나셔서 눈을 부릅뜨고 계시다. ②〈轉〉 (할 수 없다고) 단념하다. ¶事情已然到了这步天地, 也就是～了; 일이 이미 이런 상태에 이르렀으니 이젠 체념할 도리밖에 없다. ③〈轉〉 후회하다. ¶你就这么干吧, 多咱一出麻烦该～了; 그런 짓을 하면 언젠가 곤란한 일이 생겼을 때에는 후회할 것이다. ④〈轉〉 죽다. ¶打楼上掉下来, 就摔得～了; 2층에서 떨어져 곤두박혀 눈을 까뒤집고 죽었다.

〔翻板〕 fānbǎn 명 짐승 따위를 잡는 덫의 하나(함정 위에 판자를 놓은 것). ¶不留神踩上～就掉到陷阱里去了; 부주의로 판자를 밟아 함정으로 떨어졌다.

〔翻板运输机〕 fānbǎn yùnshūjī 명 《機》 슬랫 컨베이어.

〔翻版〕 fānbǎn 명동 ①복각(하다). 복제(하다). ¶～的书价钱比原版便宜得多; 복각본(復刻本)은 원본보다 훨씬 싸다 / ～书; 복각본(復刻本). ②〈比〉 재판(再版)(하다).

〔翻本(儿)〕 fān.běn(r) 동 (도박 등에서) 잃은 돈을 되찾다. 본전을 찾다. ¶输了就输了, 等会儿再～; 잃은 것은 잃은 것이고, 다시 본전을 되찾겠다. =〔翻梢①〕 (fānběn(r)) 명 번각(飜刻)한 책.

〔翻本透赢〕 fānběn tòuyíng 노름에서 처음에는 잃다가 나중에 따는 것. ¶一上场手气不济, 哪知道结果竟是～; 초장에는 손속이 좋지 않았다가, 뜻밖에도 마지막에는 잃은 것을 되찾고 많이 땄다.

〔翻鼻子眼儿〕 fān bíziyǎnr 명 들창코. ¶长了个～像巴儿狗似的真不好看; 들창코라 발바리 같아 꼴불견이다.

〔翻饼〕 fānbǐng 동 ①(괴로워서) 데굴데굴 뒹굴다. ②몸을 뒤척이며 잠을 못 이루다. ¶他躺在被窝里, 身子～, 心里炒豆子, 两眼麻木, 睡不着; 그는 잠자리에 누웠으나, 몸은 뒤치럭거리고, 마음은 산란하고, 두 눈은 감각이 없어, 잠을 이룰 수가 없다.

〔翻波〕 fānbō 동 ⇨〔撒sā泼〕

〔翻茬〕 fān.chá 동 농작물을 거두어들인 뒤의 밭이나 논을 파서 일구다.

〔翻查〕 fānchá 동 ①책을 펼쳐 놓고 조사하다. ②물건을 뒤집어 놓고 조사하다.

〔翻岔子〕 fān chàzi (차가) 갈림길에서 되돌아오다. 갈림길에서 회전하다.

〔翻场〕 fāncháng 동 타작 마당에 널어 놓은 곡식이 잘 마르도록 뒤집어서 햇볕을 쬐다.

〔翻炒〕 fānchǎo 동 휘저어 가며 볶다〔지지다〕.

〔翻车〕 fān chē ①차가 전복되다. ¶火车～了; 기차가 전복되었다 / 道儿不好, 留神别～; 길이 좋지 않으니, 차가 뒤집히지 않도록 조심해라. ②의견이 충돌하다. ③〈比〉 일이 낭패를 보다. 실패하다. ¶翻了车了! 아뿔싸! ④(마음에 거슬려) 화내다. ¶他又翻了车了; 그는 또 화났다 / 你先别～, 等他把话说完了; 화부터 내지 말고 그의 말을 끝까지 들어 보자. (fānchē) 명 〈方〉 ①(논에 물을 대는) 수차(水車). 물방아. ②새를 잡는 그물.

〔翻车机〕 fānchējī 명 《機》 ①덤프 카. ②차를 기울여 짐을 내리는 장치.

〔翻车鱼〕 fānchēyú 명 《魚》 개복치.

〔翻沉〕 fānchén 동 전복하여 침몰하다. ¶这一段水流太急, 小船不小心有～的危险; 이 일대의 물살이 매우 급하니까, 작은 배는 주의하지 않으면 전복해서 침몰할 위험이 있다.

〔翻扯〕 fānchī 동 〈方〉 뒤적이다. 휘저어서 뒤섞다. ¶所有的箱子～稀烂; 모든 상자를 엉망 진창으로 휘저어 놓았다. =〔翻拾shī〕

〔翻穿〕 fānchuān 동 옷을 뒤집어 입다. ¶～皮袄毛朝外; 모피 옷을 뒤집어 입으면 털이 바깥쪽으로 나온다(몽땅 드러내다). =〔反fǎn穿〕

〔翻船〕 fānchuán 동 ①배가 전복하다〔뒤집히다〕. ②〈比〉 뒤집어 엎어지다. 지다. 실패하다. ¶险些～; 하마터면 질 뻔하였다 / 阴沟里头～; 〈比〉 빤히 알고 있으면서 실패하다.

〔翻错〕 fāncuò 동 오역(誤譯)하다.

〔翻戴网子〕 fāndàiwǎngzi 동 ⇨〔反fǎn打瓦〕

〔翻倒〕 fāndǎo 동 전복하다.

〔翻底〕 fān.dǐ 동 본성을 드러내다. 본바탕을 드러내다. ¶前线上却是老弱残兵, 可是敌军翻了底了; 전선에는 노인과 어린이 패잔병뿐이었는데, 적은 본성을 드러내었다〔잔학한 짓을 하였다〕.

〔翻底车〕 fāndǐchē 명 ⇨〔倾qīng卸汽车〕

〔翻地〕 fān.dì 동 쟁기로 밭을 갈아 엎다. ¶～机; 경운기.

〔翻掉〕 fāndiào 동 뒤집어엎어서 없애다. 반대로 취소하다. ¶大伙决定的事, 哪能三两个人有异议就～? 여럿이 결정한 것을 두세 사람의 이의(異議)가 있다고 해서 어찌 취소할 수 있는가?

〔翻斗卡车〕 fāndǒu kǎchē 명 덤프 트럭. =〔翻斗汽车〕

〔翻赌〕 fāndǔ 동 노름의 빚을 갚지 않다.

〔翻翻〕 fānfan 동 아래위를 뒤집어엎다. ¶快把饼～别烙煳了; 빨리 떡을 뒤집어서 눌어붙지 않도록 하여라.

〔翻覆〕 fānfù 동 〈文〉 ①뒤집히다. 전복하다. ¶车辆～; 차량이 뒤집히다. ②몸을 뒤척이다. ¶夜间～不能眠; 밤새도록 몸을 이리저리 뒤척이며 잠을 이루지 못하였다. ③번복하다. 명 〈比〉 거대하고 철저한〔현저한〕 변화. ¶天地～; 천지가 뒤집힐 정도의 큰 변화.

〔翻盖〕 fāngài 동 집을 개축하다. 낡은 것을 허물고 새로 고쳐 짓다. ¶～房屋; 집을 새로 개축하다 / 我们的房子从前是马厩, 后来才～的; 우리 집

은 이전에 마구간이었던 것을 후에 개축한 것이다.
〔翻杠子〕 fān gàngzi ①《體》 평행봉 · 고저(高低) 평행봉을 하다. ②(fāngàngzi) 명 평행봉. 고저 평행봉.
〔翻个(儿)〕 fān gè(r) ①거꾸로 되다. 뒤집히다. ¶天与地翻了个儿; 하늘과 땅이 뒤집혔다. ②아주 딴 모양이 되다. ¶这里完全翻了个个儿变了个样儿; 이 곳은 새 모양으로 완전히 바뀌었다. ③몸을 홱 돌리다. ④배로 늘어나다. ¶物价一天一个～; 물가가 하루 사이에 배(倍)로 오르다. ⑤퍼뜩 깨닫다.
〔翻跟头〕 fān gēntou A) ①공중제비하다. 공중 회전을 하다. ¶他连翻了七八个跟头; 그는 연속적으로 7,8번의 공중 회전을 하였다. ②〈比〉 한순간에 변하다. ③〈比〉 쓰라린 경험을 하다. ¶翻过筋斗的人想不能那么莽撞; 쓰라린 경험을 가지고 있는 사람이라면 그렇게 우악스럽고 무모하지는 않을 것이다. B) (fāngēntou) 명 《體》 공중제비. 공중 회전. ‖ =〔翻斤斗〕〔翻筋斗〕〔打跟头〕〔打筋斗〕
〔翻工〕 fān.gōng 동 ⇨〔返fǎn工①〕
〔翻供〕 fān.gòng 동 《法》 진술을 번복하다. 자백을 부인하다. ¶头审已然招认了, 哪知到二审又～了? 일심에서는 자백했었는데, 이심에서 다시 부인할 줄 어찌 알았겠는가?
〔翻古〕 fāngǔ 명 ⇨〔翻花样儿〕(fān.gǔ) 동 지난〔옛날〕 일을 이러쿵저러쿵 말하다. ¶莫怪我翻你的古了; 지난 일을 말할 테니 화내지 마라.
〔翻股〕 fāngǔ 명 ⇨〔翻花样儿〕
〔翻逛〕 fānguàng 동 〈比〉 180° 전환하다.
〔翻滚〕 fāngǔn 동 ①데굴데굴 구르다. 나뒹굴다. ¶～不落架儿; 새가 팔딱이면서 홰에 앉지 않는다 《고집이 세어 남의 말을 안 듣는다》/潮流中～; (시대의) 조류 속에 구르다《시류에 번롱(翻弄)당하다》/他肚子疼得直～; 그는 배가 아파서 데굴데굴 구르고 있다. ②(물이) 펄펄 끓다. ¶锅里的水～了; 냄비 속의 물이 펄펄 끓었다. ③(물결이) 소용돌이치다. 용솟음치다. (연기가) 뭉게뭉게 피어 오르다. ¶白浪～; 흰 파도가 소용돌이치다/乌云～; 먹구름이 몰려오다.
〔翻锅底〕 fān guōdǐ 〈比〉 사물의 근원에 되돌아가서 탐구하다. 과거로 거슬러 올라가 철저히 규명하다.
〔翻过〕 fānguò 동 (산 따위를) 넘다.
〔翻过来〕 fān.guo.lai 뒤집다. 뒤엎다. ¶把衣裳～做; 옷을 뒤집어서 만들다.
〔翻过来, 掉过去〕 fānguolai, diàoguoqu 몇 번이고 되풀이하다. ¶～还是那些话; 여러 번 되풀이하였으나 역시 그 이야기이다.
〔翻过儿〕 fān.guòr 동 돌변(突變)하다. (위·아래를) 뒤집어엎다. ¶ 生活翻了一个过儿; 생활이 돌변했다.
〔翻花鼓〕 fānhuāgǔ 명 ⇨〔翻花样儿〕
〔翻花样儿〕 fānhuāyàngr 명 실뜨기《아이들의 놀이》. ¶和小孩儿～玩; 아이들과 실뜨기를 하며 놀다. =〔翻古〕〔翻股〕〔翻花鼓〕〔翻绳儿〕〔编biān鼓〕
〔翻话〕 fān.huà 동 통역하다. ¶科长叫我～; 과장이 나에게 통역을 시켰다.
〔翻黄〕 fānhuáng 명 ⇨〔竹zhú黄〕
〔翻悔〕 fānhuǐ 동 마음이 변하다. 후회하며 전에 한 말을 번복하다. 무효로 하다. 번의(飜意)하다. ¶上回你不是答应了吗, 怎么又～了呢? 네가 전에 승낙하지 않았느냐, 어째서 다시 마음이 변했느냐?
〔翻家〕 fānjiā 명동 가택 수사(家宅搜查)(하다). ¶反正没私弊, 怕什么～; 어차피 나쁜 짓을 하지 않았으니, 수색 따위는 두려워하지 않는다.
〔翻检〕 fānjiǎn 동 뒤지며 검사하다. ¶把行李～了半天才放行; 짐을 한참 동안 뒤지며 조사한 뒤에 겨우 통행을 허락하였다.
〔翻江倒海〕 fān jiāng dǎo hǎi 〈成〉 ⇨〔翻江搅海〕
〔翻江搅海〕 fān jiāng jiǎo hǎi 〈成〉 물이 대단한 기세로 밀려오는 모양. ㉠세력이나 힘이 몹시 성한 모양. ¶～地彻底干起来; 대단한 기세로 철저히 하기 시작하다. →〔排pái山倒海〕 ㉡대소동이 벌어진 모양. ¶为三个钱的油闹得～; 〈比〉 사소한 일로 대소동을 벌이다. =〔翻江倒海〕〔倒dǎo海翻江〕
〔翻浆〕 fān.jiāng 동 (초봄에 얼었던 지면이나 도로가 녹아서 풀리면서 물이 스며나와) 진창이 되다. ¶～道; 진창길. 흙탕길. =〔反fǎn浆〕〔返fǎn浆〕 (fānjiāng) 명 (눈 따위가 녹은) 봄의 진창. 춘니(春泥).
〔翻斤斗〕 fān jīndǒu ⇨〔翻跟头〕
〔翻筋斗〕 fān jīndǒu ⇨〔翻跟头〕
〔翻开〕 fānkāi 동 ①(책 따위를) 젖혀 열다. ¶把书～; 책을 젖혀서 펴다. ②부글부글 끓다. ¶水越～越好; 물은 펄펄 끓을수록 좋다.
〔翻看〕 fānkàn 동 (책·문서를) 펴 보다. ¶～里边的插图, 才发现那上边的题字; 안의 삽화를 펴 보고서야, 그 위의 제자(題字)를 찾아 냈다.
〔翻口〕 fānkǒu 동 먼저 한 말을 뒤집다〔번복하다〕. →〔翻供〕
〔翻来覆去〕 fān lái fù qù 〈成〉 ①몇 번이고 반복하다. ¶我已经～说过不知多少遍了; 나는 벌써 몇 번이나 말했는지 모를 정도로 되풀이해서 이야기했다/～地看了半天也没挑出毛病来; 되풀이해서 여러 차례 보았지만 결점은 나오지 않았다. ②잠을 자다가 몸을 자꾸 뒤치락거리다. ¶我整夜在床上～, 没有睡好; 하룻밤 내내 잠자리에서 뒤치락거리기만 하고 잠을 잘 수가 없었다. =〔翻饼②〕 ③(병세 따위가)호전되었다가 악화되었다가 하다. ‖ =〔颠diān来倒去〕
〔翻老账〕 fān lǎozhàng (지난 일을) 들고 나오다. 끄집어 내다. ¶你就是爱～, 那是啥时候, 这是啥时候, 时代变啦! 자네는 지나간 일을 끄집어 내는 것이 취미군. 그것은 그 때의 일이고 이것은 지금의 일이네, 시대는 변했단 말일세!
〔翻里〕 fānlǐ 동 뒤집다. ¶～作面; (옷 따위를) 뒤집다.
〔翻脸〕 fān.liǎn 동 ①외면하다. 갑자기 태도를 바꾸다. 쌀쌀한 표정을 하다. ¶他翻了脸, 大吵大闹; 그는 갑자기 태도를 바꾸어 큰 소리로 외쳐댔다/～不认人 =〔反面不认人〕; 갑자기 표정을 달리하여 외면하다. ②사이가 틀어지다. ¶他们～了; 그들은 사이가 틀어졌다. ‖ =〔翻面〕〔翻腔〕〔反fǎn脸〕
〔翻脸无情〕 fān liǎn wú qíng 〈成〉 외면하고 차갑게 대하다. 태도를 일변하여 인정을 돌보지 않다. 두 사람 사이가 갑자기 틀어지다. 반목하여 원수처럼 되다. ¶想不到患难夫妻也会～; 고생을 함께 한 부부가 반목하여 원수처럼 되리라고는 생각지도 못했다. =〔反脸无情〕〔反面无情〕
〔翻领(儿)〕 fānlǐng(r) ①명 꺾어 넘기는 칼라. ②(fān lǐngr) 칼라를 접어 넘기다.
〔翻蛮〕 fān.mán 동 ①(이국(異國)의 말, 또는 사투리로) 알아들을 수 없는 말을 하다. ¶外国人呷喇哇喇地翻半天的蛮; 외국인이 쏼라쏼라 알아들을

F

수 없는 말을 한참 동안 지껄여 댔다. ②난폭한 짓을 하다.
〔翻面〕 fān·miàn 동 ⇨〔翻脸〕
〔翻弄〕 fānnòng 동 ①뒤집다. 젖히다. ②(정돈된 것을) 휘저어 뒤섞다. ③(옛 일을 들고 나와) 소란을 피우다.
〔翻拍〕 fānpāi 동 사진을 복제(複製)하다.
〔翻牌〕 fānpái ①→〔起qǐ牌〕 ② 동 (공장이나 제품 등) 이름만 바꾸어 속이다.
〔翻盆倒罐儿〕 fānpén dàoguànr ⇨〔盆儿朝天, 碗儿朝地〕
〔翻皮鞋〕 fānpíxié 명 뒤집은 가죽으로 만든 구두.
〔翻篇(儿)〕 fānpiān(r) 동 책장을 넘기다. →〔翻开①〕
〔翻腔〕 fān·qiāng 동 ⇨〔翻脸〕
〔翻切〕 fānqiè 명 ⇨〔反fǎn切〕
〔翻儿了〕 fānrle 동 화내다. 성내다. ¶要把他惹～事就更不好办了; 그를 화나게 하면 더욱 일하기가 어려워진다.
〔翻然〕 fānrán 부 번연히. ¶～悔悟; 〈成〉 번연히 잘못을 뉘우치고 깨닫다. =〔幡然〕
〔翻砂〕 fānshā 명 ⇨〔砂铸〕 동 ①《工》 주조(鑄造)하다. ¶～工 =〔铸zhù工②〕; 주물공(鑄物工) / ～厂; 주물 공장. ②모래 먼지를 일으키다.
〔翻晒〕 fānshài 동 햇볕에 쬐어 말리다. ¶～新谷; 거두어들인 곡물을 햇볕에 말리다.
〔翻山〕 fān·shān 동 산을 넘다. ¶～越岭 =〔爬pá山越岭〕; 산을 넘고 재를 넘다.
〔翻上〕 fānshàng 동 오르다. 올라가다. ¶太阳～了峰尖; 태양이 산꼭대기에 떠올랐다.
〔翻梢〕 fān·shāo 동 ①⇨〔翻本(儿)〕 ②만회하다. 운이 트이다. ¶他那个人翻过梢来了; 그는 만회하기 시작하였다 / 受了三年的罪, 今年才～了; 3년간 고생했지만, 금년에 겨우 운이 트이기 시작하였다. =〔翻身⑤〕 ③뒤집히다. 거꾸로 하다.
〔翻身〕 fān·shēn 동 ①자다가 몸을 뒤척이다. 엎치락뒤치락하다. ¶～觉; 몸을 엎치락뒤치락하며 자다 / 他翻了一个身, 又睡着了; 그는 한 번 뒤척이더니 다시 잠들었다. ②〈方〉 몸의 방향을 바꾸다. 몸을 돌리다. ¶他～便跑; 그는 휙 돌아서서 달아났다. ③〈比〉 (억압에서) 해방되다. ¶～户; 억압에서 해방된 세대〔사람〕 / 翻了身的农民; 해방되어 일어선 농민. ④〈比〉 낙후된 것을 회복시키다. ¶大打造纸工业～之仗; 제지 공업의 회복을 목표로 세우다. ⑤〈比〉 운수가 틔다. 팔자를 고치다. =〔翻梢②〕
〔翻身回返〕 fānshēn huífǎn 명동 (수상 경기의) 턴(turn)(을 하다).
〔翻身儿〕 fānshēnr 명 〈京〉 특별한 내막. ¶这里头有那么一个～; 이 안에는 그와 같은 내막이 있다.
〔翻升〕 fānshēng 동 (시세가) 오르다. ¶卷筒白报纸连续～; 신문 용지의 시세가 계속 오르고 있다.
〔翻绳儿〕 fānshéngr 동 실뜨기 놀이를 하다. (fānshéngr) 명 실뜨기.
〔翻拾〕 fānshī 동 ⇨〔翻扯chī〕
〔翻手〕 fān shǒu ①손바닥을 뒤집다. ¶～为云, 覆手为雨 =〔翻云覆雨〕; 〈成〉 ⓐ변전 무쌍(變轉無雙)하다. ⓑ농간을 부리다. ②두 배(倍)라는 신호를 보내다.
〔翻书〕 fānshū 동 ①책장을 넘기다. 책을 펴다〔펴서 읽다〕. ②책을 번역하다.
〔翻丝绵〕 fān sīmián 솜을 옷 속에 넣을 때, 옷 모양으로 고루 펴다. ¶江南妇女多数会～; 강남(江南) 지방 부녀의 대부분은 옷 속의 솜을 고루 펴서 넣을 줄 안다.
〔翻思〕 fānsī 동 다시 생각하다. 고쳐 생각하다. ¶他把这问题溜溜儿～了一宵; 그는 이 문제를 밤새도록 다시 생각하였다.
〔翻腾〕 fānteng 동 ①어지럽히다. 혼잡하게 하다. 북적거리다. 떠들다. ¶把桌上的书都～乱了; 책상 위의 책을 뒤죽박죽 엉망으로 만들었다 / 许多问题在他脑子里像滚了锅一样～着; 많은 문제로 그의 머릿속은 들끓는 냄비처럼 어지럽다. ②뒹굴다. 뒤척이다. ¶直～到三更天才睡着了; 12시까지 이리저리 뒤치락거리다가 겨우 잠이 들었다. ③(바다 따위가) 거칠어지다. (물결이) 소용돌이치다. ¶波浪～; 물결이 크게 너울거리다. ④되풀이하다. 지난 일을 다시 끄집어 내다. ¶这些旧事儿, 不去～也好; 이런 지난 일은 다시 문제삼지 않아도 된다. ⑤휘젓다. 뒤집다. ¶几个柜子他都～到了, 始终没找到那篇稿子; 그는 몇 개나 되는 장 속을 뒤져 보았으나, 결국 그 원고를 찾지 못했다.
〔翻蹄亮掌〕 fāntí liàngzhǎng 발 모양이 이상하게〔기형으로〕 생기다. ¶他脚长得～多难看; 그의 발은 기형으로 생겨 몹시 보기 흉하다.
〔翻天〕 fān·tiān 동 ①큰 소란을 피우다. ¶吵chǎo～ =〔闹nào～〕; 큰 소란을 피우다. 야단법석을 떨다. ②〈比〉 모반하다. 반역하다.
〔翻天覆地〕 fān tiān fù dì 〈成〉 천지가 뒤집히다. 커다란 변화가〔대소동이〕 일어나다. =〔天翻地覆〕
〔翻土〕 fān tǔ 흙을 뒤집어엎다〔갈아엎다〕.
〔翻蔓儿〕 fān·wànr 명동 《農》 덩굴뒤집기(를 하다).
〔翻胃〕 fān·wèi 명동 ⇨〔反fǎn胃〕
〔翻戏〕 fānxì 명 미인계. 아내 또는 정부(情婦)를 이용해서, 남자를 속여 금전을 사취하는 일. ¶拆白党设局～; 사기꾼이 미인계를 쓰다. =〔美měi人计〕
〔翻箱倒柜〕 fān xiāng dǎo guì 〈成〉 트렁크나 옷장 따위를 뒤집어 철저히 검사하다. 철저히 수사하다. =〔翻箱倒箧〕
〔翻新〕 fānxīn 동 ①(옷 따위를) 재생하다. 수선하다. ②쇄신(刷新)하다. 새롭게 하다.
〔翻修〕 fānxiū 동 수리(修理)·수선(修繕)하다. (건물·회화(繪畫) 등을) 수복(修復)하다. (건물을) 복원하다.
〔翻沿儿〕 fānyánr 명 옛날, 옷의 가장자리에 따로 꿰맨 가두리 선.
〔翻眼〕 fān·yǎn 동 ①눈을 부라리다. 흘겨 보다. 눈을 크게 뜨다. ¶李如珍翻了他一眼; 이여진은 그를 뚫어지게 노려보았다. ②눈을 다른 데로 돌리다. 모르는 체하다. 외면하다. ¶他～不承认; 그는 모른 체하고 인정하지 않았다. ③⇨〔翻眼儿〕
〔翻眼儿〕 fānyǎnr 동 칩떠보다. ¶～瞟piǎo他; 눈을 칩뜨며 그를 흘끔 쳐다보다. =〔翻眼③〕
〔翻洋文〕 fān yángwén 일부러 외국어를 쓰다.
〔翻一番〕 fān yīfān 배로 증가하다. ¶明年钢产再～; 내년에는 철강 생산고를 다시 배로 증가시킨다 / 翻了一翻还多; 배증 이상(倍增以上).
〔翻议〕 fānyì 동 〈文〉 위약하다.
〔翻译〕 fānyi 명동 번역(하다). ¶～成韩文; 한국어로 번역하다 / 用中国话～; 중국어로 번역하다 / ～暗码; 암호 전보를 번역하다 / ～戏; 번역극(飜譯劇). 명 통역(자). ¶当～; 통역이 되다 / ～

官; 통역관(通譯官) / ～机; 인터프리터(interpreter). →〔译员〕

〔翻印〕 fānyìn 명 번각(飜刻). 동 번각하다. 해적판(海賊版)을 찍다. ¶～必究; 판권(版權) 소유.

〔翻狱〕 fānyù 동 감옥을 부수다. ¶～潜逃; 감옥을 부수고 도주하다. =〔反fǎn狱〕

〔翻阅〕 fānyuè 동 ①뒤지며 조사하다. 알아보다. ¶到图书馆去～资料; 도서관에 가서 자료를 조사하다. ②책을 보다.

〔翻越〕 fānyuè 동 넘다. 뛰어넘다. ¶～障碍物; 장애물을 뛰어넘다.

〔翻云覆雨〕 fān yún fù yǔ 〈成〉 ①인정(人情)의 반복(反覆)이 무상(無常)하다. 변덕을 부리다. ②온갖 수단을 교묘하게 부리는 모양. ③배신 행위를 되풀이하다. ‖ =〔翻手为云, 覆手为雨〕

〔翻造〕 fānzào 명동 재생(하다). ¶～橡xiàng皮; 재생 고무.

〔翻造橡胶〕 fānzào xiàngjiāo 명 재생 고무. =〔再zài生橡胶〕

〔翻照〕 fānzhào 명동 복사(하다). ¶底版丢了就再～一张也行; 원판을〔네거를〕 잃어버렸으면 복사하면 된다.

〔翻铸〕 fānzhù 동 다시 주조하다. 개주(改鑄)하다. ¶这些废铁要回炉～农具; 이런 고철은 용광로에 다시 넣어 농기구로 개조된다.

〔翻转〕 fānzhuǎn 동 자다가 몸을 뒤치다.

〔翻嘴〕 fānzuǐ 동 말대답하다. ¶封建时代可不兴xīng小孩子跟大人～; 봉건 시대에는 아이들이 어른에게 말대답하는 것은 허용되지 않았다.

凡〈凣〉 fán (범)

①형 평범하다. 보통이다. ¶平～; 평범하다 / 非～; 비범하다 / 平～的工作; 평범한 일. ②부 〈文〉 모두. 전부. 도합. ¶全书～二十卷; 전서가 도합 20권이다. ③명 속세(俗世). 인간 세상. ④부 대체로. 무릇. 대저. ¶～有标志的请注意; 표시가 되어 있는 모든 것은 주의하십시오 / ～事要小心; 매사에 조심해야 한다. ⑤명 개략. 요지. 대요(大要). ¶发～起例; 요지를 설명하고 범례(凡例)를 정하다. ⑥명 《樂》 중국 옛날 악보(樂譜)의 음표의 하나 《약보(略譜)의 '4'에 해당》.

〔凡百〕 fánbǎi 〈文〉 모든. 온갖. ¶～事业; 모든 사업.

〔凡材〕 fáncái 명 〈文〉 보통 사람. 범인. 일반인.

〔凡常〕 fáncháng 형 보통의. 평범한.

〔凡而〕 fán'ér 명 ⇨〔阀fá门〕

〔凡尔〕 fán'ěr 명 밸브(valve). =〔阀fá门〕

〔凡尔丁〕 fán'ěrdīng 명 《紡》 〈音〉 트로피컬(tropical). 포럴(poral).

〔凡尔赛〕 Fán'ěrsài 명 《地》 베르사유(Versailles). ¶～和hé约; 베르사유 (평화) 조약 / ～宫gōng; 베르사유 궁전. =〔维wéi尔塞〕

〔凡夫〕 fánfū 명 〈文〉 평범한 사람. ¶～俗子zǐ; 평범한 사람. →〔烟yān火中人〕

〔凡骨〕 fángǔ 명 〈文〉 평범한 성질〔사람〕. →〔仙xiān骨〕

〔凡几〕 fánjǐ 명 〈文〉 모두. 얼마. 어느 정도〔만큼〕. ¶不知～; 어느 만큼인지 모르겠다.

〔凡近〕 fánjìn 형 〈文〉 재능〔식견〕이 낮다. ¶～之才难肩重任; 범재(凡才)로는 중임을 감당하기 어렵다.

〔凡立丁〕 fánlìdīng 명 《紡》 포럴(poral). =〔凡尔丁〕

〔凡立司〕 fánlìsī 명 《化》 〈音〉 니스(varnish). =〔凡立水〕〔泡力司〕〔凡捏司〕

〔凡例〕 fánlì 명 범례.

〔凡民〕 fánmín 명 〈文〉 평민. 일반인. 보통 사람.

〔凡目〕 fánmù 명 ①대강과 세목(細目). ②범속한 사람의 식견. 얕은 식견.

〔凡人〕 fánrén 명 〈文〉 ①평범한 사람. 보통 사람. ②속인(俗人).

〔凡色曼反应〕 fánsèmàn fǎnyìng 명 《醫》 바서만 반응《매독의 혈청 진단법》. =〔凡色曼氏反应〕

〔凡士林〕 fánshìlín 명 《化》 〈音〉 바셀린(Vaseline). =〔华摄林〕〔花士苓〕〔矿脂〕〔石油脂〕〔硬石脂〕

〔凡世〕 fánshì 명 〈文〉 속세.

〔凡事〕 fánshì 명 만사(萬事). ¶～预则立, 不预则废; 〈諺〉 성공과 실패는 사전의 준비와 관계가 있다. =〔诸zhū事〕

〔凡是〕 fánshì 부 대략. 대체로. 무릇《흔히, '凡是…(的)都…' 로서 쓰임》. ¶～到武汉去的人, 都要参观参观武汉长江大桥; 우한(武漢)에 가는 사람은, 대체로 우한(武漢)의 창장(長江) 대교(大橋)를 보고 싶어한다 / ～有生命的, 总免不了死; 무릇 생명이 있는 것은 죽음을 면치 못한다. 접 만일 …(이라)면《흔히, '就'·'便'과 호응함》. ¶～好的, 就不反对; 만약 좋은 것이라면 반대하지 않는다.

〔凡童〕 fántóng 명 〈文〉 평범한 아이. 보통 아이. →〔神shén童〕

〔凡物〕 fánwù 명 〈文〉 온갖 것. 모든 사물.

〔凡心〕 fánxīn 명 〈文〉 속세의 생각. 평범한 생각. 속념(俗念). ¶动～; 속념을 일으키다.

〔凡亚林〕 fányàlín 명 《樂》 〈音〉 바이올린. =〔小提琴〕〔伐乌林〕

凧 fán (범)

명 배트(vat). ¶靛diàn染～; 남염(藍染) 배트(vat) / 染rǎn色～; 염색 배트(vat).

矾(礬) fán (반)

명 《化》 명반(明礬)·녹반(綠礬) 따위의 총칭. 금속의 유산염. ¶明～; 명반 / 绿lǜ～; 유산철. 녹반 / 胆dǎn～; 유산동. 담반.

〔矾笺纸〕 fánjiānzhǐ 명 고급 편지지.

〔矾石〕 fánshí 명 《化》 명반석(明礬石).

〔矾水〕 fánshuǐ 명 명반을 녹인 물.

〔矾土〕 fántǔ 명 《化》 반토(礬土). 알루미나. 보크사이트. ¶～水泥; 알루미나 시멘트. =〔〈方〉 宝砂〕

〔矾纸〕 fánzhǐ 명 반수지(礬水紙). 명반물을 입힌 종이.

钒(釩) fán (범)

명 《化》 바나듐(V:vanadium)《금속 원소의 하나》.

〔钒铁〕 fántiě 명 《化》 페로바나듐(ferrovanadium).

氾 Fán (범)

명 성(性)의 하나. ⇒ '泛' fàn

烦(煩) fán (번)

①형 번거롭다. 귀찮다. 싫다. ¶这些话都听～了; 이런 이야기는 신물이 나도록 들었다 / 腻nì～; 진저리가 나다 / 厌yàn～; 번거롭고 싫다. 질리다. (입에서) 신물이 나다 / 话多真絮～; 말이 많으면 장황하고 번거롭다. ②형 번잡하다. 장황하다. ¶要言不～; 〈成〉 말이 간결하고 장황하지 않다. ③동 번거롭히다. 〈敬〉〈轉〉 수고를 끼치다. ¶～您给带点儿东西; 수고스러우시겠지만 물건 좀 가져다 주시죠 /

这件事要～你给办一下；이 일은 번거롭지만 당신이 해 주셨으면 하는데요. ④ 형 답답하다. 번민하다. ¶心～意乱；〈成〉번민으로 마음이 어지러워지다 / 心里有点～；마음에 고민이 있다. 가슴이 좀 답답하다. ⑤ 명 번민. 걱정.

〔烦呈〕 fánchéng 동〈翰〉심부름꾼 편에 몇 자 말씀드리겠습니다《상대방이 보낸 심부름꾼을 통해 답장을 보낼 경우에 쓰임》.

〔烦得慌〕 fándehuang 몹시 귀찮다. 대단히 번거롭다. (기분이) 우울하다. ¶心里～，上哪儿散sàn散闷mèn去才好呢；마음이 아주 울적하여, 어딘가 가서 마음을 풀고 싶구나.

〔烦等〕 fánděng 동 초조하게 기다리다. ¶～了一上午；오전 내내 초조하게 기다렸다.

〔烦费〕 fánfèi 동〈文〉귀찮고 비용이 많이 들다.

〔烦聒〕 fánguō 형 시끄러워 귀찮다. ¶这些孩子～得人脑袋疼；이 아이들이 시끄러워 골치가 아프다.

〔烦惑〕 fánhuò 동 번민하다.

〔烦搅〕 fánjiǎo 동 마음을 산란케 하다. 귀찮게 하다. ¶别在这儿～！여기서 성가시게 굴지 마라!

〔烦苛〕 fánkē 형〈文〉번잡하고 가혹하다. ¶汉兴，除秦～约法《漢書》；한(漢)나라가 일어나, 진(秦)나라의 번잡하고 가혹한 법률을 폐지하였다.

〔烦劳〕 fánláo ①고생하다. ②남에게 폐〔수고〕를 끼치다. 번거롭게 하다. 〈轉〉미안하지만. 수고스럽지만. ¶～您帮帮忙吧；수고스럽지만 도와 주십시오〔거들어 주십시오〕. →〔烦请〕〔烦托〕

〔烦了〕 fánle 동 일이 오래 걸려서 싫증이 나다. ¶他性子急，事情老做不完就～；그는 성미가 급해서 언제나 일이 성사되기 전에 싫증을 내 버린다.

〔烦累〕 fánlèi 동 번거롭게 하다. 번거롭다. ¶这么～您，我真不过意；이렇게 폐를 끼쳐서 정말 죄송합니다.

〔烦虑〕 fánlǜ 동 ⇨〔烦恼①〕

〔烦乱〕 fánluàn 형 휘저어 어지럽게 하다. 질서를 어지럽히다.

〔烦闷〕 fánmèn 명동 번민(하다). 고민(하다). ¶你也不要～；그렇게 괴로워하지 마라. =〔烦懑〕

〔烦懑〕 fánmèn 명동 ⇨〔烦闷〕

〔烦难〕 fánnán 형 ⇨〔繁难〕

〔烦恼〕 fánnǎo 동 ①번민〔고민〕하다. 걱정하다. 마음 졸이다. ¶那就是我～的原因；그것이 나의 골칫거리입니다 / 为这么点儿事何必～呢；요까짓 일로 애를 태울 게 있느냐 / 这都是运气，你不要～；이건 운이야, 끙끙 앓을 것 없어. =〔烦虑〕 ②괴로워하다. 슬퍼하다. ¶你～了；얼마나 망극하십니까《문상의 말》. ③이상하게〔해괴한 일로〕 여기다. 명 번뇌. 걱정.

〔烦气〕 fánqì 형 성가시다. 귀찮다. ¶整天搞这些啰嗦事不嫌～吗？하루 종일 이런 번거로운 일을 하고 있으니 귀찮지 않으십니까?

〔烦请〕 fánqǐng 〈敬〉부탁을 드리다. 수고스럽지만…. ¶今天的娱乐节目是特别～名角担任的；오늘의 오락 프로는 특별히 유명 배우에게 부탁해서 진행케 할 것이다. →〔烦劳〕〔烦托〕

〔烦缺〕 fánquē 명 번거로운 직책. ¶这是个～，要做就得任劳任怨；이것은 번잡한 직책이므로, 만일 취임하게 되면 고생이나 남의 원망쯤은 각오해야 한다.

〔烦扰〕 fánrǎo 동 방해하다. 귀찮게 굴다. 성가시게 하다. 괴롭히다. ¶～了人家半天自然要道谢；오랫동안 남에게 폐를 끼쳤으면 당연히 사의를 표해야 한다.

〔烦热〕 fánrè 형 찌는 듯이 무덥다. ¶要是痛痛快快下场大雨就不会这么～了；한 차례 기분 좋게 소나기라도 쏟아지면 이렇게 찌는 듯이 무덥지는 않다. 명《漢醫》번열증.

〔烦人〕 fánrén 형 성가시다. 번거롭다. ¶这孩子真～！이 아이는 정말 성가시군! 동 성가시게〔귀찮게〕하다. 번민케 하다.

〔烦冗〕 fánrǒng 형〈文〉①(사무가) 번잡하다. ¶杂务～令人厌倦；잡무가 번잡해서 싫증이 난다. ②(문장이) 장황하다. 장황하고 번거롭다. ‖ =〔繁冗〕

〔烦神〕 fánshén 〈翰〉상대방의 배려를 사례하는 뜻《옛날, 서한문에 흔히 쓰였음》.

〔烦事〕 fánshì 명 번거로운 일. 걱정거리. ¶这程子～太多把人都愁坏了；요즘은 걱정거리가 많아서 애가 씌어 못 견디겠다.

〔烦数〕 fánshuò 부〈文〉자주. 때때로. 종종.

〔烦死〕 fánsǐ 동 귀찮아서 죽을 지경이다. 성가시어 못 견디다.

〔烦碎〕 fánsuì 형 번쇄하다. 너무 잘아 번거롭다. 자질구레하다. 성가시다. ¶家里的～事整天做不完；집안의 자질구레한 일은 하루 종일 해도 끝이 없다.

〔烦琐〕 fánsuǒ 형 (문장·말 따위가) 너무 자세해서 번거롭다. 자질구레하다. 장황하다. =〔繁琐〕

〔烦琐哲学〕 fánsuǒ zhéxué 명 ①《哲》스콜라 철학. 번쇄 철학. =〔经jīng院哲学〕 ②〈口〉(말·문장 따위가) 문제 해결 제시 없이 현상만을 늘어놓는 수법.

〔烦透〕 fántòu 동 귀찮아서 견딜 수가 없다. 성가시게 만들다.

〔烦托〕 fántuō 동 부탁을 드리다. 폐를 끼치다. 신세를 지다. ¶这件事您看～哪位先生办好？이 일은 어떤 분께 부탁드려 처리하면 좋을까요?

〔烦猥〕 fánwěi 형〈文〉번잡하다. 번거롭다. ¶家事～难以脱身；집안일이 번거로워 몸을 뺄 수가 없다〔틈이 없다〕.

〔烦文〕 fánwén 명〈文〉①번잡한 문장. ②허례(虛禮).

〔烦务〕 fánwù 명〈文〉번잡한 사무.

〔烦细〕 fánxì 형〈文〉번거롭다. 자질구레하다.

〔烦想〕 fánxiǎng 명〈文〉번잡한 생각.

〔烦嚣〕 fánxiāo 형〈文〉떠들썩하고 시끄럽다. ¶市声～扰人安眠；거리의 소음이 시끄러워서 사람의 안면(安眠)을 방해한다.

〔烦心〕 fánxīn 동 고민하다. 걱정하다. 근심하다. 마음을 괴롭히다. ¶谁也想不出好法子，真～透了；아무도 좋은 방법을 생각해 내지 못해서, 정말 걱정이다.

〔烦絮〕 fánxù 형 번거롭다. 장황하다. 성가시다. ¶诸位别嫌～听我说话；여러분 귀찮게 생각하시지 말고 내 이야기를 들어 보십시오.

〔烦喧〕 fánxuān 형〈文〉시끄럽다. 떠들썩하다. ¶舆论～一致反对公共事业涨价；여론은 떠들썩하게 공공 사업의 가격 인상에 일제히 반대하고 있다.

〔烦言〕 fányán 명〈文〉시끄럽게 떠들어대는 불평. ¶啧zé有～；많은 사람들이 시끄럽게 떠들어대며 불평하다.

〔烦言碎辞〕 fán yán suì cí〈成〉말이나 문장이 장황하고 번거롭다.

〔烦厌〕 fányàn 형 귀찮다. 동 진저리나다. 싫증나다. ¶他～了这单调的生活想换个环境；그는 이런 단조로운 생활이 싫증이 나서 환경을 바꾸려 하고 있다.

F

〔反题〕 fǎntí 명《哲》안티테제(독 Antithese). 반정립(反定立).
〔反天〕 fǎntiān 동 천리(天理)를 거스르다. 난폭한 짓을 하다.
〔反屯并税〕 fǎntúnbìng shuì 명 반덤핑 관세. =〔反探并税〕
〔反托马斯方式〕 fǎntuōmǎsī fāngshì 명《商》역 토머스 방식. →〔托马斯方式〕
〔反胃〕 fǎnwèi 명《漢醫》번위. (fǎn,wèi) 동 번위하다. ‖ =〔翻fān胃〕
〔反问〕 fǎnwèn 명동 반문(하다). ¶～句; 반어문(反語文). 명《言》반어법.
〔反握〕 fǎnwò 명《體》손바닥을 안쪽으로 해서 철봉을 쥐는 법. →〔正zhèng握〕
〔反响〕 fǎnxiǎng 명동 반향(反響)(하다). 메아리(치다).
〔反向〕 fǎnxiàng 명 역방향. ¶～电流; 역전류/～卫星; 역추진 (인공) 위성.
〔反相〕 fǎnxiàng 명 모반(謀叛)의 표출. 반역할 인상.
〔反像〕 fǎnxiàng 명 ⇨〔负fù像〕
〔反效果〕 fǎnxiàoguǒ 명 역효과.
〔反心内照〕 fǎn xīn nèi zhào〈成〉돌이켜 자신의 마음을 생각해 보다.
〔反省〕 fǎnxǐng 명동 반성(하다). (내면적으로) 자기 반성(하다). 근신(하다)(〔检jiǎn查〕는 구두 또는 문서로 자기 비판하다). ¶停职～; 정직 근신(停職謹愼)하다. 명 시말서.
〔反修〕 fǎnxiū 명 반수정주의. 동 수정주의에 반대하다. ¶～防修; 수정주의에 반대하고, 수정주의를 방지하다.
〔反牙〕 fǎnyá 명 ⇨〔左zuǒ螺纹〕
〔反眼〕 fǎnyǎn 동 눈을 다른 데로 돌리다. ¶～不相识; 눈을 돌리고 모르는 체하다.
〔反咬〕 fǎnyǎo 동 은혜를 원수로 갚다. 역습하다. ¶～一口;〈成〉책임을 전가하며 반박하다. 허위를 날조하여 상대방을 무고하다. =〔反噬①〕
〔反义词〕 fǎnyìcí 명《言》반대어(反對語). ↔〔同tóng义词〕
〔反应〕 fǎnyìng 명 ①반응. ②《化》반응. ¶连lián串～; 연쇄 반응. ③(주사·약의) 반응. 알레르기. ¶过敏～; 알레르기. ④(원자핵의) 반응. ⑤반향(反響). 반응(의견·태도·행동). ¶他的苦心却不起什么～; 그의 고심(苦心)에도 불구하고 아무런 반향도 없다/～不一; 반응이 하나가 아니다. 반응이 다양하다. →〔反映〕
〔反应堆〕 fǎnyìngduī 명 원자로(原子爐). ¶原yuán子～ =〔核hé～〕; 원자로/浓缩铀～; 농축 우라늄 원자로/增殖～; 증식로.
〔反映〕 fǎnyìng 동 ①반영하다. ¶观念是现实生活的～; 관념은 현실 생활의 반영이다/一定的文化是一定社会的政治和经济的～; 특정 문화는 특정 사회의 정치와 경제의 반영이다. ②(상급 기관에) 전달하다. 전하다. 보고하다. ¶随时～群众的意见; 수시로 대중의 생각을 전달하다/～上级; 상급 기관에 보고하다/把意见～给教师; 의견을 교사에게 말하다. ③충고하다. 비판하다. ¶我们要向你们～, 你们把食堂办得太坏了; 우리가 너희들에게 충고하는데, 너희들의 식당 경영은 몹시 나쁘다/群众对他的～很不好; 대중의 그에 대한 평판은 매우 나쁘다. 명 ①(아래에서 올라오는) 보고. 의견·감상 등의 전달. ②반영. ③구체적인 표현. 표명된 태도 의견.
〔反映论〕 fǎnyìnglùn 명《哲》반영론.
〔反语〕 fǎnyǔ 명《言》반어. 아이러니. =〔讽fěng刺②〕〔讥jī讽〕
〔反仄〕 fǎnzè 동 ⇨〔反侧〕
〔反战〕 fǎnzhàn 명 반전. 동 전쟁을 반대하다.
〔反掌〕 fǎnzhǎng 동 손바닥을 뒤집다.〈比〉일이 아주 쉽다. ¶易如～; 손바닥을 뒤집듯이 쉽다.
〔反照〕 fǎnzhào 명동 ⇨〔返照〕
〔反折儿〕 fǎnzhér 명 (뒤로) 재주넘기〔공중제비〕. →〔反车儿〕
〔反正〕 fǎnzhèng 동 ①올바른 상태로 돌아가다. 정상 상태로 되돌리다. ¶拨乱～; 난을 누르고 태평하게 하다. ②(자기 편을) 배반하다. 귀순하다. =〔倒dǎo戈〕 ③정도(正道)에 위반되다. 상궤(常軌)를 벗어나다. 명 정(正)과 부정. 옳음과 그름. ¶～合; 정반합(正反合)의 이치. 변증법의 이치.
〔反正〕 fǎnzheng 부 어쨌든 간에. 어차피. 좌우간. 아무튼. ¶～是一样的; 어쨌든 마찬가지이다/信不信由你, ～我不信; 믿거나 말거나 네 마음대로이지만, 나는 믿지 않겠다/～你得跟我走; 어쨌든 너는 나와 함께 가야 한다/他交的～没有好材料; 그가 사귀고 있는 놈 중에는 제대로 된 놈이 없다.
〔反正话儿〕 fǎnzhènghuàr 명 농담을 했다가 정색을 했다가 하면서 말하는 것. ¶他们说了会子～; 그들은 농담을 했다가 정색을 했다가 하면서 지껄여 댔다.
〔反证〕 fǎnzhèng 명《法》반증. 반대의 증거. 동 반증하다.
〔反证法〕 fǎnzhèngfǎ 명《哲》간접 증명. 귀류법. =〔归guī谬法〕
〔反之〕 fǎnzhī 접〈文〉반대로. 이에 반해서. 거꾸로. 그뿐 아니라. 그 대신.
〔反质子〕 fǎnzhìzǐ 명《物》반양자(反陽子).
〔反中子〕 fǎnzhōngzǐ 명《物》반중성자.
〔反钟向〕 fǎnzhōngxiàng 동 ⇨〔反转〕
〔反转〕 fǎnzhuǎn 동 반전하다. 시계 방향과 반대로 돌다. 왼쪽으로 돌다. =〔反时针向〕〔反钟向〕 ↔〔正zhèng转〕
〔反撞力〕 fǎnzhuànglì 명 총포를 발사할 때의 반동.
〔反嘴〕 fǎnzuǐ 동 대들다. 말대꾸하다. ¶向父母～是不好的; 부모한테 대드는 것은 좋지 않다.
〔反嘴巴〕 fǎnzuǐba 명 ⇨〔反巴掌〕
〔反作用〕 fǎnzuòyòng 명 ①반작용. 역효과. ②《物》반동(反動).
〔反坐〕 fǎnzuò 명동《法》반좌(하다)(위증(僞證)이나 무고(誣告)로 고발한 자가, 그 죄와 똑같은 형벌을 받다).

返 fǎn (반)

①동 (되)돌아오다. (되)돌아가다. 본디로 되돌아가다. 복귀하다. ¶～家; 집으로 돌아가다/重chóng～故乡; 다시 고향으로 돌아가다. ②양 횟수(回數)를 나타냄.
〔返本还源〕 fǎn běn huán yuán〈成〉⇨〔拔bá本塞源〕
〔返璧〕 fǎnbì 동 ⇨〔完wán璧归赵〕
〔返哺〕 fǎnbǔ 동 ⇨〔反哺〕
〔返场〕 fǎn,chǎng 동 앙코르(프 encore)하다.
〔返潮〕 fǎn,cháo 동 마른 것이 다시 누지다. 습기가 차다. =〔反潮〕
〔返程〕 fǎnchéng 명〈文〉돌아오는 길. 귀로(歸路).
〔返抵〕 fǎndǐ 동〈文〉귀착하다. ¶昨日业已～北

京; 어제 벌써 베이징(北京)에 귀착하였다.
〔返冻〕 fǎndòng 동 녹았다가 다시 얼다. 추위가 되돌아오다. ¶～也冻不住; 다시 언다고 해도 단단히 얼지는 않을 것이다.
〔返防〕 fǎn.fáng 동《軍》기지로 돌아가다. ¶所有飞机完成任务后, 全部安然～; 모든 비행기가 임무를 완수하고, 모두 무사히 기지로 돌아왔다.
〔返工〕 fǎn.gōng 동 ①(공사·제품이 불량하여) 다시 시작하다. 다시 만들다. 뒷손질하다. ¶这项工作必须～; 이 일은 반드시 다시 시작해야 한다. =〔翻工〕〔反工〕 ②직장에 복귀하다. ¶拒绝～; 직장에 복귀하는 것을 거절하다.
〔返光〕 fǎn.guāng 동 빛을 반사(反射)시키다. ¶～镜; 반사경. 명 반사 광선.
〔返航〕 fǎn.háng 동 귀항(歸航)하다.
〔返还〕 fǎnhuán 동 반환하다.
〔返回〕 fǎnhuí 동 되돌아오다〔가다〕.
〔返悔〕 fǎnhuǐ 동 후회하여 약속한 일을 취소하다. 마음이 변하다. =〔翻悔〕
〔返魂〕 fǎn.hún 동 되살아나다. 소생〔부활〕하다.
〔返籍〕 fǎnjí 동〈文〉원적지로 돌아가다.
〔返家〕 fǎnjiā 동〈文〉귀가하다.
〔返简〕 fǎnjiǎn 명 ⇨〔返书〕
〔返碱〕 fǎn.jiǎn 동《地質》지층 중의 염분이 지표로 나타나다. 명 땅 위에 돋아난 소금기. ‖=〔泛fàn碱〕
〔返浆〕 fǎnjiāng 동 ⇨〔翻fān浆〕
〔返锦〕 fǎnjǐn 동 ⇨〔反锦〕
〔返老还童〕 fǎn lǎo huán tóng〈成〉①동심으로 돌아가다. ②노익장(老益壯). 연로하여도 원기 왕성하다. ③젊음을 되찾다. ‖=〔反老还童〕
〔返里〕 fǎnlǐ 동 ⇨〔返乡〕
〔返青〕 fǎn.qīng 동〈文〉①이식한 모종이 뿌리를 내리다. ②월동(越冬) 후 식물에서 파란 싹이 나오다.
〔返任〕 fǎnrèn 동〈文〉임지로 돌아가다. 귀임(歸任)하다.
〔返弱还强〕 fǎnruò huánqiáng 약한 것을 강하게 하다.
〔返身〕 fǎn.shēn 동 몸을 돌리다. 방향을 바꾸다. ¶～回家; 방향을 바꾸어 집으로 돌아가다.
〔返书〕 fǎnshū 명〈文〉답장. 답신. 답서. =〔返简〕〔返札〕〔返章〕
〔返水〕 fǎnshuǐ 명《建》낙수(落水)받이.
〔返外家〕 fǎn wàijiā〈廣〉친정에 가다.
〔返乡〕 fǎnxiāng 동 고향에 돌아가다. ¶～务农; 귀농. =〔返里〕
〔返销〕 fǎnxiāo 동 (식량을) 공출하고 후에 국가로부터 다시 사들이다. 국가가 소지하고 있는 식량을 방출하다. ¶～粮liáng; 정부 방출미 / 从来没有因为遭灾吃过一斤～粮; 지금까지 재해를 만났다고 해서, 국가로부터 식량을 배급받은 일은 없다. =〔回huí销〕
〔返校〕 fǎnxiào 동 ①(방학이 끝나서) 귀교하다. ②(방학 중에 일시적으로) 등교하다.
〔返照〕 fǎnzhào 명 ①석양. 저녁놀. 낙조(落照). ¶夕xī阳～; 석양. 저녁놀. ②임종 직전에 갑자기 의식을 되돌리는 일. 동 빛이 반사하다. ‖=〔反照〕→〔回huí光返照〕
〔返祖现象〕 fǎnzǔ xiànxiàng 명《生》격세(隔世) 유전 현상.

犯 **fàn** (범)
①동 범하다. ㉠(법 따위를) 어기다. (죄를) 짓다. (규칙 따위를) 위반하다. 저촉하다. ¶～法; 법을 어기다. ㉡(영토나 권리 따위를) 침범하다. ¶人不～我, 我不～人; 남이 나를 범하지 않으면, 나는 남을 범하지 않는다 / 敌人要敢～我边境, 我必给以痛击; 적이 변경을 침해하면 반드시 통격을 가해 주겠다. ②명 죄인. 범인. ¶政治～; 정치범 / 要～; 중대 범인 / 囚～; 수인. 죄수. ③동 (좋지 않은 일이) 일어나다. 발생하다. 나타나다. 저지르다. 범하다. ¶～脾气; 나쁜 버릇을 드러내다. 화를 내다 / 他的胃病又～了; 그의 위장병이 다시 도졌다 / ～了官僚主义; 관료주의의 잘못을 저지르다 / ～错误; 잘못을 범하다. ④동 …할 값어치가 있다. 注 부정 부사 '不'와 함께 쓰임. ¶不～; …할 가치가 없다. …할 것까지도 없다 / ～不上这个冒险; 이런 위험을 무릅쓸 것까지 없다. =〔值得〕 ⑤동 드러나다. 탄로나다. ¶赶把赃物拿出来, 他心里也明白事～了, 就招出来了; 장물을 꺼내 놓자, 그는 마음속으로 일이 탄로난 것을 알고 자백했다. ⑥동 저촉되다. 탈이 되다. ¶冷酒后～; 찬 술은 뒤가 좋지 않다 / 这个颜色一沾水就～; 이 색깔은 물에 젖으면 금방 변한다.
〔犯案〕 fàn.àn 동 ①(범죄 행위가) 발각되다. ②죄를 범하다. ¶说他～有什么凭证; 그가 죄를 범했다는데 어떤 증거가 있는가. (fàn'àn) 명 범죄 사건.
〔犯膘〕 fàn.biāo 동〈北方〉기뻐서 어찌할 바를 모르다. 우쭐하〔해지〕다. ¶这儿说正格的呢, 你别在这儿～! 지금은 진지한 이야기를 하고 있는 중이니, 이런 때는 우쭐대지 마라.
〔犯别扭〕 fàn bièniu 서먹서먹하게 되다. 가슴 속에 맺힌 데〔응어리〕가 생기다. ¶我挺纳闷, 没～, 怎么你们两个像过去那样, 常到一块儿没说话呢; 참 답답하구나. 틀어진 사이도 아닌데, 너희 두 사람은 왜 전처럼 말하지 않는 거냐.
〔犯病〕 fàn.bìng 동 ①묵은 병이 재발하다. ②전의 나쁜 버릇이 재발하다《아편 따위》. ③병에 걸리다. ④떠들어 대다.
〔犯驳〕 fànbó 동〈文〉이치에 맞지 않다. 억지쓰다.
〔犯不得〕 fànbude 범할 수 없다. ¶法律是～的; 법률은 범해서는 안 된다.
〔犯不上〕 fànbushàng ⇨〔犯不着〕
〔犯不着〕 fànbuzháo …할 값어치가 없다. …할 만한 것이 못 된다. …할 필요가 없다. ¶～攒咱! 나를 내쫓을 것까지는 없지 않아! / ～这么着急! 그렇게까지 서두를 필요는 없다! / 我～给他出力; 내가 그 사람을 위해서 진력할 필요는 없다 / 这事～这样搞; 이런 일은 이렇게 할 만한 가치가 없다. =〔犯不上〕↔〔犯得着〕
〔犯猜〕 fàncāi 동 의심을 품다. ¶好多人心里也～; 많은 사람이 마음 속으로 의심을 하고 있다. =〔犯疑(心)〕
〔犯潮〕 fàncháo 동 습기차다. 축축하다. 습기를 띠다. ¶天要下雨了, 屋子里处处～; 실내의 여기저기가 축축한 걸 보면 비가 올 것 같다. =〔犯湿shī〕〔受shòu潮〕〔发fā潮〕
〔犯愁〕 fàn.chóu 동 ⇨〔发fā愁〕
〔犯刺儿〕 fàn.cìr 동 남의 마음을 건드리다. 트집을 잡다. 듣기 싫은 소리를 하다. =〔犯疵儿〕
〔犯错误〕 fàn cuòwù 잘못을 저지르다.
〔犯得上〕 fàndeshàng ⇨〔犯得着〕
〔犯得着〕 fàndezháo …할 필요가 있다. …할 가치가 있다. …할 만하다《흔히, 반어(反語)·의문문(疑問文)에 쓰임》. ¶你～这样做吗? 너는 (무리해

서) 그렇게 할 만한 가치가 있느냐?/果真有些好处, 也还～; 정말로 조금이라도 좋은 점이 있다면, 무리해서라도 강행할 만한 가치가 있다. =〔犯得上〕↔〔犯不着〕
〔犯嘀咕〕 fàn dígu 이것저것 생각하며 망설이다.
〔犯而不校〕 fàn ér bù jiào 〈成〉 감정이 상해도 이것저것 따지지 않다. 상대가 시비를 걸어도 상관하지 않다.
〔犯法〕 fàn.fǎ 동 범법하다. 법률을 어기다. 죄를 저지르다.
〔犯分〕 fànfèn 동 자기 분수에 넘치다.
〔犯肝气〕 fàngānqì 명 걸핏하면 성을 잘 내는 사람.
〔犯规〕 fàn.guī 동 규칙을 위반하다. 범칙하다. (fànguī) 명《體》반칙. 파울(foul).
〔犯规矩〕 fàn guīju 규정을 위반하다. ¶犯了规矩, 一定要受罚的; 규칙을 위반하면 반드시 벌을 받아야 한다.
〔犯坏〕 fànhuài 동 나쁜 짓을 하다. 나쁜 마음을 먹다.
〔犯讳〕 fànhuì 동 (웃어른의) 이름을 감히 부르다〔쓰다〕.
〔犯忌(讳)〕 fàn jì(huì) 남의 기휘(忌諱)에 저촉되다. 금기를 건드리다.
〔犯强〕 fànjiàng 동 〈北方〉 우기다. 투덜대다. ¶别人的话也应该考虑考虑, 不能一个人～; 남의 말도 고려해야지, 혼자서만 우겨대면 안 된다.
〔犯节气〕 fàn jiéqì 계절병에 걸리다. 환절기에 병들다.
〔犯戒〕 fàn.jiè 동《佛》계율을 범하다〔깨뜨리다〕.
〔犯界〕 fànjiè 동 경계를 침범하다. 국경을 침범하다. =〔犯境〕
〔犯劲〕 fànjìn 동 ①고집을 부리다. 옹고집이 되다. ¶他这个人犯上劲非碰鼻子才拐弯儿呢; 그가 고집을 부리기 시작하면, 맞닥뜨려 콧대를 꺾어 놓기 전에는 방향을 바꾸지 않을 정도이다. ②좋지 않은 일을 하려는 충동에 사로잡히다. ¶意志不坚的年青人, 因为一时～走了歪路很可惜; 의지가 약한 젊은이가, 한때의 잘못된 충동에 사로잡혀 못된 길로 빠져 버리는 것은 정말로 애석한 일이다.
〔犯禁〕 fàn.jìn 동 금제(禁制)를 어기다. 법을 어기다. ¶～的东西=〔～的货〕; 금제품(禁制品).
〔犯境〕 fànjìng 동 ⇨〔犯界〕
〔犯酒性〕 fàn jiǔxìng 주정을 부리다.
〔犯旧病〕 fàn jiùbìng 지병(持病)이 재발하다.
〔犯科〕 fànkē 동 〈文〉 법을 어기다.
〔犯款〕 fànkuǎn 동 〈文〉 ①규칙을 위반하다. ②남의 비위를 건드리다.
〔犯困〕 fànkùn 동 졸리다. 졸음이 오다.
〔犯懒〕 fàn.lǎn 동 게으름 피우다. 게으름 피우는 버릇이 나오다. ¶这屋子脏, 你又犯了懒没扫吧; 이 방이 지저분한 걸 보니, 너는 또 게으름을 피우고 청소하지 않았지.
〔犯例〕 fànlì 동 〈文〉 관례를 어기다〔위반하다〕. 금제령(禁制令)을 위반하다.
〔犯鳞〕 fànlín 동 〈文〉 천자의 노여움을 사다. 군주에게 직간(直諫)하다.
〔犯律〕 fànlǜ 동 〈文〉 법률을 어기다.
〔犯蛮〕 fànmán 동 무법(無法)한 짓을 하다.
〔犯难〕 fàn.nán 동 〈俗〉 곤란하다. 난처하다. ¶再来整他, 也不～《周立波 暴風驟雨》; 다시 와서 해치우는 것도 그렇게 어렵지는 않다. =〔为wéi难①〕
〔犯拧(儿)〕 fànnǐng(r) 동 사이가 틀어지다. 의견이 맞지 않아 불화하다. =〔闹nào拧(儿)〕
〔犯牛脖子〕 fàn niúbózi 벽창호 같은 언동을 하다. 고집을 부리다. 완고한 태도로 나오다.
〔犯脾气〕 fàn píqi ①짜증을 내다. ¶他跟你犯什么脾气? 그 사람은 무엇 때문에 자네에게 짜증을 내는 거지? ②못된 버릇이 나오다. ‖ =〔犯皮气〕
〔犯漆〕 fànqī 동 옻오르다. 옻타다.
〔犯阙〕 fànquè 동 〈文〉 조정을 침범하다. 대궐에 들어가 범하다.
〔犯人〕 fànrén 명 범인.
〔犯色〕 fànsè 형 배색이 나쁘다. (색깔의) 배합이 나쁘다. ↔〔顺shùn色〕
〔犯傻〕 fàn.shǎ 동 얼빠진 척하다. 정신이 나가 있다. 의뭉떨다. ¶你别在这儿～; 여기서 의뭉떨지 마라.
〔犯上〕 fànshàng 동 윗사람 또는 상급자를 업신여겨 깔보다〔반항하다〕.
〔犯上作乱〕 fàn shàng zuò luàn 〈成〉 황제의 뜻을 어기고 폭동을 일으키다《윗사람에게 반항하다》.
〔犯舌〕 fànshé 동 수다를 떨다. 형 말이 많다.
〔犯湿〕 fànshī 동 ⇨〔犯潮cháo〕
〔犯事〕 fàn.shì 동 〈文〉 죄를 짓다.
〔犯顺〕 fànshùn 동 ①〈文〉 반항하다. 모반을 일으키다. ②⇨〔犯颜〕
〔犯私〕 fànsī 동 〈文〉 ①금제(禁制)를 어기다. 규정을 깨다. ②밀수(密輸)하다.
〔犯死〕 fànsǐ 동 목숨을 걸다. 죽음을 각오하다. 필사적으로 하다. ¶～凿záo儿; 〈比〉 고집하다.
〔犯他的病〕 fàn tāde bìng 남의 아픈 데를 건드리다(비밀을 들춰 내다). ¶对懒人说懒话, 岂不～吗? 게으름뱅이에게 게으름에 대한 이야기를 하다니, 남의 아픈 데를 건드리는 게 아니냐?
〔犯土(禁)〕 fàn tǔ(jìn) 토지신의 앙화를 입다《집을 짓는 등의 공사를 하여 토지신의 기휘(忌諱)를 건드려 가족이 병을 앓는 등 재액을 만나는 일》.
〔犯恶〕 fànwù 동 남이 싫어하는 짓을 하다.
〔犯闲话〕 fàn xiánhuà 실없는 소리를 하다. 쓸데없는 잡담을 하다.
〔犯嫌〕 fànxián 동 짓궂은 언행을 하다. 미움을 사다. ¶～的话; 남이 싫어하는 말.
〔犯嫌疑〕 fàn xiányí 혐의를 두다. 의심하다.
〔犯相〕 fànxiàng 명 악상(惡相). 형 궁합이 맞지 않다. 성미가 맞지 않다. 마음〔성격〕이 안 맞다. ¶要没有大～可以定亲了; 궁합이 별로 나쁘지 않으면 약혼해도 된다/我跟他～; 나와 그는 마음이 서로 맞지 않는다.
〔犯小性儿〕 fàn xiǎoxìngr ①사추(邪推)하다. ②(아이 등이) 떼를 쓰다.
〔犯心〕 fàn.xīn 동 ①감정을 해치다. ¶因为一点儿岔儿他们俩犯了心; 사소한 오해 때문에 두 사람은 사이가 틀어졌다. ②의견이 맞지 않다.
〔犯颜〕 fànyán 동 상관의 눈치 따위에 개의치 않다. ¶～强谏; 남의 눈치〔안색〕 등에 아랑곳하지 않고 강력히 충고하다〔간하다〕. =〔犯顺②〕
〔犯夜〕 fànyè 동 〈文〉 야간 외출 금지를 위반하다.
〔犯疑(心)〕 fàn.yí(xīn) 동 의심하다. 의심이 가다. ¶好话别犯猜, 犯猜无好话; 〈諺〉 좋은 말에는 의심을 하지 않는 법이고, 의심을 품으면 좋은 이야기 따위는 있을 수 없다. =〔犯猜〕〔犯疑影〕
〔犯瘾〕 fànyǐn 동 (아편 등의) 중독에 걸리다.
〔犯由〕 fànyóu 명 〈文〉 범죄의 사유·원인.
〔犯嘴〕 fàn.zuǐ 동 〈方〉 입씨름하다. ¶我和他犯了

几句嘴; 나는 그 사람과 조금 말다툼을 했다.
〔犯罪〕 fàn.zuì 명 죄를 범하다. (fànzuì) 명 범죄. ¶～心理学; 범죄 심리학. →〔犯案〕

范(範) fàn (범) 명 ①본보기. 모범. ¶示～; 모범을 보이다. ②모형. 주형. ¶铁tiě～; 철로 된 거푸집. ③규칙. =〔规guī范〕 ④구분. 범위. ¶就jiù～; 통제에 순종하다.
〔范本(儿)〕 fànběn(r) 명 (글씨·그림 따위의) 본(보기).
〔范畴〕 fànchóu 명《哲》범주. 범위.
〔范读〕 fàndú 명 (교사가 읽는) 본보기 낭독.
〔范例〕 fànlì 명 범례. 범식(範式). 본보기. =〔范式〕
〔范式〕 fànshì 명 ⇨〔范例〕
〔范围〕 fànwéi 명 범위. ¶～极其广泛; 범위가 매우 넓다 / 广～的调查; 광범위한 조사. 동 제한하다. 개괄하다. ¶纵横四溢, 不可～; 사방팔방으로 넘쳐 흘러 범위를 알 수 없다 / 这种现象相当普遍, 决非例外两字所能～; 이런 현상은 상당히 널리 퍼져 있어서, 결코 예외란 두 글자로 개괄할 수 있는 것이 아니다.
〔范文〕 fànwén 명 예문. 패턴.
〔范性〕 fànxìng 명《物》적응성. 유연성. 가소성(可塑性). ¶～材料; 소성(塑性) 재료《탄성 한도(彈性限度)가 작은 재료》. =〔塑sù性〕
〔范性材料〕 fànxìng cáiliào 명《物》플라스틱 재료.
〔范性形变〕 fànxìng xíngbiàn 명《物》소성 변형(塑性變形).

泛〈汎, 氾⑤〉 fàn (범) ① 동 〈文〉 뜨다. 띄우다. 떠다니다. ② 동 (표면에) 나타나다. 배어 나오다. ¶脸上～了红; 얼굴이 붉어졌다〔얼굴을 붉혔다〕 / ～出香味儿; 향기로운 냄새가 나다. ③ 형 넓다. 일반적이다. 광범위하다. ¶这句话用得很广～; 이 말은 널리 쓰이고 있다 / ～心论; 범심론. ④ 형 얄팍하다. 내용이〔알맹이가〕 없다. 평범하다. 불확실하다. ¶这文章做得浮～不切实; 이 문장은 충실치 못해서 실제적이 못 된다 / ～的交情; 깊지 않은 교제. ⑤ 동 범람하다. ¶～滥; ⇓ / 黄～区; 황허의 범람하는 지역. ⇒ '氾' Fán
〔泛爱〕 fàn'ài 명 〈文〉 박애(博愛).
〔泛博〕 fànbó 형 〈文〉 광대하다. 아주 널찍하다.
〔泛采〕 fàncǎi 동 〈文〉 널리 찾아서 구하다.
〔泛常〕 fàncháng 〈文〉 형 보통의. 평범한. 흔해 빠진. ¶～的看法; 흔해 빠진 견해. 부 항상. 늘.
〔泛称〕 fànchēng 명동 〈文〉 총칭(總稱)(하다).
〔泛读〕 fàndú 동 (외국어 교육의 한 과목으로서) 강독(講讀)하다. →〔精jīng读〕
〔泛泛〕 fànfàn 형 ①〈文〉 떠도는 모양. ②평범한. 겉모양뿐인. ¶～的朋友; 대단치 않은 보통의 친구. ③(교제가) 깊지 못하다. ¶～之交; 깊지 못한〔형식상의〕 교제.
〔泛观〕 fànguān 동 ⇨〔泛览〕
〔泛光灯〕 fànguāngdēng 명 조명등. 투광 조명(投光照明).
〔泛话〕 fànhuà 명 〈文〉 흔한 말. 예사로운 말.
〔泛交〕 fànjiāo 명 〈文〉 겉치레뿐인 교제.
〔泛览〕 fànlǎn 동 〈文〉 넓게 전체적으로 보다. =〔泛观〕
〔泛滥〕 fànlàn 명동 범람(하다).
〔泛论〕 fànlùn 명동 범론(하다). 총론(하다).
〔泛美〕 Fàn Měi 명 팬아메리칸. ¶～会议; 범미회의(汎美會議) / ～集团; 범(汎)아메리카 집단.
〔泛美主义〕 Fàn Měi zhǔyì 명 팬아메리카니즘(PanAmericanism). 범미주의.
〔泛神论〕 fànshénlùn 명《哲》범신론.
〔泛水〕 fànshuǐ 명《建》물받이.
〔泛酸〕 fànsuān 명《化》판토텐산(酸)《비타민 B의 하나》. =〔本běn多酸〕〔遍biàn多酸〕
〔泛味儿〕 fànwèir 〈方〉 쉬기(臭氣)를 내다.
〔泛亚〕 Fànyà 명 범(汎)아시아. ¶～会议; 범 아시아 회의.
〔泛言〕 fànyán 명 〈文〉 ①개괄적으로〔광범위하게〕 서술한 말. ②두서 없는 말. 종잡을 수 없는〔애매모호한〕 말.
〔泛溢〕 fànyì 동 〈文〉 범람하다.
〔泛音〕 fànyīn 명《樂》배음(倍音). 플래절렛(flageolet). =〔陪péi音〕
〔泛游〕 fànyóu 동 널리 유람하다.
〔泛涨〕 fànzhǎng 동 〈文〉 넘치다. 넘쳐 흐르다.
〔泛指〕 fànzhǐ 동 일반적으로 …을 가리키다. 총괄하여 가리키다. ¶这个说法不过是～一般的人, 要有特殊情形, 自然又当别论; 이것은 일반인을 가리켜서 하는 말에 지나지 않으며, 만일 특수한 사정이 있으면 물론 이야기는 달라진다.
〔泛舟〕 fànzhōu 동 〈文〉 배를 띄우다. 뱃놀이를 하다.

饭(飯) fàn (반) 명 ①밥《곡식밥의 총칭》. ②쌀밥. ¶米～; 쌀밥 / 今天中午是吃～还是吃面? 오늘 점심은 밥으로 할까 아니면 국수로 할까? ③식사. ¶开～; 식사를 시작하다 / 早～; 조반 / 午～ =〔晌～〕; 점심밥 / 晚～; 저녁밥 / 吃～; 식사를 하다 / 每天吃三顿～; 매일 세 끼 밥을 먹다. ④생활. ¶守着多大碗儿吃多大～; 그릇에 알맞게 밥을 먹다《분에 맞는 생활을 하다》.
〔饭案子〕 fàn'ànzi 명 시장 등에서 음식물을 파는 대(臺).
〔饭巴粒儿〕 fànbalìr 명 밥알. =〔饭米粒儿〕
〔饭菜〕 fàncài 명 ①반찬. ¶末了liǎo再来一个～; 마지막에 밥반찬을 한 가지 내 주게. ②밥과 반찬. 식사. ¶准备～; 식사 준비를 하다 / ～可口; 식사가 입에 맞다.
〔饭餐〕 fàncān 명 〈文〉식사. 밥과 반찬.
〔饭铲儿〕 fànchǎnr 명 밥주걱.
〔饭场〕 fànchǎng 명 농촌에서 밥을 먹으면서 회의를 하는 공터〔마당〕. ¶大家拿着饭碗到～来, 一面吃饭一面开会; 모두들 밥그릇을 들고 광장에 모여, 밥을 먹으면서 회의를 연다.
〔饭车〕 fànchē 명 식당차. =〔膳shàn车〕〔餐车〕
〔饭吃三碗, 闲事不管〕 fàn chī sānwǎn, xiánshì bùguǎn 〈諺〉 밥은 적당히 먹고, 쓸데없는 일에는 관여하지 않는다. 매사에는 중용이 소중하다《쓸데없는 일에는 참견하지 않는다》. →〔狗gǒu拿耗子〕
〔饭匙骨〕 fànchígǔ 명 ⇨〔肩jiān胛骨〕
〔饭匙倩〕 fànchíqiàn 명《動》반시뱀《독사의 하나》.
〔饭袋〕 fàndài 명 ⇨〔饭桶①②〕
〔饭店〕 fàndiàn 명 ①호텔. ¶住～; 호텔에 묵다. ②〈方〉 식당. 레스토랑.
〔饭东〕 fàndōng 명 기식(寄食)하고 있는 집의 주인.
〔饭豆〕 fàndòu 명《植》광저기.

剕〈蹄〉 fèi (비)
명 옛날, 발을 자르던 형(刑).

痱〈疿〉 fèi (비)
명 ①조그만 종기. =〔痱瘤liú〕 ②중풍(中風). ③(～子) 땀띠.

〔痱疮〕 fèichuāng 명 땀띠. ¶起～; 땀띠가 나다. =〔痱毒〕

〔痱毒〕 fèidú 명 ⇨〔痱疮〕

〔痱子〕 fèizi 명 땀띠. =〔暑shǔ疹〕

〔痱子粉〕 fèizifěn 명 땀띠약.

FEN ㄈㄣ

分 fēn (분)
①동 나누다. 분할하다. 분류하다. 갈리다. ¶一个瓜～两半; 하나를 둘로 나누다/上下午～两班; 오전·오후의 두 반으로 나누다/～三回吃; 3회로 나누어 먹다. ②동 분배하다. 배당하다. ¶～果实; ⓐ과일을 분배하다. ⓑ이익을 분배하다/～土地; 토지를 분배하다. ③동 구별하다. 판별하다. 분명하게 가리다. 판단하다. ¶～清敌我; 적과 아군을 확실하게 구별하다/不～皂白; 〈成〉 흑백을 가리지 않다. 선악 시비를 따지지 않다. ④명 (전체에서) 분리된 것. 파생한 것. 분. 지(支). ¶部～; 부분/～会; 분회/～行háng; ⇓ ⑤명 《數》 분수. ¶约～; 약분(하다)/通～; 통분(하다). ⑥양 《數》 분(분수를 표시함). ¶二～之一; 2분의 1/百～之五; 100분의 5. ⑦10분의 1. 분. 할. ¶万～重要; 매우 중요하다/有十～把握; 충분히 자신 있다. ⑧양 단위 이름. ㉠시간으로는 1시간의 60분의 1. ㉡각도로는 1도(度)의 60분의 1. ㉢길이로는 1척(尺)의 100분의 1. ㉣중량에서는 1냥(兩)의 100분의 1. ㉤화폐에서는 1원(元)의 100분의 1. ㉥면적으로는 1묘(畝)의 10분의 1(6'方丈'에 해당). ㉦이율(利率)로서는 월(月)계산의 경우에는 100분의 1, 연(年) 계산의 경우에는 10분의 1. ¶五～果木园子; 반묘(半畝)의 과수원/利钱是月三～; 이자는 월 3푼. ⑨(～儿) 양 점수. 득점수(학업 성적·스포츠 따위). ¶考一百～ =〔考试得了满～〕; 시험에서 100점을 받았다/拿满～; 만점을 받다/赛篮球赢了三～; 농구에서 3점 이겼다/五～制; 5점 득점제. ⑩양 《度》 데시(deci)(미터법(法)에서 기준 단위의 10분의 1을 나타냄). ¶～米; ⇓/～升; ⇓ ⑪조금. 얼마 안 되는. 근소한(적은 양을 나타냄). ¶尽一～力; 약간의 힘을 들이다/惜～阴; 약간의 시간을 아쉬워하다. 촌음을 아끼다. ⇒fèn

〔分班〕 fēn.bān 동 반을 나누다. 조로 나누다.

〔分半〕 fēnbàn 명 1부 5리. ¶～利钱; 1부 5리의 이자.

〔分包〕 fēnbāo 《劇》 극단 또는 한 배우가 하룻동안에 여러 곳을 돌며 출연하는 일.

〔分贝〕 fēnbèi 양 《物》 데시벨(decibel)(음향 단위). =〔分贝尔〕

〔分背〕 fēnbèi 동 〈文〉 ①⇨〔分手〕 ②등을 돌리다. 길을 달리하여 가다.

〔分崩离析〕 fēn bēng lí xī 〈成〉 뿔뿔이 헤어지다(집단·국가 등이 분열 와해하는 일).

〔分辩〕 fēnbiàn 명동 변명(하다). ¶没法～; 변명의 여지가 없다/迟到了不必～; 지각한 후 변명은 필요 없다. =〔辩白〕

〔分辨〕 fēnbiàn 명동 구별(하다). 분별〔판별〕(하다). ¶不加～; 판별치 않다/～是非; 시비를 가리다. 명 《物》 분해.

〔分辨率〕 fēnbiànlǜ 명 《電》 해상도.

〔分俵〕 fēnbiào 동 나누어 주다.

〔分别〕 fēnbié 동 ①헤어지다. 이별하다. ¶暂时～, 不久就能见面; 잠시 동안의 이별이니, 좀 있으면 또 만나 볼 수 있다. ②구별하다. 가리다. ¶～轻重缓急; 경중 완급을 가리다〔구분하다〕/～是非; 선악을 구별하다. ③각각 일을 나누다. 명 구별. 차이. 부 따로따로. 제각기. ¶～研究; 따로따로 연구하다/～代表双方在协xié定上签qiān字; 각기 쌍방을 대표하여 협정에 조인하다.

〔分宾而坐〕 fēn bīn ér zuò 주인과 손님의 자리를 구별해서 앉다. 주인과 손님이 제각기 자리에 앉다(손님을 상석에 앉히는 일).

〔分兵〕 fēn bīng 다방면으로 군대를 파견하다. 군사를 갈라서 쓰다. ¶～把口; ⓐ군사를 나누어 요소를 지키다. ⓑ힘을 분산하다. ⓒ손끝으로 처리하다. ⓓ대국(大局)적으로 일을 행하지 않다.

〔分拨(儿)〕 fēnbō(r) 동 따로 보내다. 나누어 파견하다.

〔分拨儿〕 fēn.bōr 동 그룹으로 나누다. 교대로 하다. ¶～进入会场; 그룹으로 나누어서 회의장에 들어가다/～守卫; 조별로 번(番)을 서다.

〔分捕〕 fēnbǔ 동 분담하여 범인을 체포하다.

〔分布〕 fēnbù 명동 분포(하다). 분배(하다).

〔分不出(来)〕 fēnbuchū(lái) 나눌 수 없다. 구별할 수 없다.

〔分不开〕 fēnbukāi 나눌 수 없다. 구별〔구분〕할 수 없다. ¶～身子; 몸을 뗄 수 없다. ↔〔分得开〕

〔分不清〕 fēnbuqīng 확실하게 분간할 수 없다. 구별할 수 없다. ↔〔分得清〕

〔分菜〕 fēncài 동 요리나 반찬을 따로따로 나누다.

〔分册〕 fēncè 명 분책(分冊).

〔分钗破镜〕 fēn chāi pò jìng 〈成〉 부부가 이혼하다〔갈라서다〕. =〔分钗断带〕

〔分产〕 fēnchǎn 동 재산을 나누다.

〔分厂〕 fēnchǎng 명 분공장(分工場).

〔分成〕 fēnchéng 동 (…로) 나누다. 나누어 (…로) 하다. ¶～两半; 반씩 두 개로 나누다/～制; (소작제(小作制)의) 타작(打作).

〔分盛〕 fēnchéng 동 나누어 담다.

〔分出去〕 fēnchuqu 나누어 주다. ¶～一部份产业给他; 일부분의 부동산을 그에게 나누어 주다.

〔分词连写〕 fēncí liánxiě →〔连写〕

〔分次〕 fēncì 동 순서를 나누다.

〔分葱〕 fēncōng 명 《植》 골파.

〔分窜〕 fēncuàn 동 뿔뿔이 도망쳐 숨다.

〔分爨〕 fēncuàn 동 〈文〉 ①분가(分家)하여 독립하다. 세간나다. ¶兄弟～; 형제가 분가해서 살다. ②별거(別居)하다. ‖ =〔分炊chuī〕〔分烟〕

〔分寸〕 fēncùn 명 미세. 극소. 조금. ¶～之功; 조그만 공.

〔分寸〕 fēncun 명 (적당한) 거리. 〈轉〉 수단. 계책. 척도. 분수. 분별. 표준. 한도. ¶有～; 분별이 있다/没～; 분별이 없다/掌握～; 급소를 장악하다. 한도를 알다/自知～; 분수를 알다/不知～; 분수를 모르다/说话要有～; 말에는 분별이 있어야 한다(어처구니없는 말을 해서는 안

된다》/ 得把话说得有～一些; 이야기엔 다소는 분별이란 것이 있어야 한다 / 合～; 타당하다.
〔分大账〕 fēn dàzhàng 연말 상여금을 나누어 주다.
〔分担〕 fēndān 명동 분담(하다). ¶工作由五个人～在短期间内完成; 작업은 5명이 분담하여 짧은 시간에 해낸다.
〔分档仪〕 fēndàngyí 명 측정기. ¶摆轮游丝～; (시계의) 태엽의 속도를 재는 측정기.
〔分道〕 fēndào 명《體》(육상의) 세퍼릿 코스(separate course).
〔分道轨〕 fēndàoguǐ 명 ⇨〔转zhuǎn辙机〕
〔分道扬镳〕 fēn dào yáng biāo〈成〉(생각이나 목적이 달라서) 각기 자기의 길을 가다.
〔分到手〕 fēndaoshǒu 동 나누어서 받다.
〔分得〕 fēndé 나누어 자기 몫을 받다.
〔分得出〕 fēndechū 구별할 수가 있다. 나눌 수 있다. ¶一看就～; 한 눈에 구별할 수 있다 / 你～哪是真哪是假吗? 당신은 어떤 것이 진짜이고 가짜인지 분별할 수 있습니까?
〔分等论价〕 fēnděng lùnjià 등급에 따라 가격을 정하다.
〔分地〕 fēndì 동 땅을 분배하다. ⇒fèndì
〔分点〕 fēndiǎn 명 ⇨〔分号①〕
〔分电〕 fēndiàn 동 ①각각 전보를 치다. ②《電》(전기를) 배전하다. ¶～盘; 배전기. 배전반.
〔分店〕 fēndiàn 명 지점. 분점. →〔分行háng〕
〔分度〕 fēndù 명 눈금. ¶～规 =〔～器〕; 분도기(器).
〔分度尺〕 fēndùchǐ 명 ⇨〔量liáng角器〕
〔分度轮〕 fēndùlún 명《機》눈금이 있는 바퀴(divided wheel).
〔分度器〕 fēndùqì 명 ⇨〔量liáng角器〕
〔分段〕 fēnduàn 동 구역을 나누다. 구분을 정하다.
〔分发〕 fēnfā 동 ①나누어 보내다. 분배하다. 지급하다. ¶～奖品; 각기 장려품을 주다. ②각각 부서에 앉히다〔배치하다〕.
〔分番〕 fēnfān 동 교대로 하다. =〔分拨儿〕
〔分肥〕 fēn,féi 동 (부정(不正)하게 얻은 것을) 똑같이 나누다. 훔친 것을 나누다. 나눔 몫에 참여하다. ¶教唆两小童行窃, 黑人物坐地～; 두 어린이를 꼬드겨서 도둑질을 시키고, 배후의 인물은 가만히 앉아서 훔친 물품을 나누어 갖는다.
〔分分〕 fēnfēn 형부 ⇨〔纷纷〕
〔分份儿〕 fēnfènr 동 몫을 나누다.
〔分封〕 fēnfēng 명동 ①분봉(分封)(하다)《옛날 봉건 시대에, 천자가 신하에게 땅을 나누어 주고 제후(諸侯)에 봉하던 일》. =〔分茅〕〔分土〕 ②⇨〔分群〕
〔分付〕 fēnfu 동 분부하다. =〔吩咐fēnfu〕
〔分甘〕 fēngān 동 ①단맛을 남에게 나누어 주다《자애를 베풀다. 동정하다》. ②〈比〉즐거움을 같이 나누다.
〔分甘共苦〕 fēn gān gòng kǔ〈成〉고락을 같이 하다. =〔同tóng甘共苦〕
〔分高低〕 fēn gāodī 선악(善惡)·높낮이를 가르다〔분명히 하다〕.
〔分割〕 fēngē 명동 분할(하다). 갈라 놓다. ¶民主和集中这两方面是统一的, 任何时候都不能～开; 민주(民主)와 집중(集中)과는 통일적인 것으로, 어떠한 경우에도 분할할 수 없다.
〔分隔〕 fēngé 동 ①분할하여 갈라 놓다. ②(방 따위를) 칸막이하다.
〔分工〕 fēngōng 명 분업(分業). 분담. ¶社会～; 사회 분업. (fēn,gōng) 동 분업하다. 분담하다. ¶～包片; 분업하여 일정 부분의 책임을 지다.
〔分工负责制〕 fēngōng fùzé zhì 명 책임 분업제.
〔分工合作〕 fēngōng hézuò 분업적으로 협동하여 하다.
〔分工互助〕 fēngōng hùzhù ⇨〔通tōng功易事〕
〔分公司〕 fēngōngsī 명 ①지점. ②(국영 기업) 계열 회사.
〔分股〕 fēngǔ 동 ①주식을 나누다. →〔股份①〕 ②(하나의 물품 또는 일을) 몇 개〔몇 조〕로 나누다. ¶～办理; 나누어 처리하다.
〔分关〕 fēnguān 명 ①세관의 분국. ②집과 재산을 나눈 증서. ¶写下亲笔～; 집과 재산 분할 증서를 친필로 쓰다.
〔分光〕 fēnguāng 동 모두 나누어 버리다.
〔分光计〕 fēnguāngjì 명《物》분광계.
〔分光镜〕 fēnguāngjìng 명《物》분광기(器).
〔分规〕 fēnguī 명 ⇨〔分线规〕
〔分行〕 fēnháng 명 지점(支店). 분점. ↔〔总行〕 →〔支行〕
〔分行(儿)〕 fēn háng(r) 행(行)을 나누다. ¶～写; 행을 나누어서 쓰다.
〔分毫〕 fēnháo 명〈比〉극히 적은 분량. 아주 미세한 양. ¶～不错; 조금도 틀리지 않다 / 分丝不动; 조금도 움직이지 않다〔손을 대지 않다〕. 형 아주 미세하다. ‖ =〔分厘〕〔分厘毫丝〕〔分丝〕
〔分号〕 fēnhào 명 ①지점(支店). =〔分点〕 ②구두점(句讀點)의 세미콜론(;).
〔分合〕 fēnhé 명 분합. 나뉘었다 모였다 함. 만남과 헤어짐.
〔分红〕 fēn,hóng 동 ①이익 배당을 받다. ②이익을 배당하다. ¶有盈余时还可～; 이익이 있을 때는 배당을 할 수가 있다.
〔分洪〕 fēnhóng 동 홍수가 나지 않도록 상류에서 물을 분류(分流)시키다. ¶～工程; 위의 공사.
〔分户账〕 fēnhùzhàng 명《經》(부기의) 원장. 대장. 원부(原簿).
〔分化〕 fēnhuà 동 분화하다. 갈리다. 갈라지다. 명동 분열(하다. 시키다). 명《生》분화(分化).
〔分化手法〕 fēnhuà shǒufǎ 명 이간책(離間策).
〔分化瓦解〕 fēnhuà wǎjiě 분열하고 와해(瓦解)되다.
〔分伙〕 fēnhuǒ 동 조합〔공동 출자 사업〕을 해산하다. ¶～议据; 조합 해산 결의서.
〔分机〕 fēnjī 명 (전화의) 내선(內線). 교환 전화. ↔〔总机〕
〔分级〕 fēn,jí 동 등급을 나누다. 학년을 나누다. ¶按学生的年龄程度～; 학생의 나이나 정도에 따라 학년을 나눈다.
〔分级机〕 fēnjíjī 명《農》선별기(選別機). ¶水果～; 과일 선별기.
〔分寄〕 fēnjì 동 분송(分送)하다. 각각 보내다.
〔分家〕 fēn,jiā 동 ①분가하다. ②나누다. 분리하다. 분할하다.
〔分(家)单〕 fēn(jiā)dān 명 가산(家産) 분할 증서.
〔分件轮〕 fēnjiànlún 명 분해할 수 있는 활차(滑車).
〔分件皮带轮〕 fēnjiàn pídài lún 명 스플릿풀리(split pulley). 분할(分割) 풀리. =〔哈hā夫皮带盘〕
〔分疆划界〕 fēnjiāng huàjiè〈文〉경계〔구획〕를 확실히 정하다.
〔分节法〕 fēnjiéfǎ 명《數》수를 표기할 때 세 자리

마다 코머(,)를 찍는 방법.
〔分解〕 fēnjiě 동 ①해설하다. 설명하다. ¶且听下回～; 어떻게 될 것인지는 다음 회(回)에 말씀드리겠습니다《장회 소설(章回小說) 등의 끝에 쓰이는 상투어》. ②분해하다. ③분열하다. ④《漢醫》 병이 나아가다. 열이 내리다. ⑤분쟁을 해결하다. 중재하다. 화해시키다. 명 《物·化》 분해. =〔化huà分〕
〔分界〕 fēn.jiè 동 경계를 나누다. 경계로 하다. ¶河北省和辽宁省在山海关～; 허베이 성(河北省)과 랴오닝 성(遼寧省)은 산하이관(山海關)을 경계로 하고 있다／～线xiàn; 경계선.
〔分斤掰两〕 fēn jīn bāi liǎng 〈成〉 몹시 인색하다. 세세하게 타산하다. =〔分斤劈两〕
〔分金〕 fēnjīn 동 광석을 분해하여 금(金)을 얻다. ¶～炉; 금·은을 분해하는 용광로.
〔分襟〕 fēnjīn 동 〈文〉 헤어지다. 이별하다.
〔分居〕 fēn.jū 동 별거하다. ¶他承认殴打过她, 但不同意～; 그는 그녀를 때린 것은 인정하나, 별거에는 동의하지 않는다.
〔分居另过〕 fēn jū lìng guò 〈成〉 헤어져 살다. 분가하다. =〔分居另爨〕
〔分句〕 fēnjù 명 《言》 복문(複文)을 구성하는 단문(單文).
〔分开〕 fēn.kāi 동 ①나누어 따로따로 하다. 따로따로 되다. 분리하다. ¶请～包一包! 나누어서 싸 주세요!／把两个问题～讲; 두 개의 문제를 분리하여 이야기하다. ②(뿔뿔이) 헤어지다. ¶弟兄两人～已经三年了; 아우와 형이 헤어진 지 3년이 되었다. ③(사람을) 헤치다. ¶用手～人群; 손으로 붐비는 사람들 틈바구니를 헤집다.
〔分科目〕 fēn kēmù 《經》 분개(分介)하다《부기(簿記)에서 항목으로 나누어 대차(貸借)를 적음》.
〔分克〕 fēnkè 양 《度》 데시그램(decigramme)《중량 단위》.
〔分款〕 fēnkuǎn 동 돈을 나누다.
〔分来毫去〕 fēnlái háoqù 〈比〉 조금의《미소(微少)하다. 아주 적다》.
〔分类〕 fēn.lèi 동 분류하다. (fēnlèi) 명 분류. ¶～学; 분류학.
〔分类账〕 fēnlèizhàng 명 《商》 분개장(分介帳). =〔分录账〕
〔分厘〕 fēnlí 명형 ⇨〔分毫〕
〔分厘表〕 fēnlíbiǎo 명 ⇨〔千qiān分尺〕
〔分厘毫丝〕 fēnlí háosī 명형 ⇨〔分毫〕
〔分厘卡〕 fēnlíkǎ 명 ⇨〔千qiān分尺〕
〔分厘率〕 fēnlílǜ 명 백분율. =〔百bǎi分率〕
〔分离〕 fēnlí 동 ①나뉘다. 분리하다. ②헤어지다. 이별하다. 명 《化》 분리.
〔分离叶〕 fēnlíyè 명 《植》 갈라져 나누어진 잎사귀.
〔分理〕 fēnlǐ 동 분담하여 처리하다.
〔分利〕 fēn.lì 동 ①이익을 나누다. ②일하지 않고 (남의) 분배몫에 참여하다. 명 《漢醫》 땀을 내어 열을 내림.
〔分列式〕 fēnlièshì 명 《軍》 분열식.
〔分裂〕 fēnliè 명동 분열(하다. 시키다). ¶～菌jūn; 세균.
〔分领〕 fēnlǐng 동 ①나누어 받다. ②분할하여 불하품을 받다.
〔分令〕 fēnlìng 동 제각기 명령하다.
〔分馏〕 fēnliú 명동 《化》 분별 증류(하다). 분류(分溜)(하다).
〔分录账〕 fēnlùzhàng 명 ⇨〔分类账〕
〔分路〕 fēnlù 명 ⇨〔分途〕
〔分路塞门〕 fēnlù sāimén 명 《工》 분기점(分岐點). 코크(cock).
〔分路扬镳〕 fēn lù yáng biāo 〈成〉 ⇨〔分道扬镳〕
〔分茅〕 fēnmáo 명동 ⇨〔分封①〕
〔分袂〕 fēnmèi 동 〈文〉 서로 작별하다. 서로 갈라서다〔헤어지다〕.
〔分门〕 fēnmén 동 부문(部門)을 나누다. ¶～别户; 분가하다／～结jié党; 각기 갈라져 당을 만들다.
〔分门别类〕 fēn mén bié lèi 〈成〉 강(綱)에 따라 분류하다. 부류로 나누다.
〔分米〕 fēnmǐ 양 《度》 데시미터(decimeter)
〔分泌〕 fēnmì 동 ①《生》 분비하다. ②암석(巖石)의 갈라진 틈을 유동상(流動狀)의 광물이 메우다. 명 ①《生》 분비. ¶～腺; 분비선〔샘〕. ②암석의 틈을 메워서 된 광물.
〔分娩〕 fēnmiǎn 동 ①분만하다. 출산하다. ②(동물이) 새끼를 낳다.
〔分面〕 fēnmiàn 명 《數》 서로 교차되는 두개의 선으로 평면을 4개의 부분으로 나눔.
〔分秒必争〕 fēn miǎo bì zhēng 〈成〉 일분 일초를 다투다.
〔分明〕 fēnmíng 형 분명하다. 명확하다. 확실하다. ¶黑白～; 흑백이 분명하다. 부 분명히. 확실히. 명백히.
〔分母〕 fēnmǔ 명 《數》 분모. ↔〔分子①〕
〔分幕〕 fēnmù 명 《劇》 연극의 막수(幕數).
〔分年摊还法〕 fēnnián tānhuán fǎ 명 연부(年賦) 상환법.
〔分蘖〕 fēnniè 동 《農》 분얼하다《식물의 땅 속에 있는 마디에서 가지가 나오는 일》. =〔〈方〉 发fā棵②〕
〔分派〕 fēnpài 동 ①분견(分遣)하다. 따로 내보내다. ②분담시키다. 분배〔배당〕하다. 할당하다. ¶红利～; 이익 배당／～角色; 연극에서 배역(配役)하다／～工作; 작업을 할당하다.
〔分派盈亏〕 fēnpài yíngkuī 손익을 분배(하다).
〔分配〕 fēnpèi 명동 ①할당(하다). ¶～宿舍; 숙사를 할당하다／～时间; 시간을 할당하다. ②배치(하다). 배속(하다). ¶老杨同学被～到第六区; 동창인 양(楊)군은 제6구에 배치됐다. ③분배(하다). 배급(하다). ¶～制; 배급 제도／～花红; 상여금을 분배하다.
〔分批〕 fēn.pī 동 몇 몫으로 나누다. 그룹으로 나누다. ¶分大批; 크게 나누다／～订货; 분할 주문하다.
〔分披〕 fēnpī 동 ⇨〔分劈〕
〔分劈〕 fēnpī 동 분할하다. =〔分披〕
〔分片包干〕 fēnpiàn bāogān ①몇 개의 부분으로 나누어 그 일부분을 책임지다. ②논밭을 세분하여 개인의 책임하에 생산하다.
〔分频〕 fēnpín 명 《物》 주파수 체강(遞降).
〔分剖〕 fēnpōu 동 〈文〉 해명(解明)하다.
〔分期〕 fēn.qī 동 시기를〔기간을〕 나누다. ¶～票; 분할 지불 증서／～付款 =〔～交款〕; 정기 분할 지불(하다)／～收款; 할부판매／～摊付; 분할 지불하다.
〔分歧〕 fēnqí 동 어긋나다. ¶理论～; 이론이 어긋나다／意见～了; 의견이 갈라졌다. 명 상위(相違). 다름. 차이. 어긋남. ¶协调～; 의견의 차이를 조정하다／看法有～; 견해에 차이가 있다.
〔分卡〕 fēnqiǎ 명 세관의 분서(分署). →〔关guān卡①〕

〔分清〕 fēn·qīng 동 확실하게 구별하다. 분명하게 구분짓다. ¶～好坏; 선악을 구분짓다 / ～是非; 시비를 분명히 가리다 / ～界线; 경계선을 분명히 가리다.
〔分渠〕 fēnqú 명 '渠道'(용수로)의 지선(支線).
〔分群〕 fēnqún 명동 분봉(分蜂)(하다). =〔分封②〕〔分窝〕
〔分任〕 fēn·rèn 동 분담하다.
〔分润〕 fēnrùn 동 이익을 나누다. →〔分肥〕
〔分散〕 fēnsàn 명동 분산(하다). ¶～注意力; 주의력을 분산시키다. 동 나누어 뿌리다. 도르다. 배포〔배부〕하다. ¶～传单; 전단을 뿌리다.
〔分设〕 fēnshè 동 나누어 설치하다. ¶这家银行～了几个分行; 이 은행은 몇 개의 지점을 설치했다.
〔分社〕 fēnshè 명 지사(支社).
〔分身〕 fēn·shēn 동 손〔몸〕을 떼다(흔히, 부정적(否定的)으로 씀). ¶难以～; 좀처럼 손을 뗄 수가 없다 / 事情太忙分不开身子; 일이 바빠서 손을 뗄 수가 없다. (fēnshēn) 명동 분만(分娩)(하다). 명《佛》 부처나 보살이 딴 모습으로 현신함.
〔分神〕 fēn·shén 동 ⇨〔分心②③〕
〔分升〕 fēnshēng 양《度》 데시리터(deciliter)(*dl*).
〔分声〕 fēnshēng 명 ⇨〔边biān音〕
〔分时系统〕 fēnshí xìtǒng 명《電算》(컴퓨터에서) 시분할 시스템(다수의 이용자가 1대의 컴퓨터를 공유하는 경우의 유효한 시스템).
〔分手〕 fēn·shǒu 동 ①갈라서다. 결별하다. 헤어지다. ¶咱们在这儿～吧! 우리 이제 여기서 헤어지자! =〔分背①〕 ②분담하다. ¶～去办; 분담해서 하다.
〔分守〕 fēnshǒu 동 분담하여 지키다.
〔分售〕 fēnshòu 동 나누어 팔다. 소매하다.
〔分售处〕 fēnshòuchù 명 분점. 대리점.
〔分书〕 fēnshū 명 ①⇨〔八bā分③〕 ②유산 분배증서.
〔分疏〕 fēnshū 동〈文〉(자신이) 변명하다. 해명하다.
〔分数〕 fēnshù 명 ①(성적·게임 등의) 득점. 점수. ¶三门功课的平均～是87分; 세 교과의 평균점은 87점이다 / ～挂帅; 점수 우선(학교에서 모든 것을 점수로 평가하는 것). ②《數》 분수. ¶～式; 분수식 / ～法; 분수로 나타내는 방법 / ～级数; 분수 급수 / ～方程式; 분수 방정식 / ～系数; 분수 계수 / 带dài～; 대분수.
〔分水〕 fēnshuǐ 동 물을 가르다. ¶～岭 lǐng; ⓐ분수령. =〔分头岭〕〔分水线〕 ⓑ분기점. ⓒ허난성(河南省) 난사오 현(南召縣) 북부에 있는 산 이름.
〔分水〕 fēnshui 명《魚》 배지느러미와 가슴지느러미.
〔分水闸〕 fēnshuǐzhá 명 수량조절의 수문.
〔分说〕 fēnshuō 동 ⇨〔分辩〕
〔分丝〕 fēnsī 명형 ⇨〔分毫〕
〔分送〕 fēnsòng 동 나누어 보내다.
〔分诉〕 fēnsù 동〈文〉 변명하다. 해명하다. ¶有口难～; 입이 있어도 변명하기 어렵다.
〔分岁〕 fēnsuì 명 ①섣달 그믐날 밤에 온 가족이 모여서 하는 잔치. ②섣달 그믐날 밤 잔치 때에 가장(家長)이 가족이나 고용인에게 주는 축의금(祝儀金).
〔分摊〕 fēntān 동 ①(비용 따위를) 할당하다. 분담하다. ¶按àn月～; 매월불(每月拂)로 하다. =〔均摊〕 ②나누어서 늘어놓다. ¶按组～; 조별(組別)로 따로따로 늘어 세우다.
〔分田〕 fēntián 동 ①밭을 나누다. ②(토지 개혁 등에서 농민에게) 토지를 분배하다.
〔分田包干〕 fēntián bāogàn 밭을 작게 분할하여 일부분에 책임을 지우다.
〔分厅〕 fēntīng 명 지부(支部). 분서(分署).
〔分庭抗礼〕 fēn tíng kàng lǐ〈成〉 대등한 입장에서 행동하다(손님과 주인이 마당 양쪽에서 서로 예를 교환한 데서). =〔分庭亢礼〕
〔分头〕 fēn·tóu 동 ①각자 나누어〔분담〕하다. 〈轉〉 각기. 따로따로. 제각기. ¶～办事; 나누어 일을 하다 / ～办理; 분담해서 일을 처리하다. ②가르마를 타다. (fēntóu) 명 가르마를 탄 머리. ¶他留着～; 그는 가르마 탄 머리를 하고 있다.
〔分途〕 fēntú 명 갈림길. 기로(岐路). =〔分路〕 동 각자의 길을 가다.
〔分土〕 fēntǔ 명동 ⇨〔分封①〕 동 흙을 가르다. ¶～器; 농경기의 일종.
〔分文〕 fēnwén 명 1전(錢) 한 푼. 적은 돈. ¶～不取; 한 푼도 받지 않다 / ～不值; 한 푼의 가치도 없다 / 身无～; 한 푼도 없다. 빈곤하다.
〔分析〕 fēnxi 동 나누다. 분석하다. ¶～问题; 문제를 분석하다 / ～目前国际形势; 지금의 국제 정세를 분석하다. 명동《化》 분석(하다). ¶～法; 분석 방법.
〔分辖〕 fēnxiá 동〈文〉 분할 통치하다.
〔分线规〕 fēnxiànguī 명《工》 디바이더(divider). 양각규(兩脚規). =〔分规〕〔两liǎng脚规〕
〔分享〕 fēnxiǎng 동 ①몫을 받다. ②(행복·기쁨 등을) 누리다. 서로 나누어 가지다. ¶～胜利的喜悦; 승리의 기쁨을 서로 나누어 누리다.
〔分销〕 fēnxiāo 동 나누어 팔다. 소매하다. ¶～处; 대리점. 판매소.
〔分晓〕 fēnxiǎo 형 뚜렷하다. 분명하다. ¶且看下图, 便可～! 아래 그림을 보시면, 분명할 것입니다! / 你去问就有～; 네가 가서 물어 보면 분명해진다. 명 ①도리(道理)(흔히, 부정적(否定的)으로 씀). ¶没～; 도리에 어긋나다. ②일의 결과 또는 사실〔진상〕(흔히, '见'의 뒤에 쓰임). ¶究竟谁胜谁负, 明天就见～; 누가 이기고 누가 졌는지는 내일이면 결과를 알 수 있다.
〔分写〕 fēnxiě 명동 띄어쓰기(를 하다).
〔分心〕 fēn·xīn 동 ①다른 일에 마음을 쓰다. 소원(疏遠)하게 되다. ¶只要你跟我们不～, 我们也不会把你当成外人; 자네가 우리를 소원하게 대하지 않는다면 우리도 자네를 남처럼 대하지 않겠다. ②마음을 쓰다. 걱정하다. ¶多给～吧! 잘 부탁드립니다! / 孩子多了～; 자식이 많으면 걱정도 늘어난다. =〔分神〕〔费心〕 ③마음을 흩뜨리다〔산란하게 하다〕. 한눈팔다. =〔分神〕
〔分心眼〕 fēn xīnyǎn 두〔딴〕 마음을 품다. ¶决不会跟您～; 당신에게 결코 두 마음을 품지 않겠습니다.
〔分烟〕 fēnyān 동 ⇨〔分爨〕
〔分颜〕 fēnyán 동〈文〉 사이가 틀어지다.
〔分秧〕 fēnyāng 동《農》 모를 내다.
〔分野〕 fēnyě 명〈文〉 분야. 한계(限界). ¶政治～; 정치 분야.
〔分叶芹〕 fēnyèqín 명《植》 홀아비꽃대.
〔分阴〕 fēnyīn 명〈文〉 촌음(寸陰). 짧은 시간. ¶惜～; 촌음을 아끼다.
〔分忧〕 fēnyōu 동 걱정을 함께 하다. 힘이 되어 주다. ¶你有什么为难的事, 我可以想法子～; 무슨 곤란한 일이 있습니까, 제가 어떻게든 힘이 되어 드리죠.

〔分油器〕 fēnyóuqì 명 기름을 빼는 기계.
〔分院〕 fēnyuàn 명 ①(병원 따위의) 분원(分院). ②단과 대학의 분교.
〔分韵〕 fēnyùn 동 ⇨〔赋fù韵〕
〔分赃〕 fēn.zāng 동 훔친 물건이나 돈을 나누다.
〔分灶〕 fēnzào 동 ①살림을 나다. ②분가(分家)하다.
〔分皂白〕 fēn zàobái 흑백을 가리다. ¶打官司～吧; 소송하여 흑백을 가리자.
〔分则〕 fēnzé 명 각부의 규칙. 세칙(細則).
〔分张〕 fēnzhāng 동 〈文〉 ①헤어지다. 이별하다. ②분포하다.
〔分掌〕 fēnzhǎng 동 〈文〉 ①분담하다. ②나누어 관리하다.
〔分针〕 fēnzhēn 명 (시계의) 분침. 장침. =〔长chángd针〕 →〔刻kè针〕〔时shí针②〕
〔分正缝儿〕 fēn zhèngfèngr 머리를 한가운데에서 가르다.
〔分支〕 fēnzhī 명 ①분리되어 나온 부분. ②분과. 분점. ¶～机构; 지소(支所) / ～账; 재산 분배 증서.
〔分枝〕 fēnzhī 명 분지. (나무) 가지를 가름. 〈轉〉 분가(分家). 부분. 갈래. (산맥의) 지맥.
〔分指手套〕 fēnzhǐ shǒutào 명 《體》 (야구의) 글러브. →〔手套〕
〔分指数〕 fēnzhǐshù 명 《數》 멱지수(冪指數)를 분수로 나타낸 것($a^{m/n}$ 에서 m/n).
〔分至〕 fēnzhì 명 춘분·추분과 하지·동지. ¶～点; 분점(分點)과 지점(至點)(춘분점·추분점·하지점·동지점의 총칭).
〔分驻所〕 fēnzhùsuǒ 명 파출소 분소.
〔分庄〕 fēnzhuāng 명 (큰 점포의) 지점·분점·출장소.
〔分装〕 fēnzhuāng 동 나누어 넣다. 나누어 싣다.
〔分子〕 fēnzǐ 명 ①《數》 분자. ↔〔分母〕 ②《物》 분자. ¶～能; 분자 에너지 / ～力; 분자력 / ～热; 분자열 / ～结构; 분자구조 / ～键; 《化》 분자 결합. ⇒ fènzǐ fènzi
〔分子量〕 fēnzǐliàng 명 《化》 분자량.
〔分子式〕 fēnzǐshì 명 《化》 분자식.
〔分总成〕 fēnzǒngchéng 명 기계(전체)의 일부. →〔总成〕
〔分总图〕 fēnzǒngtú 명 (복잡한 기계 따위의) 부분도. =〔部bù分组合图〕
〔分租〕 fēnzū 동 분할하여 빌려 주다. 전대(轉貸)하다. ¶不得将房屋～; 집을 전대(轉貸)하면 안된다.
〔分组〕 fēn.zǔ 동 분류하다. 조를 나누다.
〔分座〕 fēnzuò 동 좌석을 구분하다. ¶男女～; 남녀의 자리를 따로 하다.

芬

fēn (분)
①형 향기롭다. ②형 많다. ③명 향기. ¶清qīng～; 맑은 향기. ④명 명성(名聲).
〔芬芳〕 fēnfāng 형 향기롭다. 명 좋은 냄새. 향기. ¶～四溢; 그윽한 향기가 주변에 충만하다.
〔芬菲〕 fēnfēi 형 〈文〉 (꽃이) 향기롭고 아름답다.
〔芬芬〕 fēnfēn 형 ①향기롭다. ②어지러운〔흐트러진〕 모양.
〔芬馥〕 fēnfù 형 향기가 짙다.
〔芬华〕 fēnhuá 형 무성하여 아름답다(번영하다).
〔芬酒〕 fēnjiǔ 명 〈文〉 향기로운 술.
〔芬兰〕 Fēnlán 명 《地》 핀란드(Finland)(수도는 '赫尔辛基' (헬싱키:Helsinki)).
〔芬烈〕 fēnliè 형 향기가 강렬하다.
〔芬尼〕 fēnní 명 〈音〉 페니히(Pfennig)(독일 등의 보조 통화 단위 이름).
〔芬郁〕 fēnyù 형 매우 향기롭다.

吩

fēn (분)
①동 명하다. 분부하다. ②양 1촌(吋)의 1/8.
〔吩咐〕 fēnfu 동 〈口〉 명하다. 구두로 분부하다. ¶～他; 그에게 분부하다 / 主人～听差的拿茶来; 주인이 하인에게 차를 가져오도록 명하다. =〔分付〕 →〔嘱zhǔ咐〕

纷(紛)

fēn (분)
①형 흐트러뜨리다. 어지르다. 어지러이 뒤섞이다. 복잡하다. ¶大雪～飞; 눈발이 어지러이 내리다 / 人事～～; 세상과의 관계가 여러 가지로 번거롭다. ②형 굉장하다. 많다. ③부 자꾸.
〔纷繁〕 fēnfán 형 번잡하다. 복잡하다. ¶头绪～; (일이) 번잡해서 실마리를 잡을 수 없다.
〔纷飞〕 fēnfēi 동 (꽃잎·눈 따위가) 어지러이 날다. 흩날리다.
〔纷纷〕 fēnfēn 형 ①(언론 따위가) 계속되는 모양. 왕성한 모양. 뒤섞여 어지러운 모양. ¶议论～; 의론이 분분하다 / 落叶～; 낙엽이 어지러이 날아 떨어지다. ②많은. ¶～不一; 여러 가지 종류의. 부 (많은 사람이나 사물이) 자꾸. 뒤를 이어. 끊임없이. 쉴새없이. 잇달아. ¶～责难; 자꾸 비난하다 / ～出笼; 뒤를 이어 (정체를 드러내고) 뛰어나오다. 속속 나타나다 / 海外各方～与我建立贸易关系; 해외 각지에서 우리 나라와 속속 무역 관계를 갖기 시작하고 있다. ‖ =〔分分〕
〔纷纷扬扬〕 fēnfēnyángyáng (눈 따위가) 계속해서 흩날리는 모양.
〔纷华〕 fēnhuá 형 번화하다. 명 영광.
〔纷乱〕 fēnluàn 형 뒤섞여 어지럽다. 혼잡하고 어수선하다.
〔纷忙〕 fēnmáng 형 혼잡하고 바쁘다.
〔纷呶〕 fēnnáo 형 뒤얽혀서 시끄럽다.
〔纷歧〕 fēnqí 형명 ⇨〔分歧〕
〔纷扰〕 fēnrǎo 형 혼란스럽다. 어지럽다. 명 분란과 소란. 분요(紛擾). ¶发生～; 분란(紛亂)이 일어나다.
〔纷散〕 fēnsàn 동 산산이〔어지럽게〕 흩어지다.
〔纷纭〕 fēnyún 형 혼란하다. 뒤얽히다. 분분하다. ¶头绪～; 뒤얽혀 실마리를 잡을 수 없다 / 众说～; 〈成〉 제설(諸說)이 분분하다 / 议论～, 莫衷一是; 의론이 분분해서 시비를 가리기 어렵다. =〔纷杂〕
〔纷杂〕 fēnzá 형 ⇨〔纷纭〕
〔纷争〕 fēnzhēng 명동 분쟁(하다). 분규(하다).
〔纷至〕 fēnzhì 동 〈文〉 잇따라 오다. =〔纷来〕〔纷沓tà〕
〔纷至沓来〕 fēn zhì tà lái 〈成〉 잇달아 오다. 계속해서 오다.

玢

fēn (분)
→〔赛sài璐玢〕 ⇒ bīn

氛

fēn (분)
명 ①기(氣). 공기. ¶夕xī～; 저녁 공기. ②요기(妖氣). 나쁜 기운. ③기미. 모양. 상황. ¶气qì～; 분위기. 기분 / 战～; 전황(戰況).
〔氛埃〕 fēn'āi 명 〈文〉 먼지. 진애(塵埃).
〔氛尘〕 fēnchén 명 〈文〉 ①진애(塵埃). 먼지. ②〈比〉 세속이 어수선함.
〔氛围(气)〕 fēnwéi(qì) 명 ①대기. 공기. ②분위기. 무드. →〔气氛〕

〔氛邪〕 fēnxié 명 〈文〉 사기(邪氣).
〔氛妖〕 fēnyāo 명 〈文〉 화(禍). 재난.

棻 fēn (분)
명 〈文〉 향기가 좋은 나무《인명용 자(字)로 쓰임》.

酚 fēn (분)
명 《化》 ①페놀. 석탄산. =〔苯běn酚〕 ②(넓은 뜻의) 페놀. ¶～醛塑料; 페놀 수지(樹脂).
〔酚磺酞〕 fēnhuángtài 명 《藥》 페놀레드. =〔酚红〕
〔酚醛塑胶〕 fēnquán sùjiāo 명 《化》 페놀수지. 베이클라이트. ¶～盖gài; 베이클라이트제(製) 뚜껑 / 胶木粉; 베이클라이트 목귀질 가루. =〔白bái氏塑胶〕〔电diàn木(胶)〕〔胶木〕
〔酚酞〕 fēntài 명 《化》 페놀프탈레인(phenol phthalein).
〔酚盐〕 fēnyán 명 《化》 석탄산염(石炭酸鹽).

雰 fēn (분)
명 〈文〉 안개. 기(氣).
〔雰雰〕 fēnfēn 형 〈文〉 서리나 눈이 성(盛)한 모양. ¶大雪～; 눈이 펑펑 내리다.
〔雰围〕 fēnwéi 명 분위기. =〔氛围〕

𫢸〈覅〉 fēn (분)
부 〈方〉 아직 …한 적이 없다《'勿曾'의 합성어(合成語)》. ¶～说过歇; 아직 말한 적이 없다.

汾 fén (분)
지명용 자(字). 《산시 성(山西省) 편양 현(汾陽縣) 일대의 일컬음》. ¶～河Fénhé; 편허강(汾河)《산시 성(山西省)에 있는 강 이름》.
〔汾酒〕 Fénjiǔ 명 술 이름《산시 성(山西省) 편양(汾陽)에서 나는 소주》.

枌 fén (분)
명 《植》 흰느릅나무. =〔白bái榆〕
〔枌谊〕 fényì 명 〈文〉 같은 고향 사람들 간의 정의(情誼).

蚡 fén (분)
명 ⇨〔鼢鼠〕

棼 fén (분)
〈文〉 ①동 뒤엉키다. 뒤섞이다. ¶治丝益～; 실을 풀으려다 오히려 뒤엉키게 만들다《일을 점점 더 망쳐 버리다》. ②명 마포(麻布). 삼베.

鼢 fén (분)
→〔鼢鼠〕
〔鼢鼠〕 fénshǔ 명 《動》 두더지. =〔蚡fén〕〔盲máng鼠〕〔〈方〉地羊〕

坟(墳) fén (분)
①명 (흙을 쌓아올린) 무덤. ¶上～去; 성묘(省墓)가다. ②명 언덕. ③형 큰. ④동 끌어안다. 안다. ¶把娃娃～去; 갓난아기를 안고 가다. ⑤동 돌출하다. ¶～起; 돌기하다. 봉긋 솟다.
〔坟场〕 fénchǎng 명 묘지.
〔坟地〕 féndì 명 묘지. ¶～好不如心地好; 〈諺〉 (묏자리를 잘 쓰면 자손이 잘된다고 하지만) 묘지를 잘 쓰는 것보다 마음을 잘 쓰는 것이 좋다.
〔坟典〕 féndiǎn 명 〈文〉 고서(古書).
〔坟丁〕 féndīng 명 묘지기.
〔坟堆〕 fénduī 명 봉분을 한 무덤. 토분(土墳).
〔坟墩〕 féndūn 명 무덤의 흙을 쌓아올려 〔성토하여〕 만두 모양으로 만든 봉분.
〔坟季儿〕 fénjìr 명 무덤에 제사 지내는 날《음력 3월 15일과 10월 1일》.
〔坟坑〕 fénkēng 명 묘혈(墓穴). ¶刨～; 묘혈을 파다.
〔坟里的事〕 fénlǐdeshì 〈比〉 있을 수 없는 일. 불가사의한 일. ¶这才是～; 이거야말로 기괴한 일이로다.
〔坟邻〕 fénlín 명 묘지기.
〔坟墓〕 fénmù 명 묘. 무덤.
〔坟墓之地〕 fénmù zhī dì 명 〈文〉 집안 대대의 묘가 있는 곳《고향》.
〔坟起〕 fénqǐ →〔字解⑤〕
〔坟圈子〕 fénquànzi 명 묘〔무덤〕의 부지. 묘지.
〔坟山(子)〕 fénshān(zi) 명 〈方〉 ①묘지로 쓰는 산. 묘지. ②높고 크게 봉분을 한 무덤. ③묘 뒤쪽의 흙으로 둘러싼 담.
〔坟少爷〕 fénshàoye 명 묘지기를 깔보아 하는 말.
〔坟首〕 fénshǒu 명 〈文〉 큰머리.
〔坟头(儿)〕 féntóu(r) 명 봉분의 융기(隆起)된 부분.
〔坟茔〕 fényíng 명 ①묘. 무덤. ②묘지.
〔坟园(子)〕 fényuán(zi) 명 ①묘지. ②묘지에 딸린 밭.
〔坟院〕 fényuàn 명 묘지에 부속된 정원.
〔坟烛〕 fénzhú 명 〈文〉 큰 촛불. 큰 등불.

濆(濆) fén (분)
명 〈文〉 물가.

蕡(蕡) fén (분)
〈文〉 ① 명 삼의 씨. ② 형 초목의 열매가 많은 모양. ¶桃之夭夭, 有～其实; 복숭아나무 잎이 우거져 열매가 많이 열려 있다.

幩(幩) fén (분)
명 〈文〉 말의 재갈에 다는 장식. ¶朱～镳镳; 붉게 장식된 재갈.

豮(豶) fén (분)
명 〈方〉 가축의 수컷. ¶～猪zhū =〔公gōng猪〕; 수퇘지.

焚 fén (분)
동 (불)태우다. ¶～毁huǐ鸦片; 아편을 소각하다 / 玩火自～; 〈成〉 불장난을 하다가 스스로 타 죽다. 자업자득 / 忧心如～; 〈成〉 걱정 때문에 안절부절못하다.
〔焚毙〕 fénbì 동 〈文〉 불태워 죽이다.
〔焚草〕 féncǎo 동 (옛날에 비밀을 지키기 위해) 상주(上奏)한 원고를 태우다.
〔焚荡〕 féndàng 동 〈文〉 소실하다. 불타서 없어지다.
〔焚风〕 fénfēng 명 《氣》 푄(독 Föehn). ¶～现象; 푄 현상. =〔热燥风〕
〔焚膏继晷〕 fén gāo jì guǐ 〈成〉 등유(燈油)를 켜서 낮일을 계속하다《밤낮없이 면학(勉學)〔일〕에 힘씀》.
〔焚化〕 fénhuà 동 ①불타서〔불태워〕 재가 되다. (공양하기 위해) 지전(紙錢)을 불태우다. →〔焚纸〕 ②화장(火葬)하다. ¶遗体八日已在罗马～; 유해는 8일날 로마에서 화장되었다.
〔焚毁〕 fénhuǐ 동 ⇨〔烧shāo毁〕
〔焚劫〕 fénjié 동 ⇨〔焚掠lüè〕
〔焚坑〕 fénkēng 〈成〉 ⇨〔焚书坑儒〕
〔焚掠〕 fénlüè 동 〈文〉 방화(放火) 약탈하다. =

〔焚劫〕
〔焚溺〕 fénnì 동 〈比〉 환경이 매우 곤란한 처지에 있다.
〔焚琴煮鹤〕 fén qín zhǔ hè 〈成〉 좋은〔아름다운〕 것을 못 쓰게 만들다《풍류가 없다. 멋없다》. =〔煮鹤焚琴〕
〔焚券〕 fénquàn 동 빚 문서를 태워 버리다《인혜(仁惠)를 베풀다》.
〔焚如〕 fénrú 형 〈文〉 불이 활활 타오르는 모양. 명 〈轉〉 화재. ¶～之刑; 화형(火刑).
〔焚烧〕 fénshāo 동 ①(땅의) 풀 따위를 태우다. (종이 · 나무 따위를) 태우다. ②(향을) 사르다.
〔焚尸的〕 fénshīde 명 화장터에서 시체의 화장을 업으로 하는 사람. =〔焚尸工〕
〔焚书坑儒〕 fén shū kēng rú 〈成〉 분서갱유. 서적을 불태우고 학자를 매장하다《진시황이 시행했던 사상 탄압 행위》. =〔焚坑〕
〔焚香〕 fén.xiāng 동 분향하다. 향을 피우다. ¶～顶礼 =〔焚顶〕; 향을 피우고 큰절을 하다《매우 예의바르다》. =〔烧香〕
〔焚刑〕 fénxíng 명 화형. →〔焚如〕
〔焚修〕 fénxiū 동 《佛》 향을 피우고 수행하다.
〔焚芝〕 fénzhī 동 〈文〉 현자(賢者)나 선인(善人)이 화를 입다.
〔焚纸〕 fénzhǐ 동 《佛》 (공양을 위해) 지전(紙錢)을 사르다. =〔烧纸〕
〔焚舟〕 fénzhōu 동 (군대의 도하 작전에서 도하 후) 배를 태워 버리다《진〈秦〉나라 목공(穆公)의 고사》. 〈比〉 결사(決死)의 각오를 하다.
〔焚灼〕 fénzhuó 동 〈文〉 불태우다.

粉 **fěn** (분)
① 명 가루. 분말. ¶药～; 가루약 / 煤méi～; 분탄 / 花～; 꽃가루 / 牙 ～; 치분. ② 명 밀가루(‘面～’의 약칭). ¶～厂; 제분 공장. ③ 명 당면(‘～条(儿)’의 약칭). ¶干～; 말린 당면 / ～汤; 당면을 넣은 탕〔국〕. ④ 명 (화장)분. ¶脂zhī～; 연지와 가루분 / 涂脂抹～; 〈成〉 입술 연지와 분을 바르다《남을 속이기 위해 겉을 꾸밈》. ⑤ 명형 흰빛(의). ¶～连纸; 창문이나 벽 따위에 바르는 하얀 종이. ⑥ 명 《色》 분홍빛. 핑크. ¶～色 =〔～红〕; 옅은 모란빛. 분홍색 / 这朵花是～的; 이 꽃은 핑크빛이다. ⑦ 형 육감적인. 외설적인. 도색(桃色)의. ¶～戏; 외설 연극. ⑧ 동 〈方〉 가루로 되다. ¶石灰放久了, 就要～了; 석회는 오래 내버려 두면 가루가 된다 / ～身碎骨; 〈成〉 분골 쇄신하다. ⑨ 동 〈方〉 (벽 따위를) 하얗게 바르다. ¶这墙是才～的; 이 벽은 칠한 지 얼마 안 된다.
〔粉白〕 fěnbái 명 ①연분홍. ②분. ③여자의 화장.
〔粉白黛黑〕 fěn bái dài hēi 〈成〉 ①흰 분을 바르고 눈썹을 검푸르게 칠하여 아름답게 화장하다. ②〈比〉 미인. ‖ =〔粉白黛绿〕
〔粉板〕 fěnbǎn 명 칠판. 흑판. =〔黑hēi板〕
〔粉本〕 fěnběn 명 ①초벌 그림. 밑그림. →〔画huà稿〕 ②모사(模寫)한 그림.
〔粉笔〕 fěnbǐ 명 분필. 백묵. ¶红～; 적색 분필 / 蓝～; 청색 분필 / ～盒儿; 분필통 / 靠～吃饭的人; 선생 노릇 하는 사람. =〔粉条(儿)②〕〔白墨①〕
〔粉壁〕 fěnbì 명 흰 벽. ¶～花墙; 채색을 입힌 훌륭한 집《옛날, 기생 집 따위》. (fěn.bì) 동 벽을 희게 칠하다.
〔粉彩〕 fěncǎi 명 《劇》 옛날의, 흰 가루분을 사용한 화장. →〔油yóu彩〕
〔粉肠(儿)〕 fěncháng(r) 명 녹말에 소량의 유지(油脂) · 소금 · 조미료를 섞은 것을 ‘肠衣’에 넣어서 찐 부식물. 순대.
〔粉厂〕 fěnchǎng 명 제분 공장.
〔粉尘〕 fěnchén 명 분진(粉塵). 가루 먼지.
〔粉刺〕 fěncì 명 ⇨〔面miàn疱〕
〔粉翠〕 fěncuì 명 ①베이징(北京)식으로 세공한 비취의 일종. ②〈文〉 무늬 있는 비취.
〔粉黛〕 fěndài 명 〈文〉 ①〈比〉 아름답게 화장한 여자. 미인(‘粉白黛黑’의 약어). ②백분과 눈썹먹. 화장품. =〔粉墨②〕〔铅qiān黛〕 동 화장하다.
〔粉底〕 fěndǐ 명 파운데이션. 메이크업 베이스.
〔粉蝶〕 fěndié 명 《蟲》 흰나비. 배추흰나비. ¶白～; 배추흰나비. →〔菜cài粉蝶〕
〔粉嘟噜儿〕 fěndūlūr 형 산뜻하고 아름답다. 살짝 붉어져 아름답다. ¶～的脸颊真好看; 불그스름한 볼이 정말 아름답다.
〔粉堵〕 fěndǔ 명 흰 담벼락.
〔粉饵〕 fěn'ěr 명 〈文〉 단자(團子). 경단.
〔粉坊〕 fěnfáng 명 ⇨〔粉房〕
〔粉房〕 fěnfáng 명 제분소(製粉所). 녹두 가루 공장. =〔粉坊〕
〔粉粉儿碎〕 fěnfěnrsuì 형 산산이 부서진 모양. 박살이 난 모양.
〔粉膏〕 fěngāo 명 물분. 페이스 파우더(face powder).
〔粉骨碎身〕 fěn gǔ suì shēn 〈成〉 분골쇄신《몸과 목숨을 아끼지 않다. 있는 힘을 다하다》. =〔粉身碎骨〕
〔粉毫〕 fěnháo 명 〈文〉 화필. 그림붓. →〔画huà笔〕
〔粉盒(儿)〕 fěnhé(r) 명 (화장용) 콤팩트. 분갑. →〔粉匣〕〔粉装儿〕
〔粉红〕 fěnhóng 명 《色》 분홍색.
〔粉黄〕 fěnhuáng 명 《色》 담황색.
〔粉剂〕 fěnjì 명 《藥》 분제.
〔粉笺〕 fěnjiān 명 연분홍색 종이.
〔粉浆〕 fěnjiāng 명 밀가루를 끓여서 만든 풀. →〔浆粉〕
〔粉蕉〕 fěnjiāo 명 《植》 바나나. =〔香蕉〕
〔粉金〕 fěnjīn 명 《美》 금분(金粉)《아교액에 어우른 것은 ‘金油’라고 하며 그림을 그리거나 글씨를 쓰는 데에 쓰임》.
〔粉蜡笔〕 fěnlàbǐ 명 《美》 크레파스.
〔粉连纸〕 fěnliánzhǐ 명 가옥의 창문이나 벽 따위에 바르는 흰빛의 종이.
〔粉瘤〕 fěnliú 명 《醫》 낭종(囊腫).
〔粉煤〕 fěnméi 명 미분탄(微粉炭). =〔面miàn子煤〕
〔粉面〕 fěnmiàn 명 〈文〉 분을 바른 얼굴. ¶～朱唇; 입술 연지와 분으로 화장한 모양. 아름다운 모양.
〔粉面儿〕 fěnmiànr 명 가루분.
〔粉末(儿, 子)〕 fěnmò(r, zi) 명 분말. ¶全都成了～; 온통 산산조각이 났다.
〔粉末冶金〕 fěnmò yějīn 명 《工》 분말 야금. =〔烧shāo结〕
〔粉墨〕 fěnmò 명 ①《劇》 연극에서의 화장. 메이크업. ②여성의 화장. 동 문사(文辭)를 수식(修飾)하다.
〔粉墨登场〕 fěn mò dēng chǎng 〈成〉 ①배우가 분장하고 무대에 나오다. 탈을 쓰고 등장하다. ②〈比〉 표면에 나오다. (악인이) 정치 무대에 나오다. →〔袍páo笏登场〕
〔粉囊〕 fěnnáng 명 《植》 화분낭. 꽃가루 주머니.

〔粉嫩〕 fěnnèn 형 젊디젊다. 희고 부드럽다.
〔粉牌〕 fěnpái 명 (백묵을 간 것으로 쓰는 게시용의) 작은 칠판. 분판(粉板). →〔水shuǐ牌〕
〔粉皮(儿)〕 fěnpí(r) 명 ①녹말 가루를 두부 껍질 모양으로 만든 것(가늘게 썰어서 초간장에 찍어 먹음). ②녹말로 만든 우무 모양의 식품. =〔凉粉〕 ③털을 뽑은 양가죽.
〔粉皮墙〕 fěnpíqiáng 명 흰 벽. =〔粉墙〕
〔粉扑儿〕 fěnpūr 명 분첩. 퍼프(puff).
〔粉芡〕 fěnqiàn 명 가시연(蓮)의 녹말로 만든 갈분탕(湯).
〔粉枪〕 fěnqiāng 명 찻잎의 어린 싹으로, 흰 솜털이 있는 것(차의 최초의 어린 싹).
〔粉墙〕 fěnqiáng 명 ⇨〔粉皮墙〕
〔粉曲〕 fěnqǔ 명 외설(猥褻)적인 가곡.
〔粉融融〕 fěnróngróng 형 불그스름하다. 불그스름하고 아름답다. ¶她的脸蛋～的; 그녀의 볼은 불그스름하다.
〔粉沙〕 fěnshā 명 세사(細砂)(모래와 점토 중간의 미세한 토양).
〔粉身碎骨〕 fěn shēn suì gǔ 〈成〉 ⇨〔粉骨碎身〕
〔粉饰〕 fěnshì 동 분식하다. 꾸미다. 외관을 꾸미다. 호도(糊塗)하다. ¶～缺点; 결점을 호도하다/～太平; 〈成〉 천하태평을 가장하다/你的不好, 就是怎么～也不成; 네 나쁜 점은, 아무리 꾸며도 소용 없다.
〔粉刷〕 fěnshuā 동 ①(귀얄 같은 것으로 석회 따위를 벽이나 담에) 바르다. 하얗게 칠하다. ¶～一新; 벽을 발라 일신하다(오래 된 것을 면목 일신하다). ②〈方〉 건물 표면에 진흙·석회·시멘트 따위를 바르다(나아가, 모르타르를 칠하거나 여러 가지 무늬를 내거나 하다). 명 ①칠판 지우개. =〔板擦儿〕 ②〈方〉 건물 표면에 칠한 보호도료(塗料).
〔粉刷儿〕 fěnshuār 명 석회를 바르는 귀얄.
〔粉丝〕 fěnsī 명 ⇨〔粉条(儿, 子)①〕
〔粉碎〕 fěnsuì 동 ①부서져 가루가 되다. 분쇄되다. ¶杯子摔得～; 잔이 떨어져 산산조각 났다. ②가루로 만들다. 분쇄하다. ¶～机; 분쇄기. ③〈比〉 철저히 짓밟다. 완전히 파괴시키다.
〔粉条(儿, 子)〕 fěntiáo(r, zi) 명 ①굵게 뽑은 녹말 국수. 당면(녹두·고구마 등의 녹말로 만듦). =〔粉丝〕 ②분필.
〔粉头〕 fěntóu 명 ①기녀(妓女). ②《劇》 (배역에서) 원수역(役). 악역(惡役).
〔粉团〕 fěntuán 명 깨고물을 묻힌 단자를 기름에 튀긴 음식.
〔粉团花〕 fěntuánhuā 명 ⇨〔绣xiù球②〕
〔粉团儿〕 fěntuánr 형 〈比〉 용모가 아름다운 모양. ¶今年才十三四岁生得～一般; 올해 아직 13,4세이지만 매우 아름답다.
〔粉戏〕 fěnxì 명 〈文〉 외설적인 연극. 음란〔추잡〕한 연극. →〔粉曲〕
〔粉匣〕 fěnxiá 명 분갑. 분을 넣는 상자(‘粉盒(儿)’보다는 큰 것).
〔粉线〕 fěnxiàn 명 재봉 용구의 하나(작은 주머니에 흰 가루를 넣고 실을 꿴 것인데, 치수의 선을 긋는 데 쓰임. 그 작은 자루를 ‘～口袋(儿)’라고 함).
〔粉药〕 fěnyào 명 ⇨〔药面〕
〔粉油〕 fěnyóu 명 백색 안료(顔料)를 기름으로 갠〔푼〕 것.
〔粉针〕 fěnzhēn 명 (증류수로 녹여서 쓰는) 분말 주사약. ¶打～; 위의 주사를 놓다.
〔粉蒸〕 fěnzhēng 명 찹쌀 가루를 묻혀서 찌는 중국 요리법의 하나. ¶～肉; 찹쌀가루를 묻혀 찐 돼지고기 요리/荷叶～; 고기에 찹쌀 가루를 묻힌 것을 연잎으로 싸서 찐 식품. 동 찹쌀 가루를 묻혀서 찌다.
〔粉纸〕 fěnzhǐ 명 ①아트지(紙). ¶单面～; 한쪽 면만을 칠해서 광택을 낸 아트지. 편면(片面) 아트지/双面～; 양면(兩面) 아트지. ②화장용의 분 종이.
〔粉妆〕 fěnzhuāng 동 〈文〉 분으로 화장하다.
〔粉装儿〕 fěnzhuāngr 명 여자의 분갑. →〔粉盒(儿)〕
〔粉装玉琢〕 fěnzhuāng yùzhuó 〈比〉 살결이 희고 아름답다.
〔粉子〕 fěnzi 명 ①분말상(粉末狀)의 것. ②풀을 쑤는 가루. ③미숫가루.
〔粉子味儿〕 fěnziwèir 〈比〉 마음을 터놓지 않다. 좋아하지 않다(환영하지 않는 모양). ¶他怎么和你那么～啊? 그는 왜 너를 그렇게 못마땅하게 여기느냐?

分 fèn (분)

①명 성분(成分). ¶水～; 수분/盐yán～; 염분/部～; 부분. ②명 본분(本分). 직분. 소임. ¶本～; 본분/职～; 직분/过～; 과분하다/恰如其～; 꼭 적합하다/～所当然; 〈成〉 본분으로서 당연한 일. ③명 분한(分限). 분수. 신분. ④(～儿) 명 몫. 부분. 배당. ¶把点心分fēn成三～; 과자를 세 사람 몫으로 나누다. ⑤명 경계(境界). ⑥명 천분(天分). ⑦(～儿) 양 …벌. …인분(한 벌로 되어 있는 것을 세는 데 쓰임). ¶一～文具; 문방구 1세트/两～碗筷; 2인분의 공기와 젓가락. ⑧명 품위. 등급. ⇒fēn
〔分地〕 fèndì 명 옛날, 농노(農奴)가 영주로부터 나누어 받은 토지(소유권은 영주에게 있음). ⇒fēndì
〔分际〕 fènjì 명 〈文〉 ①한계. 한도. ②신분(身分). 분수. ③적당한 때.
〔分金〕 fènjīn 명 ⇨〔份资①〕
〔分量〕 fènliang 명 ①무게. 중량. ¶～不够; 분량이 모자라다/家庭作业的～不少; 숙제 분량이 많다. =〔份量〕 ②(말·이야기의) 함축성. 무게. 뜻. ¶说话很有～; 말에 꽤 함축성이 있다.
〔分内〕 fènnèi 명 본분 내의 것. 본분으로서 당연히 해야 할 일. ¶～之事; ⓐ본분 내의 일. ⓑ(도덕·종교·법률상의) 의무/～的朋友; 친한 친구.
〔分儿〕 fènr ⇨〔份儿〕
〔分所当然〕 fèn suǒ dāng rán 〈成〉 직무상〔책임상〕 당연한 일. =〔分所当为〕〔分所应当〕〔分所应为〕
〔分外〕 fènwài 부 특히. 각별히. ¶～照顾着你一点; 특히 너는 친절히 돌보아 주고 있다/～地好看; 특히 아름답다/月到中秋～明; 〈成〉 중추절이 되면 달이 유난히 밝다/～之赏; 특별한 상. 명 본분 밖의 일. ↔〔分内〕
〔分位〕 fènwèi 명 신분과 지위.
〔分限〕 fènxiàn 명 ①〈文〉 신분과 권한. ②본분. 직분. ③상하 신분의 높낮이의 한계.
〔分子〕 fènzǐ 명 (국가나 단체 따위를 구성하는) 분자. 계급. 동료·동아리. ¶积极～; 적극 분자. 활동가/坏～; 불량 분자/知识～; 지식 분자/资产阶级～; 자본 계급. 부르주아지. ⇒fēnzǐ fènzi

〔分子〕 fènzi 명 경조금(慶弔金). 부조금. ¶凑成～买了喜联; 축의금을 거두어 축하의 족자를 샀다. =〔份子①〕〔份资①〕 ⇒fēnzǐ fēnzǐ
〔分资〕 fènzi 명 ⇨〔份资①〕

份 fèn (분)
①명 전체의 일부분. ¶分成三～; 셋으로 나누다. ②(～儿, ～子) 명 몫. 배당. ¶有我的～没有? 내 몫은 있나? ③(～儿) 양 조(組)로 되어 있는 것을 세는 양사(量詞). ¶一～报; 신문(新聞) 1부(部)/两～儿; 2벌. 2인분. ④명 '省'·'县'·'年'·'月' 등의 뒤에 붙여 구분한 단위를 나타내는 말. ¶省～; 성(省)의 범위/月～; …개월분. …달분.
〔份额〕 fèn'é 명 몫. 셰어(share). ¶在市场上取得很大的～; 시장에서 매우 큰 몫을 차지하다.
〔份儿〕 fènr 양 몫. 분. 한 벌. 짝. 배당 등에 쓰임. ¶一～菜; 요리 1인분/一～报; 신문 일부/一～家伙; 한 벌의 도구/一～妆奁; 신부의 혼수품 일습/把钱数shǔ了数分作两～; 돈을 세어 두 사람 몫으로 나누다/几～茶钱? 찻값은 몇 개월분입니까? 명 ①경조금(慶弔金). =〔份资①〕 ②위세. 힘. 상황. ¶～不小; 위세 좋다/只有捯dáo气的～; 단지 숨을 들이쉴 뿐이다(숨을 내쉬지 않는다. 임종의 모양). ③정도. ¶苦到什么～上呢? 그 괴로움은 어느 정도인가?/到这～上他这不觉悟; 이 정도가 되어도 그는 아직 자각하지 못한다. ④신분. 지위. ¶内中有几个有～的人; 그 중에는 두세 사람의 신분 있는 사람이 있다/这团体里没有我的～; 이 단체에는 나에게 적당한 자리가 없다. ⑤의복을 꿰맬 때의 시접. 형〈方〉좋다. 훌륭하다. 아름답다. 볼품이 있다. 재능이 있다. ‖ =〔分儿〕
〔份儿菜〕 fènrcài 명 ①일인분의 요리. 일인분의 반찬. ②요리 재료 일습.
〔份儿饭〕 fènrfàn 명 정식(定食).
〔份儿封〕 fènrfēng 명 ①향전(香奠)을 넣는 것. ②축의(祝儀) 봉투.
〔份数〕 fènshù 명 ①부수(部數). ¶报纸发行～; 신문 발행 부수. ②간행(刊行) 횟수.
〔份子〕 fènzi 명 ①⇨〔分子fènzi〕 ②(단체로 선물할 때) 각자가 낼 몫. =〔份子钱〕 ③주식(株式). 주. ¶吃～; 주식의 수입으로 살다.
〔份资〕 fènzi 명 ①선물 대신에 보내는 돈. ¶出～; 경조(慶弔) 때에 금전(축의(祝儀)·향전(香奠) 등)을 보내다. =〔分fèn金〕〔分fèn资〕 ②〈轉〉축의·향전 등을 보내기 위한 방문·인사.

坋 fèn (분)
지명용 자(字). ¶古Gǔ～; 구펀(古坋)(푸지엔 성(福建省)에 있는 땅 이름). ⇒'坌' bèn

忿 fèn (분)
①동 화내다. 원망하여 화내다. ¶～～不平; 〈成〉화가 나서 마음 속이 평온하지가 않다. ②형 ⇨〔不忿〕〔气不忿儿〕
〔忿忿〕 fènfèn 형 분개하는 모양. ¶～不平; 〈成〉(분노·번민 때문에) 마음이 평온치 않다. =〔愤愤〕
〔忿恨〕 fènhèn 동〈文〉①화를 내다. 미워하다. ②(눈빛·태도 등이) 노기(怒氣)를 띠다.
〔忿恚〕 fènhuì 동〈文〉원망하며 화내다.
〔忿火〕 fènhuǒ 명〈文〉격노. 건잡을 수 없이 치미는 분노의 마음.
〔忿疾〕 fènjí 명〈文〉화를 잘 내는 버릇. 성마름.
〔忿詈〕 fènlì 동〈文〉성이 나서 욕하다〔꾸짖다〕.
〔忿怒〕 fènnù 동〈文〉노하다. 명 노여움. 분노. 화.
〔忿气〕 fènqì 동〈文〉화를 내다.
〔忿言〕 fènyán 명〈文〉성내서 하는 말.

奋(奮) fèn (분)
동 ①새가 활개치다. ②분기(奮起)〔분발〕하다. 진작하다. ¶振～; 분발하다. 진작하다/～不顾身; 위험을 무릅쓰고 몸으로 부딪치다. ③분투 노력하다. ④격(激)하다. ⑤치켜들다. ¶～臂bì一呼; 팔을 쳐들고 어이하고 부르다.
〔奋翅〕 fènchì 동〈文〉(날개를) 힘차게 퍼덕이다.
〔奋辞〕 fèncí 동〈文〉호언 장담하다.
〔奋斗〕 fèndòu 명동 분투(하다). ¶～到底; 최후까지 분투하다.
〔奋发〕 fènfā 동 분발〔발분〕하다. 분기하다. ¶～有为; 〈成〉분발해서 무언가 이루려고 하다/～图强; 〈成〉분발하여 강성함을 꾀하다.
〔奋激〕 fènjī 동〈文〉분기하여 격앙(激昂)하다.
〔奋力〕 fènlì 동 있는 힘을 다 내다. ¶～营救; 힘을 다해서 구출해 내다.
〔奋励〕 fènlì 동〈文〉분발하여 힘쓰다.
〔奋袂〕 fènmèi 형〈文〉감정이 격동할 때 벌떡 일어나는 모양.
〔奋勉〕 fènmiǎn 동 분발 노력하다.
〔奋起〕 fènqǐ 동 ①분기하다. 분발하여 일어서다. ②힘을 주어 들어 올리다.
〔奋起大会〕 fènqǐ dàhuì 명 궐기 대회. ¶举行了禁止试验原子弹, 氢弹的市民～; 원수폭(原水爆) 실험 금지 시민 궐기 대회를 개최했다.
〔奋迅〕 fènxùn 동 세차게 분기하여 움직이다.
〔奋勇〕 fènyǒng 동 용기를 떨쳐 일으키다. ¶～直前; 용감히 돌진하다. 용약 매진하다/自告～; 〈成〉스스로 분기하여〔곤란에 맞서겠다고〕 나서다.
〔奋战〕 fènzhàn 동 힘껏 싸우다. =〔力lì战〕
〔奋志〕 fènzhì 동〈文〉발분하여 뜻을 세우다.

偾(僨) fèn (분)
동 ①깨지다. 못 쓰게 되다. ¶～事shì; ⇩/～军之将; 패군지장(敗軍之將). ②쓰러지다. ③움직이다. ¶～兴xīng; 움직이기 시작하다. 시작되다.
〔偾事〕 fènshì 동〈文〉일을 망치다. ¶一言～; 한 마디로 일을 망쳐 버리다.

愤(憤) fèn (분)
명동 ①분개(하다). 화(내다). ¶宿sù～; 오래 전부터의 분노/发fā～; 발분하다/公～; 공분. 대중의 분노. ②원망(하다). 번민(하다). ¶泄xiè～; 울분을 풀다/不～不启; 원망하지도 않고 말하지도 않는다.
〔愤发〕 fènfā 동 발분하다. 발분하여 노력하다.
〔愤愤〕 fènfèn 형 ⇨〔忿忿〕
〔愤愤不平〕 fèn fèn bù píng 〈成〉분노 때문에 마음이 편하지 않다.
〔愤恨〕 fènhèn 동 원한을 품다. (모욕을 받고) 분개하다. ¶～敌人的侵略; 적의 침략에 분개하다. 명 분개.
〔愤激〕 fènjī 동 격분하다.
〔愤慨〕 fènkǎi 동 분개하다.
〔愤懑〕 fènmèn 동〈文〉화내며 번민하다. =〔忿闷〕
〔愤怒〕 fènnù 명동 분노(하다). ¶他听了这话非常～; 그는 이를 듣고 몹시 화를 내었다.
〔愤然〕 fènrán 형 벌컥 화를 내는 모양.

〔愤世嫉俗〕 fèn shì jí sú 〈成〉 (정의감에서) 세상사에 대해 분노와 미움을 가짐.
〔愤心〕 fènxīn 명 노여움. 분노.
〔愤志〕 fènzhì 동 〈文〉 발분(發奮)하다. 분발하다.

鲼(鱝)

fèn (분)
명 《魚》 가오리.

粪(糞)

fèn (분)
①명 똥. ②명 더러움. ③명동 〈文〉 거름(을 주다). ¶上~ =〔送sòng~〕〔落luò~〕; 거름을 주다. =〔施肥〕 ④동 〈文〉 청소하다.
〔粪便〕 fènbiàn 명 분변. 똥오줌. ¶~清除工人; 똥 치워 가는 인부.
〔粪草〕 fèncǎo 명 ①쓰레기. 쓰레기 더미. ¶~堆里出灵芝; 쓰레기통에 영지(개천에서 용나다). ②야비하고 외설스러운 언동. ③무용지물. 쓸모없는 사람.
〔粪厕〕 fèncè 명 〈文〉 뒷간. 변소.
〔粪叉(子)〕 fènchā(zi) 명 《農》 비료용 쇠스랑. =〔粪杈(子)〕
〔粪厂子〕 fènchǎngzi 명 인분 등을 모아 건조시켜 비료를 만드는 곳.
〔粪池〕 fènchí 명 똥통. =〔粪缸gāng〕〔粪坑kēng〕
〔粪虫〕 fènchóng 명 분충. 똥 속의 구더기.
〔粪除〕 fènchú 동 〈文〉 청소하다.
〔粪蛋(儿)〕 fèndàn(r) 명 (가축의) 똥.
〔粪地〕 fèndì 동 (논밭에) 거름〔비료〕을 주다.
〔粪毒〕 fèndú 명 ⇨〔钩虫〕
〔粪堆〕 fènduī 명 ①두엄 더미. 퇴비. ②쓰레기 더미.
〔粪肥〕 fènféi 명 (사람 · 가축의) 분뇨 비료. =〔粪料〕
〔粪夫〕 fènfū 명 똥 푸는 사람.
〔粪缸〕 fèngāng 명 ⇨〔粪池〕
〔粪箕(子)〕 fěnjī(zi) 명 똥거름을 담은 그릇(대나무로 엮은 삼태기 따위). =〔粪筐②〕
〔粪结〕 fènjié 명 변비(便秘).
〔粪坑〕 fènkēng 명 ⇨〔粪池chí〕
〔粪筐〕 fènkuāng 명 ①똥을 넣는 바구니(길가의 똥 따위를 주워 넣음). ②⇨〔粪箕(子)〕
〔粪料〕 fènliào 명 ⇨〔粪肥〕
〔粪门〕 fènmén 명 〈俗〉 항문.
〔粪棋〕 fènqí 명 서투른 바둑〔장기〕. 줄바둑〔장기〕. =〔屎shǐ棋〕
〔粪壤〕 fènrǎng 명 ①⇨〔粪土〕 ②쓰레기장.
〔粪勺〕 fènsháo 명 똥바가지.
〔粪石肥料〕 fènshí féiliào 명 《農》 구아노(guano) 비료.
〔粪田〕 fèn,tián 동 논밭에 거름을 주다.
〔粪桶〕 fèntǒng 명 ①똥통. 거름통. ②⇨〔马mǎ桶〕
〔粪土〕 fèntǔ 명 ①불결한〔더러운〕 땅〔흙〕. ¶钱财如~, 仁义值千金; 〈諺〉 금전은 흙덩이와 같고, 인의는 천금의 값어치가 있다. ②〈比〉 더러운 것. 쓸모없는 인간. ③동물의 똥이 섞인 두엄. ‖ =〔粪壤①〕
〔粪污〕 fènwū 명 ①오물(汚物). ②더러운 것. ③하찮은 것. 경멸할 만한 것. 형 더럽다.
〔粪纸〕 fènzhǐ 명 변소용 휴지. 뒤지. →〔手shǒu纸〕

瀵

fèn (분)
동 〈文〉 물이 땅 속에서 솟아 나오다. ¶~泉; 〈方〉 용천(湧泉). 용수(湧水).

FENG ㄈㄥ

丰(豐)^A)

fēng (풍)
A) ①형 풍부하다. 많다. 왕성하다. 성대하다. ¶产量甚~; 생산량이 아주 많다 / ~满; ⇩ ②형 크다. 위대하다. ¶~碑bēi; ⇩ ③형 풍작의. 곡식이 잘 결실된. ¶~年; 풍년. ④형 풍만하다. 살찌다. ⑤명 성(姓)의 하나. B) ①명 아름다운 용모. 자태. ¶~姿zī; ⇩ ②형 (용모가) 탐스럽게 살쪄 아름답다.
〔丰报〕 fēngbào 동 〈文〉 후하게 보답하다〔갚다〕.
〔丰碑〕 fēngbēi 명 ①크고 높은 석비(石碑). ②〈比〉 불후의 걸작. 위대한 공적. ¶这部著作不愧为中国新文化运动的~; 이 저작은 중국 신문화운동에 있어서 불멸의 명작이라고 할 수 있다.
〔丰标〕 fēngbiāo 명 〈文〉 용모. 풍채. ¶~韶sháo秀; 풍채가 훌륭하고 아름다운 모양. =〔丰神〕〔丰仪①〕〔风标②〕〔风神〕〔风仪〕
〔丰采〕 fēngcǎi 명 풍모. 풍채. =〔风采①〕
〔丰餐美食〕 fēng cān měi shí 〈成〉 풍부한 요리. 호화로운 식사.
〔丰草〕 fēngcǎo 명 〈文〉 무성하게 자란 풀.
〔丰产〕 fēngchǎn 명 풍작. ¶~丰收; 훌륭한 작황과 수확 / ~模范; 농업 증산의 모범(이 되는 인물).
〔丰产方〕 fēngchǎnfāng 명 다수확 시험 지구.
〔丰产田〕 fēngchǎntián 명 ①1958년 전국 각지에서 시행된 시험 전지의 다수확 경험을 기초로 하여, 각 인민 공사에 대해서 각각 20% 안팎의 경지를 '~'로 지정하고, 그 수확량을 종래의 평년작의 두배가 되도록 제창하였음. ②농작물 수확의 많은 농토.
〔丰登〕 fēngdēng 형 ⇨〔丰熟〕
〔丰度〕 fēngdù 명 훌륭한 태도. 풍격.
〔丰丰〕 fēngfēng 형 〈比〉 많은 모양.
〔丰富〕 fēngfù 명형 풍부(하다). ¶这篇文章内容真是~; 이 문장은 내용이 참으로 풍부하다. 동 풍부하게 하다. 풍요롭게 하다. ¶~儿童的校外生活; 아동의 교외 생활을 풍부하게 하다 / ~了节目的内容; 프로그램의 내용을 풍부하게 하였다.
〔丰富多彩〕 fēng fù duō cǎi 〈成〉 다채롭다. 다종다양하다. ¶~的节目; 각종 다양한 프로그램.
〔丰功伟绩〕 fēng gōng wěi jì 〈成〉 위대한 공적.
〔丰豪〕 fēngháo 명 〈文〉 부호. 재산가.
〔丰亨〕 fēnghéng 형 〈文〉 풍부하다. 남아 돌아가다.
〔丰厚〕 fēnghòu 형 ①후(厚)하다. 융숭하다. ¶~的礼物; 후한 선물. ②푸하고 두껍다. ¶海狸的皮绒毛~; 비버의 털가죽은 두껍고 푹신하다. ③유복(裕福)하다. 살림이 넉넉하다.
〔丰肌〕 fēngjī 명 〈文〉 풍만한 살집.
〔丰颊〕 fēngjiá 명 〈文〉 아랫볼이 불룩한 얼굴. =〔丰下〕
〔丰满〕 fēngmǎn 형 ①풍부하다. 가득하다. ¶谷粒~; 곡식 낟알이 충실하다. ②풍만하다. ¶她比从前~得多了; 그녀는 전보다 훨씬 포동포동해졌다. ③(깃털이) 자라다. ④(사상이) 풍부하다. (문체가) 화려하다.
〔丰茂〕 fēngmào 형 〈文〉 무성하다. 울창하게 잘 자라다. =〔丰蔚②〕〔丰庑wǔ〕
〔丰美〕 fēngměi 형 풍부하고 아름답다. 훌륭하다.

¶这菜真～; 이 요리는 아주 훌륭하다.

〔丰年〕 fēngnián 명 풍년. ↔〔荒huāng年〕 →〔大dà年①〕〔穰ráng岁〕

〔丰沛〕 fēngpèi 형 많고 넉넉하다. 풍부하다. ¶来源～; 원료가 풍부하다 / ～的雨水; 풍부한 강우량.

〔丰歉〕 fēngqiàn 명 〈文〉 풍작과 흉작. 풍년과 흉년.

〔丰取刻与〕 fēng qǔ kè yǔ 〈成〉 탐욕스럽고 인색하다.

〔丰壤〕 fēngrǎng 명 〈文〉 비옥한 토지. 기름진 땅.

〔丰饶〕 fēngráo 형 풍요하다. ¶辽阔～的大草原; 광활하고 풍요로운 대초원.

〔丰容〕 fēngróng 명 ①⇨〔丰姿〕 ②〈文〉 복스런 용모.

〔丰润〕 fēngrùn 형 (피부 등이) 풍만하고 윤기가 있다.

〔丰杀〕 fēngshài 명 〈文〉 증감(增減).

〔丰赡〕 fēngshàn 형 〈文〉 풍부하다.

〔丰上锐下〕 fēng shàng ruì xià 〈成〉 얼굴 모양이 위쪽은 넓고, 아래쪽은 뾰족함《악상(惡相)》.

〔丰盛〕 fēngshèng 형 풍성하다. 성대하다. ¶今天的菜太～, 我们已经酒足饭饱了; 오늘의 요리는 대단히 훌륭해서, 술과 식사를 충분히 먹었습니다.

〔丰收〕 fēngshōu 명 풍작. ¶获得了～; 풍작을 이루다 / 去年是短篇小说的～年; 지난해는 단편 소설이 풍작을 이룬 해였다. ↔〔歉qiàn收〕

〔丰熟〕 fēngshú 형 〈文〉 곡식이 풍성하게 여물다. ¶五谷～; 오곡이 풍성하게 무르익다. =〔丰登〕〔丰穰〕〔丰稔〕〔丰盈③〕

〔丰硕〕 fēngshuò 형 (과일이) 크고 많다. 내용이 풍부하고 광대하다. (흔히, 추상적인 것이) 풍부하고 결실이 많다. ¶～的葡萄; 알이 크고 잘 여문 포도 / 取得～成果; 풍성한 성과를 올리다.

〔丰彤〕 fēngtóng 형 〈文〉 (초목이) 울창하게 자라다. 무성하다.

〔丰伟〕 fēngwěi 형 〈文〉 살쪄서 크다. 비대하다. ¶体质～; 몸집이 크다.

〔丰蔚〕 fēngwèi 형 ①산림·과실이 풍부하다. ②(초목 등이) 무성(茂盛)하다. =〔丰茂〕〔丰庑〕

〔丰雅〕 fēngyǎ 명형 풍아(하다). 우아(하다). =〔风雅〕

〔丰衍〕 fēngyǎn 형 〈文〉 풍부하여 가득 넘치다. 풍성하다. =〔丰融〕〔饶ráo衍〕

〔丰艳〕 fēngyàn 형 〈文〉 (용모가) 탐스럽게 아름답다.

〔丰衣足食〕 fēng yī zú shí 〈成〉 의식이 풍족하다(한 모양).

〔丰仪〕 fēngyí 명 ①풍모. 풍채. =〔丰姿〕 ②〈翰〉 귀하(貴下).

〔丰盈〕 fēngyíng 형 ①(몸이) 풍만하다. =〔丰腴①〕 ②유복(裕福)하다. ¶衣食～; 생활이 풍족하다. ③곡식이 잘 여물다.

〔丰腴〕 fēngyú 형 ①⇨〔丰盈①〕 ②(토지가) 기름지다. 풍요롭다. ¶在～的草甸上放牧; 기름진 초지에서 방목하다. ③(음식 등이) 풍성하다.

〔丰裕〕 fēngyù 형 풍족하고 여유가 있다. 부유하다. ¶生活～一点; 생활이 좀 부유해지다.

〔丰韵〕 fēngyùn 명 ⇨〔风韵〕

〔丰殖〕 fēngzhí 동 〈文〉 풍성하게 번식하다.

〔丰姿〕 fēngzī 명 용모. 볼품. =〔丰容①〕〔风姿〕

〔丰足〕 fēngzú 형 풍족하다. =〔丰实〕

沣(灃)

Fēng (풍)

명 《地》 평수이 강(灃水)《산시 성(陝西省)에 있는 강 이름》.

风(風)

fēng (풍)

①명 바람. ¶一阵～; 일진의 바람 / 刮guā～; 바람이 불다. ②동 바람의 힘으로 …하다. ¶～化作用; 풍화 작용 / ～干; ⇩ / 晒干～净; 햇볕에 쬐고 바람에 말리다. ③명 말린〔건조시킨〕 것. ④명 풍조. 풍속. 풍습. ¶相沿成～; 〈成〉 점차 풍속이 되다 / 勤俭成～; 근검이 세상의 풍조가 되다. ⑤명 정경(情景). ¶～景; 풍경. 경치 / ～光; ⇩ ⑥명 기풍. 기개. 풍격. 품격. 성품. ¶大国之～; 대국의 풍격 / 这幅画大有古～; 이 그림은 매우 예스러운 풍격이 있다. ⑦명 (겉으로 드러나 있는) 태도. 본연의〔이상적인〕 자세. ¶作～; 일에 대처하는 태도·언동 / ～姿; 풍자. 풍채 / 整～; 가다듬어 본연의 자세로 바로잡다 / 歪～; 바르지 않은 태도. ⑧명 소식. 소문. 확실한 근거가 없는 소문. ¶走～; 소문이 나다 / 闻～而至; 소문을 전해 듣고 오다 / ～传; 바람결에 전해지다. 소문으로 듣다. ⑨명 일의 발전 정황. 추세. 동향. 경향. ¶他是一个善于看～的机会主义者; 그는 추이(推移)를 잘 살피는 기회주의자이다. ⑩명 위세(威勢). ⑪명 소동. 쟁의(爭議). ⑫명 교화(敎化). ⑬동 본보기로 삼다. ⑭동 넌지시 말하다. ⑮명 민요. 가요. 민가(民歌). ¶采～; 민요를 수집하다 / 国～; 국풍《'诗经'에 수록된 고대 15개국의 민요》. ⑯명 《漢醫》 옛날, 병인(病因)으로 생각되었던 '六liù淫'의 하나. ¶伤～; 감기 / 抽～; 경련(을 일으키다) / 羊痫xián～; 지랄병 / ～湿; 류머티즘. ⑰〈文〉 '讽fěng'과 통용. ⑱명 성(姓)의 하나.

〔风岸〕 fēng'àn 명 ①바람이 부는 물가. ②사람됨이 모나서 친해지기 어려움.

〔风暴〕 fēngbào 명 ①폭풍. ¶～将来之前的瞬刻寂静; 태풍 전야의 고요. ②〈比〉 규모가 크고 기세가 맹렬한 사건이나 현상. ¶红色～; 혁명적 소요 사건 / 革命的～; 혁명의 폭풍.

〔风泵〕 fēngbèng 명 《機》 ①송풍(送風) 펌프. ②공기 압축기. =〔压yā气机〕

〔风痹〕 fēngbì 명 《漢醫》 풍습성(風濕性) 관절염.

〔风便〕 fēngbiàn 부 〈翰〉 바람결에. 좋은 인편에. 계제에. ¶～奉复; 계제에 답장 드리겠습니다 / ～言怀; 편지로 소감을 말씀드리겠습니다.

〔风标〕 fēngbiāo 명 ①〈文〉 (드러난) 본성. 취향. 모습. ¶文章者盖性情之～; 문장이라는 것은 무릇 성정의 표시이다. ②⇨〔丰标〕 ③풍향계. ¶圆锥～; 풍향계용 원추통 / ～鸡jī; 닭 모양의 풍향계.

〔风表〕 fēngbiǎo 명 풍력계. ¶测cè～; 풍력계.

〔风波〕 fēngbō 명 풍파. 〈比〉 작은 사건. (집안의) 옥신각신. ¶一场～; 한바탕의 분란.

〔风伯〕 fēngbó 명 바람의 신(神). =〔风师〕〔风神〕

〔风不刮, 树不摇〕 fēng bù guā, shù bù yáo 〈諺〉 바람이 불지 않으면 나무는 흔들리지 않는다. 아니 땐 굴뚝에 연기 날까. =〔风不来树不动〕〔风不吹树不摇〕

〔风采〕 fēngcǎi 명 ①풍채. 모습. ¶～骨力; 풍채와 역량. =〔丰采〕 ②⇨〔文wén采①〕

〔风餐露宿〕 fēng cān lù sù 〈成〉 ⇨〔餐风饮露〕

〔风餐雨淋〕 fēng cān yǔ lín 〈成〉 ⇨〔雨淋风餐〕

〔风操〕 fēngcāo 명 절조(節操).

〔风铲〕 fēngchǎn 명 《機》 압축 공기식 삽.

〔风潮〕 fēngcháo 명 ①바람의 방향과 조수의 간만

(干滿). ②(시대의) 풍조. 경향. ③태풍. 폭풍. ④소동. 쟁의(爭議). 분쟁. ¶金融~; 금융계의 공황 / 劳工~; 노동 쟁의 / 闹~ =〔发生(了)~〕; 쟁의·소동이 일어나다.
〔风车(儿)〕 fēngchē(r) 명 ①《農》 풍구. ②풍차. ¶~转动; 풍차가 돌다. ③바람개비. 팔랑개비《장난감》.
〔风车锯片〕 fēngchē jùpiàn 명 《機》 둥근 톱.
〔风尘〕 fēngchén 명 ①풍진. 바람과 먼지. ②〈比〉 세상의 속된 일. 속세간. ¶~碌碌一事无成《紅樓夢》; 속된 세상에서 무슨 일 하나 변변히 한 것이 없다 / ~表物; 어지러운 세상의 속된 일. ③〈比〉 여행 중의 고생. ④〈比〉 병란. 전란. ⑤〈比〉 옛날, 창기(娼妓)의 생활. 접객업. ¶堕duò落~; 타락하여 접객업으로 세상을 살아가다. ⑥어지러운 사회. 떠다니는 처지.
〔风尘仆仆〕 fēngchén púpú (객지에서 혹은 세상에서) 고생을 겪다. ¶~但又年轻发红的脸; 세상의 온갖 고생을 하고 있지만, 그래도 젊고 홍안(紅顔)이다. =〔仆仆风尘〕
〔风池〕 fēngchí 명 《漢醫》 침구(鍼灸) 경락(經絡)의 하나《귀 뒤에 있음》.
〔风驰电掣〕 fēng chí diàn chè 〈成〉 매우 빠른 모양. 신속한 모양. 전광 석화(電光石火)의 빠름. =〔风驰电赴〕
〔风传〕 fēngchuán 명 ⇨〔风闻〕
〔风船〕 fēngchuán 명 ⇨〔风帆(船)〕
〔风窗(儿)〕 fēngchuāng(r) 명 ⇨〔风门儿〕
〔风吹草动〕 fēng chuī cǎo dòng 〈成〉 바람이 불어 풀잎이 움직이다. ①〈比〉 사소한 일로 영향을 받는 일《불안한 모양》. ②〈比〉 작은 변고. ¶有什么~, 一定是你干的; 무엇인가 조금이라도 변한 일이 있으면 네가 한 것이 틀림없다. ③〈比〉 소문이 나다. ¶稍有点儿~的意思; 약간의 소문이 나게 되었다. ④ ⇨〔无wú风草不动〕
〔风吹日晒〕 fēng chuī rì shài 〈成〉 바람을 맞고 햇볕에 쬐어지다. ¶那些黑字标语, 经过~, 大部分剥落和褪了色; 이 까만 글자의 표어는 바람에 노출되고 햇볕에 쬐어진 결과, 대부분은 벗겨져 떨어져 나가고 빛이 바랬다.
〔风吹雨打〕 fēng chuī yǔ dǎ 〈成〉 비바람을 맞다《세상의 온갖 고생·시련을 겪다》.
〔风锤〕 fēngchuí 명 《機》 공기 해머.
〔风从〕 fēngcóng 동 〈文〉 복종하여 따르다.
〔风挡〕 fēngdǎng 명 방풍. 바람막이. ¶~玻璃; (자동차 따위의) 방풍 유리. 프론트 글래스.
〔风刀霜剑〕 fēng dāo shuāng jiàn 〈成〉 바람과 서리가 칼날처럼 사람의 몸을 찌르다《혹한 또는 괴로운 처지에 비유함》.
〔风道〕 fēngdào 명 풍혈(風穴). 통풍로.
〔风道〕 fēngdao 형 (여자가) 음란하다. 성적으로 헤프다. 요염하다.
〔风德〕 fēngdé 동 〈文〉 덕으로써 교화(敎化)하다. ¶四面~; 사방을 덕화(德化)하다.
〔风灯〕 fēngdēng 명 ① ⇨〔风前烛〕 ②(내풍(耐風) 장치의) 등불. 간데라(네 kandelaar). (기관차의) 전조등(前照燈).
〔风笛〕 fēngdí 명 《樂》 백파이프(bagpipe).
〔风颠汉〕 fēngdiānhàn 명 미친 사람〔남자〕.
〔风调〕 fēngdiào 명 〈文〉 문장·말의 풍격.
〔风动〕 fēngdòng 명 바람의 움직임《움직임》. 동 풍력(風力)을 이용하여 움직이게 하다. ¶~工具 =〔风力工具〕; 풍력(風力)을 이용하여 움직이게 하는 공구.
〔风动输送机〕 fēngdòng shūsòngjī 명 공기 컨베이어. 공기 수송기.
〔风洞〕 fēngdòng 명 《建》 풍동《풍압(風壓)의 실험에 쓰이는 일종의 아치형의 건축물》.
〔风斗(儿)〕 fēngdǒu(r) 명 통풍구. 환기창. ¶窗上安~; 창에 통풍구를 달다.
〔风度〕 fēngdù 명 풍격(風格). 자태. 태도. ¶眉宇间显出学者的~; 미간에 학자의 풍격이 나타나다.
〔风铎〕 fēngduó 명 풍경(風磬).
〔风发〕 fēngfā 형 〈文〉 바람과 같이 기운차게 일어나다《위세 좋다. 득의양양하다》. ¶谈论~; 이야기나 토론이 활발히 행해짐. =〔风生〕
〔风帆(船)〕 fēngfān(chuán) 명 돛단배. 범선(帆船). =〔风船〕
〔风范〕 fēngfàn 명 〈文〉 용모와 재능.
〔风痱〕 fēngfèi 명 《漢醫》 중풍의 반신불수.
〔风风火火〕 fēngfēnghuǒhuǒ 형 ①기세가 좋은 모양. ②(당황하여) 침착을 잃은 모양. ③화를 내고 안달하는 모양.
〔风风雪雪〕 fēngfēngxuěxuě 〈比〉 말괄량이 처녀의 형용.
〔风风雨雨〕 fēngfēngyǔyǔ 〈比〉 형 확실한 것도 같고 불확실한 것도 같은 모양. 믿을 수 있는 것 같기도 하고 믿을 수 없는 것 같기도 한 모양. 명 세상의 갖가지 쓰라림. 시련(試練).
〔风概〕 fēnggài 명 〈文〉 풍모와 기개.
〔风干〕 fēnggān 동 ①바람으로 말리다. ¶~栗子; 황밤 / ~福橘皮; 말린 귤껍질《푸저우(福洲)가 귤의 본고장이므로 '福橘'라 함》 / ~腊肉; 절인 돼지고기의 포(脯). ②바싹 말라 버리다.
〔风缸〕 fēnggāng 명 《機》 공기통. =〔压yā气缸〕
〔风镐〕 fēnggǎo 명 《機》 공기 착암기.
〔风格〕 fēnggé 명 ①품격. 풍격. ②어느 시대·민족·유파·사람의 문예 작품이 지닌 예술적·사상적 특징.
〔风骨〕 fēnggǔ 명 ①기골(氣骨). ②(시(詩)·글·그림 등의) 웅혼(雄渾)한 풍격.
〔风光〕 fēngguāng 명 ①풍경. 경치. ¶南国~; 남국의 풍경. ②품격이 높음. ¶细腻~我独知; 세세한 품격에 대해서는 나만이 알고 있다.
〔风光〕 fēngguang 형 〈方〉 ①(관혼상제 등이) 호사스럽다. 크게 벌어지다. ¶这场事办得极~; 이번 일은 매우 호사스럽게 했다. ②영광이다. ¶在乡下人看, 到京城去逛逛算是极其~的事情; 시골 사람의 입장에서 보면 서울에 올라가 구경한다는 것은 매우 영광된 일이다.
〔风柜〕 fēngguì 명 풀무식 대형 탈곡기.
〔风害〕 fēnghài 명 풍해. 바람의 피해.
〔风寒〕 fēnghán 명 추위. 냉기. 한기(寒氣). ¶受~; 냉해지다 / 驱~; 추위를 쫓다 / 抵御~; 추위를 막다.
〔风和日暖〕 fēng hé rì nuǎn 〈成〉 바람이 온화하고 날씨가 화창하다. =〔风和日丽lì〕
〔风葫芦〕 fēnghúlu 명 ①요요(yoyo)《장난감》. ②바람〔팔랑〕개비. =〔风车(儿)③〕
〔风戽〕 fēnghù 명 풍력(風力)을 이용한 관개용 물방아.
〔风花菜〕 fēnghuācài 명 《植》 속속이풀.
〔风花雪月〕 fēng huā xuě yuè 〈成〉 ①화조 풍월(花鳥風月). ②자구(字句)에만 얽매고 치중해서 내용이 빈약한 시문(詩文).
〔风华〕 fēnghuá 명 〈文〉 풍채와 재화(才華).
〔风华正茂〕 fēng huá zhèng mào 〈成〉 한창(이

다). 한창 성장할 때(젊은 사람의 성장 발전을 비유한 말).
〔风化〕 fēnghuà 명동 ①교화(하다). 감화(하다). ②《地》 풍화(하다). ¶～作用; 풍화 작용. 명《化》 풍해(風解).
〔风话(儿)〕 fēnghuà(r) 명 외설적인 말. 음란한 농담. ¶只得装些温柔, 说些～耍shuǎ《水滸傳》; 얌전한 체하면서, 음란한 농담이라도 하며 놀 수 밖에 없다.
〔风怀〕 fēnghuái 명 ⇨〔风情②〕
〔风鬟雨鬓〕 fēng huán yǔ bìn 〈成〉 상투와 살쩍이 비바람을 맞다(간난 신고를 겪다).
〔风火墙〕 fēnghuǒqiáng 명 방화벽(壁). =〔防fáng火墙〕
〔风火事儿〕 fēnghuǒshìr 명 ①화급(火急)한 일(흔히, 해산(解産)을 이름). ②위험한 일. ¶打仗是个～; 전쟁은 위험한 짓이다.
〔风火戏〕 fēnghuǒxì 명《劇》 칼 싸움을 할 때와 같은 서로 호흡이 맞는 것을 필요로 하는〔호흡이 맞지 않으면 위험한〕 연극.
〔风火性〕 fēnghuǒxìng 명 성급한〔성마른〕 성질.
〔风(火)牙〕 fēng(huǒ)yá 명 풍치.
〔风鸡〕 fēngjī 명 닭의 배를 갈라 내장을 꺼내고 소금·산초(山椒)를 넣고 바람에 쐬어 말린 것.
〔风级〕 fēngjí 명《氣》 풍력의 등급.
〔风急云骤〕 fēngjí yúnzhòu 사태가 급하다. 풍운이 급하다.
〔风纪〕 fēngjì 명 풍기. 규율.
〔风鉴〕 fēngjiàn 명〈文〉 ①사람을 볼 줄 아는 안목. ¶～明远; 사람을 보는 안목이 매우 높다. ②관상을 보는 일. ¶～家; 관상쟁이. 지관 / 请～; 관상가에게 관상을 보다.
〔风教〕 fēngjiào 명〈文〉 풍속과 교화.
〔风景〕 fēngjǐng 명 ①풍경. 경치. ¶～画儿; 풍경화. ②〈文〉 풍채.
〔风镜〕 fēngjìng 명 방진용(防塵用) 안경. 방풍(防風) 안경.
〔风卷残云〕 fēng juǎn cán yún 〈成〉 바람이 남은 구름을 흩날려 버리다(일을 단숨에 처리해 버리다). ¶一盘菜刚端上, 一下子就像～一般, 吃个精光; 요리 한 접시가 나왔는가 했더니 단숨에 다 먹어 버렸다.
〔风口〕 fēngkǒu 명 ①바람의 통로. ¶不要站在～上! 바람 통로에 막아 서지 마라! ②바람을 세차게 받는 곳. ¶躲～; 바람맞이를 피하다. ③위험한〔고난스러운〕 곳.
〔风口浪尖〕 fēng kǒu làng jiān 〈成〉 바람이 세찬 곳은 파도도 격심하다(격렬·첨예한 사회 투쟁의 전초(前哨)).
〔风快〕 fēngkuài 형 ⇨〔风响快〕
〔风块〕 fēngkuài 명 ⇨〔风疹块〕
〔风兰〕 fēnglán 명《植》 풍란.
〔风浪〕 fēnglàng 명 ①풍랑. 바람과 파도. ¶突然～大作; 갑자기 풍랑이 일어나다. ②〈比〉 위험한 일. 돌발적인 일. ¶爱～; 모험을 좋아함.
〔风雷〕 fēngléi 명 광풍과 격심한 우레(맹렬한 기세의 힘). ¶革命的～; 혁명의 맹렬한 힘.
〔风力〕 fēnglì 명 ①풍력. 풍속. ¶中心附近最大～是十二级; 중심 부근의 최대 풍속은 '12급' (117km/h)이다. ②〈文〉 풍채와 역량. ③사람을 감화시키는 힘.
〔风力工具〕 fēnglì gōngjù 명《機》 공기 공구(空氣工具). =〔风动工具〕
〔风栗〕 fēnglì 명《植》 밤.
〔风里来, 雨里去〕 fēngli lái, yǔli qù 〈俗〉 바람이 부나 비가 오나 일을 계속함(괴로운 나날을 보냄. 혹독한 시련을 겪음).
〔风凉〕 fēngliáng 형 바람이 불어서 시원하다. ¶大家在～地方休息; 모두 시원한 곳에서 쉬다.
〔风凉话〕 fēngliánghuà 명 훼방하는 말. 중상적인 말. 무책임하게 비아냥대는〔비꼬는〕 말.
〔风量〕 fēngliàng 명《物》 단위 시간내의 공기의 유통량(송풍 펌프·송풍 설비의 능력을 나타내는 데에 쓰임. 단위는 매초 입방(m^3/sec)).
〔风铃〕 fēnglíng 명 풍령. 풍경(風磬).
〔风棂〕 fēnglíng 명 창살.
〔风领儿〕 fēnglǐngr 명 외투에 딸린 방한용 모자. 방한용의 넓은 옷깃.
〔风流〕 fēngliú 명 ①풍류. 풍치가 있고 멋스러움. ¶～才子; 풍류를 아는 재자 / 名士～; 명사의 풍류. ②태도. 모습. ③품격. 풍격. ④남녀간의 정사(情事). 에로틱한 모양. ¶～债; 상사병 / ～案子; 치정(癡情) 사건. ⑤ ⇨〔风流(旦)〕 형 ①운치가 있다. ②공적이 있고 문재(文才)가 걸출하다. 뛰어나다. ¶～人物; 걸출한 인물. 동 바람이 흐르다.
〔风流(旦)〕 fēngliú(dàn) 명《劇》 중국 전통극에서 말괄량이·음부(淫婦)·독부(毒婦)의 역할. =〔风流⑤〕
〔风流云散〕 fēng liú yún sàn 〈成〉 형적도 없이 사라지다. 사람이 뿔뿔이 흩어지다. =〔云散风流〕
〔风流罪过〕 fēngliú zuìguò 명〈文〉 ①사소한 범죄. ②남녀간의 옥신각신하는 허물.
〔风炉〕 fēnglú 명 휴대용의 난로. 풍로.
〔风露草〕 fēnglùcǎo 명《植》 우단쥐손이풀.
〔风马牛〕 fēngmǎniú 명〈比〉 앞뒤가 맞지 않는 말. 관계가 없는 말. ¶～不相及; 서로 전혀 관계가 없다.
〔风毛〕 fēngmáo 명 옷의 깃 따위에 다는 방한용 모피(毛皮).
〔风铆锤〕 fēngmǎochuí 명《機》 리벳(rivet) 총(銃).
〔风帽(子)〕 fēngmào(zi) 명 ①방한용 모자. ②웃옷에 다는 후드(hood).
〔风貌〕 fēngmào 명 ①풍채와 용모. ②풍격. 양상. ③경치.
〔风媒花〕 fēngméihuā 명《植》 풍매화. →〔虫chóng媒花〕
〔风门儿〕 fēngménr 명 ①방한용 덧문. =〔风门子〕 ②《機》 공기 코크. 액셀러레이터〔액셀〕(자동차의 가속 페달 따위). =〔风窗(儿)〕〔风门②〕
〔风门子〕 fēngménzi 명 ⇨〔风门儿①〕
〔风靡〕 fēngmǐ 동〈文〉 풍미하다. 휩쓸다.
〔风靡一时〕 fēng mǐ yī shí 〈成〉 일세(一世)를 풍미하다. ¶解放前, 黄色小说曾经～, 解放后才彻底清除了此种流毒; 해방 이전에는 속되고 나쁜 소설이 한때 유행했지만, 해방 후에는 이런 류의 해독을 철저하게 없앴다. →〔风行一时〕
〔风魔〕 fēngmó 동〈文〉 ①혼란시키다. ②홀리다. 실성하다. 미혹(迷惑)시키다. ③열광하다〔시키다〕.
〔风磨〕 fēngmò 명 풍차(風車)에 의한 연자매.
〔风鸟〕 fēngniǎo 명《鳥》 극락조(極樂鳥).
〔风平浪静〕 fēng píng làng jìng 〈成〉 바람이 고요하고 물결이 잔잔함(일이 평온해지다. 무사 평온하다).
〔风旗〕 fēngqí 명 중국 전통극에서, 바람이 부는

것을 나타내는 검은 기.
〔风起云涌〕 fēng qǐ yún yǒng 〈成〉 큰 바람이 불고 구름이 일어나다(폭풍과 같은 기세로 끊임없이 나타나는 일). ¶～, 雷电交加; 폭풍이 불어 구름이 일고, 게다가 우레까지 울렸다 / 民族解放的斗争正在～; 민족 해방 투쟁이 폭풍우와 같은 기세로 일어나고 있다. =〔风起水涌〕 →〔方fāng兴未艾〕
〔风气〕 fēngqì 명 ①풍조. 풍속. 기풍. 붐(boom). ¶形成了～; 풍조가 형성되었다 / 看书的～日益浓厚; 책을 읽는 풍조가 날로 강해지다 / 遊山玩水的～; 레저 붐. ②풍채. 풍격. ③세상 물정. ④바람. ⑤《漢醫》 중풍.
〔风前〕 fēngqián 명 풍전. 바람 앞. ¶～之灯光; 풍전등화. 바람 앞의 등불 / ～之烛, 草上之霜; 풍전등화, 풀잎 위의 서리. 〈比〉 ⓐ인생의 덧없음. ⓑ매우 위급한 자리에 놓여 있음.
〔风(前)烛〕 fēng(qián)zhú 명 풍전 등화(인생의 덧없음). ¶风烛残年; 〈成〉 여생이 얼마 남지 않았음 / 小翠的父亲已到～之年; 소취(小翠)의 부친은 이미 노인이 되었다. =〔风灯①〕〔风里灯〕〔风中(之)烛〕
〔风枪〕 fēngqiāng 명 ①공기총. ②공기 착암기. 에어 드릴.
〔风墙〕 fēngqiáng 명 ①《建》 바람막이 담. ②(초목을 보호하기 위한) 바람막이.
〔风茄儿〕 fēngqiér 명 ⇨〔曼màn陀罗〕
〔风琴〕 fēngqín 명 ①《樂》 오르간. 풍금. ¶弹～; 오르간을 치다 / 管～; 파이프 오르간 / 手～; 아코디언. 손풍금 / 口～; 하모니카. →〔钢gāng琴〕 ②풍경(風磬).
〔风情〕 fēngqíng 명 ①풍향·풍력 등의 상태. ②(남녀의) 서로 사랑하는 감정. ¶卖弄～; 교태를 부리다. =〔风怀〕 ③풍아한 취미. 운치.
〔风趣〕 fēngqù 명 풍취. 취미. 유머. ¶诗句当然可以有幽默的意味, 就是所谓有～; 시구에는 당연히 해학적인 의미, 즉 이른바 풍취가 있어야 좋다 / 她～地说; 그녀는 유머러스하게 말했다.
〔风圈〕 fēngquān 명 《天》 햇무리. 달무리(‘日rì晕’ ‘月yuè晕’의 통칭).
〔风壤〕 fēngrǎng 명 〈文〉 풍토. 토양.
〔风人〕 fēngrén 명 ①광인(狂人). ②시인. ③풍류를 아는 사람.
〔风轫〕 fēngrèn 명 《機》 에어 브레이크. =〔气qì闸〕
〔风骚〕 fēngsāo 명 ①시나 노래 따위의 풍류·운치를 이름(‘风’은 시경(詩經)의 풍. ‘骚’는 이소(離騷)). ②〈轉〉 문학. 형 경망스럽다.
〔风扫残云〕 fēng sǎo cán yún 〈成〉 바람이 남은 구름을 불어 없애다(남은 자나 세력을 일소함).
〔风扫落叶〕 fēng sǎo luò yè 〈成〉 가을 바람이 낙엽을 흩날리다(부패(腐敗) 세력을 손쉽게 일소(一掃)함).
〔风色〕 fēngsè 명 ①바람의 방향. 풍세. 날씨. ¶～不顺; 바람의 방향이 좋지않다 / ～突然变了; 바람 방향이 갑자기 변했다. ②〈比〉 사물의 형세. 동정. 정세. 모양. 사람의 안색. ¶看～; 기색을 살피다 / ～有点不对; 형세가 다소 좋지 않다.
〔风沙〕 fēngshā 명 풍사(風砂). 큰바람이 휘몰아쳐 날리는 모래.
〔风扇〕 fēngshàn 명 ①옛날, 천장에 매달아 놓던 헝겊 부채. ②풍향계(計). 바람개비. ③선풍기. 통풍기. ¶～(皮)带; 《機》 팬 벨트(fan belt). =〔电扇〕
〔风尚〕 fēngshàng 명 사람들의 기호(嗜好). 풍조. 기풍. 풍격. 스타일. ¶出现了新～; 새로운 기풍이 나타났다 / 体育～; 스포츠맨십.
〔风声〕 fēngshēng 명 ①소문. 풍문. 풍설. ¶传着一个～; 소문이 하나 나 있다. ②바람 소리. ¶～鹤唳; 〈成〉 겁에 질려 조그마한 일에도 놀라다. ③미풍(美風).
〔风湿〕 fēngshī 명 《醫》 류머티즘. =〔风湿病〕
〔风蚀〕 fēngshí 명동 《地》 풍식(하다).
〔风势〕 fēngshì 명 ①풍세. 바람의 강도. ②형세. 정세. ¶～不对; 형세가 좋지 않다.
〔风树〕 fēngshù 명 〈比〉 부모가 이미 돌아가 효도할 수 없게 된 한탄. ¶～之叹; 풍수지탄 / 树欲静而风不止, 子欲养而亲不待《韓詩外傳》; 나무는 고요하게 있고자 하나 바람이 그치지 않고, 자식은 어버이를 공양하고자 하나 어버이가 기다려 주지 않는다. =〔风木〕
〔风霜〕 fēngshuāng 명 ①풍상. 신고(辛苦). 고생. ¶饱经～ =〔饱阅～〕; 〈成〉 온갖 풍상을 겪다. ②해와 달이 가고 바뀜. 세월의 변천.
〔风霜虫豸〕 fēngshuāng chóngzhì ①바람과 서리와 해충. ②〈比〉 청소년에게 해가 되는 일. ¶帮bāng助儿童们战zhàn胜～; 아동들을 도와서 여러 가지 해독을 극복시키다.
〔风水〕 fēngshuǐ 명 풍수. 집이나 무덤의 방위 및 상(相). ¶～先生 =〔～家〕; 지관(地官). 풍수쟁이 / 看～; 풍수를 보다 / 有～; 좋은 징조다. =〔地理②〕
〔风丝儿〕 fēngsīr 명 미풍(微風). 산들바람.
〔风俗〕 fēngsú 명 풍속. ¶～画; 풍속화. 민화 / ～画家; 풍속화〔민화〕가.
〔风速〕 fēngsù 명 풍속. ¶～计; 자기 풍속계(自記風速計) / ～表; 풍속계 / ～器qì; ⓐ풍속계. ⓑ(라이플 총의) 풍력 조절계.
〔风瘫〕 fēngtān 명 《漢醫》 중풍. =〔瘫痪①〕.
〔风痰〕 fēngtán 명 《漢醫》 풍담(감기로 체내 진액이 이상을 일으켜 담이 나오는 병증세).
〔风藤葛〕 fēngténggé 명 《植》 바람등칡. 풍등갈.
〔风调雨顺〕 fēng tiáo yǔ shùn 〈成〉 기후가 순조롭다. ¶过去中国农民靠天吃饭, 渴kě望～; 이전에 중국의 농민은 날씨에 의존하는 생활을 하고 있었으므로 기후가 순조롭기를 갈망했다. →〔五wǔ风十雨〕
〔风头〕 fēngtou 명 ①풍향(風向). 바람 방향. ¶～不顺shùn =〔～不对〕; 바람 방향이 좋지 않다. ②〈比〉 정세. 형세. 동향. ¶看～办事; 형세를 보아 가며 행하다 / 避避～; 공격을 피하다 / 这几日～很紧; 요 며칠은 정세가 매우 긴박하다. ③자기 선전. 과시. 주제넘게 나서는 것. ¶出～; 주제넘게 나서다 / ～十足; 완전히 첨단을 걷다. 남의 눈을 몹시 끌다 / ～主义; 매명(賣名)주의. ④쩡쩡거림. 행세. 위세. ¶那时他在中央作委员, 正在～上; 그 때의 그는 중앙에서 위원을 하고 있어 아주 쩡쩡거리던 때였다.
〔风头人物〕 fēngtou rénwù 명 ①화제(話題)에 오른 인물. ¶他们这十天来正是～; 그들은 요 10일간 화제의 주인공이 된 인물이다. =〔热rè闹人物〕 ②공명심(功名心)에 불타는 사람. 허세를 부리는 사람.
〔风土〕 fēngtǔ 명 풍토. ¶～驯化; 풍토에 익숙해지다. 풍토에 순응하다 / ～人情; 풍토와 인정.
〔风腿〕 fēngtuǐ 명 돼지 앞다리 허벅지로 만든 햄(ham). →〔火huǒ腿〕

〔风尾〕 fēngwěi 명 폭풍이 끝날 무렵의 바람.
〔风味(儿)〕 fēngwèi(r) 명 ①풍미. (지방색 있는) 맛. 운치. (풍류의) 정취. 기분. 취미. ¶尝尝中国的～; 중국의 풍취를 맛보다 / 别有～; 각별한 풍취가 있다 / 这一带真有韩国～; 이 일대는 참으로 한국 정취가 있다 / 很富于民族～; 민족 정취가 풍부하다. ②의미 심장한 뜻. ‖ =〔风致②〕
〔风闻〕 fēngwén 동 소문〔바람결〕에 듣다. 명 풍문. =〔风言〕〔风语〕
〔风物〕 fēngwù 명 풍물. 경치.
〔风匣〕 fēngxiá 명 ⇨〔风箱〕
〔风险〕 fēngxiǎn 명 (있을지도 모를) 위험. ¶冒～; 위험을 무릅쓰다 / 担～; 위험을 각오하다 / 他从来没有经过什么～; 그는 이제껏 이렇다 할 위험을 겪은 적이 없다.
〔风箱〕 fēngxiāng 명 풀무. ¶拉～ =〔打～〕; 풀무질하다. =〔风鞴bèi〕〔风匣xiá〕
〔风响快〕 fēngxiǎngkuài 형 바람과 같이 빠르다. =〔风快〕
〔风向〕 fēngxiàng 명 ①풍향. 바람의 방향. ②〈比〉 정세. 동정.
〔风向标〕 fēngxiàngbiāo 명 풍신기(風信器). 풍향계. =〔风向器〕〔风向仪〕〔风信器〕〔风针〕〔相xiàng风〕〔相风竿〕
〔风向袋〕 fēngxiàngdài 명 풍향을 알기 위해 거는 드림기.
〔风邪〕 fēngxié 명 《漢醫》 ①풍질(風疾)의 병인(病因). ②감기.
〔风榭〕 fēngxiè 명 납량(納凉)하기 위한 정자.
〔风信〕 fēngxìn 명 바람의 시기와 방향. 바람의 상태.
〔风信鸡〕 fēngxìnjī 명 (닭 모양의) 풍향계. 바람개비. =〔风标鸡〕〔风向鸡〕
〔风信子〕 fēngxìnzǐ 명 《植》 히아신스. =〔〈俗〉洋yáng水仙〕
〔风信子石〕 fēngxìnzǐ shí 명 《鑛》 ①지르코늄(zirconium)석(石). ②지르콘(zircon).
〔风行〕 fēngxíng 동 ①바람이 불다. ②〈比〉 바람처럼 널리 번지다. 세상에 행하여지다. 널리 쓰이다. 유행하다. ¶～神速; 순식간에 일반에 행하여지다 / ～全国; 전국적으로 유행하다 / ～一时; 〈成〉 한때 유행하다.
〔风行草偃〕 fēng xíng cǎo yǎn 〈成〉 바람이 부는 곳에 초목이 너울거린다(덕행이 널리 미침을 이름).
〔风选〕 fēngxuǎn 명 풍력(風力)으로 종자를 선별하는 법. ¶～机; 풍선기(風選機) 분리기(分離器). 동 키로 붙이다. 키질하다. 까부르다. →〔扬yáng场〕
〔风癣〕 fēngxuǎn 명 《醫》 마른버짐(피부병의 일종). =〔桃táo花(儿)癣〕
〔风雪〕 fēngxuě 명 ①풍설. ¶和～严寒搏斗; 눈바람이나 혹한과 싸우다. ②가혹한 시련.
〔风讯〕 fēngxùn 명 (폭풍 따위의) 바람에 관한 소식.
〔风压〕 fēngyā 명 《物》 풍압. 바람의 압력.
〔风雅〕 fēngyǎ 명 ① (FēngYǎ) 시경(詩經)의 편명(篇名)(국풍(國風)·대아(大雅)·소아(小雅)를 말함). ②〈轉〉 시문(詩文). ¶～之道; 시문의 길. 형 풍아(風雅)하다. 고상하고 멋지다. =〔丰雅〕
〔风烟〕 fēngyān 명 바람 부는 대로 떠도는 연기.
〔风言〕 fēngyán 명 ⇨〔风闻〕
〔风言风语〕 fēng yán fēng yǔ 〈成〉 근거 없는 풍설. 중상적인 소문. =〔风里言, 风里语〕
〔风眼〕 fēngyǎn 명 ①《漢醫》 농루성 결막염. 풍안. ②유치장. 감옥. ¶你蹲了几年～呢? 너는 몇 년 동안 감옥에 있었느냐? ③극단의 가난. ¶我妈死在～里; 어머니는 심한 가난 속에서 돌아가셨습니다.
〔风谣〕 fēngyáo 명 〈文〉 풍속 가요. =〔谣言②〕
〔风衣〕 fēngyī 명 ①더스터 코트(duster coat). 스프링 코트. =〔春chūn大衣〕〔风雨衣〕 ②윈드재킷.
〔风义〕 fēngyì 명 사우(師友)의 정의(情誼)·도의(道義). =〔风谊〕
〔风懿〕 fēngyì 명 《漢醫》 풍의(중풍의 중증).
〔风雨〕 fēngyǔ 명 ①풍우. 비바람. ②〈比〉 (사회의) 고난·고통. 시련. ¶～如晦; 〈成〉 상태·환경의 어둡고 냉엄한 모양.
〔风雨表〕 fēngyǔbiǎo 명 ⇨〔晴qíng雨表〕
〔风雨操场〕 fēngyǔ cāochǎng 명 우천(雨天) 체조장.
〔风雨灯〕 fēngyǔdēng 명 방풍용 유리가 있는 손에 들고 다니는 램프. =〔马mǎ灯〕〔桅wéi灯②〕
〔风雨交加〕 fēng yǔ jiāo jiā 〈成〉 비와 바람이 동시에 닥쳐오다(여러 가지 비애가 갈마들며 찾아옴).
〔风雨飘摇〕 fēng yǔ piāo yáo 〈成〉 비바람에 나부끼다(정세가 대단히 불안정하다).
〔风雨同舟〕 fēng yǔ tóng zhōu 〈成〉 ⇨〔同舟风雨〕
〔风雨无阻〕 fēng yǔ wú zǔ 〈成〉 개거나 비가 오거나 관계없이 실행하다.
〔风语〕 fēngyǔ 명 ⇨〔风闻〕
〔风月〕 fēngyuè 명 ①바람과 달. 〈比〉 산수의 풍광. 경치. 풍류. →〔清qīng风〕 ②남녀간의 정사(情事). ¶爱～ =〔好hào～〕; 여색(女色)을 즐기다 / ～情; 남녀의 정교 / ～子弟; 방탕아. 도락자 / ～话; 사랑 이야기.
〔风乐器〕 fēngyuèqì 명 《樂》 공기로 소리를 내는 악기(주로 입으로 부는 것을 이름).
〔风云〕 fēngyún 명 ①풍운. ②〈轉〉 사회 변동. 급변하는 정세. ¶～告急; 정세가 급박함을 알림.
〔风云变幻〕 fēng yún biàn huàn 〈成〉 풍운의 변화가 격심하다(변화가 복잡하고 신속함). ¶民国初年, 军阀混战时期, 国内局势～, 人民生活动荡不安; 민국 초년의 군벌 혼전의 시대는, 국내의 정세가 복잡하고 그 변화도 심하여, 국민의 생활도 동요하여 불안했다. =〔风云变色〕
〔风云人物〕 fēng yún rén wù 〈成〉 풍운아.
〔风韵〕 fēngyùn 명 ①우아한 모양. 풍아(風雅)하고 고상한 모습. 우아하고 아름다운 운치. ②바람 소리. 바람이 물체에 부딪쳐 나는 소리. ③(흔히 여성의) 그윽하고 고아한 자태. ¶～犹存; 색향(色香)이 아직도 남아 있다. ‖ =〔丰韵〕
〔风灾〕 fēngzāi 명 풍재(風災). 바람의 재해.
〔风枣〕 fēngzǎo 명 말린 대추.
〔风闸〕 fēngzhá 명 《機》 에어 브레이크. ¶～软管; 에어 브레이크 호스.
〔风障〕 fēngzhàng 명 《農》 (갈대나 수수 줄기로 엮어 모종을 보호하는 밭의) 바람막이.
〔风疹〕 fēngzhěn 명 《醫》 풍진(風疹). =〔风瘆〕
〔风疹块〕 fēngzhěnkuài 명 《醫》 심마진(蕁麻疹). 두드러기. =〔风块〕〔风疙瘩〕〔瘋疙瘩〕〔鬼guǐ饭疙瘩〕〔〈方〉鬼风疙瘩〕〔荨xún麻疹〕
〔风筝〕 fēngzheng 명 ①연. ¶放～; 연을 날리다 / 树林子放～; 일이 뒤엉키다. 착잡해지다 / 床底下

放～; 높아도 한도가 있다. =〔风鸢yuān〕〔纸鸢〕〔风鹰〕 ②풍경(風磬). =〔风铃〕 ③《蟲》 하늘가재. 사슴벌레. ④기상 관측용의 연.
〔风致〕 fēngzhì 명 ①풍치. 고상하고 풍아함. ② ⇨〔风味(儿)〕
〔风致林〕 fēngzhìlín 명 풍치림.
〔风中之烛〕 fēng zhōng zhī zhú 〈成〉 풍전 등화.
〔风中血脉〕 fēngzhòngxuèmài 명 《漢醫》 안면 신경 마비증.
〔风烛残年〕 fēng zhú cán nián 〈成〉 얼마 남지 않은 여생. →〔风(前)烛〕
〔风姿〕 fēngzī 명 ⇨〔丰姿〕
〔风阻〕 fēngzǔ 명 《物》 ①편류(偏流)(바람의 영향에 의한 흐름의 편차(偏差)). ②풍압면(風壓面)(선체(船體)의 바람이 작용하는 면). ③풍손(風損)(발전기 따위의 회전자(回轉子)와 케이싱(casing) 안의 공기와의 사이에 생기는 마찰).
〔风钻〕 fēngzuàn 명 《機》 ①착암기(鑿岩機). 공기드릴. ②금속에 구멍을 뚫는 드릴. →〔钎qiān子〕

沨(渢) fēng (풍)
〈擬〉〈文〉 물 소리.

枫(楓) fēng (풍)
명 《植》 단풍나무. =〔枫树〕〔枫香xiāng树〕
〔枫实〕 fēngshí 명 단풍 열매(별칭은 '路lù路通'. 약으로 씀).
〔枫杨〕 fēngyáng 명 《植》 풍양나무. =〔枫柳〕

疯(瘋) fēng (풍)
①형 정신 이상이다. 미치다. (머리가) 돌다. ¶这个人～了; 이 사람은 돌았다. ②(～子) 명 미친 사람. 광인. 미치광이. ¶半～(儿); 반미치광이 / 发～; 미치다. ③형 미치광이 같은. 턱없는. ¶打退敌人的～狂进攻; 적의 광적인 맹공격을 격퇴하다 / 他一点儿也不～; 그는 조금도 이상한〔미친 듯한〕 점이 없다. ④동 〈比〉 농작물의 가지·잎이 덩거칠기만 하고 열매를 맺지 않다. ¶棉花长～了; 목화(木花)가 열매는 맺지 않고 키만 컸다. ⑤동 언동이 상궤를 벗어나 있다. ¶～言～语; 허튼〔헛〕 소리. 잠꼬대. ⑥명 《醫》 한센병(病). 나병(癩病). ⑦동 경련을 일으키다. ¶抽了一阵～; 한 차례 발작〔경련〕을 일으키다.
〔疯八〕 fēngbā 명 〈俗〉 광인.
〔疯病〕 fēngbìng 명 〈俗〉 정신병. =〔疯疾jí〕
〔疯杈〕 fēngchà 명 《植》 과일이 달리지 않는 가지. 웃자란 가지. (목화 따위의) 결실하지 않은 쓸데 없는 가지. ¶打～; 쓸데 없는 가지를 잘라내다. =〔疯枝〕
〔疯癫〕 fēngdiān 명 풍전(瘋癲). 정신 이상. 형 정신이 이상하다. ¶疯疯癫癫; ⓐ정신이 나가다. 광기를 띠고 있다. ⓑ언행이 비정상적이다.
〔疯疯朝世〕 fēng fēng cháo shì 〈成〉 상궤(常軌)를 벗어난 모양. 근신(謹愼)치 않는 모양.
〔疯妇〕 fēngfù 명 미친 여자.
〔疯狗〕 fēnggǒu 명 미친 개.
〔疯汉〕 fēnghàn 명 미친 사람. 광인(어른 남자).
〔疯话〕 fēnghuà 명 미친 소리. 말 같지 않은 이야기.
〔疯疾〕 fēngjí 명 ⇨〔疯病〕
〔疯狂〕 fēngkuáng 형 미치광이 같다. 광적이다. ¶～进攻; 광적인 진공.
〔疯魔〕 fēngmó 명 미치광이. 동 ①미치다. 실성하다. ②열중하게 하다. 열광하게 하다. ¶乒乓球比赛的消息几乎～了所有的市民; 탁구 경기의 뉴스는 거의 전시민을 열광하게 했다.
〔疯牛〕 fēngniú 명 광우. 미친 소. ¶～进了瓷器铺; 미친 소가 사기 그릇 가게에 뛰어들었다(마구 물건을 부수고 돌아다니다).
〔疯跑〕 fēngpǎo 동 미친 듯이 뛰어 돌아다니다.
〔疯去〕 fēngqù 동 미친 듯이 정처없이 나가다.
〔疯人〕 fēngrén 명 미친 사람. 광인. =〔疯魔〕〔疯子〕〔风人①〕〔风子〕
〔疯人院〕 fēngrényuàn 명 〈俗〉 정신 병원.
〔疯瘫〕 fēngtān 명 《醫》 중풍. 반신 불수. 동 마비되다. (기능이) 정상이 아니다.
〔疯头疯脑〕 fēng tóu fēng nǎo 〈成〉 ①정신이 돌다. 상궤를 벗어나다. ②열중하다.
〔疯丫头〕 fēngyātou 명 정신 나간 처녀(이내 열중함).
〔疯秧〕 fēngyāng 명 솎아 내는 모종. 불량한 모종.
〔疯野〕 fēngyě 형 (여자가) 침착하지 못하다. 잘 돌아다니다.
〔疯医院〕 fēngyīyuàn 명 정신 병원. =〔疯人院〕
〔疯长〕 fēngzhǎng 동 (식물(植物)이) 웃자라다. 이상(異常) 성장하다.
〔疯枝〕 fēngzhī 명 ⇨〔疯杈〕
〔疯子〕 fēngzi 명 ⇨〔疯人〕

砜(碸) fēng (풍)
명 《化》 술폰기(基)와 알킬기(基) 또는 방향기(芳香基)와의 결합 유기화합물. 술폰(sulfone). ¶～土; 알루미나(alumina).

封 fēng (봉)
①동 봉하다. 작위를 주어 제후(諸侯)로 삼다. ¶～侯; 제후로 봉하다. ②동 봉하다. 닫아 막다. 밀폐하다. ¶～瓶口; 병 아가리를 밀봉하다 / ～河; ⇩ ③동 봉인(封印)하다. 봉쇄하다. 압류하다. ¶查chá～; 조사하여 봉인하다. 압류하다 / 启qǐ～; 봉인을 뜯다. ④동 가두다. 제한하다. ¶故步自～; 〈成〉 구태의연하여 조금도 향상의 길을 찾지 않다. ⑤형 크다. ¶～狐hú; ⇩ / ～豕长蛇; 〈成〉 큰 악당. ⑥(～儿) 명 봉한 종이 꾸러미 또는 종이 봉투. ¶赏～; 정표. 행하. 팁 / 信～; 편지. 봉투. ⑦양 통. 꾸러미(편지 따위의 봉한 것을 세는 데 쓰임). ¶一～信; 편지 한 통. ⑧동 흙을 쌓아올리다. ⑨명 성(姓)의 하나.
〔封包〕 fēngbāo 명 선물꾸러미.
〔封背〕 fēngbèi 명 봉투의 뒷면.
〔封闭〕 fēngbì 동 ①(밀)봉하다. 밀폐하다. 봉인하다. ¶～式传送系统; 봉폐식 운반 장치. 실드 컨베이어 시스템(sealed conveyor system) / 用火漆～瓶口; 밀랍으로 병 아가리를 밀봉하다. ②《法》 압류하다. ¶～铺面; 점포를 압류하다. ③봉쇄하다. ¶～工厂 =〔封锁工厂〕; 공장 폐쇄.
〔封闭疗法〕 fēngbì liáofǎ 명 《醫》 폐색 요법.
〔封闭折线〕 fēngbì zhéxiàn 명 《數》 절선(折線)
〔封边〕 fēngbiān 명 한 귀퉁이만 봉함.
〔封财门〕 fēng cáimén 섣달 그믐 밤에 가족이 모두 귀가(歸家)한 후, 대문에 봉을 하고 금종이·은종이로 만든 '元yuán宝'(마제은(馬蹄銀))을 걸어 두는 일.
〔封册〕 fēngcè 명 봉책(고대 제왕이 왕후를 봉하는 데 썼던 조서(詔書)).

〔封车〕 fēng.chē 동 ①차를 징발하다. ②(운전수 등이) 차를 넣어 두고 하루의 일을 끝내다.
〔封船〕 fēng.chuán 동 민선(民船)을 징발하다.
〔封存〕 fēngcún 동 봉하여 넣어 두다.
〔封底〕 fēngdǐ 명 (잡지·간행물 등의) 뒷표지. =〔底封面〕〔里封面〕〔封四〕
〔封地〕 fēngdì 명 영지(領地).
〔封典〕 fēngdiǎn 명 청대(清代)에, 관리의 증조부모·조부모·부모·아내에게 내리는 은전(恩典).
〔封冻〕 fēngdòng 동 얼어붙다. ¶～期; 결빙기.
〔封二〕 fēng'èr 명 (책 따위의) 겉 면지(面紙). 표지의 안쪽. →〔封里①〕〔封面③〕
〔封发〕 fēngfā 동 봉(封)을 하고 발송하다.
〔封港〕 fēng.gǎng 동 항구를 봉쇄하다.
〔封固寄呈〕 fēnggù jìchéng 〈文〉 봉(封)을 하고 송부(送付)하다. =〔封寄〕
〔封关〕 fēngguān 명 ① 세관의 휴무. ②각종 상점·은행 등의 휴무.
〔封官〕 fēng.guān 동 어떤 관위(官位)에 임명하다. ¶～许愿; 〈成〉 자기 편을 만들기 위해 벼슬자리에 봉하거나 소원을 이루어 주거나 하다. 〈比〉 명리(名利)로써 사람을 낚아 자파에 포섭하다. (fēngguān) 명 진급. 승진. 승급.
〔封罐机〕 fēngguànjī 명 (통조림의) 깡통 봉합기(封合機).
〔封河〕 fēng.hé 동 ①하천이 결빙되다. ②겨울에 강물이 얼어붙어 선박의 교통이 끊기다. ↔〔开kāi河①〕
〔封侯〕 fēnghóu 명동 〈文〉 제후(로 봉하다).
〔封狐〕 fēnghú 명 〈文〉 큰 여우.
〔封火〕 fēng.huǒ 동 ①(화로에 뚜껑을 닫거나 잿속에 묻거나 해서) 불을 죽이다. ②음식점이 밤 영업을 끝마치다. 문 닫다.
〔封货〕 fēnghuò 동 짐을 봉인하다.
〔封缄〕 fēngjiān 명 봉인(封印). 실(seal).
〔封缄器〕 fēngjiānqì 명 자동 봉함기(封緘機).
〔封建〕 fēngjiàn 명 ①봉건. ¶～经济; 봉건적 경제 / ～把头; 두목. 보스 / ～残余; 봉건 시대의 잔재. ②봉건제. 형 봉건적이다. ¶他太～了; 그는 지나치게 봉건적이다 / 头脑很～; 생각이 봉건적이다.
〔封建割据〕 fēngjiàn gējù 명 봉건적인 할거(割據).
〔封建礼教〕 fēngjiàn lǐjiào 명 봉건적인 예법과 도덕.
〔封建余孽〕 fēngjiàn yúniè 명 봉건적 잔재(물)〔잔재 세력〕.
〔封建主〕 fēngjiànzhǔ 명 영주(領主).
〔封疆〕 fēngjiāng 명 ①경계(境界). 경내(境內)의 땅. =〔封略〕〔封域〕〔封圻〕 ②국경을 지키는 장군《명(明)·청(清) 이후는 '督抚'라고 했음》. ③경내 근교의 땅. ¶居～之间; 경내 근교에 살다.
〔封禁〕 fēngjìn 동 봉(封)을 하고 남이 여는 것〔통행〕을 금하다. =〔封闭禁止〕
〔封君〕 fēngjūn 명 옛날, 아들이나 손자가 고위 고관이 되었기 때문에 천자(天子)로부터 봉전(封典)을 받은 아버지와 할아버지. =〔封翁〕
〔封口(儿)〕 fēng.kǒu(r) 동 ①봉인(封印)하다. (병 아가리 따위를) 밀봉하다. ¶这封信还没～; 이 편지는 아직 봉하지 않았다. ②(상처난 데를) 막다. ③입을 봉하고 말하지 않다.
〔封蜡〕 fēnglà 명 봉랍(封蠟). =〔火huǒ漆〕
〔封里〕 fēnglǐ 명 ①(책의) 앞표지의 뒷면. =〔封二〕. ②뒤표지의 앞면. =〔封三〕
〔封门〕 fēng.mén 동 ①출입구에 봉인(封印)을 하다. ②집을 압류하다. ③(관청·상점의) 문을 닫다.
〔封面〕 fēngmiàn 명 ①(서적·잡지 따위의) 겉표지. ¶～女郎; 잡지 표지의 사진으로 나온 여자. =〔封皮④〕〔书shū皮(儿)〕 ②양장본(洋裝本)의 겉장. =〔封一〕 ③속표지. 안 겉장. 판권장. 간기(刊記).
〔封墓〕 fēngmù 동 묘 위에 흙을 쌓아올리다《죽은 사람에 대한 일종의 예절》.
〔封泥〕 fēngní 명 봉니(封泥). ①《工》 공기가 새어나오는 것을 막기 위해 관(管)의 이음매를 틀어막는 것. ②〈文〉 옛날, 죽간(竹簡) 따위를 쓰던 때, 왕복의 서함(書函)을 끈으로〔새끼로〕 묶고 그 매듭을 진흙으로 봉하던 일.
〔封皮〕 fēngpí 명 〈方〉 ①(편지) 봉투. =〔信xìn封(儿)〕 ② ⇨〔封条①〕 ③포장지. ④책의 겉표지. =〔封面①〕 ⑤술독의 아가리를 봉하는 진흙.
〔封妻荫子〕 fēng qī yìn zǐ 〈成〉 ①아내는 '封典'을 받고 자식은 관직을 받다. ②〈比〉 고위 고관의 몸.
〔封球〕 fēngqiú 명 《體》 (핸드볼의) 볼 차징(ball charging).
〔封三〕 fēngsān 명 (책 따위의) 뒷면지. 뒤표지의 안쪽.
〔封杀〕 fēngshā 명 (야구의) 봉살(封殺). 포스아웃.
〔封山〕 fēngshān 동 벌채를〔벌목을〕 금지하다. ¶～育yù林; 벌채를 금지하고 조림을 육성하다.
〔封禅〕 fēngshàn 명 옛날, 태산(泰山)에서 제왕이 천지에 지내는 제사.
〔封神〕 fēngshén 동 신으로 봉하다. 신으로 숭앙(崇仰)하다. 신격화하다.
〔封豕长蛇〕 fēng shǐ cháng shé 〈成〉 큰 돼지와 긴 뱀《큰 악당. 침략자》.
〔封死〕 fēngsǐ 동 ①(도로 등을) 막다. ②《體》 블로킹하다. 명동 《體》 봉살(封殺)(하다). 포스아웃(force-out)(시키다). 명 《體》 (배구의) 블로킹(blocking).
〔封四〕 fēngsì 명 ⇨〔封底〕
〔封锁〕 fēngsuǒ 동 닫고 자물쇠로 잠그다. 명동 봉쇄(하다). ¶～线; 봉쇄선 / 经济～; 경제 봉쇄 / ～禁运; 봉쇄하여 수출입을 금지하다.
〔封锁工厂〕 fēngsuǒ gōngchǎng 공장 폐쇄. 록아웃. =〔封闭工厂〕
〔封台〕 fēng.tái 동 《劇》 연말(年末)에 극장 상연을 쉬다.
〔封套(儿)〕 fēngtào(r) 명 ①(문헌 따위를 넣는) 대형 봉투. =〔封筒〕 ②책의 커버 또는 갑(匣).
〔封条〕 fēngtiáo 명 ①봉하는 데 쓰는 좁고 긴 종이. 봉하는 종이. =〔封皮②〕 ②압류의 쪽지. ¶贴～; 압류의 딱지를 붙이다.
〔封筒〕 fēngtǒng 명 편지 봉투. ¶红hóng封套(儿); 붉은 봉투《안내·축의(祝儀) 등에 쓰임》. =〔封套(儿)①〕
〔封头〕 fēngtou 명 술병 마개.
〔封王〕 fēngwáng 동 ①옛날, 왕으로 봉해지다. 왕이 되다. ②〈轉〉 우두머리가 되다.
〔封网〕 fēngwǎng 명동 《體》 (배구의) 블록킹(blocking)(하다).
〔封箱〕 fēngxiāng 동 ①상자에 봉을 하다. ②《劇》 연말에 마지막 흥행을 끝내고 도구를 챙겨 넣고 봉(封)하다. ¶～戏xì; 연말의 마지막 공연.
〔封押〕 fēngyā 동 압류하다. =〔查chá封〕

〔封檐板〕 fēngyánbǎn 명 《建》 처마. 차양(遮陽).
〔封一〕 fēngyī 명 ⇨〔封面②〕
〔封邑〕 fēngyì 명 〈文〉 봉읍. 제후(諸侯)의 봉토.
〔封印〕 fēngyìn 명동 〈文〉 봉인(封印)(하다). ↔〔开kāi印〕
〔封斋〕 fēng.zhāi 동 《宗》 이슬람교도가 회교력(回教曆) 9월 한 달 동안 음식을 끊고 재계(齋戒)하다. =〔把斋〕
〔封奏〕 fēngzòu 명 〈文〉 밀봉한 상주문(上奏文). =〔封事〕〔封疏〕〔封章〕
〔封租〕 fēngzū 명 《法》 재판소에서 강제적으로 대차 관계(貸借關係)의 해약을 명령하는 것. ¶如有欠租情形, 房东都可申请~; 만약 집세가 밀릴 경우, 집 주인은 법원에 대차 관계의 해약을 명하도록 신청할 수 있다.
〔封嘴〕 fēng.zuǐ 동 입을 막다. 말을 하지 못하게 하다. ¶给人封了嘴; 다른 사람에 의해 말을 하지 못하게 되었다.

葑 **fēng** (봉)
명 《植》 芜菁wújīng (순무)의 구칭(舊稱). ⇒ fèng

峰〈峯〉 **fēng** (봉)
①명 산봉우리. ¶顶dǐng~; (산의) 정상. 최고봉 / ~峦luán; ⇓ =〔山shān峰〕 ②명 봉우리 비슷한 것. 곧추서고 날카로운 것. ¶双~; 낙타의 쌍봉 / 单~骆驼; 단봉 낙타. ③양 낙타를 세는 단위. ¶两~骆驼; 두 마리의 낙타.
〔峰腹〕 fēngfù 명 〈文〉 산허리.
〔峰会〕 fēnghuì 명 정상 회담.
〔峰尖〕 fēngjiān 명 〈文〉 봉정(峰頂). 산봉우리의 꼭대기.
〔峰脚〕 fēngjiǎo 명 〈文〉 산기슭.
〔峰岠〕 fēngjù 명 〈文〉 큰 봉우리.
〔峰岭〕 fēnglǐng 명 〈文〉 산봉우리.
〔峰峦〕 fēngluán 명 〈文〉 연봉(連峰). ¶~叠秀; 죽 이어진 아름다운 봉우리.

烽 **fēng** (봉)
명 봉화. =〔烽燧suì〕

〔烽墩〕 fēngdūn 명 봉화대. 초병이 서는 높은 둔덕.
〔烽鼓〕 fēnggǔ 명 ①봉화와 북. ②〈轉〉 전쟁. 전화(戰火).
〔烽候〕 fēnghòu 명 〈文〉 봉화대. 망루. 동 봉화를 올려 위급을 알리다.
〔烽火〕 fēnghuǒ 명 ①봉화. ¶~台; 봉화대. ②〈比〉 전화(戰火). 전쟁. ¶~连天; 전화가 도처에 미치다.
〔烽燧〕 fēngsuì 명 〈文〉 봉화.
〔烽烟〕 fēngyān 명 봉화. =〔烽火〕
〔烽子〕 fēngzǐ 명 〈文〉 봉화대의 파수병. 척후병(斥候兵). =〔烽卒〕

锋(鋒) **fēng** (봉)
①명 창끝. ¶交~; 싸우다 / 冲~; 돌격하다 / 针~相对; 〈成〉 바늘의 끝과 끝을 마주치다《사상·행동·언론 등이 날카롭게 대립됨》. =〔蜂④〕 ②명 〈比〉 끝이 날카로운 것. 날카로운 끝. ¶笔bǐ~; 붓끝. 필봉. ③명 〈比〉 선두에 서는 사람. ¶先~; 선봉. 전위 / 前~; ⓐ선봉. ⓑ《體》 전위. 포워드. ④형 날카롭다. ¶词~; (문장·이론의) 예기. ⑤명 검(劍). ⑥명 《氣》 전선. ¶冷~; 한랭 전선 / 暖~; 온난 전선.

〔锋镝〕 fēngdí 명 〈文〉 칼끝과 화살촉. 〈轉〉 병기(兵器). 전쟁. ¶~余生; 전쟁에서 살아남다.
〔锋发韵流〕 fēngfā yùnliú 〈比〉 문장이 유창하다.
〔锋钢〕 fēnggāng 명 《機》 고속도강(高速度鋼).
〔锋快〕 fēngkuài 형 (날붙이가) 잘 들다.
〔锋利〕 fēnglì 형 ①(날붙이가) 날카롭다. ¶这把刀很~; 이 칼은 매우 예리하다. ②(언론·문장 따위가) 날카롭다. 예리하다. ¶谈吐~; 말이 날카롭다.
〔锋芒〕 fēngmáng 명 ①창끝. 칼끝. ②〈比〉 재기(才氣). 예기. 날카로운 기상(氣象). ¶~逼人; 〈成〉 날카로운 말로 다그치다. 서슬이 퍼렇다 / ~外露; 재기가 밖으로 나타나다. ‖ =〔锋铓〕〔锋颖〕 ③미세(微細)한 것.
〔锋面〕 fēngmiàn 명 《氣》 불연속면(不連續面). 전선면(前線面).
〔锋刃〕 fēngrèn 명 창끝. 칼끝.
〔锋锐〕 fēngruì 형 〈文〉 창끝처럼 날카롭다.
〔锋头健〕 fēngtóujiàn 〈比〉 이름이 알려지다. 두각(頭角)이 나타나다.
〔锋颖〕 fēngyǐng 명 ⇨〔锋芒①②〕

蜂〈蠭〉 **fēng** (봉)
①명 《蟲》 벌. ¶蜜~; 꿀벌 / 土~; 땅벌 / 胡~; 말벌 / 熊~; 어리호박벌 / ~糖; 벌꿀 / 一只~; 한 마리의 벌 / 一串~; 한 떼의 벌 / 养了一窝~; 벌을 한 통 치다. =〔〈方〉 蜂子〕 ②명 《蟲》 꿀벌. ¶~箱; ⇓ / ~蜜; ⇓ ③부 떼를 지어《많은 사람의 비유》. ¶~拥; ⇓ ④명 창끝. =〔锋fēng①〕
〔蜂虿〕 fēngchài 명 벌과 전갈《'虿'는 전갈의 일종》. ¶~有毒; 벌과 전갈은 작아도 독을 가지고 있다《미물이라도 자주 사람을 해친다》.
〔蜂场〕 fēngchǎng 명 양봉장.
〔蜂巢〕 fēngcháo 명 벌집《특히, 꿀벌의 집》. ¶~胃; 《動》 되새김 동물의 위(胃)의 제2 실(室).
〔蜂出〕 fēngchū 동 〈文〉 벌떼처럼 나오다. →〔蜂起〕
〔蜂刺〕 fēngcì 명 벌의 침. =〔蜂针〕
〔蜂斗菜〕 fēngdǒucài 명 《植》 머위.
〔蜂坊〕 fēngfáng 명 양봉장. 꿀벌의 사육장.
〔蜂房〕 fēngfáng 명 벌집. =〔蜂窝wō①〕〔蜂巢〕
〔蜂糕〕 fēnggāo 명 스폰지 케이크(sponge cake)《발효시킨 밀가루에 설탕 등을 넣어 찐 것. 절단면이 벌집 모양임》. =〔蜂糖糕〕
〔蜂虎〕 fēnghǔ 명 《鳥》 벌잡이새.
〔蜂花酸〕 fēnghuāsuān 명 《化》 메리신산(酸). =〔三sān十(烷)酸〕
〔蜂黄〕 fēnghuáng 명 벌의 몸에 붙어 있는 화분(花粉).
〔蜂聚〕 fēngjù 동 (벌떼처럼) 떼지어 모이다.
〔蜂蜡〕 fēnglà 명 밀랍. 봉랍. ¶黄~; 황랍 / 白~; 백랍.
〔蜂蜜〕 fēngmì 명 벌꿀. ¶纯净~; 《藥》 정제(精製) 벌꿀. =〔蜜①〕〔蜂糖〕〔蜂饧〕
〔蜂鸣器〕 fēngmíngqì 명 버저(buzzer). =〔蜂音器〕
〔蜂目豺声〕 fēng mù chái shēng 〈成〉 벌침과 같이 날카로운 눈과 늑대와 같은 소리《날카로운 눈과 무서운 소리》.
〔蜂鸟〕 fēngniǎo 명 《鳥》 벌새《조류 가운데 가장 작음》.
〔蜂起〕 fēngqǐ 동 ①벌떼처럼 떼를 지어 일어나다. ②봉기하다.
〔蜂乳〕 fēngrǔ 명 로열 젤리《상품(上品)으로부터

차례로 '蜂王精'·'蜂皇精'·'王浆'·'～'라고 함). =〔蜂乳精〕〔蜂乳浆〕
〔蜂上来〕 fēngshanglai 동 떼지어 밀려오다.
〔蜂王〕 fēngwáng 명 《蟲》 여왕벌.
〔蜂窝〕 fēngwō 명 ①벌집. =〔蜂房fáng〕 ②(～儿) 벌집처럼 구멍이 많이 뚫려 있는 것. ¶～现象; 콘크리트재(材)의 네스트 현상/～炉; 연탄 풍로/～织炎; 《醫》 봉와직염.
〔蜂窝煤〕 fēngwōméi 명 구멍이 뚫린 연탄. 구멍탄.
〔蜂箱〕 fēngxiāng 명 (양봉용) 벌통.
〔蜂腰〕 fēngyāo 명 ①벌처럼 가늘고 긴 허리. ②〈比〉 중간의 것이 다른 것만 못한 경우(예컨대, 3형제 중의 둘째가 못한 것 같은 경우).
〔蜂拥〕 fēngyōng 동 쇄도(殺到)하다. ¶～而来; 많은 사람이 밀어닥치다.
〔蜂涌〕 fēngyǒng 동 떼짓다. ¶～而来; 〈成〉 떼지어 밀어닥치다.
〔蜂至〕 fēngzhì 동 벌떼처럼 모여들다. =〔〈方〉蜂上来〕

酆 fēng (풍)
①지명용 자(字). ¶～都Fēngdū; 펑두(酆都)(쓰촨 성(四川省)에 있는 현(縣) 이름)/～都城dūchéng; 저승. ② 명 성(姓)의 하나.

冯(馮) Féng (풍)
명 성(姓)의 하나. ⇒píng

逢 féng (봉)
① 동 만나다. ¶～人便说; 사람을 만날 때마다 말하다/～山开路; 〈成〉 산을 만나 길을 내다(역경에 처하여 해결방법을 찾다)/久别重～; 오랫동안 헤어졌다가 다시 만나다. =〔相xiāng逢〕 ② 동 …이 되다. ¶每～礼拜天; 일요일마다. ③ 형 크다. ④ 동 영합(迎合)하다. =〔逢迎yíng①〕 ⑤ 명 성(姓)의 하나.
〔逢场作戏〕 féng chǎng zuò xì 〈成〉 ①기회가 생긴 김에〔멍석 깐 김에〕 끼어 들어 놀다. ②(임기 응변으로) 그 자리를 잘 얼버무리다. 장단을 잘 맞추다.
〔逢处〕 féngchù 명 〈文〉 도처(到處).
〔逢当〕 féngdāng (…의 일(日)·시(時)가) 되다. …이 되면. …에는 언제나. ¶～每月五号停业; 매달 5일은 휴업/～这时候…; 이맘때는 늘….
〔逢吉〕 féngjí 동 〈文〉 좋은 운을 만나다.
〔逢集〕 féngjí 동 장이 서다. ¶我们这儿是三, 八～; 우리가 사는 곳은 3일과 8일에 장(場)이 섭니다.
〔逢节过节〕 féngjié guòjié 명절이 되면 명절을 쇠다(해마다 똑같은 방법으로 지내다).
〔逢君〕 féngjūn 동 〈文〉 군주의 뜻에 영합하다. 상사의 뜻에 영합하다.
〔逢年过节〕 féngnián guòjié 설날과 명절 때마다. ¶～行xíng人情; 설날과 명절 때마다 인사하러 다니다. =〔逢年按节〕
〔逢人但说三分话, 未可全抛一片心〕 féngrén dàn shuō sānfēnhuà, wèikě quánpāo yīpiànxīn 〈諺〉 남을 만나면 삼분의 일 정도만 말하고, 마음 속을 전부 터놓지 마라. 사람을 만나면 말을 삼가고, 마음 속을 보이지 마라. =〔逢人只说三分话, 不可全抛一片心〕
〔逢人说项〕 féng rén shuō xiàng 〈成〉 누구에게나 어떤 사람·사물(事物)을 칭찬하다.
〔逢上必倒〕 féngshǎng bì dǎo (중국어에서) 제3성이 겹치면 앞의 자(字)는 반드시 제2성으로 변한다.
〔逢生〕 féngshēng 동 위험한 데서 살길이 생기다. ¶绝处～; 구사(九死)에 일생(一生)을 얻다.
〔逢是〕 féngshì 무릇. 모두. ¶～来这儿的人, 都不疼钱; 이 곳에 오는 사람은 모두 돈을 아끼지 않는다.
〔逢凶化吉〕 féng xiōng huà jí 〈成〉 ①흉사가 도리어 길사로 바뀌다. ②위험을 벗어나서 안전한 상태가 되다.
〔逢迎〕 féngyíng 동 ①영합(迎合)하다. 아첨하다. ¶阿ē谀～; 〈成〉 아유 영합하다/～权势; 권세에 영합하다. =〔逢④〕〔巴结bājie〕 ②접대(接待)하다.

缝(縫) féng (봉)
동 ①꿰매다. ②수선하다. 깁다. ⇒fèng
〔缝补〕 féngbǔ 동 꿰매어 수선하다. 깁다.
〔缝缝补补〕 féngfengbǔbǔ 명 ⇒〔缝缝连连〕
〔缝缝连连〕 féngfengliánlián 명 꿰매고 이어 붙이는 일. =〔缝缝补补〕
〔缝工〕 fénggōng 명 ①재봉사. ②바느질.
〔缝焊接〕 fénghànjiē 명 《工》 계용접(繼溶接). 봉합(縫合) 용접(2개의 전극 사이에 용접물을 끼고 산륜(散輪)을 회전시켜 순차적으로 이음매를 만드는 법).
〔缝合〕 fénghé 동 《醫》 (상처·터진 데를) 꿰매다. 봉합하다. ¶仔细地～了每一道裂口; 상처를 조심해서 하나하나 봉합했다. =〔缝拢lǒng〕 명 봉합.
〔缝口〕 féngkǒu 동 터진 데를 꿰매다.
〔缝连〕 féngliān 동 꿰매어 붙이다. ¶～补绽; 꿰매거나 터진 데를 깁다.
〔缝穷〕 féngqióng 명 삯바느질(가난한 부녀자가 남의 옷을 짓거나 수선하여 생계를 유지하는 일).
〔缝纫〕 féngrèn 〈文〉 동 꿰매다. 깁다. 명 바느질. 재봉(일). ¶～机 =〔～机器〕; 재봉틀/手摇～机器; 손재봉틀/电动～机; 전동식 재봉틀/～机针; 재봉틀 바늘.
〔缝线〕 féngxiàn 명 ①바느질실. ②《醫》 (외과용의) 봉합사(絲).
〔缝衣〕 féngyī 동 옷을 꿰매다. ¶～机 =〔～机器〕; 미싱. 재봉틀/～针; 바느질 바늘.
〔缝绽〕 féngzhàn 동 〈文〉 터진 데를 꿰매다.
〔缝缀〕 féngzhuì 동 〈文〉 천을 대고 꿰매다.

讽(諷) fěng (풍)
동 ①(함축성 있게) 넌지시 타이르다. 풍자하다. 비꼬다. 빈정대다. ¶讥～; 비난하다/嘲～; 조롱하다/冷嘲热～; 〈成〉 차갑게 조소하고 심하게 비꼬다. ②암송하다. 외다. ③암시하다. 귀띔하다.
〔讽词〕 fěngcí 명 빈정대는 말. 풍자적인 말.
〔讽刺〕 fěngcì 동 풍자하다. 비꼬다. 빗대어 빈정대다. 명 ①풍자. 빗댐. ¶他感到受了人的～, 很不高兴; 그는 남에게서 빈정거림을 당했다고 느끼어 몹시 불쾌했다. ②반어(反語). 아이러니. =〔反fǎn语〕
〔讽谏〕 fěngjiàn 동 풍간하다. 넌지시 충고하다. 완곡히 타이르다.
〔讽书〕 fěngshū 동 〈文〉 책을 암송하다.
〔讽诵〕 fěngsòng 동 〈文〉 억양·리듬을 붙여서 읽다. 낭송(朗誦)하다.
〔讽味〕 fěngwèi 동 〈文〉 흥얼거리며 음미하다.
〔讽言〕 fěngyán 동 에둘러 말하다. ¶～讽语; 에둘러 말하다. 빗대어 빈정대다/～讽语打趣他;

에둘러 빈정대며 그를 놀리다. 명 넌지시 비꼬는 말.
〔讽喻〕 fěngyù 《言》 명 풍유(수사법(修辭法)의 하나). 동 풍유하다.

覂 **fěng** (봉)
동 뒤집히다. 뒤집다. ¶ ~车 =〔~驾jià〕; 수레가 뒤집히다. 차가 전복되다.

唪 **fěng** (봉)
동 ①큰 소리로 읽다. ¶ ~经jīng; 불경을 소리내어 읽다. 독경하다. ②크게 웃다.

凤(鳳) **fèng** (봉)
명 ①《動》 봉황의 수컷. ②(요리에서) 닭의 별칭. ③(Fèng) 《地》 펑현(鳳縣)(산시 성(陝西省)에 있는 현(縣) 이름). ④성(姓)의 하나.
〔凤城〕 fèngchéng 명 ①〈文〉 궁성·궁궐의 별칭. ②(Fèngchéng) 《地》 펑청 현(鳳城縣)(랴오닝 성(遼寧省)에 있는 현(縣) 이름).
〔凤雏〕 fèngchú 명 ①〈文〉 봉황의 새끼. ②〈比〉 재기(才氣) 발랄한 소년.
〔凤吹〕 fèngchuī 명 《樂》 생황(笙簧)·소(簫) 등의 악기의 이름.
〔凤蝶〕 fèngdié 명 《蟲》 호랑나비. =〔凤车〕〔野yě蛾〕
〔凤儿〕 fèng'ér 명 〈比〉 훌륭하고 뛰어난 아이.
〔凤冠〕 fèngguān 명 ①옛날, 황후가 머리에 썼던 봉황 모양의 장식이 드리워진 관. ②(명(明)·청(淸) 시대의) 일반 여자가 혼례 때에 쓰던 봉황 모양의 장식이 드리워진 관.
〔凤凰〕 fènghuáng 명 ①봉황('凤'은 수컷, '凰'은 암컷임). ②〈比〉 뛰어난 인물. ③닭. ④물고기의 이리. 어백(魚白).
〔凤凰于飞〕 fèng huáng yú fēi 〈成〉 봉황이 나란히 날다. 〈比〉 부부의 사이가 화목함(신혼을 축하하는 말로 자주 쓰임).
〔凤凰竹〕 fènghuángzhú 명 《植》 봉황죽(벼과에 속하는 관상용의 대나무). =〔凤尾竹〕〔观guān音竹〕
〔凤梨〕 fènglí 명 《植》 ①아나나스. ②파인애플. =〔菠萝〕〔菠萝蜜〕 ‖ =〔黄梨〕
〔凤毛麟角〕 fèng máo lín jiǎo 〈成〉 봉황의 털과 기린의 뿔(매우 드문 인재·시기·사물). ¶ 像他有义气的, 现在世上简直地是~了; 그 사람처럼 의협심이 있는 사람은 요즘 세상에서는 정말로 드물다. =〔麟角凤毛〕
〔凤鸣朝阳〕 fèng míng zhāo yáng 〈成〉 아침 해를 받고 봉황이 울다(①태평(太平)함의 상서로운 조짐. ②재주 있는 사람이 발전할 시기를 얻음).
〔凤旗〕 fèngqí 명 〈文〉 천자의 의장(儀仗).
〔凤翘〕 fèngqiáo 명 ①옛날, 여자의 머리장식. ② ⇨〔凤头鞋〕
〔凤头潜鸭〕 fèngtóuqiányā 명 《鳥》 댕기흰죽지.
〔凤头鞋〕 fèngtóuxié 명 신발 앞쪽에 봉황의 수를 놓은 것(옛날, 여자의 신발). =〔凤翘②〕
〔凤尾〕 fèngwěi 명 ①봉황의 꼬리. ②납작한 우동. 납작한 건면(乾麵)
〔凤尾松〕 fèngwěisōng 명 《植》 소철(蘇鐵).
〔凤尾鱼〕 fèngwěiyú 명 《魚》 웅어. =〔鲚jì〕
〔凤尾竹〕 fèngwěizhú 명 ⇨〔凤凰竹〕
〔凤仙(花)〕 fèngxiān(huā) 명 《植》 봉선화. =〔染rǎn指草〕〔小xiǎo桃红〕〔〈俗〉 指zhǐ甲草(儿)〕〔指甲花〕
〔凤丫蕨〕 fèngyājué 명 《植》 가지고비고사리.
〔凤眼〕 fèngyǎn 명 가늘고 길게 째진 눈.
〔凤眼蓝〕 fèngyǎnlán 명 《植》 부레옥잠. =〔凤眼莲〕〔水shuǐ葫芦〕
〔凤藻〕 fèngzǎo 명 〈比〉 훌륭한 문장. 아름다운 글.
〔凤子〕 fèngzǐ 명 《蟲》 호랑나비.

奉 **fèng** (봉)
①동 존중하다. 준수하다. 받들다. ¶ 崇~; 숭배하다 / ~命而行; 명을 받들어 시행하다 / ~为指针; 우러러 지침으로 삼다. ②부 〈敬〉 삼가. 공손히(경의를 나타내는 말). ¶ ~陪; 모시고 가다. 수행하다 / ~送; 배웅하다. 진정(進呈)하다. 보내 드리다 / ~还; 도로 돌려 드리다 / ~为圭臬; 〈成〉 우러러 본보기로 삼다 / ~托; 부탁드리다 / ~告; 통지해 드리다. ③동 (상급자 또는 연장자에게) 드리다. 바치다. 헌상하다. ¶ 双手~上; 두 손으로 받들어 올리다. 기꺼이 드리다 / ~献; ⇩ ④동 (상급자 또는 연장자로부터) 받다. ¶ ~旨; ⇩ / ~到命令; 명령을 받다 / 昨~手书; 어제 혜서(惠書)를 받았습니다. ⑤동 (종교 등을) 믿다. 신봉〔신망〕하다. ¶ 信~; 신봉하다 / ~基督教; 기독교를 신봉하다 / ~佛教; 불교를 믿다. ⑥동 섬기다. 받들어 모시다. ¶ ~养; ⇩ / 侍~; 시중들다. ⑦동 알아차리다. ⑧동 처신하다. 살아가다. ¶ 自~甚俭; 매우 검소하게 처신하다. 매우 검소하게 지내다〔살다〕. ⑨명 옛날, 펑톈 성(奉天省)(랴오닝 성(遼寧省)의 구칭). ¶ ~天; 심양(瀋陽)의 구칭 / ~系; 민국 초기, 장쭤린(張作霖)을 수령으로 하는 '北Běi洋军阀' 계의 일파. ⑩명 성(姓)의 하나.
〔奉布〕 fèngbù 동 〈翰〉 말씀드리다. ¶ 特此~; 특별히 이에 말씀드립니다.
〔奉茶〕 fèngchá 동 차를 따라 손님에게 권하다. =〔敬jìng茶〕
〔奉差事〕 fèngchāishi 동 출장 명령을 받다.
〔奉承〕 fèngcheng 동 ①아첨하다. 비위를 맞추다. ¶ ~人家; 남의 비위를 맞추다 / 他喜欢人~他; 그는 남이 비위를 맞춰 주는 것을 좋아한다. =〔拍马屁〕 ②〈敬〉 명(命)을 받다. 명령을 받들다. ③접대하다.
〔奉此〕 fèngcǐ 〈公〉 …라는 취지 잘 알았습니다(옛 공문서의 용어로, 하급 기관이 상급 기관의 내문(來文)을 인용하여 그 명령을 받들 때에 쓰임).
〔奉达〕 fèngdá 〈翰〉 전달하겠습니다. 말씀 드리겠습니다.
〔奉到〕 fèngdào 동 〈翰〉 배수(拜受)하다. ¶ ~手书; 편지를 삼가 받았습니다.
〔奉调〕 fèngdiào 동 〈文〉 전임(轉任)할 것을 명령받다. ¶ ~移防; 군대의 이주(移駐)를 명령 받다.
〔奉渎〕 fèngdú 〈翰〉 죄송하지만 부탁드립니다. 귀찮은 일을 부탁드립니다.
〔奉烦〕 fèngfán 동 〈文〉 〈敬〉 폐를 끼치겠습니다(남에게 부탁할 경우에 쓰는 말).
〔奉访〕 fèngfǎng 동 〈翰〉 찾아뵙다. 뵈러 가다. ¶ ~未遇; 찾아갔지만 만나 뵙지 못했습니다.
〔奉复〕 fèngfù 〈翰〉 회답을 드립니다.
〔奉告〕 fènggào 동 〈敬〉 〈文〉 말씀드리겠습니다('告诉'의 경어(敬語)). ¶ 详情待我回来后, 当面~; 자세한 것은 제가 돌아가 뵈온 후에 보고 드리겠습니다 / 谨此~; 삼가 통지해 드립니다.
〔奉公〕 fènggōng 명 봉공. 국가를 위해 힘을 다함. 공무를 중히 여김. ¶ ~守法; 〈成〉 공무를 위해 힘써 일하고 법을 준수하다 / 廉节~; 청렴

결백하게 절조를 지키고 공공을 위해 힘을 다하다.
〔奉官〕 fèngguān 동〈文〉①정부의 명(命)을 받다. ¶～准; 관(官)의 허가를 받다. ②벼슬 자리에 앉다.
〔奉候〕 fènghòu 동〈文〉①남의 안부를 묻다. 찾아뵙다. ②기다려 주십시오.
〔奉还〕 fènghuán 동〈敬〉돌려 보내 드리다.
〔奉箕帚〕 fèngjīzhǒu 동〈文〉남의 아내가 되다.
〔奉寄〕 fèngjì 동〈翰〉(우편으로) 보내 드리겠습니다.
〔奉饯〕 fèngjiàn 동〈文〉(길 떠나는 사람에게) 전별하다.
〔奉缴〕 fèngjiǎo 동 반려하다. 반환하다. ¶如数～; 전부 반환하겠습니다.
〔奉教〕 fèngjiào 동 가르침을 받다. ¶改日到府上～; 훗날 가르침을 받으러 댁으로 찾아뵙겠습니다.
〔奉经〕 fèngjīng〈翰〉①…을 받자옵고 …하였습니다. ②…의 문서에 접하여 즉시 …하였습니다.
〔奉令承教〕 fènglìng chéngjiào〈翰〉명령을 준수하겠습니다.
〔奉令前因〕 fènglìng qiányīn〈公〉위에 적은 내용의 명령을 받았습니다.
〔奉令维谨〕 fènglìng wéijǐn〈公〉명령을 삼가 받들겠습니다.
〔奉命〕 fèng∥mìng 동 명령을 받들다. =〔奉令〕
〔奉陪〕 fèngpéi 동〈敬〉모시다. ¶恕不～! 모시고 함께 갈 수 없음을 용서해 주십시오! / ～你一同走; 당신을 모시고 같이 가겠습니다.
〔奉请〕 fèngqǐng〈翰〉초대의 말씀을 드립니다. 안내 말씀드립니다.
〔奉求〕 fèngqiú 동 부탁드립니다. 의뢰의 말씀드립니다. ¶我～您一件事; 당신에게 한 가지 부탁드릴 것이 있습니다. =〔奉恳〕〔奉托〕
〔奉劝〕 fèngquàn 동〈敬〉권해 드립니다. 충고드립니다. ¶～你少喝一点儿酒! 술을 좀 삼가시도록 권고 드립니다!
〔奉扰〕 fèngrǎo 동 ①(분부에 따라서) 대접을 받다. ¶今天有事, 下次再～吧; 오늘은 볼일이 있으니까 이 다음에 대접을 받기로 하지요. ②폐를 끼치겠습니다.
〔奉若神明〕 fèng ruò shén míng〈成〉신불(神佛)처럼 받들다. 지상(至上)의 것이라고 보다.
〔奉商〕 fèngshāng 동〈文〉상의 드리겠습니다. ¶有事～; 상의 드릴 일이 있습니다.
〔奉上〕 fèngshàng 동 ①받들어 올리다. 드리다. 바치다. ②받들어 들다.
〔奉使〕 fèngshǐ 동〈文〉사신(使臣)이 되다. ¶～出国; 국사(國使)가 되어 외국에 가다.
〔奉示〕 fèngshì〈翰〉편지 잘 받아 보았습니다.
〔奉祀〕 fèngsì 동〈文〉봉제사하다. 제사 지내다. =〔祭jì祀〕
〔奉送〕 fèngsòng 동 ①진정(進呈)하다. 드리다. =〔奉赠〕 ②전송〔배웅〕하다.
〔奉体〕 fèngtǐ 동〈文〉상부의 의향을 명심하고 시행하다.
〔奉天大鼓〕 fèngtiān dàgǔ 명 '大鼓(儿)'의 일종.
〔奉天杆儿〕 Fèngtiāngǎnr 명〈罵〉펑텐(奉天)놈《펑텐(奉天)은 현재의 심양(瀋陽)》.
〔奉托〕 fèngtuō 동〈敬〉부탁 드리겠습니다.
〔奉委〕 fèngwěi 동〈文〉①명(命)을 받다. 명령을 받들다. ¶～上京去; 명령을 받들고 상경하다 / ～派; 위임 파견의 명을 받다. ②의뢰를 받다.
〔奉闻〕 fèngwén 동〈翰〉삼가 알려 드립니다. 한 말씀 올립니다.
〔奉宪〕 fèngxiàn 동〈文〉윗사람의 명을 받들다.
〔奉献〕 fèngxiàn 동 드리다. 바치다.
〔奉行〕 fèngxíng 동 ①신봉하여 행하다. 신봉하다. ②명(命)을 받들어 (시)행하다. 이행하다. 실행하다. ¶～和平的外交政策事; 평화적 외교 정책을 수행하다.
〔奉行故事〕 fèng xíng gù shì〈成〉종래의 관례대로 일을 하다.
〔奉询〕 fèngxún 동〈翰〉찾아뵙겠습니다. 여쭈다. 안부 드리겠습니다. ¶专此～; 우선 이만 줄이고 찾아뵐 때까지 내내 안녕히 계십시오.
〔奉烟〕 fèngyān 동〈文〉손님에게 담배를 권하다.
〔奉养〕 fèngyǎng 동 (부모나 집안 어른을) 섬기다. 모시다. 봉양하다.
〔奉邀〕 fèngyāo 동〈文〉초빙하다. 초대하다.
〔奉诣〕 fèngyì 동〈翰〉방문하여 말씀드리겠습니다. 찾아뵙겠습니다. ¶～申谢; 찾아가 뵙고 사례의 말씀드리겠습니다.
〔奉谕〕 fèngyù 동 타이름을 받다.〈翰〉훈시를 받다. ¶～敬悉xī一切; 가르치심 일체를 잘 알았습니다.
〔奉赠〕 fèngzèng 동 ⇨〔奉送①〕
〔奉职〕 fèngzhí 동〈文〉봉직하다.
〔奉旨〕 fèngzhǐ 동〈文〉①취지를 받들다. ②임금의 명을 받들다.
〔奉准〕 fèngzhǔn 동〈文〉허락을 받다.

俸 fèng (봉)

명 ①(관리의) 급료. 봉급. ¶薪xīn ～; 봉록. 급여 / 住～; 봉급 지급 정지하다 / 领lǐng～; 봉급을 받다. ②성(姓)의 하나.
〔俸次〕 fèngcì 명 옛날, 재관(在官) 연한(年限)의 다소에 의한 순차(順次).
〔俸给〕 fèngjǐ 명 ⇨〔俸金〕
〔俸季〕 fèngjì 명 옛날, 관리가 봉급을 받는 계절.
〔俸金〕 fèngjīn 명 급료. 봉급. =〔俸给〕
〔俸廉〕 fènglián 명 옛날의 봉급.
〔俸禄〕 fènglù 명 봉록. 봉급. 급여.
〔俸米〕 fèngmǐ 명 옛날의 녹미(祿米). 봉록미(俸祿米).
〔俸薪〕 fèngxīn 명 봉급. 급료. 월봉(月俸).
〔俸银〕 fèngyín 명 옛날의 급여. 봉급. =〔俸钱〕

甮 fèng (봉)

조동〈方〉…할 필요는 없다. …하지 마라. ¶～提起; 거론하지 마라. =〔甭béng〕

葑 fèng (봉)

명《植》〈文〉고서(古書)에서, 줄(풀)의 뿌리를 일컬었음. ⇒fēng

缝(縫) fèng (봉)

(～儿, ～子) 명 ①꿰맨 자리. 솔기. 이음매. ¶无wú～钢管; 이음매가 없는 강관 / 缭～; 솔기를 감치다. ②틈새. 갈라진〔터진〕 데. ¶桌面有条裂～; 테이블 면에 금이 생겼다 / 墙上裂了一道～; 담벼락에 한군데가 틈이 갈라졌다. ③(물건의) 간격. 파탄. ¶说话漏了～; 이야기가 누설되었다. ④(언행의) 결점. 실수. ¶找人错～; 남의 결점을 찾다. ⑤기회. 찬스. ¶见～插针 =〔见了～就钻zuān〕; 기회만 있으면 곧 그것을 이용한다. ⇒féng

赗(賵) fèng (봉)

①동 죽은 이를 조상(弔喪)하기 위해 물건을 보내다. 부조하다. ②명 부조금. 부의품. =〔赙fù赗〕

FIAO ㄈㄧㄠ

覅 fiào (표)
부〈方〉①…하지 마라. ②…할 필요 없다. ‖ =〔不要〕〔别〕

FO ㄈㄛ

佛 fó (불)
명《佛》①부처. 불타(佛陀). ②(불교도가 일컫는) 불도를 터득한 사람. ¶成~; 성불하다. ③불교. ¶~寺; 절. 불사 / ~老; ⇓ ④불상. ¶铁~; 철불 / 石~; 석불. ⑤《貨》〈簡〉'佛郎'의 약칭. 프랑(franc). ⇒fú
〔佛表〕fóbiǎo 명 경서(經書) 등에 쓰이는 황색의 종이.
〔佛刹〕fóchà 명 불교의 사원(寺院). 사찰(寺刹).
〔佛地〕fódì 명 ⇨〔彼bǐ岸③〕
〔佛殿〕fódiàn 명 불전(佛殿).
〔佛法〕fófǎ 명《佛》①불법. 불교의 도리. ¶~无边; 불법은 끝이 없다. 부처의 자비는 한이 없다. ②불법의 힘. 법력.
〔佛公〕fógōng 명 환희불(歡喜佛)의 남성 불상.
〔佛供〕fógòng 명 불공. 불사(佛事)
〔佛骨〕fógǔ 명 석가의 유골. 불사리. =〔佛舍利〕
〔佛果〕fóguǒ 명 ①대오 철저(大悟徹底)하여 부처가 됨. ②선인 선과(善因善果)·악인 악과를 이르는 말.
〔佛海〕fóhǎi 명 불해(불법의 광대함). ¶同归~; 함께 불법에 귀의하다.
〔佛会〕fóhuì 명 부처를 예배하기 위한 모임.
〔佛家〕fójiā 명《佛》불교에 종사하는 사람. 중. 승려.
〔佛甲草〕fójiǎcǎo 명《植》돌나물. =〔佛指甲〕〔垂chuí盆草〕
〔佛教〕Fójiào 명《宗》불교. =〔像xiàng教〕
〔佛经〕fójīng 명 불경. 불교의 경전. =〔释shì典〕
〔佛口蛇心〕fó kǒu shé xīn〈成〉입으로는 자비를 주장하나 마음 속에는 독이 있다(구변은 좋되 속은 엉큼함).
〔佛郎〕fóláng 명《貨》〈音〉프랑.
〔佛郎机〕fólángjī 명 ①〈音〉유럽 사람(특히, 포르투갈 사람과 에스파냐 사람). ②유럽 사람이 가져온 대포.
〔佛老〕fólǎo 명 ①석가와 노자. ②불교와 도교.
〔佛罗那〕fóluónà 명《藥》베로날(Veronal). =〔佛罗纳〕〔佛罗拿〕
〔佛门〕fómén 명《佛》①불문. 불가(佛家). ¶~弟子; 불교도. 불교 신자. ②불교에 종사하는 사람. 승려.
〔佛母〕fómǔ 명《佛》환희불(歡喜佛)의 여성 불상.
〔佛逆〕fónì 명 버니어(vernier). 부척(副尺). 유표(遊標).
〔佛舍利〕fóshèlì 명 ⇨〔佛骨〕
〔佛生日〕fóshēngrì 명 석가 탄신일. 음력 4월 8일.
〔佛事〕fóshì 명 법요(法要). 법사(法事).
〔佛手〕fóshǒu 명《植》불수감(佛手柑). ¶~露 =〔~水〕; 불수감으로 만든 사이다의 일종. 시트론(citron) 주스 / ~酒; 술 이름.
〔佛手蕉〕fóshǒujiāo 명《植》불수초. 해남(海南) 지방의 파초(작고 달콤한 바나나).
〔佛塔〕fótǎ 명 불탑. 절의 탑.
〔佛堂〕fótáng 명 불당. 부처를 제사 지내는 방. 불전.
〔佛头〕fótóu 명 ①불두. 부처의 머리. ②'朝cháo珠'의 큰 구슬.
〔佛(头)青〕fó(tóu)qīng 명《色》군청. 군청색.
〔佛头银〕fótóuyín 명《貨》에스파냐 은화의 속칭.
〔佛头着粪〕fó tóu zhuó fèn〈成〉부처 머리에 똥을 칠하다. 좋은 것이 나쁜 것 때문에 더럽혀지다(남을 모독하다).
〔佛陀〕Fótuó 명〈梵〉불타. 부처.
〔佛像〕fóxiàng 명 불상.
〔佛心〕fóxīn 명 불심. (부처와 같은) 자비심. ¶他很有~, 尽做慈悲的事情; 그는 자비심이 많아, 언제나 은혜로운 일을 한다.
〔佛性〕fóxìng 명 불성. 불심.
〔佛牙〕fóyá 명 석가(釋迦)의 치아.
〔佛眼相看〕fó yǎn xiāng kàn〈成〉호의(好意)를 가지고 보다. 너그러이 보다.
〔佛爷〕fóye 명〈俗〉부처님(석가모니에 대한 존칭). ¶老~ =〔~老子〕〔我的~老子〕! 이거 참 놀랐는데. 이거 큰일났다. 천만의 말씀. 사람 살려!
〔佛(爷)龛〕fóyékān 명 불단.
〔佛爷桌儿〕fóyézhuōr 명 불단 앞의 재물을 올려 놓는 상. =〔佛爷桌子〕
〔佛因〕fóyīn 명 인연(因緣)(일체의 선근 공덕(善根功德)을 이름).
〔佛藏〕fózàng 명 불교 경전의 서고(書庫).
〔佛指甲〕fózhǐjiǎ 명《植》활나물.
〔佛珠〕fózhū 명 중의 염주(念珠).
〔佛子〕fózǐ 명 ①보살. ②불자. 부처님 제자, 즉 불교도. 불교 신자. ③자비로운 사람.
〔佛祖〕fózǔ 명 ①불교의 시조(석가). ②불교의 각 종파의 조사(祖師).

FOU ㄈㄡ

缶 fǒu (부)
①명 장군(아가리가 좁고 중배가 큰 질그릇). ②명 양병(洋甁). =〔瓦wǎ缶〕 ③명 양병의 악기(秦朝). ¶击~; 부를 치다. ④양 옛날 용량의 단위. 4곡(斛)(40두(斗)). ⑤명 용기(容器)의 일부분. ¶氧气呼吸器中的清净~; 산소 호흡기 중의 정화 장치. ⑥명 보일러. =〔汽qì锅〕. ⑦습관적으로 '罐'(도자기나 금속의 통)의 약자로 씀.
〔缶口〕fǒukǒu 명 보일러의 아가리.
〔缶水〕fǒushuǐ 명 보일러의 물.

炰 fǒu (부)
동〈文〉푹 끓이다. ¶~粥zhōu; 죽(을 끓이다).

否 fǒu (부)
①동 동의하지 않다. 부정〔부인〕하다. ②보통 '是否', '能否', '可否' 등으로 사용되어 '是不是', '能不能', '可不可'의 뜻을 나타냄. ¶然

～? 그런가 그렇지 않은가? / 是～; 그런지 그렇지 않은지 / 曾～; …한 일〔적〕이 있는가 없는가 / 可～; 가(可)한지 어떤지 / 是～真确; 확실한지 어떤지 / 可～查验; 검사해도 좋을지 어떨지 / 还有问题与～一时不得而知; 아직 문제가 있는지 없는지 당장은 알 수 없다. ③ 조 의문의 조사(助詞)《'吗ma' 처럼 쓰임》. …인지〔한지〕 어떤지. ¶汝知之～; 너는 이를 알고 있는가. ④ 부 아니다. 그렇지 않다《바로 앞엣말을 부정(否定)하며 구두어의 '不bù'에 해당함》. ¶～, 此非吾意; 아니, 이건 내 생각과는 다르다 / ～, 这不是正确的方针; 아니, 이것은 올바른 방침은 아니다. ⑤ 접 …이 아니면. =〔否则〕 ⇒ pǐ

〔否德〕 fǒudé 명 〈文〉 부덕(不德). 박덕(薄德).

〔否定〕 fǒudìng 명동 부정(하다). 취소(하다). 거부(하다). 반대(하다). ¶～大家的意见; 모두의 의견을 받아들이지 않다 / ～了他的主张, 肯定了我的意见; 그의 주장을 물리치고 나의 의견을 인정했다 / ～之～; 부정(否定)의 부정(否定). 형 부정적이다. ¶～副词; 《言》 부정(否定) 부사《주된 것은 '不'·'没'》.

〔否决〕 fǒujué 동 (의안 따위를) 부결하다. 물리치다. 거절하다. ¶～权; ⓐ(국가 원수나 상원 등에 부여된) 거부권. ⓑ부결권.

〔否认〕 fǒurèn 동 부정하다. 부인하다. ¶～事实; 사실을 부인하다 / ～说没有那么回事; 그런 일은 없다고 부정하다.

〔否则〕 fǒuzé 접 〈文〉 (만약) 그렇지 않으면《흔히, 부사와 호응함》. ¶现在就得去, ～要误事; 지금 곧 가야지, 그렇지 않으면 지장이 생긴다. =〔若不然〕

FU ㄈㄨ

夫 fū (부)
명 ①남편. ¶新～妇; 신혼 부부 / 姐～; 형부 / 姑～; 고모부. =〔丈夫〕 ②성년 남자. ¶匹pǐ～; 필부 / 壮～; 장년(壯年) 남자 / 老～; 남자 노인(의 자칭). ③육체 노동에 종사하는 사람. ¶渔～; 어부 / 农～; 농부. ④(～子) 인부(人夫). 부역꾼. ¶拉～; 강제적으로 인부로 데리고 가다 / 民～; 민부. 노역에 복무하는 인민. =〔伕fū〕 ⇒ fú

〔夫唱妇随〕 fū chàng fù suí 〈成〉 부창부수《부부 사이가 화목하다. 가정이 평화롭다》. =〔夫倡妇随〕〔〈簡〉 倡随〕

〔夫党〕 fūdǎng 명 남편의 친족·지인(知人).

〔夫妇〕 fūfù 명 부부.

〔夫妇花〕 fūfùhuā 명 난초와 수선화.

〔夫家〕 fūjiā 명 시집. 시가(媤家).

〔夫君〕 fūjūn 명 〈文〉 부군《옛날, 아내의 남편에 대한 호칭》. =〔夫婿〕〔夫子zǐ ③〕〔夫主〕

〔夫课〕 fūkè 명 ⇨〔夫役②〕

〔夫吕特〕 fūlǚtè 명 《樂》 〈音〉 플루트(flute). =〔弗柳提〕〔弗柳特〕

〔夫马〕 fūmǎ 명 〈文〉 ①국가 또는 공사(公事) 부역에 제공되는 인마(人馬). ②인부와 거마(車馬). ¶～费; 봉급 이외에 받는 하인이나 거마의 수당.

〔夫妻〕 fūqī 명 부처. 남편과 아내. 부부.

〔夫妻店〕 fūqīdiàn 명 부부 두 사람만이 경영하는 가게.

〔夫权〕 fūquán 명 ①《法》 남편의 권리. ②남편의 위엄·위령(威令).

〔夫人〕 fūrén〔fūren〕 명 ①제후(諸侯)의 아내. ②일·이품(一二品) 품계(品階)의 관리의 아내《명(明)·청조(清朝)》. ③부인. 미세스. 마담《현재는 외교장에서나 외국인에 대하여 쓰임》. ¶史密斯～; 미세스 스미스 / 替我向您～问好; 부인에게 안부 전해 주십시오.

〔夫荣妻贵〕 fū róng qī guì 〈成〉 남편이 출세하면 아내까지 신분이 높아진다.

〔夫士急纸〕 fūshìjí zhǐ 명 〈廣〉 대판양지(大判洋紙). 풀스캡(foolscap).

〔夫兄弟〕 fūxiōngdì 명 〈文〉 남편의 형제. 시숙.

〔夫婿〕 fūxù 명 ⇨〔夫君〕

〔夫役〕 fūyì 명 ①인부. =〔夫子zi〕 ②부역《국가 또는 공공의 노역에 종사하는 것》. =〔夫课〕

〔夫主〕 fūzhǔ 명 ⇨〔夫君〕

〔夫子〕 fūzǐ 명 ①유학자(儒學者)에 대한 존칭《'孔～'·'朱～' 따위처럼 일컬음》. ¶～庙前卖文章; 〈諺〉 공자 묘 앞에서 글자랑하다《부처에 설법》. ②학생의 스승에 대한 호칭. ③아내의 남편에 대한 호칭. =〔夫君〕 ④고서(古書)를 즐겨 읽고 사상이 낡은 사람《풍자적인 뜻을 함축》. ¶老～; 세사(世事)에 어두운 노학자 / 迂～; 세상사에 어두운 사람 / ～气; 진부한 도학자 기질 / ～自道; 〈成〉 ⓐ본디 남의 일을 나쁘게 말하는데 그게 바로 자신의 일이 됨. ⓑ자기를 과시하다.

〔夫子〕 fūzi 명 인부. =〔夫役 ①〕

伕 fū (부)
(～子) 명 부역(夫役)꾼. 인부. ¶～役; 공사(公事)에 징발되어 노무(勞務)에 종사하는 일. =〔夫fū④〕

呋 fū (부)
→〔呋喃〕〔呋西林〕

〔呋喃〕 fūnán 명 《化》 〈音〉 푸란(furane).

〔呋西林〕 fūxīlín 명 《藥》 니트로프라존(nitrofurazone).

玞 fū (부)
→〔珷wǔ玞〕

肤(膚) fū (부)
①명 피부. ¶肌～; 살갗 / 切qiē～之痛; 살을 에는 듯한 아픔. ② 명 썬 고기. ③ 형 〈比〉 겉만의. 얄팍한. ④ 형 큰.

〔肤词滥调〕 fū cí làn diào 〈成〉 말·글에 깊이가 없고 진부(陳腐)하다.

〔肤寸〕 fūcùn 명 〈轉〉 얼마 안 되는 길이《'肤'는 손가락 4개의 길이. '寸'은 손가락 하나의 폭》.

〔肤泛〕 fūfàn 형 (말이) 피상적(皮相的)이다. 깊이가 없다. 형식적이다. ¶～之论; 천박한 견해.

〔肤肌〕 fūjī 명 피부.

〔肤见〕 fūjiàn 명 〈文〉 천견(淺見). 피상적인 판단.

〔肤觉〕 fūjué 명 피부·점막(粘膜)이 외계의 자극을 받아 일으키는 감각.

〔肤廓〕 fūkuò 형 〈文〉 허풍만 떨고 내용은 없다. 빈약한 내용을 함부로 과장하다.

〔肤理〕 fūlǐ 명 피부. 살갗. 살결.

〔肤敏〕 fūmǐn 형 용모가 잘생기고 민첩하다.

〔肤末〕 fūmò 형 〈文〉 피상적이다.

〔肤挠目逃〕 fūnáo mùtáo ①피부를 찔리면 움츠리고, 눈을 찔리면 얼굴을 돌리다. ②〈轉〉 담력이 약하고 용기가 없다. ¶北宫黝之养勇也, 不肤挠不

目逃《孟子 公孫丑 上》; 북궁유(北宮黝)가 용기를 기르자, 피부를 찔려도 움츠리지 않고, 눈을 찔려도 얼굴을 돌리지 않는다.

〔肤皮〕 fūpí 명 비듬. ¶刮掉～; 비듬을 떨다.

〔肤皮潦草〕 fūpí liǎocǎo ⇨〔浮fú皮潦草〕

〔肤浅〕 fūqiǎn 형 (학식·이해가) 얕다. 천박(淺薄)하다. ¶认识很～; 인식이 얕다 / 我对戏曲的了liǎo解很～; 나의 희곡에 대한 이해는 아주 얕다.

〔肤如凝脂〕 fū rú níngzhī 살결이 매끄럽고 윤기가 있는 모양.

〔肤色〕 fūsè 명 피부의 빛깔. 피부색.

〔肤受〕 fūshòu 동 ①피부에 와 닿는 것처럼 절실하게 느끼다. ¶～之愬sù; 절실한 호소. ②수박 겉핥기로 받아 전하다. 경험이 얕다. 대충 알다.

〔肤疹〕 fūzhěn 명《醫》홍역류(類).

砆

fū (부)
→〔碔wǔ砆〕

铁(鈇)

fū (부)
명〈文〉작두. =〔铡刀〕

〔铁钺〕 fūyuè 명 ①작은 도끼와 큰 도끼《고대의 무기》. ②〈轉〉사형(死刑)에 처하는 일.

麸(麩〈稃〉)

fū (부)
(～子) 명 밀기울.

〔麸壳〕 fūké 명 ①밀기울. ②보릿겨.

〔麸料〕 fūliào 명 밀기울.

〔麸皮〕 fūpí 명 밀기울.

〔麸素〕 fūsù 명《化》글루텐. =〔麸质〕

〔麸炭〕 fūtàn 명 (물에 담가서 만든) 뜬숯. =〔浮fú炭〕〔桴fú炭〕

〔麸子〕 fūzi 명 밀기울. 기울. =〔麸料〕〔麸皮〕〔粉fěn渣〕

趺

fū (부)
명〈文〉발등. ¶～坐zuò;《佛》가부좌를 튼 자세로 앉다. =〔跗fū〕

柎

fū (부)
명〈文〉①꽃받침. ②북·종 따위의 발에 해당하는 부분.

跗

fū (부)
명 발등. ¶～骨; ⇩ =〔趺fū〕

〔跗骨〕 fūgǔ 명《生》부골(跗骨)《7개의 뼈로 된 발등의 뼈》. =〔足zú跗骨〕〔足趺骨〕

〔跗关节〕 fūguānjié 명《生》부골과 경골(脛骨) 사이의 관절.

〔跗面〕 fūmiàn 명 발등. ¶～高; 발등이 높다.

〔跗蹠〕 fūzhí 명《鳥》부척《새의 다리 가운데 경골(脛骨)과 발가락 사이의 부분》. ¶～骨; 부척골.

稃

fū (부)
명 밀 따위 꽃의 겉을 싸고 있는 껍질. 겨.

孵

fū (부)
동 부화하다. 알을 까다. ¶～小鸡; 병아리를 까다.

〔孵豆芽儿〕 fūdòuyár 콩나물을 기르다.〈轉〉집에 틀어박혀 멍하니 있다. ¶你别尽在家里～; 여보게, 집 안에만 멍하니 틀어박혀 있으면 안 되네.

〔孵坊〕 fūfáng 명 부화장.

〔孵化〕 fūhuà 명동 부화(하다). ¶～器; 부화기. 인공 부란기.

〔孵鸡〕 fūjī 동 달걀을 부화하다. 명 부화시키기 위해 알을 품고 있는 암탉. =〔伏fú雌〕

〔孵卵〕 fūluǎn 명동 부화(하다). ¶人工～; 인공 부화 / ～器; 부화기.

鄜

Fū (부)
명《地》푸 현(鹿縣)《산시 성(陝西省)에 있는 현 이름. 현재는 '富fù县'이라고 씀》.

敷

fū (부)
①동 두루 말하다. ②동 깔다. 베풀다. ¶～设路轨; 레일을 부설하다. ③동 넓히다. 널리 퍼지게 하다. ④동 가지런히 늘어놓다. 벌이다. ⑤동 바르다. 칠하다. ¶～粉; 분을 바르다 / 外～药; 바르는 약. 외용약. ⑥형 족하다. ¶入不～出; 수입이 지출에 비해 부족하다 / 足～应用; 필요한 만큼 충분히 있다. =〔够gòu②〕

〔敷陈〕 fūchén 동〈文〉자세히 말하다. ¶～其qí事; 그 일을 자세히 말하다.

〔敷料〕 fūliào 명《醫》(외상 치료용의) 약품·붕대류(類).

〔敷面〕 fū·miàn 동 가루를〔고물을〕 묻히다〔바르다〕. (fūmiàn) 명 묻히는 가루. 고물.

〔敷设〕 fūshè 동 ①(철로나 파이프 따위를) 부설하다. ¶～路轨; 레일을 부설하다 / ～铁路; 철로를 부설하다. ②(수뢰·지뢰를) 부설하다. ¶～地雷; 지뢰를 부설하다.

〔敷网〕 fūwǎng 명 (어업의) 부망(敷網). 깔그물. (fū·wǎng) 동 그물을 치다.

〔敷衍〕 fūyǎn 동 부연하다. 뜻을 알기 쉽게 설명하다. ¶～论文要旨; 논문의 요지를 부연하다. =〔敷演〕

〔敷衍〕 fūyan 동 ①(사물이나 사람에 대하여) 불성실하다. 적당히〔되는 대로〕 다루다. 겉만을 꾸며 속이다. ¶～了liǎo事;〈成〉일을 적당히 대강대강 처리하다 / ～塞责; 얼버무려서 책임을 회피하다 / 善shàn于～; (속은 모르지만) 붙임성이 좋다 / 他不诚恳, 对人总是～; 그는 성의가 없이 남을 언제나 적당히 다룬다 / 不应马虎～; 언제나 적당히 해 두어서는 안 된다 / ～了几句; 번드르르한 말을 한두 마디 하다 / ～态度tàidù; 어물쩍해서 넘기려는 태도. ②간신히 버티다. 가까스로 유지하다.

〔敷演〕 fūyǎn 동 ⇨〔敷衍yǎn〕

〔敷药〕 fūyào 명 바르는 약. (fū·yào) 동 약을 바르다.

〔敷用〕 fūyòng 형 (사용하기에) 족하다. 충분하다.

〔敷油〕 fūyóu 동 기름을 칠하다. 기름을 치다.

〔敷余〕 fūyú 동 남아 돌다. 여유가 있다.

⿰钅膚(⿰金膚)

fū (부)
명《化》플루토늄(Pu: Plutonium)《'钚bù'의 구칭》.

夫

fú (부)
〈文〉①대 이. 그. 저. ¶～执與者为谁《論語 微子》; 저 가마를 멜 사람은 누구인가. ②조 대저(大抵). 무릇. 대체《발어사(發語詞)》. ¶～天地者; 대저 천지라는 것은. ③조 아아. 아이구《감탄이나 의문을 나타내는 문말(文末)의 조사(助詞)》. ¶嗟～! 아아! / 逝者如斯～! 가는 것은 다 이와 같은 것인가! =〔乎〕 ④대 그(사람). ¶使～往而学焉; 그로 하여금 가서 그것을 배우게 하다. =〔他〕⇒ fū

芙

fú (부)
표제어 참조

〔芙蕖〕 fúqú 명《植》연꽃. =〔芙渠〕〔扶渠〕〔夫fū

渠〕
〔芙蓉〕 fúróng 명 《植》 부용. =〔木mù芙蓉〕
〔芙蓉糕〕 fúrónggāo 명 ①찹쌀과 설탕으로 만들어 기름에 튀긴 과자. ②〈比〉 자기의 일만 생각하고 남의 일은 돌보지 않음('芙蓉糕'가 한쪽에만 설탕이 붙어 있는 데서 나온 말).
〔芙蓉国〕 Fúróngguó 명 《地》 후난(湖南)의 별칭.
〔芙蓉鸟〕 fúróngniǎo 명 《鳥》 카나리아(canaria). =〔金丝雀〕〔小黄鸟〕
〔芙蓉汤〕 fúróngtāng 명 달걀과 녹말로 만든 수프.
〔芙蓉帐〕 fúróngzhàng 명 ①부용꽃으로 염색한 비단으로 만든 고급 모기장. ②부용꽃 무늬가 있는 방장(房帳). ③〈比〉 규방(閨房)의 안.

扶 fú (부)
①동 돕다. 보좌하다. 원조하다. ¶～危济困; 위기에 있는 사람을 구조하고 곤경에 처해 고통받는 사람을 건지다. ②동 힘이 되어 받쳐 주다. 조력하다. 부축하다. ¶把他～起来; 그를 부축하여 일으키다 / ～上车; 부축하여 차에 태우다. ③동 (손으로 잡고 자기의 몸을) 버티다. 기대다. 의지하다. ¶～栏杆; 난간에 기대다 / ～着拐棍儿; 정(丁)자형 지팡이에 의지하다. ④명 성(姓)의 하나.
〔扶帮〕 fúbāng 동 원조하다.
〔扶保〕 fúbǎo 동 지지(支持)하다. 부조(扶助)하다.
〔扶病〕 fúbìng 동 〈文〉 병을 무릅쓰다. ¶～出席; 병을 무릅쓰고 출석하다. =〔扶疾〕
〔扶不起〕 fúbuqǐ 부축하여 일으켜 세울 수 없다.
〔扶持〕 fúchí 동 ①원조〔구호〕하다. 돕다. ¶～韩国; 한국을 원조하다. ②부축하다.
〔扶床〕 fúchuáng 동 〈文〉 (나이가 어려 겨우) 침대 가장자리를 붙들고 걷다.
〔扶芳藤〕 fúfāngténg 명 《植》 줄사철나무. =〔滂pāng藤〕
〔扶乩〕 fújī 명 접신(接神)하여 길흉을 점치는 것(T자형의 막대 양끝을 2명이 들고 있으면 막대가 움직여 밑에 있는 모래 쟁반 위에 문자·기호를 나타내는데, 이것으로 점을 침. 또, 그 문자·기호). =〔扶箕〕〔扶鸾〕
〔扶箕〕 fújī 명 ⇨〔扶乩〕
〔扶疾〕 fújí 동 ⇨〔扶病〕
〔扶栏〕 fúlán 명 난간. 손잡이.
〔扶老〕 fúlǎo 동 노인을 돕다. ¶～携xiéfù =〔～挈qièfù〕; 〈成〉 노인을 부축하고 어린이를 이끌다. 노인과 아이를 동반하다.
〔扶犁〕 fúlí 동 써레를 잡다. 농경을 하다.
〔扶灵〕 fúlíng 동 영구(靈柩)를 호위하여 장송하다. =〔扶榇〕〔扶柩〕
〔扶轮社〕 Fúlúnshè 명 로터리(Rotary) 클럽.
〔扶苗〕 fú,miáo 동 《農》 쓰러진 모를 일으키다.
〔扶起〕 fúqǐ 동 부축하여 일으키다.
〔扶清灭洋〕 fúqīng mièyáng 청(淸)나라를 일으키고 외국인을 내쫓다(청대(淸代) 의화단(義和團)의 표어).
〔扶穷〕 fúqióng 동 빈곤한 사람을 부조하다.
〔扶渠〕 fúqú 명 ⇨〔芙蕖〕
〔扶弱抑强〕 fú ruò yì qiáng 〈成〉 약한 자를 돕고 강한 자를 꺾다. =〔抑强扶弱〕
〔扶桑〕 fúsāng 명 ①⇨〔朱zhū槿〕 ②부상(扶桑)(신화에서, 동해의 해 뜨는 곳에 있다고 하는 신목(神木)). =〔榑桑〕
〔扶侍〕 fúshi 동 ⇨〔服侍〕
〔扶手〕 fúshou 명 ①(의자 등의) 팔걸이. ¶～椅; 팔걸이 의자. ②기댈 수 있는 난간·단장 따위. ¶这楼梯没有～真不好上; 이 층계는 난간이 없어 무척 오르기 어렵다.
〔扶疏〕 fúshū 형 〈文〉 가지와 잎이 무성하고, 높낮이와 소밀함이 있어 운치가 있다. ¶枝叶～; 가지와 잎이 무성하다.
〔扶梯〕 fútī 명 ①(난간이 있는) 계단. (배 등의) 트랩. ¶电动～; 에스컬레이터. ②〈方〉 사닥다리. =〔梯子〕
〔扶同〕 fútóng 동 서로 돕다. =〔扶合〕
〔扶危〕 fúwēi 동 위험한 때에 돕다. ¶～济困; 〈成〉 위험에 빠지거나 곤궁에 처한 사람을 돕다.
〔扶养〕 fúyǎng 명동 부양(하다). 부조 양육(하다).
〔扶摇〕 fúyáo ①명 회오리바람. =〔扶舆〕 ②〈成〉 ⇨〔扶摇直上〕 ③명 신수(神樹)의 이름.
〔扶摇直上〕 fú yáo zhí shàng 〈成〉 ①순조롭게 출세하다. ②세력이 계속해서 성(盛)한 모양. ¶物价～; 물가가 자꾸 오르다. ‖ =〔扶摇②〕
〔扶掖〕 fúyè 동 〈文〉 부축하다. 돕다. 부조하다. ¶王凤卿对梅兰芳～备至, 互相合作演出达二十余年; 왕펑칭(王鳳卿)과 메이란팡(梅蘭芳)은 명콤비로, 공연(共演)한 지 20여 년에 이른다.
〔扶义〕 fúyì 동 의리를 가지고 서로 도와 주다. =〔仗zhàng义〕
〔扶翼〕 fúyì 동 ⇨〔扶助〕
〔扶舆〕 fúyú 명 ①⇨〔扶摇①〕 ②서기(瑞氣). 상서로운 기운.
〔扶杖〕 fúzhàng 동 〈文〉 지팡이에 의지하여 걷다. 지팡이를 짚다. =〔搏bó杖〕〔策cè杖〕
〔扶正〕 fúzhèng 동 주(主)되는 것으로 하다. 정(正)이 되다(부관(副官)이 정관(正官)으로 되고, 첩이 본처가 되는 따위). ¶邀他～; 그를 맞이하여 정(正)〔주임〕으로 하다. =〔册cè正〕
〔扶植〕 fúzhí 동 ①키우다. 육성시키다. 돕다. ¶～工业; 공업을 육성시키다. ②지반(地盤) 등을 굳히고 세력을 심다. ¶～势力; 세력을 굳히다. =〔扶殖〕
〔扶竹〕 fúzhú 명 ①⇨〔筇qióng竹〕 ②나란히 나는 대나무.
〔扶住〕 fúzhù 동 도와 주고 받쳐 주다.
〔扶助〕 fúzhù 동 〈文〉 돕다. 부조하다. 원조하다. ¶～费; (관리·군인 가족에 대한)부조비. =〔扶丞〕〔扶翼〕

蚨 fú (부)
①→〔青qīng蚨〕 ②→〔蚨蝶〕
〔蚨蝶〕 fúdié 명 《蟲》 나비. =〔蝴hú蝶〕

市 fú (불)
명 ⇨〔黻fú〕

芾 fú (불)
〈文〉 ①형 초목이 우거지다. ②명 고대의 제복(祭服). ③인명용 자(字). ¶米Mǐ～; 미푸(송대(宋代)의 서화가. '米黻'라고도 씀). ⇒ fèi

弗 fú (불)
①동 떨다. 떨어 버리다. ②부 〈文〉 …하지 않다. …이 아니다(목적어를 필요로 하지 않는 동사를 부정(否定)하는 데 쓰임. '不'보다 의미가 강함). ¶～去; 가지 않다 / ～及; 미치지 않다 / 自愧～如; 남보다 못한 것을 스스로 부끄

러워하다. ③ 양 《貨》〈音〉 달러(dollar). ④ 양 《電》〈音〉 볼트(volt). ⑤ 명 《化》 불소. =〔氟〕
〔弗安计〕 fú'ānjì 명 《電》 볼타미터(voltameter).
〔弗里敦〕 Fúlǐdūn 명 《地》〈音〉 프리타운(Freetown)《'塞拉利昂'(시에라리온: Sierra Leone)의 수도》.
〔弗利梅圣里〕 fúlìméishènglǐ 명 《史》〈音〉 프리메이슨리(Freemasonry).
〔弗弥涅士姆〕 fúmíniēshìmǔ 명 〈音〉 페미니즘(feminism). =〔男女平权主义〕
〔弗陀〕 fútuó 명 청명절(淸明節)의 전묘(展墓) 때에 묘 앞에 놓는 '纸zhǐ钱(儿)'을 거는 목책(木柵).

刜 fú (불)
동 〈文〉 (칼로) 베다. 내리치다.

佛 fú (불)
① →〔仿fǎng佛〕 ② 동 ⇨〔拂fú⑤〕 ⇒ fó

〔佛戾〕 fúlì 동 〈文〉 위배〔위반〕하다.

怫 fú (불)
형 〈文〉 ①불끈 성내는 모양. ¶～然作色; 화내며 안색을 바꾸다. =〔艴〕 ②우울해져서 번민하는 모양.

茀 fú (불)
〈文〉 ① 동 풀이 어우러져 우거지다. 〈比〉 (풀로 길이) 막히다. ¶道～不可行也; (풀로) 길이 막혀 갈 수 없다. ② 동 제초(除草)하다. 〈轉〉 다스리다. ③ 명동 행복(하다). =〔福fú〕

拂 fú (불)
① 동 털(어 내)다. ¶～去桌子上的尘土; 책상 위의 먼지를 털어 내다. ② 동 (바람 따위가) 스쳐 가다. (가볍게) 어루만지다. ¶暖风～面; 따뜻한 바람이 얼굴을 스치다. ③ 동 고치다. ④ 동 털다. 휘두르다. 치다. ⑤ 동 거스르다. 반대하다. ¶不忍～其意; 차마 그 뜻에 거역할 수 없다 / ～輿情; 민의에 거역하다 / ～耳; 귀에 거슬리다. =〔佛fú②〕 ⑥(～子) 명 먼지떨이. 총채. (중의) 불자. ⑦〈文〉 '弼bì'와 통용.
〔拂尘〕 fúchén 명 파리채. 먼지떨이《흔히, 말총이나 종려의 섬유로 만듦》. =〔蝇yíng拂〕〔麈zhǔ尾〕 동 ⇨〔接jiē风〕
〔拂晨〕 fúchén 명 ⇨〔拂晓〕
〔拂掉〕 fúdiào 동 털어 버리다.
〔拂拂〕 fúfú 〈擬〉 바람이 살랑살랑 부는 모양. ¶凉风～; 산들바람이 살랑살랑 불고 있다.
〔拂菻〕 Fúlǐn 명 수당(隨唐)시대 동로마 제국에 대한 호칭.
〔拂落〕 fúluò 동 털(어 내)다. ¶～身上的雪; 몸의 눈을 털어 내다.
〔拂逆〕 fúnì 동 거스르다. 반역하다.
〔拂拭〕 fúshì 동 〈文〉 ①(먼지 따위를) 털어 내다. 닦아 내다. ②(어떤 경향 따위를) 지워 없애다. 불식시키다. ③우대하여 기용하다.
〔拂暑〕 fúshǔ 동 〈文〉 더위를 쫓다.
〔拂特律〕 fútèlü 명 〈音〉 퓨덜리즘(feudalism). 봉건 제도.
〔拂晓〕 fúxiǎo 명 여명(黎明). 새벽. =〔拂晨〕
〔拂袖〕 fúxiù 동 〈文〉 (화가 나서) 옷소매를 뿌리치다. ¶～而去; 분연히 소매를 떨치고 가다.
〔拂煦〕 fúxù 동 〈文〉 따뜻한 바람이 불어오다. ¶微风～; 미풍이 훈훈하게 불다.
〔拂意〕 fúyì 동 뜻대로 되지 않다. 고통·유감·불쾌·불만스러운 마음이 생기다. 거슬리다.
〔拂子〕 fúzi 명 먼지떨이. 총채.

咈 fú (불)
① 동 틀리다. 어긋나다. 반(反)하다. ②아니다. 그렇지 않다. ¶～哉zāi; 그렇지는 않다. ③ →〔咈哧〕
〔咈哧〕 fúchi 동 〈方〉 숨이 차다. 헐떡이다. ¶跑得直～; 달려서 헉헉 헐떡이다.

彿 fú (불)
→〔彷fǎng彿〕

绋(紼) fú (불)
명 관(棺)을 잡아 끄는 밧줄. ¶执zhí～; 밧줄을 잡다. 〈轉〉 장송(葬送)하다.

氟 fú (불)
명 《化》 플루오르. 불소(弗素)(F:fluor). =〔弗fú⑤〕
〔氟化〕 fúhuà 명 《化》 플루오르화(fluor化). ¶～氢; 플루오르화(化) 수소 / ～硅; 플루오르화 규소 / ～铝lǚ; 플루오르화 알루미늄 / ～镁měi; 플루오르화 마그네슘.
〔氟化钡〕 fúhuàbèi 명 《化》 플루오르화 바륨.
〔氟化钙〕 fúhuàgài 명 《化》 플루오르화 칼슘.
〔氟化锰〕 fúhuàměng 명 《化》 플루오르화 망간.
〔氟化亚铁〕 fúhuà yàtiě 명 《化》 플루오르화 제1철.
〔氟利昂〕 fúlì'áng 명 《化》 프레온(Freon). =〔氟氯烷〕〔氟里昂〕
〔氟石〕 fúshí 명 《鑛》 ①형석(螢石). ②수화(水化)된 자연의 규산염(硅酸鹽).
〔氟橡胶〕 fúxiàngjiāo 명 플루오르 고무.

砩 fú (불)
명 '萤yíng石'(형석)의 구칭(舊稱).

艴 fú (불)
형 불끈 성내는 모양. =〔怫①〕

鲱(鯡) fú (불)
→〔鲂fáng鲱〕

髴 fú (불)
→〔髣fǎng髴〕

伏 fú (복)
① 동 엎드리다. 머리를 숙이다. ¶～在地上; 땅 위에 엎드리다. ② 동 구부리다. 굽히다. 낮아지다. ¶起～; 기복하다. ③ 동 굴(복)하다. (잘못을) 인정하다. 항복하다. ¶既～其罪矣; 이미 그 죄를 인정했다 / 降龙～虎的手段; 용을 굴복시키고 호랑이를 항복시킬 정도의 수단. ④ 동 숨다. 잠복〔매복〕하다. ¶～兵; ⇩/ 设shè～; 복병을 두다 / 埋～; 매복하다 / 潜～期; 잠복 기간 / 昼zhòu～夜出; 낮엔 숨고 밤엔 나오다. ⑤ 명 (절기상의) 복. ¶～暑; 복더위. ⑥ 명 《電》〈簡〉 '伏特'(볼트)의 약칭. ⑦〈翰〉 엎드려…. ¶～思; 엎드려 생각하옵건대…. ⑧ 동 알을 깨다. =〔孵fū〕 ⑨ 명 성(姓)의 하나.
〔伏安〕 fú'ān 명 《電》 볼트 암페어. ¶千～; 킬로볼트 암페어. KVA =〔伏特安培〕
〔伏案〕 fú'àn 동 ①책상 앞에 앉다. ¶～读书; 책상 앞에 앉아 독서하다 / ～埋头; 책상에 달라붙다. 열심히 공부하다. ②사물〔일〕을 생각하다. ¶一定他～久了; 그는 틀림없이 오래도록 생각했을 것이다.

〔伏笔〕 fúbǐ 명 (소설·문장 따위의) 복선. ¶作了～; 복선을 깔다.
〔伏辩〕 fúbiàn 명 ⇨〔服fú辩〕
〔伏兵〕 fúbīng 명 복병. (fú,bīng) 동 병사를 매복시키다.
〔伏藏〕 fúcáng 동 ⇨〔匿nì藏〕
〔伏雌〕 fúcí 명 ⇨〔孵fū鸡〕
〔伏窜〕 fúcuàn 동 피해서 숨다. 모습을 감추다. 달아나 숨어 있다.
〔伏打〕 fúdǎ 명 ⇨〔伏特〕
〔伏打电池〕 fúdǎ diànchí 명《電》볼타 전지.
〔伏倒〕 fúdǎo 동 엎드리다.
〔伏地〕 fúdì 명〈方〉그 고장 산물. 그 지방 특산. ¶～大米; 지방 특산의 쌀 / ～圣人; 그 고장의 박식하고 세력 있는 사람 / ～面; 지방 특산의 밀가루. 부 몰래. 은밀히. ¶邓九公是昨日合老爷搭就了的～扣子; 등구공(鄧九公)은 어제 주인 어른과 몰래 밀약을 맺었다.
〔伏法〕 fúfǎ 동 복죄(服罪)하다. 사형에 처해지다. ¶凶手已经～; 살인범은 이미 사형을 받았다. =〔伏辜〕〔伏刑〕〔伏诛〕〔伏罪①〕
〔伏伏贴贴〕 fúfutiētiē 단단히 붙여 놓은 모양《굽신거리다. 순종하다》.
〔伏旱〕 fúhàn 명 여름의 가뭄. 삼복 때의 한발.
〔伏虎〕 fúhǔ 명 ①웅크리고 있는 범. ②변기(便器). ③《體》(체조에서 여러 사람이 하는) 텀블링(tumbling).
〔伏击〕 fújī 동 숨어서 공격하다. 요격하다. 매복해서 공격하다. ¶～战; 복병 기습전 / 打～; 매복해 기다리다. 공격하다.
〔伏甲〕 fújiǎ 명 복병(伏兵).
〔伏假〕 fújià 명 여름 한창 때의 휴가.
〔伏剑〕 fújiàn 동 칼로 자살하다.
〔伏礁〕 fújiāo 명 암초. =〔暗àn礁〕
〔伏腊〕 fúlà 명 여름의 삼복과 음력 12월.
〔伏礼〕 fúlǐ 동 ⇨〔赔péi礼〕
〔伏利当〕 fúlìdāng 명〈音〉자유. 프리덤(freedom).
〔伏流〕 fúliú 명《地》복류《지상을 흐르던 물이 지하로 잠입(潛入)하여 흐르는 일》.
〔伏龙凤雏〕 fú lóng fèng chú〈成〉재능이 있으면서 세상에 나와 활약하지 못하는 준걸(俊傑)《한(漢) 말기의 제갈량(諸葛亮)과 방통(龐統)을 가리키던 말》.
〔伏卵〕 fúluǎn 동 (부화시키기 위해) 새가 알을 품다. =〔伏窝〕
〔伏莽〕 fúmǎng 명〈文〉①잠복해 있는 비적(匪賊). ②병사(兵士)가 풀숲 속에 숨어있는 것.
〔伏魔大帝〕 Fúmó dàdì 명《人》관우(關羽)를 가리키는 말.
〔伏匿〕 fúnì 동〈文〉①엎드려 숨다. ②세상을 피하다.
〔伏牛花〕 fúniúhuā 명《植》호자나무. =〔虎刺〕
〔伏苹果〕 fúpíngguǒ 명《植》중국 북방의 조생(早生) 사과. =〔虎拉车〕
〔伏祈〕 fúqí 동〈翰〉…을 기원하다. 엎드려 빌다. 간절히 바라다. ¶～鉴谅; 양찰하여 주시기 바랍니다.
〔伏气〕 fúqì 동《物》(인력(引力)·중력·자석·용수철의 힘 따위가 물체에) 물리적 작용을 미치다.
〔伏气(儿)〕 fú,qì(r) 동 ⇨〔服气(儿)〕
〔伏求〕 fúqiú 동〈文〉삼가 의뢰하다〔부탁하다〕.
〔伏日〕 fúrì 명 ⇨〔伏天〕
〔伏软(儿)〕 fúruǎn(r) 동 ⇨〔服软(儿)〕
〔伏鲨〕 fúshā 명《魚》짱뚱어.
〔伏上水〕 fú shàngshuǐ〈比〉권세에 아첨하다. ¶～的人; 권세에 빌붙는 사람. =〔浮上水〕
〔伏尸〕 fúshī 명 땅에 길게 누워 있는 시체.
〔伏食〕 fúshí 명 ⇨〔服食〕
〔伏事〕 fúshì 명 숨겨진 일. 은밀한 일. 동 ⇨〔服事〕
〔伏侍〕 fúshi 동 ⇨〔服侍〕
〔伏手〕 fúshǒu 형 쓰기 좋다. 편리하다. →〔顺shùn手(儿)②〕
〔伏首帖耳〕 fú shǒu tiē ěr〈成〉굽신거리다. 순종하다.
〔伏输〕 fú,shū 동 ⇨〔认rèn输〕
〔伏暑〕 fúshǔ 명 '伏天'의 더위. 더울 때.
〔伏特〕 fútè〔fúte〕 명《電》〈音〉볼트. ¶～计; 전압계 / ～数; 볼티지(voltage). 전압. =〔弗打〕〔伏打〕〔伏⑥〕〔弗④〕
〔伏特加〕 fútèjiā 명〈音〉보드카(vodka). =〔伏特加酒〕
〔伏天〕 fútiān 명 삼복. 성하기(盛夏期). ¶大～; 더위의 고비. 복더위. =〔伏日〕
〔伏帖〕 fútiē 형 ①꼭 붙다. 꼭 맞다. ②기분이 좋다. 쾌적하다. =〔舒适〕 ③유순〔온순〕하다. =〔服帖①〕
〔伏贴〕 fútiē 동 (위에) 단단히 붙이다.
〔伏惟〕 fúwéi 동〈文〉①삼가 생각하다. ②가만히 (속으로) 생각하다. ‖=〔伏以〕
〔伏窝〕 fú,wō 동 ①(암탉이 알을) 품다. ②(계획을) 몰래 꾸미다.
〔伏羲〕 Fúxī 명《人》복희《옛날 전설상의 황제. 삼황(三皇)의 하나. 처음으로 백성에게 어렵(漁獵)·목축을 가르치고, 팔괘(八卦)를 그리고, 문자를 만들었다고 함》. =〔宓mì羲〕〔庖páo羲〕〔上shàng皇②〕
〔伏线〕 fúxiàn 명 복선(伏線). ¶埋～; 복선을 깔다.
〔伏刑〕 fúxíng 동 ⇨〔伏法〕
〔伏汛〕 fúxùn 명〈文〉황허(黃河) 등 하천의 여름철의 증수(增水).
〔伏叶〕 fúyè 명 삼복 중에 수확한 잎담배.
〔伏谒〕 fúyè 동〈文〉엎드려 배알하다.
〔伏以〕 fúyǐ 동 ⇨〔伏惟〕
〔伏翼〕 fúyì 명 ⇨〔蝙biān蝠①〕
〔伏枕上言〕 fúzhěn shàngyán〈翰〉병상(病床)에서 편지를 쓰다.
〔伏诛〕 fúzhū 동 ⇨〔伏法〕
〔伏奏〕 fúzòu 동〈文〉천자(天子)의 어전(御前)에 엎드려 상주(上奏)하다.
〔伏罪〕 fú,zuì 동 ①복죄하다. =〔伏法〕 ②자신의 죄를 인정하다. =〔服罪①〕 명 아직 발각되지 않은 숨겨진 죄.

洑

fú (복)
①동 굽이쳐 흐르다. ②명 소용돌이. ③명 지하수. ⇒fù

茯

fú (복)
→〔茯苓〕

〔茯苓〕 fúlíng 명《植》복령. =〔伏苓〕〔伏灵〕
〔茯苓饼〕 fúlíngbǐng 명 복령병《복령을 갈아 물을 넣어 된풀처럼 만들고, 그것을 둥글납작한 떡 모양으로 빚어, 두 장을 포개고, 그 사이에 호두나 아가위를 끼워 넣고 찐 것》.
〔茯苓糕〕 fúlínggāo 명 복령에 쌀가루를 넣고, 설탕을 친 다음, 물로 반죽한 것을 찜통에다 찐 식품.

栿 **fú** (복)
명 〈文〉(가옥의) 들보.

袱〈襆〉 **fú** (복)
(～子) 명 작은 비단 보자기. ¶包～fu; ⓐ보자기. ⓑ보자기에 싼 물건. 보따리. ⓒ마음의 부담. 마음 속의 응어리. =〔幞②〕〔襆②〕

凫(鳧) **fú** (부)
① 명 《鳥》 물오리. =〔〈口〉 野鸭 yěyā〕 ② 동 헤엄치다. ¶～水; 헤엄치다 / ～茈cí; ⇩

〔凫茈〕 fúcí 명 《植》 올방개. =〔凫茨〕
〔凫公英〕 fúgōngyīng 명 ⇨〔蒲pú公英〕
〔凫趋〕 fúqū 동 ①기뻐 날뛰다. ¶～雀跃; 〈成〉 기뻐 날뛰다. 흔희작약(欣喜雀躍)하다. ②(축하 따위에) 기꺼이 가다.
〔凫水〕 fúshuǐ 동 헤엄치다.
〔凫翁〕 fúwēng 명 《動》 오리의 수컷.

芣 **fú** (부)
→〔芣苢〕

〔芣苢〕 fúyǐ 명 《植》 '车前(草)' (질경이)의 고칭(古稱). =〔芣苡〕

罘 **fú** (부)
명 토끼 또는 사슴을 잡는 그물.

〔罘罳〕 fúsī 명 ①투각(透刻)으로 된 병풍. ②처마에 새가 집을 짓는 것을 막는 쇠그물. ③'影壁'의 고칭(古稱). ‖ =〔罘思〕〔浮思〕〔桴思〕〔罦罳〕

孚 **fú** (부)
① 형 신실(信實)하다. 믿음직하다. ② 동 심복(心服)시키다. ¶深～众望; 사람들을 깊이 심복시키다.

俘 **fú** (부)
① 명 포로. ¶战～; 전쟁 포로 / 遣～; 포로를 송환하다. ② 동 (전쟁에서) 적을 붙잡다. ¶～敌; 적을 붙잡다 / 被～; 포로가 되다.

〔俘馘〕 fúguó 명 〈文〉 포로의 왼쪽 귀를 자르는 것.
〔俘获〕 fúhuò 동 적을 포로로 잡거나 전리품을 포획하다. ¶～了叛军四千余名; 반란군을 4천여 명이나 포로로 잡았다. 명 포로와 전리품.
〔俘级〕 fújí 명 〈文〉 포로와 적의 목.
〔俘虏〕 fúlǔ 동 포로(捕虜)로 잡다. 명 포로. =〔俘囚〕〔囚qiú虏〕
〔俘杀〕 fúshā 동 〈文〉 ①포로로 하다. ②죽이다. ‖ =〔俘斩〕
〔俘斩〕 fúzhǎn 동 ⇨〔俘杀〕

郛 **fú** (부)
명 〈文〉 옛날의 성(城)의 외곽.

〔郛郭〕 fúguō 명 성곽. 명동 〈比〉 보장(하다).

浮 **fú** (부)
① 동 뜨다. 띄우다. ¶～在水面上; 수면에 떠 있다 / 脸上～着微笑; 얼굴에 미소를 띠고 있다. ↔〔沉chén①〕 ② 동 〈方〉 헤엄치다. ¶他一口气～到对岸; 그는 단숨에 대안까지 헤엄쳐 갔다. ③ 형 표면에 떠오른. 표면상의. ¶～土; 표토(表土). 먼지 / ～雕; 부조. 돋을새김(하다) / 这个足球～皮儿上有几处磨伤; 이 축구공의 거죽에 여기저기 긁힌 자국이 있다 / ～面儿上感情还不错; 표면적으로는 감정이 나쁘지 않다. ④ 형 유동적인. ¶～财; ⇩ ⑤ 형 일시의. 잠시의. ¶～支; 일시 지출(하다). ⑥ 형 들떠 있다. 침착하지 않다. ¶他这人太～, 办事不踏实; 그는 너무 경솔해서 일하는 것이 착실하지 않다 / 心～气躁; 침착하지 못하고 성급하다. ⑦ 형 공허하다. ¶～名; 허명(虛名). 뜬이름 / ～华; ⇩ ⑧ 형 남(아돌)다. 초과하다. ¶～额; 초과액. ⑨(～子) 명 (물고기의) 부레. (카뷰레터의) 플로트(float). ⑩ 부 대충. 살짝.

〔浮白〕 fúbái 동 벌주(罰酒)를 거듭 마시게 하다 (벌주를 마시고 잔을 들어 '～'라고 함).
〔浮报〕 fúbào 동 과장하여 보고하다. 허위 보고하다(공금을 떼어먹기 위한 경우 따위). 명 허위 보고. ‖ =〔浮开冒报〕
〔浮标〕 fúbiāo 명 부표. 부이(buoy). =〔浮筏〕〔浮泡②〕〔浮桩〕
〔浮表〕 fúbiǎo 명 비중계(比重計). =〔浮秤〕
〔浮薄〕 fúbó 형 경망하다. 경박하다.
〔浮财〕 fúcái 명 ①동산(動産). 가재 도구. ②표면상 가진 것 같으나 실제는 부채 등을 공제하면 아무것도 남지 않는 재산. 불확실한 재산. ③여분의 재산. 사장(死藏)되어 있는 금전. ¶没收一切～; 일체의 잉여 재산을 몰수하다.
〔浮槎〕 fúchá 명 〈文〉 뗏목.
〔浮尘〕 fúchén 명 먼지. 티끌.
〔浮尘子〕 fúchénzǐ 명 《蟲》 멸구.
〔浮沉〕 fúchén 동 떴다 가라앉았다 하다. 부침(浮沈)하다. ¶与世～; 세상의 관례에 따라 행동하다. 명 부침. 〈轉〉 흥망성쇠. ¶宦海～; 〈成〉 관계(官界)에서의 부침.
〔浮沉船坞〕 fúchénchuánwù 명 부선거(浮船渠). ¶英国公布解禁品货单, 包括～, 塑胶等等; 영국은 부선거 · 플라스틱 등을 포함한 해금(解禁) 품목 일람표를 발표하였다. =〔浮船渠〕〔浮沉坞〕〔浮船坞〕〔浮坞〕
〔浮沉子〕 fúchénzǐ 명 《物》 부침자(浮沈子).
〔浮秤〕 fúchèng 명 ⇨〔浮表〕
〔浮船坞〕 fúchuánwù 명 ⇨〔浮(沉船)坞〕
〔浮词〕 fúcí 명 ⇨〔浮辞〕
〔浮辞〕 fúcí 명 허식(虛飾)의 말. 확실성〔믿을 수〕 없는 말. 허튼 소리. =〔浮词〕
〔浮存〕 fúcún 명 옛날, 당좌 예금.
〔浮厝〕 fúcuò 동 ⇨〔浮埋〕 명 매장하지 않고 묘지에 임시로 놓아 둔 관(棺).
〔浮袋〕 fúdài 명 부대(수영 연습용의 날개 모양의 부낭(浮囊)).
〔浮荡〕 fúdàng 동 떠돌다. 감돌다. 너울거리다. ¶歌声在空中～; 노랫소리가 공중에 감돌고 있다.
〔浮岛〕 fúdǎo 명 빙산(冰山).
〔浮雕〕 fúdiāo 명 《美》 부조(浮彫). 돋을새김.
〔浮吊〕 fúdiào 명 《機》 부선거(浮船渠). 기중기선(起重機船).
〔浮动〕 fúdòng 동 ①떠돌다. 부동하다. ¶树叶在水面上～; 나뭇잎이 수면 위를 떠돌다. ②안정되지 않다. 변동되다. ¶～汇率; 변동 환율 / ～价格; 《經》 변동 가격. ③인상하다.
〔浮多〕 fúduō 명 여분(餘分). 나머지.
〔浮额〕 fú'é 명 초과액.
〔浮筏〕 fúfá 명 ⇨〔浮标〕
〔浮泛〕 fúfàn 명 뱃놀이. 동 물에 뜨다. ¶轻舟～; 작은 배가 물에 떠 있다. 형 ①불확실하다. 표면적이다. ②(표정 따위가) 나타나다. 어리다. 드러나다. ¶她的脸上～着天真的表情; 그녀의 얼굴에는 천진한 표정이 나타나 있다.
〔浮费〕 fúfèi 명 ①낭비(浪費). ②명목(名目)을 속

이고 남긴 비용.
〔浮梗〕 fúgěng 〈文〉 수면에 뜨는 부초(浮草)의 줄기. 〈比〉 떠돌며 정함이 없음. 이리저리 떠돌아다님.
〔浮估〕 fúgū 통 잠정적으로 값을 매기다.
〔浮股〕 fúgǔ 명 ⇨〔人rén股〕
〔浮光〕 fúguāng 명 수면에 비친 달 그림자.
〔浮光掠影〕 fú guāng lüè yǐng 〈成〉 수면에 반사되는 빛과 휙 지나가는 그림자《순간적으로 스러져 없어지는 것. 인상이 희미함》.
〔浮柜〕 fúguì 명 부함(浮函). 부력(浮力) 탱크《얕은 여울을 건널 때나 침몰한 배를 뜨게 할 때 사용함》. →〔浮梁〕
〔浮胡琴〕 fúhúqín 명 ⇨〔小xiǎo提琴〕
〔浮花〕 fúhuā 통 낭비하다. 명 《美》 부조(浮彫). 돋을새김.
〔浮花缎〕 fúhuāduàn 명 《紡》 주야사문직(晝夜斜紋織)《편면 능직(片面綾織)의 겉과 안의 조직을 체크 무늬로 배열한 것》.
〔浮华〕 fúhuá 형 (실속 없이 겉만) 화려하고 부박(浮薄)하다. 경박하다.
〔浮滑〕 fúhuá 형 경박하고 겉만 그럴싸하다. ¶文章～; 문장이 겉치레뿐이다.
〔浮猾〕 fúhuá 형 경박하고 교활하다.
〔浮货〕 fúhuò 명 부표(浮標)를 달아 투기(投棄)된 배의 적하(積荷).
〔浮记〕 fújì 통 상가(商家)에서 임시로 기입하다《대개는 '水shuǐ牌'(옻칠한 판자·팻말) 등에 기입함》. ¶～账; 상품 출납 임시 장부.
〔浮家泛宅〕 fú jiā fàn zhái 〈成〉 수상 생활을 하고 한 곳에 정주(定住)하지 않음.
〔浮借〕 fújiè 통 일시(一時) 돈을 차입하다.
〔浮居〕 fújū 명 〈文〉 임시 거처. 통 임시로 거주하다.
〔浮开冒报〕 fúkāi màobào ⇨〔浮报〕
〔浮夸〕 fúkuā 통 과장하다. 허풍을 떨다. 자랑하다. 경박하고 잘난 체하다.
〔浮款〕 fúkuǎn 통 유휴(遊休) 자금. 융통할 수 있는 돈.
〔浮来〕 fúlái 통 우연히 오다. 잠시 오다. ¶～暂去; 잠시 왔다가 금방 가다.
〔浮浪〕 fúlàng 통 떠돌다. 방랑하다. ¶～人 =〔～子弟〕〔游手～之民〕; 부랑자. 난봉꾼.
〔浮雷〕 fúléi 명 《軍》 부유 수뢰(浮遊水雷).
〔浮礼儿〕 fúlǐr 명 〈方〉 허례(虛禮).
〔浮力〕 fúlì 명 《物》 부력.
〔浮利〕 fúlì 명 불확실한 이익. 실속 없는 이익.
〔浮梁〕 fúliáng 명 부교(浮橋). 배다리. →〔浮柜〕〔浮桥〕
〔浮流浮流〕 fúliúfúliú 형 액체가 넘쳐 흐를 듯한 상태. ¶你不要盛chéng那么～的一碗水; 물을 그렇게 그릇 가득하게 붓지 마라.
〔浮轮〕 fúlún 명 《機》 유동 바퀴.
〔浮码头〕 fúmǎtou 명 부잔교(浮棧橋).
〔浮埋〕 fúmái 통 가매장하다《땅을 파지 않고 지면(地面)에 매장함》. =〔浮厝〕〔浮葬〕
〔浮脉〕 fúmài 명 《漢醫》 부맥(浮脈)《피부 바로 밑에 있는 쉽게 만져지는 맥》.
〔浮面(儿)〕 fúmiàn(r) 명 표면(表面). 겉. ¶他～上还装出像没事的样子; 그는 겉으로 보기엔 아무렇지도 않은 것처럼 행세한다. =〔浮头(儿)〕
〔浮面皮(儿)〕 fúmiànpí(r) 명형 표면(의). 외면적(인). 피상적(인). 얄팍(한). ¶～的知识; 얄팍한 지식.
〔浮民〕 fúmín 명 유민(遊民). 부랑자.
〔浮名〕 fúmíng 명 ⇨〔虚xū名(儿)〕
〔浮摩蹭痒〕 fú mó cèng yǎng 〈成〉 겉을 어루만지고 가려운 데를 비비다. 건성으로 하다. ¶要管孩子就得认真管, 这么～地骂一顿有什么用呢? 아이들 버릇을 가르치려면 진지하게 가르쳐야지, 이렇게 건성으로 한 차례 꾸짖어서 무슨 소용이 있겠는가?
〔浮没〕 fúmò 명 뜨는 것〔일〕과 침몰하는 것〔일〕. 통 〈轉〉 나타났다 숨었다 하다.
〔浮囊〕 fúnáng 명 부낭.
〔浮泥〕 fúní 명 부드러운 흙.
〔浮沤〕 fú'ōu 명 ①(수면(水面)에 생기는) 물거품. =〔浮泡①〕 ②〈比〉 세상의 무상함《그 생멸(生滅)이 덧없기 때문임》.
〔浮沤钉〕 fú'ōudīng 명 ⇨〔门mén钉(儿)①〕
〔浮泡〕 fúpào 명 ①⇨〔浮沤①〕 ②⇨〔浮标〕
〔浮炮台〕 fúpàotái 명 해방함.
〔浮棚〕 fúpéng 명 임시로 지은 오두막이나 천막.
〔浮皮潦草〕 fúpí liáocǎo 데면데면하고 건성인 모양.
〔浮皮儿〕 fúpír 명 ①비듬. =〔肤皮〕 ②몸의 표피. ③표면. =〔浮面(儿)〕
〔浮漂〕 fúpiāo 형 (일이나 공부가) 착실하지 않다. 진지하지 않다. ¶～人; 경조부박(輕佻浮薄)한 사람.
〔浮萍〕 fúpíng 명 《植》 부평초. 개구리밥. =〔青萍〕
〔浮气〕 fúqì 형 경솔하다. 경박하다. ¶粗心～的话; 데면데면하고 경박한 이야기.
〔浮签(儿)〕 fúqiān(r) 명 부전(附箋).
〔浮浅〕 fúqiǎn 형 경박하다. 천박하다.
〔浮欠〕 fúqiàn 명 ⇨〔浮缺〕
〔浮桥〕 fúqiáo 명 부교. 배다리. 선교(船橋). →〔浮柜〕〔浮梁〕
〔浮缺〕 fúquē 명 《商》 당좌 대부(當座貸付). =〔浮欠〕
〔浮荣〕 fúróng 명 허영. 헛된 영화.
〔浮冗〕 fúrǒng 형 쓸데없다. 불필요하다.
〔浮色〕 fúsè 명 밑칠. 애벌칠. ¶刷了一层～再上油; 애벌칠을 한 번 하고서 페인트를 다시 칠하다.
〔浮沙〕 fúshā 명 땅 위에 있는 이동하기 쉬운 모래흙.
〔浮上水〕 fú shàngshuǐ 권세에 아첨함. 세속적으로 출세함. =〔伏上水〕
〔浮生〕 fúshēng 명 ①덧없는 인생. ②〈轉〉 인생. ¶～若梦, 为欢几何《李白 春夜宴桃李園序》; 허무한 인생이 꿈과 같으니, 즐거움을 누림이 그 얼마이뇨.
〔浮剩〕 fúshèng 명 잉여(剩餘). =〔浮盈〕
〔浮尸〕 fúshī 명 물 위에 떠 있는 익사체.
〔浮石〕 fúshí 명 ① 부석. 속돌. 경석(輕石). =〔浮岩〕〔轻qīng石〕 ②⇨〔海hǎi花石〕 ③⇨〔磬qìng②〕
〔浮收〕 fúshōu 명 부수입(副收入).
〔浮水〕 fú.shuǐ 통 ①물에 뜨다. ②〈方〉 수영하다. 헤엄치다. ¶～池; 풀(pool).
〔浮水植物〕 fúshuǐ zhíwù 명 ⇨〔浮叶植物〕
〔浮睡〕 fúshuì 명통 선잠(을 자다). 얕은 잠(을 자다). =〔浮躺〕
〔浮说〕 fúshuō 명 터무니없는 이야기. 근거 없는 낭설.
〔浮思〕 fúsī 명 ⇨〔罘fú罳〕
〔浮摊〕 fútān 명 노점(露店). =〔摊子①〕
〔浮谈〕 fútán 명 유언(流言). 풍설.

〔浮筒〕 fútǒng 명 통식(筒式)의 플로트(float).
〔浮头(儿)〕 fútóu(r) 명 〈方〉 표면. 겉. ¶～货; 위쪽에 쌓은 짐 / 就在～搁着呢; 맨 위쪽에 놓여 있다 / 把～的油撇piē了去; 표면의 기름을 떠내다. =〔浮面(儿)〕
〔浮图〕 fútú 명 ⇨〔浮屠〕
〔浮屠〕 fútú 명 ①부처. ②〈文〉 스님. ③불전(佛典)을 넣어 두는 건물·탑. ‖=〔浮图〕
〔浮土(儿)〕 fútǔ(r) 명 ①겉에 솟은 흙. ②표면의 흙. 땅의 표면. ③먼지.
〔浮往来账〕 fúwǎngláizhàng 명 당좌 예금 장부 《옛날의 '钱qián庄' 용어》. →〔浮存〕
〔浮文〕 fúwén 명 외면치레의 경박한 문장. 형식적인 글. ¶～不叙; 형식적인 글을 생략하다 / 恕叙～; 〈翰〉 전략(前略)을 용서하십시오.
〔浮坞〕 fúwù 명 ⇨〔浮沉船坞〕
〔浮物〕 fúwù 명 〈文〉 동산(動産). 이동이 가능한 물건. 가재 도구. →〔浮财〕
〔浮现〕 fúxiàn 동 자연히 나타나다. 눈에 떠오르다. ¶他那笑容可掬的样子, 到现在还～在我的脑海里; 그의 웃음 띤 모습이 지금도 머릿속에 맴돈다.
〔浮香〕 fúxiāng 명 〈文〉 풍겨오는 향기.
〔浮箱〕 fúxiāng 명 《機》 플로트 체임버(float chamber). 플로트실(室).
〔浮想〕 fúxiǎng 명 끊임없이 떠오르는 많은 생각. ¶～联翩; 〈成〉 이것저것 생각이 떠오르다. 명동 회상(하다).
〔浮嚣〕 fúxiāo 동 왁자지껄하다.
〔浮选〕 fúxuǎn 명 《工》 부유 선광(浮遊選鑛). 부선(浮選).
〔浮言〕 fúyán 명 〈文〉 풍설. 근거 없는 이야기. 뜬소문. ¶～谬miù论; 근거 없는 낭설과 그릇된 의론.
〔浮岩〕 fúyán 명 ⇨〔浮石 ①〕
〔浮掩〕 fúyǎn 동 살짝 덮다〔씌우다〕.
〔浮艳〕 fúyàn 형 〈文〉 (문장이) 아름다울 뿐 내용이 없다.
〔浮扬〕 fúyáng 동 ①날아다니다. 돌아다니다. 싸다니다. ②(마음이) 들뜨다.
〔浮叶植物〕 fúyè zhíwù 명 《植》 부엽 식물. =〔浮水植物〕
〔浮议〕 fúyì 명 〈文〉 불확실한 의논. 근거없는 의논.
〔浮油〕 fúyóu 명 때. ¶擦掉身上一点～; 몸의 때를 문질러 없애다.
〔浮游〕 fúyóu 동 ①부유하다. 떠다니다. ②이리저리 돌아다니다. 만유(漫遊)하다. 명⇨〔蜉蝣〕
〔浮游动物〕 fúyóu dòngwù 명 《動》 부유동물. 동물 플랑크톤.
〔浮游起重机〕 fúyóu qǐzhòngjī 명 ⇨〔起重船〕
〔浮游植物〕 fúyóu zhíwù 명 《植》 부유 식물.
〔浮悠〕 fúyou 동 너울거리다. 떠돌다. 표류하다. =〔漂摇〕 형 착실하지 않다. 견실하지 못하다. ¶年青人做事老是～～的; 젊은 사람의 일하는 태도는 항상 불성실하다. 부 둥실둥실《천천히 오르는 모양》. 느릿느릿.
〔浮于〕 fúyú 형 ①…보다 남아 돌다. …보다 많다. ¶人～事; (일이 적어서) 일손이 남아 돌다. ②…보다 심하다. ¶其罪恶～他; 그 죄악은 다른 자보다 심하다. ③떠 있다. ¶～上层; 상층에 떠 있다.
〔浮余〕 fúyú 동 남아 돌다. 여분이 생기다. 명 여분. 나머지.
〔浮誉〕 fúyù 명 ⇨〔虚xū名(儿)〕
〔浮圆子〕 fúyuánzi 명 ⇨〔元yuán宵②〕
〔浮云〕 fúyún 명 ①부운. 뜬구름. 〈比〉 믿을 수 없는〔덧없는〕 것. ¶不义而富且贵, 于我如～; 의롭지 못한 부귀 따위는 나에게 있어서는 뜬구름과 같은 것이다. ②소인(小人). 간인(奸人). 동 유동 변화하다. (필세(筆勢)가) 가볍고 빠르다. ¶其笔势飘若～; 그 필세가 약동하다.
〔浮云朝露〕 fú yún zhāo lù 〈成〉 ①시간이 짧은 모양. ②덧없는〔믿을 수 없는〕 것. ¶人生若～; 인생은 뜬구름·아침 이슬과 같다.
〔浮灾〕 fúzāi 명 뜻밖에 일어난 재난.
〔浮栽〕 fúzāi 동 《農》 가식(假植)하다.
〔浮葬〕 fúzàng 동 ⇨〔浮埋〕
〔浮躁〕 fúzào 형 (거동·성질 따위가) 침착성이 없다. 경솔하다. 경박하다.
〔浮渣〕 fúzhā 명 《工》 드로스(dross). (녹은 금속의) 부유물(浮遊物). 불순물.
〔浮摘〕 fúzhāi 동 《經》 잠시 돈을 융통하다. 짧은 기간 돈을 빌리다.
〔浮征〕 fúzhēng 동 규정 이상으로 징세(徵稅)하다.
〔浮支〕 fúzhī 명 가불(假拂).
〔浮支冒领〕 fúzhī màolǐng 부외(簿外) 지출을 하여 횡령하다.
〔浮肿〕 fúzhǒng 명 ⇨〔水shuǐ肿〕
〔浮住〕 fúzhù 명동 임시 거처(하다). ¶我在这儿～哪; 나는 여기에 임시 거처하고 있습니다.
〔浮桩〕 fúzhuāng 명 ⇨〔浮标〕
〔浮子〕 fúzi 명 ①낚시찌. ②(물고기의) 부레.

莩 fú (부)
명 ①갈대청. ②암삼(雌麻). ③〈比〉 극히 얇은 것의 일컬음. ④부호. 기호. ⇒piǎo

桴 fú (부)
①명 조그마한 뗏목. ②동 북을 치다. ③명 북채. =〔枹fú〕 ④(～子) 명 〈方〉 이중 대들보. 마룻대.
〔桴鼓〕 fúgǔ 명 ①북채와 북. ¶～相应; 〈成〉 북채로 치면 북이 울린다《호응이 매우 긴밀함》. ②〈轉〉 군진(軍陣).
〔桴思〕 fúsī 명 ⇨〔罘fú罳〕
〔桴炭〕 fútàn 명 ⇨〔麸fū炭〕

罦 fú (부)
명 〈文〉 새그물. 조망(鳥網).
〔罦罳〕 fúsī 명 ⇨〔罘fú罳〕

蜉 fú (부)
① →〔蜉蝣〕 ② →〔蚍pí蜉〕
〔蜉蝣〕 fúyóu 명 ①《蟲》 하루살이. ②〈比〉 덧없는 세상〔목숨〕. ‖=〔浮游〕

苻 fú (부)
명 ①《植》 배풍등. =〔〈俗〉 鬼guǐ目〕 ②갈대 줄기 속의 흰 껍질. =〔莩fú〕 ③성(姓)의 하나.

符 fú (부)
①명 부절(符節). 증표《옛날, 대나무·나무·옥(玉)·구리 등으로 만든 '牌pái子' (패(牌)) 위쪽에 글씨를 쓰고 둘로 쪼개어 각자 그 반쪽을 갖고, 필요한 때 맞추어 증거로 삼는 것》. ¶～节; ⇩ / 兵bīng～; 병부. 발병부(發兵符) / 虎hǔ～; 호랑이 모양으로 만든 병부. ②명 기호. 부호. 표(標). ¶音～; 음표 / 星～; 별표. ③동 합치되다. 일치하다. 딱 맞다《흔히, '相' 또는

'不'와 복합(複合)함》. ¶言行相～; 언행이 일치하다 / 与事实不～; 사실과 어긋나다 / 说话前后不～; 말의 앞뒤가 맞지 않다. ④(～子) 명 부적. 호부(護符). ¶催命～; 남이 빨리 죽기를 바라는 저주의 부적 / 护身～; 호신부. ⑤명 서조(瑞兆). 상서로운 징조. ⑥명 성(姓)의 하나.

〔符板〕 fúbǎn 명 ①할인(割印). 계인(契印). ②부절. (물품을 맡고 주는) 물표.

〔符彩〕 fúcǎi 명 광채. 빛.

〔符谶〕 fúchèn 명 점(占)치는 책.

〔符号(儿)〕 fúhào(r) 명 ①기호. 표기(標記). 부호. ¶标点～; 문장 부호 / 文字是记录语言的～; 문자는 언어를 기록하는 기호이다 / 代数～; 대수기호 / ～表; 《電算》(컴퓨터의) 마크시트(mark-sheet)《입력 용지》. ②몸〔옷 위〕에 붙이고 있는 신분·직무 등을 나타내는 표지.

〔符号论〕 fúhàolùn 명 《哲》 기호설(記號說).

〔符合〕 fúhé 동 부합하다. 적합하다. ¶这一改革～现实的需要; 이 개혁은 현실의 수요에 부합한다 / 不很～题意; 테마에 별로 맞지 않는다. =〔合符〕 →〔切qiè合〕

〔符节〕 fújié 명 부절. 신표. 할인(割印). 위임장. ¶若合～; 부절을 맞춘 것처럼 꼭 맞는다.

〔符箓〕 fúlù 명 ①《書》 도가(道家)의 비문(祕文). ②호부(護符). 부적 등의 총칭.

〔符码〕 fúmǎ 명 (상점에서) 상품값을 나타내는 은어나 기호. 암호.

〔符命〕 fúmìng 명 〈文〉 하늘에서 임금 될 사람에게 내리는 상서로운 조짐. 또, 길조와 임금의 공덕을 기리는 글.

〔符契〕 fúqì 명 ⇨〔符信〕

〔符前言〕 fúqiányán 동 먼저 한 약속과 부합하다. 이전 약속과 맞다.

〔符瑞〕 fúruì 명 서조(瑞兆). 상서로운 징조.

〔符书〕 fúshū 명 부적(符籍).

〔符头〕 fútóu 명 《樂》 음표의 머리.

〔符望〕 fúwàng 동 희망대로 되다.

〔符尾〕 fúwěi 명 《樂》 음표 기둥과 음표 꼬리.

〔符玺〕 fúxǐ 명 임금의 옥새(玉璽).

〔符祥〕 fúxiáng 명 길조(吉兆). =〔符效〕

〔符信〕 fúxìn 명 ①증거. 부절(符節). ②계약 서류. ‖ =〔符契〕

〔符验〕 fúyàn 명 부험. 표신(標信). 신표.

〔符印〕 fúyìn 명 관인(官印). 할인(割印).

〔符应〕 fúyìng 동 천명(天命)과 인간사가 서로 일치하다.

〔符咒〕 fúzhòu 명 (도교(道教)의) 부적이나 주문(呪文).

服 fú (복)

①명 의복. 옷. 복장. ¶工～; 작업복. ②명 상복. 기(忌). 상(喪). ¶有～在身; 상중(喪中)이다. ③명 부엉이의 별칭. ④동 (옷을) 입다. ¶～丧; 상복을 입다. =〔穿⑦〕 ⑤동 복종하다. ¶不～指导; 지도에 따르지 않다. ⑥동 심복(心服)하다〔시키다〕. 경복(敬服)하다〔시키다〕. ¶我真～了你; 진심으로 당신에게 경복합니다 / 心悦诚～; 충심으로 기쁘게 복종하다 / 以理～人; 도리로 남을 납득시키다. ⑦동 …에 익숙해지다. …에 적응하다. ¶不～水土; 기후 풍토에 적응치 못하다. ⑧동 …에 종사하다. 복무하다. ¶～兵役; 병역에 복무하다. ⑨동 상(喪)을 입다. ⑩동 몸에 지니어 한시도 잊지 않고 이를 따르다. ⑪동 (약을) 복용하다. ¶～药; ⇩ ⑫명 《史》 옛날, 왕기(王畿) 이외의 지방에서 천자의 위덕(威德)이 미치던 곳. ⑬명 성(姓)의 하나. ⇒fù

〔服辩〕 fúbiàn 동 ①판결에 따르다. ②이의를 신청하여 변명〔해명〕하다. 명 ①〈比〉 판결에 따른다는 뜻을 적은 서류. ②사실을 인정한 것을 스스로 증명하는 증서. ③시말서(始末書). ‖ =〔伏辩〕

〔服伺〕 fúcì 동 곁에서 시중 들다. 명 곁에서 시중듦. 또, 그 사람.

〔服从〕 fúcóng 명동 ①복종(하다). ¶～命令; 명령에 복종하다 / ～组织分配; 조직의 지시에 복종하다. ②종속(하다).

〔服毒〕 fú,dú 동 음독(자살)하다.

〔服法〕 fúfǎ 동 법률에 복종하다. 명 약의 복용법.

〔服服贴贴〕 fúfutiētiē 형 ①고분고분하다. ¶为什么在这位同志面前这么～的? 어째서 이 동지 앞에서는 이렇게 고분고분할까? ②(옷 따위가) 편안한 모양.

〔服管〕 fú,guǎn 동 순순히 말을 듣다. 순종〔복종〕하다. ¶媳妇不～, 儿子端不起架势; 며느리는 말을 안 듣고, 아들은 위엄을 보이지 못한다.

〔服合〕 fúhé 동 절충하다. 고집을 굽히다.

〔服劲(儿)〕 fújìn(r) 동 패배를 인정하다. 항복하다.

〔服劳〕 fúláo 동 노동을 하다. 힘든 일을 잘 견디어 내다.

〔服老〕 fúlǎo 동 스스로 늙었다고 체념하다.

〔服礼〕 fúlǐ 동 예의를 배우고 이에 따르다.

〔服马〕 fúmǎ 〈文〉 명 4두 마차의 채 양쪽에 맨 두 필의 말. 동 말을 타다.

〔服满〕 fúmǎn 동 탈상(脫喪)하다. =〔满服〕

〔服气(儿)〕 fú,qì(r) 동 ①(권위·명령·의사·결정에) 복종하다. 따르다. (반도(叛徒) 등이) 굴복하다. ②설득당하다. 고집을 굽히다. 납득하다. ¶不～; 지기 싫어하는 성질이다. ‖ =〔伏气(儿)〕

〔服阕〕 fúquè 명 〈文〉 옛날, 3년상을 치르고 탈상하는 것.

〔服人〕 fú,rén 동 남을 납득시키다.

〔服软(儿)〕 fú,ruǎn(r) 동 ①양보하다. ②잘못·실패를 인정하다. ③복종하다. 패하다. 실패하다. 지치다. 무능한 것을 스스로 인정하다. ¶好汉决不～; 호한(好漢)은 결코 약함을 보이지 않는다 / 一点不～, 可是时常觉得疲乏; 조금도 지치지 않지만, 그러나 시종 피로를 느낀다 / 个性强的就是不容易～; 개성이 강한 사람은 여간해서 주저앉지 않고 복종하지도 않는다. ④겸손하게 나오면 말을 듣는다. ¶～不服硬; 〈成〉 겸손하게 나오면 말을 듣지만, 강하게 나오면 안 듣는다. ‖ =〔伏软(儿)〕

〔服丧〕 fú,sāng 동 상복을 입다.

〔服色〕 fúsè 명 ①옷의 색깔. ②옷의 무늬나 모양.

〔服善〕 fúshàn 동 착한 일에 복종하다.

〔服食〕 fúshí 동 〈文〉 음식을 먹다. 식사하다. 명 도가(道家) 양생법의 하나. 단약(丹藥)을 먹는 것. =〔伏食〕

〔服式〕 fúshì 명 (옷의) 유행. 취향. 격식.

〔服事〕 fúshì 동 ①(어린애·가축 따위를) 보살피다. (환자 등을) 간호하다. ②(가사(家事)·교육·복장 따위에) 마음을 쓰다. ③(신(神)·국왕·국가·주의(主義) 등을) 섬기다. 봉사하다. ¶三分天下有其二, 以～殷; 천하를 셋으로 나누어 그 둘을 갖고서, 은(殷)나라를 섬기다《주(周)나라가 3분의 2의 땅을 갖고서도 은(殷)나라를 섬긴 덕행을 이르는 말》. ‖ =〔伏事〕

〔服饰〕 fúshì 명 복식. 의복과 장식.

〔服侍〕 fúshi 동 시중 들다. 모시다. 돌봐주다. ¶～

父母; 부모를 모시다. =〔伏侍〕〔扶侍〕
〔服输〕 fú.shū 동 ⇨〔认rèn输〕
〔服水土〕 fúshuǐtǔ 동 ①그 지방의 기후 풍토에 익숙해지다. ②동물·식물을 딴 지방에 옮겨 점차 그 지방에 적응시키다.
〔服帖〕 fútiē 형 ①고분고분하다. 양순하다. =〔伏帖③〕 ②온당하다. 타당하다. ¶事情弄得服服帖帖; 일처리 방식이 타당하다.
〔服务〕 fú.wù 동 ①근무하다. 직무를 보다. ¶～公约; 복무 규칙 / ～处; 근무처 / ～年限; 근무 연한 / 你在哪儿～? 자넨 어디 근무하고 있는가? ② 봉사하다. 서비스하다. ¶～站; 서비스 스테이션 / ～台; (호텔 따위의) 카운터. 접수대 / ～费; 서비스 요금 / ～公约; 서비스 공약 / 为人民～; 국민을 위해 봉사하다. (fúwù) 명 ①복무. 근무. ②봉사. 서비스.
〔服务行业〕 fúwù hángyè 명 서비스업(식당·여관·이용(理容)·수리 따위).
〔服务人员〕 fúwù rényuán 명 서비스업의 종업원. 요원(집합 명사로 사용함). →〔工作人员〕
〔服务员〕 fúwùyuán 명 (호텔·요식점·상점 등의) 종업원. 또, 관공서 등의 잡역부.
〔服下〕 fúxià 동 복용하다. 마시다. ¶此药用白开水～; 이 약은 백비탕(白沸湯)으로 먹는다.
〔服孝〕 fú.xiào 동 상복을 입다.
〔服刑〕 fú.xíng 동《法》징역 살다. 복역하다.
〔服药〕 fú yào 약을 먹다.
〔服役〕 fú.yì 동 ①병역에 복무하다. ②옛날, 부역(賦役)을 하다.
〔服膺〕 fúyīng 동〈文〉(도리·격언 등을) 한시도 잊지 않고 외어서 지키다.
〔服用〕 fúyòng 동 ①(약을) 복용하다. ②〈文〉(의복·기물을) 사용하다. ¶～甚俭; 몹시 아껴 쓰다. 명〈文〉의복과 용품.
〔服育〕 fúyù 명《蟲》성충이 되어 가고 있는 매미.
〔服御〕 fúyù 명〈文〉의복과 거마(車馬).
〔服制〕 fúzhì 명 복제. 옛날, 오복(五服)의 제도.
〔服秩〕 fúzhì 명 옛날, 관리의 제복상의 등급.
〔服中〕 fúzhōng 명〈文〉복중. 복을 입는 동안.
〔服装〕 fúzhuāng 명 복장. 의복. ¶～整齐; 복장이 단정하다 / ～部; 백화점 등의 의복 판매장 / ～商店; 옷가게 / ～管理员; 의상 담당자 / ～表演员; 패션 모델 / ～模特儿; (모형) 마네킹.
〔服罪〕 fú.zuì 동 ①⇨〔伏罪②〕 ②(배심원의) 평결(評決)에 따르다. ③처벌에 복종하다.

菔 **fú** (복)
→〔莱lái菔〕〔菔萩〕
〔菔萩〕 fúqiū 명《植》전동싸리.

鵩(鵩) **fú** (복)
명〈文〉상서롭지 못한 새(부엉이·올빼미류(類)를 일컬음).

箙 **fú** (복)
명〈文〉전동(箙筒)(화살통).

绂(紱) **fú** (불)
①명 관인(官印)에 맨 인(印) 끈. ②명 ⇨〔黻①〕 ③인명용 자(字).

祓 **fú** (불)
①명 목욕 재계하여 화를 물리치고 복을 구하는 제사의 일종. ②명 복(福). ③동〈比〉깨끗이 제거하다. 일소(一掃)하다.
〔祓除〕 fúchú 동 불제를 하여, 부정을 씻어 없애다.
〔祓禊〕 fúxì 명 옛날, 물가에서 몸을 깨끗이 하고 재액(災厄)을 물리치는 제사의 일종(매년 음력 3월 3일에 행함).
〔祓濯〕 fúzhuó 동 몸을 깨끗이 씻다.

韨(韍) **fú** (불)
명 고대의 제복(祭服)(무릎가리개로 쓰임). =〔芾fú②〕〔黻②〕

黻 **fú** (불)
명〈文〉①고대에, 예복에 표시한 무늬(거무스름하며 '己' 또는 '弓'자를 2개씩 반대 방향으로 합친 모양의 자수). =〔绂②〕 ②⇨〔韨fú〕 ‖=〔市fú〕

枹 **fú** (부)
명 ⇨〔桴③〕 ⇒bāo

匐 **fú** (복)
→〔匍pú匐〕

涪 **Fú** (부)
명《地》푸장 강(涪江)(쓰촨 성(四川 省)에 있는 강 이름).

葍 **fú** (복)
명《植》무 비슷한 채소.

幅 **fú** (폭)
①(～儿) 명 천(피륙)의 폭('儿化'할 때는 fǔ). ¶单～; 싱글 폭 / 双～; 더블 폭 / 宽～的白布; 넓은 폭의 흰 천. ②명 폭. 넓이. ¶～度; ⇓ / ～员; ⇓ / 振～; 진폭 / 大～的幔帐; 넓은 폭의 커튼. ③명 족자. ④(～儿) 양 포목·나사(羅紗)·족자 따위를 세는 데 쓰임('儿化'할 때는 fǔ로 발음함). ¶一～画; 한 폭의 그림 / 一～布; 한 폭의 천 / 一～挂图; 한 폭의 족자.
〔幅度〕 fúdù 명 정도. 폭. ¶物价涨落的～; 물가 등락의 폭 / 大～增产; 대폭적인 증산.
〔幅角〕 fújiǎo 명《數》도형(圖形)의 각의 폭.
〔幅条〕 fútiáo 명《機》(자전거 따위의) 바퀴살. 스포크(spoke).
〔幅脱〕 fútuō 명〈音〉①푸트(foot). =〔幅土〕 ②《度》피트.
〔幅员〕 fúyuán 명 ①영토(領土)의 면적. ¶～广大; 영토가 넓다. =〔幅陨〕 ②폭과 둘레.
〔幅陨〕 fúyuán 명 ⇨〔幅员①〕

福 **fú** (복)
①명 복. 행복. ¶享xiǎng～; 복을 누리다 / 为人类造～; 인류를 위해 행복을 구축하다 / 有～之人; ⓐ복 있는 사람. ⓑ행복한 사람. ②명 제사에 차려 놓는 고기. ③명《地》푸젠 성(福建省)의 약칭. ④형 행복한. ⑤명 옛날, 부녀자의 절('万wàn福'의 약칭). ¶她见客～了一～; 그녀는 손님을 보자 절을 했다. ⑥명 성(姓)의 하나.
〔福安〕 fú'ān 명 ①〈翰〉행복과 평안(편지의 끝에 쓰는 말). ②(Fú'ān)《地》푸젠 성(福建省)에 있는 현 이름.
〔福薄〕 fúbáo 형 박복하다. ¶～灾生; 박복해지면 재난이 생긴다.
〔福庇〕 fúbì 명 덕분. 덕택. ¶多蒙～; 덕분입니다. =〔福荫〕
〔福不双至〕 fú bù shuāng zhì〈成〉복은 겹쳐서 오지 않는다. ¶～, 祸不单行=〔福无双至, 祸必重来〕;〈諺〉복은 겹쳐 오지 않고, 화는 홀로 오지 않는다. =〔福无双至〕
〔福大量大〕 fú dà liàng dà〈成〉행복이 크면 도

량도 커진다. 행복해지면 너그러워진다.
〔福德生命〕 fúdé shēngmìng 최상의 운수.
〔福地〕 fúdì 명 ①신선(神仙)이 사는 곳. ②행복한 경지. 안락한 곳. 보금자리.
〔福尔马林〕 fú'ěrmǎlín 명《化》〈音〉 포르말린. =〔福马林〕
〔福分〕 fúfen 명 운명으로 정해져 있는 행복. 그 사람의 타고난 복〔행운〕. ¶～不是强求的; 행복은 억지로 구해지는 것이 아니다. =〔福份〕
〔福躬〕 fúgōng 명 〈翰〉 유복하신 몸. 귀하신 몸《편지에서 웃어른에 대한 높임말》.
〔福过灾生〕 fú guò zāi shēng 〈成〉 ⇨〔乐lè极生悲〕
〔福慧〕 fúhuì 명 복덕(福德)과 지혜(智慧).
〔福将〕 fújiàng 명 행운의 무장(武將). 또는 사람.
〔福酒〕 fújiǔ 명 제사 후에 나눠 주는 술. 복주.
〔福橘〕 fújú 명 푸젠 성(福建省)에서 나는 귤. =〔红hóng橘〕
〔福利〕 fúlì 명동 복리(를 도모하다). 복지(를 행하다). ¶～费; 복리비 / 大力发展工业, 建设国防, ～人民; 공업을 대대적으로 발전시켜, 국방을 건설하고, 국민의 복리를 도모하다.
〔福禄〕 fúlù 명 ①행운. 행복. =〔福履〕〔福泽〕 ②번영(繁榮). 융성(隆盛). ¶～胜常; 〈翰〉 일익(日益) 건승하십시오. ③《動》 노새 비슷하고 흑백의 반점이 있는 말의 일종.
〔福禄寿〕 fúlùshòu 명 행복과 부귀와 장수. ¶～三星; 복록수의 삼신(三神).
〔福履〕 fúlǚ 명 ⇨〔福禄①〕
〔福命〕 fúmìng 명 〈文〉 행복과 운명.
〔福摩萨〕 Fúmósà 명《地》〈音〉 포모서(Formosa)《유럽 사람이 타이완(臺灣)을 가리켜 이르는 말》.
〔福气〕 fúqi 명 ①행복. 행운. ¶～不小; 매우 행복하다. ②복상(福相). 형 행복하다.
〔福儿〕 fúr 명 ①네모진 빨간 종이에 '福' 자를 쓴 것《정월에 벽이나 상점의 계산대에 붙임》. =〔福字儿〕 ②단오절에 아이나 부녀자가 종이나 실로 호리병박이나 호랑이 모양을 만들어 장식하는 것.
〔福人〕 fúrén 명 복 있는 사람.
〔福如东海〕 fú rú dōng hǎi 〈成〉 동해 바다처럼 무한한 복을 누리십시오《'～寿比南山' 과 같이 쓰여, 생일 등을 축하하는 말로 쓰임》.
〔福色〕 fúsè 명《色》 다홍색.
〔福善〕 fúshàn 동 〈文〉 선행(善行)을 축복하다. ¶～祸淫; 선행에는 행운을 주고 음행(淫行)에는 화를 내린다.
〔福神〕 fúshén 명 복신. 마스코트.
〔福寿〕 fúshòu 명 행복과 장수. ¶～双全 =〔～康宁〕〔～锦长〕; 행복과 장수가 모두 갖추어져 있다 / ～饼; 연회석에 나오는 특제의 과자로, 박쥐가 복숭아를 물고 있는 형상 따위로 만듦.
〔福斯珍〕 fúsīzhēn 명《化》〈音〉 포스겐(phosgene).
〔福随貌转〕 fú suí mào zhuǎn 〈成〉 복은 인상(人相)에 따라 찾아온다. 복 있는 상을 한 사람에게 복이 온다.
〔福特制〕 Fútèzhì 명 포드식(Ford式) 작업 관리 방식. 포드 시스템.
〔福脱〕 fútuō 명 〈音〉 보트(vote). 표결. 투표.
〔福窝〕 fúwō 명 축복받은 가정. 행복한 생활 환경. 풍족한 집. ¶生活在～里的孩子; 좋은 가정에서 생활하는 아이.
〔福无双至, 祸不单行〕 fú wú shuāng zhì, huò bù dān xíng 〈諺〉 복은 겹쳐서 오지 않지만, 화(禍)는 홀로 오지 않는다. =〔福无双至, 祸必重chóng来〕
〔福物〕 fúwù 명 옛날, 제사에 쓰이는 술과 고기 따위의 음식물. ¶买了～《水滸傳》; 제물을 샀다.
〔福禧〕 fúxǐ 명 〈文〉 행복.
〔福相〕 fúxiàng 명 복스러운 얼굴. 당신의 용모. =〔福象〕
〔福星〕 fúxīng 명 ①복의 신(神). ¶～高照 =〔～供照〕; 복의 신이 위에서 굽어보시다《경사스러운 일을 축하하는 말에 쓰임》. ②《天》 목성(木星). ③행복한 운명. 행운. ¶一路～; 여행중 무사하시기를 바랍니다.
〔福音〕 fúyīn 명 ①좋은 소식. 유익한 말. ②《宗》 복음. 기독교의 교의(教義). ¶～书; 복음서 / ～堂; 복음 교회《프로테스탄트 교회의 한 파》. →〔基Jī督教〕
〔福佑〕 fúyòu 동 가호(加護)하다. 보우하다. 돕다. ¶～子孙; 자손을 보우하다.
〔福纸〕 fúzhǐ 명 노랑색의 포장지.
〔福祉〕 fúzhǐ 명 〈文〉 복지. 행복.
〔福至心灵〕 fú zhì xīn líng 〈成〉 ①영리하고 운이 좋다. ¶这孩子～将来错不了; 이 아이는 영리하고 운이 좋아 장래가 유망하다. ②다행히 묘안이 떠오르다. 운좋게 묘안을 생각해 내다. ¶他～颇为得意; 그는 다행히 묘안을 얻어서 자못 득의양양하다.
〔福州戏〕 fúzhōuxì 명 ⇨〔闽mǐn剧〕
〔福祚〕 fúzuò 명 〈文〉 행복. ¶～绵延; 행복이 오래 이어지다.

辐(輻)

fú (복)
명 바퀴살. =〔轮lún辐〕
〔辐凑〕 fúcòu 동 (바퀴살이 바퀴통에 모이듯이) 사물이 한 곳으로 모여들다. =〔辐辏〕
〔辐散〕 fúsàn 동 방사형으로 흩어지다. 명 발산(發散).
〔辐射〕 fúshè 명동《物》 방사(放射)(하다). 복사(輻射)(하다). ¶～形; 방사형(放射形) / ～热rè; 복사열(輻射熱) / ～能néng; 방사 에너지.
〔辐射尘〕 fúshèchén 명《物》 방사능진(放射能塵). 죽음의 재. ¶那两艘船受了比基尼核子试验～的浸染; 그 두 척의 배는 비키니 핵실험에 의한 방사능진에 오염되었다.
〔辐射性同位素〕 fúshèxìng tóngwèisù 명《物》 방사성 동위 원소. 라디오아이소토프(Radioisotope). =〔放fàng射性同位素〕
〔辐条〕 fútiáo 명 바퀴살. (자전거의) 스포크(spoke). =〔辐条棍(儿)〕
〔辐照〕 fúzhào 명 (자외선 따위의) 조사(照射).

蝠

fú (복)
명 ①《動》 살무사. ②→〔蝙biān蝠〕
〔蝠鲼〕 fúfèn 명《魚》 노랑가오리.

幞

fú (복)
명 ①남자용의 일종의 두건(頭巾). ¶～头; 옛날에 남자가 쓰던 두건. ②⇨〔袱fú〕

襆

fú (보)
명 ①이부자리의 커버. 홑이불. =〔被单〕 ②⇨〔袱fú〕

父

fǔ (보)
명 ①남자의 미칭(美稱). =〔甫①〕 ②옛날, 노인의 통칭. ¶渔～; 어부 할아버지 / 田～; 농부. 시골 노인. ⇒fù

斧 **fǔ** (부)
①(～子) 명 도끼. ¶一把～子; 한 자루의 도끼. ②명 큰 도끼(옛날 병기(兵器)의 하나). ③동 고쳐 깎다. ④동 도끼로 자르다.
〔斧柄〕 fǔbǐng 명 도끼 자루.
〔斧柯〕 fǔkē 명 〈文〉 ①도끼 자루. ②〈比〉 정권(正權).
〔斧头〕 fǔtóu〔fǔtou〕 명 도끼.
〔斧钺〕 fǔyuè 명 〈文〉 ①부월. 작은 도끼와 큰 도끼(옛날 무기). ②〈比〉 (참수의) 중형(重刑).
〔斧凿〕 fǔzáo 명 〈文〉 ①도끼와 끌. ②⇨〔斧藻〕
〔斧凿痕〕 fǔzáohén 명 〈文〉 도끼와 끌로 다듬은 흔적(흔히 시나 문장을 지나치게 다듬어 오히려 부자연스럽게 된 것을 이름). ¶这篇文章写得很流畅, 毫无～; 이 문장은 매우 유창하여, 조금도 어색한 데가 없다.
〔斧藻〕 fǔzǎo 명 문장의 수식. =〔斧凿②〕 동 글을 다듬다.
〔斧正〕 fǔzhèng 명 〈文〉 (시문(詩文)의) 첨삭(添削). 동 (시문 등을) 수정하다. 첨삭하다. ¶恭请～; 첨삭해 주시기 바랍니다. ‖ =〔斧锉〕〔斧削〕〔斧政〕
〔斧锧〕 fǔzhì 명 사람을 참(斬)하는 형구(刑具) ('铡刀'(작두) 비슷함).
〔斧子〕 fǔzi 명 도끼.

釜 **fǔ** (부)
①명 가마. 솥(지금의 '锅guō①'에 해당함). ¶破pò～沉舟; 〈成〉 솥을 부수고 배를 가라앉히다(배수진을 치다). ②양 옛날, 용량 단위(6말 4되). ‖ =〔〈文〉 鬴fǔ〕
〔釜底抽薪〕 fǔ dǐ chōu xīn 〈成〉 솥 밑에 타고 있는 장작을 치우다(근본적으로 문제를 해결하다). ¶这回总要断然执行～的调diào动; 이번에는 아무래도 단호하게 화근(禍根)을 뿌리 뽑는 인사이동을 해야 한다. →〔抽薪止沸〕
〔釜底游鱼〕 fǔ dǐ yóu yú 〈成〉 ⇨〔釜中(生)鱼〕
〔釜中(之)鱼〕 fǔzhōng(zhī)yú 가마솥에 든 물고기(독안에 든 쥐. 오래 갈 수 없는 목숨). =〔釜底游鱼〕

滏 **fǔ** (부)
지명용 자(字). ¶～阳河; 푸양 강(滏陽河)(허베이 성(河北省)에 있는 강 이름).

甫 **fǔ** (보)
①명 옛날, 남자 이름 아래에 붙인 미칭(美稱). ¶周大夫有嘉～; 주나라의 대부에 가(嘉)라는 사람이 있었다. ②명 타인(他人)의 자(字). ¶贵台～? 귀하의 자는 무엇입니까? ③명 남의 아버지에 대한 존칭. ¶尊～; 부친. 존부(尊父). ④부 처음(으로). 최초. 겨우. 막 …했을 따름. ¶～到; 막 도착하다 / 年～十岁; 나이 겨우 10세. ⑤→〔甫甫〕 ⑥명 성(姓)의 하나.
〔甫毕〕 fǔbì 동 겨우〔방금〕 끝나다.
〔甫初〕 fǔchū 명 〈文〉 최초.
〔甫甫〕 fǔfǔ 형 〈文〉 ①많은 모양. ②큰 모양.
〔甫号〕 fǔhào 명 호(號)(남자의 별명).
〔甫鱼〕 fǔyú 명 《魚》 노랑가오리.

辅(輔) **fǔ** (보)
①동 돕다. 보좌하다. ¶相～而行; 서로 도우며 나아가다. ②명 광대뼈. ③명 수레바퀴를 보강하기 위하여 바퀴살을 겹쳐서 덧대는 나무. ④명 대신(大臣). ⑤명 서울에 가까운 땅. ⑥명 부(副). ⑦명 조력. 협력. ⑧명 성(姓)의 하나.
〔辅币〕 fǔbì 명 《經》 〈簡〉 보조 화폐('辅助货币'의 약칭). =〔副币〕↔〔主币〕
〔辅弼〕 fǔbì 동 〈文〉 보필하다. 명 〈轉〉 재상(宰相).
〔辅车〕 fǔchē ①광대뼈와 턱. ②〈轉〉 서로 밀접한 관계. ¶～相依; 〈成〉 서로 밀접한 관계가 있다.
〔辅导〕 fǔdǎo 동 보도하다. 보습(補習)하다. 조언(助言)하여 지도하다. 명 보도. 보습. 조언 지도. ¶进行个别的～; 개별적인 학습 지도를 하다 / 请专业作者做～; 전문 작가에게 조언 지도를 부탁하다.
〔辅导员〕 fǔdǎoyuán 명 각종의 지도원. ¶少先队～; 소년 선봉대의 지도원 / 全省财政～; 전성(全省)의 재정 지도원 / 校外～; (어린이의) 교외 활동 지도원.
〔辅护〕 fǔhù 동 〈文〉 보호하다.
〔辅机〕 fǔjī 명 《機》 보조적인 기계 장치.
〔辅颊〕 fǔjiá 명 〈文〉 광대뼈.
〔辅角〕 fǔjiǎo 명 ⇨〔补bǔ角〕
〔辅相〕 fǔxiàng 동 〈文〉 ①상조(相助)하다. 서로 돕다. ②정사(政事)를 보좌하다. 명 재상(宰相).
〔辅翼〕 fǔyì 동 〈文〉 보좌하다. 돕다.
〔辅音〕 fǔyīn 명 《言》 자음(子音). ¶～体系; 자음 조직. ↔〔元yuán音〕
〔辅赞〕 fǔzàn 동 〈文〉 보좌하다.
〔辅助〕 fǔzhù 동 거들어 주다. 도와 주다. 보좌하다. ¶～人; 《法》 피고의 법정 대리인. 형 보조적이다. ¶～劳动; 보조 노동.
〔辅助(材)料〕 fǔzhù(cái)liào 명 보조 재료. 제품에 직접 관계가 없는 재료. ↔〔直zhí接材料〕
〔辅助货币〕 fǔzhù huòbì 명 《經》 보조 화폐.
〔辅佐〕 fǔzuǒ 동 보좌하다. 도와주다.

脯 **fǔ** (포)
명 〈文〉 ①건육(乾肉). 포. ¶鱼～; 어포 / 鹿～; 사슴고기포. ②설탕에 절여 말린 과일. ¶桃～; 설탕에 절여 말린 복숭아 / 苹果～; 설탕에 절여 말린 사과. =〔果guǒ脯〕 ⇒pú
〔脯醢〕 fǔhǎi 명 ①말린 식품과 소금절이. ②옛날에, 시체를 소금에 절여 말리던 극형.
〔脯脩〕 fǔxiū 명 ①월사금(月謝金). ②사례금. =〔束脩②〕
〔脯资〕 fǔzī 명 〈比〉 여비.

鬴 **fǔ** (부)
명양 ⇨〔釜fǔ〕

簠 **fǔ** (보)
명 옛날, 제사 때 쓰던 오곡을 담아놓는 그릇. ¶～～不饬; ⓐ제기가 갖추어지지 않음. ⓑ〈比〉 청렴하지 못한 대관(大官)의 형용.

黼 **fǔ** (보)
명 옛날, 예복에서, 각기 반대쪽으로 붙어 있는 두 자루의 도끼 모양을 반흑(半黑)·반백(半白)의 무늬로 수놓은 것.
〔黼黻〕 fǔfú 명 ①옛날의 예복. ②〈轉〉 무늬. 채색. ③〈比〉 문장(文章).
〔黼绣〕 fǔxiù 명 〈文〉 도끼 모양으로 의복에 수놓은 것.
〔黼座〕 fǔzuò 명 〈文〉 천자(天子)가 앉는 자리. 옥좌.

抚(撫) **fǔ** (무)
①동 어루만지다. 쓰다듬다. ¶母亲～摸着儿子的头发; 어머니가 아들의 머리를 쓰다듬고 있다 / 以手～之; 손으로 쓰다듬다. ②동 〈比〉 위로〔위안〕하다. ¶好言相～; 상냥하게 위로하다. ③동 돌봐 키우다. ④동 아끼고 귀여워하다. ⑤동 가볍게 누르다. ⑥동 (살

짝) 치다. ¶～掌 =〔拊掌〕; 손뼉을 치(며 기뻐하)다. =〔拊②〕 ⑦ 명 〈簡〉 '巡xún抚'의 약칭.
〔抚擦〕 fǔcā 동 문질러 닦다. 쓰다듬다. ¶～镜框; 액자를 문질러 닦다.
〔抚躬自问〕 fǔ gōng zì wèn 〈成〉 가슴에 손을 얹고 스스로 물어 보다. 조용히 자성(自省)하다. =〔抚心自问〕
〔抚孤〕 fǔgū 동 〈文〉 고아를 양육하다〔맡아 기르다〕.
〔抚辑〕 fǔjí 동 〈文〉 구제하여 수용하다.
〔抚今追昔〕 fǔ jīn zhuī xī 〈成〉 현재와 옛날을 생각하고 비교하다. =〔抚今思昔〕
〔抚摸〕 fǔmō 동 ①쓰다듬다. 어루만지다. ¶～着我的头说; 내 머리를 쓰다듬으면서 말했다. ②안마하다. 마사지하다. ‖ =〔抚摩mó〕〔摸抚〕
〔抚摩〕 fǔmó 동 ⇨〔抚摸〕
〔抚念〕 fǔniàn 동 〈文〉 매우 생각하다. 매우 생각하게 하다.
〔抚弄〕 fǔnòng 동 ①(애석(愛惜)한 마음으로) 쓰다듬다. ②(현악기를) 타다.
〔抚琴〕 fǔqín 동 〈文〉 현악기를 타다. =〔弹琴〕
〔抚绥〕 fǔsuí 동 〈文〉 백성을 안정시켜 생업에 종사하게 하다. 어루만져 편안하게 하다.
〔抚慰〕 fǔwèi 동 (어루만져) 위안하다. 위로하다.
〔抚心自问〕 fǔ xīn zì wèn 〈成〉 곰곰이 양심에 묻다. 조용히 자문하다. =〔抚躬自问〕
〔抚恤〕 fǔxù 동 무휼(撫恤)하다. 구제하다. 보상을 주다. ¶～金; 무휼금. 구제금.
〔抚循〕 fǔxún 동 〈文〉 위안하다. 위로하다. 위무하다.
〔抚养〕 fǔyǎng 동 부양하다. 정성들여 기르다. ¶～大; 성장시키다.
〔抚育〕 fǔyù 동 육성하다. 기르다. ¶～孤儿; 고아를 양육하다.
〔抚院〕 fǔyuàn 명 ①《史》 청대(淸代)에, 순무(巡撫)를 맡던 관청. ②순무.
〔抚掌〕 fǔzhǎng 동 〈文〉 손뼉을 치다〔치며 기뻐하다〕. =〔拊掌〕

府 fǔ (부)
명 ①문서 또는 재물을 넣어 두는 곳. 곳집. ¶天～; 천연의 보고(寶庫) / 书～; 서고. ②관공서. 관청. ¶官～; 관청 / 政～; 정부 / 市政～; 시청. ③옛날, 대관 또는 귀족의 저택. ¶丞相～; 승상의 저택 / 王～; 왕궁. ④옛날, 성(省)과 현(縣)과의 사이의 행정 구역 이름. ¶顺川～; 순천부 / 知～; 부의지마 / 开封～; 개봉부. ⑤대공사관(大公使館). 영사관. ¶美国～; 미국 대사관. ⑥〈敬〉 댁《남의 집에 대한 존칭》. ¶趋qū～奉访; 댁으로 찾아 뵙다. ⑦〈文〉 '腑fǔ'와 통용했음.
〔府报〕 fǔbào 명 집에서 온 편지. =〔家jiā报〕
〔府城〕 fǔchéng 명 부(府)의 수도.
〔府绸〕 fǔchóu 명 《紡》 ①산둥 성(山東省)의 '茧jiǎn绸'의 이름. =〔山东府绸〕 ②포플린.
〔府邸〕 fǔdǐ 명 ⇨〔府第〕
〔府第〕 fǔdì 명 ①귀족·관료 등의 저택. ②관사(官舍). ‖ =〔府邸〕
〔府干〕 fǔgàn 명 하급 관리.
〔府君〕 fǔjūn 명 ①망부(亡父)·망조부(亡祖父)에 대한 존칭. ②한대(漢代) 태수(太守)의 별칭. ③나이가 많거나 지위가 높은 자에 대한 존칭.
〔府库〕 fǔkù 명 옛날, 관공서의 문서나 재물(財物)을 넣어 두는 창고.
〔府上〕 fǔshang 명 ①(제2인칭 또는 제3인칭의) 댁. ¶～在哪儿住? 댁은 어디입니까? ②댁내(宅內). ¶～都好啊? 댁내는 모두 안녕하십니까?
〔府署〕 fǔshǔ 명 ①옛날, 부(府)의 관청. ②〈轉〉 관공서.
〔府尹〕 fǔyǐn 명 수도(首都) 혹은 부도(副都)가 있는 부(府)의 장관. =〔府主①〕
〔府怨〕 fǔyuàn 명 〈文〉 원부(怨府)《여러 사람의 원한이 쏠리는 기관이나 단체》.
〔府主〕 fǔzhǔ 명 ① ⇨〔府尹〕 ②옛날, 참모직에 있던 사람이 그 장관을 가리켜 일컫던 말.
〔府尊〕 fǔzūn 명 옛날, '知zhī府'의 높임말. 부지사(府知事)님.

拊 fǔ (부)
〈文〉 ① 동 쓰다듬다. ② 동 (살짝) 치다. =〔抚⑥〕 ③ 명 물건의 손잡이. 자루.
〔拊翼〕 fǔyì 동 〈文〉 서로 돕다. ¶～俱起; 서로 도와서 함께 활로(活路)를 열다.
〔拊膺〕 fǔyīng 동 〈文〉 가슴을 치다《애통함을 나타냄》. ¶～长叹; 가슴을 치며 장탄식하다.
〔拊掌〕 fǔzhǎng 동 〈文〉 손뼉을 치다. ¶～大笑; 손뼉을 치며 크게 웃다. =〔拊手〕〔抚掌〕

俯〈頫〉 fǔ (부)
① 동 굽어보다. ¶～视山下; 산 아래를 내려다보다. ② 동 고개를 숙이다. ↔〔仰yǎng①〕 ③ 동 굽히다. ¶～拾shí; 몸을 굽혀 줍다. ④〈公〉〈敬〉 …해 주시기를 바랍니다《상대방의 동작을 말할 때 쓰이는 말》. ¶～念; ⇩ ‖ =〔俛fǔ〕
〔俯察〕 fǔchá 동 〈翰〉 굽어 살피다.
〔俯冲〕 fǔchōng 명동 급강하 폭격(하다). ¶～轰炸hōngzhà机; 급강하 폭격기.
〔俯伏〕 fǔfú 동 ①(땅에) 엎드리다. 부복하다. →〔仆pū卧〕 ②옛날의 예법(禮法)으로 머리를 조아리고 땅에 엎드리다. 머리 숙여 부복하다. 굽실거리다. 아첨하다.
〔俯给〕 fǔjǐ 동 ⇨〔俯就〕
〔俯鉴〕 fǔjiàn 동 〈翰〉 보아 주십시오. 고람(高覽)하여 주십시오.
〔俯角〕 fǔjiǎo 명 《數》 내려본각(角). 부각. =〔负fù角〕 ↔〔仰yǎng角〕
〔俯就〕 fǔjiù 동 ①격하(格下)되어 따르다. 본의는 아니나〔마지못해〕 따르다. 굽히어 응하다. 양보하다. ¶耐着烦儿～他; 참고 그를 따르다 / 他不肯～人意; 그는 자신의 뜻을 굽혀서까지 남의 의향에 따르려 하지 않는다. ②〈敬〉 취임(就任)을 승낙해 주시다. ¶您要是肯～的话, 那是求之不得dé的; 만일 받아들이신다면, 더할 나위 없겠습니다. ‖ =〔屈qū就〕〔俯给〕
〔俯瞰〕 fǔkàn 동 내려다보다. 부감(俯瞰)하다. →〔俯视〕
〔俯偻〕 fǔlóu 명 ⇨〔佝gōu偻〕
〔俯念〕 fǔniàn 동 〈翰〉 양해하여 주시다.
〔俯屈〕 fǔqū 동 〈文〉 참고 따르다〔좇다〕. 인종(忍從)하다. ¶～以自抑《史記》; 스스로를 억제하고 인종하다.
〔俯摄〕 fǔshè 동 내려다보며 촬영하다.
〔俯身〕 fǔshēn 동 〈文〉 몸을 구부리다. 몸을 낮추다.
〔俯拾即是〕 fǔ shí jí shì 〈成〉 몸을 굽혀 줍기만 하면 얼마든지 있다《어디에나 있다. 지천이다. 흔하다》. ¶这种例子～; 이러한 예는 얼마든지 있다. =〔府拾皆是〕
〔俯视〕 fǔshì 동 높은 곳에서 아래를 굽어보다.
〔俯视图〕 fǔshìtú 명 《工》 조감도(鳥瞰圖). 부감도

(俯瞰圖). =〔顶dǐng视图〕
〔俯首〕 fǔshǒu 동 머리〔고개〕를 숙이다. 〈比〉 순종하다. ¶ ～听命; 순순히 말을 잘 듣다.
〔俯首帖耳〕 fǔ shǒu tiē ěr 〈成〉 고개를 숙이고 귀를 늘어뜨리다. 순순히 남에게 순종〔복종〕하다 ('帖'는 '贴'으로 쓰기도 함). ¶若～, 摇尾乞怜者, 非我之志也《韓愈文》; 그 머리를 숙이며 귀를 늘어뜨리고, 꼬리를 흔들며 가엾게 동정을 구하는 듯한 태도는 나의 뜻은 아니다.
〔俯水〕 fǔshuǐ 명동 ⇨〔俯泳〕
〔俯思〕 fǔsī 동 ①숙여 반성하다. ②가만히 생각하다. 명상하다.
〔俯卧〕 fǔwò 동 엎드리다. ¶ ～撑(屈伸); 《體》 엎드려 팔굽혀펴기 / ～式; 《體》 (높이뛰기 등에서) 벨리 롤(belly roll). 배를 아래로 하여 뛰어넘기(식).
〔俯仰〕 fǔyǎng 동 아래로 숙이고 위를 쳐다보다 (일거수일투족). ¶随人～; 남이 하는 대로 따라서 하다 / ～由人; 무슨 일이든지 남의 지시를 받다. 남이 하라는 대로 하다. 명동 임기 응변(하다). ¶从俗浮沉, 与时～; 세속의 변천에 따르고 때에 따라 적당히 행동하다.
〔俯仰无愧〕 fǔ yǎng wú kuì 〈成〉 하늘을 우러러 보나 땅을 굽어보나 부끄러울 것이 없다(양심에 가책을 받을 일이 없다).
〔俯仰之间〕 fǔ yǎng zhī jiān 〈成〉 한 순간. 순식간. 눈 깜짝할 사이.
〔俯泳〕 fǔyǒng 《體》 명 평영(平泳). 브레스트스트로크(breaststroke). 동 평영으로 헤엄치다. ‖ =〔俯水〕
〔俯允〕 fǔyǔn 동 〈文〉 윤허(允許)하다. 승낙(承諾)하다. =〔俯准〕
〔俯准〕 fǔzhǔn 동 ⇨〔俯允〕

腑

fǔ (부)
명 《生》 내장(內臟)(한의학에서 위·담·삼초(三焦)·대장·소장·방광을 가리킴). ¶～脏zàng =〔脏～〕; 내장. 창자 / 五脏六～; 오장육부 / 肺fèi～; ⓐ폐장과 부(腑). 〈比〉 마음 속. ⓑ친밀한 관계·사람.

腐

fǔ (부)
①동 썩다. ¶流水不～; 〈成〉 흐르는 물은 썩지 않는다. ②동 (제도·조직·기구·시책 따위가) 부패하다. ③동 멸망하다. ④형 (사상이) 진부하다. (행위가) 타락〔낙후〕돼 있다. ⑤명 〈簡〉 '豆dòu腐'(두부)의 약칭.
〔腐败〕 fǔbài 동 ①썩다. 부패하다. ¶ ～的食物; 부패한 음식 / 防止～; 썩는 것을 막다. ②(생각이) 케케묵다. 진부해지다. (행위가) 타락하다. ¶ ～分子; 타락분자. =〔腐烂②〕 ③(제도·조직·기구 등이) 혼란하다. 문란하다. 썩다.
〔腐败素〕 fǔbàisù 명 《化》 부패소(腐敗素). 셉신(sepsin).
〔腐臭〕 fǔchòu 동 썩어서 고약한 냄새가 나다.
〔腐恶〕 fǔ'è 명 부패한 악(惡). 부패하고 흉악한 세력. 형 썩고 흉악하다.
〔腐化〕 fǔhuà 동 ①부패하다. (사람의 품격 따위가) 나빠지다. ¶生活～; 생활이 타락하다 / 政治～了; 정치가 부패했다. ②부패〔타락〕시키다. ¶ ～生活; 생활을 부패시키다. ③ ⇨〔腐烂①〕
〔腐坏〕 fǔhuài 동 부패하다. 썩다. ¶肉因天热而～; 더워서 고기가 썩다.
〔腐旧〕 fǔjiù 형 〈文〉 진부하다. 케케묵다.
〔腐烂〕 fǔlàn 동 ①썩다. 썩어 문드러지다. ¶植物～在泥土里, 变成肥料; 식물은 흙 속에서 썩어 비료로 된다. =〔腐化③〕 ② ⇨〔腐败②〕
〔腐气〕 fǔqì 명 ①부패한 냄새. ②침체된 기분.
〔腐肉〕 fǔròu 명 썩은 고기.
〔腐儒〕 fǔrú 명 진부하고 세상사에 어두운 학자. =〔腐生〕
〔腐乳〕 fǔrǔ 명 ⇨〔豆腐乳〕
〔腐生〕 fǔshēng 명 ⇨〔腐儒〕 동 《生》 부생(腐生)하다(생물의 시체 또는 배설물에서 양분을 섭취하며 서식하는 일. 세균 따위에서 볼 수 있음).
〔腐蚀〕 fǔshí 동 ①부식하다. ②좀먹다. 타락시키다. 명 부식. ¶ ～版; 에칭(etching). 식각술(蝕刻術) / ～剂; 부식제.
〔腐史〕 Fǔshǐ 명 사기(史記)의 별칭(저자인 사마천(司馬遷)이 '腐刑'을 받은 데서 온 말).
〔腐熟〕 fǔshú 동 부숙(腐熟)하다(유기질(有機質)이 미생물의 작용으로 발효·분해하여 쓸모 있는 비료 성분을 발생하는 일).
〔腐鼠〕 fǔshǔ 명 〈比〉 비천한 것. 하찮은 것.
〔腐谈〕 fǔtán 명 〈文〉 케케묵은 이야기.
〔腐心〕 fǔxīn 동 〈文〉 노심초사하다. 애태우다. 속을 썩이다. ¶日夜切qiè齿～也《史記 荊軻傳》; 밤낮으로 이를 갈며 속을 썩이다.
〔腐刑〕 fǔxíng 명 남자를 거세(去勢)하는 형. 궁형(宮刑).
〔腐朽〕 fǔxiǔ 동 ①썩(어서 상하)다. ¶这块木头～了; 이 나무 토막은 썩어 버렸다. ②〈比〉 (사상이) 진부하다. (생활이) 타락하다.
〔腐朽不堪〕 fǔxiǔ bùkān 몹시 썩었다. 악취가 나서 코를 들 수가 없다.
〔腐朽庸俗〕 fǔxiǔ yōngsú 형 진부하고 범속하다.
〔腐言〕 fǔyán 명 〈文〉 진부한 말. 케케묵은 말.
〔腐医〕 fǔyī 명 〈文〉 돌팔이 의사.
〔腐鱼毒〕 fǔyúdú 명 《化》 무스카린(muscarine).
〔腐殖土〕 fǔzhítǔ 명 부식토(腐植土).
〔腐殖质〕 fǔzhízhì 명 부식질(腐植質).
〔腐竹〕 fǔzhú 명 '豆腐皮(儿)'(두부 껍질)을 조붓한 종이처럼 썬 것. =〔腐衣〕

俛

fǔ (부)
⇨〔俯〕 ⇒ miǎn

讣(訃)

fù (부)
①명 사망 통지. ¶报～; 부고하다 / 接到～闻; 사망 통지에 접하다. ②동 사망을 알리다. =〔赴②〕
〔讣告〕 fùgào 명 사망 통지. =〔讣音〕〔讣闻〕 동 사망을 통지하다. ‖ =〔赴告〕
〔讣书〕 fùshū 명 사망 통지서.
〔讣文〕 fùwén 명 사망 통지. 부고(訃告). =〔讣闻〕

赴

fù (부)
동 ①(…로) 향하다. 가다. ¶赶～前线; 전선으로 급히 가다 / ～申Shēn; 상해로 가다. ②죽음을 통지하다. =〔讣②〕 ③헤엄치다. ¶～水; 수영하다.
〔赴案〕 fù'àn 동 〈文〉 법정에 출두하다.
〔赴差〕 fùchāi 동 〈文〉 부임하다.
〔赴敌〕 fùdí 동 〈文〉 적에 맞서다. ¶共同～; 함께 적에 맞서다.
〔赴告〕 fùgào 명동 ⇨〔讣告〕
〔赴会〕 fùhuì 동 〈文〉 ①회합에 출석하다. ②연회에 출석하다. =〔赴宴〕
〔赴京〕 fùjīng 동 〈文〉 상경하다. 서울로 가다.
〔赴救〕 fùjiù 동 〈文〉 구조〔구원〕하러 가다.
〔赴考〕 fùkǎo 동 〈文〉 시험을 치르러 가다. =〔赴

〔妇产医院〕 fùchǎn yīyuàn 명 산부인과 의원.
〔妇道〕 fùdào 명 ①부인으로서의 길. 여자의 길. ②부인. ③옛날에, 며느리를 일컫던 말.
〔妇道〕 fùdao 명 〈俗〉 여자. 부녀자. ¶～家 =〔～人家〕〔～们〕; 부인네들 / 一个～人家还要打听; 계집 주제에 자꾸 물어 보려고 하다 / ～病; 부인병.
〔妇德〕 fùdé 명 부덕(婦德).
〔妇弟〕 fùdì 명 아내의 동생. (손아래) 처남. =〔内弟〕
〔妇工〕 fùgōng 명 〈文〉 아내의 일. 부녀자의 일. =〔妇功〕
〔妇公〕 fùgōng 명 장인(丈人). =〔岳yuè父〕
〔妇功〕 fùgōng 명 ⇨〔妇工〕
〔妇家〕 fùjiā 명 처가(妻家).
〔妇科〕 fùkē 명 《醫》 부인과. ¶～医生; 부인과 의사.
〔妇女〕 fùnǚ 명 부녀자. (성년의) 여성. ¶～运动 =〔妇运〕; 여성 운동 / ～病; 《醫》 부인병 / ～商店; 여성들만으로 경영하는 상점 / ～委员; 여성 위원 / ～能顶半边天; 〈諺〉 여성은 하늘의 반을 받치고 있다.
〔妇女节〕 fùnǚjié 명 ⇨〔国guó际(劳动)妇女节〕
〔妇人〕 fùrén 명 ①부인. ②기혼 여성. 아내. ¶小～; 소첩. 부인의 자칭 / ～之仁; 〈成〉 값싼 동정. 작은 은혜.
〔妇孺〕 fùrú 명 〈文〉 여자와 어린애. 아녀자. ¶～皆知; 여자와 어린애에게까지 알려져 있다.
〔妇寺〕 fùsì 명 〈文〉 부녀와 환관(宦官).
〔妇翁〕 fùwēng 명 ⇨〔岳yuè父〕
〔妇兄〕 fùxiōng 명 ⇨〔大dà舅子①〕
〔妇婴〕 fùyīng 명 ①산모(産母)와 젖먹이. ②부인과 유아.
〔妇幼〕 fùyòu 명 부녀자와 어린아이. ¶～保健站; 모자(母子) 보건 센터 / ～卫生; 모자 위생. =〔妇稚〕
〔妇子〕 fùzǐ 명 〈文〉 처자(妻子).

阜 fù (부)
〈文〉 ①명 흙메. 토산(土山). ②명 대륙. ③형 성(盛)하다. (물자가) 많다. 풍부하다. ¶物～民丰; 〈成〉 물산이 많고 민생이 풍족하다. ④동 풍부하게 하다. ¶～财; 부(富)를 늘리다.
〔阜纛〕 fùdú 명 〈文〉 군중(軍中)의 큰 기(旗).
〔阜盛〕 fùshèng 형 〈文〉 성한 모양.

服 fù (복)
양 첩(한방약을 세는 데 쓰임). ¶吃一～药就好了; 약을 한 첩 먹으면 좋아진다. =〔付④㉡〕 ⇒fú

洑 fù (복)
동 헤엄치다. 수영하다. ¶～过河去; 강을 헤엄쳐 건너다. ⇒fú
〔洑水〕 fùshuǐ 동 수영하다. ¶～过河; 헤엄쳐 강을 건너다.

复(復A), 複B)) fù (부, 복)
A) ①동 돌아오다〔가다〕. 되돌아오다〔가다〕. ¶往～; 왕복하다 / 翻来～去; 같은 일을 되풀이하다. 엎치락뒤치락하다. ②동 본 대로 하다〔되다〕. 회복하다〔시키다〕. ¶已～原状; 이미 원상대로 복귀했다 / 收～失地; 실지를 회복하다 / 身体～原; 건강이 회복되다 / 光～; 광복하다 / ～职; 복직하다. ③동 회답하다. 답장하다. ¶函～; 편지로 회답하다 / 专此奉～; 〈翰〉 우선 회신을 드립니다 / 请即电～; 〈翰〉 되짚어 전보로 회답 주시기 바랍니다. ④동 보복하다. ¶～仇; 복수하다 / 报～; 보복하다. ⑤부 다시. 또. 거듭. ¶旧病～发; 이전의 병이 재발하다 / 死灰～燃; 꺼진 불이 다시 살아나다 / 去而～返; 갔다가 다시 되돌아오다. →〔再①〕〔又①〕 ⑥명 성(姓)의 하나. B) ①형 겹치다. 겹쳐지다. 중복하다. 복수의. ¶～制; 복제하다 / ～式簿记; 복식 부기 / ～姓; 복성. 두 자로 된 성(姓). =〔重chóng复〕 ②형 번잡하다. 번다하다. ¶～杂; 복잡하다. ③명 겹옷.
〔复按〕 fù'àn 동 〈文〉 재고(再考)하다. 거듭 조사하다.
〔复摆〕 fùbǎi 명 《物》 복진자(複振子). 물리(物理) 진자. 실체(實體) 진자.
〔复本〕 fùběn 명 복본(複本)(동일한 서적을 소장할 때 1책을 제외한 나머지 서적). 부본. →〔副本〕
〔复本位制〕 fùběnwèizhì 명 《經》 복본위제. 양본위제(兩本位制).
〔复比〕 fùbǐ 명 《數》 복비. ¶～例; 복비례(複比例).
〔复辟〕 fùbì 동 물러났던 임금이 다시 왕위에 오르다. 복벽하다(일반적으로, 타도된 통치자나 제도가 부활하다). ¶防止共产主义～; 공산주의의 부활을 방지하다. =〔重chóng祚〕
〔复查〕 fùchá 명동 재검사(하다). 재심사(하다).
〔复成分〕 fùchéngfèn 명 《言》 문장의 성분이 복잡한 것(한 문장 중에 둘 이상의 주어가 있는 것).
〔复仇〕 fùchóu 동 복수하다.
〔复出口〕 fùchūkǒu 명 재수출.
〔复词〕 fùcí 명 ⇨〔合hé成词〕
〔复次〕 fùcì 부 거듭. 재차. =〔再次〕
〔复旦〕 fùdàn 명 ①다시 아침이 됨. ②〈比〉 순(舜)·우(禹)가 천위(天位)를 덕망 있는 사람에게 물려줌.
〔复点〕 fùdiǎn 명동 재점검(하다). ¶装货忙乱来不及～; 화물을 싣는 일이 바빠서 재점검할 틈이 없다.
〔复电〕 fùdiàn 명동 답전(答電)(하다).
〔复调音乐〕 fùdiào yīnyuè 명 《樂》 다성(多聲) 음악. 폴리포니(polyphony).
〔复东〕 fùdōng 동 〈南方〉 남에게 초대를 받고, 답례로 초대하다.
〔复对〕 fùduì 동 (장부 따위를) 다시 대조하다.
〔复发〕 fùfā 동 재발(再發)하다. 다시 도지다. ¶旧病～; 이전의 병이 재발하다.
〔复反〕 fùfǎn 동 반복하다. 되풀이하다.
〔复返〕 fùfǎn 동 되돌아오다. ¶黄鹤一去不～; 황학은 한번 가면 되돌아오지 않는다.
〔复犯〕 fùfàn 동 ①범죄를 되풀이하다. ②(병이) 재발하다. 명 재범(자).
〔复方〕 fùfāng 명 ①《漢醫》 두 가지 처방을 합친 약. ②《醫》 다른 약품과 조합(調合)한 약제.
〔复方碘溶液〕 fùfāng diǎnróngyè 명 《藥》 요오드 글리세린. =〔卢哥氏溶液〕
〔复方氯化钠注射液〕 fùfāng lǜhuànà zhùshèyè 명 《藥》 링게르액. =〔林lín 格氏液〕
〔复方吐根散〕 fùfāng tùgēnsǎn 명 《藥》 도버산(Dover's散)(진해 거담약). =〔陀tuó氏散〕
〔复分解〕 fùfēnjiě 명 《化》 복분해.
〔复符号〕 fùfúhào 명 《數》 복부호('±'의 부호).
〔复辅音〕 fùfǔyīn 명 《言》 자음 연속. 복자음(영어에서 spring의 spr 등).
〔复根〕 fùgēn 명 ①《植》 복근. 가랑이진 뿌리. =〔须xū根①〕 ②《化》 복성기(複成基)(2개 또는 그

이상의 원자의 결합에 의한 기(基)).
〔复工〕 fù,gōng 동 ①복직하다. 직장에 복귀하다. ¶提出了～条件; 직장 복귀의 조건을 내놓았다. ②(중지 또는 쉬고 있던) 일을 다시 시작하다.
〔复古〕 fùgǔ 명동 복고(하다〔시키다〕). ¶～运动; 복고 운동. =〔反fǎn古〕
〔复国主义〕 fùguó zhǔyì 명 국가 부흥주의. ¶犹太～; 시오니즘(zionism).
〔复果〕 fùguǒ 명《植》복화과(複花果). 복과. 다화과(多花果). =〔多duō花果〕
〔复函〕 fùhán 명동〈翰〉회답(하다). 답장(하다). 회신(回信)(하다). =〔复回〕〔复简〕〔复书〕〔复信〕〔复文〕
〔复合〕 fùhé 동 두 개 이상의 것이 겹치다. 명《電》복합. ¶～电路; 복합 회로.
〔复合词〕 fùhécí 명 ⇨〔合成词〕
〔复合肥料〕 fùhé féiliào 명《農》복합 비료.
〔复合钢〕 fùhégāng 명《工》복합강(複合鋼). 합금강(合金鋼)《두 종류 이상의 금속을 함유한 강》.
〔复合国〕 fùhéguó 명《法》복합 국가《연합·연방 따위》.
〔复合机床〕 fùhé jīchuáng 명《機》복합공작 기계.
〔复(合)句〕 fùhéjù 명《言》복문.
〔复合双重代表权〕 fùhé shuāngchóng dàibiǎoquán 명 복합 2중 대표권.
〔复合元音〕 fùhé yuányīn 명《言》복모음《표준어의 ai, ei, ao, ou, uai, uei 따위》.
〔复核〕 fùhé 명동《法》재심리(하다). 재조사(하다)《특히, 사형 판결에 대한 최고 법원의 재심》. 동 대조하다. ¶报告里面的数字需要～一下; 보고서 중의 숫자는 대조해 볼 필요가 있다. 명《物》중간핵(中間核).
〔复还〕 fùhuán 동〈文〉되돌리다. 돌려 주다.
〔复回〕 fùhuí 명동 ⇨〔复函〕
〔复会〕 fùhuì 동 (회담·회의를) 재개하다.
〔复婚〕 fùhūn 동 (헤어졌던 부부가) 다시 결합하다.
〔复活〕 fùhuó 명동 부활(하다). 소생(하다). ¶(耶yē稣)～节 =〔～日〕〔〈音義〉伊yī斯特尔节〕; 부활절. 부활 주일. 동 다시 활동을 시작하다.
〔复基〕 fùjī 명《化》착기(錯基).
〔复激(励)〕 fùjī(lì) 명《電》복권 여자(複卷勵磁). 컴파운드 와운드(compound wound). ¶～发电机; 복권 발전기. =〔复绕〕
〔复籍〕 fùjí 명동《法》복적(復籍)(하다).
〔复简〕 fùjiǎn 명동 ⇨〔复函〕
〔复交〕 fùjiāo 동 외교 관계를 회복〔재건〕하다.
〔复校〕 fùjiào 동 ①(원고를) 재교〔교정〕하다. ②(기계를) 재점검하다.
〔复进口〕 fùjìnkǒu《貿》명동 재수입(하다). 명 재입항《출항 수속을 마친 배가 적하(積荷)가 끝나지 않아서 다시 입항 절차를 밟는 것》.
〔复晶〕 fùjīng 명《鑛》결정체(結晶體)가 일정한 법칙에 의하여 다수가 서로 잇달아서 결합된 것. =〔连lián晶〕
〔复旧〕 fùjiù 동〈文〉복구하다. 원상태로 회복하다.
〔复卷机〕 fùjuǎnjī 명《機》되감는 기계. 리와인더(rewinder).
〔复决权〕 fùjuéquán 명《法》법률을 개폐(改廢)하는 권리. →〔创chuàng制权〕
〔复刊〕 fù,kān 동 복간(復刊)하다. (fùkān) 명 복간 간행물.
〔复课〕 fù,kè 동 수업을 재개하다.
〔复累〕 fùlěi 명 ⇨〔蚶hān子〕
〔复利(息)〕 fùlì(xi) 명《經》복리(複利).
〔复螺纹〕 fùluówén 명《機》겹줄나사산. ↔〔单dān螺纹〕
〔复名〕 fùmíng 명 두 자로 된 이름. ¶～数;《數》제등수(諸等數). 복명수(複名數).
〔复明〕 fùmíng 동 눈이 먼 상태에서 다시 눈을 뜨다.
〔复命〕 fù,mìng 동 복명하다.
〔复魄〕 fùpò 명 옛날 풍습에서, 사람이 사망한 직후에 혼백을 불러들이는 의식. ¶招魂～; 혼백을 불러들이다.
〔复启者〕 fùqǐzhě 명〈翰〉배복(拜復). 복계(復啓)《한문 편지 답장 첫머리에 쓰는 높임말》. =〔复者〕
〔复权〕 fùquán 명동《法》복권(復權)(하다).
〔复痊〕 fùquán 동〈文〉병이 완쾌하다.
〔复绕机〕 fùràojī 명《機》리와인더(rewinder).
〔复绕组〕 fùràozǔ 명《電》여러 겹으로 감기. 다중권선.
〔复任〕 fùrèn 명동〈文〉(전의 관직으로) 복임(하다).
〔复赛〕 fùsài 명《體》준결승. 세미파이널(semifinal). ¶半～; 준준결승. =〔半决赛〕
〔复三〕 fùsān 명 사망 후 3번째로 하는 초혼(招魂).
〔复色光〕 fùsèguāng 명《物》복색광. 복광(複光).
〔复哨〕 fùshào 명《軍》2명 1조의 보초병.
〔复审〕 fùshěn 명동 재심(하다). 복심(하다).
〔复生〕 fùshēng 동 (되)살아나다. 소생하다. 갱생하다. 기운을 되찾다. 명동 재생〔부활〕(하다).
〔复生产〕 fùshēngchǎn 명 재생산.
〔复示〕 fùshì 명〈翰〉답장의 높임말. =〔复音①〕
〔复式〕 fùshì 명 복식(複式).
〔复式编制〕 fùshì biānzhì 명 복식 학급 편제.
〔复式簿记〕 fùshì bùjì 명《商》복식 부기.
〔复式发动机〕 fùshì fādòngjī 명《機》복식 기관(機關).
〔复式河床〕 fùshì héchuáng 명 고수 부지(高水敷地). 둔치.
〔复式教授〕 fùshì jiàoshòu 명 복식 교수.
〔复式轮系〕 fùshìlúnxì 명《機》복식 톱니바퀴 열(列)《두 조(組) 이상의 큰 톱니바퀴와 작은 톱니바퀴가 맞물리는 관계를 가짐》.
〔复式学级〕 fùshì xuéjí 명 복식 학급.
〔复试〕 fùshì 명 제2차 시험《'初chū试'에 대하여 이름》.
〔复视〕 fùshì 명《醫》복시(複視).
〔复述〕 fùshù 동 ①되풀이하여 말하다. 복창하다. ②(읽은 것의 내용을) 정리하여 말하다《교실에서의 어학 연습 방법》.
〔复数〕 fùshù 명 ①《言》(영어 등의) 복수. ②《數》복소수(複素數).
〔复税〕 fùshuì 명 복세《여러 과세 대상에 근거하여 세를 부과 징수하는 일》.
〔复丝〕 fùsī 명《紡》멀티사(multi絲)《여러 단섬유(單纖維)를 합친 인견사(人絹絲)》.
〔复苏〕 fùsū 명동 부활(시키다). 소생(시키다). 부흥(시키다). 회복(시키다). 재생(시키다).
〔复算〕 fùsuàn 동 다시 계산하다.
〔复条〕 fùtiáo 명 회답〔답장〕 쪽지.
〔复位〕 fùwèi 명 (컴퓨터에서) 클리어(clear).
〔复胃〕 fùwèi 명《生》새김위.

〔复习〕 fùxí 명동 복습(하다). ¶～功课; 배운 것을 복습하다. =〔温wēn习〕
〔复线〕 fùxiàn 명 (철도의) 복선. =〔双shuāng轨〕
〔复写〕 fùxiě 명동 ⇨〔复印①〕
〔复写纸〕 fùxiězhǐ 명 카본지(紙). 복사지(紙).
〔复新〕 fùxīn 동 ①양상을 일신하다. ②(계약 따위를) 경신(更新)〔계속〕하다.
〔复信〕 fù·xìn 동 회답하다 (fùxìn) 명 회답편지. ‖ =〔复函〕
〔复兴〕 fùxīng 명동 부흥(하다〔시키다〕). ¶文艺～; 르네상스. 문예 부흥 / ～国家; 나라를 부흥시키다.
〔复性〕 fùxìng 동 본성(本性)으로 돌아가다.
〔复姓〕 fùxìng 명 복성《諸葛·歐陽 따위》. =〔双shuāng姓〕 동 본집으로 돌아가서 생가의 성으로 되돌아가다. =〔复姓归宗〕
〔复选〕 fùxuǎn 명《法》 최초의 당선자 중에서 다시 선거하는 것. 결선 투표.
〔复学〕 fùxué 명 복학. (fù·xué) 동 복학하다.
〔复循环节〕 fùxúnhuánjié 명《數》 복순환 마디《순환 소수의 순환 마디가 두 개 이상의 숫자로 된 것. 처음과 마지막의 숫자 위에 '·'를 붙여 순환 마디를 나타냄》.
〔复盐〕 fùyán 명《化》 복염(複鹽).
〔复眼〕 fùyǎn 명《蟲》 겹눈. 복안《잠자리·새우·게 따위의 눈》. ↔〔单dān眼〕
〔复验〕 fùyàn 명동 재검사(하다).
〔复叶〕 fùyè 명《植》 겹잎. 복엽(複葉).
〔复业〕 fù·yè 동 ①원래의 재산을 복구하다. ②복업(復業)하다. ③상점이 영업 일시 정지 후에 다시 영업을 시작하다.
〔复议〕 fùyì 명동 재의(再議)(하다). 재토의(하다).
〔复意〕 fùyì 명〈文〉 언외(言外)의 의미.
〔复翼机〕 fùyìjī 명 복엽기.
〔复音〕 fùyīn 명 ① ⇨〔复示〕 ②《物》 복합음. ③《言》 다음(多音).
〔复音词〕 fùyīncí 명《言》 다음절어(多音節語). =〔多duō音节词〕〔复音节语〕 →〔联lián绵字〕
〔复印〕 fùyìn 명동 ①복사(하다). 카피(copy)(하다). ¶～三份; 3부 복사하다 / ～机jī =〔复写机〕〔～器qì〕〔拷kǎo贝(印刷)机〕; 복사기. 카피 인쇄기. =〔复写〕 ②복제(하다).
〔复印纸〕 fùyìnzhǐ 명 ①복사 용지. 카피 용지. ②복사용 탄산지〔카본지〕. 또, 그 외의 복사지. ¶用～作一份副本; 복사지로 부본(副本)을 한 통 만들다. =〔复写纸〕〔拷kǎo贝纸〕〔拓tà蓝纸〕
〔复又〕 fùyòu 부〈文〉 또. 다시. 재차.
〔复育〕 fùyù 명《蟲》 굼벵이《매미의 유충》.
〔复元音〕 fùyuányīn 명《言》 복모음(複母音).
〔复员〕 fù·yuán 동 ①전시 상태에서 평상시의 상태로 되다. ②《軍》 제대하다. ¶～令; 제대 특명 / ～军人; 퇴역 군인 / ～还huán乡; 제대하여 고향으로 돌아가다.
〔复原〕 fù·yuán 동 ①복원하다. ¶这座在战争中破坏的城市已经～; 전쟁중에 파괴된 이 도시는 이미 복원되었다. ②건강을 회복하다. ¶病人身体还没～; 병자의 몸은 아직 회복되지 않았다. ‖ =〔复元〕
〔复圆〕 fùyuán 명《天》 복원.
〔复月〕 fùyuè 명 음력 11월의 별칭.
〔复运〕 fùyùn 동〈文〉 다시 나르다〔운반하다〕. 재수출하다.
〔复杂〕 fùzá 형 복잡하다. ¶～性; 복잡성 / 情况～; 상황이 복잡하다 / ～的心情; 복잡한 심정. ↔〔简jiǎn单①〕
〔复杂反应〕 fùzá fǎnyìng 명《化》 복합 반응.
〔复杂劳动〕 fùzá láodòng 명 숙련 노동. ↔〔简单劳动〕
〔复照〕 fùzhào 명동 외교 각서 회답(을 하다).
〔复诊〕 fùzhěn 명동《醫》 재진(再診)(하다).
〔复正〕 fùzhèng 동〈文〉 본래의 옳은 상태로 되돌아오다.
〔复职〕 fùzhí 명 복직. (fù·zhí) 동 복직하다.
〔复指示剂〕 fùzhǐshìjì 명《化》 배합(配合) 지시약.
〔复制〕 fùzhì 명동 복제(하다). ¶～品; 복제품.
〔复种〕 fùzhòng 명《農》 그루갈이. 이모작. 다모작. ¶～指数; 다모작 지수《파종 면적 대 경지 면적 비율》.
〔复壮〕 fù·zhuàng 동《農》 (농작물이) 품종 본래의 우량한 특성을 회복하다.

腹 fù (복)

명 ①《生》 배. ¶小～ =〔小肚子〕; 아랫배 / 满～含冤; 잔뜩 원한을 품고 있다. ②〈轉〉 가슴 속. 속마음. ¶～议; ⇩ ③내부(內部). ④앞. 전면(前面). ¶～背; ⇩ ⑤(솥·항아리 따위의) 불룩한 중배. ¶瓶～; 병의 배. ⑥가운데. 중앙부.
〔腹板〕 fùbǎn 명 ①《機》 복부판(腹部鈑). 웨브 플레이트(web plate). ②《動》 흉판(胸板)
〔腹背〕 fùbèi 명〈比〉 ①매우 가까운 것. ¶～相亲; 관계가 매우 밀접하다. ②앞뒤. ¶～受敌; 〈成〉 앞뒤로 적의 공격을 받다.
〔腹壁〕 fùbì 명《生》 복벽.
〔腹部〕 fùbù 명 복부. 배.
〔腹地〕 fùdì 명 내륙. 내지(內地). 오지(奧地). ¶内陆～; 내륙의 오지.
〔腹非〕 fùfēi 동〈文〉 ⇨〔腹诽〕
〔腹诽〕 fùfěi 동〈文〉 말은 않지만 마음 속으로는 비방하다. =〔腹非〕
〔腹杆〕 fùgǎn 명《建》 복부재(腹部材)《트러스의 상하의 현재(弦材)를 연결하는 부재(部材)》.
〔腹稿〕 fùgǎo 명 복고(腹稿). 복안. 구상. ¶把～写在纸上; 복고를 종이에 옮겨 쓰다 / 我这不过是～, 还没有写出来; 이것은 나의 구상에 불과할 뿐 아직 쓰지는 않았다.
〔腹股沟〕 fùgǔgōu 명《生》 서혜(鼠蹊). 샅. =〔鼠shǔ蹊〕
〔腹积水〕 fùjīshuǐ ⇨〔臌gǔ胀〕
〔腹疾〕 fùjí 명〈文〉 배탈. 설사. →〔腹泻〕
〔腹结〕 fùjié 명《漢醫》 변비.
〔腹筋〕 fùjīn 명《生》 복근. 복부의 근육.
〔腹里〕 fùlǐ 명〈文〉 내지(內地)《산둥(山東)·산시(山西)·허베이(河北)의 3개 성(省)》.
〔腹满〕 fùmǎn 동 배가 가득 차다. 명《醫》 배가 팽창하는 증상. 복부 팽만.
〔腹闷〕 fùmèn 동 번민(煩悶)하다. 고민하다.
〔腹面〕 fùmiàn 명 복면. 몸의 가슴. 배 쪽.
〔腹鸣〕 fùmíng 명《醫》 복명.
〔腹膜〕 fùmó 명《生》 복막. ¶～炎; 복막염.
〔腹鳍〕 fùqí 명《魚》 배지느러미.
〔腹腔〕 fùqiāng 명《生》 복강.
〔腹热心煎〕 fùrè xīnjiān 〈比〉 매우 갈망하고 있는 모양.
〔腹省〕 fùshěng 명〈文〉 중앙에 있는 각 성(省). 중위안(中原)의 각 성(省).
〔腹式呼吸〕 fùshì hūxī 명 복식 호흡.

〔腹水〕 fùshuǐ 명 《醫》 복수.
〔腹笥〕 fùsì 명 〈文〉 뱃속의 책장. 〈比〉 학문이 있음. ¶～空虚; 학식이 없다.
〔腹痛〕 fùtòng 명 《醫》 복통.
〔腹泻〕 fùxiè 명 《醫》 설사. =〔水泻〕〔〈俗〉 拉稀〕〔闹肚子〕〔泻肚〕
〔腹心〕 fùxīn 명 〈比〉 ①몸〔마음〕의 중심 부분. ¶～之患; 내부에 잠재해 있는 재앙〔우환〕. ②심복(하는 사람). ¶～交; 매우 친밀한 교제. ③성의(誠意). 진심. ¶敢布～; 감히 진심을 보이다.
〔腹议〕 fùyì 동 〈文〉 (말은 하지 않으나) 마음 속으로는 견해가 있다〔서다〕.
〔腹胀〕 fùzhàng ⇨〔臌gǔ胀〕
〔腹中有剑, 笑里藏刀〕 fùzhōng yǒujiàn, xiàolǐ cángdāo 〈諺〉 뱃속에 검이 있고 웃음 속에 칼이 있다. 장미에도 가시가 있다.
〔腹足类〕 fùzúlèi 명 《動》 복족류(연체 동물의 하나로, 달팽이·우렁이 따위).

蝮 fù (복)
→〔蝮蛇〕

〔蝮蛇〕 fùshé 명 《動》 살무사.

鳆(鰒) fù (복)
→〔鳆鱼〕

〔鳆鱼〕 fùyú 명 《貝》 전복. =〔〈俗〉 鲍bào鱼〕

覆 fù (복,부)
①동 덮어씌우다. 덮어 가리다. ¶被～; (뒤)덮이다. ②동 뒤집(히)다. 전복되다. 엎어지다. ¶～舟; 배가 뒤집히다 / 颠～; 전복시키다〔되다〕 / 翻天～地; 〈成〉 천지가 뒤집히다 / 翻来～去; ⓐ되풀이하다. ⓑ반전하다. ⓒ(병이) 도지다. ③동 갔다 다시 되돌아오다. ④동 답장〔회답〕하다. ⑤명 답장. 회신. ⑥동 실패하다. ⑦동 상세히 조사하다. ⑧부 다시. 또.
〔覆蔽〕 fùbì 동 〈文〉 덮어 가리다. 막아서 감추다.
〔覆巢无完蛋〕 fù cháo wú wán dàn 〈成〉 둥지를 뒤엎으면 완전한 알이 남지 않는다(일문(一門)이 화(禍)를 당하게 되면 동족(同族)은 누구 한 사람 목숨을 부지할 수 없다. 전체의 괴멸은 반드시 개인에게 미친다). =〔覆巢无完卵〕〔覆巢之下无完卵〕
〔覆车之戒〕 fù chē zhī jiè 〈成〉 앞차가 뒤집히는 것을 보고 뒤차가 교훈을 삼다(앞사람을 거울삼아 뒷사람은 실패하지 말라는 뜻). =〔覆车当戒〕
〔覆盖〕 fùgài 동 덮다. 가리다. ¶积雪～着地面; 적설이 지면을 덮고 있다. 명 ①《機》 덮개. (용액의) 피복(被覆). ②《農》 지면을 덮고 있는 식물(지면을 덮어 토양을 보호함).
〔覆核〕 fùhé 명동 재조사(하다). 재심리(하다). 동 조사하여 맞추어 보다. ¶报告里面的数字需要～一下; 보고 속의 숫자는 맞춰 볼 필요가 있다. 명 《物》 중간핵.
〔覆校〕 fùjiào 동 ①(원고를) 재교(再校)하다. ②기계를 재점검하다.
〔覆军〕 fùjūn 동 〈文〉 전군이 궤멸하다.
〔覆考〕 fùkǎo 명동 재시험(하다).
〔覆露〕 fùlù 동 (비호하여) 은혜를 베풀다. ¶～万民; 만민에게 은혜를 베풀다.
〔覆面纸〕 fùmiànzhǐ 명 (죽은 이의 얼굴을 차마 볼 수 없어서) 죽은 이의 얼굴을 덮는 종이.
〔覆灭〕 fùmiè 동 복멸하다. 뒤집히어 망하다. ¶帝国主义一时的猖獗决不能挽回它的～; 제국주의가 일시적으로 창궐한다 해도, 그 복멸을 만회할 수는 없다.
〔覆没〕 fùmò 동 ①〈文〉 배가 뒤집혀 침몰하다. ②군대가 전멸하다. ¶全军～; 전군이 궤멸하다. ③가운이 몰락하다.
〔覆逆〕 fùnì 동 〈文〉 예측하다. 추측하다. 짐작하다.
〔覆盆〕 fùpén 동 ①물 담긴 대접을 뒤집어 엎다(억수같이 쏟아지는 비의 형용). ¶～大雨; 억수같이 퍼붓는 비. ②〈比〉 억울한 누명을 뒤집어쓰다. ¶～之冤yuān; 남모르는 원통한 죄. 호소할 데 없는 불평 불만·괴로움. 명 뒤집힌 주발(암흑. 남에게 알려지지 않은 이면).
〔覆盆子〕 fùpénzǐ 명 《植》 복분자. 복분자딸기의 열매.
〔覆审〕 fùshěn 명 《法》 공소심에서 제 1심과 같은 사실 심리를 행하는 일.
〔覆试〕 fùshì 명 재시험.
〔覆手〕 fùshǒu 동 손바닥을 뒤집다. 형 〈比〉 일이 매우 쉽다.
〔覆水难收〕 fùshuǐ nánshōu 〈諺〉 엎지른 물은 주워 담기 힘들다(이미 저지른 일은 원상 복구가 안 된다. 한번 이혼(離婚)한 뒤에는 본디 상태로 되돌아 갈 수 없다).
〔覆算〕 fùsuàn 동 다시 계산하다. 명 재계산.
〔覆土〕 fùtǔ 동 ①(관(棺) 따위에) 흙을 덮다. ②실지(失地)를 회복하다. ¶～有责; 실지 회복에 책임을 갖다.
〔覆碗绝食〕 fùwǎn juéshí 〈比〉 남의 생활을 빼앗다.
〔覆亡〕 fùwáng 동 뒤집혀 망하다. 복멸(覆滅)하다.
〔覆选〕 fùxuǎn 명 재선.
〔覆验〕 fùyàn 명동 재검사(하다).
〔覆雨翻云〕 fù yǔ fān yún 〈成〉 ①반복이 무상하다. 어지럽게 변하다. ②술수에 능하다.
〔覆育〕 fùyù 동 〈文〉 천지가 만물을 육성하다.
〔覆载〕 fùzài 명 〈文〉 천지. ¶～之恩; 천지의 은혜. 부모의 은혜. =〔天覆地载〕
〔覆辙〕 fùzhé 명 차가 뒤집힌 길(전철(前轍)). 〈轉〉 실패한 방식. ¶重chóng蹈～; 전철을 밟다. 같은 실패를 되풀이하다.
〔覆舟〕 fùzhōu 동 〈文〉 난파하다. 배가 뒤집히다.

馥 fù (복)
〈文〉 ①명 방향(芳香). 향기. ②명 명성(名聲). ③명 덕화(德化). ④형 향기롭다. ¶花朵散发着～的香气; 꽃은 그윽한 향기를 발산하고 있다. =〔芳fāng馥〕
〔馥馥〕 fùfù 형 〈文〉 향기가 아주 짙다. 향기롭다.
〔馥郁〕 fùyù 형 〈文〉 그윽한 향기가 풍기다.

副 fù (부)
①형 ('正'·'主'에 대한) 부. ¶～主席; 부주석 / ～班长; 부반장 / ～食品 =〔～食〕; ⇩ ②명 보조 직무를 담당하는 사람. 보조자. ¶队～; 부대장 / 大～; 일등 항해사. ③형 부대적인. 부수적인. ¶～业; ⇩ / ～产品; ⇩ / ～作用; ⇩ ④동 적합하다. 부합하다. 합치하다. ¶名不～实; 명실이 상부하지 않다. ⑤동 보좌하다. ⑥동 곁들이다. ⑦양 조. 벌. 쌍(한 벌·세트로 된 것을 세는 데 쓰임). ¶一～筷子; 한 벌의 젓가락 / 一～对联; 한 쌍의 족자 / 全～武装; 완전 무장. =〔付④㉠〕 ⑧양 얼굴 표정을 나타낼 때 쓰임. ¶一～笑容; 만면(滿面)의 웃음 / 一～庄严的面孔; 장엄한 얼굴.
〔副榜〕 fùbǎng 명 옛날, 향시(鄕試)에서 합격자의

〔轧龙门〕 gálóngmén 명 구식 부기법의 하나(환에 있어서의 상품의 출입과 금전 출납에 대하여 1기(期)마다 결산하여 수지를 분명히 하는 방식).
〔轧苗头〕 gá miáotou 〈方〉 실마리를 찾다. 단서를 찾다.
〔轧闹猛〕 gá nàoměng 〈方〉 모두 모여 야단법석을 떨다. 시끄럽게 떠들다.
〔轧姘头〕 gá pīntóu 〈南方〉 남녀가 야합하다. 간통하다. ＝〔搭dā拼头〕〔搭姘头〕
〔轧缺〕 gáquē 명 (어음 교환에서) 어음 장부끝이 지불 과다임. →〔轧多〕
〔轧实〕 gáshí 부 〈南方〉 확실(히). 정말. 틀림없이.
〔轧司灵〕 gásīlíng 명 〈音〉 가솔린(gasoline). 휘발유.
〔轧头寸〕 gá tóucùn 〈南方〉 자금 융통을 받다. 돈을 마련하다. ¶天天～真伤脑筋; 매일 돈을 끌어 대느라고 정말 골치가 아프다.
〔轧账〕 gázhàng 동 장부를 마감하여 합계하다. 장부의 상쇄 계산을 하다. ¶月底～试算表, 能够一轧便平是绝无仅有的; 월말에 장부를 마감하여 시산표의 대변과 차변이 딱 맞는다는 일은 거의 절대로 없다고 말할 수 있다.
〔轧直〕 gázhí 동 ①균형을 잡다. ②거래상 대차 결제를 하다.

钆(釓) gá (구)
명 《化》 가돌리늄(Gd: gadolinium).

尜 gá
→〔尜尜〕

〔尜尜〕 gága 명 ①아이들 장난감의 하나(양 끝이 뾰족하고 가운데가 굵은 팽이). ＝〔尜儿〕〔嘎gá嘎儿〕 ②팽이처럼 생긴 것. ¶～枣zǎo; 양 끝이 뾰족하고 가운데가 통통한 대추 / ～汤tāng; 옥수수가루를 반죽하여 만든 수제비. ‖＝〔嘎gá嘎〕

嘎 gá (알)
①→〔嘎儿〕 ②→〔尜尜〕 ③동 내기를 하다. 물건을 걸다. ¶咱们～～点儿吧? 우리 내기해 보지 않을래? ⇒gā gǎ
〔嘎点儿〕 gádiǎnr 동 내기를 하다. 도박하다.
〔嘎调〕 gádiào 명 《劇》 노랫가락 중에, 갑자기 격렬하게 높아지는 음조.
〔嘎嘎〕 gága 동 〈方〉 서로 경쟁하다. 옥신각신하다. ¶他不愿意～价钱而再多耽误工夫; 그는 가격이 맞지 않아 티격태격하는 것에 더 이상 시간을 낭비하는 것을 원치 않는다. 명 ⇨〔尜尜〕 ⇒gāgā
〔嘎嘎儿〕 gágar 명 ⇨〔尜尜①〕
〔嘎嘎儿天〕 gágartiān 명 〈方〉 아침 저녁으로 서늘하고 한나절엔 더운 날씨.
〔嘎嘎枣(儿)〕 gágazǎo(r) 명 《植》 〈方〉 양 끝이 뾰족하고 가운데가 통통한 대추.
〔嘎七马八〕 gáqīmǎbā 〈方〉 ①듬뿍. 이것저것 마구. ¶～地买了许多日用品来; 닥치는 대로 일용품을 듬뿍 사들였다. ②어수선하다. 엉망진창이다. 뒤죽박죽이다. ¶这儿～地堆着些什么呀? 이런 곳에 마구잡이로 무엇을 쌓아 놓았느냐? ＝〔乍gǎ七马八③〕
〔嘎儿〕 gár 명 ①팽이. (나무를 달걀꼴로 깎아 이를 막대기로 치며 노는) 장난감. ¶打～; 팽이치기를 하다. ②유리 구슬. ¶小孩子打～玩; 아이가 구슬치기를 하고 있다.
〔嘎子〕 gázi 명 ①흉악한 사람. ②닳고 닳은 사람.

噶 gá (갈)
→〔噶点儿〕〔噶伦〕〔噶厦〕

〔噶点儿〕 gá.diǎnr 동 〈方〉 내기하다. ¶你要不信, 咱们噶下个点儿; 믿지 않는다면, 내기해도 좋다.
〔噶拉儿〕 gálár 명 〈方〉 ⇨〔旮旯儿〕
〔噶伦〕 gálún 명 〈音〉 티베트 지방 정부에서 정치를 관장하던 관직.
〔噶厦〕 gáxià 명 〈音〉 옛날의 티베트 지방 정부의 최고 행정 기관.

尕 gǎ (가)
형 〈方〉 ①장난스럽다. 까불다. ¶这孩子很～; 이 아이는 너무 장난이 심하다. ＝〔调tiáo皮〕 ②괴팍하다. (성질이) 나쁘다. ¶这人～得很不好说话; 이 사람은 너무 괴팍해서 말하기가 힘들다. ‖＝〔嘎gǎ〕
〔尕古〕 gǎgu 형 〈方〉 ①(성질이) 괴팍하다. 꽤 까다롭다. ②(품질(品質)이) 떨어지다. ③(일의 결과가) 나쁘다. ¶～年nián; 흉년. ‖＝〔外wài拐子〕〔撇piě拐子〕
〔尕啦肉〕 gǎlaròu 명 잘라지지도 삶아지지도 않는 고기(처치 곤란한 놈. 다루기 힘든 놈).
〔尕七马八〕 gǎqīmǎbā ①명 〈方〉 엄청난 실수. 엄청난 웃음거리. ②명 〈方〉 꼬마 깡패. ③⇨〔嘎gá七马八②〕
〔尕起混〕 gǎqǐhùn 동 엉뚱한 언동을 하다. ¶别理他, 他就那么～! 그를 상대하지 마라. 그는 저렇게 제멋대로 구니까!
〔尕子〕 gǎzi 명 〈方〉〈俗〉 개구쟁이. 악동. 삐뚤이. ＝〔尕杂zá子〕〔嘎gǎ子〕

尜 gǎ (가)
형 〈方〉 (친근한 뜻으로) 귀여운. 조그만(시짱(西藏)·신장(新疆) 지방의 방언). ¶～娃wá; 아기 / ～李lǐ; 이군('小李'와 같음).

嘎 gǎ (알)
형 ⇨〔尕gǎ〕 ⇒gā gá

〔嘎咕〕 gǎgu 형 인색하다. 인정머리 없다. 꽤 까다롭다. 괴팍하다.
〔嘎子〕 gǎzi 명 〈俗〉〈方〉 ⇨〔尕子〕

尬 gà (개)
→〔尴gān尬〕

GAI ㄍㄞ

该(該) gāi (해)
①동 갖추어지다. 갖추다. ②동 포함하다. ③동 빚지다. ¶～下账; 빚을 지다 / 不～不欠; 아무에게도 빚이 없다 / 他～我三万块钱; 그는 나한테 3만 원 빚지고 있다. ＝〔欠qiàn〕 ④동 …의 차례이다. …에 해당하다. …에게로 돌아오다('着zhe'를 동반하여 쓸 때도 있음). ¶这次～我的班了; 이번은 내 차례이다 / 不～我, ～你; 내 차례가 아니라 네 차례야 / 今天晚上～着你直班了; 오늘 저녁은 네가 당번설 차례다. ⑤동 …에 상당하다. ¶～个什么罪? 무슨 죄가 된단 말이오? ⑥조동 당연히 해야 한다. …이어야 한다. ¶应～; (…하는 것이) 마땅하다〔당연하다〕 / ～说的一定要说; 할 말은 해야 한다 / 这件事他～知道的; 이 일은 그가 당연히 알고 있

G

을 것이다 / ~两天的活，一天就做完了；당연히 이틀 걸릴 일을 하루에 해 버렸다. ⑦ 조동 (결과로서) 틀림없이 …할 것이다. …하게끔 되어 있다. ¶再不浇水，花都~蔫了；더 이상 물을 주지 않으면 꽃이 시들 것이다. ⑧ 동 당연히 그렇게 되어야 한다. 당연하다. ¶活~；(비난·질책 등의 기분을 나타내어) 당연하다. 자업자득이다. 꼴 좋다 / ~！谁叫他不听话来着；꼴 좋다! 누가 말을 듣지 말랬나. ⑨ 대 이. 그. 저(앞 문장에 언급된 사람·사물을 가리킴. 흔히 공문서용). ¶~地；당지(當地) / ~书；그 문서. ⑩ 〈公〉 하달문(下達文)에서, 상대방을 가리키는 말. ¶仰~局立即查明呈报为要；귀국(貴局)은 즉시 조사하여 보고하기 바람. ⑪ 부 대단히. 매우(감탄문에 쓰이어 어조를 강하게 함). ¶现在~多么好啊；지금은 참 좋지 않은가. ⑫ 형동 ⇨〔赅gāi〕

〔该案〕 gāi'àn 명 〈文〉 그 안건.

〔该班(儿)〕 gāi.bān(r) 동 당번이 되다. (gāibānr) 명 당번.

〔该博〕 gāibó 형 〈文〉 ⇨〔赅博〕

〔该不(是)〕 gāibù(shì) 부 (文末에 '~吧'를 두어) 틀림없이 …일 것이다. 꼭 …일 것이다.

〔该打〕 gāidǎ 응당 쳐야 한다. 때려야 한다.

〔该当〕 gāidāng 조동 당연히 …하지 않으면 안 되다. …하는 것은 당연하다. ¶~安分守己；자기 분수를 알아서 본분에 만족해야 한다 / 那是~的；그것은 당연하다. =〔应yīng该〕 동 해당하다. ¶~何罪? 어떤 죄에 해당하는가?

〔该罚〕 gāifá 동 벌 받아야 한다. ¶~的就罚；벌 받아야 할 자는 벌한다.

〔该管〕 gāiguǎn 동 ①〈文〉 관리 책임을 지다. ¶~机关；관리 기관. ②당연히 관리해야 하다. ¶~的你不管，不~的你倒要管；너는 의당 해야 할 일은 하지 않고, 하지 않아도 될 일은 도리어 손을 댄다.

G

〔该号〕 gāihào 형 〈方〉 이러한. 이 같은.

〔该括〕 gāikuò 명동 〈文〉 ⇨〔赅gāi括〕

〔该钱〕 gāi.qián 동 돈을 빌리다. 빚이 있다. ¶该他钱；그에게서 돈을 꾸다.

〔该钱〕 gāiqián 형 〈方〉 돈이 있다. 부유하다.

〔该欠〕 gāiqiàn 동 빚이 있다. 빚을 지고 있다. ¶他在外边~的也不少；그는 밖에 많은 빚이 있다.

〔该杀〕 gāishā 형 죽어 마땅하다. 지독한 놈이다. ¶他真~；저 녀석은 지독한 놈이야.

〔该斯勒管〕 gāisīlè guǎn 명 《物》 〈音〉 가이슬러관(Geissler管).

〔该死〕 gāisǐ 형 〈口〉 빌어먹을. 제기랄(심한 혐오와 화가 치미는 기분을 나타냄). ¶你这~的！이 빌어먹을 놈의 자식! / ~的猫又叼去一条鱼；빌어먹을 고양이 같으니라구! 또, 생선을 채 가 버렸다 / ~！又把钥匙丢在家里了；제기랄! 또 열쇠를 집에 두고 잊어버리고 오다니.

〔该死行瘟〕 gāisǐ xíngwēn 〈罵〉 염병할 놈. 뒈질 놈.

〔该通〕 gāitōng 동 〈文〉 널리 통하다.

〔该下〕 gāixia 동 빚을 지고 있다. ¶~他一笔款kuǎn；그에게 얼마쯤 빚지고 있다.

〔该隐〕 Gāiyǐn 명 《宗》 〈音〉 카인(Cain). =〔加音〕

〔该应〕 gāiyīng 조동 ⇨〔应当〕

〔该账〕 gāizhàng 명 외상. 외상 판매. (gāi.zhàng) 동 빚이 있다. 외상하다.

〔该着〕 gāizháo 동 아무래도 …가 될 운명이다. …은 피할 수 없다. ¶~他成名；그는 아무래도 유명해질 운명이다 / 穷人就~饿死吗? 가난한 사람은 당연히 굶어 죽을 수밖에 없다는 것인가? 형 당연하다. 고소하다. 꼴 좋게 됐다. ⇒gāizhe

〔该着〕 gāizhe 동 ①꾸다. 빚지다. ¶我~你多少钱? 내가 너한테 얼마를 빚졌지? ②순번이 되다. 당번이 되다. ¶这一回~我了吧? 이번에는 내가 할 차례지? ⇒gāizháo

陔 gāi (해)

명 〈文〉 ①섬돌에 가까운 곳. ②등급(等級). 단계(段階). ③밭 가운데 있는 조금 높은 언덕. ④겹. ¶九~之上；구천(九天)의 위.

〔陔步〕 gāibù 형 〈文〉 발걸음에 절도가 있다.

〔陔夏〕 gāixià 명 《樂》 옛 악장(樂章) 이름. '九夏'의 하나로서 연회가 끝날 때 연주함. →〔九夏〕

垓 gāi (해)

①지명용 자(字). ¶~下Gāixià；가이샤(垓下)(안후이 성(安徽省)에 있는 지명. 항우(項羽)가 죽은 곳). ② 명 수(數) 경(京)의 만 곱. ③ 명 황폐한 변방 지방. ④ 형 〈比〉 대단히 많다.

〔垓坫〕 gāidiàn 명 〈文〉 경계(선).

〔垓垓〕 gāigāi 형 〈文〉 많은 인원의 모습을 형용. ¶领雄兵穰穰~；구름 같이 많은 정병을 이끌고 있다.

〔垓心〕 gāixīn 명 〈古白〉 전장(戰場)의 중심. ¶困于~；겹겹이 포위되는 곤경에 빠지다.

〔垓埏〕 gāiyán 명 〈文〉 변경의 땅. 아주 멀리 떨어진 땅. =〔垓极jí〕

荄 gāi (해)

명 〈文〉 풀뿌리. 초근. ¶根~；나무의 가는 뿌리.

赅(賅) gāi (해)

〈文〉 ① 형 의미가 포괄되어 있다. ¶言简意~；〈成〉 말은 간단하나 뜻은 충분히 나타나 있다. ② 동 겸하다. 포괄하다. ¶举一~百；하나의 예를 들어 모든 것을 설명하다. 전형적인 예를 들다. ‖ =〔该⑫〕

〔赅备〕 gāibèi 동 〈文〉 넓게 갖추어져 있다.

〔赅博〕 gāibó 형 〈文〉 박식하다. =〔该gāi博〕

〔赅括〕 gāikuò 명동 〈文〉 포괄(하다). 개괄(하다). ¶应作精细之分析，勿急求抽象的~；일은 세밀하게 분석해서 해야지, 서둘러 추상적인 대충의 개요만을 추구하면 안 된다. =〔该括〕〔兼jiān括〕 →〔总zǒng括〕

改 gǎi (개)

① 동 고치다. 바꾸다. 변경하다. 변하다. ¶~时间；시간을 바꾸다 / ~口；⇩ / ~名；⇩ / ~走别的路；다른 길로 바꾸어 가다 / ~乘五路公共汽车；5번 버스로 갈아 타다 / 几年之间，家乡完全~了样子了；몇 년 사이에 고향은 완전히 변모했다. ② 동 (과실을) 바로잡다. 고치다. 개정하다. ¶知过必~；잘못을 알면 반드시 고치다 / 有错误一定要~；과실이 있으면 반드시 고쳐야 한다 / ~掉坏习惯；나쁜 습관을 고쳐 버리다. ③ 동 정정(訂正)하다. 수정(修訂)하다. 다시 하다. ¶~文章；문장을 고치다 / 这扇门太大，得往小里~一~；이 문은 너무 커서 작게 고쳐야 한다. ④ 동 개혁하다. ¶土~；토지 개혁. ⑤ 동 〈方〉 조롱하다. 놀리다. ¶糟~；헐뜯다. 희롱하다 / 你别~我了；놀리지 마라. ⑥ 명 성(姓)의 하나.

〔改版〕 gǎibǎn 명동 《印》 개판(하다).

〔改办〕 gǎibàn 동 다시 하다.

〔改扮〕 gǎibàn 동 변장(變裝)하다.

〔改笔〕 gǎi.bǐ 동 〈文〉 논지(論旨)를 바꾸다.

〔改编〕 gǎibiān 동 ①《映》 각색하다. ②《軍》 재편성하다. ¶~军队; 군대를 개편하다. ③서적을 개정하다. ¶根据这本小说~的剧本; 이 소설에 근거한 각본. ④편곡하다. ¶这支歌已~成小提琴曲; 이 노래는 이미 편곡되어 바이올린 곡으로 되어 있다.
〔改变〕 gǎibiàn 동 ①변하다. 바뀌다. 달라지다. ¶人们的想法~了; 사람들의 생각이 달라졌다/随着政治、经济关系的~，人和人的关系也~了; 정치·경제 관계의 변화에 따라, 사람과 사람의 관계도 변했다. ②바꾸다. 변경하다. ¶~态度; 태도를 바꾸다/~主意; 생각을 바꾸다/~计划; 계획을 바꾸다. =〔更动〕 명 변화. 개변(改變).
〔改产〕 gǎichǎn 동 제품을 바꾸어 생산하다. 다른 제품을 만들다. =〔转产〕
〔改朝换代〕 gǎi cháo huàn dài 〈成〉 조대(朝代)가 바뀌다. 시대가 바뀌다(대개 정권의 교체를 이름). ¶~了，大伙也都得改头换面; 시대가 바뀌었으니, 우리들도 모두 변해야 한다.
〔改成〕 gǎichéng 동 고치어 …가 되다. 고치어 …로 하다. ¶把山地~都市; 산지를 도시로 바꾸다.
〔改窜〕 gǎicuàn 동 〈文〉 문장을 개찬하다.
〔改刀〕 gǎidāo 동 (마음에 들도록) 고쳐 자르다. ¶块kuài儿切得太大了，快~吧; 조각을 너무 크게 잘랐으니, 빨리 다시 잘라라.
〔改道〕 gǎi.dào 동 ①(여행) 코스를 변경하다. ¶他们决定~先去上海; 그들은 노정을 바꿔 먼저 상하이로 가기로 결정했다. ②(강이 범람하여) 흐름을 바꾸다. 흐름이 바뀌다. ¶黄河~; 황하의 물줄기가 바뀌었다. ③〈文〉 제도(制度)를 바꾸다.
〔改调〕 gǎidiào 명 《樂》 조옮김. 변조(變調). 동 ①곡조를 바꾸다. 변조하다. ②근무지가 바뀌다. 직장이 바뀌다.
〔改掉〕 gǎidiào 동 완전히 바꾸다. 고쳐서 없애다. ¶~坏习惯; 나쁜 습관을 고치다.
〔改订〕 gǎidìng 명동 (서적·문장·규정 따위를) 개정(하다). ¶~教材; 교과서를 개정하다/~章程; 규약을 고치다.
〔改动〕 gǎidòng 동 (문자(文字)·항목·순서 등을) 고치다. 바꾸다. 움직이다. ¶这篇文章只~了一些词句; 이 문장은 어구(語句)를 약간 바꾸었을 뿐이다. =〔变动〕 명 변동. 개변(改變). 이동. ¶时间表没有大~; 시간표에는 별다른 큰 변동이 없다.
〔改顿〕 gǎidùn 동 식사의 시간 또는 양을 바꾸다.
〔改恶从善〕 gǎi è cóng shàn 〈成〉 허물을 고치어 옳은 길로 나아가다. 개과천선하다. →〔改过〕
〔改革〕 gǎigé 명동 개혁(하다). ¶~制度; 제도를 개혁하다/文字~; 문자 개혁.
〔改观〕 gǎiguān 명 변용(變容). 변모. ¶有了~; 양상(樣相)이 바뀌었다. 동 변모하다. 모습을 바꾸다. 면모를 일신하다.
〔改桄子〕 gǎi guàngzi ①(실 감는) 실패를 바꾸다. ②〈比〉 양식(樣式)을 바꾸다.
〔改过〕 gǎi.guò 동 잘못〔과실〕을 고치다. 회개하다. 뉘우쳐 고치다. ¶~自新; 〈成〉 마음을 고쳐먹다/~迁善; 〈成〉 회개하여 착한 사람이 되다. 개과 천선하다.
〔改行〕 gǎi.háng 동 ①전업(轉業)하다. 직업을 바꾸다. 장사를 바꾸다. =〔改业〕 ②줄〔행〕을 바꾸다. ⇒gǎixíng
〔改好〕 gǎihǎo 동 ①개선하다. ②바르게 고치다.
〔改换〕 gǎihuàn 동 (다른 것으로) 바꾸다. ¶~生活方式; 생활 방식을 바꾸다/~说法; 표현 방법을 바꾸다/这句话不好懂，最好~一个说法; 이 말은 (이대로는) 이해하기 어려우니까 될 수 있으면 다른 표현으로 바꾸는 것이 좋다.
〔改悔〕 gǎihuǐ 동 마음을 고쳐 먹다. 개심〔회개〕하다. ¶~福随; 〈成〉 회개하면 복이 온다.
〔改嫁〕 gǎi.jià 동 개가하다. (여자가) 재혼하다. =〔改醮jiào〕〔改适shì〕〔再zài嫁〕
〔改建〕 gǎijiàn 동 〈文〉 개축하다. 재건하다.
〔改叫〕 gǎijiào 동 ①이름을 고치다. 개명하다. ¶他现在~了; 그는 지금은 이름을 고쳤다. ②(마작에서) 오르기를 기다리는 패(牌)를 바꾸다. →〔听tīng牌〕
〔改醮〕 gǎijiào 동 ⇨〔改嫁jià〕
〔改节〕 gǎijié 동 절조를 바꾸다. 변절(變節)하다.
〔改进〕 gǎijìn 동 개량 진보시키다. 개량하다. 개선하다. 좋은 방향으로 향하게 하다. ¶~工作; 작업을 개선하다/~两国贸易关系; 양국 무역 관계를 개량 진보시키다. 명 개량. 개선. 개수(改修).
〔改旧翻新〕 gǎi jiù fān xīn 〈成〉 낡은 것을 고쳐서 새롭게 태어나게 하다.
〔改卷子〕 gǎijuànzi 동 답안을 첨삭(添削)하다. ¶晚上还要预备功课与~《老舍 四世同堂》; 게다가 밤에는 수업 준비와 답안 첨삭을 해야 한다.
〔改勘〕 gǎikān 동 〈文〉 재조사하다.
〔改口〕 gǎi.kǒu 동 ①(이야기 도중에) 이야기를 고쳐 말하다. 말투〔어조〕를 바꾸다. ¶怕他见怪，赶紧~说; 그가 이상하게 생각할까 걱정이 되어 얼른 말투를 바꾸었다. ②주장을 고치다. ¶他改了口了; 그는 주장을 바꾸었다. ‖=〔改嘴〕
〔改良〕 gǎiliáng 명동 개량(하다). 개선(하다). ¶~主义; 개량주의/~土壤; 토양을 개량하다/~种; 개량 품종.
〔改名〕 gǎimíng 명동 개명(하다). ¶~换姓 =〔移yí名改姓〕; 성명을 바꾸다. →〔更gēng名〕
〔改判〕 gǎipàn 동 《法》 원판결을 바꾸다. 원판결을 뒤집다.
〔改脾气〕 gǎi píqi 기질〔성격〕이 갑자기 바뀌다.
〔改期〕 gǎi.qī 동 기일이나 예정일을 변경하다. (gǎiqī) 명 〈文〉 새로 바뀐 기일. 기일 변경.
〔改儿〕 gǎir 명 〈方〉 후일(後日). =〔改天〕
〔改人〕 gǎirén 동 〈方〉 남을 조롱하다.
〔改任〕 gǎirèn 명동 전임(하다). 전근(하다). ¶他从上月起~车间主任; 그는 지난달부터 작업장의 관리직이라는 새로운 자리에 앉았다.
〔改日〕 gǎirì 명 〈文〉 후일(後日). 다음번. ¶~再讨论; 후일 다시 토론하다. =〔改次cì〕 →〔改天〕
〔改容〕 gǎiróng 동 〈文〉 용자(容姿)를 고치다. 안색을 바꾸다. →〔改色〕
〔改润〕 gǎirùn 동 〈文〉 문장을 정정〔윤색〕하다.
〔改色〕 gǎisè 동 〈文〉 안색을 바꾸다. 정색을 하다. →〔改容róng〕
〔改善〕 gǎishàn 명동 개선(하다). ¶~生活; ⓐ생활을 개선하다. ⓑ별식(別食)을 들다.
〔改式〕 gǎishì 동 양식을 바꾸다. 형식을 고치다. =〔改样〕
〔改适〕 gǎishì 동 ⇨〔改嫁〕
〔改天〕 gǎitiān 명 후일. 딴 날. 일간. ¶~再见! 다음에 또 뵈요!/今天我还有别的事，咱们~再说吧; 오늘은 다른 일이 있으니, 후일에 다시 이야기하자.
〔改天换地〕 gǎi tiān huàn dì 〈成〉 철저하게 사회·자연을 개변하여 면목을 일신시키다. =〔改地换天〕

〔改头换面〕 gǎi tóu huàn miàn 〈成〉 (내용은 그대로 두고) 겉만 바꾸다.
〔改透〕 gǎitòu 동 심하게 욕하다.
〔改图〕 gǎitú 동 〈文〉 계획을 변경하다.
〔改途〕 gǎitú 동 〈文〉 ①길을 바꾸다. ②〈比〉 방법을 새로이 하다. ¶～别就; 〈成〉 다른 방법을 취하다. 사업의 업종을 바꾸다. ③첨삭하다. ‖ =〔改涂〕
〔改土〕 gǎi,tǔ 동 《農》 〈簡〉 토양을 개조〔개량〕하다. ¶～造田; 토양을 개조하여 농지를 조성하다.
〔改物〕 gǎiwù 동 〈文〉 전대(前代)의 문물(文物) 제도를 고치다.
〔改戏〕 gǎi,xì 동 희곡을 개편하다.
〔改弦更张〕 gǎi xián gēng zhāng 〈成〉 거문고의 줄을 갈다. 〈轉〉 (방침·계획·방법 등을) 바꾸다. 개변하다. =〔改弦易辙〕
〔改弦易辙〕 gǎi xián yì zhé 〈成〉 ⇨〔改弦更张〕
〔改线〕 gǎi,xiàn 동 (도로·버스·전화 등의) 노선을 변경하다.
〔改相〕 gǎixiàng 동 〈文〉 모습을 바꾸다. 변장하다.
〔改邪归正〕 gǎi xié guī zhèng 〈成〉 정도(正道)로 되돌아오다. 나쁜 일에서 손을 떼다. ¶坏分子只要～, 人民会给他重chóng新做人的机会; 불량분자가 정도로 되돌아오기만 하면, 인민은 그들에게 새로이 참된 인간이 될 기회를 줄 것이다. =〔弃qì邪归正〕
〔改写〕 gǎixiě 동 ①(원고 따위를) 고쳐 쓰다. ②각색하다. 개작하다.
〔改行〕 gǎixíng 동 〈文〉 개혁하여 …을 행하다. ¶～不停止营业的办法; 개혁하여 영업을 정지하지 않는 방법을 취하다. ⇒gǎi,háng
〔改形〕 gǎixíng 동 형태를 고치다.
〔改型〕 gǎixíng 명 《機》 개조형. 모디피케이션(modification).
〔改性〕 gǎixìng 명 《化》 변성. ¶～酒精; 《化》 변성 알코올.
〔改姓〕 gǎi,xìng 동 성을 갈다. ¶我要撒谎, 我～; 거짓말이라면 내 성을 간다. (gǎixìng) 명 대단한 결심을 나타내는 말.
〔改选〕 gǎixuǎn 명동 개선(하다). 재선거(하다). ¶～董事; 간사〔이사〕를 개선하다.
〔改削〕 gǎixuē 동 〈文〉 문장을 삭제·수정하다. 정정하다. 개정하다.
〔改血〕 gǎixuè 동 가축의 성질을 향상시키기 위해 혈연이 먼 것과 교배시키다.
〔改样〕 gǎiyàng 동 ⇨〔改式〕
〔改业〕 gǎiyè 동 ⇨〔改行háng①〕
〔改移〕 gǎiyí 동 〈文〉 변천하다. 변화하다.
〔改易〕 gǎiyì 동 〈文〉 (방법·규칙을) 바꾸다. →〔改弦xián更张〕
〔改元〕 gǎiyuán 동 연호(年號)를 고치다. →〔建jiàn元〕
〔改约〕 gǎiyuē 동 약정(約定)을 고치다.
〔改葬〕 gǎizàng 동 개장하다. 이장하다. 묘지를 옮기다.
〔改造〕 gǎizào 명동 ①개조(하다). ¶～思想; 사고방식을 개조하다. ②개혁(하다). ¶～机构; 기구를 개혁하다. 동 별도로 고쳐서 다시 만들다.
〔改造儿〕 gǎizàor 명 ①개조물. 개조품. ②전족(纏足)을 풀어서 본래대로 한 발. →〔改组派的脚〕
〔改章〕 gǎizhāng 동 〈文〉 규칙을 바꾸다. 규칙을 개정하다.
〔改辙〕 gǎi,zhé 동 ①수레가 노선을 바꾸다. ②〈比〉 습관을 고치다. 구습을 변경하다. 법을 바꾸다.
〔改正〕 gǎizhèng 명동 개정(하다). 시정(하다). 정정(하다). ¶求您给～～; 정정하여 주십시오.
〔改制〕 gǎizhì 동 ①새로 제조하다. 개조하다. ②사회 제도를 개변하다.
〔改铸〕 gǎizhù 동 개주하다. 다시 주조하다. ¶～银圆; 1원 은화를 다시 주조하다.
〔改装〕 gǎizhuāng 동 ①포장(包裝)을 다시 하다. ②《機》 기계의 장치를 바꾸다. ¶他们忙着～仪表; 그들은 분주하게 계기(計器)를 바꾸어 끼고 있다. ③바꾸어 넣다. ¶酒～瓶子; 술을 다른 병에 붓다. ④(gǎi,zhuāng) 복장을 바꾸다. 장식을 바꾸다. 변장하다.
〔改锥〕 gǎizhuī 명 드라이버(driver). =〔赶gǎn螺丝②〕〔赶锥〕〔螺luó丝刀〕〔螺丝批〕〔螺丝起子〕
〔改组〕 gǎizǔ 명동 개조(하다). 개편(하다). ¶现在的内阁要～吗? 오늘의 내각은 개각을 필요로 하느냐?
〔改组派的脚〕 gǎizǔpàide jiǎo 〈比〉 개조파의 발 《전족한 발을 원래대로 풀어 보행이 부자연스런 발》.
〔改嘴〕 gǎi,zuǐ 동 ⇨〔改口kǒu〕

丐〈匄, 匃〉 gài (개)

①(～子) 명 거지. =〔花子huāzi〕〔乞qǐ丐〕 ② 동 구걸하다. ③ 동 주다. 베풀다. ¶沾zhān～; 좋은 영향을 주다. 이익을 주다. ④ 동 청하다. ¶～应; 원조를 청하다.
〔丐妇〕 gàifù 명 〈文〉 여자 거지.
〔丐殍〕 gàipiǎo 명 〈文〉 거지와 굶어 죽은 사람〔아사자〕.
〔丐头〕 gàitóu 명 거지의 두목.

钙(鈣) gài (개)

명 《化》 칼슘(Ca: calcium). ¶氯lǜ化～; 염화 칼슘 / 溴xiù化～; 브롬화 칼슘 / 乳rǔ酸～; 젖산 칼슘.
〔钙长石〕 gàichángshí 명 《鑛》 회장석(灰長石).
〔钙化〕 gàihuà 명동 《醫》 칼슘화(하다). ¶肺结核业已～; 폐결핵은 이미 굳어졌다.
〔钙基润滑脂〕 gàijī rùnhuázhī 명 칼슘 그리스.
〔钙碱性岩〕 gàijiǎnxìng yán 명 《鑛》 칼크알칼리암(巖).
〔钙镁磷肥〕 gàiměilínféi 명 《化》 용성고토 석회인비(溶成苦土石灰燐肥).
〔钙片〕 gàipiàn 명 칼슘제(劑).

芥 gài (개)

→〔芥菜〕〔芥蓝(菜)〕 ⇒jiè
〔芥菜〕 gàicài 명 ⇨〔盖菜〕 ⇒jiècài
〔芥蓝(菜)〕 gàilán(cài) 명 《植》 개람(채) 《상추 비슷한 식물로 어린 잎이나 꽃줄기를 식용함》.

隑(隑) gài (개)

동 〈方〉 ①기대다. 기대어 놓다. ¶梯子～在墙上; 사다리는 벽에 기대어 세워 놓았다. ②의지하다. ‖ =〔戤gài③〕

盖(蓋) gài (개)

① 동 덮다. 덮어씌우다. ¶遮zhē～; 덮다. 가리다 / ～被窝; 이불을 씌우다 / 把井口～好; 우물에 뚜껑을 꼭 덮다. ② 동 건축하다. 집을 세우다. ③ 동 도장을 찍다. ¶～图章; ⇩ ④ 동 (사람이 모르도록) 덮어 가리다. 감추다. 숨기다. ¶一善～百恶; 하나의 선행은 백악을 가린다. ⑤ 동 압도하다. ¶把别人～下去; 다른 사람들을 압도하다 / 力拔山, 气～世的英雄; 힘은 산을 뽑을 만하고, 기개는 세상을 압도할

만한 영웅 / 他的成绩～过了所有的选手; 그의 성적은 모든 선수를 압도했다. ⑥(～儿, ～子) 명 뚜껑. 덮개. ¶锅guō～; 냄비 뚜껑 / ～上～儿; 뚜껑을 덮다 / 瓶píng～; 병마개. ⑦명 차의 포장. ⑧명 우산·양산 따위. ⑨(～儿, ～子) 명 뚜껑 모양의 것. ¶膝xī～; 종지뼈 / 头～(骨); 두개골 / 带～的口袋; 덮개 달린 포켓 / 螃pang蟹～儿; 게딱지. ⑩형 〈方〉 좋다. 멋지다. 훌륭하다. ¶今天的电影真叫～; 오늘의 영화는 최고다. ⑪명 《農》 고무래(덩굴로 엮어 흙을 부수어 고르는 농구). ⑫부 〈文〉 대개. 아마. 혹은. ¶来会者～千人; 참석한 사람은 천 명 정도이다. ⑬조 〈文〉 무릇(위의 문장을 받아 다음에 그 이유를 설명하는 발어사(發語詞)). ¶～闻古人钻zuān木取火; 대저, 고대인은 나무에 가는 막대기를 비비 돌려 불을 얻었다고 들었다. ⑭명 성(姓)의 하나. ⇒Gě hé

〔盖被〕 gàibèi 명동 이불(을 덮다).

〔盖不掩〕 gàibuyǎn 숨길〔감출〕 수 없다.

〔盖擦〕 gàicā 명 고무래(덩굴로 엮어 만든 흙을 부수어 고르는 농구). =〔耢lào①〕

〔盖菜〕 gàicài 명 《植》 갓. 개채(芥菜). =〔芥gài菜〕

〔盖层〕 gàicéng 명 《地質》 덮개암.

〔盖缠〕 gàichán 명 《佛》 번뇌. ¶悉已清净, 永离～《維摩經》; 모든 것이 청정하게 되어 영원히 번뇌에서 벗어나다.

〔盖场〕 gàichǎng 동 〈文〉 시험에서 일등하다.

〔盖场面〕 gài chǎngmiàn 그 자리의 어색함〔거북함〕을 수습하다.

〔盖戳〕 gàichuō 동 도장을 찍다. 날인하다. =〔盖戳子〕

〔盖代〕 gàidài 동 〈文〉 ⇨〔盖世〕

〔盖地〕 gàidì 동 ①땅을 덮다(사람이 많은 모양). ¶～而来; 많은 사람이 오다. =〔遮zhē天盖地〕 ②《農》 땅을 평평하게 고르다.

〔盖钉〕 gàidīng 명 압정. 압핀. =〔图tú钉(儿)〕

〔盖顶(儿)〕 gài.dǐng(r) 동 지붕을 이다.

〔盖法〕 gàifǎ 명 건축의 방법·방식.

〔盖饭〕 gàifàn 명 덮밥. =〔盖浇饭〕

〔盖房〕 gài.fáng 동 집을 짓다. =〔盖房子〕

〔盖盖脸儿〕 gàigailiǎnr 수치를 감추다. 부끄러움을 참다. 겉치레하다. ¶被害人要两个遮盖钱来, ～就和解了liǎo事; 피해자측으로부터 다소의 위자료를 청구하여 와서, 수치를 무릅쓰고 화해하여 끝맺었다.

〔盖革弥勒计数器〕 gàigé mílè jìshùqì 명 《物》 가이거 뮐러(Geiger-Müller) 계수기. =〔盖革计数管〕

〔盖棺论定〕 gài guān lùn dìng 〈成〉 사람의 평가는 관 뚜껑을 덮고서야〔죽은 후에야〕 결정된다. =〔盖棺事定〕

〔盖果〕 gàiguǒ 명 《植》 개과(蓋果).

〔盖火〕 gàihuo ①명 화력 조절용의 뚜껑. =〔火镣〕〔火盖〕 ②(gài huǒ) 뚜껑을 덮어 화력을 약하게 하다.

〔盖口〕 gàikǒu 명 ①뚜껑과 본체 주둥이와의 틈새. ¶合～; 이음매가 꼭 맞다. 〈比〉 이야기가 꼭 들어 맞다. ②중국 전통극에서, 두 배우가 주고받으며 노래하는 것.

〔盖老〕 gàilǎo 명 〈古白〉 ①남편. ② ⇨〔孤gū老③〕

〔盖露〕 gàilù 명 《植》 담배 줄기의 맨 위에 붙은 잎(빛이 엷고 질이 좋음).

〔盖洛普民意调查〕 Gàiluòpǔ mínyì diàochá 명 갤럽 여론 조사.

〔盖帽儿〕 gàimàor 명동 《體》 (농구에서) 블로킹(blocking)(을 하다). 형 〈方〉 대단히 좋다. 매우 훌륭하다. ¶今天这场球赛, 简直是盖了帽了; 오늘 경기는 그야말로 대단히 훌륭했다.

〔盖面儿〕 gàimiànr 동 겉치레를 하다. 되는 대로 적당히 하다. ¶～的话; 겉치레 뿐인 이야기. 임시 변통으로 아무렇게나 하는 이야기 / 无非～, 还能真打吗? 겉치레일 뿐이야, 정말로 칠 수 있을까? =〔盖面子〕

〔盖面子〕 gàimiànzi 동 ⇨〔盖面儿〕

〔盖蘑〕 gàimó 명 《植》 버섯의 속칭.

〔盖愆〕 gàiqiān 동 〈文〉 ①과실을 감추다. ②선행을 하여 전에 지은 죄악을 속죄하다.

〔盖取回单〕 gàiqǔ huídān 확인 도장이 찍힌 영수증을 받다.

〔盖儿〕 gàir →〔字解⑥⑨〕

〔盖然〕 gàirán ①〈文〉 대체로 그럴 것이다. ②명 (논리학의) 개연. ¶～性xìng=〔或huò然性〕; 개연성.

〔盖壤〕 gàirǎng 명 〈文〉 하늘과 땅.

〔盖世〕 gàishì 동 〈文〉 (재능·공적 등이) 일대(一代)를 압도하다. 세상에서 으뜸가다. 천하제일이다. ¶～无双; 〈成〉 천하무쌍이다. 비할 데 없다 / ～文豪; 일세의 문호 / 力拔山, 气～; 〈文〉 산을 뽑을 만한 힘과 세상을 압도할 만한 의기. =〔盖代〕 명 이 세상 전체. ¶～罕见hǎnjiàn; 이 세상에 드물다.

〔盖世太保〕 Gàishìtàibǎo 명 〈音〉 게슈타포(독 Gestapo). =〔盖斯塔波〕〔格杀打补〕

〔盖斯勒管〕 gàisīlèguǎn 명 《物》 〈音〉 가이슬러(Geissler)관. =〔该gāi斯勒管〕

〔盖天铺地〕 gài tiān pù dì 〈成〉 노숙(露宿)하다(하늘을 이불 삼고 땅을 잠자리로 하다).

〔盖头(儿)〕 gài.tóu(r) 동 머리에서부터 뒤집어씌우다. 머리를 가리다.

〔盖头(儿)〕 gàitou(r) 명 ①옛날, 시집 갈 때 신부(新婦)가 머리에 쓰던 붉은 천〔면사포〕. ②덮개. 뚜껑. ¶找个～盖上; 덮개를 찾아 덮다.

〔盖图章〕 gàitúzhang 동 날인하다. 도장을 찍다. ¶签qiān名～; 서명 날인하다. =〔盖戳〕〔盖图书〕〔盖印〕〔盖章〕〔加印①〕

〔盖瓦〕 gài.wǎ 동 기와로 지붕을 이다.

〔盖碗(儿)〕 gàiwǎn(r) 명 뚜껑 있는 찻종('盖盅儿' 보다 큰 것).

〔盖下〕 gàixia 동 덮다. ¶～去; 압도하다 / 他的能耐全～别人去了; 그의 기량은 딴 사람을 압도했다.

〔盖销〕 gàixiāo 동 소인을 찍다. ¶～邮票; 우표에 소인을 찍다.

〔盖修〕 gàixiū 동 〈文〉 건축하다. 축조(築造)하다. =〔盖造〕

〔盖掩〕 gàiyǎn 동 〈文〉 덮어씌우다. →〔掩盖〕

〔盖因…〕 gàiyīn… 〈文〉 대체로 … 때문에. 아마도 … 때문에.

〔盖印〕 gài.yìn 동 ⇨〔盖图章〕

〔盖印支票〕 gàiyìn zhīpiào 명 《商》 지불 보증 어음〔수표〕. =〔签qiān字支票〕

〔盖造〕 gàizào 동 〈文〉 ⇨〔盖修xiū〕

〔盖章〕 gài.zhāng 동 ⇨〔盖图章〕

〔盖罩〕 gàizhào 명 덮개(파리 따위를 막는 덮개).

〔盖盅儿〕 gàizhōngr 명 뚜껑 있는 찻종(작은 것). →〔盖碗(儿)〕

〔盖子〕 gàizi →〔字解⑥⑨〕

溉 gài (개)
동 ①물을 붓다. ¶灌guàn~; 관개하다 / 引水~田; 물을 끌어 논에 대다. ②씻다.

摡 gài (개)
→〔摡搂〕

〔摡搂〕 gàilou 동 〈方〉 거두어 두다. 잡아두다. 잠시 남겨 두다. ¶不管好的坏的全往家~; 좋은 것이든 나쁜 것이든 상관 없이 전부 집에 거두어들이다.

概〈槩〉B) gài (개)
A) 명 ①절조. 기풍. ¶气~; 기개. ②풍치. 경치. ¶胜~; 훌륭한 경치. ③평미레. ④분량. B) 부 ①대강. 대략. ②모두. 일체. ¶一~俱全; 모두 구비되어 있다 / ~不招待; 일체 서비스는 생략합니다.

〔概不…〕 gàibù… 〈文〉 하나같이[일체] …하지 않는다. ¶~题缘; 희사(喜捨)·탁발(托鉢)은 일체 사절 / ~赊shē账; 외상 일체 사절 / ~准行; 일체 허가하지 않음.

〔概而不论〕 gài ér bù lùn 〈成〉 개괄적으로 취급하여 문제삼지 않다.

〔概而论之〕 gài ér lùn zhī 총괄적으로 논하면. 개괄적으로 말하면.

〔概观〕 gàiguān 명 개관. 대체의 관찰(흔히 책 이름에 쓰임).

〔概计〕 gàijì 명동 ⇨〔概算suàn〕

〔概见〕 gàijiàn 동 〈文〉 대충 보다. 대강 훑어보다. 대충 알다.

〔概况〕 gàikuàng 명 개황. 대체적인 상황.

〔概括〕 gàikuò 명동 개괄(하다). 총괄(하다). ¶~起来说; 일괄하여 말하면 / ~了三个特点; 세 가지 특점으로 개괄하다. 동 간단하게 요약하다. ¶他把小说的内容~地说一遍; 그는 소설의 줄거리를 간단히 요약해서 한 차례 이야기했다.

〔概览〕 gàilǎn 명 요람(要覽).

〔概率〕 gàilǜ 명 《數》 확률. ¶~论lùn; 확률론. =〔几jī率〕

〔概略〕 gàilüè 명 개략. 대요. 대강.

〔概论〕 gàilùn 명 개론(흔히 책 이름에 쓰임).

〔概貌〕 gàimào 명 〈文〉 개관. 대체적인 상황. ¶反映人民生活的~; 사람들의 생활의 대체적인 상황을 반영하다.

〔概莫能外〕 gài mò néng wài 〈成〉 모두가 일정한 범위 안에 있다(예외는 인정치 않음).

〔概念〕 gàiniàn 명 《哲》 개념. ¶~化; 개념화(하다).

〔概述〕 gàishù 명동 개술(하다). 개설(하다). ¶做了历史性的~; 역사적인 개설을 하다.

〔概数〕 gàishù 명 대략적인 수('几'·'多'·'来'·'左右'·'上下' 등으로 나타내는데, 예를 들면 '几年'(수 년)·'3斤多米'(서 근이 넘는 쌀)·'十来天'(10일 가량)·'一百步左右'(100보쯤)·'四十岁上下'(40세쯤) 등이 있음).

〔概算〕 gàisuàn 명동 개산(하다). 어림잡아 계산하다. ¶~报价单; 《商》 개산 견적서 / ~送货单; 《商》 견적 송장. 시산 송장(試算送狀). =〔概计〕

〔概行〕 gàixíng 동 〈文〉 모두[한결같이] …행하다. ¶~豁huò免; 일체 면제하다 / ~免miǎn税; 모두 면세하다.

〔概要〕 gàiyào 명 개요. 대요.

戤 gài (개)
동 〈方〉 ①상업상 남의 상표·점포명을 사칭하다. ¶影yǐng~; 남의 상표를 도용하다. 이름을 속이다. ②물품을 저당잡히다. ③ ⇨〔隑gài〕

〔戤牌(头)〕 gài.pái(tou) 동 남의 상표를 도용하다. 남의 명의를 사칭하다. ¶戤他的牌头; 그의 직함을 이용하다.

〔戤司林〕 gàisīlín 명 〈音〉 가솔린. =〔汽qì油〕

〔戤头〕 gàitóu 명 의지하는 것. 후원자. 뒷배. =〔戤山shān〕

GAN ㄍㄢ

干(乾)B) gān (간)
A) ① 명 방패. ② 동 저촉되다. 범하다. ¶致~究办; 범한 자는 심의하여 처벌한다 / 有~例禁; 금령에 저촉되다. ③ 동 관계되다. 관련하다. 관계하다. ¶~他什么? 그 사람과 무슨 관계가 있는가? / 不相~; 관계가 없다 / 这事与yǔ你何~? 이것이 너와 무슨 상관이 있느냐? ④ 동 〈文〉 (직위·봉록 등을) 구하다. 추구하다. 요구하다. ¶拜bài~; 〈翰〉 부탁합니다 / ~求qiú; ⇩ ⑤ 동 지키다. ⑥ 명 〈文〉 물가. ¶江jiāng~; 강가. ⑦ 명 갯수. ¶若~; 몇 개. 약간. ⑧ 명 천간(天干). ¶~支; ⇩ ⑨ 명 성(姓)의 하나. B) ① 형 마르다. 건조하다. 말리다. ¶衣服晾liàng~了; 옷이 말랐다 / 河水都~了; 강물이 완전히 말라 버렸다[강물조차 말라 버렸다] / 口~舌燥; 입 속이 바싹 타고 마르다 / 弄nòng~; 건조시키다. 말리다 / 焙bèi~; 불에 쬐어 말리다 / 吹chuī~; 바람을 쐬어 말리다 / 风fēng~; 바람에 마르다. ↔〔湿shī①〕 ② 형 물을 사용하지 않은. ¶~洗; ⇩ / ~馏法; 건류법. ③ 형 시들다. ④ 동 〈方〉 맞대 놓고 입바른 소리로 면박을 주다. ¶我又~了他一顿; 나는 또 그에게 한바탕 면박을 줬다. ⑤ 동 〈方〉 냉대하다. 내버려 두다. ¶主人走了, 把咱们~起来了; 주인이 가 버리자 우리를 냉대하기 시작했다. ⑥ 형 텅 비다. 죄다 …해 버리다. 없어지다. ¶他把钱都花~了; 그는 돈을 죄다 써 버렸다 / 一气儿喝~了; 단숨에 마셔 버렸다 / 这么几天的工夫, 那些钱已经就~了吗? 요 며칠 사이였는데 그렇게 많은 돈이 벌써 없어졌느냐? ⑦ 부 다만. 헛되이. 그저. 쓸데없이. 공연히. ¶~急没办法; 다만 조바심할 뿐 아무런 방법이 없다 / ~哭, 不下眼泪; 건성으로 울며, 눈물을 흘리지 않다 / ~吃饭, 不吃菜; 밥만 먹고 반찬은 먹지 않다 / 不要~说不做! 말만 하고 행하지 않으면 안 된다! / ~说大话; 단지 큰소리만 칠 뿐이다. ⑧ 형 무미건조하다. 무정하다. ¶你说的话真~; 네 이야기는 참 무미건조하다. ⑨ 명 (혈연 관계가 없는) 의리의 관계. ¶~爹diē; 의부(義父) / ~娘; 의모(義母). ⑩(~儿) 명 말린 것. 마른 음식. ¶牛niú肉~; 말린 쇠고기 / 葡pú萄~(儿); 건포도. ⇒gàn, '乾' qián

〔干碍〕 gān'ài 명동 연루(하다). 관계(하다). 방해(하다).

〔干阿奶〕 gān'ānǎi 명 (젖은 먹이지 않고 아이를 보기만 하는) 보모. =〔干阿姆〕〔干阿妳〕

〔干巴〕 gānba 형 〈口〉 ①말라서 딱딱하다. 말라 비틀어지다[쪼글쪼글하다]. ¶枣儿都晒shài~了; 대추가 햇빛에 모두 말라 비틀어졌다 / 老不下雨, 地里都~(儿)了; 오랫동안 비가 내리지 않더니, 땅이 모두 말라서 딱딱하게 굳어졌다. ②(지방 결

핍으로 피부가) 꺼칠꺼칠하다. 시들다. 여위다. ¶～的手; 까칠까칠한 손 / 人老了, 皮肤就变得～了; 나이를 먹으면 피부가 꺼칠해진다. ③무미건조하다. 아무 재미도 없다.

〔干巴巴(的)〕 gānbābā(de) 형 ①말라서 딱딱하게 굳어지다. ¶过去像这样～的红土地带, 很难找到指头粗的一棵树; 전에는 이처럼 바싹 마른 적토(赤土) 지대에서는 손가락만한 굵기의 나무 하나 찾아보기 힘들었다. ②(말·글의 내용이) 무미건조하다. 생기가 없다. ¶他说出话来都～的; 그가 이야기를 꺼내기 시작하면 도무지 재미가 없다 / 他的文章写得～的; 그가 쓴 문장은 무미건조하다 / ～的讲演; 단조로운 강연. ③무뚝뚝하다.

〔干巴疵咧(的)〕 gānba cīliē(de) 형 ①바싹 마르다. ¶～, 连点儿水分都没有; 바싹 말라서 물기가 조금도 없다. ②말라서 보기 흉하다. (피부가) 거칠다. ¶你怎么了, 脸上～? 너 얼굴이 바싹 말랐는데, 어떻게 된 거니? ③(하나만 있어) 단조롭다. ¶～一座山, 看什么劲儿? 단지 단조로운 산 하나뿐인데, 무슨 볼품이 있겠는가?

〔干巴咧嘴儿〕 gānba liězuǐr 아무것도 입에 대지 않다〔먹지 않다〕. ¶叫小孩子一天老～; 아이에게 하루 종일 아무것도 안 먹이다.

〔干巴枣儿似的〕 gānbazǎorshìde 마른 대추처럼 야위어 볼품이 없는 사람.

〔干爸〕 gānbà 명 ⇨〔干爹diē〕

〔干白儿〕 gānbáir 부 〈俗〉 ①…뿐. …만. ¶～吃菜不吃饭; 반찬만 먹고 밥은 먹지 않는다 / 这本书～是图画, 没有文字; 이 책에는 그림뿐이고 글자는 없다. →〔竟jìng②〕 ②아무리 해도. ¶心里虽然知道, ～不能动弹; 마음 속으로는 알고 있지만, 아무리 해도 몸을 움직일 수 없다.

〔干板〕 gānbǎn 명 ⇨〔干片piàn〕

〔干杯〕 gān,bēi 동 건배하다. ¶为世界和平～! 세계 평화를 위해 건배합시다! / 祝你健康而～! 당신의 건강을 위해 건배!

〔干贝〕 gānbèi 명 말린 조개관자.

〔干迸儿〕 gānbèngr 명 '烧shāo饼'·'馒mán头' 등을 불에 쬐어 구운 것.

〔干笔〕 gānbǐ 명 마른 붓.

〔干瘪〕 gānbiě 형 ①바싹 마르다. 야위다. ②말라 비틀어지다. 바싹 말라 쪼글쪼글하다. ¶～老头儿; 바싹 야위어 주름투성이가 된 노인. ③(문장의 내용 따위가) 무미건조하다.

〔干瘪瘪〕 gānbiěbiě 형 ①바싹 말랐다〔야위었다〕. ②(말·문장 내용이) 무미건조하다.

〔干冰〕 gānbīng 명 드라이 아이스(dry ice).

〔干菜〕 gāncài 명 ①말린 야채. ②⇨〔霉méi干菜〕

〔干草〕 gāncǎo 명 ①말린 풀. 건초. ②말린 조의 짚〔줄기〕.

〔干柴棒子〕 gāncháibàngzi 명 말라깽이.

〔干柴烈火〕 gān chái liè huǒ 〈成〉 마른 나무를 센 불에 갖다 대는 따위의 것《①일촉즉발. ②남녀가 접근하면 관계가 생기기 쉬움을 이름》.

〔干产〕 gānchǎn 명 《醫》 조기파수(早期破水).

〔干潮〕 gāncháo 명 ①건조함과 습함. ② ⇨〔低dī潮〕

〔干城〕 gānchéng 명 〈文〉 ①방패와 성. ②나라를 위하여 방위를 하는 군인. 동 나라를 지키다.

〔干脆〕 gāncuì 형 깨끗하다. 시원스럽다. 거침새 없다. ¶得啦, ～一句五百万! 좋다, 한 마디로 500만으로 하자! / 说话说得很～; 말하는 것이 아주 시원시원하다 / 说的话也～有趣; 말하는 것도 시원시원하고 재미있다. 부 ①전혀. 통. 근본적으로. ¶他～不管; 그는 전연 모른 체하고 있다. ②차라리. 아예. 시원스럽게.

〔干脆嘹喨〕 gāncuì liáoliàng 부 속 시원하게. 시원하게. ¶～说吧! 不用吞吞吐吐的; 속 시원하게 말해 봐! 우물거리지 말고.

〔干打雷〕 gāndǎléi 동 ①(비는 오지 않고) 천둥만 치다. 마른 천둥 치다. 《큰소리만 치고 실천하지 않다》. ②울 뿐 눈물은 나지 않다. 건성으로 울다. ¶姑爷哭丈母娘, ～不下雨; 〈歇〉 사위가 장모의 죽음을 당해 울지만 눈물은 나지 않는다. ③쓸데없이 마구 떠들어 대다. ¶他干打了会子雷, 也没人理他; 그는 한동안 마구 떠들어 댔지만, 아무도 상대하지 않았다.

〔干打雷不下雨〕 gān dǎléi bù xiàyǔ 〈諺〉 천둥소리만 요란하고 비는 오지 않다《허세(虛勢)·헛소동으로 끝내다》.

〔干打垒〕 gāndǎlěi 명 ①두 개의 고정된 판자 속에 점토를 넣어서 다지기만 한 간단한 벽 쌓는 방법. ②화베이(華北) 일대에서 '干打垒'의 방법으로 지은 허술한 집. ③〈比〉 맨주먹〔무일푼〕으로 시작함.

〔干瞪眼(儿)〕 gān dèngyǎn(r) 〈口〉 오직 눈만 크게 뜰 뿐으로 어떻게도 못 하다. 마음만 초조할 뿐 어쩌지 못하다. ¶他一遇见事就～; 그는 일이 벌어지면 그저 눈만 동그랗게 뜨고 바라보기만 할 뿐 어찌할 줄 모른다.

〔干电池〕 gāndiànchí 명 건전지. =〔碳tàn锌电池〕 →〔湿shī电池〕

〔干店〕 gāndiàn 명 ⇨〔干房fáng〕

〔干吊儿〕 gāndiàor 동 전혀 상대하지 않다. ¶我们～他两天吧; 우리 며칠간 그를 전혀 상대하지 맙시다 / 连一个人也没出来～; 한 사람도 나와서 상대해 주지 않다.

〔干爹〕 gāndiē 명 수양 아버지. 의부. =〔干爸〕〔干老儿〕〔干爷〕 →〔干妈mā〕

〔干蹲儿〕 gāndūnr 동 ①그냥 내버려 두다. 아무도 상대하지 않다. 허수아비 취급하다. ¶把我～起来不成? 나를 허수아비 취급하고 상대하지 않으려는 생각이냐? ②마냥 기다리다. ③대변이 잘 나오지 않다.

〔干儿〕 gān'ér 명 수양 아들. =〔干儿子〕 ⇒gānr

〔干儿子〕 gān'érzi 명 ⇨〔干儿ér〕

〔干法〕 gānfǎ 동 〈文〉 법을 어기다. =〔干律〕 명형 《化》 건식(乾式)(의). ¶～分析; 건식 분석 / ～试金; 건식 시금(試金).

〔干犯〕 gānfàn 동 〈文〉 ①거슬러 범하다. 위반하다. ¶～国法; 국법을 범하다. =〔冒犯〕 ②교란시켜 침범하다. =〔干扰侵犯〕 ‖ =〔干冒〕

〔干饭〕 gānfàn 명 ①(보통의 쌀)밥. ¶小米～; 좁쌀밥 / 大米～; 쌀밥. ② ⇨〔干粮liáng〕

〔干房〕 gānfáng 명 방만 빌려주고 식사는 제공하지 않는 여인숙·하숙집. =〔干店〕

〔干肥〕 gānféi 명 (분뇨 따위를 흙으로 빚어) 말린 비료.

〔干粉〕 gānfěn 명 녹말로 만든 당면. →〔粉条(儿, 子)①〕

〔干俸〕 gānfèng 명 이름만 걸어 놓고 일을 하지 않고 받는 급료. =〔干薪〕

〔干嘎巴嘴〕 gāngǎba zuǐ 형 (소리가 나오지 않아) 입만 달싹거리다. ¶急得～说不出话来; 아주 당황하여 입만 달싹거리고 말을 못 하다.

〔干干截净〕 gāngānjiéjìng 형 (일 처리가) 깨끗하다. 뒤탈이 없다.

G

〔干干净净(儿)〕 gānganjìngjìng(r) 형 말끔하다. 깨끗하다. 남은 것이 없다. ¶把钱花得～; 돈을 죄다 써 버리다. →〔干净①〕

〔干干儿(的)〕 gāngānr(de) 형 ①바짝〔잘〕 마르다. ¶～手巾, 你给弄湿了; 잘 말랐던 수건을 네가 적셔 놓았다. ②빈손으로. 아무것도 없이. ¶～来; (아무 선물도 없이) 빈손으로 오다. 부 (불평의 뜻으로) 고작. 겨우. ¶～这五块钱; 고작 이 5원뿐이다.

〔干戈〕 gāngē 명 방패와 창. 무기. 〈轉〉 전쟁. ¶动～; 무력에 호소하다. 싸움에 이르다 / 化～为玉帛bó; 방패 따위를 옥(玉)·비단으로 바꾸다《전쟁을 우호 관계로 바꾸다》.

〔干哥哥〕 gāngēge 명 의형제의 형. 의형. 의오빠. ＝〔干兄〕→〔义yì兄〕

〔干哥儿(们)〕 gāngēr(men) 명 의형제. ＝〔干兄弟〕

〔干搁(儿)〕 gāngē(r) 동 소홀히 하다. 내버려 두다. ¶不来得děi请假, 别～; 나오지 않으려면 휴가를 내야지, 그냥 있지 마라.

〔干工〕 gāngōng 동 공임을 안 받고 일하다.

〔干股〕 gāngǔ 명 〖經〗 무상주(無償株)《출자하지 않고 배당만을 받는 권리주》.

〔干鼓肚子〕 gāngǔdùzi 공연히 화를 내다. 툭하면 화만 내다.

〔干果(儿,子)〕 gānguǒ(r,zi) 명 ①〖植〗 건과(乾果)《과실 분류의 하나로 수분이 적은 과실》. ②땅콩·대추처럼 말린 과일. 건과. ③건조시켜 정제(精製)한 과일《곶감·건포도 따위》.

〔干海参〕 gānhǎishēn 명 건해삼. 말린 해삼.

〔干旱〕 gānhàn 동 가물다. ¶～少shǎo雨; 가물고 비가 적다. 명 가뭄.

〔干号〕 gānháo 동 ⇨〔干嚎〕

〔干嚎〕 gānháo 동 건성〔거짓〕으로 울다. ＝〔干号〕

〔干耗(儿)〕 gānhào(r) 동 일하지 않고 먹고 살다. 무위도식하다.

〔干和〕 gānhé 명 물을 타지 않은 술. 스트레이트(straight).

〔干涸〕 gānhé 동 (호수·연못 등의) 물이 마르다. ¶井jǐng水～; 우물물이 마르다. ＝〔干枯③〕

〔干化银〕 gānhuàyín 명 불순분이 많은 은괴.

〔干讳〕 gānhuì 동 〈文〉 분노를 사다. ¶～于他; 그의 분노를 사다. ＝〔干怒〕

〔干货〕 gānhuò 명 말린 나물·과일 따위의 건물(乾物). ¶咱们家的～都是她的小份子钱; 우리 집 건과물 따위는 모두 그녀의 주머니돈이 되고 맙니다.

〔干霍乱〕 gānhuòluàn 명 〖醫〗 건곽란《토사(吐瀉)를 하지 않는 콜레라 비슷한 병》. →〔霍乱〕

〔干及〕 gānjí 동 〈文〉 파급하다. ¶事情还未直接～到我身上; 일은 아직 직접적으로 나의 일신상에까지 파급되지 않았다.

〔干急〕 gānjí 동 쓸데없이 서두르다. 헛되이 애태우다.

〔干己〕 gānjǐ 〈文〉 자기와 관계가 있다. ¶事不～; 일은 자기와 관계가 없다.

〔干季〕 gānjì 명 건계. 건조기.

〔干煎〕 gānjiān 동 냄비에 기름을 치고 중(中)불로 양면(兩面)이 노릇노릇하게 볶다.

〔干将莫邪〕 Gānjiāng Mòyé 명 고대의 두 자루의 명검《'干将'은 오(吳)나라의 도장(刀匠)으로 양(陽)을 나타내고, '莫邪'는 그의 아내로 음(陰)을 나타냄》.

〔干姜〕 gānjiāng 명 〖藥〗 건강(乾薑). 말린 생강.

〔干酵母〕 gānjiàomǔ 명 건조 효모. ＝〔干酿母〕→〔酶méi〕

〔干结〕 gānjié 형 (수분이 적어서) 굳다. 딱딱하다. 되다. ¶大便～; 대변이 되다.

〔干姐妹〕 gānjiěmèi 명 ⇨〔干姐儿们〕

〔干姐儿们〕 gānjiěrmen 명 성(姓)이 다른 자매. 의자매. ＝〔干姐们儿〕〔干姐妹〕

〔干疥〕 gānjiè 명 〖醫〗 건조성 개선(疥癬). 마른 옴.

〔干尽〕 gānjìn 형 ⇨〔净jìng尽〕

〔干禁〕 gānjìn 동 금기를 범하다.

〔干净〕 gānjìng 형 ①깨끗하다. 깔끔하다. ¶嘴里～点! 좀 말을 삼가라!《추잡한 소리를 하지 마라》/ 不干不净吃了没病; 깨끗한 것이든 아니든 하여간 먹으면 병은 걸리지 않는다 / 你把院子扫～吧; 마당을 깨끗이 쓸어라. ②텅 비다. 남김없다. ¶脑袋～; 머릿속이 텅 비어 있다 / 卖mài～了; 몽땅 팔아 치우다. 동 깨끗한 체하다. 책임회피를 하다. ¶谁也～不了liǎo; 아무도 책임을 면할 수 없다.

〔干净利落〕 gānjìng lìluo 형 깨끗하고 산뜻하다. 깔끔하다. ¶他办事～; 그는 일을 깔끔하게 처리한다 / 这一仗打得～; 이 전투는 완전 승리했다.

〔干咎〕 gānjiù 동 〈文〉 문책을 받다.

〔干倔〕 gānjuè 형 ①무뚝뚝하다. ¶他就是那么个～性子, 心眼儿其实挺好; 그는 저렇게 무뚝뚝한 성격이지만, 실은 마음은 좋다. ②완고하다.

〔干咳〕 gānké 동 마른 기침을 하다. 콜록거리다. 명 마른 기침. ‖ ＝〔干咳嗽sou〕

〔干渴〕 gānkě 형 몹시 목이 마르다.

〔干枯〕 gānkū 동 ①바싹 마르다. 시들다. ¶～木; 마른 나무. ②피부가 건조해지다. ③(호수·연못의) 물이 마르다. ＝〔干涸〕

〔干哭〕 gānkū 동 우는 시늉을 하다. 건성으로 울다. →〔干打雷②〕

〔干苦子〕 gānkǔzi 명 생고생. 말로도 할 수 없고 대들 수도 없는 괴로움. ¶吃chī～ ＝〔得dǎi～〕; 생고생의 고통을 겪다.

〔干辣辣(的)〕 gānlàlà(de) 형 (통증 따위가) 찌르듯이 아픈 모양. 뜨끔뜨끔하는 모양. ¶心口窝～地发疼; 명치끝이 찌르는 것처럼 아프다.

〔干老儿〕 gānlǎor 명 ⇨〔干爹diē〕

〔干老(儿,子)〕 gānlǎo(r,zi) 명 의붓아버지《풍자적으로 쓰임》.

〔干酪〕 gānlào 명 ①우유나 양젖을 굳힌 것《영양제》. ②치즈(cheese). ＝〔〈音〉计jì司〕〔〈音〉气qì斯〕

〔干酪素〕 gānlàosù 명 카세인(casein). ＝〔干酪质〕〔酪朊〕→〔奶nǎi酪(儿)〕

〔干冷〕 gānlěng 형 공기가 건조하고 (강바람이 불어서) 춥다.

〔干礼(儿)〕 gānlǐ(r) 명 답례로 물건 대신 보내는 돈. 선물을 대신해서 보내는 돈.

〔干连〕 gānlián 명동 관련(하다).

〔干粮〕 gānliáng 명 ①휴대 식량《떡·만두·볶은 쌀·미숫가루 등》. ②요깃거리. ③〈方〉 도시락이나 가정에서 먹는 밀가루로 만든 물기 없는 식품. ④보리 미숫가루. ‖ ＝〔干饭②〕〔干食〕

〔干撂台〕 gānliàotái 동 ①무단 결근하다. 말 없이 그만두다. ¶你有事应该告假, 为什么～呀? 일이 있으면 휴가를 내야지 왜 무단 결근을 하느냐? ②(상의 결정한 일을 일방적으로 고치거나 취소하여) 상대방을 난처하게 하다.

〔干裂〕 gānliè 동 ①말라서 금이 가다〔터지다〕. ②

〔赶出去〕 gǎn.chu.qu ①내쫓다. 몰아 내다. ¶把他～! 下次绝不准他再来; 그를 쫓아 내라! 다음부터는 그가 두 번 다시 오는 것을 절대로 허락지 않는다. ②급히 나가다. 쫓아나가다. ¶刚一～就没有了; 급히 나가 보았더니 벌써 없어졌다.

〔赶蹿儿〕 gǎncuānr 동 〈方〉 서둘러 가다. ¶天不早了, ～去吧; 늦었다, 서둘러 가자〔가거라〕.

〔赶寸〕 gǎncùn 동 〈方〉 때 맞추어 닿다. ¶～了, 我许能参加你们的婚礼; 제 시간에 닿으면 너희들의 결혼식에 참석할 수 있을 거야.

〔赶档子〕 gǎn dàngzi ①번화한 곳에서 장사를 하여 돈을 벌다(축제 때의 노점 따위). ②혼란한 틈을 타서 일을 하다〔도와 주다〕. ¶他家有喜事, 咱们～去; 그의 집에 경사가 있으니 우리 도와 주러 가자.

〔赶到〕 gǎndào 동 서둘러서 도착하다. 개 …이 되어서. …하기에 이르러. ¶～天明他们一齐走了; 날이 밝자 그들은 일제히 나갔다.

〔赶得了〕 gǎndeliǎo 따라잡을 수 있다. 시간에 댈 수 있다. ¶多少活儿, 我们公司都～; 아무리 많은 일이라도 우리 회사는 제때에 댈 수 있습니다.

〔赶得上〕 gǎndeshàng ①따라잡을 수 있다. 따라갈 수 있다. ¶没有一个～他的; 그를 따라갈 사람은 하나도 없다 / 你先去吧, 我走得快, ～你; 너 먼저 가라, 나는 걸음이 빠르니 너를 따라잡을 수 있다 / 你的功课～他吗? 너의 공부로 그를 따라갈 수 있겠니? ②제때에 대다. 시간에 댈 수 있다. ¶这个月准～完工; 이 달 중에는 기필코 공사 완료에 댈 수 있다. ③때를 만나다. ¶～好天气, 去郊游吧; 날씨가 좋으면 교외로 놀러 가자. ‖↔〔赶不上〕

〔赶份子〕 gǎn fènzi (흔히, 필요 없는데) 축의(祝儀)·향전(香典) 등을 보내다.

〔赶赴〕 gǎnfù 동 〈文〉 급히 달려가다.

〔赶赶罗罗地〕 gǎnganluōluōde 부 허둥지둥. 다급히. ¶～做; 허둥지둥하다. =〔赶赶落落地〕

〔赶工〕 gǎn.gōng 동 일을 서두르다.

〔赶功课〕 gǎn gōngkè (뒤지지 않도록) 학업을 열심히 공부하다. =〔赶课②〕

〔赶过(去)〕 gǎnguò(qu) 동 앞지르다. →〔抢qiǎng过去〕

〔赶寒〕 gǎnhán 동 추위를 쫓아 버리다. ¶你喝二两～吧; 한 잔 하고 추위를 물리쳐라.

〔赶汗〕 gǎn.hàn 동 〈方〉 땀을 내다.

〔赶黑〕 gǎnhēi 동 ①(일 따위를) 밤 사이에 급히 하다. ②밤길을 재촉하다.

〔赶猴儿〕 gǎnhóur 명 노름의 일종(3개의 주사위를 던져, 같은 수가 나온 2개 이외의 주사위에 나타난 수로 승부를 결정함). →〔掷zhì老羊〕

〔赶回〕 gǎnhuí 동 ①(늦지 않도록) 서둘러 돌아가다. ¶不得不～上海; 어쩔 수 없이 상하이(上海)로 급히 돌아갔다. ②쫓아 버리다.

〔赶回来〕 gǎn.huí.lai ① 동 급히 돌아오다. ¶听说老太爷病了, 我半路上就～了; 아버지가 병환이라는 말을 듣고 나는 중도에서 급히 되돌아왔다. ② 동 뒤쫓아가서 되돌아오게 하다. ③(gǎn huí-lai) 돌아와서. 나중에. ¶～再说吧; 돌아와서 다시 이야기하자.

〔赶会〕 gǎn.huì 동 ①잿날〔재회(齋會)〕에 가다. 축제에 가다. ¶～没有钱, 不如在家闲; 잿날〔축제〕에 가는데 돈이 없다니, 차라리 집에 있는 편이 낫다. =〔赶庙〕 ②(장사를 하러, 또는 물건을 사러) 재회에 가다.

〔赶会儿〕 gǎnhuìr ⇨〔等děng(一)会儿〕

〔赶活(儿)〕 gǎn huó(r) (시간에 댈 수 있도록) 일을 서둘러 하다. 일을 열심히 하다.

〔赶伙儿〕 gǎnhuǒr 동 혼례식 또는 장례식에서 고용된 인부가 하루에 몇 군데의 일을 청부맡아 하다.

〔赶货〕 gǎnhuò 동 ①급히 제조하다. ②서둘러 발송하다.

〔赶即〕 gǎnjí 부 지급(至急)으로. 서둘러서. 급히.

〔赶集〕 gǎn.jí 동 ①(장날) 장에 가다. =〔赶场cháng〕 ②급히 모이다.

〔赶脚〕 gǎnjiǎo 동 (말·당나귀에 사람을 태우고) 고삐를 잡다. ¶你骑qí骡子, 我～; 당신은 당나귀에 오르시오, 내가 고삐를 잡겠소.

〔赶脚的〕 gǎnjiǎode 명 마바리꾼. 말몰이꾼. 마부.

〔赶紧〕 gǎnjǐn 부 신속히. 급히. 서둘러. ¶～刹车; 급히 브레이크를 걸다.

〔赶尽杀绝〕 gǎn jìn shā jué 〈成〉 ①모조리 죽여 버리다. 〈轉〉 철저하게 해 치우다. 깨끗이 해치우다. ②사람을 매정하게 대하다. ¶何必～呢? 还给人留点儿地步吧; 매정하게 대할 필요가 있는가? 상대에게도 조금은 여지를 남겨 주도록 해라.

〔赶进〕 gǎnjìn 동 몰아넣다. ¶他们曾被敌兵～没有人迹的深山; 그들은 적병으로 인하여 인적이 드문 깊은 산 속으로 쫓겨 들어갔다.

〔赶进来〕 gǎn.jìn.lai ①급히 들어오다. 쫓아 들어오다. ¶急忙的～一瞧, 小偷已经走了; 급히 뛰어들어와 보았지만 좀도둑은 이미 도망쳐 버렸다. ②급히 몰아넣다. ¶天黑了, 把牲口给～吧; 어두워졌으니 가축을 얼른 몰아넣어라.

〔赶开〕 gǎnkāi 동 쫓아내다. 쫓아 버리다. ¶把看热闹的～了; 떠들썩한 구경꾼을 쫓아 버리다.

〔赶考〕 gǎn.kǎo 동 (과거) 시험을 보러 가다. =〔赶科kē〕

〔赶课〕 gǎn.kè 동 ①서둘러 수업에 나가다. ②(뒤지지 않도록) 열심히 공부하다. =〔赶功课〕 ③(받지 못한) 수업을 보충하기 위해 공부하다.

〔赶快〕 gǎnkuài 부 속히. 서둘러. 재빨리. ¶～的; 서둘러서 / 时间不早了, 我们～走吧! 늦었으니 서둘러 갑시다!

〔赶来赶去〕 gǎnlái gǎnqù 이리저리 쫓아다니다. ¶～也没赶着zháo; 이리저리 쫓아다녔으나 따라잡지 못하였다.

〔赶浪潮〕 gǎn làngcháo ⇨〔赶浪头〕

〔赶浪头〕 gǎn làngtou ①시대의 조류를 타다〔편승하다〕. ②임기 응변을 하다. ③허세를 부리다. ¶他还没去掉～的毛病; 그는 아직도 허세 부리는 버릇이 있다. ‖=〔赶浪潮〕〔赶潮流〕

〔赶拢〕 gǎnlǒng 동 〈方〉 아첨하다. 아부하다. 알랑거리다. 아양 떨다. ¶有钱的人家儿总不免有许多帮闲的～来; 부잣집에 수많은 아첨꾼들이 몰려오는 것은 흔히 있는 일이다.

〔赶碌〕 gǎnlù 동 ①독촉하다. 재촉하다. 다그치다. ¶别～我了, 我这就去; 재촉하지 마라. 곧 가겠다 / 我这够忙的了, 你别再～我了; 나는 이것만으로도 아주 바빠, 더 이상 볶아치지 마라. ②다그쳐서 궁지에 몰아넣다. 난처하게 하다. ¶不要把人～急了! 남을 궁지에 몰아 난처하게 만들지 마라! ‖=〔赶罗〕〔赶落〕〔赶劳〕

〔赶路〕 gǎn.lù 동 길을 서두르다〔재촉하다〕. ¶今天好好睡一觉, 明天一早起来～; 내일은 아침 일찍 떠나니까 오늘은 푹 잡시다.

〔赶螺丝〕 gǎn luósi ①(나사못을) 비틀다. ②⇨

G

〔改锥〕
〔赶罗〕 gǎnluo 동 ⇨〔赶碌〕
〔赶忙〕 gǎnmáng 부 재빨리. 급히. 서둘러. 얼른.
〔赶面〕 gǎn.miàn 동 ⇨〔擀gǎn面〕
〔赶庙〕 gǎnmiào 동 ⇨〔赶会①〕
〔赶庙会〕 gǎn miàohuì '庙会'에 가서, 장사하거나 돌아다니며 놀다.
〔赶明儿〕 gǎnmíngr 부 ①일간. 그 안에. ②금후. 장차. 나중에. ¶有什么话, ～再说! 할 말이 있으면 다음에 얘기합시다!
〔赶跑〕 gǎnpǎo 동 쫓아 버리다〔내다〕.
〔赶前〕 gǎnqián 동 전진하다. ¶咱们可～啊! 우리 전진하자!
〔赶前错后〕 gǎnqián cuòhòu 예정 시기보다 빨라졌다 늦어졌다 하다. ¶月经～; 월경이 빨라지거나 늦어지다.
〔赶巧〕 gǎnqiǎo 부 마침 그 때. 공교롭게. ¶我去找他, ～他不在家; 내가 그를 방문했을 때 마침 그는 집에 없었다. →〔可kě巧〕〔恰qià巧〕
〔赶情〕 gǎnqíng 부 ⇨〔敢情〕
〔赶情儿〕 gǎnqíngr 동 평소에는 왕래가 없다가 결혼·장례식 때에만 왕래하다. ¶～的; 무슨 행사 때마다 오는 손님.
〔赶热〕 gǎnrè 동 호기(好機)를 이용하여 …하다. ¶这件事咱们得～办; 이 일은 좋은 기회에 해 버리자.
〔赶人不可赶上〕 gǎnrén bùkě gǎnshàng 〈諺〉 사람을 쫓되 끝까지 쫓지 마라《남을 나무랄 때 끝까지 나무라면 안 된다》.
〔赶人情〕 gǎn rénqíng 길흉사에 인사하러 가다. ¶～的; 길흉사에 인사하러 가는 사람.
〔赶山〕 gǎnshān 동 산사냥을 하다.
〔赶晌〕 gǎnshǎng 동 정오 무렵이 되다.
〔赶上〕 gǎnshang 동 ①(노력해서) 따라가다. 따라잡다. ¶～了他; 그를 따라잡았다. ②시간에 대다. ¶～火车; 기차 시간에 대다. ③(우연히) 만나다. 맞닥뜨리다. ¶～雨; 비를 만나다 / 正～他也坐在那儿; 마침 그도 거기에 있었다. ④꼭 …에 필적하다.
〔赶时间〕 gǎn shíjiān 시간에 대다. 시간적으로 급하다. ¶～的工作; 시급한 일.
〔赶时髦〕 gǎn shímáo 유행을 쫓다.
〔赶死赶活〕 gǎn sǐ gǎn huó 〈成〉 몹시 급해 서두르다.
〔赶速〕 gǎnsù 부 〈文〉 빨리. 급히. 속히. 지급(至急).
〔赶趟儿〕 gǎntàngr 동 ①〈口〉 시간에 대다. ¶你来得正～; 너 마침 잘 왔다 / 不必今天就动身, 明天一早儿去也～; 오늘 바로 출발할 필요는 없어, 내일 아침 일찍 가도 시간에 댈 수 있어. →〔赶得上〕〔来得及〕 ②시장·구경거리를 보려고 앞을 다투어 가다. ③철에 맞다.
〔赶晚〕 gǎnwǎn 동 (여행에서) 밤길을 서두르다.
〔赶碗儿〕 gǎnwǎnr 동 〈方〉 이익을 찾아 내다. ¶忙了半天倒给他～了; 한참 애써서 그에게 좋은 일을 해 주었다.
〔赶下台〕 gǎnxiàtái 동 무대에서 내쫓다. 자리에서 밀어 내다.
〔赶(着)鸭子上架〕 gǎn(zhe)yāzi shàng jià 〈諺〉 오리를 홰나무 위로 쫓아 올려 보내다《능력이 미치지 못하는 일을 억지로 강요하다. 남을 곤경에 빠뜨리다》. ¶我不会唱, 你偏叫我唱, 这不是～吗? 노래를 못 부르는데 너는 한사코 부르라고 하니, 이것은 나를 곤경에 빠뜨리려는 것이 아니냐?
〔赶早(儿)〕 gǎnzǎo(r) 동 이르게〔첫새벽에〕 하다. 일찌감치〔서둘러서〕 하다. ¶～出发; 첫새벽에 출발하다.
〔赶站〕 gǎnzhàn 동 길을 서두르다. ¶天快黑了咱们得～; 곧 어두워지니, 길을 서둘러야 한다.
〔赶杖〕 gǎnzhàng 명 밀방망이. ＝〔擀gǎn杖〕
〔赶着〕 gǎnzhe ①부 서둘러서. ¶～就回来了; 서둘러서 곧 돌아왔다. ②쫓아가서. ③마침 …때이다. ¶现在正～放假的时候; 지금은 마침 방학 때이다. ④기분을〔비위를〕 맞추다.
〔赶阵儿〕 gǎnzhènr 명동 〈方〉 진통(이 오다). ¶只要不难产, 一～就快生了; 난산만 아니라면, 진통이 오면 곧 낳는다.
〔赶制〕 gǎnzhì 동 서둘러 작성하다〔만들다〕. 급히 작성하다〔만들다〕.
〔赶追〕 gǎnzhuī 동 쫓아가다. 뒤쫓다.
〔赶锥〕 gǎnzhuī 명 ⇨〔改gǎi锥〕
〔赶走〕 gǎnzǒu 동 쫓아 내다. 쫓아 버리다. ¶把群众～了; 군중을 쫓아 버리다.
〔赶嘴〕 gǎn.zuǐ 동 〈方〉 ①연회에 예정 밖의 사람이 참석하여 음식을 먹다. (가욋사람이) 뛰어들어 연회에 참가하다. ②남의 집의 식사 때에 맞추어 끼어들어 음식을 먹다. ¶我来～来了; 음식 좀 끼어들어 먹으러 왔다.
〔赶做〕 gǎnzuò 동 바삐 만들다. 서둘러서 하다. ¶拼pīn命～; 필사적으로 힘을 들여 급히 만들다.

筸 gǎn (간)
지명용 자(字). ¶镇～zhèngǎn; 전간(鎭筸)《후난 성(湖南省) 펑황 현(鳳凰縣)에 있는 땅 이름》.

擀〈扞〉 gǎn (간)〈한〉
동 ①(밀방망이로) 얇게 밀어 펴다. 평평하게 펴다. ¶～面miàn条; 밀가루 반죽을 쳐서 국수를 뽑다 / ～饺jiǎo子皮儿; 만두피를 (밀어서) 만들다. ②〈方〉 (조심성 있게) 문지르다. (힘을 주어) 닦다. ¶先用水把玻璃擦净, 然后再～一过儿; 우선 유리를 물로 닦은 후에 다시 한 번 걸레질을 하여라. ⇒ '扞' hàn
〔擀面〕 gǎn.miàn 동 밀가루 반죽을 (밀방망이로) 얇게 밀다. ＝〔赶面〕
〔擀面杖〕 gǎnmiànzhàng 명 밀방망이. ＝〔擀面棍gùn儿〕〔赶面杖〕〔面杖zhàng〕
〔擀面杖吹火〕 gǎnmiànzhàng chuīhuǒ 〈歇〉 밀방망이로 불을 피우다《앞뒤가 꽉꽉 막히다. 아무것도 모르다》. ¶～一窍qiào不通; 앞뒤가 막혀 전혀 모르다. 사리 분별을 전혀 못 하다.
〔擀毡〕 gǎn.zhān 동 ①담요·펠트 등을 만들다. ②털이 뭉치다.

笴 gǎn (가)
명 〈文〉 화살대. ＝〔箭杆gǎn〕

敢 gǎn (감)
①형 용기가 있다. 대담하다. ¶勇～; 용감(하다) / 果～; 과감하다. ②부 감히. 대담하게. ¶我～说, 这钱一定是他花了; 내가 단언하는데, 이 돈은 틀림없이 그가 써 버렸다 / 要～想, ～说, ～干; 대담하게 생각하고, 대담하게 말하고, 대담하게 행동해야 한다. ③조동 감히 …하다. 결연(決然)히 …하다. 두려움 없이 …하다. ¶当初, 巡警不～管汽车; 처음엔 경관은 자동

차를 감히 단속하지 못했다 / 请饶我这一次吧, 下次我不～了; 이번 일은 용서해 주십시오, 다음 번에는 결코 하지 않겠습니다 / 你～去吗? 네가 감히 갈 용기가 있느냐? / ～于克服困难; 용감하게 곤란을 극복하다 / ～担dān错儿; 감히 과오를 떠맡다. ④ 부 〈文〉 실례지만 감히. 외람되게도 《겸손의 기분을 나타냄》. ¶ ～问; 실례지만 물어 보겠습니다 / ～请; 감히 부탁드립니다. ⑤ 부 〈方〉 혹시. 아마도. 어쩌면. ¶ 你～认错了; 네가 잘못 본 것인지도 모른다.

〔敢不…〕 gǎnbù… 〈文〉 감히 …하지 않을 수 있으랴. 어찌 …하지 않겠는가. ¶ ～敬遵; 어찌 따르지 않을〔거역할〕 수 있겠는가.

〔敢闯〕 gǎnchuǎng 동 용감하게 부딪치다. 용감하게 돌진하다. 대담하게 도전하다.

〔敢待〕 gǎndài 〈古白〉 …하려고 하다. ¶ 这早晚～来也; 이런 시각에 오려 하느냐.

〔敢当〕 gǎndāng 동 감당하다. 용감하게 담당하다. ¶ ～大任; 큰 임무를 감당하다 / 不～; 천만의 말씀입니다. 죄송합니다.

〔敢顶〕 gǎndǐng 동 감연히 퇴짜놓다.

〔敢怒而不敢言〕 gǎn nù ér bù gǎn yán 〈成〉 마음 속의 노여움을 말로 하지 못하다.

〔敢怕〕 gǎnpà 부 아마. 어쩌면. 필시. ¶ ～他受不了吧! 그는 참지 못할 것이라고 생각되는데!

〔敢情〕 gǎnqing 부 〈方〉 ①정말. 참으로. 아주. ¶ 那～太好! 그건 참 감사합니다! ②과연. 물론. 당연히. ¶ ～他会, 他学了三年了; 그는 3년이나 공부했으니 당연히 할 수 있다. ③알고 보니. 원래. 어쩌면. 놀랍게도. ¶ ～他是你的亲戚; 그 사람이 네 친척이었구먼! / ～他是个骗子; 알고 보니 그는 사기꾼이었어. ‖ =〔〈方〉 敢则〕〔〈方〉 敢自〕〔赶情〕

〔敢是〕 gǎnshì 부 ①과연. 역시나. ¶ 那本书, 我找了两天也没找着, ～您拿去了; 저 책은 이틀간이나 찾아도 찾아 내지 못했는데, 과연 당신이 가지고 갔군요. ②〈方〉 아마도. 혹은. 혹시. ¶ 咱们～走错了路了吧; 우리가 아마 길을 잘못 든 것이겠죠. =〔莫非〕〔怕是〕

〔敢说〕 gǎn shuō 대담하게 말하다. 용감하게 발언하다. ¶ 这个小姐真～! 이 아가씨는 아주 대담하게 발언하는군!

〔敢死〕 gǎnsǐ 동 죽음을 두려워하지 않다. 결사적이다.

〔敢死队〕 gǎnsǐduì 명 결사대.

〔敢想〕 gǎn xiǎng 대담하게 생각하다. 대담한 발상(發想)을 하다. ¶ ～, 敢说, 敢做; 적극적으로〔대담하게〕 생각하고 의견을 말하고 실행하다.

〔敢许〕 gǎnxǔ 부 〈方〉 아마. 어쩌면. 혹시.

〔敢于〕 gǎnyú 형 감히 …하다. 대담하게도 …하다. 두려움 없이 …하다. ¶ ～胜利; 대담하게 승리를 쟁취하다. 注 '～不～…'로 하여 의문문을 만들 수 있음.

〔敢则〕 gǎnzé 부 〈方〉 ⇨〔敢情〕

〔敢字当头〕 gǎn zì dāngtóu 감연(敢然)히 맞서다〔대항하다〕. 용감하게 맞서다. 용감한 것을 우선 신조로 삼다. ¶ 鲁迅, 他～, 敢于向一切敌人宣战; 루 쉰(鲁迅)은 모든 적에 대해 감연히 선전(宣戰) 포고를 했다.

〔敢自〕 gǎnzi 부 〈方〉 ⇨〔敢情〕

〔敢做敢当〕 gǎn zuò gǎn dāng 〈成〉 감연히 행하고 용감히 책임을 지다.

〔敢做敢为〕 gǎn zuò gǎn wéi 〈成〉 감연히 일을 하다.

澉 gǎn (감)

지명용 자(字). ¶ ～浦pǔ; 감푸(澉浦)《저장성(浙江省) 하이옌 현(海鹽縣) 남쪽에 있는 땅 이름》.

橄 gǎn (감)

→〔橄榄〕

〔橄榄〕 gǎnlǎn 명 《植》 ①감람(나무). =〔〈方〉 青qīng果〕〔谏果〕 ②올리브(나무). =〔油橄榄〕〔洋橄榄〕

〔橄榄绿〕 gǎnlǎnlǜ 명 《色》 올리브 그린색.

〔橄榄球〕 gǎnlǎnqiú 명 《體》 ①럭비. ②럭비공.

〔橄榄石〕 gǎnlǎnshí 명 《鑛》 감람석(橄欖石).

〔橄榄油〕 gǎnlǎnyóu 명 올리브유(油). =〔俄é列夫油〕

〔橄榄枝〕 gǎnlǎnzhī 명 올리브의 가지《평화의 상징》.

感 gǎn (감)

① 동 느끼다. ¶ ～兴趣; 흥미를 느끼다 / ～到很温暖; 매우 따뜻하게 느끼다. ② 동 감사하다. ¶ ～谢; ⇩ / ～激jī; ⇩ / 深～厚hòu谊; 두터운 정의에 깊이 감사하다. ③ 동 감동하다. 감동시키다. ¶ 这个故事很～人; 이 이야기는 매우 감동적이다 / 深有所～; 깊이 감동시키는 바가 있다. ④ 명 정감(情感). 감정. 느낌. ¶ 百～交集; 만감(萬感)이 교차하다 / 好～; 호감 / 自豪～; 자부심 / 自卑～; 콤플렉스. ⑤ 명 《漢醫》 감기. ¶ 外～内伤; 감기와 내장 기능의 장애. ⑥ 명동 감광(하다). ¶ ～光guāng; ⇩

〔感触〕 gǎnchù 명 감개(感慨). 감상. 감동. 감촉. ¶ 把～写成小说; 감개를 소설로 쓰다 / 想起了那时的情形, ～特别多; 그 때 일을 생각하면 더욱 감개무량하다. 동 마음에 느끼다. 마음에 닿다. 감개하다. 감동하다. 감명받다.

〔感戴〕 gǎndài 동 감격하여 경의(敬意)를 느끼다. ¶ ～无既; 한없이 감격하다. =〔感荷〕

〔感到〕 gǎndào 동 (…을) 느끼다. ¶ ～寂寞; 적막감을 느끼다.

〔感德〕 gǎndé 동 〈文〉 은덕에 감격하다.

〔感动〕 gǎndòng 명동 감동(하다 · 시키다). ¶ 只有诚实的爱情可以～人; 성의가 담긴 애정만이 사람을 감동시킨다.

〔感恩〕 gǎn'ēn 동 은혜에 감사하다. ¶ 给点儿好处就～; 조금만 이익을 주어도 금세 고마워한다 / 不知～; 배은망덕한 자 / ～不尽; 감사하기 그지없습니다 / ～节jié; (추수) 감사절.

〔感恩戴德〕 gǎn ēn dài dé 〈成〉 베풀어 준 은덕에 감격하다. 감지덕지하다.

〔感恩图报〕 gǎn ēn tú bào 〈成〉 은혜에 보답하기 위해 힘쓰다.

〔感发〕 gǎnfā 동 사람의 마음을 감동시켜 뒤흔들다.

〔感奋〕 gǎnfèn 동 감분(感奮)하다. ¶ 听了领导同志的讲话, 大家非常～; 지도자의 이야기를 듣고 모두 대단히 감격하여 분발했다.

〔感愤〕 gǎnfèn 동 감동하여 분개하다.

〔感格〕 gǎngé 동 〈文〉 감동시키다. 감화하다.

〔感官〕 gǎnguān 명 《生》 〈簡〉 '感觉器官'의 약칭.

〔感光〕 gǎnguāng 《化》 명 감광(感光). ¶ ～片; 감광 필름. 감광 재료 / ～纸; 감광지(感光紙). (gǎn,guāng) 동 감광하다.

〔感荷〕 gǎnhè 동 ⇨〔感戴〕

〔感化〕 gǎnhuà 동 감화하다. ¶ ～院yuàn; 감화원.

G

〔感怀〕 gǎnhuái 동 〈文〉 느끼는 바가 있다. 감상적으로 생각하다. ¶～诗; 감상적인 시 / ～身世; 일신의 처지를 생각하고 감회에 젖다.

〔感激〕 gǎnjī 명동 감사(하다). 감격(하다). ¶真是说不出来的～; 정말로 무어라 감사의 말을 할 길이 없다 / ～不尽; 감격해 마지않다 / ～莫名; 감격을 이루 표현할 길이 없다. / 心里充满了～; 감사하는 마음이 가슴 가득했다.

〔感疾〕 gǎnjí 동 〈文〉 병에 걸리다.

〔感觉〕 gǎnjué 동 …으로 느껴지다. …라고 생각하다. ¶～到危险; 위험을 느끼다 / 我～着不舒服; 나는 기분이 나쁘다 / 他～事情还顺利; 그는 작업이 그런대로 순조롭게 진행된다고 생각했다. 명 감각. 느낌. ¶～主义; 감각론. 관능주의 / 意思倒一样, ～上差一点儿; 뜻은 같으나 뉘앙스는 조금 다르다 / 找到～了; 감 잡았다.

〔感觉器官〕 gǎnjué qìguān 명 《生》 감각기관. =〔〈簡〉 感官〕

〔感觉神经〕 gǎnjué shénjīng 명 《生》 감각(感覺) 신경. 지각(知覺) 신경. =〔传chuán入神经〕

〔感慨〕 gǎnkǎi 명동 감개(感慨)(하다). ¶～万端; 감개 무량(感慨無量)하다.

〔感抗〕 gǎnkàng 명 《電》 감응(感應) 리액턴스(reactance).

〔感刻〕 gǎnkè 동 〈文〉 감명(感銘)하다.

〔感喟〕 gǎnkuì 동 〈文〉 감탄하다.

〔感愧〕 gǎnkuì 명 〈文〉 감사한 마음과 죄송함. ¶～兼jiān之; 고맙기도 하고 미안하기도 하다. =〔感惭〕

〔感泐〕 gǎnlè 동 〈文〉 감사하여 마음에 새기다.

〔感冒〕 gǎnmào 명동 감기(걸리다). ¶得dé～; 감기 걸리다 / ～假; 감기로 인한 병가. 동 〈俗〉 감탄하다 (부정(否定)으로 흔히 쓰임). ¶对他的看法我就不～; 그의 생각을 나는 썩 찬성하지는 않는다.

〔感铭〕 gǎnmíng 명동 감명(을 받다).

〔感念〕 gǎnniàn 동 감격·감동하여 마음 속에 두다. ¶～不忘; 감격하여 마음 속에 두고 늘 잊지 않다.

〔感佩〕 gǎnpèi 동 ①감격하여 잊지 않고 있다. ②감복(感服)하다.

〔感情〕 gǎnqíng 명 ①감정. 기분. ¶动～; 감정에 치우치게 되다. 흥분하다 / ～流露; 감정이 나타나다. ②우정. 교정. 애정. 친근감. ¶有了～; 정이 생겨나다 / ～很好; 사이가 매우 좋다 / 师生之间缺少～; 교사와 학생 사이에 친근감이 결여되다. 동 사례하다. ¶用钱～; 돈으로 사례하다.

〔感情号〕 gǎnqínghào 명 ⇨〔感叹号〕

〔感情用事〕 gǎn qíng yòng shì 〈成〉 감정에 의해 일을 처리하다. 감정에 좌우되다.

〔感染〕 gǎnrǎn 동 ①감염하다. ¶身体不好, 容易～流行性感冒; 몸이 좋지 않으면 유행성 감기에 걸리기 쉽다. ②(언동·창작(創作) 등이 다른 것에) 좋은 영향을 주다. 감화시키다. 감명시키다. 명 감화. 정신상의 영향. 감명. ¶～力; 감명·감동시키는 힘.

〔感人〕 gǎnrén 동 감동〔감격〕시키다. ¶～事迹; 남을 감동시킬 일 / ～肺腑; 〈成〉 남의 가슴에 깊이 감명〔감동〕을 주다. 형 감격적이다. 감동적이다. ¶这真是～的时刻; 이것은 실로 감격적인 순간이다.

〔感纫〕 gǎnrèn 동 〈翰〉 깊이 감사하다. 감격하다.

〔感伤〕 gǎnshāng 명 감상. ¶～主义; 감상주의. 센티멘털리즘. 동 슬퍼하다.

〔感神〕 gǎnshén 동 신(神)에 통하다.

〔感生〕 gǎnshēng 명 《電》 유도. ¶～电流 =〔感应电流〕〔应电流〕; 유도 전류. =〔感应〕

〔感受〕 gǎnshòu 동 (영향을) 받다. 감수(感受)하다. ¶～性xìng; 감수성(感受性). 명 인상. 느낌. 감명. 체험. ¶生活～; 생활 체험 / 用亲身的～驳斥他; 자신의 체험으로 그에게 반박하다 / 对此, 我有点～; 이 일에 나는 느끼는 바가 있다.

〔感叹〕 gǎntàn 동 감탄하다. ¶～不已; 몇 번이고 감탄하다.

〔感叹词〕 gǎntàncí 명 감탄사.

〔感叹号〕 gǎntànhào 명 감탄 부호(!) =〔感情号〕〔惊jīng叹号〕

〔感叹句〕 gǎntànjù 명 감탄문.

〔感涕〕 gǎntì 동 〈文〉 감읍(感泣)하다. 감격하여 울다.

〔感通〕 gǎntōng 동 〈文〉 생각〔느낌〕이 통하다.

〔感同身受〕 gǎn tóng shēn shòu 〈成〉 자신이 은혜를 받은 것처럼 감격하다. 감격의 마음을 함께 하다.

〔感悟〕 gǎnwù 동 느끼는 바가 있다. 깨닫다.

〔感想〕 gǎnxiǎng 명 감상(感想).

〔感谢〕 gǎnxiè 명동 감사(하다). ¶～不尽; 그지없이 감사하다.

〔感性〕 gǎnxìng 명 감성(感性). ¶～认识; 감성적 인식(認識).

〔感音〕 gǎnyīn 명 ⇨〔导dǎo音〕 명동 ⇨〔共gòng鸣〕

〔感应〕 gǎnyìng 명동 (마음에) 반응(하다). 감응(하다). ¶有了好的～; 좋은 반응이 있었다. 명 《電》 유도(誘導). ¶～电流 =〔感生电流〕; 유도 전류. 감전(感電) 전류 / ～电动机; 유도 전동기(誘導電動機) / ～电炉; 유도(전기)로 / ～线xiàn圈 =〔～捆〕; 유도 코일. 감응 코일 / ～器; 유도자(誘導子) / ～电路; 기유도 회로(起誘導回路). =〔感生〕〔诱yòu导①〕

〔感应率〕 gǎnyìnglǜ 명 ⇨〔电diàn感〕

〔感应儿〕 gǎnyìngr 명 감응(感應) (진심이 하늘에 닿아 좋은 보답을 받는 일). ¶好心眼儿就有这好～; 심성이 고우니까 이처럼 좋은 보답을 얻게 된 것이다.

〔感召〕 gǎnzhào 명동 감화를〔감명을〕 받다. ¶受他的～; 그의 감화를 받다.

〔感知〕 gǎnzhī 명 감각과 지각. 동 감지하다.

鳡(鰔) gǎn (감)

명 《魚》 성대. =〔鳡鱼〕〔竿鱼〕〔黄钻〕

干(幹〈榦〉A)) gàn (간)

A) 명 ①몸. 체구. ¶躯qū～; 동체. 구간. ②초목의 줄기. ¶枝zhī～; 나무의 줄기. ③근본. 사물의 주체. 가장 중요한 부분. ¶骨～; 골간 / 骨gǔ～作用; 중심이 되어 추진하는 작용. ④〈簡〉 간부. ¶高～; 고관. 고급 간부. **B)** ① 명 재능. 기술. ¶他很能～; 그는 상당한 능수꾼이다 / 他很有才～; 그는 꽤 수완이 있다. ② 명 용무. ¶你到上海去有什么公～呢? 상하이(上海)로 가시는 것은 무슨 용무입니까? / 有什么贵～呢? 무슨 볼일이 있으십니까? ③ 동 (일을) 하다. 이루다. ¶各～各的; 각자의 일을 하다 / ～活huó(儿); 일을 하다 / 埋mái头苦～; 몰두하여 열심히 하다. →〔办bàn〕〔做zuò〕〔作〕 ④ 동 〈方〉 잘못되다. 그르치다. 실패하다. 죽다. ¶这回可～了! 이번은 틀렸다! / ～了杆儿了; 못 쓰게 되

었다. 실패하였다. 죽었다 / 又写～了; 또 잘못 썼다 / 灯泡子～了; 전구가 끊어졌다 / 怎么? ～了? 어떻게 됐어? 죽었나? / 这棵树要～了; 이 나무는 틀렸다. →〔糟〕〔坏〕〔垮〕 ⑤ 동 담당하다. 종사하다. ¶他～过生产队长; 그는 생산 대장을 한 적이 있다. ⑥ 동 〈俗〉 …하다. 저지르다. 야기하다. ¶ ～场官司; 재판 소동을 일으키다. ⇒gān
〔干办〕 gànbàn 동 (일을) 처리하다.
〔干部〕 gànbù 명 ①간부. ¶高级～; 고급 간부 / 老～; 고참 간부 / 基层～; 말단 간부 / 领导～; 상급 간부. 최고 간부. ②관청·군대·단체 등의 공직에 있는 사람.
〔干部儿〕 gànbùr 명 〈貶〉 간부(속된 어기(語氣)). ¶当～; 간부가 되다.
〔干部学校〕 gànbù xuéxiào 명 간부 학교(각 기관에 설치되어 있는, 간부의 단기 재훈련을 위한 학교). =〔干校〕
〔干不过〕 gànbuguò ①비할 바 아니다. ②(싸움에서) 당할 수 없다. ③(일에서) 당할 수 없다.
〔干不来〕 gànbulái (서툴러서) 잘하지 못하다. 할 수가 없다. ↔〔干得来〕
〔干不了〕 gànbuliǎo 하지 못하다. 감당 못하다. 해낼 수 없다.
〔干才〕 gàncái 명 ①일의 능력. 재능. 솜씨. ¶这个人还有点～; 이놈은 조금 재능이 있다. ②능수꾼. 유능한 사람.
〔干差〕 gànchāi 명 〈文〉 유능한 관리. =〔干吏〕
〔干臣〕 gànchén 명 〈文〉 재능 있는 부하.
〔干倒〕 gàndǎo 동 해치우다. 타도하다.
〔干得过儿〕 gàndeguòr 할 만한 가치가 있다. ¶那件事很有意义, ～; 그 일은 매우 의의가 있으니 해 볼 만하다.
〔干得来〕 gàndelái (일이 능력에 맞아) 잘 해내다. 할수 있다.
〔干得了〕 gàndeliǎo 해내다. 할 수 있다. 감당할 수 있다.
〔干掉〕 gàn.diào 동 〈口〉 해치우다. 죽이다. ¶这小子也～吗? 이놈도 해치울 건가요?
〔干蛊之子〕 gàn gǔ zhī zǐ 〈成〉 부모의 죄를 보상하고도 남을 만한 훌륭한 자식.
〔干活(儿)〕 gàn.huó(r) 동 일을 하다. =〔做zuò活(儿)〕
〔干济〕 gànjì 형 〈文〉 재능이 있어 쓸모가 있다.
〔干架〕 gànjià 동 싸움하다. 말다툼하다. 치고받다.
〔干将〕 gànjiàng 명 ①수완가. ¶他手脚勤快, 是个～; 그는 부지런하고 재간 있는 사람이다. ②용장(勇將).
〔干劲(儿)〕 gànjìn(r) 명 일에 대한 정열. 의욕. ¶～十足; 하고자 하는 의욕(意慾)·열의가 넘쳐 있다 / 鼓足～搞吧; 힘을 내어 하자.
〔干警〕 gànjǐng 명 〈簡〉 경찰 간부와 일반 경찰.
〔干了〕 gànle 동 〈方〉 아차. 틀렸다. 큰일났다. ¶～, 又忘带月票了! 아차, 또 정기권(定期券)을 잊었어! =〔坏了〕〔糟了〕
〔干练〕 gànliàn 형 재능 있고 숙달하다. 수완 있다. ¶他是个～的; 그는 상당한 수완가이다.
〔干流〕 gànliú 명 본류(本流). 주류.
〔干路〕 gànlù 명 주요 노선. 철도의 간선(幹線).
〔干略〕 gànlüè 명 〈文〉 재능이 있고 지략도 있음.
〔干么〕 gànmá ⇨〔干吗〕
〔干吗〕 gànmá 〈口〉 ① 대 왜. 어째서. 무엇 때문에. ¶～不接着钱? 왜 돈을 안 받느냐? / 你～说这话? 왜 이런 말을 하느냐? / 你找他～? 저 사람에게 무슨 용무가 있느냐? ②무엇 하느냐. ¶你想～? 무엇을 하려 하느냐? / 今儿下午～; 오늘 오후에는 무엇을 합니까? ③뭣하면. ¶要是～的话, 我不去也可以; 만일 뭣하면 나는 가지 않아도 된다. ‖ =〔干么〕〔干嘛〕 →〔干什么〕
〔干渠〕 gànqú 명 간선 수로.
〔干群关系〕 gànqún guānxi 명 간부와 대중과의 관계.
〔干人〕 gànrén 명 솜씨 있는 사람. 다부진 사람. ¶使个～送他去; 다부진 자에게 그를 배웅해 가게 하다.
〔干啥〕 gànshá 〈方〉 ①무엇을 하니? ②왜. 어째서. ‖→〔干什么〕
〔干上〕 gànshang 동 ①끝까지 대들다. 끝까지 물고 늘어지다. ¶我跟他～了; 끝까지 그에게 대항할 거다. ②하려고 결심하다〔마음잡다〕.
〔干什么〕 gàn shénme ①무엇을 하니. ¶你～来着; 너는 무엇을 하고 있었니 / ～都没精神; 무엇을 해도 기운이 없다. ②왜. 어째서. ¶你～不早说呀? 왜 빨리 말하지 않았니? / 你～不去呀? 너는 왜 안 가니? 注$_1$ 객관적 사물의 진리를 묻는 '蜘蛛的丝为什么不能织布?' (거미줄로는 왜 천을 짤 수 없을까?) 또, '西瓜怎么长得这么大?' (수박이 어떻게 이리 크게 자랐지?)와 같은 경우 '为什么'·'怎么'는 쓸 수 있으나 '干什么'·'干吗'는 쓸 수 없음. 注$_2$ 일반적으로 주어 앞에는 놓지 않음.
〔干事〕 gàn.shì 동 ①일을 하다. ②방사를 하다.
〔干事〕 gànshi 명 ①간사. 책임자. 사무 담당자. ¶宣传～; 선전 책임자 / 文娱～; 오락 책임자. ②공무원. 관리.
〔干属〕 gànshǔ 명 간부의 가족.
〔干水〕 gànshuǐ 명 본류(本流). 주류. ↔〔支zhī水〕
〔干探〕 gàntàn 명 민완 형사.
〔干头儿〕 gàntour 명 일의 보람〔가치〕. ¶这个工作很有～; 이 일은 하는 보람이 있다. 注 '有～'·'没(有)～'로 쓰임.
〔干文的〕 gànwénde 명 글로써 생활하는 사람.
〔干线〕 gànxiàn 명 ①간선. 철도망 중의 주요 노선. 본선. →〔支线〕〔专用线〕 ②(활자의) 종선(縱線).
〔干校〕 gànxiào 명 〈簡〉 ⇨〔干部学校〕
〔干员〕 gànyuán 명 유능한 관리〔임원〕.
〔干仗〕 gàn.zhàng 동 싸우다. (gànzhàng) 명 싸움. 언쟁(言爭).

旰 gàn (간)

명 〈文〉 저녁때. 밤. ¶～食shí; 저녁밥 / 宵xiāo衣～食; 아침 일찍 일어나 밤 늦게 식사하다(열심히 일하다).

骭 gàn (한)

명 ①정강이. =〔小腿〕 ②늑골. =〔肋lèi骨〕

绀(紺) gàn (감)

명 《色》 감색. 붉은색을 띤 흑색. =〔天tiān青〕
〔绀殿〕 gàndiàn 명 〈文〉 불전. 불당.
〔绀矾〕 gànfán 명 《蟲》 잠자리의 일종.
〔绀青〕 gànqīng 명 《色》 붉은색을 띤 흑색. 감청색. 가지색. =〔绀紫zǐ〕〔红hóng青〕
〔绀青石〕 gànqīngshí 명 《鑛》 남동광(藍銅鑛). =〔铜青石〕
〔绀燕〕 gànyàn 명 《鳥》 도요새. =〔鹬 yù〕
〔绀宇〕 gànyǔ 명 〈文〉 절. 불각.

G

湆 gàn (감) 지명용 자(字). ¶～井沟; 간징고우(쓰촨 성(四川省) 충 현(忠縣)에 있는 땅 이름).

淦 gàn (감) 명 《化》〈簡〉 금속 원소의 약칭.

淦 gàn (감) ① 동 〈文〉 물이 배 속으로 들어가다. ② (Gàn) 명 《地》 간수이(淦水)(장시 성(江西省)에 있는 강 이름). ③ 명 성(姓)의 하나.

赣(贑〈贛, 灨〉) Gàn (감) ① 명 《地》 장시 성(江西省)의 별칭. ② 명 《地》 간 현(赣縣)(장시 성(江西省)에 있는 현 이름). ③ 명 《地》 간장 강(赣江)(장시 성(江西省)에 있는 강 이름). ④〈文〉 '贡gòng'과 통용.

〔赣剧〕 gànjù 명 '弋yì(阳)腔'이 변화되어, 장시 성(江西省)에서 유행하고 있는 지방극(地方劇).

GANG 《尢

冈(岡) gāng (강) 명 ①(～儿, ～子) 낮은 산. 언덕. ¶土～; 흙으로 된 낮은 산〔언덕〕. ②산등성이. 능선. ¶～峦luán起伏; 능선이 높고 낮게 이어져 있다. ‖ =〔岗gāng〕

〔冈比亚〕 Gāngbǐyà 명 《地》〈音〉 감비아(Gambia)(수도는 '班珠尔'(반줄: Banjul)).

〔冈渡拉〕 gāngdùlà 명 〈音〉 곤돌라(이 gondola).

〔冈陵〕 gānglíng 명 산등성이와 구릉. =〔丘qiū陵〕

〔冈峦〕 gāngluán 명 연이어진 산등성이.

〔冈桐〕 gāngtóng 명 《植》 참오동나무. =〔紫zǐ花桐〕

刚(剛) gāng (강) ① 형 단단하다. 강하다. 꺾이지 않다. ¶～玉; 금강석 / ～度; 경도(硬度). 굳기 / 性情太～; 성격이 너무 강하다. ② 부 지금 막. 바로. 방금(행동이나 상황이 일어난 지 오래지 않음). ¶他～走了; 그는 방금 막 나갔습니다 / 我们～接到命令; 우리는 지금 막 명령을 받았다 / 他～从北京回来; 그는 베이징에서 막 돌아왔다. =〔才〕〔刚才〕 ③ 부 마침. 알맞게. 꼭. ¶材料～够; 재료는 꼭 알맞다 / ～合适; 마침맞다. 딱 알맞다 / 我～要走的时候儿他来了; 내가 마침 가려 할 때 그가 왔다. ④ 부 …하자(마자)(복문에서 '就'와 호응하여 두 사실이 시간적으로 밀착함을 나타냄). ¶～过立春, 天气就异乎寻常地热; 입춘이 지나니까 날씨가 대단히 더워졌다 / ～说了一句, 他就急了; 한 마디 말을 하자마자 그는 성을 발끈 냈다. ⑤ 부 겨우〔간신히〕 …하다. ¶天黑得很, ～能看出人影儿; 날이 너무 어두워져 겨우 사람의 그림자만을 분간할 수 있다. ⑥ 형 〈方〉 구변이 좋다. 말재주가 좋다. ¶卖mài～的; (가짜 물건을) 교묘한 말로 팔아 넘기다. ⑦ 명 성(姓)의 하나.

〔刚白渡〕 gāngbáidù 명 〈音〉 매판(買辦)(comprador). =〔康白度〕

〔刚板硬正〕 gāngbǎn yìngzhèng 성질이 융통성 없이 완고하다.

〔刚暴〕 gāngbào 형 난폭하다. 명 난폭한 사람.

〔刚愎〕 gāngbì 형 〈文〉 고집이 세다. ¶～自用; 〈成〉 고집스럽게 제멋대로 하다. 독단적으로 일을 하다.

〔刚才〕 gāngcái 부 조금 전에. 방금. 바로 지금. ¶～来的那个人是谁? 조금 전에 온 그 사람은 누구냐? =〔方才〕

〔刚肠〕 gāngcháng 〈比〉 (사물에 굴하지 않는) 배짱. 강직한 성격.

〔刚度〕 gāngdù 명 《物》 강도.

〔刚风〕 gāngfēng 명 ⇨〔罡gāng风〕

〔刚刚(儿)〕 gānggāng(r) 부 ①겨우. 간신히. ¶～有十个; 열 개가 될락말락하다. ②꼭. 마침. ③방금. 조금 전에. ¶～出屉儿的包子; 찜통에서 금방 꺼낸 만두.

〔刚骨〕 gānggǔ 명 〈文〉 강한 성질.

〔刚果〕 Gāngguǒ 명 《地》〈音〉 콩고(Congo)(수도는 '布拉柴维尔'(브라자빌: Brazzaville)). ¶～红hóng; 콩고 레드(직접 연료) / ～树胶; 콩고 고무.

〔刚好〕 gānghǎo 형 꼭 알맞다. 적당하다. ¶这双鞋他穿着不大不小, ～; 이 신은 그 사람이 신으니까 크지도 작지도 않고 꼭 맞는다. 부 때마침. 바로. 꼭. ¶我去找他, ～他在家; 그를 방문했는데 마침 집에 있었다 / 正要给他打电话, ～他来了; 그에게 전화하려고 했는데, 때마침 그가 왔다 / 这顶帽子给我戴～合适; 이 모자는 나에게 꼭 맞는다 / 他的体重～五十公斤; 그의 체중은 딱 50kg이다.

〔刚健〕 gāngjiàn 형 (성격·풍격 등이) 강건하다. 늠름하다. ¶～质朴; 질실(質實) 강건.

〔刚劲〕 gāngjìng 형 (자태·풍격 따위가) 늠름하다. 힘차다. ¶～的气魄; 힘찬 기백 / 字体～有力; 글씨체가 힘차다. 명 늠름한 힘. 불굴(不屈)의 힘.

〔刚口〕 gāngkǒu 형 말하는 것이 유창하고 또한 신랄(辛辣)하다.

〔刚棱〕 gāngléng 형 〈文〉 강직하여 모가 나다.

〔刚戾〕 gānglì 형 〈文〉 거만하고 횡포하다.

〔刚铝石〕 gānglǚshí 명 《鑛》 알룬둠(Alundum).

〔刚毛〕 gāngmáo 명 《生》 강모(剛毛). 억센 털.

〔刚强〕 gāngqiáng 형 의지가 강하다. 마음이 굳세다. ¶～的女人; 마음이 다부진 여자. =〔刚性xing〕

〔刚巧〕 gāngqiǎo 부 ①마침 계제 좋게. ②지금 마침. 방금 막. ③에누리 없이. 딱.

〔刚韧〕 gāngrèn 형 의지가 굳다. 강인하다.

〔刚日〕 gāngrì 명 십간(十干) 중의 양(陽)의 날('甲jiǎ'·'丙bǐng'·'戊wù'·'庚gēng'·'壬rén'의 5일). =〔刚干〕

〔刚柔〕 gāngróu 명 강(剛)함과 유(柔)함.

〔刚砂纸〕 gāngshāzhǐ 명 ⇨〔砂纸〕

〔刚石〕 gāngshí 명 《鑛》 강옥(鋼玉). 금강석. 코런덤(corundum). =〔刚玉〕〔金jīn刚石〕

〔刚体〕 gāngtǐ 명 《物》 강체(剛體).

〔刚头儿〕 gāngtóur 부 〈方〉 방금(方今). 이제 막.

〔刚武〕 gāngwǔ 형 ⇨〔刚勇yǒng〕

〔刚性〕 gāngxìng 명 《物》 강성(剛性). ¶～铸zhù铁; 반강(半鋼). 세미스틸(semisteel).

〔刚性〕 gāngxing 형 ⇨〔刚强qiáng〕

〔刚性宪法〕 gāngxìng xiànfǎ 명 경성(硬性) 헌법. ↔〔柔róu性宪法〕

〔刚一〕 gāngyī 부 방금 …했을 때. …하자마자('就'와 호응하여 복문(複文)을 만듦). ¶～开始的时候

觉得很难; 처음 시작했을 때는 어렵게 느꼈다.
〔刚毅〕 gāngyì 형 의지가 굳다. 의연하다.
〔刚硬〕 gāngyìng 형 ①단단하다. 세다. 강하다. ②강경하다. 고집이 세다.
〔刚勇〕 gāngyǒng 형 〈文〉 강하고 용감하다. =〔刚武〕
〔刚玉〕 gāngyù 명 강옥석. =〔刚石〕
〔刚正〕 gāngzhèng 형 의지가 강하고 정직하다. 강하고 바르다. ¶～不阿bù'ē; 의지가 강하며 정직하고 아첨하지 않는다.
〔刚直〕 gāngzhí 명형 강직(하다).
〔刚竹〕 gāngzhú 명 《植》 참대. 왕대. =〔斑bān竹〕
〔刚子〕 gāngzǐ 명 ⇨〔巴bā豆〕

扨(㧏) gāng (강) 동 ⇨〔扛gāng〕

岗(崗) gāng (강) 명 ⇨〔冈gāng〕 ⇒gǎng gàng

纲(綱) gāng (강) 명 ①(그물의) 벼리. ②〈轉〉 대강(大綱). 대본(大本). 요점. ¶～目; ⇓/提tí～挈qiè领; 요점을 파악하다. ③사물의 중요 부분. ¶大～; 대강/提～; 제요. 요점. ④당대(唐代)에 시작된 화물의 운송을 담당했던 조직. ¶～总zǒng; ⇓/盐～; 관염(官鹽)의 집단 수송/花石～; 진귀한 화목(花木)이나 돌의 집단 수송. ⑤《生》 강(綱)《생물학 분류의 단위, '门mén'의 아래, '目mù'의 위》.
〔纲常〕 gāngcháng 명 〈簡〉 '三sān纲五常'(삼강오상)의 약칭.
〔纲纪〕 gāngjì 〈文〉 명 강기. 사회 질서와 국가의 법규. 동 ⇨〔纲理lǐ〕
〔纲鉴〕 gāngjiàn 명 〈文〉 역사책. 사서(史書).
〔纲举目张〕 gāng jǔ mù zhāng 〈成〉 ①사물의 요점을 파악하면 그 밖의 부분은 이에 따라 해결된다. ②문장의 조리가 명백하다.
〔纲理〕 gānglǐ 동 〈文〉 다스리다. ¶～天下; 천하를 다스리다. =〔纲纪〕
〔纲领〕 gānglǐng 명 강령. 대강(大綱).
〔纲目〕 gāngmù 명 강목. 대요(大要)와 세목(細目).
〔纲杓子〕 gāngsháozi 명 밑에 잔구멍이 뚫린 국자《튀김질할 때 씀》.
〔纲要〕 gāngyào 명 ①대요(大要). 제요(提要). =〔提纲〕 ②개요(概要)《책 이름·문헌명(文獻名)에 쓰임》.
〔纲总〕 gāngzǒng 명 옛날, 관염(官鹽) 수송업자의 우두머리.
〔纲佐〕 gāngzuǒ 명 〈文〉 장관(長官)과 부관〔보좌관〕.

㭎(棡) gāng (강) 명 《植》 갈참나무. =〔青qīng㭎〕

钢(鋼) gāng (강) 명 《工》 강철. ¶合金～; 특수강/丁dīng字～; 티(T)형 강/乙yǐ字～; 제트(Z)형 강/工gōng字～; 아이(I)형 강/无wú缝～管; 이음매 없는 강관/百炼成～; 〈成〉 단련을 거듭하여 훌륭한 사람이 되다/打铁炼成～; 쇠를 두들겨 강철로 만들다. ⇒gàng
〔钢板〕 gāngbǎn 명 ①《工》 강판. ②등사판용 줄판. ¶写xiě～ =〔刻kè蜡版〕; 등사줄판으로 (원지를) 긁다. =〔钢桩zhuāng〕〔钢笔版〕 ③(자동차 등의) 스프링. ‖=〔钢版〕
〔钢板尺〕 gāngbǎnchǐ 명 〈北方〉 ⇨〔钢尺〕
〔钢板轮〕 gāngbǎnlún 명 《工》 강판 휠(wheel).
〔钢版蜡纸〕 gāngbǎn làzhǐ 명 ⇨〔蜡纸①〕
〔钢包〕 gāngbāo 명 ⇨〔钢水包(子)〕
〔钢镚儿〕 gāngbèngr 명 니켈 경화(硬貨). =〔钢镚子〕〔钢绷〕
〔钢笔〕 gāngbǐ 명 ①펜. ¶～头tóu(儿)=〔～尖jiān(儿)〕; 펜촉/～杆gǎn(儿); 펜대/～画huà(儿); 펜화(畫). =〔洋yáng笔〕〔蘸zhàn水钢笔〕 ②만년필. =〔自来水笔〕 ③⇨〔铱yī金笔〕 ④⇨〔铁tiě笔②〕
〔钢笔板〕 gāngbǐbǎn 명 ⇨〔钢板②〕
〔钢笔帽(儿)〕 gāngbǐmào(r) 명 만년필 등의 캡〔뚜껑〕. ¶扭开～; (만년필 등의) 뚜껑을 열다. =〔〈方〉钢笔套(儿)②〕
〔钢笔套(儿)〕 gāngbǐtào(r) 명 ①만년필 집. ②⇨〔钢笔帽(儿)〕
〔钢边〕 gāngbiān 명 (스키의) 에지《활주면의 양쪽 모서리》.
〔钢材〕 gāngcái 명 강재.
〔钢叉〕 gāngchā 명 Y형 강재(鋼材)《막대 끝에 Y자 모양의 강철을 꽂은 것》.
〔钢锸〕 gāngchā 명 (강철)삽.
〔钢厂〕 gāngchǎng 명 제강소(製鋼所). =〔制zhì钢厂〕
〔钢尺〕 gāngchǐ 명 강철제의 줄자. =〔〈北方〉 钢板尺〕〔〈北方〉 钢卷尺〕〔〈南方〉 钢皮尺〕〔弹tán簧钢尺〕
〔钢窗铁料〕 gāngchuāng tiěliào 명 《工》 새시 바(sash bar).
〔钢打铁铸〕 gāng dǎ tiě zhù 〈成〉 ①튼튼하게 되어 있다. ②(공격에) 꿈쩍도 안 하다.
〔钢带〕 gāngdài 명 《機》 강대. 강(철)벨트.
〔钢刀〕 gāngdāo 명 ①강철제(鋼鐵製) 칼. ②강철제의 바이트.
〔钢锭〕 gāngdìng 명 《工》 강철 잉곳(ingot). 강괴(鋼塊). ¶～模mú子; 강괴(鋼塊)의 주형(鑄型)/脱了模的～; 거푸집에서 막 빼낸 강괴(鋼塊).
〔钢都〕 gāngdū 명 제강업 중심지.
〔钢骨〕 gānggǔ 명 철근. =〔钢筋jīn〕
〔钢管〕 gāngguǎn 명 《工》 강관(鋼管). ¶无缝～; 이음매 없는 강관/～乐队; 브라스 밴드. 취주악단.
〔钢轨〕 gāngguǐ 명 궤조(軌條)《철도의 레일》. =〔铁tiě轨〕
〔钢号〕 gānghào 명 강재(鋼材)의 형(型)·등급을 나타내는 번호.
〔钢花〕 gānghuā 명 (강철 용액이) 날아 흩어진 것. 쇳물 불꽃.
〔钢化玻璃〕 gānghuà bōli 명 강화(強化) 유리.
〔钢剑〕 gāngjiàn 명 (펜싱의) 검.
〔钢筋〕 gāngjīn 명 《建》 철근. ¶～混凝土 =〔～水泥〕; 철근 콘크리트. =〔钢骨〕
〔钢筋工〕 gāngjīngōng 명 철근 조립공.
〔钢精〕 gāngjīng 명 〈俗〉 알루미늄. ¶～锅; 알루미늄 냄비. =〔钢种〕
〔钢锯〕 gāngjù 명 쇠톱《금속을 절단하는 톱》.
〔钢锯条〕 gāngjùtiáo 명 쇠톱의 날.
〔钢口儿〕 gāngkǒur 명 날붙이의 강철. ¶这把刀～很好; 이 칼의 (재료인) 강철은 매우 좋다.
〔钢筘〕 gāngkòu 명 《紡》 강제(鋼製) 바디.
〔钢块〕 gāngkuài 명 《工》 강괴(鋼塊).

〔钢盔〕 gāngkuī 명 ①철모. ¶戴着～的伞兵; 철모를〔헬멧을〕 쓴 낙하산병. ②헬멧(helmet). ‖＝〔钢帽〕
〔钢缆〕 gānglǎn 명 와이어 로프(wire rope). ¶～车; 케이블 카. ＝〔钢丝绳〕〔钢丝索〕
〔钢梁〕 gāngliáng 명《建》강철 대들보.
〔钢领箱〕 gānglǐngxiāng 명《工》쐐기 상자(나무나 돌을 쪼갤 때 쓰는 쐐기의 상자).
〔钢轮条〕 gānglúntiáo 명 자전거나 자동차 바퀴의 바퀴살. 스포크(spoke).
〔钢帽〕 gāngmào 명 ⇨〔钢盔kuī〕
〔钢坯〕 gāngpī 명 강철괴(鋼鐵塊).
〔钢皮〕 gāngpí 명 ⇨〔钢条子①〕
〔钢片琴〕 gāngpiànqín 명《樂》철금(鐵琴). →〔木mù琴〕
〔钢钎〕 gāngqiān 명《機》강철 끌. 정.
〔钢枪〕 gāngqiāng 명 옛날 총.
〔钢琴〕 gāngqín 명《樂》피아노. ¶～伴唱; 피아노 반주／～家 ＝〔～师〕; 피아니스트／大～; 그랜드 피아노／竖shù式～; 업라이트 피아노／弹tán～; 피아노를 치다. ＝〔洋yáng琴②〕
〔钢琴丝〕 gāngqínsī 명 ⇨〔白bái钢丝〕
〔钢青色〕 gāngqīngsè 명《色》강철색. 강철과 같은 검푸른색.
〔钢球〕 gāngqiú 명 ⇨〔滚gǔn珠(儿)〕
〔钢球轴承〕 gāngqiú zhóuchéng 명 ⇨〔球轴承〕
〔钢圈〕 gāngquān 명 (자전거의) 바퀴테.
〔钢三〕 gāngsān 명 양질(良質)의 강(鋼).
〔钢砂〕 gāngshā 명 ①〈簡〉'金jīn刚砂'의 약칭. ②연마 재료. 연마제.
〔钢帅〕 gāngshuài 동 철강을 우선적으로 생산하다. 명 철강 우선.
〔钢水〕 gāngshuǐ 명 철용액(鐵溶液). ＝〔铁tiě水〕 →〔钢花〕
〔钢水包(子)〕 gāngshuǐbāo(zi) 명《工》쇠물〔철용액〕을 담는 내열(耐熱) 용기. ＝〔钢包〕〔钢水罐guàn子〕
〔钢丝〕 gāngsī 명 강철〔스틸〕 철사. 가는 강철사. ¶～刷shuā; 스틸 와이어 브러시／～绒róng; 아이론 울／走～ ＝〔走钢索〕; (곡예의) 줄타기.
〔钢丝床〕 gāngsīchuáng 명 ①스프링 베드. ②(강철의) 철사로 엮은 침대.
〔钢丝吊运机〕 gāngsī diàoyùnjī 명 케이블 컨베이어(cable conveyer).
〔钢丝锯〕 gāngsījù 명 실톱. ＝〔弓gōng形锯〕〔〈方〉锼sōu弓子〕
〔钢丝录音机〕 gāngsī lùyīnjī 명 테이프 자성(磁性) 녹음기.
〔钢丝起毛机〕 gāngsī qǐmáojī 명《紡》소모기(梳毛機).
〔钢丝桥〕 gāngsīqiáo 명 현수교(懸垂橋). ¶架jià设～; 현수교를 가설하다.
〔钢丝圈〕 gāngsīquān 명《機》링 트래블러(ring traveller).
〔钢丝绳〕 gāngsīshéng 명 강철선(鋼鐵線)으로 꼰 (새끼)줄. 스틸 와이어 로프. ＝〔钢缆〕〔钢绳〕〔钢丝缆绳〕〔钢丝索〕〔钢索〕
〔钢丝绳轮〕 gāngsīshénglún 명《工》와이어를 감은 차바퀴. 와이어 드럼.
〔钢索铁道〕 gāngsuǒ tiědào 명 강삭 철도. 로프웨이. 케이블 웨이. ＝〔索道〕
〔钢条〕 gāngtiáo 명 ①강철제의 굵은 로프. ②띠 모양의 강철.
〔钢条子〕 gāngtiáozi 명 ①포장용의 대철(帶鐵). ＝〔钢皮〕 ②〈方〉상인이 말로 선전하는 일. ¶看相的使～; 관상쟁이가 선전하고 있다／卖药的开～; 약장수가 약의 효능을 선전해 대고 있다／你别开～; 자기 선전을 하지 마라.
〔钢铁〕 gāngtiě 명 강철(강과 철의 총칭). ¶～联合企业; 철강 콤비나트. 철강 종합 기업. 형〈比〉단단하고 강한. 의지나 신념이 확고한. ¶～汉; 불굴의 사람／～意志; 강철과 같은 의지／～长城; 난공 불락의 군대.
〔钢铁厂〕 gāngtiěchǎng 명 ①강철 공장. ②제강(製鋼) 공장.
〔钢铁切断刀片〕 gāngtiě qiēduàn dāopiàn 명 금속을 자르는 칼날.
〔钢印〕 gāngyìn 명 ①압인(기관·단체용). ②압인의 마크(를 찍는 기계).
〔钢凿〕 gāngzáo 명 강철끌.
〔钢渣〕 gāngzhā 명《工》강재(鋼滓). 슬래그(slag).
〔钢针(儿)〕 gāngzhēn(r) 명 축음기의 스틸 바늘.
〔钢枕〕 gāngzhěn 명 강철 침목(枕木).
〔钢纸〕 gāngzhǐ 명《工》벌커나이즈드 파이버(vulcanized fiber). 파이버(전기 절연 등에 씀).
〔钢珠〕 gāngzhū 명《機》(볼베어링의) 강구(鋼球). 스틸볼. ＝〔滚gǔn珠〕
〔钢铸件〕 gāngzhùjiàn 명 용해시킨 강(鋼)을 형틀에 부어 넣어 만든 제품류.
〔钢砖〕 gāngzhuān 명 '耐火砖'(내화(耐火) 벽돌)의 속칭.
〔钢锥子〕 gāngzhuīzi 명 강철로 만든 송곳.

江 Gāng (강)
명 성(姓)의 하나.

扛 gāng (강)
동 ①두 손으로 무거운 물건을 들어 올리다. ¶力能～鼎; 세발솥을 들어 올릴 정도로 힘이 세다. ②〈方〉둘이서 들어 올리다. ③높이 쳐들다. 들어 일으키다. ‖＝〔掆〕 ⇒káng
〔扛棒〕 gāngbàng 명 멜대. ⇒kángbàng

杠 gāng (강)
명 ①깃대. ②자루. ③작은 다리(橋). ⇒gàng

肛〈疘〉 gāng (항)
명《生》항문(肛門)에서 항도(肛道)까지의 총칭. ¶～门 ＝〔粪fèn门〕; 항문('后窍'·'后阴'는 별칭).
〔肛肠〕 gāngcháng 명《生》직장. ＝〔直zhí肠①〕
〔肛道〕 gāngdào 명《生》항도. 직장(直腸) 끝에서 항문까지 통하는 부분. ＝〔肛管〕〔《漢醫》谷gǔ道〕
〔肛瘘〕 gānglòu 명《醫》치루(痔瘻)(통칭은 '瘘疮'·'痔zhì漏').
〔肛门〕 gāngmén 명《生》항문.
〔肛门栓〕 gāngménshuān 명 항문 좌약(坐藥).
〔肛探〕 gāngtàn 명 항문에서 재는 체온계. →〔口kǒu探〕

矼 gāng (강)
① 명〈文〉돌다리. ②지명용 자(字). ¶石笋sǔn～; 스쑨강(石笋矼)(안후이 성(安徽省) 황산(黃山)에 있는 지명).
〔矼碴〕 gāngchá 명 돌계단의 속칭(계단수가 많은 것). ＝〔江jiāng碴儿〕

釭(舡) gāng (강)
명〈文〉등불. ＝〔灯dēng〕

야! 조심해. 저 여자는 물건을 훔치는 사람 같다.
〔高迈〕 gāomài 형 ①(나이가) 많다. 늙다. ¶年纪～; 연세가 많다. ②〈文〉(인격이) 고매하다. 고상하다. (풍모 등이) 초탈하다.
〔高慢〕 gāomàn 형 오만하다.
〔高帽(儿)〕 gāomào(r) 명형 ⇨〔高帽子〕
〔高帽子〕 gāomàozi 명 운두가 높은 모자. 형 비위를 맞추다. 아첨하다. 알랑거리다. 뽐내는 모양. ¶爱戴个～儿; 꼼〔따리〕에 넘어가기 쉬운 사람/戴dài～遊街示众; 득의 양양하여 거리를 누비고 걷다. ‖ =〔高帽(儿)〕
〔高门〕 gāomén 명〈文〉부귀한 집안. 높은 가문.
〔高锰钢〕 gāoměnggāng 명 고망간강(高Mangan鋼). 핫필드강.
〔高锰酸钾〕 gāoměngsuānjiǎ 명《化》과망간산칼륨. =〔灰huī锰氧〕
〔高妙〕 gāomiào 형 (기술·생각 등이) 뛰어나다. ¶手艺～; 손재주가 뛰어나다/笔法～; 필법이 대단히 우수하다.
〔高名〕 gāomíng 명 고명. 높이 알려진 이름.
〔高明〕 gāomíng 형 (학문·기술·견해·역량 등이) 뛰어나다. 훌륭하다. 빼어나다. 우수하다. ¶本事～; 훌륭한 솜씨다/他比谁都～起来了; 그는 누구보다도 훌륭하게 되었다. 명 ①훌륭한 사람. 고명한 사람. 상대방에의 존칭. ¶质之～; 귀하에게 여쭈어 보겠습니다/你这病我治不了, 另请～吧; 이 병은 내가 치료할 수 없으니, 다른 훌륭한 사람에게 부탁해 보십시오. ②부귀한 사람에 대한 칭호.
〔高命人〕 gāomìngrén 명〈文〉운이 좋은 사람.
〔高谟〕 gāomó 명〈文〉고매한 계략.
〔高末儿〕 gāomòr 명 질 좋은 분말. =〔高碎〕
〔高能〕 gāonéng 명《物》고에너지. 형 재능이 빼어나고 학문이 심오하다.
〔高睨大谈〕 gāo nì dà tán〈成〉견해나 의론이 보통 속인과 달라서 훌륭하다. =〔高视大谈〕
〔高年〕 gāonián 명 고령(高齡). 나이 많은 사람. ¶～级jí; 고학년.
〔高攀〕 gāopān 동 자기보다 신분이 높은 사람과 교제하다. 또, 친척 관계를 맺다. =〔仰yǎng攀〕
〔高抛靶房〕 gāopāo bǎfáng 명《體》(클레이 사격의) 하이 하우스(클레이 사격의 발사기).
〔高抛发球〕 gāopāo fāqiú 명동《體》(탁구의) 던져 올려서 하는 서브(를 넣다). →〔发球〕
〔高炮〕 gāopào 명〈簡〉고사포(‘高射炮①’의 약어). ¶～部队; 고사포대/～三连; 고사포 제3중대.
〔高朋满座〕 gāo péng mǎn zuò〈成〉훌륭한 사람들이 자리에 가득 차 있다(좋은 친구를 많이 가지고 있다. 손님이 매우 많다).
〔高频(波)〕 gāopín(bō) 명《電》고주파.
〔高频电波〕 gāopín diànbō 명《電》주파수가 높은 전자파.
〔高品〕 gāopǐn 명〈文〉①훌륭한 품격. ②바둑을 두는 품격과 풍도.
〔高平调〕 gāopíngdiào 명《言》음평(陰平)(중국어의 사성(四聲) 중 제1성).
〔高气压〕 gāoqìyā 명《氣》고기압.
〔高迁〕 gāoqiān 동 지위가 올라가다. 신분이 좋아지다. ¶听说他最近～了, 在财政部当大官儿了; 듣는 바로는 그는 최근에 승진하여 재정부의 고관이 되었다고 한다. →〔高就〕
〔高腔〕 gāoqiāng 명 ①《樂》높은 곡조. ②희극 곡조의 하나(‘弋yì阳腔’과 각지의 민간 가락이 합해서 생긴 곡조. 노래하는 방법·반주 등은 ‘弋阳腔’과 같으며, ‘湘剧高’ ‘川剧腔’ 등이 있음).
〔高强〕 gāoqiáng 형 무예가 뛰어나다.
〔高跷〕 gāoqiāo 명 긴 장대를 두 발에 묶고 걸어가면서 공연하는 민속놀이. 또는 그 막대기. ¶～秧歌; 위와 같은 차림으로 ‘秧yāng歌’를 공연하다. 동 (걸으면서) 발을 높이 들다. ‖ =〔高蹻〕〔长cháng跷〕
〔高亲贵友〕 gāoqīn guìyǒu 친척이나 친구들.
〔高热〕 gāorè 명 ⇨〔高烧shāo〕
〔高人〕 gāorén 명 ①명인(名人). 달인(達人). 명수(名手). ②인격자. 동〈文〉남보다 뛰어나다.
〔高人一等〕 gāo rén yī děng〈成〉남보다 한층 뛰어나다.
〔高僧〕 gāosēng 명 고승. 높은 스님.
〔高山〕 gāoshān 명 높은 산. ¶没有～不显平地 =〔不见～不显平地〕;〈諺〉높은 산이 없으면 평지를 확실하게 구분할 수 없다. 사물은 비교해 보고 비로소 고저(高低)를 알 수 있다/～露珠草;《植》쥐털이슬.
〔高山病〕 gāoshānbìng 명《醫》고산병. =〔高空病〕〔高山反应〕〔山晕yùn〕
〔高山滑雪〕 gāoshān huáxuě 명《體》(스키의) 알펜 종목(‘快速降下’활강(滑降), ‘小回转障碍降下’(회전·슬랄롬), ‘大回转障碍降下’(대회전)).
〔高山景行〕 gāo shān jǐng xíng〈成〉높은 산과 분명한 길(덕이 높고 행실이 훌륭함. 또, 그 사람).
〔高山族〕 Gāoshānzú 명《民》고산족. 고사족(高砂族)(중국 소수 민족의 하나. 타이완(臺灣)의 중북부 및 타이둥(臺東)의 산지에 거주함).
〔高上上的〕 gāoshàngshàngde 형 매우 고급〔상질〕이다.
〔高尚〕 gāoshàng 형 고상하다. 품위가 있다. ¶～的娱乐; 고상한 오락. =〔清qīng尚〕
〔高烧〕 gāoshāo 명 고열. 높은 열. ¶他发～, 要请医生看; 그는 열이 높아서 의사를 불러야 한다. =〔高热〕
〔高射炮〕 gāoshèpào 명 ①고사포. ¶高射机关枪; 고사 기관총/放fàng～; ⓐ고사포를 쏘다. ⓑ⇨〔络luò管儿〕 =〔高炮〕 ②아편을 피우는 모양(옛날, 아편을 피우려면 권련의 한쪽 끝을 틈새를 만들어 아편을 채우고 담배를 새운 채 피우므로 이와 같이 말함). ¶抽chōu～的人瞒不了我, 一看脸色就知道了; 아편을 피우는 사람은 나를 속일 수 없다. 얼굴빛을 보면 이내 안다.
〔高身量(儿)〕 gāoshēnliang(r) 명 큰 키. 키가 큼. →〔高个儿〕〔大dà个子〕
〔高深〕 gāoshēn 형 (학문·기술 등의) 수준이 높고 깊다. ¶～莫测; 고원(高遠)하고 심오(深奥)해서 헤아릴 수가 없다(흔히, 풍자의 뜻이 있음).
〔高升〕 gāoshēng 동 ①승진하다. ②고등(高騰)하다. 명 ①진급(進級). 승진. ¶～～! 승진을 축하합니다! ②고등. 앙등.
〔高声〕 gāoshēng 명 고성. 높은 소리.
〔高士〕 gāoshì 명 ①인격이 고상하고 훌륭한 사람. ②속세간에 나오지 않고 은거한 고결한 인물.
〔高士泼林〕 gāoshìpōlín 명〈音〉고스플란(Gosplan)(소련의 국가 계획 위원회).
〔高世〕 gāoshì 동〈文〉세속을 초월하다.
〔高视大谈〕 gāo shì dà tán〈成〉⇨〔高睨大谈〕
〔高视阔步〕 gāo shì kuò bù〈成〉①기질이 평범하지 않음. ②득의(得意)·거만한 태도.

〔高手(儿)〕 gāoshǒu(r) 명 명수(名手). ¶下棋的～; 장기의 명인.
〔高手医〕 gāoshǒuyī 명 명의(名醫).
〔高寿〕 gāoshòu 명 ①고령. 장수(長壽). ②노인에 대해 나이를 묻는 말. ¶老大爷～了? 할아버지 춘추가 어떻게 되시는지요?
〔高瘦〕 gāoshòu 형 마르고 키가 크다. 키다리이다.
〔高斯〕 gāosī 명《物》〈音〉 가우스(gauss) 《자기(磁氣) 유도의 시 지 에스(CGS) 전자 단위》. =〔高司〕
〔高耸〕 gāosǒng 동〈文〉 높이 솟다.
〔高耸耸(的)〕 gāosǒngsǒng(de) 형 높이 솟은 모양. ¶～鼻梁儿; 우뚝 솟은 콧마루〔콧날〕.
〔高速〕 gāosù 명형 고속도(의). ¶～增长; 고속도로 성장하다 / ～发展; 빠른 속도로 발전하다 / ～挡; (자동차의) 톱기어.
〔高速车床〕 gāosù chēchuáng 명《機》 고속 선반. =〔快kuài速车床〕
〔高速度钢〕 gāosùdùgāng 명《工》 고속도(공구)강《고속도로 금속 재료를 절삭하는 공구의 제작에 쓰이는 강(鋼)》. =〔白bái(锋)钢〕〔风fēng钢〕〔锋fēng钢〕〔〈簡〉 高速钢〕
〔高速(度)钢退拔梢麻花钻头〕 gāosù(dù)gāng tuìbáshāo máhuā zuàntóu 명《機》 고속도강 테이퍼 드릴.
〔高速(度)钢直柄麻花钻头〕 gāosù(dù)gāng zhíbǐng máhuā zuàntóu 명《機》 고속도강 스트레이트 드릴.
〔高速钢〕 gāosùgāng 명 ⇨〔高速度钢〕
〔高速公路〕 gāosù gōnglù 명 고속 도로.
〔高速精密桌上钻床〕 gāosù jīngmì zhuōshàng zuànchuáng 명《機》 고속 정밀 탁상 보르반(盤).
〔高速溜冰〕 gāosù liūbīng 명《體》 스피드 스케이트.
〔高速切削〕 gāosù qiēxiāo 명《工》 고속도 절삭.
〔高抬贵手〕 gāotái guìshǒu ⇨〔高高手儿〕
〔高摊儿〕 gāotānr 명 노점. →〔地dì摊儿①〕
〔高谈阔论〕 gāo tán kuò lùn 〈成〉 크게 의론〔쟁론〕을 벌이다. 장광설(長廣舌)을 늘어놓다. 공론(空論)을 즐기다. ¶竟在那儿～, 眼里头就没有别人; 끝까지 거기서 장광설을 늘어놓기만 하고, 다른 사람의 일 따위는 안중에도 없다.
〔高碳钢〕 gāotàngāng 명《工》 고탄소강. 고도 카본강《함유 탄소 6% 이상의 것》.
〔高汤〕 gāotāng 명 ①고기·닭·오리 따위를 삶은 국물. ②간장으로 맛을 낸 국물. ③⇨〔清qīng汤①〕
〔高堂〕 gāotáng 명 ①높고 넓은 방. ¶～大厦; 고층 빌딩. ②양친(兩親). 춘부장. 자당(慈堂). ③복성(複姓)의 하나.
〔高挑(挑)〕 gāotiǎo(tiǎo) 형 키가 훤칠하게 크다. ¶高挑个gèr子; 훤칠한〔늘씬한〕 사람.
〔高统〕 gāotǒng 형 (신발 등의) 목이 길다. ¶～胶靴; 고무 장화 / ～皮鞋(靴); 부츠. =〔高筒tǒng〕
〔高头〕 gāotou 명 ①높은 곳. ②손잡이가 큰 것. 부피가 큰 것. ③〈方〉 위. 위쪽. ¶放在桌子～了; 탁자 위에 놓았다.
〔高徒〕 gāotú 명 제자님. 고제《남의 제자를 높여 부르는 말》.
〔高温〕 gāowēn 명 고온. ¶～作业; 고온 작업 / ～计; 고온계 / ～车间; 고온 작업을 하는 직장·현장.
〔高温陶瓷〕 gāowēn táocí 명《機》 세라믹(ceramics).
〔高文典册〕 gāowén diǎncè 명 옛날의 중요한 명령·칙명 등의 문서.
〔高屋建瓴〕 gāo wū jiàn líng 〈成〉 지붕 위에서 병에 든 물을 쏟는다《전략적으로 유리한 위치에서 행동을 취하다》.
〔高下〕 gāoxià 명 우열(優劣). ¶两个人的技术不分～; 두 사람의 기술은 우열을 가릴 수 없다.
〔高下其手〕 gāo xià qí shǒu 〈成〉 ⇨〔上shàng下其手〕
〔高下在心〕 gāo xià zài xīn 〈成〉 ①임기 응변의 조치를 취하다. →〔随suí机应变〕〔因yīn时制宜〕 ②상벌(賞罰)을 마음대로 하다.
〔高限〕 gāoxiàn 명 (산악 지대에 생물이 분포된) 최고 한계.
〔高线铁路〕 gāoxiàn tiělù 명 ⇨〔高架铁路〕
〔高香〕 gāoxiāng 명 고급 선향(線香).
〔高小〕 gāoxiǎo 명〈簡〉 '高级小学'의 약칭.
〔高校〕 gāoxiào 명〈簡〉 '高等学校'의 약칭.
〔高效〕 gāoxiào 명 높은 능률〔효율〕.
〔高效率〕 gāoxiàolǜ 명 고효율. 고능률.
〔高薪〕 gāoxīn 명 많은 봉급. 고임금.
〔高兴〕 gāoxìng 동 ①좋아하다. 기뻐하다. 즐거워하다. ¶他听这话很不～; 그는 이 이야기를 듣고 몹시 불쾌해졌다 / 我想你知道了, 一定会～的; 네가 알면 틀림없이 기뻐할 거라고 생각한다 / 我真替你～啊; (네 일로) 나는 정말로 기쁘다 / 看你～的; 정말 기쁜 일이야 / 你该～了; 틀림없이 기쁠 것이다 / 别～得太早; 기뻐하기에는 너무 이르다. ②기꺼이 …하다. …하기를 좋아하다. ¶他～打球; 그는 공놀이를 좋아한다. 형 재미있다. 흥이 나다. ¶打～; 흥취를 깨뜨리다.
〔高轩〕 gāoxuān 명 ①〈文〉 크고 널찍한 주택. ②〈轉〉 탈것. 승용차.
〔高悬明鉴〕 gāo xuán míng jiàn 〈成〉 안목〔식견〕이 높으시다.
〔高血压〕 gāoxuèyā 명《醫》 고혈압.
〔高训〕 gāoxùn 명〈文〉 가르침. 교훈.
〔高压〕 gāoyā 명 ①《物》 전압·기압 따위가 높음. ②고압. 위압. 강압. 억압. ¶～手段终于失败了; 고압적인 수단은 결국 실패했다. ③《氣》 고기압. ④고혈압.
〔高压电〕 gāoyādiàn 명《氣》 고압 전기.
〔高压饭锅〕 gāoyā fànguō 명 압력솥. =〔加jiā压饭锅〕
〔高压脊〕 gāoyājǐ 명《氣》 기압 마루. =〔高空脊〕〔高压楔〕
〔高压球〕 gāoyāqiú 명 (테니스의) 머리 위로부터의 타구(打球). ¶～扣杀; 오버 헤드 스매시.
〔高压线〕 gāoyāxiàn 명《電》 고압 전선. ¶高压输电线; 고압 송전선.
〔高雅〕 gāoyǎ 형 ①(모습·태도 등이) 우아하다. 고상하다. ¶他的谈吐倒很～, 颇有君子风; 그의 말투는 매우 고아하여 제법 군자의 품격이 있다. ②(의복·장식이) 고상하다.
〔高言〕 gāoyán 명〈文〉 ①호언 장담. ②고상한 말.
〔高眼〕 gāoyǎn 명 높은 안목〔식견〕. ¶～识shí人; 높은 안목이 있어 인물을 잘 알아본다.
〔高眼鲽〕 gāoyǎndié 명《魚》 도다리.
〔高阳布〕 gāoyángbù 명 중국 허베이 성(河北省) 가오양(高陽)에서 나는 면포.

〔搞清楚〕 gǎo qīngchu 분명히 하다. 뚜렷〔명료〕하게 하다. ¶把问题~; 문제를 확실하게 하다 / 搞不清; 분명하지 않다.
〔搞上去〕 gǎo.shang.qu 동 향상(向上)시키다. 완성시키다. ¶把国民经济~; 국민 경제를 향상시키다.
〔搞深搞透〕 gǎoshēn gǎotòu (캠페인·운동 등을) 철저하게 수행하다.
〔搞熟〕 gǎoshú 동 잘 알다. ¶把生词~; 신어(新語)를 (공부해서) 잘 이해하다(시키다) / 跟大家~; 모두와 잘 친해지다.
〔搞通〕 gǎotōng 동 이해하다. 납득하다. 정통(精通)하다. 숙지(熟知)하다. ¶这件事我~了; 이 일에 대해서는 잘 알았다.
〔搞头〕 gǎotou 명 일한 보람. ¶大有~; 크게 일한 보람이 있다.
〔搞卫生〕 gǎo wèishēng ①청소하다. ②위생상의 일을 하다.
〔搞文〕 gǎowén 동 ①문화 방면의 일을 하다. ②비폭력으로 일을 하다. ③정치 활동을 하다.
〔搞一言堂〕 gǎo yīyántáng 독단(獨斷)을 하다.
〔搞糟〕 gǎozāo 동 실수하다. 실패하다. 엉망으로 만들다. ¶这是要紧事, 可别~了; 이것은 중요한 일이기 때문에 실패하면 안 된다.
〔搞宗派〕 gǎo zōngpài ①종파주의로 일을 하다. 종파주의 행동을 하다. ②종파를 만들다.

缟(縞) gǎo (호) 명 ①흰 명주. ¶~素; 상복 / ~衣; 흰 옷차림. 소복. ②줄무늬. ¶~蛇; 〖動〗 산무애뱀.

槁〈槀〉 gǎo (고) ① 형 시들다. 말라 죽다. ¶枯kū~; 시들다. ② 명 말라 죽은 나무.
〔槁枯〕 gǎokū 형 〈文〉 마르고 시들다.
〔槁梅〕 gǎoméi 명 ⇨〔干gān梅子〕
〔槁木〕 gǎomù 명 〈文〉 말라 죽은 나무.
〔槁木死灰〕 gǎomù sǐhuī 〈比〉 ①모든 것에 환멸을 느끼고 사물에 무관심하게 되다. ②생기가 없다. 쓸쓸하고 재미 없다.
〔槁梧〕 gǎowú 명 〈文〉 '琴qín①'의 별칭.

杲 gǎo (호) 형 희다. ⇒hào

镐(鎬) gǎo (호) 명 (곡)괭이. ¶T dīng字~ =〔十字~〕; (T자 모양의) 곡괭이 / ~车chē =〔卷juǎn扬机〕; 자아틀. 윈치. ⇒hào
〔镐头〕 gǎotou 명 (곡)괭이. =〔鸦yā嘴锄〕

稿〈稾〉 gǎo (고) ①(~儿, ~子) 명 (문장·그림 따위의) 원고. 초고(草稿). 초안. 원본. ¶打dǎ~ =〔拟nǐ~〕; 원고를 쓰다 / 投tóu~; 투고하다 / 手~; 자필 원고 / 定~; 탈고된 원고 / 这幅画有~; 이 그림에는 원본이 있다. ② 명 (공문서의) 초고. ¶核~; 원고를 심사하다. ③ 동 서로 비교하다. (피차의 생각을 꺼내어) 말해 보다. 의논하다. ¶咱们~一~岁数儿; 나이를 비교해 보자 / 我去和他~一~; 내가 가서 그와 교섭해 보지. ④(~儿, ~子) 명 (마음 속의) 작정. 계획. 구상. 복안. ¶打~; 마음으로 작정하다 / 他做什么事都不打~; 그는 어떤 일을 하던 계획이 없다. ⑤ 명 〈文〉 짚. =〔藁gǎo①〕
〔稿案〕 gǎo'àn 명 ①문서의 초안. ¶立下~; 문서의 초안을 작성하다. ②옛날, 관공서에서 문서의 수발(受發) 등을 담당했던 다소 지위가 높은 급사.
〔稿本〕 gǎoběn 명 ①문장의 초고. ②그림의 본. ③아위《약초 이름》.
〔稿酬〕 gǎochóu 명 원고료.
〔稿底(儿, 子)〕 gǎodǐ(r, zi) 명 원고의 초고.
〔稿费〕 gǎofèi 명 원고료. =〔稿酬〕
〔稿公〕 gǎogōng 명 옛날의, 문서계(文書係)·서기(書記)의 별칭.
〔稿价儿〕 gǎojiàr 동 가격에 대한 것을 서로 이야기하다〔교섭하다〕.
〔稿件〕 gǎojiàn 명 ①초고와 서류. ②(출판사·신문사에서 말하는) 원고. 작품.
〔稿荐〕 gǎojiàn 명 볏짚으로 만든 돗자리.
〔稿酒〕 gǎojiǔ 동 술 마시기 내기를 하다.
〔稿拳〕 gǎoquán 동 ⇨〔划huá拳②〕
〔稿儿〕 gǎor 명 ⇨〔稿子〕
〔稿儿纸〕 gǎorzhǐ 명 ⇨〔稿纸〕
〔稿源〕 gǎoyuán 명 원고에 쓸 만한 것. 쓸 만한 기삿거리.
〔稿约〕 gǎoyuē 명 투고(投稿) 규정.
〔稿葬〕 gǎozàng 동 〈文〉 간소하게 장례식을 치르다.
〔稿砧〕 gǎozhēn 명 〈文〉 ①작두. ②남편.
〔稿纸〕 gǎozhǐ 명 원고 용지. ¶电报~; 전보 발신지(發信紙). =〔稿儿纸〕
〔稿子〕 gǎozi 명 ①(문장·그림 등의) 원고. 초고. ¶写~; 원고를 쓰다. ②계획. 구상. 복안. ¶不打~; 계획을 세우지 않다 / 没有准~; 명확한 복안이 없다. ③(다 써서 끝낸) 시(詩)·문장. ¶这篇~是谁写的? 이 글은 누가 썼지? ‖ =〔稿儿〕

藁 gǎo (고) ① 명 짚. ②지명용 자(字). ¶~城Gǎochéng; 가오청(藁城)《허베이 성(河北省)에 있는 현(縣) 이름》.

告 gào (고) 동 ①고하다. 말하다. 알리다. ¶~知; ⇩ / ~白; ⇩ / 广~; 널리 알리다 / 报~; 보고(하다). 강연(하다) / 不可~人的事; 남에게 말하지 못할 일. ②고발하다. 고소하다. ¶把他~下来了; 그를 고소했다. ③청하다. 요구하다. 신청하다. ¶~饶儿; 용서를 빌다 / ~假jià =〔请假〕; 휴가를 신청하다. 〈轉〉 휴가를 얻다. 결근하다 / ~三天假; 3일간의 휴가를 얻다. ④표명하다. 언명하다. ¶~辞; ⇩ / 自~奋勇; 자진해서 맡아 나서다. ⑤(어떤 상황의 실현을) 알리다. 명백히 하다. ¶~一段落luò; 일단락〔매듭지었음〕을 알리다 / 已yǐ~终了; 이미 끝났음을 알리다. 종료하다. ⑥출원〔신청〕하다. 〈比〉 휴가를 얻다. 결근하다.
〔告白〕 gàobái 명 공고. 벽보. 광고. 게시. ¶~刊例; 광고의 게재 규칙 / ~帖tiěr; 광고지.
〔告帮〕 gàobāng 동 (친지나 친구들에게 금전적인) 도움을 청하다. 염치 없이 돈을 요구하다. ¶和朋友~; 친지나 친구에게 도움을 청하다 / 你猜他干什么来了, 又来~呢; 너, 그가 무엇 하러 왔다고 생각하느냐? 또, 염치 없이 돈을 요구하러 왔어.
〔告窆〕 gàobiǎn 동 〈文〉 발인을 알리다.
〔告便(儿)〕 gào.biàn(r) 잠깐 실례하겠습니다《흔히 화장실에 갈 때 쓰임》. ¶我告个便儿再来; 잠시 실례하고 곧 돌아오겠습니다.
〔告别〕 gào.bié 동 ①작별 인사하다. ¶我们~了这个地方, 继续向前进; 우리는 이곳에서 작별을 고하고 계속 걸어갔다. =〔辞行〕 ②헤어지다. =〔分

手〕〔离别〕 ③죽은 사람과의 이별을 고하다. =〔告辞②〕
〔告禀〕 gàobǐng 동 보고하다. 말씀드리다.
〔告病〕 gào⸱bìng 동 병이 난 것을 신고〔하여 사직 · 결근〕하다. ¶～请假; 병가(病假)를 내고 결근하다.
〔告成〕 gàochéng 동 완성을 알리다. 낙성(落成)하다. 준공하다. ¶大功～; 큰 일이 완성되다. =〔告竣〕
〔告吹〕 gàochuī 동 〈俗〉 허사가 되다. 실패하다. 틀어지다. ¶这件事亦已可能～; 이 일도 틀어질 것 같다.
〔告辞〕 gào⸱cí 동 ①작별을 고하다. 하직 인사하다. ② ⇨〔告别③〕
〔告贷〕 gàodài 동 ⇨〔告借jiè〕
〔告倒〕 gàodǎo 동 《法》 패소(敗訴)하다.
〔告地状的〕 gào dìzhuàngde 전에, 길 위에 자신의 경력과 궁상(窮狀) 등을 백묵으로 쓰고 통행인의 동정을 청하고 돈을 구걸하는 거지.
〔告发〕 gàofā 동 《法》 고발하다. ¶～者; ⓐ고소인. 원고(原告). ⓑ고발자. ⓒ밀고자.
〔告乏〕 gàofá 동 〈文〉 결핍되다.
〔告奋勇〕 gào fènyǒng 그 일을 해 보겠다고 용감하게 나서다. 용감하게 일을 하다.
〔告干儿〕 gàogānr 동 ①건배하여 잔을 비우다. ②일체를 결말짓다. 대차 관계가 없게 하다.
〔告官〕 gàoguān 동 옛날, 관청에 호소〔소송〕하다.
〔告归〕 gàoguī 동 〈文〉 사직하고 고향으로 돌아가다.
〔告急〕 gào⸱jí 동 (군사 · 재해 등의) 위급함을 알리다. 구원을 청하다. ¶～电; 위급함을 알리는 전보.
〔告祭〕 gàojì 명 옛날에, 나라에 큰 일이 있을 때 임금이 임시로 조상의 제사를 지내는 일.
〔告假〕 gào⸱jià ①동 쉬다. 휴가〔말미〕를 얻다. ¶告三天假; 3일간 휴가를 얻다. =〔请假〕 →〔放假〕 ②실례합니다《떠날 때의 말》.
〔告讦〕 gàojié 동 〈文〉 남의 비밀을 폭로하다.
〔告结〕 gàojié 동 〈文〉 마지막을 고하다. 끝나다.
〔告捷〕 gào⸱jié 동 ①이기다. ¶初战～; 초전에 승리하다. 서전(緖戰)을 장식하다. ②승리를 알리다.
〔告诫〕 gàojiè 동 훈계〔경계〕하다. 경고(警告)하다.
〔告借〕 gàojiè 동 차금(借金)을 부탁하다. ¶～无wú门; 꿀 데가 없다. =〔告贷〕
〔告近〕 gàojìn 동 옛날에, 관리가 부모에게 효도하기 위해 고향에 가까운 곳에 전임(轉任)을 신청하다.
〔告警〕 gàojǐng 동 ⇨〔报bào警①〕
〔告绝〕 gàojué 동 마지막을 고하다. 종식(終熄)되다. ¶匪患～; 비적의 걱정은 없어졌다.
〔告竣〕 gàojùn 동 ⇨〔告成chéng〕
〔告劳〕 gàoláo 동 ①〈文〉 고생을 견딜 수 없다는 이유로 퇴직하다. ②남에게 자신의 노고를 호소하다.
〔告老〕 gàolǎo 동 (노령으로) 은퇴하다. (정년으로) 퇴직하다. ¶～还huán乡; 은퇴하여 고향에 돌아가다. =〔请qǐng老〕
〔告妈妈状〕 gào māmazhuàng ①(아이가 어머니에게) 고자질하다. 불평을 말하다. ¶我们俩人的事不用一来就找人～去; 우리 두 사람의 일을 쓸데없이 이내 남에게 가서 말할 일이 못 된다. ②아이가 어머니의 일을 (누군가에) 일러바치다.
〔告密〕 gào⸱mì 동 밀고하다. ¶把我们～了; 우리들을 밀고했다 / ～箱xiāng; 투서함 / ～信 =〔黑hēi信③〕; 투서. 밀고서 / 写xiě～信 =〔写黑信〕; 투서를 쓰다〔써서 밀고하다〕. →〔阴yīn讼〕
〔告免〕 gàomiǎn 동 〈文〉 용서를 청하다.
〔告庙〕 gàomiào 동 생긴 일을 조상의 혼령에게 고하다.
〔告明〕 gàomíng 동 〈文〉 분명히 말하다〔고하다〕.
〔告宁〕 gàoníng 동 〈文〉 난리가 평정되었음을 알리다.
〔告罄〕 gàoqìng 동 〈文〉 (사물이) 없어지다. 다하다.
〔告饶(儿)〕 gào⸱ráo(r) 동 사과하다. 용서해 주기를 바라다. ¶求情～; 사과하고 용서를 빌다 / 你早～, 爸爸也就不打你了; 네가 진작 사죄를 했더라면 아버지도 때리지는 않았을 것이다. =〔求饶〕〔讨tǎo饶〕
〔告扰〕 gàorǎo 폐를 끼쳤습니다. 잘 먹었습니다. →〔叨tāo扰〕
〔告丧〕 gàosāng 동 상(喪)을 알리다. 부고하다.
〔告善旌〕 gàoshànjīng 명 옛날, 군주가 간언(諫言)을 받기 위해 세웠던 기치〔깃발〕.
〔告示〕 gàoshi 명 ①고시. 게시. ②옛날의 표어. ¶红绿～; 붉은색이나 녹색으로 씌어진 슬로건.
〔告输〕 gàoshū 동 〈文〉 소송에 지다.
〔告朔饩羊〕 gù shuò xì yáng 〈成〉 형식뿐인 의식.
〔告送〕 gàosong 동 〈方〉 고(告)하다. 말하다. 가르치다.
〔告诉〕 gàosù 명동 《法》 고발(하다). 고소(하다).
〔告诉〕 gàosu 동 전하다. 알리다. 고하다. ¶～我, 出了什么事? 말해 봐, 무슨 일이 있었니? / 请你～他, 今天晚上七点钟开会! 오늘 밤 7시에 회의가 있다고 그에게 전해주십시오! / 我已经～厨房做饭了; 주방에 식사를 준비하도록 일러 두었다 / 他～我不用着急; 그는 나에게 조급해하지 말라고 말했다.
〔告天〕 gàotiān 동 〈文〉 ①임금이 즉위(卽位)를 하늘에 고하다. ②억울함을 하늘에 호소하다.
〔告天鸟〕 gàotiānniǎo 명 ⇨〔云yún雀〕
〔告天状〕 gàotiānzhuàng 동 직소(直訴)하다. ¶县里告不下爽性～! 현(縣)에서 고소가 기각되면 아예 직소하겠다!
〔告天子〕 gàotiānzǐ 명 ⇨〔云yún雀〕
〔告退〕 gàotuì 동 ①모임 도중에 먼저 가겠다고 하다. 작별하고 떠나다. ¶我有点事, 先～了; 일이 좀 있어서 먼저 나가겠습니다. ②스스로 사직할 것을 원하다. =〔告休〕
〔告慰〕 gàowèi 동 ①위로하다. 안심시키다. ②안심했다는 뜻을 알리다. ¶悉阖府康宁, 甚为～; 〈翰〉 귀댁이 두루 평안하시다니 안심입니다.
〔告下来〕 gào⸱xia⸱lai 동 ①고소하다. ②고소가 받아들여지다. ¶这一次可告下他来了; 이번에는 그의 고소가 수리(受理)되었다.
〔告休〕 gàoxiū 동 사직(辭職)을 신청하다. =〔告退②〕
〔告学〕 gàoxué 동 〈方〉 ①낱낱이 고하다. ②중간에서 알리다. 일러바치다. 고자질하다.
〔告阴状〕 gào yīnzhuàng 억울한 죄를 유서에 써 놓고 자살하여 저 세상에서 판가름해 줄 것을 바라다.
〔告语〕 gàoyǔ 동 〈文〉 고(告)하다. 말하다. ¶无可～; 말할 것은 없다.

〔告喻〕 gàoyù 동〈文〉고시하여 사정을 알리다.
〔告冤〕 gàoyuān 동 억울한 죄를 호소하다.
〔告找作绝〕 gào zhǎo zuò jué 《法》〈成〉저당물을 후에 되돌려 받는 것을 단념하고, 상대방으로부터 상당한 대가를 받고 팔아 넘긴 것으로 함.
〔告枕头状〕 gào zhěntouzhuàng 잠자리에서 남편에게 호소하다. 베갯밑 공사(公事)를 하다.
〔告知〕 gàozhī 동〈文〉①알리다. 알려 주다. ②《法》고지하다.
〔告终〕 gàozhōng 동 끝을 알리다. 끝나다.
〔告终养〕 gàozhōngyǎng 명 (옛날, 늙은 부모를 모신 관리가) 부모를 봉양하기 위하여 벼슬을 사직하는 일.
〔告状〕 gào·zhuàng 동〈俗〉①고소하다. 기소하다. ¶恶人先～; 적반하장(賊反荷杖) / 告他一状; 그를 고소하다. ②호소하다. 일러바치다. ¶告妈妈状; 아이가 싸우고 어머니에게 호소하다. ‖=〔控告〕
〔告祖〕 gàozǔ 동 조상에게 아뢰다.
〔告罪〕 gào·zuì 동 ①〈文〉죄를 선고하다〔알리다〕. ②실례하다. ¶我先告个罪说, …; 실례가 되는 말씀을 드리겠습니다만….

诰(誥) gào (고)
〈文〉①동 (윗사람이 아랫사람에게) 알리다. 말하다. ②동 (황제가 신하에게) 어명을〔분부를〕 내리다. ③명 왕의 포고문. ④명 황제가 신하에게 내리는 명령. ¶～封; ⇩
〔诰封〕 gàofēng 명 오품(五品) 이상의 문무관이 토지나 작위를 받을 때, 그 본인이 받는 것을 '诰授shòu', 생존 중인 증조 부모·조부모·부모 및 아내에게 하사하는 것을 '～', 죽은 사람에게 주는 것을 '诰赠zèng'이라 함.
〔诰诫〕 gàojiè 동〈文〉훈계하다.
〔诰命〕 gàomìng 명〈文〉①황제가 신하에게 내리는 명령. ②봉호(封號)를 받은 여성.

郜 Gào (고)
명 성(姓)의 하나.

锆(鋯) gào (고)
명《化》지르코늄(Zr: zirconium). ¶～石shí =〔～英石〕; 지르콘(zircon).

膏 gào (고)
동 ①(차축·기계 따위에) 윤활유를 치다〔바르다〕. ¶在车轴上～点儿油; 차축에 기름칠을 하다. ②붓을 먹에 적시고 벼루 가에서 붓끝을 가지런히 하다. =〔膏笔bǐ〕〔膏墨mò〕 ③〈文〉적시다. 윤택하게 하다. ⇒gāo
〔膏车〕 gàochē 동 차·차축(車軸)에 기름을 치다.
〔膏油〕 gàoyóu 동 기름을 칠하다.

GE ㄍㄜ

戈 gē (과)
명 ①창. ¶干gān～; 방패와 창. 〈轉〉무기. 전쟁 / 干～四起; 전쟁이 사방에 일어나다. ②무기. 전쟁. ③→〔戈瑞ruì〕 ④성(姓)의 하나.
〔戈比〕 gēbǐ 명《貨》〈音〉코페이카(kopeika)《러시아의 화폐 단위, '卢布'(루블)의 100분의 1》.
〔戈壁〕 gēbì 명〈音〉①사막《몽고어 음역자(音譯字)》. ②(Gēbì)《地》고비 사막. =〔戈壁沙漠〕〔大漠〕〔瀚海〕
〔戈别丁〕 gēbiédīng 명《紡》〈音〉개버딘(gabardine).
〔戈船〕 gēchuán 명〈文〉군함.
〔戈法〕 gēfǎ 명 과법《서도(書道)의 하나》.
〔戈甲戏〕 gējiǎxì 명 ⇨〔高甲戏〕
〔戈栗拉〕 gēlìlā 명《動》〈音〉고릴라(gorilla).
〔戈矛〕 gēmáo 동 창류(槍類)의 총칭.
〔戈瑞〕 gēruì 양《物》〈音〉그레이(Gy)《(방사선의) 흡수선량의 단위. 단지 '戈'라고도 함》.

仡 gē (흘)
→〔仡佬族〕 ⇒yì
〔仡佬族〕 Gēlǎozú 명《民》그라 족《중국의 소수 민족의 하나. 주로 구이저우(貴州)에 분포》.

圪 gē (을)
표제어 참조.
〔圪垯〕 gēda 명 ①⇨〔疙gē瘩〕 ②작은 구릉(丘陵). ‖=〔圪塔〕
〔圪塔〕 gēda 명 ⇨〔圪垯〕
〔圪嗒〕 gēda 명 ⇨〔疙瘩〕
〔圪蛋〕 gēdan 동 ①→〔疙瘩〕 ②밀치락달치락하다.
〔圪节〕 gējie 명〈方〉①(벼·보리·수수·대나무 따위의 줄기의) 마디. ②마디와 마디 사이의 부분. ③가늘고 긴 물건의 일부.
〔圪蹴〕 gējiu 동〈方〉웅크리다. 쪼그리다. =〔蹲dūn①〕
〔圪里圪塔〕 gēligēda 형 ①울퉁불퉁한 모양. ②내분(內紛)이 많은 모양. ③성격이 야릇하다.
〔圪里圪落〕 gēligēluò 명 구석구석.
〔圪仰圪仰〕 gēyǎnggēyǎng 〈擬〉〈方〉①깡충깡충 뛰는 모양. ②왁자지껄 떠드는 모양.
〔圪针〕 gēzhen 명〈方〉식물의 가시. ¶枣zǎo～; 대추나무의 가시. →〔刺cì〕

屹 gē (흘)
→〔屹嶝〕 ⇒yì
〔屹嶝〕 gēda 명 ①⇨〔疙瘩〕 ②구릉. 언덕.

纥(紇) gē (흘)
단어 참조. ⇒hé
〔纥纮〕 gēda 명 덩어리. 덩이. 매듭《실·직물 따위의》. ¶线～; 실매듭 / 包袱～; 보자기 꾸러미. 보따리. =〔疙瘩②〕
〔纥里纥纮〕 gēligēda 엉클어진 데가 많다. ¶这么～的要解开可得费点工夫儿呢; 이렇게 심하게 엉클어진 것을 풀려면 꽤 시간이 걸립니다.
〔纥仰纥仰〕 gēyǎng gēyǎng 깡충깡충 뛰다. ¶孟祥英打回柴来了, 婆婆嘴一歪, 悄悄说: "～, 什么样子!"; 맹상영(孟祥英)이 나무를 해 오자 시어머니는 입을 비쭉이면서 "저 껑충거리는 꼴이라니!" 하고 중얼거렸다.

疙 gē (흘)
단어 참조.
〔疙疤〕 gēba 명〈方〉부스럼 자국. ¶疮～; 상처 자국.
〔疙疸〕 gēda 명 ⇨〔疙瘩〕
〔疙瘩〕 gēda ①명 종기. 부스럼. ¶长zhǎng了～; 종기가 났다. ②명 덩어리. 덩이. 매듭《구상(球狀)·괴상(塊狀)을 이룬 것. 울퉁불퉁하게 생긴 것》. ¶面～; 수제비 / 芥jiè菜～; 갓뿌리 / 路上有土～, 不能开快车; 길이 울퉁불퉁하여 차가 속력

을 낼 수 없다 / 人挤成一个～; 사람이 한 덩어리가 되다 / 眼泪～; 눈물 방울. ③ 명 〈轉〉 (마음속에 맺힌) 멍. 응덩이. 감정. ¶竟是些～事; 모두가 마음속에 맺힐 일뿐이다 / 他心里的～解不开; 그는 마음속의 응어리가 풀리지 않는다 / 心上的～早去了一半; 마음속의 응어리도 벌써 반은 풀렸다. ④ 양 〈方〉 덩어리. ¶一～石头; 돌 한 개 / 一～泥; 흙 한 덩이. ⑤ 명 실로 엮은 단추. ⑥ 명 과일. ¶六月里的梨～有点酸; 6월 달의 배 맛은 조금 시다(미숙함의 비유). ⑦ 명 장소. 곳. ¶这～; 여기. 이 장소. ⑧ 명 인간. ¶老实～; 진실한 인간. ⑨ 명 막내. =〔老疙〕 ⑩ 명 자식. 놈. ¶顽固～; 완고한 놈. ⑪ 명 구릉(丘陵) 또는 산간의 토지. ⑫지명에 쓰이는 말(예를 들면, '王家～'). ⑬ 명 순무를 통째로 담근 김치. ¶～白菜; 양배추. =〔撇拉～〕 ⑭ 명 여드름. =〔色疙〕 ¶他脸上长了青春～; 그는 얼굴에 여드름이 났다. ⑮ 명 쌓아올린 것. ‖ =〔圪埮①〕〔圪嗒〕〔屹峪①〕〔纥繨〕〔疙疸〕〔疙塔〕〔疙搭〕

〔疙瘩儿〕 gēdar 명 작은 부스럼〔종기〕.

〔疙瘩肉〕 gēdaròu 명 (혹처럼) 튀어나온 근육. ¶浑身～; 온몸의 근육이 튀어나왔다.

〔疙瘩(儿)汤〕 gēda(r)tāng 명 수제비.

〔疙疙瘩瘩(的)〕 gēgedādā(de) 형 〈口〉 ①울퉁불퉁하다. 거칠고 울툭불툭하다. ¶～的手; 거칠고 울툭불툭한 손 / 路上净是石头子儿, ～的; 길이 온통 자갈투성이라 울퉁불퉁하다. ②(일이) 순조롭지 못하다. 까다롭다. ¶这事情～的办得很不顺手; 이 일은 까다로워서 처리하기가 매우 어렵다. ‖ =〔疙里疙瘩〕

〔疙痂(儿)〕 gējiā(r) 명 부스럼 딱지. ¶揭jiē～; 부스럼 딱지를 떼다. =〔疙渣儿①〕

〔疙腻〕 gēnì 동 〈方〉 혐오하다. 아주 넌더리나다.

〔疙秃〕 gētū 명 머리 위에 난 종기.

〔疙渣儿〕 gēzhar 명 ① ⇨〔疙痂(儿)〕 ②누룽지. ¶这孩子真奸馋, 就揭点焦～吃; 이 아이는 식성이 까다로와서, 누룽지만 조금 떼어 먹었다.

〔疙脂〕 gēzhī 명 찐득거리는 것이 엉긴 덩어리.

咯

gē (각)
단어 참조. ⇒kǎ lo luò

〔咯哧咯哧〕 gēchīgēchī 〈擬〉 헉헉. ¶～地洗臭袜子; 헉헉거리며 냄새나는 양말을 빨다.

〔咯哒〕 gēda 명 ①겨자 뿌리로 담근 김치. ¶～头; 겨자 뿌리 / ～缨儿yīngr; 겨자의 잎. ②작고 동글게 부풀어오른 것. ¶冰～; 얼음덩어리 / 土～; 흙덩어리. =〔疙瘩②〕

〔咯哒儿汤〕 gēdartāng 명 수제비.

〔咯哒缨儿〕 gēdayīngr 명 갓잎.

〔咯噔〕 gēdēng 〈擬〉 뚜벅뚜벅. 똑똑. ¶～～的皮靴声; 똑똑 하는 구두 소리.

〔咯咯〕 gēgē 〈擬〉 ①껄껄(사람 웃는 소리). ¶他听到这儿, ～地大笑起来; 그는 여기까지 듣더니 껄껄 웃기 시작했다. ②뿌드득(이 가는 소리). ¶牙齿咬得～响; 이를 뿌드득 갈다. ③드르륵(기관총 소리). ④꼬꼬꼬꼬(암탉의 우는 소리). ¶母鸡～地叫; 암탉이 꼬꼬꼬꼬 하고 울다.

〔咯咕〕 gēgū 〈擬〉 ⇨〔咯碌咯碌〕

〔咯碌咯碌〕 gēlugēlu 〈擬〉 데굴데굴(구르는 모양). =〔咯咕〕

〔咯哝〕 gēnong 〈擬〉 재잘재잘. ¶～地说话; 재잘재잘 말하다.

〔咯嚷〕 gērǎng 형 (사람 소리가) 시끄럽다.

〔咯吱〕 gēzhī 〈擬〉 삐걱삐걱. ¶扁担压得～～地直响; 멜대가 무거워서 자꾸 삐걱삐걱 소리가 난다.

格

gē (각, 격)
→〔格格〕 ⇒gé

〔格格〕 gēgē ①〈擬〉 웃음소리. 껄껄. ¶他～地笑着, 越说越起劲; 그는 껄껄 웃으면서 점점 흥에 겨워서 이야기를 했다. ② 명 청(淸) 시대에 상류 가정의 여자를 가리키던 말.

胳〈肐〉

gē (각)
단어 참조. ⇒gā gé

〔胳臂〕 gēbei 명 ⇨〔胳膊〕

〔胳膊〕 gēbo 명 팔(어깨에서 손목까지). ¶～根儿; 어깻죽지 / 大～; 상완(上腕) / 小～; 하완(下腕) / ～扭niǔ不过大腿 =〔～拧nìng不过大腿〕〔小腿扭不过大腿去〕; 〈比〉 강한 자에게는 이길 수 없다 / ～折shé了在袖儿里; 팔은 부러져도 소매 안에 있다(외부 사람에게는 집안의 고충을 알리지 않음). =〔胳臂〕

〔胳膊腕子〕 gēbo wànzi 명 팔목. =〔胳膊腕儿〕

〔胳膊肘子〕 gēbo zhǒuzi 명 〈口〉 팔꿈치. ¶～往里弯; 팔이 안으로 굽다. =〔肘儿〕〔肘子①〕〔胳膊肘儿〕

〔胳棱瓣儿〕 gēléngbànr 명 무르팍. =〔磕kē膝盖(儿)〕

袼

gē (각)
→〔袼褙〕

〔袼褙〕 gēbei 명 자투리 천이나 헌 헝겊을 배접해서 두껍게 만든 것(헝겊신을 만듦).

搁(擱)

gē (각)
동 ①놓다. 두다. ¶～在哪里? 어디에 놓느냐? / ～在桌子上; 테이블 위에 놓다 / ～在心里; 마음속에 두다 / 先把箱子～下! 우선 상자를 내려라! =〔放fàng〕 ②(조미료 따위를) 첨가하다. 넣다. ¶～不了; 다 들어가지 않다. 다 담을 수 없다 / 汤里没～酱油; 국에 간장을 치지 않았다. ③내버려 두다. 방치하다. ¶天热了, ～不了多少日子; 날씨가 더워져서 며칠 동안 내버려 둘 수 없다 / 这件事不能～着; 이 일은 내버려 둘 수 없다 / ～一～再办吧! 놓아 두었다가 나중에 합시다! ④가지다. 쥐다. ¶～枪打死; 총을 쥐고 쏘아 죽이다. ⇒gé

〔搁板〕 gēbǎn 명 ①기차 따위의 선반. 그물 선반. ②선반 널. 선반. ¶钉dìng～; 선반을 달다.

〔搁笔〕 gē,bǐ 동 붓을 놓다. 쓰는 것을 그만두다.

〔搁不开〕 gēbukāi 동 (장소가 좁아서) 놔둘 수 없다.

〔搁不下〕 gēbuxià 동 ①(장소가 좁아) 놓을 수 없다. 수용(收容)할 수 없다. ②(도중에서) 그만둘 수 없다. ¶这话正做了一半, ～; 이 이야기를 반쯤 했으니 중도에 그만둘 수 없다 / 他向来负责, 事情到他手里～; 그는 본래부터 충실한 사람이라, 일이 그의 손에서 중지되는 일은 없다. ‖↔〔搁得下〕

〔搁不住〕 gēbuzhù ①오래 둘 수 없다. ¶容易腐败～多少日子; 상하기 쉬우므로 며칠이고 둘 수 없다. ②수용(收容)할 수 없다. ¶屋里窄zhǎi, ～这么些人; 방이 좁아서 이렇게 많은 사람은 수용할 수 없다. ⇒gébuzhù

〔搁车〕 gēchē 동 〈方〉 ①(일을) 그만두다. 중지하다. ②내버려 두다. 기다리다 허탕치게 하다. 바람 맞히다. ¶那天, 他给我个～没来; 그 날 그는 나를 바람 맞히고 오지 않았다.

骼 gé (격) 명 ①뼈. ②백골. 注 ①②는 '胳gé'로도 씀.

阁(閣) gé (합) 명〈文〉①누각(樓閣). ②작은 방. =〔阁gé③〕③작은 문. 쪽문. ④성(姓)의 하나. ⇒'阖' hé

〔阁子〕 gézi 명 작은 방. ¶巡警xúnjǐng～; 폴리스 박스(police box). 파출소. =〔阁子gézi〕

革 gé (혁) ① 명 (털을 제거하고 가공한) 가죽. ¶皮pí～; 피혁 / 染rǎn～; 가죽을 염색하다 / 猪zhū皮制～; 돼지가죽으로 피혁을 만들다. ② 명 갑옷과 투구. ¶兵bīng～; 무기와 갑옷. ③ 명 8음(音)의 하나. ④ 명 괘(卦) 이름. ⑤ 동 고치다. 변하다. ¶变biàn～; 변혁하다 / ～其旧染; 이전에 물든 좋지 않은 점을 고치다. ⑥ 동 제거하다. 해고하다. 파면하다. ¶开kāi～; 해고하다. ⑦ 명 성(姓)의 하나. ⇒jí

〔革沉香〕 géchénxiāng 명 '沉香'에 줄무늬가 있는 고급품.

〔革出〕 géchū 동 제적(除籍)하다. 파문(破門)하다. ¶～教会; 교회에서 제적하다.

〔革除〕 géchú 동 ①제거하고 고치다. ¶～恶习; 악습을 고치다. ②면관하다. 면직하다. 제명하다. =〔革退〕〔革黜〕〔开除〕〔撤职〕〔革掉②〕

〔革黜〕 géchù 동 ⇨〔革除②〕

〔革掉〕 gédiào 동 ①(모조리) 고치다. 개혁하여 없애다. 잘라 버리다. ¶把这种陈旧工艺流程～; 이러한 진부한 제작 공정(工程)을 완전히 고치다. ②⇨〔革除②〕

〔革蜂〕 géfēng 명《蟲》말벌. =〔大黄蜂〕

〔革故鼎新〕 gé gù dǐng xīn 〈成〉 옛것을 고쳐 새것으로 만들다. =〔鼎新革故〕

〔革角〕 géjiǎo 명《樂》관악기의 일종《대롱 모양으로 길이 약 1.5미터 되는 악기》.

〔革兰氏阳性〕 gélánshì yángxìng 명 그람 양성(Gram陽性).

〔革兰氏阴性〕 gélánshì yīnxìng 명 그람 음성(Gram陰性).

〔革鲤〕 gélǐ 명《魚》잉어의 일종《잉어의 변종으로 몸빛이 초록색. 양식하여 식용함》.

〔革履〕 gélǚ 명〈文〉가죽 구두. →〔皮pí鞋〕

〔革面洗心〕 gé miàn xǐ xīn 〈成〉 철저하게 뉘우쳐 고치다.

〔革命〕 gémìng 명 혁명. ¶～闯将; 혁명의 맹장(猛將) / ～对象; 혁명의 대상이 되는 사람〔사물〕/ ～风暴; 혁명의 폭풍 / ～接班人; 혁명의 후계자 / ～不怕牺牲; 혁명을 하려면 희생을 두려워해서는 안 된다 / 俄国十月～; 러시아 10월 혁명. 명동 근본적인 개혁·변혁(을 하다). ¶技术～; 기술 혁명 / 产业～; 산업 혁명. 형 혁명적이다. ¶～独创精神; 혁명적 독창 정신. (gé,mìng) 동 혁명하다.

〔革命家〕 gémìngjiā 명 혁명가. ¶鲁迅是伟大的思想家和～; 루쉰은 위대한 사상가이자 혁명가이다.

〔革囊〕 génáng 명〈文〉혁낭. 가죽 주머니. →〔皮pí袋〕

〔革囊虫〕 génángchóng 명《動》상어껍질별벌레《별벌레강(綱)에 속하는 동물》.

〔革退〕 gétuì 동〈文〉면직하다. 면직시키다.

〔革心〕 géxīn 동〈文〉마음을 고치다. 개심하다.

〔革新〕 géxīn 명동 혁신(하다). ¶生产技术不断～; 생산 수단은 끊임없이 혁신되고 있다.

〔革职〕 gé,zhí 동 면직하다. 파면하다. 면직되다. ¶～留任; 면직시킨 뒤 계속하여 관에 머무르게 하다 / ～拿办 =〔～拿问〕; 면관(免官)하고 체포하여 처벌하다. 면관하고 심문하다 / 他上个月被革了职; 그는 지난 달에 면직당했다.

鬲 gé (격) 인명·지명용 자(字). ¶～津河; 거진허(鬲津河)《허베이 성(河北省)에 있는 강 이름》. ⇒lì

隔〈隔〉 gé (격) ① 동 떨어지게 하다. 떨어져 있다. ¶～着十里地; 10리 떨어져 있다. ② 동 훼방하다. ¶叫雨～着, 还不能走; 비 때문에 아직 떠날 수 없다. ③ 동 떨어지다. 사이를 두다. ¶～两天再去; 이틀 걸러서 다시 가다. ④ 동 칸막다. ¶中间～着一层布; 사이를 한 장의 천으로 막아 놓았다. ⑤ 명 칸막이.

〔隔岸观火〕 gé àn guān huǒ 〈成〉 강 건너 불 보듯하다《관심을 가지지 않다》.

〔隔板〕 gébǎn 명 ①칸막이판. ②선반의 판자.

〔隔褙(儿)〕 gébei(r) 명 두껍고 단단한 판지(板紙)《무명으로 만든 것도 있으며 중국 신발의 재료로 씀》.

〔隔壁(儿)〕 gébì(r) 명 옆집. 옆방. 옆 사람. ¶～的人; 이웃 사람. 옆집 사람 / 我刚搬来, 就住在你家～; 나는 방금 이사 왔는데, 당신 바로 이웃에 살고 있습니다.

〔隔壁戏〕 gébìxì 명 (막 뒤에서) 사람이나 동물 또는 무슨 소리의 흉내를 내는 재주. =〔口技〕

〔隔别〕 gébié 동 헤어져 갈라서다. ¶～已有多年; 헤어진 지 이미 오래 되었다.

〔隔不住〕 gébuzhù 동 견디지 못하다. 참지 못하다. ¶这个破自行车～那条山路了; 이 고물 자전거는 저 산길에서는 견디지 못한다.

〔隔长不短〕 gécháng bùduǎn 걸핏하면. 툭하면. 까딱하면. ¶～地就来这么一手; 툭하면 금세 그 방법을〔술수를〕 쓰다.

〔隔代遗传〕 gédài yíchuán 명 ⇨〔隔世遗传〕

〔隔断〕 géduàn 동 가로막다. =〔阻隔〕

〔隔断〕 géduan 명 (방 따위의) 칸막이.

〔隔房同辈〕 géfáng tóngbèi 명 (대가족제에서) 별채에 살고 있는 같은 항렬인 자. 사촌. 종형제. →〔兄xiōng弟①〕

〔隔行〕 géháng 동 장사가 다르다. 직업이 다르다. ¶～如隔山; 〈諺〉 전문 외의 일은 전연 모른다 / ～不隔理; 〈諺〉 장사의 이치에 다를 것이 없다. 도리는 단 하나.

〔隔阂〕 géhé 명 (사상·감정의) 간격. 틈. 장벽. ¶他们俩～很深; 그 두 사람 사이의 격이 너무 깊다 / 语言的～使我们不能随时交流思想; 언어의 장벽은 우리로 하여금 수시로 사상 교류를 할 수 없게 한다.

〔隔火〕 géhuǒ 명 향로의 불을 덮는 속뚜껑. 명동 방화(防火)(하다).

〔隔火墙〕 géhuǒqiáng 명 내화(耐火) 장벽. 방화벽.

〔隔距〕 géjù 명 게이지(gauge). =〔量规〕〔测规〕

〔隔绝〕 géjué 동 단절하다. 차단하다.

〔隔开〕 gékāi 동 나누다. 분리하다. 구별하다. ¶两者不能～; 양자는 분리할 수 없다.

〔隔栏〕 gélán 명 장벽.

〔隔离〕 gélí 명동 ①격리(하다). 단절(시키다). ¶～室; ⓐ(감방의) 독방. ⓑ격리 병실 / ～(病)房;

격리 병실. ②《電》실드(shield)(하다). ¶～线; 실드 선 / ～罩zhào; 실드 케이스.
〔隔离反省〕gélí fǎnxǐng 명 (강제적으로) 가족이나 사회로부터 격리시켜 반성하게 하는 일《행정 처분의 하나》.
〔隔离开关〕gélí kāiguān 명 ⇨〔断duàn路器〕
〔隔里不同风〕gélǐ bù tóngfēng 〈諺〉고장 따라 바람도 각각.
〔隔路〕gélù 동 〈方〉⇨〔格路〕
〔隔漉〕gélù 동 체로 거르다. ¶以布～去掉渣滓; 천으로 찌꺼기를 걸러 내다.
〔隔门的亲戚〕géménde qīnqi (촌수가) 먼 친척. 친척의 친척.
〔隔门儿〕géménr 명 〈俗〉소인(素人). 아마추어.
〔隔膜〕gémó 명 ①《生》격막(隔膜). ②(감정이나 의견의 차이에 의한) 틈. 간격. ¶历史上遗留的～不是一时能消除的; 역사적으로 남아 있는 감정의 벽은 짧은 동안에 제거할 수는 없다 / 他们俩有点～; 그들 두 사람 사이는 격이 져 있다. 동 이해하지 못하다. 모르다. ¶我对于音乐, 实在～得很; 나는 음악에 대해선 전혀 모른다.
〔隔年〕génián 명 일 년 전. ¶～旧历本儿; 시기가 지난 것의 비유. (gé,nián) 동 일 년 거르다. ¶～去一次; 일 년 걸러 한 번 가다.
〔隔年黄历〕génián huánglì 묵은 달력책《지나간 사물》.
〔隔皮断瓤〕gépí duànráng 껍질을 사이에 두고 '瓤'(외) 따위의 속을 자르다《중심을 벗어나는 일》.
〔隔片〕gépiàn 명 《機》스페이서(spacer)《틈에 넣는 것》.
〔隔墙有耳〕géqiáng yǒu ěr 〈諺〉벽에 귀가 있다《낮말은 새가 듣고, 밤말은 쥐가 듣는다》. =〔墙有缝壁有耳〕
〔隔热〕gérè 동 《建》단열(斷熱)하다.
〔隔日〕gérì 명 ①하루 걸러. 격일(로). ②어제. 부 가까운 시일 안에. ¶～再喝吧; 조만간에 한잔 합시다.
〔隔三差五〕gé sān chà wǔ 〈成〉(일정한 간격을 두고) 정상적으로. 늘.
〔隔三跳两〕gé sān tiào liǎng 〈成〉순서대로 하지 않고 빼먹는 모양. 띄엄띄엄 하는 모양. ¶念书不能～! 공부는 계획성 없이 되는대로 해서는 안 된다! / ～地抄chāo近儿说; 띄엄띄엄 대강을 추려서 말하다.
〔隔山〕géshān 명 배 다른 형제 자매. ¶～弟兄; 이복 형제. 형 〈比〉실정(實情)에 어둡다. 동 산을 사이에 두다. ¶～买老牛; 〈諺〉산을 사이에 두고 늙은 소를 사다《실정을 확인하지 않고 일을 행하여 손해를 봄》.
〔隔扇〕géshan 명 유리를 끼거나 또는 장지처럼 만든 방의 칸막이《병풍처럼 접을 수 있으며 좌우로 여닫게 되었음》.
〔隔世〕géshì 동 세대를 거르다《생소함을 형용》. ¶恍如～; 마치 딴 세상에 온 것 같다.
〔隔世遗传〕géshì yíchuán 명 《生》격세유전. =〔隔代遗传〕
〔隔手〕géshǒu 동 (직접이 아니고) 남의 손을 거치다. ¶～办bàn事; 남의 손을 통하여 하다.
〔隔宿〕gésù 동 〈文〉하룻밤을 넘기다. 이튿날까지 가다. ¶日无～之粮的生活; 이튿날까지 갈 식량도 없는 살림.
〔隔天〕gé,tiān 동 하루 거르다. ¶～来一次; 하루 걸러 한 번 오다. (gétiān) 명 격일(隔日).
〔隔心〕géxīn 형 마음에 거리가 있다. 마음이 꼭 맞지 않는다. ¶我们交情不～; 우리들의 우정에는 아무런 격의가 없다.
〔隔心墙〕géxīnqiáng 명 마음을 가로막는 벽. ¶拆掉～; 마음의 벽을 허물다. 격의를 없애다.
〔隔靴搔痒〕gé xuē sāo yǎng 〈成〉신 신고 발바닥 긁기《이야기나 글이 요점을 찌르지 못함》.
〔隔眼〕géyǎn 형 심술궂고 색다르다.
〔隔夜〕gé,yè 동 하룻밤을 지새다. ¶～饱bǎo; 이튿날까지 배가 안 내려가다. (géyè) 명 어젯밤.
〔隔一天〕géyītiān 동 하루를 거르다. ¶～一来; 하루 걸러 오다.
〔隔音〕gé,yīn 동 방음하다. (géyīn) 명 방음. ¶～板bǎn; 방음판.
〔隔音符号〕géyīn fúhào 명 《言》격음 부호《한어 병음 방안(漢語拼音方案)에서 규정한 부호(')로 a·o·e의 앞에 사용하여 음절의 경계를 분명히 구분하는 데 쓰임. 예컨대, '皮袄pí'ǎo'와 같이 표시함》.
〔隔远〕géyuǎn 형 멀리 떨어지다. 소원(疏遠)해지다.
〔隔着关儿〕gézheguānr 〈俗〉〈方〉간접으로. 간접적으로.
〔隔着门缝儿看人〕gézhe ménfèngr kàn rén 〈歇〉문틈으로 사람을 보다. 남을 경멸하다. 남을 바보 취급하다. =〔隔着门缝儿探眼睛〕
〔隔肢〕gézhi 동 〈方〉①(간질간질) 간질이다. ¶怕～; 간지럽다. 간지러워하다 / 我没有痒痒yǎngyang肉, 不怕～; 나는 간지럼을 타는 데가 없으니, 간지럽혀도 두렵지 않다. ②고의로 남을 골리다. ¶～人; 〈轉〉남을 골탕 먹이다. ‖=〔膈肢〕〔胳肢〕
〔隔子〕gézi 명 ①선반. 시렁. ¶书～; 책장. ②창·문의 격자(格子) 한가운데의 비어 있는 곳《서화·조각을 끼워 넣는 곳》.

滆 Gé (격, 혁)
명 《地》거후(滆湖)《장쑤 성(江蘇省)에 있는 호수 이름》.

塥 gé (혁)
명 〈方〉모래땅《흔히 지명용 자(字)로 쓰임》. ¶青草～; 칭차오거(青草塥)《안후이 성(安徽省) 첸산 현(潛山縣)에 있는 지명》.

嗝 gé (격)
(～儿) 명 ①딸꾹질. ¶打～; 딸꾹질하다. ②트림. ¶打～; 트림하다.
〔嗝症〕gézhēng 명 《醫》구토(嘔吐).

槅 gé (혁)
명 기물·가옥의 칸막이. ¶～扇shàn; 방의 칸막이. =〔槅子〕⇒ hé

膈 gé (격)
명 《生》횡격막(橫隔膜).
〔膈膜〕gémó 명 《生》횡격막(橫隔膜). =〔横héng膈膜〕
〔膈疝〕géshàn 명 《醫》횡격막 헤르니아(라 hernia)《횡격막의 선천적인 결함이나 외상(外傷)으로, 장기(臟器)가 흉광내로 들어가는 병》.
〔膈食病〕géshíbìng 명 ⇨〔膈证〕
〔膈证〕gézhèng 명 《漢醫》횡격막의 병《식도(食道) 마비성 연하(嚥下) 곤란·식도 확장·식도 협착·식도암 따위》. =〔膈食病〕〔噎yē膈〕

镉(鎘) gé (력)
명 《化》카드뮴(Cd: cadmium). ¶～中zhòng毒; 카드뮴 중독.

葛 gé (갈)
명 ①《植》 칡. ②갈포. ③꽃무늬가 있는 견직물. ⇒Gě
〔葛巴丁〕 gébādīng 명 개버딘(gabardine). =〔轧gá别丁〕〔茄别丁〕
〔葛布〕 gébù 명 갈포(葛布).
〔葛粉〕 géfěn 명 갈분.
〔葛根〕 gégēn 명 《漢醫》 갈근(葛根). 칡뿌리(약용함).
〔葛巾〕 géjīn 명 갈포로 만든 두건.
〔葛屦履霜〕 gé jù lǚ shuāng 〈成〉 여름 신발로 서리를 밟다(옷차림을 개의치 않다. 인색함을 꼬집은 것).
〔葛郎玛〕 gélángmǎ 명 〈音〉 그래머(grammar). 문법. =〔语法〕〔文法〕
〔葛藟〕 gélěi 명 《植》 새머루(포도과 식물).
〔葛列高尔圣歌〕 géliègāo'ěr shènggē 명 《樂》 그레고리안 성가(Gregorian 聖歌).
〔葛路弗电池〕 gélùfú diànchí 명 《電》 그로브(grove) 전지. =〔格罗甫电池〕
〔葛罗米柯〕 Géluómǐkē 명 《人》 그로미코(소련의 정치가).
〔葛麻〕 gémá 명 갈마(葛麻). 칡의 섬유.
〔葛纱〕 géshā 명 갈사(葛紗)(칡섬유로 짠 사(紗)).
〔葛藤〕 géténg 명 ①《植》 칡. ②〈比〉 갈등. ¶斩断～; 갈등을 없애다.
〔葛衣〕 géyī 명 갈포로 만든 옷.
〔葛枣〕 gézǎo 명 《植》 개다래나무. =〔木天蓼〕
〔葛中野服〕 gézhōng yěfú 〈文〉 변변치 못한 허술한 옷.

鞨(轕) gé (갈)
→〔轇jiāo轕〕

颌(頜) gé (합)
명 〈文〉 입. ⇒hé

蛤 gé (합)
명 《貝》 대합조개. =〔蛤蜊lí〕 ⇒há
〔蛤蚌〕 gébàng 명 《貝》 조개(식용 패류(貝類)의 총칭).
〔蛤粉〕 géfěn 명 《漢醫》 굴 껍데기를 굽거나 바수어 만든 가루(성분은 탄산 칼슘. 약재로 쓰임). =〔蛤灰〕
〔蛤干〕 gégān 명 모시조개·대합을 말린 것.
〔蛤灰〕 géhuī 명 ⇨〔蛤粉〕
〔蛤蚧〕 géjiè 명 《動》 합개(파충류의 일종, 한의학에서 강장제(強壯劑)로 쓰임). ¶～酒; 합개를 소주에 담근 술. =〔大dà壁虎〕
〔蛤蜊〕 gélí 명 ①《貝》 대합조개. ¶～干; 말린 조갯살 / ～屄bī =〔毛蛤〕; 여자를 욕하는 말 / ～蚌子bèngzi; 자개. =〔蛤蛎〕 ②(처마 끝의) 홈통. =〔溜liù〕 ③원(圓)기둥에 거는 쌍으로 된 족자(반원형으로 된 것). =〔抱bào柱对(儿)〕 ④《貝》 개량조개. 동죽. 모시조개.
〔蛤蛎〕 géli 명 ⇨〔蛤蜊①〕
〔蛤壳〕 géqiào 명 《貝》 조가비.
〔蛤仁儿〕 gérénr 명 조갯살.
〔蛤蟹〕 géxiè 명 《動》 합개.
〔蛤柱〕 gézhù 명 개량조개의 조개 관자(를 말린 것).
〔蛤子〕 gézi 명 《貝》 모시조개. =〔蛤仔zǐ〕〔玄xuán蛤〕

搿 gé (격)
동 〈方〉 두 손으로 안다.

个(個) gě (개)
→〔自zì个儿〕 ⇒gè

合 gě (합)
①양 《度》 용량의 단위. '1升'의 10분의 1. 홉. ②명 1홉들이 되(식량의 분량을 되는 데 쓰는 용구). ⇒hé

各 gě (각)
형 〈方〉 남보다 뛰어나다. 특별하다. ¶这人很～; 이 사람은 별나다. ⇒gè

哿 gě (가)
형 〈文〉 좋다. 괜찮다.

舸 gě (가)
명 〈文〉 큰 배.

盖(蓋) Gě (개)
명 성(姓)의 하나. ⇒gài hé

葛 Gě (갈)
명 성(姓)의 하나. ¶诸zhū～; 제갈(복성(複性)의 하나). ⇒gé

个(個〈箇〉) gè (개)
A) ①(～儿, ～子) 명 (물건의) 크기. 부피. 사람의 몸〔키〕. ¶高～; 키다리 / ～大; 부피가 크다. ②대 이. 그. →〔这zhè〕〔那〕 ③형 단독의. ¶～别; ⇩ / ～人; ⇩ / ～体; ⇩ ④양 ㉠전용(專用) 양사가 없는 명사는 물론, 전용 양사가 있는 명사에도 쓰이는 경우가 있음. ¶五～苹果; 사과 5개 / 三～人; 세 사람 / 两～世界; 두 세계 / 做了一～报告; 한 가지 보고를 했다. ㉡동작에 대한 1회 또는 한 차례를 나타내며, '一～' 또는 '～'로 씀. ¶一～不留神就掉在水里; 잠시 방심하여 물 속에 떨어뜨렸다 / 做(一)～准备; 한바탕 준비를 하다 / 洗了(一)～澡; 목욕을 한 차례 했다 / 咱们喝～咖啡, 好不好? 커피나 좀 마실까? ㉢어림수를 나타내는 말. 대충. ¶三岁～娃娃; 세 살쯤 된 한 어린애 / 生～一男半女; 아이를 하나쯤 낳다 / 多花～一千两千的也不要紧; 고작 돈 천이나 이 천쯤 더 들어도 상관 없다. ㉣'个'로 세지 않는 목적어 앞에 쓰여 동량사와 비슷한 작용을 함. 어감을 가볍게 함. ¶他洗～澡就得半个钟头; 그가 목욕을 하면 거의 30분은 걸린다 / 谁都爱跟他见～面儿, 说～话儿; 누구나 다 그를 만나서 말을 한 번 붙여 보고 싶어한다. ㉤동사와 보어 사이에 쓰여 보어를 이끄는 '得'의 역할을 하며 보어(補語)를 강조함('得'와 연용(連用)도 함). ¶喝～足, 喝～痛快; 실컷 마셔서 무척 유쾌하다 / 这一月弄了～满堂红; 이 한 달에 대성공을 거두었다 / 吃了～饱; 배불리 먹었다 / 把我气了～死; 나를 몹시 화나게 했다. ㉥('有～'·'没～'의 형으로 의문문(疑問文)에 쓰이어) 그러한 사태·사리(事理)가 없음을 나타내는 말(흔히, 문말(文末)에 '的'가 옴). ¶我又不是呆子, 怎么有～不信的呢? 나는 바보도 아닌데 어찌 안 믿겠는가? / 他那个主意没有～更改; 그의 그 생각은 변하지 않는다. ㉦'一～'(하나. 한 개)의 생략. 어느 하나의. ¶买～梨吃; 배 한 개를 사 먹다 / 这～会开得好; 이 모임은 적절하게 열렸다. ㉧고유명사(固有名詞) 앞에서, 그 사물·사람을 상대방

이 아직 모르고 있음을 나타내는 말. ¶那间住着～田先生; 그 방에 전(田)씨라는 사람이 묵고 있다. **B)** 접미 ①양사 '些' 뒤에 붙음. ¶那些～花儿; 저 꽃들 / 这么些～书哪看得完; 이 책들을 어떻게 다 볼 수 있나 / 为了治他的病, 花了好些～钱; 그의 병을 치료하기 위해 많은 돈을 써 버렸다. ② '昨儿' '今儿' '明儿' 따위의 시간사 뒤에 붙어 '어느 날'의 뜻을 나타냄. ¶今jīn儿～; 오늘 / 明míng儿～; 내일. ⇒gě

〔个案〕 gè'àn 명 개별〔특별〕 안건. 사례. 케이스(case).

〔个把〕 gèbǎ 양 일이(一二). 한두. ¶～月yuè; 1, 2개월.

〔个般〕 gèbān 형 〈文〉 그러한. 이 같은.

〔个半月〕 gèbànyuè 명 한 달 반.

〔个崩豆儿〕 gèbengdòur 명 ①볶은 잠두콩. =〔铁tiě蚕豆〕 ②조금. 약간. ¶～的工夫; 잠시 동안. ③〈俗〉 키가 작은 사람. 꼬마.

〔个别〕 gèbié 형 ①개개(의). 개별적(인). ¶～谈话; 개인을 불러 조사·평가·상의 따위를 하는 일 / 进行～的交涉; 개별적 교섭을 진행하다. ②극히 적은. 극소수의. 일부의. ¶～人泄气了; 소수의 사람은 낙담했다 / 像他这种人还是极～的; 그와 같은 사람은 극히 특이한 사례이다. =〔少有〕

〔个差〕 gèchā 명 개별차(個別差).

〔个的个儿〕 gèdegèr 〈方〉 이거나 저거나 모두. ¶～都好; 이거나 저거나 다 좋다.

〔个顶个〕 gèdǐnggè ①일인(一人) 대 일인. 한 개 대 한 개. ¶他们～地打起来了; 그들은 1대 1로 싸움을 시작했다. ②제 몫을 하다. ¶我今年五十一, 过年五十二, 干活, 赶车还是～; 나는 올해에 쉰하나, 해를 넘기면 쉰둘이지만 일이나 마차 끌기에나 여전히 한 몫을 해낸다.

〔个个(儿)〕 gègè(r) ① 양 하나하나. 각각. 각기. 하나씩. ¶～击破; 각개 격파. ②어느 것이나.

〔个儿〕 gèr 명 ①체적. 부피. ¶这个梨好大～; 이 배는 (알이) 매우 크다 / ～大的卖好钱; 알이 굵은 것은 좋은 값으로 팔린다. =〔个子〕〔个头儿〕 ②신체. 체격. 키. ¶瘦shòu～; 말라깽이 / 大～; 큰 체격 / ～高 =〔〈方〉 个头儿〕; 키가 크다 / 这么大～还淘气吗? 이렇게 큰 체격인데 아직도 장난이야? =〔个子〕〔身shēn量〕 ③개수. 수. ¶论～卖; 개수〔낱개〕로 팔다 / 整～; 전체. ④베어 들인 농작물의 묶음. ⑤한 개. 한 사람. ⑥〈方〉 상대. ¶他的力气很大, 你可不是～; 그의 힘은 무척 세어서 너는 상대가 되지 않는다.

〔个人〕 gèrén 명 ①한 사람. 개인. ¶～迷信; 개인 숭배 / ～表现; 개인 플레이 / ～打算; (개인의) 생각. 속셈. 심산. ↔〔集jí体〕 ②나. 자기. ¶我～; 나 개인.

〔个人电脑〕 gèrén diànnǎo 명 《電算》 퍼스널 컴퓨터(personal computer). =〔个人专用电脑〕〔个人(型)计算机〕

〔个人负责制〕 gèrén fùzézhì 명 개인 책임 제도.

〔个人混合式游泳〕 gèrén hùnhéshì yóuyǒng 명 《體》 (수영의) 개인 혼영.

〔个人全能〕 gèrén quánnéng 명 《體》 개인 종합.

〔个人问题〕 gèrén wèntí ①개인의 문제. ¶这是我～, 请你别干涉shè; 이것은 내 개인의 문제이니까 간섭하지 마라. ②(공적인 일에 대하여) 사적인 일〔문제〕. ③결혼.

〔个人英雄主义〕 gèrén yīngxióng zhǔyì 명 개인 영웅주의.

〔个人主义〕 gèrén zhǔyì 명 개인주의.

〔个人专用电脑〕 gèrén zhuānyòng diànnǎo 명 ⇒〔个人电脑〕

〔个数(来)月〕 gèshu(lái)yuè 명 〈方〉 한 달 남짓.

〔个体〕 gètǐ 명 개체. 개인. 사람. 인간. 낱낱의 부분품. ¶～劳动者; 개인 노동자 / ～经营; 개인 경영. →〔整zhěng个儿〕

〔个体工商业〕 gètǐ gōngshāngyè 명 개인이 경영하는 소상공업(수리·작은 음식점·작은 수공업·서비스업 따위).

〔个体户〕 gètǐhù 명 (농업·공업·상업의) 개인 경영자. 자영업자.

〔个体经济〕 gètǐ jīngjì 명 《經》 (농민이나 수공업자의) 단독 경영의 경제. 개인 경제.

〔个体所有制〕 gètǐ suǒyǒuzhì 명 개인 소유제.

〔个头儿〕 gètóur 명 〈方〉 (물건의) 크기. ¶这种柿shì子～特别大; 이 감은 특별히 크다.

〔个位〕 gèwèi 명 《數》 한 자리. 1의 자리수. ¶～数(儿); 한 자리 수.

〔个性〕 gèxìng 명 ①(개개인 혹은 사물이 갖는) 개성. 퍼스널리티. 캐릭터. ②《哲》 개별성. ¶共性和～; 공통성과 개별성.

〔个月〕 gèyuè 명 한 달쯤. ¶～期程; 한 달쯤의 일정.

〔个展〕 gèzhǎn 명 개인전. 개인 전람〔전시〕회.

〔个中〕 gèzhōng 명 〈文〉 그 가운데. 이 가운데. ¶～人 =〔虫儿②〕; 관계자. 사정에 정통한 사람 / ～事; 비밀한 일. 우리끼리의 일. 저간의 사정 / ～原因谁都不知道; 그 속사정은 아무도 모른다.

〔个子〕 gèzi 명 ⇒〔个儿①②〕

〔个子儿〕 gèzir 명 〈方〉 몸매. ¶细瘦的～; 마른 몸매.

各

gè (각)

대 ①각각. 각자. ¶～不相同; 제각기 다르다 / ～尽所能; 각자 할 수 있는 바를 다하다 / ～不相管; 서로 간섭하지 않다. ②가지가지의. ¶～种职业; 가지가지의 직업. ③여러(하나가 아님을 나타내는 말). ¶世界～国; 세계 각국. ⇒gě

〔各抱各枝儿〕 gè bào gè zhīr 제각기 부서(部署)가 정해 있다.

〔各抱一角儿〕 gè bào yījiǎor ①자기 일만을 생각하다. ②각기 자기의 담당한 곳을 지키다(제각기 장점·취미가 있다).

〔各奔前程〕 gè bèn qián chéng 〈成〉 각자의 길을 가다(각기 멋대로 행동하다).

〔各便〕 gèbiàn 동 (세 사람 이상일 경우) 서로 편리한 대로 하다. ¶咱们～吧; 그럼(서로 편하게) 여기서 헤어집시다(인사).

〔各别〕 gèbié 형 ①각각(의). 개개(의). ¶～另lìng样; 각기 모양이 다르다. ②남과 다르다. 유별나다(부정적인 뜻으로 쓰임). ¶他性情古怪, 做起事来老是有点～; 그는 성질이 별나서 무엇을 하든 남과 좀 다른 점이 있다. ③〈方〉 각별하다. 신기하다. 색다르다. ¶这个台灯式样很～; 이 스탠드의 모양은 꽤 색다르다.

〔各不相关〕 gè bù xiāng guān 서로 아무런 관계도 없다.

〔各不相谋〕 gè bù xiāng móu 〈成〉 ①서로 속셈을 차리지 않다. ②(상의도 없이) 제각기 멋대로 하다.

〔各持己见〕 gè chí jǐ jiàn 〈成〉 모두 제각기 자기 의견을 주장하다. =〔各执zhí己见〕

〔各处(儿)〕 gèchù(r) 명 각처(에서).
〔各打五十大板〕 gè dǎ wǔshí dàbǎn 〈比〉 평등하게 책임을 지우다. 싸움을 한 양쪽을 다 벌하다.
〔各得其所〕 gè dé qí suǒ 〈成〉 사람은 제각기 적당한 일을 얻는다.
〔各地〕 gèdì 명 각지. 각처.
〔各干各的〕 gè gàn gède 자기 자신의 일을 하다. ¶就这么的, ～去; 그러면 각자 자기 일을 합시다.
〔各各(儿)〕 gègè(r) 명 각자. 제각기. ¶～留神; 제각기 주의하다 / ～都好; 한 사람 한 사람이 다 좋다. =〔各自〕
〔各…各…〕 gè…gè… ①각각. 각기. 제각기. ¶各吹各的号, 各唱各的调; 각자 자기 나팔을 불고, 자신의 곡조를 노래한다《각자 자기 길을 가다》. →〔各干各的〕〔各就各位〕 ②갖가지. 모든. 모두의. →〔各行各业〕〔各种各样〕
〔各各生生〕 gègeshēngshēng 형 남과 뜻이 맞지 않는 모양. 독선적인 모양.
〔各个〕 gège 형 각개(의). ¶～团tuán体; 각 단체.
〔各个击破〕 gège jīpò 각개 격파하다. 하나하나 쳐부수다.
〔各顾各〕 gè gù gè 각자가 자기 생각만을 하다. =〔各管各〕
〔各国〕 gèguó 명 각국.
〔各行各业〕 gèháng gèyè 명 갖가지 직업.
〔各界〕 gèjiè 명 각 방면. 각계《학계 · 재계 따위》. ¶～人士; 각계 인사.
〔各尽所能〕 gè jìn suǒ néng 〈成〉 각자가 제각기 최선을 다하다. 각자 능력에 따라 일하다. ¶～, 按劳分配; 각자가 제각기 최선을 다하고 노동에 따라 분배하다 / ～, 各取所需; 각자가 제각기 최선을 다하고, 각자가 필요한 만큼 가지다.
〔各就各位〕 gè jiù gè wèi 〈成〉 ①각자의 위치〔부서〕에 앉다〔오르다〕. ②《軍 · 體》 제자리에엣! 자기 위치로!
〔各就位〕 gèjiùwèi 《體》 제자리에《달리기의 스타트할 때의 구령》.
〔各款〕 gèkuǎn 명 ①각 개조(個條). ②각 비목(費目).
〔各类〕 gèlèi 명 각〔여러〕 종류.
〔各里司林〕 gèlǐsīlín 명 〈音〉 글리세린(glycerin).
〔各路〕 gèlù 명 각지(各地). ¶走遍～; 각지를 두루 다니다. 형 각종(의). 다종다양(한). ¶～货; 각종 물품.
〔各扭儿〕 gèniǔr 형 의견이 엇갈리다. ¶他们俩闹～了; 그들 두 사람은 의견이 엇갈렸다.
〔各群儿各论儿〕 gèqúnr gèlùnr 〈方〉 먼 친척들끼리 (엄밀한 호칭을 쓰지 않고) 적당한 호칭으로 부르다. ¶你叫我大叔, 她叫我大哥, 咱们～; 너는 나를 아저씨라고 부르고, 그녀는 나를 오빠라고 부르니, 그저 적당한 호칭을 쓰도록 하자. =〔两liǎng论着〕
〔各人〕 gèrén 명 제각각. 각인(各人). ¶～有～的脾气; 사람은 저마다 성격이 있다.
〔各人自扫门前雪, 莫管他家瓦上霜〕 gèrén zìsǎo ménqiánxuě, mòguǎn tājiā wǎshàngshūang 〈諺〉 각자 자기 집 문앞의 눈만 쓸고, 남의 지붕 위의 서리는 신경쓰지 않는다《남은 남이고 나는 나다. 남의 일에 무관심한 이기주의》. =〔各扫自己门前雪, 不管他人瓦上霜〕
〔各色〕 gèsè 형 여러 가지(의). 각종(의). ¶～货物, 一应俱全; 여러 가지 물건을 모두 갖추었다.
〔各式各样(儿)〕 gè shì gè yàng(r) 〈成〉 여러 가지. 가지각색. 각종 각양. ¶～的玩具; 여러 가지 장난감. =〔各色各样〕〔各种各样〕
〔各抒己见〕 gè shū jǐ jiàn 〈成〉 각자의 견해를 말하다.
〔各位〕 gèwèi 명 여러분. ¶在坐的～先生; 참석하신 여러분. →〔诸zhū位〕
〔各向同性〕 gèxiàngtóngxìng 명 《物》 등방성(等方性).
〔各向异性〕 gèxiàngyìxìng 명 《物》 이방성(異方性).
〔各项〕 gèxiàng 명 각 항목. 각종. ¶～比赛; 각종 경기 / ～规则; 각종 규칙.
〔各行其是〕 gè xíng qí shì 〈成〉 각자가 자기의 방식대로 하다《사상 · 행동이 일치하지 않음》.
〔各样(儿)〕 gèyàng(r) 형 각종(의). 각양(의). 여러 형태(의). ¶～俱jù全; 각종 품목이 갖추어져 있다 / ～的东西; 각종의 물건 / 各式～ =〔各色～〕; 가지각색. 여러 가지.
〔各有千秋〕 gè yǒu qiān qiū 〈成〉 제각기 장점이 있다《'千秋'는 천 년》. ¶他们的绘画～; 그들 그림에는 제각기 장점이 있다.
〔各有所长〕 gè yǒu suǒ cháng 〈成〉 사람마다 제각기 장점이 있다.
〔各有所好〕 gè yǒu suǒ hào 〈成〉 각자 자기가 좋아하는 바가 있다.
〔各执己见〕 gè zhí jǐ jiàn 〈成〉 ⇨〔各持己见〕
〔各执一词〕 gè zhí yī cí 〈成〉 각자 나름대로의 해석과 주장(主張)이 있다.
〔各执一辞〕 gè zhí yī cí 〈成〉 양쪽이 모두 자기 의견을 주장하고 양보하지 않다. →〔各持己见〕
〔各种〕 gèzhǒng 형 각종(의).
〔各种各样〕 gè zhǒng gè yàng 〈成〉 각양 각색. 여러 가지. 갖가지.
〔各自〕 gèzì 명 각자. 제각기. 자기 자신. ¶～留liú神; 각자 조심하다 / ～干gàn～的 =〔各干各的〕; 제각기 자기 일을 하다 / 这本书是我～的; 이 책은 내 것이다.
〔各自为政〕 gè zì wéi zhèng 〈成〉 각자가 멋대로 행하다.
〔各族人民〕 gèzú rénmín 명 각 민족의 사람들.

硌 gè (락)

동 (뾰족한 것 또는 단단한 것에 닿아) 불쾌감이나 손상을 주다. ¶用牙～了一个印子; 잇자국을 내다 / ～牙; (모래 따위가) 이에 씹혀서 지금지금하다 / 鞋里进去些沙shā子, 脚～得都疼了; 신 안에 많은 모래가 들어가 발에 깔끔거려서 아프다 / 脚让石头～破了; 뾰족한 돌에 발을 다쳤다. ⇒luò
〔硌窝儿〕 gèwōr 명 〈方〉 깨진 달걀.

铬(鉻) gè (락)

명 《化》 크로뮴. 크롬(Cr: chrome). ¶镍niè～合金; 니크롬(nichrome). =〔克kè罗米〕
〔铬橙〕 gèchén 명 《染》 크롬 오렌지색.
〔铬钢〕 gègāng 명 크롬강.
〔铬黄〕 gèhuáng 명 《染》 크롬 황색.
〔铬绿〕 gèlǜ 명 《染》 크롬 녹색.
〔铬(明)矾〕 gè(míng)fán 명 《化》 크롬 백반.
〔铬酸〕 gèsuān 명 《化》 크롬산.
〔铬铁〕 gètiě 명 《化》 페로크롬《철과 크롬의 합금》. ¶～矿kuàng; 크롬 철광.

虼 gè (걸)
→〔虼螂〕〔虼蚤〕

〔虼螂〕 gèláng 명 《蟲》 말똥구리. 쇠똥구리. =〔蜣qiāng螂〕

〔虼蚤〕 gèzao 명 《蟲》〈口〉 벼룩. =〔跳tiào蚤〕

GEI ㄍㄟ

给(給) gěi (급)
①동 주다. 보내다. ¶～你这个; 이것을 너에게 준다 / ～他一本书; 그에게 책을 한 권 보내다 / 这次访问～我一个很好的教育; 이번 방문으로 나는 대단히 좋은 교육을 받았다. ②동사 뒤에 붙여 손수 전하다 · 보내다의 뜻을 나타냄. ¶借～你; 너에게 빌려 준다 / 贡献～祖国; 조국에 공헌하다 / 送～他; 그에게 주다 / 把计划报告～上司了; 계획을 상사에게 보고했다. 注 동사 자체에 '주다'의 뜻이 있으면, '给'를 붙여도 되고, 또는 붙이지 않아도 됨. ¶留(～)你钥匙; 너에게 열쇠를 두고 간다 / 还(～)他一本书; 그에게 책을 돌려 주다(이 때 동사+'给'은 한 단어로 쓰임). ③개 (…을) 대신하여. (…을) 위하여(…하다. …해 주다). ¶请～我看看! 잠깐 보여 주십시오! / ～大家帮忙; 여러 사람을 거들어 주다 / ～你写; ⓐ너를 위하여 쓴다. ⓑ너를 대신하여 쓴다. =〔替tì〕〔为wèi〕 ④개 …을 향하여. …에게(동작의 대상을 나타냄). ¶小朋友～老师行礼; 어린이들이 선생님에게 인사를 하다. =〔向xiàng〕 ⑤조 ㉠(남에게) 어떤 일을 시키다. 할 것을 허락하다. ¶家里省下钱来～他上大学; 식구들이 돈을 절약하여 그를 대학에 보냈다. =〔叫jiào〕〔让ràng〕 ㉡('不～'로 부정(否定)하여) 상대의 어떤 동작을 허락하지 않음. ¶那封信他收着不～我看; 그 편지는 그가 넣어 두고는 나한테 보여 주지 않는다. =〔叫〕〔让〕 ㉢('被bèi④'와 마찬가지로 수동을 나타내어) …당하다. …되다. ¶羊～狼吃了; 양이 이리에게 잡아먹혔다 / ～火烧掉了; 화재에 타 버리고 말았다. ⑥명령문에서 '我'와 함께 쓰이어 강제를 나타냄. ¶快～我拿出来! 빨리 끄집어 내어 오라는데! / 快～我滚gǔn拿出去! 꺼져 버려! / 你～我小心点儿; 조심해 주게. ⑦조 …을 당하다(수동(受動)을 나타냄. '让' · '叫' · '把' · '被'와 호응하여 동사 앞에 놓음. 또는 생략해도 됨). ¶窗户叫风(～)吹开了; 창문이 바람에 의해〔바람이 불어〕 열렸다 / 老树让大风～刮倒了; 노목이 대풍에 넘어가 버렸다 / 东西被贼～偷了; 물건을 도둑에게 도둑 맞았다. ⑧〈方〉 …을. ¶请你随手～门关上! 바로 문을 닫아 주십시오! =〔把bǎ〕〔将jiāng〕 ⑨'把+명사+～+동사'의 꼴로 수동 · 조처 등의 뜻을 나타내는 구로 쓰이며, 어세를 강하게 함. 이 때 '～'는 생략할 수 있음. ¶把花瓶～打了; 꽃병을 깨뜨렸다 / 把这个～拿了去吧; 이것을 치워 주게나 / 他喝醉了酒, 把桌子～翻了; 그는 술에 취해서 술상을 뒤집어엎었다. ⑩〈方〉 …와. …에게. ¶～他说; 그에게〔그와〕 이야기하다 / 她还在～我们招手; 그녀는 아직 우리에게 손을 흔들고 있다. ⇒jǐ

〔给不了〕 gěibuliǎo ①주지 못하다. 지불하지 못하다. ¶他看不起我, 怕我～房租; 그는 나를 무시하고 있는데, 아마 내가 집세를 내지 못할 까 해서이다. ↔〔给得了〕 ②지불하는 일은 없다. 주는 일은 없다.

〔给吃〕 gěichī 동 먹여 주다. 음식물을 주다.

〔给出路〕 gěi chūlù 살길을〔활로를〕 터 주다.

〔给吹了〕 gěichuīle 끝장나다. ¶两个人之间～; 두 사람 사이는 다 틀려 버렸다.

〔给价儿〕 gěijiàr 동 값을 매기다. 값을 정하다. ¶你要这么大谎价, 我怎么～呢; 그렇게 엄청난 에누리를 해서야 값을 칠 수가 없어요.

〔给宽心丸儿吃〕 gěi kuānxīnwánr chī 〈比〉 위로하다. 기쁘게 해 주는 말을 하다. ¶那是～了, 别信真; 그건 자네를 기쁘게 해 주려고 한 말이야, 사실로 받아들이지 말게.

〔给脸〕 gěi liǎn 동 ①체면을 세워 주다. ¶你给我个脸, 务必赏shǎng光; 자네 내 체면을 봐서 꼭 좀 왕림해 주기 바라네. ②좋은 낯으로 대하다. ¶那个人给不得脸; 저 사람에게는 좋은 낯으로 대할 수가 없다.

〔给脸子瞧〕 gěi liǎnzi qiáo 싫은 내색을 보이다. ¶他要不愿意, 可以再找旁的去说, 别～; 그가 만약 싫다고 한다면 다른 사람을 찾아가서 이야기하면 되니, 싫은 얼굴은 하지 마라.

〔给钱就卖〕 gěi qián jiù mài 〈成〉 돈을 주면 팔다. (상대방이 시키는 대로 하다). ¶你可别～, 总得和他们争竞争竞, 不然他们可没良心啊; 너는 저쪽에서 하자는 대로 해서는 안 돼, 저들과 팽팽히 맞서야만 한다, 그렇지 않으면 그들은 염치없이 군다!

〔给钱找出路儿〕 gěi qián zhǎo chūlù(r) 돈이 나갈 길을 찾아 주다(돈을 낭비하다). ¶买这么好材料儿, 这不是～吗? 이렇게 좋은 옷감을 사다니 낭비하는 것이 아니냐?

〔给人擦屁股〕 gěi rén cā pìgu 〈比〉 남의 밑을 닦아 주다. 뒤처리를 마무리지어 주다.

〔给人家垫舌根板子〕 gěi rénjia diàn shégēnbǎnzi 이야깃거리가 될 일을 하다. 화제를 제공하다. ¶你做这样儿的事, 不～了吗? 넌 이 같은 일을 저지르면 사람들의 입방아에 오르지 않느냐?

〔给人使唤〕 gěi rén shǐhuan 남의 부림을 받다. 남이 시키는 대로 하다. ¶他生了就是～的命; 그는 타고나기를 남의 부림을 받을 운명이다.

〔给晒了〕 gěishàile 동 약속을 어기다. 약속을 깨고 가지 않다. ¶你们都去了不是? 我～; 너희는 모두 갔었겠지? 난 약속을 어겨 버렸어. =〔给晾liàng了〕

〔给瞎子掌灯〕 gěi xiāzi zhǎngdēng 〈歇〉 장님에게 불을 밝혀 주다. ¶～, 没用; 헛일이다.

〔给小鞋儿穿〕 gěi xiǎoxiér chuān 작은 신발을 신기다. 〈比〉 냉대하다. ¶他在表面上待dài她挺好, 可是暗地里竟～, 叫她事事都办不了liǎo; 그는 표면상으로는 그녀를 아주 잘 대우하는 것 같지만, 그러나 속으로는 냉대만 하고 있어 하는 일마다 그녀가 잘 하지 못하도록 하고 있다.

〔给以〕 gěi yǐ 동 〈文〉 주다. ¶～致命打击; 치명적인 타격을 주다. 注 '给以'의 뒤에는 주는 물건(흔히 추상 명사)이 오며 받는 사람은 오지 않음. 받을 사람을 말하고자 할 때는 '给以'를 '给'로 대신함. 또, '给…以…'로 받을 사람을 나타낼 수도 있음. ¶社员生病的时候, 应当给他帮助; 사원이 병에 걸렸을 때는 마땅히 도와 주어야 한다 / 给了敌人以有力的重创; 적에게 큰 타격을 주었다.

〔给与〕 gěiyǔ 동 급부(給付)하다. 베풀어 주다. ⇒

몸 속에 퍼지다. 내공(內攻)하다. =〔下xià攻〕
〔攻心翻〕 gōngxīnfān 명 〈方〉 ⇨〔克kè山病〕
〔攻研〕 gōngyán 동 〈文〉 연구하다.
〔攻摘〕 gōngzhāi 동 〈文〉 들춰 내어 책(責)하다.
〔攻占〕 gōngzhàn 동 〈文〉 공략하다. 공격하여 점령하다.
〔攻子〕 gōngzǐ 동 《農》 결실기(結實期)에 관개(灌漑) 또는 시비(施肥)하여 잘 여물게 하다.

弓 gōng (궁)
①(～儿, ～子) 명 활. ¶～箭; ⇩/弹dàn～; 쇠뇌/拉lā～; 활을 잡아당기다. ②(～儿, ～子) 명 활처럼 구부러진 것. ¶弹tán棉花的弸péng～; 무명활/胡琴～子; 호궁의 활./洋车上的～; 인력거의 바퀴와 차대(車臺)사이에 있는 활 모양의 판자. ③동 활을 당긴 모양으로 되다. 구부러지다. 구부리다. ¶～着腿坐着; 책상다리를 하고 앉아 있다/～着身子; 몸을 구부리고. ④명 활 모양의 무늬의 약칭. ⑤명 지적(地積)을 측량하는 활 모양의 기구《나무로 만들었으며, 길이는 5척》. =〔步bù弓〕 ⑥명 지적을 재는 계산의 단위《1'～'은 5'尺', 360'～'을 1'里', 240'方～'을 1'亩mǔ'로 함》. ⑦명 성(姓)의 하나.
〔弓把〕 gōngbà 명 활의 줌통.
〔弓背〕 gōngbèi 명 ①활의 등. ②돌아서 가는 길. 꼬부랑길. ¶走zǒu～; 길을 돌아서 가다. 꼬부랑길을 가다. =〔弓背儿〕↔〔弓弦(儿)〕
〔弓插〕 gōngchā 명 활을 꽂아 두는 도구.
〔弓袋〕 gōngdài 명 궁대. 활집. =〔弓鞬〕〔弓衣〕
〔弓房〕 gōngfáng 명 궁도장(弓道場).
〔弓櫜〕 gōnggāo 명 활·화살을 넣는 자루.
〔弓肩缩背一世苦累〕 gōngjiān suōbèi yīshì kǔlèi 〈諺〉 아래로 처진 어깨와 새우등인 사람은 평생 고생한다.
〔弓箭〕 gōngjiàn 명 활과 화살.
〔弓箭手〕 gōng(jiàn)shǒu 명 궁수. 사수. 활잡이. =〔弓手〕
〔弓匠〕 gōngjiàng 명 활을 만드는 사람. 궁사(弓師). =〔弓人〕〔弓师〕
〔弓锯〕 gōngjù 명 쇠톱. =〔〈北方〉 锯弓子〕〔钢gāng锯〕
〔弓马〕 gōngmǎ 명 ①궁술과 마술. ②궁수(弓手)와 기수(騎手). ③〈轉〉 무예.
〔弓人〕 gōngrén 명 ⇨〔弓匠〕
〔弓上弦〕 gōng shàngxián 만반의 준비를 하고 기다리다. ¶～刀出鞘; 활시위는 메워지고 칼은 칼집에서 뽑히다《전투 준비가 완료되다》.
〔弓弰(子)〕 gōngshāo(zi) 명 활고자《시위를 메는 활의 두 끝》.
〔弓蛇〕 gōngshé 명 〈文〉 오해(誤解).
〔弓师〕 gōngshī 명 ⇨〔弓匠〕
〔弓手〕 gōngshǒu 명 ①지적(地積)을 측량하는 사람. ②궁수. 사수(射手). ‖=〔弓箭手〕
〔弓弹簧〕 gōngtánhuáng 명 ⇨〔弓子②〕
〔弓弦〕 gōngxián 명 ①활시위. ②일직선. ③(～儿) 곧은 길. ¶走～; (돌아가지 않고) 곧장 가다. ↔〔弓背bèi(儿)〕
〔弓弦乐器〕 gōngxián yuèqì 명 《樂》 현악기.
〔弓鞋〕 gōngxié 명 옛날에, 전족(纏足)을 한 여자의 신.
〔弓形〕 gōngxíng 명 ①《數》 활꼴. ¶～锯 =〔钢gāng丝锯〕; 실톱. ②《建》 아치(arch)형. 궁형.
〔弓子〕 gōngzi 명 ①활. ②용수철. 스프링《차축과 차체 사이의 활 모양의 것》. =〔弓弹簧〕
〔弓足〕 gōngzú 명 전족(纏足)을 한 발.
〔弓钻〕 gōngzuàn 명 활비비. 보우 드릴(bow drill).

躬〈躳〉 gōng (궁)
①명 몸. 자신. ¶反～自问; 자신을 돌아보고 스스로 묻다. ②부 몸소. 스스로. 친히. ¶～行实践; 스스로 실천하다/事必～亲; 일은 반드시 스스로 행하다. ③동 (몸을) 구부리다. ¶～身shēn为礼; 몸을 구부려 절을 하다/鞠jū～; 몸을 구부려 인사하다/打了一～; 절을 하다.
〔躬亲〕 gōngqīn 부 〈文〉 몸소. 친히. ¶～为wéi之; 스스로 하다. 동 스스로 하다. 몸소하다.
〔躬身〕 gōngshēn 동 몸을 굽히다. 몸을 굽혀서 인사하다. ¶～下拜; 몸을 구부리고 인사하다. 부 몸소. 친히.
〔躬行〕 gōngxíng 동 몸소 행하다.
〔躬诣〕 gōngyì 동 친히 가서 뵙다. ¶～贵府; 귀댁에 친히 가서 뵙겠습니다.
〔躬自〕 gōngzì 부 〈文〉 친히. 손수. 스스로.

公 gōng (공)
①명형 공공(의). 공용(의). 공유(의). ¶～私要分清; 공사는 분명하게 가려야 한다/～事～办; 공적인 일은 공평하게 처리한다/交～; 국가에 바치다/因～外出; 공용으로 외출하다. ↔〔私sī〕 ②형 공통의. 공동의. 공인(公認)의. ¶～分母; 공통 분모/～议; ⇩/～认; ⇩ ③명 국제 단위의 미터제(制)로 정해진 각 단위에 쓰임. ¶～里; ⇩/～斤; ⇩/～海; ⇩/～制; ⇩/平方～里; 평방 킬로미터. ④동 〈文〉 공개하다. ¶～之于世; 세상에 공표하다. ⑤형 공평하다. 공정하다. ¶不～; 공평하지 않다/大～无wú私; 매우 공평하여 사사로움이 없다/秉bǐng～办理; 공평하게 처리하다/～买～卖; 공정하게 매매하다/分配不～; 분배가 불공정하다. ⑥명 공사. 공무. ¶办bàn～; 공무를 보다/～余; ⇩ ⑦동 함께 하다. ⑧명 옛날 작위의 첫째. ¶～爵jué; 공작/王安石封荆国～; 왕안석은 형국공에 봉해졌다/鲁lǔ哀～; 노나라의 애공. ⑨명 남자, 특히 노인에 대한 경칭. ¶老～～; 노인장. 할아버지. ⑩명 상대방의 행위에 대한 경칭. ⑪여럿이서 …하는 뜻의 말. ¶～请他吃饭; 여러 사람이 그를 식사에 초대한다. ⑫명 인륜(人倫) 관계의 여러 호칭에 쓰임. ¶太tài～; 증조부/外～; 외조부/姑gū～; 시부모. ⑬명 성(姓)의 뒤에 붙여 존칭으로 쓰던 말. ¶张～; 장(張)공. 장(張)선생/此～; 이분. ⑭명 조부. ¶～婆; ⇩ ⑮명 수컷. ¶～鸡; 수탉. ↔〔母mǔ〕 ⑯명 성(姓)의 하나.
〔公安〕 gōng'ān 명 공안. 치안. ¶～部; 공안부《국무원 산하의 한 부문》/～部队bùduì; 국내 보안을 위한 부대.
〔公安机关〕 gōng'ān jīguān 명 공안 기관.
〔公安局〕 gōng'ānjú 명 공안국. 중국의 성(省)·현(縣) 등에 둔 경찰국.
〔公安局派出所〕 gōng'ānjú pàichūsuǒ 명 공안국 파출소. =〔派出所〕
〔公安人员〕 gōng'ān rényuán 명 공안 관계의 직원《공안관·경찰관 등》.
〔公安厅〕 gōng'āntīng 명 옛날, 성(省)·시(市)의 인민 정부에 속하는 인민 경찰 행정 기관.
〔公案〕 gōng'àn 명 ①옛날에, 재판관이 안건(案件)을 심리할 때 쓰던 큰 책상. ②난해(難解)한 소송 사건. ¶无头～; 단서가 없는 복잡한 사건.

③넓은 뜻으로는, 분규나 기괴한 사건. ¶～戏; 재판 사건을 다룬 연극.
〔公板〕 gōngbǎn 명 《樂》 중국 음악의 가락의 하나.
〔公办〕 gōngbàn 동 공평하게 처리하다. ¶公事～; 공적인 일은 공평하게 처리한다.
〔公报〕 gōngbào 명 ①공보. 성명. ¶发fā表～; 성명을 발표하다 / 联合～; 공동 성명 / 讯问～; 신문·방송을 통한 성명. ②관보.
〔公报私仇〕 gōng bào sī chóu 〈成〉 개인적인 원한을 공적인 일을 이용해서 풀다. =〔官guān报私仇〕
〔公倍数〕 gōngbèishù 명 《數》 공배수.
〔公本〕 gōngben 형 (언어·동작이) 공손하다. 정중하다. =〔恭本〕
〔公比〕 gōngbǐ 명 《數》 공비.
〔公便〕 gōngbiàn 명 ①공공의 편리. ②〈公〉 '上shàng行公文' (상급 관청에 보내는 공문서)의 맺음말로 사용하는, '…해 주시면 감사하겠습니다'의 뜻. ¶备文呈请钧长鉴核备案实为～; 문서를 보내어 귀장관(貴長官)의 심사 및 등록을 부탁드릴 수 있으면 실로 감사하겠습니다.
〔公表〕 gōngbiǎo 동 공표하다.
〔公秉〕 gōngbǐng 양 《度》 킬로리터(kiloliter). =〔千升〕
〔公禀〕 gōngbǐng 동 연명(連名)으로 상신(上申)하다. 탄원하다.
〔公布〕 gōngbù 동 공포하다. 공표하다. ¶～试验结果; 실험 결과를 발표하다 / ～宪法; 헌법을 공포하다 / ～于众; 대중에게 공포하다.
〔公草母草〕 gōngcǎomǔcǎo 명 《植》 외풀.
〔公厕〕 gōngcè 명 공중 변소. =〔公共厕所〕
〔公差〕 gōngchā 명 ①《數》 공차(公差). ②《機》 공차(公差)《최대 허용 오차》. ⇒gōngchāi
〔公差〕 gōngchāi 명 ①출장. 공용 외출. ②옛날, 관청의 하급 관리. =〔差chāi役〕 ⇒gōngchā
〔公产〕 gōngchǎn 명 ①공유 재산. 공공 재산. ②국가의 재산.
〔公称〕 gōngchēng 명동 공칭(하다).
〔公称资本〕 gōngchēng zīběn 명 《經》 공칭 자본. =〔额é定资本〕
〔公呈〕 gōngchéng 동 연명(連名)으로 출원(出願)하다. 명 연명의 청원서.
〔公尺〕 gōngchǐ 양 《度》 미터(meter). ¶～制螺旋规; 미터 나사 게이지. =〔密达〕〔米mǐ〕
〔公尺制〕 gōngchǐzhì 명 ⇨〔国guó际公制〕
〔公出〕 gōngchū 동 (공용으로) 외출하다. 출장하다. 명 공무 출장. 공용(公用) 외출.
〔公畜〕 gōngchù 명 가축의 수컷《흔히, 종축(種畜)》.
〔公垂线〕 gōngchuíxiàn 명 《數》 공통 수직선.
〔公寸〕 gōngcùn 양 《度》 데시미터(decimeter). =〔分fēn米〕
〔公撮〕 gōngcuō 양 《度》 밀리리터(milliliter). =〔毛升〕〔毫háo升〕
〔公石〕 gōngdàn 양 《度》 ①헥트리터(hectoliter). 100리터. =〔百bǎi升〕 ② ⇨〔公担〕
〔公担〕 gōngdàn 양 《度》 퀸틀(quintal). 100kg 《미국은 100파운드, 영국은 112파운드》. =〔公石dàn②〕
〔公道〕 gōngdào 명 ①공평한 도리. 정의(正義). 정도(正道). ¶主持～; 정도를 지키다. ②공공 도로.
〔公道〕 gōngdao 형 ①정당하다. 공평·공정하다. ¶～话; 공평한 말 / 办事～; 일을 함에 공평하다 / 公公道道地; 공평하게. ②(값이) 적정(適正)하다. ¶价钱～; 가격이 온당하다.
〔公道老儿〕 gōngdaolǎor 명 논·밭 따위의 경계에 심는 나무《욕심을 부려서 그 나무의 뿌리를 파면 그 쪽을 향해서 굵어진다는 데서 나옴》.
〔公德〕 gōngdé 명 공덕. 공중 도덕.
〔公的〕 gōngde 명 수컷. ↔〔母mǔ的〕
〔公敌〕 gōngdí 명 공공의 적. 사회의 적.
〔公地〕 gōngdì 명 공유지(公有地).
〔公电〕 gōngdiàn 명 ①국가 기관의 공식적 전보. 공용 전보. ②연명(連名)의 전보.
〔公吊〕 gōngdiào 명 ⇨〔官guān吊〕
〔公爹〕 gōngdiē 명 〈方〉 시아버지. =〔公公②〕
〔公丁香〕 gōngdīngxiāng 명 《植》 정향나무.
〔公定〕 gōngdìng 동 공식적으로 정하다.
〔公斗〕 gōngdǒu 양 《度》 데카리터(decaliter). =〔十升〕
〔公度数〕 gōngdùshù 명 《數》 공약수(公約數).
〔公断〕 gōngduàn 명동 공평한 판단(을 하다). 공평한 심판(을 하다). ¶～人 =〔仲zhòng裁人〕; 관선(官選) 또는 분쟁 당사자에 의해 위탁된 중재인 / ～条tiáo约; 중재 조약. 명 ①관청의 중재 조정. ②친족 회의에 의한 중재〔심판〕.
〔公吨〕 gōngdūn 양 《度》 미터톤(meterton) 《1,000kg》. =〔法fǎ吨〕〔米mǐ突吨〕〔法吨〕
〔公而忘私〕 gōng ér wàng sī 〈成〉 공사(公事)에 헌신하느라 개인의 이익을 잊어버리다.
〔公法〕 gōngfǎ 명 《法》 공법. ¶国际～; 국제법. ↔〔私sī法〕
〔公砝平〕 gōngfǎpíng 명 옛날, 상거래에서 은(銀)으로 지불할 때 쓰던 표준 저울.
〔公方〕 gōngfāng 명 공사 합영(公私合營) 때, 개인측·자본가측에 대하여 관측(官側) 곧 정부 행정 기관측. ¶～代表; 정부측의 대표자. 양 《度》 입방 미터《토사·벽돌·돌 등의 부피 단위》.
〔公房〕 gōngfáng 명 공사(公舍). 사택(社宅).
〔公费〕 gōngfèi 명 ①공적인 비용. ¶～生; 관비생. ②사무비.
〔公分〕 gōngfēn 양 《度》 ①그램(gram). =〔克kè〕 ②센티미터(centimeter). =〔糎〕〔厘lí米〕 동 공평하게 나누다.
〔公分母〕 gōngfēnmǔ 명 《數》 공통 분모. 공분모.
〔公坟〕 gōngfén 명 ⇨〔公墓mù①〕
〔公分儿〕 gōngfènr 명 〈方〉 ①추렴한 돈이나 물건. ¶凑个～买礼物; 추렴한 돈으로 선물을 사다 / 吃了个～饭; 각자 부담으로 식사하다 / 一个人出一块钱的～; 각자 1원씩 추렴하다. ②공동 출자. ‖ =〔公份儿〕〔公议儿〕
〔公愤〕 gōngfèn 명 공분. 정의(正義)를 위한 분노. =〔公忿〕
〔公服〕 gōngfú 명 ①관복. ②예복(禮服).
〔公干〕 gōnggàn 명 ①공무. ②〈敬〉 (상대방의) 용무. 용건. ¶有何～? 어떤 용건이십니까? =〔贵guì干〕
〔公膏〕 gōnggāo 명 옛날, 세금으로 바치던 관허(官許)의 아편. =〔公班土〕〔公土〕〔公洋药〕
〔公告〕 gōnggào 명 공고. →〔启qǐ事②〕 동 ⇨〔通tōng告〕
〔公割线〕 gōnggēxiàn 명 《數》 2개의 원(圓)의 서로 교차하는 2점간의 직선.
〔公合〕 gōnggě 양 《度》 데시리터(deciliter)의 구칭. =〔分fēn升〕

〔公共〕 gōnggòng 형 공공의. 공용〔공동〕의. ¶～事shì业; 공공 사업 / ～财产; 공동의 재산 / ～伙huǒ食; 공동 취사 / ～社shè会; 공동 사회 / ～卫wèi生; 공중 위생 / ～关系; 공공 관계.
〔公共厕所〕 gōnggòng cèsuǒ 명 ⇨〔公厕〕
〔公共积累〕 gōnggòng jīlěi 명 공동 적립의 돈과 물건. →〔公积金〕
〔公共筷子〕 gōnggòng kuàizi 명 요리나 과자 따위를 집는 젓가락. =〔公筷〕〔公用筷子〕〔公箸〕
〔公共汽车〕 gōnggòng qìchē 명 버스. ¶～站; 버스 정류장. =〈廣〉巴bā士〕
〔公共食堂〕 gōnggòng shítáng 명 ①(인민 공사의) 공동 식당. ②대중 식당.
〔公共休假〕 gōnggòng xiūjià 명 ⇨〔公休〕
〔公公〕 gōnggong 명 ①〈方〉 조부. =〔祖父〕 ②시아버지. =〔公爹〕 ③노인에 대한 경칭. ④환관(宦官). ⑤〈方〉 외조부. =〔外祖父〕
〔公公道道〕 gōnggongdàodào 공평하게(‘公道’의 중첩형(重疊形)).
〔公狗〕 gōnggǒu 명 《動》 수캐. =〔儿狗〕
〔公股(儿)〕 gōnggǔ(r) 명 공사(公私) 합영(合營) 기업에서 국가의 소유주(所有株).
〔公馆〕 gōngguǎn 명 ①관사(官舍). 관저(官邸). ②정부 또는 공립의 건물. ③공관. 대사관·공사관·영사관의 일컬음. ④남의 주택의 존칭. ¶张～; 장(張)씨댁.
〔公国〕 gōngguó 명 공국. ¶摩mó纳哥～; 모나코(Monaco) 공국.
〔公海〕 gōnghǎi 명 《法》 공해. ↔〔领lǐng海〕
〔公害〕 gōnghài 명 공해. ¶韩国～日益严重; 한국의 공해는 나날이 심각해지고 있다. →〔三sān废〕〔污wū染〕
〔公函〕 gōnghán 명 ①공한(公翰)(동등급의 관청 간에 주고받는 공문서). ②두 사람 이상의 연명으로 내는 편지.
〔公毫〕 gōngháo 양 《度》 센티그램(centigram). =〔厘lí克〕
〔公衡〕 gōnghéng 양 《度》 10킬로그램. =〔公斤〕
〔公忽〕 gōnghū 양 《度》 미크론(100만분의 1미터).
〔公户〕 Gōnghù 명 복성(複姓)의 하나.
〔公患〕 gōnghuàn 명 〈文〉 널리 일반 사람이 입고 있는 재해.
〔公会〕 gōnghuì 명 ①동업 조합. =〔同行公会〕 ②대중집회.
〔公讳〕 gōnghuì 명 옛날, 황제의 이름자를 일반 사람의 이름에 사용하지 않는 일. 또는 그 글자.
〔公鸡〕 gōngjī 명 《動》 수탉. ¶～不叫母鸡叫; 수탉이 안 울고 암탉이 운다(내주장(內主張)하다). ↔〔母mǔ鸡〕
〔公鸡翎儿〕 gōngjīlíngr 명 ①수탉의 꽁지깃. ②〈轉〉 남자다운 면. ¶他没有～不像男人; 그는 남자다운 데가 없다.
〔公积金〕 gōngjījīn 명 법정 적립금. 법정 준비금. =〔公存〕 →〔公共积累〕
〔公祭〕 gōngjì 명동 공장(公葬)(하다)(공공 단체나 저명 인사에 의해 거행되는 성대한 고별식).
〔公假〕 gōngjià 명 공휴일.
〔公家〕 gōngjia 명 ①〈口〉 국가. 나라. 정부. 공공 기관. 단체. 기업. ¶不能吃～一辈子; 한평생 관록을 먹을 수는 없다. =〔官家②〕〔官面(儿)①〕 ②공중.
〔公家公房〕 gōngjia gōngfáng 명 공사(公舍). 사택. 관사. =〔公房〕
〔公检法〕 gōng jiǎn fǎ 명 〈簡〉 ‘公安机关’ ‘检察院’ ‘人民法院’의 약칭.
〔公饯〕 gōngjiàn 명 공적으로 개최하는 송별회. 동 공적으로 열어 송별하다.
〔公鉴〕 gōngjiàn 〈翰〉 회사·단체 등에 내는 편지 말미(末尾)의 ‘…贵中’에 해당하는 용어.
〔公脚〕 gōngjiǎo 명 《劇》 노인으로 분장하는 배우.
〔公教〕 gōngjiào 명 ⇨〔天tiān主教〕
〔公教人员〕 gōng jiào rényuán 명 공무원과 교직원. →〔工gōng作人员〕
〔公斤〕 gōngjīn 양 《度》 킬로그램(kilogram). =〔千qiān克〕
〔公举〕 gōngjǔ 동 ①공개적으로 추천하다. 공선(公選)하다. ¶会长是大家～的; 회장은 모두가 함께 선출했다. ②(돈·비용을) 서로 내놓다.
〔公具〕 gōngjù 동 연서(連署)하다. ¶～保证 =〔～保结〕; 연서로 보증하다.
〔公决〕 gōngjué 동 일동이〔여럿이〕 결정하다. 명 중의(衆議) 결정.
〔公开〕 gōngkāi 명동 공개(하다). ¶～他的秘密; 그의 비밀을 공개하다. 부 공공연히. 공개적으로. ¶～活动; 공공연하게 활동하다 / ～表示; 공개적으로 표시하다 / ～宣布; 공개 선포하다. 정식으로 표명하다 / ～投标; 일반〔공개〕 입찰.
〔公开清账记账贸易〕 gōngkāi qīngzhàng jìzhàng màoyì 명 ⇨〔公开账〕
〔公开信〕 gōngkāixìn 명 공개장(公開狀).
〔公开账〕 gōngkāizhàng 명 《商》 오픈 어카운트(open account). 청산 계정. ¶由～转为英镑现金支付; 오픈 어카운트에서 파운드 현금 지불로 바꾸다 / ～户hù区; 오픈 어카운트 지역. =〔公开清账记账贸易〕〔定dìng期清结账户〕
〔公空〕 gōngkōng 명 《法》 공공. 공해상의 하늘. ↔〔领lǐng空〕
〔公筷〕 gōngkuài 명 ⇨〔公共筷子〕
〔公款〕 gōngkuǎn 명 공금. 관금. =〔公项〕〔公帑tǎng〕
〔公郎〕 gōngláng 명 도련님. 영식(令息).
〔公厘〕 gōnglí 양 《度》 ①밀리미터. =〔毫háo米〕 ②데시그램(decigram). =〔分fēn克〕 ③평방 미터. =〔平方米〕
〔公里〕 gōnglǐ 양 《度》 킬로미터. =〔千米〕〔仟米〕
〔公理〕 gōnglǐ 명 ①정당한 도리. ②(학문상의) 공리. ③《數》 공리.
〔公历〕 gōnglì 명 ①태양력. =〔格里历〕 ②양력(陽曆).
〔公立〕 gōnglì 명형 공립(의). ¶～学xué校; 공립학교.
〔公吏〕 gōnglì 명 관리.
〔公利〕 gōnglì 명 〈文〉 ①공정(公定)의 이식(利息). 공공의 이익. ②정당한 이익.
〔公利股〕 gōnglìgǔ 명 납입(納入) 자본에서 얻은 이자 및 다른 재원(財源)에서 얻은 이자를 자본에 추가시킨 것.
〔公例〕 gōnglì 명 〈文〉 일반의 법칙. 원칙.
〔公粮〕 gōngliáng 명 ①소작료. ②현물 징수의 농업세.
〔公两〕 gōngliǎng 양 《度》 헥토그램(100그램). =〔百bǎi克〕
〔公廪〕 gōnglǐn 명 〈文〉 정부의 창고.
〔公路〕 gōnglù 명 공유·관유의 도로. 자동차 도로. ¶高速～; 고속 도로 / 军用～; 군용 도로 / ～网; 자동차 도로망.
〔公路自行车比赛〕 gōnglù zìxíngchē bǐsài 명

《體》 자전거 로드 레이스(road race). 자전거 도로 경기.
〔公驴〕 gōnglǘ 명 《動》 수탕나귀. =〔叫jiào驴〕〔〈方〉骚sāo驴〕
〔公论〕 gōnglùn 명 ①공론(公論). 세론. 여론. ②공평한 의론.
〔公马〕 gōngmǎ 명 《動》 수말. ↔〔母mǔ马〕
〔公买公卖〕 gōngmǎi gōngmài 공정하게 매매하다.
〔公卖〕 gōngmài 동 ①공매하다. ②정부에서 전매(專賣)하다. ¶某国的财政收人, 以烟酒等等的～收人居首位; 모국의 재정 수입은 담배·술 등의 전매 수입이 수위를 차지한다.
〔公忙〕 gōngmáng 동 공무로 바쁘다.
〔公猫〕 gōngmāo 명 《動》 수고양이. =〔郎láng猫〕↔〔母mǔ猫〕
〔公门〕 gōngmén 명 ①옛날, 관청의 문 또는 왕궁의 문. ②옛날, 관공서의 총칭. ¶～里; 관계(官界)(에서는). 관청내(에서는) / ～使shǐ费; 고관에게 바치는 뇌물 비용.
〔公门桃李〕 gōng mén táo lǐ 〈成〉 ①문하생. ②추천한 인물.
〔公民〕 gōngmín 명 《法》 공민. 공민권을 가진 국민. ¶中华人民共和国～在法律上一律平等; 중화인민 공화국의 공민은 법률상 일률적으로 평등하다. →〔国guó民〕〔人rén民〕
〔公民权〕 gōngmínquán 명 《法》 공민권.
〔公民投票〕 gōngmín tóupiào 명 주민〔국민〕 투표. ¶举行～; 주민 투표를 거행하다.
〔公名〕 gōngmíng 명 ⇨〔普pǔ通名词〕
〔公母〕 gōngmǔ 명 ①수컷과 암컷. ②부부.
〔公母俩〕 gōngmuliǎ 명 〈方〉 부부 두 사람. 부부. ¶那个～的感情可真好; 저 부부의 금실은 너무 좋다.
〔公母儿〕 gōngmǔr 명 〈俗〉 부부.
〔公亩〕 gōngmǔ 양 《度》 아르(프 are). 100평방미터. =〔阿ā尔〕
〔公姥〕 gōngmǔ 명 ⇨〔公婆①〕
〔公墓〕 gōngmù 명 ①공동 묘지. =〔公坟〕 ②동성(同姓)의 가족 묘지. ③왕후(王侯)·제신(諸臣)의 묘지.
〔公牛〕 gōngniú 명 ①(거세하지 않은) 수소. ②복성(複姓)의 하나.
〔公派〕 gōngpài 동 국비로 파견하다.
〔公判〕 gōngpàn 명 ①《法》 공판. ②대중의 비평. 공평(公評).
〔公平〕 gōngpíng 명형 공평(하다). 공정(하다). ¶～交jiāo易; 공정하게 거래하다.→〔公道dao〕
〔公平秤〕 gōngpíngchèng 명 공평 저울(상점 등에서 구매 상품의 근수가 정확한지를 달아 보는 저울).
〔公婆〕 gōngpó 명 ①시아버지와 시어머니. 시부모. =〔公姥〕 ②〈方〉 부부. ¶两～; 부부 두 사람.
〔公仆〕 gōngpú 명 공복(公僕).
〔公企业〕 gōngqǐyè 명 공기업.
〔公启〕 gōngqǐ 명 〈文〉 ①공개 서한. ②공동 명의로 된 편지. ③귀중(貴中).
〔公器〕 gōngqì 명 공공 기물.
〔公钱〕 gōngqián 양 《度》 데카그램. =〔十shí克〕
〔公切线〕 gōngqiēxiàn 명 《數》 공접선. 공절선.
〔公勤人员〕 gōngqín rényuán 명 공무원과 고용원. →〔公务人员〕〔工作人员〕〔勤杂人员〕
〔公卿〕 gōngqīng 명 ①삼공(三公)과 구경(九卿). ②〈比〉 고관(高官).
〔公顷〕 gōngqǐng 양 《度》 헥타르(hectare)($10,000m^2$).
〔公请〕 gōngqǐng 동 모두(공동으로) 초대하다.
〔公权〕 gōngquán 명 《法》 공권.
〔公然〕 gōngrán 부 〈貶〉 공공연히. ¶～作弊; 공공연히 부정을 하다.
〔公人〕 gōngrén 명 ①공인. ②잡역(부).
〔公认〕 gōngrèn 명동 공인(하다). ¶他是～的好人; 그는 누구나 인정하는 좋은 사람이다.
〔公伤〕 gōngshāng 명 공상(公傷). 공무 중에 입은 부상.
〔公勺〕 gōngsháo 양 《度》 센티리터의 구칭. =〔厘lí升〕
〔公设〕 gōngshè 명 《數·哲》 공준(公準). 공리(公理).
〔公设辩护人〕 gōngshè biànhùrén 명 《法》 관선〔국선〕 변호인.
〔公社〕 gōngshè 명 ①공동체. 공동 사회. ¶氏族～; 씨족 공동체. ②〈簡〉 '人rén民公社'의 약칭. ③《史》 코뮌(프 commune). ¶巴bā黎～; 파리 코뮌.
〔公审〕 gōngshěn 《法》 동 군중 재판하다. 명 공개 재판. ¶～大会; 인민 재판.
〔公升〕 gōngshēng 양 《度》 리터.
〔公生数〕 gōngshēngshù 명 ⇨〔公约数〕
〔公使〕 gōngshǐ 명 공사('特tè命全权公使'의 약칭).
〔公使馆〕 gōngshǐguǎn 명 공사관.
〔公式〕 gōngshì 명 ①일반 법칙. ②《數》 공식.
〔公式化〕 gōngshìhuà 명 (문예 창작에서의) 형식화. 명동 공식화(하다). 형식화(하다). 형 공식적이다. 형식적이다. 융통성이 없다.
〔公式主义〕 gōngshì zhǔyì 명 공식주의. 형식주의.
〔公事〕 gōngshì 명 ①공무. 공용. ¶～公办; 〈成〉 공적인 일은 공적인 원칙에 따라 처리한다. ↔〔私sī事〕 ②사무. ③공문. 관의 고시. ¶上边～下来了; 상부 관청에서 고시가 내려왔다 / ～下来我才能走; 공문이 내려와야 비로소 출발할 수 있다. ④〈口〉 공문서. ¶～皮包; 서류 가방.
〔公事房〕 gōngshìfáng 명 사무소. 사무실.
〔公输〕 Gōngshū 명 복성(複姓)의 하나.
〔公署〕 gōngshǔ 명 옛날, 관공서.
〔公说公有理, 婆说婆有理〕 gōng shuō gōng yǒulǐ, pó shuō pó yǒulǐ 〈諺〉 시아버지는 자기 말이 이치에 맞는다고 하고, 시어머니는 자기 말이 옳다고 한다(제각기 자기가 옳다고 주장함).
〔公丝〕 gōngsī 양 《度》 밀리그램. =〔毫háo克〕
〔公司〕 gōngsī 명 ①회사. ¶股gǔ份(有限)～; 주식 회사 / 无wú限～; 합명 회사 / 两合～; 합자회사 / 百货～; 백화점 / 股份两合～; 주식 합자회사 / ～章zhāng程; 회사 정관 / 大～; 트러스트(trust) / ～联合; 카르텔(독 kartell) / 财迷～; 〈罵〉 노랑이 / 进出口～; 무역 회사 / 多国～ =〔跨kuà国～〕; 다국적 기업. ②국영(國營)의 비교적 규모가 큰 상공업 기업체. ¶中国化工进出口～广东分～; 중국 화학 공업 무역 회사 광둥(廣東) 지사.
〔公司大菜〕 gōngsīdàcài 명 〈吳〉 양식(洋食)의 정식.
〔公私〕 gōngsī 명 공사. 공적인 일과 사적인 일.
〔公私合营〕 gōngsī héyíng 명 공사 합영(자본주

하다. 도도하다. ¶～傲世; 자만하여 세상 사람들을 깔보다.
〔孤寡〕 gūguǎ 명 ⇨〔孤儿寡妇〕 형 고독하다. ¶～老人; 고독한 노인/家里只剩下她一个～老婆儿; 집에는 아내만이 외롭게 남았다.
〔孤寡老弱〕 gū guǎ lǎo ruò 고아·과부·노인·몸이 약한 사람.
〔孤拐(儿)〕 gūguai(r) 명 〈方〉 ①광대뼈. =〔颧骨〕 ②발바닥의 앞쪽의 양측 돌출 부분(발가락이 붙은 곳).
〔孤寒〕 gūhán 형 〈文〉 고독하고 외롭다〔가난하다〕. =〔孤微〕
〔孤怀〕 gūhuái 명 〈文〉 처량한〔외로운〕 마음.
〔孤魂〕 gūhún 명 ①고혼. 외로이 떠돌아다니는 영혼. ②〈比〉 의지할 데 없는 사람.
〔孤(魂)鬼儿〕 gū(hún)gǔir 명 〈比〉 의지할 곳 없는 외로운 사람.
〔孤魂会〕 gūhúnhuì 명 무주 고혼(無主孤魂)의 공양회.
〔孤寂〕 gūjì 형 〈文〉 고독하고 쓸쓸하다.
〔孤家寡人〕 gū jiā guǎ rén 〈成〉 고독한 사람. 외톨이(옛날의 군주의 자칭). =〔孤家〕〔寡人〕
〔孤介〕 gūjiè 형 〈文〉 절개를 지켜 속인과 잘 어울리지 않다.
〔孤迥〕 gūjiǒng 형 〈文〉 생각이 범속함을 초월해 있다.
〔孤军〕 gūjūn 명 고군. 후원이 없는 고립된 군사.
〔孤军作战〕 gūjūn zuòzhàn 명동 고군분투(하다). =〔孤军奋战〕
〔孤客〕 gūkè 명 〈文〉 외로운 나그네.
〔孤苦〕 gūkǔ 형 외톨이이고 가난하다. 의지할 데 없고 빈한(貧寒)하다. ¶～无依的老人; 홀로 의지할 데 없는 노인.
〔孤苦伶仃〕 gū kǔ líng dīng 〈成〉 외톨이로 의지할 데가 없다. ¶父母都死了就剩了～一个孩子了; 부모가 다 죽고 아이만 혼자 남았다. =〔孤单零丁〕〔孤苦零丁〕〔伶丁孤苦〕
〔孤老〕 gūlǎo 명 ①〈文〉 고독한 노인. ②〈俗〉 샛서방. 간부(間夫). ③〈俗〉 (기생·가희(歌姬) 등의) 후원자. 기둥서방. 포주. =〔盖老②〕
〔孤立〕 gūlì 형 고립되어 있다. ¶～无援 =〔～无助〕; 고립 무원/～主义; (국가의) 고립주의. 동 고립하다〔시키다〕.
〔孤立木〕 gūlìmù 명 외로이 선 나무.
〔孤立语〕 gūlìyǔ 명 《言》 고립어.
〔孤零〕 gūlíng 형 ⇨〔孤单①〕
〔孤零零(的)〕 gūlínglíng(de) 고독해서 의지할 곳이 없다. =〔孤另另(的)〕
〔孤另〕 gūlìng 형 ⇨〔孤单①〕
〔孤陋〕 gūlòu 형 〈文〉 견식이 좁다. 학식이 얕다. 고루하다.
〔孤陋寡闻〕 gū lòu guǎ wén 〈成〉 학문이 얕고 견문이 좁다.
〔孤鸾〕 gūluán 명 〈比〉 배우자를 잃은 사람.
〔孤孽〕 gūniè 〈成〉 ⇨〔孤臣孽子〕
〔孤女〕 gūnǚ 명 부모가 없는 여자 아이.
〔孤篷万里〕 gū péng wàn lǐ 〈成〉 한 척의 작은 배로 만리 여행길을 떠나다(홀로 외로이 여행하다).
〔孤僻〕 gūpì 형 괴팍하다. 편벽되다. =〔孤独②〕 명 황폐한 벽지(僻地).
〔孤贫〕 gūpín 형명 〈文〉 가난하고 의지할 데가 없는 (사람). ¶～粮liáng; 가난을 구제하는 쌀. 휼미(恤米). =〔孤穷〕
〔孤凄〕 gūqī 형 외롭고 처량하다. =〔孤单凄凉〕
〔孤峭〕 gūqiào 형 〈文〉 성격이 깐깐하고 세속에 순응치 않다.
〔孤人〕 gūrén 명 독신자. 홀몸인 사람.
〔孤身无靠〕 gūshēn wúkào 독신으로 의지가지없다.
〔孤生〕 gūshēng 명 〈文〉 어려서 어버이를 잃고 의지할 데가 없는 사람. ¶起自～, 致位郡守; 어려서 고아가 된 상태에서 입신하여 군수까지 되었다.
〔孤孀〕 gūshuāng 명 ①과부. ¶小～; 청춘 과부. ② ⇨〔孤儿寡妇〕
〔孤挺花〕 gūtǐnghuā 명 《植》 아마릴리스.
〔孤微〕 gūwēi 형 ⇨〔孤寒〕
〔孤行〕 gūxíng 동 〈文〉 단독으로 행하다. ¶～己见; 자기 생각을 밀고 나가다.
〔孤雁单飞〕 gū yàn dān fēi 〈成〉 외로운 기러기가 홀로 날다(홀로 길을 떠나다).
〔孤阳〕 gūyáng 명 암꽃술이 없는 꽃 〈比〉 홀아비.
〔孤影〕 gūyǐng 명 홀로 쓸쓸한〔외로운〕 모습. ¶～萧xiāo然; 홀로 쓸쓸한 모양.
〔孤云野鹤〕 gūyún yěhè 〈比〉 세속의 명리를 버리고 초연해 있는 인물.
〔孤掌难鸣〕 gū zhǎng nán míng 〈成〉 한쪽 손바닥만으로는 소리내지 못한다(혼자서는 아무 일도 할 수 없다).
〔孤斟〕 gūzhēn 동 〈文〉 혼자서 술을 마시다. =〔孤酌〕
〔孤枕〕 gūzhěn 동 〈文〉 혼자 자다. 독침(獨寢)하다.
〔孤证〕 gūzhèng 명 (믿기에) 박약한 증거. ¶单辞～; 일방적인 주장과 빈약한 증거.
〔孤忠〕 gūzhōng 〈文〉 동 홀로 충성을 바쳐 변절하지 않다. ¶～亮liàng节; 홀로 충성을 바쳐 변절하지 않다. 명 홀로 바치는 충성.
〔孤注〕 gūzhù 명 도박에서 남은 밑천을 다 걸고 마지막 승부를 거는 것(한판 승부를 겨루는 것). =〔孤丁dīng③〕〔整zhěng注〕
〔孤注一掷〕 gū zhù yī zhì 〈成〉 도박에서 남은 밑천을 다 걸고 최후의 승부를 걸다(위급할 때 온 힘을 다 발휘하여 한 차례 모험을 걸다).
〔孤子〕 gūzǐ 명 ① ⇨〔孤儿〕 ②어머니는 생존하고 아버지의 상(喪)을 당한 사람의 자칭. →〔孤哀子〕
〔孤子归宗〕 gū zǐ guī zōng 〈成〉 과부가 재가(再嫁)할 때, 전남편의 자식은 전남편의 집으로 돌려 보내야 된다.

轱(軱) gū (고)
명 〈文〉 광대뼈. 관골(顴骨).

罛 gū (고)
명 〈文〉 큰 어망(漁網).

菰〈苽〉 gū (고)
명 ①《植》 줄(풀). =〔菰菜cài〕〔茭白〕〔茭儿菜〕〔茭瓜〕〔茭笋〕〔菇②〕 ② ⇨〔菇①〕

觚 gū (고)
명 〈文〉 ①옛날 술잔의 하나. ②옛날, 문자를 쓰는 데 사용한 목판. ¶操～; 글을 짓다. =〔觚牍dú〕 ③능각(稜角). ④방형(方形). ¶破～为圜yuán; 〈成〉 고집하지 않다.
〔觚棱〕 gūléng 명 궁전 건축 양식에서, 지붕 능선(稜線)의 기와 부분.

骨 gū (골)
표제어 참조. ⇒gǔ

〔骨朵(儿)〕 gūduǒ(r) 명 ①〈口〉 꽃봉오리. =〔蓇葖①〕 ②〈俗〉 올챙이. ‖ =〔咕朵(儿)〕
〔骨溜溜〕 gūliūliū 〈擬〉 뱅글뱅글. ¶他的眼珠～转着, 心里便有了个主意; 그는 눈동자를 빙빙 돌리더니만, 곧 생각이 났다.
〔骨碌〕 gūlu 동 떼굴떼굴 구르다. ¶皮球在地上～; 고무공이 땅에서 떼굴떼굴 굴렀다 / 一～爬起来; 뒹굴 굴러서 일어나다. 명 수레바퀴. ¶胶皮～车子; 고무 바퀴의 수레. →〔轂辘gūlu〕
〔骨碌骨碌〕 gūlugūlu 〈擬〉 데굴데굴. 떼굴떼굴. ¶～滚了起来; 데굴데굴 구르기 시작했다.
〔骨碌碌〕 gūlūlū 형 매우 빨리 회전하는 모양. ¶他眼睛～地一会儿看这个, 一会儿看那个; 그는 눈알을 팽글팽글 돌리며 이쪽저쪽을 본다.
〔骨轮儿〕 gūlunr 명 단락(段落). 단(段). 절(節). 양 단락·단·절을 세는 단위.

蓇 gū (골)
→〔蓇葖〕

〔蓇葖〕 gūtū 명 ①봉오리. =〔骨朵(儿)①〕 ②《植》 골돌과(果).

家 gū (고)
명 옛날, 여자의 존칭. ¶曹大～; 《人》 후한(後漢)의 반소(班昭)《반고(班固)의 여동생》. ⇒jiā jie

轂(轂) gū (곡)
→〔轂辘〕 ⇒gǔ

〔轂辘〕 gūlu 명 ①(～儿) 수레바퀴. 차륜(車輪). ¶～钱儿; 엽전 모양의 무늬 / ～车; 밀차. 광차(鑛車) / ～刮; 수레바퀴의 흙받기. =〔车轮(子)〕 ②두레박의 활차. 고패. 권양기(捲揚機). ¶住了～干了畦; 고패가 멈추면 두렁이 마른다《일을 그만두면 생활을 할 수 없게 된다》. 동 떼굴떼굴 구르다. ‖ =〔轱辘〕〔轱轳lu〕
〔轂辘锅的〕 gūluguōde 명 땜장이. 냄비 땜질하는 사람.

箍 gū (고)
①(～儿) 명 테. 테 모양의 물건. ¶铁～; 쇠테 / 纸～; 종이의 봉(封) 띠. ②동 테를 두르다. ¶～木桶; 통에 테를 두르다 / 把破口用铁条～上; 훼손된 곳에 가는 철편으로 테를 하여 씌우다. ③동 (띠 모양의 것으로) 감다. 감기다. ¶拿白布～起来; 흰 천으로 감다 / 头上～条白布; 머리에 띠를 두르다. ④동 〈轉〉 착취하다. ¶从老百姓身上～出不少的钱; 백성들로부터 적지 않은 돈을 착취하다.

〔箍臣〕 gūchén 명 쿠션(cushion). =〔软垫〕
〔箍节儿〕 gūjier 명 단락(段落). 부분. 마디. 토막.
〔箍紧〕 gūjǐn 동 (테 따위로) 꼭 죄다.
〔箍铁〕 gūtiě 명 (상자 포장용) 철 테. =〔〈南方〉路lù皮(铁)〕〔铁箍〕
〔箍桶〕 gū,tǒng 동 통의 테를 죄다. ¶～匠; 통장이.
〔箍眼〕 gūyan 명 〈方〉 눈 주위에 생기는 부스럼. 다래끼.
〔箍嘴〕 gūzuǐ 명 〈方〉 재갈.

古 gǔ (고)
①명 옛날, 고대. ¶上～; 상고 / 中～; 중고. ↔〔今jīn①〕 ②형 오래되다. 낡다. 여러 해 묵다. ¶～城; 오래된 도시. 고도(古都) / ～树; 고목 / 这座庙很～了; 이 절은 아주 오래되었다. ③형 〈轉〉 (인심이) 질박하다. 순박하다. ¶人心不～; 인심이 질박〔순박〕함을 잃고 있다. ④명 고체시(古體詩). ¶五～; 오언 고시 / 七～; 칠언 고시. ⑤명 음역용 자. ¶～迭dié达; 쿠데타. ⑥명 성(姓)의 하나.

〔古奥〕 gǔ'ào 형 (시나 글이) 내용이 심오(深奧)하여 이해하기 어렵다.
〔古巴〕 Gǔbā 명 ①《地》 〈音〉 쿠바(Cuba)《수도는 '哈瓦那'(아바나: Havana)》. ②(gǔbā) ⇨〔玷粑〕
〔古板〕 gǔbǎn 형 ①융통성이 없다. 완고하다. ¶～皮气; 융통성이 없는 성격. ②(사상·작풍 등이) 고루하다. 진부하다. ③민활치 못하다. 둔하다. ④소극적이고 무계획적이다.
〔古本〕 gǔběn 명 고서. 고본.
〔古刹〕 gǔchà 명 〈文〉 고찰. 오래된 사찰.
〔古瓷〕 gǔcí 명 오래된 자기.
〔古代〕 gǔdài 명 ①《史》 (시대 구분의) 고대. ㉠중국에서는 흔히 19세기 중엽 이전을 말함. ¶中国～文学; 중국 고대 문학《고대부터 청(清)나라 말까지의 문학》. ㉡노예 사회의 시대를 가리키나 원시 공동체의 시대를 포함하는 일이 있음. ②옛날.
〔古道〕 gǔdào 명 ①옛날의 가르침. ②옛날의 도(道). 옛 풍습. 형 인정이 두텁다. ¶人很～; 인정이 매우 두텁다.
〔古道热肠〕 gǔ dào rè cháng 〈成〉 남을 대하는 태도가 성실하고 다정하다. 인정이 두텁다.
〔古典〕 gǔdiǎn 명 ①고전. ¶～文学; 고전 문학 / ～主义; 고전주의 / ～音乐; 클래식 음악. ②〈文〉 옛날부터 전해 온, 정종(正宗), 또는 규범. ③출전(出典).
〔古调〕 gǔdiào 명 고조. 고대의 음조. 〈轉〉 예스러운 가락. ¶～独弹tán; 〈比〉 유행에 뒤떨어지다. 시대에 뒤떨어지다.
〔古调不弹〕 gǔ diào bù tán 〈成〉 낡고 시대에 뒤진 것은 세상에 용납되지 않는다.
〔古董(儿)〕 gǔdǒng(r) 명 ①골동품. →〔古玩〕 ②〈比〉 고집쟁이. 시대에 뒤진 것이나 구습을 완고하게 지키려는 사람. ‖ =〔骨董〕
〔古都〕 gǔdū 명 고대의 도시. 고도.
〔古渡〕 gǔdù 명 옛날의 나루터.
〔古尔邦节〕 Gǔ'ěrbāng jié 명 이슬람교의 중요한 제일(祭日)의 하나. =〔宰zǎi牲节〕
〔古方(儿)〕 gǔfāng(r) 명 《漢醫》 옛날의 처방. →〔时方〕
〔古坟〕 gǔfén 명 고분. 오래된 무덤.
〔古风〕 gǔfēng 명 ①고대의 풍속·습관. ②⇨〔古体诗〕
〔古怪〕 gǔguài 형 ①괴상하다. ¶～的人; 괴상한 사람《성격·행동이》 / 脾气～; 성질이 유다르다. ②세상 조류에 맞지 않다. 명 허깨비. 귀신.
〔古国〕 gǔguó 명 오랜 역사를 가진 나라.
〔古话〕 gǔhuà 명 옛날 이야기. 고어.
〔古籍〕 gǔjí 명 고서《고본(古本)은 '旧jiù书'라고 함》. ¶文物～; 문화재와 고서.
〔古记儿〕 gǔjìr 명 전래된 이야기. ¶你不早来听～; 너 빨리 와서 옛날 이야기를 듣지 않겠니. =〔〈方〉古今儿gǔjīnr〕
〔古迹〕 gǔjì 명 고적. 옛 자취. ¶名胜～; 명승 고적.
〔古今〕 gǔjīn 명 고금. ¶～独dú步; 〈成〉 고금을 통해서 비할 만한 것이 없다. 대단히 우수하다 / ～中外, 概莫能外; 고금 동서를 통해서 아마 예외는 없을 것이다.

〔古今儿〕 gǔjīnr 명 옛 이야기. 동화. ¶吃了晚饭, 孩子们就围上爷爷要他说～; 저녁 식사가 끝나면 아이들은 할아버지를 둘러싸고 옛 이야기를 해 달라고 조른다.
〔古井无波〕 gǔ jǐng wú bō 〈成〉 물이 마른 우물은 파도가 일지 않는다《주로 여성의 마음이 동요되지 않음을 가리킴》.
〔古旧〕 gǔjiù 형 오래되고 낡다. 케케묵다. 구식이다. 진부하다.
〔古柯〕 gǔkē 명 《植》〈音〉 코카. ¶～碱 =〔可卡因〕; 《藥》 코카인. =〔古加〕〔高根〕
〔古来〕 gǔlái 명부 고래(로). 옛날부터. ¶自zì古以来; 자고이래(로). 옛날(부터). →〔古往wǎng今来〕
〔古兰经〕 Gǔlánjīng 명 《宗》〈音〉 코란경(經). =〔可兰经〕
〔古老〕 gǔlǎo 명 고로. 형 오래된. 낡은. 진부한. 고풍의. ¶～的衣服; 고색 창연한〔오래된〕 옷 / ～的城市; 오래된 도시 / ～的风俗; 낡은 풍속.
〔古礼〕 gǔlǐ 명 고대부터의 예식.
〔古丽巴斯〕 gǔlìbāsī 명 〈音〉 크레파스.
〔古丽容〕 gǔlìróng 명 〈音〉 크레용(crayon). =〔蜡笔〕〔炭笔〕
〔古隶〕 gǔlì 명 진(秦)·한(漢) 대의 예서. ↔〔今jīn隶〕
〔古论〕 Gǔlún 명 《書》 고론《한대(漢代)에 공자의 옛 집 벽에서 발견되었다는 논어. 주(周)대의 '科kē斗文'으로 쓰였으며, 노(魯)나라 사람이 전했다는 '鲁论'보다 한 편이 더 많음》.
〔古庙〕 gǔmiào 명 고찰(古刹).
〔古墓〕 gǔmù 명 고묘. 고분. 오래된 무덤.
〔古朴〕 gǔpǔ 형 고풍으로 꾸밈새가 없다.
〔古椠〕 gǔqiàn 명 〈文〉 (연대가) 오래된 책.
〔古峭〕 gǔqiào 형 고풍스럽고 엄격하다.
〔古琴〕 gǔqín 명 《樂》 고금《5현 또는 7현으로 소형》. =〔七弦琴〕
〔古人〕 gǔrén 명 옛 사람.
〔古色〕 gǔsè 명 고색. 고색 창연한 빛. ¶～苍cāng然; 고색 창연하다.
〔古色古香〕 gǔ sè gǔ xiāng 〈成〉 (서화·기물(器物)·풍물 등이) 고색 창연하고 우아함. =〔古香古色〕
〔古生代〕 gǔshēngdài 명 《地》 고생대.
〔古生界〕 gǔshēngjiè 명 《地》 고생층.
〔古生物〕 gǔshēngwù 명 고생물.
〔古诗〕 gǔshī 명 ①고시. 고대의 시. ②⇨〔古体(诗)〕
〔古式〕 gǔshì 명 옛날식.
〔古书〕 gǔshū 명 고서.
〔古塔(坡)胶〕 gǔtǎ(pō)jiāo 명 《化》 구타페르카(고무).
〔古体〕 gǔtǐ 명 ①〈文〉 옛날의 문체. ②고체시.
〔古体诗〕 gǔtǐshī 명 고체시(古體詩)《당(唐) 시대 이후의 근체시(율시(律詩)·절구(絶句))와 구별한 시체로, 4언(言)·5언·6언·7언 등이 있으나, 구수(句數)에는 제한이 없으며 격률(格律)도 자유로움》. =〔古诗②〕〔古风②〕
〔古体字〕 gǔtǐzì 명 고체자(古體字)《근체자(近體字)에 대하여 이르는 말. 보통 대전(大篆)·소전(小篆)을 가리킴》.
〔古帖〕 gǔtiè 명 오래된 법첩(法帖).
〔古铜〕 gǔtóng 명 고동. 헌 구리쇠. ¶～器qì; 고동기.
〔古铜色〕 gǔtóngsè 명 《色》 고동색. 적동색(赤銅色).
〔古玩〕 gǔwán 명 상완(賞玩)할 수 있는 골동품(骨董品). ¶～铺; 골동품점.
〔古往〕 gǔwǎng 명 옛날. =〔往初〕〔往古〕
〔古往今来〕 gǔ wǎng jīn lái 〈成〉 옛날부터 지금까지. =〔往古来今〕
〔古为今用〕 gǔ wèi jīn yòng 〈成〉 옛 것을 현재를 위하여 이용하다. ¶～, 洋为中用; 옛 것의 장점을 이용하고, 외국의 장점을 이용하여 중국을 위해 이용하다.
〔古味〕 gǔwèi 명 〈文〉 예스러운 아취.
〔古文〕 gǔwén 명 ①5·4 운동(五四運動) 이전의 문언문(文言文)의 통칭《변려문(騈儷文)은 포함하지 않음》. ②'今文'(한대(漢代)의 통용 문자인 예서(隷書)에 대해) 진대(秦代) 이전의 문자를 일컫는 말. ③진·한대(秦漢代)의 문체. 또, 그 문체를 규범으로 하여 '사륙문(四六文)'을 배제한 문체. ④'시문(時文)'(과거(科擧)에 쓰인 문체, 특히 명·청대(明清代)의 과거 문체)에 대하여 일컫는 말. ⑤'六书'(왕망대(王莽代) 6종의 서체)의 하나.
〔古文钱〕 gǔwénqián 명 옛날의 일문전(一文錢). =〔古老钱〕
〔古文字〕 gǔwénzì 명 옛날의 문자. =〔古字〕
〔古物〕 gǔwù 명 〈文〉 고미술품. 골동.
〔古昔〕 gǔxī 명 〈文〉 옛날.
〔古稀〕 gǔxī 명 고희. 70세의 별칭《두보(杜甫)의 시 '人生七十古来稀'에서 나온 말》. ¶年近～; 나이는 70에 가깝다.
〔古训〕 gǔxùn 명 옛날부터 전해 온 훈계. →〔诂训〕
〔古雅〕 gǔyǎ 형 예스럽고 우아하다. ¶这套瓷器很～; 이 자기는 매우 고아하다.
〔古眼鱼〕 gǔyǎnyú 명 《魚》 전어.
〔古谚〕 gǔyàn 명 옛날 속담.
〔古窑〕 gǔyáo 명 고대의 도요지.
〔古谣〕 gǔyáo 명 고요. 옛날부터 전해 오는 가요.
〔古野〕 Gǔyě 명 복성(複姓)의 하나.
〔古已有之〕 gǔ yǐ yǒu zhī 〈成〉 전부터 중국에 있었던 것이다《중국인이 외국 것에 대하여 지기 싫어서 하던 말》.
〔古音〕 gǔyīn 명 ①고대의 말. ②(특히) 주(周)·진(秦) 시기의 어음(語音). ‖↔〔今jīn音〕
〔古语〕 gǔyǔ 명 ①고어. 고문체. ②옛 격언(格言).
〔古乐〕 gǔyuè 명 고대의 음악.
〔古哲〕 gǔzhé 명 〈文〉 옛 현인.
〔古筝〕 gǔzhēng 명 《樂》 쟁. =〔筝①〕
〔古注〕 gǔzhù 명 고주. 한(漢)·당(唐)대의 경서의 주석.
〔古装〕 gǔzhuāng 명 옛날의 복장. ¶～戏 =〔袍páo带剧〕; 《劇》 사극 / ～片piàn; 사극 영화. =〔古妆〕
〔古拙〕 gǔzhuō 형 고풍(古風)으로 기교는 없으나 고아(古雅)한 멋이 있다.
〔古字〕 gǔzì 명 (쇠퇴하여 쓰이지 않는) 옛 글자. =〔古文字〕

诂(詁) gǔ (고)

동 (옛날의 언어·문자 또는 방언의 뜻을) 해석하다. 주해하다. ¶～学; 훈고학 / ～字; 글자를 해석하다.
〔诂训〕 gǔxùn 명 훈고. 주석. =〔解诂〕〔训xùn诂〕

鈷 **gǔ**
→〔鈷把〕

〔鈷把〕 **gǔbā** 명 코파르(와니스 제조에 적합한 여러 수지). ¶～树shù脂油; 코파르 오일. =〔古巴②〕〔古柏bǎi〕〔谷巴〕〔谷白bái〕〔柯kē巴〕

牯 **gǔ** (고)
→〔牯牛〕

〔牯牛〕 **gǔniú** 명 ①수소(곳에 따라 황소를 일컫기도 함). ②불깐 소.

罟 **gǔ** (고)
〈文〉 ① 명 어망(漁網). ¶～客kè =〔～师shī〕; 어부. ② 동 그물로 물고기를 잡다.

钴(鈷) **gǔ** (고)
① 명 《化》 코발트(Co: cobaltum). ¶氧yǎng化～; 산화 코발트 / ～蓝; 《染》 코발트 블루. ② →〔钴鉧〕

〔钴胺素〕 **gǔ'ànsù** 명 시아노코발라인(비타민B_{12}). =〔维wéi生素B_{12}〕

〔钴矿〕 **gǔkuàng** 명 코발트 광산.

〔钴鉧〕 **gǔmǔ** 명 다리미.

蛄 **gǔ** (고)
→〔蝲là蛄〕〔蝲蝲蛄〕 ⇒gū

嘏 **gǔ** 〔jiǎ〕 (고)〔하〕
명 〈文〉 행복. ¶祝zhù～; 장수(長壽)를 축하하다.

盬 **gǔ** (고)
→〔盬子〕

〔盬子〕 **gǔzi** 명 요리할 때 쓰는 바닥이 깊은 솥(토기 또는 철제). ¶瓷～; 위의 자기 제품 / 沙～; 위의 토기 제품.

盬 **gǔ** (고)
〈文〉 ① 명 염지(鹽池). ② 동 무르다. 견고하지 않다. ③ 동 멈추다.

汩 **gǔ** (골)
형 〈文〉 ①물 흐르는 모양. ②빠르다.

〔汩汩〕 **gǔgǔ** 〈擬〉 콸콸(물 흐르는 소리).

〔汩流〕 **gǔliú** 명 〈文〉 급류.

〔汩没〕 **gǔmò** ① 동 〈文〉 매몰(埋沒)하다. ②〈擬〉 파도 소리.

谷(穀)B) **gǔ** (곡)
A) ① 명 골짜기. ¶山～; 산골짜기 / 万丈深～; 깊은 계곡. ② 명 깊은 구멍. ③ 형 막다르다. 극단에 이르다. ¶进退维～; 진퇴유곡. ④ 명 성(姓)의 하나. **B)** ① 명 곡식. 곡물. ¶五～; 오곡(벼·수수·피·보리·조) / 百～; 곡물의 총칭. ②(～子) 명 조. ¶～草; ⇩ / ～穗儿; ⇩ →〔小米(儿)〕 ③(～子) 명 〈方〉 쌀. 벼. ¶糯～; 찹쌀 / 粳～; 멥쌀 / 轧～机; 탈곡기. ④ 명 봉급. 녹(祿). ⑤ 명 행복. ⑥ 형 좋은. 아름다운. ¶～旦; ⇩ ⇒yù

〔谷氨酸〕 **gǔ'ānsuān** 명 《化》 글루타민산(酸).

〔谷氨酸钠〕 **gǔ'ānsuānnà** 명 《化》 글루타민산소다.

〔谷仓〕 **gǔcāng** 명 곡물 창고.

〔谷草〕 **gǔcǎo** 명 ①조의 짚. ②〈方〉 볏짚.

〔谷场〕 **gǔcháng** 명 거두어들인 곡물을 말리는 마당. 타작 마당.

〔谷旦〕 **gǔdàn** 명 〈文〉 길일(吉日).

〔谷盗〕 **gǔdào** 명 《蟲》 느치. =〔谷贼〕

〔谷道〕 **gǔdào** 명 《生》 직장(直腸)과 항문. =〔肛gāng道〕

〔谷地〕 **gǔdì** 명 골짜기.

〔谷囤子〕 **gǔdùnzi** 명 조를 저장해 두는 통가리. =〔囤〕

〔谷蛾〕 **gǔ'é** 명 《蟲》 곡식좀나방.

〔谷坊〕 **gǔfáng** 명 홍수 방지를 위해 계곡에 만드는 구식의 소형 댐.

〔谷风〕 **gǔfēng** 명 ①곡풍(골짜기에서 산마루로 올려 부는 바람). ②〈文〉 샛바람(동풍의 별칭). =〔东风①〕

〔谷麸〕 **gǔfū** 명 겉겨. 왕겨.

〔谷谷〕 **gǔgǔ** 〈擬〉 구구구(새 우는 소리). ¶戴dài胜～催春耕; 후투티가 구구구 울며 봄갈이 때를 고하는도다.

〔谷浆树〕 **gǔjiāngshù** 명 《植》 꾸지나무.

〔谷酱粉〕 **gǔjiàngfěn** 명 곡류를 주원료로 하여 만든 된장을 말려서 빻은 가루.

〔谷精草〕 **gǔjīngcǎo** 명 《植》 곡정초. 고위까람.

〔谷糠〕 **gǔkāng** 명 쌀겨.

〔谷壳〕 **gǔké** 명 겉겨. 왕겨. →〔稻dào糠〕

〔谷类植物〕 **gǔlèi zhíwù** 명 곡류 식물.

〔谷粒〕 **gǔlì** 명 곡물. 낟알.

〔谷粒选择机〕 **gǔlì xuǎnzéjī** 명 《機》 곡물 선별기. 풍구.

〔谷梁〕 **Gǔliáng** 명 복성(複姓)의 하나.

〔谷蓼〕 **gǔliǎo** 명 《植》 여뀌.

〔谷米〕 **gǔmǐ** 명 쌀. 미곡.

〔谷那〕 **Gǔnà** 명 복성(複姓)의 하나.

〔谷皮(儿, 子)〕 **gǔpí(r, zi)** 명 겉겨. 왕겨.

〔谷人〕 **gǔrén** 명 〈文〉 농부.

〔谷日〕 **gǔrì** 명 음력 정월 8일의 별칭.

〔谷朊〕 **gǔruǎn** 명 《化》 글루텐(gluten).

〔谷穗(儿)〕 **gǔsuì(r)** 명 ①조 이삭. ②곡물〔벼〕의 이삭.

〔谷维素〕 **gǔwéisù** 명 《藥》 오리자놀.

〔谷物〕 **gǔwù** 명 ①곡물의 씨앗. ②곡류. 곡물의 총칭.

〔谷物联合收割机〕 **gǔwù liánhé shōugējī** 명 《機》 콤바인. =〔康kāng拜因(机)〕

〔谷酰氨〕 **gǔxiān'ān** 명 《化》 글루타민.

〔谷象〕 **gǔxiàng** 명 《蟲》 바구미.

〔谷言〕 **gǔyán** 명 좋은 말.

〔谷莠子〕 **gǔyǒuzi** 명 《植》 강아지풀.

〔谷雨〕 **gǔyǔ** 명 곡우(이십사 절기(二十四節氣)의 하나, 양력 4월 20일 또는 21일, 이 비가 오기 전에 따는 차(茶)를 '雨前'이라 함). =〔楝liàn花风〕

〔谷种〕 **gǔzhǒng** 명 곡물의 씨앗.

〔谷子〕 **gǔzi** 명 ①탈곡하지 않은 조. ¶～面; 껍질 붙은 채로 탄 조의 가루. →〔小米(儿)〕 ②〈方〉 벼. =〔稻〕

股 **gǔ** (고)
① 명 넓적다리. =〔大腿〕 ②(～儿) 명 주(株). 주식. 출자금(양사(量詞)로도 씀). ¶招zhāo多少万～? 몇만 주를 모집하느냐? / 入～(儿) =〔认～〕; 주식을 인수하다. 주주가 되다 / 合hé～; 합자(하다) / 财cái～ =〔银yín～〕; 금전〔자금〕 출자 / 空～ =〔力～〕〔人～〕〔人力～(儿)〕; 노력(勞力) 출자 / 红～; 권리주 / 新xīn～; 신주 / 老～; 구(舊)주 / 优先～; 우선주. ③ 명 (기관·단체 중의) 조직 단위. 부문. 계(係)(관청의 '课'의 아래). ¶总务科人事～; 총무과 인사계 / 分～办事; 계(係)별로 일을 하다. ④

我～知其将返; 나는 그가 멀지 않아 돌아올 것을 처음부터 알고 있었다 / 所言～有理, 惟目前尚难实行; 말이야 물론 이치에 닿지만, 그러나 아직은 실행하기 어렵다. ⑥ 부 최대한. 끝까지. ¶～辞; ⇓ / ～守阵地; 진지를 끝까지 지키다. ⑦ 동 굳게 하다. 고정시키다. ¶～本; 근원을 굳히다 / 巩～统一战线; 통일 전선을 공고히 하다. ⑧ 명 성(姓)의 하나.

〔固步自封〕 gù bù zì fēng 〈成〉 ⇨〔故gù步自封〕

〔固持〕 gùchí 동 〈文〉 굳게 지니다. 견지하다. →〔坚jiān持①〕

〔固辞〕 gùcí 동 굳이〔극구〕 사양하다. =〔坚jiān辞〕

〔固氮菌〕 gùdànjūn 명 《生》 아조토박터(Azotobacter). 질소 동화 박테리아.

〔固蒂深根〕 gùdì shēngēn 〈比〉 확고한 기초.

〔固定〕 gùdìng 형 고정되다. 일정하다. ¶～职业; 고정 직업 / ～不移; 확고 부동하다 / ～工资; 고정 임금. ↔〔流动〕 동 고정시키다. 정착(定着)시키다. 굳히다. ¶～设备; 설비를 고정시키다 / 把学习制度～下来; 학습 제도를 정착시키다.

〔固定汇率〕 gùdìng huìlǜ 명 《經》 고정 환율.

〔固定价格〕 gùdìng jiàgé 명 정가. 정찰 가격.

〔固定螺钉〕 gùdìng luódīng 명 《機》 고정 나사. 세트 스크루(set screw). =〔〈北方〉 顶dǐng丝〕〔〈南方〉 支zhī(头)螺丝〕

〔固定职工〕 gùdìng zhígōng 명 상용공(常傭工).

〔固定资金〕 gùdìng zījīn 명 《經》 고정 자금. ↔〔流动资金〕

〔固封〕 gùfēng 동 꼭 봉하다.

〔固化〕 gùhuà 동 고체로 하다. 응고시키다. ¶～酒精; 고형 알코올.

〔固疾〕 gùjí 명 ⇨〔痼疾〕

〔固件〕 gùjiàn 명 《電算》 (컴퓨터의) 펌웨어(firmware). →〔硬件〕〔软件〕

〔固节〕 gùjié 동 〈文〉 절개를 굳게 지키다.

〔固结〕 gùjié 동 〈文〉 (토양이) 굳게 뭉치다. 고결되다.

〔固力〕 gùli 형 튼튼하다. 튼실하다. ¶这匹马～; 이 말은 튼튼하다. =〔骨力〕

〔固陋〕 gùlòu 형 〈文〉 고루하다. 견문이 좁다. ¶～无wú文; 〈成〉 고루하고 무식하다.

〔固请〕 gùqǐng 동 〈文〉 간곡히 부탁하다.

〔固然〕 gùrán 부 ①물론. 말할 것도 없이. ¶那～用不着你细说! 그것은 물론 네가 자세하게 말할 필요도 없다! ②A의 사실을 인정하고, 또한 B의 사실도 인정하다. ¶意见对, ～可以接受, 就是不对也可作为参考; 의견이 정당하면 물론 받아들이고, 설혹 정당치 않다 하더라도 참고로 할 수가 있다.

〔固溶体〕 gùróngtǐ 명 《化》 고용체.

〔固若金汤〕 gù ruò jīn tāng 〈成〉 (진지·성채 따위가) 난공불락(難攻不落)이다.

〔固沙林〕 gùshālín 명 사방림(砂防林)《사막이나 사지(砂地)에서 모래의 이동을 막기 위한 조림(造林)》.

〔固守〕 gùshǒu 동 ①굳게 지키다. 고수하다. ¶～阵地; 진지를 고수하다. ②고집하다. 완강히 지키다. ¶～老一套的办法; 낡은 방법을 고집하다.

〔固属〕 gùshǔ 동 〈文〉 원래 …에 속하다. 부 원래. ¶我～没有加入组织; 나는 원래 조직에는 가입하지 않았다.

〔固态〕 gùtài 명 《物》 고태. 솔리드 스테이트(solid state).

〔固体〕 gùtǐ 명 고체.

〔固体燃料〕 gùtǐ ránliào 명 고체 연료.

〔固习〕 gùxí 명 ⇨〔痼习〕

〔固宜〕 gùyí 형 〈文〉 말할 것도 없이 …하는 것이 좋다.

〔固有〕 gùyǒu 형 고유의. 본디부터 있는. ¶～文化; 고유 문화.

〔固执〕 gùzhí 동 고집하다. ¶～错误; 잘못을 고집하다 / ～己见; 자기 의견을 고집하다 / 别人不用你, 也就算了, 何必那么～呢? 남이 자네를 쓰지 않으면 그만이지, 그렇게 집착할 거 뭐 있니? 형 고집 세다. 외고집이다. 완고하다. 집요(執拗)하다. ¶～不通; 고집불통이다 / 性情～; 성질이 완고하다 / 你为什么这样～? 왜 이렇게 옹고집이냐? / 他是一个很～的人; 그는 아주 고집이 세다.

〔固置〕 gùzhì 동 〈文〉 단단히 설치하다.

故 gù (고)

①명 원인. 까닭. 이유. 연고. ¶不知何～; 무슨 까닭인지 모르다 / 无缘无～地; 아무 까닭도 없이 / 无～缺勤; 이유 없이 결근하다 / 轮轴转zhuàn动不灵, 乃是缺油之～; 샤프트 회전이 원활치 못한 것은 기름이 부족하기 때문이다. ② 명 일. 사항. ③ 명 사고. 사건. ¶变～; 변고 / 大～; 부모의 죽음 / 托tuō～不来; (그 어떤) 사고 때문에 오지 않다 / 遭zāo逢变～; 사변을 당하다. ④ 명 옛 사물. ⑤ 명 전부터 아는 사이. 친구. 우정. 옛정. ¶～人; ⇓ / 朋～; 친구. 옛 친지 / 一见如～; 〈成〉 한 번 만나고서도 곧 전부터 아는 사이처럼 친숙해지다 / 欢然道～; 기쁜 듯이 옛 정을 말하다 / 与之有～; 그와 전부터 아는 사이 / 沾亲带～; 친척 또는 친구로서의 관계가 있다. 조금 관계가 있다. ⑥ 명 선례(先例). ⑦ 동 죽다. ¶病～; 병으로 죽다 / ～在美国; 미국에서 작고하였다. =〔作故〕 ⑧ 형 오래 된. 원래의. 이전의. ¶～都dū; 고도 / 兴xīng隆县～属河北省; 싱룽 현(興隆縣)은 원래 허베이 성(河北省)에 속해 있었다 / 余～尝cháng居此; 나는 이전에 여기에 살았던 일이 있다. ⑨ 부 특히. 특별히. ⑩ 접 그러므로. ¶因…～…; …이므로 / 因有信心, ～能战胜困难; 신념이 있으므로 곤란을 이겨 낼 수 있다 / 因大雨, ～未如期起程; 큰비 때문에 예정대로 출발하지 못했다. ⑪ 부 일부러. 고의로. ¶明知～犯; 잘 알면서도 고의로 범죄하다 / ～作镇静; 일부러 진정한 척하다.

〔故步〕 gùbù 명 〈比〉 오랜 관습.

〔故步自封〕 gù bù zì fēng 〈成〉 묵은 관례에 안주하여 진보를 구하려 하지 않다. ¶～的人, 多咱也有不了进步; 보수적인 사람은 언제까지라도 진보할 수가 없다. =〔固步自封〕

〔故常〕 gùcháng 형 〈文〉 원래 그대로 변하지 않다.

〔故城〕 gùchéng 명 ①옛 성터. ②(Gùchéng) 허베이 성(河北省)에 있는 현(縣) 이름.

〔故出〕 gùchū 동 《法》 저지른 죄에 비하여 가벼운 벌을 과하다.

〔故此〕 gùcǐ 접 〈文〉 이 때문에. 그래서. ¶～问你; 그러니까 너한테 묻는 거다 / 他们有坚强的意志, ～能克服困难; 그들은 굳은 의지를 갖고 있으므로, 곤란을 극복할 수 있다. =〔所以〕

〔故蹈前辙〕 gù dǎo qián zhé 〈成〉 고의로 전과 같은 과실을 범하다.

〔故道〕 gùdào 명 〈文〉 옛 길. 〈轉〉 낡은 방법.

〔故地〕 gùdì 명 전에 살던 곳.

〔故第〕 gùdì 명 〈文〉 ⇨〔故宇〕

〔故典〕 gùdiǎn 명 ①문제되는 일. 변고. 말썽. 까닭. ¶他又出了～; 그는 또 문제를 일으켰다. ②전고(典故)《성어 등의 출처》. =〔典故〕
〔故都〕 gùdū 명 옛 수도. 고도.
〔故而〕 gù'ér 접 그러므로. =〔故尔〕〔所以〕〔故此〕
〔故尔〕 gù'ěr 접 ⇨〔故而〕
〔故犯〕 gùfàn 동 일부러 죄를 범하다.
〔故宫〕 gùgōng 명 ①옛 왕조의 궁전. ②(Gùgōng) 베이징(北京)의 청대(清代) 고궁(故宫). =〔紫zǐ禁城〕〔紫金城〕
〔故宫博物院〕 gùgōng bówùyuàn 명 고궁(故宫) 박물관.
〔故故〕 gùgù 부 〈文〉 종종. 때때로.
〔故故由儿〕 gùguyóur 명 ①사소한 일. ②내정(內情). 이유. ¶他们闹什么～呢; 그들은 무슨 일로 떠들고 있느냐.
〔故国〕 gùguó 명 ①오랜 역사가 있는 나라. ②고향. ③고국. 조국.
〔故记〕 gùjì 명 〈文〉 고서(古書).
〔故技〕 gùjì 명 〈比〉 낡은 수법. 상투 수단. ¶～重chóng演; 낡은 속임수를 또 쓰다. =〔故伎〕
〔故迹〕 gùjì 명 옛 터〔장소〕. 옛 자취. =〔故址〕
〔故家〕 gùjiā 명 〈文〉 구가(舊家). 대대로 벼슬을 한 가문. 큰 부자〔재산가〕. ¶鲁迅的～; 노신의 집안.
〔故家子〕 gùjiāzǐ 명 대대로 내려오는 관리 집안의 자손.
〔故交〕 gùjiāo 명 〈文〉 오래 사귄 친구. =〔故旧〕〔故知〕
〔故旧〕 gùjiù 명 ⇨〔故交〕
〔故居〕 gùjū 명 전에 살던 집《고인에 대해서 말함》. ¶鲁迅～; 노신이 살던 집.
〔故老〕 gùlǎo 명 덕망 있는 노인. 고로.
〔故里〕 gùlǐ 명 〈文〉 고향. 향리(鄕里).
〔故买〕 gùmǎi 명동 《法》 고매(하다). ¶～贼zéi赃; 장물을 고매하다.
〔故弄玄虚〕 gù nòng xuán xū 〈成〉 짐짓 남을 현혹게 하는 짓을 하다. 홍감부리다. ¶～, 欺骗众人耳目; 너스레를 떨어 많은 사람을 속이다.
〔故仆〕 gùpú 명 〈文〉 전에 부리던 하인.
〔故去〕 gùqù 동 죽다. =〔死sǐ去〕
〔故人〕 gùrén 명 ①옛 친구. 고우(故友). ②작고한 사람. 고인. ③전처(前妻).
〔故入〕 gùrù 동 《法》 범(犯)한 죄보다 무거운 형(刑)을 과(課)하여 억지로 복역시키다.
〔故杀〕 gùshā 동 《法》 고살(故殺)하다. 모살(謀殺)하다. ↔〔误杀〕
〔故神其说〕 gù shén qíshuō 〈文〉 일부러 그 말을 신비화하다《일부러 젠체하다》.
〔故失〕 gùshī 명 《法》 형량 부당(刑量不當)《고의로 형을 무겁게 혹은 가볍게 함》.
〔故实〕 gùshí 명 옛날의 사실. 옛 일들. ¶他引证了许多古今中外的～; 그는 고금동서의 많은 고실(故實)을 인증(引證)하였다.
〔故世〕 gùshì 동 작고하다. =〔故去〕
〔故事〕 gùshì 명 〈文〉 선례. 구례. ¶奉行～; 선례대로 행하다.
〔故事〕 gùshi 명 ①이야기. ¶～片; 극영화 / 这是农村的一个～; 이것은 농촌의 어떤 이야기입니다 / 说(一个)～; 이야기를 하다. ②고사. ¶民间～; 민간 고사. ③(이야기의) 줄거리. 플롯. ¶这部小说～性很强; 이 소설은 뚜렷한 플롯을 갖고 있다. ④일. ¶天天又闹nào起～来了; 매일 일을 저지르게 되었다.
〔故书〕 gùshū 명 〈文〉 ①고서(古書). ②오래 전에 출판된 책.
〔故术〕 gùshù 명 ⇨〔故套〕
〔故所〕 gùsuǒ 명 〈文〉 옛 장소.
〔故态〕 gùtài 명 구태(舊態). ¶～复萌méng; 〈成〉 구태가 되살아나다. 늘 하던 버릇이 도지다. →〔老lǎo态②〕
〔故套〕 gùtào 명 〈文〉 재래의 관례 또는 습관. =〔故术〕
〔故土〕 gùtǔ 명 〈文〉 고향. ¶～难移 =〔～难离〕; 〈諺〉 고향이 그리워 떠날 수가 없다 / ～复fù生; 한 번 잠긴 사주(砂州)가 물흐름의 변화로 다시 나타나다.
〔故问〕 gùwèn 동 짐짓〔일부러〕 묻다. ¶明知～; 〈成〉 잘 알면서 짐짓 묻다.
〔故我〕 gùwǒ 명 〈文〉 이전의 나. 옛날의 나. ¶依yī然～; 예전과 다름없는 나다. =〔故吾〕
〔故乡〕 gùxiāng 명 고향.
〔故意(儿)〕 gùyì(r) 부 고의로. 일부러. ¶您别生气, 他不是～得dé罪您的; 화내지 마십시오. 그는 일부러 당신에게 짓궂게 굴고 있는 게 아닙니다. =〔成chéng心〕〔成意〕〔有yǒu心〕〔有意〕
〔故意刁难〕 gùyì diāonàn 일부러〔고의로〕 난처하게 굴다. 트집을 잡다.
〔故友〕 gùyǒu 명 ①옛 친구. =〔旧jiù友〕〔老lǎo友〕 →〔故交〕 ②망우(亡友). 죽은 친구.
〔故宇〕 gùyǔ 명 〈文〉 전에 살던 곳. =〔故第〕〔故园〕
〔故园〕 gùyuán 명 ⇨〔故宇〕
〔故障〕 gùzhàng 명 (기계 등의) 고장. ¶出～; 고장을 일으키다.
〔故辙〕 gùzhé 명 〈文〉 옛 바퀴 자국. 옛 길자취《옛 방식》.
〔故知〕 gùzhī 명 ⇨〔故交〕
〔故址〕 gùzhǐ 명 ⇨〔故迹〕
〔故纸〕 gùzhǐ 명 휴지.
〔故纸堆〕 gùzhǐduī 명 〈貶〉 휴지 더미《수량이 많고 몹시 낡은 서적이나 자료》.
〔故智〕 gùzhì 명 누군가가 써 먹은 일이 있는 계략.
〔故智自封〕 gù zhì zì fēng 〈成〉 선입관에만 의지하고 진보를 찾으려고 하지 않다.
〔故纵〕 gùzòng 동 《法》 고의로 죄수를 놓치다.
〔故作〕 gùzuò 부 일부러. 고의로. ¶～地打了哈哈; 짐짓 껄껄 웃다. 동 일부러 (…을) 가장하다. ¶他～惊讶; 그는 일부러 놀란 체하다 / ～其难; 일부러 일을 어렵게 하다 / 他～忧虑地说; 그는 짐짓 걱정하는 투로 말하다 / ～玄虚; 공연히 혼미케 하는 언사를 쓰다. 짐짓 거드름 피우며 사람을 현혹시키다 / ～正经; 짐짓 진지한 척하다 / ～姿态; 변죽 울리다.
〔故作不知〕 gù zuò bù zhī 〈成〉 모르는 체하다.

堌 gù (고)
'堤'의 뜻으로 지명용 자(字). ¶黄huáng～; 황구(黄堌)《산둥 성(山東省)에 있는 지명》/ 龙～集; 룽구지(龍堌集)《산둥 성(山東省)에 있는 지명(地名)》/ 龙～; 룽구(龍堌)《장쑤 성(江蘇省)에 있는 지명(地名)》.

崮〈峒〉 gù (고)
명 둘레가 깎은 듯이 솟아 있고 정상(頂上)이 평평한 산《지명용 자(字)로 씀》. ¶抱bào犊～; 바오두구(抱犢崮)《산둥 성(山東省)에 있는 산 이름》/ 孟mèng良～; 멍량구(孟良崮)《산둥 성(山東省)에 있는 산 이름).

痼 gù (고)
명 ①오래된 병. 지병(持病). ②악습. ¶～癖pǐ; 쉬이 고쳐지지 않는 버릇.

〔痼疾〕 gùjí 명 ①오래되어 낫지 않는 병. 지병(持病). ②고치기 어려운 폐해. ‖ =〔痼病〕〔固疾〕

〔痼习〕 gùxí 명 쉬이 고쳐지지 않는 악습. =〔固习〕

锢(錮) gù (고)
동 ①금속을 녹여서 틈을 막다. ¶～露 =〔～漏〕; (금속 제품을) 땜질로 수선하다. ②〈文〉 가두다. ¶禁～; 금고 / ～身; 구금하다.

鲴(鯝) gù (고)
명 〖魚〗 참마자(잉어과 담수어. 식용함). =〔银yín鲴〕

顾(顧) gù (고)
①동 뒤돌아보다. 돌아보다. 바라보다. ¶四～; 사방을 돌아보다 / 回～; 회고하다 / 相～一笑; 서로 돌아보고 웃다 / 左zuǒ～右盼; 왼쪽 오른쪽을 돌아보다(주저하다) / 不～一切; 일체를 돌보지 않다 / 奋fèn不～身; 분기하여 내 몸을 돌보지 않다. ②동 마음을 쓰다. 배려(配慮)하다. 관심을 쏟다. ¶兼～; 양쪽 일을 생각하다 / 事情多, ～不过来; 일이 많아서 마음을 일일이 쓸 수 없다 / 别竟～说话! 이야기에만 마음 쓰지 마라! / 竟～念书; 면학에만 관심을 쏟다. ③동 방문하다. ¶三～茅庐; 〈成〉 예의를 다하여 정중히 초빙하다(유비(劉備)가 제갈공명(諸葛孔明)의 오두막집을 세 번이나 방문하여 초빙한 고사에서 나옴). ④동 단골이 되다. ¶主～; 고객. ⑤접 〈文〉 그러나. 단지. ¶吾深愿提高技术, ～不得门径耳; 나는 기술의 향상을 매우 원하고 있지만, 단지 그 실마리를 잡지 못했을 뿐이다. =〔但是〕 ⑥접 〈文〉 도리어. 오히려. =〔反而〕. ⑦명 성(姓)의 하나.

〔顾不到〕 gùbudào 손이 미치지 못하다. ¶事情太多, ～那样的小事情; 일이 너무 많아서, 그런 작은 일에까지는 손이 미치지 못한다.

〔顾不得〕 gùbude 돌볼 여지가 없다. 여유가 없다. ¶衣服～脱就带头跳入水中; 옷을 벗을 틈도 없이 그대로 물 속에 뛰어들었다. ↔〔顾得〕

〔顾不过来〕 gùbuguò.lái 마음을 다 쓸 수가 없다. 일일이 돌볼 수가 없다.

〔顾不了〕 gùbuliǎo 돌아볼 여지가 없다. 손이 돌아가지 않다. ¶～贵不贵; 비싸고 싸고 따위 생각할 여지가 없다 / 他家里穷, ～体面; 그의 집은 가난하여 체면 따위 생각할 여유가 없다.

〔顾不上〕 gùbushàng 생각할 여유가 없다. 그럴 계제가 아니다. ¶忙得连饭都～吃; 바빠서 식사할 엄두도 못 낸다.

〔顾吃不顾穿〕 gùchī bù gùchuān 먹는 데에 급급하여 외양에 마음 쓸 여유가 없다. =〔顾嘴不顾身①〕

〔顾此失彼〕 gù cǐ shī bǐ 〈成〉 이쪽에 마음을 쓰고 있는 사이에 저쪽을 잃음. 한쪽에 열중하다 보니 다른 쪽이 소홀하게 되다. 바빠서 야단법석임.

〔顾得〕 gùde 마음을 쓰다. 배려하다. 마음이 쏠리다(흔히, 부정(否定)이나 반어(反語)로 씀). ¶只～说话, 忘了沏茶; 이야기에만 정신을 빼앗기어 차 내놓는 것을 잊었다.

〔顾得上〕 gùdeshàng (어느 한도까지) 돌볼 수 있다. 마음을 쓸 여유가 있다. ¶谁还～买东西啊! 누가 쇼핑할 마음의 여유가 있겠습니까! ↔〔顾不上〕

〔顾及〕 gùjí 동 (…까지) 고려에 넣다. 염두에 두다. ¶一点儿不～别人的利害; 남의 이해에 대해서는 조금도 상관하지 않다.

〔顾忌〕 gùjì 동 남에게 이러쿵저러쿵 말 듣는 것을 꺼리다. 거리껴 하다. ¶有所～; 거리끼는 데가 있다 / 他们做事毫无～; 그들은 하는 짓이 너무나 제멋대로다.

〔顾家〕 gù.jiā 동 집안일에 마음을 쓰다. 가정을 돌보다. ¶她嫌丈夫不～; 그녀는 남편이 가정을 돌보지 않아서 불만이다.

〔顾看〕 gùkàn 동 돌아다보다.

〔顾客〕 gùkè 명 고객.

〔顾脸〕 gù.liǎn 동 체면을 세우다. 체면을 염려하다. =〔顾面子〕

〔顾恋〕 gùliàn 동 〈文〉 연연(戀戀)하다.

〔顾虑〕 gùlǜ 동 고려하다. 염려하다. 우려하다. ¶免除了～; 걱정이 없어졌다 / ～重chóng重; 근심 걱정이 많다 / 他毫无～地谈出了自己的想法; 그는 전혀 괘념하지 않고 자기의 생각을 말하기 시작하였다.

〔顾面子〕 gù miànzi ⇨〔顾脸〕

〔顾眄〕 gùmiàn 동 〈文〉 뒤돌아보다.

〔顾名思义〕 gù míng sī yì 〈成〉 명칭을 보고 즉시 그 (함축하고 있는) 뜻을 생각하다. 〈比〉 이름 그대로. 글자 그대로. ¶这次友好使节团的中国之行, ～是以友好为目的; 금번의 우호 사절단의 중국 방문은 이름 그대로 친선을 목적으로 하고 있다.

〔顾脑袋不顾屁股〕 gù nǎodai bùgù pìgu 〈諺〉 머리에만 마음을 쏟고 생각은 엉덩이까지 미치지 못한다(꿩은 머리만 풀에 감춘다. 한쪽을 지나치게 등한히 함).

〔顾念〕 gùniàn 동 〈文〉 염려하며 생각하다. ¶多蒙您的～; 많은 보살핌을 받았습니다.

〔顾盼〕 gùpàn 동 〈文〉 ①주위를 돌아보다. 보다. ¶左右～; 좌우를 돌아보다. ②돌보다.

〔顾盼自得〕 gù pàn zì dé 〈成〉 ⇨〔顾盼自雄〕

〔顾盼自雄〕 gù pàn zì xióng 〈成〉 자신을 되돌아보고 만족하게 생각하다(득의양양한 모양). =〔顾盼自得〕

〔顾前不顾后〕 gùqián bù gùhòu 〈諺〉 앞에만 정신을 빼앗기고 뒤는 내팽개치고 있다(꿩은 머리만 풀에 감춘다).

〔顾全〕 gùquán 동 만전을 기하다. ¶～大局; 대국을 염두에 두다 / ～之策; 만전의 대책.

〔顾赡〕 gùshàn 동 구제하다. 돕다. 보살피다. ¶他一点儿不～人; 그는 조금도 남을 돌보아 주지 않는다 / 穷亲戚也得他～; 가난한 친척도 그가 도와주어야 한다.

〔顾上不顾下〕 gù shàng bù gù xià 〈成〉 위만 쳐다보고 아래를 돌보지 않다.

〔顾身家〕 gù shēnjiā 자기 한 몸과 한 집만을 생각하다.

〔顾头不顾尾〕 gù tóu bù gù wěi 〈成〉 일의 처음만 생각하고 결말에 대해서는 개의치 않다.

〔顾问〕 gùwèn 동 배려하다. 염려하다. ¶概不～; 일절 개의치 않다. 명 고문.

〔顾惜〕 gùxī 동 소중히 하다. 아끼다. ¶～体面; 체면을 존중하다.

〔顾绣〕 gùxiù 명 쑤저우(蘇州)산 자수(刺繡) 제품의 별칭(상하이(上海)의 고회해(顧會海)의 첩이었던 난옥(蘭玉)이 자수의 솜씨가 뛰어났으므로 자수품 일반의 통칭이 되었음).

〔顾恤〕 gùxù 동 〈文〉 친절하게 돌보다.
〔顾一头〕 gù yītóu ①열중하다. ②한 가지 일만을 염두에 두다. 한쪽에만 마음을 쓰다.
〔顾影弄姿〕 gù yǐng nòng zī 〈成〉 ①교태를 지어 보이다(태를 내다). 자기 재능을 자랑하다. ②자기 그림자를 뒤돌아보고 부끄럽게 생각하다.
〔顾影自怜〕 gù yǐng zì lián 〈成〉 ①자기의 그림자를 보고 스스로 자신을 불쌍히 여기다(자신의 고독하고 실의에 찬 모습을 형용). ②자아 도취하다.
〔顾指〕 gùzhǐ 동 〈文〉 ⇨〔指顾〕
〔顾主〕 gùzhǔ 명 (장사의) 단골 손님. 바이어. ¶对西方各国～说来, 我国的商品, 都是他们非常感兴趣的; 서방 각국의 바이어들의 입장에서 보면, 우리 나라의 상품은 그들 모두가 매우 흥미를 느끼는 것들이다.
〔顾嘴不顾身〕 gùzuǐ bù gùshēn ① ⇨〔顾吃不顾穿〕 ②〈成〉 일시적으로 쩡쩡거리며 뒷일을 생각지 않다.

梏 gù (곡)
〈文〉 ① 명 고랑. 수갑. ¶桎zhì～; 고랑과 차꼬. ② 동 〈轉〉 속박〔구속〕하다.

牿 gù (곡)
명 〈文〉 ①소의 양쪽 뿔에 대는 횡목(横木)(사람을 받지 못하게 하기 위해). ②소·말의 우리.

雇〈僱〉 gù (고)
동 ①고용하다. ¶～人做活; 사람을 고용하여 일을 하다〔시키다〕. ②(보수를 주고) 도움을 받다. ¶～了三位木工来; 목수를 세 사람 부탁했다. ③(거마(車馬)를) 세내다. ¶～一辆车; 차를 한 대 세내다.
〔雇不出来〕 gùbuchū.lái 고용할 수 없다. ①고용될 사람이 없다. ②자력(資力)이 모자라 고용할 수 없다.
〔雇不起〕 gùbuqǐ (돈이 없어) 고용할 수 없다.
〔雇车〕 gù chē ①차를 세내다. ②(gùchē) 명 임시로 세낸 차.
〔雇船〕 gù chuán ①배를 세내다. 배를 차터(charter)하다. ②(gùchuán) 명 임시로 세낸 차.
〔雇方〕 gùfāng 명 고용자 측.
〔雇工〕 gù.gōng 동 노동자를 고용하다. 사용인을 고용하다. (gùgōng) 명 ①고용 노동(고용인을 고용하는 것). ②날품팔이(꾼). 특히 고용 농군.
〔雇脚〕 gùjiǎo 동 인부를 고용하다.
〔雇迷〕 gùmí 동 곁에서 이러니저러니 말하여 헷갈리게 하다.
〔雇觅〕 gùmì 동 〈文〉 구하여 세내다. ¶～船只; 배를 구하여 세내다.
〔雇农〕 gùnóng 명 고농. 머슴. 농가에 고용되어 일하는 사람.
〔雇请〕 gùqǐng 동 돈을 주고 자기를 대신하여 일을 하도록 부탁하다.
〔雇人〕 gùrén 동 〈文〉 사람을 고용하다.
〔雇套〕 gù.tào 동 (남의 전답을 가축(家畜)을 이용하여) 소작하다.
〔雇役〕 gùyì 명 〈文〉 인부.
〔雇佣〕 gùyōng 명동 고용(하다).
〔雇佣兵役制〕 gùyōng bīngyìzhì 명 용병제.
〔雇佣工人〕 gùyōng gōngren 명 임금 노동자(賃金勞動者).
〔雇佣观点〕 gùyōng guāndiǎn 명 고용인의 (소극적인) 근성.
〔雇佣军〕 gùyōngjūn 명 용병군.
〔雇用〕 gùyòng 명동 고용(하다). ¶平píng常～; 상용(常傭)/～员役; ⓐ하급 직원을 고용하다. ⓑ고용살이하는 하급 직원/～劳动; 고용 노동(雇用勞動). =〔雇佣〕
〔雇员〕 gùyuán 명 옛날, 고원. 또 급료가 가장 낮은 직원.
〔雇主〕 gùzhǔ 명 고용주.
〔雇主佣工争执〕 gùzhǔ yōnggōng zhēngzhí 명 ⇨〔劳láo动争议〕

GUA ㄍㄨㄚ

瓜 guā (과)
명 ①〖植〗 박과 식물의 총칭. ¶西～; 수박/冬～; 동아. 동과/南～; 호박/黄～; 오이/甜～; 참외/卖～的说～甜; 자화자찬하다. 아전인수하다/老王卖～, 自卖自夸; 〈諺〉 왕씨의 오이팔기, 제가 팔며 제가 자랑하다(자화자찬하다). ②머리의 모양을 형용한 말. ¶脑～; 〈方〉 머리/傻～; 얼간이. 멍청이.
〔瓜不离秧儿〕 guā bù lí yāngr 박은 덩굴에서 떨어질 수 없다(불가분인 관계의 형용).
〔瓜搭〕 guāda ① 동 〈俗〉 불쾌한 얼굴을 하다. ¶皱zhòu着眉把脸一～; 눈썹을 찡그리고 아주 불쾌한 얼굴을 하다/～下脸儿来; 불쾌한 얼굴이 되다/一生气就把脸子一～; 화가 나면 곧 뾰로통해진다. =〔瓜耷〕〔括搭〕〔挂guà搭〕 ②〈擬〉 덜컹덜컹(문 등이 흔들리는 소리). ¶风把窗户刮得～～直响; 바람이 창문을 때려 계속 덜커덩덜커덩 울린다.
〔瓜代〕 guādài 동 〈文〉 임기(任期)가 차서 교체하다.
〔瓜当〕 guādāng 명 오이 꼭지.
〔瓜德利尔舞〕 guādélì'ěrwǔ 명 〖樂〗 〈音〉 카드릴(quadrille).
〔瓜地〕 guādì 명 오이밭.
〔瓜瓞绵绵〕 guā dié mián mián 〈成〉 오이가 잇달아 열려 끊이지 않다(자손이 번성하다).
〔瓜分〕 guāfēn 동 (이익을) 분할하다. 나누어 갖다(원래는 '豆剖瓜分'·'瓜剖豆分'으로서 국토를 분할하다의 뜻). ¶～别国领土; 타국의 영토를 분할하여 점령하다.
〔瓜葛〕 guāgé 동 친척 관계가 있다. 명 박과 칡. 〈轉〉 관계. 연루. ¶你是他的什么人, 和他有什么～没有? 너는 그의 무엇이 되느냐, 무슨 관계라도 있느냐?
〔瓜果(儿)〕 guāguǒ(r) 명 과일. ¶～行háng; 과일 가게.
〔瓜叽〕 guājī 〈擬〉 바삭(물건을 깨물었을 때의 소리).
〔瓜祭〕 guājì 명 과일을 차려 놓고 제사 지냄.
〔瓜类〕 guālèi 명 박류.
〔瓜李〕 guālǐ 명 혐의(嫌疑). →〔瓜田李下〕
〔瓜李之嫌〕 guā lǐ zhī xián 〈成〉 ⇨〔瓜田李下〕
〔瓜连〕 guālián 명 관계. ¶米醋和治病有啥～? 쌀로 빚은 식초와 병 치료와는 어떤 관계가 있는가?
〔瓜蒌〕 guālóu 명 〖植〗 쥐참외.
〔瓜木〕 guāmù 명 〖植〗 박쥐나무.
〔瓜挠(儿)〕 guānáo(r) 명 껍질 벗기개(무나 오이·감자 따위의 껍질을 까는 도구). ¶用～刮

guā冬瓜皮; 껍질 벗기개로 동아의 껍질을 벗기다. =〔瓜挠子〕〔瓜刀〕
〔瓜纽儿〕 guāniǔr 명 오이 꼭지.
〔瓜皮帽(儿)〕 guāpímào(r) 명 중국 전통 모자의 일종(6조각의 천 조각을 꿰매 맞추어 일견 수박을 아래위로 자른 한쪽처럼 차양 없는 모자. 꼭대기에 둥근 꼭지가 있음). =〔瓜皮小帽儿〕
〔瓜片〕 guāpiàn 명 녹차의 일종(안후이 성(安徽省) 류안(六安)·훠 산(霍山) 일대에 남).
〔瓜期〕 guāqī 명 옛날, 관리의 교체기. =〔瓜时〕
〔瓜瓤(儿)〕 guāráng(r) 명 ①오이의 속. ②⇨〔瓜仁(儿)〕
〔瓜仁(儿)〕 guārén(r) 명 (껍질을 벗긴 수박·호박 등의 씨. 수박·호박 등의) 씨의 알맹이. =〔瓜瓤(儿)②〕
〔瓜参〕 guāshēn 명 《動》 금해서(해삼과 비슷함). =〔光参〕〔海胡瓜〕
〔瓜熟蒂落〕 guā shú dì luò 〈成〉 오이가 익어 꼭지가 떨어지다(때가 되면 일은 자연히 성취됨).
〔瓜藤〕 guāténg 명 오이 덩굴.
〔瓜田〕 guātián 명 오이밭.
〔瓜田李下〕 guā tián lǐ xià 〈成〉 오이밭, 자두나무 아래(남한테 의심받기 쉬운 상황). ¶瓜田不纳履, 李下不整冠; 〈諺〉 남한테 의심받을 일은 피하다(오이밭에서는 신이 벗겨져도 다시 신지 아니하고, 자두나무 밑에서는 갓을 고쳐 쓰지 않는다)/瓜李之嫌xián; 터무니없는 의심.
〔瓜条〕 guātiáo 명 (설탕에 절인) 오이를 잘게 썬 것.
〔瓜蔓〕 guāwàn 명 오이 덩굴. ¶~抄; 여러 사람을 죄(罪)에 연좌(連坐)시키다. =〔瓜蔓儿〕
〔瓜秧(儿)〕 guāyāng(r) 명 ①오이 덩굴. ②〈俗〉 옛날, 남자의 변발(辮髮).
〔瓜蝇〕 guāyíng 명 ⇨〔守shǒu瓜〕
〔瓜园里挑瓜〕 guā yuán lǐ tiāo guā 〈成〉 오이밭에서 오이를 고르다(선택을 망설이다).
〔瓜月〕 guāyuè 명 음력 7월의 별칭.
〔瓜柱〕 guāzhù 명 《建》 동자기둥.
〔瓜子(儿)〕 guāzǐ(r) 명 ①오이 따위의 씨. ¶南~; 호박씨/白~; 호박씨를 껍질째 볶은 것/香~; 해바라기씨/五香~; 수박씨를 삶아서 '五香'으로 간을 들인 것/~儿不饱是人心; 〈諺〉 수박씨로 배는 차지 않으나 그래도 인정이다(변변치 않으나 정성이 담기다)/~脸 =〔~面皮〕; 갸름한 얼굴. ②소금을 뿌려 볶은 수박 또는 호박씨. ¶~壳; 볶은 수박〔호박〕씨를 까먹은 껍질.
〔瓜子金〕 guāzǐjīn 명 ①오이 모양을 한 작은 금덩어리. ②《植》 애기풀.
〔瓜子(儿)脸(儿)〕 guāzǐ(r) liǎn(r) 명 (오이씨같이) 갸름한 얼굴.

呱

guā (고)
표제어 참조. ⇒gū guǎ

〔呱哒〕 guādā ⇨〔呱嗒dā〕
〔呱哒〕 guāda 동 ⇨〔呱嗒da〕
〔呱哒板儿〕 guādabǎnr 명 ①박자판. →〔拍pāi板①〕 ②〈方〉 샌들. 나막신. ¶~打砰磅; (나막신 소리가) 달가닥달가닥하다. =〔趿tā拉板儿〕 ‖=〔刮搭板儿〕〔括打板儿〕〔呱嗒板(儿)〕〔挂guà哒板儿〕
〔呱嗒〕 guādā ①〈擬〉 덜커덩덜커덩. 딸그락딸그락(나막신 소리 따위). ¶地是冻硬的, 走起来~~地响; 땅이 꽁꽁 얼어 붙어서 걸으면 딸각딸각 소리가 난다. ②동 〈方〉 빈정거리다. 비꼬다. 놀리다. ‖=〔呱哒dā〕
〔呱嗒〕 guāda 동 〈方〉 ①화가 나서 얼굴 표정을 굳히다. ②수다떨다. ¶乱~一阵; 한바탕 지껄여대다. ‖=〔呱哒da〕
〔呱呱〕 guāguā 〈擬〉 집오리나 참개구리 등의 울음소리. ⇒gūgū
〔呱呱叫〕 guāguājiào 형 〈吳〉〈口〉 굉장하다. 멋지다. ¶他的中文学得~; 그는 중국어를 멋지게 해낸다/顶~; 아주 굉장하다. 최고다. 注 '叫'는 상태 조사(狀態助詞). =〔聒聒叫〕
〔呱呱烂叫〕 guāguālànjiào 〈俗〉 형 ①훌륭하다. ②매우 능력이 있다. ③멋지다. 동 수다를 떨다. 마구 지껄이다.
〔呱呱嘴〕 guāguāzuǐ 명 수다쟁이. 동 수다떨다.
〔呱叽〕 guāji ①〈擬〉 짝짝짝(박수 소리). ②명 박수. ‖=〔呱唧ji〕
〔呱啦〕 guāla 〈擬〉 와르르(무너지는 소리).

胍

guā (고)
명 《化》 구아니딘(독 guanidine)(유기 화합물의 일종).

刮(颳)

guā (괄)
A) 동 ①(칼날로) 긁어 내다. 깎아 내다. 밀다. ¶~胡子; 수염을 깎다. 면도질하다/~锅; 냄비 밑의 검댕을 긁어 내다. ②바르다. 칠하다. ¶~糨子; 풀을 바르다. ③(재물을) 속여서 빼앗다. 착취하다. ¶~去钱财; 돈이나 재산을 빼앗다. =〔搜刮〕 B) 동 (바람이) 불다. ¶~得厉害; 바람이 지독하게 불다/~得满天飞土; 바람으로 온 하늘에 먼지가 날아다니다. →〔吹①〕
〔刮板〕 guābǎn 명 ①《農》 곡물류를 말릴 때 고루 펴거나 모을 때 쓰는 널빤지(보통 인력으로 함). ¶~运输机 =〔~式输送机〕; 스크레이퍼 컨베이어(긁어모아 운반하는 컨베이어). ②흙 따위로 주형(鑄型)을 만들 때 고르는 널빤지. 형판(型板). =〔车板〕
〔刮剥〕 guābāo 동 깎아(긁어) 내다. ¶~民财; 백성의 재산을 긁어 내다.
〔刮刨〕 guābào 동 대패질하다. 대패로 깎다. ¶~见jiàn新; 대패로 깎아 새것이 되다〔새것을 만들다〕.
〔刮鼻子〕 guā bízi 상대방의 코끝을 가볍게 문지르는 동작(비웃고 얕보는 행위). ¶王先生刮了小伙的一个鼻子; 왕(王)씨는 젊은이의 코를 문지르며 조롱했다.
〔刮边儿〕 guābiānr 명 가장자리를 밀기. (guā biānr) 동 가장자리를 밀다.
〔刮不净〕 guābujìng 깨끗하게〔곱게〕 깎이지 않다. 깨끗하게 면도질이 되지 않다.
〔刮不开天〕 guābukāi tiān 하늘이 개지 않다.
〔刮不开云〕 guābukāi yún 구름이 걷히지 않다.
〔刮喳〕 guācha 동 깎다. 긁어 내다.
〔刮沉〕 guāchén 동 큰바람이 불어 (배를) 침몰시키다.
〔刮吃〕 guāchi 동 〈京〉 깎아 내다. 긁어 내다. ¶粘zhān上的泥嘎gā巴儿得~~才能干净; 말라붙은 흙을 긁어 내지 않으면 깨끗해지지 않는다/你把那支笔的铅~尖了; 그 연필심을 뾰족하게 깎아라.
〔刮打〕 guāda 동 손바닥으로 치다. ¶~桌子; 탁자를 탕하고 치다.
〔刮打扁儿〕 guādabiǎnr 명 《蟲》 〈方〉 메뚜기. =〔尖jiān头蝗〕〔〈方〉蚂mà蚱〕
〔刮打嘴儿〕 guāda·zuǐr 동 입을 연이어 크게 벌리다(불만일 때). (guādazuǐr) 명 ①난처함을 나

타내는 입의 표정. ②임종 때의 헐떡임. ③기계가 장치된 장난감.
〔刮刀〕 guādāo 명《機》스크레이퍼(scraper)《정밀 마무리용의 날붙이》. ¶三角～; 삼각형 스크레이퍼/平～; 평형 스크레이퍼.
〔刮倒〕 guādǎo 동 바람에 쓰러지다. 바람이 불어 쓰러뜨리다. ¶许多房屋被风～了; 많은 가옥이 바람에 쓰러졌다.
〔刮地大风〕 guādì dàfēng 땅을 깎아 낼 듯이 세차게 몰아치는 큰바람.
〔刮地皮〕 guā dìpí 지면을 깎아 내다《백성을 착취하다. 지방관이 임지(任地)의 백성의 고혈을 착취한 일》.
〔刮掉〕 guādiào 동 긁어 내다.
〔刮耳光〕 guā ěrguāng 귀싸대기를 갈기다. =〔打dǎ耳光〕
〔刮翻〕 guāfān 동 바람에 뒤집어지다.
〔刮飞〕 guāfēi 동 바람에 날아가다.
〔刮风〕 guā,fēng 동 바람이 불다. ¶刮起风来了; 바람이 불기 시작했다/～是香炉, 下雨是墨盒子; 〈成〉 바람이 불면 향로와 같이 먼지가 높이 날아오르고, 비가 내리면 온 시내가 먹통같이 구정물이 넘친다《옛날, 베이징(北京) 도로의 나쁜 것을 비유한 말》.
〔刮宫〕 guā,gōng 동《醫》소파 수술을 하다. 낙태 수술을 하다.
〔刮垢〕 guāgòu 동 때를〔더럼을〕 긁어 버리다. ¶～磨mó光; 때를 빼고 반짝거리게 닦다.
〔刮骨脸〕 guāgǔliǎn 명 깡마른 얼굴.
〔刮刮叫〕 guāguājiào 형 굉장히 훌륭한. 아주 좋은. =〔呱guā呱叫〕〔聒guō聒叫〕
〔刮刮杂杂〕 guāguazázá 〈擬〉 바지직 탁탁《불이 세차게 타는 소리》.
〔刮痕〕 guāhén 명 생채기. 찰과상(擦過傷).
〔刮胡子〕 guā húzi ①수염을 깎다〔밀다〕. ②〈比〉 거절당하다. ¶他以往经常被部长～的; 그는 전에는 늘 부장한테 퇴짜만 맞았다.
〔刮唧〕 guājī 〈擬〉 재잘재잘《떠드는 소리》.
〔刮浆液〕 guājiāngyè 명《化》닥터(doctor) 용액《아연산 나트륨 용액으로, 휘발유의 탈황용(脫黃用)》.
〔刮脚〕 guājiǎo 동 ⇨〔修xiū脚〕
〔刮净〕 guājìng 동 깨끗하게 깎다〔밀다〕.
〔刮锯〕 guā jù 톱의 날을 세우다.
〔刮拉〕 guālā 동 말려들어 골탕먹다. 언걸 입다. 연루되다.
〔刮剌剌(的)〕 guālālā(de) 〈擬〉 와르르《집이 무너지는 소리》.
〔刮冷风〕 guā lěngfēng ①찬바람이 불다. ②상대가 실망하도록 만들다. 찬물을 끼얹다.
〔刮脸〕 guā,liǎn 동 면도하다. 수염을 깎다. ¶～刀(儿); 면도칼/～刷shuā子; 면도솔. =〔〈方〉修面〕
〔刮脸皮〕 guā liǎnpí ①〈方〉 집게손가락으로 면도하는 시늉을 함《상대방에게 창피하지도 않은가라는 뜻을 나타냄》. ②낯가죽을 벗기다.
〔刮龙〕 guālóng 동 돈을 가로채다. ¶当心医生～; 의사의 바가지 요금에 조심할 것.
〔刮路机〕 guālùjī 명 로드 스크레이퍼(road scraper).
〔刮面光〕 guā miànguāng 〈比〉 명성과 신망〔덕망〕을 잃다.
〔刮目〕 guāmù 동 괄목하다. 눈을 비비고 다시 보다.
〔刮目相看〕 guā mù xiāng kàn 〈成〉 기대하는 눈으로 바라보다. 새로운 눈으로 보다. 이전의 눈으로 보지 않다. =〔刮目相待〕
〔刮皮〕 guā,pí 동 ①(사람·동물의) 껍질을 벗기다. ②(살갗을) 스쳐서 벗기다〔깨다〕. ③돈을 착취하다.
〔刮平〕 guāpíng 동 판판하게 깎다.
〔刮破〕 guāpò 동 ①(살갗 따위를) 벗기다. ②못에 걸려 갈고리 모양으로 찢기다. ¶衣裳叫钉～了; 옷이 못에 걸려 찢어졌다.
〔刮晴〕 guāqíng 명《氣》바람이 불고 갠 날씨.
〔刮去〕 guāqu 동 긁어 내다. 깎아 내다. 밀어 내다.
〔刮散〕 guāsàn 동 바람에 흩날리다〔흩어지다〕.
〔刮痧〕 guāshā 명《醫》급성 위장염 등의 민간 요법으로, 동전 등에 물이나 기름을 발라 가슴이나 등을 문질러 피부를 충혈시켜 내부 염증을 경감시키는 일.
〔刮勺〕 guāsháo 명 주걱《문지르기 등에 쓰이는 도구》.
〔刮舌子〕 guāshézi 명 설태(舌苔) 긁개《대나무·셀룰로이드·은 등으로 만든 좁고 얇은 판으로, 설태를 긁어 냄》. =〔刮舌(儿)〕〔舌刮子〕
〔刮瘦〕 guāshòu 형 여위어서 홀쭉하다.
〔刮水器〕 guāshuǐqì 명 (자동차의) 와이퍼. ¶车窗～; 윈도 와이퍼.
〔刮头〕 guātóu 동 비듬을 털다. ¶～篦bì子; 참빗.
〔刮土机〕 guātǔjī 명《機》스크레이퍼《공사용 차량》.
〔刮细〕 guāxì 동 잘게 쪼개서 가르다.
〔刮削〕 guāxiāo 동 ①(칼 따위로) 깎아 내다. 긁어 내다. ¶这些石器是猿人～食物的工具; 이런 석기들은 원인(猿人)이 먹이를 깎던 도구이다. ②긁어 내다. 착취하다. ¶～地dì皮; 주민(住民)을 착취하다/～价jià钱; 값을 깎다.
〔刮型工〕 guāxínggōng 명《工》주형(鑄型)을 정비하는 일.
〔刮研〕 guāyán 명《機》스크레이핑(scraping).
〔刮油〕 guā,yóu 동 이익을 빼앗다〔가로채다〕. ¶他要从我身上刮一层油; 그는 나에게서 이익을 가로채려고 한다.
〔刮字〕 guāzì 동 글자를 삭제하다〔말소하다〕.

苦

guā (괄)
→〔苦蒌〕
〔苦蒌〕 guālóu 명 ⇨〔栝guā楼〕

括

guā (괄)
동 ①닥치는 대로 빼앗다. 착취하다. ¶搜～=〔搜刮〕; 재물을 빼앗다. ②〈方〉 포용(包容)하다. ¶一塌～子 =〔一股脑儿〕; 〈方〉 뒤범벅으로. 전부 뭉뚱그려서. ⇒kuò

栝

guā (괄)
명 ①고서(古書)에서 노송나무를 가리키는 말. ②→〔栝楼〕 ③(화살의) 오늬. ⇒kuò
〔栝楼〕 guālóu 명《植》①하늘타리. ②하늘타리의 열매. =〔瓜蒌〕〔苦蒌〕〔果裸〕

鸹(鴰)

guā (괄)
명《鳥》①→〔老lǎo鸹〕 ②→〔鸧cāng鸹〕

埚(緺)

guā (왜)
① 명 〈文〉 자청색(紫青色)의 끈. ② 양 사리《옛날, 여자의 머리카락 한 묶음을 '一～'라 했음》.

骒(騧) guā (과) 명 《動》 주둥이가 검은 절따말.

剐 guā (괄) 동〈文〉(악성의 종기를) 긁어 내다. 잘라 내다.

呱 guǎ (고) →〔拉lā呱儿〕⇒gū guā

剐(剮) guǎ (과) 동 ①(뾰족한 것에 걸려) 찢기다. 찢어지다. ¶把手~破了; 손에 생채기가 생겼다 / 钉子把衣服~破了; 못에 걸려 옷이 찢어졌다. ②능지처참하다《사형(死刑)의 방법》. ¶~死; 참살(斬殺)하다 / 千刀万~; 몸을 토막내다.

寡 guǎ (과) ①명 과부. ¶守~; 수절하다. →〔鳏guān①〕 ②형 적다. 결여(缺如)되다. ¶优柔~断; 우유부단 / 多~不等; 많고 적음이 같지 않다 / 沉默~言; 입이 무거워서 말이 적다. ↔〔众〕〔多〕 ③명 겸손의 말. ④부 …만. …뿐. ¶~喝酒; 술만 마시다. ⑤형 싱겁고 감칠맛이 없다. ¶清汤~水; 짜기만 하고 감칠맛이 없는 국.

〔寡不敌众〕 guǎ bù dí zhòng〈成〉중과부적이다. =〔寡不胜众〕

〔寡处〕 guǎchǔ 동 ⇒〔寡居〕

〔寡淡〕 guǎdàn 형〈文〉담박(淡泊)하다.

〔寡蛋〕 guǎdàn 명 무정란(無精卵)《수정하지 않은 계란》.

〔寡德〕 guǎdé 동 덕이 부족하다. 부덕하다.

〔寡断〕 guǎduàn 형〈文〉결단력이 부족하다.

〔寡二少双〕 guǎ èr shǎo shuāng〈成〉필적할 사람이 없다. 비길 만한 사람이 없다.

〔寡夫〕 guǎfū 명 ⇒〔鳏guān夫〕

〔寡妇〕 guǎfu 명 과부. ¶~脸;〈罵〉과부상(相)으로 생긴 계집 / ~瞧着夜壶哭;〈歇〉과부가 요강을 보고 울다《'不如你'(너〔요강〕보다 못하다)하며 울의 뜻》. =〔〈比〉寡鹤〕〔寡鹄〕〔寡女〕〔〈俗〉孤gū孀〕 ↔〔鳏夫〕

〔寡合〕 guǎhé 형〈文〉좀처럼 남과 뜻이 맞지 않다.

〔寡户〕 guǎhù 명 과부의 집.

〔寡话〕 guǎhuà 명 하찮은 이야기. 시시한 말.

〔寡见少闻〕 guǎ jiàn shǎo wén〈成〉견문이 좁음.

〔寡交〕 guǎjiāo 형〈文〉교제〔친구〕가 적다.

〔寡酒〕 guǎjiǔ 명〈文〉도수가 낮은 술. 순한 술.

〔寡居〕 guǎjū 동〈文〉수절하면서 살다. =〔寡处〕

〔寡君〕 guǎjūn 명〈文〉〈謙〉저희 임금《자기 나라 임금을 낮추어서 하는 말》.

〔寡廉鲜耻〕 guǎ lián xiǎn chǐ〈成〉수치를 모르며 청렴 결백하지 않음.

〔寡母〕 guǎmǔ 명〈文〉홀어머니.

〔寡情〕 guǎqíng 형〈文〉매정하다. ¶~薄义; 매정하고 의롭지 못하다.

〔寡人〕 guǎrén 명 ①제후(諸侯)·제왕(帝王)의 자칭. ②나. 본인.

〔寡识〕 guǎshí 형〈文〉식견이 좁다〔얕다〕.

〔寡是〕 guǎshi 부 다만 …만. …뿐. ¶~我一个人去; 나 혼자만 갑니다. =〔只是〕

〔寡头〕 guǎtóu 명 과두. 정치·경제의 대권을 쥐고 있는 소수의 지배자. ¶金融~; 금융 과두.

〔寡头政治〕 guǎtóu zhèngzhì 명 과두 정치.

〔寡味〕 guǎwèi 형 ①맛이 없다. ¶茶饭~; 음식물이 맛이 없다. ②재미가 적다. ¶他的讲话索然~; 그의 연설은 따분하여 재미가 없다.

〔寡闻〕 guǎwén 형〈文〉견문이 얕다. =〔浅qiǎn闻〕

〔寡小君〕 guǎxiǎojūn 명〈謙〉①옛날, 신하가 군주의 부인을 남에게 말할 때 쓰던 비칭(卑稱). ②군주의 부인이 제후(諸侯)에 대하여 쓰던 비칭.

〔寡言〕 guǎyán 형〈文〉과언하다. 말수가 적다.

〔寡尤〕 guǎyóu 형 잘못을 적게 하다.

〔寡欲〕 guǎyù 형〈文〉과욕하다. 욕심이 적다.

诖(註) guà (괘) 동〈文〉①속이다. ②연루되다. 언걸먹다. ¶~误; ⇩

〔诖误〕 guàwù 동 ①언걸먹다. 남의 일에 말려들어 골탕 먹다. ②면직(免職)되다. 관직을 잃다. ‖ =〔罣误〕

卦 guà (괘) ①명 팔괘(八卦). ¶~位; 팔괘에 쓰이는 방위도(方位圖). ②동 점치다. ¶~礼; ⇩ / ~子儿zǐr; 산가지 / ~筒tǒng; 산통. ③양〈方〉횟수(回數)를 세는 데 쓰임. ¶打听一~; 한 차례 수소문하다. =〔下子〕

〔卦辞〕 guàcí 명 괘사. =〔彖tuàn辞〕

〔卦姑〕 guàgū 명 여자 점술사.

〔卦候〕 guàhòu 명 팔괘와 계절을 연관시킨 것.

〔卦礼〕 guàlǐ 명 복채(卜債).

〔卦命〕 guàmìng 동 팔괘(八卦)로 운명을 점치다.

〔卦命先生〕 guàmìngxiānsheng 명 점쟁이.

〔卦摊儿〕 guàtānr 명 옛날, 점쟁이의 점판《'择吉合婚'이라고 적은 흰 천을 늘여놓은 점판》.

〔卦筒〕 guàtǒng 명 점괘통《산가지나 점대를 넣어 두는 통》.

〔卦头准〕 guàtou zhǔn 점이 잘 맞는다.

〔卦兆〕 guàzhào 명 팔괘에 나타난 징조.

〔卦子(儿)〕 guàzǐ(r) 명 산가지.

挂〈掛〉 guà (괘) ①동 (못·고리 등에) 걸다. ¶把大衣~在衣架上; 오버 코트를 옷걸이에 걸다 / 把地图~在墙上; 지도를 벽에 걸다 / 一轮明月~在天上; 밝은 달이 중천에 걸려 있다 / ~牌行医; 간판을 내걸고 의원을 개업하다. ②동 (전화의) 수화기를 놓다. 전화를 끊다. ¶电话先不要~, 等我查一下! 전화를 끊지 마라, 잠깐 조사해 볼 테니까! / 她已经把电话~了; 그녀는 이미 전화를 끊어 버렸다. ③동〈方〉교환대의 전화를 연결하다. 전화를 걸다. ¶请你~总务课; 총무과를 부탁합니다 / 我明天再给你~电话; 내가 내일 다시 전화할게. ④동 (갈고리로) 걸어 올리다. ¶把拖车~上; 트레일러를 걸어 올리다. =〔钩gōu④〕 ⑤동〈方〉마음에 걸리다. 걱정하다. ¶老~在心上; 늘 걱정이 된다. =〔担心〕 ⑥동 미해결(未解決)로 남겨두다. ⑦동〈方〉(가루나 액체로 된 것이) 끼다. 붙다. 묻다. ¶~油yóu; 기름이 묻다 / 脸上~了一层灰土; 얼굴에 먼지를 뒤집어썼다 / 这雨衣不~水; 이 우비는 물이 배지 않는다 / 玻璃上~了一层哈气; 유리에 뿌옇게 김이 서리어 있다. ⑧동 등록하다. 접수시키다. ¶~上一个虚xū名儿; 이름만 적어 내다. ⑨동 배가 기항하다. ¶这只船不~上海; 이 배는 상하이에는 기항하지 않는다. ⑩동 기차가 …에 기착(寄着)하다. 정거하다. ⑪동 띠다. 표정에 드러내다. ¶~着微笑; 미소를 띠다. ⑫동 저울로 달다. =〔称chēng⑤〕 ⑬동 오랫동안 직무(職務)를 갖지 않다. ⑭ 동 구비하다. 갖추다. ¶还~着…; 게다가 …을 가지다. 게다가 …이다. =〔带〕 ⑮ 양 세트로 되어 있는 것, 또는 이어진 것을 세는 단위. ¶一~葡pú萄; 한 송이의 포도/一~珠zhū子; 한 줄의 염주/一~火鞭; 한 묶음의 폭죽/一~四轮大车; 큰 4륜 마차 한 대.

〔挂碍〕 guà'ài 명 근심. 걱정. 장애. 지장. ¶心中没有~; 마음에 걱정되는 것이 없다.

〔挂榜〕 guàbǎng 명동 게시(하다). 방(榜) (을 붙이다).

〔挂包〕 guàbāo 명 어깨에 메는 가방〔전대〕. ¶挎~; 가방을 어깨에 메다.

〔挂本〕 guàběn 명 저당물 대장.

〔挂边儿〕 guà,biānr 동 (약간) 관계되다. 일부(一部)가 관련되다.

〔挂表〕 guàbiǎo 명 ⇨〔怀huái表〕

〔挂病号〕 guà bìnghào 병가(病暇)를 얻다. →〔请qǐng假〕

〔挂不住〕 guàbuzhù 동 ①걸 수 없다. ¶那么大的钟怕~吧; 저렇게 큰 시계는 걸 수 없을 게다. ②〈方〉 쑥스럽다. 멋쩍다. 부끄러워 견딜 수 없다. ¶~劲儿; 창피하다/我有点儿~了; 나는 조금 멋쩍게 되었다. =〔脸上挂不住〕〔面子上挂不住〕 ↔〔挂得住〕 注 '挂得住'는 흔히 반어(反語)·의문문(疑問文)에 쓰임.

〔挂彩〕 guà,cǎi 동 ①경사 때 문에 색색의 천을 걸어서 장식하다. →〔挂红②〕 ②전투에서 명예의 부상을 입다. =〔带花(儿)①〕〔挂花①〕〔挂红①〕 ③〈方〉 치고 받고 하여 출혈하다.

〔挂叉子〕 guàchāzi 명 족자걸이《높은 데에 족자를 걸 때 쓰는 막대기》.

〔挂车〕 guà chē ①차를 연결시키다. ②(guàchē) 명 (트럭 등의 부수된) 트레일러. 연결차(連結車).

〔挂齿〕 guàchǐ 동 〈文〉 언급하다. 제기하다. ¶这么点儿小意思何足~; 그저 마음뿐이니까 그렇게까지 말씀 안 하셔도 됩니다. =〔说起〕〔提起〕

〔挂厨〕 guàchú 동 요리사나 (식당) 보이에게 팁을 주다.

〔挂锄〕 guà,chú 동 밭갈이가 끝나다. 밭의 제초(除草)가 끝나다《흔히, 여름철》. 중경(中耕)이 끝나다. ¶~空隙; 농사의 여가.

〔挂船〕 guàchuán 동 배가 기항(寄港)하다.

〔挂搭板儿〕 guàdabǎnr 명 샌들 모양의 신발.

〔挂单〕 guàdān 동 ①(행각승(行脚僧)이) 절에 투숙하다. =〔挂褡〕 ②《劇》 배우가 흥행주에게 자신의 배역 중 일부를 말살하게 하다. =〔落luò单〕

〔挂挡〕 guà,dǎng 동 ①브레이크를 걸다. ②기어를 넣다. ¶挂高速挡; 톱기어에 넣다.

〔挂灯〕 guàdēng 동 등롱〔초롱〕을 매달다. 명 매달아 놓은 등롱〔초롱〕.

〔挂点零儿〕 guàdiǎnlíngr …남짓. ¶一百~; 100여. =〔挂零儿〕

〔挂电话〕 guà diànhuà ①〈方〉 전화를 걸다. ¶我明天再给你~; 내일 다시 전화 걸겠소. =〔打dǎ电话〕 ②전화를 끊다《흔히, '挂掉'·'挂断'과 같이 동사 구조로 씀》.

〔挂斗〕 guàdǒu 명 트레일러.

〔挂肚〕 guàdù 동 ⇨〔挂念〕

〔挂队〕 guàduì 명 노동자가 일을 쉼. =〔挂兑〕

〔挂帆〕 guà,fān 동 돛을 올리다.

〔挂幅〕 guàfú 명 족자(簇子).

〔挂钩〕 guà,gōu 동 ①열차를 연결하다. ¶~人; 연결수(連結手). ②〈俗〉 손을 잡다. 연계를 맺다. 기맥을 통하다. 다리를 놓다. ¶厂校~组织学生参加生产劳动; 공장과 학교가 밀접한 관계를 맺고 학생을 조직하여 생산에 참가시키다/学校同工, 农~; 학교가 노동자·농민과 손을 잡다/和特务挂上钩了; 스파이와 결탁하다. ③《經》 링크하다. ¶各国货币与关税~; 각국의 화폐와 관세와는 링크되어 있다.

〔挂钩(儿)〕 guàgōu(r) 명 ①(자동차 등의) 연결기(連結器). ②서스펜더(suspender).

〔挂冠〕 guàguān 동 〈文〉 사표를 제출하다. 관직을 사퇴하다. =〔挂冕〕

〔挂号〕 guà,hào 동 ①(번호를) 등록하다. 신청하다. 접수하다. 수속을 밟다. ¶~室; 접수실. 신청소/~时间; 접수 시간/看病先要~; 진찰을 받으려면 먼저 수속을 밟아야 한다/你已经~了没有? 너는 벌써 등록했니?/~金; 신청금. ②등기로 하다. ¶单~; 보통 등기/~信 =〔~邮件〕; 등기 우편/双~; 배달 증명 등기/~费; ⓐ등기 요금. ⓑ접수 요금《진찰료 따위》/~执据; 등록필증. ③장부에 기입하다. 써 두다. ¶~证; 등록증. 신청 접수증. 진찰권.

〔挂红〕 guà,hóng 동 ① ⇨〔挂彩②〕 ②개점(開店)·개업을 축하하기 위해 문 밖에 빨간 천을 걸다. ③연석(宴席)에서 가위바위보를 하여 이긴 사람이 진 사람과 함께 술을 마시다.

〔挂花〕 guà,huā 동 ①(전투에서) 부상을 당하다. 부상을 당해 피를 흘리다. ¶他腿上挂过两次花; 그는 다리에 두 번 부상을 입은 일이 있다. =〔挂彩②〕 ②몸치장을 하다.

〔挂画〕 guàhuà 명 족자. (guà huà) ①그림을 걸다. ②〈俗〉 외출복을 입다.

〔挂怀〕 guàhuái 동 ⇨〔挂念〕

〔挂幌子〕 guà huǎngzi 〈方〉 ①얼굴에 똑똑히 나타나다. 겉으로 나타나다. ¶他刚才准是喝了酒, 脸上都~了; 얼굴에 나타난 것을 보니, 그는 방금 술을 마신 것이 틀림없다. ②간판을 걸다. 〈轉〉 장사하다. ③겉으로만 가장하다. 겉치레하다.

〔挂火(儿)〕 guà,huǒ(r) 동 〈方〉 골내다. 발끈하다. 노기(怒氣)를 나타내다. ¶双方不必太~; 양쪽 다 그렇게 화내지 말아라/你再一激他, 他更~了; 네가 다시 한 번 부추기면, 그는 더욱 화를 낼 것이다. =〔发怒〕〔生气〕

〔挂货〕 guà,huò 동 열매를 맺다. ¶这棵老树七年没~了; 이 노목(老木)은 7년 동안 열매를 맺지 않았다.

〔挂货屋子〕 guàhuò wūzi 명 〈俗〉 고물상.

〔挂记〕 guàjì 동 마음에 걸리다. 걱정하다. =〔挂念〕〔惦diàn记〕

〔挂家〕 guà,jiā 동 집안일을 걱정하다.

〔挂肩〕 guàjiān 명 옷의 진동.

〔挂僵(儿)〕 guàjiāng(r) 동 〈方〉 체면이 서지 않아 화내다. 교착 상태가 되다. =〔挂将儿〕

〔挂脚(儿)〕 guà,jiǎo(r) 동 ①발을 멈추다. ②정주(定住)하다. ③안거(安居)·안주(安住)하다.

〔挂劲(儿)〕 guà,jìn(r) 동 〈京〉 ①힘을 내다. ②(자극을 받아) 흥분하다. 정열이 솟다. 열중하다. ③화를 내다. 발끈하다. =〔挂火(儿)〕

〔挂镜〕 guàjìng 명 옛날, (벽에) 거는 거울.

〔挂靠〕 guàkào 동 ①옆으로 갖다 대다〔붙이다〕. ¶这个码头可以~一万吨级船只; 이 부두는 1만 톤급의 선박을 정박시킬 수 있다. ②(상부 기관으로부터) 지도·지원을 받다.

〔挂客〕 guà,kè 동 손님을 맞다.

〔挂拉枣儿〕 guàlāzǎor 명 씨를 뺀 건조(乾棗)《실에 꿰어 있음》. =〔脆cuì枣(儿)〕
〔挂络儿〕 guàlàor 명 ⇨〔挂落(儿)〕
〔挂落(儿)〕 guàlào(r) 명 (남의 일에) 해를 입어 골탕 먹음. 끌려 들어감. ¶吃～; 남의 일에 해를 입어 골탕 먹다/我总得吃你的～; 나는 언제나 너로 인해 골탕을 먹는다. =〔挂络儿〕
〔挂累〕 guàlěi 동 남의 일에 말려들게 하다. ¶你放心吧, 我不会～你的! 걱정 말게, 자네를 끌어들이지는 않을 테니까! =〔连累〕
〔挂历〕 guàlì 명 걸어 놓는 달력.
〔挂连(儿)〕 guàlián(r) 명 관련. ¶这两件事儿有没有什么～? 이 두 사건에 무슨 연관이 있느냐? (guà∙lian(r)) 동 관련되다.
〔挂镰〕 guà∙lián 동 그 해의 마지막 수확이 끝나다. 논밭의 가을걷이가 끝나다.
〔挂恋〕 guàliàn 동 그리워하다.
〔挂零(儿)〕 guà∙líng(r) 동 …남짓하다. ¶五十～; 50여. =〔挂点零儿〕
〔挂龙雨〕 guàlóngyǔ 명 회오리바람이 섞인 폭우.
〔挂漏〕 guàlòu 명 유루(遺漏). 탈루(脫漏). ¶～势所难免; 탈루가 있는 것은 당연한 결과로 면하기 어렵다.
〔挂炉〕 guàlú 명 돼지 다리나 오리 등을 매달아 불에 쬐어 굽는 화덕. ¶～烧鸭 =〔烧鸭子〕〔烤鸭(子)〕; 위로 구운 오리 통구이/～铺pù; 위로 구운 고기를 파는 가게.
〔挂虑〕 guàlǜ 동 ⇨〔挂念〕
〔挂面〕 guàmiàn 명 건국수. 마른국수《가느다란 것으로 다발로 판매함》.
〔挂名(儿)〕 guà∙míng(r) 동 ①이름을 등록하다. ②신청하다. ③〈轉〉 명의만을 걸어 놓다〔게재하다〕. ¶只是个～的理事; 단지 이름뿐인 이사이다/～党员; 명목만의 당원.
〔挂黑〕 guà∙mò 동 (종이가) 먹·잉크를 빨아들이다. ¶这张纸不～; 이 종이는 먹을 잘 안 먹는다.
〔挂念〕 guàniàn 동 걱정하다. 근심하다. 염려하다. ¶～母亲的病; 어머니의 병을 걱정하다. =〔挂肚〕〔挂怀〕〔挂虑〕〔挂心〕〔挂意〕
〔挂牌〕 guà∙pái 동 ①패를 걸다. 게시하다. ②(의사·변호사가) 간판을 걸다. ¶～医生; 개업의. ③시장이 거래를 시작하다. 시세를 표시하다. ¶～行háng市; 공시(公示)된 시세/银行～; 은행에서 공시하는 일변(日邊)의 이율/外汇～; 외국환 시세. ④사항의 발표.
〔挂屏(儿)〕 guàpíng(r) 명 세로로 긴 액자에 끼운 서화《대부분 4~8매 한 세트로 되어 있음》.
〔挂瓶儿〕 guàpíngr 명 거는 꽃병.
〔挂旗〕 guà∙qí 동 기를 게양하다. ¶挂半旗 =〔下半旗〕〔降半旗〕; 반기(조기(弔旗))를 달다.
〔挂气(儿)〕 guà∙qì(r) 동 〈方〉 골내다. 울컥 치밀다. ¶他也挂了气; 그도 화가 치밀었다. =〔生气〕〔发怒〕
〔挂牵〕 guàqiān 동 ①걱정하다. =〔挂念〕〔牵挂〕 ②걱정스럽다.
〔挂钱儿〕 guàqiánr 명 정월에 '发财'·'吉祥'을 기원하여 돈 모양 따위를 오려 내어 대문 등에 붙이는 종이《30cm 폭의 길고 붉은 종이에 돈·글씨·용·잉어 등의 모양을 오려 내거나 그림을 그려 불단·창 밑 등에도 붙임》. =〔欢乐纸〕〔门市彩〕
〔挂欠〕 guàqiàn 명동 외상 매입(하다).
〔挂伤〕 guàshāng 동 부상하다.
〔挂上〕 guàshang 동 걸쳐 놓다. ¶不要把电话～; 수화기를 놓지 마라. 전화를 끊지 마라.
〔挂失〕 guà∙shī 동 분실 신고를 내다. ¶～票 =〔～单〕; 어음 등의 분실 신고를 내다/～止付; 분실 신고를 내어 지급을 정지시키다/已向银行～; 이미 은행에 분실 신고를 냈다.
〔挂帅〕 guà∙shuài 동 ①원수(元帥)가 되다《지휘하다. 선두에 서다. 총지휘를 하다》. =〔带头〕 ②모든 것에 우선(優先)하다. ¶政治～; 정치가 모든 것에 우선한다/利润～; 이윤 제일(第一).
〔挂霜〕 guàshuāng 명 기름에 튀겨 설탕을 바른 과자.
〔挂算〕 guàsuan 동 작은 이익·은혜를 구하다.
〔挂锁〕 guàsuǒ 명 맹꽁이자물쇠.
〔挂毯〕 guàtǎn 명 ⇨〔壁bì毯〕
〔挂图〕 guàtú ①명 괘도. ②(guà tú) 괘도를 걸다.
〔挂托儿〕 guàtuōr (요술쟁이 등이) 수를 쓰다.
〔挂网〕 guàwǎng 명 유망(流網).
〔挂望〕 guàwàng 동 희망을 걸다.
〔挂味儿〕 guàwèir 형 ①재미있다. ②(노래의 가락 따위가) 멋이 있다. ¶唱得～; 노래가 멋이 있다. 동 다른 뜻을 느끼다. ¶那句话他听着～; 그 말은 그가 듣기에 다른 뜻 같다.
〔挂线疗法〕 guàxiàn liáofǎ 명 《漢醫》 치루(痔瘻)를 종이 노끈으로 졸라매어 치료하는 방법《옛날부터 해 내려온 방법임》.
〔挂孝〕 guà∙xiào 동 거상(居喪)을 입다. =〔带孝〕〔穿孝〕
〔挂心〕 guàxīn 동 마음에 걸리다. 걱정하다. =〔挂念〕
〔挂羊头卖狗肉〕 guà yáng tóu mài gǒu ròu 〈成〉 양두구육(羊頭狗肉). 양 머리를 내걸고 개고기를 판다《속과 겉이 다르다. 표리부동하다》. =〔说shuō真方卖假药〕
〔挂一漏万〕 guà yī lòu wàn 〈成〉 한 개를 인용(引用)하다가 만(萬)을 빼고 씀《유루(遺漏)가 매우 많음》. ¶～之处望请读者赐以指正; 유루한 점에 대해서는 독자 제위의 교시(敎示)를 바랍니다.
〔挂衣钩〕 guàyīgōu 명 옷을 거는 못.
〔挂衣室〕 guàyīshì 명 (극장 등의) 휴대품 보관소. (기숙사 등의) 갱의실(更衣室).
〔挂意〕 guàyì 동 ⇨〔挂念〕
〔挂印〕 guàyìn 동 〈文〉 고관(高官)의 인끈을 차다. 관직에 오르다. 취임하다.
〔挂有〕 guàyǒu 동 걸려 있다. ¶～地图; 지도가 걸려 있다.
〔挂掌〕 guàzhǎng 동 편자를 박다.
〔挂账〕 guà∙zhàng 동 외상으로 팔다. =〔赊账〕 (guàzhàng) 명 외상 판매. ¶现钱交易, 不～; 현금 거래. 외상 판매 않음.
〔挂账付款〕 guàzhàng fùkuǎn 명 《經》 외상 판매 후 값을 지불하는 것.
〔挂钟〕 guàzhōng 명 괘종. =〔壁bì钟〕
〔挂轴(儿)〕 guàzhóu(r) 명 족자.
〔挂紫衣〕 guàzǐyī 동 (절의) 중이 되다.
〔挂嘴〕 guà∙zuǐ 동 생활하다. 살림하다. ¶不能挂起嘴来了; 입에 풀칠하기 어렵게 되었다.

绐(絓) guà (괘)

①동 〈文〉 막히다. ¶心～结而不解; 마음이 울적하여 가시지 않다. ②동 '挂'와 통용. ③→〔绐羊齿〕
〔绐羊齿〕 guàyángchǐ 명 《植》 진고사리.

罣〈罫〉 guà (괘)

①동 마음에 걸리다. ②명 방해. 함정. 덫. ¶～阂; 장애/触～; 덫

에 걸리다. ③ 동 연루되다. 말려들다.
〔罣碍〕 guà'ài 명 마음에 걸림. 방해. ¶心中没有～; 마음에 걸리는 것이 없다 / 一身无～, 要出外也方便些; 홀가분한 외몸이라, 여행하기에 편하다. =〔牵挂〕〔牵掣〕
〔罣筛〕 guàshāi 명 체.
〔罣误〕 guàwù 동 ⇨〔诖误〕

褂 **guà** (괘)
(～儿, ～子) 명 저고리(홑것). ¶马～(儿); 예식용의 덧저고리(마고자) / 大～子 =〔长衫〕; 홑것의 긴 웃옷 / 小～儿; 홑것의 짧은 윗옷 / 小～; 셔츠. 속옷.

罫 **guà** (괘)
명 ①줄. 바둑판의 줄. ②괘(罫). ③격자 모양의 간.
〔罫辞〕 guàcì 명 ⇨〔彖tuàn辞〕

GUAI ㄍㄨㄞ

乖 **guāi** (괴)
형 ①〈文〉 사리에 어긋나다. 어그러지다. 일치하지 않다. ¶有～人情; 인정에 어긋나는 점이 있다 / 名实两～; 명실상부하지 않다 / 与原意相～; 원래의 뜻에 어긋나다. ②〈文〉 (성격·행동이) 비정상이다. 비꼬이다. ③영리하다. 약다. 재치가 있다. 약삭빠르다. ¶这孩子真～! 이 아이는 참 똑똑하구나! / 这孩子嘴～; 이 아이는 되바라진 소리를 한다. ④(어린애가) 얌전하다. 착하다. 말을 잘 듣다. ¶多～呀; 어쩌면 이렇게 얌전할까, 착하다 우리 아기(어르는 말).
〔乖宝贝(儿)〕 guāibǎobei(r) 명 ⇨〔乖乖①〕
〔乖背〕 guāibèi 동 ⇨〔乖违〕
〔乖舛〕 guāichuǎn 명 〈文〉 착오. 오류. 오해.
〔乖乖〕 guāiguāi (～儿的) 형 말을 잘 듣는. 순종하는. 행실이 좋은. 명 ①귀염둥이. 복동이(어린애에 대한 애칭). =〔乖宝贝(儿)〕 ②〈方〉 뺨. 볼. ¶要～; 볼에 입맞추다.
〔乖乖〕 guāiguai 감 의아해하거나 찬탄하는 뜻을 나타냄. ¶～, 外边真冷! 와, 밖이 정말 추워! / ～, 买来个这么大的西瓜! 야, 이렇게 큰 수박을 사 오다니!
〔乖乖(儿)地〕 guāiguāi(r)de 얌전하게. 고분고분하게 ¶想不到他居然～答应了; 그가 의외로 순순히 응낙하리라고는 생각지도 않았다.
〔乖滑〕 guāihuá 형 교활하다. 빈틈이 없다.
〔乖觉〕 guāijué 형 기민(機敏)하다. 총명하다. 영리하다. 약삭빠르다. ¶这个小孩子很～; 이 아이는 어른스럽다〔깜찍한 데가 있다〕 / 出来做几年事, 人也～起来了; 세상에 나가서 몇 년 일하면 현명해진다. =〔机警〕〔聪敏〕〔乖角〕
〔乖口〕 guāikǒu 형 말솜씨가 능란하다. ¶～说甜话; 입에 발린 말을 그럴싸하게 하다.
〔乖剌〕 guāilà 동 ⇨〔乖违〕
〔乖戾〕 guāilì 형 〈文〉 ①(성격·행동이) 어긋나다. 어그러지다. ② ⇨〔乖张〕
〔乖谬〕 guāimiù 형 〈文〉 편벽하다. 터무니없다. ¶性情～不好交; 성격이 편벽하여 사귀기 어렵다.
〔乖脾气〕 guāi píqi 심술꾸러기.
〔乖僻〕 guāipì 형 비꼬이다. 사악(邪惡)하다. ¶性情～; 성격이 비뚤어지고 편벽되다.
〔乖巧〕 guāiqiǎo 형 ①교활하고 영리하다. 깜찍하다. ②남의 마음에 들다. 남이 좋아하다.
〔乖丧〕 guāisàng 동 도리를 벗어나다. ¶伦常～; 인륜(人倫)에 어그러지다.
〔乖顺〕 guāishùn 형 말을 잘 듣다. 착하다.
〔乖违〕 guāiwéi 동 ①어그러지다. 어기다. 배반하다. ②떨어져 멀어지다. 도리에 어긋나다. ‖=〔乖背〕〔乖睽kuí〕〔乖剌là〕〔乖离〕〔剌戾〕
〔乖小子〕 guāixiǎozi 명 ①교활한 꼬마 녀석. 불량소년. ②영리한 아이.
〔乖行〕 guāixíng 명 〈文〉 부정(不正) 행위.
〔乖异〕 guāiyì 형 (모습·행동이) 색다르다. 기묘(奇妙)하다. 변덕스럽다.
〔乖张〕 guāizhāng 형 ①(성질이) 비뚤어지다. 심술궂다. ¶这个小孩子很～; 이 아이는 성질이 매우 비뚤어져 있다. =〔脾气乖张〕 ②도리에 어긋나다. ‖=〔乖戾②〕

掴(摑) **guāi** 〔guó〕 (괵)
동 따귀를 때리다. ¶～了一个耳光 =〔打了个耳刮子〕; 귀싸대기를 한 대 쳤다.

拐〈柺〉⑦ **guǎi** (괴)〈괘〉
① 동 유괴하다. 남을 속여서 빼앗다. 맡은 물건을 가지고 도망가다. ¶～孩子; 어린이를 유괴하다 / ～犯; 유괴범 / ～款潜逃; 속여서 돈을 가로채어 자취를 감추다 / 钱叫他～了去了; 돈을 그가 속여서 빼앗아 갔다. ② 동 (모퉁이를) 돌다. 방향을 바꾸다. ¶往西～就到; 서쪽으로 꼬부라지면 바로 거기입니다 / 他把话头～到工作上去了; 그는 화제를 일 쪽으로 돌렸다. ③ 동 부딛치다. 뿌리치다. ¶汽车～伤了人; 자동차가 사람을 치어 다치게 했다 / 用胳膊肘～了他一下; 팔꿈치로 그를 확 밀어 젖혔다. ④ 동 절룩거리며 걷다. ¶一～一～的; 절룩거리는 모양 / 走了一天的路, 有不少的人走～了腿; 하루 종일 걸어서 많은 사람들이 다리를 절었다. ⑤ 형 성격이 비뚤다. ¶比谁～得多; 누구보다도 비꼬였다. ⑥ 동 모양이 구부러지다. ⑦ 명 지팡이. ⑧ 명 〈方〉 모퉁이. ¶墙～; 벽의 모퉁이. 담모퉁이. ⑨ 명 숫자(數字)를 읽을 때 '七' 대신에 쓰임.
〔拐案〕 guǎi'àn 명 유괴 사건.
〔拐八角(儿)〕 guǎibājiǎo(r) 동 에둘러서 하다. ¶他总是～着说话; 그는 언제나 빙 돌려서 이야기한다. 형 멀다. ¶～的亲戚; 먼 친척.
〔拐棒(儿)〕 guǎibàng(r) 명 ①구부러진 몽둥이. ②비뚤어진 마음. 심술쟁이. 심통 사나운 사람. ¶他那个人有点儿～, 人家说这么办, 他偏说那么办才对呢; 그는 좀 심술궂어서 남이 이렇게 하자고 말하면, 일부러 저렇게 하자고 말을 한다. =〔拐棒骨②〕
〔拐棒骨〕 guǎibànggǔ 명 ① ⇨〔脚jiǎo腕子〕 ② ⇨〔拐棒(儿)②〕
〔拐脖儿〕 guǎibór 명 L자형의 양철로 만든 짧은 굴뚝(굴뚝을 잇는 데 씀).
〔拐打〕 guāidǎ 동 〈俗〉 치다. 두드리다. ¶等晒干了～～土就掉了; 마른 후에 두드리면 흙은 곧 떨어진다.
〔拐带〕 guǎidài 동 갖고 도망치다. 유괴하다. ¶～巨款; 거금을 갖고 도망가다 / ～子女; 아이들을 유괴하다.
〔拐点〕 guǎidiǎn 명 《數》 변곡점(變曲點).
〔拐犯〕 guǎifàn 명 유괴 범인(誘拐犯人). 맡은 금품을 가지고 도망간 범인.
〔拐贩〕 guǎifàn 동 ⇨〔拐卖〕

〔拐匪〕 guǎifěi 명 〈文〉 유괴범(誘拐犯).
〔拐孤〕 guǎigu 형 (성질이) 비뚤어지다. 편벽하다. ¶～脾气; 비뚤어진 성깔.
〔拐拐弯弯〕 guǎiguaiwānwān 형 구불구불하다. ¶～的道路; 구불구불한 길.
〔拐拐着〕 guǎiguǎizhe 형 구부러져 있다.
〔拐棍(儿)〕 guǎigùn(r) 명 손잡이가 구부러진 지팡이.
〔拐过去〕 guǎi·guo·qu 모퉁이를 돌아가다. ¶从这拐角儿～; 이 모퉁이를 따라 돌아가시오.
〔拐回来〕 guǎi·hui·lai ①되돌아오다. ②눈을 속여 몰래 가지고 돌아오다. ¶乘chéng人不防, ～好些东西; 남이 방심한 틈을 타서 많은 물건을 후무리고 돌아오다. ③선물을 적게 하고 나서, 상대방에게 선물을 많이 받아오다. ¶送他点礼, 倒～许多东西; 선물을 조금 주고, 반대로 선물을 많이 받아왔다.
〔拐回去〕 guǎi·hui·qu ①(길을) 되돌아가다. ¶这里道儿不好走, ～从南边儿走吧; 여기는 길이 걷기에 나쁘니까 되돌아가서 남쪽으로부터 가자. ②선물을 조금만 하고서, 선물을 많이 받아가다.
〔拐击〕 guǎiji 동 (북채 · 막대 등으로) 치다. 두드리다.
〔拐角儿〕 guǎijiǎor ①명 구석. ¶房子的～有个消火栓; 방 모퉁이에 소화전이 있다. ②명 돌아가는 모퉁이. 모퉁이. ③(guǎi jiǎor) 모퉁이를 돌다.
〔拐款〕 guǎikuǎn 동 〈文〉 돈을 가로채어 도망가다.
〔拐拉〕 guǎila 동 안짱다리로 걷다.
〔拐卖〕 guǎimài 동 유괴하여 팔아먹다. 인신매매하다. ¶～妇女; 부녀를 유괴하여 팔아넘기다. =〔拐贩〕
〔拐骗〕 guǎipiàn 동 ①사취(詐取)하다. 갖고 도망가다. ②유괴하다. ¶～小孩; 어린아이를 유괴하다.
〔拐渠〕 guǎiqú 명 강 · 용수로의 굽이진 곳.
〔拐躺下〕 guǎi tǎngxia 걸어서 넘어뜨리다. 걸려서 넘어지다. ¶袖子把茶杯～了; 소매에 찻잔이 걸려 쓰러졌다.
〔拐弯(儿)〕 guǎi·wān(r) 동 ①길모퉁이를 돌다. ¶拐了三道弯儿; 모퉁이를 세 번 돌다 / 车辆～要慢行; 차가 모퉁이를 돌 때는 서행해야 한다. ②(숫자가) 초과하다. ¶这本新书比那本旧的还要～; 이 새 책은 저 헌 책보다 2배 이상 비싸다. ③(생각을) 바꾸다. (화제를) 딴 데로 돌리다. 방향을 전환하다. ¶这人死心眼儿, 脑筋不容易～; 이 사람은 융통성이 없어서, 생각을 바꾸기가 좀처럼 쉽지 않다. (guǎiwān(r)) 형 멀다. ¶～的亲戚; 먼 친척.
〔拐弯抹角(的)〕 guǎi wān mò jiǎo(de) ①지그재그로 구부러지다. 구불구불 구부러진 길을 가다. ¶～地走; 빙빙 돌아가다. ②이야기나 문장이 단도직입적이 아니다. 에둘러 말하다. ¶～地说; 에둘러서 말하다.
〔拐诱〕 guǎiyòu 동 유혹하다. 감쪽같이 속이다. 유괴하다. (증인 등을) 농락하다. 매수하다.
〔拐杖〕 guǎizhàng 명 ①(등나무나 대나무로 된 손잡이가 구부러진) 지팡이. ②협장(脇杖). 목발. ③노인의 지팡이.
〔拐肘〕 guǎizhǒu 명 〈方〉 팔꿈치. =〔胳膊肘子〕
〔拐子〕 guǎizi 명 ①유괴자. 사기꾼. =〔拐子手〕 ②〈口〉 절름발이. =〔瘸qué子〕 ③양(羊)의 뼈로 만든 장난감의 일종. ④실패. =〔桄子〕 ⑤일반적으로 구부러진 것을 이름. ¶～腿; 안짱다리. ⑥복사뼈. ¶吊diào着～刷井; 복사뼈로 매달려 우물을 치다《매우 고통스러운 일을 당하다》. ⑦선반을 받치는 삼각형의 받침판(板).
〔拐子鱼〕 guǎiziyú 명 《魚》 양태.
〔拐走〕 guǎizǒu 동 유괴하다. 채가다.

夬 guài (쾌)

명 역경(易經)《64괘의 하나》.

怪〈恠〉 guài (괴)

①형 이상하다. 괴상하다. ¶～呀! 이상〔괴상〕한데! / ～事shì(儿); 괴상한 일 / 说～话; 이상한 말을 하다 / 如果看见了, 你要不喜欢它才～呢; 만일 (그것을) 보고 네가 기뻐하지 않는다면, 그야말로 이상한 일일거야 / 真～! 他怎么又不走了? 참으로 이상하구나, 그가 왜 또 나가지 않게 되었을까? ②동 이상하게 여기다. 의심쩍다. ¶你别～我说; 내 말을 이상하게 생각하지 마세요 / 难～; 이상할 것 없다. 당연하다. 어쩐지 …이다. ③명 괴상한 것〔일〕. 괴물. 요괴. 도깨비. ¶妖yāo～; 요괴(妖怪) / 鬼guǐ～; 유령과 도깨비 / 作zuò～; 괴상한 짓을 하다. 못된 짓을 하다. →〔鬼guǐ②〕 ④동 괘씸하다고 생각하다. 나무라다. 책망하다. ¶这桩事我又不能不～你了; 이 일에 대해서는 아무래도 너를 책망하지 않을 수 없다 / 见～; ⓐ책망하다. 원망하다. ⓑ의심하다. 수상히 여기다 / 请别～我! 제발 저를 책망하지 마세요! / 这都～我; 이것은 모두 제탓입니다. ⑤부 〈口〉 아주. 대단히. 꽤. 참으로. 무척. 정말. ¶～好的天气; 매우 좋은 날씨 / ～可怜的; 정말 가련하다 / ～不好看的; 정말 꼴불견이다 / ～不错的; 무척 좋다 / ～不好意思的; 무어라고 변명할 여지가 없다. 注 문말(文末)에 '的' 또는 '呢'를 붙임.
〔怪不得〕 guàibude 부 과연. 그도 그럴 것이. 어쩐지. ¶～你身体这么好! 과연 그래서 네 몸이 이렇게 좋구나! / ～他的中国话说得那么好呢, 原来他是中国人啊; 어쩐지 중국어를 정말 잘한다 했더니, 원래 그는 중국인이었군요. =〔怪道〕 동 책망할 수 없다. 탓할 수 없다. ¶你～他; 자네는 그를 책망해선 안 되네.
〔怪不上〕 guàibushàng 나쁘게는 생각되지 않는다. 나쁘다고 할 수 없다. ¶那可～咱; 그 일은 내겐 실수가 없다.
〔怪不着〕 guàibuzháo 책망할 자격이 없다. 책망할 처지가 아니다. ¶这是你自己干的, ～别人; 이것은 네 자신이 한 것이니까, 남을 책망할 수 있는 일이 못 된다.
〔怪鸱〕 guàichī 명 《鳥》 부엉이. 수리부엉이.
〔怪错〕 guàicuò 동 잘못 의심하다. ¶您别见气, 实在是我～您了; 화내지 마십시오. 실제로는 제가 잘못 의심한 것입니다.
〔怪诞〕 guàidàn 명 이상하고 허황된 일. ¶～不经 =〔怪蛋〕; 기괴하고도 드문. 허황한 / 荒唐～; 터무니없는 일.
〔怪道〕 guàidào 부 〈方〉 과연. 어쩐지. ¶她是我过去的学生, ～觉得眼熟; 그녀는 전에 내가 가르친 학생이어서, 어쩐지 낯이 익다고 생각했다. =〔怪不得〕
〔怪粉〕 guàifěn 형 짙은 화장(化粧)의 형용. ¶搽一脸～; 얼굴 전체에 분을 덕지덕지 바르다.
〔怪话〕 guàihuà 명 ①종잡을 수 없는 이야기. 납득이 안 가는 이야기. 무원칙한 의론이나 불평. ¶～连篇; 두서 없는 이야기를 늘어놓다. ②기괴

한 이야기. ③〈方〉추잡한 이야기.
〔怪叫〕 guàijiào 명동 괴상한 소리(를 지르다). 기성(奇聲)(을 지르다).
〔怪杰〕 guàijié 명 괴걸(怪傑).
〔怪劲(儿)〕 guàijìn(r) 명 ①큰 힘. 괴력(怪力). ②이상한 모양. 기괴한 점. 이상한 정도.
〔怪精〕 guàijīng 명 요정(妖精).
〔怪谲〕 guàijué 형 〈文〉괴이하고〔기괴하고〕 황당하다.
〔怪哭山嚷〕 guàikū shānrǎng 큰 소리로 울고 소리치다.
〔怪力乱神〕 guài lì luàn shén 〈成〉불가사의한 힘. 신통력. ¶子不语～; 공자는 괴력 난신을 말하지 않았다.
〔怪里怪气〕 guàili guàiqì 〈貶〉(모양·차림새·목소리 등이) 괴상하다. 이상야릇하다. 기묘하다. ¶这人打扮得～, 特别惹人注目; 이 사람은 이상한 차림을 하고 있어서, 유난히 남의 이목을 끈다. =〔怪气〕
〔怪眉怪眼〕 guài méi guài yǎn 〈成〉①기괴한 얼굴의 형용. ②우스꽝스러운 얼굴의 형용.
〔怪模怪样(儿)〕 guài mú guài yàng(r) 〈成〉이상스러운 모양. 기묘한 모양. 어딘가 색다른 데가 있다. ¶她打扮得～; 그녀는 이상스럽게 차려입고 있다.
〔怪癖〕 guàipǐ 명 괴벽. 이상한 버릇. 나쁜 버릇.
〔怪僻〕 guàipì 형 성격이 비뚤어지다. 편벽(偏僻)되다. ¶性情～; 성격이 괴팍하다.
〔怪奇〕 guàiqí 형 기괴하다.
〔怪气〕 guài qì ①(동작·목소리 등이) 기묘하다. 기분 나쁘다. ②어딘가 남다른 데가 있다.
〔怪人〕 guàirén ①명 괴짜. 이상한 사람. ②(guài rén) 남을 책망하다〔수상히 여기다〕. ¶这也不能～; 이것을 가지고 남을 탓할 수 없다.
〔怪声怪气〕 guài shēng guài qì 이상한 목소리로 이야기하는 모양. 목소리가 기묘한 모양. 목소리가 천박하다.
〔怪事〕 guàishì 명 이상한 일. 기묘한 일. 납득할 수 없는 일.
〔怪术〕 guàishù 명 마술. 마법.
〔怪祟〕 guàisuì 명 요마(妖魔). 요괴. 요귀.
〔怪胎子〕 guàitāizi 명 악당. 괘씸한 놈. ¶那个认酒不认人的～; 술이라면 사족을 못 쓰는 악당 놈아.
〔怪味(儿)〕 guàiwèi(r) 명 이상한 냄새〔맛〕. 불쾌한 냄새. ¶～恶臭; 말할 수 없이 불쾌한 냄새/有～; (뭔지 모를) 이상한 냄새가〔맛이〕 나다.
〔怪物〕 guàiwu 명 ①괴물. 괴상한 것. ②괴짜. 괴팍한 사람.
〔怪象〕 guàixiàng 명 괴현상. ¶～丛生; 괴현상이 속출하다/未曾有过的～; 전에 없었던 괴현상.
〔怪笑〕 guàixiào 명 이상한 웃음. 기분나쁜 웃음. 동 이상하게 웃다.
〔怪讶〕 guàiyà 형 이상히〔괴이쩍게〕 여기다. 이상하게 생각하다. 매우 놀랍다.
〔怪样(儿)〕 guàiyàng(r) 명 ①이상한 모양. ②괴이한 모습.
〔怪异〕 guàiyì 형 기괴하다. 괴이하다. ¶～事儿; 괴이한 일. 명 기묘한 현상.
〔怪怨〕 guàiyuàn 동 나무라서 원망하다.
〔怪责〕 guàizé 동 〈文〉 나무라며 책망하다. 비난하며 꾸짖다.
〔怪罪〕 guàizuì 동 책망하다. 언짢게 생각하다. ¶请不要～他! 제발 저 사람을 책망하지 마십시오!

GUAN ㄍㄨㄢ

关(關〈関〉) guān (관)

①동 닫(치)다. ¶刮风了, 快～窗户; 바람이 부니 빨리 창문을 닫아라/～上箱子; 상자의 뚜껑을 닫다/把抽屉～上; 서랍을 닫다. ②동 끄다. ¶把电灯～上; 전등을 끄다/～收音机; 라디오를 끄다. ③동 〈比〉 가두다. 감금하다. 틀어박히다. ¶鸟儿～在笼子里; 새는 새장 속에 갇혀 있다/把犯人～起来; 범인을 가두다/他尽～在屋子里看书; 그는 방에 틀어박혀 책만 읽고 있다. ④동 (기업 따위가) 도산(倒産)하다. 폐쇄되다. ¶那一年镇上～了好几家店铺; 그 해 시(市)에서는 몇 개의 점포가 도산했다. ⑤명 관문. ¶过～; 관문을 넘다/～口; ⇩/～防; ⇩/山海～; 산해관/我的责任就是不让废品混过～去; 나의 책임은 바로 폐품이 섞여 관문을 통과하는 것을 막는 것이다. ⑥명 세관(稅關). ¶海～; 세관/～税; ⇩ ⑦명 〈比〉 난관. 중요한 시기〔고비〕. 관문. ¶年～; 세모. 세밑/难～; 난관/只要突破这一～, 就好办了; 이 난관만 뚫고 나가면 된다/过了一个～又是一～; 하나의 난관을 넘으면 앞엔 또 다른 난관(갈수록 태산). ⑧명 《漢醫》〈簡〉'～上 shàng' (관맥)의 약칭. ⑨명 관절이 되는 부분. 중요한 곳. ¶机～; 기관/～节; ⇩/～键; ⇩ ⑩명동 관계(되다). 관련(하다). 연계(하다). ¶毫不相～; 아무〔조금도〕 상관이 없다/责任由我负, 不～你们的事; 책임은 내가 진다, 너희들에게는 관계 없는 일이다/这事正在交有～部门研究; 이 일은 목하 관계 부문에서 연구 중이다/无～轻qīng重 =〔无足轻重〕; 하찮다. ⑪동 (봉급을) 받다. ¶～饷; 급료를 타다. ⑫명 교묘한 장치. ⑬명 성(姓)의 하나.
〔关爱〕 guān'ài 동 〈文〉관심을 갖고 귀여워하다.
〔关隘〕 guān'ài 명 〈文〉관문. 요새. 요충지. ¶把守～, 渡口; 관문과 나루터를 공고히 지키다.
〔关碍〕 guān'ài 명 장애. 방해. =〔妨碍〕
〔关板儿〕 guānbǎnr 동 가게를 걷어 치우다. =〔上板儿〕
〔关闭〕 guānbì 동 ①닫다. ¶门窗都紧紧～着; 문도 창도 모두 단단히 닫혀져 있다. ②(공장·상점이) 휴업하다. ③(움직임을) 멈추다. 스위치를 끄다. ¶～机器; 기계를 멈추다.
〔关兵〕 guānbīng 명 관문의 수비병(守備兵).
〔关不上〕 guānbushàng (문이) 닫히지 않다. 닫을 수 없다.
〔关差〕 guānchāi 명 옛날, 세관 관리.
〔关厂〕 guānchǎng 명동 공장 폐쇄(하다). 록아웃(lockout)(하다). ¶钢铁供gōng应不足而被迫～; 철강 공급 부족 때문에 부득이 공장을 폐쇄하게 되었다. 명 세관의 검사장.
〔关车〕 guānchē 동 (스위치를 끄고) 기계의 운전을 멈추다.
〔关城〕 guānchéng 명 관문의 유적(遺跡). 동 성문(城門)을 닫다.
〔关垂〕 guānchuí 명동 〈翰〉정성어린 배려(를 받다). ¶承chéng蒙～; 친절하신 배려를 받아서. =〔关注〕→〔垂念〕
〔关刀〕 guāndāo 명 언월도(偃月刀).

〔关岛〕 Guāndǎo 명 《地》 괌 섬(Guam Island).
〔关道〕 guāndào ⇨〔海hǎi关道〕
〔关帝〕 Guāndì 명 《人》 관우의 존칭. =〔关夫子〕〔关公〕〔关老爷〕〔关圣〕〔关王〕
〔关(帝)庙〕 Guān(dì)miào 명 관우(關羽)를 모신 사당. =〔老爷庙〕〔武wǔ庙〕
〔关电门〕 guān diànmén 스위치를 끄다.
〔关掉〕 guāndiào 동 도산(倒産)시키다. ¶把纺织厂～了; 방직 공장을 도산시키고 말았다.
〔关钉〕 guān,dīng 동 〈俗〉 ①못을 박다. 다짐하다. 확인하다. ②기정 사실로 하다. 결정적인 것으로 하다. 움직일 수 없는 것으로 하다. ¶这一～, 可就改不了嘴了; 이렇게 딱 잘라 말했으니, 딴 소리를 할 수 없게 되었다.
〔关东〕 Guāndōng 명 《地》 산하이관(山海關)의 동쪽. 또, 동북 지방. =〔关外〕
〔关东糖〕 guāndōngtáng 명 '东三省' 지방에서 나는 찹쌀로 만든 흰 엿.
〔关防〕 guānfáng 동 기밀의 누설을 막다. ¶～严密; 기밀 누설의 방지가 엄하다. 명 ①옛날, 관청·군대에서 쓰던 직사각형의 인판(印判). =〔印信〕 ②〈文〉 관문(의 수비).
〔关公看春秋〕 Guāngōng kàn Chūnqiū 〈歇〉 관공이 춘추를 보다《관우(關羽)가 명의(名醫) 화타(華陀)의 치료를 받을 때, 아픈데도 불구하고 춘추(春秋)를 읽은 데서, 오기(傲氣)를 이르는 말》.
〔关公面前耍大刀〕 Guāngōng miànqián shuǎ dàdāo 〈諺〉 관우(關羽) 앞에서 큰 칼을 휘두르다《분수를 모르다. 또는 그런 사람》. →〔班bān门弄斧〕
〔关顾〕 guāngù 동 (아랫사람에게) 관심을 갖다. 돌보다. ¶对于学生的私生活时时～; 학생의 사생활에 늘 관심을 기울이다.
〔关乎〕 guānhū 동 관계〔관련〕되다. ¶～全国国民经济生活的一件大事; 전국민 경제 생활에 관계되는 중대사이다.
〔关护〕 guānhù 동 돌보아 지키다. 보살펴 주다.
〔关怀〕 guānhuái 동 마음에 두다. 관심을 보이다. 걱정하다. ¶他很～青年; 그는 청년에게 매우 따뜻한 마음을 갖고 있다. 명 관심. 배려. 친절. ¶对鲁迅表示亲切的～; 루쉰(魯迅)에 대하여 마음으로부터의 존경을 나타내다. ‖ 注 (상대방 또는 제3자가 썼을 경우는) 감격·존경의 뜻을 나타냄.
〔关键〕 guānjiàn 명 ①관건. 열쇠. 키포인트. ¶这是民族复兴的～; 이것이 민족 부흥의 관건이다. =〔〈文〉钤qián键〕 ②가장 중요한 것. 기간(基幹). 근간. ¶～性行业; 기간 산업(基幹産業). 형 매우 중요한. 결정적인. ¶～时刻; 결정적 순간 / ～性作用; 가장 중요한 역할.
〔关节〕 guānjié 명 ①《生》 뼈의 관절. ¶～炎yán; 《醫》 관절염. ②〈轉〉 키포인트가 되는 부분. 중요한 점〔시기·일환〕. ¶把力量用在～上; 힘을 중요한 포인트로 쓰다. ③《機》 이음매. ④(뇌물을 주어 관리에게) 다리를 놓음. ¶通～; 뇌물을 써서 융통의 혜택을 받다. ⑤시험관이 수험자와 결탁하여 그 답안에 기호를 적어 놓는 일. ⑥〈方〉 (암암리의) 청탁. 부탁. ⑦교사(教唆) 또는 공모하여 죄악을 범함.
〔关津局卡〕 guānjīnjúqiǎ 〈比〉 수륙(水陸)의 요소 요소.
〔关紧〕 guānjǐn 형 〈方〉 절박하고 중요하다.
〔关禁〕 guānjìn 동 감금하다.
〔关口〕 guānkǒu 명 ①국경(國境)의 세관. 관문. ¶突破人学考试的～; 입시의 좁은 문을 돌파하다 / 越过了最后一道～; (남은) 마지막 고개를 넘다. ② ⇨〔关头〕 ③ ⇨〔关煞〕
〔关里〕 guānlǐ 명 ⇨〔关内〕
〔关吏〕 guānlì 명 세관의 관리. =〔关役〕
〔关联〕 guānlián 명 (추상적인) 관계. (사항·사물간의) 관계·관련. (인간의) 신분 관계. (인간·국가간의) 교섭·교류·교제. ¶国民经济各部门是互相～互相依存的; 국민 경제의 각 부문은 서로 관련을 갖고 상호간에 의존하고 있는 것이다. 동 관련하다.
〔关捩(子)〕 guānliè(zi) 명 《機》 기계 장치의 회전축. 〈轉〉 (사물의) 심장부. 중요점.
〔关门〕 guān,mén 동 ①문을 닫다. ¶随手～; 문을 닫으시오 / 贼走了～; 소 잃고 외양간 고친다. ②가게를 닫다. ㉠그 날의 영업을 끝내다. ㉡폐업하다. ¶～大吉了; (야유적으로) 경사스럽게 폐업하다. ③문호(門戶)를 폐쇄하다. 말을 받아들이지 않다. 사람을 피하다. ¶～主义; 폐쇄〔배타〕주의 / ～读书; 사회와 동떨어진 학문을 하다 / ～掩户; 문을 닫고 사람을 피함 / 你～掩户坐在这里, 灯也不开, 害我好找! 여기 틀어박혀, 불도 켜지 않은 채 있었군, 널 찾느라고 꽤나 애먹었다고! (guānmén) 명 관문.
〔关门训练〕 guānmén xùnliàn 명 실제에는 눈을 돌리지 않는 훈련.
〔关门养虎, 虎大伤人〕 guān mén yǎng hǔ, hǔ dà shāng rén 〈成〉 호랑이를 기르면, 커서 사람을 해친다《기르던 개에게 다리를 물렸다》.
〔关门子誓〕 guānménzishì 〈比〉 단호한 맹세. ¶四爷见金三爷起了～, 不便再说什么《老舍 四世同堂》; 넷째 할아버지는 김씨네 셋째 할아버지가 단호하게 말하자, 더 이상 아무 말도 하지 못했다.
〔关目〕 guānmù 명 《劇》 극의 고빗사위에 짜 넣어진 줄거리.
〔关内〕 Guānnèi 명 《地》 '山海关' 이남의 땅을 이름. =〔关里〕 ↔〔关外〕
〔关卡〕 guānqiǎ 명 ①세관. ②관문. 감시소. 검문소. ③〈轉〉 난관(難關).
〔关钱〕 guānqián 동 〈文〉 (봉급 등의) 돈을 수령하다.
〔关窍〕 guānqiào 명 ①《漢醫》 인체의 각 장기와 오관(五官). ②요소.
〔关切〕 guānqiè 동 관심을 가지다. 배려하다. ¶承～; 걱정해 주시다 / 表示严重～; 지극한 관심을 나타내다. 형 매우 다정〔친절〕하다. ¶～的精神; 다정한 표정 / ～的目光; 따뜻한 시선 / ～地问; 다정하게 물어 보다 / 他待人非常和蔼～; 그는 사람을 대하는 것이 상냥하고 친절하다.
〔关人〕 guānrén 명 옛날, 관문의 관리.
〔关煞〕 guānshà 명 액(厄). 재앙. 지장. 사나운 운수. ¶～年nián; 액년(厄年) / 快请大夫看看, 他今年是个～; 빨리 의사를 불러 진찰을 받으세요. 그는 올해에 액년이 들었으니까요. =〔关口③〕〔〈俗〉坎kǎn儿③〕〔〈方〉坷kě儿〕
〔关山〕 guānshān 명 관새(關塞)와 산악.
〔关山迢递〕 guān shān tiáo dì 〈成〉 갈 길이 아득하게 멀다. ¶从前认为是～的地方, 现在也可以朝zhāo发夕至, 或者至多不过几天的路程; 이전에는 아득히 멀게 생각되던 곳도 지금은 아침에 출발해서 저녁에는 도착할 수 있거나, 많아야 며칠의 여정에 불과하다.
〔关上〕 guānshàng 명 《漢醫》 손목의 맥을 짚는 곳.

〔关上〕 guānshang 동 꼭 닫다. ¶把门～; 문을 꼭 닫다.
〔关哨〕 guānshào 명 관문의 보초.
〔关涉〕 guānshè 동 관련되다. 관계하다. =〔关联〕〔牵涉〕
〔关事〕 guānshì 동 지장이 있다.
〔关书〕 guānshū 명 ⇨〔关约〕
〔关税〕 guānshuì 명 관세. ¶～壁bì垒; 관세 장벽 / ～及贸易总协定; 가트(GATT). 관세 및 무역에 관한 일반 협정.
〔关说〕 guānshuō 동 〈文〉 중간에 서서 말하다. 주선하다. ¶这件事只有你出面～才能解决; 이 일은 당신이 중간에 서서 잘 이야기를 하는 외에는 해결할 수 없다.
〔关锁〕 guānsuǒ 동 문에 자물쇠를 채우다.
〔关提〕 guāntí 동 (다른 곳으로 도망간 범인의) 신병(身柄) 체포를 의뢰하다.
〔关停并转〕 guān tíng bìng zhuǎn 명 (기업의) 폐쇄·생산·정지·합병·생산 전환《국가가 경제상 필요에 의해 기업에 취하는 조치》.
〔关头〕 guāntóu 명 ①고비. 전환점. 갈림길. 막다른 판. ¶最后～; 막다른 갈림길 / 紧要～; 중대한 고비 / 生死～; 생사의 갈림길 / 成败～; 성패의 분기점. ②액(厄). 재액. ‖ =〔关口②〕
〔关托〕 guāntuō 동 남을 통해서 부탁하다.
〔关外〕 Guānwài 명 ①《地》 관외의 땅《'山海关' 밖의 땅, 즉 '东北'를 말함》. ↔〔关内〕 (guānwài) ②주식 거래의 일정한 한도〔한계〕. ¶升shēng到八百元的～; 800원(元) 대를〔선을〕 넘었다.
〔关亡〕 guānwáng 명 미신에서, 죽은 사람의 영혼을 불러들이는 술수.
〔关西〕 Guānxī 명 《地》 옛날, 한구관(函谷關) 서쪽의 땅. 주로, 현재의 산시(陝西)·간쑤(甘肅)의 땅.
〔关系〕 guānxi 명 ①관계. ㉠관련. 연관. 연결. ¶正确认识生产和生活的～; 생산과 생활과의 관계를 올바르게 인식하다 / 这个电门跟那盏灯没有～; 이 스위치는 저 전등과 연결돼 있지 않다 / 接～; 연락을 취하다. 접촉하다 / 搭上～; 관계를 맺다 / ～不着zháo; 관계했을 리 없다 / 跟对方发生了～; 상대방과의 연락이 되었다. ㉡사이. ¶同志～; 동지 관계 / 夫妻～; 부부 관계〔사이〕 / 社会～; 사회 관계. ㉢원인·조건 따위. ¶由于时间～, 暂时谈到这里为止; 시간 관계로 이야기는 우선 여기까지로 하겠습니다 / 由于家庭的～而退学; 가정 형편으로 퇴학하다 / 因为作同样工作的～而亲近起来; 같은 일을 한 관계로 친해졌다. ②관계있는 사이에 대한 영향·중요성《'有'·'没(有)'와 연용(連用)함》. ¶和她是普通～; 그녀와는 보통의 관계입니다 / 这一点很有～; 이 점은 아주 관계가 있다 / 没有～, 修理修理照样儿能用; 대수롭지 않습니다, 수리하면 그대로 쓸 수 있습니다 / 我看没有什么～; 나는 하등의 영향도 없다고 생각한다 / 没～; 상관없다. 지장 없다. ③회원증·증명서 따위. ¶随身带上团的～; 단원증을 몸에 지니고 있다 / 把工会～转过去; 조합원증을 돌려 주었다. ④문제의 문서. 동 관련하다. 관계하다〔되다〕《흔히, '～到'로 쓰임》. ¶棉花是～到国计民生的重要物资; 면화는 나라의 경제, 국민의 생활에 관계되는 중요 물자이다. =〔关联〕〔牵涉〕
〔关厢〕 guānxiāng 명 ⇨〔城chéng厢〕
〔关饷〕 guānxiǎng 동 ⇨〔领lǐng饷〕
〔关心〕 guānxīn 동 ①(사람·사물에 대해) 마음을 쓰다. 관심을 보이다. ¶～痛痒; 가려운 데에 손이 미치게 하듯이 마음을 쓰다 / ～政治; 정치에 관심을 갖다 / ～群众生活; 대중의 생활에 관심을 보이다 / 大家都～着你呢! 모두 너에게 관심을 가지고 있어! / 谢谢你的～; 염려해 주셔서 감사합니다. ②주의하다. (guānxīn) 명 관심. 마음을 씀. ¶寄予～; 관심을 보이다〔기울이다〕.
〔关押〕 guānyā 동 《法》 감금하다. 구류하다.
〔关眼儿〕 guānyǎnr 명 끈을 꿰어 매는 구멍. ¶那碌liù碡上也有个～; 그 땅을 고르는 (구식) 롤러에도 하나의 (끈을 꿰는) 구멍이 뚫려 있다.
〔关役〕 guānyì 명 ⇨〔关吏〕
〔关印〕 guānyìn 명 세관의 도장.
〔关于〕 guānyú 개 …관해서. …에 관하여(는). 注1 관계가 있는 것을 나타낼 때는 '关于'를 쓰고, 대상을 나타낼 때는 '对于'를 씀. 양쪽의 뜻을 갖는 경우는 어느 쪽을 써도 무방함. ¶～〔对于〕节约用煤的建议; 석탄 절약에 관한〔대한〕 제안(提案). 注2 '关于'가 상황어(狀況語)가 될 때는 주어의 앞에만 옴. '对于'는 주어의 앞이나 뒤 어느 쪽이라도 좋음. '～中草药, 我知道得很少' (한방약에 관해서 나는 거의 모른다)는 '我～中草药…'이라고는 할 수 없음. '对于中草药, 我很感兴趣' (한방약에 대해서 매우 흥미가 있다)는 '我对于中草药…'이라고 해도 됨. 注3 '关于'는 단독으로 문장의 제목이 될 수 있으나, '对于'는 명사를 동반해야 됨. ¶～提高教学质量; 교학의 질을 높이는 것에 관해서 / 对于提高教学质量的几点意见; 교학의 질을 높이는 것에 대한 약간의 의견.
〔关与〕 guānyù 동 〈文〉 관여하다.
〔关约〕 guānyuē 명 옛날, 사람을 초빙하기 위한 계약서. ¶备bèi～; 초빙 계약서를 작성하다. =〔关书〕
〔关栈〕 guānzhàn 명 보세 창고. =〔税shuì仓库〕
〔关张〕 guānzhāng 동 폐업하다. 상점이 도산하다. 가게 문을 닫다. ¶那家～了; 그 가게는 폐업하기로 하였다. =〔关板儿〕→〔关门②〕 (Guān Zhāng) 명 《人》 관우(關羽)와 장비(張飛).
〔关照〕 guānzhào 동 ①돌보다. 배려하다. ¶往后请多多～; 앞으로 잘 부탁합니다 / 我走后, 这里的工作请你多多～! 내가 떠난 다음, 여기 일을 잘 부탁드립니다! ②통지하다. 알리다. ¶先行～; 우선 통지합니다 / 你～食堂一声, 给开会的人留饭; 식당에 한 마디 일러 두게, 모임에 나온 사람들에게 밥을 남겨 주라고 말일세.
〔关针〕 guānzhēn 명 안전핀.
〔关支〕 guānzhī 동 ⇨〔领lǐng取〕
〔关中〕 Guānzhōng 명 《地》 옛날, 산시 성(陝西省) 일대를 일컬었음.
〔关注〕 guānzhù 동 관심을 갖다. 배려하다. =〔关心〕 명 관심. 배려. ¶受灾的群众受到了政府的～; 재해를 당한 사람들은 정부의 배려를 받았다.
〔关子〕 guānzi 명 ①(소설·극 따위에서) 클라이맥스. 절정. 최고조. ②중요한 포인트. 요점. ¶讨～; 요점을 배우다. 원조를 청하다.

观(觀) guān (관)
① 동 (바라)보다. ¶～览; 관람하다 / ～看kàn; 관찰하다. 바라보다 / 走马～花; 말을 달리면서 꽃을 보다《겉만 보다》. 주마간산 / 坐井～天; 우물 속에서 하늘을 보다. 우물 안 개구리 / 冷眼傍～; 냉담한 태도로 방관하다. ② 명 조망. 광경. (눈에 들어온) 경치. ¶奇～; 기관 / 壮～; 장관 / 改～; 외관이 바뀌다. ③ 명 견해. 생각. 보기. ¶人生～; 인생관 /

世界～; 세계관 / 乐～; 낙관(하다). 낙관적이다. ④ 동 엿보다. ⇒guàn
〔观兵〕 guānbīng 명동 열병(하다). ¶～式shì; 열병식(閱兵式).
〔观测〕 guāncè 명동 ①(천문 · 기상 · 지리를) 관측(하다). ¶～气象; 기상을 관측하다. ②《軍》 관찰(하다). ¶～敌情; 적정을 관찰하다.
〔观察〕 guānchá 동 관찰하다. ¶～天象; 천상(天象)을 관찰하다 / ～地形; 지형을 관찰하다 / 仔细地～一下四周; 주의 깊게 사방을 둘러보다. 명 관찰. ¶～孔; (기계의) 들여다보는 구멍 / ～派; 형세 관망주의자. 기회주의자 / ～所; 《軍》 감시초소.
〔观察家〕 guānchájiā 명 (국제회의의) 옵서버(observer). 정치 평론가. 관측통.
〔观察哨〕 guāncháshào 명 《軍》 감시초(監視哨). =〔瞭望哨〕
〔观察员〕 guāncháyuán 명 (국제회의에 참석하는) 옵서버.
〔观点〕 guāndiǎn 명 ①사고방식. 관찰 방법. 관점. 입장. ¶生物学～; 생물학의 관점 / 纯技术～; 오로지 기술만을 생각하는 관점. ②정치적 관점. ¶没有正确的立场, 就不会有正确的～; 입장이 정확하지 않으면 (정치적) 관점도 옳을 리가 없다.
〔观鼎〕 guāndǐng 동 〈文〉 천자의 자리를 엿보다〔노리다〕.
〔观风〕 guān.fēng 동 ①동정(動靜)을 살피다. 망을 보다. ¶～测cè云; 천하의 형세를 살피다 / 我这里与你两个～; 나는 여기서 너희 두 사람의 망을 봐 주지 / ～相机; 〈成〉 상황을 보아 가며 기회를 엿보다. ②〈文〉 풍속의 좋고 나쁨을 관찰하다.
〔观感〕 guāngǎn 명 (보고 난 후의) 느낌. 인상. 감명(感銘). 감상. 소감. ¶访美的～; 방미의 소감 / 畅谈了自己的～; 자기의 느낀 바를 마음껏 이야기했다 / 对影片的～怎么样? 영화에 대한 감상은 어떤가요? / 就自己～所及, 写些通讯; 자기가 보고 느낀 바를 기사(記事)로 하다.
〔观光〕 guānguāng 명동 관광(하다). 견학(하다). ¶～客; 관광객.
〔观过知仁〕 guān guò zhī rén 〈成〉 그 사람이 저지른 과오를 관찰하면 그 사람됨을 알 수 있다.
〔观火〕 guānhuǒ 동 불을 보다. 〈轉〉 확실히 알다. 명확하다. ¶洞dòng若～; 〈成〉 불을 보듯 명확하다.
〔观景〕 guān.jǐng 동 동정(動靜)을 살피다. ¶他在那里偷着～呢; 그가 거기에서 몰래 동정을 살피고 있어.
〔观看〕 guānkàn 동 〈文〉 ①견학하다. 구경하다. ¶他们～了这场比赛; 그들은 이 경기를 관람했다. ②관찰하다. ¶～动静; 동정을 관찰하다.
〔观礼〕 guān.lǐ 동 (초대를 받고) 식(式)에 참석하다. (guānlǐ) 명 경축 퍼레이드. ¶～台; 관람 스탠드. 관례대(臺).
〔观摩〕 guānmó 동 서로 연구하다. 견학하다. 참관하다. ¶～教学; 수업을 참관하다 / 促cù进～学习; 상호 연구에 의한 학습을 촉진시키다 / ～会; 콩쿠르 / 音乐～会; 음악 발표회.
〔观念〕 guānniàn 명 관념. ¶～论; 《哲》 관념론.
〔观念形态〕 guānniàn xíngtài 명 《哲》 이데올로기. =〔意识形态〕
〔观棚〕 guānpéng 명 〈文〉 관람석.
〔观瞧〕 guānqiáo 동 관찰하다.
〔观色〕 guānsè 동 〈文〉 상황을 보다. 안색을 살피다.
〔观赏〕 guānshǎng 명동 감상(하다). 관상(하다). ¶～植物; ⓐ식물을 관상하다. ⓑ관상용 식물 / ～鱼yú; 관상어(觀賞魚).
〔观世音〕 Guānshìyīn 명 《佛》 관음. 관세음. =〔观音〕〔观自在〕〔观音大士〕
〔观台〕 guāntái 명 관망대. 조망대.
〔观听〕 guāntīng 명 〈文〉 이목(耳目). 시청(視聽).
〔观玩〕 guānwán 동 보고 즐기다.
〔观望〕 guānwàng 동 ①둘러보다. ¶四下～; 사방을 둘러보다. ②관망하다. 형편을 살피다. ¶～的态tài度; 기회주의적인 태도. 관망적인 태도 / 意存～; 형세를 관망하다가 유리한 쪽에 붙기도 하다 / ～不前; 상황을 엿보기만 하고 앞으로 나가려 하지 않다.
〔观戏〕 guānxì 동 〈文〉 연극을 보다. =〔观剧〕
〔观相〕 guānxiàng 동 관상을 보다.
〔观象〕 guānxiàng 동 천문 기상을 관측하다. ¶～台; 관상대《천문 · 기상 · 지자(地磁) · 지진 따위를 관측하는 기구의 총칭》.
〔观衅〕 guānxìn 동 〈文〉 기회를 엿보다. 틈을 노리다. ¶～而动; 기회를 엿보고 행동을 취하다.
〔观星〕 guānxīng 동 〈文〉 별을 관측하다.
〔观音〕 Guānyīn 명 《佛》 〈音〉 관세음(觀世音). ¶～柳; ⓐ《植》 수양버들. ⓑ기사회생(起死回生)을 암시한다는 관음 앞의 버드나무.
〔观音兜〕 guānyīndōu 명 옛날, 여자가 방한(防寒)을 위해서 겨울에 쓰던 머리쓰개의 하나.
〔观音粉〕 guānyīnfěn 명 ⇨〔观音土〕
〔观音请罗汉〕 guānyīn qǐng lúohàn 한 사람이 많은 사람을 초대하다.
〔观音土〕 guānyīntǔ 명 (옛날, 기근 때에 굶주림을 이겨 내기 위해서 먹던) 일종의 백토(白土). =〔观音粉〕
〔观音竹〕 guānyīnzhú 명 ⇨〔凤fèng凰竹〕
〔观于海者难为水〕 guānyú hǎizhě nán wéi shuǐ 〈諺〉 대해(大海)를 보아 온 눈에는 흔한 하천쯤은 물의 축에도 끼이지 못한다《큰 것을 접하고 있는 자에게는 작은 것은 눈에 차지도 않는다》.
〔观瞻〕 guānzhān 동 바라보다. 관찰하다. 명 외관. 겉모양. 경관(景觀). ¶有碍～; 눈에 거슬리다. 경관을 해치다 / 以壮～; 외관을 훌륭히 하다.
〔观战〕 guānzhàn 동 (전쟁 · 전투 · 스포츠 경기 등을) 관전하다.
〔观阵〕 guānzhèn 동 〈文〉 전황(戰況)을 시찰하다〔살피다〕.
〔观止〕 guānzhǐ 동 더할 나위 없다. 아주 훌륭하다. ¶叹为～; 〈成〉 최고라고 찬미하다 / 古文～; 《書》 고문관지(古文觀止)《고문의 정수를 모은 것》.
〔观众〕 guānzhòng 명 관중. 관람객. ¶这场话剧教育了广大～; 이 신극은 많은 관중을 교육했다 / ～台; 관람석(觀覽席).

纶(綸) guān (관)
명 푸른 비단 끈. ¶～巾; 푸른색의 비단 끈이 달린 두건《'诸zhū葛巾'이라고도 함》. ⇒lún

官 guān (관)
①(～儿) 명 관리. 벼슬아치. 공무원. ¶做～(儿)的; 관리. 벼슬아치 / 小xiǎo～儿; 말단 관리 / 外交～; 외교관 / ～很大; 벼슬이 매우 높

다/军jūn～; 장교. ②명 관청의 직무. 관직. ③명 관청. 민간에 대한 관. ④명《生》생물의 기관. ¶五～; 오관(五官)(귀·눈·혀·코·피부)/听tīng～; 청각 기관. ⑤형 조정(朝廷)의. 관유(官有)의. 정부의. ¶～款 =〔～项〕; 공금/～军; 정부군. ↔〔私sī〕⑥형 공유(共有)의. 공동의. ¶～中的剧衣; 공동으로 쓰는 연극 의상/～道; 국도/～厕所 =〔公厕〕; 공동 변소. ⑦형 상등(上等)의. 정식의. 고급의. ¶～燕; ⇩/～座儿; ⇩ ⑧동〈文〉관직에 오르다. ⑨〈方〉동사 앞에 놓여 긍정의 뜻을 나타냄. ¶～行; 아무렇지도 않다. ⑩명 성(姓)의 하나.

〔官罢〕guānbà 동〈文〉법적으로 해결하다. 기다리다. ¶～私休? 법적으로 해결할 것인가, 그렇지 않으면 화해를 할 것인가? =〔官休〕

〔官败如花谢〕guān bài rú huā xiè〈諺〉관리가 영락하는 것은 마치 꽃이 지는 것 같다.

〔官版〕guānbǎn 명 (옛날) 정부 간행의 서적. =〔官板〕〔官本①〕〔官刊本〕→〔私sī版〕

〔官办〕guānbàn 동 ①국가가 경영하다. 관청이 주최하다. ¶～学校; 공립 학교. ②관가에 들고 가서 결말을 짓다.

〔官报私仇〕guān bào sī chóu〈成〉개인적인 원한을 공사(公事)로 풀다.

〔官本〕guānběn 명 ①⇨〔官版〕②⇨〔官股〕

〔官逼民反〕guān bī mín fǎn〈成〉관리가 압박하면 백성이 반항한다. 관리가 백성을 반항하도록 내몰다.

〔官兵〕guānbīng 명 ①사관과 병사. ②정부의 군대.

〔官不修衙, 客不修店〕guān bùxiū yá, kè bùxiū diàn〈諺〉관리는 (언제 전임될지 모르므로) 관청을 수리하지 않고, 숙박객은 여관을 수리하지 않는다(잠시 신세를 지기만 할 경우에는 뒷일은 상관하지 않는다).

〔官仓〕guāncāng 명 옛날, 정부의 양곡 창고.

〔官舱〕guāncāng 명 일등 선실.

〔官厕〕guāncè 명 '公gōng厕'(공중 변소)의 구칭.

〔官差〕guānchāi 명 ①관리. 관청 사람. ¶～把他拿去了; 관청 사람이 그를 붙잡아 갔다. ②관청에서 할당한 의무적인 일.

〔官产〕guānchǎn 명 국유 재산.

〔官常〕guāncháng 명〈文〉관리의 직책.

〔官厂〕guānchǎng 명 ①옛날, 관(官)에서 설치한 죽 배급소. →〔粥zhōu厂〕②옛날, 관영 제염소(製鹽所).

〔官场〕guānchǎng 명 ①관계(官界)와 관리 사회. ¶～如戏场;〈諺〉관리의 세계는 연극무대와 같다(관계(官界)는 위선이 많음)/～现形记;《書》청대(清代) 말에 이보가(李寶嘉)가 지은 장회체(章回體) 소설(당시 관계의 부패상을 그린 작품). ②송대(宋代)의 관영 시장(市場).

〔官称儿〕guānchēngr 명 일반 호칭. 예사 호칭(상대방과의 특별한 관계나 존(尊)·비(卑)의 관념을 나타내지 않는 호칭). ¶更不敢～叫声大姑娘《兒女英雄傳》; 하물며, 예사 호칭으로 '아가씨'라고는 도저히 부를 수 없다.

〔官程〕guānchéng 명 옛날, 관리의 부임 기한.

〔官尺〕guānchǐ 명 옛날, 정부 소정(所定)의 자.

〔官船〕guānchuán 명 옛날, 어용선(御用船).

〔官次〕guāncì 명 ①관리 직계(職階)의 서열. ②관사(官舍).

〔官大脾气长〕guān dà píqi zhǎng〈諺〉고관이 되면 기세가 당당해진다. ¶你真是～; 너는 행세하게 되더니 기세가 당당해졌구나.

〔官大有险, 树大招风〕guān dà yǒu xiǎn, shù dà zhāo fēng〈諺〉고관이 되면 위험이 많고, 나무가 커지면 바람을 세게 받는다(잘난 사람은 남에게 미움 받는다).

〔官倒〕guāndǎo 명 (나라의 기업·기관 또는 그 간부의) 직권을 이용한 암거래. ¶～爷; 관리 브로커.

〔官等〕guānděng 명 관등. 관리의 등급.

〔官堤〕guāndī 명 옛날, 나라에서 축조한 제방. ↔〔民mín埝〕

〔官邸〕guāndǐ 명〈文〉관저. 저택. =〔官第〕〔〈俗〉官宅〕↔〔私sī邸〕

〔官地〕guāndì 명 옛날, 관유지(官有地). 국유지. ¶～红hóng利;〈文〉관유지〔국유지〕에서 생긴 정부에 납부해야 할 이익 배당금.

〔官第〕guāndì 명 ⇨〔官邸〕

〔官电〕guāndiàn 명 옛날, 공용 전보.

〔官佃〕guāndiàn 명 옛날, 국유지의 소작인.

〔官吊〕guāndiào 명 영전(靈前)에 바치기 위하여 상가(喪家)에 보내는 격식적인 물건(선향(線香)·양초·'纸钱(儿)'(영전에서 불사르는 종이돈) 등). =〔公吊〕

〔官牒〕guāndié 명 (옛날의) 직원록(職員錄). 관리 명부.

〔官定〕guāndìng 동 정부가 정하다. 공적(公的)으로 정하다. ¶～利率; 공정 이율.

〔官斗〕guāndǒu 명 옛날, 정부가 정한 되나 말. =〔官斛〕

〔官督商办〕guāndū shāngbàn 명 옛날, 정부 감독하의 민영 상업.

〔官渡〕guāndù 명 ①관설(官設) 도선장. ②(Guāndù)《地》한대(漢代) 말에 조조(曹操)가 원소(袁紹)를 물리친 곳(허난 성(河南省) 중무 현(中牟縣)의 북동부).

〔官法〕guānfǎ 명〈文〉관청의 법규나 규정. ¶～如炉lú;〈成〉관청의 법규는 엄하다.

〔官饭〕guānfàn 명 관에서 지급되는 녹(祿). ¶吃～;〈俗〉관록을 먹다. 관리 노릇을 하다.

〔官方〕guānfāng 명 ①정부 당국. 정부측. ¶～消息; 정부측의 뉴스. 공식 뉴스/～人士; 정부측 인사./～文件; 공식 문서/～哲学; 어용(御用) 철학/～贴现率 =〔官定利率〕; 공정 이율(公定利率). ②관리가 지켜야 할 예법.

〔官坟〕guānfén 명 관영 공동 묘지.

〔官粉〕guānfěn 명 덩어리진 분(화장용으로 물에 풀어서 씀).

〔官风〕guānfēng 명 관리의 기풍(氣風).

〔官俸〕guānfèng 명 옛날, 관리의 봉급.

〔官服〕guānfú 명 (옛날의) 관복. =〔官衣(儿)〕↔〔野yě服②〕

〔官府〕guānfǔ 명 ①(특히 지방의) 관청. 관아. ②관리. 관리의 우두머리. ‖=〔官家③〕

〔官股〕guāngǔ 명 (옛날) 정부 소유주(株)〔지주(持株)〕. =〔官本②〕

〔官官相护〕guān guān xiāng hù〈成〉관리끼리 서로 감싸 주다. =〔官官相卫〕

〔官规〕guānguī 명 관리의 복무 규칙.

〔官桂〕guānguì 명 ①《植》계수나무. ②상질(上質)의 육계(肉桂).

〔官话〕guānhuà 명 ①(옛날, 중국어의) 표준어(표준어로서 쓰인 '北方话'의 통칭. 특히 '북경어(北京語)'를 가리키며, 관계(官界)의 상류 사회

일반에서 사용했음. 현재는 '普通话'라 일컬음). ②⇨〔官腔〕
〔官宦〕 guānhuàn 명 〈文〉 관리. ¶～人家; 관리 / ～子弟; 관리의 자제.
〔官级〕 guānjí 명 (명예 · 관직의) 등급 · 계급. =〔官阶〕〔官秩〕
〔官妓〕 guānjì 명 관기.
〔官家〕 guānjiā 명 ①⇨〔天tiān子〕 ②⇨〔公gōng家①〕 ③⇨〔官府〕
〔官价〕 guānjià 명 ①공정 가격. ②관공서 납품 가격.
〔官架子〕 guānjiàzi 명 관료티. 관료풍. ¶打掉了～; 관료티를 불식(拂拭)했다.
〔官酱〕 guānjiàng 명 상질(上質)의 된장.
〔官阶〕 guānjiē 명 ⇨〔官级〕
〔官街〕 guānjiē 명 공공 도로.
〔官界〕 guānjiè 명 관계.
〔官久自富〕 guānjiǔ zìfù 〈諺〉 벼슬아치 노릇을 오래 하면 자연히 재산이 생긴다.
〔官爵〕 guānjué 명 관직과 작위(爵位).
〔官军〕 guānjūn 명〈文〉 관군. 정부군.
〔官刊本〕 guānkānběn 명 ⇨〔官版〕
〔官客〕 guānkè 명 〈方〉 남자. ¶～免进; 남자 출입 금지. ↔〔堂客〕
〔官课〕 guānkè 명 옛날, 정부에서 부과한 세금.
〔官款〕 guānkuǎn 명 공금. =〔官项xiàng〕
〔官老爷〕 guānlǎoye 명 관리 나리.
〔官礼〕 guānlǐ 명 옛날, 고급 선물. 격식에 맞는 (부끄럽지 않은) 선물.
〔官里〕 guānlǐ 명 ①〈文〉 관청. ¶捉将～去; 관가로 끌고 가다. ②천자(天子). =〔天子〕
〔官立〕 guānlì 명형 관립(의). 공립(의).
〔官吏〕 guānlì 명 〈文〉 옛날, 관리. ¶～债zhài; 옛날, 관리가 지방으로 임명되었을 때, 여비 · 준비금으로 차용하는 돈.
〔官利〕 guānlì 명 공약 배당금(옛날, 영업의 손익에 관계없이 공약한 비율로 출자자에 배당한 이자, 즉 '股息'의 별칭. 이익 중에서 모든 비용과 '～'를 빼고 남은 것을 출자자에게 배당하는 것을 '余yú利' 또는 '红hóng利②'라고 함). →〔老lǎo本息〕
〔官例〕 guānlì 명 ⇨〔官律〕
〔官僚〕 guānliáo 형 관료적이다. 관료주의적이다. ¶真～哇; 정말로 관료주의적이다. 명 ①관료. ¶～政治; 관료 정치 / ～架子; 관료 기질. 관료티 / 摆～架子; 관리티를 내다 / ～气; ⓐ관료 기질. ⓑ관료티가 있다. ②〈俗〉 관료주의. 관료적인 방식.
〔官僚派〕 guānliáopài 명 관료티. 관료 냄새. 관료 기질. 관리 타입. ¶有人一作了官, 就有～; 관리가 되면 곧 관료티를 내는 사람이 있다. =〔官僚(习)气〕〔官气〕
〔官僚主义〕 guānliáo zhǔyì 명 관료주의.
〔官僚资本〕 guānliáo zīběn 명 관료 자본.
〔官僚资产阶级〕 guānliáo zīchǎn jiējí 명 관료 부르주아지. 관료 자산 계급.
〔官路〕 guānlù 명 큰길. 국도(國道).
〔官律〕 guānlǜ 명 〈文〉 법률. 관제(官制). =〔官例〕
〔官绿〕 guānlǜ 명 《色》 담청색.
〔官卖〕 guānmài 동 전매(專賣)하다.
〔官满如花谢〕 guān mǎn rú huā xiè 〈成〉 관리가 연한이 차서 물러나는 것은, 꽃이 시드는 것과 같다.
〔官茅厕〕 guānmáosi 명 옛날, 공중 변소.
〔官帽〕 guānmào 명 옛날, 관리의 모자.
〔官迷〕 guānmí 명 관리가 되고 싶어하는 사람. 벼슬에 눈이 어두운 사람. 엽관 운동자.
〔官冕堂皇的〕 guānmiǎn tánghuángde 형 ①공명정대하다. 당당하다. ②고귀하다.
〔官面(儿)〕 guānmiàn(r) 명 ①⇨〔公家〕 ②관계(官界). 관리 사회. 형 〈比〉 공공연(公公然)하다. ¶～的事; 공공연한 일.
〔官面上〕 guānmiànshang 명 ①관계(官界). ②관청.
〔官民〕 guānmín 명 관민. 관리와 국민.
〔官名〕 guānmíng 명 ①(아명(兒名)이 아닌) 정식 이름. ②〈敬〉 남의 이름의 존칭. ③관직명.
〔官能〕 guānnéng 명 ①《生》 관능. 감각 능력. 감관(感官). ¶～症; 기능성 질환 / ～团; 《化》 작용기(基). ②〈文〉 관리의 재능.
〔官派〕 guānpài 명 ⇨〔官僚派〕
〔官袍〕 guānpáo 명 옛날, 관리의 예복.
〔官盆〕 guānpén 명 1인용 고급 욕조(浴槽). =〔官堂①〕〔官塘〕
〔官品〕 guānpǐn 명 ①관공리의 서열. ②고관의 단계.
〔官平〕 guānpíng 명 정부가 제정한 저울('漕cáo平' '关guān平' '库kù平'의 총칭).
〔官凭〕 guānpíng 명 옛날, 관청에서 발행한 증거 서류.
〔官铺〕 guānpū 명 ①'官舱'(1등 선실)의 침대. ②여관의 고급 침대.
〔官气〕 guānqì 명 관료적인 기질. 관리의 근성.
〔官腔〕 guānqiāng 명 관료적인 말투. 공식적인 말투. ¶打～; ⓐ'官话'를 써서 말하다. ⓑ딱딱한 말씨로 말하다. 격식을 차린 말투로 말하다. =〔官话②〕
〔官清司吏瘦, 神灵庙主肥〕 guān qīng sīlì shòu, shén líng miàozhǔ féi 〈諺〉 상관이 청렴하면 부하 관리는 여위고, 신령이 영검하면 주지(住持)는 살찐다.
〔官情〕 guānqíng 명 ①관계(官界)의 풍조. ②관리의 정의(情義). ¶～如纸薄; 〈諺〉 관리의 정의는 종이와 같이 얇다.
〔官榷〕 guānquè 동 〈文〉 정부에서 전매(專賣)하다.
〔官儿〕 guānr 명 〈貶〉 벼슬아치. 관리. ¶～老爷; 악명 높은 관리. 관리 나리 / ～不打送礼的; 〈諺〉 관리는 선물을 가져오는 자는 심하게 다루지 않는다.
〔官人〕 guānrén 명 ①〈敬〉 송대(宋代)의 일반 남자에 대한 경칭(敬稱). ②〈文〉 관리. 벼슬아치. ③관청 사람. ④아내의 남편에 대한 호칭. ⑤부인에게 그 남편을 일컫는 호칭.
〔官纱〕 guānshā 명 중국 저장 성(浙江省) 항저우(杭州) 사오싱(紹興) 일대에서 나는 견직물(촘촘하고 가벼워 여름 옷으로 쓰임).
〔官商〕 guānshāng 명 ①국영 · 공영 상업. ②관료적 상업(손님에게 서비스 정신이 없는 국영 상점에 종사하는 사람을 가리켜 이름). ¶改变～作风; 관료적 상업 가풍을 고치다. ③관청과 민간 기업.
〔官商合办〕 guānshāng hébàn 명 민관 공동 경영. ¶～合办企业; 민관 공동 경영 기업.
〔官身(子)〕 guānshēn(zi) 명 벼슬을 하는 몸. 공직자.
〔官绅〕 guānshēn 명 관리와 그 고장의 명사.
〔官声〕 guānshēng 명 〈文〉 관리의 명성(名聲).

관리로서의 평판.
〔官使〕 guānshǐ 명 관리.
〔官事〕 guānshì 명 ①관청이 하는 일. 관청 일. ¶～官办; 〈成〉 ⓐ공적인 일을 사심(私心)없이 원칙대로 처리하다. ⓑ형식적인 조치를 하다. ②옛날, 소송 사건.
〔官守〕 guānshǒu 명 관리의 직책.
〔官书〕 guānshū 명 〈文〉 ①공문. 공문서. ②옛날, 정부에서 간행하거나 소장하고 있는 책.
〔官属〕 guānshǔ 명 속리(屬吏). 하급 관리.
〔官署〕 guānshǔ 명 ⇨〔官衙〕
〔官说官话〕 guān shuō guān huà 〈成〉 형식적인〔판에 박은〕 말을 하다.
〔官私〕 guānsī 명 ①옛날의, 공사(公事)와 사사(私事). ②관리와 백성.
〔官司〕 guānsi 명 〈口〉 소송. ¶打～; 제소하다 / 把～打输; 소송에 지다 / 吃～; 고소당하다 / 笔墨～; 문장에 의한 논쟁 / 一脑门子～; (언짢거나 하여 싸울 듯이) 인상을 쓰다.
〔官所(儿)〕 guānsuǒ(r) 명 옛날의 관청.
〔官堂〕 guāntáng 명 ①1인용의 고급 욕조. =〔官盆〕 ②고급 공중 목욕탕.
〔官田〕 guāntián 명 옛날, 관청 소유의 땅. 국유지.
〔官帖〕 guāntiè 명 ①옛날, 중매인의 영업 감찰〔영업 허가증〕. ②관에서 만든 '字zìì帖'(글씨본).
〔官厅〕 guāntīng 명 관청. =〔官衙〕
〔官厅水库〕 Guāntīng shuǐkù ①관청 댐(dam)《허베이 성(河北省) 화이라이 현(懷來縣) 관팅 촌(官廳村)에 있는 댐 이름》. ②(guāntīng shuǐkù) 〈比〉 가득 차지 않음.
〔官外合办〕 guānwài hébàn 명 옛날, 중국 정부와 외국 자본가와의 합작 사업.
〔官位〕 guānwèi 명 관직(의 등급).
〔官物〕 guānwù 명 〈文〉 관물. 관청 소유의 물품. 관급품(官給品). 관물.
〔官席〕 guānxí 명 정식의 연회석.
〔官衔〕 guānxián 명 옛날, 관직명. 직함. ¶～牌pái; 관직명을 쓴 팻말.
〔官饷〕 guānxiǎng 명 관리의 봉급. 국록.
〔官项〕 guānxiàng 명 공금(公金). =〔官款〕
〔官相官, 吏相吏〕 guān xiàng guān, lì xiàng lì 〈成〉 고관은 고관끼리, 속리(屬吏)는 속리끼리 서로 돕는다.
〔官休〕 guānxiū 동 법정에서 분쟁의 결말을 짓다. 법적으로 해결하다. =〔官罢〕 ↔〔私休〕
〔官靴〕 guānxuē 명 옛날, 예복을 입을 때 신던 장화.
〔官衙〕 guānyá 명 관아. 관청. =〔官署〕〔官厅〕〔〈文〉官廨〕
〔官盐〕 guānyán 명 옛날, 정부의 허가를 받고 판매되던 소금. ¶～别当dàng私盐卖; 〈成〉 확실한 물품을 좋지 않은 물품과 똑같이 팔아서〔취급해서〕는 안 된다. ↔〔私sī盐〕
〔官燕〕 guānyàn 명 최상급의 바다제비의 집《요리 재료》.
〔官样〕 guānyàng 형 ①관청투의. 형식적인. 상투적인. ¶～文章; 〈成〉 형식적인 허례문(虛禮文). 판에 박힌 문장. ②대범하고 활달하다.
〔官样〕 guānyang 형 단정하고 훌륭하다. 모양새가 매끈하다. ¶打扮得～; 차림새가 단정하다 / 摆设得～; 장식이 모양을 갖추어 훌륭하다. 명 관료풍.
〔官业〕 guānyè 명 ①(옛날의) 관영 사업. ②공적인 일.
〔官衣(儿)〕 guānyī(r) 명 ⇨〔官服fú〕
〔官仪〕 guānyí 명 관료적인 태도.
〔官瘾〕 guānyǐn 명 벼슬아치가 되려고 안달하는 병.
〔官印〕 guānyìn 명 ①옛날, 관청의 네모난 도장. ②관리의 도장. ③〈敬〉 옛날, 남의 '名字míngzi'(이름)의 존칭. ¶～是怎么称chēng呼? 존함이 어떻게 되십니까? / ～是哪个字? 존함은 무슨 자인가요?
〔官荫〕 guānyìn 명 청대(清代)에 관리의 공로자 또는 순직자의 자제가 부조(父祖)의 음덕으로 관직을 얻는 일.
〔官员〕 guānyuán 명 관원. 관리《일정 한계 이상의 등급이 있는 정부 관리. 원래는 일반적으로 쓰이었으나, 현재는 외교석상에서 쓰임》.
〔官运〕 guānyùn 명 ①관운. 승진의 운. ¶～亨通; 관운이 형통하다. ②관청에서 하는 운송. ¶～, 官销; 정부가 운송하고 정부가 판매하다.
〔官宅〕 guānzhái 명 〈俗〉 ⇨〔官邸〕
〔官长〕 guānzhǎng 명 ①관리에 대한 존칭. ②장교 · 사관(士官)을 가리키는 말.
〔官职〕 guānzhí 명 관직(의 등급).
〔官止神行〕 guānzhǐ shénxíng 〈比〉 하고 싶은 대로 놓아 두다.
〔官纸〕 guānzhǐ 명 ①계약 · 관청 관계의 서류 용지. ②〈方〉 휴지(休紙).
〔官制〕 guānzhì 명 관제.
〔官秩〕 guānzhì 명 ⇨〔官级〕
〔官中的〕 guānzhōngde 형 공동 소유의. ¶拿着～钱作人情《紅樓夢》; 공동 소유의 돈으로 선물을 하다. =〔官众的〕
〔官篆〕 guānzhuàn 명 〈文〉 옛날, 존명(尊名). 존함.
〔官准〕 guānzhǔn 명 관허. 국가의 허가.
〔官资〕 guānzī 명 〈文〉 관리의 자격.
〔官子〕 guānzǐ 명 (바둑의) 끝내기. =〔收shōu官〕
〔官租〕 guānzū 명 옛날, 정부에 납부하는 세금.
〔官佐〕 guānzuǒ 명 〈文〉 장교의 구칭. ¶～弁biàn兵; 장교와 하사관과 병졸.
〔官座儿〕 guānzuòr 명 〈文〉 ①극장의 특등석에 해당되는 높은 관람석. ②극장 · 영화관의 경찰관석.

倌 guān (관)
(～儿) 명 ①농촌에서 가축을 기르는 사람. ¶羊～儿; 양치기 / 猪～儿; 돼지치기. ②(옛날) 잡역(雜役)에 종사하던 사람. ¶堂～; (식당 · 요릿집의) 종업원. ③창기(娼妓). ¶清～儿; 동기(童妓) / 红～儿; (머리 올린) 기생.

棺 guān (관)
명 관. 널. ¶盖～论定; 〈成〉 죽고 나서야 그 사람의 바른 평가가 내려진다 / 开～验尸; 관을 열고 시체를 검사하다.
〔棺材〕 guāncái 명 관. ¶～本儿; ⓐ관값. ⓑ〈比〉 아끼는 것. 소중한 것 / ～板; 관을 만드는 널〔판자〕 / ～铺; 관을 파는 가게 / ～瓤ráng子; 〈罵〉 늙정이. 널감 / ～里伸手; 〈歇〉 관 속에서 손을 뻗다《돈이라면 죽어서도 손을 내민다》. =〔棺木〕
〔棺椁〕 guānguǒ 명 〈文〉 관곽(棺槨)《'椁'는 '棺'을 넣는 바깥 상자》.
〔棺架〕 guānjià 명 관대(棺臺).
〔棺柩〕 guānjiù 명 〈文〉 관. 널.
〔棺木〕 guānmù 명 ⇨〔棺材〕

〔棺罩(儿)〕 guānzhào(r) 명 관의 덮개《대나무나 나무를 얼거리로 하여 밖에 비단헝겊으로 덮은 것》.

矜 guān (관)
명 ①⇨〔鳏〕 ②⇨〔瘝〕 ⇒jīn qín

冠 guān (관)
명 ①관. 모자. ¶衣~整齐; 의관 정제 / 二寸半身免~正面照片; 명함판 정면 상반신 탈모의 사진 / 怒发冲~; 노발대발하다 / 皇~; 왕관. ②(~儿, ~子) 모자 모양의 것. ㉠제일 위에 있는 것. ¶花~; 화관. ㉡닭의 볏. =〔鸡冠(子)〕 ㉢옛날 전에 농촌 부녀자가 머리 뒤쪽에 틀어올린 머리를 싸서 고정하던 장식의 하나. ⇒guàn

〔冠齿轮〕 guānchǐlún 명 《機》 정면 톱니바퀴.
〔冠词〕 guāncí 명 《言》 (영문법에서) 관사(《'指zhǐ件词'는 별칭》).
〔冠带〕 guāndài 명 〈文〉 ①관과 띠. 의관(衣冠). ②〈比〉 ㉠벼슬아치의 별칭. ㉡사족(士族).
〔冠戴〕 guāndài 명 복장. 몸차림.
〔冠盖〕 guāngài 명 머리의 관과 수레의 덮개. 〈轉〉 지위가 높은 벼슬아치. ¶~相望; 〈成〉 벼슬아치가 끊임없이 드나들다 / ~如云 =〔~云集〕; 〈成〉 고위 고관들이 구름처럼 모이다.
〔冠笄〕 guānjī 명 〈文〉 (옛날) 남자와 여자의 성년(식).
〔冠礼〕 guānlǐ 명 (옛날, 남자가 성인이 되어 관모를 쓰는) 관례.
〔冠履〕 guānlǚ 명 〈文〉 관모와 신발. 〈比〉 상하의 구별.
〔冠帽匠〕 guānmàojiàng 명 관모를 만드는 장인.
〔冠冕〕 guānmiǎn 명 〈文〉 옛날, 제왕·관리가 쓰던 예모(禮帽). 동 〈轉〉 우두머리가 되다. 형 (외관상) 당당〔대범〕하다. ¶谈tán吐~; 말하는 것이 당당하다 / ~堂táng皇; 〈成〉 겉모양이 번지르르하다. 허울이 좋다 / ~话huà; 당당하게 임시변통으로 아무렇게나 하는 말.
〔冠鸟〕 guānniǎo 명 '볏'이 있는 새 종류.
〔冠心病〕 guānxīnbìng 명 《醫》 관상 동맥성 심장병. 관상 동맥 경화증.
〔冠鸭〕 guānyā 명 《鳥》 혹부리오리. =〔翘qiáo鼻麻鸭〕
〔冠玉〕 guānyù 명 관모에 다는 옥. 〈比〉 미남.
〔冠子〕 guānzi 명 ①(새의) 볏. ¶公鸡的~比母鸡的大; 수탉의 볏은 암탉의 볏보다 크다. ②족두리.
〔冠族〕 guānzú 명 〈文〉 고위 고관을 배출한 가문. 높은 벼슬아치의 집안.

莞 guān (완)
명 ①《植》 골풀. =〔水葱〕 ②성(姓)의 하나. ⇒guǎn wǎn

瘝 guān (관)
명 〈文〉 병(病). 〈比〉 고통. 괴로움. 아픔. =〔矜②〕

鳏(鰥) guān (환)
명 ①홀아비. =〔矜①〕 ②〈文〉 전설상의 큰 민물고기.

〔鳏夫〕 guānfū 명 늙어서 독신인 남자. 홀아비. =〔鳏棍(儿,子)〕〔寡guǎ夫〕〔旷夫〕
〔鳏寡〕 guānguǎ 명 홀아비와 과부. ¶~孤独; 〈成〉 홀아비·과부·고아 및 의지할 데 없는 노인《고독하여 의지할 데 없는 사람》.
〔鳏棍(儿,子)〕 guāngùn(r,zi) 명 ⇨〔鳏夫〕
〔鳏户〕 guānhù 명 홀아비의 집.
〔鳏居〕 guānjū 동 〈文〉 ①(남자가) 혼자서 생활하다. 독신 생활을 하다. ②홀아비로 살다.

莞 guǎn (관)
지명용 자(字). ¶东~; 둥관(東莞)《광둥 성(廣東省)에 있는 현(縣) 이름》. ⇒guān wǎn

筦 guǎn (관)
① '管guǎn'과 통용. ② 명 성(姓)의 하나.

馆(館〈舘〉) guǎn (관)
명 ①빈객(賓客)을 접대하여 머물게 하는 건물. ¶宾~; 영빈관. ②외국 사절의 집무 장소. ¶大使~; 대사관 / 领事~; 영사관. ③(~儿, ~子) 여관. 음식점. 호텔. ¶旅~; 여관 / 饭~; 음식점 / 茶~; 다방 / 酒~; 술집. ④(~儿, ~子) 서비스업의 상점. ¶照相~; 사진관 / 理发~; 이발관 / 戏~(子); (연극의) 극장. ⑤문화재를 수장(收藏)·진열하거나, 문화적인 행사를 하는 곳. ¶文化~; 문화 회관 / 图书~; 도서관. ⑥ 옛날에 학문을 가르치던 곳. 사숙. ¶家~; 사숙(私塾) / 坐~; 사숙에서 또는 가정 교사로서 가르치다.

〔馆藏〕 guǎncáng 동 (도서관·박물관 등에서) 수장하다. 명 도서관·박물관 등에 수장한 책과 기물 등. ¶丰富的~; (도서관에 수장해 둔) 많은 책과 각종 기물.
〔馆地〕 guǎndì 명 옛날, 가정 교사로서 가르치는 곳. 가정 교사의 (일)자리. ¶我还有一处~; 나는 또 한 군데 가르치는 곳이 있다.
〔馆金〕 guǎnjīn 명 옛날, 가정 교사에게 주는 사례금.
〔馆舍〕 guǎnshè 명 〈文〉 숙사. 숙박소.
〔馆师〕 guǎnshī 명 옛날, 사숙(私塾)의 선생. 가정 교사.
〔馆子〕 guǎnzi 명 ①〈文〉 극장. ¶~戏; 극장 연극. ②요리점. 음식점. ¶下~; 음식점에 가다 / 吃~; 요릿집에서 먹다.

琯 guǎn (관)
① 명 (고대의 악기로) 옥피리. ②인명용 자(字).

輨(輨〈錧〉) guǎn (관)
명 〈文〉 수레의 바퀴통 덮개.

痯 guǎn (관)
〈文〉 ① 동 지치다. 피로해지다. 병들다. ② 명 피로. 피곤. 병.

管 guǎn (관)
① 명 《樂》 관악기. ¶丝竹~弦; 관악기와 현악기《악기 일반을 일컬음》 / ~乐; ⇩ / 单簧~; 클라리넷 / 大~ =〔巴松~〕; 파곳. 바순. ②(~儿, ~子) 명 관상(管狀)〔원통형〕의 것《대롱·튜브·파이프·호스 따위》. ¶笔~儿; 붓의 축 / 橡xiàng皮~; 고무 호스〔관〕 / 输shū油~; 송유관 / 水~子; 수도 파이프 / 捋luō~儿 =〔络luò~儿〕〔放fàng高射炮〕〔打dǎ手枪〕; 〈俗〉 (남자가) 수음(手淫)하다. ③ 양 (속이 빈) 관상(管狀)의 것을 셀 때에 쓰임. ¶一~毛笔; 붓 한 자루 / 一~苗; 묘목 한 그루. ④ 동 관리하다. 담당하다. 떠맡다. 돌보다. ¶我~三部机器; 나는 기계 세 대를 맡고 있다 / 接jiē~工厂; 공장의 관리를 담당하다 / 他~耕地; 그는 경운(耕耘)을 담당한다 / 他是~什么的? 그는 무엇을 담당하고 있는가? / 东西堆着没人~; 물건은 쌓여 있지만 관리

하는 사람이 없다. ⑤ 동 통제하다. 단속〔감독〕하다. 지도하다. ¶我～不了他; 나는 그를 휘어잡을 수가 없다 / ～孩子; 아이에게 버릇을 가르치다. ⑥ 동 상관하다. 관여하다. 간섭하다. ¶你爱去不去, ～我什么事; 네가 가고 싶든 안 가고 싶든 내가 상관할 바 아니다 / 有什么危险都不～; 어떤 위험이 있든 상관 없다 / ～它呢; 그런 일에 상관할 게 뭐야 / 别～闲事; 쓸데없는 일에 상관 마라 / 不该～的事不～; 참견 말아야 할 것에는 중뿔나게 굴지 않는다 / 这事我们不能不～; 이 일에 우리는 간섭하지 않을 수가 없다. ⑦ 동 지급〔공급〕하다. ¶～吃不～住; 식사는 제공되나 숙소는 제공되지 않는다 / 生活用品都～; 생활용품은 모두 지급된다. ⑧ 동 보증하다. ¶不好～换; 불량품은 꼭 바꿔 드립니다 / 包bāo～使用; 사용을〔사용해도 지장이 없음을〕 보증한다. ⑨ 부 반드시. 틀림없이. ¶这时～有人暗笑; 지금쯤 누군가 뒤에서 웃고 있을 테지. ⑩ 개 〈口〉 …을 …라고 하다 (‘把’와 용법이 비슷하지만, 술어 동사가 ‘叫’(…라고 부르다)일 경우에만 쓰임). ¶有的地区～太阳叫日头; 어떤 지방에서는 ‘太阳’을 ‘日头’라고 한다 / 我该～您叫舅舅, 不是吗? 나는 당신을 ‘舅舅’(외삼촌)라고 불러야겠네요? / 老乡们～拖tuō拉机叫火犁; 시골 사람들은 트랙터를 ‘火犁’라고 한다. ⑪ 접 〈方〉 어쨌든. 막론하고. …에 관계없이(의문 대명사나 肯定＋否定의 구조를 사용함). ¶这几十万棵果木树～什么也不能让它受到病虫害; 이 수십만 그루의 과수(果樹)는 무슨 일이 있어도 병충해로부터 보호되어야 한다. →〔不bù管〕〔无wú论〕 ⑫ 개 〈方〉 …에게. …를 향해. ¶～他借钱; 그에게 돈을 꾸다. ⑬ 동 파수보다. ＝〔看守〕 ⑭ 동 조르다. 죄다. ¶～不住弹簧; 용수철을 단단히 죌 수가 없다. ＝〔卡kǎ住〕 ⑮ 부 오직. 다만. ¶别～喝酒; 술만 마시고 있으면 안 된다. ＝〔光guāng⑭〕 ⑯ 명 성(姓)의 하나.

〔管办〕 guǎnbàn 동 취급하다. 처리하다. ¶这个手续由总社～; 이 수속은 본사가 취급하고 있다.

〔管包〕 guǎnbāo 동 인수하다. 승낙하다.

〔管饱(儿)〕 guǎnbǎo(r) 동 실컷 먹이다. 마음껏 먹도록 내버려 두다.

〔管保〕 guǎnbǎo 동 …을 책임지다. 보장〔보증〕하다. ¶～来回; 물건의 반품·교환을 보증한다. 부 틀림없이. 절대로. 반드시. ¶听他的话, ～没错; 그의 말을 들으면, 절대로 틀림없다 / 有了水和肥, ～能多打粮食; 물과 비료가 있으면, 반드시 많은 수확을 낼 수 있다. ＝〔管教jiào〕

〔管鲍〕 Guǎn Bào 명 《人》 관중(管仲)과 포숙아(鮑叔牙)(의 교분). ¶～之交; 〈成〉 관포지교. 아주 친한 친구 사이.

〔管不来〕 guǎnbulái (힘이 모자라) 감당할 수 없다.

〔管不了〕 guǎnbuliǎo ①(너무 많아) 돌볼 수 없다. ② ⇨〔管不住②〕

〔管不着〕 guǎnbuzháo 관여할 수 없다. 상관할 만한 자격이 없다. ¶这是你～的事; 이것은 너와 관계없는 일이다. ↔〔管得着〕

〔管不住〕 guǎnbuzhù ①구속〔제어〕할 수 없다. 관리할 수 없다. ¶自己的孩子都～; 제 아이조차 휘어잡지 못하다. ②멈춰 둘〔고정시킬〕 수 없다. ¶～钉子; 못을 붙박아 놓을 수 없다. ＝〔管不了liǎo②〕 ‖ ↔〔管得住〕

〔管草账的〕 guǎncǎozhàngde 명 장부를 담당하는 직원.

〔管车的〕 guǎnchēde 명 옛날, 제사(製絲) 공장의 여공 감독.

〔管城子〕 guǎnchéngzǐ 명 붓의 별칭.

〔管吃管住〕 guǎnchī guǎnzhù 숙식을 보장하다.

〔管穿〕 guǎn∙chuān 동 의복을 지급하다. ¶～不管饭; 의복은 지급하지만 식사는 제공하지 않는다.

〔管船的〕 guǎnchuánde 명 ①선장. ②뱃사공.

〔管打来回(儿)〕 guǎn dǎ láihuí(r) 《商》 (상품의) 교환·반품을 보증하다. ＝〔包管来回(儿)〕

〔管待〕 guǎndài 동 〈文〉 대접하다. 환대하다. ¶大官人何故厚礼～配军; 주인께서는 유형(流刑)으로 군역에 종사하게 될 사람을 어째서 극진하게 대접하고 계십니까.

〔管道〕 guǎndào 명 파이프(수송관이나 배수관). ¶煤气～; 가스 파이프 / ～安装; 파이프 장치.

〔管得宽〕 guǎndekuān ①(여러 가지 일에) 손을 뻗치다. 무슨 일에든지 손을 대다. ②단속이 느슨하다. 가정 교육이 엄하지 않다.

〔管端螺纹〕 guǎnduān luówén 명 《機》 파이프 나사. ＝〔〈南方〉 管牙〕〔〈北方〉 管子丝〕

〔管端止回阀〕 guǎnduān zhǐhuífá 명 《機》 터미널 체크 밸브.

〔管饭〕 guǎn∙fàn 동 식사 제공을 하다. ¶每月工钱是六十元～, 你去不去? 매달 임금은 60원(元)이고 식사 제공인데, 너 하겠느냐? ＝〔管伙食②〕 →〔管穿〕

〔管风琴〕 guǎnfēngqín 명 《樂》 파이프 오르간.

〔管附件〕 guǎnfùjiàn 명 ⇨〔管接头〕

〔管工〕 guǎngōng 동 작업을 감독하다.

〔管箍〕 guǎngū 명 《機》 커플링. 관연결나사. ＝〔〈南方〉 内nèi螺丝〕

〔管顾〕 guǎngù 동 배려하다. 마음을 쓰다. 보살피다.

〔管换〕 guǎnhuàn 동 책임지고 반품(返品) 교환해 주다.

〔管伙食〕 guǎn huǒshi ①식사를 담당하다. ＝〔包bāo办伙食〕 ②(guǎn∙huǒshi) 동 ⇨〔管饭〕

〔管货的〕 guǎnhuòde 명 상품 담당〔자〕.

〔管机器的〕 guǎnjīqide 명 기계 담당〔자〕. 기계 운전자.

〔管家〕 guǎn∙jiā 동 집안을〔가사를〕 관리하다. (guǎnjiā) 명 ①(관료나 지주 등의) 마름. 집사. 청지기. ②집단에서 재물이나 일상 생활을 관리하는 사람.

〔管家婆〕 guǎnjiāpó 명 ①옛날, 지주나 관리의 가사를 돌보던 사람으로 고용인들을 감독하던 비교적 지위가 높은 하녀. ② 〈轉〉 (주부에 대한 야유적인, 또는 주부 자신에 대한 자조적인 말투로) 아낙. 안주인. ‖ ＝〔管家妇〕

〔管见〕 guǎnjiàn 명 〈謙〉 좁은 견식〔소견〕. ¶略陈～; 관견을 약술하다 / ～所及; 저의 소견〔관견〕으로는. 제가 보는 바로는.

〔管键〕 guǎnjiàn 명 ⇨〔锁suǒ钥〕

〔管叫〕 guǎnjiào …을 …이라 하다. ¶人都～爷爷; 사람들은 모두 그를 영감이라고 부른다.

〔管教〕 guǎnjiào 동 반드시〔꼭〕 …하게 하다. ¶～那人儿来探你一遭儿; 꼭 그를 한번 자네에게 찾아오게 하지. 부 〈轉〉 반드시. 절대로. 틀림없이. ＝〔管保〕

〔管教〕 guǎnjiao 동 (위에서 아래에 대해서) 단속하다. (예절을) 가르치다. ¶你这个孩子太不礼貌, 你得好好～! 당신 애는 너무나도 버릇이 없군, 좀 가르쳐야 되겠어! / ～孩子也不是易事; 아이에게 예절을 가르치는 것도 쉬운 일은 아니다.

〔管接头〕 guǎnjiētóu 명《機》 파이프의 이음용 부재의 총칭.
〔管界〕 guǎnjiè 명 관할 범위〔지역〕.
〔管解〕 guǎnjiè 명동 감독 수송(監督輸送)(하다).
〔管劲(儿)〕 guǎnjìn(r) 형 ①쓸모가 있다. 역량이 있다. ②유능하다.
〔管井〕 guǎnjǐng 명 관정. 둥글게 판 우물. =〔洋yáng井②〕
〔管卷〕 guǎnjuàn 동 문서를 보관하다. ¶～员; 문서 보관 담당자.
〔管开〕 guǎnkāi 동 관계하기 시작하다. ¶他～了闲事; 그는 쓸데없는 일에 관계하기 시작했다.
〔管库〕 guǎnkù 동 창고를 관리하다.
〔管库的〕 guǎnkùde 명 창고계.
〔管窥〕 guǎnkuī 동 대롱을 통해서 사물을 보다. 명〈轉〉 좁은 식견〔소견〕. ¶～所及; 좁은 견식이 미치는 바.
〔管窥蠡测〕 guǎn kuī lí cè〈成〉 대롱 구멍을 통하여 하늘을 보고 표주박으로 바닷물을 되다(식견이 좁다). =〔管蠡〕〔管穴〕〔管中窥豹〕〔以管窥天, 以蠡测海〕〔以管窥天, 以蠡酌海〕
〔管勒〕 guǎnlè 동 관리하다. 통제하다. 누르다. ¶～不住; 휘어잡을 수가 없다.
〔管理〕 guǎnlǐ 명동 관리(하다). 관할(하다). 간여(하다). ¶～财务; 금전 출납을 관리하다 / ～工厂; 공장을 관리하다 / 妇女同样能～国家大事; 여성도 똑같이 국가 대사에 간여할 수 있다. 동 (사람·동물을) 돌보다. ¶～牲口; 가축을 돌보다. 명 관리. 감독. 매니저. ¶公园～处; 공원 관리 사무소.
〔管理人员〕 guǎnlǐ rényuán 명 관리원. 관리 직원(집합 명사로 쓰임).
〔管理员〕 guǎnlǐyuán 명 ①(국영 농장 등의) 관리원. ②관리인. 담당계(係).
〔管领〕 guǎnlǐng 동 관할하다.
〔管路〕 guǎnlù 명《工》 파이프 라인.
〔管轮(的)〕 guǎnlún(de) 명 (기선의) 기관사. ¶大～; 1등 기관사 / 三～; 3등 기관사.
〔管莫〕 guǎnmò 부 아마. 어쩌면. ¶～他不来吧; 아마 그는 오지 않을 테죠 / ～是他的吧; 아마 그의 것일 테죠 / ～是在那儿赌钱吧; 아마 거기서 노름을 하고 있을 테죠.
〔管钱(的)〕 guǎnqián(de) 명 출납 계원.
〔管钳子〕 guǎnqiánzi 명《機》 파이프 바이스. 파이프 렌치. =〔管扳子〕〔管搬子〕〔水喉士班拿〕〔管子扳头〕
〔管情〕 guǎnqíng 부〈古白〉 틀림없이. 반드시. ¶你吃上盅热酒, ～就好了; 더운 술 한 잔을 마시면 반드시 좋아질 것이다. →〔管保〕
〔管区〕 guǎnqū 명 관할 구역.
〔管取〕 guǎnqǔ 부 틀림없이. 반드시. 꼭. ¶他娘儿这一见, ～舍shě不得散sàn《兒女英雄傳》; 그들 모자 두 사람은 이번에 만나게 되면, 헤어지기 섭섭해 할 것이 틀림없다. →〔管保〕
〔管儿〕 guǎnr 명 ①대롱. ②음경(陰莖).
〔管塞〕 guǎnsāi 명 마개. 플러그.
〔管纱〕 guǎnshā 명《紡》 원뿔형 관사(管紗)〔실톳〕.
〔管山有柴烧, 管河有水吃〕 guǎnshān yǒu chái shāo, guǎnhé yǒu shuǐ chī〈諺〉 산을 관리하는 사람은 땔나무 걱정이 없고, 하천을 관리하는 사람은 먹을 물 걱정이 없다(물건을 관리하는 사람은 그 물건에 대해 걱정하지 않는다는 것).
〔管生植物〕 guǎnshēng zhíwù 명 ⇨〔显花植物〕
〔管事〕 guǎn·shì 동 (일을) 관리하다. 책임을 지다. ¶这里谁～? 여기서는 누가 책임을 지고 있는가? (guǎnshì) (～儿) 형 소용〔도움〕이 되다. ¶这个药很～儿, 保你药到病除; 이 약은 아주 잘 들어서, 먹으면 병이 곧 나을 것임을 보장합니다. =〔管用〕 명 ⇨〔管事的〕
〔管事部〕 guǎnshìbù 명 (선박의) 주방부. →〔管事长〕
〔管事的〕 guǎnshìde 명 ①옛날, 집사. 고용인의 우두머리. ②관리인. ‖ =〔管事〕
〔管事长〕 guǎnshìzhǎng 명 (선박의) 주방장. =〔大dà管事〕
〔管束〕 guǎnshù 동 단속하다. (버릇 따위를) 가르치다. 통제하다. ¶～年轻的人们; 젊은 사람들을 단속하다. 명 단속. 구속. ¶这个孩子懒惰, 必须严加～; 이 아이는 게으름뱅이이므로 엄히 단속해야 한다 / 只靠～不行, 还得进行教育; 그저 사람을 누르기만 해서는 안 된다, 교육도 시켜야 한다.
〔管睡〕 guǎn·shuì 동 숙박을 보장하다. 숙소를 제공하다.
〔管死〕 guǎnsǐ 동 엄하게 관리하다. ¶孩子不要～了; 아이들 교육은 너무 엄해서는 안 된다.
〔管它…〕 guǎn tā… 알게 뭐야. 상관없다. ¶没问题, ～大石头, 全不怕! 문제 없다, 큰 돌이라도 겁 안 난다!
〔管套节〕 guǎntàojié 명《機》 유니언(union). =〔活huó接头〕〔油yóu令②〕 →〔管接头〕
〔管挑管换〕 guǎn tiāo guǎn huàn〈成〉 고르는 것과 교환하는 것이 자유로움.
〔管退〕 guǎntuì 동 ⇨〔包bāo退〕
〔管辖〕 guǎnxiá 명동 관할(하다). 통할(하다).
〔管下〕 guǎnxià 명 휘하. 관내(管內). ¶你～许多眼明手快的公人《水滸傳》; 당신 휘하의 많은 솜씨 좋은 포졸.
〔管闲事〕 guǎn xiánshì 쓸데없이 참견하다. 주제넘게 참견하다. ¶～落luò不是; 〈諺〉 주제넘은 일을 하면 제대로 되는 일이 없다.
〔管弦〕 guǎnxián 명《樂》 관현 악기의 총칭. ¶～乐yuè; 관현악 / ～乐队; 관현악단. 오케스트라.
〔管线〕 guǎnxiàn 명《建》 파이프·전선(電線)·케이블 등의 총칭.
〔管形车胎〕 guǎnxíng chētāi 명 (자전거의) 튜브리스 타이어(tubeless tire).
〔管许〕 guǎnxǔ 부〈方〉 ①대개. 대부분. ②꼭. 반드시.
〔管押〕 guǎnyā 동《法》 (일시적으로) 구금(拘禁)하다.
〔管应儿〕 guǎnyìngr 명 지시. ¶不受人家的～; 남의 지시는 받지 않는다.
〔管用〕 guǎn·yòng 형 유용하다. 쓸모가 있다. ¶刀不～, 得找把斧子来劈; 도끼로 장작을 패어야지, 칼로는 안 된다 / 他们很解决问题, 很～; 그들은 문제를 잘 해결하며, 도움도 많이 된다 / 他的脑筋真～; 그의 머리는 정말 잘 돌아간다. 동 사용(使用)을 보증하다. 품질을 보증하다.
〔管约〕 guǎnyuē 동〈文〉 감독하다. 잔소리하여 단속하다.
〔管乐〕 guǎnyuè 명 ①《樂》 관악(기). ②(Guǎn-Yuè)《人》 관중(管仲)과 악의(樂毅).
〔管乐器〕 guǎnyuèqì 명《樂》 관악기.
〔管籥〕 guǎnyuè 명 ⇨〔笙shēng箫〕
〔管栈(的)〕 guǎnzhàn(de) 명 창고 담당. =〔管

仓库的〕
〔管账〕 guǎnzhàng 명 회계원. ¶～人; 회계. 회계 장부 담당. (guǎn,zhàng) 동 회계를 담당하다.
〔管照〕 guǎnzhào 동 돌보아 주다. 보살펴 주다.
〔管制〕 guǎnzhì 명동 관제(하다). 통제(하다). 단속(하다). ¶～灯火; 등화 관제를 하다 / ～物价; 물가를 통제하다 / ～进口; 수입을 통제하다 / ～坏分子; 악질 분자를 감시하여 두다 / 交通～; 교통 관제 / ～劳动; 강제 노동. 명 《法》 관제. 감시 처분(3개월～2년의 기간).
〔管制分子〕 guǎnzhì fènzǐ 명 요시찰인(감시 혹은 강제로 관리되는 사람).
〔管治〕 guǎnzhì 동 관리하다. 통치〔지배〕하다.
〔管中窥豹〕 guǎn zhōng kuī bào 〈成〉 대롱으로 표범을 보면 표범의 전체는 보이지 않고 반점(斑點)만 보임. 식견이 좁음을 비유('～, 可见一斑'으로 연용하여, 부분적 관찰만으로 전체를 추측한다는 뜻으로 비유함). →〔管窥蠡测〕
〔管主〕 guǎnzhǔ 명 감독자. 사무를 처리하고 그 운영을 맡아 보는 사람. ¶现在有～了, 一点儿不能随便; 지금은 감독자가 있어서 조금도 마음대로 할 수 없다.
〔管桩〕 guǎnzhuāng 명 (교각(橋脚)으로 삼기 위해 박아 넣는) 철관(鐵管) 말뚝.
〔管状花〕 guǎnzhuànghuā 명 《植》 관상화.
〔管自〕 guǎnzì 부 ⇨〔自管〕
〔管子〕 guǎnzi 명 ①튜브. ②파이프. ③《樂》 관악기. ¶双～; 두 개의 관악기.
〔管子虎钳〕 guǎnzi hǔqián 명 《機》 파이프 바이스(pipe vice).
〔管子绞板〕 guǎnzi jiǎobǎn 명 《機》 스톡 다이스.
〔管子螺丝攻〕 guǎnzi luósigōng 명 《機》 파이프 탭(pipe tap).
〔管座〕 guǎnzuò 명 (진공관 등의) 소켓.

鳤(鰥) **guǎn** (관)
명 《魚》 긴숭치(잉어과의 담수어로 길이는 30～60cm, 은백색으로 원통형이며 식용).

丱 **guàn** (관)
명 〈文〉 옛날, 아이의 머리를 두 갈래로 갈라 양쪽 귀 위에 뿔처럼 동여맨 것. ¶～角之交; 〈成〉 어릴 때부터의 사귐.

贯(貫〈毌〉) **guàn** (관)
①동 꿰뚫다. 관통하다. ¶学～古今; 학식이 고금에 통하다 / 一～积极; 일관하여 적극적이다 / 融会～通; 서로 마음을 터놓아 혼연일체가 되다. 온갖 요소를 융합하여 철저하게 파악하다 / 本书体例, 前后一～; 이 책의 체제는 앞뒤가 일관되어 있다. ②동 익숙해지다. =〔惯guàn①〕 ③동 연결하다. 줄을 잇다. ¶鱼～而人; 〈成〉 줄지어 들어가다 / 垒垒如～珠; 실에 꿴 구슬들처럼 죽 늘어서 있다. ④명 원적(原籍). 출생지. ¶本～; 본적. ⑤양 관. 꾸러미(네모진 구멍 뚫린 1문(文)짜리 엽전을 끈에 꿰어 1천 개를 '贯'이라 했음). ¶万～家私; 대단한 재산. ⑥명 성(姓)의 하나.
〔贯彻〕 guànchè 동 (방침·정책·정신·방법 따위를) 관철하다. (끝까지) 해내다. ¶～个人的信念; 개인의 신념을 관철시키다.
〔贯穿〕 guànchuān 동 ①관통하다. 꿰뚫다. ¶这条公路～本省十几个县; 이 도로는 이 성(省)의 십 여 개의 현(縣)을 관통한다. ②⇨〔贯串〕
〔贯穿螺栓〕 guànchuān luóshuān 명 《機》 관통 볼트. 죔 볼트. ¶用～栓住; 관통〔죔〕 볼트로 죄다. =〔〈南方〉对duì绣螺丝〕〔对头螺栓〕
〔贯串〕 guànchuàn 동 잇달아 계속하다. 일관하다. ¶各篇各章都～着一个基本思想; 각편 각장은 모두 하나의 기본적인 생각으로 일관되어 있다 / ～于一切过程的始终; 전 과정이 처음부터 끝까지 일관되어 있다. =〔贯穿②〕
〔贯口〕 guànkǒu 동 (희곡 배우들이) 단숨에 가사·서술을 이어 가다.
〔贯气〕 guànqì 동 지맥(地脈)이 관통하다. 운수 대통하다.
〔贯钱〕 guànqián 동 (옛날) 돈을 끈에 꿰다. 명 꿰미에 꿴 돈.
〔贯渠〕 guànqú 명 ⇨〔贯众①〕
〔贯日〕 guànrì 동 〈文〉 ①날을 거듭하다. ②일광을 가로막다. ¶白虹hóng～; 흰 무지개가 햇빛을 가리다(불길한 조짐을 나타내다).
〔贯虱〕 guàn shī 〈成〉 (화살로) 이를 꿰뚫다(활 솜씨가 뛰어나다).
〔贯输〕 guànshū 동 〈文〉 철저하게 주입하다.
〔贯通〕 guàntōng 동 ①철저히 이해하다. 통해 있다. ¶意思～; 의미가 철저하다 / 豁然～; 활연히 깨닫다 / ～中西医学; 중국·서양 양쪽 의학에 통해 있다. ②관통하다. 개통하다. ¶京广铁路就全线～了; 징구앙(京廣) 철도는 전선이 개통되었다.
〔贯习〕 guànxí 명동 ⇨〔惯习〕 동 숙달하다. 정통하다.
〔贯行〕 guànxíng 동 〈文〉 일일이 행하다. ¶奉承～; 분부대로 일일이 시행하겠습니다.
〔贯盈〕 guànyíng 형 (돈이 한 관이 될 만큼) 많다. 〈比〉 죄가 많다. ¶罪zuì恶～; 죄악으로 가득 차다.
〔贯鱼〕 guànyú 형 〈文〉 죽 줄지어 있는 모양.
〔贯众〕 guànzhòng 명 《植》 ①참쇠고비. =〔贯节〕〔贯渠〕 ②면마(綿馬).
〔贯珠〕 guànzhū 명 구슬 꿰미. 형 〈文〉〈比〉 아름다운 소리의 형용.
〔贯注〕 guànzhù 동 ①(정력·정신·주의력을) 부어〔쏟아〕 넣다. 온 정신을 집중시키다. ¶把精力～在工作上; 일에 정력을 경주(傾注)하다 / 全神～在书上; 온 주의력을 책 위에 쏟다. ②(어의(語義)·어기(語氣)가) 이어지다. 일관되다. ¶这里头～着愚民哲学; 여기에는 우민 철학이 일관되어 있다.

惯(慣) **guàn** (관)
①동 익숙해지다. 습관이 되다. ¶～骑马～跌跤; 〈諺〉 말에 익숙해지면 잘 떨어진다(숙련된 사람은 소홀함으로 인해 왕왕 실수를 하다) / 看不～; ⓐ눈설다. 낯설다. ⓑ마음에 들지 않다 / 习～; 습관(이 되다) / 做～; 익숙해지다 / 吃～了中国菜, 不觉得油腻; 중국 요리에 습관되면 느끼함을 느끼지 않게 된다. =〔贯②〕 ②동 응석부리다. 응석부리게 하다. 기어오르다. 기어오르게 하다. ¶不能～着孩子们吃零食; 아이들에게 간식(間食)을 하는 버릇을 들여서는 안 된다 / ～成了一身的毛病; 응석받이로 키워서 아주 못된 버릇이 배었다. ③늘 …하기가 일쑤다. …하기를 좋아하다. ¶～说笑话; 곧잘 농담을 하다. ④형 일상적이다. 습관적이다. ⑤명 성(姓)의 하나.
〔惯常〕 guàncháng 부 항상. 늘. ¶我～踢足球;

나는 항상 축구를 하곤 했다. 형 〈貶〉 상습(常習)적이다. ¶～的作法; 상습적인 수법. 명 평소. 평시. ¶他恢复了～的镇定; 그는 평소의 안정을 회복했다.
〔惯盗〕 guàndào 명 상습 절도범. =〔惯窃〕〔惯贼〕
〔惯犯〕 guànfàn 명 상습범. ¶这个恶徒以前是个～; 이 악당은 전에 상습범이었다. 동 상습적으로 범죄를 저지르다.
〔惯匪〕 guànfěi 명 상습적으로 나쁜 짓을 하는 강도〔비적〕.
〔惯坏〕 guànhuài 동 ①나쁜 버릇이 들다. ②응석받이로 만들다. 어리광부리게 하다. ¶～了脾气; 응석받이로 키워서 나쁜 버릇을 들이다 / 不要～了孩子! 아이를 응석받이로 키우지 마라! =〔惯养〕
〔惯会〕 guànhuì 동 …을 잘 하게 되다. …이 버릇이 되다. ¶～说怪话; 이상한 말을 잘 하다.
〔惯技〕 guànjì 명 〈文〉〈貶〉 상투 수단. ¶使～; 상투 수단을 쓰다.
〔惯家(子)〕 guànjia(zi) 명 〈貶〉 꾼. 노련한 사람. 수완가(手腕家). 베테랑. ¶扯谎的～; 거짓말쟁이.
〔惯例〕 guànlì 명 관례. 상규(常規). ¶打破～; 관례를 타파하다.
〔惯量〕 guànliàng 명 《物》 관성 질량.
〔惯窃〕 guànqiè 명 ⇨〔惯盗〕
〔惯染〕 guànrǎn 동 익숙해져 습관이 되다.
〔惯生惯养〕 guànshēng guànyǎng 아이를 응석받이로 키우다.
〔惯熟〕 guànshú 동 ①익숙해지다. ②정통하다. 숙달하다. 통효(通曉)하다.
〔惯偷〕 guàntōu 동 상습적으로 훔치다. 형 도벽(盜癖)이 있다. 손버릇이 나쁘다. 명 손버릇이 나쁜 사람.
〔惯习〕 guànxí 명동 습관(이 되다). =〔贯习〕
〔惯性〕 guànxìng 명 《物》 타성(惰性). 관성. ¶利用～穿过自由太空; 타성을 이용하여 넓고 넓은 우주를 통과하다 / ～轮=〔飞轮①〕; 《機》 플라이휠(flywheel). 관성 바퀴.
〔惯性定律〕 guànxìng dìnglǜ 명 《物》 관성의 법칙.
〔惯养〕 guànyǎng 동 응석받이로 기르다. 어리광부리게 하다. ¶娇jiāo生～; 응석받이로 기르다 / ～撒sā娇(儿); 응석받이로 키워서 어리광을 부리다. =〔惯坏②〕
〔惯用〕 guànyòng 동 늘 써서 손에 익다. 상용(常用)하다. ¶～左zuǒ手; 왼손잡이다. 형 상투적이다. 관용적이다. ¶～的手段 =〔～的伎俩jìliǎng〕〔～手法〕; 상투적인 수법. 상습적인 수단《폄의(貶義)로 쓰이는 경우가 많음》.
〔惯于〕 guànyú 동 …에 익숙해지다. …에 습관〔버릇〕이 되다.
〔惯贼〕 guànzéi 명 〈文〉 상습 절도범. =〔惯盗〕

掼(摜)

guàn (관)
동 〈方〉 ①집어던지다. 내던지다. 내팽개치다. ¶～在一边; 한쪽에 휙 내던져 버리다 / 往地下一～; 땅에 휙 내던지다 / ～下了书包; 가방을 내던졌다. ②(한쪽을 잡고 다른 한쪽을) 두들기다. 털다. ¶～稻; 볏단을 두들기다. ③넘어지다. 넘어뜨리다. ¶他～了一个跟头; 그는 고꾸라져서 넘어졌다 / 我抱住他的腰, 又把他～倒了; 나는 그의 허리를 감싸안고 그를 쓰러뜨렸다.
〔掼跤〕 guàn,jiāo 동 씨름을 하다. (guànjiāo) 명 씨름. ‖ =〔角力〕〔摔跤〕〔〈方〉 摜交〕
〔掼纱帽〕 guàn shāmào 〈方〉〈比〉 홧김에 사직(辭職)하다.

观(觀)

guàn (관)
명 ①도교(道敎)의 사원. 도관. ¶白云～; 백운관 / 道～; 도관. ②〈文〉 종묘나 궁정(宮庭)의 대문 밖 좌우에 있는 높은 대(臺). ③성(姓)의 하나. ⇒guān

冠

guàn (관)
①동 관을〔모자를〕 쓰다. ¶沐猴而～; 〈成〉 원숭이가 목욕을 하고 관을 쓰다《외관만 훌륭하고 실속이 따르지 않음》. ②동 성인이 되다. 성년이 되다《옛날, 남자가 20세가 되면 성인이 되는 의식으로 관을 씌워 주었음》. ¶二十而～; 20세가 되어 관을 쓰다《관례하다》/ 未～; 아직 20세가 못 되다. ③동 (문자(文字)·명칭 따위를) 앞에 붙이다. ¶韩国的国立大学一般都～以所在的地区名; 한국의 국립 대학은 보통 소재하고 있는 지역 명칭을 그 앞에 붙인다. ④동 으뜸가다. 첫째를 차지하다. ¶勇～三军; 용기는 전군(全軍)의 으뜸 / ～于天下; 천하에서 으뜸이다 / 工作成绩为全厂之～; 작업 성적이 전 공장에서 최우수이다. ⑤명 성(姓)의 하나. ⇒guān
〔冠场〕 guànchǎng 명 〈文〉 수위(首位).
〔冠词〕 guàncí 명 《言》 관사.
〔冠代〕 guàndài 동 〈文〉 일세에 으뜸이 되다〔으뜸가다〕.
〔冠绝〕 guànjué 형 〈文〉 가장 뛰어나다.
〔冠军〕 guànjūn 명 우승. 제1위. 우승자. ¶～赛; 선수권 대회 / ～决赛; 결승전 / 单项～; 종목별 우승 / 全能～; 종합 우승 / 获得～; 우승하다. ↔〔殿军①②〕
〔冠群〕 guànqún 형 〈文〉 무리 중에 뛰어나다.
〔冠上〕 guànshang 동 씌우다.
〔冠世〕 guànshì 형 〈文〉 뛰어나게 우수하다.
〔冠姓〕 guànxìng 명 옛날, 만주인·몽고인이 그 본래의 성을 한(漢)나라식으로 새로 성을 붙이는 일〔붙인 성〕.

涫

guàn (관)
동 〈文〉 (물이) 끓다.

祼

guàn (관)
명 〈文〉 술을 땅에 뿌려 신의 강림을 비는 제사. 강신제(降神祭).

盥

guàn (관)
〈文〉 ①동 세수하다. 손을 씻다. ②명 대야.
〔盥沐〕 guànmù 동 〈文〉 목욕하다.
〔盥手〕 guànshǒu 동 〈文〉 손을 씻다.
〔盥漱〕 guànshù 동 〈文〉 세수하고 양치질하다.
〔盥诵〕 guànsòng 동 〈翰〉 삼가 받아 보았습니다.
〔盥洗〕 guànxǐ 동 〈文〉 (손·얼굴을) 씻다. 세면하다. ¶～室shì; 세면장 / ～用具; 세면 용구.
〔盥濯〕 guànzhuó 동 〈文〉 빨다. 세탁하다.

灌

guàn (관)
①동 (액체·기체·알맹이를) 쏟아 붓다. 불어넣다. 부어 넣다. ¶你去～一壶hú水来; 너 가서 주전자에 물 좀 담아 오너라 / 小孩儿不吃药, 只好～他; 아이가 약을 먹지 않아 할 수 없이 부어 넣어 주다〔억지로 마시게 하다〕/ ～了一肚子凉风; 뱃속 가득히 시원한 바람을 들이 마시다 / 不好听的话耳朵里～满了; 불쾌한 이야기를 잔뜩 들었다. ②동 물을 대다. 관개하다. ¶引水～田; 물을 끌어 논에 대다 / ～溉; ⇩ ③동 술

을 마시다. 술을 들이키다. ④ 동 녹음(錄音)하다. 레코드에 취입하다. ¶这个歌曲已经～了唱片了; 이 곡은 이미 레코드 취입이 되었다. ⑤ 명 성(姓)의 하나.
〔灌肠〕 guàn.cháng 동 《醫》 관장하다. (guàncháng) 명 관장.
〔灌肠〕 guànchang 명 순대의 일종(돼지 창자에 녹말을 넣고(돼지고기 저민 것을 넣은 것도 있음) 쪄서, 이것을 기름에 튀겨 먹는 음식. 베이징(北京) 서민의 식품).
〔灌电〕 guàndiàn 동 충전하다.
〔灌奠〕 guàndiàn 동 〈文〉 제주(祭酒)를 올리다.
〔灌顶醍醐〕 guàn dǐng tí hú 〈成〉 사람이 행하여야 할 옳은 길에 싫증이 나다.
〔灌溉〕 guàngài 명동 관개(하다). ¶～渠qú; 농업용 수로(水路). 관개 수로.
〔灌灌〕 guànguàn 형 〈文〉 ①물의 흐름이 세차고 많은 모양. ②진심을 담아서 말〔진술〕하는 모양.
〔灌花〕 guànhuā 동 꽃에 물을 주다.
〔灌浆〕 guàn.jiāng 동 ①《建》 쌓아올린 벽돌이나 돌 사이에 콘크리트를 부어 넣다. ②《農》 (낟알의 결실기에 양분(養分)이 흘러들어가 배유(胚乳)가) 점액상(粘液狀)으로 되다. ¶～成饱; 낟알이 통통해지다. ③《醫》 종기 등이 화농(化膿)하다. ④물을 대다. 관개하다.
〔灌浇〕 guànjiāo 동 물을 대다〔주다〕.
〔灌精(儿)〕 guànjīng(r) 동 (아이가 젖을 빨때) 젖이 잘 나오다. ¶不想正在个～的时候, 她那奶头里的奶直喷了孩子一脸《兒女英雄傳》; 뜻밖에 젖이 질 때여서, 그녀의 젖이 아기의 온 얼굴에 뿜어졌다.
〔灌酒〕 guànjiǔ 동 억지로 술을 권하다〔먹이다〕.
〔灌救〕 guànjiù 동 ①약을 (억지로) 먹여 위급함을 구하다. ②물을 뿌려 불을 끄다.
〔灌口〕 guànkǒu 명 가축에 약을 주입시켜 먹이는 기구.
〔灌录〕 guànlù 동 취입(取入)하다.
〔灌路水车〕 guànlù shuǐchē 명 ⇨〔洒sǎ水车〕
〔灌莽〕 guànmǎng 명 〈文〉 떼지어 나 있는 초목. 무성하게 우거진 초목.
〔灌米汤〕 guàn mǐtang 〈比〉 (꿍꿍이속이 있어서) 아첨하다. 감언(甘言)으로 현혹시키다. =〔灌迷汤〕
〔灌木〕 guànmù 명 《植》 관목. ↔〔乔qiáo木〕
〔灌脓〕 guànnóng 동 곪다. 화농(化膿)하다.
〔灌片〕 guànpiàn 명동 레코드 취입(하다). 녹음(하다). =〔灌音〕〔灌话匣子片〕
〔灌铅〕 guànqiān 동 ①납을 부어 넣다. ②납으로 위조 은화를 만들다.
〔灌区〕 guànqū 명 관개 지구.
〔灌嗓〕 guànsang 동 억지로 마시(게 하)다.
〔灌输〕 guànshū 동 ①물을 대다. ¶～器; 조로. (샤워의) 살수(撒水) 장치. ②(사상·지식 등을) 주입(注入)하다. ¶～科学知识, 破除封建迷信; 과학 지식을 주입시켜, 봉건적인 미신을 타파하다 / ～新思想; 새로운 사상을 주입하다.
〔灌水〕 guàn shuǐ ①물을 부어 넣다. 물을 대다. ②물을 억지로 먹(이)다.
〔灌药〕 guàn yào 약을 (억지로) 마시(게 하)다. ¶一～他就缓醒过来了; 약을 마시게 하자 그는 정신이 들기 시작했다.
〔灌音〕 guàn.yīn 명동 ⇨〔灌片piàn〕
〔灌园〕 guànyuán 동 〈文〉 채소밭에 물을 주다.
〔灌制〕 guànzhì 동 〈文〉 (취입하여) 레코드를 만들다. (음반에) 커팅하다. ¶～唱片; (취입하여) 레코드를 만들다. →〔灌片〕
〔灌注〕 guànzhù 동 부어 넣다. 따라 넣다.
〔灌醉〕 guànzuì 동 술을 억지로 마시게 하여 취하게 만들다. 술을 강요하다.

爟

guàn (관)
→〔爟火〕

〔爟火〕 guànhuǒ 명 ①화톳불. ②봉화.

瓘

guàn (관)
① 명 〈文〉 옥(玉)의 일종 ②인명용 자(字).

矔

guàn (관)
동 〈文〉 눈을 부릅뜨다.

鹳(鸛)

guàn (관)
명 《鳥》 황새. ¶锅～ =〔黑～〕〔乌wū～〕; 《鳥》 먹황새. 흑관. =〔白bái鹳〕

罐〈鑵〉

guàn (관)
명 ①(～儿, ～子) 항아리. 독. 단지. 깡통. ¶水～; 수관 / 洋yáng铁～; 통조림용 깡통 / 茶chá叶～; 차 단지 / 七星～; 양념 단지〔통〕/ 一～子水; 물 한 깡통. ②(탄광에서 쓰는) 탄차(炭車).
〔罐车〕 guànchē 명 탱크 로리(tank lorry). 유조차. =〔槽cáo车〕
〔罐笼〕 guànlóng 명 《鑛》 광석·사람·재료 등을 실어 나르는 갱도(坑道) 안의 승강기. 케이지(cage).
〔罐炉〕 guànlú 명 (유리를 만드는) 도가니. =〔马弗炉〕
〔罐头〕 guàntou 명 ①〈方〉 ⇨〔罐子〕 ②통조림. ¶～刀(儿) =〔～起子〕; 깡통따개 / 肉类～; 육류의 통조림 / ～食品; 통조림 식품 / ～果; 과일 통조림.
〔罐装〕 guànzhuāng 명 깡통 포장.
〔罐子〕 guànzi 명 작은 독·깡통·항아리·단지 따위 원통형의 용기(容器). ¶空～; 빈 깡통 / 两～水; 물 두 동이. =〔罐头①〕
〔罐子玉〕 guànziyù 명 가짜 옥(玉).

GUANG ㄍㄨㄤ

光

guāng (광)
① 명 빛. 광선. ¶发fā～; 발광(하다) / 日～; 일광. 햇빛 / 灯dēng～; 등불빛 / 爱克斯～; X선 / 射shè出一道～来; 한 줄기의 빛이 내비치다. ② 명 풍경. 경치. ¶春～; 봄경치 / 风～; 풍광 / 到北京来观～; 베이징에 관광하러 오다. ③ 명 영광. 명예. 영예. ¶～荣; ⇩ / 为国增～; 조국을 위해 영예를 올리다 / 脸上有～; ⓐ얼굴에 윤기가 있다. ⓑ자랑스럽다. ④ 명 〈敬〉 덕택. 음덕. ¶沾～; 덕을 입다 / 连我也沾了他的～了; 저까지도 그의 은혜를 입었습니다. ⑤〈敬〉 경의(敬意)를 나타내는 말. ¶候hòu～; 오시기를 기다리다 / ～临lín; ⇩ ⑥ 동 빛내다. ¶～前裕后; ⇩ ⑦ 형 밝다. ¶正大～明; 공명정대. ⑧ 형 광택이 있다. 반들반들하다. 매끄럽다. ¶磨～; 번들번들하게 갈다 / 这种纸很～; 이 종이는 매우 매끄럽다. ⑨ 명 렌즈의 도수(度數). ¶对～ =〔配～〕;

도수를 맞추다 / 验～; 도수를 재다. ⑩ 형 아무것도 남지 않다. 다하다. 텅텅 비다. ¶已经～了; 이미 다 없어졌다 / ～身人儿; ⇩ / 用～; 다 써 버리다 / 子弹打～了; 탄알을 남김없이 다 쏘았다 / 跑～了; 하나도 남지 않고 다 도망갔다 / 把敌人消灭～; 적을 완전히 섬멸시키다. ⑪ 동 드러내다. 노출하다. 벌거벗다. ¶～着身体; 알몸으로. 벌거숭이가 되어 / ～膀子; 드러낸 어깨. 어깨를 드러내다 / ～着头; 모자를 안 쓰고. ⑫ 부 다만. 홀로. 오직. ¶别～叫他赔不是; 다만 그를 사과시키는 것만으로는 안 된다 / 大家都走了, ～剩下他一个人了; 모두 가고 그 혼자만이 남았다. ⑬ 명 성(姓)의 하나.

〔光巴〕 guāngba 동 〈方〉 (몸을) 드러내다. 노출하다. 벌거벗다. ¶～着脊梁; 등을 드러내고 있다. 상반신이 알몸이다.

〔光巴出溜〕 guāngbachūliū 형 번들번들하다. 매끌매끌하다. =〔光巴吃溜〕〔光不吃流〕〔光不出溜〕〔光出溜(儿)〕

〔光斑〕 guāngbān 명 《天》 (태양 표면의) 백반(白斑).

〔光板儿〕 guāngbǎnr 명 ①털이 닳아 다 빠진 모피(毛皮). ¶～货; 〈罵〉 백보지. 음모 없는 년. ②옛날에, 무늬나 글자가 없는 동전.

〔光膀子〕 guāngbǎngzi ① 명 드러낸 어깨. ② (guāng bǎngzi) 웃통을 벗다. 어깨를 드러내다.

〔光刨〕 guāngbào ⇨〔精刨〕

〔光背马〕 guāngbèimǎ 명 안장을 얹지 않은 말. ¶你会骑～吗? 너는 안장을 얹지 않은 말을 탈 수 있느냐?

〔光被〕 guāngbèi 동 덕이 널리〔골고루〕 미치다. ¶～四表; 덕이 사방을 덮다.

〔光笔〕 guāngbǐ 명 (컴퓨터) 라이트 펜. 광전(光電) 펜.

〔光庇〕 guāngbì 명 〈文〉 덕택. 덕분.

〔光赍〕 guāngbì 명동 ⇨〔光临〕

〔光饼〕 guāngbǐng 명 한가운데에 구멍이 뚫려 있어서 끈을 꿰도록 되어 있는 휴대용 빵(푸젠(福建)·광둥(廣東) 방면의 대중 식품. 명(明)나라 장수 척계광(戚繼光)이 발명한 것이라고 함).

〔光波〕 guāngbō 명 《物》 광파. =〔光浪〕

〔光彩〕 guāngcǎi 명 ①광채. ¶～夺目; 눈부시게 다채로워 아름답다. ②영광. 명예. 체면. ¶失～; 체면을 더럽히다. 면목을 잃다 / 这于他也很～; 이것은 그에게도 대단한 영광이다 / 郑家的～呀! 정씨 집안의 영광이다! 형 훌륭하다. 영광스럽다. 영예롭다.

〔光菜〕 guāngcài 명 《植》 근대의 별칭.

〔光灿灿(的)〕 guāngcàncàn(de) 형 눈부시게 빛나다. ¶～的秋阳; 눈부시게 빛나는 가을 햇볕.

〔光差〕 guāngchā 명 《天》 광차.

〔光肠〕 guāngcháng 명 (돼지·양의) 소시지용 미가공의 창자.

〔光敞〕 guāngchǎng 동 밝고 훤히 넓다.

〔光车〕 guāngchē 명 ⇨〔精车〕

〔光尘现象〕 guāngchén xiànxiàng 명 《物》 틴들(tyndall) 현상. =〔丁得耳现象〕

〔光赤〕 guāngchì 동 (몸을) 드러내다. 발가벗다. ¶～着身子; 알몸이 되어 있다.

〔光宠〕 guāngchǒng 명 〈文〉 (내려 주신) 광영(光榮). 은총.

〔光打光〕 guāng dǎ guāng ①빈털터리이다. ¶薪水拿到手没有几天就花得～; 봉급을 받은 지 며칠이 안 되었는데, 벌써 다 써 버렸다. ②(남자가) 혼자서 살다. 독신 생활을 하다.

〔光打雷, 不下雨〕 guāng dǎléi, bùxiàyǔ 〈諺〉 천둥이 울릴 뿐 비가 오지 않다. 〈比〉 ㉠큰소리만 치고 실천은 하지 않다. ㉡거짓 울다. =〔干gān打雷, 不下雨〕〔只zhǐ打雷, 不下雨〕

〔光大〕 guāngdà 형 빛나고 성대하다. 동 한층 더 빛나고 성대하게 하다. ¶发扬～; 한층 광휘를 더하다.

〔光带〕 guāngdài 명 《物》 (스펙트럼·무지개·별똥별 따위의) 빛의 띠.

〔光蛋〕 guāngdàn 명 ①〈方〉 무뢰한(無賴漢). ②〈方〉 적빈(赤貧). 찰가난. 가난뱅이. =〔穷光蛋〕 ③《體》 영패(零敗). ¶吃～; 영패하다.

〔光当当〕 guāngdāngdāng 〈擬〉 와르르. 우당탕.

〔光刀〕 guāngdāo 명 ①《機》 다듬질용 바이트. =〔光坯刀〕 ②다듬질. 마무리 작업. ③레이저 메스. ④레이저 메스의 광속(光束).

〔光导纤维〕 guāngdǎo xiānwéi 명 광(光)섬유. =〔光学纤维〕〔〈簡〉光纤〕

〔光道〕 guāngdào 명 《天》 황도(黃道).

〔光电〕 guāngdiàn 명 《物》 광전기.

〔光电池〕 guāngdiànchí 명 《物》 광전지.

〔光电管〕 guāngdiànguǎn 명 《物》 광전관.

〔光电效应〕 guāngdiàn xiàoyīng 명 《物》 광전 효과.

〔光电子〕 guāngdiànzǐ 명 《物》 광전자.

〔光腚〕 guāng dìng ①엉덩이를 드러내다. ② (guāngdìng) 명 벌거벗은 엉덩이.

〔光度〕 guāngdù 명 《物·天》 광도.

〔光度计〕 guāngdùjì 명 《物》 광도계.

〔光粉〕 guāngfěn 명 쌀을 찧는 데 쓰이는 가루.

〔光风霁月〕 guāng fēng jì yuè 〈成〉 비가 개고 하늘이 맑고 상쾌한 모양(심경(心境)이 밝고 상쾌함). =〔光霁〕

〔光辐射〕 guāngfúshè 명 《物》 광복사.

〔光复〕 guāngfù 동 ①구업(舊業)을 회복하다. ②멸망한 나라를 다시 찾다. 실지(失地)를 회복하다. 광복하다. ¶～国家; 국가를 되찾다 / 胜利～; 전승해서 실지를 회복하다.

〔光杆儿〕 guānggǎnr 명 ①꽃과 잎이 진 초목. 잎이 다 떨어진 꽃. ¶～牡丹; 꽃도 잎도 진 모란. ②〈比〉 부하를 다 잃은 장군. 대중으로부터 고립된 지도자. ③〈比〉 의지할 곳 없는 홀몸.

〔光杠〕 guānggàng 명 《機》 이송축. =〔进jìn刀杆〕

〔光顾〕 guānggù 동 〈文〉 〈敬〉 애고(愛顧)하다(상인이 고객을 맞이할 때 쓰는 용어). ¶如蒙～, 无任欢迎; 내점(來店)하여 주신다면, 진심으로 환영하겠습니다. 명동 ⇨〔光临〕

〔光怪陆离〕 guāng guài lù lí 〈成〉 형상이 기이하고 색채가 다양하다. 기괴한 양상을 띠고 있다('陆离'는 빛깔이 뒤섞인 모양). ¶现在社会真是～, 无奇不有; 현재의 사회는 참으로 기괴한 양상을 띠고 있으며, 별별 기묘한 일도 다 있다 / ～的广告; 현란한 광고.

〔光光〕 guāngguāng 형 ①반들반들하다. 번쩍번쩍하다. ②빈털터리다. ¶穷～; 빈털터리의. 몹시 가난한. ③남김없는 모양. ¶钱花得净～的; 돈은 다 써 버리고 땡전 한 푼 없다. ④발가벗은 모양. 부 …뿐. 다만.

〔光棍〕 guānggun 명 ①무뢰한. 악당. 부랑자. ¶～回头饿死狗; 〈諺〉 악당이 마음을 고친다면, 들개라도 굶어 죽는다(악인이 착한 사람으로 바뀌

기는 어려움). ②〈方〉 총명한 사람. 호한. 호걸. ¶～不吃眼前亏kuī; 〈諺〉 현명한 사람은 한 때의 불이익은 참고 넘긴다 / 你在这里充chōng什么～? 너 여기서 무슨 호걸인 체하느냐? / ～调diào; 사내다운 태도.
〔光棍儿〕 guānggùnr 명 ①독신자. 홀아비. ¶打一辈子～; 일생을 홀아비로 지내다. =〔单身汉〕 ②빈털터리. ‖ =〔光棍子〕〔光棍汉〕
〔光棍堂儿〕 guānggùntángr 명 남자들만 모인 곳.
〔光棍子〕 guānggùnzi 명 ⇨〔光棍儿〕
〔光合作用〕 guānghé zuòyòng 명《植》 광합성(光合成).
〔光华〕 guānghuá 명 밝은 빛. 광채. ¶月亮向大地倾泻着银色的～; 달은 대지에 은빛의 밝은 빛을 비추고 있다.
〔光化〕 guānghuà 형《化》 ①화학선의. ②광화학의.
〔光化烟雾〕 guānghuà yānwù 명《化》 광화학 스모그.
〔光滑〕 guānghua 형 ①매끄럽다. 번쩍번쩍하다. 반드럽다. ¶外面很～; 바깥쪽은 아주 반드럽다 / ～度; 광택의 정도. ②〈比〉 사람됨이 빤질빤질하다.
〔光环〕 guānghuán 명 ①《天》 별의 고리(토성·천왕성 등의 고리). ②《佛》 (불상 따위의) 원광(圓光). 광륜(光輪). 후광.
〔光辉〕 guānghuī 명 광휘. 찬란한 빛. ¶太阳的～; 태양의 찬란한 빛. 형 훌륭하다. 찬란하다. ¶我们青年学习～榜样; 우리 청년들이 본받을 찬연한 모범 / ～著作; 훌륭한 저작 / ～体现; 훌륭한 구체적인 표현. ‖ =〔光耀〕
〔光会〕 guānghuì 다만 …만 할 줄 안다. 단지 …만 익숙하다. ¶～吃; 그저 먹는 것만 안다.
〔光火〕 guāng,huǒ 동〈四川〉 화를 내다.
〔光(激)质子〕 guāng(jī)zhìzǐ 명《物》 광양자(光陽子).
〔光脊梁〕 guāng jǐliang ①(옷을 벗어) 상반신을 드러내다. ②상반신을 벗다.
〔光鉴〕 guāngjiàn 〈翰〉 양해하시다. 헤아려주시다. ¶伏fú惟～; 삼가 양해하여 주시기 바랍니다.
〔光降〕 guāngjiàng 명동 ⇨〔光临〕 동〈文〉 하사하시다. 내려 주시다.
〔光脚〕 guāngjiǎo 명 맨발. ¶～片; 〈方〉 맨발. (guāng,jiǎo) 동 맨발이 되다. ¶～的不怕穿鞋的; 〈諺〉 맨발의 사람은 신발 신은 자를 두려워하지 않는다(아무것도 가진 것이 없는 사람은 두려운 것이 없다).
〔光洁〕 guāngjié 형 깨끗하고 매끄럽다. 밝고 깨끗하다. ¶～度; 《機》 (기계 부품의) 마무리 정밀도. 조활도(粗滑度).
〔光介子〕 guāngjièzǐ 명《物》 광중간자(光中間子).
〔光景〕 guāngjǐng 명 ①〈文〉 경치. 풍경. ②상황. 광경. 경우. 경기. ¶近来他的～怎么样? 요즘 그의 상황은 어떻습니까? / 瞧qiáo～再说; 상황을 보고 나서 다시 이야기하기로 합시다 / ～不好; 경기가 좋지 않다. ③살림살이. ¶～总是好过的; 생활은 어떻든 지내기 좋다 / ～也不赖lài; 살림살이도 궁하지 않다. ④추정·추량을 표시함. ㉠일반적인 상황. ¶凉风四起, ～是要下雨; 서늘한 바람이 자꾸만 부는 것을 보니, 이런 상황이면 비가 올 것 같다 / ～是王家的儿子吧; 아무래도 왕가(王家)의 자손인 것 같다. ㉡시간·수량. ¶等了有一点钟的～; 한 시간 가량 기다렸다 / 有五十岁～的初老的人; 50세 정도의 초로의 사람.
〔光炕席儿〕 guāngkàngxír 거적밖에는 아무것도 없는 온돌방(찰가난).
〔光可鉴人〕 guāng kě jiànrén 사람의 모습이나 얼굴이 비칠 만큼 반들반들하다.
〔光缆〕 guānglǎn 명 (통신용의) 광(光)케이블.
〔光浪〕 guānglàng 명 ⇨〔光波〕
〔光亮〕 guāngliàng 형 ①밝다. ¶这里不大～; 여기는 별로 밝지 않다 / 电灯比洋灯～多了; 전등은 램프보다 훨씬 밝다. ②광택이 있다. 윤이 나다. ¶这块布很～; 이 천은 매우 윤이 난다.
〔光量子〕 guāngliàngzǐ 명 ⇨〔光子zǐ〕
〔光疗〕 guāngliáo 명《醫》 광선 조사(照射)에 의한 치료 방법(적외선·자외선·가시 광선 등을 씀).
〔光临〕 guānglín 명동 〈敬〉 왕림(枉臨)(하다). ¶恭候～ =〔敬请～〕; 왕림해 주시기를 기다리고 있겠습니다. =〔光贲〕〔光顾〕〔光驾〕〔光降〕
〔光溜〕 guāngliu 형〈口〉 매끄럽다. 미끄럽다. ¶这种纸很～; 이런 종류의 종이는 매우 매끄럽다.
〔光溜光〕 guāngliūguāng 형 반질반질 빛나는 모양. 매끄럽게 빛나는 모양. ¶他脑袋剃得～; 그의 머리는 면도질을 해서 반들반들하다.
〔光溜溜(的)〕 guāngliūliū(de) 형〈口〉 ①매끈매끈한 모양. 미끄러운 모양. ¶她走在～的冰上有点害怕; 그녀는 미끄러운 얼음 위를 걷는 것이 좀 무서워졌다 / ～的大理石; 매끈매끈한 대리석. ②벌거벗은 모양. 아무것도 없는 모양. ¶孩子们脱tuō得～的; 아이들이 옷을 벗어 알몸이다 / 身shēn上～; 알몸이다. =〔光落落〕
〔光卤石〕 guānglǔshí 명《鑛》 카날석(石). 카날라이트(carnallite).
〔光轮〕 guānglún 명 ①(온몸을 비치는) 후광(後光). 달무리. ②(두부(頭部)의) 윤광(輪光).
〔光落落〕 guāngluòluo 형 ⇨〔光溜溜(的)②〕
〔光芒〕 guāngmáng 명 광망. 빛발. 빛. ¶～四射shè; 〈成〉 빛이 사방에 환하게 비치다 / ～万丈的灯塔; 멀리까지 비치고 있는 등대.
〔光密度〕 guāngmìdù 명《物》 광학 밀도(光學密度).
〔光面(儿)〕 guāngmiàn(r) 명 ①(양념도 하지 않고 건더기도 없는) 맨 국수. ②반들반들 광택나는 표면.
〔光面塞〕 guāngmiànsāi 명《機》 스무드 플러그(smooth plug).
〔光敏〕 guāngmǐn 명《物》 감광성. ¶～电阻; 감광 저항.
〔光明〕 guāngmíng 명 광명. ¶黑暗中的一线～; 어둠을 비추는 한 줄기 광명. 형 ①공명(公明)하다. ¶～正大 =〔正大～〕; 〈成〉 공명정대(하다) / ～磊lěi落; 〈成〉 공명정대하고 명백하다 / 心地～; 마음이 티없이 맑다. ②〈比〉 밝다. 광명이 가득하다. 유망하다. ¶～的远景; 밝은 미래. =〔光亮①〕 ③(성격이) 티없이 맑다. 구김살 없다. ④환하다. 밝다.
〔光脑袋〕 guāngnǎodai ①명 (모자를 쓰지 않은) 맨머리. ②명 대머리. ③(guāng nǎodai) 맨머리를 드러내다.
〔光脑瓜儿〕 guāngnǎoguār 명 대머리. 번들번들한 머리.
〔光能〕 guāngnéng 명《物》 광(光)에너지.
〔光年〕 guāngnián 명《天》 광년.
〔光屁股〕 guāngpìgu ①명 벌거벗은 궁둥이. 알궁

둥이. ②(guāng pìgu) 알궁둥이를 드러내다.
〔光平绒〕 guāngpíngróng 명《紡》 면비로드(綿 veludo). ¶印yìn花丝～; 날염(捺染)의 면비로드 / 染rǎn色丝～; 침염(浸染)의 면비로드. =〔光绒①〕〔绵mián天鹅绒〕
〔光谱〕 guāngpǔ 명《物》 스펙트럼. ¶～照相; 스펙트럼 사진 / 太阳～; 태양 스펙트럼.
〔光谱线〕 guāngpǔxiàn 명《物》 스펙트럼 선(線).
〔光谱仪〕 guāngpǔyí 명《物》 분광기(分光器).
〔光漆素〕 guāngqīsù 명 투명 니스.
〔光前裕后〕 guāng qián yù hòu 〈成〉 조상의 이름을 드높이고, 자손을 윤택하게 하다《옛날에, 가난으로부터 고관(高官)이 된 사람을 가리키는 말》. =〔光裕〕
〔光浅蓝〕 guāngqiǎnlán 명《色》 광택이 나는 연한 푸른색.
〔光青〕 guāngqīng 명《色》 광택이 있는 검은 색.
〔光球〕 guāngqiú 명《物》 발광체로서의 태양.
〔光圈〕 guāngquān 명 ①《撮》 (사진기의) 조리개. =〔光孔〕〔光阑〕 ②《天》 코로나(corona). ③《生》 홍채(虹彩).
〔光儿〕 guāngr 명 ①약한 광선. 희미한 빛. ¶漏出～来了; 희미한 빛이 새어 나왔다. ②안경알. ③광도(光度). 도수(度數). ¶这副眼镜儿太浅, 不对～; 이 안경은 도수가 너무 약해서 맞지 않는다.
〔光荣〕 guāngróng 형 영광이다. 영예롭다. ¶～之家; (군인을 낸) 영광스런 집안 / ～传统; 명예로운 전통 / 哥哥～地当选为家乡的代表, 出席了北京的会议; 형은 영광스럽게도 그 고장의 대표로 선출되어 베이징 회의에 참석했다. 명 영광·영예. ¶～归于祖国; 조국에 영광을 돌리다.
〔光荣榜〕 guāngróngbǎng 명 표창판(表彰板)《모범 노동자 따위를 표창하는 게시판》. ¶一进厂门就从～上看到了他的名字; 공장 문을 들어서자 바로 표창판에 그의 이름이 눈에 띄었다. =〔红hóng榜〕
〔光荣灯〕 guāngróngdēng 명 영예의 표시로 보내는 등롱(燈籠).
〔光荣岗位〕 guāngróng gǎngwèi 명 명예로운 직장.
〔光荣花〕 guāngrónghuā 명 영예의 표시로 보내거나 가슴에 달아 주는 꽃.
〔光荣桌〕 guāngróngzhuō 명 표창을 받는 사람이 앉는 특별석.
〔光绒〕 guāngróng 명 ①⇨〔光平绒〕 ②⇨〔毛máo绒〕
〔光润〕 guāngrùn 형 (피부 따위가) 광택이 있고 싱싱하다. 윤기가 흐르다. 반드럽다. 매끄럽다.
〔光砂〕 guāngshā 명《鑛》 미세한 운모(雲母) 조각들을 함유한 모래.
〔光栅〕 guāngshān 명《物》 회절 격자(回折格子).
〔光闪闪(的)〕 guāngshǎnshǎn(de) 형 반짝거리다. 반짝반짝하다. ¶～的珍珠; 반짝거리는 진주.
〔光身人儿〕 guāngshēnrénr 명 ①독신자. ②혈혈단신. =〔单身人儿〕 ③맨손으로 여행하는 사람. 가난뱅이.
〔光身子〕 guāngshēnzi **A**) 명 ①발가숭이. 나체. ②독신. ③혼자인 사람. 혈혈단신. **B**) (guāng shēnzi) 알몸이 되다《흔히 '光着身子' 등으로 표현함》.
〔光参〕 guāngshēn 명 ⇨〔瓜guā参〕
〔光渗〕 guāngshèn 명《物》 광학(光學) 플레어.
〔光是〕 guāngshi 부 다만. 단지. ¶～他一个人单枪匹马是不行的; 그 사람 혼자서 단신(單身)으로 해낸다는 것은 무리이다.
〔光疏媒质〕 guāngshū méizhì 명《物》 광선이 매질(媒質)을 통과할 때, 굴절각(屈折角)이 입사각보다 커지는 매질.
〔光束〕 guāngshù 명《物》 광속.
〔光丝〕 guāngsī 명《紡》 주란사실. 가스실. 가스사.
〔光速度〕 guāngsùdù 명《物》 광속도.
〔光素〕 guāngsù 명《物》 광입자(光粒子).
〔光塌塌〕 guāngtātā 형 ⇨〔光挞挞〕
〔光挞挞〕 guāngtàtà 형 번들번들하다. 반들반들하다. ¶见一块～大青石; 번들번들하고 검푸른 바위 하나가 보인다. =〔光塌塌〕
〔光踏踏(的)〕 guāngtàtà(de) 형 속이 텅 빈 모양. 무일물〔무일푼〕인 모양. =〔空踏踏(的)〕
〔光堂堂〕 guāngtángtáng 형 (대머리 등이) 번들번들 빛나다. ¶秃得～, 好像和尚似的; 번들번들하게 (머리가) 벗겨져서 마치 중 같다.
〔光趟〕 guāngtang 형 〈方〉 반드럽다. 반들반들하다. ¶席子编得细密又～; 멍석은 아주 곱고 반드럽게 짜여졌다 / 脸刮得很～; 면도해서 얼굴이 반들반들하다. =〔光烫〕〔光淌〕
〔光天化日〕 guāng tiān huà rì 〈成〉 ①대낮. 백주(白晝)《주로 '～之下'의 형태로 쓰임》. ¶～的黄粱美梦; 한낮의 덧없는 꿈. 백일몽 / ～之下怎么能做这么没良心的事啊! 대낮에 어떻게 이런 비양심적인 일을 할 수 있을까! ②태평 시대.
〔光通量〕 guāngtōngliàng 명《物》 광속《단위는 '流明'(루멘(lumen))》.
〔光头〕 guāngtóu 명 ①중대가리. 뭉구리. ¶剃～; 머리를 바싹 밀다. 박박 깎다. ②대머리. ③아무것도 쓰지 않은 머리. 맨머리. (guāng,tóu) 동 모자를 쓰지 않다. 맨머리를 드러내다. ¶他不习惯戴帽子, 一年四季总光着头; 그는 모자 쓰는 것이 익숙하지 않아서, 일 년 내내 안 쓴다.
〔光头上的虱子〕 guāngtóushangde shīzi 〈比〉 아주 명백한〔뻔한〕 것. ¶这不是～明摆着吗! 이것은 대머리에 달라붙은 이처럼 뻔한 일이 아니냐!
〔光秃秃(的)〕 guāngtūtū(de) 형 ①(머리가 벗겨져서) 번들번들한 모양. ②(땅 위에) 아무것도 없는 모양. ¶～的山; 초목이 없는 민둥산.
〔光腿赤脚〕 guāngtuǐ chìjiǎo 양말도 구두도 신지 않고 맨발(로).
〔光纤〕 guāngxiān 명 광섬유(光纖維). ¶～通信; 광섬유 통신. =〔光导纤维〕〔光学纤维〕
〔光线〕 guāngxiàn 명《物》 광선. ¶～浴yù; (일광욕 따위의) 광선욕. →〔光波〕
〔光学〕 guāngxué 명《物》 광학. ¶几jǐ何～; 기하(幾何) 광학.
〔光学玻璃〕 guāngxué bōli 명 광학 유리.
〔光学分度头〕 guāngxué fēndùtóu 명《機》 주축(主軸)에 정밀한 눈금을 그은 원반을 장치하고, 현미경으로 그 정밀도를 검정하는 기계.
〔光学镜〕 guāngxuéjìng 명《物》 광학 렌즈.
〔光学平玻璃〕 guāngxué píngbōli 명《機》 광선정반(光線定盤). 옵티컬 플랫(optical flat).
〔光压〕 guāngyā 명《物》 광압(光壓).
〔光眼子〕 guāngyǎnzi 명 알몸. 나체(裸體). 발가숭이.
〔光焰〕 guāngyàn 명 ①불꽃. 광염. 광휘(光輝). ②〈比〉 원한·질투·분노 등의 감정이 불꽃처럼 일어남.

〔光洋〕 guāngyáng 명 〈方〉 옛날의, 일원(元) 은화.
〔光耀〕 guāngyào 명형 ⇨〔光辉〕 명 명예. 영예. 동 빛나게 하다. ¶要把优良传统进一步~; 우수한 전통을 한층 더 빛나게 해야 한다.
〔光仪〕 guāngyí 명 〈文〉 (빛나는) 용모〔자태〕. 모습.
〔光阴〕 guāngyīn 명 ①〈文〉 시간. 세월. ¶~似箭 =〔~如箭〕; 〈成〉 세월은 나는 화살과 같다. ②〈方〉 살림. 생활. ¶光复后, ~越过越好了; 광복 후에 살림은 나날이 좋아졌다.
〔光油〕 guāngyóu 명 동유(桐油)의 일종.
〔光裕〕 guāngyù 〈成〉 ⇨〔光前裕后〕
〔光源〕 guāngyuán 명 《物》 광원.
〔光泽〕 guāngzé 명 광(택). 윤. ¶磨出~来; 닦아서 광〔윤〕을 내다.
〔光闸〕 guāngzhá 명 (광학 기계의) 셔터.
〔光长骨头不长肉〕 guāng zhǎng gǔtou bù zhǎng ròu 〈比〉 이상(理想)뿐이고 실천이 따르지 않다.
〔光照〕 guāngzhào 동 비치다. 명 광선의 조사(照射). ¶~菊花; 전조 재배(電照栽培)한 국화(菊花).
〔光着眼〕 guāngzheyǎn 눈을 부릅뜨다. ¶刘唐~看吴用道; 유당(劉唐)은 눈을 부릅뜨고 오용(吳用)에게 말했다.
〔光(着)眼子〕 guāng(zhe)yǎnzi 나체로. ¶隔壁儿着zháo火了, 他~就跑出来了; 이웃에 불이 나, 그는 벌거벗은 채 뛰어나왔다.
〔光针〕 guāngzhēn 명 ①레이저 침(鍼). ②(레이저 침으로 이용하는) 레이저 빔.
〔光纸〕 guāngzhǐ 명 납지(蠟紙). 광택지. →〔蜡là纸②〕
〔光制〕 guāngzhì 명 마무리. 완성 가공. ¶~品; 완제품 / ~作业; 마무리 작업. 注 마무리 작업의 성질에 따라 구별하는데, 선반 마무리는 '车光刀'·'车光坯'·'光车'·'精车'라고 하며, 대패로 하는 마무리는 '刨光刀'·'刨光坯'·'光刨'·'精刨'라고 한다. =〔精制〕
〔光轴〕 guāngzhóu 명 《物》 광축.
〔光柱〕 guāngzhù 명 《物》 광속(光束).
〔光子〕 guāngzǐ 명 《物》 광양자(光量子). =〔光量子〕
〔光子〕 guāngzi 명 안경알. 렌즈.
〔光宗耀祖〕 guāng zōng yào zǔ 〈成〉 조상의 이름을 드높이다.

侊
guāng (광)
형 〈文〉 성대하다.

洸
guāng (광)
①→〔洸洋〕 ②→〔洸洸〕 ③(Guāng) 명 《地》 광 허(洸河)(산둥 성(山東省)에 있는 강 이름).
〔洸洸〕 guāngguāng 형 ①물이 끓는 모양. ②용감한 모양.
〔洸洋〕 guāngyáng 형 물이 놀치며 번쩍이는 모양. =〔洸荡dàng〕

咣
guāng (광)
〈擬〉 광. 탕. ¶~啷; 댕그랑. 달그랑달그랑 / ~的一声, 关上了大门; 꽝 하는 소리와 함께 대문을 닫았다.

桄
guāng (광)
→〔桄榔〕 ⇒guàng
〔桄榔〕 guāngláng 명 《植》 ①광랑(桄榔). ②광랑의 열매. 광랑자.

胱
guāng (광)
→〔膀páng胱〕

铫(銚)
guāng (광)
명 《化》 라듐(Ra: radium). =〔镭léi〕

广(廣)
guǎng (광)
① 형 넓다. ¶地~人多; 땅이 넓고 사람은 많다 / 宽~; (면적·범위가) 넓다 / 推行得很~; 매우 널리 행해지다 / ~为宣传; 널리 선전하다. ↔〔狭xiá〕 ② 형 많다. ¶阅yuè历甚~; 매우 많은 경력을 갖고 있다 / 大庭~众; 많은 사람이 있는 곳 / 增zēng~; 많게 하다. 늘리다. ③ 동 넓히다. 확대하다. ¶~一~见闻; 견문을 넓히다 / 推~; 확대하다. 보급하다. ④ 명 나비. 폭(幅). ¶东西~五百里, 南北长千里; 동서의 너비 5백 리, 남북의 길이 천 리 / 长cháng五丈, ~三丈; 길이 5장, 폭 3장. ⑤ 명 《地》〈簡〉 광둥 성과 광저우(廣州)의 약칭. ¶两Liǎng~; 광둥 성(廣東省)과 광시(廣西) 치완족(族)의 자치구. ⑥ 명 성(姓)의 하나. ⇒ān
〔广安门〕 Guǎng'ānmén 명 베이징(北京) 외성(外城)의 서쪽에 있는 문(흔히 '彰仪门'이라고도 부름).
〔广办〕 guǎngbàn 동 널리〔광범위하게〕 행하다.
〔广帮〕 guǎngbāng 명 〈簡〉 광둥(廣東) 상인. =〔广东帮〕〔广庄〕
〔广包〕 guǎngbāo 명 광둥(廣東)산의 식물인 암페라(amparo)로 짠 돗자리.
〔广被〕 guǎngbèi 동 〈文〉 널리 은혜가 미치다.
〔广播〕 guǎngbō 동 ①방송하다(유선 방송도 포함). ¶~新闻; 뉴스를 방송하다. ②(소문 따위를) 퍼뜨리다. 명 방송. 라디오 방송. 텔레비전 방송. ¶听~; 방송을 듣다 / ~节目; 방송 프로그램 / 调tiáo频~; 에프 엠(FM) 방송 / 电视~台; 텔레비전 방송국 / ~评论员; 라디오 해설자 / ~函授; 방송 통신 교육 / ~稿; 방송 원고 / ~员 =〔播音员〕; 아나운서 / ~实况; 실황 방송 / ~网; 방송망 / ~发射电力; 라디오 송신기의 출력 / ~站; 방송 센터.
〔广播电视大学〕 guǎngbō diànshì dàxué 명 (라디오·텔레비전) 방송 통신 대학.
〔广播电台〕 guǎngbō diàntái 명 방송국. ¶中央人民~; 중앙 인민 방송국.
〔广播段〕 guǎngbōduàn 명 《電》 일반 무선 방송에서 사용하는 주파수의 범위.
〔广播剧〕 guǎngbōjù 명 방송극.
〔广播体操〕 guǎngbō tǐcāo 명 방송 체조. =〔广播操〕
〔广博〕 guǎngbó 형 (학식 따위가) 해박하다. ¶知识~; 박식하다.
〔广长舌〕 guǎngchángshé 명 장광설(長廣舌).
〔广场〕 guǎngchǎng 명 광장. ¶天安门~; 천안문 광장.
〔广大〕 guǎngdà 형 ①(면적·공간이) 넓다. 광대하다. 광활하다. ¶~区域; 광대한 구역. ②(범위·규모가) 크다. 거대하다. ¶~的组织; 거대한 조직 / 掀起~的增产节约的运动; 광범한 증산 절약 운동을 불러일으키다. ③(사람 수가) 많다. ¶~群众; 많은 대중 / ~职工; 수많은 직원과 노동자.
〔广东帮〕 guǎngdōngbāng 명 ⇨〔广帮〕

〔广东佬〕 guǎngdōnglǎo 명 광둥(廣東) 놈《멸시의 뜻이 담겨 있음》.
〔广东戏〕 Guǎngdōngxì 명 《劇》 광둥 성(廣東省) 지방의 연극. =〔粤yuè剧〕
〔广东音乐〕 Guǎngdōng yīnyuè 명 《樂》 광둥 성(廣東省) 일대의 민간 음악《'二胡', '扬琴' 따위 현악기가 주된 악기임》.
〔广度〕 guǎngdù 명 넓이. 퍼지는 정도. 범위《주로 추상적인 것에 쓰임》.
〔广而言之〕 guǎng ér yán zhī 일반적으로 말하면. 대략적으로〔대충〕 말하면.
〔广泛〕 guǎngfàn 형 (공간이) 광범위하다. 광범위에 미치다. ¶～调查; 광범위하게 조사하다 / 涉及得很～; 광범위하게 관련되다 / ～发动群众; 광범위하게 대중을 동원하다.
〔广柑〕 guǎnggān 명 《植》 오렌지의 하나《광둥(廣東)·쓰촨(四川)·후난(湖南)·푸젠(福建)·타이완(臺灣) 등지에서 산출》.
〔广告〕 guǎnggào 명 광고. 선전. ¶～画; 포스터 / ～户; 광고주 / ～栏; 광고란 / ～牌; 광고(게시)판 / ～设计; 상업 디자인 / ～气球; 광고 애드벌룬 / ～刊例; 광고 요금 규정 / ～信件; 광고 우편물 / ～色; 포스터 컬러 / 登～; 광고를 내다 / 做～; 광고하다 / 揭下～; 포스터를 떼다 / 招收工人的～; 공원 모집 광고.
〔广寒宫〕 Guǎnghángōng 명 광한궁《전설상의 월궁(月宮)》.
〔广红〕 guǎnghóng 명 《藥》 (약재로 쓰이는) 광둥산(廣東産)의 '橘jú红①'. =〔广皮〕
〔广花〕 guǎnghuā 명 《植》 광둥산(廣東産)의 쪽.
〔广货〕 guǎnghuò 명 ①광둥(廣東)제의 상품. ②광저우(廣州)를 경유하여 수입된 외래품. ¶～铺; 양품점.
〔广交〕 guǎngjiāo 명 광범위한 교제. 동 널리 교제하다.
〔广胶〕 guǎngjiāo 명 광둥(廣東)에서 나는 상품(上品) 아교(阿膠).
〔广角〕 guǎngjiǎo 명 광각(廣角). ¶～镜(头); 《物》 광각 렌즈.
〔广九铁路〕 GuǎngJiǔ tiělù 명 광저우(廣州) 주룽(九龍) 간의 철도.
〔广居〕 guǎngjū 명 〈文〉 광대한 저택. =〔广宅〕
〔广开言路〕 guǎng kāi yán lù 〈成〉 널리 언론 발표의 길을 열다.
〔广阔〕 guǎngkuò 형 넓다. 광활하다. ¶地方～; 장소가 넓다 / 人缘～; 교제가 넓다 / ～的前途; 광활한 전도 / ～天地, 大有作为; 넓은 천지에는 할 일이 많다.
〔广拉〕 guǎnglā 명 광둥(廣東)어의 음을 라틴 문자로 나타낸 것.
〔广梨〕 guǎnglí 명 《植》 배의 일종. =〔鸭儿广(梨)〕
〔广亮大门〕 guǎngliàng dàmén 명 널찍하고 훌륭한 대문.
〔广料〕 guǎngliào 명 광둥산(廣東産)의 유리 기구.
〔广轮〕 guǎnglún 명 지형(地形)의 넓이.
〔广罗〕 guǎngluó 동 〈文〉 널리 망라하다.
〔广袤〕 guǎngmào 명 〈文〉 (땅의) 넓이《동서를 '广', 남북을 '袤'라고 함》. ¶～几千里; 땅의 넓이가 기천 리. 형 넓디 넓다. ¶～的丘陵地带; 넓디 넓은 구릉 지대.
〔广漠〕 guǎngmò 형 〈文〉 끝없이 넓다. 넓고 아득하다. =〔广莫〕
〔广辟〕 guǎngpì 동 열다. 넓히다. ¶～饲料来源; 사료의 공급원을 넓히다.
〔广渠门〕 Guǎngqúmén 동 베이징(北京) 외성(外城)의 동쪽에 있었던 성문《흔히 '沙窝门'라고 부름》.
〔广颡〕 guǎngsǎng 형 이마가 넓다. 명 넓은 이마.
〔广厦〕 guǎngshà 명 널찍한 집. ¶～万间; 널찍한 집이 대단히 많다.
〔广参〕 guǎngshēn 명 《動》 닝보산(寧波産)의 해삼.
〔广嗣〕 guǎngsì 명 (자녀가 많은) 자식복.
〔广土众民〕 guǎng tǔ zhòng mín 〈成〉 땅이 넓고 인구가 많음.
〔广心树〕 guǎngxīnshù 명 ⇨〔黄心树①〕
〔广延〕 guǎngyán 명 《物》 연장.
〔广延属性〕 guǎngyán shǔxìng 명 광연(廣延)의 속성. 널리 퍼지는 속성.
〔广义〕 guǎngyì 명 광의(廣義). ↔〔狭xiá义〕 동 〈文〉 뜻을 넓히다. 형 일반화한. 보편화된.
〔广有〕 guǎngyǒu 동 〈文〉 많이 가지고 있다. ¶～家财; 재산을 많이 가지고 있다.
〔广玉兰〕 guǎngyùlán 명 《植》 양옥란.
〔广远〕 guǎngyuǎn 형 광원하다. 광활하고 요원하다. 한없이 넓고 멀다.
〔广众〕 guǎngzhòng 명 〈文〉 많은 사람.
〔广种薄收〕 guǎng zhòng bó shōu 〈成〉 넓은 땅에 파종하여 적은 수확을 올리다.
〔广种多收〕 guǎng zhòng duō shōu 〈成〉 보다 넓은 면적에 파종하여 보다 많은 수확을 거두다.

犷(獷) guǎng (광)

형 〈文〉 조야(粗野)하다. 거칠다. =〔粗cū犷〕〔犷悍hàn〕

逛 guàng (광)

동 어슬렁어슬렁 걷다. 놀러 다니다. 한가롭게 거닐다. ¶遊～; 놀러 다니다 / ～公园(去); 공원에 산보 가다 / 闲～; 빈들빈들 놀다〔산책하다〕.
〔逛荡〕 guàngdang 동 ①빈들빈들 돌아다니다. 어슬렁거리다. ②(액체를) 흔들다. ¶别把水～洒了! 물을 흔들어 엎지르지 마라!
〔逛灯〕 guàngdēng 동 (음력 정월 15일에) 등롱(燈籠)을 구경하러 가다.
〔逛街(儿)〕 guàng,jiē(r) 동 거리를 어슬렁거리다.
〔逛景〕 guàng,jǐng 동 경치를 구경하며 걷다.
〔逛客〕 guàngkè 명 유객(遊客). 유람객.
〔逛里逛荡〕 guàngli guàngdang ①흔들흔들하다. 빈둥빈둥하다. ②(헐렁하여) 어울리지 않는 모양. ¶衣服又肥又长, 穿着～; 옷이 너무 헐렁하고 길어서 입으니까, 어울리지 않아 볼품이 없다. =〔狂里狂荡〕
〔逛庙〕 guàng,miào 동 절의 공양날에 구경할 겸 놀러 가다.
〔逛青(儿)〕 guàng,qīng(r) 동 교외(郊外)를 산책하다. 들놀이 가다.
〔逛山游景〕 guàngshān yóujǐng 산으로 경치 구경 가다. →〔逛景〕
〔逛头(儿)〕 guàngtou(r) 명 놀러 갈 만한 가치. 놀러 가는 목적. ¶那儿不过只有几座破庙, 没什么～; 그 곳에는 겨우 몇 채의 낡은 절뿐이므로, 별로 놀러 갈 만한 가치가 없다.
〔逛窑子〕 guàng yáozi 기생 집에 놀러 가다. =〔逛道儿〕

〔逛野景儿〕 guàng yějǐngr 들과 산으로 놀이 가다. =〔逛野意儿〕

桄 **guàng** (광)
①명 베틀의 가로 나무. ②명 사닥다리의 가로장. ③(～子) 명 대나무로 만든 실패. ④동 실을 실패에 감다. ¶把线～上; 실을 실패에 감다. ⑤양 타래. ¶一～线; 실 한 타래. ⇒guāng

GUI ㄍㄨㄟ

归(歸) **guī** (귀)
①동 돌아가다. 돌아오다. ¶～家; 집에 돌아가다〔오다〕/ 早出晚～; 아침 일찍 집을 나서서 밤 늦게 돌아오다 / 无家可～; 〈成〉 돌아갈 집이 없다. =〔返fǎn回〕 ②동 돌려 주다. 반환하다. ¶物～原主; 물건을 본디 임자에게 돌려 주다 / 久假不～; 〈成〉 장기간 빌려 간 채 돌려 주지 않다 / 过年再～我; 설 쇠고 나서 돌려주시오 / 把所欠的都～上了; 빌린 것을 모두 돌려 주었다. =〔还huán给〕 ③동 집중하다. 쏠리다. 몰려들다. 모이다. ¶殊途同～; 〈成〉 가는 길은 다르지만 같은 곳에 닿다〔이르다〕. ④동 한데 모으다〔뭉뚱그리다〕. 정리하다. ¶百川～海hǎi; 여러 강물이 바다로 모인다. 처치〔처리〕하다 / 把农具～到一块儿; 농기구를 한데 모으다〔챙기다〕/ 行李都～着好了; 짐은 모두 잘 정리〔처리〕했다. ⑤…에게 돌아가다〔돌리다〕. …의 책임으로 하다. …에 속하다. …이 되다. ¶光荣～于战斗英雄; 영광은 전투 영웅의 것이다 / 这事～我办; 이 일은 내 책임하에 한다 / 饭～你做, 菜～我买; 밥을 짓는 것은 네가 맡고, 찬거리를 사는 것은 내가 맡는다 / ～为国有; 국가 소유가 되다 / 这几所房子～他了; 이 몇 채의 집은 그의 것이 되었다 / 你不请假就～为旷工; 휴가원을 내지 않으면 결근으로 된다. ⑥명 《數》 주산·나눗셈의 구구. ¶九～诀; (나눗셈의) 구구. ⑦동 귀화(歸化)하다. ¶老西子～了臭迷子; 산시(山西) 사람이 둥베이(東北) 사람이 되었다. ⑧중첩동사 사이에서 동작이 서로 관련되지 않거나 결과가 없음을 나타냄. ¶报名～报名了, …; 신청하는 것은 신청하는 것이고…. ⑨명 성(姓)의 하나.

〔归案〕 guī'àn 동 《法》 (범인이 잡혀) 사건이 해결되다. 사건이 심판에 부쳐지다.

〔归本〕 guīběn 동 ①원금(元金)을 돌려 주다. ②근본으로 돌아가다. ‖ =〔归本还原〕

〔归并〕 guībìng 동 (한데) 합치다. 합병하다. ¶把三笔账～起来, 一共是五千五百元; 세 개의 셈을 합치면, 전부해서 5,500원입니다.

〔归偿〕 guīcháng 동 〈文〉 반제(返濟)하다. 갚다.

〔归程〕 guīchéng 명 귀로(歸路).

〔归除〕 guīchú 명 《數》 수판의 두 자리 이상의 나눗셈.

〔归大堆〕 guī dàduī ①모두의 것이 되다. ②〈方〉 몰수하다.

〔归档〕 guī.dàng 동 ①(관청 등에서) 일의 처리를 끝내다. ②(문서·자료를) 분류하여 보존하다. ¶整理～的工作; 문서를 정리·보존하는 일.

〔归堆〕 guīduī 동 ①한데 모으다. 하나로 묶다. ②일괄하다. 명 〈轉〉 결국.

〔归队〕 guī.duì 동 ①귀대하다. ②〈比〉 원래의 업무로 돌아가다.

〔归掇〕 guīduo 동 처치〔정돈·정리〕하다. 매듭짓다.

〔归而不还〕 guī ér bùhuán 말뿐인 반환.

〔归法〕 guīfǎ 명 《數》 주산(籌算)의 나눗셈. ¶找一个会～的人去和张富英算账《周立波 暴風驟雨》; 주판(籌板)을 놓을 줄 아는 사람을 데려가 장부영(張富英)과 결산해라.

〔归附〕 guīfù 동 ①귀순(歸順)하다. =〔归服〕〔归命〕〔归顺〕 ②(…측(側)에) 붙다. 따르다. ¶～国法; 국법에 순종하다.

〔归复〕 guīfù 동 〈文〉 복귀하다. 회복하다. ¶～古gǔ制; 옛 제도로 되돌아가다.

〔归根(儿)〕 guīgēn(r) 부 마침내. 드디어. 결국. 필경. ¶忙了几天～把事办成了; 며칠간 바쁘게 보내더니, 결국 일을 성사시켰다.

〔归根结底〕 guī gēn jié dǐ 〈成〉 결국. 끝내. ¶～一个字, 就是干! 결국 한 마디로 말해, 한다는 것이다! / ～是世界观的问题; 결국 세계관의 문제다. =〔归根到底〕〔归根结柢〕〔归根结蒂〕

〔归公〕 guī.gōng 동 ①몰수하다. ¶～招zhāo变; 몰수하여 국유로 한 뒤에 불하하다. =〔归官〕 ②공유(公有)로 하다.

〔归功(于)〕 guīgōng(yú) 동 …의 공으로 돌리다. …의 덕택으로 하다. ¶把伟大的成就～于群众的努力; 위대한 성과를 대중의 노력 덕택이라고 하다.

〔归骨〕 guīgǔ 동 타향에서 죽은 사람의 유골을 고향에 묻다.

〔归国〕 guīguó 동 귀국하다.

〔归航〕 guīháng 동 귀항하다.

〔归化〕 guīhuà 동 ①귀화하다. ②귀순하다. =〔归顺〕 ‖ =〔附fù化〕

〔归还〕 guīhuán 동 ①돌려 주다. 갚다. 반환하다. ¶按时～; 기일대로 반환하다 / ～原处; 본디 장소에 되돌려 두다 / 这笔钱～给他, 不就完了吗? 이 돈을 그에게 갚으면 그것으로 끝이 아닌가? =〔还归〕 ②〈文〉 돌아오다. 귀환하다.

〔归寂〕 guījì 명동 《佛》 입적(入寂)(하다). =〔归元〕〔归真〕

〔归缴〕 guījiǎo 동 (도로) 갚다. 반제(返濟)하다.

〔归结〕 guījié 동 ①귀결하다. (논(論)·생각을) 개괄(概括)하다. 결말〔매듭〕짓다. ¶原因很复杂, ～起来不外三个方面; 원인은 아주 복잡하지만 따지고 보면 세 방면에 지나지 않는다. ②정리〔처치〕하다. 치우다. 명 귀결. 결과. 결국. 결말. ¶这部小说, ～总是大团圆; 이 소설의 결말은 꼭 해피 엔드로 끝난다.

〔归究〕 guījiū 부 결국(은).

〔归咎(于)〕 guījiù(yú) 동 〈文〉 …의 탓으로 돌리다. 죄를 뒤집어씌우다. ¶把自己的失败～于缺乏武器; 자신의 실패를 무기의 결핍 탓으로 돌리다.

〔归款〕 guīkuǎn 동 돈을 갚다.

〔归老〕 guīlǎo 동 〈文〉 노령으로 관직에서 물러나다. =〔归隐〕〔拂fú衣〕

〔归老包堆〕 guīlǎobāoduī 부 ⇨〔归里包堆〕

〔归了包堆〕 guīlebāoduī 부 ⇨〔归里包堆〕

〔归类〕 guī.lèi 동 (강목(綱目)에 따라) 분류하다.

〔归里包堆〕 guīlibāoduī 부 〈方〉 전부 합쳐서. 통틀어(서). ¶～全买; 통틀어 모두 사다 / 这些东西～多少钱? 이 물건들은 모두 합쳐 얼마냐? =〔归了包堆〕〔归老包堆〕

〔归拢〕 guīlǒng 동 한데 모으다. 집결하다. ¶请你把这些茶杯～～! 이 찻잔들을 모아 주십시오! =〔归聚〕

〔归马放牛〕 guī mǎ fàng niú 〈成〉 전쟁에 징발했던 마소를 돌려 주다《전쟁을 그만두다》.
〔归命〕 guīmìng 명동 ⇨〔归顺〕
〔归谬法〕 guīmiùfǎ 명 ⇨〔反fǎn证法〕
〔归纳〕 guīnà 명동 귀납(하다). ¶～出一个道理来; 귀납하여 하나의 도리〔이치〕를 도출해 내다. ↔〔演yǎn绎〕
〔归宁〕 guīníng 동 〈文〉 (출가한 뒤에) 친정 부모를 뵈러 돌아오다.
〔归弄〕 guīnòng 동 치우다.
〔归辔〕 guīpèi 명 〈文〉 (말을 타고 가는) 귀로(歸路).
〔归期〕 guīqī 명 돌아가는 시기〔기일〕. 귀환일.
〔归齐〕 guīqí 〈方〉 동 합계하다. 합치다. ¶～不到一个月; 합쳐서 한 달이 안 되다. 명 결국. 최후. ¶说了～, 还是…; 결국 말하자면 역시… / 说了～, 你还不成; 결국 너는 아직 멀었다. ‖=〔归实〕
〔归侨〕 guīqiáo 명 〈簡〉 귀국한 교포.
〔归清〕 guīqīng 동 죄다 갚다. 청산하다. ¶～欠款; 빌린 돈을 죄다 갚다 / 借了这么多债就无法～; 이렇게 많은 빚을 지고는 다 갚을 수가 없다. =〔归楚〕
〔归入〕 guīrù 동 편입하다. 포함시키다.
〔归煞〕 guīshà 명 사람이 죽으면 그 날의 간지(干支)로 혼이 떠난 날짜를 추산(推算)하여, 사후(死後) 그 혼은 그 날짜에 의해서 이 세상으로 다시 돌아오는 일. =〔回煞〕
〔归实〕 guīshí 명동 ⇨〔归齐〕
〔归世〕 guīshì 동 ⇨〔归天〕
〔归属〕 guīshǔ 동 귀속하다. …에 속하다. ¶无所～; 귀속할 곳이 없다. 명 소유권. 관할권.
〔归束〕 guīshù 동 ①종결하다. 낙착되다. 귀결되다. ¶交涉暂时～; 교섭은 일단 낙착〔타결〕되었다. ②안정되다. 자리잡다. ¶刚搬过来的, 还没有～; 지금은 막 이사해서 아직 안정되지 않았다.
〔归顺〕 guīshùn 명동 귀순(하다). 귀복(하다). =〔归服〕〔归附①〕〔归命〕〔归化②〕 (Guīshùn) 명 《地》 윈난 성(雲南省)의 옛 주명(州名)《지금의 징시 현(靖西縣)》.
〔归宿〕 guīsù 명 귀착점. 귀결점.
〔归天〕 guī.tiān 동 〈婉〉 죽다. 서거(逝去)하다. 승천(昇天)하다. =〔归世〕〔归古〕〔归土〕〔归西〕〔归休②〕
〔归田〕 guītián 동 관직을 그만두고 고향으로 돌아가다. ¶解甲～; 〈成〉 무장을 풀고 고향으로 돌아가다. =〔归耕〕
〔归途〕 guītú 명 귀로(歸路).
〔归为〕 guīwéi 동 (…로) 요약〔정리〕되다. (…로) 귀납하다. ¶把意见～三条; 의견을 세 줄기로 요약하다.
〔归位〕 guī.wèi 동 자기 위치로 돌아가다.
〔归西〕 guīxī 동 ⇨〔归天〕
〔归降〕 guīxiáng 동 ⇨〔降服〕
〔归向〕 guīxiàng 동 …에 기울다. …에 쏠리다. ¶人心～大致已定; 인심이 향하는 곳은 대체적으로 정해졌다 / 群众一定～我们的; 대중은 반드시 우리 편에 붙을 것이다.
〔归心〕 guīxīn 명 (고향·집에) 돌아가고 싶은 마음. ¶～如箭 =〔～似箭〕; 〈成〉 돌아가고 싶은 마음 간절하다. 동 ①심복(心服)하다. ¶天下～; 천하가 심복하다. ②(guī.xīn) 본원(本源)으로 돌아가다. 본줄기로 돌아가다.
〔归信〕 guīxìn 동 신앙에 귀의(歸依)하다.
〔归省〕 guīxǐng 동 〈文〉 귀성하다. 고향에 돌아가 부모를 뵙다. =〔归省父fù母〕
〔归休〕 guīxiū 동 〈文〉 ①일을 그만두고 집이나 고향으로 돌아가 휴양하다. ②⇨〔归天〕
〔归依〕 guīyī 동 《佛》 ①귀의하다. =〔皈依〕 ②의지하다. 의탁하다. 의뢰하다. 붙다. ¶无所～; 의지할 곳이 없다.
〔归因于〕 guīyīnyú 동 원인을 …에 돌리다. …의 탓으로 돌리다.
〔归隐〕 guīyǐn 동 ⇨〔归老〕
〔归于〕 guīyú 동 ①…로 돌아가다. …에 돌리다. ¶光荣～祖国; 영광을 조국에 돌리다. ②…로 끝나다. …로 귀결하다. …이 되다. ¶经过讨论, 大家的意见～一致; 토론을 거쳐 모두의 의견이 일치가 되었다.
〔归狱〕 guīyù 동 ⇨〔归罪(于)〕
〔归元〕 guīyuán 명동 《佛》 입적(하다). 귀적(하다). =〔归寂〕
〔归赵〕 guīzhào 동 〈文〉 (빌렸던 것을 원주인에게) 돌려 주다. =〔奉赵〕〔完璧归赵〕〔还璧〕
〔归着〕 guīzhe 동 〈口〉 정리하다. 치우다. ¶把东西～, 马上就要动身了; 물건을 정리하고 곧 출발한다. =〔归置〕
〔归真〕 guīzhēn 동 본래의 모습으로 돌아오다. 명동 ⇨〔归寂〕
〔归置〕 guīzhi 동 〈口〉 치우다. 정리하다. ¶行李都～好了; 행장은 다 정리했다. =〔归着〕
〔归终〕 guīzhōng 동 매듭을 짓다. 부 결국. 요컨대.
〔归主〕 guīzhǔ 동 주님 곁으로 돌아가다《기독교·이슬람교에서 '죽음'을 말함》.
〔归宗〕 guīzōng 동 (양자가) 생가에 돌아오다.
〔归总〕 guīzǒng 동 (한곳에) 모으다. 합계하다. ¶～一句话, 你是答应还是不答应? 한 마디로 말해서 승낙하는 거냐 안 하는 거냐?
〔归罪(于)〕 guīzuì(yú) 동 (…에게) 죄를 씌우다. 잘못을 전가하다. (…의) 탓으로 돌리다. ¶一切失败～他; 모든 실패를 그의 탓으로 돌리다. =〔归狱〕

圭 guī (규)

①명 규. ¶～玉 =〔～璧〕; 옥(玉)의 일종《위가 뾰족하고 밑이 네모진 옥으로, 옛날 천자·제후(諸侯)가 의식을 거행할 때에 손에 쥐었음》. =〔珪guī①〕 ②명 옛 천문 관측용 해시계의 일종. ③양 옛날 용적(容積) 단위《1'升'의 10만분의 1》.
〔圭璧〕 guībì ①→〔字解①〕 ②명 〈比〉 인품.
〔圭表〕 guībiǎo 명 옛날의 천문 관측용 기구로 해시계의 하나.
〔圭角〕 guījiǎo 명 ①규(圭)의 모진 곳. ②〈轉〉 (사람의 성격이) 모남. ¶不露～; 〈成〉 (성격이) 모난 것을 밖으로 드러내지 않는다.
〔圭臬〕 guīniè 명 ①해의 그림자를 재어 높이를 측정하는 기구와 표적. ②〈比〉 표준. 준칙. 모범. 법제(法制). ¶奉fèng为～; 받들어 모범으로 삼다.
〔圭亚那〕 Guīyànà 명 《地》 〈音〉 가이아나(Guyana)《수도는 '乔Qiáo治敦'(조지타운: Georgetown)》.
〔圭璋〕 guīzhāng 명 ①규장. ②〈比〉 고귀한 인품. ¶～特达; 인품이 특히 훌륭하다.

邽 guī (규)

①지명용 자(字). ¶下～; 샤구이(下邽)《산시 성(陝西省)에 있는 땅 이름》. ②명 성(姓)의 하나.

闺(閨) guī (규) 명 ①여자의 침실. 규방. ②궁중(宮中)의 작은 문. ③여성에 관한 일에 붙이는 말.
〔闺范〕 guīfàn 명 ①여자의 모범. 부덕(婦德). 규중(閨中)의 예의범절. ②〈比〉 예의바르고 모범적인 여자.
〔闺房〕 guīfáng 명 여자의 침실. 규방.
〔闺阁〕 guīgé 명 ①여자의 거실. 내실(內室). ②〈轉〉 여성. 여자. 부인.
〔闺阃〕 guīkǔn 명 ⇨〔壸kǔn闱〕
〔闺门〕 guīmén 명 ①규방의 문. ②〈轉〉 여성의 정조. 풍기. ¶～不谨; 가정의 풍기가 문란하다.
〔闺门旦〕 guīméndàn 명 《劇》 (연극에서) 처녀역(役). =〔小xiǎo旦〕
〔闺女〕 guīnǚ 명 ①(규중) 처녀. ②젊은 여자《미혼·기혼을 다 포함함》. ¶～小子; 젊은 여자와 남자. ③〈口〉 딸. ¶这是我的～; 이 애는 내 딸이다.
〔闺器〕 guīqì 명 〈文〉 옛날, 여자가 쓰던 요강. →〔夜yè壶〕
〔闺室〕 guīshì 명 〈文〉 규방. 내실. ¶不安于～; (여자가) 방 안에 가만히 있지 못하다.
〔闺闼〕 guītà 명 여자의 거실. 도장방.
〔闺庭〕 guītíng 명 〈文〉 가정.
〔闺秀〕 guīxiù 명 ①규수. ②재주와 학문이 뛰어난 여성. ③옛날, 부자로 명성 있는 집안 딸. 대갓집 딸.
〔闺怨〕 guīyuàn 명 〈文〉 ①여자의 맺힌 원한. 규원. ②규원시(閨怨詩).

珪 guī (규) 명 ①⇨〔圭①〕 ②⇨〔硅〕

硅 guī (규) 명 《化》 규소. 실리콘(Si: silicon). =〔〈文〉矽xī〕〔珪guī②〕
〔硅薄片〕 guībópiàn 명 《機》 실리콘 웨어.
〔硅尘〕 guīchén 명 (규폐증(硅肺症)의 원인이 되는) 분진(粉塵).
〔硅肺(病)〕 guīfèi(bìng) 명 《醫》 규폐증(硅肺症).
〔硅酐〕 guīgān 명 《化》 이산화규소. =〔二氧化硅〕
〔硅钢〕 guīgāng 명 《工》 규소강(硅素鋼). ¶～板; 규소 강판(硅素鋼板).
〔硅钢片〕 guīgāngpiàn 명 《工》 규소 강판(硅素鋼板). =〔硅钢皮〕〔硅铁皮〕
〔硅华〕 guīhuá 명 《地質》 규토(硅土)의 침전물.
〔硅胶〕 guījiāo 명 《化》 실리카 겔(silica gel)《방습·건조제》. =〔氧化硅胶〕
〔硅铝敏〕 guīlǚmǐn 명 《化》 실루민(silumin).
〔硅锰钢〕 guīměnggāng 명 실리콘 망간강(鋼).
〔硅砂〕 guīshā 명 《鑛》 규사. =〔白bái砂〕
〔硅石〕 guīshí 명 《鑛》 규석.
〔硅树脂〕 guīshùzhī 명 《化》 실리콘 수지. 규소수지.
〔硅酸〕 guīsuān 명 《化》 규산. ¶～盐; 규산염.
〔硅酸钙〕 guīsuāngài 명 《化》 규산칼슘.
〔硅酸钾〕 guīsuānjiǎ 명 《化》 규산칼륨(kalium).
〔硅酸铝〕 guīsuānlǚ 명 《化》 규산알루미늄.
〔硅酸钠〕 guīsuānnà 명 《化》 규산나트륨. 규산소다.
〔硅铁〕 guītiě 명 《化》 규소철. 페로실리콘.
〔硅酮〕 guītóng 명 《化》 실리콘. ¶～树shù脂; 실리콘 수지.
〔硅橡胶〕 guīxiàngjiāo 명 《化》 실리콘 고무. =〔硅酮橡胶〕
〔硅岩〕 guīyán 명 《鑛》 석영암. =〔石shí英岩〕
〔硅藻〕 guīzǎo 명 《植》 규조(총칭).
〔硅藻土〕 guīzǎotǔ 명 《鑛》 규조토.
〔硅砖〕 guīzhuān 명 규석 벽돌.

鲑(鮭) guī (규) 명 ①《魚》 연어. =〔鲑鱼〕〔大麻哈鱼〕〔撒蒙鱼〕 ②《魚》 복어의 별칭. =〔河豚hétún〕 ⇒xié

龟(龜) guī (귀) 명 ①《動》 거북. ②〈罵〉 기생 오라비. →〔龟公gōng〕 ⇒jūn qiū
〔龟板〕 guībǎn 명 《漢醫》 귀갑(龜甲)《약용(藥用)》. =〔龟版〕
〔龟鸨〕 guībǎo 명 〈貶〉 옛날, 기생집의 유객꾼과 기생 어미에 대한 멸칭(蔑稱). =〔龟婆〕
〔龟贝〕 guībèi 명 옛날에, 거북 등갑으로 만든 화폐. =〔龟货〕
〔龟坼〕 guīchè 동 〈文〉 가뭄으로 논바닥이 갈라지다.
〔龟鼎〕 guīdǐng 명 〈文〉 ①(국가의 보기(寶器)인) 원귀(元龜)와 구정(九鼎). ②〈比〉 제위(帝位). 왕위(王位).
〔龟趺〕 guīfū 명 거북 모양의 비석의 대좌(臺座). 귀부.
〔龟公〕 guīgōng 명 ①〈罵〉 오쟁이 진 서방. ②기루(妓樓)의 포주 따위. 여자를 이용하여 돈을 버는 사람. 기둥서방.
〔龟鹤〕 guīhè 명 거북과 학. 〈比〉 장수(長壽). =〔龟龄〕
〔龟甲〕 guījiǎ 명 거북의 등딱지.
〔龟甲文〕 guījiǎwén 명 ⇨〔甲骨文〕
〔龟鉴〕 guījiàn 명 〈文〉 귀감. 본보기. 모범. =〔龟镜〕
〔龟镜〕 guījìng 명 ⇨〔龟鉴〕
〔龟壳(儿)〕 guīké(r) 명 귀갑. 거북의 등껍데기.
〔龟纽〕 guīniǔ 명 거북 모양의 도장 손잡이.
〔龟筮〕 guīshì 명 귀갑과 점대《점복(占卜)》.
〔龟孙〕 guīsūn 명 〈罵〉 개새끼. 염병할 녀석.
〔龟缩〕 guīsuō 동 〈轉〉 (거북이 머리를 귀갑 속에 움츠리듯이) 움츠리다. 웅크리다. 위축되다.
〔龟头〕 guītóu 명 《生》 귀두.
〔龟纹〕 guīwén 명 거북 등껍질 무늬. =〔龟文〕
〔龟胸〕 guīxiōng 명 새가슴.
〔龟兆〕 guīzhào 명 옛날에, 거북 등을 태워 갈라진 무늬를 보고 점치던 길흉의 조짐.
〔龟足〕 guīzú 명 《動》 거북다리. 거북손. =〔石蜐jié〕

妫(媯) Guī (규) 명 ① 《地》 구이 허(嬀河)《허베이 성(河北省)에 있는 강 이름》. ②성(姓)의 하나.

规(規〈槼〉) guī (규) ① 명 컴퍼스. ¶线～; 와이어 게이지 / 块～; 스냅 게이지 / 塞～; 센터 게이지. =〔两liǎng脚规〕〔圆yuán规〕 ② 명 원형. ③ 명 규정. 규칙. 규율. ¶校～; 교칙. ④ 명 습관. 관습. 전례. ¶革除陋lòu～; 폐습을 고치다 / 墨mó守成～; 기존의 관습을 그대로 지키다. ⑤ 명 꾀. 계책. ⑥ 동 〈文〉 본뜨다. ⑦ 동 〈文〉 간(諫)하다. 충고하다. ⑧ 동 〈文〉 계획하다. 생각을 정하다. 꾀하다. ¶欣然～往; 기꺼이 나갈 채비를 하다.
〔规避〕 guībì 동 (교묘히) 예봉〔공격의 화살〕을 피

하다. ¶～责任; 책임을 회피하다 / 一个国家履行国际协议的义务是不容～的; 국가가 국제 협정에 따른 의무 이행을 회피하는 것은 용납되지 않는다.
〔规程〕 guīchéng 명 ⇨〔规则〕
〔规尺〕 guīchǐ 명 정규(定規). 자.
〔规定〕 guīdìng 동 규정하다. 정하다. ¶依照法律～的条件, …; 법률의 정하는 조건에 의거하여… / 我们～要尊重老师, 要讲究礼貌; 우리는 선생님을 존경하고, 예의를 중시해야 한다고 정했다. 명 ①규정. 규칙. ¶咱们学校有～, 只要损坏了公物一律要赔; 우리 학교에는 공용물을 파손하면 모두 변상한다는 규칙이 있다 / ～动作比赛; 《體》 규정 연기(演技). ②《化》 규정. 용액의 농도를 나타내는 단위의 하나.
〔规定液〕 guīdìngyè 명 《化》 규정액.
〔规阀〕 guīfá 명 《機》 게이지 밸브. 표준 밸브.
〔规范〕 guīfàn 명 ①규범. 모범. ¶合乎～; 규범에 맞다. ②규격. =〔规格〕 형 규범에 맞다. 표준에 맞다. ¶这个词的用法不～; 이 낱말의 쓰임새는 규범에 맞지 않는다.
〔规费〕 guīfèi 명 규정 수수료.
〔规复〕 guīfù 동 〈文〉 (본디 상태〔구제도〕로) 되돌아가다. 부활시키다. ¶～法制; 법제도를 부활시키다.
〔规格〕 guīgé 명 (제품의) 규격. ¶不合～; 규격에 맞지 않다.
〔规规矩矩〕 guīguijǔjǔ 형 고지식하다. 착실하고 꼼꼼하다. ¶～慢条斯理(儿); 고지식하고 딱딱하다 / ～地过日子; 정직하고 진실한 생활을 하다.
〔规过〕 guīguò 동 〈文〉 잘못을 책하여 바로잡다.
〔规划〕 guīhuà 명 기획. 계획. ¶～蓝图; 계획의 청사진 / 远景～; 장래의 전망이 있는 계획 / 取消～; 계획을 철회하다 / 订出大体～; 대강의 계획을 세우다.
〔规诲〕 guīhuì 동 〈文〉 타일러 깨우치다.
〔规谏〕 guījiàn 동 〈文〉 바르게 충고하다〔권고하다〕.
〔规戒〕 guījiè 동 〈文〉 바르게 훈계하다. 주의시키다. =〔规诫〕
〔规镜〕 guījìng 명 〈文〉 훈계가 되는 거울. 감계(鑑戒). ¶义yì多～; 훈계하는 뜻이 많다.
〔规矩〕 guījǔ 명 컴퍼스와 곱자. ¶～绳shéng墨 =〔～准zhǔn绳〕; 〈文〉 규거 준승(規矩準繩). 근거로 할 일정한 법도.
〔规矩〕 guīju 명 〈轉〉 규칙. 규정. 규격. 표준. ¶不守～; 규칙을 지키지 않다 / 按àn～办; 규칙대로 하다 / 老～; 전부터의 관례〔관습〕. 형 단정하다. 성실하다. 절도가 있다. 예의바르다. ¶他人很～; 그의 사람됨은 아주 진지하다 / 不～的学生; 성실치 않은 학생 / 这个人看外表很～; 이 사람은 겉보기엔 아주 성실해 보인다.
〔规矩块〕 guījǔkuài 명 ⇨〔块规〕
〔规律〕 guīlǜ 명 규율. 법칙. ¶人口～; 인구 법칙 / 语言发展～; 언어 발달의 법칙 / 自然～; 자연 법칙. =〔法fǎ则〕
〔规律性〕 guīlǜxìng 명 규율성. 법칙성. ¶自然的～; 자연의 법칙성.
〔规勉〕 guīmiǎn 동 충고하여 격려하다.
〔规模〕 guīmó 명 규모. ¶大～的经济计划; 대규모의 경제 계획 / ～宏大; 규모가 매우 크다 / 粗具～; 〈成〉 대체적인 형태를 갖추다 / ～空前的盛会; 전에 없던 규모의 성대한 모임.
〔规谋〕 guīmóu 동 책략을 짜내다.
〔规那树〕 guīnàshù 명 《植》 〈音〉 기나수(幾那樹). 키나(quina). =〔金鸡那树〕
〔规尼涅〕 guīníniè 명 ⇨〔奎kuí宁〕
〔规劝〕 guīquàn 동 충고하다. 타이르다. 경계〔훈계, 신칙〕하다. ¶我～你不能这样继续下去, 一定要改正自己的错误; 자네에게 충고하는데, 더 이상 이와 같은 상태를 계속해서는 안 돼. 자신의 잘못을 꼭 고치도록 하게.
〔规条〕 guītiáo 명 ①⇨〔条款〕 ②《機》 게이지 바.
〔规行矩步〕 guī xíng jǔ bù 〈成〉 ①거동이 바르다. 규범대로 행동하다. ②〈比〉 융통성 없이 규칙을〔관례를〕 답습(踏襲)하다. 기존(既存)의 규칙을 지켜 바꾸지 않다.
〔规元〕 guīyuán 명 옛날, 상하이(上海)에서 통용되던 은(銀). =〔规银〕
〔规约〕 guīyuē 명 규약. 조약.
〔规则〕 guīzé 명 규칙. ¶违反比赛的～; 경기 규칙을 위반하다. =〔规程〕〔规章〕 형 규칙적이다. 규준에 맞다. 정연하다.
〔规章〕 guīzhāng 명 규칙. ¶修改～; 규칙을 개정하다. =〔章程〕〔规则〕
〔规正〕 guīzhèng 동 충고하여 바로잡다. 교정하다.
〔规制〕 guīzhì 명 규칙과 제도. ¶没有～大家无所遵循; 규칙과 제도가 없으면 모두 따라야 할 기준이 없다.

鬶(鬹) guī (규)
명 고대 도기(陶器)로 만든 취사 기구(‘龙山文化’의 대표적인 기물).

皈 guī (귀)
동 《佛》 부처님을 믿다. ¶～依yī; 《佛》 귀의(歸依)(하다).

傀 guī (괴)
형 〈文〉 ①우뚝 선 모양. ¶～然独立天地之间; 천지간에 우뚝 서 있다 / ～伟wěi; 위대하다. ②기괴(奇怪)하다. 괴이하다. ¶～奇; 기괴하다. ⇒kuǐ

嵬 Guī (외)
명 《地》 구이 산(嵬山)(허난 성(河南省) 뤄양 시(洛陽市) 서쪽에 있는 ‘谷口山’의 구칭). ⇒wěi

瑰 guī (괴)
①형 〈文〉 (진)귀하다. 진기하다. ¶～异; 매우 기이하다. ②→〔玫méi瑰〕 ‖ =〔瓌③〕
〔瑰宝〕 guībǎo 명 〈文〉 진귀한 보물. ¶艺术中的～; 예술에 있어서의 귀중한 보물.
〔瑰才〕 guīcái 명 〈文〉 기재(奇才).
〔瑰货〕 guīhuò 명 진기한 물건.
〔瑰丽〕 guīlì 형 〈文〉 매우 아름답다. ¶～的花朵; 매우 아름다운 꽃 / 江边的夜景是雄伟而～; 강변의 야경은 웅대하고도 매우 아름답다.
〔瑰儒〕 guīrú 명 〈文〉 박학(博學)한 유학자.
〔瑰玮〕 guīwěi 형 〈文〉 ①진기하고 훌륭하다. ②(문장이) 화려하고 아름답다. ‖ =〔瑰伟〕
〔瑰异〕 guīyì 형 〈文〉 기이하다.

瓌 guī (괴)
①명 옥(玉) 비슷한 아름다운 돌. ②인명용자(字). ③⇨〔瑰〕

氿 guǐ (궤)
명 횡혈(橫穴)에서 솟는 샘. =〔氿泉quán〕 ⇒jiǔ

宄 guǐ (귀)
명 악인. =〔奸jiān宄〕 ¶～奸; 간악한 자.

轨(軌) guǐ (궤) 명 ①수레바퀴 자국. ②차의 두 바퀴 사이. ③바퀴의 축(軸). 굴대. ④(철도의) 궤도. 레일. 일정한 노선. ¶出chū～ =〔越～〕; ⓐ탈선(하다). ⓑ상궤(常軌)를 벗어나다 / 步bù入正～; 바른 길로 되돌아서다 / 宽～; 광궤(廣軌) / 窄～; 협궤(狹軌) / 无～电车; 트롤리 버스 / 单～; 단선 / 双～; 복선 / 铺～; 레일을 깔다. ⑤법칙. 규정. 규칙. ¶～外行动; 탈선 행동 / 谋为还～ =〔谋为不～〕; 불온한 일을 꾸미다. 반란을 획책하다. =〔轨度dù〕〔轨法fǎ〕〔轨物wù〕〔轨则zé〕 ⑥성(姓)의 하나.

〔轨道〕 guǐdào 명 ①레일. ②(물체·천체의) 궤도. ¶人造卫星的～; 인공 위성의 궤도. =〔轨迹②〕 ③(추상적인) 궤도. ¶生产走上～; 생산이 궤도에 오르다.

〔轨道钉〕 guǐdàodīng 명 (철도의) 침목정(枕木釘).

〔轨度〕 guǐdù 명 〈文〉 법도. 궤도.

〔轨范〕 guǐfàn 명 모범. 본보기.

〔轨迹〕 guǐjì 명 ①《數》 궤적(軌跡). ②《天》 궤도(軌道). ③바퀴 자국.

〔轨铗〕 guǐjiá 명 레일〔궤도〕 본드(rail bond).

〔轨距〕 guǐjù 명 레일 사이의 거리. ¶这条铁路的～是四呎八点五吋; 이 철도 선로의 너비는 4피트 8.5인치이다.

〔轨漏〕 guǐlòu 명 옛날의, 해시계·물시계 따위.

〔轨条〕 guǐtiáo 명 레일.

〔轨外〕 guǐwài 명 상궤(常軌)의 밖. ¶～行动; 상궤를 벗어난 행동.

〔轨鞋〕 guǐxié 명 《機》 바퀴 멈추개.

〔轨辙〕 guǐzhé 명 ①바퀴 자국. =〔轨躅①〕 ②지나간 일. 과거의 일.

〔轨枕〕 guǐzhěn 명 (철도) 침목.

〔轨制〕 guǐzhì 명 제도.

〔轨躅〕 guǐzhú 명 ①⇨〔轨辙①〕 ②선인(先人)이 남긴 모범.

匦(匭) guǐ (궤) ①명 궤짝. 상자. 함. ¶投票～; 투표함. =〔匣xiá子〕 ②동 걸치다.

庋〈庪〉 guǐ (기) 〈文〉 ①명 선반. ②동 (넣어) 두다. 보존〔저장〕하다.

〔庋藏〕 guǐcáng 동 넣어〔저장해〕 두다.

〔庋档器具〕 guǐdàngqìju 명 서류 정리함.

诡(詭) guǐ (궤) ①동 기만하다. 속이다. 교활하다. ¶～计多端; 간계 백출(奸計百出) / ～孩子; 교활한 아이. ②동 책하다. 나무라다. ③동 어긋나다. 위반하다. ¶有所～于天理; 천리에 어그러지는 점이 있다. ④동 비방하다. ⑤형 이상하다. 기괴하다. 괴이하다. ¶～特; 특이(하다).

〔诡辩〕 guǐbiàn 명 궤변. ¶进行～ =〔做～〕; 궤변을 부리다. =〔诡词〕〔诡辞〕 동 이치에 맞지 않는 말을 하다. 궤변을 부리다〔농하다〕.

〔诡病〕 guǐbìng 명 ①폐해(弊害). 악폐(惡弊). ②속임수. ¶他的话有～; 그의 말에는 거짓이 있다 / 变戏法总有～; 요술이란 모두 속임수가 있다. ③(음모 따위 못된 일을) 꾸밈. 계획. 기도. 계략. 꾀. ‖ =〔鬼病〕

〔诡称〕 guǐchēng 동 사칭하다. ¶敌特～自己是公安人员; 적의 간첩은 자신을 경찰관이라고 사칭했다.

〔诡词〕 guǐcí 명 ⇨〔诡辩〕

〔诡辞〕 guǐcí 명 ⇨〔诡辩〕

〔诡诞〕 guǐdàn 형 〈文〉 두서없다. 종잡을 수 없다.

〔诡党〕 guǐdǎng 명 악당.

〔诡道〕 guǐdào 명 〈文〉 ①부정한 방법. ②첩경. ¶可简庄勇者千人, ～潜波; 용맹스러운 자 천 명을 골라 지름길로 몰래 건너게 함이 좋다. →〔鬼道〕

〔诡道〕 guǐdao 형 (어린이가) 영리하다. 총명하다. ¶这孩子多～; 이 아이는 정말 영리하다.

〔诡怪〕 guǐguài 형 기괴하다.

〔诡诡谲谲〕 guǐguijuéjué 형 이상하고 괴이한 모양. 의미 있는 듯(이). ¶～地对我笑; 의미 있는 듯이 나를 보고 웃다.

〔诡毁〕 guǐhuǐ 동 중상하다. 비방하다.

〔诡激〕 guǐjī 형 과격하다.

〔诡计〕 guǐjì 명 간사한 꾀. 궤계. 모략. ¶施～; 궤계를 쓰다 / ～多端; 궤계가 많다 / 中敌人的～; 적의 모략에 걸리다〔빠지다〕. =〔鬼计〕

〔诡寄〕 guǐjì ⇨〔诡名寄产〕

〔诡谲〕 guǐjué 형 〈文〉 ①괴상하기 짝이 없다. 이상하고 괴상하다. ②터무니없다. 되는대로이다. ¶言语～; 이야기가 터무니없다〔되는대로이다〕.

〔诡雷〕 guǐléi 명 매설한 지뢰(地雷).

〔诡戾〕 guǐlì 동 어긋나다. 엇갈리다.

〔诡秘〕 guǐmì 형 (비밀스러워) 헤아릴 수 없다. ¶行踪～; 행동이 불가해하다〔묘연하다〕.

〔诡名寄产〕 guǐmíng jìchǎn (탈세를 위해) 재물을 남의 소유라고 속이다. =〔诡寄〕

〔诡谋〕 guǐmóu 명 기만(欺瞞). 속임수. 트릭.

〔诡色〕 guǐsè 명 색다른 모양.

〔诡随〕 guǐsuí 동 아첨하며 맹종하다.

〔诡妄〕 guǐwàng 명 사실 무근. 형 사실 무근하다. 터무니없다.

〔诡衔窃辔〕 guǐ xián qiè pèi 〈成〉 ①말이 자갈을 받아들이지 않다《사나운 모양》. ②〈比〉 억압이 심하면 반항도 커진다.

〔诡异〕 guǐyì 명형 기이(奇異)(하다).

〔诡遇〕 guǐyù 동 부정당한 연줄로써 남에게 아첨하려 하다.

〔诡诈〕 guǐzhà 명 허위. 거짓. 동 속이다. 형 교활하다. 간사하다.

佹 guǐ (궤) ①동 어긋나다. 반(反)하다. ②형 괴상하다. 기이하다. ③형 우연이다. ¶～得～失; 우연히 손에 넣음과 우연히 없어짐. 우연한 성공과 우연한 실패 / ～～成者俏qiào成也; 우연히 이루어진 것은 어쩌다가 된 것이다.

垝〈陒〉 guǐ (궤) 동 〈文〉 무너지다. 허물어지다. ¶～垣yuán; 허물어진 담.

姽 guǐ (궤) →〔姽婳〕

〔姽婳〕 guǐhuà 형 부녀자의 행동거지가 정숙한 모양.

癸 guǐ (계) 명 ①십간(十干)의 열째. 또, 사물의 열 번째 순서. ②겨울. ③북방. 북부. ④월경. 경수(經水). ¶～水; 월경 / ～期; 월경기.

〔癸二酸〕 guǐ'èrsuān 명 《化》 세바스산(酸). =〔皮脂酸〕

〔癸酸〕 guǐsuān 명 《化》 카프르산(酸). =〔羊蜡酸〕

鬼 guǐ (귀)
①명 죽은 사람의 혼. 망령. ②명 유령. 도깨비. ¶闹～; 유령〔귀신〕이 나오다. ③(～儿) 명 속임수. 부정. 못된 것. 음모. 흉계. ¶里边有～; 이면에 속임수가 있다 / 捣～; 음모를 꾸미다 / 心里有～; 마음 속에 흉계를 품다. ④명 비인간. ⑤명 악마. ⑥명 (술이나 아편의) 중독환자. …광(狂). ¶赌dǔ～; 상습 도박꾼 / 色～; 색광 / 酒～; 술고래. 알코올 중독자 / 烟～; 아편중독자. ⑦명 사람을 욕하는 말. ¶洋～; 양놈 / 东洋～; 왜놈 / ～子兵; 외국 군인놈. ⑧형 음험하다. 속이 검다. 내흉스럽다. ¶～头～脑; ⇓ / ～～祟suì祟; ⇓ / ～话连篇; 거짓말투성이 / 把房契～出去; 집문서를 몰래 빼내 가다. ⑨형 교활하다. 깜찍하다. 교묘하다《대부분 어린애나 동물을 가리킴》. ¶这小孩子真～; 이 아이는 정말 영악하다 / 办得～; 수법이 교묘하다. ⑩형 열악하다. 지독하다. ¶～天气; 지독한 날씨. 악천후 / 这～地方连草都不长; 이런 열악한 땅에는 풀조차 자라지 않는다. ⑪명 이십팔수(二十八宿)의 하나.

〔鬼八卦〕 guǐbāguà 명 ⇨〔鬼点子〕

〔鬼把戏〕 guǐbǎxì 명 기만 수단. 속임수. 흉계. ¶识破了他们的～; 그들의 기만 수단을 간파했다. =〔鬼把式〕

〔鬼板眼〕 guǐbǎnyǎn 명 남을 (함정에) 빠뜨리는 계략.

〔鬼弊〕 guǐbì 명 악폐. 부정한 일.

〔鬼病〕 guǐbìng 명 ①속임수. 못된 기도. 흉계. ②숨기는 일. 의심〔미심〕쩍음. ¶话里有～; 말에 이상한 데가 있다. 이야기에 미심쩍은 점이 있다. ‖ =〔诡病〕

〔鬼出电入〕 guǐ chū diàn rù 〈成〉 신출 귀몰.

〔鬼串〕 guǐchuàn 동 (못된 짓을) 몰래 꾸미다.

〔鬼聪明(儿)〕 guǐcōngming(r) 형 약삭빠르다. ¶播弄～; 잔재주를 피우다.

〔鬼打鬼〕 guǐdǎguǐ 〈比〉 고통〔학대〕받아 비뚤어진 성격이 되다. =〔鬼拿鬼〕

〔鬼打架〕 guǐ dǎjia (언동을) 아무렇게나 마구 하다. 함부로 떠들어대다.

〔鬼捣〕 guǐdǎo 동 ①(좋지 않은 짓을) 가만히〔몰래〕 하다. ②사통(私通)하다.

〔鬼道〕 guǐdao 형 (어린아이가) 영리하다. 약삭빠르다. 교활〔간특〕하다. 명 사특한 법《야바위. 속임수》. ‖ =〔鬼道道(儿)〕

〔鬼道马场〕 guǐ dào mǎ chǎng 터무니없는 말만 하다.

〔鬼灯檠〕 guǐdēngqíng 명 《植》 도깨비부채. =〔失车草〕

〔鬼地方〕 guǐdìfang 명 괴상한 곳. 야릇한 곳. 해괴한 곳. 시시한 곳.

〔鬼点子〕 guǐdiǎnzi 명 〈方〉 ①나쁜 생각. 간지(奸智). ¶出～; 못된 꾀를 내다. =〔诡计〕 ②마음놓을 수 없는 인물. ‖ =〔鬼点儿〕〔鬼八卦〕

〔鬼法〕 guǐfǎ 명 부정한 방법.

〔鬼风疙瘩〕 guǐfēnggēda 명 《醫》 두드러기. =〔鬼饭疙瘩〕〔风(疹)块〕

〔鬼斧〕 guǐfǔ 명 극히 정교한 공예. 신기(神技). =〔鬼工〕

〔鬼斧神工〕 guǐ fǔ shén gōng 〈成〉 ⇨〔神工鬼斧〕

〔鬼工〕 guǐgōng 명 ⇨〔鬼斧〕

〔鬼怪〕 guǐguài 명 ①유령과 요괴《사악한 세력》. ¶～神灵; 요괴와 신령. =〔鬼魅〕 ②〈比〉 소인. 어리석은 인간.

〔鬼怪式战斗轰炸机〕 guǐguàishì zhàndòu hōngzhàjī 명 팬텀 전폭기.

〔鬼鬼溜溜〕 guǐguilīulīu ①두리번두리번. 가만히. 몰래. 쭈뼛쭈뼛. ②기분 나쁘다. 뒤가 구리다. 떳떳지 못하다. =〔鬼鬼随随〕

〔鬼鬼随随〕 guǐguisuísuí ⇨〔鬼鬼溜溜〕

〔鬼鬼祟祟〕 guǐ gui suì suì 〈成〉 (무언가 좋지 않은 일을) 가만히〔몰래〕 하다. ¶他在背地里～地办, 不叫我们知道; 그는 우리가 모르게 뒤에서 좋지 않은 일을 꾸민다. =〔鬼鬼捣捣〕

〔鬼花招〕 guǐhuāzhāo 명 남을 속일 흉계. 속임수.

〔鬼话〕 guǐhuà 명 ①괴담. 기괴한 이야기. ②거짓말. 잠꼬대(같은 말). ¶说～; 거짓말하다 / ～连篇; 터무니없는 소리(만 늘어놓다) / ～三千; 거짓말만 하다. =〔谎huǎng话〕

〔鬼画符〕 guǐhuàfú 명 ①이치에 맞지 않는 거짓말. ②〈比〉 글씨가 몹시 서투름.

〔鬼魂〕 guǐhún 명 죽은 사람의 혼.

〔鬼混〕 guǐhùn 동 ①놀고 지내다. 빈둥빈둥하는 일 없이 날을 보내다. ¶这还成个什么体统? 简直是～; 이 또 무슨 체통이냐? 거의 빈둥빈둥 날을 보내고 있으니. ②부정한 짓을 하며 살다. ③가만히〔몰래〕 (나쁜 일을) 하다. ¶跟特务～在一起; 간첩과 야합하다. ④마구〔함부로〕 휘젓다.

〔鬼火〕 guǐhuǒ 명 〈俗〉 인화(燐火). 도깨비불. =〔磷火〕〔鬼磷〕〔鬼火儿〕

〔鬼机伶儿〕 guǐjīlíngr 형 간사하다. 깜찍하다. 약삭빠르다《마음을 놓을 수 없는 모양》.

〔鬼计〕 guǐjì 명 ⇨〔诡计〕

〔鬼计流星〕 guǐjì liúxīng 〈比〉 생각이 많고 성실치 않다. 꾀가 많아 마음을 놓을 수가 없다.

〔鬼家伙〕 guǐjiāhuo 명 〈罵〉 놈. 나쁜 놈.

〔鬼箭〕 guǐjiàn 명 살(煞). 몸의 어떤 부분이 갑자기 통증을 느끼는 일《미신적으로 하는 말》. ¶中～; 살맞다.

〔鬼箭羽〕 guǐjiànyǔ 명 《植》 화살나무. =〔卫矛〕

〔鬼节〕 guǐjié 명 청명절(清明節)·중원절(中元節)《음력 7월 15일》·송한의(送寒衣)《음력 10월 1일》의 3명절《이 날 조상의 제사를 지냄》.

〔鬼惊鬼诈〕 guǐjīng guǐzhà 미치광이 같은 모양.

〔鬼精鬼灵〕 guǐjīng guǐlíng 지독하게 악랄하고 교활하다.

〔鬼臼〕 guǐjiù 명 《植》 귀구《매자나무과의 다년초》.

〔鬼车〕 guǐjū 명 ⇨〔九头鸟②〕

〔鬼哭〕 guǐkū 동 하염없이 울다.

〔鬼哭狼嚎〕 guǐ kū láng háo 〈成〉 울부짖는 소리가 더없이 처참하다. =〔鬼哭神号〕

〔鬼脸(儿)〕 guǐliǎn(r) 명 ①가면. ¶戴～; 가면을 쓰다. ②보기 흉한 얼굴. 음험한 표정. ③익살맞은 표정. ¶做个～; 익살스런 표정을 짓다. ④아랫눈까풀을 뒤집어 보이어 경멸·거부 등의 기분을 나타내는 짓.

〔鬼脸青〕 guǐliǎnqīng 명 《色》 도자기의 암청색(暗青色)의 일종. ¶～的花瓮wèng; 암청색의 꽃병.

〔鬼磷〕 guǐlín 명 ⇨〔鬼火〕

〔鬼录〕 guǐlù 명 과거장(過去帳). 귀적(鬼籍). ¶人～; 귀적에 들다《죽다》.

〔鬼路道〕 guǐlùdao 명 바르지 못한 길. 음험한 수법.

〔鬼魅〕 guǐmèi 명 ⇨〔鬼怪①〕

〔鬼门关〕 guǐménguān 명 ①저승의 귀신이 지키는 곳《위험한 곳. 넘기 어려운 관문》. ¶人rù～;

죽다 / 他的大门成了～了; 그의 집에 가면 혼난다. ②생사의 기로. ¶在～; 생사의 기로에 있다.
〔鬼迷心窍〕 guǐ mí xīn qiào 유령에게 마음이 미혹(迷惑)되다. 마가 끼다.
〔鬼名堂〕 guǐmíngtáng 명 〈比〉 뭐라고 말할 수 없는 알 수 없는 일. 못된 생각. 흉계.
〔鬼目〕 guǐmù 명 《植》 ①능소화나무. =〔紫葳wēi〕〔凌霄花〕 ②배풍등. =〔荇fú〕 ③참소리쟁이. =〔羊蹄〕
〔鬼拿鬼〕 guǐnáguǐ 〈比〉 너무 심하게 몰려서〔고통을 당하여〕 성격이 비뚤어지다. =〔鬼打鬼〕
〔鬼弄弄〕 guǐnòngnòng 동 숨어서 남몰래 하다.
〔鬼气〕 guǐqì 형 ①끔찍〔섬뜩〕하다. 소름이 끼치다. ②묘한 느낌이 들다.
〔鬼儿〕 guǐr 명 부정. 속임.
〔鬼色〕 guǐsè 명 의심스러운〔분명치 않은〕 태도.
〔鬼森森(的)〕 guǐsēnsēn(de) 형 으스스하게 기분 나쁜 모양. 오싹하는 모양.
〔鬼神〕 guǐshén 명 귀신. 신령.
〔鬼使神差〕 guǐ shǐ shén chāi 〈成〉 귀신의 짓인가 신(神)의 짓인가《참으로 뜻밖임》. =〔神差鬼使〕
〔鬼算盘〕 guǐsuànpan 명 ①빈틈없는 타산. ¶打～; 빈틈없는 타산을 하다. ②의심스러운 계획.
〔鬼祟〕 guǐsuì 명 망령〔원귀〕의 앙얼. 형 살금살금 못된 짓을 하는 모양. ¶那个人行动～一定不是好人; 저 녀석은 무언가 몰래 일을 꾸미고 있다, 필시 나쁜 놈임에 틀림없다. →〔鬼鬼祟祟〕
〔鬼胎〕 guǐtāi 명 ①흉계. 못된 마음. 속셈. ¶怀着～; 못된 속셈을 품고 있다 / 我看他心里必有～; 나는 그의 마음 속에 필시 못된 계략이 숨어 있다고 본다. ②부모를 닮지 않은 아이. ③부모 말을 안 듣는 아이.
〔鬼剃头〕 guǐtìtóu 명 《醫》 〈俗〉 독두병(禿頭病).
〔鬼天气〕 guǐtiānqì 명 변화가 심한 날씨. 나쁜 날씨. 이상한 날씨.
〔鬼头〕 guǐtóu 형 영리하고 사랑스럽다《어린이 또는 물건의 형용》. ¶他真叫～; 그 아이는 정말 영리하고 귀엽다. 명 ①어린애를 귀여워할 때 어린애를 부르는 말. ②흉계. 함정.
〔鬼头刀〕 guǐtóudāo 명 목을 베는 칼.
〔鬼头鬼脑〕 guǐ tóu guǐ nǎo 〈成〉 ①교활하고 음흉하다. 살금살금 못된 짓을 하다. ②기괴하다. ③흠칫〔주뼛〕거리다. ④방심할 수 없다. ⑤약삭〔눈치〕빠르다.
〔鬼头蛤蟆眼〕 guǐtóu hámayǎn 명 빈틈없이 교활한 사람.
〔鬼头飒脑〕 guǐtóu sànǎo 간사하다. 교활하다.
〔鬼推磨〕 guǐtuīmò 〈諺〉 돈만 있으면 귀신도 부릴 수 있다. =〔有钱可以通神〕
〔鬼屋〕 guǐwū 명 도깨비집. 흉가.
〔鬼物〕 guǐwù 명 귀신.
〔鬼戏〕 guǐxì 명 이상한 행동. 괴이한 짓.
〔鬼黠〕 guǐxiá 형 〈文〉 음흉하다. 교활하다.
〔鬼象〕 guǐxiàng 명 ①기괴한 모양〔모습〕. ②〈罵〉 꼴. 꼬락서니.
〔鬼蟹〕 guǐxiè 명 《動》 조개치레《게의 일종》.
〔鬼心眼(儿)〕 guǐxīnyǎn(r) 명 나쁜 생각〔소견〕. 헤아릴 수 없는 마음. 흉계. 음험한 속셈.
〔鬼丫头〕 guǐyātou 명 계집애〔년〕.
〔鬼眼睛〕 guǐyǎnjing 명 어쩐지 기분 나쁜 눈. 괴이쩍은 눈초리.
〔鬼蜮〕 guǐyù 명 음험하게 남을 해치는 놈.
〔鬼蜮伎俩〕 guǐ yù jì liǎng 〈成〉 음험하여 남을 해치는 수법.
〔鬼月〕 guǐyuè 명 음력 7월의 별칭.
〔鬼崽子〕 guǐzǎizi 명 풋내기. 애송이.
〔鬼针草〕 guǐzhēncǎo 명 《植》 도깨비바늘.
〔鬼知道〕 guǐzhīdao 아무도 모르다. 알 리가 없다. 알 게 뭐야. ¶～他要干什么; 그가 무엇을 하려 하건 알 게 뭐야.
〔鬼主意〕 guǐzhǔyi 명 ①음험한 생각. 흉계. ②시시한〔부질없는〕 생각.
〔鬼子〕 guǐzi 명 〈罵〉 ①외국놈. ¶～兵; 침략병. ②사람을 욕하는 말.
〔鬼子姜〕 guǐzijiāng 명 《植》 돼지감자. 뚱딴지. =〔菊芋〕

毁 guǐ (궤)
명 ⇨〔簋guǐ〕

晷 guǐ (구)
명 ①해그림자. ②해시계. =〔日规rìguī〕 ③해가 지나가는 속도. ④〈比〉 시간. ¶日无暇～; 한가한 때가 하루도 없다.

簋 guǐ (궤)
명 옛날, 제사 때 수수를 수북이 담아 제상에 올리는 양귀 달린 되 모양의 그릇.

会(會) guì (회)
지명용 자(字). ¶～稽Guìjī; 구이지(會稽)《저장 성(浙江省)에 있는 산 이름》. ⇒huì kuài

刽(劊) guì (회)
동 끊다. 자르다. 절단하다.
〔刽子手〕 guìzishǒu 명 ①회자수. 사형 집행인. ②〈比〉 살인자.

桧(檜) guì (회)
명 《植》 향나무. 노송나무《자웅 이주(雌雄異株)임》. =〔桧树〕〔刺cì柏〕 ⇒huì

刿(劌) guì (귀)
① 동 상처입다. 자르다. ②인명용 자(字).

鲙(鱠) guì (궤)
명 《魚》 피라미의 일종.

炔 Guì (계)
명 성(姓)의 하나. ⇒quē

炅 Guì (계)
명 성(姓)의 하나. ⇒jiǒng

匮(匱) guì (궤)
명 ⇨〔柜guì〕 ⇒kuì

柜(櫃) guì (궤)
명 ①(～儿, ～子) 궤·함·장(농)·저장함 따위. ¶米mǐ～; 뒤주 / 衣yī～; (굽 달린) 옷장 / 保bǎo险～; 금고 / 冰bīng～ =〔冰箱〕; 냉장고 / 铁～; 캐비닛. 로커(locker). ②회계하는 곳. 카운터. 〈比〉 상점. 가게. ¶本～; 저희 가게 / 前～; 가게의 셈하는 곳 / 里～; 안쪽의 카운터 / 现款都已经交了～了; 현금은 모두 이미 카운터에 넘겼다. ‖ =〔匮guì〕 ⇒jǔ
〔柜抽屉〕 guìchōuti 명 장롱 따위의 서랍.
〔柜橱(儿)〕 guìchú(r) 명 아래쪽이 여닫게 된 테

이블 모양의 궤. =〔橱柜(儿)〕
〔柜存〕 guìcún 명 금고 안의 시재액(時在額).
〔柜房(儿)〕 guìfáng(r) 명 회계하는 곳. 카운터.
〔柜伙〕 guìhuǒ 명 출납 직원.
〔柜款〕 guìkuǎn 명 금고 속의 현금.
〔柜面儿〕 guìmiànr 명 '柜台'(카운터)의 위〔표면〕.
〔柜跑老鼠〕 guì pǎo lǎo shu 〈成〉 가게에 쥐가 뛰어다니다(장사가 쇠퇴하여 파리 날리다).
〔柜上〕 guìshang 명 ①계산대. 카운터. ②가게. 상점. 장사. ¶～忙不忙? 장사가 바쁜가요?
〔柜台〕 guìtái 명 카운터. 회계하는 곳. =〔柜面儿〕〔柜围〕
〔柜田〕 guìtián 명 수해 방지의 제방을 둘러싼 밭.
〔柜箱铺〕 guìxiāngpù 명 (장·책상·의자 등을 파는) 가구점(家具店).

贵(貴) guì (귀) ① 형 (신분 따위가) 귀하다. 높다. ¶～族; ⇓ / ～妇人; 귀부인 / 达官～人; 고관과 귀인. ② 형 (값이) 비싸다. ¶这本书不～; 이 책은 비싸지 않다 / 价钱～; 값이 비싸다 / ～的不～, 贱的不贱; 좋은 물건은 비싼 것 같아도 결국 싸고, 나쁜 물건은 싼 것 같아도 결국 비싸게 치인다. ③ 형 귀중하다. 값어치 있다. ¶春雨～似油; 봄비는 기름처럼 값지다 / 宝～; 귀중하다. ④ 동 중히 여기다. 중시하다. 존중하다. ¶～精不～多; 양보다 질 / 人～能自觉求进步; 인간은 자각하여 진보를 할 수 있는 것을 중히 여긴다. ⑤ 형 경칭에 쓰이는 말. ¶～校; 귀교. ⑥ 명 구이저우 성(貴州省)의 약칭('黔 Qián'은 별칭). ⑦ 명 성(姓)의 하나.
〔贵本家〕 guìběnjiā 명 〈敬〉 귀문중(貴門中). =〔〈文〉贵华宗〕
〔贵宾〕 guìbīn 명 귀빈(흔히, '外wài宾'을 가리킴).
〔贵埠〕 guìbù 명 〈敬〉 귀지(貴地).
〔贵处〕 guìchu 명 ①사람의 본적을 묻는 말. 댁의 고향. ¶～是哪里? 고향이 어디십니까? =〔贵乡〕〔贵土〕 ②귀측. 당신 쪽.
〔贵德〕 guìdé 동 〈文〉 덕을 존중하다. 명 ①〈文〉 고귀하고 덕이 있는 사람. ②《地》 구이더 현(貴得縣)(칭하이 성(青海省)에 있는 현(縣) 이름).
〔贵东〕 guìdōng 〈敬〉 귀하의 주인(가게 주인·자본주·집주인 등을 가리킴).
〔贵耳贱目〕 guì ěr jiàn mù 〈成〉 이야기로〔귀로〕 들은 바는 곧 채택하고 눈으로 본 것은 천시하여 확인하려 들지 않다(사실에 의하지 않고 들은 것을 그대로 믿음).
〔贵妃〕 guìfēi 명 귀비(황후 다음으로 높은 지위).
〔贵府〕 guìfǔ 명 귀댁. ¶届jiè时奉访～; 시간 맞추어 귀댁을 방문하겠습니다. =〔贵门〕
〔贵妇〕 guìfù 명 귀부인.
〔贵干〕 guìgàn 명 ①(당신의) 용건. 용무. =〔公干〕 ②(하시는) 일. 직업(직업을 물을 때의 말). ¶您～? 당신의 직업은 (무엇인지요)?
〔贵庚〕 guìgēng 명 연세. 춘추. ¶您～? 당신의 연세는 얼마나 되십니까? =〔贵甲子〕
〔贵公子〕 guìgōngzǐ 명 ①〈文〉 귀공자. 귀족의 아들. ②영식(令息).
〔贵国〕 guìguó 명 (외국인에 대하여) 귀국. ¶～是中国吗? 귀하의 나라는 중국입니까?
〔贵函〕 guìhán 명 〈文〉 귀함.
〔贵行〕 guìháng 명 귀점(貴店). =〔贵号〕〔贵栈〕〔贵庄〕
〔贵伙〕 guìhuǒ 명 ①귀하의 점원. ②귀하의 동료.
〔贵甲子〕 guìjiǎzǐ 명 연세(나이를 물을 때의 말). ¶您～? 연세가 어떻게 되십니까? =〔贵庚〕
〔贵驾〕 guìjià 명 〈文〉 귀하.
〔贵贱〕 guìjiàn 명 ①귀천. ②비쌈과 쌈. 부 ①〈方〉 어찌 됐든 간에. =〔好歹〕 ②〈方〉 무슨 일이 있어도. 기어코.
〔贵街坊〕 guìjiēfang 명 댁의 이웃 분들. =〔贵芳邻〕
〔贵价〕 guìjiè 명 〈文〉〈敬〉 귀하의 사용인(상대방의 고용인을 높이어 이르는 말).
〔贵金属〕 guìjīnshǔ 명 귀금속.
〔贵客〕 guìkè 명 ①고귀한〔지위가 높은〕 손님. ②귀하의 손님. ③《植》 모란. =〔牡丹花〕
〔贵昆仲〕 guìkūnzhòng 명 댁의 형제들. ¶～有几位? 형제는 몇 분이나 계십니까?
〔贵忙〕 guìmáng 형 바쁘(시)다. 다망(多忙)하(시)다.
〔贵能〕 guìnéng 명 〈文〉 진귀한 기능.
〔贵戚〕 guìqī 명 〈文〉 천자의 친족.
〔贵气〕 guìqi 형 ①고귀하다. 고귀한 모양. ②도도하게 굴다. 고자세를 취하다. ¶还没上任呢, 就～起来了; 아직 부임도 하지 않았는데, 도도해지기 시작했다. 동 귀하게 여기다. 존중하다. ¶被人～起来了; 사람들이 귀중하게 여기기 시작했다.
〔贵人〕 guìrén 명 ①신분이 높은 사람. 높은 지위에 있는 사람. 상류층(上流層) 사람. 고귀한 사람. ¶～语〔话〕迟chí; 〈諺〉 귀인은 입이 무겁다(훌륭한 사람은 가벼이〔함부로〕 말을 하지 않음) / ～多忘事 =〔～善忘〕; 〈諺〉 귀인은 잊기를 잘한다(귀인은 시시한 일들을 기억하지 않음). ②옛날, 천자의 측실(側室)에 대한 일컬음.
〔贵上〕 guìshàng 명 상대의 주인·상사에 대한 존칭. ¶你～姓什么? 당신 주인 어른의 성은 무어라고 하시는가? / 你们～是几时来的? 주인께서는 언제 돌아오셨는가?
〔贵省〕 guìshěng 명 〈敬〉 귀성. ¶～是哪一省? 귀성은어디십니까?
〔贵桃李〕 guìtáolǐ 명 〈文〉 당신의 제자분들.
〔贵同事〕 guìtóngshì 명 〈敬〉 당신의 동료. 동료분들.
〔贵同乡〕 guìtóngxiāng 명 〈敬〉 당신의 고향 사람들. 귀하의 동향인. =〔贵乡亲〕
〔贵同学〕 guìtóngxué 명 〈敬〉 ①귀하의 동창. ②귀하의 학우.
〔贵土〕 guìtǔ 명 ⇨〔贵处①〕
〔贵县〕 guìxiàn 명 ①〈敬〉 귀현. ②〈敬〉 귀관(옛날, 현(縣) 지사에 대한 존칭). ③《地》 구이 현(貴縣)(광시(廣西) 티완 족 자치구 동남부 쉰장강(潯江) 북쪽 기슭에 있는 현(縣) 이름).
〔贵乡〕 guìxiāng 명 고향을 물을 때의 말. ¶～何处? 당신의 고향은 어디신지요?
〔贵相〕 guìxiàng 명 귀상. 고귀한 상.
〔贵姓〕 guìxìng 명 당신의 성(외국인이나 신분이 높은 사람에게 성을 물을 때 쓰는 말). ¶您～? 성함을 무엇이라 여쭙는지요? =〔高姓〕〔大姓②〕
〔贵恙〕 guìyàng 명 (귀하의) 병환. ¶～好了吗? 병환은 나아지셨습니까? =〔清恙〕
〔贵要〕 guìyào 명 〈文〉 요로(要路)의 고관(高官).
〔贵友〕 guìyǒu 명 〈敬〉 당신의 친구. 친구분.
〔贵寓〕 guìyù 명 ①주소. ¶～在哪儿? 주소는 어디십니까? ②숙소.
〔贵重〕 guìzhòng 형 귀중하다. 중요하다. ¶～东dōng西 =〔～物wù件〕; 귀중한 물건 / ～值zhí

钱的东西; 귀중하고 가치 있는 물건.
〔贵胄〕 guìzhòu 명 〈文〉 귀족의 자제(子弟).
〔贵主〕 guìzhǔ 명 ⇨〔公gōng主〕
〔贵族〕 guìzú 명 귀족. ¶封建～; 봉건 귀족.

桂 guì (계)
명 ①《植》 계수나무. =〔肉ròu桂〕〔牡mǔ桂〕〔木mù桂〕〔箘jùn桂〕 ②《植》 월계수. ¶～冠; 계관. 월계관. =〔月yuè桂树〕 ③《植》 목서. 물푸레나무. =〔木犀〕〔岩yán桂〕 ④(Guì) 《地》 광시 성(廣西省)의 약칭. ⑤성(姓)의 하나.
〔桂冠〕 guìguān 명 월계관.
〔桂冠诗人〕 guìguān shīrén 명 계관 시인.
〔桂海〕 Guìhǎi 명 《地》 남지나 해. =〔南海〕
〔桂花(儿)〕 guìhuā(r) 명 《植》 물푸레나무의 꽃(설탕에 조려 먹음). ¶～酒; 백포도주에 물푸레나무 꽃을 담근 것.
〔桂花糖〕 guìhuātáng 명 물푸레나무의 꽃을 넣어서 굳힌 사탕.
〔桂(花)鱼〕 guì(huā)yú 명 《魚》 쏘가리.
〔桂花(鱼)翅〕 guìhuā(yú)chì 명 상어 지느러미와 계란 노른자를 재료로 한 고급 요리의 일종(노른자를 '桂花'에 비유하여 말함).
〔桂籍〕 guìjí 명 옛날, 진사 급제자의 명부. →〔科kē举〕
〔桂剧〕 guìjù 명 《劇》 광시(廣西) 티완 족 자치구의 지방극.
〔桂窟〕 guìkū 명 〈比〉 달. ¶探tàn～; 과거에 급제하다.
〔桂林一枝〕 guì lín yī zhī 〈成〉 인품이 고결하고 속취(俗臭)가 없다.
〔桂皮〕 guìpí 명 《植》 계피. ¶～油; 계피유(식용·약용·향료로 쓰임).
〔桂秋〕 guìqiū 명 ⇨〔桂月①〕
〔桂荏〕 guìrěn 명 《植》 차조기.
〔桂酸〕 guìsuān 명 《化》 라우르산(酸).
〔桂碎〕 guìsuì 명 계피 부스러기.
〔桂香柳〕 guìxiāngliǔ 명 《植》 덩굴볼레나무.
〔桂圆〕 guìyuán 명 《植》 용안. ¶～肉; 용안육 / ～干; 말린 용안육. =〔桂元〕〔龙眼〕
〔桂月〕 guìyuè 명 ①음력 8월의 별칭. =〔桂秋〕 ②달의 별칭.
〔桂酌〕 guìzhuó 명 중추(中秋)에 마시는 술.

硊 guì (귀)
지명용 자(字). ¶石Shí～; 시구이(石硊)(안후이 성(安徽省) 옌후 시(燕湖市)의 남쪽에 있는 땅 이름).

跪 guì (궤)
동 무릎을 꿇다. ¶下～; 무릎을 꿇다.
〔跪拜〕 guìbài 동 무릎을 꿇고 절하다(옛날의 정중한 절). =〔顶dǐng拜〕
〔跪倒〕 guìdǎo 동 무릎을 꿇다. 꿇어 엎드리다. ¶～在地; 땅에 꿇어 엎드리다 / ～爬pá起; 무릎을 꿇었다가 일어서다('跪拜'의 모양).
〔跪链子〕 guìliànzi 명 옛날의 형틀의 일종(죄인을 꿇어앉히는 쇠사슬로 만든 것). =〔跪锁(子)〕
〔跪门〕 guìmén 동 (사죄의 뜻으로 상대의 집) 문앞에 무릎을 꿇다. ¶～请罪; 문전에서 무릎을 꿇고 용서를 빌다.
〔跪请金安〕 guìqǐngjīn'ān 〈翰〉 양당께서도 옥체 만안하신지요.
〔跪射〕 guìshè 명 《軍》 (사격의) 앉아쏘기. 무릎 쏴로 사격하기.
〔跪诵〕 guìsòng 명 〈翰〉 배독(拜讀). 배송(拜誦).
〔跪下〕 guìxia ①동 무릎 꿇다. ②앉아 쏴(구령). ¶～射击; 앉아쏘기를 하다.
〔跪谢〕 guìxiè 동 무릎을 꿇고 사죄하다.
〔跪奏〕 guìzòu 동 〈文〉 무릎을 꿇고 천자께 상주(上奏)하다.

鳜(鱖) guì (궤)
명 《魚》 쏘가리. =〔鳜鱼〕〔鳜豚tún〕〔桂(花)鱼〕〔花鲫鱼〕〔水豚〕

GUN ㄍㄨㄣ

衮〈袞〉 gǔn (곤)
①명 천자(天子)의 예복. 곤룡포. =〔衮衣〕〔龙袍〕〔龙衣〕 ② →〔衮衮〕
〔衮格〕 gǔngé 명 공(gong)(접시 모양의 종).
〔衮衮〕 gǔngǔn 형 ①많은 모양. ②권세가 강성한 모양.
〔衮衮诸公〕 gǔn gǔn zhū gōng 〈成〉 지위가 높고 무위도식하는 관료(官僚). 높으신 분네들.
〔衮阙〕 gǔnquē 명 〈文〉 주군(主君)의 과실.
〔衮职〕 gǔnzhí 명 〈文〉 ①군주의 지위. ②옛날 중국의 삼공(三公)의 직.

滚〈滾〉 gǔn (곤)
①동 (데굴데굴) 구르다. 뒹굴다. 굴리다. ¶皮球～过来～过去; 고무 공이 이쪽으로 데굴데굴 저쪽으로 데굴데굴 구르다 / ～铁环; 굴렁쇠를 굴리다 / 汗珠不断地她脸上～下来; 땀방울이 끊임없이 그녀의 얼굴에서 굴러내린다 / 满地直～; 온데〔여기저기〕를 굴러다니다. ②동 (물이) 세차게 흐르다. 소용돌이 치다. 〈比〉 (물이) 끓다. ¶大江～～东去; 큰 강이 동쪽으로 세차게 흐르다 / ～开的水; 잘 끓은 물 / 把水烧shāo～ =〔把水煮zhǔ～〕; 물을 바글바글 끓이다 / 水～了; 물이 끓었다. ③동 섞어〔끼워〕 넣다. 섞다. ¶这笔钱～在里头; 이 돈은 안에 포함된다. ④형 굉장히 뜨겁다. ⑤(～子) 명 《機》 롤러. 산륜(散輪). ⑥동 (의복의 가장자리에) 바이어스를 대다. 가선을 두르다. ¶～袖边; 소맷부리에 바이어스를 대다. ⑦동 나가다. 떠나다(질책의 의미를 포함). ¶给我～出去! 썩 나가 버려! ⑧〈擬〉 우르르(천둥 소리 따위). ¶～雷; 천둥이 우르르 울리다.
〔滚鞍〕 gǔn'ān 동 안장에서 구르듯 뛰어내리다. ¶～下马; 말 안장에서 뛰어내리다.
〔滚白水〕 gǔnbáishuǐ 명 ⇨〔白开(水)〕
〔滚边(儿)〕 gǔnbiān(r) 명 옷의 가장자리. (gǔn, biān(r)) 동 옷에 가선을 두르다.
〔滚槽机〕 gǔncáojī 명 《機》 홈 파는 기계.
〔滚车辙的〕 gǔnchēzhéde 명 〈比〉 불량배.
〔滚尘〕 gǔnchén 동 먼지가〔티끌이〕 일다. ¶～不定; 끊임없이 먼지가 일다.
〔滚齿机〕 gǔnchǐjī 명 《機》 기어호빙머신(gear hobbing machine). =〔滚(齿)床〕〔滚齿盘〕〔齿轮滚床〕〔螺luó旋铁床〕
〔滚出来〕 gǔnchulai ①굴러나오다. ②(소송·재판에서) 크게 고생하고 나오다. ¶打了官司, 花钱运动才～了; 소송이 걸려서, 돈을 쓰고 운동을 하고 나서 간신히 나왔다.
〔滚出去〕 gǔnchuqu 〈罵〉 꺼져 버려라. 굴러 나가다. ¶快给我～! 냉큼 나가〔꺼져〕 버려!

〔滚存〕 gǔncún 명동 이월(移越)(하다). ¶～金; 이월금. 명 금전 출납부.
〔滚打〕 gǔndǎ 동 맞붙어 싸우다. 붙었다 떨어졌다 하며 싸우다.
〔滚蛋〕 gǔn.dàn 동 ①도망치다. ②〈罵〉 꺼져라! 《매도해 꾸짖는 말》. ③서로 치고 받고 하다. ④무너지다. 못 쓰게 되다. ¶保甲制度早～了; 보갑 제도는 훨씬 전에 없어졌다.
〔滚刀〕 gǔndāo 명 ⇨〔滚铣刀〕
〔滚刀(儿)筋〕 gǔndāo(r)jīn 명 도무지 어떻게 할 도리가 없는 사람. 망나니. ¶他是个～, 咱们还是敬而远之吧; 그 녀석은 어찌할 도리가 없는 놈이니, 우리가 먼저 경원합시다. =〔滚刀(儿)肉〕
〔滚刀块〕 gǔndāokuài 명 막 썬 것. 썰 재료를 굴려 가면서 불규칙하게 썬 것. ¶把萝卜切成～; 무를 막 썰다.
〔滚刀(儿)肉〕 gǔndāo(r)ròu 명 ⇨〔滚刀(儿)筋〕
〔滚道〕 gǔndào 명 《機》 롤러 컨베이어.
〔滚地球〕 gǔndìqiú 명 《體》 (야구의) 땅볼. =〔滚球③〕
〔滚动〕 gǔndòng 동 (공·바퀴 따위가) 구르다. 회전하다. ¶～摩擦; 《物》 구름 마찰.
〔滚动轴承〕 gǔndòng zhóuchéng 명 《機》 구름 베어링. =〔减jiǎn摩轴承〕
〔滚赌〕 gǔndǔ 명 옛날, 도박 깡패《이기면 건 돈을 따고, 지면 싸움을 걸어서 돈을 주지 않음》.
〔滚翻〕 gǔnfān 명 《體》 (체조의) 공중제비. 텀블링(tumbling).
〔滚沸〕 gǔnfèi 동 비등(沸騰)하다. 끓다. =〔沸滚〕
〔滚岗水〕 gǔngāngshuǐ 명 산에서 흘러 떨어지는 폭포수.
〔滚杠〕 gǔngàng 명 《機》 롤러. 산륜(散輪).
〔滚疙瘩〕 gǔngēda 동 한 덩어리가〔일단이〕 되다. ¶三个组～撤出去; 3개 반이 한 덩어리가 되어 철수하다.
〔滚瓜〕 gǔnguā 명 동그란〔통통한〕 참외《통통한〔통통하게 살찐〕 모양》. ¶～似的肚子; 통통하게 부른 배.
〔滚瓜烂熟〕 gǔn guā làn shú 〈成〉 아주 익숙해져 있다. 잘 알고 있다. ¶把孔子的书, 读得～; 공자의 책을 줄줄 읽을 수 있게 됐다.
〔滚瓜溜圆〕 gǔnguā liūyuán (가축 따위가) 통통히 살쪄 있다.
〔滚瓜流油〕 gǔnguā liúyóu 〈比〉 (가축 따위가) 살이 찌고 털빛이 광택이 나는 모양.
〔滚瓜圆〕 gǔnguāyuán 형 동그랗다. 통통하다. ¶驴都喂得～; 당나귀는 모두 통통하게 살이 쪘다.
〔滚滚〕 gǔngǔn 형 ①물이 세차게 굽이쳐 흐르는 모양. ¶大江～东去; 큰 강이 도도히 굽이쳐 동으로 흐른다. ②〈轉〉 끊임없는 모양. ¶财源～; 재원이 풍부하다. ③수레바퀴가 구르는 모양. 〈轉〉 밀어닥치는 모양. ¶沙shā尘～; 모래 먼지가 밀어닥치다 / 历史车轮～向前; 역사의 수레바퀴는 힘차게 앞으로 굴러간다.
〔滚后〕 gǔnhòu 동 이월(移越)하다. →〔滚存〕
〔滚花〕 gǔnhuā 명 《工》 깔주기. 널링(knurlling). 미끄럼 방지 도톨무늬《금속 제품의 표면이나 나사 머리·핸들 등에 새겨진 요철》. =〔擂丝〕
〔滚花刀〕 gǔnhuādāo 명 《機》 널링(knurlling) 공구(工具). 룰렛(roulette). =〔〈南方〉 擂léi丝刀〕〔压yā花刀〕
〔滚架〕 gǔnjià 동 드잡이를 하다. 멱살을 그러잡고 싸우다. =〔滚蛋③〕
〔滚浆法〕 gǔnjiāngfǎ 명 콘크리트의 운반법《믹서 트럭에 의한》.
〔滚金赌〕 gǔnjīndǔ 명 작은 돌멩이를 발로 차서 땅에 판 구멍에 넣어 승부를 정하는 도박.
〔滚开〕 gǔnkāi 동 물이 부글부글 끓다. ¶～水 =〔～的水〕; 부글부글 끓은 물.
〔滚开〕 gǔnkai 동 〈罵〉 썩 나가라〔없어져〕! 꺼져! ¶给我～! 썩 꺼져 버려! =〔滚出去〕
〔滚雷〕 gǔnléi 명 연속 소리나는 우레. 동 몸을 굴리어 지뢰를 폭파시키다. ¶～英雄; 몸을 굴리어 지뢰를 폭파시킨 영웅.
〔滚乱〕 gǔnluàn 동 뒤죽박죽이 되다.
〔滚轮〕 gǔnlún 명 ①롤러. ②(운동용) 후프. ¶练～; 후프 연습을 하다. =〔虎伏〕
〔滚落〕 gǔnluò 동 굴러 떨어지다.
〔滚磨机〕 gǔnmójī 명 《機》 롤러 밀.
〔滚木垒石〕 gǔn mù lěi shí 〈成〉 축성(築城)하여 전투 준비를 하다.
〔滚木球〕 gǔnmùqiú 명 《體》 볼링. ¶投～ =〔玩～〕; 볼링을 하다. =〔滚球②〕〔保bǎo龄球〕
〔滚盘〕 gǔnpán 동 굴러서 돌다.
〔滚偏仪〕 gǔnpiānyí 명 《機》 경사의(傾斜儀). 클리노미터(clinometer). =〔倾斜指示器〕
〔滚坡〕 gǔnpō 동 ①비탈에서 굴러 떨어지다. ②서툰 짓을 하다. ③〈比〉 실각하다. ¶他好像滚了坡; 그는 실각한 것 같다.
〔滚起来〕 gǔnqilai 동 ①서로 붙잡고 싸우기 시작하다. ¶他和经理要～; 그는 지배인과 맞붙어 싸울 것 같다. ②〈罵〉 냉큼 일어나라!
〔滚球〕 gǔnqiú 명 ①볼 베어링. ②《體》 볼링. =〔滚木球〕 ③⇨〔滚地球〕 동 볼링하다.
〔滚球儿〕 gǔnqiúr 〈罵〉 썩 없어져 버려!《아이를 나무라며 물러나게 하는 말》. →〔滚蛋②〕
〔滚儿〕 gǔnr 명 ①회전. ¶那只狗在地上打了一个～; 그 개는 땅에서 한 바퀴 굴렀다. ②끓이는 횟수를 나타냄. ¶你把水煮两～; 물을 잠깐 끓여라.
〔滚热〕 gǔnrè 형 (음식이나 몸이) 무척 뜨겁다. 후끈 달아오르다. ¶～(儿)的饭; 뜨거운 밥 / 亲一亲那～的脸蛋; 상기되어 달아오른 뺨에 입을 맞추다 / 发高烧, 身上～～的; 고열로 몸이 불덩이 같다. =〔滚烫〕
〔滚入〕 gǔnrù 명동 이월(移越)(하다). ¶～下年新账; 다음해 계정에 이월하다.
〔滚石〕 gǔnshí 명 (산에서의) 낙석(落石).
〔滚式〕 gǔnshì 명 《體》 (높이뛰기에서) 롤 오버. →〔跳tiào高(儿)〕
〔滚水〕 gǔnshuǐ 명 뜨거운 물. =〔开水〕 (gǔn.shuǐ) 동 물이 넘치다. ¶～坝 bà; 배수(排水) 댐.
〔滚水度〕 gǔnshuǐdù 명 《物》 비등점(沸騰點).
〔滚算〕 gǔnsuàn 동 복리로 계산하다. ¶～利; 복리.
〔滚碎机〕 gǔnsuìjī 명 《機》 롤(roll) 파쇄기.
〔滚汤〕 gǔntāng 명 열탕(熱湯).
〔滚汤泼老鼠〕 gǔntāng pō lǎoshǔ 〈歇〉 끓는 물을 쥐구멍에 붓다《승리나 성공은 확실함》.
〔滚烫〕 gǔntàng 형 ⇨〔滚热〕
〔滚筒〕 gǔntǒng 명 《機》 롤러(roller). 롤. ¶誊写版的～; 등사판의 롤러 / ～油印机; 윤전식 등사기.
〔滚筒呢〕 gǔntǒngní 명 롤러 클로스(roller cloth). 원통형으로 감아 둔 원단. =〔滚子呢〕〔罗luó拉呢〕
〔滚铣刀〕 gǔnxǐdāo 명 《機》 호브(hob)《커터의 일

종. 각종의 특수한 톱니를 만드는 기구). =〔滚刀〕〔滚(齿)刀〕〔螺luó旋铣刀〕
〔滚铣(法)〕 gǔnxǐ(fǎ) 명《工》 톱니바퀴의 이를 만드는 방법. →〔滚铣刀〕
〔滚下去〕 gǔnxiaqu 동 ①굴러 떨어지다. ②〈罵〉 냉큼 내려와서 꺼져 버려!
〔滚刑〕 gǔnxíng 동 형(刑)에 불복하다. 처벌에 반항하다.
〔滚雪球〕 gǔn xuěqiú 눈사람을 만들다. ¶～式的扩充; 눈덩이처럼 불어남.
〔滚压管〕 gǔnyāguǎn 명《機》 압연관(壓延管).
〔滚一身泥巴〕 gǔn yīshēn níbā 온몸이 흙투성인 모양. ¶～, 炼一颗红心; 온몸이 흙투성이가 되어 오로지 마음을 닦는다.
〔滚油浇心〕 gǔn yóu jiāo xīn 〈成〉 펄펄 끓는 기름을 가슴에 쏟아붓다(슬픔 때문에 마음이 몹시 아픔).
〔滚圆(儿)〕 gǔnyuán(r) 형 동그랗다. ¶腰身～的母牛; 허리가 포동포동한 암소.
〔滚轧机〕 gǔnzhájī 명《機》 압연기(壓延機).
〔滚战〕 gǔnzhàn 동 분투하다. 빠빠지게 일하다.
〔滚着疙瘩〕 gǔnzhegēda 부 〈方〉 속속(續續). 줄이어. 잇달아. ¶开会的人～来了; 회의 참석자가 계속해서 왔다. →〔滚疙瘩〕
〔滚针轴承〕 gǔnzhēn zhóuchéng 명《機》 니들(롤러) 베어링(needle (roller) bearing). 침상(針狀) 굴림대 축받이.
〔滚珠(儿)〕 gǔnzhū(r) 명《機》 볼 베어링의 강구(鋼球). 스틸볼. =〔钢珠〕
〔滚珠链〕 gǔnzhūliàn 명 롤러 체인(roller chain).
〔滚珠轴承〕 gǔnzhū zhóuchéng 명《機》 볼 베어링. =〔球qiú轴承〕
〔滚柱〕 gǔnzhù 명《機》 산륜(散輪). 원통형 굴림대. ¶～轴承; 볼 베어링(ball bearing).
〔滚柱窝〕 gǔnzhùwō 명 롤러 네스트. 굴림대 구멍.
〔滚壮〕 gǔnzhuàng 형 〈方〉 통통하게 살지다. =〔肥壮〕
〔滚子〕 gǔnzi 명 ①롤러(roller). 굴림대. ¶磨面～; 제분용 롤러 / 用～轧平场地; 롤러로 땅을 평평하게 고르다 / 用～碾碎粮食; 롤러로 곡식을 빻다. =〔辊子〕〔滚轮〕〔滚轴〕〔罗勒〕 ②〈北方〉 전동기(電動機).
〔滚罪〕 gǔnzuì 동 죄를 인정하지 않다.

磙〈䃂〉 gǔn (곤) ①(～子) 명 (돌·철로 만든) 롤러. ②동 롤러로 땅을 고르다. ¶～地; 롤러로 땅을 고르다.
〔磙子〕 gǔnzi 명 ①⇨〔碌碡liùzhou〕 ②(탈곡·제분 또는 정지(整地) 따위에 쓰이는) 돌로 만든 롤러. ③롤. 롤러.

绲(緄) gǔn (곤) ①명 새끼. 끈. ②명 엮어 짠 띠. ③동 (옷의 가장자리에) 바이어스를 대다. 가선을 두르다. ¶～一道边; 가선을 달다.
〔绲边儿〕 gǔnbiānr 명 의복 가장자리에 두른 끈. =〔滚gǔn边儿〕〔绲条〕

辊(輥) gǔn (곤) ①(～子) 명 기계의 굴대. 롤러. =〔罗luó拉〕 ②(～子) 명 압연(壓延) 롤. ③동 롤러로 누르다〔다지다〕. ¶～光 =〔勒lè光〕; 닦아서 광을 내다 / ～道dào =〔～路lù〕; 도로를 롤러로 다지다. ④동 차가 부드럽게 움직이다. ⑤동 회전이 빠르다.
〔辊路机〕 gǔnlùjī 명 로드 롤러(road roller). =〔辊道机〕〔压路机〕
〔辊筒印花机〕 gǔntǒng yìnhuājī 명《紡》 회전 원통(圓筒) 날염기(捺染機).
〔辊压〕 gǔnyā 동 압연(壓延)하다.

鲧(鯀〈鮌〉) gǔn (곤) 명 ①큰 물고기. ②(Gǔn)《人》 우왕(禹王)의 아버지의 이름.

棍 gùn (곤) 명 ①(～儿, ～子) 막대기. ¶木～; 나무 막대기 / 铁～; 철 몽둥이. =〔棒〕 ②(～儿, ～子) 단장. ③악당. 무뢰한. 깡패. ¶恶～; 악당 / 地～ =〔土～〕〔地痞〕; 고장의 불량배 / 赌～; 노름꾼.
〔棍棒〕 gùnbàng 명 ①(무기로서의) 곤봉. ②(체조용의) 곤봉.
〔棍茶〕 gùnchá 명 막대기 모양으로 뭉친 찻잎.
〔棍打〕 gùndǎ 동 곤봉으로 치다.
〔棍法〕 gùnfǎ 명 곤봉술(곤봉을 쓰는 무술의 일종).
〔棍球〕 gùnqiú 명《體》 야구. ¶打～; 야구를 하다. =〔棒bàng球〕
〔棍儿茶〕 gùnrchá 명 찻잎이나 차나무 줄기로 만든 싸구려 차.
〔棍条〕 gùntiao 형 몸이 단단하다. 날씬하다. (몸매가) 미끈하다. ¶这几位选手个个都挺～; 이 선수들은 모두가 하나같이 몸매가 미끈하다.
〔棍头〕 gùntóu 명 막대기 끝.
〔棍头枪〕 gùntóuqiāng 명 속에 칼을 장치한 지팡이.
〔棍徒〕 gùntú 명 악당. 무뢰한들. =〔棍匪〕〔棍脚〕〔棍痞〕
〔棍香〕 gùnxiāng 명 굵은 선향(線香).
〔棍子〕 gùnzi 명 막대기. 몽둥이.
〔棍子鱼〕 gùnziyú 명《魚》 갈고등어.

GUO ㄍㄨㄛ

过(過) guō (과) ①동 〈口〉 과도하다. 분수에 지나치다. 사치하다. ¶～费; ⇩ ②명 성(姓)의 하나. ⇒guò
〔过费〕 guōfèi 동 〈方〉 낭비하다. ¶这么一点小事就～精力是不合算的; 이런 사소한 일에 힘을 낭비하는 것은 손해다.
〔过分〕 guō.fèn 동 분에 넘치다. 지나치게 사치하다. ¶～的生活使他堕落下去了; 지나치게 사치한 생활은 그를 타락시켰다.
〔过福〕 guōfú 동 〈方〉 너무 과분하다. ¶现在的生活我感到～了, 可你怎么还不满足呢? 지금의 생활을 나는 너무 과분하다고 생각하는데, 너는 어째서 아직도 불만이냐?
〔过逾〕 guōyú 동 지나치다. 과분하다. 도(度)가 지나치다. ¶享福享～了; 과분할 정도로 행복하다 / 小心没～; 〈諺〉 조심하는 것은 아무리 해도 지나치다고 할 수 없다.

彍(彍〈彉〉) guō (확) 동 〈文〉 활시위를 당기다.

埚(堝) **Guō** (화)
명 성(姓)의 하나.

涡(渦) **Guō** (과)
명 ①《地》 궈 허(渦河)《허난 성(河南省)에서 발원하여 안후이 성(安徽省)으로 흘러드는 강 이름》. ②성(姓)의 하나.
⇒wō

埚(堝) **guō** (과)
→〔坩gān埚〕

锅(鍋) **guō** (과)
명 ①냄비. ¶一口～; 냄비 한 개 / 一～肉; 한 냄비의 고기 요리 / 沙～; 질냄비 / 饭～; 밥솥 / 水～; 물 끓이는 냄비. ②가열용의 기구. ¶火～(子); 신선로 / 汽～; 보일러. ③(～儿) 기구의 냄비 모양의 부분. ¶烟袋～儿; 담뱃대의 대통.

〔锅巴〕 guōbā 명 솥에 눌어붙은 것. 누룽지. 눌은 밥. =〔饭嘎巴儿〕〔饭痂〕
〔锅把(儿)〕 guōbà(r) 명 냄비 자루.
〔锅饼〕 guōbǐng 명 밀가루를 반죽하여 납작하고 밑이 평평한 쇠냄비에, 지름 50～60cm, 두께 3～5cm 크기로 구운 밀가루떡. →〔烙lào饼〕〔烧shāo饼〕
〔锅菜〕 guōcài 명 《植》 산토끼꽃.
〔锅铲〕 guōchǎn 명 ①부삽. ②(～儿) 부침개 뒤집개.
〔锅底〕 guōdǐ 명 ①냄비의 밑. ②불모(不毛)의 땅. 배수가 잘 되지 않는 땅.
〔锅底夜〕 guōdǐyè 명 캄캄한〔칠흑의〕 밤.
〔锅钉〕 guōdīng 명 리벳. 대갈못.
〔锅耳(子)〕 guō'ěr(zi) 명 냄비의 쥘손〔손잡이〕.
〔锅房〕 guōfáng 명 ①취사장. 주방. ②물 끓이는 장소. ‖ =〔锅屋〕
〔锅盖(儿)〕 guōgài(r) 명 냄비 뚜껑. ¶盖～; (냄비) 뚜껑을 닫다.
〔锅盖鱼〕 guōgàiyú 명 《魚》 목탁가오리. =〔团扇鳐〕
〔锅垢〕 guōgòu 명 《機》 관석(罐石). 관물때. ¶～系数; 오수(汚水) 계수.
〔锅户〕 guōhù 명 제염(製鹽)업자.
〔锅灰木〕 guōhuīmù 명 풍로 등을 만드는 데 쓰이는 흰 찰흙.
〔锅伙(儿)〕 guōhuo(r) 명 ①(공사장 등의) 임시 공동 숙소. ¶住～; 모두 한솥밥을 먹고 생활하다. ②(현장 등에서) 같은 식사를 하는 동료.
〔锅脚〕 guōjiǎo 명 《機》 솥발.
〔锅盔〕 guōkuī 명 작게 구운 '锅饼'
〔锅帘〕 guōlián 명 (보온용의) 냄비 덮개.
〔锅梁儿〕 guōliángr 명 냄비를 매어다는 활 모양의 손잡이.
〔锅炉〕 guōlú 명 증기 기관. 보일러. ¶蒸汽～; 스팀 보일러 / 车头～; 기관차의 기관(汽罐) / ～工; 보일러공(工) / ～房; 보일러실 / 水管～; 수관식 보일러. 워터 튜브 보일러.
〔锅炉铁板〕 guōlú tiěbǎn 명 《工》 보일러 강판(鋼板).
〔锅清灶冷〕 guō qīng zào lěng 〈成〉 솥은 비고 부뚜막은 차갑다《먹을 것이 없다. 뒤주가 비어 있다》.
〔锅圈儿〕 guōquānr 명 ①냄비 받침《대나무나 짚으로 엮은 것》. ②머리 위를 깎고 사방만 남긴 어린애의 머리 모양.
〔锅儿〕 guōr 명 ①작은 냄비. ②기물의 냄비처럼 생긴 부분.
〔锅儿上锅儿下〕 guōrshàng guōrxià 냄비에 넣을 것과 밑에서 땔 것. 쌀과 연료《일상 다반사(茶飯事). 생활비》. =〔锅上锅下〕
〔锅儿挑儿〕 guōrtiǎor 명 삶은 국수를 그릇에 담아 양념을 쳐서 먹는 방식. =〔锅挑〕
〔锅烧〕 guōshāo 명 재료를 일단 기름에 튀긴 후 기름을 빼고 다시 조미료를 넣어 뭉근한 불로 무를 때까지 삶는 요리법.
〔锅爆〕 guōtā 명 재료를 섞어 날계란을 바르고, 밀가루를 묻혀서 기름에 튀기고 나서 다시 조미료를 넣어 뭉근한 불에 무를 때까지 삶는 요리법. ¶～鸡; 닭고기를 위와 같은 방법으로 삶은 요리.
〔锅台(儿)〕 guōtái(r) 명 화덕. 부뚜막. ¶～转的; 〈比〉 여자(아이) / 他又添了～转的; 또, 여자 아이가 태어났다.
〔锅挑〕 guōtiǎo 명 ⇨〔锅儿挑儿〕
〔锅贴儿〕 guōtiēr 명 ①군만두. ②짤막하고 중간을 잘록하게 만든 밀가루 반죽을 냄비에 넣고 구운 것. ③〈轉〉 따귀. ¶敬他一个～; 따귀를 때려 주다.
〔锅筒〕 guōtǒng 명 스팀 보일러의 물이나 수증기를 저장하는 원통형의 관(罐). =〔〈方〉 汽qì包〕
〔锅头〕 guōtou 명 부뚜막.
〔锅驼机〕 guōtuójī 명 《機》 보일러와 증기(蒸氣) 기관이 연결된 동력기(動力機)《수차(水車)·발전기 등의 기계를 움직이며 주로 농촌용》.
〔锅碗刀勺〕 guō wǎn dāo sháo 냄비·밥그릇·부엌칼·국자《취사용의 기구》. =〔锅碗瓢勺〕
〔锅屋〕 guōwū 명 ⇨〔锅房〕
〔锅效率〕 guōxiàolǜ 명 보일러의 효율.
〔锅心〕 guōxīn 명 《機》 연관(煙管). =〔〈南方〉 炉lú胆〕
〔锅烟子〕 guōyānzi 명 냄비〔솥〕 검댕《안료로 씀》. ¶刮～; 냄비 검댕을 긁어 내다.
〔锅灶〕 guōzào 명 부뚜막. =〔锅台(儿)〕
〔锅渣〕 guōzha 명 녹두로 만든 두부 껍질 비슷한 음식.
〔锅帐〕 guōzhàng 명 냄비와 천막《행군시의 주요 휴대품》.
〔锅庄〕 guōzhuāng 명 티베트족의 민간 무용《축제일이나 농한기에 남녀가 원을 이루어 노래하며 춤을 춤》.
〔锅子〕 guōzi 명 ①냄비. ¶涮～; 칭기즈칸 냄비. =〔火锅〕 ②기물의 냄비처럼 생긴 부분.

郭 **guō** (곽)
명 ①성곽. 성벽. ¶东～; 동쪽의 성벽. ②외성(外城). ③바깥 둘레〔주위〕. ¶铜钱的周～; 동전의 가장자리 둘레. ④옛 나라 이름. ⑤성(姓)의 하나.

〔郭公〕 guōgōng 명 《植》 뻐꾸기.

崞 **Guō** (곽)
명 《地》 ①궈 현(崞縣)《산시 성(山西省)에 있는 옛 현 이름》. ②궈 산(崞山)《산시 성(山西省)에 있는 산 이름》.

啯(嘓) **guō** (괵)
형 번거롭다. 귀찮다. ¶～～; ⓐ〈擬〉 꿀꺽. 쭉《마시거나 삼키는 소리》. ⓑ번거롭다. 귀찮다.

蝈(蟈) **guō** (괵)
→〔蝈蝈(儿)〕〔蝼lóu蝈〕

〔蝈蝈(儿)〕 guōguo(r) 명 《蟲》 여치. ¶捉～; 여

치를 잡다. =〔〈方〉叫哥哥〕

聒 **guō** (괄)
형 소리가 시끄럽다. ¶~絮xù =〔絮~〕; ⓐ 성가시게 지껄이다. ⓑ폐를 끼치다. (남을) 번거롭게〔귀찮게〕 하다 / ~得慌; 시끄러워 견딜 수 없다 / ~~; ⓐ와글와글. ⓑ무지(無知)한 모양.
〔聒耳〕 guō'ěr 형 시끄럽다.
〔聒聒儿〕 guōguor 명〖蟲〗 여치.
〔聒噪〕 guōzào 형〈方〉 시끄럽다. 왁자지껄하다. ¶只听见一片~的说话声; 단지 주위에서 왁자지껄 이야기하는 소리가 들렸다.

国(國〈囯〉) **guó** (국)
① 명 나라. 국가. ¶~内; 국내 / 祖~; 조국 / 外~; 외국 / ~破家亡; 나라가 망하고 집이 망하다. ② 명 고국(故國). ¶归guī~华侨; 고국으로 돌아온 외국 거주의 화교. ③ 형 국가를 대표하는. 국가의. ¶~徽; ⇩ / ~旗; ⇩ / ~花; ⇩ ④ 형 자국(自國)의. 그 나라의. ¶~产; ⇩ / ~货; ⇩ / ~画; ⇩ ⑤ 명 성(姓)의 하나.
〔国宝〕 guóbǎo 명 ①국보. 나라의 보배. ②국가에 특수한 공헌을 한 인물.
〔国本〕 guóběn 명 국가의 기본. 나라의 기초.
〔国币〕 guóbì 명 정부 소정의 통화.
〔国宾〕 guóbīn 명 국빈.
〔国秉〕 guóbǐng 명〈文〉 정권(政權). =〔国柄〕
〔国柄〕 guóbǐng 명 ⇨〔国秉〕
〔国步〕 guóbù 명〈文〉 국운(國運). ¶~斯频; 국운이 급박하다.
〔国策〕 guócè 명 국가의 기본 정책. 국책.
〔国产〕 guóchǎn 명형 국산(의). ¶~品pǐn; 국산품 / ~影片; 국산 영화. →〔国货〕
〔国朝〕 guócháo 명〈文〉 본조(本朝). 당대의 조정.
〔国耻〕 guóchǐ 명 국치. 나라의 치욕.
〔国耻纪念日〕 guóchǐ jìniànrì 명 국치 기념일《1915년 5월 9일, 일본이 21개조의 요구를 위안스카이(袁世凱) 정부에게 승낙하게 한 것을 잊지 않기 위한 날》. =〔五wǔ九〕
〔国仇〕 guóchóu 명 나라의 원수.
〔国储〕 guóchǔ 명〈文〉 황태자.
〔国粹〕 guócuì 명〈文〉 국수《자국 문화에 대한 보수적 혹은 맹목적인 숭배》. →〔国华〕
〔国粹党〕 guócuìdǎng 명 파시스트당.
〔国典〕 guódiǎn 명〈文〉 국전. 국가의 전례(典禮)와 제도.
〔国定〕 guódìng 명 국정. 나라에서 정함.
〔国都〕 guódū 명 수도.
〔国度〕 guódù 명 ①나라의 법률 제도·구조. ② ⇨〔国用〕
〔国而忘家〕 guó ér wàng jiā 〈成〉 국사(國事)를 위하여 가사(家事)〔집〕를 잊다.
〔国法〕 guófǎ 명 국법. ¶国有~, 家有家规; 〈諺〉 나라에는 국법이 있고, 집에는 가훈이 있다.
〔国防〕 guófáng 명형 국방(의). ¶~力量; 국방력 / ~费; 국방비 / ~军; 국방군.
〔国风〕 guófēng 명 ①나라의 관습. ②나라의 풍습. ③시경(詩經)의 풍(風)을 이르는 말.
〔国服〕 guófú 명 ⇨〔国丧〕
〔国府〕 guófǔ 명〈簡〉 '中华民国国民政府'의 약칭. ¶~主席; 국민 정부(國民政府)의 주석(主席).
〔国父〕 guófù 명 ①〖政〗 국가를 창설한 인물. 국부. ②〖人〗 쑨원(孫文).
〔国富〕 guófù ①나라가 부유하다. ②명 국부. ¶~民强; 나라는 부강하고 백성은 번영하다.
〔国纲〕 guógāng 명 ⇨〔国纪〕
〔国歌〕 guógē 명 국가. ¶奏zòu~; 국가를 연주하다.
〔国工〕 guógōng 명 나라 안에서 가장 뛰어난 공장(工匠)〔장인(匠人)〕.
〔国故〕 guógù 명〈文〉 ①나라의 큰 일. ②그 나라의 문화·학술《흔히, 언어·문학·문자·역사를 가리킴》. ¶整理~; 자국의 문화·학술을 정리하다.
〔国光〕 guóguāng 명 ①국가의 영광. ②국광《사과의 품종》. =〔小国光〕
〔国号〕 guóhào 명 국호.
〔国花〕 guóhuā 명 국화. 나라의 대표적인 꽃.
〔国华〕 guóhuá 명 나라의 정화(精華).
〔国画〕 guóhuà 명〖美〗 중국 고유의 회화(繪畫). 수묵화(水墨畫).
〔国患〕 guóhuàn 명 국가의 재난.
〔国徽〕 guóhuī 명 국장(國章). 나라의 문장(紋章).
〔国会〕 guóhuì 명〖政〗 의회. =〔议yì会〕
〔国讳〕 guóhuì 명 '国君'(당대의 군주)의 이름자 쓰기를 피함《황제의 이름자는 일반적으로 쓰지 않거나, 다른 자를 쓰거나, 획수를 줄여 쓰거나 했음》.
〔国婚〕 guóhūn 명 옛날, 황제의 딸의 결혼.
〔国魂〕 guóhún 명 국민 정신.
〔国货〕 guóhuò 명 국산품. ¶提倡~; 국산품 장려.
〔国基〕 guójī 명 국기. 나라의 기초.
〔国籍〕 guójí 명 ①(개인의) 국적. ¶双重~; 이중 국적 / ~改变; 귀화(歸化). 국적 변경 / ~丧失; 국적 상실. ②(비행기나 배의) 소속국. ¶~不明的飞机; 국적 불명의 비행기.
〔国计〕 guójì 명 ①나라의 경제. ¶~民生; 나라의 경제와 국민의 생활. ②국가 정책.
〔国计民生〕 guó jì mín shēng 〈成〉 국가의 경제와 국민의 생활.
〔国纪〕 guójì 명 나라의 규범(規範). =〔国纲〕
〔国际〕 guójì 명 국제. 국제적. ¶~合作; 국제 협력 / ~事务; ⓐ국제 실무. 외교 실무. ⓑ국제 관계 / ~威望; 국제적인 위신 / ~水平; 국제적 수준 / ~谈判; 국제 교섭 / ~新闻; 국제 뉴스 / ~信件; 국제 우편(물) / ~友人; 외국의 친구 / ~垄断组织; 국제 독점 조직 / ~转运量; 국제적인 물자의 이동량 / ~民用航空组织; 국제 민간 항공 기구 / ~笔会; 국제 펜클럽 / ~能源机构; 국제 에너지 기구 / ~大学生运动会; 유니버시아드(Universiade) / ~农业发展基金; 국제 농업 개발 기금 / ~海事组织; 국제 해사 기구 / ~电信联盟; 국제 전기 통신 연합.
〔国际裁判〕 guójì cáipàn 명〖體〗 국제 심판.
〔国际地球物理年〕 guójì dìqiú wùlǐnián 명〖地〗 국제 지구 물리 관측년.
〔国际地役〕 guójì dìyì 명〖法〗 국제 지역(國際地役). 국가 지역.
〔国际电影节〕 guójì diànyǐngjié 명 국제 영화제.
〔国际儿童节〕 Guójì értóngjié 명 국제 아동절. =〔儿童节〕〔六liù一(儿童)节〕
〔国际法〕 guójìfǎ 명〖法〗 국제법. =〔国际公法〕
〔国际法院〕 Guójì fǎyuàn 명〖法〗 국제 사법 재판소(國際司法裁判所). ¶向海牙~控告英国; 헤이그의 국제 사법 재판소에 영국을 제소하다.

〔国际分工〕 guójì fēngōng 명 《經》 국제 분업. →〔分工〕
〔国际妇女节〕 Guójì fùnǚjié 명 국제 여성의 날. =〔三八妇女节〕
〔国际歌〕 Guójì Gē 명 인터내셔널(international)의 노래. 국제 무산 계급 혁명가.
〔国际公法〕 guójìgōngfǎ 명 《法》 국제법. 국제 공법. =〔国际法〕 →〔国际私法〕
〔国际公制〕 guójì gōngzhì 명 《物》 미터법. 만국 도량형제. =〔公制〕〔米制〕〔标准制〕〔公尺制〕〔米突制〕〔万国公制〕
〔国际共管〕 guójì gòngguǎn 명 《法》 공동 관리《두 나라 이상의 국가가 공동으로 한 지역을 통치 또는 관리하는 일》. =〔共管〕
〔国际惯例〕 guójì guànlì 명 국제 관례. 국제 관습.
〔国际航空邮简〕 guójì hángkōng yóujiǎn 명 항공 봉함 엽서. 에어로그램(aerogram).
〔国际河川〕 guójì héchuān 명 국제 하천.
〔国际货币基金组织〕 Guójì huòbì jījīn zǔzhī 명 국제 통화 기금. 아이 엠 에프(IMF).
〔国际机场〕 guójì jīchǎng 명 국제 공항.
〔国际经济〕 guójì jīngjì 명 국제 경제. ¶～技术合作公司; 대외 청부 공사《중앙 또는 각 성(省) 정부가 설립하여, 외국에 대해 청부 공사나 국제 노무 합작을 하는 국영 기업》.
〔国际纠纷〕 guójì jiūfēn 명 국제 분쟁. =〔国际争端〕
〔国际劳动节〕 Guójì láodòngjié 명 메이데이. 국제 노동 기념일. =〔劳动节〕〔五wǔ一(劳动)节〕
〔国际劳动组织〕 Guójì láodòng zǔzhī 명 국제 노동 기구(ILO).
〔国际联盟〕 Guójì liánméng 명 국제 연맹. =〔国联〕
〔国际路线〕 guójì lùxiàn 명 국제 노선. 국제 문제에 대한 대책 방침.
〔国际贸易〕 guójì màoyì 명 국제 무역. →〔对duì外贸易〕
〔国际乒乓球联合会〕 Guójì pīngpāngqiú liánhéhuì 명 국제 탁구 연맹.
〔国际清算〕 guójì qīngsuàn 명 국제 결제. ¶黄金是国家在对外贸易领域中进行～的手段; 금은 나라가 외국 무역 분야에서 국제 결제를 하는 수단이다.
〔国际日期变更线〕 guójì rìqī biàngēngxiàn 명 날짜 변경선. =〔日界线〕
〔国际狮子会〕 guójì shīzǐhuì 명 ⇨〔莱lái昂斯俱乐部〕
〔国际私法〕 guójì sīfǎ 명 《法》 국제 사법. →〔国际公法〕
〔国际投资〕 guójì tóuzī 명 《經》 국제 투자.
〔国际象棋〕 guójì xiàngqí 명 서양 장기. 체스(chess).
〔国际新闻社〕 Guójì Xīnwénshè 명 (미국의) 아이 엔 에스(INS) 통신사.
〔国际音标〕 guójì yīnbiāo 명 《言》 국제 음성 기호. =〔万wàn国语音学字母〕
〔国际影片竞赛〕 guójì yǐngpiàn jìngsài 명 국제 영화 콩쿠르.
〔国际争端〕 guójì zhēngduān 명 《政》 국제 분쟁. =〔国际纠纷〕
〔国际主义〕 guójì zhǔyì 명 《政》 국제주의. 인터내셔널리즘.
〔国际纵队〕 guójì zòngduì 명 1936～39년 스페인 내전 때 스페인 국민을 지원하고 프랑코 정권에 반대한 외국의 노동자·농민의 부대, 후에는 침략에 반대하는 외국인의 의용군을 말함.
〔国技〕 guójì 명 그 나라의 대표적인 무술. =〔国术〕
〔国忌(日)〕 guójì(rì) 명 국기(일)《옛날, 황제 혹은 황후가 돌아가신 날》.
〔国祭〕 guójì 명 국가의 축제일.
〔国家〕 guójiā 명 ①국가. 나라. ¶保卫～; 나라를 지키다 / 你从哪个～来的? 당신은 어느 나라에서 왔습니까? / ～政权; 국가 권력 / ～队; 《體》 국가 대표팀. ②중앙 정부의 뜻. ¶～干部; 국가 공무원. 정부 관리.
〔国家裁判〕 guójiā cáipàn 명 《體》 국가 심판《중화 인민 공화국의 국가 공인 심판》.
〔国家机构〕 guójiā jīgòu 명 국가 기구.
〔国家机关〕 guójiā jīguān 명 ①국가 기관. 정부 기관. ②특히, 중앙의 1급 기관.
〔国家机器〕 guójiā jīqì 명 국가 권력 기구.
〔国家计划委员会〕 guójiā jìhuà wěiyuánhuì 명 국가 계획 위원회《국무원에 속하는 중앙 관청의 하나》. =〔〈簡〉 计委〕
〔国家教育委员会〕 guójiā jiàoyù wěiyuánhuì 명 국가 교육 위원회《중앙 관청의 하나》. =〔〈簡〉 国家教委〕
〔国家结构〕 guójiā jiégòu 명 국가 체제.
〔国家社会主义〕 guójiā shèhuì zhǔyì 명 《政》 ①국가 사회주의. ②⇨〔法fǎ西斯主义〕
〔国家元首〕 guójiā yuánshǒu 명 국가 원수.
〔国家主义〕 guójiā zhǔyì 명 국가주의.
〔国家资本主义〕 guójiā zīběn zhǔyì 명 국가 자본주의.
〔国交〕 guójiāo 명 국교. →〔邦bāng交〕
〔国教〕 guójiào 명 국교. 국정의 종교.
〔国界〕 guójiè 명 국경선.
〔国境〕 guójìng 명 국경.
〔国舅〕 guójiù 명 황후나 귀비(貴妃)의 형제.
〔国君〕 guójūn 명 국가 군주.
〔国课〕 guókè 명 국가의 과세(課稅). =〔国征〕
〔国库〕 guókù 명 《經》 국고. ¶～券 =〔库券〕; 국고 채권(債券). =〔金库〕
〔国老〕 guólǎo 명 국가의 원로(元老).
〔国力〕 guólì 명 국력.
〔国历〕 guólì 명 ①양력. =〔阳历〕 →〔阴历〕 ②그 나라의 역법(曆法).
〔国立〕 guólì 명 국립. ¶～大学; 국립 대학.
〔国联〕 guólián 명 ⇨〔国际联盟〕
〔国论〕 guólùn 명 국론(國論).
〔国脉民命〕 guó mài mín mìng 〈成〉 국가와 국민의 운명.
〔国门〕 guómén 명 〈文〉 ①수도의 성문. ②성문 밖의 지방. 변경(邊境).
〔国民〕 guómín 명 국민. ¶～投票; 국민 투표 / ～警卫队; 미국의 주병(州兵)
〔国民党〕 Guómíndǎng 명 (중국) 국민당 '中zhōng国国民党'의 약칭.
〔国民革命军第八路军〕 guómín gémìngjūn dìbālùjūn →〔八路军〕
〔国民公德〕 guómín gōngdé 명 모든 국민이 지켜야 할 공중 도덕.
〔国民经济〕 guómín jīngjì 명 《經》 국민 경제.
〔国民生产总值〕 guómín shēngchǎn zǒngzhí 명 《經》 국민 총생산. GNP.
〔国民收入〕 guómín shōurù 명 《經》 국민 소득.

〔国母〕 guómǔ 명 천자의 어머니. ¶～皇后; 천자의 생모인 황태후에 대한 칭호(명(明)·청대(清代)). =〔国太〕
〔国难〕 guónàn 명 (외침에 의한) 국난. ¶～财; 전쟁중의 혼란한 틈을 이용하여 모은 재산.
〔国内〕 guónèi 명 국내. ¶～汇兑; 내국환(內國換)/～战争; 내란/～形势; 국내정세/～市场; 국내 시장/～生产总值; 국내 총생산(GDP). ↔〔国外〕
〔国片〕 guópiān 명 국산 영화.
〔国戚〕 guóqī 명 천자의 외척('后', '妃'의 친정). =〔国姻〕
〔国旗〕 guóqí 명 국기(중국의 국기는 '五wǔ星红旗'임). ¶挂～; 국기를 달다.
〔国器〕 guóqì 명 나라에 쓸모가 있는 인재.
〔国情〕 guóqíng 명 국정. 나라의 정세(형편).
〔国情咨文〕 guóqíng zīwén 명 일반 교서. 연두 교서.
〔国庆节〕 Guóqìngjié 명 국경절. 건국 기념일(1949년 10월 1일, 북경 천안문(天安門)에서 중화 인민 공화국 중앙 인민 정부를 수립하여 이 날을 '～'로 정함). ¶～观礼; 국경절의 식전(을 참관하다).
〔国人〕 guórén 명 그 나라 사람. 국민.
〔国丧〕 guósāng 명 황제·황후·황태후 등의 초상. =〔国服〕〔国孝〕〔国恤②〕
〔国色〕 guósè 명 절세 미인. ¶天姿～; 태어날 때부터 아름다움/～天香; 모란꽃의 아름다움의 형용. =〔国容〕〔国姝shū〕〔国艳〕
〔国殇〕 guóshāng 명 순국(殉國) 열사(烈士). ¶哀～; 순국 열사를 애도하다.
〔国史〕 guóshǐ 명 ①국사. 한 나라의 역사. 왕조의 역사. ②고대의 사관(史官).
〔国使〕 guóshǐ 명 ①국사. ②나라의 사절.
〔国士无双〕 guó shì wú shuāng 〈成〉 천하 무쌍의 기재(奇才). 천하 제일의 인물.
〔国事〕 guóshì 명 국사. ¶～访问; 공식 방문/～犯; 국사범.
〔国势〕 guóshì 명 국세. ¶～调diào查; 국세 조사.
〔国是〕 guóshì 명 〈文〉 국시. 국가의 기본 방침.
〔国手〕 guóshǒu 명 그 나라에서 으뜸 가는 명수(名手)(의사·기사(棋士)·시인 등에 대해서).
〔国书〕 guóshū 명 국서. 외교 대표 증명서. ¶呈递～; 국서를 봉정(奉呈)하다.
〔国姝〕 guóshū 명 ⇨〔国色〕
〔国术〕 guóshù 명 ⇨〔国技〕
〔国俗〕 guósú 명 나라의 습관. 나라의 풍습.
〔国太〕 guótài 명 ⇨〔国母〕
〔国泰民安〕 guó tài mín ān 〈成〉 국태민안. 나라가 태평하고 백성의 생활이 평안하다.
〔国帑〕 guótǎng 명 나라의 재산.
〔国特〕 guótè 명 〈簡〉 국민 정부측의 첩보원. =〔国民政府特务工作员〕
〔国体〕 guótǐ 명 ①국체. ②국가의 체면.
〔国土〕 guótǔ 명 국토. =〔邦bāng土〕
〔国外〕 guówài 명 국외. ↔〔国内〕
〔国王〕 guówáng 명 국왕.
〔国文〕 guówén 명 ①문어문(文語文). ②자국의 문자.
〔国务〕 guówù 명 국무. ¶～卿qīng; (미국 등의) 국무장관.
〔国务院〕 guówùyuàn 명 국무원(내각에 해당).
〔国玺〕 guóxǐ 명 국새(國璽).
〔国香〕 guóxiāng 명 '兰lán花(儿)'(난초꽃)의 별칭. →〔国花〕
〔国饷〕 guóxiǎng 명 국세(國稅). 국가 수입.
〔国孝〕 guóxiào 명 ⇨〔国丧〕
〔国信〕 guóxìn 명 (외교상의) 국서(國書).
〔国性〕 guóxìng 명 나라의 특성(언어·문자·종교·풍속·습관 등).
〔国恤〕 guóxù 명 ①국가의 근심. ②⇨〔国丧〕
〔国婿〕 guóxù 명 천자의 사위. ¶家世贵显, 又身为～; 집안은 명문이고, 그 몸은 천자의 사위이다.
〔国学〕 guóxué 명 ①국학(옛날, 중국 고대부터 있던 전통적 학문). ¶～的底子; 국학의 소양(素養). ②→〔国子监〕
〔国艳〕 guóyàn 명 ⇨〔国色sè〕
〔国宴〕 guóyàn 명 정부 주최의 연회. ¶举行～欢迎某国代表团; 정부 주최의 연회를 열어 모국의 대표단을 환영하다.
〔国药〕 guóyào 명 한약. =〔中药〕
〔国医〕 guóyī 명 중국 고대의 의학. =〔中医〕
〔国姻〕 guóyīn 명 ⇨〔国戚〕
〔国音〕 guóyīn 명 옛날, 국가가 제정한 중국어의 표준음.
〔国音字母〕 guóyīn zìmǔ 명 ⇨〔注音字母〕
〔国营〕 guóyíng 명 국영. ¶中央～ =〔～〕; 중앙의 각 부문에서 경영하는 것/地方～; 현(縣) 이상의 지방 정부가 경영하는 것/～企业; 국영 기업/～商店; 국영 상점.
〔国营农场〕 guóyíng nóngchǎng 명 국영 농장. →〔集jí体农庄〕
〔国用〕 guóyòng 명 나라의 재정. 나라의 세출(歲出). =〔国度②〕
〔国有〕 guóyǒu 명 국유. ¶～化huà; 국유화(하다).
〔国语〕 guóyǔ 명 ①국어. 표준어. ¶～统一筹备委员会; 국어통일주비위원회(1928년에 성립하여 '教育部'에 소속되어 국어(國語)의 계획과 촉진을 맡던 기관으로, 후에 개편되어 '国语推行委员会'가 되었음)/他会说～; 그는 표준어를 말할 수 있다(방언을 쓰는 지방 출신이지만, 표준어를 쓸 수 있음). →〔标biāo准语〕 ②해방(解放) 전, 초·중등 학교의 국어(교과·교과서명)(지금은 '语文'이라고 함).
〔国语罗马字〕 guóyǔ luómǎzì 명 《言》 '国音'을 주음(注音)하기 위한 로마자(1928년 중화민국 대학원(中華民國大學院)이 공포한 것으로 '国音字母第二式'을 가리키는 말. 이에 대하여 '注音字母'를 '国音字母第一式'이라고 부름).
〔国乐〕 guóyuè 명 (중국 고유의) 음악.
〔国运〕 guóyùn 명 국운.
〔国葬〕 guózàng 명 국장.
〔国贼〕 guózéi 명 국적.
〔国债(票)〕 guózhài(piào) 명 국채 (증권).
〔国丈〕 guózhàng 명 〈文〉 황후(皇后)의 부친.
〔国征〕 guózhēng 명 ⇨〔国课〕
〔国政〕 guózhèng 명 국정.
〔国之桢干〕 guó zhī zhēn gàn 〈成〉 국가의 중신(重臣).
〔国中之国〕 guó zhōng zhī guó 나라 안의 나라. 나라 안의 독립 왕국.
〔国柱〕 guózhù 명 〈文〉 나라의 기둥이 되는 인물.
〔国子监〕 guózǐjiàn 명 ①국자감. 옛날, 수도에 설치된 최고 학부('국자학(國子學)'라고도 했는데, 수대(隋代) 이후 이 이름으로 고쳤음). ¶～祭酒;

국자감의 학장에 상당하는 관직 / ～司业; 국자감의 교수. ②봉건 시대의 최고의 교육 관리(管理) 기관.

洭(瀃) guó (괵) 지명용 자(字). ¶北～Běiguó; 베이궈(北瀃)《장쑤 성(江蘇省)에 있는 땅 이름》.

掴(摑) guó (괵) '掴guāi'의 우음(又音).

帼(幗) guó (괵) 명 ①옛날에, 여자가 머리를 덮어서 싸던 헝겊. ②부녀(婦女). ¶巾～英雄; 여걸. 여장부(女丈夫).

腘(膕) guó (괵) 명《生》오금. 무릎의 뒤쪽. =〔《俗》膝xī弯〕

虢 Guó (괵) 명 ①《地》주대(周代)의 작은 나라 이름으로, '东～'·'西～'·'南～'·'北～'의 4 개국이 있었음. ②성(姓)의 하나.

漍 guó (획) →〔漍漍〕

〔漍漍〕 guóguó 〈擬〉 졸졸《물 흐르는 소리》.

聝〈馘〉 guó (괵) 옛날 전쟁에서 적의 왼쪽 귀를 자르거나 목을 베어 그 수를 세던 일《그 다과로 전공(戰功)을 정했음》. ¶斩～甚众; 귀를 베고 목을 자른 수효는 엄청나게 많았다.

果 guǒ (과) ①(～子) 명 과일. ¶水～ =〔鲜～〕; 신선한 과일 / 干～(子); 건과. 말린 과일 / 硕～; 큰 과실. 훌륭한 성과 / 开花结～; 꽃이 피고 열매가 열리다. =〔菓guǒ〕 ②명 결과. 결말. 성과. ¶成～; 성과 / 恶～; 나쁜 결과 / 前因后～; 원인 결과 / 自食其～; 자업 자득. ↔〔因yīn〕 ③명 승리. ¶杀敌致～; 적을 무찔러 전과를 올리다〔승리를 거두다〕. ④부 과연. 참으로. ¶～然rán不出我所料; 역시 내가 생각한 대로다 / ～然应yìng了我的话了; 과연 내가 말한 대로 되었다. ⑤접 (참으로) 만일. ¶～能认真学习, 必有良好成绩; 진지하게 학습만 할 수 있다면 반드시 좋은 성적을 올릴 수 있다. ⑥형 결연하다. 단호하다. ¶～敢gǎn; ⇓ / ～断duàn; ⇓ ⑦동 이루다. 완수〔실행〕하다. 채우다. ¶～腹; 배가 차다. 배를 채우다 / 临时生病, 是以不～来; 그 때가 되자 병이 나서 올 수가 없었다. ⑧명 성(姓)의 하나.

〔果阿〕 Guǒ'ā 명《地》고아(Goa)《인도 서해안 봄베이 남쪽에 있는 옛 포르투갈령》. =〔卧wò亚〕

〔果胞子〕 guǒbāozi 명《植》과포자《홍조 식물(紅藻植物)의 몸에 생기는 포자》.

〔果报〕 guǒbào 명《佛》인과 응보(因果應報).

〔果被〕 guǒbèi 명 ⇨〔果皮〕

〔果饼〕 guǒbǐng 명 ⇨〔果点〕

〔果不其然〕 guǒ bu qí rán 〈成〉 과연. ¶我早说要下雨, ～,下了吧! 내가 아까부터 비가 올 것 같다고 했는데, 봐라, 정말 오고 있지! =〔果不然〕

〔果不然〕 guǒburán ⇨〔果不其然〕

〔果叉(子)〕 guǒchā(zi) 명 과일용 포크.

〔果茶〕 guǒchá 명 과실차《수박씨·땅콩·용안(龍眼)·대추·매실 등을 찻잔에 담아 설탕을 넣고 더운물을 부어서 마시는 음료》.

〔果刀〕 guǒdāo 명 과도.

〔果点〕 guǒdiǎn 명 과자와 과일. =〔果饼〕

〔果碟(子)〕 guǒdié(zi) 명 과일 접시.

〔果冻〕 guǒdòng 명 마말레이드(marmalade).

〔果断〕 guǒduàn 형 과단성이 있다. ¶～的处置; 과단성 있는 처치 / 办事～; 일을 하는 게 과단성이 있다.

〔果多鱼〕 guǒduōyú 명《魚》연어.

〔果尔〕 guǒ'ěr 〈文〉 과연 이와 같다.

〔果饵〕 guǒ'ěr 명 (과자·비스킷 따위) 아이들이 간식으로 먹는 것의 총칭.

〔果否〕 guǒfǒu 〈文〉 과연 그런가 아닌가.

〔果脯〕 guǒfǔ 명 과일의 설탕절이의 총칭. ¶苹píng～; 사과의 설탕절이.

〔果腹〕 guǒfù 동 배가 부르다. ¶食不～; 배가 부르지 않다.

〔果干〕 guǒgān 명 건과. 말린 과일. =〔干果(子)〕

〔果敢〕 guǒgǎn 형부 과감하다〔히〕. ¶～坚决 =〔果决〕; 〈文〉 과감히 결단을 내리다.

〔果哥尔〕 Guǒgē'ěr 명《人》고골리(Gogol', Nr)《러시아의 작가, 1809～1852》. =〔歌gē郭里〕

〔果羹〕 guǒgēng 명 프루츠 펀치(fruits punch) 류.

〔果梗〕 guǒgěng 명《植》과일 꼭지. =〔果柄〕

〔果瓜〕 guǒguā 명《植》참외. =〔甜瓜〕

〔果果〕 guǒguǒ 명 〈方〉 과일. 과실.

〔果行〕 guǒháng 명 과일 가게. =〔水果铺〕〔果局子júzi〕

〔果盒儿〕 guǒhér 명 다과를 담아 손님에게 내놓는 작은 그릇.

〔果核(儿)〕 guǒhú(r) 명《植》과일 씨. →〔果仁(儿)〕

〔果鸡〕 guǒjī 명 음경(陰莖).

〔果浆〕 guǒjiāng 명 과일 즙. 시럽.

〔果匠〕 guǒjiàng 명 과일 재배하는 사람. =〔果子把式〕

〔果酱〕 guǒjiàng 명 ⇨〔果子酱〕

〔果胶〕 guǒjiāo 명《化》펙틴(pectin). ¶～酶; 펙티나아제.

〔果酒〕 guǒjiǔ 명 ⇨〔果子酒〕

〔果局子〕 guǒjúzi 명 과일 가게.

〔果决〕 guǒjué 형 결단력이 있다. 과단성이 있다《'果敢坚决'의 약칭》. ¶他干什么事都非常～; 그는 무엇을 하든지 매우 결단력이 있다.

〔果壳〕 guǒké 명 과실의 껍질.

〔果狸〕 guǒlí 명《動》사향고양이.

〔果料〕 guǒliào 부 과연.

〔果料儿〕 guǒliàor 명 과자나 케이크 따위에 단맛을 내거나, 장식하기 위해 올려 놓는 말린 과일《잣·건포도 따위》.

〔果木〕 guǒmù 명 과수(果樹). =〔果木树〕

〔果木树〕 guǒmùshù 명 ⇨〔果木〕

〔果木园〕 guǒmùyuán 명 과수원.

〔果能〕 guǒnéng 접 만일 …할 수 있다면. →〔字解⑤〕

〔果农〕 guǒnóng 명 과수 재배자.

〔果藕〕 guǒ'ǒu 명 ①과일과 연근(蓮根). ②날로 먹는 연근.

〔果盘〕 guǒpán 명 과일 접시.

〔果皮〕 guǒpí 명 과일 껍질이나 야채 부스러기. =〔果被〕

〔果皮箱〕 guǒpíxiāng 명 (길가의) 쓰레기통.

〔果品〕 guǒpǐn 명 (상품으로서의) 과일류(類)《말린 과일을 포함》. ¶干鲜～; 말린 과일과 청과물

(青果物) / 罐装～ =〔罐头～〕; 과일 통조림.
〔果圃〕 guǒpǔ 명 과수원.
〔果铺〕 guǒpù 명 ⇨〔水shuǐ果铺〕
〔果球〕 guǒqiú 명 가시 돋친 겉껍데기. ¶栗子的～; 밤송이.
〔果儿〕 guǒr 명 〈方〉 달걀. ¶卧～; 수란을 뜨다 / 甩～; 달걀을 풀어서 끓는 물 속에 넣어 국을 만들다.
〔果然〕 guǒrán 부 ①과연. 생각한 대로. ¶好～是好; 좋기는 좋다 / ～如此; 과연 이와 같다. =〔果不其然(儿)〕〔果不然〕 ②혹시. 정말로. ¶你～爱她, 你就应该帮助她; 네가 그녀를 정말 사랑하고 있다면 도와 주어야 한다. =〔如rú果〕 명 ⇨〔长cháng尾猴〕
〔果瓤(儿)〕 guǒráng(r) 명 ⇨〔果仁(儿)〕
〔果仁(儿)〕 guǒrén(r) 명 (과일의) 핵(核). 씨. =〔果瓤(儿)〕
〔果肉〕 guǒròu 명 《植》 과육. 과실의 살.
〔果实〕 guǒshí 명 ①과실. ②이익. ③노동에 의한 획득물. 수확. 〈比〉 성과. ¶保卫胜利～; 승리로 얻은 성과를 지키다.
〔果使〕 guǒshǐ 접 〈文〉 만약 …이(라)면. 생각대로 …이라면. =〔向使〕
〔果市〕 guǒshì 명 과일 시장.
〔果树〕 guǒshù 명 과수. ¶～苗; 과수의 묘목 / ～园; 과수원.
〔果水〕 guǒshuǐ 명 과일 쥬스.
〔果松〕 guǒsōng 명 《植》 잣나무. =〔红松〕
〔果酸〕 guǒsuān 명 《化》 주석산(酒石酸).
〔果穗〕 guǒsuì 명 《植》 (옥수수·수수 따위의) 이삭 부분.
〔果摊〕 guǒtān 명 노점(露店)의 과일(상).
〔果糖〕 guǒtáng 명 《化》 과당.
〔果席〕 guǒxí 명 과일이 나오는 술자리《주석(酒席)에 특히 과일이 나오는 경우》.
〔果鲜铺〕 guǒxiānpù 명 과자도 파는 과일 가게. =〔果香铺〕
〔果馅(儿)〕 guǒxiàn(r) 명 과일로 만든 소. ¶～饼; ⓐ과일 소를 넣은 과자. ⓑ프루츠 파이.
〔果香铺〕 guǒxiāngpù 명 ⇨〔果鲜铺〕
〔果序〕 guǒxù 명 《植》 과서. 화서(花序)에 따라서 형성되는 과실의 배열 상태.
〔果蝇〕 guǒyíng 명 《蟲》 초파리.
〔果于自信〕 guǒ yú zì xìn 〈成〉 대담하게 자신을 갖다. 자신이 지나치게 많다.
〔果园(儿, 子)〕 guǒyuán(r, zi) 명 과수원. =〔果木园〕〔果树园〕
〔果真〕 guǒzhēn 부 ①과연. 역시. 생각했던 대로. ¶～是他; 과연 그 사람이었다 / 他～死了; 그는 역시 죽어 버렸다. ②참으로. 진정. ¶～是这样, 那就好办了; 정말 이렇다면 하기 쉽다.
〔果汁(儿)〕 guǒzhī(r) 명 과즙. 과일 주스.
〔果枝〕 guǒzhī 명 《植》 ①과실이 달려 있는 가지. ②목화가 열려 있는 가지.
〔果子〕 guǒzi 명 ①과일. ¶鲜～; 신선한 과일 / 干～; 말린 과일 / ～汁; 주스 / ～糖; 과당 / ～粥; 과일죽 / ～干儿; 베이징(北京)의 간식(間食)의 하나《곶감이나 말린 살구를 물에 담가서 불려 단맛이 나도록 삶아 식힌 후에 얇게 저민 연근과 함께 먹음》. ②⇨〔馃子〕
〔果子冻(儿)〕 guǒzidòng(r) 명 과일 젤리.
〔果子酱〕 guǒzijiàng 명 잼(jam). ¶草莓méi～; 딸기잼 / 苹píng果～; 사과잼 / 山查～; 아가위로 만든 잼 / 橘jú子～; 마멀레이드(marmalade) / 罐guàn头～; 잼 통조림. =〔果酱〕
〔果子酒〕 guǒzijiǔ 명 과실주. =〔果酒〕
〔果子狸〕 guǒzilí 명 《動》 줄머리사향삵. =〔白bái额灵猫〕〔花huā面狸〕〔青qīng猺〕〔玉yù面狸〕
〔果子露〕 guǒzilù 명 ①과일 시럽(syrup). =〔果浆〕 ②증류수에 과즙을 넣어 만든 주스.
〔果子盐〕 guǒziyán 명 《藥》 과실에서 채취하는 칼슘염(鹽)의 일종《하제(下劑)로 쓰임》.
〔果子药儿〕 guǒziyàor 명 〈比〉 효과는 적으나 달아서 먹기 좋은 약.
〔果子粥〕 guǒzizhōu 명 과일죽.

菓 guǒ (과)

명 과실. 열매. '水～' '红～' 등에 쓰임. =〔果guǒ①〕

猓 guǒ (과)

→〔猓猡〕〔猓然〕

〔猓猡〕 Guǒluó 명 《民》 옛날에, '彝Yí族'에 대하여 멸시하던 호칭.
〔猓然〕 guǒrán 명 《動》 긴꼬리원숭이. =〔长尾猴〕

馃(餜) guǒ (과)

→〔馃子〕

〔馃子〕 guǒzi 명 ①밀가루를 반죽하여 여러 가지 모양으로 기름에 튀긴 음식. →〔油条〕〔油炸果〕〔麻花儿〕 ②〈方〉 중국 재래의 '点心'(간식)이나 과자의 총칭. ‖ =〔果子②〕

裹 guǒ (과)

동 ①휩싸다. (휘)감다. 묶다. ¶～伤口; 상처를 붕대로 싸매다 / 被波浪～了去了; 물결에 휩쓸리고 말았다. ②포위하다. ③(좋지 않은 목적으로 다른 사람이나 물건 속에) 섞다. 혼입하다. 휩쓸려 들어가다. (혼잡한 틈을 타서) 갖고 가다. 데리고 가다. ¶把次货～在里头卖; 불량품을 섞어 넣어서 팔다 / 叫大兵～了去; 군인에게 끌려갔다. ④〈方〉 (젖꼭지를) 빨다. ¶～奶; 젖을 빨다. ⑤싸다. =〔包bāo裹〕
〔裹创〕 guǒchuāng 동 상처를 싸매다.
〔裹合〕 guǒhé 동 뒤섞어 놓다. 뒤죽박죽을 만들다. ¶得děi弄个清楚明白, 不要乱～; 잘 알 수 있도록 분명히 해 두어야 하지, 마구 뒤죽박죽을 만들면 안 된다.
〔裹脚〕 guǒ.jiǎo 동 ①전족(纏足)을 하다. ②선 채 움직이지 못하다. 그 자리에 못박히다. ¶～不前; 멈춰 선 채 나아가지 않다.
〔裹脚〕 guǒjiao 명 전족용의 가늘고 긴 천. =〔裹脚布〕〔裹脚条子〕
〔裹脚条子理〕 guǒjiaotiáozilǐ 명 〈比〉 장황하고 이치도 닿지 않는 핑계. ¶说了半天都是～, 谁爱听它! 장황하게 떠들어 댔지만 모두 억지 핑계일 뿐인데, 누가 듣고 싶어하겠느냐!
〔裹紧〕 guǒjǐn 동 단단히 싸매다. 꽉 동이다.
〔裹粮〕 guǒliáng 명 휴대 식량.
〔裹乱〕 guǒ.luàn 동 〈方〉 휘저어 어지럽히다. 휘젓다. 방해하다. ¶现在我们正忙, 你别在里头～了! 우리는 지금 바쁘니까 너는 안에서 방해하지 말아 다오! →〔捣dǎo乱〕
〔裹没〕 guǒmò 동 ①얼버무리다. ¶把她这句话用笑话给～了; 그 여자의 말을 우스갯말로 얼버무렸다. ②(마구) 쑤셔 넣다. 처넣다. 뒤섞어 넣다. ¶没留神把他的书给～过来啦! 깜빡하다가 그의 책을 섞어 넣었어!
〔裹抹〕 guǒmo 동 〈方〉 ①(눈을 속여) 후무리다.

속이다. 가지고 가다. 채가다. ¶眼不见的工夫, 我的东西让他给～去了; 눈을 떼고 있는 사이에 내 물건을 그에게 슬쩍 당했다. ②뒤섞이다. 섞여〔묻어〕오다.

〔裹身(儿)〕guǒshēn(r) 형 (옷이) 몸에 착〔꼭〕붙다. ¶棉衣瘦得～; 솜옷이 작아서 몸에 꼭 붙는다.

〔裹树〕guǒshù (월동을 위해) 나무에 짚을 두르다.

〔裹头巾〕guǒtóujīn 명 터번(turban).

〔裹腿〕guǒtui 명 각반. ¶打～ =〔缠～〕; 각반을 두르다.

〔裹胁〕guǒxié 동 협박하여 못된 일에 가담시키다. 명 협박. ¶受坏人～而参与事件; 못된 사람에게 협박당하여 사건에 관여하다.‖=〔裹挟〕

〔裹挟〕guǒxié 동 (형세·조류(潮流) 등에) 남을 휩쓸리게 하다. 명동 ⇨〔裹胁〕

〔裹扎〕guǒzā 동 묶다. 동이다.

〔裹走〕guǒzǒu 동 휩쓸어 데려가다.

〔裹足〕guǒzú 동 (주저하여) 전진하지 않다. ¶～不前; 머무적거리며 앞으로 나아가지 않다. 명동 전족(纏足)(을 하다).

蜾 guǒ (과)

→〔蜾蠃〕

〔蜾蠃〕guǒluǒ 명《蟲》나나니벌. →〔螟蛉子〕

椁〈槨〉guǒ (곽)

명 곽. 외관(外棺). 관(棺)의 겉널. ¶棺guān～; 관.

过(過) guò (과)

①동 (한 지점에서 다른 지점으로) 가다. 지나다. 통과하다. 건너다. ¶～江; 강을 건너다 / ～桥; 다리를 건너다 / 从大邱～去; 대구를 지나다〔통과하다〕/ 渡～难关; 난관을 돌파하다 / 咱们～那边谈谈; 우리 저쪽에 가서 이야기 합시다 / 请～那屋里坐吧; 저 방으로 들어가 앉으십시오. ②동 (갑에서 을로) 옮기다. ¶～户; 부동산 따위의 명의를 바꾸다 / ～账; 다른 장부에 옮기다. ③동 (시간이) 경과하다. (때가) 지나다. (날이) 가다. ¶～了两个钟头了; 두 시간이 지났다 / ～了年月儿; 세월이 지났다 / ～期作废; 기한 후는 무효. ④동 통하다. ¶～电; 전기가 통하다. ⑤동 (어떤 처리·방법·수속을) 거치다. ¶～秤; 저울에 달다 / 把菜～一～油; 야채를 기름에 살짝 볶다. ⑥동〈方〉죽다. ¶他～了好几天了; 그는 죽은 지 며칠됐다. ⑦동 왕래하다. 오가다. 교제하다. ¶我跟他没～过话; 나는 그와 말을 해 본 일이 없다 / 和他～来往; 그와 왕래를 하다 / 亲戚不～财, ～财两不来; 친척하고는 금전 거래를 하지 않는데, 거래를 하다 보면 사이가 거북해진다. ⑧동 초과하다. 넘다. ¶再贵的可就～一块钱了; 좀더 비싼 것은 1원이 넘습니다 / 树长zhǎng得～了房; 나무가 지붕을 넘어설 정도로 자랐다. ⑨동 너무 …하다《동사·형용사 앞에 두어 과도함·심함의 뜻을 나타냄》. ¶水～热; 물이 너무 뜨겁다. ⑩동 생활하다. 지내다. ¶～得越来越好; 살림이 날이 갈수록 좋아지다 / 他星期天才能跟家属～; 그는 일요일만 가족과 함께 지낼 수 있다. ⑪동 방문해 오다. 찾아가다. ¶～我一谈; 이야기나 하러 오십시오. ⑫동 견디다. ¶心里难～; 마음 속이 괴로워 못 견디겠다. ⑬동〈方〉전염되다. ¶这个病～人; 이 병은 전염된다. ⑭조동 동사 뒤에 붙인 '得' 나 '不' 와 이어져, '낫다' 나 '못하다' 의 뜻을 나타냄. ¶敌得～他; 그를 이겨 낼 수 있다 / 说不～他; 그를 말로 당해 낼 수가 없다. ⑮명 잘못. 과실. ¶记～; 과실을 기록만 하고 처벌은 보류하는 일 / 改～自新; 잘못을 뉘우치고 새사람이 되다 / 功不抵～; 잘못한 것이 공보다 크다. ⑯〈方〉형용사 뒤에 두어 비교를 나타냄. ¶甲好～乙; 갑은 을보다 좋다 / 将来的人一定新～现在的人; 장래의 인간은 반드시 현재의 인간보다 진보적일 것이다 / 我一点儿也没有胜～人的地方; 내게는 조금도 남보다 나은 점이 없다. ⑰(…得～儿) …할 값어치가 있다. …할 만하다. ¶这本书看得～儿; 이 책은 읽을 만하다. ⑱(～儿) 양 번·회·차《횟수(回數)를 나타내는 데 쓰임》. ¶把文件看了好几～儿; 서류를 몇 번이나 훑어보았다 / 一字不差背了一～儿; 한 글자도 틀리지 않고 한 차례 암송했다. ⑲접두《化》과(過)…. ¶～氧化氢; 과산화수소. ⇒ guō guo

过(過) guo (과)

조 ①과거의 경험을 나타냄. ¶看～; 본적이 있다 / 你见～他吗? 그를 만난 적이 있습니까? ②'来' '去' 와 연용(連用)되어, 과정·경과를 동반한 방향을 나타냄. ¶拿～来; 이쪽으로 가져오다 / 转～去; 저쪽으로 구부러지다. ③동사 뒤에 붙여, 동작의 완료·과거를 나타냄《흔히, 동사 다음 또는 문말(文末)에 '了' 를 둠》. ¶他前天也来～了; 그는 그저께도 왔었다 / 你吃～饭了吗? 식사를 했습니까? 注 '吃饭～了' 는 오어방언(吳語方言)의 표현임. ⇒ guō guò

〔过班〕guòbān 명 옛날, 관리가 추천을 받거나 돈을 바치고 승진하는 일.

〔过班儿〕guòbānr 동 (옛날, 기생이 다른 연석(宴席)으로부터) 부름을 받다.

〔过版〕guò.bǎn 동 (그라비아 인쇄에서) 전사(轉寫)하다. ¶～机; 전사기.

〔过半〕guòbàn 동 반을 넘다. ¶不愿回国者～; 귀국을 원하지 않는 사람이 반을 넘는다. 명 과반. 반 이상. 태반. ¶所念过的书～能记得; 읽은 책은 반 이상 기억할 수 있다. =〔强qiáng半〕

〔过半数〕guòbànshù ①명 과반수. ¶议案有～的人赞成, 应予通过; 의안은 과반수의 찬성이 있으면 통과가 의결된다. ②(guò bànshù) 과반수가 되다. 절반을 넘다.

〔过磅〕guò.bàng 동 무게를 달다.

〔过饱〕guòbǎo 명동 과식(하다). ¶～和;《化》과포화(過飽和).

〔过苯酸〕guòběnsuān 명《化》과안식향산.

〔过兵〕guòbīng 동 군대가 지나가다.

〔过驳〕guòbó 명 거룻배의 사공〔짐꾼〕.

〔过不久〕guòbujiǔ 잠시 후에. 얼마 안 있어. 곧.

〔过不来〕guòbulái ①지나올 수 없다. ②어울리지 않다. 맞지 않다.‖↔〔过得来〕

〔过不去〕guòbuqù ①건너지〔빠져 나가지〕못하다. 지나갈 수 없다. 통과하지 못하다. ¶这是死胡同～; 이것은 막다른 골목이어서 빠져 나갈 수가 없다 / 桥被水冲破了, 车辆和行人都停在河这边～; 다리가 홍수로 무너져 차량과 행민이 강 이쪽에 발이 묶여서 건너가지 못하다. ②괴롭히다. 못살게 굴다. ¶他跟我～; 그는 나를 괴롭힌다 / 跟自己～; 스스로 자신을 괴롭히다 / 请放心, 他不会跟你～的! 안심하십시오, 그는 당신을 못살게 굴지 않을 테니까요. ③마음이 편치 않다. 미안하(게 느끼)다. ¶让他白跑一趟, 我心里真有点～! 그에게 헛걸음을 시켜 정말 미안하게 여기고 있습니다! ④사이가 좋지 않다. ¶你为什么老是跟她～呢? 넌 어째서 그 여자와 늘 사이가 나쁜가?

⑤(감정상) 불쾌하다. 용납할 수 없다. ¶有什么～的事? 무슨 불쾌한 일이 있는가? ⑥생활이 안되다. ‖↔〔过得去〕

〔过不着〕 guòbuzháo …할 것까지는 없다. …해야만 하는〔…할 수 있는〕 사이가 아니다. ¶咱们俩～; 우리 둘 사이엔 스스러워할 필요가 없다 / 我们～玩笑; 우리는 농담을 할 정도의 사이는 아니다.

〔过差〕 guòchā 명 잘못. 과실(過失). 동 도를 넘치다. 너무〔지나치게〕 …하다. ⇒guòchāi

〔过差〕 guòchāi 동 〈文〉 사형수(死刑囚)를 호송하다. ⇒guòchā

〔过场〕 guòchǎng 동 ①《劇》 연극에서, 배우가 무대에 잠깐 나타났다가 곧 반대쪽으로 퇴장하다(진군 또는 행로 중임을 나타냄). ②아무렇게나 형식적으로 해치우다. 대강대강 해치우다. =〔走过场〕 명 ①《劇》 연극에서 앞뒤 줄거리를 이어 주는 짧은 극. ②안에 감추어진 것. ③경과. 과정(過程).

〔过场戏〕 guòchǎngxì 명 《劇》 막간극.

〔过称〕 guòchēng 형 평판이 사실 이상이다. 칭찬이 과분하다. →〔过奖〕

〔过程〕 guòchéng 명 과정. 사물의 진행·발전하는 경로. 프로세스(process).

〔过秤〕 guò·chèng 동 저울로 달다. ¶～人仓; 저울에 무게를 달고 창고에 넣다.

〔过迟〕 guòchí 형 너무 늦다.

〔过船边交货〕 guòchuánbiān jiāohuò 명 《商》 화물의 본선(本船) 인도.

〔过从〕 guòcóng 동 〈文〉 왕래하다. 교제하다. ¶未曾～; 아직 교제해 본 적이 없다 / 两人～甚密; 두 사람은 늘 왕래한다. =〔来往〕〔交往〕

〔过错〕 guòcuò 명 과오. 잘못. 과실. ¶那是我的～; 그것은 나의 잘못이다. =〔错误wù〕

〔过大堂〕 guò dàtáng (법원에서) 심문하다. 문초하다. 심문을〔문초를〕 받다.

〔过怠金〕 guòdàijīn 명 《法》 과태료. 벌금.

〔过当〕 guòdàng 동 한도를 넘다. 분에 넘치다. 지나치다.

〔过当儿〕 guòdangr 명 살림살이. 생활 형편. ¶咱这～哪里供得起一个大学生呢? 우리의 이런 살림 형편으로 어떻게 대학생에게 학비를 댈 수 있겠습니까?

〔过道(儿)〕 guòdào(r) 명 ①(신식 가옥에서) 각방으로 통하는 통로·복도. ②(구식 가옥에서) 내정(內庭)과 내정을 잇는 통로. 또, 특히 정문 있는 곳의 좁은 방.

〔过得多〕 guòdeduō ⇨〔过得着〕

〔过得惯〕 guòdeguàn (생활에) 익숙해지다.

〔过得来〕 guòdelái 지나올 수 있다. 건너올 수 있다. 생활할 수 있다. ↔〔过不来〕

〔过得去〕 guòdeqù ①(장애 없이) 빠져나갈 수 있다. 통과할 수 있다. 지나갈 수 있다. ¶这条胡同儿很宽, 汽车～; 이 골목은 넓어서 차가 지나갈 수 있다. ②(그럭저럭) 살아갈 수 있다. 지낼 만하다. ¶孩子们都大了, 家里还～; 아이들이 다 자라서 그런대로 살 만하다. ③그런대로 괜찮다. 무난하다. ¶准备一些茶点招待客人, 也就～了; 약간의 다과를 준비하여 손님을 대접하면 그런대로 괜찮을 것이다. ④(마음이) 미안하지 않다. 꺼리지 않다(주로 반문할 때 쓰임). ¶给你什么都不要, 叫我心里怎么～呢? 당신은 아무것도 필요 없다고 하는데, 어찌 내가 미안하지 않겠습니까?

〔过得硬〕 guòdeyìng (솜씨나 사상이) 견실하다. 대단하다. ¶思想～, 技jì术～; 사상이 견실하고, 기술도 대단하다.

〔过得着〕 guòdezháo ①허물 없이 지내다. ②…하는 것이 당연하다. …하지 않으면 안 되는 사이이다. ¶这么点儿东西, 咱们～; 이 정도의 물건(을 드리는 것)은 우리 사이에는 당연한 일이다 / 论交情～命; 우정(友情)으로 말하면 목숨이라도 바칠 만큼의 친한 사이이다. ‖=〔过得多〕 ↔〔过不着〕

〔过低〕 guòdī 형 지나치게 낮다. ¶过高或～估计自己; 자신을 과대 또는 과소 평가하다.

〔过底〕 guòdǐ 동 전기(轉記)하다. 옮겨 쓰다.

〔过电〕 guò·diàn 동 전기가 흐르다. 감전하다.

〔过电压〕 guòdiànyā 명 《電》 과전압.

〔过冬〕 guò·dōng 동 겨울을 나다. 월동하다. ¶这件薄棉袄就能～吗? 이런 얇은 솜옷으로 겨울을 날 수 있겠느냐?

〔过冬作物〕 guòdōng zuòwù 명 ⇨〔越yuè冬作物〕

〔过斗〕 guòdǒu 동 말로 되다.

〔过度〕 guòdù 형 과도하다. 도를 넘다. ¶～病; 과잉증 / ～劳累; 과로하다. 동 그날 그날을 지내다. =〔度日〕

〔过渡〕 guòdù 동 ①건너다. 넘다. 이행(移行)하다. 명 과도. ¶～时期; 과도기 / ～元素; 《化》 천이(遷移) 원소.

〔过渡阶级〕 guòdù jiējí 명 과도 계급(자본주의 제도하에 있어서의 소(小)부르주아 계급과 농민).

〔过渡科目〕 guòdù kēmù 명 《商》 가계정(假計定).

〔过渡内阁〕 guòdù nèigé 명 《政》 과도 내각〔정부〕. =〔过渡政府〕

〔过渡时期〕 guòdù shíqī 명 과도기.

〔过渡性〕 guòdùxìng 명 과도적인 성격. 형 과도적(인). ¶～的措施; 과도적인 조치.

〔过多〕 guòduō 형 너무 많다. 과다하다. ¶喝hē得～; 과음하다 / 不应当～地责备人! 지나치게 책망하면 안 된다!

〔过耳〕 guò'ěr 동 (언뜻) 풍문을 듣다. 지나가는 소문을 얼핏 듣다. ¶～之言; 언뜻 들은 소문 / ～传chuán言; 소문에 듣다.

〔过犯〕 guòfàn 동 죄를 저지르다.

〔过饭〕 guòfàn 동 ⇨〔下xià饭〕

〔过房〕 guòfáng 동 〈方〉 형제의 아들을 양자로 삼다. ¶～过来; 양자로 오다 / ～出去; 양자로 가다 / ～乞养; 양자를 얻어 노후를 보살피게 하다 / ～儿子; 양자. =〔过继〕

〔过访〕 guòfǎng 동 〈文〉 방문하다. ¶昨承～; 〈翰〉 어제 내방해 주셔서 감사합니다. =〔过候〕

〔过费〕 guòfei 동 (남의 뜻이나 은혜를) 저버리다. 헛되게 하다.

〔过分〕 guò·fèn 동 (말·행동이) 지나치다. 과분하다. ¶～要yāo求; 지나친 요구(를 하다) / 刺戟～了; 자극이 너무 강하다 / 言之～; 지나친 말이다. 말이 지나치다 / ～谦虚, 就显得虚伪了; 겸허함이 지나치면 허위로 보인다. =〔过份〕

〔过份子〕 guòfènzi ①서로 부조하다. ②서로 부조할 만큼 친한 사이이다. ¶我和王先生～; 나는 왕(王)씨와 서로 부조할 만큼 친한 사이이다.

〔过风(儿)〕 guò·fēng(r) 동 바람이 잘 통하다. ¶这里倒～, 我们在这里凉快凉快吧; 이곳이 오히려 바람이 잘 통하니, 여기서 땀을 식히자.

〔过付〕 guòfù 동 중간에 서서 거래하다〔알선하다〕. ¶～人; 알선자. 중개인. 브로커.

〔过负荷〕 guòfùhè 명 《物》 과부하. →〔载zài荷〕

〔过杆〕 guògān 명《體》클리어(clear)(장대높이뛰기에서, 바(bar)를 완전히 뛰어 넘는 것).
〔过高〕 guògāo 형 지나치게 높다. ¶～的待遇; 도를 넘은 대우/～的要求; 지나친 요구/～地估计自己的力量; 자신의 역량을 과대 평가하다.
〔过关〕 guò.guān 동 관문을 통과하다. 난관을 넘다. 〈比〉 제품의 질이 표준에 이르다. ¶产品质量不合标准就不能～; 제품의 품질이 표준에 맞지 않으면 통과 안 된다/过技术关; 기술상의 난관을 극복하다.
〔过关斩将〕 guò guān zhǎn jiàng 〈成〉 ①(토너먼트식 경기에서) 다음 경기에 진입하다. ②갖은 고난을 극복하다.
〔过光儿〕 guòguāngr 명 (도수가 없는) 안경. →〔平píng光镜〕
〔过过风儿〕 guòguofēngr 동 바람을 쐬다. ¶屋里太热, 出来～吧; 방 안은 몹시 더우니, 나가서 바람을 쐬자.
〔过海〕 guòhǎi 동 바다를 건너다. 해상을 항행(航行)하다.
〔过行〕 guòháng 동 다른 사람의 점포로〔공장으로〕 넘어가다.
〔过河〕 guò hé ①강을 건너다. ②(중국 장기에서) '河'를 넘다. ¶过了河的卒子; (장기에서) 하(河)를 넘어간 졸(卒)의 말. 〈比〉 후퇴하지 않고 앞으로만 나아가다. ③(guò.hé) 동 전업〔전직〕하다.
〔过河拆桥〕 guò hé chāi qiáo 〈成〉 강을 건넌 뒤 다리를 부수다(배은망덕하다). =〔过桥拆桥〕
〔过后(儿)〕 guòhòu(r) 명 ①이후. 후일. ¶～你再找他去; 이후에 다시 그를 찾아 가거라/这个问题～再说; 이 문제는 후일에 다시 얘기하자. =〔往后〕 ②그 후. 그 뒤. ¶～才知道; 그 후에 비로소 알았다/好容易会了一点儿可是～全忘了; 겨우 조금할 수 있게 되었으나, 그 뒤에 모두 잊어버렸다. =〔后来〕 ‖ =〔过了后儿〕
〔过候〕 guòhòu 동 ⇨〔过访〕
〔过户〕 guòhù《法》명 (부동산·유가 증권의) 명의 변경. (guò.hù) 동 (부동산 및 유가 증권의) 명의 변경을 하다.
〔过话(儿)〕 guò.huà(r) 동 〈方〉 ①말을 주고받다. ¶跟他过一句话; 그와 한 마디 말을 나누다. =〔交谈〕 ②말을 전하다. ¶请你替我过个话, 就说明天我不去找他了! 내일 내가 그를 방문할 수 없다고 전해 주십시오! =〔传话〕 ③교환하다. 교대하다.
〔过会〕 guòhuì 동 (축제 때) 거리를 누비고 다니다. 거리에서 줄지어 행진하다.
〔过活(儿)〕 guò.huó(r) 동 생활하다. 살아가다. ¶一天一天地～; 그날 그날을 살아가다/独自～; 혼자 살다/一家人就靠父亲做工～; 집안 식구들은 단지 아버지의 벌이로만 살아가고 있다. =〔生活〕
〔过活儿〕 guòhuor 명 생활에 필요한 것. 생필품. 생활비.
〔过火(儿)〕 guò.huǒ(r) 동 ①도가 지나치다. 너무 심하다. 과격하다. ¶饿得～; 시장해서 못 견디겠다/别闹过了火! 너무 떠들지 마라!/他说的话未免有些～; 그의 말은 과격한 데가 없지 않다. ②열을 가하다. ¶给肉过一次火; 고기를 불에 한 번 굽다.
〔过货〕 guòhuò 동 출하(出荷)하다. 상품을 내보내다.
〔过激〕 guòjī 형 과격하다. ¶～派pài; 과격파/～之谈tán; 과격한 말.
〔过急〕 guòjí 형 너무 서두르다. 너무 성급하게 굴다.
〔过季(儿)〕 guò.jì(r) 동 철이 지나다. ¶现在已经过了季儿了; 이제는 이미 철이 지났다.
〔过继〕 guòjì 동 ⇨〔过房〕
〔过家〕 guòjiā 동 생계를 꾸리다. 지내다. 살아가다.
〔过家伙〕 guò jiāhuo ⇨〔打出手(儿)①〕
〔过家家(儿)〕 guò.jiājia(r) ①동 소꿉장난을 하다. ¶～玩; 소꿉장난을 하고 놀다. ②⇨〔过日子①〕 ③(guòjiājia(r)) 명 소꿉놀이.
〔过嫁妆〕 guò jiàzhuang 혼수를 보내다.
〔过江〕 guòjiāng ①동 강을 건너다. ②(guò Jiāng) '长江'(창장 강)을 건너다.
〔过江龙大锯〕 guòjiānglóng dàjù 명《機》가로로 켜는 큰톱. 동가리톱.
〔过江藤〕 guòjiāngténg 명《植》여뀌바늘.
〔过江之鲫〕 guò jiāng zhī jì 〈成〉 강을 건너가는 붕어(시류를 좇는 사람이 많음).
〔过奖〕 guòjiǎng 동 과찬(過讚)하다. 너무 칭찬하다. ¶～～! 과찬이십니다!
〔过街横道〕 guòjiē héngdào 횡단 보도.
〔过街烂〕 guòjiēlàn 명 〈比〉 곧 부서질 것 같은 고물. ¶这个帽子成了～了; 이 모자는 완전히 헌털뱅이가 되었다.
〔过街老鼠〕 guòjiē lǎoshǔ 〈比〉 대로(大路)를 건너가는 쥐. 〈轉〉 여러 사람에게 지탄·배척당하는 자.
〔过街柳〕 guòjiēliǔ 명《植》조팝나무. =〔雪柳〕
〔过街楼〕 guòjiēlóu 명 길이나 골목을 가로질러 밑으로 통행할 수 있게 지은 건물.
〔过街桥〕 guòjiēqiáo 명 육교.
〔过街天桥〕 guò jiē tiānqiao 명 육교.
〔过节〕 guò.jié 동 ①명절을 지내다. ¶～后咱们就开始做新的工作; 명절을 지낸 후 우리들은 곧 새로운 일을 하게 된다. ②(경축일·명절 따위에) 축하 행사를 하다.
〔过节过板儿〕 guòjié guòbǎnr 〈比〉 이야기를 조리 있게 하다. ¶青年人讲究～的太少了; 젊은이로서 이야기를 조리 있게 하는 사람은 참으로 적다.
〔过节儿〕 guòjiér 명 ①〈方〉 예의(상(上)의 순서·절차). 예절. ¶熟朋友何必注意那些少～? 친한 친구가 그런 사소한 예절에 구애될 필요가 있을까? ②순서. 절차. 과정. 일. ¶这是什么～? 이건 어찌 된 일이냐? ③'过节'의 돈. ④'节'(경축일·명절 따위)를 쉰 뒤. 불화. ¶这笔账只好～再还; 이 빚은 부득이 명절을 지낸 뒤에 갚아 드리겠습니다. ⑤〈方〉 (감정의) 응어리. 맺힌 감정. 불화. ¶他们俩有些～; 그들 두 사람 사이에는 불화가 좀 있다.
〔过劲儿〕 guò.jìnr 동 도가 지나치다. 너무 힘을 들이다. ¶用力用过了劲儿了; 너무 힘을 들이다/累lèi过了劲儿; 너무 지쳤다/饿过了劲儿; 너무 배가 고프다/喝hē过了劲儿了; 지나치게 마셨다.
〔过景(儿)〕 guò.jǐng(r) 동 ①시절(時節)에 맞지 않다. ¶现在穿皮袄已经过了景儿了; 지금 털외투를 입는 것은 이미 철에 맞지 않는다. ②때가 지나다. 좋은 때를 놓치다. ¶他的岁数～了; 그의 나이는 너무 많다. ③유행에 뒤지다.
〔过境〕 guòjìng 동 경계선을 통과하다. 국경을 넘다. ¶～签qiān证; 통과 사증/～贸易; 통과 무역.
〔过境税〕 guòjìngshuì 명 통과세. 입국세.
〔过巨〕 guòjù 동 〈文〉 너무 거액이다.

〔过考〕 guòkǎo 동 수험(受驗)하다. 시험을 치르다.
〔过苛〕 guòkē 형 〈文〉 지나치게 엄격하다. 너무 가혹하다.
〔过客〕 guòkè 명 과객. 나그네. 통행인.
〔过来〕 guò.lai 동 (다른 한 지점에서 말하는 사람이나 서술의 대상 쪽으로) 오다. ¶车来了, 赶快~吧! 차가 왔으니 빨리 이쪽으로 오시오! / 你~! 이리와! / 你去请林先生~; 너 가서 임씨를 불러 와라.
〔-过来〕 -.guo.lai 접미 ①동사 뒤에 쓰여, 시간·능력·수량이 충분함을 나타냄(흔히, '得'·'不'와 연용(連用)함). ¶活儿不多, 我一个人也干得~; 일이 많지 않아, 나 혼자서도 해낼 수 있다 / 这几天我忙不~; 요즈음 나는 무척 바쁘다 / 搂不~的大树; 양팔로 껴안을 수 없는 거목. ②동사 뒤에 쓰여, 자기가 있는 곳으로 옴을 나타냄. ¶捷报从四面八方飞~; 전승의 보고가 각처에서 날아오다 / 扔~吧; 이쪽으로 던져라. ③동사 뒤에 쓰여, 자신과 정면으로 마주 봄을 나타냄. ¶把手心翻~让我瞧瞧! 손바닥을 뒤집어 내게 보이시오! ④동사 뒤에 쓰여, 원래의 정상 상태로 돌아옴을 나타냄. ¶醒~了; 의식이 회복되었다 / 觉悟~了; 깨달았다 / 好容易把他劝~了; 가까스로 그를 달랬다 / 爬到山顶, 大家都累得喘不过气来; 정상에 도달하자, 모두들 지쳐서 숨도 제대로 쉬지 못했다.
〔过来人〕 guòláirén 명 〈比〉 경험이 있는 노련한 사람. 경험자. 베테랑. ¶他是~, 当然明白其中的道理; 그는 베테랑이니까, 당연히 그 이치를 알고 있다.
〔过来往〕 guò láiwǎng 왕래하다. 오가다. 거래하다. ¶永不和他~; 영영 그와는 왕래하지 않는다.
〔过劳〕 guòláo 동 과로하다.
〔过了后儿〕 guòlehòur 명 ⇨〔过后(儿)〕
〔过了这个村, 可没这个店〕 guòle zhège cūn, kěméi zhège diàn 〈諺〉 이 동네를 지나면 이런 여관은 또 없다(기회를 놓치면 안 된다는 말). ¶~, 耽误了事别怪我; 이런 기회를 놓치다니, 일이 잘못되어도 나를 탓하지 마라.
〔过冷〕 guòlěng 명 《物》 과냉각.
〔过礼〕 guò.lǐ 동 납폐(納幣)를 보내다. ¶~通信; 납폐를 보내어 결혼 날짜를 약속하다. =〔过定〕〔过聘(礼)〕〔通信②〕
〔过梁〕 guòliáng 명 《建》 상인방(上引枋)(창·입구 따위 위에 가로지르는 나무).
〔过粮〕 guò.liáng 동 곡식을 되다.
〔过量〕 guò.liàng 동 양이 지나치다.
〔过两天(儿)〕 guòliangtian(r) 며칠 후. 머지않아. 얼마 뒤. ¶~再看吧; 며칠 뒤에 다시 보자.
〔过磷酸钙〕 guòlínsuāngài 명 《化》 과인산석회.
〔过淋〕 guòlín 동 거르다. 여과하다. ¶把煎好的药用纱布~一下; 달인 약을 가제(Gaze)에 거르시오 / 这个水喝不得, 总得~; 이 물은 마실 수 없으니, 반드시 거르지 않으면 안 된다.
〔过硫〕 guòliú 명 《化》 과가황(過加黃). =〔过硫化〕
〔过录〕 guòlù 동 옮겨 쓰다. 베끼다. 이기(移記)하다. ¶从流水账~到总账上; 금전 출납부로부터 원장에 이기하다.
〔过路(儿)〕 guò.lù(r) 동 길을 지나다. 통행하다. ¶~的买卖; 뜨내기 손님 상대의 장사 / ~税; 통행세 / ~的人; 통행인. 지나가는 사람 / 我是个~的人, 对这儿的情况完全不了解; 나는 이 곳을 지나는 과객이므로, 이 곳 사정은 전혀 모른다.
〔过路财神〕 guòlù cáishén 〈比〉 지나가는 복의 신(神)(일시적으로 거액의 재산을 맡고 있는 사람).
〔过路(儿)的〕 guòlù(r)de 명 지나가던 사람. 나그네. 여행자.
〔过路店〕 guòlùdiàn 명 휴게소(농촌의 주요 도로 3~6km마다 설치된 다방과 6~12km마다 설치된 식사도 할 수 있고 숙박도 할 수 있는 가게).
〔过路黄〕 guòlùhuáng 명 《植》 산황나무.
〔过虑〕 guòlǜ 동 쓸데없는 걱정을 하다. 지나치게 염려하다. ¶不必~; 큰 걱정은 할 필요가 없다.
〔过滤〕 guòlǜ 동 여과하다. 거르다. ¶~器; 여과기 / ~嘴; (궐련의) 필터 / ~嘴香烟; 필터 달린 담배.
〔过罗〕 guòluó 동 ⇨〔过筛(子)〕 명 ⇨〔皋gāo芦〕
〔过卖〕 guòmài 명 (음식점의) 종업원.
〔过门〕 guò.mén 동 ①시집가다. 출가하다. ②문을 지나가다. 명 ⇨〔过门儿〕
〔过门风〕 guòménfēng 명 (문·창문 따위의) 틈에서 들어오는 찬바람. 외풍.
〔过门儿〕 guòménr 명 ①간주(間奏). ¶加~; 간주를 넣다. ②'唱'의 앞뒤나 사이에 넣는 음악. ‖ =〔过板(儿)〕〔过门〕
〔过锰酸钾〕 guòměngsuānjiǎ 명 《化》 과망간산칼리.
〔过锰酸钠〕 guòměngsuānnà 명 《化》 과망간산나트륨.
〔过敏〕 guòmǐn 명 《醫》 과민. 알레르기. ¶~性反应; 알레르기 반응 / ~症; 알레르기 / 神经~; 신경 과민. 형 과민하다.
〔过命〕 guòmìng 동 목숨을 내놓다. 생사를 같이하다. →〔过得着〕
〔过目〕 guò.mù 동 눈으로 한번 쓱 보다. 훑어보다. ¶~不忘; 〈成〉 한 번 보면 잊지 않다(기억력이 매우 좋음) / ~成诵; 〈成〉 한 번 훑어보면 욀 수 있다(기억력이 매우 좋음).
〔过年〕 guò.nián 동 ①해를 넘기다. 설이 지나다. 과세하다. ¶一~, 地里的活儿就忙起来了; 설이 지나면 밭일이 바빠진다. ②새해[설날]를 맞다. 설을 쇠다. ¶新禧新禧您~好! 새해 복 많이 받으십시오! / 我们也过阴历年; 우리들도 구정을 쇱니다 / 过一个快快乐乐的年; 즐거운 설을 맞이하다 / 他今年回家~; 그는 올해 집에 돌아가 설을 쇤다 / 快~了; 곧 설이다.
〔过年〕 guònian 명 〈口〉 내년. ¶这孩子~该上学了; 이 아이는 내년에 학교에 갑니다. =〔明年〕
〔过年瞧街坊〕 guònián qiáo jiēfang 〈諺〉 세모(歲暮)가 되면 이웃간을 비교해 보게 된다(세모가 되면 인정의 후함과 야박함을 알게 된다).
〔过排〕 guòpái 동 (연극) 연습을 하다.
〔过硼酸钠〕 guòpéngsuānnà 명 《化》 과붕산 나트륨.
〔过聘(礼)〕 guòpìn(lǐ) 동 ⇨〔过礼〕
〔过平〕 guòpíng 동 천칭(天秤)에 달다.
〔过期〕 guò.qī 동 기한을 넘기다. ¶~作废; 기한이 지난 경우에는 무효로 한다 / 请别~! 기한을 넘기지 말 것! / ~票据; 부도 수표 / ~提单; 《商》 기한 경과 화물 상환증(相換證).
〔过谦〕 guòqiān 형 지나치게 겸손하다. ¶这件事由你办最合适, 不必~! 이 일은 네가 가장 적격이니까, 너무 겸손해할 것은 없다! / ~~! 너무 겸손하시군요!
〔过愆〕 guòqiān 명 〈文〉 잘못. 과실.

〔过钱〕 guò·qián 동 돈을 지불하다. 돈을 건네 주다.

〔过桥〕 guòqiáo 동 ①다리를 건너다. =〔渡dù桥〕 ②〈轉〉 대담하게 과감한 행동을 하다.

〔过桥拆桥〕 guò qiáo chāi qiáo 〈成〉 ⇨〔过河拆桥〕

〔过桥车床〕 guòqiáo chēchuáng 명 《機》 절삭 선반(切削旋盤).

〔过勤〕 guòqín 동 도를 지나치다. 너무 빈번하다. ¶今年雨水～; 금년에는 비가 너무 많이 온다 / 去的～了讨人嫌; 너무 자주 가면 남에게 미움을 산다 / 他念书～得病了; 그는 공부를 너무 많이 해서 병이 났다.

〔过去〕 guòqù 명 과거. ¶～一年; 지나간 1년 / 回顾～; 과거를 회고하다 / 这是～所没有的现象; 이것은 과거에 없었던 현상이다 / 他比～胖多了; 그는 과거에 비해 훨씬 살이 쪘다.

〔过去〕 guò·qu 동 ①지나가다. ¶门口刚～一辆汽车; 문 앞으로 자동차 한 대가 방금 지나갔다. ②(이쪽에서) 찾아가다. ¶你～看看; 네가 가서 보아라. ③〈婉〉 죽다(뒤에 了가 따름). ¶他祖父昨天夜里～了; 그의 할아버지가 어젯밤에 돌아가셨다. ④끝나다. 마지막이 되다.

〔-过去〕 -·guo·qu 접미 ①동사 뒤에 쓰여, 자기가 있는 곳에서 멀어지거나 그 곳을 지나감을 나타냄. ¶走过那座桥去; 그 다리를 걸어서 건너다. ②동사 뒤에 쓰여, 자신과 반대 방향으로 마주함을 나타냄. ¶我把信封翻～, 细看邮戳上的日子; 나는 편지를 뒤집어 자세히 소인 날짜를 보았다. ③동사 뒤에 쓰여, 정상 상태를 잃는 것을 나타냄. ¶病人晕～了; 환자는 정신을 잃었다 / 他背～了, 一会儿又醒过来了; 그는 의식을 잃었다가 곧 의식을 되찾았다. ④동사 뒤에 쓰여, 관철시킴을 나타냄. ¶骗～了; 끝까지 속이다. ⑤형용사의 뒤에 놓아, 초과(超過)됨을 나타냄(주로 '得'·'不'와 연용(連用)됨). ¶鸡蛋还能硬得过石头去! 계란이 어찌 돌보다 단단하랴! / 它再快也快不过飞机去; 그것이 아무리 빨라도 비행기보다 빠를 수는 없다.

〔过儿〕 guòr 〈方〉 양 번. 회(回). ¶数shǔ了好几～; 아주 여러 번 세었다 / 瞧了两～; 두 번 바라보았다 / 这件衣服洗了三～了; 이 옷은 세 번 빨았다 / 我把书温了好几～了; 나는 책을 몇 번이나 복습했다. 명 살림. 생계. ¶家里够～; 집안의 생계는 충분하다.

〔过热器〕 guòrèqì 명 《機》 과열기. =〔〈方〉 干gān汽管〕

〔过热蒸汽〕 guòrè zhēngqì 명 《物》 과열 증기.

〔过人〕 guòrén 동 ①남보다 낫다. 보통 이상이다. 뛰어나다. ¶力量～; 힘이 보통 이상이다 / ～之材; 뛰어난 인재 / 精力～; 정력이 뛰어나다 / ～的记忆力; 특출난 기억력. ②남에게 전염하다. ¶这个病要～的; 이 병은 남에게 전염된다.

〔过日子〕 guò rìzi ①날을 보내다. 생활하다. 생계를 세우다. ¶难～; 생활이 곤란하다 / 她很会～; 그 여자는 살림을 잘 한다 / 他靠着什么～? 그는 무엇으로 생계를 이어 가는가? =〔过家家(儿)②〕 ②세상과 어우러져 살다. 처신(處身)하다.

〔过日子思想〕 guòrìzi sīxiǎng 명 정치 운동 등에 관계하지 않고 자기 생활에만 전념하는 생활 태도.

〔过三不过五〕 guòsān bùguòwǔ 명 (전당포의 이자 계산에서) 33일까지는 1개월로 치고 35일 이상은 2개월로 치는 일.

〔过三关〕 guò sānguān 〈比〉 세 개의 관문 '劳动关' '生活关' '思想关'을 넘다.

〔过筛(子)〕 guòshāi(zi) 동 체질하다. ¶过一遍筛; 한 번 체로 치다. =〔过罗〕

〔过山蕨〕 guòshānjué 명 《植》 거미일엽초.

〔过山龙〕 guòshānlóng 명 〈俗〉 사이펀(siphon). =〔虹吸管〕

〔过山炮〕 guòshānpào 명 '山炮(산포)'의 구칭.

〔过晌〕 guòshǎng 명 〈方〉 정오가 조금 지난 무렵. 오후.

〔过甚〕 guòshèn 형 ①너무 심하다. 지나치다. ¶逼bī人～; 남을 너무 심하게 대하다. 남을 학대하다. ②과장되다(주로 말에 대해서 쓰임). ¶言之～; 말하는 것이 과장되다 / ～其词; 〈成〉 과장해서 말하다. ‖ =〔过已〕

〔过剩〕 guòshèng 명동 과잉(되다). 동 《經》 공급이 시장의 구매력을〔수요를〕 초과하다.

〔过失〕 guòshī 명 과실. 잘못. ¶～杀人罪; 《法》 과실 치사죄. =〔过误〕

〔过时〕 guò·shí 동 ①때가 지나다. 시간이 지나다. 시간에 늦다. ¶校车六点开车, ～不候; 스쿨 버스는 6시에 출발하고, 시간이 지나면 기다리지 않습니다. ②시대에 뒤떨어지다. 유행이 지나다. ¶～货; ⓐ유행이 지난 물건. ⓑ시대에 뒤떨어진 인물 / 这件衣服的样式有点～了; 이 옷의 모양은 좀 유행에 뒤떨어졌다.

〔过世〕 guòshì 동 ①〈婉〉 세상을 떠나다. ②〈文〉 세상 사람보다 탁월하다. ¶绝俗～之士; 일반 사람보다 뛰어난 인물.

〔过事〕 guòshì 동 (혼례·장의(葬儀) 등의) 대사(大事)를 치르다. ¶～得děi花钱; 행사를 치르려면 비용이 많이 든다.

〔过手〕 guò·shǒu 동 남의 손을 거쳐 매매하다. 취급하다. 중개(仲介)하다. ¶这批货的订购是由我～的; 이들 물품의 발주(發注)와 구입은 내가 취급했다 / 银钱～, 当面点清; 금전의 수수는 그 자리에서 정확히 점검해야 한다.

〔过手(儿)货〕 guòshǒu(r)huò 명 《商》 중계품. ¶这些舶bó来品都是～; 이 수입품들은 모두 중계품이다.

〔过寿〕 guò·shòu 동 ①생일을 쇠다. ②생신을 축하하다.

〔过熟林〕 guòshúlín 명 노령림(老齡林).

〔过数(儿)〕 guò·shù(r) 동 수를 맞추어 보다〔세어 보다〕.

〔过水〕 guò·shuǐ 동 ①강을 건너다. ②물에 담그다. ¶饭碗连水儿都没过吗? 밥그릇을 물에 담그지도 않았느냐?

〔过水(儿)面〕 guòshuǐ(r)miàn 명 삶아서 물에 씻은 국수.

〔过水竹筒〕 guòshuǐ zhútǒng 〈比〉 남을 대신하여 말을〔물건을〕 전해 줄 뿐, 자기와는 아무 관계도 없음.

〔过死〕 guòsǐ 형 지나치게 융통성이 없다. ¶把事情想得～; 일을 지나치게 융통성 없이 생각하다.

〔过松〕 guòsōng 동 지나치게 헐겁다. 너무 느슨하다.

〔过梭儿〕 guòsuōr 〈京〉 형 너무 심하다. 지나치다. 동 지나쳐 버리다. ¶～了, 快转zhuǎn回头吧; 지나쳐 버렸으니, 빨리 되돌아가자.

〔过堂〕 guò·táng 동 ①법정에서 재판을 받다. ¶过了一次堂; 한 번 재판을 받았다. ②법정에서 재판하다.

〔过堂风(儿)〕 guòtángfēng(r) 명 (방의 양쪽에

있는 창문 또는 통풍구가 열려 있어) 스쳐 지나가는 시원한 바람. =〔穿chuān堂风〕
〔过天〕 guòtiān 명 〈方〉 후일(後日). 며칠 뒤. ¶～再见吧! 뒷날 다시 만납시다!
〔过厅〕 guòtīng 명 옛 양식의 집에서, 앞뒤로 문이 있어서 통행할 수 있는 큰 방〔대청〕.
〔过庭〕 guòtíng 동 〈文〉 ①아버지에게 문안드리다. ¶～之训; 아버지의 가르침. =〔趋庭〕 ②법정(法廷)에 나가다.
〔过头(儿)〕 guò.tóu(r) 동 (일정한 정도·표준을) 넘다. 지나치다. 초과하다(흔히, 보어(補語)에 쓰임). ¶睡～了; 너무 잤다 / 大～; 너무 크다 / 钱用～了; 돈을 너무 썼다 / ～话; 지나친 말 / 我找他去, 走得～又回来了; 나는 그를 찾으러 갔는데, 너무 지나쳐서 다시 되돌아왔다. (guòtóu(r)) 형 너무 심하다. ¶直到对方生了气, 他才觉得自己做事确实有些～了; 상대가 성을 내자, 비로소 그는 자기가 한 일이 확실히 지나쳤음을 느꼈다. ‖ =〔过作zuō(儿)〕
〔过头〕 guòtou 명 삶의 보람. 살맛. ¶这日子有什么～? 이런 생활에 무슨 삶의 보람이 있는가?
〔过屠门而大嚼〕 guò tú mén ér dà jué 〈成〉 푸줏간 앞을 요란하게 고기를 씹듯이 입을 움직이며 지나가다(바라는 것을 얻지 못하여 우선 비현실적인 방법으로 자신을 위로하다).
〔过网〕 guòwǎng 명동 〈體〉 (배구 등의) 오버네트(overnet)(하다).
〔过往〕 guòwǎng 동 ①왕래하다. 오고가다. ¶路上～的人很多; 거리를 오가는 사람이 매우 많다. ②교제하다. 사귀다. ¶他们是老朋友, ～很密; 저 사람들은 오랜 친구로서, 친하게 사귀고 있다.
〔过忘〕 guòwàng 동 잊어버리다. 잊다. ¶事情多我～了; 볼일이 많아서 잊어버렸다 / 我把日子～了, 今天初几? 내가 날짜를 잊어버렸는데, 오늘은 음력으로 며칠이냐?
〔过望〕 guòwàng 동 기대한 이상이다. ¶大喜～; 기대 이상의 기쁨.
〔过问〕 guòwèn 동 ①캐묻다. 문제 삼다. ②간섭〔참견〕하다. ¶不愿意～; 상관하려 들지 않다 / 这是中国内政, 外人无权～; 이것은 중국의 내정이니, 타인은 어쩌니 저쩌니 할 권리가 없다.
〔过午〕 guòwǔ 명 정오가 조금 지났을 무렵. 오후. ¶上午他不在家, 请你～再来吧! 그는 오전 중에는 집에 없으니, 정오 조금 지나서 오십시오! 동 정오가 지나다.
〔过五关儿〕 guòwǔguānr 명 골패놀이의 일종.
〔过五关斩六将〕 guò wǔ guān zhǎn liù jiàng 〈成〉 ①종종 일어나는 곤란〔난관〕을 극복하다. ②자기 과거의 영광이나 공적(功績)을 자랑하다.
〔过误〕 guòwù 명 ⇨〔过失〕
〔过细〕 guòxì 형 〈方〉 세세하다. 면밀하다. 섬세하고 빈틈없다. 꼼꼼하다. ¶～地研究; 면밀하게 연구하다 / ～检查一遍; 한 번 면밀히 검사하다 / 他做事很～, 很塌实; 그는 일을 하는 데에 있어 매우 면밀하고 착실하다. =〔仔细〕
〔过夏〕 guò.xià 동 여름을 지내다. ¶他真舒服, 今年将在西山～了; 그는 좋겠구먼. 금년에는 서산(西山)에서 여름을 지낸다니.
〔过仙〕 guòxiān 동 〈比〉 사망하다. →〔去qù世〕
〔过线〕 guòxiàn 명 ⇨〔踏tà线〕
〔过心〕 guòxīn 동 〈方〉 ①지나치게 마음을 쓰다. 쓸데없이 근심하다. ②마음이 통하다. 서로 알고 있다. ¶咱俩是～的人; 우리 두 사람은 서로 마음이 통하는 사이다.
〔过眼〕 guò.yǎn 동 ①잠깐 훑어보다. ¶请～, 再往上报; 한번 훑어본 다음에 상부에 보고하기 바랍니다. ②잠깐 얘기하다〔언급하다〕. ¶只好～不能细说明; 다만, 약간 언급할 수 있을 뿐 자세하게 설명할 수는 없다.
〔过眼云烟〕 guò yǎn yún yān 〈成〉 (구름이나 연기처럼) 순식간에 없어지다. =〔烟云过眼〕
〔过氧化〕 guòyǎnghuà 명 《化》 과산화. ¶～二苯甲酰; 과산화 벤졸 / ～二乙酰; 과산화 아세틸 / ～钠; 과산화 나트륨 / ～钡bèi; 과산화 바륨 / ～氢酶 =〔触媒娒〕; 카탈라아제(Katalase).
〔过氧化氢溶液〕 guòyǎnghuàqīng róngyè 명 《化》 과산화 수소수(水素水). 옥시돌. 옥시풀. =〔双shuāng氧水〕
〔过夜〕 guò.yè 동 ①밤을 지내다(흔히, 외박하는 경우를 가리킴). ¶这里没有客店, 大家只好在小学里～; 여기는 여관이 없어서, 할 수 없이 모두 초등 학교에서 밤을 지냈다. ②하룻밤이 지나다. ¶不要喝～的茶; 하룻밤이 지난 차를 마시지 마라. ③밤샘하다.
〔过意〕 guòyì 동 마음에 걸리다〔거리끼다〕. 걱정하다. 잘못 생각하다. ¶我说这话不怕你～; 내가 이 말을 해서 네가 오해해도 괜찮다.
〔过意不去〕 guòyìbùqù 미안하다. 미안하게 생각하다. ¶再三麻烦您, 真～! 매번 폐를 끼쳐 정말 미안합니다! ↔〔过意得去〕
〔过一过〕 guòyiguò ①잠시 시간을 두다. ¶现在未免太早, ～再说吧; 지금은 너무 이른 듯하니까 잠시 시간을 두고 난 뒤에 다시 얘기하자. ②한 번 …하다. ¶～数儿; 한 차례 수를 맞춰 보다 / ～堂 táng; 한 차례 재판을 받다 / ～目mù; 쭉 훑어보다.
〔过阴〕 guòyīn 동 살아 있는 사람의 혼이 떠나 저승으로 가다.
〔过瘾〕 guò.yǐn 명 아편쟁이가 아편 기운이 떨어져 발작이 일어났을 때 아편을 먹고 발작을 누르는 일. 동 만족하다. (취미나 흥미를) 충족시키다. 실컷하다. ¶过了瘾了; 충분히 만족했다 / 过烟瘾; 만족할 만큼 담배 혹은 아편을 피우다 / 听这个音乐可真～了; 이 음악을 듣게 되다니 정말 만족스럽다.
〔过硬〕 guò.yìng 동 엄한 시련·경험을 견디어 내다. 충분한 능력을 익히다. ¶锻炼～工夫; 어떤 시련에도 견딜 수 있는 기량을 익히다 / 他还有～的医疗技术; 그는 또한 충분한 의료 기술을 지니고 있다. (guòyìng) 형 ①엄격하다. 냉엄하다. ¶这里的考题最～; 여기의 시험 문제는 제일 까다롭다 / 现在是最～的时刻; 지금은 가장 냉엄한 시기이다. ②만능(萬能)이다. 훌륭하다. 투철하다. (고통·곤란을) 극복할 수 있다.
〔过犹不及〕 guò yóu bù jí 〈成〉 지나침은 미치지 못함과 같다.
〔过油〕 guò.yóu 동 가루를 묻히지 않고 그냥 기름에 튀기다. ¶把菜过一过油; 야채를 기름에 살짝 튀기다. =〔走zǒu油〕
〔过右〕 guòyòu 형 ①우경적(右傾的)이다. ②극우적(極右的)이다.
〔过于〕 guòyú 부 지나치게. 너무. ¶～集中; 너무 집중하다 / ～着急; 지나치게 서둘다 / ～小心; 너무 소심하다 / ～劳累; 너무 과로하다.
〔过誉〕 guòyù 동 〈謙〉 너무 칭찬하다. 과찬하다 ¶您如此～, 倒叫我惶恐了; 과찬하시니, 도리어 황송할 따름입니다.
〔过月儿〕 guò yuèr 출산 예정일이 지나다. ¶还没

生，过了月儿了；예정일은 지났는데 아직 출산하지 않았다. =〔过月份儿〕

〔过云雨〕 guòyúnyǔ 명 지나가는 비. =〔小阵雨〕

〔过载〕 guò,zài 동 ①짐을 너무 싣다. 과적재(過積載)하다. ②(실려 있는 화물을) 다른 운반구에 바꿔 싣다. ¶～轮船；기선에 옮겨 싣다. (guòzài) 명 ①적재 초과. 과적재. ②짐을 바꿔 실음.

〔过早〕 guòzǎo 형 너무 이르다. 너무 빠르다. ¶不能～收割；너무 빨리 수확을 하면 안 된다.

〔过站〕 guòzhàn 동 ①(내려야 할 역이나 정류소를) 지나치다. ②〈比〉 도를 넘다. ¶还没起来呀? 可真是睡～了《周立波 暴風驟雨》；아직 일어나지 않았니? 정말 너무 늦잠을 자는구나.

〔过账〕 guò,zhàng 동 장부에 옮겨 쓰다(전표·증거 서류 등을 원장(元帳) 또는 일기장에 기입함).

〔过枝子〕 guòzhīzǐ 명 가지에서 가지로 옮겨 다니는 새. 〈比〉 양자(養子)에 대한 욕. =〔过枝儿〕

〔过中线〕 guòzhōngxiàn 명 《體》 패싱 센터 라인(passing center line).

〔过重〕 guò,zhòng 동 중량을 초과하다. (guòzhòng) 명 중량 초과. 초과 중량. ¶～加费；(우편물의) 초과료.

〔过左〕 guòzuǒ 형 ①좌경적(左傾的)이다. ②극좌적(極左的)이다. ¶～的偏向；극좌적인 경향.

H

HA ㄏㄚ

哈〈蝦〉[B)] **hā** (합)〈하〉
A) ①동 호〔하〕 하고 입김을 내뿜다. ¶～了一口气; 하 하고 입김을 한 번 내뿜다 / ～眼镜儿; 안경에 호 하고 입김을 불다 / 手都冻拘挛了, ～了半天才伸开; 추위로 손이 곱아서 한동안 입김을 뿜어서야 간신히 폈다. ②〈擬〉 하하(웃음소리. 흔히 중첩해서 씀). ¶～～大笑; 하하 하고 크게 웃다 / 打～～; ⓐ농담하다. ⓑ하하 하고 크게 웃다. ③감 득의(得意)나 만족을 나타냄(대부분 중첩해 쓰임). ¶～～, 我猜着了! 하하, 내가 알아맞혔다! / ～～, 这回可输给我了! 헤헷, 이번에는 나에게 졌다! ④〈方〉 장소를 나타냄. ¶哪～儿; 어디 / 这～儿 =〔这边儿〕〔这块儿〕; 여기. ⑤음역용 자(字). **B)** →〔哈腰〕⇒hǎ hà

〔哈巴涅拉〕 **hābānièlā** 명《樂》〈音〉 하바네라(habanera).
〔哈博罗内〕 **Hābóluónèi** 명《地》〈音〉 가보로네(Gaborone)(‘博茨瓦纳’(보츠와나: Botswana)의 수도).
〔哈冻〕 **hā,dòng** 동 (언 손 따위를) 입김을 불어 녹이다.
〔哈佛大学〕 **Hāfó Dàxué** 명〈音〉 하버드 대학.
〔哈夫〕 **hāfū** 명《樂》〈音〉 하프(half). 반분(半分).
〔哈哈〕 **hāhā** ①〈擬〉 하하(웃는 소리). ¶～地笑 =〔～(儿)笑〕; 하하 하고 웃다. ②감 허허(노여움이나 기쁨을 나타냄). ¶～! 你竟敢骂我! 허허! 네가 감히 나를 욕해!
〔哈哈镜〕 **hāhājìng** 명 요술 거울.
〔哈哈儿〕 **hāhar** 〈方〉 명 웃음거리. 우스운 일. 농담. ¶这真是个～! 이건 정말 웃음거리로군! 형 우스꽝스럽다. ¶他太～了; 그는 매우 우스꽝스럽다.
〔哈哈儿人〕 **hāharrén** 명 데면데면한〔무책임한〕 사람.
〔哈哈仙〕 **hāhāxiān** 명 복(福)의 신(神).
〔哈吉〕 **Hājí** 명《宗》〈音〉 하지(아 Haji). 회교도가 행하는 메카 순례·메카 참배를 끝낸 이슬람교도에 대한 칭호.
〔哈拉巴〕 **hālābā** 명《生》 쇄골(鎖骨). ¶～长嘠嘠儿;〈歇〉 쇄골에 젖꼭지가 생기다(기묘한 일).
〔哈拉雷〕 **Hālāléi** 명《地》〈音〉 하라레(Harare)(‘津Jīn巴布韦’(짐바브웨: Zimbabwe)의 수도).
〔哈喇〕 **hālā** 명 티베트산(産)의 고급 나사(羅紗). =〔哈喇呢ní〕
〔哈喇〕 **hāla** 동 ①〈口〉 (식품의 지방분이 변질되어) 상하다. ¶这些核桃仁儿都～了; 이 호두 속은 모두 상했다 / 你把这块点心给吃了吧, 再不吃就搁～了; 너 이 과자를 다 먹어라, 계속 안 먹고 두면 상한다. ②〈古白〉 한 칼에 베다. 죽이다.
〔哈喇子〕 **hālázi** 명〈方〉 침. 군침. ¶他一闻见那股子肉香味儿, 就馋chán得直流～; 그는 그 고기 냄새를 맡더니 먹고 싶어서 계속 군침을 흘렸다. =〔粘nián涎子〕〔哈拉子〕〔合啦子〕
〔哈雷彗星〕 **Hāléi Huìxīng** 명《天》〈音〉 핼리 혜성. =〔吓列彗星〕
〔哈里发〕 **Hālǐfā** 명《宗》〈音〉 할리파(아 khalifa). ㉠이슬람교 국가의 정교(政教) 합일의 영수(領袖)의 호칭. ㉡‘清qīng真寺’(이슬람교 사원)의 지도자.
〔哈里哈张〕 **hāli hāzhāng** 형 어설프다. 멍청하다. 미덥지 못하다. ¶你再告诉他一回吧! 他的脾气是～, 看他忘了; 너도 한번 그에게 말해 두어라, 그는 멍청해서 잘 잊는다.
〔哈利路亚〕 **hālìlùyà** 명《宗》〈音〉 할렐루야(hallelujah). =〔哈雷鲁亚〕〔亚肋路亚〕
〔哈罗〕 **hāluo** 명〈音〉 헬로(hello).
〔哈密瓜〕 **hāmìguā** 명《植》 신장 성(新疆省) 하미(哈密)에서 나는 참외. 하미과.
〔哈姆雷特〕 **Hāmǔléitè** 명《書》〈音〉 햄릿(‘莎Shā士比亚’(셰익스피어) 작의 희곡 이름). =〔汉Hàn姆莱特〕
〔哈尼族〕 **Hānízú** 명《民》 하니 족(중국 소수 민족의 하나. 윈난 성(雲南省)에 거주함).
〔哈普宁艺术〕 **hāpǔníng yìshù** 명〈音〉 해프닝(happening).
〔哈普细科特〕 **hāpǔxìkētè** 명《樂》〈音〉 하프시코드(harpsichord).
〔哈气〕 **hāqì** 명 ①입김. ¶～成霜; 입김이 얼다. ②(물체에 어린) 수증기. ¶汽车的雨扫, 自动地左右摆着, 刷去玻璃上的～; 자동차의 와이퍼가 자동적으로 좌우로 움직이어 유리의 김 서린 것을 닦다. 동 입김을 불다. ¶哈口气, 暖暖手; 입김을 불어 손을 따뜻하게 하다 / ～擦玻璃; 입김을 불어 유리를 닦다.
〔哈欠〕 **hāqian** 명 하품. ¶打～; 하품을 하다. =〔哈息〕
〔哈人〕 **hārén** 동〈方〉 조용히 부탁하다. 은근히 조르다. ¶你别这么～了, 他是不会答应的; 너 그렇게 은근히 조르지 마라. 그 사람이 들어 줄 턱이 없다. ⇒hǎren
〔哈萨克斯坦〕 **Hāsàkèsītǎn** 명《地》〈音〉 카자흐스탄(Kazakhstan)(수도는 ‘阿拉木图’(알마아타: Alma Ata)).
〔哈萨克族〕 **Hāsàkèzú** 명《民》 카자흐 족(중국 소수 민족의 하나. 주로 신장(新疆) 위구르(Uighur) 자치구 북부 지구에 거주함). =〔卡萨赤赤〕
〔哈式〕 **hāshì** 명 한숨. ¶打～; 한숨을 쉬다 / ～大的工夫; 눈 깜짝할 사이에.
〔哈手〕 **hāshǒu** 손에 후 하고 입김을 불다.
〔哈瓦那〕 **Hāwǎnà** 명《地》〈音〉 아바나(Habana)(‘古Gǔ巴’(쿠바: Cuba)의 수도).
〔哈息〕 **hāxi** 명 하품. ¶打～; 하품하다. =〔哈欠〕
〔哈腰(儿)〕 **hā,yāo(r)** 동〈口〉 ①허리를 굽히다. ¶哈不下腰; 허리가 안 구부러지다 / 点头～;〈成〉 굽신굽신하다. ②(허리를 약간 굽혀) 가볍게 절〔인사〕하다. ③노름에서 지다.

铪(鉿) **hā** (합)
명《化》 하프늄(Hf: hafnium)(금속 원소의 하나).

虾(蝦) **há** (하)
→〔虾蟆〕⇒xiā

〔虾蟆〕 háma 명 ⇨〔蛤蟆〕

蛤 **há** (합)
표제어 참조 ⇒gé

〔蛤蚂〕 háma 명 ⇨〔蛤蟆〕
〔蛤蟆〕 háma 명《動》개구리와 두꺼비의 총칭. ¶～瘟wēn; 항아리 손님《유행성 이하선염의 속칭》/～蹲dūn; 지하도. (얕은) 동굴/癞～想吃天鹅肉;〈諺〉두꺼비가 고니의 고기를 먹고 싶어하다《분수를 모름》. =〔蛤蚂〕〔虾蟆〕→〔蛙wā〕
〔蛤蟆夯〕 hámahāng 명《機》지반을 다지는 래머(rammer)의 일종.
〔蛤蟆镜〕 hámajìng 명 ⇨〔太tài阳(眼)镜〕
〔蛤鱼〕 háyú 명《魚》아귀.

哈 **hǎ** (합)
①동〈方〉큰 소리로 고함〔호통〕치다. 질책하다. ¶他常挨ái上头的～; 그는 항상 상사에게 호통을 맞는다/～他一声; 그에게 큰 소리로 일갈(一喝)하다. ②→〔哈巴〕 ③→〔哈达〕 ④명 성(姓)의 하나. ⇒hā hà
〔哈巴〕 hǎbǎ 동〈方〉안짱다리로 걷다. →〔哈hà巴〕
〔哈巴狗(儿)〕 hǎbagǒu(r) 명 ①《動》삽살개. 발바리. ②〈比〉무조건 순종하는 놈. 아첨하는 놈. ‖=〔狮shī子狗〕〔巴bā儿狗〕
〔哈达〕 hǎdá〔hǎda〕 명〈晋〉티베트에서 경의(敬意)·경하(慶賀)를 표시하기 위해서 보내는 백색·황색·남색 등의 얇은 비단.
〔哈吓〕 hǎhè 동 (큰 소리나 무서운 태도로) 위협하다. 으르다.
〔哈呼〕 hǎhu 동〈俗〉호통치다. 야단치다. ¶他在家里老这么～, 谁都受不了; 그는 집에서 언제나 이렇게 호통을 치기 때문에 누구도 견딜 수 없다. =〔哈唬〕
〔哈唬〕 hǎhu 동 ⇨〔哈呼〕
〔哈喇叭〕 hǎlabā 명 어깨뼈. =〔哈拉巴〕〔哈喇吧〕〔哈肋lèi巴〕
〔哈人〕 hǎren 동〈方〉꾸짖다. ¶他真会抖威风, 动不动就～; 그는 위세가 당당하다는 것을 보여 주고 싶어서 걸핏하면 남을 꾸짖는다. ⇒hārén

奋 **hǎ** (반)
지명용 자(字). ¶～奄屯Hǎbātún; 하바툰(奋奄屯)《베이징 시(北京市)에 있는 땅 이름》. ⇒'呔' tǎi

哈 **hà** (합)
표제어 참조. ⇒hā hǎ

〔哈巴〕 hàba 동〈方〉안짱다리로 걷다. ¶～着走; 안짱다리로 걷다/～腿(儿); 안짱다리. →〔哈hǎ巴〕
〔哈撒〕 hàsa 동 흔들다. ¶把筛子～～; 체를 흔들다.
〔哈什蚂〕 hàshimǎ 명《動》개구리의 일종《암컷 복부에 '～油'라는 지방상(脂肪狀)의 물질이 있는데 강장제로 쓰임》.

HAI ㄏㄞ

咍 **hāi** (해)
①동〈文〉조롱하다. 놀리다. 조소하다. ¶为众人所～; 뭇 사람의 웃음거리가 되다. ②동〈文〉기뻐하다. 즐거워하다. ③감 아. 허. 어머나. ¶～, 真有这种怪事儿; 허 참, 이런 이상한 일이 있을 줄이야. ④→〔咍台〕
〔咍咍〕 hāihāi 형〈文〉기뻐서 웃는 모양.
〔咍台〕 hāitái 동〈古白〉코를 골다. ¶上床便～大睡《世說新語》; 잠자리에 들자마자 코를 골며 깊은 잠에 빠졌다.
〔咍笑〕 hāixiào 동〈文〉조소하다. 비웃다.

咳 **hāi** (해)
감 ①야. 어이! 이봐!《남을 부르거나 주의를 환기시킬 때 내는 소리》. ¶～! 你快来; 야! 빨리 와/～! 小心汽车; 이봐! 자동차 조심해. ②어머. 저런. 허 그것 참. 아이쿠. 아뿔싸《상심·후회·놀람을 나타내는 소리》. ¶～! 这不是我的; 어머! 이건 내 것이 아니야/～! 可惜; 저런! 아깝구나/～! 我忘了带钱来; 아이쿠! 돈을 가져오는 것을 잊었네/～! 真有这种怪事儿! 허! 정말 이런 괴이한 일이 다 있군! →〔咍③〕 ⇒hài kǎ kài ké
〔咳声叹气〕 hāishēng tànqì 연하여 한숨을 쉬는 모양. 탄식하는 모양.

嗨 **hāi** (해)
①감 아. 하《탄식하는 소리》. ¶～, 可惜了; 아이고 참 아깝다. ②〈擬〉하하. 호호《가볍게 웃는 소리》. ③→〔嗨哟yō〕 ⇒hēi
〔嗨哟〕 hāiyō 감 영차. 어영차. 어기영차《여럿이 힘을 합쳐 육체 노동을 할 때 내는 맞춤 소리》. ¶加油干呐, ～! 힘을 내세, 어기영차!

还(還) **hái** (환)
부 ①아직. 아직도. ¶～没来; 아직 안 왔다/十点钟～没到; 10시까지는 아직 멀었다/他怎么～不来呢; 그는 왜 아직 안 올까. ②그만하면. 그런대로《어느 정도의 양보를 나타냄》. ¶今天～算暖和; 오늘은 그런대로 따뜻한 편이다/您～满意吧? 그런대로 만족하시지요?/这个～可以凑còu合着用; 이것은 (충분치 않으나) 그런대로 참고 쓸 수 있다. ③역시. 과연《어기를 강하게 함》. ¶回乡下去住一两天～挺新鲜; 시골에 돌아가서 하루 이틀 머무르는 것은 역시 참신한 기분이 듭니다/～是机器的效率大; 역시 기계의 효율은 크다. ④어쩌면《의외의 기분을 나타냄》. ¶说不定长大了～当厂长呢! 큰 다음엔 혹시 공장장이 될지도 모른단 말이야! ⑤…도. ¶我～想去呢! 나도 가고 싶은데! ⑥…했댔자. …한들. ¶捐了钱～教人家白白的吃了去! 돈을 기부했댔자 다른 사람한테 감쪽같이 떼먹히고 만다! ⑦(반어적(反語的)으로) 어째서. …은커녕. ¶这样的好出品, ～有什么说的; 이렇게 좋은 제품인데, 그래도 트집을 잡느냐. ⑧더. 아직. 또《수량·항목이〔범위가〕 증가〔확대〕되는 것을 나타냄》. ¶～有一个; 아직 하나 더 있다/～要做什么事; 또 무슨 일이 있습니까?/你吃了这么多, ～要吃什么东西吗? 이렇게 많이 먹었는데, 또 무얼 먹자는 건가?/～不止三百, ～多得很呢; 게다가 그건 300에 그치지 않아, 훨씬 더 많아. ⑨그럼에도 불구하고. 여전히. 아직도《동작·상태가 지속됨을 나타냄》. ¶唉, 人已经不小了, 可～是这样的孩子气! 어쩜, 이렇게 컸는데도 아직 어린애 같으니 말이야!/不是这个, ～是那个; 이것이 아니라 역시 그거다/来迟了的～是他; 지각한 사람은 여전히 그야. ⑩더. 한층. 더욱《주로 '比'와 같이 쓰여 어느 상당한 정도의 것에 비하여 더 정도가 뛰어남》. ¶中国的人口比美国～多; 중국의 인구는 미국보다 훨씬 많다/明天恐怕～冷; 내일은 더욱 추울 것이다. ⑪…조차. …까지도(주로 반문의 어기를 띰). ¶他～搬不动, 何况你呢? 그 조차 움직이지 못하는 것을 어떻게 네가 움직인단 말이냐? / 月球～到得了, 南极北极算得了什么呢; 달에도 갈 수 있으니, 남극 북극 따위는 아무것도 아니지. ⑫…인가 아니면 …인가('(是) …～是…'의 형태로 쓰임). ¶(是)前进呢, ～是后退呢; 전진이냐, 아니면 후퇴냐 / 我去呢, ～是你来呢; 내 쪽에서 갈까, 아니면 자네 쪽에서 오겠나. ⑬어떤 사물에 대해 의외의 어감을 나타냄(흔히 의외의 의미를 지닌 부사나 '真'같은 부사를 수반함). ¶他～真有办法; 그는 정말 수단이 좋다. ⑭벌써. 이미. 일찍이. ¶～在几年以前, 我们就研究过这个方案; 이미 몇 년 전에 우리는 이 방안을 연구한 적이 있다. ⇒ huán

〔还不够〕 háibùgòu 아직 부족하다〔충분치 않다〕.

〔还更〕 háigèng 부 더욱. 더(비교문에 쓰이며, '还'나 '更' 단독으로 쓰일 때보다 정도를 강하게 함). ¶比图画～好看; 그림보다 한층 아름답다.

〔还好〕 háihǎo ①(그런대로) 괜찮다. ¶你今天感觉怎么样? ～; 너 오늘 컨디션 어때? 괜찮아. =〔还行〕〔还可以〕 ②운 좋게도. 다행히(도).

〔还没〕 háiméi 아직 …하지 않다. ¶他～回来; 그는 아직 돌아오지 않았다.

〔还是〕 háishi 부 ①그래도. 여전히. 아직도. ¶但他～强装笑脸; 그러나 그는 여전히 억지로 웃는 얼굴을 짓고 있었다. ②이처럼. 그렇게도(의외의 어감을 더욱 두드러지게 함). ¶没想到这事儿～真难办; 이 일이 이처럼 어려울 줄은 생각도 못했다. ③…하는 것〔편〕이 좋다〔낫다〕. ¶天气凉了, ～多穿点儿吧! 추워졌으니 옷을 좀 많이 입는 것이 좋다. ④과연. 그래도 역시. ¶～你圣明; 과연 너는 현명하구나. ⑤훨씬 이전(시간을 나타내는 말이나 연어(連語) 앞에 놓고 시간이 오래 됨을 나타냄). ¶这～我小时候的照片呢; 이것은 옛날 내 어렸을 때의 사진입니다. 접 (…(是)…～…, '还是' …～…의 형태로) 또는. 아니면(의문문에 쓰여 선택을 나타냄). ¶你(是)上午去, ～下午去? 너는 오전에 가니, 아니면 오후에 가니? / 这本书是你的, ～他的? 이 책은 네 것이니, 아니면 그의 것이니?

〔还算〕 háisuàn 부 그래도 …인 편이다. 그만하면 …이다. ¶～不错; 그만하면 훌륭하다. 그럭저럭 쓸 만하다 / ～不差; 그저 그런 정도이다.

〔还许〕 háixǔ 부 혹시. 어쩌면. ¶～你从此不理我呢! 자네는 앞으로 나를 상대하지 않을지 모르겠는데! =〔也许〕

〔还有〕 háiyǒu 접 게다가. 또한. 그리고 (또). ¶这个字写错了, ～, 标点用得不对; 이 글자는 잘못 썼고, 게다가 구두점도 잘못 쓰였다.

〔还早〕 háizǎo 아직 이르다.

孩 hái (해)

①(～儿, ～子) 명 유아. 아기. 어린애(남녀 모두 유아에서 성년(成年) 전까지를 이름). ¶小～儿; 어린이 / 女～儿; 여자 아이 / 男～儿; 남자 아이. ②명〈古白〉 아기의 웃음. ③형〈古白〉 꾸밈이 없고 순진한.

〔孩抱〕 háibào 명〈文〉 갓난아이(엄마 품에 안길 정도의 아이). =〔孩提〕

〔孩虫〕 háichóng 명〘蟲〙 유충(幼蟲). 애벌레.

〔孩儿〕 hái'ér 명 ①갓난아기. ②부모가 자기의 아이를 이를 때의 말. ③아이의 부모에 대한 자칭.

〔孩儿发〕 hái'érfà 명 머리 둘레를 짧게 잘라서 늘어뜨린 어린아이의 머리 모양.

〔孩儿见识〕 hái ér jiàn shí 〈成〉 어린아이 같은 식견. 유치한 식견.

〔孩儿们〕 hái'érmen 명 ①어린아이들. ②도적·비적 등의 부하들.

〔孩儿面〕 hái'érmiàn 명 담홍색의 산호나 옥돌.

〔孩儿参〕 hái'érshēn 명〘植〙 동자삼(童子蔘). 동삼(童蔘)(사람의 형상을 한 질 좋은 고려 인삼). →〔人rén参〕

〔孩气〕 háiqì 명형 ⇨〔孩子气〕

〔孩孺〕 háirú 명 ⇨〔孩童〕

〔孩乳〕 háirǔ 명〈文〉 유아〔젖먹이〕 때.

〔孩提〕 háití 명〈文〉 ⇨〔孩抱〕

〔孩提之事〕 háití zhī shì 어린애가 하는 일. 〈比〉 극히 쉬운 일.

〔孩童〕 háitóng 명〈文〉 아동. =〔孩孺〕

〔孩子〕 háizi 명 ①아동. 아이. ¶男～; 사내아이 / 女～; 계집아이 / 小～; 어린아이 / ～撒娇; 아이가 어리광을 부리다. ②자녀. 자식. ¶抱～; 아이를 안다 / 养～; ⓐ아이를 기르다. ⓑ아이를 낳다 / 她有两个～; 그녀는 두 명의 자녀가 있다.

〔孩子话〕 háizihuà 어린아이 같음. 유치함.

〔孩子脸〕 háiziliǎn 동안(童顏). 어린아이 같은 얼굴〔생김새〕. =〔孩儿脸〕

〔孩子气〕 háiziqì 명 치기(稚氣). 애티. ¶～未除; 애티가 아직 남아 있다. 형 어린애 티가 나다. 치기가 있다. ¶他真是～, 那么点儿事不值得恼火; 너는 정말 어린아이 같구나, 그런 하찮은 일로 화를 내다니 / 他越来越～了; 그는 점점 더 아이처럼 군다. ‖ =〔孩气〕〔孩子脾气〕〔稚zhì气〕

〔孩子(他)爹〕 háizi(tā)diē 명〈口〉 아이 아버지(아내가 남편을 부르는 말). =〔孩子(他)爸〕

〔孩子头(儿)〕 háizitóu(r) 명 ①골목 대장. ②아이와 놀기를 좋아하는 어른. ‖ =〔孩子王〕

骸 hái (해)

명 ①뼈. 해골. ②경골(脛骨). ③몸. 신체. ¶形～; 형해 / 病～; 병든 몸 / 遗～; 유해 / 残～; 잔해. ④형체.

〔骸骨〕 háigǔ 명 ①해골. 사람의 뼈. ②〈文〉 몸. 신체.

海 hǎi (해)

①명 바다(대륙에 가깝고 '洋'보다 작은 수역). ¶黄～; 황하이(黃海) / 渤～; 보하이(渤海). ②명 (대륙의) 큰 호수. ¶青～; 칭하이(青海) / 洱～; 얼하이(洱海)(윈난 성(雲南省) 다리 현(大理縣)에 있는 호수 이름). ③명 몇몇 유서 깊은 못의 이름에도 쓰임. ¶中Zhōng南～; 베이징(北京)에 있는 유명한 못 이름. ④형 넓고 크다. ¶～碗; 큰 사발. ⑤명 용량이 큰 기물. ¶墨mò～; 큰 벼루. ⑥〈比〉 많은 사람·사물을 가리킴. ¶人rén山人～; 〈成〉 인산인해 / 树～; 수해 / 文～; 많은 문장 / 火～; 불바다. ⑦부〈方〉 무턱대고. 마구. 함부로. 멋대로. 끝〔한〕없이. ¶胡吃～喝; 마구 마시고 먹다 / 有钱就～花huā; 돈이 있으면 낭비한다 / 她丢了个别针, ～找; 그녀는 핀을 떨어뜨려 무턱대고 찾아 헤매고 있다. ⑧형〈方〉 대단히 많다(보통 뒤에 '了' '啦' 따위를 붙임). ¶广场上的人可～啦; 광장엔 사람이 많기도 하다 / 东西～着呢; 물건은 얼마든지 있지. ⑨명 옛날, 외국에서 들어온 것을 가리키던 말. ¶～棠; 〘植〙 해당화. ⑩명〈廣〉 큰 강을 가리킴. ¶过～; 주강(珠江)을 건너다. ⑪명 성(姓)의 하나.

〔海岸〕 hǎi'àn 명 해안. ¶～线 =〔海滨线〕; 해안선 / ～炮; 해안포(砲).

〔海岸平原〕 hǎi'àn píngyuán 명 해안 평야. =〔上shàng升海滩〕〔沿yán岸平原〕
〔海拔〕 hǎibá 명 해발. ¶～3,130呎的大帽山; 해발3,130피트의 대모산(大帽山). =〔拔海〕
〔海白菜〕 hǎibáicài 명 《植》 해조(海藻)의 일종(빛깔은 담록색이며 식용함).
〔海百合〕 hǎibǎihé 명 《動》 갯나리.
〔海邦〕 hǎibāng 명 〈文〉 해양국(海洋國).
〔海蚌含珠〕 hǎibàng hánzhū 명 《植》 깨풀. =〔铁苋xiàn菜〕
〔海雹菜〕 hǎibáocài 명 《植》 '发菜'나 '地耳' 비슷한 것으로, 중국 남부 해안에서 남.
〔海报〕 hǎibào 명 ①(영화·연극 등의) 선전 포스터. ¶电影～; 영화 선전 포스터. ②광고.
〔海豹〕 hǎibào 명 《動》 해표. 바다표범.
〔海边(儿)〕 hǎibiān(r) 명 해안. 해변.
〔海表〕 hǎibiǎo 명 〈文〉 해외. 바다의 저쪽.
〔海滨〕 hǎibīn 명 해안. 해변. ¶～线 =〔海岸线〕; 해안선 / ～浴yù场; 해수욕장.
〔海病〕 hǎibìng 명 뱃멀미. ¶犯～; 뱃멀미가 나다.
〔海波〕 hǎibō 명 《化》 〈音〉 하이포(hypo). 티오황산나트륨. =〔海坡〕
〔海哱罗〕 hǎibōluó 명 《貝》 '海螺'(소라고둥)의 별칭.
〔海舶〕 hǎibó 명 〈文〉 선박.
〔海不扬波〕 hǎi bù yáng bō 〈成〉 천하가 태평하다.
〔海菜〕 hǎicài 명 《植》 ①우뭇가사리. 한천(寒天). =〔石花菜〕 ②해초. ③다시마·미역 등의 해산물.
〔海草〕 hǎicǎo 명 ⇨〔海藻〕
〔海产〕 hǎichǎn 명 해산물. =〔海货〕 형 해산의. 바다에서 나는. ¶～植物; 해산 식물. 해초류.
〔海昌蓝〕 hǎichānglán 명 ①《染》 하이드론 블루(hydron blue)(황화 건염(建染) 물감에 속하는 청색 염료). ②《紡》 하이드론 블루로 염색한 천.
〔海昌颜料〕 hǎichāng yánliào 명 《染》 하이드론(hydron) 염료(황화 건염(建染) 물감의 일종).
〔海潮〕 hǎicháo 명 해조. 조수(潮水). 조류(潮流).
〔海程〕 hǎichéng 명 〈文〉 항정(航程). 바다의 이정(里程).
〔海船〕 hǎichuán 명 해선. 바다를 항행하는 배.
〔海错〕 hǎicuò 명 〈文〉 해산물. ¶山shān珍～ =〔山珍海味〕; 〈成〉 산해 진미.
〔海带〕 hǎidài 명 다시마. ¶～丝; 가늘게 썬 다시마 / ～片; 잘게 썬 다시마 / ～条; 길게 썬 다시마. =〔海带菜〕
〔海胆〕 hǎidǎn 명 《動》 성게. 해담.
〔海岛〕 hǎidǎo 명 도서(島嶼). 섬.
〔海盗〕 hǎidào 명 해적. ¶～行为; 해적 행위. =〔海鬼〕〔海寇〕〔海贼〕〔水shuǐ贼〕
〔海道〕 hǎidào 명 〈文〉 해로(海路).
〔海得罗儿奴〕 hǎidéluójīnú 명 《化》 〈音〉 하이드로퀴논(hydroquinone)(사진 현상약·유기 합성 원료가 됨). =〔对duì苯二酚〕〔鸡jī钠酚〕
〔海灯〕 hǎidēng 명 ①《動》 갯반디. ②불전(佛前)에 올리는 유리로 된 일종의 등명(燈明) 용구.
〔海堤〕 hǎidī 명 방파제. =〔防fáng波堤〕
〔海笛(儿)〕 hǎidí(r) 명 《樂》 〈方〉 횡적(橫笛). 소형의 날나리.
〔海底〕 hǎidǐ 명 ①해저. ¶～山脉 =〔海岭〕; 해저 산맥. ②⇨〔会huì阴〕
〔海底电缆〕 hǎidǐ diànlǎn 명 해저 전선. 해저 케이블. =〔海底电线〕〔海缆〕〔海线〕
〔海底捞月〕 hǎi dǐ lāo yuè ①〈成〉 ⇨〔水shuǐ中捞月〕 ②명 중국 무술 동작의 하나.
〔海底捞针〕 hǎi dǐ lāo zhēn 〈成〉 바다 밑에서 바늘 찾기(불가능한 일). ¶这简直是～, 上哪儿找去呢; 정말 바다 밑에서 바늘 찾기지, 어디 가서 찾겠어. =〔海里捞针〕〔海底摸锅〕〔海里摸锅〕
〔海地〕 Hǎidì 명 《地》 〈音〉 아이티(Haiti).
〔海甸〕 hǎidiàn 명 ①〈文〉 해역(海域). ②⇨〔海淀〕
〔海淀〕 Hǎidiàn 명 《地》 베이징(北京)의 서북 교외 일대. =〔海甸②〕
〔海雕〕 hǎidiāo 명 《鳥》 흰죽지참수리.
〔海东〕 Hǎidōng 명 《地》 '东海'(동중국해)에 면(面)한 지방.
〔海东青〕 hǎidōngqīng 명 《鳥》 해동청. 송골매.
〔海法〕 hǎifǎ 명 《法》 해사법(海事法).
〔海发〕 hǎifà 명 《植》 비단풀(해초의 일종). =〔仙xiān菜〕
〔海防〕 Hǎifáng 명 ①《地》 〈音〉 하이퐁(Haiphong). ②(hǎifáng) 연안의 방비〔수비〕. ¶～部队; 해안 경비 부대 / ～前哨; 연안 경비 전초부대 / ～炮; 해안포.
〔海粉〕 hǎifěn 명 '刺cì海兔'(가시군소)의 말린 알.
〔海风〕 hǎifēng 명 ①바다에서 불어오는 바람. ②《氣》 해풍. =〔海软风〕 →〔陆lù风〕
〔海腹〕 hǎifù 명 〈文〉 해중(海中). 바닷속.
〔海港〕 hǎigǎng 명 해항. 해안의 항구. →〔河hé港〕
〔海蛤蛎〕 hǎigélì 명 《貝》 굴의 일종. 토굴.
〔海沟〕 hǎigōu 명 ①바다의 후미. ¶正好到那～避风; 하여튼 저 후미 쪽으로 가서 바람을 피하자. ②《地質》 해구(海溝). ¶菲律宾～; 필리핀 해구.
〔海狗〕 hǎigǒu 명 《動》 물개. =〔海熊〕〔膃肭兽〕
〔海狗鱼〕 hǎigǒuyú 명 《動》 도롱뇽.
〔海股〕 hǎigǔ 명 내해(內海). 육지 쪽으로 깊숙이 들어간 만(灣). ¶波斯～; 페르시아만. →〔海湾〕
〔海瓜子〕 hǎiguāzi 명 《貝》 껍데기가 삼각형인 작은 조개.
〔海关〕 hǎiguān 명 세관. ¶～税; 관세.
〔海关检查〕 hǎiguān jiǎnchá 명 세관 검사.
〔海龟〕 hǎiguī 명 《動》 바다거북. 푸른바다거북.
〔海鬼〕 hǎiguǐ 명 해적. =〔海盗〕
〔海国〕 hǎiguó 명 해양국. 섬나라.
〔海涵〕 hǎihán 〈文〉 형 도량이 넓다. 동 〈敬〉 포용〔해용(海容)〕하다. ¶招待不周, 还望～! 대접을 충분히 못해 드린 점 관용 있으시기 바랍니다!
〔海浩浩〕 hǎihàohào 형 작은 일에 구애받지 않는다. 대범하다. ¶他是～的脾气, 不在乎这么点儿小事; 그는 대범한 성격이라 이런 작은 일 따위는 마음에 두지 않는다.
〔海和尚〕 hǎihéshang 명 《動》 돌고래. 해돈(海豚). =〔海豚〕
〔海红〕 hǎihóng 명 《植》 ①해당화의 열매. ②동백꽃. =〔山茶花〕 ③귤.
〔海猴〕 hǎihóu 명 《魚》 얼음돔.
〔海虎〕 hǎihǔ 명 《動》 해달. =〔海獭〕
〔海虎皮〕 hǎihǔpí 명 해달(海獺)의 가죽.
〔海虎绒〕 hǎihǔróng 명 《紡》 흑색 면비로드.
〔海花石〕 hǎihuāshí 명 《動》 해화석. =〔浮fú石②〕
〔海话〕 hǎihuà 명 종잡을 수 없는〔두서없는〕 말. 황당한 이야기. 터무니없는 소리.

〔海魂衫〕 hǎihúnshān 명 (줄무늬가 있는) 세일러 셔츠.
〔海货〕 hǎihuò 명 해산물. =〔海产〕
〔海际〕 hǎijì 명 〈文〉 해변(海邊).
〔海鲫〕 hǎijì 명 《魚》 망상어.
〔海疆〕 hǎijiāng 명 〈文〉 연해(沿海). 연해 지방. ¶万里～; 〈成〉 길게 이어진 연안 지대.
〔海椒〕 hǎijiāo 명 ⇨〔辣là椒〕
〔海角〕 hǎijiǎo 명 ①곶. 갑(岬). ②〈文〉 바다 끝. 머나먼 곳. ¶～天涯yá=〔天涯～〕; 바다나 하늘의 끝. 아주 먼 곳. =〔海陬zōu〕
〔海峤〕 hǎijiào 명 〈文〉 바다 가운데 작은 섬. =〔峤屿〕
〔海徼〕 hǎijiào 명 〈文〉 바다에 인접한 변경(邊境).
〔海金砂〕 hǎijīnshā 명 《植》 실고사리.
〔海进〕 hǎijìn 명 《地質》 해진(海進). 해침(海浸).
〔海禁〕 hǎijìn 명 ①(청대(清代) 아편 전쟁 전의) 쇄국령(鎖國令). 해금. ②자국민의 출국 및 외국인의 입국을 금하는 것.
〔海景〕 hǎijǐng 명 바다 경치.
〔海镜〕 hǎijìng 명 《貝》 가리비. 해선(海扇).
〔海鸠〕 hǎijiū 명 《鳥》 바다오리류.
〔海军〕 hǎijūn 명 해군. ¶～基地; 해군 기지 / ～航空兵; 해군 항공병.
〔海克脱阿尔〕 hǎikètuō'ā'ěr 명 《測》 〈音〉 헥타르(ha: hectare). =〔合搭尔〕
〔海客〕 hǎikè 명 〈文〉 ①해상 여행자. 해외로 떠나는 상인. ②보통 일반의 객. 지나가는 길손.
〔海口〕 hǎikǒu 명 ①해구. ②호언장담. 허풍. ③항구. ④(Hǎikǒu) 《地》 하이커우(海口)《하이난성(海南省)의 성 소재지》.
〔海寇〕 hǎikòu 명 ⇨〔海盗〕
〔海枯石烂〕 hǎi kū shí làn 〈成〉 바닷물이 마르고 돌이 썩다. 〈比〉 오랜 세월이 지나다《영원히 변치 않겠다는 맹세의 말로 쓰임》. ¶就是～也不会变心 =〔～, 此心不移〕 바닷물이 마르고 돌이 부서져도 이 마음은 영원히 변치 않을 것입니다.
〔海葵〕 hǎikuí 명 《動》 말미잘.
〔海阔天空〕 hǎi kuò tiān kōng 〈成〉 ①광활한 천지. ¶像鱼儿得水, 像小鸟入林, ～她自由自在地生活起来了; 물고기가 물을 얻은 듯 새가 숲에 든 듯, 광활한 천지에서 그녀는 자유롭게 생활하기 시작했다. ②(문장·말·생각에) 끝이 없다. ¶两个人都很健谈, ～, 聊起来没个完; 두 사람 모두 이야기하는 것을 좋아해서, 이것저것 말하기 시작하면 끝이 없다.
〔海蓝〕 hǎilán 명 감청색. ¶～的天空; 짙고 푸른 하늘.
〔海蓝宝石〕 hǎilán bǎoshí 명 《鑛》 아콰마린(aquamarine). 남옥(藍玉).
〔海浪滔天〕 hǎi làng tāo tiān 〈成〉 파도가 하늘을 찌를 것같이 높다.
〔海了〕 hǎile 형 〈俗〉 많다. ¶人家的钱可～! 그 사람은 돈이 대단히 많다.
〔海狸〕 hǎilí 명 《動》 비버(beaver). 해리. =〔海骡〕〔河狸〕
〔海狸鼠〕 hǎilíshǔ 명 《動》 뉴트리아(nutria).
〔海里〕 hǎilǐ 양 해리. =〔浬lǐ〕
〔海里捞针〕 hǎi lǐ lāo zhēn 〈成〉 ⇨〔海底捞针〕
〔海里摸锅〕 hǎi lǐ mō guō 〈成〉 ⇨〔海底捞针〕
〔海蛎子〕 hǎilìzi 명 ⇨〔牡mǔ蛎〕
〔海量〕 hǎiliàng 명 ①〈敬〉 해량. 넓은 도량. ¶对不住的地方, 望您～包涵; 실례한 점 부디 용서해 주십시오. ②큰 주량(酒量). 주호(酒豪). ¶您是～, 不妨多喝几杯! 자넨 주호이니 조금쯤 더 마셔도 되지 않는가!
〔海岭〕 hǎilǐng 명 해저 산맥(海底山脈). 해령. =〔海底山脉〕
〔海流〕 hǎiliú 명 해류. =〔洋yáng流〕
〔海龙〕 hǎilóng 명 ①《魚》 실고기. =〔杨yáng枝鱼〕 ②《動》 옛날 파충류의 일종《영·불·독 등에서 그 화석이 나옴》. ③⇨〔海獭〕
〔海鸬鹚〕 hǎilúcí 명 《鳥》 바다가마우지. =〔海鸟鹈〕〔乌wū鹈〕
〔海驴〕 hǎilǘ 명 《動》 해려. 강치.
〔海绿石〕 hǎilǜshí 명 《鑛》 해록석.
〔海伦主义〕 hǎilún zhǔyì 명 〈音〉 헬레니즘(Hellenism).
〔海轮〕 hǎilún 명 외항선(外航船).
〔海骡〕 hǎiluó 명 ⇨〔海狸〕
〔海螺〕 hǎiluó 명 《貝》 소라고둥의 통칭. =〔海哱罗〕〔法fǎ螺〕〔梭suō尾螺〕
〔海洛因〕 hǎiluòyīn 명 《藥》 〈音〉 헤로인(heroin). =〔海洛音〕〔海洛英〕〔安洛因〕〔白货①〕〔白土②〕
〔海马〕 hǎimǎ 명 ①《魚》 해마. =〔龙lóng落子〕 ②⇨〔海象〕
〔海骂〕 hǎimà 동 무턱대고 욕을 퍼붓다. 함부로 욕지거리하다.
〔海鳗〕 hǎimán 명 《魚》 갯장어.
〔海墁〕 hǎimàn 명 성문(城門) 안의 출입구에 돌을 깐 곳.
〔海猫〕 hǎimāo 명 《鳥》 괭이갈매기.
〔海米〕 hǎimǐ 명 ①⇨〔虾xiā米①〕 ②《植》 통보리사초. =〔莳shī草〕
〔海绵〕 hǎimián 명 ①《動》 해면 동물. ②해면의 각질 골격(角質骨格). ③스펀지(sponge). ¶～底球鞋; 스펀지 밑창의 스포츠화(靴) / ～(球)拍; (탁구의) 스펀지 라켓. ‖ =〔海绒〕
〔海绵土〕 hǎimiántǔ 명 유기질이 많은 비옥한 토양.
〔海面〕 hǎimiàn 명 해면.
〔海南〕 Hǎinán 명 《地》 ①〈北方〉 하이난《산둥(山東) 방면 일대의 호칭》. ②〈簡〉 '海南省' '海南岛'의 약칭.
〔海南戏〕 hǎinánxì 명 ⇨〔琼qióng剧〕
〔海难〕 hǎinàn 명 해난.
〔海难信号〕 hǎinàn xìnhào 명 해난 신호. 에스오에스(SOS).
〔海内〕 hǎinèi 명 〈文〉 ①국내. ②천하. 전세계.
〔海鲇〕 hǎinián 명 《魚》 바다메기.
〔海牛〕 hǎiniú 명 《動》 해우. 바다소.
〔海沤〕 hǎi'ōu 명 바다의 물거품. 〈比〉 인생의 덧없음. 인생 무상.
〔海鸥〕 hǎi'ōu 명 《鳥》 갈매기.
〔海派〕 hǎipài 명 ①《劇》 상해파《경극(京劇)의 한 파》. ②상해파(上海派). 상해식(式). 상해풍. ¶～风气; 상해식 기풍.
〔海盘车〕 hǎipánchē 명 《動》 불가사리. =〔海星②〕
〔海螃蟹〕 hǎipángxiè 명 《動》 꽃게류(類).
〔海泡石〕 hǎipàoshí 명 《鑛》 해포석.
〔海盆〕 hǎipén 명 《地質》 해저 분지(海底盆地). 해분.
〔海螵蛸〕 hǎipiāoxiāo 명 《漢醫》 해표초. 오징어의 뼈.
〔海平面〕 hǎipíngmiàn 명 ①잔잔한 해면. ②밀물과 썰물 사이의 평균 수평면.

〔海扑(儿)〕 hǎipū(r) 동 무턱대고〔덮어놓고〕 일을 하다. 짐작으로 하다.
〔海气〕 hǎiqì 명 해기. 해변의 공기. 바다의 안개.
〔海鞘〕 hǎiqiào 명 《魚》 우렁쉥이. =〔老lǎo海鼠〕
〔海青〕 hǎiqīng 명 ①승의(僧衣). 법복(法服). ②옛날의 넓은 소매의 옷.
〔海区〕 hǎiqū 명 《軍》 해역. 해상의 일정 구역.
〔海曲〕 hǎiqū 명 〈文〉 해안이 안으로 쑥 들어간 곳.
〔海蛆〕 hǎiqū 명 《動》 갯강구.
〔海权〕 hǎiquán 명 《法》 영해권. =〔领lǐng海权〕
〔海儿发〕 hǎirfà 명 여자의 이마를 덮어 내린 머리.
〔海人草〕 hǎiréncǎo 명 《植》 해인초.
〔海绒〕 hǎiróng 명 ⇨〔海绵〕
〔海鳃〕 hǎisāi 명 《動》 바다조름. =〔海笔〕
〔海沙鱼〕 hǎishāyú 명 《魚》 상어.
〔海扇〕 hǎishàn 명 《貝》 가리비.
〔海上〕 hǎishàng 명 ①해상. ②(Hǎishàng) 《地》 상하이(上海)의 별칭.
〔海上保险〕 hǎishàng bǎoxiǎn 명 해상 보험. ¶～单; 해상 보험 증서.
〔海上法〕 hǎishàngfǎ 명 《法》 해상법.
〔海上救难〕 hǎishàng jiùnàn 명 해난 구조.
〔海上篇〕 hǎishàngpiān 명 〈方〉 되는대로 하는 말. (입에서 나오는 대로) 지껄이는 것. ¶他说的都是～, 靠不住; 그가 하는 말은 모두 되는대로 하는 말이라 신용할 수 없다.
〔海上权〕 hǎishàngquán 명 ⇨〔制zhì海权〕
〔海蛇〕 hǎishé 명 《動》 바다뱀.
〔海参〕 hǎishēn 명 《動》 해삼. ¶黑～ =〔干gān〕; 말린 해삼 / ～席; 해삼 따위를 최상의 요리로 치는 연석(宴席) 요리《별로 고급이 아닌 연석 요리》. =〔海鼠〕
〔海深山高〕 hǎi shēn shān gāo 〈成〉 (우정·우의가) 바다처럼 깊고 산처럼 높다.
〔海师〕 hǎishī 명 〈文〉 해로(海路)를 잘 알고, 항해에 숙련된 뱃사람.
〔海狮〕 hǎishī 명 《動》 강치·바다사자의 통칭.
〔海食〕 hǎishí 명 〈文〉 식용 해산물.
〔海蚀〕 hǎishí 명 《地質》 해식. 해안 침식.
〔海市〕 hǎishì ⇨〔海市蜃shèn楼〕
〔海市蜃楼〕 hǎi shì shèn lóu 〈成〉 ①신기루(蜃氣樓). ②〈比〉 공중 누각(空中樓閣). ‖ =〔海市〕〔蜃景〕
〔海式〕 hǎishì 형 상하이(上海)식의. 하이칼라의 《'京式'는 북경식의》. =〔海式样〕
〔海事〕 hǎishì 명 ①해사《선박 항해에 관한 사항》. ②선박에서 일어난 화재·좌초 등 온갖 사고. →〔海难〕
〔海誓山盟〕 hǎi shì shān méng 〈成〉 애정이 언제까지나 변하지 않을 것을 맹세하다. ¶～的情人; 굳게 맹세한 연인. =〔山盟海誓〕
〔海兽〕 hǎishòu 명 《動》 해수《해산(海産) 포유동물의 총칭》.
〔海鼠〕 hǎishǔ 명 ⇨〔海参〕
〔海水〕 hǎishuǐ 명 바닷물. 해수. ¶～不可斗量; 〈諺〉 바닷물은 말로 될 수 없다. 큰 인물은 외견(外見)만으로는 헤아릴 수 없다.
〔海(水)浴〕 hǎi(shuǐ)yù 명 ⇨〔海水澡〕
〔海水澡〕 hǎishuǐzǎo 명 해수욕. ¶洗～; 해수욕을 하다. =〔海(水)浴〕〔海澡〕
〔海丝瓜〕 hǎisīguā 명 《動》 보통 해면류의 일종.
〔海蛳〕 hǎisī 명 《魚》 실패고둥.
〔海松〕 hǎisōng 명 《植》 잣나무. 해송. =〔红松〕〔果松〕
〔海损〕 hǎisǔn 명 《貿》 해손. ¶～存款; 해손 공탁금 / ～理算; 해손 정산(精算) / ～专业人员; 해손 정산인.
〔海獭〕 hǎitǎ 명 《動》 해달. ¶～皮; 해달의 가죽. =〔海虎〕〔海龙③〕
〔海苔〕 hǎitái 명 《植》 해태. 김. =〔干gān苔〕〔绿lǜ紫菜〕〔石shí发〕
〔海滩(儿)〕 hǎitān(r) 명 해변의 모래 사장.
〔海棠〕 hǎitáng 명 ①《植》 해당(화)《장미과의 낙엽 활엽 관목》. ¶～果(儿) =〔～梨〕〔海红①〕; 해당의 열매 / ～脯fǔ; 말린 해당의 열매를 꿀에 잰 것 / 枫fēng叶～; 베고니아(begonia). 추해당(秋海棠) / 贴梗～; 명자나무. =〔花仙〕 ②〈比〉 나긋나긋한 미인의 형용.
〔海塘〕 hǎitáng 명 해안가의 제방. 방파제.
〔海桐花〕 hǎitónghuā 명 《植》 섬엄나무.
〔海图〕 hǎitú 명 해도.
〔海图鲁代讷密斯〕 hǎitúlǔdàinèmìsī 명 〈音〉 유체 역학(流體力學)(hydrodynamics).
〔海涂〕 hǎitú 명 간석지(干潟地). =〔滩tān涂〕
〔海兔〕 hǎitù 명 ①《動》 군소《연체동물》. =〔雨虎〕 ②《魚》 은상어. =〔海兔子〕
〔海退〕 hǎituì 명 《地質》 해퇴. →〔海进〕
〔海豚〕 hǎitún 명 《動》 돌고래. ¶～鱼; 《動》 범고래. =〔海猪〕
〔海豚泳〕 hǎitúnyǒng 명 《體》 돌핀 킥(dolphin kick). =〔蝶泳〕
〔海外〕 hǎiwài 명 해외. 외국. ¶～奇谈; 해외의 진기한 이야기 / ～关系; 외국에 있는 친척·친구 관계 / ～侨胞; 해외 교포. 동 〈南方〉 허풍을 떨다.
〔海湾〕 hǎiwān 명 《地質》 만(灣). 육지 깊숙이 들어간 바다. →〔海股〕
〔海碗(子)〕 hǎiwǎn(zi) 명 대단히 큰 사발〔대접〕.
〔海王星〕 hǎiwángxīng 명 《天》 해왕성.
〔海味〕 hǎiwèi 명 해산물《주로 진귀한 것을 말함》. ¶山珍～; 산해 진미 / ～铺; 어물전. =〔海鲜②〕
〔海屋添筹〕 hǎi wū tiān chóu 〈成〉 남의 장수(長壽)나 생일을 축하하는 말《'海屋'는 선인(仙人)이 사는 곳, '添筹'는 선학(仙鶴)이 매년 수를 세는 대쪽 한 개를 물고 '海屋'에 온다는 데서 온 말》.
〔海蜈蚣〕 hǎiwúgōng 명 《動》 갯지렁이. =〔沙shā蚕〕
〔海物〕 hǎiwù 명 해산물. 해물.
〔海虾〕 hǎixiā 명 《動》 왕새우.
〔海峡〕 hǎixiá 명 《地質》 해협. =〔海腰〕
〔海鲜〕 hǎixiān 명 ①바다에서 나는 신선한 어패류, 또 그 요리. ¶吃～去; 신선한 어패류(요리)를 먹으러 가다 / ～舫fǎng; 홍콩에서, 신선한 어패류를 맛볼 수 있는 선상 요릿집. →〔鱼yú鲜〕 ② ⇨〔海味〕
〔海咸河淡〕 hǎixián hédàn 바닷물은 짜고 강물은 짜지 않다《자연의 이치》.
〔海险〕 hǎixiǎn 명 ①해난(海難). ②〈文〉 바다에서 위험한 곳.
〔海线〕 hǎixiàn 명 ① ⇨〔海底电缆〕 ②해안선.
〔海象〕 hǎixiàng 명 《動》 해상. 바다코끼리. =〔海马②〕
〔海啸〕 hǎixiào 명 해일(海溢). =〔海吼〕
〔海心〕 hǎixīn 명 〈文〉 바다의 한가운데. 해심.
〔海星〕 hǎixīng 명 《動》 ①극피(棘皮)동물의 총칭. ② ⇨〔海盘车〕

〔海行〕 hǎixíng 동 〈文〉 ①일반적으로 행하여지다〔통용되다〕. ②항해하다.
〔海熊〕 hǎixióng 명 ⇨〔膃wà肭兽〕
〔海巡〕 hǎixún 명 바다의 초계(哨戒).
〔海牙〕 Hǎiyá 명 《地》 〈音〉 헤이그(Hague) (‘荷hé兰’(네덜란드: Netherlands)의 도시).
〔海盐〕 hǎiyán 명 해염(바닷물로 만든 소금). →〔岩盐〕〔井盐〕
〔海蜒〕 hǎiyán 명 《魚》 (가공하여 말린 어린) 멸치. →〔鳀tí〕
〔海眼〕 hǎiyǎn 명 땅 속으로 흐르는 샘. 바다로 통하는 끝이 없는 구멍. ¶白填~; 〈比〉 돈을 낭비하다.
〔海晏河清〕 hǎi yàn hé qīng 〈成〉 바다도 잔잔하고 강물도 맑다(태평 성대다). =〔河清海晏〕
〔海燕〕 hǎiyàn 명 ①《鳥》 바다제비. ②《動》 별불가사리.
〔海燕双栖〕 hǎiyàn shuāngqī 〈比〉 부부가 되어 함께 살다.
〔海洋〕 hǎiyáng 명 해양.
〔海洋生物〕 hǎiyáng shēngwù 명 해양 생물.
〔海洋性气候〕 hǎiyángxìng qìhòu 명 《氣》 해양성 기후.
〔海洋洲〕 Hǎiyángzhōu 명 ⇨〔大dà洋洲〕
〔海腰〕 hǎiyāo 명 《地質》 해협(海峽). =〔海峡〕
〔海乙那〕 hǎiyǐnà 명 《動》 〈音〉 하이에나(hyena). =〔意夜纳〕〔鬣狗〕〔土狼〕
〔海邮〕 hǎiyóu 명 선편(船便)(의 우편물).
〔海隅〕 hǎiyú 명 바다 끝. 연해 지역.
〔海宇〕 hǎiyǔ 명 〈文〉 해내(海內)의 땅. 국내.
〔海员〕 hǎiyuán 명 선원. ¶~服; 해군복.
〔海月〕 hǎiyuè 명 ①해상에 뜬 달. ②《魚》 해월. 해파리. =〔窗chuāng贝〕 ③인쇄 · 사진 용지의 일종.
〔海月水母〕 hǎiyuèshuǐmǔ 명 《動》 해파리.
〔海岳〕 hǎiyuè 명 〈文〉 ①바다와 산. ② 〈比〉 크나큰 은혜.
〔海运〕 hǎiyùn 명 해운. ¶~报单; 해운 신고서.
〔海运同盟〕 hǎiyùn tóngméng 명 해운 동맹.
〔海葬〕 hǎizàng 명동 해장(海葬)(하다).
〔海枣〕 hǎizǎo 명 《植》 대추야자 또는 그 열매. =〔枣椰〕〔波bō斯枣〕〔无wú漏子〕〔椰yē枣〕〔伊yī拉克密枣〕〔战zhàn木〕
〔海澡〕 hǎizǎo 명 해수욕. ¶洗~; 해수욕을 하다. =〔海水澡〕
〔海藻〕 hǎizǎo 명 《植》 해조. 해초. =〔海草〕
〔海贼〕 hǎizéi 명 ⇨〔海盗〕
〔海战〕 hǎizhàn 명 해전.
〔海蜇〕 hǎizhé 《動》 해파리. ¶~皮; 해파리의 갓(식용함). =〔水母〕
〔海震〕 hǎizhèn 명 《地質》 해진.
〔海纸〕 hǎizhǐ 명 장제용(葬祭用)의 종이.
〔海珠〕 hǎizhū 명 ⇨〔刺cì海兔〕
〔海猪〕 hǎizhū 명 ⇨〔海豚tún〕
〔海字号儿〕 hǎizìhaor 명 〈方〉 최대(最大). 특대(特大).
〔海子〕 hǎizi 명 〈方〉 호수. 늪.

胲 hǎi (해)
명 《化》 히드록실아민(hydroxylamine). =〔羟qiǎng基氨〕

醢 hǎi (해)
〈文〉 ①명 건육(乾肉)을 저며서 누룩 · 소금 · 술 따위에 담근 것. =〔肉酱〕 ②동 (고기를) 잘게 썰다. 난도질하다. ¶菹jù~; 갈가리 찢어 죽이는 형벌.

亥 hài (해)
명 ①해. 십이지(十二支)의 열두째. ②해시(亥時)(밤 9시부터 11시까지). ¶~时; ⇩ ③해방(亥方). 24방위의 하나. ④10월. ⑤성(姓)의 하나.
〔亥勒值〕 hàilèzhí 명 《化》 〈音〉 헤너 가(Hehner價).
〔亥时〕 hàishí 명 해시(밤 9시부터 11시까지의 시간). =〔亥刻〕
〔亥维赛层〕 hàiwéisài céng 명 《物》 헤비사이드층(Heaviside層). =〔海氏层〕

咳 hài (해)
감 아(탄식하는 소리). ¶~! 浪费了时间真可惜; 아! 시간을 헛되이 보내어 정말 아깝구나 / ~! 这真是意料不到的事; 아! 이것은 정말 예상치 못한 일이다. ⇒hāi kǎ kài ké

骇(駭) hài (해)
동 ①깜짝 놀라다. 두려워하다. ¶惊涛~浪; 맹렬한 풍파. 〈比〉 매우 위험한 환경 · 처지 / ~人听闻; ⇩ ②말이 놀라다. ③떠들썩하게 만들다. 어지럽히다. ④흩어지다. ⑤수상쩍게 여기다.
〔骇波〕 hàibō 명 거친 파도. =〔骇浪〕
〔骇愕〕 hài'è 동 〈文〉 몹시 놀라다.
〔骇怪〕 hàiguài 동 〈文〉 해괴하게 여기다. 놀라 괴상하게 여기다. =〔惊jīng讶〕〔惊诧〕
〔骇鸡犀〕 hàijīxī 명 무소의 뿔.
〔骇怕〕 hàipà 동 두려워하다. 겁내다.
〔骇然〕 hàirán 형 (해괴하여) 놀라는 모양. ¶大家看到这些刑具, 无不为此~; 모두 이들 형구를 보고는 놀라지 않는 사람이 없었다.
〔骇人〕 hàirén 동 남을 놀라게 하다. 형 놀랍다. 무섭다.
〔骇人听闻〕 hài rén tīng wén 〈成〉 듣는 사람을 놀라게 하다. ¶~的消息; 듣는 사람을 놀라게 하는 소식.
〔骇视〕 hàishì 동 〈文〉 놀라서 바라보다. 깜짝 놀라서 쳐다보다.
〔骇异〕 hàiyì 동 의아해하다. =〔惊jīng讶〕

氦 hài (해)
명 《化》 헬륨(Helium)(통칭은 ‘~气’).

害 hài (해)
①형 해롭다. 유해하다. ¶~虫; 해충 / ~鸟; 해조. ↔〔益〕 ②명 해. 손해. 재해. 재난. 화. ¶虫~; 충해 / 受了他的~; 그에게 해를 입었다 / 为民除~; 국민을 위해 해를 없애다 / 喝酒过多对身体有~; 술을 과음하면 몸에 해롭다. ↔〔利①〕 ③동 손상〔손실〕하다. ¶~得我无家可归; (손괴된 결과) 돌아갈 집이 없게 되었다. ④동 해를 주다. 손해를 끼치다. 해치다. ¶~人不浅; 남에게 적지 않은 피해를 주다 / 你把地址写错了, ~得白跑了一趟; 네가 주소를 잘못 썼기 때문에 헛걸음만 했다. ⑤동 (병에) 걸리다. ¶~病; ⇩ / ~了一场伤寒; 티푸스에 걸렸다. ⑥동 죽이다. ¶被人~了; 남에게 피살되었다 / 遇~; 살해되다. ⑦동 정서 · 감정이 움직이다. ¶~羞; 부끄러워하다. ⑧동 〈文〉 시기〔질투〕하다. ¶心~其能; 심중에 그의 재능을 시기하다. ⑨동 〈文〉 걱정〔불안해〕하다. ¶~什么怕! 무엇을 두려워하는가! ⑩동 방해하다. 훼방 놓다. 영역을 침범하다. ¶我绝~不着你; 결코 자네에게 방해가 되는 일은 않겠다. ⑪대 왜. 어찌하여. =〔曷〕

〔害败〕 hàibài 동 해치다. ¶～俺们两条命啊! 우리 두 사람의 목숨을 빼앗으려는 것이냐!
〔害病〕 hài.bìng 동 병을 앓다. 병에 걸리다. ¶害一场病; 한 차례 병을 앓다/害相思病; 상사병에 걸리다.
〔害虫〕 hàichóng 명 해충.
〔害处〕 hàichu 명 손실. 손해. 폐해. 해. 나쁜 점. 결점. ¶这种液体对人体没有～; 이런 액체는 인체에 해가 없다.
〔害倒〕 hàidǎo 동 (끝까지) 혼을 내다. 훌닦다.
〔害得〕 hàide 결과가 좋지 않은 상태로 되다〔되게 하다〕. ¶那个人左躲右闪, ～他一次次扑空; 그 사람은 몸을 오른쪽 왼쪽으로 피하였으므로, 그는 매번 헛쳤다.
〔害肚子〕 hài dùzi 〈方〉설사병을 앓다. 설사하다.
〔害孩子〕 hài háizi 입덧이 나다.
〔害口〕 hài.kǒu 동 ①〈方〉⇨〔害喜〕 ②말하기 거북하게 하다. ¶这事害着我的口, 不好说; 이 일은 거북해서 말하기가 힘들다.
〔害苦〕 hàikǔ 동 괴롭히다. 학대하다.
〔害命〕 hài.mìng 동 ①살해하다. ②큰 손해를 입히거나 폐를 끼치다. 몹시 괴롭히다. ③진절머리 나게 하다. (hàimìng) 명 살인자.
〔害鸟〕 hàiniǎo 명 해조. ↔〔益yì鸟〕
〔害怕〕 hài.pà 동 ①무서워〔두려워〕하다. 겁을 먹다. ¶不用～, 有我呢! 내가 있으니까, 무서워할 것 없다!/马无缘故地就～; 말은 아무것도 아닌 일에 겁을 먹는다. ②근심〔걱정〕하다. 싫어하다. ¶～雨再下去就发大水; 비가 이 이상 계속되면 홍수가 나지 않을까 걱정이다.
〔害气〕 hài.qì 동 불끈하다. 성내다.
〔害群之马〕 hài qún zhī mǎ 〈成〉 무리 가운데서 다른 말에 해를끼치는 말《단결을 깨뜨리는 자. 내부에서 분쟁을 일으키는 자》. =〔害马〕
〔害热病不出汗〕 hài rèbìng bù chū hàn 열병에 걸렸는데 땀이 나오지 않다. 〈轉〉뻔뻔스럽게 엉터리 말을 하다.
〔害人〕 hài.rén 동 ①사람〔남〕을 해치다. 남에게 해를 끼치다. ¶～不浅; 남에게 해를 끼치는 게 적지 않다/～害己害自身; 〈諺〉남 잡이가 제 잡이. ②곤란하게 하다. ③장난질치다.
〔害人虫〕 hàirénchóng 명 〈比〉 사회의 적. 인간 쓰레기.
〔害人精〕 hàirénjīng 명 뭇 사람에게 재난을 미치게 하는 악인(‘精’은 요괴(妖怪)의 뜻).
〔害人利己〕 hàirén lìjǐ 남을 해치고 자기를 이롭게 하다. =〔损sǔn人利己〕
〔害人终害己〕 hài rén zhōng hài jǐ 〈成〉 남을 해치려다 결과적으로 도리어 자기를 해치는 꼴이 되다. =〔害人反害己〕
〔害臊〕 hài.sào 동 〈口〉⇨〔害羞xīu〕
〔害伤〕 hàishāng 동 ⇨〔伤害〕
〔害事〕 hài.shì 동 ①일을 망치다〔그르치다〕. ②훼방을 놓다. ¶别～; 훼방 놓지 마라. (hàishì) 명 좋지 못한 일.
〔害兽〕 hàishòu 명 해수. 농작물이나 가축에게 해가 되는 동물.
〔害死〕 hàisǐ 동 ①철저하게 혼내 주다. 몹시 괴롭히다. ¶那一套硬是～人; 그 방법은 너무 심하다. ②박해하여 죽이다.
〔害喜〕 hài.xǐ 동 입덧을 하다. ¶她最近～了; 그녀는 요즈음 입덧을 한다. =〔害口①〕
〔害心〕 hàixīn 명 남을 해치려는 마음.
〔害羞〕 hài.xiū 동 〈口〉 부끄러워하다. 수줍어하다. ¶～成绩不好; 성적이 나쁨을 부끄러워하다/她是第一次当众讲话, 有些～; 그녀는 남의 앞에서 처음 이야기를 하게 되어 좀 수줍어하고 있다. =〔害臊〕
〔害眼〕 hài.yǎn 동 ①눈병을 앓다. ②눈에 거슬리다.
〔害意〕 hàiyì 명 살의(殺意). 악의(惡意).
〔害众〕 hàizhòng 동 대중에게 해를 끼치다.

嗐 hài (할, 해)
감 ①허. 아아《동정이나 애석함을 나타냄》. ¶～! 想不到他病得这样重; 허! 그가 이렇게 병이 중한 줄은 몰랐다. ②후유《한숨 쉬는 소리》. ¶～声叹气; 한탄하여 한숨을 쉬다.

HAN ㄏㄢ

犴〈豻〉 hān (안)
명 《動》 ‘驼鹿’(엘크(elk))의 별칭 《큰사슴의 일종》. =〔猂〕 ⇒àn

顸(頇) hān (한)
①명 큰 얼굴. ②→〔颟mān顸〕 ③형 〈方〉 굵다. ¶～绳子; 굵은 새끼줄/～大写; 굵게 쓴 글씨. =〔粗cū①〕〔憨②〕
〔顸实〕 hānshi 형 ①소박하고 진실하다. ¶大贵心眼～; 대귀는 마음씨가 소박하고 진실하다. ②〈方〉 굵고 단단하다. ¶挺～的一根棍子; 꽤 굵고 단단한 몽둥이.

猂 hān (감)
⇨〔犴hān〕

鼾 hān (한)
①명 코골기. ②동 코를 골다. ¶～睡shuì; ⓐ푹 자다. ⓑ코를 골고 자다.

谽 hān (함)
명 〈文〉 큰 계곡. ¶～岈yá; 산이 깊은 모양.

蚶 hān (감)
(～子) 명 《貝》 안다미조개.
〔蚶田〕 hāntián 명 고막 양식장.
〔蚶子〕 hānzi 명 《貝》 안다미조개. 고막. 살조개. =〔〈方〉瓦垄子〕〔魁kuí蛤〕〔灰蚶〕〔复累〕

酣 hān (감)
①동 술을 마시고 즐기다. 기분 좋게 취하다. ¶～饮; ⇩/酒～耳热; 〈成〉 술이 거나하게 취해 흥이 도도하다. ②부 실컷. 마음껏. 통쾌하게. 충분히. ¶～睡shuì; 푹 자다/～歌; ⇩ ③형 한창이다. 무르익다. 절정이다. ¶兴趣正～; 흥취가 바야흐로 무르익다.
〔酣畅〕 hānchàng 형 ①기분이 좋다. 즐겁다《흔히, 음주·수면 따위의 경우》. ②분방하다. 호쾌하다.
〔酣春〕 hānchūn 명 〈文〉 한창 무르익은 봄.
〔酣放〕 hānfàng 동 〈文〉 ①(문장이) 분방 자재하다. ②술을 마음껏〔마구〕 마시다.
〔酣歌〕 hāngē 동 〈文〉 ①실컷 노래하다. ②술마시고 흥에 겨워 노래하다.
〔酣酣〕 hānhān 형 〈文〉 ①실컷 술을 마셔 마음이 흥겨운 모양. ②꽃이 만발하여 봄경치가 아름다운 모양.
〔酣梦〕 hānmèng 명 단꿈. ¶搅动了～; 단꿈을 교

란시켰다. 동 푹 잠들다.
〔酣然〕 hānrán 형 〈文〉 기분이 좋은 모양. ¶ ~人梦; 〈成〉 기분 좋게 잠이 들다.
〔酣睡〕 hānshuì 동 숙면하다. 잠이 깊이 들다.
〔酣兴〕 hānxìng 명 〈文〉 술을 마시고 흥겹게 놀다.
〔酣宴〕 hānyàn 명 〈文〉 한창 무르익은 주연.
〔酣饮〕 hānyǐn 동 즐겁게 술을 마시다.
〔酣娱〕 hānyú 동 〈文〉 실컷 즐기다.
〔酣战〕 hānzhàn 명 한창 치열한 싸움. 백열전. 동 치열하게 싸우다. ‖ =〔酣斗〕
〔酣醉〕 hānzuì 동 대취하다. 도취하다.

憨 **hān** (감)
①형 어리석다. 우둔하다. 멍청하다. ②형 〈方〉 굵다. ¶这个太~, 那个太细; 이것은 너무 굵고, 저것은 너무 가늘다. =〔顸③〕〔粗①〕 ③형 천진〔순진〕하다. 꾸밈이 없다. ¶ ~态可掬; 천진스러움이 참으로 귀엽다. ④동 우롱(愚弄)하다. ⑤동 곤드라지다. ¶睡得那样~; 저렇게 곤드라지게 자고 있다. ⑥명 성(姓)의 하나.
〔憨包〕 hānbāo 명 멍텅구리. 바보. =〔憨蛋dàn〕
〔憨不棱登〕 hānbùléngdēng 형 〈俗〉 어리석은 모양. ¶ ~的货; 천치 같은 놈.
〔憨痴〕 hānchī 형 우둔하다. 어리석다.
〔憨蠢〕 hānchǔn 형 우둔하다. 어리석다.
〔憨蛋〕 hāndàn 명 바보. 얼간이. =〔憨包〕
〔憨厚〕 hānhou 형 정직하다. 성실하다. 충실하다. ¶为人还是~点儿好; 사람은 역시 성실한 것이 좋다 / ~人有福气; 성실한 사람에게는 복이 있다.
〔憨老汉〕 hānlǎohàn 명 어리석은 노인.
〔憨气〕 hānqì 형 어리석다. 얼간이다. 얼뜨다. 눈치없다.
〔憨寝〕 hānqǐn 동 〈文〉 곤드라지게 자다.
〔憨傻呆孽〕 hānshǎ dāiniè 명 어리석은 사람. 바보.
〔憨声〕 hānshēng 명 굵은 목소리.
〔憨实〕 hānshi 형 (작대기·기둥·골격 따위가) 굵고 튼튼하다. 단단하다. ¶挺~的一条棍子; 매우 굵고 단단한 지팡이.
〔憨态〕 hāntài 명 천진한 태도. 어린애 같은 태도.
〔憨头憨脑〕 hān tóu hān nǎo 〈成〉 ①멍청한〔얼뜬〕 모양. ②분별〔철〕 없는 모양.
〔憨头倔脑〕 hān tóu juè nǎo 〈成〉 ①우둔한 모양. 분별 없는 모양. 투미한 모양. ②태도가 거칠고 고집이 센 모양.
〔憨笑〕 hānxiào 동 바보처럼 웃다. 멍청하게 웃다. 명 바보스러운 웃음. 무심한 웃음.
〔憨直〕 hānzhí 형 ①지나치게 고지식하다. ②성실하고 정직하다. 소박하고 시원스럽다. ¶他~地向我一笑, 大步走了出去; 그는 나를 향해 싱긋 웃더니 성큼성큼 걸어나갔다.
〔憨子〕 hānzi 명 ①〈方〉 바보. 머저리. ②지나치게 고지식한 사람. 소박한 사람.

邗 **hán** (한)
①지명용 자(字). ¶ ~沟; 한구(邗溝)《강남(江南) 운하의 장두(江都)에서 화이안(淮安) 사이에 있는 옛날 강 이름》 / ~江; 한장(邗江) 강《장쑤 성(江蘇省)에 있는 현(縣)이름》. ②(Hán) 명 《地》 옛날의 나라 이름《지금의 장쑤 성(江蘇省) 장두 현(江都縣)》. ③명 성(姓)의 하나.

汗 **hán** (한)
명 〈簡〉 '可kè汗'의 약칭. ⇒ hàn

含 **hán** (함)
동 ①(입 안에) 머금다. ¶ ~一口水; 입 안에 잔뜩 물을 머금다 / 嘴里~着块糖; 입 안 가득히 사탕을 물고 있다. ②머금다. ¶ ~着泪; 눈물을 머금고 있다. ③(감정 따위를) 품다. 띠다. ¶ ~怒; 노기를 품다. ④함유하다. ¶ ~水分; 수분을 함유하다 / 粗粮里~着丰富的营养素; 잡곡에는 풍부한 영양소를 함유하고 있다. ⑤꾹 참다. ⇒ hàn
〔含苞〕 hánbāo 명 〈文〉 (아직 피지 않은) 꽃봉오리. ¶ ~待放; 〈成〉 꽃봉오리가 막 피려고 하다《한창 피어나는 처녀를 형용함》 / ~未放的花骨朵; 피기 직전의 꽃봉오리. =〔含葩〕
〔含悲〕 hánbēi 동 슬픔을 머금다. ¶ ~死去; 슬퍼하며 죽다 / ~忍泪; 〈成〉 슬퍼하면서도 눈물을 참다.
〔含贝〕 hánbèi 동 〈文〉 조개를 물다. 〈比〉 희고 아름다운 이를 형용. ¶齿如~; 이가 희고 아름다워 조개를 입에 문 듯하다.
〔含碜〕 hánchen 형동 ⇨〔寒hán碜〕
〔含氮〕 hándàn 명 《化》 질소(窒素). ¶ ~量; 질소분(分). 질소 함량.
〔含而不露〕 hán ér bù lù 〈成〉 가슴 속에 숨기어 내색하지 않음. 암암리에. 넌지시. ¶ ~地劝; 넌지시 충고하다.
〔含钙〕 hángài 명 석회질.
〔含垢纳污〕 hán gòu nà wū 〈成〉 군주가 치욕을 잘 견뎌 내다.
〔含垢忍辱〕 hán gòu rěn rǔ 〈成〉 치욕〔굴욕〕을 참다. =〔包羞〕
〔含恨〕 hán,hèn 동 한을 품다. ¶ ~而死; 한을 품고 죽다.
〔含忽〕 hánhu 형동 ⇨〔含糊〕
〔含胡〕 hánhu 형동 ⇨〔含糊〕
〔含糊〕 hánhu 형 (말이나 문장이) 애매〔모호〕하다. (태도가) 불분명〔애매〕하다. ¶他的话很~, 不明白是什么意思; 그의 이야기는 아주 모호해서 무슨 말인지 알 수가 없다. 동 ①적당히〔되는대로〕 하다. 소홀히 하다. ¶做事不可~; 일을 되는대로 해서는 안 된다 / 这事一点儿也不能~; 이 일은 조금도 소홀히 할 수 없다 / 他含含糊糊地答应了; 그는 적당히 대답을 했다. ②두려워하다. 약하게 보이다《흔히, 부정(否定)으로 씀》. ¶我自食其力, 不~; 나는 혼자 힘으로 생활하지만, 겁내지 않는다 / 要比就比, 我绝不~; 비교하고 싶으면 비교해 보아라. 나는 결코 겁내지 않으니까 / 谁也不~谁; 서로 누구도 겁내지 않는다. ‖ 注 '不含糊'의 경우는 칭찬의 말도 되며 '有能耐'(솜씨가 있다), '行'(굉장하다) 따위의 뜻도 있음. ¶他那手乒乓球可真不~! 그의 탁구 솜씨는 실로 대단하다! / 这活儿做得真不~! 이 일은 정말 잘 했다! ‖ =〔含忽〕〔含胡〕〔函胡〕
〔含混〕 hánhùn〔hánhǔn〕 형 모호하다. 분명하지 않다. ¶ ~不清; 애매하다. 분명치 않다 / 言词~; 말이 애매하다.
〔含泪〕 hán,lèi 동 눈물을 글썽이다.
〔含量〕 hánliàng 명 함유량.
〔含磷青铜〕 hánlín qīngtóng 명 《化》 인청동(燐青銅). =〔磷青铜〕
〔含灵〕 hánlíng 명 〈文〉 사람. 인간. 인류《영성(靈性)을 지닌 것》. =〔含识〕
〔含氯石灰〕 hánlǜ shíhuī 명 《化》 칼크.
〔含怒〕 hán,nù 동 노기를 띠다〔품다〕. =〔含忿fèn〕

〔含情〕 hánqíng 동 ①운치〔풍치〕가 있다. ②애정을 품다.
〔含情脉脉〕 hán qíng mò mò 〈成〉 ①(남녀간의) 정이 담긴 은근한 눈길. ②자애로운 시선. ¶她～地注视着远去的孩子们; 그녀는 자애로운 시선으로 멀어져 가는 아이들을 바라보고 있다.
〔含忍〕 hánrěn 동 참고 견디다.
〔含容〕 hánróng 동 〈文〉 희로(喜怒)의 감정을 좀처럼 내색하지 않다.
〔含辱偷生〕 hánrǔ tōushēng 굴욕을 참고 구차하게 살아가다.
〔含沙射影〕 hán shā shè yǐng 〈成〉 남몰래 사람을 해치다. 가만히 남을 중상하다. ¶淡淡的口吻, 大有～之意; 담담한 말투 속에 다분히 남을 헐뜯는 뜻이 담겨 있다.
〔含识〕 hánshí 명 ⇨〔含灵〕
〔含漱〕 hánshù 명동 〈文〉 양치질(하다). ¶～剂; 함수제. 양치질 약.
〔含水〕 hánshuǐ 명 함유하고 있는 수분.
〔含水羊毛脂〕 hánshuǐ yángmáozhī 명 《化》 가수 라놀린(加水 lanoline).
〔含味〕 hánwèi 동 음미하다. 잘 맛보다.
〔含笑〕 hán.xiào 동 웃음을 머금다. 미소짓다. 생글거리다. ¶～点头; 미소를 지으며 끄덕이다.
〔含辛茹苦〕 hán xīn rú kǔ 〈成〉 고생을 참고 견디다. ¶她一个人～, 把两个孩子抚养成人; 그녀 혼자서 고생을 참고 견디며 두 아이를 성인으로 키웠다. =〔茹苦含辛〕
〔含羞〕 hán.xiū 동 수줍어하다. 부끄러워하다. ¶～草 =〔惧内草〕; ⓐ《植》 함수초. ⓑ내성적인 사람.
〔含羞带笑〕 hánxiū dàixiào 수줍은 듯 웃음을 띠다.
〔含蓄〕 hánxù 명동 ①함축(하다). ②포함(하다). 동 (감정·생각 따위를) 쉽게 드러내지 않다. ‖ =〔涵蓄〕
〔含血喷人〕 hán xuè pēn rén 〈成〉 아무 근거도 없는 일을 조작해서 남을 못된 구렁에 빠뜨리다. ¶这是毫无理由的～; 이것은 아무 근거도 없는 조작된 것이다. =〔血口喷人〕
〔含饴弄孙〕 hán yí nòng sūn 〈成〉 엿을 입에 넣고 손주를 달래다〔어르다〕(노후에 손주와 더불어 즐거운 생활을 함을 이름).
〔含义〕 hányì 명 내포된 뜻·내용·개념·뉘앙스. ¶这句话的～; 이 말의 의미 / 所有制的～更加明确了; 소유제의 개념은 한층 더 확실해졌다. =〔含意〕〔涵义〕〔涵意〕
〔含意〕 hányì 명 ⇨〔含义〕
〔含英咀华〕 hán yīng jǔ huá 〈成〉 ①글의 요점을 음미하면서 읽다. ②문장이 아름답다.
〔含冤〕 hán.yuān 동 ①무고한 죄를 뒤집어쓰다. ②억울하게 당하다. ‖ =〔含冤负屈qū〕
〔含着骨头露着肉〕 hánzhe gǔtou lòuzhe ròu 뼈를 감추고 살을 드러내다. 〈比〉 넌지시 말하다. 암시하다. 말을 어물거려 분명치 않다.

浛 hán (함)
지명용 자(字). ¶～洸Hánguāng; 한광(浛洸)(광둥 성(廣東省) 잉더 현(英德縣)에 있는 땅 이름).

焓 hán (한)
명 《物》 엔탈피(enthalpy).

琀 hán (함)
명 〈文〉 죽은 사람의 입에 넣는 구슬.

晗 hán (함)
〈文〉 ①동 날이 밝으려 하다. 동이 트다. ②인명용 자(字).

邯 hán (한)
→〔邯郸〕

〔邯郸〕 Hándān 명 ①《地》 한단(邯鄲)(허베이 성(河北省)에 있는 시(市) 및 현(縣)의 이름). ②복성(複姓)의 하나.
〔邯郸梦〕 hándānmèng 명 ①한단지몽. 일장춘몽. ②〈轉〉 꿈과 같은 덧없는 인생. ‖ =〔黄huáng粱(一)梦〕〔黄粱美梦〕
〔邯郸学步〕 Hán dān xué bù 〈成〉 한단(邯鄲)에서 남의 발걸음을 흉내내다(남의 흉내를 내려다 자신의 본바탕까지 잃게 됨).

函〈凾〉 hán (함)
①명 〈文〉 상자. 함. 케이스. (책의) 질(帙). ¶镜～; 거울집 / 全书共四～; 책이 모두 네 질이다. ②명 편지. ¶惠～; 혜서(를 받다) / 来～; 〈翰〉 귀함(貴函) / 驰～奉询; 〈翰〉 서면으로 여쭙니다. ③동 〈文〉 포함하다. ④동 허락하다. ⑤동 편지를 부치다.
〔函称〕 hánchēng 동 편지에 …라고 말하다.
〔函达〕 hándá 동 편지로 말씀드리다.
〔函电〕 hándiàn 명 편지와 전보. ¶～纷驰; 편지와 전보를 연달아 띄우다.
〔函订〕 hándìng 동 편지로 주문하다.
〔函复〕 hánfù 동 답장을 내다.
〔函告〕 hángào 동 편지로 알리다.
〔函购〕 hángòu 동 우편 주문으로 사다. 통신 판매로 사다.
〔函件〕 hánjiàn 명 ①문서. ②서신. 우편물.
〔函请〕 hánqǐng 동 서면으로 청하다.
〔函商〕 hánshāng 동 편지로 상담하다.
〔函示〕 hánshì 동 편지로 통지하다.
〔函授〕 hánshòu 명 통신 교육. ¶～大学; 통신 대학 / ～学员; 통신 교육 수강생. 동 통신으로 교수하다.
〔函售〕 hánshòu 명동 통신 판매(하다). ¶～店; 통신 판매점.
〔函数〕 hánshù 명 《數》 함수. =〔因yīn变量〕
〔函索〕 hánsuǒ 동 편지로 요구〔청구〕하다. ¶～即寄; 〈翰〉 편지로 신청하시는 대로 곧 보내 드립니다.
〔函询〕 hánxún 동 (편지로) 조회(照會)하다.
〔函丈〕 hánzhàng 명 〈文〉 〈敬〉 ①스승. 은사. ②스승의 강단.

涵 hán (함)
①동 포함하다. 내포하다. ¶此词～有二义; 이 단어에는 두 가지 의미가 포함되어 있다. ②동 (물에) 담그다. 적시다. ③동 포용(包容)하다. 용납하다. ¶海～; 도량이 크다. ④명 지하 배수관. ¶桥～; 교량에 설치된 배수관.
〔涵洞〕 hándòng 명 (철도·도로·터널 따위의) 배수로.
〔涵管〕 hánguǎn 명 ①관상(管狀) 암거〔배수로〕. ②배수관. 하수도관.
〔涵鉴〕 hánjiàn 명동 〈翰〉 해량(海諒)(하다). ¶尚希～无任企祷; 해량하여 주시기 바랍니다.
〔涵咀〕 hánjǔ 동 〈比〉 깊이 탐구하고 연구하다.
〔涵量〕 hánliàng 동 관대하게 다루다〔처리하다〕.
〔涵容〕 hánróng 동 〈文〉 너그러이 용서하다. ¶不周之处, 尚望～! 미흡한 점은 너그럽게 용서해 주십시오!

〔涵煦〕 hánxù 동 화육(化育)하다. 천지 자연이 만물을 낳아서 기르다. ¶～生民; 국민을 화육하다.
〔涵蓄〕 hánxù 명동 ⇨〔含蓄〕
〔涵养〕 hányǎng 명 수양(修養). 교양. ¶很有～; 수양이 깊다. 교양이 있다. 동 ①(수분을) 여축(餘蓄)하여 보유하다. ¶用造林来～水源; 조림해서 수원(水源)을 보유하다. ②함양하다.
〔涵义〕 hányì 명 ⇨〔含hán义〕
〔涵闸〕 hánzhá 명 암거(暗渠)와 수문(水門). 가동언(可動堰).

崡 **hán** (한)
지명용 자(字). ¶～谷关; 한구관(崡谷關)(허난 성(河南省) 북서부에 있는 관문). =〔函谷关〕

寒 **hán** (한)
① 형 춥다. 차다. ¶御～; 어한. 추위를 막음 / 天～; 날씨가 춥다 / 天～地冻; 〈成〉 쩍쩍 얼어붙는 추위 / 受了一点～; ⓐ가벼운 감기에 걸렸다. ⓑ(식물에) 약간의 추위가 탈이 되었다. ↔〔暑shǔ〕 ② 형 가난하다. ¶～素; 가난하여 검소하다 / 贫～; 빈한하다. ③겸손의 뜻을 나타내는 말. ¶～舍; 저의 집. ④ 동 기분이 꺾이다〔잡치다〕. 열의가 식다. ¶他这样对待人, 人的心都～透了; 그가 이런 식으로 사람을 대했으므로 사람들의 마음이 완전히 상했다 / 不要让大家～了心; 모두의 마음을 상하게 해서는 안 된다. ⑤ 동 무서워하다. 섬뜩〔오싹〕하다. ¶胆dǎn～; 간담이 서늘해지다 / 心～; ⓐ무서워 떨다. ⓑ〈方〉 낙심하다. ⑥ 명 24절기의 이름. ¶小～; 소한 / 大～; 대한. ⑦ 명 성(姓)의 하나.

〔寒痹〕 hánbì 명 《漢醫》 급성 관절 류머티즘. =〔痛痹〕
〔寒冰地狱〕 hánbīng dìyù 명 《佛》 한고(寒苦)의 지옥.
〔寒菜〕 háncài 명 《植》 평지의 속칭.
〔寒蝉〕 hánchán 명 ①《蟲》 쓰르라미. =〔〈文〉 寒螀〕〔寒蜩〕〔秋qiū凉(儿)〕 ②울지 않는 매미. 늦가을 매미. ¶噤若～ =〔～仗马〕; 〈成〉 잠자코 있다. 입을 다물다. 침묵하고 직언(直言)하지 않다.
〔寒潮〕 háncháo 명 한파(寒波). =〔寒流①〕
〔寒伧〕 hánchen 형동 ⇨〔寒碜〕
〔寒碜〕 hánchen 형 ①초라하다. 빈약하다. 누추하다. ¶这孩子长得真不～! 이 아인 아주 귀엽게 생겼다! / 看你这样子, 多～呐! 네 그 꼬락서니라니 정말이지 초라하다. ②부끄럽다. 몰골스럽다. 망신스럽다. ¶就我一个人不及格, 真～! 나 혼자만 불합격이라니 정말 망신스럽다! / 没钱付账, 那多～哪! 셈을 치를 돈이 없다니 무슨 망신인가! 동 창피를 주다. 망신시키다. ¶叫人～了一顿; 남에게 한 차례 창피를 당했다. ‖ =〔寒伧〕〔寒尘〕〔含碜〕
〔寒窗〕 hánchuāng 명 〈比〉 고생스러운 학업 조건〔환경〕. ¶十年～; 10년 동안의 고생스러운 학업 생활.
〔寒怆〕 hánchuàng 형 몹시 스산하다. 처참하다.
〔寒带〕 hándài 명 한대.
〔寒冬〕 hándōng 명 추운 겨울. 엄동(嚴冬). ¶～腊月; 〈成〉 한겨울. 엄동설한.
〔寒豆〕 hándòu 명 《植》 잠두.
〔寒风〕 hánfēng 명 북풍. 한풍. 찬바람.
〔寒瓜〕 hánguā 명 수박의 별칭. →〔西瓜〕
〔寒官〕 hánguān 명 ①하급 관리. ②한산한 직책. ¶～冷署; 일이 한산한 관청.
〔寒号虫〕 hánháochóng 명 《動》 산박쥐. =〔号虫〕
〔寒花晚节〕 hánhuā wǎnjié 명 된서리에도 시들지 않는 절개(만년의 절개).
〔寒灰〕 hánhuī 명 ①불이 꺼져 식은 재. ②낙심 절망.
〔寒火〕 hánhuǒ 명 (반딧불 같은) 열이 없는 불.
〔寒疾〕 hánjí 명 〈文〉 감기.
〔寒家物儿〕 hánjiāwùr 명 〈北方〉 (마음뿐인) 하찮은 선물. ¶吃吧, 这个枣儿是自己园里结jiē的～; 이 대추는 저의 집 정원에 열린 것으로 하찮은 것이지만 드십시오.
〔寒假〕 hánjià 명 겨울 휴가〔방학〕. →〔暑shǔ假〕
〔寒贱〕 hánjiàn 형 가문이 비천하다. 신분이 천하다.
〔寒浆〕 hánjiāng 명 ①냉수. ②⇨〔酸suān浆①〕
〔寒螀〕 hánjiāng 명 《蟲》 쓰르라미. =〔寒蝉①〕
〔寒噤〕 hánjìn 명 진저리. 몸서리. ¶打了～; 몸서리쳤다. =〔寒栗〕〔寒战〕〔寒颤〕〔冷lěng战(儿)〕
〔寒厥〕 hánjué 명 《漢醫》 혈액의 순환이 원활하지 않아 손발 끝으로부터 차가워지는 증상.
〔寒苦〕 hánkǔ 형 가난하다. 곤궁하다. ¶他的童年是在～的环境中渡过的; 그는 어린 시절을 가난한 환경 속에서 보냈다.
〔寒来暑往〕 hán lái shǔ wǎng 〈成〉 추위가 오고 더위가 가다(사물은 순서대로 진행되게 마련임).
〔寒冷〕 hánlěng 형 몹시 춥다. 한랭하다. ¶气候～; 기후가 한랭하다 / ～的早晨; 추운 아침 / 觉得～; 으스스 추위를 느끼다 / 忘了～; 추위를 잊다.
〔寒冷纱〕 hánlěngshā 명 ⇨〔冷布〕
〔寒栗〕 hánlì 명 ⇨〔寒噤〕
〔寒脸〕 hán.liǎn 동 〈方〉 ①흠칫거리다. 두려운 표정을 짓다. ②차가운〔무뚝뚝한〕 표정을 짓다.
〔寒凉剂〕 hánliángjì 명 《藥》 한량제. 소염성(消炎性)의 약제.
〔寒劣〕 hánliè 명 가난하고 약한 인간.
〔寒冽〕 hánliè 형 〈文〉 추위가 심하다.
〔寒林〕 hánlín 명 ①겨울의 잎이 떨어진 숲. ②묘지. 옛날 서방 제국에서 시체를 버리던 곳. =〔尸shī陀林〕
〔寒流〕 hánliú 명 ①한파(寒波). (물이나 공기의) 차가운 흐름. =〔寒潮〕 ②한류. ↔〔暖nuǎn流〕 ③〈轉〉 빈곤. 가난함.
〔寒露〕 hánlù 명 ①한로(24절기의 하나. 양력 10월 8일이나 9일에 해당함). →〔二èr十四节气〕 ②〈文〉 차가운 이슬.
〔寒麻〕 hánmá 명 겨울에 베는 삼.
〔寒毛〕 hánmao 명 몸의 배내털. 솜털. ¶～直竖; 솜털이 곤두서다 / 一根～也不拔; 〈比〉 한 푼의 돈도 내기 아까워하다. 몹시 인색하다. =〔汗hàn毛〕
〔寒莓〕 hánméi 명 《植》 겨울딸기.
〔寒门〕 hánmén 명 〈文〉 ①가난한 집안. 비천한 가정. 지체가 낮은 집. ¶～才子cáizǐ; 청빈한 학자. ②〈謙〉 저의 집. 누추한 집. =〔寒舍〕
〔寒盟〕 hánméng 동 약속을 깨다. 맹약을 배반하다.
〔寒女〕 hánnǚ 명 가난한 집의 딸〔처녀〕.
〔寒疟〕 hánnüè 명 《漢醫》 (오한만 나고 열은 그다지 없는) 학질.
〔寒品〕 hánpǐn 명 〈文〉 가난한 사람.
〔寒气(儿)〕 hánqì(r) 명 ①한기. 추위. ¶～逼人; 추위가 몸에 스며들다. ②으스스한 기분. 냉혹한

분위기.
〔寒峭〕 hánqiào 형 〈文〉 한기〔추위〕가 살을 에는 듯하다.
〔寒秋〕 hánqiū 명 만추. 늦가을.
〔寒热〕 hánrè 명《漢醫》①한열. ②오한과 발열. ¶～往来; 오한이 들 때는 열이 없고, 열이 나면 오한이 없어지는 증상을 되풀이함. 한열왕래. 동 〈方〉 열이 나다.
〔寒热病〕 hánrèbìng 명 ①학질. =〔疟nüè疾〕 ② 심한 감기.
〔寒儒〕 hánrú 명 가난한 학자.
〔寒色〕 hánsè 명《美》한색. 찬 느낌을 주는 빛깔. =〔冷lěng色〕 ↔〔暖色〕
〔寒森森〕 hánsēnsēn 형 어두컴컴하고 춥다. 오싹하다.
〔寒舍〕 hánshè 명 〈謙〉 누추한 집. 저의 집. =〔寒门②〕
〔寒食(节)〕 hánshí(jié) 명 한식(절). =〔禁jìn火〕〔禁烟②〕〔冷lěng节〕
〔寒士〕 hánshì 명 〈文〉 가난한 선비〔학자〕. =〔白bái士〕
〔寒暑〕 hánshǔ 명 한서. 추위와 더위.
〔寒暑表〕 hánshǔbiǎo 명 한란계. 온도계.
〔寒素〕 hánsù 형 〈文〉 검약하고 소박하다. 청빈하다.
〔寒酸〕 hánsuān 형 궁상맞다. 가난하고 초라하다. ¶～相; 초라한 얼굴. 빈상(貧相) / ～气; 초라한 모양.
〔寒天〕 hántiān 명 추운 하늘. 추운 날. ¶～腊月; 〈成〉 12월의 차가운 날씨.
〔寒天吃冷水, 点点在心头〕 hántiān chī lěngshuǐ, diǎndiǎn zài xīntóu 〈歇〉 옛날의 괴로웠던 일은 작은 일이라도 모두 기억하고 있다(‘吃’는 ‘饮’, ‘在’는 ‘记’라고도 함).
〔寒蜩〕 hántiáo 명 ⇨〔寒蝉①〕
〔寒透〕 hántòu 동 열의(熱意)가 식어 버리다.
〔寒腿〕 hántuǐ 명 〈口〉 다리의 류머티스성(性) 관절염.
〔寒微〕 hánwēi 형 〈文〉 지체가 낮다. 비천하다. ¶出身～; 출신이 비천하다.
〔寒武(利亚)纪〕 Hánwǔ(lìyà)jì 명《地質》〈音〉 캄브리아기(Cambria紀). =〔坎布里亚纪〕
〔寒乡〕 hánxiāng 명 ①쓸쓸한 마을. ②가난한 마을. ③〈謙〉 저의 고향. 누추한 곳. ④추운 고장.
〔寒泻〕 hánxiè 명《漢醫》한사. 배가 차서 하는 설사. 무열성(無熱性) 설사.
〔寒心〕 hán.xīn 동 ①낙심하다. 실망하다. ¶他是一再受打击寒了心了; 그는 여러 차례 타격을 받고 낙심하였다. ②소름이 끼치다. 오싹하다. ¶解放前的日子现在想起来还～; 해방 무렵의 일은 지금 생각해도 소름이 끼친다. ③(어쩐지) 허전하다〔불안하다〕. ¶一人独行难免～; 혼자 하는 여행은 (어쩐지) 불안하다.
〔寒暄〕 hánxuān 명동 인사말(을 하다). 계절 인사(를 하다). ¶～了一阵; 간단히 인사를 나누다.
〔寒鸦(儿)〕 hányā(r) 명《鳥》갈가마귀.
〔寒药〕 hányào 명《漢醫》찬 약. 양증(陽症), 즉 염증(炎症)·충혈·발열 등의 증상에 쓰이는 한성(寒性)의 약품.
〔寒衣〕 hányī 명 ①겨울 옷. 방한복. ②옛날 음력 10월 1일 성묘할 때, 묘 앞에서 태우는 종이로 만든 옷.
〔寒意〕 hányì 명 추운 느낌. 한기. ¶这两天像是深秋天气, 午夜以后, 更有些～; 요 이틀간은 마치 늦가을 날씨 같아서 밤중이 지나면 한층 추운 느낌이 든다.
〔寒蝇〕 hányíng ①겨울의 파리. ②무력하고 아둔한 사람.
〔寒玉〕 hányù 명 ①맑고 차가운 구슬. ②〈比〉 깨끗하고 차가운 물건. ③〈比〉 고결한 인격. ④〈比〉 청준(清俊)한 용모. ⑤〈比〉 대나무의 별칭.
〔寒战〕 hánzhàn 명 몸서리. ¶打～; 몸서리치다 / 禁不住打了几个～; 몇 번인가 몸서리를 치지 않을 수 없었다. =〔寒噤〕
〔寒着脸〕 hánzheliǎn 부루퉁한 얼굴을 하다. 차가운 얼굴을 하다. ¶～回答; 부루퉁한 얼굴로 대답하다. =〔冷着脸〕
〔寒症〕 hánzhèng 명《漢醫》한증. ↔〔热rè症〕
〔寒族〕 hánzú 명 ①가난한 집안. ②〈謙〉 저희 집안(자기 일족을 낮추어 일컫는 말).

韩(韓) Hán (한)
명 ①《地》〈簡〉 ‘韩国’(한국)의 약칭. ②《史》한나라(전국 칠웅(戰國七雄)의 하나. B.C. 403～230년). ③(hán) 우물 난간. ④성(姓)의 하나.
〔韩国〕 Hánguó 명《地》한국. ‘大韩民国’(대한민국)의 약칭(수도는 ‘首尔’(서울)).

罕 hǎn (한)
①형 적다. 드물다. 희소하다. ¶希～; 희한하다. 보기 드물다 / ～见; ⇩ / ～闻; ⇩ / 人迹～至; 인적이 드물다. ②명 새그물. ③명 성(姓)의 하나.
〔罕达犴〕 hǎndáhān 명 ⇨〔驼tuó鹿〕
〔罕到〕 hǎndào 동 좀처럼 오지 않다. 드물게 오다. ¶人迹～; 인적이 드물다.
〔罕觏〕 hǎngòu 형 ⇨〔罕见〕
〔罕见〕 hǎnjiàn 형 자주 볼 수 없다. 보기 드물다. ¶～现xiàn象; 보기 드문 현상. 좀처럼 볼 수 없는 현상. =〔罕觏〕
〔罕譬而喻〕 hǎn pì ér yù 〈成〉 예는 적지만 잘 알 수 있다(간단명료하다).
〔罕事〕 hǎnshì 명 진귀한 일. 드문 일.
〔罕闻〕 hǎnwén 명 ①듣기 드문 일. ②드문 뉴스.
〔罕物〕 hǎnwù 명 진귀한〔희귀한〕 물건.
〔罕有〕 hǎnyǒu 형 희한하다. 드물다. 희귀하다. ¶～的事; 희한한 일.

蔊 hǎn (한)
→〔蔊菜〕
〔蔊菜〕 hǎncài 명《植》개갓냉이의 근연종(近緣種)(겨자과의 다년생 초본). =〔辣là米菜〕

喊 hǎn (함)
동 ①소리 지르다. 큰 소리로 외치다. ¶大～口号; 큰 소리로 슬로건을 외치다 / 叫～; 외치다 / ～救火; 불이야 하고 외치다. ②(사람을) 부르다. ¶我～她站住; 나는 그녀를 불러 세웠다 / ～他来; 그를 불러 오다.
〔喊倒好(儿)〕 hǎn dàohǎo(r) ⇨〔叫jiào倒好(儿)〕
〔喊道〕 hǎndào 동 소리 지르다. 크게 소리쳐 말하다.
〔喊告〕 hǎngào 동 ①큰 소리로 호소하다. ②큰 소리로 고하다. ¶～着zháo了火了; 큰 소리로 불이 난 것을 알리다.
〔喊好(儿)〕 hǎn.hǎo(r) 동 좋다고 소리치다. 갈채를 하다. =〔叫好(儿)〕
〔喊号儿〕 hǎn.hàor 동 선창(先唱)을 하다. =〔叫号儿〕

〔喊呼〕 hǎnhū 동 큰 소리로 부르다〔외치다〕.
〔喊呼〕 hǎnhu 동 호통치다. 큰 소리로 꾸짖다.
〔喊话〕 hǎn/huà 동 ①싸움터에서 적에게 항복하라고 큰 소리로 외치다. ¶对敌～; 적에게 항복하라고 큰 소리로 외치다. ②메가폰 등으로 선전하다. (hǎnhuà) 명 큰 소리로 외침.
〔喊价〕 hǎnjià 명 부르는 값. 호가(呼價). =〔叫jiào价〕 (hǎn/jià) 동 큰 소리로 값을 부르다.
〔喊叫〕 hǎnjiào 동 소리지르다. 외치다. 고함치다.
〔喊救〕 hǎn/jiù 동 큰 소리로 구원을 청하다. 살려달라고 고함치다.
〔喊苦〕 hǎnkǔ 동 고통을 호소하다. 고통스럽게 외치다. 죽는 소리를 하다.
〔喊嗓子〕 hǎn sǎngzi ①큰 소리를 지르다. ②(배우 등이) 발성 연습을 하다.
〔喊筒〕 hǎntǒng 명 메가폰. =〔喊声器〕
〔喊醒〕 hǎnxǐng 동 불러 깨우다. =〔叫jiào醒〕
〔喊冤〕 hǎn/yuān 동 억울함을 호소하다.

㘎(𡅏〈阚〉)
hǎn (감, 함)
〈擬〉〈文〉 호랑이가 용맹스럽게 포효하는 소리. ¶～如哮xiāo虎; 〈成〉 포효하는 호랑이처럼 용맹스럽다 / 军jūn容～～; 군용(軍容)이 용맹스럽다. ⇒'阚' kàn

汉(漢)
Hàn (한)
A) 명 《史》 ①한(B.C. 206～A.D. 220년. 유방(劉邦)이 세운 나라). ②한(947～950년. 오대(五代)의 하나. 유지원(劉知遠)이 세운 나라). ③한(1360～1363년. 원말(元末)의 진우량(陳友諒)이 세운 나라). **B**) 명 ①한족(漢族). ¶～人; ⇩ / ～语; ⇩ / ～族; ⇩ ②(han) 남자. ¶大～; 사내 대장부 / 好～(子); 호한. 멋진〔훌륭한〕 사나이 / 英雄好～; 영웅 호걸. ③《地》 한수이(漢水)(산시(陝西) 남부에서 발원하여 한커우(漢口)에서 창장(長江)과 합류하는 강 이름). ④(han) 은하(銀河). ¶银～; 은하.

〔汉白玉〕 hànbáiyù 명 대리석 비슷한 백색의 석재(石材). 순수한 경옥(硬玉).
〔汉堡包〕 hànbǎobāo 명 〈音〉 햄버거(hamburger).
〔汉城〕 Hànchéng 명 《地》 서울(대한민국의 수도). →〔首尔〕
〔汉调〕 hàndiào 명 ⇨〔汉剧〕
〔汉防己〕 hànfángjǐ 명 《植》 새모래덩굴.
〔汉宫秋〕 Hàngōngqiū 명 《書》 원대(元代)의 마치원(馬致遠)이 지은 극본(원곡(元曲) 중의 걸작이라 함).
〔汉奸〕 hànjiān 명 매국노. 국적(國賊).
〔汉界〕 hànjiè 명 중국 장기의 경계(境界)의 하나.
〔汉剧〕 hànjù 명 《劇》 한극(허베이 성(湖北省)을 중심으로 하는 극의 총칭. 그 성조(聲調)는 '西皮'와 '二黄'을 주체로 하고 경극(京劇)과 거의 같음). =〔汉调〕〔楚chǔ调〕
〔汉隶〕 hànlì 명 한대(漢代)의 예서(隸書).
〔汉民〕 Hànmín 명 ⇨〔汉人①〕
〔汉泊夏羊〕 hànpōxiàyáng 명 《動》 햄프셔(Hampshire).
〔汉人〕 hànrén 명 ①한인. 한족. =〔汉民〕 ②원대(元代)에 거란(契丹)·고려(高麗)·여진(女眞) 사람을 이르던 말. ③한대(漢代)의 사람.
〔汉土〕 hàntǔ 명 ①중국의 토지. ②〈轉〉 중국.
〔汉文〕 hànwén 명 ①중국 어문(語文). ②한대(漢代)의 문장. ③중국의 고문(古文).
〔汉席〕 hànxí 명 한족의 연회용 요리(옛날 '满mǎn席' '回huí席'에 대한 말). ¶满汉全席; 만족(滿族)풍의 요리와 한족(漢族)풍의 요리를 갖춘 호화로운 중국 연회석 요리.
〔汉姓〕 hànxìng 명 ①한족(漢族)의 성. ②한족(漢族) 이외 사람이 자신에게 붙이는 한족의 성.
〔汉学〕 hànxué 명 ①한학(송(宋)·명(明)의 성리학(性理學)에 대해서 말함). =〔朴pǔ学〕 ②중국에 관한 연구·학문.
〔汉语〕 Hànyǔ 명 한어. 중국어(학문적인 명칭으로, 좁게는 '普通话'를 가리키며, '中文'·'中国话'는 일반적인 지칭임). ¶上古～; 선진(先秦)으로부터 한말(漢末)경의 한어 / 中古～; 주로 수(隋)·당(唐)의 한어 / 中世～; 송(宋)·원(元)·명(明)의 한어 / 现代～; 5·4운동(五四運動) 이후의 중국어.
〔汉语拼音方案〕 Hànyǔ Pīnyīn Fāng'àn 명 한어 병음 방안. 중국어 로마자 표음 방식(한자의 주음(注音)과 공통어의 표음에 관한 방안으로, 로마자를 사용하며, 성조(聲調)는 부호로 표시함. 현재는 한자 학습·공통어 보급·외국인의 중국어 학습·전보 등에 쓰이고 있음).
〔汉装〕 hànzhuang 명 ①한인(漢人)의 복장. ②전족(纏足)하지 않은 발. =〔天足〕
〔汉字〕 Hànzì 명 한자. ¶～改革; 한자 개혁(중국에서 전면적으로 한자 개혁을 시도한 것은 청말(清末)의 간자(簡字) 운동과 민국(民國) 이래의 표음 문자 운동이었으나, 가장 대규모적이고 국책적인 것은 '简化方案'이었음) / ～简化方案; 한자 간화 방안(1956년 1월 28일 국무원(國務院)에서 공포되었음. 간화(簡化)된 한자는 517자, 편방(偏旁) 간화(簡化)는 54개이며, 이외에 이체자(異體字) 정리로 1,055자가 폐지되었음. 현재 쓰이는 '简化字'는 2,238자임).
〔汉子〕 hànzi 명 ①사나이. 남자. ¶大～; 몸집이 큰 사나이 / 好～; ⓐ호한. 대장부. ⓑ남자. ②〈方〉 남편.
〔汉族〕 Hànzú 명 《民》 한족.

汗
hàn (한)
명 땀. ¶出～; 땀이 나다 / ～如雨下; 땀이 비오듯 하다 / 跑了一身的～; 뛰었더니 온몸이 땀투성이가 되었다 / 纶lún言如～; 한번 나온 땀은 다시 몸 안으로 들어갈 수 없듯이 조칙(詔勅)은 한번 나오면 취소하거나 고칠 수 없다. ⇒hán

〔汗斑〕 hànbān 명 ①《醫》 어루러기. =〔汗癍〕〔花斑癬〕 ②⇨〔汗碱〕
〔汗癍〕 hànbān 명 ⇨〔汗斑①〕.
〔汗包〕 hànbāo 명 ①땀투성이의 몸. ②땀을 잘 흘리는 사람.
〔汗背心〕 hànbèixīn 명 러닝셔츠.
〔汗褂儿〕 hànguàr 명 ⇨〔汗褟儿〕
〔汗简〕 hànjiǎn 명 ⇨〔汗青〕
〔汗碱〕 hànjiǎn 명 땀의 얼룩. =〔汗斑②〕
〔汗脚〕 hànjiǎo 명 ①땀난 발. ②땀이 잘 나는 발.
〔汗巾〕 hànjīn 명 〈方〉 땀수건.
〔汗巾(儿, 子)〕 hànjin(r, zi) 명 〈方〉 옷 위로 매는 술이 달린 긴 허리띠.
〔汗津津(的)〕 hànjīnjīn(de) 형 〈方〉 땀에 흠뻑 젖어 있는 모양.
〔汗孔〕 hànkǒng 명 《生》 모공(毛孔). 땀구멍. =〔毛máo孔〕
〔汗裤〕 hànkù 명 ⇨〔衬chèn裤〕
〔汗流浃背〕 hàn liú jiā bèi 〈成〉 땀이 줄줄 흘

러내리다. 온몸에 땀이 비오듯 흐르다(매우 두렵거나 부끄러운 모양).
〔汗流满面〕 hàn liú mǎn miàn 〈成〉 얼굴이 온통 땀투성이다.
〔汗流如雨〕 hànliú rúyǔ 땀투성이가 되다.
〔汗露露〕 hànlùlù 형 땀이 흘러나오는 모양. 땀이 송글송글 솟는 모양.
〔汗络儿〕 hànluòr 명 여름철에 입는 짧은 망(網)셔츠.
〔汗马〕 hànmǎ 명 〈文〉 전공(戰功)(전쟁 때는 말이 달려서 땀을 흘린다는 데서 나온 말).
〔汗马功劳〕 hàn mǎ gōng láo 〈成〉 ①전장(戰場)에서의 공. 전공(戰功). ②(일정 분야에서의) 공적. 공헌.
〔汗漫〕 hànmàn 형 〈文〉 공허(空虛)하다. 허황하다. ¶～之言; 황당무계한 말.
〔汗毛〕 hànmáo 명 솜털. ¶不明白那一根～动; 어떻게 된 연고인지도 모르게.
〔汗泥〕 hànní 명 땀과 때. ¶～的衣服; 땀과 때로 더러워진 옷.
〔汗牛充栋〕 hàn niú chōng dòng 〈成〉 한우충동(장서(藏書)가 많아서 집의 대들보까지 닿고, 운반하려면 소가 땀을 흘릴 정도임). =〔充栋〕
〔汗青〕 hànqīng 명 ①저작. 저서(예전에 죽간(竹簡)을 쓸 때, 대나무를 불에 쬐어 새기기 쉽게 한 데서 유래). ②사서(史書). =〔史册〕 동 〈轉〉 저작을 완성하다. ‖ =〔汗简〕
〔汗儿〕 hànr 명 어린아이가 흘리는 땀(어른은 그냥 '汗' 이라 함). ¶小孩着了凉出点儿～就不碍了; 어린이가 감기에 걸렸을 때 땀을 흘리면 걱정할 것 없다.
〔汗衫〕 hànshān 명 ①속옷. 내의. ②〈方〉 와이셔츠. 블라우스. =〔衬衫〕
〔汗湿〕 hànshī 동 땀으로 젖다. ¶身体有些～了; 몸에 땀이 조금 배었다.
〔汗手〕 hànshǒu 명 ①땀난 손. ¶这块镜子, 别拿～摸; 이 거울을 땀에 젖은 손으로 만지지 마라. ②땀이 잘 나는 손.
〔汗水〕 hànshuǐ 명 땀. ¶～湿透衣衫; 땀이 옷을 흠뻑 적시다.
〔汗禢儿〕 hàntār 명 〈方〉 (여름에 입는 중국식의) 내의. 땀받이 셔츠. =〔汗褂儿〕〔汗褟〕
〔汗下〕 hànxià 동 ①땀을 흘리다. ②〈比〉 마음 속으로 크게 부끄러워하다.
〔汗腺〕 hànxiàn 명 《生》 땀샘.
〔汗腥气〕 hànxīngqì 명 땀내.
〔汗血〕 hànxuè 명 ⇨〔血汗〕
〔汗颜〕 hànyán 동 〈文〉 부끄러워 땀을 흘리다.
〔汗液〕 hànyè 명 땀.
〔汗衣〕 hànyī 명 내의. 셔츠.
〔汗疹〕 hànzhěn 명 땀띠.
〔汗珠(儿,子)〕 hànzhū(r,zi) 명 땀방울. ¶额头上挂满了～; 이마 가득히 땀방울이 맺혔다.

闬(閈) hàn (한)
명 〈文〉 ①거리의 출입구에 설치한 문. ②울타리.

扞 hàn (한)
① 동 ⇨〔捍hàn〕 ②→〔扞格〕 ⇒'擀' gǎn
〔扞格〕 hàngé 형 〈文〉 서로 용납하지 않다. 서로 어긋나다. ¶～不入; 서로 어긋나다. 일치하지 않다.

旱 hàn (한)
① 형 가물다. ¶天～; 날씨가 가물다 / 庄稼～了; 농작물이 가물었다 / ～灾; ⇩ ② 명 한발. 가뭄. ¶防～; 한발을 막다 / 抗～; 가뭄과 싸우다. ③ 명 육지. 뭍. ¶由～路走; 육로로 가다. ④물과 관계가 없는 것을 이르는 말. ¶～烟; ⇩ / ～伞; ⇩
〔旱魃〕 hànbá 명 한발(가뭄을 맡은 신(神)). 〈轉〉 가뭄. ¶～为虐nüè; 가뭄의 신의 앙화를 입다. 가뭄을 당하다.
〔旱白玉〕 hànbáiyù 명 《鑛》 대리석의 하나.
〔旱鳖〕 hànbiē 명 《動》 육지에 사는 자라(독이 있어 식용하지 못함).
〔旱船〕 hànchuán 명 ①〈方〉 정원 안의 물가에 있는 나무배 모양의 건물. ②썰매 모양의 평저선(平底船)('跑pǎo旱船'(배 모양을 하면서 2명이 공연하는 민간 무용의 일종)의 도구).
〔旱道(儿)〕 hàndào(r) 명 〈方〉 육로. =〔旱路〕
〔旱稻〕 hàndào 명 《農》 육도(陸稻). =〔陆lù稻〕
〔旱地〕 hàndì 명 ①육지. ②밭(논에 대하여 일컫는 말). =〔旱田①〕 ③건답(乾畓). =〔旱田②〕 ④관개(灌漑) 불능의 경작지.
〔旱干〕 hàngān 동 (오랫동안 비가 오지 않고) 가물다. 명 한발. 가뭄.
〔旱沟〕 hàngōu 명 마른 도랑.
〔旱瓜〕 hànguā 명 《植》 참외.
〔旱海〕 Hànhǎi 명 ①《地》 간수 성(甘肅省) 링우현(靈武縣)의 남동방에 있는 사막. ②(hànhǎi) 〈轉〉 사막.
〔旱荒〕 hànhuāng 명 한발의 피해. 한해. 한발에 의한 흉작. =〔旱灾〕
〔旱蝗〕 hànhuáng 명 가뭄과 누리〔메뚜기〕의 피해.
〔旱季〕 hànjì 명 건계(乾季).
〔旱祭〕 hànjì 명 (옛날의) 기우제(祈雨祭).
〔旱金莲〕 hànjīnlián 명 《植》 한련(旱蓮).
〔旱井〕 hànjǐng 명 ①한발에 대비한 아가리가 작은 우물. ②겨울 야채의 저장용 우물.
〔旱涝〕 hànlào 명 가뭄과 장마. =〔旱潦lǎo〕
〔旱涝保收〕 hànlào bǎoshōu 한발이 되거나 수해를 만나도 풍작이 보증되다.
〔旱粮〕 hànliáng 명 한발에 대비한 곡물.
〔旱柳〕 hànliǔ 명 《植》 능수버들(북방에서는 일반적으로 '柳①' 라고 함). =〔〈方〉河hé柳②〕
〔旱路〕 hànlù 명 육로. =〔旱道(儿)〕
〔旱年〕 hànnián 명 가뭄이 든 해.
〔旱桥〕 hànqiáo 명 (도로 위 따위의) 육교(陸橋).
〔旱芹(菜)〕 hànqín(cài) 명 《植》 '洋yáng芹(菜)'(샐러리)의 별칭.
〔旱情〕 hànqíng 명 한발의 상황〔정도〕. =〔旱象②〕
〔旱热〕 hànrè 형 날이 가물고 덥다.
〔旱伞〕 hànsǎn 명 〈方〉 양산. 파라솔. =〔阳yáng伞〕
〔旱生植物〕 hànshēng zhíwù 명 《植》 건생(乾生) 식물.
〔旱损〕 hànsǔn 명 가뭄의 피해.
〔旱獭〕 hàntǎ 명 《動》 타르바간. 마르모트(프 marmotte). 마멋. =〔〈俗〉土tǔ拨鼠〕〔鼧鼥tuóbá〕
〔旱天〕 hàntiān 명 한천. 가뭄.
〔旱田〕 hàntián 명 ① ⇨〔旱地②〕 ② ⇨〔旱地③〕
〔旱甜瓜〕 hàntiánguā 명 가물 때에 나온 참외(맛이 있음).
〔旱象〕 hànxiàng 명 ①한발의 징후. ②한발의 양상(樣相)〔상황〕. =〔旱情〕
〔旱鸭子〕 hànyāzi 명 〈俗〉 헤엄을 못 치는 사람.
〔旱烟〕 hànyān 명 살담배('水烟'에 대한 말. 담뱃대에 담거나 종이에 말아 피움).

〔旱烟袋〕 hànyāndài 명 (살담배와 잎담배를 피우는) 담뱃대.
〔旱秧田〕 hànyāngtián 명 토양(土壤)이 많은 수분을 함유하고 있어, 표면에 물을 비축하지 않아도 되는 논. 육상 모판.
〔旱谣言〕 hànyáoyán 명 전혀 근거 없는 이야기. 당치않은 헛소문.
〔旱灾〕 hànzāi 명 한발에 의한 재해〔흉작〕. ¶今年虽然受了五十多天～和两度台风, 仍然得到丰产; 금년은 50여 일 동안의 가뭄과 두 차례의 태풍이 있었으나 역시 풍작이었다. =〔旱荒〕

悍〈猂〉 hàn (한)
형 ①용감하다. 용맹하다. 날래다. ¶为人短小精～; 사람의 됨됨이가 체격은 작지만 다부지고 용감하다 / 强～; 용맹하다. ②사납다. 난폭하다. ¶泼～; 악랄하고 난폭하다 / 凶xiōng～; 난폭하다. 흉포하다.
〔悍妒〕 hàndù 형 성질이 거칠고 질투심이 강하다.
〔悍妇〕 hànfù 명 성질이 거친〔사나운〕 여자.
〔悍将〕 hànjiàng 명 용맹스러운 장수.
〔悍泼〕 hànpō 형 (여자가) 성격이 거칠고 난폭하다.
〔悍然〕 hànrán 부 서슴없이. 강경하게. 거리낌없이. 제멋대로. 단호하게. 난폭하게. ¶～拒绝; 단호하게 거절하다 / ～不顾; 〈成〉 거리낌없이 난폭하게 굴다.
〔悍药〕 hànyào 명 극약.
〔悍勇〕 hànyong 형 강하고 용감하다.

垾 hàn (한)
①명 작은 둑. ②지명용 자(字). ¶中～; 중한(中垾)《안후이 성(安徽省)에 있는 땅 이름》.

捍 hàn (한)
동 막다. 지키다. 방위하다. 저항하다. =〔扞①〕
〔捍拨〕 hànbō 명 비파 따위의 채. 발목.
〔捍海堰〕 hànhǎiyàn 명 방조제(防潮堤).
〔捍拒〕 hànjù 동 (사람·공격에) 저항·반항하다. 거역하다. (의지·계획에) 반대하다. (욕망을) 누르다. ¶他竟敢～会议决定, 擅自行动; 그는 감히 회의의 결정을 거역하고 제멋대로 행동한다.
〔捍口〕 hànkǒu 동 고집하다. 우기다.
〔捍卫〕 hànwèi 동 지키다. 방위하다. ¶～路线; 노선을 지키다 / ～祖国; 조국을 방위하다. =〔保卫〕
〔捍御〕 hànyù 동 ①막다. 방어하다. ②거절하다.
〔捍制〕 hànzhì 동 방지하다. 제지하다.

焊〈銲, 釬〉 hàn (한)
동 납땜하다. 용접하다. ¶～锡壶; 주석 항아리를 납땜으로 수리하다 / 把壶底～上; 주전자 바닥을 납땜으로 수선하다 / 电～; 전기 용접(을 하다).
〔焊灯〕 hàndēng 명 《工》 (납땜 등에 쓰이는) 토치 램프. 용접등.
〔焊缝〕 hànfèng 명 《工》 용접 이음매. 용접 금속면. 용접선.
〔焊工〕 hàngōng 명 《工》 ①금속의 용접 작업. ②용접공.
〔焊管工〕 hànguǎngōng 명 파이프 용접 작업. 또, 그 직공.
〔焊活〕 hànhuó 명 금속을 접합하는 세공(細工). 납땜 작업.
〔焊机〕 hànjī 명 《機》 용접기.
〔焊剂〕 hànjì 명 용접제. =〔焊药〕
〔焊接〕 hànjiē 명동 용접(하다). =〔火焊接〕〔烧接〕
〔焊接喷灯〕 hànjiē pēndēng 명 토치 램프. 용접등.
〔焊口〕 hànkǒu 명 동철기(銅鐵器)의 이음매. ¶～开了; 이음매가 벌어졌다. 동 이음매가 벌어진 것을 잇다.
〔焊口锡〕 hànkǒuxī 명 땜납《금속의 접합에 쓰이는 주석과 납의 합금》.
〔焊料〕 hànliào 명 땜납. 금속 접착제. ¶拿～焊上; 땜질로 붙이다 / ～丝; 용접선(線) / ～杆gǎn =〔焊条〕; 용접봉(棒).
〔焊钳〕 hànqián 명 전기 용접에 쓰이는 집게《자루가 두 개 있고 펜치와 비슷함》.
〔焊枪〕 hànqiāng 명 《機》 용접총. 용접 토치(torch).
〔焊丝〕 hànsī 명 웰딩 와이어(welding wire).
〔焊条〕 hàntiáo 명 아크 용접봉《아크 용접할 때 쓰이는 금속봉》. =〔焊料杆〕
〔焊铁〕 hàntiě 명 땜인두.
〔焊锡〕 hànxī 명 《機》 땜납. →〔焊料liào〕
〔焊液〕 hànyè 명 땜납의 액. 용접액.

睅 hàn (한)
동 〈文〉 눈을 부릅뜨다. ¶～其目; 눈을 부릅뜨다.

含 hàn (함)
명 입관(入棺)할 때, 죽은 사람의 입에 구슬을 물림. 또, 그 구슬. ¶～殓liàn; 입관하다. ⇒hán

菡 hàn (함)
→〔菡萏〕
〔菡萏〕 hàndàn 명 《植》 '荷花' (연꽃)의 별칭.

颔(頷) hàn (암, 함)
〈文〉 ①명 아래턱. =〔下巴〕 ②동 고개를 끄덕이다. ¶～之而已; 그저 끄덕일 뿐이다.
〔颔肯〕 hànkěn 동 〈文〉 ⇨〔颔首〕
〔颔首〕 hànshǒu 동 〈文〉 (승낙의 뜻으로) 고개를 끄덕이다. ¶～微笑; 끄덕이며 미소짓다. =〔颔肯〕

撖 Hàn (함)
명 성(姓)의 하나.

熯 hàn (한)
동 〈方〉 ①(불에 쬐어) 굽다〔말리다〕. ②기름에 볶다〔지지다〕. ③찌다.

暵 hàn (한)
동 〈文〉 ①(햇볕에 쬐어) 말리다. ②(초목이) 시들다. 말라 죽다.

憾 hàn (감)
명 불만. 실망. 유감. ¶感觉遗～; 유감으로 여기다 / 至以为～; 매우 유감으로 여기다.
〔憾恨〕 hànhèn 동 유감스럽게 생각하다. 원망하다.
〔憾事〕 hànshì 명 유감스러운 일. 한스러운 일.

撼 hàn (감)
동 ①뒤흔들다. 흔들거리다. ¶摇～; 뒤흔들다 / ～山之力; 산을 움직일 만한 큰 힘 / 震～天地; 〈成〉 천지를 뒤흔들다. ②감동하다. 감동시키다.
〔撼动〕 hàndòng 동 진동하다. 흔들다.
〔撼振〕 hànzhèn 동 뒤흔들다. 진동하다. ¶～人心; 인심을 뒤흔들다.

翰 hàn (한)
명 〈文〉 ①새의 칼깃. ②〈比〉 붓. ¶～墨; ⇓
③〈轉〉 편지. 서신. ¶华～ =〔瑶～〕; 〈敬〉

귀한(貴翰). ④문학. 문사(文辭). ⑤순백색(純白色).
〔翰海〕 hànhǎi 명 ①사막. ②(Hànhǎi)《地》고비 사막의 구칭. ‖ =〔瀚海〕
〔翰教〕 hànjiào 명 〈敬〉(귀하의) 편지. ¶昨接~; 어제 귀하의 편지를 받았습니다.
〔翰林〕 hànlín 명 ①문단. 시단(詩壇)《글이 숲과 같이 많다는 뜻》. ②한림《당대(唐代) 이후에 설치된 황제의 문학 시종관. 명·청대(明清代)는 진사(進士) 중에서 선발했음》. ‖ =〔翰苑〕
〔翰墨〕 hànmò 명 〈文〉 ①필묵. ②일반적으로 문장·서화 등의 총칭.
〔翰苑〕 hànyuàn 명 ⇨〔翰林〕
〔翰札〕 hànzhá 명 서한. 편지.

瀚 hàn (한)
형 〈文〉 광대하다. 넓다. ¶浩hào~; 광대하고 많다.
〔瀚海〕 hànhǎi 명 ⇨〔翰海〕

HANG ㄏㄤ

夯〈硂〉 hāng (항)〈홍〉
①명 달구《중국에서는 굵은 통나무를 씀》. ¶打~ =〔拿~砸地〕; 달구질하다. ②동 달구질하다. 땅을 다지다. ¶~实; 단단히 다지다/~土; ⇩ ③동 〈方〉(힘껏 쾅하고) 두드리다. 세게 치다. ¶举起拳头向下~; 주먹을 들어 쾅 하고 내리치다. ④동 〈方〉 힘주어 둘러메다. ⇒bèn
〔夯歌〕 hānggē 명 달구질할 때 부르는 노래.
〔夯汉〕 hānghàn 명 ①〈罵〉 덩치만 크고 쓸모없는 사람. 우락부락한 사나이. =〔夯货②〕 ②막노동을 하는 사나이.
〔夯号〕 hānghào 명 달구질할 때 부르는 선창(先唱).
〔夯活儿〕 hānghuór 명 막일. 막노동.
〔夯货〕 hānghuò 명 ①무거운 짐. ②⇨〔夯汉①〕
〔夯具〕 hāngjù 명 달구.
〔夯了〕 hāngle 동 〈京〉 꼴이 우습게 되어 가다. 징조가 이상해지다. ¶这件事情, 你别容它~, 得想法子给平息下去; 이 일은 꼴이 우습게 되지 않도록 어떻게든 잘 생각해서 수습해야 한다.
〔夯实地基〕 hāngshí dìjī 달구질로 토대(土臺)를 다지다.
〔夯土〕 hāng tǔ ①달구질하다. 땅을 다지다. ②(hāngtǔ) 명 달구질하여 다진 땅.
〔夯土机〕 hāngtǔjī 명《機》 달구. 래머. =〔打夯机〕
〔夯硪〕 hāngtuó 명 달구의 지면에 닿는 부분《돌 또는 금속으로 만들어졌음》.

行 háng (항)
①명 줄. 열. ¶单~; 한 줄/双~; 두 줄/雁阵成~; 기러기가 줄을 짓다/戎róng~; 군대. ②명 직업. 장사. 업무. ¶同~; 동업자/做一~怨一~; 남의 장사가 좋아 보인다《남의 밥에 든 콩이 굵어 보인다》/改~; 전업(轉業)하다/懂dǒng~; 전문가이다. 사정에 환하다/不在~; 아마추어. 풋나기/这~买卖; 이 장사. ③명 도매상. ¶~栈; ⇩/发~价儿; 도매값. ④명 가게. 상점. 영업소. ¶电料~; 전기 재료상/银~; 은행/总~; 본점/分~; 지점/车~; 차를 판매 또는 임대하는 가게/洋~; 외국인 가게. ⑤명 형제의 순서. 항렬. ¶你~儿? 너는 형제 중에 몇 째냐?/他是~大; 그는 맏이다. =〔排páì行〕 ⑥명 시원찮은 것. ⑦동 솜옷·솜이불 등을 호다〔성기게 누비다〕. ¶~了一件棉袄; 솜옷을 한 벌 누볐다. ⑧…하기도 하고 …하기도 하다. ¶~好~歹; 좋아졌다 나빠졌다 하다/~长就落; 값이 올랐다가 바로 또 내리다. ⑨양 줄로 되어 있는 것을 세는 단위. ¶一~字; 한 줄의 글자/四~诗句; 4행의 시. ⑩양 장사·직업 등을 세는 단위. ¶学了一~手艺; 기술을 하나 배웠다. ⑪명 〈古白〉 곳. 장소. ¶我~; 내가 있는 곳/你~; 네가 있는 곳/你这等贼心贼肝, 我~须使不得; 네놈이 아무리 뻔뻔스럽게 굴어도 내게는 안 통한다. ⇒hàng héng xíng
〔行帮〕 hángbāng 명 옛날의 동업자 조합.
〔行辈〕 hángbèi 명 가족·친족 내의 장유(長幼)의 순서. 항렬. ¶他~比我大; 그는 나보다 위다/论年岁他比我大, 可是要论~我可是长一辈; 나이로 말하면 그는 나보다 연상이지만, 항렬로 말하면 내 쪽이 한 대 높다.
〔行秤〕 hángchèng 명 각 업자 전용의 저울《그 저울에 의하지 않으면 매매는 성립되지 않음》.
〔行次〕 hángcì 명 순서. ¶顺着~看下去; 차례로 보아 나가다.
〔行大〕 hángdà 명 장남. ¶行二; 둘째 아들. 차남/行三; 셋째 아들. 3남. =〔排pái大〕
〔行单儿〕 hángdānr 명 시세표. =〔行情单(子)〕
〔行荡儿〕 hángdàngr 동 (솜옷·이불 등을) 성기게 누비다《솜을 고정시킴》. ¶您的棉袄的~是窄荡儿, 是宽荡儿? 당신의 솜옷은 (솔기의 행간을) 촘촘하게 누빌까요, 성기게 누빌까요?
〔行当(儿)〕 hángdang(r) 명 ①〈口〉 생업(生業). 직업. ¶他是哪一个~上的? 그는 어떤 직업에 종사하고 있는가?/受罪的~; 고생스러운 직업/无论什么~里都有杰出的人才; 어느 직업에나 걸출한 인물이 있다. ②《劇》 연극의 배역《경극(京劇)의 '生'·'旦' 따위》.
〔行道〕 hángdao 명 〈方〉 ⇨〔行业〕
〔行店〕 hángdiàn 명 ①상점. ②여관.
〔行东〕 hángdōng 명 ①상점의 출자자. 점주(店主). ②작업장〔공사장〕의 우두머리.
〔行队〕 hángduì 명 대오(隊伍). 대열.
〔行二〕 háng'èr 명 차남 또는 차녀. 둘째.
〔行贩(儿)〕 hángfàn(r) 명 행상인. 소상인(小商人).
〔行规〕 hángguī 명 ①점포의 규정. ②동업자 간의 규칙.
〔行行出状元〕 hángháng chū zhuàngyuán 〈諺〉 ①각 직업마다 장원(壯元)을 낸다《어떤 직업 분야에서나 뛰어난 자가 나온다. 어떤 직업에서도 다 성공할 수 있다》. ¶~只要肯干, 不论哪一行都有出头之日; 어떤 직업에서도 장원이 나온다. 마음만 먹으면 어떤 직업에서도 출세할 수 있다. ②어떤 직업에서도 1등이 되는 것은 단 한 사람이다.
〔行号〕 hánghào 명 상점.
〔行话〕 hánghuà 명 상인끼리의 전문어 또는 은어(隱語). 특수 사회의 변말. 직업 은어. =〔行业语〕
〔行会〕 hánghuì 명 ①옛날, 동업 조합. ②〈義〉 길드(guild). =〔基尔特〕
〔行伙〕 hánghuǒ 명 행원(行員). 점원.
〔行货〕 hánghuò 명 ①〈南方〉 열등품. 조제품(粗製品). 불합격품. ¶~充斥市面; 조잡한 물품이

시장에 가득하다. ②(여러 종류의) 상품. ③〈罵〉 놈. 새끼. ¶那矮脚～滚到哪里去了; 그 꼬마놈 어디 갔어? =〔行货子〕

〔行货子〕 hánghuòzi 명 〈罵〉 놈. 새끼. ¶你是什么～, 也敢在人前发横hèng; 너는 도대체 어떤 놈이냐, 감히 사람들 앞에서 멋대로 날뛰다니. =〔行货③〕

〔行几〕 hángjǐ 형제 중의 몇 째냐고 묻는 말. ¶你～? 너는 몇 째냐?

〔行纪〕 hángjì 명 중간상. 브로커.

〔行价〕 hángjià 명 ①도매 가격. ②시세.

〔行家〕 hángjia 명 ①숙련가. 전문가. ¶老～; 노련가. 베테랑 / ～说不出力把儿话来; 전문가의 말은 아무래도 아마추어와는 다르다 / 瞒不了您这位大～; 당신과 같은 대가는 속일 수 없다 / ～也有打了眼的时候儿; 전문가도 잘못 보는 수가 있다 / 着了～的道儿; 전문가에게 속았다 / ～看门道, 力把看热闹; 전문가는 일의 요체(要諦)를 잘 보지만, 초심자는 외형만을 본다. =〔〈方〉行角〕 ②도매상. 형 〈方〉(긍정(肯定)에서 부사의 수식을 받아) 전문가이다. 정통하다. 귀신 같다. ¶您对种树, 挺～呀! 당신은 식수(植樹)에서는 대단한 전문가이군요! / 想不到您对于种花儿也挺～的; 당신이 꽃재배에도 매우 정통해 있으리라고는 생각하지 못했습니다 / 日子一多, 做得也～了; 세월이 지나면 잘하게도 된다. =〔在行〕

〔行间〕 hángjiān 명 ①행간. 행이나 줄의 사이. ¶她这封情书写得虽然不太露骨, 可是在字里～也含蓄着无限情意; 그녀의 이 연애 편지는 그렇게 노골적으로 쓰여 있지는 않지만, 행간에는 무한한 정이 담겨져 있다 / 栽种向日葵～的距离要宽; 해바라기를 심을 때는 줄과 줄 사이를 넓게 잡아야 한다. ②〈文〉〈簡〉 군대(《'行伍之间' 의 약칭》).

〔行角〕 hángjiǎo 명 〈方〉 ⇨〔行家①〕

〔行接行(儿)〕 hángjiēháng(r) 명 영업의 연관 관계. 동업 관계. ¶纺织厂和绸缎庄是～的买卖; 방직 공장과 포목점은 사업상 연결 관계에 있다.

〔行距〕 hángjù 명 《農》 이랑 나비. 논밭의 두렁폭.

〔行款〕 hángkuǎn 명 서법(書法)에서, 글자 배치. 인쇄의 편집 배정. 레이아웃(layout).

〔行滥〕 hánglàn 형 (상품의 품질이) 조잡하다. 허술하다. ¶都是一些～货; 모두 조잡한 물건뿐입니다.

〔行列〕 hángliè 명 (종렬의) 대열(隊列). 행렬. ¶排队买票, 不要走出～; 줄을 서서 표를 사시오. 대열에서 벗어나면 안 됩니다.

〔行名册〕 hángmíngcè 명 상공 명감(名鑑). 상공업자의 명단.

〔行频〕 hángpín 명 (텔레비전의) 주사선(走査線) 빈도.

〔行情〕 hángqíng 명 ①시장의 상황. ②시세. ¶～单dān; 시세표 / 股票～好转了; 주(株)시세는 호전되었다. →〔行市①〕

〔行儿〕 hángr 명 ①옛날, 각 동업 공사(同業公社)나 공장 등에서 도제에게 기술을 가르치기 위해 세운 학교. ¶他们公司里办个～来培养徒弟; 저 회사에서는 학교를 열어 도제들을 양성하고 있다. ②직업. ¶做事情总得有个样子, 不能干一～怨一～; 일을 하는 데는 맺고 끊는 데가 있어야 하며, 직업에 불만을 갖고 있으면 안 된다.

〔行商〕 hángshāng 명 상인. 상가(商家). ¶找殷实～作保; 확실한 상인을 보증인으로 세우다.

〔行市〕 hángshi 명 ①《經》 시세. 시가. ¶～表; 시세표 / 内汇～; 국내환 시세 / ～落; 시세가 내리다 / ～长zhǎng; 시세가 오르다 / 股票的～看涨, 买气很盛; 주가가 올라 구매가 왕성해졌다. →〔行情②〕 ②좋은 시기(時機). ¶他赶上～了; 그는 좋은 시기를 만났다. ③되어 가는 형편. 운명. ¶谁都有死的～; 누구나 죽기 마련이다.

〔行式印刷机〕 hángshì yìnshuājī 명 《電算》 (컴퓨터의) 라인 프린터.

〔行伍〕 hángwǔ 명 항오. 군대의 대열. 〈轉〉 군대. ¶我是个～出身的老粗儿; 저는 군인 출신의 무지렁이입니다 / 我们是同一～里的弟兄; 우리는 전우입니다.

〔行务〕 hángwù 명 ①회사 내의 업무. ②전문가. ¶你真～; 너는 정말 전문가답구나.

〔行戏〕 hángxì 명 옛날, 베이징(北京)의 각종 업자가 종업원 위로의 뜻으로, 업종별로 배우를 고용하여 연 연극.

〔行业〕 hángyè 명 업무. 직업. ¶～界限; 업무 구분 / 关键jiàn～; 기간 산업 / 给他找个什么～做做吧; 그에게 뭔가 직업을 찾아 주자. =〔〈方〉行道〕

〔行业语〕 hángyèyǔ 명 ⇨〔行话〕

〔行衣服〕 hángyīfu 동 솜옷을 호다〔누비다〕. ¶你～要行得密一点, 絮的棉花就不会跑到一边儿去; 솜옷을 누빌 때 촘촘히 누벼야 속에 둔 솜이 한쪽으로 쏠리는 일이 없다.

〔行用〕 hángyòng 명 ⇨〔行佣〕

〔行佣〕 hángyòng 명 〈方〉 수수료. 커미션. ¶取百分之五的～; 5%의 수수료를 떼다 / 买卖房屋的～向来有成三破二的习惯; 가옥 매매에서는 종래 산 사람에게서 3푼, 판 사람한테서 2푼의 수수료를 받는 습관이 있다. =〔佣金〕〔行用〕

〔行友〕 hángyǒu 명 동료.

〔行窳〕 hángyǔ 〈文〉 명 조잡하게 만든 기물(器物). 〈比〉 무능한 자. ¶～之器不堪大用; 무능한 자는 큰일을 맡을 수 없다. 형 기물이 나쁘고 견고하지 않다.

〔行员〕 hángyuán 명 (상점·은행 등의) 직원. 행원.

〔行院〕 hángyuàn 명 ①기루(妓樓) 또는 배우가 있는 곳. ②창기(娼妓). 배우. ‖ =〔衏衏〕

〔行栈〕 hángzhàn 명 옛날, 창고업을 겸한 중매업.

〔行长〕 hángzhǎng 명 행장. 은행 총재. ¶中国人民银行副～; 중국인민은행 부총재.

〔行账〕 hángzhàng 명 《經》 동업자에게 꾼 돈.

〔行针〕 hángzhēn 동 침으로 병을 치료하다. 명 (재봉에 쓰는) 시침 바늘. =〔粥bì针〕

〔行子〕 hángzi 명 〈方〉〈罵〉 몹쓸 것〔놈〕. 하찮은 것〔놈〕(《싫어하는 사람이나 하찮은 물건》). ¶这种～并不稀罕! 이런 따위는 하나도 희한하지 않다! / 这都是那个混帐～干的蠢事; 이것은 모두 몹쓸 놈이 저지른 바보 짓이다 / 我不在乎你送的这些～; 나는 네가 보낸 이런 하찮은 것들을 신경쓰지 않는다.

〔行作〕 hángzuò 명 가짜. ¶卖～砸招牌; 가짜를 팔면 상호(商號)에 흠이 간다.

绗(絎) háng (행)

동 (이불·솜옷 등을) 누비다. ¶～一个棉袄; 솜옷 한 벌을 누비다 / ～针; 누비 바늘.

衏 háng (항)

→〔衏衏〕

〔衏衏〕 hángyuàn 명 ⇨〔行háng院〕

珩 **háng** (형)
→〔珩磨〕⇒héng

〔珩床〕 hángchuáng 명《機》호닝반(盤). 지상반(砥上盤).
〔珩磨〕 hángmó 명《工》호닝. 유지(油砥) 갈기.

桁 **háng** (항)
명 ①형틀. 칼과 차꼬. ②부교(浮橋). ⇒ hàng héng

迒 **háng** (항)
명〈文〉①짐승의 발자국이나 수레의 바퀴 자국. ②도로(道路).

吭 **háng** (항)
명《生》목. 목구멍. ¶引～高歌; 목청을 길게 뽑아 소리 높이 노래하다. ⇒kēng

杭 **Háng** (항)
명 ①《地》항저우(杭州)를 가리키는 말. ¶～剧jù; 항저우(杭州) 지방의 연극. ②성(姓)의 하나.

〔杭绸〕 hángchóu 명 항저우(杭州)산(産)의 견직물. =〔杭宁绸〕
〔杭缎〕 hángduàn 명 항저우(杭州)산(産)의 주단(綢緞).
〔杭宁绸〕 hángníngchóu 명 ⇨〔杭绸〕
〔杭育〕 hángyō〈擬〉이영차《(여럿이) 무거운 것을 짊어질 때 내는 맞춤소리》. =〔杭唷〕〔哼hēng唷〕

颃(頏) **háng** (항)
→〔颉xié颃〕

航 **háng** (항)
①동 (배로) 항행하다. ②명 배. ③동 (항공기로) 비행하다. ¶中国民～; 중국 민간 항공/宇yǔ～; 우주 항공.

〔航班〕 hángbān 명 운행표. 취항 순서.
〔航班号〕 hángbānhào 명 취항 번호. 플라이트 넘버.
〔航标〕 hángbiāo 명 ①항로 표지(標識). =〔航路标记〕 ②(나아가야 할) 목표.
〔航测〕 hángcè 명〈簡〉항공 측량.
〔航程〕 hángchéng 명 (배·항공기의) 항로. 항행 노정.
〔航船〕 hángchuán 명 ①정기선. ②항해 중인 배.
〔航次〕 hángcì 명 ①(운항·항해의) 출항 순서. 운항·항해 번호. ②운항·항해의 횟수(回數).
〔航道〕 hángdào 명 ①(배·비행기 등의) 지정 진로(進路). ②(항행 가능한) 수로(水路).
〔航海〕 hánghǎi 명동 항해(하다). ¶～历; 항해력(航海曆)/～家; 항해 경험이 풍부한 사람/～信号; 항해 신호/～学; 항해학.
〔航迹〕 hángjì 명 항적(航跡).
〔航寄〕 hángjì 동 항공편으로 보내다.
〔航空〕 hángkōng 명 항공. ¶民用～; 민간 항공/～信; 항공 우편/～公司; 항공 회사/～母舰; 항공 모함/～磁测; 항공기에 의한 지구 자기장(磁氣場)의 방향·강도 등을 측정하는 작업/～螺旋浆; 항공 프로펠러/～邮件; 항공 우편물/～邮简yóujiǎn; 항공 봉함 엽서. 에어러그램(aerogram)/～站 =〔机jī场〕; 공항(空港).
〔航路〕 hánglù 명 ⇨〔航线〕
〔航模〕 hángmó 명〈簡〉비행기·배의 모형.
〔航权〕 hángquán 명《法》항해권. 항공권.
〔航速〕 hángsù 명 항속. (배·항공기 등의) 항행 속도.
〔航天〕 hángtiān 명 우주 비행. ¶～服; 우주복/～员; 우주 비행사/～飞机; 우주 왕복선. 스페이스 셔틀/～站; 우주 정거장/～舱; 우주선의 캡슐.
〔航务〕 hángwù 명 항해 업무.
〔航线〕 hángxiàn 명 항로. 항공로. 뱃길. ¶定期～; 정기 항로/夜间～; 야간 항로/开辟～; 항로를 열다. =〔航路〕
〔航向〕 hángxiàng 명 ①항로(航路). 침로(針路). 항행 방향. 비행 코스. ¶拨bō正～; 항로를 바로잡다. ②〈比〉(투쟁 등의) 방향.
〔航行〕 hángxíng 동 항행하다.
〔航讯〕 hángxùn 명 항공 정보.
〔航业〕 hángyè 명 선박 운수 사업.
〔航邮〕 hángyóu 명 항공 우편. =〔航空信〕
〔航宇〕 hángyǔ 명 우주 항공〔항행〕 대기권 밖의 태양계 외(外) 항행.
〔航运〕 hángyùn 명 선박 수송. 해상 운수. ¶沿海～; 연해 운수/远洋～; 원양 운수/～公司; 선박 운수 회사.
〔航政〕 hángzhèng 명 해운업에 관한 행정.

行 **hàng** (항)
→〔树行子〕⇒háng héng xíng

桁 **hàng** (항)
명 옷걸이. 횃대. ⇒háng héng

沆 **hàng** (항)
형〈文〉물이 넓고 큰 모양.

〔沆瀣〕 hàngxiè 명〈文〉밤 이슬.
〔沆瀣一气〕 hàng xiè yī qì〈成〉(나쁜 짓에) 서로 의기 투합하다《당대(唐代), 과거 시험관 최항(崔沆)이 최해(崔瀣)라는 사람을 합격시켰다는 고사에서 유래함》.

巷 **hàng** (항)
명 갱도(坑道). ¶～道dào; (광산의) 갱도. ¶掌子面上生产出来的原煤, 只有通过～才能源源运送到地面去; 광산의 막장에서 생산된 원탄(原炭)은, 갱도를 통해서만 차례로 지상에 운반된다. ⇒xiàng

HAO ㄏㄠ

蒿 **hāo** (호)
①(～子) 명《植》쑥. ¶白～; 흰쑥/蒌～; 산쑥. ②→〔茼tóng蒿(菜)〕 ③동〈文〉바라다. ④형〈文〉김이 오르는 모양.

〔蒿草不值〕 hāo cǎo bù zhí〈成〉한 푼의 가치도 없다.
〔蒿荐〕 hāojiàn 명 (겨울철에) 바람을 막는 문.
〔蒿兰〕 hāolán 명 ①쑥과 난초. ②〈比〉귀천(貴賤).
〔蒿目时艰〕 hāo mù shí jiān〈成〉세상일을 걱정하느라고 마음이 편치 않다.
〔蒿目忧世〕 hāo mù yōu shì〈成〉군자(君子)가 세상일을 걱정하는 모양.
〔蒿茼〕 hāotóng 명《植》쑥갓. =〔茼蒿〕〔蒿子秆〕
〔蒿子〕 hāozi 명《植》쑥.
〔蒿子秆儿〕 hāozigǎnr 명 ⇨〔茼tóng蒿(菜)〕

嚆 **hāo** (효)
→〔嚆矢〕

〔嚆矢〕 hāoshǐ 명 ①소리나는 살. 명적(鳴鏑). ②〈轉〉(사물의) 시작. 효시. 맨 처음. 기원(起源).

薅 hāo (호)
동 ①(손으로) 뽑다. 잡아 뜯다. ¶～毛; 털을 뽑다 / ～下一绺lǚ头发来; 머리털을 한 가닥 잡아 뽑다 / 中医治病, ～脉开药方; 한의학에서는 치료를 할 때, 맥을 보고 처방을 쓴다. ②〈方〉(손으로) 잡다. 잡아 끌다. (머리털 따위를) 끌어당기다. ¶把他～来; 그를 잡아 끌고 오다.

〔薅草〕 hāocǎo 동 풀을 뽑다.

〔薅锄〕 hāochú 명 (제초(除草)용의) 작은 삽. 이식(移植) 부삽.

〔薅掉〕 hāodiào 동 쥐어뜯다. 잡아 뽑다.

〔薅荒〕 hāo.huāng 동 황무지의 풀을 뽑다. 황무지를 개간하다.

〔薅秧耙〕 hāoyāngpá 명 모뽑이 호미.

号(號) háo (호)
동 ①큰 소리로 부르다. ¶～叫; ⇩ ②큰 소리로 울다. ‖ =〔嚎〕 ③닭이 우는 것처럼 소리를 길게 빼다. 소리를 길게 빼어 부르다. ¶北风怒～; 북풍이 윙윙 불다. ⇒ hào

〔号呼〕 háohū 동 큰 소리로 부르다.

〔号叫〕 háojiào 동 ①큰 소리로 외치다. ②(개·늑대가) 멀리서 짖다. (사람이) 노호(怒號)하다. ③호통을 지르다. ④바람이 윙윙대다.

〔号哭〕 háokū 동 호곡하다. 울부짖다.

〔号泣〕 háoqì 동 〈文〉 울부짖다.

〔号丧〕 háo.sāng 동 장례식에서, 곡(哭)하는〔상주 대신 곡을 해 주는〕 사람에게 곡(哭)을 시키다.

〔号丧〕 háosang 동 〈方〉〈罵〉 (큰 소리로) 울다. ¶这孩子见天都得děi～好几场; 이 아이는 매일 몇 번이나 큰 소리로 울어댄다 / ～鬼; 울보. =〔嚎丧〕

〔号咷〕 háotáo 동 ⇨〔号啕〕

〔号啕〕 háotáo 동 큰 소리로 울다. ¶～大哭; 큰 소리로 울부짖다 / ～痛哭; 통곡하다. =〔号咷〕〔嚎哭〕〔嚎啕〕

〔号天抢地〕 háo tiān qiāng dì 〈成〉 하늘에 호소하고 땅을 치며 슬피 우는 모양.

蚝〈蠔〉 háo (자)〈호〉
명 《貝》 굴. ¶～干gān; 말린 굴 / ～壳qiào =〔蛎lì房〕; 굴껍질 / ～油yóu; 굴기름. 오이스터 소스(조미료).

〔蚝白〕 háobái 명 생굴.

〔蚝山〕 háoshān 명 굴의 산(굴이 부착 퇴적(堆積)하여 생긴 산 모양의 것으로 높이 4, 5미터의 것도 있음).

毫 háo (호)
① 명 (인체의) 솜털. ② 명 동물의 (붓에 쓰이는) 강모(剛毛). ¶羊yáng～笔; 양털 붓 / 狼láng～笔; 늑대털 붓. ③ 명 붓. ¶挥huī～; 휘호하다. 글씨를 쓰다. ④ 부 조금도. 전혀(부정문(否定文)에만 씀). ¶～不相干=〔～无关系〕; 조금도 관계 없다 / ～无疑问; 조금도 의문이 없다 / 丝～; 조금도. ⑤ 양 《度》 호(毫)(수(數)의 단위). ¶(市)～; ⓐ 길이의 단위('(市)尺chǐ' 의 1만분의 1로 데시미터의 1/3에 해당됨). ⓑ중량의 단위('(市)斤jīn' 의 10만분의 1로 약 5밀리그램에 해당함). ⑥ 양 《度》 밀리(milli)(미터법에서 기준 단위의 1000분의 1을 나타냄). ¶～米mǐ; 밀리미터 / ～微wēi米; 밀리미크론(millimicron). ⑦ 양 〈方〉 1원(元)의 10분의 1(즉 1'角' 을 '一～子' 라 함). ⑧ 명 (대저울의) 손잡이 끈〔줄〕 / 头～; 저울 손잡이 끈의 첫 번째의 것 / 二～; 저울 손잡이 끈의 두 번째의 것.

〔毫安〕 háo'ān 양 《電》 밀리암페어. ¶～计; 밀리암미터. =〔毫安培〕

〔毫巴〕 háobā 양 밀리바.

〔毫不〕 háobù 부 조금도〔전혀〕 …하지 않다. ¶～在乎; 전혀 마음에 두지 않다. 조금도 문제삼지 않다 / ～动摇; 조금도 동요치〔흔들리지〕 않다 / ～足奇; 조금도 이상하지 않다 / ～含糊hánhu; 조금도 애매한 데가 없다 / ～费力; 조금도 힘들이지 않다.

〔毫楮〕 háochǔ 명 〈文〉 붓과 종이.

〔毫发〕 háofà 명 〈文〉 솜털과 머리털. 〈比〉 극히 적은 것(흔히, 부정(否定)으로 쓰임). ¶～不爽; 조금도 틀리지 않다 / ～无憾; 조금도 유감이 없다.

〔毫伏〕 háofú 명 《電》 밀리볼트.

〔毫光〕 háoguāng 명 〈文〉 빛. 광망(光芒)(사방으로 방사되는 광선).

〔毫克〕 háokè 양 《度》 밀리그램.

〔毫厘〕 háolí ① 양 《度》 옛 도량형(度量衡)의 '毫' 와 '厘'. ②〈比〉 극히 적은 것. ¶～不爽; 아주 작은 차이도 없다 / ～千里; 〈成〉 처음의 사소한 차이가 나중에는 큰 차이가 된다. =〔失之毫厘, 谬以千里〕

〔毫毛〕 háomáo 명 ①솜털. ②〈轉〉 아주 작은 것〔일〕. ¶不准你动他一根～; 그의 털끝 하나도 건드리지 마라.

〔毫米〕 háomǐ 양 《度》 밀리미터('粍' 는 합성 약자). ¶～波; 초단파. 밀리미터파 / ～汞柱; 《物》 수은주(水銀柱) 밀리미터(압력의 단위).

〔毫米水柱〕 háomǐ shuǐzhù 명 《物》 수주(水柱) 밀리(미터)(압력의 단위).

〔毫秒〕 háomiǎo 명 밀리초(秒). 1000분의 1초.

〔毫末〕 háomò 명 〈文〉 털끝. 〈比〉 매우 적은〔작은〕 것. =〔毫芒〕

〔毫升〕 háoshēng 양 《度》 밀리리터.

〔毫丝〕 háosī 부 털끝만큼도. 조금도(부정문(否定文)에 쓰임).

〔毫瓦〕 háowǎ 양 《度》 밀리와트.

〔毫微〕 háowēi 양 밀리마이크로. ¶～米; 밀리미크론 / ～米工业; 나노(nano) 공업(밀리미크론의 공업 기술).

〔毫微秒〕 háowēimiǎo 명 나노(nano)초(10^{-9}초).

〔毫无〕 háowú 조금도〔전혀〕 …이 없다. ¶～所得; 조금도 얻는 것이 없다 / ～相干; 조금도 관계가 없다 / ～隐晦; 조금도 숨기지 않다 / ～希望; 일루의 희망도 없다 / ～用处; 아무런 소용이 없다.

〔毫系儿〕 háoxìr 명 저울의 (손잡이) 끈.

〔毫洋〕 háoyáng 명 옛날에, 광둥(廣東)·광시(廣西) 등의 지구에서 유통되던 작은 은화(銀貨)(그냥 '毫' 라고도 함).

〔毫针〕 háozhēn 명 《漢醫》 호침(毫鍼)(침술(鍼術)에서 쓰는 실 모양의 바늘).

〔毫子〕 háozi ① 명 옛날, 광둥(廣東)·광시 성(廣西省) 등에 사용했던 1각(角)·2각·5각 은화(銀貨)(2각의 것이 보통). ¶银～; 〈方〉 소액 은화. ② →〔字解⑦〕

嗥〈嘷, 獋〉 háo (호)
①〈擬〉 야수가 짖는 소리. ② 동 울부짖다. 소리 지르다. ¶～叫jiào; (동물이) 울부짖다. 으르렁거리다.

貉 háo (학)
명《動》담비. ⇒hé, '貊' Mò
〔貉绒〕 háoróng 명 담비의 모피.
〔貉子〕 háozi 명《動》담비('貉hé'의 통칭).

豪 háo (호)
① 명 재능이나 역량이 남보다 뛰어난 사람. 호걸. ¶文～; 문호/英雄～杰; 영웅 호걸/自～; 스스로 자랑스럽게 여기다. ② 형 호방(豪放)하다. 호쾌(豪快)하다. 기백이 있다. ¶～放; ⇩/～饮; ⇩/～迈; ⇩/～言壮语; 〈成〉 호언장담(하다). ③ 형 힘이나 세력이 강하다. 횡포하다. 난폭하다. ¶～门; ⇩/土～劣绅; 지방의 유력가나 보스. ④ 형 〈轉〉 세찬. 격심한. ¶～雨; 호우. 큰비. ⑤ 동《動》호저. ＝〔豪猪〕 ⑥ '毫①②③'과 통용함.
〔豪宕〕 háodàng 형 〈文〉 호탕하다. 의기 왕성하다.
〔豪荡〕 háodàng 형 호탕하다. 호걸스러워 작은 일에 얽매이지 않다. ＝〔豪诞dàn〕
〔豪夺〕 háoduó 동 〈文〉 힘〔우격〕으로 빼앗다. ¶巧取～; 〈成〉 속이거나 힘으로 빼앗다.
〔豪放〕 háofàng 형 호방하다. 활달하다. ¶～不羁jī; 호방하여 작은 일에 구애되지 않다/性情～; 성격이 호방하다.
〔豪富〕 háofù 명 부유하고 권세 있는 사람. 형 부유하고 권세가 있다.
〔豪横〕 háohèng 동 세력을 믿고 횡포를 부리다. 형 건방지다.
〔豪横〕 háoheng 형 〈方〉 의지가 강하고 기골이 있다. 어기차고 꿋꿋하다. ¶他很～, 这一点儿挫折不会影响他的; 그는 의지가 굳기 때문에 이 정도의 좌절로는 꿈쩍도 않는다.
〔豪华〕 háohuá 형 호화롭다. 사치스럽다.
〔豪家〕 háojiā 명 ⇨〔豪门〕
〔豪杰〕 háojié 명 호걸. ＝〔豪雄〕
〔豪举〕 háojǔ 명 호쾌(豪快)한 행동. 당당한 행동거지. 호기 있는 행동.
〔豪俊〕 háojùn 명 〈文〉 준걸(俊傑). 영재(英才).
〔豪客〕 háokè 명 〈文〉 ①강도(強盜). ②사치스러운 손님.
〔豪迈〕 háomài 형 기백(氣魄)이 크다. 늠름하다. ¶气概～; 기개가 크다/～的事业; 장대한 사업.
〔豪门〕 háomén 명 〈文〉 부(富)와 세력이 있는 집. 호족(豪族). ¶～势力; 문벌 세력. ＝〔豪家〕
〔豪气〕 háoqì 명 호기. 호탕한〔영웅적〕 기개. 형 호기스럽다.
〔豪强〕 háoqiáng 형 횡포하다. ＝〔强横qiánghèng〕 명 세력을 믿고 남을 위압하는 자.
〔豪情〕 háoqíng 명 의기 드높은 기개. 기백. 호기. ¶～壮志; 웅대한 포부.
〔豪绅〕 háoshēn 명 횡포한 지방 유력자.
〔豪士〕 háoshì 명 재력(才力)이 남보다 뛰어난 사람.
〔豪爽〕 háoshuǎng 형 호쾌하고 시원스럽다. ¶性情～; 성격이 호쾌하고 시원스럽다.
〔豪侠〕 háoxiá 형명 용감하고 협기가 있는 (사람).
〔豪兴〕 háoxìng 명 왕성한 의욕. 강한 흥미. 형 몹시 흥겹다.
〔豪姓〕 háoxìng 명 호족(豪族).
〔豪雄〕 háoxióng 명 ⇨〔豪杰〕
〔豪言壮语〕 háo yán zhuàng yǔ 〈成〉 호언장담. 호기롭고 자신 있게 하는 말.
〔豪饮〕 háoyǐn 동 (술을) 통쾌하게 마시다.
〔豪语〕 háoyǔ 명 호기 있는 말. 자신만만한 말.
〔豪猪〕 háozhū 명《動》호저. ＝〔毫猪〕〔刺cì猪〕〔箭jiàn猪〕〔响xiǎng铃猪〕
〔豪壮〕 háozhuàng 형 용감하고 웅대하다. 씩씩〔늠름〕하다. 장엄하다.
〔豪恣〕 háozì 형 〈文〉 방종하기 그지없다. 제멋대로 행동하다.
〔豪宗〕 háozōng 명 〈文〉 호족(豪族).

濠 háo (호)
명 ①⇨〔壕①〕 ②(Háo)《地》하오수이(濠水)《안후이 성(安徽省)에 있는 내(川) 이름》.

壕 háo (호)
명 ①해자. ¶城～ ＝〔护成河hùchénghé〕; 해자. ＝〔濠①〕 ②도랑. 직사각형의 구덩이. 호. ¶防空～; 방공호/战～; 참호.
〔壕沟〕 háogōu 명 ①《軍》참호. ②도랑.
〔壕堑战〕 háoqiànzhàn 명《軍》참호전.

嚎 háo (호)
동 울부짖다. 큰 소리로 외치다. ¶一声长～; 길게 울부짖는 소리/狼～鬼叫; 〈比〉 ⓐ비통하게 울부짖다. ⓑ소름끼치게 울부짖다. ＝〔号háo①②〕
〔嚎叫〕 háojiào 동 큰 소리로 외치다.
〔嚎丧〕 háosang 동 ⇨〔号丧háosang〕
〔嚎咷〕 háotáo 동 큰 소리로 울다. ¶～大哭; 큰 소리로 울부짖다. ＝〔嚎哭〕〔嚎啕〕〔号咷〕〔号啕〕

籇 háo (호)
명 새우를 잡는 대나무로 엮은 도구.

好 hǎo (호)
① 형 좋다. 훌륭하다. 선량하다. ¶～东西; 좋은 물건/～事; 훌륭한 일/这个～, 那个不～; 이것은 좋으나, 저것은 좋지 않다. ↔〔坏huài〕〔歹dǎi〕 ② 형 (상태가) 좋다. (몸이) 건강하다. 성하다. ¶您～哇? 안녕하십니까?/你们家里都～吗? 너희 집안은 모두 안녕하신가? ③ 동 〈轉〉 (병이) 낫다. 좋아지다. 나아지다. ¶他的病完全～了; 그의 병은 다 나았다. ④ 형 사이가 좋다. 친밀하다. 우호적이다. ¶～朋友; 사이 좋은 친구/他们俩很～; 그들 두 사람은 사이가 좋다/我跟他～; 나는 그와 친하다. ⑤동사 앞에 쓰임. ㉠어떤 것이 만족할 만큼 좋음을 나타냄. ¶～听; ⇩/～吃; ⇩/～看; ⇩ ㉡용이하다. (…하기) 쉽다. ¶这件事情～办; 이 일은 하기 쉽다/不～走; ⓐ걷기 힘들다. ⓑ(길이) 나쁘다/这问题很～回答; 이 질문은 대답하기가 매우 쉽다. ㉢…할 수 있도록. …하기 좋게《복문(複文)의 후반(後半)에 쓰이어 목적(目的)을 나타냄》. ¶请你闪开点, 我～过去! 좀 비켜 주세요, 지나갈 수 있도록!/告诉我他在哪儿, 我～找他去! 내가 찾아갈 수 있도록 그가 어디에 있는지 말해 주시오! ㉣〈方〉 …해도 좋다. …해야 한다《허용(許容)·당연함을 나타냄》. ¶我～进来吗? 내가 들어가도 됩니까?/不～这样说; 이런 식으로 말하면 안 된다/时间不早了, 你～走了; 이제 늦었다, 너는 가야 한다. ⑥동사 뒤에 붙여서, 완성되었거나 마무리가 잘되었음을 나타냄. ¶准备～了; 준비가 다 되었다/计划已经订～了; 계획은 이미 끝났다/我穿～衣服就去; 옷을 다 입으면 즉시 가겠습니다/预备～了没有? 준비는 다 되었습니까?/坐～吧, 要开会了; 앉으시오, 회의가 시작됩니다. ⑦ 부 수량사(數量詞)·시간사(時間詞)의 앞에 붙여 양(量)의 많거나, 시간이 길음을 나타냄. ¶～多的人; 꽤 많은 사람/～几个; 여러 개/～大半天; 꽤 오랜 시간. ⑧ 부 형용사·동사의 앞에 붙여,

정도가 심함을 나타냄(감탄의 어기(語氣)를 동반함). ¶～冷! 굉장히 춥다! / ～快! 굉장히 빠르다! / ～大的工程呀! 엄청난 공사로군! / ～大的风! 대단한 바람이군! ⑨ 부 형용사 앞에 붙여, 수량이나 정도를 묻는 말('多'와 용법이 같음). ¶春川离釜山～远? 춘천은 부산에서 어느 정도 떨어져 있나요? ⑩ 감 찬성·허가·제지 등의 어조(語調)를 나타내는 말. 좋다. ¶～, 就照你的意见做吧! 좋다, 그럼 자네 의견대로 하자! / ～, 不要再讨论了! 됐다, 이 이상의 토론은 필요 없다! ⑪반어(反語)·불만을 나타냄. ¶～, 这一下子可难了; 이런, 이번엔 어렵게 되었다 / ～, 你打就打; 뭐야, 때리려면 때려 봐. ⇒hào

〔好啊歹呀的〕 hǎo'a dǎiyade 좋은 것도 나쁜 것도 모두. ¶那一堆～我都留下; 저 한 무더기는 좋은 것이나 나쁜 것이나 모두 사겠다.

〔好吧歹吧地〕 hǎoba dǎibade 좋은 것도 나쁜 것도 (상관 없이). 그럭저럭. ¶～收了八十多石; 좋은 것도 나쁜 것도 있지만, 그럭저럭 80여 석 거둬들였다.

〔好办〕 hǎobàn 형 하기 쉽다. 아무것도 아니다. ¶那～; 그건 쉬운 일이다 / 这件事情～; 이 일은 하기 쉽다.

〔好半天〕 hǎobàntiān 오랜 시간. 오랜 동안.

〔好本事〕 hǎoběnshì 명 우수한 기량. 훌륭한 솜씨.

〔好比〕 hǎobǐ 동 마치〔꼭, 예를 들면〕 …와 같다. ¶人生～航海一般; 인생은 마치 항해하는 것과 같다.

〔好不〕 hǎobù 부 대단히. 매우(이음절(二音節) 형용사 앞에 놓여 정도가 심함과 감탄의 어기(語氣)를 띠고 '多么'의 의미를 나타내며, '好'와 마찬가지로 긍정을 나타냄). ¶人来人去～热闹; 사람들의 왕래가 빈번하고 매우 번화하다 / ～快乐; 얼마나 유쾌한 일인가 / ～惨痛cǎntòng; 얼마나 참혹한지. 注 '好不'는 '好'와 대치(代置)할 수 있음. '好热闹'·'好不热闹'는 모두 '북적이다'라는 뜻. 그러나 '容易' 앞에 '好'·'好不'를 쓰면 모두 부정(否定)적인 뜻이 됨.

〔好不当儿地〕 hǎobudāngrde ⇨〔好不应儿地〕

〔好不过〕 hǎobuguò 형 매우 좋다. 훌륭하다.

〔好不容易〕 hǎoburóngyi 부 겨우. 가까스로. 간신히. ¶～做完了; 겨우 끝냈다 / 他～才追上那辆马车; 그는 가까스로 그 마차를 따라잡았다. 注 '好容易' 보다 다소 어세(語勢)가 강함. =〔好容易〕

〔好不应儿地〕 hǎobuyīngrde 까닭 없이. 공연히. 이유 없이. ¶～生什么气! 까닭 없이 왜 화를 내느냐! =〔好不当儿地〕

〔好彩〕 hǎocǎi 명부 다행(히). ¶～躲过了这场灾祸; 다행히도 이번 재난에서 벗어났다.

〔好彩气〕 hǎocǎiqì 명 행운. 좋은 운수.

〔好菜〕 hǎocài 명 좋은 반찬. 고급 요리. ¶家常便饭, 没什么～; 일상 먹는 식사여서 변변찮은 것입니다. 형 〈俗〉 졸렬하다. 서투르다. 형편없다.

〔好缠〕 hǎochán 형 ①상대하기 쉽다. 만만하다. ②사람이 좋다〔선하다〕. ‖ =〔好惹〕

〔好吃〕 hǎochī 형 맛있다. ¶吃着很～; 먹어 보니 아주 맛있다. ⇒hàochī

〔好仇〕 hǎochóu 명 〈文〉 좋은 적수. 호적수.

〔好处〕 hǎochǔ 형 ①사귀기 쉽다. 같이 잘 지낼 수 있다. ¶那个人～不～? 저 사람은 사귀기 쉬우냐? ②처리하기〔다루기〕 쉽다.

〔好处〕 hǎochu 명 ①이점(利點). 이익. ¶喝酒过量对身体没有～; 술은 양이 과하면 몸에 좋지 않다 / 这样做彼此都有～; 이렇게 하는 것이 피차에게도 유익하다. ②장점(長點). 좋은 점. ③호의. 은혜. 원조. ¶受了人家的～, 自然替人家说好话; 남의 은혜를 입으면 자연히 그 사람을 위해 좋은 말을 하게 된다.

〔好处费〕 hǎochùfèi 명 수고비. 사례금.

〔好大〕 hǎodà 형 대단히 크다. ¶～的月亮; 매우 커다란 달 / ～的架jià子; 대단한 자부심〔우월감〕. 부 매우. 대단히. ¶～地不乐意; 아주 마땅찮다.

〔好大半天儿〕 hǎodà bàntiānr 명 ⇨〔半天tiān②〕

〔好大胆子〕 hǎo dà dǎnzi 대단한 배짱이다. 담이 크다(찬탄하거나 놀릴 때 쓰임).

〔好大脸〕 hǎo dà liǎn 철면피다. 참으로 뻔뻔스럽다.

〔好歹〕 hǎodǎi 명 좋고 나쁨〔그름〕. 잘잘못. 시비. ¶不知～; 옳고 그름을 모르다 / 那时他十三岁, 已经懂得～了; 그 때 그는 열세 살로 벌써 철이 들어 있었다. 부 ①어쨌든. 좌우간. 하여간. ¶我～的也看出点来, 配尼西林真是不错! 하여튼 나로서는 페니실린이라는 것이 굉장한 것임을 알게 됐다! ‖ =〔好坏〕 ②되는대로. 적당히. ¶～的混着; 적당히 얼버무리다. ③어떻게든(해서). 이럭저럭. ¶～把胳膊治好了; 그럭저럭 팔을 고쳤다. =〔好赖〕

〔好歹(儿)〕 hǎodǎi(r) 명 (주로 목숨에 관해서) 위험. 만약의 사태(흔히, '如果'·'倘若'·'万一' 따위와 연용(連用)함). ¶倘若有个～, 回去了怎么交代? 만약 무슨 일이 있으면 돌아가서 무엇이라 말하지요?

〔好道儿〕 hǎodàor 명 좋은 행위. 좋은 길〔도리〕. ¶耍shuǎ钱不是～; 도박은 좋은 일이 아니다.

〔好得〕 hǎodé 부 〈方〉 다행히. ¶～救了那个小孩子; 다행히도 그 아이를 구했다. =〔好在〕

〔好的〕 hǎode ①좋다('好' 보다 단정적). ¶～～, 我听你的话! 그래 좋다, 네 말을 들으마! ② 명 좋은 것〔일〕.

〔好弟兄劝算账〕 hǎodìxiong quàn suànzhàng 〈諺〉 형제 사이라도 금전 문제는 분명히 해라.

〔好端端(的)〕 hǎoduānduān(de) 형 평온 무사하다. 나무랄 데 없다. 멀쩡하다. ¶～的人, 一霎时便染上急病; 멀쩡하던 사람이 갑자기 급병(急病)에 걸렸다. =〔好好儿(的)〕〔好好儿(地)〕 부 까닭 없이. 공연히. ¶～的, 你垂头丧气的嗐hài什么? 너 왜 까닭 없이 기가 죽어 고개를 떨구고 한숨을 쉬는 거야?

〔好多〕 hǎoduō 형 대단히 많다. ¶～人; 대단히 많은 사람. 대 〈方〉 몇. 얼마. ¶客人有～? 손님은 몇 사람입니까?

〔好风水〕 hǎofēngshuǐ 명 좋은 지상(地相). 명당(明堂) 자리. →〔风水〕

〔好感〕 hǎogǎn 명 호감. ¶有了～; 호감을 가지다 / 他对音乐没有什么～; 그는 음악에 대해 아무런 호감도 가지고 있지 않다.

〔好个〕 hǎoge 형 꼭 알맞다. 잘 어울리다(반어(反語)에 쓰임). ¶～正人君子! 老做坏事; 과연 훌륭한 성인 군자로군! 변변찮은 짓만 하니.

〔好官〕 hǎoguān 명 ①좋은 관직. ②좋은 관리.

〔好果〕 hǎoguǒ 명 좋은 결과. 좋은 성과.

〔好过〕 hǎoguò 형 ①생활이 풍족하다. 생활이 편하다. ¶她家现在～多了; 그녀의 집은 지금은 생활이 많이 나아졌다. ②쾌적하다. 편하다. ¶他吃了药, 觉得～一点儿了; 그는 약을 먹으니 좀 나아진 것같이 느껴졌다. =〔好受〕 ③순조롭다. ¶俄国的日子越来越不～; 러시아의 정세는〔입장은〕

점점 불리해진다.
〔好海〕 hǎohǎi 명 조용한 바다. ¶今天又是个～, 准还能满舱; 오늘도 또 풍어(豊魚)여서 틀림없이 저장실이 가득 찰 것이다.
〔好汉〕 hǎohàn 명 (의협심이 있는) 훌륭한 사나이. 호한. ¶英雄～; 영웅 호걸 / ～架不住人多; 〈諺〉 호한(好漢)도 많은 사람한테는 당해 낼 수 없다《중과부적(衆寡不敵)》 / ～不吃眼前亏; 〈諺〉 호한은 뻔한 재난은 피해 간다《그럴 줄 알면서 손해를 보는 것은 바보다》.
〔好汉不使昧心钱〕 hǎohàn bùshǐ mèixīnqián 〈諺〉 대장부는 양심에 걸리는 돈을 쓰지 않는다.
〔好汉不说当年勇〕 hǎohàn bùshuō dāngniányǒng 〈諺〉 사내 대장부는 자기의 과거를 자랑하지 않는다《'说'는 '夸kuā'라고도 함》.
〔好汉哪怕出身低〕 hǎohàn nǎpà chūshēn dī 〈諺〉 사내 대장부는 출신에 구애되지 않는다.
〔好汉一言, 快马一鞭〕 hǎohàn yīyán, kuàimǎ yībiān 〈諺〉 사내 대장부는 말 한 마디면 충분하고, 준마(駿馬)는 채찍 한 번으로 족하다. 남아일언은 중천금이다. ¶咱们是～; 한 마디로 결정하다.
〔好汉只怕病来磨〕 hǎohàn zhǐpà bìngláimó 〈諺〉 사내 대장부도 병만은 두려워한다.
〔好汉做, 好汉当〕 hǎohànzuò, hǎohàndāng 〈諺〉 대장부는 자기가 한 일은 자신이 책임을 진다. =〔好汉做事, 好汉当〕
〔好好儿(的)〕 hǎohāor(de) 형 ①좋다. 적당하다. 문제 없다. 훌륭하다. 더할 수 없다. ¶～人; 아주 좋은 사 람 / ～的一支笔, 叫他给弄折了; 성한 연필을 그가 부러뜨려 버렸다 / ～的怎么哭起来啦? 아무 일도 아닌데 왜 울기 시작했지? ②경솔〔소홀〕하지 않다. 유루 없다. ¶～办; 유루 없이 잘 하다 / ～拿着; 잘 가지고 있어야 한다. 부 충분히. 곰곰이. 잘. ¶我真得～谢谢他; 나는 정말이지 그에게 충분한 사례의 말을 해야만 한다 / 咱们～地玩儿几天吧; 우리 며칠 동안 실컷 노세! / 你～地想一想吧! 잘 생각해 보아라!
〔好好先生〕 hǎohǎo xiānsheng 무골 호인《깎아내릴 때도 쓰임》.
〔好好学习, 天天向上〕 hǎohǎo xuéxi, tiāntiān xiàngshàng 잘 배워서 하루하루 향상하다.
〔好喝〕 hǎohē 형 ①(음료수 따위가) 맛있다. ¶这个茶很～; 이 차는 아주 맛이 있다. ②마시기 쉽다. ⇒hàohē
〔好虎架不住一群狼〕 hǎohǔ jiàbuzhù yīqún láng 〈諺〉 중과부적. 적은 수효가 많은 수효를 대적하지 못하다. →〔寡guǎ不敌众〕
〔好户头〕 hǎohùtóu 명 돈을 잘 쓰는 유흥객.
〔好花也得绿叶扶〕 hǎohuā yěděi lǜyèfú 〈諺〉 고운 꽃도 푸른 잎이 받쳐 주어야 돋보인다《아무리 위대한 사람이라도 남의 도움 없이는 성공하지 못한다》.
〔好话〕 hǎohuà 명 ①달콤한 말. 칭찬. ②좋은〔유익한〕 이야기〔말〕. ¶～别记犯猜, 犯猜没～; 〈諺〉 좋은 이야기는 의심치 마라, 의심하면 좋은 이야기는 없다 / ～不背bèi人, 背人无～; 〈諺〉 좋은 이야기는 남에게 감추지 않는다, 숨기는 이야기에 변변한 것은 없느니 / ～三遍连狗也嫌; 〈諺〉 좋은 말도 거듭되면 개조차 싫어한다 / ～不出门, 坏话一溜风; 〈諺〉 좋은 말은 나돌지 않지만, 나쁜 말은 곧 세상에 퍼진다. ③옳은 말. ¶～! 那还用说吗? 옳은 말이야, 두말할 필요 있나?
〔好坏〕 hǎohuài 명 좋고 나쁨. 양부(良否). 부 어쨌든. 좌우간. ‖ =〔好歹〕
〔好活儿〕 hǎohuór 명 ①좋은 일. ②잘 만들어진 물건.
〔好货〕 hǎohuò 명 ①좋은 물건. ¶～不贱, 贱货不好; 〈諺〉 좋은 물건은 비싸고, 값싼 물건은 나쁘다《싼 것이 비지떡》. ②좋은 사람. 좋은 녀석.
〔好机会〕 hǎojīhui 명 〈文〉 찬스. 좋은 기회. =〔好机〕〔巧机〕〔巧qiǎo机会〕
〔好鸡不跟狗斗, 好男不跟女斗〕 hǎojī bùgēngǒudòu, hǎonán bùgēnnǚdòu 〈諺〉 좋은 닭은 개와 싸우지 않고 훌륭한 남자는 부녀자와 다투지 않는다.
〔好极了〕 hǎojíle 매우 좋다. 무척 좋다. ¶天气～; 아주 좋은 날씨다.
〔好家伙〕 hǎojiāhuo 감 ①(농조로) 요놈의 자식. 지독한 녀석(같으니). ¶～, 你也敢吗? 자식, 너도 하겠니? ②야. 이거. 아 참《놀라거나 감탄·칭찬 등을 나타낼 때 내는 소리》. ¶～! 可吓死我了; 야! 놀랐잖아 / ～, 你们怎么干得这么快呀! 야, 어떻게 이렇게 빨리 하니!
〔好借好还, 再借不难〕 hǎojiè hǎohuán, zàijiè bùnán 〈諺〉 빌렸으면 잘 갚아야지 또 빌리기가 쉽다. →〔勤qín借勤还〕
〔好劲〕 hǎojìn 형 대단하다. 지독하다《놀라서 하는 말》. 명 적당한 시기〔때〕《반대의 뜻으로도 쓰임》. ¶～天气; ⓐ춥지도 덥지도 흐리지도 않은 좋은 날씨. ⓑ너무 춥거나 덥거나 계속 흐리거나 하는 등의 날씨.
〔好景〕 hǎojǐng 명 좋은 경기. 호경기. =〔好况〕
〔好景不常〕 hǎo jǐng bù cháng 〈成〉 언제나 좋은 일만 있는 것은 아니다. =〔好景不长〕〔好景不再〕
〔好久〕 hǎojiǔ 부 오랫동안. ¶～不见了! 오랜만입니다!
〔好局面〕 hǎojúmiàn 명 좋은 장면. 형 〈轉〉 보기가 좋다.
〔好聚好散〕 hǎo jù hǎo sàn 〈成〉 유쾌하게 모였다가 유쾌하게 헤어지다.
〔好角儿〕 hǎojuér 명 좋은 배우. 유명한 배우. 명배우.
〔好脚色〕 hǎojuése 명 ①명배우. ②〈轉〉 빈틈없는 사람. 재능도 있고 책임감도 강한 사람. =〔好人物〕〔好角色〕
〔好俊〕 hǎojùn 형 ①우수하다. 훌륭하다. ¶～东西; 좋은 물건. ②(반어(反語)적으로) 지독하다. 나쁘다. ¶～模样儿; 지독히 못난 얼굴.
〔好看〕 hǎokàn 형 ①(사람이나 물건이) 아름답다. 예쁘다. 보기에 좋다. ¶要～; 모양을 좋게 하려고 하다 / 你看, 那些花儿很～; 봐, 저 꽃들이 너무 예쁘다 / 那个小姐真～; 저 아가씨는 정말 예쁘다. →〔漂piào亮〕 ②체면이 서다. 당당하다. 명예롭다. ¶儿子立了功, 做娘的脸上也～; 아들이 공을 세워서 어머니도 떳떳하다. ③창피를 당하다. 망신당하다. 웃음거리가 되다. ¶你让我上台表演, 这不是要我的～吗? 네가 나를 무대에 세우는 것은 나에게 창피를 주려는 짓이 아니냐? ④재미있다. ¶这部电影很～; 이 영화는 아주 재미있다.
〔好况〕 hǎokuàng 명 호경기. =〔好景〕
〔好来〕 hǎolái 오기 쉽다. 쉽게 손에 넣다. ¶钱没有～, 就没有好花; 돈이란 쉽게 손에 들어온 것이 아니면 쉽사리 쓸 수 없다.
〔好来路〕 hǎoláilu 명 ①좋은 출신. =〔好路数〕 ②좋은 구입〔매입〕처.
〔好莱坞〕 Hǎoláiwū 명 《地》 〈音〉 헐리우드(Holly-

wood).
〔好赖〕 hǎolài 부 ⇨〔好歹dǎi③〕
〔好老〕 hǎolǎo 명 명배우(중국 전통극의 분장실에서 쓰이는 말).
〔好了伤疤忘了疼〕 hǎole shāngba wàngle téng 〈諺〉 개구리 올챙이 적 생각을 못한다. =〔好了疤瘌bāla忘了疼〕〔好了疙瘩gēda忘了疼〕〔好了疮疤chuāngba忘了疼〕
〔好利落〕 hǎolìluo 동 (병이) 아주 완전히 좋아지다〔낫다〕. 완쾌하다. ¶病～了; 병이 완전히 좋아졌다.
〔好料〕 hǎoliào 명 좋은 재료.
〔好邻胜远亲〕 hǎolín shèng yuǎnqīn 〈諺〉 먼 친척보다 가까운 이웃이 낫다. 이웃 사촌. =〔远亲不如近邻〕
〔好路数〕 hǎolùshù 명 ①좋은 방식〔수법〕. ②좋은 출신. ¶他们不是～; 그들은 출신이 좋지 않다. =〔好来路〕
〔好马不吃回头草〕 hǎomǎ bùchī huítóu cǎo 〈諺〉 좋은 말은 되돌아와서 풀을 먹지 않는다(①뛰어난 인물은 지난 일에 연연해하지 않는다. ②정숙한 여자는 재혼하지 않는다).
〔好么〕 hǎoma ①좋으냐? ②좋다! 그래! ¶～, 你打我! 좋다, 네가 나를 쳤겠다!/～! 你居然也反对起我来了; 그래! 너까지 나를 반대하기냐.
〔好苗子〕 hǎo miáozi ①좋은 모종. ②〈轉〉 좋은 후계자.
〔好妙〕 hǎomiào 형 안성맞춤이다. 절묘(絶妙)하다.
〔好妙算〕 hǎomiàosuàn 명 묘책. 묘계(妙計).
〔好名〕 hǎomíng 명 좋은 이름. 명성(名聲). 좋은 평판.
〔好模当样儿〕 hǎomú dāngyàngr 부 이유 없이. 아무것도 아닌데.
〔好模好样儿地〕 hǎomú hǎoyàngrde 부 잘. 똑바로. ¶你～坐着吧; 너, 똑바로 앉아라.
〔好模样儿地〕 hǎomúyàngrde 부 ①일부러. 고의로. ¶谁～造这谣言吹这风儿呢? 누가 일부러 이런 거짓말을 퍼뜨리고 다녔을까? ②이유도 없이. 갑자기. ¶～说出这样儿的话来干什么? 갑자기 이런 이야기를 꺼내어 무엇을 어쩌자는 거지? →〔平píng白无故地〕
〔好耐晒〕 hǎonàishài 명 〖染〗 불변색 직접 염료(染料). ¶～棕; 불변 직접 브라운.
〔好男〕 hǎonán 명 〈文〉 ①미남자. ②훌륭한 남자.
〔好男不吃油水饭〕 hǎonán bùchī yóushuǐ fàn 〈諺〉 훌륭한 남자는 음식점에서 일하지 않는다(직업에 따라서 사람을 차별했던 예전의 속담).
〔好脾气〕 hǎopíqi ①동 좋은 성품이다. ②(hǎo píqi) 좋은 성품〔천성〕. ③(hǎo píqi) 매우 좋은 기분. ¶碰上他～的时候再提吧! 그 사람이 기분이 좋을 때 (이 문제를) 다시 한 번 꺼내 보시오!
〔好评〕 hǎopíng 명 호평. 좋은 평판.
〔好婆〕 hǎopó 명 ①외조모. =〔外祖母〕 ②아주머니(중년 부인에 대한 호칭).
〔好气〕 hǎoqì 동 〈南方〉 울화가 치밀다. 부아가 나다. 아니꼽다. ¶你说～不～! 울화통이 터지지 않겠느냐! =〔可气〕
〔好气儿〕 hǎoqìr 〈口〉 명 ①(흔히 부정(否定)으로) 좋은 기분〔기색〕. ¶老头儿看见别人浪费财物, 就没有～; 할아버지는 남이 재물을 낭비하는 것을 보면 기분이 언짢다. ②호의(好意). 호감. ¶得到人家的～; 남의 호감을 사다. 동 화가 나다. ¶又～又好笑; 화가 나기도 하고 우습기도 하다.
〔好钱活〕 hǎoqiánhuó 임금이 비싼 일.
〔好强〕 hǎoqiáng 형 매우 세다. ⇒hàoqiáng
〔好俏〕 hǎoqiào 형 아름답다. 멋있다.
〔好球〕 hǎoqiú 〖體〗 ①명 (야구의) 스트라이크. ¶外角～; 외각 스트라이크/内角～; 내각 스트라이크. ②명 (테니스·배구의) 인사이드 볼. ③나이스 플레이! 나이스 볼!(칭찬의 말).
〔好缺〕 hǎoquē 명 공석(空席) 중인 좋은 자리〔직업〕. 형 아주 부덕(不德)하다. 매우 괘씸하다. ¶你这个人～家伙, 竟干害人的事; 이놈, 참 괘씸한 놈이구나, 남을 해치는 일만 저지르고.
〔好儿〕 hǎor 명 ①은혜. ②호의. 경의(敬意). 안부. ¶给他带个～去; 그분에게 안부를 전해 주십시오/讨～; 비위를 맞추다. ③좋은 일.
〔好惹〕 hǎorě 형 ①상대하기 쉽다. 다루기 쉽다(흔히 부정(否定)으로 씀). ¶三天两头领着穷哥们闹事, 可不是～的; 사흘이 멀다 하고 가난한 동료들의 선두에 서서 소란을 피우니 정말 상대하기 힘들다. ②사람이 좋다〔선하다〕 ‖ =〔好缠〕
〔好人〕 hǎorén 명 ①좋은 사람. 선인. 훌륭한 사람. ¶他可是个～, ～里挑出来的; 그는 선인의 부류에서 제외당한 선인이다. ②호인(好人). ③건강한 사람.
〔好人家(儿)〕 hǎorénjiā(r) 명 ①집안이 좋은 사람. 신원이 확실한 사람. ②좋은 집안. 양가(良家). ¶～的姑娘; 양가의 규수.
〔好人物〕 hǎorénwu 명 ⇨〔好脚色②〕
〔好人主义〕 hǎorén zhǔyì 명 호인주의. 무사 안일주의.
〔好人做到底〕 hǎorén zuò dàodǐ 〈諺〉 좋은 사람이 되려면 끝까지 좋은 사람이 되어라. 남을 도와 주려면 끝까지 도와 주어라.
〔好日子〕 hǎorìzi 명 ①길일(吉日). ②좋은 날(생일·결혼식 등). ¶明天是他们俩的～, 咱们一块儿去道喜; 내일은 저 두 사람의 결혼식이니, 같이 축하하러 가자. ③행복한 생활. ¶解放后人人过着～; 해방 후에는 누구나 행복한 생활을 하고 있다. ④좋은 날씨.
〔好容易〕 hǎoróngyi 부 가까스로. 간신히. 겨우. ¶我跟着我妈东奔西逃, ～在辽阳租了一间破房子住下来; 나는 어머니와 여기저기 도망다닌 끝에, 간신히 랴오양(遼陽)에서 한 채의 낡은 집을 빌려 정착했다. =〔好不容易〕
〔好上加好〕 hǎo shàng jiā hǎo 〈成〉 더할 나위 없이 좋다. 금상첨화.
〔好身手〕 hǎoshēnshǒu 명 ①강건하고 위세가 당당한 사람. ②무술이나 완력·운동 경기에 뛰어난 기술이있는 사람.
〔好生〕 hǎoshēng 부 ①〈方〉 충분히. 잘. ¶有话～说; 할 말이 있으면 분명히 말해라/没～睡; 충분히 자지 못했다. ②〈古白〉 몹시. 매우. ¶～奇怪; 매우 이상하다/这个人～面熟; 이 사람은 매우 낯이 익다. ⇒hàoshēng
〔好生生〕 hǎoshēngshēng 훌륭하다. 깔끔〔말쑥〕하다.
〔好声好气〕 hǎoshēng hǎoqì 〈口〉 말투가 부드럽고 태도가 온화하다.
〔好使〕 hǎoshǐ 형 ①쓰기에 편리하다. 사용에 적합하다. ¶这支金笔～; 이 만년필은 쓰기에 편리하다. ②좋다. (머리 따위가) 잘 돌다. ¶周忠这个人年纪大, 脑袋～; 주충(周忠)이란 사람은 나이는 먹었어도 두뇌가 명석하다.
〔好事〕 hǎoshì 명 ①좋은 일. 이로운 일. ②스님

을 불러 재(齋)를 올리는 것. ③자선(慈善) 사업. ④경사(慶事). ⇒hàoshì

〔好事不出门, 恶事传千里〕 hǎoshì bù chū mén, èshì chuán qiānlǐ 〈諺〉 좋은 일은 쉽게 드러나지 않고, 나쁜 일은 금방 천 리 밖까지 퍼진다. =〔好事不出门, 坏事行千里〕

〔好事多魔〕 hǎo shì duō mó 〈成〉 호사다마. 좋은 일에는 방해가 많기 마련이다. =〔好事多磨〕

〔好手(儿)〕 hǎoshǒu(r) 명 명수(名手). 솜씨가 좋은 사람. 수완가. ¶他种地是～; 그는 농사 솜씨가 좋은 농부이다 / 他是做买卖的～; 그는 뛰어난 장사꾼이다.

〔好受〕 hǎoshòu 형 ①쾌적(快適)하다. 편하다. ¶白天太热, 夜里还～; 낮에는 몹시 덥지만 밤에는 견딜 만하다. ②마음이 편하다. 즐겁다.

〔好水〕 hǎoshuǐ 명 위험이 없는 수역(水域). ¶船进～; 배가 위험 수역에서〔을〕 벗어났다.

〔好说〕 hǎoshuō ①〈套〉 천만의 말씀입니다. ¶～, 您太夸奖了! 천만에요, 과찬이십니다! / 叫你受累!～～! 수고하셨습니다! 천만에요! ②아무렇지 않다. ¶自己的东西弄湿了还～; 자기의 것을 적셔 버린대도 아무렇지 않지만…. ③형 순조롭다. ¶什么也～话; 모든 일이 순조롭다. ④형 말하기 쉽다. 상의하기 쉽다. ¶你要买这件东西, 价钱～; 선생께서 이 물건을 사 주신다면, 가격에 대해서는 상담의 여지가 있습니다.

〔好说歹说〕 hǎo shuō dǎi shuō 〈成〉 이런 말 저런 말로 권고〔부탁〕하다. ¶我～, 他总算答应了; 내가 이런 말 저런 말로 사정을 해서, 그는 겨우 승낙했다.

〔好说好理儿〕 hǎoshuō hǎolǐr 온화한 태도로 시비를 논하다.

〔好说话儿〕 hǎoshuōhuàr (성격이 좋아) 말을 붙이거나 대하기가 쉽다. ¶他～, 人家懒得不能按期完成, 他还去帮忙叫他按期完成; 그는 사람이 좋아, 당사자가 게을러서 기한에 대지 못하는 일을 도와서 기한 내에 대주었다.

〔好死〕 hǎosǐ 동 천수(天壽)를 다하고 죽다. ¶不是～的; 비명횡사하다. =〔善shàn死〕

〔好死不如癞活着〕 hǎosǐ bùrú làihuózhe 〈諺〉 훌륭히 죽는 것보다는 비참해도 살아 있는 것이 낫다《죽은 정승이 산 개만 못하다》.

〔好似〕 hǎosì 동 〈文〉 …과 비슷하다. 마치 …같다. ¶～夏天的样子; 흡사 여름과 같다. →〔好像〕

〔好天儿〕 hǎotiānr 명 청천(晴天). 좋은 날씨.

〔好听〕 hǎotīng 형 듣기 좋다. 귀로 들어 재미있다〔즐겁다〕. ¶这个音乐很～; 이 음악은 매우 듣기 좋다 / 他对人说～的话; 그는 남에게 듣기 좋은 말을 한다.

〔好玩(儿)〕 hǎowán(r) 형 재미있다. 흥미가 있다. ¶猴子是～的; 원숭이는 재미있다 / 这个玩具真～; 이 장난감은 정말 재미있다. ⇒hàowán(r)

〔好玩意(儿)〕 hǎowányì(r) 명 좋은 것. ¶没啥～, 多吃点吧; 아무것도(좋은 것이) 없습니다만, 많이 드십시오. =〔好玩艺(儿)〕

〔好望角〕 Hǎowàngjiǎo 명 《地》 희망봉(喜望峰) 《아프리카 남단》.

〔好闻〕 hǎowén 형 냄새가 좋다. 향기롭다. ¶这瓶酒～; 이 병 속의 술은 매우 향기롭다.

〔好戏〕 hǎoxì 명 ①좋은 연극〔연기〕. ②(풍자의 뜻으로) 대단히 대단히 재미있는 것. ¶这回可有～看了; 이번에는 대단히 재미있는 것을 볼 수 있을 것이다.

〔好像〕 hǎoxiàng 동 흡사〔마치〕 …과 같다《흔히 '一样'·'一般'·'似的'와 연용(連用)함》. ¶他的长相～他哥哥; 그의 얼굴 생김새는 형님을 꼭 닮았다 / ～春天一般地暖和; 마치 봄날처럼 따뜻하다 / 他们俩一见面就～是多年的老朋友; 그들 두 사람은 초면인데도 마치 오래 사귄 옛 친구인 것 같다 / 静悄悄的, ～屋子里没有人似的; 쥐죽은 듯 고요해서, 마치 방 안엔 아무도 없는 것 같다.

〔好小意〕 hǎoxiǎoyì 동정심〔인정〕이 많다. ¶你们这位老师～啊, 亲身来教你; 너의 선생님은 인정이 많구나, 일부러 너를 가르치려고 오셨단다.

〔好小子〕 hǎoxiǎozi 명 ①젊은이《젊은 사람을 친근하게 부르는 말》. ②〈罵〉 이놈. 어린놈《젊은 사람을 매도하는 말》. ¶～, 你往哪儿跑; 이놈, 어디로 도망가느냐(놓치지 않는다).

〔好笑〕 hǎoxiào 형 우습다. 가소롭다. ¶那时候的张皇的样子, 想起来自己也～; 그 때의 당황한 꼴이란, 내가 생각해도 우습기 짝이 없다. =〔可笑〕 ⇒hàoxiào

〔好些〕 hǎoxiē ①(～儿) 조금 낫다. 비교적 좋다. ¶这比那～; 이것은 저것보다 조금 낫다. ②매우 많은. 대단히 많은. ¶～(个)人; 아주 많은 사람 / ～日子; 오랜 시간. 며칠이나.

〔好鞋不踏臭狗屎〕 hǎoxié bùtà chòugǒushǐ 〈諺〉 좋은 신을 신고는 구린내 나는 개똥은 밟지 않는다《품격(品格)이 손상되므로 좋은 사람은 나쁜 사람과 상종하지 않는다》.

〔好心〕 hǎoxīn 명 선의(善意). 호의(好意). 친절한 마음. ¶～没好意; 호의가 헛되다. 호의가 오히려 오해를 사다.

〔好性儿〕 hǎoxìngr 형 성질이 좋다. 명 온화한 기질.

〔好言〕 hǎoyán 명 좋은 말. ¶～劝解; 교묘한 말로 달래다.

〔好样儿的〕 hǎoyàngrde 명 〈口〉 ①기골이 있는 사람. ¶是～, 跟我一起冲上去; 배짱이 있으면 나와 함께 쳐들어가자. ②좋은 본보기(가 되는 사람). 모범적인 사람. ¶你真是我们～; 당신은 정말 우리들의 좋은 본보기입니다. 형 성실하다. 착실하다. ¶～人家; 성실한 생활을 하고 있는 사람들. ⇒hàoyàngr

〔好意〕 hǎoyì 명 호의. 선의. 친절. ¶你别辜负他这番～; 너는 그의 이 호의를 헛되이 하지 마라. →〔善shàn意〕

〔好意思〕 hǎoyìsi 태연(히). 뻔뻔스럽게. 부끄러움도 없이《흔히 힐문(詰問)할 때, 또는 '不～'로서 쓰임》. ¶亏他还～说呢! 정말 뻔뻔스럽게도 그런 말을 하다니!

〔好音〕 hǎoyīn 명 〈文〉 좋은 소식.

〔好用〕 hǎoyòng 형 사용하기 좋다. 쓰기에 편하다. ¶不～; 사용하기 불편하다.

〔好友〕 hǎoyǒu 명 친한 친구. →〔老lǎo朋友〕

〔好运〕 hǎoyùn 명 행운.

〔好在〕 hǎozài 부 다행히. 마침. 계제〔운〕 좋게. ¶我有空再来, ～离这儿不远; 틈이 있으면 또 오겠습니다, 다행히 여기서 멀지 않으니까요 / ～今天天气好; 다행히 오늘은 날씨가 좋다. =〔好得〕

〔好造化〕 hǎozàohuà 명 행운. ¶真是～; 정말로 행운이십니다.

〔好主意〕 hǎozhǔyi 명 좋은 생각. 묘안(妙案).

〔好转〕 hǎozhuǎn 명동 호전(되다). ¶贸易的情况开始～; 무역 사정이 호전되기 시작하였다 / 他的病还不见～; 그의 병세는 아직 호전의 기미가 보이지 않는다.

〔好走〕 hǎozǒu ①형 걷기 좋다. (길이) 좋다. ¶一下雨道路就不～了; 비만 오면 길이 나빠진다. ②〈套〉 안녕히 가십시오.

〔好嘴〕 hǎozuǐ 명 능변(能辯). 말재간꾼. ¶十个人也说不过他一个人, 真是天生一张～; 열 명이 맞서도 그의 말에는 당하지 못한다. 정말 타고난 말재간꾼이다.

郝 hǎo (학)
①명 성(姓)의 하나. ②지명용 자(字).

号(號) hào (호)
①명 명칭. 이름. ¶国～; 국호/牌～; ⓐ가게 이름. ⓑ상표. ②명 상점. 가게. ¶商～; 상점/银～; 은행/宝～; 귀점/本～; 당점(當店)/分～; 지점. ③명 (사람의) 호. ¶孔明是诸葛亮的～; 공명(孔明)은 제갈량(諸葛亮)의 호이다. ④(～儿) 명 기호. 표지. 신호. ¶暗～; 암호/信～; 신호/问～(儿); 의문 부호/加减～; 플러스·마이너스 부호/击掌为～ 손뼉 치는 것을 신호로 하다. ⑤명 차례. 번호. 순서. ¶挂～; 번호를 등록하다. 등기 우편으로 하다/编～; ⓐ번호를 붙이다. ⓑ일련 번호. ⑥(～儿) 명 등급의 표시. 사이즈. ¶大～; 대형 사이즈/五～铅字; 5호 활자. ⑦(～儿) 명 순서를 표시함(대부분 숫자의 뒤에 쓰임). ㉠일반적인 것. ¶门牌二～; 번지가 2호이다/第三～简报; 3호 속보. ㉡날짜를 가리킴. ¶五月一～是国际劳动节; 5월 1일은 국제 노동절이다. ⑧양 ㉠사람 수를 세는 말. ¶今天有一百多～人出工; 오늘은 백여 명이 작업에 나왔다. ㉡상거래의〔일이 성립된〕 횟수를 세는 말. ¶一会儿工夫就做了几～买卖; 잠깐 동안에 상거래가 몇 건 있었다. ㉢사람이나 사물을 경멸해서 하는 말. ¶他那～人; 저 따위 녀석. 그런 유(類)의 인간/那～坏事情; 저런 나쁜 일/我这～人骨头烧成灰也不能向敌人低头; 나 같은 종류의 인간은 뼈를 태워 재를 만든다 해도, 적에게 고개를 숙이지는 않는다. ⑨동 번호를 매기다. 기호를 표시하다. ¶把这件东西～上; 이 물건에 번호를 매기다/～房子; 가옥에 번호를 매기다. ⑩명 사고 인원. ¶病～; 환자. 병으로 인한 결근자/伤～; 부상자. ⑪동《漢醫》 맥을 짚다. 진맥하다. ¶他给病人～着脉; 그는 병자의 맥을 보고 있다. ⑫명 호령. 명령. ¶发～施令; 명령을 내리다. ⑬→〔号筒〕 ⑭명 군대나 악대에서 사용하는 서양식 나팔. ¶吹～; 나팔을 불다. ⑮명 신호 나팔. 나팔에 의한 신호. ¶起床～; 기상 나팔/集合～; 집합 나팔/冲锋～; 돌격 나팔. ⑯동 머리에 인상이 새겨지다. ¶脑子里～上了, 几时也擦不掉; 머리에 인상 깊이 새겨져, 언제까지나 잊혀지지 않다. ⑰동 접수하다. ¶军队来～房子; 군대가 몰려와서 가옥을 접수하다. ⇒háo

〔号标〕 hàobiāo 명 푯대. 신호로 세우는 기둥.

〔号兵〕 hàobīng 명 (군대의) 나팔수. =〔号手〕

〔号称〕 hàochēng 동 ①…라고 불려지다. ¶四川, 一向～天府之国; 쓰촨 성(四川省)은 옛날부터 천부(天府)의 땅이라고 불린다. ②명목상으로 불려지다〔알려지다〕. ¶曹操进攻东吴时, ～水陆大军八十万, 其实不过十五万人; 조조가 오나라를 공격할 때 수·륙 80만 대군이라 알려졌으나, 실상 15만 명에 불과했다.

〔号单〕 hàodān 명 경품권 등의 번호 쪽지.

〔号灯〕 hàodēng 명 신호등.

〔号房(儿)〕 hàofáng(r) 명 ①(옛날 관청 등의) 접수실(접수원). 전달실(전달인). ②보초병이 있는 곳. ‖=〔号舍shè〕

〔号鼓〕 hàogǔ 명 신호용 북.

〔号规〕 hàoguī 명 ⇨〔线xiàn规〕

〔号记〕 hàojì 명 신호. 번호.

〔号角〕 hàojiǎo 명 (옛날, 군대에서 신호로 사용한) 호각. 뿔피리. →〔号筒〕

〔号坎(儿)〕 hàokǎn(r) 명 (옛날 옷 위에 입었던) 번호가 달린 일종의 조끼《청소부·인력거꾼 등의 노동자가 입었음》.

〔号铃索〕 hàolíngsuǒ 명 (전차 등의) 신호줄.

〔号令〕 hàolìng 명동 호령(하다). ¶发布～; 호령을 발포하다/～三军; 삼군을 호령하다.

〔号码(儿)〕 hàomǎ(r) 명 ①숫자. ②중국의 특수한 숫자로 '苏州码字'·'码字'라고도 하며, 상업용에 쓰이는 것《〡〢〣〤〥〦〧〨〩十》. ③번호. ¶电话～; 전화 번호/～机 =〔～机器〕; 번호 인쇄기. 넘버링/拨～; 다이얼을 돌리다. ④치수. 사이즈. ¶鞋子的～; 구두의 치수.

〔号码簿〕 hàomǎbù 명 번호부. ¶电话～ =〔电话号码本〕; 전화 번호부.

〔号脉〕 hào∙mài 동 맥을 보다. 진맥하다. =〔诊脉〕

〔号牌(儿)〕 hàopái(r) 명 번호패. 번호표.

〔号炮〕 hàopào 명 호포. 신호용 포.

〔号票账〕 hàopiàozhàng 명 상품의 현금 판매 장부.

〔号旗〕 hàoqí 명 신호기. ¶打～; 신호기를 흔들다. 수기(手旗) 신호를 보내다.

〔号上〕 hàoshang 동 ①번호를 매기다. ②표기하다. ¶在外头～药名; 밖에 약명을 표기하다.

〔号声〕 hàoshēng 명 나팔 소리. ¶冲锋～; 돌격 나팔 소리.

〔号手〕 hàoshǒu 명 ⇨〔号兵〕

〔号数(儿)〕 hàoshù(r) 명 ①호수. 번호. ②《紡》(실의) 번수.

〔号条〕 hàotiáo 명 번호표.

〔号筒〕 hàotǒng 명 ①(옛날, 군용(軍用))의 신호 나팔. →〔号角〕 ②메가폰. →〔话huà筒③〕〔军jūn号〕

〔号头(儿)〕 hàotóu(r) 명 ①번호. ¶写～; 번호를 쓰다. 등기하다. ②기호. ③직공의 우두머리. =〔工gōng头〕 ④〈吳〉 달. ¶两个～; 2개월.

〔号外〕 hàowài 명 (신문의) 호외.

〔号衣〕 hàoyī 명 번호 달린 군복. ¶～津贴jīntiē; 군의 피복 수당.

〔号章〕 hàozhāng 명 번호가 찍힌 기장(記章).

〔号召〕 hàozhào 동 소리를 질러 부르다〔불러모으다〕. 호소하다. 명 부름. 호소. ¶响应～; 부름에 호응하다.

〔号召作用〕 hàozhào zuòyòng 명 사람을 끌어당기는 작용. 선전 효과.

〔号照〕 hàozhào 명 증명서. 등록 증서.

〔号志灯〕 hàozhìdēng 명 (철도에서 쓰는 휴대용) 신호등.

〔号钟〕 hàozhōng 명 신호용 종.

〔号主〕 hàozhǔ 명 상점 주인.

〔号子〕 hàozi 명 ①〈方〉 마크. 기호(記號). ②종류. 사항(事項) 따위. ¶这～事; 이 사건. ③(여럿이 노동할 때에) 장단을 맞추기 위해 지르는 소리. 앞소리. 메김 소리. ④유치장. 감옥. ⑤나팔. ¶吹～; 나팔을 불다.

好 hào (호)
①동 좋아하다. 즐기다《'喜欢'·'爱'보다 딱딱한 표현》. ¶～学; 학문을 즐기다/～名

利; 명리를 좋아하다 / ～打; 싸우기를 좋아하다 / ～摆bǎi架子; 허영꾼 / ～打扮; ⇩ / 他这个人～表现自己; 그 사람은 자기를 과시하기를 좋아한다. ② 부 툭하면. 곧잘. 쉽게. ¶刚会骑车的人～摔交; 자전거를 배워 갓 타게 된 사람은 잘 넘어진다 / 这孩子不～哭; 이 아이는 별로 울지 않는다. ⇒hǎo

〔好吃〕 hàochī 동 먹기를 좋아하다. ¶～萝卜的不吃梨; 〈諺〉 무를 좋아하는 사람은 배를 먹지 않는다《오이를 거꾸로 먹어도 제멋》. ⇒hǎochī

〔好吃懒做〕 hào chī lǎn zuò 〈成〉 먹는 것만 좋아하고 게을러 일하기 싫어하다.

〔好打扮〕 hàodǎbàn 동 몸치장하기를 좋아하다. 멋을 부리고 싶어하다.

〔好大喜功〕 hào dà xǐ gōng 〈成〉 ①오로지 대사(大事)를 이루어 공을 세우려 하다. ②과장하거나 허세를 부리려고 하다.

〔好戴高帽〕 hàodài gāomào 남 위에 서기를 좋아하다. 뽐내기를 좋아하다.

〔好赌〕 hàodǔ 동 노름을 좋아하다. =〔好要钱〕

〔好高务远〕 hào gāo wù yuǎn 〈成〉 헛되이 고원(高遠)한 것만을 좇다《분수를 모르고 큰 뜻을 품다》. =〔好高骛远〕

〔好喝〕 hàohē 동 (술) 마시기를 좋아하다. ¶～懒做lǎnzuò; 술고래에 게으름뱅이. ⇒hǎohē

〔好客〕 hàokè 동 손님 접대를 좋아하다.

〔好哭〕 hàokū 동 울보이다. 자주 울다.

〔好脸〕 hàoliǎn 동 겉모양을 내다.

〔好面子〕 hàomiànzi 동 체면을 중히 여기다.

〔好嫖〕 hàopiáo 동 계집질을 즐기다.

〔好奇〕 hàoqí 동 신기한〔유별난〕 것을 좋아하다. 형 호기심이 많다. ¶～心; 호기심.

〔好强〕 hàoqiáng 형 지기 싫어하다. 오기가 있다. 승부욕이 강하다. ¶～的人; 지기 싫어하는 사람 / 他是个～的小子, 从来没认过输; 그는 지기 싫어하는 젊은이라, 지금까지 항복한 적이 없다. =〔要强〕 ⇒hǎoqiáng

〔好色〕 hàosè 동 여색을 좋아하다. ¶～不淫; 여색을 좋아하기는 하나 음탕하지는 않다.

〔好善恶恶〕 hào shàn wù è 〈成〉 선을 좋아하고 악을 미워하다.

〔好尚〕 hàoshàng 명 〈文〉 취향. ¶解放以来, 人民的～大有改变; 해방 후, 국민의 취향에 큰 변화가 일어났다. 동 좋아하고 따르다. 애호하고 숭상하다.

〔好生〕 hàoshēng 동 〈文〉 생명을 아끼고 사랑하다. ¶天地有～之德; 천지는 생명을 아끼고 사랑하는 덕을 가졌다. ⇒hǎoshēng

〔好胜〕 hàoshèng 형 승벽(勝癖)이 강하다. 콧대가 세다. ¶～心; 지기 싫어하는 성질 / 他年轻～, 什么事都想高人一头; 그는 젊고 승벽이 강해서 무엇이든 남보다 한 발 앞서려고 한다.

〔好事〕 hàoshì 형 ①사건을 좋아하다. 무슨 일이 있었으면 하고 기다리다. ②참견하기 좋아하다. ¶～之徒; 호사가. 참견하기 좋아하는 사람. ⇒hǎoshì

〔好说好笑〕 hàoshuō hàoxiào 농담을 하고 웃기 좋아하다.

〔好玩(儿)〕 hàowán(r) 동 놀기를 좋아하다. ¶他是个～的; 그는 놀기 좋아하는 사람이다. ⇒hǎowán(r)

〔好为人师〕 hào wéi rén shī 〈成〉 남의 스승이 되기를 좋아하다. 겸허하지 않다.

〔好恶〕 hàowù 명 호오. 좋아함과 싫어함.

〔好惜〕 hàoxī 동 좋아하다. 귀히 여기다.

〔好闲〕 hàoxián 형 빈둥거리기〔놀기〕 좋아하다. ¶～的; 게으름뱅이.

〔好笑〕 hàoxiào 명 술 취하면 잘 웃는 버릇(이 있는 사람). ⇒hǎoxiào

〔好虚体面〕 hào xūtǐmiàn 허세 부리기 좋아하다. 체면 차리기를 좋아하다.

〔好样儿〕 hàoyàngr 형 정돈된〔깨끗한〕 것을 좋아하다. ¶～的人不论在家在外头都整整齐齐的; 깨끗한 것을 좋아하는 사람은 집안에서나 밖에서나 언제나 단정하다. ⇒hǎoyàngr

〔好逸恶劳〕 hào yì wù láo 〈成〉 편한 것을 좋아하고 일하기를 싫어하다. ¶照zhào顾过多, 使子女娇jiāo生惯养, ～; 보살핌이 지나치면 자녀들이 응석받이로 자라 편한 것만 좋아하고 일하기 싫어하게 된다.

〔好战〕 hàozhàn 형 호전적이다. 전쟁을 좋아하다. ¶～分子; 호전주의자.

〔好者为乐〕 hàozhě wéilè 〈諺〉 좋아하는 것은 곧 즐거움이다. 좋아서 하는 것이야말로 잘 하게 되는 길이다. ¶长虫很可怕, 可是广东人爱吃, 这就是～; 뱀은 무섭지만, 광둥(廣東) 사람은 잘 먹는다. 이것이 바로 좋아하는 것이 즐거움이라는 것이다.

〔好整以暇〕 hào zhěng yǐ xiá 〈成〉 여유가 있고 서두르지 않다.

昊 hào (호)
〈文〉 ① 형 끝없이 넓다. ② 명 하늘. ¶～慈; 하늘의 은혜. ③ 명 부모의 큰 은혜. ④ 명 천제(天帝).

〔昊天〕 hàotiān 명 ①가없는 하늘. ②〈比〉 하해와 같은 부모의 은혜. ③〈轉〉 천제(天帝). 조물주.

〔昊天不忒〕 hào tiān bù tè 〈成〉 하늘에는 편애가 없다.

淏 hào (호)
형 〈文〉 물이 맑고 투명한 모양.

耗 hào (모)
① 동 소비하다. 소모하다. 낭비하다. ¶消～; 소모하다 / ～钱; 돈을 헛되이 쓰다 / 别～灯油了; 등유를 아껴 써라. ② 동 줄다. 줄이다. ③ 동 없어지다. 사라지다. ¶锅里的水快～干了; 큰 냄비의 더운 물이 금세 없어진다. ④ 동 패하다. ⑤ 동 〈方〉 시간을 끌다. 꾸물거리다. ¶～时间; 시간을 끌다 / 别～着了, 快走吧! 꾸물거리지 말고 빨리 가거라! ⑥ 명 소식. 기별《특히, 나쁜 경우를 가리킴》. ¶接～; 소식을 접하다 / 噩è～; 부보(訃報). ⑦ 명 소모율(率). 소비율. ¶煤～; 석탄의 소비율. ⑧ →〔耗子〕

〔耗财〕 hào·cái 동 금전을 낭비하다. ¶～买脸; 금전을 낭비하여 체면을 세우다.

〔耗电〕 hào·diàn 동 전기를 소비하다.

〔耗电量〕 hàodiànliàng 명 《電》 전기 소비량.

〔耗费〕 hàofèi 동 낭비하다. 소비하다. 소모하다. ¶～人力; 인력을 낭비하다 / ～时间; 시간을 낭비하다.

〔耗干〕 hàogān 동 〈文〉 다 낭비해 버리다.

〔耗耗〕 hàohao 명 〈方〉 쥐. =〔老鼠〕

〔耗夹子〕 hàojiāzi 명 쥐덫. →〔捕bǔ鼠器〕

〔耗减〕 hàojiǎn 명 감손(減損).

〔耗竭〕 hàojié 동 다 써버리다. 다 소모되다. ¶兵力～; 병력이 다하다.

〔耗尽〕 hàojìn 동 다 써버리다. ¶～精力和物力; 정력과 물력을 다 없애다.

〔耗量〕 hàoliàng 명 소모량. 소비량.
〔耗率〕 hàolǜ 명 소모율. ¶发电标准煤~降低了百分之四; 발전용 석탄 표준 소모율이 4% 낮아졌다.
〔耗磨〕 hàomó 동 마멸(摩滅)되다.
〔耗磨时间〕 hàomó shíjiān 심심풀이로 시간을 보내다.
〔耗汽率〕 hàoqìlǜ 명 휘발유 소비율.
〔耗人〕 hàorén 동 귀찮게 굴다. 형 귀찮다. ¶这孩子真~; 이 아이는 정말 성가시다.
〔耗散〕 hàosàn 명 《電》(에너지) 낭비. ¶功率~; 전력 손실(損失). 파워 디서페이션(power dissipation).
〔耗损〕 hàosǔn 동 소모하다. 닳게 하다. ¶~精神; 정신〔신경〕을 소모하다 / ~机器; 기계를 소모하다. 명 소모. 손실. ¶减少粮食的~; 곡물의 (취급시에 생기는) 손실을 줄이다.
〔耗油〕 hàoyóu 명동 석유 소비(하다). ¶~量; 석유 소비량 / ~率; 석유 소비율.
〔耗子〕 hàozi 명 〈北方〉 쥐. ¶~窟窿; 쥐구멍 / ~眼睛; 쥐의 눈. 작고 교활한 눈 / 狗捉~; 〈歇〉 개가 쥐를 잡다(쓸데없는 짓을 하다) / ~舔猫鼻子; 쥐가 고양이 코를 핥다(위험한 짓을 하다) / ~才知~路; 도둑을 잡는 데 도둑을 푼다. =〔老鼠lǎoshu〕
〔耗子成精〕 hàozi chéngjīng 쥐는 본래 사람을 두려워하는데 그것이 도깨비로 화해서 도리어 사람을 놀라게 한다. 〈比〉 주종(主從)의 지위가 뒤바뀌다.
〔耗子药〕 hàoziyào 명 쥐약. ¶他像吃了~了似的, 时常地这儿搬那儿, 那儿搬这儿的; 그는 쥐약을 먹은 것처럼 늘 이리저리 옮겨 다닌다.

浩 hào (호)
형 ①물이 풍부한 모양. ②광대하다. 넓다. (세력이) 왕성하다. (규모가) 크다. ¶~大; ⇩ / ~博; (견식이) 넓다. ③많다. ‖ =〔〈文〉澔〕〔灝①〕
〔浩大〕 hàodà 형 세력이 왕성하다. 규모가 매우 크다. ¶声势~; 위세가 당당하다 / 工程~; 공사 규모가 크다.
〔浩荡〕 hàodàng 형 수세(水勢)가 세차다. 장대(壯大)하다. ¶~的汉江; 도도히 흐르는 한강.
〔浩繁〕 hàofán 형 크고 많다. 매우 많다. ¶卷帙~; 책이 많아서 셀 수 없다 / ~的开支; 다액(多額)의 지출.
〔浩费〕 hàofèi 명 〈文〉 막대한 비용.
〔浩瀚〕 hàohàn 형 〈文〉 ①광대하다. ¶~的沙漠; 광대한 사막. ②매우 많다. ¶典籍~; 책이 매우 많다.
〔浩浩荡荡〕 hàohao dàngdàng ①광대하여 끝이 없다. ②위풍당당하다. 규모가 크고 기세가 드높다. ¶~的游行队伍; 기세가 넘치는 시위대(열) / ~地开进了工厂; 당당히 공장으로 들어왔다.
〔浩劫〕 hàojié 명 〈文〉 ①대재화(大災禍). 대학살. 대파괴. ② 《佛》 끝없이 긴 시간.
〔浩亮〕 hàoliàng 형 광대하고 밝다.
〔浩茫〕 hàománg 형 〈文〉 수면이 광막하여 끝이 없는 모양.
〔浩渺〕 hàomiǎo 형 물이 넓고 망망한 모양. =〔浩淼〕
〔浩淼〕 hàomiǎo 형 ⇨〔浩渺〕
〔浩气〕 hàoqì 명 장대한 기. 호연지기.
〔浩然〕 hàorán 형 〈文〉 마음이 넓고 뜻이 큰 모양. 광대한 모양. ¶~之气; 호연지기.
〔浩如烟海〕 hào rú yān hǎi 〈成〉 ①바다와 같이 넓다. ②(문헌·자료 등이) 매우 풍부하다. ③(수량이) 셀 수 없이 많다.
〔浩叹〕 hàotàn 동 〈文〉 크게 탄식하다.
〔浩星〕 Hàoxīng 명 복성(複姓)의 하나.

皓〈皜〉 hào (호)
형 〈文〉 ①희다. ②밝다. 빛나다. ‖ =〔〈文〉 暠hào〕〔灝②〕
〔皓白〕 hàobái 형 〈文〉 ①희다. 창백하다. ②청정(清淨) 결백하다.
〔皓齿〕 hàochǐ 명 〈文〉 하얀 이.
〔皓矾〕 hàofán 명 《化》 황산(黃酸) 아연. =〔硫酸锌〕
〔皓皓〕 hàohào 형 〈文〉 ①하얀〔밝은〕 모양. ¶~的月轮; 교교한 달빛. ②결백한 모양. ③넓은 모양.
〔皓首〕 hàoshǒu 명 백발(白髮). 〈轉〉 노인. ¶~穷经; 경전의 연찬을 쌓아 노경(老境)에 이르다.
〔皓月〕 hàoyuè 명 〈文〉 밝은 달. ¶~当空; 밝은 달이 하늘에 떠 있다.

澔 hào (호)
형 〈文〉 ⇨〔浩〕

鄗 Hào (호)
명 《地》 하오 현(鄗縣)(허베이 성(河北南省) 바이샹 현(柏鄉縣) 북부에 있는 옛 현 이름).

滈 Hào (호)
명 《地》 하오수이(滈水)(산시 성(陝西省) 장안 현(長安縣)에 있는 옛 강 이름).

暠 hào (호)
형 〈文〉 ⇨〔皓〕 ⇒gǎo

镐(鎬) Hào (호)
명 《地》 주(周)나라 초기의 도읍(지금의 산시 성(陝西省) 시안 시(西安市)의 서남). ⇒gǎo

皞 hào (호)
형 〈文〉 분명하고 희다. 밝다. ¶~~; 마음이 여유가 있고 침착한 모양.
〔皞天〕 hàotiān 명 〈文〉 ①넓은 하늘. ②천제(天帝).

颢(顥) hào (호)
형 〈文〉 하늘이 밝고 하얗게 빛나는 모양. ¶~苍cāng; 푸른 하늘. 창공.

灏(灝) hào (호)
① 형 ⇨〔浩〕 ② 형 ⇨〔皓〕 ③인명용 자(字).

HE ㄏㄜ

诃(訶) hē (가)
① 동 ⇨〔呵hē①〕 ② →〔诃子〕
〔诃子〕 hēzi 명 《植》 가리륵(사군자과(使君子科)의 상록 교목. 열매는 타닌산이 풍부하고 염색·잉크 제조에 쓰이며, 또 지사제(止瀉劑)). =〔藏zàng青果〕

呵〈訶〉① **hē** (가)
①동 책(責)하다. 꾸짖다. ¶～禁; 큰 소리로 금지하다. =〔诃①〕 ②동 입김을 내불다. ¶～冻; ⇩ =〔哈hā〕 ③〈擬〉 하하(웃음소리). ¶～～地笑; 하하 하고 웃다. ④감 허! 아!(놀라움을 나타냄). ¶～, 真不得了! 허, 정말 큰일이군!/～～, 来了这么多的人; 허허, 이렇게 많은 사람이 왔는가. =〔嗬〕 ⇒'啊' ā á ǎ à a, kē

〔呵斥〕 hēchì 동 큰 소리로 꾸짖다. ¶受先生的～; 선생님에게 꾸지람을 듣다. =〔呵叱〕〔呵责〕〔喝叱〕〔喝斥〕

〔呵冻〕 hēdòng 동 입김을 불어 언 것을 녹이다(겨울철에 언 붓을 사용하기 전에 붓끝에 입김을 불어 부드럽게 하거나 또는 곱은 손에 입김을 붊). →〔呵手〕

〔呵奉〕 hēfèng 동 아첨하다. 알랑거리다.

〔呵寒问暖〕 hēhán wènnuǎn 계절 인사.

〔呵呵〕 hēhē 〈擬〉 허허. 하하(웃음소리). ¶～大笑; 하하 하고 크게 웃다.

〔呵喝〕 hēhè 동 〈文〉 ①큰 소리로 고함치다. ②큰 소리로 제지하다. =〔呵禁〕

〔呵护〕 hēhù 명동 〈文〉 가호(加護)(하다). →〔保佑〕

〔呵气〕 hēqì 동 후 하고 입김을 내뿜다.

〔呵欠〕 hēqiàn 명 하품. ¶打～; 하품을 하다/～连天; 하루 종일 하품만 하다. =〔哈息〕〔哈欠〕 동 하품하다.

〔呵求〕 hēqiú 동 힐책하다. 책하여 꾸짖다.

〔呵热气〕 hē rèqì 더운 입김을 불다. ¶嘴里～, 呵去窗户玻璃上的冻结的白霜; 입김을 후 불어서 유리창에 낀 성에를 녹였다.

〔呵手〕 hē shǒu 손에 입김을 불어 녹이다. →〔哈手〕〔呵冻〕

〔呵痒〕 hē.yǎng 동 ①간지럼 태우다. ②쾌감을 주다. ③가볍게 문지르다〔어루만지다〕.

〔呵责〕 hēzé 동 ⇨〔呵斥〕

嗬 **hē** (하)
감 허! 아!(놀라움을 나타냄). =〔呵④〕〔喝B)〕

喝〈欱〉A) **hē** (갈)〈합〉
A) 동 ①마시다(액체 음료·유동식 따위). ¶～茶; 차를 마시다/～酒; 술을 마시다. ②술을 마시다. ¶爱～; 술을 좋아하다/～醉了; 술에 취했다/我～不多, 一～就上脸; 나는 술을 많이 마시지 못하며, 마시면 금방 얼굴이 빨개진다. B) 감 허!(가벼운 놀라움을 나타내는 소리). =〔嗬〕 ⇒hè

〔喝边儿〕 hē.biānr 동 남의 돈으로 술을 마시다. 붙어다니며 거저 먹고 놀다.

〔喝叱〕 hēchì 동 ⇨〔呵斥〕

〔喝斥〕 hēchì 동 ⇨〔呵斥〕

〔喝东瓜汤〕 hē dōngguātāng 중개〔중매〕하다.

〔喝风〕 hē.fēng 동 ①〈比〉 ⇨〔喝西北风(儿)〕 ②바람의 한기(寒氣)를 쐬다.

〔喝过墨水儿的〕 hēguòmòshuǐrde 명 글을 배운 사람. 학식 있는 사람. =〔喝墨水(儿)〕

〔喝凉水都塞牙〕 hē liángshuǐ dōu sāi yá 냉수를 마셔도 잇새에 낀다. 〈轉〉 안되는 놈은 뒤로 넘어져도 코가 깨진다.

〔喝闷酒〕 hē mènjiǔ 따분해서〔홧김에〕 혼자 술을 마시다.

〔喝墨水〕 hē mòshuǐ ①공부하다. 학문을 하다. ¶他喝了十多年的墨水, 起码也会写封信吧! 그는 십수년을 공부했으니까, 최소한 편지는 쓸 수 있겠지! ②(～儿) 명 ⇨〔喝过墨水儿的〕

〔喝浓〕 hēnóng 동 (술을) 몹시 마시다.

〔喝呛〕 hēqiāng 동 (마시다가) 사레 들리다.

〔喝西北风(儿)〕 hē xīběifēng(r) 〈比〉 (흉년이 들어 먹을 것이 없어) 굶주리다. =〔喝风①〕〔喝西风〕

〔喝粥〕 hē zhōu ①죽을 먹다〔마시다〕. ②해산(解産)하다(북방(北方)의 습관으로 산모(産母)가 좁쌀죽을 먹는 데서 온 말).

〔喝醉〕 hēzuì 동 술을 마셔 취하다.

蠚 **hē** (학)
동 〈方〉 ⇨〔蜇zhē〕

禾 **hé** (화)
명 ①곡물의 총칭(껍질을 안 벗긴 것). ②벼. ③고서(古書)에서 '谷gǔ子' (조)를 일컫던 말. ④성(姓)의 하나.

〔禾把〕 hébǎ 명 볏단. =〔禾束〕

〔禾叉〕 héchā 명〖農〗 쇠스랑.

〔禾场〕 hécháng 명 〈方〉 탈곡장(脫穀場). 거둔 곡물을 말리는 뜰. =〔谷gǔ场〕

〔禾虫〕 héchóng 명〖動〗 실갯지렁이(낚싯밥으로 쓰며 광둥 성(廣東省)에서는 무논에서 잡은 것을 식용으로도 함).

〔禾秆〕 hégǎn 명 짚.

〔禾谷类植物〕 hégǔlèi zhíwù 명 볏과(科)의 곡류 식물.

〔禾花雀〕 héhuāquè 명〖鳥〗 ①〈廣〉 검은머리촉새. ②참새.

〔禾稼〕 héjià 명 〈文〉 수확(물).

〔禾蜡虫〕 hélàchóng 명〖蟲〗 깃동상투벌레.

〔禾苗〕 hémiáo 명 ①볏모. ②싹. 모.

〔禾木旁(儿)〕 hémùpáng(r) 명 벼화 변(한자 부수의 하나. '秋·种' 등의 '禾'의 이름).

〔禾束〕 héshù 명 볏단. =〔禾把〕

〔禾穗〕 hésuì 명 곡물의 이삭.

诉(訸) **hé** (화)
형 〈文〉 사이가 원만하다(흔히 인명(人名)에 쓰임).

和〈咊, 龢〉A) **hé** (화)
A) ①형 평화롭다. 화평하다. ②형 부드럽다. 온화하다. 따뜻하다. ¶心平气～; 〈成〉 마음이 평온하고 태도가 부드럽다/风～日暖; 〈成〉 바람이 온화하고 햇볕이 따사롭다/温～; 온화하다/柔～; 부드럽다. ③형 화애롭다. 조화롭다. 화목하다. 어울리다. ¶～而不同; ⇩/两国不～; 양국이 불화하다/兄弟不～; 형제가 불화하다/言语失～; 말이 순조롭지 못하다/谐～; 조화가 잡혀 있다/脾胃不～; 〖漢醫〗 위(胃)카타르. ④동 화해하다. 조정하다. ¶讲～; 강화하다/说～; 화해하다/～衷共济; ⇩ ⑤명동 (바둑·장기·구기(球技) 따위에서) 무승부(가 되다). ¶末了一盘～了; 최후의 대국은 비겼다. B) ①…그대로. …채로 그냥. ¶～盘托出; ⇩/～衣而卧; 옷을 입은 채 눕다. ②명〖數〗 합(合). 보탠 수치. ¶二跟三的～是五; 2와 3의 합은 5이다. ③개 …에게. ¶他～我打听您来着; 그는 나에게 당신에 관해서 묻더군요/我要～他学中文; 나는 그에게 중국어를 배워야겠다. ④접 …와. …과. ㉠명사·대명사 및 명사화된 동사·형용사 등의 병렬을 나타냄(둘인 경우는 그 사이에, 셋 이상일 때는 마지막 둘 사이에 옴). ¶我～他都是北京人; 나와

그는 모두 베이징(北京) 사람이다 / 图书馆里有字典、杂志、报纸～小说; 도서관에는 사전 · 잡지 · 신문 · 소설 등이 있다. ㉡다수의 동사가 하나에 통합될 경우(서면어(書面語)에 많음. '和'가 들어가는 위치는 ㉠의 경우와 같음). ⓐ한 개의 목적어를 공유하고 있는 경우. ¶我们党坚决地拒绝～批判了这两种错误的倾向; 우리 당은 이 두 개의 잘못된 경향을 단호히 거절하고 비판했다. ⓑ동사 또는 동사를 포함한 구조가 한 개의 능원(能願) 동사, 또는 부사 · 수식어의 꾸밈을 받고 있는 경우. ¶我们必须锻炼坚强的意志～培养独立思考的能力; 우리는 반드시 견고한 의지를 단련하고 자신의 머리로써 생각하는 능력을 길러야 한다. ⓒ함께 같은 명사의 형용사성 수식어로 되는 경우. ¶国家对于资本主义工商业采取了利用、限制～改造的政策; 국가는 자본주의 상공업에 대해서, 이를 이용 · 제한 · 개조한다는 정책을 취했다. ㉢다수의 형용사가 같은 것과 통합될 경우에도 '和'로써 나열될 때가 있음(서면어(書面語)에 많음). ⓐ함께 같은 명사의 형용사성 수식어로 되어 있는 경우. ¶我们带着严肃～兴奋的心情走出会场; 우리는 엄숙하고도 흥분된 마음으로 회의장을 나왔다. ⓑ같은 부사성 수식어의 꾸밈을 받고 있는 경우. ¶他们的品质是那样地纯洁～高尚; 그들의 인격은 그처럼 순결 고상하다. ⓒ같은 능원(能願) 동사에 붙어 있는 경우. ¶这种改革比历史上任何改革都要伟大, 都要艰巨～复杂; 이러한 개혁은 역사상 어떤 개혁보다도 훨씬 위대하며 험난하고 복잡할 것이다. 注$_1$ '和'로 병렬할 수 있는 것은 동일 유형의 것이어야 함. '母亲和我'와 같이 명사와 대명사는 병렬할 수 있지만, 명사와 동사나 대명사와 형용사와 같은 것은 병렬할 수 없음. 또, 부사성 수식어와 중심어의 관계 구조가 동사와 목적어의 관계 구조와 함께 병렬되는 경우도 없음. 注$_2$ 몇 가지 말을 병렬시키는 경우 습관적으로 유형별로 나누어 분류하고 그 사이에 '和'를 놓음. 동류인 경우에는 습관적으로 '和'를 생략하기도 함. ¶我得买笔、本子～碟子, 洗脸盆; 나는 연필 · 노트와 접시 · 세숫대야를 사야 한다. 注$_3$ 문장 중에서 '同'과 '和'를 구분하여 쓰는 경우 '同'을 개사(介詞)로, '和'를 접속사로 전용(專用)하려는 경향이 있음. ⑤ 개 …와. …과(동작 · 작용 따위가 번갈아 가며 대상을 보임). ㉠동작의 상대를 보임. ¶再过几天, 他就可以～大家见面了; 며칠 더 있으면, 그는 모두와 만날 수 있게 된다. ㉡비교 · 대조의 기준이 되는 것을 보임. ¶这个～那个不一样; 이것과 그것은 같지가 않다. ⑥ 명 관(棺) 앞뒤의 판자(특히 앞부분만을 가리킬 때도 있음). ⑦(Hé) 명 《地》 (옛날의) 일본. ⑧ 명 성(姓)의 하나. ⇒hè hú huó huò huo

〔和蔼〕 hé'ǎi 형 온화하다. 유화(柔和)하다. 상냥하다. 부드럽다. ¶～可亲; 〈成〉 온화하여 친해지기 쉽다 / 眼光～; 눈빛이 다정하다 / 表面看来很～; 표면은 매우 온화해 보인다. =〔和悦〕

〔和菜〕 hécài 명 (중국 요리의) 정식(定食).

〔和畅〕 héchàng 형 ①(날씨가) 화창하다. ¶春风～; 봄바람이 따뜻하고 좋다. ②(마음이) 편안하다.

〔和大〕 hédà 명 〈簡〉 '世界和平大会(세계 평화 대회)'의 약칭.

〔和而不同〕 hé ér bù tóng 〈成〉 (남과 어울림에 있어) 화합하면서도 아첨하지 않다.

〔和风〕 héfēng 명 ①온화한 바람. 산들바람. ¶～丽日; 바람은 온화하고 날씨는 화창하다 / ～细雨; 〈成〉 산들바람과 보슬비(문제 있는 사람이나 남에 대하여 취하는 온건한 태도〔방식〕). =〔协xié风〕 ②《氣》 건들바람(초속 5.5～7.9m, 풍력 4의 바람).

〔和光同尘〕 hé guāng tóng chén 〈成〉 세속에 몰입(沒入)하여 자신(自身)을 나타내지 않다. 세속에 형편을 맞추고 다투지 않다. =〔和光混尘〕

〔和国〕 Héguó 명 일본의 고칭(古稱).

〔和好〕 héhǎo 동 화해하다. 화목해지다. 사이가 좋아지다. ¶～如初; 〈成〉 화해하여 본디 상태로 돌아가다 / 他们俩现在～了; 그들 두 사람은 지금 사이가 좋아졌다.

〔和合〕 héhé 형 사이가 좋다. 화합하다. 동 합일(合一)하다. 명 혼례 때에 모시는 신(神)의 이름. 즉, 한산(寒山)과 습득(拾得)의 두 선인(仙人). =〔和合二仙〕

〔和和气气〕 héheqìqì 형 ①온화하고 점잖다. ②화목하다.

〔和厚〕 héhòu 형 (교제 · 관계가) 친하다. 정답다.

〔和缓〕 héhuǎn 형 온화하다. ¶态度～; 태도가 온화하다. 동 완화되다. 완화시키다. ¶局势～了; 정세가 완화되었다. 명 완화된 정세 · 국면. ¶实现～; 완화된 정세를 실현시키다.

〔和会〕 héhuì 명 〈簡〉 '和平会议'의 약칭.

〔和价〕 héjià 동 〈文〉 가격을 안정시키다.

〔和较〕 héjiào 명 《數》 덧셈의 답.

〔和解〕 héjiě 명 《法》 화해(재판에 의하지 않고 쌍방이 타협하여 쟁의를 그만두는 것). 동 화해하다.

〔和局〕 hé,jú 동 (시합이나 바둑 따위에서) 비기다. 동점이 되다. (héjú) 명 ①비김. 무승부. ¶三盘棋却有两盘是～; (바둑의) 세 국(局) 중 두 국은 비겼다. ‖=〔平píng局〕〔平手(儿)〕 ②평화로운 국면.

〔和款〕 hékuǎn 명 강화 조약의 조항.

〔和兰芹〕 hélánqín 명 《植》 파슬리.

〔和乐〕 hélè 형 화목하고 즐겁다.

〔和理会〕 hélǐhuì 명 ⇨〔世界和平理事会〕

〔和美〕 héměi 형 ①부드럽고 아름답다. ②의좋다. 화목하다. 정답다. ¶妯zhóu娌俩挺～; 두 동서끼리 정말 사이가 좋다 / 一家～; 일가가 화목하다.

〔和鸣〕 hémíng 형 (음악이나 노래의) 가락이〔소리가〕 잘 맞다.

〔和睦〕 hémù 형 화목하다. ¶～相谈; 격의 없이 의논하다 / ～相处chǔ; 허물 없이 교제하다. 화목하게 지내다. →〔和好〕

〔和南〕 hénán〔hénā〕 동 《佛》 〈梵〉 중이 합장(合掌) 예배하다.

〔和闹〕 hénào 동 함께 떠들다.

〔和暖〕 hénuǎn 형 온난하다. ¶天气～; 날씨가 따뜻하다 / ～的阳光; 따뜻한 햇빛.

〔和盘〕 hépán 부 고스란히. 몽땅. 통째로. =〔合盘〕

〔和盘托出〕 hé pán tuō chū 〈成〉 쟁반째로 내밀다(몽땅 숨김 없이 털어놓음). ¶把自己的想法～; 자기의 생각을 몽땅 털어놓다.

〔和平〕 hépíng 명 평화. ¶～城市; 비무장 도시 / 我们爱好～, 但是也不怕战争; 우리는 평화를 사랑하지만, 전쟁도 무서워하지는 않는다. 형 ①평화스럽다. ②순하다. 부드럽다. 온화하다. 유순하다. ¶人很～; 사람이 매우 유순하다 / 药性～; 약의 성질이 순하다. ③순조롭다. ¶那件事现已～了liǎo结了; 그 사건은 이미 순조롭게 해결되었다.

〔和平鸽〕 hépínggē 명 평화의 비둘기.

〔和平工业〕 hépíng gōngyè 평화 산업.
〔和平共处〕 hépíng gòngchǔ 평화 공존. ¶他说他迫切希望柬中两国友好～; 그는 캄보디아와 중국의 우호 평화 공존을 간절히 희망한다고 말했다/～五项原则; 평화 공존 5원칙《중국 정부의 외교의 기본을 이루는 5개의 원칙》.
〔和平过渡〕 hépíng guòdù 명 평화적 이행.
〔和平理事会〕 hépíng lǐshìhuì 명 ⇨〔世shì界和平理事会〕
〔和平利用〕 hépíng lìyòng 명동 평화적(으로) 이용(하다). ¶～原子能; 원자력을 평화적으로 이용하다.
〔和平侵略〕 hépíng qīnlüè 명 평화적 침략《제국주의자가 이권 양여 및 투자 방식을 무력 대신으로 로 써서 문화가 뒤떨어진 민족에 대하여 침략을 하는 정책》.
〔和平谈判〕 hépíng tánpàn 명 평화 협상〔회담〕. =〔和谈〕
〔和平主义〕 hépíng zhǔyì 명 평화주의《인도주의의 입장에 서서 일체의 전쟁에 반대하는 주의》.
〔和棋〕 héqí 명 (바둑·장기에서의) 무승부. 비김.
〔和气〕 héqi 형 ①(성격·태도 따위가) 온화하다. ¶对待客人很～; 손님에 대한 접대가 온화하다/～生财;〈諺〉웃는 얼굴이 부를 가져다 준다/～致祥;〈成〉온화한 태도는 상서로운 일을 가져온다. ②화목하다. ¶他们彼此很～; 그들은 서로 매우 화목하다. 명 화기애애한 분위기. 화목한 기분.
〔和洽〕 héqià 형 사이가 좋다. ¶他们虽然来自各地, 但相处得很～; 그들은 비록 각지에서 왔지만 사이좋게 지낸다.
〔和亲〕 héqīn 형 화목하고 친하다. 명동 화친(하다)《옛날, 두 나라가 강화 조약을 맺음. 두 집이 화해를 하고 인척 관계를 맺음》.
〔和善〕 héshàn 형 온화하고 선량하다. 붙임성이 있다. 상냥하다. ¶脸上带着一种诚恳、～的神态; 얼굴에 성실하고 온화한 표정을 띠고 있다.
〔和尚〕 héshang 명 승려. 중. 화상. ¶花～;《佛》파계승(破戒僧)/秃子当～; 임시 변통/～头; 중대가리. 뭉구리/～打伞, 无发无天; 법도 업신여기고 두려움도 없다('无发'(머리털이 없다)가 '无法'에 통하며, 우산을 받치면 하늘이 보이지 않으므로 '无天'(하늘이 없다. 천리(天理)에 어긋나다)의 뜻이 됨》.
〔和声〕 héshēng 명《樂》화성. 화음. 하모니.
〔和声乐器〕 héshēng yuèqì 명《樂》화성 악기《풍금·피아노 등》.
〔和(氏)璧〕 hé(shì)bì 명 춘추(春秋) 시대, 초(楚)나라의 변화(卞和)가 발견한 보옥(寶玉).〈轉〉미옥(美玉). →〔连lián城璧〕
〔和事〕 héshì 동 중재하다. 화해하다.
〔和事老(儿)〕 héshìlǎo(r) 명 중재인. ¶出做～; 나서서 중재인이 되다.
〔和数〕 héshù 명《數》합. =〔和B)②〕
〔和顺〕 héshùn 형 온화하고 양순하다.
〔和谈〕 hétán 명〈簡〉'和平谈判'(평화 협상〔회담〕)의 약칭. 동 평화 협상〔회담〕을 하다.
〔和同〕 hétóng 동 화목하다. 화합하다. ¶天下～; 세상 사람이 모두 화목하다.
〔和头〕 hétóu 명 ①관의 앞부분. ②관(棺)의 앞과 뒷부분.
〔和婉〕 héwǎn 형 (말이) 온화하고 완곡하다.
〔和味〕 héwèi 동 조미하다. 맛을 내다. ¶～料; 조미료.
〔和文〕 Héwén 명 일문(日文). 일어. =〔日rì文〕
〔和息〕 héxī 동《法》(원고와 피고가) 화해하다.
〔和弦〕 héxián 명《樂》화음(和音). 코드(chord).
〔和协〕 héxié 명 (국가간의) 협정. 협약. 동 마음을 합치고 힘을 합치다.
〔和谐〕 héxié 형 ①잘 어울리다. 조화롭다. 맞다. ¶这张画的颜色很～; 이 그림은 빛깔의 조화가 잘 되어 있다. ②화목하다. 의좋다. ¶气氛很～; 분위기가 매우 화목하다/家庭内不～; 집안이 화목하지 못하다.
〔和煦〕 héxù 형 (날씨 등이) 좋고 따뜻하다. 따사롭다. ¶～的阳光照着; 따사로운 햇빛이 비치고 있다.
〔和颜悦色〕 hé yán yuè sè〈成〉상냥한 표정. 온화한 얼굴. 환한 얼굴.
〔和衣而睡〕 hé yī ér shuì〈成〉옷을 입은 채로 자다.
〔和议〕 héyì 명동 화의(하다). 강화(講和)(하다).
〔和易〕 héyì 형〈文〉태도가 부드럽고 친하기 쉽다. 사근사근하다. ¶～近人;〈成〉상냥해서 가까워지기 쉽다.
〔和音〕 héyīn 명《樂》화음(和音).
〔和诱〕 héyòu 동 (유괴자가 여러 가지 방법으로 속여서) 유괴하다. →〔略lüè诱〕
〔和约〕 héyuē 명 평화 조약. 강화 조약. ¶缔结～; 평화 조약을 체결하다.
〔和悦〕 héyuè 형 붙임성이 있다. 온화하다. =〔和蔼〕
〔和运〕 héyùn 명 평화 운동.
〔和赞那〕 hézànnà 명《宗》〈音〉호산나(hosanna). =〔和散哪〕〔贺三纳〕
〔和衷〕 hézhōng 동 마음을 합치다. 합심하다. ¶～商办; 합심해서 의논하여 처리하다.
〔和衷共济〕 hé zhōng gòng jì〈成〉마음을 합쳐서 로 돕다. =〔同心协力〕

盉 hé (화)
명 고대 청동제의 술 데우는 기구《3개의 발·몸체·뚜껑·손잡이 등으로 되어 있음》.

合 hé (합)
①동 합치다. 모으다. ¶同心～力 =〔同心协力〕; 한 마음으로 힘을 합치다. ↔〔分〕 ②동 감다. 닫다. 다물다. 덮다. ¶～眼; 눈을 감다/～上书本儿; 책을 덮다. ③동 맞다. 어울리다. 부합되다. ¶不～他的脾气; 그의 성격에는 맞지 않다. 그의 마음에 들지 않다/他们很～得来; 그들은 마음이 잘 맞는다〔사이가 좋다〕/～则留, 不～则去; 마음이 맞으면 머물러 있고, 맞지 않으면 떠난다. ④동 합계하다. ¶你给～～一共多少钱; 모두 얼마인지 계산해 주십시오. ⑤동 (…에) 맞먹다. (…에) 합치되다. (…에) 상당하다. ¶一千块韩币～多少美金? 한국의 천 원은 몇 달러가 됩니까? ⑥형 전부의. 온. ¶～村; 온 마을/～家大小; 온 집안 식구. ⑦부〈文〉당연히〔응당〕 …해야 한다. ¶理～声明; 마땅히 성명을 발표해야 한다. ⑧양 구(舊)소설에서 교전(交戰)의 횟수를 세는 데 쓰임. ¶大战三十余～; 크게 싸우기를 30여 회(回)하다. ⑨명《樂》중국의 옛날 악보의 음부(音符)의 하나《악보(略譜)의 저음(低音)의 '5'(솔)에 해당함》. ⑩명 성(姓)의 하나. ⇒gě
〔合把(儿)〕 hébǎ(r) 동 협력하다. 일치 단결하다. 형 마음이 맞다.
〔合班教授〕 hébān jiàoshòu 명동 합반 강의(하다). 합병 수업(을 하다).

〔合办〕 hébàn 동 (외국과) 공동으로 (사업을) 경영〔주관〕하다. ¶～公司; 합판 회사/～事业; 공동 사업.
〔合瓣花冠〕 hébàn huāguān 명《植》합판화관. 통꽃부리. ↔〔离lí瓣花冠〕
〔合胞体〕 hébāotǐ 명 다핵체(多核體).
〔合保〕 hébǎo 동 서로 보증하다.
〔合抱〕 hébào 동 (물체를) 두 팔로 안다. ¶院里有两棵～的大树; 안뜰에는 아름드리의 큰 나무가 두 그루 있다. =〔合围①〕
〔合本〕 héběn 동 자본을 내어 합치다. 합자(合資)하다.
〔合璧〕 hébì 동 ①서로 다른 것을 잘 배합하다. 두 가지가 절충되다. ¶英华～; (문장 따위에서) 영문·중문 모두 갖추다. ②(두 가지를) 대비하여 참조하다. ¶诗画～; 시와 그림을 대비하여 참조하다.
〔合并〕 hébìng 동 ①합병하다. ¶～同类项; 《數》동류항을 합치다. ②《醫》병이 겹치다. ¶～症=〔并发症〕; 합병증.
〔合不来〕 hébulái 마음〔손발〕이 맞지 않다. ¶他和我老～; 그는 나하고 늘 마음이 맞지 않는다. ↔〔合得来〕
〔合不拢〕 hébulǒng ①합쳐지지 않다. ②뜻이 맞지 않는다. ¶说话总～; 얘기가 도무지 맞지 않다.
〔合不着〕 hébuzháo 〈方〉 수지가 맞지 않다. 계산이 맞지 않다. 가치가 없다. ¶跑这么远的路去看一场戏, 实在～; 연극 하나를 보려고 이렇게 먼 곳까지 가다니 타산이 맞지 않는다. ↔〔合得着〕
〔合唱〕 héchàng 명동《樂》합창(하다). 코러스(하다). ¶～队 =〔～团〕; 합창대. 합창단. 코러스 그룹. →〔独dú唱〕
〔合成〕 héchéng 동 합성하다. 합하여 …이 되다〔되게 하다〕. 명 ①《化》합성. ¶～氨; 합성 암모니아/～洗涤剂; 합성 세제. ②《物》(힘의) 합성.
〔合成词〕 héchéngcí 명 복합어. 합성어. ㉠두 개 이상의 어소(語素)로 된 말. ↔〔单dān纯词〕→〔词素〕 ㉡두 개 이상의 어근(語根)이 복합된 말. ‖=〔复fù合词〕〔复词〕→〔派pài生词〕
〔合成酒精〕 héchéng jiǔjīng 명《化》합성 알코올. =〔合成醇〕
〔合成树脂〕 héchéng shùzhī 명 합성 수지.
〔合成纤维〕 héchéng xiānwéi 명 합성 섬유.
〔合成橡胶〕 héchéng xiàngjiāo 명 합성 고무.
〔合得来〕 hédelái 마음〔손발〕이 맞다. ¶他们两人倒～; 그들 두 사람은 마음이 맞는다. ↔〔合不来〕
〔合得着〕 hédezháo 〈方〉 수지가 맞다. 가치가 있다. ↔〔合不着〕
〔合订〕 hédìng 동 합본(合本)하다. ¶～本; 합본.
〔合度〕 hédù 형 알맞다. 적당하다. 도에 맞다.
〔合而为一〕 hé ér wéi yī 합쳐서 하나로 하다.
〔合法〕 héfǎ 형 법에 맞다. 합법적이다. ¶～的手续; 합법적 수속/～主义; 합법주의(법률의 범위 내에서 사회 운동에 종사할 것을 주장하는 주의).
〔合房〕 héfáng 동 합방하다. 방사(房事)하다(보통 '交jiāo媾' '性xìng交' 등의 표현을 피함).
〔合缝〕 héfèng 동 (기구(器具) 등의 이음매가) 꼭 맞다.
〔合符〕 héfú 동 부합하다. 일치하다. =〔符合〕
〔合该〕 hégāi 조동 ①당연 …일 것이다. 당연히 …하여야 한다. …하는 것이 마땅하다. ¶～成功; 당연히 성공할 것이다/～不死; 죽으면 안 된다. ② ⇨〔活该〕
〔合格〕 hégé 동 ①규격〔표준〕에 맞다. ¶产品～; 제품이 규격에 맞다. ②합격하다. ¶英语课～了; 영어 시험에 합격하다/～证; 합격 증명서. =〔及格〕명 합격.
〔合共〕 hégòng 명 합계. 동 한데 합치다.
〔合股〕 hé,gǔ 동 ①공동 출자(出資)하다. 합자하다. ¶～企业; 합자 기업. ②두 가닥의 실을 하나로 꼬다.
〔合股公司〕 hégǔ gōngsī 명 합자(合資) 회사.
〔合股人〕 hégǔrén 명 ⇨〔合伙人〕
〔合骨匠〕 hégǔjiàng 명 접골사(接骨師).
〔合和〕 héhé 동 서로 사이좋게 하다.
〔合乎〕 héhū 동 …에 맞다. …에 합치하다. ¶～逻辑; 논리(論理)에 맞다/～中儿; 과부족이 없다. 적당하다.
〔合欢〕 héhuān 동 (사랑하는 남녀가) 합금(合衾)하여 즐기다. 명《植》자귀나무. =〔马缨花〕〔合昏②〕
〔合欢席〕 héhuānxí 명 결혼 첫날의 연회석.
〔合昏〕 héhūn 명 ①황혼. ② ⇨〔合欢〕
〔合婚〕 héhūn 동 (옛날, 결혼하기 전에 쌍방이 사주 단자를 교환하여 그것에 따라) 궁합을 보다. ¶～的; 궁합을 보는 역술가(易術家).
〔合伙(儿)〕 héhuǒ(r) 동 한패가 되다. 동료가 되다. 동업하다. ¶～经营; 공동으로 경영하다. =〔搭伙(儿)〕〔打伙(儿)〕
〔合伙人〕 héhuǒrén 명 공동 경영자. 파트너. =〔合股人〕〔合伙者〕
〔合计〕 héjì 명동 합계(하다). 총계(하다). ¶～有多少? 합해서 얼마냐?
〔合计〕 héji 동 ①계산하다. 따져 보다. (득실을) 생각하다. ¶他一天到晚心里老～这件事; 그는 하루 종일 이 일만을 생각하고 있다. ②의논하다. 상의하다. ¶你要牲口的话, 我们回头～～, 再告诉你; 가축이 필요하다면 나중에 우리들이 의논해서 얘기해 주마. =〔商量〕
〔合加速度〕 héjiā sùdù 명《物》두 개 이상의 가속도가 동시에 작용하여 생기는 가속도.
〔合家〕 héjiā 명 온 가족. ¶～欢; 〈方〉 가족 사진. =〔全quán家〕
〔合甲〕 héjiǎ 명 가장 튼튼한 갑옷.
〔合尖〕 héjiān 명 탑 건축의 마지막인 꼭대기의 마무리. 〈比〉 일이 완성됨. 일의 마무리.
〔合脚〕 hé,jiǎo 동 (신이) 발에 맞다.
〔合金〕 héjīn 명《工》합금. ¶～铁; 합금철/镍niè铬～; 니크롬(철·니켈·크롬의 합금)/汞gǒng～ =〔汞齐qí〕; 아말감/铝铁～; 철·알루미늄 합금.
〔合金钢〕 héjīngāng 명 합금강. =〔特tè种(合金)钢〕
〔合卺〕 héjǐn 동 〈比〉 혼례를 올리다(구식 혼례에서, 신랑 신부가 술잔을 주고받다).
〔合镜〕 héjìng 명 두 개의 같은 거울(두 사람이 각기 기념으로 가짐). 동 〈比〉 헤어진 부부가 다시 함께 합치다.
〔合局〕 héjú 형 격식〔모양〕이 잘 어울리다. 볼품이 좋다.
〔合开〕 hékāi 동 ①공동으로 가게 따위를 열다. ②합동하여 (회의를) 열다.
〔合刊〕 hékān 명 (정기 간행물의) 합본(合本). 합책(合冊).
〔合口〕 hé,kǒu 동 ①상처가 유착(癒着)하다〔메워지다〕. 상처를 유착시키다. ¶用膏药～; 고약으로 상처를 아물리다. ②(붕괴된 곳을) 막다. ③입에

맞다. ¶这个菜倒挺合我的口儿; 이 요리는 오히려 내 입맛에 꼭 맞는다 / 美味～; 맛있고 입맛에 맞다. =〔适口〕 ④언쟁하다. =〔合嘴〕 ⑤입을 오므리다.

〔合口呼〕 hékǒuhū 명《言》중국 성운학에서 '우'(u)를 발음할 때의 입 모양. 원순음(圓脣音). →〔四呼〕

〔合口味〕 hékǒuwèi 형 입맛〔구미〕에 맞다. =〔对duì口〕〔对口儿〕〔对胃口儿①〕

〔合饹〕 héle 명 ⇨〔饸饹〕

〔合礼〕 hélǐ 형 예절에 맞다.

〔合理〕 hélǐ 형 도리에 맞다. 합리적이다. ¶～的要求; 조리에 닿는 요구 / ～利润; 적법 이윤 / 办得很～; 다루는 방법이 합리적이다.

〔合理冲撞〕 hélǐ chōngzhuàng 명《體》(축구의) 차징(charging).

〔合理化〕 hélǐhuà 명동 합리화(하다). ¶～建议; 합리화 제안.

〔合力〕 hélì 동 힘을 합치다. ¶同心～; 마음을 하나로 하여 힘을 합치다. 명《物》합력. 합성력(合成力).

〔合例〕 hélì 형 규칙에 맞다. 법에 맞다.

〔合流〕 héliú 동 ①(강이) 합류하다. ②〈比〉(사상·행동이) 일치하다. ③(문예·학술 방면의 서로) 다른 유파가 융합하여 일체가 되다.

〔合龙〕 hé.lóng 동 ①무너진 제방을 수리하여 복구시키다. ②(교량 공사 등에서) 양쪽에서 뻗어 온 것을 중간에서 접합(接合)하다. ¶堵江大坝已经～了; 강을 막는 큰 제방이 이미 서로 이어졌다.

〔合拢〕 hé.lǒng 동 합치다. 하나로 하다. ¶笑得嘴都合不拢来; 웃느라 입을 다물지 못하다.

〔合霉素〕 héméisù 명《藥》클로로마이세틴.

〔合门〕 hémén 명 온 가족〔집안〕.

〔合萌〕 héméng 명《植》자귀풀. =〔田旱角〕

〔合谋〕 hémóu 동 합의하다. 공모(共謀)하다. ¶～串演; 합의하여 공동 연출하다.

〔合拍〕 hé.pāi 형 ①장단이〔박자가〕 맞다. ②〈比〉마음〔손발〕이 맞다. ¶谈得挺～; 얘기를 하면 마음이 아주 잘 맞는다. 동 공동 촬영하다. ¶～影片; 공동 촬영 영화. 합작 영화.

〔合脾胃〕 hé píwei 성미가 맞다. 비위〔마음〕에 맞다. ¶这样儿的事不合我的脾胃; 이런 일은 내 성미에 맞지 않는다 / 他们在一块儿很～; 그들은 함께 있으면 마음이 매우 잘 맞는다. =〔合脾味〕〔对duì脾胃〕〔对脾味〕

〔合浦珠还〕 Hé pǔ zhū huán〈成〉한 번 잃은 물건을 다시 찾다. 떠난 사람이 다시 돌아오다(합포군(合浦郡)의 바다에서 주보(珠寶)가 산출되었으나, 관리의 폭정으로 구슬이 다른 곳으로 옮겨 갔다가 맹상(孟嘗)이 합포(合浦) 태수가 되자 구슬이 다시 돌아왔다는 고사에서 유래).

〔合起来〕 héqilai ①(몇 개를) 합치다. ②닫다. 덮다. ¶把书～; 책을 덮다.

〔合情合理〕 hé qíng hé lǐ〈成〉정리(情理)에 맞다. 공평하고 합리적이다. ¶这个建议～; 이 의견은 정리에 맞다.

〔合群〕 héqún 동 ①사람이 모여 단체를 만들다. 단체를 만들어 서로 돕다. ¶使之～; 단결시키다. ②(～儿) 사람들과 잘 어울리다. ¶～的人容易交朋友; 남과 잘 사귀는 사람은 금방 친구가 생긴다.

〔合儿〕 hér 양 (두 개씩 붙은) 얇은 빵과자를 세는 말.

〔合扇〕 héshàn 명 ⇨〔合叶〕

〔合上〕 hé.shang 동 ①닫다. ¶花刚开又～了; 꽃이 피었다 했더니, 또 시들었다 / ～眼; ⓐ눈을 감다. ⓑ성불(成佛)하다 / 把书本儿～吧; 책을 덮어라. ②《電》전원(電源)을 넣다. ¶～电门; 스위치를 넣다. ③딱 막다.

〔合身(儿)〕 hé.shēn(r) 형 (옷이) 몸에 맞다. ¶这件衣服很～; 이 옷은 몸에 잘 맞습니다. =〔合体〕

〔合十〕 héshí 동《佛》합장하다. ¶～膜拜; 합장하고 꿇어 엎드려 절하다. =〔合掌zhǎng〕

〔合时〕 hé.shí 동 시대〔유행〕에 맞다. ¶不～; 유행에 뒤지다.

〔合式〕 hé.shì 형 ⇨〔合适〕

〔合适〕 héshì 형 ①꼭 맞다. 적당하다. 안성맞춤이다. ¶这鞋你穿着正～; 이 신은 네가 신으니까 안성맞춤이다 / 四口人住正～的房子; 네 식구가 살기에 적당한 집. ②(감정이나 기분이) 차분하다. 편안하다. 안정되다. ¶心里不～; 마음이 안정되지 않는다. ‖ =〔合式〕

〔合数〕 héshù 명《數》합성수(合成數).

〔合祀〕 hésì 명동 합사(하다)(둘 이상의 죽은 사람의 혼을 한 곳에 제사함).

〔合算〕 hé.suàn 동 ①수지가 맞다. 채산이 맞다. ¶～价格; 채산 가격 / 自己做比在外头买～; 자기가 만들면 밖에서 사는 것보다 싸게 먹힌다. =〔合账〕〔上shàng算〕〔着zhuó算〕 ②(hésuàn) 합산하다. 견적(見積)하다. ¶～～总共是多少钱; 모두 얼마인지 계산해라. ③아울러 고려하다. 종합적으로 생각하다.

〔合题〕 hétí 명《哲》종합. 진테제(독 Synthese). (hé.tí) 동 주제(主題)〔테마〕에 맞다.

〔合体〕 hétǐ 동 (옷이) 몸에 맞다. =〔合身(儿)〕

〔合体字〕 hétǐzì 명 합체자(둘 이상의 부분으로 된 한자(漢字)). →〔独dú体字〕

〔合同〕 hétong 명 계약. ¶立～ =〔订～〕; 계약을 맺다 / 续～; 계약을 계속하다 / ～契 =〔～据〕〔～证据〕; 계약서 / 暂行～; 가계약. 잠정적 계약 / ～工; 계약 노동자 / ～制度; 도급〔청부〕 제도. =〔契qì约〕〔契字〕

〔合围〕 héwéi 동 ①⇨〔合抱〕 ②(몇 개 부대가 협력하여) 포위하다.

〔合胃口〕 hé wèikǒu 입에 맞다. 성미에 맞다.

〔合稀泥〕 hé xīní ⇨〔和huò稀泥〕

〔合下〕 héxià〈古白〉부 곧. 즉시. =〔合手下〕 명 당시(當時).

〔合弦(儿)〕 héxián(r) 동 무대에서 배우의 노래가 반주와 맞다.

〔合写〕 héxiě 명동 공저(共著)(하다). ¶他们四个人最近～了技术理论书籍; 그들 네 사람은 최근 기술 이론의 책을 공저했다.

〔合讯〕 héxùn 명동《法》합동 심판(하다). 합동 심문(尋問)(하다).

〔合眼〕 hé.yǎn 동 (잠을 자려고, 혹은 죽어서) 눈을 감다.

〔合演〕 héyǎn 명동 총출연(하다). 합동 공연(公演)(하다). 공연(共演)(하다).

〔合叶〕 héyè 명 경첩. ¶弹tán簧～; 용수철 경첩. =〔合页〕〔〈北方〉合扇〕〔荷叶②〕〔铰jiǎo链①〕

〔合一〕 héyī 동 하나로 하다. …을 일체가 되게 하다. 통합하다.

〔合宜〕 héyí 형 상응(相應)하다. 적당하다. 안성맞춤이다. 알맞다.

〔合议〕 héyì 동 ①합의하다. ¶～庭; 《法》합의제 법정. ②협정하다. ¶～拆息; 이율을 협정하다.

협정 이율.
〔合议制〕 héyìzhì 명《法》 합의제.
〔合意〕 hé.yì 동 ①마음을 합치다. ②마음에 들다. ¶这个合你的意吗? 이것은 당신 마음에 듭니까? ③《法》 합의하다.
〔合营〕 héyíng 명동 공동 경영(하다). ¶公私～; 국가와 개인의 공동 경영 / ～企业; ⓐ중국과 외국의 합판(合辦) 기업. ⓑ공영(共營) 기업.
〔合影〕 hé.yǐng 동 (사진을) 함께 찍다. ¶～留念; 여럿이 기념 촬영하다 / 这是我在天津跟他们～的照片; 이것은 톈진(天津)에서 그들과 함께 찍은 사진이다. (héyǐng) 명 함께 찍은 단체 사진.
〔合用〕 héyòng 형 쓸모가 있다. 쓰기에 알맞다. 동 공동으로 사용하다. ¶两家～一个厨房; 한 주방을 두 세대가 사용하다.
〔合于〕 héyú 동 (…에) 합치(合致)하다.
〔合元音〕 héyuányīn 명《言》 합원음. 입을 조금만 벌리고 내는 모음(**i, u, ü**을 말함). =〔闭bì元音〕
〔合约〕 héyuē 명 (비교적 간단한) 계약.
〔合葬〕 hézàng 동 합장하다.
〔合闸〕 hézhá 동 ①수문(水門)을 닫다. ②《電》 스위치를 켜다.
〔合掌〕 hé.zhǎng 동 합장하다. =〔合十〕 (hézhǎng) 명 같은 뜻의 대구(對句).
〔合辙(儿)〕 hé.zhé(r) 동 ①〈比〉 꼭 들어맞다. 일치하다. ¶他们两个人的想法一样, 所以一说就～; 그 두 사람은 같은 생각을 갖고 있기 때문에 말만 하면 곧 일치한다. ②본 궤도에 올라서다. 가락이 나다. ③환경에 익숙해지다. 습관이 되다. ④회복하다. 정상으로 돌아가다. ¶他的病还没～; 그의 병은 아직 회복하지 않았다. ⑤(희곡·속곡 등에서) 운(韻)이 맞다. =〔合辙(儿)押韵〕
〔合着〕 hézhe 부 ①본래. 원래. ¶她～是你的太太! 그 여자는 당신의 부인이었군요! ②결국. ¶你也不来, 他也有事, ～都推给我啦; 너도 못 오고 그도 일이 있으니, 결국은 모두 나에게 떠맡기는 거구나. =〔核着〕
〔合质〕 hézhì 명 혼합물.
〔合种〕 hézhǒng 명 잡종. 혼혈.
〔合众国〕 hézhòngguó 명 ①합중국. ②(Hézhòngguó) 미합중국.
〔合众国际社〕 Hézhòng Guójìshè 명 유피아이 통신사(U.P.I. 通信社).
〔合主(儿)〕 hézhǔ(r) 동 공동으로 하다. (자금·노동력을) 공동 출자하다. 합자(合資)하다. ¶～打一眼井; 공동으로 우물 하나를 파다.
〔合著〕 hézhù 동 공동 저작하다. 명 공저.
〔合资〕 hézī 명동 공동 출자(하다). 합자(하다). ¶用～经营方式; 합판(合辦) 방식에 따르다 / ～公司; 합자 회사.
〔合子〕 hézǐ 명《生》 접합자(接合子).
〔合子〕 hézi 명 ①작은 상자. 합. =〔盒子〕 ②'馅xiàn儿饼' 비슷한 식품.
〔合子草〕 hézicǎo 명《植》 뚜껑덩굴.
〔合奏〕 hézòu 명동《樂》 합주(하다). →〔独dú奏〕
〔合族〕 hézú 명 전민족.
〔合作〕 hézuò 명동 합작(하다). 협력(하다). 제휴(하다). ¶～开发; 공동 개발 / 技术～; 기술 제휴 / 经济～; 경제 협력 / ～者; 협력자. 파트너 / ～医疗; 협동 의료. 명 ①법식에 맞는 시문(詩文). 가작(佳作). ②《體》 팀 워크(teamwork).
〔合作化〕 hézuòhuà 명동 합작화〔협동화〕(하다).
〔合作经营〕 hézuò jīngyíng 명 공동〔합작〕 경영.
〔合作企业〕 hézuò qǐyè 명 합작 기업.
〔合作社〕 hézuòshè 명 합작사. 협동 조합.
〔合作社会主义〕 hézuò shèhuì zhǔyì 명《經》 협동 조합 사회주의.

郃

hé (합)
①지명용 자(字). ¶～阳yáng; 허양(郃陽)(산시 성(陝西省)에 있는 현(縣) 이름). ②인명용 자(字). ¶张～; 장합(張郃)(삼국(三國) 시대 위(魏)의 무장(武將)).

饸(餄)

hé (협)
→〔饸饹〕

〔饸饹〕 héle 명〈方〉 밀가루·옥수수 가루 반죽을 상자 모양의 국수틀로 뽑아 끓는 물에 익힌 국수. =〔合饹〕〔河漏〕

盒

hé (합)
①(～儿, ～子) 명 통. 함. 갑. 합. ¶饭～儿; 도시락 / 墨～儿; 먹물 통 / 烟卷～; 궐련갑 / 笔～; 필통 / 粉～儿; 분갑 / 胰子～儿; 비눗갑. ②양 작은 상자에 들어 있는 것을 세는 데 쓰임. ¶一～火柴; 성냥 한 갑. ③(～子) 명 꽃불의 일종. ¶花～; 꽃불. 축포.

〔盒灯〕 hédēng 명 어떤 장치를 해서 갖가지 모양을 나타나게 하는 불꽃〔폭죽〕.
〔盒饭〕 héfàn 명 반합. 도시락.
〔盒盖(儿)〕 hégài(r) 명 (작은) 상자 뚜껑.
〔盒钱〕 héqián 명 남에게서 (상자에 넣은) 선물을 받았을 때 심부름하는 사람에게 주는 팁.
〔盒儿〕 hér 명 ⇨〔盒子①〕
〔盒式录音机〕 héshì lùyīnjī 명 카세트식 테이프 리코더. ¶盒式录音带; 카세트 테이프. =〔盒式磁带录音机〕
〔盒式收录两用机〕 héshì shōulù liǎngyòngjī 명 라디오 카세트 테이프 리코더.
〔盒子〕 hézi 명 ①작은 상자. 합. =〔盒儿〕 ②(상자 모양의) 폭죽. ③ ⇨〔盒子枪〕
〔盒子炮〕 hézipào 명 ⇨〔盒子枪〕
〔盒子铺〕 hézipù 명 훈제(燻製) 또는 장조림한 돼지고기를 파는 가게(날고기도 함께 팖).
〔盒子枪〕 héziqiāng 명〈方〉 모제르 권총의 별칭. =〔盒子③〕〔盒子炮〕〔匣xiá枪〕〔驳bó壳枪〕

颌(頜)

hé (합)
명《生》 턱. ¶上～; 위턱. 상악(上顎) / 下～; 아래턱. 하악. ⇒gé

〔颌下腺〕 héxiàxiàn 명《生》 악하선(顎下腺).

纥(紇)

hé (흘)
①인명용 자(字). ②지명용 자(字). ③→〔回纥〕 ⇒gē

龁(齕)

hé (흘)
동〈文〉 씹다. 깨물다. ¶马皆～草饮水; 말은 모두 풀을 뜯고 물을 마신다.

何

hé (하)
① 대 문어(文語)의 의문사. ㉠무슨. 무엇. 어떤. ¶～人; ⇩ / ～物; 어떤 물건 / ～事; ⇩ / 有～困难? 어떤 곤란이 있는가? =〔什么〕 ㉡왜. 무엇 때문에. ¶～必如此; 이럴 것까지는 없다. =〔为什么〕 ㉢어떻게. ¶～如; ⇩ ㉣어디. ¶欲～往? 어디에 가고 싶으냐? / ～在; 어디 있는가 / 从～而来? 어디에서 왔는가? =〔哪里〕 ② 대 반문(反問)을 나타냄. ¶有～不可; 어찌 안 되겠는가? / ～济于事? 무슨 도움이 되겠는가? / ～足挂齿? 무슨 문제삼을 만한 게 있는가? ③ 명 성(姓)의 하나.

〔何必〕 hébì 꼭 …할 필요가 있을까. …할 필요가 없다(반어문(反語文)에 쓰여 '不必'의 뜻을 나타냄. 문말(文末)에는 흔히 '呢'가 와서 의혹의 기분을 곁들임). ¶～当初; 당초에 그렇게 할 것이 아니었다 / ～呢, 科长! 그렇게 할 것까지 없지 않습니까, 과장님! / ～管人家的事呢; 구태여 남의 일에 상관할 필요가 있겠느냐.

〔何不〕 hébù 왜 …하지 않느냐(반문(反問)의 어기(語氣)로 당연 또는 할 수 있음을 나타냄). ¶既然有事, ～早说? 어차피 용무가 있는데 왜 빨리 말하지 않느냐? / 他也进城, 你～搭他的车一同去呢? 그도 시내로 가는데 당신은 어째서 그의 차에 함께 타고 가지 않는가? / ～去请教一下? 왜 한 번 가르침을 받으러 가지 않는가? =〔为什么不〕

〔何曾〕 hécéng 언제 …한 적이 있었느냐. ¶～不是呢; 지당한 말씀입니다 / ～不完备; 언제 완비되지 않은 적이 있었는가 / 他～不想成名成家呢, 只是没有机会而已; 그 사람인들 입신 출세를 바라지 않았으랴, 단지 그 기회가 없었을 뿐이다. =〔何尝〕〔几曾〕

〔何尝〕 hécháng ⇨〔何曾〕

〔何啻〕 héchì 〈文〉 어찌 …뿐이랴. 단지 …뿐이 아니다. ¶今昔生活对比, ～天壤之别; 현재와 옛날의 생활을 비교하면 단지 천지의 차이뿐이겠는가. =〔何止〕

〔何处〕 héchù 대 〈文〉 어느 곳. 어디. ¶住在～? 어디에 사십니까? / ～去; 어디에 가느냐.

〔何从〕 hécóng 어디서부터.

〔何得〕 hédé 어떻게 …할 수가 있겠는가.

〔何等〕 héděng 대 ①어쩌면 그렇게. 얼마나. ¶～聪明! 어쩌면 이렇게 총명할까! / ～的体面; 얼마나 훌륭한 일인가 / 他是～狂妄; 그는 얼마나 분별 없는 사람이냐. =〔多么〕 ②어떤. 어떠한. ¶你知道他是～人物吗? 그가 어떤 사람인지 알고 있느냐? / 他是～的人; 그는 어떤 사람인가. ‖ =〔何等样(儿)〕

〔何妨〕 héfāng …해도 괜찮지 않은가. …해도 무방하다. 괜찮지 않은가. ¶～试试; 괜찮으니 해 보아라 / 再行又～; 다시 한 번 간들 무방하지 않은가.

〔何干〕 hégān 무슨 상관이 있느냐. ¶与你～; 너와 무슨 상관이 있는가.

〔何敢〕 hégǎn 어떻게 감히 …하겠느냐. ¶～多言; 어찌 감히 더 말할 수 있겠습니까.

〔何故〕 hégù 대 〈文〉 왜. 무슨 연고로. ¶～如此? 왜 이러하냐? =〔何居〕

〔何堪〕 hékān 〈文〉 어찌 …할 수 있겠느냐. ¶～设想; 어찌 상상할 수 있겠느냐.

〔何苦〕 hékǔ 무엇 때문에 (고생해 가며) …하나. 무엇이 안타까워서. ¶～这样 =〔～乃尔〕; 무엇이 안타까워 이러는가 / 你～在这些小事上伤脑筋? 자넨 무엇 때문에 이런 사소한 일로 머리를 썩이고 있나? / 冒着这么大的雨赶去看电影～呢? 이런 지독한 비에, 뭐하러 영화를 보러 가나?

〔何苦来〕 hékǔlái (구태여) …할 것은 없다. ¶为一点小事这么生气, ～; 사소한 일로 뭐 그렇게 화를 낼 것은 없는데. →〔何苦〕

〔何况〕 hékuàng 접 하물며. …은 말할 것도 없고. 더군다나. ¶～你呢; 너 같은 건 말할 것도 없다 / 这样的事连小孩子都明白, ～你这个大人呢? 이런 일은 어린애들도 알고 있거늘, 하물며 자네와 같은 어른이야(모를 리 있나)?

〔何乐(而)不为〕 hé lè (ér) bù wéi 〈成〉 어찌 즐거이 하지 않겠는가. ¶储蓄对国家对自己都有好处, ～? 저축이란 나라에도 자신에게도 이로운데, 어찌 즐거이 하지 않겠는가?

〔何能〕 hénéng 〈文〉 어찌 능히 …하랴. 어찌 …할 수 있는가.

〔何其〕 héqí 〈文〉 얼마나. ¶～糊涂! 얼마나 어리석은가!

〔何去何从〕 hé qù hé cóng 〈成〉 무엇을 버리고 무엇을 취할 것인가. 어떤 길을 택할 것인가. ¶～自己选择! 어느 쪽으로 할 것인지 자신이 선택해라! / 不知～; 어디로 가야 좋을지 모르다. 어찌 처신해야 할지 모르다.

〔何去何来〕 hé qù hé lái 〈成〉 어디서 와서 어디로 가는가.

〔何人〕 hérén 대 〈文〉 누구. =〔谁shuí人〕

〔何如〕 hérú ①어떤가. ¶你先试验一下, ～? 자네 우선 테스트를 해 보는 게 어떤가? =〔怎么样〕 ②어떤. 어떠한. ¶我还不清楚他是～人; 나는 아직 그가 어떤 사람인지 잘 모른다. ③어찌 …만 하겠는가. …만 못하다. ¶与其靠外地供应, ～就地取材, 自己制造; 다른 곳의 공급에 의존하기보다는 이 곳에서 재료를 선택하여 자가(自家) 제조하는 쪽이 낫다.

〔何胜〕 héshèng 〈翰〉 어찌 …을 감당할 수 있으랴. ¶～感戴 =〔～铭感〕; 감사한 마음을 어찌 다 말할 수 있겠습니까.

〔何时〕 héshí 대 〈文〉 언제. =〔什么时候〕

〔何事〕 héshì 대 ①어찌하여. 왜. ②무슨 일. =〔什么事〕

〔何首乌〕 héshǒuwū 명 《植》 하수오(何首烏)(여러해살이 덩굴성 식물. 덩이 뿌리는 한방에서 약용함). ¶人身～; 인체(人體)의 모양을 한 하수오(가장 특효가 있다고 함). =〔地dì精〕〔首乌〕

〔何殊〕 héshū 〈文〉 어디가〔무엇이〕 다른가. ¶～官样文章? 관청의 상투어와 무엇이 다른가?

〔何所〕 hésuǒ 대 ①어디. ②…바가 무엇인가(행위의 목표 또는 귀착(歸着)하는 곳을 나타냄). ¶～取义? 무슨 뜻입니까? / 问君～思; 너는 무엇을 생각하고 있는가 / ～不为; 어떤 (나쁜) 짓이라도 한다 / ～闻而来, ～见而去; 무엇을 듣고 왔으며, 무엇을 보고 갔는가.

〔何为〕 héwéi ① 대 무엇 때문에. 왜. 어째서. =〔为什么〕 ②무얼 하나(힐책할 때 씀). =〔干什么〕 ③ 동 무엇이 …인가. ¶～五大洲; 무엇이 5대주인가.

〔何谓〕 héwèi 동 〈文〉 ①무엇을 …이라 하는가. ¶～幸福? 행복이란 무엇인가? ②무슨 뜻인가(뒤에 흔히 '也'를 수반함). ¶此～也? 이것은 어떤 뜻인가?

〔何须〕 héxū …할 필요가 있는가. …할 필요가 없다.

〔何许〕 héxǔ 대 〈文〉 ①어떤. =〔怎么〕 ②어디. ¶～人? 어디 사람이냐? =〔哪里〕

〔何以〕 héyǐ 〈文〉 ①왜. 어째서. 무엇 때문에. ¶昨天已经说定, 今天～又变卦了呢? 어제 이미 이야기는 결정했거늘 오늘은 어째서 또 마음이 바뀌었는가? / ～故gù; 무엇 때문에 / ～呢; 어째서. 왜. =〔为什么〕 ②무엇으로. 어떻게. ¶～教我? 무엇으로 나를 가르치는가?

〔何用〕 héyòng ①어찌 …할 필요가 있는가. …할 것은 없다. ¶我是常来的, ～这么周旋呢; 저는 늘 오는 사람인데, 이렇게 접대할 필요 있습니까. ②무슨 소용에 닿느냐. 어디에 쓰는가. ¶买它～? 그런 것을 사서 무엇에다 쓰느냐?

〔何有〕 héyǒu 〈文〉 무슨 일이 있으랴. 아무 지장

도 없다.
〔何哉〕 hézāi 〈文〉 ①무엇인가. ②무엇 때문인가.
〔何在〕 hézài 〈文〉 어디에 있는가. ¶其目的～? 그 목적은 어디에 있는가?
〔何止〕 hézhǐ 〈文〉 어찌 …에 그치랴. 어찌 …뿐이겠는가. ¶这样的人～那些战斗在第一线的人; 이러한 사람이 어찌 일선에서 싸우고 있는 저 사람들뿐이랴. =〔何啻〕
〔何至于〕 hézhìyú 어찌 …까지 되겠는가. ¶这件小事～影响全局? 이러한 작은 일이 어찌 전국면(全局面)에 영향을 미치겠는가?
〔何足〕 hézú 어찌 …하기에 족한가. …할 것은 못 된다. ¶～挂齿; 〈成〉 말할 것이 못 된다. 문제로 삼을 것도 없다.

河 hé (하)
명 ①하천. 강. ¶江～; 강과 하천 / ～流; ⇩ / 内～; 내수(內水) / 运～; 운하. ② (Hé) 《地》 황허(黃河). ¶～西; 황허의 서쪽 땅 / ～套; ⇩ ③크리크(creek). ④해자. ¶护城～; 성(城)의 해자. ⑤은하계(銀河系). ⑥중국 장기의 경계(境界).
〔河岸〕 hé'àn 명 하안. 강기슭. 강변.
〔河坝〕 hébà 명 강둑. 제방.
〔河浜〕 hébāng 명 〈方〉 작은 내. 시내.
〔河蚌〕 hébàng 명 《貝》 민물조개.
〔河北梆子〕 Héběi bāngzi 명 《劇》 허베이(河北) 지방극의 하나(`梆子腔' 의 일종).
〔河贝子〕 hébèizi 명 《貝》 다슬기.
〔河边(儿)〕 hébiān(r) 명 강가. 냇가.
〔河滨〕 hébīn 명 물가. 강변. 강가.
〔河伯〕 hébó 명 〈文〉 ①황허(黃河)의 신(神). ② 〈轉〉 물의 신. 물귀신. ‖ =〔河公〕〔冰bīng夷〕〔冯píng夷〕〔水shuǐ伯〕
〔河岔子〕 héchàzi 명 강의 지류. =〔河汊子〕
〔河川〕 héchuān 명 하천.
〔河床〕 héchuáng 명 하상. =〔河槽〕〔河身〕
〔河唇〕 héchún 명 하구(河口).
〔河道〕 hédào 명 배가 다닐 수 있는 강줄기. 수로. =〔河路〕
〔河灯〕 hédēng 명 공양(供養)을 위해 강물에 띄워 보내는 등롱(燈籠). ¶七月十五放～; (음력) 7월 15일에는 등롱을 강물에 띄운다. =〔水shuǐ灯〕
〔河堤〕 hédī 명 하천 둑. 하천 제방.
〔河底钱〕 hédǐqián 명 옛날, 배가 항구에 정박할 때 지불하는 정박료.
〔河防〕 héfáng 명 ①하천의 수해 예방(특히, 황허(黃河)의 수해 예방). ②황허의 군사 방어. ¶～部队; 황허 방어 부대.
〔河肥〕 héféi 명 비료로 쓰는 하천·호수·못의 개흙.
〔河夫〕 héfū 명 하천 공사의 인부.
〔河干〕 hégān 명 강변. 하안(河岸).
〔河工〕 hégōng 명 ①치수(治水) 공사(특히, 황허(黃河)의 공사를 가리킴). ②치수 공사에 종사하는 노동자.
〔河沟〕 hégōu 명 개천. 하천.
〔河谷〕 hégǔ 명 ①강 양안(兩岸)의 둑보다 낮은 곳(하상(河床)과 양안의 경사지도 포함함). ②강이 흐르는 골짜기.
〔河鼓〕 hégǔ 명 《天》 하고(견우성의 북쪽에 있는 별 이름).
〔河汉〕 héhàn 명 〈文〉 ①《天》 은하수. ②(Hé Hàn) 황허(黃河)와 한수이(漢水). ③터무니없는 엉터리 말. ¶～之言; 터무니없는 이야기.
〔河湖地〕 héhúdì 명 강이나 호수의 토사가 충적되어 이루어진 땅을 일군 토지.
〔河金〕 héjīn 명 사금(砂金).
〔河口〕 hékǒu 명 하구.
〔河口湾〕 hékǒuwān 명 강의 후미져 있는 곳.
〔河魁〕 hékuí 명 ①《天》 문곡성(文曲星). ②술방(戌方). 북서쪽. ③흉신(凶神).
〔河狸〕 hélí 명 《動》 비버. =〔海狸〕
〔河梁〕 héliáng 명 ①강에 놓은 다리. ②송별(送別)의 땅(이릉(李陵)의 시(詩)에서 나온 말). ¶～吟; 송별의 시.
〔河流〕 héliú 명 강의 흐름. ¶～沉积; 하성층(河成層) / ～袭夺; 하천의 침식.
〔河柳〕 héliǔ 명 《植》 ① 왕버들. ② ⇨〔旱hàn柳〕
〔河漏〕 hélou 명 ⇨〔饸饹〕
〔河路〕 hélù 명 수로(水路).
〔河卵石〕 héluǎnshí 명 ⇨〔卵石〕
〔河落海干〕 héluò hǎigān 〈比〉 다하다. 다 떨어지다.
〔河马〕 hémǎ 명 《動》 하마.
〔河漫滩〕 hémàntān 명 하천 부지.
〔河湄〕 héméi 명 물가. 강변.
〔河绵〕 hémián 명 《動》 담수 해면. 민물 해면.
〔河南〕 Hénán 명 《地》 하남(성).
〔河南梆子〕 hénán bāngzi →〔豫yù剧〕
〔河南坠子〕 hénán zhuìzi 명 《劇》 허난(河南)에서 발생하여 북방 각지에서 유행된 민간 예술의 일종. =〔坠子③〕 →〔大dà鼓(儿)②〕〔鼓gǔ儿词〕
〔河内〕 Hénèi 명 《地》 ①허난 성(河南省)의 황허(黃河) 이북 땅의 구칭(舊稱). ②〈音〉 하노이(Hanoi)(`越南' (베트남: Vietnam)의 수도).
〔河泥〕 héní 명 하천 바닥의 진흙.
〔河畔〕 hépàn 명 하반. 강가.
〔河漂子〕 hépiāozǐ 명 익사자(溺死者). =〔河漂儿〕〔淹死鬼〕
〔河坡〕 hépō 명 강둑. 하천의 제방. 하안(河岸).
〔河清海晏〕 hé qīng hǎi yàn 〈成〉 황허는 맑고 바다는 잔잔하다(천하가 태평한 모양). =〔海晏河清〕
〔河清难俟〕 hé qīng nán sì 〈成〉 황허(黃河)가 맑아지기를 기다릴 수 없다. 백년 하청(百年河青)을 기다리다(아무리 기다려도 가망이 없음).
〔河曲〕 héqū 명 ①강굽이. 강의 굽이쳐 흐르는 곳. ②(Héqū) 《地》 허취(산시 성(山西省)의 현(縣) 이름).
〔河渠〕 héqú 명 ①하천과 도랑. ②수로.
〔河润〕 hérùn 명 ①강물의 윤택함. ②〈轉〉 은혜(가 미치는 일).
〔河山〕 héshān 명 산하(山河). 강산. =〔山河〕
〔河身〕 héshēn 명 ⇨〔河床〕
〔河水洗船〕 héshuǐ xǐchuán 〈比〉 다른 사람의 희망에 따라 그 희망하는 물건을 주다.
〔河朔〕 héshuò 명 ①황허(黃河)의 북쪽 기슭. ② 황허(黃河) 이북의 땅.
〔河滩〕 hétān 명 (강가의) 모래톱.
〔河套〕 hétào 명 ①(Hétào) 《地》 황허(黃河)가 간쑤 성(甘肅省)에서 북쪽으로 흘러 내몽고(內蒙古)로 들어가, 동쪽으로 굽이 돌아 남하한 곳. ②강으로 둘러싸인 땅. 또, 그 강.
〔河筒〕 hétǒng 명 협곡 모양의 강.
〔河豚〕 hétún 명 《魚》 복어. ¶～毒dú; 복어의 독. =〔鲑guī②〕〔鲀tún〕
〔河外星云〕 héwài xīngyún 명 《天》 은하계 외 성운.

〔河网〕 héwǎng 명 수로망(水路網).
〔河务〕 héwù 명 하천 수리(水利)의 사무.
〔河虾〕 héxiā 명 민물새우. →〔虾〕
〔河鲜〕 héxiān 명 ①(～儿) 강에서 채취하는 야채류. ②강에서 잡은 신선한 어패류. →〔海hǎi鲜①〕
〔河蟹〕 héxiè 명 《魚》 민물게.
〔河心(儿)〕 héxīn(r) 명 강의 한가운데〔복판〕.
〔河沿(儿)〕 héyán(r) 명 강 언덕. 강가.
〔河右〕 héyòu 명 황허(黃河)의 오른쪽《황허 상류의 지금의 간쑤(甘肅) 일대》.
〔河淤〕 héyū 명 강기슭이나 강 복판에 생긴 땅.
〔河鱼〕 héyú 명 ①민물고기. 담수어. ②〈比〉 배탈. 설사. ¶～之患 =〔～腹疾〕; 배탈. 설사.
〔河源〕 héyuán 명 수원(水源). 강의 발원지.
〔河运〕 héyùn 명 수로에 의한 운수(運輸).
〔河洲〕 hézhōu 명 강의 모래섬.
〔河宗〕 hézōng 명 강의 신(神). →〔河伯〕

荷 **hé** (하)
명 ①《植》 연(蓮). →〔莲lián〕 ②(Hé) 《地》 '荷兰' (네덜란드)의 약칭. ⇒hè

〔荷包(儿)〕 hébao(r) 명 ①전대·주머니·지갑 따위. ¶香～; 향 주머니 / 烟袋～; 담배 쌈지 / ～铺; 전대·주머니 따위를 파는 가게. ②(옷의) 호주머니. 포켓.
〔荷包蛋〕 hébaodàn 명 껍데기를 깨서 풀지 않은 채로 끓는 물이나 기름에 익힌 달걀.
〔荷包豆〕 hébaodòu 명 《植》 라이머 빈 (Lima bean). 리마콩.
〔荷包牡丹〕 hébaomǔdān 명 《植》 금낭화《양꽃주머니과의 초본》.
〔荷包锁〕 hébaosuǒ 명 맹꽁이자물쇠.
〔荷包鱼〕 hébaoyú 명 《魚》 세동가리돔.
〔荷尔蒙〕 hé ěrméng 명 〈音〉 호르몬. =〔贺尔蒙〕〔激素〕
〔荷梗〕 hégěng 명 연(蓮)의 잎꼭지《약용》.
〔荷花(儿)〕 héhuā(r) 명 《植》 ①연꽃. ¶～虽好, 也要绿叶扶持; 〈諺〉 연꽃은 아름다우나 역시 푸른 잎의 도움이 필요하다《사람은 남의 도움이 필요함》. ②연(蓮).
〔荷花大少〕 héhuā dàshào 〈比〉 여름철에는 연꽃처럼 말쑥하게 차리고 다니지만, 겨울이 되면 겨울옷을 살 돈도 없는 방탕아〔난봉꾼〕.
〔荷花梅〕 héhuāméi 명 《植》 (꽃잎이 좁은) 납매(臘梅).
〔荷花生日〕 héhuā shēngrì 명 관련절(觀蓮節)《음력 6월 24일. 연꽃 구경하는 날》.
〔荷兰〕 Hélán 명 《地》 〈音〉 네덜란드(Netherlands)《수도는 '阿ā姆斯特丹' (암스테르담: Amsterdam)》.
〔荷兰盾〕 hélándùn 명 길더(guilder)《네덜란드의 화폐 단위》.
〔荷兰莓〕 hélánméi 명 《植》 양딸기. =〔洋yáng莓〕〔凤fèng梨草莓〕
〔荷兰芹〕 hélánqín 명 ⇨〔洋yáng芫荽〕
〔荷兰水〕 hélánshuǐ 명 〈方〉 사이다. →〔汽qì水(儿)〕
〔荷兰猪〕 hélánzhū 명 ⇨〔天tiān竺鼠〕
〔荷钱〕 héqián 명 갓 나온 연잎.
〔荷塘〕 hétáng 명 연못. =〔荷(花)池〕
〔荷叶〕 héyè 명 ①《植》 연잎. ②⇨〔合叶〕
〔荷叶肉〕 héyèròu 명 돼지고기를 얇게 썰어, 쌀가루를 넣고 간장·미림(味淋) 따위로 간을 한 뒤, 연잎에 싸서 찐 것.
〔荷叶粥〕 héyèzhōu 명 연잎죽《죽에 연잎 한 장을 넣고 끓여, 약간 끓기 시작했을 때 꺼내면 빛깔이나 맛이 좋아짐》.
〔荷月〕 héyuè 명 음력 6월의 별칭.

菏 **hé** (가)
①(Hé) 명 《地》 옛 강 이름. ②지명용 자(字). ¶～泽zé县; 허쩌 현(菏澤縣)《산둥 성(山東省)에 있는 현 이름》.

劾 **hé** (핵)
①동 죄상을 폭로하다. 탄핵하다. =〔弹劾〕 ②명 죄상 고발서.

〔劾究〕 héjiū 동 ⇨〔劾弹〕
〔劾弹〕 hétán 동 〈文〉 규탄하다. 탄핵하다. =〔劾究〕
〔劾状〕 hézhuàng 명 죄를 탄핵하는 글.
〔劾奏〕 hézòu 동 상주(上奏)하여 그 죄를 탄핵하다.

阂(閡) **hé** (해)
동 막(히)다. 간격〔틈〕이 생기다. 두절되다. ¶隔～; ⓐ(사상·감정의) 틈〔간격〕. ⓑ장벽. ⓒ서먹서먹하다.

核〈覈〉B) **hé** (핵)
A) 명 ①(～儿) 과실의 씨. ¶桃～; 복숭아씨. ②밤·용안(龍眼) 따위의 과실. ③씨 같은 핵질물(核質物). 사물의 핵(심). ¶细胞～; 세포핵. ④《醫》 병균에 의해 생기는 핵. ⑤〈簡〉 원자핵(原子核)의 약칭. ¶～装置; 핵 장치 / 原子～; 원자핵 / ～兵器; 핵병기. B) 동 상세히 대조해서 확인하다. 대조하다. ⇒hú

〔核办〕 hébàn 동 상세히 조사 처리하다.
〔核保护伞〕 hé bǎohùsǎn 명 핵우산.
〔核堡〕 hébǎo 명 《軍》 요새(要塞) 중심에 있는 보루(堡壘).
〔核爆炸〕 hébàozhà 명 핵폭발.
〔核备〕 hébèi 명 핵무기의 준비.
〔核裁军〕 hécáijūn 명 핵군축(核軍縮).
〔核查〕 héchá 명동 조사 검토(하다). 대조 검사(하다).
〔核弹〕 hédàn 명 《軍》 핵폭탄.
〔核弹头〕 hédàntóu 명 《軍》 핵탄두.
〔核蛋白〕 hédànbái 명 《化》 핵단백질. =〔核素①〕
〔核导弹〕 hédǎodàn 명 《軍》 핵미사일.
〔核电站〕 hédiànzhàn 명 원자력 발전소. =〔原子能发电站〕
〔核定〕 hédìng 동 조사한 연후에 결정하다. 사정(査定)하다. ¶他们掌握着～商品价格的大权; 그들은 상품 가격을 사정하는 큰 권한을 쥐고 있다. =〔核断〕
〔核动力〕 hédònglì 명 원자력.
〔核督〕 hédū 동 검사 감독하다.
〔核对〕 héduì 명동 대조 검토(하다). 조합(照合)(하다). ¶～笔迹; 필적을 대조하다.
〔核讹诈〕 hé'ézhà 명 《軍》 핵에 의한 공갈. 핵위협.
〔核反应〕 héfǎnyìng 명 핵반응.
〔核反应堆〕 héfǎnyìngduī 명 원자로(原子爐).
〔核分裂〕 héfēnliè 명 《物》 핵분열.
〔核奉〕 héfèng 〈翰〉 계산〔검토〕한 다음 보내 드리겠습니다.
〔核辐射〕 héfúshè 명 《物》 원자핵 복사(輻射).
〔核稿〕 hégǎo 동 원고를 심사하다.
〔核国家〕 héguójiā 명 핵 보유국.
〔核果〕 héguǒ 명 《植》 핵과. =〔石shí果〕

〔核黄素〕 héhuángsù 명 《化》 비타민 B_2.
〔核火箭〕 héhuǒjiàn 명 《軍》 핵 로켓.
〔核计〕 héjì 동 ①상세히 계산하다. 채산하다. ②상세하게 계획을 세우다. ③상세히 조사〔검토〕하다.
〔核价〕 héjià 동 가격을 조사 결정하다. 값을 정하다. 명 사정(査定)〔산정〕 가격.
〔核减〕 héjiǎn 동 심사하여 삭감하다.
〔核聚变〕 héjùbiàn 명 《物》 핵융합. 핵융합 반응.
〔核勘〕 hékān 동 조사하다. 심사하다.
〔核扩散〕 hékuòsàn 명 《軍》 핵확산.
〔核粒〕 hélì 명 《生》 염색립(染色粒)《세포핵내 핵사상(核絲上)의 작은 과립(顆粒). 색소를 흡수하는 강한 성질이 있음》.
〔核裂变〕 hélièbiàn 명 《物》 핵분열.
〔核垄断〕 hélǒngduàn 명 《軍》 핵 독점. ¶打破～; 핵 독점을 타파하다.
〔核迷信〕 hémíxìn 명 핵만능(核萬能)의 사고 방식.
〔核明〕 hémíng 동 자세하게 조사하여 밝히다.
〔核膜〕 hémó 명 《生》 핵막.
〔核潜艇〕 héqiántǐng 명 《軍》 원자력 잠수함.
〔核仁〕 hérén 명 ①《生》 (세포핵 속의) 인(仁). ②《植》 (과실의) 인.
〔核实〕 héshí 동 조사하여 사실을 파악하다. 사실을 확인하다. ¶我们更加肯定了他～的问题; 우리들은 그가 조사하여 알고 있던 문제를 다시 똑똑히 확인하였다. 명 조사 확인.
〔核示〕 héshì 동 검토하여 지시하다.
〔核试验〕 héshìyàn 명 핵실험.
〔核数〕 héshù 동 수〔숫자〕를 조사하다.
〔核素〕 hésù 명 ①핵단백질. =〔核蛋白〕 ②《物》 핵종(核種)《원자핵의 종류를 나타내는 말》.
〔核酸〕 hésuān 명 《化》 핵산.
〔核算〕 hésuàn 동 ①계산하다. 견적하다. 채산하다. ¶～成本; 원가를 계산하다 / 资金～; 자금 계산. ②(시비(是非)·득실(得失)을) 상담하다.
〔核糖〕 hétáng 명 《化》 리보스(ribose).
〔核糖核酸〕 hétáng hésuān 명 《化》 리보 핵산(RNA).
〔核桃〕 hétao 명 《植》 호두(나무). ¶～仁rén =〔桃瓤ráng(儿)〕〔桃仁(儿)〕; 호두 / ～壳ké(儿); 호두 껍질 / ～墙qiáng子; 호두의 칸막이처럼 된 내피 / 他的嘴像倒dǎo了～车子似的; 그의 말은 매우 빠르고 시끄럽다. =〔合桃〕〔胡hú桃〕〔羌qiāng桃〕
〔核桃虫〕 hétaochóng 명 ⇨〔蛴qí螬〕
〔核外电子〕 héwài diànzǐ 명 《物》 핵외전자.
〔核威慑力(量)〕 héwēishè lì(liang) 《軍》 핵 억지력(核抑止力).
〔核威胁〕 héwēixié 명 《軍》 핵 위협.
〔核微粒沾染〕 hé wēilì zhānrǎn 명 방사성 낙진에 의한 오염.
〔核物〕 héwù 명 핵이 있는 과실《매실·자두 따위》.
〔核销〕 héxiāo 동 자세히 심사하여 장부에서 삭제하다.
〔核心〕 héxīn 명 핵심. 중심. 중핵. ¶～力量; 핵심적인 힘 / ～成员; 중심 멤버.
〔核心领导〕 héxīn lǐngdǎo 명 ①(핵심적인 역할을 하는 소수의) 중요 지도자. ②핵심적 지도.
〔核心内阁〕 héxīn nèigé 명 핵심 내각.
〔核心作用〕 héxīn zuòyòng 명 핵심적 역할.
〔核议〕 héyì 동 심의하다. ¶～具奏; 심의한 뒤 연명(連名)으로 상주(上奏)하다.
〔核战斗部〕 hézhàndòubù 명 《軍》 핵탄두.
〔核战争〕 hézhànzhēng 명 《軍》 핵전쟁. =〔核战斗〕
〔核质〕 hézhì 명 《生》 핵질.
〔核装置〕 hézhuāngzhì 명 《軍》 핵장치《주로 원·수폭을 가리킴》.
〔核准〕 hézhǔn 동 심사하여 허가하다. 명 심사허가.
〔核子〕 hézǐ 명 《物》 핵자. 핵입자. ¶～反应; 핵반응 / ～物理学; 원자 물리학 / ～燃料; 핵연료.
〔核(子)能〕 hé(zǐ)néng 명 원자력. 원자능. 핵에너지.
〔核子瘟〕 hézǐwēn 명 《醫》 페스트. =〔鼠疫〕〔黑死病〕
〔核(子)武器〕 hé(zǐ) wǔqì 명 《軍》 핵무기.

曷 hé (갈)
명 〈文〉 ①어찌. 왜. 어떻게. =〔怎么〕 ②언제. =〔何时〕

鹖(鶡) hé (할)
명 《鳥》 (고서(古書)에서 말하는, 싸움 잘하는) 산새.
〔鹖旦〕 hédàn 명 《動》 큰박쥐의 고칭(古稱). =〔寒hán号虫〕

鞨 hé (갈)
① 명 〈文〉 신. 신발. ②→〔靺Mò鞨〕

盍〈盇〉 hé (합)
대 〈文〉 ①왜. 어찌하여. ②어찌 …하지 않느냐《반어(反語)로 '何不'와 같음》. ¶～往观之? 왜 가 보지 않느냐? ‖ =〔盖hé〕

阖(闔〈阇〉) hé (합)
①동 (문을) 닫다. ¶～户; 문을 닫다. ②동 합치다. ③동 통솔하다. ④형 전부의. 전체. 모두. 온. ⑤명 문짝. ⇒'阁' gé
〔阖第〕 hédì 명 〈敬〉 ⇨〔阖府〕
〔阖府〕 héfǔ 명 〈敬〉 댁내. 귀댁. ¶～咸宁; 〈翰〉 댁내 모두 평안하시기를 빕니다. =〔阖第〕〔阖潭〕〔阖宅〕
〔阖国〕 héguó 명 〈文〉 전국(全國).
〔阖户〕 héhù 동 문을 닫다.
〔阖家〕 héjiā 명 온 집안. ¶～大小; 가족 전원.
〔阖闾〕 hélǘ 명 ①거실(居室). =〔阖庐〕 ②(Hélǘ) 《人》 춘추(春秋) 시대의 오왕(吳王)의 이름.
〔阖扇〕 héshàn 명 문짝.
〔阖族〕 hézú 명 일족(一族) 모두. 온 가족.

盖(蓋) hé (합)
대 ⇨〔盍hé〕 ⇒gài Gě

涸 hé (후, 학)
형 〈文〉 (물이) 마르다.
〔涸干〕 hégān 동 ①(물·액체가) 마르다. ②〈轉〉 (자원 따위가) 다하다. 고갈하다.
〔涸阴〕 héyīn 명 늦겨울. 세모(歲暮)의 한 해가 저물려고 하는 시기. ¶～冱寒; 늦겨울 세(歲)밑의 심한 추위. =〔穷qióng阴〕
〔涸辙之鲋〕 hé zhé zhī fù 〈成〉 물 마른 수레바퀴 속의 붕어《위급(危急)한 가운데 도움을 청하고 있는 사람》. =〔涸辙鲋鱼〕

貉 hé (학)
명 《動》 오소리. ¶一丘之～; 똑같은 놈. 동류의 악당. ⇒háo, '貊' Mò

槅 hé (핵)
명 과일의 씨. ⇒gé

翮 hé (핵)
명 ①새의 날개의 줄기(관상(管狀)의 부분). ②〈文〉 새의 날개. ¶振~高飞; 날개를 퍼덕이며 높이 날다.

覈 hé (핵)
형 〈文〉 엄격하다. 잔인하다.

吓(嚇) hè (혁)
①동 으르다. 놀라게 하다. 위협하다. ②감 흥. 허허(불만을 나타냄). ¶~, 怎么能这样呢? 허허, 어찌 이럴 수 있나? ⇒xià
〔吓吓〕 hèhè 〈擬〉 하하. 허허(웃는 소리).
〔吓怒〕 hènù 동 〈文〉 분개하다. 화를 내다.
〔吓诈〕 hèzhà 동 공갈 협박하여 사취하다. ¶~人的财物; 남의 재물을 협박해서 사취하다.
〔吓咤〕 hèzhà 동 〈文〉 분개하다. =〔赫咤〕
〔吓住〕 hèzhù 동 불러 세우다. 을러대다.

佫 Hè (격)
명 성(姓)의 하나.

和 hè (화)
동 ①호응하다. ②창화(昌和)하다. 추종하다. 부화(附和)하다. ¶一唱百~; 〈成〉 한 사람이 말하면 모두 거기에 따른다 / 随声附~; 〈成〉 부화뇌동하다. ③(남의 시(詩) 따위의 뜻이나 운(韻)을) 따라서 짓다. 화답하다. ⇒hé hú huó huò huo

贺(賀) hè (하)
①동 〈文〉 선물을 보내어 축하하다. ②동 축사를 말하여 축하하다. 경축하다. ¶祝~; 축하하다 / 道~; 경축하다 / ~喜; ⇓ / 恭~新年; 신년을 삼가 축하합니다. ③명 기쁨. ④명 성(姓)의 하나.
〔贺词〕 hècí 명 축하의 말. 축하문. 축사.
〔贺电〕 hèdiàn 명 축하 전보. 축전.
〔贺尔蒙〕 hèěrméng 명 ⇨〔激jī素〕
〔贺房〕 hèfáng 동 신축 · 이사를 축하하다.
〔贺函〕 hèhán 명 〈文〉 축하의 편지. =〔贺信〕
〔贺节〕 hèjié 명동 〈文〉 가절(佳節) · 축제일 · 경축일(을 축하하다).
〔贺卡〕 hèkǎ 명 축하 카드.
〔贺客〕 hèkè 명 〈文〉 하객.
〔贺悃〕 hèkǔn 명 〈翰〉 축의(祝意). 축하의 뜻. ¶并申~; 아울러 축의를 말하다.
〔贺礼〕 hèlǐ 명 축하의 선물.
〔贺年〕 hè،nián 동 새해를 축하하다. ¶~卡kǎ =〔~卡片〕; 연하장 / ~片(儿)piàn(r); 연하 엽서. 신년 축하 카드. =〔贺岁〕
〔贺寿〕 hè،shòu 동 탄생일을 축하하다.
〔贺喜〕 hè،xǐ 동 경사를 축하하다.
〔贺仪〕 hèyí 명 〈文〉 축의(祝儀). 축하 선물.

荷 hè (하)
①동 (어깨에) 메다〔지다〕. ¶~枪实弹; 〈成〉 총을 메고 실탄을 장진하다. 완전 무장하다. ②명동 부담(하다). 책임(지다). ¶肩负重~; 무거운 책임을 지다. ③동 남의 은혜를 입다. ¶感~; 은혜에 감사하다. ⇒hé
〔荷承〕 hèchéng 동 …을 입다〔받다〕. ¶~指导; 지도를 받다. =〔承荷〕
〔荷担〕 hèdān 동 짊어지다. 떠맡다.
〔荷负〕 hèfù 동 ①짐을 짊어지다. ②떠맡다.
〔荷校〕 hèjiào 동 〈文〉 항쇄(項鎖)를 쓰다.
〔荷枪〕 hèqiāng 동 총을 메다.
〔荷载〕 hèzài 동 싣다. 적재하다. 명 《物》 하중(荷重). =〔荷重〕〔载荷〕〔负fù荷〕

愒 hè (할)
동 놀라게 하다. 위협하다. ⇒kài qì

喝 hè (갈)
동 ①호통치다. 큰 소리를 내다. ¶大~一声; 대갈일성. ②위협〔협박〕하다. =〔恫dòng喝〕〔恫吓〕 ⇒hē
〔喝彩〕 hè،cǎi 동 갈채하다. ¶人都喝起彩来; 사람들은 모두 갈채하기 시작했다. 명 갈채. ¶得到~; 갈채를 받다.
〔喝倒彩〕 hè dàocǎi 야유하다. ¶频频喝其倒彩; 자꾸만 야유하다. →〔叫jiào倒好〕
〔喝道〕 hè،dào 동 큰 소리로 부르다. 호통치다.
〔喝道〕 hèdào 명동 행렬 선두의 벽제(하다). =〔呵导〕
〔喝令〕 hèlìng 동 구령(口令)을 걸다〔부르다〕. 큰 소리로 명령하다.

褐 hè (갈)
명 ①〈文〉 거친 직물, 또는 거친 직물로 만든 옷. ¶短~; 짧고 거친 베옷. ②〈文〉 빈천한 사람. ③《色》 갈색.
〔褐菖鲉〕 hèchāngyóu 명 《魚》 쏨뱅이.
〔褐夫〕 hèfū 명 〈文〉 빈천한 사람.
〔褐家鼠〕 hèjiāshǔ 명 《動》 시궁쥐. =〔大家鼠〕〔褐鼠〕〔〈俗〉 沟gōu鼠〕
〔褐煤〕 hèméi 명 아탄(亞炭). 갈탄. =〔褐炭〕〔木mù煤〕
〔褐锰矿〕 hèměngkuàng 명 《鑛》 갈색 망간광(Mangan 鑛).
〔褐色〕 hèsè 명 《色》 갈색. ¶~炸药; 《化》 티엔티(T.N.T.) 화약.
〔褐石〕 hèshí 명 《鑛》 '软锰矿'(연망간광)의 별칭.
〔褐铁矿〕 hètiěkuàng 명 《鑛》 갈철광.
〔褐土〕 hètǔ 명 갈색토. =〔褐色土〕
〔褐鹰鸮〕 hèyīngxiāo 명 《鳥》 솔부엉이.
〔褐藻〕 hèzǎo 명 《植》 갈조. 갈색조.

赫 hè (혁)
①형 붉다. ②부 벌컥. 버럭(몹시 화내는 모양). ¶~然震怒; 벌컥 화를 내다. ③형 분명하다. 현저하다. 뚜렷하다. ④형 왕성하다. 성(盛)하다. ¶地位显xiǎn~; 지위가 높고 세력이 있다. ⑤부 덜컥. 깜짝(놀라는 모양). ⑥양 《物》 〈簡〉 '赫兹'(헤르츠)의 약칭. ¶千~; 킬로 헤르츠(KHz) / 兆~; 메가 헤르츠(MHz). ⑦명 성(姓)의 하나.
〔赫尔呢亚〕 hèěrníyà 명 《醫》 〈音〉 헤르니아. 탈장. =〔疝气〕〔脱肠〕〔歇儿尼亚〕
〔赫尔辛基〕 Hèěrxīnjī 명 《地》 〈音〉 헬싱키(Helsinki)('芬Fēn兰'(핀란드: Finland)의 수도).
〔赫赫〕 hèhè 형 빛나다. 혁혁하다. 현저하다. ¶~有名; 〈成〉 명성이 대단하다 / ~战果; 빛나는 전과.
〔赫鲁晓夫〕 Hèlǔxiǎofū 명 《人》 〈音〉 흐루시초프(Nikita Sergeerich Khrushchëv)(소련의 정치가, 1894~1971). =〔克kè鲁晓夫〕
〔赫然〕 hèrán 부 ①갑자기. 별안간(놀랄 만한 것이 갑자기 눈앞에 나타나는 모양). ¶一只猛虎~出现在观众面前; 한 마리의 맹호가 갑자기 관중 앞에 나타났다. ②발끈. 벌컥(매우 화내는 모

양). ¶～而怒; 〈文〉 벌컥 화를 내다.
〔赫哲族〕 Hèzhézú 명《民》허저 족(중국의 소수 민족의 하나. 헤이룽장 성(黑龍江省)에 거주함).
〔赫芝〕 hèzhī 명 ⇨〔赫兹〕
〔赫兹〕 hèzī 명《物》〈音〉 헤르츠. Hz. ＝〔赫耳兹〕〔赫芝〕〔赫〕

鹤(鶴) hè (학)
명《鳥》학. 두루미. ＝〔仙xiān鹤〕
〔鹤发〕 hèfà 명〈比〉 백발(白髮). ¶～童颜; 〈成〉 백발 동안(노인이 혈색이 좋음).
〔鹤骨松姿〕 hègǔ sōngzī 〈比〉 ①몹시 야윈 모양. ②매우 고상한 자태.
〔鹤驾〕 hèjià 명 ①〈文〉 태자(太子)의 수레. ②신선(神仙)의 수레.
〔鹤警〕 hèjǐng 명〈比〉 경보(警報)(학은 경계심이 강하다는 데서 온 말).
〔鹤立〕 hèlì 동〈比〉 ①목을 쑥 내밀고 기다리다. …을 간절히 바라다. ②똑바로 서다. ‖＝〔鹄hú立〕 →〔鹤企〕
〔鹤立鸡群〕 hè lì jī qún 〈成〉 군계일학(群鷄一鶴).
〔鹤唳〕 hèlì 〈文〉 동 학이 울다. ¶风声～; 〈比〉 아무것도 아닌 것에 두려워 떨다. 명 학의 울음소리.
〔鹤企〕 hèqǐ 동〈比〉 학수고대하다. ＝〔鹤望〕〔鹄hú企〕
〔鹤虱〕 hèshī 명《植》'天tiān名精'(여우오줌풀)의 열매.
〔鹤寿〕 hèshòu 명〈文〉 장수(長壽)를 축하하는 말.
〔鹤书〕 hèshū 명〈文〉 숨은 현자(賢者)를 초빙하는 임금의 서간(書簡).
〔鹤膝风〕 hèxīfēng 명《漢醫》 결핵성 관절염.
〔鹤轩〕 hèxuān 명〈文〉〈謙〉 뜻하지 않게 녹위(祿位)를 얻음(춘추 시대(春秋時代) 위(衛)의 의공(懿公)이 학을 사랑한 고사에서 유래).
〔鹤驭〕 hèyù 명〈文〉 ①선인(仙人)의 수레. ②죽은 부녀자가 타는 수레. 〈比〉 부녀자의 죽음. ¶～辽天去不还; 아득히 먼 하늘에 학처럼 날아가 다시는 돌아오지 않다.
〔鹤嘴〕 hèzuǐ 명 곡괭이. ＝〔鹤嘴锄〕〔鹤嘴镐〕〔洋镐〕

翯 hè (학, 혹)
→〔翯翯〕
〔翯翯〕 hèhè 형〈文〉 (깃털이) 새하얗고 윤택하다.

壑 hè (학)
명 ①골. 골짜기. ¶丘～; 산과 골짜기 / 千山万～; 많은 산과 골짜기. 〈比〉 산수(山水). ②산골짜기의 물웅덩이. ¶沟～; 계곡.

HEI ㄏㄟ

黑 hēi (흑)
①형 검다. ↔〔白〕 ②형 어둡다. 어두워지다. ¶天～了; 날이 저물었다. ↔〔亮liàng⑥〕 ③형 비밀의. 은밀한. ¶～指示; 은밀한〔부정한〕 지시. ④형 나쁘다. 사악(邪惡)하다. ¶心～; 마음이 사악하다 / ～着; 악에 물들다. (양심 등을) 흐리게 하다 / ～了心了; 나쁜 마음을 일으켰다. ⑤동 감추다. 숨기다. 사장하다. ¶他把钱都～起来了; 그는 돈을 모두 감추었다. ⑥형 반동적이다. ⑦동 실패하다. ¶那件事情整办～了; 그 일은 완전히 잘못 처리했다. ⑧명《色》 흑색. ⑨명 암흑. ⑩명 밤. ¶一天到～; 아침부터 밤까지. 하루 종일 / 今～要开农会呀; 오늘 밤에는 농회(農會)가 있군 그래. ⑪명 성(姓)의 하나.
〔黑暗〕 hēi'àn 형 ①깜깜하다. 어둡다. ¶黑暗暗(的); 깜깜하다. ②〈比〉 사회가 어둡고 정치가 부패한. 암흑의. ¶～时代; 암흑 시대 / ～世界; 암흑 세계.
〔黑白〕 hēibái 명 ①흑과 백. ¶～电视; 흑백 텔레비전 / ～(电影)片 ＝〔无wú彩色影片〕; 흑백 영화 / ～花儿; 흑백이 섞인 무늬 / ～钱(贼); '黑钱贼'(밤도둑)과 '白钱贼'(낮도둑). 도둑과 소매치기 / ～软片; 흑백 필름. ②낮과 밤. ¶老是～不着家; 언제나 낮이나 밤이나 집에 붙어 있지 않다. ③〈比〉 정(正)과 사(邪). 시(是)와 비(非). 선(善)과 악(惡). ¶不分～; 시비 선악을 구별하지 않다 / 捏niē造～; 있는 일 없는 일을 날조하다 / ～不分; 선악이 분명하지 않다.
〔黑斑〕 hēibān 명 검은 반점.
〔黑斑蚊〕 hēibānwén 명《蟲》 홍모기. ＝〔伊yī蚊〕
〔黑板〕 hēibǎn 명 흑판. 칠판.
〔黑板报〕 hēibǎnbào 명 칠판 신문(벽신문의 일종). →〔壁报〕〔大字报〕
〔黑板擦子〕 hēibǎn cāzi 명 칠판 지우개. ＝〔黑板擦(儿)〕〔板擦(儿)〕〔板刷〕〔粉fěn刷①〕
〔黑帮〕 hēibāng 명 반동 조직이나 그 멤버.
〔黑榜〕 hēibǎng 명 (삐라 등에 쓰인) 블랙리스트.
〔黑不溜秋(的)〕 hēibuliūqiū(de) 형〈方〉 ①(얼굴 등이) 거무칙칙〔거무데데〕하다. ¶一个浓眉大眼, ～的小旦; 짙은 눈썹에 눈이 크고 살결이 검은 소녀역(경극에서). ②아주 깜깜한 모양.
〔黑不提白不提〕 hēibùtí báibùtí 흑이라 하지도 않고 백이라고도 하지 않다(할 말을 전혀 하지 않다).
〔黑糁糁(儿)〕 hēicāncān(r) 형 얼굴이 검다. ＝〔黑黪cān黪(儿)〕〔黑苍cāng苍(儿)〕
〔黑差〕 hēichāi 명 헛수고. 헛걸음. ¶明知是一趟～也得硬着头皮给办去; 쓸데없는 일인 줄 알지만, 무리를 해서라도 가 주지 않으면 안 된다 / ～使; (옛날의 형사·간수와 같은) 죄인을 취급하는 직무.
〔黑车〕 hēichē 명 (영업 허가증이 없는) 불법 택시.
〔黑沉沉〕 hēichénchén 형 (하늘빛 등이) 어두컴컴한 모양.
〔黑吃黑〕 hēichīhēi 명〈比〉 불량배끼리의 꼬투리 잡아 붙는 싸움.
〔黑杵〕 hēichǔ 명《劇》 아마추어 배우가 은밀히 받는 출연료(중국 전통극에서, '票piào友(儿)'(아마추어 배우)가 부탁받아 극에 출연하는 경우, 무보수가 원칙이었던 시절에, 그 관례를 깨고 보수를 받는 것을 '拿～'라고 하였음. '黑'은 '私'의 뜻. '杵'는 '楮', 곧 지폐의 뜻).
〔黑单〕 hēidān 명 ⇨〔黑(名)单〕
〔黑疸(病)〕 hēidǎn(bìng) 명 ⇨〔黑穗病〕
〔黑道〕 hēidào ①명《天》 달이 운항하는 길. →〔黑道日(子)〕 ②→〔黑道(儿)〕
〔黑道(儿)〕 hēidào(r) 명 ①(달빛 없는) 어두운 밤길. ¶拿着电筒, 省得走～; 회중 전등이 있으면 깜깜한 길을 걷지 않아도 된다. ②검은줄·선. ③〈比〉 나쁜 길. 옳지 않은 길. 도적질. ¶走～; 나쁜 길로 들어서다. 도둑질하다.

〔黑道日(子)〕 hēidàorì(zi) 명 불길한 날. 흉일(凶日). 액일(厄日). ↔〔黄huáng道日(子)〕
〔黑灯瞎火〕 hēidēng xiāhuǒ 〈口〉 칠흑 같다. 어두컴컴하다. ¶等明儿早起去好不好? ～的怎么走啊? 내일 아침에 가면 어떨까, 이런 칠흑 같은 밤에 어떻게 가겠니? =〔黑灯下火〕
〔黑灯影儿〕 hēidēngyǐngr 불빛이 없는 어두움.
〔黑地〕 hēidì 명 등기를 하지 않고 숨기고 있는 땅. 탈세지(脫稅地). =〔黑田〕
〔黑地(儿)〕 hēidì(r) 명 검은 바탕. 바탕이 검은 천. ↔〔白地(儿)〕
〔黑点儿〕 hēidiǎnr 명 ①흑점(黑點). ②검은 표식《승패의 표시》.
〔黑点子〕 hēidiǎnzi 명 ①사악한 생각. 음험한 생각. ②사악(邪惡)한 방법. 음험한 수법.
〔黑店〕 hēidiàn 명 〈古白〉 옛날, 길손을 해치고 돈을 빼앗을 목적으로 악당들이 하던 객점.
〔黑貂〕 hēidiāo 명《動》 검은담비. =〔紫zǐ貂〕
〔黑鲷〕 hēidiāo 명《魚》 감성돔.
〔黑洞〕 hēidòng 명 ①《天》 블랙홀(blackhole). ②〈比〉 함정. ③〈比〉 업무 경영상의 손실.
〔黑洞洞(的)〕 hēidōngdōng(de) 형 (휑뎅그렁하게) 깜깜한 모양. ¶隧道里头～的, 伸手不见五指; 터널 속은 깜깜해서 한 치 앞도 안 보인다. =〔黑漆漆(的)〕
〔黑豆〕 hēidòu 명《植》 검은콩. =〔乌wū豆〕
〔黑饭〕 hēifàn 명 ①아편의 별칭. =〔阿ā片〕 ②〈比〉 나쁜 짓을 하는 것.
〔黑房子〕 hēifángzi 명 감옥(監獄).
〔黑非洲〕 Hēi Fēizhōu 명 사하라 사막 이남의 아프리카. 블랙 아프리카.
〔黑粉病〕 hēifěnbìng 명 ⇨〔黑穗suì病〕
〔黑粪〕 hēifèn 명《醫》 멜레나(melena)《소화관의 출혈에 따른 타르상(tar狀)의 혈변(血便)》.
〔黑钙土〕 hēigàitǔ 명 ⇨〔黑土①〕
〔黑干枯瘦〕 hēigān kūshòu 안색이 나쁘고 야위다.
〔黑纲领〕 hēigānglǐng 명 반동적인 계획, 또는 문헌 따위.
〔黑稿〕 hēigǎo 명 비공개의 원고 등.
〔黑疙星儿〕 hēigēxingr 명 〈方〉 작고 검은 낟알. 작은 얼룩. 작은 반점. ¶这白面里有点儿～; 이 밀가루에는 검은 티가 조금 있다. =〔黑胳星儿〕
〔黑胳星儿〕 hēigēxingr 명 ⇨〔黑疙星儿〕
〔黑格尔〕 Hēigé'ěr 명《人》〈音〉 헤겔(Geory Wilhelm Friedrich Hegel)《독일의 철학자, 1770～1831》. ¶～哲学; 헤겔 철학.
〔黑更半夜〕 hēigēngbànyè 명 〈口〉 심야. 한밤중. ¶这样～的, 送人总派我《紅樓夢》; 이런 한밤중에 누구를 배웅할 일이 생기면 으레 나를 보낸다.
〔黑狗〕 hēigǒu 명 ①검정개. ②〈貶〉 옛날의 순경.
〔黑咕隆咚(的)〕 hēigulōngdōng(de) 형 〈口〉 아주 캄캄한 모양. ¶天还～的, 他就醒了; 하늘은 아직도 캄캄한데, 그는 벌써 깼다. =〔黑姑冬〕〔黑格隆冬〕〔黑咕笼咚〕〔黑古隆冬〕〔黑谷隆东〕
〔黑股影〕 hēiguyǐng 형 ①(날이 밝기 전) 어두어둑〔어슴푸레〕하다. ②사리에 어둡다. ¶～地; 무턱대고. 되는대로.
〔黑管(儿)〕 hēiguǎn(r) 명《樂》 클라리넷. =〔单簧管〕
〔黑鹳〕 hēiguàn 명《鳥》 먹황새. =〔锅鹳〕〔乌鹳〕
〔黑光〕 hēiguāng 명 ①《物》 자외선. =〔紫外线〕 ②유아등(誘蛾燈)의 하나.
〔黑光光〕 hēiguāngguāng 형 검고 반들반들하다. ¶头发～; 검고 윤이 나는 머리.
〔黑锅〕 hēiguō 명 ①검은 솥. ②〈比〉 억울한 죄. ¶背bēi～; 억울한 죄를 뒤집어쓰다.
〔黑锅底〕 hēiguōdǐ 명 ①검은 솥 밑(바닥). ¶面如～; 얼굴이 솥 밑바닥같이 까맣다. ②검은빛의 종이연.
〔黑孩(子)〕 hēihái(zi) 명 ①미혼모의 출산 또는 계획 초과 출산 아이. ②호적에 입적하지 않는 아이.
〔黑忽忽〕 hēihūhū 형 ⇨〔黑糊糊〕
〔黑糊糊(的)〕 hēihūhū(de) 형 ①시꺼멓다. ¶两手油泥 ～; 양손이 기름때로 새까맣다. ②어두컴컴하다. ③(사람이나 물건이 많아서 멀리서 봤을 때) 어렴풋하게 보이는 모양. ¶远处是一片～的树林; 먼 곳은 온통 시커먼 숲이다 / 路旁站着～的一片人; 길가에는 사람들이 새까맣게 모여 서 있다. ‖ =〔黑忽忽〕〔黑乎乎〕
〔黑户〕 hēihù 명 정식으로 호적에 등록되어 있지 않은 가구(家口).
〔黑花蛇〕 hēihuāshé 명《動》 흑화사. 먹구렁이. 오사(烏蛇).
〔黑话〕 hēihuà 명 ①은어(隱語). 암호말. ¶说～; 은어를 사용하다 / 这是特务分子中的～; 이것은 스파이들의 은어이다. =〔春chūn点(儿)〕 ②반동적인 말.
〔黑桦〕 hēihuà 명《植》 물박달나무.
〔黑鲩〕 hēihuàn 명 ⇨〔青qīng鱼②〕
〔黑灰〕 hēihuī 명《色》 검은빛을 띤 쥐색.
〔黑汇〕 hēihuì 명 암거래 환(換).
〔黑会〕 hēihuì 명 못된 짓을 꾸미는 회합.
〔黑活儿〕 hēihuór 명 비밀리에 하는 일.
〔黑货〕 hēihuò ①아편. ②장물·탈세품·밀수품 등의 부정한 물품. →〔私sī货〕 ③〈比〉 반혁명 분자. 반동파.
〔黑籍〕 hēijí 명 아편 상습 흡연자. ¶～同胞; 아편을 빠는 한패. =〔黑界〕
〔黑记〕 hēijì 명 ⇨〔黑痣〕
〔黑(家)鼠〕 hēi(jiā)shǔ 명《動》 집쥐. →〔鼠〕
〔黑间〕 hēijiān 명 〈方〉 밤. 야간.
〔黑间白日〕 hēijiān báirì 부 ⇨〔黑家jie白日〕
〔黑酱〕 hēijiàng 명 (콩으로 담근) 검은 된장.
〔黑酱油〕 hēijiàngyóu 명 (보통으로 쓰이는 약간 검은빛을 띤) 간장《특종 요리에 쓰이는 엷은 빛깔의 '白bái酱油'에 대한 말》.
〔黑胶布〕 hēijiāobù 명《電》 전선(電線) 절연용 테이프.
〔黑胶绸〕 hēijiāochóu 명 ⇨〔拷kǎo绸〕〔莨绸〕
〔黑脚〕 hēijiǎo 명 임시로 고용한 파업 파괴자〔방해자〕.
〔黑脚杆子〕 hēijiǎo gānzi 명 〈貶〉 농민에 대한 멸칭.
〔黑价白日〕 hēijie báirì 부 ⇨〔黑家白日〕
〔黑家〕 hēijie 명 〈方〉 밤. 밤중. =〔黑价〕〔黑里〕
〔黑家白日〕 hēijie báirì 부 온종일. 낮이나 밤이나. =〔黑间白日〕〔黑价jie白日〕
〔黑口〕 hēikǒu 명 목판본(木版本) 판형의 하나《중앙의 접은 부분의 위아래에 인쇄된 검은 선. 폭이 넓은 것을 '大～' 좁은 것을 '小～'라고 함》. →〔白bái口〕
〔黑蓝〕 hēilán 명《色》 짙은 남색.
〔黑老虎〕 hēilǎohǔ 명 ①석탄 매점(買占) 상인. ②일정한 지역 내에서 세력권을 가지고 있는 악인. 본토박이 두목.
〔黑了个脆〕 hēilegecuì 〈俗〉 새까맣다. 시커멓다.

¶你快瞧那个人，真是～; 빨리 저 사람 좀 보아라, 아주 새까맣다.
〔黑里〕 hēili 명 ①어두운 곳. ②밤중.
〔黑里康大号〕 hēilǐkāng dàhào 명《樂》〈音〉 헬리콘(helicon).
〔黑里俏〕 hēiliqiào 형 얼굴이 거무스름하고 아름답다.
〔黑脸〕 hēiliǎn 명 ①교활한 사람. ②검은 얼굴. ③(～儿) 경극(京劇)에서의 악역(惡役). ¶唱～; 악역을 연출하다.
〔黑脸儿赌〕 hēiliǎnrdǔ 동 돈을 걸고 끝장이 날 때까지 도박을 하다. ¶要来咱们可就～, 不来就散sàn了; 도박을 하려면 끝까지 하자, 그만두려면 이걸로 끝내자.
〔黑良心〕 hēiliángxīn 명 나쁜 양심. 검은 심보. (hēi,liángxīn) 동 나쁜 마음을 먹다. ¶黑着良心; 양심을 더럽히다.
〔黑亮亮(的)〕 hēiliàngliàng(de) 형 검게 빛나는 모양.
〔黑瘤〕 hēiliú 명《醫》 흑색종(黑色腫).
〔黑龙江〕 Hēilóngjiāng 명《地》 ①헤이룽장 성(省). ②헤이룽 강(黑龍江).
〔黑喽喽〕 hēiloulou 〈擬〉 쿨쿨《잠자는 소리》.
〔黑碌碌(的)〕 hēilùlù(de) 형 새까맣다.
〔黑驴儿〕 hēilǘr 명《動》 검은 당나귀.
〔黑绿〕 hēilǜ 명《色》 검은 녹색.
〔黑马〕 hēimǎ 명 다크 호스(dark horse)《뜻밖에 유력한 경주마 또는 후보자》.
〔黑买卖〕 hēimǎimai 명 마약 밀매자. ¶贩毒者谓之～, 吸毒者号称黑籍中人; 마약을 밀매하는 사람을 '～'라고 하며, 마약을 피우는 사람을 '黑籍中人'이라고 한다.
〔黑麦〕 hēimài 명《植》 호밀. 라이(rye)보리. =〔〈音〉来lái麦〕
〔黑眉乌嘴(儿)〕 hēiméi wūzuǐ(r) 얼굴이 검고 용모가 추악하다. =〔黑煤乌嘴(儿)〕
〔黑梅花〕 hēiméihuā 명 (카드놀이의) 클럽(club)《패의 하나》.
〔黑煤〕 hēiméi 명 목탄(木炭). 숯.
〔黑霉〕 hēiméi 명 검은 곰팡이. ¶～病; 《農》 고구마의 연부병(軟腐病).
〔黑门坎儿〕 hēiménkǎnr 명 (죄인을 잡던) 포리(捕吏).
〔黑米〕 hēimǐ 명 ①현미(玄米). 흑미(黑米). ②아편의 별칭.
〔黑面〕 hēimiàn 명 ①검은색의 거친 밀가루. ②메밀·콩·밀을 섞은 가루.
〔黑面包〕 hēimiànbāo 명 검은 빵. 흑빵.
〔黑面儿〕 hēimiànr 명 ①비밀 사회. ②범죄자의 사회.
〔黑(名)单〕 hēi(míng)dān 명 블랙 리스트(black list). =〔黑单〕
〔黑墨〕 hēimò 명 ①흑연(黑鉛). ②먹. 검은 잉크.
〔黑墨糊眼〕 hēimòhúyǎn 〈比〉 똑똑히 보이지 않는 모양.
〔黑墨水〕 hēimòshuǐ 명 검은 잉크.
〔黑牡丹〕 hēimǔdān 명 흑모란. 〈比〉 검고 아름다운 것《반들반들 윤이 나는 좋은 흑우(黑牛)나 살빛이 검은 미인(美人) 등》.
〔黑木耳〕 hēimù'ěr 명《植》 검은 목이버섯.
〔黑幕〕 hēimù 명 흑막. 내막. 속사정. ¶揭jiē穿～; 내막을 폭로하다.
〔黑牛油〕 hēiniúyóu 명 〈方南〉 그래파이트 그리스(graphite grease)《고체 윤활제의 하나》.
〔黑胖子〕 hēipàngzi 명 빛깔이 검고 뚱뚱한 사람.
〔黑啤酒〕 hēipíjiǔ 명 흑(黑)맥주. =〔波bō打酒〕
〔黑漆板凳〕 hēiqībǎndèng 명 〈音義〉 남편《'husband'의 익살스러운 음역어(音譯語). 자의(字義)는 검은 옷칠을 한 널빤지로 만든 의자라는 뜻》.
〔黑漆漆(的)〕 hēiqīqī(de) 형 ⇨〔黑洞洞〕
〔黑漆一团〕 hēi qī yī tuán 〈成〉 부정이 횡행하는 아주 캄캄한 세상이다. 암흑 천지다.
〔黑旗〕 hēiqí 명 흑기《'文化大革命' 때, 마오 쩌둥(毛澤東)에게 반대하는 진영에 대한 비유적인 형용》.
〔黑铅(粉)〕 hēiqiān(fěn) 명 흑연. =〔石墨〕
〔黑签(儿)〕 hēiqiān(r) 명 계(契)에서 계가 낙찰되어 버려 추첨권 없이 부금(賦金)만을 내다, 또는 그런 사람. ¶我上的是一支～会, 没指望了; 내가 붓고 있는 것은 이미 낙찰되어 부금만 내는 것이기 때문에 희망이 없다. ↔〔白bái签(儿)〕
〔黑钱〕 hēiqián 명 ①부정한 돈《뇌물·입막음으로 주는 돈·노름에서 번 돈 따위》. ②밤도둑. =〔黑钱贼〕 ↔〔白bái钱④〕
〔黑枪〕 hēiqiāng 명 ①암살용 총탄. ② 은닉(隱匿) 총기. 불법 소지 총기류. ③〈轉〉 음험한 수단.
〔黑湫湫〕 hēiqiūqiū 형 새까맣다.
〔黑黢黢〕 hēiqūqū 형 새까맣다. 캄캄하다. ¶～的脸; 새까만 얼굴 / 天黑了, 屋子里～的; 해가 져서 방 안은 캄캄하다.
〔黑热病〕 hēirèbìng 명《醫》 흑열병.
〔黑人〕 hēirén 명 ①흑인. ②〈貶〉 (죄나 그 밖의 이유로) 숨어 사는 사람. ③〈貶〉 (정치적 의도로) 잠입한 사람. 내통자(內通者). 비밀 공작자. ¶他因为那点儿事, 做了三年～; 그는 그 사건으로 인해 3년간 숨어서 살았다. ④〈貶〉 무적자(無籍者).
〔黑茸茸〕 hēiróngróng 형 검은 털이 더부룩하게 난 모양. ¶～的脚; 털이 많이 난 다리.
〔黑色〕 hēisè 명《色》 검은색.
〔黑色金属〕 hēisè jīnshǔ 명 ① '铁'(철)·'锰měng'(망간)·'铬gè'(크롬)의 총칭. ②철합금(鐵合金). ‖ =〔铁tiě金属〕 →〔有yǒu色金属〕
〔黑色素〕 hēisèsù 명 ①《染》 아닐린 블랙(anilin black). =〔苯běn胺黑〕 ②멜라닌(melanin).
〔黑色幽默〕 hēisè yōumò 명 〈音義〉 블랙 유머(black humour)《풍자적인 우스갯소리》.
〔黑纱〕 hēishā 명 상장(喪章)《검은 완장》. ¶戴～ =〔佩带～〕; 상장을 하다.
〔黑衫党〕 hēishāndǎng 명 ⇨〔黑衣党〕
〔黑上〕 hēishang 동 〈京〉 미혹(迷惑)되다. 탐내다. 눈독을 들이다. ¶～这所房子啦; 이 집을 탐내고 있어.
〔黑参〕 hēishēn 명《動》 흑해삼. =〔黑狗参〕
〔黑牲口〕 hēishēngkou 명 이슬람 교도가 돼지를 꺼려하는 말.
〔黑市〕 hēishì 명 암시장. 암거래. 블랙 마켓(black market). ¶～汇率; 암거래 환율 / ～票; 암거래표. →〔暗àn盘〕〔行háng市①〕
〔黑手〕 hēishǒu 명 검은 마수. 뒤에서 조종하는 사람.
〔黑水〕 hēishuǐ 명 ①〈比〉 검은 심보. ¶他一肚子～; 그는 속이 아주 검다〔음험하다〕. ②(Hēishuǐ) 《地》 중국 동북 지역의 헤이룽 강(黑龍江)을 말함.
〔黑死病〕 hēisǐbìng 명《醫》 페스트. 흑사병. =〔〈音〉百bǎi斯笃〕〔核hé子瘟〕〔鼠shǔ疫〕

〔黑素〕 hēisù 명 《化》 멜라닌.
〔黑穗病〕 hēisuìbìng 명 《農》 흑수병. 깜부기병. =〔黑疸dǎn(病)〕〔黑粉病〕
〔黑索今〕 hēisuǒjīn 명 《化》〈音〉 헥소겐(hexogen)《정식으로는 '六素精' '三甲撑三硝基胺'(트리메틸렌트라니트로아민)이라는 일종의 폭약》.
〔黑陶〕 hēitáo 명 흑도《중국 신석기 시대 말기의 흑색 도기》. ¶～文化 =〔龙lóng山文化〕; 용산 문화.
〔黑桃〕 hēitáo 명 (트럼프의) 스페이드.
〔黑腾腾〕 hēitēngtēng 형 시꺼멓다《어두운 모양》. ¶只见神厨里卷起一阵恶风, 将那火把都吹灭了, ～罩了庙宇《水滸傳》; 문득 보니, 궤 속에서 한바탕 바람이 불어 와 횃불을 꺼 버리고, 어둠이 불당을 휩싸 버렸다.
〔黑体〕 hēitǐ 명 ①《物》 흑체. ②⇨〔黑体字〕
〔黑体字〕 hēitǐzì 명 《印》 고딕체. ¶～母; 고딕체의 표음 부호. =〔粗cū体字〕〔〈俗〉 方fāng头字〕〔黑体②〕
〔黑天(儿)〕 hēitiān(r) 명 〈方〉 저녁. 밤. ¶不分～白日地干; 밤낮을 가리지 않고 일하다. 동 해가〔날이〕 저물다. ¶一～就睡觉; 해만 지면 이내 잔다.
〔黑田〕 hēitián 명 ⇨〔黑地①〕
〔黑甜〕 hēitián 형 (잠이) 달다〔깊다〕.
〔黑甜乡〕 hēitiánxiāng 명 깊은〔단〕 잠. 꿈나라. ¶已入～; 이미 깊이 잠이 들었다.
〔黑帖〕 hēitiě 명 〈口〉 익명의 쪽지. =〔无wú名帖(儿)〕
〔黑铁〕 hēitiě 명 주석·아연 따위의 도금을 하지 않은 철《주철(鑄鐵)을 제외함》. ¶～管; 철관.
〔黑头〕 hēitóu 명 《劇》 경극(京劇)에서 얼굴을 검게 칠한 호쾌·강직한 배역.
〔黑土〕 hēitǔ 명 ①《地質》 흑토. 체르노젬(Chernozem). 흑색토. =〔黑钙土〕 ②아편의 별칭. =〔阿ā片〕
〔黑文〕 hēiwén 명 반동적인 글.
〔黑窝〕 hēiwō 명 악인의 소굴.
〔黑污子〕 hēiwūzi 명 (몸에 나는) 사마귀.
〔黑屋子〕 hēiwūzi 명 ①암실. ②감옥 안의 암실.
〔黑钨矿〕 hēiwūkuàng 명 《鑛》 볼프람 철광. 철망간 중석.
〔黑五类〕 hēiwǔlèi 명 (중국에서 비판·숙청의 대상인) 지주·부농·반혁명 분자·악질 분자·우파 분자의 5종류의 계층. ↔〔红hóng五类〕
〔黑瞎子〕 hēixiāzi 명 ⇨〔狗gǒu熊①〕
〔黑匣子〕 hēixiázi 명 (비행기의) 블랙 박스.
〔黑下〕 hēixia 명 〈方〉 ⇨〔黑夜〕
〔黑心〕 hēixīn 명 나쁜 마음. 고약한 마음. 흑심. 형 음험하고 잔인하다. 속이 검다.
〔黑心肠〕 hēixīncháng 명 마음이 나쁜 사람. 엉큼한〔음흉한〕 사람.
〔黑心利〕 hēixīnlì 명 폭리(暴利).
〔黑心马铁〕 hēixīn mǎtiě 명 ⇨〔黑心韧铁〕
〔黑心韧铁〕 hēixīn rèntiě 명 《工》 흑심 가단 주철(黑心可鍛鑄鐵). =〔黑心马铁〕
〔黑心树〕 hēixīnshù 명 《植》 윈난(雲南)에서 나는 교목《성장이 빠르고 수명도 김. 노수(老樹)는 검고 자단(紫檀) 같으며 재질은 단단하고 흰개미의 해를 받지 않으며 연료로 적합함》.
〔黑信〕 hēixìn 명 ①익명의 편지. ¶这是一封无头无尾的～; 이것은 두서 없는〔밑도 끝도 없는〕 익명의 편지다. =〔匿nì名信〕〔无wú名信〕 ②협박장. ¶土财主收到了一封勒索～; 시골 부자가 돈을 강요하는 협박장을 받았다. =〔恐kǒng吓信〕 ③투서. 밀고장. ¶政府要是凭～抓人, 那太危险了; 정부에서 만일 밀고장에 의해 사람을 체포한다면, 그것은 매우 위험한 일이다. =〔告gào密信〕〔小xiǎo报告(儿)②〕 ④(내용이 악의적이거나 반동적인) 악질적인 편지.
〔黑星期五〕 hēixīngqīwǔ 명 불길한 금요일. 13일의 금요일. ¶今日是十三日, 兼为星期五, 是洋迷信所谓'～'或'不祥日'; 오늘은 13일이고 더구나 금요일이니, 서양 미신에서의 이른바 '13일의 금요일' 또는 '불길한 날'이다. =〔黑色星期五〕
〔黑猩猩〕 hēixīngxīng 명 《動》 침팬지. =〔〈文〉 黑猿〕
〔黑熊〕 hēixióng 명 ⇨〔狗gǒu熊①〕
〔黑魆魆(的)〕 hēixūxū(de) 형 ①깜깜〔캄캄〕하다. ¶这船从～中荡来; 이 배는 캄캄한 어둠 속을 저어 왔다. ②시꺼멓다. ¶西北边起了一团～的云彩, 这就要来一阵大雨吧; 서북쪽에 시꺼먼 구름이 일었으니, 곧 큰비가 오려는가 보다.
〔黑靴油〕 hēixuēyóu 명 검정 구두약.
〔黑压压〕 hēiyāyā 형 사람이나 물건 등이 많이 밀집하여 새까맣다. ¶这时门外～地站满了人; 이때에는 문 밖에는 사람이 새까맣게 많이 서 있었다. =〔黑鸦鸦〕→〔黑糊糊〕
〔黑鸦〕 hēiyā 명 ⇨〔鸬lú鹚〕
〔黑烟子〕 hēiyānzi 명 ①흑색의 안료(顏料). ②철매. 그을음. 검댕.
〔黑眼镜〕 hēiyǎnjìng 명 색안경. 선글라스. =〔太tài阳(眼)镜〕
〔黑眼皮〕 hēiyǎnpí 명 수전노. ¶他真是～, 缺一毛钱都不答应; 저 녀석은 정말 수전노야, 10전만 모자라도 용서 없지.
〔黑眼乌珠〕 hēiyǎn wūzhū 명 검은 눈. ¶～瞧见白银子; 검은 눈이 '白银'(흰 은)을 탐내다.
〔黑眼珠(儿,子)〕 hēiyǎnzhū(r, zi) 명 검은 눈동자.
〔黑夜〕 hēiyè 명 어두운 밤. 깜깜한 밤. ¶～饭; 〈方〉 저녁밥. =〔黑下〕
〔黑衣党〕 Hēiyīdǎng 명 (이탈리아의) 파시스트당. =〔黑衫党〕
〔黑银号〕 hēiyínhào 명 옛날, 불법적으로 경영하던 은행.
〔黑影儿〕 hēiyǐngr 명 ①검은 그림자. ②땅거미. ¶走着走着, ～就下来了; 걷다 보니 땅거미가 지기 시작했다.
〔黑油油(的)〕 hēiyōuyōu(de) 형 ①검게 윤이 나는 모양. ¶～的头发; 검게 윤이 나는 머리털. 새까만 두발. ②캄캄한 모양. ¶四周～的; 주위는 캄캄하다. =〔黑幽幽〕〔黑黝黝〕
〔黑油〕 hēiyóu 명 ⇨〔焦jiāo油①〕
〔黑油绿〕 hēiyóulǜ 명 《色》 검은빛을 띤 녹색.
〔黑黝儿〕 hēiyǒur 명 《色》 거무스름한 색. ¶银子挂了～; 은화는 검은빛을 띠고 있다.
〔黑鱼〕 hēiyú 명 《魚》 가물치. =〔鳢lǐ鱼〕
〔黑云〕 hēiyún 명 검은 구름《불운·불행·반동 등을 상징함》. ¶～压城城欲摧; 검은 구름이 성을 뒤덮어 성이 무너지려고 하다《나쁜 세력이 긴장 상태를 만듦》.
〔黑云母〕 hēiyúnmǔ 명 《鑛》 흑운모. =〔玫méi瑰①〕
〔黑运〕 hēiyùn 명 악운. ¶走～; 운이 나빠지다.
〔黑早(儿)〕 hēizǎo(r) 명 새벽(녘). 동틀 무렵.
〔黑枣(儿)〕 hēizǎo(r) 명 ①말린 검은 대추. ②총포나 피스톨의 탄환. ¶吃～; 한방 맞다. ③《植》

고욤나무(의 열매).

〔黑账〕 hēizhàng 명 ①공개하지 않는 계정(計定)·장부. 비밀 장부. ②남이 모르는 부채(負債).

〔黑爪子〕 hēizhǎozi 명 〈比〉 검은 손. ¶他的～到处要捕捉我; 그의 검은 손이 도처에서 나를 잡으려 한다.

〔黑针针〕 hēizhēnzhēn 형 까마반지르하다. ¶～的马; 검고 반질반질한 털의 말 / ～的头发; 검게 빛나는 머리털.

〔黑汁白汗〕 hēizhī báihàn 〈比〉 땀투성이가 되어 일하다. ¶大伙在这里～; 모두들 여기서 땀투성이가 되어 일한다.

〔黑芝麻〕 hēizhīma 명 《植》 검은깨.

〔黑痣〕 hēizhì 명 사마귀. 검은 반점. =〔黑记〕

〔黑竹〕 hēizhú 명 《植》 오죽(烏竹). =〔紫zǐ竹〕

〔黑子〕 hēizǐ 명 ①〈文〉 사마귀. 검은 점. ¶弹丸～之地; 〈比〉 총알이나 사마귀와 같이 매우 좁은 땅. ②《天》 태양의 흑점. ③(儿) (바둑의) 검은 돌. 흑지.

〔黑字体〕 hēizìtǐ 명 《印》 고딕(Gothic)체.

〔黑鬃〕 hēizōng 명 검정 돼지의 털.

嘿 **hēi** (묵)

감 ①어이. 여보(시오). 야《가볍게 부르는 말》. ¶～, 你过来! 야, 이리 와 봐! / ～, 你这边儿来! 어이, 이리 오라구! ②여보시오. 이봐요《가볍게 남을 제지할 때나 주의를 촉구할 때에 쓰이는 말》. ¶～, 小心点! 어이! 좀 주의하시오! / ～～, 别站在车道上! 여보시오! 차도 위에 서 있지 마시오! ③뭐야. 허. 야. 하《놀라움이나 경탄의 어기(語氣)》. ¶～! 又打败了; 뭐야! 또 졌어. ④야. 이봐《득의에 찬 모양을 나타냄》. ¶～, 咱们生产的机器可实在不错呀! 어때, 우리 공장에서 만든 기계 대단하지! ‖ =〔嗨hēi〕 ⇒mò

〔嘿嘿〕 hēihēi 〈擬〉 헤헤《웃음소리》.

〔嘿儿乎〕 hēirhu 동 〈京〉 노리다. 훔칠 기회를 엿보다. ¶把鱼收置纱柜子吧, 猫在那儿～着呢; 고양이가 거기서 노리고 있으니, 생선을 망사 친 찬장 안에 치워 두시오.

〔嘿儿喽〕 hēirlou 동 〈京〉 ①콜록거리다. 쿨룩쿨룩 기침을 하다. ¶昨儿晚上老太爷～了半宿xiǔ没睡; 어젯밤에 할아버지는 밤늦도록 쿨룩거리며 주무시지 못했다. ②(남을) 업다. ¶他两脚不能走, 得找人～着去; 그는 두 발이 불편해서 걷지 못하니까 누군가에게 업히지 않으면 안 된다.

嗨 **hēi** (해)

감 ⇨〔嘿hēi〕 ⇒hāi

HEN ㄏㄣ

痕 **hén** (흔)

명 흔적. 자취. ¶伤shāng～; 상처 자국 / ～迹jì; ⇩ / 泪lèi～; 눈물 자국.

〔痕迹〕 hénjì 명 흔적. 자취. ¶车轮的～; 바퀴 자국 / 这个村子, 旧日的～几乎完全消失了; 이 마을은 옛 모습이 완전히 없어졌다.

〔痕量〕 hénliàng 명 《化》 흔적. 미량(微量).

哏 **hěn** (흔)

→〔哏哆〕 ⇒gén

〔哏哆〕 hěnduo 동 야단치다. 꾸짖다. ¶叫人～了一顿; 남에게 꾸중 들었다.

很 **hěn** (흔)

①부 매우. 대단히. 퍽. 아주. 몹시. 잘. ㉠형용사가 지칭(指稱)하는 성질·상태의 정도를 나타냄. ¶不, 我没有什么不舒服, 我～好, ～好; 아니오, 아무데도 불편한 곳이 없습니다. 매우 좋습니다. 아주 좋아요. ㉡'有'가 흔히 추상적인 뜻의 객어(客語)를 취한 구조(構造)로, 어떤 상태를 나타내고 있을 때, 그 정도를 나타냄. ¶他所提的意见是～有道理的; 그가 내놓은 의견은 매우 이치에 맞다. ㉢심리 활동을 지칭하는 동사 앞에 놓여, 정도를 나타냄. ¶我是～了解他的; 나는 그를 잘 알고 있다. 注 심리 활동을 나타내는 것이라도 '热爱'(열애하다)와 같이 그 자체가 일정한 정도를 나타내고 있는 것에는 '很'을 붙이지 않음. 그러나 '更', '最'와 같은 비교를 전제(前提)로 하고 있는 정도 부사(程度副詞)는 붙일 수 있음. ㉣기타의 동사(조동사도 포함)에서도 심리적 활동에 가까운 동작·작용(가능·가치의 인정 따위)을 지칭하는 것에는 '很'이 붙으며, 또 동작·작용의 뒤에 남는 상태에서 강약(強弱)·대소의 정도를 측정할 수 있는 것에도 '很'이 붙음. ¶我听了, ～受感动; 나는 듣고서 대단히 감동했다. ②형용사의 뒤에 '得'를 개재(介在)시켜 그 정도가 매우 높음을 나타냄. ¶好得～; 매우 좋다. 훌륭하다 / 他的病沉重得～; 그의 병은 매우 위중하다. ‖ =〔狠⑥〕

〔很多〕 hěn duō ①('很'을 세게 발음하여) 매우 많다. ②(형용사·수식어로서) 많은. ¶有～人同意; 많은 사람이 찬성하다. ③('的'을 수반하여 형용사·수식어로서) 아주 많은. ¶有～的人同意; 매우 많은 사람이 찬성하다.

〔很好地〕 hěnhǎode 부 훌륭히. 멋지게. 잘. ¶畜xù牧业也要～发展; 목축업도 훌륭히 발전시켜야 한다.

〔很精神〕 hěn jīngshen 매우 힘차다. 원기 왕성하다. ¶～地推着车走; 힘차게 차를 끌고 가다.

〔很久以前〕 hěnjiǔ yǐqián 훨씬 이전.

〔很明显〕 hěn míngxiǎn 명백한 일이지만《흔히, 문장 맨 앞에 쓰임》.

〔很难说〕 hěn nánshuō 매우 말하기 어렵다.

〔很少〕 hěn shǎo ①('很'을 세게 발음하여) 매우 적다. ¶我除了吃饭睡觉, ～在家里待; 나는 식사할 때와 잠을 잘 때 외에는 집에 있는 때가 드물다. ②(형용사 수식어로서) 적다. ¶～人敢说; 용감하게 말하는 사람은 적다. ③('的'을 수반하여 형용사·수식어로) 매우 적다. ¶～的人肯去; 매우 적은 인원만이 가려고 했다.

〔很显然〕 hěn xiǎnrán ①매우 확실〔분명〕하다. ②아주 명백한 일이지만《흔히, 문장 맨 앞에 쓰임》.

狠 **hěn** (흔)

①형 잔인하다. 흉악하다. 매정하다. 악독하다. 모질다. ¶心～; 마음이 잔인하다 / 下～手; 잔인한 짓을 하다 / ～～地瞪dèng他一眼; 매섭게 그를 노려보다 / ～～地打击敌人; 호되게 적을 무찌르다. ②동 억지로 감정을 누르다. 모질게 마음먹다. 마음을 다잡다. ¶一～二～地; 거듭 모질게 마음을 먹고 / ～一下子和他分别了; 마음을 모질게 먹고 그와 헤어졌다 / ～着心把泪止住; 마음을 다잡고 눈물을 참다. ③형 단호하다. 결연하다. ④동 분개하다. ¶低声地～

道; 낮은 소리로 성을 내어 말하다. =〔发狠〕⑤ 동 깊이 파고들다. ¶再～点猜; 좀더 깊이 파고들어 알아맞혀 보아라. ⑥⇨〔很hěn〕
〔狠巴巴〕 hěnbābā 형 독살스럽다. 심사 사납다. ¶外面老实心里可是～; 겉보기에는 온순하나 심보는 사납다.
〔狠打〕 hěndǎ 동 심한 타격을 가하다. 몹시〔호되게〕 때리다.
〔狠歹歹〕 hěndǎidǎi 형 독살스럽다. 사납다. 표독하다. ¶小燕越看越生气, 推门进去～地站在旁边; 소연(小燕)은 보면 볼수록 화가 나서, 문을 밀고 들어가 독살스럽게 옆에 섰다.
〔狠毒〕 hěndú 형 잔인하다. 악랄하다. =〔很毒〕
〔狠狠(地)〕 hěnhěn(de) 부 잔인하게. 엄하게. 매섭게. ¶我～地批评了他; 나는 그를 호되게 비판했다. =〔很很(地)〕
〔狠猴儿〕 hěnhóur 명 노랭이. 구두쇠.
〔狠劲(儿)〕 hěnjìn(r) 명 견인불발(堅忍不拔). 불굴의 정신. (hěn,jìn(r)) 동 힘을 들이다. ¶甩了鞭子, ～打大猪; 채찍을 휘둘러 힘껏 큰 돼지를 쳤다.
〔狠口〕 hěnkǒu 형 신랄하다. 입이 걸다.
〔狠辣〕 hěnlà 형 잔인하다. 인정 사정 없다.
〔狠老婆〕 hěnlǎopó 명 사나운〔포악한〕 여편네.
〔狠命〕 hěn,mìng 동 〈方〉 온 힘을 다하다. 필사적으로〔죽기살기로〕 …하다. ¶摘下那玉～摔去; 그 구슬을 잡아떼어 힘껏 (아래로) 내던졌다.
〔狠人〕 hěnrén 명 악독한〔모진〕 사람. 흉악한 사람. 심술궂은 사람.
〔狠手〕 hěnshǒu 명 ①수완가. ¶奔日子也是一把～, 比当年还厉害了; 생계를 꾸리는데도 선수여서 전보다 솜씨가 더 한층 매섭다. ②잔인한〔악랄한〕 수단.
〔狠心〕 hěn,xīn 동 마음을 모질게 먹다. 이를 악물다. ¶狠一～ =〔狠了心〕; 마음을 딱 모질게 먹다 / ～做财主; 〈成〉 악독하지 않으면 부자가 될 수 없다. 사람이 좋기만 해서는 돈을 지닐 수 없다. (hěnxīn) 형 모질다. 잔인하다.
〔狠心肠〕 hěnxīncháng 명 잔혹한〔모진〕 마음. 형 마음이 잔혹하다. 인정미가 없다. 잔인하다.
〔狠一下子〕 hěn yīxiàzi 마음을 모질게 먹다.
〔狠着心〕 hěnzhexīn 모질게 맘먹고. 냉혹하게. 악독하게. ¶我再三赔好话, 他还是～不理我; 내가 재삼 사과했지만, 그는 여전히 매정하게 상대해주지 않는다. =〔狠一狠心〕〔硬yìng着心〕
〔狠住〕 hěnzhù 동 ①(강경한 말·방식으로) 협박하다. ②힘껏 참다.
〔狠揍〕 hěnzòu 동 몹시 때리다. 호되게 때리다. ¶挨他们的～; 그들에게 호되게 두들겨 맞았다.

恨 hèn (한)
①명동 원망하다. 증오(하다). ¶怨～; 원한 / 可～; 원망스럽다. 밉살스럽다 / ～得要命 =〔～得要死〕; 몹시 원망하다 / 怀huái～; 원한을 품다. ②명동 후회〔회한〕(하다). ③동 원망스럽게〔원통하게〕 생각하다. ¶～事; 원통한 일. 유감스러운 일.
〔恨不得〕 hènbude …할 수 없음이 한스럽다. …하고 싶은 마음이 간절하다. ¶～一头碰死; 머리를 부딪쳐 죽지 못하는 것이 한스럽다 / ～完全听不懂美国话; 미국말을 완전히 알아들을 수 없는 것이 한스럽다 / ～把他打死; 그를 때려 죽이고 싶다. =〔恨不能〕
〔恨愤〕 hènfèn 동 〈文〉 원망하며 분노하다.
〔恨海〕 hènhǎi 명 〈比〉 깊은 원한.
〔恨恨〕 hènhèn 형 〈文〉 한탄하여 마지않는 모양. 한스러워 못 견디는 모양. ¶好容易才捉zhuō到一个中的, ～的塞sāi在厚嘴唇里狠命一咬《鲁迅 阿Q正傳》; 겨우 보통 크기의 이 한 마리를 잡아 화가 치민 듯이 두터운 입술 안에 넣어 힘껏 깨물었다.
〔恨悔〕 hènhuǐ 동 〈文〉 원망하고 후회하다.
〔恨命〕 hènmìng 동 〈文〉 운명을 원망하다.
〔恨怒〕 hènnù 동 〈文〉 원망하고 분노하다.
〔恨入骨髓〕 hèn rù gǔ suǐ 〈成〉 한이 골수에 맺히다. =〔恨之入骨〕〔怨yuàn入骨髓〕
〔恨事〕 hènshì 명 한스러운 일. 원통한 일.
〔恨视〕 hènshì 동 〈文〉 한스럽게 보다.
〔恨死〕 hènsǐ 동 극도로 미워하다. 몹시 원망하다. 죽도록 미워하다. ¶他是个骄傲的东西, ～人了; 그는 거만한 놈으로 밉기 짝이 없다 / 他可～你了! 그는 당신을 죽도록 증오한다! =〔恨透〕
〔恨天怨地〕 hèn tiān yuàn dì 〈成〉 하늘과 땅을 원망하다(자신의 불운함을 몹시 한탄하다).
〔恨铁不成钢〕 hèn tiě bù chéng gāng 〈諺〉 철(鐵)이 강철이 되지 못함을 유감으로 생각한다(유능한 사람이 분기(奮起)할 것을 바라는 말).
〔恨透〕 hèntòu 동 ⇨〔恨死〕
〔恨恶〕 hènwù 동 〈文〉 원망하다. 증오하다.
〔恨意〕 hènyì 명동 〈文〉 원망(하다).
〔恨怨〕 hènyuàn 동 〈文〉 원망하다.
〔恨之入骨〕 hèn zhī rù gǔ 〈成〉 ⇨〔恨入骨髓〕

HENG ㄏㄥ

亨 hēng (형)
①형 순조롭다. 형통하다. ②고서(古書)에서는 '烹pēng'과 통용. ③명 성(姓)의 하나.
〔亨苌之学〕 Hēng Cháng zhī xué 명 모시(毛詩)의 학문('亨苌'이란 한(漢)나라의 모형(毛亨; 大毛公)과 모장(毛萇; 小毛公)을 말함. 자하(子夏)의 시학(詩學)을 전하여 후세에 모시(毛詩)라고 불리게 한 공로자).
〔亨德〕 hēngdé 명《度》〈音〉 핸드(hand)(손 너비의 척도(4인치)로 영국의 도량 단위. 말의 키를 잼).
〔亨利〕 hēnglì 명《電》〈音〉 헨리. =〔亨理〕
〔亨衢〕 hēngqú 명 ①큰길. 대로(大路). ②〈比〉 운이 좋아짐.
〔亨司〕 hēngsī 명 〈音〉 온스(ounce).
〔亨通〕 hēngtōng 형 형통하다. 순조롭다. ¶把她一接来便万事～; 그 여자를 데려오자 만사가 잘 풀려 나간다.
〔亨途〕 hēngtú 명 〈文〉 평탄한 길.

哼 hēng (형)
①동 끙끙거리다. 신음하다. ¶他疼得直～～; 그는 아파서 줄곧 끙끙 신음 소리를 내고 있다. ②동 콧노래를 부르다. ¶～着民歌; 콧노래로 민요를 부르고 있다. ③〈擬〉 응(가볍게 대답하는 소리). ¶不敢～一声; 감히 응 하고 대답하지 못하다. ④〈擬〉 팽. 흥. 힝(코를 풀거나 코로 비웃는 소리). ¶～鼻子; 〈南方〉 코를 힝 하고 풀다. ⇒hng
〔哼阿哼阿〕 hēng'a hēng'a 〈擬〉 홍홍(코먹은 소리. 말을 확실히 하지 않을 때의 소리).
〔哼唱〕 hēngchàng 동 흥얼거리다. 콧노래를 부르

다.
〔哼哧〕 hēngchī 〈擬〉 헉헉(거칠게 헐떡이는 소리). ¶骡子累得～～地喘气; 노새가 지쳐서 헉헉거리다.
〔哼哈二将〕 Hēng Hā èr jiàng 명 ①《佛》 절을 지키는 두 개의 인왕상(仁王像)(입을 다문 '哼'과 입을 벌린 '哈'의 두 인왕). ②〈比〉 한패가 되어 나쁜 짓을 하는 두 사람. ③〈比〉 권세가의 수족이 되어 못된 일을 맡아 하는 두 사람. ¶他们二位就是外边称为赵门～的; 저 두 사람이 세간에서 조가(趙家)의 앞잡이가 되어 그 세력을 업고 남을 업신여긴다는 녀석들이다.
〔哼咳〕 hēnghāi 동 신음하다. 끙끙 소리를 내다. 탄식하다.
〔哼哼〕 hēngheng **A**) 〈擬〉 끙끙(신음 소리). **B**) 동 ①끙끙거리다. ②콧소리로 노래하다. ¶你不愿大声唱, ～两句也行; 큰 소리로 노래하는 것이 싫으면, 가볍게 웅얼거려도 좋다.
〔哼哼唧唧〕 hēnghengjījī 〈擬〉 흥얼흥얼. 우물우물(콧노래를 부르거나 작은 소리로 흥얼거리는 모양). ¶屋里有人～地念书; 방 안에서 누가 웅얼웅얼하며 책을 읽고 있다 / ～地练习板眼; 흥얼흥얼하며 노래의 가락을〔박자를〕 연습하다.
〔哼唧〕 hēngji 동 소곤소곤 속삭이다. 작은 소리로 읊조리다〔읽다〕. ¶我勉强会～几句; 나는 간신히 몇 가락 노래할 수 있다.
〔哼气儿〕 hēng·qìr 동 소리를 내다. 말을 하다(흔히, '不～'의 형태로 '쓰다 달다 말이 없다'의 뜻으로서 쓰임).
〔哼儿哈儿〕 hēngrhār 감 응응(무관심하게 대답하는 소리. 또는 그 자리를 모면하기 위해 하는 소리). ¶～, 这有什么了不起! 으응, 이런 것은 대단한 게 아니야! =〔哼哈〕
〔哼声〕 hēngshēng 명 《電》 험(hum)(라디오 따위의 낮은 잡음).
〔哼唷〕 hēngyō 감 어기여차. 이영차(일할 때 여럿이 소리를 맞추어 내는 맞춤소리). =〔杭háng唷〕

脝 hēng (형)
→〔膨péng脝〕

啈 hēng (행)
감 아!(금지의 뜻을 나타내는 소리). ⇒hèng

行 héng (행)
→〔道dào行〕 ⇒háng hàng xíng

珩 héng (형)
명 〈文〉 패물 위에 있는 장식용 옥(玉). ⇒háng

桁 héng (형)
명 《建》 도리. ¶～架; 트러스(truss). =〔檩lǐn(子)〕 ⇒háng hàng

鸻(鴴) héng (행)
명 《鳥》 물떼새의 총칭. ¶白～; 흰물떼새 / 金～; 가슴검은물떼새.

衡 héng (형)
①명 저울. ②동 무게를 달다. ¶～其轻重; 그 경중을 재다. ③동 판정하다. 평가하다. 따져보다. 고려하다. 가늠하다. ¶～情度理; 세상의 도리에 비추어 생각하다. ④명 수레의 멍에. ⑤명 난간. ⑥명 관(冠)을 검쳐 찌르는 동곳 같은 것. ⑦명 《地》 형산(衡山)(오악(五嶽)의 하나로 후난 성(湖南省)에 있는 산 이름). =〔南岳〕 ⑧명 눈썹과 눈 사이. 눈두덩. ⑨명 《天》 북두칠성의 중앙의 별. ⑩형 〈文〉 평평하다. 동등하다. ⑪명 성(姓)의 하나.
〔衡度〕 héngdù 명 〈文〉 저울과 자.
〔衡鉴〕 héngjiàn 〈文〉 명 ①저울과 거울. ②시비곡직을 구별하는 기준. 동 시비곡직을 구별하다.
〔衡量〕 héngliang 동 ①가늠하다. 따져보다. 평정(評定)하다. 달다. ¶～得失; 이해 득실을 따져보다. ②판단〔고려〕하다. 짐작하다. ¶你～一下这件事该怎么办; 이 (사)건을 어떻게 할 것인지 자네가 잘 좀 생각해 보게.
〔衡门〕 héngmén 명 〈文〉 ①(두 개의 기둥에) 나무를 가로질러 만든 문. ②〈比〉 거처하는 곳이 누추함. ③〈轉〉 은거하는〔숨어 사는〕 곳.
〔衡平〕 héngpíng 동 일의 경중을 따져 공정한 길을 견지하다.
〔衡器〕 héngqì 명 계량기. 저울.
〔衡视〕 héngshì 동 〈文〉 똑바로 정면을 보다. =〔平píng视〕

蘅 héng (형)
→〔杜dù蘅〕

恒〈恆〉 héng (항)
①형 영구하다. 영원하다. ¶永yǒng～; 영구하다. ②명 변하지 않는 마음. 항심(恒心). ¶持之以～; 〈成〉 항심을 가지고 오래 계속해 나가다. ③부 늘. 언제나. 항상. ¶此为～见之事; 이것은 늘 보는 일이다. ④명형 평상(의). 보통(의). ⑤명 역(易)의 괘(卦)의 이름. ⑥명 《地》 형산 산(恒山)(산시 성(山西省)에 있는 산 이름. 오악의 하나). =〔北Běi岳〕 ⑦명 성(姓)의 하나.
〔恒产〕 héngchǎn 명 부동산. =〔不动产〕
〔恒常〕 héngcháng 부 〈文〉 항상. 변함없이.
〔恒齿〕 héngchǐ 명 《生》 영구치. =〔恒牙〕〔成chéng齿〕
〔恒等式〕 héngděngshì 명 《數》 항등식. =〔恒方程式〕
〔恒定〕 héngdìng 형 항구불변하다. ¶光度不～的星体; 광도(光度)가 일정하지 않은 별.
〔恒规〕 héngguī 명 〈文〉 정규. 상규(常規).
〔恒河〕 Héngé 명 《地》 갠지스 강.
〔恒河沙数〕 Héng hé shā shù 〈成〉 갠지스 강의 모래알의 수(수가 대단히 많음). =〔恒沙〕
〔恒久〕 héngjiǔ 명형 〈文〉 영구(하다). 영원(하다). →〔永yǒng久〕
〔恒量〕 héngliàng 명 ⇨〔常cháng量〕
〔恒民〕 héngmín 명 〈文〉 유순한 백성.
〔恒情〕 héngqíng 명 〈文〉 ①보통의 인정. ②항상 변치 않는 마음.
〔恒忍久耐〕 héngrěn jiǔnài 오래 인내하다.
〔恒沙〕 Héngshā ⇨〔恒河沙数〕
〔恒温〕 héngwēn 명 항온. 정온(定溫). 상온(常溫). ¶～器; 《電》 서모스탯(thermostat). 항온기.
〔恒心〕 héngxīn 명 〈文〉 ①항심. 일정하여 변하지 않는 마음. ②사람이 항상 지니고 있는 착한 마음.
〔恒星〕 héngxīng 명 《天》 항성.
〔恒星年〕 héngxīngnián 명 《天》 항성년.
〔恒星日〕 héngxīngrì 명 《天》 항성일.
〔恒星系〕 héngxīngxì 명 《天》 항성계.
〔恒压〕 héngyā 명 ①항압. ②《電》 정전압(定電壓). ¶～器; (비행기·압력솥 따위의) 항압기.

바로스탯(barostat).
〔恒牙〕 héngyá 명 ⇨〔恒齿〕

姮 **héng** (항)
→〔姮娥〕

〔姮娥〕 Héng'é 명《人》〈文〉 상아(嫦娥)(월궁(月宮)에 산다는 선녀).

横 **héng** (횡)
①형 가로의. ㉠지면과의 평행. ↔〔竖shù〕〔直zhí〕 ㉡지리(地理)상의 동서(東西)의 방향. ¶～渡太平洋; 태평양을 횡단하다. ↔〔纵zòng〕 ㉢왼쪽에서 오른쪽으로, 또는 오른쪽에서 왼쪽의 방향. ¶一队飞机～过我们的头顶; 한 편대의 비행기가 우리들의 머리 위를 가로질러 갔다. ↔〔竖〕〔直〕〔纵〕 ㉣물체의 긴 변(邊)과 수직으로 되어 있는 것. ¶人行～道; 횡단 보도. ↔〔竖〕〔直〕〔纵〕 ②동 가로로 하다. 가로 놓다. ③부〈方〉하여간. 어떻게 해서라도. 어쨌든. ¶我～不那么办; 나는 어찌되었든 그렇게는 안 한다 / 事情是你干的, 我～没过问; 일을 저지른 사람은 너야, 어쨌든 나는 관계 없어. =〔横竖〕〔反正〕 ④형 도리에 어긋나다. 불합리〔부정〕하다. ¶～加拦阻; 함부로 방해하다. ⑤동〈方〉심하게 굴다. 지독하게 하다. ¶心一～就走了; 이를 악물고 나가 버렸다. ⑥부 실로. 전혀. ¶差得远呢, ～有十万八千里; 이만저만한 차이가 아니오, 실로 10만8천 리나 된다오. ⑦동 흘끗 곁눈질하다. ¶瞪着眼～他; 번득 눈을 부라리고 그를 곁눈으로 흘겨본다. ⑧부〈方〉대체로. 아마. 다분히. ¶今天下雨, 他～不来了; 오늘은 비가 오니까 아마 그 사람은 오지 않겠지. =〔横是〕 ⑨(～儿) 명 한자(漢字)의 가로획. ¶两～; 두이부. ⑩형 종횡으로 뒤섞여 있다. 뒤엉켜 너저분하다. ¶砖zhuān～瓦wǎ乱; 벽돌이나 기와가 여기저기 흩어져 있다. ⑪명 성(姓)의 하나. ⇒hèng

〔横摆〕 héngbǎi 동 ①가로로 펴다. 가로 놓다. ②옆으로 부딪치는 파도에 배가 요동하다. ↔〔纵zòng摆〕
〔横板纸〕 héngbǎnzhǐ 명 보르지(紙). 판지(板紙).
〔横匾〕 héngbiǎn 명 가로 긴 편액(扁額).
〔横波〕 héngbō 명《物》횡파.
〔横草不捏, 竖草不拿〕 héng cǎo bù niē, shù cǎo bù ná〈成〉가로 난 풀도 뽑지 않고, 세로 난 풀도 뽑지 않는다(게을러서 손 하나 까딱 안 하다. 손끝 맺고 아무 일도 안 하다).
〔横产〕 héngchǎn 명《醫》①횡산. ②거꾸로 낳은 아이. 도산아(倒産兒).
〔横陈〕 héngchén 동 ①가로눕다. ②가로로 진열하다. 가로 놓다.
〔横冲直闯〕 héng chōng zhí chuǎng〈成〉①종횡무진 돌진하다. ②제 세상처럼 설치고 다니다. ¶你别～地, 得留点儿神呢; 너무 설치고 돌아다니지 말고 좀 조심해라! ‖ =〔横冲直撞〕〔直冲横撞〕〔奔bēn突〕
〔横冲直撞〕 héng chōng zhí zhuàng〈成〉⇨〔横冲直闯〕
〔横出〕 héngchū 동 파생(派生)하다.
〔横穿〕 héngchuān 동 횡단(横斷)하다. 옆으로 꿰뚫다.
〔横吹〕 héngchuī 명《樂》옛날 악기의 일종(대나무로 만든 관악기).
〔横打鼻梁儿〕 héng dǎ bíliángr 집게손가락을 콧날에 가로대다(책임을 지겠다는 뜻을 나타내는 몸짓. 좋다고 결단(決斷)을 내릴 때의 몸짓). ¶他～担起来了; 그는 좋다고 자진해서 떠맡았다.
〔横单〕 héngdān 명 횡서(横書)의 리스트. 가로 쓴 문서〔쪽지〕(메뉴 따위).
〔横裆〕 héngdāng 명 바지 무릎 부분의 폭.
〔横道〕 héngdào 명 횡도. ¶人行～; 횡단 보도.
〔横蹬乱踹〕 héngdēng luànchuài 함부로 하다. 분별 없이 날뛰다. ¶他就会～所以大家都怕他; 그는 함부로 날뛰어 모두 두려워한다.
〔横笛〕 héngdí 명《樂》저. 횡적. ¶吹～; 저를 불다.
〔横渡〕 héngdù 동 (강·하천·바다를) 횡단하다. ¶～太平洋; 태평양을 횡단하다.
〔横断面〕 héngduànmiàn 명 횡단면. =〔横剖pōu面〕
〔横队〕 héngduì 명 횡대.
〔横夺〕 héngduó 동 강탈하다. 약탈하다.
〔横额〕 héng'é 명 가로 액자. 가로 건 현판.
〔横反〕 héngfǎn 동 (어린이가) 매우 난폭하고 소란하게 굴다.
〔横放〕 héngfàng 동 눕히다. 가로놓다.
〔横飞〕 héngfēi 동 자유로이 날다.
〔横幅〕 héngfú 명 ①⇨〔横披〕 ②가로 쓴 표어·현수막·글씨나 그림. ¶墙上写着～大字标语; 벽에 커다란 표어가 가로로 씌어 있다.
〔横赋〕 héngfù 명〈文〉악세(惡稅). 부당한 세금.
〔横竿〕 hénggān 명《體》높이뛰기의 바(bar). =〔栏架〕
〔横格纸〕 hénggézhǐ 명 괘지(罫紙).
〔横亘〕 hénggèn 동 (다리·산 따위)가 가로놓여 있다. 가로 걸쳐 있다. ¶两县交界地方～着几座山岭; 현의 경계에는 몇 개의 산봉우리가 걸쳐 있다.
〔横工哔叽〕 hénggōng bìji 명《紡》능직(綾織).
〔横骨插身〕 hénggǔ chāshēn 마음이 비뚤어진 사람. 성질이 빙퉁그러진 사람. 〈轉〉짐승 같은 놈.
〔横贯〕 héngguàn 동 가로로 꿰뚫다. 횡관하다. ¶这个公司的航线, 由北美洲, ～欧洲及小亚细亚地区而至远东; 이 회사의 항공로는, 북아메리카를 횡관해서 유럽 및 소아시아에 이르러, 다시 극동까지 뻗어 있다.
〔横棍〕 hénggùn 명 (새장 속의) 홰.
〔横焊〕 hénghàn 명《工》'角jiǎo形焊接'(T형 용접)에서 수평면 혹은 수직면에 금속을 끼워서 하는 용접.
〔横行(儿)〕 héngháng(r) 명 ①가로줄. ②가로쓰기. ↔〔直zhí行〕 ⇒héngxíng
〔横话〕 hénghuà 명 불합리한 말. 불합리한 주장. ⇒hènghuà
〔横髻〕 héngjì 명 가로 틀어 올린 머리. ¶挽了辫子在后面梳着一字～; 땋아 늘인 머리를 뒤쪽에서 둥글게 감아 틀어 올려 빗었다.
〔横加〕 héngjiā 동 함부로〔무리하게〕 …하다 (뒤에 2음절의 행위 명사가 옴). ¶～攻击; 마구 공격을 가하다 / ～阻拦; 함부로 가로막다 / ～指责; 횡포하게도 질책하다.
〔横街子〕 héngjiēzi 명 옆길. 샛길.
〔横结肠〕 héngjiécháng 명《生》횡행 결장.
〔横跨〕 héngkuà 동 ①가로 걸쳐 있다. ¶一道彩虹～天际; 무지개가 하늘가에 걸려 있다. ②강·하천 등을 건너다.
〔横宽〕 héngkuān 형 가로 퍼져 있다. 가로 폭이 넓다. ¶长得～; 체격이 똥똥하다.
〔横拉竖割〕 hénglā shùgē 여러 갈래로 찢다. 갈

기갈기 찢다.
〔横拉竖拽〕 hénglā shùzhuài 억지로 잡아당겨서 놓지 않다.
〔横拦竖挡〕 héng lán shù dǎng 〈成〉 이리저리 가로막다〔방해 놓다〕. ¶她的事, 你可以提意见, 可千万别横拦着竖挡着; 그녀의 일에 대해 생각을 말하는 것은 좋지만, 절대로 쓸데없는 참견은 하지 마라. =〔横拦竖遮〕
〔横梁〕 héngliáng 명 ①《建》 도리. 대들보. ②《機》 '龙lóng门刨床'(평삭반(平削盤)이나 '立lì式镗床'(보링 머신) 등의 베드에 장착된 V자형의 홈《테이블의 수평 왕복 운동의 안내를 하는 '导dǎo轨'(레일)》. =〔〈方〉横刀架〕
〔横罗十字〕 héngluó shízi 열십자로〔큰대자로〕 눕다.
〔横眉〕 héngméi 동 〈文〉 사나운 눈초리를 하다. 노한 눈을 뜨다. ¶～竖眼 =〔～立目〕〔～怒目〕; 〈成〉 (화가 나서) 눈썹을 치켜올리고 눈을 부릅뜨다.
〔横眉冷对〕 héngméi lěngduì 눈을 부라리고 냉정하게 대응하다.
〔横楣子〕 héngméizi 명 문미(門楣). 창문 위의 가로 격자(格子).
〔横木〕 héngmù 명 (럭비 따위의) 크로스 바. =〔门楣ménméi〕
〔横目〕 héngmù 명 한자(漢字) '四'의 은어(隱語). ⇒hèngmù
〔横拍〕 héngpāi 명 《體》 (탁구의) 셰이크핸드 그립.
〔横排〕 héngpái 동 옆으로 배열하다. 명동 《印》 (조판에서) 가로짜기(하다).
〔横批〕 héngpī 명 ①횡서(橫書). ②횡축(橫軸)·가로로 된 액자 따위. →〔对duì联(儿)〕
〔横披〕 héngpī 명 횡축《벽에 거는 가로 족자》. =〔横儿〕〔横幅①〕
〔横剖面〕 héngpōumiàn 명 횡단면. =〔横断面〕〔横切面〕
〔横七竖八〕 héng qī shù bā 〈成〉 (물건이) 이곳 저곳에 아무렇게나 놓여 있는 모양. ¶几张～的桌子空空的摆在那里; 어수선하게 몇 개의 책상이 휑뎅그렁하게 거기에 늘어놓여 있다. =〔横三竖四〕
〔横起来〕 héng.qi.lai 동 ①(물건을) 가로 놓다. ②〈方〉 적극적으로 나서다. 뜻을 정하다. 책임을 지다. ¶这件事, 诸位甭为难了, 我～就是了; 이 일은 여러분이 곤란해질 것은 없습니다. 제가 책임을 지면 됩니다.
〔横刃〕 héngrèn 명 《機》 드릴 끝의 날 부분.
〔横肉〕 héngròu 명 흉악한 얼굴〔인상〕. ¶满脸～ =〔一脸～〕; 보기에도 인상이 흉악하다.
〔横三竖四〕 héng sān shù sì 〈成〉 ⇒〔横七竖八〕
〔横扫〕 héngsǎo 동 마구 쓸어버리다. 일소하다. ¶～了残兵败将; 패잔 장병을 일소했다 / ～了陈规陋习; 묵은 규칙이나 관습을 일소했다.
〔横生〕 héngshēng 동 ①어수선하게 나다〔자라다〕. ¶蔓草～; 덩굴풀이 어수선하게 나 있다. ②끊임없이 나타나다. ¶妙论～; 훌륭한 논(論)이 끊임없이 나오다. ③예상외로 일어나다. 뜻밖에 생기다. ¶～枝节; 〈成〉 뜻밖에 지엽적인 여러 문제가 일어나다 / ～是非; 복잡한 일이〔분규가〕 일어나다.
〔横施〕 héngshī 동 〈文〉 (힘 등을) 함부로 쓰다〔가하다〕. ¶～压力; 마구 압력을 가하다.
〔横世〕 héngshì 동 세상을 횡행하다.
〔横事〕 héngshì 명 부정한 일. 불상사. ⇒hèngshì
〔横是〕 héngshi 부 〈方〉 대강. 대충. 아마. 대략. ¶他～快四十了吧? 그 사람은 대략 40쯤 되겠지? / ～要下雨了; 아마 비가 올 것 같다.
〔横竖〕 héngshù 부 〈口〉 아무튼. 좌우간에. 어쨌든(간에). ¶你～快六十了罢? 당신도 아무튼 머지않아 60이지요? / 他～要来的, 不必着急; 어쨌든 그는 올 테니까, 조급해할 건 없다. =〔横直〕→〔反正zheng〕
〔横竖横〕 héngshùhéng 〈方〉 어떻게 하든 마음대로 해도 좋다. ¶抱着～的心理; 될 대로 되라는 심정이다.
〔横闩〕 héngshuān 명 문의 빗장.
〔横说竖说〕 héng shuō shù shuō 〈成〉 이리저리 설득하다. 반복하여 타이르다.
〔横躺竖卧〕 héng tǎng shù wò 〈成〉 많은 사람들이 여기저기 뒹굴고〔누워〕 있는 모양. ¶～的都是死尸shī; 여기저기 나뒹굴고 있는 것은 모두 시체다.
〔横挑鼻子竖挑眼〕 héngtiāo bízi shùtiāo yǎn 〈諺〉 종횡으로 코와 눈을 후비다《콩이요 팥이요 하며 가리다. 남의 흠을 마구 들추어 내다》.
〔横头〕 héngtóu 명 옆부분. 곁. 가. ¶坐在桌子的～; 테이블의 옆에 앉다.
〔横纹肌〕 héngwénjī 명 《生》 가로무늬근. 횡문근(橫紋筋). =〔横纹筋jīn〕〔骨gǔ骼肌〕〔随suí意肌〕
〔横下里〕 héngxiàli 명 옆쪽. ¶往～搁; 옆에 놓다.
〔横线〕 héngxiàn 명 횡선. 밑줄. 언더라인(underline). ¶用红铅笔画上～吧; 빨간 연필로 밑줄을 쳐 두어라.
〔横线支票〕 héngxiàn zhīpiào 명 횡선 수표.
〔横向〕 héngxiàng 부 옆 방향으로. 가로로. ↔〔纵zòng向〕
〔横巷〕 héngxiàng 명 뒷골목. =〔〈文〉衡巷〕
〔横销〕 héngxiāo 명 《機》 가로지르는 핀.
〔横斜〕 héngxié 명 비탈. 경사. 형 가로 기울다.
〔横写〕 héngxiě 동 횡서(橫書)하다. 가로쓰다. ¶～也可以; 횡서라도 좋다.
〔横心〕 héng.xīn 동 ①아무것도 생각지 않다. 일체 상관하지 않다. ②결심하다. 마음을 다잡다. 마음을 독하게 먹다. ¶横了心就往回走了; 마음을 굳게 먹고 오던 쪽으로 다시 향해 갔다. ③나쁜 마음을 먹다. (héngxīn) 명 ①결심. ②나쁜 마음.
〔横心横肠〕 héngxīn héngcháng 〈比〉 무도(無道)한 마음. 비뚤어진 마음.
〔横行〕 héngxíng 동 ①멋대로 설치다. 정도(正道)에 벗어난 행위를 하다. 제멋대로 행동하다. ¶坏人～于世; 악인이 세상에 설치다 / ～无忌; 〈成〉 거리낌없이 횡포한 짓을 하다. =〔〈文〉衡行〕 ②옆으로 걷다. 모로 가다. ¶～介士 =〔～公子〕; 《動》 게의 별칭. ⇒hénghàng(r)
〔横行霸道〕 héng xíng bà dào 〈成〉 세력을 믿고 잔학 무도한 짓을 하다. 제멋대로 날뛰다. 제 세상인 양 굴다. =〔强qiáng横霸道〕〔强凶霸道〕
〔横行人道〕 héngxíng réndào 명 횡단 보도.
〔横许〕 héngxǔ 부 아마. 아무래도. 다분히《'也许'보다 강한 표현》. ¶若是这样, 完成～能快一点; 만일 이렇다면 완성되는 것은 아무래도 좀 빨라질지도 모른다.
〔横痃〕 héngxuán 명 《醫》 가래톳. =〔便biàn毒〕〔鱼yú口疮〕
〔横溢〕 héngyì 동 ①(강물이) 범람하다. ②(재능·재주 등이) 유감없이 드러나다. 넘쳐흐르다. ¶才思～; 재기와 사상이 넘쳐흐르다.

〔横遭〕 héngzāo 동 부당하게 …을 당하다. ¶～迫害; 부당하게 박해를 당하다. ⇒hèngzāo
〔横着来〕 héngzhelái ①거꾸로〔반대로〕 하다. ②보통이 아닌 특수한 방법으로 하다.
〔横着走〕 héngzhezǒu 〈比〉 사리·관습에 벗어난 일을 억지로 하다. 제멋대로 굴다. 고집을 부리다. 우쭐대다. ¶刚刚挣上几十块钱, 就～; 겨우 몇십 원을 벌고서도 우쭐댄다.
〔横针不知道竖针〕 héngzhēn bùzhīdào shùzhēn ①바늘을 쥘 줄 모르다. 바느질을 할 줄 모르다. ②마음이 비뚤어진 사람은 바른 일을 못한다.
〔横争霸占〕 héngzhēng bàzhàn 횡포하게 남의 물건을 빼앗다. 방자한 행동을 하다. ¶仗着势力～; 세력을 믿고 방자한 행동을 하다.
〔横征暴敛〕 héng zhēng bào liǎn 〈成〉 횡포하게 착취하다. 가렴주구하다. ¶～, 搜括民脂民膏; 무거운 세금을 거두어, 백성의 고혈을 짜다.
〔横直〕 héngzhí 부 〈方〉 아무튼. 어쨌든. ¶我～要跟他走; 나는 하여튼 그와 함께 떠나지 않으면 안 된다. =〔横竖shu〕→〔反正〕 명 종횡(縱橫). ¶～穿梭; 종횡으로 끊임없이 움직이다.
〔横轴〕 héngzhóu 명 《機》 횡축.
〔横坐标〕 héngzuòbiāo 명 《數》 가로좌표.

哼 hèng (행)
감 흥!(화가 난다는 뜻을 나타내는 말). ⇒hēng

横 hèng (횡)
형 ①흉포하다. 흉악하다. 난폭하다. 횡포하다 ¶这个人说话很～; 이 사람은 말하는 것이 매우 난폭하다. ②심상치 않은. 느닷없이. 뜻하지 않은. ¶～死; ⇓ ⇒héng
〔横霸〕 hèngbà 형 횡포하다.
〔横霸霸的〕 hèngbàbàde 형 매우 횡포하다.
〔横暴〕 hèngbào 형 횡포하다.
〔横拨〕 hèngbō 동 무리하게 지출하다.
〔横财〕 hèngcái 명 ①생각지도 않았던 수확물. ②부정한 돈. 횡재. ¶发了一笔～; 엄청난 횡재를 하다/人无～不富; 사람은 올바른 돈만 가지고는 부자가 안 된다.
〔横反〕 hèngfǎn 동 (어린애가) 몹시 떠들다.
〔横话〕 hènghuà 명 ①불길한 이야기. ②폭언(暴言). ¶说～; 폭언을 하다. ⇒hénghuà
〔横祸〕 hènghuò 명 뜻하지 않은 재난. =〔横灾〕
〔横劲〕 hèngjìn 명 외고집. 조금도 융통성이 없는 성질.
〔横酷〕 hèngkù 형 잔혹하다.
〔横蛮〕 hèngmán 형 횡포하다. (태도가) 난폭하다. ¶～不讲理; 횡포하고 사리에 벗어나다.
〔横目〕 hèngmù 명동 노한 눈초리(로 노려보다). ⇒héngmù
〔横逆〕 hèngnì 형 〈文〉 횡포하다.
〔横抢横夺〕 hèngqiǎng hèngduó 강탈하다. 억지로 빼앗다.
〔横人〕 hèngrén 명 횡포한 사람.
〔横人肉〕 hèngrénròu 명 무자비한 인간.
〔横声横气〕 hèngshēng hèngqì 오만 무례하게 소리치는 모양.
〔横事〕 hèngshì 명 ①흉사. 불행한 일. ②뜻하지 않은 재난. ⇒héngshì
〔横死〕 hèngsǐ 명동 횡사(하다). 비명(非命)에 죽다〔죽음〕.
〔横夭〕 hèngyāo 명동 요절(하다).
〔横议〕 hèngyì 동 〈文〉 기탄없이 제멋대로 논의하다. 정도에 의하지 않고 함부로 논의하다. ¶处士～; 재야 인사가 제멋대로 논의하다.
〔横灾〕 hèngzāi 명 ⇨〔横祸〕
〔横遭〕 hèngzāo 동 불행한 일을 겪다. ⇒héngzāo

HM ㄏㄇ

噷 hm (흠)
감 흥!(불만·경멸·금지를 나타냄). ¶～! 你还闹哇! 흥! 너 또 떠드느냐!/～! 你骗得了liǎo我? 흥! 네가 나를 속일 수 있다고?

HNG ㄏㄫ

哼 hng (형)
감 흥! 허!(증오·의혹·불만·경멸 따위를 나타냄). ¶～! 你信他的! 흥! 저 녀석의 말 같은 것을 믿다니! ⇒hēng

HONG ㄏㄨㄥ

吽 hōng (훔)
《佛》 불교 주문(呪文)에 쓰이는 글자. ¶阿～; 《宗》 이슬람교의 성직자.

轰(轟〈揈〉⑦) hōng (굉)〈횡〉
①동 많은 차가 윙윙 소리를 내다. ②〈擬〉 우르르 쾅(천둥·폭음 등의 소리). ¶～的一声, 地雷爆炸了; 쾅 하는 소리와 함께 지뢰가 폭발했다/突然～的一声, 震得山鸣谷应; 갑자기 쾅 소리가 나며 산과 골짜기에 드르르 울렸다. ③동 천둥이 울리다. ¶雷～电闪; 천둥이 울리며 번개가 번쩍하다. ④동 포격〔폭격〕하다. 폭파하다. ¶炮pào～敌舰jiàn; 적함을 굉침(轟沈)하다/大会～, 小会挤jǐ的方法; (다른 당파 사람 등을) 대회에서 심하게 공격하거나, 작은 모임에서 차근차근 책망하는 방법. ⑤동 명성이 널리 떨치다. ⑥형 성대하다. ⑦동 쫓아 내다. 내쫓다. ¶～出去; 내쫓다/把猫～出去! 고양이를 쫓아 버려!/～苍蝇cāngying; 파리를 쫓아 버리다.
〔轰毙〕 hōngbì 동 폭살(爆殺)하다.
〔轰吵〕 hōngchǎo 동 왁자지껄 소리를 지르며 떠들다.
〔轰沉〕 hōngchén 동 폭침(爆沈)하다. 격침하다. ¶船只被炮～; 배가 대포를 맞고 격침되었다.
〔轰动〕 hōngdòng 동 파문을 일으키다. 뒤흔들다. 센세이션을 일으키다. ¶～全世界; 전세계에 센세이션을 일으키다/这事情～了全村; 이 사건으로 온 마을이 발칵 뒤집혔다. =〔哄动〕
〔轰赶〕 hōnggǎn 동 (가축을) 몰다. ¶～着毛驴耕了两遭地; 당나귀를 몰아 밭을 두 번 갈았다.
〔轰轰〕 hōnghōng 〈擬〉 ①왁자지껄(큰 소리의 형용). ②성대한 모양. ¶乱luàn～; 매우 어지럽다/怒nù～; 몹시 화를 내다/臭chòu～; 대단히 구리다. =〔烘烘③〕

〔轰轰烈烈〕 hōng hōng liè liè 〈成〉 기백(氣魄)이 성(盛)한 모양. 기세가 드높은 모양. 열렬한 모양. ¶发动了～的抗日运动; 폭풍과 같은 항일 운동이 일어났다. =〔烈烈轰轰〕
〔轰毁〕 hōnghuǐ 동 〈文〉 포격이나 폭격으로 파괴하다. ¶～敌人的工事; 적의 보루를 폭파하다.
〔轰击〕 hōngjī 명동 ①포격(砲擊)〔폭격〕(하다). ¶～敌人阵地; 적진을 포격하다. ②《物》 (양자(陽子)·중성자·알파 입자·음극선 원소의 원자핵에 대한) 충격(을 가하다).
〔轰隆〕 hōnglōng 〈擬〉 꽝. 우르르 쾅. 덜커덕《포탄·천둥 소리·기계의 소음 따위》. ¶列车～～地前进; 열차가 덜커덕거리며 나아가다.
〔轰聋聋(的)〕 hōnglónglóng(de) 〈擬〉 광광(轟轟)《기계 따위의 소리》. ¶～地响; 광광하고 울려 퍼지다.
〔轰鸣〕 hōngmíng 동 ①요란스럽게 울리다. ¶马达～; 모터가 요란스럽게 울리다. ②신음 소리를 크게 내다.
〔轰平〕 hōngpíng 동 폭격·폭파로 형체〔자취〕도 없이 만들다. ¶碉堡被～了; 토치카는 흔적도 없이 폭파되었다.
〔轰破〕 hōngpò 동 폭파하다.
〔轰然〕 hōngrán 형 〈文〉 갑자기 요란한 소리가 나는 모양.
〔轰嚷〕 hōngrang 동 세상에 널리 알려지다. 남의 이목(耳目)을 떠들썩하게 하다. ¶都～动了, 你会不知道? 온통 알려졌는데 자네만이 모르다니?
〔轰人〕 hōng,rén 동 ①남을 공격하다. ②남을 쫓아 내다. ¶～出去; 남을 쫓아 내다.
〔轰塌〕 hōngtā 동 폭파하여 쓰러뜨리다〔쓰러지다〕.
〔轰天动地〕 hōng tiān dòng dì 〈成〉 천지를 진동시키다《세상의 평판을 들끓게 하다》.
〔轰响〕 hōngxiǎng 동 쿵쿵 울리다. 우르르 울려 퍼지다. ¶～着炮声; 포성이 쿵쿵 울리고 있다.
〔轰行天下〕 hōngxíng tiānxià (명성 따위가) 천하에 떨치다.
〔轰饮〕 hōngyǐn 동 〈文〉 몹시 많이 마시다. 폭음하다.
〔轰炸〕 hōngzhà 명동 폭격(하다). ¶～机; 폭격기/俯冲～; 급강하 폭격. =〔炸轰〕
〔轰走〕 hōngzǒu 동 ①쫓아 내다. 몰아내다. ②남에게 퇴짜를 놓다.
〔轰醉〕 hōngzuì 동 몹시 취하다.

訇 hōng (굉)

〈文〉 ① 형 큰 소리. ¶～出去; ⓐ내쫓다. 몰아내다. ⓑ나가 없어져라. =〔訇訇〕〔訇然〕 ② →〔阿ā訇〕
〔訇棱〕 hōngléng 〈擬〉〈文〉 둥둥《큰 북을 계속해서 치는 소리》.
〔訇哮〕 hōngxiāo 〈擬〉〈文〉 쌩쌩《바람이 세차게 부는 모양》.
〔訇隐〕 hōngyǐn 〈擬〉〈文〉 쏴쏴《파도 소리》.

輷(輷) hōng (횡)

→〔輷輷〕
〔輷輷〕 hōnghōng 〈擬〉〈文〉 덜커덕덜커덕《수레가 가는 소리》.

哄 hōng (홍)

① 동 고무(鼓舞)하다. ② 동 왁자지껄하게 떠들다. 여러 사람이 시끄럽게 소리를 내다. ③〈擬〉 와. 왁자지껄《여러 사람이 크게 웃고 떠드는 소리》. ¶～堂大笑; ⇩ ⇒hǒng hòng
〔哄传〕 hōngchuán 동 (소문이) 떠들썩하게 전해지다. ¶消息～全城; 소식이 장안 전체에 퍼지다.
〔哄地〕 hōngde 부 와《여럿이 동시에 웃는 모양》.
〔哄动〕 hōngdòng 동 ⇨〔轰动〕
〔哄哄〕 hōnghōng 〈擬〉 웅성웅성. 왁자그르르《여럿이 시끄럽게 떠드는 소리》.
〔哄咙〕 hōnglóng 〈擬〉 왁자그르르《시끄럽게 떠드는 소리》.
〔哄咪式〕 hōngmīshì 형 〈音義〉 코믹하다. ¶～漫画; 코믹한 만화.
〔哄闹〕 hōngnào 동 왁자지껄하다.
〔哄然〕 hōngrán 형 〈文〉 여러 사람이 와아 하고 한꺼번에 소리를 내는 모양. ¶～大笑; 와아 하고 웃다/舆论～; 여론이 들끓다.
〔哄抬〕 hōngtái 동 물가 등을 부채질하다〔끌어올리다〕.
〔哄堂大笑〕 hōng táng dà xiào 〈成〉 집안이 떠들썩하게 여럿이 크게 웃다. 동시에 폭소(爆笑)하다.

烘 hōng (홍)

동 ①(불에) 쬐다. 말리다. ¶衣裳湿了, ～一～! 옷이 젖었으니 불에 쬐어 말려라. ②(불에) 데우다. 덥게 하다. 굽다. ¶～屋子; 방을 따뜻하게 하다. ③부각시키다. 돋보이게 하다. ¶画huà山水画, 用淡墨～出远山; 산수화를 그리는 데는 흐린 먹으로 멀리 있는 산을 돋보이게 한다.
〔烘焙〕 hōngbèi 동 (차잎·담배잎 등을) 불에 말리다.
〔烘饼〕 hōngbǐng 명 ①구운 떡. ②〈比〉 고문용 지짐 인두.
〔烘衬〕 hōngchèn 동 ⇨〔烘托〕
〔烘房〕 hōngfáng 명 건조실.
〔烘干〕 hōnggān 동 불에 쬐어 말리다.
〔烘缸〕 hōnggāng 명 건조기. 드라이어. =〔烘干机〕
〔烘烘〕 hōnghōng 〈擬〉 ①뜨끈뜨끈《따뜻한 모양》. ②활활《불이 활활 타는 소리》. ¶炉子里的火～地烧着; 난로의 불이 활활 타고 있다. ③⇨〔轰轰②〕
〔烘火〕 hōng,huǒ 동 ①불에 굽다. ②불에 쬐다.
〔烘烤〕 hōngkǎo 동 ①불에 굽다. ②불에 쬐다. ③《化》 소성(燒成)하다. 명《化》 소성.
〔烘篮〕 hōnglán 명 작은 화로를 넣은 대나무 바구니《몸을 따뜻이 하는 데 쓰임》. =〔烘笼(儿)②〕〔〈方〉 火huǒ笼(儿)〕
〔烘笼(儿)〕 hōnglóng(r) 명 ①화로 따위에 걸쳐 놓고 물건을 말리는 바구니. 배롱(焙籠). ②〈方〉 ⇨〔烘篮〕
〔烘炉〕 hōnglú 명 ①연철로(鍊鐵爐). 도가니. ②찜구이를 하는 가마('烙饼' 등을 만들 때 쓰임). ③《機》 건조로(乾燥爐).
〔烘漆〕 hōngqī 명 (가구 등의) 마무리 처리로 구워서 광내기.
〔烘柿(子)〕 hōngshì(zi) 명 홍시. 숙시(熟柿)《북방에서는 겨울에 언 홍시를 물에 담가서 부드럽게 해서 먹음》.
〔烘托〕 hōngtuō 동 ①먹이나 엷은 빛깔로 윤곽을 그리고 모양을 두드러지게 하다《중국 화법의 하나》. ②〈比〉 도드라지게 하다. 부각시키다. ¶用英雄群像来～主要英雄人物; 영웅적인 군상(群像)에서 주된 영웅적 인물을 부각시키다. ‖ =〔烘衬〕
〔烘弯〕 hōngwān 동 불에 구워 휘게 하다.
〔烘箱〕 hōngxiāng 명 ①오븐(oven). ②건조기.
〔烘相器〕 hōngxiàngqì 명《撮》 필름 인화 건조기.

〔烘云托月〕 hōng yún tuō yuè 〈成〉 주위를 어두운 구름 모양으로 바림하여 달을 돋보이게 하다《주위의 것들을 나열하여, 묘사하는 것을 두드러지게 하다. 다른 것을 내세워 주체를 돋보이게 하다》. ¶这种～的笔法, 使主体特别突出; 이와 같이 다른 것을 빌려서 돋보이게 하는 필법은 (문장의) 주체를 한층 선명하게 한다.

𧼈 **hōng** (홍)
동 〈文〉 몰다. 쫓다. ¶～出去chūqu; 쫓아 버리다. →〔轰⑦〕

薨 **hōng** (훙)
①동 옛날 제후(諸侯)나 작위(爵位)가 있는 대관(大官)이 죽다. ②→〔薨薨〕

〔薨薨〕 hōnghōng 〈擬〉 ①웅웅. 붕붕《곤충이 떼지어 나는 소리》. ②왁자지껄《군중(群衆)이 떠드는 소리. 웅성〔술렁〕거리는 소리》.

弘 **hóng** (홍)
①형 크다. 넓다. ¶～图; 큰 계획. ②동 넓히다. 확대하다. ③명 성(姓)의 하나.

〔弘辩〕 hóngbiàn 명 〈文〉 웅변.
〔弘大〕 hóngdà 동 넓고 크다.
〔弘基〕 hóngjī 명 ⇨〔鸿基〕
〔弘量〕 hóngliàng 명형 ⇨〔宏量〕
〔弘论〕 hónglùn 명 ⇨〔宏论〕
〔弘誓〕 hóngshì 명 〈文〉 ①큰 맹세〔다짐〕. ②큰 서원(誓願)〔바람〕. =〔弘誓大愿〕
〔弘毅〕 hóngyì 형 〈文〉 뜻이 넓고 의지가 굳세다.
〔弘愿〕 hóngyuàn 명 큰 소원〔바람〕. ¶建jiàn设祖国的～; 조국을 건설하려는 큰 소원. =〔宏愿〕
〔弘旨〕 hóngzhǐ 명 요지(要旨). 주지(主旨). =〔宏旨〕

泓 **hóng** (홍)
〈文〉 ①형 물이 깊고 넓은 모양. ②양 줄기《맑은 강·바다 따위를 세는 말(量詞)》. ¶一～清泉; 맑은 샘물 한 줄기.

〔泓澄〕 hóngchéng 형 〈文〉 물이 깊고 맑다.
〔泓涵〕 hónghán 형 〈文〉 물이 깊고 넓다.

鞃 **hóng** (굉)
명 〈文〉 (차의 횡목(横木))의 중앙을 감싸는 가죽. =〔轼shì〕

红(紅) **hóng** (홍)
①명 《色》 적(赤). 홍(紅). ②형 붉다. 빨갛다. ③동 빨개지다. 붉어지다. ¶树叶子～了; 나뭇잎이 단풍으로 붉게 물들었다 / ～着脸; 얼굴을 붉히고 있다 / 他急得～着脸; 그는 얼굴을 빨갛게 붉히며 화를 냈다. ④명 경사를 나타냄. 결혼《'白bái'는 불행을 나타냄》. ¶～事; ⇩ ⑤명 월경. ⑥형 운이 좋다. ¶走～运; 운이 틔다. ⑦형 (장사·사업이) 번창하다. 성공적이다. ¶铺子一开就～起来; 가게를 시작하자 곧 번창했다. ⑧형 인정받다. 인기가 있다. ¶他很～的; 그는 매우 인기가 있다 / 她唱这个歌儿唱～了; 그 여자는 이 노래로 인기를 얻었다 / ～演员; 인기 스타 / 他们几个局长, 他算最～; 국장들 중 그가 제일 인정받는 편이다. ⑨명 순익금. 이익 배당금. ¶分～; 순익을 배당하다. ¶～利; ⇩ ⑩동 부러워하다. 열중하다. ¶看人家赚钱, 他就眼～了; 남이 돈 버는 것을 보고 그는 부러워했다. ⑪형 혁명적이다《'白'은 반혁명·반동을 나타냄》. ¶又～又专; 혁명적이고 업무에도 우수하다 / 只～不专; 정치 사상면에서는 확고하지만, 전문 분야에서는 익숙하지 않다. ⑫명 홍차. ¶祁～; 치 현(祁縣)산(産)의 홍차. ⑬명동 간장으로 조미(調味)하다. 또, 그 요리《소금을 쓰는 경우는 '白'라고 함》. ⑭명 성(姓)의 하나. ⇒gōng

〔红案(儿)〕 hóng'àn(r) 명 조리사(調理師)의 작업 분담 중 주식(主食) 이외의 요리를 만드는 일. ↔〔白案(儿)〕
〔红袄儿〕 hóng'ǎor 명 출가할 때, 신부가 입는 붉은 저고리.
〔红白〕 hóngbái 명 ①길흉(吉凶). 길한 일과 궂은 일. ¶～事(儿); 경조사(慶弔事). ②적(赤)과 백(白). 홍백.
〔红白恩赏〕 hóngbái ēnshǎng 명 ⇨〔红白赏俸〕
〔红白脸〕 hóngbáiliǎn 명 ①《劇》 '红脸②' (경극 속의 붉은색으로 분장한 얼굴)과 '白脸①' (흰색으로 분장한 얼굴). ②〈比〉 양면 술책. ¶一个诚实的人玩不来～的把戏; 성실한 사람은 양면 술책을 쓰지 않는다.
〔红白赏俸〕 hóngbái shǎngfèng 명 청대(清代)에 팔기(八旗) 관원의 집에 길흉사가 있을 때, 직품(職品)에 따라 지급되던 돈. =〔红白恩赏〕〔红白事例银〕
〔红白事〕 hóngbáishì 명 경조사.
〔红白喜事〕 hóngbái xǐshì 명 결혼을 '喜事'라 하고, 천수를 다한 사람의 장례를 '喜丧'이라고 하는데, 아울러 이 두 가지를 통틀어 일컬음.
〔红摆〕 hóngbǎi 명 《工》 용광로의 별칭.
〔红斑〕 hóngbān 명 《醫》 홍반《피부병의 하나》.
〔红帮〕 Hóngbāng 명 《史》 청대(清代) 초, 명(明)나라의 유민(遺民)이 조직한 비밀 결사. =〔洪帮〕〔洪门〕
〔红榜〕 hóngbǎng 명 옛날, 합격자나 표창자 등을 발표하던 게시판. =〔光荣榜〕
〔红包(儿)〕 hóngbāo(r) 명 ①옛날, 축하할 때나 연말에 붉은 종이에 싸서 어린이나 심부름꾼·점원에게 주던 돈. ②기업의 간부·종업원에 대한 (비공개) 보너스. ¶塞～; 뇌물을 먹이다 / 送～; 보너스를 주다.
〔红宝石〕 hóngbǎoshí 명 《鑛》 루비. 홍보석. =〔红玉①〕 →〔刚石〕
〔红宝书〕 hóngbǎoshū 명 '文化大革命' 중, 마오쩌둥(毛澤東) 어록이나 선집을 말함.
〔红脖汉〕 hóngbóhàn 명 ①거칠고 촌스러운 남자. ②〈方〉 수줍음을 잘 타는 사람. 내향성(內向性)인 사람.
〔红布〕 hóngbù 명 붉은 천. 주홍빛 카네킨(canequin).
〔红不棱登〕 hóngbulēngdēng 형 〈口〉 불그스름하다. 불그죽죽하다. ¶这件蓝布大褂染得不好, 太阳一晒更显得～的; 이 남빛 무명의 상의(上衣)는 물이 잘 안 들어서, 햇볕을 받으면 불그죽죽해 보인다.
〔红彩子〕 hóngcǎizi 명 붉은색 천(경축일에 문전에 걸어 축하의 뜻을 나타내는).
〔红菜汤〕 hóngcàitāng 명 보르스치《러시아식 수프》.
〔红菜头〕 hóngcàitóu 명 ⇨〔甜tián菜〕
〔红茶〕 hóngchá 명 홍차. ¶～菌; 홍차 버섯.
〔红差〕 hóngchāi 명 사형수의 일.
〔红肠〕 hóngcháng 명 중국식의 소시지. =〔香xiāng肠(儿)〕
〔红肠面包〕 hóngcháng miànbāo 명 ⇨〔热rè狗〕
〔红场〕 Hóngchǎng 명 (모스크바의) 붉은 광장.
〔红潮〕 hóngcháo 명 ①〈文〉 (부끄러워) 얼굴이 빨개지는 것. ¶脸上泛起～; 얼굴이 새빨개지다. ②월경(月經).

〔红炒〕 hóngchǎo 동 볶은 것을 간장으로 조미하다.
〔红尘〕 hóngchén 명 〈文〉 번거로운 세상. 〈轉〉 속세(俗世).
〔红赤赤的〕 hóngchìchìde 형 새빨갛다.
〔红翅子〕 hóngchìzi 명 《魚》 피라미.
〔红绸〕 hóngchóu 명 붉은색 명주.
〔红丹丹(的)〕 hóngdāndān(de) 형 새빨간 모양. ¶鸡冠子~; 볏이 새빨갛다.
〔红丹(粉)〕 hóngdān(fěn) 명 ⇨〔铅qiān丹〕
〔红单帖〕 hóngdāntiě 명 붉은색의 종이 쪽지(명함 등에 사용).
〔红蛋〕 hóngdàn 명 붉은 물감을 들인 달걀(옛 관습에서 출산을 축하하기 위해 친척·친구에게 보냄).
〔红灯〕 hóngdēng 명 ①붉은 초롱〔제등(提燈)〕. 붉은 등. ②적신호. 빨간 신호등. ¶开~; 적신호가 되다. 빨간 신호등이 켜지다. →〔红绿灯〕
〔红灯讯号〕 hóngdēng xùnhào 명 위험 신호. 적신호. =〔红灯信号〕
〔红点颏〕 hóngdiǎnké 명 《鳥》 진홍가슴. =〔红喉歌鸲〕
〔红豆〕 hóngdòu 명 《植》 ①상사수(相思樹). ②상사수의 열매. ③(고대 문학 작품에서) 남녀간의 사랑.
〔红豆儿〕 hóngdòur 명 《植》 팥. =〔赤(小)豆〕〔小豆(儿)〕〔红饭豆〕〔红小豆〕
〔红嘟嘟(的)〕 hóngdūdū(de) 형 (얼굴 등이) 빨갛고 팽팽한 모양. ¶~的两腮; 빨갛고 포동포동한 양볼.
〔红对口〕 hóngduìkǒu 명 붉은색의 계인(契印).
〔红对儿〕 hóngduìr 명 경사(慶事)에 보내는 붉은색의 '对联(儿)②'(대련).
〔红燉〕 hóngdùn 명 간장을 넣고 연하게 익힌 고기 요리.
〔红矾〕 hóngfán 명 ⇨〔砒pī霜〕
〔红矾钾〕 hóngfánjiǎ 명 《化》 '重zhòng铬酸钾'(중크롬산칼륨)의 속칭.
〔红矾钠〕 hóngfánnà 명 《化》 '重zhòng铬酸钠'(중크롬산나트륨)의 속칭.
〔红粉〕 hóngfěn 명 연지와 분. 〈轉〉 부녀자. ¶~佳人; 아름다운 여자 / ~骷髅kūlóu; 〈諺〉 미인도 가죽 한 겹 차이. 한꺼풀 벗기면 미인도 해골.
〔红封包〕 hóngfēngbāo 명 축하의 선물 꾸러미.
〔红封儿〕 hóngfēngr 명 ⇨〔赏shǎng封〕
〔红杠〕 hónggàng 명 붉은 괘(罫). 붉은 선.
〔红哥鲤〕 hónggēlǐ 명 《魚》 실꼬리돔.
〔红格子〕 hónggézi 명 붉은 괘선(罫線).
〔红汞(水)〕 hónggǒng(shuǐ) 명 《藥》 머큐로크롬(mercurochrome). =〔红药水〕
〔红股〕 hónggǔ 명 공로주(株). 권리주. 우선주.
〔红骨顶〕 hónggǔdǐng 명 《鳥》 쇠물닭.
〔红骨髓〕 hónggǔsuǐ 명 《生》 적색 골수(혈구를 만듦).
〔红瓜子(儿)〕 hóngguāzǐ(r) 명 광둥(廣東)산(産) 붉은색의 '瓜子(儿)'(수박이나 호박의 씨를 볶은 것).
〔红光〕 hóngguāng 명 얼굴의 붉은 윤기. ¶~满面 =〔满面~〕; ⓐ득의(得意) 만면인 모양. ⓑ혈색이 좋은 얼굴.
〔红光碱性紫〕 hóngguāng jiǎnxìngzǐ 명 ⇨〔甲jiǎ(基)紫〕
〔红光硫化元〕 hóngguāng liúhuàyuán 명 《染》 설퍼 블랙(sulfur black)(황화 염료의 일종). =〔红光硫青〕
〔红闺〕 hóngguī 명 ⇨〔红楼〕
〔红棍〕 hónggùn 명 소문난 악한(惡漢).
〔红果儿〕 hóngguǒr 명 《植》 〈方〉 산사자(山查子).
〔红海鲷鱼〕 hónghǎidiāoyú 명 《魚》 참돔.
〔红鹤〕 hónghè 명 《鳥》 〈方〉 따오기. =〔朱zhū鹮〕
〔红黑白〕 hóng hēi bái 모르핀·아편·헤로인의 세 가지.
〔红黑帐〕 hónghēizhàng 《史》 항일 전쟁 중, 중국 공산당이 괴뢰 정부군을 경고한 방법. 악행을 흰 종이에 쓰고, 후일 좋은 일을 했을 경우에는 빨간 종이에 쓰는 방법으로 경고했음.
〔红红绿绿〕 hónghóng lǜlǜ 형 무늬·색채 따위의 울긋불긋한 모양. =〔红红花花〕
〔红呼呼(的)〕 hónghūhū(de) 형 새빨간 모양. 빨간빛이 돋보이는 모양.
〔红狐〕 hónghú 명 ⇨〔赤chì狐〕
〔红胡子〕 hónghúzi 명 마적. 강도.
〔红糊涂〕 hónghútu 명 고량(高粱)으로 쑨 죽.
〔红花〕 hónghuā 명 ①붉은 꽃. ¶~还得绿叶扶; 〈諺〉 붉은 꽃이 예쁘긴 하지만, 녹색 잎의 꾸밈을 받아야 한다(아무도 제 혼자 힘만으로는 어떻게 될 수가 없다). ②《植》 ㉠잇(꽃). ㉡사프란.
〔红花草〕 hónghuācǎo 명 《植》 자운영.
〔红花(闺)女〕 hónghuā(guī)nǚ 미혼의 규수.
〔红黄不分〕 hónghuáng bù fēn 빨강과 노랑도 구별하지 못하다. 〈轉〉 경우가 없다.
〔红会〕 hónghuì 명 〈簡〉 적십자사. =〔红十字会〕
〔红烩牛肉〕 hónghuì niúròu 명 비프 스튜(beef stew). =〔炖dùn牛肉〕
〔红货〕 hónghuò 명 보석류. ¶~店 =〔~行〕; 보석점[상].
〔红火〕 hónghuo 형 〈方〉 생기가 넘치다. 활기에 차 있다. ¶~人; 생기가 넘치는 사람. 활기에 찬 사람 / 联欢晚会节目很多, 开得很~; 교환회(交歡會)의 밤은, 프로가 다양해서 대단한 성황이었다.
〔红颊〕 hóngjiá 명 ⇨〔红颜③〕
〔红笺〕 hóngjiān 명 하장(賀狀)에 사용하는 빨간색 편지지.
〔红柬〕 hóngjiǎn 명 붉은색 명함.
〔红豇豆〕 hóngjiāngdòu 명 《植》 붉은 광저기(바늘꽃과(科)의 1년생 식물).
〔红椒干〕 hóngjiāogān 명 말린 고추. →〔辣là椒〕
〔红蕉〕 hóngjiāo 명 《植》 칸나.
〔红脚鹬〕 hóngjiǎoyù 명 《鳥》 쇠청다리도요.
〔红轿(子)〕 hóngjiào(zi) 명 (신부가 타는) 붉은 가마.
〔红教〕 Hóngjiào 명 《宗》 홍교(라마교(教)의 한 파).
〔红巾起义〕 Hóngjīn qǐyì 명 《史》 원(元)나라 말기의 홍건적이 일으킨 대규모 농민 봉기.
〔红荆条〕 hóngjīngtiáo 명 《植》 위성류(渭城柳).
〔红净〕 hóngjìng 명 《劇》 경극(京劇)에서 충신 의협(忠臣義俠)의 역(役)(얼굴에 붉은 선을 그려 넣음). =〔红脸②〕
〔红角儿〕 hóngjuér 명 ①인기 배우. ②인기 있는 사람. 총아(寵兒). ③호평을 받은 배역.
〔红军〕 Hóngjūn 명 ①〈簡〉 1928~1937년의 '中国工农红军'(중국 노동 적군). ②1946년 이전의 소련 육군.
〔红口〕 hóngkǒu 명 《魚》 부세.
〔红口白牙〕 hóngkǒu báiyá ①입이 예쁜 모양.

입매가 귀여운 모양. ②걸치레로 말하는 것. ¶他那可不是～说空话吗? 그 사람은 입에 발린 거짓말을 하는 것이 아니냐?
〔红蜡〕 hónglà 명 (축하용) 붉은 양초.
〔红泪〕 hónglèi 명 피눈물.
〔红鲤(鱼)〕 hónglǐ(yú) 명 《魚》 관상용의 비단잉어.
〔红利〕 hónglì 명 ①순익(純益). ②배당금. ③보너스. 상여금.
〔红利公积〕 hónglì gōngjī 명 《經》 순익(純益)의 적립금.
〔红莲〕 hónglián 명 《染》 레드 바이올렛(red violet).
〔红脸〕 hóng.liǎn 동 얼굴을 붉히다. ¶这小姑娘见了生人就～; 이 소녀는 낯선 사람만 보면 얼굴이 빨개진다 / 我们俩从来没红过脸; 우리 두 사람은 지금껏 (얼굴을 붉히는) 말다툼을 해 본 적이 없다. (hóngliǎn) 명 ①(성이 나거나 부끄러워서) 붉어진 얼굴. ②《劇》 '京剧'에서의 충신역(얼굴 표정을 과장하기 위해 홍색 선을 그려 분장함). =〔红净〕
〔红脸饭〕 hóngliǎnfàn 명 〈比〉 힘든 일. 노역(劳役) 생활.
〔红脸汉子〕 hóngliǎn hànzi 명 〈比〉 ①열혈한(熱血漢). 대장부. ②〈比〉 노무자. 막벌이꾼.
〔红粮〕 hóngliáng 명 수수. 고량.
〔红蓼〕 hóngliǎo 명 《植》 털여뀌.
〔红磷〕 hónglín ⇨〔赤chì磷〕
〔红铃虫〕 hónglíngchóng 명 《蟲》 '棉红铃虫'(목화붉은씨벌레)의 유충(목화의 둥근 꼬투리 속의 씨를 상식(常食)함). =〔花huā虫〕〔〈方〉棉mián花蛆〕
〔红领巾〕 hónglǐngjīn 명 ①빨간 네커치프(neckerchief)(소년 선봉대의 상징으로 쓰임). ②〈轉〉 소년 선봉대.
〔红柳〕 hóngliǔ 명 《植》 위성류(渭城柳)의 근연종(近緣種).
〔红楼〕 hónglóu 명 〈文〉 여자의 거실. =〔红闺〕
〔红楼梦〕 Hónglóumèng 명 《書》 홍루몽. 청(淸)나라 때의 장편 소설. =〔石头记〕〔金玉缘〕
〔红炉〕 hónglú 명 '锻duàn炉'(용광로의 일종)의 속칭.
〔红绿灯〕 hónglǜdēng 명 교통 신호등.
〔红鸾〕 hóngluán 명 길사(吉事)를 상징하는 상서로운 별.
〔红萝卜〕 hóngluóbo 명 《植》 ①당근. ②자주색무.
〔红萝卜上在蜡烛账上〕 hóngluóbo shàng zài làzhúzhàngshang 〈諺〉 당근 값을 양초 장부에 적다(일을 아무렇게나 해 놓다).
〔红螺〕 hóngluó 명 《貝》 쇠고둥(앵무새조개의 일종으로, 껍데기는 얇고 주기(酒器)로 쓰임).
〔红麻料儿〕 hóngmáliàor 명 《鳥》 알록참새. =〔朱zhū雀①〕
〔红麦鸸〕 hóngmàimiè 명 《鳥》 개똥지빠귀.
〔红毛(番)〕 hóngmáo(fān) 명 옛날, 서양 사람을 일컬음.
〔红毛泥〕 hóngmáoní 명 ⇨〔水shuǐ泥〕
〔红帽子〕 hóngmàozi 명 ①(옛날) 철도 화물을 나르는 짐꾼. ②민국(民國) 시대에, 공산당원이나 공산주의자라는 혐의를 받는 것. ③개인 기업이 사용하는 단체 기업의 명의. =〔假集体〕
〔红玫瑰〕 hóngméigui 명 ①《植》 해당화 또는 붉은 장미. ②고량주에 흰색 해당화를 담가서 만든 술.
〔红媒〕 hóngméi 명 〈方〉 ①초혼(初婚). ②초혼의 중매인. ↔〔白媒〕
〔红煤〕 hóngméi 명 〈方〉 무연탄. =〔无烟煤〕
〔红霉素〕 hóngméisù 명 《藥》 에리드로마이신(erythromycin).
〔红焖鸭块〕 hóngmèn yākuài →〔黄huáng焖鸭块〕
〔红蒙蒙(的)〕 hóngméngméng(de) 형 주홍색으로 부옇게 보이는 모양.
〔红米〕 hóngmǐ 명 ①수수의 알갱이. ②붉은 빛깔의 쌀(푸젠(福建) 등의 산지(山地)에 남. 보통의 쌀밥처럼 지어 먹거나, 된장을 만들 때 붉은 빛깔을 내는 데 쓰이기도 함). ③쌀에 누룩곰팡이를 묻힌 붉은 누룩(된장의 발효에 사용하는데, 요리에 붉은빛을 내는 데에도 사용함).
〔红棉〕 hóngmián 명 ⇨〔木mù棉①〕
〔红名单〕 hóngmíngdān 명 공개 수사(搜査)의 수배자 명단('黑名单'(블랙리스트)에 대해 쓰는 말).
〔红靺鞨〕 hóngmòhé 명 옛날, 말갈국에서 나던 연분홍 빛깔의 보석.
〔红墨〕 hóngmò 명 ①주묵(朱墨). ②붉은색 인쇄잉크.
〔红墨水〕 hóngmòshuǐ 명 붉은 잉크.
〔红模子〕 hóngmúzi 명 아이들의 습자 용지(학습하는 글자를 붉은색으로 인출(印出)한 것).
〔红木〕 hóngmù 명 《植》 홍목. 마호가니. =〔红紫木〕〔酸suān枝(红)木〕〔桃táo花心木〕〔硬yìng红木〕
〔红男绿女〕 hóng nán lǜ nǚ 〈成〉 ①아름답게 차린 젊은 남녀. ②선남 선녀.
〔红楠〕 hóngnán 명 《植》 후박나무.
〔红霓〕 hóngní 명 무지개.
〔红娘〕 Hóngniáng 명 ①《人》 서상기(西廂記)에 나오는 여주인공, 최앵앵(崔鶯鶯)의 시녀(侍女). ②〈轉〉 시녀. ③〈轉〉 사랑을 맺어 주는 여자.
〔红娘(子)〕 hóngniáng(zi) 명 〈方〉 무당벌레. =〔红娘虫〕〔瓢piáo虫〕
〔红娘华〕 hóngniánghuá 명 《蟲》 장구애비.
〔红娘鱼〕 hóngniángyú 명 《魚》 달강어.
〔红镍矿〕 hóngnièkuàng 명 《鑛》 적(赤) 니켈광(鑛).
〔红盘(儿)〕 hóngpán(r) 명 《商》 설을 쉰 후의 첫 시세.
〔红袍玉带〕 hóngpáo yùdài 명 붉은색의 긴 옷과 보석을 박은 띠(황제의 복장).
〔红喷喷(的)〕 hóngpēnpēn(de) 형 벌겋게 윤이 나는 모양. 벌겋게 달아오른 모양. ¶喝酒后, 脸～的; 술을 마신 후에 얼굴이 벌겋게 달아오르다.
〔红棚〕 hóngpéng 명 길사(吉事)가 있을 때, 뜰에 만드는 가옥(假屋).
〔红砒〕 hóngpī 명 《化》 아비산(亞砒酸). 비상. =〔砒霜〕
〔红皮柳〕 hóngpíliǔ 명 《植》 갯버들.
〔红皮书〕 hóngpíshū 명 《政》 오스트리아·스페인의 정식 문서 및 미국의 외교 문서. ↔〔白皮书〕
〔红片(子)〕 hóngpiàn(zi) 명 붉은 종이에 인쇄한 명함.
〔红缥色〕 hóngpiǎosè 명 《色》 잇꽃색.
〔红票〕 hóngpiào 명 (출연자가 보낸) 우대권. 초대권.
〔红珀〕 hóngpò 명 붉은 호박(琥珀).
〔红扑扑(的)〕 hóngpūpū(de) 형 홍조(紅潮)를 띤 모양. ¶脸～; 얼굴이 불그레하다.

〔红旗〕 hóngqí 명 ①홍기(혁명 또는 승리를 상징하는 기). ¶插chā～; 홍기를 꽂다. ②중국 공산당 중앙 위원회 기관지명(1958～1988년). ③〈轉〉(사회주의 건설의 각 방면에 있어서의) 모범. ¶她是妇女办工业的一面～, 也是白手起家的女英雄; 그녀는 여성으로서 공업에 뛰어든 모범이고, 맨손으로 성공한 영웅이기도 하다.
〔红旗单位〕 hóngqí dānwèi 명 선진적인 단체. 모범적인 직장.
〔红鳍圆鲀〕 hóngqíyuántún 명 《魚》 자지복. =〔黑hēi腊头〕〔黑艇鲏〕
〔红契〕 hóngqì 명 《法》 전답·가옥 등의 구입에 관한 납세·등기필(畢)에 붉은 도장이 찍힌 증서. ↔〔白契〕
〔红铅丹〕 hóngqiāndān 명 《化》 적색 산화연. =〔赤chì色氧化铅〕
〔红铅粉〕 hóngqiānfěn 명 ⇨〔铅丹〕
〔红铅矿〕 hóngqiānkuàng 명 《鑛》 홍연광.
〔红枪会〕 Hóngqiānghuì 명 《史》 홍창회(옛날, 중국 북부 농민의 자위 조직. 종교적 색채가 농후하여 많은 사람들이 백련교(白蓮教)를 신봉했음. 붉은 천을 긴 창 끝에 매고 있었기 때문에 이 이름이 있음).
〔红墙〕 hóngqiáng 명 (옛날, 황거(皇居)의) 붉은 벽.
〔红勤巧俭〕 hóng qín qiǎo jiǎn 〈成〉 (공산주의) 사상이 건전하며, 일에 열심이며, 기술이 뛰어나고, 절약에 힘쓰다.
〔红青〕 hóngqīng 명 《色》 붉은빛을 띤 보라색. =〔绀青〕
〔红曲〕 hóngqū 명 멥쌀을 쪄서 누룩을 섞어 발효시킨 것(빛이 붉으며, 약용이나 양념으로 쓰임).
〔红雀〕 hóngquè 명 《鳥》〈方〉 섬참새. =〔梅méi花雀〕
〔红壤〕 hóngrǎng 명 ⇨〔红土①〕
〔红人〕 Hóngrén 명 ①아메리칸 인디언. ②(hóngrén)(～儿) 인기 있는 사람. 총아. ¶他是浙江巡抚的～; 그는 저장(浙江) 쉰푸(巡撫)의 총아(寵兒)이다.
〔红日〕 hóngrì 명 ①붉은 해. 아침 해. ②길일(吉日).
〔红蕊〕 hóngruǐ 명 〈文〉 바야흐로 벌어지려는 꽃봉오리.
〔红润〕 hóngrùn 형 붉게 윤기가 나다. 혈색이 좋다. ¶脸像苹果一样～; 얼굴이 사과처럼 발갛고 윤이 난다.
〔红润润(的)〕 hóngrùnrùn(de) 형 붉고 윤기가 나는 모양. ¶～的脸蛋儿; 붉고 윤기가 도는 뺨.
〔红三叶〕 hóngsānyè 명 《植》 레드 클로버(red clover)(풋거름 작물의 하나).
〔红色〕 hóngsè 명 적색. =〔红颜色〕 형 공산주의적. 혁명적. ¶～专家; 사상적으로도 훌륭한 학술·기술 등의 전문가.
〔红色国际〕 hóngsè guójì 명 ⇨〔第dì三国际〕
〔红色中线〕 hóngsè zhōngxiàn 명 《體》 (아이스하키의) 센터 라인.
〔红痧〕 hóngshā 명 《醫》 성홍열.
〔红杉〕 hóngshān 명 《植》 낙엽송.
〔红伤〕 hóngshāng 명 출혈을 가져오는 상처.
〔红烧〕 hóngshāo 명 고기·생선 등에 기름과 설탕을 넣어 살짝 볶다가 간장 등의 조미료로 검붉게 익히는 중국 요리법의 하나.
〔红苕〕 hóngsháo 명 《植》〈方〉 고구마. =〔甘薯〕
〔红参〕 hóngshēn 명 홍삼.
〔红生〕 hóngshēng 명 《劇》 중국 전통극에서, 배우의 얼굴 표정을 과장하기 위해서 분장할 때 얼굴에 붉은색의 선을 그려 넣은 남자역(役). =〔红面生〕
〔红十字会〕 Hóngshízìhuì 명 적십자사. ¶红十字总会; 적십자 본사. =〔红会〕
〔红十字条约〕 Hóngshízì tiáoyuē 명 ⇨〔日rì内瓦条约〕
〔红事〕 hóngshì 명 혼례(婚禮)('喜事'는 일반의 경사) ↔〔白事〕〔丧事〕
〔红薯〕 hóngshǔ 명 (붉은) 고구마.
〔红树〕 hóngshù 명 《植》 홍수. ¶～林; 홍수림. 맹그로브(mangrove).
〔红丝〕 hóngsī 명 ①핏발. ¶眼睛上布满了～; 눈이 온통 핏발이 서 있다. ②매실(梅實)의 과육(果肉)을 절인 것을 잘게 썬 것(과자(菓子) 재료). ③남녀 사이를 잇는 인연의 실. =〔红绳〕〔红线①〕〔赤chì绳〕 ④산둥 성(山東省) 칭저우(青州)에서 산출되는 벼룻돌(이것으로 만든 벼루를 '～砚yàn'라고 함).
〔红丝草〕 hóngsīcǎo 명 《植》 땅빈대.
〔红松〕 hóngsōng 명 《植》 잣나무. =〔果guǒ松〕〔海hǎi松〕〔新罗松〕
〔红隼〕 hóngsǔn 명 《鳥》 황조롱이. =〔〈南方〉红鹞子〕〔红鹰〕〔茶chá隼〕〔〈北方〉黄huáng燕〕
〔红拓〕 hóngtà 명 붉은 탁본(拓本).
〔红堂堂〕 hóngtāngtāng 형 (얼굴이) 불그레하고 당당한 모양.
〔红糖〕 hóngtáng 명 흑설탕. =〔〈方〉黑糖〕〔赤chì砂(糖)〕〔黄糖〕
〔红桃〕 hóngtáo 명 (트럼프의) 하트(heart). →〔扑pū克〕
〔红藤〕 hóngténg ⇨〔白bái藤〕
〔红帖〕 hóngtiě 명 경사(慶事)〔축하〕의 통지(通知)〔초대장〕.
〔红彤彤〕 hóngtōngtōng 형 ⇨〔红通通(的)〕
〔红通通(的)〕 hóngtōngtōng(de) 형 (온통) 새빨간 모양. ¶～的晚霞; 새빨간 저녁놀 / 脸晒得～的; 얼굴이 햇볕에 타서 새빨갛다. =〔红彤彤〕〔红烫烫〕
〔红铜〕 hóngtóng 명 《鑛》 ①⇨〔紫zǐ铜〕 ②특수황동(特殊黃銅).
〔红铜管〕 hóngtóngguǎn 명 ⇨〔红铜通〕
〔红铜矿〕 hóngtóngkuàng 명 《鑛》 적동광(赤銅鑛).
〔红铜片〕 hóngtóngpiàn 명 동판(銅板).
〔红铜通〕 hóngtóngtōng 명 동관(銅管). =〔红铜管〕〔紫zǐ铜管〕
〔红铜线〕 hóngtóngxiàn 명 동선(銅線). =〔紫zǐ铜丝〕
〔红铜枝〕 hóngtóngzhī 명 동봉(銅棒). =〔紫zǐ铜条〕
〔红头蝇〕 hóngtóuyíng 명 《蟲》 쉬파리.
〔红头涨脸〕 hóngtóu zhàngliǎn 얼굴이 벌겋게 되다. ¶～地辩论; 얼굴이 벌게져서 변론하다. =〔红头胀脸〕
〔红透专深〕 hóng tòu zhuān shēn 〈成〉 공산주의 사상이 투철하고, 기술면에서도 매우 뛰어나다.
〔红土〕 hóngtǔ 명 ①《地質》 홍토. 라테라이트(laterite). =〔红壤〕 ②⇨〔红土子〕
〔红土子〕 hóngtǔzi 명 《染》 철단(鐵丹)(황토를 구워서 만든 안료). =〔红土②〕
〔红外线〕 hóngwàixiàn 명 《物》 적외선. ¶～片piàn; 적외선 필름. =〔赤chì外线〕〔热rè线〕 →

〔紫zǐ外线〕
〔红外线夜视器〕 hóngwàixiàn yèshìqì 명 적외선 야간 투시경.
〔红卐字会〕 Hóngwànzì huì 명 홍만(卍)자회.
〔红卫兵〕 Hóngwèibīng 명 홍위병《1966년에 본격화한 중화 인민 공화국의 문화 대혁명에 추진력이 된 학생 조직. 뒤에 그 과격한 활동이 엄히 비판받았음》.
〔红五类〕 hóngwǔlèi 명 마오쩌둥(毛澤東) 사상으로 무장한 프롤레타리아의 가장 선진적인 다섯 종류의 사람.
〔红霞〕 hóngxiá 명 붉은 저녁놀.
〔红线〕 hóngxiàn 명 ①⇨〔红丝③〕 ②〈比〉 바른 정치 노선, 또는 사상 노선. ③〈比〉 금지선.
〔红香蕉〕 hóngxiāngjiāo 명 《植》 딜리셔스《사과의 품종》. =〔元帅〕
〔红小兵〕 Hóngxiǎobīng 명 홍소병《'文化大革命'의 시기 '少年先锋队'의 대원을 이름》.
〔红小豆〕 hóngxiǎodòu 명 ⇨〔红豆儿〕
〔红蟹〕 hóngxiè 명 《動》 방게. =〔蟛péng蜞〕〔鹦yīng哥儿嘴〕
〔红心〕 hóngxīn 명 ①혁명의 결심. 충성심. ②(트럼프의) 하트(heart). →〔扑pū克〕 (hóng·xīn) 동 ①샘하다. 질투하다. ②열광하다. 열중하다.
〔红新月会〕 Hóngxīnyuèhuì 명 이슬람교 국가의 적십자사《하얀 바탕에 붉은 초승달을 그 표장(標章)으로 사용하고 있음》.
〔红星〕 hóngxīng 명 ①붉은 별. ②유명한 스타. ¶电diàn影～; (매우 인기 있는) 영화 스타. =〔明星〕 ③스타킹《사과의 품종》.
〔红杏出墙〕 hóng xìng chū qiáng 〈成〉 여자가 바람을 피우다.
〔红袖〕 hóngxiù 명 ①부녀자의 소매. ②〈轉〉 부녀자. ¶～添香; 〈比〉 첩을 두다.
〔红血球〕 hóngxuèqiú 명 《生》 적혈구. =〔赤chì血球〕〔红细胞〕
〔红鸭蛋〕 hóngyādàn 명 붉게 물들인 오리알《경사에 쓰임》.
〔红殷殷〕 hóngyānyān 형 검붉은 모양. ¶～的血xiě; 검붉은 피.
〔红盐〕 hóngyán 명 《染》 아조 염료염(azo染料鹽).
〔红颜〕 hóngyán 명 〈比〉 ①소년 소녀. =〔朱zhū颜〕 ②미인(美人). ¶～薄命; 〈成〉 미인 박명. ③붉은 뺨. =〔红颊〕
〔红眼〕 hóng·yǎn 동 ①눈에 핏발이 서다. 성나다. ②〈方〉 (남의 명리(名利) 등을) 부러워하다. 시기하다. 탐내다. ¶你发了财了, 他就红了眼了; 네가 돈을 버니까, 그는 샘을 부렸다. =〔眼红〕 ③(～了, ～着) 열중하다. 열광하다. ¶两派打得红了眼了; 양쪽 파는 혈안이 되어 싸웠다. (hóng-yǎn) 명 ①〈俗〉 결막염. ②빨간 눈. ③《魚》 숭어. ¶～鱼; 《魚》 가숭어.
〔红艳艳〕 hóngyànyàn 형 선홍색이다. 산뜻하고 밝은 홍색이다.
〔红洋标〕 hóngyángbiāo 명 《紡》 붉은 옥양목.
〔红氧化汞〕 hóngyǎnghuàgǒng 명 《化》 적색 산화수은(赤色酸化水銀). =〔红降汞〕〔〈方〉 三仙丹〕
〔红样〕 hóngyàng 명 붉은 연필로 고친 교정쇄.
〔红药水〕 hóngyàoshuǐ 명 《藥》 머큐로크롬(mercurochrome). =〔红汞(水)〕〔二èr百二(十)〕
〔红鹞子〕 hóngyàozi 명 〈南方〉 ⇨〔红隼sǔn〕
〔红叶〕 hóngyè 명 단풍. 홍엽(紅葉).
〔红衣主教〕 hóngyī zhǔjiào 명 ⇨〔枢shū机主教〕
〔红医〕 hóngyī 명 간단한 병이나 상처를 응급 조치하는 사람.
〔红夷〕 Hóngyí 명 옛날, 네덜란드 사람을 멸시하여 일컫던 말.
〔红椅子〕 hóngyǐzi 명 시험 성적 순위 최후의 합격자.
〔红银矿〕 hóngyínkuàng 명 《鑛》 적은광(赤銀鑛).
〔红缨〕 hóngyīng 명 옛날, 관리의 모자에 단 붉은 술. ¶～枪; 붉은 술이 달린 구식 장창(長槍).
〔红鹰〕 hóngyīng 명 ⇨〔红隼〕
〔红鱼〕 hóngyú 명 ①⇨〔金jīn线鱼〕 ②붉은 칠을 한 목탁.
〔红雨〕 hóngyǔ 명 〈比〉 꽃잎이 비 내리듯 떨어져 흩어짐. ¶桃táo花乱落如～; 도화꽃이 비처럼 떨어져 흩어지다.
〔红玉〕 hóngyù 명 ①《鑛》 루비. =〔红宝石〕 ②《植》 홍옥《사과의 하나》.
〔红云彩〕 hóngyúncai 명 저녁놀 구름.
〔红运〕 hóngyùn 명 행운. 좋은 운수. ¶走～; 행운을 만나다 / ～当头; 행운이 들다. 운이 트이다 / 是你～的年头; 자네의 행운의 해다. =〔鸿运〕
〔红晕〕 hóngyùn 명 (볼의) 홍조(紅潮). ¶脸上泛出～; 얼굴이 붉게 달아오르다.
〔红糟〕 hóngzāo 명 쌀누룩을 원료로 만든 조미료《푸젠(福建) 요리에 흔히 쓰임》.
〔红枣(儿)〕 hóngzǎo(r) 명 《植》 ①붉은 대추. ②말린 붉은 대추.
〔红藻〕 hóngzǎo 명 《植》 홍조. 홍색 조류의 총칭.
〔红寨〕 hóngzhài 명 《魚》 쏨뱅이.
〔红账〕 hóngzhàng 명 ⇨〔年nián结〕
〔红涨〕 hóngzhàng 동 (부끄럽거나 성나거나 하여) 얼굴을 붉히다.
〔红着心〕 hóngzhexīn 열심히. 열성적으로. 골똘히. ¶～创chuàng业; 열성적으로 사업을 일으키려 하다 / 他不像先前那样～拉买卖了《老舍 駱駝祥子》; 그는 이전처럼 기를 쓰고 고객을 잡으려고 하지 않게 되었다. =〔火huǒ着心(儿)〕
〔红蜘蛛〕 hóngzhīzhū 명 ①⇨〔棉mián红叶螨〕 ②⇨〔麦mài叶螨〕
〔红踯躅〕 hóngzhízhú 명 《植》 진달래.
〔红痣〕 hóngzhì 명 피부의 붉은 반점.
〔红肿〕 hóngzhǒng 동명 (종기 따위로) 피부가 벌겋게 부어오르다. 또는 그런 현상.
〔红种〕 Hóngzhǒng 명 동색(銅色) 인종.
〔红烛〕 hóngzhú 명 (경축용) 붉은 초.
〔红专〕 hóngzhuān 정치 사상적으로 무장되고 기술 지식에 정통하다《'红'은 공산주의 사상과 정치를 나타내며, '专'은 전문적인 업무와 기술을 나타냄》.
〔红专大学〕 Hóngzhuān dàxué 명 홍전 대학《인민 공사 간부를 위해 설치된 학교》.
〔红妆〕 hóngzhuāng 명 〈文〉 ①부녀의 아름다운 화장 · 옷차림. ②〈轉〉 젊은 여성. ‖ =〔红装〕
〔红装素裹〕 hóng zhuāng sù guǒ 〈成〉 눈이 온 후에 태양이 빛나다.
〔红紫〕 hóngzǐ 명 ①적자색(赤紫色). ②붉은빛과 자줏빛.
〔红嘴白牙〕 hóng zuǐ bái yá 〈成〉 ①붉은 입과 하얀 이《입의 미칭》. ②(공치사 따위의) 입에 발린 말. =〔红口白牙〕
〔红嘴绿鹦哥〕 hóngzuǐlǜyīnggē 명 ⇨〔菠bō菜〕
〔红嘴鸥〕 hóngzuǐ'ōu 명 《鳥》 붉은부리갈매기.

〔红嘴雁〕 hóngzuǐyàn 명 ⇨〔灰huī雁〕

荭(葒) hóng (홍)
→〔荭草〕

〔荭草〕 hóngcǎo 명 《植》 털여뀌《관상용 초본(草本) 식물의 일종》.

虹 hóng (홍)
명 ①무지개. ②〈比〉 긴 다리. ⇒jiàng

〔虹彩〕 hóngcǎi 명 ①무지개빛. ②⇨〔虹彩膜〕

〔虹彩膜〕 hóngcǎimó 명 《生》 홍채. =〔虹彩②〕〔虹膜〕〔眼yǎn帘〕

〔虹膜〕 hóngmó 명 ⇨〔虹彩膜〕

〔虹霓〕 hóngní 명 ①《天》 무지개. ②네온사인.

〔虹桥〕 hóngqiáo 명 ①〈比〉 무지개. ②아치(arch)형의 다리. 홍교. 홍예다리. ③(Hóngqiáo) 《地》 홍차오《상하이(上海)의 서교(西郊)에 위치함》. ¶～机场; 홍차오 공항.

〔虹吸管〕 hóngxīguǎn 명 《物》 사이펀(syphon). =〔〈俗〉过山龙〕〔吸龙〕

〔虹吸气压计〕 hóngxī qìyājì 명 사이펀의 기압계.

〔虹吸现象〕 hóngxī xiànxiàng 명 《物》 사이펀 현상.

鸿(鴻) hóng (홍)
① 명 《鳥》 큰기러기. ② 형 크다. 넓다. ¶～图tú; 원대한 계획. 광대한 판도. ③ 명 〈文〉 편지. 서한(書翰). ¶来～; 내신(內信). ④ 명 성(姓)의 하나.

〔鸿安〕 hóng'ān 동 〈翰〉 평안하십시오. 안녕히 계십시오《편지 말미에 쓰는 글》. =〔鸿祺〕

〔鸿嗷〕 hóng'áo 명 〈文〉 이재민이 먹을 것을 애걸하는 소리.

〔鸿宝〕 hóngbǎo 명 ①큰 보배. ②〈比〉 비장(祕藏)한 책.

〔鸿豹〕 hóngbào 명 《鳥》 야안(野雁). 능에《'鸨bǎo'의 별칭》.

〔鸿笔〕 hóngbǐ 명 〈比〉 뛰어난 문필(文筆).

〔鸿博〕 hóngbó 형 〈文〉 학문에 조예가 깊다.

〔鸿才〕 hóngcái 명 〈文〉 큰 재능. ¶大展～; 크게 재능을 발휘하다.

〔鸿恩〕 hóng'ēn 명 ⇨〔隆lóng恩〕

〔鸿范〕 hóngfàn 명 〈文〉 ①대규모. ②큰 규범. ③위대한 모범(模範).

〔鸿飞〕 hóngfēi 동 〈文〉 ①높고 멀리 날다. ②〈轉〉 속세를 초월하다. ③〈轉〉 줄행랑치다. ¶凶手～冥冥; 가해자는 줄행랑을 쳐 행방을 감추었다.

〔鸿福〕 hóngfú 명 ①큰 복. 지복(至福). ②성운(盛運). 융성.

〔鸿沟〕 hónggōu 명 ①〈比〉 커다란 격차(格差). (감정·의견 등의) 큰 차이. ¶发达国家和发展中国家的～; 발전국과 발전 도상국과의 큰 격차. ②〈比〉 (넘을 수 없는) 한계. 경계. 장벽.

〔鸿号〕 hónghào 명 〈翰〉 귀점(貴店)《남의 가게에 대한 높임말》. →〔贵guì行〕

〔鸿鹄〕 hónghú 명 ①큰기러기와 고니. 큰 새의 총칭. ¶～将至; 〈比〉 호기(好機)가 도래할 것이다. ②큰 인물. 영웅 호걸. ¶～(之)志; 〈比〉 원대한 뜻.

〔鸿基〕 hóngjī 명 〈文〉 큰 사업의 기초〔터전〕. =〔弘基〕

〔鸿均〕 hóngjūn 명 〈文〉 평화. 태평.

〔鸿利〕 hónglì 명 〈文〉 큰 이익.

〔鸿烈〕 hóngliè 명 〈文〉 위훈. 위공(偉功).

〔鸿鳞〕 hónglín 명 〈翰〉 서간(書簡). 편지.

〔鸿毛〕 hóngmáo 명 큰 새의 털《경미한〔하찮은〕 것》. ¶死有重于泰山, 有轻于～; 죽음에는 태산보다 무거운 것이 있는가 하면, 홍모보다 가벼운 것도 있다.

〔鸿蒙〕 hóngméng 명 천지 개벽 이전의 혼돈했던 천지의 상태.

〔鸿名〕 hóngmíng 명 〈文〉 위대한 명성. 고명(高名).

〔鸿冥〕 hóngmíng 명 하늘의 높은 곳.

〔鸿篇巨制〕 hóngpiān jùzhì 명 대작(大作). 거작(巨作). 거편(巨篇).

〔鸿祺〕 hóngqí 동 ⇨〔鸿安〕

〔鸿儒〕 hóngrú 명 〈文〉 대학자. =〔宏儒〕〔洪儒〕

〔鸿私〕 hóngsī 명 〈文〉 사사로운 큰 은혜.

〔鸿图〕 hóngtú 명 〈文〉 ①큰 계획. 원대한 계획. ¶大展～; 크게 원대한 계획을 펼치다. ②광대한 영토. ‖=〔宏图〕

〔鸿文〕 hóngwén 명 〈文〉 대문장(大文章).

〔鸿禧〕 hóngxǐ 명 〈文〉 큰 (행)복. =〔鸿釐xǐ〕

〔鸿绪〕 hóngxù 명 〈文〉 왕통(王統).

〔鸿训〕 hóngxùn 명 〈文〉 교훈. 가르침.

〔鸿雁〕 hóngyàn 명 ①《鳥》 기러기. =〔大dà雁③〕〔原yuán鹅〕 ②이재민. 피난민. =〔哀āi鸿〕

〔鸿业〕 hóngyè 명 ①제왕의 업. 제업(帝業). ②대업(大業).

〔鸿仪〕 hóngyí 명 ①훌륭한 풍채. ②〈比〉 귀하(貴下). 당신. ¶久隔～渴念何似; 〈翰〉 오랫동안 뵙지 못하여 사모의 정을 금할 길 없나이다. ③(남에게서 받은) 값진 선물.

〔鸿音〕 hóngyīn 명 〈比〉 ①편지. 소식. ②〈敬〉 남의 편지. 귀함(貴函).

〔鸿猷〕 hóngyóu 명 〈文〉 웅대한 계획.

〔鸿运〕 hóngyùn 명 ⇨〔红运〕

〔鸿藻〕 hóngzǎo 명 〈文〉 대문장.

〔鸿爪〕 hóngzhǎo 명 〈比〉 과거의 흔적.

〔鸿志〕 hóngzhì 명 〈文〉 큰 뜻. 대지(大志). =〔洪志〕

魟(魟) hóng (공, 홍)
명 《魚》 홍어목(目)《홍어·노랑가오리 등의 총칭》. =〔鯆pū鱼〕

宏 hóng (굉)
① 형 넓고 크다. ¶宽～; 널찍하다. ② 동 넓게〔크게〕 하다. ③ 명 성(姓)의 하나.

〔宏辩〕 hóngbiàn 〈文〉 명 웅변(雄辯). 능변(能辯). 형 능변이다. 달변이다.

〔宏才卓识〕 hóngcái zhuōshí 뛰어난 재능과 뛰어난 식견.

〔宏敞〕 hóngchǎng 형 (집 따위가) 널찍하다.

〔宏达〕 hóngdá 동 〈文〉 재주와 식견이 뛰어나고 사리에 통달하다.

〔宏大〕 hóngdà 형 ①(범위·면적·규모가) 크다. 방대하다. ¶规模～; 규모가 거대하다 / ～的工人理论队伍; 대규모의 노동자 이론대. ②(뜻 따위가) 크다. 웅대하다. ¶～的志愿; 대지(大志). 큰 뜻.

〔宏恩〕 hóng'ēn 명 〈文〉 호의. 후정(厚情). 은혜. =〔隆lóng恩〕

〔宏放〕 hóngfàng 형 〈文〉 활달하다.

〔宏富〕 hóngfù 형 풍부하다. ¶经验～; 경험이 풍부하다.

〔宏观〕 hóngguān 형 거시적(巨視的)인. ¶～观察; 거시적 관찰 / ～世界; 거시의 천계. 마크로코스모스 / ～图; 육안도(肉眼圖). ↔〔微wēi观〕

〔宏济〕 hóngjì 동 〈文〉 널리 구제하다.

〔宏览〕 hónglǎn 명동 박람(博覽)(하다).
〔宏亮〕 hóngliàng 형 (소리가) 크고 쩌렁쩌렁하다. =〔洪亮〕
〔宏量〕 hóngliàng 명형 관대(하다). 대범(하다). 명〈俗〉 대주가(大酒家). 주호(酒豪). ‖=〔弘量〕〔洪量〕
〔宏论〕 hónglùn 명 견식이 넓은 언론. =〔弘论〕
〔宏器〕 hóngqì 명〈文〉 도량이 큰 사람. 그릇이 큰 사람.
〔宏儒〕 hóngrú 명 ⇨〔鸿儒〕
〔宏图〕 hóngtú 명〈文〉 원대한 계획. ¶～大略; 웅대한 계획과 방략(方略). =〔鸿图〕
〔宏伟〕 hóngwěi 형 (사업·임무 따위가) 위대하다. (건축물 따위가) 웅장하다. (세력이) 장대(壯大)하다. ¶～任务; 위대한 임무 / ～的建筑; 위용을 자랑하는 건축 / ～的五年计划; 웅대한 5개년 계획 / 多么～的景色! 와, 경치 한번 웅대하기도 하군! / 气势很～; 기세가 장대하다.
〔宏猷〕 hóngyóu 명〈文〉 큰 계획.
〔宏愿〕 hóngyuàn 명 대망(大望). 큰 소원. =〔弘愿〕
〔宏旨〕 hóngzhǐ 명 ⇨〔弘旨〕
〔宏指令〕 hóngzhǐlìng 명《電算》 매크로(macro) 명령.
〔宏壮〕 hóngzhuàng 형〈文〉 (규모 따위가) 웅장하다.

闳(閎) hóng (굉)
①명〈文〉 마을 어귀의 문. =〔巷门〕 ②형〈文〉 널찍하다. ③명 성(姓)의 하나.
〔闳才〕 hóngcái 명〈文〉 뛰어난 재능. 위대한 재능.
〔闳声挥绰〕 hóngshēng huīchuò〈文〉 학식과 재주가 뛰어나다. 고매하고 총명하다.
〔闳通〕 hóngtōng 동〈文〉 널리 통하다.
〔闳衍〕 hóngyǎn 명〈文〉 내용이 풍부하고 아름다운 글.

呟 hóng (횡)
→〔噌chēng呟〕

纮(紘) hóng (굉)
①명〈文〉 관(冠)을 묶는 끈. ②형〈文〉 광대하다. ③'八～' 옛날 신화에 나오는, 천지를 잇는 8개의 밧줄. 〈轉〉 팔방(八方)이 지극히 먼 곳의 땅. 온 세상.

竑 hóng (횡)
①형 넓고 크다. 광대하다. ②동 (무게·넓이·깊이 등을) 재다. ③인명용 자(字).

铉(鋐) hóng (횡)
〈擬〉 땡땡《금속이 울리는 소리》.

浤 hóng (굉)
①→〔浤浤〕 ②지명용 자(字). ¶～芝驿; 홍즈 역(浤芝驛)《산둥 성(山東省)에 있는 땅 이름》.
〔浤浤〕 hónghóng 형 바닷물이 넘실거리는 모양.

翃〈翝〉 hóng (굉)
동〈文〉 벌레가 날다.

谹 hóng (횡)
〈文〉 ①명 산울림. 메아리. ②형 크다. 넓다.
〔谹谹〕 hónghóng 형 (골짜기에 반향하는) 큰 소리가 울리는 모양.
〔谹议〕 hóngyì 명〈文〉 광범위하게 펼쳐진 대토론.

洪 hóng (홍)
①형〈文〉 크다. ¶～水; ⇩ / 声音～亮; 소리가 크고 낭랑하다. ②명〈簡〉 큰물. ¶山～; 산사태 / 分～; 방류댐을 만들어 홍수를 조절하다 / 蓄～; 저수댐을 만들어 홍수를 조절하다. ③명《地》 홍후 호(洪湖)《후베이 성(湖北省)에 있는 호수 이름》. ④명《漢醫》 맥박이 세차게 뜀. ⑤명 성(姓)의 하나.
〔洪帮〕 Hóngbāng 명 ⇨〔红帮〕
〔洪波〕 hóngbō 명〈文〉 큰 파도.
〔洪才〕 hóngcái 명〈文〉 큰 인재.
〔洪大〕 hóngdà 형〈文〉 (소리 따위가) 매우 크다. ¶～的回声; 커다란 메아리.
〔洪都拉斯〕 Hóngdūlāsī 명《地》 온두라스(Honduras)《수도는 '特古西加尔巴'(테구시갈파: Tegucigalpa)》. =〔哄都拉斯〕〔宏都拉斯〕〔浑Hún杜剌斯〕
〔洪恩〕 hóng'ēn 명 큰 은혜. =〔隆恩〕
〔洪峰〕 hóngfēng 명 ①수위가 최고점에 달한 강물. 또는 최고 수위에 달한 홍수(洪水). ②강물이 증수(增水)했다가 본래의 상태로 돌아오기까지의 모든 과정. ③(운동·투쟁 등의) 최고조. 피크(peak).
〔洪福〕 hóngfú 명〈文〉 큰 행복. 성운(盛運). ¶～齐qí天; 〈成〉 무상(無上)의 행복. =〔鸿福〕
〔洪轨〕 hóngguǐ 명〈文〉 대법(大法).
〔洪化〕 hónghuà〈文〉 동 덕화(德化)가 널리 미치다. 명 크나큰 덕화.
〔洪荒〕 hónghuāng 명 ①혼돈 몽매한 상태. ②태고(太古) 시대. ‖=〔鸿荒〕
〔洪钧〕 hóngjūn 명〈文〉 만물이 조화(造化)하는 우주 자연.
〔洪亮〕 hóngliàng 동 (소리가) 크고 쩌렁쩌렁하다. ¶～的回声; 쩌렁쩌렁한 메아리 / 清脆而～的声音; 맑고 쩌렁쩌렁한 목소리 / 嗓音～; 목소리가 쩌렁쩌렁하다. =〔宏亮〕
〔洪量〕 hóngliàng 명형 ⇨〔宏量〕
〔洪流〕 hóngliú 명〈文〉 큰〔거센〕 흐름. ¶时代的～; 시대의 큰 흐름 / 挡不住的～; 막을 수 없는 큰 흐름.
〔洪炉〕 hónglú 명 ①큰 용로(鎔爐). 큰 화로. ②〈比〉 큰 도가니. ③〈轉〉 사람을 단련하는 환경. ¶革命是锻炼人民的～; 혁명은 인민을 단련하는 큰 용광로이다.
〔洪脉〕 hóngmài 명《漢醫》 물결처럼 세게 뛰는 맥박.
〔洪模〕 hóngmó 명〈文〉 대규모.
〔洪儒〕 hóngrú 명 ⇨〔鸿儒〕
〔洪水〕 hóngshuǐ 명 홍수. 큰물. ¶～猛兽; 〈比〉 무서운 재액. 무서운 악정(惡政) / ～位; 최고 수위.
〔洪涛〕 hóngtāo 명〈文〉 큰 파도.
〔洪绪〕 hóngxù 명〈文〉 대사업.
〔洪勋〕 hóngxūn 명〈文〉 큰 공(功). 위훈(偉勳).
〔洪业〕 hóngyè 명〈文〉 홍업. 대사업.
〔洪荫〕 hóngyìn 명〈翰〉 은총. 덕택.
〔洪雨〕 hóngyǔ 명〈文〉 호우. 큰비.
〔洪元〕 hóngyuán 명〈文〉 세상의 시초.
〔洪运〕 hóngyùn 명〈文〉 크나큰 행운. =〔鸿运〕
〔洪灾〕 hóngzāi 명 홍수의 피해. 수해.
〔洪涨〕 hóngzhǎng 동 수량(水量)이 붓다. 증수하다. 홍수가 되다.
〔洪志〕 hóngzhì 명 ⇨〔鸿志〕

〔洪钟〕 hóngzhōng 명 큰 종. ¶身后传来～船的声音; 뒤에서 우레와 같은 소리가 들려 왔다.

钬(鉷) **hóng** (홍) 명 ⇒〔弩nǔ牙〕

渱 **hóng** (홍) 명 《植》 수초(水草)의 일종(‘荭hóng’과 통용).

蕻 **hóng** (홍) →〔雪xuě里红〕 ⇒hòng

黉(黌) **hóng** (횡) 명 〈文〉 옛날의 학교·학사. =〔黉舍〕

〔黉教〕 hóngjiào 명 〈文〉 옛날의 학교 교육.

〔黉宇〕 hóngyǔ 명 〈文〉 학교. 학사.

哄 **hǒng** (홍) 동 ①(거짓말로) 속이다. ¶你不要～我! 나를 속이면 못써! ②달래고 어루만지다. 갓난 아기를 어르다. ¶他很会～小孩儿; 그는 어린애를 참 잘 어른다. ③교묘한 말로 환심을 사다. 알랑거리다. ¶这孩子的嘴真会～人儿! 이 아이는 정말 이지 비위를 잘 맞추는군요! / 他会～人儿; 그는 남에게 아첨을 잘 한다. ⇒hōng hòng

〔哄喝〕 hǒnghè 동 속이고 협박하다.

〔哄诓〕 hǒngkuāng 동 〈文〉 속이다.

〔哄弄〕 hǒngnòng 동 〈方〉 ①어르다. 놀리다. ¶拿他当小孩～; 그를 어린애 취급하고 희롱하다. ②속이다. ¶借此～和麻痹老百姓; 이로써 백성을 속여서 마비시키다.

〔哄骗〕 hǒngpiàn 동 속임수를 쓰다. 속이다. =〔骗哄〕

〔哄人儿〕 hǒngrénr 동 ①남을 기쁘게〔즐겁게〕 하다. ②귀여운 말을 하다. 형 (말이) 사랑스럽다. 귀엽다. 즐겁고 재미있다.

〔哄怂〕 hǒngsǒng 동 〈文〉 부추겨 꼬드기다.

〔哄唆〕 hǒngsuō 동 〈文〉 부추기다.

〔哄诱〕 hǒngyòu 동 〈文〉 구슬리다. 속여 끌어들이다. 유혹하다.

〔哄住〕 hǒngzhù 동 속이다. 속다. ¶老兄, 这是哄人家的, 怎么连你都被～了; 여보게, 이건 남을 속이려는 것인데 어떻게 자네까지도 속았는가.

讧(訌) **hòng** (홍) 명동 분쟁(이 일다). 붕괴(하다). ¶内～; 내분(이 일다) / ～乱luàn; 내분으로 흐트러지다.

澒(澒) **hòng** (홍) 형 ①혼돈하여 분명하지 않은 모양. 천지가 아직 나뉘지 않은 상태. ②물이 깊고 넓은 모양. ‖=〔澒溶róng〕

〔澒洞〕 hòngdòng 형 아득하다. 일망무제하다(끝없이 이어져 있는 모양).

哄〈閧〉 **hòng** (홍) 동 ①여럿이 와글와글 떠들거나 말하다. 소란을 피우다. ¶一～而散; 와 하고 해산해 가다 / 一～而集; 와 하고 모이다. ②농담을 하다. 놀리다. ¶起～; ⓐ여러 사람이 와글와글 떠들다. ⓑ여럿이서 한 사람을 놀리다 / 大家把他～得脸都红了; 모두가 그를 놀려 얼굴이 시뻘게지게 만들었다 / 大伙儿把他给～跑了; 모두 그를 놀려서 달아나게 했다. ⇒hōng hǒng

蕻 **hòng** (홍) ①형 〈文〉 (초목이) 무성하다. ②명 〈方〉 야채의 긴 줄기. ⇒hóng

HOU ㄏㄡ

齁 **hōu** (후) ①〈擬〉 쿨쿨(코고는 소리의 형용). ¶～～地睡shuì; 드르렁드르렁 코를 골면서 자다 / ～鼾hān; 코를 골다 / ～声shēng; 코고는 소리. ②동 (음식이 지나치게 짜거나 쓰거나 달거나 하여) 목을 자극하다. ¶这个菜咸得～人; 이 요리는 너무 짜서 목이 얼얼하다 / 这个点心甜得～人; 이 과자는 지나치게 달다 / ～得难受; 목〔입 안〕이 얼얼해서 못 견디겠다. ③부 〈方〉 지독하게. 무척. 매우(‘儿化’하는 경우도 있음. 흔히, 불만을 나타냄). ¶～咸; 매우 짜다 / ～苦; 매우 쓰다 / ～臭chòu; 몹시 악취가 나다 / ～腥xīng; 몹시 비린내가 나다 / ～冷; 몹시 춥다 / ～别biè扭; 몹시 거북하다.

侯 **hóu** (후) ①명 (5등작(爵)의 제2위인) 후. ¶～爵jué; 후작 / ～服玉食; 사치하고 호화로운 생활 / 封～; 후작(侯爵)에 봉하다 / 诸葛亮被封为武乡～; 제갈공명(諸葛孔明)은 무향후(武鄕侯)에 봉해졌다. ②명 제후(諸侯). 귀인 고관(貴人高官). ③형 〈文〉 아름답다. ④대 〈文〉 어째서. =〔何〕 ⑤명 성(姓)의 하나. ¶～莫阵; 복성(複性)의 하나. ⇒hòu

〔侯门〕 hóumén 명 봉건 시대의 귀족 집안. ¶～如海; 고관의 저택이 너무 광대하여 출입하기가 힘들다.

喉 **hóu** (후) 명 《生》 ①목구멍. 후두(喉頭). ¶咽yān～; 인후 / 结jié～; 결후 / 歌gē～; 목청 / 他歌～好; 그는 목청이 좋다. ②급소(急所).

〔喉痹〕 hóubì 명 《漢醫》 목이 붓고 아프며 음식을 삼킬 때 격통이 있는 증상(급성 인후염 따위).

〔喉鳔类〕 hóubiàolèi 명 《魚》 부레와 식도(食道)가 맞통해 있는 어류(미꾸라지·메기·잉어 따위). =〔鳔口类〕

〔喉擦音〕 hóucāyīn 명 《言》 후찰음(국제 음표 문자에서는 〔h〕 〔ɦ〕로 표시함).

〔喉蛾〕 hóu'é 명 《醫》 편도선염. =〔乳rǔ蛾〕

〔喉风〕 hóufēng 명 ①《漢醫》 목이 부어서 아픈 병. ②《醫》〈俗〉 디프테리아.

〔喉疳〕 hóugān 명 《漢醫》 감기 열 또는 매독으로 인후 주변에 홍반(紅斑) 또는 낟알 모양의 궤양이 생기는 병.

〔喉管〕 hóuguǎn 명 《生》 기관(氣管). ¶～面积比; 《建》 개구비(開口比).

〔喉管火〕 hóuguǎnhuǒ 명 〈俗〉 기관지염.

〔喉核〕 hóuhé 명 《生》 결후. =〔喉结〕

〔喉急〕 hóují 동 〈方〉 ⇒〔猴急〕. 명 《醫》 호흡 곤란. =〔喘chuǎn乏〕〔喘急〕〔呼吸促迫〕

〔喉结〕 hóujié 명 《生》 결후(結喉). =〔喉核〕〔喉节〕〔结喉〕〔〈方〉 颏kē勒嗉〕〔苹píng果核儿②〕

〔喉衿〕 hóujīn 명 ①목과 목덜미. ②〈轉〉 요소(要所). 요강(要綱).

〔喉镜〕 hóujìng 명 《醫》 인두경(咽頭鏡).

〔喉科〕 hóukē 명 《醫》 인후과.

〔喉咙〕 hóulong 명 목. 목구멍. ¶～痛; 목이 아프다 / 放开～; 목청껏 소리를 내다 / 提高～; 목청껏 뽑다. =〔〈俗〉 喉咙眼子〕〔胡hú咙〕

〔喉钳〕 hóuqián 명 《工》 파이프렌치(pipe wrench).
〔喉枪〕 hóuqiāng 명 《醫》 후두 주입기(喉頭注入器).
〔喉嗓〕 hóusǎng 명 ①목. ②〈轉〉 음성.
〔喉塞音〕 hóusèyīn 명 《言》 후색음(국제 음표 문자에서는 〔?〕로 표시함).
〔喉痧〕 hóushā 명 《醫》 디프테리아. =〔白báI喉(痧)〕
〔喉舌〕 hóushé 명 ①목구멍과 혀. 말하는 기관(器官). ②대변자. ¶普希金是当时俄国一切进步势力的表现者和～; 푸시킨은 당시의 러시아의 모든 진보 세력의 표현자였으며 대변자였다.
〔喉头〕 hóutóu 명 후두. 목구멍. ¶～加答儿; 《醫》 후두 카타르(catarrh).
〔喉吻〕 hóuwěn 명 ①목과 입매. ¶一碗～润, 两碗破孤闷; 한 잔 술에 입이 축여지고, 두 잔 들면 쓸쓸함을 잊는다. ②〈轉〉 요소. 요충지.
〔喉咽〕 hóuyān 명 〈比〉 요소(要所). ¶河南天下～; 허난(河南)은 천하의 요소이다.
〔喉炎〕 hóuyán 명 《醫》 후두염.
〔喉症〕 hóuzhèng 명 목의 병. 후두병.

猴 hóu (후)
①(～儿, ～子) 명 《動》 원숭이. ②(～儿) 명 〈比〉 동작이 기민한 사람. 영리한 녀석. ③ 형 〈方〉 (주로 어린아이가) 재치있다. 기민(機敏)하다. 영리하다. ¶这孩子多～啊; 이 애는 어쩌면 이렇게 민첩할까. ④ 동 몸을 뉘어서 기대다. ⑤ 동 〈方〉 몸을 웅크리듯 쭈그리다. ⑥ 형 작은. ¶～娃娃; 작은 갓난아기. ⑦ 동 〈方〉 뇌물을 보내다. ⑧ 형 〈俗〉 색다르다. 별난 데가 있다. ¶他工作很好, 就是～一点儿; 그는 일을 잘 하지만, 다만 좀 유별난 데가 있다.
〔猴抱琵琶〕 hóu bào pípa 〈歇〉 원숭이가 비파(琵琶)를 껴안다(마구 지껄이다). ¶～, 乱弹tán; 원숭이가 비파를 껴안고 엉터리로 마구 타다. (‘乱弹’은 ‘乱谈tán’ (마구 지껄이다)의 뜻).
〔猴吃人参〕 hóu chī rénshēn 〈歇〉 원숭이가 (비싼) 인삼을 먹는다(좋고 나쁨을 모르다). ¶～, 不知好坏; 돼지목에 진주 목걸이.
〔猴蛋蛋〕 hóudàndàn 명 ⇨〔猴娃娃〕
〔猴猴〕 hóuhou 형 〈方〉 바싹 마른 모양.
〔猴急〕 hóují 동 〈古白〉 안달하다. 애태우다. ¶惹的他～就什么也不顾忌了; 그는 초조하다 못해 앞뒤를 가리지 못했다. =〔猴极〕〔喉急〕
〔猴筋儿〕 hóujīnr 명 ①고무공의 배꼽. ②고무 밴드.
〔猴精〕 hóujīng 형 원숭이처럼 약다〔교활하다〕. 명 원숭이 요괴(妖怪).
〔猴快〕 hóukuài 형 민첩하다. 약삭빠르다.
〔猴帽〕 hóumào 명 귀덮개가 있는 겨울 모자.
〔猴面包树〕 hóumiànbāoshù 명 《植》 바오밥(baobab)(열대 아프리카산(産)).
〔猴皮筋儿〕 hóupíjīnr 명 〈俗〉 고무 밴드. =〔猴儿筋〕〔橡皮筋〕〔橡皮圈(儿)〕
〔猴儿〕 hóur 명 ①《動》 원숭이. ¶耍shuǎ～的; 원숭이로 하여금 재주를 부리게 하여 돈을 버는 사람 / ～财神; 〈比〉 졸부가 되어 우쭐해 있는 사람 / ～骑骆驼; 원숭이가 낙타를 타다(제가 잘난 줄 알고 우쭐해하다). ②〈俗〉 돈. ¶没有～; 돈이 없다. ③〈俗〉 생각. 지혜. ¶弄出～来; 지혜를 짜내다 / 没有～; 생각이 떠오르지 않다. ④거짓말쟁이. ¶～, ～, 你不怕下割舌地狱?《紅樓夢》 거짓말쟁이, 혀를 뽑혀 지옥에 떨어지는 것이 두렵지 않느냐? ⑤약삭빠른 사람. 교활한 사람. ⑥극히 적은 것. ¶～肉; 약간의 고기.
〔猴儿扒梯〕 hóur bā tī 〈北方〉 원숭이가 사다리에 오르다(어린애가 가만히 있지 않다. 장난만 하다). ¶这孩子～地手脚不什闲儿; 이 아이는 장난질만 치고 있어 손발이 가만히 있을 때가 없다.
〔猴儿顶灯〕 hóur dǐng dēng 〈方〉 원숭이가 머리 위에 등불을 올려놓다(물건을 위태롭게 놓다). ¶这么大的水壶, 坐在这么小的炉子上, 这不是～吗? 이런 큰 주전자를 이렇게 작은 풍로에 올려놓다니 위험하지 않은가?
〔猴儿顶碟子〕 hóur dǐng diézi 원숭이가 접시를 머리에 얹어 놓고 있다(모자가 맞지 않아 꼴불견이다). ¶这帽子不是你的吧, 成了～了; 이 모자는 자네 것이 아니지, 마치 원숭이가 접시를 인 것처럼 꼴불견이다.
〔猴儿筋〕 hóurjīn 명 ⇨〔猴皮筋儿〕
〔猴儿帽〕 hóurmào 명 털실로 짠 강도의 복건.
〔猴儿脾气〕 hóurpíqì 원숭이처럼 침착성이 없고 화를 잘 내는 성격.
〔猴儿头〕 hóurtóu (발육 부진으로) 손톱이 기형인 것. ¶我的指zhǐ甲成了～了; 내 손톱은 이상한 모양이 되었다. =〔灰huī指甲〕
〔猴儿眼〕 hóuryǎn 명 〈比〉 음험하여 방심할 수 없는 둥근 눈.
〔猴儿胰子〕 hóuryízi 명 옛날, 세탁 비누.
〔猴儿崽子〕 hóurzǎizi 명 원숭이 새끼. 〈轉〉 장난꾸러기 아이.
〔猴三儿〕 hóusānr 명 ⇨〔三sān儿①〕
〔猴狲〕 hóusūn 명 《動》 〈方〉 원숭이. ¶～王; 골목 대장(교사를 비꼬는 말).
〔猴头〕 hóutóu 명 《植》 원숭이 머리 모양의 버섯. =〔猴头菌〕
〔猴头猴脑〕 hóutóu hóunǎo ①약삭빠른 모양. ②교활한 모양. ③경솔한 모양.
〔猴娃娃〕 hóuwáwa 명 장난꾸러기. 개구쟁이(애정어린 표현). =〔猴蛋蛋〕
〔猴戏〕 hóuxì 명 ①(서커스 등에서의) 원숭이가 부리는 재주. ②손오공(孫悟空)의 극.
〔猴崽子〕 hóuzǎizi 명 ①《動》 원숭이의 새끼. 새끼원숭이. ②〈罵〉 원숭이 새끼.
〔猴枣〕 hóuzǎo 명 ①말린 대추. ②고욤. 감〔柿〕의 일종. ③《藥》 원숭이 쓸개에 생긴 결석(結石).
〔猴子〕 hóuzi 명 ①《動》 원숭이. ¶～脸liǎn; 원숭이상(相). ②〈轉〉 하인. 졸개. ③⇨〔瘊子〕
〔猴子猴孙〕 hóuzǐ hóusūn 〈比〉 부하들. 졸개들. =〔喽lóu罗兵〕〔徒tú子徒孙〕
〔猴子脸〕 hóuziliǎn 명 원숭이 같은 얼굴.
〔猴子炉〕 hóuzilú 명 중국 민간에서 사용되는 간단한 용광로. =〔〈南方〉搀chān炉〕
〔猴子爬杆〕 hóuzi pá gān 〈歇〉 원숭이가 장대에 오르다(보통 뒤에 ‘到顶了’가 이어져 ‘한계점에 이르렀다’의 뜻으로 쓰임).

瘊 hóu (후)
→〔瘊子〕

〔瘊子〕 hóuzi 명 〈俗〉 작은 무사마귀. =〔猴子③〕〔肉ròu赘〕〔疣赘〕

糇〈餱〉 hóu (후)
명 〈文〉 건량(乾糧)(휴대 식량의 일종). =〔糇粮〕

篌 hóu (후)
→〔箜kōng篌〕

骺〈髌〉 hóu (후)
명 《生》 장골(長骨)의 선단(先端). =〔骨骺〕

吼 **hǒu** (후)
동 ①(짐승이) 울부짖다. 울다. ¶牛~; 소가 울다 / 狮子~; 사자가 포효하다. ②사람이 노하거나 불평이 있어 고함치다. ¶怒~; 노호(怒號)하다. ③〈方〉(큰 소리로) 외치다. 부르다. ¶~~喊喊; 계속 큰 소리를 지르다 / 他去~各家起床; 그는 집집마다 큰 소리로 깨우러 갔다. ④(바람이) 노호하다. (기적(汽笛)·대포 등이) 크게 울리다. ¶汽笛长~了一声; 기적이 길게 울렸다 / 北风怒~; 북풍이 윙윙 불다.

〔吼叫〕 hǒujiào 동 ①큰 소리로 외치다. ②으르렁거리다.

〔吼怒〕 hǒunù 동 노해서〔화가 나서〕 외치다.

犼 **hǒu** (후)
명 《動》 옛날의, 개 비슷한 야수의 일종.

后(後) A) **hòu** (후)
A) ①명 뒤. ㉠후방. ¶前qián~; 전후(하여) / 往~退; 뒤로 물러서다 / ~十名; 뒤의 열 명 / 落luò在人~; 남의 뒤로 처지다. ↔〔前qián〕〔先xiān〕 ㉡(시간적으로) 후. 나중. 다음. 뒤. ¶~来; ⇓ / 暑假~; 여름 휴가 후 / 日~; 일후. 금후 / 先来~到; 앞서거니 뒤서거니 해서 오다 / 他走~我才发觉了; 그가 떠난 뒤에야 나는 알아챘다. ②명 후사(後嗣). 후손. 자손. ¶不孝有三, 无~为大; 불효에 세 가지가 있으니, 자손 없음을 최대로 치느니라. ③동 〈文〉 뒤떨어지다. 낙후하다. 뒤지다. ¶先礼~兵; 처음엔 온화하게 나오다가 여의치 않으면 힘에 호소하다 / 努力工作, 向不~人; 일에 힘써서 지금껏 남에게 뒤진 일이 없다. B) 명 ①성(姓)의 하나. ②황후. ③제후(諸侯). ④군주(君主).

〔后半截儿〕 hòubànjiér 명 ①나머지 반. 후반. ②〈轉〉 재혼한 여자. ¶我以为他娶的是姑娘呢, 敢情是个~啊; 나는 그가 처녀를 맞아들인 줄 알았는데, 알고 보니 과부였군.

〔后半晌(儿)〕 hòubànshǎng(r) 명 〈方〉 오후. =〔后半天(儿)〕

〔后半生〕 hòubànshēng 명 후반생. =〔后半辈子〕

〔后半天(儿)〕 hòubàntiān(r) 명 〈方〉 오후. =〔〈方〉后半晌(儿)〕

〔后半夜(儿)〕 hòubànyè(r) 명 한밤중. 한밤중에서 새벽까지. =〔下半夜〕

〔后半月〕 hòubànyuè 명 달〔월〕의 후반.

〔后饱〕 hòubǎo 먹을 때는 별로 느끼지 않으나, 식후에는 오래도록 만복감이 있다.

〔后备〕 hòubèi 명 예비. 보결. ¶精打细算, 留有~; 세밀하게 계획을 세워 예비를 남겨 두다 / ~师; 《軍》 예비 사단 / ~兵; 《軍》 예비역 군인 / ~力量; 예비(세)력 / ~粮; 비축 식량.

〔后备军〕 hòubèijūn 명 ①《軍》 예비역 군인. →〔退tuì伍〕 ②예비군. ¶产业~; 산업 예비군. ↔〔常cháng备军〕 ③보충 인원.

〔后背〕 hòubèi 명 등. →〔前qián胸〕

〔后辈〕 hòubèi 명 ①후배. 후진의 사람(‘晚辈’는 손아랫사람). ↔〔前辈〕 ②자손.

〔后边(儿)〕 hòubian(r) 명 뒤. 후방. 배후.

〔后脖沟儿〕 hòubógōur 명 목덜미의 가운데 움푹한 곳. =〔后项xiàng窝〕

〔后补〕 hòubǔ 동 뒤에 보충하다. 명 보결.

〔后步〕 hòubù 명 (무엇을 하거나 말할 때 남겨 두는) 여지. 여유.

〔后槽〕 hòucáo 명 ①마구간. 구유. 여물통. ②마부. ¶武松就在马院边伏着, 听得那~却在衙里, 未曾出来《水滸傳》; 무송(武松)이 마구간 근처에 엎드려서 듣고 있자니, 마부는 관아 안에 있고 나오지 않았었다.

〔后场〕 hòuchǎng 명 ①극장의 분장실. ¶访问~; 분장실을 방문하다. ②《體》 (농구에서) 센터 라인(center line)을 경계로 한 자기 팀 지역.

〔后朝〕 hòucháo 명 다음 왕조(王朝)(이를테면, 청(淸)은 명(明)의 다음 왕조).

〔后撤〕 hòuchè 동 〈文〉 후퇴하다. 철퇴〔철수〕하다.

〔后尘〕 hòuchén 명 〈文〉 〈比〉 사람이 지나간 뒤에 일어나는 흙먼지. 남의 뒤. ¶步bù人~; 남의 뒤를 따르다.

〔后程〕 hòucheng 명 ①구식 상점의 적립금. ②전도. 희망. ¶这家子真有~; 이 집은 정말이지 희망이 있다. ③물품의 내구성(耐久性). ¶他看着那一堆单薄的没~的东西很生气了; 그는 한 무더기의 얄팍한 내구성이 없는 물건을 보고 대단히 화를 냈다.

〔后代〕 hòudài 명 ①후세. 다음 세상. ②자손. ③후대(後代). 다음 세대.

〔后灯〕 hòudēng 명 (자동차의) 미등(尾燈). 테일라이트(taillight).

〔后灯儿〕 hòudēngr 명 초봄 일몰 후의 희미하게 밝은 빛.

〔后殿〕 hòudiàn 명 ①〈文〉 맨 뒤. 후미. ②전각(前閣)의 뒤채〔후전(後殿)〕. ③〈轉〉 물러날 기회. ¶给他做~; 그를 위해 물러날 기회를 만들어 주다.

〔后凋〕 hòudiāo 〈文〉 다른 것보다 더디게 시들다(최후까지 절개를 지키는 것).

〔后爹〕 hòudiē 명 〈口〉 계부(繼父). 의붓아버지. =〔后父〕

〔后盾〕 hòudùn 명 후원자. 뒷배 봐 주는 사람. ¶~坚强; 강력한 후견자. =〔仗zhàng身〕

〔后发制人〕 hòu fā zhì rén 〈成〉 우선 상대가 먼저 공격하게 함으로써 그 수법을 안 다음, 반격을 하여 상대를 제압하다.

〔后反账儿〕 hòufǎnzhàngr 〈俗〉 나중이 되어서의 발뺌. 시치미. 핑계. ¶他想要shuǎ无赖找~可不行; 그가 생떼를 부려 시치미를 떼려 해도 소용없다.

〔后方〕 hòufāng 명 (전선(前線)에 대하여) 후방. ¶插入敌人~; 적의 후방에 침투하다 / ~工作; 후방의 활동. ↔〔前方〕

〔后防〕 hòufáng 명 후방 방비(防備).

〔后房〕 hòufáng 명 ①첩의 방. ②첩. ③특히 상하이(上海)식 주택 건축 중 ‘正房’(안채)의 뒤편에 세운 집을 말함(크기는 대략 ‘正房’과 같음. ‘后房’에 대하여 ‘正房’ 쪽을 ‘前房’라고 함. ‘后房’은 대부분 채광이 나쁘고 뒤편에 있으므로 어둡게 느껴짐). =〔后照zhào房〕〔后罩房〕〔后楼〕

〔后房山〕 hòufángshān 명 집 뒤쪽의 벽.

〔后妃〕 hòufēi 명 황후(皇后)와 비빈(妃嬪).

〔后夫〕 hòufū 명 ①두 번째 남편. ②후세 사람.

〔后福〕 hòufú 명 〈文〉 미래나 만년의 행복.

〔后付〕 hòufù 명동 후불(後拂)(하다).

〔后赶(儿)〕 hòugǎn(r) ⇨〔后赶着〕

〔后赶着〕 hòugǎnzhe ①뒤를 따라. 뒤에 붙어서. ②뒤늦게 급히〔서둘러서〕. ¶这件衣裳是~做的; 이 옷은 나중에 급히 만든 것입니다. ‖ =〔后赶(儿)〕

〔后跟(儿)〕 hòugēn(r) 명 (발)뒤꿈치. ¶袜子~; 양말 뒤꿈치.

〔后宫〕 hòugōng 명 후궁(後宮)(옛날, 궁중에서

천자의 '妃fēi嫔' 들이 거처하던 구획). =〔后庭①〕

〔后钩儿〕 hòugōur 명 ①하다가 남겨 놓은 일. ②소리의 여운(餘韻). ¶唱了一声, 拉个长长的～; 한 마디 노래를 부르고 긴 여운을 남기다.

〔后顾〕 hòugù 동 뒷일을 걱정하다. ¶无暇～;〈成〉뒷일을 걱정할 틈이 없다 / ～之虑; 후고의 염려. 명동 회상(回想)〔회고(回顧)〕(하다). ¶～与前瞻; 회고와 전망(展望).

〔后果〕 hòuguǒ 명 (주로 나쁜 측면에서의) 나중의〔최후의〕 결과. ¶～堪虑; 나중의 결과가 걱정이 되어서 못 견디겠다 / 产生了该有的～; 당연한 결과가 생겼다.

〔后汉〕 Hòu Hàn 명 ① ⇨〔东dōng汉〕 ②후한(後漢)《유지원(劉知遠)이 세운 왕조의 이름. 947～950년》.

〔后话〕 hòuhuà 명 뒷이야기. 그 뒤의 이야기.

〔后患〕 hòuhuàn 명 뒤탈. 후환(後患).

〔后悔〕 hòuhuǐ 명동 후회(하다). ¶～也晚了; 후회해도 (때는) 늦었다 / 他～自己结婚仓促, 没找准对象; 그는 결혼을 서둘러 하느라, 맞는 상대를 찾지 못한 것을 후회했다 / 我～不该去; 나는 가지 말았어야 했을 것이라고 후회하고 있다. =〔追zhuī悔〕

〔后悔药儿〕 hòuhuǐyàor 후회하는 마음을 더욱 크게 하는 약《크게 뉘우치는 일》. ¶事先不小心, 等失败了再吃～也来不及了; 사전에 주의하지 않고 실패한 뒤에 아무리 후회해도 소용 없는 일이다.

〔后会有期〕 hòu huì yǒu qī〈成〉다시 만날 때가 또 있다. 다음에 다시 만납시다.

〔后婚儿〕 hòuhūnr 명 재혼한 여자. =〔再醮jiào〕 명동 재혼(하다).

〔后脊梁〕 hòujǐliang 명 등(골)뼈.

〔后记〕 hòujì 명 후기(後記). 맺음말.

〔后继〕 hòujì 명 후계(後繼). 후계자. ¶～人选; 후계자의 인선(人選) / ～有人; 뒤를 이을 마땅한 후계자가 있다.

〔后脚〕 hòujiǎo 명 ①(걸을 때의) 뒷발. ¶前脚一滑, ～也站不稳; 앞발이 미끄러져 뒷발도 휘청했다. ②('前脚'과 호응하여) 다른 사람의 뒤. ¶我前脚进大门, 他～就赶到了; 내가 정문을 들어섬과 동시에, 그도 (한 걸음 차이로) 뒤따라 도착했다.

〔后街〕 hòujiē 명 뒷거리.

〔后襟〕 hòujīn 명 ⇨〔后身(儿)②〕

〔后劲〕 hòujìn 명 ①후에 나타나는 작용이나 힘. ¶这酒～大; 이 술은 나중에 크게 취기가 돈다. ②뒤에 대비하는 힘. 후반(後半)의 힘.

〔后进〕 hòujìn 명 ①후배. 후진. ②뒤진 사람. 진보가 느린 사람.

〔后晋〕 Hòu Jìn 명 후진(後晉)《왕조의 이름. 5대의 하나. 석경당(石敬塘)이 후당(後唐)을 멸하고 세운 나라. 936～946년》.

〔后景〕 hòujǐng 명 배경(背景).

〔后咎〕 hòujiù 명〈文〉훗날의 재난·문책.

〔后据〕 hòujù 명〈文〉나중의 증거.

〔后距〕 hòujù 명〈文〉①(새의) 며느리발톱. ②〈比〉후방의 방비.

〔后开口〕 hòukāikǒu 명 뒤로 틈. 뒷트임. ¶上衣要前开口还是～? 상의(上衣)는 앞으로 틀 것인가요, 뒤로 틀 것인가요?

〔后昆〕 hòukūn 명〈文〉후대의 자손.

〔后来〕 hòulái 부 이후. 그 다음. 나중에. ¶～还是那样; 그 뒤에 와서도 여전히 그러했다 / 他还是去年二月里来过一封信, ～再没有来过信; 그는 지난해 2월에 편지를 보낸 이래, 그 후엔 소식이 없었다. 注1 '后来'와 '以后'는 모두 단독으로 쓰이나, '以后'는 후치성분(後置成分)도 됨. 예컨대, '七月以后' 따위. 注2 '以后'는 과거와 미래의 양쪽에 쓰이지만 '后来'는 과거에만 쓰임. =〔后首①〕 동 나중에 오다. ¶～人; 후계자. 후진.

〔后来居上〕 hòu lái jū shàng〈成〉①(연회석 등에서) 나중에 온 사람이 상석〔상좌〕에 앉다. ¶～, 这是规矩, 您别谦让了; 나중에 온 사람은 상석에 앉으십시오, 이것은 규칙이니 사양할 것 없습니다. ②〈比〉뒤졌던 사람이 앞지르다. ¶我们青年人应该～超过老一辈; 우리 청년은 마땅히 전세대 사람들을 앞질러야 한다.

〔后浪推前浪〕 hòu làng tuī qián làng〈成〉뒤의 물결이 앞의 물결을 밀어 전진하게 하다《신진대사하여 끊임없이 전진하다》.

〔后老伴儿〕 hòulǎobànr 명 노인의 차 마시는 친구. 노후에 차를 함께 마시는 친구 같은 후처.

〔后力不继〕 hòu lì bù jì〈成〉(처음 시작은 좋았지만) 뒤를 잇지 못한다. 힘이나 돈이 뒤따르지 못한다.

〔后脸儿〕 hòuliǎnr 명〈方〉사람이나 사물의 뒤쪽. 뒷모습. 안쪽. ¶前面走的那个人, 看～好像张老师; 앞에 가는 사람은 뒷모습을 보아서는 장선생님 같다 / 怎么把这钟的～向前摆了? 어째서 이 시계는 뒤쪽을 앞으로 놓았는가?

〔后梁〕 Hòu Liáng 명 후량(後梁)《왕조 이름. 오대(五代)의 하나. 주전충(朱全忠)이 당(唐)의 선양을 받아 세웠음. 907～923년》.

〔后楼〕 hòulóu 명 ⇨〔后房③〕

〔后路〕 hòulù 명 ①뒷길. ②행군 때에 뒤에서 오는 부대. 행군의 후위. ¶～救兵已到; 후위의 구원병이 도착했다. ③도망길. 퇴로. ¶打断～; 퇴로를 끊다〔막다〕 / 切断敌人的～; 적의 퇴로를 끊다 / 留个～; 도망길을 남겨 놓다.

〔后掠翼〕 hòulüèyì 명 (비행기의) 후퇴익(後退翼).

〔后妈〕 hòumā 명〈口〉계모. 의붓어머니. =〔后娘〕〔后母〕〔晚wǎn母〕〔〈方〉晚娘〕

〔后门(儿)〕 hòumén(r) 명 ①뒷문. 후문. ↔〔大门〕〔傍门〕 ②〈比〉뒷길. 도망칠 길. ¶不要追急了他, 还是给他开个～吧; 그를 막다른 골목으로 몰아붙여서는 안 돼. 도망칠 길을 터 주자. ③〈比〉뒷구멍. 부정한 경로〔수단〕. ¶～学生; 부정 입학생 / 走～; 뒷문으로 들어오다. ④옛날, 베이징 황성(皇城)의 북문(北門). =〔地安门〕

〔后门货〕 hòuménhuò 명〈南方〉①(생산지·메이커 따위의) 출처를 모르는 상품. ②장물. 부당하게 얻어진 물건.

〔后门生〕 hòuménshēng 명 부정 입학생. =〔条子生〕〔关系生〕

〔后面(儿)〕 hòumiàn(r) 명 ①뒤. 뒤쪽. ¶前面坐满了, ～还有座位; 앞쪽은 만원인데, 뒤쪽은 아직 자리가 있다. ②뒷부분. ¶关于这个问题, ～还要详细说; 이 문제에 관해서는 뒷부분에서 다시 상세히 얘기하겠다. =〔后首②〕

〔后母〕 hòumǔ 명 계모. =〔后妈〕〔继母〕

〔后脑海〕 hòunǎohǎi 명〈方〉후두부(後頭部).

〔后脑勺(儿,子)〕 hòunǎosháo(r,zi) 명〈方〉뒤통수. ¶把帽子戴在～; 모자를 뒤로 젖혀 쓰다. ↔〔前额〕

〔后年〕 hòunián 명 내후년. →〔前年〕

〔后娘〕 hòuniáng 명 ⇨〔后妈mā〕

〔后怕〕 hòupà 동 사후(事後)에 회상하고 몸을 떨

다. 사후에 겁이 나다. ¶当时我倒没理会, 现在想想怪～的; 나는 당시에는 몰랐는데, 나중에 생각하니 정말 몸서리가 쳐진다.
〔后排〕 hòupái 명 ①뒷줄. 후열(後列). ②극장의 1층 정면의 뒷자리. ③《體》(배구의) 후위(後衛).
〔后盘〕 hòupán 명 《商》(거래소의) 후장(後場). =〔后市〕〔晚wǎn市〕
〔后妻〕 hòuqī 명 후처(後妻). =〔后室〕
〔后期〕 hòuqī 명 후기(後期). 동 〈文〉(예정한) 기일보다 늦어지다.
〔后起〕 hòuqǐ 명 신진. 후배. ¶球坛上～的好手; 구기계의 후계자다운 신예/～之秀; 나중에 나온 우수한 신인. 우수한 신진.
〔后桥〕 hòuqiáo 명 《機》(자동차의) 뒤차축(車軸).
〔后窍〕 hòuqiào 명 〈文〉 항문(肛門)의 별칭.
〔后秦〕 Hòu Qín 명 후진(後秦)《왕조의 이름. 진대(晉代)의 16국의 하나. 384～417년》.
〔后勤〕 hòuqín 명 후방 근무(자). ¶～基地; 병참기지/～部; 병참부. 동 후방 근무하다.
〔后鞧〕 hòuqiū 명 (마소의) 밀치끈.
〔后儿(个)〕 hòur(ge) 명 〈口〉 모레. =〔后天②〕
〔后人〕 hòurén 명 후세 사람. 자손. ¶前人种树, ～乘凉; 전대(前代) 사람이 나무를 심고, 후대 사람이 더위를 식힌다《전대의 사람이 고생을 하면, 후대의 사람은 편하게 지낸다는 뜻》. 동 남에게 뒤지다. ¶捐输不敢～; (다른 사람에게) 베푸는 일은 남에게 뒤질 수 없다.
〔后任〕 hòurèn 명 후임.
〔后日〕 hòurì 명 ①모레. =〔后天②〕 ②장래. 후일.
〔后三角队形〕 hòusānjiǎo duìxíng 명 《軍》 V자형 대형(隊形).
〔后厦〕 hòushà 명 집 뒤쪽에 있는 복도. ¶前廊～; 집 앞의 복도와 뒤쪽의 복도.
〔后晌(儿)〕 hòushǎng(r) 명 〈方〉 오후. ¶明～; 내일 오후/今～; 금일 오후. =〔下午〕
〔后晌〕 hòushang 명 〈方〉 저녁. ¶～饭; 저녁밥.
〔后身〕 hòushēn 명 ①내세(來世)의 환생(幻生)한 몸. ②(기구(機構)·제도 등의) 후신(後身). ¶这个大学是有名的医学私塾的～; 이 대학은 유명한 의학 사숙의 후신입니다.
〔后身(儿)〕 hòushēn(r) 명 ①뒷모습. ¶只看见～, 认不清是谁; 그냥 뒷모습만 보고는 누구인지 분간할 수 없다. ②옷의 뒷길〔뒷자락〕. ¶这件衬衫～太长了; 이 와이셔츠의 뒷길은 너무 길다. =〔后襟〕 ③(집 따위의) 뒤. 뒤꼍. ¶～有几棵树; 집 뒤꼍에는 나무가 몇 그루 있다. ④→〔后身〕
〔后生〕 hòushēng 명 ①(～儿)〈方〉 젊은이. ¶～仔; 〈方〉 젊은 사람/棒～; 몸이 건강한 젊은이/～小子; ⓐ후배. ⓑ풋내기. ②후진. 후생. ¶～可畏; 〈成〉 후생이 두렵다《젊은 후진에게는 선배를 앞지를 힘이 있다》. (hòusheng) 형 〈方〉 젊다. ¶他长得～, 看不出是四十岁的人; 그는 젊어 보여서, 도저히 40으로는 보이지 않는다.
〔后世〕 hòushì 명 ①후세. 후대. 다가올 세대. ②자손. =〔下世①〕
〔后市〕 hòushì 명 ⇨〔后盘〕
〔后事〕 hòushì 명 ①뒤의 진전〔결과〕《장회(章回) 소설에서 흔히 볼 수 있음》. ¶欲知～如何, 且听下回分解; 다음은 어떻게 될까요, 다음 회를 기대하십시오. ②죽은 후의 일. 사후(死後)의 뒷처리. ¶料理～; 장례의 처리를 하다.
〔后视镜〕 hòushìjìng 명 (자동차의) 백미러(backmirror).
〔后视图〕 hòushìtú 명 후시도. 배면도(背面圖).
〔后室〕 hòushì 명 ⇨〔后妻〕
〔后手〕 hòushǒu 명 ①(～儿) 뒤. 나중. =〔〈方〉后首〕〔后手里〕 ②(～儿) 대비. 방비. 여유. 여지(餘地). ¶留～; 여지를 남기다/不留～; 전력을 다하다. ③《經》 어음 인수인(引受人). ④(바둑·장기의) 후수(後手). ¶这一着儿一走错, 就变成～了; 이 한수를 그르치면 후수가 된다/～棋; 후수 장기. ↔〔先手〕 ⑤새로 교체되는 사람. ⑥뒷짐.
〔后手里〕 hòushǒuli 명 ⇨〔后手①〕
〔后首〕 hòushǒu 명 ①〈方〉 나중. 이후. ¶当初没有听懂, ～一想才明白了; 처음 들었을 때는 몰랐으나, 나중에 생각해 보고 겨우 알았다. =〔后来①〕 ②⇨〔后面(儿)②〕
〔后嗣〕 hòusì 명 〈文〉 후사. 뒤를 이을 사람. 후계자. 자손. =〔后裔〕〔后胤〕
〔后台〕 hòutái 명 ①무대 뒤. 분장실. ¶～主任; 관리인. 무대 감독. 조감독. =〔戏xì房〕 ②후원자. 배경. 흑막. ¶～硬得很; (뒷)백이 아주 든든하다.
〔后台老板〕 hòutái lǎobǎn 명 ①(연극의) 무대 뒤의 일을 챙기는 사람. ② 극단 주인. ③〈轉〉 배후 조종자. 흑막의 인물.
〔后唐〕 Hòu Táng 명 《史》 후당《나라 이름. 오대(五代)의 하나. 이존욱(李存勖)이 대량(大梁)〔지금의 카이펑(開封)〕에 세운 나라. 923년～936년》. =〔南唐〕
〔后堂〕 hòutáng 명 후당.
〔后膛〕 hòutáng 명 《軍》 후장(後裝).
〔后膛枪〕 hòutángqiāng 명 후장총(後裝銃). ↔〔前qián膛枪〕
〔后提〕 hòutí 명 ⇨〔小xiǎo前提〕
〔后天〕 hòutiān 명 ①후천(적). ¶先天不足, ～先调; 〈諺〉 달이 안 차서 태어나 발육이 나쁘다《준비가 충분치 못하면 실행도 잘 되지 않음》. ↔〔先天〕 ②모레. =〔后儿(个)〕〔〈南方〉后日①〕 →〔前qián天〕
〔后厅〕 hòutīng 명 안채. 안방.
〔后庭〕 hòutíng 명 ①⇨〔后宫〕 ②엉덩이. ¶～赏花; 〈比〉 계간〔비역〕을 하다.
〔后头〕 hòutou 명 ①뒤. 후방. ¶楼～有一座石假山; 누각 뒤에는 석가산(石假山)이 있다/我没说的～不是! 그것 봐라, 내 말하지 않던! ↔〔前头〕 ②이후. 장래. ¶怎样积肥的问题, ～还要细谈; 어떻게 퇴비를 만드느냐 하는 문제는 뒤에 자세히 말씀드리겠습니다.
〔后头骨〕 hòutóugǔ 명 《生》 후두골.
〔后图〕 hòutú 명 〈文〉 장래의 계획.
〔后土〕 hòutǔ 명 〈文〉 ①대지. ¶皇天～; 천지. ②토지의 신.
〔后腿(儿)〕 hòutuǐ(r) 명 뒷발. 뒷다리. ¶拖～ =〔拉～〕; 뒷발을 잡아당기다《제약을 가하다》.
〔后退〕 hòutuì 명동 후퇴(하다).
〔后卫〕 hòuwèi 명 ①《軍》 행군할 때, 본대의 경계를 맡은 부대. ¶～阵地; 행군할 때, 본대의 경계를 맡은 진지. ②《體》(럭비·축구 따위의) 풀백. (농구의) 가드. (아이스하키의) 디펜스. ¶右～; 라이트 풀백/左～; 레프트 풀백.
〔后先辉映〕 hòu xiān huī yìng 〈成〉 앞뒤가 어울려서 빛나다. ¶父子两代的勋业～, 为家门争光; 부자 양대의 공적이 서로 호응해서 가문의 명예를

빛내고 있다.
〔后项〕 hòuxiàng 명《數》후항.
〔后项窝〕 hòuxiàngwō 명 목덜미 중앙의 움푹 들어간 곳. =〔后脖沟儿〕〔项窝〕
〔后效〕 hòuxiào 명 (장래의) 효과. (앞으로의) 보람.
〔后心〕 hòuxīn 명 등의 중앙부. 등복판.
〔后行〕 hòuxíng 동 뒤에 (행)하다. 후에 추진하다. ¶先行减租减息, ～分配土地; 우선 소작료와 이자를 인하하고, 후에 토지를 분배한다.
〔后续〕 hòuxù 명 후속. ¶～部队; 후속 부대. 동 ⇨〔续娶〕
〔后学〕 hòuxué 명 후학《학자가 자신을 낮추어 하는 말》.
〔后押〕 hòuya 명 (부인 머리의) 쪽《옛날 만주족 부인의 머리 모양에서 볼 수 있었음》. =〔燕yàn尾儿〕
〔后燕〕 Hòu Yān 명 후연《나라 이름. 진(晉)나라의 16국의 하나. 모용수(慕容垂)가 연오(燕五)라고 일컬어 중산(中山)〔지금의 허베이 성(河北省)의 딩 현(定縣)〕에 도읍했음. 384년～409년》.
〔后言〕 hòuyán 명 ①험담. 뒷공론. ¶退有～; 물러서서 뒷소리를 하다. 뒤에서 험담하다. ②유언.
〔后验〕 hòuyàn 동 후에 조사하다. 명 후에 나타나는 효험.
〔后腰〕 hòuyāo 명 허리의 뒷부분. ¶撑chēng～; 뒤를 밀어 주다. 뒷받침을 하다 / ～眼儿; 등허리 좌우에 있는 신경이 모인 곳.
〔后叶〕 hòuyè 명〈文〉후세. ¶流名～; 후세에 이름을 남기다.
〔后遗症〕 hòuyízhèng 명 ①《醫》후유증. ②처리가 적절하지 못해 남겨진 나쁜 상황.
〔后尾(儿)〕 hòuyǐ(r) 명 ①〈俗〉말미. 후미. 뒷부분. ¶汽车的～坏了; 자동차의 뒷부분이 부서졌다. ②후방. ¶在～追随; 뒤따르다 / 他走得慢, 落在～了; 그는 걸음이 느려서 맨 뒤로 처졌다.
〔后裔〕 hòuyì 명 ⇨〔后嗣〕
〔后胤〕 hòuyìn 명 ⇨〔后嗣〕
〔后影(儿)〕 hòuyǐng(r) 명 뒷모습. ¶昨天我看见一个人, ～好像她; 어제 나는 뒷모습이 그녀와 비슷한 여자를 보았다.
〔后元音〕 hòuyuányīn 명《言》혀 뒷부분에서 발음하는 모음《보통화(普通話)의 u · o 따위》.
〔后园〕 hòuyuán 명 집 뒤의 정원. 뒤뜰.
〔后援〕 hòuyuán 명 후방의 원군. 명동 후원(하다). 뒷바라지(하다).
〔后院(儿)〕 hòuyuàn(r) 명 ①뒤뜰. ↔〔前qián院〕 ②〈比〉자기의 직접 세력 범위.
〔后月〕 hòuyuè 명 ⇨〔下下月〕
〔后掌儿〕 hòuzhǎngr 명 (신발의) 뒤꿈치 부분. 뒤축. 뒤창.
〔后账〕 hòuzhàng 명 ①비밀 장부. ②다음 번 계산.
〔后招儿〕 hòuzhāor 명 (바둑 · 장기의) 후수(後手).
〔后照房〕 hòuzhàofáng 명 ⇨〔后房③〕
〔后罩房〕 hòuzhàofáng 명 ⇨〔后房③〕
〔后者〕 hòuzhě 명 후자. 뒤의 것. ↔〔前qián者①〕
〔后肢〕 hòuzhī 명 ①《動》(척추 동물의) 뒷다리. ②(곤충 등의) 보행지(步行肢).
〔后周〕 Hòu Zhōu 명《史》후주(後周)《나라 이름》. ①오대(五代)의 하나《후한(後漢)의 은제(隱帝)의 신하 곽위(郭威)가 민중에게 옹립되어 세운 나라. 951년～959년》. ②⇨〔北běi周〕
〔后主〕 hòuzhǔ 명 ①뒤를 잇는 군주. ②말대(末代)의 군주. ¶刘Liú～; 촉한(蜀漢)의 마지막 군주 유선(劉禪) / 李～; 남당(南唐)의 마지막 군주 이욱(李煜).
〔后缀〕 hòuzhuì 명《言》접미사(接尾辭). ↔〔前缀〕
〔后坐〕 hòuzuò 명《軍》(탄환을 발사했을 때의) 반동.
〔后坐力〕 hòuzuòlì 명《物》반동력(反動力). =〔后挫cuò力〕〔反冲力〕
〔后座子〕 hòuzuòzi 명 ⇨〔尾wěi(巴)骨〕

郈 Hòu (후)
명 성(姓)의 하나.

逅 hòu (후)
→〔邂xiè逅〕

垕 hòu (후)
①⇨〔厚hòu ①～⑦〕 ②지명용 자(字). ¶神～镇; 선허우 진(神垕鎭)《허난 성(河南省) 위 현(禹縣) 서부에 있는 땅 이름》.

鲘(鮜) hòu (후)
지명용 자(字). ¶～门; 허우먼(鮜門)《광둥 성(廣東省) 하이펑 현(海豐縣) 남쪽에 있는 땅 이름》.

厚 hòu (후)
① 형 두껍다. ¶嘴唇很～; 입술이 두껍다 / 冰冻得很～; 얼음이 두껍게 얼다. ↔〔薄〕 ② 명 두께. ¶长、宽、～; 길이 · 너비 · 두께 / 五分～的木板; 닷 푼 두께의 판자널 / 这块木板～有一寸; 이 널빤지는 두께가 한 치다. ③ 형 너그럽다. 친절하다. 성실하다. ④ 형 (맛 따위가) 짙다. 진하다. ¶酒味很～; 술이 아주 독하다 / 雾wù下得很～; 짙은 안개가 끼다. ⑤ 형 (감정이) 두텁다. 친밀하다. ¶～待; 융숭히 대접하다. ⑥ 형 (수량 · 이윤 · 가치가) 많다. 크다. 풍부하다. ⑦ 형 중시하다. 존중하다. ‖ =〔垕①〕 ⑧ 명 성(姓)의 하나.
〔厚薄(儿)〕 hòubó(r)〔hòubáo(r)〕 명 ①두께. ¶这块板子的～正合适; 이 판자의 두께는 꼭 알맞다 / ～规 =〔〈南方〉飞纳尺〕〔轨guǐ距规〕〔〈北方〉塞sāi尺〕; ⓐ《醫》탐침(探針). 소식자. ⓑ(강철판 사이의) 간격 측정기. =〔厚度〕 ②(친분의) 두터움과 엷음.
〔厚诚〕 hòuchéng 형 온후 성실하다.
〔厚酬〕 hòuchóu 명 후한〔많은〕 보수.
〔厚储〕 hòuchǔ 동〈文〉충분히 저축하다.
〔厚此薄彼〕 hòu cǐ bó bǐ〈成〉한쪽은 우대 · 중시하고, 다른 쪽은 냉대 · 경시하다. 불공평하게 대하다.
〔厚赐〕 hòucì 명 내려 주신 훌륭한 선물. 높은 표창〔칭찬〕. ¶蒙您～谢谢; 후사해 주시어 고맙습니다.
〔厚待〕 hòudài 명동 후대〔우대〕(하다). 후한 대접(을 하다).
〔厚道〕 hòudao 형 후하고 따뜻하다. 인정미가 있다. 친절〔성실〕하다. ¶他待dài人很～; 그는 남에게 친절하게〔후하게〕 대한다.
〔厚德载福〕 hòu dé zài fú〈成〉덕이 있는 자에게는 복이 있다.
〔厚墩墩(的)〕 hòudūndūn(de) 형 두툼한 모양. 둥그스름하고 두꺼운 모양. ¶～的棉大衣; 두툼하게 솜을 둔 외투 / 天气很冷, 人们都穿着～的棉大

衣; 대단히 추워서 모두 두툼한 솜외투를 입고 있다.
〔厚墩儿〕 hòudūnr 명 두껍고 둥근 것(나무 그루터기 따위).
〔厚恩〕 hòu'ēn 명 두터운 은혜. =〔厚泽〕
〔厚非〕 hòufēi 동 〈文〉 크게 비난하다. ¶未可～ =〔无可～〕; 크게 비난할 수도 없다.
〔厚费〕 hòufèi 명 〈文〉 많은 비용.
〔厚俸〕 hòufèng 명 〈文〉 많은〔높은〕 급료.
〔厚福〕 hòufú 명 〈文〉 더없는 행복.
〔厚抚〕 hòufǔ 동 〈文〉 따뜻하게 위로하다.
〔厚古薄今〕 hòu gǔ bó jīn 〈成〉 옛날 것을 중시하고 지금 것을 경시하다. ¶教师们在教学上普遍存在着～的倾向; 교사들의 수업 방법에 옛날을 중시하고 현대를 경시하는 풍조가 널리 존재한다. ↔〔厚今薄古〕
〔厚光纸〕 hòuguāngzhǐ 명 아이보리 페이퍼 (ivory paper).
〔厚黑〕 hòuhēi 형 낯가죽이 두껍고 속이 검다. ¶你这人怎么这么～呀; 너라는 녀석은 어찌 이렇게도 속이 검단 말이냐. 명 처세술. ¶这事得用～学来对付才行; 이 일은 처세술에서 배워 대처해야 한다.
〔厚厚敦敦〕 hòuhoudūndūn 형 더없이 온후하고 인정이 두터운 모양.
〔厚积〕 hòujī 명 〈文〉 거부. 많은 재산.
〔厚交〕 hòujiāo 동 두터운 정의로써 교제하다. 명 두터운 교제. 교분이 깊은 사람.
〔厚今薄古〕 hòu jīn bó gǔ 〈成〉 현대를 중시하고, 고대의 문화 유산을 경시하다. ↔〔厚古薄今〕
〔厚贶〕 hòukuàng 명 〈文〉 따뜻한〔후한〕 선물. ¶多谢～; 따뜻한 선물을 보내 주어서 대단히 감사합니다.
〔厚礼〕 hòulǐ 명 정중한〔훌륭한〕 예물.
〔厚利〕 hòulì 명 ①큰 이익. ②비싼 이자. 고금리. =〔厚息〕
〔厚脸〕 hòuliǎn 형 뻔뻔스럽다. =〔厚脸皮〕(hòu. liǎn) 동 (흔히 '厚着脸'으로) 뻔뻔스럽게 하다. 얼굴에 철판을 깔다.
〔厚禄〕 hòulù 명 〈文〉 후한 봉급. 높은 봉록.
〔厚貌深心〕 hòu mào shēn xīn 〈成〉 겉은 유순한 얼굴이지만, 실은 방심할 수 없는 성격. =〔厚貌深情〕
〔厚皮菜〕 hòupícài 명 ⇨〔叶yè用菾菜〕
〔厚皮香〕 hòupíxiāng 명 《植》 후피향나무. =〔木斛②〕
〔厚朴〕 hòupò 명 《植》 후박나무(목련과의 낙엽 교목).
〔厚漆〕 hòuqī 명 되게 반죽한 페인트.
〔厚情〕 hòuqíng 명 두터운 인정. 후의.
〔厚扰〕 hòurǎo 〈套〉 잘 먹었습니다.
〔厚实〕 hòushi 형 ①〈口〉 두껍다. 두툼하다. ¶～的脸; 포동포동한 얼굴 / ～的纸; 두툼한 종이 / 这块木板很～; 이 널빤지는 꽤 두껍다 / 炕上厚厚实实地铺着一层稻草; 온돌 위에는 두툼하게 짚이 깔려 있다. ②〈方〉 풍족하다. 유복하다. ¶具有～的生活基础; 풍족한 생활상의 기반을 갖고 있다 / 储备比较～; 저축이 비교적 풍족하다.
〔厚望〕 hòuwàng 명 〈文〉 큰 기대.
〔厚味(儿)〕 hòuwèi(r) 명 ①짙은 맛. ②감칠맛.
〔厚诬〕 hòuwū 명동 〈文〉 심한 모멸(侮蔑)(을 주다).
〔厚息〕 hòuxī 명 ⇨〔厚利②〕
〔厚稀纱〕 hòuxīshā 명 《紡》 인도 모슬린. ¶人造丝sī～; 인조 인도 모슬린.
〔厚腥〕 hòuxīng 형 몹시 비리다.
〔厚颜无耻〕 hòu yán wú chǐ 〈成〉 뻔뻔스러워서 부끄러운 줄 모르다.
〔厚谊〕 hòuyì 명 두터운 우정.
〔厚意〕 hòuyì 명 후의. 친절. ¶多谢你的～; 당신의 후의에 감사드립니다.
〔厚泽〕 hòuzé 명 〈文〉 두터운 은혜. =〔厚恩〕
〔厚纸〕 hòuzhǐ 명 보르지(紙). 판지(板紙). 두꺼운 종이. ¶～工; 보르지 세공(細工).
〔厚重〕 hòuzhòng 형 ①중후하다. ②(몸가짐이) 신중하다.
〔厚嘴伯劳〕 hòuzuǐ bóláo 명 《鳥》 칡때까치.

堠 **hòu** (후)
지명용 자(字). ¶闽Mǐn～; 민허우(閩堠)(푸젠 성(福建省)에 있는 현 이름). ⇒ hóu

候 **hòu** (후)
①동 기다리다. ¶稍～一会儿; 잠깐 기다려라 / 你先在这儿～一～, 他就来! 잠시만 여기서 기다리십시오. 그가 곧 올 겁니다. ②동 방문하다. 인사하다. 문안드리다. ¶致～; 안부를 묻다. 문안드리다. ③(～儿) 명 상황. 상태. 정도. 형편. ¶火～hòu儿; ⓐ불의 정도. ⓑ연구·연습의 정도 / 我看他火～儿还没到; 나는 그가 아직 연구가 부족하다고 본다 / 症～; 증상. ④명 징조. 징후. ⑤명 때. 철. 계절. ¶～鸟; 철새 / 季～风; 계절풍. ⑥명 5일. 닷새(옛날 역법(曆法)에서 5일을 '一～'라 했음). ⑦동 셈을 치르다. 지불하다. ¶我已经～过了; 제가 이미 셈을 마쳤습니다 / 今天的账我～了; 오늘의 계산은 내가 부담하겠다. ⑧동 살피다. 망보다. 관측하다. ¶～楼; 망루 / 测cè～; 측후하다. ⑨동 (맥을) 보다.
〔候榜〕 hòubǎng 동 〈文〉 시험의 발표를 기다리다.
〔候补〕 hòubǔ 명 후보. ¶～党员; 당원 후보 / ～中央委员; 중앙 위원 후보. 동 옛날, 관리로 임관되기를 기다리다.
〔候补军官〕 hòubǔ jūnguān 명 사관 후보생. ¶他们毕业后还要以～的身分再接受一年的军事训练; 그들은 졸업 후, 사관 후보생의 신분으로 다시 1년간 군사 훈련을 받아야 한다.
〔候补人〕 hòubǔrén 명 후보자.
〔候不起〕 hòubuqǐ 동 (돈이 없어서) 대접하지 못하다. (술값·찻값 등을) 호기 있게 내지 못하다.
〔候查〕 hòuchá 동 심문을 기다리다. 조사를 기다리다.
〔候场〕 hòuchǎng 동 (출연자가) 무대에 나갈 차례를 기다리다.
〔候潮〕 hòucháo 동 물때를 기다리다.
〔候车房〕 hòuchēfáng 명 ⇨〔候车室〕
〔候车室〕 hòuchēshì 명 (역(驛)의) 대합실. =〔候车房〕
〔候虫〕 hòuchóng 명 《蟲》 후충(귀뚜라미·개미 등과 같이 일정한 계절에 나타나는 철벌레).
〔候风地动仪〕 hòufēng dìdòngyí 명 후한(後漢)의 장형(張衡)이 만들었다(132년)고 하는 가장 오래 된 지진계.
〔候复〕 hòufù 동 〈翰〉 답장을 기다리다.
〔候馆〕 hòuguǎn 명 ⇨〔候楼〕
〔候光〕 hòuguāng 동 〈翰〉 〈敬〉 내방해 주시기를 기다리다. ¶洁樽～; 〈成〉 박주(薄酒)를 준비하고 오시기를 기다리겠습니다. =〔候驾〕

〔候函〕 hòuhán 통 〈文〉 편지를 기다리다.
〔候机〕 hòujī 통 비행기를 기다리다. ¶～大楼; 공항 빌딩
〔候机室〕 hòujīshì 명 공항(空港)의 대합실. ¶～的广播器不时传播出各次班机起飞和降落的时间; 비행기 대합실의 마이크는 시시(時時)로 각 정기편(便)의 발착·도착 시간을 알리고 있다.
〔候驾〕 hòujià 통 〈翰〉〈敬〉 ⇨〔候光〕
〔候教〕 hòujiào 통 〈翰〉〈敬〉 오셔서 가르쳐 주시기를 기다리다. ¶本星期日下午在舍下～; 금주 일요일 오후에 저희 집에서 가르침을 받고자 합니다.
〔候客室〕 hòukèshì 명 대합실.
〔候楼〕 hòulóu 명 망루(望樓). ＝〔候馆〕
〔候脉〕 hòu.mài 통 맥을 보다.
〔候命〕 hòumìng 통 대기하다. 명령을 기다리다. ¶第一舰队正在～, 以便在战争爆发时直捣某国后门; 제 1 함대는 전쟁이 발발하면 곧 모국의 후방을 공격할 수 있도록 현재 대기중이다.
〔候鸟〕 hòuniǎo 명 《動》 후조. 철새. ＝〔时鸟〕〔随suí阳鸟〕〔信鸟〕 ↔〔留liú鸟〕
〔候骑〕 hòuqí 명 척후 기병.
〔候缺〕 hòuquē 통 관직의 결원을 기다리다.
〔候审〕 hòushěn 통 《法》 문초를〔심문을〕 기다리다.
〔候示〕 hòushì 통 〈翰〉 통지를 기다리다.
〔候温〕 hòuwēn 명 5일간의 평균 기온.
〔候问〕 hòuwèn 통 〈翰〉 문안드리다.
〔候晤〕 hòuwù 통 〈翰〉 뵙게 되기를 기다립니다.
〔候信儿〕 hòu.xìnr 통 통지를 기다리다.
〔候叙〕 hòuxù 통 〈翰〉 오시기를 기다리고 있습니다.
〔候选〕 hòuxuǎn 통 선발을 기다리다. 선거에 나서다. 입후보하다. ¶～人; 입후보자.
〔候选名单〕 hòuxuǎn míngdān 명 선거 후보자 명부.
〔候雁〕 hòuyàn 명 후안(기러기의 별칭).
〔候账〕 hòu zhàng 음식값을 지불하다. ＝〔会huì账〕
〔候诊〕 hòuzhěn 통 진찰을 기다리다. ¶～室; 환자 대기실. 병원 대합실.

堠 hòu (후)
① 명 〈文〉 망루(望樓). 적정(敵情)을 감시하는 보루. ② 명 〈文〉 옛날, 흙을 쌓아서 만든 이정표. ¶～程chéng; 〈轉〉 여행. ③지명용자(字). ¶百～; 바이허우(百堠)(광둥 성(廣東省) 다부 현(大埔縣) 남쪽에 있는 땅 이름).

鲎(鱟) hòu (후)
명 ①《動》 참게. ＝〔鲎鱼yú〕〔鲎虫chóng〕 ②〈方〉 무지개. ＝〔虹〕 ③《動》(논 따위에 있는) 갑각류의 일종(자라 비슷함).

HU ㄏㄨ

乎 hū (호)
A) 조 〈文〉 ①의문(疑問)·반문(反問)의 어기를 나타내는 문어(文語). (구어의 '吗'에 해당함). ¶伤人～? 사람을 다치게 했느냐? / 可以人而不如鸟～? 사람이면서 새보다 못해서야 되겠느냐? ②추측의 문어 어기사(語氣詞)(구어의 '吧'에 해당함). ¶知我者其天～; 나를 아는 것은 아마 하늘일까. ③사람을 부를 때 어기(語氣)에 잠깐 사이를 두기 위한 말. ¶母～! 儿去矣; 어머니, 저는 갑니다. B) ① 감 〈文〉 감탄의 문어 어기사(語氣詞)(구어의 '啊'에 해당함). ¶惜～! 아깝도다! / 天～! 하늘이시여! ② 개 동사 뒤에 붙는 말('于'와 같은 뜻으로 쓰임). ¶异～寻常; 평소와 다르다. ③ 개 형용사 또는 부사의 어미. ¶确～重要; 확실히 중요하다 / 几～迟到; 하마터면 지각할 뻔했다 / 回～不同; 멀리 미치지 못하다.

呼 hū (호)
① 통 숨을 내쉬다. ¶～出一口气; 숨을 후 하고 내쉬다. ↔〔吸〕 ② 통 (큰 소리로) 외치다. ¶高～万岁; 소리 높이 만세를 부르다 / ～口号; 구호를 외치다. ③ 통 불러 오(게 하)다. ¶～之即来; 부르면 곧 온다 / 直～其名; (무례하게) 그 이름을 직접 부르다 / 一～百诺; 〈成〉 한 번 부르면 백 사람의 대답이 오다. 〈比〉 부하나 하인들이 많음. ④ 감 탄식을 표시함. ⑤〈擬〉 휙(바람이나 코 고는 소리). ¶北风～～地吹; 북풍이 윙윙 불다 / ～的一声跳下车来; 휙 하고 차에서 뛰어내렸다. ⑥ 명 성(姓)의 하나.
〔呼毕勒罕〕 hūbìlèhǎn 명 《宗》 라마교(教)의 고승(高僧)의 직위 전수(傳授)의 제도(몽고어).
〔呼哱哱〕 hūbōbō 명 ⇨〔戴胜〕
〔呼叱〕 hūchì 통 〈文〉 ①꾸짖다. ②큰 소리로 외치다.
〔呼哧〕 hūchi 〈擬〉 헉헉(심한 숨소리. 숨을 헐떡이는 소리). ¶马也累得直～; 말도 지쳐서 자꾸만 헉헉거린다. ＝〔呼蚩〕
〔呼吹〕 hūchuī 통 허풍을 떨다. 큰소리 치다. ¶他～的那一套全是错误的; 그가 자랑조로 말한 그 방식은 모두 틀린다.
〔呼风唤雨〕 hū fēng huàn yǔ 〈成〉 ①바람을 부르고 비를 부르다(선인(仙人)의 염력(念力)을 이름). ②혼란〔반란〕을 일으키다. ③자연을 지배하다.
〔呼喊〕 hūhǎn 통 외치다. 부르다.
〔呼号〕 hūháo 통 ①울부짖다. ②큰 소리로 도움을 청하다. 죽는 소리를 하다. ⇒hūhào
〔呼嚎〕 hūháo 통 큰 소리로 외치다. ¶风在～; 바람이 휙휙〔윙윙〕 분다.
〔呼号〕 hūhào 명 ①라디오의 콜 사인. 호출 부호. ②(조직이 내세우는) 슬로건. ⇒hūháo
〔呼和浩特〕 Hūhéhàotè 명 《地》〈音〉 후허호트(Huhehot)(내몽고 자치구의 수도).
〔呼喝〕 hūhè 통 ①호통치다. ②큰 소리로 부르다.
〔呼呼〕 hūhū 〈擬〉 ①쏴쏴(바람 소리). ②쿨쿨. 드르렁(코고는 소리). 접미 정도가 심함을 나타내는 접미사(接尾辭). ¶屋里有火炉子热～的; 방 안에 난로가 있어 후끈후끈하다.
〔呼呼(儿)〕 hūhu(r) 명 《樂》〈俗〉 호궁(胡弓). 호금.
〔呼唤〕 hūhuàn 통 ①(일을 부탁하기〔시키기〕 위해) 부르다. ¶～服务员; 종업원을 부르다. ②큰 소리로 부르다. ¶祖国在～我们! 조국이 우리를 부르고 있다! ③(사람을) 부리다. 일을 시키다.
〔呼鸡喝狗〕 hū jī hè gǒu 〈成〉 거리낌없이 큰 소리를 지르다. 남을 제멋대로 부르다.
〔呼叫〕 hūjiào 통 ①부르짖다. 외치다. ②(무선으로) 부르다. ¶勇敢号! 勇敢号! 我在～! 용감호! 용감호! 응답하라!
〔呼救〕 hūjiù 통 소리쳐 구원을 청하다.
〔呼拉呼拉〕 hūlahūla 부 기운차게. 위세 좋게. 〈擬〉

팔랑팔랑. 펄럭펄럭. =〔呼啦〕〔呼喇〕
〔呼拉圈〕 hūlāquān 명 훌라후프(hula-hoop). ¶～舞; 훌라춤.
〔呼来唤去〕 hūlái huànqù 오라 가라 하다. 거만하게 사람을 부리다.
〔呼噜〕 hūlū 〈擬〉 그르렁그르렁. ¶他喉咙里～～地老响; 그는 늘 목에서 그르렁그르렁 소리가 난다. =〔呼噜噜〕
〔呼噜〕 hūlu 명 〈口〉 코 고는 소리. ¶打～; 코를 골다.
〔呼卢喝雉〕 hū lú hè zhì 〈成〉 ⇨〔呼幺喝六①〕
〔呼牛呼马〕 hū niú hū mǎ 〈成〉 소라 부르고 말이라 부른다(칭찬하건 헐뜯건 제맘대로 지껄이게 내버려 두다).
〔呼朋引类〕 hū péng yǐn lèi 〈成〉〈貶〉 같은 부류를 불러모으다〔끌어들이다〕. =〔引类呼朋〕
〔呼求〕 hūqiú 동 (신불에) 가호(加護)를 빌다.
〔呼嚷〕 hūrǎng 동 아우성치다. 떠들다.
〔呼扇〕 hūshan 동 〈口〉 ①(얇은 판상(板狀)의 것이) 흔들리다. 휘다. ¶跳板太长, 走到上面直～; 발판이 길어서 위를 걸으면 자꾸 흔들린다. =〔忽搧〕〔唿扇〕 ②부채질하다. 부치다. ¶他满头大汗, 摘下草帽不停地～; 그는 이마가 땀에 흠뻑 젖어, 밀짚모자를 벗어서 계속 부채질하고 있다.
〔呼哨(儿)〕 hūshào(r) 명 (손가락을 입에 대고 부는) 휘파람. ¶打～; (신호의) 휘파람을 불다. →〔口哨儿〕 (hūshāo) 〈擬〉 휙. 윙. 핑(사물이 빠른 속도로 지나갈 때 내는 날카로운 소리).
〔呼声〕 hūshēng 명 ①부르는〔외치는〕 소리. ②〈比〉 세론(世論). 대중의 소리. ¶正义～; 정의의 외침 / 这是出席座谈会的老工人们一致的～; 이것은 좌담회에 참석한 고참 노동자들의 일치된 소리였다.
〔呼天抢地〕 hū tiān qiāng dì 〈成〉 하늘을 보고 외치고 (머리로) 땅을 치다(몹시 비통해하는 모양). =〔呼天喊地〕〔呼天唤地〕〔呼天叫地〕〔呼天撞地〕〔抢地呼天〕
〔呼图克图〕 hūtúkètú 명 《宗》 청(清)대의 라마교(教)의 고승(高僧)에 대한 경칭(몽고어). =〔呼土克图〕〔胡图克图〕〔〈俗〉 活huó佛②〕
〔呼吸〕 hūxī 명동 호흡(하다). ¶～作用; 호흡 작용 / ～器; 호흡기 / ～道; 기도(氣道) / ～系统; 《生》 호흡기 계통.
〔呼啸〕 hūxiào 동 〈文〉 ①(사람이) 큰 소리로 외치다. (동물이) 울부짖다. ②(폭풍우 따위가) 무섭게 소리를 내다. ¶炮弹在天空中～; 포탄이 공중에서 씽 하고 소리를 내다 / 北风～; 북풍이 윙윙 소리를 낸다.
〔呼延〕 Hūyán 명 복성(複姓)의 하나.
〔呼幺喝六〕 hū yāo hè liù 〈成〉 ①'幺'이요 '六'이요 하는 소리를 불러 대며 도박을 하다. =〔呼卢喝雉〕 ②〈方〉 큰 소리로 떠들며 함부로 위세를 부리다.
〔呼一喝二〕 hūyī hè'èr 마구 떠들어 대다.
〔呼应〕 hūyìng 동 부르면 대답하다. 호응하다. (문장의 앞뒤가) 상응하다. 명 ①호응. 상응. ②상(商)거래. ¶～不灵; ⓐ거래가 원활하지 못하다. ⓑ기맥이 통하지 않다.
〔呼吁〕 hūyù 동 (지지·원조·동정 등을) 간청하다. 호소하다. ¶向群众～; 대중에게 호소하다 / ～当局即刻与美方交涉; 당국에 즉각 미국측과 교섭하도록 호소하다. =〔吁请〕〔诉请〕
〔呼冤〕 hū.yuān 동 억울한 죄를 호소하다. 하소연하다.
〔呼噪〕 hūzào 동 시끄럽게 외치다. 소리치다.
〔呼之欲出〕 hū zhī yù chū 〈成〉 작중 인물·인물화의 묘사가 (부르면 걸어나올 듯) 생생하다.
〔呼钟〕 hūzhōng 명 《體》 (권투의) 공(gong).

烀 hū (호)
동 〈方〉 (물을 조금 넣고 뚜껑을 꼭 닫고서 찌는 것처럼 해서) 삶다. ¶～白薯; 고구마를 위와 같은 방법으로 삶다.

轷(軤) Hū (호)
명 성(姓)의 하나.

滹 hū (호)
지명용 자(字). ¶～沱túo河; 후퉈허(滹沱河)(산시 성(山西省)에서 허베이 성(河北省)에 흘러들어가 쯔야허(子牙河)가 되어 톈진(天津)에서 북운하(北運河)와 합류하는 강).

戏(戲〈戲〉) hū (호)
→〔於wū戏〕 ⇒xì

怃(憮) hū (무)
① 동 〈方〉 덮다. 씌우다. ¶小苗让草～住了, 赶快锄吧; 모종이 풀에 덮여 버렸으니, 빨리 풀매기를 해라. ② 형 〈文〉 크다. 관대하다. ③ 형 〈文〉 오만하다.

朊(膴) hū (무)
명 ①뼈 없는 말린 고기〔건육〕. ②큰 토막의 어육(魚肉).

忽 hū (홀)
① 부 홀연히. 갑자기. 벌써. 느닷없이. 불의에. 뜻밖에. ¶天气～冷～热; 기후가 갑자기 추웠다 더웠다 하다 / 灯光～明～暗; 등불이 밝아졌다 어두워졌다 한다 / ～已三载; 벌써 3년이다. ② 동 소홀히 하다. 부주의하다. ¶不可～视; 소홀히 보아서는 안 된다. ③ 수량 길이·무게의 단위('一丝'의 1/10, '一毫'의 1/100). ④ 수량 《度》 센티밀리('公制(미터법)'에서 기준 단위의 10만분의 1을 나타냄). ¶1～米; 1미크론 / 1～克; 0.1감마. ⑤ 명 성(姓)의 하나.
〔忽布(花)〕 hūbù(huā) 명 《植》 〈音〉 홉(hop). ¶加～; 홉을 넣다 / ～子zǐ; 홉 열매 / 摘zhāi～子; 홉의 열매를 따다. =〔槐huái花②〕〔蛇shé麻(草)〕〔香xiāng蛇麻〕〔霍huò布花〕〔藿蒲pú〕〔酒jiǔ花〕〔啤pí酒花〕
〔忽地〕 hūdì 부 갑자기. 별안간. ¶灯～灭了; 등불이 갑자기 꺼졌다 / ～下起雨来了; 갑자기 비가 내리기 시작했다. =〔忽然rán〕 注 '忽的'라고 표기하는 일은 드묾.
〔忽而〕 hū'ér 부 돌연(突然). 갑자기(대체로 두 개의 뜻이 가까운 혹은 반대의 뜻을 가진 동사나 형용사 앞에 쓰임). ¶湖上的歌声～高, ～低; 호수 위의 노랫소리가 높아졌다 낮아졌다 하다 / 旧时代的历史长河, ～沉默, ～咆哮, 涛涛滚滚流荡了几千年; 구시대의 역사의 장허(長河)는, 때로는 침묵하고 때로는 포효하며, 도도하게 몇 천 년이나 흘렀다 / ～哭～笑; 울다가 웃다가 하다.
〔忽忽〕 hūhū ①부 눈 깜짝할 사이. 순식간에(시간이 빨리 지나가는 모양). ¶～一年; 금새 1년이 되다. ②〈擬〉 깃발 등이 바람에 펄럭이는 소리. ③형 〈文〉 실의한 모양. ④형 경솔하다. 부주의〔소홀〕하다.
〔忽荒〕 hūhuāng 형 막막(漠漠)한 모양.
〔忽啦〕 hūlā 부 〈方〉 갑자기. ¶～冷了, ～热了; 갑자기 추웠다 더웠다 하다. =〔忽然〕
〔忽啦啦〕 hūlālā 〈擬〉 우르르. 와르르. ¶～出来好

几十个人；우르르 하고 (갑자기) 몇 십 명이나 되는 사람이 나왔다.
〔忽拉巴儿〕 hūlabār 부 갑자기. 돌연. ¶～放一枪；갑자기 (총을) 한 방 쏘았다 / 她的脸上～阴暗起来；그녀의 얼굴은 갑자기 흐려졌다.
〔忽律〕 hūlǜ 명《動》악어. =〔惚猙〕
〔忽略〕 hūlüè 동 등한히 하다. 소홀히 하다. 경시(輕視)하다. ¶不能～这一点；이 점을 등한히 해서는 안 된다 / ～不计；무시(無視)하다 / 把机会～过去；기회를 소홀히 보아 넘기다.
〔忽漫〕 hūmàn 부 갑자기. 돌연.
〔忽萌短见〕 hū méng duǎnjiàn 갑자기 성마른 소견을 내다.
〔忽米〕 hūmǐ 양《度》센티밀리미터.
〔忽南忽北〕 hū nán hū běi 〈成〉남쪽인가 했더니 북쪽, 북쪽인가 생각했더니 남쪽.
〔忽起忽落〕 hū qǐ hū luò 〈成〉①올랐다 떨어졌다 하다. ②마음이 항상 안정되지 않다.
〔忽然〕 hūrán 부 돌연. 갑자기. 언뜻. ¶他～病了；그는 갑자기 병이 났다 / 天～下起雨来了；갑자기 비가 오기 시작했다 / 他～停住, 不往下说了；그는 갑자기 (이야기를) 멈추고, 그 다음은 말하지 않았다. =〔忽然间jiān〕〔忽地〕
〔忽闪〕 hūshǎn 부 번쩍. 번쩍번쩍. ¶～一亮, 闪光弹从黑暗的天空忽悠忽悠地往地上下来了；번쩍하고 빛나더니 조명탄이 어두운 하늘에서 천천히 땅으로 떨어졌다.
〔忽闪〕 hūshan 동 번쩍이다. 반짝반짝 빛나다. ¶眼睛～～地眨了几下；눈을 몇 번인가 반짝거렸다.
〔忽搧〕 hūshan 동 ⇨〔呼扇①〕
〔忽上忽下〕 hū shàng hū xià 〈成〉①올라갔다 내려갔다 하다. ②(무서워서) 흠칫흠칫하다.
〔忽哨〕 hūshào 명 휘파람. ¶等候～响为号；신호로 휘파람 부는 것을 기다리고 있었다. =〔唿哨〕〔呼哨〕〔胡hú哨〕
〔忽视〕 hūshì 동 경시하다. 소홀히 하다. ¶不可～的力量；가볍게 여길 수 없는 역량.
〔忽微〕 hūwēi 형 매우 미세하다.
〔忽悠〕 hūyou 동 〈方〉흔들리다. 펄럭이다. ¶大旗叫风吹得直～；큰 깃발이 바람에 날려 펄럭이다 / 渔船上的灯火～～的；어선의 등불이 흔들거리다. 형 분명하지 않다.

昒 hū (물, 홀)
명 하늘의 어두움.

滹 hū (호)
형 〈文〉물이 빨리 흐르는 모양. ¶～浴 =〔洗澡〕；〈南方〉목욕하다.

惚 hū (홀)
→〔恍huǎng惚〕

唿 hū (홀)
① 동 근심하다. ②〈擬〉바람 따위가 부는 소리. ¶～哨shào；(신호의) 휘파람 / 风～～地刮；바람이 윙윙 분다.
〔唿唿儿〕 hūhur 명 ⇨〔二èr胡〕
〔唿喇〕 hūla 부 갑자기. 돌연히.
〔唿喇喇〕 hūlālā 〈擬〉①윙윙《강한 바람 소리》. ②쏴《강하게 밀어닥치는 모양》.
〔唿搧〕 hūshan 동 ⇨〔呼扇①〕
〔唿哨〕 hūshào 명 ⇨〔忽哨〕

猢 hū (홀)
→〔猢猙〕

〔猢猙〕 hūlǜ 명《動》악어. =〔忽律〕

糊 hū (호)
동 ①(진득거리는 것으로 틈·구멍 등을) 막다. 메우다. 칠하다. ¶墙上有个窟窿, 用泥把它～住；벽에 구멍이 하나 뚫려서 진흙으로 그것을 칠해 막다 / 疮口被脓血～住；상처가 피고름으로 막히다. ②〈方〉끓이다. 찌다. 삶다. ¶～了一大锅白薯；고구마를 큰 솥에 가득 쪘다. ⇒ hú hù
〔糊糊〕 hūhū 접미 형용사·동사 뒤에 붙어 정도를 강조함. ¶潮～的；축축한 / 烂～的；흐물흐물한다. ⇒ húhu

囫 hú (홀)
→〔囫囵〕

〔囫囵〕 húlún 부 통째로. 완전히. 송두리째. 고스란히 그대로.
〔囫囵个儿〕 húlúngèr 몽땅. 통째로. 있는 그대로. 되는대로. ¶孩子乏得～睡着了；아이는 피곤해서 옷을 입은 채 잠들었다 / 饿得他拿起个馒头～就吞下去了；시장했기 때문에 그는 찐빵을 집어 통째로 삼켰다.
〔囫囵吞枣〕 hú lún tūn zǎo 〈成〉대추를 통째로 삼키다《사물을 잘 분석하지 않고 그대로 받아들이다. 일을 되는대로 어물어물 넘기다》. ¶继承文化遗产, 一定要经过批判, 不能～全盘接受；문화 유산을 이어받을 경우에는 반드시 비판적이어야 하며, 그대로 받아들여서는 안 된다.
〔囫囵着〕 húlúnzhe 통째로. 일괄하여. 마구. ¶～吞下去；통째로 삼키다 / ～骂；(통틀어) 누구랄 것 없이 욕하다 / ～睡；옷 입은 채로 자다.

狐 hú (호)
명 ①《動》여우. =〔狐狸〕 ②성(姓)의 하나.
〔狐白裘〕 húbáiqiú 명 여우 겨드랑이의 흰 모피로 만든 갖옷《상등품》.
〔狐步〕 húbù 명《舞》폭스 트롯(fox trot). ¶跳～；폭스 트롯을 추다. =〔狐步舞〕
〔狐步舞〕 húbùwǔ 명 ⇨〔狐步〕
〔狐臭〕 húchòu 명 암내. 액취(腋臭). ¶患～人；암내나는 사람. =〔胡臭〕〔狐臊〕〔狐骚〕〔〈方〉猪zhū狗臭〕
〔狐耳绒〕 hú'ěrróng 명 여우의 귀의 가죽.
〔狐猴〕 húhóu 명《動》여우원숭이. =〔狐猿〕
〔狐脊子〕 hújǐzi 명 여우 등가죽《갖옷을 만듦》.
〔狐假虎威〕 hú jiǎ hǔ wēi 〈成〉남의 권세를 빌려 위세를 부리다.
〔狐克斯特洛特〕 húkèsītèluòtè 명《樂》〈音〉폭스 트롯(fox trot).
〔狐狸〕 húli 명《動》여우(의 통칭). ¶～精jīng；〈罵〉둔갑한 여우《교활한 사람이나 음탕한 여자를 욕하는 말》/ ～崽zǎi子；〈罵〉여우 같은 놈.
〔狐狸尾巴〕 húliwěiba 명 여우꼬리. 〈比〉본성(本性). 정체(正體). 본심. ¶终于露出～来了；드디어 본성을 나타냈다 / ～总是藏不住；정체는 감추지 못한다.
〔狐埋狐搰〕 hú mái hú hú 〈成〉의심이 많아서 주저하고 있으면 일을 성공시킬 수 없다.
〔狐媚〕 húmèi 동 알랑거려 홀리다.
〔狐魅〕 húmèi 명 여우가 둔갑한 요괴(妖怪). 구미호.
〔狐朋狗友〕 hú péng gǒu yǒu 〈成〉악우(惡友). 불량 패거리들. =〔狐群狗党〕
〔狐皮〕 húpí 명 여우의 모피.

〔狐肷〕 húqiǎn 명 여우의 흉복부와 겨드랑 밑의 모피.
〔狐嵌〕 húqiàn 명 여러 장의 여우 가죽을 합쳐 만든 가죽.
〔狐裘〕 húqiú 명 여우의 모피로 만든 옷. ¶～羔袖gāoxiù;〈成〉여우 가죽 옷에 새끼양 가죽 소매(대체로 좋으나 한두 군데 결점이 있다).
〔狐群狗党〕 hú qún gǒu dǎng 〈成〉⇨〔狐朋狗友〕
〔狐骚〕 húsāo 명 ⇨〔狐臭〕
〔狐臊〕 húsāo 명 ⇨〔狐臭〕
〔狐死狗烹〕 hú sǐ gǒu pēng 〈成〉여우가 죽으니 개를 삶다(볼일이 끝나면 처치됨).
〔狐死兔悲〕 hú sǐ tù bēi 〈成〉여우의 죽음을 토끼가 슬퍼하다. 거짓 동정심. =〔狐死兔泣〕〔狐兔之悲〕
〔狐祟〕 húsuì 명 여우의 앙갚음.
〔狐兔之悲〕 hú tù zhī bēi 〈成〉⇨〔狐死兔悲〕
〔狐腿儿〕 hútuǐr 명 여우 다리의 모피(매우 진귀하게 여김).
〔狐尾〕 húwěi 명 여우 꼬리. =〔狐狸尾巴〕
〔狐仙〕 húxiān 명 여우가 도를 닦아서 둔갑한 선인(仙人).
〔狐腋〕 húyè 명 여우의 겨드랑이 모피. →〔集腋成裘〕
〔狐疑〕 húyí 동 시기하다. 의심을 품다. ¶～不决; 의심을 품어 결단을 못 하다 / 满腹～; 의심이 가득하다.
〔狐猿〕 húyuán 명 ⇨〔狐猴〕
〔狐爪儿〕 húzhǎor 명 여우의 발 부분의 모피. =〔狐爪尖儿〕

弧 hú (호)
①명 나무 활. ②명 《數》 호(弧). ③동 적대(敵對)하다. ④형 활 모양으로 굽어 있는 궁형(弓形)의. ¶～形; 호형. 활의 모양. ⑤명 괄호. ¶括kuò～(儿); 괄호.
〔弧灯〕 húdēng 명 ⇨〔碳tàn(极)弧灯〕
〔弧度〕 húdù 명 《數》 호도. 라디안(radian)(평면각의 단위).
〔弧光〕 húguāng 명 《電》 호광. 아크 방전(放電)의 빛.
〔弧光灯〕 húguāngdēng 명 아크등.
〔弧焊〕 húhàn 명 ⇨〔电diàn弧焊接〕
〔弧角〕 hújiǎo 명 《數》 구면각(球面角).
〔弧菌〕 hújūn 명 《醫》 비브리오(vibrio).
〔弧圈球〕 húquānqiú 명 《體》 (탁구에서) 드라이브를 살린 볼.
〔弧三角〕 húsānjiǎo 명 《數》 구면(球面) 삼각법.
〔弧矢形〕 húshǐxíng 명 궁형(弓形).
〔弧线〕 húxiàn 명 《數》 원주(圓周) 또는 곡선의 일부. 호선.

和 hú (화)
동 (마작·트럼프에서 패가) 갖추어지다. 오르다. ¶把白板模了上来, ～了牌; 백판을〔흰패를〕잡으니 패가 올랐다 / ～底; 패가 올랐을 때의 기준 점수. ⇒hé hè huó huò huo

胡(鬍)⑦ hú (호)
①(Hú) 명 중국 북쪽 및 서쪽 만지(蠻地)의 민족. ②명 이민족(異民族)의 것을 이르는 말. ¶～琴(儿); 《樂》 호궁(胡弓). ③ 대 〈文〉 어찌하여. 왜. ¶～不归? 왜 돌아가지 않느냐? =〔为什么〕 ④부 무턱대고. 터무니없이. 제멋대로. 엉터리로. ¶说～话; 엉터리 말을 하다. ⑤명 외국에서 들어온 것을 이르는 말. ⑥명 성(姓)의 하나. ⑦(～儿, ～子) 명 수염. ¶连鬓bìn～子; 구레나룻 / 两撇儿piěr～ =〔八字～〕; 팔자 수염.
〔胡碴〕 húchá 명 ①다박나룻. ②짧고 뻣뻣한 턱수염. ③깎고 남은 턱수염. ④〈比〉몸에 배어 있는 옛 잔재. ¶咱要翻身嘛, 就得拔～; 우리들이 사상 개조를 하려 한다면, 옛 잔재를 뽑아 버려야 한다. ‖ =〔胡茬〕〔胡楂〕
〔胡柴〕 húchái 동 〈古白〉 아무렇게나 지껄이다.
〔胡搀乱对〕 húchān luànduì 함부로 물건을 섞다. 제멋대로 혼합하다.
〔胡缠〕 húchán 동 ①마구 뒤엉키다. 번거롭게 뒤엉키다. ¶一味～; 온통 휘감기어 뒤엉키다. ②성가시게 따라다니다. ‖ =〔胡羼〕
〔胡羼〕 húchàn 동 ⇨〔胡缠〕
〔胡吵乱讲〕 húchǎo luànjiǎng 제멋대로 지껄이다. 엉터리 말을 하다.
〔胡扯〕 húchě 동 한담하다. 잡담하다. 명동 ⇨〔胡说〕
〔胡扯八拉〕 húchě bālā 이러쿵저러쿵 허튼 소리를 해대다. =〔胡扯八道〕〔胡扯白咧liě〕
〔胡吃海塞〕 húchī hǎisāi 〈方〉 마구 처먹다〔퍼먹다〕. ¶这孩子～, 早晚必得肠胃病; 이 아이는 마구 퍼먹기만 하고 있는데, 언젠가는 위장에 탈이 날 것이다.
〔胡臭〕 húchòu 명 암내. 액취(腋臭). =〔狐臭〕
〔胡传〕 húchuán 동 엉터리로 전하다.
〔胡床〕 húchuáng 명 등판과 팔걸이가 반원형으로 된 구식의 나무 의자. =〔交jiāo椅①〕
〔胡吹〕 húchuī 동 ①가락에 맞지 않게 엉터리로 불다. ¶～乱打; 곡조에 맞추지 않고 시끄럽게 악기를 불거나 두드리거나 하다. ②터무니없는 거짓말을 하다. 허풍떨다. ¶～乱顿; 황당무계한 거짓말을 마구 내뱉다.
〔胡葱〕 húcōng 명 《植》 ①양파. =〔洋yáng葱〕 ②중국 남부에서 재배되는 파의 하나.
〔胡打乱敲〕 húdǎ luànqiāo (악기 따위를) 마구 두들기다.
〔胡底〕 húdǐ 명 패가 올랐을 때의 기준 점수.
〔胡蝶〕 húdié 명 《蟲》 나비. ¶～结子; 나비 매듭. =〔蝴蝶〕
〔胡蝶花〕 húdiéhuā 명 ⇨〔蝴蝶花〕
〔胡豆〕 húdòu 명 《植》 ①등나무. ②잠두콩의 별칭. =〔蚕cán豆〕
〔胡反〕 húfǎn 동 함부로 떠들다.
〔胡匪〕 húfěi 명 마적(馬賊). 토비(土匪). =〔胡贼〕〔胡子②〕
〔胡粉〕 húfěn 명 《鑛》 호분. 백악(白堊).
〔胡蜂〕 húfēng 명 《蟲》 말벌. =〔壶蜂〕〔〈俗〉马蜂〕
〔胡服〕 húfú 명 옛날, 북방 및 서방의 이민족의 복장.
〔胡搞〕 húgǎo 동 (정당한 목적 또는 이유 없이) 멋대로 또는 엉터리로 일을 하다.
〔胡格诺〕 Húgénuò 명 《宗》 〈音〉 위그노(Huguenot). =〔呼格诺〕
〔胡瓜〕 húguā 명 《植》 오이. =〔黄瓜〕
〔胡逛八扯〕 húguàng bāchě 마음껏 방탕한 생활을 하다.
〔胡花〕 húhuā 동 낭비하다.
〔胡话〕 húhuà 명 엉터리 이야기. 실없는 소리. 헛소리. ¶他烧得直说～; 그는 열이 심해서 자꾸만 헛소리를 한다.
〔胡黄连〕 húhuánglián 명 《植》 호황련(현삼과 다년생 초본. 뿌리가 매우 쓰고 약으로 쓰임).

〔胡混〕 húhùn 동 ①하는 일 없이 날을 보내다. ②일을 아무렇게나 하고 시치미를 떼다.
〔胡笳〕 hújiā 명 고대 북방 민족의 피리(갈대 잎을 말아서 만들었다고 함).
〔胡讲〕 hújiǎng 동 무책임하게 엉터리말을 하다.
〔胡椒〕 hújiāo 명 《植》 후추. ¶～面(儿)miàn(r) =〔～粉〕; 후춧가루 / ～八百斛; 〈比〉 뇌물을 탐하다 / 没有～面儿, 不算是馄饨; 후춧가루가 없으면 만두국이라 할 수 없다(물건이란 한 가지만 없어도 완전한 것이 되지 못한다).
〔胡椒鱼〕 hújiāoyú 명 《魚》 벤자리과(科)의 식용어의 총칭(벤자리 · 꼽새돔 · 얼음돔 따위).
〔胡搅〕 hújiǎo 동 ①마구 떠들다. 법석을 떨다. 헤살을 놓다. ¶～蛮缠; 〈成〉 함부로 훼방을 놓다. 멋대로 트집을 잡다. ②사리 · 관습에 벗어난 일을 억지로 하려 하다.
〔胡克(氏)定律〕 Húkè(shì) dìnglǜ 명 《物》 후크(Hooke)의 법칙.
〔胡拉〕 húla 동 ①털어 버리다. ¶把土～; 흙을 털어 버리다. ②엉터리말을 하다. 부 확. 갑자기. 언뜻. ¶电灯～一下就灭了; 전등이 확 꺼졌다.
〔胡拉溜扯〕 húlā liūchě 엉터리여서 진실성이 없다. ¶说话～的实在是讨厌; 이야기가 엉터리여서 참으로 싫다.
〔胡来〕 húlái 동 ①생각 없이 함부로 하다. ¶还是按部就班地做好, 别～; 역시 한 단계 한 단계 순서대로 하는 편이 낫지, 생각 없이 해서는 안 된다. ②소란을 피우다. 제멋대로 하다. =〔胡闹〕〔胡作非为〕
〔胡赖〕 húlài 동 죄 없는 사람에게 죄를 뒤집어씌우다. 누명을 씌우다.
〔胡里马哈〕 húli mǎhā 형 부주의한 모양. 무책임한 모양.
〔胡哩胡涂〕 húli hútu 형 어리벙벙하다. 어리둥절하다. 얼떨떨하다.
〔胡脸〕 húliǎn 〈北方〉 면목 없다. 체면이 안 서다. ¶自己不识相找了～, 怪谁呢; 자신의 무분별로 면목이 없게 되었는데, 누구를 원망하겠는가.
〔胡咙〕 húlóng 명 ⇨〔喉hóu咙〕
〔胡搂〕 húlōu 동 〈方〉 (아무렇게나) 닦다〔털다〕.
〔胡卢〕 húlú 형 크게 웃는 모양. ¶～大笑; 크게 웃는 모양. 명 〈音〉 풀러(fuller). 원형 다듬개.
〔胡虏〕 húlǔ 명 옛날, '北běi狄'이라고 일컫던 북방 및 서방 이민족을 멸시하여 부르던 호칭.
〔胡鲁胡鲁〕 húlǔ húlǔ 〈擬〉 쿨쿨(잠잘 때의 숨소리).
〔胡噜〕 húlu 동 〈方〉 ①쓰다듬다. 어루만지다. ¶～脑袋; 머리를 쓰다듬다. →〔抚摩〕 ②걷어치우다. 털어 버리다. 쓸어버리다. 쓸어담다. ¶把橘子皮～到簸箕里; 감귤 껍질을 쓰레받기에 긁어모으다 / 棚上的灰都给～下来; 차양의 먼지도 다 털어 버려라. ③〈比〉 다방면으로 활동하다. 손을 쓰다. ¶八下里横～着; 다방면으로 이곳 저곳 활약하고 있다 / 有什shén么事给～着点儿; 무슨 일이 있으면 손 좀 써 주게. ‖ =〔搰搂〕〔搰掳〕
〔胡乱〕 húluàn 부 함부로. 멋대로. 마구. 아무렇게나. 난폭하게. ¶不许～作事! 일을 아무렇게나 해서는 안 된다! / ～买些东西来充饥; 적당히 아무거나 사다가 배를 채우다 / 他～吃了几口饭又下地去了; 그는 식사도 하는 둥 마는 둥 하고 또 들에 나갔다.
〔胡捋〕 húluō 동 이곳 저곳 쓰다듬다. ¶浑身上把他一～; 온몸을 샅샅이 검사했다.
〔胡萝卜〕 húluóbo 명 《植》 당근. 홍당무. =〔红萝卜〕
〔胡萝卜素〕 húluóbosù 명 《化》 카로틴. 프로 비타민A. =〔胡萝卜烯〕〔橙chéng黄素〕〔维wéi生素A元〕〔叶yè红素〕
〔胡麻〕 húmá 명 《植》 ① '芝麻' (참깨)의 학명. ②아마. =〔亚麻〕
〔胡麻(子)油〕 húmá(zǐ)yóu 명 ⇨〔亚yà麻(子)油〕
〔胡蔓(草)〕 húmàn(cǎo) 명 ⇨〔钩gōu吻①〕
〔胡朦〕 húméng 동 남을 속이다.
〔胡母〕 Húmǔ 명 복성(複姓)의 하나.
〔胡闹〕 húnào 동 소란을 피우다. 엉터리로〔함부로〕하다. ¶竟是～; 법석만 떨고 있다.
〔胡闹八光〕 húnào bāguāng 분별 없이 떠들어대다.
〔胡念八卦〕 húniàn bāguà 기묘한 뜻모를 이야기를 하다.
〔胡弄〕 húnòng 동 ①눈가림으로 일을 하다. 적당히 얼버무려 넘기다. ②우롱하다. 놀리다. ¶他在～人; 그는 사람을 우롱하고 있다. ③이리저리 변통하여 꾸려 놓다.
〔胡琴(儿)〕 húqín(r)〔húqin(r)〕 명 《樂》 호금. 호궁. =〔〈方〉 呼呼(儿)〕〔〈方〉 碗wǎn琴〕 →〔二èr胡〕〔京jīng胡〕
〔胡吣〕 húqìn 동 〈方〉〈貶〉 엉터리말을 하다. 되는 대로 말하다. ¶别听他～! 그 사람의 시시한 말은 듣지 마라!
〔胡人〕 húrén 명 호인. 옛날, 북방 및 서방의 이민족을 일컫던 말.
〔胡日鬼〕 húrìguǐ 명 〈方〉 엉망진창. 엉터리. ¶有人在后面喊～, ～; 누군가 뒤쪽에서 엉터리다 엉터리다 하면서 소리치고 있다.
〔胡哨〕 húshào 명 ⇨〔忽hū哨〕
〔胡梳〕 húshū 명 수염을 빗는 빗.
〔胡说〕 húshuō 동 터무니없는 말을 하다. 엉터리로 말하다. ¶信口～; 입에서 나오는 대로 터무니없는 말을 마구 내뱉다. 명 터무니없는 소리. 허튼 소리. ‖ =〔胡扯〕〔练liàn贫〕
〔胡说八道〕 hú shuō bā dào 〈成〉 입에서 나오는 대로 지껄이다. 엉터리로 말하다. =〔胡说霸道〕 →〔胡说〕
〔胡说霸道〕 hú shuō bà dào 〈成〉 ⇨〔胡说八道〕
〔胡思乱想〕 hú sī luàn xiǎng 〈成〉 이것저것 쓸데없는〔터무니없는〕 생각을 하다.
〔胡荽〕 húsuī 명 ⇨〔香xiāng菜〕
〔胡孙〕 húsūn 명 ⇨〔猢狲〕
〔胡孙入袋〕 hú sūn rù dài 〈成〉 원숭이가 자루 속에 들어가다(행동의 자유를 잃음). =〔猢狲入袋〕
〔胡孙眼〕 húsūnyǎn 명 《植》 말굽버섯. =〔桑sāng黄〕
〔胡桃〕 hútáo 명 호두. ¶～楸qiū; 《植》 가래나무. =〔核hé桃〕
〔胡桃楸〕 hútáoqiū 명 《植》 가래나무.
〔胡梯〕 hútī 명 ⇨〔楼lóu梯〕
〔胡天胡地〕 hútiān húdì 터무니없다. 이치에 맞지 않다. ¶～的价格; 터무니없는 가격 / ～肆无忌惮; 제멋대로 놀아서 아무에게도 거리낌이 없다. =〔胡天胡帝〕
〔胡天胡帝〕 hútiān húdì ⇨〔胡天胡地〕
〔胡桐〕 hútóng 명 《植》 ①호동. ②⇨〔胡杨〕
〔胡桐泪〕 hútonglèi 명 《藥》 호동루(胡桐淚)의 뿌리(물레나물과의 식물 호동루의 알뿌리. 하제(下劑)로 쓰임).

〔胡同(儿)〕 hútòng(r) 명 좁은 길. 골목. ¶死～; 막다른 골목 / ～口儿; 골목 어귀 / ～里赶驴; 골목 어귀에서 당나귀를 몰다(곧장 나아갈 수밖에 없다). 注 '金鱼胡同'과 같이 고유 명사의 경우는 'jīnyú hútong'이 되며, 'tong'은 경성화(輕聲化)하되, '儿化' 하지 않음. =〔衚衕〕
〔胡图克图〕 hútúkètú 명 ⇨〔呼hū图克图〕
〔胡突〕 hútú 형 ⇨〔糊涂〕
〔胡涂〕 hútu 〈方〉 명 밀가루를 풀어 야채를 넣고 끓인 음식. 형 ⇨〔糊涂hútu〕
〔胡颓子〕 hútuízǐ 명 《植》 보레나무(상록수로 한의학에서는 과실은 지사제(止瀉劑), 뿌리는 지혈제, 잎은 폐결핵과 천식에 씀).
〔胡仙〕 húxiān 명 사람을 홀리거나 괴롭히는 오래 묵은 여우의 화신(化身).
〔胡须〕 húxū 명 수염. ¶～硬; 성내는 모양.
〔胡言〕 húyán 동 터무니없는 말을 하다. 되는대로〔함부로〕 지껄이다. 명 엉터리. 허튼 소리. ¶一派～; 순 엉터리.
〔胡言乱语〕 húyán luànyǔ 허튼 소리(를 지껄이다). 실없는 말(을 하다).
〔胡羊〕 húyáng 명 《動》 〈方〉 면양. =〔绵羊〕
〔胡杨〕 húyáng 명 《植》 버드나무과(科) 백양나무속(屬)의 식물. =〔胡桐②〕
〔胡贼〕 húzéi 명 ⇨〔胡匪〕
〔胡枝子〕 húzhīzi 명 《植》 싸리. =〔萩qiū〕
〔胡志明〕 Húzhìmíng 명 《人》 호지명〔호치민〕(베트남 인민 민주주의 공화국의 전 주석(1890년～1969년)). ¶～市; 《地》 호치민시(Ho Chi Minh 市).
〔胡诌〕 húzhōu 동 입에서 나오는 대로 지껄이다. (시(詩) 따위를) 되는대로 짓다. ¶～了一大堆理由; 과장된 이유를 늘어놓다.
〔胡诌八扯〕 húzhōu bāchě 함부로 말하다.
〔胡子〕 húzi 명 ①수염의 총칭. ¶络腮～; 구레나룻 / 刮～; 수염을 깎다 / ～鲢; 《魚》 메기 / 唱戏的吹～; 성난 모습을 하다. ②〈方〉 비적(匪賊). 마적. ¶～头; 비적의 두목. =〔胡匪〕 ③우두머리. 보스. ④⇨〔老生〕 ⑤〈比〉 시간이 지났음. ¶～工程; 〈俗〉 진척되지 않은〔질질 끄는〕 공사 / ～兵; 노(老)병사.
〔胡子拉碴〕 húzilāchá 형 얼굴에 수염이 텁수룩한 모양.
〔胡子眉毛一把抓〕 hú zi méi máo yī bǎ zhuā 〈成〉 수염도 눈썹도 함께 붙잡다(이것저것 가리지 않고 함께 얼버무리다).
〔胡作非为〕 hú zuò fēi wéi 〈成〉 제멋대로 무도한 행위를 하다. ¶这种～, 是侵略军的特色; 이런 종류의 엉터리 같은 행동이나 무도한 행위는 침략군의 특징이다.
〔胡做〕 húzuò 동 ⇨〔瞎xiā做〕
〔胡做非为〕 hú zuò fēi wéi 〈成〉 터무니없는 짓을 하다. 무지하게 굴다. 못된 짓을 하다. =〔胡作非为〕

湖 hú (호)

명 ①호수. ②(Hú) 《地》 저장 성(浙江省) 후저우(湖州). ③(Hú) 《地》 후난 성(湖南省)과 후베이 성(湖北省).
〔湖笔〕 Húbǐ 명 《地》 저장 성(浙江省) 후저우 시(湖州市)(지금의 우싱 현(吳興縣))에서 나는 모필(毛筆)(안후이 성(安徽省) 후이저우(徽州)산(産)의 먹과 함께 '～徽huī墨'이라 일컬어짐).
〔湖滨〕 húbīn 명 호반(湖畔).
〔湖岔〕 húchà 명 호수의 후미. 포구.
〔湖广〕 Húguǎng 명 《地》 〈簡〉 허베이(湖北) · 허난(湖南)을 이름(원래는 명나라의 성(省) 이름. 원나라 때에는 광둥(廣東) · 광시(廣西)를 포함하여 '～'라고 말했으나 명나라 때에는 광둥(廣東) · 광시(廣西)는 생략되었음).
〔湖海之士〕 húhǎi zhī shì 명 호방하고 기개가 있는 사람. 속이 넓고 서글서글한 사람.
〔湖净场光〕 hú jìng chǎng guāng 〈成〉 수확(收穫)이 끝나고 농가의 일이 끝나다.
〔湖蓝〕 húlán 명 ①《色》 밝은 하늘색. ②〈比〉 호수.
〔湖绿〕 húlǜ 명 《色》 엷은 초록색.
〔湖南连翘〕 húnán liánqiáo 명 《植》 물레나물.
〔湖畔〕 húpàn 명 호숫가. 호반.
〔湖泊〕 húpō 명 호수와 늪의 총칭.
〔湖色〕 húsè 명 《色》 연두색. 엷은 녹색. =〔淡绿色〕
〔湖水〕 húshuǐ 명 ①《色》 밝은 하늘색. ②호숫물.
〔湖丝〕 húsī 명 저장 성(浙江省) 후저우(湖州)에서 나는 생사(生絲).
〔湖田〕 hútián 명 호숫가에 있어 관개에 편리한 무논.
〔湖心亭〕 húxīntíng 명 호수 속에 세운 정자(특히, 항저우(杭州) 시후(西湖)의 '湖心亭'을 일컬음).
〔湖羊〕 húyáng 명 《動》 호양. 장쑤 성(江蘇省) 및 저장 성(浙江省)의 타이후(太湖)에 분포하는 양의 일종.
〔湖泽〕 húzé 명 호소(湖沼). 호수와 늪. =〔湖沼〕
〔湖绉〕 húzhòu 명 저장 성(浙江省) 후저우(湖州) 산의 견직물.

葫 hú (호)

명 《植》 마늘의 고칭(古稱). =〔葫蒜suàn〕〔大蒜〕
〔葫豆〕 húdòu 명 《植》 '扁biǎn豆'(까치콩)의 별칭(서역에서 전해졌기 때문에 이와 같이 이름).
〔葫芦〕 húlu 명 ①호리병박. 조롱박. ¶吹～; 큰 소리로 호통치다. =〔瓠芦〕 ②아편 물부리의 담배통. ③정체를 알 수 없는 것. ¶～案; 미궁(迷宮) 사건. ④구식의 목제 활차(滑車). ‖ =〔壶芦〕
〔葫芦冰〕 húlubīng 명 수빙(樹氷). ¶～的枝条, 向树干周围伸张, 像一座大的宝盖; 수빙(樹氷)의 나뭇가지가 사방으로 뻗어, 마치 큰 삿갓과 같다.
〔葫芦儿〕 húlur ①명 단오절에는 실에 꿰어 옷깃에 달고 단오가 지난 뒤에 버려서 액막이를 하던 버찌나 오리 모양의 조롱박. ②→〔糖táng葫芦儿〕 ③명 양의 위(胃)의 일부분.
〔葫芦头〕 húlutóu 명 번들번들한 머리. 빡빡머리. ¶剃tì成一个光～; 머리를 번들번들하게 밀다.
〔葫芦药〕 húluyào 〈比〉 이유. 꿍꿍이. 속셈. ¶不知葫芦里卖的什么药; 호리병박 속에서 어떤 약을 (꺼내어) 파는지 알 수 없다(무슨 꿍꿍인지 모르겠다).
〔葫蔓藤〕 húmànténg 명 ⇨〔钩gōu吻①〕

猢 hú (호)

표제어 참조.

〔猢狲〕 húsūn 명 《動》 긴꼬리원숭이의 일종(털이 많으며, 중국 북부의 산림에 삶). ¶树倒～散; 나무가 쓰러지면 원숭이는 도망친다(두목이 쓰러지면 그 외의 사람도 흩어져 버린다). =〔胡孙〕〔猕mí猴〕
〔猢狲袋〕 húsūndài 명 ⇨〔颊jiá嗛〕

〔猢狲入袋〕 hú sūn rù dài 〈成〉 ⇨〔胡孙入袋〕
〔猢狲王〕 húsūnwáng 명 〈貶〉 옛날, 서당의 선생을 경멸하여 일컫는 말.

饳(餬) **hú** (호)
① 명 죽. ② 동 입에 풀칠하다. ‖ =〔糊hú⑤〕
〔饳饱〕 húbǎo 동 맛 없는 음식으로 간신히 배를 채우다.
〔饳口〕 húkǒu 동 겨우 생활하다. 입에 풀칠하다. =〔糊口〕〔糊嘴〕

煳 **hú** (호)
동 눋다. 눌리다. ¶饼烙~了; '饼'이 눌었다.
〔煳焦〕 hújiāo 동 눋다. 눌리다.

瑚 **hú** (호)
① →〔瑚琏〕 ② →〔珊shān瑚〕 ③〈比〉 사람의 품격이 높음.
〔瑚琏〕 húlián 명 옛날, 제사 때 곡물을 담는 제기.

鹕(鶘) **hú** (호)
→〔鹈鹕tíhú〕

衚 **hú** (호)
→〔衚衕〕
〔衚衕〕 hútong 명 ⇨〔胡同(儿)〕

糊 **hú** (호)
① 동 (풀로) 붙이다. 바르다. ¶~顶棚; 천장에 종이를 붙이다. ② 동 (끈적끈적) 달라붙다. ③ 동 ⇨〔煳〕 ④ 형 희미하다. 선명치 못하다. 애매하다. ¶模~; 확실〔뚜렷〕하지 않다. ⑤ 명동 ⇨〔饳hú〕 ⇒hū hù
〔糊裱匠〕 húbiǎojiàng 명 표구사(表具師).
〔糊补〕 húbǔ 동 ①어물어물〔적당히〕해서 그 자리를 넘기다. ②수선(修繕)하다.
〔糊窗(户)〕 hú,chuāng(hu) 동 창의 장지를 바르다《구식 중국 가옥에서는 창이 장지로 되었음》.
〔糊倒〕 húdào 동 속이다.
〔糊饭〕 húfàn 명 미음. 죽밥. 풀떼죽. 〈比〉 빈약한 음식.
〔糊糊〕 húhu 〈北方〉 풀떼기《밀가루·수숫가루 등을 섞어서 쑨 풀 같은 음식》. ⇒hūhū
〔糊精〕 hújīng 명 《化》 덱스트린(dextrin).
〔糊口〕 húkǒu 동 입에 풀칠하다. 겨우 생활하다. ¶~四方; 생활 때문에 거처를 옮겨다니다. =〔饳hú口〕
〔糊里糊涂〕 húli hútú 형 어리둥절하다. 흐리멍텅하다. 어리벙벙하다. ¶过~的生活; 어리벙벙한 생활을 하다. =〔胡哩胡涂〕 →〔糊涂tu〕
〔糊料〕 húliào〔hùliào〕 명 풀. 접착제.
〔糊米茶〕 húmǐchá 명 볶은 고량(高粱)을 끓인 차.
〔糊脑子〕 húnǎozi 명 ⇨〔糊涂虫〕
〔糊枪头子〕 hú qiāngtóuzi 총 끝을 피투성이로 만들다. 총살하다.
〔糊墙〕 hú,qiáng 동 벽지(壁紙)를 바르다. ¶~纸; 벽지.
〔糊涂〕 hútu 형 ①어리석다. 멍청하다. 어리벙벙하다. ¶装~; 머저리인 체하다 / 犯~; 멍청이짓을 하다 / ~攮的nǎngde; 〈罵〉 얼간이. 바보. ②〈方〉 모호하다. 애매하다. ¶~观念; ⓐ애매한 생각. ⓑ종잡을 수 없는 생각 / ~文章; 뜻을 알 수 없는 글. =〔模糊〕 ③엉터리이다. 어수선하다. 엉망이다. ¶~账; 엉망이 된 장부〔계산서〕. ‖ =〔胡涂〕〔胡突〕〔鹘突〕
〔糊涂虫〕 hútuchóng 명 〈罵〉 얼간이. 바보. =〔糊脑子〕
〔糊纸〕 húzhǐ 명 오블라토.
〔糊住〕 húzhù 동 ①풀로 (착) 붙이다. ¶~了眼; ⓐ구멍을 풀칠해 막다. ⓑ눈을 속이다. ②찰싹 달라붙다. ③(상대방의 발을) 멈추게 하다.
〔糊嘴〕 hú,zuǐ 동 ⇨〔饳口〕

蝴 **hú** (호)
표제어 참조.
〔蝴蝶〕 húdié〔〈京〉 hùtiě〕 명 《蟲》 나비. =〔胡蝶〕
〔蝴蝶骨〕 húdiégǔ 명 《生》 호접골.
〔蝴蝶花〕 húdiéhuā 명 ①《植》 범부채. =〔萹兰〕 ②'三色堇'(팬지)의 속칭. ‖ =〔胡蝴花〕
〔蝴蝶结〕 húdiéjié 명 ① ⇨〔领lǐng花(儿)〕 ② ⇨〔蝴蝶扣儿①〕
〔蝴蝶结子〕 húdiéjiézi 명 나비넥타이.
〔蝴蝶扣儿〕 húdiékòur 명 ①나비 매듭. =〔蝴蝶结②〕 ②중국식 웃옷의 나비 모양의 단추.
〔蝴蝶门〕 húdiémén 명 쌍바라지 문.
〔蝴蝶琴〕 húdiéqín 명 ⇨〔洋yáng琴①〕
〔蝴蝶瓦〕 húdiéwǎ 명 ⇨〔小xiǎo青瓦〕
〔蝴蝶泳〕 húdiéyǒng 명 《體》 접영(蝶泳). 버터플라이.
〔蝴蝶装〕 húdiézhuāng 명 호접장《옛날 제본의 한 양식으로, 열었을 때 날개를 펼친 나비 모양이 됨》.

醐 **hú** (호)
→〔醍tí醐〕

壶(壺) **hú** (호)
① 명 술그릇. 작은 술병. ② 명 단지. 항아리. ③ 명 주전자. ¶拿把~坐开水; 주전자를 불 위에 올려놓고 물을 끓이다. ④ 양 단지. 주전자. ⑤ 명 성(姓)의 하나.
〔壶把(儿)〕 húbà(r) 명 찻주전자나 포트의 손잡이.
〔壶蜂〕 húfēng ⇨〔胡蜂〕
〔壶盖(儿)〕 húgài(r) 명 포트나 찻주전자의 뚜껑.
〔壶柑〕 húgān 명 《植》 감귤류(柑橘類)의 하나.
〔壶梁儿〕 húliángr 명 포트나 찻주전자의 손잡이.
〔壶芦〕 húlu 명 ⇨〔葫芦〕
〔壶觞〕 húshāng 명 술잔.
〔壶天〕 hútiān 명 소천지(小天地). 별세계(別世界).
〔壶中〕 húzhōng 명 소천지(小天地)의 안. 형 술에 취해 곤드레만드레가 되다. ¶~天; 〈比〉 술에 도취된 근심 없는 별세계. 선경(仙竟) / ~物; 술의 별칭 / 咱们在~吧; 취해 곤드라질 때까지 마십시다.
〔壶状花冠〕 húzhuàng huāguān 명 《植》 병꼴꽃부리. 호상 화관.
〔壶嘴(儿)〕 húzuǐ(r) 명 찻주전자·포트의 아가리.

核 **hú** (핵)
→〔核儿〕
⇒hé
〔核儿〕 húr 명 〈口〉 핵. 씨. ¶梨~; 배씨 / 杏~; 살구씨.

斛 **hú** (곡)
명 ①(옛날의) 한 말(十斗)들이 말. ②(현재의) '五斗'와 같음. ③말로 된 분량. ④성(姓)의 하나.

〔斛斗〕 húdǒu 명 말.
〔斛子〕 húzi 명 말.

槲 **hú** (곡)
명《植》떡갈나무.

〔槲寄生〕 hújìshēng 명《植》겨우살이. =〔冬dōng青①〕
〔槲栎〕 húlì 명《植》갈참나무.

搰 **hú** (골)
〈文〉① 동 파다. ¶狐埋狐～ =〔狐埋之而狐～之〕; 여우는 자기가 묻고 자기가 판다. 〈比〉의심이 많으면 성공하지 못한다. ② 동 흐리게 하다. 혼탁하게 하다. ③ 형 힘을 내는 모양. ④ 동 흐트러뜨리다.

〔搰搰〕 húhú 형 힘을 다하는 모양. ¶～然用力甚多而见功寡; 힘을 다하고는 있으나 효과는 적다.
〔搰搂〕 húlou 동 ⇨〔胡噜〕
〔搰掳〕 húlu 동 ⇨〔胡噜〕
〔搰拥〕 húyōng 동 비틀비틀하다. 뒤뚱뒤뚱하다. ¶那个人胖的～不动; 저 사람은 뚱뚱해서 뒤뚱거리며 잘 움직이지 못한다.

鹘(鶻) **hú** (골)
명《鳥》매. ¶～突 =〔糊涂〕; 어리석다. 흐리멍텅하다. 애매하다《송인어록(宋人語錄)에 상용됨》. =〔隼sǔn〕 ⇒gǔ

鹄(鵠) **hú** (곡)
① 명《鳥》백조. 고니. =〔天鹅〕 ② 동 〈文〉〈比〉곧추서다. 똑바로 서다. ⇒gǔ

〔鹄发〕 húfà 명 백발.
〔鹄候〕 húhòu 동 〈翰〉학수 고대하다. ¶～回音; 회신을 학수 고대하다.
〔鹄立〕 húlì 동 〈文〉똑바로 서다. =〔鹤hè立〕
〔鹄面鸟形〕 húmiàn niǎoxíng 새의 낯과 새의 모습. 〈比〉굶주려 여윈 모습.
〔鹄企〕 húqǐ 동 ⇨〔鹤hè企〕
〔鹄侍〕 húshì 동 곁에 시립(侍立)하다.
〔鹄俟〕 húsì 동 〈翰〉서서 목을 길게 빼고 기다리다. 바라고 기다리다.
〔鹄望〕 húwàng 〈文〉〈翰〉목을 길게 빼고 기다리다. 바라고 기다리다.

縠 **hú** (곡)
명 〈文〉바탕에 잔주름이 있는 비단. =〔绉zhòu纱〕

觳 **hú** (곡)
① →〔觳觫〕 ② 명 고대의 주기(酒器).

〔觳觫〕 húsù 동 〈文〉무서워 떨다. 전율하다.

许(許) **hǔ** (호)
〈擬〉여럿이 힘을 모아 일을 할 때 지르는 소리. ¶伐木～～之声; 나무 자를 때 영차 영차 지르는 소리. ⇒xǔ

浒(滸) **hǔ** (호)
① 명 물가. =〔水浒〕 ②지명용 자(字). ¶～湾Hǔwān; 후완(滸灣)《허난 성(河南省)에 있는 땅 이름》. ⇒xǔ

虎 **hǔ** (호)
① 명《動》호랑이. ¶与～谋皮; 호랑이하고 가죽 의논을 하다《무모한 짓》. =〔老虎〕 ② 형 〈比〉용맹하다. 사납다. ¶狼吞～咽; 〈成〉이리나 범처럼 허겁지겁 먹다 / ～～有生气; 아주 용맹하고 생기 발랄하다. ③ 동 〈方〉무시무시한 몰골〔얼굴〕을 하다. ¶～起脸; 흉악한 얼굴을 하다. ④(～子) 명 어떤 것을 특히 좋아하는 사람. ¶菜～子; 요리를 좋아하는 사람 / 书～; 책을 좋아하는 사람. ⑤ 동 ⇨〔唬〕 ⑥ 명 성(姓)의 하나. ⇒hù

〔虎拜〕 hǔbài 동 〈文〉신하가 임금을 배알하다.
〔虎板〕 hǔbǎn 동 (불만·불신으로 얼굴을) 불룩하게 하다. ¶～着脸说; 뿌루퉁한 표정으로 말하다.
〔虎榜〕 hǔbǎng 명 옛날, 무과(武科)에 급제한 자의 성명을 발표하는 방(榜).
〔虎饱〕 hǔbǎo 동 호랑이처럼 탐하여 사복(私腹)을 채우다.
〔虎背熊腰〕 hǔ bèi xióng yāo 〈成〉①범의 등과 곰의 허리《튼튼한 체격》. ②일을 함에 있어 다부지다.
〔虎贲〕 hǔbēn 명 〈文〉용사(勇士).
〔虎变〕 hǔbiàn 동 (범가죽 무늬처럼) 날로 좋게 변하다〔새로워지다〕.
〔虎彪彪(的)〕 hǔbiāobiāo(de) 형 (젊은이가) 위풍당당하다. ¶～的青年战士; 위풍당당한 젊은 병사.
〔虎步〕 hǔbù 명 〈文〉①범의 걸음. ②〈比〉위풍이 있고 당당한 거동.
〔虎伥〕 hǔchāng 명 맹호(猛虎)를 인도하여 사람을 잡아먹게 하는 상상의 괴물. 〈比〉못된 일을 돕는 인간. 악인의 앞잡이. ¶为wèi虎作伥; 〈成〉악인의 앞잡이가 되어 못된 짓을 하다.
〔虎刺〕 hǔcì 명 ⇨〔伏fú牛花〕
〔虎豆〕 hǔdòu 명《植》여두. =〔黎lí豆〕
〔虎毒不吃子〕 hǔ dú bù chī zǐ 〈成〉호랑이는 잔인하지만, 제 새끼는 잡아먹지 않는다.
〔虎蹲炮〕 hǔdūnpào 명 ⇨〔臼jiù炮〕
〔虎而冠〕 hǔ'érguàn 범이 사람의 관을 쓰고 있다. 〈比〉매우 잔인한 사람.
〔虎耳草〕 hǔ'ěrcǎo 명《植》범의귀. 호이초. =〔石shí荷叶〕
〔虎伏〕 hǔfú 명 〈音〉후프(hoop). =〔滚轮〕
〔虎符〕 hǔfú 명 호부《전국(戰國) 시대의 호형(虎形)의 동인(銅印)》.
〔虎父无犬子〕 hǔfù wú quǎnzǐ 호랑이 아비에게 개의 새끼는 없다《용장(勇將) 밑에 약졸(弱卒) 없다》.
〔虎负嵎〕 hǔfùyú 범이 산모퉁이를 등지고 서다. 〈比〉용장(勇將)이 한 지방에 할거(割據)하다.
〔虎骨酒〕 hǔgǔjiǔ 명 호랑이의 정강이뼈로 담근 약주(藥酒).
〔虎虎〕 hǔhǔ 형 ①생기가 넘치는 모양. 원기가 있는 모양. ②(표정 따위가) 엄한 모양.
〔虎花伯劳〕 hǔhuābóláo 명 ⇨〔虎鵙〕
〔虎将〕 hǔjiàng 명 용장(勇將).
〔虎劲儿〕 hǔjìnr 명 무서운 힘. 굉장한 힘. 뚝심. 용맹한 기세.
〔虎鵙〕 hǔjú〔hùjú〕 명《鳥》칡때까치. =〔虎花伯劳〕
〔虎踞龙蟠〕 hǔ jù lóng pán 〈成〉지세(地勢)가 험한 모양. =〔虎踞龙盘〕
〔虎圈〕 hǔjuàn 명 호랑이 우리.
〔虎啃虎〕 hǔ kěn hǔ ①강한 자끼리 만나 싸우다《양호 상투(兩虎相鬪)》. ②어느 쪽도 양보하지 않음. 양쪽이 한 발도 뒤로 물러서지 않음.
〔虎口〕 hǔkǒu 명 ①범의 아가리. 〈比〉매우 위험한 곳. ¶出了～; 위험한 데서 도망치다 / ～里探头; 범의 아가리를 들여다보다《위험한 짓을 함》. ②엄지손가락과 인지(人指) 사이의 부분. 손아귀. ③(바둑에서) 호구《상대편 바둑돌 3점이 이미 싸고 있는 그 속》.

〔虎口拔牙〕 hǔ kǒu bá yá 〈成〉 범의 아가리에서 이를 뽑다(대단히 위험한 모험을 일컬음). =〔龙lóng嘴掏珠〕
〔虎口逃生〕 hǔkǒu táoshēng 〈比〉 범의 아가리에서 도망치다.
〔虎口余生〕 hǔkǒu yúshēng 〈比〉 구사 일생으로 목숨을 건지다(큰 어려움을 겪으면서 살아남다).
〔虎拉车〕 hǔlāchē 명 ⇨〔伏fú苹果〕
〔虎辣人〕 hǔlàrén 명 (언동이) 촌스럽고 천한 사람. 난폭한 사람.
〔虎狼〕 hǔláng 명 ①호랑이와 이리. ②〈比〉 잔혹하고 욕심 많은 사람. 잔인한 사람.
〔虎狼世界〕 hǔláng shìjiè 〈比〉 잔혹한 세상. 무서운 세상. ¶咳! 真是~呀, 一个人活在世界上不容易着呢; 아! 참으로 무서운 세상이구나. 사람이 이 세상을 살아가는 것이 쉽지 않구나.
〔虎狼之国〕 hǔláng zhī guó 〈比〉 범이나 이리처럼 욕심 많고 포악한 나라. 침략적인 국가.
〔虎列拉〕 hǔlièlā 명 《醫》〈音〉 콜레라(cholera). =〔虎列剌〕〔虎力拉〕〔霍乱〕
〔虎灵灵(的)〕 hǔlínglíng(de) 형 생기가 있는 모양. 기운차고 민첩한 모양.
〔虎落平阳被犬欺〕 hǔ luò píngyáng bèi quǎn qī 〈諺〉 권세나 능력 있는 사람도 한번 그 지위를 잃으면 남들에게 업신여김을 당한다.
〔虎麻〕 hǔmá 명 《漢醫》 고삼(苦參)(콩과에 속하는 다년초).
〔虎门〕 hǔmén 명 ①궁전(宮殿)의 가장 안쪽에 있는 문. ②(Hǔmén) 《地》 후먼(虎門)(광둥 성(廣東省) 주장(珠江) 하구(河口)에 있는 땅 이름). ¶~条约; 《史》 1843년 아편 전쟁 후 영국과 체결한 불평등 조약.
〔虎皮〕 hǔpí 명 ①호피. 범의 가죽. ②〈比〉 남을 위협하거나 속이는 도구. ③〈比〉 흉악한 겉모습.
〔虎皮冻〕 hǔpídòng 명 돼지의 피육(皮肉)을 조린 국물이 엉겨 굳어진 것.
〔虎皮豆儿〕 hǔpídòur 명 ①《植》 여두. ②땅콩의 일종(땅콩에 달고 매콤한 껍질을 입힌 과자. 빛깔이 범 가죽을 닮은 데서 이 이름이 붙음). =〔天tiān津豆〕〔甜tián咸豆〕 ③《蟲》 범 가죽 비슷한 색깔의 벌레.
〔虎皮宣(纸)〕 hǔpíxuān(zhǐ) 명 범 가죽 무늬의 선지(宣紙).
〔虎魄〕 hǔpò 명 ⇨〔琥珀〕
〔虎起脸〕 hǔqǐliǎn 〈方〉 흉악한 얼굴을 하고 있다.
〔虎钳〕 hǔqián 명 《機》 바이스(vise)(재료를 끼워서 고정시키는 공구(工具)). =〔虎头钳〕〔老虎钳(子)②〕〔抬tái批士钳〕
〔虎鲨〕 hǔshā 명 《魚》 괭이상어(과(科)의 총칭).
〔虎士〕 hǔshì 명 용사(勇士).
〔虎式子〕 hǔshìzi 명 거칠고 사나운 모양. ¶看到他俩的~总有些不放心; 그 두 사람의 으르렁거리는 꼴을 보고 있자니 좀 불안하다.
〔虎视眈眈〕 hǔ shì dān dān 〈成〉 호시탐탐. 범처럼 강포한 눈초리로 틈만 엿보이면 덤벼들려고 노려보고 있는 모양.
〔虎势〕 hǔshi 형 〈方〉 ①뚱뚱해서 풍채가 좋다. ¶肥头大耳的, 看着真~; 뚱뚱하게 살이 쪄서, 매우 풍채가 좋다. ②위세(威勢)가 좋다. 늠름〔건장〕하다. ¶那小伙子很~; 저 젊은이는 아주 위세가 좋다. ③ 매우 거칠다.
〔虎跳〕 hǔtiào 명 배우가 하는 신체 단련의 하나(공중제비).
〔虎头〕 hǔtóu 명 ①호랑이의 머리. ¶~蛇尾 =〔龙lóng头蛇尾〕; 〈成〉 용두사미 / ~捉虱zhuōshī; 〈成〉 호랑이 머리의 이를 잡다(매우 위험한 일을 함). ②귀인(貴人)의 상(相). ③괭이의 하나.
〔虎头虎脑〕 hǔ tóu hǔ nǎo 〈成〉 보기에 늠름한 모양. 생기가 넘쳐 있는 모양.
〔虎头兰〕 hǔtóulán 명 ⇨〔碧bì玉兰〕
〔虎头拍〕 hǔtóupāi 동 위협하여 따르게 하다.
〔虎头牌〕 hǔtóupái 명 옛날, 관청 문 앞에 두어 출입 금지를 표시했던 범 머리 모양의 팻말.
〔虎头钳〕 hǔtóuqián 명 ⇨〔虎钳〕
〔虎头鞋〕 hǔtóuxié 명 남자 아이가 신는 호랑이 머리 모양의 장식을 붙인 신발.
〔虎头燕颔〕 hǔ tóu yàn hàn 〈成〉 고귀한 상(相).
〔虎威〕 hǔwēi 명 범 같은 위엄. 당당한 위풍. ¶~狐假 =〔狐hú假~〕; 〈成〉 호랑이의 위세를 빌리는 여우(남의 권세를 빌려 뽐내다). 형 사납다. 용맹스럽다.
〔虎尾草〕 hǔwěicǎo 명 《植》 나도바랑이(벼과(科)의 잡초).
〔虎尾春冰〕 hǔ wěi chūn bīng 〈成〉 매우 위험한 상태〔짓〕.
〔虎纹伯劳〕 hǔwénbóláo 명 《鳥》 칡때까치.
〔虎纹蛙〕 hǔwénwā 명 《動》 범 무늬의 개구리.
〔虎啸〕 hǔxiào 〈文〉 동 ①(동물이) 으르렁대다. ②(바람이) 세차게 소리를 내다. ③(사람이) 노호하다.
〔虎须〕 hǔxū 명 ①범의 수염. ¶直捋luō~; 범의 수염을 잡아챌 만큼 나아가 어려움에 부딪치다 / 不敢捋~; 모험을 감히 하지 못하다. ②《植》 사삼. ③'灯dēng心草'의 별칭.
〔虎穴〕 hǔxué 명 범의 굴. 〈比〉 범의 굴처럼 위험한 곳. ¶不入~, 不得虎子 =〔不入~, 焉得虎子〕; 〈比〉 위험을 무릅쓰지 않으면 큰 이익을 얻을 수 없다.
〔虎穴龙潭〕 hǔ xué lóng tán 〈成〉 호랑이 굴과 용이 사는 깊은 못(가장 위험한 곳).
〔虎牙〕 hǔyá 명 ①덧니. ②송곳니. ③(Hǔyá) 《地》 후베이 성(湖北省) 이창 현(宜昌縣) 동남쪽에 있는 산 이름.
〔虎疫〕 hǔyì 명 《醫》 콜레라. 호열자. =〔虎列拉〕〔霍乱〕
〔虎翼〕 hǔyì 형 ①호랑이가 날개를 단 듯하다(난폭자를 더욱 난폭하게 만듦). ②매우 잔인〔난폭〕하다. ¶~吏; 잔인한 관리.
〔虎鱼〕 hǔyú 명 《魚》 쑤기미. =〔螣téng〕
〔虎掌〕 hǔzhǎng 명 ⇨〔天tiān南星〕
〔虎帐〕 hǔzhàng 명 옛날, 범을 그린 장막(장수가 있는 막사).
〔虎杖〕 hǔzhàng 명 《植》 호장. 감제풀.
〔虎爪〕 hǔzhǎo 명 ①호랑이 발톱. ②〈轉〉 독아(毒牙).
〔虎着心儿〕 hǔzhexīnr ①배짱을 든든히 하고 (있다). ②양심을 내팽개치고 (있다).
〔虎鸷〕 hǔzhì 명 ①범과 맹금(猛禽). ②〈比〉 용맹한 장병(將兵).
〔虎子〕 hǔzǐ 명 ①호랑이 새끼. ②요강. ③→〔字解④〕
〔虎字头(儿)〕 hǔzìtóu(r) 명 범호밑(한자 부수의 하나. '處·虔' 등의 '虍'의 이름).

唬 hǔ (효)
동 〈口〉 (허세를 부리거나 일을 과대(誇大)하여) 위협하다. 속이다. 놀라게 하다. ¶你别~人了! 사람 그만 놀라게 해라! / 叫他给~

住了; 그에게 위협당하고 말았다. =〔虎⑤〕 ⇒ xià
〔唬虎〕 hǔhǔ 명 ⇨〔哮xiào虎〕
〔唬弄〕 hǔnòng 동 놀래다.
〔唬事〕 hǔshì 동 허세를 부려 남을 위협하다.
〔唬吓〕 hǔxià 동 깜짝 놀라다. =〔吓唬〕

琥 hǔ (호)
①명 호랑이 형태로 갈아 만든 옥기(玉器). ②→〔琥珀〕
〔琥粉〕 hǔfěn 명 호박분(粉).
〔琥珀〕 hǔpò 명《鑛》호박. =〔虎魄〕
〔琥珀树胶〕 hǔpò shùjiāo 명 앰버(amber) 고무. 호박 고무.
〔琥酸〕 hǔsuān 명 호박산(酸).

互 hù (호)
부 서로. 번갈아. ¶相~; 상호. 서로/交~; 번갈아가며/~不退让; 서로 양보하지 않다.
〔互保〕 hùbǎo 동 상호 보증하다. ¶~公司; 상호 보험 회사.
〔互不干涉〕 hù bù gānshè 상호 불간섭. ¶主张平等互利和~内政; 호혜(互惠) 평등과 상호 내정 불간섭을 주장하다.
〔互不侵犯条约〕 hùbùqīnfàn tiáoyuē 명 상호 불가침 조약.
〔互不相干〕 hù bù xiānggān 서로 관계를 갖지 않다. 서로 관계가 없다. ¶这两件事~, 不要扯在一块儿; 이 두 일은 서로 관계가 없으니, 한데 뒤섞어서는 안 된다.
〔互导〕 hùdǎo 명《電》상호 컨덕턴스(conductance).
〔互定〕 hùdìng 동 서로 정하다.
〔互感〕 hùgǎn 명《物》상호 유도(相互誘導). ¶~器;《電》상호 유도기. =〔互感应〕
〔互感应〕 hùgǎnyìng 명 ⇨〔互感〕.
〔互…互…〕 hù…hù… 서로 …하고 서로 …하다. ¶互教互学; 서로 가르치고 서로 배우다/互谅互让; 서로 이해하고 서로 양보하다/互勉互助; 서로 격려하고 돕다.
〔互换〕 hùhuàn 동 교환하다. ¶~约章; 계약서를 교환하다.
〔互换性〕 hùhuànxìng 명《工》호환성.
〔互惠〕 hùhuì 명 호혜. ¶~条约; 호혜 조약/~主义; 호혜주의/~关税; 호혜 관세. 동 서로 특별한 편의와 이익을 주고받다.
〔互济〕 hùjì 동 호조(互助)하다. 서로 돕다.
〔互见〕 hùjiàn 동 ①서로 만나다. ②서로 나타나다.
〔互教法〕 hùjiàofǎ 명 우등생을 교사의 입장에 세우고, 교원은 그를 지도 감독하는 지위에 서는 교학법.
〔互结〕 hùjié 명 관공서에 내는 두 사람 이상(또는 점포(店舖) 두 채)의 상호 보증의 보증서.
〔互利〕 hùlì 명 호혜. 동 서로 이득을 보다. ¶~互助; 서로 이득을 보고 서로 돕다.
〔互派〕 hùpài 동 서로 파견하다. ¶~大使; 서로 대사를 파견하다.
〔互让〕 hùràng 동 서로 양보하다. ¶互助~; 서로 돕고 양보하다.
〔互商〕 hùshāng 동 서로 상담〔의논〕하다.
〔互生〕 hùshēng 명《植》호생. 어긋나기.
〔互市〕 hùshì 동 외국과 통상하다. =〔交jiāo市〕
〔互通情报〕 hùtōng qíngbào 서로 정보를 교환하다.
〔互通有无〕 hù tōng yǒu wú〈成〉유무 상통하다. ¶进行经济合作的时候所执行的政策, 首先是~; 경제 합작을 진행시킬 때 행하여야 할 정책은 우선 유무 상통하는 것이다. =〔交换有无〕
〔互推〕 hùtuī 동 서로 추천하다.
〔互为因果〕 hù wéi yīnguǒ 서로 인과 관계가 되다.
〔互相〕 hùxiāng 부 서로. 상호. ¶~来往; 서로 내왕하다/~仇视; 서로 적대시하다/~呼应; 서로 호응하다/~帮助; 서로 돕다/~配合; 서로 협력하다.
〔互相搭配〕 hùxiāng dāpèi 팔리지 않는 물건을 잘 팔리는 물건에 끼워서 팔다. ¶他们要两者~才肯出售; 그들은 끼워팔기가 아니면 팔지 않으려고 한다.
〔互选〕 hùxuǎn 동 호선하다.
〔互议〕 hùyì 동 서로 상의하다.
〔互诱〕 hùyòu 동 서로 권유하다.
〔互中〕 hùzhòng 명《體》(펜싱 등의) 쌍방이 동시에 상대방을 침.
〔互助〕 hùzhù 동 서로 돕다. (Hùzhù) 명《地》칭하이 성(青海省)에 있는 현(縣) 이름.
〔互助组〕 hùzhùzǔ 명 ①〈簡〉'农业生产~'·'畜牧业生产~'의 약칭《농업 합작화의 초기 단계로 수호(數戶) 또는 10 수호의 농가가 자원호리(自願互利)·등가(等價) 교환의 원칙에서 공동 작업을 행하는 것》. ②일이나 학습에서 서로 돕는 그룹이나 반(班). =〔互助班〕〔互助小组〕

冱〈沍〉 hù (호)
동〈文〉①얼다. ¶~寒hán; 매우 춥다. ②막다.

枑 hù (호)
→〔梐bì枑〕

户 hù (호)
①명 문《한 짝으로 된 문을 '户', 두 짝의 문을 '门'이라 함》. ¶路不拾遗, 夜不闭~;〈比〉세상이 태평하다. ②명양 집. 가정. 세대. 가구. ¶挨~通知; 집집마다 알리다/落~; 정주(定住)하다. 거처를 정하다/那里有几~人家? 그곳에는 몇 집이 있습니까?/全村三十~; 마을 전체에 30호 있다. ③접미 수요자·예약 구매자 등을 표시. ¶买~; 사는 사람/用~; 사용자. ④명 집안. 가문(家門). 문벌. ¶小~人家(儿); 빈한(貧寒)한 집안/吃大~; (옛날, 기근이나 전란으로 식량이 부족하였을 때 난민들이) 부잣집을 털어먹다/门当~对;〈成〉(결혼할 남녀의) 집안이 잘 어울리다. ⑤명 계좌(計座). 구좌. ¶存~; 예금자/开个~; 계좌를 개설(開設)하다/过~; 명의개서(名義改書)(를 하다). 대체(對替)하다. ⑥접미 어떤 종류의 직업을 나타내는 말. ¶船~; 뱃사공/猎liè~; 사냥꾼/佃diàn~; 소작인/铺~; 상가(商家). ⑦명 성(姓)의 하나.
〔户部〕 Hùbù 명 호부《청조(清朝) 때의 '육부(六部)'의 하나로, 오늘날의 재무부에 해당함》.
〔户对〕 hùduì 가문이 비등하다. 가문이 걸맞다. ¶门当~; 쌍방의 가문이 비슷하다《결혼할 때 쓰이는 말》.
〔户籍〕 hùjí 명 호적. ¶~法; 호적법.
〔户口〕 hùkǒu 명 ①호수와 인구. 호구. ¶~登记; 주민 등록. ②호적. ¶编入~; 호적에 넣다/掉销~; 호적을 말소하다/~迁移证; 호적 이동 증명서/报~; ⓐ(결혼·출생 등으로 새로) 입적하

다. ⓑ친척 · 친구 등이 기숙(寄宿)하는 것을 보고하다. ⓒ(이사하고) 이전을 신고하다.
〔户口本〕 hùkǒuběn 명 ⇨〔户口册〕
〔户口簿〕 hùkǒubù 명 ⇨〔户口册〕
〔户口册〕 hùkǒucè 명 호적부(戶籍簿). =〔户口本〕〔户口簿〕〔版bǎn籍②〕
〔户名〕 hùmíng 명 ①은행의 계좌(計座). =〔户头③〕 ②계좌에 쓰이는 명의(名義). ③호주 이름.
〔户枢〕 hùshū 명 문지도리. 〈轉〉(사물의) 받침. 바탕.
〔户枢不蠹〕 hù shū bù dù 〈成〉 문지도리는 벌레먹지 않는다(흐르는 물은 썩지 않음).
〔户税〕 hùshuì 명 (옛날의) 호구세.
〔户说〕 hùshuō 동 〈文〉 집집마다 고(告)하다.
〔户庭〕 hùtíng 명 〈文〉 집의 마당. 안마당.
〔户头〕 hùtóu 명 ①(호수(戶數)로서의) 집. ②일가(一家). 가정. ¶立了～; 일가를 이루다. ③계좌(計座). 거래선(去來先). ¶开～; 계좌를 개설(開設)하다. =〔户名①〕 ④호주. 가장. ⑤후원자. 스폰서(돈을 대주는 사람).
〔户限〕 hùxiàn 명 〈文〉 문지방. ¶～为穿; 〈成〉 문지방이 닳도록 내객(來客)이 많음.
〔户养〕 hùyǎng 동 개인이나 집에서 사육(飼育)하다. ¶～羊; 개인이 사육하는 양.
〔户钥〕 hùyào 명 문 따위의 자물쇠.
〔户牖〕 hùyǒu 명 〈文〉 문과 창.
〔户喻〕 hùyù 동 집집에 고(告)하다.
〔户长〕 hùzhǎng 명 ⇨〔户主〕
〔户主〕 hùzhǔ 명 가장(家長). 호주. 세대주. =〔户长〕

沪(滬)

Hù (호)
명 ①《地》 쑹장 강(松江)의 하류, 즉 황푸 강(黃浦江)을 말함. ②《地》 상하이(上海)의 별칭. ¶抵～; 상하이(上海)에 도착하다 / ～杭铁路; 상하이 · 항저우(杭州) 간의 철도 / ～宁铁路; 상하이 · 난징(南京) 간의 철도. ③(hù)(물고기를 잡는) 통발.
〔沪渎〕 Hùdú 명 《地》 후두(滬瀆)(쑹장 강(松江)의 하류에 있는 강 이름).
〔沪杭〕 Hùháng 명 상하이(上海)와 항저우(杭州). ¶～铁路; 상하이(上海) · 항저우(杭州) 간의 철도.
〔沪江〕 Hùjiāng 명 《地》 상하이(上海)의 별칭.
〔沪剧〕 hùjù 명 호극(원래 '申shēn曲'라고 했음. 상하이(上海) · 쑤저우(蘇州) · 우시(無錫) · 자싱(嘉興) · 난징(南京) 등에서 유행함. 처음 장난(江南)의 농촌 산가(山歌)로부터 발전하였으며, 그 후 다른 극의 영향을 받아 형성되었음).
〔沪宁〕 Hùníng 명 《地》 상하이(上海)와 난징(南京). ¶～铁路; 상하이(上海) · 난징(南京) 간의 철도.
〔沪上〕 Hùshàng 명 《地》 상하이(上海)의 별칭.

护(護)

hù (호)
① 동 보호하다. 지키다. 수호하다. ② 동 돕다. ③ 동 통할하다. ④ 동 따라다니며 경계하다. 호위하다. ⑤ 동 감싸주다. 비호하다. ¶你怎么这样～着他; 너는 어째서 이렇게 그를 감싸느냐. ⑥ 명 성(姓)의 하나.
〔护岸〕 hù'àn 명 호안용 제방. 동 안벽(岸壁)을 보강하다. ¶～林; 호안 보안림(護岸保安林).
〔护板〕 hùbǎn 명 ①창의 외부를 덮는 판자문. ②《機》 보호판. 프로텍터.
〔护板手〕 hùbǎnshǒu 명 총기 방아쇠의 안전 장치.
〔护本〕 hùběn 명 회사 · 은행 등에서 업무 확장을 위해 보통의 자본 이외에 자본주가 출자하는 자본.
〔护庇〕 hùbì〔hùbi〕 동 ①감싸주다. (감싸서) 편애하다. ¶你和她好, 你就～她; 너는 그녀와 사이가 좋으니까, 그녀를 감싸주는 것이다. =〔偏piān护〕〔袒tǎn护〕 ②가리다. 감추다.
〔护壁〕 hùbì 명 ⇨〔墙qiáng裙〕
〔护兵〕 hùbīng 명 (옛날) 호위병.
〔护城河〕 hùchénghé 명 ①성벽 밖의 해자. ②베이징(北京) 쯔진청(紫金城)의 해자.
〔护持〕 hùchí 동 지키고 보존하다. 보호하고 유지하다. 명 신불의 가호.
〔护单〕 hùdān 명 이불잇. =〔被单儿〕〔被套儿〕
〔护堤〕 hùdī 동 제방을 보강〔보호〕하다.
〔护犊子〕 hù dúzi ①자식을 지나치게 사랑하다. ¶没知识的妇女少有不～的; 무식한 여자치고 자식을 지나치게 사랑하지 않는 사람이 드물다. ②잘못을 비호하다.
〔护短〕 hù.duǎn 동 과실〔단점〕을 감싸다. =〔庇bì短〕〔自护己短〕
〔护队〕 hùduì 명 《軍》 행군 중의 경계 부대.
〔护耳〕 hù ěr 명 (방한용의) 귀덮개.
〔护法〕 hùfǎ 동 ①《佛》 불법(佛法)을 옹호하다. ②국법을 옹호하다. 명 ①《佛》 불교 옹호자. ②〈轉〉 사찰(寺刹) 등에 희사하는 사람.
〔护发〕 hùfà 동 모발을 보호하다. ¶～素; 린스(rinse).
〔护封〕 hùfēng 동 편지의 봉함을 하다. 명 책의 커버(cover).
〔护符〕 hùfú 명 ①부적. 호부. ②〈轉〉 믿을 수 있는 사람 또는 물건. ‖ =〔护身符〕
〔护航〕 hùháng 동 함대(艦隊)로 상선(商船)을 보호하거나 상선을 무장하여 적의 습격에 대비하다.
〔护解〕 hùjiè 동 호송(護送)하다.
〔护具〕 hùjù 명 《體》 (아이스하키 등의) 프로텍터(protector).
〔护腊草〕 hùlacǎo 명 ⇨〔乌wù拉草〕
〔护栏〕 hùlán 명 가드레일(guardrail).
〔护理〕 hùlǐ 동 ①(환자의) 시중을 들다. 간호하다. ¶废寝忘食地～; 침식을 잊고 간호하다. ②상급자가 하는 일을 아랫사람이 대행(代行)하다. ③돌보다. 보호 관리하다. ¶精心～小麦越冬; 밀이 월동하는 것을 정성껏 돌보다. 명 (환자를) 시중드는 사람. 간호인. 간병인.
〔护林〕 hùlín 명 방화림(防火林). 방풍림. 동 산림을 보호하다.
〔护领〕 hùlǐng 명 목도리.
〔护路〕 hùlù 동 ①철도를 수비하다. ¶～队; 철도수비대. ②도로를 (보수 등을 하여) 유지하다.
〔护路林〕 hùlùlín 명 가로수.
〔护面〕 hùmiàn 명 《體》 (야구 · 펜싱 등의) 마스크.
〔护目镜〕 hùmùjìng 명 보안경.
〔护坡〕 hùpō 명 (하천 · 도로 등의) 제방. 축대.
〔护前〕 hùqián 동 이전(以前)의 과실을 비호하다〔감추다〕.
〔护侨〕 hùqiáo 동 외지(外地)〔해외〕 거류민을 보호하다. ¶派出海军陆战队去～; 해병대를 파견하여 거류민을 보호하다.
〔护青〕 hùqīng 동 ①파란 풀을 보호하다. ②덜 익은 농작물을 보호하다.
〔护日〕 hùrì 동 해를 건지다(옛날, 일식(日食) 때에 북 · 징을 울리고 태양의 병(일식)이 빨리 나으라고 기원하던 의식).

〔护丧〕 hùsāng 명 호상(護喪). 동 상주를 도와 장례를 주관하다.
〔护捎〕 hùshāo 동 몹시 인색하게 굴다. 다랍게 굴다.
〔护身〕 hùshēn 동 몸을 지키다〔보호하다〕. ¶～法宝; 몸을 지키는 효과적인 방법.
〔护身符〕 hùshēnfú 명 ⇨〔护符〕
〔护生草〕 hùshēngcǎo 명 ⇨〔荠jì菜〕
〔护师〕 hùshī 명 고급 간호사(근속 연수가 오래고, 능력 있는 '护士'로 인정된 자).
〔护士〕 hùshì〔hùshi〕 명 간호사. ¶女～; 여자 간호사 / ～节; 5월 10일의 만국 적십자 기념일.
〔护手〕 hùshǒu 명 (도검(刀劍)의) 날밑.
〔护守〕 hùshǒu 명동 수호(하다).
〔护书〕 hùshū 명 종이 끼우개. 책 끼우개. 홀더(holder).
〔护霜〕 hùshuāng 동 서리로부터 보호하다. (초목이) 서리에 맞지 않도록 짚을 덮어 보호하다.
〔护送〕 hùsòng 명동 호송(하다). ¶～伤员去后方医院; 부상자를 후방의 병원으로 호송하다 / ～救灾物资; 구제(救災) 물자를 호송하다.
〔护疼〕 hùténg 동 아픔을 두려워하다. ¶～治不了伤, 还是忍忍让大夫动手术吧; 아픈 것을 두려워하면 상처는 치료할 수 없으니까, 역시 참고 의사에게 수술을 받아라.
〔护田林〕 hùtiánlín 명 경지 보호림(밭을 바람이나 모래 따위 자연 재해로부터 보호하는 수풀).
〔护秃〕 hùtū 동 ①대머리를 감추다. ②〈比〉 자기의 과실을 감추다.
〔护腿〕 hùtuǐ 명 《體》 ①(축구에서) 정강이 싸개(보호 기구). 경갑(脛甲). ②(야구·아이스하키 등의) 레그 가드(leg guard).
〔护袜〕 hùwà 명 신 등을 덮는 천(요리사나 더러운 일을 하는 사람이 사용).
〔护卫〕 hùwèi 《軍》 동 지키다. 호위하다. ¶～舰; 호위함(護衛艦). 명 ①호위병. ②옛날, 보디가드.
〔护膝〕 hùxī 명 《體》 무릎 보호대(保護帶). 서포터(supporter). ¶戴～; 무릎 보호대를 하다.
〔护胸〕 hùxiōng 명 ①배두렁이. ②《體》 프로텍터(protector).
〔护养〕 hùyǎng 동 ①가꾸다. 기르다. ¶～秧苗; 모종을 재배하다 / ～仔猪; 돼지새끼를 사육하다. ②보수(補修)하다. 손질하다. ¶～公路; 도로의 보수를 하다.
〔护勇〕 hùyǒng 명 호위병.
〔护祐〕 hùyòu 명동 가호(加護)(하다).
〔护月〕 hùyuè 동 옛날, 월식(月蝕) 때 북이나 징을 두드려 달의 병(월식)이 빨리 낫게 해 달라고 기원하다.
〔护掌〕 hùzhǎng 명 《體》 (철봉 따위에서 사용하는) 프로텍터(protector). 보호구.
〔护照〕 hùzhào 명 ①여권(旅券). ¶办～手续; 여권 수속을 밟다. ②(옛날, 여객이나 화물 운송상의) 보호 증명서. 통행증. ¶出洋～; 해외 도항(渡航) 통행증 / 行李～; 수화물 증명서 / 行运～; 운송 증명서.
〔护罩〕 hùzhào 명 《機》 보호 덮개. ¶铁tiě丝网～; 철조망 보호 덮개.
〔护住〕 hùzhù 동 ①감싸다. ②중히 여기다.

戽 hù (호)

① 동 수차로 논에 물을 퍼올리다. ¶把塘里的水～到田垄里; 연못의 물을 퍼서 밭고랑에 대다. ② 명 용두레(관개용(灌漑用) 양수기). ¶用～打水; 용두레로 물을 퍼올리다.
〔戽斗〕 hùdǒu 명 용두레. =〔戽桶〕〔水戽〕
〔戽水〕 hù.shuǐ 동 '戽斗'로 논에 물을 대다. ¶～灌田; 물을 퍼서 밭에 대다. (hùshuǐ) 명 《機》 스쿠프(scoop).
〔戽水机〕 hùshuǐjī 명 양수용 수차(揚水用水車).
〔戽桶〕 hùtǒng 명 ⇨〔戽斗〕

扈 hù (호)

① 명 〈文〉 종자(從者). 수행원. ② 동 뒤에 따르다. 수행하다. ③ 동 (사람을) 부리다. ④ 동 횡행(橫行)하다. 멋대로 굴다. ⑤ 명 성(姓)의 하나.
〔扈跸〕 hùbì 동 ⇨〔扈驾〕
〔扈从〕 hùcóng 〈文〉 명 옛날, 임금의 순행(巡幸) 때에 수종(隨從)하던 사람. 동 수행하다.
〔扈驾〕 hùjià 동 옛날, 임금의 거가(車駕)를 호종(扈從)하다. =〔扈跸〕〔扈辇〕
〔扈伦〕 Hùlún 명 랴오닝 성(遼寧省) 동북쪽에 있었던 옛날 나라 이름.
〔扈辇〕 hùniǎn 동 옛날, 임금의 어가(御駕)를 모시고 따르다. =〔扈驾〕〔扈跸〕

怙 hù (호)

동 〈文〉 의뢰〔의지〕하다. ¶～气; 용기를 믿다 / 无所作～; 믿을〔의지할〕 곳이 없다 / 失～; 의지할 데를 잃다. 〈比〉 양친을 여의다.
〔怙宠〕 hùchǒng 동 〈文〉 총애함을 믿고 교만을 떨다.
〔怙恶不悛〕 hù è bù quān 〈成〉 나쁜 짓을 계속하고 회개하려 하지 않다.
〔怙乱〕 hùluàn 동 〈文〉 난(亂)을 틈타 애쓰지 않고 재미를 보다.
〔怙恃〕 hùshì 동 〈文〉 믿고 의지하다. 명 〈比〉 부모.
〔怙恃其众〕 hù shì qí zhòng 다수(多數)의 힘을 믿다. 수적 우세를 믿다.

岵 hù (호)

명 〈文〉 초목이 많은 산.

祜 hù (호)

명 〈文〉 행복. 행운. 복(인명용 자(字)로도 씀). ¶～佑yòu; 신불(神佛)의 가호. 하늘의 도움.

楛 hù (호)

명 《植》 〈文〉 고서(古書)에서 볼 수 있는 모형(牡荊) 비슷한 식물(植物)(줄기로 화살을 만듦). ⇒kǔ

虎 hù (호)

→〔虎不拉〕 ⇒hǔ
〔虎不拉〕 hùbulǎ 명 《鳥》 〈方〉 때까치. =〔伯bó劳(鸟)〕

笏 hù (홀)

명 홀(옛날에, 천자(天子) 이하 고관들이 조현(朝見) 때에 오른손에 들던 널빤지). ¶～板; ⓐ홀. ⓑ대쪽. 죽찰(竹札).

瓠 hù (호)

명 ①(～子) 《植》 조롱박. ②성(姓)의 하나.
〔瓠瓜〕 hùguā 명 ⇨〔瓠子〕
〔瓠果〕 hùguǒ 명 《植》 호과(瓠果). 박 모양의 과실.
〔瓠芦〕 hùlu 명 ⇨〔葫hú芦①〕
〔瓠杓〕 hùsháo 명 (박의 과피(果皮)로 만든) 국자.

〔瓠子〕 hùzi 명《植》 조롱박. =〔瓠瓜〕〔扁biǎn蒲〕〔甘gān瓠〕→〔葫hú芦①〕

鄠 Hù (호)
명《地》 후 현(鄠縣)《산시 성(陕西省)에 있는 현 이름》. =〔户县〕

糊 hù (호)
① 명 묽은 죽. 되직하고 곤죽 같은 액체. ¶面～; 밀가루를 물에 풀어 되직하게 한 것. ② 부 아무렇게나. 되는대로. 마구. 건성건성. ⇒hū hú

〔糊涂〕 hùning 동〈方〉①(과일이 썩어서) 뭉크러지다. ②(풀 같은 것이 묻어서) 끈적거리다. 뒤범벅이 되다. ¶鼻涕眼泪都～在一块儿了; 콧물과 눈물이 범벅이 되어 끈적거리다 / 快给孩子带上围嘴吧, 看～衣裳; 빨리 아기에게 턱받이를 걸어 주어라, 옷에 끈적거리는 것이 묻을라 / 都烂得～(儿)的了, 还不快扔了; 완전히 썩어 버렸는데 빨리 버려라.

〔糊弄〕 hùnong 동〈方〉①불성실하게[건성건성] 하다. 아쉬운 대로 하다. ¶～着修理完了; 대충대충 수리하였다. ②속여 넘기다. 거짓 꾸미다. ¶好歹～起来就得了; 여하튼 속이면 된다.

〔糊弄局(儿)〕 hùnongjú(r) 명〈方〉속임수.

〔糊刷〕 hùshuā〔húshua〕 명 종려(棕櫚)로 만든 귀얄. (장황용(粧潢用)의) 풀솔.

鹱(鸌) hù (호)
명《鳥》 슴새과의 총칭《대형의 바다새》.

鳠(鱯) hù (호)
명《魚》 쏠종개과의 작은 담수어《메기와 비슷함》. =〔〈方〉江鼠〕〔石扁头〕

HUA ㄏㄨㄚ

化 huā (화)
① 동 (돈이나 시간을) 쓰다. 소비하다. ¶～工夫; 시간을 소비하다 / ～钱; 돈을 쓰다 / ～用; 소비. =〔花⑬〕 ②→〔化子〕⇒huà

〔化子〕 huāzi 명 거지. =〔花子〕〔叫化子〕

华(華) huā (화)
명〈文〉 꽃. ¶春～秋实; 〈成〉 봄꽃과 가을 열매《아름다운 것과 수수한 것》. ⇒huá huà

花 huā (화)
①(～儿) 명 꽃. 〈轉〉 꽃이 피는 관상(觀賞) 식물. ¶一朵duǒ～; 한 송이의 꽃 / ～园里种zhòng满了～; 꽃밭에 꽃이 가득 심어져 있다. ② 명 줄무늬나 그 외에 도안이 있는 것. 꽃이나 무늬 등으로 장식된 것. ¶～布; ⇓ / ～灯; ⇓ ③(～儿) 명 꽃같이 아름다운 것. 꽃 모양의 것. ¶雪～儿; 눈송이 / 浪～儿; 물보라. ④ 명 〈比〉 정화(精華). 정수(精粹). ¶文艺之～; 문예의 정수. ⑤ 명 〈比〉 여자. ¶姊妹～; ⓐ자매(姉妹). ⓑ사이가 매우 좋은 여자 친구. ⑥ 명 기생 또는 화류계. ⑦(～儿) 명 마마. 천연두. ¶出～; 천연두에 걸리다. =〔天花〕〔痘〕〔痘疮〕 ⑧ 명 면화. 목화. ⑨ 명 바둑판 모양으로 칼질하여 무늬를 내는 요리법. ⑩ 명 꽃불의 일종. ¶放～; 꽃불을 올리다 / 礼～; 축제 때 쏘아 올리는 꽃불. ⑪(～儿) 명 무늬. 도안(圖案). ¶新～样子; 새 무늬의 견본 / 白地蓝～儿; 흰 바탕에 푸른 무늬. ⑫ 명 〈俗〉 부상(負傷). 전상(戰傷). ¶挂了两次～; 두 번 전상을 입었다. ⑬ 동 돈을 쓰다. 시간을 소비하다. ¶十个钱要～, 一分钱要省; 써야 할 데에는 아낌없이 쓰고, 불필요한 돈은 한 푼이라도 절약해야 한다 / ～了半天的时间; 반나절 걸렸다. =〔化huā①〕 ⑭ 형 눈이 흐리다. ¶耳不聋lóng眼不～; 귀도 들리고 눈도 침침하지 않다 / 昏～; 눈이 희미하다 / 眼睛～了; 눈이 거슴츠레하게 흐려지다. ⑮ 형 (남을) 현혹하는. 미혹하는. ⑯ 형 얼룩얼룩하다. 어룽더룽하다. ¶那只猫是～的; 저 고양이는 얼룩덜룩한 색깔이다 / 染～了; 얼룩지게 물이 들었다 / ～白头发; 희끗희끗한 반백의 머리. ⑰ 형 사람을 호릴 만하다. 교묘하다. 겉만 번지르르하다. ¶～言巧语; ⇓ ⑱ 동 한데 뒤섞다. ¶粗粮细粮～搭着吃; '粗粮'(수수·옥수수·밤 따위)과 '细粮'(쌀·보리 따위)을 섞어 혼식하다. ⑲ 명 성(姓)의 하나.

〔花案儿〕 huā'ànr 명 간통이나 정사(情事)에 관한 재판 사건. ¶这件～没等报纸登出来, 就轰传出来了; 이 치정 사건은 신문의 보도를 기다릴 것 없이 대번에 세상에 퍼져 버렸다.

〔花白〕 huābái 형 (머리가) 반백이다. 희끗희끗하다. ¶～胡子; 희끗희끗한 수염 / 两鬓都～了; 양쪽 살쩍이 희끗희끗해졌다.

〔花白〕 huābai 동 면전에서 욕하다[비꼬다]. 면박을 주다. ¶要不是怕臊了他, 真想～他两句; 그에게 수치 줄 것을 염려하지만 않았더라면, 정말로 두세 마디쯤은 나무라 주고 싶었다.

〔花白菜〕 huābáicài 명《植》 모란채.

〔花斑〕 huābān 명 얼룩. 반점. ¶～马; 얼룩말 / ～秃tū; 반점이 생긴 피부[나무 껍질].

〔花斑癣〕 huābānxuǎn 명 ⇨〔汗hàn斑①〕

〔花板〕 huābǎn 명 관을 만드는 최상의 널.

〔花瓣(儿)〕 huābàn(r) 명《植》 화판(花瓣). 꽃잎.

〔花帮〕 huābāng 명 옛날, 면화 거래상의 동업자 단체.

〔花棒〕 huābàng 명 ①무예에 쓰는 장식 달린 긴 장대. ②딸랑이《장난감의 일종》.

〔花苞〕 huābāo 명《植》 포(苞). 꽃떡잎.

〔花爆〕 huābào 명 ⇨〔花炮pào〕

〔花被〕 huābèi 명 ①《植》 꽃덮이. 화피. ②무늬가 있는 이불.

〔花鼻子〕 huābízi 명 어릿광대. ¶竟把他涂成一个～; 끝내 그를 어릿광대로 만들어 버렸다.

〔花边〕 huābiān 명 ①(～儿) 레이스(lace). ¶～衣饰; 옷가의 장식용 레이스. ②(～儿) 무늬 있는 가장자리. ¶瓶口上有一道～; 병 아가리에 테두리가 하나 쳐져 있다. ③〈方〉'은원(銀圓)'(일 원짜리 은화)의 속칭. ④(～儿) 《印》(인쇄의) 장식용 괘선(罫線). ¶～新闻; 테를 두른 신문 기사《중요 사항 따위》. ⑤《紡》 보비넷(bobbinet). 레이스 직물. 기계로 짠 레이스. ¶棉质～; 면 레이스 / 丝质～; 견 레이스 / ～纸; 레이스지(紙). 가장자리에 무늬를 넣은 종이.

〔花别针〕 huābiézhēn 명 무늬가 있는 브로치.

〔花饼〕 huābǐng 명 면실박(棉實粕). 기름을 짜낸 면실의 찌끼.

〔花玻璃〕 huābōli 명 무늬가 있는 유리.

〔花布〕 huābù 명 무늬 넣은 면직물의 하나. 사라사(sarasa). 날염지(捺染地). =〔印花布〕〔花洋布〕

〔花部〕 huābù 명《劇》 청대(清代)의 희곡 명칭《청(清)의 건륭(乾隆) 연대, 희곡을 '雅yǎ部'와 '～'로 나눔. 곤곡(崑曲)을 아부(雅部)라고 하였

으며, '梆bāng子(腔)' '二èr黄(腔)' '京jīng腔' '弋yì(阳)腔' 따위를 '～'라고 하였음》.
〔花不拉叽〕 huā bulājī 형 ⇨〔花不棱登(的)〕
〔花不来〕 huābulái ①고생·고심(苦心)할 필요도 없다. 헛수고하다. ②동 ⇨〔划huá不来〕
〔花不棱登(的)〕 huābulēngdēng(de) 형 〈口〉 얼룩덜룩하다. ¶这件衣服～的, 我不喜欢; 이 옷은 얼룩덜룩해서 나는 좋아하지 않는다. =〔花不拉叽〕〔花不楞登〕〔花不溜丢〕〔花不滋拉〕
〔花不楞登〕 huābulēngdēng 형 ⇨〔花不棱登(的)〕
〔花不溜丢〕 huābuliūdiū 형 ⇨〔花不棱登(的)〕
〔花不滋拉〕 huābuzīlā 형 ⇨〔花不棱登(的)〕
〔花彩〕 huācǎi 명 조화(造花)·휘장 따위로 꾸민 것. ¶～电车; 꽃전차.
〔花菜〕 huācài 명 〈方〉 ⇨〔花椰菜〕
〔花草〕 huācǎo 명 ①화초. ②꽃이 피는 풀. ③⇨〔紫zǐ云英〕
〔花插〕 huāchā 명 ①나무·대나무 따위로 만든 간단한 꽃을 꽂는 그릇. ②꽃을 꽃병 밑이나 수반에 고정시키는 침봉(針峰)《꽃꽂이 도구》.
〔花插〕 huācha 동 교차하다. 엇걸려 짜맞추어지다.
〔花茶〕 huāchá 명 ①꽃을 태워서 향기를 넣은 차. =〔花熏茶〕〔熏xūn花茶〕〔香茶②〕 ②⇨〔香片〕
〔花钗〕 huāchāi 명 ①비녀. ②《植》 꽃나무를 접목할 때의 접수(椄穗). 접지(椄枝). =〔接jiē枝〕
〔花铲(儿, 子)〕 huāchǎn(r, zi) 명 꽃삽.
〔花厂〕 huāchǎng 명 ①(～儿) 꽃집. 또, 그 장수. =〔花厂子①〕 ②조면(繰綿) 공장.
〔花厂子〕 huāchǎngzi 명 ①⇨〔花厂①〕 ②꽃나무의 묘상(苗床).
〔花车〕 huāchē 명 꽃차《축제 때 끌고 다니는 장식한 수레나 신부가 타는 꽃전차》.
〔花臣〕 huāchén 명 〈音〉 패션(fashion). =〔风行〕〔时髦〕
〔花晨月夜〕 huā chén yuè yè 〈成〉 가절(佳節)의 아름다운 경치.
〔花城〕 huāchéng 명 ①〈文〉 번화한 거리. ②(Huāchéng) '广州'의 별칭. ③(Huāchéng) 《地》 꽃의 도시, 파리(paris)를 가리킴.
〔花痴〕 huāchī 명 ⇨〔花疯〕
〔花池子〕 huāchízi 명 화단. ¶用红砖砌qì成六角形的～; 붉은 벽돌로 육각형 화단을 만들었다. →〔花圃pǔ〕
〔花虫〕 huāchóng 명 ⇨〔红hóng铃虫〕
〔花绸〕 huāchóu 명 《紡》 무늬가 있는 견직물.
〔花船〕 huāchuán 명 아름답게 장식한 배. 유람선. 지붕이 있는 놀잇배. ¶南京人爱在秦淮河的～里请客应酬; 난징(南京) 사람들은 친후아이허(秦淮河)의 놀잇배에 손님을 곧잘 접대한다.
〔花窗儿〕 huāchuāngr 명 ⇨〔花墙洞〕
〔花床子〕 huāchuángzi 명 ①화초의 모판. 못자리. ②꽃가게. 꽃집.
〔花瓷〕 huācí 명 무늬가 있는 자기(瓷器).
〔花丛〕 huācóng 명 ①무성한 화초. 꽃숲. 꽃밭. ②〈比〉 기원(妓院).
〔花簇簇〕 huācùcù 형 꽃이 만발하여 있는 모양.
〔花搭(着)〕 huāda(zhe) ①종류·질이 다른 것을 섞다. ¶粗粮、细粮～吃; 잡곡과 입쌀을 섞어서 먹다. ②뒤섞이어 변화가 많다.
〔花旦〕 huādàn 명 《劇》 중국 전통극에서 말괄량이나 화려하게 분장한 젊은 여자 역. =〔浪làng旦〕 →〔小旦〕
〔花道儿〕 huādàor 명 천의 얼룩 무늬.
〔花灯〕 huādēng 명 ①장식으로 다는 등. 샹들리에. ②꽃등. =〔灯彩②〕
〔花灯戏〕 huādēngxì 명 《劇》 꽃등놀이극《윈난(雲南)·구이저우(貴州)·쓰촨(四川) 등지에 유행하는 것으로 민간의 가무(歌舞)에서 발전한 지방극》.
〔花癫〕 huādiān 명 ⇨〔淫yín疯症〕
〔花店〕 huādiàn 명 ①꽃가게. 꽃집. ②솜가게.
〔花钿〕 huādiàn 명 머리를 장식하는 부녀자의 장신구. =〔钿朵〕
〔花雕〕 huādiāo 명 소흥주(紹興酒)의 일종으로 극상 품종의 술《꽃무늬를 새긴 독에 오랜 세월 저장하므로 '远年～'라고도 함》.
〔花掉〕 huādiào 동 (돈을) 써 버리다. ¶有钱他就～; 돈이 있으면 그는 곧 써 버린다.
〔花斗儿〕 huādǒur 명 꽃바구니.
〔花赌(局)〕 huādǔ(jú) 명 기생을 끼고 하는 노름.
〔花缎〕 huāduàn 명 《紡》 무늬가 있는 단자(緞子).
〔花朵〕 huāduǒ 명 ①꽃《추상적인 것에도 쓰임》. ¶象征友谊的～; 우의의 표시인 꽃 / 打扮得～似的; 꽃처럼 아름답게 몸치장을 하다. ②꽃눈. 꽃봉오리.
〔花蛾蝉〕 huā'échán 명 《蟲》 깽깽매미.
〔花萼〕 huā'è 명 《植》 꽃받침.
〔花房〕 huāfáng 명 ①원예용의 온실. ②신방(新房).
〔花舫〕 huāfǎng 명 화려하게 장식한 배. 놀잇배. 유람선.
〔花费〕 huāfèi 동 소비〔소모〕하다. 들이다. ¶～时间; 시간을 소모하다 / ～心血; 심혈을 기울이다 / 钱未到手先～; 손에 돈이 들어오기도 전에 미리 쓰다.
〔花费〕 huāfei 명 ①씀씀이. 비용. ②용돈. ‖ =〔花销〕
〔花粉〕 huāfěn 명 ①《植》 화분. 꽃가루. ②〈簡〉 천화분(天花粉). 하늘타리 뿌리의 가루《약용·화장용으로 씀》. =〔天花粉〕 ③여자의 화장품. 〈比〉 여자. ¶这是男子汉的事情, 用不着你们～管; 이건 남자들의 일이야, 너희 여자들이 상관하지 않아도 돼.
〔花粉银〕 huāfěnyín 명 ①옛날, 부녀자의 용돈. ②사천《부녀자가 절약하여 사사로이 모아 둔 돈》.
〔花疯〕 huāfēng 명 색광. 색마. ¶这位～没有一天不出门串花柳之地的; 이 색정광(色情狂)은 외출해서 화류계를 찾지 않는 날이 단 하루도 없다. =〔花痴〕〔色鬼〕 →〔淫yín疯症〕
〔花盖〕 huāgài 명 《植》 화개(花蓋).
〔花干〕 huāgān 명 (차로 마시는) 말린 꽃《'菊jú花①'나 '玫méi瑰'(해당화) 따위》.
〔花甘蓝〕 huāgānlán 명 ⇨〔花椰菜〕
〔花杆〕 huāgān 명 (토지 측량용) 장대.
〔花岗石〕 huāgāngshí 명 《鑛》 화강석(花崗石).
〔花岗岩〕 huāgāngyán 명 ①《鑛》 화강암(花崗岩). ②〈比〉 돌대가리. 고집 불통. ¶～脑nǎo袋; 돌대가리. 석두(石頭).
〔花钢板〕 huāgāngbǎn 명 《工》 무늬 강판(鋼板)(checkered steel plate).
〔花糕〕 huāgāo 명 찹쌀로 만든 찐빵식(式)의 식품《9월 9일 중양절(重陽節)에 먹음》.
〔花格〕 huāgé 명 《紡》 바둑 무늬.

〔花梗〕 huāgěng 명 《植》 꽃자루. 꽃꼭지. 화경(花梗).
〔花工〕 huā,gōng 동 품〔시간〕을 들이다.
〔花公子〕 huāgōngzǐ 명 ⇨〔花花公子〕
〔花狗〕 huāgǒu 명 얼룩개.
〔花咕朵(儿)〕 huāgūduo(r) 명 ⇨〔花骨朵(儿)〕
〔花姑娘〕 huāgūniang 명 ①(옛날의) 기녀(妓女). ②경박하고 천한 여자.
〔花骨朵(儿)〕 huāgūduo(r) 명 꽃봉오리. =〔花咕朵(儿)〕〔花蕾〕
〔花鼓〕 huāgǔ 명 ①⇨〔腰yāo鼓①〕 ②민간에 전해 오는 무용(남녀 두 사람이 한 쌍이 되어 한 사람은 징을, 또 한 사람은 작은 북을 치며 노래하면서 춤을 춤).
〔花鼓筒〕 huāgǔtǒng 명 〈方〉 자전거의 바퀴통(바퀴살이 모여 있는 부분).
〔花瓜〕 huāguā 명 ①표피(表皮)에 줄무늬가 있는 수박. ②〈比〉 피투성이가 된 머리〔얼굴〕. ¶脸上打得～似的; 얼굴은 맞아서 피투성이가 되었다 / 骂了个～; 묵사발이 되도록 욕하다.
〔花官司〕 huāguānsi 명 치정(痴情)에 관한 소송 사건.
〔花冠〕 huāguān 명 ①《植》 화관(花冠). 꽃부리. ¶合瓣bàn～; 합판 화관(合瓣花冠). ②옛날, 결혼할 때 쓰던 아름답게 장식한 모자. ③볏. 계관(鷄冠).
〔花光〕 huāguāng 동 (돈을) 남김없이 써 버리다. ¶把薪水都～了; 월급을 몽땅 써 버렸다.
〔花龟〕 huāguī 명 《動》 거북의 일종.
〔花棍舞〕 huāgùnwǔ 명 중국의 민간 무용.
〔花国〕 huāguó 명 ①꽃의 총칭. ②화류계(花柳界).
〔花果〕 huāguǒ 명 꽃과 과일. ¶～(的)酒; ⓐ소주에 꽃 또는 과일을 담가 만든 술. ⓑ꽃이나 과일을 안주로 하여 마시는 술 / ～山; 과수(果樹)가 있는 산.
〔花行〕 huāháng 명 면화(綿花)를 파는 가게.
〔花好月圆〕 huā hǎo yuè yuán 〈成〉 원만하여 결점이 없다(결혼을 축하할 때 쓰는 말).
〔花号〕 huāhào 명 ①자(字). 아호(雅號). 별호. ②면화상(綿花商).
〔花耗〕 huāhào 명 경비. 비용.
〔花和尚〕 huāhéshang 명 《佛》 파계승(破戒僧).
〔花红〕 huāhóng 명 ①보너스. 상여. ②《植》 능금(나무). =〔林檎〕〔沙shā果(儿)〕 ③《色》 심홍색. ④순 이익금. ⑤(혼인 때의) 축하 금품. ¶～彩礼; 납채로 보내는 물품.
〔花红轿儿〕 huāhóngjiàor 명 (옛날, 신부가 타는) 꽃가마. ¶～抬tái来的; 꽃가마를 타고 시집 온 사람. 정실(正室) 아내.
〔花红柳绿〕 huā hóng liǔ lǜ 〈成〉 ①꽃나무가 우거진 모양. ②형형색색으로 아름다운 모양. ③천지 자연의 이치.
〔花红线〕 huāhóngxiàn 명 〈方〉 옥수수의 수염.
〔花胡哨〕 huāhúshào 명 남을 현혹시키는 언동(言動).
〔花户〕 huāhù 명 ①유곽. 사창굴. ②꽃집. 꽃가게. ③호구(戶口). 호적(戶籍). ¶查查～册子有他的名字没有; 그의 이름이 있는지 호적을 조사해 보아라.
〔花户伯剌〕 huāhubólà 형 〈京〉 신기〔희한〕하다. ¶乡下老儿进城看着哪儿, 哪儿都是～的; 시골 사람이 서울에 들어가니 어디를 보나 모두 신기한 것뿐이다.
〔花花〕 huāhuā 형 ①(눈물 등이) 자꾸 나오는 모양. ②꾀가 많은 모양. ¶～肠子; 간계(奸計)에 능한 사람. 음험한 자. ③사물이 가지런하지 않은 모양.
〔花花彩轿〕 huāhuā cǎijiào 명 꽃가마.
〔花花搭搭〕 huāhuadādā 형 ①〈口〉 가지각색이다. 얼룩얼룩하다. 고르지 않다. ¶他脸上～的几个麻子; 그 사람은 얼굴 여기저기가 얽어 있다. ②이것저것 뒤섞여 있다.
〔花花公子〕 huāhuā gōngzǐ 명 부잣집의 방탕아(放蕩兒). 플레이보이. 난봉꾼. ¶没有一技之长cháng的～; 아무 재능도 없는 방탕아. =〔花公子〕
〔花花绿绿(的)〕 huāhuālǜlǜ(de) 형 빛깔이 선명하고 아름답다. 알록달록하다.
〔花花起〕 huāhuāqǐ 명 간통 사건. ¶左右邻居谁不知道他们俩有～, 只不过瞒她本夫一个人就是了; 그들 두 사람의 간통 사건을 인근 그 누가 모르는 사람이 있겠는가, 그녀의 남편 하나만을 속이고 있을 뿐이다.
〔花花世界〕 huāhuā shìjiè 명 ①화려한〔번화한〕 곳. ②환락가. 유흥장(遊興場). ③〈貶〉 속세. 비속한 세상.
〔花花太岁〕 huāhuā tàisuì 명 난봉꾼의 우두머리.
〔花花孝〕 huāhuāxiào 명 손자가 입는 상복(喪服)(옛날, 복상 중인 사람의 모자 꼭대기에 붉은색 털실로 표를 했던 데서 유래됨). ¶照服制说孙男孙女是～; 복상 제도에 의하면 손자〔손녀〕가 입는 상복은 '花花孝'이다.
〔花花絮絮〕 huāhuaxùxù 형 잡다하고 자잘한 모양.
〔花环〕 huāhuán 명 화환. 레이(lei).
〔花黄〕 huāhuáng 명 옛날, 여자가 장식으로 이마에 붙이던 노란색의 꽃잎.
〔花幌子〕 huāhuǎngzi 명 음식점 간판(붉은 종이를 잘게 썰어 다발로 하여 드리운 것).
〔花卉〕 huāhuì 명 ①화초. ②《美》 화초를 제재(題材)로 한 중국화(中國畫). ¶～翎毛; 화조화(花鳥畫).
〔花会〕 huāhuì 명 ①쓰촨 성(四川省) 청두(成都) 일대에서 매년 봄에 거행되는 물자 교류 대회(동시에 민간 희극·무술 등이 행하여짐). ②옛날, 상하이(上海)·광둥(廣東) 지방에서 행해진 도박의 하나(종이 조각에 34명의 옛날 사람의 이름을 쓰고, 그 속의 한 장을 집어 돈을 걸고 맞은 사람은 건 돈의 30배를 받음).
〔花会票〕 huāhuìpiào 명 연극의 회원권.
〔花魂〕 huāhún 명 《植》 꽃의 정(精).
〔花活〕 huāhuó 명 ①잔손이 드는 세공. ②협잡. 속임수. ¶他手里有～; 그는 속임수를 쓴다. ③(축하할 때의) 장식물. ¶棚里的～满是新的; 식장 내의 장식물은 모두 새것들이다.
〔花货〕 huāhuò 명 호색(好色)의 남녀. 품행이 나쁜 사람.
〔花鸡〕 huājī 명 《鳥》 되새.
〔花鲫鱼〕 huājìyú 명 《魚》 쥐노래미. =〔鳜鱼〕
〔花甲〕 huājiǎ 명 회갑. 환갑. 60세. ¶年逾yú～; 〈文〉 나이 60세가 넘었다. =〔六十花甲子〕
〔花架子〕 huājiàzi 명 ①꽃 선반. ②〈比〉 외관의 화려함. 화려한 모양. ¶语言力求容易上口, 避免形式主义, 不搞～; 언어는 되도록 말하기 쉬운 것이 좋으며, 형식주의를 피하고 모양새는 문제삼지 않는다.

〔花笺〕 huājiān 명 무늬를 넣은 편지지.
〔花剪绒〕 huājiǎnróng 명 《紡》 우단. 비로드(포 veludo).
〔花见羞〕 huājiànxiū 명 절세의 미인.
〔花剑〕 huājiàn 명 《體》 (펜싱의) 플뢰레(프 fleuret).
〔花腱儿〕 huājiànr 명 ⇨〔腱子〕
〔花键(轴)〕 huājiàn(zhóu) 명 《機》 스플라인(spline). =〔多duō槽轴〕
〔花(儿)匠〕 huā(r)jiàng 명 ①정원사(庭園師). 원예가. ②화초 재배를 하는 사람. ③꽃꽂이를 하거나 조화를 만드는 사람.
〔花将〕 huājiàng 명 〈比〉 돈 씀씀이가 헤픈 사람. ¶谁家里要出这么个～, 多大的财主儿也得完; 어느 집에서나 이렇게 헤픈 사람이 나면 아무리 부자라 해도 거덜나고 만다.
〔花浇儿〕 huājiāor 명 꽃에 물을 주는 기구.
〔花椒〕 huājiāo 명 《植》 산초나무. 분디. =〔巴椒〕
〔花椒盐〕 huājiāoyán 명 소금과 산초를 볶아 잘게 빻은 조미료로서, 주로 생으로 튀긴 음식에 묻혀 먹음. =〔椒盐(儿)〕
〔花轿〕 huājiào 명 결혼식 때 신부가 타는 꽃가마. =〔彩cǎi轿〕〔彩舆〕〔喜xǐ轿〕
〔花秸〕 huājiē 명 잘게 썬 짚.
〔花街柳巷〕 huājiē liǔxiàng 명 화류항(花柳巷). 유곽. 환락가.
〔花节〕 huājié 명 《植》 나무 마디의 무늬.
〔花姐〕 huājiě 명 매춘부. 창기.
〔花界〕 huājiè 명 화류계.
〔花茎〕 huājīng 명 ⇨〔花轴zhóu〕
〔花镜〕 huājìng 명 노안경(老眼鏡). 돋보기 안경. =〔花眼镜〕
〔花韭〕 huājiǔ 명 《植》 브로디나리. =〔韭花②〕
〔花酒〕 huājiǔ 명 ①꽃술. 꽃으로 빚은 술. ②기생을 옆에 앉히고 마시는 술(자리). 기루(妓樓)에서의 연회.
〔花局〕 huājú 명 기생 파티.
〔花捐〕 huājuān 명 옛날의, 유흥세.
〔花卷儿〕 huājuǎnr 명 '馒头'의 일종으로 한입에 들어갈 정도의 크기에, 꼬인 모양으로 된 것. =〔面卷子〕
〔花开两朵, 各表一枝〕 huā kāi liǎng duǒ, gè biǎo yī zhī 〈成〉 이야기가 두 갈래로 갈라져서 제각기 제 말을 하다.
〔花棵(儿,子)〕 huākē(r,zi) 명 작은 꽃나무.
〔花客〕 huākè 명 ①손님. ②목화를 구입하는 상인.
〔花库缎〕 huākùduàn 명 쑤저우(蘇州) 지방에서 나는 돋을무늬로 짠 수자(繻子)〔공단〕.
〔花款〕 huākuǎn 명 무늬. ¶～已过时的花布; 무늬가 시대에 뒤진 사라사(포 saraca).
〔花魁〕 huākuí 명 ①《植》 매화. ②옛날, 이름난 기녀(妓女). 명기.
〔花括号〕 huākuòhào 명 괄호의 하나. { }(‘大括号’라고도 함).
〔花蜡烛〕 huālàzhú 명 ⇨〔花烛〕
〔花栏〕 huālán 명 꽃 따위를 조각한 난간.
〔花栏杆〕 huālángān 명 ①가옥의 회랑을 따라 만들어 놓은 장식 난간. ②벽 아래쪽에 그린 장식. ③찬장 등의 문에 조각한 무늬.
〔花篮(儿)〕 huālán(r) 명 ①꽃바구니(경조용(慶弔用)). ②아름답게 장식한 바구니(손잡이가 있는 것).
〔花篮螺丝〕 huālánluósi 명 ⇨〔松sōng紧螺旋扣〕
〔花郎〕 huāláng 명 ①〈古白〉 젊은 남자 거지. ②꽃을 파는 남자.
〔花蕾〕 huālěi 명 ⇨〔花骨朵(儿)〕
〔花狸〕 huālí 명 ①⇨〔花梨〕 ②〈比〉 교활한 사람.
〔花梨〕 huālí 명 《植》 모과(나무). =〔花狸①〕〔花榈①〕
〔花梨鹰〕 huālíyīng 명 ⇨〔游yóu隼〕
〔花里胡哨(的)〕 huālihúshào(de) 〈口〉 ①채색이 지나치게 화려하다. 야하고 현란하다. ¶岁数大了穿得～的不好看; 나이 들어서 지나치게 화려한 복장을 하면 보기 흉하다. ②경박하다. 말이 능숙하고 가볍다. ③어렴풋하다. 가물가물하다. ¶有些字～, 认不全; 가물가물한 글자가 몇 개 있다. ‖ =〔花丽狐哨〕〔花里花绍〕
〔花鲢〕 huālián 명 《魚》 망성어 비슷한 양식 민물고기의 일종. 화련어.
〔花脸〕 huāliǎn 명 《劇》 '净'(연극의 악인역. 강직(剛直) 난폭한 역)의 속칭. =〔老脸③〕
〔花脸猴〕 huāliǎnhóu 명 ①《動》 원숭이의 일종. ②〈轉〉 얼굴이 지저분한 장난꾸러기(나무라는 말).
〔花脸鸭〕 huāliǎnyā 명 《鳥》 가창오리. =〔巴鸭③〕
〔花凉席〕 huāliángxí 명 꽃돗자리. 화문석. =〔花席(子)〕
〔花林粉阵〕 huālín fěnzhèn 〈比〉 미인의 무리.
〔花菱草〕 huālíngcǎo 명 《植》 금영화. =〔金英花〕
〔花绫〕 huālíng 명 《紡》 무늬를 넣어 짠 고급 견직물.
〔花翎〕 huālíng 명 공로가 있는 문무관에게 주어지던 관모(官帽) 뒤에 늘어뜨리는 공작의 깃털.
〔花柳〕 huāliǔ 명 ①〈文〉 기루(妓樓). ¶眼花宿sù柳; 기루에 묵다〔숙박하다〕/昔在长安醉～《李白詩》; 옛날에는 장안(長安)의 기루에서 취(醉)한 일도 있다. ②〈文〉 미인·가인(佳人)이 모이는 곳. ¶～繁华之地《紅樓夢》; 미인·가인이 모이는 번화한 곳. ③〈簡〉 ⇨〔花柳病〕
〔花柳病〕 huāliǔbìng 명 《醫》 화류병. 성병. =〔花柳③〕
〔花鲈〕 huālú 명 ⇨〔鲈鱼〕
〔花鹿〕 huālù 명 꽃사슴.
〔花露〕 huālù 명 ①꽃에 내린 이슬. ②연꽃·인동덩굴꽃 따위의 증류 성분을 함유하는 발포수(發泡水)(약용(藥用)).
〔花露水〕 huālùshuǐ 명 ①화장수. 향수. ②정유(精油). 에센스. 엑스.
〔花露油〕 huālùyóu 명 유액(乳液).
〔花榈〕 huālǘ ①⇨〔花梨〕 ②⇨〔紫zǐ檀〕
〔花罗〕 huāluó 명 《紡》 돋을무늬로 짠 여름용 비단.
〔花罗缎〕 huāluóduàn 명 무늬를 박은 면 포플린.
〔花麻〕 huāmá 명 ⇨〔枲xǐ〕
〔花马糖包〕 huāmǎtángbāo 명 겉만 번지르르한 것. 허정한 물건. 빛 좋은 개살구.
〔花麦〕 huāmài 명 ⇨〔荞qiáo麦〕
〔花鬘〕 huāmán 명 ⇨〔华huá鬘〕
〔花猫〕 huāmāo 명 《動》 (이색(二色) 이상의) 얼룩고양이.
〔花毛〕 huāmáo 명 솜 지스러기. ¶灯上灰尘和～结jié在一起垂下有一尺多长; 램프의 먼지와 솜 지스러기가 뒤엉켜서 한 자 이상이나 길게 늘어져 있다.
〔花毛儿秃子〕 huāmáor tūzi 명 반쯤 머리털이

있는 대머리.
〔花貌〕 huāmào 명 아름다운 용모.
〔花虻〕 huāméng 명 《蟲》 꽃등에.
〔花米〕 huāmǐ 명 ⇨〔花籽zǐ儿〕
〔花蜜〕 huāmì 명 화밀.
〔花面〕 huāmiàn ①명 꽃같이 아름다운 얼굴. =〔花颜〕 ②→〔花脸〕
〔花面狸〕 huāmiànlí 명 ⇨〔果guǒ子狸〕
〔花苗〕 huāmiáo 명 ①《醫》 천연두의 예방 백신. ②《植》 꽃 모. ③《植》 목화 모.
〔花名〕 huāmíng 명 ①꽃 이름. ②(～儿) 예명(藝名). ③㉠호적 이름. ㉡청대(清代)의 직원록(職員錄).
〔花名册〕 huāmíngcè 명 인명부(人名簿).
〔花名儿〕 huāmíngr 명 별명. ¶给他起了一个～叫骆驼; 그에게 낙타라는 별명을 붙였다.
〔花木〕 huāmù 명 꽃과 수목(樹木).
〔花木瓜〕 huāmùguā 명 ①《植》 꽃명자나무. ②〈轉〉 겉은 현명한 것 같으나 실속은 어리석은 사람(꽃명자나무는 관상할 수는 있어도 먹지는 못하므로).
〔花木蓝〕 huāmùlán 명 《植》 땅비싸리.
〔花呢〕 huāní 명 무늬가 있는 나사(羅紗).
〔花娘〕 huāniáng 명 〈文〉 기녀(妓女).
〔花娘娘〕 huāniángniang 명 천연두의 신(神).
〔花鸟〕 huāniǎo 명 ①화조. 꽃과 새. ②《美》 화조화(花鳥畫).
〔花牛〕 huāniú 명 얼룩소.
〔花牛舌〕 huāniúshé 명 《魚》 궁제기서대.
〔花农〕 huānóng 명 꽃 재배를 전문으로 하는 농가〔농민〕. 원예 농가〔농민〕.
〔花牌〕 huāpái →〔麻má将〕
〔花盘〕 huāpán 명 ①《機》 면판(面板) (face plate). ②《植》 꽃받침.
〔花袍子〕 huāpáozi 명 ⇨〔蟒mǎng(袍)〕
〔花炮〕 huāpào 명 꽃불과 폭죽(爆竹). ¶～作zuō; 화포를 만드는 집. =〔花爆〕〔爆竹〕〔鞭biān炮〕
〔花盆〕 huāpén 명 ①(～儿, ～子)화분. ②폭죽의 일종(화분 모양이며, 수많은 화염(花炎)의 꽃이 피는 것).
〔花片〕 huāpiàn 명 (떨어지는) 꽃잎.
〔花票〕 huāpiào 명 복권.
〔花品〕 huāpǐn 명 〈文〉 ①꽃의 품종. ②꽃의 기품(氣品).
〔花屏〕 huāpíng 명 무늬가 있는 병풍.
〔花瓶(儿)〕 huāpíng(r) 명 ①꽃병. ②〈轉〉 (사무실의 장식물에 지나지 않는) 여직원.
〔花圃〕 huāpǔ 명 꽃밭. 화단.
〔花谱〕 huāpǔ 명 화보(꽃 이름을 수록한 책).
〔花期〕 huāqī 명 ①꽃의 계절. 꽃피는 시기. ②여자의 묘령기.
〔花畦〕 huāqí 명 두렁을 만들어 꽃을 심어 놓은 곳.
〔花旗〕 huāqí 명 ①미국의 성조기. ②〈俗〉 미국. ¶～面粉; 미국 밀가루 / ～佬; 미국인. 양키 / ～银行; 내셔널 시티 뱅크(National City Bank of New York) / ～布; 미국제 무명. =〔花旗国〕 ③《動》 무늬오징어.
〔花气〕 huāqì 명 꽃 향기. ¶～袭xí人知寒暖; 꽃 향기로 계절의 변화를 알다.
〔花汽车〕 huāqìchē 명 (신부(新婦)가 타는 장식을 한) 꽃 자동차.
〔花扦儿〕 huāqiānr 명 ①꽃을 꽂는 기구(옹기 받침에 구멍을 뚫은 것 따위). ②(꽃병에 꽂기 위해 꺾은) 꽃가지. ③조화·종이꽃 따위.
〔花签〕 huāqiān 명 (연석(宴席) 등에서 테이블 위에 놓는) 명찰(名札).
〔花钱〕 huā.qián 동 돈을 쓰다. =〔用钱〕〔化钱〕 (huāqián) 명 ①용돈. =〔零líng花钱〕 ②길상(吉祥)을 비는 절지(切紙)(문 따위에 붙임). =〔挂guà钱儿〕
〔花钱买气〕 huā qián mǎi qì 〈成〉 ⇨〔丢diū财惹气〕
〔花钱没眼儿〕 huāqián méiyǎnr 돈을 쓰는 데 안식(眼識)이 없다. 돈을 헛되이〔보람 없이〕 쓰다. ¶按说花钱得花在刀刃儿上, 像他那～的样子还行吗? 돈을 쓰려면 효과적으로 써야 하는데, 그 사람처럼 생각 없이 써서야 되겠느냐?
〔花枪〕 huāqiāng 명 ①옛 무기의 하나(약간 짧은 장식 달린 창). ②〈比〉 교묘한 수단. 술수. ¶掉～ =〔耍shuǎ～〕; 교묘한 수단을 부리다 / 这个人～儿多极了; 이 사람은 수법이 다양하다. =〔枪花〕
〔花腔(儿)〕 huāqiāng(r) 명 ①정상적인 곡조 이외에 노래를 재미있게 하기 위해 집어넣는 꾸민 가락. 화려한 시끄러운 가락〔창법〕. ②〈轉〉 농간. 갖은 수단. 교묘한 말솜씨. ¶看见那骚婊子的～, 就能呕ǒu出隔夜饭来; 그 매춘부의 농간을 보고 있노라면 엊저녁에 먹은 밥이 넘어올 지경이다. ③〈音〉 콜로라투라(이 coloratura). ¶～女高音; 콜로라투라 소프라노.
〔花墙(儿)〕 huāqiáng(r) 명 윗부분을 벽돌이나 기와로 무늬를 넣어 쌓은 담장.
〔花墙洞〕 huāqiángdòng 명 틀에 장식 무늬가 있는 창. =〔花窗儿〕〔漏lòu窗〕
〔花青〕 huāqīng 명 《化》 시아닌(cyanine) (도서용 안료).
〔花楸糖〕 huāqiūtáng 명 《化》 소르보제(sorbose) (당류(糖類)의 일종).
〔花球〕 huāqiú 명 꽃무늬를 넣은 공.
〔花圈〕 huāquān 명 화환(추도의 뜻을 나타내는 화환으로, 보통 먹으로 추도 문구와 한자 이름을 쓴 '缎duàn带'(흰 리본)를 겲). ¶敬献～; 화환을 바치다 / 各界人士抬着～到大使馆吊唁总统逝去; 각계 인사는 화환을 들고 대사관으로 가서 대통령의 서거를 조문하였다.
〔花拳〕 huāquán 명 싸울 때는 쓸모 없고 겉보기만 훌륭한 자세뿐인 권법.
〔花儿〕 huār 명 ①꽃. 꽃이 피는 관상 식물. ¶开了～了; 꽃이 피었다. ②칭하이(青海) 일대의 민가(民歌). ③→〔字解③⑦〕
〔花儿刀子〕 huārdāozi 명 종두용의 메스. 우두를 놓는 칼.
〔花儿洞子〕 huārdòngzi 명 꽃 재배용(用)의 반지하 온실(溫室).
〔花儿毒〕 huārdú 명 《醫》 천연두의 독(毒).
〔花儿疙渣儿〕 huārgēzhar 명 마맛자국.
〔花儿茧〕 huārjiǎn 명 《紡》 허난(河南) 지방에서 생산되는 무늬가 있는 산동주(山東紬).
〔花儿绞〕 huārjiǎo 명 곱슬털. ¶～头发; 고수머리.
〔花儿茎〕 huārjīng 명 꽃줄기.
〔花(儿)牌楼〕 huā(r)páilou 명 ①아름답게 조각한 아치(arch)('牌楼'는 현판을 걸어 놓은 홍살문 모양의 문). ②생화 또는 조화 따위로 장식한 아치.
〔花儿盘障〕 huārpánzhàng 명 꽃덩굴을 벋어 올린 담장이나 생울타리.

〔花儿样子〕 huāryàngzi 명 자수의 수본(繡本). =〔花儿样〕
〔花儿园子〕 huāryuánzi 명 꽃을 재배하는 곳. 화원. 꽃밭.
〔花儿针〕 huārzhēn 명 자수 바늘.
〔花容〕 huāróng 명 〈文〉 꽃 같은 얼굴.
〔花乳石〕 huārǔshí 명 《鑛》 화유석. 화예석(花蕊石).
〔花蕊〕 huāruǐ 명 《植》 꽃술. =〔花须①〕
〔花散〕 huāsàn 동 낭비하다. ¶～钱财; 금전을 낭비하다.
〔花色〕 huāsè 명 ①무늬와 빛깔. ②(물건의) 가지 수. 종류. ¶～齐qí全; 여러 가지 종류가 갖추어져 있다.
〔花色素〕 huāsèsù 명 《化》 안토시아닌(anthocyanin).
〔花纱布〕 huāshābù 명 면화(綿花)·면사(綿絲)·면포(綿布)의 총칭.
〔花衫〕 huāshān 명 《劇》 '花旦'《요염한 여자 역을 하는 남자 배우. 몸짓과 대사(臺詞)를 주로 함》과 '青qīng衣②'(정숙(貞淑)한 젊은 여자로 분장하는 역(役))을 겸하는 배우.
〔花商〕 huāshāng 명 목화상.
〔花哨〕 huāshao 형 ①(빛깔·외모·화장·의상 등이) 화려하다. 산뜻하다. ¶我穿有点儿～了吧? 내가 입으면 좀 화려하겠지요? ②다양하다. 변화가 많다. ③(생활하는 데) 낭비가 많다. 사치스럽다. ④말솜씨가〔말주변이〕 좋다. ¶嘴头子～; 말주변이 좋다. ⑤(성(性)적으로) 헤프다. (몸가짐이) 단정치 못하다. ¶她才～呢, 滥交男朋友; 그녀는 칠칠치 못해, 사내 친구들을 되는대로 마구 사귀는 걸. ‖=〔花稍〕〔花梢〕〔花绍〕
〔花稍〕 huāshao 형 ⇨〔花哨shao〕
〔花舌子〕 huāshézi 명 ①말뿐인 사람. ②나쁜 세력에 가담하는 대변자. ③〈俗〉 기관총. =〔机jī(关)枪〕
〔花神〕 huāshén 명 ①화신. 꽃을 지배하는 신. ¶～庙; 화신의 사당. ②꽃의 정(精). ③꽃을 잘 기르는 사람.
〔花生〕 huāshēng 명 《植》 낙화생. 땅콩. ¶～米mǐ =〔～仁rén〕〔〈方〉～豆儿dòur〕; 땅콩 알맹이 / 带壳dàiké～ =〔～果guǒ〕; 껍질 붙은 채로의 땅콩 / ～油 =〔生油①〕; 낙화생 기름 / ～饼bǐng =〔～麸〕; 땅콩 깻묵 / ～酱; 피넛 버터 / ～酸 =〔二十酸〕; 《化》 아라킨산(arachic acid) / ～糖 =〔～占〕〔～蘸〕; 땅콩엿. =〔落花生〕〔长cháng生果〕
〔花圣〕 huāshèng 명 《植》 장미의 별칭.
〔花什件儿〕 huāshíjiànr 명 무늬가 있는 장식구의 총칭.
〔花石〕 huāshí 명 무늬 있는 돌.
〔花石纲〕 huāshígāng 명 기화 이석(奇花異石)의 수송대(《水滸傳》에 나옴).
〔花食〕 huāshí 명동 〈文〉 미식(美食)(하다).
〔花士苓〕 huāshìlíng 명 ⇨〔凡fán士林〕
〔花市〕 huāshì 명 ①화초를 파는 시장. ②〈廣〉 섣달 그믐날 밤에 서는 꽃시장. ③〈文〉 번화한 시가(市街).
〔花式〕 huāshì 명 무늬. 형(型). ¶～溜冰 =〔花样滑冰〕〔花样溜冰〕; 《體》 피겨 스케이트 / ～跳tiào水; 《體》 (수영 경기의) 다이빙.
〔花饰〕 huāshì 명 장식성(裝飾性)의 무늬.
〔花书〕 huāshū 명 ⇨〔花押yā〕
〔花鼠〕 huāshǔ 명 《動》 다람쥐.
〔花束〕 huāshù 명 꽃다발. 부케.
〔花说柳说〕 huāshuō liǔshuō 〈方〉 겉치레로 말하다. 말솜씨 있게 지껄여 대다. 입에 발린 말을 하다. ¶任凭他～, 你的主意总要早定; 그가 아무리 교묘한 말을 할지라도, 너의 생각은 제대로 갖고 있어야 한다. =〔花言巧语②〕
〔花丝〕 huāsī 명 ①《植》 화사(花絲). 꽃실. ②금실·은실의 세공(금은의 가는 철사를 엮어 만든 소용돌이 모양이나 당초(唐草) 무늬의 세공).
〔花丝葛〕 huāsīgé 명 《紡》 무늬를 넣어서 짠 비단.
〔花素〕 huāsù 무늬가 있는 것과 무늬가 없는 것. 무늬와 바탕.
〔花素羽绫〕 huāsùyǔlíng 명 《紡》 무늬 있는 모직의 일종.
〔花坛〕 huātán 명 화단(花壇).
〔花坛(儿)〕 huātán(r) 명 ①무늬 있는 항아리. ②곡예의 일종(작은 항아리를 다루어 여러 가지 재주를 부림).
〔花毯〕 huātǎn 명 무늬 있는 모포.
〔花堂〕 huātáng 명 결혼식장.
〔花糖〕 huātáng 명 음력 12월 23일 밤에 부뚜막신에게 차려 바치는 엿.
〔花天酒地〕 huā tiān jiǔ dì 〈成〉 홍등가(紅燈街)·주색(酒色)에 빠진 방탕한 생활('花'는 기녀(妓女)).
〔花条马〕 huātiáomǎ 명 ⇨〔斑bān马〕
〔花厅〕 huātīng 명 응접실(화원 따위에 설치되어 비교적 크고 전망이 밝고 아름답게 꾸민 것).
〔花亭子〕 huātíngzi 명 화원 등에 있는 정자.
〔花莛(儿)〕 huātíng(r) 명 꽃대. 꽃줄기. 화경(花莖).
〔花艇〕 huātǐng 명 유람선.
〔花童〕 huātóng 명 화동(결혼식에서 꽃을 뿌리는 아름답게 단장한 아이).
〔花筒〕 huātǒng 명 ①대형의 폭죽. ②만화경. =〔万花筒〕 ③꽃가지를 꽂는 통.
〔花头〕 huātou 명 ①지출(支出). 출비. ¶你来了才有这些～; 네가 온 후로 이렇게 돈이 들게 됐다. ②〈方〉 장식. 무늬. ¶弄～; 여러 가지로 연구하다. ③기생 집에서의 연회. ④기생. ⑤마음의 위로. 위안. ⑥〈方〉 기발한 생각·방법. ¶这些人里面就数他～最多; 이들 중에서는 그가 제일 기발한 일을 한다. ⑦〈方〉 심오한 맛. 오묘한 뜻. 묘한 수. 재미. ¶这种游戏看起来简单, 里面的～还真不少; 이런 종류의 유희는 보기에 간단하지만, 그 속에는 참으로 재미가 있다. ⑧돈의 쓸 만함. 쓸 만한 가치. ¶物价这么涨了, 钱就没有～了; 물가가 이렇게 올라서야 돈의 가치가 도무지 없다. ⑨여러 가지 간책. 술책. ¶他不会凭空这么办的, 其中说不定有什么～; 그가 이유 없이 이런 일을 할 리가 없다. 어떤 간책이 있는지도 모른다. ⑩귀찮은〔성가신〕 일. ¶出～; 트러블이 생겼다.
〔花头经〕 huātóujīng 명 〈方〉 계략. 흉계. 속임수. 트릭. ¶他们叫喊的背后隐藏着见不得人的～; 그들이 주장하는 이면에는 사람들 앞에 공개할 수 없는 속임수가 감추어져 있다.
〔花头儿〕 huātóur 명 (줄기와 잎이 붙어 있지 않는) 꺾은 꽃송이.
〔花团锦簇〕 huā tuán jǐn cù 〈成〉 찬란하고 화려한 모양.
〔花托〕 huātuō 명 《植》 꽃턱. 화탁.
〔花洼子〕 huāwāzi 명 ①⇨〔池chí鹭〕 ②⇨〔草cǎo鹭〕

〔花瓦〕 huāwǎ 명 무늬 있는 기와. 꽃기와.
〔花袜〕 huāwà 명 무늬가 있는 양말.
〔花蔓儿〕 huāwànr 명 화초의 덩굴.
〔花王〕 huāwáng 명 《植》 모란. =〔牡mǔ丹(花)〕
〔花纹(儿)〕 huāwén(r) 명 무늬. 줄무늬. ¶～布; 줄무늬가 있는 무명천 / ～玻璃; 형판(型板) 유리.
〔花息〕 huāxī 명 배당금. 순이익.
〔花腊〕 huāxī 명 꽃을 말린 것. 말린 꽃잎.
〔花席(子)〕 huāxí(zi) 명 ⇨〔花凉席〕
〔花媳妇〕 huāxífu 명 《蟲》〈俗〉 이십팔점박이 무당벌레. =〔花大姐〕〔二十八星瓢虫〕
〔花仙〕 huāxiān 명 ⇨〔海hǎi棠①〕
〔花线〕 huāxiàn 명 ①《電》 실내용 전깃줄. ②자수용(刺繡用)의 실. 색실.
〔花香〕 huāxiāng 명 꽃의 향기. ¶鸟语～; 지저귀는 새와 꽃의 향기. 〈轉〉 봄의 형용.
〔花厢〕 huāxiāng 명 〈俗〉 ⇨〔温wēn室〕
〔花项〕 huāxiàng 명 〈方〉 돈의 쓸 곳. ¶没有什么～, 要不了这么多的钱; 아무런 정해진 쓸 곳도 없는데, 이런 대금은 필요 없다.
〔花销〕 huāxiāo 명 《機》 복식 스플라인《회전축에 스플라인을 파고 상대되는 것도 이에 상응하는 홈을 파서 키와 같은 역할을 하게 한 것》.
〔花销〕 huāxiao 명 〈口〉 ①출비(出費). 경비. ②커미션. 구전. ③세금(稅金). 동 돈을 쓰다. ‖ =〔花消〕
〔花消〕 huāxiao 명동 ⇨〔花销huāxiao〕
〔花心(儿)〕 huāxīn(r) 명 ①화심. ②생화(生花)를 끼우는 핀《여자의 머리 장식》. ③ ⇨〔子zǐ宫〕
〔花信〕 huāxìn 명 ①화신. 꽃소식. ②여자의 청춘기(青春期).
〔花信风〕 huāxìnfēng 명 이십사번 화신풍. =〔二èr十四番花信风〕
〔花信片〕 huāxìnpiàn 명 ⇨〔美měi术明信片〕
〔花星〕 huāxīng 명 ①《天》 직녀성. ②〈轉〉 신부(新婦). 새색시.
〔花绣〕 huāxiù 명 〈文〉 문신(紋身).
〔花须〕 huāxū 명 《植》〈口〉 ①꽃술의 속칭. =〔花蕊〕 ②수술. 수꽃술. =〔雄蕊xióngruǐ〕
〔花序〕 huāxù 명 《植》 꽃차례. 화서. ¶伞sǎn形～; 산형꽃차례. 산형 화서 / 圆锥zhuī～ =〔复fù总状～〕; 원추꽃차례. 원추 화서 / 穗suì状～; 수상꽃차례. 수상 화서 / 远心～; 유한(有限)꽃차례. 유한 화서.
〔花絮〕 huāxù 명 〈比〉 여러 가지 작은 사건. 가십(gossip). 여담. ¶社会～; 사회 잡문(雜聞) / 电影～; 영화계 가십.
〔花雪〕 huāxuě 명 〈比〉 꽃보라.
〔花熏茶〕 huāxūnchá 명 ⇨〔花茶①〕
〔花汛〕 huāxùn 명 〈文〉 면화〔목화〕의 출하기.
〔花押〕 huāyā 명 화압. 수결(手決). 서명. ¶画～; 수결을 쓰다. =〔花字〕〔花书〕
〔花牙〕 huāyá 명 탁자의 둘레 측면 부분의 조각.
〔花芽〕 huāyá 명 《植》 꽃눈.
〔花烟馆〕 huāyānguǎn 명 매음 겸업의 아편굴.
〔花言巧语〕 huā yán qiǎo yǔ 〈成〉 ①진실성이 없는 말. 교묘한 말. 말솜씨 있는〔있게〕. ② ⇨〔花说柳说〕
〔花盐〕 huāyán 명 결정(結晶)한 소금.
〔花颜〕 huāyán 명 ⇨〔花面①〕
〔花眼〕 huāyǎn 명 〈俗〉 노안(老眼). ¶～镜; 노안경.
〔花眼眼〕 huāyǎnyǎn 명 쌍꺼풀진 눈.
〔花洋布〕 huāyángbù 명 《紡》 사라사.
〔花洋毡(子)〕 huāyángzhān(zi) 명 무늬 담요.
〔花样(儿)〕 huāyàng(r) 명 ①무늬. ¶～很鲜艳; 무늬가 산뜻하다. ②스케이트의 피겨. ¶～滑冰 =〔花式溜冰〕; 피겨 스케이팅. ③여러 가지 다른 계략. 속임수. 농간. ¶他～真多; 그 사람은 속임수가 참 많다 / 他虽然弄～, 到底叫我看破了; 그는 여러 가지 수를 썼지만, 결국 나에게 간파되고 말았다 / 我叫他出～; 그 녀석을 혼내 주다. ④양식(樣式). 형(型). ¶～与去年下水的金刚号相同; 작년에 진수한 금강호와 같은 형이다 / 搪瓷新～; 법랑 그릇의 새 모형 / ～繁多; 형태〔변화〕가 매우 많다.
〔花样百出〕 huāyàng bǎichū 여러 가지 모양이 잇달아 나오다《여러 가지 수단이 잇달아 쓰이다》.
〔花样翻新〕 huā yàng fān xīn 〈成〉 독창적인 새로운 양식·디자인을 창출하다.
〔花样经〕 huāyàngjīng 〈比〉 속임수. ¶他的～多得很; 그의 속임수는 아주 많다.
〔花药〕 huāyào 명 《植》 꽃밥. 꽃가루주머니.
〔花椰菜〕 huāyēcài 명 《植》 화야채. 콜리플라워. =〔菜花(儿)〕〔〈方〉花菜〕〔花甘蓝〕〔椰花菜〕
〔花叶〕 huāyè 명①꽃과 잎. ②《植》 화엽. 꽃잎.
〔花叶病〕 huāyèbìng 명 《農》 모자이크병.
〔花叶儿〕 huāyèr 명 꽃과 잎.
〔花业〕 huāyè 명 목화업.
〔花衣〕 huāyī 명 ①씨앗을 제거한 솜〔면화〕. ② ⇨〔蟒mǎng袍〕 ③화려한 의복.
〔花衣裳〕 huāyīshang 명 무늬가 있는 좋은 의복.
〔花用〕 huāyòng 명 비용. 소비. =〔化用〕
〔花羽绫〕 huāyǔlíng 명 《紡》 모직물의 일종.
〔花冤钱〕 huāyuānqián 동 쓸데없는 헛돈을 쓰다.
〔花园(儿,子)〕 huāyuán(r, zi) 명 뜰. 화원. →〔院子〕
〔花月〕 huāyuè 명 음력 2월의 별칭.
〔花月缘〕 huāyuèyuán 명 봄이면 꽃구경하고 가을이면 달 구경을 하는 청춘 남녀의 아름다운 기약이나 인연.
〔花栅子〕 huāzhàzi 명 ⇨〔花障(儿)①〕
〔花斋〕 huāzhāi 명 《宗》 불공을 드리기 위해, 1일·15일이나 석가 탄신일에 정진하는 일.
〔花债〕 huāzhài 명 화류계에서의 빚. ¶该了一屁股两肋的～; 기생집에 태산 같은 빚을 졌다.
〔花毡〕 huāzhān 명 무늬가 있는 담요.
〔花栈〕 huāzhàn 명 ①포목 도매상. ②여인숙.
〔花帐〕 huāzhàng 명 무늬가 든 침대막(幕). ¶把～子掀开, 挂在帐钩儿上; 침대의 무늬 있는 커튼을 젖혀 커튼 고리에 걸다.
〔花账〕 huāzhàng 명 (출납을 속이기 위한) 이중장부. ¶报～; 거짓 출납을 보고하다 / 开～; 허위 계산서〔청구서〕를 작성하다 / 这老妈子的～开得太大了, 快把她请走吧; 저 (하녀) 할멈은 가짜 출납을〔이중 장부를〕 보고하고 있으니, 빨리 그만두게 해야지.
〔花障(儿)〕 huāzhàng(r) 명 ①화초로 된 울바자. =〔花栅子〕 ②장식이 딸린 병풍.
〔花招(儿)〕 huāzhāo(r) 명 ①멋지게 보이거나 들리게 하기 위한 잔재주. 멋진 수식〔기교〕. ¶他的胡琴没有一个～; 그의 호궁(켜는 식)에는 잔기교가 없다. ②〈轉〉 감쪽같은 솜씨. 교묘한 속임수의 수단. 간계. ¶不管他要弄什么～, 他终究不能逃避这个问题; 그가 어떤 수를 쓴다 해도 결국 이 문제를 피할 수는 없다 / 别在行家面前便～; 전문가 앞에서 잔재주를 부리지 마라 / 他一而再, 再而

三地玩弄～进行欺骗; 그는 재삼 재사 잔재주를 부려서 속이고 있다. ‖ =〔花着(儿)〕
〔花着(儿)〕 huāzhāo(r) 명 ⇨〔花招(儿)〕
〔花朝〕 huāzhāo 명 백화(百花)의 생일로서 꽃신을 제사 지내는 음력 2월 12일 또는 15일. ¶～月夕 =〔花晨月夜〕; 〈成〉 가절(佳節)의 아름다운 경치를 가리키는 말. =〔百花生日〕
〔花针〕 huāzhēn 명 ①자수 바늘. ②갈지자형으로 홀치는 바느질. 새발뜨기. ③생화를 꽂은 비녀.
〔花砧(子)〕 huāzhēn(zi) 명 《機》 (대장간에서 쓰는) 벌집 모양의 모루. =〔型xíng砧〕
〔花枝〕 huāzhī 명 ①꽃가지. ②미인(美人). ¶～招展zhāozhǎn; 〈成〉〈比〉 꽃가지가 흔들흔들 움직이다(여자가 화려하게 차린 모양).
〔花纸〕 huāzhǐ 명 무늬가 있는 종이. 색종이.
〔花种儿〕 huāzhǒngr 명 ⇨〔花籽(儿)〕
〔花轴〕 huāzhóu 명 《植》 꽃대. 화축. 꽃줄기. =〔花茎〕
〔花绉〕 huāzhòu 명 《紡》 지지미.
〔花烛〕 huāzhú 명 ①화촉(결혼식에 쓰이는 붉고 큰 초). ②〈轉〉 신혼. ¶～洞房; 화촉 동방 / 洞房～夜; 신혼의 밤 / ～之喜; 신혼의 기쁨 / ～夫妻; 〈比〉 정식으로 결혼식을 올린 부부. ‖ =〔花蜡烛〕〔华huá烛〕
〔花柱〕 huāzhù 명 《植》 암술대. 화주.
〔花砖〕 huāzhuān 명 화장 벽돌. 무늬가 있는 타일. ¶镶xiāng上～; 무늬 타일을 붙이다.
〔花子〕 huāzi 명 거지. =〔化子huāzi〕〔乞丐qǐgài〕〔丐子〕〔要饭的yàofànde〕
〔花子儿〕 huāzǐr 명 ①화초 씨. ②〈方〉 관상용의 면화(綿花) 씨.
〔花籽(儿)〕 huāzǐ(r) 명 ①꽃씨. ②〈方〉 면실(棉實). ‖ =〔花子儿〕〔花种儿〕〔〈廣〉 花米〕
〔花字〕 huāzì 명 ⇨〔花押〕
〔花字儿〕 huāzìr 명 가곡을 재미있게 하기 위해 덧붙이는 문구. ¶加～; 가곡을 재미있게 하기 위해 문구를 덧붙이다.
〔花嘴子〕 huāzuǐzi 명 ⇨〔唇chún裂〕
〔花尊〕 huāzūn 명 〈方〉 주둥이가 다소 큰 꽃병.

哗(嘩〈譁〉) huā (화)

〈擬〉 ①콸콸. 뚝뚝. 솰솰(물이 넘쳐 흘러나는 소리). ¶祥子的衣裤都拧得出汗来～～的; 상자(祥子)의 바지며 저고리에서 뚝뚝 땀이 흘렀다 / 把水～地一下子泼下来了; 좍 물을 뿌렸다 / ～～地流水; 콸콸 물이 흐르다. ②와아(크게 웃는 소리). ¶～地笑了起来; 와아 하고 웃음을 터뜨렸다. ⇒huá
〔哗啦〕 huālā ①〈擬〉 와그르르(물건이 부서지는 소리). ¶一放炮, 岩石～地掉下来了; 발파하니까 암석이 와르르 무너져 내렸다. ②〈擬〉 부글부글(물이 끓는 소리). ¶水～啦的开; 물이 부글부글 끓다. ③동 무너지다. 실패하다. 망그러지다. ¶敌人的军队, 没等我们打, 自己就～了; 적의 군대는 아군이 공격할 것도 없이 저절로 무너져 버렸다 / 起会, 在这个穷年月, 常有～了的时候; 모임을 만들어도, 요즘 세상에서는 깨지고 마는 것이 이상하지 않다. ‖ =〔哗拉〕〔哗喇〕〔哗啦啦〕
〔哗啦哗啦〕 huālāhuālā 〈擬〉 ①덜커덩덜커덩. 짤그랑짤그랑. ¶背着～响的书包; 란도셀(네 ransel)을 짤그랑짤그랑 울리며. ②쏴쏴. ¶大雨～地下; 큰비가 쏴 하고 내리다 / ～地流眼泪; 눈물을 주르르 흘리다.
〔哗啷〕 huālang 〈擬〉 짤그랑짤그랑. 딸각딸각.
〔哗啷棒(儿)〕 huālangbàng(r) 명 딸랑이(유아를 어르는 장난감).

砉 huā (획)

〈擬〉 휙(신속하게 움직이는 소리). ¶乌鸦～的一声飞了; 까마귀가 휙 날랐다. ⇒xū

华(華) huá (화)

①형 화려하고 아름답다. 호화롭다. 변화하다. 찬란하다. ¶～而不实; 겉은 화려한데 알맹이가 없다 / 奢～; 사치하고 번지르르하다 / 质zhì朴无～; 꾸밈없이 소박하다. ②명 《氣》 (달·해)무리. ③형 왕성하다. ¶荣～; 영화롭다. ④형 뛰어나다. 정수(精粹)의(가장 뛰어난 것). ¶英～; 영재(英才) / 精jīng～; 정화. ⑤명 빛. 광택. 색깔. ¶日月光～; 해와 달이 빛나다. ⑥형 (머리카락이) 희다. ¶～发; 백발. ⑦형 허위이다. 겉보기뿐이다. ¶～言巧语; 겉치레뿐인 말. ⑧〈文〉 경의를 나타내는 말. ¶～诞; 생신날. ⑨명 중국. ⑩명 중국어. ⑪명 성(姓)의 하나(본래는 Huà라고 읽었으나, 최근에는 Huá라고 읽음). ⇒huā huà
〔华北〕 Huáběi 명 《地》 중국의 북방 지역(허베이(河北)·산시(山西)·허난(河南)·베이징(北京) 일대).
〔华表〕 huábiǎo 명 고대에 대건축물 앞에 세운 장식용의 거대한 돌기둥(천안문(天安門) 앞의 것이 유명함).
〔华彩〕 huácǎi 형 ①(빛·색깔 등이) 빛나다. 눈부시다. ②각양각색이다. ③(문자·문체 등이) 수식(修飾)되어 있다.
〔华彩乐段〕 huácǎi yuèduàn 명 《樂》 카덴차(이 cadenza).
〔华辞〕 huácí 명 〈文〉 가식적인 말.
〔华达呢〕 huádání 명 《紡》 개버딘(gabardine). =〔〈音〉 嘎gā别丁〕〔〈音〉 轧gá别丁〕〔〈音〉 葛gé巴丁〕〔〈音〉 甲jiǎ巴甸〕〔斜xié纹呢〕
〔华诞〕 huádàn 명 〈敬〉 생신. 형 부박하다. 엉터리없다. 실속이 없다.
〔华德〕 huádé 명양 ⇨〔瓦wǎ特〕
〔华灯〕 huádēng 명 ①아름다운 장식등. ②빛나는 등불.
〔华颠〕 huádiān 명 ⇨〔华发〕
〔华甸〕 huádiàn 명 〈文〉 국도(國都)의 땅.
〔华东〕 Huádōng 명 《地》 화동(일반적으로 산둥(山東)·장쑤(江蘇)·저장(浙江)·안후이(安徽)·장시(江西)·푸젠(福建)·타이완(臺灣)의 각 성(省)과 상하이(上海)를 가리킴).
〔华而不实〕 huá ér bù shí 〈成〉 꽃은 피나 열매는 맺지 않다(겉보기는 훌륭하나 속은 비었음).
〔华尔街〕 Huá'ěr Jiē 명 《地》 〈音〉 월가(Wall Street)(미국 국제 금융의 중심지). =〔墙qiáng街〕〔垣yuán街〕
〔华尔纱〕 huá'ěrshā 명 《紡》 보일(voile).
〔华尔兹〕 huá'ěrzī 명 《舞》 〈音〉 왈츠(waltz). =〔华尔姿〕〔窝尔兹〕〔圆舞曲〕
〔华发〕 huáfà 명 ①〈文〉 희끗희끗한 머리. ②〈轉〉 노인. ‖ =〔华颠〕
〔华服〕 huáfú 명 화려하고 아름다운 옷차림.
〔华府会议〕 Huáfǔ huìyì 명 워싱턴 회의.
〔华盖〕 huágài 명 ①한자 부수의 갓머리(宀). =〔宝盖〕 ②《氣》 오로라. =〔极光〕
〔华工〕 huágōng 명 옛날, 외국에 거류하는 중국인 노동자.
〔华观〕 huáguān 명 아름다운 겉모양(외관).
〔华贵〕 huáguì 형 호화롭다. 고가이다.

〔华函〕 huáhán 명〈敬〉 귀간(貴簡).
〔华翰〕 huáhàn 명〈敬〉 귀한(貴翰). 귀서신. =〔华函〕〔华笺〕〔华缄〕〔华简〕〔华札〕
〔华鲫鱼〕 huájìyú 명 ⇨〔鳜guì〕
〔华笺〕 huájiān 명 ⇨〔华翰〕
〔华缄〕 huájiān 명 ⇨〔华翰〕
〔华简〕 huájiǎn 명 ⇨〔华翰〕
〔华客〕 huákè 명〈敬〉 고객(顧客). 단골 손님.
〔华里〕 huálǐ 양《度》 중국의 이수(里數)('1～'는 0.5 킬로미터). =〔中zhōng国里〕〔市里〕
〔华丽〕 huálì 형 화려(하다)(복식·장식을 한 건축물 따위).
〔华利波〕 huálìbō 명《體》〈方〉〈音〉 배구(volleyball). =〔排球〕
〔华鬘〕 huámán 명 화만. 인도에서 실로 꽃을 꿰어서 목에 걸거나 부처님에게 바치는 일종의 화환. =〔花huā鬘〕
〔华美〕 huáměi 형 화려하다. 훌륭하다. 눈부시게 아름답다.
〔华南〕 Huánán 명《地》 화남(일반적으로 광둥 성(廣東省)과 광시(廣西) 티완 족 자치구를 가리킴).
〔华尼拉〕 huánílā 명《植》〈音〉 바닐라(vanilla). ¶～豆 =〔香荚兰豆〕; 바닐라 콩. =〔温里拿〕〔哗呢拉〕〔华尼剌〕〔梵尼兰〕〔凡尼林〕
〔华年〕 huánián 명〈文〉 청춘 시대.
〔华侨〕 huáqiáo 명 해외 체류 중국인. 화교.
〔华人〕 huárén 명 중국인.
〔华容〕 huáróng 명 ①아름다운 용모. ②《地》 화룽 현(華容縣)(허난 성(湖南省)에 있는 현 이름).
〔华沙〕 Huáshā 명《地》〈音〉 바르샤바(Warszawa)('波兰'(폴란드: Poland)의 수도). ¶～条约组织; 바르샤바 조약 기구.
〔华纱〕 huáshā 명 중국산 면사.
〔华厦〕 huáshà 명 화려한 대가옥.
〔华商〕 huáshāng 명 중국 상인. 중국 상점.
〔华盛顿〕 Huáshèngdùn 명〈音〉 ①《地》 워싱턴. ㉠미국의 주. ㉡미국의 수도. ¶～会议 =〔华府会议〕〔太平洋会议〕;《史》 워싱턴 회의 / ～邮报; 워싱턴 포스트(신문사). =〔华府〕 ②《人》 워싱턴(George Washington)(미국의 초대 대통령, 1732～1799).
〔华氏表〕 huáshìbiǎo 명 ⇨〔华氏(温度)计〕
〔华氏寒暑表〕 Huáshì hánshǔbiǎo 명 ⇨〔华氏(温度)计〕
〔华氏温标〕 huáshì wēnbiāo 명《物》 화씨 온도. →〔摄氏温标〕
〔华氏(温度)计〕 huáshì (wēndù) jì 명 화씨 온도계. =〔华氏(温度)表〕〔华氏寒暑表〕
〔华饰〕 huáshì 동 아름답게 꾸미다.
〔华首〕 huáshǒu 명 ①백발. ②〈轉〉 노인.
〔华司〕 huásī 명 ⇨〔垫diàn圈〕
〔华丝葛〕 huásīgé 명《紡》 도드라진 무늬가 있는 일종의 견직물(저장 성(浙江省) 후저우(湖州)가 주산지).
〔华丝纱〕 huásīshā 명《紡》 견직물의 일종.
〔华文〕 Huáwén 명 중국문. 중국어. 한자(漢字).
〔华屋山丘〕 huá wū shān qiū〈成〉 흥망이 신속함(화려한 집에 살고 있어도 곧 원래의 산이나 언덕으로 돌아가게 됨).
〔华西〕 Huáxī 명《地》 화서(華西)(일반적으로 쓰촨 성(四川省) 일대, 양쯔 강(揚子江) 상류를 이름).
〔华夏〕 Huáxià 명 중국의 고칭(古稱).
〔华言〕 huáyán 명〈文〉 경박한 말. 실속없는 말.
〔华裔〕 Huáyì 명 ①중국과 그 인접국(隣接國). ②화교의 자손(외국에서 출생한 외국 국적의).
〔华语〕 Huáyǔ 명 중국어.
〔华簪〕 huázān 명〈比〉 고위 관직.
〔华泽兰〕 huázélán 명《植》 국화과 등골나물의 근연종. =〔兰草②〕〔都dū梁香〕
〔华札〕 huázhá 명 ⇨〔华翰〕
〔华章〕 huázhāng 명〈文〉 화려한 시문(남의 시문을 기릴 때 씀).
〔华中〕 Huázhōng 명《地》 화중(일반적으로 허베이(湖北)·허난(湖南) 두 성(省) 일대, 양쯔 강(揚子江) 중류를 이름).
〔华胄〕 huázhòu 명〈文〉 ①화하(華夏)의 후예. 한(漢)민족. ②귀족의 후예.
〔华宗〕 huázōng 명 동족이나 동성인 자.

哗(嘩〈譁〉)

huá (화) ①형 떠들썩하다. 시끄럽다. ¶喧xuān～; 시끄럽게 떠들다. ②동 소란을 피우다. 떠들다. ¶肃静勿～; 정숙하시기 바람(게시 용어) / 众人闻之大～; 모든 사람은 이것을 듣고 대소동을 벌였다. ⇒huā
〔哗变〕 huábiàn 명 쿠데타. 반란.
〔哗门吊嘴〕 huámén diàozuǐ ⇨〔油yóu嘴滑舌〕
〔哗拳〕 huáquán 동 ⇨〔划huá拳②〕
〔哗然〕 huárán 형 사람이 왁자지껄 떠드는 모양. ¶舆论～; 여론이 시끄럽다 / ～大笑; 여러 사람이 와아 하고 크게 웃다.
〔哗笑〕 huáxiào 동 떠들썩하게 웃다.
〔哗噪〕 huázào 동 ①시끄럽게 떠들다. ②침착성을 잃다. 형 소란하다. 들뜨다. 왁자지껄하다.
〔哗众取宠〕 huá zhòng qǔ chǒng〈成〉 대중의 인기〔갈채〕를 얻으려 하다. ¶无实事求是之意, 有～之心; 사실에 따라서 참을 구할 생각은 없이 대중을 꼬드기어 득을 보려 하다.

骅(驊)

huá (화) ①→〔骅骝〕 ②인명용 자(字).
〔骅骝〕 huáliú 명 주(周)나라 목왕(穆王)의 명마 이름. ¶～开道;〈比〉 장차 발전할 가망이 있는 일.

铧(鏵)

huá (화) 명 쟁기의 날. ¶五～犁; 다섯 날이 달린 자동 경운기.

划(劃)B)

huá (획) A) ①동 물을 헤치다. (노로 배를) 젓다. ¶在水里扑腾了两下, 拼命地～; 물 속에서 두세 번 허우적거리고 필사적으로 물을 헤쳤다 / ～船; 배를 젓다 / 这船～得快; 이 배는 빨리 나아간다. ②(～子) 명 노(櫓)를 사용하는 작은 배. 보트. ③동 손득(損得)을 계산하다. ¶～得着; 수지가 맞다 / ～得来; 채산이 맞다 / ～不着; 타산이 맞지 않는다. B) 동 ①뾰족한 것으로 평면을 문지르다. 긋다. ¶～不着; (성냥이 젖어서) 불이 붙지 않는다 / 这个火柴受了潮了～不着; 이 성냥은 습기가 차서 그어도 켜지지 않는다. ②(날붙이·뾰족한 것으로) 째다. 상처를 내다. ¶～开西瓜; 수박을 자르다. ⇒huà huai
〔划拨〕 huábō 동 쿡쿡 찔러서 째다. ⇒huàbō
〔划不来〕 huábulái 동 수지가 맞지 않다. ¶一个经历了二万五千里长征的人, 现在农村中种田, 这在

有些人看来, 似乎是～的; 2만5천 리의 장정에 참가했던 사람이 지금 농촌에서 농사일을 하고 있다는 것은, 어떤 사람들이 보면 타산이 안 맞는 일인지도 모른다. =〔花不来②〕

〔划船〕 huá chuán ①(노 따위로) 배를 젓다. ② (huáchuán) 명 《體》 보트. 카누.

〔划粉〕 huáfěn 명 재봉용 초크.

〔划尖底眼〕 huájiān dǐyǎn →〔划眼〕

〔划桨〕 huájiǎng 동 노를 젓다. ¶那时的帆船是在舱下～的; 그 무렵의 범선〔돛단배〕은 선실 밑에서 노를 젓는 것이었다.

〔划开〕 huákāi (뾰족한 것으로) 자르다. ¶～玻璃; 유리를 자르다.

〔划拉〕 huála 동 〈方〉 ①떨어 버리다. 닦아 없애다. ¶大概其～～就得了; 대강 쓸어버리면 그것으로 된다. ②거두어들이다. (주머니 따위에) 그러넣다. ¶你光寻思往个人腰包里～; 자네는 자기 주머니 속에 그러넣을 것만 생각하고 있군 그래. ③휘갈겨 쓰다. 괴발개발 쓰다. 마구 쓰다. ¶拿我的好笔瞎～什么呢? 내 좋은 붓으로 무얼 괴발개발 써 대고 있느냐?/这付对联请你好歹给～上吧; 이 대련에 적당히 일필휘지해 주십시오.

〔划搂〕 huálou 동 〈方〉 게걸스레 먹다. 꿀꺽꿀꺽 마시다. ¶他赶紧～三大碗饭; 그는 급히 밥을 세 공기 곱배기로 먹어 치웠다.

〔划平底眼〕 huápíng dǐyǎn →〔划眼〕

〔划平面〕 huá píngmiàn →〔划眼〕

〔划破〕 huápò 동 긁어 깨다. 찢다. 째다.

〔划拳〕 huá.quán 동 ①가위바위보를 하다. ¶～赢yíng了; 가위바위보에 이겼다. =〔猜拳〕 ②(술자리에서) 흥을 돋우기 위해서 손가락으로 승부놀이를 하다《2명이 임의의 수(1-10까지)를 말하면서 손가락으로 수(0-5까지)를 만들어 앞으로 내밀고, 말한 수가 양쪽 손가락 수의 합이 된 쪽이 이기며, 진 편이 술을 마시게 됨》. =〔稿gǎo拳〕〔拇mǔ战〕〔哗拳〕〔搳拳〕〔滑拳〕〔豁huá拳〕

〔划伤〕 huáshāng 동 찰상을〔찔린 상처를〕 입다〔입히다〕.

〔划水〕 huáshuǐ 명 ①《體》 스트로크(stroke). ② 물고기의 지느러미 부근의 연한 살. ¶炒chǎo～; 지느러미 부근의 연한 살로 만든 요리《저장 성(浙江省)의 유명 요리》.

〔划算〕 huásuàn 동 수지가〔타산이〕 맞다. ¶这块地还是种麦子～; 이 밭에는 역시 보리를 심는 것이 채산이 맞는다/用几个人做一个人的工作不～; 몇 사람이서 한 사람 분의 일을 해서는 채산이 맞지 않는다.

〔划艇〕 huátǐng 명동 ①보트(를 젓다). ②《體》 카누 경기(를 하다).

〔划艇赛〕 huátǐngsài 명 ⇨〔短duǎn艇竞赛〕

〔划眼〕 huá.yǎn 동 《工》 이미 뚫린 구멍을 안내로 하여 명두(皿頭) 못이나 침두(枕頭) 볼트의 자리 등을 특별한 송곳〔錐〕으로 가공하다《다음의 세 가지 등이 있음. '划平底眼'(counter boring), '划尖底眼'(counter sinking), '划平面'(spot facing) 등》.

〔划子〕 huázi 명 작은 배. 보트.

〔划钻〕 huázuàn 명 ⇨〔钻头tou〕

滑 huá (활)

①형 매끈매끈하다. 미끄럽다. ¶又圆又～的小石子; 동그랗고 매끈한 작은 돌. ②동 미끄러지다. ¶～了一跤; 찍 미끄러져 뒹그러지다/～着走; 미끄러져 (나)가다/～个筋jīn斗; 미끄러져서 나뒹굴었다. ③형 교활하다. ¶耍shuǎ～; 교활한 짓을 하다. =〔狡jiǎo滑〕 ④동 속이다. ¶他们想～是～不过去的; 그들은 속이려 해도 속여 넘길 수가 없다/不让隐藏敌人～过去; 잠복해 있는 적에게 속지 마라. ⑤형 약삭빠르다. 이악하다. ⑥명 《地》 화 현(滑縣)《허난 성(河南省)에 있는 현 이름》. ⑦명 성(姓)의 하나. ⇒gǔ

〔滑板〕 huábǎn 명 ①⇨〔滑梯②〕 ②《機》 활주면. ③《體》 (탁구의) 페인트.

〔滑冰〕 huá.bīng 동 스케이트를 타다. (huábīng) 명 스케이트. ¶花样～ =〔花式～〕; 피겨 스케이트/快速～ =〔速度～〕; 스피드 스케이트/～场; 스케이트장/～表演; 아이스 쇼. ‖=〔跑pǎo冰〕 →〔溜liū冰〕

〔滑步〕 huábù 명 《體》 (투포환의) 글라이드《왼발을 낮게 내밀고 오른발을 낮게 뛰듯이 점프하는 발놀림》.

〔滑不唧溜(的)〕 huábujīliū(de) 형 〈方〉 ①잘 미끄러지는 모양. 미끌미끌한 모양. =〔滑不叽溜〕〔滑不唧〕〔滑不唧唧〕 ②⇨〔滑头滑脑〕 ‖=〔滑不溜秋〕

〔滑车〕 huáchē 명 《機》 ①활차. 도르래. 풀리(pulley). ¶定～; 고정 도르래/动～; 가동 도르래/双轮～; 복(複)도르래/差动～; 차동 도르래《다수의 도르래를 쓰지 않고 힘의 확대를 크게 하는 도르래》/链～; 사슬 녹로(轆轤). 체인 블록(chain block)/电动机用～; 모터 풀리(motorized pulley). ②방직기의 활차. ‖=〔滑轮〕〔皮pí带盘〕

〔滑车神经〕 huáchē shénjīng 명 《生》 활차 신경《안구의 운동을 맡음》.

〔滑串〕 huáchuàn 형 교활하다. ¶～子 =〔滑竿子〕; 교활한 인간.

〔滑串流口〕 huáchuàn liúkǒu 말솜씨가 뛰어나고 재담을 잘하다.

〔滑跐溜〕 huácīliu 형 미끌미끌하다.

〔滑倒〕 huádǎo 동 미끄러져 넘어지다.

〔滑道〕 huádào 명 활강로. 미끄럼길. 비탈길. 슈트(chute).

〔滑东西〕 huádōngxi 명 ⇨〔滑骨头〕

〔滑动齿轮〕 huádòng chǐlún 명 《機》 미끄럼 기어. 슬라이딩 기어(sliding gear).

〔滑动关节〕 huádòng guānjié 명 《生》 활동 관절《뼈 관절의 하나》.

〔滑动配合〕 huádòng pèihé 명 ⇨〔滑配合〕

〔滑动轴承〕 huádòng zhóuchéng 명 《機》미끄럼 베어링(sliding bearing). =〔普pǔ通轴承〕

〔滑竿(儿)〕 huágān(r) 명 가마 비슷한 것《두 개의 긴 대나무 가운데를 죽편(竹片)이나 새끼로 묶고 그 위에 이불을 깔고 사람을 태우고 두 사람이 멤》.

〔滑杆的〕 huágǎnde 명 교군(轎軍)꾼.

〔滑骨头〕 huágútou 명 교활한 놈〔사람〕. =〔滑东西〕

〔滑棍〕 huágùn 명 교활한〔나쁜〕 놈.

〔滑过〕 huáguò 동 속여서 통과하다.

〔滑合座〕 huáhézuò 명 ⇨〔滑配合〕

〔滑滑〕 huáhuá 〈擬〉 콸콸《물이 흐르거나 솟아나는 소리》.

〔滑环〕 huáhuán 명 《機》 슬립 링(slip ring).

〔滑货〕 huáhuò 명 ①교활한〔불성실한〕 놈. ②변덕쟁이. ¶你又要搬家呀, 多～! 자네 또 이사하는가, 참 변덕도 많군.

〔滑机油〕 huájīyóu 명 ⇨〔润rùn滑油〕

〔滑剂〕 huájì 명 ⇨〔润rùn滑料〕
〔滑稽〕 huáji〔〈舊〉gǔjī〕 형 우스꽝스럽다. 익살스럽다. ¶～戏 =〔～剧〕; ⓐ희극. ⓑ〈南方〉만담 / ～片piàn; 희극 영화 / 他说话很～; 그의 말은 익살스럽다. =〔滑gǔ稽〕
〔滑键〕 huájiàn 명 《機》 미끄럼 키(sliding key).
〔滑跤〕 huájiāo 동 미끄러져 뒹굴다. ¶地上都是冰, 当心～; 지면이 완전히 얼어 있으므로 미끄러지지 않도록 조심하시오.
〔滑脚〕 huájiǎo 동 발이 미끄러지다.
〔滑精〕 huá,jīng 동 ⇨〔遗yí精〕
〔滑口〕 huákǒu 형 구변이 좋다.
〔滑懒〕 huálǎn 동 게을리하다.
〔滑垒〕 huálěi 명 《體》 (야구·하키 따위의) 슬라이딩. =〔铲chǎn垒〕
〔滑利〕 huálì 형 ⇨〔溜liū滑①〕
〔滑溜〕 huáliu 명 고기나 생선을 잘라 녹말을 묻혀서 기름에 튀기고, 파나 부추를 넣고 다시 녹말로 걸쭉하게 하는 요리법. ¶～里脊片; 등심고기를 녹말 푼 것을 묻혀 기름에 튀겨 내고, 파·부추를 넣고 다시 녹말 가루를 풀어 걸쭉하게 끓임.
〔滑溜(儿)〕 huáliu(r) 형 〈口〉 매끈매끈〔반들반들〕하다. 매끄럽다.
〔滑溜溜〕 huáliūliū 형 미끈미끈한 모양. ¶芋头吃在嘴里～; 토란을 입에 넣으면 미끈미끈하다. =〔滑流流〕
〔滑流流〕 huáliúliú 형 ⇨〔滑溜溜〕
〔滑路〕 huálù 명 질퍽거려 미끄러지기 쉬운 길.
〔滑轮〕 huálún 명 활차. 도르래. =〔滑车〕
〔滑脉〕 huámài 명 《漢醫》 활맥《매끄럽고 빠르게 느껴지는 맥》.
〔滑门〕 huámén 명 미닫이.
〔滑腻〕 huánì 형 (피부 따위가) 매끄럽다. (윤기가 있어) 반들반들하다. ¶不知道是小妮姑脸上有一点～的东西粘zhān在他指上? 젊은 여승 얼굴의 미끈미끈한 것이 그의 손가락 끝에 묻은 것이 아닌가?
〔滑跑〕 huápǎo 명동 활주(하다). ¶这种飞机能缩短起飞和着陆时的～距离; 이 종류의 비행기는 이착륙의 활주 거리를 단축할 수가 있다.
〔滑配合〕 huápèihé 명 《機》 슬라이딩 피트(sliding fit). 미끄럼 끼워 맞춤. =〔滑运配合〕〔滑合座〕
〔滑坡〕 huápō 명 산사태.
〔滑球〕 huáqiú 명 《體》 (야구의) 슬라이더.
〔滑拳〕 huáquán 동 술자리에서 일종의 가위바위보를 하여 술을 권하다. =〔划huá拳②〕
〔滑人〕 huárén 명 교활한 자.
〔滑润〕 huárùn 형 미끄럽다. 매끄럽다.
〔滑润法〕 huárùnfǎ 명 《工》 급유법(給油法). ¶循环～; 순환 급유법 / 滴dī油～; 적하(滴下) 급유법.
〔滑润料〕 huárùnliào 명 ⇨〔润滑料〕
〔滑润器〕 huárùnqì 명 급유기. 주유기. ¶水压～; 수압 급유기 / 离心力～; 원심력 주유기 / 机力～; 기계 급유기.
〔滑舌〕 huáshé 형 구변이 좋다. =〔滑嘴①〕
〔滑石〕 huáshí 명 《鑛》 활석. 탤크(talc). =〔冷lěng石〕
〔滑石粉〕 huáshífěn 명 활석분. 탤컴 파우더(talcum powder).
〔滑水〕 huáshuǐ 명동 《體》 수상 스키(를 타다).
〔滑顺〕 huáshùn 형 순조롭다. ¶事情～; 일이 순조로이 진행된다.
〔滑汰〕 huátà 형 〈文〉 길이 질퍽하고 미끄러워 걷기 어렵다.
〔滑胎〕 huátāi 명 《醫》 습관성 유산(流産).
〔滑趟〕 huátàng 형 〈俗〉 재빠르다. 날쌔다. ¶他做事～极了; 그는 하는 일이 재빠르다.
〔滑梯〕 huátī 명 ①재목을 떨어뜨리는 제상로(梯狀路). ②미끄럼틀. =〔滑桥qiáo〕〔滑板①〕
〔滑头〕 huátóu 형 교활하다. 간교하다. 불성실하다. 명 교활한 놈. =〔猾头〕
〔滑头滑脑〕 huá tóu huá nǎo 형 교활한 언동의 형용. =〔〈方〉滑不唧溜(的)②〕
〔滑脱〕 huátuō 양 《電》 와트(watt). =〔瓦wǎ(特)〕 형 세상 물정에 밝다. 세련되다.
〔滑翔〕 huáxiáng 동 활공하다. ¶～跳伞; 《體》 글라이더 파라슈트(경기).
〔滑翔机〕 huáxiángjī 명 글라이더. 활공기.
〔滑行〕 huáxíng 동 ①활주(滑走)하다. ¶飞机在跑道上～; 비행기는 활주로를 활주하고 있다 / 飞机向起飞线～; 비행기는 스타트 라인을 향해 활주하고 있다. ②타성(惰性)〔관성(慣性)〕으로 달리다.
〔滑学〕 huá,xué 동 ⇨〔逃táo学〕
〔滑雪〕 huá,xuě 《體》 동 스키를 타다. (huáxuě) 명 스키. ¶～板; 스키 / ～站 =〔～(练习)场〕; 스키장 / ～杖; 스틱 / ～鞋; 스키화 / ～运动家; 스키어 / ～跳跃台; 스키 점프대 / ～吊diào椅; 스키 리프트 / 高山～; 알펜(종목).
〔滑牙利嘴〕 huá yá lì zuǐ 〈成〉 능변이다. 말을 잘하다.
〔滑液〕 huáyè 명 《生》 활액.
〔滑音〕 huáyīn 명 ①《言》 경과음《음성학에서 한 소리에서 다른 소리로 옮길 때 자연히 발생하는 이음 소리》. ②《樂》 포르타멘토.
〔滑油〕 huáyóu 명 ⇨〔润rùn滑油〕
〔滑泽〕 huázé 형 매끈매끈하다. 반들반들하다.
〔滑贼〕 huázéi 명 ⇨〔猾贼〕
〔滑脂〕 huázhī 명 그리스(grease). 윤활유. ¶～杯 =〔牛油杯〕; 그리스 컵 / ～泵bèng; 그리스 펌프 / ～枪 =〔〈南方〉牛油枪〕〔油枪②〕; 그리스 건〔주입기〕 / ～族塞; 그리스 주입기의 마개. →〔润rùn滑油脂〕
〔滑转〕 huázhuǎn 동 (회전에서) 슬립(slip)하다.
〔滑嘴〕 huázuǐ 형 ①구변이 좋다. 수다스럽다. =〔滑舌〕 ②(구실(口實)·의논 등의 말이) 그럴 듯하다. 명 잘 지껄이는 사람. 수다쟁이.

猾 huá (활)

① 형 교활하다. =〔狡jiǎo猾〕 ② 동 〈文〉 문란해지다. 어지럽히다. 교란시키다.
〔猾伯〕 huábó 명 아주 간교한 사람.
〔猾棍〕 huágùn 명 간교한 사람.
〔猾狯〕 huákuài 형 〈文〉 교활하다.
〔猾皮〕 huápí 명 어린 산양의 가죽. 키드.
〔猾头〕 huátóu 명 ⇨〔滑huá头〕
〔猾贼〕 huázéi 형 교활〔간교〕하다. 명 교활〔간교〕한 자. =〔滑贼〕

𫚉(䱻) huá (활)

명 《魚》 누치의 근연종(近緣種)으로, 잉어과의 담수어. =〔𫚉鱼〕

搳 huá (할)

→〔搳拳〕
〔搳拳〕 huá,quán 동 (가위바위보 따위의) 손·손가락으로 승부 놀이를 하다. =〔划拳②〕

豁 huá (활)

→〔豁拳〕 ⇒huō huò

〔豁拳〕 huá.quán 동 ⇨〔划拳②〕

化 **huà** (화)
①동 변화하다. 변화시키다. ¶水受热～成汽; 물이 가열되어 증기가 되다/千变万～; 여러 가지로 변화하다. ②동 태우다. ¶火～ =〔焚～〕; 화장(火葬)하다/把尸骨用火～了; 유해를 화장해서 유골이 되었다. ③동 감화하다〔시키다〕. ¶顽固不～; 완고하여 어떻게 할 도리가 없다. ④동 고쳐지다. ⑤동 (승려·도사(道士)가) 죽다. ¶坐～; 좌선(坐禪)한 채로 살아 있는 것처럼 성불(成佛)함/羽～; ⓐ우화하다. ⓑ선인(仙人)이 되다. ⓒ(도교에서) 죽다. ⑥동 녹다. 녹이다. ¶雪～了; 눈이 녹았다. ⑦동 소화되다. ¶消xiāo～; 소화되다/吃的东西不～; 먹은 것이 소화되지 않다/食古不～; 〈成〉 고전을 읽고 소화할 수 없다. ⑧동 소멸되다. ⑨동 융합하다. ⑩명 화학. ¶理～; 이화(理化). ⑪동 불교·도교의 신도가 보시(布施)를 청하다. ¶～布施; 보시를 청하다/～斋; 탁발(托鉢)하다. 걸식(乞食)하다. ⑫접미 (…)화(하다)《명사·형용사의 뒤에 붙어, 어떤 성질이나 상태로 전화(轉化)됨을 나타냄》. ¶现代～; 현대〔근대〕화하다/大众～的艺术; 대중화된 예술/把共性个性的差别绝对～; 공통성과 개별성의 차를 절대화하다. ⇒huā

〔化冰〕 huàbīng 동 얼음이 녹다.
〔化册〕 huàcè 명《佛》시주서(施主書).
〔化场〕 huàchǎng 명 ⇨〔化人场〕
〔化成〕 huàchéng 명《化》화성. 동 바뀌어 …가 되다. 바꾸어 …로 하다. ¶冰～水了; 얼음이 물이 되었다/把一切丑恶～美丽; 일체의 추악한 것을 아름답게 변화시키다.
〔化除〕 huàchú 동 소멸하다. 제거하다. 지워 없애다. ¶～成见; 선입관을 없애다.
〔化导〕 huàdǎo 동 교화하여 인도하다.
〔化冻〕 huà.dòng 동 녹다. (굳은 것을) 불로 녹이다. (언 것이) 녹다. ¶大地刚开始～; 대지가 녹기 시작했다.
〔化度〕 huàdù 동《佛》중생을 감화하여 제도(濟道)하다.
〔化恶缘的〕 huà'èyuánde 명 거지중.
〔化饭〕 huà.fàn 동 탁발(托鉢)하다.
〔化肥〕 huàféi 명《化》〈簡〉 화학 비료. ¶～厂; 화학 비료 공장.
〔化废为利〕 huà fèi wéi lì 〈成〉 폐물(廢物)을 유용(有用)한 것으로 만들다.
〔化分〕 huàfēn 명동 화학적 분해(하다). ¶水不能～两个以上的东西; 물은 두 가지 이상으로 분해할 수 없다. =〔化学分解〕
〔化粪池〕 huàfènchí 명 (수세식 변소의) 정화조.
〔化腐朽为神奇〕 huà fǔ xiǔ wéi shén qí 〈成〉 생명을 잃은 것에 생명을 부여하다. 옛말에 새로운 뜻·내용을 부여하다.
〔化干戈为玉帛〕 huà gān gē wéi yù bó 〈成〉 전쟁 상태를 평화로 돌리다. 전쟁을 그치고 강화(講和)하다.
〔化工〕 huàgōng 명 ①조화(造化)의 기교. 천공(天工). ②〈簡〉 화학 공업. ¶～厂; 화학 제품 공장/～产品; 화학 공업 제품/～原料 =〔化原〕; 화학 공업 원료.
〔化公为私〕 huà gōng wéi sī 〈成〉 공공의 물건을 개인의 물건으로 하다.
〔化合〕 huàhé 명동《化》화합(하다). 친화(하다).
〔化合价〕 huàhéjià 명 ⇨〔原yuán子价〕
〔化合力〕 huàhélì 명《化》화학 친화력. =〔亲qīn和力〕
〔化合碳〕 huàhétàn 명《化》결합 탄소. 콤바인드 카본.
〔化合物〕 huàhéwù 명《化》화합물.
〔化鹤〕 huàhè 동 ①〈文〉 학으로 화하여 승천하다. ②〈比〉 사망하다.
〔化海〕 huàhuì 동 교화하다.
〔化货〕 huàhuò 명 하잘것없는 것. 동 상품을 되돌리다.
〔化解〕 huàjiě 동 용해하다. 녹다. ¶他那个顽固的性质稍微的～点儿了; 그의 그 완고하던 성질도 조금은 나아졌다. =〔化开〕
〔化境〕 huàjìng 명 (예술면에서) 입혼(入魂)의 경지. 최고 수준. ¶他的演出已臻于～; 그의 연기〔연주〕는 최고 수준에 달하였다.
〔化开〕 huàkāi 동 ①녹이다. 녹다. ¶在油里～材料; 기름으로 재료를 녹이다. ②녹기 시작하다. ‖=〔化解〕
〔化炼〕 huàliàn 동 화학적으로 연제(鍊製)하다.
〔化零为整〕 huà líng wéi zhěng 〈成〉 ①흩어진 것을 한데 모으다. ②점(點)을 확대시켜 면(面)을 만들다. ③하나하나 처리하여 전체로 합치다.
〔化民成俗〕 huà mín chéng sú 〈成〉 민중을 교화하여 풍속을 좋게 하다.
〔化名〕 huà.míng 동 가명을 쓰다. 개명(改名)하다. (huàmíng) 명 가명. 개명.
〔化募〕 huàmù 동 보시(布施)를 찾아 돌아다니다. =〔化缘〕
〔化脓〕 huà.nóng 동 화농(化膿)하다. 곪다. ¶～菌; 화농균. =〔酿niàng脓〕
〔化洽〕 huàqià 동〈文〉 은혜〔자비〕를 베풀다.
〔化去〕 huàqù 동〈婉〉 사람이 죽다.
〔化人场〕 huàrénchǎng 명 화장터. '火huǒ葬场'의 구칭. =〔化场〕
〔化入化出〕 huàrù huàchū《映》용암(溶暗) 용명(溶明).
〔化散〕 huàsàn 동 소산(消散)하다. ¶～为整 =〔化零为整〕; 흩어진 것을 하나로 뭉뚱그리다.
〔化身〕 huàshēn 명 ①화신《추상 관념의 구체적 형상》. ¶那位教师是爱的～; 저 선생님은 사랑의 화신이다/他是菩萨的～; 그는 보살의 화신이다. ②《佛》변신. 성육신(成肉身).
〔化生〕 huàshēng 명동《生》변태(하다). 화생(하다). 동《佛》무(無)에서 유(有)로 화하다. 환생하다.
〔化石〕 huàshí 명 화석. ¶～学; 화석학.
〔化食〕 huàshí 동 음식물을 소화시키다. ¶～丸; 환약으로 된 소화제.
〔化俗〕 huàsú 동〈文〉 풍속을 개량하다.
〔化胎〕 huàtāi 동 ⇨〔堕duò胎〕
〔化痰〕 huàtán 동 가래를 적게 하다〔없애다〕.
〔化铁炉〕 huàtiělú 명 용광로. 큐폴라(cupola).
〔化外〕 huàwài 명 ①〈文〉 문화가 미치지 못하는 곳. 문화의 혜택을 받지 못하고 있는 사람. ②〈轉〉 외지. 벽촌.
〔化为〕 huàwéi 동 …로 바꾸다. …로 바뀌다. ¶～泡影; 〈成〉 수포로 돌아가다/～乌有; 빈털터리가 되다. (화재로) 홀랑 타 버리다.
〔化纤〕 huàxiān 명 화학 섬유. =〔化学纤维〕
〔化险为夷〕 huà xiǎn wéi yí 〈成〉 위험한 상태가 평온한 상태로 바뀌다. =〔化险为平píng〕
〔化香树〕 huàxiāngshù 명《植》굴피나무. 호두나무.
〔化形〕 huàxíng 명동 ①위장(僞裝)(하다). ②(요

괴 따위가) 둔갑(하다).
〔化学〕 huàxué 명 ①화학. ¶～变化; 화학 변화/～反应; 화학 반응/～方程式; 화학 방정식/～符号 =〔～记号〕; 화학 기호/～纤维 =〔化纤〕; 화학 섬유/～木浆; 화학제 목재 펄프/～线; 화학 변화를 일으키는 방사선(자외선 따위). ②〈俗〉 셀룰로이드. 플라스틱. ¶～品; 셀룰로이드 제품. =〔赛璐珞〕
〔化验〕 huàyàn 명 화학 실험. 화학 분석. 화학 검사. 동 화학 실험·화학 검사·화학 분석하다. ¶～单dān; 분석표/～血型; 혈액형을 검사하다/～室; (화학) 실험실. 검사실/～力量和设备; 화학 실험 능력과 설비/～工作; 화학 실험 작업.
〔化鹰为鸠〕 huà yīng wéi jiū〈成〉 매 같은 맹조를 비둘기처럼 순하게 만들다(악인을 감화시켜 선인이 되게 하다).
〔化用〕 huàyòng 명 =〔花用〕
〔化油器〕 huàyóuqì 명 〈南方〉 ⇒〔汽qì化器〕
〔化诱〕 huàyòu 동 〈文〉 감화 유도하다.
〔化雨〕 huàyǔ 명 만물을 잘 육성하는 비. 〈比〉 스승의 교화.
〔化育〕 huàyù 동 천지 자연이 만물을 생성 발육시키다.
〔化原〕 huàyuán 명 화학 공업 원료. ¶～市交易略增; 화학 공업 원료 시장은 거래가 다소 늘었다. =〔化工原料〕
〔化缘〕 huà·yuán 동 불교·도교의 신도가 보시(布施)를 청하다. ¶～的; 탁발승. 거지중. 동냥중/～的来～; 탁발승이 시주를 받으러 오다/～重chóng修; 탁발하여 절을 수복(修復)하다/～十方; 각처를 탁발하고 돌아다니다. =〔化募〕〔抄chāo化〕〔募mù化〕〔募缘〕〔求化〕〔求乞〕〔劝quàn化②〕
〔化缘簿〕 huàyuánbù 명 희사부(喜捨簿). 시주장부.
〔化斋〕 huàzhāi 동 (스님이나 도사가) 걸식하다. 탁발하다.
〔化整为零〕 huà zhěng wéi líng〈成〉 집중한 것을 분산시키다. ¶当敌人兵力过于强大的时候, 我们把大部队～, 分布在敌人前后左右, 不断地进行袭击; 적의 병력이 너무 강력할 경우, 우리는 대부대를 분산시켜, 적의 전후 좌우에 배치하여 끊임없이 습격을 한다.
〔化纸〕 huàzhǐ 동 ⇒〔烧shāo化②〕
〔化治〕 huàzhì 동 〈文〉 선정(善政)으로 교화하여 천하를 다스리다.
〔化州橘红〕 huàzhōu júhóng 명 진피(陳皮)의 일종(광둥 성(廣東省) 화저우 현(化州縣)에서 생산되는 밀감의 껍질을 말린 것).
〔化主〕 huàzhǔ 명 《佛》 ①불타. ②시주(施主). 교화의 주(主).
〔化妆〕 huà·zhuāng 명동 화장(하다). ¶～包; 화장 가방(핸드백 따위)/～品; 화장품.
〔化妆室〕 huàzhuāngshì 명 ①화장실. 분장실. ②(타이완 등에서) 변소.
〔化装〕 huà·zhuāng 동 메이크업하다. 분장하다. 가장하다. 변장하다. ¶～大会; 가장 행렬/～舞会; 가장〔가면〕 무도회.

华(華) Huà (화)

명 ①《地》 화산(華山). 화현(華縣)(산시 성(陝西省)에 있는 산 이름으로 오악(五嶽)의 하나, 또 현 이름). ②성(姓)의 하나(현재는 Huá 라고 읽기도 함). ¶～佗tuó; 화타(삼국시대의 명의(名醫)). ⇒huā huá

桦(樺) huà (화)

명 《植》 자작나무. 벚나무. ¶～皮; 《漢醫》 자작나무 껍질/～烛zhú; 자작나무 껍질로 말아서 만든 초. =〔桦木〕〔桦皮树〕〔桦树〕〔白桦〕〔〈俗〉白皮树〕

划(劃) huà (획)

①동 구획을 짓다. 구분하다. 가르다. ¶把这部分～归第二组; 이 부분을 분할하여 제 2 조로 넣다. ②형 획일적인. ③동 계획하다. 꾀하다. 설계하다. ¶筹chóu～; 계획(하다). ④동 (돈을) 건네 주다. 교부하다. 지출하다. ⑤동 넘겨 주다. ¶～一点货给我们; 상품을 조금 우리에게 나누어 주다. 할당하다. ⑥ ⇒〔画huàB〕 ⇒huá huai
〔划拨〕 huàbō 동 ①지출하다. 대체(對替)하다. ¶～储chǔ金; 대체 저금. ②양도하다. 나누어 주다. ⇒huábō
〔划策〕 huà·cè 명동 획책(하다). =〔画策〕
〔划成分〕 huà chéngfēn ①부류로 나누다. ②출신 성분〔계급〕을 나누다.
〔划单〕 huàdān 명 ⇒〔上shàng单〕
〔划到〕 huàdào 동 출석을 기명(記名)하다.
〔划道道〕 huàdàodào ⇒〔划道儿〕
〔划道儿〕 huà·dàor ①선을 긋다. ②방법을 정하다. 길을 열다. 길을 가리키다. ¶有什么话, 您划个道儿, 我就走; 무엇이든지 당신이 하는 법을 정해 주시면 그대로 하겠습니다. ‖ =〔划道道〕
〔划地〕 huàdì 동 토지를 구획하다. ¶～做牢 =〔～为牢〕; 지역을 한정해서 그 곳으로부터 나오는 것을 금하다. 연금하다/～绝交; 완전히 절교하다.
〔划定〕 huàdìng 동 획정하다. 확정하다. ¶～范围; 범위를 획정하다.
〔划分〕 huàfēn 동 ①분할하다. ②구분하다. ¶～土地; 토지를 구획하다. ③구별하다. 식별하다. 선을 그어 놓다. ¶～阶级; 계급으로 가르다.
〔划付〕 huàfù 동 지불하다. 교부(交付)하다. =〔划交〕
〔划杠〕 huà gàng 선을 긋다.
〔划格〕 huà·gé 동 (컵·접시 등에) 줄〔선〕을 그리다. (종이에) 괘(罫)를 긋다. (직물 따위에) 줄무늬를 넣다. (총 따위의) 총신(銃身)〔포신〕 안에 나선형의 홈을 파다.
〔划归〕 huàguī 동 ①구분하여 편입시키다. ②할양(割讓)하다. 분할하여 귀속시키다. ¶这笔收入, 应～地方; 이 수입은 지방 수입에 귀속되어야 한다.
〔划汇〕 huàhuì 명동 《商》 어음 교환(을 하다). →〔票piào据〕
〔划交〕 huàjiāo 동 지출하여 교부(交付)하다. =〔划付〕
〔划界〕 huà·jiè 동 경계를 긋다. 경계를 정하다.
〔划款〕 huà kuǎn 동 돈을 나누어서 융통하다.
〔划框框〕 huàkuāngkuang 동 제한을 가하다. 범위를 한정하다. 기준을 정하다.
〔划片〕 huàpiàn 동 (큰 지역 또는 범위를) 구획하다〔구분짓다〕.
〔划期〕 huàqī 동 ⇒〔划时代〕
〔划清〕 huà·qīng 동 분명하게 구분〔구획〕하다. ¶～敌我界限; 적과 아군의 경계를 분명하게 구분짓다/跟他～界线; 그와 명백하게 선을 긋다〔구분짓다〕/～责任; 책임 한계를 분명히 하다.
〔划圈〕 huà quān 동 동그라미 표시를 하다.

〔划入〕 huàrù 동 이월(移越)하다. 대체(對替)하다. ¶～利息; 이자를 이월하다.
〔划时代〕 huàshídài 동 한 시대를 구획하다. ¶～的作品; 획기적(인) 작품. =〔划期〕〔划时期〕
〔划算〕 huàsuàn 동 ①계산하다. ②계획하다.
〔划头〕 huàtóu 명 《商》 (어음의) 당일 지급.
〔划线〕 huàxiàn ①실을 분류하다. ¶～工; (방적에서) 실의 분류공. ②선을 긋다. ¶～表; 선 그래프/～机; 《機》 라인 프린터/～支票; 《商》 횡선 수표. =〔画线〕
〔划一〕 huàyī 형동 일률(의 · 적으로 되게 하다). 획일(의 · 적으로 되게 하다). ¶整齐～; 고르고 일률적이다/～体例; 양식을 통일하다.
〔划一不二〕 huà yī bù èr 〈成〉 ①에누리 없음. 정찰제. ②획일적이다. 일률적이다. ¶写文章没有～的公式; 문장을 쓰는 데 있어서 획일적인 규칙은 없다.

话(話〈語〉)

huà (화)
①(～儿) 명 말. 이야기. ¶讲～; 말을 하다/说几句～; 몇 마디 말을 하다/～不投机半句多; 이야기가 어울리지 않으면 반 마디 말도 많은 셈이다/不是一句～; 말의 조리가 서지 않다/不算～; 식언하다/～挤～; 말의 연결. 말을 꺼내다/土～; ⓐ방언. 사투리. ⓑ비속〔천박〕한 말/闲～; ⓐ세상 이야기. 쓸데없는 이야기. ⓑ불만. 불평. ② 명 말. 언어. ¶中国～; 중국어. ③ 명 일. 사항. ¶这～有几年了吧? 그것은 수 년 전의 일이지요? ④ 조 …하다면. …이라면(‘…的～’의 형태로 가정(假定)의 어기(語氣)를 나타냄). ¶若能行的～; 만일 괜찮다면/不然的～…; 만약 그렇지 않으면/你要不来的～…; 네가 만약 오지 않는다면. ⑤ 동 〈方〉 이야기하다.
〔话靶〕 huàbǎ 명 ⇨〔话柄〕
〔话把儿〕 huàbàr 명 ①⇨〔话柄〕 ②구실. ¶别给人家留～; 남에게 구실〔핑계〕 거리를 주어서는 안 된다.
〔话白〕 huàbái 동 헐뜯다. 빈정대다. ¶我～他了几句; 나는 한두 마디 그에게 비꼬아 주었다.
〔话板〕 huàbǎn 명 말. 화제. ¶他们～密了; 그들은 마구 지껄여 댔다/～硬; 말을 강요하듯 한다.
〔话报剧〕 huàbàojù 명 《劇》 시사(時事)를 제재(題材)로 한 극.
〔话本〕 huàběn 명 송대(宋代)의 백화 소설로 당시의 생활을 소재로 한 ‘说唱’의 대본(臺本).
〔话别〕 huà·bié 동 〈文〉 작별을 고하다. ¶～会; 송별 좌담회.
〔话柄〕 huàbǐng 명 이야깃거리. 화제. =〔话把儿①〕〔话靶〕
〔话不贴题〕 huà bù tiē tí 〈成〉 이야기가 곁길로 새다.
〔话不投机〕 huà bù tóu jī 〈成〉 서로 말이 잘 맞지 않는다. ¶～半句多; 〈諺〉 말은 서로 어울리지 않으면 반 마디도 많다.
〔话不在篇儿〕 huà bùzài piānr 말에 근거가 없다〔엉터리다〕. ¶他说的～; 그가 하는 말은 근거가 없다.
〔话碴儿〕 huàchár 명 〈方〉 ①화제(話題). 이야기의 단서. 이야기의 계속. ¶一时抓不着～; 갑작스럽게는 화제가 없다. ②말투. 어조. ¶我一听他的～不对, 赶快就解释; 그의 말투가 이상해서 나는 곧 설명했다. ‖ =〔话茬儿〕〔话楂儿〕〔话岔chà儿〕
〔话搭拉儿〕 huàdālar 명 ⇨〔话拉lá拉儿〕
〔话叨叨〕 huàdāodāo 형 장황하다. 수다스럽다.
〔话到口边留半句〕 huà dào kǒubiān liú bàn jù 〈諺〉 말이란 하고 싶어도 반(半)만으로 참아야 한다(말은 조심스럽게 해라). =〔话到舌边留半句〕〔话到嘴边留半句〕
〔话到礼到〕 huà dào lǐ dào 〈成〉 (사람을 대접함에 있어) 극진하다. ¶这位先生待人接物真是～, 没得挑剔; 저 사람은 사람을 응대하는 일에 참으로 정성을 다하니, 흠잡을 데가 없다.
〔话调儿〕 huàdiàor 명 말투. ¶听他的～, 好像不大愿意似的; 그의 말투로 봐서는 별로 원하고 있지 않은 것 같다.
〔话多了不甜〕 huà duō le bù tián 〈諺〉 말이 많으면 흥이 깨진다. 말이 지나치면 재미가 없다.
〔话费〕 huàfèi 명 〈簡〉 통화 요금. =〔电话费〕
〔话锋〕 huàfēng 명 말의 실마리. 말의 방향. 화제. ¶他把～一转, 就谈起别的事来; 그는 곧 화제를 바꾸어, 딴 것을 말하기 시작하였다.
〔话赶话〕 huàgǎnhuà 명 얘기 끝에 한 말. ¶那不过是～, 一时脱口而出的; 그것은 얘기 끝에 무심코 한 말이다.
〔话机〕 huàjī 명 〈簡〉 수화기. ¶拿起～; 수화기를 들다.
〔话挤话〕 huà jǐ huà 말을 하다 보니 뜻하지 않던 말을 해 버리다.
〔话旧〕 huàjiù 동 회고담을 하다. 지난 일을 말하다.
〔话句子〕 huàjùzi 명 어구(語句). 말.
〔话剧〕 huàjù 명 중국 전통극에 대하여 신극(新劇)을 말함(보통, 대화와 동작으로 연출함).
〔话口儿〕 huàkǒur 명 〈方〉 말투. 어조(語調). ¶活动～; 애매한 말투/～活动; 말투가 애매하다/探～; 어조를 살피다. =〔口气〕〔口风〕
〔话拉拉儿〕 huàlálar 명 〈京〉 장황하게 이야기하는 사람. 수다쟁이. ¶那是有名的～, 到哪儿都说上没完; 저 사람은 유명한 수다꾼이어서, 어디에서든 이야기를 시작하면 끝이 없다. =〔话搭dā拉儿〕
〔话痨〕 huàláo 명 말수가 많은 사람. 잔소리꾼.
〔话里套话〕 huàli tào huà ①말을 유도해 내다. ②언외(言外)에 뜻이 있다. =〔话里有话〕
〔话里有话〕 huàlǐ yǒu huà 그 말 속에 다른 뜻이 들어 있다. ¶他这～, 你要仔细作zuó摩作摩; 그가 하는 말 속에는 다른 뜻이 있음을 자네는 차분히 생각해야 한다. =〔话里套话②〕〔话中有话〕
〔话料儿〕 huàliàor 명 이야깃거리. ¶在洋车夫里, 个人的委屈与困难, 是公众的～; 인력거꾼들 사이에서는 각자의 불평이나 괴로움이 온통 이야깃거리이다.
〔话梅〕 huàméi 명 소금과 설탕으로 절인 후 햇볕에 말린 매실(화남 지방에서 차와 곁들여 내는 식품의 일종).
〔话片儿〕 huàpiānr 명 ⇨〔话片子〕
〔话片子〕 huàpiànzi 명 〈俗〉 축음기의 레코드. =〔话片儿〕
〔话儿〕 huàr 명 ①상용어(常用語). 보통 쓰는 말. ②(예(例)의) 일. 것. ¶那个～; 그 일.
〔话是开心的钥匙〕 huà shì kāi xīn de yàoshi 〈諺〉 말은 마음을 여는 열쇠(근심을 하고 있는 사람에게는 말을 거는 것이 최선의 위안).
〔话说〕 huàshuō 대저(‘说书’나 ‘章回小说’ 따위의 허두에 나오는 말).
〔话题〕 huàtí 명 화제(話題). ¶小孩儿的教育问题成了会上的～; 어린이의 예절 교육이 모임의 화제가 되었다.
〔话条子〕 huàtiáozi 명 회화책.

〔话筒〕 huàtǒng 명 ①수화기(受話器). ②마이크로폰. ¶带式～ =〔带式传声器〕〔带式微音器〕; 핸드 마이크(hand microphone) / 无线～; 와이어리스 마이크(wireless microphone). =〔微wēi音器〕〔传声器〕〔麦克风〕 ③메가폰. =〔传声筒①〕〔喊话筒〕〔喇叭筒〕〔传话筒〕 ④ ⇨〔扬声器〕
〔话头(儿)〕 huàtóu(r) 명 ①이야기의 동기〔계기〕. 이야기의 실마리. ¶你别拦我的～; 내 말머리를 막지 마라. ②이야기를 이을 계제. 말허리. ¶打断别人的～; 남의 말을 끊다. ③화제(話題). 말의 취향. 이야기의 방향〔화살〕. ¶他～一转说…; 그는 말의 방향을 싹 바꾸어 …라고 했다.
〔话外有音〕 huà wài yǒu yīn 〈成〉 언외(言外)에 뜻이 있다.
〔话务台〕 huàwùtái 명 전화 교환대.
〔话务员〕 huàwùyuán 명 교환수. =〔电话接jiē线员〕
〔话匣子〕 huàxiázi 명 〈方〉 ①축음기. ¶～片(儿) =〔唱片(儿)〕; 레코드. =〔戏xì匣子〕〔留声机〕 ②〈比〉 수다(스런 사람). ¶他是个～; 저 사람은 수다쟁이다 / 他又打开～了; 그는 또 지껄이기 시작했다.
〔话箱〕 huàxiāng 명 〈比〉 이야기하기 좋아하는 사람. 수다쟁이.
〔话兴〕 huàxīng 명 이야기할 흥미.
〔话言话语〕 huà yán huà yǔ 〈成〉 여러 가지〔이것저것〕 말하다. ¶～地劝他; 이것저것 말하여 그에게 충고하다 / 他心里头的意思～地带出来了; 여러 가지로 이야기하는 가운데 그의 의중이 드러나기 시작했다.
〔话样儿〕 huàyàngr 명 〈方〉 말하는 식〔투〕. ¶瞧你这～太没有深浅了; 네가 이런 식으로 이야기하여서는 이야기의 깊이가 없다.
〔话音(儿)〕 huàyīn(r) 명 ①말소리(의 끝). ¶他的～未落, 从外面进来了一个大汉; 그의 말이 끝나기도 전에 밖에서 한 사내가 들어왔다. ②〈俗〉 말투. 어조. ¶你听他的～, 准是不愿意去; 이봐, 너 그의 말투를 들어 봐, 가고 싶지 않은 게 틀림없어.
〔话语〕 huàyǔ 명 말. 문구. ¶合同上的～; 계약서면의 문구 / 他～不多; 그는 말수가 적다.

画(畫) huà (화, 획)

A) ①(～儿) 명 그림. 회화. ¶一张～儿; 한 장의 그림. ②동 그리다. ¶～画儿; 그림을 그리다. ③형 그림으로 장식한. ¶～栋彫梁; 그림을 그린 마룻대와 조각한 대들보(훌륭한 건물). B) ①명 〈方〉 한자(漢字)의 가로획을 '일획(一畫)'이라 함. ②동 (기호·선을) 그리다. 긋다. ¶～线; 선을 긋다 / 用手指在空中～圈; 손가락으로 공중에 원을 그리다 / 从先的～押等于现在的签名; 옛날의 수결은 지금의 사인과 같다. ③명 한자의 일필(一筆)을 '一画'이라 함. ¶'人'字是两～; '人'자는 2획이다. ④동 계획하다. ¶是谁替你～的策? 누가 너에게 계책을 세워 주었느냐? ⑤동 구분하다. 가르다. 분할하다. ‖ =〔划huà⑥〕
〔画板〕 huàbǎn 명 화판(畫板).
〔画报〕 huàbào 명 화보(畫報). 그래프(graph).
〔画本〕 huàběn 명 그림본.
〔画笔〕 huàbǐ 명 화필(畫筆). 그림을 그리는 붓.
〔画壁〕 huàbì 명 그림이 그려 있는 벽.
〔画饼充饥〕 huà bǐng chōng jī 〈成〉 그림의 떡으로 허기를 채우다(이름뿐이고 실이 없음. 공상으로써 스스로 위로함). ¶空想是不行的, ～解决不了问题, 还得另想别的法子才是; 공상은 안 된다. 명의(名義)나 공상으로 문제는 해결되지 않으므로, 역시 딴 방법을 생각해야 할 것이다.
〔画布〕 huàbù 명 〖美〗 캔버스(canvas).
〔画册〕 huàcè 명 화첩. 화집. 그림책.
〔画策〕 huà,cè 동 계획을 세우다. =〔划策〕
〔画叉〕 huàchā 명 그림을 걸 때 쓰이는 장대(끝에 Y자형의 쇠장식이 달렸음). =〔画杈〕
〔画到〕 huà,dào 동 ⇨〔签qiān到〕
〔画道为记〕 huà dào wéi jì 〈成〉 선을 그어서 기호로 삼다.
〔画灯〕 huàdēng 명 음력 정월 보름날 밤에 거는 초롱.
〔画荻〕 huàdí 명 〈敬〉 어머니의 가르침을 찬양하는 말(송대(宋代)의 구양 수(歐陽修)의 어머니는 가난해서 붓을 사지 못하고 물억새 줄기로 땅에 글자를 써 가며 학문을 전수했다고 하는 데서 나온 말).
〔画地为牢〕 huà dì wéi láo 〈成〉 땅에 원을 그려 놓고, 그 곳을 감옥으로 삼다(지정한 범위 밖에서 활동하는 것을 금하다).
〔画地自限〕 huà dì zì xiàn 〈成〉 스스로 자신을 다스리는 규칙을 만들고 지키다. ¶只有君子人才能～; 군자만이 자기 자신을 규제할 수 있다.
〔画店〕 huàdiàn 명 화방(畫房). 화상. 화랑.
〔画定〕 huàdìng 동 구획지어 정하다. 한정하다. ¶～界址; 경계를 정하다.
〔画栋〕 huàdòng 명 그림을 그린 훌륭한 마룻대. ¶～雕梁; 〈成〉 그림을 그린 마룻대와 조각한 대들보(공이 많이 든 훌륭한 건물).
〔画法〕 huàfǎ 명 ⇨〔画工(儿)①〕
〔画舫〕 huàfǎng 명 아름답게 장식한 놀잇배.
〔画分〕 huàfēn 동 구분짓다. 칸을 막다.
〔画符〕 huàfú 명 부적(符籍)(특이한 그림으로 주문을 나타낸 것). (huà,fú) 동 ①부적을 쓰다〔그리다〕. ¶～念咒; 부적을 쓰고 주문을 외다. ②〈比〉 서투른〔어색한〕 글자를 쓰다.
〔画幅〕 huàfú 명 ①도화(圖畫). 그림. ¶美丽的田野是天然的～; 아름다운 전원은 천연의 그림이다. ②그림의 치수〔크기〕. ¶～虽然不大, 所表现的天地却十分广阔; 화폭은 별로 크지 않지만, 표현하고 있는 세계는 참으로 넓다.
〔画稿〕 huà,gǎo 명 (～儿) 밑그림. 동 공문서에 책임자가 인가(認可)한다는 표를 하거나 서명(署名)을 하다. =〔画行xíng〕
〔画工(儿)〕 huàgōng(r) 명 ①회화의 기술. 화법(畫法). ¶他的～不错; 그의 그림 솜씨는 훌륭하다. =〔画法〕 ②화공. 화사.
〔画供〕 huà,gòng 동 범인이 진술서(陳述書)에 서명하다.
〔画鼓〕 huàgǔ 명 그림으로 장식한 북.
〔画规〕 huàguī 명 디바이더(divider). 분할 컴퍼스. =〔〈南方〉矩jǔ车〕
〔画号〕 huàhào 동 번호를 매기다. 기호를 달다.
〔画壶儿〕 huàhúr 명 안쪽에 그림과 글자로 장식한, 코담배를 넣어 두는 유리 담배통(중국 특유의 미술품의 일종).
〔画虎不成反类狗〕 huà hǔ bù chéng fǎn lèi gǒu 〈成〉 ⇨〔画虎类狗〕
〔画虎画皮难画骨〕 huà hǔ huà pí nán huà gǔ 〈歇〉 호랑이를 그리되 가죽은 그릴 수 있으나 뼈를 그리는 것은 어렵다(사람의 마음은 헤아릴 수 없음. 뒤에 '知人知面不知心'이 이어지기도 함).

〔画虎类狗〕 huà hǔ lèi gǒu 〈成〉 호랑이를 그리려다 개를 그림(분수에 넘치는 소원을 했으나 성과가 없음). =〔画虎类犬〕〔画虎不成反类狗〕
〔画画(儿)〕 huà.huà(r) 동 그림을 그리다. =〔绘huì画儿〕
〔画会〕 huàhuì 명 회화전(繪畫展).
〔画家〕 huàjiā 명 화가. =〔画手〕
〔画架(子)〕 huàjià(zi) 명《美》이젤(easel). 화가(畫架).
〔画匠〕 huàjiàng 명 (직업) 화가. =〔画儿匠〕〔图tú工〕
〔画角〕 huàjiǎo 명 옛날, 군대에서 쓰던 대나무 또는 구리로 만든 피리.
〔画界〕 huà.jiè 동 구획을 짓다. 경계를 막아 정하다.
〔画境〕 huàjìng 명 화경(畫境). 그림처럼 경치가 아름답고 맑은 곳. ¶身在～中; 자신이 마치 화경 속에 있는 것 같다.
〔画具〕 huàjù 명 화구(畫具).
〔画剧〕 huàjù 명 ⇨〔连lián环画剧〕
〔画卷〕 huàjuàn 명 ①두루마리 그림. ②〈比〉 장대한 경치, 또는 감동적인 장면.
〔画绢〕 huàjuàn 명 동양화용의 생견(生絹).
〔画刊〕 huàkān 명 ①그림·사진을 넣은 신문의 부록 지면. 그라비어 페이지. ②그림·사진이 들어 있는 정기 간행물.
〔画框(儿)〕 huàkuàng(r) 명 액자(額子).
〔画拉〕 huàla 동 붓으로 칠해 버리다. =〔划拉〕
〔画廊〕 huàláng 명 ①그림이 그려 있는 낭하. ②화랑.
〔画梁〕 huàliáng 명 그림을 그린 아름다운 들보.
〔画料〕 huàliào 명 그림 물감.
〔画龙点睛〕 huà lóng diǎn jīng 〈成〉 화룡점정(畫龍點睛)(용의 몸을 그리고 끝으로 눈동자를 그림. 마지막으로 요긴한 부분을 마무리하다).
〔画卯〕 huàmǎo 동 ⇨〔点diǎn卯〕
〔画眉〕 huà.méi 동 여자가 눈썹 화장을 하다. =〔扫sǎo眉〕 (huàméi) 명《鳥》호랑지빠귀. 호랑티티.
〔画眉草〕 huàméicǎo 명《植》비노리.
〔画面〕 huàmiàn 명 ①화면. ②(영화나 TV 등의) 영상. 화상.
〔画诺〕 huà.nuò 동 승인의 사인을〔표시를〕 하다. →〔画行〕
〔画皮〕 huàpí 명 가면(假面). 탈. ¶撕开～; 가면을 벗다 / 剥～; 가면을 벗기다.
〔画片儿〕 huàpiānr 명 ⇨〔画片〕
〔画片〕 huàpiàn 명 ①영화의 필름. ②그림이 그려져 있는 카드. ③그림 엽서. ‖ =〔画片儿〕
〔画品〕 huàpǐn 명 그림의 품격〔품위〕.
〔画屏〕 huàpíng 명 그림이 있는 병풍·가리개.
〔画谱〕 huàpǔ 명 ①화법을 논한 책. ②그림본. =〔画帖〕
〔画蛇添足〕 huà shé tiān zú 〈成〉 뱀 그림에 발을 그려 넣다(쓸데없는 짓을 하다).
〔画圣〕 huàshèng 명 화성(당대(唐代)의 화가 오도자(吳道子)에 대한 존칭).
〔画师〕 huàshī 명 ①화가. ②화장(畫匠).
〔画十字〕 huà shízì ①(문맹자가) '十' 자(字)를 써서 서명(署名)에 대신하다. ②(기독교에서) 십자를 긋다. =〔划十字〕 ③가새표(×)를 지르다.
〔画室〕 huàshì 명 화실(畫室). 아틀리에.
〔画手〕 huàshǒu 명 화가. =〔画家〕
〔画堂〕 huàtáng 명 〈文〉 화려한 건축물.
〔画帖〕 huàtiè 명 ⇨〔画谱〕
〔画图〕 huà.tú 동 ①제도하다. ②지도를 그리다. =〔画地图〕 (huàtú) 명 그림(비유적으로 쓰임). ¶这些诗篇构成了一幅农村生活的多彩的～; 이들 시편은 한 폭의 농촌 생활의 다채로움을 회화로 구성하고 있다.
〔画图器〕 huàtúqì 명 제도(製圖) 기구.
〔画图纸〕 huàtúzhǐ 명 ①도화지. ②제도(製圖) 용지.
〔画线〕 huàxiàn ⇨〔划线②〕
〔画线板〕 huàxiànbǎn 명 ⇨〔直zhí尺〕
〔画线卡钳〕 huàxiàn kǎqián 명 스크라이빙 캘리퍼스(scribing calipers)(둥근 막대의 중심을 구하거나 판자의 단면(端面)에 평행선을 그릴 때 쓰는 도구).
〔画像〕 huà.xiàng 동 초상을 그리다. (huàxiàng) 명 초상. 초상화.
〔画行〕 huà.xíng 동 전에 공문서 말미에 상관이 '行' (좋음)자(字)를 써서 서명하다. =〔画稿〕 명 승낙 또는 허가의 표시.
〔画学〕 huàxué 명 ①그림에 관한 학문. ②옛날의 회화 학교.
〔画押〕 huà.yā 동 수결(手決)두다. 수결을 쓰다. =〔花押〕〔划押〕〔〈方〉 画字〕
〔画页〕 huàyè 명 (책 따위의) 삽화 또는 사진이 있는 면〔쪽〕. 그라비어 페이지.
〔画一〕 huàyī 형 획일하다. 획일적이다. 동 일정하게 하다. 일치시키다. ¶～式样; 형식을 일정하게 하다.
〔画一字〕 huàyīzì 〈比〉 고집스럽고 융통성이 없다. 판에 박은 듯하다. ¶他这～的脑筋就是不易转弯; 그의 그 고집스런 머리로서는 생각을 바꿀 수 없다.
〔画意〕 huàyì 명 화의(畫意)(그림에 내포된 뜻).
〔画影图形〕 huà yǐng tú xíng 〈成〉 (옛날에, 범인 수사용의) 인상서를 그리다. 몽타주를 그리다. 모양 그대로 그리다.
〔画院〕 huàyuàn 명 ①화원(畫院)(궁정(宮廷) 화가의 창작 기관). ②〈廣〉 영화관.
〔画赞〕 huàzàn 명 ⇨〔图tú赞〕
〔画展〕 huàzhǎn 명 〈簡〉 화전(畫展). '绘huì画展览会' 의 약칭.
〔画杖〕 huàzhàng 명 그림 그릴 때 팔을 받치는 도구.
〔画针〕 huàzhēn 명《工》화선기. 금긋기 핀(marking-off pin)(가공물 표면에 자를 대고 선을 긋는 도구).
〔画针盘〕 huàzhēnpán 명《工》스크라이빙 블록(scribing block). 토스칸. 턱촌목(치수에 맞게 장대에 침〔바늘〕을 꽂아 공작물에 금을 그릴 때 쓰는 기구).
〔画帧〕 huàzhèng 명 그림을 그리는 천을 붙이는 테.
〔画知〕 huà.zhī 동 '知单' (연명의 초대장)에 '出席' 의 뜻으로 자기 이름 밑에 '知' 라고 쓰다(또, 출결석 표시 외에도 통지를 받았다는 뜻도 있음).
〔画脂镂冰〕 huà zhī lòu bīng 〈成〉 유지(油脂)나 얼음에 그림을 그리고 조각을 하다(애만 쓰고 효과가 없음).
〔画轴〕 huàzhóu 명 그림 족자. 족자.
〔画字〕 huà.zì 동 ⇨〔画押〕

婳(嫿)

huà (획)
→〔姽guǐ婳〕

HUAI ㄏㄨㄞ

怀(懷) **huái** (회) ①명 생각. 의향. 마음. 가슴속. ¶胸～; 생각. 의향 / 开～; 마음을 터놓다 / 正中下～; 꼭 자기 생각과 같다 / 无介于～; 개의치 않다. ②명 품. 가슴. ¶把小孩抱在～里; 어린아이를 품에 안다 / 敞chǎng胸露～; 옷을 풀어 헤치고 가슴을 드러내다. ③동 생각을 품다. ¶不～好意; 좋은 감정을 가지지 않다 / 胸～壮志; 가슴에 큰 뜻을 품다 / 他～着感激的心情离开了故乡; 그는 감격적인 심정으로 고향을 떠났다. ④동 임신하다. ⑤동 편안히 하다. ⑥동 마음에 그리다. 그리워하다. ¶关～; 관심을 갖다. 염려하다. ⑦동〈文〉감동시키다. 안무(按撫)하다. ¶～远以德; 덕으로써 먼 곳의 사람도 감동시켜 안무(按撫)하다. ⑧명 성(姓)의 하나.

〔怀安〕 huái'ān 동〈文〉편안한 마음이 되다.

〔怀抱〕 huáibào 동 ①가슴에 안다. ¶还在～哪; 아직 갓난아기죠. ②포부를 품다. ¶～远大的理想; 원대한 이상을 품다. 명 ①품. 가슴. ¶远方游子盼望早日回到故乡～; 멀리 고향을 떠난 사람은 하루라도 빨리 고향의 품으로 돌아가기를 원하고 있다. ②생각. 의견. 포부. 마음. ¶他有伟大的理想与～; 그는 위대한 이상과 포부를 가지고 있다.

〔怀抱儿〕 huáibàor 명〈方〉유시(幼時). 갓난아이 때. ¶这个孩子从～就爱闹病; 이 아이는 젖먹이 때부터 잘 앓았습니다 / 二小儿还在～呢; 둘째 아이는 아직 젖먹이입니다.

〔怀璧其罪〕 huái bì qí zuì〈成〉재능이 있기 때문에 시새움을 받아 화(禍)를 입다.

〔怀表〕 huáibiǎo 명 회중시계. =〔〈方〉挂guà表〕

〔怀才不遇〕 huái cái bù yù〈成〉재능이 있으면서 인정받지 못하다.

〔怀畅〕 huáichàng 동〈文〉긴장을 풀다. 편안한 마음을 갖다. ¶此游令人～; 이번 여행은 편안히 쉴 수 있어서 즐거웠다.

〔怀仇〕 huáichóu 동〈文〉원수로 생각하다. 한을 품다.

〔怀揣〕 huáichuāi 동 주머니에 쑤셔 넣다.

〔怀春〕 huáichūn 동〈文〉소녀가 연정을 품다. =〔思春〕〔知春〕

〔怀弹挟刃〕 huáidàn xiérèn〈文〉(암살 등의 목적으로) 흉기를 소지하다.

〔怀贰〕 huái'èr 동〈文〉두 마음을 품다. 딴 마음을 품다.

〔怀服〕 huáifú 동〈文〉복종하다.

〔怀抚〕 huáifǔ 동〈文〉위무(慰撫)하다. 어루만져 달래다.

〔怀古〕 huáigǔ 동 옛일을 회고〔회상〕하다. ¶赤壁～; 적벽회고(시제(詩題)의 하나).

〔怀鬼胎〕 huái guǐtāi ①남에게 말 못할 음모나 생각을 품고 있다. ¶那个人偷偷摸摸的样儿, 他一定～呢; 저 사람은 은근슬쩍 하고 있는 것이, 필시 나쁜 짓을 꾸미고 있는 게 틀림없어. ②나쁜 짓이 탄로날까 두려워 불안·시의심(猜疑心)을 품다.

〔怀憾〕 huáihàn 동〈文〉유감으로 생각하다.

〔怀恨〕 huái·hèn 동 원망하다. 한을 품다. ¶～在心; 마음에 한을 품고 있다. =〔记恨〕

〔怀忌〕 huáijì 동〈文〉싫다고 생각하다. 싫어하는 마음을 품다.

〔怀襟〕 huáijīn 명〈文〉가슴 속. 마음. 흉금.

〔怀瑾握瑜〕 huái jǐn wò yú〈成〉미옥(美玉)을 품음(마음 속에 미덕을 품고 있음).

〔怀镜(儿)〕 huáijìng(r) 명 회중경(懷中鏡)(주머니 속에 넣고 다니는 작은 거울).

〔怀旧〕 huáijiù 동 옛날을 회고〔생각〕하다.

〔怀康〕 huáikāng 명〈音〉(영국의) 자작(子爵) (viscount).

〔怀里〕 huáili 명 ①호주머니. ¶塞在～; 호주머니에 처넣다. ②자기 앞. ¶往～拉; 자기 앞으로 끌다 / 往～一拽zhuāi; 자기쪽으로 획 잡아당기다. ③도로의 안쪽(자기 쪽에서 보아 우측). ¶往～拐guǎi; 우측으로 돌다.

〔怀恋〕 huáiliàn 명 회구(懷舊)의 정. 모정(慕情).

〔怀炉〕 huáilú 명 회로(懷爐)(불을 담아 품 속에 지니는 금속제의 작은 화로). ¶带上～; 회로를 넣다.

〔怀民〕 huáimín 동 백성을 보살피다.

〔怀念〕 huáiniàn 동 생각하다. 마음에 그리다. ¶～故乡; 고향을 그리워하다. =〔思念〕

〔怀奇〕 huáiqí 동〈文〉기재(奇才)를 지니고 있다.

〔怀儿来着〕 huáirláizhe〈俗〉①차부(車夫)가 다른 차와 교차할 때, 충돌을 피하기 위하여 상대방에게 하는 말로, 안쪽〔자기 차의 오른쪽〕으로 비켜 달라는 뜻. ②〈比〉자기에게 유리한 쪽으로만 생각하다. ③차(車)를 안에 깊숙이 넣다. ④자기 호주머니에 돈을 넣다.

〔怀人〕 huáirén 동〈文〉사람을 사모하다.

〔怀妊〕 huáirèn 동 ⇨〔怀孕yùn〕

〔怀柔〕 huáiróu 동 회유하다. 포섭하다. ¶～政策; 회유 정책.

〔怀手〕 huáishǒu 동〈文〉손을 품 속에 끼고 있다.

〔怀私〕 huáisī 동〈文〉사심을 품다.

〔怀思〕 huáisī 동〈文〉생각하다. 사념(思念)하다.

〔怀胎〕 huái·tāi 동 ⇨〔怀孕〕

〔怀土〕 huáitǔ 동〈文〉고향을 그리워하다.

〔怀乡病〕 huáixiāngbìng 명 향수병. 홈식(homesickness). 도가 지나친 향수심(鄕愁心). =〔乡愁〕

〔怀想〕 huáixiǎng 동〈文〉그리워하다. 회상하다. ¶无日不在～; 그리워하지 않는 날이 없다.

〔怀邪〕 huáixié 동〈文〉나쁜 마음을 품다.

〔怀挟〕 huáixié 동 ①〈文〉껴안다. 품에 끼다. ②옛날, 과거를 볼 때 은밀히 서책을 가지고 들어가다. =〔怀挟人场〕

〔怀刑〕 huáixíng 동〈文〉왕법(王法)을 삼가 두려워하여 자중하다. ¶君子～, 小人怀惠; 군자는 왕법을 삼가 받들어 좇으며, 소인은 은혜에 길들여져 오만해짐.

〔怀养〕 huáiyǎng 동〈文〉무육(撫育)하다. 애무하다.

〔怀疑〕 huáiyí 명동 ①의심(을 품다). 회의(를 품다). ¶起先我也～过; 처음에는 나도 의심한 적이 있습니다 / 他产生了～; 그는 의문을 품게 되었다 / 抱着～和观望的态度; 회의적이며 방관적인 태도를 취하다. ②추측하다. ¶我～他不想来; 내가 추측건대, 그는 오고 싶지 않아한다.

〔怀友〕 huáiyǒu 동〈文〉친구를 그리워하다. 친구를 생각하다.

〔怀有〕 huáiyǒu 동 품고 있다. ¶对他～深厚的感

情; 그에 대해 깊고 두터운 감정을 품고 있다.
〔怀玉有罪〕 huái yù yǒu zuì 〈成〉 옥을 품고 있어 오히려 죄가 되다《귀한 것을 갖고 있음으로 해서 도리어 죄를 짓다》.
〔怀怨〕 huáiyuàn 동 ⇨〔抱bào恨〕
〔怀孕〕 huái.yùn 동 잉태하다. 임신하다. =〔怀妊〕〔怀胎〕〔身shēn孕〕

徊 **huái** (회)
→〔徘pái徊〕 ⇒huí

淮 **Huái** (회)
명 《地》 화이허 강(淮河)《허난 성(河南省)에서나와 안후이 성(安徽省)으로 들어가 장쑤 성(江蘇省)으로 해서 바다로 들어가는 강 이름》.
〔淮北〕 Huáiběi 명 《地》 화이허 강(淮河) 이북의 땅《특히, 안후이(安徽) 북부를 가리킴. 이동·이남·이서를 각각 '淮东' '淮南' '淮西'라 함》.
〔淮海〕 Huái Hǎi 명 《地》 화이 해《쉬저우(徐州)를 중심으로 한 화이허 강(淮河) 이북 및 하이저우(海州) 일대의 지구》. ¶～(小)戏; 화이 해에 전해 오고 있는 지방극/～战役; 화이 해 전투.
〔淮剧〕 huáijù 명 《劇》 화이인(淮陰)·옌청(鹽城) 등지에서 행해진 지방극《원래 '江淮戏'라고 하였음》.
〔淮南〕 Huáinán 명 《地》 화이허 강(淮河) 이남, 양쯔 강(揚子江) 이북을 가리킴.
〔淮书〕 huáishū →〔说shuō书〕
〔淮盐〕 huáiyán 명 화이허 강(淮河) 유역에서 생산되는 소금.
〔淮扬菜〕 huáiyángcài 명 장쑤 성(江蘇省) 양저우(揚州) 지방의 요리.
〔淮扬戏〕 huáiyángxì 명 《劇》 장쑤 성(江蘇省) 양저우(揚州) 지방의 전통적 지방극.
〔淮雨〕 huáiyǔ 명 〈文〉 부슬부슬 내리는 장마비.

槐 **huái** (괴)
명 ①《植》 회화나무. 홰나무. 괴화나무. ¶刺cì(儿)～ =〔洋yáng～〕; 아카시아. =〔槐树〕 ②성(姓)의 하나.
〔槐安国〕 huái'ānguó 명 괴안국. 〈轉〉 환상의 나라.
〔槐安梦〕 huái'ānmèng 명 괴안몽. 일장춘몽《한바탕의 꿈. 인생의 덧없음. 빗나간 기쁨》. =〔南柯一梦〕
〔槐蚕〕 huáicán 명 《蟲》 회화나무에 붙는 자벌레. =〔槐虫〕
〔槐豆〕 huáidòu 명 《植》 회화나무의 열매《한방약으로, 또는 간장·술 제조에 쓰임》.
〔槐花〕 huáihuā 명 ①(～儿) 회화나무 꽃. ②⇨〔忽hū布(花)〕
〔槐黄〕 huáihuáng 명 ①《染》 회화나무의 꽃과 열매로 만든 황색 염료. ②《色》 회화나무색.
〔槐角〕 huáijiǎo 명 회화나무의 꼬투리.
〔槐叶苹〕 huáiyèpíng 명 《植》 생이가래.
〔槐月〕 huáiyuè 명 음력 4월의 별칭.
〔槐子水〕 huáizishuǐ 명 회화나무 열매 씨를 쪄서 만든 즙《염료 또는 소독 따위에 씀》.

踝 **huái** (과)
명 《生》 복사뼈.
〔踝子骨〕 huáizigǔ 명 《生》 〈口〉 복사뼈.

蘹 **huái** (회)
→〔蘹香〕
〔蘹香〕 huáixiāng 명 《植》 회향. =〔茴香〕

耲 **huái** (회)
①→〔耲耙〕 ②동 '耲耙'로 골을 파서 씨를 뿌리고 흙을 덮다.
〔耲耙〕 huáibà 명 《農》 뒤로 젖혀진 구식의 경작 농구.

坏(壞) **huài** (괴, 회)
①동 부서지다. 부수다. 망그러지다〔뜨리다〕. ¶自行车～了; 자전거가 부서졌다/机器～了, 谁负责; 기계가 망그러지면, 누가 책임을 지느냐/他把官～了; 그는 공무원의 직위를 망쳤다〔잃었다〕. ②형 (성품이) 나쁘다. 악하다. ¶～人～事; 악한과 나쁜 일. ③동 썩다. 부패하다. ¶这碗菜～了, 不能吃了; 이 요리는 부패해서 먹을 수 없다. ④동 실패하다. 망치다. 나쁘게 하다. ¶成事不足, ～事有余; 일을 성공시키지는 못하고 오히려 망치다/一马勺～一锅; 〈諺〉 한 부분의 일로 전체를 망그지르다/这话给他～了事; 이 이야기는 그이 때문에 망쳐졌다. ⑤형 나쁘다. ¶这个也不～; 이것도 나쁘지 않다/他这一招儿可真～; 그의 이런 방법은 정말 좋지 않다/出～主意; 좋지 않은 생각을 일으키다. =〔歹〕〔孬huài〕 ⑥형 음험하다. ⑦틀렸다. ¶～了; 틀렸구나. 이건 곤란한데. ⑧명 나쁜 생각. 못된 수작. 비열한 술책. ¶使～; 비열한 술책을 꾸미다/一肚子～; 나쁜 생각으로 가득 차다. ⑨동사·형용사의 뒤에 붙는 말. ㉠못쓰게 되어 버리다. ¶白菜都冻～了; 배추가 얼어서 못 쓰게 되었다. ㉡몸이나 기분이 아주 불유쾌한 상태가 되거나, 정도가 심한 것을 나타내는 말. 굉장히. 매우. ¶乐～; 아주 즐겁다. 굉장히 기뻐하다 /气～了; 화가 몹시 났다 /饿～了; 매우 배가 고프다/这一来, 可把我急～了; 이렇게 되고 보니 나는 아주 초조해졌다/真把我忙～了; 나를 무척 바쁘게 만들었다. ⇒'坏' pī
〔坏包(儿)〕 huàibāo(r) 명 악인. 악당. →〔坏蛋〕〔坏骨头〕
〔坏肠子〕 huàichángzi 명 썩어 빠진 근성. 나쁜 근성. 못된 심보.
〔坏钞〕 huàichāo 동 〈古白〉 돈을 쓰다. ¶什么道理叫你众人们～?《水滸傳》; 무슨 이유로 너희들에게 돈을 쓰게 하는가? =〔坏钱〕
〔坏处〕 huàichu 명 결점. 나쁜 점.
〔坏蛋〕 huàidàn 명 〈口〉〈罵〉 몹쓸 놈. 악인. 악당. 돼먹지 않은 놈.
〔坏地方〕 huàidìfang 명 풍속이 문란한 곳《홍등가 따위》.
〔坏东西〕 huàidōngxi 명 ①열등품. 손상품. ②〈罵〉 돼먹지 않은 놈. 나쁜 놈. ¶像他这样的～你何必同他往来! 왜 저 같은 나쁜 놈과 사귀느냐!
〔坏肚子〕 huàidùzi 동 배탈나다. ¶生冷的东西吃得太多了～; 날것을 너무 먹으면 배탈난다.
〔坏分子〕 huàifènzǐ 명 ①불량 분자. ②범죄자. ③악질 분자. ¶清除～; 악질 분자를 일소하다.
〔坏嘎嘎儿〕 huàigágar 명 〈方〉 악인(惡人). 나쁜 사람. 교활한 사람.
〔坏疙疙〕 huàigēge 명 〈方〉〈罵〉 악의 덩어리 같은 놈. 악질.
〔坏根〕 huàigēn 명 재앙의 근원. 악의 근원. 〈轉〉 나쁜 놈. 악한. ¶～散布了一些谣言, 人心又有一些摆幌; 못된 놈이 뜬소문을 퍼뜨려 놓았으므로 인심이 다시 조금 동요되었다.
〔坏骨头〕 huàigǔtou 〈比〉〈罵〉 악인(惡人). 나쁜 놈. ¶天生的～, 这能做得出好事来吗? 선천적으로

나쁜 놈이 좋은 일을 할 수 있겠는가?
〔坏鬼〕 huàiguǐ 명 악당. 악인.
〔坏话〕 huàihuà 명 ①욕설. ¶说人家的～; 남의 험담을 하다. ②쓸데없는 소리. ③듣기 싫은 말. 불쾌한 말.
〔坏坏〕 huàihuai 동 정조를 잃다. ¶这个姑娘让人给～; 이 아가씨는 정조를 짓밟혔어.
〔坏伙儿〕 huàihuǒr 명〈罵〉악인(惡人). 나쁜 놈〔자식〕.
〔坏家伙〕 huàijiāhuo 명〈罵〉머저리. 쓸모없는 놈. 악당. 나쁜 놈.
〔坏劲儿〕 huàijìnr 명 지나친 장난. 심한 장난. ¶你瞧那个～的! 저 못된 것 같으니!
〔坏疽〕 huàijū 명《醫》괴저(壞疽). 탈저(脫疽). ¶舌～; 설괴저(舌壞疽).
〔坏角儿〕 huàijuér 명 악역(惡役).
〔坏了〕 huàile ①아차. 큰일났다. 아뿔싸. ¶～, 又写错了! 아차, 또 잘못 썼다! / ～, 下起雨来啦! 이런, 비가 오는구나! ②동 나빠지다. 썩다.
〔坏了醋了〕 huàilecùle 초가 썩〔상하〕다《실패하다》. ¶这件事叫他一知道, 可就～; 이 일이 그에게 알려지면 그야말로 실패다.
〔坏名〕 huàimíng 명 추명(醜名). 나쁜 평판. 동 이름을 더럽히다.
〔坏坯子〕 huàipīzi 명〈罵〉나쁜 자식. 얼간이.
〔坏脾气〕 huàipíqi 명 나쁜 버릇〔성질〕.
〔坏钱〕 huàiqián 동 ⇨〔坏钞〕
〔坏球〕 huàiqiú 명《體》볼(ball)《야구 용어. 카운트는 '球'로서 셈》. ¶一击jī一球; 원 스트라이크 원 볼.
〔坏却〕 huàiquè 동〈文〉부서〔깨〕져 버리다. 못 쓰게 되다.
〔坏人〕 huàirén 명 (품행이) 나쁜 사람. 악인. =〔歹人〕 ↔〔好人〕 동 사람의 …을 손상하다. ¶～名誉; 사람의 명예를 손상시키다.
〔坏事〕 huàishì 명 나쁜 일. =〔歹事〕 ↔〔好事〕 (huài,shì) 동 일을 망치다. 잡치다. ¶成事不足, ～有余 =〔成事不足, 败事有余〕; 일을 이루기에는 힘이 부족하나, 깨어 버리는 데는 충분한 힘을 갖고 있다《일다운 일은 못 한다》. ‖=〔害hài事〕
〔坏事鬼〕 huàishìguǐ 명 부덕한(不德漢). 배덕한(背德漢).
〔坏水(儿)〕 huàishuǐ(r) 명 ①독수(毒水)《사람을 현혹하고 마비시킴》. ②'硫liú酸'(황산)의 별칭. ③〈轉〉나쁜 마음. 사심(邪心). ¶～冒出来了; 못된 마음이 걷잡을 수 없이 일어났다 / 他满肚子是～; 그는 나쁜 짓만 생각하고 있다.
〔坏死〕 huàisǐ 명《醫》괴사(壞死).
〔坏俗〕 huàisú 명 악습. 동 풍속을 망치다.
〔坏胎(子)〕 huàitāi(zi) 명 쓸모없는 놈. 악당. 나쁜 놈.
〔坏铁〕 huàitiě 명 질이 나쁜 철〔쇠〕《철 함유량이 90% 이하인 무쇠》. ¶海棉铁, 废铁和质量不纯的都是～; 해면 상태가 된 무쇠, 쇠 부스러기, 품질의 순도가 낮은 것은 모두 질이 나쁜 쇠다.
〔坏通了〕 huàitōngle 근성이 썩어 있다〔극히 나쁘다〕. ¶他是～; 저놈은 근성이 썩어 있다.
〔坏透〕 huàitòu 형 철저하게 나쁘다. 注 '坏得透'·'坏不透'라고는 안 함.
〔坏下水〕 huàixiàshui 명 ①썩은 내장. ②〈罵〉근성이 썩어 빠진 놈.
〔坏小子〕 huàixiǎozi 명〈罵〉악동(惡童). 나쁜 놈.
〔坏心〕 huàixīn 명 나쁜 마음. ¶～眼儿; 나쁜 마음씨. 나쁜 생각.
〔坏信(儿)〕 huàixìn(r) 명 나쁜 소식. 흉보(凶報).
〔坏行〕 huàixíng 명〈文〉나쁜 행위.
〔坏血病〕 huàixuèbìng 명《醫》괴혈병(壞血病)《비타민C 결핍증》.
〔坏意〕 huàiyì 명 사특한 마음. 악의.
〔坏运〕 huàiyùn 명 ⇨〔败bài运〕
〔坏杂碎〕 huàizásuì 명 좋지 않은 생각. 나쁜 음모. ¶那个人, 简直地别惹他, 一肚子～! 저 녀석과는 결코 상종해서는 안 된다, 아주 악랄한 음모만을 생각하는 놈이니까!
〔坏着儿〕 huàizhāor 명 ①(바둑·장기 따위의) 악수(惡手). ②간사한 계략. 간계(奸計). 흉계. =〔坏招儿〕
〔坏症〕 huàizhèng 명 (병의) 나쁜 징후.
〔坏种〕 huàizhǒng 명〈罵〉악도리. 악당. 막된 놈.
〔坏主儿〕 huàizhǔr 명 나쁜 인간. ¶遇见～了只有认倒dǎo霉; 나쁜 녀석에게 걸리면 운이 나쁘다고 체념하는 길밖에 도리가 없다.
〔坏主意〕 huàizhǔyi 명 나쁜 생각〔소견〕.

孬 huài (뇌)
⇨〔坏huài⑤〕 ⇒ nāo

划(劃) huai (획)
→〔剞bāi划〕 ⇒ huá huà

HUAN ㄏㄨㄢ

欢(歡〈懽, 驩〉) huān (환) ①형 기뻐하며 즐기다. ¶联～会; 간친회. ②형〈方〉활발하다. ¶孩子们真～; 아이들은 참으로 활발하다. ③형〈方〉성하다. ¶炉子里的火很～; 난로의 불은 굉장히 잘 타고 있다. ④형〈方〉기세가 좋다. ¶～点儿干吧; 더욱 기세를 올려 해라. ⑤동 흥분하다. 크게 들끓다. ⑥〈方〉…의 정도가 심하다. 격심하다. 마음껏〔실컷〕…하다. ¶哭kū得～; 몹시 울다 / 车跑～了, 收不住了; 차가 너무 빨리 달려서 세울 수 없었다 / 跑得别提多～了; 마음껏 뛰는 것은 말할 것도 없다. ⑦명 의중(意中)의 남자. 애인. ¶另有所～; 따로 좋아하는 사람이 있다. ⑧명 성(姓)의 하나. ‖=〔讙A)②〕
〔欢奔乱跳〕 huān bèn luàn tiào〈成〉⇨〔欢蹦乱跳〕
〔欢迸乱跳〕 huān bèng luàn tiào〈成〉⇨〔欢蹦乱跳〕
〔欢蹦乱跳〕 huān bèng luàn tiào〈成〉①기뻐 날뛰다. ②활발하고 기운찬 모양. ¶幼儿园里的孩子个个都是～的; 유치원 아이들은 모두 건강하고 활발하다 / 昨儿还～来着, 今儿会病得起不来了! 어제까지는 팔팔했는데, 오늘은 병으로 일어날 수가 없다니! ‖=〔欢奔乱跳〕〔欢迸乱跳〕
〔欢伯〕 huānbó 명 술의 별칭.
〔欢畅〕 huānchàng 형〈文〉즐겁다. 즐겁고 편안하다. 통쾌하다. 유쾌하다. ¶迎来丰收心～; 풍작을 맞이하여 마음이 즐겁다.
〔欢唱〕 huānchàng 동 즐겁게 노래하다.
〔欢车欢马〕 huān chē huān mǎ〈成〉거마의

왕래가 빈번하고 빠른 모양.
〔欢度〕 huāndù 동 즐겁게 지내다〔보내다〕. ¶～新年; 새해를 즐겁게 보내다 / ～了一个有意义的休假日; 보람 있는 휴일을 즐겁게 지냈다.
〔欢呼〕 huānhū 명동 환호(하다). 환성(을 지르다). ¶鼓掌～; 손뼉을 치며 환호하다.
〔欢虎儿〕 huānhǔr 명 활기찬 호랑이(씩씩하고 기운찬 어린이. (뛰놀기 좋아하는) 쾌활한 어린이). ¶这个孩子～似的; 이 어린이는 활기찬 호랑이처럼 씩씩하다. =〔欢虎子〕
〔欢欢儿的〕 huānhuānrde 부 팔팔(튀기는 기름이 잘 끓는 모양). ¶赶油热得～再搁下去炸zhá; 기름이 잘 끓은 다음에 (재료를) 넣어 튀기다.
〔欢会〕 huānhuì 〈文〉 명 즐거운 모임. 동 즐겁게 모이다.
〔欢聚〕 huānjù 〈文〉 동 즐거이 모이다. ¶～一堂; 일당에 즐거이 모이다. 명 즐거운 모임.
〔欢快〕 huānkuài 형 명랑하다. 유쾌하다. 기분이 좋다. ¶～的曲调; 경쾌한 멜로디〔곡조〕/ 随着音乐～地跳舞; 음악에 맞춰 경쾌하게 춤추다.
〔欢乐〕 huānlè 형 즐겁다. 기쁘하다. 유쾌하다.
〔欢乐纸〕 huānlèzhǐ 명 ⇨〔挂guà钱儿〕
〔欢龙〕 huānlóng 명 신이 나서 떠드는 용(신이 나서 떠드는 팔팔한 아이). ¶他像一条～似的来了; 그는 몹시 신바람이 나서 떠들며 왔다.
〔欢眉大眼〕 huānméi dàyǎn 밝고 명랑한 얼굴의 형용.
〔欢眉喜眼〕 huānméi xǐyǎn 밝고 명랑한 모습.
〔欢门〕 huānmén 명 경사 때, 5색의 비단 따위로 장식한 문.
〔欢洽〕 huānqià 형 〈文〉 기쁘고 마음이 흡족하다.
〔欢情〕 huānqíng 명 기쁜〔기쁨의〕 감정. 남녀가 화합(和合)한 감정.
〔欢庆〕 huānqìng 동 기뻐하며 축하하다. ¶～新年; 신년을 기뻐하며 축하하다 / ～丰收; 풍작을 기뻐하며 축하하다.
〔欢然〕 huānrán 부 〈文〉 흔연(欣然)히. 기뻐하며.
〔欢声〕 huānshēng 명 환성(歡聲). 기쁨의 소리. ¶～雷动; 〈成〉 환성이 우렛소리처럼 일어나다.
〔欢实〕 huānshi 형 〈方〉 힘이 넘치다. 기세좋다. 활발하다. ¶你看, 孩子们多～啊! 저것 봐, 아이들은 어쩌면 저리도 활발할까! / 机器转得挺～; 기계가 세차게 회전하고 있다. =〔起劲〕〔活跃〕
〔欢送〕 huānsòng 명동 환송(하다). ¶～会; 환송회. 송별회 / ～词; 송별사. 송사(送辭) / 前来～的人很多; 전송〔환송〕 나온 사람이 매우 많다.
〔欢腾〕 huānténg 동 기뻐 날뛰다. 미칠 듯이 기뻐하다. ¶四海～; 나라 안이 온통 기뻐 날뛰다.
〔欢天喜地〕 huān tiān xǐ dì 〈成〉 미칠 듯이 기뻐하다.
〔欢喜〕 huānxǐ 형 기쁘다. 즐겁다. ¶欢欢喜喜地过春节; 즐겁게 설을 지냈다 / 她掩藏不住心中的～; 그녀는 가슴 속의 기쁨을 감출 수 없었다. 동 〈方〉 좋아하다. 애호(愛好)하다. ¶～打乒乓球; 탁구 치는 것을 좋아하다. 注 동사를 목적어로 할 때는 흔히 '喜欢'을 씀.
〔欢喜禅〕 huānxichán 명 〈轉〉 남녀의 음탕한 즐거움.
〔欢喜佛〕 huānxifó 명 《佛》 환희불(歡喜佛)(라마교 사원에 있는 남녀 교합의 불상. 남자를 '佛公', 여자를 '佛母'라고 함). =〔欢喜天〕
〔欢喜钱儿〕 huānxiqiánr 명 옛 사회에서, 기쁜 일이 있을 때 베풀어 주던 돈. ¶乞丐们常围聚在办喜事的人家的门口, 等着讨几个～; 걸인〔거지〕들은 언제나 경사가 있는 집 문전에 모여들어 얼마간의 동냥을 얻으려고 한다.
〔欢喜天〕 huānxitiān 명 ⇨〔欢喜佛〕
〔欢喜团〕 huānxituán 명 ①동북(東北) 일대에서 설에 먹는 것(배추·돼지고기를 소로 하여 녹두 반죽으로 싸서 기름에 튀긴 것. 일가 원만함의 상징으로서 즐겨 먹음). ②후베이(湖北) 지방의 튀김 과자(멥쌀 가루를 이겨서 소를 넣고 깨를 묻혀 기름에 튀긴 것).
〔欢笑〕 huānxiào 동 〈文〉 즐겁게 웃다.
〔欢心〕 huānxīn 명 환심. ¶讨别人的～; 남의 환심을 사다.
〔欢欣〕 huānxīn 동 〈文〉 기뻐하다.
〔欢欣忭舞〕 huān xīn biàn wǔ 〈成〉 ⇨〔欢欣鼓舞〕
〔欢欣鼓舞〕 huān xīn gǔ wǔ 〈成〉 기뻐 날뛰다. 기뻐 신명나다. ¶～地迎接访华代表团; 매우 기뻐하며 방중 대표단을 맞아들였다. =〔欢欣忭舞〕
〔欢叙〕 huānxù 동 환담하다. ¶促膝谈心, ～友谊; 무릎을 맞대고 가슴을 열고, 우정을 피력하였다.
〔欢颜〕 huānyán 명 〈文〉 기뻐하는 얼굴〔표정〕.
〔欢宴〕 huānyàn 명동 성대한 잔치(를 열다). ¶总统～了使节团员; 대통령은 사절단을 위해 성대한 연회를 베풀었다.
〔欢饮〕 huānyǐn 동 유쾌하게 마시다.
〔欢迎〕 huānyíng 명동 환영(하다). 동 즐겁게 영접하다. 즐겁게 받아들이다. ¶～, ～! ⓐ잘 오셨습니다, 환영합니다. ⓑ꼭 오시기 바랍니다 / 我们～你们来访问我国; 귀하들께서 우리 나라를 방문하시는 것을 환영합니다 / 这本书大家都很～; 이 책은 모두가 매우 좋아한다〔애독한다〕/ 你要是跟我一同去, 我很～; 네가 나와 함께 가 준다면 매우 고맙겠다 / ～大会; 환영 대회 / 很受大家的～; 모두에게 대단히 인기가 있다. 모두에게 크게 환영을 받다 / 深受顾客的～; 고객의 평이 대단히 좋다.
〔欢娱〕 huānyú 형 〈文〉 즐겁다.
〔欢悦〕 huānyuè 형 〈文〉 기쁘다.
〔欢跃〕 huānyuè 동 〈簡〉 '欢欣雀跃'의 생략. 기뻐 날뛰다. 아주 좋아하다.

讙(譴〈嚾〉A)) huān (환)

A) ① 동 떠들썩하다. 시끄럽다. ② ⇨〔欢huān〕 B) 명 《地》 옛 지명(춘추 시대의 노(魯)나라의 땅. 현재의 산둥 성(山東省) 페이청 현(肥城縣) 남쪽).

獾〈貛〉 huān (환)

명 《動》 ①수늑대. ②오소리. =〔狗獾〕〔刁diāo黄〕〔貆huán③〕
〔獾狗〕 huāngǒu 명 오소리 따위를 잡는 사냥개의 일종.
〔獾皮〕 huānpí 명 오소리 가죽〔껍질〕.
〔獾油〕 huānyóu 명 오소리 기름(화상(火傷) 치료에 씀).
〔獾猪〕 huānzhū 명 《動》 오소리.

还(還) huán (환)

① 동 반환하다. 돌려 주다. ¶～给你; 네게 돌려 준다 / 这本书借一个星期就要～; 이 책은 1주간 빌렸다가 돌려 주어야 한다. ② 동 돌아가〔오〕다. ¶～家; 집으로 돌아오다 /出门未～; 집을 나가서 아직 돌아오지 않았다. →〔归guī①〕〔回huí①〕 ③ 동 (원상태로)

되돌아가다. 복귀시키다. ¶返老～童; 〈成〉 젊어지다 / ～他一个本来的面目; 그의 본래의 면목〔모양〕으로 되돌리다. ④ 동 값을 깎다. 에누리하다. ¶讨～; 값의 흥정. ⑤ 동 돌아보다. ⑥ 동 보복하다. 앙갚음하다. ¶以眼～眼, 以牙～牙; 눈에는 눈으로 이에는 이로써 보복하다 / 跟父母～嘴, 岂有此理; 부모에게 말대답을 하다니, 어찌 이런 일이 있을 수 있느냐 / 他打我, 不许我～手吗? 저놈이 나를 때렸는데도 보복하는 것이 나쁘냐? ⑦ 동 (음식물을) 토하다. 게우다. ¶一吃就～上来了; 먹자마자 토했다. ⑧ 동 〈方〉 달성하다. ¶～上那个誓愿; 그 맹세를 달성하다. ⑨ 명 성(姓)의 하나. ⇒hái

〔还拜〕 huánbài 명동 답례의 방문(을 하다). =〔回拜〕

〔还报〕 huánbào 동 ①(은혜 따위에) 보답하다. ②앙갚음하다. ¶以责骂～责骂, 以武力～武力; 욕지거리에는 욕지거리로, 무력에는 무력으로 보복하다.

〔还本〕 huán∙běn 동 원금(元金)을 갚다. ¶～付息; 본전도 갚고 이자도 지불하다.

〔还绷子〕 huánbēngzi 남에게서 대접이나 선물을 받았을 때 즉시 답례하다.

〔还不起〕 huánbuqǐ (주로 경제적인 이유로) 지불할 수 없다. 갚을 수 없다. ¶～房钱; 집세를 낼 수 없다. ↔〔还得起〕

〔还到坎儿上〕 huándàokǎnrshang 상대방이 작정하고 있던 값까지 값을 깎다. 최대한으로 값을 깎다.

〔还给〕 huángěi (…에게) 반환하다. 돌려 주다. ¶把这本书～他吧! 이 책을 그에게 돌려 주어라!

〔还工〕 huán∙gōng 동 ①노동력을 돈으로 환산하다. ②빌렸던 노동력을 돌려 주다.

〔还归〕 huánguī 동 되돌려 주다. 반환하다. =〔归还①〕

〔还翰〕 huánhàn 명 〈翰〉〈敬〉 (당신으로부터의) 회신.

〔还回〕 huánhuí 동 (제자리로) 되돌리다. ¶看完请～原处! 다 읽으면 있던 자리에 갖다 놓으시오.

〔还魂〕 huán∙hún 동 〈文〉 죽은 이의 혼이 되살아나다. 부활하다. (huánhún) 명동 〈方〉 재생(하다). ¶～纸; 재생지.

〔还魂橡胶〕 huánhún xiàngjiāo 명 재생 고무. =〔再zài生橡胶〕

〔还火〕 huán∙huǒ 동 총화로 반격하다. ¶为了自卫而还了火; 자위(自衛)를 위하여 반격했다.

〔还击〕 huánjī 명동 반격(하다). =〔回huí击〕 명 《體》 (펜싱의) 리포스트(riposte).

〔还籍〕 huánjí 동 원적(原籍)으로 돌아가다. 귀향하다.

〔还家〕 huán∙jiā 동 〈文〉 귀가하다.

〔还价〕 huán∙jià 명동 《商》 카운터 오퍼(counter offer)(를 하다).

〔还价(儿)〕 huán∙jià(r) 동 값을 깎다. ¶讨tǎo价(儿)～ =〔讨还〕; 값의 흥정(을 하다). 〈轉〉 (일반적으로) 교섭상의 흥정(을 하다). =〔驳bó价〕〔打dǎ价(儿)〕

〔还敬〕 huánjìng 동 반배(返杯)하다. 잔을 돌리다. →〔敬酒〕

〔还口〕 huán∙kǒu 동 말대꾸하다. ¶他骂了我一顿, 我没法子～; 그 자가 나를 매도했지만, 나는 되받아 줄 수가 없었다. =〔顶dǐng嘴〕

〔还款〕 huán∙kuǎn 동 돈을 갚다.

〔还礼〕 huán∙lǐ 동 ①(남에게서 경례를 받고) 답례하다. ②선물에 대하여 답례하다. (huánlǐ) 명 답례.

〔还目〕 huánmù 동 〈文〉 (황송하여) 똑바로 상대를 바라보지 못하다.

〔还钱〕 huán qián 돈을 돌려 주다.

〔还清〕 huánqīng 동 (빚을) 죄다 갚다.

〔还情儿〕 huán∙qíngr 동 사람의 정의에 보답하다.

〔还少〕 huánshào 동 〈文〉 다시 젊어지다.

〔还世〕 huánshì 동 〈文〉 소생하다.

〔还手(儿)〕 huán∙shǒu(r) 동 되받아치다. 반격하다. ¶人家打你, 你万不可～; 남에게 맞아도 결코 대들지 마라.

〔还俗〕 huán∙sú 동 《佛》 환속하다.

〔还童〕 huántóng 동 젊어지다. 젊음을 되찾다. ¶树老了, 还能～吗? 나무가 늙어버렸는데 그래도 싱싱하게 자랄 수 있을까?

〔还童茶〕 huántóngchá 명 환동차《중국 관동(關東) 지방의 고급 차의 하나》.

〔还息〕 huánxī 동 〈文〉 이자를 지급하다.

〔还席〕 huán∙xí 동 남의 초대에 대한 답례의 연회를 하다. ¶我打算在这一两天之内还还席; 하루나 이틀 사이에 답례의 연회를 할 작정입니다 / 咱们也该～人家一次; 우리도 한번 저분들을 답례로 초대해야 하겠습니다. =〔回请〕〔回席〕

〔还乡〕 huánxiāng 동 〈文〉 귀향하다. ¶～生产; 〈成〉 귀향하여 고향의 생산〔사업〕에 종사하다.

〔还醒〕 huánxǐng 동 제정신으로 돌아오다. 소생(蘇生)하다. ¶不要紧, ～过来了; 괜찮아, 다시 살아났어.

〔还言〕 huányán 동 말을 되받다. ¶人家骂你, 你不可～; 사람이 너를 욕하여도 너는 말대꾸하지 마라.

〔还阳〕 huán∙yáng 동 ①환생(還生)하다. 죽었다가 살아나다. ②(쇠퇴했던 것이) 세력을 회복시키다. 되살아나다. ③건강하게 되다. 생기를 되찾다. ¶生肌～; 근육이 생기를 되찾다. 명 회생(回生).

〔还揖〕 huányī 동 〈文〉 답례하다. 절을 받아 하다.

〔还元〕 huán∙yuán 동 완쾌하다. 건강이 회복되다.

〔还原〕 huán∙yuán 동 ①(～儿) 환원하다. 원상으로 회복하다. ②《化》 환원(還元)하다. ¶～剂; 환원제 / ～焰; 환원염.

〔还愿〕 huán∙yuàn 동 ①신불(神佛)에 감사 참배를 드리다. 소원 성취하여 기도를 끝맺다. ¶病好了, 他就上娘娘庙～去了; 병이 호전되었으므로 그는 낭낭묘(娘娘廟)로 감사 참배하러 갔다. ②약속을 지키다〔이행하다〕. ¶你说话得算数儿, 别竟许愿不～; 한 말은 책임을 져야지, 공약이 되어서는 안 된다.

〔还云〕 huányún 명 〈翰〉 (당신으로부터의) 회신.

〔还债〕 huán∙zhài 동 ①빚을 갚다. =〔赔péi债〕 ②부모에게 효양(孝養)을 다하다.

〔还账〕 huán∙zhàng 동 빚을 갚다. 외상을 갚다.

〔还踵〕 huánzhǒng 동 〈文〉 발길을 돌리다《바로 즉시. 곧》. ¶不得～而身为擒; 발길을 돌릴 겨를도 없이 곧 사로잡히고 말았다.

〔还嘴〕 huán∙zuǐ 동 〈口〉 말대답하다 =〔还口〕

环(環) huán (환)

① 명 고리 모양의 옥(玉). ②(～儿, ～子) 명 고리. ¶耳～; 귀걸이 / 门～; 문고리. 노커(knocker) / 滚gǔn铁～; 굴렁쇠를 굴리다 / 指～ =〔戒指(儿)〕; 반지. ③ 동 둘러싸다. 두르다. ¶～城马路; 환상(環狀) 도로 / 四面～山; 사면을 산이 에워싸고 있다. ④ 동 두루 미치다. ⑤ 양 《體》 (사격에서 쓰는) 점《'靶

bǎ子' (과녁) 점수의 단위). ¶世界最高成绩是599～, 只有一发子弹是打在9～上, 其余59发子弹都命中10～; 세계 최고의 성적은 599점으로, 단지 1발만 9점에 맞고, 그 밖의 59발은 10점에 명중하였다. ⑥ 명 성(姓)의 하나.

〔环氨基酸〕 huán'ānjīsuān 명 《化》 치클로(Zyclo).

〔环靶〕 huánbǎ 명 《體》 윤상(輪狀)의 표적(標的).

〔环拜〕 huánbài 동 〈文〉 여럿이 서로 (둘러서서) 절을 나누다. ¶宴会罢众人～而散; 연회가 끝나고 일동은 서로 절을 나누고 산회하였다.

〔环抱〕 huánbào 형 둘러싸다《경치에 씀》. ¶群山～; 많은 산이 둘러싸고 있다.

〔环衬〕 huánchèn 명 (책의 면지와 본문 사이의) 백지. 백간지(白間紙).

〔环城赛跑〕 huánchéng sàipǎo 명 《體》 시내 일주 마라톤.

〔环城铁路〕 huánchéng tiělù 명 환상(環狀) 철도. 순환 철도.

〔环虫〕 huánchóng 명 환형 동물《지렁이 따위》.

〔环带〕 huándài 명 ①《機》 무단(無端) 벨트. =〔带套〕 ②《動》 환대《환형 동물의 생식대》.

〔环岛〕 huándǎo 명 〈文〉 섬 둘레(를 돎). ¶～接力赛; 섬 일주 릴레이 경주.

〔环洞〕 huándòng 명 《建》 ①궁륭(穹窿). 둥근 천장. ②(다리·육교의) 아치. 홍예(虹霓).

〔环堵〕 huándǔ 명 〈文〉 ①사면이 토담으로 둘러싸인 작은 집. ②(집의) 사면(四面). ¶～萧然; 집안이 고요하다. ③가난한 집.

〔环肥燕瘦〕 Huán féi Yàn shòu 〈成〉 '环'(당 현종(唐玄宗)의 비, 곧 양귀비(楊貴妃)를 일컬음)은 살쪄서 아름답고 '燕'(한성제(漢成帝)의 황후, 곧 조비연(趙飛燕)을 일컬음)은 여위어서 아름답다《살쪘든 여위었든 미인은 미인》.

〔环攻〕 huángōng 명동 〈文〉 포위 공격(하다).

〔环箍〕 huángū 명 ①후프(hoop). ②테.

〔环顾〕 huángù 동 〈文〉 (사방의 정세를) 둘러보다. ¶印度代表今日下午作了～国际局势的政治报告; 인도 대표는 오늘 오후 국제 정세를 둘러싼 정치 보고를 하였다.

〔环规〕 huánguī 명 링 게이지(ring gauge). =〔套规〕〔圆套规〕

〔环海〕 huánhǎi 동 바다에 둘러싸이다. 명 〈比〉 온 세상. 천하. ‖ =〔寰海〕

〔环击〕 huánjī 동 〈文〉 에워싸고 공격하다.

〔环己间二烯〕 huánjǐjiān'èrxī 명 《化》 시클로헥사논(cyclohexanone).

〔环己六醇〕 huánjǐ liùchún 명 ⇨〔肌jī醇〕

〔环己酮〕 huánjǐtóng 명 《化》 시클로헥사논.

〔环己烷〕 huánjǐwán 명 ⇨〔苯běn烷〕

〔环礁〕 huánjiāo 명 환초(環礁). 환상(環狀) 산호초.

〔环节〕 huánjié 명 ①포인트. 부분. ¶薄弱～; 약체(弱體) 부분 / 组织出口货源是完成我国对外贸易任务的重大～; 수출 상품의 원천을 조직하는 것이 우리 나라의 대외 무역 임무를 완성하는 키포인트이다 / 抓住推广先进经验这一决定～; 선진적 경험을 널리 펼친다는 이 결정적인 점을 확고하게 파악한다. ②《動》 환절. ¶～动物; 환절 동물.

〔环境〕 huánjìng 명 ①환경. ¶～污染; 환경 오염 / ～卫生 =〔环卫〕; 환경 위생 / ～保护; 환경 보전. ②주위의 상황. 신변의 사정. 주위의 세계.

〔环距〕 huánjù 명 〈文〉 중심으로부터의 거리.

〔环列〕 huánliè 동 〈文〉 빙 둘러서다.

〔环流〕 huánliú 동 〈文〉 감돌아 흐르다. 명 《氣》 환류(물과 공기의 순환).

〔环六亚甲基四胺〕 huánliùyàjiǎjīsì'àn 명 ⇨〔乌wū洛托品〕

〔环佩〕 huánpèi 명 〈文〉 여성의 장신구. ¶～叮咄; (여성의) 몸에 꾸민 장식이 쩔렁쩔렁 소리를 낸다.

〔环球〕 huánqiú 동 지구를 한 바퀴 돌다. 세계를 돌아다니다. ¶～旅行; 세계 일주 여행 / ～公司; 유니버설사《미국의 영화 회사명》. 명 지구. 전세계. =〔寰球〕〔寰宇〕〔全球〕

〔环圈〕 huánquān 명 《機》 와셔(washer).

〔环绕〕 huánrào 동 둘레를 돌다. ¶～速度; 《物》 순환 속도 / 车子停在一个被大山～着的庄子里; 차는 큰 산에 둘러싸인 마을에 멈추었다. =〔围绕〕

〔环蛇〕 huánshé 명 《動》 우산뱀. 크라이트(krait).

〔环摄法〕 huánshèfǎ 명 파노라마 촬영법. ¶～, 就是把景物分成几部分来拍, 晒好后将照片连接起来便成一张大场面的照片了; 파노라마라는 것은 피사체를 몇 개 부분으로 나누어서 촬영하는 것으로서, 현상을 끝낸 다음에 연결하여 맞추면 큰 신(scene)의 사진이 된다.

〔环生〕 huánshēng 동 돌아서 나오다. 연속하여 나오다. ¶险象～; 위험 상태가 속출하다.

〔环食〕 huánshí 명 《天》 금환식(金環蝕). =〔日rì环食〕〔金jīn环食〕

〔环式碳氢化合物〕 huánshì tànqīnghuàhéwù 명 《化》 고리 모양 탄화 수소. =〔环烃〕

〔环视〕 huánshì 동 〈文〉 사방을 둘러보다.

〔环丝氨酸〕 huánsī'ānsuān 명 《藥》 사이클로세린(cycloserine).

〔环烃〕 huántīng 명 ⇨〔环式碳氢化合物〕

〔环烷〕 huánwán 명 《化》 포화 환상 탄화 수소. 나프텐(naphthene).

〔环线〕 huánxiàn 명 환상선(環狀線).

〔环行〕 huánxíng 동 주위를 돌다. ¶～公共汽车; 순환 버스 / 他们绕着大使馆～抗议运来这批导弹; 그들은 대사관 주위를 빙빙 돌면서 이번의 미사일 도입에 항의하였다.

〔环形〕 huánxíng 형 고리 모양의. ¶～山; 달의 크레이터(crater).

〔环形电影院〕 huánxíng diànyǐngyuàn 명 원형 영화관.

〔环旋〕 huánxuán 동 〈文〉 회전하다. 돌다.

〔环旋杠杆〕 huánxuán gànggǎn 명 《機》 링 터닝레버(ring turning lever).

〔环氧树脂〕 huányǎngshùzhī 명 《化》 에폭시(epoxy) 수지.

〔环游〕 huányóu 동 〈文〉 두루 돌아다니다.

〔环晕〕 huányùn 명 달무리. 해무리.

〔环状毛巾〕 huánzhuàng máojīn 명 ⇨〔卷juǎn毛巾〕

〔环状软骨〕 huánzhuàng ruǎngǔ 명 《生》 환상 연골.

〔环坠〕 huánzhuì 명 귀걸이. =〔耳环〕

〔环子〕 huánzi 명 둥근 모양의 물건. 고리. 손잡이. ¶门～; 문고리.

〔环坐〕 huánzuò 동 빙 둘러앉다.

郇

Huán (환)
명 성(姓)의 하나. ⇒Xún

洹

Huán〔**Yuán**〕 (원)
명 《地》 환수이 강(洹水)《허난 성(河南省)에 있는 강 이름》. =〔安阳河〕

桓 **huán** (환)
①명 고대에 우정(郵亭)에 세운 한 쌍의 푯말. =〔桓表〕 ②→〔盘pán桓〕 ③→〔桓桓〕 ④명 성(姓)의 하나.

〔桓桓〕 huánhuán 형 〈文〉 굳센 모양. 용맹스러운 모양.

貆 **huán** (환)
명 ①〘動〙 너구리의 새끼. ②호저. =〔豪háo猪〕 ③⇨〔獾huān②〕

萑 **huán** (환)
①명 〘植〙 물억새의 별칭. ¶～苻fú =〔～蒲pú〕; 갈대류가 우거진 곳. 〈比〉 도둑의 은신처. ②명 〘鳥〙 올빼미 무리. ③지명용 자(字). ¶～苻泽fúzé; 〘地〙환푸쩌(萑苻澤)《춘추(春秋) 시대에 정(鄭)나라에 있었던 못. 도적이 모여 출몰했다고 함》.

锾(鍰) **huán** (환)
명 ①〘度〙 고대의 중량 단위('六两'이 '一锾'임). ②금전. ¶罚～; 벌금(을 과하다).

澴 **huán** (환)
①형 〈文〉 파도가 소용돌이치는 모양. ②명 〘地〙 환수이(澴水)《후베이 성(湖北省)에 있는 강 이름》.

寰 **huán** (환)
명 ①천자(天子)의 기내(畿內)의 땅. ②광대한 지역. ¶人～; 세상/～海hǎi; 천하/瀛yíng～; 바다와 육지《지구상의 전 지역》. ③지경. 경계.

〔寰海〕 huánhǎi 명동 ⇨〔环海〕

〔寰内〕 huánnèi 명 〈文〉 ①옛날에, 국도(國都) 밖 천 리(千里) 이내의 땅. ②국내. 천하.

〔寰球〕 huánqiú 명 지구. 세계. ¶驰名～; 전세계에 명성을 떨치다. =〔环球〕

〔寰区〕 huánqū 명 〈文〉 전국.

〔寰宇〕 huányǔ 명 ⇨〔环球〕

〔寰椎〕 huánzhuī 명 〘生〙 제 1 경추(頸椎)의 별칭.

阛(闤) **huán** (환)
명 〈文〉 도시 주위의 성벽. ¶～阓huì; 시가. 거리.

圜 **huán** (환)
①동 〈文〉 둘러싸다. ②→〔转zhuǎn圜〕 ⇒yuán

〔圜视〕 huánshì 동 〈文〉 둘러싸고 보다.

〔圜土〕 huántǔ 명 〈文〉 담으로 둘러친 안〔속〕. 감옥.

嬛 **huán** (현)
→〔琅láng嬛〕

缳(繯) **huán** (현)
〈文〉 ①명 고리로 된 줄. ¶投～; 목을 매어 자살하다. ②동 교살(絞殺)하다. ¶～首shǒu; 교수형(으로 하다).

轘(轘) **huán** (환)
지명용 자(字). ¶～辕yuán关; 환위안 관(轘轅關)《허난 성(河南省) 덩펑 현(登封縣)의 서쪽에 있는 관소(關所) 이름》. ⇒huàn

镮(鐶) **huán** (환)
명 금속제의 고리. ¶铁tiě～; 쇠고리.

鹮(䴉) **huán** (환)
명 〘鳥〙 따오기과의 새《통칭》. ¶朱～; 따오기.

鬟 **huán** (환)
명 〈文〉 ①부인의 결발(結髮). 쪽. ¶云yún～; 여성의 검은 머리. ②계집종. =〔丫yā鬟〕

瓛(瓛) **huán** (환)
명 〈文〉 옥(玉)으로 만든 홀(笏)의 일종《흔히, 인명(人名)에 쓰임》.

缓(緩) **huǎn** (완)
①형 느리다. 느릿느릿하다. 더디다. ②부 천천히. 느릿하게. ③동 늦추다. 연기하다. 미루다. 틈을 만들다. ¶刻kè不容～; 잠시도 지체할 수 없다/～两天办; 이틀 연기해서 하다/～不开手; 손을 뗄 틈이 없다. ④형 긴급하지 않다. ¶这要看事情的～急; 이것은 일의 완급에 달려 있다. ⑤동 완화하다. 풀다. ¶情势有～; 정세가 완화하였다/一场大病慢慢地～起来了; 큰 병이 점차 나아져 가고 있다. ⑥동 꾸물거리다. 늦어지다. ¶事～有变; 일은 끌면 지장이 생긴다. ⑦동 소생하다. 회복하다. ¶下过雨, 花儿都～过来了; 비를 맞아 꽃이 되살아났다/昏过去又～过来; 기절하고 또 소생하였다.

〔缓办〕 huǎnbàn 동 ①일을 미루다. ¶暂zàn行～; 당분간 실시를 연기하다. ②천천히 하다.

〔缓兵之计〕 huǎn bīng zhī jì 〈成〉 적의 전진(前進)을 늦추는 전술. 시간을 버는 술책.

〔缓步〕 huǎnbù 동 ①천천히〔느리게〕 걷다. ¶～而行; 천천히 걷다/～春郊; 봄날 교외를 천천히 걷다. =〔款kuǎn步〕〔小xiǎo步〕 ②(huǎn.bù) 걸음을 늦추다.

〔缓步代车〕 huǎn bù dài chē 〈成〉 (차를 타지 않고) 천천히 걸어가다. =〔缓步当车〕

〔缓步当车〕 huǎn bù dāng chē 〈成〉 ⇨〔缓步代车〕

〔缓冲〕 huǎnchōng 동 충돌을 완화하다. 완충하다. ¶～地带; 완충 지대/～国; 완충국/～弹tán簧; 완충 스프링. 버퍼 스프링(buffer spring)/～凸轮杆; 버퍼 캠 레버.

〔缓冲杵〕 huǎnchōngchǔ 명 〘機〙 완충봉(緩衝棒) 피스톤.

〔缓冲器〕 huǎnchōngqì 명 〘機〙 버퍼. 완충 장치. ¶气垫～; 공기 완충기.

〔缓冲筒〕 huǎnchōngtǒng 명 〘工〙 완충통.

〔缓怠〕 huǎndài 동 〈文〉 게을리하다.

〔缓动〕 huǎndòng 동 ①융통하다. 이리저리 둘러대다. ②늦추다. (긴장을) 완화시키다.

〔缓付〕 huǎnfù 동 〈文〉 지급을 연기하다.

〔缓和〕 huǎnhé 동 ①완화하다. 온건해지다. ¶对方语气～, 大约可以和平了liǎo结吧; 상대방의 말투가 온건하니까 아마도 평온하게 결말이 날 것이다/最近时间～下来了; 요즘은 시간에 여유가 생겼다. ②완화시키다. 부드럽게 하다. ¶～内部矛盾; 내부 모순을 완화시키다/～剂; 〘物〙 (원자로의) 감속제. ‖ =〔和缓〕

〔缓缓〕 huǎnhuǎn 부 느릿느릿. 천천히. ¶～而行; 천천히 걷다.

〔缓火〕 huǎnhuǒ 명 ⇨〔文wén火〕

〔缓急〕 huǎnjí 명 〈文〉 ①완만한 것과 급한 것. ¶分别轻重～; 중요한 일과 그렇지 않은 일, 또 급한 일과 그렇지 않은 일을 구별하다. ②시급한 일. 어려운 일. ¶～相助; 급한 것을 서로 돕다.

〔缓颊〕 huǎnjiá 동 〈文〉 (사람과 사람 사이에 서서) 다독이다.

〔缓减〕 huǎnjiǎn 동 〈文〉 완화하여 경감하다.

〔缓劲(儿)〕 huǎn.jìn(r) 동 힘을 늦추다. 힘을 빼

다. 세력을 완화하다. 한숨 돌리다. ¶缓了点劲儿休息一下吧! 잠시 쉬어 볼까!
〔缓决〕 huǎnjué 동 〈文〉 사형의 집행을 유예하다.
〔缓慢〕 huǎnmàn 동 완만하다. 느슨하다. ¶行动～; 행동이 완만하다.
〔缓坡〕 huǎnpō 명 완만한 비탈.
〔缓期〕 huǎn‧qī 동 연기하다. 기한을 연장하다. ¶～实行; 연기하여 실시하다 / ～付款; 지급을 연기하다 / ～执行; 집행을 연기하다. 집행을 유예하다. =〔宽kuān期〕
〔缓气〕 huǎn‧qì 동 호흡을 가다듬다. 숨결을 완화시키다. ¶不给敌人～的机会; 적에게 숨 돌릴 틈을 안 주다.
〔缓日〕 huǎnrì 동 〈文〉 기일을 연기하다. 날을 따로 잡다. ¶～再来请教; 다른 날 다시 찾아뵙고 가르침을 얻겠습니다.
〔缓手〕 huǎnshǒu 동 손을 늦추다.
〔缓图〕 huǎntú 동 〈文〉 천천히 다시 계획하다.
〔缓限〕 huǎn‧xiàn 동 기한을 늦추다. →〔缓期〕〔宽限〕
〔缓刑〕 huǎn‧xíng 동 형의 집행을 유예하다. (huǎnxíng) 명 집행 유예. ¶另三个从犯虽参加此项谋略, 但因有情状稍可酌量, 结果被判～; 다른 3명의 종범은 이 모의에 참가했지만, 정상을 참작해야 할 점이 있기 때문에 집행 유예의 판결을 받았다.
〔缓行〕 huǎnxíng 동 〈文〉 ①서행(徐行)하다. ②실행·시행(施行)을 연기하다.
〔缓醒〕 huǎnxing 동 〈方〉 (가사(假死)한 사람 등이) 소생하다. 깨어나다. ¶～过来; 깨어나다.
〔缓议〕 huǎnyì 동 〈文〉 한동안 연기하여 의논하다. 다시 새롭게 상담하다. ¶这件事还是～吧; 이 일은 다시 또 의논하기로 하자.
〔缓役〕 huǎnyì 동 《軍》 병역〔징병〕을 연기하다.
〔缓征〕 huǎnzhēng 동 〈文〉 징세(徵稅)·징수·징집을 연기하다.
〔缓置〕 huǎnzhì 동 한동안 방치하다.

幻 **huàn** (환)
①형 덧없다. 공허하다. ②형 가공적이다. 비현실적이다. ③명 마술(魔術). ④동 속이다. ⑤동 환상과 같이 변화하다. ¶变～莫测; 변화를 예측하기 어려움.
〔幻灯〕 huàndēng 명 ①환등. 슬라이드. ¶～片piàn; 슬라이드 필름. ②⇨〔幻灯机〕
〔幻灯机〕 huàndēngjī 명 환등기. 슬라이드 영사기. 프로젝터. ¶彩cǎi色～; 컬러 슬라이드 영사기. =〔幻灯②〕
〔幻化〕 huànhuà 동 〈文〉 ①(기이하게) 변화하다. ②(사람이) 죽다.
〔幻景〕 huànjǐng 명 환영(幻影)의〔현실이 아닌〕 정경.
〔幻景画〕 huànjǐnghuà 명 파노라마. =〔全quán景画〕
〔幻境〕 huànjìng 명 환상의 세계. 몽환(夢幻)의 경지. 덧없음.
〔幻觉〕 huànjué 명 환각.
〔幻梦〕 huànmèng 명 환몽. 허황된 꿈. 〈轉〉 허무함. 덧없음.
〔幻灭〕 huànmiè 명동 환멸(하다).
〔幻泡〕 huànpào ⇨〔梦mèng幻泡影〕
〔幻人〕 huànrén 명 〈文〉 마술사. =〔幻师〕
〔幻师〕 huànshī 명 ⇨〔幻人〕
〔幻世〕 huànshì 명 〈文〉 환상의 세상. 덧없는 세상.
〔幻视〕 huànshì 명 《醫》 (심리) 환시.
〔幻术〕 huànshù 명 마술. 요술.
〔幻听〕 huàntīng 명 《醫》 환청(幻聽).
〔幻想〕 huànxiǎng 명동 환상(하다). ¶抱有～; 환상을 품다 / 沉湎于～; 환상에 잠기다 / ～曲; 《樂》 환상곡 / 科学～影片; SF 영화.
〔幻像〕 huànxiàng 명 환상. 환영. =〔幻影〕
〔幻影〕 huànyǐng 명 ⇨〔幻像〕
〔幻缘〕 huànyuán 명 인간 세계.

奂〈奐〉 **huàn** (환)
①형 성하다. 많다. 무성하다. ②형 크다. ¶轮～; (건축물이) 웅장하다. ③형 선명하고 아름답다. ④(Huàn) 명 성(姓)의 하나.

涣 **huàn** (환)
①동 흩어지다. ¶人心～散; 인심이 흩어지다. ②형 물의 흐름이 굉장한 모양.
〔涣汗〕 huànhàn 〈文〉 한번〔일단〕 나온 땀(반드시 지켜야 할 명령·방침).
〔涣涣〕 huànhuàn 형 〈文〉 물이 왕성하게 흐르는 모양.
〔涣然〕 huànrán 형 석연(釋然)한 모양. 확 풀리는 모양. ¶～冰释; 말끔히 풀어버리다〔씻어 버리다〕.
〔涣散〕 huànsàn 동 뿔뿔이 헤어지다. 떨어져 나가다. (정신 집중이) 해이해지다. ¶精神～; 마음이 해이해지다 / 民心～; 민심이 떨어져 나가다. 형 듬성듬성하다. ¶有些～; (사람 수효 등이) 좀 성깃하다.

换 **huàn** (환)
①동 바꿔치다. 교환하다. ②동 (…을 …으로) 바꾸다. ¶～了人; 사람이 (딴 사람으로) 바뀌었다 / 他～了西服; ⓐ그는 양복으로 갈아 입었다. ⓑ그는 양복을 바꾸었다 / ～上西服; 양복으로 갈아 입다 / 用一张十元的票子～零钱; 한 장의 10원 지폐를 잔돈으로 바꾸다 / 以货～货; 물물 교환(하다) / ～衣服; 옷을 갈아 입다 / 拿韩国钞票～美金; 한국 지폐를 달러로 바꾸다 / 用工艺品～机器; 공예품과 기계를 교환하다. ③양 금(金)과 화폐의 교환 비율('一两'의 금이 '八十元'일 때는 '八十换').
〔换班〕 huàn‧bān 동 ①(근무 등을) 교대하다. ②세대 교체하다. ¶革命功臣和下一代将在这几年要～了; 혁명 공로자와 다음 세대는 앞으로 수 년 내에 세대 교체를 하려 하고 있다. →〔交jiāo班〕〔接jiē班(儿)〕 ③《軍》 위병〔보초〕 교대하다.
〔换边〕 huàn‧biān 동 《體》 코트 체인지하다. 사이드 체인지하다. =〔换场地〕
〔换拨儿〕 huàn‧bōr 동 교대〔교체〕하다. ¶驻韩美国兵换了拨儿了; 주한 미군은 교체되었다.
〔换茬〕 huàn‧chá 동 ①윤작하다. ⇨〔倒茬〕 ②재료 따위를 바꾸다. ¶你自己的房子不是该～了吗? 너의 집을 다시 지어야 되지 않니?
〔换场〕 huàn‧chǎng 동 《體》 체인지 코트하다. (huànchǎng) 명 체인지 코트.
〔换场地〕 huànchǎngdì 동 ⇨〔换边〕
〔换车〕 huàn‧chē 동 (차를) 갈아 타다. ¶～票piào; 갈아 타는 표. =〔倒dǎo车〕
〔换成〕 huànchéng 동 (…으로) 바꾸다. ¶把外币～韩币; 외화를 한화로 바꾸다.
〔换乘〕 huànchéng 동 환승하다. 갈아 타다.
〔换大帖〕 huàn dàtiě 혼약 결정서를 교환하다.
〔换戴〕 huàndài 명 옛날에, 모자를 바꾸어 쓰는 계절을 말함.

〔换挡〕 huàn.dǎng 동《機》(자동차의) 기어(gear)를 변속하다.
〔换得〕 huàndé 동 ①바꾸어서 손에 넣다. ②바꿀 수 있다.
〔换发球〕 huànfāqiú 명《體》서브 체인지.
〔换防〕 huàn.fáng 동《軍》방비 임무를 〔주둔을〕 교대하다. (huànfáng) 명 ①주둔. 방비 임무. ②《體》체인지 그라운드.
〔换房〕 huànfáng 명동 주택 교환(을 하다).
〔换俘〕 huànfú 명동 포로 교환(을 하다).
〔换俘协定〕 huànfú xiédìng《軍》포로 교환 협정.
〔换岗〕 huàn.gǎng 동 보초를 교체하다.
〔换个过儿〕 huàngeguòr (앞뒤 혹은 상하를) 뒤집어엎다. ¶这个东西搁颠倒了, ～来就对了; 이것은 거꾸로 놓여 있다, 뒤집어 놓으면 좋겠다.
〔换个儿〕 huàn.gèr 동〈俗〉위치를 바꾸다. ¶咱俩换个个儿坐; 우리 서로 자리를 바꾸어 앉자 / 这两个抽屉大小不一样, 不能～; 이 서랍은 크기가 다르므로 바꿀 수가 없다. =〔换过儿〕
〔换工〕 huàn.gōng 동《經》(농촌에서 개인 간이나 생산 단위 간에) 품앗이하다.
〔换工插犋〕 huàn gōng chā jù〈成〉농가가 서로 노동력을 제공하고 농우를 공동 사용하는 일.
〔换骨〕 huàngǔ 동 (도교에서) 금단(金丹)을 복용함으로써 범골(凡骨)을 선골(仙骨)로 바꾸다.
〔换骨夺胎〕 huàn gǔ duó tāi〈成〉①옛 사람의 시문(詩文)의 뜻을 취하고 어구만을 바꾸어 자기 것으로 만드는 일. ②신선이 되다. 완전히 새롭게 바꾸다. ‖ =〔夺胎换骨〕〔换骨脱胎〕〔脱胎换骨〕〔偷tōu胎换骨〕
〔换过儿〕 huàn.guòr 동 ⇨〔换个儿〕
〔换过帖的〕 huànguotiěde →〔拜bài把子〕
〔换行〕 huànháng 동 개행하다. 줄을 바꾸다. =〔提tí行〕〔另lìng起(一)行〕
〔换行键〕 huànhángjiàn 명《電算》(컴퓨터의) 엔터(Enter) 키. =〔回车键〕
〔换花样〕 huàn huāyang 취향을 바꾸다. ¶开动脑筋多～, 把食物做得美观而且可口; 머리를 써서 여러 가지 방법을 생각하여, 음식을 보기에도 좋고 맛도 있게 하다.
〔换怀〕 huànhuái 동 ⇨〔换胎儿〕
〔换换口味〕 huànhuan kǒuwèi 요리를 (다른 맛의 것과) 바꾸다. 취향을 바꾸다. =〔换换口胃〕
〔换回〕 huànhuí 동 (다른 물건으로) 바꾸다. ¶用原料～成品; 원료를 제품과 바꾸다.
〔换货〕 huàn.huò 동 물품을 바꾸다. ¶以货～; 물물 교환(하다). 구상 무역(을 하다). 바터 거래(를 하다) / ～贸易; 구상(求償) 무역. 바터 무역(barter制). 교환 무역.
〔换机〕 huàn.jī 동 ①비행기를 갈아타다 =〔转zhuǎn机〕 ②기계를 전환하다. ¶～放映; 영사기를 바꾸어 영화를 영사하다.
〔换季〕 huàn.jì 동 (철에 따라) 옷을 갈아입다. ¶衣裳该～了; 철에 따라 옷을 갈아입을 때가 되었다. (huànjì) 명 계절이 바뀔 때. 철에 따라 옷을 갈아입음.
〔换肩(儿)〕 huàn.jiān(r) 동 ①어깨를 바꾸다. ②바꾸어서 메다. ③대신 메다.
〔换交〕 huànjiāo 동 교환하여 건네주다.
〔换景〕 huàn.jǐng 동 무대를 전환(轉換)시키다.
〔换句话说〕 huàn jù huà shuō 환언(換言)하면. 바꾸어 말하면. ¶～, 如下; 환언하면 다음과 같다. →〔换言之〕
〔换烂纸的〕 huànlànzhǐde 명 파지〔휴지〕를 사는 사람.
〔换领〕 huànlǐng 동 바꿔서 새것을 수령하다.
〔换流机〕 huànliújī 명 ⇨〔变biàn流器〕
〔换流器〕 huànliúqì 명 ⇨〔变biàn流器〕
〔换马〕 huàn.mǎ ①동 인원을 교체하다. ②(huàn mǎ) 말을 바꾸다.
〔换能器〕 huànnéngqì 명《物》(에너지) 변환기. 트랜스듀서(transducer).
〔换排〕 huànpái 명 ⇨〔换速率〕
〔换配〕 huànpèi 동 기계의 부품을 바꾸다. ¶一部机器的部件有毛病, 可以～新零件; 기계의 부품에 고장이 생기면 새 부품과 바꿀 수 있다.
〔换票〕 huàn.piào 동 표를 바꾸어 사다.
〔换谱〕 huàn.pǔ 동 ⇨〔换帖①〕
〔换气〕 huàn qì ①환기하다. 통풍을 시키다. ②(huànqì) 명《體》수영의 호흡.
〔换气机〕 huànqìjī 명《機》벤트 슬리브(vent sleeve). 환기 장치.
〔换钱〕 huàn.qián 동 ①환전하다. ¶换美元; 미국 달러로 바꾸다. 미국 달러를 바꾸다. ②(물품을) 돈으로 바꾸다. 환금하다.
〔换亲〕 huànqīn 동 양가가 서로 상대방 규수를 혼인으로 맞아들이다. 겹혼인하다.
〔换取〕 huànqǔ 동 바꾸어 받다〔가지다〕.
〔换取灯儿的〕 huànqǔdēngrde 명〈京〉넝마장수《옛날, 넝마장수는 집집마다 쓸모 없는 물건을 '取灯儿'(성냥)과 교환하고 돌아다녔음》.
〔换人〕 huànrén ①명《體》멤버 체인지. 선수 교체. ②(huàn rén) 멤버 체인지하다. 사람을 바꾸다. 사람이 바뀌다.
〔换三换四〕 huànsān huànsì 연하여 자꾸 바꾸다. ¶他天天儿～穿衣裳尽闹排子; 그는 매일 옷을 자주 갈아입으면서 겉모양을 꾸민다.
〔换水〕 huàn.shuǐ ①동 이슬람교도가 입욕(入浴)하다. ②(huàn shuǐ) 물을 갈다.
〔换水土〕 huàn.shuǐtǔ 동 기후 풍토가 바뀌다. 물이 맞지 않다. ¶乍到生地方住不惯, 这两天不大舒服大概是～; 처음 온 곳이라서 익숙하지 못한 때문인지 요 2～3일 몸의 상태가 그다지 좋지 않은데, 아마도 물을 갈아 먹은 탓이겠지요.
〔换速率〕 huànsùlǜ 명《工》기어 변속 (장치). =〔换排〕
〔换算〕 huànsuàn 동 환산하다. ¶～表; 환산표.
〔换胎儿〕 huàntāir 동 배가 달라지다《계속 아들만 낳다가 딸을 낳거나, 딸만 낳다가 아들을 낳게 되는 것》. ¶她这次～得了小姐了; 그녀는 이번에 배가 달라져 딸이 생겼다. =〔换怀〕
〔换汤不换药〕 huàn tāng bù huàn yào〈諺〉탕약의 탕(湯)만 바꾸고 약은 바꾸지 않는다《모양만 바꾸고 실질은 바꾸지 않다. 구태의연하다》. ¶他们企图～地继续保持对某国的控制; 그들은 모국(某國)의 제압을 형식만을 바꾸고 본질은 바꾸지 않고 계속 유지하려고 기도하고 있다.
〔换替〕 huàntì 동 대신하다. 교대하다. =〔替换〕
〔换帖〕 huàn.tiě 동 ①의형제를 맺기 위해 서로 조상 3대의 이름·이력 및 본인의 생년월일 따위를 기입한 증서를 교환하다《흔히, 시중에서 파는 '金兰谱'에 적어서 교환하는 일이 많았음》. ¶～弟兄 =〔拜把子的〕; 의형제. =〔换谱〕 ② ⇨〔换小帖(儿)〕
〔换头〕 huàn.tóu 동 문장이나 곡사(曲詞)의 단락을 바꾸다〔고치다〕.
〔换头〕 huàntou 명 ⇨〔唤头〕

〔换头儿〕 huàn·tóur 동 지도자를 바꾸다〔가 바뀌다〕. ¶最近我们车间又～了; 최근 직장의 지도자가 다시 바뀌었다.
〔换腿〕 huàn·tuǐ 동 (서 있을 때 피로하지 않도록) 발을 바꿔 딛다.
〔换文〕 huànwén 명 교환 문서. (huàn·wén) 동 문서를 주고받다.
〔换洗〕 huànxǐ 동 (옷 따위를) 갈아 입고 빨다. ¶把衬chèn衣～; 셔츠를 갈아 입고 빨다 / ～的衣服; 갈아 입을 옷.
〔换下心来〕 huànxiaxīnlai 마음을 알게 되다. ¶大家处chǔ常了～就什么事都好办了; 모두가 늘 대하면서 마음을 알게 되면 무슨 일이든지 하기 쉬워진다.
〔换小帖(儿)〕 huàn·xiǎotiě(r) 동 결혼 때 남녀가 '八字帖(儿)'(사주 단자)을 주고받아 궁합을 보다. =〔换帖②〕
〔换心〕 huànxīn 동 서로 깊이 이해하다.
〔换新〕 huànxīn 동 새롭게 하다. ¶～的; 새것으로 바꾸다〔교체하다〕.
〔换宿儿〕 huàn·xiǔr 동 숙소(宿所)를 바꾸다.
〔换牙〕 huàn·yá 동 젖니가 갈리다. 이갈이하다.
〔换言之〕 huànyánzhī 〈文〉 (이를) 바꾸어 말하면. →〔换句话说〕
〔换样(儿)〕 huàn·yàng(r) 동 ①형식이나 수법을 바꾸다. 치장을 바꿔 꾸미다. ¶今天穿长袍换～吧; 오늘은 긴 옷을 입고 멋을 내기로 하자. ②상용(常用)하던 것을 바꾸다.
〔换羽〕 huàn·yǔ 동 새가 털갈이를 하다.

唤 huàn (환)
동 ①부르다. 부르짖다. (주의를) 환기시키다. ¶叫 ～; 외치다. ②오게 하다. 불러오다. ¶～他来吧; 그를 불러 오너라.
〔唤魂〕 huànhún 동 영혼을 부르다. 초혼(招魂)하다. ¶～纸; 죽은 사람의 영혼을 부르기 위해 태우는 종이.
〔唤叫〕 huànjiào 동 부르다. 외치다. 부르짖다.
〔唤令〕 huànlìng 동 〈文〉 명령하다. 분부하다.
〔唤起〕 huànqǐ 동 불러일으키다. 분기시키다. ¶～民众; 민중을 분기시키다 / ～注意; 주의를 환기시키다.
〔唤审〕 huànshěn 동 호출하여 조사하다.
〔唤头〕 huàntou 명 ①(도붓장수나 돌아다니며 칼을 가는 사람·이발사 등이) 손님을 부르기 위해 소리를 내는 업종을 상징하는 도구. ②(노래 등을 들려 주는) 목청〔소리〕. ¶我没有好～; 들려 줄 만한 좋은 목청은 아니다. ‖ =〔换头〕
〔唤醒〕 huànxǐng 동 불러 깨우다. ¶～迷梦; 미몽에서 깨어나게 하다 / ～迷途; 잘못 들어선 길을 일깨우다.
〔唤雨〕 huànyǔ 동 기우하다. 비가 오기를 빌다. ¶呼hū风～; 〈成〉 바람도 불게 하고 비도 내리게 하다.

焕 huàn (환)
형 빛나는 모양. 밝은 모양. 아름다운 빛이 밖으로 나타나는 모양. ¶精神～发; 정신이 발랄하게 밖으로 드러나다. 기운이 팔팔하다.
〔焕发〕 huànfā 동 ①(빛남이) 겉에 드러나다. 발산하다. (부근에) 넘치게 하다. ¶容光～; 혈색이 좋은 얼굴을 하고 있다. ②떨쳐 일으키다. 분기케 하다. ¶～革命精神; 혁명 정신을 분기시키다.
〔焕焕〕 huànhuàn 형 빛나고 밝은 모양.
〔焕烂〕 huànlàn 형 빛나고 아름답다. ¶风光～, 引人入胜; 풍광이 명미(明媚)하며, 사람을 황홀케 하는 경지로 끌어들이다.
〔焕然〕 huànrán 형 빛나는 모양. ¶使大学面貌～; 대학의 양상(樣相)을 일신(一新)하다.
〔焕然一新〕 huàn rán yī xīn 〈成〉 온통 새로워지다. 면목을 일신하다.
〔焕曜〕 huànyào 동 빛나다.

痪 huàn (탄)
→〔瘫tān痪〕

宦 huàn (환)
〈文〉 ① 명 남을 모시는 사람. ② 명 환관. 내시. ③ 명 관리. ④ 동 임관하다. ¶仕～ =〔为～〕; 관도에 오르다 / 达官显～; 고관. 귀현(貴顯). ⑤ 명 성(姓)의 하나.
〔宦场〕 huànchǎng 명 관계(官界).
〔宦官〕 huànguān 명 ①환관(宦官). 내시. =〔宦寺〕〔貂diāo寺〕〔公公④〕〔老lǎo公gong〕〔老太监〕〔太监〕〔中zhōng官〕〔中涓〕〔中zhōng人④〕〔天tiān刑②〕 ②〈文〉 관리.
〔宦海〕 huànhǎi 명 〈文〉 관계(官界). 관도(官途). ¶～浮沉; 관계(官界)의 부침(浮沈).
〔宦家〕 huànjiā 명 〈文〉 관리의 가계(家系). ¶～子弟; 관리의 자제.
〔宦门〕 huànmén 명 〈文〉 관리의 집안.
〔宦囊〕 huànnáng 명 〈文〉 관리가 되어 재직 중에 모은 돈.
〔宦寺〕 huànsì 명 환관(宦官).
〔宦途〕 huàntú 명 벼슬길. 관리의 길.
〔宦游〕 huànyóu 동 관리의 길을 찾아 이곳 저곳 분주히 돌아다니다. ¶～四方; 벼슬자리를 찾아 사방을 돌아다니다.
〔宦资〕 huànzī 명 〈文〉 관리의 수입.

浣〈澣〉 huàn (완)〈한〉
① 동 씻다. 가시다. ¶～衣yī; 옷을 빨다. ② 명 10일간《당대(唐代) 관리들이 열흘 중 하루는 휴식 및 목욕을 위한 휴일로 지냈기 때문에 이와 같이 말함》. ¶上～; 상순(上旬). ③ 명 《地》 환수이(浣水)《저장 성(浙江省)에 있는 강 이름》.
〔浣肠〕 huàncháng 명동 《醫》 관장(灌腸) (하다).
〔浣涤〕 huàndí 동 세척하다.
〔浣妇〕 huànfù 명 빨래하는 여자. 세탁부.
〔浣熊〕 huànxióng 명 《動》 미국너구리. 완웅(浣熊).
〔浣雪〕 huànxuě 동 죄를 씻다. 속죄하다.
〔浣衣〕 huànyī 동 옷을 세탁하다〔빨다〕.

睆 huàn (환)
형 ①밝은. ②아름다운.

鲩(鯇) huàn (혼)
명 《魚》 초어의 별칭《보통 '草cǎo鱼'라고 함》. =〔鲜〕

鲜(鰥) huàn (혼)
명 ⇨〔鲩huàn〕

逭 huàn (환)
동 도망치다. 피하다. ¶罪无可～; 죄는 피할 수가 없다 / ～暑shǔ; 피서하다.

患 huàn (환)
① 동 근심하다. 번민하다. 걱정하다. ¶不～寡而～不均; 모자라는 것을 걱정하지 말고, 고르지 못한 것을 걱정하라 / 有备无～; 〈成〉 유비무환. 미리 대비하면 걱정 없다 / 何～之有; 무슨 걱정할 게 있는가. ② 동 (병에) 걸리다. 앓

다. ¶～脚气; 각기병을 앓다. 무좀에 걸리다 / ～心脏病; 심장병에 걸리다. ③ 명 재난. 불운. ¶水～; 수해 / 防～未然; 재난을 미연에 방지하다. ④ 명 근심. ⑤ 명 성(姓)의 하나.

〔患处〕 huànchù 명 환부(주로 외상).

〔患得患失〕 huàn dé huàn shī 〈成〉 재물을 얻으려고 노심초사하고, 한번 얻게 되면 잃지 않으려고 고심하다. 사소한 손실과 이득에 집착하다 (현재는 개인의 득실만 따지는 것을 말함).

〔患害〕 huànhài 명 재난. 불행.

〔患苦〕 huànkǔ 동 〈文〉 병으로 고생하다.

〔患难〕 huànnàn 명 환난. 근심과 고통. ¶～相从; 〈成〉 고락을 함께 하다 / ～之交; 고락을 함께 한 벗. 친우 / ～与共, 休戚相关; 고난을 함께 하고, 기쁨과 근심을 같이하다.

〔患者〕 huànzhě 명 환자. 병든 사람. ¶结核～; 결핵 환자.

〔患状〕 huànzhuàng 명 〈文〉 병상. 병의 상태.

漶 huàn (환)
→〔漫mànè漶〕

曼 Huàn (환)
명 성(姓)의 하나.

豢 huàn (환)
동 ①기르다. 사육하다. ¶他是帝国主义～养起来的走狗; 그는 제국주의가 길러 온 앞잡이다. ②〈比〉 미끼로 사람을 낚다.

〔豢养〕 huànyǎng 동 ①가축을 사육하다. ¶～两只丹顶鹤; 두 마리의 두루미를 기르다. ②〈比〉 노예(奴隷)를 부리다. 이용하다. ③비호(庇護)하다.

〔豢圉〕 huànyǔ 명 〈文〉 외양간. 마구간.

擐 huàn (환)
동 〈文〉 옷을 입다. 몸에 걸치다. ¶～甲执兵; 갑옷을 입고 무기를 손에 잡다. 무장하다.

轘(轘) huàn (환)
명 차열(車裂)형(刑)(고대 형벌 중의 하나). =〔轘裂〕 ⇒huán

HUANG ㄏㄨㄤ

肓 huāng (황)
명 〔生〕 명치끝. 심장의 아래, 횡격막(横隔膜)의 윗부분. ¶病人膏～; 병이 고황에 들다. 병상이 회복하기 어렵게 되다. 〈比〉 일이 구제할 길 없을 만큼 심각함 / ～门; 침술의 '혈'의 하나(등의 제13추골의 아래 좌우 각 3치〔寸〕 떨어진 부위).

荒 huāng (황)
① 형명 (수확 · 작황이) 좋지 않다. 기근(饑饉). 흉작. ¶～年逃～; 흉년에 기근을 피하여 다른 지방으로 가다 / 防～; 기근을 막다. ② 명 (물자의) 결핍. 부족. 공황. ¶煤～; 석탄 기근 / 电～; 전력 기근 / 房～; 주택난 / 石油～ =〔石油危机〕; 유류 파동. 오일 쇼크. ③ 명 황무지. 개간되지 않은 땅. ¶垦～; 황무지를 개간하다 / 开了十亩～; 10묘의 황무지를 개간했다. ④ 동 버리다. 폐기(廢棄)하다. 방치하다. 태만히 하다. ¶地不能～着; 땅은 버려 두어서는 안 된다 / 火别叫它～着; 불을 내버려 두어 허비하지 마라. ⑤ 형 호젓하다. 외지다. 황량하다. 삭막하다. ⑥ 동 (학업 · 기술이) 오랫동안 방치해 두어 정도가 떨어지다. 서투르게 되다. ¶别把功课～了! 공부를 소홀히 하면 안 된다! / 多年没说中文, ～了; 오랫동안 중국어를 말하지 않아, 잊어버렸습니다. ⑦ 형 터무니없는. 엉터리의. 황당하다. ¶做事～唐; 일하는 게 터무니없다 / ～唐之言; 황당한 말. ⑧ 형 미정련(未精鍊)의. 마무리 작업을 끝내지 않은 반제품의. ¶～轧; 강철 따위의 압연봉. ⑨ 형 분명치 않은. 대강의. ⑩ 형 〈方〉 불확실한. 부정확한. 불분명한. ¶这只是一个～信儿; 이것은 단지 하나의 진위 불명의 뉴스에 지나지 않는다. ⑪ 동 탐닉하다. ¶～酒; 술에 빠지다. ⑫ 동 왕성하다. ¶火着zháo～了; 불이 세차게 피어 올랐다. ⑬ 동 당황하다. 얼어 버리다. 어리둥절해지다. ¶他初登讲台～了神儿了; 그는 처음으로 연단에 올라 얼어 버렸다.

〔荒草〕 huāngcǎo 명 황무지의 풀. 잡초.

〔荒场〕 huāngchǎng 명 황무지. 몹시 황폐한 곳. ¶成了～; 황무지가 되었다.

〔荒村〕 huāngcūn 명 황폐하여 쓸쓸한 마을. 한촌(寒村).

〔荒怠〕 huāngdài 동 게을러 쉬다. 게을리하다. ¶～学业; 학업을 게을리하다.

〔荒诞〕 huāngdàn 동 터무니없다. ¶～不经; 터무니없고 도리에 어긋나다 / ～无稽; 황당무계하다. =〔诞诞〕

〔荒岛〕 huāngdǎo 명 무인도.

〔荒地〕 huāngdì 명 개간하지 않은 땅. 황무지.

〔荒顿〕 huāngdùn 동 황폐하다. 정체하다. ¶久病淹滞, 众职～; 오랜 병의 시달림으로 여러 사무가 정체되다.

〔荒废〕 huāngfèi 동 ①소홀히 하다. ②내버려 두다. ③경작하지 않고 두다. 황폐한 채로 내버려 두다. ④(시간을) 허비하다. 낭비하다.

〔荒旱〕 huānghàn 명 기근과 한발〔가뭄〕.

〔荒蒿〕 huānghāo 명 멋대로 자란 쑥. ¶～丛生; 잡초가 무성하다.

〔荒忽〕 huānghū 형 ①어슴푸레하고 분명치 않은 모양. ② ⇨〔慌惚〕

〔荒荒〕 huānghuāng 형 〈文〉 어두컴컴한 모양.

〔荒货店〕 huānghuòdiàn 명 고물상.

〔荒郊〕 huāngjiāo 명 황폐하여 쓸쓸한 들판. 황야. 한적한 교외.

〔荒金〕 huāngjīn 명 정련하지 않은 금. 금의 지금(地金)(제련하지 않은 금).

〔荒馑〕 huāngjǐn 명 기근.

〔荒课〕 huāngkè 동 수업을 빠지다.

〔荒空〕 huāngkōng 형 황폐해 있다. 매우 거칠다.

〔荒里荒唐〕 huāngli huāngtáng 형 ①황당무계하다. 엉터리없다. 되는대로이다. ¶他～的, 看摊儿行吗? 저 애는 데면데면해서 노점지기를 시켜도 괜찮겠는가? / 怎么老是～的不打算好了? 왜 늘 덤벙대기만 하고, 미리 계획을 세워 놓지 않느냐? ②총망(悤忙)하다. 허둥대다.

〔荒凉〕 huāngliáng 형 황량하여 적막하다. 인적이 없다. ¶村子～; 마을이 황폐하여 적막하다.

〔荒料〕 huāngliào 명 ⇨〔坯pī料〕

〔荒乱〕 huāngluàn 명 기근(에 의한 소동). 형 세상이 어지러워지다〔어지러워짐〕. 혼란해 있다〔있음〕. ¶～的年月; (전쟁 따위로) 소란한 연대(年代).

〔荒忙〕 huāngmáng 부 ⇨〔慌忙〕

〔荒湎〕 huāngmiǎn 동 〈文〉 탐닉하다.

〔荒民〕 huāngmín 명 기근에 굶주린 백성.
〔荒谬〕 huāngmiù 형 엉터리이다. 도리에 맞지 않다. ¶～透顶 =〔～绝伦〕; 극히 엉터리이다.
〔荒漠〕 huāngmò 형 ①황량하고 넓은 모양. ¶～的草原; 광막한 초원. ②황폐하고 아무것도 없다. 명 황량한 사막·광야.
〔荒年〕 huāngnián 명 흉년. ↔〔丰年〕
〔荒僻〕 huāngpì 명 황폐한 벽지. 외진 곳. 궁벽한 데.
〔荒弃〕 huāngqì 동 〈文〉 폐기하다. 오랫동안 버려두다.
〔荒歉〕 huāngqiàn 명 흉작(凶作). 기근.
〔荒壤〕 huāngrǎng 명 〈文〉 황폐한 토지.
〔荒山僻野〕 huāngshān pìyě 황폐한 산과 궁벽한 들판.
〔荒山秃岭〕 huāngshān tūlǐng 황폐한 민둥산.
〔荒舍〕 huāngshè 명 ①〈文〉 황폐한 집. ②〈轉〉〈謙〉 졸가(拙家). 누추한 집. 초라한 집.
〔荒时暴月〕 huāng shí bào yuè 〈成〉 흉년과 보릿고개.
〔荒疏〕 huāngshū 동 (학업·기술 등을) 오랫동안 게을리하다. 등한히 하다. 무디어지다. ¶手艺都～了; 솜씨가 아주 무디어졌다 / ～学业; 학업을 오랫동안 팽개쳐 두다. =〔荒废②〕
〔荒数(儿)〕 huāngshù(r) 명 〈方〉 대략적인 숫자. 대체로.
〔荒唐〕 huāngtang 형 ①허황되다. 변덕스럽다. 황당하다. 터무니없다. ¶这话真～; 이 이야기는 전혀 근거 없는 것이다 / ～可笑; 황당하고 웃기는 일〔이야기〕. ②성실성이 없다. 막연하다. ¶满口是～; 입에서 나오는 대로 마구 허튼 소리를 내뱉다 / 做事～; 일하는 것이 엉망이다. ③방종하다. 타락하다. ¶他决～不了; 그는 결코 방종하지는 않다 / ～鬼; 게으름뱅이. 홀게늦은 놈.
〔荒田〕 huāngtián 명 ①미경작(未耕作)의 전답(田畓). ②황폐한 전답.
〔荒腆〕 huāngtiǎn 명동 술에 빠지다〔빠짐〕.
〔荒头儿〕 huāngtóur 명 적당히 꾸민 이야기. 믿을 바가 못 되는 이야기. ¶扔～说假话; 근거 없는 이야기를 퍼뜨리다.
〔荒土〕 huāngtǔ 명 ①황무지. 개간되지 않은 땅. ②먼 지방.
〔荒外〕 huāngwài 명 〈文〉 ①아득히 먼 지방. ②변경.
〔荒亡〕 huāngwáng 동 〈文〉 사냥과 술에 빠지다.
〔荒妄〕 huāngwàng 형 근거가 없다. 터무니없다. 허망하다.
〔荒无人烟〕 huāng wú rén yān 〈成〉 황량하여 인적이 없다.
〔荒芜〕 huāngwú 형 경작하는 사람도 없이 황폐한 모양.
〔荒象〕 huāngxiàng 명 〈文〉 기근의 정황(情況).
〔荒信(儿)〕 huāngxìn(r) 명 〈文〉 확실치 않은 소식. 모호한 정보(情報). 믿을 수 없는 통지. =〔谎信(儿)〕
〔荒野〕 huāngyě 명 황야. 거친 들판.
〔荒淫〕 huāngyín 동 주색에 빠지다. 방탕한 생활을 하다. ¶～无度; 황음무도하다. 방탕하여 절도가 없다 / ～无耻; 부끄러움도 없이 방탕한 생활을 하다.
〔荒银〕 huāngyín 명 지은(地銀). 정련하지 않은 은.
〔荒原〕 huāngyuán 명 황야. 황무지.
〔荒远〕 huāngyuǎn 형 아득히 멀다.
〔荒灾〕 huāngzāi 명 기근. (huāng,zāi) 동 기근이 되다.
〔荒账〕 huāngzhàng 명 불량 대부. 대손(貸損). =〔呆dāi账〕
〔荒政〕 huāngzhèng 명 ①기근을 구하는 정책. ②(군주가) 정치를 태만히 함.
〔荒冢〕 huāngzhǒng 명 〈文〉 황폐해진 무덤. =〔败bài冢〕
〔荒子〕 huāngzi 명 ①햇빛에 말리기만 하고 굽지 않은 벽돌. ②가공 전의 재료. =〔毛坯〕

慌 **huāng** (황)
①형 분명치 않다. 어둡다. ②형 급박하다. ③동 당황하다. 허둥대다. 어쩔 줄 모르다. ¶做事太～; 일을 하는 데 너무 허둥댄다 / 沉住气, 不要～; 침착해라, 허둥대지 말고. ④동 겁내다. 불안해하다. ¶心里发～; 내심 겁내다 / 敌人吓～了; 적은 놀라 허둥댔다. ⑤동 즐겁다. ¶可～哩; 참 유쾌하다. =〔高兴〕 ⇒huang
〔慌惚〕 huānghū 형 황홀하다. 황홀하여 정신이 없다. =〔荒忽②〕 부 어렴풋이.
〔慌坏〕 huānghuài 동 매우 당황해하다.
〔慌慌〕 huāng huāng 형 ①들뜨다. ②당황하여 들뜨다. ¶～忙忙地; 황망히 / ～失失; 당황하여 어쩔 줄 모르다. 갈팡질팡하다 / ～张张; 매우 당황하다〔하여〕. 허겁지겁.
〔慌惶〕 huānghuáng 동 당황하여 겁내다. ¶～失措; 당황하고 겁이 나서 어찌할 바를 모르다.
〔慌里慌张〕 huāngli huāngzhāng 형 당황하여 어쩔 줄 모르는 모양.
〔慌乱〕 huāngluàn 형 당황하여 혼란하다.
〔慌锣〕 huāngluó 명 위급을 알리는 징.
〔慌忙〕 huāngmáng 부 당황하여. 황급히. 황망히. ¶慌慌忙忙的; 당황하여. =〔急忙〕〔荒忙〕
〔慌忙急促〕 huāngmáng jícù 형 ⇨〔慌速〕
〔慌神儿〕 huāng,shénr 동 〈方〉 허둥대다. 갈팡질팡하다. ¶不要～, 一～更容易犯错儿; 당황하면 안 된다. 당황하면 더 잘못을 저지르기 쉽다.
〔慌手慌脚〕 huāng shǒu huāng jiǎo 〈成〉 매우 당황한 모양. 초조하여 허둥대는 모양. =〔慌手冒脚〕
〔慌疏〕 huāngshū 동 당황하여 멍청〔깜박〕하다. ¶～着落下东西; 당황하여 물건을 잊었다.
〔慌速〕 huāngsù 형 황급하다. 급급하다. ¶接到信儿～跑了去了; 소식을 듣고 황급히 달려갔다. =〔慌忙急促〕
〔慌醒〕 huāngxǐng 동 놀라서 깨다.
〔慌张〕 huāngzhāng 형 ①당황하다. 허둥대다. ¶因为时间到了, 慌慌张张就出去了; 시간이 되었으므로 황망히 나갔다. ②덤벙대다. ¶以后可要好好儿干, 别再～了; 다음에는 정신 차려 하지, 덤벙대지 마라 / ～鬼儿; 경솔한 사람. 덤벙대는 사람. ③안절부절못하다. ¶神色～; 초조한 기색을 보이다.
〔慌作一团〕 huāng zuò yītuán 여러 사람이 함께 당황하여 허둥대는 모양. ¶大家～都不知道怎么办才好; 모두는 그저 한데 어울려 허둥댈 뿐, 어찌할 바를 모른다.

塃 **huāng** (황)
명 〈方〉 막 파낸 광석.

皇 **huáng** (황)
①명 황제. 천자. 군주. ¶沙shā～; 차르(러 tsar) / 英～; 영국 왕 / 三～五帝; 삼황 오제. ②형 〈文〉 당당하고 훌륭한 모양. ③〈文〉 선

대에 대한 경칭. =〔堂皇〕④옛날, '遑', '惶'과 통용됨. ⑤ 명 성(姓)의 하나.
〔皇妣〕 huángbǐ 명 〈文〉〈敬〉 돌아가신 어머니.
〔皇朝〕 huángcháo 명 조정(朝廷).
〔皇城〕 huángchéng 명 궁성(宮城).
〔皇储〕 huángchǔ 명 황위(皇位) 계승자. =〔太子〕
〔皇帝〕 huángdì 명 황제.
〔皇甫〕 huángfǔ 명 복성(複姓)의 하나.
〔皇宫〕 huánggōng 명 황궁. 왕궁.
〔皇姑〕 huánggū 명 〈文〉 작고한 시어머니.
〔皇冠〕 huángguān 명 왕관. 크라운. ¶~牌; 왕관 표지.
〔皇冠玻璃〕 huángguān bōli 명 크라운 유리. =〔冕miǎn牌玻璃〕
〔皇后〕 huánghòu 명 ①황후. ②미인 투표의 최고 득점자. ¶香港~; 미스 홍콩(香港). =〔花王〕
〔皇皇〕 huánghuáng 형 ①눈부시게 아름다운 모양. 당당하고 훌륭한 모양. ¶~巨著; 당당한 대작. =〔煌煌〕 ②마음이 동요하는 모양. ¶~然; 당황한 모양(으로). =〔遑遑〕 ③쭈뼛쭈뼛〔전전긍긍〕하는 모양. =〔惶惶〕
〔皇家〕 huángjiā 명 황실. 왕실. =〔皇室〕
〔皇家海军〕 huángjiā hǎijūn 명 영국 해군.
〔皇舅〕 huángjiù 명 〈文〉 작고한 시아버지.
〔皇考〕 huángkǎo 명 ①망부(亡父). ②(옛날에) 증조부.
〔皇历〕 huángli 명 〈口〉 ①옛날의 중국력(中國曆). 구력(舊曆). 책력. =〔黄历〕〔历书〕 ②낡은 것. 시대에 뒤떨어진 것. ¶他还想按老~办事; 그는 아직 낡은 방식에 따라 일을 처리하려 한다.
〔皇鸟〕 huángniǎo 명 봉황의 별칭.
〔皇亲〕 huángqīn 명 황제의 친척. ¶~国戚; ⓐ황제의 친척. ⓑ기관장(機關長)이 연줄로 임용한 친척.
〔皇权〕 huángquán 명 〈文〉 황제의 권력.
〔皇上〕 huángshang 명 ①천자. 황제. ②최고의 권력자(적대하는 측의).
〔皇室〕 huángshì 명 ⇨〔皇家〕
〔皇太后〕 huángtàihòu 명 〈文〉 황태후(황제의 모친). ¶圣shèng后~; (명(明)·청대(清代)의) 생모가 아닌 황태후 / 国母~; (명·청대의) 생모인 황태후.
〔皇太子〕 huángtàizǐ 명 황태자.
〔皇堂〕 huángtáng 형 당당한. 의젓한.
〔皇天〕 huángtiān 명 〈文〉 하늘. 상제(上帝). ¶~不负苦心人; 〈諺〉 하늘은 스스로 돕는 자를 돕는다 / ~后土; 천지의 신.
〔皇廷〕 huángtíng 명 궁정(宮廷).
〔皇统〕 huángtǒng 명 ①황통. 황제의 계통. ②금(金)나라 희종(熙宗)의 연호(1141~1149).
〔皇诏〕 huángzhào 명 〈文〉 조칙(詔勅). 성지(聖旨).
〔皇族〕 huángzú 명 황족.
〔皇祖妣〕 huángzǔbǐ 명 〈文〉 망조모(亡祖母).
〔皇祖考〕 huángzǔkǎo 명 〈文〉 망조부(亡祖父).
〔皇座〕 huángzuò 명 〈文〉 수위(首位). ¶水球队连保三年~; 수구 팀은 연속 3년 수위를 확보하고 있다.

偟
huáng (황)
형 ① ⇨〔徨huáng〕 ② ⇨〔遑huáng②〕

凰
huáng (황)
명 ①봉황. ②전설에서, 봉황의 암컷을 가리킴(수컷은 '凤').

隍
huáng (황)
명 마른 해자(성(城)을 지키기 위해 굴착한, 물이 없는 호(濠). 물 있는 것은 '池'). ¶城~; ⓐ성의 해자. ⓑ토지의 수호신.

湟
huáng (황)
① 명 〖地〗 황수이(湟水)(ⓐ칭하이(青海)·간쑤(甘肅) 두 성(省)에 걸쳐 흐르는 강 이름. 시닝허(西寧河)를 말함. ⓑ광둥 성(廣東省)에 있는 강 이름). ②→〔湟鱼〕
〔湟鱼〕 huángyú 명 〖魚〗 황어.

惶
huáng (황)
동 ①두려워하다. ②당황해하다. 불안해하다. ¶人心~~; 인심이 불안하다.
〔惶惭〕 huángcán 동 〈文〉 죄송스럽고 부끄러워하다.
〔惶惶〕 huánghuáng 형 두려워하는 모양. 불안해서 떠는 모양. 놀라서 황급한 모양. ¶~不可终日; 마음이 불안하여 하루도 편하게 있지 못하다. =〔皇皇③〕
〔惶惑〕 huánghuò 동 (마음 속에) 두려워 어찌할 바를 모르다.
〔惶遽〕 huángjù 형 〈文〉 두려워 당황하다. 놀라 허둥대다.
〔惶恐〕 huángkǒng 형 황송하다. 죄송하다. ¶诚惶诚恐; 죄송 천만 / ~不安; 황공하여 불안하다 / ~万状; 공포에 사로잡히다. 두려움으로 제정신을 잃다.
〔惶愧〕 huángkuì 형 〈文〉 두렵고 부끄럽다.
〔惶乱〕 huángluàn 동 어찌할 바를 모르다. 당황하다.
〔惶歉〕 huángqiàn 동 공축(恐縮)〔황축〕하다. 황송해하다.
〔惶然〕 huángrán 형 놀라는 모양.
〔惶然若失〕 huáng rán ruò shī 〈成〉 두려운 나머지 자신(自身)을 잊음.
〔惶扰〕 huángrǎo 동 당황하여 떠들다.
〔惶悚〕 huángsǒng 형 두렵다. 황송하다. ¶~不安; 황송하여 불안하다.

遑
huáng (황)
〈文〉 ① 명 틈. 겨를. ¶不~ =〔未~〕; …할 틈이 없다 / 不~进食; 식사할 시간도 없다. ② 형 당황하다. 허둥대다. =〔偟②〕 ③ 접 어찌 …을 할 수 있겠는가. 황차 …랴. ¶此事尚不能行, ~论其他; 이 일조차 행하지 못하는데, 황차 그 밖의 일이랴. ④…을 돌볼 여유가 있으랴. ¶免过未~, 敢言成绩; 잘못하지 않도록 애쓰는 데에도 겨를이 없거늘, 성과 따위를 어찌 생각하겠습니까.

喤
huáng (황)
→〔喤喤〕
〔喤喤〕 huánghuáng 〈擬〉〈文〉 ①때를 알리는 북소리. ②어린아이의 울음소리.

徨
huáng (황)
형 방황하다. 왔다갔다하다. 갈팡질팡하다. ¶~~; 허둥대다. =〔徬徨〕〔彷徨〕〔偟①〕

锽(鍠)
huáng (황)
→〔张zhāng锽〕

煌
huáng (황)
동 빛나다. 번득이다. ¶~~ =〔皇皇①〕; ⓐ빛나는 모양. ⓑ훌륭한 모양. / 星光~~; 별이 반짝반짝 빛나다 / 辉huī~; 휘황하다. 빛나다.

锽(鍠) **huáng** (굉)
①〈擬〉 종·북 소리. →〔锽锽〕 ② 명 부월(斧鉞) 등의 옛날 무기.

〔锽锽〕 **huánghuáng** 〈擬〉〈文〉 땡땡. 둥둥《종 소리나 북 소리》.

蝗 **huáng** (황)
명 《蟲》 누리《'蝗虫'은 통칭》. ¶打～ =〔灭～〕; 누리를 퇴치하다. =〔飞fēi蝗〕〔〈文〉 虮bā蜡〕〔〈方〉 蚂mà蚱〕

〔蝗虫〕 **huángchóng** 명 《蟲》 누리.

〔蝗害〕 **huánghài** 명 누리의 해. =〔蝗灾〕

〔蝗旱〕 **huánghàn** 명 누리와 가뭄의 피해.

〔蝗蝻〕 **huángnǎn** 명 날개가 제대로 나지 않은 누리의 유충. =〔跳蝻〕〔蝻蝗〕

〔蝗灾〕 **huángzāi** 명 ⇨〔蝗害〕

篁 **huáng** (황)
명 〈文〉 ①대나무 숲. ¶幽yōu～; 어둠침침한 대나무 숲. ②대나무를 가리킴. ¶修xiū～; 긴 대나무.

艎 **huáng** (황)
→〔艅yú艎〕

鳇(鰉) **huáng** (황)
명 《魚》 황어. 철갑상어. =〔鳇鱼〕

黄 **huáng** (황)
① 명 《色》 황색《불그스름한 노랑까지를 포함》. ¶鹅é～; 담황색 / 橘jú～; 오렌지색 / 金～色头发; 금발 / 天晒得草都焦～了; 한발로 풀이 모조리 누렇게 타 버렸다. ② 명 노인. ③ 명 황금. ④ 동 노래지다. ¶麦子都～了; 보리가 완전히 누렇게 되었다. ⑤(～了) 동 〈口〉 사업이 순조롭게 안 되다. 실패하다. 허사가 되다. ¶买卖～了; 장사가 망했다 / 因为借不到这么点儿钱这门亲事就～了; 그 정도의 돈을 빌리지 못했기 때문에, 이 혼사는 깨졌다 / 要不是他, 这个会就算～了; 그가 힘쓰지 않았다면, 이 모임은 유회될 뻔했다. ⑥ 형 나이 젊은. ⑦ 명 옛날에, 갓난아기를 가리키던 말. ⑧ 형 선정적이다. 퇴폐적이다. ¶这部电影相当～; 이 영화는 꽤 에로틱하다. →〔黄色〕 ⑨ 명 《地》 황허 강(黄河). ¶治～; 황허 치수(治水). ⑩ 명 성(姓)의 하나.

〔黄埃〕 **huáng'āi** 명 〈文〉 황진(黄塵).

〔黄白〕 **huángbái** 명 ①황색과 백색. ②금과 은.

〔黄白花儿〕 **huángbáihuār** 명 황색과 백색의 얼룩《주로 고양이나 개의 털색을 말함》.

〔黄白净子(儿)〕 **huángbáijìngzi(r)** 허여멀건한 얼굴, 또는 그런 사람.

〔黄柏皮〕 **huángbǎipí** 명 황벽(黃蘗)나무 껍질《한약재로 쓰임》.

〔黄斑〕 **huángbān** 명 ①《生》 황반《안구(眼球)의 망막상의 황색 반점》. ②'老lǎo虎'(호랑이)의 별칭.

〔黄板纸〕 **huángbǎnzhǐ** 명 〈俗〉 마분지. =〔黄版纸〕〔黄纸板〕〔马粪纸〕〔黄纸〕

〔黄榜〕 **huángbǎng** 명 ①천자의 조서(詔書). ②나무 팻말에 누런 종이를 붙이고 포고문을 뜬 것. ③과거(科擧)의 성적 발표 게시.

〔黄包车〕 **huángbāochē** 명 〈方〉 인력거.

〔黄本〕 **huángběn** 명 황색지를 써서 인쇄한 송대(宋代)의 판본.

〔黄绷子〕 **huángbèngzi** 명 ⇨〔黄镚子〕

〔黄镚子〕 **huángbèngzi** 명 〈俗〉 황동화(黃銅貨). =〔黄绷子〕

〔黄骠马〕 **huángbiāomǎ** 명 《動》 ①전신이 담황색이고, 갈기·꼬리 따위가 백색에 가까운 말. ②구렁말.

〔黄表纸〕 **huángbiǎozhǐ** 명 전에, 신전(神前)에서 태우던 기도문을 쓴 황색 종이.

〔黄病〕 **huángbìng** 명 《醫》〈俗〉 황달. =〔黄疸①〕

〔黄柏〕 **huángbò** 명 ⇨〔黄檗bò〕

〔黄檗〕 **huángbò** 명 《植》 황벽나무. =〔黄柏〕

〔黄檗宗〕 **Huángbòzōng** 명 《佛》 불교 종파의 하나《당대(唐代) 푸젠(福建) 황벽산(黃檗山)의 정간선사(正幹禪師)가 창시》.

〔黄不唧(儿)〕 **huángbujī(r)** 형 〈北方〉 노르스름하다. 노랗다.

〔黄菜〕 **huángcài** 명 〈方〉 ①계란 요리. ② ⇨〔菠萝〕

〔黄灿灿〕 **huángcàncàn** 형 금빛으로 빛나는 모양. ¶～的稻子; 황금빛으로 빛나는 벼이삭.

〔黄草〕 **huángcǎo** 명 《植》 조개풀《줄기와 잎의 즙을 황색 염료에 씀》. =〔鸱chī脚莎〕〔荩草〕

〔黄册〕 **huángcè** 명 ①옛날의 인구 조사부《'黄'은 옛날 호적제에서 영아(嬰兒)》. ②청대(清代)의 종실에 관한 호적보.

〔黄鲿鱼〕 **huángchángyú** 명 《魚》 동자개. =〔黄颊鱼〕〔黄颡鱼〕

〔黄串香色〕 **huángchuànxiāngsè** 명 《色》 황적색.

〔黄丹〕 **huángdān** 명 ⇨〔铅qiān丹〕

〔黄胆〕 **huángdǎn** 명 《鳥》 검은머리노랑배멧새.

〔黄疸〕 **huángdǎn** 명 ①《醫》 황달. =〔黄病〕〔黄胆病〕 ② ⇨〔黄锈病〕

〔黄道〕 **huángdào** 명 ①《天》 황도. 태양의 시궤도(視軌道). ¶～带; 황도대. ②(구성술(九星術) 등에서) 만사에 길하다는 날. ¶～日(子) =〔～吉日〕; 대안 길일(大安吉日).

〔黄道眉〕 **huángdàoméi** 명 《鳥》 멧새. =〔白颊鸟〕

〔黄澄澄(的)〕 **huángdēngdēng(de)** 형 황금색인 모양. ¶～的金质奖章; 황금색의 금메달. =〔黄登登(的)〕

〔黄帝〕 **huángdì** 명 황제. 중국 신화에 나오는 삼황 오제(三皇五帝) 중의 한 사람.

〔黄碘〕 **huángdiǎn** 명 ⇨〔碘仿〕

〔黄貂鱼〕 **huángdiāoyú** 명 《魚》 노랑가오리. =〔黄鱼〕

〔黄鲷〕 **huángdiāo** 명 《魚》 황돔.

〔黄豆〕 **huángdòu** 명 콩. ¶～面 =〔～粉〕〔大豆面〕; 콩가루《볶아서 빻은 것을 '熟shú的', 날것을 빻는 것을 '生shēng的'라고 함》 / ～芽儿 =〔～芽子〕; 콩나물.

〔黄豆绿〕 **huángdòulǜ** 명 《色》 그레이프 그린(grape green).

〔黄嘟嘟〕 **huángdūdū** 명 《色》 진한 노랑. 형 샛노랗다. ¶～的帽子; 샛노란 모자.

〔黄独〕 **huángdú** 명 ⇨〔黄药子①〕

〔黄毒〕 **huángdú** 명 외설〔도색〕적인 것에 의한 해독. ¶扫清～; 도색적인 것에 의한 해독을 제거하다. →〔黄色②〕

〔黄发〕 **huángfà** 명 〈比〉 노인.

〔黄风〕 **huángfēng** 명 황토(黃土)가 섞인 바람.

〔黄蜂〕 **huángfēng** 명 《蟲》 장수말벌.

〔黄格伞〕 **huánggésǎn** 명 편지의 한 형식《관리가 상대에게 존경의 뜻을 나타내는 데 쓰임》.

〔黄宫〕 **huánggōng** 명 (머리의) 정수리.

〔黄狗〕 **huánggǒu** 명 ①《動》 누렁개. ②순경. ③〈比〉 악인. 악당. ¶天刚亮, 一连～就把村子包围

了; 날이 밝자, 일개 중대 가량의 악당들이 마을을 에워쌌다.
〔黄姑鱼〕 huánggūyú 명 《魚》 민어.
〔黄古钢色〕 huánggǔgāngsè 명 《色》 황고동색. 검푸른빛.
〔黄骨子〕 huánggǔzi 명 《魚》 미꾸라지와 비슷한 길이가 15cm 정도인 물고기.
〔黄瓜〕 huángguā 명 《植》 오이. =〔胡瓜〕〔〈俗〉王瓜〕
〔黄瓜熬白瓜〕 huángguā áo báiguā 〈歇〉 오이와 호박을 삶다. ¶～, 一色货; 한패거리다.
〔黄瓜菜〕 huángguācài 명 《植》 ①씀바귀. ②보리뺑이. ‖ =〔黄花菜②〕
〔黄瓜种〕 huángguāzhǒng 명 가을의 오이《굵고 씨가 많은 늦오이》.
〔黄海〕 huánghǎi 명 ① 《魚》 날치. ②(Huánghǎi) 《地》 황해.
〔黄海棠〕 huánghǎitáng 명 《植》 물레나물.
〔黄河〕 Huánghé 명 《地》 황허 강(黃河). ¶不到～心不死; 〈諺〉 일이 어쩔 수 없는 지경에 이르기까지 결코 마음을 바꾸지 않는다 / 跳到～也洗不清; 황허 강에 뛰어들어도 억울한 죄를 씻을 수 없다 / ～为界; 황허 강을 경계로 하다《엄중한 경계로 삼다》 / ～尚有澄清日; 황허 강의 탁류일지라도 맑아질 때가 있다.
〔黄河清〕 Huánghéqīng 황허 강의 탁한 물이 맑아지다. 〈轉〉 드문 일.
〔黄鹤楼上看翻船〕 huánghèlóu shang kàn fānchuán 황학루(黃鶴樓) 위에서 배가 뒤집히는 것을 보다《남의 재난을 방관하다. 강 건너 불 보듯 하다》.
〔黄魟〕 huánghóng 명 ⇨〔黄貂鱼〕
〔黄花〕 huánghuā 명 ①《植》 국화. ②⇨〔黄花儿①〕 ③ ⇨〔黄花菜①〕 ④〈口〉 동정녀(童貞女). ¶～女儿; 미혼녀. 처녀.
〔黄花菜〕 huánghuācài 명 《植》 ①〈俗〉 망우초(忘憂草)의 별칭. =〔黄花③〕〔金针菜〕 ② ⇨〔黄瓜菜〕 ③노랑꽃 백화채.
〔黄花地丁〕 huánghuā dìdīng 명 《植》 민들레. =〔蒲pú公英〕
〔黄花岗〕 huánghuāgāng 명 《地》 광둥 성(廣東省) 성북문(城北門) 밖의 바이윈 산(白雲山) 기슭에 있는 언덕.
〔黄花姑娘〕 huánghuā gūniang 명 ⇨〔黄花女儿〕
〔黄花蒿〕 huánghuāhāo 명 《植》 비쑥. →〔蒿①〕
〔黄花苜蓿〕 huánghuā mùxu 명 《植》 거여목. =〔金花菜〕
〔黄花女儿〕 huánghuānǚr 명 미혼녀. 처녀. 숫처녀. =〔黄花姑娘〕〔黄花少女〕
〔黄花儿〕 huánghuār 명 ①《植》 평지. =〔油菜〕〔黄花②〕〔黄花菜〕 ②〈俗〉 처녀. 동정(童貞).
〔黄花少女〕 huánghuā shàonǚ 명 ⇨〔黄花女儿〕
〔黄花乌头〕 huánghuā wūtóu 명 《植》 백부자.
〔黄花鱼〕 huánghuāyú 명 《魚》 황조기.
〔黄华〕 huánghuá 명 《地》 황화 산(黃華山)《푸젠 성(福建省) 젠어우 현(建甌縣)의 동북쪽에 있는 산 이름》.
〔黄昏〕 huánghūn 명 황혼. 해질 무렵. ¶～之恋; 늘그막의 사랑〔연애〕. =〔下xià晚儿〕
〔黄昏女儿〕 huánghūn nǚr 명 미혼 여자. 처녀. 올드 미스.
〔黄祸〕 huánghuò 명 ①음란 · 포르노의 폐해. ② 황색 인종의 화《일부 백인들의, 황색 인종이 번창하여 백인종을 침해할 것이라는 주장》. ③당대(唐代)에 일어났던 황소(黃巢)의 난. ④〈比〉 옛날, 변소 푸는 사람이 없는 상황. 또는 파업한 상태.
〔黄麂〕 huángjǐ 명 ⇨〔黄獍〕
〔黄鲫〕 huángjì 명 《魚》 멸치과(科)의 하나. =〔麻má口鱼〕〔毛máo口鱼〕
〔黄颊鱼〕 huángjiāyú 명 ⇨〔黄鲿鱼〕
〔黄尖鸭〕 huángjiānyā 명 《鳥》 가창오리.
〔黄犍牛〕 huángjiānniú 명 《魚》 부시리.
〔黄姜〕 huángjiāng 명 《植》 노란 생강.
〔黄降汞〕 huángjiànggǒng 명 ⇨〔黄氧化汞〕
〔黄酱〕 huángjiàng 명 콩과 보릿가루로 만든 누런 된장. =〔大dà酱〕〔豆dòu瓣儿酱〕
〔黄交嘴〕 huángjiāozuǐ 명 《鳥》 잣새의 암컷.
〔黄教〕 Huángjiào 명 라마교. =〔喇嘛教〕
〔黄巾起义〕 Huángjīn Qǐyì 명 《史》 후한(後漢) 말에 장각(張角)이 이끈 대규모 농민 폭동《황색 두건을 쓰고 있던 데서 이 이름이 붙음》.
〔黄金〕 huángjīn 명 황금. 금.
〔黄金得从佛口出〕 huáng jīn dé cóng fó kǒu chū 〈成〉 웃는 얼굴이 부를 가져다 준다. →〔和hé气生财〕
〔黄金分割〕 huángjīn fēngē 명 《數》 황금 분할. =〔黄金截〕〔中zhōng外比〕
〔黄金海岸〕 Huángjīn hǎi'àn 명 《地》 황금 해안(Gold Coast)《아프리카 동남 해안에 있는 지명. '加jiā纳'(가나: Ghana)로서 독립함》.
〔黄金截〕 huángjīnjié 명 ⇨〔黄金分割〕
〔黄金美元〕 huángjīn měiyuán 명 ①미국 달러. ¶英镑区的～储备急剧减少; 파운드 지역의 미국 달러의 비축이 급격히 감소하였다. ②금과 미국 달러.
〔黄金入柜〕 huángjīn rùguì 〈比〉 사후(死後)《'金柜山'은 양저우푸(揚州府) 남쪽에 있는데 무덤이 많던 곳. 여기에 묻히면 황금이 금궤로 들어가는 것과 같다는 속담에서 유래됨》. ¶到明日你老人家～, 她也没个贴皮贴肉的亲戚; 언젠가 당신이 죽기라도 한다면, 그녀는 살붙이 친척들이 한 사람도 없게 된다.
〔黄金时代〕 huángjīn shídài 명 황금 시대.
〔黄金树〕 huángjīnshù 명 ⇨〔桉ān树〕
〔黄金塔〕 huángjīntǎ 명 ① ⇨〔窝wō头〕 ②〈比〉 탑처럼 쌓인 똥 무더기.
〔黄金万两〕 huángjīn wànliǎng 정월에 빨간 종이에 써서 상자 따위에 붙이는 길상의 문구(文句)《보통 4자를 맞추어서 1자로 하여 씀》.
〔黄堇〕 huángjǐn 명 《植》 노랑제비꽃.
〔黄荆〕 huángjīng 명 《植》 노랑순비기나무.
〔黄獍〕 huángjīng 명 《動》 대만애기사슴《소형의 사슴》. =〔黄麂〕〔小xiǎo麂〕
〔黄晶〕 huángjīng 명 ⇨〔黄玉〕
〔黄精〕 huángjīng 명 《植》 죽대《약초》. =〔鹿lù竹〕〔仙xiān人余粮〕
〔黄净子脸儿〕 huángjìngziliǎnr 명 온통 누런 얼굴.
〔黄酒〕 huángjiǔ 명 ①차조로 만든 술 이름《속칭 '老酒'의 일종》. ¶～馆子; 술집. 목로 주점. ② 사오싱(紹興) 지방에서 나는 양조주(釀造酒)의 일종. ③약을 먹을 때 마시는 약주(藥酒)의 하나.
〔黄卷〕 huángjuàn 명 고서적《특히, 불교 따위의 경전. 전에는 좀의 방지를 위해 쓴맛이 나는 것을 물들여서 종이가 누르무레하였으므로》.
〔黄卷青灯〕 huángjuàn qīngdēng 〈比〉 불교 신자의 거처나 생활 상태.
〔黄绢幼妇〕 huángjuàn yòufù '绝jué妙'(절묘하다. 더없이 좋음)의 은어《황견(黃絹)은 색실〔色

絲〕이므로 '绝', 유부(幼婦)는 소녀(少女)이므로 '妙').

〔黄口〕 huángkǒu 명 ①노란입〔부리〕. ②참새 새끼. ③〈比〉 풋내기. 애송이. =〔黄口儿〕〔黄口孺rú子〕〔黄口小儿〕 ‖ =〔黄吻〕

〔黄口白牙〕 huáng kǒu bái yá 입에서 나오는 대로 마구. =〔信口开河〕

〔黄块块〕 huángkuàikuài 형 노란 모양.

〔黄腊团子〕 huánglà tuánzi 명 약을 싸는 데 쓰는 공 모양의 밀랍. 교갑(膠匣).

〔黄蜡〕 huánglà 명 〈俗〉 밀. 밀랍. ¶～布; 옐로 왁스 클로드(yellow-wax cloth). =〔蜂蜡〕

〔黄蜡蜡(的)〕 huánglàlà(de) 형 누렇고 광택이 없는 모양. ¶一张～面孔; 누렇고 윤기 없는 얼굴.

〔黄狼〕 huángláng 명 《動》 ①족제비. =〔鼬yòu(鼠)〕 ②밍크. =〔水貂shuǐdiāo〕

〔黄老〕 Huáng Lǎo 명 황제(黃帝)와 노자(老子). ¶～之学; 도가(道家)의 학문 / ～之士; 도교를 신봉하는 사람.

〔黄了〕 huángle ①마작에서, 패가 갖추어지지 않아서 승부가 나지 않음. =〔皇了〕〔璜了〕 ②〈俗〉 열이 틀어지다. ③〈俗〉 (남녀 사이가) 끝나다.

〔黄梨〕 huánglí 명 ⇨〔凤fèng梨〕

〔黄梨布〕 huánglíbù 명 《紡》 아나나스〔파인애플〕 잎의 섬유로 짠 천. =〔番fān布〕

〔黄鹂〕 huánglí 명 《鳥》 꾀꼬리('仓cāng庚①' '苍庚' '鸧鹒'은 별칭. '金jīn衣公子'은 아칭(雅稱)). =〔黄鸟〕〔黄莺(儿)〕〔春chūn莺〕〔告gào春鸟〕〔黑hēi枕黄鹂〕〔离lí黄〕

〔黄历〕 huángli 명 〈俗〉 책력. =〔皇历〕

〔黄连〕 huánglián 명 《植》 ①황련. ¶胡hú～; 《植》 개쓴풀 / ～花; 《植》 좁쌀풀 / 哑吧吃～, 有苦说不出来; 벙어리 냉가슴 앓다. 〈歇〉 쓰고 괴로워도 말은 못 하다. =〔〈梵〉 安阇ānshé那〕 ②〈比〉 생활의 고됨을 참는 말. ¶我们一向的生活, 比～也差不多了; 우리들의 지금까지의 생활은 실로 괴로운 것이었다.

〔黄连木〕 huángliánmù 명 《植》 황련목. =〔〈方〉 楷jiē树〕

〔黄脸婆〕 huángliǎnpó 명 〈貶〉 마누라. 나이 먹은 여자.

〔黄楝树〕 huángliànshù 명 《植》 소태나무. =〔苦kǔ木〕

〔黄粱〕 huángliáng 명 황량. 메조.

〔黄粱美梦〕 huáng liáng měi mèng 명 ⇨〔邯hán郸梦〕

〔黄粱(一)梦〕 huáng liáng (yī) mèng 명 ⇨〔邯hán郸梦〕

〔黄磷〕 huánglín 명 ⇨〔白bái磷〕

〔黄零草〕 huánglíngcǎo 명 ⇨〔零陵香〕

〔黄领蛇〕 huánglǐngshé 명 《動》 구렁이.

〔黄六医生〕 huángliù yīshēng 명 〈俗〉 돌팔이 의사.

〔黄龙〕 huánglóng 명 ①〈轉〉 (적국의) 수도. ¶直捣～府; 단숨에 적의 수도를 치다(송(宋)의 악비(岳飛)가 금(金)의 수도 황룡부(黃龍府)를 공격한 데서 나온 말). ②황토(黃土)의 물. 황진(黃塵).

〔黄龙宗〕 Huánglóngzōng 명 《佛》 선종(禪宗)의 일파, 송대(宋代)의 보각(普覺)이 창시함.

〔黄胧胧的〕 huánglónglóngde 《色》 옅은 황색의.

〔黄栌〕 huánglú 명 《植》 거망옻나무.

〔黄落〕 huángluò 동 ①초목이 가을이 되어 누렇게 되어 잎이 떨어지다. ②〈轉〉 일이 틀어지다.

〔黄麻〕 huángmá 명 《植》 인도 모시. 황마. ¶～口袋; 거니백(gunny bag). =〔茔yíng麻〕

〔黄马褂(儿)〕 huángmǎguà(r) 명 ①누런 마고자(청대(淸代)의 관복 또는 황제가 공신에게 하사한 옷). ②고관.

〔黄漫漫〕 huángmànmàn 형 주변이 온통 노란 모양.

〔黄毛鹭〕 huángmáolù 명 ⇨〔牛niú背鹭〕

〔黄毛丫头〕 huángmáo yātou 명 계집애. ¶乳臭未干的～; 젖비린내나는 계집애.

〔黄茅瘴〕 huángmáozhàng →〔瘴〕

〔黄梅〕 huángméi 명 《植》 ①익은 매실(梅實). ②살구. ¶～酱; 살구잼. ③매실이 익을 무렵. ¶～雨; 장마(중국 남부에서 늦은 봄부터 초여름경에 내리는 장마).

〔黄梅天〕 huángméitiān 명 장마철. =〔梅雨天〕〔霉méi天〕〔黄梅季jì〕

〔黄梅戏〕 huángméixì 명 《劇》 안후이 성(安徽省)·안칭(安慶)·우후(蕪湖)·후이저우(徽州) 등의 지구에 유행한 지방극의 이름. =〔汉hàn腔〕〔怀huái腔〕〔青qīng淮调〕

〔黄梅瘴〕 huángméizhàng →〔瘴〕

〔黄门〕 huángmén 명 ①황색의 궁문(宮門). ②옛 관서의 하나. ③옛날의 환관(宦官). ④〈俗〉 정자가 없는 사내.

〔黄焖鸭块〕 huángmèn yākuài 명 오리를 큰 덩어리로 잘라 물은 붓지 않고 간장과 술을 넣고 뭉근한 불로 조린 요리('红焖鸭块'는 간장을 많이 넣은 것임).

〔黄焖鸭条〕 huángmèn yātiáo 명 오리고기를 잘게 토막쳐서, '黄焖鸭块'의 조림 방법으로 만든 요리.

〔黄米(子)〕 huángmǐ(zi) 명 차조. ¶～面miàn; 차조의 가루 / ～糕; 차조 가루를 찐 것.

〔黄面婆〕 huángmiànpó 명 〈俗〉 광대뼈가 불거지고 코가 납작한 여자. 우리 집 할망구(자기 아내를 이르는 말).

〔黄明〕 huángmíng 명 청명(清明) 다음날.

〔黄明胶〕 huángmíngjiāo 명 ⇨〔水shuǐ胶(儿)〕

〔黄嫩嫩(的)〕 huángnènnèn(de) 형 노랗고 보드라운 모양.

〔黄泥〕 huángní 명 ⇨〔黄(土)泥〕

〔黄鸟〕 huángniǎo 명 《鳥》 꾀꼬리. =〔黄鹂〕

〔黄鸟儿〕 huángniǎor 명 《鳥》 〈俗〉 카나리아. =〔金丝雀〕

〔黄牛〕 huángniú 명 ①《動》 황소(보통의 소). ¶～过河; 황소가 강을 건너다(남의 일을 상관하지 않고 자기의 일만 생각함). ②〈方〉 암표(暗票) 장사. ¶找～买飞票; 암표상에게서 프리미엄이 붙은 표를 사다. ③(밀입국 등을 알선하는) 브로커. 동 ①〈俗〉 이야기나 일을 틀어지게 하다〔틀어지다〕. ¶那件事～了; 그 건은 틀어졌다〔틀어지게 했다〕. ②〈俗〉 믿을 수〔신용할 수〕 없다. ¶他这话～; 그의 그 말은 믿을 수 없다.

〔黄农〕 huáng nóng 명 ⇨〔黄炎Yán〕

〔黄牌钢〕 huángpáigāng 명 탄소강(炭素鋼).

〔黄胖〕 huángpàng 명 ①《漢醫》 구충증(鉤蟲症)의 일종. =〔黄症〕〔黄肿〕 ②흙으로 만든 인형.

〔黄胖儿〕 huángpàngr 명 안면이 누렇게 살찌고 물컹한 사람.

〔黄袍〕 huángpáo 명 ①천자의 옷. ¶有朝一日～加身; 때가 오면 천자의 위(位)에 오르다. 쿠데타에 성공하여 권력을 잡다. ②황색 가사를 입는 지위 높은 중. ¶正面那位披pī～的就是方丈; 정면의

노란 가사를 입은 분이 주지십니다.
〔黄皮寡瘦〕 huáng pí guǎ shòu 〈成〉 병으로 얼굴색이 누렇고 수척한 모양.
〔黄皮胶〕 huángpíjiāo 명 갖풀. 아교.
〔黄皮书〕 huángpíshū 명 ①검역(檢疫) 증명서. ② →〔白皮书〕
〔黄皮子〕 huángpízi 명 《動》〈俗〉 족제비.
〔黄芪〕 huángqí 명 ⇨〔黄耆〕
〔黄耆〕 huángqí 명 《植》 황기. 단너삼《뿌리는 약용》. =〔黄芪〕
〔黄铅丹〕 huángqiāndān 명 ⇨〔密mì陀僧〕
〔黄铅粉〕 huángqiānfěn 명 ⇨〔密mì陀僧〕
〔黄钱〕 huángqián 명 돈 모양을 찍은 노란 종이《신불에게 제사 지낼 때 태웠음》.
〔黄芩〕 huángqín 명 《植》 황금《약초의 일종》. =〔空肠②〕
〔黄泉〕 huángquán 명 황천. 저승. ¶～之下 =〔九泉之下〕; 황천. 저 세상. 저승 / 含笑于黄泉 =〔含笑于九泉〕; 황천에서 웃음을 머금다 / 黄泉路上没老少shào; 저승길에는 노소의 구별이 없다 / 恩加泉壤, 泽及枯骨《北史》; 그 은혜와 덕택은 황천의 백골에까지 미치다 / 身归泉世《清平山堂話本》; 그 몸은 저승으로 돌아갔다《이 세상을 떠났다》. =〔泉路〕〔泉壤〕〔泉世〕〔泉下〕〔〈文〉 九jiǔ泉〕〔穷qióng泉〕〔下xià泉〕
〔黄犬吃肉, 白犬当罪〕 huángquǎn chī ròu, báiquǎn dāng zuì 〈諺〉 고기는 누런 개가 먹고, 죄는 흰 개가 뒤집어쓰다《억울한 죄를 뒤집어씀》.
〔黄雀〕 huángquè 명 《鳥》 검은방울새. ¶～雨; 음력 9월의 비.
〔黄热病〕 huángrèbìng 명 《醫》 황열병.
〔黄瑞香〕 huángruìxiāng 명 《植》 삼지 닥나무.
〔黄伞格〕 huángsǎngé 명 최고 격식을 차린 공문 형식《구(舊)서간문에서는 용지 1장을 8행으로 잡고 글 중간에 상대방에 관한 말이 나오면 '抬行'(4행을 바꾸기)을 하여 다음 행의 처음으로 가져갔음. 단, 8행 중 1행은 종이의 하단까지 써야 하는 것으로 되어 있어, 모양이 흡사 우산 꼴이 된 데서》. ¶写了一封～的信, 托假洋鬼子带上城; 최고의 격식을 갖춘 편지 한 통을 써서, 가짜 양놈에게 부탁하여 시내로 지니고 가게 하였다.
〔黄颡鱼〕 huángsǎngyú 명 ⇨〔黄鲿鱼〕
〔黄色〕 huángsè 명 ①《色》 황색. ¶～炸药; ⓐ황색의 폭약. ⓑTNT의 속칭. =〔三硝基甲苯〕 ⓒ피크린산(picrin酸)의 속칭. =〔苦味酸〕 ②부패 타락《특히, 외설(猥褻)을 이름》. ¶～文化; 향락주의 문화 / ～电影 =〔小电影儿〕; 에로 영화. 포르노 영화 / ～歌曲; 선정적인 노래 / ～刊物 =〔～书刊〕; 외설〔에로〕 출판물. 퇴폐적인 간행물 / ～新闻; 외설〔괴기, 넌센스〕 기사 / ～工会; 타협주의적〔어용〕 노동 조합 / ～工贼; 노동 조합의 지조 없는 간부 / ～国际; ⇨〔第二国际〕 ③황금의 빛. ¶～恐怖; 금값의 폭등.
〔黄沙碗〕 huángshāwǎn 명 유약을 거의 바르지 않고 구운 사발. 토완(土碗).
〔黄砂〕 huángshā 명 ⇨〔黄土〕
〔黄痧〕 huángshā 명 (작물이) 누렇게 되어 마르는 병.
〔黄煞煞(的)〕 huángshāshā(de) 형 붉은 색을 띠는 노란 모양. 누른 것처럼 노란 모양.
〔黄山梅〕 huángshānméi 명 《植》 나도승마.
〔黄鳝〕 huángshàn 명 《魚》 두렁허리《뱀장어와 비슷하며 식용함》. =〔鳝鱼〕
〔黄生生〕 huángshēngshēng 형 샛노랗다.
〔黄绳〕 huángshī 명 ①《紡》 성기게 짠 '绸chóu'《견직물》. ②도사(道士)가 입는 옷. 도복(道服).
〔黄蓍胶〕 huángshījiāo 명 ⇨〔西xī黄蓍胶〕
〔黄守瓜〕 huángshǒuguā 명 ⇨〔守瓜〕
〔黄瘦〕 huángshòu 형 얼굴이 누렇고 여위다.
〔黄熟〕 huángshú 형 《農》 황숙하다. 누렇게 익다. ¶玉米～的时候; 옥수수가 익을 무렵.
〔黄熟梅子卖青〕 huángshúméizi màiqīng 〈比〉 숙련되어 있음에도 미숙한 것처럼 가장하다. 나이가 많음에도 젊게 보이다.
〔黄蜀葵〕 huángshǔkuí 명 《植》 황촉규. 닥풀. =〔秋qiū葵①〕
〔黄鼠〕 huángshǔ 명 《動》 ①담비. ②친칠라쥐의 일종. ‖ =〔〈方〉 大眼贼〕〔拱gǒng鼠〕〔鼲hún鼠〕〔礼鼠〕〔〈方〉 大眼鼠〕〔〈方〉 地松鼠〕
〔黄鼠狼〕 huángshǔláng 명 《動》 족제비. ¶～单咬病鸭子; ⓐ약한 자를 못 살게 굴다. ⓑ설상가상 / ～对鸡拜年; 〈歇〉 족제비가 닭한테 세배를 하다《'不怀好意'(방심해서는 안 된다)의 뜻》. =〔黄鼬〕
〔黄水〕 huángshuǐ 명 (토해 낸) 노란 물. ¶他哇地一声吐了一大口～; 그는 왝 소리를 내며 크게 토해 내었다.
〔黄水疮〕 huángshuǐchuāng 명 ①무좀. ②〈俗〉 농포(膿疱). =〔脓疱病〕〔浸jìn淫疮〕
〔黄獭绒〕 huángtǎróng 명 《紡》 우단《황토색으로 물들인 것》.
〔黄摊〕 huángtān 동 가게를 닫다《상업 부진으로》. ¶药架空了, 不得不～喽; 약 선반이 비었으면, 가게를 닫아야 한다.
〔黄汤〕 huángtāng 명 술《나쁜 뜻의》. ¶你少灌点儿～吧! 술 좀 적당히 마셔! 〈比〉 허튼 소리 그만해!
〔黄糖〕 huángtáng 명 ⇨〔红hóng糖〕
〔黄藤〕 huángténg 명 《植》 ①쥐어초과의 만성(蔓性) 유독 식물. ②방기과의 만성 목본 식물《줄기·뿌리의 단면이 황색》.
〔黄体激素〕 huángtǐ jīsù 명 《生》 황체 호르몬.
〔黄体酮〕 huángtǐtóng 명 《化》 프로게스테론(progesterone). =〔激jī妊酮〕〔妊娠素①〕
〔黄铁矿〕 huángtiěkuàng 명 《鑛》 황철광.
〔黄铜〕 huángtóng 명 놋쇠. 황동. ¶～锭; 놋쇠의 지금(地金). 놋쇠 덩어리 / 碎～ =〔屑～〕; 놋쇠 똥 / ～丝; 놋쇠 철사 / ～条; 놋쇠 막대기 / ～管; 놋쇠 파이프 / ～水龙头; 놋쇠 수도 꼭지.
〔黄铜矿〕 huángtóngkuàng 명 《鑛》 황동광.
〔黄童白叟〕 huáng tóng bái sǒu 〈成〉 소아와 노인.
〔黄头鹭〕 huángtóulù 명 ⇨〔牛niú背鹭〕
〔黄土〕 huángtǔ 명 황색의 흙. 중국 중부의 토양을 이루고 있는 옥토. ¶～脑袋; 시골뜨기 / ～变成金; 노력 여하에 따라 황토도 금이 된다 / ～包子; 메마르고 울퉁불퉁한 땅. =〔黄砂〕
〔黄(土)泥〕 huáng(tǔ)ní 명 황토〔누런〕 진흙. =〔黄泥〕
〔黄萎病〕 huángwěibìng 명 《農》 위황병(萎黃病).
〔黄吻〕 huángwěn 명 ⇨〔黄口〕
〔黄仙爷〕 huángxiānyé 명 ⇨〔鼬yòu(鼠)〕
〔黄蚬〕 huángxiǎn 명 《魚》 바지락조개.
〔黄香色〕 huángxiāngsè 명 《色》 붉은색이 나는 노란색.
〔黄心柏〕 huángxīnbǎi 명 《植》 전나무. →〔桧guì〕

〔黄心树〕 huángxīnshù 명《植》①미켈리아나무. =〔广心树〕 ②목련.
〔黄锈病〕 huángxiùbìng 명《農》황수병(밀에 많이 발생함). =〔黄疸②〕
〔黄癣〕 huángxuǎn 명《醫》황선(황선균에 의해서 생기는 피부병).
〔黄靴油〕 huángxuēyóu 명 밤색이나 붉은색 구두약.
〔黄血盐〕 huángxuèyán 명《化》황혈염. 페로시안(ferocyan)화 칼륨(kalium). =〔亚yà铁氰化钾〕
〔黄汛〕 huángxùn 명 황허(黄河)의 홍수.
〔黄牙板子〕 huángyábǎnzi 명 누런 이. ¶天生的～, 怎么刷也不白;〈諺〉나면서 누런 이는 아무리 닦아도 희어지지 않는다.
〔黄牙嘴子〕 huángyázuǐzi 명 노란 부리〔주둥이〕. 〈轉〉애송이. 풋내기. ¶他是～的小孩儿不知道什么; 그는 철부지 아이라 아무것도 모른다.
〔黄芽菜〕 huángyácài 명 산둥(山東) 배추 따위.
〔黄芽韭〕 huángyájiǔ 명 어두운 온실에서 재배한 부추. =〔韭黄〕
〔黄炎〕 Huáng Yán 명 황제(黃帝) 헌원씨(軒轅氏)와 염제(炎帝) 신농씨(神農氏). =〔黄农nóng〕
〔黄艳艳(的)〕 huángyànyàn(de) 형 노랗게 빛나고 아름다운 모양.
〔黄燕〕 huángyàn 명 ⇨〔红hóng隼〕
〔黄羊〕 huángyáng 명《動》①황양(몽고 지방의 야생의 양). =〔蒙古羚〕 ② ⇨〔獐zhāng〕
〔黄杨〕 huángyáng 명《植》좀회양목.
〔黄氧化汞〕 huángyǎnghuàgǒng 명《藥》황강홍(黄降汞). 황색 산화 제2수은. =〔黄降汞〕
〔黄猺〕 huángyáo 명 ⇨〔青qīng鼬〕
〔黄药〕 huángyào 명《藥》비조르(bezoar)(소·말·산양·영양 기타 반추 동물의 위 속에 생기는 결석). =〔胃wèi石〕
〔黄药子〕 huángyàozǐ 명《植》①토우(土芋). 참마. 또, 그 알뿌리. =〔黄独〕〔大dà苦①〕〔金jīn线重楼〕〔金线钓蛤蟆〕〔土tǔ芋〕 ②미나리아재비과의 참으아리. 또, 그 뿌리.
〔黄衣僧〕 huángyīsēng 명 라마승.
〔黄莺〕 huángyīng 명《鳥》꾀꼬리.
〔黄鹰〕 huángyīng 명 ⇨〔苍cāng鹰〕
〔黄油〕 huángyóu 명 ①버터(butter). ¶人rén造～; 마가린. =〔奶nǎi油〕〔牛酪〕〔乳酪①〕〔〈音義〉白搨油〕〔〈音義〉白拓油〕〔〈音義〉白塔油〕〔〈音義〉白脱油〕 ②그리스(grease). =〔滑huá脂〕
〔黄鼬〕 huángyòu 명《動》족제비(구어로는 '黄竹筒'). ¶黄鼠狼给鸡拜年;〈歇〉족제비가 닭에게 새해 인사를 가다(방심은 금물이다). =〔黄鼠狼〕〔鼠狼〕
〔黄鱼〕 huángyú 명 ①《魚》동갈민어〔조기〕의 무리. ②〈俗〉무임 승차객. 무찰(無札) 입장자. ③《魚》조기. ¶大～ =〔大花鱼〕〔大黄花〕〔大鲜〕; 수조기 / 小～ =〔黄花鱼〕〔小鲜〕; 황조기. ④〈俗〉금을 막대기처럼 늘인 것.
〔黄玉〕 huángyù 명《鑛》토파즈. =〔黄晶〕〔酒黄宝石〕
〔黄玉米〕 huángyùmǐ 명《植》황(黄)옥수수.
〔黄症〕 huángzhēng 명 ⇨〔黄胖①〕
〔黄纸〕 huángzhǐ 명 ⇨〔黄板纸〕
〔黄纸板〕 huángzhǐbǎn 명 마분지. =〔纸板〕
〔黄肿〕 huángzhǒng 명 ⇨〔黄胖①〕
〔黄种〕 huángzhǒng 명 황색 인종.
〔黄竹筒〕 huángzhútǒng 명 ⇨〔黄鼬〕
〔黄钻〕 huángzuàn 명 ⇨〔鳡gǎn〕
〔黄嘴尖鸭〕 huángzuǐ jiānyā 명《鳥》흰빰검둥오리. =〔斑bān嘴鸭〕
〔黄嘴牙子〕 huángzuǐ yázi 명 풋내기.

潢 **huáng** (황)
①명〈文〉물웅덩이. ②동 종이를 물들이다. ¶装～; ⓐ표구(表具)하다. 표장(表裝)하다. ⓑ물건을 장식하다 / 这一把刀装～得很好看; 이 칼은 장식이 참으로 훌륭하다. ③(Huáng) 명《地》황허 강(潢河)(지린 성(吉林省)에 있는 강 이름). =〔西辽河〕
〔潢池〕 huángchí 명 물 모으는 곳. 못. ¶～弄兵;〈成〉〈貶〉반란자가 일을 일으키다.
〔潢污〕 huángwū 명 물 웅덩이.
〔潢洋〕 huángyáng 형 바다처럼 깊고 넓은 모양.

璜 **huáng** (황)
①명〈文〉고대에 몸에 띠던 반원형 구슬의 일종으로, 인명용 자(字). ②→〔黄了huángle①〕

癀 **huáng** (황)
→〔癀病〕
〔癀病〕 huángbìng 명〈方〉가축의 탄저병.

磺 **huáng** (황, 광)
명《化》유황(硫磺)('硝磺'(초석) 따위의 합성어에 쓰임).
〔磺胺〕 huáng'àn 명《化》①유황. ②술폰아미드(sulfonamide). =〔氨苯磺胺〕〔磺酰胺〕
〔磺胺吡啶〕 huáng'ànbǐdìng 명《藥》술파피리딘(sulfapyridine). =〔磺胺氮苯〕〔大健风〕〔消发灭定〕
〔磺胺哒嗪〕 huáng'àndáqín 명《藥》술파다이아진(sulfadiazine). =〔磺胺地净〕〔磺胺二氮苯〕〔磺胺嘧啶〕〔地亚净〕
〔磺胺氮苯〕 huáng'àndànběn 명 ⇨〔磺胺吡啶〕
〔磺胺地净〕 huáng'àndìjìng 명 ⇨〔磺胺哒嗪〕
〔磺胺二氮苯〕 huáng'àn'èrdànběn 명 ⇨〔磺胺哒嗪〕
〔磺胺胍〕 huáng'ànguā 명《藥》술파구아니딘(sulfaguanidine). =〔氨苯磺酰胍〕〔痢疾粉〕〔苏发呱定〕〔苏化果乃丁〕〔消发困乃定〕
〔磺胺甲基嘧啶〕 huáng'ànjiǎjīmìdìng 명《藥》술파메라진(sulfameragine). =〔消xiāo发美拉净〕
〔磺胺硫氮茂〕 huáng'ànliúdànmào 명 ⇨〔磺胺噻唑〕
〔磺胺脒〕 huáng'ànmǐ 명《藥》술파미딘. 술파메타딘.
〔磺胺嘧啶〕 huáng'ànmìdìng 명 ⇨〔磺胺哒嗪〕
〔磺胺噻唑〕 huáng'ànsāizuò 명《藥》술파티아졸(sulfathiazole). =〔磺胺硫氮茂〕〔氨àn苯磺酰氨基噻唑〕〔消xiāo发噻唑〕〔消治龙〕
〔磺基鱼石油酸铵〕 huángjīyúshíyóusuān'ǎn 명 ⇨〔鱼石脂〕
〔磺酸〕 huángsuān 명《化》술폰산(酸)(sulfonic acid).
〔磺酸盐〕 huángsuānyán 명《化》술폰산염.
〔磺酰胺〕 huángxiān'àn 명 ⇨〔磺胺②〕

锁(鐄) **huáng** (횡)
⇨〔簧huáng〕

蟥 **huáng** (황)
→〔蚂mǎ蟥〕

簧 **huáng** (황)
①명〖樂〗취주(吹奏) 악기에 붙어 있는 얇은 조각. 혀. 리드. ¶笙shēng~; 생황의 혀. =〔舌管〕 ②형 말솜씨가 능란한. ③명 용수철. ¶弹tán~; 태엽. 스프링. ‖=〔锧〕
〔簧板〕 huángbǎn 명〖機〗스프링판.
〔簧风琴〕 huángfēngqín 명〖樂〗리드 오르간. 발로 밟는 오르간.
〔簧鼓〕 huánggǔ 동 입에 발린 말로 남을 홀리다.
〔簧片〕 huángpiàn 명〖樂〗(리드 악기의) 리드(reed).
〔簧诱〕 huángyòu 동〈文〉달콤한 말로 남을 속이다.
〔簧乐器〕 huángyuèqì 명 리드 악기.

恍〈怳〉 **huǎng** (황)
①형 황홀한 모양. ②형 흐리멍덩한 모양. ¶精神~惚; 정신이 멍하다. ③마치 …과 같다. (‘~如’, ‘~若’와 복합해서 쓰임). ¶~若置身其境; 마치 그 곳에 있는 것 같다. =〔彷彿〕 ④동 유혹하다. ¶你不要拿钱~我; 너는 돈으로 나를 끌지 마라. ⑤→〔恍然〕
〔恍睹雅教〕 huǎngdǔ yǎjiào ⇨〔恍亲雅教〕
〔恍惚〕 huǎnghū 형 ①황홀해지다. ②흐리멍덩해서 확실치 않다. ¶我~听见他回来了; 나는 그가 돌아오는 소리를 들었던 것 같다.
〔恍恍惚惚〕 huǎnghuang hūhū 형 어슴푸레하게. 황홀하게. ¶~地看见一个人影儿; 어렴풋이 사람 그림자 하나가 보이다.
〔恍狂〕 huǎngkuáng 형〈文〉정신이 이상해지다. 어리둥절하다.
〔恍亲雅教〕 huǎngqīn yǎjiào〈翰〉편지를 받고 보니 온화하신 모습을 대한 것 같습니다. =〔恍睹雅教〕
〔恍然〕 huǎngrán 부 (갑자기 생각날 때) 문득. ¶~大悟 =〔豁huò然大悟〕; (의문이 갑자기 풀려) 문득 깨닫다.
〔恍如〕 huǎngrú〈文〉흡사 …과 같다. ¶~身游阆苑蓬莱; 마치 몸은 선경에서 노니는 것 같다. =〔恍若〕
〔恍若〕 huǎngruò ⇨〔恍如〕

晃 **huǎng** (황)
①형 분명하다. ②형 번뜩이다. 빛나다. ③동 그림자가 싹 스쳐 가다. ¶人影一~就不见了; 흘끗 사람 그림자가 비치더니 사라졌다 / 虚~一刀; 덤벼들어 베어 버릴듯이 칼을 휙 휘둘러 보이다. ④형 눈부시다. 빛을 받아 아름답게 빛나다. ¶太阳~得眼睛都睁不开; 햇빛이 눈부셔 눈도 뜰 수 없다 / ~太阳了; 해가 빛나기 시작했다. ⇒huàng
〔晃晃〕 huǎnghuǎng 형 번쩍번쩍 빛나는 모양. ¶枪尖上上着明~的刺刀; 총 끝에는 번쩍번쩍 빛나는 검이 꽂혀 있다.
〔晃朗〕 huǎnglǎng 형 밝은 모양. 번쩍번쩍 빛나는 모양. ¶阳光~; 햇빛이 빛나고 있다.
〔晃眼〕 huǎngyǎn 동 ①눈을 부시게 하다. ¶在太阳底下看书不嫌~吗? 태양 밑에서 책을 보면 눈이 부시지 않니? ②사람 눈을 속이다.
〔晃曜〕 huǎngyào 동 ⇨〔晃耀〕
〔晃耀〕 huǎngyào 동 광채를 발하며 빛나다. =〔晃曜〕

幌 **huǎng** (황)
명 ①〈文〉막(幕). ②(~子) 간판(물품의 모형으로 나타낸). ③포장. 덮개.
〔幌子〕 huǎngzi 명 ①글씨에 의하지 않고 물건의 모양으로 된 것을 매달아 간판으로 삼은 것. =〔望子〕 ②→〔酒帘jiǔlián〕〔酒望(子)〕 ③〈轉〉그것이라고 알 수 있는 표시(표지(標識)·캐치프레이즈 따위). ¶他一喝酒就带~; 그는 술을 마시면 곧 얼굴에 나타난다 / 红鼻子就是吃酒的~; 코가 붉은 것은 술꾼인 표시다 / 空得了一张~的文凭; 명목뿐인 증서를 받았다. ④〈比〉겉치레만 하는 사람. ⑤〈比〉남의 이목을 현혹시키는 언동. 허울 좋은 명목을 세워 세상을 속이는 말, 또는 행위. ¶他拿这句话当~, 实在心怀叵pǒ测; 그는 이 말을 방패막이로 삼고 있지만, 본심은 무엇을 꿈꾸고 있는지. ⑥〈轉〉간판. 명목. 허울. 미명(외관뿐인 것). ¶作~ =〔~借〕; 간판으로 삼다(속으로는 딴 일을 하다).

谎(謊) **huǎng** (황)
①동 속이다. ¶他不能~我; 그가 나를 속일 리가 없다. ②명 에누리. ¶要~; 에누리하다. 값을 덧붙여 부르다 / 没有多大~; 대단한 에누리도 없다 / 他们铺子都是言无二价不敢要~的; 저 가게는 정찰 판매여서 에누리는 하지 않는다. ③명 거짓. ¶撒sā~ =〔说~〕; 거짓말하다 / 步步儿~; 거짓말만 한다 / 说的有鼻子有眼儿, 结果~了; 그럴듯한 이야기였지만, 결국엔 거짓말이야.
〔谎报〕 huǎngbào 동 속여서 보고하다. 거짓 보고하다.
〔谎花(儿)〕 huǎnghuā(r) 명 수꽃. ¶开~; 수꽃이 피다.
〔谎话〕 huǎnghuà 명 거짓말. ¶说~; 거짓말하다 / 开口就说~; 입만 뻥끗하면 거짓말한다. =〔假jiǎ话〕
〔谎价(儿)〕 huǎngjià(r) 명 에누리한 값. ¶要~; 에누리해서 값을 부르다. =〔二价〕〔虚价〕
〔谎假〕 huǎngjià 명 거짓으로 핑계 대어 쉬는 일. ¶告~; 거짓말을 하고 휴가를 얻다.
〔谎屁流儿〕 huǎngpìliúr 명〈方〉거짓말만 하는 사람. ¶这个孩子不知道学好, 竟学~; 이 아이는 좋은 것은 배우지 않고 거짓말 하는 것만 배운다 / 他是个~, 谎话顺嘴儿溜, 没一句是真的; 그는 거짓말쟁이어서 거짓말을 마구 해대며, 단 한 마디도 바른 말을 하지 않는다.
〔谎骗〕 huǎngpiàn 동 속이다. 사기 치다. 명 속임. 사기.
〔谎托〕 huǎngtuō 동 거짓말로 속이다.
〔谎信(儿)〕 huǎngxìn(r) 명 ⇨〔荒信(儿)〕
〔谎言〕 huǎngyán 명 거짓. ¶~腿短; 거짓말은 곧 들통이 난다. =〔谎话huà〕
〔谎诈〕 huǎngzhà 동 속이다.
〔谎账〕 huǎngzhàng 명 더 얹은 외상(실제 액수보다 더 많이 써 옴). ¶我们不会有那么许多的账, 他这是开的~吧; 우리에게 그렇게 많은 외상이 있을 리 없다. 필시 더 얹혀서 적어 왔을 테지.

晃〈揘〉A) **huàng** (황)
A) ①동 흔들리다. 흔들흔들하다. ¶摇头~脑; 머리를 좌우로 흔들다 / 树枝儿来回~; 나뭇가지가 흔들흔들 흔들리다 / ~来~去; 이리저리로 흔들리다 / ~一~旗子; 기를 흔들다 / 我一喝酒, ~里~荡的站不住; 나는 술을 마시면 휘청거려져 서 있을 수가 없게 된다. ②형 시간이 빨리 지나가는 모양. ¶半年的时间一~儿就过去了; 반 년이라는 시간이 순식간에 지나가 버렸다 / 一~儿的工夫; 순식간. B) 명〖地〗황 현(晃縣)(후난 성(湖南省)에 있는

현 이름). ⇒huǎng
〔晃膀子〕 huàngbǎngzi 명 일없이 한가한 사람.
〔晃当〕 huàngdang 동 ⇨〔晃荡〕
〔晃荡〕 huàngdang 동 ①흔들다. 흔들리다. ¶把瓶子～一下才知道里头已经空了; 병을 흔들어 보고 비로소 속이 비어 있음을 알았다 / 躺在卧椅上～着身躯; 소파에 누워서 몸을 흔들고 있다. ②서성거리다. ¶为啥走到办公室门口～? 왜 사무실 입구에 와서 서성거리느냐? ③(발걸음이) 휘청거리다. ‖＝〔晃当〕〔晃摇〕
〔晃动〕 huàngdòng 동 흔들흔들 움직이다 ＝〔摇动〕
〔晃晃荡荡〕 huànghuang dàngdàng 흔들흔들 흔들리다. 비트적거리다. 어슬렁어슬렁 걷다.
〔晃晃儿〕 huànghuangr 부 〈俗〉 가끔. 때로는. ¶他～到这里儿; 그는 가끔 이 곳에 온다 / ～也到乡下去住一阵子; 때로는 시골에도 가서 잠시 생활한다.
〔晃晃悠悠〕 huànghuang yōuyōu 형 흔들리어 안정이 안 되는 모양. ¶老太太～地走来; 할머니가 훌쩍 오시다.
〔晃来晃去〕 huànglái huàngqù →〔字解①〕
〔晃了晃荡〕 huàngle huàngdang 흔들흔들하는 모양. ¶那个人很胖, 走道儿～的; 저 사람은 매우 뚱뚱해서, 기우뚱기우뚱 길을 걷는다 / 他办事～的靠不住; 그가 하는 일은 요동이 심하여 믿을 수가 없다. ＝〔晃里晃荡〕〔晃离晃荡〕
〔晃脑袋〕 huàng nǎodai 머리를 까딱하다(의기양양한 모양). ¶她扭头朝我们看一眼, 晃了晃脑袋, 好像说"我挺勇敢吧!" 그녀는 우리를 흘끗 보고는 머리를 까딱하며 이렇게 말한 것 같았다. "어때요, 나 아주 용감하지요!"
〔晃摇〕 huàngyáo 동 ⇨〔晃荡〕
〔晃悠〕 huàngyou 동 흔들다. 뒤흔들다. ¶把瓶子～～再倒; 병을 흔들고 나서 따르다 / 树枝来回～; 나뭇가지가 흔들리고 있다 / 身子晃晃悠悠地要倒; 몸이 휘청거려서 넘어질 것 같다.

滉 huàng (황)
형 〈文〉 물이 깊고 넓다.

榥 huàng (황)
명 〈文〉 ①채광(採光)(창). ②식장·회장 등에 둘러치는 장막과 칸막이 따위.

䁜 huàng (황)
인명용 자(字).

慌 huang (황)
('得～'로서) 보어로 쓰여 육체적·심리적으로 견디기 어려움을 나타냄. ¶累得～; 몹시 지치다. 녹초가 되다 / 闷得～; 지루해서 못 견디겠다 / 气得～; 화가 나서 못 견디겠다 / 吵得～; 시끄러워 견딜 수 없다. ⇒huāng

HUI ㄏㄨㄟ

灰 huī (회)
①명 재. ¶炉lú～; (난로나 아궁이의) 재 / 烧shāo成～; 태워서 재로 만들다. 타서 재가 되다. ②명 먼지. ¶满处都是～; 먼지투성이 / 天花板上的～尘结成网状; 천정 널에 붙은 먼지가 이어져서 그물처럼 되어 있다 / 大风的天, 满处都是～; 바람이 세게 부는 날은 어디나 온통 먼지투성이다. ③명 《色》 회색. 검은색과 흰색의 중간색. ¶银～; 은회색 / ～鹤; ⓐ검은목두루미. ⓑ황새. ④명 석회. ¶抹～; 석회를 바르다. ⑤동 다 타 버리다. ⑥형 낙심하다. 생기가 없다. ¶心～意懒lǎn; 의기소침하다. ⑦동 경멸하다. ⑧형 언짢은. 떳떳하지 않은. ¶～名誉; 떳떳하지 못한 명예. ⑨동 석회를 바르다. ¶房顶得～一～; 지붕에 석회를 바르지 않으면 안 되겠다. ⑩형 불운(不運)하다.
〔灰暗〕 huī'àn 형 어두컴컴하다. 음울하다. ¶～的天空; 잔뜩 찌푸린 하늘.
〔灰白〕 huībái 명 옅은 회색. 흐린 빛. ¶头发～; 반백의 머리. 형 창백하다. ¶脸色～; 안색이 창백하다.
〔灰斑鸠〕 huībānjiū 명 《鳥》 산비둘기.
〔灰背隼〕 huībèisǔn 명 《鳥》 소황조롱이. ＝〔〈北方〉朵子〕〔〈北方〉冷朵子〕〔〈南方〉灰鹞子〕
〔灰布〕 huībù 명 와이셔츠천. ¶昨向贵行购进～二十包, 内有四包遭受严重损坏; 어제 귀점에 주문한 셔츠감 20짝을 매입하였습니다만, 그 중 4짝은 대단한 손상을 입고 있습니다.
〔灰不搭〕 huībudā 형 낙심하고 있는 모양.
〔灰不拉(的)〕 huībulā(de) 형 〈方〉 ①《色》 암회색(暗灰色)의. ②생기가 없는 모양.
〔灰不溜丢〕 huībuliūdiū 형 ①회색이어서 산뜻하지 못하다. 회색으로 더러워지다. ¶这么～的太素净了; 이렇게 산뜻하지 못한 것은 너무 수수하기 때문이다 / 怎么变得这么～的了! 왜 이렇게 빛이 우중충하게 변해 버렸을까! ②〈轉〉 무안한 모양. 생기가 없는 모양. ‖＝〔灰不留秋〕〔灰不剌唧lājī〕
〔灰菜〕 huīcài 명 《植》 명아주.
〔灰惨惨(的)〕 huīcǎncǎn(de) 형 음울하고 생기가 없는 모양.
〔灰槽子〕 huīcáozi 명 전에, 담뱃재를 버리거나 가래를 뱉거나 하기 위해 마련한 작은 네모진 나무상자.
〔灰尘〕 huīchén 명 먼지. 티끌.
〔灰楚楚(的)〕 huīchǔchǔ(de) 형 회색을 띤 모양.
〔灰碟(儿)〕 huīdié(r) 명 재떨이. ¶烟yān～; 재떨이.
〔灰顶〕 huīdǐng 명 회반죽을 바른 지붕, 또는 천정.
〔灰斗子〕 huīdǒuzi 명 (미장이가 벽 바르는 데 쓰는) 물에 갠 석회나 회반죽을 넣는 용기.
〔灰垛〕 huīduò 명 잿더미. 석회 더미.
〔灰房〕 huīfáng 명 ⇨〔灰棚〕
〔灰分〕 huīfèn 명 《生》 식물체 속의 무기(無機) 성분. '钾jiǎ'(칼륨)·'钠nà'(나트륨)·'钙gài'(칼슘) 등.
〔灰姑娘〕 huīgūniang 명 〈義〉 신데렐라(동화의 주인공 이름).
〔灰鬼〕 huīguǐ 명 ①먼지투성이가 된 사람. ¶你今天也抹成个～啦; 너는 오늘도 먼지투성이지 않느냐. ②〈方〉 머저리. 빙충이. ¶你这个～! 真烦人! 이 천치야! 정말 성가시구나!
〔灰鹤〕 huīhè ①명 ⇨〔玄xuán鹤〕 ②→〔鹳guàn〕
〔灰黑〕 huīhēi 형 거무스름하다. 거뭇하다.
〔灰狐皮〕 huīhúpí 명 은호피(銀狐皮)(주로 장자커우(張家口) 방면에서 생산됨).
〔灰化土〕 huīhuàtǔ 명 《地質》 포드졸성(podzol性) 토(양). →〔灰壤〕
〔灰浆〕 huījiāng 명 《建》 ①모르타르. ②석회 모르타르. 회반죽. ③⇨〔砂shā浆〕

〔灰劫〕 huījié 명 ⇨〔劫灰〕
〔灰烬〕 huījìn 명〈文〉회신. 재. 잿더미. ¶化为～;〈成〉잿더미로 변하다. =〔煨wēi烬〕
〔灰口铁〕 huīkǒutiě 명《工》(절단면이 회색을 나타내는) '灰生铁'(회선(灰銑))이나 '灰口铸铁'(서선(鼠銑)) 등을 이르는 말.
〔灰口铸铁〕 huīkǒu zhùtiě 명《工》서선(鼠銑). =〔铸铁〕
〔灰溜溜(的)〕 huīliūliū(de) 형 ①〈貶〉어둠침침하다. 희끄무레하다. 칙칙하다. ¶屋子多年没粉刷, ～的; 방은 여러 해 벽을 다시 칠하지 않아서 충충해졌다. ②풀이 죽다. 주눅이 들다. 기가 꺾이다. ¶敢情碰钉子了, 怪不得～的呢; 그래 거절당했었는가, 어쩐지 풀이 죽어 있다고 생각했었지.
〔灰鹭〕 huīlù 명 ⇨〔苍cāng鹭〕
〔灰茫茫(的)〕 huīmángmáng(de) 형 온통 회색인 모양. ¶～的天; 잔뜩 찌푸린 하늘〔날씨〕.
〔灰眉灰眼〕 huī méi huī yǎn〈成〉기운 없이 풀이 죽은 표정.
〔灰蒙蒙(的)〕 huīméngméng(de) 형 ①어둑어둑한 모양. ¶～的夜色; 어둑어둑하고 흐릿한 밤 경치. ②(안개가) 자욱한 모양. ③회색으로 흐린 모양. ¶一起黄风, 天地都变得～的; 큰 먼지 바람이 불자 세상이 온통 희뿌옇게 되었다.
〔灰锰氧〕 huīměngyǎng 명 ⇨〔高gāo锰酸钾〕
〔灰灭〕 huīmiè 동〈文〉소멸하다.
〔灰泥〕 huīní 명 ①모르타르(mortar). 회삼물(灰三物). =〔砂浆〕 ②새벽.
〔灰念〕 huīniàn 동 ⇨〔灰心〕
〔灰棚〕 huīpéng 명〈方〉①기와를 이지 않은 진흙지붕의 집. ②(～儿) 회반죽 등을 칠한 집. ③석회 또는 짚을 태운 재를 저장하는 오두막. ‖=〔灰房〕
〔灰皮子〕 huīpízi 명 벽에 칠한 석회 껍질.
〔灰脾气〕 huīpíqi 명 분명치 못한 기질(氣質).
〔灰平纸〕 huīpíngzhǐ 명 꽃불의 외피 등에 쓰이는 종이.
〔灰笸箩〕 huīpǒluo 명 어린이의 변기《소쿠리에 재를 넣은 것》.
〔灰扑扑〕 huīpūpū 형 먼지투성이인 모양. 먼지를 잔뜩 뒤집어쓴 모양.
〔灰气〕 huīqì 명 불운(不運). 형 ①불행하다. ②슬프다. ③풀이 죽다. 낙심하다.
〔灰砌〕 huīqì 동 석회를 발라 굳히다.
〔灰墙〕 huīqiáng 명 석회를 바른 벽.
〔灰壤〕 huīrǎng 명《地質》포드졸(podzol)《경작에 부적(不適)한 불모의 삼림지》.
〔灰色〕 huīsè 명 회색. 조금 검은 빛. 형〈轉〉어둡고 음침하다. 절망적이다. (태도가) 애매하다. ¶他以前很积极, 近来却～得很; 그는 전에 대단히 적극적이었지만, 근간에는 몹시 소극적이다 / ～电影; 어두운 내용의 영화 / 感到～的绝望; 어두운 절망을 느끼다.
〔灰沙〕 huīshā 명 모래와 먼지〔티끌〕.
〔灰沙燕〕 huīshāyàn 명《鳥》갈색제비.
〔灰生铁〕 huīshēngtiě 명《工》회선철(灰銑鐵). 회선(灰銑).
〔灰石〕 huīshí 명 ⇨〔石灰岩〕
〔灰士〕 huīshì 명〈方〉퓨즈(fuse). =〔保险丝〕
〔灰事〕 huīshì 명 운이 나쁨. 흉사(凶事).
〔灰鼠〕 huīshǔ 명《動》①다람쥐의 일종. ②친칠라(chinchilla). =〔绒róng鼠〕
〔灰水〕 huīshuǐ 명 잿물. =〔灰汁〕
〔灰孙子〕 huīsūnzi 명 현손(玄孫) 아래의 헤아릴 수 없을 만큼 먼 자손. ¶听说他是…的十八代的～; 그는 …의 18대손(먼 자손)이야.
〔灰塌塌(的)〕 huītātā(de) 형 생기가 없는 모양. 의기소침한 모양. 낙담한 모양.
〔灰膛〕 huītáng 명 난로의 재를 받는 곳. 동시에 통풍도 됨.
〔灰头土脸儿〕 huītóu tǔliǎnr 형〈方〉①온통 먼지투성이다. ②실망 낙담한 모양. 망신스런 모양. ¶兴冲冲地去了不要弄个～回来; 대단한 의욕으로 갔었는데, 창피를 당하고 돌아오지 않았으면 좋으련만.
〔灰头土面〕 huītóu tǔmiàn 형 ①외양을 꾸미지 않다. 머리와 얼굴에 온통 먼지투성이다. ②실망〔낙담〕한 모양. 망신스런 모양.
〔灰土〕 huītǔ 명 먼지. ¶积～; 먼지가 쌓이다.
〔灰洼子〕 huīwāzi 명 ⇨〔夜yè鹭〕
〔灰瓦房〕 huīwǎfáng 명 지붕의 위 절반을 기와로, 아래 절반은 석회로 발라서 인 집.
〔灰孝〕 huīxiào 명 회색의 상복. ¶穿～; 출관(出棺) 후에 회색 상복을 입다〔입음〕.
〔灰心〕 huī.xīn 동 낙심하다. 실망하다. ¶～丧气; 실망 낙담하다 / 不怕失败, 只怕～; 실패보다도 의기소침하는 것이 두렵다. =〔灰念〕
〔灰星鲨〕 huīxīngshā 명《魚》별상어.
〔灰雁〕 huīyàn 명《鳥》회색기러기. =〔红嘴雁〕〔灰腰雁〕
〔灰杨柳〕 huīyángliǔ 명《植》유칼립투스(eucalyptus).
〔灰窑〕 huīyáo 명 석회를 굽는 가마.
〔灰鹞〕 huīyào 명《鳥》잿빛개구리매. =〔〈方〉灰鹰〕
〔灰鹰〕 huīyīng 명 ⇨〔灰鹞〕
〔灰汁〕 huīzhī 명 ⇨〔灰水〕
〔灰指甲〕 huīzhǐjiǎ ⇨〔猴hóu儿头〕

诙(詼) huī (회)

동〈文〉①놀리다. 희롱하다. ②우스운 말이 재미있다. ③조롱〔조소〕하다.
〔诙俳〕 huīpái 명〈文〉농담. 해학.
〔诙谐〕 huīxié 명 농담. 익살. 해학. 형 희롱하다. 회학질하다. 동 남을 웃기다. 유머가 있다. ¶～之谈; 익살. 해학. 농담.
〔诙谑〕 huīxuè 동〈文〉희롱거리다. 농담하다.
〔诙啁〕 huīzhāo 동〈文〉희롱하다. 비꼬다. 빈정거리다.

恢 huī (회)

① 형 크다. 넓다. ② 동 넓히다. ¶～我疆宇; 우리 영역을 넓히다. ③ 동 갖추다. 준비하다. ④ 동 잃은 것을 다시 얻다. ¶～复失地; 잃은 영토를 되찾다 / ～复原状; 원상 회복하다. 원래의 상태로 되돌리다.
〔恢复〕 huīfù 동 회복하다. 회복되다.
〔恢弘〕 huīhóng 형 웅대하다. 광대하다. ¶气度～; 기우(氣宇)가 장대하다. 동 발양하다. ¶～志士之气; 지사의 의기를 넓히다. ‖=〔恢宏〕
〔恢宏〕 huīhóng 형동 ⇨〔恢弘〕 형 (규모·계획 등이) 광대하다. 웅대하다.
〔恢恢〕 huīhuī 형〈文〉매우 크다. 매우 넓다. ¶天网～, 疏而不漏;〈成〉하늘의 그물이 매우 넓고 성글지만, 죄인을 빠뜨리지 않는다《죄인은 반드시 징벌을 받는다》.
〔恢廓〕 huīkuò 형 ①광대하다. ②확대하다.
〔恢奇〕 huīqí 형〈文〉진기하고 훌륭하다.

〔恢张〕 huīzhāng 동〈文〉확장〔발전〕하다.

咴
huī (회)
→〔咴儿咴儿〕

〔咴儿咴儿〕 huīrhuīr〈擬〉말 울음소리. 히힝.

㧑(撝)
huī (휘)
동 ①찢다. ②가리키다. 손짓하여 부르다. ③겸손〔겸양〕하다. ¶～谦; 겸손하다. ④지휘하다. ＝〔挥③〕

挥(揮)
huī (휘)
동 ①손을 크게 휘두르다. 흔들다. ¶～刀; 칼을 휘두르다 / 把大旗一～; 큰 기를 한 번 흔들다 / 请大笔一～! 휘호(揮毫)를 부탁합니다! →〔招zhāo①〕 ②손으로 눈물·땀을 닦다. ¶～泪; 눈물을 닦다. ③지휘하다. ¶指～大军; 대군을 지휘하다 / ～令前进; 전진을 호령하다. →〔㧑huī④〕 ④갈겨쓰다. ⑤〈文〉손을 흔들어서 사람을 물러가게 하다. ¶招之即来, ～之即去; 손짓하여 오게 하고, 손을 흔들어 가게 하다. ↔〔招〕 ⑥명령하다. 지시하다. ⑦우수수 흩뜨리다. →〔挥金如土〕 ⑧흔들다. ¶～扇; 부채질하다. ⑨흩어지다. 확산되어 나오다. 퍼져 나오다. ¶发～; 발휘하다.

〔挥棒〕 huī.bàng 동 ①막대기를 휘두르다. ②지휘봉을 휘두르다. 선창(先唱)을 하다.

〔挥笔〕 huī.bǐ 동 휘호하다.

〔挥斥〕 huīchì 동〈文〉일체를 자기 마음대로 지휘하여 움직이다.

〔挥动〕 huīdòng 동 흔들어 움직이다.

〔挥发〕 huīfā 명동《化》휘발(하다).

〔挥发油〕 huīfāyóu 명 ①휘발유. 벤진. ＝〔汽qì油〕〔石shí油精〕 ②에센셜 오일. ＝〔芳fāng香油〕〔精jīng油〕

〔挥汗〕 huīhàn 동 땀을 닦다〔훔치다〕.

〔挥汗成雨〕 huī hàn chéng yǔ〈成〉땀을 비 오듯이 뚝뚝 흘리다. ＝〔挥汗如雨〕

〔挥汗如雨〕 huī hàn rú yǔ〈成〉땀을 비 오듯 뚝뚝 떨구다. 사람이 떼지어 모여 있는 모양. ＝〔挥汗成雨〕

〔挥毫〕 huīháo 동〈文〉붓을 휘두르다. ¶～泼墨;〈成〉붓글씨를 쓰다. ＝〔振zhèn毫〕

〔挥皇〕 huīhuáng 동〈文〉분기시켜 아주 훌륭하게 하다. ¶～民族的前途; 민족의 전도를 크게 고양시키다.

〔挥霍〕 huīhuò 동 ①돈을 헤프게 쓰다. ¶～无度; 무턱대고 돈을 쓰다. 절도(節度) 없이 돈을 쓰다. ②〈文〉너울거리다《손을 흔들어 술 취한 듯, 춤을 추는 듯한 모양을 하다》. ¶那僧癞头跣足, 那道跛足蓬头, 疯疯癫癫, ～谈笑而至; 중은 기계충을 앓는 머리에 맨발이고, 도사는 절름발이로 봉두난발을 하고, 미친 사람처럼 비트적비트적하며, 씨룩씨룩 지껄이면서 이리로 왔다.

〔挥金如土〕 huī jīn rú tǔ〈成〉돈을 물 쓰듯 낭비하다.

〔挥泪〕 huīlèi 동〈文〉눈물을 닦다〔훔치다〕. ¶～而别; 눈물을 흘리며 헤어지다 / ～斩马谡sù; 읍참마속(泣斬馬謖). 울며 마속을 베다.

〔挥令〕 huīlìng 동 지휘 명령하다.

〔挥弃〕 huīqì 동〈文〉내던져 버리다.

〔挥拳〕 huī.quán 동 주먹을 휘두르다. 서로 치고 받고 하다.

〔挥洒〕 huīsǎ 동〈文〉①(물 따위를) 뿌리다. ②눈물을 흘리다. ③마음대로 붓을 휘두르다. ¶～自如 ＝〔随意～〕; 자유 활달하게 글씨를 쓰거나 그림을 그리다.

〔挥师〕 huīshī 동 ①군대를 지휘하다. ②군대를 이동시키다. ③생산 그룹을 이동시키다.

〔挥手〕 huī.shǒu 동 손을 흔들다. 지휘하다. ¶～告别; 손을 흔들며 작별을 고하다 / ～致意; 손을 흔들어 인사하다.

〔挥舞〕 huīwǔ 동 ①(무기·채찍 등을) 휘두르다. ¶～着拳头大声喊口号; 주먹을 휘두르며 큰 소리로 구호를 외치다. ②흔들다.

珲(琿)
huī (혼)
지명용 자(字). ¶瑷～Àihuī; 아이후이(瑷琿)《헤이룽장 성(黑龍江省)에 있는 땅 이름, 현재는 '爱辉'로 씀》. ¶中俄瑷～条约;《史》아이훈 조약. ⇒hún

晖(暉)
huī (휘)
명 태양의 빛. ¶朝～; 아침 햇빛 / 春～; 봄의 햇살. 〈比〉은애(恩愛) / 斜xié～;〈文〉석양 / ～映 ＝〔辉映〕; 햇빛이 비추는 모양.

辉(輝〈煇〉)
huī (휘)
①명 광채. ¶满室生～; 온 방 안이 빛을 더하다 / 光～; 빛. 광채. 빛남. ②동 빛나다. ¶星月光交～; 별이나 달이 서로 빛나다 / ～煌的成绩; 빛나는 성적 / 灯烛～煌; 등불이 반짝반짝 빛나다.

〔辉长岩〕 huīchángyán 명《鑛》반려암(斑糲巖).

〔辉格党〕 huīgédǎng 명《史》영국의 휘그당(Whig黨).

〔辉钴矿〕 huīgǔkuàng 명《鑛》휘(輝)코발트광.

〔辉光〕 huīguāng 명 ①〈文〉찬란한 빛. ②《電》광. 빛. 훈광(暈光). ¶～灯 ＝〔～放电管〕; 글로 램프(glow lamp).

〔辉赫〕 huīhè 동〈文〉눈부시게 빛나다.

〔辉煌〕 huīhuáng 형 광채가 찬란하다. ¶～的文物艺术; 찬란한 문물과 예술.

〔辉绿岩〕 huīlǜyán 명《鑛》휘록암.

〔辉石〕 huīshí 명《鑛》휘석.

〔辉锑矿〕 huītīkuàng 명《鑛》휘안광(輝安鑛). ＝〔锑流矿〕

〔辉铜矿〕 huītóngkuàng 명《鑛》휘동광.

〔辉耀〕 huīyào 형〈文〉번쩍번쩍 눈부시게 빛나는 모양.

〔辉银矿〕 huīyínkuàng 명《鑛》휘은광.

〔辉映〕 huīyìng 동〈文〉빛나다. ¶灯光月色, 交相～; 불빛과 달빛이 어울려서 빛나다. ＝〔晖映〕〔照耀〕〔映射〕

翚(翬)
huī (휘)
①동〈文〉날다. ②명《鳥》5색 깃털의 꿩.

〔翚飞〕 huīfēi 형〈比〉궁전의 장려한 모양. ¶～式; 일종의 건축 양식《새가 나는 모양으로 차양을 위로 감아 올렸음》.

袆(褘)
huī (휘, 위)
명〈文〉왕후의 제복(祭服)《선왕(先王)을 제사 지낼 때 입는 꿩무늬가 든 짧은 웃옷》. ＝〔袆衣〕

虺
huī (회)
→〔虺隤〕 ⇒huǐ

〔虺隤〕 huītuí 동 지쳐서 병이 나다《주로 말에 쓰임》. ＝〔虺隤tuí〕

豗
huī (회)
〈文〉①동 서로 마주 쏘다. ②형 시끄러운〔떠들썩한〕(목소리). ¶喧xuān～; 떠들썩하다.

麾 **huī** (휘)
①동 부르다. ②동 지휘하다. ③동 손짓하여 부르다. ④명 지휘(指揮). ¶～军前进; 군을 지휘하여 전진시키다. ⑤형 빠른. ⑥명 고대(古代)에 군대의 지휘에 쓰던 깃발.

〔麾盖〕 huīgài 명〈文〉의장(儀杖) 중의 일산(日傘).

〔麾节〕 huījié 명〈文〉모기(旄旗). 휘기(麾旗).

〔麾军〕 huījūn 동〈文〉군대를 지휘하다.

〔麾下〕 huīxià 명 ①휘하. (장수의 통솔하에 있는) 부대. 부하. ②〈翰〉옛날, 무관(武官) 앞으로 보내는 편지의 이름 밑에 쓰는 경어. ¶…将军～; …장군 각하.

隓(墮) **huī** (휴)
동〈文〉부수다. 파손시키다(‘隳’와 통용). ⇒duò

隳 **huī** (휴)
동 부수다. 손상하다. ¶～颓tuí; 파괴되고 무너지다. =〔隓〕

徽 **huī** (휘)
①형 아름다운. 좋은. ②명 표지(標識). 표. ¶国～; 국장(國章)/帽mào～; 모표. ③명 기(旗). ④명 세 겹 새끼. ⑤명〖樂〗괘(䋲)《음의 고저(高低)를 표시하기 위해 거문고·가야금 등의 위에 붙인 표지》. ⑥명 선행(善行). ⑦명 안후이 성(安徽省) 후이저우(徽州).

〔徽班〕 huībān 명〖劇〗휘극(徽劇)을 하는 극단. →〔徽剧〕

〔徽调〕 huīdiào 명 ‘徽剧’의 별칭.

〔徽号〕 huīhào 명 ①〈文〉휘장. 기장(旗章). 기치(旗幟). 명예의 표지. ②옛날, 임금의 공덕을 칭송하기 위하여 바치는 존호(尊號). ③별호(別號). 칭호. 애칭. ¶同学送给他‘诗人’的～; 동급생은 그에게 ‘诗人’이란 별명을 붙였다.

〔徽记〕 huījì 명 마크. ¶奥林匹克～; 올림픽 마크《오륜(五輪) 마크》.

〔徽剧〕 huījù 명 휘극《지방극의 이름, 안후이 성(安徽省)의 후이저우(徽州)·츠저우(池州) 일대에 유행하는 중국 희극 사상 중요한 위치를 점하는 극》. =〔徽调〕

〔徽墨〕 huīmò 명 안후이 성(安徽省) 후이저우(徽州)에서 나는 먹.

〔徽音〕 huīyīn 명〈文〉①유익한 말. 좋은 말. ②현가(弦歌)의 소리.

〔徽章〕 huīzhāng 명 휘장. 배지(badge).

〔徽帜〕 huīzhì 명 기치(旗幟). 기치의 표지.

〔徽宗语〕 huīzōngyǔ 명 휘종어《일종의 은어(隱語)로 이야기 내용을 남에게 알리고 싶지 않는 경우나, 젊은 사람들이 농담 반으로 쓰는 경우가 있음. 그 방법은 각 자음(字音)을 반절법(反切法)과 같이 자음(子音)을 나타내는 글자와 모음(母音)을 나타내는 글자로 나누어 말함. 북송(北宋)의 휘종(徽宗) 황제가 금(金)나라에 사로잡혀 끌려갔을 때 이 방법으로 측근자들과 이야기를 나누었다함》. =〔体tǐ语〕

回〈囘, 囬〉(迴〈廻, 逥〉③) **huí** (회)
①동 돌아가〔오〕다. 되돌아가〔오〕다. ¶～来了; 돌아왔다/～到乡下去; 시골로 돌아가다/～家去; 집으로 돌아가다/一去不～; 가면 돌아오지 않다. ②동 방향을 바꾸다. 돌아보다. ¶～过身来; 몸을 이쪽으로 돌리다/～过头儿来; 뒤돌아보다. 머리를 돌리다. ③동 구부러지다. 돌다. 선회하다. ¶巡～; 순회하다/迂～; 길을 돌아서 가다. 우회하다/峰～路转; 봉우리가 굽이지고 길이 꼬불꼬불하다. ④동 대답하다. 회답하다. ¶～他的信; 그의 편지에 회답하다. ⑤동 돌려 주다. ¶还huán～去; 돌려 주다/～他的礼; 그에게 답례하다. ⑥동 여쭈다. 말씀드리다. ¶～先生知道; 당신에게 말씀드립니다/你先～你们先生去吧; 먼저 주인에게 찾아온 것을 알려 주십시오/你给～一声儿吧; 잠깐 전갈하여 주시기 바랍니다. ⑦동사의 뒤에 놓고 어떤 상황의 회복·전환을 나타냄. ¶救～了他的性命; 그의 생명을 구했다/放～原处; 제자리에 되돌려 놓다. ⑧동 (요청을) 거절하다. (예약한 연회 등을) 취소하다. (일을) 그만두다. ⑨동〈俗〉흥행(興行)이 중지되다. ¶今儿梅兰芳～了; 오늘의 매란방(의 연극)은 중지되었다. ⑩동〈南方〉양도하다. 나누다. ¶你要有邮票, 请～两张给我用; 우표 있으면 두 장만 좀 주십시오. ⑪양 ㉠횟수를 가리킴. ¶两～; 2회. ㉡장편 소설의 장(章)·절(節). ¶红楼梦一共有一百二十～; 홍루몽은 모두 120장이다. ㉢동작·행위의 횟수. ¶试了两～; 두 번 시험했다/遇到她是第二～了; 그녀를 만난 것은 두 번째다/是这么～事; 이와 같은 일입니다/说的和做的完全是两～事; 말하는 것과 행동하는 것은 별개의 일이다/实际上又是另一～事; 실제는 또 다르다/这到底是怎么一～事; 이것은 도대체 어떻게 된 것이냐. ⑫동〈方〉물건을 융통해 받다. ⑬명〖民〗회족(回族)《중국의 소수 민족의 하나》. ⑭명 회교. 이슬람교. 이슬람교도. ⑮명 성(姓)의 하나.

〔回拜〕 huíbài 동 방문을 받고 답례하다. =〔回访〕

〔回报〕 huíbào 동 ①복명(復命)하다. 보고하다. ②보답하다. ③원수를 갚다. 보복(報復)하다. ¶重zhòng重～了他一拳头; 쾅 하고 한 대 되받아쳤다.

〔回避〕 huíbì 동 피하다. ¶～矛盾; (의견의) 충돌을 피하다/可否请你～? 잠깐 자리를 피해 주시겠습니까? 명동 (법률에서) 기피(하다).

〔回禀〕 huíbǐng 동 (옛날, 관청에서 상사에게, 가정에서 윗사람에 대하여) 보고하다. 말씀드리다. 아뢰다.

〔回波〕 huíbō 명〖電〗에코. 에코 반향(反響). ¶～管; 에코관.

〔回驳〕 huíbó 명동 반박(反駁)(하다). ¶当面～; 얼굴을 맞대고 반박하다/～朋友的意见; 친구의 의견에 반박하다.

〔回不过脖儿来〕 huíbuguò bór lái〈方〉①고개가 돌아가지 않다. ¶最近他可真发福了, 胖得～; 요즘 그는 매우 살쪄서 목이 돌아가지 않을 정도이다. ②갈피를 잡을 수 없다. ③반발할 수 없다. ④결말이 나지 않다. ⑤설명할 수 없다. 난처하다. 고민하다. ¶他说那话真叫我～; 그가 그 일을 말하기 시작하면, 나는 참으로 난처해진다.

〔回采〕 huícǎi 명동 ①채광(採鑛)(하다). ②채굴(하다).

〔回采率〕 huícǎilǜ 명 ⇨〔回收率〕

〔回残〕 huícán 명〈文〉나머지. 남은 것.

〔回茬〕 huíchá 명〖農〗그루갈이. ¶～麦; 그루갈이로 재배하는 보리.

〔回肠〕 huícháng 명〖生〗회장(回腸). 동〈文〉마음이 쓰이어 안절부절못하다. 흥분되다. ¶～九

转; 애타고 고민하여 몸둘 바를 모르는 모양 / ～荡气 =〔荡气～〕; (문장이나 음악이) 깊은 감명을 주다. 감동시키다. ‖=〔迴肠〕
〔回潮〕 huí.cháo 동 ①조수(潮水)가 빠지다. 썰물이 되다. ②열이 식다. 의욕이 없어지다. ③세력을 회복시키다. (huícháo) 명 ①썰물. 후퇴(後退). ②이미 건조한 것이 다시 습기가 참. ¶～率; 섬유 등의 공허(公許) 수분.
〔回嗔作喜〕 huí chēn zuò xǐ 〈成〉 노여움이 바뀌어 기쁨이 되다.
〔回程〕 huíchéng 명 〈文〉 ①귀로. 돌아오는 길. =〔回路①〕 ↔〔去程〕 ②《工》 귀환 행정(歸還行程)(return stroke).
〔回程货〕 huíchénghuò 명 ⇨〔回头货②〕
〔回春〕 huíchūn 동 ①회춘하다. ¶大地～; 대지에 봄이 다시 찾아오다. ②〈比〉 병을 회복시키다. 기사회생(起死回生)시키다. ¶～灵药; 병을 고치는 영약 / 妙手～; 의사의 훌륭한 솜씨가 건강을 회복시키다 / 他有～的本领也治不了; 그에게 기사회생시키는 솜씨가 있어도 역시 치유시킬 수 없었다. ③다시 젊어지다. 회춘하다.
〔回答〕 huídá 동 회답하다. ¶～道; 대답하여 말하다. 명 회답. ¶满意的～; 만족할 만한 회답 / ～不上来; 회답할 수 없다.
〔回单〕 huídān 명 ①(회답을 겸한 간단한) 영수증. ¶电报～; 전보 수령서 / ～簿; 수령인(印)을 받아 두는 장부. ②짧게 쓴 답장. ‖=〔回条(儿)〕
〔回荡〕 huídàng 동 메아리치다. 울려 퍼지다. ¶欢呼声在山谷中～; 큰 환성이 골짜기에 울려 퍼지다.
〔回滴定〕 huídīdìng 명 《化》 역(逆)적정.
〔回电〕 huí.diàn 동 답전하다. (huídiàn) 명 답전.
〔回跌〕 huídiē 동 ⇨〔回落〕
〔回动〕 huídòng 명동 《機》 역전(逆轉)(하다). ¶～机构; 역전 기구(機構).
〔回而盘〕 huí'érpán 명 ⇨〔方fāng向盘〕
〔回防〕 huífáng 명 《體》 수비를 위하여 자기 편으로 되돌아옴. ¶在篮球比赛中, 迅速～是很重要的; 농구에서는 재빨리 돌아와 수비하는 일이 중요하다.
〔回访〕 huífǎng 동 답방하다. 답례로 방문하다. =〔回拜〕
〔回费〕 huífèi 명 반신료.
〔回风〕 huífēng 명 〈文〉 회오리바람. 선풍(旋風).
〔回府〕 huífǔ 동 댁으로 돌아가시다.
〔回复〕 huífù 동 ①회답하다. 대답하다(주로 편지에 씀). ②〈婉〉 거절하다. ③회복하다. 되찾다. ¶还没什么～; 아직 아무런 회답도 없다. ④복명(復命)하다. 명 회답. 대답.
〔回顾〕 huígù 동 ①회고하다. 돌이켜보다. ¶～过去; 과거를 돌이켜보다 / ～往事; 옛 일을 회고하다. ②되돌아보다. ¶～一看; 되돌아보건대.
〔回光〕 huíguāng 명 ①광선의 반사. ②(빛·빛깔의) 반영(反映). 반사광. ¶～镜; 반사경.
〔回光返照〕 huí guāng fǎn zhào 〈成〉 ①해가 지기 전에 밝아지는 일(죽기 직전에 한때 기운을 차리는 일). ¶别看他有精神了, 这是～啊, 快趁这工夫问问他遗嘱吧; 정신이 든 것같이 생각해서는 안 되네. 꺼지기 직전의 등불 같은 것이니, 여기서 빨리 유언을 들어 두게. ②도가(道家)의 일종의 수련법.
〔回归〕 huíguī 동 ①후퇴하다. ②돌아오다. ¶于1999年澳门～中国; 1999년에 마카오는 중국으로 반환된다. 명 회귀. ¶～分析; (통계의) 회귀 분석(回歸分析).
〔回归带〕 huíguīdài 명 ⇨〔热rè带〕
〔回归年〕 huíguīnián 명 《天》 태양년(太陽年). 회귀년. =〔太tài阳年〕
〔回归热〕 huíguīrè 명 《醫》 회귀열(열성(熱性)의 전염병). =〔再zài归热〕
〔回归线〕 huíguīxiàn 명 《地》 회귀선('南～'과 '北～'이 있음). =〔日rì道〕
〔回锅〕 huí.guō 동 다시 데우다. 다시 끓이다. ¶把这碗菜回～吧! 이 그릇의 반찬을 다시 데워라! / ～肉; 쓰촨(四川) 요리의 하나로, 덩어리째 삶은 돼지고기를 잘라서 기름에 볶은 음식.
〔回国〕 huí.guó 동 귀국하다.
〔回过头来〕 huíguo tóu lái ①뒤돌아보다. ②처음으로 돌아가다. ③악(惡)으로 부터 발을 빼다. 잘못을 깨닫고 개심(改心)하다.
〔回过味儿来〕 huíguo wèir lái 참된 맛을 음미하다. 곰곰이 생각해 보다. ¶半天还没～; 오랜 시간이 지나도 진짜 맛을 모른다.
〔回函〕 huíhán 명 〈文〉 답서(答書). 답신(答信).
〔回合〕 huíhé 명 (전투에서) 교전 횟수. (경기의) 라운드. 담판. 교섭. ¶打胜了第一个～; 제 1 라운드에서 이겼다 / 另一～的外交谈判; 다른 협의 체제·경로로의 외교 교섭.
〔回纥〕 Huíhé 명 ⇨〔维wéi吾尔族〕
〔回后〕 huíhòu 동 옛날, 황제가 후궁에 가다.
〔回鹘〕 Huíhú 명 ⇨〔维wéi吾尔族〕
〔回护〕 huíhù 동 〈文〉 ①비호하다. 감싸다. ②강변(強辯)하다. 명 비호. 두둔.
〔回话〕 huí.huà 동 ①대답하다(다른 사람을 통하여). ②(윗사람에게) 말씀드리다.
〔回话(儿)〕 huíhuà(r) 명 회답(回答)(남을 통해서). ¶我一定来, 请你带个～给他! 나는 꼭 간다고 그에게 회답을 전해 주십시오 / 连个～都不给; 회답조차 해 주지 않다.
〔回环〕 huíhuán 동 〈文〉 구부러져 있다. 빙글빙글 돌다.
〔回黄转绿〕 huí huáng zhuǎn lù 〈成〉 초목이 시드는 가을·겨울이 지나 봄빛이 다시 찾아옴. 세월이 바뀜. 다시 젊어짐. 기운을 되찾음. 회생함.
〔回惶〕 huíhuáng 동 〈文〉 공구(恐懼)하다. 몹시 두려워하다.
〔回回〕 Huíhui 명 ①회족(回族). ②〈俗〉 회교도(回教徒)(옛날, '回民'의 별칭). ¶～堂 =〔清qīng真寺〕; 〈俗〉 회교 사원(寺院). =〔回子〕 →〔回民②〕
〔回回(儿)〕 huíhuí(r) 부 언제나. 늘. ¶他老不守时间～迟到; 그는 언제나 시간을 지키지 않아서 늘 늦게 온다.
〔回回教〕 Huíhuijiào 명 ⇨〔伊Yī斯兰教〕
〔回(回)历〕 huí(hui)lì 명 이슬람력(曆). =〔回历〕
〔回回手儿〕 huíhuishǒur ①'손을 빌리다'의 뜻으로, 남에게 폐를 끼칠 때의 공손한 말씨. ¶请您～把那本书递给我; 대단히 죄송합니다만, 그 책을 좀 건네 주십시오. ②'좀더 주십시오'의 뜻의 공손한 말. ¶大节下的请您再～吧; 명절 때니 조금만 더 주십시오.
〔回回蒜〕 huíhuisuàn 명 《植》 왜젓가락나물. =〔鸭yā脚板〕
〔回火〕 huíhuǒ 동 템퍼링(tempering)하다. 담금질한 강철을 강도를 높이기 위해 다시 열처리하다. =〔回韧〕〔焖火〕〔配火〕〔韧化〕 명 (내연 기관의) 역

화(逆火).
〔回货〕 huíhuò 명동 반품(返品)(하다).
〔回击〕 huíjī 명동 반격(하다). ¶用实际行动～了谰言; 실제 행동으로 비난 중상에 반격을 가했다.
〔回籍〕 huíjí 동 원적지에 돌아가다. 귀향하다. ¶～守制; 관리가 귀향하여 거상(居喪)을 입다.
〔回忌〕 huíjì 동 〈文〉 꺼리다. 꺼리어 피하다.
〔回家〕 huí.jiā 동 집에 돌아가다. 귀가하다. ¶他～修坟去了; 그는 고향에 성묘하러 갔다/他～心切, 早就把行李都归着齐了; 그는 집에 돌아가고 싶은 일념으로 벌써 짐을 다 쌌다.
〔回见〕 huíjiàn 〈套〉 잠시 헤어질 때의 인사말. 나중에 또 뵙겠습니다. 안녕(‘回头见’의 생략). =〔再见〕
〔回疆〕 huíjiāng 명 이슬람 교도가 사는 변경 지방(신장(新疆) 또는 그 남부의 구칭).
〔回讲〕 huíjiǎng 동 (교사의 설명대로) 학생이 다시 한 번 말해 보다.
〔回交〕 huíjiāo 동 역교배(逆交配)를 하다(잡종 제1대와 그 양친의 어느 한쪽과 교배하다).
〔回徼〕 huíjiǎo 동 〈文〉 반납(返納)하다.
〔回教〕 Huíjiào 명 ⇨〔伊Yī斯兰教〕
〔回京〕 huíjīng 동 수도로 돌아가다. 베이징(北京)으로 돌아가다.
〔回敬〕 huíjìng 동 ①잔을 돌리다. ¶～你一杯! 잔 받으십시오!(받은 술잔을 되돌려 주면서 하는 말)/主人把酒敬客, 客都该～几杯; 주인이 손님에게 술잔을 주면, 손님은 몇 잔을 주인에게 답례로 권해야 한다. ②답례하다. ③되갚음하다. 반격하다. ¶他对我～了这一句; 그는 나에게 한마디 되쏘아붙였다/另一个妇女不高兴地～她; 다른 여자가 불쾌해져 그녀에게 앙갚음을 하였다/～赛 =〔夺回选手权比赛〕; 리턴 매치. 권투의 선수권 탈환 경기.
〔回绝〕 huíjué 동 거절하다. ¶一口～; 일언지하에 거절하다/他向贷dài款部要求贷款, 行háng员～了他; 그는 대부계(貸付係)에 융자를 신청했으나, 담당자는 이를 거절하였다.
〔回空〕 huíkōng 동 (차나 배가) 승객이나 짐을 운반한 후에 빈 채로 돌아가다. ¶～车; 위의 차/～的船; 위의 배.
〔回叩〕 huíkòu 동 〈文〉 답례하다. 답례로 절하다.
〔回扣〕 huíkòu 명 리베이트(rebate). 수수료. 환부(還付) 수수료. ¶运费～制; 운임의 일부를 되돌려 주는 제도. =〔〈方〉 回佣yòng〕
〔回来〕 huí.lai 동 ①돌아오다. ¶你还得～; 잠깐 돌아오너라. 잠깐만(사람을 불러 세울 때 하는 말)/当天回不来; 당일치기를 할 수 없다. ②제자리에 되돌아오다. ¶写字写得～了; 본디 상태로 되돌아가서 글씨 쓰기가 서툴러졌다/病～了; 병이 도졌다/话又说～; 이야기가 다시 되돌아가다. (huílai) 부 나중에. ¶～叫他一个人做, 看他怎么样; 나중에 그 사람 혼자서 하도록 시켜 보자. =〔回头huítóu〕 ⇒ -.hui.lai
〔-回来〕 -.hui.lai 접미 동사 뒤에 붙어, 본래의 곳으로 돌아오다. 또는 되돌림을 나타내는 접미사(接尾詞). ¶把借出去的书要～; 빌려 주었던 책을 되돌려 받다/说来说去话又说～了; 이러니저러니 이야기하다 보니 얘기가 다시 원점으로 돌아왔다/正赶上下大雨, 就跑～了; 큰비를 만나 다시 뛰어 되돌아왔다/要买不～也没法子; 만약(판 것을) 되사지 못하더라도 하는 수 없다. ⇒huí.lai
〔回栏〕 huílán 명 구불구불한 난간(欄干).
〔回廊〕 huíláng 명 회랑. =〔廻廊〕
〔回老家〕 huí lǎojiā ①귀향하다. ②죽다. ¶她已经回了老家了; 그 여자는 벌써 저 세상에 갔다. =〔去世〕
〔回姥姥家〕 huílǎolaojiā 동 죽다. 저 세상에 가다. ¶他病得很危险, 恐怕要～吧; 그의 병은 매우 위중하다. 아마 나을 가망은 없을 게다.
〔回礼〕 huí.lǐ 동 답례하다. 답례의 선물을 하다. ¶要是不～不失礼吗? 혹시 답례하지 않으면 실례가 되지 않을까요? (huílǐ) 명 답례. 답례품.
〔回里〕 huílǐ 동 〈文〉 귀향하다. 고향으로 돌아오다.
〔回力球〕 huílìqiú 명 《體》 하이알라이(스 jaialai)(스페인 특유의 구기로 ‘巴斯克’(바스크인)이 만듦). =〔巴斯克球〕
〔回历〕 huílì 명 ⇨〔回(回)历〕
〔回流〕 huíliú 명 ①소용돌이 치는 흐름. =〔回流水〕 ②환류. 동 환류(環流)하다.
〔回笼〕 huí.lóng 동 ①찐 음식을 다시 찌다. ②(화폐 따위를) 회수하다. ¶这对～货币起了一定的作用; 이것이 화폐 회수에 한 역할을 했다. ③(공표(公表)한 것을) 취소하다. ④(한번 내놓은 것을) 제자리로 되돌리다.
〔回笼觉〕 huílóngjiào 한 번 깨고 나서 또 잠듦〔잠드는 일〕. ¶你就睡那么小一会儿行啊? 再睡个～吧; 그 정도 자고는 못견딘다. 다시 잠을 자거라.
〔回炉〕 huí.lú 동 ①(금속을) 다시 녹이다. ¶废铁～; 고철을 다시 용해하다/～重造; 재차 용해하여 다시 만들다. ②(‘烧饼’ 등을) 다시 굽다. ③고쳐 만들다. ④재교육하다. 보습하다.
〔回炉班〕 huílúbān 한 사람을 학생으로서 재교육하는 클래스(정식으로는 ‘进jìn修班’(이공(理工)·외국어계(外國語系)에만 있음)).
〔回禄〕 huílù 명 ①〈文〉 화신(火神)의 이름. ②〈轉〉 화재. ¶惨遭～; 참혹하게도 화재를 당하다/～之灾; 화재를 일컫는 말/那工厂招来～了; 저 공장은 화재를 일으켰다.
〔回路〕 huílù 명 ①⇨〔回程①〕 ②《電》 회로. 동 길을 돌아서 가다.
〔回銮〕 huíluán 동 〈文〉 군주(君主)가 순행(巡幸)하고 돌아오다. 환궁(還宮)하다.
〔回落〕 huíluò 동 (수위나 물가가) 오른 후 다시 내리다. 반락(反落)하다. ¶水位有～的趋势; 수위가 다시 떨어질 추세다. ↔〔回升〕 =〔回跌diē〕
〔回马枪〕 huímǎqiāng ①명 말을 되돌려 오라는 신호의 총. ②명 〈轉〉 퇴각·후퇴의 신호. ③(huí mǎqiāng) 역습하다. 말고삐를 잡아당겨 뒤돌아본 채로 쫓아온 적을 창으로 찌르다. ¶杀他个～; 그에게 역습하다.
〔回门〕 huí.mén 동 북방의 옛 습관으로 결혼 후 수일 내에 근친(覲親) 가다.
〔回民〕 Huímín 명 ①《民》 회족(回族)(중국의 소수 민족의 하나). ②이슬람교도. ¶～食堂 =〔～饭馆〕〔伊yī斯兰食堂〕; 회교도 전용 식당(회교도는 돼지고기를 먹지 않는 데서 분리함). →〔回回②〕
〔回眸〕 huímóu 동 〈文〉 ①눈동자를 굴리다. ②뒤돌아보다.
〔回挠〕 huínáo 동 〈文〉 굴곡(屈曲)하다.
〔回念〕 huíniàn 동 회고하다. 추억하다.
〔回娘家〕 huí niángjiā 친정으로 돌아가다. ¶内人～了; 아내는 친정으로 갔다.
〔回暖〕 huínuǎn 동 ①다시 따뜻해지다. ¶天气～过来了; 날씨가 다시 따뜻해졌다. ②따뜻한 계절이 되다. 봄이 되어 따뜻해지다.
〔回片(儿)〕 huípiàn(r) 명 (명함에 적은) 영수증. →〔回条(儿)〕

〔回棋〕 huí.qí 동 (바둑 · 장기에서) 한번 둔 수를 무르다. =〔悔棋〕
〔回气〕 huíqì 명 ⇨〔排páiqì〕
〔回青〕 huí.qīng 동 〈方〉 새싹이 트다. =〔返青〕 명 청색 안료(顔料)의 일종《도자기용》.
〔回请〕 huíqǐng 동 ⇨〔还huán席〕
〔回去〕 huí.qu 동 ①돌아가다. 되돌아가다. ②손님을 주인에게 안내하러 가다. ⇒-.hui.qu
〔-回去〕 -.hui.qu 접미 동사 뒤에 붙어 본래의 곳으로 돌아가다. 또는 되돌림을 나타내는 접미사. ¶把这支笔给他送~; 이 펜을 그에게 돌려 주시오 / 他已经不在这儿, 把这封信寄~吧; 그 사람은 이젠 여기에 없으니까, 이 편지를 되돌려 보내자. ⇒huí.qu
〔回任〕 huírèn 동 귀임(歸任)하다. 임지로 돌아가다.
〔回轫〕 huírèn 동 ⇨〔回火〕
〔回绒〕 huíróng 명 《紡》 플러시(plush)《우단(羽緞)의 일종》. =〔回子绒〕
〔回软〕 huíruǎn 동 (구운 과자가) 물러지다. (굳힌 것이) 누글누글해지다.
〔回扫〕 huísǎo 명 《工》 플라이 백(flyback).
〔回煞〕 huíshà 명 사람이 죽은 후에 혼(魂)이 집에 돌아오는 일. =〔出殃〕〔归煞〕
〔回上〕 huíshàng 동 전달〔연락〕하다. 여쭈다.
〔回身(儿)〕 huí.shēn(r) 동 돌아보다.
〔回升〕 huíshēng 동 (시세 · 경기 · 기온 · 수위 · 생산량 등이) 다시 오르다. 회복하다. ¶气温~; 기온이 다시 오르다 / 我国和西方国家的贸易额又有了较大的~; 우리나라와 서방 국가와의 무역액은 또 비교적 커다란 회복이 있었다.
〔回生〕 huíshēng 동 ①회생하다. 소생하다. ¶起死~; 기사 회생하다 / ~乏术; 사람을 소생시킬 방도가 없다. ②(한번 배운 것을) 잊다. 불확실하게 되다. (한 번 훈련받은 기술이) 서툴러지다. ③(끓인 것 등이) 식어서 맛없게 되다. 음식 맛이 가다. ¶那是昨天煮的, ~了, 不要吃了! 그것은 어제 끓인 것이어서 맛이 갔으니, 먹지 마라!
〔回声〕 huíshēng 명 ①반향. 메아리. ¶~测深仪; 음향 측심기《소나(sonar)의 일종》. =〔林响〕〔山音儿〕 ②(의견 등에 대한) 반향. 되풀이. ③〈方〉 기적. 기적 소리(whistle). =〔汽笛(声)〕 동 메아리치다. 반향하다.
〔回师〕 huíshī 동 (작전시) 군대를 회군시키다. 철수하다.
〔回驶〕 huíshǐ 동 회항(回航)(하다). 귀항(歸航)(하다).
〔回示〕 huíshì 명동 〈翰〉 회답(回答)(하다). 답서(를 보내다). ¶见信即行~是要; 이 편지가 도착하는 대로 꼭 회신을 주시기 바랍니다.
〔回事〕 huí.shì 동 (윗사람에게) 용건을 전달하다. ¶~处; 접수처 / ~的; 전달하는 사람.
〔回收〕 huíshōu 명동 (폐품 따위를) 회수(하다). ¶~废品; 폐품을 회수하다. 명 《化》 회수. ¶~塔; 회수탑(塔).
〔回收率〕 huíshōulǜ 명 탄광 등의 채탄율. 채탄량과 매장량의 비율. =〔回采率〕
〔回手(儿)〕 huíshǒu(r) 동 ①되짚어가다. 되받다. 받은 즉시 곧 회답을 내다. ¶~就发了一封回信; 받은 즉시 곧 답장을 냈다 / ~把门带上; 나가는〔들어가는〕 김에 문을 닫다. ②내민 손을 다시 돌이키다. ¶你再回~吧! 거지가 이것만으로는 너무 적으니 더 달라고 할 때의 말 / ~就把佩刀拔出来; 손을 돌려 칼을 뽑았다. ③손을 내밀어 반격하다. 반항하다. ¶~打; 되받아 때리다 / ~把他的脸抓了; 맞받아서 치다가 그의 얼굴을 할켰다.
〔回首〕 huíshǒu 동 ①뒤돌아보다. ②돌아보다. 회고하다. ¶往事不堪~; (비참하여) 지난 일을 차마 회고할 수가 없다.
〔回书〕 huíshū 명 〈文〉 회신(回信).
〔回赎〕 huíshú 동 (그에 상당하는 대가를 지불하고) 회수하다. (창녀 등의 몸값을 치르고) 빼내다.
〔回数〕 huíshù 명 횟수. ¶数一数~; 횟수를 세어 보다 / ~票; 회수권 / ~车票; 기차 · 전차의 회수권. =〔次数〕
〔回水〕 huíshuǐ 명 봇(洑)물. 돌아가는〔오는〕 물.
〔回说〕 huíshuō 동 대답하다. 답하다.
〔回丝〕 huísī 명 ①《紡》 실보무라지《방적 용어》. =〔〈方〉 绵丝头〕〔棉丝〕 ②〈音〉 지스러기. 폐료(廢料)(waste). =〔威士〕
〔回思〕 huísī 동 〈文〉 지나간 일을 생각하다. ¶~后想; 〈成〉 회상하다. 추억하다.
〔回诵〕 huísòng 동 〈文〉 되풀이해서 읽다.
〔回溯〕 huísù 동 ①거슬러 올라가다. ¶~一百多年前; 백여 년을 거슬러 올라가다. ②회고하다. 추억하다.
〔回屉儿〕 huí.tìr 동 다시 찌다. ¶我要买包bāo子, 可不要~的; 나는 만두를 사고 싶지만 다시 찐 만두는 필요 없다.
〔回天〕 huítiān 동 형세를 일변하다. 쇠약해진 세력을 만회하다. ¶~之力; 회천지력. 큰일을 하는 힘 / ~乏术; 만회할 방도가 없다.
〔回填〕 huítián 동 《建》 뒤채움을 하다. 파낸 흙으로 틈새 등을 메우다. ¶~土; 위의 흙. 명 뒤채움.
〔回条(儿)〕 huítiáo(r) 명 ①(회답을 겸한 간단한) 영수증. ②짧게 쓴 답장. =〔回单〕〔回执①〕 →〔回片(儿)〕
〔回帖(儿)〕 huítiě(r) 명 우편환 등의 영수증. 배달 증명서.
〔回头〕 huí.tóu 동 ①돌아보다. ¶一~就看见了; 돌아보자마자 눈에 띄었다 / 请你回过头来; 잠깐 뒤돌아봐 주십시오. =〔回头儿〕 ②돌아가다. ¶~的路; 돌아가는 길 / 一去不~; 한번 가고는 돌아오지 않다 / 再~来谈谈; 다시 원점으로 돌려 이야기하다. ③회개하다. ¶~是岸; 회개하면 구원받는다 / 浪子~金不换; 〈諺〉 방탕한 자식이 회개하는 것은 돈으로 바꿀 수 없을 만큼 귀중한 일이다 / 早晚不碰个大钉子, 是不~的; 언젠가 호된 일을 당하지 않으면 각성하지 못한다. ④거절하다. 명 ①전기(轉機). ②돌아올 낌새. ¶盼pàn了六个月还不见~; 6개월이나 기다렸는데도 아직 돌아올 낌새가 안 보인다. ⇒huítóu huítou
〔回头〕 huítóu 부 나중에. 뒤에. ¶你说的我还不明白, ~让我再问一问他吧; 네가 말하는 것을 나는 아직 잘 모르겠네. 나중에 다시 그 사람에게 물어 보세 / ~再见; 안녕히. 다시 뵙겠습니다. =〔回来〕 ⇒huí.tóu huítou
〔回头〕 huítou 명 '饺子'보다 조금 크고 양끝을 합쳐서 눌러 둥글게 만든 '点心'. ⇒huí.tóu huítóu
〔回头货〕 huítóuhuò 명 ①행상으로 물건을 팔아 돌아오는 길에 사 가지고 오는 상품. ②《商》 (바터제(barter制)에서 수입품에 대한) 보증용 수출물자. =〔回程货〕 ③자기를 버리고 간 여자.
〔回头路〕 huítóulù 명 〈比〉 ①되돌아옴. ¶~我们不走; 우리는 되돌아오지 않는다 / 好马不走~; 좋은 말은 뒤로 물러서지 않는다. ②되돌아가는

길. 언젠가 왔던 길.
〔回头儿〕 huí.tóur 동 ⇨〔回头huí.tóu①〕
〔回头人〕 huítóurén 명 ①개심(改心)하여 참사람이 된 사람. ②〈方〉 이혼하고 친정에 돌아온 여자. 소박데기. 과부.
〔回途〕 huítú 명 〈文〉 귀도(歸途). 귀로.
〔回托儿钱〕 huítuōrqián 명 선물을 받았을 때, 심부름 온 사람에게 감사의 표시로 주는 심부름 삯.
〔回味〕 huíwèi 동 ①(경험한 것을) 회상하다. 상기(想起)하다. 과거의 일을 곰곰이 생각해 보다. ¶我又～起他的建议来; 나는 다시 그의 건의를 생각하기 시작하였다 / 我正在～着今天一天的事; 마침 오늘 하루의 일을 곰곰이 생각하고 있는 중이다. ②(맛·말을) 음미(吟味)하다. 명 ①뒷맛. ②달콤한 추억. 즐거운 회상.
〔回文〕 huíwén 명 ①시사(詩詞)의 회문체(回文體) 《순서대로나 역으로나, 또는 세로가로 어느 쪽으로 읽어도 뜻을 이루는 시문》. ②아랍어. ③회답서.
〔回纹针〕 huíwénzhēn 명 ⇨〔别bié针(儿)②〕
〔回窝〕 huí.wō 동 보금자리로 돌아오다. ¶鸟还知道～呢! 새도 보금자리로 돌아오거늘!
〔回斡〕 huíwò 동 〈文〉 빙빙 돌다. 순회하다.
〔回席〕 huí.xí 동 답례로서 초대하다.
〔回戏〕 huí.xì 동 상연(上演)을 중지하다. ¶园子满坐, 不能～; 극장은 만원이어서, 상연을 중지할 수 없다.
〔回乡〕 huí.xiāng 동 귀향하다. ¶～知识青年; 귀향하는 지식 청년.
〔回香〕 huíxiāng 동 참예(參詣)하고 돌아가다.
〔回翔〕 huíxiáng 동 〈文〉 ①빙글빙글 선회하며 비상(飛翔)하다. ②(물이) 회류(回流)하다.
〔回响〕 huíxiǎng 동 메아리치다. 울려 퍼지다. ¶歌声在山谷中～; 노랫소리가 온 골짜기에 울려 퍼지다. 명 메아리. 반향(反響). ¶得到了全国四面八方的～; 방방곡곡에서 반향이 있었다 / 自力更生的倡议得到了全国广大人民的～; 자력 갱생(自力更生)의 제의는 전국의 다수 인민의 반향을 불러일으켰다.
〔回想〕 huíxiǎng 동 과거를 돌아보다. 명 회상.
〔回销〕 huíxiāo 동 ⇨〔返fǎn销〕
〔回邪〕 huíxié 형 〈文〉 요사하고 바르지 못하다.
〔回心〕 huíxīn 동 ①후회하다. 뉘우치다. 마음을 돌리다. ②마음이 변하다. =〔回心转意〕 ③전과 같이 좋은 사이가 되다.
〔回心转意〕 huí xīn zhuǎn yì 〈成〉 마음을 돌리다. 태도를 바꾸다. 번의(飜意)하다. ¶一次不见, 再去第二次, 面子都给他, 他也就不能不～了《老舍 駱駝祥子》; 한 번에 만나 주지 않으면, 재차 찾아가서 그 쪽의 체면을 세워주면, 마음이 바뀌지 않을까요.
〔回信〕 huí.xìn 동 답장하다. ¶希望早日～! 빠른 시일 안에 회답 있으시길 바랍니다! / 回了他一封信; 그에게 답장을 냈다. (huíxìn) 명 답장. ¶写一封～; 답장 편지를 쓰다.
〔回信儿〕 huíxìnr 명 편지의 답장. ¶事情办妥了, 我给你个～; 용무가 끝나면 당신에게 답장을 하겠습니다.
〔回行轮〕 huíxínglún 명 《機》 역전차(逆轉車). 역진차(逆進車).
〔回形夹(条)〕 huíxíngjiā(tiáo) 명 ⇨〔别bié针②〕
〔回形针〕 huíxíngzhēn 명 젬 클립(gem clip). =〔回形夹〕〔别bié针〕
〔回修〕 huíxiū 동 회수하여 수리하다. ¶～活儿; 회수 수리 작업.
〔回旋〕 huíxuán 동 ①〈文〉 선회하다. 돌다. ¶飞机在上空～着; 비행기가 하늘에서 선회하고 있다 / ～加速器 =〔～加速机〕; 《物》 사이클로트론(cyclotron). 입자 가속 장치 / 同tóng步～; 싱크로사이클로트론(synchro-cyclotron) / 2,500万电子伏的～加速器; 2,500만 전자 볼트의 사이클로트론 / ～曲; 《樂》 론도(rondo). 회선곡. ②활동하다. 움직이다. ¶～的地区很大; 활동 지구가 크다. ③(여지가 있어) 움직일 수 있다. 행동의 여지가 있다. ¶留点儿～的余地; 행동의 여지를 남겨 두다.
〔回楦〕 huíxuàn 동 ①본래의 형(型)에 복귀하다. ②〈口〉 타락하다. ¶越长越～; 점점 더 타락하다.
〔回血管〕 huíxuèguǎn 명 《生》 정맥관.
〔回忆〕 huíyì 명동 회상(하다). ¶～录; 회상록. 회고록 / ～对比; 과거를 회상하여 현재와 대조하다. =〔回想〕
〔回音〕 huíyīn 명 ①〈文〉 답장. 반신(返信). ②메아리. 반향(反響). ¶～板; 반향판. ③《樂》 돈꾸밈음. 회음(回音). 턴(turn).
〔回用〕 huíyòng 동 회수하여 다시 이용하다. ¶污水～; 오수(汚水)의 재이용. 명 ⇨〔回佣〕
〔回用生铁〕 huíyòng shēngtiě 명 재생철(再生鐵).
〔回佣〕 huíyòng 명 〈方〉 받은 돈의 일부를 돌려줌. 리턴 코미션(return commission). =〔回用〕〔回扣〕
〔回游〕 huíyóu 명동 ⇨〔洄游〕
〔回淤〕 huíyū 명 조수(潮水)로 인하여 되밀려 충적(沖積)된 흙. ¶～严重; 충적토가 매우 많다.
〔回语〕 Huíyǔ 명 이슬람교족(族)의 언어.
〔回玉〕 huíyù 명 〈翰〉 대답. 답신. 회답.
〔回援〕 huíyuán 동 되돌아와서 우군(友軍)을 원조하다.
〔回站〕 huízhàn 동 역·정거장·차고(車庫)에 돌아가다. ¶～时间; 차고에 돌아갈 시간.
〔回涨〕 huízhǎng 동 (내린 값이) 다시 오르다. 반등(反騰)하다.
〔回照〕 huízhào 동 ①(빛·빛깔을) 산광(散光)으로 하여 반사하다. 빛을 받아 아름답게 빛나다. ②(성격 등을) 반영(反映)하다.
〔回执〕 huízhí 명 ①⇨〔回条(儿)②〕 ②배달 증명.
〔回转〕 huízhuǎn 동 ①(제자리에) 되돌아오다〔가다〕. 방향이 싹 바뀌다. ¶病～过来; 병이 차츰 차도가 있다. ②회전하다. ¶～不过来; 돌지 않다 / ～炉 =〔转炉〕; 회전로 / ～体; 《數》 회전체 / ～泵; 회전 펌프 / ～窑; 회전 가마 / ～仪; 자이로스코프 / ～椅; 회전 의자. ③마음을 돌리다. 생각이 바뀌다. 마음이 변하다.
〔回装〕 huízhuāng 동 돌아가는 배에 싣다. ¶～的货物; 위의 화물 / ～出口货; 위의 수출 화물.
〔回字〕 huízì 명 답신(答信).
〔回子〕 huízi 명 회교도. =〔回回〕 양 일의 구분·단락을 나타냄. ¶那是怎么～事? 그건 어찌 된 일이냐?
〔回子绒〕 huízìróng 명 ⇨〔回绒〕
〔回族〕 Huízú 명 《民》 후이 족《중국 소수 민족의 하나》.
〔回嘴〕 huí.zuǐ 동 말대꾸하다. 말대답하다.

洄 huí (회)

동 〈文〉 흐름이 선회(旋回)하다. 소용돌이치다.
〔洄溯〕 huísù 동 〈文〉 회상하다. 회고하다.

〔洄游〕 huíyóu 명동 (물고기의) 회유(하다). ¶生殖～; 산란(産卵) 회유/季节～; 계절 회유. =〔回游〕

茴 huí (회)
→〔茴脑〕〔茴香〕〔茴香菜〕

〔茴脑〕 huínǎo 명 아네톨(Anethol). 대회향유.
〔茴香〕 huíxiāng 명《植》①회향풀. 회향풀의 열매(향료로 쓰임). ¶～豆; 회향풀의 열매를 섞은 콩/～油 =〔茴油〕; 회향유. 회향풀의 열매로 짠 기름(향료 또는 건위제로 쓰임)/～氨醑;《藥》암모니아 회향정(精). ②대회향(大茴香). =〔大dà料〕
〔茴香菜〕 huíxiāngcài 명 회향풀의 줄기와 잎.

徊 huí (회)
→〔低dī徊〕⇒huái

蛔〈蛕, 蚘〉 huí (회)
→〔蛔虫〕

〔蛔虫〕 huíchóng 명《蟲》회충.
〔蛔蒿素〕 huíwōsù 명《藥》산토닌.

虫 huǐ (훼)
명 살무사. ⇒chóng

虺 huǐ (훼)
①명 독사의 일종. =〔狗粪蝮〕〔虺蛇〕 ②→〔虺虺〕 ③명〈文〉작은뱀(큰뱀은 '蛇shé'). ⇒huī

〔虺虺〕 huǐhuǐ〈擬〉우르릉. 꽝(우렛소리).
〔虺蜴〕 huǐyì 명 ①살무사와 도마뱀. ②남에게 해독을 주는 것.
〔虺蜮〕 huǐyù 명 ①독충. ②소인(小人). 음흉한 사람.

悔 huǐ (회)
①동 후회하다. ¶悔之已晚; ⇩/事到如今, 后～也来不及了; 일이 이렇게 된 이상, 새삼스럽게 후회해 봤자 소용 없다. =〔追悔〕〔后悔〕 ②동 아까워하다. ③동 분하게 생각하다. ④동 깔보다. ⑤동 취소하다. 없었던 일로 하다. ⑥명 과실.

〔悔艾〕 huǐ'ài 동〈文〉잘못을 뉘우치고 새출발하다.
〔悔不当初〕 huǐ bù dāng chū〈成〉처음부터 그렇게 하지 말았어야 했는데(하고 후회하다). ¶早知如此, ～ =〔早知今日, ～〕; 이렇게 될 줄 알았던들, 처음부터 그렇게 하지 않은 것이 나았다. =〔悔不该当初〕
〔悔不该〕 huǐ bùgāi 그렇게 하지 말았어야 하는데, 엉뚱한 짓을 저질렀다. 아뿔싸.
〔悔非〕 huǐfēi 동〈文〉지나간 잘못을 뉘우치다.
〔悔改〕 huǐgǎi 동 회개하다.
〔悔过〕 huǐ.guò 동 잘못을 회개하다. ¶～自新; 회개하여 처음부터 다시 시작하다/～书; 시말서/立～书; 시말서를 쓰다.
〔悔恨〕 huǐhèn 동 뉘우치다. 후회하다. ¶因失败而～; 실패하고 뉘우치다.
〔悔婚〕 huǐ.hūn 동 혼약을 파기(破棄)·해소시키다.
〔悔祸〕 huǐhuò 동〈文〉다시는 화란(禍亂)이 없기를 바라며 과거의 일을 뉘우치다.
〔悔咎〕 huǐjiù 명〈文〉재난(災難). 과실(過失).
〔悔口〕 huǐkǒu 동 앞서 한 말을 취소하다.
〔悔棋〕 huǐqí 동 (바둑·장기에서) 한번 둔 수를 무르다. =〔回棋〕
〔悔气〕 huǐqì 명 액. 불운. 불행. ¶你看我这～; 봐라, 나의 이 비참한 꼴을. →〔晦huì气〕
〔悔亲〕 huǐ.qīn 동 혼담(婚談)을 취소하다. =〔悔婚〕
〔悔悟〕 huǐwù 동 자기의 잘못을 깨닫다. 회오하다. 이전의 잘못을 회개하다. =〔悔悟回头〕
〔悔心〕 huǐxīn 명 회개(悔改)하는 마음.
〔悔意〕 huǐyì 명 후회하는 마음.
〔悔尤〕 huǐyóu 동〈文〉잘못을 후회하다.
〔悔之无及〕 huǐ zhī wú jí〈成〉후회 막급이다.
〔悔之已晚〕 huǐ zhī yǐ wǎn〈成〉후회해 봤자 이미 늦다.
〔悔罪〕 huǐ zuì 동 죄를 뉘우치다. ¶～自新; 죄악을 뉘우치고 새출발하다/～下泪lèi; 죄를 뉘우치고 눈물을 흘리다.

毁〈燬②③, 譭④〉 huǐ (훼)
①동 부수다. 파괴하다. 훼손하다. ¶这把椅子谁～的? 이 의자를 누가 부쉈느냐?/～坏人的名誉; 다른 사람의 명예를 훼손하다/击jī～敌人坦克车; 적의 탱크를 격파하다/把身子～得里头; 그것 때문에 몸을 망쳤다. ②명 격렬한 불길. 열화(烈火). 맹렬한 불길. ③동 불태우다. ¶烧～; 불태워 없애다/焚～; 불태우다. ④동 욕하다. 비방하다. ¶诋dǐ～; 비방하다/～谤bàng; ⇩ ⑤동 빠지다. ⑥동 슬퍼하여 몸을 해치다. ⑦동〈方〉어떤 용도(用途)를 가진 물건을 다른 것으로 개조(改造)하다. ¶这两个小凳儿是一张旧桌子～的; 이 두 개의 작은 걸상은 낡은 책상 하나로 만든 것입니다.

〔毁败〕 huǐbài 동 능력을 완전히 잃다. ¶～视能听能; 보고 듣는 능력을 완전히 잃다.
〔毁谤〕 huǐbàng 동 비방하다.
〔毁齿〕 huǐchǐ〈文〉동 젖니를 갈다. 명〈轉〉7,8세경(이를 갈 나이).
〔毁除〕 huǐchú 동 ①(건물 등을) 파괴하다. 무느다. ②(사교(邪教) 따위를) 근절시키다. 없애다. ③(법령 따위를) 폐지하다.
〔毁诋〕 huǐdǐ 동〈文〉헐뜯다.
〔毁掉〕 huǐdiào 동 부스러뜨리다. 못 쓰게 만들다.
〔毁短〕 huǐduǎn 동 남의 결점을 들추어 헐뜯다.
〔毁焚〕 huǐfén 동 태워 부수다. 태워 없애다.
〔毁冠裂衣〕 huǐguān lièyī 관을 부수거나 옷을 찢거나 하다(격노하는 모양. 난폭한 모양). ¶有话好好说, 这样～成何体统! 할 말이 있으면 말로 해라. 이렇게 난동을 부리다니 무슨 체통이냐! =〔毁裂衣冠〕
〔毁害〕 huǐhài 명동〈文〉파손(하다).
〔毁坏〕 huǐhuài 동 부수다. ¶～人的名誉; 남의 명예를 손상하다/～财物罪;《法》재물 손괴죄.
〔毁疾〕 huǐjí 동〈文〉상(喪)을 당하여 슬픔에 젖은 나머지 병을 얻다.
〔毁瘠〕 huǐjí 동〈文〉상중(喪中)에 슬픔이 지나쳐 몸이 수척해지다.
〔毁家纾难〕 huǐ jiā shū nàn〈成〉나라를 위하여 재산을 내던지다(국가 유사시 가산(家産)을 털어 국난을 구제하다).
〔毁烂〕 huǐlàn 동〈文〉파손하다. 엉망으로 부서지다.
〔毁裂衣冠〕 huǐliè yīguān ⇨〔毁冠裂衣〕
〔毁灭〕 huǐmiè 동 괴멸(壞滅)하다. ¶～生命与财产; 생명과 재산을 괴멸하다.
〔毁弃〕 huǐqì 동 파기하다. 취소하다. ¶～诺言; 승낙한 것을 파기하다.

〔毁人炉〕 huǐrénlú 명 〈比〉 노름판·아편굴 등의 못된 곳.

〔毁容〕 huǐróng 동 〈文〉 얼굴 모양을 바꾸다《자객(刺客)이나 정녀(貞女) 등이 자기 얼굴에 상처를 냄》.

〔毁伤〕 huǐshāng 동 〈文〉 해치다. 손상시키다.

〔毁失〕 huǐshī 동 〈文〉 소실(燒失)하다.

〔毁誓〕 huǐ.shì 동 맹세를 어기다.

〔毁损〕 huǐsǔn 동 〈文〉 손상을 입어 부서지다. 훼손하다.

〔毁瓦画墁〕 huǐwǎ huàmàn 기와를 부수어 벽을 바르다《수지가 맞지 않다》. ¶怎么不算计算计? 这种～的事哪能做; 어째서 생각해 보지도 않는 거야? 이런 수지도 맞지 않는 일을 어떻게 할 수 있겠어?

〔毁形灭性〕 huǐ xíng miè xìng 〈成〉 매우 슬퍼하다. ¶遭了这样大故, 哪有不～的; 이런 큰일(부모상(喪) 등)을 당하고 어찌 슬프지 않겠는가.

〔毁誉〕 huǐyù 명 〈文〉 훼예. 비방함과 칭찬함. ¶～参半; 〈成〉 비방과 칭찬이 반반임 / 不计～; 비방과 칭찬을 도외시하다.

〔毁垣〕 huǐyuán 명 〈文〉 파손된〔허물어진〕 울타리.

〔毁约〕 huǐyuē 동 조약·계약을 파기하다. 약속을 어기다.

〔毁装〕 huǐzhuāng 동 모습을 지저분하고 초라한 꼴로 분장하다.

〔毁訾〕 huǐzǐ 동 〈文〉 호되게 욕하다.

卉 huì (훼)
명 풀의 총칭《주로 관엽(觀葉) 식물》. ¶花～; 화훼(花卉) / 奇花异～; 진귀한 꽃과 풀 / ～木 =〔～物〕; 초목.

汇(匯〈滙〉, 彙〈彚, 彙〉②③) huì (회) (휘)
①동 흐르는 물이 한 군데에 모이다. ¶百川所～; 모든 냇물이 모이는 곳. ②동 모으다. 집대성하다. ¶～印成书; 편집 인쇄하여 책으로 만들다. ③명 모은 것. 집성. 총집. ¶字～; 자전(字典) / 词～; 어휘(語彙). ④동 《經》 (환으로) 송금하다. ¶我～点儿钱去; 나는 약간의 돈을 환으로 보냈다. ⑤명 《經》 환. ¶美～; 대미(對美)환 / 电～; 전신환 / 外～; 외국환(外國換) / 国内～兑; 내국환(內國換).

〔汇报〕 huìbào 명 수집 정리한 보고. 총괄 보고. ¶整风运动的情况～; 정풍 운동 정황의 총괄적 보고 / ～提纲; 보고 요강(要綱). 동 보고를 수집 정리하다. 총괄 보고하다. ¶～会议; 총괄 보고회의 / 向他～访问的观感; 그에게 방문의 소감을 정리하여 보고하다.

〔汇编〕 huìbiān 명동 집성(集成)(하다). 총괄 편집(하다). ¶法规～; 법령집 / 资料～; 자료 집성 / ～成册; 한데 모아 팸플릿을 만들다 / ～程序; 《電算》 어셈블러(assembler)《어셈블러 언어의 프로그램을 기계어로 번역하는 일》.

〔汇菜〕 huìcài 명 잡탕《여러 가지를 넣고 끓인, 옛날 가난한 사람들이 먹던 음식》.

〔汇单〕 huìdān 명 환어음.

〔汇兑〕 huìduì 명 《經》 환. ¶～单 =〔汇单〕〔汇票〕; 환어음 / ～管制; 환관리 / 邮政～; 우편환 / ～银行 =〔汇业银行〕; 외환 은행 / ～(经纪)商 =〔～商〕; 어음 중개인 / ～庄; 옛날, 어음을 취급한 상점. 동 (환 따위를) 현금으로 바꾸다.

〔汇兑行市〕 huìduì hángshì 명 《經》 환시세(換時勢).

〔汇兑交易〕 huìduì jiāoyì 명 《經》 환거래(換去來). ¶～报bào告书; 환거래(換去來) 통지서.

〔汇兑款尾〕 huìduì kuǎnwěi 명 《經》 환잔액(換殘額). 환잔고. =〔汇兑尾〕

〔汇兑牌价〕 huìduì páijià 명 《經》 공정(公定) 환율.

〔汇兑平价〕 huìduì píngjià 명 《經》 법정 평가(法定評價). 환평가.

〔汇兑市价〕 huìduì shìjià 명 《經》 환(換). 환율. ¶汇价飞腾; 환시세가 폭등하다. =〔汇价〕〔汇率〕

〔汇兑尾〕 huìduìwěi 명 ⇨〔汇兑款尾〕

〔汇贩子〕 huìfànzi 명 〈貶〉 달러 상인.

〔汇费〕 huìfèi 명 송금 수수료. =〔汇水①〕

〔汇丰银行〕 Huìfēng yínháng 명 홍콩 상하이(上海) 은행《1984년 영국이 홍콩에 설립했음》.

〔汇付〕 huìfù 동 환으로 지불하다.

〔汇合〕 huìhé 동 모아 합치다. 통합하다. 합류하다. 회합하다. ¶小河～成大河; 작은 강이 모여 대하가 되다 / ～处; 합치는 곳. 합류지 / ～无数人的力量; 무수한〔많은〕 사람들의 힘을 모아 합치다.

〔汇核〕 huìhé 동 모아서 조사하다.

〔汇划〕 huìhuà 동 ①어음 교환을 하다. ②환으로 송금하다.

〔汇回〕 huìhuí 동 환으로 회송(回送)하다.

〔汇集〕 huìjí 동 ①집회하다. 모이다. ¶艺术家～之区; 예술가가 모여 있는 지구 / ～到装配车间; 조립 공장으로 모여들다. ②모으다. ¶～材料; 재료를 모으다. ‖ =〔聚集〕〔会集〕

〔汇记〕 huìjì 동 모아서 기록 분류하다.

〔汇寄〕 huìjì 동 환으로 보내다. 송금하다. ¶由邮局～款项; 우체국에서 돈을 환으로 보내다.

〔汇聚〕 huìjù 동 모아서 합치다. 모여서 합쳐지다. 집합하다. ¶～在一起; 한 곳에 모이다 / 许多支流～成大河; 많은 지류(支流)가 모여 큰 강이 된다.

〔汇款〕 huì.kuǎn 동 환으로 송금하다. ¶他到银行～去了; 그는 은행으로 환을 취결(就結)하러 갔다. (huìkuǎn) 명 환 송금. ¶～人 =〔发fā款人〕; 환 송금인 / ～收证 =〔～回单〕; 환송금 영수증.

〔汇流〕 huìliú 동 합류(合流)하다. ¶～点; 합류점(合流點) / ～条; 《電》 모선(母線).

〔汇录〕 huìlù 동 모아서 기록하다.

〔汇率〕 huìlǜ 명 환율. 환시세. ¶提高～; 환율을 올리다 / 浮动～; 변동 환율. =〔汇兑市价〕

〔汇票〕 huìpiào 명 환어음. ¶打～; 환어음을 취결하다 / 开～; 환어음을 발행하다 / 承兑～; 인수필(畢) 환어음 / ～承兑人; 환어음 인수인 / 即期～ =〔一见即付～〕; 일람불 환어음 / 见后十日支付～; 일람후(一覽後) 10일 출급 환어음 / 电汇～; 전신환 증서 / 邮政～; 우편환. =〔汇单〕〔汇兑单〕

〔汇齐〕 huìqí 동 모아서 갖추다. 전부 모으다.

〔汇钱〕 huì.qián 동 환으로 송금하다.

〔汇上〕 huìshàng 동 〈敬〉 (수취인에 대하여 경어로 나타낸) 환으로 송금해 드립니다.

〔汇收〕 huìshōu 동 한데 모아서 받다.

〔汇水〕 huìshuǐ 명 환수수료. =〔汇费〕〔汇息〕 명 동 ⇨〔贴tiē水〕

〔汇息〕 huìxī 명 ⇨〔汇水〕

〔汇项〕 huìxiàng 명 환금(換金).

〔汇信〕 huìxìn 명 은행환에 첨부하는 서장(書狀).

〔汇演〕 huìyǎn 명동 ⇨〔会演〕

〔汇业银行〕 huìyè yínháng 명 외환 은행. =〔汇兑银行〕

〔汇映〕 **huìyìng** 동 몇 편을 모아서 상영(上映)하다. ¶～外国片; 외국 영화를 모아서 상영하다.

〔汇载〕 **huìzài** 동 모아서 기재하다.

〔汇造〕 **huìzào** 동 모아서 만들다. ¶～名册; (자료를 모아서) 명부를 작성하다.

〔汇志〕 **huìzhì** 동 모아서 기록하다.

〔汇总〕 **huìzǒng** 동 (자료(資料) 따위를) 한데 모으다. ¶～报告; 일괄 보고하다 / ～在一块; 모아서 한데 합치다.

讳(諱) **huì** (휘)

① 명 사람이 죽은 뒤에 붙이는 이름. 휘호(생전의 본명을 피하여 부름). ② 동 꺼려 피하다. 기하다. 숨기다. ¶直言不～; 거리낌없이 직언하다. =〔忌讳〕 ③ 동 무서워하다. ④ 명 기휘(忌諱). 꺼리어 피함. ¶犯了他的～了; 그가 꺼리고 있는 것을 말했다. ⑤ 명 실명(實名).

〔讳疾忌医〕 **huì jí jì yī** 〈成〉 병을 감추고 치료 받기를 꺼려 하다(자기의 결점을 감추고 충고 받기를 싫어하며 고치려 하지 않음). =〔讳病忌医〕

〔讳忌〕 **huìjì** 명 터부(taboo). 사람이 꺼리는 말 또는 동작. 동 기피하다. 꺼리다. ‖ =〔禁jìn忌〕〔忌讳〕

〔讳莫如深〕 **huì mò rú shēn** 〈成〉 그저 숨기만 하다. 굳게 감추고 말하지 않다.

〔讳饰〕 **huìshì** 동 거리끼어 감추다.

〔讳言〕 **huìyán** 동 ①꺼리어 분명히 말하지 않다. ¶～政治的缺陷; 정치적 결함을 꺼리어 말하지 않다. ②부인하다. ¶无可～; 싫더라도 부인할 수 없다.

会(會) **huì** (회)

① 동 모이다. 모으다. ¶聚～; 회합하다. 모여들다 / ～同签字; 입회하여 서명하다 / 就在这里～齐吧! 이 곳에 모이기로 하자! ② 동 만나다. 면회하다. ¶～一～面; 면회하다 / 你～过他没有? 그를 만난 적이 있느냐? / 昨天没有～着他; 어제 나는 그를 만나지 못했다. ③ 동 맞닥뜨리다. ④ 동 이해하다. 양해하다. 깨닫다. 터득하다. 알다. ¶心领意～; 〈成〉 이심전심 / 误～; 오해하다 / 体～; 체득하다 / 只可意～, 不可言传; 단지 마음 속으로 깨달을 뿐이고, 말로 전하지는 못하다 / 心领lǐng神～; 〈成〉 마음 속으로 터득하다 / 他～自己去, 就不劳驾你啦! 그는 혼자 갈 수 있으니까, 네가 수고를 하지 않아도 된단 말이야! ⑤ 동 (연습·학습에 의해서) 할 수 있다. ¶我～骑自行车; 나는 자전거를 탈 줄 안다 / 他～说中国话; 그는 중국어로 말할 수 있다 / 我不～抽烟; 나는 담배를 못 피웁니다. →〔能〕〔可以〕 ⑥ 동 잘 할 수 있다. 잘 한다. 능란하다. ¶她～过日子; 그 여자는 살림을 잘 한다 / ～理家; 한 가정을 잘 꾸려 나가다 / ～盘算; 궁리를 잘 한다. ⑦ 동 요리점이나 술집에서 돈을 치르다. ¶饭钱由我～了; 밥값은 내가 치를 테다 / ～了茶钱; 찻값을 치렀다 / ～过账了; 대금〔요금〕은 지불했다. ⑧ 조동 충분히 가능하다(설마 못 하리라고 생각하겠지만). ¶天堂一定～实现; 천국은 꼭 실현된다 / 永远不～忘记; 영원히 (잊을래야) 잊을 수 없다 / ～不～发生事故? 사고 발생의 가능성이 있는가 없는가? / 不～; …일 수가 없다. …할 리 없다(설마 그럴 수가…) / 我自然不～有儿女; 내게는 물론 자식이 있을 수 없다. ⑨ 조동 …할 것이다(설마 하고 생각하겠지만). ¶他一定～来; 그는 꼭 올 걸. ⑩ 부 설마(의외의 뜻). ¶什么料什么货, 你～不知道! 무슨 상품이든지 재료 여하에 달렸다는 것쯤은, 너도 설마 모를 리가 없을 텐데! ⑪ 부 어쩌면. 어떻게 된 영문인지. ¶把她养大成人, 聘出去, 她～不来看我一眼; 그 애를 크게 키워서 시집을 보냈는데 도대체 어떻게 된 셈인지 한 번도 만나러 오지 않는구나. ⑫ 부 무심코. 문득. 언뜻. ¶我就～想起来; 나는 문득 생각이 났다. ⑬ 부 마침. 우연히. 공교롭게. ¶～有客来; 마침 손님이 왔다. ⑭ 명 회합. 집회. 모임. 단체. 조직. ¶第一次大～; 제1회 대회 / ～上提议; 회(會)의 석상에서 제의하다 / 开～; 개회하다 / 工～; 노동 조합 / 委员～; 위원회. ⑮ 명 기회. 시기. ¶机～; 기회 / 适逢其～; 마침 그 기회를 만났다. ⑯(～儿) 명 무진(無盡). 계(契). ¶起上一支～凑点钱买车; 계를〔무진을〕 시작하여 돈을 모아서 차를 사다. ⑰ 명 장날에 구경거리를 하는 단체. ⑱ 명 공양날. 잿날('庙miào日'의 생략). ¶赶～; 공양하여 재를 올리러 가다. 재 올리는 것을 구경하러 가다. ⑲ 명 민간의 산악 신앙이나 풍년 기원 등을 위하여 조직한 계. ¶香～; 영지(靈地) 참예의 계. ⑳ 명 축제 행렬 때의 벌이는 연기(演技). ㉑ 명 많은 사람이 모이는 곳. 도시. ¶省～; 성(省) 정부 소재지 / 都～; 도회. ㉒(～儿, ～子) 명 짧은 시간. 잠깐 동안('这'·'那'의 한정을 받거나, 목적어가 되면 흔히 '一'는 생략됨). ¶一～儿; 잠시 동안 / 用不了多大～儿; 많은 시간이 필요치 않다 / 等～儿再来; 잠시 후에 또 오겠다 / 得多大～儿? 어느 정도의 시간이 걸리느냐? / 过了一小～儿; 약간의 시간이 지났다. ㉓(～儿) 명 때. 절기(節氣). 절후(節候). ¶这～儿; 이 때. 요즈음 / 那～儿; 그 때. 그 무렵 / 你多～儿走? 너 언제 떠나느냐? / 一时半～儿还做不得; 잠깐 동안에는 할 수 없다. ⇒**guì kuài**

〔会榜〕 **huìbǎng** 명 ⇨〔会试〕

〔会报〕 **huìbào** 명동 회보(하다)(각 관계 기관이 일정한 기간에 작업의 보고를 나누는 일).

〔会禀〕 **huìbǐng** 동 연명(連名)으로 상신하다.

〔会餐〕 **huì.cān** 동 회식하다. (**huìcān**) 명 회식. ¶精神～; 음식 이야기를 하여 정신적으로 만족감을 느끼는 일(농으로 하는 말).

〔会操〕 **huìcāo** 명 합동 연습. (**huì.cāo**) 동 합동 연습을 하다.

〔会查〕 **huìchá** 동 합동하여 조사에 임하다.

〔会场〕 **huìchǎng** 명 집회 장소. 회장.

〔会钞〕 **huì.chāo** 동 ⇨〔会账〕

〔会陈〕 **huìchén** 동 연명(連名)으로 진술하다.

〔会呈〕 **huìchéng** 동 연명(連名)으로 자세히 진술하다.

〔会城〕 **huìchéng** 명 성성(省城). 성도(省都). =〔省会〕

〔会串〕 **huìchuàn** 동 (아마추어 또는 동료 이외의 사람이) 특별 출연하다. ¶特请名伶名票～演出以为庆祝; 특히 명배우와 프로도 무색할 정도의 아마추어들이 총출연해 축하의 뜻을 나타내다.

〔会萃〕 **huìcuì** 동 ⇨〔荟萃〕

〔会担〕 **huìdàn** 양 《度》〈音〉 헌드레드 웨이트(**hundred weight**)(영국의 중량 단위의 112파운드. 미국 중량 단위의 100파운드).

〔会当〕 **huìdāng** 조동 (…하는 것은. …한 것은. …인 것은) 당연하다. 당연한 일로서 …해야 한다. =〔会须〕

〔会党〕 **huìdǎng** 명 청대(清代) 말에 청조(清朝)에 반항하여 명조(明朝)에 복귀할 것을 목적으로 하던 민간 비밀 결사의 총칭.

〔会道门儿〕 huì dàoménr 비결(秘訣)을 알다. 오의(奧義)를 알다.
〔会道能说〕 huì dào néng shuō 〈成〉 구변이 좋다. ¶口齿伶俐～; 구변이 좋다
〔会的不难, 难的不会〕 huìde bùnán, nánde bùhuì 〈諺〉 할 줄 아는 사람은 어렵지 않고, 어려워하는 사람은 하지 못한다. 알면 쉽고 모르면 어렵다. ¶～, 您是熟手自然感觉容易, 我们初学可为难呢; 어려운 일이라도 당신은 숙달되었기 때문에 당연히 쉽게 생각하겠지만, 우리들 처음 배우는 사람에게는 매우 어렵습니다.
〔会得〕 huìde 조동 할 수 있다. 동 알다. 터득하다.
〔会典〕 huìdiǎn 명 일대(一代)의 의식(儀式)과 제도를 기록한 것.
〔会弔〕 huìdiào 동 여럿이 한꺼번에 문상을 가다.
〔会董〕 huìdǒng 명 간사(幹事). (회(會)의) 이사(理事).
〔会匪〕 huìfěi 명 옛날, 비밀 결사의 비도(匪徒).
〔会费〕 huìfèi 명 회비.
〔会风〕 huìfēng 명 회의(會議) 방법. 회의 본연의 자세. ¶减少会议, 改革～; 회의를 줄이고, 회의 방법을 고치다.
〔会逢其适〕 huì féng qí shì 〈成〉 마침 그 기회〔적시〕를 만나다. =〔适逢其会〕
〔会攻〕 huìgōng 동 합류하여 공격하다.
〔会馆〕 huìguǎn 명 ①동업자의 회관. ②동향 출신자의 회관. ③〈俗〉 동향 단체.
〔会合〕 huìhé 동 ①(한 곳에서) 만나다. ¶～地点; 함께 만나는 지점 / ～点; ⓐ《數》 셋 또는 그 이상의 직선이 서로 만나는 점. ⓑ합류지. 합류점. ②(상처 등이) 다시 아물다. ③(두 길이) 합치다. 합류하다. ¶两军～后继续前进; 양군은 합류한 후 계속 전진했다. 명 ①만남. ②(상처의) 유합(癒合). ③합류. 집합.
〔会核〕 huìhé 동 입회하여 공동으로 조사하다.
〔会话〕 huìhuà 명 회화. 대화. ¶练习～; 회화를 연습하다.
〔会徽〕 huìhuī 명 회(會)의 휘장(徽章).
〔会集〕 huìjí 동 모이다. 회합하다.
〔会籍〕 huìjí 명 ①회원 자격. ②농민 협회 회원의 자료를 기록한 장부.
〔会见〕 huìjiàn 동 만나다. 마주치다. 명동 면회(하다). 회견(하다). ¶～的机会; 면회할 기회.
〔会见大会〕 huìjiàn dàhuì 명 집회(集會). ¶国际新闻工作者第二次～二十二日在奥地利胜利闭幕; 국제 저널리스트 제2회 집회는 22일 오스트리아에서 성공리에 폐회했다.
〔会局〕 huìjú 명 옛날, 도박장의 일종.
〔会聚〕 huìjù 동 모이다. 집합하다. =〔汇聚〕〔聚集〕
〔会聚透镜〕 huìjù tòujìng 명 《物》 볼록렌즈. =〔聚透镜〕〔放大镜〕〔凸透镜〕
〔会刊〕 huìkān 명 ①(학회·회합 등의) 회보(會報). ②(단체·협회·학회 등의) 정기 간행물.
〔会勘〕 huìkàn 동 (입회하여) 실지 조사를 하다. 공동 조사를 하다.
〔会考〕 huìkǎo 명 합동 시험.
〔会客〕 huì.kè 동 손님을 만나다. ¶～室 shì =〔～厅tīng〕〔～间jiān〕; 응접실.
〔会课〕 huìkè 동 학생이 모임을 갖고 글을 짓다. 명 옛날, 학교의 시험.
〔会猎〕 huìliè 동 여럿이 사냥하다〔하는 일〕. 〈轉〉 옛날, 협력하여 싸우다.
〔会买的不如会卖的〕 huì mǎide bù rú huì màide 〈諺〉 물건을 잘 사는 사람보다 잘 파는 사람이 낫다《장사꾼은 어차피 돈을 벌게 되어 있다》.
〔会门(儿)〕 huìmén(r) 명 민간의 봉건적·미신적 비밀 결사의 총칭.
〔会盟〕 huìméng 동 〈文〉 회맹하다. 서로 만나서 맹약을 맺다.
〔会面〕 huì.miàn 동 면회하다. ¶会过一次面; 한 번 만난 적이 있다. =〔见面〕
〔会期〕 huìqī 명 ①회가 열리는 날짜. ②회기. 회가 열리고 있는 기간. ¶～为三天; 회의 기간을 3일로 한다.
〔会齐〕 huìqí 동 모이다. 회합하다. 전부 모이다. =〔聚jù齐〕
〔会前酝酿〕 huìqián yùnniàng 회의에 대한 사전 교섭을 하다.
〔会钱〕 huìqian 명 (계 따위의) 부금(賦金).
〔会亲〕 huìqīn 동 〈京〉 결혼 후 9일째 또는 18일째에 양쪽 친척이 모여 선물을 하면서 상면하다《이 날 오지 않은 사람은 친척으로 사귀지 않음》.
〔会儿〕 huìr〔huǐr〕 명 잠시. 잠깐《동사 뒤에 올 때는 '一'는 흔히 생략됨》. ¶等一～; 잠시 기다리다 / 不大～; 얼마 안 있어. 이윽고 / 多～; 언제 / 这～; 지금. =〔一会儿〕
〔会商〕 huìshāng 만나서 상의하다. 일당(一堂)에 모여 의논하다.
〔会社〕 huìshè 명 모여서 어떤 사항을 의논하는 단체의 총칭. 회나 사(社)의 단체. →〔公司〕
〔会审〕 huìshěn 명동 합동 심판(하다). 공동 심사(하다).
〔会师〕 huì.shī 동 ①《軍》 우군과 합류하다. 부대를 집결시키다. ②어떤 사업을 위하여 많은 사람들이 집결하다.
〔会食〕 huìshí 동 회식하다. 함께 모여 식사하다.
〔会事〕 huìshì 동 ①도리(道理)〔이치〕를 이해하다. ¶你是个～人, 你晓得我性子的; 너는 사리를 아는 사람이라, 나라는 사람을 알고 있다. ②일을 할 줄 알다.
〔会试〕 huìshì 명 회시《명(明)·청대(淸代) 과거에서 '乡试'(향시)에 합격한 자, 즉 '举人'을 '礼部'에 모아 놓고 행하여 합격자에 대해서는 '贡士'의 칭호를 주며, '殿试'를 받을 자격이 주어졌음. 3년마다 거행》. ¶中zhòng了～; 회시에 합격했다. =〔会榜〕〔礼部试〕
〔会首〕 huìshǒu 명 회(會)의 대표자. =〔会头〕
〔会水〕 huì.shuǐ 동 수영을 할 줄 알다. 수영을 잘하다. ¶水很急总得～的才敢下去; 물살이 세니까, 수영을 잘 하는 사람이 아니면 들어가지 않는다.
〔会说〕 huìshuō 동 이야기를 잘 하다. 구변이 좋다. ¶～(的)不如会听(的); 〈諺〉 말 잘하기보다는 듣기를 잘 하라. =〔会说话〕
〔会所〕 huìsuǒ 명 (단체·회의) 사무소.
〔会谈〕 huìtán 명동 회담(하다). ¶这次～中, 双方意见完全一致; 이번 회담에서 쌍방의 의견이 완전히 일치했다 / ～纪要; 회담 메모.
〔会堂〕 huìtáng 명 의사당. 공회당. 집회실. ¶人民大～; 전국 인민 대표 대회의 회의장《베이징(北京) 천안문 광장의 서쪽》.
〔会帖子〕 huìtiězi 명 ⇨〔打dǎ会〕
〔会通〕 huìtōng →〔融róng会贯通〕
〔会同〕 huìtóng 동 ①회동하다. 한패가 되다. 연합하다. ¶～签字; 합동으로 서명하다 / ～办理; 함께 처리하다. ②〈文〉 옛날에, 제후(諸侯)가 천자를 알현하다.

〔会头〕 huìtóu 명 회두(會頭). 각종 조직의 대표자. =〔会首〕
〔会悟〕 huìwù 동 과연 그렇다고 깨닫다. 양해하다.
〔会晤〕 huìwù 동 면회하다. =〔会面miàn〕
〔会衔〕 huìxián 동 공문서에 연명(連名)으로 서명(署名)하다.
〔会心〕 huìxīn 동 ①마음에 들다. 만족하다. ¶他~地笑了; 그는 만족스럽게 웃었다. ②이해하다. 납득하다. ¶别有~; 따로 납득한 바가 있다.
〔会须〕 huìxū 조동 〈古白〉 반드시 …해야 한다. =〔会当〕
〔会讯〕 huìxùn 동 입회하여 심문하다.
〔会演〕 huìyǎn 동 경연 대회〔콩쿠르〕를 개최하다. 한 곳에 모여 실연(實演)〔상영〕하다. ¶~亚洲各国的电影儿; 아시아 각국의 영화를 함께 상영하다. 명 경연 대회. 콩쿠르. 한 곳에 모여 실연〔상영〕함. ¶文艺~; 예능 경연 대회 / 参加业余歌唱~; 노래 자랑 콩쿠르에 참가하다. ‖ =〔汇演〕
〔会厌〕 huìyàn 명 《生》 후두개(喉頭蓋). 회염 연골(會厭軟骨).
〔会要〕 huìyào 명 회요. 한 왕대의 제도와 연혁을 기록한 것.
〔会议〕 huìyì 명 ①회의. 모임. 집회. ¶~厅tīng; 회의실 / 两国谈判人员一日在国联大厦的小~厅开会; 양국 대표는 1일, 국제연합 빌딩의 소회의실에서 회담을 열었다 / 举办~ =〔举行~〕; 회의를 하다 / ~结jié束了; 회의가 끝났다 / 主持~; 회의를 사회〔운영〕하다 / 全体~; 전체 회의 / 小组~; 그룹 모임. ②(중요한 일을 협의 처리하는) 상설 기구. ¶中国人民政治协商~; 중국 인민 정치 협상 회의.
〔会意〕 huìyì 동 ①상대방의 기분을 알아차리다. 상대방의 마음을 헤아리다. 짐작하다. ¶他~地点了点头; 그는 알았다는 듯이 고개를 끄덕였다 / 看她一眼~地说; 그 여자를 한 번 보고 심중을 알아차려 말하다. ②마음에 맞다. 명 《言》 육서(六書)의 하나. ¶~文字; 회의 문자.
〔会阴〕 huìyīn 명 《生》 회음(會陰). =〔〈俗〉 海hǎi底②〕
〔会饮〕 huìyǐn 동 함께 술을 마시다.
〔会印〕 huìyìn 명동 두 사람 이상의 공무원이 공문서에 날인하다〔하는 일〕.
〔会友〕 huìyǒu 명 회원. 동업자. 동 교분을 맺다. ¶以文~; 문장으로써 친분을 맺다.
〔会元〕 huìyuán 명 옛날, '会试'의 장원 급제자.
〔会员〕 huìyuán 명 회원.
〔会葬〕 huìzàng 동 회장하다. 여럿이 장례에 참석하다.
〔会战〕 huìzhàn 명 ①회전(쌍방의 주력이 있는 지구에서, 어떤 날짜에 걸쳐서 하는 대부대의 결전). ②〈轉〉 힘을 결집해서 어떤 사업을 함. ¶开创中国石油工业广阔前景的大~; 중국의 석유 공업의 광범한 미래를 여는 대회전.
〔会章〕 huìzhāng 명 회칙.
〔会长〕 huìzhǎng 명 회장. ¶副fù~; 부회장 / 名誉~; 명예 회장. =〔〈文〉 会正〕
〔会丈〕 huìzhàng 동 입회하여 측량하다.
〔会账〕 huì·zhàng 동 (음식점 등에서) 계산을 치르다. 여러 사람의 지불을 한 사람이 도맡다. ¶你把账单子写好了, 我回头来~就是了; 네가 장부에 적어 두어라. 내가 나중에 지불할 테니까. =〔候hòu账〕〔会钞〕 →〔让ràng账〕
〔会诊〕 huì·zhěn 동 몇 명의 의사가 환자 한 사람을 진찰하다. 합동 진찰하다. ¶请了三位名医去~; 3명의 명의를 불러 합동 진찰했다. 명 합동 진찰.
〔会正〕 huìzhèng 명 〈文〉 ⇨〔会长〕
〔会址〕 huìzhǐ 명 ①단체 조직의 소재지. ②개최지.
〔会众〕 huìzhòng 명 ①회중. 모임에 모인 대중. ②옛날, 민간의 결사 등에 참가한 사람.
〔会子〕 huìzi〔huǐzi〕 명 잠시('一会儿' 보다는 상대적으로 긴 시간). ¶还要等~; 아직 잠깐 더 기다려야 한다. =〔回子〕〔一会子〕
〔会奏〕 huìzòu 동 연서하여 상주(上奏)하다.

浍(澮) Huì (회)

명 《地》 후이허 강(澮河)(허난 성(河南省)에서 발원하여 안후이 성(安徽省)으로 흐르는 강 이름). ⇒kuài

荟(薈) huì (회)

〈文〉 ① 형 초목이 무성한 모양. ② →〔荟萃〕
〔荟萃〕 huìcuì 동 (우수한 인물 등이) 모이다. ¶~一堂; 한 곳에 모이다 / 这是一次亚洲电影艺术的大~; 이것은 아시아 영화 예술의 정수의 큰 모임이다. =〔会萃〕

绘(繪) huì (회)

① 명 그림. ② 명 그림을 그린 천. ③ 동 그리다. ¶~彩色图画; 채색화를 그리다. =〔缋〕 ④ 동 제도(製圖)하다.
〔绘成〕 huìchéng 동 (…에) 그리다. (…을) 그림으로 그리다. ¶~了一幅风景画; 한 폭의 풍경화를 그리다.
〔绘画〕 huìhuà 명 회화. ¶~架; 화가. =〔画儿〕 (huì·huà) 동 그림을 그리다. =〔画画儿〕
〔绘具〕 huìjù 명 화구. 그림 그리는 데 쓰이는 제구.
〔绘声绘色〕 huìshēng huìsè ①(한자(漢字)의) 상형(象形)과 상성(象聲). ②(huì shēng huì sè) 〈成〉 (묘사가) 생생하다. 모습 그대로이다. ¶~的描写; 생생한 묘사. =〔绘影绘声〕
〔绘事〕 huìshì 명 〈文〉 그림에 관한 일.
〔绘图〕 huì·tú 동 제도하다. ¶~师; 제도사. 도안가. 입안자 / ~蜡纸; 트레이싱 페이퍼 / ~器; 제도기 / ~纸; ⓐ도화지. ⓑ켄트지.
〔绘像〕 huìxiàng 명 화상(畫像).
〔绘制〕 huìzhì 동 제도하다. ¶~地图; 지도를 제작하다 / 蓝图~出来了; 청사진이 완성되었다.

烩(燴) huì (회)

명동 ①야채를 기름에 볶아 낸 후 소량의 물에 갠 녹말 가루를 넣고 걸쭉하게 만들다〔만드는 요리법〕. ②쌀 따위에 생선·육류·닭고기·야채 등을 넣고 끓이다〔끓인 요리〕. ¶~饭; ⓐ위와 같이 지은 밥. ⓑ건더기를 얹은 밥 / 杂~; 잡탕 / ~饼; 떡과 여러 가지 재료를 넣고 끓인 것.
〔烩馍〕 huìmó 명 소형의 '锅饼'.
〔烩三丁〕 huìsāndīng 명 세 가지 재료를 주사위 모양으로 썰어, 기름으로 볶아 조미한 후 전분물을 얹은 요리.
〔烩生鸡丝〕 huìshēngjīsī 명 닭의 가슴살을 가늘게 잘라 소량의 녹말 가루에 계란 흰자를 넣어 섞고 끓는 수프 속에 넣어 익힌 요리.
〔烩什锦〕 huìshíjǐn 명 돼지고기에 여러 가지 야채를 넣고 기름에 볶은 후 물에 갠 녹말 가루를 넣고 걸쭉하게 만든 요리.

桧(檜) huì (회)

인명용 자(字). ¶秦~Qínhuì; 《人》 진회(秦檜)(악비(岳飛)를 죽인

남송(南宋)의 간신(惡臣)》. ⇒guì

诲(誨) huì (회) ① 동 교훈하다. 타이르다. ¶～人不倦; 〈成〉 참을성 있게 교훈하다. ② 명 교훈.

〔诲盗诲淫〕 huì dào huì yín 〈成〉 재물을 갖고서 소홀히 간직하면 남에게 훔칠 생각을 일으키게 하고, 여자가 음란하게 차리면 음욕(淫欲)을 일으키게 한다. =〔诲淫诲盗〕

〔诲示〕 huìshì 동 가르치다.

〔诲淫诲盗〕 huì yín huì dào 〈成〉 ⇨〔诲盗诲淫〕

〔诲谕〕 huìyù 동 가르쳐 깨우치다. 교훈을 주다.

晦 huì (회) ① 형 어둡다. ¶阴～; 어두운 곳에 숨어 있다. ② 형 분명하지 않다. ③ 형 불운하다. ④ 명 밤. ¶风雨如～; 풍우로 밤과 같이 어둡다. ⑤ 명 음력 그믐. =〔晦日〕 ⑥ 동 자취를 감추다. ⑦ 부 잠시 후에.

〔晦暗〕 huì'àn 형 〈文〉 어둡다. ¶面色～; 안색이 어둡다.

〔晦迹〕 huìjì 동 〈文〉 숨어서 자취를 감추다.

〔晦盲〕 huìmáng 형 〈文〉 어두워서 보이지 않다. 암흑이다.

〔晦蒙〕 huìméng 형 〈文〉 어둡다.

〔晦明〕 huìmíng 명 〈文〉 낮과 밤. 어두움과 밝음. 주야.

〔晦冥〕 huìmíng 형 〈文〉 어둡다. 어두컴컴하다. =〔晦暝〕

〔晦气〕 huìqì 형 ①불운하다. 재수가 없다. ¶～星; 불운의 별. 불길의 신 / 真是一件～的事; 정말로 불행한 일이다 / 认rèn了～了; 재수없는 것으로 여기다. ②괘씸하다. ¶～话; 괘씸한 말. 명 ①불운. 액. ②불운을 한탄하는 말.

〔晦涩〕 huìsè 형 (언어·문장이) 난해(難解)하여 뜻을 알 수 없다.

〔晦朔〕 huìshuò 명 ①〈文〉 그믐과 초하루. ②〈文〉 해가 지고 나서부터 새벽까지를 말함.

哕(噦) huì (홰) 〈擬〉 ①〈文〉 새의 울음소리. ②→〔哕哕〕 ⇒yuě

〔哕哕〕 huìhuì 〈擬〉〈文〉 딸랑딸랑《방울 소리》.

秽(穢) huì (예) 형 ①더럽다. =〔污秽〕 ②풀이 무성하여 황폐해지다. 명 ①더럼. ②추한〔더러운〕 행위. ③잡초.

〔秽德〕 huìdé 명 〈文〉 악덕(惡德).

〔秽点〕 huìdiǎn 명 ①오점. 얼룩. ②오명(汚名). 결점.

〔秽迹〕 huìjì 명 ①더러운 흔적. 추한 일. ②나쁜 행적(行跡).

〔秽乱〕 huìluàn 형 〈文〉 ①추잡하다. 야비하고 외설스럽다. 천하다. ②여색 등에 빠져 도덕이 문란하다.

〔秽气〕 huìqì 명 냄새. 악취.

〔秽声载道〕 huì shēng zài dào 〈成〉 악평이 가는 곳마다 충만하다.

〔秽土〕 huìtǔ 명 ①《佛》 예토. 이 세상. ②먼지. 쓰레기. ¶～车; 쓰레기차. =〔垃圾〕

〔秽闻〕 huìwén 명 〈文〉 (행실에 대한) 좋지 않은 평판. 추문(醜聞). 스캔들. ¶～四播; 나쁜 평판이 퍼지다 / ～远扬; 추문이 먼데까지 퍼지다.

〔秽污〕 huìwū 형 더럽다.

〔秽行〕 huìxíng 명 〈文〉 추행(醜行). 음란한 짓.

〔秽语〕 huìyǔ 명 〈文〉 상스러운 말. 욕지거리.

〔秽浊〕 huìzhuó 형 〈文〉 더럽고 흐리다.

翙(翽) huì (홰) →〔翙翙〕

〔翙翙〕 huìhuì 〈擬〉〈文〉 새가 날개 치는 소리.

恚 huì (에) 〈文〉 ① 동 원망하고 화내다. ¶～其无礼; 그 무례함에 대해 분노하다 / 闻言大～; 그 말을 듣고 크게 노하다. =〔恚恨〕 ② 명 분노. ③ 명 후회.

〔恚愤〕 huìfèn 동 〈文〉 격노하다.

〔恚望〕 huìwàng 동 〈文〉 원망하다.

贿(賄) huì (회) ① 명 재보. 재물. ② 명 뇌물. ¶送～ =〔行～〕; 뇌물을 주다 / ～案; 수회(收賄) 사건. =〔贿赂lù〕 ③ 동 뇌물을 쓰다.

〔贿赂〕 huìlù 명동 뇌물(을 주다). ¶受人的～; 남으로부터 뇌물을 받다 / 我～～他吧; 그에게 뇌물을 주어 보자.

〔贿买〕 huìmǎi 동 뇌물로 매수하다.

〔贿选〕 huìxuǎn 동 매수하여 당선을 꾀하다.

彗〈篲〉 huì〔〈舊〉 suì〕 (혜) 〈文〉 ① 명 비. ② 명 《天》 혜성. ¶～星; 혜성. 살별 / ～尾; 혜성의 꼬리. =〔长星〕〔帚星〕〔〈俗〉 扫帚星〕 ③ 동 햇빛에 쐬다.

蔧 huì〔〈舊〉 suì〕 (수, 혜) →〔王wáng蔧〕

嘒 huì (혜) ① 형 〈文〉 희미하고 작은 모양. =〔嘒嘒〕 ②〈擬〉 매미 소리.

慧 huì (혜) ① 형 슬기롭다. ¶聪～; 총명하다 / 貌若不～; 용모는 총명할 것 같지 않다. ② 명 지혜. ¶智～; 지혜(롭다).

〔慧给〕 huìjǐ 형 〈文〉 영리하고 구변이 좋다.

〔慧觉〕 huìjué 명 《佛》 천계(天啓)를 받음. 혜각.

〔慧敏〕 huìmǐn 형 총명하고 영리하다.

〔慧明〕 huìmíng 명 명확한 생각. 형 〈文〉 총명하다. 현명하다.

〔慧目〕 huìmù 명 ⇨〔慧眼〕

〔慧黠〕 huìxiá 형 〈文〉 교활하다.

〔慧心〕 huìxīn 명 ①《佛》 진리를 깨닫는 마음. ②〈比〉 지혜.

〔慧性〕 huìxìng 명 〈文〉 총명하고 영리한 성품.

〔慧眼〕 huìyǎn 명 《佛》 혜안. 〈轉〉 꿰뚫어 보는 안목. 날카로운 안목. =〔慧目〕

槥 huì (혜) 명 〈文〉 작은 관(棺). =〔槥椟dú〕

阓(闠) huì (궤) →〔阛huán阓〕

缋(繢) huì (회) 동 ⇨〔绘huì③〕

殨(殨) huì (궤) 동 부스럼이 터지다. =〔溃〕

〔殨脓〕 huìnóng 동 화농하다. 곪다. =〔溃脓〕

〔殨烂〕 huìlàn 동 헐다. 짓무르다. ¶手冻得红肿～了; 손이 얼어서 붉게 부어 짓물렀다.

溃(潰) **huì** (궤)
⇨〔殨〕⇒kuì

颒(靧) **huì** (회)
동 〈文〉 세수하다. 세면하다. =〔靧面〕

喙 **huì** (훼)
명 〈文〉 ①(조수(鳥獸)의) 주둥이. 부리. ②〈轉〉 사람의 입. ¶不容置~; 말참견을 허용하지 않는다/无庸置~; 쓸데없는 말참견을 하지 마라/百~莫辩; 아무리 발뺌하려고 해도 안 된다/~长三尺; 〈比〉 허풍을 떨다.

惠 **huì** (혜)
① 명 인애(仁愛). 은혜. 혜택. ¶施~于人; 남에게 은혜를 베풀다/受了人家的~, 得报答他; 남의 은혜를 입었으면, 그 사람에게 갚아야 한다. ② 동 은혜를 베풀다. ¶互~的原则; 호혜의 원칙. ③〈敬〉 상대방이 자기를 대하는 행위에 대해 경의(敬意)를 표시하는 말. ¶~赠; 보내 주시다/~复fù; 혜답(惠答)(바랍니다). ④〈文〉 옛날에, '慧huì'와 통용됨. ⑤ 명 성(姓)의 하나. ‖ =〔僡〕〔憓〕

〔惠爱〕 huì'ài 동 은혜롭게 사랑하다.
〔惠颁〕 huìbān 명동 〈翰〉 혜증(惠贈)(하다).
〔惠赐〕 huìcì 명동 〈翰〉 혜사(하다). ¶请即~荐书一封; 추천장 한 장 써 주실 것을 부탁드립니다.
〔惠存〕 huìcún 〈翰〉 받아 두시기 바랍니다《남에게 서적·사진·기념품 등을 보낼 때 쓰는 말. 본래는 윗사람에게 썼으나, 현재는 명확한 구별이 없음》. ¶王仁明先生~; 왕런밍님께 삼가 드립니다. =〔赐cì存〕
〔惠恩〕 huì'ēn 명 은혜. 자애. 온정.
〔惠而不费〕 huì ér bù fèi 〈成〉 은혜를 베풀어도 별로 비용이 안 든다《대단찮은 비용으로 이득을 얻음》. ¶这么~的事何乐而不为; 이렇게 돈 안 드는 일을 어찌 기꺼이 하지 않겠느냐.
〔惠风〕 huìfēng 명 ①(이른 봄에 부는) 온화한 바람. 봄바람. ¶~和畅; 온화한 바람이 불다. ②〈比〉 임금의 은혜.
〔惠工〕 huìgōng 명 옛날, 노동(자) 보호.
〔惠蛄〕 huìgū 명 ⇨〔蟪huì蛄〕
〔惠顾〕 huìgù 동 혜고(惠顧)를 받다. 신세를 입다.
〔惠函〕 huìhán 명 〈翰〉 혜함. 혜서(惠書).
〔惠及〕 huìjí 동 은혜가 미치다. 인정이 미치다. ¶~远方; 은혜가 먼 곳에까지 미치다.
〔惠寄〕 huìjì 명동 〈翰〉 혜송(하신 것을 받다).
〔惠鉴〕 huìjiàn 명동 〈翰〉 고람(高覽)(하다)《편지 서두에 씀》.
〔惠莅〕 huìlì 명동 〈翰〉 왕림(하시다).
〔惠临〕 huìlín 동 왕림(枉臨)하시다. 행차(行次)하시다. 명 왕림. 혜림. ¶日前~, 失迎为歉; 〈翰〉 일전에 왕림하셨을 때는 부재(不在)로 실례했습니다.
〔惠灵顿〕 Huìlíngdùn 명 《地》 웰링턴(Wellington)《'新Xīn西兰'(뉴질랜드: New Zealand)의 수도》.
〔惠然〕 huìrán 형 호의를 표하는 모양. ¶~肯来; 〈成〉 참으로 잘 오셨습니다.
〔惠声〕 huìshēng 명 〈文〉 매우 은혜롭다는 소문이 높음.
〔惠氏标准螺纹〕 huìshì biāozhǔn luó wén 명 인치제(inch 制) 나사《가장 널리 쓰이는 둥근 나사의 표준형》. =〔惠氏螺纹〕〔韦氏螺纹〕〔英扣〕〔〈方〉英国牙〕
〔惠示〕 huìshì 명동 〈翰〉 지시(하시다).
〔惠斯通电桥〕 huìsītōng diànqiáo 명 《物》 휘트스톤 브리지(Wheatstone('s) bridge). =〔单臂电桥〕〔威斯电桥〕〔惠士登电桥〕
〔惠恤〕 huìxù 명동 〈文〉 구제(하다).
〔惠询〕 huìxún 〈文〉 동 문의(問議)하심을 받잡다. 명 문의. 하문(下問). ¶承蒙~; 하문을 받다.
〔惠音〕 huìyīn 명동 〈文〉〈翰〉 혜서(를 받다).
〔惠泽〕 huìzé 명 〈文〉 혜택. 은혜.
〔惠政〕 huìzhèng 명 〈文〉 인정(仁政).

僡 **huì** (혜)
⇨〔惠huì〕

潓 **Huì** (혜)
명 《地》 안후이 성(安徽省)에 있던 옛날 강의 이름.

憓 **huì** (혜)
⇨〔惠huì〕

蕙 **huì** (혜)
명 《植》 ①혜초. =〔熏xūn草①〕 ②난초의 일종《향기 높고 담황색의 꽃이 핌》. ¶~心; 〈比〉 곱고 결백한 마음/~质; 〈比〉 위와 같은 성질. =〔蕙兰〕

蟪 **huì** (혜)
→〔蟪蛄〕

〔蟪蛄〕 huìgū 명 《蟲》 씽씽매미. =〔惠蛄〕

HUN ㄏㄨㄣ

昏〈昬〉 **hūn** (혼)
① 명 황혼. 해질 때. ¶黄~; 황혼/晨~; 조석(朝夕). 아침 저녁. ② 형 어둡다. ¶天~地暗; 주위가 캄캄하다. 세상이 어둡다. ③ 형 어리석다. ④ 형 어지럽다. 현기증이 나다. ¶头~脑胀; 현기증이 나서 머리가 어지럽다. ⑤ 형 정신이 흐리멍덩하다. 어리둥절하다. ¶打~了头脑; 머리가 돌았다. =〔发fā昏〕 ⑥ 동 정신을 잃다. 기절하다. ¶~过去了; 정신을 잃다. 인사불성이 되다. ⑦〈文〉 '婚hūn'과 통용.

〔昏暗〕 hūn'àn 형 어두컴컴하다. ¶太阳下山了, 屋里渐渐~起来; 해가 지고 방 안이 점점 어두워지다/灯光~; 등불이 희미하다/~不明; 어두워서 분명치 않다/心地~, 不明事理; 마음이 흐리멍덩하여 사리를 모르다. 동 쩔쩔매다.
〔昏惫〕 hūnbèi 형 〈文〉 몹시 피곤하다. 지칠 대로 지치다.
〔昏蔽〕 hūnbì 형 〈文〉 ①둔하다. ②(가려져서) 뚜렷하지 않다.
〔昏惨惨(的)〕 hūncǎncǎn(de) 형 ①(천지가) 어두운 모양. ②(장래가) 어두운 모양. ¶~的黄泉路近; 장래는 암담하고, 여생은 얼마 남지 않다.
〔昏钞〕 hūnchāo 명 〈文〉 글씨가 희미하게 보이는 낡은 지폐.
〔昏沉〕 hūnchén 형 ①어둑어둑하다. ¶暮色~; 땅거미가 져서 주위가 어둑어둑하다. ②몽롱하다. ¶喝醉了酒, 头脑~; 술취해서 머리가 몽롱하다. ③어둠침침하다.
〔昏沉沉(的)〕 hūnchénchén(de) 형 ①의식이 몽

롱한 모양. ¶脑子～的; 머리가 멍하다. ②모색(暮色)이 자욱한 모양.
〔昏倒〕 hūndǎo 동 정신이 아뜩하여 넘어지다.
〔昏定晨省〕 hūn dìng chén xǐng 〈成〉 ⇨〔晨昏定省〕
〔昏官〕 hūnguān 명 아둔한 관리. ¶她用钱收买了许多～; 그 여자는 돈으로 많은 아둔한 관리를 매수했다.
〔昏过去〕 hūn.guo.qu 의식이 멀어지다. 까무러치다. 기절하다. ¶哭得～了; 까무러칠 정도로 울었다.
〔昏黑〕 hūnhēi 형 ①(방·하늘·숲·빛 등이) 어둑어둑하다. ¶天色～; 하늘이 어슴푸레하다. ②(빛깔이) 거무스레하다. ③(표정이) 음울하다. ④(장래 등이) 암담하다.
〔昏花〕 hūnhuā 형 (주로, 노인이) 눈이 흐리다. 침침하다. ¶老眼～; 노안으로 눈이 침침하다.
〔昏黄〕 hūnhuáng 형 (하늘이나 불빛이) 흐릿하다. 흐려서 어둡다. 뿌옇다.
〔昏昏(的)〕 hūnhūn(de) 형 〈文〉 ①분명하지 않은 모양. ②어두운 모양. ③어두운 세계에 끌려들어가서 감각을 잃은 모양. ④푹 잠이 든 모양. ¶～熟睡; 정신 없이 자다. ⑤머리가 어지러운 모양. 정신이 가물가물한 모양. ¶终日～; 하루 종일 머리가 맑지 못하고 어지럽다. ‖＝〔惛惛①〕
〔昏昏沉沉〕 hūnhunchénchén 형 몽롱한 모양. 혼미해서 정신이 나지 않는 모양. ¶他发高烧, ～地睡了两天; 그는 높은 열이 나서 이틀 동안을 정신 없이 잤다. ＝〔昏沉②〕
〔昏昏盹盹〕 hūnhundǔndǔn 형 머리가 멍한 모양. 머리가 몽롱한 모양. 注 '昏盹'으로는 사용하지 않음.
〔昏昏沌沌〕 hūnhundùndùn 형 어두컴컴하여 분명치 않은 모양. 뚜렷하지 않은 모양. 注 '昏沌'으로는 사용하지 않음.
〔昏厥〕 hūnjué 동 《醫》 의식을 잃다. ＝〔晕yūn厥〕
〔昏君〕 hūnjūn 명 ①아둔한 군주. ②〈罵〉 사리를 분간하지 못하는 녀석. 바보. 얼간이.
〔昏溃〕 hūnkuì 형 (감각·의식 등이) 흐리다. ¶年老了有点～了; 나이를 먹어서 좀 멍해졌다.
〔昏聩〕 hūnkuì 형 ①〈文〉 눈은 침침하고 귀는 멀다. ②〈比〉 우둔하여 시비를 가릴 수 없다. 멍청하다. ¶～无能; 우둔하고 무능하다.
〔昏礼〕 hūnlǐ 명 ⇨〔婚礼〕
〔昏乱〕 hūnluàn 형 ①의식(意識)이 몽롱하다. ②〈文〉 사회가 혼란하다.
〔昏耄〕 hūnmào 형 〈文〉 늙어서 정신이 흐리고 기력이 쇠약하다. 노쇠하다.
〔昏瞀〕 hūnmào 형 〈文〉 무지하고 어리석다.
〔昏昧〕 hūnmèi 〈文〉 형 ①마음이 혼란하고 어지러워서 사물을 잘 모르다. ¶～不醒; 마음이 어지러워 정신을 차리지 못하다. ②정신을 잃고 어리둥절한 모양. ③머리가 둔하다. 우둔하다. 멍청하다. 동 현혹하다. ¶以邪术～人; 요술로 남을 현혹하다.
〔昏蒙〕 hūnméng 형 〈文〉 ①혼몽하다. 현기증이 나다. ②(욕심 따위로) 눈이 어둡다.
〔昏迷〕 hūnmí 형 혼수상태가 되다. 의식불명이 되다. ¶～不醒; 정신을 잃고 깨어나지 못하다.
〔昏睡〕 hūnshuì 동 혼수하다. 혼수상태에 빠지다. ¶～状态; 혼수상태.
〔昏睡病〕 hūnshuìbìng 명 혼수병《뇌염의 일종》.
〔昏天黑地〕 hūn tiān hēi dì 〈成〉 ①하늘이 어두운 모양. ②의식이 몽롱한 모양. ¶当时我流血过多, 觉得～的; 그 때 나는 출혈이 심해서 의식이 몽롱했다. ③생활이 문란한 모양. ¶过着～的生活; 매우 문란한 생활을 하다. ④사회가 어지러운 모양. ⑤(사람이) 무지하여 머리가 혼란한 모양. ¶这么大了还是～地不晓事; 이렇게 크게 자랐는데도 아직 무지하여 사리를 분간하지 못한다. ‖＝〔浑hún天黑地〕
〔昏头昏脑〕 hūn tóu hūn nǎo 〈成〉 ①우둔한. 흐리멍덩한. 얼빠진. ②얼떨떨하다. ‖＝〔昏脑〕〔昏头打脑〕〔浑头浑脑〕〔混头混脑〕
〔昏头转向〕 hūn tóu zhuàn xiàng 〈成〉 ⇨〔晕yūn头转向〕
〔昏王〕 hūnwáng 명 〈文〉 무도(無道)한 군주.
〔昏惘〕 hūnwǎng 형 〈文〉 ①멍청하다. ②제 정신이 아니다. ③감각이 둔하다.
〔昏晓〕 hūnxiǎo 명 〈文〉 황혼과 새벽. ＝〔早zǎo晚晨昏〕
〔昏心〕 hūnxīn 동 〈文〉 마음이 어두워지다. ¶利欲～; 이욕으로 마음이 어두워지다.
〔昏星〕 hūnxīng 명 《天》 개밥바라기《일몰 후 서쪽 하늘에 나타나는 금성이나 수성(水星)》.
〔昏眩〕 hūnxuàn 형 (눈앞이) 아찔하다. (정신이) 어질어질하다.
〔昏夜〕 hūnyè 명 어두운 밤. 어둠.
〔昏姻〕 hūnyīn 명 ⇨〔婚姻①〕
〔昏庸〕 hūnyōng 형 〈文〉 머리가 둔하다. 우둔하다. 우매하다. ¶老朽～; 노쇠하여 멍청해지다.
〔昏寓钱〕 hūnyùqián 명 황천길의 노자(路資)로서 시체와 함께 묘에 묻는 돈.
〔昏晕〕 hūnyūn 동 현기증이 나다.
〔昏谵〕 hūnzhān 동 정신을 잃고 헛소리를 하다. ¶发～; 정신을 잃고 헛소리를 하다 / ～发狂; 헛소리를 하며 미치다. 명 (정신을 잃고 하는) 헛소리.
〔昏胀〕 hūnzhàng 동 (머리가) 멍해지다.

惛 hūn (혼)

형 〈文〉 생각이 분명치 않다. 머리가 둔하다. 멍청하다. ¶～眊mào; ⇩
〔惛惫〕 hūnbèi 형 〈文〉 머리가 멍청하다〔멍하다〕. 매우 어리석다.
〔惛惛〕 hūnhūn 형 〈文〉 ① ⇨〔昏昏(的)〕 ②묵묵히 정려(精勵)하는 모양.
〔惛眊〕 hūnmào 형 〈文〉 노쇠하다.
〔惛懵〕 hūnméng 형 〈文〉 눈이 희미하고 흐리다. 눈이 어슴푸레하다.
〔惛迷〕 hūnmí 형 〈文〉 혼미하다. 사리에 어둡고 미욱하다.

阍(閽) hūn (혼)

명 〈文〉 ①문. 특히 궁문(宮門). ②궁문의 수위(守衛). 문지기. ＝〔阍人〕〔阍者〕〔司阍〕

婚 hūn (혼)

① 동 아내를 얻다. 결혼하다. ↔〔嫁〕 ② 명 결혼. ¶成～; 결혼이 성립되다 / 已～; 기혼 / 上～; 옛날, 남녀의 성격이 잘 맞는 좋은 연분 / 下～; 옛날, 남녀의 성격이 맞지 않는 부적당한 연분 / 结～; 결혼하다 / 赖～; 혼약을 파기하다. 혼약 불이행.
〔婚对〕 hūnduì 명 〈文〉 배우자.
〔婚媾〕 hūngòu 명 〈文〉 혼인.
〔婚假〕 hūnjià 명 결혼 휴가.
〔婚嫁〕 hūnjià 명 혼인. ＝〔嫁娶〕
〔婚据〕 hūnjù 명 ⇨〔婚书〕
〔婚礼〕 hūnlǐ 명 혼례. ¶举行～; 혼례를 치르다.

결혼식을 올리다 / ～蛋糕; 웨딩 케이크. =〔昏礼〕
〔婚龄〕 hūnlíng 명 ①《法》 결혼 연령. ②혼기. 결혼 적령기.
〔婚率〕 hūnlǜ 명 결혼율《인구 조사에서 1,000 명마다의 결혼수》.
〔婚配〕 hūnpèi 동 결혼하다. 배우자가 되다《흔히, 기혼·미혼의 구별에 쓰임》. ¶子女三人, 均已～; 아들딸 셋 모두 결혼했다. =〔结亲〕 명 배우자. ¶成～; 부부가 되다.
〔婚期〕 hūnqī 명 ①결혼 날짜. ¶定～; 결혼 날짜를 정하다 / 推迟～; 결혼 날짜를 늦추다. ②결혼 적령기. ¶错过～; 혼기를 놓치다.
〔婚娶〕 hūnqǔ 동 장가들다. 신부를 맞이하다.
〔婚丧〕 hūnsāng 명 혼례와 장례(葬禮). ¶～庆吊; 관혼 상제(冠婚喪祭) / ～嫁娶; ⓐ혼례·장례·출가(出嫁)·취처(娶妻). ⓑ관혼 상제 / ～礼吊; 〈成〉 경사(慶事)·흉사의 예의〔의리(義理)〕.
〔婚事〕 hūnshì 명 ①혼사. 결혼 행사. →〔红hóng事〕 ②혼담.
〔婚书〕 hūnshū 명 결혼 계약서. 혼서《붉은 종이에 용봉(龍鳳)의 무늬가 있음》. =〔龙凤帖〕〔礼书〕〔婚据〕
〔婚属〕 hūnshǔ 명 〈文〉 어머니 또는 아내의 가족. 친척.
〔婚田〕 hūntián 명 옛날, 신부의 결혼 지참금으로서의 전답.
〔婚姻〕 hūnyīn 명 ①혼인. 결혼. ¶～法; 혼인법 / 在民主国家, ～完全由男女自己作主; 민주 국가에서는 혼인은 완전히 당사자 자신의 의사에 의해서 이루어진다. =〔昏姻〕 ②〈文〉 부부(夫婦).
〔婚约〕 hūnyuē 명동 결혼 약속(을 하다). 약혼(하다).

荤(葷) hūn (훈)
명 ①육식. 고기·생선 요리. ¶大～; 육류를 주재료로 하는 요리 / 小～; 육류를 거의 사용하지 않는 요리 / 开～; 정진 기간이 끝나 평상시의 식사를 하다 / 饺子馅儿是～的还是素的? 만두소는 고기냐 야채냐? ②《佛》 파·마늘 따위의 냄새나는 채소. ③〈比〉 말이나 문장 등의 외설이 짙은 것. ⇒xūn
〔荤菜〕 hūncài 명 어육 요리. ↔〔素sù菜〕
〔荤糕〕 hūngāo 명 찐 쌀가루를 틀에 넣고 주사위 모양으로 썬 돼지비계와 과일을 섞어 찐 단 과자.
〔荤酒〕 hūnjiǔ 명 육류와 생선 요리와 술. ¶不许～入山门; 절 안에 고기와 술을 지참하는 것을 불허함.
〔荤素〕 hūnsù 명 육류 요리와 소채 요리.
〔荤汤腊水(儿)〕 hūntāng làshuǐ(r) 명 육류나 기름을 써서 만든 국이나 음식. ¶在这里, 要饭也能要到～的, 乡下只有棒子面《老舍 駱駝祥子》; 이곳에서는 거지 노릇을 해도 좋은 음식을 얻을 수 있지만, 시골에서는 옥수수 가루로 만든 찐빵밖에 없다 / 乡下人成年价吃不着～; 시골 사람은 일 년 내내 고기나 기름을 써서 만든 맛있는 음식은 먹을 수 없다.
〔荤辛〕 hūnxīn 명 (파·마늘 등의) 냄새가 강한 야채.
〔荤腥(儿)〕 hūnxīng(r) 명 (생선과 육류 등의) 비린내 나는 음식.
〔荤油〕 hūnyóu 명 라드(lard). 동물성 기름. =〔猪油〕↔〔素sù油〕

浑(渾) hún (혼)
①형 탁하다. 탁해지다. ¶水～了; 물이 탁해졌다. =〔混hún〕 ②동 속에 넣어 두고 밖에 나타내지 않다. ③부 모두. 완전히. 아주. 전연. ¶～身是汗; 온몸이 땀투성이 / ～然不觉; 전혀 알아차리지 못하다. =〔混hún〕 ④부 〈文〉 거의. ¶谷穗低垂, ～欲贴地; 곡물 이삭이 낮게 처져서 거의 지면에 닿을 것 같다. ⑤부 아마. ⑥형 멍청하다. 사리를 분별하지 못하다. ¶犯～; 못난 짓을 하다 / ～话; ⇓ =〔混hún〕 ⑦형 섞여 있다. ¶～沌 =〔混沌〕; 혼돈된 모양. ⑧형 자연의. 천성의. 순진하다. ¶～实; 천진난만하다. ⑨명 성(姓)의 하나.
〔浑不似〕 húnbusì 명 《樂》 비파(琵琶)와 비슷한 옛날 악기. =〔火不思〕
〔浑成〕 húnchéng 동 ⇨〔浑囵〕
〔浑词〕 húncí 명 비어(卑語). 속어.
〔浑大鲁儿〕 húndàlǔr 명 〈俗〉 철없는 아이. 응석꾸러기. 늦된 아이. 동 떼를 쓰다.
〔浑蛋〕 húndàn 명 ⇨〔混蛋〕
〔浑沌〕 húndùn 형 ⇨〔混hùn沌〕 명 ①전설상의 악수(惡獸)의 이름. ②〈比〉 자연.
〔浑噩〕 hún'è 형 ①멍청하다. 흐리멍덩하다. 둔감하다. ¶那个小伙子, 长得很是～; 저 젊은이는 멍청하게 생겼다. ②천진난만하다. ③무지(無知)하다.
〔浑倌(儿)〕 húnguān(r) 명 정식 기생(妓生).
〔浑涵〕 húnhán 동 포용(包容)하다.
〔浑号〕 húnhào 명 ⇨〔绰chuò号(儿)〕
〔浑黑〕 húnhēi 형 아주 캄캄하다.
〔浑横(儿)〕 húnhèng(r)〔hùnhèng(r)〕 명 난폭자. 덜렁대는 사람.
〔浑厚〕 húnhòu 형 〈文〉 ①순박(純朴)하다. 성실하고 인정이 많다. ¶天性～; 천성이 순박·온후하다. ②(시(詩)·글씨 따위가) 중후(重厚)하다. ¶笔力～; 운필(運筆)이 중후하다 / 峰峦～; 봉우리가 웅대하게 겹쳐 있다. ③(용모가) 통통하다. 관록이 있다. ¶～的面容; 중후한 느낌의 용모. ④(몸이) 헌걸차다.
〔浑话〕 húnhuà 명 조리가 닿지 않는 이야기. 아무렇게나 하는 이야기. 허튼 소리.
〔浑浑〕 húnhún 형 〈文〉 ①큰 모양. ②혼란한 모양. ③순박한 모양.
〔浑混〕 húnhùn 형 ⇨〔混沌〕
〔浑浑噩噩〕 hún hun è è 〈成〉 ①순박하다. 천진하다. ②얼빠진 모양. 멍청한 모양. 무지 몽매한 모양.
〔浑家〕 húnjiā 명 ①온 가족. 모든 가족. ②아내. 처.
〔浑金璞玉〕 hún jīn pú yù 〈成〉 제련하지 않은 금과 닦지 않은 옥《천성(天性)의 미질(美質)》. =〔璞玉浑金〕
〔浑劲儿〕 húnjìnr 형 ①사리(事理)를 분간하지 못하는 모양. ②침착성이 없는 모양.
〔浑酒〕 húnjiǔ 명 탁주.
〔浑括〕 húnkuò 동 〈文〉 한데 모으다. 총괄하다.
〔浑老头〕 húnlǎotóu 명 마작의 약의 이름. '幺yāo九牌' 만으로 짝 맞추는 약.
〔浑愣〕 húnlèng 형 어리석고 분별 없다.
〔浑卤〕 húnlǔ 명 수프를 넣어 만든 진한 국물.
〔浑沦〕 húnlún 형 〈文〉 혼돈한 모양《우주 생성의 시초에 천지 만물이 아직 확실하게 구분되지 않은 모양》.
〔浑囵〕 húnlún 동 뭉뚱그리다. 일괄하다. ¶～着说; 일괄하여 말하다. =〔浑成〕
〔浑朴〕 húnpǔ 형 질박(質朴)하다. 소박하다.
〔浑气〕 húnqì 명 고약한 냄새.
〔浑球儿〕 húnqiúr 명 〈罵〉 바보. 멍청이. =〔混球

儿〕
〔浑然〕 húnrán 부 ①혼연히. 몽땅. 완전히. ¶ ～一体; 〈成〉 혼연 일체가 되다 / 思想与情感～融róng合成一体; 사상과 감정이 혼연 일체가 되다. ②전연. 전혀. ¶ ～无知; 아주 무지하다.
〔浑人〕 húnrén 명 〈文〉 어리석은 사람. 멍청이.
〔浑身〕 húnshēn 명 온몸. 전신. ¶ ～发抖; 전신을 와들와들 떨다〔부르르 떨다〕/ ～是胆; 〈成〉 매우 대담한 모양. =〔混hūn身〕〔周身〕〔全身〕
〔浑身儿卧〕 húnshēnrwò 동 (옷을 입은 채) 눕다. 등걸잠을 자다. ¶ 他累lèi得顾不得脱衣服就～了; 그는 피곤해서 옷을 벗을 기운도 없어 그대로 누워 버렸다.
〔浑实〕 húnshi ① →〔字解⑧〕 ② 형 (아이가) 토실토실 살이 쪄서 튼튼하다. ¶ 这孩子从一小儿就挺～; 이 아이는 갓 났을 때부터 참으로 토실토실하고 튼튼했다.
〔浑水〕 húnshuǐ ① 명 탁한 물. 흐린 물. ¶ ～坑; 웅덩이 / ～沉下去了 =〔～沉底了〕; 탁한 물이 맑게 되었다. ②(hún shuǐ) 물을 흐리게 하다.
〔浑水捞鱼〕 hún shuǐ lāo yú 〈成〉 ⇨〔浑水摸鱼〕
〔浑水摸鱼〕 hún shuǐ mō yú 〈成〉 탁한 물에서 고기를 잡다《혼잡한 틈을 타서 이익을 얻다. 불난 데에 가서 도둑질하다》. ¶ 他仍然颠倒黑白, 妄想～, 乃是万万不能容忍的; 그가 여전히 사실을 왜곡하고〔흑백을 전도시켜〕, 얼떨결에 한몫 보려고 망상하고 있는 것은 단연코 용서할 수 없다. =〔浑水捞鱼〕〔混水摸鱼〕
〔浑似〕 húnsì 〈古白〉 아주 흡사하다. 꼭 그대로다. ¶ 精神～个西王母; 기력이 좋기가 서왕모(西王母)와 꼭 같다. =〔浑一似〕〔活像〕
〔浑俗和光〕 hún sú hé guāng 〈成〉 재지(才智)를 감추고 남과 다투지 않음《자기 현시욕(自己顯示欲)이 없이 다른 사람과 동조(同調)함》.
〔浑天黑地〕 hún tiān hēi dì 〈成〉 ⇨〔昏hūn天黑地〕
〔浑天球〕 húntiānqiú 명 ⇨〔浑天仪①〕
〔浑天星〕 húntiānxīng 명 어찌할 도리가 없는 놈. 다루기 힘든 사람. 난폭한 사람.
〔浑天仪〕 húntiānyí〔hùntiānyí〕 명 《天》 ①혼천의. =〔浑天球〕〔浑仪〕 ②천구의(天球儀).
〔浑铁〕 húntiě 명 정련(精鍊)하지 않은 쇠. =〔生铁〕
〔浑头浑脑〕 hún tóu hún nǎo 〈成〉 ⇨〔昏hūn头昏脑〕
〔浑头儿〕 húntóur 명 첩(妾).
〔浑象〕 húnxiàng 명 ⇨〔天tiān球仪〕
〔浑淆〕 húnxiáo 동 ⇨〔混hùn淆〕
〔浑小子〕 húnxiǎozi 명 바보 같은 놈. 멍청이《젊은 남성에게 씀》.
〔浑一似〕 húnyīsì ⇨〔浑似〕
〔浑衣而卧〕 hún yī ér wò 〈成〉 옷 입은 채로 자다.
〔浑圆〕 húnyuán 형 동그랗다. ¶ ～的月亮; 둥근 달.
〔浑杂〕 húnzá 동 〈文〉 뒤섞이다. 혼란하다.
〔浑着心〕 húnzhe xīn 깜박 방심하다.
〔浑浊〕 húnzhuó 형 ①(액체가) 혼탁하다. ②(눈이) 흐리다. (마음·의식이) 혼란하다. ③(빛깔이) 칙칙하다. 거무칙칙하다.

珲(琿) hún (혼)
옥(玉)의 이름으로, 지명용 자(字). ¶ ～春Húnchūn; 《地》 훈춘(珲春)《지린 성(吉林省)에 있는 현(縣) 이름》. ⇒ huī

𪕮(鼲) hún (혼)
명 《動》 (평원에 혈거(穴居)하는) 다람쥐과의 동물. =〔𪕮鼠〕〔黄鼠〕

混 hún (혼)
형부 ⇨〔浑①③⑥〕 ⇒ hùn

〔混蛋〕 húndàn 명 〈罵〉 얼빠진 놈. 병신 같은 자식. ¶ ～出尖儿; 세상 천지에 둘도 없는 바보. =〔王八蛋〕〔浑蛋〕〔混虫〕〔浑虫〕

馄(餛) hún (혼)
→〔馄饨〕

〔馄饨〕 húntún 명 훈둔탕. =〔元汤〕〔〈方〉 抄手(儿)〕

魂 hún (혼)
명 ①(～儿) 영혼. ¶ ～都吓xià掉了 =〔吓得连～都没了〕; 기겁을 하고 놀랐다 / 没了～儿; ⓐ혼이 나가다. ⓑ정신이 돌다. 미치다. ②국가·민족의 숭고한 정신〔혼〕. ¶ 民族～; 민족혼 / 国～; 나라의 정신.

〔魂帛〕 húnbó 명 흰 명주에 죽은 이의 생년월일시와 사망 연월일시를 적어 묘 옆에 묻는 인형.
〔魂不附体〕 hún bù fù tǐ 〈成〉 질겁을 하다. 혼비백산하다.
〔魂不守舍〕 hún bù shǒu shè 〈成〉 마음이 그곳에 있지 않다. 마음이 들떠 있다.
〔魂车〕 húnchē 명 안에 의관(衣冠)을 놓아 죽은 이가 타고 있는 모양을 나타낸 상여. =〔魂舆〕
〔魂飞魄散〕 hún fēi pò sàn 〈成〉 혼비백산하다. 혼이 날아 흩어지다《몹시 놀라다》. ¶ 惊jīng得～; 혼이 달아날 만큼 깜짝 놀라다. =〔魄散魂飞〕
〔魂飞天外〕 hún fēi tiān wài 〈成〉 혼이 하늘 밖으로 날아가다《매우 놀람》.
〔魂轿〕 húnjiào 명 장례식 때 위패(位牌)를 싣는 가마.
〔魂灵(儿)〕 húnlíng(r) 명 〈口〉 혼. 정신.
〔魂梦不安〕 hún mèng bù ān 〈成〉 침착성을 잃고 있다. 두근거려 불안하다.
〔魂魄〕 húnpò 명 영혼《흔히, 사람에게는 삼혼(三魂) 칠백(七魄)이 있다 함》.
〔魂亭〕 húntíng 명 장례식 행렬에 참가하는 종이로 만든 정자.
〔魂衣〕 húnyī 명 죽은 사람을 제사 지내는 영좌(靈座) 위에 놓는 의관.
〔魂舆〕 húnyú 명 ⇨〔魂车〕

诨(諢) hùn (원)
① 동 농담하다. ② 명 농담. ¶ 打～; 농담하다.

〔诨词小说〕 hùncí xiǎoshuō 명 송대(宋代)에 속어체로 재미있고 익살맞게 쓴 소설《야담·만담류로, '说话人'(야담가)의 이야기 대본의 총칭》. =〔浑词小说〕
〔诨名〕 hùnmíng 명 별명. =〔诨号〕〔绰号(儿)〕〔混名〕

圂 hùn (혼)
명 〈文〉 ①변소. ②가축.

溷 hùn (혼)
〈文〉 ① 형 어지럽다. 흐트러지다. ② 형 더럽다. ¶ ～浊 =〔混浊〕; 더럽다. 흐리다. 혼탁하다. ③ 동 소식〔흔적〕이 없게 하다. 간 곳을 알 수 없게 하다. 가뭇없게 만들다. ④ 명 변소.

¶～厕cè; 변소. ⑤ 명 가축의 우리. 돼지우리.

慁〈慁〉 **hùn** (혼) 〈文〉① 동 근심〔우려〕하다. ② 동 혼란시키다. 시끄럽게 하다. ¶不敢以琐事相～先生; 사소한 일로 선생님을 괴롭힐 수 없습니다. ③ 형 혼란한 모양.

混 **hùn** (혼) ① 동 섞이다. 섞다. ¶～在一块儿; 함께 섞다〔섞여 있다〕. ② 동 혼란해지다. 혼란케 하다. 혼동하다. ③ 동 살다. 헛되이 지내다. 어물어물 그 자리를 넘기다. 그럭저럭 살아가다. ¶这个年头儿不容易～; 요즘 세상은 빈둥거리며 살아가기는 어렵다 / 他和我们～得很熟了; 그는 우리와 함께 지내며 매우 친해졌다 / ～不过去; 궁지에 몰렸다 / 整天胡～; 하루 종일 빈둥빈둥 놀고 지내다. ④ 동 얼버무리다. 적당히 넘기다. ¶含～; 엉터리다 / ～毕业了; 제대로 공부도 하지 않고 졸업했다 / ～出主意; 즉흥적으로 의견을 내다. ⑤ 동 속이다. 사칭하다. …인 양 행세하다. ¶蒙～过关; 〈成〉 거짓말로 일시 모면하다 / 鱼目～珠; 가짜와 진짜를 함께 섞다. =〔蒙混〕 ⑥ 동 (비정상적인) 관계를 맺다. ¶他们～得烂熟; 그들은 밀착된 관계다. ⑦ 형 더럽다. 지저분하다. ⑧ 부 제기랄!《뜻대로 되지 않을 때》. ¶～他叫了; 제기랄! 자식 좀더 눈치를 알아차려서 부르지 않고! ⑨ 부 함부로. 되는대로. ⇒hún

〔混成〕 hùnchéng 동 섞이어 되다. 일체가 되어 이루어지다. ¶～旅; 《軍》 혼성 여단(‘～旅团’의 약칭).

〔混充〕 hùnchōng 동 사칭(詐稱)하다. ¶～内行; 전문가인 체하다 / 要严密注意防备有人～入场; 남의 이름을 사칭하여 입장하는 것을 방지하도록 엄중한 주의를 요한다. =〔假冒〕

〔混沌〕 hùndùn 형 ①천지 개벽 초에 만물의 형상(形象)이 아직 나뉘지 않은 모양. ¶～初开; 천지 개벽. ②사물의 구별이 확실하지 않은 모양. ‖=〔浑沌〕〔浑混〕

〔混而为一〕 hùn ér wéi yī 〈成〉 섞여서 하나가 되다. 섞어서 하나로 하다.

〔混翻〕 hùnfān 동 휘저어 뒤섞다. 휘젓다.

〔混饭〕 hùn∙fàn 동 (그때 그때) 생활하다. 겨우 먹고 살다.

〔混饭吃〕 hùnfànchī ①적당히 먹고 살다. 그럭저럭해서 밥이나 먹다. 힘들이지 않고 세상을 살아가다. ¶不过在机关里挂个名～罢了; 이름만 걸어 놓고 관공서 근무는 그럭저럭한다. ②먹고 살기 위해 그날 그날의 벌이를 하다. ¶现在人浮于事, ～很不容易; 현재로서는 사람이 남아 돌아가기 때문에 취직하기는 쉽지 않다.

〔混纺〕 hùnfǎng 명 《紡》 ①혼방. ¶～纱 =〔～线〕; 혼방사(絲) / 棉毛～; 면모 혼방. ②혼방 직물.

〔混肥机〕 hùnféijī 명 비료 혼합기.

〔混分儿〕 hùn∙fēnr 동 (학생이) 실질적인 내용이 수반되지 않고, 단지 점수만 얻으려고 하다. ¶有些学生平常简直不用功, 得过且过地～, 以为只能得着zháo一张毕业文凭就够了; 학생들 중에는 평소에는 전혀 공부하지 않고, 학생이란 이름뿐 그때그때 되어 가는 대로 하면서, 졸업 증서를 받기만 하면 된다고 생각하는 자도 있다.

〔混汞法〕 hùngǒngfǎ 명 《化》 혼홍법. 아말감법.

〔混供〕 hùngòng 동 엉터리 같은 주장을 하다.

〔混号〕 hùnhào 명 ⇨〔绰chuò号(儿)〕

〔混合〕 hùnhé 동 혼합하다. 섞이다. 혼동하다. ¶～列车 =〔客货～列车〕; 화객(貨客) 혼합 열차 / ～内阁 =〔联立内阁〕; 연립 내각 / ～公司; 합판(合辦) 회사 / 男女～双打; 《體》 혼합 더블즈 / 这是两件事, 不要～在一起; 이것은 서로 별도의 것이다, 혼동하지 마라. 명 혼합. ¶～肥料; 배합 비료. 조합(調合) 비료 / ～滚筒; 혼합롤(roll) / ～混凝土; 혼합 콘크리트 / ～晶; 《化》 혼정(混晶) / ～气; 혼성 가스 / ～器; 믹서 / ～燃料; 배합 연료 / ～授粉法; 종류가 다른 꽃가루를 섞어서 하는 인공 수분/ ～面儿; 불순물이 많은 질이 나쁜 밀가루 / ～性食物; ⓐ혼식(混食). ⓑ배합 식품 / ～泳; 《體》 (수영의) 개인 메들리.

〔混合比〕 hùnhébǐ 명 혼합비.

〔混合式接力泳〕 hùnhéshì jiēlìyǒng 명 수영의 혼계영(混繼泳). ¶在～上天津队获胜; 혼계영에서는 톈진(天津) 팀이 이겼다.

〔混合双打〕 hùnhé shuāngdǎ 명 《體》 혼합 복식.

〔混合水泥〕 hùnhé shuǐní 명 혼합 시멘트.

〔混合台〕 hùnhétái 양 트랙터의 대수 계산 단위《마력에 의하지 않고 실제의 대수에 의함》. =〔自然台〕

〔混合物〕 hùnhéwù 명 혼합물.

〔混横儿〕 hùnhèngr 명 난폭자.

〔混花〕 hùnhuā 동 낭비하다.

〔混话〕 hùnhuà 명 시시한 이야기. 터무니없는 말.

〔混混〕 hùnhùn 〈文〉 ① 형 원기 왕성한 모양. ② 형 혼탁한 모양. ¶～浊浊; 흐려져 있는 모양. ③ 동 임시 방편으로 하다. ¶像我们这些庸材, 只好～罢了《老殘遊記》; 우리 같은 하찮은 인간은 그날 그날을 살아가는 것이 고작이다. ④〈擬〉 물결 소리.

〔混混儿〕 hùnhunr 명 ①(직업 없이 놀고 지내는) 건달. ②브로커. ‖=〔混手子〕

〔混迹〕 hùnjì 동 〈文〉 잠입하다. 뒤섞여 들어가다. 함부로 출입하다. ¶～人丛中; 군중 속에 섞여 들어가다. 종적을 감추다.

〔混进〕 hùnjìn 동 잠입하다. 속이고 들어가다. 뒤섞다. 혼합하다.

〔混控〕 hùnkòng 동 무고(誣告)하다. 함부로 고소(告訴)하다.

〔混赖〕 hùnlài 동 얼버무려서 책임을 벗어나다. 얼버무려서 남에게 책임을 뒤집어씌우다. ¶一味～不肯认错; 오로지 속이기만 하고 잘못을 인정하려 들지 않다.

〔混乱〕 hùnluàn 명형 혼란(하다).

〔混抡〕 hùnlūn 동 ①(몽둥이 따위를) 함부로 휘두르다. ②(깡패처럼) 건들거리다.

〔混沦〕 hùnlún 형 굴러가는 모양.

〔混棉机〕 hùnmiánjī 명 《機》 솜틀. 타면기(打綿機).

〔混面〕 hùnmiàn 명 조악(粗惡)한 밀가루. 막치 밀가루.

〔混面机〕 hùnmiànjī 명 밀가루를 개는〔반죽하는〕 기계.

〔混名〕 hùnmíng 명 ⇨〔诨名〕

〔混闹〕 hùnnào 동 야단법석을 떨다. =〔胡闹〕

〔混凝剂〕 hùnníngjì 명 《化》 응고제.

〔混凝土〕 hùnníngtǔ 명 콘크리트(concrete). ¶～搅拌机; 콘크리트 믹서 / ～搅拌车; 콘크리트 믹서차 / ～搅拌厂 =〔拌和楼〕; 배처 플랜트(batcher plant)《토목 공사 현장에서 대량의 콘크리트를 조제·공급하는 설비》/ ～浇注机; 콘크리트 프레서 / ～工; 콘크리트 공사 / ～块; 콘크

리트 블록 / 钢筋～; 철근 콘크리트 / 浇灌～; 콘크리트를 부어 넣다.
〔混跑〕 hùnpǎo 동 마구 뛰어 돌아다니다.
〔混频管〕 hùnpínguǎn 명 《電》 혼합관(混合管).
〔混然〕 hùnrán 형 ①구별·구분이 없는 모양. ②무지(無知)한 모양.
〔混扰〕 hùnrǎo 형 혼잡하다.
〔混认〕 hùnrèn 동 〈文〉 엉터리 자백을 하다. ¶畏wèi刑～; 고문이 무서워서 아무렇게나 자백하다.
〔混日子〕 hùn rìzi 그럭저럭 세월을 보내다. 무위(無爲)하게 날을 보내다. 하루살이 생활을 하다.
〔混入〕 hùnrù 동 혼입하다. (뒤)섞여 들어가다.
〔混杀〕 hùnshā 동 〈文〉 함부로 죽이다.
〔混身上下〕 hùnshēn shàngxià 전신(全身). ¶小个子, 小长cháng脸, 小手小脚, ～无一处不小, 而且都长zhǎng得匀称《老舍 四世同堂》; 몸은 작고, 얼굴도 갸름하니 작고, 손발도 작고, 전체적으로 몸집은 작으마하지만, 균형이 잡혀 있다.
〔混世魔王〕 hùnshì mówáng 〈比〉 세상을 떠들썩하게 하고 사람들에게 해를 주는 대악인(大惡人).
〔混事〕 hùn.shì 동 〈貶〉 ①먹기 위해서 일하다. ②(뚜렷한 목적 없이) 일을 하다. 적당히 해서 그 당장을 넘기다. ③〈俗〉 매춘하다. ¶～的; 매춘부(婦).
〔混事由儿〕 hùn shìyóur 생활의 방도를 도모하다. 그럭저럭 밥벌이하다.
〔混手儿〕 hùnshǒur 명 건달.
〔混手子〕 hùnshǒuzi 명 ⇨〔混混儿〕
〔混熟〕 hùnshú 동 ①친숙해지다. ¶老百姓还没有跟我们～; 농민들은 아직 우리들과 그다지 친한 사이가 아니다. ②어떻게든 해서 친숙하게 되다.
〔混水〕 hùnshuǐ〔húnshuǐ〕 명 ①흐린〔탁한〕 물. ②〈比〉 바르지 못함. 부정한 일. ¶他们俩做错了事, 不知改悔, 反要往～里拉我们, 岂不可恨; 그들 두 사람은 일을 잘못하고 회개하려고도 하지 않고, 오히려 나를 부정한 일에 끌어들이려고 한다. 얼마나 가증(可憎)스런 놈인지 / ～里好摸鱼; 흐린 물 속에서는 물고기를 잡기가 쉽다《혼잡하고 어수선한 속에서는 (부정한 일로) 큰 이득을 얻기가 쉽다》.
〔混说〕 hùnshuō 동 입에서 나오는 대로 아무렇게나 말하다.
〔混堂〕 hùntáng 명 공중 목욕탕.
〔混糖〕 hùntáng ① 명 설탕을 넣은 밀가루로 만든 식품. ¶～馒头; 설탕을 넣은 밀가루로 만든 찐빵. ②(hùn táng) 설탕을 섞다.
〔混天撩日的〕 hùntiān liàorìde 괘씸한 짓을 하다. ¶你～, 在外头干的好事, 只当我不知道吗? 너는 딴 데서 허튼 짓을 하고 있는데, 내가 모르는 줄 아느냐?
〔混挑〕 hùntiāo 동 함부로 남의 잘못〔흠〕을 들춰내다.
〔混同〕 hùntóng 동 혼동하다. ¶不可将他们～起来; 그들을 혼동하면 안 된다.
〔混头混脑〕 hùn tóu hùn nǎo 〈成〉 ⇨〔昏hūn头昏脑〕
〔混为一谈〕 hùn wéi yī tán 〈成〉 아무것이나 한데 뒤버무리다. 동일시하다. =〔并为一谈〕
〔混线〕 hùn.xiàn 동 《電》 혼선(混線)되다.
〔混响〕 hùnxiǎng 명 《物》 잔향(殘響).
〔混淆〕 hùnxiáo 동 ①(흔히, 추상적인 사항이) 뒤섞이다. ¶～不清; 뒤섞여 분명치 않다 / 真伪～; 진위가 뒤섞이다. ②뒤죽박죽 섞여 혼동시키다. 헛갈리게 하다. ¶～视线; 〈成〉 남의 눈을 속이다 / ～黑白; 흑백을 혼동하다 / ～是非; 시비를 구별하지 않다 / ～视听; 〈成〉 남의 이목을 현혹시키다 / ～敌我; 적군과 아군을 혼동하다. ‖ =〔浑淆〕
〔混星子〕 hùnxīngzi 명 난폭자. 교란자(攪亂者). ¶这个～, 哪儿有了他都不得安静; 이 교란자로 말하면, 이 녀석이 오기만 하면 어디나 무사 평온할 수는 없다. =〔搅和星〕
〔混悬〕 hùnxuán 명 《化》 현탁(懸濁). ¶～液yè; 현탁액.
〔混血〕 hùnxuè 명 혼혈. ¶～儿ér; 혼혈아. (hùn.xiě) 동 혼혈하다.
〔混一〕 hùnyī 동 섞여서 하나가 되다. 합병하다.
〔混夷〕 Hùnyí 명 ⇨〔犬Quǎn戎〕
〔混应滥应〕 hùn yīng làn yīng 〈成〉 제멋대로 승낙하다.
〔混元〕 hùnyuán 명 〈文〉 천지 개벽.
〔混杂〕 hùnzá 동 뒤섞이다. 어수선하다. ¶鱼龙～; 〈成〉 좋은 사람이나 나쁜 사람이나 뒤섞여 있다.
〔混战〕 hùnzhàn 명동 혼전(하다). 난투(하다). ¶～一场; 한바탕의 혼전.
〔混账〕 hùnzhàng 〈罵〉 명 얼간망둥이. 바보. 멍청이. 철면피. 엉터리. ¶～话; 실없는〔난잡한〕 이야기 / ～小子; 망할 자식! (hùnzhang) 형 어리석다. 멍청하다. 뻔뻔하다. 터무니없다. ¶好～! 아주 형편 없다. =〔混帐〕
〔混种〕 hùnzhòng 명 ⇨〔混作〕
〔混浊〕 hùnzhuó 형 ①(물·공기 따위가) 혼탁하다. 흐리다. ¶～的空气; 혼탁한 공기. ②(색채 따위가) 칙칙하다. ③(음성이) 탁하다. 맑지 않다. ¶那音声～, 像是一个年老的人; 그 목소리는 탁하여 노인과 같다.
〔混子〕 hùnzi 명 ①사이비(似而非)…. ¶学～; 사이비 학자 / 营～; 쓸모없는 장기근무 병사. ②(카드놀이의) 조커. ③《魚》 초어(草魚)《잉어과의 물고기. 잉어와 비슷한데 수염이 없음》.
〔混作〕 hùnzuò 명 《農》 혼작. =〔混种〕

HUO ㄏㄨㄛ

嚄(騞〈剨〉) huō (획) 〈괵〉 〈擬〉 〈文〉 찌익《물건이 파열하는 소리》.

耠 huō (합) 《農》 ①(～子) 명 흙을 파 뒤집어 부드럽게 하는 농구《'犁～子', '锄～子' 따위가 있으며, 각기 보습 대신으로도 쓰임》. ② 동 위의 농구를 써서 흙을 파 일으키다. ¶～个二三寸深就够了; 두세 치쯤 파 일구면 충분하다. =〔豁④〕

锪〈鍃〉 huō (화) '锪huò'의 우음(又音).

劐 huō (확) 동 〈口〉 ①(괭이 따위로) 파 일으키다. ②식칼·가위로 자르다. 째다《날을 위 또는 앞으로 하여 밀듯이 자르다》. ¶～肚子; 배를 가르다 / 用刀一～绳子就断了; 칼날을 대고 밀듯이 베니까 새끼는 끊어졌다. ③→〔耠huō②〕

嚄 huō (획) 감 놀라움을 나타내는 말. ¶～, 好大的水库! 야, 굉장히 큰 댐이구나! / ～! 他真勇

敢; 야아, 그 사람 참 용감하구나! ⇒huò ǒ

豁 **huō** (활)
①동 찢어지다. 갈라지다. 부서지다. 끊어지다. ¶～了一个口子; 갈라져서 틈새가 생겼다 / 纽襻儿～了; (중국 옷의) 암단추 고리가 끊어졌다. ②(～子) 명 틈. 금. 벌어진 곳. ¶墙qiáng～子; 벽의 금〔틈〕. ③동 (모든 것을) 내던지다. 희생시키다. ¶～着命干; 목숨을 걸고 하다 / ～一天工夫去办理; 하루를 희생해서 일을 하다 / ～着一点牺牲也要把敌人的据点拿过来; 다소 희생을 치르더라도 적의 거점을 우리 것으로 만들 필요가 있다. =〔拚〕 ④동 밭을 갈다. =〔耠huō②〕〔豁地〕 ⇒huá huò

〔豁鼻子〕 huō bízi 〈俗〉 비밀을 털어놓다. ⇒huò bízi

〔豁出〕 huōchū 동 ⇨〔豁出去〕

〔豁出去〕 huōchuqu 동 〈俗〉 ①내던지다. ②성패를 도외시하고 희생적으로〔과감히〕 하다. 앞뒤를 가리지 않고 하다. ¶～办办; 되든 안 되든 간에 해 보다 / 如今事已至此, 我也～了; 일이 이렇게 된 이상, 필사적으로 할 따름이다 / 今晚～不睡觉吧! 오늘 밤은 결단코 자지 않기로 하자! ‖ =〔豁出〕

〔豁唇〕 huōchún 명 언청이. 토순(兔脣). =〔唇裂〕

〔豁恩〕 huō'ēn 명 《樂》 〈音〉 혼. 호른(horn). ¶～拍普pāipǔ; 혼파이프(hornpipe). =〔号笛〕

〔豁劲儿〕 huō.jìnr 동 전력〔사력(死力)〕을 다하다.

〔豁口(儿, 子)〕 huōkǒu(r, zi) 명 ①(기물(器物) 따위의) 터진 데. 갈라진 곳. 찢어진 곳. =〔〈方〉豁子②〕 ②성벽(城壁)이나 담장 등을 터서 만든 통로. =〔〈方〉豁子③〕

〔豁络〕 huōluo 명 가죽 윗옷의 소맷부리. 옷단에 가선을 두르는 천. =〔豁露〕

〔豁麦子〕 huō.màizi 동 보리씨를 뿌리다.

〔豁命〕 huō.mìng 동 목숨을 내던지다. 목숨을 걸다. =〔拼pīn命〕

〔豁撒〕 huōsa 동 ①뿔뿔이 흩어지게 하다. ②늦추다.

〔豁上〕 huōshang 동 흥하든 망하든 해 보다. ¶他决定～了; 그는 과감하게 하기로 결심했다.

〔豁牙子〕 huōyázi 명 〈貶〉 사이가 뜬 이. 앞니가 빠진 치아. 또, 그 사람.

〔豁着〕 huōzhe 동 ①(…을) 버리다. (…을) 돌보지 않다. 희생하다. ¶～命干; 목숨을 걸고 하다 / ～一天工夫去办; 굳이 하루를 허비하고 일하다 / 我～这条老命跟你干上了; 다 늙은 이 목숨 아깝지 않으니, 너하고 한판해 보자. ②오히려 …하는 편이 낫다. ¶我～把笔钱便宜了外人, 也不能给他; 차라리 남에게 돈을 주어 득을 보게 할망정, 그놈에게 줄 수는 없다.

〔豁子〕 huōzi 명 〈方〉 ①언청이. ¶～嘴; 토순(兔脣). =〔豁唇子〕 ②그릇 따위가 이 빠진 것같이 된 부분. 터진 데. 금. ¶碗上有口～; 공기에 이 빠진 데가 있다. =〔豁口(儿, 子)①〕 ③성벽(城壁)을 뚫어 통로로 한 부분. ¶折一个～; 성벽을 무너뜨려 통로를 트다. =〔城墙豁子〕 ④결점.

攉 **huō** (확)
동 쌓아 둔 것을 퍼서 다른 곳으로 옮기다. ¶～土; 흙을 퍼서 나르다 / ～煤; 석탄을 퍼서 나르다. ⇒huò

〔攉煤工人〕 huōméi gōngrén 명 채탄부(採炭夫).

〔攉煤机〕 huōméijī 명 《機》 채탄용의 파워 셔블(power shovel).

和 **huó** (화)
① '和hé' 의 문어음(文語音). ②동 가루 따위에 물을 섞거나 반죽하다. ¶～泥; 진흙을 이기다 / ～水泥; 시멘트를 이기다. ⇒hé hè hú huò huo

活 **huó** (활)
①동 살아가다. 생활하다. 생존하다. ¶他还～着吗? 그는 아직 살아 있느냐? / 有～头儿; 사는 보람이 있다 / 鱼在水里才能～; 물고기는 물 속이 아니면, 살아갈 수 없다. ↔〔死〕 ②부 살아 있는 채로. 산 채로. ¶～～地压在沙土中; 산 채로 토사에 묻혔다. ③동 목숨을 살리다. ¶～人无数; 수많은 사람을 살렸다〔구했다〕. ④동 진짜 같(아 보이)다. ¶神气～现; 그 모습은 살아 있는 것 같다. ⑤형 고정(固定)되어 있지 않은. 유동적이다. ¶方法要～用; 방법은 활용해야 한다 / 这是～的, 可以卸xiè下来; 이것은 고정되어 있지 않아서 뗄 수 있다 / 有的人产生～思想; 사상이 동요하기 시작한 사람도 있다 / ～塞(儿); ⇓ ⑥형 생생하다. 활기가 있다. ¶快～; 쾌활하다. 유쾌하고 즐겁다 / 这一段描写得很～; 이 일단은 묘사가 매우 생생하다 / 脑筋～; 머리가 잘 돌아가다. ⑦(～儿) 명 일(육체 노동). ¶做～; 일을 하다 / 重～; 중노동 / 庄zhuāng稼～; 농사일. 들일. ⑧(～儿) 명 제품(製品). ¶出～儿; 제품. 제품을 출하하다. ⑨무생물을 생물로, 현세에 없는 것을 있는 것처럼 비겨서 하는 말. ¶他是～菩萨; 그는 산 부처님이다 / ～字典; 살아 있는 사전. ⑩명 세공품. 쇠장식. ¶箱子上面配着铜～; 상자에 구리 장식이 붙어 있다. ⑪명 제사 때 쓰는 종이로 만든 누각(樓閣)·상자·수레·말·배·교량·인형 등. ¶黄～; 포창신(疱瘡神)에게 바치는 노란 종이로 만든 깃발·천개(天蓋)·가마·말 등. ⑫부 마치. 대단히. 매우. 전혀. ¶～脏～臭; 매우 더럽고 냄새나다 / ～像是真的; 마치 진짜 같다 / ～像一只老虎; 마치 호랑이 같다. ⑬명 〈方〉 다툼. 싸움. ¶他们俩打起～儿来了; 그 두 사람은 싸움을 시작했다.

〔活靶〕 huóbǎ 명 《軍》 이동 표적.

〔活靶子〕 huóbǎzi 명 《軍》 살아 있는 표적(標的). 〈比〉 비판이나 비난의 대상〔표적〕인 사람.

〔活扳手〕 huóbānshǒu 명 ⇨〔活搬子〕

〔活扳子〕 huóbānzi 명 ⇨〔活搬子〕

〔活搬子〕 huóbānzi 명 자재(自在) 스패너. 멍키 스패너. =〔活扳手〕〔活扳子〕〔活动扳手〕〔活动扳头〕〔活动羊角士巴拿〕〔活旋钳〕〔〈南方〉 活络扳头〕〔〈廣〉 摄士班拿〕

〔活版〕 huóbǎn 명 《印》 활판. ¶～盘; 게라(조판용(組版用) 상자) / ～盘打样; 교정쇄를 내다 / ～印刷; 활판 인쇄. =〔活板〕〔活字版〕〔活字板〕

〔活瓣〕 huóbàn 명 ⇨〔瓣膜①〕

〔活宝〕 huóbǎo 명 우스운 사람. 괴짜. 덜렁이. ¶他真是一块～; 그는 정말 이상한 사람이다.

〔活报(剧)〕 huóbào(jù) 명 시사 문제 등의 뉴스를 소재로 한 즉흥극(극장·길거리 등에서 행하여짐).

〔活报纸〕 huóbàozhǐ 명 소문을 빨리 들어 알고 있는 사람. 소식통.

〔活蹦活跳〕 huó bèng huó tiào 〈成〉 힘차게 뛰어다니다. =〔活蹦乱跳〕

〔活变〕 huóbiàn 형 임기 응변에 능하다.

〔活便〕 huóbian 형 〈俗〉 ①민첩하다. 기민하다. ¶手脚～; 동작이 기민하다 / 心思～的人少吃眼前亏kuī; 재치〔눈치〕가 있는 사람은 멀뚱멀뚱 눈을

뜨고 손해를 보는 일이 적다. ②편리하다. 융통이 되다.
〔活标本〕 huóbiāoběn 명 산 표본. 생생한 본보기. ¶他是假共产主义者的～; 그는 공산주의자 티를 내는 사람의 산 표본이다.
〔活剥生吞〕 huó bō shēng tūn 〈成〉 산 채로 껍질을 벗기고 날것으로 먹다(융통성이 없다. 무조건 받아들이다. 그대로 외다). ¶只知～地谈外国; 외국의 일을 그대로 암기하여 말하다 / 学习理论时应当联系实际, 决不能～, 死背条文; 이론을 배울 때는 반드시 실제와 결부시켜야지, 무조건 조문(條文)을 암기하는 일이 없도록 해야 한다. =〔生吞活剥〕
〔活不活死不死〕 huóbuhuó sǐbusǐ 반사반생. 반죽음.
〔活不了〕 huóbuliǎo 살아갈 수 없다. ¶这样的日子真叫人～; 이런 세상에서는 정말 살아갈 수 없다.
〔活材料〕 huócáiliào 명 산〔살아 있는〕 재료.
〔活茬〕 huóchá 명 〈俗〉 농사일. 밭일. 농사일의 종류. =〔农活〕
〔活茬儿〕 huóchár 명 일의 완성. ¶那个瓦匠的～利落; 저 미장이의 마무리 작업은 깨끗하다.
〔活场〕 huóchǎng 명 일터. 일의 현장.
〔活衬〕 huóchèn 동명 (백지로) 옛날 책을 배접하여 장정(裝幀)하다. 또, 그 백지.
〔活存〕 huócún 명 ⇨〔活期存款〕
〔活裆裤〕 huódāngkù 명 (밑이 터진) 개구멍바지(소아용). ¶老子参加革命的时候, 你还穿～呢; 내가 혁명에 참가했을 때에는, 너는 아직 어린애에 불과했단다.
〔活到老学到老〕 huó dào lǎo xué dào lǎo 〈諺〉 학문이란 죽을 때까지 하는 것이다(살아 있는 한 계속 배우는 것이다). =〔活到老学不了liǎo〕
〔活道〕 huódao 형 융통성이 있다.
〔活地狱〕 huódìyù 명 생지옥. 이 세상의 지옥. 〈比〉 비참한 모양.
〔活电报〕 huódiànbào 명 언행이 가볍고 방정맞은 사람. 촉새. ¶她嘴又快, 人们都叫她 '～'; 거기에다 그녀는 입이 가벼워, 사람들이 모두 '촉새'라고 부른다.
〔活顶尖〕 huódǐngjiān 명 〈北方〉 ⇨〔活顶针〕
〔活顶针〕 huódǐngzhēn 명 공작 기계의 회전 센터(live center)(예컨대, 선반의 주축(主軸) 센터). =〔〈北方〉活顶尖〕
〔活动〕 huódòng〔huódong〕 동 ①운동하다. 움직이다. ¶坐久了应该站起来～～; 오랫동안 앉아 있었으니까, 일어서서 (몸을) 움직여야 한다 / ～腿腕儿; 발목 운동을 하다(슬슬 거닐다. 산책하다). ②흔들흔들하다. 요동하다. ¶这把椅子～了; 이 의자는 흔들흔들한다. ③활약하다. ¶他想在艺术界～起来; 그는 예술계에서 활약할 생각이다. ④(의견·태도 따위가) 동요되다〔흔들리다〕. ¶听他的口气, 倒有点～了; 그의 말투를 들어 보니 오히려 약간은 동요된 것 같다. ⑤(살짝) 작용하다. 공작을 하다. ¶暗地里进行～; 은밀히 이면(裏面) 공작을 진행하다. 형 ①고정되어 있지 않다. 융통성이 있다. 이동·분해할 수 있다. ¶～房屋; 조립식 가옥 / ～资本; 유동 자본 / 条文规定得比较～; 조문의 규정은 비교적 융통성이 있다 / ～绞刀 =〔〈方〉活络绞刀〕; 《機》 자재 리머(自在reamer)(지름의 크기를 조절할 수 있는 수동식 드릴) / ～扳手 =〔～扳头〕; ⇨〔活搬子〕 ②(시황(市況)이) 번성하다. ¶近来市面上倒还～; 요즘 시황은 호조를 보인다. ③활발하다. 기민하다. ¶他那个人很～, 困不住的; 저 사람은 기민하니까, 곤경에 빠지지는 않을 것이다. 명 ①활동. 행사(行事). 개최. 운동. ¶野外～; 야외 운동 / 文娱～; 레크리에이션 활동 / ～能量; 활력 / 举行各种～来纪念节日; 각종 행사를 개최하여 경축일을 기념하다. ②움직임. 동요. ¶我看出了他内心的～; 나는 그의 마음의 동요를 알아차렸다. ③(심리학에서) 행동.
〔活动半径〕 huódòng bànjìng 명 행동 반경.
〔活动电梯〕 huódòng diàntī 명 ⇨〔电动扶梯〕
〔活动房屋〕 huódòng fángwū 명 이동 가옥. 조립식 가옥. 트레일러 하우스(trailer house). ¶全部铝lǚ质的～; 전부를 알루미늄으로 지은 조립식 가옥.
〔活动分子〕 huódòng fènzǐ 명 적극적으로 활동하는 사람. 활동 분자.
〔活动卡通〕 huódòng kǎtōng 명 ⇨〔动画片〕
〔活动气儿〕 huódongqìr 명 이야기를 알아듣는 태도. 이해성. 융통성. ¶人家央求了这半天总连个～也没有; 사람이 저렇게 오래도록 신신부탁했는데도 융통성을 보일 기미는 전혀 없다.
〔活动铅笔〕 huódòng qiānbǐ 명 ⇨〔自zì动铅笔〕
〔活动三脚架〕 huódòng sānjiǎojià 명 (사진기 따위의) 자유 삼각가.
〔活动腿腕儿〕 huódòng tuǐwànr 발목 운동을 하다(슬슬 거닐다. 산책하다).
〔活动舞台〕 huódòng wǔtái 명 활동 무대.
〔活动羊角士巴拿〕 huódòng yángjiǎo shìbāná 명 ⇨〔活搬子〕
〔活动余地〕 huódòng yúdì 명 활동할 여지.
〔活度〕 huódù 명 《化》 활동도. 활량(活量).
〔活而不乱〕 huó ér bù luàn 〈成〉 융통성은 있으나, 문란하지 않다. 유연(柔軟)하지만, 원칙은 지키고 있다(지도자의 올바른 태도를 가리킴).
〔活泛〕 huófan 형 〈口〉〈方〉 재치가 있다. ¶心眼～; 머리가 잘 돌아가다. 눈치가 빠르다.
〔活分〕 huófen 형 ①가볍고 부드럽다. ¶春天地土～容易开垦; 봄에는 땅이 부드럽고 포슬포슬하여 개간하기 쉽다. ②융통성이 있다. ③활발하다. ¶这年头～的人到处吃香; 요즘 세상에서는 활동적인 사람은 어디서나 환영받는다. ④무르다. 물러서 푸석푸석하다. 사내답지 못하다.
〔活佛〕 huófó 명 ①옛날, 고승(高僧)에 대한 경칭. 생불(生佛). 〈轉〉 신통력을 지닌 고승. ②⇨〔呼hū图克图〕
〔活该〕 huógāi 조동 …으로 운명이 정해져 있다. 팔자이다. (…하는〔한〕 것은) 당연하다. 자업자득이다. 그것 봐라. ¶～如此; 이렇게 되는 것은 당연하다 / ～倒霉; 혼이 나는 것도 당연하다 / 他死了, ～! 그자가 죽은 것은 당연하다. =〔合该②〕
〔活工钱〕 huógōngqian 명 ⇨〔计jì件工资〕
〔活孤孀〕 huógūshuāng 명 ⇨〔活寡(妇)〕
〔活箍斗〕 huógūdǒu 명 테에 신축성이 있어 양을 자유롭게 될 수 있는 말이나 되.
〔活寡(妇)〕 huóguǎ(fù) 명 생과부. ¶守～; 생과부로 살다. =〔活孤孀〕
〔活棺材〕 huó guāncai 명 〈俗〉 감옥.
〔活鬼〕 huóguǐ 명 ①살아 있는 유령. 〈比〉 있을 수 없는 것. ②산송장.
〔活荷载〕 huóhèzài 명 《建》 활하량(活荷量).
〔活化〕 huóhuà 명동 《化》 활성화(하다). ¶～剂; 활성제 / ～能; 《化》 활성화 에너지 / ～氧; 《化》 활성 산소.

〔活话儿〕 huóhuàr 명 여유를 둔 말. 확정이 안 된 말. 융통이 되는 말. ¶他监走留下个～, 说也许下个月能回来; 그는 떠날 때 다음 달에 돌아올 수 있을지도 모르겠다는 확실치 않은 말을 남겼다.

〔活活(儿)〕 huóhuó(r) 부 아깝게도. 무참히도. ¶在半路上～冻死了; 도중에서 무참히도 얼어 죽다. =〔活生生(的)〕

〔活活的〕 huóhuóde 형 퍼둥퍼둥해 있다. 생기가 돌아 있다. 부 ①꼭. 흡사. 전혀. ¶你呀, ～是个半疯子; 너는 완전히 반미치광이구나. ②충분히. 대단히. ③잔혹한. ④억지로.

〔活火〕 huóhuǒ 명 활활 타오르는 불. 불꽃이 이글거리는 숯불.

〔活火山〕 huóhuǒshān 명 활화산.

〔活计〕 huóji 명 ①바느질《현재는 육체 노동을 이름》. ¶～笸箩儿; 버들가지를 엮어 만든 반짇고리 / 把生产队的～统一安排一下; 생산대의 일을 통일하여 안배하다. =〔活件〕 ②일의 만듦새〔성과〕. ③수공예품. ④기성복류(類). ⑤살림살이.

〔活见鬼〕 huó jiàn guǐ 〈比〉 ①있을 수 없는 일을 경험하다. 이상한 일이 생기다. ②기묘하기 짝이 없다. ③괘씸한 놈. 무례한 놈. ¶你真是～, 我什么时候杀鸡取蛋啦! 너는 정말 괘씸한 놈이다. 내가 언제 닭을 죽이고 달걀을 가져갔단 말이냐〔언제 혼자 욕심을 채웠단 말이냐〕!

〔活见证〕 huójiànzhèng 명 산 증인.

〔活教材〕 huójiàocái 명 산 교재. 현실에 맞는 교재.

〔活接头〕 huójiētóu 명 ⇨〔管guǎn套节〕

〔活节管〕 huójiéguǎn 명 소켓 파이프.

〔活节针〕 huójiézhēn 명 연결핀.

〔活结〕 huójié 명 풀매듭《나비 매듭 등》. =〔活扣(儿)〕〔〈方〉活襻〕 ↔〔死结〕

〔活局子〕 huójúzi 명 〈方〉 함정. 계략. 두 사람 또는 그 이상의 사람들이 짠 계략. ¶捏niē好了～; 교묘하게 계략을 꾸몄다 / 这是个明摆着的～, 你怎么会着不出呢; 이것은 뻔한 함정인데, 너는 어째서 그것도 모르느냐. =〔活套huótào ②〕

〔活句〕 huójù 명 생생한〔생동하는〕 문장.

〔活剧〕 huójù 명 활극. ¶一幕mù～; 일막의 활극.

〔活口〕 huókǒu 명 ①생활. 세상살이. 활로. ②산 증인《살인 사건의 관계자로 살아 남아서 심문할 수 있는 사람》. ③(정보를 제공할 수 있는) 포로. 죄인. ④한때 모면을 위한 말. ¶吐～; 핑계를 대다. ⑤ ⇨〔活口儿②〕

〔活口米〕 huókǒumǐ 명 구제미.

〔活口气〕 huókǒuqì 명 둘러대는 말투.

〔活口儿〕 huókǒur 명 ①살아가는 길. ②여지(餘地). ¶给他留个～吧! 그에게 움직일 수 있는 여지를 남겨 주어라! / 活口扳子; 《機》 멍키 렌치. =〔活口⑤〕

〔活扣(儿)〕 huókòu(r) 명 풀매듭. 한쪽을 당기면 금방 풀리는 매듭. ¶系jì个～; 풀매듭을 하다. =〔活结〕

〔活劳动〕 huóláodòng 명 《經》 인간의 노동. 생산자가 생산에 투입하는 노동. ↔〔物化劳动〕

〔活力〕 huólì 명 활력. 원기. 스태미너.

〔活量〕 huóliàng 명 《物》 액티비티(activity).

〔活灵〕 huólíng 형 활동성이 있다. 생생하다. 민첩하다. ¶～活现 =〔活龙活现〕; 〈成〉 ⓐ생생한 모양. 꼭 닮은 모양. ⓑ활발하다. 팔팔하다.

〔活领〕 huólǐng 명 ⇨〔安ān装领〕

〔活龙活现〕 huó lóng huó xiàn 〈成〉 생생하여 진짜와 같다. ¶谎话编得似乎～; 거짓말을 꾸며 대는 것이 진짜와 같다. =〔活灵活现〕〔活龙活虎〕

〔活路〕 huólù 명 ①활로. 살아 나갈 길. ¶他穷得连一条～也没有了; 그는 곤궁하여 전혀 살아 나갈 길조차 없다. ②해결책. 타개책. 빠져 나갈 수 있는 길. ¶各说各有理, 几乎找不出～来; 각기 주장이 일리는 있으나, 타개책은 찾지 못했다. ③생계의 방도.

〔活路〕 huólu 명 (힘이 드는) 일. 육체 노동. ¶粗细～; 힘든 일과 자질구레한 일.

〔活轮〕 huólún 명 ⇨〔游yóu轮〕

〔活络〕 huóluò 형 〈方〉 ①(사상이) 원만하고 막힌 데가 없다. ②(기구나 근골(筋骨)의 일부가) 느슨하다. 흔들거리다. ¶上了年纪, 牙齿也有点～了; 나이가 들어서 이가 조금 흔들거렸다. ③(말이) 애매하다. ¶～话不能准; 애매한 말을 받아들일 수는 없다 / ～语; 어련무던한 말.

〔活络扳头〕 huóluò bāntou 명 ⇨〔活搬子〕

〔活络床〕 huóluòchuáng 명 ⇨〔担dān架〕

〔活络绞刀〕 huóluò jiǎodāo 명 ⇨〔活动绞刀〕

〔活络语〕 huóluòyǔ 명 어련무던한 말. ¶想要打个～搪塞过去; 어련무던한 말을 하여 그 자리를 어물어물 넘기려 하였다.

〔活埋〕 huómái 동 산 채로 묻다. 생매장하다.

〔活卖〕 huómài 동 환매(還買)할 것을 조건으로 팔다.

〔活门〕 huómén 명 ①〈俗〉 판(瓣). ②《機》 밸브(valve). =〔阀〕〔阀门〕 ③활로(活路). 도망갈 길. 생활의 길.

〔活门儿〕 huóménr 명 ①〈俗〉 처가(妻家)와의 교제. ②딸을 남의 첩으로 팔고 딸의 집 식구가 그 집에 드나들 수 있는 약속이 되어 있는 경우를 이르는 말. ‖ =〔活门子〕 ↔〔死门儿〕

〔活命〕 huó·mìng 동 ①살아가다. 생명을 유지하다. ¶～哲学; 우선 목숨이 제일이라는 사고 방식 / 靠卖艺～; 재능을 팔아서 살아가다. ②목숨을 살리다. ¶～之恩; 목숨을 살려 준 은혜 / ～恩人; 생명의 은인. (huómìng) 명 목숨. ¶别把它打死, 留它一条～吧; 그자를 때려 죽이지 말고, 목숨을 살려 주어라. =〔生命〕〔性命〕

〔活拿〕 huóná 동 생포(生捕)하다. 사로잡다. =〔活捉〕

〔活腻〕 huónì 동 생활에 싫증나다. 살아가는 데 싫증을 느끼다. ¶脸上没有什么血色, 仿佛是～了的样子; 얼굴에는 핏기가 조금도 없는 것이, 마치 살아가는 것에 싫증을 느끼고 있는 것처럼 보였다.

〔活(皮带)轮〕 huó(pídài)lún 명 ⇨〔游yóu轮〕

〔活骗〕 huópiàn 동 완전히 속이다. ¶～人; 남을 완전히 속이다.

〔活评〕 huópíng 동 ①융통성 있는 평가를 하다. ②조건을 고려하여 임기 응변으로 노동량을 정하다.

〔活泼〕 huópo 형 ①활발하다. 활기차다. ¶人很～; 성격이 매우 활발하다 / 颜色～; 색채가 선명하게 돋보이다. ②《化》 반응.

〔活泼乱跳〕 huópō luàntiào 형 활발하다. 팔팔하다. ¶～的小孩子; 팔팔한 아이 / ～的人忽然得病死了; 팔팔하던 사람이 갑자기 병사했다.

〔活泼泼(的)〕 huópōpō(de) 형 활발한 모양. 원기(元氣)가 있는 모양.

〔活菩萨〕 huópúsà 명 살아 있는 보살. 생불(生佛)《구원자. 구세주》.

〔活期〕 huóqī 명 《經》 당좌(當座). ¶～存款 =〔活存〕; ⓐ당좌 예금. ⓑ보통 예금 / ～放款; 당좌

대부 / ～储蓄; 당좌 저축 / ～缺款; 당좌 대월 / ～贷款; 콜론(call loan).
〔活气〕 huóqì 명 원기. 생기. 활력. 활기.
〔活契〕 huóqì 명 부동산 매매에서 환매(還買) 가능의 규정이 포함된 계약.
〔活钱〕 huóqián 명 ①불시(不時)의 수입. ②액수가 일정하지 않은 돈. ③회전 자금. ¶把～变为死钱; 활용할 수 있는 돈을 사장(死藏)시키다 / 头两年捣买倒卖, 有几个～; 요 2,3년 동안 싸게 사들여 비싸게 팔았기 때문에, 약간의 회전 자금이 생겼다. ④잔돈. 적은 돈.
〔活呛〕 huóqiàng 명 살아 있는 담수(淡水) 새우를 양념을 발라 그대로 먹는 일.
〔活泉〕 huóquán 명 물이 솟아나오는 샘.
〔活儿〕 huór 명 ①일. 수공일. 품팔이 일. ②제품. ¶漂亮的～; 훌륭한 제품.
〔活人〕 huórén 명 살아 있는 사람. 동 사람을 살리다. 인명(人命)을 구하다.
〔活人活事〕 huórén huóshì 산 사람과 살아 있는 일. 현존하는 사람과 실제 있던 일.
〔活人妻〕 huórénqī 명 〈俗〉 중혼(重婚)한 부인.
〔活人受罪〕 huó rén shòu zuì 〈成〉 (인습 때문에) 현재 살아 있는 사람이 속박됨.
〔活软〕 huóruan 형 (음식 등이) 연하다. =〔软和〕
〔活塞(儿)〕 huósāi(r) 명 《機》 피스톤(piston). ¶～环 =〔～胀圈〕〔～锁〕〔配司登令〕; 피스톤링 / 液压～; 수력 피스톤. 유압 피스톤 / 侧缘～; 스커트 피스톤. =〔〈北方〉 鞲鞴〕〔〈南方〉 配司登〕〔〈俗〉 汽缸饼子〕
〔活伤〕 huóshāng 명동 생명에 지장이 없을 정도의 부상(을 입다).
〔活神活现〕 huó shén huó xiàn 〈成〉 꼭 닮은 모양. 생생한 모양.
〔活生生(的)〕 huóshēngshēng(de) 형 ①활발하다. 원기 왕성하다. 피둥피둥하다. ②생생하다. 생기 돌다. ¶亲自体验～的事实; 스스로 생생한 사실을 체험하다. ③신선하다. 부 무참히. =〔活活儿〕
〔活石灰〕 huóshíhuī 명 ⇨〔石灰①〕
〔活食〕 huóshí 명 산 미끼.
〔活世寿人〕 huóshì shòurén 명 〈敬〉 명의《의사를 칭찬하여 이르는 말》.
〔活受罪〕 huóshòuzuì 동 〈俗〉 죽으려 해도 죽지 못하고, 살아서 고통을 받다.
〔活栓〕 huóshuān 명 ⇨〔旋xuán塞〕
〔活水儿〕 huóshuǐr 명 일정하지 않은 수입.
〔活说着〕 huóshuōzhe 동 함축성 있는 말을 하다.
〔活思想〕 huósīxiǎng 명 갈팡질팡하는 생각. ¶情况在不断地变化, ～也不断地变化; 정황(情況)은 끊임없이 변화하고, 그때 그때의 생각도 끊임없이 바뀐다.
〔活死人〕 huósǐrén 명 생기 없는 사람. 산송장. 무능한 인간.
〔活套〕 huótào 명 ①금방 풀 수 있는 매듭. ②⇨〔活局子〕
〔活套〕 huótao 형 융통성이 있다. 원활하다. 민활하다. 부드럽다. ¶～人; ⓐ머리도, 인품도, 언동도, 모두 훌륭한 사람. ⓑ느낌이 좋은 사람 / 轻重一比较, 她的话就～得多了; 태도의 엄격함을 비교해 보면, 그녀의 말투는 많이 부드러워졌다.
〔活套子〕 huótàozi 명 ①각 방면에 활용할 수 있는 격식. ②〈方〉 세상 물정에 밝은 사람. 교제에 능숙한 사람.
〔活头〕 huótóu 명 (일의) 솜씨. 수완. ¶人又精明, ～又好; 머리가 좋고, 솜씨도 좋다.
〔活头(儿)〕 huótou(r) 명 사는 보람. ¶有～; 산 보람이 있다 / 我还有什么～! 이제 와서 나에게 무슨 산 보람이 있으랴! 注 '有～', '没(有)～'로 쓰임.
〔活土层〕 huótǔcéng 명 《農》 경작한 후의 부드러워진 토양층.
〔活脱儿〕 huótuōr 형 ⇨〔活像〕
〔活菟〕 huótuò 명 《植》 통탈목. =〔通tōng脱木〕
〔活下去〕 huó.xia.qu 살아가다.
〔活鲜〕 huóxiān 형 생생하다. 신선하다. 물이 좋다《상품으로서의 살아 있는 식용 동물이나 신선한 과일·야채의 상태》.
〔活现〕 huóxiàn 동 ①생생하게 나타나다. ¶神气～; 보기에도 의기 양양한 모양. 면목이 생생하게 드러나 있다 / 这幅美人画, 画得真不错, 凭栏幽思的神气, 真～出来; 이 미인화는 정말 잘 그렸다. 난간에 기대어 생각에 잠겨 있는 모습이 정말 생생하다 / 他把角色那种放浪不羁的性格都～出来; 그는 극중 인물의 그와 같은 분방불기(奔放不羈)의 성격을 생생히 표현하였다. ②추태를 드러내다. ¶这个人根基本来不坏, 不知为什么堕落到如此地步, 简直是～呢; 그는 근본은 나쁘지 않은데 어째서 이렇게까지 타락해 버렸을까, 정말 추한 모습이다.
〔活现眼〕 huóxiànyǎn 동 망신시키다.
〔活巷〕 huóxiàng 명 〈南方〉 빠져 나갈 수 있는 길.
〔活像〕 huóxiàng 동 흡사 …과 같다. 꼭 그대로다. 쏙 빼어 낸 것 같다. ¶～真的; 흡사 진짜 같다 / 他～个官僚; 저 사람은 관리를 꼭 닮았다. =〔活脱儿〕 →〔好hǎo像〕
〔活心〕 huó.xīn 동 ①(나쁜 일에) 마음이 내키다. ②마음에 여유가 생기다. (huóxīn) 형 심(芯)이 움직일 수 있게 되어 있다. ¶～铅笔; 샤프 펜슬.
〔活性〕 huóxìng 명 《化》 활성. ¶～染料; 활성 염료. 반응 염료(反應染料) / ～炭; 활성탄(活性炭).
〔活学活用〕 huó xué huó yòng 〈成〉 실제와 결부시켜 배우고 잘 운용하다.
〔活血〕 huóxuè 동 《漢醫》 혈액 순환이 잘 되게 하다.
〔活阎王〕 huóyánwáng 명 살아 있는 염라 대왕. 〈轉〉 폭군. 포학한 두목.
〔活眼〕 huóyǎn 명 ①밝은 눈. 사리를 밝게 판단하는 식견. ②(～儿) 눈앞. 목전(目前). ¶～见似的; 눈으로 본 듯이.
〔活样板〕 huóyàngbǎn 명 산 본보기〔모범〕.
〔活药典〕 huóyàodiǎn 명 살아 있는 약전(藥典).
〔活叶〕 huóyè 형명 ⇨〔活页〕
〔活页〕 huóyè 형 루스리프식(loose-leaf式)의. ¶～笔记本; 루스리프식 노트 / ～簿子; 루스리프식 장부 / ～夹; 루스리프 바인더 / ～文选; 루스리프식 문집(文集). 명 경첩. ‖ =〔活叶〕
〔活用〕 huóyòng 동 활용하다.
〔活鱼〕 huóyú 명 활어.
〔活愚公〕 huóyúgōng 명 현세(現世)의 우공(愚公).
〔活源〕 huóyuán 명 일의 공급처.
〔活跃〕 huóyuè 동 ①활발하게 하다. ¶～了内外交流; 내외 교류를 활발하게 하다. ②적극적으로 활약하다. ¶～分子; 활동분자. 적극 분자 / 他们～

在车间，画了大量反映斗争生活的速写；그들은 직장에서 적극적으로 일하고, 대량의 투쟁 생활을 반영하는 스케치를 그렸다. ③암약하다. ④활동적이다. ¶销售仍然～; 팔림새는 여전히 성황을 이루고 있다. ⑤웅성거리다. ¶这一下船上可～了; 그것으로 배 안이 술렁거리기 시작했다.

〔活账〕 huózhàng 명 당좌 예금.

〔活着(儿)〕 huózhāo(r) 명 ①(바둑·장기의) 살아 있는 돌·말. ②융통성 있는 수단·계획.

〔活支〕 huózhī 명 임시로 유용할 수 있는 돈. 임시비. 임시 지출. ¶～汇款 huìkuǎn; 어음 신용장. 동 임시로 지출하다.

〔活质〕 huózhì 명 《生》 활성질.

〔活砖〕 huózhuān 명 떼어 낼 수 있게 쌓은 벽돌.

〔活转〕 huózhuǎn 동 소생하다.

〔活装板〕 huózhuāngbǎn 명 경첩판(hinged plate).

〔活捉〕 huózhuō 동 ⇨〔活拿〕

〔活字〕 huózì 명 《印》 활자. ¶～版 =〔活板〕; 활판 / ～号; 활자의 호수 / ～合金; 안티몬(Antimon)이 들어 있는 활자 합금.

〔活字典〕 huózìdiǎn 명 〈比〉 (박식한 사람을 비유하여) 살아 있는 사전. ¶他是一本～; 그는 산 사전이다. =〔〈文〉 行xíng秘书〕

〔活租〕 huózū 명 수확량에 따라 액수가 다른 도조(賭租)《정액(定額)의 경우는 '死租'》.

〔活组织检查〕 huózǔzhī jiǎnchá 명 《醫》 바이옵시 생검법(biopsy生檢法)《생체에서 조직 조각을 잘라 내거나, 관을 삽입하여 뽑아 내어 검사하는 법》.

〔活罪〕 huózuì 명 살면서 받는 고통.

〔活嘴〕 huózuǐ 명 ⇨〔旋xuán塞〕

火 huǒ (화)

①(～儿) 명 불. ¶武～; 센 불 / 灯～; 등불 / 点～; 불을 붙이다 / 弄～ =〔做～〕; 불을 일으키다 / 灭miè～; 불을 끄다 / 玩～自焚; 〈成〉 자업자득. ② 명 화재. ¶着了～了; 불이야! / 防～; 방화하다. ③(～儿) 명 분노. ¶冒～儿; 성내다 / 引起学生的～来; 학생들의 분노를 불러일으키다. ④ 명 《漢醫》 소화 불량. 염증. 열. ¶上～; 열이 나다. 홍분하다 / 败～; 홍분을 가라앉히다. ⑤(～儿) 동 성내다. ¶他～儿了; 그는 화가 머리끝까지 올랐다. ⑥ 형 긴급한. 몹시 급한. ⑦ 형 적색의. 붉은. 분홍의. ⑧ 명 총포(銃砲). 탄약. ¶开～; 발포하다 / 走～; 폭발하다 / 军～; 무기 탄약. ⑨ 명 화력. 동력. ¶～犁; 트랙터. ⑩ 형 (불처럼) 왕성하다. 급하다. 열렬하다. ¶急如星～; 〈成〉 정세가 절박한 모양. ⑪ 동 불태우다. ¶～其书; 그 서면을 불사르다. ⑫옛날의 군대 조직. 10인을 1'火'라고 했음. ¶～伴; ⇩ ⑬(～儿) 명 식사. 식사 준비. =〔伙huǒ A) ②〕 ⑭ 명 성(姓)의 하나.

〔火熬熬〕 huǒ'āo'āo 형 숨이 막힐 정도로 뜨겁다. ¶南风吹得～; 남풍이 불어 타는 듯이 덥다.

〔火拔子〕 huǒbázi 명 ⇨〔拔火罐儿〕

〔火把〕 huǒbǎ 명 횃불. ¶打起～; 횃불을 붙이다. =〔明子〕〔火炬〕〔火枝〕〔松明火把〕

〔火把花〕 huǒbǎhuā 명 ⇨〔钩gōu吻①〕

〔火坝〕 huǒbà 명 ⇨〔炉lú桥①〕

〔火伴〕 huǒbàn 명 ①옛날 병제(兵制)에서, 병사 10명을 '火'라 했는데 그 무리를 이르던 말. ②동무. 동료. =〔伙伴〕

〔火棒〕 huǒbàng 명 횃불을 돌리면서 추는 춤. 또는 횃불.

〔火暴〕 huǒbào 형 ①성급하다. ¶～性子; 성급〔난폭〕한 성질. 또, 그런 사람. ②번성하다. 번화하다. ¶牡丹开得真～; 모란꽃이 한창이다 / 这一场戏的场面很～; 이 연극 장면은 아주 활기차다〔대단하다〕. 동 벌컥 화를 내다. ¶他～地喊道; 그는 발끈해서 소리쳤다.

〔火暴暴(的)〕 huǒbàobào(de) 형 홍분한 모양. 잔뜩 골을 내고 있는 모양.

〔火表〕 huǒbiǎo 명 ①전기 계량기. =〔电度表〕 ②가스 계량기. =〔〈方〉 自来火表〕

〔火并〕 huǒbìng 동 사이가 갈라져서 다투다. ¶双方～起来; 양쪽이 갈라져 다투기 시작했다.

〔火玻璃〕 huǒbōli 명 내화(耐火) 유리.

〔火钵〕 huǒbō 명 (숯이나 전기로 쓰는) 각파(脚婆).

〔火勃〕 huǒbo 형 왕성하다. 기세가 좋다. ¶如果有事还是人多显着～; 일이 생겼을 때는 역시 사람이 많은 편이 훨씬 기세가 올라간다.

〔火不思〕 huǒbusī 명 ⇨〔浑hún不似〕

〔火彩儿〕 huǒcǎir 동 《劇》 '火纸媒儿'(불쏘시개)를 접어, 그 속에 송진 가루를 넣고 불을 붙이다《이것을 '～'라 하며, 구극(舊劇)에서는 이것으로 실화(失火) 또는 귀신·유령 등의 출현을 암시》.

〔火叉〕 huǒchā 명 ⇨〔火筷子〕

〔火镲〕 huǒchǎ 명 ⇨〔盖gài火①〕

〔火柴〕 huǒchái 명 성냥. ¶划～ =〔擦～〕; 성냥을 긋다 / ～盒儿 =〔～匣〕; 성냥갑 / ～杆; 성냥개비 / 一根～; 성냥 한 개비 / 一盒～; 성냥 한 갑. =〔〈方〉 洋火〕〔〈方〉 自来火〕〔〈方〉 洋取灯儿〕

〔火铲〕 huǒchǎn 명 부삽. ¶用～把火移到旁的火盆里; 부삽으로 불을 다른 화로에 옮긴다. =〔火产〕

〔火场〕 huǒchǎng 명 화재 현장. 불난 데. ¶～照明车; 소방 조명차.

〔火车〕 huǒchē 명 ①기차. ¶～房; 기차의 차고 / ～司机; 기관사 / 电动～; 전기 기관차 / ～车厢; (열차의) 차량 / ～渡轮; 열차 연락선 / ～时刻表; 열차 시각표 / 调～; 조차(繰車) / 开～; 기차를 운전하다. ②옛날의 화공용(火攻用) 전차.

〔火车交(货)〕 huǒchē jiāo(huò) 명 《商》 FOR 《화차(貨車) 인도》. ¶～价jià(格); 화차 인도 가격.

〔火车票〕 huǒchēpiào 명 기차표. 기차 승차권.

〔火车头〕 huǒchētóu 명 ①⇨〔机jī车〕 ②〈比〉 선도적〔지도적〕 역할을 하는 것〔사람〕.

〔火车头作用〕 huǒchētóu zuòyòng 명 선구적인 역할. 솔선수범의 역할. =〔带dài头作用〕

〔火车站〕 huǒchēzhàn 명 (기차의) 역.

〔火车站交(货)〕 huǒchēzhàn jiāo(huò) 명 ⇨〔车站交(货)〕

〔火撑子〕 huǒchēngzi 명 ⇨〔火架(儿)〕

〔火成岩〕 huǒchéngyán 명 《鑛》 화성암. =〔岩浆岩〕

〔火炽〕 huǒchì 형 ①(일·연기(演技) 등에) 정신이 집중되다. 긴장하다. 치열해지다. ¶这出武戏打得真～; 이 검극(劍劇)에 정신이 매우 집중되어 있다. ②왕성하다. 번화하다.

〔火虫儿〕 huǒchóngr 명 개똥벌레. =〔萤yíng火虫〕

〔火船〕 huǒchuán 명 ⇨〔轮lún船〕

〔火葱〕 huǒcōng 명 ①《植》 염교. 채지(菜芝). ②산파.

〔火镩〕 huǒcuān 명 석탄을 땔 때, 재를 털어 내는 데 쓰는 도구《길이 1m 정도의 쇠막대》.

〔火毳〕 huǒcuì 명 ⇨〔火浣布〕
〔火瘅〕 huǒdān 명 《漢醫》 단독(丹毒). ¶赤chì游瘅; 유주성(遊走性) 단독. =〔火丹〕
〔火蛋白石〕 huǒdànbáishí 명 《鑛》 화단백석. 파이어 오팔(fire opal).
〔火挡〕 huǒdǎng 명 노(爐) 주위를 둘러싸는 철판.
〔火刀〕 huǒdāo 명 ⇨〔火镰〕
〔火底〕 huǒdǐ 명 화재 후의 타고 남은 것. 여신(餘燼).
〔火点(儿)〕 huǒdiǎn(r) 명 ⇨〔四sì点(儿)〕
〔火电〕 huǒdiàn 명 ①화력 발전. ¶~站 =〔~厂〕; 화력 발전소('火力发电站'의 약칭). ②화력 발전에 의한 전기.
〔火疔疮〕 huǒdīngchuāng 명 종기. 부스럼.
〔火斗〕 huǒdǒu 명 인두. =〔熨斗〕
〔火堆〕 huǒduī 명 높이 쌓아올린 화톳불.
〔火发〕 huǒfā 동 울컥 화내다. ¶一时~; 갑자기 화내다.
〔火法冶金〕 huǒfǎ yějīn 명 건식(乾式) 야금.
〔火房子〕 huǒfángzi 명 ①최하급의 여인숙. ②동네 사람들이 모여 잡담하는 방이나 막사.
〔火夫〕 huǒfū 명 ①화부(보일러·기관차의). ②취사부(夫)(군대·기관 등의).
〔火盖〕 huǒgài 명 ⇨〔盖火①〕
〔火格子〕 huǒgézi 명 전기 레인지(range).
〔火工〕 huǒgōng 명 ①가열법. 주조(鑄造)·정련(精鍊) 등의 작업. ②위에 소요되는 비용.
〔火攻〕 huǒgōng 명동 화공(하다).
〔火钩(子)〕 huǒgōu(zi) 명 불갈고리. ¶火棍儿虽短, 强于手拔拉; 〈諺〉 불갈고리가 짧아도 손으로 (불을) 긁어 내는 것보다 낫다. =〔火棍(儿)〕
〔火钴(子)〕 huǒgū(zi) 명 ⇨〔火锅(儿,子)②〕
〔火管〕 huǒguǎn 명 연관(煙管).
〔火罐(儿,子)〕 huǒguàn(r,zi) 명 《漢醫》 흡각(吸角). ¶拔~; ⓐ위로 치료하다. ⓑ흡각/外感风寒, 头痛眩晕等症, 可以在太阳穴上拔~; 감기·두통·현기증 따위 병은 관자놀이에 흡각을 대면 좋다. =〔罐子〕
〔火罐儿〕 huǒguànr 명 깡통따개.
〔火光(儿)〕 huǒguāng(r) 명 불빛. 불길. ¶起了~; 불길이 치솟았다/~冲天; 하늘을 찌를 듯한 불길.
〔火棍(儿)〕 huǒgùn(r) 명 ⇨〔火钩(子)〕
〔火锅(儿,子)〕 huǒguō(r,zi) 명 ①신선로. 냄비에 고기·야채 따위를 끓여 양념장을 찍어 먹는 요리에 쓰이는 냄비. ¶打~; 신선로 요리를 끓이면서 먹는다. =〔锅子②〕〔暖锅〕 ②'涮shuàn羊肉'의 별칭. =〔火钩(子)〕
〔火海〕 huǒhǎi 명 불바다. 큰 불. ¶阵地上打成一片~; 진지는 온통 불바다였다.
〔火海刀山〕 huǒ hǎi dāo shān 〈成〉 ⇨〔刀山火海〕
〔火焊〕 huǒhàn 명 전기식 납땜. ↔〔水焊〕
〔火焊接〕 huǒhànjiē 명동 ⇨〔焊接〕
〔火耗〕 huǒhào 명 ①화폐를 녹여서 주조할 때 생기는 은(銀)의 손실. ②⇨〔火候(儿)①〕
〔火红〕 huǒhóng 형 타는 듯 붉다. 새빨갛다. ¶~的太阳; 타는 듯 붉은 태양/~的青春; 정열에 불타는 청춘.
〔火后〕 huǒhòu 명 한식(寒食) 이후. →〔火禁②〕
〔火候(儿)〕 huǒhòu(r) 명 ①불땀. 불의 강약의 정도. ¶她炒的菜, 作料和~都很到家; 그녀의 요리는 간 맞추는 것이나, 불의 조절 정도나 나무랄 데가 없다/这饼烙得~小点儿; 이 '饼子'는 덜 구워졌다. =〔火耗②〕 ②정세. 정황. ¶现在是什么~? 지금 어떤 상황인가? ③학력·수양을 평가할 수 있는 정도. ¶~已到; 충분히 수양이 됐다./他的书法到~了; 그의 서법은 원숙에 달했다. ④옛날에, 도가(道家)에서 환약(丸藥)을 빚을 때 불의 강약의 정도. ⑤중요한 시기. ¶正在战斗的~上, 援军赶到; 싸움의 결정적인 순간에 지원군이 도착했다. ⑥적당한 시기〔때〕. ¶这个弹药送得~; 이 탄약이 긴요한 때에 보내 왔다.
〔火狐〕 huǒhú 명 ⇨〔赤chì狐〕
〔火花〕 huǒhuā 명 ①불꽃. ¶发~; 불꽃이 나오다/冒出~; 불꽃이 튀어나오다. ②(쏘아 올리는) 꽃불. ③⇨〔飞蛾〕
〔火花塞〕 huǒhuāsāi 명 《機》 점화 플러그. 스파크 플러그. ¶~搬子; 《機》 스파크 플러그 렌치. =〔火星塞〕〔〈方〉电嘴〕〔〈方〉扑落②〕
〔火化〕 huǒhuà 동 〈文〉 물건을 삶다〔끓이다〕. 명동 화장(하다). ¶尸体已予~; 시체는 화장했다/~场 =〔火葬场〕; 화장터.
〔火浣布〕 huǒhuànbù 명 석면으로 만든 내화포(耐火布). =〔火毳〕
〔火黄〕 huǒhuáng 명 붉은빛을 띤 황색.
〔火机〕 huǒjī 명 〈俗〉 동력 기계.
〔火鸡〕 huǒjī 명 《鳥》 ①〈俗〉 칠면조. =〔吐绶鸡〕 ②타조의 고칭(古稱). ③화식조(火食鳥)의 별칭.
〔火急〕 huǒjí 형 〈翰〉 화급하다. 다급하다. ¶十万~; 매우 다급함. 대지급(大至急).
〔火计〕 huǒji 명 ⇨〔伙计①〕
〔火家〕 huǒjiā 명 고용인(하인·상점 지배인 등).
〔火架(儿)〕 huǒjià(r) 명 화로의 재 위에 박아 놓고 주전자 등을 얹는, 발이 서너개 달린 기구. ¶三脚~; 삼발이. =〔火撑子〕〔火支子〕
〔火剪〕 huǒjiǎn 명 ①부집게. =〔火钳①〕 ②헤어 아이론.
〔火碱〕 huǒjiǎn 명 〈俗〉 가성(苛性) 소다. =〔氢氧化钠〕
〔火箭〕 huǒjiàn 명 ①화전. ②로켓. ¶~炮; 로켓포/反坦克~炮; 바주카포. 대전차 로켓포/~筒; 로켓 발사기/~发动机; 로켓 엔진/~弹; 로켓탄/~塔; 로켓 발사대/~发射场; 로켓 발사기지/~飞机; 로켓기/多级~; 다단식 로켓/二级~; 2단식 로켓/~鞋; 끝이 뾰족한 신발/~靶; 고속 공중 표적(로켓식 표적).
〔火教〕 huǒjiào 명 ⇨〔拜bài火教〕
〔火劲(儿)〕 huǒjìn(r) 명 정열(情熱). 패기(覇氣).
〔火禁〕 huǒjìn 명 ①화재 방지에 관한 금령(禁令). ②한식절(寒食節)(동지 후 105일째 날로 불을 금했던 날).
〔火井〕 huǒjǐng 명 〈方〉 천연 가스갱(坑). =〔天然气井〕
〔火警〕 huǒjǐng 명 ①화재 경보. ②화재. ¶~了liào望塔; (소방서의) 망루. ③화재 통보용 긴급 전화. =〔火警电话〕
〔火镜(儿)〕 huǒjìng(r) 명 ①용접용 보안경. ②화경. 볼록 렌즈. =〔凸tū透镜〕
〔火酒〕 huǒjiǔ 명 ①〈方〉 알코올. ②알코올 순도가 높아 연료로도 될 수 있는 술. =〔白酒〕
〔火居道士〕 huǒjū dàoshi 명 아내를 거느린 도사.
〔火具〕 huǒjù 명 ①도화선·뇌관 따위 기폭 장치. ②불을 사용하여 공격하는 무기.
〔火炬〕 huǒjù 명 횃불. ¶~赛跑; 횃불을 들고 뛰

는 장거리 경주 / ～接力赛跑; 횃불 릴레이 / ～遊行; 횃불 행렬. =〔火把〕〔火枝〕〔明子①〕
〔火锯〕 huǒjù 명 《工》 기계톱.
〔火炕〕 huǒkàng 명 온돌. =〔暖炕〕〔热炕〕〔温炕〕
〔火坑〕 huǒkēng 명 불구덩이. 〈比〉 곤란한 상태. 참혹한 고생. ¶～苦海; 고계(苦界). 참혹한 고통 / 跳出～; 고해(苦海)에서 빠져 나가다 / 落～; 여자가 창기(娼妓)로 전락하다.
〔火口〕 huǒkǒu 명 《地》 분화구.
〔火口儿〕 huǒkǒur 명 ①불땀. 불의 정도. ②정세(情勢).
〔火筷子〕 huǒkuàizi 명 부젓가락. =〔火叉〕〔火箸〕
〔火辣〕 huǒlà 형 ①(기질이) 강하다. 괄괄〔과격〕하다. ¶～脾气; 괄괄한 기질. ②신랄(辛辣)하다. ¶说得很～; 신랄하게 말하다. ③얼얼하게 아프다. ④몹시 맵다.
〔火辣辣(的)〕 huǒlàlà(de) 형 ①타는 듯이 아픈 모양. 얼얼한 모양. ¶手烫伤了, 疼得～的; 손에 화상을 입어 화끈거리다. ②열기(熱氣)가 심한 모양. ¶太阳～的; 햇볕이 쨍쨍 내리쬐다. ③초조하다. 속이 달다. ¶脸上～的, 羞得不敢抬头; 얼굴이 화끈거리고 부끄러워 고개도 들 수 없다 / 脸蛋儿～地烧; 뺨이 화끈거리다. ④(일에) 열중하는 모양.
〔火老鸦〕 huǒlǎoyā 명 ①〈方〉 화재 때, 솟아오르는 화염〔불티〕. 큰 불로 인한 재난. 큰 화재. ②《鳥》 청딱따구리.
〔火犁〕 huǒlí 명 ⇨〔拖tuō拉机〕
〔火力〕 huǒlì 명 ①화력. 불의 기세. ¶～发电; 화력 발전. ②《軍》 화력. 무기의 위력. ¶～圈; 화력이 미치는 범위 / ～点 =〔发fā射点〕; 총포의 발사 기점 / ～掩护; 화력으로 엄호하다.
〔火力发电厂〕 huǒlì fādiànchǎng 명 화력 발전소. =〔火电厂〕〔火电站〕
〔火镰〕 huǒlián 명 부시. ¶～刀; 《植》 까치콩. =〔〈方〉 火刀〕
〔火镰扁豆〕 huǒlián biǎndòu 명 ⇨〔扁豆①〕
〔火亮(儿)〕 huǒliàng(r) 명 〈方〉 불빛. 불꽃.
〔火燎〕 huǒliǎo 동 불에 타다. ¶～鸭; 《鳥》 흰빰검둥오리.
〔火燎眉毛〕 huǒ liǎo méi mao 〈成〉 ⇨〔火烧shāo眉毛〕
〔火烈鸟〕 huǒlièniǎo 명 《鳥》 홍학. 플라밍고.
〔火流星〕 huǒliúxīng 명 《天》 화구(火球).
〔火龙〕 huǒlóng 명 ①나란히 줄지은 불빛. ¶河堤上的灯笼火把像一条～; 제방의 등롱과 횃불은 마치 한 마리의 화룡과 같다 / 钢水像～似地从炉口流出来; 녹은 쇠가 불의 용처럼 노구(爐口)에서 흘러나온다. ②〈方〉 아궁이에서 굴뚝으로 통하는 비스듬한 연도(煙道). ③ ⇨〔棉红叶螨〕
〔火砻〕 huǒlóng 명 방앗간. 정미소.
〔火笼〕 huǒlong 동 더위를 먹다. 더위에 축 늘어지다. ¶大热的天你穿这么多的衣服, 都快～了; 더운 날 너는 이렇게 껴 입으면 더위에 견디다 못해 곧 쓰러지고 만다 / 这些花都～了; 이 꽃은 벌써 더위로 시들었다 / 又急又热, 都～了; 마음은 초조한데 날씨마저 더워서 축 늘어졌다.
〔火笼(儿)〕 huǒlóng(r) 명 ⇨〔烘hōng篮〕
〔火炉(子)〕 huǒlú(zi) 명 ①난로. ¶洋～; 난로. 스토브 / 燃酒精～; 알코올 스토브 / 燃煤～; 석탄 스토브 / 燃油～; 석유 스토브. ②풍로. ③부뚜막.
〔火轮〕 huǒlún 명 ①기선. =〔轮船〕〔火轮船〕 ②태양.
〔火轮船〕 huǒlúnchuán 명 기선(汽船). ¶一只zhī～; 한 척의 기선. =〔〈方〉 火轮①〕〔轮船〕
〔火轮艇〕 huǒlúntǐng 명 론치(launch).
〔火麻〕 huǒmá 명 《植》 대마. 삼. ¶～袋; 마대(麻袋) / ～仁; 삼씨.
〔火麦〕 huǒmài 명 《植》 조생종 밀의 일종.
〔火冒〕 huǒmào 동 〈比〉 크게 노하다. 벌컥 성을 내다. ¶～三丈(高); 크게 노하다. 벌컥 성을 내다 / 他看见不公平的事就～; 그는 불공평한 일을 보면 벌컥 화를 낸다.
〔火冒三丈〕 huǒ mào sān zhàng 〈成〉 열화 같이 화를 내다. 노여움이 폭발하다.
〔火帽〕 huǒmào 명 〈俗〉 뇌관(雷管)의 끝.
〔火媒(儿, 子)〕 huǒméi(r, zi) 명 점화용 불씨. =〔火捻(儿)①〕〔火煤(儿)〕
〔火门〕 huǒmén 명 ①아궁이문. ②아궁이. ③전기 스위치.
〔火棉〕 huǒmián 명 《化》 솜화약. ¶～纸 =〔火胶棉〕; 셀로이딘(celloidin)지《농축 콜로디온의 고형체로, 현미경 검사용 표본 작성에 씀》 / ～胶 =〔珂kē罗酊〕; 콜로디온(collodion).
〔火苗(儿, 子)〕 huǒmiáo(r, zi) 명 화염. 불꽃.
〔火磨〕 huǒmò 명 제분기(製粉機).
〔火姆四本〕 huǒmǔsìběn 명 〈音〉 홈스펀(homespun). =〔父姆四本〕〔手工纺织呢〕
〔火泥〕 huǒní 명 ⇨〔火土〕
〔火捻(儿)〕 huǒniǎn(r) 명 ①불쏘시개. =〔火媒(儿, 子)〕 ②(화약의) 도화선(導火線).
〔火奴鲁鲁〕 Huǒnúlǔlǔ 명 《地》 호놀룰루(Honolulu)《夏威夷(하와이: Hawaii)의 주도(州都)》.
〔火判(儿)〕 huǒpàn(r) 명 ⇨〔火判官〕
〔火判官〕 huǒpànguān 명 화신(火神) 앞에 있는 서기역(書記役)《베이징(北京) 성황묘(城隍廟)에 있는 것은 도제(陶製)로 몸길이 10척(尺), 폭이 5척 가량 됨. 배불뚝이로 만들었음》. =〔火判(儿)〕
〔火炮〕 huǒpào 명 《軍》 옛날의 대포.
〔火盆(儿)〕 huǒpén(r) 명 ①화로. ②(제사 지낼 때) 소지(燒紙)를 태우는 화로.
〔火迫〕 huǒpò 형 아주 급한. 절박한.
〔火铺子〕 huǒpùzi 명 ⇨〔起qǐ火(小)店〕
〔火漆〕 huǒqī 명 봉랍(封蠟). =〔封fēng蜡〕
〔火气〕 huǒqì 명 ①열. 화기. ¶多喝点水, ～就降下去了; 냉수를 좀 마시면 화기가 가라앉는다. ②노기. 화. ¶青年人谁没点～; 젊을 때는 누구나 조금은 참을성이 없는 법이다. 형 (연극 따위에서 연기가) 지나치다. 과장되다.
〔火器〕 huǒqì 명 화기.
〔火钳〕 huǒqián 명 ① ⇨〔火剪jiǎn①〕 ②(대장간의) 부집게.
〔火枪〕 huǒqiāng 명 구식의 총. 화승총. ¶～乌贼; 《動》 꼴뚜기. =〔火铳〕
〔火墙〕 huǒqiáng 명 ①벽난로. ¶烧起～; 벽난로에 불을 넣다. ②보일러 등의 불받이 안쪽에 설치한 돌기물《연료가 뒤로 떨어지는 것을 막음》. =〔炉桥〕〔火坝〕 ③화망(火網).
〔火圈〕 huǒquān 명 화권. 중권(重圈)《지구 내부의 작열 부분》.
〔火儿〕 huǒr 명 ①불. ②노기. 노염. ¶～了; 노하여 발끈해졌다. 동 성내다. ¶～炷儿zhùr =〔火烛(儿)②〕; 불기 있는 데. 불씨. 인화물 / 你哪儿来的这么大的～啊! 너는 어째서 그렇게 화를 내느냐!
〔火热〕 huǒrè 형 ①불과 같이 뜨겁다. ¶他跟她打得～; 그와 그 여자는 열렬한 사이이다 / ～的太阳;

작열하는 태양/水深～; 〈成〉 모진 고난에 빠지다. 심한 고통을 겪다. ②세력이 왕성하다. 활활 타다. 치열하다. ¶打得正～; 한창 치열하게 싸우다/～的斗争; 불꽃 튀는 싸움.

〔火绒(子)〕 huǒróng(zi) 명 부싯깃. ¶～子脑袋; 화를 잘 내는 사람을 말함.

〔火肉〕 huǒròu 명 〈方〉 햄(ham). ¶～面; 햄이 든 국수. =〔火腿〕

〔火伞〕 huǒsǎn 명 이글거리는 햇빛.

〔火色〕 huǒsè 명 〈方〉 ①불의 빛깔. ②불의 세기와 시간. =〔火候(儿)①〕 ③〈比〉 긴요한 시기. 일의 경중. ¶不识～; 적당한 시기를 분간 못하다. 일의 경중을 판단하지 못하다. =〔火候(儿)②〕

〔火山〕 huǒshān 명 ①《地》 화산. ¶～口 =〔火口〕; 분화구/～岩 =〔喷出岩〕; 화산암/～地震; 화산 지진/活～; 활화산/休～; 휴화산. ②〈俗〉 댄스홀.

〔火伤〕 huǒshāng 명 화상.

〔火上浇油〕 huǒ shàng jiāo yóu 〈成〉 불에 기름을 붓다(부추기어 더욱 심해지게 하다). ¶～的性子; 몹시 난폭한 성질. =〔火上加油〕

〔火烧〕 huǒshāo 동 타다. 태우다. ¶～浪费和保守! 낭비와 보수를 다 태워 없애다!/～心; ⓐ매우 초조한 마음. 조바심. ⓑ위가 아픈 병. ⓒ교만하게 뽐내는 태도. 자만심/～旺点; 불을 조금 크게 해 주시오/～迹地; 벌채한 땅을 불지르다. 또, 그 땅/～地; 가뭄으로 마른 땅/～云; 아침놀이나 저녁놀로 붉게 물든 구름/～腰; 《魚》 얼룩 통구멍. ⇒huǒshao

〔火烧〕 huǒshao 명 겉에 깨를 뿌리지 않은 '烧饼'. ⇒huǒshāo

〔火烧火燎〕 huǒ shāo huǒ liǎo 〈成〉 ①더위가 심해서 피부가 뜨거워지는 모양. ②몸이 달아오르다. 극도로 초조해지다. ③화공(火攻)의 고통을 당하다.

〔火烧眉毛〕 huǒ shāo méi máo 〈成〉 초미지급(焦眉之急)의 상태. 발등에 불이 떨어지다. ¶～顾gù眼前; 다급하여 눈앞의 일 밖에는 생각하지 않다. =〔火烧屁股〕〔火燎眉毛〕

〔火舌〕 huǒshé 명 ①불꽃. ②불길. ¶风向骤zhòu变立刻阻止了～; 바람의 방향이 갑자기 바뀌어, 즉각 불길을 잡았다.

〔火身〕 huǒshēn 명 《軍》 총신(銃身). 포신.

〔火神〕 huǒshén 명 화신. 불의 신. ¶～庙; 화신을 모신 사당.

〔火绳〕 huǒshéng 명 ①퓨즈(fuse). ②쑥이나 짚으로 꼰 새끼《모깃불이나 담뱃불에 쓰임》.

〔火石〕 huǒshí 명 ①부싯돌의 통칭. ②라이터돌.

〔火石玻璃〕 huǒshí bōli 명 ⇨〔铅qiān玻璃〕

〔火石车〕 huǒshíchē 명 ⇨〔砂shā轮机〕

〔火实〕 huǒshí 명 《植》 여지(荔枝)의 별칭.

〔火食〕 huǒshí 명동 화식(하다). 불에 익힌 음식(을 먹다). 명 ①⇨〔伙食〕 ②매일의 식사.

〔火势〕 huǒshì 명 불타는 기세. 불기운.

〔火手〕 huǒshǒu 명 화부(火夫).

〔火树银花〕 huǒ shù yín huā 〈成〉 번쩍번쩍 빛나는 등불이나 불꽃의 형용.

〔火水〕 huǒshuǐ 명 〈廣〉 석유. ¶～罐; 석유통. =〔煤油〕

〔火速〕 huǒsù 부 〈南方〉 화급히. 지급으로. 빨리《'oso' 같이 발음함》. ¶～来! 빨리 와라. 명 화급. 지급.

〔火炭(儿)〕 huǒtàn(r) 명 숯불. 뜬숯.

〔火塘〕 huǒtáng 명 〈方〉 봉당을 파서 만든 화로.

〔火膛〕 huǒtáng 명 화실(火室).

〔火烫〕 huǒtàng 동 머리에 아이론을 하다. 형 델 정도로 뜨겁다. =〔滚烫〕

〔火烫烫(的)〕 huǒtàngtàng(de) 형 몹시 뜨거운 모양. (살을) 델 정도로 뜨거운 모양. ¶～的阳光; 쨍쨍 내리쬐는 태양.

〔火田〕 huǒtián 명 ①들에 불을 지르고 사냥을 하는 일. ②《農》 화전(火田)《임야를 태우고 그 자리에 경작하는 농경 방식》.

〔火筒子〕 huǒtǒngzi 명 함석 굴뚝.

〔火头〕 huǒtóu 명 ①⇨〔火主〕 ②땔나무. 불쏘시개. 불이 붙기 쉬운 것. ③(가스 레인지 등의) 점화구(點火口). ④불꽃. ⑤취사원. ¶～军; 취사병.

〔火头(儿)〕 huǒtóu(r) 명 ①불꽃. 불길. ¶油灯的～儿太小了; 램프의 불꽃이 너무 작다. ②불의 세기와 시간. 강약. ¶～儿不到, 饼就烙不好; 불땀이 좋지 않으면 '饼'은 잘 구워지지 않는다. =〔火候(儿)①〕 동 벌컥 성을 내다. 화가 치밀다. ¶他在～上; 그는 성이 나 있다.

〔火头上〕 huǒtóushàng ①매우 흥분하여 열광하는 모양. ②최성기. 한창때. ¶你在抢冷海的～, 耽误航次; 너는 동기 어획(冬期漁獲)의 전성기에 결항했다.

〔火土〕 huǒtǔ 명 내화 점토(耐火粘土). =〔火泥〕

〔火腿〕 huǒtuǐ 명 돼지의 뒤 허벅다리로 만든 햄. ¶～香肠; 햄 소시지/切片～; 슬라이스 햄/～浆; 햄 페이스트/～鸡蛋; 햄 애그/罐头～; 햄 통조림/夹心面包用～; 샌드위치용 햄.

〔火碗〕 huǒwǎn 명 겨울에, 소주를 담은 접시에 얹어 놓고, 불을 붙여 음식을 데워서 먹게 된 식기.

〔火网〕 huǒwǎng 명 화망(火網)《탄환이 종횡으로 날아 그물코처럼 된 탄도(彈道)》.

〔火洗〕 huǒxǐ 동 모조리 불태워 버리다.

〔火匣子〕 huǒxiázi 명 〈方〉 얇은 재목으로 만든 허술한 관. =〔薄皮(棺)材〕

〔火祆〕 Huǒxiān 명 《宗》 조로아스터신(神).

〔火险〕 huǒxiǎn 명 화재 보험. ¶投保tóubǎo～; 화재 보험에 들다/～费; 화재 보험료. =〔火灾保险〕

〔火线〕 huǒxiàn 명 ①심지. ②《軍》 전선(前線). 전장(戰場). ③생산 현장. 노동 현장. ¶下～; ⓐ전장에서 물러나다. ⓑ생산 현장에서 떠나다. ④《電》 활선(活線)《전차의 가공선(架空線) 따위》.

〔火箱〕 huǒxiāng 명 화실(火室).

〔火巷〕 huǒxiàng 명 《軍》 화재에서 격리하고, 연소(延燒)를 막기 위하여 격벽을 설치한 통로.

〔火消气散〕 huǒ xiāo qì sàn 〈成〉 노여움이 없어지다. 발끈했던 기가 가라앉다.

〔火硝〕 huǒxiāo 명 《化》 〈俗〉 질산 칼륨. =〔硝酸钾〕

〔火蝎子〕 huǒxiēzi 명 《動》 〈方〉 작은 전갈《전갈은 작을수록 독이 강해서 작은 것을 '火蝎子'라고 함》. =〔小xiǎo蝎子〕

〔火星〕 huǒxīng 명 《天》 화성. =〔荧惑〕

〔火星(儿, 子)〕 huǒxīng(r, zi) 명 불꽃. ¶迸出不少～; 많은 불꽃이 튀다.

〔火星塞〕 huǒxīngsāi 명 ⇨〔火花塞〕

〔火性〕 huǒxìng 명 〈俗〉 조급한 성미. 곧 잘 내는 성질. ¶你太～了; 너는 지나치게 성급하다/他没～, 你怎么说他, 他也不急; 그는 발끈하지 않는 성미니까, 자네가 아무리 야단쳐도 화를 내거나 하지는 않는다.

〔火熊熊〕 huǒxióngxióng 형 불길이 활활 타오르

는 모양.
〔火眼〕 huǒyǎn 명《漢醫》급성 결막염. ¶～金睛; 붉게 충혈된 눈. 생김새가 흉악한 모양.
〔火焰〕 huǒyàn 명 화염. 불꽃. ¶燃起～; 화염이 오르다 / ～喷射器 =〔喷火器〕; 화염 방사기 / ～淬火法 =〔～硬化法〕; 화염 담금질(가스불로 금속 표면만을 담금질함) / ～山Huǒyànshān; 서유기(西遊記)의 화염산. 고온의 지하 현장. 매우 뜨거운 곳.
〔火药〕 huǒyào 명 화약(火藥). ¶～厂; 화약 공장 / ～库; 화약고.
〔火药味〕 huǒyàowèi 명 화약 냄새. 〈比〉 적의가 가득한 분위기. 전쟁의 기미. ¶这是一篇充满～的声明; 이것은 호전적인 어조가 가득 찬 성명서다.
〔火印〕 huǒyìn 명 소인(燒印).
〔火油〕 huǒyóu 명〈方〉①석유. ¶～炉; 석유 풍로 / ～火炉; 석유 스토브 / ～池; 석유 저장소 / ～灯; 석유 램프. =〔煤油〕〔煤石〕〔火水〕 ②등유(燈油).
〔火油汽机〕 huǒyóu qìjī 명 오일 엔진(oil engine). =〔油机〕
〔火鱼〕 huǒyú 명《魚》달강어. 달궁이.
〔火云〕 huǒyún 명 하운(夏雲). 여름철의 구름.
〔火灾〕 huǒzāi 명 화재(火災).
〔火灾保险〕 huǒzāi bǎoxiǎn 명 화재 보험. ¶～公司; 화재 보험 회사 / 给财产保～; 재산을 화재 보험에 들다. =〔火险〕
〔火葬〕 huǒzàng 명동 화장(하다). ¶～场 =〔火化场〕; 화장터.
〔火燥〕 huǒzào 동 불에 쬐어 말리다.
〔火宅〕 huǒzhái 명《佛》화택(火宅). 번뇌의 세계.
〔火宅僧〕 huǒzháisēng 명《佛》대처승(帶妻僧).
〔火折子〕 huǒzhézi 명 ①옛날, 밤길을 걸을 때 밝히는 등불. ②중국 전통극에서 쓰는 등불.
〔火着心(儿)〕 huǒzhe xīn(r) 부 열심히 분발하여. 마음이 내키어. ¶～办事; 힘을 내어 일하다 / 他～非去不可; 신이 나서 어쨌든 가자고 한다. =〔红着心〕
〔火针〕 huǒzhēn 명 (침구(針灸)에 쓰이는) 화침(火針).
〔火政〕 huǒzhèng 명 소방(消防)에 관한 행정.
〔火支子〕 huǒzhīzi 명 ⇨〔火架(儿)〕
〔火枝〕 huǒzhī 명 횃불. =〔火把〕〔火炬〕〔明子〕
〔火蜘蛛〕 huǒzhīzhū 명 ⇨〔棉mián红叶螨〕
〔火纸〕 huǒzhǐ 명 화지(火紙)(보릿짚·대나무를 원료로 만든 종이로, 초석(硝石)을 칠한 것).
〔火纸媒儿〕 huǒzhǐméir 명 화지(火紙)를 속이 빈 지승(紙繩)처럼 꼰 것(불씨로 사용하는데, 특히 수연(水烟)을 빨 때 씀). =〔火捻(儿)②〕〔火纸捻儿〕〔纸枚儿〕〔纸煤儿〕〔纸媒儿〕〔纸捻儿〕
〔火纸捻儿〕 huǒzhǐniǎnr 명 ⇨〔火纸媒儿〕
〔火中取栗〕 huǒ zhōng qǔ lì 〈成〉 불 속에서 밤을 줍다(일부러 위험한 일에 손을 대다. 남에게 이용당하다).
〔火钟〕 huǒzhōng 명 화재를 알릴 때 치는 종.
〔火种〕 huǒzhǒng 명 불씨. ¶取～; 불씨를 받다〔얻다〕/ 留下了革命的～; 혁명의 불씨를 남겼다.
〔火烛(儿)〕 huǒzhú(r) 명 ①불과 등. ②불기 있는 데. 불씨. 인화물. ¶小心～; 화기 조심(베이징(北京)에서는 huǒzhu로도 읽음). ③〈方〉 화재. ¶秋冬天～多; 가을과 겨울에는 화재가 많다.
〔火主〕 huǒzhǔ 명 (화재의) 근원. =〔火头①〕
〔火柱〕 huǒzhù 명 불기둥. ¶燃起～; 불기둥이 솟다.
〔火箸〕 huǒzhù 명 ⇨〔火筷子〕
〔火砖〕 huǒzhuān 명《建》내화 벽돌. =〔耐火砖〕
〔火字旁〕 huǒzìpáng 명 불화변(한자 부수의 하나 '炳·烨' 등의 '火' 이름).

伙(夥)B) **huǒ** (화)〈과〉

A) ①'家～' ⓐ가구. 집기(什器). ⓑ도구(공구·형구(刑具)·무기·악기 등). ⓒ놈. 녀석. ②명 급식. 취사. ¶起～; 취사하다. 식사를 시작하다 / 包～; 식사 준비를 맡다. =〔火huǒ⑬〕 B) ①(～儿) 명 동아리. 동료. 친구. ¶～友; 친구. ②명 조(粗). 떼. 단체. 패. 무리. ¶入～; 동아리〔일행〕에 끼여들다 / 散～; 팀·단체 등을 해산하다. ③양 사람의 무리를 세는 양사(量詞). ¶一～人; 한 무리의 사람 / 分成两～; 두 조로 나누다. ④동 공동으로 하다. 연합하다. ¶～同购买; 공동 구매하다 / 这块地两家～种分粮; 이 땅은 두 집이 공동 경작해서 수확을 나눈다. ⑤옛날, 점원. ¶店～; 점원 / 东～; 옛날, (상점의) 주인과 점원. ⑥→〔小伙子〕〔夥②〕
〔伙办〕 huǒbàn 동 공동으로 일하다.
〔伙伴〕 huǒbàn 명 ①패거리. 공동자. 동료. 파트너. ¶贸易～; 상거래의 상대 / 我小时候的～; 나의 어렸을 때의 친구 / 被～出卖; 동료한테 배반당하다. ②점원(店員). 점원의 우두머리.
〔伙串〕 huǒchuàn 미리 짜고 시합을 하다.
〔伙东〕 huǒdōng 명 출자인(出資人).
〔伙房〕 huǒfáng 명 ①건축·토목 공사장의 취사장. ②곡식 넣어 두는 헛간. ③ ⇨〔伙食房〕
〔伙分〕 huǒfèn 동 눈대중으로 나누다. 무더기로 나누다.
〔伙夫〕 huǒfū 명 옛날, 취사부(炊事夫).
〔伙耕〕 huǒgēng 동 공동으로 경작하다.
〔伙计〕 huǒji 명 ①패거리. 조합원. =〔伙友(儿)〕〔伙子〕〔火计〕 ②점원(店員). 사동(使童). 보이. =〔茶房〕 ③동료·친구에 대한 애칭. ¶毛～; 촐랑이 녀석. ④정부(情婦). ⑤농부. 고용된 농부.
〔伙结〕 huǒjié 동 조를 만들다. ¶搭～做买卖; 조를 짜서 (합자로) 장사하다.
〔伙谋〕 huǒmóu 동〈文〉공모하다.
〔伙骗〕 huǒpiàn 동〈文〉한통속이 되어 속이다. 편취〔사취〕하다.
〔伙食〕 huǒshí 명 (공동 또는 하숙의) 식사(食事). 취사. ¶～团; 취사반(班) / ～费; 식비 / ～多少? 식비는 얼마나? / ～津贴 =〔～补贴〕; 급식 수당. =〔火huǒ食①〕
〔伙食房〕 huǒshifáng 명 식량을 저장하는 방. =〔伙房③〕
〔伙同〕 huǒtóng 동 한 패가 되다. 함께 하다. ¶～一气; 〈成〉 기맥을 통하다 / ～某国; 모국과 결탁〔연합〕하다.
〔伙用〕 huǒyòng 동 공동으로 사용하다.
〔伙友(儿)〕 huǒyǒu(r) 명 ①동료. 동반자. ②⇨〔伙计①〕
〔伙支〕 huǒzhī 동 동료〔동업자〕에게 이익금을 먼저 빌려 주다.
〔伙种〕 huǒzhòng 동 남과 조를 짜서 경작하다. ¶我有几十亩地和人～着呢; 나는 수십 묘(畝)의 땅을 남과 조를 짜서 경작하고 있습니다 / ～分粮; 조를 짜서 경작하고, 수확물을 나누다.
〔伙住〕 huǒzhù 동 잡거(雜居)하다. 몇 집이 한 곳에 거주하다.
〔伙子〕 huǒzi 명 ①⇨〔伙计ji①〕 ②〈方〉 아들. ¶大～; 장남 / 二～; 차남. 양 떼. 무리. ¶一～

贼; 한 떼의 도둑.

啝〈吙〉 huǒ (화) 명 〈方〉 장소. 곳《산시(山西)》. ¶咱~; 우리 고장 / 到你~去; 네가 있는 곳으로 간다.

钬(鈥) huǒ (화) 명《化》 홀뮴 (Ho: holmium)《금속 원소의 하나》.

漷 huǒ (곽) 지명용 자(字). ¶ ~县Huǒxiàn; 훠 현(漷縣)《베이징 시(北京市) 퉁 현(通縣)에 있는 땅 이름》. ⇒Kuò

夥 huǒ (과) ① 형 많다. 허다하다. ¶ 受益者甚~; 이익을 받는 사람이 대단히 많다. ② ⇒〔伙B〕

或 huò (혹) ① 부 어쩌면〔혹은〕 …지도 모른다. ¶明日上午~可到达; 내일 오전에는 도착할지도 모른다 / 他们~要提出一些问题来; 그들은 어쩌면 문제를 제시할지도 모른다. =〔也许〕 ② 접 (명사·동사·형용사 등의 실사(實詞) 사이에 쓰이어) …혹은〔또는〕 …. …하거나 혹은〔또는〕…. …이거나 혹은〔또는〕 …. ¶用铅~锡制造; 납 또는 주석으로 만들다 / ~典~卖都可以; 저당 잡히든지 팔든지 아무래도 좋다 / ~远~近; 멀리 또는 가까이. 먼 데 또는 가까운 데에. ③ 대 어떤 사람. 어느 것. ¶ ~告之曰; 어떤 사람이 고하기를 (…라고) 말했다 / ~曰 '何不一试'; 어떤 사람은 시험삼아 해 보는 것이 어떠냐고 말한다. ④ 동 〈文〉 있다. ¶饮酒过度, 未~不病; 과음하면 탈나지 않는 사람은 없다. ⑤ 부 〈文〉 다소. ¶不可~缺; 조금도 모자라서는 안 된다. ⑥ 동 어쩔 줄을 모르다. →〔惑〕

〔或多或少〕 huòduō huòshǎo 많든 적든 (간에). 다소(는). ¶~有好处; 많든 적든 간에 이익이 있다 / 免miǎn不了有~的影响; 다소의 영향은 피할 수 없다.

〔或… 或…〕 huò… huò… 혹은 …또는 …. …이거나 또는 …이거나《사자구(四字句)에 쓰임》. ¶或明或暗; 공공연하게 또는 몰래 / 或先或后; 앞서거니 뒤서거니 / 或多或少; 많든 적든. 다소(는) / 或迟或早 =〔或早或晚〕; 조만간.

〔或然〕 huòrán 부 혹시. 아마. 명 개연(蓋然). ¶ ~率; 확률 / ~误差; 확률(確率) 오차.

〔或然性〕 huòránxìng 명 ⇒〔盖gài然性〕

〔或人〕 huòrén 명 〈文〉 어떤 사람.

〔或是〕 huòshi 접 혹은 …이거나, 혹은 …이거나《복문(複文)에 연용(連用)함》 ¶ ~你去, ~他去, 都行; 자네가 가거나, 그가 가거나, 아무래도 좋다. 부 아마. 혹시.

〔或爽〕 huòshuǎng 어쩌다가 틀리다〔어긋나다〕. ¶决无~; 결코 틀리게 하지 않는다.

〔或体〕 huòtǐ 명 (같은 자(字)로서 때로는 이렇게도 쓴다는) 별체(別體).

〔或许〕 huòxǔ 부 혹은 …일지도 모른다. ¶这件事~是有的; 혹시 그 일은 있을지도 모르겠다 / ~有之; 〈文〉 혹시〔아마〕 있을 것이다. =〔或者①〕

〔或则〕 huòzé 접 아니면. 또는《흔히, 되풀이해서 씀》.

〔或者〕 huòzhě 부 혹은 …지도 모른다. ¶他~知道; 그는 알고 있는지도 모른다 / ~他不来; 어쩌면 그는 오지 않을지도 모른다. =〔也许〕〔或许〕 접 ①혹은. 또는. 그렇지 않으면《연용(連用)하는 경우도 있음》. ¶ ~把老虎打死, ~被老虎吃掉, 二者必居其一; 호랑이를 때려 잡든지, 호랑이한테 먹히든지 둘 중의 하나다. ②…하거나 …하거나 (하다)《되풀이해서 씀》. ¶(~)赞成, (~)反对, ~弃权; 찬성인가 반대인가, 아니면 기권인가. =〔或则〕

惑 huò (혹) ① 동 갈피를 못 잡다. 망설이다. ¶大~不解; 뭐라고 해석하기가 어렵다. ② 동 정신을 못 차리다. 혹하다. ¶迷mí~; 미혹되다〔되게 하다〕. ③ 동 미혹하다. 현혹시키다. ¶ ~乱人心; 인심을 현혹시키다 / 谣言~众; 유언비어로 대중을 현혹시키다. ④ 명 미혹.

〔惑二惑三〕 huò'èr huòsān 결단을 내리지 못하다. 결심이 서지 않다.

〔惑害〕 huòhài 동 ①못 쓰게 하다. 짓밟다. 〈比〉 무시하다. ¶他~我; 그는 나를 짓밟았다〔무시했다〕. ②낭비하다.

〔惑乱〕 huòluàn 동 헛갈리게 해서 혼란시키다. ¶ ~人心; 인심을 어지럽히다.

〔惑溺〕 huònì 동 마음이 현혹되어 나쁜 길에 빠지다.

〔惑弄〕 huònong 동 우롱하다.

〔惑术〕 huòshù 명 요술(妖術).

〔惑星〕 huòxīng 명 ⇒〔行xíng星〕

〔惑众〕 huòzhòng 동 민중을 현혹시키다. ¶造谣~; 데마를 퍼뜨려 민중을 현혹시키다.

鱯(鱯) huò (역) 명《魚》 민어과의 소형의 물고기《식용함》.

货(貨) huò (화) ① 명 상품. 물품. ¶销xiāo~; 상품을 팔다 / 百~店 =〔百~商店〕; 백화점 / 以~易~; 물물 교환을 하다 / 订~; 상품을 주문하다 / 进~; 상품을 구입하다. ② 명 재화. 통화(通貨). ③ 명 품질. ④ 명 뇌물. ⑤ 동 팔다. 장사하다. ¶市间有~鲜鱼者; 거리에 생선을 파는 사람이 있었다. ⑥ 명 〈罵〉 놈《사람을 욕하는 말》. ¶不是好~; 병신 같은 놈 / 笨bèn~; 바보. 멍청이.

〔货币〕 huòbì 명《經》 화폐. 통화. ¶ ~工资; 화폐 임금 / ~周转; 화폐 유통 / ~名义说; 화폐 명목설 / ~积累; 화폐 축적.

〔货币贬值〕 huòbì biǎnzhí 명《經》 ①평가(平價) 절하. ②통화 가치의 하락. ‖ =〔纸zhǐ币贬值〕 ↔〔货币升值〕

〔货币地租〕 huòbì dìzū 명《經》 화폐 지대(地代). ¶ ~是封建主义瓦解, 资本主义关系产生时期的特征; 화폐 지대(貨幣地代)는 봉건 제도가 해체되고, 자본주의적 관계가 발생하는 시기의 특징이다.

〔货币符号〕 huòbì fúhào 명《經》 화폐 표장(標章). ¶铸币日益变成价值符号, ~; 주화는 점점 가치 표장으로, 또 화폐 표장으로 변해 가고 있다.

〔货币升值〕 huòbì shēngzhí 명《經》 ①평가 절상. ②통화 가치의 상승. ↔〔货币贬值〕

〔货币资本〕 huòbì zīběn 명《經》 화폐 자본(貨幣資本). ¶每个资本都以一定数量的货币形式开始自己的生命旅程, 它表现为~; 각 자본은 제각기 모두 일정 수량의 화폐 형식으로 자신의 생명의 여행을 시작했는데, 그것이 화폐 자본으로서 나타난 것이다.

〔货驳〕 huòbó 명 화물용 거룻배.

〔货布〕 huòbù 명 화포. 왕망전(王莽錢)《한(漢)나라 왕망(王莽)의 천봉(天鳳) 원년에 만든 옛날 돈》.

〔货财〕 huòcái 명 재물(財物). 재산.
〔货仓交(货)〕 huòcāngjiāo(huò) 명 ⇨〔堆duī栈交(货)〕
〔货舱〕 huòcāng 명 (배·비행기의) 짐칸. 화물칸.
〔货拆〕 huòchāi 명 상품 대금 지불 연체에 대한 할증금의 이율.
〔货场〕 huòchǎng 명 하치장(荷置場).
〔货车〕 huòchē 명 짐수레. 화차. 트럭. ¶～交货 =〔车上交(货)〕; 《商》 에프오티(FOT)(화차도(渡)).
〔货船〕 huòchuán 명 화물선. =〔货轮〕
〔货床〕 huòchuáng 명 판매할 물품의 진열대.
〔货单〕 huòdān 명 《商》 ①송장(送狀). 인보이스(invoice). =〔发货单〕 ②패킹 리스트(packing list). 적하(積荷) 명세서. ③화물 인도 지시서(指示書). 화물 인도서. ④(～儿) 〈俗〉 상품 카탈로그.
〔货到付款〕 huòdào fùkuǎn 명 《商》 시오디(COD)(대금 착화(着貨) 인도).
〔货到即付〕 huòdào jífù 명 《商》 대금 교환 인도. =〔货到交付〕〔货到收款〕〔交货付款〕
〔货底子〕 huòdǐzi 명 팔다 남은 물건. 잔품(殘品).
〔货店〕 huòdiàn 명 가게. 상점.
〔货短〕 huòduǎn 형 물품이 부족하다.
〔货罚〕 huòfá 명 재화(財貨)를 내고 죄값을 치르는 옛날의 형벌.
〔货房〕 huòfáng 명 창고(倉庫)(화물을 쌓아 두고 보관하는 곳).
〔货高价出头〕 huò gāo jià chū tóu 〈成〉 물건이 좋으면 값도 비싸다.
〔货高价廉〕 huò gāo jià lián 〈成〉 품질은 우량하고 가격은 저렴하다.
〔货柜〕 huòguì 명 상품 진열 케이스.
〔货柜轮〕 huòguìlún 명 컨테이너선. =〔集装箱船〕
〔货换货〕 huòhuànhuò 명동 물물 교환(을 하다). ¶以～; 물물 교환(을 하다).
〔货汇〕 huòhuì 명 《經》 화환(貨換) 어음.
〔货机〕 huòjī 명 화물 수송(비행)기.
〔货家〕 huòjiā 명 《商》 하주(荷主). 화물 주인.
〔货价〕 huòjià 명 《商》 상품 가격. ¶工厂交～; 공장도 가격 / 当地交～; 현장도 가격 / 码头交～; 부두 인도 가격 / 仓库交～ =〔栈房交～〕; 창고 인도 가격 / 卡车上交～; 화물차도 가격 / 船舱内交～; 선창내 인도 가격 / 车站交～; 정거장 인도 가격 / 过船边交～; 앞바다 인도 가격.
〔货价单〕 huòjiàdān 명 가격표. 프라이스 리스트. ¶附奉～一纸; 〈翰〉 가격표를 한 통 동봉하여 보내 드립니다.
〔货架子〕 huòjiàzi 명 ①상품의 진열대. ②자전거의 짐 싣는 대(臺). =〔后座儿〕
〔货脚〕 huòjiǎo 명 팔다 남은 상품. =〔货尾wěi〕
〔货捐〕 huòjuān 명 《法》 상품세.
〔货款〕 huòkuǎn 명 상품 대금.
〔货郎(儿)〕 huòláng(r) 명 방물 장수. 주로 여성용 잡화 행상인. ¶～担dàn; 행상인〔황아 장수〕의 짐 보따리.
〔货郎鼓〕 huòlánggǔ 명 황아장수가 흔들고 다니는 방울 달린 북.
〔货赂〕 huòlù 명 〈文〉 뇌물. =〔贿huì赂〕
〔货轮〕 huòlún 명 화물선. =〔货船〕
〔货码(儿)〕 huòmǎ(r) 명 상품의 값.
〔货卖识家〕 huò mài shí jiā 〈諺〉 상품은 값어치를 아는 사람에게 판다. ¶～, 这么好的东西别随便糟踏了; 물건을 잘 아는 사람이 아니면 값어치를 모르니, 이렇게 좋은 물건을 함부로 사용하지 마라.
〔货卖一张皮〕 huòmài yī zhāng pí 한장의 가죽으로 팔다. 이어서 한 장의 가죽처럼 만들어 팔다(가짜 물건을 팖).
〔货目单〕 huòmùdān 명 ⇨〔发fā(货)单〕
〔货目价单〕 huòmù jiàdān 명 상품 가격표.
〔货牌〕 huòpái 명 상표.
〔货票〕 huòpiào 명 ①상품 전표. ②⇨〔提单〕
〔货品〕 huòpǐn 명 ①화물. 상품. ②상품의 종류.
〔货弃于地〕 huò qì yú dì 〈成〉 물품이 땅에 내버릴 만큼 풍부하다.
〔货签〕 huòqiān 명 짐 꼬리표.
〔货欠〕 huòqiàn 명 상품 대금의 미불금. ¶催收～; 상품 대금의 미불금을 독촉하여 수금하다.
〔货泉〕 huòquán 명 (옛날의) 화폐.
〔货色〕 huòsè 명 ①상품의 질. 품질. 종류. ¶各样～; 각종 상품 / ～必选精良; 품질은 반드시 좋은 것을 고른다 / ～俱jù全; 상품의 종류는 모두 갖추어져 있다. ②물품. ¶上等～; 고급품. ③〈罵〉 물건. 놈. ¶肚子里没有～的人; 뱃속에 아무것도 든 것이 없는 사람. 무식한 사람.
〔货身〕 huòshēn 명 품질.
〔货声〕 huòshēng 명 (행상인의) 팔면서 외치는 소리.
〔货摊(儿)〕 huòtān(r) 명 노점(露店). ¶摆bǎi～的; 노점 상인 / 摆～; 노점을 내다〔벌이다〕.
〔货尾〕 huòwěi 명 ⇨〔货脚jiǎo〕
〔货位〕 huòwèi 양 (화물의) 한 화차(貨車)에 실을 수 있는 양. 명 (역·상점·창고 등의) 하치장(荷置場).
〔货物〕 huòwù 명 상품. 물건. 화물. ¶～花色; 상품 목록 / ～清单; 적하(積荷) 목록 / ～凭票; 상품권 / ～抵押放款; 상품 담보 대부 / ～出门概不退还; 판매된 상품은 교환 사절 / 发送～; 상품을 발송하다 / ～提单; 화물 상환증(相換證).
〔货箱〕 huòxiāng 명 컨테이너(container). ¶～号码; 컨테이너의 번호.
〔货样〕 huòyàng 명 ①상품 견본. ②〈方〉 품질.
〔货腰〕 huòyāo 동 댄서가 손님과 춤추다. 댄서가 손님과 춤추며 돈을 벌다. ¶她为了生活只得下海～去了; 그 여자는 생활을 위해 영락하여 댄서가 되었다. →〔伴bàn舞〕
〔货腰女郎〕 huòyāo nǚláng 명 〈俗〉 옛날, 댄서('舞wǔ女'의 별칭). ¶叫个～来坐钟, 一会儿就转台子了; 댄서를 불러서 서비스하게 했지만, 이내 다른 테이블로 불려 갔다.
〔货源〕 huòyuán 명 화물·상품·재료의 공급원. ¶～账; 상품 매입장 / 开辟～; 상품 공급원을 개척하다.
〔货运〕 huòyùn 명 화물 운송. ¶～机车; 화물 운송 기관차 / ～量; 화물 수송량.
〔货栈〕 huòzhàn 명 상품 창고. =〔堆栈〕
〔货真价实〕 huò zhēn jià shí 〈成〉 ①품질 우수 가격 저렴. =〔货美měi价廉lián〕 ②거짓이 없다. 참되고 거짓이 없다(흔히, 부정적(否定的)으로 씀).
〔货殖〕 huòzhí 명 〈文〉 화식. 상공업을 경영함.
〔货主(儿)〕 huòzhǔ(r) 명 하주(荷主). ¶发～; 화물 발송인 / 收～; 화물 수취인.

和 huò (화)

① 동 젓다. 뒤섞다. 혼합하다. 배합하다. ¶搀chān～; (휘저어) 섞다 / ～一～吧, 糖

沉底儿了; 설탕이 바닥에 가라앉아 있으니, 좀 휘저어라 / ～药; 약을 배합하다. ② 양 ㉠빨래할 때 물을 가는 횟수. ¶衣裳已经洗了两～了; 옷은 벌써 두 번이나 물을 갈아 헹구었다. ㉡약을 달일 때 물을 붓는 횟수. ¶头～药; 첫 번째 달인 약 / 二～药; 재탕한 약. ⇒ hé hè hú huó huo

〔和拌〕 huòbàn 동 (휘저어) 뒤섞다. 교반(攪伴)하다.

〔和拢〕 huòlong 동 ⇨〔和弄〕

〔和泥〕 huòní 동 진흙을 개다. ¶～脱坯; 진흙을 개어 흙벽돌을 만들다.

〔和泥儿〕 huònír 동〈比〉 중재하다. 주선하다. ¶给他们双方～; 그들 쌍방을 중재해 주다.

〔和弄〕 huònong 동〈方〉①(휘저어) 뒤섞다. ¶冲奶粉的时候要～匀了; 분유를 녹일 때에는 잘 휘저어 섞어야 한다 / 瞧你把水都～浑了! 물을 휘저어서 온통 흐려 놓았구나! ②휘젓다. 혼란시키다. 방해하다. 부추기다. ¶这乱子都是他～出来的; 이 소동은 모두 그 사람이 부추긴 결과이다 / 不图打鱼竟图～水; 물고기를 잡는 것도 아니고 그저 남의 방해만 하다. ‖ =〔和拢〕

〔和稀泥〕 huò xīní〈方〉 잘 구슬려 달래다. (원칙적인 일은 빼고) 화해시키거나 절충하다. 적당히 중재하다. ¶跟他～就完了; 그를 구슬려 달래면 그것으로 해결이다. =〔合稀泥〕

〔和匀〕 huòyún 동 고르게 잘 섞다. 섞어서 고르게 하다.

获(獲A), 穫B))

huò (획, 확)

A) ① 동 잡다. 붙잡다. ¶捕bǔ～; 잡다. 포획하다 / 俘～无算; 무수한 포로를 잡았다. ② 동 얻다. 취득하다. ¶～胜; 승리를 거두다 / 不劳而～; 고생하지 않고 손에 넣다. ③ 조동〈文〉 …할 수 있다. 기회 또는 짬을 얻을 수 있다. ¶欲行xíng不～; 하려고 해도 할 수 없다 / 不～面辞; 만나지 못하고 가다 / 不～晤面; 만날 수 없다. B) 동 베다. 수확하다. 거두어들이다. ¶收～; 수확하다 / 秋～冬藏; 가을에 거두어들이고 겨울에 갈무리하다.

〔获案〕 huò'àn 동〈文〉 사건의 범인을 붙잡다.

〔获办〕 huòbàn 동〈文〉 붙잡아서 벌주다.

〔获得〕 huòdé 동 (큰 노력·희생을 치르고) 획득하다. ¶～机会; 기회를 잡다 / ～宝贵的经验; 귀중한 경험을 얻다 / ～性免疫; 후천성 면역.

〔获恩〕 huò'ēn 동〈文〉 호의나 은혜를 얻다.

〔获解〕 huòjiè 동〈文〉 붙잡아 호송하다. =〔获送〕

〔获咎〕 huòjiù 동〈文〉 질책을 받다〔당하다〕.

〔获救〕 huòjiù 동 구조되다. ¶五名渔民～了; 5명의 어민은 구출되었다. =〔得救〕

〔获利〕 huòlì 동 이익을 얻다.

〔获取〕 huòqǔ 동 얻다. 획득하다.

〔获润〕 huòrùn 동〈文〉 이윤을 얻다.

〔获胜〕 huòshèng 동 승리하다. 이기다. ¶以二比一～了; 2대 1로 이겼다. =〔得dé胜〕〔取qǔ胜〕

〔获送〕 huòsòng 동 ⇨〔获解〕

〔获悉〕 huòxī 동〈文〉①정보를 얻다. 알다. 알게 되다. ¶记者在全国水利会议上～; 기자는 전국 수리(水利) 회의에서 사정을 알 수 있었다. ②〈翰〉 모두 잘 알았습니다. ‖ =〔获知〕

〔获知〕 huòzhī 동 ⇨〔获悉〕

〔获致〕 huòzhì 동 획득하다. 실현하다. ¶全世界人民所要求～的永久和平, 到底能不能实现呢? 전세계의 인민이 획득하여 실현시키려고 하는 영구 평화는 과연 실현될 수 있을까 / ～协xié议; 협의가 이루어지다.

〔获住〕 huòzhù 동〈文〉 사로잡다. 붙잡다.

〔获准〕 huòzhǔn 동 비준(批准)을 획득하다. 허가를 얻다. ¶庆祝～公私合营; 공사 합영이 허가된 것을 축하하다.

〔获罪〕 huò.zuì 동 ①죄를 지다. 남의 노여움을 사다. ②실례하다. ¶真～不少; 대단히 실례했습니다.

祸(禍)

huò (화)

① 명 화. 재난. 고난. ¶车～; 윤화(輪禍) / 天降的大～; 하늘이 내린 큰 재앙 / 大～临头; 큰 재난이 덮치다 / 惹rě～; 화를 초래하다〔일으키다〕. ↔〔福①〕 ② 동 화를 끼치다. 화를 초래하다. 해치다.

〔祸不单行〕 huò bù dān xíng〈成〉 재앙은 매양 겹쳐 온다《엎친 데 덮친다. 설상가상》. →〔福fú无双至〕

〔祸从口出, 病从口入〕 huò cóng kǒu chū, bìng cóng kǒu rù〈諺〉 재앙도 병도 입이 화근이다.

〔祸从口生〕 huò cóng kǒu shēng〈諺〉 입이 화근. →〔病bìng从口入〕

〔祸从天上来〕 huò cóng tiān shang lái 재앙이 갑자기 닥치다.

〔祸端〕 huòduān 명〈文〉 화근. =〔厉lì阶〕

〔祸福无门〕 huò fú wú mén〈成〉 화복은 모두가 각자의 마음가짐에 달려 있다. ¶～, 唯人自招; 재앙과 복은 원래 정해진 것이 아니고, 자기 자신이 초래할 뿐이다.

〔祸福倚伏〕 huò fú yǐ fú〈成〉 화복은 항상 인과관계가 있다.

〔祸福由己〕 huò fú yóu jǐ〈成〉 재앙과 복은 모두 자기 자신이 초래하는 것이다.

〔祸根〕 huògēn 명 ⇨〔祸胎〕

〔祸国病民〕 huò guó bìng mín〈成〉 나라를 그르치고 백성을 해치다. =〔祸国殃民〕

〔祸国殃民〕 huò guó yāng mín〈成〉 나라와 국민에게 화를 가져오다. ¶打倒～的贪官污吏; 나라와 국민에게 화를 초래하는 탐관 오리를 타도하다.

〔祸害〕 huòhài 명 ①화. 재난. 재해. ¶经常惹出～; 자주 재해를 일으키다. ②화근(禍根). 문젯거리. 말썽꾼. ¶这孩子是个～; 이 아이는 말썽꾸러기다. 동 해를 끼치다. 파손하다. 유린하다. ¶～星xīng; 골목 대장. 말썽꾸러기. 화근이 되는 사람 / 各自安生, 谁也不要～谁; 제각기 분수를 지키고, 남에게 손해를 끼쳐서는 안 된다 / 野猪～了一大片庄稼; 멧돼지가 큰 면적의 작물을 망쳤다.

〔祸患〕 huòhuàn 명 재앙. 재해.

〔祸及〕 huòjí 동〈文〉 화가 미치다.

〔祸阶〕 huòjiē 명〈文〉 재난의 징조.

〔祸乱〕 huòluàn 명 화란. 재난과 변란.

〔祸乱星〕 huòluànxīng 명 망나니. 화근의 원흉. 장본인.

〔祸起萧墙〕 huò qǐ xiāo qiáng〈成〉 내분(內紛)을 일으키다.

〔祸起肘腋〕 huò qǐ zhǒu yè〈成〉 재앙이 가까운 데서 일어나다.

〔祸始〕 huòshǐ 명〈文〉 화근.

〔祸事〕 huòshì 명 재해. 재앙. 재화.

〔祸首〕 huòshǒu 명 화근의 장본인〔원인〕. ¶～罪魁kuí; 재해와 범죄를 일으킨 사람. 주범. 주모자. =〔祸手〕

〔祸水〕 huòshuǐ 명 불행의 근원. ¶妾为家庭中～;

첩은 가정 안의 해가 된다.
〔祸祟〕 huòsuì 명 앙화(殃禍). (뒤)탈.
〔祸胎〕 huòtāi 명 화근(禍根). =〔祸根〕
〔祸心〕 huòxīn 명 나쁜 계략. 나쁜 마음. ¶包藏～; 몰래 나쁜 마음을 품다/～未死; 나쁜 계략을 없애지 않다. 「화의 원흉.
〔祸星〕 huòxīng 명〈比〉문제를 일으키는 인물.
〔祸殃〕 huòyāng 명 재앙.
〔祸源〕 huòyuán 명〈文〉화근. 화의 근원.
〔祸哉〕 huòzāi 감 아뿔싸. 큰일났다.

锪(鍃) huò〔huō〕(화) →〔锪孔〕
〔锪孔〕 huòkǒng 명《工》(구멍의) 절삭 가공법.

濩 huò (활) 양 세탁을 할 때에 물을 가는 횟수를 나타냄. ¶衣裳已经洗了两～; 옷은 벌써 두 번이나 헹궜다. ⇒Wèi

嚄 huò (획) ①동 큰 소리로 부르다. 웃다. ②감 이키! 저런!(놀라는 소리) ¶～, 这是怎么个意思! 아니, 이건 어떻게 된 거야! ⇒ huō ǒ
〔嚄啧〕 huòzé 동 재잘거리다.

雘 huò (확) 명〈文〉단토(丹土)·진사(辰砂) 등에 속하는 적색·청색 안료. ¶丹～; 적색/青～; 청색.

镬(鑊) huò (확) 명 ①옛날에 물건을 삶던 큰 냄비. ¶鼎～; 형구(刑具)로 쓰던 발 없는 솥/～烹pēng; 옛날의 극형의 하나로, 솥에 넣어 삶아 죽이는 형벌/汤tāng～; 펄펄 끓는 물이 든 큰 솥(에 죄인을 던져 넣는 형벌). ②〈方〉(～子) 솥. 냄비. ¶～盖; 냄비 뚜껑.

蠖 huò (확) 명《蟲》자벌레. ¶～虱;《蟲》흰등멸구/～屈; (자벌레처럼) 잠시 몸을 구부리고 참은 후에 발전을 꾀함. =〔尺蠖〕〔桑蠖〕〔〈方〉步屈〕〔屈伸虫〕

霍 huò (곽) ①부 재빠르게. 갑자기. 불시에. ¶～地躲过; 몸을 재빠르게 비키다. ②형 성대한. ③명 남방(南方). ④명 성(姓)의 하나.
〔霍布花〕 huòbùhuā 명 ⇨〔忽hū布(花)〕
〔霍地〕 huòdì 부 획. 벌떡. 갑자기. ¶他～站了起来; 그는 벌떡 일어섰다/杨志～躲过, 拿着刀抢入来; 양지(楊志)는 재빨리 몸을 비켜, 칼을 가지고 뛰어들어왔다. 「만 반응.
〔霍夫曼反应〕 Huòfūmàn fǎnyìng 명《化》호프
〔霍盖〕 huògài 명 ⇨〔冰bīng球①〕
〔霍霍〕 huòhuò ①〈擬〉쓱쓱(칼을 가는 소리). ¶～地磨刀; 칼을 쓱쓱 갈다. ②형 번쩍거리는 모양. ¶电光～; 전광이 번쩍거리다. ③형 매우 빠른 모양. ¶～地站起; 벌떡 일어서다.
〔霍加披〕 huòjiāpī 명《動》오카피(okapi). =〔俄卡皮〕〔獾狮狓〕
〔霍乱〕 huòluàn 명 ①《醫》호열자. 콜레라(cholera). ②《漢醫》(구토·설사·복통 등을 동반하는) 위장 질환. 곽란.
〔霍姆斯本〕 huòmǔsīběn 명《紡》홈스펀(home-spun). =〔火姆司本〕
〔霍然〕 huòrán 부 갑자기. 재빨리. ¶手电筒～一亮; 회중 전등이 갑자기 환해졌다. =〔突然〕 형 병이 씻은 듯이 낫는 모양. ¶～病已 =〔～病愈〕; 병이 씻은 듯이 낫다/数日之后, 定当～; 며칠 후에는 틀림없이 병이 싹 나을 것이다.
〔霍闪〕 huòshǎn 동〈方〉번개치다. =〔打闪〕

藿 huò (곽) 명 ①두류(豆類)의 잎. ¶～蠋; 콩잎에 달라붙는 나비의 큰 애벌레/藜～之羹; 명아주국이나 콩잎국.〈比〉악식(惡食). 검소한 음식. ②《植》배초향. =〔藿香xiāng〕
〔藿蒲〕 huòpú 명 ⇨〔忽hū布(花)〕 「곽향유.
〔藿香〕 huòxiāng 명《植》곽향(약용함). ¶～油;

擭 huò (확)竟 ①동 손바닥을 뒤집다. ②동 반죽하다. ¶～面; 밀가루를 반죽하다/～泥; 진흙을 이기다. ③→〔擭捞lao〕 ⇒ huō
〔擭捞〕 huòlao 동〈方〉휘젓다. ¶不图打鱼竟图～水;〈諺〉물고기를 잡는 것이 아니라, 그저 물을 휘젓다(자신을 위한 것도 아니고, 단지 다른 사람을 방해할 뿐이다).

嚯 huò (화) ①감 야. 어(놀라움이나 감탄을 나타내는 말). ¶～, 原来你在这儿; 뭐야, 거기 있었군. ②〈擬〉휙(재빨리). ¶他～地站了起来; 그는 확 일어섰다.

獾 huò (학) →〔獾狮狓〕
〔獾狮狓〕 huòjiāpí 명 ⇨〔霍加披〕

臛〈脽〉 huò (학, 혹) 명〈文〉고깃국.

豁 huò (활) ①형 훤히 열리다. (기분이) 확 풀리다. 석연하다. ¶～然贯通; 마음이 훤히 열리어 통하다. ②동 열어젖뜨린 채로 두다. ③동 통하다. ④동 (세금·형벌 따위를) 면제하다. 허락하다. ⇒ huá huō
〔豁鼻子〕 huò bízi 남의 험담을 하다. 남의 결점을 헐뜯다. ⇒ huō bízi
〔豁除〕 huòchú 동 해제(解除)하다.
〔豁达〕 huòdá 형 ①활달하다. ②도량이 크다. =〔豁达大度dù〕
〔豁荡〕 huòdàng 형 활달하고 호탕하다.
〔豁朗〕 huòlǎng 형 목소리가 낭랑하다.
〔豁亮〕 huòliang 형 ①널찍하고 밝다. ¶这间房子又干净又～; 이 방은 깨끗하고 밝다. ②(기분이) 활짝 트이다. ¶心里顿时～了; 마음 속이 갑자기 후련해졌다. ③(음성이) 쩌렁쩌렁하다. ¶他说话嗓子真～; 그의 말소리는 쩌렁쩌렁하여 잘 들린다. →〔亮堂〕
〔豁拢〕 huòlong 동 뒤섞다. =〔和拢〕
〔豁露〕 huòlòu 명 ⇨〔豁huō络〕
〔豁免〕 huòmiǎn 동 (납세·노역 등을) 면제하다. ¶～权; (외교관·의원·승려 등의) 특권. (역무(役務)·세(稅) 따위의) 면제의 권리/～钱粮; 조세를 면제하다.
〔豁然〕 huòrán 형 ①(마음이) 후련한 모양. ¶听了这句话, 我才～明白; 이 말을 듣고 나는 비로소 알았다. ②훤히 열리는 모양. ¶～开朗; 마음이 훤히 열리다. 갑자기 의문이 풀리다.
〔豁如〕 huòrú 형〈文〉넓게 열린[트인] 모양. 도량이 넓은 모양.

和 huo (화) '暖nuǎn～'·'热rè～'·'温wēn～' 따위에 쓰임. ⇒ hé hè hú huó huò

J

JI 니

几(幾) jī (기)
A) 명 ①(～儿) 작은 탁자. ¶茶～(儿); 차 탁자/窗明～净; 방이 밝고 깨끗한 모양. ②앉을 때 기대는 팔걸이. ③제사 또는 향연에서 희생물을 얹고 권하는 도구. B) ①부 거지반. 거의. 하마터면. ¶他～乎要死; 그는 거의 죽을 뻔했다. ②형 아슬아슬하다. 위험하다. ¶濒于～殆dài; 위험이 닥치다. ③명 징조. 조짐. =〔几兆zhào〕 ④명 미세(微細). ⇒jǐ
〔几案〕 jī'àn 명〈文〉책상. ¶有～才; 글재주가 있다.
〔几殆〕 jīdài 형〈文〉위태롭다. 위험하다. ¶濒于～; 위험이 닥치다.
〔几丁质〕 jīdīngzhì 명《化》키틴(chitin).
〔几顿〕 jīdùn 형 실패하여 위태하다.
〔几工儿〕 jīgōngr〈俗〉쉽게 …않다. 좀처럼 …않다. 때로 …하다. ¶我～去一次; 나는 가끔 한 번 간다.
〔几乎〕 jīhū ①부 거의. 대부분. ¶凡是卖力气就能吃饭的事他～全作过了; 무릇 노동을 하여 밥을 먹을 수 있는 일은 거의 무슨 일이든 다 했다. =〔几几〕〔几几乎〕 ②…에 가깝다. ¶今天到会的～有五千人; 오늘 회의에 모인 사람은 5천 명에 가깝다. ③부 까딱하면. 자칫하면. 하마터면. ¶你～误了钟点了; 자네는 까딱하면 지각할 뻔했다.
〔几谏〕 jījiàn 동〈文〉부모의 과오를 온화하게 간(충고)하다.
〔几哩咕噜〕 jīligūlū 형 ①재잘재잘 알지도 못할 말을 지껄이는 모양. ②흩어져 있는 모양.
〔几哩拉喳〕 jīlilāchā 형〈俗〉재빨리 일을 진행시키는 모양. ¶～地攻他一下子; 지체 없이 그를 공격했다.
〔几率〕 jīlǜ 명《數》확률. 개연율(蓋然率).
〔几那树〕 jīnàshù 명《植》기나수. 키나(china). =〔规guī那树〕〔金jīn鸡纳〕
〔几内亚〕 Jīnèiyà 명《地》기니(Guinea)(수도는 '科纳克里'(코나크리: Conakry)).
〔几事〕 jīshì 명〈文〉사소한 일.
〔几微〕 jīwēi 명〈文〉기미. 낌새. 형 미세하다. 사소하다.
〔几维果〕 jīwéiguǒ 명《植》키위 프루츠(kiwi fruits)(다래나무의 근연종(近緣種)). =〔猕mí猴桃〕〔基威果〕
〔几维鸟〕 jīwéiniǎo 명《鳥》키위(kiwi). =〔无翼鸟〕
〔几希〕 jīxī 형〈文〉거의 드물다. 차이가 얼마 없다.

讥(譏) jī (기)
①동 비방하다. 조소하다. 빈정대다. 풍자하다. ¶～笑; ⇓ ②동 힐문(詰問)하다. ③동 조사하다. ④동 간(諫)하다. ⑤명 비난.
〔讥谤〕 jībàng 동〈文〉비방하다. 헐뜯다.
〔讥嘲〕 jīcháo 동〈文〉비방하다. 헐뜯고 비웃다.
〔讥刺〕 jīcì 동〈文〉⇨〔讥讽〕
〔讥讽〕 jīfěng 동 비방하다. 풍자하다. 비웃다. 놀리다. ¶命运的～; 운명의 장난. =〔〈文〉讥刺〕 명 반어(反語). 아이러니.
〔讥诮〕 jīqiào 동〈文〉비방하며 놀리다. 비꼬다.
〔讥笑〕 jīxiào 동 비웃다. 조소하다. 조롱하다. ¶怕人议论～; 남의 소문에 오르거나 비웃음을 받는 것을 걱정하다.

叽(嘰) jī (기)
①동 소식(小食)하다. ②동 슬퍼하다. ③〈擬〉(새나 벌레 따위의) 우는 소리. ¶小鸟～～地叫; 새가 짹짹거리다/呱guā～呱～; 짹짹. 지지배배.
〔叽咯儿〕 jīger 동〈俗〉졸라대다.
〔叽咕〕 jīgu 동 ①중얼중얼하다. 투덜투덜 불평하다. ②소곤거리다. ¶他们两个叽叽咕咕, 不知在说什么; 그들 두 사람은 소곤거리고 있는데, 무슨 말을 하고 있는지 알 수 없다. ③충동질하다. 부추기다. ¶这是他～出来的事情; 이것은 그가 꼬드기어 일어난 일이다.
〔叽叽嘎嘎〕 jījigāgā〈擬〉담소(談笑)하는 소리나 기계 소리 따위. ¶他们～地嚷着笑着; 그들은 왁자지껄 떠들다가 웃다가 한다.
〔叽叽喳喳〕 jījizhāzhā〈擬〉재잘재잘(지저귀는 소리). →〔唧唧喳喳〕
〔叽里旮旯儿〕 jīligālár 명〈方〉구석구석. 도처(到處). ¶工作室里, ～都是昆虫标本; 작업실 안은 온통 곤충 표본 천지다.
〔叽里咕噜〕 jīligūlū〈擬〉①알아들을 수 없는 말. 재잘재잘 지껄이는 소리. ¶他们俩～地说了半天; 그들 두 사람은 오랜 시간 재잘재잘 지껄였다. ②물체가 굴러가는 소리. ¶石头～滚下山去; 돌이 데굴데굴 산 아래로 굴러 떨어졌다. ③혼잡하고 어수선한 모양. ¶这里头～的是什么? 이 속의 북적거리는 것은 무엇이냐? ④(배가) 꾸르륵꾸르륵하는 소리. ¶饿得～地响; 배가 고파서 쪼르륵 소리가 난다.
〔叽里呱啦〕 jīliguālā〈擬〉왁자지껄. 재잘재잘(지껄이는 소리. 남이 모르는 말(외국어나 사투리 따위)을 큰 소리로 이야기하는 모양). ¶～说个没完; 왁자지껄 한없이 지껄이다.
〔叽里光郎〕 jīliguānglāng〈擬〉쾅쾅. 덜커덜커(물건이나 사람이 부딪는 소리).
〔叽里喳喇〕 jīlizhālā〈擬〉왁자지껄(소리가 시끄럽게 울림). ¶开会时要保持安静, 别老～的; 회의 때는 조용히 해야지 왁자지껄 떠들면 안 된다. =〔叽里扎喇〕
〔叽哝〕 jīnong 동 작게 중얼거리다.

饥(飢, 饑B)**)** jī (기)
A) ①형 굶주리다. ¶饱汉不知饿汉～; 배부른 자는 굶주린 자의 배고픔을 모른다/对于学习文化的要求, 如～如渴; 문화를 배우려고 하는 요구는 마치 굶주리고 목마른 것과 같다. =〔饿è〕 ②명 성(姓)의 하나. B) 명 흉작. 기근. ¶岁～; 수확이 좋지 않다. 흉년이 들다/大～; 대기근.
〔饥饱〕 jībǎo 명 굶주림과 포식함(어떤 때는 굶주리고 어떤 때는 배불리 먹다. 가난한 사람이 식사

를 마음대로 할 수 없는 모양). ¶年轻时不怕～劳碌; 젊을 때에는 먹는 것이나 고생은 문제삼지 않는다.
〔饥不择食〕 jī bù zé shí 〈成〉 배가 고프면 무엇이든지 먹는다(급할 때엔 이것저것 가릴 겨를이 없다).
〔饥肠辘辘〕 jī cháng lù lù 〈成〉 시장하여 배에서 쪼르륵 소리가 나다(몹시 굶주려 있다).
〔饥饿〕 jī'è 명 기아. 굶주림. 형 배가 고프다.
〔饥饿线〕 jī'èxiàn 명 기아선. 굶주리는 고비.
〔饥寒交迫〕 jī hán jiāo pò 〈成〉 굶주림과 추위가 갈마들며 닥쳐오다(빈곤한 모양).
〔饥寒起盗心〕 jī hán qǐ dào xīn 〈諺〉 가난 때문에 저지르는 도둑질.
〔饥荒〕 jīhuang 명 ①기근. 흉작. ②〈口〉(경제적인) 곤란. 고통. ③〈口〉 부채(負債). 빚. ¶扯～; 돈을 꾸다. 돈을 빌리러 돌아다니다 / 拉～; 채무를 갚지 않고 있다. ④말썽. 갈등(葛藤). ¶打～; ⓐ갈등을 일으키다. ⓑ돈을 빌리다. 동 말다툼하다. ¶闹～; ⓐ흉년들다. 기근이 되다. ⓑ말다툼하다.
〔饥火〕 jīhuǒ 명 〈比〉 심한 배고픔. ¶～中烧; 〈成〉 배가 몹시 고프다.
〔饥馑〕 jījǐn 명 〈文〉 기근. 흉작. =〔饥歉qiàn〕
〔饥渴〕 jīkě 명 ①굶주림과 목마름. ②〈比〉 간절한 기대.
〔饥困〕 jīkùn 형 〈文〉 굶주림과 가난에 시달리다.
〔饥冷〕 jīlěng 동 몸이 떨리다. ¶打了个～; 몸을 떨다.
〔饥民〕 jīmín 명 (먹을 것이 없어서) 굶주린 백성.
〔饥溺〕 jīnì 명 배고픔과 물에 빠짐. 〈比〉 민중의 고통. 절박한 민생고.
〔饥穰〕 jīráng 명 흉작과 풍작. 흉년과 풍년.
〔饥色〕 jīsè 명 〈文〉 배고픈〔굶주린〕 기색.
〔饥岁〕 jīsuì 명 〈文〉 흉년.
〔饥一顿饱一顿〕 jī yī dùn bǎo yī dùn 생활이 어려워 굶다 먹다 하다.
〔饥则甘食〕 jī zé gān shí 〈成〉 시장이 반찬이다.

禨(禨) jī (기)
명 〈文〉 ①조짐. 징조. ②지벌. 신벌(神罰).
〔禨祥〕 jīxiáng 명 길흉. 동 복(福)을 구하다.

玑(璣) jī (기)
명 ①〈文〉 둥글지 않은 진주. ¶珠zhū～; 주옥. ②옛날의 천문 관측기. →〔璇xuán玑〕

机(機) jī (기)
① 명 기계. 기구. ¶起重～; 기중기. 크레인 / 照相xiàng～; 사진기 / 拖tuō拉～; 트랙터 / 缝纫～; 재봉틀 / 打字～; 타이프라이터. ② 명 '飞机'(비행기)의 약칭. ¶飞～; 비행기 / 客～; 여객기 / 轰炸hōngzhà～; 폭격기 / 侦zhēn察～; 정찰기. ③ 명 베틀. ④ 명 장치. ⑤ 명 시기. 기회. ¶好～会; 좋은 기회 / 勿失良～! 좋은 기회를 놓치지 마라! ⑥ 명 추기(樞機). 사물의 중심. 요점. ¶～密大事; 비밀스럽고 중요한 일 / 军～; 군사(상의) 기밀. ⑦ 명 조짐. 징조. ¶临～应变; 임기 응변(으로 하다). ⑧ 형 민활한. 기민한. ¶～智zhì; ⇩ / ～警jǐng; ⇩ ⑨ 형 긴요한. ⑩ 명 생물체 기관의 작용·활동 능력. ¶失去～能; 기능을 상실하다 / 有～体; 유기체. ⑪ 명 음모(陰謀)의 마음.
〔机包〕 jībāo 명 압착 곤포(壓搾梱包).
〔机变〕 jībiàn 동 ①임기 응변하다. ¶善于～; 임기응변을 잘 하다. ② ⇨〔机诈〕
〔机不可失〕 jī bù kě shī 〈成〉 호기(好機)를 놓쳐서는 안 된다.
〔机布〕 jībù 명 기계로 짠 천.
〔机舱〕 jīcāng 명 ①(배의) 기관실. ②(비행기의) 객실 및 화물 적재실. ¶～门; 비행기의 문.
〔机插〕 jīchā 명동 기계 모내기(를 하다).
〔机厂〕 jīchǎng 명 ⇨〔机器厂〕
〔机场〕 jīchǎng 명 비행장. ¶到～欢送; 비행장으로 가서 환송하다 / 民用～; 민간 항공 비행장 / ～塔台指挥人员; 항공 관제관 / ～跑道; 비행장의 활주로 / ～灯标; 공항 비콘(beacon). =〔飞fēi机场〕
〔机车〕 jīchē 명 ①기관차. ¶电力～; 전기 기관차 / ～房; 기관차 차고 / 柴chái油～; 디젤 기관차 / 汽油～; 가솔린 기관차 / 汽轮～; 터빈 기관차. =〔〈俗〉火huǒ车头〕〔机关车〕 ②엔진.
〔机床〕 jīchuáng 명 〘機〙 ①공작 기계. =〔床子①〕 ②금속 절삭 기계.
〔机床厂〕 jīchuángchǎng 명 공작 기계 제조 공장.
〔机床工(人)〕 jīchuáng gōng(rén) 명 ⇨〔机工③〕
〔机电〕 jīdiàn 명 ①전기와 기계 설비. ②동력 전기.
〔机动〕 jīdòng 형 ①기계로 움직이는. ¶～车; 자동차 / ～船; 모터 보트 / ～自行车; 모페드(moped). ②기동적인. 기민한. ¶～作战; 기동 작전 / ～部队; 〘軍〙 기동 부대 / ～性; 기동성. ③탄력성 있게 운용하는. 융통성 있는. ¶～费; 예비비 / ～粮; 예비 식량 / ～权; 자유 재량권 / ～力量; 기동력.
〔机断〕 jīduàn 명 임기 응변의 판단.
〔机房〕 jīfáng 명 ①직기실(織機室). ②기계실. 기관실.
〔机耕〕 jīgēng 〘農〙 동 기계로 경작하다. 명 기계 경작. ¶～船; 경운선(耕耘船) / ～路; 트랙터 통로 / ～站; 트랙터 스테이션 / ～农nóng场; 기계화 농장.
〔机工〕 jīgōng 명 ①기계 공사(工事). 기계 제조 공업. ②방직 공장의 직공. ③기계공. =〔机床工(人)〕 ④〈簡〉 기계 제조 기술('机械工程'의 약칭).
〔机工厂〕 jīgōngchǎng 명 기계 공장(기계 제조 수리 공장이나 기계 부품 제조 공장). =〔金jīn工场〕〔金工车间〕〔机工车间〕
〔机构〕 jīgòu 명 ①〘工〙 메커니즘(mechanism). 기계의 내부 구조나 장치. ¶主动～; 주동 기구 / 移带～; 벨트 시프팅(belt shifting) 메커니즘. ②기관·단체 등의 사업 단위. ¶这个～已经取消了; 이 기구는 이미 폐지되었다. ③국가·관청·단체 등의 내부 조직. ¶国家～; 국가 기구 / ～臃肿yōngzhǒng, 调度不灵; 기구가 복잡 다기해서, 통제를 잘 할 수 없다 / 调整～; 기구를 조정하다.
〔机关〕 jīguān 명 ①정부 기관 및 정부와 관계 있는 기관. 관공서(사적인 것이라도 국가에 영향력이 있는 은행·회사 등도 이 중에 듦). ¶～工作; 관청의 일 / ～干部; 각급 정부 기구의 간부 공무원 / 行政～; 행정 기관 / 权力～; 권력 기관. ②〘機〙 기관(열에너지를 받아 이것을 기계적 에너지로 다른 곳에 보내는 기계 장치). ③기계로 제어하는 것. ¶～枪; 기관총 / ～布景; 기계로 움직이는 무대 장치. ④주도 면밀한 계략. 모략. 기밀. ¶识破～; 계략을 간파하다 / ～算尽; 여러

가지 계략을 다 쓰다.
〔机关报〕 jīguānbào 명 기관지.
〔机关车〕 jīguānchē 명 ⇨〔机车①〕
〔机关刊物〕 jīguān kānwù 명 기관 간행물. 기관지.
〔机关炮〕 jīguānpào 명 기관포.
〔机关枪〕 jīguānqiāng 명 기관총. =〔机枪〕
〔机户〕 jīhù 명 기계 직조실.
〔机化〕 jīhuà 명동 《醫》 유기화(有機化)(하다). 조직화(하다).
〔机会〕 jīhuì 명 기회. 시기. 적당한 때. ¶乘～; 마침 좋은 기회에 / 趁着～; 기회를 틈타서 / 抓住～; 기회를 포착하다 / 错过～; 기회를 놓치다 / 真是难得的～; 정말로 만나기 어려운 기회이다.
〔机会主义〕 jīhuì zhǔyì 명 기회주의. ¶左倾qīng～; 좌익의 기회주의 / 右倾～; 우익의 기회주의.
〔机架〕 jījià 명 《機》 기계의 받침대(臺).
〔机件(儿)〕 jījiàn(r) 명 《機》 기계의 부품.
〔机匠〕 jījiàng 명 고참(古參)〔숙련된〕 기계공.
〔机捷〕 jījié 동 〈文〉 기민하다.
〔机井〕 jījǐng 명 동력 흡수(吸水) 우물. =〔洋井〕
〔机阱〕 jījǐng 명 〈文〉 함정. 덫. 간악한 계략.
〔机警〕 jījǐng 형 ①기민하다. 재치가 있다. 민첩하다. ¶这个人非常～; 저 사람은 매우 기민하다. ②주의하다. 민첩하게 상대방의 수를 보고 응대하다. 명 영민. 기민.
〔机具〕 jījù 명 기구. 기계와 도구.
〔机槛〕 jīkǎn 명 짐승을 사로잡는 덫〔올가미〕.
〔机口〕 jīkǒu 명 (전화의) 송화구(送話口).
〔机库〕 jīkù 명 비행기 격납고.
〔机括〕 jīkuò 명 사물의 중심이 되는 부분. 중요한 권력.
〔机理〕 jīlǐ 형명 ⇨〔机制〕
〔机力锤〕 jīlìchuí 명 《機》 파워 해머.
〔机伶〕 jīling 형 ⇨〔机灵〕
〔机灵〕 jīling 형 영리하다. 약다. 두뇌 회전이 빠르다. ¶～鬼儿; 빈틈없는〔약삭 빠른〕 녀석 / ～变儿 =〔～便儿〕; 임기 응변의 재능(이 있는 사람) / ～人(儿); 재치 있는 사람. =〔机伶〕 동 ①깜짝 놀라다. ¶他心里一～, 回身就跑了; 그는 마음 속으로 깜짝 놀라, 몸을 획 돌려 도망쳤다. ②〈方〉 (놀라거나 추워서) 몸을 떨다. ¶吓xià得他一～; 그는 놀라 부르르 떨었다. =〔激灵〕
〔机灵灵(的)〕 jīlínglíng(de) 형 재빠른 모양. 약삭빠른 모양. 재치있는 모양. ¶～的大眼睛; 재치있게 생긴 커다란 눈.
〔机灵儿〕 jīlingr 형 깜찍하다. 되바라지다. 명 잔재주꾼.
〔机率〕 jīlǜ 명 확률. =〔几率〕
〔机轮〕 jīlún 명 활주륜(滑走輪).
〔机螺钉〕 jīluódīng 명 기계 나사. 작은 나사(machine screw). =〔机(器)螺丝〕
〔机米〕 jīmǐ 명 ①옛날, 정미기(精米機)로 찧은 쌀. ②⇨〔籼xiān米〕
〔机密〕 jīmì 명형 극비(의). 기밀(의). ¶泄漏～; 기밀을 누설하다 / 保守国家的～; 국가 기밀을 지키다 / 他们商量得很～; 그들은 매우 은밀히 의논하였다. 부 완전히 빠짐없이. ¶拾掇～; 빈틈없이 잘 정돈하다. =〔停当〕
〔机敏〕 jīmǐn 형 기민하다. 날래다.
〔机谋〕 jīmóu 명 〈文〉 ①중요한 계략. 책략. 모략. ②전술.
〔机能〕 jīnéng 명 《生》 기능. ¶心脏活动～的障碍; 심장 활동 기능의 장애.
〔机票〕 jīpiào 명 항공권. 비행기 탑승권.
〔机期〕 jīqī 명 비행기의 출발 또는 도착일.
〔机器〕 jīqì 명 ①기계. ¶开动～; 기계를 움직이다. 〈比〉 두뇌를 쓰다 / ～边车; 사이드카. ②기구(機構). 기관(機關). 조직. ¶国家～; 국가 기관 / 表决～; 표결 기관. ③〈比〉 사고(思考). 두뇌. 형 〈比〉 거칠다(난폭한 사람을 비웃는 말). ¶他很～; 저놈은 거칠다.
〔机器厂〕 jīqìchǎng 명 기계 제조 공장. =〔机厂〕
〔机器带〕 jīqìdài 명 《機》 머신 벨트(machine belt).
〔机器翻译〕 jīqì fānyì 명동 자동 번역(하다).
〔机器钢〕 jīqìgāng 명 《工》 머신 스틸(탄소강의 탄소 함유율 0.25～0.45%의 것).
〔机器虎钳〕 jīqì hǔqián 명 《機》 공작대 위에서 쓰는 바이스(vice).
〔机器匠〕 jīqìjiàng 명 기계공.
〔机器脚踏车〕 jīqì jiǎotàchē 명 모터사이클. 자동자전거. 오토바이. =〔〈方〉 放fàng屁车〕
〔机器锯〕 jīqìjù 명 《機》 기계톱.
〔机器面〕 jīqìmiàn 명 ①상등품의 밀가루. =〔洋yáng白面〕〔白bái面①〕 ②(기계로 뽑아서) 말린 국수.
〔机器人〕 jīqìrén 명 로봇. 기계 인간.
〔机器油〕 jīqìyóu 명 기계유. 머신 오일. =〔机械油〕〔〈南方〉 车chē油〕
〔机器语言〕 jīqì yǔyán 명 《電算》 기계어(정보 처리를 위해 컴퓨터가 사용하는 코드화(化) 언어).
〔机器指令〕 jīqì zhǐlìng 명 《電算》 (컴퓨터의) 기계어 명령.
〔机枪〕 jīqiāng 명 ⇨〔机关枪〕
〔机枪手〕 jīqiāngshǒu 명 기관총 사수.
〔机巧〕 jīqiǎo 형 ①기민하다. ②교묘하다. 손재주가 있다. ③약다. 교활하다.
〔机群〕 jīqún 명 비행기의 편대.
〔机上服务员〕 jīshàng fúwùyuán 명 기내 승무원(스튜어디스·사무장 등).
〔机身〕 jīshēn 명 (비행기의) 기체. ¶～着zhuó陆; (항공기의) 동체 착륙. =〔机体②〕
〔机身重〕 jīshēnzhòng 명 《機》 조립 중량.
〔机师〕 jīshī 명 ①기계 관리자. 기술자. ②비행기의 파일럿.
〔机事〕 jīshì 명 ①비밀. 기밀 사항. ②나쁜 계략. 간계. ③허위.
〔机数〕 jīshù 명 〈文〉 기략(機略). 계략.
〔机踏两用车〕 jītà liǎngyòngchē 명 원동기가 달린 자전거.
〔机体〕 jītǐ 명 ①《生》 유기체. ②⇨〔机身shēn〕 ③체력.
〔机头〕 jītóu 명 ①비행기의 앞부분. 기수. ¶掉转～; 기수의 방향을 바꾸다. ②재봉틀의 대(臺) 윗부분. ③(총의) 공이치기.
〔机头〕 jītou 명 《紡》 직물에서, 짜기 시작한 부분〔곳〕. 직물의 가장자리.
〔机微〕 jīwēi 명 〈文〉 기미. 낌새. 미묘한 점.
〔机尾〕 jīwěi 명 항공기의 꼬리 부분.
〔机位〕 jīwèi 명 비행기의 좌석.
〔机务〕 jīwù 명 〈文〉 ①국가의 기밀 사무. 중요한 사무. 중요한 군사 기밀. ②기계에 관한 사무. ③열차 또는 비행기의 승무원.
〔机务段〕 jīwùduàn 명 기관구(機關區). ¶～3005号机车包乘组; 기관구의 3005호 기관차 전승(專乘) 승무원반.

〔机务人员〕 jīwù rényuán 명 ①보선(保線) 요원. ②(공항의) 지상 정비원. =〔地dì勤〕
〔机悟〕 jīwù 동 〈文〉 문득 깨닫다. 심기일전해서 돌연히 깨닫다.
〔机先〕 jīxiān 명 〈文〉 기선. 일이 일어나기 직전.
〔机械〕 jīxiè 명 ①기계. 기계 장치. ¶～利益; 기계 효율 / ～抽样; 계통적 발췌(拔萃) / ～木浆; 기계 펄프 / ～燃煤机; 자동 급탄기(給炭機) / ～画; 기계의 일부 또는 전체의 도면(가옥·교량 등의 설계도도 포함함). ②농간. 교묘한 거짓. ¶～变诈; 교활하게 속이다. 형 기계적이다. 융통성이 없다. ¶工作方法太～了; 일하는 방식이 너무 기계적이다 / ～的动作; 기계적 동작.
〔机械工程〕 jīxiè gōngchéng 명 기계 제조 기술.
〔机械工业〕 jīxiè gōngyè 명 기계 공업.
〔机械化〕 jīxièhuà 명동 기계화(하다). ¶农业～; 농업의 기계화 / ～部队; 기계화 부대. 형 기계적이다. 융통성이 없다. ¶他办事太～; 그의 일처리는 너무 기계적이다.
〔机械论〕 jīxièlùn 명 《哲》 기계론. ¶机械唯物主义; 기계적 유물론.
〔机械能〕 jīxiènéng 명 《物》 역학적 에너지. 메커니컬 에너지.
〔机械师〕 jīxièshī 명 기사(技師). 엔지니어. →〔工gōng程师〕
〔机械手〕 jīxièshǒu 명 《機》 머니퓰레이터(manipulator). 매직 핸드.
〔机心〕 jīxīn 명 〈文〉 흉계(凶計). 교활한 마음.
〔机修〕 jīxiū 명 기계 수리. ¶～厂; 기계 수리 공장.
〔机要〕 jīyào 형 기밀하고 중요한. ¶～秘书; 기밀 담당 비서 / ～文件; 기밀 문서. 명 요점. 요처.
〔机宜〕 jīyí 명 기의. 그 경우에 적합한 대책. ¶请示～; 처리에 대해 지시를 바라다 / 面授～; 친히 대책을 알려 주다.
〔机翼〕 jīyì 명 기익. (항공기의) 날개.
〔机引犁〕 jīyǐnlí 명 《機》 경운기.
〔机引农具〕 jīyǐn nóngjù 명 동력 견인(牽引) 농구.
〔机用螺丝攻〕 jīyòng luósīgōng 명 《機》 기계 탭(tap).
〔机油〕 jīyóu 명 기계유(특히, 엔진 오일). ¶打火～; 라이터 기름.
〔机遇〕 jīyù 명 ①기회. 우연한 만남. ②좋은 경우〔기회〕.
〔机员〕 jīyuán 명 (항공기의) 승무원.
〔机缘〕 jīyuán 명 기연. 기회와 인연. ¶～凑còu巧; 기회와 인연이 안성맞춤이다.
〔机运〕 jīyùn 명 〈文〉 시운(時運). 운명.
〔机诈〕 jīzhà 동 〈文〉 기지로 속이다. 교활하다. =〔机变〕
〔机长〕 jīzhǎng 명 (항공기의) 기장.
〔机兆〕 jīzhào 명 〈文〉 전조(前兆). 징후. 조짐.
〔机罩〕 jīzhào 명 비행기의 보닛(bonnet).
〔机织〕 jīzhī 명 기직. 기계 직조.
〔机制〕 jīzhì **A)** 형 기계제(機械製)의. **B)** 명 ①기계로 하는 마무리. ②기계의 구조. 메커니즘. ③유기체에서의 효능〔구조〕 ④물리·화학적 자연 현상 변화의 메커니즘. ‖ =〔机理〕
〔机智〕 jīzhì 명형 기지(가 넘치다).
〔机轴〕 jīzhóu 명 ①《機》 크랭크 샤프트(crankshaft). =〔〈北方〉拐轴〕〔〈南方〉曲拐轴〕 ②중요한 부분. 중심부.
〔机杼〕 jīzhù 명 ①직기(織機). 기계에 쓰는 북. ②〈文〉 시문(詩文)의 구상·구조. ¶自出～; 문장에 독창성을 나타내다.
〔机转〕 jīzhuǎn 명 전기(轉機).
〔机子〕 jīzi 명 ①베틀. 직기(織機). ②방아쇠. =〔枪qiāng机子〕 ③전화기.
〔机组〕 jīzǔ 명 ①《機》 유닛(unit). 세트(set)(몇 개의 다른 기계로 된 1세트의 기계 설비). ②비행기 탑승원 그룹.
〔机座〕 jīzuò 명 ①기계의 설치대(臺). ②기계의 대. 엔진 베이스.

肌 jī (기)

명 ①근육과 피부의 총칭. ¶侵～砭骨; 찬바람이 뼛골에 스며들다. ②《生》 근육. ¶随意～; 수의근 / 心～; 심근. ③피부.
〔肌巴〕 jība 명 음경(陰莖). =〔鸡巴jība〕
〔肌醇〕 jīchún 명 《化》 이노지트(독Inosit). 이노시톨(inositol). =〔环huán己六醇〕
〔肌肤〕 jīfū 명 〈文〉 근육과 피부. ¶～之亲; 〈比〉 남녀의 육체 관계.
〔肌骨〕 jīgǔ 명 근육과 골격. 근골.
〔肌黄寡瘦〕 jīhuáng guǎshòu 피부빛이 누렇고 말라 빠지다('寡'는 기름기가 적다는 뜻).
〔肌腱〕 jījiàn 명 《生》 건(腱). 힘줄. =〔腱〕
〔肌理〕 jīlǐ 명 〈文〉 살결. ¶～细腻; 살결이 곱다.
〔肌肉〕 jīròu 명 《生》 근육. ¶～注射; 근육 주사 / ～发达; 근골이 늠름하다.
〔肌体〕 jītǐ 명 몸. 지체(肢體). 〈比〉 조직. 기구.
〔肌纤维〕 jīxiānwéi 명 《生》 근섬유.

矶(磯) jī (기)

①명 강 가운데 있는 자갈펄. 강가에 돌출한 너설. ¶钓～; 낚시터로 쓰이는 강가의 너설. ②지명용 자(字). ¶采石Cǎishí～; 차이스지(采石磯)(안후이 성(安徽省)에 있는 땅 이름) / 燕子Yànzi～; 연쯔지(燕子磯)(장쑤 성(江蘇省)에 있는 땅 이름).

鞿(鞿) jī (기)

명 〈文〉 (말)고삐.

丌 Jī (기)

명 성(姓)의 하나. ¶～官; 복성(複姓)의 하나.

击(擊) jī (격)

동 ①치다. 두드리다. ¶～掌; 박수를 치다 / 拳～; ⓐ권투. 복싱. ⓑ주먹으로 치다. ②공격하다. ¶攻～; 공격하다 / 袭～; 습격하다 / 射～; 사격하다 / 声东～西; 〈成〉 동쪽에서 소리를 지르고 서쪽을 치다(한쪽으로 주의를 돌리게 하고 허(虛)를 찌르다). ③배척하다. ④부딪치다. 닿다. ¶肩摩毂gǔ～; 〈成〉 어깨가 맞스치고 수레의 바퀴통이 서로 부딪치다(왕래하는 사람이 많음) / 撞～; 충돌하다. 맞부딪치다 / 冲～; 돌격하다. ⑤눈에 띄다. ¶目～; 목격하다.
〔击败〕 jībài 동 격파하다. 지게 하다. ¶以三比一～了对手; 3대 1로 상대방을 격파했다 / ～了他们的陈词滥调; 그들의 진부한 논조를 격파했다.
〔击毙〕 jībì 동 총살하다. 사살하다.
〔击沉〕 jīchén 동 격침하다.
〔击穿〕 jīchuān 명 《電》 파괴. ¶～试验; 파괴 시험.
〔击刺〕 jīcì 동 (칼로) 찌르다.
〔击打〕 jīdǎ 동 치다. 두드리다.
〔击发〕 jīfā 동 방아쇠를 당기다. 격발하다. ¶～装置; 격발 장치.

〔击鼓〕 jīgǔ 동 북을 치다. ¶～槌chuí; 북채.
〔击毁〕 jīhuǐ 동 격파하다. 쳐부수다. ¶～了许多架飞机; 많은 비행기를 격파했다.
〔击剑〕 jījiàn 명《體》펜싱. ¶～服; (흰색의) 펜싱 경기복. =〔剑击〕
〔击节〕 jījié 동 ①가곡의 박자를 맞추다. ②시문(詩文) 등이 마음에 들다. 남의 시문을 칭찬하다. ¶～叹赏 =〔～称chēng赏〕; 시문 등이 마음에 들어 칭찬하다.
〔击溃〕 jīkuì 동 ①격파하다. 격침하다. ②궤주(潰走)시키다. ③(의론으로) 상대방을 꼼짝 못 하게 만들다. 타도하다.
〔击轮〕 jīlún 명《機》솔바퀴. 브러시 휠(brush wheel). =〔刷shuā轮〕
〔击落〕 jīluò 동 격추하다. ¶～敌机; 적기를 격추하다.
〔击灭〕 jīmiè 동 격멸하다. 섬멸하다.
〔击破〕 jīpò 동 격파하다. ¶各个～; 각개 격파〔하다〕.
〔击球〕 jīqiú 명《體》①(야구에서의) 타구(打球). ¶～次序; 타순. 배팅 오더 / ～员; 타자. 배터 / ～员区; 타석. 배터 박스. ②(축구에서 키퍼의) 펀칭.
〔击壤歌〕 Jīrǎnggē 명 격양가(중국 요(堯) 임금 때 늙은 농부가 태평 성세를 구가하며 부른 노래).
〔击壤鼓腹〕 jī rǎng gǔ fù 〈成〉배를 두드리며 격양하다. 태평무사를 즐기다.
〔击伤〕 jīshāng 동 ①공격하여 타격을 입히다. ¶～了多艘军舰; 여러 척의 군함을 격파했다. ②공격하여 부상을 입히다.
〔击赏〕 jīshǎng 동〈文〉격찬하다. 격상(激賞)하다. =〔激赏〕
〔击水〕 jīshuǐ 동 수면을 치다. ¶举翼～; (새가) 날개를 들고 수면을 치다. 명동 유영(游泳)(하다).
〔击碎〕 jīsuì 동 쳐부수다.
〔击天撞地〕 jītiān zhuàngdì 형〈比〉큰 소리를 지르며 기세 부리는 모양.
〔击退〕 jītuì 동 격퇴하다.
〔击柝〕 jītuò 동〈文〉딱딱이를 치며 야경 돌다. ¶～相闻;〈比〉거리가 매우 가깝다.
〔击掌〕 jīzhǎng 동 ①손뼉을 치다. 박수를 치다. ¶～为号; 손뼉을 쳐서 신호하다. ②서로 손바닥을 마주치다(맹세한 것을 영원히 후회하지 않을 것임을 나타냄).
〔击中〕 jīzhòng 동 명중(命中)하다. ¶～痛处; 아픈 데를 찌르다 / ～要害; 요충지를 명중시키다.
〔击竹〕 jīzhú 명 노래의 박자를 맞추기 위해 치는 대나무로 만든 박자판(길이 10～15cm의 대나무 두 쪽을 끈으로 꿰어, 손가락을 움직이며 박자를 맞춤).

乩

jī (계)
→〔扶fú乩〕

圾

jī (급)
→〔垃lā圾〕

芨

jī (급)
①명《植》넓은잎딱총나무. 삭조. =〔蒴shuò藋〕 ②→〔白芨〕

鸡(鷄〈雞〉)

jī (계)
명《鳥》닭. ¶公～; 수탉 / 母～; 암탉 / 乌wū(骨)～; 오골계 / ～也飞了蛋也打了;〈諺〉닭은 날아가고 계란도 깨지다(게도 구럭도 다 잃었다). =〔家jiā鸡〕
〔鸡巴〕 jība 명 ①〈俗〉음경(陰莖). =〔鸡八〕〔肌巴〕 ②〈罵〉좆 같은 것. ¶～蛋; 좆새끼 / 有个～啥用处; 아무짝에도 못 쓰겠다.
〔鸡抱鸭子〕 jī bào yāzi 닭이 오리알을 품어서 까다.〈比〉수고한 보람이 없다. 헛수고하다.
〔鸡髀〕 jībì 명 닭의 넓적다리(음식 공세, 즉 음식을 차려 놓고 대접하는 뇌물 공세). ¶出到～政策; 음식 공세〔뇌물 공세〕의 회유책으로 나오다.
〔鸡肠子带儿〕 jīchángzidàir 명 (구두끈처럼) 둥글고 가늘게 짠 끈.
〔鸡吵鹅斗〕 jīchǎo édòu〈比〉시끄럽게 서로 매도하여 떠들다. ¶争执纠纷～; 분쟁이 있어 시끄럽게 매도하며 떠들다. =〔鸡争鹅斗〕
〔鸡虫得失〕 jī chóng dé shī〈成〉닭이 벌레를 쪼고 그 닭을 사람이 잡는다(하찮은 이해(利害)).
〔鸡雏〕 jīchú 명 병아리.
〔鸡胆子〕 jīdǎnzi 명〈比〉소심한 사람. 겁쟁이.
〔鸡蛋〕 jīdàn 명 달걀(요리 용어로는 '白果(儿)'). ¶～壳儿; 달걀 껍질 / ～里找骨头;〈比〉달걀 속에서 뼈를 찾다(남의 흠을 들춰내다) / ～碰石头; 달걀을 돌에 부딪치다(스스로 파멸을 부르다) / 煮～; 삶은 달걀 / 炒～; 휘저어서 만든 계란 볶음 / ～丝儿; 노른자의 '蛋片儿'(지단)을 가늘게 썬 것. 계란 채 / 荷包～; 에그 프라이. =〔〈口〉鸡子儿〕
〔鸡蛋糕〕 jīdàngāo 명 카스텔라. =〔蛋糕〕
〔鸡蛋羹〕 jīdàngēng 명 다른 것은 넣지 않고 계란만을 풀어 공기에 찐 요리.
〔鸡蛋黄(儿)〕 jīdànhuáng(r) 명 달걀 노른자위. =〔鸡子黄(儿)〕〔蛋黄(儿)〕〔卵黄〕
〔鸡蛋青(儿)〕 jīdànqīng(r) 명 달걀 흰자위. =〔鸡子青(儿)〕〔蛋青(儿)〕
〔鸡丁〕 jīdīng 명 주사위 모양으로 썬 닭고기 (요리).
〔鸡冻儿〕 jīdòngr 명 닭고기 국물이 엉겨 굳은 것 (요리 명칭).
〔鸡痘〕 jīdòu 명 닭의 천연두.
〔鸡多不下蛋, 人多瞎捣乱〕 jī duō bù xià dàn, rén duō xiā dǎoluàn〈諺〉닭이 많으면 알을 낳지 않으며, 사람이 많으면 혼란해진다(사람이 많아지면 소란의 근원이 된다. 사공이 많으면 배가 산으로 올라간다).
〔鸡飞蛋打〕 jī fēi dàn dǎ〈諺〉닭은 달아나고 계란은 깨지다(게도 구럭도 다 잃었다). =〔鸡也飞了蛋也打了〕
〔鸡飞狗走〕 jī fēi gǒu zǒu〈比〉당황하여 도망치다. ¶吓xià得～; 놀라고 당황하여 도망치다.
〔鸡公〕 jīgōng 명〈南方〉수탉. ¶～车;〈方〉(운반용의) 외바퀴 손수레. =〔公鸡〕
〔鸡骨头〕 jīgǔtou 명 ①닭뼈. ¶～熬汤;〈比〉닭뼈로 국을 끓이다(별로 맛이 없음). ②〈比〉여윈 사람. ¶他这个瘦劲儿, 都成了～了; 그 사람의 여윈 꼴이 마치 닭뼈다귀 같다.
〔鸡冠〕 jīguān 명 닭의 볏. ¶～鸟;《鳥》후투티. =〔鸡冠子〕
〔鸡冠菜〕 jīguāncài 명《植》배추의 일종.
〔鸡冠花〕 jīguānhuā 명《植》맨드라미. =〔雁yàn来红〕
〔鸡冠石〕 jīguānshí 명 ⇨〔雄xióng黄〕
〔鸡后爪〕 jīhòuzhuǎ 명《鳥》닭의 며느리발톱. =〔鸡后登儿〕〔鸡距〕
〔鸡黄〕 jīhuáng 명〈方〉갓 깐 병아리.

〔鸡霍乱〕 jīhuòluàn 명 닭 콜레라.
〔鸡架〕 jījià 명 닭장. ¶搭～; 닭장을 짓다.
〔鸡奸〕 jījiān 명 계간. 비역. =〔娶jī奸〕
〔鸡脚菜〕 jījiǎocài 명 《植》 갈래곰보(우뭇가사리의 일종).
〔鸡叫〕 jī jiào ①닭이 때를 고하다. =〔鸡鸣〕 ②(jījiào) 명 〈比〉 새벽. ¶天快要～了; 이제 곧 새벽이다.
〔鸡口牛后〕 jī kǒu niú hòu 〈成〉 쇠꼬리보다는 닭머리가 되라. =〔鸡尸牛从〕
〔鸡鵟〕 jīkuáng 명 《鳥》 잿빛개구리매.
〔鸡肋〕 jīlèi 명 ①〈文〉 닭갈비. 계륵. 〈比〉 하잘것 없지만 버리기에는 아까운 것. ②〈比〉 그다지 가치도 없고 의미도 없는 일.
〔鸡淋透湿〕 jīlíntòushī 흠뻑 젖다. ¶被雨打得～; 비를 만나 흠뻑 젖었다.
〔鸡零狗碎〕 jīlíng gǒusuì 〈比〉 쓸모없이 자질구레하고 복잡한 것. ¶～一大堆, 这篇文章拉杂得要命, 叫人无法看下去; 많이 긁어모았지만, 문장을 긁어모은 방법이 너무 조잡하여 정말 읽을 수가 없다.
〔鸡么〕 jīmá 명 《植》 병아리꽃나무.
〔鸡盲〕 jīmáng 명 야맹증. 밤소경. =〔鸡蒙眼〕
〔鸡猫子喊叫〕 jīmāozi hǎnjiào 〈比〉 날카롭고 기묘한 소리를 지르다.
〔鸡毛〕 jīmáo 명 ①닭털. ¶～信; 화급(火急)을 요하는 편지(닭털을 붙였음) / ～球 =〔羽毛球〕; 배드민턴 / ～拌韭菜; 닭털을 부추에 섞다. 〈比〉 뒤죽박죽인 모양 / ～飞上天; 닭털도 하늘까지 날아갈 수 있다. 〈比〉 조건이 나빠도 노력만 한다면 해낼 수 있다 / ～当令箭; 〈成〉 ⓐ다급한 경우에 닭털을 '令箭' 대신 써서 명령하다. ⓑ하찮은 자가 권세를 믿고 뻐기다 / ～官; 〈比〉 하급 관리 / ～小胆儿; 〈比〉 겁이 매우 많다. ②미숙한 것. 신출내기.
〔鸡毛掸子〕 jīmáo dǎnzi 명 닭털로 만든 총채. =〔〈方〉 鸡毛帚〕
〔鸡毛店〕 jīmáodiàn 명 하급 여인숙(옛날, 이부자리도 없이 바닥에 닭털만을 깔고 그 속으로 들어가 추위를 피하던 최하급의 여인숙). =〔鸡毛小店儿〕
〔鸡毛蒜皮〕 jīmáo suànpí 닭털과 마늘 껍질. 〈比〉 하잘것없는 것〔일〕. ¶不要把它当dàng做是～的小事情; 그것을 하찮은〔시시한〕 것이라고 생각하지 마라.
〔鸡毛小胆儿〕 jīmáo xiǎodǎnr 〈比〉 겁이 많고 담력이 작다.
〔鸡毛帚〕 jīmáozhǒu 명 ⇨〔鸡毛掸子〕
〔鸡蒙眼〕 jīméngyǎn 명 《醫》 야맹증. =〔鸡盲〕
〔鸡鸣〕 jīmíng 동 닭이 울다. 명 〈轉〉 새벽. 여명.
〔鸡鸣狗盗〕 jī míng gǒu dào 〈成〉 ①닭 울음소리를 흉내내거나 개의 흉내를 내어 도둑질을 하는 하찮은 인간. ②보잘 것 없는 재능.
〔鸡母〕 jīmǔ 명 〈南方〉 암탉. =〔母鸡〕
〔鸡姆鹞〕 jīmǔyào 명 《鳥》 말똥가리.
〔鸡内金〕 jīnèijīn 명 《漢醫》 닭의 사낭(砂囊) 안껍질(소화 불량·구토·설사에 씀). =〔鸡肫皮〕〔鸡胗皮〕
〔鸡棚〕 jīpéng 명 (배터리식) 닭장.
〔鸡皮〕 jīpí 명 〈比〉 노인의 까칠한 피부. ¶～鹤发hèfà; 〈成〉 노인의 형용(까칠한 피부에 백발).
〔鸡皮疙瘩〕 jīpí gēda 명 소름. ¶全身都起了极细碎的小白～《老舍 四世同堂》; 온몸에 오톨도톨한 하얀 소름이 끼쳤다.
〔鸡皮纸〕 jīpízhǐ 명 《化》 황산지(黃酸紙). ¶白～; 흰색 황산지 / 正质白～; 순백색 황산지 / 红～; 붉은색 황산지.
〔鸡皮绉〕 jīpízhòu 명 《紡》 바탕이 오글쪼글한 견직물의 일종.
〔鸡片(儿)〕 jīpiàn(r) 명 얇게 썰어 놓은 닭고기.
〔鸡犬不惊〕 jī quǎn bù jīng 〈成〉 ①평화롭고 무사(無事)한 모양. ②군기가 잘 잡혀 있음.
〔鸡犬不留〕 jī quǎn bù liú 〈成〉 몰살시키다. ¶杀了个～; 몰살시켰다.
〔鸡犬不宁〕 jī quǎn bù níng 〈成〉 개·닭까지 불안해하다(세상이 어수선함).
〔鸡犬升天〕 jī quǎn shēng tiān 〈成〉 한 사람이 고관이 되면, 그 관계자도 권세를 얻는다.
〔鸡犬之声相闻, 老死不相往来〕 jī quǎn zhī shēng xiāng wén, lǎo sǐ bù xiāng wǎng lái 〈成〉 이웃해 있으면서, 평생 왕래를 안 하다.
〔鸡肉〕 jīròu 명 닭고기. ¶～松 =〔鸡松〕; 닭고기 섭산적.
〔鸡舌香〕 jīshéxiāng 명 《植》 정향나무.
〔鸡虱(子)〕 jīshī(zi) 명 《蟲》 닭의 이.
〔鸡食斗子〕 jīshí dǒuzi 명 닭모이통.
〔鸡手鸭脚〕 jīshǒu yājiǎo 〈比〉 서투르다. ¶因为是冒牌, 所以讲话无伦次, 上课～; 엉터리이기 때문에 말도 종잡을 수 없고, 수업도 서투르다.
〔鸡司晨〕 jī sīchén ①수탉이 새벽을 고하다. ②새벽녘.
〔鸡丝〕 jīsī 명 닭고기를 가늘게 썬 것. 잘게 저민 닭고기. ¶～面; 가늘게 썬 닭고기를 넣은 국수 / 拌bàn～; 닭고기와 오이 등을 가늘게 썬 것을 양념한 요리의 이름.
〔鸡松〕 jīsōng 명 닭고기를 익혀서 말려 다시 가루로 빻은 것.
〔鸡素烧〕 jīsùshāo 명 닭고기 전골(요리). =〔素鸡烧〕
〔鸡嗉子〕 jīsùzi 명 닭의 사낭(砂囊). 닭똥집.
〔鸡汤〕 jītāng 명 닭고기 수프. 계탕.
〔鸡同鸭讲〕 jī tóng yā jiǎng 〈比〉 언어가 안 통하다. 영문을 모르다.
〔鸡头(子)〕 jītóu(zi) 명 《植》 가시연. ¶～米; 가시연밥.
〔鸡头肉〕 jītóuròu 명 〈比〉 여성의 유방.
〔鸡头鱼刺〕 jītóu yúcì 〈比〉 하잘것 없는 사람〔물건〕
〔鸡腿上拴王八〕 jītuǐshang shuān wángba 닭다리에 자라를 묶어 놓다. 〈比〉 움쭉달싹 못 하다.
〔鸡娃子〕 jīwázi 명 〈方〉 병아리.
〔鸡尾酒〕 jīwěijiǔ 명 칵테일. 혼성주. ¶～会; 칵테일 파티.
〔鸡瘟〕 jīwēn 명 닭의 급성 전염병(특히, '鸡新城疫'을 가리킴).
〔鸡窝〕 jīwō 명 닭둥우리. 닭장.
〔鸡心〕 jīxīn 명 ①닭의 염통. ②하트형(型). ③하트형의 목걸이·펜던트. ¶～领; 브이(V) 네크 / ～荷包; 여성용의 두루주머니. ④〈方〉 카드놀이의 하트. ¶～牌; 하트 패.
〔鸡新城疫〕 jīxīnchéngyì 명 뉴캐슬병(病).
〔鸡胸〕 jīxiōng 명 ①닭의 가슴. ②《醫》 (구루병으로 인한) 새가슴. 계흉.
〔鸡血石〕 jīxuèshí 명 《鑛》 계혈석(鷄血石)(도장·조각에 쓰임). =〔鸡血红〕
〔鸡血藤〕 jīxuèténg 명 《植》 골담초.
〔鸡鸭房〕 jīyāfáng 명 닭·오리장. →〔鸡棚〕

〔鸡鸭行〕 jīyāháng 명 조류 판매점.
〔鸡鸭圈〕 jīyājuàn 명 닭 · 오리의 사육장.
〔鸡鸭鱼肉〕 jī yā yú ròu 명 ①닭 · 오리 · 생선 · 돼지고기. ②〈比〉 맛있는 음식. 진수성찬.
〔鸡眼〕 jīyǎn 명 ①닭의 눈. ②《醫》 손발에 생기는 티눈. ¶～垫diàn; 티눈에 쓰는 경고(硬膏)〔반창고〕 ③《農》 포도나무의 흑두병(黑痘病).
〔鸡眼草〕 jīyǎncǎo 명 《植》 매듭풀.
〔鸡眼水〕 jīyǎnshuǐ 명 《藥》 티눈 · 못 따위의 치료약.
〔鸡一嘴鸭一嘴〕 jī yīzuǐ yā yīzuǐ 〈比〉 쓸데없는 말참견.
〔鸡油饼〕 jīyóubǐng 명 밀가루로 만들어 닭기름을 발라서 구운 떡.
〔鸡鱼〕 jīyú 명 《魚》 벤자리.
〔鸡杂(儿)〕 jīzá(r) 명 (음식으로서의) 닭내장《모래주머니 · 간 · 염통 따위》.
〔鸡仔〕 jīzǎi 명 〈方〉 병아리. =〔小xiǎo鸡(儿)①〕
〔鸡栅子〕 jīzhàzi 명 닭장의 울.
〔鸡爪疯〕 jīzhǎofēng 명 《漢醫》 경련.
〔鸡罩〕 jīzhào 명 (닭을 가두는) 어리.
〔鸡胗肝儿〕 jīzhēngānr 명 닭의 위(胃). =〔鸡胗(儿)〕〔鸡肫(儿)〕
〔鸡爪〕 jīzhuǎ 명 발톱이 달린 닭다리《강장과 향유를 넣어 끓여서 술안주로 하거나 수프를 만듦》. =〔鸡爪子①〕
〔鸡爪树〕 jīzhuǎshù 명 《植》 호깨나무.
〔鸡爪子〕 jīzhuǎzi 명 ① ⇨〔鸡爪〕 ②《植》〈俗〉 호깨나무. =〔枳椇〕
〔鸡肫(儿)〕 jīzhūn(r) 명 닭의 위(胃)《요리에 쓰임》. =〔鸡胗(儿)〕〔鸡胗肝儿gānr〕
〔鸡肫皮〕 jīzhūnpí 명 《漢醫》 닭의 위막(胃膜)을 벗겨서 건조시킨 것《소화 불량의 약》. =〔鸡内金〕〔鸡胗皮〕
〔鸡子〕 jīzi 명 〈方〉 닭. ¶小～ =〔小鸡儿〕; 병아리.
〔鸡子儿〕 jīzǐr 명 〈口〉 ⇨〔鸡蛋〕

跻(躋〈隮〉)
jī (제)
동 〈文〉 오르다. 올라가다. ¶使韩国科学～于世界先进科学之列; 한국의 과학을 세계의 선진 과학 대열에 끌어올리다.

奇
jī (기)
명 ①〈文〉 우수리. 나머지. ¶一百有～; 백 남짓. ②홀수. 기수(奇數). ③〈文〉 불운(不運). ¶数shù～; 불운을 당하다. ⇒qí
〔奇方〕 jīfāng 명 《漢醫》 ①단방약(單方藥). ②약물의 종류가 홀수인 방제(方劑).
〔奇零〕 jīlíng 명 소수점 이하의 수. 우수리. 끝수. =〔奇零数〕
〔奇零数〕 jīlíngshù 명 단위 이하. 소수점 이하의 수. 소수. =〔奇零〕
〔奇偶〕 jī'ǒu 명 기수와 우수.
〔奇鳍〕 jīqí 명 《魚》 기기. 홑지느러미.
〔奇日〕 jīrì 명 홀수날. 기수일.
〔奇数〕 jīshù 명 《數》 기수. 홀수.
〔奇蹄类〕 jītílèi 명 《動》 기제류.
〔奇羡〕 jīxiàn 명 〈文〉 잉여. 나머지.
〔奇赢〕 jīyíng 명 〈文〉 ①계수의 우수리. ②상인의 이익.

剞
jī (기)
→〔剞劂〕
〔剞劂〕 jījué 명 끝이 굽고 작은 조각도(彫刻刀). 동 서적용 판목(版木)을 조각하다. ¶付之～; 판목을 새기어 서적을 출판하다. =〔雕diāo板〕

犄
jī (의)
표제어 참조.
〔犄角〕 jījiao 명 〈口〉 (짐승의) 뿔. ¶牛niú～; 쇠뿔 / 鹿lù～; 사슴뿔. 녹각.
〔犄角(儿)〕 jījiǎo(r) 명 ①모서리. 귀퉁이. ¶桌子～; 책상 모서리. =〔棱角〕 ②구석. 모퉁이. ¶屋子～; 방구석. =〔角落〕 ‖ =〔畸角(儿)〕〔觭角(儿)〕
〔犄哩旮旯儿〕 jīligālár 명 ①구석. ②구석구석. 도처. ¶他的工作室～都是机器小零件; 그의 작업실은 온통 기계의 작은 부품 천지다. =〔叽哩旮旯儿〕

畸
jī (기)
①형 기이(奇異)하다. 정상(正常)이 아니다. ②명 《數》 우수리. 나머지. 끝수. ③명 불구(不具). ④형 다르다. ⑤형 고르지 않다. 한쪽으로 기울어 있다. ⑥명 모양이 고르지 않은 논.
〔畸变〕 jībiàn 동 ⇨〔失shī真②〕 명 《物》 (상(像)의) 왜곡(歪曲).
〔畸角(儿)〕 jījiǎo(r) 명 (사물의) 구석. 모퉁이. =〔犄角(儿)〕
〔畸零〕 jīlíng 명 〈文〉 ①우수리. =〔奇零〕 ②고독한 사람.
〔畸形〕 jīxíng 명 기형. ¶～儿; 기형아. 형 기형적인. 비정상적인. ¶～发展; 불균형 발전.
〔畸重畸轻〕 jī zhòng jī qīng 〈成〉 치우치다《너무 가볍거나 너무 무겁다》. ¶此人处事有些～; 이 사람은 일을 처리하는 방식이 좀 치우쳐 있다. =〔畸轻畸重〕

觭
jī (기)
① →〔觭角(儿)〕 ②명 하나는 위를 향하고 하나는 밑으로 늘어져 있는 것. ③명 짝을 이룬 것의 한편. ④명 기수(奇數). 한 개의 것. ¶～偶ǒu; ⓐ기수와 우수. ⓑ한 개의 것과 짝을 이룬 것. ⑤동 얻다.
〔觭角(儿)〕 jījiǎo(r) 명 ⇨〔犄jī角(儿)〕

羁〈羇〉
jī (기)
명 〈文〉 타향살이. ¶～愁; 여수 / ～客 =〔羁旅〕; 나그네. 길손.

畟
jī (기)
→〔畟奸〕
〔畟奸〕 jījiān 명 ⇨〔鸡奸〕

其
jī (기)
인명용 자(字). ¶郦食Lì yì～; 역이기《한초(漢初)의 책사(策士)》. ⇒qí

基
jī (기)
①명 기초. 토대. ¶地～; 토대 / 房～; 집의 토대 / 路～; (철도 · 도로의) 노반. ②명 기저(基底). ③명 땅. 터. ④명 《化》 …기. ¶氢～; 수소기 / 氨～; 아미노기 / 甲(烷wán)～; 메틸기 / 乙(烷)～; 에틸기 / 次乙～; 에틸렌기 / 羟qiǎng～; 수산(水酸)기 / 醛quán～; 알데히드기. ⑤동 기초하다. 시작하다. 의거하다. ¶～于上述理由，我不赞成他的意见; 위에서 말한 이유에 의거해서, 나는 그의 의견에 찬성하지 않는다. ⑥형 기초하다. 의거하다. ¶～数; 기수 / ～层组织; 기초 조직. 하부 조직.
〔基本〕 jīběn 명 기본. 근본. 기초. ¶人民是国家的～; 백성은 국가의 근본이다. 형 ①기본적인. 근본적인. ¶～任务; 기본 임무 / ～要求; 기본적인 요구 / ～价格; 기본 가격. ②주요한. 중요한.

¶～条件; 주요 조건 / ～原因; 주요 원인. 부 대체로. 거의 다. ¶工程已经～完成了; 공사는 대체로 완성되었다.
〔基本财产〕 jīběn cáichǎn 명 《經》 기본 재산.
〔基本车间〕 jīběn chējiān 명 공장의 기본 직장(공장에서 생산 진행상 핵심이 되는 직장).
〔基本词汇〕 jīběn cíhuì 명 《言》 기본 어휘. 기초 어휘.
〔基本法〕 jīběnfǎ 명 《法》 기본법. 근본법.
〔基本工资〕 jīběn gōngzī 명 《經》 기본 임금. 본봉. =〔直zhí接工资〕
〔基本功〕 jīběngōng 명 (어떤 일에 종사하는 데 필요한) 기초적인 지식·기술. ¶苦练外语～; 외국어의 기본적 지식과 능력을 열심히 단련하다.
〔基本核算单位〕 jīběn hésuàn dānwèi 명 기본 채산 단위(인민 공사에서는 '生产队'(생산대)를 말함).
〔基本建设〕 jīběn jiànshè 명 기본 건설(국민 경제의 각 부문에서 고정 자산을 부가하는 건설·설비). =〔〈簡〉基建〕
〔基本金〕 jīběnjīn 명 《經》 기본금.
〔基本粒子〕 jīběn lìzǐ 명 《物》 소립자.
〔基本权利〕 jīběn quánlì 명 《法》 기본적 권리. 기본권.
〔基本群众〕 jīběn qúnzhòng 명 기본 군중. 혁명의 기본이 되는 일반 인민.
〔基本上〕 jīběnshang 부 ①주로. ②대체로. 거의. ¶他的病～好了; 그의 병은 거의 나았다.
〔基本原价〕 jīběn yuánjià 명 기본 원가(운임. 제(諸)잡비 등을 포함하지 않은 원가).
〔基槽〕 jīcáo 명 기초 공사로 파는 구덩이.
〔基层〕 jīcéng 명 (조직의) 최하층. 말단. 하부. 기층부. ¶落实到每个～; 각기의 말단까지 확실히 미치게 하다 / ～单位; 기층부의 단위 조직. 말단 조직 / ～组织; 하부 조직 / ～干部; 하급 간부. 기층 간부 / 工会～委员会; 노동 조합 기층 위원회.
〔基础〕 jīchǔ 명 토대. 기초. 기반. 근본. 기본. ¶以农业为～, 以工业为主导; 농업을 기초로 하고, 공업을 주도로 하다 / ～教育; 국민 교육. 의무 교육 / ～课; 필수 과목. 기초 과목 / ～大学; 대학 입시 재수생의 수험 준비를 위한 학교.
〔基础代谢〕 jīchǔ dàixiè 명 《生》 기초 대사.
〔基础设施〕 jīchǔ shèshī 명 《經》 인프라 스트럭처(infrastructure). 기초 구조. =〔基础结构〕〔社会基础资本〕〔城chéng市基本结构〕
〔基础资本〕 jīchǔ zīběn 명 《經》 기초 자본((경영 자본에 대하여) 농업 자본의 요소, 즉 토지·건물 등).
〔基地〕 jīdì 명 ①(주로 군사상의) 기지. 근거지. ¶军事～; 군사 기지. ②(어떤 사업 발전의) 기초가 되는 장소. ¶工业建设～; 공업 건설의 기지.
〔基地台〕 jīdìtái 명 (통신) 기지국. =〔交换局〕
〔基点〕 jīdiǎn 명 ①기점. 중심. 중점(重點). ②기초. 근저. ¶方针要放在什么～上? 방침은 어떠한 근저에 두어야 하는가? ③실마리. 출발점. ¶找不到解决的～; 해결의 실마리를 찾을 수 없다.
〔基调〕 jīdiào 명 ①《樂》 주조(主調). ¶定下～; 주조를 정하다. ②기조. 기본 개념. 중심 사상.
〔基督〕 Jīdū 명 《宗》 그리스도. ¶耶稣～; 예수 그리스도.
〔基督教〕 Jīdūjiào 명 《宗》 기독교. ¶～徒; 기독교도 / ～科学会; 크리스찬 사이언스(교파의 하나) / ～科学箴言报; 크리스찬 사이언스 모니터 (미국의 신문).
〔基多〕 Jīduō 명 《地》〈音〉 키토(Quito)('厄È瓜多尔'(에콰도르 : Ecuador)의 수도).
〔基尔特〕 jī'ěrtè 명 《史》〈音〉 길드(guild). ¶～社会主义; 길드 사회주의. =〔行háng会②〕
〔基肥〕 jīféi 명 《農》 기비. 밑거름. =〔底dǐ肥〕
〔基干〕 jīgàn 명 ①기간. 골간. ¶～工人; 기간 노동자 / ～产业; 기간 산업 / ～分子; 중핵 분자. ②중견 간부. 기본 간부.
〔基根〕 jīgēn 명 〈文〉 토대. 기초.
〔基极〕 jījí 명 《電》 (트랜지스터의) 베이스(base).
〔基加利〕 Jījiālì 명 《地》〈音〉 키갈리(Kigali)('卢Lú旺达'(르완다 : Rwanda)의 수도).
〔基价〕 jījià 명 《經》 기점(基點) 가격(평균 물가 지수 등을 산출할 때의 기본이 되는 가격).
〔基建〕 jījiàn 명 〈簡〉 ⇨〔基本建设〕
〔基金〕 jījīn 명 기금. ¶教育～; 교육 기금 / 福利～; 복리 기금.
〔基坑〕 jīkēng 명 기주(基柱)를 세우는 구멍.
〔基孔制〕 jīkǒngzhì 명 《工》 구멍 기준식(한계 게이지 방식의 하나로, 게이지 구멍의 최소 치수를 정하고, 이 일정 공차(公差)의 구멍을 기준으로 하여 여러 가지 축(軸)을 정하고 그 맞물리는 정도를 규정함).
〔基里巴斯〕 Jīlǐbāsī 명 《地》〈音〉 키리바시(Kiribati)(수도는 '塔tǎ拉瓦'(타라와 : Tarawa)).
〔基罗〕 jīluó 양 〈音〉 킬로(kilo). ¶～瓦(特); 킬로와트.
〔基年〕 jīnián 명 1주년. →〔周zhōu年①〕
〔基诺族〕 Jīnuòzú 명 《民》 지눠 족(중국 소수 민족의 하나). 윈난 성(雲南省).
〔基期〕 jīqī 명 (물가·수입(收入) 등의 변동을 비교할 때의) 기준 시기. 기준시.
〔基色〕 jīsè 명 ⇨〔原yuán色〕
〔基石〕 jīshí 명 초석(礎石)(흔히, 비유적으로 쓰임). ¶给福利事业奠diàn定了～; 복리 사업을 위해 초석을 세웠다.
〔基数〕 jīshù 명 ①《數》 기수. ②계산의 기본이 되는 수.
〔基围〕 jīwéi 명 ①제방으로 물을 막아 놓은 논밭. ②제방으로 둘러싸인 곳.
〔基线〕 jīxiàn 명 ①《數》 기선. ②《測》 삼각 측량의 기준이 되는 선.
〔基岩〕 jīyán 명 《地質》 기암.
〔基业〕 jīyè 명 ①사업 발전의 기초. ②조상으로 전하여 오는 가산(家産).
〔基因〕 jīyīn 명 ①《生》〈音〉 유전자. 유전 인자(遺傳因子). 진(gene). ¶～型xíng; 유전형(遺傳型)(genotype) / ～工程; 유전자 공학. ②〈文〉 기인. 원인.
〔基音〕 jīyīn 명 《樂》 ①바탕음. 기음. ②밑음. 근음(根音).
〔基于〕 jīyú …에 기인〔근거〕하다. ¶～以上理由, 我不赞成他的意见; 이상과 같은 이유 때문에, 나는 그의 의견에 반대한다.
〔基月〕 jīyuè 명 ⇨〔期jī月〕
〔基址〕 jīzhǐ 명 〈文〉 ①기본. ②부지(敷地). ¶宫殿～; 궁전의 기초였던 자리.
〔基轴制〕 jīzhóuzhì 명 《工》 축 기준식(한계 게이지 방식의 하나로, 일정 공차의 축에 대하여 여러 가지 치수의 구멍을 정하는 방식).
〔基准〕 jīzhǔn 명 ①(측량 기산(起算) 등의) 기준. ¶～尺寸; 《工》 기준 치수(한계 게이지 방식 중에서 기준이 되는 치수). ②(넓은 뜻으로서의) 표

준. 기준.

〔基座〕 jīzuò 명 건축물의 기반이 되는 평면.

期〈朞〉 jī (기)
명 ①1년 또는 1개월. ②1주야. ③1년간 복(服)을 입는 것. →〔期服〕⇒qī

〔期服〕 jīfú 명 기년복(朞年服). 1년간 복을 입는 것.

〔期月〕 jīyuè 명 ①1년. ②1개월. ‖ =〔朞月〕

𫓹(錤) jī (기)
→〔镃zī𫓹〕

箕 jī (기)
①명 (곡식 등을 까부는) 키. ②명 쓰레받기. ③명 별 이름. ④명 바람의 신(神). ⑤명 발굽 모양의 지문(指紋). ¶斗～; 지문/按～; 지문을 찍다. ⑥동 다리를 뻗고 (키 모양으로) 앉다. ⑦명《天》28수(宿)의 하나. ⑧명 성(姓)의 하나.

〔箕斗〕 jīdǒu 명 ①지문(指紋). ¶～文; (공문서에서) 손발의 지문. ②스킵(skip)《광석을 나르는 용기(容器)》.

〔箕踞〕 jījù 동〈文〉다리를 뻗고 (키 모양으로) 앉다《의자가 없던 시대의 예법에 구애되지 않고 앉는 방법. 오만무례한 행동이라고 한 적도 있었음》. =〔箕坐〕

〔箕踞而坐〕 jījù ér zuò 동 두 다리를 뻗어 키 모양으로 벌리고 앉다.

〔箕斂〕 jīliǎn 동〈文〉조세를 가혹하게 징수하다. =〔箕赋〕

〔箕帚〕 jīzhǒu 명〈文〉①쓰레받기와 비. ②〈謙〉처첩(妻妾)의 자칭. =〔箕帚之妾〕

〔箕坐〕 jīzuò 동 ⇒〔箕踞〕

咭 jī (길)
〈擬〉①짹짹하는 소리. ¶～噔dēng咯gē噔; 덜컹덜컹. 딸깍딸깍《차(車) 소리. 신발 소리. 기물이 부딪치는 소리》. ②웃음소리. 이야기 소리. ¶～～地笑; 킬킬 웃다/你跟我～什么; 날 보고 뭘 웃는 거야. ③(감탄·혐오할 때) 혀를 차는 소리. ¶～, 讨人嫌! 쳇! 성가시군/～! 好看极了; 야! 참 멋있다.

〔咭咯儿〕 jīger 동 계속 두덜대다. ¶别怨他～上就没完, 他是心里真着zháo急啊; 그가 계속 두덜두덜대는 것을 탓하지 마라. 그는 마음이 정말 조급하니까.

〔咭咕〕 jīgu 동 소곤소곤 이야기하다. 속삭이다. 중얼거리다.

勣(勣) jī (적)
명 공적(功績). 공로.

襀(襀) jī (적)
명〈文〉옷의 주름. =〔衣褶〕

积(積) jī (적, 자)
①동 쌓다. 쌓아올리다. ¶堆duī～如山; 산더미처럼 쌓다. ②동 쌓아 모으다. 모아 두다. ¶囤tún～; (투기를 위해) 사 모으다/蓄xù～; 축적하다/～了一笔款子; 돈을 좀 모았다. ③동 겹쳐 쌓다. 겹쳐 쌓이다. 겹치다. ¶累lěi～; 누적되다. 높게 겹쳐 쌓다. 겹쳐 쌓다/淤yū～; (진흙이) 침적하다/日～月累;〈成〉날과 달을 거듭하다. 연월이 지나다/～劳成疾;〈成〉피로가 겹쳐서 병이 되다. 과로로 인해 병이 되다. ④명 저축. ⑤명 변비(便秘). ¶这两天我有～; 요 며칠 나는 변비를 하고 있다. ⑥명 지면의 평수. ⑦명《數》곱. ⑧형 여러 해의. ⑨명《漢醫》체내나 장기(臟器)에 물질이 정체하는 병. ¶食～ =〔疳gān～〕; 소아(小兒)의 소화 불량/虫～; 장내(腸內) 기생충병/这个孩子有～了; 이 아이는 소화 불량에 걸렸다.

〔积案〕 jī'àn 명〈文〉미해결인 채로 미룬 안건. 현안(懸案). ¶～如山;〈成〉밀려서 쌓인 안건이 태산 같다.

〔积弊〕 jībì 명 적폐. 오래 누적된 폐해.

〔积冰〕 jībīng 명 적빙. 오랫동안 녹지 않는 얼음.

〔积不相能〕 jī bù xiāng néng〈成〉오래 전부터 사이가 나쁘다.

〔积草存粮〕 jī cǎo cún liáng〈成〉사람과 말의 식량을 저정해 두다. 전쟁 준비를 갖추다.

〔积尘〕 jī.chén 동 먼지가 쌓이다. (jīchén) 명 쌓인 먼지.

〔积存〕 jīcún 동 ①모으다. 적립하다. 저축하다. ¶～金; 적립금(積立金). ②쌓이다. ¶～了泥土; 진흙이 쌓였다. ‖ =〔积储〕

〔积德〕 jī.dé 동 적덕하다. 선행을 쌓다. ¶多～多行好吧! 적선하십시오!《거지가 구걸할 때 쓰는 말》/～累lěi功;〈成〉공덕을 쌓다/～修好 =〔～行好〕;〈成〉덕을 쌓고 좋은 일을 하다.

〔积电瓶〕 jīdiànpíng 명 축전지. 배터리. =〔蓄xù电池〕

〔积动〕 jīdòng 명《地質》지구 내부의 끊임없는 완만한 운동.

〔积犯〕 jīfàn 명《法》상습범. 누범(累犯). ¶他是有多次案底的～; 그는 많은 전과가 있는 상습범이다.

〔积肥〕 jī.féi 동 비료를 쌓다. 퇴비를 만들다. ¶～场; 퇴비장. (jīféi) 명 퇴비.

〔积分〕 jīfēn 명 ①《數》적분. ②(학교에서) 평상 점수. ③(경기 등에서) 누계(累計) 점수.

〔积谷〕 jīgǔ 동 공금으로 곡식을 사서 흉년에 대비하다.

〔积毁销骨〕 jī huǐ xiāo gǔ〈成〉비난이 쌓이면 사람을 파멸시킨다《뭇 사람의 말은 두렵다》.

〔积货〕 jīhuò 명 재고품. 스톡(stock). 체화(滯貨). (jī.huò) 동 재고품이 생기다.

〔积极〕 jījí 형 ①적극적이다. 긍정적이다.《흔히, 추상적 사물에 씀》. ¶起～作用; 적극적인 역할을 다하다/～分子; 활동가. 적극적인 인물/～因素; 적극적 요소. ②열의(熱意)가 있다. 의욕적이다. ¶生产～性; 생산 의욕/他工作得很～; 일하는 것이 매우 의욕적이다. ‖↔〔消极〕

〔积渐〕 jījiàn 부〈文〉점점. 점차. =〔逐zhú渐〕

〔积久〕 jījiǔ 동 오랫동안 쌓아 두다〔모으다〕 ¶有闻必录, ～就有了几百条; 들은 것을 항상 기록했더니, 오랜 동안에 수백 개의 조목이 되었다.

〔积聚〕 jījù 동 쌓아 모으다. 축적하다. ¶～电垒diànlěi; 축전지/～经验; 경험을 쌓다. 명《漢醫》소화 불량 때문에 생기는 위통(胃痛)·위경련 따위.

〔积疴〕 jīkē 명〈文〉적아. 숙아(宿痾). 지병(持病). 고질병.

〔积悃〕 jīkǔn 명〈翰〉쌓인 마음. 오랫동안 소식이 없거나 못 보는 정(情). ¶一罄qìng～; 쌓이고 쌓인 가슴 속에 모두 털어놓다/趋谒台端藉抒～; 배진(拜進)하여 말씀드리겠습니다. =〔积愫〕

〔积劳〕 jīláo 동〈文〉피로〔노고〕가 겹치다. ¶～成疾;〈成〉과로 때문에 병이 나다/～病故; 과로로 병사(病死)하다.

〔积潦〕 jīlǎo 명〈文〉물웅덩이.

〔积累〕 jīlěi 동 누적하다. 쌓이다. 명 ①《經》 (자본의) 축적(蓄積)《국민 수입 중 확대 재생산에 충당되는 부분》. ¶～资金; 자금을 축적하다. ②적립금. ¶不留～; 적립금을 남기지 않다/公共～; 공공 적립금.
〔积量〕 jīliàng 명 화물의 적재 능력.
〔积木〕 jīmù 명 집짓기 놀이(나무). ¶搭dā～; 집짓기 나무를 쌓다/小孩儿摆～玩儿; 어린이가 집짓기 놀이를 하며 놀다.
〔积年〕 jīnián 명〈文〉다년(多年). 여러 해. 오랜 세월. ¶～弊病; 다년에 걸친 병폐/～旧案; 다년의 현안(懸案)/～劳绩; 연공(年功). 영년(永年) 근속/～劳绩金; 연공 연금. 연공 부조금/～累月; 〈成〉세월이 거듭됨. 오랜 세월.
〔积欠〕 jīqiàn 명 쌓인 부채(負債). ¶清理～; 쌓인 빚을 정리하다. 동 (임금(賃金) 지불을) 연체하다. 자주 미불(未拂)로 하다. ¶交清了～的税款; 밀린 세금을 모두 내었다.
〔积沙成塔〕 jī shā chéng tǎ〈成〉모래도 쌓으면 탑을 이룬다. 티끌 모아 태산.
〔积善〕 jīshàn 명동 적선(하다). 많은 선행(을 쌓다). ¶～之家, 必有余庆qìng; 〈成〉적선하는 집안에는 반드시 후에 경복(慶福)이 있다.
〔积少成多〕 jī shǎo chéng duō〈成〉적은 것이 쌓이고 쌓이면 막대한 것이 된다. 티끌 모아 태산. =〔聚jù少成多〕
〔积食〕 jīshí 명〈方〉(소아의) 소화 불량. (jī.shí) 동 소화 불량이 되다. 체하다. ‖ =〔停食〕
〔积数〕 jīshù 명《數》승적(乘積). 곱(한 수). =〔乘chéng积〕
〔积水〕 jī shuǐ ①물이 고이다. ② 명 고인 물. ¶～难消之势; 고인 물이 잘 빠지기 힘든 상태. 〈比〉재고품의 판로가 잘 보이지 않는 상태.
〔积愫〕 jīsù 명〈翰〉⇨〔积悃kǔn〕
〔积岁〕 jīsuì 명〈文〉다년간. 오랜 세월.
〔积土成山〕 jī tǔ chéng shān〈成〉흙을 쌓아 산을 이루다《티끌 모아 태산》.
〔积习〕 jīxí 명〈文〉옛날부터의 버릇. 오랜 습관. 관습(慣習). ¶～甚深; 오랜 습관이 매우 뿌리 깊다/～难忘 =〔～难除〕; 〈成〉오랜 습관은 여간해서 못 버린다《세살 버릇 여든까지 간다》/～相沿; 〈成〉오랜 습관이 답습되어 고쳐지지 않다.
〔积薪厝火〕 jī xīn cuò huǒ〈成〉위험한 곳에 몸을 둠《'厝'는 두다의 뜻》.
〔积雪〕 jī.xuě 동 눈이 쌓이다. (jīxuě) 명 쌓인 눈. 적설.
〔积雪草〕 jīxuěcǎo 명《植》병풀.
〔积压〕 jīyā 동 쌓이다. 밀리다. 방치해 두다. 묵히다. ¶～在心中的忧虑; 마음 속에 쌓인 근심/～物资; ⓐ물자를 묵히다. ⓑ체화(滯貨) 물자/～资金; ⓐ자금을 묵히다. ⓑ유휴 자금.
〔积以时日〕 jī yǐ shí rì〈成〉세월이 쌓이다. ¶只要～, 屋檐的滴水也可以穿透石头; 오랜 세월이 가면, 처마의 낙숫물도 돌을 뚫을 수 있다.
〔积阴功〕 jīyīngōng 동 음덕을 쌓다.
〔积瘀〕 jīyū 명《漢醫》울혈(鬱血). ¶肺既受伤～, 瘀能化热, 微菌得乘虚而入矣; 폐에 상처가 나서 울혈이 생기면 울혈은 열로 변화하며, 세균이 이 틈을 타서 들어간다.
〔积羽沉舟〕 jī yǔ chén zhōu〈成〉깃털도 쌓이면 배를 침몰시킨다《①작은 일도 쌓이면 중대사(重大事)가 된다. ②여러 사람의 힘이 두려움》.
〔积雨〕 jīyǔ 명〈文〉장마비.
〔积雨云〕 jīyǔyún 명《氣》적란운(積亂雲). 쌘비구름.
〔积云〕 jīyún 명《氣》적운. 쌘구름.
〔积攒〕 jīzǎn 동〈口〉조금씩 저축하다〔모으다〕. ¶～钱; 돈을 모으다/～下几个钱; 돈을 조금 저축하다.
〔积账〕 jī.zhàng 동 빚이 쌓이다. 미불금이 쌓이다.
〔积重难返〕 jī zhòng nán fǎn〈成〉적폐(積弊)는 고치기 어렵다.
〔积铢累寸〕 jī zhū lěi cùn〈成〉조금씩 모으다《'铢'는 무게의 최소 단위》. =〔铢积寸累〕
〔积祖〕 jīzǔ 명〈文〉누대. 여러 대. 대대. ¶京城内家传清白～富豪门《水滸傳》; 장안의 대대부호의 가문.
〔积作〕 jīzuò 동〈文〉오랜 세월의 선행·악행의 응보가 나타나다. ¶～的子孙; 부모의 선행의 응보로 태어난 아이.

唧 jī (즉)

① 동 (펌프로) 물을 끼얹다〔뿌리다〕. ¶～他一身水; 그의 온몸에 물을 끼얹다. =〔激jī④〕 ②〈擬〉벌레 우는 소리. ③〈擬〉수다 떠는 소리.
〔唧蹬嘎蹬〕 jīdēng gādēng ① 형 강하고 튼튼한 모양. ¶～的好汉; 단단한 체격의 쾌남아. ②〈擬〉뚜벅뚜벅《발소리》.
〔唧叮咕咚〕 jīdīng gūdōng〈擬〉뚜벅뚜벅. 터덜터덜. 덜거덕덜거덕《발소리나 수레 소리》. ¶有一辆大车～地来了; 한 대의 짐수레가 덜거덕거리며 왔다.
〔唧咕〕 jīgu 동 ①소곤소곤 속삭이다. ¶他们俩好得一见面就～没完; 저 두 사람은 사이가 좋아 만나기만 하면 쉴새없이 소곤거린다. ②중얼거리다. 투덜거리다. ③잡담하다. ④도발(挑發)하다. ⑤액체가 조금씩 쏟아지다. 질금거리다. ¶这孩子! ～了一裤kù子; 이 아이 좀 보라니까, 오줌을 싸서 바지가 흠뻑 젖었네.
〔唧唧〕 jījī〈擬〉①찍찍. 찌르르《벌레 소리》. ¶～地叫; 찍찍 울다. ②소곤소곤《낮은 말소리. 귀엣말 소리》.
〔唧唧喳喳〕 jījizhāzhā〈擬〉재잘재잘. 시끌시끌《계속해서 지저귀는 소리》. ¶小鸟儿～地叫; 새가 재잘거리다.
〔唧唧足足〕 jījīzúzú〈擬〉암탉 우는 소리.
〔唧拉喳拉〕 jīlāzhālā〈擬〉재잘재잘. 왁자지껄《지껄이는 소리.
〔唧哝〕 jīnong 동 ①소곤거리다. 중얼거리다. ②(액체가) 뚝뚝 새다.
〔唧筒〕 jītǒng 명 펌프. ¶螺状～ =〔扬水～〕; 밀펌프/排气～; 공기 펌프. =〔泵bèng①〕
〔唧啧〕 jīzé〈擬〉찍찍《벌레 소리》.
〔唧喳〕 jīzhā〈擬〉왁자지껄《떠들어 대는 소리》.

屐 jī (극)

명 ①나막신. =〔木屐〕 ②신발. ¶草～; 짚신/锦～; 비단신. =〔屐履〕
〔屐齿〕 jīchǐ 명〈文〉나막신의 굽.
〔屐光漆〕 jīguāngqī 명〈廣〉속건성(速乾性) 니스.

姬 jī (희)

명 ①옛날, 여성의 미칭(美稱). ②〈文〉첩을 이르던 말. ③옛날, 노래·춤을 업으로 하던 여성. ¶歌～; 가희/鼓～; 북을 치며 말과 가사를 노래하던 여자. ④성(姓)의 하나.
〔姬蜂〕 jīfēng 명《蟲》맵시벌.
〔姬蕨〕 jījué 명《植》점고사리.
〔姬鼠〕 jīshǔ 명《動》참줄쥐의 무리. ¶黑hēi线～ =〔田～〕; 참줄쥐.

笄 jī (계)
명 ①머리를 말아 올리고 흘러내리지 않게 꽂는 제구. 비녀. ②남자의 관(冠)이 벗어지지 않게 꽂는 것. ③성년(成年)이 된 여자. ¶及～; 〈文〉 여자가 성년이 되다.
〔笄冠〕 jīguàn 명 〈文〉 성년이 되는 것.
〔笄礼〕 jīlǐ 명 옛날, 여성의 성년식.
〔笄年〕 jīnián 명 옛날, 여자가 성년이 되는 연령. 15세.

缉(緝) jī (즙)
동 ①잡다. 포박하다. ¶通～; 전국에 수배해서 잡다. ②삼〔麻〕을 잣다. ⇒qī
〔缉捕〕 jībǔ 동〈文〉 붙잡다. 체포하다. =〔缉获〕〔缉拿〕 명 옛날, 포졸.
〔缉盗〕 jīdào 동 〈文〉 도둑을 잡다.
〔缉获〕 jīhuò 동 ⇨〔缉捕〕
〔缉缉〕 jījī 동 수군거리다.
〔缉截〕 jījié 동 (기다렸다가 또는 가는 길을 막고) 붙잡다. ¶～私运之人; 밀수범을 잠복하여 잡다.
〔缉究〕 jījiū 동 〈文〉 체포하여 조사하다.
〔缉穆〕 jīmù 형 사이가 좋다. 정답다. ¶将相jiàngxiàng～; 장군과 재상의 사이가 좋다.
〔缉拿〕 jīná 동 ⇨〔缉捕〕
〔缉私〕 jīsī 동 밀무역이나 밀운송(密運送)을 단속하다. ¶加强～; 밀무역 단속의 강화 / ～船; 밀수감시선.
〔缉凶〕 jīxiōng 동 〈文〉 범인을 체포하다. ¶重chóng申～惩恶chéng'è的要yāo求; 범인을 체포처벌하라는 요구를 거듭 표명했다.

赍(賫〈齎〉) jī (재)
동 〈文〉 ①가져오다. ②증여(贈與)하다. ③싸서 가지다. ④마음 속에 품다. ¶～志而没mò =〔～志以终〕; 〈成〉 뜻을 이루지 못하고 세상을 떠나다.
〔赍盗粮〕 jīdàoliáng 〈比〉 도적에게 식량을 갖다 주다《남에게 이용당함》.
〔赍恨〕 jīhèn 동 〈文〉 원한을 품다.

嵇 jī (혜)
①지명용 자(字). ¶～Jī山; 《地》 지산 산(嵇山)《허난 성(河南省), 안후이 성(安徽省)에 있는 산 이름》. ② 명 성(姓)의 하나.

稽 jī (계)
① 동 고찰하다. 조사하다. ¶无～之谈; 조리에 맞지 않는 허황된 이야기. ② 동 의논하다. ③ 동 〈文〉 머무르다. 꾸물거리다. 밀리다. ¶不得～延时日; 날짜를 늦추면 안 된다 / ～迟; 지연시키다. ④ 동 다투다. 거스르다. ¶反唇相～; 〈成〉 뾰로통해서 대들다. ⑤ 명 성(姓)의 하나. ⇒qǐ
〔稽查〕 jīchá 동 (밀수·탈세·법령 위반 등을) 검사하다. ¶～会kuài计; 회계를 검사하다. =〔检查〕〔稽察〕 명 검사하는 사람. 검사원.
〔稽核〕 jīhé 동 계산을 맞추어 보다. 명 검사. 심사. ¶～股; 검사계(係) / ～员; 검사원.
〔稽缓〕 jīhuǎn 명 사무의 연체(延滯). 동 지체(遲滯)되다.
〔稽考〕 jīkǎo 동 〈文〉 조사하다. 고찰하다. ¶无可～; 조사할 길이 없다.
〔稽留〕 jīliú 동 〈文〉 머무르게 하다. 머무르다. ¶因事～, 未能如期南下; 일 때문에 붙잡혀서 기일대로 남하할 수 없다.
〔稽留热〕 jīliúrè 명 《醫》 계류열.
〔稽淹〕 jīyān 동 〈文〉 정체〔지체〕하다. 오래 머무르다.
〔稽延〕 jīyán 동 〈文〉 지연시키다. 시간을 연기시키다.
〔稽征〕 jīzhēng 동 〈文〉 물품을 검사하고 세를 징수하다.

齑(齏) jī (제)
〈文〉 ① 동 부수다. 다지다. ¶化为～粉 =〔变为～粉〕; 〈比〉 철저하게 분쇄하다. ② 명 양념·조미료《양념으로 쓰기 위해 곱게 다진 생강·마늘·부추 따위》. =〔虀①〕

虀(齏) jī (제)
명 ① ⇨〔齑②〕 ②김치. 소금에 절인 야채.

畿 jī (기)
명 국도를 중심으로 한 가까운 주위의 땅. ¶京～; 국도와 국도의 주변.
〔畿辅〕 jīfǔ 명 국도에 가까운 곳. =〔畿内〕〔畿甸diàn〕

激 jī (격)
① 동 (물이 세차게) 부딪치다. 솟구치다. 일다. ¶～起浪花; 부딪쳐 물보라를 일으키다 / 水石相冲～; 물과 돌이 서로 부딪치다. ② 동 분발하여 일어서다. 분기(奮起)하다. ③ 동 격려하다. 노력하다. ¶拿话～他; 말로 그를 격려하다. ④ 동 (펌프로) 물을 끼얹다. =〔唧jī①〕 ⑤ 동 (남의 감정을) 자극하다. 사주(使嗾)하다. ¶用话～他; 말로 그를 자극하다. ⑥ 형 급격하다. 강렬하다. ¶偏～; 과격하다. ⑦ 동 비를 맞거나 물에 젖어 병이 나다. ¶他被雨～病了; 그는 비를 맞고 병이 났다. ⑧ 동 〈方〉 음식을 찬물에 담그거나 끼얹어 차게 하다. ¶把西瓜放在冰水里～一～; 수박을 찬물에 담가 식히다.
〔激昂〕 jī'áng 형 〈文〉 ①격앙되다. ¶他的语气越来越～; 그의 어조는 점점 격앙해졌다 / 慷慨～ =〔～慷慨〕; 〈成〉 비분강개하다. ②(노래의 가락 등이) 흥분되어 있다. ¶～的音乐; 격렬한 음악.
〔激变〕 jībiàn 명동 격변(하다).
〔激波〕 jībō 명 《物》 충격파.
〔激成〕 jīchéng 동 자극을 주어 반발케 하다.
〔激磁线圈〕 jīcí xiànquān 명 《電》 아웃풋 코일.
〔激刺〕 jīcì 명동 자극(하다).
〔激党〕 jīdǎng 명 과격파(過激派).
〔激荡〕 jīdàng 동 ①격동하다. (충격을 받고) 흔들리다. ¶海水～的声音; 바닷물이 심하게 용솟음치는 소리. ②격동시키다. (충격을 주어) 뒤흔들다. ¶～全球; 전세계를 뒤흔들다 / 心潮～; 마음이 격동하다. 감정이 파도처럼 밀어닥치다. ‖ =〔激动②〕
〔激动〕 jīdòng 동 ①감정이 세차게 움직이다. 감격하다. 감동하다. ¶两眼含着～的热泪; 두 눈에 감격의 눈물이 어려 있다 / 你何必那么～呢! 뭐 그렇게까지 흥분할 필요가 있겠니! ② ⇨〔激荡〕 명 ①마음의 세찬 움직임. 감격. 감명. ¶她想得多, 做得多, 却显不出半点～和忙乱; 그녀는 많은 것을 생각하고 많은 일을 했으나, 조금의 흥분도 흐트러짐도 보이지 않았다. ②격동.
〔激发〕 jīfā 동 자극하다. 분기시키다. 발휘시키다. ¶拿话～他; (자극적인) 말로 그를 분기시키다. 명 《物》 (원자·분자의) 여기(勵起). 여자(勵磁). ¶～态; 여기 상태 / ～机; 여자기.
〔激奋〕 jīfèn 동 ①(정열·애정 등을) 불타게 하다. (용기·열의 등을) 북돋우다. ②(감정·감각 등을) 환기시키다. 분기시키다. (웃음·눈물 등을)

자아내다. ¶心情～; 마음이 분기하다.
〔激愤〕 jīfèn 명동 격분(하다). 분개(하다). 격노(하다).
〔激感〕 jīgǎn 동 마음이 격동되다. 매우 감동하다.
〔激咕〕 jīgu 동 잠자다가 오줌〔똥〕을 싸다. (대소변을) 질금거리다.
〔激光〕 jīguāng 명《物》①레이저 장치. =〔激光器〕 ②레이저 광선. ¶～核聚变; 레이저 핵융합/～雷达; 레이저 레이더/～测距仪; 레이저 거리 측량기/～打孔机; 레이저 광선 천공기/～工业; 레이저 공업/～光谱学; 레이저 분광학(分光學)/～束; 레이저 빔(beam)/～自导导弹; 레이저 유도 미사일/～唱机; 시디(CD)플레이어/～唱片; 시디(CD) 콤팩트 디스크. ‖=〔〈音〉莱塞〕
〔激活〕 jīhuó 명《物》활성화. ¶～能; 활성화 에너지/～剂 =〔～质〕; 활성제.
〔激火〕 jī.huǒ 동 발끈 화내다. ¶激着火说; 발끈해져서 말하다.
〔激将〕 jījiàng 동〈比〉사람을 격하게 하여 발분시키다. 부화를 돋구어 부추기다. ¶遣将不如～;〈諺〉장군을 파견하기보다 격분시켜 발분케 하는 것이 낫다(파견된 장군은 수동적이지만, 분격하여 발분한 장군은 자발적으로 일을 하기 때문)/劝将不如～;〈比〉권하기보다 분발시키는 편이 더 낫다.
〔激进〕 jījìn 형 급진적이다. 과격하다. ¶～派; 급진파. 과격파/～主义; 급진주의. =〔急进〕
〔激浪〕 jīlàng 명〈文〉격랑. 노도(怒濤).
〔激励〕 jīlì 명동〈文〉격려(하다). ¶将士～; 장병을 격려하다. 명《電》여진(勵振).
〔激烈〕 jīliè 형 격렬하다. 맹렬하다. 치열하다.
〔激灵〕 jīling 동〈方〉(놀라거나 추워서) 몸을 떨다. =〔机灵②〕
〔激流〕 jīliú 명 물의 세찬 흐름. 격류.
〔激论〕 jīlùn 명 격론. 격렬한 토론.
〔激酶〕 jīméi 명《生》키나아제. ¶～原; 프로키나아제.
〔激怒〕 jīnù 동 격노하다. 노여움을 격발하다.
〔激起〕 jīqǐ 동 (자극·충격을 주어) 끌어 일으키다. 야기하다. ¶你这么办, 可要～娄子来; 이런 일을 하면 소동이 일어날 것이다.
〔激切〕 jīqiè 형〈文〉(언사가) 노골적이고 과격하다. ¶言辞～; 언사가 직설적이고 과격하다.
〔激情〕 jīqíng 명 격정. ¶被一时的～所驱使; 한때의 격정에 이끌리다.
〔激劝〕 jīquàn 동〈文〉격려하다.
〔激人〕 jī.rén 동 사람을 안달나게 하다〔화나게 하다〕. (jīrén) 형 초조하다. 자극적이다.
〔激赏〕 jīshǎng 동〈文〉격찬하다. 극찬하다.
〔激素〕 jīsù 명《生》호르몬. ¶生长～; 생장 호르몬/性xìng～; 성 호르몬/睾gāo丸～ =〔睾丸素(酮)〕; 테스토스테론/雌cí～酮 =〔雌素酮〕; 에스트론/甲状腺～; 갑상선 호르몬. =〔〈音〉荷hé(尔)蒙〕〔〈音〉贺hè尔蒙〕〔刺cì激素〕
〔激筒〕 jītǒng 명 ⇨〔泵bèng〕
〔激扬〕 jīyáng 동 ①격려하여 분발하게 하다. ¶～士气; 사기를 진작시키다. ②감동하여 분발하다. 흥분하다. 격앙되다. ¶～的欢呼声; 끓어오르는 환호성. ③악을 물리치고 선을 권장하다. →〔激浊扬清〕
〔激于义愤〕 jī yú yì fèn〈成〉의분에 사로잡히다.
〔激越〕 jīyuè 형 (목소리·정서 등이) 높아지다. 강렬하다. ¶～的歌声; 울려 퍼지는 노랫소리/感情～; 감정이 고양(高揚)되다.
〔激孕烯二酮〕 jīyùn xī'èrtóng 명《生》프로게스테론(황체 호르몬).
〔激战〕 jīzhàn 명 격전.
〔激长素〕 jīzhǎngsù 명《生》생장 호르몬. =〔生shēng长激素〕
〔激涨〕 jīzhǎng 동 (조수나 값이) 급등하다.
〔激浊扬清〕 jī zhuó yáng qīng〈成〉더러운 물을 휘저어 (불순물을 가라앉히고 나서) 맑은 물을 얻는다(악(惡)을 비난하고 선을 찬양하다). =〔扬清激浊〕
〔激子〕 jīzǐ 명《物》여기자(勵起子).

墼 jī (격)

→〔土tǔ墼〕〔炭tàn墼〕〔墼子〕
〔墼子〕 jīzi 명 밀가루를 반죽해서 작게 뭉쳐 놓은 덩이. =〔面miàn墼子〕

羁(羈〈覊〉) jī (기)

〈文〉①명 말의 고삐. ¶无～之马; 고삐 놓은 말(분방함의 비유). ②명 붙잡아 매는 밧줄. ③명 관계. ④동 붙잡아 매다. ⑤동 단속하다. ⑥동 속박〔구속〕하다. ¶放荡不～;〈成〉버릇없이 제멋대로이다. ⑦동 객지에서 지내다. ⑧명 여자의 쪽.
〔羁绊〕 jībàn 명〈文〉멍에. 속박. ¶摆脱了殖民主义的～; 식민지주의의 멍에에서 벗어났다.
〔羁愁〕 jīchóu 명〈文〉여수(旅愁). 나그네의 수심.
〔羁羁缩缩〕 jījisuōsuō 형 곰상스럽다. 좀스럽다. ¶你别这么～的, 非得洒sǎ脱点儿才好; 그렇게 곰상스럽게 굴지 말고 좀 대범했으면 좋겠어.
〔羁客〕 jīkè 명〈文〉여객(旅客). 나그네.
〔羁勒〕 jīlè 동〈文〉속박하다.
〔羁留〕 jīliú 동 ①구금하다. =〔羁押〕 ②(외지에서) 머무르다. 기거하다.
〔羁旅〕 jīlǚ 동〈文〉타향에 오랫동안 기거하다. 타지(他地)를 여행하다.
〔羁縻〕 jīmí 동〈文〉①견제하다. ②(속국 등을) 손아귀에 넣다. 농락하다. 얌전히 따르게 하다. ¶～政策; 구슬리는 정책. 농락 정책/～不绝; 은혜를 베풀어 순종하게 하다.
〔羁身〕 jīshēn 동〈文〉몸에 휘감기다. 몸이 얽매이다. ¶私冗～, 迄未造访, 歉歉;〈翰〉잡무에 쫓기어 아직 찾아뵙지 못하여 대단히 죄송합니다.
〔羁束〕 jīshù 동〈文〉기속하다. 꽁꽁 묶다. 구속하다.
〔羁系〕 jīxì 동〈文〉묶이다. 구속되다. 얽매이다.
〔羁绁〕 jīxiè 명〈文〉말의 재갈과 고삐.
〔羁押〕 jīyā 동 구금하다. =〔羁留①〕

及 jí (급)

①동 미치다. 도달하다. 이르다. ¶已～入学年龄; 이미 취학 연령이 되었다/人数众多, 恐有照顾不～之处; 사람이 많아서 손이 미치지 못하는 곳도 있을지도 모른다/波～; 파급(하다)/将～十载; 얼마 안 있어 10년이 된다. ②동 따라잡다. 시간에 대다. 기회를 포착하다. ¶宜～其未定而先攻之; 모름지기 안정되기 전에 공격해야 한다/未～详谈; 자세하게 말할 겨를이 없었다/不～与之会面; 면회할 겨를이 없다/不～备载; 상세하게 기재할 겨를이 없다. ③동 (비교해서) 미치다. 따라가다. 쫓아가다. ¶我不～他; 나는 그에게 미치지 못한다. ④동 시간에 대다

(동사 뒤에 놓여서 시간에 댈 수 있는지의 여부를 나타냄). ¶来得~; 시간에 대어 갈 수 있다/来不~; 시간에 대어 가지 못하다/赶得~; 따라갈 수 있다. 시간에 대어 갈 수 있다/赶不~; 따라갈 수 없다. 시간에 댈 수 없다. ⑤ 접 와. 및. ¶墨水、钢笔、橡皮、圆规~其他文具用品; 잉크·펜·지우개·컴퍼스 및 기타 문방구. 注₁ 명사·대명사 등을 병렬할 때 쓰는 서면어(書面語)로, 주요한 요소가 앞에 오며 흔히 '其'·'其他'와 연용(連用)함. 注₂ '其'와의 연용(連用)은 관용화되며 연독(連讀)되기 때문에 '及其'는 하나의 접속사로 볼 수 있음. =〔以及〕 ⑥ 명 성(姓)의 하나.

〔及不到〕 jíbudào 미치지 못하다.

〔及不来〕 jíbulái ①(자기 쪽의 준비가 더디어 시간적으로) 댈 수 없다. ¶时候儿不早, 已经~了; 시간이 늦었다, 이미 제때에 댈 수 없다. ②미치지 못하다. 당할 수 없다. ¶我可~你; 나는 너에게는 당할 수 없다.

〔及第〕 jídì 동 급제하다. 과거에 합격하다.

〔及耳〕 jí'ěr 양 〈音〉 질(gill). 영미식 액량 단위. →〔品脱〕

〔及锋而试〕 jí fēng ér shì 〈成〉 사기가 왕성할 때에 승부에 임하다.

〔及格〕 jí//gé 동 급제하다. 합격하다. ¶~分数; 합격 점수/~证; 합격증/不~; 합격하지 못하다.

〔及冠〕 jíguàn 명동 〈文〉 남자 만 20세(에 이르다).

〔及笄〕 jíjī 명동 〈文〉 여자 만 15세(에 이르다). →〔笄年〕

〔及已〕 jíjǐ 명 《植》 홀아비꽃대.

〔及龄〕 jílíng 동 규정된 연령이 되다. 적령이 되다. ¶~儿童; 학령 아동.

〔及门〕 jímén 명 〈文〉 문하생. 문인(門人). =〔及门弟子〕〔及门之士〕

〔及期〕 jíqī 동 기한〔기일〕이 되다.

〔及身〕 jíshēn 동 자신에게 영향이 미치다. 자신에게 관련이 맺게 되다. 부 충심(衷心)〔진심〕으로.

〔及时〕 jíshí 부 ①제때에. 적시에. ¶~播种; 적시에 씨를 뿌리다. ②즉시. 곧바로. ¶有问题就~解决; 문제가 있으면 즉시 해결한다. =〔马上〕〔立刻〕 형 때맞다. 적시(適時)이다. ¶~的措施; 시의(時宜)에 맞는 조치/这场雨下得真~; 이번 비는 아주 적절한 때에 내렸다.

〔及时雨〕 jíshíyǔ 명 때 맞은 가랑비. 단비. 혜우(惠雨).

〔及物动词〕 jíwù dòngcí 명 《言》 타동사. ¶不~ =〔自动词〕〔内动词〕; 자동사. =〔外动词〕〔他动词〕

〔及早(儿)〕 jízǎo(r) 부 일찌감치. 일찍. 빠른 시간 내에. ¶~回头; 일찌감치 생각을 고치다. =〔趁早(儿)〕

〔及之(儿)〕 jízhī(r) 명 민책받침(한자 부수의 하나. '延·建' 등의 '廴'의 이름).

〔及至〕 jízhì 개 …하기에 이르러. …이 된 뒤에. ¶~年假niánjià; 정월 휴가가 된 뒤에/原子能的研究, ~第二次世界大战末期以后, 才有长足的进步; 원자력의 연구는 제2차 세계 대전 말기에 이르러서야 비로소 장족의 발전을 보았다. →〔赶到 gǎndào〕

伋

jí (급)

인명용 자(字). ¶孔Kǒng~; 공자(孔子)의 손자 이름. 자(字)는 자사(子思).

汲

jí (급)

① 동 물을 푸다. 퍼 올리다. ¶~水; 물을 긷다. 물을 퍼 올리다. ② 동 끌어올리다. ③ 형 바쁘다. ¶终日~~, 竟无所获; 하루 종일 바쁘게 돌아다녔으나 결국 아무것도 얻는 것이 없었다. ④ 명 성(姓)의 하나.

〔汲道〕 jídào 명 도랑. 물길. 용수로.

〔汲绠〕 jígěng 명 〈文〉 두레박줄.

〔汲汲〕 jíjí 형 ①급급하다. ¶~忙忙máng; (어떤 일에 마음을 쏟아) 쉴 사이 없이 바쁘다/~于富贵; 부귀를 얻는 데에 급급하다. ②급박(急迫)하다.

〔汲取〕 jíqǔ 동 ①(물을) 긷다. ②섭취하다. 얻다. ¶~历史的教训; 역사의 교훈을 얻다.

〔汲深绠短〕 jí shēn gěng duǎn 〈成〉 깊은 우물물을 긷기에 두레박줄이 짧다(임무는 막중한데 능력이 모자라다).

〔汲水泵〕 jíshuǐbèng 명 양수 펌프. 무자위. =〔汲水机〕〔汲水唧筒〕〔水泵〕

〔汲引〕 jíyǐn 동 〈文〉 ①물을 퍼 올리다. ②〈轉〉 발탁하다. ¶~后进; 후진을 발탁하다.

忣

jí (급)

형 〈文〉 서두르다. 급하다.

岌

jí (급)

형 〈文〉 산이 높은 모양.

〔岌岌〕 jíjí 형 ①산이 높은 모양. 키가 큰 모양. ②형세가 위태로운 모양. ¶~不可终日; 위험해서 일각도 유예할 수 없다. 풍전등화.

级(級)

jí (급)

① 명 계급. 등급. ¶高~干部; 고급 간부. ② 명 학년. ¶一年~; 1학년. 1년생/同~不同班; 학년은 같은데 반이 다르다/留~; 유급하다/升~; 학년이 오르다. 승급하다. ③ 명 단. 계단. ¶石~; 돌계단. ④ 명 〈文〉 베어 얻은 적의 머리. 수급(首級). ¶斩首数千~; 수천 명의 목을 벰. ⑤ 양 계단·단계·등급 등을 세는 데 쓰임. ¶台阶三~; 계단 3단/七~宝塔; 7층탑/一~钳qián工; 1등 조립공.

〔级别〕 jíbié 명 등급. 등급별. ¶~高, 工资多; 등급이 높으면 봉급이 많다.

〔级差〕 jíchā 명 등급상의 차이. 등차(等差). ¶~地租; 《經》 차액 지대(差額地代)/~工资; 등차 노임.

〔级会〕 jíhuì 명 학급회.

〔级任〕 jírèn 명 학급 주임〔담임〕.

〔级数〕 jíshù 명 《數》 급수.

庋

jí (급)

명 〈文〉 (문의) 빗장.

极(極)

jí (극)

① 명 끝. 정상(頂上). ¶登峰造~; 〈成〉 최고봉에 이르다. ② 명 극점(極點). 절정. 최고도. ¶寒冷已达其~; 추위가 극점에 이르렀다/情绪高到~点了; 감정이 극도에 이르다. ③ 명 지구의 극점. (자석·전원의) 극. ¶南~; 남극/北~; 북극/阳~; 양극. ④ 형 최고의. 최종의. ¶~度; ⇩/~量; ⇩ ⑤ 명 황위(皇位). ⑥ 명 근원(根源). ⑦ 부 가장. 극히. ¶今天冷~了; 오늘은 대단히 춥다/大~了; 매우 크다. 注 '极'은 보어(補語)로도 쓰임. 단, 방언(方言)을 제외하고 앞에 '得'을 두지 않고, 뒤에 흔히 어기조사(語氣助詞) '了'를 둠. ⑧ 동 다하다. 극하다. 절정에 이르다. ¶物~必反; 〈成〉 사물은 발전의 최고도에 이르면 반드시 역전(逆

轉)한다 / ～力钻zuān研; 힘을 다해 연찬하다 / ～其目力而望之; 보이는 데까지 멀리 보다.
〔极板〕 jíbǎn 명 《電》 전극판. =〔电diàn极板〕
〔极北柳莺〕 jíběiliǔyīng 명 《鳥》 쇠솔새.
〔极处〕 jíchù 명 ⇨〔极点〕
〔极大〕 jídà 형 매우 크다. 최대 한도이다. 명 《數》 극대.
〔极地〕 jídì 명 《地》 극지. ¶～探险; 극지 탐험.
〔极点〕 jídiǎn 명 최대 한도. 절정. 극도. 최고조(最高潮). ¶紧张到了～; 긴장이 극도에 달했다. =〔极处〕〔极顶〕〔极度〕
〔极顶〕 jídǐng 명 최고조(最高潮). 최상. =〔极点〕
〔极度〕 jídù 명 ⇨〔极点〕 부 극도로. 심하게. 몹시. ¶～兴奋; 극도로 흥분하다 / ～的疲劳; 극도의 피로.
〔极端〕 jíduān 명 극단. ¶各走～; 각기 극단적인 방향으로 치닫다. 서로 끝까지 버티다. 형 극단적이다. 극한에 달해 있다. 注 긍정적 · 부정적 어느 경우나 씀. ¶～仇视; 극단적으로 적대시하다 / ～分子; 과격주의자. 부 매우. 대단히. 극도로. ¶～重要的事; 대단히 중요한 사항.
〔极峰〕 jífēng 명 ①(산의) 최고봉. ②〈轉〉 최고 수뇌. ¶～会议; 정상 회의. 수뇌 회의.
〔极高〕 jígāo 형 대단히 높다. ¶准确度～; 정도(精度)가 매우 높다 / ～频; 《電》 마이크로파(波). 이에치에프(EHF).
〔极冠〕 jíguān 명 《天》 극관.
〔极光〕 jíguāng 명 《天》 극광. 오로라. ¶北～; 북극광 / 南～; 남극광.
〔极化〕 jíhuà 명동 《物》 분극(分極)(하다). ¶～作用; 《物》 분극 작용.
〔极口〕 jíkǒu 동 온갖 말을 다하다. ¶～称赞; 〈成〉 극구 칭찬하다.
〔极乐鸟〕 jílèniǎo 명 《鳥》 극락조. =〔风fēng鸟〕
〔极乐世界〕 jílè shìjiè 명 극락 세계. →〔西xī方②〕
〔极了〕 jíle 부 매우. 아주. 굉장히. 극히《보어로 쓰이며 성질 · 상태를 나타내는 말로 문말(文末)에 놓여, 최고 또는 그것에 가까운 정도를 나타냄. '极…' 보다 뜻이 강함》. ¶冷～; 굉장히 춥다 / 我喜欢～! 나는 더없이 기쁘다! / 有意思～; 아주 재미있다.
〔极力〕 jílì 동 극력하다. 있는 힘을 다하다. ¶～反对; 극력 반대하다 / ～设法; 온갖 수단을 다하다.
〔极量〕 jíliàng 명 《醫》 극량. 최대 허용량.
〔极流〕 jíliú 명 극류. 지구의 남북극으로부터 적도로 향하는 한류.
〔极目〕 jímù 동 〈文〉 아득히 먼 곳까지 보다. 둘러보다. ¶～四望; 사방을 내다보다 / ～远眺; 아득히 먼 곳을 바라보다.
〔极品〕 jípǐn 명 〈文〉 최상품. 최상급의 물품.
〔极谱〕 jípǔ 명 《化》 전해 기록(電解記錄). ¶～分fēn析法; 폴라로그래피. 전해 자기법(電解自己法).
〔极其〕 jíqí 부 매우. 지극히《다음절의 형용사 · 동사를 수식함》. ¶～热闹; 매우 번화〔혼잡〕하다 / ～少有; 극히 드물다 / ～美丽; 더할 나위 없이 아름답다.
〔极圈〕 jíquān 명 《地》 극권.
〔极权政府〕 jíquán zhèngfǔ 명 개인 독재 정부. 전체주의 정부.
〔极权主义〕 jíquán zhǔyì 명 전체주의.
〔极盛〕 jíshèng 명 전성(全盛). 절정. 한창(때). ¶～时代; 황금 시대 / ～时期; 전성기. 황금 시대.
〔极为〕 jíwéi 부 〈文〉 매우. 심히. 극히. ¶于斗争～不利; 투쟁에 있어 극히 불리하다 / ～勇敢; 매우 용감하다.
〔极限〕 jíxiàn 명 ①최대한. 극한. ¶～安全量; 최대한의 안전량 / ～尺寸; 《工》 한계 게이지 방식 중에서, 허용 공차(公差)의 최대 치수와 최소 치수 사이의 것 / ～强度; 《工》 한계 강도《물체가 외력(外力)의 작용을 받았을 때, 내부에 발생하는 최대 대항력》 / ～制 =〔公差制〕; 한계 게이지제. 한계 방식. ②《數》 극한.
〔极刑〕 jíxíng 명 극형. 사형.
〔极行〕 jíxíng 명 〈文〉 최선 또는 최고의 행위.
〔极选〕 jíxuǎn 동 〈文〉 정선(精選)하다. ¶～货品; 정선된 물품.
〔极夜〕 jíyè 명 극지(極地)의 밤. 극야.
〔极右〕 jíyòu 명 (정치 · 사상상의) 극단 우익. ¶～分子; 극우 분자.
〔极致〕 jízhì 명 극치. 최고의 조예.
〔极左〕 jízuǒ 명 과격 좌익. ¶～分子; 극좌 분자.

笈
jí (급)
명 〈文〉 책 상자. ¶负～从师; 〈成〉 먼 곳에 유학하여 스승에게서 배우다.

吉
jí (길)
① 명 길한 조짐. 상서. ② 형 좋다. 길하다. 경사스럽다. ¶万事大～; 만사가 대길하다. ↔〔凶xiōng〕 ③ 명 혼례(婚禮)를 뜻하는 말. ④ (Jí) 명 〈簡〉 지린 성(吉林省)의 약칭. ⑤ 명 성(姓)의 하나.
〔吉贝〕 jíbèi 명 《植》 목화.
〔吉贲〕 jíbēn 명 《動》 〈音〉 긴팔원숭이(gibbon).
〔吉便〕 jíbiàn 명 좋은 계제(階梯). 좋은 형편.
〔吉卜赛(人)〕 jíbǔsài(rén) 명 〈音〉 집시(Gypsy). =〔吉伯赛人〕〔茨cí冈人〕
〔吉布提〕 Jíbùtí 명 《地》 〈音〉 지부티(Djibouti) 《지부티의 수도 및 나라 이름》.
〔吉旦〕 jídàn 명 〈文〉 길일.
〔吉丁虫〕 jídīngchóng 명 《蟲》 풍뎅이. 비단벌레. =〔玉yù虫①〕
〔吉豆〕 jídòu 명 《植》 푸른팥.
〔吉尔伯特群岛〕 Jí'ěrbǎitè qúndǎo 명 《地》 길버트 제도(Girbert Islands).
〔吉尔吉斯〕 Jí'ěrjísī 명 《地》 〈音〉 키르기스스탄(Kyrgyzstan)《수도는 '比Bǐ什凯克' (비슈케크 : Bishkek)》.
〔吉房〕 jífáng 명 경사스런, 또는 재수가 좋은 집《옛날, 집을 팔거나 세 놓을 때 쓰이었음》. ¶～招租; 집을 세 놓습니다 / ～出售; 집을 팝니다. ↔〔凶xiōng房〕
〔吉服〕 jífú 명 〈文〉 예복. 길복.
〔吉光片羽〕 jí guāng piàn yǔ 〈成〉 잔존(殘存)하는 진귀한 문물. ¶～, 弥足珍贵; 문장 · 서화의 잔편(殘片) · 단편(斷篇)으로 더욱 귀중하게 여길 만하다.
〔吉耗〕 jíhào 명 길한 소식. 길보.
〔吉诃德式〕 jíhēdéshì 형 〈音〉 돈키호테적(的)인(quixotic). 비현실적인.
〔吉柬〕 jíjiǎn 명 〈文〉 길한 소식의 편지. 연회의 초대장.
〔吉剧〕 jíjù 명 《劇》 지린 성(吉林省)에서 유행하는 지방극《'二èr人转'에서 변화한 것》.
〔吉礼〕 jílǐ 명 제사의 예절.
〔吉利〕 jílì 형 경사스럽다. 길하다. ¶～年头; 길한

해 / ～灯; 구정(舊正)에 거는, 종이로 만든 채색 한 초롱. 명 재수. 운수. ¶取～; 길조(吉兆)로 삼다 / ～话; 재수 좋은 말. 덕담.
〔吉利子树〕 jílìzishù 명 《植》 인동덩굴. 금은목(金銀木). =〔金jīn银木〕
〔吉了儿〕 jíliǎor 명 《蟲》 매미. =〔蝉〕
〔吉烈〕 jíliè 명 커틀릿(cutlet)《얇게 썬 소·양·돼지 등의 등고기에 빵가루를 묻혀 기름에 튀긴 요리》. =〔吉列〕〔炸肉片〕
〔吉隆坡〕 Jílóngpō 명 《地》〈音〉 콸라룸푸르(Kuala Lumpur)《'马来西亚'(말레이시아: Malaysia)의 수도》.
〔吉罗丁〕 jíluódīng 명 《史》〈音〉 기요틴(프 guillotine)《일종의 단두대》. =〔盖奈丁〕
〔吉普〕 jípǔ 명 〈音〉 지프(jeep). ¶～桶tǒng; 드럼통 / ～女人; 스틱걸(stickgirl). =〔吉普车〕
〔吉期〕 jíqī 명 길일(吉日). 좋은 날《주로 결혼식 날》.
〔吉器〕 jíqì 명 옛날 제기(祭器).
〔吉庆〕 jíqìng 형 경사스럽다.
〔吉人〕 jírén 명 〈文〉 좋은 사람. 착한 사람. ¶～天相xiàng; 〈成〉 착한 사람에게는 하늘의 도움이 있다《재난 등을 만난 사람에 대한 위로의 말》. =〔吉士〕
〔吉日〕 jírì 명 ①⇨〔朔shuò日〕 ②옛날, 길일. 좋은 날. 경사스러운 날. ¶～良辰; 〈成〉 길일. 좋은 날. =〔吉辰〕
〔吉士〕 jíshì 명 〈音〉 ⇨〔吉人〕
〔吉事〕 jíshì 명 길사《관례(冠禮)·혼례·제전 등》.
〔吉斯〕 jísī 명 〈音〉 ⇨〔计司〕
〔吉他〕 jítā 명 《樂》〈音〉 기타(guitar). =〔六弦琴〕〔吉它〕〔吉泰〕〔吉泰琵琶〕
〔吉特巴舞〕 jítèbāwǔ 명 《舞》〈音〉 지르박(jitterbug).
〔吉问〕 jíwèn 명 〈文〉 좋은〔길한〕 소식.
〔吉夕〕 jíxī 명 결혼날 밤. 결혼 초야.
〔吉祥〕 jíxiáng 형 ①상서롭다. 경사스럽다. ¶～物; 길조를 비는 물건 / 给他说两句～话; 그에게 몇 마디 덕담을 해 주다. =〔吉利〕 ②순조롭다. ¶～如意; 순조롭게 뜻대로 진행되다. 명 옛날, '死sǐ'·'棺guān'이란 말을 꺼려서 대신 쓰던 말. ¶～所; 빈소(殯所) / ～板; 관판(棺板) / ～床; 관을 안치하는 대(臺).
〔吉祥草〕 jíxiángcǎo 명 《植》 길상초.
〔吉祥话〕 jíxiánghuà 명 덕담. 재수 좋은 말. ¶～谁也爱听; 덕담은 누구나 다 듣기 좋아한다. =〔吉利话(儿)〕↔〔丧门话〕
〔吉星高照〕 jí xīng gāo zhào 〈成〉 높은 곳에서 길운(吉運)의 별이 비치다. 운수가 좋다.
〔吉凶〕 jíxiōng 명 길흉. 행운과 불행. ¶～未卜; 길흉은 예측할 수 없다.
〔吉言〕 jíyán 명 상서로운 말. 재수 있는 말. ¶借您的～; 당신의 재수 좋은 말씀대로 되었으면 좋겠습니다.
〔吉月〕 jíyuè 명 〈文〉 ①음력 초하루. ②길한 달.
〔吉兆〕 jízhào 명 길조. 길한 징조. =〔吉征〕
〔吉征〕 jízhēng 명 ⇨〔吉兆〕

诘(詰) jí (힐)

형 〈文〉 굽다. 구불구불하다. ⇒jié
〔诘屈〕 jíqū 형 ①필세(筆勢)가 구불구불하다. ¶笔画～; 필획이 꼬불꼬불하다. ②이해하기 어렵다. ‖ =〔佶jí屈〕
〔诘屈聱牙〕 jí qū áo yá 〈成〉 ⇨〔佶屈聱牙〕

佶 jí (길)

①형 〈文〉 바르다. ②형 건장하다. ③동 막히다. 구부러지다. ④인명용 자(字).
〔佶屈聱牙〕 jí qū áo yá 〈成〉 언어·문장이 난삽(難澁)해서 읽기 어렵다. =〔诘屈聱牙〕

姞 Jí (길)

명 성(姓)의 하나.

即 jí (즉)

①부 당장. 즉석에서. ¶～地处理; 당장 처리하다. →〔就〕〔便〕 ②〈文〉 곧 …이다. 즉 …이다. ¶团结～力量; 단결은 곧 힘이다 / 曾子～孔子之高弟也; 증자(曾子)는 공자(孔子)의 고제이다. ③부 (그 자리에서) 즉시로. (그 때) 바로. ¶～时; 그 때 바로 / ～席发表谈话; 그 자리에서 담화를 발표하다. ④…이 되면 곧. …하자 곧《복문(複文)에 쓰이어 앞뒤 구의 시간적 인과적 승접(承接) 관계를 나타냄》. ¶明年～能完成; 내년이 되면 곧 완성할 수 있다 / 如是～可; 그렇다면 좋다 / 学校毕业～就业; 학교를 졸업하면 곧 취직한다 / 非此～彼; 이것이 아니면 저것이다 / 用完～行奉还; 쓰고 나면 곧 돌려 드리겠습니다. →〔则zé⑦〕 ⑤접 설령〔설사〕 …일지라도. ¶～无他方之支援, 也能完成任务; 설령 다른 데서 지원이 없어도 임무는 달성할 수 있다 / ～不幸而死, 亦无所恨; 설혹 불행히 죽는다 하여도 한스러울 것은 없다. ⑥동 다가가다. 접근하다. ¶不～不离; 〈成〉 다가붙지도 않고 떨어지지도 않고 / 可望而不可～; 멀리서 볼 수는 있으나 다가갈 수 없다. ⑦부 눈앞에. 바로 가까이. ¶暑假在～; 멀지 않아 바로 여름 방학이다 / 成事在～; 멀지 않아 성공한다. →〔迩ěr③〕 ⑧동 자리에 나아가다. (역할·임무를) 맡다. ¶～位; ⇩
〔即便〕 jíbiàn 접 설령 …이라도. =〔即使〕 부 〈公〉 즉시. 곧. ¶～遵照; 즉시 명령대로 처리하기 바람.
〔即冲咖啡〕 jíchōng kāfēi 명 ⇨〔速sù溶咖啡〕
〔即当〕 jídāng 부 바로. 즉각. =〔当即〕
〔即访〕 jífǎng 동 불원간 방문하다. 멀지 않아 찾아오다. ¶某国首相～北京; 모국 수상 근일 중 베이징(北京) 방문.
〔即付〕 jífù 동 〈文〉 즉시 지불하다. =〔即交①〕
〔即付期票〕 jífù qīpiào 명 ⇨〔即票〕
〔即勾〕 jígōu 명 《魚》 갯장어.
〔即候〕 jíhòu 동 〈文〉 조급하게 기다리다. 곧바로 …을 기다리다. ¶～回示; 〈公〉 조급하게 회답을 기다리다.
〔即或〕 jíhuò 접 설사 …이라 할지라도. 설령 …일지라도. =〔即使〕
〔即吉〕 jíjí 동 〈文〉 상복(喪服)을 벗다. 탈상하다.
〔即即〕 jíjí 〈文〉 부 서둘러. 급히. ¶～回来; 서둘러 돌아오다. 형 충실하다.
〔即将〕 jíjiāng 부 곧. 머지않아. ¶～答复; 곧 회답을 할 것이다 / 比赛～开始; 경기는 곧 시작될 것이다.
〔即交〕 jíjiāo 동 ①⇨〔即付〕 ②즉시 교부하다.
〔即今〕 jíjīn 부 〈文〉 목하. 지금.
〔即景〕 jíjǐng 동 〈文〉 눈앞의 풍물에 대해 시(詩)를 짓거나, 그림을 그리다《또, 명사로도 쓰여 그 시문이나 그림을 가리킴》. ¶～诗; 즉흥시. 명 눈앞에 보이는 경물(景物). ¶～生情; 〈成〉 눈앞의 정경에 대해 감회가 일다.
〔即刻〕 jíkè 부 〈文〉 즉각. =〔即时〕
〔即令〕 jílìng 접 설령 …이라고 하더라도. =〔即

使〕
〔即票〕 jípiào 명 《商》 일람불 약속 어음. =〔即付期票〕〔即期表〕〔现xiàn票〕
〔即期〕 jíqī 명 《商》 즉시 일람불. ¶～付现; 즉시 현금 지급/～买卖; 현금 거래/～付款; 일람 출급(出給)/～票据; 일람불 어음/～汇票; 일람불 환어음.
〔即祈〕 jíqí 동 〈翰〉 즉시 하기 바랍니다. ¶～查收; 즉시 조사하여 받아 주십시오.
〔即日〕 jírì 명 ①그 날. 당일. ¶本条例自～起施行; 본 조례는 즉일로 시행한다. ②근일. 수일 내. ¶本片～放映; 이 영화는 가까운 시일 내에 상영한다.
〔即如〕 jírú 〈文〉 바로 …와 같다. 즉 …과 같다. =〔即若②〕
〔即若〕 jíruò ① 접 ⇨〔即使〕 ② ⇨〔即如〕
〔即时〕 jíshí 부 ⇨〔即刻〕
〔即时付款〕 jíshí fùkuǎn 명 《商》 즉시 지불. 즉시불.
〔即使〕 jíshǐ 접 설사 …하더라도. 설령 …이더라도 《항상 '也' 와 연용(連用)함》. ¶～天塌下来, 咱们也不怕; 설사 하늘이 무너지더라도 우리는 두려워하지 않는다/～有这么个想法, 我也不赞成; 비록 그런 생각이 있더라도 나는 찬성하지 않는다. =〔假使〕〔即是〕〔即便〕〔即或〕〔即令〕〔即若①〕
〔即世〕 jíshì 동 〈文〉 ⇨〔去qùì世〕
〔即事〕 jíshì 〈文〉 명 눈앞의 일. 동 일에 착수하다.
〔即是〕 jíshì 접 ⇨〔即使〕
〔即位〕 jí.wèi 동 〈文〉 ①제왕이 즉위하다. ②자리에 앉다.
〔即席〕 jíxí 동 〈文〉 자리에 앉다. 착석하다. 명 즉석. ¶～面(条) =〔方fāng便面(条)〕; 즉석 라면. 인스턴트 라면.
〔即行〕 jíxíng 명동 즉행(하다). ¶～函达; 곧 편지를 내다/～通知; 곧 알려 주다.
〔即兴〕 jíxìng 명 즉흥. 즉석에서 일어나는 흥취. ¶～诗; 즉흥시/～表演; 임시 출연. 불쑥 뛰어들어 참가함/～提笔写了的; 즉석에서 붓을 들어 쓴 것.
〔即夜〕 jíyè 명 〈文〉 ①그 날 밤. ②오늘 밤.
〔即以其人之道, 还治其人之身〕 jí yǐ qí rén zhī dào, huán zhì qí rén zhī shēn 〈成〉 그 사람이 한 방법으로, 그 사람을 누르다《이에는 이, 눈에는 눈》.
〔即早(儿)〕 jízǎo(r) 부 일찌감치. =〔及早(儿)〕

蝍 jí (즉)

→〔蝍蛆〕〔蝍蛉〕
〔蝍蛆〕 jíjū 명 《蟲》 지네.
〔蝍蛉〕 jílíng 명 《蟲》 잠자리.

亟 jí (극)

형 〈文〉 신속하다. 빠르다. 급하다. 급박하다. 시급하다. ¶需款甚～; 현금이 급히 필요하다/缺点～应纠正; 결점은 빨리 고쳐야 한다. ⇒qì
〔亟待〕 jídài 동 〈文〉 급히 …을 기다리다. 급히 …하지 않으면 안 된다. ¶～救济; 조급히 구제를 기다리다/～解决; 시급히 해결해야 한다.
〔亟亟〕 jíjí 형 〈文〉 급하다. 급박하다. 분주하다. ¶～奔走; 바삐 돌아다니다.
〔亟速〕 jísù 부 〈文〉 빨리. 서둘러. 신속히. 급속(急速)히.
〔亟须〕 jíxū 〈公〉 빨리 …하지 않으면 안 됨. ¶～办理; 지급 처리 바람.
〔亟应〕 jíyīng 〈公〉 지급(至急)히 …할 것.

殛 jí (극)

동 ①〈文〉 죽이다. ②벼락이 떨어져 물건이 파손되거나 사람이 죽거나 하다. ¶有两个变压器被～坏; 변압기 2개가 낙뢰로 파손되었다/雷～老树; 벼락이 떨어져 고목을 부러뜨렸다.

急 jí (급)

①동 초조해하다. 안달하다. 조바심하다. 서두르다. ¶～～忙忙地; 바쁘게. 분주하게/～着要走; 서둘러 가려 하다/～于完成任务; 임무 완수를 서두르다/～得我已经扫两遍院子了; 마음이 조급해서 나는 이미 뜰을 두 차례나 쓸었다. ②동 초조하게 하다. 애태우다. 당황케 하다. 안달케 하다. ¶火车快开了, 他还不来, 实在～人; 기차가 곧 출발하려 하는데, 그가 아직도 오지 않으니, 정말 사람 속타게한다/真～死人了! 정말 짜증나게 만드는군! ③동 당황하다. ¶别～了; 당황하지 마라. ④형 (성미가) 급하다. 성마르다. 성내다. 발끈해지다. ¶把他招～了; 그를 성나게 했다/没说三句话他就～了; 그는 무슨 말을 하면 곧 발끈 화를 낸다. ⑤형 (속도가) 빠르다. 급격하다. 다급하다. ¶水流得很～; 물의 흐름이 매우 빠르다/脚步很～; 발걸음이 매우 빠르다/～降下; 급강하하다/～转变; 급커브(하다)/～雨; ⇩/炮声甚～; 포성이 매우 격렬하다. ⑥형 절박하다. 긴급하다. ¶～事; 급한 일/～件; ⇩/不～之务; 급하지 않은 일. ⑦명 긴급을 요하는 중대 사건. 급무. ¶告～; 위급을 알리다/救～; 구급하다/当务之～; 맨 먼저 해야 할 급무. ⑧동 (남의 어려움이나 여러 사람을 위해) 급히 돕다. ¶～难; 재난 때에 급히 구조의 손길을 뻗다.
〔急巴巴〕 jíbābā 형 〈古白〉 급박한 모양.
〔急板〕 jíbǎn 명 《樂》 ①프레스토(presto). ②급속곡.
〔急暴〕 jíbào 형 성급(性急)하고 난폭하다. 명 조급한 성질.
〔急蹦蹦〕 jíbèngbèng 형 애가 타서 발을 동동 구르는 모양. ¶事情不如意就～地跳起来了; 일이 생각대로 되지 않아 애타서 깡충깡충 뛰었다.
〔急变〕 jíbiàn 동 갑자기 변하다. 급변하다. 명 〈文〉 긴급한 사변〔변고〕.
〔急病〕 jíbìng 명 급병. ¶得了～; 급병에 걸렸다.
〔急不得〕 jíbude 동 서두를 수는 없다. 서둘러서는 안 된다.
〔急不得恼不得〕 jíbude nǎobude 울려야 울 수도 없고, 웃으려야 웃을 수도 없다《이러지도 저러지도 못하다》. =〔啼tí笑皆非〕
〔急不可待〕 jí bù kě dài 〈成〉 한시도 지체할 수 없다. ¶他～地跑到办公室; 그는 조급하게 사무실에 뛰어들어갔다. =〔急不及待〕〔急不容缓〕
〔急不容缓〕 jí bù róng huǎn 〈成〉 ⇨〔急不可待〕
〔急不如快〕 jí bù rú kuài 〈成〉 안달복달하느니 차라리 재빨리 해치우는 것이 좋다.
〔急茬儿〕 jíchár 명 〈口〉 ①급한 일. 화급한 볼일. ¶他真有点儿～, 没等下班就走了; 그는 좀 급한 볼일이 있어서 퇴근 시간 전에 나갔다. ②조급한 사람. 안달뱅이. ③다급한 경우를 모면해 주는 것. 형 덤벙거리다. 무례하다. ‖ =〔急碴儿〕
〔急扯白脸〕 jíchebáiliǎn 〈方〉 ⇨〔急赤白脸〕
〔急赤白脸〕 jíchìbáiliǎn 〈方〉 홍분하여 안색을 바꾸다. 핏대를 올리다. 초조한 표정을 노골적으로 드러내다. ¶两个人～地吵个没完; 두 사람은 핏대를 올리며 한없이 다투고 있다. =〔急扯白脸〕

〔急匆匆(的)〕 jícōngcōng(de) 형 성급하여 침착하지 못한 모양. 초조해서 허둥대는 모양.
〔急促〕 jícù 형 ①(시간이) 촉박하다. 절박하다. ¶时间很～，不能再犹豫了; 시간이 촉박해서 더 이상 망설이고 있을 수 없다. ②다급하다. ¶呼吸～; 호흡이 거칠다. 동 서두르다.
〔急待〕 jídài 동 급박해 있다. 서둘러야 한다. ¶一个～解决的问题; 해결을 서둘러야 할 문제.
〔急等〕 jíděng 동 〈口〉 (흔히 '～着'으로서) 급히 …하지 않으면 안 된다. 긴급하게 소요되다. ¶这篇稿子～着登报; 이 원고는 급히 신문에 싣지 않으면 안 된다.
〔急电〕 jídiàn 명 〈簡〉 지급 전보('加急电报'의 약칭). =〔飞电〕 동 〈文〉 지급 전보를 치다.
〔急风暴雨〕 jí fēng bào yǔ 〈成〉 심한 비바람. 폭풍우(대부분 혁명 운동의 격렬함을 형용함). ¶经历过～的考验; 심한 혁명 투쟁과 전쟁의 시련을 겪었다 / 这场运动如～，势不可挡; 이번 운동은 폭풍우와 같아서 그 기세를 막을 수 없다. =〔急风骤雨〕
〔急腹症〕 jífùzhèng 명 《醫》 급성의 복통증상(대개 맹장염·장폐색·복내(腹內) 대출혈 등에 따름).
〔急告〕 jígào 동 급하게〔서둘러〕 알리다.
〔急公〕 jígōng 동 〈文〉 공사(公事)를 으뜸으로 하다. ¶～好hào义; 〈成〉 공사 공익에 힘쓰고 정의(正義)를 행하다 / ～忘私; 〈成〉 공사에 힘쓰고 사사(私事)를 잊다.
〔急功近利〕 jí gōng jìn lì 〈成〉 눈앞의 성공과 이익을 구하기에 바쁘다. 초조히 성공을 바라다.
〔急汗〕 jíhàn 명 초조해서 흘리는 땀. ¶出～; 초조해서 땀을 흘리다.
〔急齁齁〕 jíhōuhōu 형 허둥지둥하는 모양. ¶他有什么要紧的事，这么～的; 그는 무슨 중요한 일이 있길래 이렇게 허둥거리고 있는 것이냐.
〔急湖涂〕 jíhútu 동 조급하여 사리를 분별 못 하게 되다. 다급하여 정상적인 판단을 할 수 없게 되다.
〔急坏〕 jíhuài 동 몹시 덤비다. 몹시 애타다. 매우 당황하게 하다.
〔急慌〕 jíhuāng 동 조바심하다. 당황하다.
〔急回运动〕 jíhuí yùndòng 명 《工》 급속 귀환 운동(quickreturn motion).
〔急火〕 jíhuǒ 명 안달. 초조함. ¶～头上; 발등에 불이 떨어진 것처럼 안달하는 모양.
〔急急〕 jíjí 형 급급하다. 매우 급하다. =〔急亟〕
〔急急巴巴〕 jíjibābā 형 다급하다. 급급하다.
〔急急风〕 jíjífēng 명 《劇》 중국 전통극에서, 군대가 급히 이동할 때 반주하는 음악.
〔急急如律令〕 jí jí rú lǜ lìng 〈成〉 즉시 명령대로 하다(원래 한대(漢代)의 공문서의 용어로 '지급(至急)'이라는 뜻. 후에, 도교에서 악마를 내쫓는 주문의 마지막에 덧붙이는 말로, '빨리 물러가라'는 뜻).
〔急煎煎〕 jíjiānjiān 형 초조하여 안달이 나는 모양. 안절부절 못하는 모양.
〔急件〕 jíjiàn 명 ①긴급 서류. 속달 공문서. ②화급한 안건.
〔急脚鬼〕 jíjiǎoguǐ 명 덜렁쇠. 촐랑이.
〔急进〕 jíjìn 명동 급진(하다). 돌진(하다). 형 급진적이다. ¶～派; 급진파.
〔急惊(风)〕 jíjīng(fēng) 명 《漢醫》 ①어린이의 고열로 인한 경풍. ②급성 뇌막염.
〔急景〕 jíjǐng 명 변화가 심한 모양. 연달아 변화하여 어수선한 상태. ¶岁暮～; 세모의 분주하고 어수선함.
〔急救〕 jíjiù 명동 응급 치료(를 하다). 구급(하다). 응급 조치(를 하다). ¶～包; 구급낭(囊) / ～法; 구급법 / ～箱; 응급 상자 / ～方; 응급 처방 / ～站; 구급 센터.
〔急就〕 jíjiù 동 (문장 등을) 속성(速成)하다.
〔急就章〕 jíjiùzhāng 명 필요에 따라 임시변통으로 급히 만들어 낸 작품 또는 일(한(漢)나라의 사유(史游)가 쓴 동몽식자용(童蒙識字用)의 책인 급취편(急就篇)에서 유래함).
〔急剧〕 jíjù 형 급격하다. ¶～的变化; 급격한 변화 / 温度～下降; 기온이 급격히 내려가다. =〔急遽〕
〔急遽〕 jíjù 형 ⇨〔急剧〕
〔急口〕 jíkǒu 부 (발언할 때) 당황하여 빠른 말로. ¶～喝道; 당황하여 큰 소리를 빨리 외치다.
〔急口令〕 jíkǒulìng 명 〈方〉 ①발음하기 어려운 말을 빨리 하는 놀이. ②〈轉〉 빙빙 돌려 하는 말. ‖=〔绕rào口令(儿)〕
〔急来抱佛脚〕 jílái bào fójiǎo 〈諺〉 급할 때 하느님 찾기. 급하면 관세음보살을 왼다(흔히, '闲时不烧香'으로 이어짐). =〔急时抱佛脚〕
〔急溜溜〕 jíliūliū 형 몹시 흥분한 모양.
〔急流〕 jíliú 명 ①급류. ¶～滚滚; 급류가 소용돌이치다. ②《氣》 제트 기류.
〔急流勇进〕 jí liú yǒng jìn 〈成〉 급류를 향해 매진하다. 곤란을 무릅쓰고 나아가다.
〔急流勇退〕 jí liú yǒng tuì 〈成〉 한창 때에 용기를 내어 그 직(職)을 물러나다.
〔急卖〕 jímài 동 급매하다. 급히 팔다.
〔急脉缓受〕 jí mài huǎn shòu 〈成〉 다급하게 온 것을 부드럽게 받아넘기다.
〔急忙〕 jímáng 형 급하다. 분주하다. 바쁘다. ¶早晨街上尽是些急急忙忙赶着上班的人; 아침 거리는 온통 분주하게 출근하는 사람들 뿐이다.
〔急猫猴性〕 jí māo hóu xìng ①황망히 허둥대는 모양. ②안달뱅이.
〔急难〕 jínàn 〈文〉 명 위급한 재난. ¶～之时见人心; 위난을 당했을 때 비로소 사람의 본심이 나타난다. (jí.nàn) 동 남을 어려움에서 벗어날 수 있도록 친절하게 돕다. ¶急朋友之难; 친구의 어려움을 돕다.
〔急拍〕 jípāi 명 《樂》 알레그로(이 allegro).
〔急跑〕 jípǎo 동 급히 달리다. 황망히 도망치다.
〔急迫〕 jípò 형 급박하다. 절박〔임박〕하다. ¶～的任务; 급박한 임무 / 事情很～; 사정이 매우 절박하다.
〔急起直追〕 jí qǐ zhí zhuī 〈成〉 재빨리 행동하여 따라가려고 애쓰다. =〔亟起直追〕
〔急切〕 jíqiè 형 다급하다. 절실하다. ¶需要～; 수요가 다급하다 / ～的心情; 절실한 심정. 부 ('～间'·'～里'로 하여) 갑자기. 지금 곧. 우선. 당장. ¶～间找不着适当的人; 갑자기 적당한 사람을 찾을 수 없다.
〔急热〕 jírè 형 매우 친하다. ¶～如手足; 형제처럼 아주 친하다.
〔急人〕 jírén 동 애태우다. 마음을 졸이다. 짜증나게 하다. 형 초조하다.
〔急如闪电〕 jí rú shǎn diàn 〈成〉 번개처럼 빠르다.
〔急如星火〕 jí rú xīng huǒ 〈成〉 매우 급해서 총망한 모양. 급박한 모양. 발등에 불이 떨어진 듯하다. =〔急如于星火〕
〔急三火四〕 jísān huǒsì 〈方〉 황급히. 서둘러서. ¶他在前头～地走去; 그는 맨 먼저 황급히 걸어갔

다.
〔急三枪〕 jísānqiāng 명 덜렁쇠. 성급한 사람.
〔急色鬼〕 jísèguǐ 명 색정광. 색마. =〔急色儿〕
〔急刹车〕 jíshāchē 명동 급브레이크(를 걸다).
〔急杀〕 jísha ⇨〔急死〕
〔急射〕 jíshè 명《軍》속사(速射).
〔急时抱佛脚〕 jíshí bào fójiǎo〈諺〉급하면 부처님 다리를 껴안는다. =〔急来抱佛脚〕〔临时抱佛脚〕〔临急抱佛脚〕
〔急事(儿)〕 jíshì(r) 명 급한 일. ¶他临时有了～, 不能来了; 그는 급한 일이 생겨서 올 수 없다.
〔急水〕 jíshuǐ 명 ①급류. ②홍수.
〔急死〕 jísǐ ①애가 타서〔화가 치밀어〕 죽다. ②몹시 조바심 내다. ¶你别～人; 사람을 그렇게 안달시키지 마라. ‖ =〔急杀〕
〔急速〕 jísù 형 ①몹시 빠르다. 쏜살같다. ¶你去一去, ～回来, 我在这儿等你; 너 거기 가거든 빨리 돌아와라. 여기서 기다릴 테니까. ②황망하다. 분주하다.
〔急停转身〕 jítíng zhuǎnshēn 명《體》(농구의) 스톱 피벗 플레이(stop pivot play).
〔急图〕 jítú 명〈文〉급한 일. 급무. 동 재빨리 계획을 세우다.
〔急湍〕 jítuān 명 급류. 세찬 물살.
〔急弯〕 jíwān 명 ①(도로의) 급커브. ¶前有～, 行车小心; 전방에 급커브 있으니, 운전 조심. ②(차·배·비행기 등의) 급커브. 급전환. ¶战斗机拐了个～, 向西南飞去; 전투기는 갑자기 방향을 바꾸어 서남방으로 날아갔다.
〔急务〕 jíwù 명 급무. 급선무. 절박한 일. ¶当前～; 당장 급한 업무
〔急先锋〕 jíxiānfēng 명〈比〉급선봉. ¶他在这场恶战里面当了～《丁玲 太陽照在桑乾河上》; 그는 이번 힘든 전투에서 급선봉을 맡았다.
〔急相〕 jíxiàng 형 조급한〔애태우는〕 모양.
〔急行(车)〕 jíxíng(chē) 명 ⇨〔快kuài车〕
〔急行军〕 jíxíngjūn 명동《軍》급행군(하다).
〔急行跳高〕 jíxíng tiàogāo 명《體》도움닫기 높이뛰기. →〔跳高〕
〔急行跳远〕 jíxíng tiàoyuǎn 명《體》도움닫기 멀리뛰기. →〔跳远(儿)〕
〔急性〕 jíxìng 명형 ①성급(하다). ¶～人; 성급한 사람. ②《醫》(병 따위의) 급성(의). ¶～盲肠炎; 급성 맹장염 / ～胃卡他 =〔食伤〕; 급성 위카타르〔위염〕.
〔急性病〕 jíxìngbìng 명 ①《醫》급성병. ②〈比〉안달병. 조급성. 조급증.
〔急性儿〕 jíxìngr 명 ①성마름. ②성급한 사람. 안달뱅이. ¶他是个～, 总要一口气把话说完; 그는 성급해서 늘 단숨에 이야기를 하려 한다. ‖ =〔急性子①〕
〔急性子〕 jíxìngzi 명 ①⇨〔急性儿〕 ②《植》봉선화의 씨(부인병약).
〔急须〕 jíxū 동 급히 …을 할 필요가 있다. 명〈方〉옛날, 차를 끓이거나 술을 데우는 토병(土瓶).
〔急需〕 jíxū 명 긴급한 소용〔수요〕. ¶储备粮食, 以应～; 식량을 비축하여 급할 경우에 대비하다. 동 급히 필요로 하다.
〔急眼〕 jí,yǎn 동 ①안달복달하다. 애가 타다. ¶他急了眼, 怕继承不着财产; 그는 재산 상속을 못 받는 것이 아닌가 하고 안달복달했다. ②성내다. 눈에 쌍심지를 켜다. ¶你别跟他～; 그에게 성내지 마라.
〔急用〕 jíyòng 명 급용. 절박한 필요(흔히, 금전에 대해서 말함). ¶我因为有点儿～, 所以想跟您借点儿钱; 좀 급하게 쓸 일이 있어서 당신에게 돈을 좀 꾸고 싶습니다 / 节约储蓄, 以备～; 절약 저축해서 급하게 필요할 때에 대비한다.
〔急于〕 jíyú ①…에 서두르다. ¶～完成任务; 임무 완수를 서두르다. ②조바심하다. 안달하다. ¶～要赢yíng; 이기려고 안달하다.
〔急雨〕 jíyǔ 명 소나기. =〔骤雨〕
〔急躁〕 jízào 동 ①조바심하다. 초조해하다. ②조급하게 일을 서두르다. ¶别～, 大家商量好再动手! 초조하게 굴어서는 안 된다. 함께 상의하고 착수하기로 하자! / ～冒进; 조급하게 저돌적으로 맹진(猛進)하다. 형 성미가 급하다. 조급하다.
〔急战〕 jízhàn 동 ①급하게 싸우다. ②일을 서두르다.
〔急账〕 jízhàng 명 급하게 갚아야 할 외상값 또는 빚.
〔急着了〕 jízháole 형 몹시 당황하다. 매우 곤란하다.
〔急着〕 jízhe 동 초조해하다. 서두르다. ¶他更是～要上台; 그는 더욱 초조해져서 서둘러 등장(登場)하려고 한다.
〔急诊〕 jízhěn 명동 급진(하다). ¶～病人; 응급환자.
〔急症〕 jízhèng 명 급병(急病). ¶得了～; 급병에 걸렸다.
〔急智〕 jízhì 명 임기응변의 재치. 기지(機智).
〔急中生智〕 jí zhōng shēng zhì〈成〉순간적으로 좋은 지혜가 떠오르다(궁하면 통하다).
〔急中有失〕 jí zhōng yǒu shī〈成〉조급해하면 실패한다.
〔急骤〕 jízhòu 형 황급하다. 다급하다. ¶～的脚步声; 황급한 발소리.
〔急转弯〕 jízhuǎnwān 동 급회전하다. 명 ①급커브. ②급전환점.
〔急转直下〕 jí zhuǎn zhí xià〈成〉급격하게 변화하다. 급전 직하하다. ¶国际局势～, 顿时紧张起来了; 국제 정세가 급전 직하하여 갑자기 긴장되었다.

革

jí (극)
형〈文〉긴박해지다. 긴급하다. ¶病～; 병상이 긴박해지다. 위독하다. ⇒gé

疾

jí (질)
① 명 질병. ¶目～; 안질(眼疾) / 积劳成～; 피로가 쌓여 병이 되다. ② 명 병의 고통. ③ 명 고통. 괴로움. ④ 명 흠. 결점. ⑤ 동 앓다. ⑥ 동 미워하다. 증오하다. ⑦ 동 골내다. ⑧ 동 시기하다. ⑨ 형 빠르다. 신속하다. ¶～走; 질주하다. ⑩ 부 곧. ⑪ 동 괴로워하다. 괴롭히다. ¶痛心～首 =〔～首痛心〕; 마음 아파하며 고민하다.
〔疾病〕 jíbìng 명〈文〉질병. 병. ¶预防～; 병을 예방하다.
〔疾步〕 jíbù 명 빠른 걸음. 속보(速步).
〔疾驰〕 jíchí 동〈文〉질주하다. ¶汽车～而过; 자동차가 질주하며 지나가다.
〔疾笃〕 jídǔ 명 (병세의) 위독함.
〔疾恶〕 jí'è 동〈文〉악을 미워하다. ¶～如仇;〈成〉악을 미워하기를 원수 미워하듯 한다.
〔疾风〕 jífēng 명 ①맹렬한 바람. 질풍. ¶～(知)劲草;〈成〉강한 바람을 만나야 비로소 강한 풀임을 안다(역경에 처해 봐야 비로소 사람의 진가를 안다) / ～扫落叶;〈成〉질풍이 낙엽을 휘몰아친다(강력하고 신속함). ②《氣》센바람(풍력 계급의 7의 바람).
〔疾呼〕 jíhū 동 황망히 부르다.

〔疾患〕 jíhuàn 명 〈文〉 질환. 병.
〔疾苦〕 jíkǔ 명 질고. 고통(흔히, 생활상의 괴로움을 말함). ¶关心群众的～; 대중의 고통에 관심을 쏟다.
〔疾雷〕 jíléi 명 질뢰. 〈比〉 일이 일어남이 빠름. ¶～不及掩耳; 〈成〉 일이 급히 일어나 그것에 대비할 겨를도 없다.
〔疾日〕 jírì 명 불길한 날. 재수 없는 날.
〔疾驶〕 jíshǐ 동 (차 따위를) 쾌속 운전하다. ¶～而去; 쾌속으로 달려가 버리다.
〔疾视〕 jíshì 동 질시하다. 눈을 흘겨보다.
〔疾首蹙额〕 jí shǒu cù é 〈成〉 머리가 아파 이마를 찌푸리다(마음 속으로 싫어하고 미워하는 모양).
〔疾首痛心〕 jí shǒu tòng xīn 〈成〉 화가 나서 골머리와 마음이 아프다. =〔痛心疾首〕
〔疾言遽色〕 jí yán jù sè 〈成〉 말이 몹시 절박하고 표정에 당황한 기색이 어리다.
〔疾言厉色〕 jí yán lì sè 〈成〉 화가 나서 말을 거칠게 하고 엄한 얼굴을 하다. ¶从来没有看见他～地对付过学生; 지금까지 그가 학생에게 거친 말로 엄하게 대한 것을 본 일이 없다.
〔疾足先得〕 jí zú xiān dé 〈成〉 신속히 행동하는 자가 먼저 목적을 달성한다.

蒺 jí (질)
→〔蒺藜〕

〔蒺藜〕 jílí 명 ①《植》 납가새. =〔茨②〕〔升推〕 ②마름쇠. ③《動》 '蜈wú蚣'(지네)의 고칭(古稱). ④《蟲》 '蟋xī蟀'(귀뚜라미)의 고칭.

嫉 jí (질)
동 ①시기하다. 샘내다. 질투하다. ¶遭受别人～妒dù; 남의 시기를 받다. ②미워하다. ¶～恶如仇; 악(인)을 원수처럼 미워하다. ③원망하다.

〔嫉才〕 jícái 동 남의 재능을 시기하다.
〔嫉妒〕 jídù 동 질투하다. ¶他很羡慕你, 但并不～你; 그는 너를 부러워하고는 있지만, 시기하는 것은 아니다. =〔忌jì妒〕
〔嫉恨〕 jíhèn 동 질투하며 원망하다.
〔嫉忌〕 jíjì 동 질투하다. =〔忌妒〕〔吃醋〕
〔嫉贤妒能〕 jí xián dù néng 〈成〉 자기보다 우수한 자를 시기하다.

棘 jí (극)
① 명 가시. ¶～皮动物; ⇩ / ～鱼; ⇩ ② 명 《植》 멧대추나무. =〔酸suān枣树〕 ③ 명 창(槍). ④ 형 빠르다. ⑤ 형 급하다. ⑥ 동 찌르다. ¶～手; 손을 찌르다. ⑦ 형 피곤하다. ⑧ 명 성(姓)의 하나.

〔棘刺〕 jící 명 멧대추나무의 가시(약용(藥用)함). =〔棘针〕
〔棘轮〕 jílún 명 《機》 래칫 휠(ratchet wheel). ¶～传动; 래칫 구동(ratchet drive) / ～传动装置; 래칫 기어(ratchet gearing). =〔〈北方〉克kè崩轮〕〔〈南方〉撑chēng牙〕
〔棘皮动物〕 jípí dòngwù 명 《動》 극피 동물.
〔棘楸〕 jíqiū 명 《植》 엄나무.
〔棘人〕 jírén 명 상중에 있는 사람의 자칭(自稱).
〔棘手〕 jíshǒu 형 (처리하기가) 곤란하다. 애먹다. 난처하다. ¶～的问题; (처리하기에) 곤란한 문제 / 这件事情办起来, 可有点儿～; 이 일은 해 보니 꽤나 애를 먹인다. 동 손을 찌르다.
〔棘鱼〕 jíyú 명 《魚》 큰가시고기.
〔棘院〕 jíyuàn 명 옛날의 과거 시험장(주위를 가시로 둘러쳤었음). =〔棘闱〕
〔棘针〕 jízhēn 명 ⇨〔棘刺〕
〔棘爪〕 jízhuǎ 명 《機》 역전(逆轉) 막이(역전 방지용의 작은 부품).

集 jí (집)
① 동 모이다. 모으다. ¶招～; 소집하다 / 搜sōu～; 수집하다 / 云～首都; (각지에서) 수도로 모여들다 / 筹chóu～; (자금 따위를) 그러모으다 / 邀～; (사람을) 권유하여 모으다. ② (～子) 명 집록(集錄). 문집. 저작집. ¶诗～; 시집 / 文～; 문집 / 全～; 전집 / 讲演～; 강연집. ③ 명 성채(城砦). ④ 명 (정기적으로 열리는) 시장. ¶赶～; 시장에 가다 / 这是～上买的; 이것은 장에서 산 것이다. ⑤ 명 (서책의) 집. 분책(分冊). (필름의) 편(篇). ¶康熙字典分为子·丑·寅·卯等十二～; 강희자전(康熙字典)은 子·丑·寅·卯 등의 12집으로 나뉘어 있다 / 上下两～, 一次放映; 상하 2편 동시 상영. ⑥ 명 성(姓)의 하나.

〔集部〕 jíbù 명 집부(한적(漢籍)의 전통적 분류법. '经史子集'의 하나. 시문집(詩文集) 총서류 따위를 포함시킴). =〔丁dīng部〕
〔集材〕 jícái 동 목재〔재료〕를 모으다. ¶～机; 집재기(集材器).
〔集尘器〕 jíchénqì 명 《機》 집진기(集塵器).
〔集成〕 jíchéng 동 집성하다. 집적(集積)하다. 명 《電》 집성. 집적. ¶～电路; 《電》 아이시(IC) 회로. 집적 회로 / ～电路电子计算机; 집적 회로 전자 계산기.
〔集大成〕 jí.dàchéng 동 〈文〉 집대성하다. ¶《聊齋誌異》集神鬼故事之大成; 《요재지이》는 귀신·요리 등의 이야기를 집대성한 것이다.
〔集电极〕 jídiànjí 명 《電》 집전극(集電極).
〔集电器〕 jídiànqì 명 《電》 집전기(集電器). 컬렉터(collector). =〔聚jù电器〕
〔集股〕 jí.gǔ 동 주(株)를 모집하다. =〔招股〕
〔集管〕 jíguǎn 명 《機》 (배관하는 경우의) 모관(母管). 헤더(header). ¶总集汽管; 메인 헤더(main header). =〔联lián箱〕 명동 집중 관리(를 하다).
〔集光〕 jíguāng 명 《劇》 스포트라이트(spotlight).
〔集合〕 jíhé 명동 집합(하다). 결집(하다). ¶大家～! 都齐qí了; 모두 모여라! 모였습니다 / 在哪儿～? 어디에 집합하지요? / ～全班; 반 전원을 집합시키다 / ～各种材料; 여러 가지 자료를 모으다. ↔〔解jiě散〕 명 《數》 집합(集合).
〔集合母型〕 jíhé mǔxíng 명 《言》 집합 자모(集合字母).
〔集会〕 jíhuì 명동 회합(하다). 집회(하다). ¶首都北京百万军民昨天隆重～; 수도 베이징(北京)에서 백만의 군대와 민중이 성대하고 엄숙하게 집회했다 / 举行群众～; 대중 집회를 거행하다. →〔开kāi会〕
〔集结〕 jíjié 동 집중하다. 집결하다. ¶～兵力; 병력을 집결하다.
〔集锦〕 jíjǐn 명 사물의 가장 두드러진 부분을 모은 회화나 시문 따위(흔히 표제용(標題用)). ¶图片～; 회화 수작집(秀作集) / 邮票～; 우표 걸작집.
〔集句〕 jíjù 명 옛 사람의 성구(成句)를 모아 시를 짓는 일. 또는 그 시.
〔集聚〕 jíjù 동 모이다. 집합하다.
〔集刊〕 jíkān 명 학술 기관에서 간행하는 정기·부정기 논문집.
〔集流环〕 jíliúhuán 명 《電》 (전동기의) 집전자(集

電子).
〔集拢〕 jílǒng 동 모으다. 모이다.
〔集录〕 jílù 명동 집록(하다).
〔集纳〕 jínà 동 (각 방면으로부터 의견 따위를) 모아서 수용(受容)하다. 명 신문. 저널(journal). ¶～主义; 저널리즘(journalism). =〔日报〕
〔集权〕 jíquán 명 집권. ¶中央～; 중앙 집권.
〔集日〕 jírì 명 장날.
〔集散地〕 jísàndì 명 집산지. 유통 센터.
〔集矢〕 jíshǐ 동 〈文〉 많은 사람으로부터 지적당하다.
〔集市〕 jíshì 명 정기적으로 열리는 장. ¶～贸易; 장에서의 매매.
〔集思广益〕 jí sī guǎng yì 〈成〉 대중의 지혜를 모아 유익한 의견을 널리 흡수하다.
〔集体〕 jítǐ 명 집단. 단체. 그룹. ¶～旅行; 단체 여행 / 先进～; 선진적인 그룹 / ～生活; 집단 생활 / ～利益; 집단의 이익. ↔〔个gè人〕〔个体〕
〔集体公寓〕 jítǐ gōngyù 명 아파트 단지(團地).
〔集体合同〕 jítǐ hétong 명 단체 협약. =〔团tuán体协约〕
〔集体伙食〕 jítǐ huǒshí 명 집단 급식.
〔集体经济〕 jítǐ jīngjì 명 《經》 공동경제.
〔集体领导〕 jítǐ lǐngdǎo 명 집단 지도.
〔集体农庄〕 jítǐ nóngzhuāng 명 집단 농장. 콜호스(러 kolkhoz). →〔国guó营农场〕
〔集体所有制〕 jítǐ suǒyǒuzhì 명 《經》 집단 소유제.
〔集体谈判〕 jítǐ tánpàn 명 단체 교섭. ¶恢复～; 단체 교섭을 재개하다.
〔集体舞〕 jítǐwǔ 명 포크 댄스. 집단 무용. ¶跳tiào～; 포크 댄스를 추다.
〔集体主义〕 jítǐ zhǔyì 명 집단주의(集團主義).
〔集团〕 jítuán 명 ①집단. 단체. 그룹. ¶统治～; 통치(統治) 집단 / 小～; 소집단. 소(小)블록. ② 도당. 한 패거리.
〔集团经济〕 jítuán jīngjì 명 《經》 블록경제.
〔集团精神〕 jítuán jīngshen 명 집단 정신.
〔集团军〕 jítuánjūn 명 《軍》 군집단(軍集團)(몇 개의 '军' 또는 '师shī'로 편성함).
〔集训〕 jíxùn 명동 합동 훈련(하다). 합숙 훈련(하다). ¶干部轮流～; 간부가 차례로 집단 훈련〔학습〕을 하다.
〔集腋成裘〕 jí yè chéng qiú 〈成〉 여우 겨드랑이의 가죽을 모아 갖옷을 만들다(여러 사람의 힘을 모으면 큰 힘이 된다. 티끌 모아 태산).
〔集邮〕 jí.yóu 동 우표를 수집하다〔모으다〕. (jíyóu) 명 우표 수집. ¶～册; 우표 수집책 / ～家; 우표 수집가.
〔集约〕 jíyuē 명동 집약(하다). ¶～化; 집약화 / ～农业; 집약 농법(集約農法).
〔集运〕 jíyùn 동 모아서 수송하다.
〔集攒〕 jízǎn 동 저축하다. 모으다.
〔集镇〕 jízhèn 명 비농업 인구를 주로 삼는, '城市' 보다는 작은 거주 구역.
〔集中〕 jízhōng 동 ①집중하다. ¶～火力; 화력을 집중하다 / ～大家的智慧; 모두의 지혜를 모으다 / ～力量; 힘을 집중하다 / 大家的目光～到他的身上; 모두의 시선이 그에게 집중되다. ②모으다. 모이다. ¶把下放干部～起来; 지방에 배치한 간부를 모으다 / 大家都～到大柳树下; 모두 큰 버드나무 밑으로 모였다. ③집약하다. ¶把大家的意见～起来就是一句话; 모두의 의견은 곧 한 마디로 집약된다.
〔集中营〕 jízhōngyíng 명 ①군대가 잠시 집결하는 곳. ②포로·난민 등을 모아 수용하는 곳. 강제 수용소. ¶他曾被关在～三年; 그는 3년간이나 수용소에 감금되어 있었다.
〔集注〕 jízhù 명 집주(集註)(제가(諸家)의 주석을 모은 것 또는 그 책). =〔集解〕〔集释〕 동 (정신·시선 등을) 모으다. 집중하다. 쏠리다. ¶眼光都～在那演员; 모두의 시선은 그 배우에게 쏠렸다.
〔集装箱〕 jízhuāngxiāng 명 컨테이너. ¶～船 =〔货huò柜轮〕; 컨테이너선(船) / ～运输; 컨테이너 수송.
〔集资〕 jí.zī 동 자금을 모으다.
〔集子〕 jízi 명 문집(文集). 시문집(詩文集). ¶一千零一夜是瑰丽优美的故事的一个～; 아라비안 나이트는 우아하고 아름다운 이야기의 문집이다.
〔集总电容〕 jízǒngdiànróng 명 《電》 총용량(總容量).

楫〈檝〉 jí (즙, 집)
〈文〉 ① 명 노. =〔桨jiǎng〕 ② 동 노로 배를 젓다. ¶舟zhōu～往来; 배가 왕래하다.

辑(輯) jí (집)
① 동 (책 따위의 자료를) 모으다. 편집하다. ¶纂～; 편찬하다. ② 동 그러모으다. ¶收～遗文; 산일(散逸)된 문장을 모아 수록하다. ③ 형 〈文〉 누그러지다. 화목하다. ④ 명 집(輯)(전집·자료집 등의 내용 또는 발표 순서로 나눈 각 부분). ¶这部丛书分为十～, 每～五本; 이 총서는 10집으로 나뉘고 각 집이 5권씩이다.
〔辑辑〕 jíjí 〈擬〉 살랑살랑 부는 바람 소리.
〔辑录〕 jílù 동 모아서 기록하다.
〔辑睦〕 jímù 형 〈文〉 화목하다. =〔辑穆〕〔辑宁〕〔辑和〕
〔辑穆〕 jímù 형 ⇨〔辑睦〕
〔辑宁〕 jíníng 형 ⇨〔辑睦〕
〔辑要〕 jíyào 동명 중요한 사항을 기록하다〔기록한 것〕.
〔辑逸〕 jíyì 동명 산일된 것을 모으다〔모은 것〕. ¶对此书所作的～工作也有偏差; 이 서적에 대하여 행한 산일 부분의 수집 작업에도 오차가 있었다. =〔辑佚〕

戢 jí (즙)
① 동 〈文〉 거두다. 거두어 넣다. ¶载～干戈; 무기를 거두다. ② 동 그만두다. 중지하다. ¶～兵; 전쟁을 중지하다. ③ 명 성(姓)의 하나.
〔戢怒〕 jínù 동 〈文〉 화를 가라앉히다.
〔戢翼〕 jíyì 동 〈文〉 날개를 접다(사직(辭職)하고 은퇴하다).
〔戢影〕 jíyǐng 동 〈文〉 ①자취를 감추다. ②〈比〉 은거하다.

蕺 jí (즙)
① →〔蕺菜〕 ②지명용 자(字). ¶～山; 지산산(蕺山)(저장 성(浙江省)에 있는 산 이름).
〔蕺菜〕 jícài 명 《植》 삼백초. 즙채. =〔蕺草〕〔鱼yú腥草〕
〔蕺草〕 jícǎo 명 ⇨〔蕺菜〕

瘠 jí (척)
① 형 (몸이) 여위어 약하다. =〔瘠瘦shòu〕 ② 형 토지가 메마르다. ③ 명 손실(損失).
〔瘠薄〕 jíbó 형 (땅이) 척박하다. 메마르다. ¶～地; 메마른〔척박한〕 땅. ↔〔肥féi沃〕
〔瘠田〕 jítián 명 메마른 전답〔논밭〕.
〔瘠土〕 jítǔ 명 메마른 땅.

鹡(鶺) jí (척) →〔鹡鸰〕

〔鹡鸰〕 jílíng 명〖鳥〗할미새. =〔精列〕

踖 jí (척) 동〈文〉종종걸음으로 걷다.

踖 jí (적) ①동〈文〉밟다. ②→〔踖踖〕

〔踖踖〕 jíjí 형〈文〉(공경하며) 어려워하는 모양.

藉 jí (적) ①동〈文〉짓밟다. ②명 성(姓)의 하나. ⇒jiè

籍 jí (적) ①명 문서. ②명 책. 서적. ¶书～; 서적. ③명 호적. ④명 인명부. ⑤명 원적(原籍). 원적지. ¶回～; 고향으로 돌아가다. ⑥명 적《개인의 국가·조직과의 소속 관계》. ¶党～; 당적/学～; 학적/国～; 국적. ⑦동 등기하다. 기록하다. ⑧→〔籍籍〕 ⑨명 성(姓)의 하나.

〔籍贯〕 jíguàn 명 본적. =〔乡贯〕〔生籍〕〔本籍〕

〔籍籍〕 jíjí 형 ①대단한 소문이 나는 모양. 평판이 자자한 모양. ¶当时无～名; 당시에는 자자한 명성이 없었다. ②어지럽다. 난잡하다. ¶众口～; 많은 사람들이 갖가지로 말을 퍼뜨리다.

〔籍记〕 jíjì 동〈文〉장부에 기입하다. 등록하다.

〔籍没〕 jímò 동〈文〉(죄인의) 재산을 기록하고 몰수하다.

〔籍甚〕 jíshèn 형〈文〉명성이나 평판이 매우 자자하다.

〔籍田〕 jítián 명〈文〉(제사용 쌀을 수확하는) 천자가 친히 경작하던 논.

几(幾) jǐ (기) ①몇 개. 얼마《대체로 10 이하의 수를 나타냄》. ¶第～个车站; 몇째 번의 정거장/我去过～回; 나는 몇 번 간 적이 있다/他才十～岁; 그는 겨우 열 살 남짓이다/所剩无～; 남은 것은 몇 개 안 된다/三～个; 서너 개/我买了～本书; 나는 책을 두세 권 샀다/我～次去找他, 他都不在家; 몇 번이나 그를 방문하였으나 그는 언제나 집에 없었다. ②대 몇. 몇 개. 어느 정도《보통 10 이하의 수를 물을 때 씀. 그 이상의 수에 대해서 물을 때는 '多少'를 쓰는 경우가 많음》. ¶星期～? 무슨 요일이냐?/你～时来? 너는 언제 오겠느냐?/第～课? 제 몇 과인가?/来～天了? 온 지 며칠이 되었습니까? ⇒jī

〔几曾〕 jǐcéng ⇒〔何hé曾〕

〔几次连番〕 jǐ cì lián fān〈成〉몇 번이고. 되풀이하여. 재삼재사(再三再四). =〔几次三番〕

〔几点(钟)〕 jǐdiǎn(zhōng) ①몇 시. ¶现在～? 지금 몇 시냐? ②몇 시간. ③수시간.

〔几多〕 jǐduō 대〈南方〉몇. 얼마큼. ¶～人? 몇 명인가? =〔多少shao〕

〔几番〕 jǐfān 몇 번. 몇 차례.

〔几分〕 jǐfēn 조금. 약간. 얼마간. ¶有～醉意; 약간 취기가 있다/她说的有～道理; 그녀가 하는 말에는 일리가 있다.

〔几个〕 jǐge ①몇 개(의). ¶有～? 몇 개 있느냐? ②몇 개인가의. 수개(數個)《대체로 10 이하》. ¶有十～; 십여 개 있다/～人; ⓐ몇 명. 몇 사람《의문》. ⓑ수인(數人)《부정(否定)》/这么～; 요까지《얼마 안 되는》. →〔多少〕

〔几号〕 jǐhào 명 며칠. ¶今天～; 오늘은 며칠이냐/二十～; 이십 며칠.

〔几何〕 jǐhé 대〈文〉몇. 얼마. ¶能值～? 어느 정도의 가치가 나갑니까? =〔多少〕 명〖數〗〈簡〉'几何学'(기하학)의 약칭.

〔几何体〕 jǐhétǐ 명〖數〗입체. =〔立体〕

〔几何图形〕 jǐhétúxíng 명〖數〗기하 도형. =〔图形〕

〔几何学〕 jǐhéxué 명〖數〗기하학.

〔几内亚〕 Jǐnèiyà 명〖地〗〈音〉기니(Guinea)《수도는 '科kē纳克里'(코나크리: Conakry)》.

〔几内亚比绍〕 Jǐnèiyà bǐshào 명〖地〗〈音〉기니비사우(Guinea-Bissau)《수도는 '比绍'(비사우: Bissau)》.

〔几年〕 jǐnián ①몇 년. 수 년. ②요 몇 년. 수 년 사이. ¶～以来; 수 년 이래로〔전부터〕.

〔几起几伏〕 jǐ qǐ jǐ fú〈成〉(정치 운동·문제의 토론 등에서) 몇 번이나 기복을 반복하다.

〔几儿〕 jǐr 대〈北方〉①며칠. ¶今儿是～? 오늘은 며칠이냐? =〔几号hào〕 ②언제. ¶你～来的? 너는 언제 왔느냐?

〔几日〕 jǐrì ①며칠(동안). ②며칠. 몇 날.

〔几时〕 jǐshí 대 ①언제. ¶你们～走? 너희들은 언제 가느냐? ②언젠가.

〔几岁〕 jǐsuì 몇 살《흔히, 10세 이하에 씀》. →〔多duō大①〕

〔几天〕 jǐtiān ①며칠. 며칠간. ¶你在北京住～? 당신은 베이징(北京)에 며칠이나 머무르겠습니까? ②수일간.

〔几许〕 jǐxǔ 대〈文〉얼마만큼. 얼마. ¶不知～; 얼마나 되는지 모른다. =〔多少duōshao〕

虮(蟣) jǐ (기) 명 ①(～子) 서캐. ②거머리.

〔虮子〕 jǐzi 명〖蟲〗서캐.

麂 jǐ (궤) 명〖動〗키용《사슴과(科)의 작은 동물》. =〔麂子〕

己 jǐ (기) ①대 자기. 자신. ¶一～之见; 나 개인의 생각/舍～为人; 〈成〉나를 버리고 남을 위해 애쓰다. ②자기측의. ¶损人利～; 〈成〉남에게 손해를 끼치고 자기를 이롭게 하다. 제멋대로 굴다. ③명 십간(十干)의 여섯째. ④명 배열 순서의 여섯째. ⑤사욕(私欲).

〔己二酸〕 jǐèrsuān 명〖藥〗아디프산(adiptic acid). =〔肥酸〕

〔己方〕 jǐfāng 명 당방(當方). 자기 쪽. 자기 편.

〔己饥己溺〕 jǐ jī jǐ nì〈成〉천하에 기아와 익사하는 자가 있으면, 위정자는 이를 자기 책임으로 여긴다.

〔己见〕 jǐjiàn 명〈文〉자기의 생각. 자설(自說). 사견(私見). ¶固执～; 자기 의견을 고집하다/独出～; 독자적인 의견을 내놓다.

〔己任〕 jǐrèn 명 자기 임무〔소임〕. ¶以天下为～; 천하의 일을 자기가 해야 할 임무로 삼다.

〔己身〕 jǐshēn 명〈文〉자기 자신.

〔己酸〕 jǐsuān 명〖化〗카프르산(capric acid). =〔羊yáng油酸〕

〔己所不欲, 勿施于人〕 jǐ suǒ bù yù, wù shī yú rén〈成〉자기가 싫어하는 것을 남에게 시키지 말라.

〔己烷〕 jǐwán 명〖化〗헥산(hexane).

〔己烷雷琐辛〕 jǐwán léisuǒxīn 명〖化〗헥실레조르신(hexylresorcin).

纪(紀) **Jǐ** (기)
명 성(姓)의 하나. ⇒jì

鱾(紀) **jǐ** (기)
명 〖魚〗 벵에돔과(科) 어류의 총칭.

沵 **Jǐ** (제)
명 〖地〗 지허(沵河)《허베이 성(河北省)에 있는 강 이름》.

济(濟) **jǐ** (제)
①→〔济济〕 ②지명용 자(字). ¶～水Jǐshuǐ; 〖地〗 지수이(濟水)《허베이 성(河北省)에서 발원하여 보하이(渤海)로 흘러드는 강 이름》 / ～南Jǐnán; 〖地〗 지난(濟南)《산둥 성(山東省)의 성도(省都)》 / ～宁Jǐníng; 지닝(濟寧)《산둥 성(山東省)에 있는 도시이름》. ⇒jì

〔济济〕 jǐjǐ 형 인재가 많은 모양. 많고 성한 모양. 위엄이 있는 모양. ¶人才～; 인재가 수두룩하다.

挤(擠) **jǐ** (제)
①동 서로 밀다. ②동 (사람이나 물건이) 빽빽하게 들어차다. 꽉 차다. 붐비다. ¶车上人很～; 차 안은 사람으로 꽉 차 있다 / ～着坐; 바싹 조여서 앉다 / 一间屋子住十来个人, 太～了; 한 방에 10명이나 있으니까 너무 갑갑하다. ③동 군중 가운데로 뚫고 들어가다. 사람 떼를 헤치다. ¶人多～不过去; 사람이 많아서 뚫고 들어갈 수 없다 / 别～呀! 밀지 마라! ④동 배척하다. ⑤동 짜다. 밀어 내다. 무리하게 시간을 내다. ¶～牛奶; 우유를 짜다 / 他的学习时间是～出来的; 그의 학습 시간은 억지로 짜낸 것이다. ⑥동 압력을 가하다. 강요하다. 나무라다. 궁지로 몰다. ¶他既然口风儿松, 不妨再～一下; 그의 말투가 양보할 듯하면 한번 더 압력을 넣어 보는 게 좋겠다 / 用话～他; 따지고 들어 그를 몰아 세우다. 이치로 그를 몰아대다 / 事情～到这儿了; 사건은 여기까지 몰렸다〔궁지에 몰렸다〕 / 平白无故地～人干么? 아무 이유도 없이 사람을 몰아세워서 어떻게 한다는 거냐? ⑦동 (금융 공황 등으로) 은행에 예금주들이 돈을 찾으려고 한꺼번에 쇄도하다. ¶各银行都被～了; 각 은행마다 예금을 찾으려고 몰려드는 소동이 벌어졌다. ⑧형 갑갑하다. 거북하다. 답답하다. ¶这件汗衫太～; 이 속옷은 너무 꽉 끼인다. ⑨동 (같은 시간에) 일이 겹치다. ¶事情全～在一块儿了; 일이 한꺼번에 겹쳤다.

〔挤巴〕 jǐba 동 밀어붙이다. ¶我怕把东西～坏了呀; 물건이 찌부러지지 않았는지 모르겠다.

〔挤巴着〕 jǐbazhe 〈方〉 눈을 껌뻑이다. ¶他～豆粒般的小眼; 그는 콩알만한 작은 눈을 껌뻑이고 있다.

〔挤鼻弄眼〕 jǐ bí nòng yǎn 〈成〉 (눈짓 등으로) 얼굴 표정을 바꾸어 남에게 신호하다.

〔挤不动〕 jǐbudòng 밀치락달치락하여 움직일 수 없다. =〔挤不开〕〔挤不来〕

〔挤不上〕 jǐbushàng 뚫고 들어갈 수 없다.

〔挤出〕 jǐ.chū 동 짜내다. ¶～时间; 시간을 내다.

〔挤出来〕 jǐ.chu.lai ①짜내다. ②억지로 내다. ¶～的意见; 억지로 낸 의견.

〔挤撮〕 jǐcuō 동 〈古白〉 배척하며 깔보다.

〔挤掉〕 jǐdiào 동 배척하다. 제쳐 놓다. ¶任何人也无权把他们偷偷～; 그 누구라 해도 그들을 몰래 제외할 권리는 없다.

〔挤对〕 jǐduì 동 강요하다. 강제하다. 난처케 하다. 궁지로 몰다. ¶把我～得太没路儿了; 나를 완전히 난처하게 하였다. =〔挤碓〕

〔挤兑〕 jǐduì 명동 은행의 예금 환불 소동(을 일으키다). ¶～风潮; (예금을 찾으려고 몰려드는) 환불 소동.

〔挤讹儿〕 jǐ'ér 동 ①트집을 잡고서 강요하다. ②졸라서 얻어 내다. ¶你已经知道我身上没钱了, 别再～我了; 너는 이미 내가 돈을 갖고 있지 않은 것을 알고 있으니까, 더 이상 조르지 마라.

〔挤干儿〕 jǐgānr 동 톡톡 털게 옭아 내다. 주머니를 몽땅 털게 하다.

〔挤疙瘩〕 jǐ.gēda 동 종기의 고름을 짜 내다.

〔挤格儿〕 jǐgér 명 녹두가루 국수. ¶～床子; 녹두 국수 틀. =〔挤格子〕

〔挤咕〕 jǐgu 동 〈方〉 ①눈을 껌벅이다. (피로 따위로) 눈을 몹시 찡그리다. ¶他老～眼儿, 大概有痧眼吧; 그는 늘 눈을 껌뻑이고 있는데, 트라코마가 아닌지 모르겠다 / 他有个毛病, 常爱～眼儿; 저 사람은 버릇으로 눈을 자꾸 찡그린다. ②힘을 주어 짜내다. 꼭 짜다. ¶费了好大劲才～出这一点儿; 대단한 힘을 들여서 겨우 요것만 짜내었다.

〔挤贵〕 jǐ.guì 동 (값을) 다투어 올리다. ¶因为房子不多, 把房钱给挤得贵了; 집이 많지 않아 집세를 다투어 올려서 비싸졌다.

〔挤挤插插〕 jǐjichāchā 형 〈方〉 혼잡한 모양. ¶屋里～地堆满了家具; 가구가 방 안 가득히 어수선하게 쌓여 있다.

〔挤脚〕 jǐjiǎo 동 신이 맞지 않아 발이 아프다. 발병이 나다. ¶这双鞋太小, ～; 이 신은 너무 작아서 발이 아프다.

〔挤进〕 jǐjìn 동 (붐비는 틈을) 헤치고 들어가다. ¶～等候公共汽车的行列里; 버스를 기다리는 행렬 틈으로 끼여들다.

〔挤垮〕 jǐkuǎ 동 눌러 찌부러뜨리다.

〔挤烂〕 jǐlàn 동 짓눌러 찌부러뜨리다.

〔挤老米〕 jǐlǎomǐ 명동 밀어내기 놀이(를 하다)《아이들의 놀이》. =〔挤油儿〕

〔挤乱〕 jǐluàn 형 서로 다투어 혼란하다. ¶得挨着次序走, 不然就要～; 차례대로 가세요, 그렇지 않으면 서로 다투어 혼잡해집니다.

〔挤满〕 jǐmǎn 동 꽉 차다〔메우다〕. ¶参加的人～了会场; 참가자가 회의장을 메웠다.

〔挤眉弄眼〕 jǐ méi nòng yǎn 〈成〉 눈짓하다. 눈짓으로 알리다.

〔挤奶〕 jǐ.nǎi 동 젖을 짜다. ¶～器; 착유기(搾乳器) / ～机; 전기(電氣) 착유기.

〔挤脓〕 jǐ.nóng 동 고름을 짜내다.

〔挤破〕 jǐpò 동 ①짓눌러 깨뜨리다〔터뜨리다〕. 죄어 깨뜨리다. ②신에 쓸리어서 까지다.

〔挤钱〕 jǐ.qián 동 돈을 변통하다.

〔挤入〕 jǐrù 동 밀어 넣다.

〔挤塞〕 jǐsè 동 꽉 채우다. 움직일 수 없을 정도로 차다. ¶交通～; 교통이 정체(停滯)되다 / 群众～在狭窄的街头; 군중이 좁은 길에 꽉 찼다.

〔挤时间〕 jǐ shíjiān 시간을 쪼개어 내다. ¶他即使怎么忙, 也尽量～到操场来锻炼; 그는 아무리 바빠도 되도록 시간을 내어 운동장에 나와 트레이닝을 한다.

〔挤水〕 jǐshuǐ 동 (펌프로) 물을 방출하다.

〔挤死〕 jǐsǐ 동 ①많은 사람이 붐비는 통에 휩쓸려 죽다. 압사(壓死)하다. ②(피우다 만 담배 등을) 비벼 끄다. ¶把香烟屁股～; 담배를 비벼 끄다.

〔挤压〕 jǐyā 동 ①(좌우·상하에서) 밀다. ②밀어 내다. ¶～成型; 압출(壓出) 성형. 명 〖機〗 압출.

〔挤牙膏〕 jǐ yágāo ①치약을 짜내다. ②압박하다.

배척하다. ③인색하게 굴다. ④조금씩 착취하다. ⑤조금씩 실토(實吐)하게 만들다.
〔挤轧〕 jǐyà 동 눌러 버리다. 압박하다. =〔挤抑〕
〔挤眼(儿)〕 jǐ.yǎn(r) 동 눈짓하다. 눈짓으로 알려 주다. ¶你跟我一～我就明白了; 네가 나에게 눈짓을 했기 때문에 금방 알아챘다/我先跟你商量好了, 到了时候我对你～, 你就照着预定的法子去做; 먼저 너하고 상의해 놓고, 그 때가 되면 너에게 눈짓을 할 테니 곧 예정한 방법대로 하도록 해라.
〔挤眼攒眉〕 jǐyǎn cuánméi 눈살을 찌푸리다. 얼굴에 수심을 띠다.
〔挤占〕 jǐzhàn 동 억지로 점거하다. 비집고 들어가 앉다.
〔挤住〕 jǐ.zhù 동 ①억누르다. 억압하다. ②궁지에 몰리다. ¶～了, 磨mò不开; 궁지에 몰려 꼼짝 못하다.
〔挤住脚〕 jǐzhù jiǎo 이러지도 저러지도 못하게 되다. ¶他现在有点～了; 그는 지금 이러지도 저러지도 못하게 되었다.

給(給) jǐ (급)
①동 공급하다. ¶补～; 보급하다/配pèi～; 배급하다. ②형 풍족하다. ¶家～人足; 〈成〉 집집마다 의식(衣食)이 풍족하고, 사람마다 생활이 풍요롭다. ③형 총명하고 민첩하다. ¶口kǒu～; 말주변이 좋다/性敏～; 성질이 총명하고 명민하다. ⇒gěi
〔给付〕 jǐfù 명동 급부(하다). 공급(하다).
〔给水〕 jǐshuǐ 명동 급수(하다). ¶～设备; 급수 설비/～站; (철도의) 급수역/～泵bèng; (보일러용) 급수 펌프.
〔给养〕 jǐyǎng 명 (군수품·식량 따위의) 급여. 급여 물자.
〔给与〕 jǐyǔ 동 부여하다. 주다. ⇒gěiyǔ
〔给予〕 jǐyǔ 동 〈文〉 주다. ¶～帮助; 원조를 주다/～同情; 동정을 보내다. 공감을 보내다. =〔给gěi〕 ⇒gěiyǔ
〔给照〕 jǐzhào 동 감찰(鑑札)·면장(免狀) 따위를 발급하다. =〔给执〕
〔给赈〕 jǐzhèn 동 구제 물자를 주다.
〔给足〕 jǐzú 동 충분히 급여하다. 형 〈文〉 충족하다.

脊 jǐ (척)
명 ①등. 척주(脊柱). 등뼈. ¶～椎zhuī; ⇩ ②중앙이 높게 되어 있는 부분. ¶山～; 산마루/屋～ =〔房～〕; 용마루. ③조리(條理).
〔脊背〕 jǐbèi 명 등.
〔脊翅〕 jǐchì 명 (항공기의) 수직익(垂直翼).
〔脊骨〕 jǐgǔ 명 등뼈. 척추골.
〔脊梁〕 jǐliang〔〈京〉 jǐniang〕 명 ①등. ¶～骨; 〈方〉 등골뼈/～沟gōu; 등골/光着～; 상반신을 벗고 있다/猪八戒的～; 무능한 패거리. =〔脊背〕 ②등뼈. ¶～盖儿; 어깨에서 등에 이르는 부분.
〔脊檩〕 jǐlǐn 명 《建》 마룻대. 대들보. =〔大梁〕〔正梁〕
〔脊露螽〕 jǐlùzhōng 명 《蟲》 줄베짱이.
〔脊门楼〕 jǐménlóu 명 누문(樓門). 지붕이 있는 문. ¶鞍ān子～; 용마루가 없이 말의 안장처럼 완만한 물매의 지붕이 있는 문/清水～; 용마루가 있는 보통의 지붕이 달린 문.
〔脊鳍〕 jǐqí 명 (물고기의) 등지느러미.
〔脊神经〕 jǐshénjīng 명 《生》 척추 신경.
〔脊髓〕 jǐsuǐ 명 《生》 척수(脊髓). ¶～损伤; 《醫》 척수 손상/～炎; 척수염.
〔脊髓灰质炎〕 jǐsuǐ huīzhìyán 명 《醫》 척수 회백질염.
〔脊索〕 jǐsuǒ 명 《生》 척색(脊索). ¶～动物; 척색 동물.
〔脊瓦〕 jǐwǎ 명 《建》 용마루 기와.
〔脊心〕 jǐxīn 명 등. 등의 중앙. ¶断了～; 등뼈가 부러졌다. 〈比〉 몹시 풀이 죽다. 기가 꺾이다. 맥이 풀리다.
〔脊柱〕 jǐzhù 명 《生》 척주. =〔脊梁liang骨〕
〔脊椎〕 jǐzhuī 명 ①《生》 척추. ¶～动物; 척추 동물. ② ⇨〔脊椎骨〕
〔脊椎骨〕 jǐzhuīgǔ 명 《生》 척추골. =〔脊椎②〕

掎 jǐ (기)
동 〈文〉 ①한쪽으로 당기다. 한편으로 치우다. ②쏘다. 당기다. ③한 발을 붙잡다. ④뒤에서 잡아당기다.
〔掎角〕 jǐjiǎo 동 〈轉〉 군대를 둘로 나누어 적을 견제하다. 양쪽에서 적을 협공(挾攻)하다.
〔掎摭〕 jǐzhí 동 〈文〉 잡다. 끌어당겨 잡다.

戟〈戟〉 jǐ (극)
①명 미늘창《옛날의 무기》. ②동 곧게 펴다. ¶～指而呼; 손가락질하며 소리지르다/～指怒目; 삿대질을 하며 눈을 부라리다. ③→〔刺cì戟〕
〔戟门〕 jǐmén 명 귀현(貴顯)의 문《옛날에, 궁문 또는 3품(品) 이상의 문에는 미늘창을 세웠음》.
〔戟手〕 jǐshǒu 동 손으로 삿대질하다.
〔戟术〕 jǐshù 명 창술. 무술.

计(計) jì (계)
①동 계산하다. 셈하다. ¶算～; ⓐ계산하다. ⓑ꾀하다/核～; 상세히 계산하다/共～; 합계/不～其数; 셀 수 없을 만큼 많다. ②동 추측하다. ③동 계획하다. 꾀하다. 기도하다. ¶设～; 설계하다. ④('为…～'의 형식을 취하여) …을 위하여. …의 목적으로. ¶为工作方便～; 일의 편의를 위해서. =〔为…起见〕 ⑤명 모사. 꾀. 계획. 책략(策略). ¶妙～; 교묘한 책략/缓兵之～; 〈成〉 지연책/衣食之～; 생계/中zhòng～; 상대의 계략에 빠지다. ⑥동 염려하다. 문제 삼다. ¶在所不～; 염려하지 않다. 상관 않다. ⑦명 합계. ⑧명 계기(計器). ¶体温～; 체온계/量气～; 에어미터/气量～; 가스미터/气速～; 에어스피드미터/瓦特～; 전력계. 와트아워미터/电压～ =〔伏特～〕; 전압계. 볼트미터. ⑨명 성(姓)의 하나.
〔计簿〕 jìbù 명 회계 부기.
〔计测仪器〕 jìcè yíqì 명 계측기(計測器).
〔计策〕 jìcè 명 ①계략. 책략. 술책. ②계획.
〔计臣〕 jìchén 명 ⇨〔谋móu臣①〕
〔计程表〕 jìchéngbiǎo 명 (택시 따위의) 미터(기).
〔计程车〕 jìchéngchē 명 미터기(器)가 달린 택시. =〔计程汽车〕
〔计程仪〕 jìchéngyí 명 《機》 측정기《선박의 속력 및 항주 거리를 측정함》.
〔计酬〕 jìchóu 동 보수를 계산하다.
〔计出万全〕 jì chū wàn quán 〈成〉 만전책.
〔计分〕 jì.fēn 동 ①배당〔몫〕을 계산하다. ②점수를 계산하다.
〔计共〕 jìgòng 동 합계하다.
〔计核〕 jìhé 동 〈文〉 계산하여 맞추어 보다. 계산하여 검토하다.
〔计划〕 jìhuà 명동 계획(하다). 플랜(을 세우다). 디자인(하다). ¶五年～; 5개년 계획/～供应; 계획 공급. 계획 배급/～收购; 계획 구매(購買). 계획 매입(買入)/近jìn景～; 단기 계획/

远yuǎn景～; 장기 계획 / ～绘huì图; 계획도(計劃圖). =〔计画〕
〔计划经济〕 jìhuà jīngjì 명〖經〗 계획 경제.
〔计划生育〕 jìhuà shēngyù 명 산아 제한. →〔节jié育〕
〔计划指标〕 jìhuà zhǐbiāo 명 계획 목표.
〔计价〕 jì,jià 동 원가 계산을 하다. (jìjià) 명 원가 계산.
〔计件〕 jìjiàn 동 생산고를 계산하다. ¶～付酬; 제품 수량제 공임 지급.
〔计件工资〕 jìjiàn gōngzī 명〖經〗 성과급 임금. =〔活工钱〕→〔计时工资〕
〔计较〕 jìjiào 동 ①계산하여 비교하다. 염두에 두다. 따지다. 문제삼다. ¶不～输赢; 승패에 구애되지 않다 / 他从不～个人的得失; 저 사람은 이제까지 개인의 득실 따위는 염두에 둔 일이 없다 / 斤斤～; 〈成〉 세세하게 캐고 들다. 사소한 일로 인색하게 굴다 / 请你不要～; 아무쪼록 마음에 두지 마십시오 / 你别～, 饶ráo恕他吧; 이러니 저러니 따지지 말고 그를 용서해 줘라. ②논쟁하다. ¶他不愿意～这些小事; 그는 이같은 작은 일로 다투기를 좋아하지 않는다. ③의논〔상의〕하다. ¶来, 咱们～一下吧; 자 의논합시다. 명 작정. 생각. 계획. ¶我有绝妙的～; 나한테 기막힌 생각이 있다.
〔计结〕 jìjié 동 〈古白〉 생각하다. 추측하다. ¶却是怎的～? 그러나 어떻게 생각해야 좋을지?
〔计开〕 jìkāi 명 좌기(左記). 동 내역을 열기하다 (내역은) 다음과 같다).
〔计口〕 jìkǒu 동 인원수를 계산하다. ¶～授粮; 인원수에 따라 식량을 배급하다.
〔计吏〕 jìlì 명 〈文〉 회계를 담당하는 관리. 회계관.
〔计量〕 jìliàng 동 계량하다. 재다. ¶～体温; 체온을 재다 / 影响之大, 是不可～的; 영향의 다대함은 헤아릴 수가 없다 / ～经济学; 계량 경제학. 명 계량에 사용하는 기구. 도량형기. ¶～器具; 계량 기구.
〔计略〕 jìlüè 명 〈文〉 책략. 계략.
〔计秒表〕 jìmiǎobiǎo 명 ⇨〔停tíng表①〕
〔计谋〕 jìmóu 명 계략. 책략.
〔计日程功〕 jì rì chéng gōng 〈成〉 진도가 빨라 성공이 틀림없음('程'은 계량(計量)의 뜻).
〔计上心来〕 jì shàng xīn lái 〈成〉 계략이 머리에 떠오름.
〔计生〕 jìshēng 명 가족 계획. 산아 제한.
〔计时〕 jìshí 동 시간을 계산하다. ¶～工; 시간제 급무자.
〔计时工资〕 jìshí gōngzī 명〖經〗 시간급. =〔呆工钱〕→〔计件工资〕
〔计时奖励制〕 jìshí jiǎnglìzhì 명 할증금부(付) 시간 지불제.
〔计时器〕 jìshíqì 명 ①〖機〗 크로노그래프(chronograph). 기초(記秒) 시계. 스톱워치. ¶半导体赛跑～; 트랜지스터 경주용 스톱워치. ②⇨〔记时器〕‖=〔打到机〕
〔计时印章〕 jìshí yìnzhāng 명 타임 스탬프. =〔记时打印器〕〔印时戳〕〔印时器①〕
〔计数〕 jìshù 동 수치(數値)를 계산하다. ¶～器; 계수기.
〔计数管〕 jìshùguǎn 명〖物〗 계수관.
〔计司〕 jìsī 명 〈音〉 치즈(cheese). ¶～汉堡包; 치즈 햄버거. =〔干gān酪〕〔吉士〕〔吉司〕〔吉斯〕〔之士〕〔芝士〕
〔计算〕 jìsuàn 동 ①계산하다. ¶～表; 노모그램(nomogram) / ～尺 =〔算尺〕; 계산자 / 按日～; 매일 계산하다. ②타산(打算)하다. 계산이나 생각 속에 넣다. ③생각하다. 사고(思考)하다. 심사숙고하다. ¶他心里～, 怎样才能省时间; 그는 어떻게 하면 시간을 줄일 수 있을는지 궁리했다. ④(남을 중상하려고) 꾀하다. 궁리하다. 명 계획. 타산. ¶你这小子真有～! 이 아이는 참으로 타산적이군! / 做事没～; 일을 하는 데 계획이 없다.
〔计算机〕 jìsuànjī 명〖電算〗 계산기. 컴퓨터. ¶摸拟～; 아날로그 계산기 / 微型～; 마이크로 컴퓨터 / ～程序设计; (컴퓨터의) 프로그래밍 / ～软备 =〔软ruǎn件〕; 소프트웨어 / ～硬设备; 하드웨어 / 数字～; 디지털 계산기 / 手摇～; 수동식 계산기.
〔计算机辅助设计〕 jìsuànjī fǔzhù shèjì 명〖電算〗 CAD(Computer-aided design).
〔计图器〕 jìtúqì 명 계도기.
〔计网〕 jìwǎng 명 〈比〉 피할 수 없는 계략·함정.
〔计议〕 jìyì 명동 상담(하다). 협의(하다). ¶从长～; 장기적인 관점에서 협의하다. 곰곰이 의논하다.

记(記)

jì (기)
①동 적다. 기록하다. ¶把这些事情都～在笔记本上; 이 일들을 모두 노트에 기록한다. ②동 기억하다. 암기하다. ¶～得清清楚楚的; 똑똑히 기억하고 있다 / 好～; 기억하기 쉽다 / 死～硬背; 기계적으로 암기하다. ③동 표를 하다. ④명 기록. 기행문. 기사(記事)문. ¶游～; 여행기 / 杂～; 에세이(essay). ⑤명 옥호(屋號)에 붙이는 말(공동 경영에 많이 쓰임. '丰盛' 등). ⑥(～儿) 명 부호. 표지(標識). 기호. ¶暗～儿; 암호. ⑦명 인감(印鑑). =〔图章〕 ⑧명 피부의 점. ¶脸上有黑～; 얼굴에 검은 점이 있다. ⑨양 〈方〉 한 번. 일 회(횟수를 세는 데 쓰임). ¶打一～; 한 번 때리다.
〔记簿〕 jìbù 동 장부에 기록하다. ¶～员; 부기원(簿記員).
〔记不得〕 jìbude 기억할 수 없다〔하고 있지 않다〕 ¶大家谁也～; 아무도 기억하고 있지 않다.
〔记不清楚〕 jìbuqīngchu 확실히는 기억하고 있지 않다.
〔记不住〕 jìbuzhù 기억해 낼 수 없다.
〔记吃不记打〕 jì chī bù jì dǎ 〈成〉 (기르는 개는) 먹여 준 일만 기억하고 얻어맞은 일은 잊어버린다.
〔记仇(儿)〕 jì,chóu(r) 동 원한을 품다. =〔记恨〕
〔记错〕 jìcuò 동 틀리게 기억하다. 명 기억의 착오.
〔记得〕 jìde 동 기억해 두다. 기억하고 있다. ¶一切经过现在还～; 모든 경과를 지금까지도 기억하고 있다 / 这件事不～是哪一年, 反正是在解放以前; 그 일이 어느 해의 일이었는지 기억하고 있지는 않지만, 어쨌든 해방 전의 일이다.
〔记分(儿)〕 jì,fēn(r) 동 점수를 매기다.
〔记分簿〕 jìfēnbù 명 점수를 기록하는 장부. ㉠성적표. 생활 통지표. ㉡스코어 북. =〔记工本〕
〔记分牌〕 jìfēnpái 명〖體〗 기록판. 스코어 보드. ¶～上挂起了七比零的数字; 스코어 보드에 7대 0의 숫자가 걸려 있다.
〔记分员〕 jìfēnyuán 명 기록원.
〔记工〕 jì,gōng 동 인민 공사의 생산대에서, 각 사원의 노동 점수(시간 및 노동량)를 기록하다.
〔记功〕 jì,gōng 동 공로·공적을 기록하다. 공로를 인정하다. 공로를 인정받다. ¶记一大功; 커다란 공적으로 기록에 남기다. ↔〔记过〕

〔记挂〕 jìguà 동 〈方〉 걱정하다. ¶一切都平安, 请您不要～; 만사 평안하니 안심하십시오.
〔记过〕 jì‧guò 동 과실을 기록하여 견책(譴責)하다. 과오를 범하다. ¶记了一次过; 한 번 과실을 저질렀다. (jìguò) 명 과실의 기록. ¶受了～, 撤职处分; 과실이 기록되어 면직 처분을 받았다.
〔记号〕 jì‧hào 동 표시를 하다. ¶用颜色来～; 색깔로 표시하다.
〔记号(儿)〕 jìhao(r) 명 기호. 마크. ¶有错别字的地方, 请你做个～! 오자(誤字)·차자(借字)가 있는 곳은 표를 해 주십시오! / 联络～; 연락 기호.
〔记恨〕 jìhèn 동 원한을 품다. 앙심을 품다.
〔记里表〕 jìlǐbiǎo 명 (차 따위의) 거리계(距離計).
〔记脸子〕 jìliǎnzi 명 점이 있는 얼굴.
〔记录〕 jìlù 동 기록하다. 명 ①서기(書記). 기록원. ②최고 성적〔기록〕. ¶打破～; 기록을 깨다. ‖ =〔纪录〕
〔记录片儿〕 jìlùpiānr 명 〈口〉 기록 영화. 다큐멘터리. =〔纪录片儿〕
〔记录片〕 jìlùpiàn 명 기록 영화. 다큐멘터리. =〔纪录片〕
〔记名〕 jì‧míng 동 ①성명을 적고 공적을 명시하다. ②성명을 적고 책임·권리의 주체(主體)를 명백히 하다. 기명하다. ¶～投票; 기명 투표 / ～证券; 기명 주권.
〔记念〕 jìniàn 동 ①기념하다. ¶～章 =〔纪念章〕; 기념 메달. ②잊지 않고 마음에 두다. ¶您病况较前减轻了吗? 我～得很; 병환이 전에 비해 가벼워졌습니까? 저는 무척 걱정하고 있습니다. 명 기념(품). ‖ =〔纪念〕
〔记旗〕 jìqí 명 〈文〉 안표〔표적〕의 기.
〔记起来〕 jì‧qi‧lai 동 생각해 내다. 알아차리다. ¶队长冷丁地好像记起什么来似的, 笑着问道; 대장은 갑자기 무엇을 생각해 낸 것처럼 웃으면서 물었다.
〔记清〕 jìqīng 동 똑똑히 기억하다.
〔记取〕 jìqǔ 동 〈文〉 유념하여 참고하다. 기억해두다. ¶～经验、教训; 경험·교훈을 마음에 새겨두고 참고하다.
〔记认〕 jìrèn 동 문자 따위를 기억하다.
〔记上〕 jìshang 동 ①기재하다. 적바림하다. ②〘商〙 외상 구입〔판매〕하다.
〔记时器〕 jìshíqì 명 타이머. 타임 리코더. =〔计时器②〕〔印时器②〕
〔记事〕 jìshì 명 ①기사. ②메모. ¶～折; 메모장 / ～本; 수첩. 일기장 / ～簿; 노트. 동 역사의 경과를 기술하다. ¶～文; 기사문.
〔记事儿〕 jì‧shìr 동 (아이가) 철이 들다. ¶那时我只有五岁, 才～儿; 그 때 나는 다섯 살로 겨우 철이 들었을 때였다 / 我从～起就住在这儿; 나는 철이 들 무렵부터 여기에 살고 있다.
〔记述〕 jìshù 동 기술하다. 기재하다.
〔记数器〕 jìshùqì 명 계수기(計數器).
〔记诵〕 jìsòng 동 암송(暗誦)하다. ¶～章句; 장구를 암송하다.
〔记下来〕 jì‧xia‧lai 기록해 두다. 써 두다. ¶把他的话～; 그의 말을 써 두다.
〔记心〕 jìxīn 명 〈方〉 기억력. ¶～很好; 기억력이 좋다.
〔记性(儿)〕 jìxing(r) 명 기억력. ¶～好; 기억력이 좋다 / ～坏了; 기억력이 나빠졌다.
〔记叙〕 jìxù 동 기술(記述)하다. 기재하다.
〔记要〕 jìyào 명 기요(紀要). 요록(要錄). ¶会谈～; 회담 요록.
〔记忆〕 jìyì 동 기억하다. 생각해 내다. 명 기억. ¶～力; 기억력 / ～犹新; 아직도 기억에 생생하다.
〔记载〕 jìzǎi 동 기재하다. ¶忠实地～事实; 충실하게 사실을 기재하다. 명 ①신문 기사. ②기재된 것. 기록. 문장. ¶～事项; 기재 사항 / 文字～; 씌어진 기록.
〔记账〕 jì‧zhàng 동 ①기장하다. 대차(貸借)를 써넣다. ¶用美元～; 달러 표시를 하다. ②외상으로 팔다. 외상으로 사다. ¶～贸易màoyì; 오픈 어카운트(open account) 무역.
〔记者〕 jìzhě 명 기자. ¶随军～; 종군 기자 / 特派～; 특파원 / ～招待会; 기자 회견 / 新闻～; 신문 기자.
〔记着〕 jìzhe 동 기억하고 있다. ¶我还～你走的时候, 我很伤心; 나는 네가 떠났을 때 내가 몹시 슬펐던 일을 아직도 기억하고 있다.
〔记住〕 jì‧zhù 동 꼭 기억해 두다. 기억하여 잊지 않도록 하다. ¶好好地把这句话～吧! 이 말을 똑똑히 기억해 두어라!

纪(紀) jì (기)

①명 기록. ②명 천자(天子)의 사적(事蹟)의 기록. ③명 조리(條理). ④명 규율. 질서. ¶军～; 군기 / 风～; 풍기. ⑤명 단서. ⑥명 나이. ⑦명 수(數). ⑧명 일. ⑨명 하인. ¶尊～; 댁의 하인. ⑩동 정리하다. 처리하다. ⑪동 적다. 기재하다. 기록하다 《주로 '纪念·纪年·纪元·纪传' 등에 쓰이고, 그 밖의 것은 대부분 '记'를 씀》. ⑫명 기《옛날에는, 12년을 1'～'라 했으나, 현대에는 100년을 1'～' 혹은 1'世～'라고 함》. ¶中世～; 중세기. ⑬동 다스리다. ⑭명 〘地質〙 기(紀)《'代'와 '世'의 중간》. ¶寒武～; 캄브리아기. ⇒Jǐ
〔纪纲〕 jìgāng 명 〈文〉 ①법률 제도. 기강. ¶足以～天下; 천하를 다스리는 데 부족함이 없다. ②옛날, 고용인. →〔字解⑨〕 동 단속하다. 다스리다.
〔纪功〕 jì‧gōng 동 〈文〉 공적을 기록하다. =〔纪绩〕→〔记功〕
〔纪录〕 jìlù 명동 기록(하다). ¶创chuàng新～; 신기록을 세우다 / 打破～; 기록을 깨다 / 会议～; 회의록. 명 서기. 기록원. ¶推举他当～; 그를 서기로 추천하다. ‖ =〔记录〕
〔纪录片儿〕 jìlùpiānr 명 〈口〉 기록 영화.
〔纪录片〕 jìlùpiàn 명 기록 영화. 다큐멘터리.
〔纪律〕 jìlǜ 명 기율. 규율. ¶劳láo动～; 노동 규율 / ～检查 =〔纪检〕; 규율 위반 검사(를 하다). →〔三sān大纪律〕
〔纪略〕 jìlüè 동 〈文〉 개략(概略)을 기록하다.
〔纪年〕 jìnián 명 ①연대순에 의한 일종의 역사 편찬법. →〔纪事本末体〕 ②기원(紀元)으로부터 헤아린 햇수.
〔纪念〕 jìniàn 동 기념하다. ¶～相; 기념 사진 / ～邮票套; 기념 우표 세트 / ～戳; 기념 스탬프 / ～邮戳; 기념 우편 스탬프. 명 기념. 기념품. ¶这张照片给你做个～吧! 이 사진을 당신에게 기념으로 드리지요! / 这要远别了, 留个～; 이렇게 멀리 헤어지니, 기념으로 남겨 둡시다. ‖ =〔记念〕
〔纪念碑〕 jìniànbēi 명 기념비. ¶人民英雄～; 베이징(北京)의 천안문 맞은편에 있는 기념비.
〔纪念册〕 jìniàncè 명 기념 서화첩. 앨범. 기념책.
〔纪念馆〕 jìniànguǎn 명 기념관.
〔纪念会〕 jìniànhuì 명 기념 집회.
〔纪念品〕 jìniànpǐn 명 기념품. =〔念心儿〕
〔纪念日〕 jìniànrì 명 기념일.
〔纪念邮票〕 jìniàn yóupiào 명 기념 우표.
〔纪念章〕 jìniànzhāng 명 기념 메달〔배지〕.

〔纪念周〕 jìniànzhōu 명 기념 주간.
〔纪实〕 jìshí 명동 기록(하다). ¶～小说; 다큐멘터리(documentary). 논픽션 소설.
〔纪事〕 jìshì 명 기사(記事).
〔纪事本末体〕 jìshì běnmòtǐ 명《史》기사 본말체《한 사건마다 그 자초지종을 체계적으로 기록하는 역사 기술법》. →〔纪年①〕〔纪传体〕
〔纪限仪〕 jìxiànyí 명《测》육분의(六分儀).
〔纪行〕 jìxíng 명 여행기. 기행《주로 표제어(標題語)로 쓰임》.
〔纪序〕 jìxù 명〈文〉차례. 순서.
〔纪要〕 jìyào 명 기요. 요록(要錄). 메모. =〔记要〕
〔纪元〕 jìyuán 명 ①기원. 건국의 초년. ¶黄帝～; 황제(黃帝) 즉위를 원년으로 하여 헤아리는 기원. ②새로운 단계·시대. ¶开辟了世界历史的新～; 세계사의 새로운 기원을 열었다.
〔纪载〕 jìzǎi 명동 기재(하다). 기록(하다).
〔纪传体〕 jìzhuàntǐ 명《史》기전체《역사 편찬의 한 형식. 인물마다 전기(傳記)를 중심으로 역사를 서술하는 방법. 《史記》 이래의 정사(正史)가 이 방법을 취했음》.

忌 jì (기)
①명 기중(忌中). ②명 죽은 사람의 명일(命日). ③동 꺼리어서 싫어하다. 기하다. ¶～生冷; 날것이나 찬것을 꺼리다. ④동 시기하다. 질투하다. 샘내다. ¶～才; 재능을 시기하다/妒dù～; 시기하다. ⑤동 두려워하다. 근심하다. 걱정하다. ¶肆无～惮;〈成〉하고 싶은 대로 하다. ⑥동 (기호품 따위를 일시적으로) 끊다. 삼가다.
〔忌避〕 jìbì 동〈文〉기피하다.
〔忌辰〕 jìchén 명 기일(忌日). 명일(命日).
〔忌吃〕 jìchī 동 (어떤 음식을) 먹는 것을 피하다. 단식하다. ¶～生冷; 날것이나 찬것 먹는 것을 피하다.
〔忌惮〕 jìdàn 동〈文〉기탄하다. 꺼리다.
〔忌妒〕 jìdu 동 시기하다. 샘하다. 질투하다. ¶～心; 질투심. =〔嫉jí妒〕〔吃醋〕
〔忌服〕 jìfú 명〈文〉상복(喪服).
〔忌恨〕 jìhèn 동 원망하다. 시기하고 원망하다. ¶～在心; 내심 시기하고 있다. =〔嫉jí恨〕
〔忌讳〕 jìhuì 동 ①(풍습·습관상 또는 개인적인 이유에서) 기피하다. 꺼리다. ¶老张最～人家叫他的小名; 장군은 남이 자기의 아명(兒名)을 부르는 것을 가장 싫어한다. =〔讳忌〕 ②(불리한 일을) 애써 피하다. ¶得了痢疾～吃生冷油腻; 전염성 이질에 걸렸으면, 날것이나 찬것, 기름기 있는 것은 피해야 한다. 명 ①〈北方〉초(醋). ¶没有～不好吃; 초가 없으면 맛이 없다. =〔醋〕 ②터부(taboo). 기(忌)하는 말 또는 동작. ¶犯～; 금기를 범하다. =〔禁忌〕〔讳忌〕
〔忌嫉〕 jìjí 동 시기하다. 질투하다. 강짜 부리다.
〔忌较〕 jìjiao 동 꺼리다. 가리다. 재수를 따지다. ¶他家里～可多着呢, 你说话得小心; 저 집에서는 가리는 말이 참 많으니까 말할 때에 조심해야 한다.
〔忌酒〕 jì jiǔ 금주하다. =〔戒jiè酒〕
〔忌口〕 jì.kǒu 동 ⇨〔忌嘴〕
〔忌门〕 jìmén 동명 ①정월에 이성(異姓)의 여자가 방문하는 것을 꺼리다(꺼림). ②집안에 꺼리는 일이 있거나, 사람이 오는 것을 꺼려서 타인의 출입을 막다(막음).
〔忌奶〕 jì nǎi 젖을 떼다. =〔断duàn奶〕
〔忌人〕 jìrén 동 어느 특정인을 기(忌)하다.
〔忌日〕 jìrì 명 ①기일. =〔忌辰〕 ②액일(厄日).
〔忌生〕 jì.shēng 동 날것을 끊다〔삼가다〕
〔忌食〕 jìshí 동 ⇨〔忌嘴①〕
〔忌食发物〕 jìshí fāwù 효모소가 든 음식물을 가리다.
〔忌烟〕 jì yān ①금연(禁煙)하다. 담배를 끊다. ②아편을 끊다.
〔忌嘴〕 jì.zuǐ 동 ①(상극되는 음식을) 삼가서 먹지 않다. (병을 앓고 있을 때) 병에 해로운 것을 먹지 않다. =〔忌食〕 ②규정식(規定食)을 먹고 있다. ‖ =〔忌口〕

跽 jì (기)
동〈文〉두 무릎을 땅에 대고 몸을 꼿꼿하게 세우다. ¶按剑而～; 손에 칼을 쥐고 무릎 꿇고 앉다.

伎 jì (기)
명 ①기능. 재능. ¶～能; 기능. ②기생. =〔妓〕 ③배우.
〔伎俩〕 jìliǎng 명 수단. 기교. 수법. 트릭(trick). ¶惯用的～; 상투적인 수법/他们采取了一切～; 그들은 온갖 방법을 다 썼다.
〔伎痒〕 jìyǎng 동〈文〉⇨〔技痒〕

芰 jì (기)
명《植》〈文〉마름. ¶～荷; 마름이나 연(蓮) 따위의 총칭/这池子一片～荷, 多好看; 이 못에는 마름이나 연이 가득히 나 있으니 얼마나 아름다운가.
〔芰茈〕 jìnǐ 명《植》모싯대.

技 jì (기)
명 ①기술. 기능. ¶家有千金, 不如一～在身; 집에 많은 돈이 있느니보다 하나의 기능을 몸에 지니는 것이 낫다. ②수예(手藝). ③재능. ¶口～; 성대 모사. 말투 흉내/一～之长cháng;〈成〉한 가지 남보다 뛰어난 재주.
〔技法〕 jìfǎ 명 기법. (예술 따위의) 기교와 방법.
〔技工〕 jìgōng 명 ⇨〔技术工人〕
〔技击〕 jìjī 명 격투기(格鬪技).
〔技俩〕 jìliǎng 명 기량. 솜씨. ¶～尚称高明; 솜씨는 꽤 뛰어난 편이다.
〔技能〕 jìnéng 명 기능. 솜씨.
〔技巧〕 jìqiǎo 명 ①기교. 테크닉. ¶写作～; 글을 쓰는 기교/绘画～; 회화(繪畫)의 기교. ②옛날, 무술. 무예.
〔技师〕 jìshī 명 기사. 기술자. 엔지니어의 총칭. ¶主任～; 기사장(長).
〔技士〕 jìshì 명 기술자의 직명《'工程师' 보다 낮음》.
〔技术〕 jìshù 명 기술. 전문적인 기능. ¶一个～员; (한 사람의) 기술자/～很高明; 기술이 뛰어나다/～规范; 기술 시방서(示方書)/～鉴定; 기술감정/高级～; 하이테크놀러지/～情报; 기술정보. 노하우(knowhow).
〔技术改进〕 jìshù gǎijìn 명 기술 개량.
〔技术革命〕 jìshù gémìng 명 기술 혁명.
〔技术革新〕 jìshù géxīn 명 기술 혁신.
〔技术工人〕 jìshù gōngrén 명 기술자. 기능공. =〔技工〕
〔技术贸易〕 jìshù màoyì 명《經》기술 무역.
〔技术人员〕 jìshù rényuán 명 기술원. 기술자(총칭).
〔技术条件〕 jìshù tiáojiàn 명 ①생산품의 재료·가공·성능·포장 등의 기술 표준(규격). =〔质zhì量标准〕 ②기업의 기술 조건《생산에 필요한 기

술의 설비나 그 관리 따위를 이름).
〔技术员〕 jìshùyuán 명 기술자. →〔工gōng程师〕
〔技术装备〕 jìshù zhuāngbèi 명 기술 장비《생산에 쓰일 각종 기계·계측기·계기·공구 등의 설비》.
〔技术作物〕 jìshù zuòwù 명 경제 작물. 공예 작물.
〔技痒〕 jìyǎng 동 〈文〉 재주를 가지고도 쓸 길이 없어서, 또는 자기도 해 보고 싶어서 안타깝게 생각하다〔좀이 쑤시다〕. ¶他看见旁人打球, 不觉~; 그는 다른 사람이 구기(球技)를 하는 것을 보면 자신도 모르게 하고 싶어 좀이 쑤신다. =〔伎jì痒〕
〔技艺〕 jìyì 명 기예(技藝).
〔技正〕 jìzhèng 명 기사(技師)《관직명의 하나》.
〔技职人员〕 jìzhí rényuán 명 기술 직원.

妓 jì (기)
명 ①기생. ¶~院; 기생 집. ②미녀(美女).

齐(齊) jì (제)
명 조미료. ⇒qí zhāi zī

剂(劑) jì (제, 자)
①명 약제(藥劑). ¶药~; 약제/阻凝~; 응고 방지제/丸~; 환약. ②명 계약서. ③동 약을 조제하다. ④동 배합하다. 조정하다. ¶酌盈yíng~虚; 〈成〉 과부족을 조정하다. ⑤동 갖추다. ⑥양 첩(貼)《조제한 약을 세는 데 쓰임》. ¶一~药; 약 1첩. =〔服fù〕 ⑦(~儿, ~子) 명 만두 따위를 만들 때, 반죽한 것을 1개분의 크기로 작게 썰어 놓은 것. ¶面~儿; 밀가루 반죽의 작은 덩어리.
〔剂量〕 jìliàng 명《醫》 약품〔화학 시험제. 방사선〕의 사용 분량.
〔剂儿〕 jìr →〔字解⑦〕
〔剂型〕 jìxíng 명《藥》 약물 제품의 형상을 가리킴《이를테면, '膏gāo' '片piàn' '水shuǐ' '丸wán' 따위》.
〔剂子〕 jìzi 명 ①약의 분량. ¶这服药~真不小; 이 약은 분량이 꽤 많다. ②→〔字解⑦〕

济(濟) jì (제)
①동 구제하다. 돕다. ¶救~; 구제하다/~困扶危; 〈成〉 남을 괴로움과 위난(危難)으로부터 구제하다/经世~民; 〈成〉 세상을 다스리고 백성을 구제하다. =〔救〕 ②명 도움. 원조. ¶他得了谁的~; 그는 누구의 도움을 받았느냐. ③동 쓸모가 있다. ¶无~于事=〔不~于事〕; 아무 쓸모가 없다/只有这几件器具, 怕不~事; 요 몇 개의 도구로는 필시 소용이 닿지 않을 것이다/牙口不~; 치아가 나빠서 소용이 안 된다. ④동 끝마치다. 끝내다. ⑤동《佛》 제도(濟度)하다. ⑥동 강을 건너다. ¶同舟共~; 〈成〉 ⓐ환난(患難)을 함께 하다. ⓑ같은 배로 같이 건너다. ⑦동 늘다. 증가하다. ⑧동 이루다. 성취하다. ⑨동 이용하다. ⇒jǐ
〔济拔〕 jìbá 동 〈文〉 구제하여 내세우다.
〔济弊〕 jìbì 동 〈文〉 폐해를 바로잡다.
〔济恶〕 jì'è 동 〈文〉 악당들이 서로 돕다.
〔济急〕 jìjí 동 〈文〉 위급한 재난을 구(救)하다.
〔济困〕 jìkùn 동 〈文〉 빈궁을 구하다.
〔济美〕 jìměi 동 〈文〉 아름다운 일을 이루어 놓다. 〈比〉 자손이 선대의 업을 이어받아 잘 지킴.
〔济贫〕 jìpín 동 〈文〉 가난한 사람을 구제하다.
〔济弱扶倾〕 jì ruò fú qīng 〈成〉 약하고 곤경에 빠진 자를 구제하다.
〔济世〕 jìshì 동 세인을 구제하다. ¶~活民; 세상을 구하고 사람을 살리다/~活民不为利; 세상 사람을 구제하기 위함이지, 이익을 위해서가 아니다《약방의 게시용 문구》.
〔济事〕 jì.shì 동 쓸모가 있다. 일이 성공하다《흔히, 부정(否定)으로 쓰임》. ¶人少了不~; 인원이 줄어서 도움이 안 된다.
〔济私〕 jìsī 동 자신의 이익을 도모하다. ¶假jiǎ公~; 〈成〉 공사를 빌미로 자기 이익을 꾀하다. 공(公)의 이름을 빌려 실제로는 자신의 원한을 갚다.
〔济用〕 jìyòng 동 수요(需要)를 채우다.

荠(薺) jì (제)
①→〔荠菜〕〔荠苨〕〔荠苧〕 ②⇨〔蒺jí藜①〕 ⇒qí
〔荠菜〕 jìcài 명《植》 냉이. =〔护生草〕
〔荠苨〕 jìnǐ 명《植》 모싯대.
〔荠苧〕 jìníng 명《植》 쥐깨.

哜(嚌) jì (제)
①→〔哜哜嘈嘈〕 ②동 〈文〉 맛을 보다.
〔哜哜嘈嘈〕 jìjicáocáo 〈擬〉 와자지껄. 시끌시끌. ¶屋里面~, 不知他们在说些什么; 방 안이 떠들썩하여 그들이 무슨 말을 하고 있는지 알아들을 수 없다.

霁(霽) jì (제)
동 〈文〉 ①비나 눈이 그치고 개다. ¶秋雨初~; 가을 비가 개다. ②풀다. ③억울함이나 노여움이 풀리다. ¶色~; (노여운) 얼굴빛이 풀리다/气平怒~; 노여움이 가라앉다/~威; 노여움이 풀리다.
〔霁范〕 jìfàn 명 〈文〉 온화한 용모.
〔霁和〕 jìhé 형 〈文〉 날이 맑게 개고 화창하다.
〔霁红〕 jìhóng 명 경덕진(景德鎭)제(製) 도기(陶器)의 빛깔 이름. =〔祭红〕
〔霁色〕 jìsè 명 〈文〉 하늘빛.
〔霁月〕 jìyuè 명 〈文〉 비 온 뒤의 명월. ¶光风~; 〈成〉 언행이 명랑 활달하다.

鲚(鱭) jì (제)
명《魚》 웅어. =〔鲚鱼〕〔〈俗〉 凤尾鱼〕

际(際) jì (제)
①명 가. 가장자리. 경계선. ¶水~; 물가/边~; ⓐ끝. ⓑ실마리/天~; 하늘끝. 하늘과 땅의 경계. ②명 갈림길. ¶成败之~; 성패의 갈림길. ③…간(間). …사이의. ¶国~; 나라와 나라 사이/校~比赛; 학교와 학교와의 대항 경기/洲~导弹; 대륙간 탄도탄. ④명 때. 무렵. 시기. ¶此~方做准备; 이 때에 이르러 비로소 준비하다/祖国建设之~; 조국 건설의 때. ⑤…에 즈음하여. ¶~此…之时; 이 …의 때를 당하여. =〔当dāng④〕 ⑥동 이르다. 닿다. 도달하다. ¶高不可~; 높아서 도달할 수 없다. ⑦동 접촉하다. 우연히 마주치다. 부닥치다. ¶遭~; 경우. ⑧명 속. 안. ¶脑~; 머릿속/胸~; 가슴 속.
〔际会〕 jìhuì 동 〈文〉 만나다. 제회하다.
〔际可〕 jìkě 동 〈文〉 예의로써 손님을 접대하다.
〔际畔〕 jìpàn 명 〈文〉 ⇨〔际限〕
〔际限〕 jìxiàn 명 〈文〉 끝. 한계. 궁극. =〔际畔〕〔际涯〕
〔际涯〕 jìyá 명 〈文〉 ⇨〔际限〕
〔际遇〕 jìyù 〈文〉 명 ①처지. 운. ¶~不佳; 운이 나쁘다. ②때. 동 만나다.

系(繫) jì (계) 동 매다. 조르다. 매듭을 짓다. ¶～上带儿; 띠를 매다 / 把鞋带～上; 신발의 끈을 매다 / 把包袱～～好; 보자기에 싸서 묶다. ⇒xì
〔系泊〕 jìbó 동 (배를) 계류(繫留)하다. 잡아매다.
〔系船索〕 jìchuánsuǒ 명 (배의) 계류 로프.
〔系裤腰带〕 jì kùyāodài 허리띠를 죄다.
〔系留〕 jìliú 동 계류하다. ¶～塔; (비행선·기구의) 계류탑.
〔系捻儿〕 jìniǎnr 명 특제의 비단 끈(구슬이나 돌의 펜던트 따위를 꿰어 드리우는 것).

季 jì (계) ① 명 (형제의 순서에서) 맨 아래. 막내('伯'·'仲'·'叔'·'～'로 순서 지우는 경우). ¶～弟; 막내 동생. ② (～儿) 명 철. 계절. 절기. 시기(時期). ¶雨～; 우기 / 旺～; 성수기 / 淡～; 한산기. 비성수기 / 菠菜～儿; 시금치가 나는 철 / 这一～儿很忙; 요즈음 바쁘다 / 上～; 상반기(上半期). ③ 명 일 년을 넷으로 나눈 하나. 3개월. ④ 명 계절의 마지막 달. ¶～春; ⇩ ⑤ 명 (어느 시기의) 끝. 말기(末期). ¶清～; 청말 / 明之～世; 명의 말경. ⑥ 형 젊다. 어리다. ⑦ 형 가늘다. 작다. ⑧ 명 성(姓)의 하나.
〔季报〕 jìbào 명 ⇨〔季刊〕
〔季常癖〕 jì cháng pǐ 〈成〉 송(宋)의 계상(季常)이라는 사람이 아내를 두려워했던 일에서, 엄처시하, 공처(恐妻)의 뜻.
〔季春〕 jìchūn 명 〈文〉 봄의 끝달(음력 3월). →〔暮mù春〕
〔季冬〕 jìdōng 명 겨울의 마지막 달(음력 섣달). =〔穷qióng季〕
〔季度〕 jìdù 명 사분기(四分期). ¶第二～; 제2 사분기.
〔季风〕 jìfēng 명 《氣》 계절풍. 몬순(monsoon). ¶～雨; 계절풍의 비 / 夏季～; 하계(夏季) 계절풍 / ～气候; 계절풍 기후. =〔季候风〕
〔季父〕 jìfù 명 〈文〉 아버지 형제의 최연소자. 막내 삼촌.
〔季候〕 jìhòu 명 〈方〉 계절. ¶隆冬～; 엄동의 계절.
〔季候风〕 jìhòufēng 명 ⇨〔季风〕
〔季节〕 jìjié 명 계절. 시기. 시절. ¶农忙～; 농번기 / 收获～; 수확기.
〔季节工〕 jìjiégōng 명 계절 노동자.
〔季节洄游〕 jìjié huíyóu 명 계절 회유(물고기 떼의 정기적인 대이동).
〔季节性〕 jìjiéxìng 명형 계절성(의). 계절적(인). ¶～工作; 계절성이 큰 일 / ～折扣; 계절적 할인 / ～行业; 계절성 업종.
〔季军〕 jìjūn 명 (운동 경기 등에서) 제3위.
〔季刊〕 jìkān 명 계간. =〔季报〕
〔季考〕 jìkǎo 명 학기말 시험.
〔季杪〕 jìmiǎo 명 〈文〉 계절의 끝. =〔季末〕
〔季母〕 jìmǔ 명 〈文〉 숙모(叔母).
〔季女〕 jìnǚ 명 〈文〉 막내딸.
〔季诺〕 jìnuò 명 〈轉〉 승낙('季布一, 诺千金'에서 나온 말로 남의 승낙을 말함). ¶望承～; 〈翰〉 승낙해 주시기를 앙망합니다.
〔季秋〕 jìqiū 명 〈文〉 만추(晚秋)(음력 9월).
〔季儿〕 jìr 명 계절. 시절. ¶爪～; 오이가 나돌 때 / 螃蟹～; 게 철. 게의 출하기 / 这一～; 요즈음. 요새 / 正在～上的东西; 제철인 것. =〔季子jìzi〕
〔季世〕 jìshì 명 말세. 풍습이나 도덕이 쇠퇴한 시대. =〔末世〕
〔季夏〕 jìxià 명 〈文〉 여름철의 끝 달(음력 6월). →〔暮夏〕
〔季月〕 jìyuè 명 〈文〉 4계절의 끝 달(즉, 음력 3·6·9·12월).
〔季子〕 jìzǐ 명 〈文〉 말자. 막내 아들.
〔季子愁〕 jìzǐchóu 명 〈比〉 빈궁함.

悸 jì (계) 동 〈文〉 ①무서워서 가슴이 두근두근하다. ¶心里～动了一下; 가슴이 철렁했다 / 心有余～; 생각하면 지금도 가슴이 두근거린다 / 惊～; 놀라서 심장이 뛰다. ②골내다.
〔悸栗〕 jìlì 동 겁이 나서 떨다.

洎 jì (계, 기) 동 〈文〉 이르다. 미치다. ¶自古～今; 예부터 지금까지 / ～乎近世; 근래에 와서.
〔洎夫蓝〕 jìfūlán 명 《植》 사프란(네 saffraan). =〔番fān红花〕

垍 jì (기) 명 〈文〉 굳은 흙.

迹〈跡, 蹟〉 jì (적) ① 명 발자취. 흔적. ¶痕～; 흔적 / 足～ =〔脚～〕; 발자국 / 血～; 혈흔. 핏자국 / 不见踪～; 흔적이 없다. ② 명 유적. ¶陈～; 옛 사적 / 事～; 사적 / 名胜古～; 명승 고적 / 遗～; 유적. ③ 명 공적. ④ 명 전례. ⑤ 명 형적. 거동. ¶～近违抗; (행동이) 위반이나 다름없다. ⑥ 동 미행(尾行)하다.
〔迹地〕 jìdì 명 벌채나 화재로 수목이 없어진 임야지('采伐～'·'火烧～'의 2종이 있음).
〔迹象〕 jìxiàng 명 형적. 흔적. 징후. 징조. ¶可疑～; 의심스러운 흔적 / 国际局势开始出现了缓和的～; 국제 정세가 완화되는 기미가 보이기 시작했다.

既 jì (기) ① 부 이미. 벌써. ¶保持～有的荣誉; 이미 얻은 명예를 지키다 / ～得劝利; 기득권. =〔已经〕 ② 접 …일 뿐 아니라 또 …이다. …도 하고 …도 한다('且'·'也'·'又'와 같이 사용하여 양자의 병렬을 표시함). ¶样式～好看, 用起来又轻便; 모양도 좋고 또한 쓰기에도 편리하다 / ～高且大; 높고도 크다 / ～快又好; 빠르고 또 좋다. ③ 접 원래. …은 말할 것도 없고. ¶～不是…也不是…; 물론 …이 아니고 …도 아니다. ④ 접 ('就'·'则'와 같이 쓰이어) …일 바에는. …한 바에는. …한 이상은. ¶他～不答应可没法子; 그가 승낙하지 않는 이상 어떻게 할 도리가 없다 / ～说就做; 말한 바에는 행한다 / 他～有这么个毛病, 我就不要他了; 그에게 이런 결점이 있는 이상, 나는 그를 고용하지 않는다. ⑤ 부 나중에. ¶曾怒责其无礼, ～而悔之; 그 무례함을 꾸짖었으나 나중에 후회했다 / 初以为不可, ～又允许; 처음에는 안 된다고 했으나, 그 후에 또 허가했다. =〔后来〕 ⑥ 동 다하다. 진(盡)하다. ¶感谢无～; 〈翰〉 감사하기 이를 데 없다 / 皆～食; 《天》 개기식. =〔尽jìn〕 ⑦ 명 성(姓)의 하나.
〔既成事实〕 jìchéng shìshí 기성 사실. ¶造成～然后再向上级报告; 기정 사실화한 후에 상부에 보고하다.
〔既得利益〕 jìdé lìyì 기득 권리·이권·이익 등. ¶～集团; 기득권자들.
〔既得权〕 jìdéquán 명 《法》 기득권.
〔既定〕 jìdìng 명 기정. 동 이미 정하다. ¶～方针;

기정 방침 / ～目标; 기정 목표.
〔既而〕 jì'ér 부 〈文〉 (문장의 전체 혹은 후반부의 처음에 쓰이어) 멀지 않아. 그 후 얼마 안 가서. 이윽고. ¶～雨住, 欣然登山; 이윽고 비가 그쳐, 기분 좋게 산에 올랐다.
〔既来之则安之〕 jì lái zhī zé ān zhī 〈成〉 기왕 온 바에는 안심하고 살아야 한다(기왕 온 바에는 편안하게 지낸다. 넘어진 김에 쉬어 간다). ¶忙什么! ～, 再坐会儿吧; 무엇을 서두르느냐. 기왕에 온 바에야 느긋하게 쉬어 가자.
〔既然〕 jìrán 접 …인 이상. …인 바에는(종종 '就'·'也'·'还'·'又'와 호응하여 쓰임). ¶～如此rúcǐ; 그렇다면 / ～ 你来了, 我们就开始讨论这个问题; 자네가 왔으니까 우리는 이 문제의 토론을 시작하세 / 你～一定要去, 我也不便阻拦; 아무래도 가야 한다면 나도 굳이 말리지는 않겠다 / ～知道做错了, 还解释什么; 잘못된 것을 안 이상 아무것도 변명할 필요가 없다 / ～他不愿意, 那就算了吧! 그가 싫다고 하는 이상 그만두기로 하자! =〔既是〕
〔既是〕 jìshì 접 ⇨〔既然〕
〔既遂〕 jìsuì 명 《法》 기수. ↔〔未wèi遂〕
〔既往〕 jìwǎng 명 이전(以前). 그전.
〔既往不咎〕 jì wǎng bù jiù 〈成〉 과거의 잘못을 묻지 않는다. ¶他既能切qiè实改悔, 我们当然本着～的精神, 不予处chǔ分; 그가 이미 개전(改悛)한 이상, 우리는 당연히 지나간 일은 묻지 않는다는 정신에 입각해서, 처분은 하지 않는다. =〔不咎既往〕〔不究既往〕
〔既往史〕 jìwǎngshǐ 명 《醫》 기왕증(既往症).
〔既望〕 jìwàng 명 음력 매달 16일(15일은 '望'이라고 함).
〔既已〕 jìyǐ 부 이미.
〔既又〕 jìyòu 부 더구나 또. 게다가.

塈 jì (기)
동 〈文〉 ①천장을 칠하다. ②쉬다. 휴식하다. ③취(取)하다.

暨 jì (기)
〈文〉 ① 접 및. …과. =〔及〕〔与〕 ② 개 …에 이르기까지. …까지. ¶～今; 지금까지. =〔至〕 ③ 동 같이하다. ④ 동 끝나다. ⑤ 명 성(姓)의 하나.

穊 jì (기)
형 〈文〉 촘촘하다. 조밀하다.

继(繼) jì (계)
① 동 계속하다. 지속하다. ¶歌声相～; 노랫소리가 계속되다 / 相～落成; 계속해서 완공되다. ② 동 뒤를 잇다. ¶～往开来; 〈成〉 선인(先人)의 일을 이어 다시 장래의 길을 개척하다. ③ 동 잇다. 이어지다. ④ 접 이어서. 다음에. 그 뒤에. ¶初感头晕, ～又吐泻; 처음에는 머리가 어질어질하는 느낌이 들고 이어서 토해 냈다. =〔随后suíhòu〕
〔继承〕 jìchéng 동 ①《法》 (재산 따위를) 상속하다. ¶～法; 상속법. ②(유산·사업 따위를) 계승하다. 이어받다. ¶～文化遗产; 문화 유산을 이어받다 / ～先烈的遗业; 선열의 유업을 계승하다.
〔继承权〕 jìchéngquán 명 《法》 상속권.
〔继承人〕 jìchéngrén 명 ①《法》 상속인. ②계승자. 후계자. ¶王位～; 왕위 계승자.
〔继电器〕 jìdiànqì 명 《電》 계전기(繼電器). 릴레이(relay). =〔继动器〕〔电驿(器)〕〔替tì续器〕
〔继而〕 jì'ér 접 이어서. 계속하여. ¶先是领唱的一个人唱, ～全体跟着一起唱; 처음에는 선창을 하는 사람이 혼자 노래하고, 이어서 모두 함께 노래한다.
〔继父〕 jìfù 명 계부. =〔后hòu爹〕
〔继进〕 jìjìn 동 계속 전진하다.
〔继舅〕 jìjiù 명 계모의 형제.
〔继母〕 jìmǔ 명 계모. =〔如rú母〕〔续xù母〕〔后hòu妈〕
〔继配〕 jìpèi 명 후처(後妻). =〔继室〕
〔继娶〕 jìqǔ 동 후처(後妻)를 얻다. =〔续xù娶〕
〔继任〕 jìrèn 동 직무를 이어받다. 명 후임. ¶～人选; 후임의 인선.
〔继室〕 jìshì 명 ⇨〔继配〕
〔继嗣〕 jìsì 〈文〉 동 양자로 들어가 대를 상속하다. 명 상속인.
〔继往开来〕 jì wǎng kāi lái 〈成〉 전인(前人)의 일을 계승하여, 전도(前途)를 개척하다. ¶鲁迅先生是我国一位～的文化战士; 루쉰(鲁迅) 선생은 우리 나라의 전통을 계승하여, 미래를 향한 길을 연 문화의 전사이다.
〔继武〕 jìwǔ 동 〈文〉 (보조의) 앞뒤가 상접하다. 〈轉〉 앞사람의 업을 이어받다.
〔继续〕 jìxù 명동 계속(하다). ¶～学习中文; 중국어 학습을 계속하다 / 大雨～了三昼夜; 큰비가 사흘 밤낮을 계속해 왔다 / ～不断; 부단히 계속하다.
〔继之而来〕 jì zhī ér lái 〈成〉 계속해서 오다.
〔继志〕 jìzhì 동 〈文〉 전인(前人)의 뜻을 이어받다.
〔继子〕 jìzǐ 명 양자(養子).

觊(覬) jì (기)
동 〈文〉 희망하다. 바라다. ¶～幸; 요행을 바라다.
〔觊觎〕 jìyú 〈文〉 명 분에 넘치는 소망. 동 야망을 품다. ¶对此名位, 怀～之心; 이 명예와 지위에 대해 분에 넘치는 야심을 품다.

偈 jì (게)
명 《佛》 〈梵〉 게. 가타(加陀)(부처의 공덕·교리를 찬미하는 노래 글귀). ⇒jié

寄 jì (기)
① 동 맡기다. 위탁하다. ¶把这个～在他那儿; 이것을 그에게 맡겨 두다 / ～卖; ⇩ / ～希望于青年; 청년에게 희망을 걸다. ② 동 (우편이나 철도편으로) 보내다. ¶～往大田; 대전에 보내다 / ～包裹; 소포를 보내다. ③ 동 전달하다. ④ 동 몸을 의탁하다. 잠시 머무르다. ¶～食; ⇩ / ～居; ⇩ ⑤ 형명 의리의 (관계). ¶～父; ⇩
〔寄报人〕 jìbàorén 명 전보 발신인.
〔寄呈〕 jìchéng 동 〈文〉 우송(郵送)하여 증정하다.
〔寄存〕 jìcún 동 위탁하다. 맡기다. ¶～证; 예치증 / ～器; (컴퓨터의) 레지스터 / ～品; 예탁품 / 把大衣～在衣帽间; 외투를 휴대품 보관소에 맡기다.
〔寄到〕 jìdào 동 (…에) 보내다. (…에) 내다. ¶我要把这封信～韩国去; 나는 이 편지를 한국에 보내려 한다.
〔寄递〕 jìdì 동 체송(遞送)하다. 발송하다. 우송하다. ¶～邮件; 우편물을 우송하다.
〔寄碇〕 jìdìng 동 배를 옆에 대다. ¶由码头乘小火轮前往～于威斯康星号; 선창에서 작은 증기선을 타고 가서 위스콘신호 옆에 대다.
〔寄囤〕 jìdùn 동 (곡물을) 곡물 창고에 맡기다.
〔寄顿〕 jìdùn 동 (물건을) 맡기다. ¶先把行李～在朋友家了; 우선 짐을 친구 집에 맡기었다.

〔寄发〕 jìfā 동 우편으로 보내다. 발송하다.
〔寄放〕 jìfàng 동 잠시 맡기다. ¶～钱; 예치금 또는 정기적으로 부어 넣는 돈/把皮箱～在朋友家里; 트렁크를 친구 집에 맡겨 두다.
〔寄费〕 jìfèi 명 우송료(郵送料). 우편 요금. ¶～不够; 우편 요금 부족.
〔寄奉〕 jìfèng 동 〈翰〉 바치다. 봉정하다. ¶～一函; 편지를 올리다. =〔寄上〕↔〔寄下〕
〔寄父〕 jìfù 명 의부(義父). =〔寄爹〕〔义yì父〕
〔寄回〕 jìhuí 동 되돌려 보내다. 반송(返送)하다. ¶把信～; 편지를 되돌려 보내다. =〔寄还〕
〔寄货〕 jìhuò 동 짐을 탁송하다.
〔寄籍〕 jìjí 명 원적지에서 딴 성(省)으로 이주하였을 때의 새 적(籍). ↔〔原籍〕〔祖籍〕
〔寄件人〕 jìjiànrén 명 발송인. 발신인.
〔寄交〕 jìjiāo 동 송부하다.
〔寄居〕 jìjū 동 ①몸을 의탁하다. 얹혀 살다. 기거하다. ¶他从小就～在外祖父家里; 그는 어려서부터 외조부 댁에서 살고 있다. =〔寄寓〕 ②타향에 머물다. =〔寄旅〕
〔寄居蟹〕 jìjūxiè 명 《動》 소라게.
〔寄款〕 jìkuǎn 동 송금하다. ¶～人 =〔发款人〕; 송금인. ↔〔收shōu款〕
〔寄灵〕 jìlíng 유해를 입관하여 매장할 때까지 절 따위에 맡김.
〔寄旅〕 jìlǚ 동 〈文〉 여행지에 머물다.
〔寄卖〕 jìmài 명동 위탁 판매(하다). 대리 판매(하다).
〔寄名〕 jìmíng 동 ①아이가 병약하여 기르기 어려울 때 절에 부탁하여 명의만의 출가(出家)를 하다. ②남을 받들어 수양어버이로 정하다. ¶～儿子 =〔寄儿ér〕; 수양아들.
〔寄命〕 jìmìng 〈文〉 동 ①정치를 위임하다. ②몸을 위탁하다. 목숨을 의탁하다. 명 현세에 임시로 의탁한 목숨.
〔寄母〕 jìmǔ 명 수양어머니. =〔寄娘〕〔义yì母〕
〔寄钱〕 jì qián 송금하다.
〔寄情〕 jìqíng 동 마음을 어떤 일을 빌려 나타내다. …에 마음을 기울이다. …에 빠지다〔탐닉하다〕. ¶～诗酒; 마음을 시와 술을 빌려 나타내다.
〔寄人篱下〕 jì rén lí xià 〈成〉 남의 집에 얹혀 살다. 남의 비호를 받다.
〔寄上〕 jìshang 동 우편으로 보내 드리다. ↔〔寄下〕
〔寄身〕 jìshēn 동 몸을 의지하다. =〔寄迹〕
〔寄生〕 jìshēng 명동 기생(하다). ¶～植物; 기생식물/～木 =〔寓yù木〕; 기생목/～蜂fēng; 《蟲》 기생벌/～者; 기생 생활을 하는 사람. 기생충.
〔寄生虫〕 jìshēngchóng 명 ①기생충. ②〈比〉 자기는 일하지 않고 남에게 기대어 생활하는 사람.
〔寄食〕 jìshí 명동 〈文〉 기식(하다). 식객(이 되다).
〔寄售〕 jìshòu 명동 위탁 판매(하다). ¶～商shāng; 대리 판매점. =〔寄卖〕
〔寄书〕 jì shū ①〈文〉 편지를 부치다. =〔附书〕 ②책을 (우편으로) 보내다.
〔寄宿〕 jìsù 동 ①묵다. 숙박하다. ¶在朋友家里～一天; 친구네 집에서 하룻밤 묵었다. ②(학생이 기숙사에) 기숙하다. ¶～舍; 기숙사/～学校; ⓐ기숙제(制) 학교. ⓑ학교 기숙사에게 지내다.
〔寄宿生〕 jìsùshēng 명 기숙생. =〔住读生〕〔住校生〕
〔寄托〕 jìtuō 동 ①(희망·감정 등을) 걸다. 두다. ¶把自己的理想～在孩子身上; 자신의 꿈을 아이에게 걸다. ②맡기다. 위탁〔기탁〕하다. ¶把孩子～在邻居家里; 아이를 이웃집에 맡기다.
〔寄下〕 jìxià 동 우편으로 상대편에서 이쪽으로 부쳐 오다. ¶务祈交邮局～是荷; 〈翰〉 우편으로 송부해 주시기 바랍니다. ↔〔寄上〕
〔寄信〕 jì xìn 편지를 내다. ¶～人; 발신인. =〔去信〕
〔寄押〕 jìyā 동 (미결수를) 구치하다. 구류하다.
〔寄言〕 jìyán 동 〈文〉 전언(傳言)하다. 말을 전하다. =〔寄语〕
〔寄养〕 jìyǎng 동 다른 사람의 집에 수양 아들로 주다.
〔寄以〕 jìyǐ 동 기대하다. 마음을 붙이다. 의지하다. ¶～希望; 희망하다. 기대를 걸다.
〔寄意〕 jìyì 동 〈文〉 ①마음을 두다. ②생각을 전달하다.
〔寄予〕 jìyǔ 동 ①맡기다. 기탁하다. (남에게) 부탁하다. ¶对于青年一代～极大的希望; 젊은 세대에 아주 큰 희망을 걸다. ②(지지·배려 등을) 보내다. ¶～无限同情; ⓐ무한한 공감을 보내다. ⓑ무한한 동정을 보내다. =〔给予〕 ‖ =〔寄与〕
〔寄寓〕 jìyù 동 ⇨〔寄居①〕
〔寄怨〕 jìyuàn 동 〈文〉 공사(公事)를 빌려서 사분(私憤)을 풀다.
〔寄主〕 jìzhǔ 명 (기생 생물의) 숙주(宿主).
〔寄自…〕 jìzì… 동 …에서 보내다. …에서 발신하다. ¶…～北京; 아무개 베이징(北京)에서 발신. →〔来自〕

徛 jì (기)
동 〈方〉 서다. 일어서다.

寂 jì (적)
형 ①조용하다. 고요하다. ②적막하다. 고독하다. 쓸쓸하다. ¶枯～; 외롭고 쓸쓸하다.
〔寂静〕 jìjìng 형 조용하다. 고요하다. ¶会场突然～下来了; 회의장이 갑자기 조용해졌다.
〔寂寥〕 jìliáo 형 ⇨〔寂寞〕
〔寂闷〕 jìmèn 형 쓸쓸하고 지루하다. ¶独居生活虽然简单, 只略嫌～; 독신 생활은 단출하지만, 다만 쓸쓸하고 지루한 것이 싫다.
〔寂灭〕 jìmiè 명 《佛》 적멸(寂滅). 〈轉〉 죽는 것〔일〕. 죽음.
〔寂寞〕 jìmò 형 ①쓸쓸하다. 적막하다. ¶晚上只剩下我一个人在家里, 真是～! 밤에 나 혼자만 집에 남아 있으니 정말 쓸쓸하구나! ②고요하다. ‖ =〔寂寥liáo〕
〔寂然〕 jìrán 형 〈文〉 ①고요한 모양. ¶～无声; 고요하여 소리 하나 없다. ②꼼짝하지 않고 있는 모양. ¶～不动; 꼼짝도 하지 않다.

绩(績) jì (적)
① 동 (실을) 잣다. 뽑다. (삼을) 삼다. ¶～麻; 삼을 삼다/纺～; 방적. ② 명 효과. 공적(功績). ¶成～; 성적/功～ =〔劳～〕; 공적. ③ 명 사업.
〔绩效〕 jìxiào 명 성적. 효과.
〔绩学〕 jìxué 동 〈文〉 학문을 닦다. 수학하다. ¶～之士; 학문이 깊은 사람.

祭 jì (제)
동 ①(죽은 사람을) 추도〔추모〕하다. ¶公～烈士; 나라에서 열사를 추도하다. ②제사 지내다. ¶致～; 제사를 지내다/～天; 하늘에 제사 지내다/～祖宗; 조상에게 제사 지내다. ③〈古白〉 사용하다. ¶～起一件法宝来; 신통력을 가진 보물을 사용하다. ⇒Zhài
〔祭奠〕 jìdiàn 동 죽은 사람을 제사 지내고 추도하

다. 명 의식을 갖춘 제사와 의식을 갖추지 아니한 제사의 통칭.
〔祭服〕 jìfú 명 성직자의 의복.
〔祭酒〕 jìjiǔ 명 ①제주《제사 의식의 하나》. ②옛날, 제사 의식을 맡은 장관(長官).
〔祭礼〕 jìlǐ 명 ①장례 때의 선사물. 제물(祭物). ②제사·제전(祭典)의 의식.
〔祭品〕 jìpǐn 명 (제사에 올리는) 제물.
〔祭器〕 jìqì 명 제기. 제사용 기구.
〔祭赛〕 jìsài 명 ⇨〔祭祀〕
〔祭扫〕 jìsǎo 동 〈文〉 성묘(省墓)하고 벌초를 하다.
〔祭师〕 jìshī 명 제사 지내는 제주(祭主).
〔祭祀〕 jìsì 명동 제사(지내다). =〔祭赛〕
〔祭台〕 jìtái 명 제단(祭壇).
〔祭坛〕 jìtán 명 제단(祭壇).
〔祭文〕 jìwén 명 제문.
〔祭筵〕 jìyán 명 장례 때 상가로 보내는 음식.
〔祭灶〕 jì·zào 동 음력 12월 23일 또는 24일 밤에 조왕(竈王)을 제사 지내다. =〔祀灶〕
〔祭轴〕 jìzhóu 명 장례 때 상가에 보내는 만장(輓章). =〔祭幛〕
〔祭主〕 jìzhǔ 명 제주.
〔祭祖〕 jìzǔ 동 조상에 제사 지내다.

漈 jì (제)
명 〈文〉 물가. =〔水边〕

穄 jì (제)
→〔穄子〕

〔穄子〕 jìzi 명 《植》 메기장. =〔稷①〕〔糜méi子〕

鰶(鰶) jì (제)
명 《魚》 전어. =〔鰶鱼〕

惎 jì (기)
동 〈文〉 ①해치다. ②시기하다. 미워하다. ¶心～之; 마음 속에 이를 미워하다. ③가르치다. 지적하다.

蓟(薊) jì (계)
명 《植》 엉겅퀴. →〔大蓟〕

稷 jì (직)
명 ①《植》 기장. 메기장《이삭으로 비를 매는 데서 '扫用粟'라고도 함》. =〔〈口〉 糜méi子〕 ②오곡(五穀)의 신(神). ¶社～; 사직. 토지신과 오곡신. 〈轉〉 국가. ③옛날에, 농사를 관장하던 관(官).

鲫(鯽) jì (즉)
명 《魚》 붕어. ¶海～; 망성어. =〔鲋fù鱼〕
〔鲫爪儿〕 jìzhuǎr 명 〈俗〉 붕어의 속칭(俗稱). =〔鲫爪子〕

冀 jì (기)
①동 〈文〉 희망하다. 기원하다. ¶希～; 간절히 바라다 / ～其成功; 성공을 바라다. ② (Jì) 명 《地》 허베이 성(河北省)의 별칭. ③명 성(姓)의 하나.

骥(驥) jì (기)
명 〈文〉 ①좋은 말. 양마. 준마. ② 〈轉〉 재능이 뛰어난 사람. ¶附～尾; 〈成〉 훌륭한 사람을 거울 삼다.
〔骥足〕 jìzú 명 〈比〉 훌륭한 재능. 일재(逸材).

髻 jì (기)
명 머리털을 머리 위에 묶은 것. 상투. ¶抓zhuā～; 옛날, 여자의 머리형의 하나《양쪽 귀 위에 땋아 늘인 머리를 묶음》.
〔髻了儿〕 jìliǎor 명 ⇨〔知zhī了(儿)〕

罽 jì (계)
명 〈文〉 ①융단. 양탄자. ②어망(魚網).

檵 jì (계)
→〔檵木〕

〔檵木〕 jìmù 명 《植》 구기자나무.

JIA ㄐㄧㄚ

加 jiā (가)
①동 보태다. 더하다. ¶～一倍; 두 배로 하다 / 喜上～喜; 경사가 겹치다 / 3～6等于9; 3+6=9. ②동 늘리다. 증가하다. ¶～了一个人; 한 사람 늘었다 / ～多; 많게 하다. 증가시키다. 注 '加' 뒤에 오는 형용사는 적극적인 뜻을 나타내어 한 단어를 만듦. ③동 (어떤 동작을) (가)하다. ¶～以保护; 보호하다 / 不～考虑; 고려하지 않다 / 严～管束; 엄하게 단속하다 / ～小心; 조심하다. ④동 (본래 없던 것을) 덧붙이다. 첨가하다. 달다. ¶～注解; 주석을 붙이다 / ～符号; 부호를 붙이다. ⑤명 성(姓)의 하나.
〔加班〕 jiā·bān 동 ①시간외 근무를 하다. 잔업하다. ¶因为工作多而～; 일이 많아 잔업하다 / ～津贴; 시간외 근무 수당 / ～工作; 초과 근무. 휴일 근무 / ～时间; 오버타임. ②특별히 편성하다. ¶～车; 임시 운행차. 증발차(增發車).
〔加倍〕 jiā·bèi 동 배로 하다. 배가하다. ¶加两倍; 세 배 / 生产～地增长; 생산이 배로 늘다. (jiābèi) 부 더한층. 갑절로. 각별히. 더더욱. ¶～努力; 더한층 노력하다 / 如同空谷回声一般令人～地感到冷寂; 빈 골짜기의 메아리처럼 사람에게 더욱 쓸쓸함을 느끼게 한다.
〔加必旦〕 jiābìdàn 명 〈音〉 캡틴(captain). =〔甲jiǎ必丹〕
〔加波格昔尔根〕 jiābōgéxī'ěrgēn 명 《化》 〈音〉 카르복시기(基).
〔加车〕 jiā·chē 동 (버스·전차 따위를) 증편하다. 증차하다. (jiāchē) 명 증차.
〔加成工资〕 jiāchéng gōngzī 명동 가급 임금(加給賃金)(을 주다). =〔加给工资〕
〔加大〕 jiādà 동 증대하다. 가하다. 크게하다. ¶～油门; 속력을 더하다. 액셀러레이터를 밟다.
〔加当儿〕 jiādangr ⇨〔当向儿①〕
〔加德满都〕 Jiādémǎndū 명 《地》 〈音〉 카트만두 (Kathmandu)《'尼Ní泊尔'(네팔:Nepal)의 수도》.
〔加得我利亚〕 jiādéwǒlìyà 명 《哲》 〈音〉 카테고리아(categoria). =〔范畴〕〔部门〕〔部属〕
〔加点〕 jiā·diǎn 동 ①시간외〔초과〕 근무를 하다〔시키다〕. 잔업을 하다. ¶加班～; 잔업하다 / 每天晚上工人都要～来赶制订货; 매일 밤 노동자는 모두 잔업을 하여 주문품 제작을 서둘러야 한다. ②문장의 첨삭(添削)을 하다.
〔加点工作〕 jiādiǎn gōngzuò 명 근무 시간 외 노동. 초과 근무. 잔업. =〔加工②〕〔超chāo时工作〕
〔加尔各答〕 Jiā'ěrgèdā 명 《地》 〈音〉 캘커타 (Calcutta).
〔加尔文会〕 Jiā'ěrwénhuì 명 《宗》 칼빈파 교회.

〔加法〕 jiāfǎ 명 ①《數》 덧셈. 가법(加法). →〔减jiǎn法〕 ②플러스. 보탬.
〔加法器〕 jiāfǎqì 명《電算》 가산기(加算器)(컴퓨터 내부에서 덧셈 조작을 하는 장치).
〔加翻〕 jiāfān 동 2배가 되다. 2배로 하다. ¶～办法; 배로 늘리는 방법.
〔加封〕 jiā/fēng 동 ①동봉하다. ②(지위·영지 등을) 가증하다.
〔加伏特〕 jiāfútè 명 ⇨〔戛jiá伏特〕
〔加盖〕 jiāgài 동 〈文〉 도장을 찍다. 날인하다.
〔加工〕 jiā/gōng 동 ①일에 더욱 정성을 들여서 하다. ②노동자를 증원(增員)하다. ③취업 시간을 늘리다. ¶教员～; 교원의 담당 시간을 늘리다. ④피치를 올려 일하다. ⑤가공하다. ¶～成奶粉; 분유로 가공하다 / ～订货; 가공을 위탁하다. ⑥마무리하다. 끝손질하다. ⑦(문장 따위에) 손질을 하다. 품을 들이다. ¶这篇文章需要～; 이 문장은 더 다듬어야 할 필요가 있다 / ～施肥; 품을 들여 비료를 주다. (jiāgōng) 명 ①가공. ②⇨〔加点工作〕
〔加工贸易〕 jiāgōng màoyì 명《經》 가공 무역.
〔加功〕 jiāgōng 동 〈文〉 각별히 노력하여 이루다. 공을 들이다.
〔加固〕 jiāgù 동 보강하다. 견고히 하다. ¶～工程; 보강 공사.
〔加冠〕 jiāguān 명 옛날에, 남자가 20세 되어 비로소 관을 쓰던 일. 동 관례를 치르고 갓을 쓰다.
〔加害〕 jiāhài 동 위해(危害)를 가하다. 가해하다. ¶～于人; 남에게 위해를 가하다.
〔加号〕 jiāhào 명《數》 가법 기호. 플러스 기호 (+). ↔〔减号〕
〔加耗〕 jiāhào 명 옛날, 징세할 때 미리 은 또는 미곡의 손모(損耗)를 예산하고 가산하던 부가세.
〔加护〕 jiāhù 명동 가호(加護)(하다).
〔加花纸〕 jiāhuāzhǐ 명 표지용 요철지(凹凸紙). 엠보싱(embossing) 용지.
〔加级〕 jiā/jí 동 승급하다〔시키다〕.
〔加级鱼〕 jiājíyú 명《魚》〈方〉 참돔.
〔加急〕 jiājí 동 급해지다. 빨라지다. 형 급한 지급의. ¶～电报; 지급 전보.
〔加价〕 jiā/jià 동 값을 올리다. (jiājià) 명 할증가격.
〔加紧〕 jiājǐn 동 박차를 가하다. 한층 더 힘을 들이다. 기를 쓰다. 정도를 강화하다. ¶～生产; 생산에 박차를 가하다 / ～地做, 提前完工; 피치를 올려 일을 앞당겨 완성하다. 형 절박하다. ¶银根～; 금융 핍박(逼迫).
〔加劲(儿)〕 jiā/jìn(r) 동 힘내다. 열심을 내다. ¶加把劲儿! 힘내라! / 受到表扬以后, 他们更～工作了; 표창을 받은 후 그들은 일에 한층 열성을 내었다.
〔加剧〕 jiājù 동 더욱 격렬해지다. 심해지다. 격화하다. ¶病势～; 병세가 악화되다.
〔加开〕 jiākāi 동 (기차·비행기 등을) 증발(增發)하다. ¶～临时班机; 임시 항공편을 늘리다. →〔加车〕
〔加快〕 jiākuài 동 속력을 빨리하다. 속도를 내다. ¶～了脚步; 걸음을 빨리했다 / ～速度; 속도를 내다.
〔加宽〕 jiākuān 동 넓히다. ¶～马路; 도로를 넓히다.
〔加拉加斯〕 Jiālājiāsī 명《地》〈音〉 카라카스(Caracas)('委Wěi内瑞拉'(베네수엘라:Venezuela)의 수도).
〔加辣〕 jiālà 명양 캐럿(carat). =〔加拉〕
〔加勒比海〕 Jiālèbǐhǎi 명《地》〈音〉 카리브해(Caribbean Sea).
〔加肋管〕 jiālèiguǎn 명《工》 늑골 파이프(ribbed pipe).
〔加里〕 jiālǐ 명〈音〉 카레(curry). ¶～饭; 카레라이스 / ～粉; 카레 가루. =〔加喱〕〔加厘〕〔咖gā喱〕
〔加力〕 jiālì 명 (성분 따위) 특별 고급. 동 힘을 내다. 분발하다. 명동 (비행기의) 재연소(하다).
〔加利福尼亚〕 Jiālìfúníyà 명《地》〈音〉 캘리포니아(California)(미국의 주).
〔加料〕 jiāliào 형명 원료를 보통보다 많이 사용하여 질이 좋은(제품). 특제(품). ¶～的药; 유효성분의 양을 많이 넣은 약 / ～的笔; 재료를 정선한 붓. 상등의 붓. (jiā/liào) 동 원료를 기계에 넣다. ¶自动～; 원료의 자동 장입(裝入).
〔加路里〕 jiālùlǐ 명〈音〉 칼로리. =〔卡kǎ路里〕
〔加仑〕 jiālún 양《度》〈音〉 갤런(gallon). ¶一～汽油; 1갤런의 가솔린. =〔咖伦〕〔加伦〕〔介仑〕〔格伦〕
〔加伦〕 jiālún 양 ⇨〔加仑〕
〔加码〕 jiāmǎ 명 ①《商》 추가 매매(주로 손실 보전(補塡)을 위해 행해짐). ②⇨〔加头〕 (jiā/mǎ) 동 ①(～儿) 값을 올리다. ②(도박에서) 판돈을 늘리다. ③수량의 지표(指標)를 올리다.
〔加买酸〕 jiāmǎisuān 명《化》〈音〉 감마산(γ酸).
〔加煤机〕 jiāméijī 명《機》 자동 급탄기(給炭機).
〔加勉〕 jiāmiǎn 동 〈文〉 한층 노력하다.
〔加冕〕 jiā/miǎn 동 (국왕이) 대관(戴冠)하다. ¶～礼; 대관식.
〔加拿大〕 Jiānádà 명《地》〈音〉 캐나다(Canada)(수도는 '渥Wò太华'(오타와:Ottawa)).
〔加纳〕 Jiānà 명《地》〈音〉 가나(Ghana)(수도는 '阿克拉'(아크라:Accra)).
〔加捻〕 jiā/niǎn 동《紡》 실을 꼬다.
〔加农炮〕 jiānóngpào 명《軍》〈音〉 카농포(cannon砲).
〔加蓬〕 Jiāpéng 명《地》〈音〉 가봉(Gabon)(수도는 '利伯维尔'(리브르빌:Libreville)).
〔加气水泥〕 jiāqì shuǐní 명《建》 기포(氣泡) 시멘트(물이 스미지 않고 오래 가며 저온에도 견딤).
〔加铅汽油〕 jiāqiān qìyóu 명 가연 가솔린. 하이옥탄 가솔린(high octane gasoline).
〔加强〕 jiāqiáng 동 ①강화하다. 보강하다. ¶～团结; 단결을 강화하다 / ～理解; 이해를 깊게 하다 / ～缉私; 밀무역의 단속을 강화하다. ②힘차게 하다. ¶更～, 更好; 더욱 힘차게 하면 더욱 훌륭하다. 명《機》 보강(補強). ¶横héng～板; 횡방향 보강재.
〔加氢〕 jiāqīng 명《化》 수소 첨가.
〔加权平均值〕 jiāquán píngjūnzhí 명《數》 가중평균치〔값〕.
〔加热〕 jiā/rè 동 가열하다.
〔加热火色〕 jiārè huǒsè 명《工》 히트 컬러(heat color).
〔加入〕 jiārù 동 ①가입〔참가〕하다. ¶～的会员; 가입한 회원. ②넣다. 가하다. 더하다.
〔加塞儿〕 jiā/sāir 동 〈口〉 새치기하다. ¶排好了队, 别～; 순서대로 줄을 섰는데, 끼여들면 안 됩니다. =〔加楔儿〕
〔加晒〕 jiāshài 동 (사진의) 인화 복사를 하다. 인화를 추가하다.
〔加上〕 jiāshang 동 보태다. 더하다. ¶损失上又～损失; 손해에 손해가 겹치다 / 再～一个; 한 개

더 보태다. 접 그 위에. 게다가. ¶他身体较弱, ～工作紧张, 干了几天就病倒了; 그는 몸이 약한데, 게다가 일도 바빠 며칠 못 가서 과로로 쓰러졌다.
〔加深〕 jiāshēn 동 깊게 하다. 깊어지다. ¶～两国的友谊; 양국의 우의를 두터이 하다.
〔加时赛〕 jiāshísài 명《體》연장전.
〔加数〕 jiāshù 명《數》덧수. 가수(加數).
〔加水〕 jiā.shuǐ A) 동 급수하다. ¶那轮船到达火奴鲁鲁, ～, 上燃料后, 再续驶恩尼威托克; 그 배는 호놀룰루에 도착하여 급수·연료 보급을 한 다음에 다시 에니웨톡으로 향하여 항행한다. B) (jiāshuǐ) 명동 담금질(하다). 명《經》(환전할 때의) 할증금. 프리미엄.
〔加斯〕 jiāsī 명〈音〉가스(gas). =〔煤气〕
〔加速〕 jiāsù 동 가속하다. 속력을 내다. ¶～步伐; 걸음을 빨리하다 / ～运动; 《物》가속 운동.
〔加速度〕 jiāsùdù 명《物》가속도.
〔加速器〕 jiāsùqì 명 ①《物》가속 장치. 하전 입자(荷電粒子) 가속기. ¶直线～; 리니어 액셀러레이터(linear accelerator) / 回旋～; 사이클로트론(cyclotron) / 同步～; 싱크로트론(synchrotron) / 稳相～; 싱크로사이클로트론(synchrocyclotron). ②(자동차의) 액셀러레이터(accelerator).
〔加索特〕 jiāsuǒtè 명《物》〈音〉음극(cathode). =〔阴极〕〔负极〕
〔加特可理〕 jiātèkělǐ 명《哲》〈音〉카테고리(category). =〔范畴〕
〔加特力教〕 Jiātèlìjiào 명《宗》〈音〉가톨릭교(Catholic教). =〔天主教〕
〔加添〕 jiātiān 동 덧붙이다. 늘리다. 첨가하다.
〔加头〕 jiātóu 명《經》은행이 차주(借主)의 신용 정도에 따라 이자율을 올리는 것. =〔加码②〕
〔加委〕 jiāwěi 동 위임하다. 임명하다《옛날, 주관 관청이 소속단위 또는 대중 단체가 천거한 공직자에 대하여 위임 수속을 밟는 일》.
〔加膝坠渊〕 jiā xī zhuì yuān 〈成〉좋으면 무릎에 앉혀 귀여워하기도 하고, 미우면 연못에 밀어 넣기도 하다《사랑하고 미워하기를 기분에 따라 함》.
〔加洗〕 jiāxǐ 동 ①필름을 현상하다. 필름 현상을 추가하다. ②(사진에서) 인화 복사하다. =〔加洗照片〕
〔加戏〕 jiā.xì 동 ①극의 줄거리를 보태다. ②극을 알차게 하기 위해 삽입 부분을 많게 하다.
〔加衔〕 jiāxián 동 어떤 대우의 관직을 주다《직장(職掌)이 없는 상급 관명을 부여하여 그 격식을 높이는 일》.
〔加线〕 jiāxiàn 명《樂》덧줄가선. 동 선을 긋다.
〔加楔儿〕 jiā.xiēr 동 ①쐐기를 박다. ②〈俗〉(행렬 속으로) 끼여들다. 새치기하다. =〔加塞儿〕
〔加薪〕 jiā.xīn 동 증봉(增俸)하다. 승급하다.
〔加压饭锅〕 jiāyā fànguō 명 ⇨〔高gāo压饭锅〕
〔加压釜〕 jiāyāfǔ 명《工》압력솥. 가압솥. =〔高gāo压釜〕〔热rè压釜〕
〔加压箱〕 jiāyāxiāng 명 가압용(加壓用) 박스《잠수병(潛水病) 따위를 치료할 때 씀》.
〔加言儿〕 jiā.yánr 동 ①쓸데없는 말을 덧붙여 나쁘게 말하다. ②남을 중상하는 말을 하다. 옆에서 쏘삭거리다〔부추기다〕. ‖ =〔加盐儿〕
〔加夜工〕 jiā yègōng 시간외 야간 노동(을 하다). 야간 잔업(을 하다).
〔加一〕 jiāyī 동 1할 가산하다. ¶小账～; 팁으로 1할을 얹다. 서비스료 1할.
〔加以〕 jiāyǐ 〈文〉접 그 위에. 게다가. ¶本来就聪明, ～特别用功, 所以进步很快; 본래 영리한데다 공부를 열심히 해서 진보가 빠르다. 동 …을 보태다〔가하다〕. …하다《두 음절의 행위 명사 앞에 두어 전면에 제시한 사물에 어떻게 대처하는가 혹은 어떻게 처리하는지를 나타냄》. ¶～分析; 분석하다 / ～批评; 비판하다 / 文字必须在一定条件下～改革; 문자는 반드시 일정한 조건하에서 개혁을 가해야 한다. 注 '予以'는 일반 명사 앞에 쓰이어 '주다' 라는 뜻을 나타내지만, '加以'는 그렇게 쓰이지 않음. ¶予以自新之路; 자발적인 개전(改悛)의 길을 부여한다.
〔加意〕 jiāyì 동 정신 차리다. 특별히 주의하다. ¶～保护; 주의하여 보호하다 / ～经营; 주의해서 경영하다.
〔加印〕 jiāyìn 동 ①⇨〔盖gài图章〕 ②(사진을) 인화 복사하다. (인쇄물을) 증쇄하다.
〔加油〕 jiā.yóu 동 ①급유하다. 연료를 보급하다. ¶空中～; 공중 급유 / 有了原子火箭船, 不必在中间太空站～了; 원자 로켓 비행선이 있으면 도중의 우주 스테이션에서 급유할 필요가 없어진다. ②⇨〔加油(儿)〕
〔加油(儿)〕 jiāyóu(r) 동 ①힘을 내다. 기운을 내다. 피치를 올리다. ¶我们得～干; 우리들은 기운을 내어 열심히 해야 한다 / ～诗; 활기를 불어넣는 시. ②격려하다. 응원하다. ¶给他～; 그를 응원하다 / 为了给自己国家的足球队～, 当地的侨民组成了拉拉队; 자국의 축구 선수단을 격려하기 위하여 현지의 교민은 응원단을 조직하였다 / ～! ～! 힘내라! 힘!《응원하는 소리》.
〔加油器〕 jiāyóuqì 명 오일러(oiler). 주유기(注油器). ¶环huán～; 링 오일러(ring oiler) / 链liàn～; 체인 오일러(chain oiler).
〔加油添醋〕 jiāyóu tiāncù 〈比〉말을 과장하다〔보태다〕. ¶～地夸大; 말을 보태서 과장하다. =〔加油加醋〕
〔加油站〕 jiāyóuzhàn 명 주유소(注油所). =〔油亭〕
〔加于〕 jiāyú 동〈文〉…에 보태다〔더하다〕. ¶把负担～群众; 부담을 대중한테 지우다.
〔加增〕 jiāzēng 동〈文〉덧붙이다. 늘리다.
〔加罩〕 jiāzhào 동〈文〉덮다. 씌우다.
〔加征〕 jiāzhēng 동 조세를 증징(增徵)하다. =〔加赋〕〔加税〕
〔加重〕 jiāzhòng 동 가중하다. 더 무겁게 하다. 정도를 강화하다. ¶牲口一淋雨, 病又该～了; 가축이 비를 맞으면 병이 더 할 것은 뻔한 일이다 / ～语气; 어조를 강하게 하다.
〔加砖添瓦〕 jiā zhuān tiān wǎ 〈成〉벽돌과 기와를 보태다《미력이나마 바치다. 응분의 힘을 보태다》. ¶干哪一行都是为国家～; 어떤 직업에 종사하더라도 모두가 국가를 위해 응분의 힘을 바치는 것이다.
〔加转弧圈球〕 jiāzhuǎn húquānqiú 명《體》(탁구의) 루프 드라이브(loop drive)《컷볼을 되보낼 때 쓰이는 스핀이 걸린 볼》.

伽 jiā (가)

①→〔伽倻琴〕 ②음역용 자(字). ⇒gā qié

〔伽利略〕 Jiālìlüè 명《人》〈音〉갈릴레이(Galieo Galilei)《이탈리아의 천문학자·물리학자, 1564～1642》.
〔伽倻琴〕 jiāyēqín 명《樂》〈音〉가야금《한국의 악

기 이름》.

迦 Jiā (가)
명 《地》 자허(迦河)《산둥 성(山東省)에서 장쑤 성(江蘇省)을 거쳐 운하(運河)로 흘러드는 강 이름》.

迦 jiā (가)
음역(音譯)·고유 명사에 쓰는 글자《범어(梵語)의 '가' 음 등을 나타냄》. ¶释Shì～; 석가 / ～枸肉; 《植》 육두구.

〔迦蓝〕 jiālán 명 《佛》〈音〉 가람. 절.

〔迦陵频伽〕 jiālíngpínqié 명 《佛》〈梵〉 가릉빈가(kalavinka). 극락에 있다는 새. =〔频伽〕

茄 jiā (가)
① 명 연(蓮) 줄기. ② 명 가지. ¶～子; 가지 / ～梨lí; 산둥(山東) 옌타이(煙臺) 지방에서 나는 배〔梨〕. ③음역자(音譯字). ¶～克kè; 재킷(jacket) / 雪xuě～(煙); 여송연(呂宋煙). 시가(cigar). ⇒qié

㹢 jiā (가)
→〔獾huò㹢狓〕

珈 jiā (가)
① 명 〈文〉 옥의 일종《여성의 장신구》. ②음역용 자(字).

枷 jiā (가)
명 ①항쇄(項鎖). 칼《형구의 하나》. ②도리깨. =〔连枷〕

〔枷锁〕 jiāsuǒ 명 ①칼과 족쇄. ¶～愿; 소원이 이루어진 사람이 칼을 목에 쓰고 신불(神佛)에 감사 기도를 드리다. ②〈比〉 압박과 속박. ¶打破了～; 항쇄(項鎖)를 벗어 버렸다 / 精神～; 정신상의 속박.

痂 jiā (가)
명 부스럼 딱지. ¶结～就快好了; 부스럼 딱지가 앉으면 곧 낫는다. =〔嘎gā渣儿①〕

鸳(駕) jiā (가)
→〔驾鹅〕

〔驾鹅〕 jiā'é 명 《鳥》 (야생의) 거위. =〔野鹅〕

袈 jiā (가)
→〔袈裟〕〔袈衣〕

〔袈裟〕 jiāshā 명 《佛》〈梵〉 중의 옷. 가사(kasāya).

〔袈衣〕 jiāyī 명 상여꾼이 입는 옷.

耞 jiā (가)
→〔连耞〕

笳 jiā (가)
→〔胡hú笳〕

跏 jiā (가)
→〔跏趺〕

〔跏趺〕 jiāfū 명 가부좌. ¶结～坐; 가부좌를 엮어 앉다.

嘉 jiā (가)
① 명 〈文〉 복. 행복. ② 동 칭찬하다. ¶其志可～; 그 뜻은 가상할 만하다 / ～奖; ⇓ ③ 동 기뻐하다. ④ 형 좋다. 훌륭하다. 행복하다. 아름답다. ¶～宾; ⇓ / ～礼; ⇓ ⑤ 명 성(姓)의 하나.

〔嘉宾〕 jiābīn 명 〈文〉 ①〈敬〉 훌륭한 손님. 가빈(佳賓). ②참새의 별칭.

〔嘉辰〕 jiāchén 명 〈文〉 경사스러운 날.

〔嘉谷〕 jiāgǔ 명 《植》 조의 별칭.

〔嘉禾舞(曲)〕 jiāhéwǔ(qǔ) 명 ⇒〔戛jiá伏特〕

〔嘉会〕 jiāhuì 명 〈文〉 ①즐거운 회합. 경사스러운 연회. 성대한 잔치. ②절호의 기회.

〔嘉奖〕 jiājiǎng 동 (공훈 따위를) 칭찬하다. 칭찬하고 장려하다. ¶传令～; 명령을 전하고 표창 장려하다. 명 칭찬과 장려.

〔嘉礼〕 jiālǐ 명 〈文〉 가례. 혼례.

〔嘉勉〕 jiāmiǎn 동 〈文〉 칭찬하며 격려하다.

〔嘉名〕 jiāmíng 명 〈文〉 미명(美名).

〔嘉谟〕 jiāmó 명 〈文〉 좋은〔훌륭한〕 계책. 훌륭한 계략. =〔嘉猷〕

〔嘉纳〕 jiānà 동 〈文〉 기꺼이 받아들이다.

〔嘉年华会〕 jiāniánhuáhuì 명 사육제. 카니발(carnival). =〔谢肉节〕〔狂欢节〕

〔嘉酿〕 jiāniàng 명 〈文〉 좋은 술. =〔嘉醴〕〔佳酿〕

〔嘉耦〕 jiā'ǒu 명 어울리는 부부. 의좋은 부부. =〔嘉偶〕

〔嘉岁〕 jiāsuì 명 〈文〉 좋은 해. 풍년.

〔嘉香肉〕 jiāxiāngròu 명 소금에 절인 (돼지)고기. =〔家乡肉〕

〔嘉羞〕 jiāxiū 명 〈文〉 맛있는 음식. 진수성찬.

〔嘉许〕 jiāxǔ 동 〈文〉 극구 칭찬하다.

〔嘉言〕 jiāyán 명 〈文〉 좋은 말. 훌륭한 말. ¶～录lù; 명언록 / ～懿yì行 =〔～善行〕; 〈成〉 좋은 말과 훌륭한 행실.

〔嘉肴美点〕 jiā yáo měi diǎn 〈成〉 맛있는 요리. 진수성찬.

〔嘉音〕 jiāyīn 명 (좋은) 소식. 답장.

〔嘉珍〕 jiāzhēn 명 〈文〉 진기한 물건. 훌륭한 물품.

麚 jiā (가)
명 《動》〈文〉 수사슴.

夹(夾〈挟〉②) jiā (협)
① 동 끼우다. 집다. 사이에 두다. ¶把纸～在书里; 종이를 책갈피 속에 끼워 두다 / 用筷子～菜吃; 젓가락으로 반찬을 집어 먹다. ② 동 겨드랑이에 끼다. ¶～着书包上学; 가방을 옆에 끼고 학교에 가다. ③ 동 몰래 감추어 가지다. ④ 동 뒤섞다. 뒤섞이다. ¶把石子～在水泥里; 자갈을 시멘트에 섞다 / 风声～着雨声; 바람 소리에 빗소리가 섞이다. ⑤ 동 (가위로) 베다. 자르다. ⑥(～儿, ～子) 명 물건을 끼우는 기구. ¶纸～; 종이 끼우개. 클립 / 名片～子; 명함 지갑 / 文件～; 파일. ⑦ 명 호주머니에 넣는 케이스 종류. ⑧ 양 용지의 연(連). ¶一～洋纸; 한 연(500매)의 양지. ⑨ 명 《數》 곱셈의 부호(×). ⇒gā jiá, '挟' xié

〔夹白金〕 jiābáijīn 명 《化》〈俗〉 크롬(Cr:chrome). ¶～手表; 크롬 손목시계.

〔夹板〕 jiābǎn 명 ①합판(合板). 협판. ②《醫》 부목(副木). ¶上～; 부목을 대다. ③(～儿) 중간에 끼여서 난처한 처지. 진퇴양난. ④(～儿) 말을 수레에 맬 때 말의 목에 대는 널빤지《채를 다는 데 쓰임》. ⑤(～子) (포장 따위에 쓰는) 끼움판.

〔夹板船〕 jiābǎnchuán 명 〈俗〉 항해용의 큰 범선.

〔夹板(门)帘〕 jiābǎn (mén)lián 명 〈北方〉 집 입구에 치는 홑이불 모양의 방한용 커튼의 일종.

〔夹板儿气〕 jiābǎnrqì 진퇴양난의 곤경. ¶一边儿气好受, ～难受; 한쪽에서 꾸중을 듣는 것은 몰라도 양쪽에서 꾸중을 듣는 것은 참을 수 없다.

〔夹包〕 jiābāo 명 (어린이 놀이용의) 공기. ¶玩～;

공기놀이를 하다.
〔夹包儿〕 jiābāor 명 (집집으로 팔러 다니는) 보따리 장수.
〔夹鼻眼镜〕 jiābíyǎnjìng 명 코안경. =〔夹鼻镜〕
〔夹壁墙(儿)〕 jiābìqiáng(r) 명 ①이중벽. =〔夹墙〕〔重壁〕 ②〈比〉 딜레마. 진퇴양난. ¶掉在～里; 딜레마에 빠지다.
〔夹彩〕 jiācǎi 명동 〖美〗 협채(하다)《도자기에 색을 칠한 후에 또 그림을 그려서 채색하는 일》.
〔夹层〕 jiācéng 형 이중의. 이층의. ¶～玻璃; 이중 유리《안전 유리의 하나》/ ～墙; 이중벽《겉은 벽돌이고, 안은 모르타르》.
〔夹叉〕 jiāchā 명 ① ⇨〔托tuō架〕 ②〖機〗 (단조용(鍛造用)의) 바이스(vice). ③〈方〉 머리핀.
〔夹叉射击〕 jiāchā shèjī 〖軍〗 협차 포격.
〔夹打〕 jiādǎ 명 옛날, 집게 따위에 손을 끼우는 형벌.
〔夹带〕 jiādài 동 (몸이나 물건 사이에 숨겨서) 몰래 휴대하다. ¶～私货sīhuò; 밀수하다. 명 시험 때 부정 행위를 위해 갖고 가는 것. 커닝(cunning)용 준비물. ¶～条子; 커닝 페이퍼.
〔夹带藏掖〕 jiā dài cáng yē 〈成〉 (금지한 것을) 몰래 간직하다.
〔夹袋〕 jiādài 명 ①호주머니. ②휴대용 자루.
〔夹袋人物〕 jiādài rénwu 〈比〉 장차 쓰기 위해 마련해 놓은 인물.
〔夹当儿〕 jiādangr 명 ①때. 경우. ¶那个～; 그 때. ②한가한 시간. 틈.
〔夹道〕 jiādào 동 길 양쪽에 늘어서다. ¶～热烈欢迎; 길 양쪽에 늘어서서 열렬히 환영하다.
〔夹道(儿)〕 jiādào(r) 명 담과 담 사이의 좁은 길. =〔夹道子〕
〔夹缝〕 jiāfèng 동 가봉(假縫)하다.
〔夹缝(儿)〕 jiāfèng(r) 명 ①(두 물체 사이의) 틈. 틈새. ¶书掉在两张桌子的～里; 책이 두 책상 사이의 틈새에 떨어졌다 / 正在通货膨胀和经济危机的～中; 인플레와 경제 위기의 틈바구니에 끼여 있다. ②(돌·나무 등의) 갈라진 틈. 금. 균열.
〔夹杆石〕 jiāgānshí 명 기(旗) 또는 간판의 막대를 끼워 지탱하게 하는 돌.
〔夹肝〕 jiāgān 명 〈方〉 (소·돼지·양 등의) 췌장 따위의 내장《요리 재료》.
〔夹攻〕 jiāgōng 명동 협공(하다). ¶左右～; 좌우에서 협공하다.
〔夹沟子〕 jiāgōuzi 명 계곡 사이의 좁은 길.
〔夹鼓〕 jiāgǔ 동 눈을 깜박이다. ¶～眼; 눈짓을 하다. 눈으로 알리다. 눈으로 신호하다.
〔夹规〕 jiāguī 명 〖工〗 스냅 게이지(snap gauge). 집게 게이지.
〔夹棍〕 jiāgùn 명 옛날, 주리를 틀 때 다리 사이에 끼우는 막대. 주릿대. =〔夹棒〕
〔夹击〕 jiājī 명동 〈文〉 협공(하다).
〔夹剪〕 jiājiǎn 명 ①(가위 모양의) 집게. ②은괴(銀塊)를 자르는 가위.
〔夹间〕 jiājiàn 동 사이에 처넣다. 끼워 넣다.
〔夹间儿〕 jiājiànr 명 물건과 물건의 사이〔틈〕. =〔两夹间儿〕
〔夹角〕 jiājiǎo 명 〖數〗 협각.
〔夹具〕 jiājù 명 〖工〗 고정시키는 공구. 지그(jig). 홀더(holder). =〔卡qiǎ具〕〔治zhì具〕
〔夹锯〕 jiājù 동 ①톱이 틈새에 끼여서 움직이지 않다. ②〈比〉 일이 잘 되지 않다. ¶这件事情～了; 이 일은 진척되지 않는다.
〔夹开〕 jiākāi 동 ①새에 끼워 끊다. ②가위로 자르다.
〔夹克〕 jiākè 명 ①〈音〉 재킷(jacket). =〔甲克〕〔茄jiā克〕 ②잠바. ¶运动～; 운동복. 트레이닝 웨어.
〔夹帘子〕 jiāliánzi 명 이중 커튼.
〔夹磨〕 jiāmo 동 ①연마하다. ②조르다. 재촉하다. ③양쪽에서 못 살게 굴다. 괴롭히다. ¶遇见心窄的人, 多少得děi受点儿～; 도량이 좁은 사람을 만나게 되면 얼마간 괴로움을 당할 것이다. ④약점을 잡다.
〔夹七夹八〕 jiā qī jiā bā 〈成〉 (말 따위가) 뒤죽박죽이어서 분명치 않고 사리에 닿지 않다. ¶她～地说了许多话; 그 여자는 이러쿵저러쿵 하며 많이 지껄였다. =〔夹七带八〕〔夹七杂八〕〔夹三夹四〕
〔夹气伤寒〕 jiāqì shānghán 명 〖漢醫〗 〈俗〉 중증(重症)의 장티푸스《노여움으로 생긴다고 함》.
〔夹器〕 jiāqì 명 〖工〗 꺾쇠. 거멀장식.
〔夹钳〕 jiāqián 명 〖工〗 죔틀. 클램프(clamp). 그리퍼(gripper).
〔夹生〕 jiāshēng〔jiāsheng〕 형 ①(음식이) 설익다. ¶煮～; 반숙으로 삶다. ②미숙하다. 미완성이다. 어중간하다. ¶这孩子不用功, 学的功课是～的; 이 아이는 공부를 열심히 하지 않아서 학업이 어중간하다. ③〈方〉 쌀쌀하다. 서먹서먹하다. 원만하지 못하다.
〔夹生饭〕 jiāshēngfàn ①설익은 밥. ②〈轉〉 찜찜한 기분. ¶～可不好吃; 찜찜한 기분으로 지낸다는 것은 도저히 견딜 수 없다. ③〈轉〉 어중간한 일. (개혁이) 철저하지 못함. ¶整风运动中的不彻底的～现象; 정풍 운동 중의 철저하지 못하고 어중간한 현상 / 区上来人调查～; 구(區)에서 사람을 보내어 개혁이 철저하지 못한 지구의 조사를 하다.
〔夹丝玻璃〕 jiāsī bōli 명 철사망이 들어 있는 유리. =〔夹铅丝络网玻璃〕〔络luò网玻璃〕
〔夹铁〕 jiātiě 명 멈춤쇠·잠그개·물림쇠 따위.
〔夹万〕 jiāwàn 명 〈廣〉 금고. ¶把现款放在～; 현금을 금고에 넣어 두다.
〔夹馅(儿)〕 jiāxiàn(r) 형 소를 넣은. ¶～馒头; 소가 든 만두. 명 〈俗〉 (안에 납이나 구리를 넣고 겉만 은으로 된) 위조 은화.
〔夹心〕 jiāxīn ① 형 (물건을) 끼운. ¶～面包; 샌드위치 / ～饼干; (사이에 크림이나 초콜릿 등을 넣은) 비스킷. 크래커 / ～糖; 알맹이가 들어 있는 엿 / 果酱～糖; (속에 잼을 넣은) 엿. ②→〔五花肉〕
〔夹叙夹议〕 jiā xù jiā yì 〈成〉 여러 가지 설명을 하거나 논의하면서 이야기를 진행하다.
〔夹腰带〕 jiāyāodài 명 ⇨〔紧jǐn腰衣〕
〔夹硬〕 jiāyìng 동 강행하다. ¶他们想～批准军约; 그들은 군사 조약의 비준을 강행하려고 하고 있다.
〔夹杂〕 jiāzá 동 ①열등품(劣等品)을 한데 섞다. ②혼합하다. 뒤섞이다. 섞다. ¶脚步声和笑语声～在一起; 발소리와 담소하는 소리가 뒤섞여 있다 / 米里～着砂粒; 쌀에 모래가 섞여 있다. =〔搀chān杂〕
〔夹障子〕 jiāzhàngzi 동 생울타리를 만들다. 명 생울타리. 대나무 등의 울타리.
〔夹着〕 jiāzhe 부 계속해서. 뒤이어.
〔夹着尾巴〕 jiāzhe wěiba 겁먹고 꽁무니 빼다. ¶他看形势不对, 就～溜走了; 그는 형세가 불리하다고 생각하자마자 꽁무니를 빼고 도망쳤다.
〔夹针〕 jiāzhēn 명 젬 클립(gem clip). =〔别针〕

〔夹竹桃〕jiāzhútáo 명 《植》 협죽도.
〔夹注〕jiāzhù 명 문구(文句)의 사이에 써 넣은 주석. 할주(割註). ¶～号; 주석을 표기하는 부호(( )·〔 〕등).
〔夹子〕jiāzi 명 ①머리핀. ¶用～牢夹住; 핀으로 꼭 끼다. =〔头发夹子〕 ②명함 넣어 두는 주머니. ③물건을 끼우는 도구. 클립. ¶报纸～; 신문 철하는 도구. ④동물의 집게발. ¶蟹～; 게의 집게발. ⑤집게. ¶洗衣～ =〔衣服～〕; 빨래 집게. ⑥간계. 올가미.

浃(浹) jiā (협) 동 〈文〉 ①축축해지다. 축축히 젖다. 널리 미치다. ¶～～; 흠뻑 젖은 모양/汗流～背; 땀이 등에 흐르다/远～膏雨; 단비가 많이 내리다. ②스며들다. 사무치다. ¶～于骨髓; 골수에 사무치다. ③돌다. 순환하다. ¶～辰chén; 십이지(十二支)의 일순(一巡)(12일간).

筴(筴〈梜〉) jiā (협) 명 〈文〉 (고대의) 젓가락. ⇒cè

佳 jiā (가) ① 형 좋다. 아름답다. 훌륭하다. ¶成绩甚～; 성적이 대단히 좋다/～日; 좋은 날. ② 명 좋은 일. ¶总不见～; 아무리 하여도 잘 안 된다.
〔佳宾〕jiābīn 명 〈文〉 ①반가운 손님. ②귀빈.
〔佳兵〕jiābīng 명 예리한 무기. 동 용병술에 탁월하다.
〔佳辰〕jiāchén 명 〈文〉 길일. 좋은 날.
〔佳城〕jiāchéng 명 〈文〉 묘지. ¶～卜吉; 길일을 택하여 매장하다.
〔佳处〕jiāchù 명 〈文〉 미점(美點). 장점.
〔佳构〕jiāgòu 명 〈文〉 (문장의) 좋은 구상(構想). 훌륭한 구성(構成).
〔佳话〕jiāhuà 명 〈文〉 (세상에 널리 알려진) 미담.
〔佳节〕jiājié 명 ①좋은 시절〔계절〕. ②경사스러운 축일(祝日). 명절. ¶中秋～; 중추 가절/每逢～倍思亲; 가절을 맞을 때마다 더 많이 가족을 생각하다.
〔佳景〕jiājǐng 명 〈文〉 아름다운 경치. 좋은 풍경.
〔佳境〕jiājìng 명 〈文〉 ①경치가 좋은 곳. ②가경. 좋은 경지. 가장 재미있는 고비〔곳〕. ¶渐入～; 점점 재미있는 경지에 들어가다. 점입가경/话正谈到～, 偏巧来个电话给打岔了; 이야기가 막 재미있어질 무렵 공교롭게 전화가 와서 이야기는 끊기고 말았다.
〔佳句〕jiājù 명 아름다운〔좋은〕 글귀.
〔佳客〕jiākè 명 〈文〉 반가운 손님. 고객.
〔佳况〕jiākuàng 명 〈文〉 좋은 상황.
〔佳丽〕jiālì 형 〈文〉 (경치·용모가) 아름답다. 명 미녀.
〔佳美〕jiāměi 형 〈文〉 아름답다. 미려하다.
〔佳妙〕jiāmiào 형 〈文〉 훌륭하고 뛰어나다. ¶文辞～; 〈成〉 문장의 자구가 아름답다.
〔佳酿〕jiāniàng 명 〈文〉 미주. 좋은 술. =〔嘉酿〕
〔佳偶〕jiā'ǒu 명 〈文〉 좋은 배우자〔배필〕. =〔佳对〕
〔佳品〕jiāpǐn 명 〈文〉 상등품. 고급품.
〔佳期〕jiāqī 명 〈文〉 ①연인들이 만나는 날. 데이트 날〔시간〕. ②결혼의 기일. ③좋은 시기.
〔佳气〕jiāqì 명 〈文〉 길상의 기상. 상서로운 기운.
〔佳器〕jiāqì 명 〈文〉 유능한 인재.
〔佳趣〕jiāqù 명 〈文〉 좋은 취미.
〔佳人〕jiārén 명 〈文〉 ①(～儿) 미인. ②좋은 사람. ③재능 있는 사람.
〔佳什〕jiāshí 명 ⇨〔佳作〕
〔佳士〕jiāshì 명 〈文〉 품행이 단정한 사람.
〔佳味〕jiāwèi 명 좋은 맛. 가미.
〔佳婿〕jiāxù 명 〈文〉 좋은 사위. =〔快kuài婿〕
〔佳肴〕jiāyáo 명 〈文〉 맛있는 음식〔안주〕. 훌륭한 요리.
〔佳音〕jiāyīn 명 〈文〉 기쁜 소식. 길보(吉報). ¶静候～; 오로지 기쁜 소식을 기다리다.
〔佳珍〕jiāzhēn 명 〈文〉 좋은 물건.
〔佳致〕jiāzhì 명 〈文〉 우미한 풍치〔운치〕.
〔佳馔〕jiāzhuàn 명 〈文〉 좋은 음식〔요리〕.
〔佳作〕jiāzuò 명 가작. 우수한 작품. =〔佳什〕 →〔杰jié作〕

家 jiā (가) ① 명 가정. ¶一～人; 한 집안의 사람들. 한 집안 식구. ② 명 집. 거처(사람이 생활하고 있는 장소를 말함). ¶王先生在～吗? 왕(王) 선생은 집에 계십니까? ③ 명 (관청·군부대 등의) 집무 장소. ¶刚好营长不在～; 마침 대대장은 부재중이었다. ④ 명 문벌(門閥). ⑤ 명 …가(家). ¶王～孩子; 왕(王)씨네 자손. ⑥ 형 가정적. 가정의. ¶～务事; 가사(家事). ⑦ 명 전문가. 전문 기술·학문 또는 오로지 한 가지의 업무에 종사하고 있는 사람·유파(流派). ¶专～; 전문가/科学～; 과학자/画～; 화가. ⑧ 명 가게. ¶此一～只有总号没有分号; 이 가게는 본점뿐이고 지점은 없다. ⑨ 형 〈方〉 집에서 기르는. ¶～鸭; 집오리. ↔〔野⑥〕 ⑩ 동 〈方〉 길들이다. 길들여지다. ¶这只小鸟已经养～了; 이 작은 새는 완전히 키워서 길들여졌다. ⑪ 명 〈北方〉 아내. 처. =〔家里〕 ⑫ 〈謙〉 자기에 속하는 것의 비칭(卑稱) ¶～乡; 나의 고향. ↔〔令〕〔贵⑤〕 ⑬ 〈謙〉 자기 집의 사람으로 자기보다 손윗사람에게 붙이는 겸칭(남에게 말할 때). ¶～父; 나의 아버지/三～兄; 나의 세째 형. ↔〔令〕 ⑭ 접미 자칭 또는 타칭의 접미사. ¶咱～; 나/人～; 다른 사람. 딴 분. ⑮ 양 가정 또는 기업·상점을 세는 데 쓰임. ¶一～人家; 한 집안의 사람들/三～商店; 상점 세 채. ⑯ 명 성(姓)의 하나.

家 jia (가) 접미 ①명사 뒤에 쓰여, 어느 한 부류에 속하는 사람임을 나타냄. ¶女人～; 여인들/孩子～; 아이들/姑娘～; 아가씨들/学生～; 학생들. ②남자의 이름이나 항렬 뒤에 쓰여, 그의 아내를 나타냄. ¶秋生～; 추생의 아내/老三～; 세째의 아내. ⇒gū jie
〔家宝〕jiābǎo 명 가보. 집안의 보물. ¶传chuán～; 대대로 전하여 오는 가보.
〔家伯〕jiābó 명 〈謙〉 백부(伯父)를 남에게 이르는 말.
〔家财〕jiācái 명 ⇨〔家产chǎn〕
〔家菜〕jiācài 명 자기 집의 음식. 가정의 음식. ¶～不香, 外菜香; 〈諺〉 자기 집의 음식은 맛없고, 남의 집의 음식은 맛있다(남의 것은 좋아 보임).
〔家蚕〕jiācán 명 《蟲》 집누에. 가잠. =〔桑sāng蚕〕
〔家产〕jiāchǎn 명 가산. =〔家财〕〔家资〕
〔家长里短(儿)〕jiā cháng lǐ duǎn(r) 〈成〉〈方〉 일상 생활의 자질구레한 일. 항다반사(恒茶飯事). ¶谈谈～; 세상 돌아가는 이야기 좀 하자. =〔家长理短(儿)〕

〔家常〕 jiācháng 명 ①일상의 집안일. 일상적인 일. ¶～话; 일상적인〔흔히 있는〕 이야기／～饼; 집에서 흔히 해먹는 '烙饼'의 일종／～菜; 일상의 가정 음식. ②'馒头'의 일종. ③세상 이야기. ¶拉开～; 세상 돌아가는 이야기를 시작하다.

〔家常便饭〕 jiā cháng biàn fàn 〈成〉 ①가정의 보통 식사. 평소 집에서 먹는 밥. ②〈比〉 흔히 있는 일. 예삿일. 일상 다반사. ¶这个容易, 仿佛是～似的; 이것은 별것 아니야. 식은 죽 먹기다. ‖＝〔家常饭〕

〔家常面〕 jiāchángmiàn 명 가정에서 흔히 만드는 (야채·고기를 넣고 끓인) 국수.

〔家常日用〕 jiācháng rìyòng 명 일용품.

〔家丑〕 jiāchǒu 명 가정 안의 분쟁〔수치〕. ¶～不可外扬; 〈諺〉 가정 안의 추한 모습은 밖에 내놓아서는 안 된다.

〔家畜〕 jiāchù 명 가축.

〔家传〕 jiāchuán 명 가전. 대대로 집안에 전해져 내려오는 것. ¶～学; 가전학.

〔家祠〕 jiācí 명 (조상을 모시는) 사당(祠堂)《일족이 공동으로 운영》. ＝〔家庙〕〔家堂〕

〔家慈〕 jiācí 명 〈謙〉〈文〉 나의 어머니. ＝〔家母〕

〔家从〕 jiācóng 명 〈文〉 종자(從者). 부하. 하인.

〔家大业大〕 jiā dà yè dà 〈成〉 집이 크면 재산도 많다《재산가》. ¶～, 浪费点没啥; 조직이 크면 재산도 많으니, 비록 조금 낭비해도 염려할 것 없다.

〔家当(儿)〕 jiādàng(r)〔jiādang(r)〕 명 〈口〉 집안의 재산. 부(富). 집안의 세간. ¶给骨肉儿孙留点～; 혈육붙이에게 얼마간의 재산을 남기다. ＝〔家产chǎn〕〔家业yè〕

〔家道〕 jiādào 명 ①(～儿) 가계(家計). 한 집안의 살림 형편. ¶～中落; 가운이 중도에서 쇠퇴하다／～富足; 살림 형편이 풍족하다／～小康; 살림 형편이 중류(中流) 정도이다. ＝〔家计〕〔家境〕 ②생활의 계획. ③가풍(家風). 집안을 다스리는 도리.

〔家嫡〕 jiādí 명 ⇨〔世shì嫡〕

〔家底(儿)〕 jiādǐ(r) 명 ①한 집안의 생활 기반. ¶～薄; 가정의 경제적 기반이 든든하지 않다／打～; 생활의 기반을 만들다. ②여축. ③조상으로부터의 가산. ‖＝〔家底子①〕

〔家底子〕 jiādǐzi 명 ①⇨〔家底(儿)〕 ②집안. 가문.

〔家电〕 jiādiàn 명 〈簡〉 가정용 전기 기구. ＝〔家用电器〕

〔家奠〕 jiādiàn 명 일가(一家)의 제전(祭典).

〔家丁〕 jiādīng 명 옛날의, 가복(家僕)〔사내종〕.

〔家法〕 jiāfǎ 명 ①〈文〉 가학(家學)《사제 상전(師弟相傳)의 학술 이론과 치학법(治學法)》. ②가법. 가헌(家憲). ＝〔家规〕 ③옛날, 가장이 집안 사람을 징계하기 위한 도구.

〔家访〕 jiāfǎng 명동 (학동 등의) 가정 방문(하다). ¶去～; 가정 방문하러 가다.

〔家肥〕 jiāféi 명 자가제(自家製) 비료《인분뇨(人糞尿)·퇴비 등》.

〔家父〕 jiāfù 명 〈謙〉 나의 아버지. 가친(家親). ↔〔令尊lìngzūn〕

〔家鸽〕 jiāgē 명 집에서 기르는 비둘기. 집비둘기. ＝〔鹁bó鸽〕

〔家公〕 jiāgōng 명 〈文〉 ①나의 아버지. ②나의 할아버지. ③주인공. ④시아버지.

〔家馆〕 jiāguǎn 명 ①사숙(私塾). ②가정 교사.

〔家规〕 jiāguī 명 ⇨〔家法②〕

〔家鬼〕 jiāguǐ 명 ①집에 붙어 있는 망령. ②집안의 방해자. 집안의 귀찮은 존재.

〔家过儿老〕 jiāguorlǎo 명 〈方〉 노처녀. ＝〔家姑儿老〕

〔家号〕 jiāhào 명 옥호(屋號).

〔家和〕 jiāhé 형 가족이 화목하다. 부부 사이가 좋다. 가정이 원만하다. ¶～万事兴; 〈諺〉 가정이 원만하면 무슨 일이든지 잘 된다.

〔家花不及野花香〕 jiāhuā bù jí yěhuā xiāng 〈諺〉 집의 꽃이 들의 꽃보다 향기가 못하다《남의 것은 좋게 보인다》. →〔家菜不香, 外菜香〕

〔家伙〕 jiāhuo 명 ①일용 기구류의 총칭. 모든 기구류. ¶～斗子; 도구 상자／～铺儿; (길흉사 때 쓰는) 기구류를 빌려 주는 상점／～座儿; 한 세트의 탁자·의자·식사용 기구. ②악기·무기·형구(刑具) 따위. ¶～手儿; (구식 타악기의) 악수(樂手)／唱! 唱! 我给你打～; 불러! 불러! 내가 악기를 두드릴게. ③〈俗〉 남자의 음경(陰莖)을 가리키는 말. →〔鸡jībā〕 ④자식. 녀석. 놈《깔보거나 서로 친해서 막 부르는 칭호》. ¶这个～; 이 새끼／愣～; 분별 없는 놈／好～; 이자식! 나쁜 놈!／死～! 이 오라질 자식!／坏～; 악당／你这个～真会开玩笑! 너라는 놈은 정말 농담을 잘 하는구나! 양 〈方〉 동작의 횟수를 나타냄. ①손에 물체를 들고서 행하는 횟수. ¶搬起石头, 把自己的脚砸了一～; 돌을 들어 올리다가 자기의 발에 (돌을) 떨어뜨렸다. ②해치울 때의 1회를 나타냄. ¶放手把敌人收拾一～; 적을 마음껏 해치우다. ‖＝〔傢伙〕

〔家伙槅子〕 jiāhuogézi 도구를 넣는 (칸막이) 선반.

〔家伙篮〕 jiāhuolán 명 도구 따위를 넣는 바구니.

〔家鸡野鹜〕 jiā jī yě wù 〈成〉 ①아내를 버리고 다른 여자에 미치다《'家鸡'는 자기 아내. '野鹜'는 남의 아내를 가리킴》. ②자기 것은 달갑게 여기지 않고 남의 것을 선모하다.

〔家给人足〕 jiā jǐ rén zú 〈成〉 ①어느 집이나 의식(衣食)이 풍족하다. ②(지방의) 산물이 풍족하다. ‖＝〔人给家足〕

〔家计〕 jiājì ⇨〔家道①〕

〔家祭〕 jiājì 명 일반 가정에서 지내는 조상의 제사. ＝〔〈文〉 寝qǐn荐〕

〔家鲫鱼〕 jiājìyú 명 《魚》〈方〉 참돔. ＝〔加级鱼〕

〔家家(儿)〕 jiājiā(r) 명 집집마다. 가가호호. ¶村子里～喂猪养鸡; 마을에서는 어느 집에서나 돼지와 닭을 기르고 있다／～有本难念的经; 〈諺〉 어느 집에나 골치 아픈 일은 있게 마련이다. ＝〔家家户户〕

〔家家户户〕 jiājiāhùhù 명 가가호호. 집집마다. ＝〔家家(儿)〕

〔家家儿〕 jiājiar 명 집. 가정. ¶他不是好～的孩子; 저 아이는 좋은 가정의 아이는 아니다.

〔家教〕 jiājiào 명 ①가정 교육. ¶～严; 가정 교육이 엄하다／没有～; 가정 교육이 되어 있지 않다. ②〈簡〉 가정 교사. '家庭教师'의 약칭.

〔家诫〕 jiājiè 명 〈文〉 가훈.

〔家景〕 jiājǐng 명 집안 형편. 생활 형편. ¶～很穷; 생계가 무척 곤궁하다.

〔家境〕 jiājìng 명 가정 형편. ＝〔家道①〕

〔家居〕 jiājū 동 (직업 없이) 집에 있다. 집에서 빈둥빈둥 놀고 있다.

〔家具〕 jiāju 명 ①식사용의 도구. ②가구. 가재도구《주로 목제품》. ③손에 든 무기(武器)《손에 드는 무기》. ‖＝〔傢具〕

〔家眷〕 jiājuàn 명 〈文〉〈謙〉 ①가족. 가솔. ¶他是有～的人; 그는 가정을 갖고 있다. ②처(妻).
〔家口〕 jiākǒu 명 ①가족. ¶养活～; 가족을 부양하다. ②가족수.
〔家况〕 jiākuàng 명 가정 형편.
〔家累〕 jiālěi 명 〈文〉 가정의 번거로운 일. 집의 걱정거리. ¶他人口多, ～重; 그는 식구가 많아서 걱정도 많다.
〔家里〕 jiāli 명 ①집. 가정. 집안. ¶他～有钱; 그의 집은 부자이다. ②〈俗〉 마누라. 아내. ¶我的～; ⓐ나의 아내. ⓑ우리 집(안). =〔家里的〕〔屋里的〕
〔家里打车, 外头合辙〕 jiāli dǎ chē, wàitou hé zhé 〈諺〉 집 안에서 수레를 만드는데 밖의 차폭(車幅)에 맞춘다(세상일에 순응함).
〔家门〕 jiāmén 명 ①〈文〉 가정. 가족. ¶～不幸; 가족의 불행. ②〈方〉 일족. 동족. ¶他是我的～堂兄弟; 그는 나의 친족 사촌이다. =〔本家〕〔同姓〕 ③(집의) 대문(추상적 의미로 쓰임).
〔家门口〕 jiāménkǒu 명 현관.
〔家庙〕 jiāmiào 명 ⇨〔家祠cí〕
〔家母〕 jiāmǔ 명 〈謙〉〈文〉 나의 어머니. ↔〔令堂〕
〔家酿〕 jiāniàng 명 〈文〉 집에서 빚은 술. =〔家醪〕
〔家奴〕 jiānú 명 〈文〉 가노. 종. 머슴. 하인.
〔家贫思良妻〕 jiā pín sī liáng qī 〈成〉 집이 가난한 때에 어진 아내를 생각한다(곤란한 때에는 남의 도움이 아쉽다).
〔家破人亡〕 jiā pò rén wáng 〈成〉 한 집안이 몰락하여 사방으로 흩어지다. (재난으로) 집과 가족을 잃다.
〔家谱〕 jiāpǔ 명 가계도(家系圖). 족보. =〔家牒〕〔家乘shèng〕
〔家雀儿〕 jiāqiǎor 명 《鳥》〈方〉 참새. ¶～过海; 참새가 바다를 건너다(머무를 데가 없다. 살아 나아갈 방도가 막연하다). =〔麻má雀①〕
〔家禽〕 jiāqín 명 가금. 집에서 기르는 날짐승.
〔家穷行不穷〕 jiā qióng xíng bù qióng 〈諺〉 가난해도 행동은 의연하다.
〔家人〕 jiārén 명 ①가족. =〔家里人〕〔家人父子〕 ②하인. 종. 머슴.
〔家山〕 jiāshān 명 〈文〉 고향.
〔家山药〕 jiāshānyào 명 《植》 마.
〔家生〕 jiāshēng 명 ①가계. 살림 형편. ②〈南方〉 가구. 가재 도구.
〔家史〕 jiāshǐ 명 집안 역사.
〔家世〕 jiāshì 명〈文〉 ①가계와 문벌. 가문. ¶～寒微; 가문이 보잘것 없다. =〔老lǎo底(儿)③〕 ②살림살이. 생활 정도.
〔家事〕 jiāshì 명 ①가사. ②가정의 사사(私事). ③가정의 생활 형편.
〔家室〕 jiāshì 명 〈文〉 ①가족. ②부부.
〔家什〕 jiāshi 명 〈口〉 가재 도구. 가구. 살림살이. ¶食堂里的～擦得很干净; 식당의 비품은 깨끗이 닦여 있다. =〔家式〕〔傢什〕
〔家书〕 jiāshū 명 ⇨〔家信〕
〔家塾〕 jiāshú 명 〈文〉 가숙. 사숙(私塾). 문숙(門塾). =〔门mén塾〕
〔家属〕 jiāshǔ 명 가족(본인을 포함하지 않음). ¶职工～; 종업원의 가족 / ～工厂; 종업원의 가족이 경영하는 공장 / ～宿舍; 대처자(帶妻者) 주택. =〔家族②〕
〔家鼠〕 jiāshǔ 명 《動》 집쥐류(類). ¶褐hè～ =〔大～〕〔沟鼠〕〔褐鼠〕; 시궁쥐 / 黑～ =〔黑鼠〕; 곰쥐 / 小～; 새앙쥐.
〔家数〕 jiāshù 명 ①파별(派別). 유파(流派). ¶这种字体不知是什么～; 이 종류의 서체는 어느 파의 것인지 모르겠다. ②방법. 계책. 수완. ¶那个人的～可多了; 저 사람은 계책을 많이 지니고 있다.
〔家数儿〕 jiāshùr 명 호수(戶數).
〔家私〕 jiāsī 명 ①〈口〉 가산. 재산. ②가사(家事).
〔家天下〕 jiātiānxià 명 족벌(族閥) 천하. 족벌 체제.
〔家庭〕 jiātíng 명 가정. ¶～常谈; 가정에서의 잡담 / ～教育; 가정 교육 / ～教师; 가정 교사 / ～妇女; 가정 주부 / ～作业; 숙제 / ～会议; 가족회의 / ～观念; 가정 중시(重視)주의 / ～院户; 집 마당의 가장자리.
〔家庭出身〕 jiātíng chūshēn 명 출신 가정. 출신 성분(계급 구분에 따른 가정).
〔家童〕 jiātóng 명 〈文〉 가동. 집안의 심부름하는 아이〔종〕.
〔家徒四壁〕 jiā tú sì bì 〈成〉 집이 사방이 벽뿐으로, 텅 비어 있다(너무 가난하여 가진 것이 없다). =〔家徒壁立〕
〔家兔〕 jiātù 명 《動》 토끼. 집토끼.
〔家蚊〕 jiāwén 명 《蟲》 모기. =〔常cháng蚊〕〔库kù(雷)蚊〕
〔家无担石〕 jiā wú dàn shí 〈成〉 집에 식량이 없어 간신히 그날 그날 지내다. 하루살이 생활을 하다.
〔家务〕 jiāwù 명 ①가사(家事). ¶～劳动; 가사 노동 / 操持～; 가사를 꾸려 나가다. =〔家务事〕 ②가정 내의 싸움. ¶闹～; 집안 싸움을 일으키다.
〔家务事〕 jiāwùshì 명 가사(家事). 가정 안의 일. =〔家务①〕
〔家下〕 jiāxia 명 ①자기의 처. 우처(愚妻). ②집안. ¶～人; 하인. ③가문. 문벌.
〔家乡〕 jiāxiāng 명 고향. ¶您的～是在哪儿? 고향은 어디십니까? / ～熟土; 정든 고향.
〔家乡肉〕 jiāxiāngròu 명 소금에 절인 (돼지)고기. =〔嘉香肉〕
〔家小〕 jiāxiǎo 명 〈口〉 처자. 가족(때로는 아내만을 가리킴). ¶他本人还没有～; 그에게는 아직 처자가 없다.
〔家信〕 jiāxìn 명 집에서 온 편지. 집으로 부친 편지. ¶写了一封～; 집에 부칠 편지 한 통을 썼다 / 来了一封～; 집에서 편지 한 통이 왔다. =〔家书〕
〔家兄〕 jiāxiōng 명 〈謙〉 가형(남에게 자기 형을 이르는 말).
〔家学〕 jiāxué 명 〈文〉 집안 대대로 전해 내려오는 학문. ¶～渊源; 집안 대대로 전해 내려오는 학문이 깊다.
〔家训〕 jiāxùn 명 가훈.
〔家鸭〕 jiāyā 명 《鳥》 집오리.
〔家严〕 jiāyán 명 〈文〉〈謙〉 나의 아버지. =〔家父〕 ↔〔令尊〕
〔家宴〕 jiāyàn 명 집안 잔치.
〔家燕〕 jiāyàn 명 《動》 제비. =〔燕子〕
〔家业〕 jiāyè 명 가산(家産). 부동산. 가재(家財). =〔家资zī〕
〔家蝇〕 jiāyíng 명 《蟲》 (집)파리.
〔家用〕 jiāyòng 명 집의 생활비. ¶贴补～; 가계(家計)를 보충하다 / ～账; 가계부. 형 가정용의. ¶～电器; 가정용 전기 기구.
〔家有千口, 主事一人〕 jiā yǒu qiān kǒu, zhǔ

shì yī rén 〈成〉 집에 천 사람이 있어도 한 사람이 책임지고 일을 한다《사람이 많더라도 책임자는 하나이다》.

〔家喻户晓〕 jiā yù hù xiǎo 〈成〉 어느 집에서나 〔누구나〕 다 알고 있다. ¶～的民间故事; 누구나 다 알고 있는 민간 이야기.

〔家园〕 jiāyuán 명 ①집 안의 뜰. 〈轉〉 고향. 가정. ¶重建～; 가정을 다시 꾸리다. ②〈方〉 그 집의 채마밭. 또, 그 곳에서 생산된 것. ¶～茶叶; 자기 집에서 만든 차.

〔家贼〕 jiāzéi 명 자기 편이면서 해(害)를 끼치는 자. 내부의 적(敵). ¶外贼好捉～难防; 〈諺〉 외부의 도적은 잡기 쉬우나, 안에 있는 도적은 막기 어렵다.

〔家宅〕 jiāzhái 명 집. 가정. ¶～不安; 집안이 어수선하다.

〔家长〕 jiāzhǎng 명 ①가장. 세대주. ¶～制; 가부장제 / ～作风; 가장인 체하는 행동. ②(아동의) 보호자. 학부모. ¶～会; 학부형회.

〔家政〕 jiāzhèng 명 가정을 다스리는 일.

〔家种〕 jiāzhòng 명 인공 재배. ¶把野生药材改为～; 야생 약초를 인공 재배하다. 형 집에서 재배한. ¶～的蔬菜; 집에서 가꾼 야채.

〔家主〕 jiāzhǔ 명 한 집안의 주인. 가장(家長). ¶～婆; 〈南方〉 일가의 주부. 아내 / ～公; 〈南方〉 남편 / ～翁; 가정에서 제일 높은 어른.

〔家住〕 jiāzhù 동 거주하다. ¶～汉城; 서울에 거주하다.

〔家传〕 jiāzhuàn 명 한 가문의 전기(傳記).

〔家资〕 jiāzī 명 ⇨〔家产〕

〔家子〕 jiāzi 명 ①가족. ¶一～; 일가족 / 一共住着多少～? 모두 몇 가족이 살고 있습니까? / 小～; 지체가 낮은 사람. ②동사 뒤에 붙어, 그 동작을 왕성하게 하는 사람. ¶喝～; 술꾼 / 耍shuǎ～; 노름꾼.

〔家族〕 jiāzú 명 ①일족. 동족. ¶大～制; 대가족제. ② ⇨〔家属〕

傢 jiā (가) →〔傢伙〕〔傢具〕〔傢什〕

〔傢伙〕 jiāhuo 명 ⇨〔家伙〕

〔傢具〕 jiāju 명 ⇨〔家具〕

〔傢什〕 jiāshi 명 ⇨〔家什〕

镓(鎵) jiā (가) 명 《化》 갈륨(Ga:gallium)《금속 원소의 하나》.

葭 jiā (가) 명 ①〈文〉 어린 갈대. ②〈文〉 갈대 피리. ③(Jiā) 《地》 자 현(葭縣)《산시 성(陕西省)에 있는 현 이름. 현재는 '佳县'으로 씀》.

〔葭凫〕 jiāfú 명 《鳥》 청머리오리.

〔葭莩〕 jiāfú 명 〈文〉 ①갈대의 얇은 막《피리의 리드에 씀》. ②〈比〉 지극히 엷은 관계. 관계가 소원한 친척. ¶～之亲; 먼 친척.

〔葭水〕 jiāshuǐ 명 〈文〉〈簡〉 멀리 떨어져서 남을 생각하는 것《'苍葭秋水'의 준말》. ¶频殷～ =〔时切～〕; 〈翰〉 참으로 그립습니다. =〔葭念〕〔葭思〕〔葭想〕

椵 jiā (가) 명 칼《옛 형구의 하나》. ⇒jiǎ

豭 jiā (가) 동 《動》〈文〉 수퇘지. →〔公gōng猪〕

夹(夾〈裌, 袷〉) jiá (협) ①형 두 겹의. ¶这件衣服是～的; 이 옷은 겹옷입니다. ②명 성(姓)의 하나. ⇒gā jiā, '袷' qiā

〔夹袄〕 jiá'ǎo 명 겹저고리.

〔夹被〕 jiábèi 명 겹이불.

〔夹大衣〕 jiádàyī 명 스프링 코트(spring coat).

〔夹裤〕 jiákù 명 겹바지.

〔夹里〕 jiálǐ 명 (옷 등의) 안감.

〔夹帘子〕 jiáliánzi 명 겹으로 된 커튼. 이중 커튼.

〔夹袍(子)〕 jiápáo(zi) 명 겹으로 된 긴 윗옷.

〔夹衫〕 jiáshān 명 겹적삼. 겹저고리.

〔夹鞋〕 jiáxié 명 겹으로 만든 헝겊신.

〔夹衣裳〕 jiáyīshang 명 겹옷《홑옷은 '单衣裳', 솜옷은 '棉衣裳'》.

郏(郟) Jiá (겹) 명 ①《地》 자 현(郏縣)《허난 성(河南省)에 있는 현 이름》. ②성(姓)의 하나.

荚(莢) jiá (협) 명 (콩의) 깍지. 꼬투리. ¶～豆; 콩꼬투리 / 皂zào～; 조협. 쥐엄나무 열매의 껍데기.

〔荚果〕 jiáguǒ 명 《植》 협과.

〔荚果蕨〕 jiáguǒjué 명 《植》 청나래고사리.

铗(鋏) jiá (협) 명 〈文〉 ①(뜨거운 쇠를 집는) 집게. ②검(劍). ③칼자루.

颊(頰) jiá (협) 명 뺨. 볼. ¶两～绯红; 양볼이 매우 붉다. =〔脸liǎn蛋子〕

〔颊车〕 jiáchē 명 ①잇몸. =〔牙yá床(子)〕 ②《漢醫》 침구(針灸)의 혈(穴)의 하나《아래턱 뼈의 앞 위쪽》.

〔颊骨〕 jiágǔ 명 《生》 ①광대뼈. 관골(顴骨). ②턱뼈.

〔颊囊〕 jiánáng 명 ⇨〔颊嗛〕

〔颊嗛〕 jiáqiǎn 명 《動》 (다람쥐 · 원숭이 등의) 협낭. 볼주머니. =〔颊囊〕〔〈俗〉 猢hú狲袋〕

〔颊上添毫〕 jiá shàng tiān háo 〈成〉 문장이 생기에 넘치다. =〔颊上添毛máo〕

〔颊须〕 jiáxū 명 〈文〉 ①턱수염. ②구레나룻.

蛱(蛺) jiá (겹, 협) →〔蛱蝶〕

〔蛱蝶〕 jiádié 명 《蟲》 들신선나비.

恝 jiá (개) 동 〈文〉 걱정이 없다. 마음에 두지 않다. 개의치 않다.

〔恝然〕 jiárán 부 〈文〉 태연하게. 무심히.

〔恝置〕 jiázhì 동 〈文〉 내버려 두고 개의치 않다.

戛〈戞〉 jiá (알) 〈文〉 ①동 가볍게 두드리다. =〔戛击〕 ②동 어긋나다. ③명 옛날의, 긴 모(矛) 비슷한 무기. ④→〔戛然〕

〔戛伏特〕 jiáfútè 명 《樂》〈音〉 가보트(gavotte). =〔加伏特〕〔嘉禾舞(曲)〕

〔戛戛〕 jiájiá 형 〈文〉 ①곤란한 모양. ¶～乎难哉! 그것 참 난처한 일이구나! ②독창적인 모양. ¶～独造; 실로 독자적인 경지에 이르다.

〔戛客〕 jiákè 명 〈音〉 (카드놀이의) 조커(Joker).

〔戛然〕 jiárán 〈擬〉〈文〉 ①깨끗하고 맑은 새의 울음소리. 학의 울음소리. 칼과 칼이 부딪치는 소

리. ¶～长鸣; 맑은 소리로 길게 울다. ②탁. 뚝《소리가 갑자기 멈추는 모양》. ¶～而止; 소리가 뚝 멈추다.

跲 jiá (겁)
동〈文〉 발이 걸려 넘어지다.

甲 jiǎ (갑)
①명 십간(十干)의 첫째. ②형 제일(第一)이다. 첫째이다. ¶～于全球; 세계 제일이다 / ～等; 일등 / 桂林山水～天下; 구이린의 경치는 천하 제일이다 / 维生素～; 비타민 A. ③명 갑옷. =〔战甲〕 ④명 각질. ¶指～; 손톱. ⑤명 껍데기. 갑각. (거북·게 따위의) 등딱지. ¶龟～; 귀갑. ⑥명 (보리 따위의) 이삭. ⑦명 보호작용을 하는 것. ¶装～汽车; 장갑차 / ～板; 갑판. ⑧대 가정(假定)의 인명·지명 등에 쓰이어 어떤 한쪽을 나타냄. ¶～队和乙队; 갑팀과 을팀. ⑨명《化》 유기 화합물의 탄소 원자수가 1인 것을 이름《예컨대, '～酸'·'～醇' 등. 그 수가 2인 것은 '乙酸', 3인 것은 '丙酸'이라고 함》. ⑩명 옛날, 호구(户口) 편성의 하나《'保甲' 제도의 100호(戶)》. ⑪명 성(姓)의 하나.

〔甲巴甸〕 jiǎbādiàn 명《紡》〈音〉 개버딘(gabardine). =〔华huá达呢〕

〔甲板〕 jiǎbǎn 명 갑판.

〔甲榜〕 jiǎbǎng 명 과거(科擧) 회시(會試)의 합격자. 즉, 진사(進士).

〔甲苯〕 jiǎběn 명《化》 톨루엔(toluene). ¶～胺; 톨루이딘(toluidine).

〔甲(苯)酚〕 jiǎ(běn)fēn 명《化》 크레졸(cresol).

〔甲必丹〕 jiǎbìdān 명〈音〉 캡틴(captain). =〔首领〕〔船长〕〔陆军上尉〕〔加必旦〕〔加比丹〕

〔甲虫〕 jiǎchóng 명《蟲》 투구벌레.

〔甲醇〕 jiǎchún 명《化》 메틸 알코올(methyl alcohol). 메타놀(methanol).

〔甲等〕 jiǎděng 명 ①(시험 성적 등의) 수. 갑. ¶他的考试成绩是～; 그의 시험 성적은 수이다. ②(물품 따위) 상등〔1등〕품. ¶～品; 1급품.

〔甲第〕 jiǎdì 명〈文〉 ①귀현(貴顯)의 저택. ②과거〔진사(進士)〕 시험의 수석. 곧, 진사.

〔甲酚〕 jiǎfēn 명《化》 크레졸(cresol).

〔甲缝〕 jiǎfèng 명 손톱 끝의 살과 접하여 있는 곳.

〔甲骨〕 jiǎgǔ 명 ①모퉁이. 구석. ¶在墙的东北～那场儿有; 담의 동북쪽 구석에 있다. ②거북의 등딱지와 짐승의 뼈.

〔甲骨文〕 jiǎgǔwén 명 갑골문. 갑골 문자《귀갑(龜甲)과 짐승의 뼈에 새긴 점복(占卜). 상대(商代)의 문자로 1899년 허난 성(河南省) 안양 현(安陽縣)에서 발견되었음》. =〔龟甲文〕〔契文②〕

〔甲基〕 jiǎjī 명《化》 메틸. ¶～氯; 염화 메틸 / ～纤维素; 메틸 셀룰로오스 / ～丁二烯 =〔异戊二烯〕; 이소프렌(isoprene) / ～睾丸酮; 《藥》 메틸 테스토스테론 / ～汞中毒; 《醫》 유기 수은 중독.

〔甲(基)紫〕 jiǎ(jī)zǐ 명《化》 메틸 바이올렛(methyl violet). =〔红hóng光碱性紫〕

〔甲级〕 jiǎjí 명형 ①대형(의). ¶～小汽车; 대형 승용차. ②1급(의). 1등품(의). ¶～票; 1등표 / ～烟; 1등품 담배.

〔甲科〕 jiǎkē 명 갑과. 옛날, 과거에서 진사(進士)의 시험《거인(擧人)의 시험은 '乙yǐ科'》. →〔科举〕

〔甲克〕 jiǎkè 명〈音〉 재킷(Jacket). =〔夹jiā克〕

〔甲马〕 jiǎmǎ 명 ①〈文〉 갑옷과 말. 〈轉〉 군비. ②⇨〔纸zhǐ马(儿)〕

〔甲萘醌〕 jiǎnàikūn 명《化》 비타민 K_3. 메나디온(menadione). =〔维生素 K_3〕

〔甲钳〕 jiǎqián 명 손톱깎이.

〔甲壳〕 jiǎqiào 명《動》 갑각(甲殼). ¶～动物; 갑각류.

〔甲醛〕 jiǎquán 명《化》 포름알데히드(formaldehyde). =〔蚁yǐ醛〕

〔甲醛(溶)液〕 jiǎquán(róng)yè 명《化》 포르말린(formalin). =〔甲醛水液〕〔福fú尔马林〕

〔甲士〕 jiǎshì 명〈文〉 무장한 병사. =〔甲卒〕

〔甲酸〕 jiǎsuān 명《化》 의산. 개미산(formic acid). =〔蚁yǐ酸〕

〔甲烷〕 jiǎwán 명《化》 메탄(methane). ¶～气体; 메탄 가스.

〔甲午战争〕 Jiǎwǔ zhànzhēng 명《史》 청(淸)의 광서(光緒) 20년 갑오(甲午)(1894년)의 청일 전쟁.

〔甲癣〕 jiǎxuǎn 명《醫》 조갑사상균증(爪甲絲狀菌症).

〔甲氧胺〕 jiǎyǎng'àn 명《藥》 메톡사민(methoxamine).

〔甲鱼〕 jiǎyú 명《動》 자라.

〔甲爪〕 jiǎzhǎo 명 짐승의 발톱.

〔甲种粒子〕 jiǎzhǒng lìzǐ 명《物》 알파 입자. =〔阿ā耳法粒子〕

〔甲种射线〕 jiǎzhǒng shèxiàn 명《物》 알파선(α線). =〔阿耳法粒线〕

〔甲种维生素〕 jiǎzhǒng wéishēngsù 명 비타민 A. =〔维生素A〕

〔甲胄〕 jiǎzhòu 명〈文〉 갑옷과 투구.

〔甲状软骨〕 jiǎzhuàng ruǎngǔ 명《生》 갑상 연골.

〔甲状腺〕 jiǎzhuàngxiàn 명《生》 갑상선. 또는 약물로서의 건조 갑상선. ¶～(激jī)素; 갑상선 호르몬 / ～肿 =〔〈方〉大dà脖子病〕; 《醫》 갑상선 비대.

〔甲子〕 jiǎzǐ 명 ①십간(十干)과 십이지(十二支). ②갑자년(年). ③〈文〉 나이. 춘추. ¶贵～? 연세가 어떻게 되십니까? ④60세.

〔甲卒〕 jiǎzú 명 ⇨〔甲士〕

〔甲族〕 jiǎzú 명 ①〈文〉 호족(豪族). 재산가. ②《動》 갑각류 동물.

岬 jiǎ (갑)
명 ①산의 측면. ②산과 산 사이. 산협(山峽). ③갑(岬). 곶《주로 지명에 쓰임》. ¶成山～ =〔成山角〕; 《地》 산둥 성(山東省)에 있는 땅 이름.

〔岬角〕 jiǎjiǎo 명 갑. 곶《바다로 돌출한 산》.

胛 jiǎ (갑)
명《生》 갑골(胛骨). 견갑(肩胛).

〔胛骨〕 jiǎgǔ 명《生》 견갑골(肩胛骨).

钾(鉀) jiǎ (갑)
명《化》 칼륨(K:kalium). ¶碳酸～; 탄산 칼륨 / 氯lǜ化～; 염화 칼륨 / 高锰酸～; 과망간산 칼륨 / ～硝xiāo =〔硝酸～〕; 초산 칼륨. 질산 칼륨 / 碘diǎn化～; 요오드화 칼륨 / 氢qīng氧化～ =〔苛kē性～〕; 수산화 칼륨.

〔钾玻璃〕 jiǎbōli 명《化》 칼리 유리《장식품·화학기기 등을 만듦》. =〔硬yìng玻璃〕

〔钾肥〕 jiǎféi 명 칼리(kali) 비료. ¶～厂; 칼리 비료 공장.

〔钾肥皂〕 jiǎféizào 명 칼리 비누. =〔绿肥皂〕
〔钾质红山埃〕 jiǎzhì hóngshān'āi 명《化》적혈염(赤血鹽). 페리시안화(化) 칼륨.
〔钾质黄山埃〕 jiǎzhì huángshān'āi 명《化》황혈염(黃血鹽). 페로시안화(化) 칼륨.

贾(賈) jiǎ (가) ①인명용 자(字). ②명 성(姓)의 하나. ③옛날, '价jià'와 통용하여 썼음. ⇒gǔ
〔贾古提花纸板〕 jiǎgǔtí huāzhǐbǎn 명〈音〉자카드기(Jacquard機)에 실을 모으는 판대기.

槚(檟) jiǎ (가) 명《植》①개오동나무('楸'의 별칭). =〔榎〕②차나무.
〔槚楚〕 jiǎchǔ 명 개오동나무나 가시나무로 만든 회초리. =〔夏jiǎ楚〕

夏 jiǎ (하) 명《植》개오동나무. ¶～楚 =〔槚楚〕: 개오동나무나 가시나무로 만든 회초리. =〔槚〕 ⇒xià

榎 jiǎ (가) 명 ⇨〔槚jiǎ①〕

假 jiǎ (가) ①명형 거짓(의). 가짜(의). 모조(의). ¶真～; 진위/～话; ⇓/～面具; ⇓ ↔〔真〕 ②접 만일. 가령. ¶～若; ⇓/～使; ⇓ ③부 가짜로. 거짓으로. ¶～做作; 일부러 …인 체하다/～做看报的样子; 신문을 보고 있는 척하다. ④동 빌리다. 차용(借用)하다. ¶～此机会…; 이 기회를 빌어…/～座…; 자리〔장소〕를 …에 빌려/久～不归; 꾸어 가고서 오랫동안 돌려 주지 않는다. ⑤동 용서하다. ⑥동 가정(假定)하다. ⑦명 성(姓)의 하나. ⇒jià
〔假扮〕 jiǎbàn 동 가장하다. 변장하다.
〔假报〕 jiǎbào 명동 허위 보고(하다).
〔假鼻儿手〕 jiǎbírshǒu 명 (모르면서) 아는 체하는 사람.
〔假比〕 jiǎbǐ 접 ⇨〔假使〕
〔假不指着〕 jiǎ bù zhǐzhe (정말) …인 체하다. ¶你准不爱钱吗? 别～了; 너는 정말로 돈이 필요 없니? 그런 척 하지 마.
〔假钞〕 jiǎchāo 명 위조 지폐.
〔假痴假呆〕 jiǎ chī jiǎ dāi〈成〉짐짓 모르는 체하다. 시치미 떼다.
〔假充〕 jiǎchōng 동 …인 체하다. …로 가장하다. ¶～正经; 정직한 체하다/～熟知; 안면이 있고 친한 체하다. =〔假冒②〕
〔假贷〕 jiǎdài 동〈文〉①빌리다. 차용하다. ②용서하다.
〔假道〕 jiǎdào 동〈文〉…을 거치다. 통과하다. 경유하다.
〔假道学〕 jiǎdàoxué 명 위군자(僞君子). 위선자.
〔假的〕 jiǎde 명 거짓. 가짜. ¶是真的是～? ⓐ정말인가 거짓말인가? ⓑ진짜냐 가짜냐?
〔假定〕 jiǎdìng 동 가정하다. 가령 …이라고 하다. ¶我～他是竞赛中的敌手; 나는 그를 경쟁의 라이벌로 가정한다. 명 가정. 가설. ¶科学上的～; 과학상의 가정. =〔假设〕
〔假动作〕 jiǎdòngzuò 명《體》(배구·축구 등의) 트릭 플레이. 페인트(feint) 플레이.
〔假发〕 jiǎfà 명 가발. ¶戴上～; 가발을 쓰다. =〔假髻〕〔假头〕〔假头发①〕
〔假分数〕 jiǎfēnshù 명《數》가분수.
〔假父〕 jiǎfù 명 양부(養父). 의부(義父).
〔假高眼〕 jiǎgāoyǎn 명 정통(精通)한 체하는 사람. 감식(鑑識)하는 안목이 높은 체하는 사람.
〔假革〕 jiǎgé 명 인조 피혁. 인조 가죽. ¶～纸板; 의혁지(擬革紙).
〔假根〕 jiǎgēn 명《植》가근. 헛뿌리.
〔假公济私〕 jiǎ gōng jì sī〈成〉공사(公事)를 구실삼아 사복(私腹)을 채우다. =〔假公为私〕
〔假股票〕 jiǎgǔpiào 명《經》①액면 금액 미불입(未拂入) 주식. ②위조 증권.
〔假果〕 jiǎguǒ 명《植》가과. 헛열매.
〔假行家〕 jiǎhángjia (모르면서) 아는 체하다. 전문가인 척하다. ¶你说这个东西是假的吗? 别～了; 너 이것이 가짜라고? 모르면서 아는 체하지 마라.
〔假虎之威〕 jiǎ hǔ zhī wēi〈成〉남의 위세를 등에 업고 위세를 부리다.
〔假花〕 jiǎhuā 명 조화(造花). ↔〔鲜花(儿)〕
〔假花脖子〕 jiǎhuābózi〈俗〉전문가인 체하다. 아는 체하다.
〔假话〕 jiǎhuà 명 거짓말. 허언(虛言). ¶说～; 거짓말하다.
〔假画眉〕 jiǎhuàméi 명《鳥》찌르레기.
〔假货〕 jiǎhuò 명 모조품. 위조품.
〔假髻〕 jiǎjì 명 가발. =〔假发〕
〔假借〕 jiǎjiè 동 ①(명의·힘 등을) 빌다. 차용하다. 가탁(假托)하다. ¶～什么名义? 어떤 명의를 빌리는가? ②〈文〉관대히 하다. 용서하다. ¶他对于坏人坏事, 从不～; 그는 못된 사람이나 못된 짓에 대해 적당히 처리하는 일이 없다. 명《言》가차(육서(六書)의 하나).
〔假劲儿〕 jiǎjìnr 명 거짓으로 꾸민 태도. 겉치레. 동 겉을 꾸미다. 가장하다.
〔假局子〕 jiǎjúzi 명 사기(詐欺). 위장(僞裝). 속임수.
〔假科礼〕 jiǎkēlǐ 동 ①예절을 중하게 여기는 체하다. 허례를 차리다. ¶东方人专会～; 동양 사람은 허례를 잘 차린다. ②아는 체하다. 명 허례. ‖=〔假客礼〕
〔假科子〕 jiǎkēzi 동 흉내내다. …체하다. ¶你别～了, 压根儿就没碰着; 엄살로 아픈 체하지 마라. 전혀 부딪히지도〔다치지도〕 않았어. =〔假柯子〕
〔假客礼〕 jiǎkèlǐ 명동 ⇨〔假科礼〕
〔假姥姥〕 jiǎ lǎolao 아는 체하다. ¶我说这是假的, 你别～了; 내가 보기에 이것은 가짜야, 아는 체하지 마라.
〔假令〕 jiǎlìng 접〈文〉가령. 만약. =〔假使〕
〔假绿豆〕 jiǎlǜdòu 명《植》결명자.
〔假冒〕 jiǎmào 동 ①남의 명의를 사칭하다. (가짜가 진짜인 것처럼) 가장하다. ¶～牌子; 마크 위조. 마크 도용(盜用)/～商标shāngbiāo; 상표 위조. ② ⇨〔假充〕
〔假冒为善〕 jiǎmào wéi shàn 위선(僞善)하다. 착한 체하다.
〔假眉三道〕 jiǎ méi sān dào 겉으로만 그럴싸하게 행동하다.
〔假寐〕 jiǎmèi 동〈文〉잠깐 눈을 붙이다. ¶凭几～; 책상에 기대어 잠깐 눈을 붙이다.
〔假门假事〕 jiǎ mén jiǎ shì〈成〉진실한 체〔얌전한 체〕하다. 본심을 숨기다. ¶不用你对我～的; 내 앞에서 얌전 떨 필요 없다.
〔假闷儿〕 jiǎmènr 명 ①⇨〔假招子〕 ②거짓 동정〔눈물〕. ¶你别弄这～了, 他死你哭干什么! 그런 거짓 울음은 그만두어라. 그가 죽었다고 해서 네가 울어 무엇 하겠니! =〔假慈悲〕

〔假面具〕 jiǎmiànjù 명 탈. 가면. ¶戴～; 위선(僞善)을 가장하다. 위장하다. 가면을 쓰다 / 撕下～ =〔剥开～〕; 가면을 벗기다. =〔鬼guǐ脸(儿)①〕
〔假面剧〕 jiǎmiànjù 명 《劇》 가면극. 탈놀음.
〔假面目〕 jiǎmiànmù 명 탈. 가면. ¶这宗～他也板得住, 但将来一定会露lòu马脚的; 이런 가면도 그는 쓰겠지만, 언젠가는 반드시 마각을 드러낼 것이다.
〔假名〕 jiǎmíng 명 ①가명. ②《言》 (일본의) 가나 문자.
〔假模假式〕 jiǎmó jiǎshì ⇨〔假模假样(儿)〕
〔假模假样(儿)〕 jiǎmó jiǎyàng(r) ①겉보기만 그럴 듯하게 꾸민 모양. ¶你别～装作好人, 我早就知道你是什么样儿的人了; 착한 사람인 체하지 마라. 네가 어떤 인간인지는 벌써부터 알고 있다. ②허위적인 행동. 허위적인 수단〔방법〕. =〔假招子〕 ‖ =〔假模假式〕〔乔qiáo模乔样(儿)〕
〔假模儿〕 jiǎmór 명 거짓 꾸밈새. ¶都是～, 并不是真客气的; 모두 겉으로만 그러는 것이지 결코 정말 사양하는 것은 아니다.
〔假母〕 jiǎmǔ 명 ①계모. 양모. ②유모.
〔假奶油〕 jiǎnǎiyóu 명 마가린(margarine). =〔人造黄油〕
〔假捏〕 jiǎniē 동 날조(捏造)하다.
〔假皮〕 jiǎpí 명 모조 가죽. 레저 크로스. =〔假皮布〕
〔假票(子)〕 jiǎpiào(zi) 명 위조 지폐. 가짜표.
〔假撇清〕 jiǎpiēqīng 동 〈方〉 시치미 떼고 모르는 체하다. ¶你别～, 你敢做敢当才是人; 시치미 떼고 모르는 체하지 마라, 사람이라면 책임을 지고 부딪쳐야 한다.
〔假漆〕 jiǎqī 명 《化》 와니스. 래커.
〔假饶〕 jiǎráo 접 ⇨〔假使〕
〔假仁假义〕 jiǎ rén jiǎ yì 〈成〉 위선. 겉으로만의 친절. ¶揭开～的面纱; 위선의 베일을 벗기다.
〔假如〕 jiǎrú 접 만일. 만약. 가령. ¶～明天不下雨, 我一定去; 만일에 내일 비가 오지 않으면, 나는 꼭 가겠다. 注 수사적인 도치에도 쓰이는데, 이 경우에는 가정 사례(假定事例) 뒤에 흔히 '的话'가 옴. ¶你要及时指出, ～你发现同志犯了错误的话; 너는 적절한 때에 지적해야 돼. 만일에 동료가 잘못을 저지른 것을 알게 된다면 말이야. =〔假使〕〔如果〕
〔假乳头〕 jiǎrǔtóu 명 갓난아이에게 빨리는 장난감 젖꼭지.
〔假若〕 jiǎruò 접 만약. 만일. 가령(('假如'보다 약간 뜻이 강함)). ¶～你们俩是男人, 恐怕效果就不会这么大; 만일 너희들 두 사람이 남자였다면, 아마도 효과가 이렇게 크지 않았을 것이다.
〔假嗓子〕 jiǎsǎngzi 명 《劇》 가성(假聲). 꾸민 목소리((중국 전통극에서, '青衣'·'花旦' 등이 내는 목소리)).
〔假山〕 jiǎshān 명 석가산(石假山). =〔〈俗〉山子(石儿)〕
〔假设〕 jiǎshè 동 가정(假定)하다. 명 (논리학·과학상의) 가설·가정. 전제. =〔假说〕〔假定〕
〔假设敌〕 jiǎshèdí 명 《軍》 가상의 적.
〔假升麻〕 jiǎshēngmá 명 《植》 눈개승마.
〔假声〕 jiǎshēng 명 《樂》 가성.
〔假使〕 jiǎshǐ 접 만일. 가령. 만약. ¶～明天下雨, 我就不去了; 내일 비가 오면 나는 가지 않겠다. =〔假如〕〔假比〕〔假饶〕
〔假释〕 jiǎshì 명동 《法》 가석방(하다). ¶～出狱者; 가출옥자.
〔假誓〕 jiǎshì 명 《法》 위증(僞證). ¶犯上～罪名; 위증죄를 범하다.
〔假手〕 jiǎ.shǒu 동 남의 손을 빌리다. (남을) 이용하다. ¶～于人以到目的; 남을 이용하여 목적을 달성하다. =〔假手于人〕 (jiǎshǒu) 명 의수(義手).
〔假熟皮〕 jiǎshúpí 명 모조피.
〔假水〕 jiǎshuǐ 명 보태어 하는 말. 거짓말. ¶掺点儿～; 거짓말을 조금 보태다.
〔假睡〕 jiǎshuì 동 자는 체하다.
〔假说〕 jiǎshuō 명 ⇨〔假设〕
〔假丝〕 jiǎsī 명 《化》 의견사(擬絹絲)((무명 섬유로 만듦)).
〔假斯文〕 jiǎsīwén 동 고상한 체하다. 점잖은 체하다.
〔假厮儿〕 jiǎsīr 동 〈古白〉 (여자가) 남장을 하다.
〔假死〕 jiǎsǐ 명 ①《醫》 가사. ②(동물의) 의사(擬死). (jiǎ.sǐ) 동 (동물이 자기 방어를 위하여) 죽은 체하다.
〔假嗽〕 jiǎsòu 명동 헛기침(하다). ¶又低声～一两下; 또 낮게 헛기침을 한두 번 하였다.
〔假糖〕 jiǎtáng 명 사카린(saccharin).
〔假天鹅绒〕 jiǎtiān'éróng 명 《紡》 면(綿)비로드. =〔棉mián天鹅绒〕
〔假头发〕 jiǎtóufa 명 ①가발. =〔假髻jì〕 ②다리. =〔假发绺liǔ〕
〔假腿〕 jiǎtuǐ 명 의족(義足). ¶安～; 의족을 달다. =〔假腿脚jiǎo〕
〔假托〕 jiǎtuō 동 ①구실로 삼다. 거짓 핑계하다. ¶他～家里有事, 站起来走了; 그는 집에 일이 있다고 핑계 대고는 자리에서 일어나 돌아갔다. ②(남의 명의를) 빌다. ③의지하다. 빗대다. ¶寓言是～故事来说明道理的文学作品; 우화란 이야기를 빌리어 도리를 설명하는 문학 작품이다.
〔假细辛〕 jiǎxìxīn 명 《植》 홀아비꽃대.
〔假想〕 jiǎxiǎng 형 가상의. 상상의.
〔假想敌〕 jiǎxiǎngdí 명 《軍》 가상의 적.
〔假象〕 jiǎxiàng 명 ①허상. 거짓 형상. ¶他们正在制造～, 迷惑人们的视线; 그들은 허상을 만들어 사람들의 눈을 현혹시키고 있다. ②《鑛》 가상. ③《軍》 위장. ④《哲》 가상. ‖ =〔假相〕
〔假象牙〕 jiǎxiàngyá 명 ⇨〔赛sài璐珞〕
〔假橡胶〕 jiǎxiàngjiāo 명 ⇨〔人rén造橡胶〕
〔假小子〕 jiǎxiǎozi 명 말괄량이. 왈가닥. ¶那姑娘很泼辣, 大家称她为～; 저 처녀는 박력이 있어서, 모두들 '말괄량이'라고 부른다.
〔假心假意〕 jiǎ xīn jiǎ yì 〈成〉 겉치레만의 성의(誠意). 거짓된 마음.
〔假惺惺(的)〕 jiǎxīngxing(de) 형 거짓으로 꾸미는 모양. 일부러 꾸며서 진정인 체하는 모양. 그럴싸하게 꾸미는 모양. 능청맞은 모양. ¶～地表示愿意支持; 기꺼이 지지한다고 위선적으로 의사를 표시하다. =〔惺惺③〕
〔假牙〕 jiǎyá 명 의치(義齒). 틀니. ¶全套～; 총(總)의치 / 装～; 틀니를 해 끼우다. =〔托tuō牙〕〔镶xiāng牙〕
〔假眼〕 jiǎyǎn 명 의안(義眼). ¶配～; 의안을 만들다.
〔假叶〕 jiǎyè 명 《植》 가엽(假葉). 헛잎.
〔假意〕 jiǎyì 명 마음 속의 허위. 거짓 마음. ¶虚情～地; 친절을 가장하고서. 부 고의로. 짐짓. 일부러. ¶他～笑着问, "刚来的这位是谁呢?"; 그는 짐짓 웃는 얼굴로 "지금 오신 이 분은 누구신가요?"하고 물었다.

〔假殷勤〕 jiǎyīnqín 동 은근한 체하다. 친절하고 공손한 척하다.
〔假造〕 jiǎzào 동 ①위조하다. ¶～证件; 위조 증명서. 증명서를 위조하다. ②날조하다. ¶～理由; 이유를 꾸며 대다.
〔假账〕 jiǎzhàng 명 가짜 장부.
〔假招子〕 jiǎzhāozi 명 겉치장. 겉치레. 허장성세. 허위적인 행동〔수단〕. ¶他交朋友竟～没真的; 그는 친구와 사귀는 데 있어 겉뿐이고 진실함이 없다. =〔假闷儿①〕
〔假正经〕 jiǎzhèngjing 명 진지〔진실〕한 체함. 점잖은 체함. ¶装～; 진실한 체하다.
〔假肢〕 jiǎzhī 명 의족(義足). 의수(義手). ¶安～; 의수(의족)를 달다.
〔假执行〕 jiǎzhíxíng 명 《法》 가집행.
〔假植〕 jiǎzhí 동 《農》 (뿌리에 흙을 덮어) 임시로 심다.
〔假装〕 jiǎzhuāng 동 가장하다. …인 체하다. ¶～不知道的样子; 모르는 체하다.
〔假子〕 jiǎzǐ 명 ①양자(養子). ②덤받이. 데리고 온 전배우자의 자식.
〔假座〕 jiǎzuò 동 자리를 빌리다. 장소를 빌리다. ¶～于东兴楼举行小酌; 동흥루(東興樓)에 자리를 마련해 소연을 열다.
〔假做〕 jiǎzuò 동 …체하다. 가장하다. ¶～看报的样子; 신문을 보는 체하다 / ～张智; 겉으로만 그럴 듯하게 하다. 허세부리다.

椵 jiǎ (가)
명 《植》 유자(柚子)의 일종. ⇒jiā

嘏 jiǎ (하)
'嘏gǔ'의 우음(又音).

瘕 jiǎ (하)
명 《漢醫》〈文〉 뱃속에 응어리가 생기는 병. 적취(積聚).

斝〈斚〉 jiǎ (가)
명 고대의 옥으로 만든 술잔《발 3개가 있고 위쪽은 원형임》. →〔爵jué①〕

价(價) jià (가)
명 ①가격. 값. ¶物～; 물가 / 物美～廉; 〈成〉 품질도 좋고 값도 싸다 / 涨～; 값이 오르다 / 廉～; 염가 / 定～; 정가 / 折～ =〔折扣〕; 할인하다 / 零售～格; 소매 가격 / 还húan～; ⓐ값을 깎다. ⓑ카운터 오퍼 / 物～稳定; 물가 안정 / 无～之宝; 〈成〉 값으로는 따질 수 없는 귀중한 보배. ②값어치. 가치. ¶等～交换; 등가 교환. ③《化》 원자가(原子價)의 가(價). ⇒jiè jie
〔价本儿〕 jiàběnr 명 매입〔구입〕 원가. ¶照～卖; 원가에 팔다 / ～来的大, 所以卖的不能不贵; 원가가 비싸서 비싸게 팔지 않을 수 없다.
〔价单〕 jiàdān 명 가격표. 정가표. =〔价目表〕
〔价底(儿)〕 jiàdǐ(r) 명 ①원가. ②매입가.
〔价电子〕 jiàdiànzǐ 명 《化》 가전자.
〔价格〕 jiàgé 명 가격. ¶批pī发～ =〔批价〕; 도매가격 / 零售～ =〔零价〕; 소매 가격 / 市场～; 시장 가격 / 工厂～; 공장 가격 / 折扣～; 할인 가격 / 胡天胡地的～; 터무니없는 가격 / 妥tuǒ实～; 적당한 가격.
〔价货两交〕 jiàhuò liǎngjiāo 명 《經》 대금(代金) 상환.
〔价款〕 jiàkuǎn 명 대금. 대가. ¶粮食～; 식량 대금.
〔价廉物美〕 jià lián wù měi 〈成〉 값도 싸고 품질도 상등이다《광고 · 선전 문구》.
〔价码(儿)〕 jiàmǎ(r) 명 〈口〉 가격. 정가. 정찰가격. ¶～签子; 정찰(正札) / 要把～提高; 정가를 올려야 한다. =〔货huò码〕
〔价目〕 jiàmù 명 가격. 정가. ¶～单dān =〔～牌〕; 가격표. 요금표.
〔价目表〕 jiàmùbiǎo 명 ⇨〔价单〕
〔价嫩〕 jiànèn 값이 불안정하다. =〔价软〕
〔价钱〕 jiàqian 명 가격. 값. ¶～贵 =〔～大〕; 비싸다 / ～公道; 적정 가격이다 / 东西好, ～也便宜; 물건도 좋고 값도 싸다.
〔价实货真〕 jiàshí huòzhēn 값에 에누리가 없고 물건도 확실하다《광고 · 선전 문구》.
〔价银〕 jiàyín 명 대금.
〔价值〕 jiàzhí 명 ①물품 대가. ②《經》 가치. ¶～量; 가치의 크기. ③값어치. 가치. ¶有～的作品; 값어치가 있는 작품 / 这些资料有很大的～; 이들 자료는 매우 큰 값어치를 지니고 있다.
〔价值尺度〕 jiàzhí chǐdù 명 《經》 가치 척도. ¶货币的基本职能在于它是商品的～; 화폐의 기본적 기능은 그것이 상품의 가치 척도라는 데 있다.
〔价值规律〕 jiàzhí guīlǜ 명 《經》 가치 법칙. ¶在～的基础上, 商品经济发展着; 가치 법칙의 기초 위에서 상품 경제가 발전하고 있다. =〔价值法则〕
〔价值连城〕 jià zhí lián chéng 〈成〉 매우 귀중한 물건《전국(戰國) 시대에, 조(趙)왕이 화씨벽(和氏璧)이라는 보옥을 갖고 있었는데, 진(秦)왕이 이것을 15개의 성(城)과 바꾸자고 한 고사(故事)에서 유래》. ¶那枝钢笔, 又不是什么～的东西, 你为什么老舍不得用呢! 그 만년필은 그다지 귀중한 것도 아닌데, 너는 어째서 마냥 아끼면서 쓰지 않느냐!
〔价值形式〕 jiàzhí xíngshì 명 《經》 가치 형태. ¶一种商品的价值通过另一种商品表现出来, 这是最简单的～; 하나의 상품의 가치를 다른 상품으로 나타내는데, 이것이 가장 단순한 가치 형태이다. =〔价值形态〕

驾(駕) jià (가)
① 명 탈것. 거마(車馬). ¶整～出游; 거마를 갖추어 놀러나가다. ② 〈轉〉〈敬〉 (여행자 또는 왕래하는 사람에 대하여) 타인을 존경하여 일컫는 말. ¶台～; 귀하 / ～临; 왕림(하시다) / 劳～; 미안합니다만. 말씀 좀 묻겠습니다만. 수고하셨습니다. 감사합니다《남에게 수고를 끼쳤을 때의 인사》. ③ 동 (자동차 · 기관차 · 기선 · 비행기 등을) 조종하다. 운전하다. ¶～船 =〔驶轮船〕; 기선을 조종하다 / ～飞机; 비행기를 조종하다. ④ 동 소 · 말을 수레에 매다. ¶这辆车用两匹马～着; 이 수레에는 말 2필이 매어 있다. ⑤ 동 (마차를) 몰다.
〔驾崩〕 jiàbēng 동 〈文〉 임금이 붕어(崩御)하다. 천자가 세상을 떠나다.
〔驾临〕 jiàlín 명 〈文〉〈翰〉 왕림(枉臨). 왕가(枉駕). ¶敬备菲酌, 恭候～; 박주(薄酒)나마 한 잔 올리고 싶사오니, 아무쪼록 왕림해 주시기 바랍니다.
〔驾灵〕 jiàlíng 명 장례 때 관 앞에서 위패를 들고 가는 사람. 위패잡이. 동 상주 일을 보다.
〔驾凌〕 jiàlíng 동 〈文〉 ⇨〔凌驾〕
〔驾马〕 jiàmǎ 동 ①말에 안장을 얹다. ②말을 몰다.
〔驾马皮〕 jiàmǎpí 명 안장 가죽. 말안장.

〔驾弄〕 jiànòng 동 ①(남을) 추켜세우다. 부추기다. ②(고의로) 우롱하다. 농락하다.
〔驾轻就熟〕 jià qīng jiù shú 〈成〉 가벼운〔몰기 쉬운〕 차를 몰고 익숙한 길로 가다(일이 손에 익어 쉽게 할 수 있음). ¶对于一个当过三十年会kuài计的人来说, 算账可真是～; 30년이나 회계 일을 보던 사람에게는 장부 계산쯤은 누워 떡먹기다. =〔轻车熟路〕
〔驾驶〕 jiàshǐ 동 (자동차·열차·기선·비행기 등을) 운전〔조종〕하다. ¶～员; 조종사 / ～执照; 운전 면허증 / ～部; ⓐ(배의) 갑판부. ⓑ(비행기의) 조종실 / ～杆;〖機〗작동 레버. 조종간 / ～室; 조종실. 운전실.
〔驾士〕 jiàshì 명 〈文〉 천자 거가(車駕)의 선도자. 임금의 수레 앞에서 선도하는 사람.
〔驾束式导弹〕 jiàshùshì dǎodàn 명〖軍〗빔 라이더(beam rider). 전파 유도 미사일.
〔驾幸〕 jiàxìng 명 〈文〉 임금의 행차.
〔驾衣〕 jiàyī 명 혼례나 장례 때에 일꾼에게 입히는 녹색 옷.
〔驾驭〕 jiàyù 동 〈文〉 ①거마를 몰다〔부리다〕. ¶这匹马不好～; 이 말은 다루기 힘들다. ②제어하다. 지배하다. 관리하다. ¶～矛盾; 모순을 제어(制御)하다. ‖ =〔驾御〕
〔驾御〕 jiàyù 동 〈文〉 ⇨〔驾驭〕
〔驾辕〕 jiàyuán 명 수레 채. (jià.yuán) 동 수레 채에 말을 매어 끌게 하다.
〔驾辕的〕 jiàyuánde 명 수레의 끌채에 메인 말. 〈轉〉 중책을 짊어진 자. ¶谁叫你是～呢, 没法子, 就得打起精神好好地干; 중책을 짊어진 이상 별수 없으니, 기운을 내서 열심히 하여라.
〔驾长〕 jiàzhǎng 명 (배·기차·비행기 등의) 총책임자. 장(선장 따위). ¶在这生死存亡的时候, ～再三命令要镇静; 이 생사 존망의 때에 있어 선장은 재삼 침착하도록 명령하였다.

架 jià (가)
①(～儿, ～子) 명 물건을 놓거나 걸거나 받치는 물건. 선반. (건축할 때 등의) 비계. 대(臺). ¶书～(儿); 책장 / 葡萄～; 포도 시렁 / 衣～(儿); 옷걸이 / 脚手～; 발판. ②(～子) 명 물건 내부의 골조. 뼈대. ¶风筝～子; 연의 뼈대〔살〕. ③ 명 ('一～'의 형식으로) 집의 기둥과 기둥 사이. ④ 양 ㉠받침대가 있는 물건이나 기계·비행기·선박 등을 세는 말. ¶一～缝纫rèn机; 한 대의 재봉틀. ㉡〈方〉 산을 세는 말. ¶翻一～山; 산을 하나 넘다. ⑤ 동 버티다. 견디다. 지탱하다. 막다. ¶上面太沉, 怕～不住; 위가 너무 무거워서 버티지 못할 것 같다. ⑥ 동 부축하다. ¶～着她走去; 그 여자를 부축하고 가다. =〔扶〕 ⑦ 동 충동하다. 꼬드기다. 부추기다. ¶调tiáo词～讼; 남을 꼬드겨서 소송을 일으키다 / 捧pěng场～事; 〈成〉 남을 추켜세워서 일을 저지르게 하다. ⑧ 동 납치하다. ¶叫土匪给～了去了; 토비(土匪)에게 납치당했다. ⑨ 동 가설하다. 설비하다. 장치하다. 조립하다. ¶～好机关枪; 기관총을 장치하다 / ～桥; 다리를 놓다 / ～巢cháo; (새가) 둥지를 치다. ⑩ 동 날조하다. 꾸며대다. ⑪ 명 싸움. 언쟁. ¶打～; 싸우다. 다투다 / 劝～; 싸움의 중재를 하다.
〔架不住〕 jiàbuzhù 〈方〉 ①지탱할 수 없다. 견디지 못하다. ¶双拳难敌四手, 好汉～人多; 두 주먹은 네 손을 당해 내지 못하며, 호걸도 여러 사람은 어찌할 도리가 없다. =〔禁不住〕〔受不住〕 ②맞설 수 없다. 당할 수가 없다. ¶男人虽然力气大, ～妇女会找窍门; 남자가 비록 힘이 세다고 하지만, 여자가 요령에 능한 것에는 당할 수가 없다. ‖↔〔架得住〕
〔架次〕 jiàcì 양 (비행기가 나는) 연횟수(延回數). 연대수(延臺數). ¶一天有多少～? 하루에 몇 번이나 뜹니까?
〔架得住〕 jiàdezhù 〈方〉 지탱해 내다. 버티다. 당해내다. ↔〔架不住〕
〔架豆〕 jiàdòu 명〖植〗강낭콩.
〔架堆子〕 jiàduīzi 동 무리를 이루다. 〈比〉 다수의 힘을 빌리다. 다수에 의지하다. ¶羊爱～; 양은 흔히 무리를 이루고 있다 / ～打架 =〔打群架〕 무리를 이루어 패싸움을 하다.
〔架拐〕 jià.guǎi 동 지팡이를 짚다. ¶架着拐走; (목다리) 지팡이를 짚고 걷다.
〔架局〕 jiàjú 동 (일을 당하여 소란 피우지 않고) 국면을 버티다. (당황하지 않고) 상황을 유지해 나가다. ¶他对于什么事情都能～; 그는 어떠한 일이 있어도 당황하지 않고 상황을 유지해 나간다.
〔架空〕 jiàkōng 동 ①(건물·기물(器物) 등을) 밑에 기둥 따위를 받쳐서 땅에서 떨어져 있게하다. 공중에서 뜨게 설치하다. ¶那座房子是～的, 离地约有六、七尺高; 저 집은 고상식(高床式)이어서 땅에서 거의 6·7척은 떨어져 있다. ②유명 무실하게 하다. 남을 무시하다. 형 〈轉〉 가공의. 허구의. 허황된. ¶没有相应的措施, 计划就会成为～的东西; 적당한 조처를 취하지 않으면 계획은 허황된 것이 되고 말 것이다.
〔架空浮浅〕 jiàkōng fúqiǎn 겉만 번지레하다. 수박 겉핥기이다. 겉치레뿐이다. ¶他的工作～; 그의 일은 수박 겉핥기 식이다.
〔架空索道〕 jiàkōng suǒdào 명 공중 케이블.
〔架蔓〕 jiàmàn 명〖農〗덩굴을 휘감기게 하는 섶.
〔架盲子〕 jiàmángzi 〈比〉 공연히 덩달아 떠들다. 부화 뇌동하여 나서다. 맹종하다. ¶各人自拿主意, 该干什么就干什么去, 别在这儿～; 각자 자기 의견을 갖고 해야 할 일은 하는 거야. 이런 데서 남의 장단에 맞추어 놀아나서는 안 돼.
〔架弄〕 jiànong 동 ①(남을) 부추기다. 치켜세우다. ¶大伙儿一～, 他不能不去; 모두가 부추기면 그는 가지 않을 수 없다. ②어울리지 않는 복장을 하다. 부자연스럽게 꾸미다. ¶一个老太太～着一件纱褂子; 할머니가 어울리지 않게 사(紗)저고리를 입고 있다. ③속이다. (고의로) 우롱하다. 농간 부리다. ¶衣服首饰拣上好的, 都～走了; 옷이나 장신구 등 좋은 것을 골라 속이고서 갖고 가버렸다.
〔架枪〕 jià.qiāng 동〖軍〗걸어총하다.
〔架人〕 jiàrén 동 인질로 납치하다. ¶匪徒劫车～; 비적이 수레를 습격하여 사람을 인질로 납치하다.
〔架设〕 jiàshè 동 가설하다. 건너지르다. 놓다. ¶～桥梁; 교량을 가설하다.
〔架势〕 jiàshi 명 형상. 형태. 모습. 외관. 겉보기. 태도. ¶拿～; 허세를 부리다. 모양을 내다 / 比个～; (무술에서) 자세를 취하다 / 拿起家伙来没～; 무기를 들었으나, 모습은 말이 아니다. =〔架式〕
〔架讼〕 jiàsòng 동 사람을 꼬드겨 소송을 제기케 하다. ¶中间儿有坏人～; 나쁜 사람이 개재(介在)하여 꼬드겨서 소송케 하다.
〔架唆〕 jiàsuo 동 남을 교사(教唆)하다. 선동하다. 부추기다.
〔架线〕 jiàxiàn 명 가선. (jià.xiàn) 동 전선을 가설하다. 가선(架線)하다.

〔架秧子〕 jiàyāngzi 언변 좋게 사람을 속이다. 세상 물정에 어두운 자를 등쳐 먹다.
〔架音〕 jiàyīn 명 〈南方〉 태도. 모양.
〔架着炮往里打〕 jiàzhe pào wànglǐ dǎ 외부 사람과 짜고 자기 편을 공격하다.
〔架桩〕 jiàzhuang 명 ①(살을 저며 내고 남은) 닭이나 오리의 뼈. ¶买两付～来熬汤; 닭 뼈 두 마리 분을 사와서 수프를 만들다. ②골격. 뼈. ¶你看他瘦得竟剩了～了; 봐라, 그는 말라서 뼈만 남았다.
〔架子〕 jiàzi 명 ①(건조물의) 뼈대. 틀. 선반. 대. ¶搭～; (건축 등에서) 비계를 세우다 / 衣裳～ =〔衣～〕; ⓐ옷걸이. ⓑ〈轉〉 변변치 못한 사람 / 下～的东西; 유질(流質)된 물건. ②허세. 티. (거만한) 기품(氣品). ¶摆～ =〔拿～〕〔有～〕〔端～〕; 뻐기다. 건방지다 / 摆足～; 사뭇 고자세로 / ～大; 기품이 높다. 뻐기고 있다 / 外面～; 겉치레. 체면. 체면 차리는 사람 / 臭～; 눈꼴 사납게 뻐기는 모양 / 阔～; 부자티를 내어 뻐기다. ③〈比〉 (사물의) 조직. 구상. 구조. 뼈대. 골자(骨子). ¶写文章要先搭好～; 글을 쓰려면 우선 구조를 잘 잡아야 한다. ④태세. 자세. 포즈. 모양. ¶做～; 포즈를 잡다. ⑤(몸의) 뼈대. 골격.
〔架子车〕 jiàzichē 명 (사람이 끄는) 목제의 2륜짐수레.
〔架子花(脸)〕 jiàzihuā(liǎn) 명 ⇨〔副fù净〕
〔架子净〕 jiàzijìng 명 ⇨〔副fù净〕
〔架子网〕 jiàziwǎng 명 정치망(定置網).
〔架子猪〕 jiàzizhū 명 몸체만 크고 아직 살이 찌지 않은 돼지. =〔〈方〉 克ké郎猪〕〔〈方〉 壳郎猪〕
〔架走〕 jiàzǒu 동 ①양쪽에서 부축하듯 하고 데려가다. ②납치하다.

假 jià (가)
명 ①틈. 짬. ②휴가. 휴일. ¶休～; 휴가를 보내다 / 暑～; 여름 휴가〔방학〕 / 告～ =〔请～〕; 휴가를 얻다 / 告一天～; 하루 쉬다 / 放～; 휴가가 되다. 방학하다 / 例～; ⓐ정기 휴가. ⓑ생리 휴가 / 病～; 병가. ⇒jiǎ
〔假满〕 jiàmǎn 동 휴가가 끝나다.
〔假期〕 jiàqī 동 ①휴가 기간. ¶指导～生活; 휴가 기간의 생활을 지도하다. ②휴일.
〔假日〕 jiàrì 명 휴일. =〔休息日〕
〔假条(儿)〕 jiàtiáo(r) 명 결근계. 결석계. 휴가 신청서. ¶递～; 결근〔결석〕계를 내다. =〔请假单〕

嫁 jià (가)
동 ①시집가다. 시집 보내다. ¶二姑娘～给…; 둘째 딸을 …에게 시집 보내다 / 出～; 출가하다 / 改～; (여자가) 재혼하다. ↔〔娶qǔ〕 ②〈文〉 뒤집어씌우다. 전가(轉嫁)하다. ¶～祸于人; 화(禍)를 남에게 전가하다 / 为人作～衣; 다른 사람 때문에 공연한 고생을 하다.
〔嫁出去〕 jiàchūqù 시집 보내다. ¶～的女儿, 泼出去的水; 〈諺〉 시집 보낸 딸과 뿌린 물(다시 돌이킬 수 없다).
〔嫁非〕 jiàfēi 동 〈文〉 과실을 남에게 전가하다.
〔嫁给〕 jiàgěi 동 ①시집 보내다. 짝지어 주다. ②(책임 등을) 전가하다.
〔嫁汉嫁汉穿衣吃饭〕 jiàhàn jiàhàn chuānyī chīfàn 〈比〉 몸을 의탁할 곳이 있다.
〔嫁祸〕 jià·huò 동 죄나 재앙을 남에게 전가시키다.
〔嫁鸡随鸡〕 jiàjī suíjī 〈諺〉 출가하면 그 집과 그 남편에 순종해야 한다.
〔嫁接〕 jiàjiē 명동 《植》 접목(하다). ¶～果树; 과수를 접목하다 / 种胚pēi～; 눈접을 하다.
〔嫁赖〕 jiàlài 동 책임이나 죄과를 남에게 뒤집어씌우다. ¶～于人; 남에게 덮어씌우다.
〔嫁奁〕 jiàlián 명 혼수품. =〔嫁妆〕
〔嫁母〕 jiàmǔ 명 개가(改嫁)한 어머니.
〔嫁娶〕 jiàqǔ 동 시집 가고 장가들이다.
〔嫁人〕 jià·rén 동 시집 가다.
〔嫁衣〕 jiàyī 명 (여자의) 혼례용(婚禮用) 의상.
〔嫁怨〕 jiàyuàn 동 원망을 전가하다. 자신의 원망을 마치 남이 원망하는 것처럼 말하다. ¶你恨我, 只管说你恨我, 何必～于人; 네가 나를 원망하면 서슴없이 그렇게 말하는 게 좋아, 굳이 남의 일처럼 말할 필요는 없잖아.
〔嫁妆〕 jiàzhuang 명 혼수 용품(婚需用品) 세간. =〔嫁装〕〔嫁奁lián〕
〔嫁资〕 jiàzī 명 〈文〉 (여자의) 결혼 비용.

稼 jià (가)
①동 곡식을 심다. ¶耕～; 경작하다. ②명 농작물. 곡식. ¶庄～; 농작물.
〔稼穑〕 jiàsè 명 〈文〉 파종과 수확. 농사.

JIAN ㄐㄧㄢ

戋(戔) jiān (전)
형 〈文〉 작다. 적다.
〔戋戋〕 jiānjiān 형 〈文〉 작은 모양. 적은 모양. 미미한 모양. ¶为数～, 不足应用; 수가 적어서 실용성이 없다.

浅(淺) jiān (천)
→〔浅浅〕 ⇒qiǎn
〔浅浅〕 jiānjiān 형 〈文〉 물이 빨리 흐르는 모양.

笺(箋〈牋, 椾〉②③) jiān (전)
① 명동 주석(注釋)(하다). ¶～注; ⇩ ②명 시나 편지를 쓰는 데 사용하는 폭이 좁은 종이. ¶便～ =〔信～〕〔～纸〕; ⓐ편지지. ⓑ편지. ③명 서신. ④명 상주문(上奏文). ⑤명 중국 문체(文體)의 하나.
〔笺牍〕 jiāndú 명 〈文〉 서간. 편지. =〔笺札〕
〔笺候〕 jiānhòu 동 〈文〉 편지로 안부를 묻다.
〔笺札〕 jiānzhá 명 〈文〉 서간. 서찰. =〔笺牍〕
〔笺注〕 jiānzhù 명 〈文〉 주석(註釋). 주해(註解).

钱(錢) jiān (전)
인명용 자(字).

溅(濺) jiān (천)
→〔溅溅〕 ⇒jiàn
〔溅溅〕 jiānjiān 〈擬〉 물이 흐르는 소리.

尖 jiān (첨)
①(～儿) 명 사물의 뾰족한 끝. ¶刀～儿; 칼끝 / 笔～儿; 붓끝. 펜촉 / 山～(儿) =〔山顶(儿)〕; 산꼭대기 / 塔～; 탑꼭대기. =〔尖子①〕 ②(～儿) 명 무리 중에 뛰어난 사람〔것〕. ¶顶～; 최상등. 최고급 / ～儿货; 특상의 물품 / 这群人里他是个～儿; 이들 중에서 그는 뛰어난 사람이다. =〔尖子③〕 ③명 악당. ¶八大～里的第一个～; 팔대 악당 중 으뜸 가는 악한. ④명 여행의 도중에 식사하는 것. ¶早～; 여행 도중에 먹

는 아침밥 또는 아침의 휴식/打～; 여행 도중에 식사하다. ⑤ 형 뾰족하다. 날카롭다. ¶～下巴颏儿; 뾰족한 턱/铅笔削得很～; 연필을 깎아서 뾰족하게 하다. ⑥ 형 (목)소리가 새되다. 날카롭다. ¶～声～气; 새된 소리. 째지는 듯한 소리. ⑦ 동 목소리를 날카롭게 하다. ¶她～着嗓子喊; 그녀는 째지는 듯한 목소리로 고함쳤다. ⑧ 형 (감각이) 예민하다. ¶耳朵～; 귀가 밝다/眼～; 눈이 밝다/鼻子～; 코가 예민하다. ⑨ 형 (철사 따위가) 가느다랗다. ⑩ 형 심술궂고 모나다. 지독하다. 인정이 없다. ¶～薄; ⇩

〔尖兵〕 **jiānbīng** 명 ①〖軍〗 첨병. ②〈比〉 선봉(先鋒). 개척자. 선구자.

〔尖薄〕 **jiānbó** 형 가혹하다. 박정하다.

〔尖叉〕 **jiānchā** 명 자수가 적은 운(韻). 작시에 쓰기 어려운 운자(韻字). =〔险**xiǎn**韵〕

〔尖刺〕 **jiāncì** 명 (풀·나무 등의) 가시. 형 (소리가) 요란하다. 날카롭고 높다.

〔尖刀〕 **jiāndāo** 명 ①끝이 뾰족한 칼. 총검. ¶像一把～插人敌人心脏; 마치 적의 심장에 날카로운 칼을 꽂은 것 같다. ②〖軍〗 돌격대. 선봉. ¶～连; 돌격 부대/～班; 돌입반. 우수반. ③〖機〗 첨두(尖頭) 바이트.

〔尖顶〕 **jiāndǐng** 명 첨단. 정상. 꼭대기.

〔尖端〕 **jiānduān** 명 첨단. 뾰족한 끝. 형 최신의. 첨단의. ¶～的机器设备; 최신 기계 설비/～技术; 첨단 기술/～科学; 첨단 과학/～放电; 〖電〗 첨단 방전.

〔尖拱〕 **jiāngǒng** 명 〖建〗 고딕식의 아치.

〔尖尖〕 **jiānjiān** 형 날카롭고 뾰족한 모양.

〔尖叫〕 **jiānjiào** 동 날카롭게 외치다.

〔尖叫声〕 **jiānjiàoshēng** 명 날카로운 외침 소리.

〔尖刻〕 **jiānkè** 형 (말투가) 매우 가혹하다. 신랄하다. ¶～地批评; 신랄하게 비평하다. →〔尖酸〕

〔尖括号〕 **jiānkuòhào** 명 문장 부호 '〈 〉'.

〔尖利〕 **jiānlì** 형 ①날카롭다. 예리하다. ¶笔锋～; 필법이 날카롭다/冷风～地吹到人的脸上; 차가운 바람이 살을 에듯 얼굴에 닿다. =〔尖锐〕 ②매우 영리하다. =〔锋利〕

〔尖领儿〕 **jiānlǐngr** 명 (셔츠 따위의) V넥.

〔尖溜溜(的)〕 **jiānliūliū(de)** 형 〈方〉 ①가늘고 날카로운 모양. 매우 예리한 모양. ¶～的锥子; 가늘고 뾰족한 송곳. ②(목소리가) 새된 모양. ¶～的嗓子; 새된 목소리.

〔尖劈〕 **jiānpī** 명 쐐기.

〔尖脐〕 **jiānqí** 명 수게의 뾰족한 복부. 수게. ¶～的 =〔～蟹**xiè**〕〔雄**xióng**蟹〕; 수게. ↔〔团**tuán**脐〕

〔尖锐〕 **jiānruì** 형 ①사물이 뾰족하여 예리하다. ¶把锥子磨得非常～; 송곳을 매우 뾰족하게 갈았다. =〔尖利①〕 ②(객관적 사물에 대한 인식이) 날카롭다. 예리하다. ¶眼光～; 안광이 예리하다. ③(목소리나 소리가) 높고 날카롭다. ④(언론·투쟁 등이) 격렬하다. 예리하다. ¶～的批评; 예리한 비평.

〔尖嗓子〕 **jiānsǎngzi** 명 새된〔날카로운〕 소리(를 내는 사람). =〔尖嗓儿〕

〔尖声〕 **jiānshēng** 명 새된〔날카로운〕 목소리. ¶～叫喊; 날카로운 소리를 지르다.

〔尖声尖气〕 **jiān shēng jiān qì** 〈成〉 지지 않으려고 새된 소리로 마구 지껄여 대다.

〔尖酸〕 **jiānsuān** 형 (말에 가시가 있고) 신랄하다. ¶气量狭小, 口角～; 도량이 좁고 말에 가시가 돋치다/～刻薄; 〈成〉 신랄하고 인정이 없다.

〔尖头〕 **jiāntóu** 명형 교활(하다). 명 날카로운 끝.

〔尖头蝗〕 **jiāntóuhuáng** 명 〖蟲〗 메뚜기. 누리. =〔〈方〉 刮**guā**打扁儿〕

〔尖团音〕 **jiāntuányīn** 명 〖言〗 '尖音'과 '团音'('尖音'은 성모(聲母) 'z, c, s'에 'i, ü' 또는 'i, ü'로 시작되는 운모(韻母)가 이어지는 것. '团音'은 성모 'j, q, x'에 'i, ü' 또는 'i, ü'로 시작되는 운모가 이어지는 것. 방언 중에는 '尖团'을 구별하는 것이 있다. 이를테면, '尖, 千, 先'을 **ziān**, **ciān**, **siān**으로, '兼, 牵, 掀'을 **jiān**, **qiān**, **xiān**으로 발음하는 따위. '普通话'에서는 '尖团'을 구별하지 않음. '昆曲'에서 말하는 '尖团音'은 그 범위가 좀더 넓어 'z, c, s'와 'zh, ch, sh'의 구별도 '尖团音'이라고 함. 이를테면, '灾**zāi**'는 '尖音', '斋**zhāi**'는 '团音', '三**sān**'은 '尖音', '山**shān**'은 '团音').

〔尖尾鸭〕 **jiānwěiyā** 명 〖鳥〗 고방오리. =〔针尾鸭〕

〔尖牙〕 **jiānyá** 명 〈俗〉 송곳니('犬齿'의 속칭).

〔尖皂鞋子〕 **jiānzàoxiézi** 명 앞이 뾰족한 중국신('皂鞋'는 흔히 신는 검은 단화(短靴)).

〔尖站〕 **jiānzhàn** 명 옛날, 여행 도중에 휴식을 취하면서 음식을 먹던 곳.

〔尖桩〕 **jiānzhuāng** 명 〖軍〗 끝을 뾰족히 한 말뚝(땅에 박아 적을 막음).

〔尖子〕 **jiānzi** 명 ①⇨〔尖①〕 ②중국 전통극에서, 노래의 음조(音調)가 갑자기 높아지는 부분. ③⇨〔尖②〕

〔尖嘴薄舌〕 **jiān zuǐ bó shé** 〈成〉 이러쿵저러쿵 비평하다. 신랄하게 비평하다.

〔尖嘴猴腮〕 **jiān zuǐ hóu sāi** 〈成〉 뾰족한 입과 원숭이 볼(탐욕스러운 사람, 또는 빈상(貧相)을 하고 있는 사람).

奸〈姦〉B)

jiān (간)

A) ① 형 간사하다. 간악하다. ¶老～巨猾**huá**; 〈成〉 매우 간사하고 교활하다〔한 사람〕/～笑; ⇩ ② 형 〈口〉 교활하다. 능글맞다. 수단이 교묘하다. ¶这个人才～呢, 躲躲闪闪不肯使力气; 이 사람은 몹시 교활하여 약삭빠르게 굴며 꾀를 부리고 있다/藏～要滑; 간사하고 교활한 마음을 품고 꾀를 부리다. →〔狡**jiǎo**①〕 ③ 명 부정을 일삼는 사람. 적과 내통하는 사람. ¶汉～; 매국노. 간첩/锄**chú**～; 배반〔반역〕자를 제거하다. ④ 형 (국가 또는 군주에게) 불충하다. ¶～臣; ⇩ **B)** 동 간음하다. 간통하다. ¶通～; 간통하다/强～; 폭행하다. 강간하다/～出人命, 赌出贼; 간통은 살인범을 낳고, 도박은 도적을 낳는다.

〔奸才〕 **jiāncái** 명 나쁜 지혜. 간악한 꾀.

〔奸策〕 **jiāncè** 명 ⇨〔奸计〕

〔奸馋〕 **jiānchan** 형 〈方〉 식성이 까다롭다. ¶这孩子太～, 没肉吃不下饭去; 이 아이는 식성이 너무 까다로워서 고기가 없으면 밥을 안 먹는다.

〔奸臣〕 **jiānchén** 명 간신.

〔奸党〕 **jiāndǎng** 명 악당. 간사한 무리.

〔奸盗〕 **jiāndào** 명 도둑놈. 나쁜 놈.

〔奸刁〕 **jiāndiāo** 형 교활〔간악〕하다.

〔奸非〕 **jiānfēi** 명 〈文〉 ①간악한 행위. ②간음한 사람.

〔奸匪〕 **jiānfěi** 명 악당. 나쁜 놈.

〔奸夫〕 **jiānfū** 명 ①간통한 사나이. 간부. ②간악한 남자.

〔奸骨〕 **jiāngu** 형 간교하다. 교활하다. ¶相貌～; 용모가 교활하게 생기다.

〔奸宄〕 **jiānguǐ** 명 〈文〉 악당. 모반인(謀叛人). 나

쁜놈.
〔奸棍〕 jiāngùn 명 악인. 악당.
〔奸滑〕 jiānhuá 형 간악하고 경박(輕薄)하다. 교활〔간교〕하다. ¶～鬼; 교활한 자. =〔奸猾〕
〔奸计〕 jiānjì 명 간계(奸計). 나쁜 꾀〔음모〕. =〔奸策〕
〔奸狡〕 jiānjiǎo 형 교활하다. 간교하다. ¶他那个人简直是～曲猾坏都占全了; 그는 참으로 모든 악을 갖춘 악당이다.
〔奸谲〕 jiānjué 형〈文〉간교하다. 교활하다.
〔奸老好儿〕 jiānlǎohǎor 명 의리있는 체하는 사람. 성실하고 정직한 체하는 사람. 위선자.
〔奸门儿〕 jiānménr 형 몹시 교활하다. 아주 간교하다. ¶好～, 什么事都推干净儿; 아주 교활한 놈이어서 무엇이든 모두 남에게 전가해 버린다.
〔奸谋诡计〕 jiānmóu guǐjì 간악한 계책〔계략〕.
〔奸佞〕 jiānnìng〈文〉형 교활하여 아부를 잘하다. 명 교활해서 아부를 잘 하는 사람. ¶～当道; 간사하고 아첨을 잘 하는 자가 요직(要職)을 차지하다.
〔奸巧〕 jiānqiǎo 형 간교하다. 간사하다.
〔奸情〕 jiānqíng 명 ①간통 사건. ②나쁜 마음.
〔奸商〕 jiānshāng 명 악덕 상인. 부정 상인.
〔奸特〕 jiāntè 명 배반자와 간첩(‘汉奸’과 ‘特务’).
〔奸通〕 jiāntōng 명동 간통(하다).
〔奸头〕 jiāntóu 명 음험한 사람. ¶～八脑; 음험한 생김새.
〔奸徒〕 jiāntú 명 간도. 나쁜 놈. 악당.
〔奸污〕 jiānwū 동 강간하다. 형 음란하다.
〔奸物〕 jiānwù 명 간악한 사람〔놈〕.
〔奸细〕 jiānxi 명 ①교활한 인간. ②스파이. ¶千万加小心, 留神有～; 아무쪼록 조심해서 스파이를 경계하여라.
〔奸黠〕 jiānxiá 형 교활하다.
〔奸险〕 jiānxiǎn 형 간악하고 음험(陰險)하다.
〔奸笑〕 jiānxiào 동 비웃다. 간사하게 웃다. 명 비웃음. 간사하게 웃는 웃음.
〔奸邪〕 jiānxié〈文〉형 사악하다. 간사하다. 명 간사한 사람.
〔奸雄〕 jiānxióng 명〈文〉매우 교활한 사람. 간사한 영웅. 간지(奸智)에 능한 영웅.
〔奸胥滑吏〕 jiānxū huálì 명 간악하고 교활한 서리(胥吏).
〔奸淫〕 jiānyín 명 간음. 동 간음하다. 강간하다. ¶～掳lǔ掠; 강간하고 약탈하다. 형 음란하다.
〔奸贼〕 jiānzéi 명 간적. 음모자. 모반자.
〔奸诈〕 jiānzhà 형 교활하다. 간사하다. 마음이 사악하다. ¶～诡谲;〈成〉음험하고 교활하다.
〔奸子儿〕 jiānzǐr 명 간교한 놈.

间(間〈閒〉) jiān (간)

①명 사이. 중간. ¶彼此～的差别; 양자 사이의 차이〔격차〕/十一月和十二月～; 11월과 12월의 사이. ②양《度》길이의 단위(집의 기둥과 기둥 사이를 말하며 10척(尺)을 표준으로 하나, 8척(尺)쯤 되는 것도 있음). ③막연한 시간을 나타내는 말. ¶十五六～; 십오륙일경/午～; 점심 무렵/晚～; 저녁때. ④어떤 일이 진행되고 있는 바로 그 시기. ¶正说话～, 雨下起来了; 마침 이야기하고 있을 그 때에 비가 오기 시작했다. ⑤막연하게 장소를 가리키는 말. ¶腰～带上青龙大刀; 허리에 청룡도를 차고 있다/此～; 당지(當地). ⑥명 방. 실(室). ¶锅guō～; 보일러실/样子～; 견본 진열실/亭子～;〈文〉다락방. ⑦양 칸(방의 수를 세는 데 쓰임). ¶一～卧室; 침실 한 칸. ⑧명 부(部)·과(課)·반(班)에 해당하는 말. ¶保险～; 보험부/车～; 공장에 있어서의 직장의 단위. ⑨…의 속. …의 중(中). ¶赞成者～, 也有积极的, 也有消极的; 찬성자 중에는 적극적인 사람도 있고, 소극적인 사람이 있다. ⑩→〔间关〕 ⑪명《化》메타(meta). ⇒jiàn, '闲' xián
〔间氨基苯磺酸〕 jiān'ānjīběnhuángsuān 명《化》메타닐산(酸).
〔间冰期〕 jiānbīngqī 명《地質》간빙기(間氷期).
〔间不容发〕 jiān bù róng fà〈成〉머리털 하나 들어갈 틈도 없다(일이 대단히 위급함을 이름).
〔间不容息〕 jiān bù róng xī〈成〉일이 급박함.
〔间格布置〕 jiāngé bùzhì 명 (주택의) 방 배치.
〔间关〕 jiānguān〈文〉①〈擬〉수레 소리. ②〈擬〉새가 지저귀는 소리. ③형 길이 험조하여 걷기 곤란한 모양. ¶～千里, 始至北京; 험조한 길을 천 리나 걸어서 겨우 베이징에 왔다. ④형 문장이 회삽(晦澁)하여 어려운 모양.
〔间架〕 jiānjià 명 ①(집·토지 등의) 크기. 면적. ¶那所儿房子～虽然大, 可是不大适用; 저 집은 널찍하게 지어졌으나, 별로 실용적이지는 못하다. =〔〈方〉间量(儿)〕 ②크기. 규모. ③문장의 줄거리. 문자의 배치.
〔间量(儿)〕 jiānliang(r) 명〈方〉방의 크기. ¶这间屋子～太小; 이 방은 너무 좁다.
〔间脑〕 jiānnǎo 명《生》간뇌(間腦).
〔间歇〕 jiānxiē 동 (작업의) 중간에 쉬다. 명 중간 휴식.
〔间奏曲〕 jiānzòuqǔ 명《樂》간주곡. =〔插chā曲②〕

坚(堅) jiān (견)

①형 단단하다. 견고하다. 튼튼하다. ¶～不可破;〈成〉견고해서 파괴되지 않는다/～如铁石; 쇠와 돌같이 단단하다. ②형 (의지 등이) 굳다. 확고하다. ¶信心甚～; 신념이 매우 굳세다. ③명 견고한 것(주로 진지(陣地)를 가리킴). ¶无～不摧;〈成〉어떤 견고한 진지라도 함락되지 않는 것이 없다. ④부 굳게. 단단히. 굳이. 끝까지. ¶～辞; 굳이 사퇴하다. 고사(固辭)하다/～持到底; 끝까지 견지하다. ⑤명 성(姓)의 하나.
〔坚壁〕 jiānbì 동 ①벽을 견고히 하다. ②〈轉〉(적에게 발견되지 않도록) 물자·사람을 숨기다. ¶把粮食～起来; (적의 침입에 앞서) 식량과 물자를 감추다/～清野;〈成〉진지를 사수하여 적의 침공을 저지하고 퇴각할 때는 일체의 물자를 매장 또는 소각하여 적의 이용을 방해하는 전술.
〔坚不可摧〕 jiān bù kě cuī〈成〉매우 견고해서 파괴할 수 없다.
〔坚持〕 jiānchí 동 ①(방침·원칙·주장·생각 등을) 견지하다. 절대로 바꾸지 않다. 지속시키다. ¶～到最后; 최후까지 강경히 버티다/～不懈;〈成〉견지하고 조금도 손을 늦추지 않는다/只有他一个人～不同意; 오직 그만이 끝까지 동의하지 않는다. ②계속 분발하다. 참다. 버티다. ¶这回决不能认输, 大家～一下争回光荣吧; 이번에는 결코 질 수가 없다, 모두 힘을 내어 승리의 영광을 되찾도록 하자.
〔坚辞〕 jiāncí 동 굳이 사양하다. ¶～不收; 고사하여 받지 않다. =〔固gù辞〕
〔坚脆〕 jiāncuì 명 ①굳음과 무름. ②〈比〉굳기. 형 굳으면서도 잘 깨지다.
〔坚定〕 jiāndìng 형 (입장·주장·의지 등이) 확고

하다. ¶～不移; 〈成〉 확고부동하다 / 我的立场～着呢! 나의 입장은 부동(不動)입니다! 동 확고히 하다. 굳히다. ¶～立场; 입장을 견고히 하다 / ～方向; 방향을 확실하게 하다. ‖↔〔动摇〕
〔坚度〕 jiāndù 명 ⇨〔硬yìng度〕
〔坚刚〕 jiāngāng 형 단단하고 굳세다. ↔〔脆cuì弱〕
〔坚供不移〕 jiāngòng bùyí 죄인의 진술이 진실이어서 고칠 필요가 없다.
〔坚固〕 jiāngù 형 견고하다. 튼튼하다. ¶～的碉diāo堡; 쉽게 함락되지 않는 토치카 / 结成～的联盟; 굳은 동맹을 맺다. 동 견고하게 하다. 굳히다.
〔坚果〕 jiānguǒ 명 《植》 견과(堅果).
〔坚瓠〕 jiānhù 명 ①〈文〉 딱딱하고 속에 빈 곳이 없는 호리병박. ②〈轉〉 무용지물.
〔坚甲〕 jiānjiǎ 명 〈文〉 견고한〔튼튼한〕 갑옷. ¶～利兵; 〈成〉 견고한 갑옷과 예리한 무기. 〈轉〉 정예 부대.
〔坚劲〕 jiānjìng 형 〈文〉 뜻이 굳다. 불요불굴하다.
〔坚决〕 jiānjué 형 ①(태도·주장·행동 따위에) 동요가 없다. 단호〔결연〕하다. ¶～的决心; 확고한 결심. 부 결연히. 단호히. ¶他～表示服从上级的命令; 그는 단호히 지도자의 명령에 복종할 뜻을 나타내었다.
〔坚苦〕 jiānkǔ 동 괴로움을 견디고 참다. ¶～卓绝; 〈成〉 괴로움을 견디는 기개가 탁월하다.
〔坚牢〕 jiānláo 형 견고하다. 튼튼하다.
〔坚利〕 jiānlì 형 굳고 예리하다.
〔坚强〕 jiānqiáng 형 (조직·의지가) 견고하다. 굳세다. 강경하다. ¶～不屈; 〈成〉 의지가 견고하여 굽히지 않다 / ～的意志; 강인한 의지. ↔〔软弱〕 동 공고히 하다. 강화하다. ¶～我们的组织; 우리의 조직을 강화하다.
〔坚忍〕 jiānrěn 형 참고 버티어 동요하지 않다. ¶～不拔; 〈成〉 견인불발하다. 꾹 참고 견뎌 내다.
〔坚韧〕 jiānrèn 형 〈文〉 강인하다.
〔坚如磐石〕 jiān rú pán shí 〈成〉 반석처럼 견고하다.
〔坚实〕 jiānshí 형 견고하다. 튼튼하다. 단단하다. ¶～的基础; 단단한 기초 / 土地很～; 땅이 단단하다 / 身体～; 몸이 튼튼하다.
〔坚守〕 jiānshǒu 동 굳게 지키다. ¶～岗位; 본분을 굳게 지키다.
〔坚挺〕 jiāntǐng 형 ①《經》 (시황(市況)의) 오름세가 있는. 견조(堅調)의. ②꿋꿋하다. 강직하다.
〔坚心〕 jiānxīn 명 굳은 결심. 동 마음을 굳게 하다.
〔坚信〕 jiānxìn 동 굳게 믿다.
〔坚毅〕 jiānyì 형 〈文〉 의연하다.
〔坚硬〕 jiānyìng 형 단단하다. 굳다. ¶～的石头; 단단한 돌 / 平坦而～的水泥大道; 평탄하고 튼튼한 시멘트 도로.
〔坚贞〕 jiānzhēn 형 〈文〉 (의지 등이) 굳다. 꿋꿋하고 바르다. ¶～不屈; 〈成〉 굳게 절조를 지켜 굴하지 않다.
〔坚执〕 jiānzhí 동 고집하다.
〔坚致〕 jiānzhì 형 〈文〉 견고하고 조밀하다.

鲣(鰹) jiān (견)

명 《魚》 가다랭이.

歼(殲) jiān (섬)

동 망하게 하다. 섬멸하다. 몰살시키다. ¶敌人五千名悉数被～; 적병 5천 명은 모두 섬멸되었다.
〔歼击〕 jiānjī 동 공격 섬멸하다.
〔歼灭〕 jiānmiè 동 적을 섬멸하다. ¶～战; 섬멸전.
〔歼扑〕 jiānpū 동 박멸하다.

艰(艱) jiān (간)

①형 어렵다. 곤란하다. ¶～苦; ⇩ / 物力维～; 물자를 얻기가 어렵다. ②동 고생하다. 번민하다. ③명 〈文〉 부모의 상(喪). ¶丁dīng～; 부모상을 당하다 / 丁内～; 모친상을 당하다 / 丁外～; 부친상을 당하다.
〔艰贵〕 jiānguì 형 희소하다. 적은. ¶柴米～; 장작과 쌀이 적다. 생활이 곤란하다.
〔艰窘〕 jiānjiǒng 형 〈文〉 어렵고 궁핍하다.
〔艰巨〕 jiānjù 형 어렵고도 방대하다. 어렵고도 막중하다. ¶这是一个十分～的工作; 이것은 극히 어렵고도 방대한 일이다 / 我们的建设任务是～的; 우리의 건설 임무는 어렵고도 막중한 것이다.
〔艰苦〕 jiānkǔ 형 어렵고 힘들다. 고달프다. 고생스럽다. ¶～奋fèn斗; 〈成〉 어려움을 참으며 분발하다 / 生活很～; 생활이 매우 어렵다 / ～的劳动, 换来了丰硕的果实; 힘겨운 노동이 풍족한 성과를 거두었다 / ～卓绝; 〈成〉 견인 불발. 지극히 힘들고 어렵다 / ～朴素; 고통을 참으며 검소하다.
〔艰难〕 jiānnán 형 어렵다. 곤란하다. 참기 힘들다. ¶面临～的经济局面; 어려운 경제적 국면에 직면하다 / 这一条路很～; 이 길은 매우 험하다.
〔艰涩〕 jiānsè 형 〈文〉 ①(문장이) 어려워서 알기 힘들다. ②길이 험해 다니기 어렵다. ③맛이 떫다. ④문사(文思)가 느리고 둔하다.
〔艰深〕 jiānshēn 형 (도리(道理)·문사(文辭)가) 심오해서 알기 어렵다. ¶～的词句; 난해한 어구.
〔艰危〕 jiānwēi 명 (국가·민족의) 어려움과 위험. 형 (국가·민족이) 곤란하고 위태롭다.
〔艰险〕 jiānxiǎn 형 (입장·경우가) 곤란하고 위험하다. ¶越是～越向前; 곤란하고 위험할수록 더욱 전진하다. 명 곤란과 위험. =〔艰难险阻〕
〔艰辛〕 jiānxīn 명형 간난 신고(艱難辛苦)(하다). ¶历尽～, 方有今日; 신고(辛苦)를 다 겪고 나야 비로소 오늘이 있다.
〔艰虞〕 jiānyú 명 〈文〉 곤란과 우려.
〔艰贞〕 jiānzhēn 동 〈文〉 곤란에 굴하지 않고 절조를 지키다.

肩 jiān (견)

①명 어깨. ¶比～; 어깨를 나란히 하다 / 抱～; (추워서) 두 손으로 양어깨를 안는 모양. ②명 부자(富子)를 일컫는 말. ③명 가축의 3살을 가리키는 말. ④동 (일·책임 등을) 짊어지다. 부담하다. ¶息～; 책임을 덜다 / 年已六十岁, 还敢出～重任; 나이 60이 되었는데도 아직 자진하여 책임을 진다.
〔肩膀(儿)〕 jiānbǎng(r) 명 ①어깨. ¶耸～; 어깨를 으쓱 높이다 / 溜～不吃劲儿; 늘어진 어깨로는 무거운 짐을 못 짊어진다 / ～齐了为兄弟; 어깨의 힘이 같으면 형제가 된다(힘만이 만사를 해결하는 의리도 인정도 없는 사회라는 뜻) / 两个～抗着一个肉球; 육체 노동으로 생계를 유지하고 있다. ②책임감. ¶～儿宽; ⓐ충분히 책임질 능력이 있다. ⓑ교제가 넓다 / 溜～儿; 책임을 회피하다 / 有～; 책임감이 있다. 인수인이 있다. 책임자가 대기하고 있다. ‖ =〔肩膊bo〕
〔肩膀齐〕 jiānbǎngqí 〈比〉 대등〔평등〕 하다. ¶不能～为弟兄; 대등하게 형제가 될 수는 없다.
〔肩背〕 jiānbēi 동 (어깨에) 짊어지다.
〔肩并肩〕 jiān bìng jiān ①어깨를 나란히 하다. ¶她跟一个小伙子～地走路; 그녀는 한 젊은이와 어깨를 나란히 하고 걷고 있다. ②행동을 같이하

다. ¶～地战斗; 어깨를 나란히 하고 싸우다.
〔肩不能挑, 手不能提〕 jiān bù néng tiāo, shǒu bù néng tí 〈成〉 어깨에 멜 수도 손에 들 수도 없다(육체 노동을 할 줄 모르는 지식인 등을 비웃는 말).
〔肩带〕 jiāndài 명 《生》 견대. 상지대(上肢帶).
〔肩贩〕 jiānfàn 명 ⇨〔小xiǎo贩〕
〔肩负〕 jiānfù 동 짊어지다. 걸머지다. ¶～光荣的职责; 영광스러운 직책을 맡다.
〔肩胛骨〕 jiānjiǎgǔ 명 《生》 어깨뼈. 견갑골. =〔髆bó骨〕〔饭fàn匙骨〕〔〈方〉 琵pí琶骨〕〔胛骨〕
〔肩架〕 jiānjià 명 목말. ¶他给搭了个～; 그는 목말을 태워 줬다.
〔肩摩毂击〕 jiān mó gǔ jī 〈成〉 어깨가 서로 스치고 바퀴가 서로 부딪치다(매우 혼잡함의 비유). =〔摩肩击毂〕
〔肩摩踵接〕 jiān mó zhǒng jiē 〈成〉 어깨와 어깨가 마주치고 뒤꿈치와 뒤꿈치가 서로 스치다(사람들로 혼잡한〔붐비는〕 모양). ¶去参观的人～争先恐后; 참관자가 혼잡하게 뒤섞이어 앞을 다투고 있다.
〔肩上传球〕 jiānshàng chuánqiú 명 《體》 (야구의) 오버스로(overthrow). =〔肩上投球〕
〔肩痠〕 jiānsuān 형 어깨가 뻐근하다〔시큰시큰하다〕.
〔肩头〕 jiāntóu 명 ①〈文〉 어깨 위. 어깻죽지. ¶～有力养一口, 心头有力养千口; 어깨에 힘이 있으면 한 사람을 기르고, 마음에 힘이 있으면 천 사람을 기른다/齐人～; 사람의 어깨 정도의 높이. ②〈方〉 어깨. ¶跟他平了～; 그와 어깨를 나란히 했다.
〔肩窝(儿, 子)〕 jiānwō(r, zi) 명 어깨 앞의 우묵한 곳.
〔肩舆〕 jiānyú 명 〈文〉 가마.
〔肩章〕 jiānzhāng 명 《軍》 견장.

兼 jiān (겸)
①동 겸하다. 동시에 하다. ¶～着做两种买卖; 두 가지 장사를 겸영(兼營)하다/身～数职; 혼자서 여러 개의 직을 겸하다. ②형 2배의. 곱절의. ¶～程而进; 2배의 속력으로 나아가다/～旬; ⇓
〔兼爱〕 jiān'ài 명 〈文〉 겸애(兼愛)(묵자(墨子)가 주장한 설). ¶～交利; 서로서로 똑같이 사랑하고 이롭게 하다.
〔兼办〕 jiānbàn 동 겸업(兼業)하다. 겸무(兼務)하다.
〔兼备〕 jiānbèi 동 겸비하다.
〔兼并〕 jiānbìng 동 〈文〉 (타국 영토나 다른 기업을) 합병하다. 병탄(併呑)하다. 통일하다. ¶秦始皇～天下; 진시황(秦始皇)이 천하를 통일하다.
〔兼差〕 jiānchāi 명동 겸직(하다)('兼职'의 구칭).
〔兼程〕 jiānchéng 동 〈文〉 이틀 길을 하루에 가다. ¶～前进; 무서운 기세로 전진하다. =〔倍bèi道〕
〔兼筹并顾〕 jiān chóu bìng gù 〈成〉 각 방면에 걸쳐서 전반적인 계획을 세우다.
〔兼赅〕 jiān·gāi 동 〈文〉 겸비하다. 겸하다.
〔兼顾〕 jiāngù 동 ①둘 이상의 일을 맡다. ②양쪽을 고루 고려(顧慮)하다. ¶公私～; 공과 사의 양쪽에 마음을 쓰다.
〔兼管〕 jiānguǎn 동 겸하여 관할하다.
〔兼毫〕 jiānháo 명 부드러운 털과 억센 털 즉, 양털과 승냥이털을 섞어서 만든 붓.
〔兼及古今〕 jiān jí gǔ jīn 〈成〉 고금에 걸치다. ¶罗列事例, ～; 나열한 사례가 고금에 걸쳐 있다.
〔兼课〕 jiān·kè 동 (교사가) 수업을 겸임하다.
〔兼理〕 jiānlǐ 동 겸임하여 처리하다.
〔兼全〕 jiānquán 형 〈文〉 겸비되어 있다. 모두 갖추고 있다. ¶文武～; 문무를 겸비하다/福寿～; 복과 수를 겸비하다.
〔兼人〕 jiānrén 명 〈文〉 혼자서 두 사람 분의 일을 해낼 수 있는 사람. 우수한 사람. ¶～之量; 2인분의 양.
〔兼任〕 jiānrèn 동 겸임하다. 명 (전문이 아닌) 겸임. 비상임(非常任). ¶～教授; 겸임 교수. →〔专zhuān任〕
〔兼容并包〕 jiān róng bìng bāo 〈成〉 많은 것을 겸하여 포용하다. 총망라하다.
〔兼收并蓄〕 jiān shōu bìng xù 〈成〉 (내용·성질이 틀린 것이라도) 모두 흡수하다. (일이 좋고 그름을 불문하고) 전부 받아들이다. ¶在接受古代文化遗产时, 我们不能～, 要批判地接受; 고대의 문화 유산을 이어받는 경우에는 무엇이든 모조리 이어받을 수는 없으며, 비판적으로 받아들여야 한다.
〔兼署〕 jiānshǔ 동 (본직이 있는 관리가) 다른 직무를 겸해서 대리하다.
〔兼祧〕 jiāntiāo 동 〈文〉 (옛날) 혼자서 동족 중의 두 집의 대를 잇다. ¶在名义上是～两房, 骨子里的滋味可并不好受; 명의상으로는 두 집의 대를 잇게 되어 있었으나, 내심은 힘들었다〔난처했다〕.
〔兼听则明, 偏信则暗〕 jiān tīng zé míng, piān xìn zé àn 〈成〉 널리 의견을 들으면 분명하게 되나, 어느 한쪽만의 의견을 일방적으로 믿으면 진상을 오인하거나 판단을 그르친다.
〔兼味〕 jiānwèi 명 두 가지 이상의 음식물.
〔兼习〕 jiānxí 동 겸하여〔함께〕 배우다. ¶～英文和俄文; 영어와 러시아어를 함께 배우다.
〔兼辖〕 jiānxiá 동 겸하여 통할〔관할〕하다.
〔兼衔〕 jiānxián 명 겸직(옛날, 일정한 관직을 가진 관리에게 그 격식을 높이기 위하여 다른 관명을 주는 것).
〔兼旬〕 jiānxún 명 〈文〉 2순(旬) 20일간.
〔兼业〕 jiānyè 명동 겸업(하다).
〔兼之〕 jiānzhī 접 〈文〉 게다가. 또. 그 위에. ¶人手不多, ～期限迫近, 紧张情形可以想见; 일손은 부족하고 기한은 촉박하니, 그 다급한 상황을 가히 짐작할 수 있다.
〔兼职〕 jiānzhí 명 겸직. (jiān·zhí) 동 겸직하다. ¶他兼了三个职; 그는 세 가지 일을 겸직하고 있다/辞去～; 겸직을 그만두다/～兼薪; 겸직하여 급료도 겸하여 받다.

蒹 jiān (겸)
명 《植》 갈대의 일종. ¶～葭jiā; ⓐ어린 갈대의 총칭. ⓑ〈比〉 보잘것 없는 신분.

搛 jiān (겸)
동 (젓가락으로) 집다. ¶用筷子～菜; 젓가락으로 반찬을 집다.

缣(縑) jiān (겸)
명 〈文〉 두 겹 실로 짠 비단. 이합사견(二合絲絹). 얇고 질기게 짠 명주.
〔缣帛〕 jiānbó 명 (합사로 짠) 견직물.
〔缣素〕 jiānsù 명 서화(書畫)에 쓰이는 흰 비단.

鹣(鶼) jiān (겸)
명 옛날, 전설 속의 비익조(比翼鳥).
〔鹣鲽〕 jiāndié 명 비익조와 가자미〔비목어(比目

魚)](사이가 좋은 부부).
〔鹣鹣〕 jiānjiān 명 비익조.

鳒(鰜) jiān (겸) 명《魚》넙치. =〔大口鳒〕

监(監) jiān (감) ①동 감독하다. 감시하다. ¶～考; 시험을 감독하다. ②명 감옥. 형무소. ¶坐～; 감옥에 들어가다 / 收～; 감옥에 넣다. 수감하다. ③명 모범. ④명 감시관. 감독. ⇒jiàn
〔监谤〕 jiānbàng 동〈文〉비방하여 논하다.
〔监毙〕 jiānbì 동〈文〉옥사하다.
〔监测〕 jiāncè 명 (감시를 위한) 탐측(探測). ¶～卫星; 탐지 위성 / 环境～; 환경에 대한 탐측.
〔监测器〕 jiāncèqì 명《物》(방사능) 탐지〔측정〕기.
〔监察〕 jiānchá 동 감찰하다. ¶～工gōng厂; 공장을 감찰하다 / ～委员会; 감찰 위원회.
〔监察权〕 jiāncháquán 명 감찰권(다섯 가지 치권(治權) 중의 하나).
〔监察人〕 jiānchárén 명《法》감사역(監査役). 법인 단체의 감사(監事).
〔监察委员〕 jiānchá wěiyuán 명 감찰 위원. =〔监委〕
〔监察院〕 jiāncháyuàn 명 감찰원(오원(五院)의 하나).
〔监场〕 jiān·chǎng 동 시험장의 감독을 하다. (jiānchǎng) 명 시험의 감독원.
〔监督〕 jiāndū 동 감독하다. 명 감독(자). ¶～哨; 감시소 / ～程序;《電算》(컴퓨터의) 모니터(시스템의 관리 프로그램).
〔监犯〕 jiānfàn 명 옥중의 죄인.
〔监工〕 jiāngōng 명 공사 현장 감독. ¶～人; 공사 감독. (jian·gōng) 동 공사를 감독하다.
〔监管〕 jiānguǎn 동 (범인을) 감독 관리하다.
〔监国〕 jiānguó 명동〈文〉섭정(攝政)(하다).
〔监护〕 jiānhù 명동《法》①감독 보호(하다). ②(미성년자 및 금치산자를) 후견(하다). ¶～人; 후견인.
〔监禁〕 jiānjìn 동 감금하다.
〔监考〕 jiānkǎo 명 시험 감독. (jiān·kǎo) 동 시험을 감독하다. ‖=〔监场〕〔监试〕
〔监牢〕 jiānláo 명〈口〉감옥. ¶坐～; 감옥에 들어가다 / 收～; 감옥에 넣다. =〔监狱〕
〔监理教会〕 jiānlǐ jiàohuì 명《宗》감리 교회.
〔监临〕 jiānlín 동〈文〉감독 시찰하다.
〔监票〕 jiānpiào 동 투표를 입회하다. 감표하다. ¶～人; 투표 입회인.
〔监试〕 jiān·shì 명동 ⇨〔监考〕
〔监视〕 jiānshì 동 감시하다. 파수보다. ¶～哨shào;《軍》감시초.
〔监守〕 jiānshǒu 동 관리하다. 보관하다.
〔监守自盗〕 jiān shǒu zì dào〈成〉공무〔업무〕상 자신이 주관하는 금품을 훔침. 업무 횡령.
〔监听〕 jiāntīng 동 모니터(로 감시)하다. ¶～器; 방송 감시 장치. 모니터.
〔监外执行〕 jiānwài zhíxíng 명 법원에서 법적 규정에 의해 (중병·임신·출산·수유 등의 이유로) 형무소 밖에서 복역하는 것.
〔监修〕 jiānxiū 동 감수하다.
〔监学〕 jiānxué 명 옛날, 학생감 또는 훈육 주임.
〔监押〕 jiānyā 동 감금하다.
〔监印〕 jiānyìn 동명 공인(公印)을 보관하다〔하는 사람〕.
〔监狱〕 jiānyù 명 감옥. 교도소. =〔监牢〕〔〈俗〉大dà牢〕
〔监制〕 jiānzhì 동 (주관자(主管者)가) 상품 제조를 감독하다.

渐(漸) jiān (점) 동 ①적시다. 스며들다. ¶～染; ⇩ ②흘러들다. 유입하다. ¶东～于海; 동쪽으로 향해 바다에 흘러들다. ⇒jiàn
〔渐本〕 jiānběn 명 옛날, '国子监'(국자감)에서 각인한 서적.
〔渐染〕 jiānrǎn 동〈文〉감화(感化)되다. 서서히 물들다.
〔渐渍〕 jiānzì 동 ①점점 스며들다. ②점차적으로 감염되다.

菅 jiān (간) ①명《植》솔새. ②동 얕보다. 경시하다. ¶草cǎo～; 경시(輕視)하다. ③명 성(姓)의 하나.

湔 jiān (전) 동〈文〉빨다. 씻다. 헹구다.
〔湔祓〕 jiānfú 동〈文〉재앙을 물리치다.
〔湔洗〕 jiānxǐ 동〈文〉빨아서 헹구다.
〔湔雪〕 jiānxuě 동〈文〉오명(汚名)을 씻다.

煎 jiān (전) ①동 달이다. 졸이다. ¶～药; ⓐ약을 달이다. ⓑ달이는 약. ②동 (요리법의 일종으로서) 적은 양의 기름으로 부치다〔지지다〕. ¶～豆腐; 두부를 기름에 지지다 / ～鸡蛋; ⓐ계란을 부치다. ⓑ계란 부침. ③양 약을 달이는 횟수. ¶二～; 재탕(再湯) / 吃一～药就好; 탕약을 한 첩 달여 먹으면 낫는다. ④동 고통을 받다. 고생하다. 마음을 졸이다.
〔煎熬〕 jiān'áo 동 바싹 졸이다. 달이다. 명동 고생(하다). 번민(하다). 시달림(당하다). 곤란(을 겪다). 고통(을 겪다). ¶经不住这样的～, 离开了人间; 이 같은 고통을 견딜 수 없어 이 세상을 하직했다.
〔煎包子〕 jiān bāozi ①고기 만두를 기름에 지지다. ¶生～; 고기 만두를 찌지 않고 직접 지지다. ②(jiānbāozi) 명 지짐질한 고기 만두.
〔煎逼〕 jiānbī 동 강요당하다. 힐책당하다.
〔煎饼〕 jiānbing 명 쌀가루·달걀·고기 등을 사용하여 번철에 얇게 구운 식품명.
〔煎炒〕 jiānchǎo 동 처음에는 기름을 얇게 두르고 지지다가 나중에 기름을 많이 넣고 재료를 섞으면서 볶다. ¶～锅 =〔煎锅〕; 튀김질 따위에 쓰이는 속이 낮고 둥근 중국식 냄비.
〔煎蛋卷〕 jiāndànjuǎn 명 오믈렛. =〔煎蛋饼〕
〔煎豆腐〕 jiāndòufu ①명 부친 두부. 지진 두부. ②(jiān dòufu) 두부를 기름에 부치다.
〔煎督〕 jiāndū 동 심하게 재촉하다.
〔煎服〕 jiānfú 동 (한방약을) 달여서 마시다.
〔煎饺子〕 jiānjiǎozi ①명 튀긴 만두. ②(jiān jiǎozi) 만두를 튀기다.
〔煎酒〕 jiānjiǔ ①명 진(gin). ②(jiān jiǔ)〈方〉술을 데우다.
〔煎牛排〕 jiānniúpái 명 비프스테이크.
〔煎迫〕 jiānpò 형 절박하다. 임박하다.
〔煎心〕 jiānxīn 동 안달복달하다. 마음을 졸이다.
〔煎鱼〕 jiān yú ①생선을 기름에 지지다. ②(jiānyú) 명 기름에 지진 생선 요리.
〔煎汁〕 jiānzhī 명 졸인 국물.
〔煎猪排〕 jiānzhūpái 명 포크 스테이크.

缄(緘〈椷〉) jiān (함)
①동 (편지를) 봉하다. ¶粘上糨子把信~上; 풀을 칠해서 편지를 봉하다. ②동 입을 다물다. ¶~口不言; 입을 다물고 말하지 않다. ③명〈文〉편지. =〔缄札zhā〕〔笺札〕 ④양 편지의 수를 세는 데 쓰임. ¶今天来了几~信; 오늘 편지가 몇 통 왔다.
〔缄封〕 jiānfēng 동 (편지 따위를) 봉하다.
〔缄口〕 jiānkǒu 동〈文〉함구하다. 입을 다물다. 다변(多辯)을 삼가다. ¶~如瓶, 防意如城;〈成〉입을 굳게 다물고 속마음을 드러내지 않다. →〔闭bì口〕
〔缄密〕 jiānmì 동 밀봉하다.
〔缄默〕 jiānmò 동〈文〉입을 다물고 아무 말도 하지 않다.
〔缄札〕 jiānzhá 명〈文〉서신. 편지.

瑊 jiān (감)
→〔瑊玏lè〕
〔瑊玏〕 jiānlè 명〈文〉옥(玉)과 비슷한 돌.

犍 jiān (건)
①동 거세하다. ¶太监是~的男人; 태감(太監)이란 거세한 남자이다. ②명 불깐 소. ⇒qián
〔犍牛〕 jiānniú 명 불깐 소. 거세한 소.
〔犍椎〕 jiānzhuī 명《佛》〈梵〉사원에서 쓰는 종·경(磬)·목어(木魚) 따위.

鞬 jiān (건)
명〈文〉화살통. 화살을 넣어 말에 다는 주머니.

熸 jiān (잠)
동〈文〉①불이 꺼지다. ②〈轉〉전군(全軍)이 궤멸하다. ¶师shī~; 군대가 대패(大敗)하다.

鞯(韉) jiān (천)
명〈文〉말 안장 밑의 깔개. =〔鞍ān鞯〕

櫼 jiān (첨)
명〈文〉쐐기(('尖'이라고 쓰는 경우가 많음)). =〔楔子xiēzi〕

囝 jiǎn (건)
명〈方〉①아들. =〔儿子〕 ②자식. 아들과 딸. =〔儿女〕⇒'囡' nān

缐(綫) jiǎn (견)
명〈文〉⇒〔茧jiǎnA)〕

枧(梘) jiǎn (견)
①명〈方〉비누. ¶番fān~;〈方〉빨랫비누/香~ =〔香皂〕;〈方〉화장 비누. ②지명용 자(字). ¶高Gāo~; 가오젠((저장 성(浙江省) 싼먼 현(三門縣)에 있는 땅 이름)). ③명 ⇨〔笕jiǎn〕
〔枧黄〕 jiǎnhuáng 명《色》황색의 일종. ¶酸suān性~;《染》메타닐 옐로(metanil yellow).
〔枧水〕 jiǎnshuǐ 명 ⇨〔碱水①〕

笕(筧) jiǎn (견)
명 홈통. ¶屋~; (빗물받이) 홈통. =〔水笕〕〔枧③〕

拣(揀) jiǎn (간)
동 ①고르다. 선택하다. ¶竟~好的说; 좋은 점만을 골라서 말하다. =〔捡⑤〕〔柬①〕 ②줍다. 습득하다. ¶掉在地下了, 快~起来吧; 땅에 떨어져 있으니, 빨리 주워라/路上~了一个钱包; 길에서 지갑을 주웠다. =〔捡②〕 ③불로 소득하다. 요행으로 손에 넣다.
〔拣别〕 jiǎnbié 동 선별하다.
〔拣出来〕 jiǎn.chu.lai 동 골라 내다. 고르다.
〔拣发〕 jiǎnfā 명동 간발(하다)((청대(淸代), 후보인원 중에서 적임자를 골라 임용하는 것)).
〔拣回〕 jiǎnhuí 명동 회수(하다). ¶从九月份起开始~被丢弃的木材; 9월 분부터 내던져 있던 목재의 회수를 시작하다.
〔拣精拣肥〕 jiǎn jīng jiǎn féi〈成〉선택 방법이 엄밀하고 세밀하다.
〔拣命〕 jiǎn.mìng 동 목숨을 건지다.
〔拣破烂〕 jiǎnpòlàn 명 넝마주이.
〔拣取〕 jiǎnqǔ 동 골라잡다. 주워 올리다.
〔拣食〕 jiǎnshí 동 먹이〔모이〕를 주워 먹다. ¶鸡整天低着头~; 닭은 하루 종일 머리를 숙이고 모이를 주워 먹는다.
〔拣手〕 jiǎnshǒu 동 선별하다. 유별(類別)하다. ¶这是经过~的小麦种子; 이것은 선별이 끝난 소맥 씨이다.
〔拣选〕 jiǎnxuǎn 동 가려 뽑다. 선택하다. ¶~衣料; 옷감을 고르다. =〔采选〕
〔拣择〕 jiǎnzé 동 선택하다. 간택하다.
〔拣字〕 jiǎn.zì 동 활자를 골라 뽑다. 문선(文選)하다. ¶~盒; 문선용 스틱/~工人; 식자공. 문선공.

柬 jiǎn (간)
①동〈文〉고르다. 뽑다. =〔拣jiǎn①〕 ②명 서한·명함·증서 등의 총칭. ¶请~ =〔请帖〕; 초대장.
〔柬埔寨〕 Jiǎnpǔzhài 명《地》〈音〉캄보디아(Cambodia)((수도는 '金Jīn边'(프놈펜: Pnom-penh))).
〔柬帖〕 jiǎntiě 명 쪽지. 쪽지 편지.
〔柬邀〕 jiǎnyāo 동 초대장을 보내어 초대하다.

暕 jiǎn (간)
①형〈文〉밝다. 훤하다. ②인명용 자(字).

俭(儉) jiǎn (검)
①형 검약(儉約)하다. 검소하다. ¶省吃~用; 먹는 것 쓰는 것을 절약하다/勤~办企业; 열심히 일하고 검약하여 훌륭히 기업을 발전시키다. ②명〈文〉흉작. ¶~岁; 흉년. ③형〈文〉부족하다. 풍부하지 않다.
〔俭薄〕 jiǎnbó 형〈文〉풍부하지 않다. 결핍하다. 변변치 않다.
〔俭腹〕 jiǎnfù 형〈文〉지식이 깊지 못하다.
〔俭朴〕 jiǎnpǔ 형 검소하고 질박(質朴)하다. ¶服装~; 옷차림이 검소하다.
〔俭省〕 jiǎnshěng 동 (재물을) 검약하다. (물건이나 힘을) 아껴쓰다. ¶他过日子很~, 一个钱也不乱花; 그의 생활은 알뜰하여 한 푼도 낭비하지 않는다. =〔俭约〕〔减省〕〔节省〕
〔俭学〕 jiǎnxué 동 비용을 절약하면서 공부하다. ¶勤工~; 일하면서 공부하다.

捡(撿) jiǎn (검)
동 ①다발 짓다. ②줍다. 주워 올리다. ¶这是在道儿上~的; 이것은 길에서 주운 겁니다/~了一条命; 목숨을 건졌다/~煤渣; 석탄재를 줍다. =〔拣②〕 ③검사하다. ④치워 버리다. 거두다. ¶我们吃完了, 把家伙~了去吧; 우리는 다 먹었으니까 그릇을 치워라. ⑤고르다. ¶~了一个好地方蹲着; 좋은 자리를 골라서 앉다/~了一张画片; 그림 엽서를 한 장 골랐다. =〔拣jiǎn①〕 ⑥손에 들다. ¶把笔～起来; 붓을 잡다.
〔捡柴〕 jiǎn chái 땔나무를 줍다.
〔捡沟货的〕 jiǎngōuhuòde 명 (옛날의) 넝마주이. =〔掇duō穷的〕
〔捡拐子〕 jiǎn guǎizi 남의 약점을 이용하다. ¶得了, 人家在难中呢, 那么办不是～吗? 그만두게나, 남이 어려움을 겪고 있는 중인데, 그런 짓을 해서야 남의 약점을 노리는 것이 되지 않는가?
〔捡九吊六〕 jiǎnjiǔ diàoliù 자기에게 편리한 말을 하다. ¶别竟～地说, 也得说说各自的不好儿; 자기에게 유리한 말만 하지 말고, 각자의 결점도 말해야 한다.
〔捡烂纸的〕 jiǎnlànzhǐde 명 (옛날) 넝마주이.
〔捡了芝麻, 丢了西瓜〕 jiǎnle zhīma, diūle xīguā 〈諺〉 참깨는 줍고 수박은 잃다(한 푼을 아끼다가 백 냥 잃는 줄을 모른다). →〔贪tān小失大〕
〔捡漏〕 jiǎn.lòu 동 ①젖은 곳을 찾다. ②비가 새는 데를 고치다.
〔捡漏儿〕 jiǎn.lòur 동 〈方〉 ①남의 말〔행동〕의 흠을 찾다. 약점을 쥐다. ¶你这孩子实在可恶wù, 怎么竟～啊; 너 이 녀석 정말 얄밉구나, 어째서 남의 약점을 끝까지 물고 늘어지느냐. ②횡재를 하다. ③좋은 기회를 잡다.
〔捡破烂儿的〕 jiǎnpòlànrde 넝마주이.
〔捡拾〕 jiǎnshí 동 줍다.
〔捡洋捞〕 jiǎnyánglāo 동 공짜로 얻다(옛날, 외국인이 남기고 간 것을 가지고 와서 이득을 보던 것에서 유래).
〔捡洋落儿〕 jiǎn yáng làor 〈方〉 공짜로 얻다.

检(檢) jiǎn (검)
①동 점검하다. 조사하다. 검사하다. ②동 봉인하다. ③동 규제하다. 조심하다. ¶言语失～; 발언(發言)이 경솔하다 / 言行不～; 언행에 신중함이 없다. ④명 책의 제자(題字). 장서(藏書)의 검색의 편리를 위해 붙인 표. ⑤동 줍다. =〔捡jiǎn②〕 ⑥명 성(姓)의 하나.
〔检别〕 jiǎnbié 동 조사하여 분간하다. 음미하여 구별하다.
〔检波〕 jiǎnbō 명 《電》 검파. ¶～器; 검파기.
〔检查〕 jiǎnchá 동 ①검사하다. 검열하다. ¶～身体; 신체 검사하다 / 再仔细～一遍; 한 번 더 조사해 보아라. ②점검하다. 체크하다. ¶～工作; 작업을 점검하다 / ～思想; 사상을 체크하다. ③(사상 등을) 점검하다. 자기 비판하다. 명 ①점검. 검사. 반성. 자아 비판. ②반성문. 자아 비판문. ¶写～; 반성문〔자기 비판서〕을 쓰다.
〔检查标签〕 jiǎnchá biāoqiān 명 검사 필증. ¶对检验合格的鲜乳将贴附～以资识别; 검사에 합격한 우유에는 검사 필증을 첨부하여 분간하기 쉽게 한다.
〔检察〕 jiǎnchá 동 《法》 범죄 사실을 조사하고 고발하다. 명 검사. 검찰관. ¶～长; ⓐ검찰 총장. ⓑ검사장. 부장 검사 / ～院; 검찰청 / ～机关; 검찰 기관. =〔检察官〕〔检察员〕
〔检场〕 jiǎnchǎng 명 ①무대 장치 취급자〔담당자〕. ②옛날, '戏xì曲'의 상연중에 막을 내리지 않고 소품을 가지고 들어가거나 나오는 일.
〔检点〕 jiǎndiǎn 동 ①점검하다. ¶～行李; 짐을 점검하다. ②언행을 삼가다〔주의하다〕. 명 (언행의) 조심. 주의. 신중. ¶这人说话失于～; 이 사람은 말하는 데 조심성이 없다 / 你对饮食要多加于～; 너는 음식에 좀더 주의해야 한다.
〔检定〕 jiǎndìng 명동 검정(하다).
〔检对〕 jiǎnduì 동 대조 검사하다. 명 대조.
〔检附〕 jiǎnfù 동 (조사하여) 동봉하다. ¶～上项水泵照片; 상기한 펌프의 사진을 동봉합니다.
〔检核〕 jiǎnhé 명동 점검(하다). 검사(하다).
〔检交〕 jiǎnjiāo 동 검열하여 넘기다.
〔检校〕 jiǎnjiào 동 〈文〉 대조하여 확인하다. 명 (확인하기 위한) 대조.
〔检举〕 jiǎnjǔ 명동 고발(하다). 적발(하다). 밀고(하다). ¶向检察厅进行～; 검찰청에 고발하다 / ～箱; 고발함.
〔检漏〕 jiǎn.lòu 동 누전(漏電)을 검사하다. (jiǎnlòu) 명 누전 탐지. ¶～器; 누전 탐지기.
〔检录〕 jiǎnlù 동 운동 선수의 점호를 하거나 입장 안내를 하다. ¶～处; 점호 안내소 / ～员; 점호원. 안내원. 명 (선수 명단 대조와 입장을 위한) 등록.
〔检票〕 jiǎnpiào 개찰하다. 검표하다. 검찰하다. ¶～处; 개찰구 / ～员; 개찰원.
〔检视〕 jiǎnshì 명동 검시(하다). 검열(하다).
〔检收〕 jiǎnshōu 명동 검수(하다). 사수(查受)(하다).
〔检束〕 jiǎnshù 명동 단속(하다). 검속(하다).
〔检索〕 jiǎnsuǒ 동 ①(도서·자료 등을) 검색하다. ¶资料按拼音排列便于～; 자료를 병음순으로 배열해 놓으면 검색하기 쉽다. ②《電算》 검색하다. ¶～引擎 =〔搜索引擎〕; 검색엔진.
〔检讨〕 jiǎntǎo 동 ①자기 비판을 하다(자기의 생각과 태도·생활상의 결점이나 잘못을 점검하여 총괄해서 문자 혹은 언어로 공포하는 일). ¶你真～了也就得啦; 네가 진지하게 반성했다면 그것으로 족하다. ②(주로 학술상의 문제를) 검토하다. 조사하다. ¶这问题还要再～一下儿; 이 문제는 한 번 더 연구하여 볼 필요가 있다. 명 반성. 검토. 반성문. ¶他对自己的错误, 进行了～; 그는 자기의 잘못에 대해 자기 비판을 했다 / ～书; 시말서.
〔检同〕 jiǎntóng 동 〈文〉 첨부하다.
〔检修〕 jiǎnxiū 명동 《機》 (철저히 분해하여) 검사와 수리(를 하다). 점검 수리(하다). 분해 검사(하다). ¶～机件和加添燃料; 기계의 점검 수리와 연료 보급 / ～汽车引擎; 자동차 엔진을 오버홀(overhaul)하다. =〔拆chāi修〕
〔检修孔〕 jiǎnxiūkǒng 명 맨홀.
〔检眼镜〕 jiǎnyǎnjìng 명 《醫》 검안경.
〔检验〕 jiǎnyàn 명동 검사(하다). 검증(하다). ¶～汽车机件; 자동차 부품을 검사하다 / ～器; 《電》 디텍터(detector).
〔检验测规〕 jiǎnyàn cèguī 명 검사용 게이지.
〔检验员〕 jiǎnyànyuán 명 ①《法》 검시관('仵作'는 고어(古語)임). =〔检验吏〕 ②검사원.
〔检验证〕 jiǎnyànzhèng 명 검사증.
〔检疫〕 jiǎnyì 명동 《醫》 검역(하다). ¶～旗; 검역기 / ～站; 검역소 / ～员; 검역관.
〔检阅〕 jiǎnyuè 명동 ①검열(하다). 조사(하다). ¶～书稿; 저작 초고를 검열하다. =〔简阅〕〔查chá阅〕 ②(군대 등을) 사열(하다). ¶～仪仗队; 의장대를 사열하다. 동 눈여겨 보다. 둘러보다. 살펴보다. ¶那小姑娘便～着那小方炕桌上的我的用具《丁玲 我在霞村的時候》; 그 여자애는 작은 앉은뱅이 책상 위에 놓여 있는 나의 소지품을 둘러보고 있다.
〔检阅赛〕 jiǎnyuèsài 명 예행 연습(경기).

〔检字〕 jiǎnzì ①명 검자. 문자 색인(索引). ¶～法; (자전 등의) 문자 검색법 / ～表; 검자표. (자전의) 색인. ② (jiǎn zì) (사전·자전 등에서) 문자를 조사하다. 문자를 검출하다.

硷(鹼) jiǎn (감, 험) 명동 ⇨〔碱jiǎn〕

睑(瞼) jiǎn (검) 명 ①《生》 눈꺼풀. =〔眼睑〕 ②당대(唐代)에 남조(南詔) (현재의 윈난 성(雲南省))에 두었던 행정 단위('州'에 상당함).

〔睑腺炎〕 jiǎnxiànyán 명 《醫》 다래끼.

茧(繭〈蠒〉A)) jiǎn (견) 명 A) ①(～儿, ～子) 고치. ¶蚕cán～; 누에고치. ②견포(絹布). 비단. ‖ =〔纲jiǎn〕 B) (～子) (손·발에 생기는) 못. 굳은살. =〔趼〕

〔茧布〕 jiǎnbù 명 견직물의 일종.

〔茧虫〕 jiǎnchóng 명 번데기.

〔茧绸〕 jiǎnchóu 명 명주. =〔山shān绸〕〔柞zuò丝绸〕

〔茧壳〕 jiǎnqiào 명 고치 껍질.

〔茧丝〕 jiǎnsī 명 ①생사. 견사. ②〈比〉 옛날, 고치에서 실을 뽑아 내듯이 백성으로부터 세금을 착취함.

〔茧汛〕 jiǎnxùn 명 고치가 한창 생산되는 시기.

〔茧子〕 jiǎnzi 명 ①〈方〉 (누에)고치. ②(손·발에 생기는) 못. ¶快磨出～来了; 스쳐서 못이 생기려고 한다. =〔趼子〕

减〈減〉 jiǎn (감) ①동 감하다. 줄이다. ¶～价; ⇓/ ～一成五; 1할 5푼 할인 / ～去一半; 반감하다 / ～轻负担; 부담을 경감하다. ② 동《數》 빼다. ¶8～3等于5; 8－3＝5. →〔加〕〔乘〕〔除〕 ③ 동 쇠퇴하다. 정도가 떨어지다. 쇠약해지다. ¶人虽老了, 干活还是不～当年; 나이는 먹었으나 일하는 것은 한창 때보다 못할 것 없다 / 病害渐～; 병해가 점점 없어지다. ④ 명 성(姓)의 하나.

〔减半〕 jiǎnbàn 동 반감하다. ¶～卖; 반값으로 팔다.

〔减笔字〕 jiǎnbǐzì 명 필획을 간략하게 한 글자. 약자. =〔简笔字〕

〔减产〕 jiǎn⌐chǎn 동 ①감산하다. ↔〔增zēng产〕 ②조업을 단축하다.

〔减成儿〕 jiǎn chéngr 1할 이상을 감하다. ¶我听说从前机关里的薪俸, 往往要～发放; 옛날, 관청에서는 종종 봉급을 감해서 급여했다고 한다.

〔减秤〕 jiǎnchèng 동 포장의 무게를 빼다. =〔减重〕

〔减除〕 jiǎnchú 동 줄이다. 감하다. ¶～负担; 부담을 줄이다.

〔减等〕 jiǎn⌐děng 동 등급을 내리다〔낮추다〕.

〔减低〕 jiǎndī 동 인하하다. 내리다. 낮추다. ¶～物价; 물가를 내리다 / ～币价bìjià; 《經》 평가 절하(平價切下).

〔减法〕 jiǎnfǎ 명 《數》 감법. 뺄셈.

〔减肥〕 jiǎnféi 동 체중을 줄이다. ¶为了～, 不敢吃甜的东西; 살을 빼기 위해 단 것을 입에 대지 않는다.

〔减分〕 jiǎn⌐fēn 동 ①평가·계산의 기본액을 줄이다. ②감점하다.

〔减号〕 jiǎnhào 명 《數》 감법(減法) 부호. 마이너스 기호(-). ↔〔加jiā号〕

〔减耗〕 jiǎnhào 동 취급 과정에서 중량이나 용량이 줄다. 감소하다.

〔减河〕 jiǎnhé 명 방수로(放水路). 분수로(分水路) 《하류의 수위를 줄이기 위해 만든 수로》.

〔减缓〕 jiǎnhuǎn 동 ①줄여서 여유 있게 하다. ¶～入场人数; 입장 인원을 줄여서 여유 있게 하다. ②(속도를) 늦추다. 떨어뜨리다. ¶～进程; 진도를 늦추다.

〔减价〕 jiǎn⌐jià 동 할인하다. 값을 내리다. ¶～十天; 10일간 대매출(大賣出) / ～抛pāo售; 값을 할인하여 투매하다. (jiǎnjià) 명 가격 할인. ¶～票; 할인표 / ～出售; 할인 대매출.

〔减嚼裹儿〕 jiǎn jiáoguor (생활이 어려워) 생계비를 조리차하다. 생활비를 줄이다.

〔减料〕 jiǎnliào 동 재료를 줄이다. 재료를 속이다.

〔减卖〕 jiǎnmài 동 싸게 팔다.

〔减瞒〕 jiǎnmán 동 실수(實數)보다 적게 보고하다.

〔减慢〕 jiǎnmàn 동 속력이 떨어(져 늦어)지다.

〔减免〕 jiǎnmiǎn 동 (조세·형벌 등을) 감면하다.

〔减摩〕 jiǎnmó 명 《工》 감마.

〔减摩合金〕 jiǎnmó héjīn 명 《工》 감마 합금.

〔减轻〕 jiǎnqīng 동 경감하다. 줄다. ¶～痛苦; 고통을 가볍게 하다 / 病势～了; 병세가 가벼워졌다 / 体重～了两公斤; 체중이 2kg 줄었다.

〔减去〕 jiǎnqù 동 빼다. 감하다.

〔减弱〕 jiǎnruò 동 약하게 하다. 약해지다. ¶风势～了; 바람의 기운이 약해졌다 / 体力大大～; 체력이 많이 쇠퇴했다.

〔减色〕 jiǎn⌐sè 동 ①〈文〉 색〔빛〕이 바래다. 생기가 없다. 활기가 없어지다. ¶～法; 《撮》 (영화·사진의) 감색법. ②은화(銀貨)의 순도가 떨어지다. ③(사물의 외관·성망(聲望) 등이) 쇠퇴하다. 부진하다. 손색이 가다. ¶营业颇为～; 영업이 매우 부진하다.

〔减杀〕 jiǎnshā 동 경감하다. 약화시키다.

〔减膳〕 jiǎnshàn 동 〈文〉 식탁의 요리의 가짓수를 줄이다.

〔减少〕 jiǎnshǎo 동 적게 하다. 감소하다. 줄이다. ¶经过自己的努力, 缺点～了; 자신의 노력에 의해 결점이 적어졌다 / ～人员; 인원을 줄이다. ↔〔增zēng加〕

〔减省〕 jiǎnshěng 동 검약하다. 절약하다. 조리차하다. ¶～费用; 비용을 줄이다 / 他过日子过得～; 그는 생계를 긴축해 가고 있다. =〔节省〕〔俭省〕

〔减收〕 jiǎnshōu 동 수입이 줄다. 수확이 줄다.

〔减售〕 jiǎnshòu 명동 할인 판매(하다). =〔减价售卖〕

〔减瘦〕 jiǎnshòu 동 말라 빠지다. 여위다.

〔减水〕 jiǎnshuǐ 명동 감수(하다). ¶～坝bà; 보. 봇둑.

〔减速〕 jiǎnsù 동 감속하다. 속도를 줄이다. ¶～器; 감속기.

〔减速齿轮〕 jiǎnsù chǐlún 명 《機》 감속기어.

〔减速剂〕 jiǎnsùjì 명 《物》 완화제. 감속제. =〔慢màn化剂〕

〔减算〕 jiǎnsuàn 동 ①《數》 감산하다. ②수명을 단축하다.

〔减缩〕 jiǎnsuō 동 줄이다. 감축하다. ¶～开支; 지출을 줄이다.

〔减粜〕 jiǎntiào 동 〈文〉 재해 따위의 경우에 정부

가 저장미를 내어 시가보다 싸게 팔다.
〔减退〕 jiǎntuì 동 (정도가) 내려가다. 줄어들다. 감퇴하다. ¶雨后炎热～了许多; 비가 와서 더위가 한풀 꺾였다.
〔减息〕 jiǎn.xī 동 이자를 내리다. 이식을 감액하다.
〔减薪〕 jiǎn.xīn 동 봉급을 줄이다. 감봉하다. =〔减俸〕
〔减刑〕 jiǎn.xíng 동《法》 감형하다.
〔减削〕 jiǎnxuē 동 삭감하다.
〔减压〕 jiǎnyā 동 감압하다.
〔减音器〕 jiǎnyīnqì 명《機》 소음기(消音器).
〔减员〕 jiǎn.yuán 동 ①감원하다. ②(부대 등의) 인원이 줄다.
〔减折〕 jiǎnzhé 동〈文〉 할인하다.
〔减震〕 jiǎnzhèn 동 충격을 완화하다. ¶～器; 댐퍼. 완충 장치.
〔减政〕 jiǎnzhèng 동〈文〉 행정 정리를 하다《흔히, 쓸데없는 인원의 감축이나, 경비 절약을 말함》.
〔减租〕 jiǎnzū 명 소작료의 감액(減額). ¶～减息 jiǎnxī; (항일 전쟁 시기에) 소작료와 이식(利息)을 감액하다.
〔减租退押〕 jiǎnzū tuìyā 이자를 감하고 담보를 돌려 주다.

碱〈鹻, 堿〉 jiǎn (감) ① 명 염분(鹽分). ② 명 염수. ③ 명 잿물. ④ 명 소다(soda)《흔히, 천연산으로 정제되지 않은 것은 '土～'이라 하여 세탁·공업용으로 쓰이고, 정제된 백색의 것은 '纯～' '片～' '食～' 따위로 불리어 식품의 제조·가공 따위에 쓰임》. ¶～性土壤; 알칼리성 토양 / 洗衣可以用～; 세탁에는 소다를 쓸 수 있다. ⑤ 명《化》 알칼리(alkali). 염기(鹽基). ⑥ 명《化》 알칼로이드(alkaloid). ¶番木鳖～;《藥》 스트리크닌(strychnine) / 麻黄～;《藥》 에페드린(ephedrine) / 古柯～ =〔可kě卡因〕; 코카인. =〔生物碱〕〔腈碱〕 ⑦ 명《醫》 카리에스(caries). ⑧ 동 (염분에) 침식되다. (염분의 침식으로 인하여) 반점(斑點)이 생기거나 벗겨지다. ¶那堵墙全～了; 저 벽은 온통 허옇게 벗겨졌다 / 好好儿的罐子怎么～了; 좋은 깡통이 어째서 부식했을까. ‖ =〔硷jiǎn〕
〔碱大〕 jiǎn dà (만두·국수 따위를 만들 때) 소다를 너무 많이 넣다《이 때 밀가루 빛이 누렇게 되며 떫어짐. 반대로 소다가 너무 적게 든 것을 '碱少'라고 함》.
〔碱地〕 jiǎndì 명《地質》 알칼리성 토양. =〔碱土〕〔盐碱地〕
〔碱度〕 jiǎndù 명《化》 알칼리도(度)《제철할 때에 나는 광재(鑛滓)의 알칼리성과 산성 물질의 함량비》.
〔碱化〕 jiǎnhuà 명동《化》 알칼리화(化)(하다).
〔碱荒〕 jiǎnhuāng 명 알칼리성의 황폐한 땅.
〔碱灰〕 jiǎnhuī 명 소다회.
〔碱金属〕 jiǎnjīnshǔ 명《化》 알칼리 금속.
〔碱精〕 jiǎnjīng 명《化》 암모니아수(水).
〔碱沙〕 jiǎnshā 명《化》 분말 소다.
〔碱式〕 jiǎnshì 형《化》 염기성기(基)를 갖는 화합물 명칭 앞에 붙이는 말. 염기성의. ¶～盐; 염기성염 / ～安全灯; 알칼리 안전등 / ～次没食子酸铋 =〔次没食子酸铋〕; 염기성 차몰식자산 창연. 데르마톨(Dermatol) / ～醋酸铝溶液; 초산(酢酸) 알루미늄액 / ～碳酸铋; 차탄산 창연 / ～硝酸铋; 차질산 창연(次窒酸蒼鉛).
〔碱水〕 jiǎnshuǐ 명 ①소다수. =〔枧水〕 ②잿물.
〔碱滩〕 jiǎntān 명《地質》 알칼리지(地).
〔碱土〕 jiǎntǔ 명 ⇨〔碱地〕
〔碱土金属〕 jiǎntǔ jīnshǔ 명《化》 알칼리 도류 금속.
〔碱性〕 jiǎnxìng 명《化》 알칼리성《'盐基性'은 구칭》. ¶～槐黄; 오라민(auramine) / ～催化剂; 염기성 촉매 / ～反应; 알칼리성 반응 / ～染料; 염기성 염료 / ～蕊香红; 로다민(rhodamine) / ～氧化物; 염기성 산화물 / ～油; 염기성유.

剪 jiǎn (전) ① 동 (가위로) 베다. 자르다. 끊다. ¶拿剪子～; 가위로 자르다 / ～断; ⇩ / ～票; ⇩ / ～几尺布做衣服; 몇 자의 천을 잘라서 옷을 만들다. =〔铰①〕 ② 동 멸망시키다. ③ 동 가위 모양으로 하다. 손목과 손목을 겹치다. ¶两手向后～; 양손을 뒤로 겹치다《손을 뒤에서 묶는 상태》/ 反～着手; 양손을 뒤에서 묶는 상태. ④ 동 제거(除去)하다. ¶～灭; ⇩ / ～除; ⇩ ⑤ 동〈古白〉(길을 막고) 강탈하다. 옆으로 내리치다. ¶～径; ⇩ ⑥(～子) 명 가위. ¶一把～ =〔一把～刀〕; 한 자루의 가위. ⑦ 명 가위 모양의 것. ¶火～; ⓐ 부젓가락. ⓑ파마용 인두 / 夹～; (뜨거운 쇠를 집는) 집게. ‖ =〔翦①〕
〔剪报〕 jiǎnbào 명 신문을 오려 낸 것. 스크랩. (jiǎn.bào) 동 신문을 오려 내다. 스크랩을 하다.
〔剪不断, 理还乱〕 jiǎn bù duàn, lǐ hái luàn 〈成〉 끊어도 끊어지지 않고 치워도 여전히 흐트러져 있다《'别是一番滋味在心头'로 연결되어 옛것에 대한 집착·생각·감정에 꽉 차 있다는 뜻》.
〔剪裁〕 jiǎncái 동 ①(옷을) 재단하다. 마름질하다. ¶这件衣服～得很合体; 이 옷은 몸에 잘 맞게 지었다. ②〈轉〉(글을 지을 때) 재료를 취사 선택하다〔가위질하다〕. (필름을) 편집하다. 명 삭제(削除). (필름 등의) 편집. 가위질.
〔剪彩〕 jiǎn.cǎi 동 (개회식 등에서) 테이프를 끊다. ¶～礼; 제막식. 개막식.
〔剪草除根〕 jiǎn cǎo chú gēn 〈成〉 근절시키다. 뿌리째 뽑아 버리다. 철저히 제거하다.
〔剪草机〕 jiǎncǎojī 명 ⇨〔割gē草机〕
〔剪除〕 jiǎnchú 동 (악인·나쁜 세력 따위를) 잘라 내다. 제거하다. ¶～祸根; 화근을 없애다.
〔剪锄〕 jiǎnchú 동 (잡초 따위를) 뜯다. 베어내다.
〔剪床〕 jiǎnchuáng 명《機》 전단기(剪斷機). 절단기. =〔〈南方〉剪刀车〕
〔剪刀〕 jiǎndāo 명 ①가위. ②전단기(剪斷機).
〔剪刀差〕 jiǎndāochā 명《經》 협상 가격차(鋏狀價格差)《서로 관련을 가진 2종의 물건의 가격이 균형을 잃고 차이가 생기는 일》.
〔剪刀股〕 jiǎndāogǔ 명《植》 좀씀바귀.
〔剪掉〕 jiǎndiào 동 가위로 베어 버리다.
〔剪断〕 jiǎnduàn 동 ①(가위로) 자르다. ②《工》 전단하다.
〔剪断截说〕 jiǎn duàn jié shuō 〈成〉 말을 맺고 끊다. 간결하게 말하다.
〔剪发〕 jiǎn.fà 동 이발하다. 머리를 깎다. ¶～的; 이발사《약간 경멸적인 투이며 보통 '理发员'이라고 함》. =〔理发〕
〔剪发刀〕 jiǎnfàdāo 명 바리캉. ¶电diàn～; 전기 바리캉. =〔剪发推子〕〔推tuī剪〕〔推子〕〔轧yà发刀〕〔轧发器〕〔轧剪〕

〔剪风〕 jiǎnfēng 명 질풍(疾風).
〔剪辑〕 jiǎnjí 명 (영화 필름 등의) 커팅. 편집. ¶录音～; 녹음 편집. 동 컷하여 편집하다. ¶～照片; 필름을 커팅하다.
〔剪接〕 jiǎnjiē 동 잘라서 이어 맞추다. 명(영화의) 커팅.
〔剪径〕 jiǎnjìng 명동 〈古白〉 노상 강도(를 하다).
〔剪开〕 jiǎnkāi 동 가위로 자르다.
〔剪口铁〕 jiǎnkǒutiě 명 원강판(原鋼板).
〔剪绺〕 jiǎnliǔ 명 소매치기. =〔〈文〉绺窃〕
〔剪灭〕 jiǎnmiè 동 뿌리째 제거하다. 멸하여 버리다. =〔剪屠〕
〔剪票〕 jiǎn.piào 동 (입장권·승차권 등의) 표에 펀치(punch)로 구멍을 뚫다. 개찰하다. ¶～口 =〔～处〕; 개찰구 / ～员; 개찰원.
〔剪票铗〕 jiǎnpiàojiá 명 (개찰용) 펀치. =〔轧yà票钳〕
〔剪钳〕 jiǎnqián 명 《機》 (가위 등의) 절단 공구.
〔剪嵌〕 jiǎnqiàn 명 《美》 모자이크. ¶～细工; 모자이크 세공 / ～花样; 모자이크 무늬 / ～式绒线刺绣; 모자이크식 털실 자수. =〔镶xiāng木〕
〔剪切〕 jiǎnqiè 동 《工》 전단(剪斷)하다. 명 《物》 변형(變形). 전단. ¶～应力; 《物》 전단 내력 / ～形变; 전단 변형.
〔剪窃〕 jiǎnqiè 동 소매치기하다.
〔剪秋萝〕 jiǎnqiūluó 명 《植》 전추라.
〔剪绒〕 jiǎnróng 명 《紡》 우단(羽緞). ¶棉～ =〔棉天鹅绒〕〔假jiǎ天鹅绒〕; 면(綿) 비로드 / 雷léi虹～; 레이온 비로드.
〔剪式〕 jiǎnshì 명 《體》 (높이뛰기에서) 가위뛰기. =〔剪式跳高〕
〔剪贴〕 jiǎntiē 동 (신문 등을) 오려 붙이다. ¶～簿; 스크랩 북. 명 (아이들의) 종이 오리기.
〔剪头(发)〕 jiǎn.tóu(fà) 동 이발하다.
〔剪夏罗〕 jiǎnxiàluó 명 《植》 털동자꽃《패랭이꽃과의 여러해살이 풀》. =〔剪春chūn罗〕
〔剪影〕 jiǎnyǐng 명 ①사람의 얼굴이나 인체의 윤곽에 따라 종이를 오려 낸 것. 실루엣(프 silhouette). ②〈轉〉 (사람이나 사물의) 편린(片鱗). 일면. ¶看到名匠的～; 명장(名匠)의 편린을 보다.
〔剪纸〕 jiǎnzhǐ 명 종이 오리기 세공(細工). (jiǎn zhǐ) ①종이를 가위로 오리다. ②종이를 오려 세공하다.
〔剪纸片〕 jiǎnzhǐpiàn 명 실루엣(프 silhouette) 영화. 그림자 그림만으로 표현한 영화. =〔〈口〉剪纸片儿piānr〕
〔剪子〕 jiǎnzi 명 ①가위. ¶拿～剪; 가위로 베다. ②(가위바위보의) 가위《가위바위보는 '剪子'·'石头'·'布' 또는 '沙锅'·'石头'·'水'》.

揃 jiǎn (전)
동 〈文〉 ①(가위로) 절단하다. 자르다. ②분할하다. ③(나쁜 놈이나 세력을) 없애 버리다. 소멸시키다.

谫(譾) jiǎn (전)
형 〈文〉 천박(淺薄)하다. ¶学识～陋; 학식이 천박하고 고루하다.

翦 jiǎn (전)
① 동명 ⇨〔剪jiǎn〕 ② 명 성(姓)의 하나.

鬋 jiǎn (전)
〈文〉 ① 명 (여자의) 살쩍〔빈모〕. ¶丰容盛～; (여자의) 포동포동한 얼굴과 짙은 살쩍. ② 동 수염·머리를 깎다.

趼 jiǎn (견)
명 (손·발에 생긴) 못. ¶老～; 단단해진 굳은살 / 手足生～; 손·발에 못이 생기다.
〔趼子〕 jiǎnzi 명 손·발에 생기는 굳은살. 못. =〔茧子②〕〔老趼〕

裥(襇) jiǎn (간)
명 〈方〉 (스커트의) 주름. →〔褶zhě〕

锏(鐧) jiǎn (간)
명 채찍 비슷한 옛날의 무기《금속제로 가늘고 4개의 모서리가 있음》. ⇒jiàn

简(簡〈簡〉) jiǎn (간)
① 형 간단하다. 생략하다. 단순하다. ¶～体字; ⇩ / 言～意赅; 〈成〉 말은 간단하나 뜻은 다 갖추었다. ↔〔繁fán〕 ② 동 간단하게 하다. 간소화하다. ¶精兵～政; 군대를 정예화하고 행정 기구를 간소화하다. ③ 명 죽간(竹簡)《고대에 글자를 쓰는 데 사용한 댓조각》. ④ 명 편지. ¶书～ =〔书信〕; 서간. 편지. ⑤ 명 서적. ⑥ 동 관리로 임명하다. ⑦ 동 〈文〉 선택하다. 선발하다. ¶～拔; 선발하다. ⑧ 형 소홀하다. ⑨ 명 성(姓)의 하나.
〔简傲〕 jiǎn'ào 형 오만(傲慢)〔교만〕하다.
〔简拔〕 jiǎnbá 동 〈文〉 선발하다.
〔简板〕 jiǎnbǎn 명 ⇨〔拍pāi板〕
〔简版〕 jiǎnbǎn 명 ①옛날, 글을 써서 편지 대신에 사용한 나뭇조각이나 댓조각. =〔木mù简〕 ②질(帙)의 대용으로 책을 끼우는 판(板).
〔简报〕 jiǎnbào 명 간단한 보고〔보도〕. 브리핑. 토막 소식.
〔简本〕 jiǎnběn 명 약본(略本). 초본. 다이제스트판.
〔简笔字〕 jiǎnbǐzì 명 ⇨〔减笔字〕
〔简编〕 jiǎnbiān 명 ①〈文〉 서적. ②다이제스트본(本). 간략본(簡略本). 간편. ¶中国文学史～; 중국 문학사 간편.
〔简便〕 jiǎnbiàn 형 간편하다. ¶这种方法很～; 이런 방법은 아주 간편하다.
〔简册〕 jiǎncè 명 ①옛날, 글자를 쓰는 데 쓰인 대나무 조각. ②〈轉〉 서적. 책.
〔简称〕 jiǎnchēng 명동 약칭(하다). ¶化学肥料～化肥; 화학 비료를 '化肥'로 약칭하다.
〔简单〕 jiǎndān 형 ①간단하다. 단순하다. 손쉽다. ¶他头脑太～; 그는 단순한 사나이다 / ～地说; 간단히 말하면 / ～明了liǎo; 간단 명료(하다) / 这个机器的构造比较～; 이 기계의 구조는 비교적 간단하다. ↔〔复fù杂〕 ②(경력·능력 따위가) 평범하다. 보통이다《흔히, 부정문에 쓰임》. ¶真不～呢; 정말 대단하군. ③소홀히 하다. 적당히 처리하다. ¶～从事; 일을 적당히 처리하다.
〔简单机械〕 jiǎndān jīxiè 명 단순 기계《지렛대·쐐기·도르래·나사 따위》.
〔简单劳动〕 jiǎndān láodòng 명 《經》 단순 노동.
〔简单商品生产〕 jiǎndān shāngpǐn shēngchǎn 명 《經》 단순상품 생산. =〔小xiǎo商品生产〕
〔简单协作〕 jiǎndān xiézuò 명 《經》 단순 협업(協業).
〔简单再生产〕 jiǎndān zàishēngchǎn 명 《經》 단순 재생산.
〔简牍〕 jiǎndú 명 〈文〉 ①편지. 서간. ②서적.
〔简短〕 jiǎnduǎn 형 (언행·글 등이) 간결하다. ¶话说得很～; 말하는 것이 매우 간단 명료하다 / ～

扼要; (말 따위가) 짧고 요령이 있다.
〔简断截说〕 jiǎn duàn jié shuō 〈成〉 간결하게 말하다. 요점만 말하다.
〔简而不陋〕 jiǎn ér bù lòu 〈成〉 간소하지만 허술하지 않다.
〔简而得要〕 jiǎn ér dé yào 〈成〉 간단하면서도 요점은 담고 있다.
〔简放〕 jiǎnfàng 명 청대(清代)에 도대(道臺)나 지부(知府) 이상의 관을 특지(特旨)에 의하여 임명하는 것.
〔简古〕 jiǎngǔ 형 〈文〉 간고하다. 간결하고 옛스러워 이해하기 어렵다. ¶文笔~; 문장이 간고하여 이해하기 어렵다.
〔简忽〕 jiǎnhū 동 소홀히 하다.
〔简化〕 jiǎnhuà 명동 간소화(하다). 간략화(하다). ¶汉字的~; 한자의 약자화 / ~手续; 수속을 간소화하다.
〔简化汉字〕 jiǎnhuà Hànzì 동 한자의 획을 간단히 하다. 한자를 간략화하다. 필획을 줄이고 이체자(異體字)를 단일화하다(예컨대, '禮'를 '礼'로 간략화하고, '勤·懃' 중에서 '勤'만을 쓰고 '懃'을 쓰지 않는 것 등을 말함). 명 간화한 한자. 간체자(簡體字). =〔简化字〕
〔简化字〕 jiǎnhuàzi 명 ⇨〔简化汉字〕
〔简简决决〕 jiǎnjian juéjué 형 기질이 활달하고 시원시원한 모양('简决'의 중첩형).
〔简洁〕 jiǎnjié 형 간결하다. 수식이 많지 않다(흔히, 언어·문장을 가리켜 말함).
〔简捷〕 jiǎnjié 형 간단 명료하다. 간결하고 시원시원하다. ¶~不客气地说; 솔직하고 거리낌없이 말하다 / ~地说明了事情的来龙去脉; 일의 경위를 간결하게 설명했다. =〔简截〕
〔简捷了当〕 jiǎn jié liǎo dàng 〈成〉 간단 명료하다. 일을 척척 잘 해내다. 간결하고 직선적이다.
〔简介〕 jiǎnjiè 명 〈文〉 안내서. 간단한 설명서. (소설·영화 등의) 간단한 줄거리.
〔简决〕 jiǎnjué 형 척척 해내는 모양.
〔简括〕 jiǎnkuò 동 개괄하다. 간단히 총괄하다. ¶主席在会议结束时作了~的总结; 의장은 폐회에 즈음하여 간단히 전체적인 결론을 내렸다.
〔简阔〕 jiǎnkuò 형 ①대범하다. ②세밀하지 않다.
〔简历〕 jiǎnlì 명 약력.
〔简练〕 jiǎnliàn 형 간결하면서 요령 있다. 간단하고 세련되다. ¶文章~; 문장이 간결하고 세련되다 / ~地刻划了新面貌; 간결하고 요령 있게 새로운 양상을 그려 내고 있다.
〔简陋〕 jiǎnlòu 형 (가옥·설비 등이) 허술하다. 조잡하다. 누추하다. ¶工具、设备都~; 도구나 설비가 모두 허술하다.
〔简略〕 jiǎnlüè 형 간략하다. 동 간략하게 하다. ‖ =〔简约〕
〔简慢〕 jiǎnmàn ①동 게을리하다. 태만하여 소홀히 하다. ②〈套〉 아무 대접도 못 하여 실례했습니다. 접대가 소홀해서 죄송합니다(손님에 대한 인사말).
〔简明〕 jiǎnmíng 형 간명하다. 간단 명료하다. ¶~扼è要; 〈成〉 (문장·연설 따위가) 간단 명료하면서도 요점을 잡고 있다.
〔简派〕 jiǎnpài 동 선발하여 파견하다.
〔简朴〕 jiǎnpǔ 형 간소하다. 검소하다. 소박하다. ¶生活~; 생활이 검소하다 / ~的语言; 꾸밈없는 말.
〔简谱〕 jiǎnpǔ 명 《樂》 약보(略譜)(아라비아 숫자를 음표로 사용한 중국식 악보 '工尺'과 대응하며 '5,6,7,1,2,3,4,5,6,7'(솔, 라, 시, 도, 레, 미, 파, 솔, 라, 시)로 됨).
〔简缺〕 jiǎnquē 명 한가한 직분〔직책〕. 한직(閑職).
〔简师〕 jiǎnshī 명 〈簡〉 ⇨〔简易师范〕
〔简史〕 jiǎnshǐ 명 약사(略史).
〔简式〕 jiǎnshì 명 ①《數》 단항식(單項式). ②약식(略式).
〔简素〕 jiǎnsù 명 죽간(竹簡)과 백견(白絹)(옛날에, 글씨 쓰는 데 썼음). 형 간소하다.
〔简算〕 jiǎnsuàn 명동 《數》 약산(略算)(하다).
〔简缩〕 jiǎnsuō 동 간소화하다. (간단하게) 축소하다.
〔简体〕 jiǎntǐ 명 (한자의) 생략한 서체. ↔〔繁fán体〕
〔简体字〕 jiǎntǐzì 명 ①약자(略字). =〔简笔bǐ字〕 ②'简化汉字'의 속칭. ↔〔繁fán体字〕
〔简图〕 jiǎntú 명 ①약도. ②스케치.
〔简谐运动〕 jiǎnxié yùndòng 명 《物》 단진동(單振動).
〔简写〕 jiǎnxiě 명 ①약체(略體). ¶'见'是'見'的~; '见'은 '見'의 약체이다. ②간본(簡本). 다이제스트판. 동 간략하게 쓰다.
〔简讯〕 jiǎnxùn 명 짧은 기사. 간단한 소식.
〔简言之〕 jiǎnyánzhī 부 간단히 말해서. 요컨대(문장의 앞에 놓임). ¶~, 我们的前途是光明的; 간단히 말해서 우리의 전도는 밝다.
〔简要〕 jiǎnyào 형 간단 명료하다. 간단하면서 요령이 있다. ¶~地叙述; 간단 명료하게 서술하다.
〔简易〕 jiǎnyì 형 간단하고 쉬운. 간이한. ¶~公路; 간이 도로.
〔简易师范〕 jiǎnyì shīfàn 명 (초등 교육 정도의) 단기(短期) 사범 학교(초등 학교 교원의 양성을 목적으로 함). =〔简师〕
〔简约〕 jiǎnyuē 형동 ⇨〔简略〕
〔简阅〕 jiǎnyuè 동명 ⇨〔检阅①〕
〔简则〕 jiǎnzé 명 간단한 규칙. 요강(要綱).
〔简札〕 jiǎnzhá 명 〈文〉 서간. 편지.
〔简章〕 jiǎnzhāng 명 요람(要覽). 약칙(略則). ¶招生~; 학생 모집 요강.
〔简直〕 jiǎnzhí 부 ①전혀. 완전히. 실로(과장의 어기가 있음). ¶这个报告~太好了! 이 보고는 정말 대단하군! / 这~不成话了! 이건 도무지 말이 안 된다!(불만의 어기(語氣)) / ~不知道; 전혀 모른다. ②거의('几乎'보다 강한 뜻). ¶他摔得~爬不起来; 그는 넘어졌는데 전혀 일어날 수 없을 정도였다. ③〈方〉 차라리. 아예. ¶雨下得这么大, 你~别去了! 비가 이렇게 많이 오는데 차라리 가지 마라! =〔索性〕 ④곧장. 똑바로. ¶~地走, 别拐弯儿; 똑바로 가시오. 구부러지면 안 됩니다. ⑤솔직하게. 노골적으로. 숨김없이. 분명하게. ¶~地说出来; 분명〔솔직〕하게 말하다.
〔简装〕 jiǎnzhuāng 명 간이 포장. ↔〔精jīng装②〕
〔简装本〕 jiǎnzhuāngběn 명 가제본(假製本). 페이퍼 백(paper back).
〔简字〕 jiǎnzì 명 ①약자. =〔简体字〕〔简笔字〕 ②청말(清末), 노내선(勞乃宣) 등이 고안한 표음 문자.

戬〈戩〉 jiǎn (전)

〈文〉 ①동 제거하다. 근절시키다. ②명 행복. 복. 길조. ③인명용자(字). ¶杨Yáng~; 전설상의 무신(武神) '二èr郎神'의 이름.

謇 **jiǎn** (건) 〈文〉 ①동 (말을) 더듬거리다. ②형 강직하다. 충직하다. ¶～谏jiàn; 직간하다. ③발어사(發語辭).

蹇 **jiǎn** (건) ①동 〈文〉 절룩거리다. 다리를 절다. =〔跛蹇〕〔足蹇〕 ②형 〈文〉 원활히 진행되지 않다. 곤궁하다. ¶幼时遭遇多～; 어릴 때의 환경은 불행의 연속이었다 / 贫～; 빈곤. ③형 〈文〉 교만하다. 오만하다. =〔骄蹇〕 ④명 〈文〉 노마(駑馬). 당나귀. ⑤명 성(姓)의 하나.

〔蹇剥〕 jiǎnbō 형 〈文〉 시운(時運)이 불리하다. 운수가 사납다.

〔蹇吃〕 jiǎnchī 동 〈文〉 말을 더듬다.

〔蹇蹇〕 jiǎnjiǎn 형 〈文〉 ①군주를 위해 고민하는 모양. ②아첨하며 빌붙지 않는 모양. 충정(忠貞)한 모양.

〔蹇驴〕 jiǎnlǘ 명 〈文〉 절름발이 나귀. 〈轉〉 쓸모없는 인간.

〔蹇人〕 jiǎnrén 명 〈文〉 절름발이. ¶～上天; 절름발이가 하늘에 오르다《전혀 불가능함》.

〔蹇涩〕 jiǎnsè 형 〈文〉 (일이) 어렵고 막히다. 원활히 진행되지 않다. =〔蹇滞〕

瀽 **jiǎn** (건) 동 〈方〉 ①(물을) 뿌리다. ②(액체를) 쏟다.

劗(劗) **jiǎn** (전) 명동 〈文〉 가위(로 자르다). =〔剪jiǎn①⑥〕

见(見) **jiàn** (견) ①동 보(이)다. 눈에 띄다. ¶没～他来; 그가 오는 것을 보지 못했다 / 我没～过电视; 나는 텔레비전을 본 적이 없다 / 车已经不～了; 차는 이미 보이지 않는다. ②동 만나다. 방문하다. 접견하다. ¶接～; 접견하다 / ～谁去? 누구를 만나러 가는 거냐? / 在客厅里～客; 응접실에서 손님을 접견하다 / 请～; 면회를 청하다 / 不能～人; 남을 대할 낯이 없다 / 再～! 안녕히 가세요. 다시 만납시다 / 改天～! 일간 다시 만납시다. ③동 (바람·햇볕 등을) 쐬다. 접촉하다. 닿다. ¶这块布怕～阳光; 이 천은 햇빛에 쬐면 바랜다 / 到野地里～～风儿, 就有精神了; 들에 나가 바람을 쐬면 기운이 난다. ④조 〈文〉 동사 앞에 놓여 피동(被動)을 나타냄. ¶叫他们～笑了; 그들의 웃음거리가 되었다 / 有能必～用, 有德必～收; 재능이 있으면 반드시 쓰이고, 덕이 있으면 반드시 받아들여진다. ⑤동사 '听'·'看'·'闻'·'梦'·'遇'·'碰' 등의 단음(單音) 동사 뒤에 놓여 무의식적인 감지·결과를 나타냄. ¶看～; 보이다 / 听～; 들리다 / 遇～ =〔碰～〕; 우연히 만나다. 마주치다. ⑥동 (현상·상태가) 나타나다. …이 되다. ¶病已～好; 병은 이미 나았다 / 他～老了; 그는 나이를 먹었다 / 他的病～重了; 그의 병은 악화되었다 / 行市～涨; 시세가 오르다. ⑦명 생각. 의견. 견해. ¶～解; ⇩ / 浅～; 얕은 견식 / 高～; 고견 / 有成～; 선입관이 있다 / 寻xún短～; 자살하다. ⑧조 동사 앞에 쓰이어 자기에게 어떻게 해 주었으면 하는 것을 나타냄《경어적인 용법이 됨》. ¶～谅; 양찰하시기 바랍니다 / ～教; 하교(下敎)를 바랍니다 / 请勿～怪; 제발 탓하지 말아 주세요. ⑨동 (문장 등이 어느 곳에) 나와 있다. 보다. 참조하다. ¶～上; 전출(前出) / ～下; 후출. ⑩어느 것이나. 각기(各其). ¶～天(儿); 매일 / 一尺～方; 1척 사방. ⑪동 나오다. ¶挖坑～了水; 구멍을 팠더니 물이 나왔다 / 打得～了血; 맞아서 피가 나왔다 / 小孩子～得晚; 아기를 늦게 보다. ⑫동 알다. 이해하다. …이라고 생각하다. ¶你怎么～得呢? 네가 어떻게 알지? / 不～得好; 좋다고는 생각지 않는다 / 不～有动静; 전혀 움직일 기색이 없다. ⑬명 성(姓)의 하나. ⇒xiàn

〔见爱〕 jiàn'ài 동 〈文〉 사랑 받다. 애고(愛顧)를 입다.

〔见报〕 jiàn·bào 동 신문에 실리다. ¶这篇文章明天就可以～; 이 글은 내일 신문에 실린다.

〔见背〕 jiànbèi 동 〈文〉 (연장자가) 돌아가시다. ¶你祖太爷～之后, …; 너의 할아버지께서 돌아가시고, … / 生孩六月, 慈父～; 생후 6개월이 되어 아버지를 여의었다.

〔见不到〕 jiànbudào 만나 볼 수가 없다. 보이지 않다. ↔〔见得到〕

〔见不得〕 jiànbude ①보아서는 안 된다. ¶贪财的人～钱; 재물을 탐내는 사람한테는 돈을 보일 수가 없다. ②대할 낯이 없다. 사람 앞에 나설 수가 없다. ¶～的勾当; 양심의 가책을 느끼는 짓. ③(햇빛 등에) 쬘 수 없다. 맞힐 수 없다. ¶～阳光; 햇빛에 쬘 수 없다 / ～霜; 서리에 맞힐 수 없다《서리에 약하다》. ④〈方〉 (눈에 거슬려서) 두고 보지 못하다. 보기 싫다.

〔见不了〕 jiànbuliǎo 만날 수 없다. 만날 가망이 없다.

〔见不起〕 jiànbuqǐ ①만나기가 부끄럽다. 만날 자격이 없다. ¶我～那样的大学者; 나는 그런 대학자와 만날 자격이 없다. ②면목없다. 남을 볼 낯이 없다. ¶他竟做～人的事; 저 녀석은 남한테 낯뜨거운 짓만 하고 있다. ‖↔〔见得起〕

〔见财起意〕 jiàn cái qǐ yì 〈成〉 재물을 보고 훔칠 마음을 일으키다. 견물생심. =〔见钱动心〕

〔见财忘义〕 jiàn cái wàng yì 〈成〉 재물을 보면 의리를 잊어버린다.

〔见长〕 jiàncháng 동 뛰어나다. 자신 있다. ¶他以音乐～; 그는 음악 방면에 뛰어나다. ⇒jiànzhǎng

〔见称〕 jiànchēng 동 〈文〉 알려지다. 이름이 있다. ¶该刊以消息灵通～; 그 잡지는 소식이 정통한 것으로 이름이 나 있다.

〔见到〕 jiàn·dào 동 ①보다. 목격하다. ¶我既～了就不能不说; 본 이상 말하지 않을 수 없다. ②생각이 미치다. ¶这也是常人见不到的地方; 이것도 보통 사람들은 생각 못 하는 부분이다. ③만나다.

〔见得〕 jiànde 동 알다. …라고 생각되다. …로 보이다《부정문(否定文)·의문문(疑問文)·반문(反問) 등에 쓰임》. ¶怎么～呢? 어떻게 아십니까? / 明天不～会下雨; 내일은 비가 올 것 같지는 않다 / 怎么～他来不了? 어떻게 그가 못 올 것이라고 생각합니까?

〔见地〕 jiàndì 명 견지. 견해. 식견. ¶～很高; 식견이 높다.

〔见毒消〕 jiàndúxiāo 명 《植》 개머루.

〔见多识广〕 jiàn duō shí guǎng 〈成〉 박식하고 경험이 많다.

〔见方〕 jiànfāng 명 〈口〉 평방(平方). ¶一丈～; 1장 사방 / 只要六公尺～的场地就可以进行练习了; 6평방 미터의 장소만 있으면 연습할 수 있다.

〔见分晓〕 jiàn fēnxiǎo 사정이〔결과가〕 분명해지다.

〔见风使舵〕 jiàn fēng shǐ duò 〈成〉 정세를 보아 유리한 쪽에 붙다. 형편을 보아 일을 처리하

다. 형세만을 관망하는 주의. =〔见风转舵〕〔看kàn风使舵〕〔看风使帆〕
〔见风是雨〕 jiàn fēng shì yǔ 〈成〉 바람이 부는 것을 보고 비가 올 것이라고 생각하다(작은 조짐을 보고 경솔하게 단정하다).
〔见缝插针〕 jiàn fèng chā zhēn 〈成〉 빈틈만 있으면 바늘을 꽂는다(조그만 기회도 놓치지 않다).
〔见缝就钻〕 jiàn fèng jiù zuān 〈成〉 틈만 발견하면 즉각 뚫고 들어가다(빈틈없이 처신하다).
〔见复〕 jiànfù 동 〈翰〉 회답을 받다. ¶尚希～; 회신을 바라겠습니다.
〔见高低〕 jiàn gāodī 승부를 내다. 우열을 정하다. ¶我不服他, 总得见个高低才行; 나는 그에게 승복할 수 없으니, 아무래도 승부를 겨루어 봐야겠다.
〔见功见效〕 jiàn gōng jiàn xiào 〈成〉 효과가 나타나다. 효능이 있다.
〔见怪〕 jiàn.guài 동 ①나무라다. 탓하다. 언짢게 생각하다. ¶请不要～我! 언짢게 생각하지 마십시오! ②괴이쩍은 일을 목격하다.
〔见怪不怪〕 jiàn guài bù guài 〈成〉 뜻밖의 일을 만나도 놀라지 않다. 일을 당해도 동요하지 않다. ¶～, 其怪自败; 괴이한 것을 보고도 대담하게 맞서면, 그 괴이한 것은 자연히 사라진다.
〔见官儿〕 jiànguānr 동 ①관서에 나가 담판하다. 나가 호소하다. ¶那也不怕, 出了地边儿, 就敢跟他～; 그런 건 두렵지 않다, 나갈 데에 나가서 그와 담판할 테다. ②공공연히 표면에 나서다. 명 정정당당한 대결.
〔见光〕 jiànguāng 동 ①닦아서 광을 내다. ②빛을 받다.
〔见鬼〕 jiàn.guǐ 동 ①귀신을 보다. ¶～说鬼话, 见人说人话; 〈諺〉 상대에 따라 임기 응변으로 대처하다. ②〈比〉 괴상한 일을 만나다. 야릇한 일을 당하다. 혼나다. ¶你见了鬼了! 그런 당치않은 일이 어디 있어! ③사망하다. 사멸(死滅)하다. ¶让一切叛徒统统～去吧; 일체의 반역자 전부에게 혼구멍을 내 주자. 반역자는 모두 죽어 버려라.
〔见汗〕 jiànhàn 동 땀이 배어 나오다.
〔见好〕 jiànhǎo 동 ①남의 눈에 보기 좋게 꾸미다. 남에게 잘보이다. ②뇌물을 쓰다. 비위를 맞추다. ③좋아지다. (병세가) 호전하다. ¶总不～; 조금도 좋아지지 않다 / 他的病～了; 그 사람의 병은 회복되었다 / 那件事, 现在～了; 그 일은 지금은 잘 되었다.
〔见好就收〕 jiàn hǎo jiù shōu 〈成〉 적당한 시기를 봐서 물러나다. 기회를 엿보아 손을 떼다. 적당한 시기에 그만두다. =〔得好就收〕
〔见惠〕 jiànhuì 동 〈文〉〈謙〉 은혜〔덕〕를 입다(남에게서 선물을 받았을 때의 인사말).
〔见机〕 jiànjī 동 기회를 보다. 정세를〔형편을〕 보다〔살피다〕.
〔见机行事〕 jiàn jī xíng shì 〈成〉 기회를 보아 가며 일을 하다. 정세를 살펴 가며 일을 진행하다. =〔见机而行〕〔见机而动〕〔见机而作〕
〔见教〕 jiànjiào 동 〈套〉〈文〉 가르침을 받다. 교시(教示)해 주시다(가르침을 청할 때의 말). ¶有何～; 견해를 들려 주십시오.
〔见解〕 jiànjiě 명 견해. 의견. ¶您的～怎么样? 당신의 견해는 어떻습니까? / 作出很有～的样子; 매우 식견이 있는 듯한 표정을 하다.
〔见景伤情〕 jiàn jǐng shāng qíng 〈成〉 어떤 정경(情景)에 접하여 감개(感慨)하다. =〔见景生情②〕〔对景伤情〕
〔见景生情〕 jiàn jǐng shēng qíng 〈成〉 ①경우에 따라(임기 응변으로) 대처하다. =〔借jiè景生情〕 ②⇨〔见景伤情〕
〔见开(儿)〕 jiànkāi(r) 동 〈北方〉 물이 끓다. ¶这水见过开了; 이 물은 이제 막 끓었다 / 那水是开过的, 再一～就行了; 저 물은 한번 끓었던 것이니, 다시 좀 더 끓이면 된다.
〔见宽〕 jiànkuān 명 너비. 폭. ¶三尺～; 석 자 너비〔폭〕.
〔见老〕 jiànlǎo 동 나이 들다. 늙다. 형 늙어 보이다. 늙수그레하다.
〔见了是六月, 不见是腊月〕 jiànle shì liùyuè, bùjiàn shì làyuè 〈諺〉 만나면 뜨거운 우정을 나타내지만, 만나지 않으면 우정은 식는다. 만나면 가까워지고, 만나지 않으면 멀어진다.
〔见楞见角〕 jiànléng jiànjiǎo ①(물건이) 반듯반듯하다. 네모반듯하다. ②(행동이) 딱딱하고 고지식하다.
〔见礼〕 jiàn.lǐ 동 인사를 하다. ¶彼此见了礼让坐; 서로 인사를 하고 자리를 권했다. (jiànlǐ) 명 옛날, 신부가 남편의 친척·친구와 처음으로 나누는 인사.
〔见利忘命〕 jiàn lì wàng mìng 〈成〉 사리사욕에 눈이 어두워 죽는 줄도 모르다.
〔见利忘义〕 jiàn lì wàng yì 〈成〉 사리사욕에 눈이 어두워 의리도 저버리다.
〔见利眼花〕 jiàn lì yǎn huā 〈成〉 이익에 눈이 어두워지다. 이(利)를 보고 눈이 흐려지다.
〔见谅〕 jiànliàng 동 〈翰〉 양찰(諒察)해 주시다. 용서해 주시다. ¶即请～; 양찰 있으시기 바랍니다. =〔见原〕
〔见猎心喜〕 jiàn liè xīn xǐ 〈成〉 남이 하고 있는 운동이나 놀이를 보면서(옛날에 익힌 솜씨를 생각하고) 해 보고 싶어 좀이 쑤시다.
〔见面(儿)〕 jiàn.miàn(r) 동 만나다. 대면하다. ¶一～我们就成了朋友; 한 번 만나고 우리는 바로 친구가 되었다 / 我们长时间没～了; 우리들은 오랫동안 만나지 않았다 / 思想～; 본심을 서로 털어놓다.
〔见面礼(儿)〕 jiànmiànlǐ(r) 명 ①초면 인사. ②첫 대면하는 사람에게 주는 선물. 간단한 선물(흔히, 윗사람이 아랫사람에게 줄 경우임). ③(남을 만날 때의) 인사. 인사말. ‖ =〔〈文〉表biǎo礼〕
〔见年儿〕 jiànniánr 명 〈俗〉 매해. 매년.
〔见票后定期付款〕 jiànpiàohòu dìngqī fùkuǎn 명 《商》 어음의 일람 후 정기일 지급. =〔定期兑款〕
〔见票后定期票据〕 jiànpiàohòu dìngqī piàojù 명 《商》 일람 후 정기 지급 어음.
〔见票即付〕 jiànpiào jífù 명 《商》 (어음의) 일람불.
〔见钱眼红〕 jiàn qián yǎn hóng 〈成〉 돈에 눈이 흐려지다. 돈을 보고 마음이 변하다. =〔见钱眼开〕
〔见轻〕 jiànqīng 동 (병이) 가벼워지다. 좋아지다.
〔见情面〕 jiàn qíngmiàn 우정을 나타내다. 호의를 나타내다. ¶是朋友才能这么～; 친구이기에 이렇게 호의를 나타내는 것이다.
〔见人〕 jiàn.rén 동 사람과 얼굴을 대하다. 사람 앞에 나가다. 사람을 만나다. ¶你做下这样事, 将来怎么～呢? 너는 이런 일을 저지르고 장차 사람들의 낯을 볼 수 있겠느냐?
〔见仁见智〕 jiàn rén jiàn zhì 〈成〉 동일한 일〔사항〕에 대해서도 각각 사람에 따라 견해가 다르

다(‘仁者见仁, 智者见智’《易經 辭上》의 약어).
〔见上帝〕 jiàn shàngdì 〈比〉 저 세상으로 가다. 죽다.
〔见神见鬼〕 jiàn shén jiàn guǐ 〈成〉 ①(귀신을 만난 것처럼) 무서워 벌벌 떨다. 흠칫거리다. ¶～地寻觅了半晌; 흠칫흠칫하면서 오랫동안 찾았다. ②이상한 일이다. 귀신이 곡할 노릇이다. 불가사의하다.
〔见世面〕 jiàn shìmiàn 세상사를 잘 알다. 바깥 세계의 경험이 있다. ¶应该多在外面走走, 见见世面; 밖에 나가 세상사를 많이 보는 것이 좋다.
〔见事风生〕 jiàn shì fēng shēng 〈成〉 무슨 일이 일어나면 금시 소문이 난다.
〔见势〕 jiànshì 동 형세를 간취하다. ¶货家～也不愿照价再卖出; 물품을 갖고 있는 쪽에서도 그러한 형세를 간취하고 값대로 팔려고 하지 않는다 / ～不妙, 拔腿就跑; 형세가 불리하다고 보고 재빨리 달아나다.
〔见识〕 jiànshi 명 견문. 지식. 생각. 식견. ¶～广; 견문이 넓다 / 听你这一番话我长了很多～; 너의 이 이야기를 듣고 매우 많은 견문을 넓혔다 / 不要和他一般～; 그와 같은 생각이어서는 안 된다. 그의 상대가 되어서는〔상종하여서는〕 안 된다. 동 ①보고 듣다. 견문을 넓히다. ¶到各处去～～; 각지에 가서 견문을 넓히다 / ～远; 먼 앞까지 사리를 내다보다. ②(기능 따위를) 보여 드리다. ¶做一点儿给我～; 무엇이든 하나 해서 보여 주시오.
〔见说〕 jiànshuō 〈文〉 듣건대…. 들은 바에 의하면.
〔见死不救〕 jiàn sǐ bù jiù 〈成〉 남의 위급함을 보고 구제하지 않다.
〔见所未见, 闻所未闻〕 jiàn suǒ wèi jiàn, wén suǒ wèi wén 〈成〉 이제까지 본 일도 들은 적도 없다.
〔见天(儿)〕 jiàntiān(r) 명 〈口〉 매일. ¶～早上; 매일 아침. =〔每天〕
〔见天日〕 jiàn tiānri ①실내에 광선이 잘 비치다. ②덮어씌운 것이 벗겨지다(곤란을 극복하고 곤경에서 벗어나다. 억울한 죄가 밝혀지다).
〔见兔顾犬〕 jiàn tù gù quǎn 〈成〉 토끼를 보면 개를 돌아보아라(기회가 임박하면 놓치지 않도록 조처하라).
〔见外〕 jiànwài 동 ①남같이 취급하다. 서먹서먹하게 대우하다. ¶请不要～! 제발 서먹서먹하게 대하지 마십시오! / 一点也不开诚布公地说, 太～了; 조금도 속을 털어놓아 주지 않으니, 너무 서먹서먹하다. ②사양하다. ¶您可别～! 사양하지 마십시오! ‖ =〔外道〕
〔见旺〕 jiànwàng 형 번창하다. 성대하다.
〔见危授命〕 jiàn wēi shòu mìng 〈成〉 (나라가) 위급할 때 용감하게 목숨을 내던지다. =〔见危致命〕
〔见微知著〕 jiàn wēi zhī zhù 〈成〉 사소한 것을 보고서 모든 것을 내다보다. ¶一对～眼睛; 모든 것을 꿰뚫어보는 듯한 두 눈.
〔见闻〕 jiànwén 명 견문. 경험. ¶～很广; 견문이 넓다.
〔见物不见人〕 jiàn wù bù jiàn rén 〈成〉 물건만 보고 사람은 보지 않는다(물질면만을 보고 사람의 정신력이 큰 것을 무시하다).
〔见习〕 jiànxí 명동 실습(하다). 견습(하다). ¶～医生; 인턴. ¶～技术员; 견습 기술자.
〔见喜〕 jiànxǐ 동 기쁜 일을 보다. 좋은 일이 생기다. ¶出门～; 문을 나서면 길사가 있다(‘影壁’에 붙이는 문구).
〔见小〕 jiànxiǎo 동 미세한 점에 착안하다. 형 견식〔안목〕이 좁다.
〔见效〕 jiànxiào 동 효과가 나타나다. 효험을 보다. ¶这药吃下去就～; 이 약은 먹으면 바로 효과가 나타난다.
〔见笑〕 jiànxiào 동 ①〈謙〉 웃음을 사다. 웃음거리가 되다. ¶招人～; 남의 웃음거리가 되다 / ～大方; 〈成〉 식자(識者)의 웃음을 사다 / 写得不好, ～～! 잘 쓰지 못했습니다. 부끄러울 따름입니다! ②비웃다. ¶您可别～; 비웃지 말아 주십시오.
〔见新〕 jiànxīn 동 〈方〉 묵은 것을 손질하여 아주 새롭게 하다. ¶把门面油漆～; 상점 앞면에 페인트를 칠해서 새롭게 하다 / ～的也和现买的差不多; 낡은 것을 수리한 것이지만, 새로 산 것과 큰 차이가 없다.
〔见信〕 jiànxìn 동 ①편지를 받다. 편지를 보다. ¶～即为惠送; 〈翰〉 편지 받는 즉시 송부하여 주십시오. ②〈文〉 믿어지다.
〔见血封喉〕 jiànxuèfēnghóu 명 《植》 유퍼스(upas) 나무(자바 부근에 나는 교목의 하나). 또는, 그 수액(樹液)(맹독).
〔见血散〕 jiànxuèsǎn 명 《植》 가는기린초.
〔见阎老五〕 jiàn yánlǎowǔ 염라 대왕을 만나다. 〈比〉 죽다. ¶他的病很重, 也快～了吧; 그의 병은 매우 위중해서 곧 죽게 될 거야.
〔见样儿〕 jiànyàngr 명 종류마다. 이것저것. ¶这些东西～都得送吗? 이 물건들을 종류마다 다 보내 드려야 합니까? 부 보아하니 …것 같다.
〔见疑〕 jiànyí 동 ①혐의를〔의심을〕 받다. ②의심을 품다.
〔见义勇为〕 jiàn yì yǒng wéi 〈成〉 정의를 보고 용감하게 뛰어든다. 의에 용감하다.
〔见异思迁〕 jiàn yì sī qiān 〈成〉 의지가 굳지 못해 색다른 것을 보고 마음이 변하다.
〔见于〕 jiànyú 동 (문장의 출처나 참고할 곳이) …에 보이다. …에 나타나다. ¶‘背私为公’～韩非子五蠹篇; ‘背私为公’은 ‘韩非子 五蠹篇’에 나온다.
〔见长〕 jiànzhǎng 동 성장하다. 발육하다. 자라다. ¶半年了, 这孩子没～; 반 년이 지났는데 이 아이는 자라지 않았다.
〔见证〕 jiànzhèng 명 ①증거. 현장 증거. ¶作～; 증거를 내세우다. ②증인. 입회인. =〔见证人〕 형 증거가 되는.
〔见之实行〕 jiàn zhī shí xíng 〈成〉 실행에 옮기다.
〔见知〕 jiànzhī 동 〈文〉 알려지다. 인정받다. ¶～于上峰; 윗사람에게 인정받다.
〔见转机〕 jiàn zhuǎnjī 새로운 전기(轉機)를 나타내다. 상태가 달라지다. 호전(好轉)되다. 회복하다. ¶他的病～了; 그의 병이 회복하기 시작했다.
〔见装货单即付现款〕 jiàn zhuānghuòdān jífù xiànkuǎn 명 《商》 적하(積荷) 서류 상환불(相換拂).
〔见字〕 jiànzì ①동 〈翰〉 편지를 보다. ¶～即祈掷下为盼; 이 서신을 보시는 대로 회신해 주시기 바랍니다. ②〈套〉 보아라(손아랫사람에게 보내는 편지 첫머리의 받는 사람 이름 밑에 붙이는 말).
〔见罪〕 jiànzuì 동 〈文〉〈謙〉 언짢게 여기다. 나쁘게 생각하다(자기 행동에 대해 상대에게 말하는 겸양어). ¶接待不周, 请勿～; 접대가 소홀하였습니다만, 섭섭히 여기지 말아 주십시오.

舰(艦) **jiàn** (함)
명 군함. ¶军～ =〔～只〕; 함선. 군함 / ～对空导弹; 《軍》 함대공 미사일.
〔舰队〕 jiànduì 명 《軍》 함대.
〔舰日〕 jiànrì 명 《軍》 한 척의 군함이 해상 활동을 하는 일수(하루를 '一个舰日'라고 함).
〔舰艇〕 jiàntǐng 명 《軍》 함정.
〔舰载〕 jiànzài 명 《軍》 함재. ¶～飞机; 함재기.
〔舰长〕 jiànzhǎng 명 《軍》 함장.
〔舰只〕 jiànzhī 명 《軍》 함선. 군함. ¶海军～; 해군 함선.

件 **jiàn** (건)
①양 일·사건·물건 등을 세는 데 쓰임. ¶一～事; 한가지 일. 하나의 사항 / 一～活; 한 가지의 일 / 一～衣裳; 의복 한 벌 / 几～家伙; 몇 종류의 도구. ②공업 제품의 계산 단위. ¶计～工资; 제품 한 개에 얼마씩으로 지급하는 임금. ③(～儿) 명 하나하나 셀 수 있는 물건. ¶零～儿; 부품(部品) / 配～; 부속품 / 机～; 기계의 부품 / 案～; 안건. 소송 사건. ④명 문서(文書). 서류. ¶来～; 내신(來信) / 文～; 문서 / 急jí～; 긴급 서류.
〔件厂〕 jiànchǎng 명 부품 공장.
〔件工〕 jiàngōng 명 성과급 노동. =〔件子活〕〔摆件子活〕↔〔包工〕
〔件件(儿)〕 jiànjiàn(r) 가지가지. 어느 것이나. 모든 것. ¶～俱全; 〈成〉 모두 갖춰져 있다 / ～都能; 무엇이고 할 수 있다 / ～都办好了; 모든 것이 다 처리되었다.
〔件色〕 jiànsè 명 물품의 유별(類別)〔종류〕.
〔件数(儿)〕 jiànshu(r) 명 (물품의) 가짓수. 건수. 개수.
〔件头儿〕 jiàntóur 명 요리의 분량. 요리를 담은 정도. ¶～大; 음식을 수북이 담다.
〔件子活〕 jiànzihuó 명 ⇨〔件工〕

𡊄 **jiàn** (천)
동 ①(기울어진 가옥에) 버팀목을 대어 버티다. ¶打～拨正; 버팀목으로 받쳐 집을 바로 세우다. ②(흙이나 돌로) 물을 막다.

谫(諓) **jiàn** (전)
〈文〉 ①형 말이 교묘하다. 언변이 좋다. ¶～～; 말이 교묘한 모양. 언변이 좋은 모양. ②명 교묘한 말.

饯(餞) **jiàn** (전)
①동 송별연을 베풀다. 전별(餞別)하다. ¶～行; ⇩ ②동 작별 선물을 하다. 전별품을 증정하다. ③명 꿀이나 설탕에 절인 과일. ¶蜜～; 꿀이나 설탕에 절인 과일.
〔饯别〕 jiànbié 동 ⇨〔饯行〕
〔饯敬〕 jiànjìng 명 전별 선물. 전별(선물 포장 겉에 문구로 적기도 함). =〔别敬〕
〔饯礼〕 jiànlǐ 명 〈文〉 전별품. 이별할 때 정표로 주고받는 선물.
〔饯行〕 jiànxíng 동 전별(餞別)하다. 송별연을 베풀다. ¶给他～; 그를 위해 송별회를 열다 / 治酒～; 잔치를 베풀어 송별하다. =〔饯别〕〔送行②〕
〔饯酌〕 jiànzhuó 명 전별의 잔치.

贱(賤) **jiàn** (천)
①형 (지위나 신분이) 낮다. 천하다. 비굴하다. ¶贫～; 가난하고 비천하다. ②형 값이 싸다. ¶这布真～; 이 천은 아주 싸다 / 图～买老牛; 〈諺〉 싼 것을 찾아 늙은 소를 산다(싼 것이 비지떡). ③형 저질이다. 비열하다. ¶～脾气; 비열한 근성 / 他真～; 그는 참으로 비열한 자식이다. ④동 〈文〉 경시하다. 업신여기다. ¶人皆～之; 사람은 모두 이것을 업신여긴다. ⑤〈謙〉 저(자기를 낮추어 일컫는 말). ¶～姓; ⇩ / ～恙; ⇩ ⑥사람을 욕하는 말. ¶～狗; 개 같은 놈.
〔贱辰〕 jiànchén 명 〈謙〉〈文〉 저의 생일.
〔贱齿〕 jiànchǐ 명 〈謙〉〈文〉 나이.
〔贱骨头〕 jiàngǔtou 명 〈罵〉 ①병신. 쌍놈. ②난폭하고 비굴한 놈.
〔贱货〕 jiànhuò 명 ①값싼 물건. 싸구려. ②〈罵〉 천박한 놈. 쌍놈.
〔贱价〕 jiànjià 명 싼값. 저렴(低廉)한 값. ¶～卖出去; 싼 값으로 팔아 버리다.
〔贱劲儿〕 jiànjìnr 명 비천한 모양. 비루한 정도.
〔贱买〕 jiànmǎi 동 싸게 사다. ¶～贵卖 =〔贵卖～〕; 싸게 사서 비싸게 팔다.
〔贱卖〕 jiànmài 동 싸게 팔다. ¶～不赊; 〈成〉 싸구려에는 외상이 없음. =〔贱售〕
〔贱民〕 jiànmín 명 ①옛날, 천민. 상놈. ②(인도 카스트 제도의) 불가촉 천민. 언터처블(untouchable).
〔贱内〕 jiànnèi 명 〈謙〉 우처(愚妻)(자기 처를 낮추어 일컫는 말). =〔贱荆〕〔贱室〕
〔贱年〕 jiànnián 명 〈文〉 흉년. ¶～饿不死手艺人; 〈諺〉 손에 기술을 익힌 사람은 흉년에도 굶어 죽지 않는다.
〔贱胚子〕 jiànpēizi 명 〈罵〉 바보. 얼간이.
〔贱皮子〕 jiànpízi 명 개구쟁이. 장난꾸러기.
〔贱脾气〕 jiànpíqi 명 비열한〔천박한〕 근성. 노예근성.
〔贱躯〕 jiànqū 명 〈翰〉〈謙〉 자신을 가리키는 비칭(卑稱).
〔贱人〕 jiànrén 명 〈古白〉〈罵〉 쌍년(여자를 욕할 때 쓰는 말).
〔贱肉〕 jiànròu 명 ①싸구려 고기. ②〈罵〉 썩어빠진 놈.
〔贱蹄子〕 jiàntízi 명 〈罵〉 쌍년(여성에 대한 욕).
〔贱物〕 jiànwù 명 〈文〉 값싼 것. 싸구려 물건.
〔贱姓〕 jiànxìng 명 〈謙〉〈文〉 저의 성(자기의 성(姓)을 낮추어 이르는 말). =〔敝bì姓〕
〔贱恙〕 jiànyàng 명 〈文〉〈謙〉 저의 병(자기의 병을 낮추어 말함).
〔贱业〕 jiànyè 명 〈文〉 천한 직업.

溅(濺) **jiàn** (천)
동 ①물이 스며들다. ②(물방울이나 진흙 따위가) 튀다. 튀어오르다. ¶水花四～; 물보라가 사방으로 튀다 / ～了一身水; 온몸에 물이 튀었다 / ～了一裤子的泥; 바지에 온통 흙탕물이 튀었다. ⇒jiān
〔溅落〕 jiànluò 동 (인공 위성 따위를 회수하기 위해) 해면에 착수시키다. ¶～点; 착수 지점.
〔溅上〕 jiànshàng 동 튀다. ¶～身泥; 온 몸에 온통 진흙이 튀다.
〔溅朱〕 jiànzhū 동 골이〔화가〕 나서 얼굴을 붉히다.

践(踐) **jiàn** (천)
동 ①밟다. 짓밟다. ¶～踏; ⇩ ②이르다. 밟다. 그 지방에 가다. ¶重chóng～其地; 다시 그 곳에 가다. ③실행하다. 이행하다. ¶实～; 실천하다 / ～约; ⇩ ④자리에 취임하다. ⑤(산맥 등이) 잇달리다. ⑥손상시키다. ¶作～; 밟아 부수다. 낭비하다.
〔践冰〕 jiànbīng 동 얼음을 밟다. 〈比〉 위험을 무

릅쓰다.
〔践极〕 jiànjí 동 〈文〉 제위(帝位)에 오르다.
〔践履〕 jiànlǚ 동 〈文〉 예정된 일을 실행하다. 명 행위.
〔践诺〕 jiànnuò 동 〈文〉 말한 일을 실천〔이행〕하다. 약속을 이행하다. →〔践约〕
〔践踏〕 jiàntà 동 ①밟다. 함부로 딛다. ¶我们要爱惜庄稼, 不要～青苗; 우리는 농작물을 소중히 해야 하니, 모를 밟지 마라. =〔踩②〕 ②〈比〉 짓밟다. 못 쓰게 만들다. =〔糟踏〕
〔践危负重〕 jiàn wēi fù zhòng 〈成〉 위험을 무릅쓰고 중책을 맡다.
〔践约〕 jiàn·yuē 동 〈文〉 약속한 기일을 지키다. 약속한 일을 이행하다.
〔践住〕 jiànzhù 동 (흙탕·진창·무른 흙 등에) 빠지다. ¶～车; 차가 진창에 빠지다.
〔践祚〕 jiànzuò 동 〈文〉 즉위(卽位)하다.

间(間〈閒〉) jiàn (간)

①(～儿) 명 틈. 사이. ¶当～儿; 중간/乘～; 틈을 타다. ②명 끝. 한. ¶无～; 끝이 없다. ③부 요사이. 최근. ¶～岁丰收; 이 수 년은 풍년이 계속되고 있다. ④동 간격을 두다. ¶～一日; 하루 걸러/～接; ⇓/～断; ⇓/～周举行会议; 격주로 회의를 열다. ⑤동 사이가 나빠지게 하다. 이간시키다. ¶反～计; 이간책(離間策). ⑥동 〈文〉 병이 나아지다. ¶病稍～; 병이 약간 나아지다. ⑦동 (식물의 새싹 등을) 솎다. ¶拿～下来的白菜苗煮汤; 솎은 배추로 국을 끓이다. ⑧동 섞이다. ⑨부 가끔. 간혹. 때때로. 왕왕. ¶～有…; 왕왕 …이 있다. ⑩부 몰래. 살며시. ¶使人～告之; 남에게 몰래 알리게 하다/从～道出; 샛길로 나가다. ⑪부 잠시. ⑫동 살피다. 틈〔기회〕을 노리다. ¶～谍; ⇓ ⇒jiān, '闲' xián
〔间壁〕 jiànbì 명 이웃집. 옆집. 동 방을 칸 막다.
〔间步〕 jiànbù 동 〈文〉 살금살금 걷다.
〔间出〕 jiànchū 동 ①틈을 엿보아 몰래 나가다. ②일정한 시간을 두어 나타나다.
〔间错开〕 jiàncuòkāi 부 ①따로따로. 뿔뿔이. ②번갈아 가며. 교대로.
〔间道〕 jiàndào 명 〈文〉 사잇길. 샛길.
〔间谍〕 jiàndié 명 스파이. 간첩.
〔间断〕 jiànduàn 동 중단하다〔되다〕. 중간에서 끊어지다. ¶不～地; 끊임없이/～性; 불연속성. 단속성(斷續性)/～雨; 오다 말다 하는 비.
〔间伐〕 jiànfá 명동 간벌(間伐)(하다).
〔间隔〕 jiàngé 명동 간격(을 두다). 사이(를 두다). ¶菜苗～匀整; 모종의 간격이 고르다. 동 칸을 막다. 칸막이하다. ¶非经业主同意, 不得～; 집주인의 동의가 없이 칸막이를 해서는 안 된다.
〔间隔号〕 jiàngéhào 명 《言》 중점(中點). '·'.
〔间果〕 jiàn·guǒ 동 과일을 솎아내다. 적과(摘果)하다《결과량(結果量)을 조절하기 위하여 솎음》. ¶～间jiàn得晚了; 과일을 솎아내는 것이 늦었다.
〔间或〕 jiànhuò 부 간간이. 어쩌다가. 이따금. ¶～他来; 그는 가끔 온다/顺利的事也～有之; 술술 나갈 때도 가끔 있다/这样东西, ～有用的; 이런 물건도 때로는 유용할 때가 있다.
〔间接〕 jiànjiē 명형 간접(적인). ¶～推理; 간접추리. ↔〔直zhí接〕
〔间接肥料〕 jiànjiē féiliào 명 《農》 간접 비료《석회·석고 따위》.
〔间接工资〕 jiànjiē gōngzī 명 (공장 관리원의 임금처럼) 공장 노동과 직접 관계가 없는 임금. →〔直zhí接工资〕
〔间接汇价〕 jiànjiē huìjià 명 《經》 간접 환시세. 수취(受取) 환시세.
〔间接任意球〕 jiànjiē rènyìqiú 명 《體》 (수구의) 프리 스로(free throw).
〔间接审理主义〕 jiànjiē shěnlǐ zhǔyì 명 《法》 간접 심리주의(審理主義).
〔间接税〕 jiànjiēshuì 명 간접세.
〔间接选举〕 jiànjiē xuǎnjǔ 명 《法》 간접 선거.
〔间距〕 jiànjù 명 간격.
〔间阔〕 jiànkuò 동 〈文〉 멀리 떨어져 오래 만나지 못하다.
〔间苗〕 jiàn·miáo 동 《農》 모종을 솎다.
〔间亲〕 jiànqīn 동 〈文〉 사이를 가르다. 친분을 끊다. ¶妄图以疏～; 함부로 사이를 갈라 놓으려 하다.
〔间日〕 jiànrì 명 〈文〉 하루 걸러. 격일.
〔间色〕 jiànsè 명 ①간색. 중간색. ②명암의 조화를 유지하기 위해 쓰는 색깔.
〔间疏〕 jiànshū 동 〈文〉 멀리 떨어져 소원해지다.
〔间天〕 jiàntiān 명 요 며칠.
〔间退瘴热症〕 jiàntuì zhàngrèzhèng 명 ⇒〔间歇热〕
〔间细〕 jiànxì 명 적(敵)의 간첩. 밀정. 스파이. =〔间谍〕
〔间隙〕 jiànxì 명 ①빈틈. 짬. 사이. ¶战斗的～; 전투의 짬/～规; 《醫》 소식자(消息子)/用玉米地的～套种绿豆; 옥수수밭의 틈사이를 이용하여 녹두를 심다. ②(기계가 움직이는 공간의) 틈.
〔间歇〕 jiànxiē 명형 간헐(적). ¶～泉; 간헐천/～遗传; 《物》 격세 유전/～工作; ⓐ단속(斷續)적인 노동. ⓑ《機》 간헐적인 작동. 명 짬. ¶不许有～; 짬을 두는 것을 허락지 않는다. 동 짬을 두다.
〔间歇热〕 jiànxiērè 명 《醫》 간헐열(間歇熱). =〔间退瘴热症〕
〔间言〕 jiànyán 명 〈文〉 남을 헐뜯는 말. 말다툼〔시비〕. ¶毫无～; 조금도 사이가 벌어지지 않다.
〔间有〕 jiànyǒu 가끔 있다. 어쩌다가 있다.
〔间杂〕 jiànzá 동 섞이다. 뒤죽박죽이 되다.
〔间周〕 jiànzhōu 명 〈文〉 1주간 간격. 격주.
〔间作〕 jiànzuò 명동 《農》 간작(間作)(하다). =〔间种〕

涧(澗) jiàn (간)

명 〈文〉 물이 흐르는 골짜기.
〔涧溪〕 jiànxī 명 〈文〉 계류.

瞷(瞯〈覸〉) jiàn (간)

동 〈文〉 훔쳐 보다. 엿보다. ¶自门隙～; 문틈으로 몰래 엿보다.

锏(鐧) jiàn (간)

명 《機》 차의 굴대에 끼우는 쇠《굴대의 마찰을 줄임》. ⇒jiǎn

建 jiàn (건)

①동 (건물 등을) 세우다. 짓다. ¶新～房屋; ⓐ새로 집을 짓다. ⓑ새로 지은 집/～筑; ⇓/扩～; 확장하다. ②동 창설하다. 창립하다. 설립하다. ¶～都; 국도(國都)를 세우다. 수도로 정하다/～国; ⇓/～军; ⇓ ③제안하다. 의견을 내다. ④(Jiàn) 명 《地》 〈簡〉 푸젠성(福建省)의 약칭. ⑤명 음력에서 한 달을 이르는 말. ¶大～; 큰 달《30일》/小～; 작은 달《29일》. ⑥(Jiàn) 《地》 젠장 강(建江)《푸젠 성(福建

省)에 있는 강 이름). =〔闽江〕
〔建安〕 Jiàn'ān 명 건안. 동한(東漢) 헌제(獻帝)의 연호(196-220).
〔建白〕 jiànbái 동 〈文〉 의견을 제기하다. 주장을 진술하다.
〔建材〕 jiàncái 명 건축 원자재. ¶～工业; 건축 원자재 공업.
〔建厂〕 jiàn.chǎng 동 공장을 건설하다.
〔建成〕 jiànchéng 동 ①(건조물을) 완성시키다. 준공시키다. ②확립하다. 건설하다.
〔建党〕 jiàn.dǎng 동 창당(創黨)하다.
〔建都〕 jiàn.dū 동 수도로 정하다. ¶北京是历代～的地方; 베이징은 역대 국도(國都)로 정한 곳이다.
〔建国〕 jiàn.guó 동 건국하다. 국가를 세우다. →〔肇zhào国〕
〔建交〕 jiàn.jiāo 동 ①교제 관계를 맺다. ②국교 관계를 수립하다. ¶在两国之间还没有正式～; 두 나라 사이에는 아직 정식 국교 관계가 수립되어 있지 않다.
〔建醮〕 jiànjiào 동 (옛날에, 도사(道士) 등을 불러) 단(壇)을 마련하여 기도하다.
〔建圈〕 jiàn.juàn 동 축사(畜舍)를 세우다.
〔建军〕 jiàn.jūn 동 ①건군하다. ②군대를 강화하다.
〔建库〕 jiàn.kù 동 창고를 짓다.
〔建兰〕 jiànlán 명 《植》 젠란(푸젠 성(福建省) 원산의 난인데, 꽃에 맑은 향기가 있음). =〔〈俗〉兰草〕〔兰花〕
〔建立〕 jiànlì 동 (기념비 등을) 건립하다. (관직 등을) 설치하다. (제도 · 조직을) 창설 · 창립 · 제정하다. (원칙을) 세우다. (질서 · 명성 등을) 확립하다. (계획 등을) 세우다. ¶～根据地; 근거지를 만들다 / ～了功勋; 공을 세웠다 / ～交易关系; 무역 관계를 설정하다 / ～新制度; 새로운 제도를 제정하다 / 彼此之间～了感情; 상호간에 친밀감이 생겼다.
〔建卯〕 jiànmǎo 명 〈文〉 음력 2월.
〔建漆〕 jiànqī 명 푸젠 성(福建省)에서 생산된 칠기(漆器).
〔建设〕 jiànshè 동 (국가 · 단체가) 신규 사업을 시작하다. 건설하다. ¶～铁路; 철도를 부설하다. 명 건설. 구성. 조직. ¶经济～; 경제 건설.
〔建设性〕 jiànshèxìng 형 건설적이다. ¶～的意见; 건설적인 의견.
〔建社〕 jiàn.shè 동 인민 공사 · 합작사를 세우다.
〔建树〕 jiànshù 동 ①(추상적인 것을) 수립하다. ②(공을) 세우다. (공적을) 쌓다. ¶～功勋; 공을 세우다. 명 공적. 공훈. 실적. ¶双方均无～; 양쪽 모두 공적이 없다.
〔建议〕 jiànyì 명동 제안(하다). 건의(하다). ¶我～休会一天; 나는 하루 휴회할 것을 제안한다 / 他们没有采纳我的～; 그들은 나의 제안을 받아들이지 않았다 / 联合～; 공동 제안.
〔建寅〕 jiànyín 명 음력 정월(하조(夏朝)).
〔建元〕 jiànyuán 동 〈文〉 연호를 정하다. →〔改gǎi元〕
〔建造〕 jiànzào 동 건조하다. 짓다. 세우다.
〔建政〕 jiànzhèng 동 정권(政權)을 수립하다.
〔建之旁(儿)〕 jiànzhīpáng(r) 명 민책받침(한자 부수의 하나로, '延' 등의 '廴'). =〔及之(儿)〕〔挺之(儿)〕〔小走之(儿)〕〔延边儿〕
〔建制〕 jiànzhì 명 (군대 등의) 편제. 조직. 제도. ¶撤消大行政区～; 대행정구 제도를 폐지하다. 동 편제하다. 조직하다.
〔建筑〕 jiànzhù 동 (건물 · 도로 · 교량 · 비탑(碑塔) 등을) 건축하다. ¶～楼房; 빌딩을 건축하다 / ～铁路; 철로를 부설하다. 명 ①건축. ¶～工地; 건축 현장 / ～安装工程; 건축 및 내장 공사 / ～安装公司; 건축과 내장 공사의 청부 회사 / ～面积 =〔展开面积〕; 건평. ②건축물. ¶～物; 건축물 / 古老的～; 오래된 건축물. ③구조. ¶上层～; 《哲》 상부 구조.
〔建子〕 jiànzǐ 명 음력 정월(주조(周朝)).
〔建子〕 jiànzi 명 《植》 (난초과 식물 등의) 화경(花莛)〔꽃대〕.

健 jiàn (건)

①형 튼튼하다. 건강하다. ¶保～; 보건 / ～康; ⇩ / ～全; ⇩ ②동 튼튼하게 하다. 건강하게 하다. ¶～身; ⇩ / ～胃; ⇩ ③형 …을 잘하다. 잘 …하다. ¶～步; ⇩ / ～饭; ⓐ잘 먹다. 위가 튼튼하다. ⓑ대식가.
〔健步〕 jiànbù 〈文〉 형 씩씩하게 잘 걷다. 발이 힘차고 빠르다. ¶～如飞; 〈成〉 발이 빨라 날듯이 걷다. 명 건각. 잘 걷는 사람.
〔健斗〕 jiàndòu 동 〈文〉 건투하다.
〔健儿〕 jiàn'ér 명 〈文〉 건아(주로 우수한 운동 선수나 전사(戰士)를 말함). ¶男女～; 남녀 선수.
〔健妇〕 jiànfù 명 〈文〉 기력이 강한 부인.
〔健将〕 jiànjiàng 명 ①투사. 실력자. 유력자. ¶实业界的～; 실업계의 유력자 / 某党的～; 모당의 투사. 모당의 실력자 / 运动～; 주력 선수. ②《體》 최고 수훈 선수.
〔健捷〕 jiànjié 형 〈文〉 강하고 민첩하다.
〔健康〕 jiànkāng 명형 ①건강(하다). ¶使儿童～地成长; 아동을 건강하게 키우다 / ～诊断 =〔～检查〕; 건강 진단 / 祝您～! 귀하의 건강을 기원합니다! =〔康健〕 ②건전(하다). 정상(이다). ¶情况基本上是～的; 상태는 기본적으로 정상이다.
〔健美〕 jiànměi 형 건강하고 아름답다. ¶～粗犷; 〈成〉 건강 소박하고 아름답다. 명 건강미. ¶～操cāo =〔～舞wǔ〕; ⓐ에어로빅 체조. ⓑ중국식 건강 체조 / ～运动; 건강 미용 운동. 보디 빌딩.
〔健美热〕 jiànměirè 형 건강 미용 붐(boom). 건강 미용 열풍.
〔健弩争张〕 jiànnǔ zhēngzhāng 〈比〉 맹렬히 싸우다.
〔健全〕 jiànquán 형 (신체 · 정신 · 사물이) 건전하다. ¶组织力量～; 조직력이 건전하다 / ～人; 건전한 사람. 동 ①건전하게 하다. ¶～组织; 조직을 건전하게 하다. ②완비하다. 갖추다. ¶只有破坏旧的腐朽的东西, 才能～新的东西; 낡고부패된 것을 타파해야만, 비로소 새롭고 완전한 것을 세울 수가 있다.
〔健身〕 jiànshēn 동 몸을 튼튼히 하다.
〔健身操〕 jiànshēncāo 명 건강 체조.
〔健身房〕 jiànshēnfáng 명 체육실.
〔健身跑〕 jiànshēnpǎo 명 《體》 조깅.
〔健身运动〕 jiànshēn yùndòng 명 건강 유지를 위한 운동.
〔健讼〕 jiànsòng 동 〈文〉 소송을 좋아하다.
〔健谈〕 jiàntán 명형 능변(能辯)(이다). 입담(이 좋다).
〔健忘〕 jiànwàng 동 잘 잊어버리다. ¶～症; 건망증. =〔〈文〉病bìng忘〕〔〈文〉善shàn忘〕
〔健旺〕 jiànwàng 형 건강하고 정력이 왕성하다.
〔健胃〕 jiànwèi 동 위를 튼튼히 하다. ¶～药 =〔～剂〕; 건위제 / ～片; (정제로 된) 건위제.

〔健稳〕 jiànwěn 형 〈文〉 온건하다.
〔健羡〕 jiànxiàn 〈文〉 형 극도로 탐욕스럽다. 동 매우 부러워하다. ¶吾兄之美满家庭, 使人何胜～; 〈翰〉 귀하의 훌륭한 가정은 참으로 부럽기 이를 데 없습니다.
〔健行〕 jiànxíng 명 하이킹(hiking).
〔健在〕 jiànzài 명 〈文〉 건재하다(주로 연장자에게 자신 및 자신의 가족에 대하여 씀). ¶父母都～; 부모는 모두 건재하시다.
〔健壮〕 jiànzhuàng 형 건장하다. 튼튼하다.
〔健卒〕 jiànzú 명 〈文〉 강한 병사. 정병(精兵).

揵 jiàn (건)
→〔鼓gǔ揵子〕

楗 jiàn (건)
명 〈文〉 ①빗장. ②제방의 무너진 데를 막는 대나무 · 나무 · 흙 · 돌 따위의 자재.

毽 jiàn (건)
(～儿, ～子) 명 제기. ¶踢～子 =〔拍～子〕; 제기를 차다.

腱 jiàn (건)
명 《生》 힘줄. 건. ¶阿ā基里斯～ =〔艾ài基利氏～〕〔跟～〕; 〈音〉 아킬레스건. =〔肌腱〕
〔腱鞘〕 jiànqiào 명 《生》 건초. ¶～炎; 《醫》 건초염.
〔腱子〕 jiànzi 명 ① 힘줄. 건. ②(사람이나 소의) 장딴지같이 발달한 부분. ‖ =〔花腱儿〕

键(鍵) jiàn (건)
명 ①〈文〉쇠로 된 빗장. ②(피아노나 풍금 · 타이프라이터 따위의) 건반. 키. ③(수레바퀴의) 비녀장. ④자물쇠 안의 용수철. =〔锁suǒ簧〕 ⑤관건(關鍵). 일의 중요한 포인트. ¶关～; 관건. ⑥《機》 회전축과 톱니바퀴 · 프로펠러 등을 고정시키기 위하여 이들 사이에 끼우는 가늘고 긴 판(板)이나 막대. =〔销钉〕〔销子〕 ⑦《化》(화학 구조식에서) 원소(元素)의 원자가(原子價)를 나타내는 횡선(橫線).
〔键板〕 jiànbǎn 명 ⇨〔键盘〕
〔键槽〕 jiàncáo 명 《機》 열쇠의 홈. =〔键座〕〔销xiāo(子)槽〕
〔键轮〕 jiànlún 명 《機》 체인 풀리(chain pulley).
〔键盘〕 jiànpán 명 ①건반. ②타이프라이터 · 계산기 등의 키보드. ‖ =〔键板〕
〔键盘乐器〕 jiànpán yuèqì 명 《樂》 건반 악기.

踺 jiàn (건)
→〔踺子〕
〔踺子〕 jiànzi 명 《體》 아라비아 회전(체조에서 회전 동작의 하나). =〔阿ā拉伯手翻〕

剑(劍〈劒〉) jiàn (검)
① 명 검. ¶一把～; 한 자루의 칼. ② 동 (목을) 베다. ③ 동 (눈썹 따위를) 험악하게 올리다.
〔剑拔弩张〕 jiàn bá nǔ zhāng 〈成〉 칼은 뽑히고 쇠뇌는 메겨졌다(힘으로 대결하려는 모양. 일촉 즉발의 상태). ¶不露出～的样子; 긴장된 모습을 밖으로 나타내지 않다.
〔剑鼻〕 jiànbí 명 검비. 칼코등이.
〔剑齿虎〕 jiànchǐhǔ 명 《動》 검치호. (고생물) 마카이로도우스.
〔剑齿象〕 jiànchǐxiàng 명 《動》 스테고돈(stegodon)(고생물).
〔剑光帽影〕 jiàn guāng mào yǐng 〈成〉 검의 빛과 투구의 그림자(군대의 위풍(威風)을 형용한 말).
〔剑击〕 jiànjī 명 《體》 펜싱. ¶～服; 펜싱 경기복(흰색). =〔击剑〕
〔剑戟森森〕 jiàn jǐ sēn sēn 〈成〉 음험하여 남에게 속마음을 드러내지 않다.
〔剑客〕 jiànkè 명 검객. 검술에 능한 사람.
〔剑兰〕 jiànlán 명 《植》 글라디올러스. =〔唐táng菖蒲〕
〔剑麻〕 jiànmá 명 《植》 사이잘(sisal)삼.
〔剑眉〕 jiànméi 명 꼬리가 치켜올라간 눈썹.
〔剑桥〕 Jiànqiáo 명 《地》 〈音義〉 케임브리지(Cambridge). =〔冈布里治〕
〔剑鞘〕 jiànqiào 명 칼집.
〔剑术〕 jiànshù 명 검술.
〔剑舞〕 jiànwǔ 명 검무. 칼춤.
〔剑侠〕 jiànxiá 명 〈文〉 검협. 검호(劍豪).
〔剑鱼〕 jiànyú 명 《魚》 ①톱상어. ②갈치.

洊 jiàn (천)
부 〈文〉 거듭. 번번히. 자주. ¶洪水～至; 거듭하여 홍수가 나다.

荐(薦) jiàn (천)
① 명 〈文〉 풀. 마초. ② 명 〈文〉 짚자리. 깔개. =〔草荐〕 ③공물(供物). ④ 동 추천하다. 소개하다. ¶～人; ⓐ사람을 추천하다. ⓑ추천인 / 推～ =〔举～〕; 추천하다. ⑤ 동 〈文〉 바치다. 드리다. 헌상하다. ¶～酒; 술을 올리다〔바치다〕 ⑥ 동 〈文〉 깔다. ¶～以茅草; 띠풀을 밑에 깔다. ⑦ 형 무성하다. ⑧ 부 〈文〉 자꾸. 거듭거듭. ¶饥馑～臻; 거듭 기근이 닥치다.
〔荐拔〕 jiànbá 동 〈文〉 ①추천 발탁하다. ②《佛》 제도(濟度)하다. ¶做佛事～亡魂; 불사를 행하여 망혼을 제도하다.
〔荐骨〕 jiàngǔ 명 ⇨〔骶dǐ骨〕
〔荐饥〕 jiànjī 명 〈文〉 해마다 닥치는 기근.
〔荐居〕 jiànjū 동 〈文〉 수초(水草)를 좇아가며 살다. 거처를 자주 옮기다.
〔荐举〕 jiànjǔ 동 추천하다. 천거하다.
〔荐派〕 jiànpài 동 임명하다. 선임(選任)하다.
〔荐人〕 jiàn,rén 동 사람을 천거하다. (jiànrén) 명 추천인.
〔荐仍〕 jiànréng 부 〈文〉 자꾸만. 거듭. 자주.
〔荐食〕 jiànshí 동 〈文〉 점차적으로 먹다. 〈轉〉 점차로 토지를 잠식(蠶食)하다.
〔荐书〕 jiànshū 명 추천장. 소개장. =〔荐函〕〔荐信〕〔举jǔ状〕
〔荐头(人)〕 jiàntóu(rén) 명 〈方〉 중개인. 주선인. =〔荐头店〕〔荐头行háng〕 동 추천하다.
〔荐贤〕 jiànxián 동 〈文〉 현명한 사람을 추천하다.
〔荐信〕 jiànxìn 명 ⇨〔荐书〕
〔荐引〕 jiànyǐn 동 〈文〉 추천하다.
〔荐主〕 jiànzhǔ 명 추천자. 소개인.
〔荐椎〕 jiànzhuī 명 ⇨〔骶dǐ骨〕
〔荐擢〕 jiànzhuó 동 〈文〉 천거하다.

栫 jiàn (천)
〈文〉 ① 동 섶나무로 물을 막다. ② 명동 바자울(을 두르다). ③ 명 섶나무를 세워서 물을 막아 물고기를 잡는 기구.

监(監) jiàn (감)
① 명 옛 관명 또는 관청 이름. ¶钦qīn天～; 흠천감((명(明) · 청대(清代)) 천문 역법에 관한 관서(官署)) / 国子～; 국자감. ② 동 거울삼다. =〔鉴④〕 ③ 동 명백히

알아차리다. =〔鉴⑥〕 ④ 명 성(姓)의 하나. ⇒jiān
〔监本〕 jiànběn 명 역대 국자감에서 출간한 서적.
〔监生〕 jiànshēng 명 (명(明)·청대(清代)) 국자감(國子監)에 들어가 공부할 수 있는 자격이 있는 사람. 감생.

槛(檻) jiàn (함) 명 ①짐승이나 죄수를 가두는 나무 우리. ¶兽～; 짐승 우리. ②난간(欄杆). ⇒kǎn
〔槛车〕 jiànchē 명 ①짐승을 실어 나르는 우리가 있는 차. ②함거. 죄수 호송 수레.

谏(諫) jiàn (간) 동 〈文〉 간하다. 간언하다. ¶进～; 나아가 간하다 / 直言敢～; 직언하여 감히 간하다 / 纳～; 간언을 받아들이다 / 从～如流; 순순히 충고를 받아들이다.
〔谏臣〕 jiànchén 명 〈文〉 직간하는 신하.
〔谏官〕 jiànguān 명 〈文〉 간관. 천자(天子)의 잘못을 간하는 관리.
〔谏劝〕 jiànquàn 동 〈文〉 간하다. 충고하다.
〔谏言〕 jiànyán 명 〈文〉 간언. 충고.
〔谏议书〕 jiànyìshū 명 권고서.
〔谏诤〕 jiànzhèng 동 〈文〉 직언하며 간하다. 직간하다.

渐(漸) jiàn (점) ① 부 점차. 점차로. 차츰차츰. ¶逐～; 차차로. 점점 / 天气～冷; 날씨가 점점 추워지다 / 循序～进; 순서대로 차츰차츰 나아가다. ② 명 순서. ③ 명 징조(徵兆). ⇒jiān
〔渐暗〕 jiàn'àn 명 〖映〗 용암(溶暗). 페이드아웃. 동 화면을 점점 어둡게 하다.
〔渐变〕 jiànbiàn 동 점점 변화하다. 명 완만한 변화(일반적으로 양적인 변화).
〔渐次〕 jiàncì 부 〈文〉 점차. 점점. 차츰.
〔渐减律〕 jiànjiǎnlǜ 명 체감(遞減) 법칙. ¶酬报～; 수확 체감의 법칙 / 效用～; 효용 체감의 법칙. ↔〔渐增律〕
〔渐渐(儿)〕 jiànjiàn(r)〔jiànjiān(r)〕 부 점점. 차츰. 점차로. ¶～好起来; 점점 좋아지다 / 风～小了; 바람이 점점 잔잔해졌다 / ～地, 天黑下来了; 점점 날이 저물었다.
〔渐进〕 jiànjìn 동 〈文〉 점차 전진하다. 점점 발전하다.
〔渐开线〕 jiànkāixiàn 명 〖數〗 인벌루트(involute). 신개선(伸開線). ¶～齿轮割刀; 〖機〗 인벌루트 기어 커터(involute gear cutter). =〔渐伸线〕〔切qiē展线〕
〔渐落〕 jiànluò 〈文〉 명 (시세가) 점점 떨어짐. 동 (시세가) 점차 하락하다.
〔渐趋〕 jiànqū 동 〈文〉 점점 …쪽으로 향하여 가다. 점점 …이 되어가다(뒤에 흔히 이음절어(二音節語)가 옴). ¶大家的意见～一致; 모든 의견이 일치하는 방향으로 향하고 있다.
〔渐入佳境〕 jiàn rù jiā jìng 〈成〉 점입가경. ①점점 좋은 경지로 들어가다. ②상황이 점점 호전되다.
〔渐缩管〕 jiànsuōguǎn 명 〖機〗 점축관(漸縮管).
〔渐显〕 jiànxiǎn ⇨〔淡dàn入〕
〔渐隐〕 jiànyǐn ⇨〔淡dàn出〕
〔渐增律〕 jiànzēnglǜ 명 체증(遞增) 법칙. ↔〔渐减律〕
〔渐展法〕 jiànzhǎnfǎ 명 〖工〗 창성법(創成法)(형판(型板)을 쓰지 않고 절삭(切削)의 진행에 따라 점차적으로 공작물의 윤곽을 만드는 절삭 방법). =〔展成法〕〔滚gǔn切法〕
〔渐涨〕 jiànzhǎng 동 〈文〉 ①(시세가) 점차 올라가다. ②물이 서서히 붇다.

鉴(鑒〈鑑, 鍳〉) jiàn (감) ① 명 거울. ¶波平如～; 물결이 잔잔하여 거울 같다. ② 명 모범. 귀감. 훈계. ¶引以为～; 〈成〉 교훈으로〔본보기로〕 삼다 / 前车之覆, 后车之～; 〈成〉 앞사람의 실패를 자기의 교훈으로 삼다 / 戒～; 교훈. 훈계. ③ 명 〈翰〉 옛날, 편지 용어로 서두의 받는 사람 이름 뒤에 붙이는 글자. '보아주시기를 원합니다'의 뜻. ¶台～ =〔惠～〕〔赐～〕〔大～〕; 〈翰〉 고람(高覽). 혜감(惠鑒). ④ 동 거울삼다. ⑤ 동 비추다. ¶水清可～; 물이 깨끗하여 모습이 비친다. ⑥ 동 관찰하다. 감정하다. 자세히 보다. ¶～别; ⇩ / ～定; ⇩ / ～赏shǎng; ⇩
〔鉴别〕 jiànbié 명동 감별(하다). 분별(하다). ¶～真伪; 〈成〉 진위를 가리다 / ～力; 감별력 / ～古物; 골동품을 감정하다.
〔鉴察〕 jiànchá 명동 〈文〉 감찰(하다). 양찰(諒察)(하다).
〔鉴存〕 jiàncún 동 〈文〉 수납(受納)하다. 받아들이다. ¶伏fú祈～; 〈翰〉 부디 받아주십시오.
〔鉴定〕 jiàndìng 동 감정하다. 검정하다. 판정하다. ¶～试验成果; 실험의 성과를 판정하다. 명 검정. 감정. 평가. ¶～人; 판정자. 감정인 / ～报告; 감정서.
〔鉴核〕 jiànhé 동 〈公〉 심의 결정하다(하급 기관이 상급 기관의 결정을 바랄 때 쓰던 말). ¶呈复～; 회신(回信)을 보내오니 사수(査收)하시기를 바람.
〔鉴机〕 jiànjī 동 〈文〉 낌새를 알아차리다.
〔鉴戒〕 jiànjiè 명 교훈. 감계. ¶我们必须以这次工作上的失败为～; 우리는 반드시 이번 일의 실패를 교훈으로 삼아야 한다.
〔鉴谅〕 jiànliàng 동 〈翰〉 헤아리다. 양찰(諒察)하다. 미루어 살피다. =〔鉴原〕
〔鉴貌辨色〕 jiànmào biànsè 〈比〉 남의 안색을 살피다.
〔鉴频器〕 jiànpínqì 명 주파수 검정기(檢定器).
〔鉴赏〕 jiànshǎng 동 (예술품 등을) 감상하다. ¶～文物; 문물(文物)을 감상하다 / ～古代绘画; 고대의 그림을 감상하다 / 有～能力的人; 감상의 안목이 있는 사람.
〔鉴往知来〕 jiàn wǎng zhī lái 〈成〉 지나간 일로 미루어 보아 앞으로의 일을 알다.
〔鉴于〕 jiànyú …에 비추어. …을 감안하여(인과관계를 나타내는 종속절에 쓰이며, 일반적으로 앞에 주어를 사용하지 않음). ¶～上述情况, 外债已超过六十万美元; 상기의 상황에 비추어 볼 때, 외채는 이미 60만 달러를 넘었다.
〔鉴原〕 jiànyuán 동 ⇨〔鉴谅〕
〔鉴照〕 jiànzhào 〈翰〉 굽어보시다. 양찰(諒察)하시다. 살펴주시다. ¶惟希～; 보아 주시기 바랍니다.

僭 jiàn (참) 동 〈文〉 참람(僭濫)하다. 분수에 넘치는 행동을 하다(옛날, 윗사람의 명의·예의·기물 따위를 마음대로 사용하던 것을 일컬음). ¶～号 ⇩ / ～越; ⇩
〔僭夺〕 jiànduó 동 〈文〉 횡령하다. 찬탈(簒奪)하다.
〔僭分〕 jiànfèn 형 〈文〉 분수에 넘치다. 신분에 맞

을 다시 거듭하다. ¶发见xiàn了错误, 必须立即改正, 如果～, 就会把事情办得更坏; 잘못을 발견하면 당장 시정해야지, 만약 그대로 행하면 일을 더욱 그르치게 될 것이다. =〔以歪就歪〕〔倚歪就歪〕

〔将功补过〕 jiāng gōng bǔ guò 〈成〉 공로로써 과실을 메우다.

〔将功赎罪〕 jiāng gōng shú zuì 〈成〉 공을 세워 (그것으로) 속죄하다. =〔将功折罪〕

〔将够〕 jiānggòu 동 그럭저럭 충족되다. 겨우 …에 미치다. ¶～吃; 그럭저럭 겨우 먹는 데 족하다 / 实在是～本钱; 겨우 본전밖에는 안 된다.

〔将火〕 jiāng.huǒ 동 (부추기어) 화나게 하다.

〔将货就价〕 jiānghuò jiùjià 값을 싸게 하기 위하여 품질을 떨어뜨리다.

〔将计就计〕 jiāng jì jiù jì 〈成〉 상대방의 책략을 역이용하다. 상대방 계략의 의표를 찌르다.

〔将将(儿)〕 jiāngjiāng(r) 부 ①겨우. 가까스로. ¶他～做完了才走; 그는 간신히 일을 끝내고 나갔다. ②때마침. 막. ¶我们到了家, 天～黑; 우리가 집에 도착하자, 날이 마침 저물었다 / 他～去, 你就来了; 그가 막 가자마자 네가 왔다. ⇒jiàng jiàng

〔将届〕 jiāngjiè 동 머지않아 …이 되다.

〔将近〕 jiāngjìn 동 ①거의 …에 가깝다. ¶我学中国话～二年; 나는 중국어를 배운 지 거의 2년이 된다 / ～百分之三十; 100분의 30에 가깝다. ②접근하다. 다가오다. ¶黄昏～; 황혼이 다가오다.

〔将就〕 jiāngjiu 동 ①불만스럽지만 참다. 우선 아쉬운 대로 참고 견디다. ¶～不下去; 이 이상 참을 수 없다 / 衣服稍微小一点, 你～着穿吧! 옷이 좀 작지만 참고 입어라! / 冷是冷, 还可以～; 춥기는 하지만, 아직은 참을 수 있다 / 这媳妇长得还～; 이 며느리는 이만하면 미인이다 / 吃点儿面包～当午饭吧! 점심을 빵으로 때우자! ②타협하다. 순응하다. ¶你受点委屈, ～～他; 너도 속상하겠지만 참아 주어라.

〔将巨〕 Jiāngjù 명 복성(複姓)의 하나.

〔将军〕 jiāng.jūn 동 ①(장기에서) 장군을 부르다. ②〈比〉 궁지에 몰아넣다. 난처하게 하다. 무리한 주문을 하다. ¶他当众将了我一军, 要我表演舞蹈; 그는 여러 사람 앞에서 나한테 춤을 추라고 하여 난처하게 만들었다 / 借机会将他一军; 기회를 보아 그를 궁지에 몰아넣다. (jiāngjūn) 명 ①장군. 장관(將官). ②고급 장성 ¶～肚子; 불룩 나온 배.

〔将军呗〕 jiāngjūnbèi 명 가위바위보. =〔将军宝bǎo〕〔一二三〕

〔将可将沿〕 jiāngkě jiāngyán 부 그럭저럭. 겨우. 「간신히.

〔将来〕 jiānglái 명 미래. 장래. ¶我们的劳动是为更美好的～; 우리가 일하는 것은 보다 훌륭한 미래를 위해서이다 / 在不太远的～; 그리 멀지 않은 장래에 / ～必然成功; 장래에는 반드시 성공한다.

〔将闾〕 Jiānglǘ 명 복성(複姓)의 하나.

〔将命〕 jiāngmìng 동 명령을 받들다. 봉명(奉命)하다.

〔将迄〕 jiāngqì 동 바야흐로 …에 이르려고 하다. 곧 …이 되다. ¶～六年; 곧 6년이 되다.

〔将巧弄拙〕 jiāng qiǎo nòng zhuō 〈成〉 좋은 일을 망치다.

〔将天就地〕 jiāng tiān jiù dì 〈成〉 하늘로부터 땅에 내려오다《고귀한 신분으로 낮은 곳에 임하다》.

〔将无作有〕 jiāng wú zuò yǒu 〈成〉 무(無)로써 유(有)를 삼다. 날조하다.

〔将息〕 jiāngxī 동 ①휴식하다. 휴양하다. ¶你近来气色不好, 应当好好儿地～～; 너는 요즘 안색이 좋지 않으니, 휴식을 취해야 한다. ②비위를 맞추다. 알랑거리다. ¶终日好茶好饭去～他; 온종일 이런저런 요리를 내며 그의 비위를 맞추다.

〔将心比心〕 jiāng xīn bǐ xīn 〈成〉 다른 사람의 입장이 되어 생각하는 일. =〔以yǐ心比心〕

〔将信将疑〕 jiāng xìn jiāng yí 〈成〉 반신반의하다. ¶他还是～; 그는 여전히 반신반의한다.

〔将养〕 jiāngyǎng 동 ①섭생하다. 정양하다. 몸조리하다. ¶医师说再～两个礼拜就可以好了; 의사는 2주일만 더 정양하면 낫는다고 한다. ②양육하다. 돌보다. ¶多病的小孩儿不好～; 병이 잦은 아이는 키우기 힘들다.

〔将要〕 jiāngyào (지금) 곧 …하려 하고 있다. 지금부터 …하려고 하다. ¶～开始; 곧 시작하려고 하다 / 他～来釜山; 그는 곧 부산에 올 것이다.

〔将欲取之, 必先与之〕 jiāng yù qǔ zhī, bì xiān yǔ zhī 〈成〉 취(取)하려거든 우선 주어라.

浆(漿) jiāng (장)

①명 걸쭉한 액체. 장액(漿液) 시럽. ¶豆～; 두유(豆乳) / 泥～; ⓐ흙탕물. ⓑ슬러리(slurry) / 牛痘～; 두묘(痘苗). ②명 석회 모르타르(mortar). ¶灌～; 모르타르를 붓다 / 刷～; 모르타르를 칠하다. 석회를 칠하다. ③동 (옷 등에) 풀먹이다. ¶～衣裳; 옷에 풀먹이다 / ～洗; ⇓ / 衬衫领子要～一下; 와이셔츠 칼라는 풀을 먹여야 한다. ④명 펄프(pulp). ¶纸～; 종이 펄프. ⇒ '糨' jiàng

〔浆板〕 jiāngbǎn 명 펄프 판지(板紙).

〔浆粉〕 jiāngfěn 명 풀을 만드는 전분. 스타치(starch). ¶谷～; 곡류(穀類) 스타치.

〔浆果〕 jiāngguǒ 명 《植》 장과《수분이 많은 과일, 토마토 · 포도 따위》.

〔浆料〕 jiāngliào 명 ①펄프(pulp). ②페이스트(paste).

〔浆米皮儿〕 jiāngmǐpír 명 오블라토(포 oblato).

〔浆膜〕 jiāngmó 명 《生》 (복막(腹膜) · 흉막(胸膜) 등) 장막.

〔浆泡〕 jiāngpào 명 (화상(火傷) 등의) 물집.

〔浆皮裹肉(儿)〕 jiāngpí guǒròu(r) 〈京〉〈比〉 ①있는 한. 있는 대로의. ¶我就有～的这么点钱, 你瞧着办吧; 나는 가진 돈이 이것밖에 없으니, 네가 알아서 처리해라. ②착 달라붙은 모양. ¶看这件衣裳～的巴在身上多难看! 이 옷이 몸에 착 달라붙어서 얼마나 보기 흉하냐!

〔浆纱〕 jiāng.shā 동 《紡》 실에 풀을 먹이다. ¶～机; 풀먹이는 기계.

〔浆洗〕 jiāngxǐ 동 세탁하고 풀을 먹이다. 재양치다. ¶裤褂虽然不新, 但～得很干净; 상의와 바지는 새것은 아니지만, 깨끗이 빨아 풀을 먹였다.

〔浆养〕 jiāngyǎng 동 유동식(流動食)으로 영양을 섭취시키다.

〔浆液〕 jiāngyè 명 《生》 장액.

〔浆汁〕 jiāngzhī 명 즙. 장액(漿液). 슬러리(slurry)액.

螿(螿) jiāng (장)

→〔寒hán螿〕

鳉(鱂) jiāng (장)

명 《魚》 송사리. =〔青qīng鳉〕〔〈方〉小鱼〕

姜(薑)[A] jiāng (강)

A) ①명 《植》 생강. ¶鲜～; 날생강 / 干～; 말린 생강. ②동

부추기다. ¶因为你～他们, 所以他们打起来了; 네가 그들을 부추겨서 그들은 싸우기 시작했다. **B)** 명 성(姓)의 하나.
〔姜饼〕 jiāngbǐng 명 생강이 들어 있는 과자.
〔姜礤〕 jiāngcā 명 ⇨〔礓礤(儿)〕
〔姜酊〕 jiāngdīng 명 《藥》 생강 정기(丁幾).
〔姜桂〕 jiāngguì 명 생강과 계피. 형 〈比〉 성질이 억세고 굽히지 않다. 강직하다. ¶～之性越老越辣; 〈諺〉 생강과 계피는 여물수록 맵다(나이가 들수록 지혜가 는다).
〔姜黄〕 jiānghuáng 명 ①《植》 강황(심황 뿌리의 가루). ②《色》 진노랑색. 황벽색(黃蘗色). ¶～纸; 《化》 강황지. ‖ =〔宝鼎香〕
〔姜片虫〕 jiāngpiànchóng 명 《蟲》 비대 흡충(肥大吸蟲)(인체의 기생충의 일종).
〔姜是老的辣〕 jiāng shì lǎode là 〈諺〉 생강은 묵은것이 맵다(늙을수록 노련하다. 세상 물정에 밝은 사람은 악착같다).
〔姜太公〕 Jiāngtàigōng 명 《人》 강태공(주대(周代)의 사람. 정치가).
〔姜太公钓鱼〕 Jiāngtàigōng diàoyú 〈歇〉 자발적인 것만을 모으다. 스스로 덫에 걸려들다('愿者上钩'와 연용하여 씀).
〔姜太公在此〕 Jiāngtàigōng zàicǐ 강태공(姜太公)이 여기 있다. 만사에 지장이 없다(벽사(辟邪)를 위하여 종이에 쓰거나 돌에 새겼음). ¶～, 百无禁忌 =〔～, 诸神退位〕; 강태공(姜太公)이 여기 있으니, 만사에 꺼릴 것이 없다(미신으로, 깃대에 이런 글의 판자를 달았음). =〔太公在此〕
〔姜汤〕 jiāngtāng 명 생강탕. 생강차. ¶沏qī～; 생강탕〔차〕를 만들다.
〔姜糖浆〕 jiāngtángjiāng 명 《藥》 생강 시럽.
〔姜性〕 jiāngxìng 명 고집 센 성질.
〔姜芋〕 jiāngyù 명 ⇨〔蕉jiāo藕〕

僵〈殭〉

A) **B)** jiāng (강)
A) ① 형 굳어지다. 뻣뻣하다. 딱딱하다. ¶手冻～了; 손이 꽁꽁 얼었다 / ～化; ⇩ / 腿都跑～了; 뛰어서 발이 뻣뻣해졌다. ② 동 사후(死後) 경직되다. ¶～尸; ⇩ / 百足之虫, 死而不～; 〈諺〉 지네는 죽어도 경직되지 않는다(권세가는 망해도 상당한 영향력을 갖고 있다). ③ 동 (식물이) 시들다. 말라 죽다. ¶花儿都～巴了; 꽃이 완전히 시들어 버렸다. ④ 동 〈文〉 쓰러지다. **B)** ① 형 교착 상태에 빠지다. 벽에 부딪치다. 의견이 서로 대립하다. ¶话说～了; 대화가 교착 상태에 빠지다 / 打破～局; 교착 상태를 타개하다 / 事情弄～了; 일이 벽에 부딪쳤다. ② 동 (말을 걸어서) 자극하다. 충동하다. ¶别把他～急了; 옆에서 너무 말을 건네어 흥분시키지 마라. →〔将jiāng⑰〕 ③ 동 〈方〉 (얼굴이) 굳어지다. ¶他～着脸; 그는 얼굴이 굳어졌다.
〔僵巴(儿)〕 jiāngba(r) 동 말라 굳어져 꺼칠꺼칠해지다〔뻣뻣해지다〕. ¶冻～的皮肤; 추위로 꺼칠꺼칠해진 피부.
〔僵棒〕 jiāngbang 형 뻣뻣하다. ¶这件衣裳浆得太～了; 이 옷은 풀이 세어 뻣뻣하다.
〔僵不吃(的)〕 jiāngbuchī(de) 형 떨떠름하다. 어색하다. 딱딱하다. ¶他～立起来; 그는 마지못해 일어섰다.
〔僵蚕〕 jiāngcán 명 《藥》 백강잠(병들어 죽은 누에. 중풍약 등의 약으로 씀).
〔僵持〕 jiāngchí 동 서로 맞서 양보하지 않다. 서로 으르렁거리다. ¶制造～局面; 교착된 국면을 만들다 / ～不下; 대치하여 양보하지 않다.
〔僵化〕 jiānghuà 동 경화하다. … 다. ¶局势～; 정세가 경직되다 / … 완고하다. 융통성이 없다. 생각이 보…
〔僵黄泥〕 jiānghuángní 명 경화 점토(硬化…).
〔僵局〕 jiāngjú 명 교착된 국면. 난국. 교착 상태. ¶打破～; 난국을 타개하다 / 陷入～; 교착 상태에 빠지다 / 闹成～; 교착 상태에 빠지다.
〔僵立〕 jiānglì 동 꼿꼿이 서(서 움직이지 않)다.
〔僵驴〕 jiānglǘ 명 고집통이. =〔僵牛〕
〔僵脾气〕 jiāngpíqi 명 외고집. 옹고집. 고집스러운 성미. ¶是个～老汉; 고집이 센 노인이다.
〔僵尸〕 jiāngshī 명 ①뻣뻣하게 굳은 시체. ②〈比〉 썩어 빠진 것.
〔僵事〕 jiāngshì 동 싸움을 부추기다〔부채질하다〕. ¶你别～了, 他们俩打起来, 有你什么好处? 너는 부추기지 마라. 저 두 사람이 다투어서 너에게 무슨 이익이 있겠느냐?
〔僵死〕 jiāngsǐ 동 죽어 말라 버리다. 죽어 경직되다. 〈比〉 경직되어 생명력을 잃다.
〔僵卧〕 jiāngwò 동 ①눕다. 쓰러지다. ②엎드려 꼼짝도 않다.
〔僵性〕 jiāngxìng 명 고집스러운 성격.
〔僵硬〕 jiāngyìng 형 ①(몸이) 굳다. 뻣뻣하다. ¶舌头有点～; 혀가 약간 굳어 있다. ②융통성이 없다. 경직되어 있다. ¶～的政策; 융통성이 없는 정책. 경직된 정책 / 工作方法～; 작업 방법이 융통성이 없다.
〔僵执〕 jiāngzhí 동 서로 양보하지 않다. 서로 고집을 부리다. 서로 버티다.
〔僵直〕 jiāngzhí 동 경직하다. 뻣뻣하다. ¶腰腿～; 기동(起動)을 못 하다.
〔僵住〕 jiāngzhù ①이렇게도 저렇게도 안 되다. 진전되지 않다. ¶交涉已经～了; 교섭은 벌써 암초에 부딪치고 말았다. ②쉽사리 안 풀릴 정도로 굳어지다.

缰(繮〈韁〉)

jiāng (강)
명 (말)고삐. ¶收～; 고삐를 조이다 / 放～ =〔松～〕; 고삐를 늦추다 / 信马由～; 〈成〉 말이 가는 대로 맡기다(되어 가는 형편대로 맡김).
〔缰绳〕 jiāngsheng 명 말고삐.

橿

jiāng (강)
명 《植》 떡갈나무의 일종(수레 제조용).

礓

jiāng (강)
→〔礓礤cā(儿)〕
〔礓礤(儿)〕 jiāngcā(r) 명 〈方〉 계단. =〔姜礤〕

疆

jiāng (강)
① 명 경계(境界). 국경. ¶～界; ⇩ / 边～; 변경. 국경지대. ② 명 한계. ¶无～; 무한(無限) / 敬祝万寿无～ 만수 무강을 빕니다! ③ 명 국토. ④(Jiāng) 명 《地》 〈簡〉 신장(新疆)의 약칭. ⑤ 동 경계를 만들다. ⑥ 동 경계를 바로잡다.
〔疆场〕 jiāngchǎng 명 〈文〉 전장(戰場). ¶效命～; 전장에 목숨을 바치다.
〔疆城〕 jiāngchéng 명 변경의 도시. =〔边biān城〕
〔疆界〕 jiāngjiè 명 국경. 경계.
〔疆吏〕 jiānglì 명 〈文〉 ①지방 장관. ②국경을 수비하는 관리.
〔疆土〕 jiāngtǔ 명 영토. 영역. 판도(版圖).
〔疆埸〕 jiāngyì 명 〈文〉 ①국경. ②밭두둑. 토지의 경계.
〔疆域〕 jiāngyù 명 영역. 국토.

讲(講) **jiǎng** (강) ①[동] 이야기를 하다. 말하다. ¶～话; ⇩/他会～中国话; 그는 중국어를 할 줄 안다/～故事; (옛날) 이야기를 하다. =〔说〕②[동] 설명하다. 해석하다. 강의하다. ¶～三民主义; 삼민주의를 설명하다/这本书是～气象的; 이 책은 기상에 관해서 쓴 책이다/这段文章不好～; 이 문장은 해석하기 힘들다/必须向群众～清楚道理; 대중에게 도리를 분명히 설명해야 한다. ③[동] …에 대해서 말하다〔논하다〕. ¶～技术他不如你, ～干劲jìng儿他比你足; 기술로 말하자면 그가 너만 못하지만, 의욕은 그가 너보다 낫다. ④[동] 계획하다. 강구하다. ⑤[동] 중히 여기다. 소중히 하다. 주의하다. 유념하다. ¶～礼貌; 예의를 중시하다/～卫生; 위생에 유념하다/～道理; 도리를 중시하다. ⑥[동] 상관하다. 마음에 두다. ¶不能光～面子; 체면만 생각하고 있을 수 없다. ⑦[동] 연구하다. ⑧[동] 상담하다. 교섭하다. 흥정하다. ¶～好了价儿了; 값에 대한 흥정이 끝났다. ⑨[동] 강화(講和)하다. ⑩[동] 변론하다. 주장하다. ¶有理～倒人; 이치에 합당하면 상대방을 압도할 수 있다. ⑪[동] 윗사람이 아랫사람에 대해서 말하다. ¶请他～一～这个意义! 그에게 이 뜻에 대해 말해 달라고 하시오! ⑫(～儿) [명] 의미. 뜻. 도리(道理).

〔讲不倒〕 **jiǎngbudǎo** 말로 이길 수 없다. ¶还怕～人? 아직도 남에게 말로 이기지 못하는 것이 걱정이냐?

〔讲不得〕 **jiǎngbude** 문제삼을 수 없다. 상대하고 있을 수 없다.

〔讲不起〕 **jiǎngbuqǐ** 그런 일에 상관하고 있을 수 없다. ¶事到头上～; 일을 딱 당해 놓고는 이것저것 말하고 있을 수가 없다.

〔讲不通〕 **jiǎngbutōng** 말이 조리가 닿지 않다.

〔讲不透〕 **jiǎngbutòu** ①설명이 철저하지 못하다. 설명이 불충분하다. ¶他讲书～, 所以我始终听不明白; 그의 강의는 설명이 충분치 않아, 나는 도무지 이해할 수 없다. ②완전히 이해시키지 못하다. 분명히 이해가 안 된다. ¶他是一个糊涂人, 一辈子～; 그는 멍청해서, 평생 그에게 이해시킬 수 없다.

〔讲茶〕 **jiǎngchá** [명] 〈南方〉 옛날, 싸움·논쟁의 화해를 위해 관계자 쌍방이 '茶馆'에서 차를 마시며 이야기 결말을 짓는 것. →〔讲数〕

〔讲唱〕 **jiǎngchàng** [동] 이야기와 노래를 섞어서 강석(講釋)하다. ¶～文学; 강창 문학《운문(韻文)과 산문(散文)의 양쪽을 사용하여 이야기하고 노래하는 문학 예술의 형식》.

〔讲倒〕 **jiǎngdǎo** [동] 말로 이겨 내다. 설복시키다. ¶有理～人; 〈諺〉 이치에 닿는 일이라면 남을 말로 이길 수 있다.

〔讲定〕 **jiǎngdìng** [동] ①의논하여 결정하다. ②분명히 말하다. ③혼인을 성사시키다.

〔讲东讲西〕 **jiǎngdōng jiǎngxī** 이것 저것 말하다. 말하는 것이 일관되지 않다.

〔讲法〕 **jiǎngfǎ** [명] ①말투. ②의견. 견해. →〔说shuō法〕

〔讲稿(儿)〕 **jiǎnggǎo(r)** [명] (강연·보고·수업 따위의) 원고.

〔讲古〕 **jiǎnggǔ** [동] ①지나간 이야기를 하다. 〈轉〉 트집 잡다. ¶各种因素, 都不要遗漏, 以免事后～; 여러 요인에 대해서는 실수 없이 해 두어야 나중에 트집 잡히지 않는다. ②옛날, 이야기를 하다.

〔讲和〕 **jiǎng·hé** [동] 강화하다. 평화의 담판을 하다.

〔讲话〕 **jiǎng·huà** [동] 이야기를 하다. 인사를 하다. 발언하다. 보고하다. ¶他很会～; 그는 말을 아주 잘 한다/来宾也都讲了话; 내빈도 모두 발언을 했다/谁在那儿～? 누가 저기에서 이야기하고 있느냐? (jiǎnghuà) [명] ①강화. 강연. 인사. 보고. ¶～稿; 강연의 원고/书面～; (대독(代讀)에 의한) 서면으로의 보고. ②(책 이름에 쓰이는) 강화(講話). 강의(講義). ¶形式逻辑～; 형식 논리 강화.

〔讲价(儿)〕 **jiǎng·jià(r)** [동] ⇨〔讲价钱〕

〔讲价钱〕 **jiǎng·jiàqian** [동] ①값을 흥정하다. 값을 교섭하다. ②조건을 걸다. 흥정을 하다. ¶不论多难多险, 我没有讲过价钱; 아무리 어렵고 위험해도 나는 조건을 건 적이 없다. ‖ =〔讲价(儿)〕

〔讲交情〕 **jiǎng·jiāoqing** [동] 우의(友誼)를 중히 여기다. 우정을 배려하다.

〔讲解〕 **jiǎngjiě** [명][동] 설명(하다). 해설(하다). ¶用通俗的语言～文件; 알기 쉬운 말로 문서를 해설하다/～员; (박물관 등의) 안내원.

〔讲究〕 **jiǎngjiū** [동] 연구하다. ¶～原理; 원리를 연구하다.

〔讲究〕 **jiǎngjiu** [동] ①중히 여기다. 염두에 두다. ¶～卫生; 위생을 중히 여기다/～面子; 체면을 중시하다/做饭做菜也要～科学; 밥을 짓거나 요리를 하는 데에도 과학적으로 하여야 한다/～平等; 평등을 중시하다. ②뒷공론을 하다. (뒤에서 남을) 비평하다. ¶背地里～人; 뒤에서 이러쿵저러쿵 남의 말을 하다. ③공들이다. 따지다. 주의 깊게 하다. 문제삼다. 신경을 쓰다. ¶他不～穿戴; 그는 옷차림은 개의치 않는다/会场布置得很～; 회의장을 배치한 것이 아주 공이 들어 있다/～节省; 절약에 힘쓰다. ④취미를 가지다. 특별한 습관이 있다. ¶中国人～吃瓜子儿; 중국 사람은 호박씨를 먹는 습관이 있다. [명] ①깊은 이유. 까닭. 곡절 있는 인연. ¶这里一定有～; 여기에는 반드시 무슨 곡절이 있다/这么办, 有什么～? 이렇게 하는 것은 어떤 뜻이 있느냐? ②(～儿) 주의할 값어치가 있는 내용. 연구할 만한 값어치가 있는 것. ¶翻译技术大有～; 번역 기술은 여러 가지 기교가 필요하다. ③(～儿) 볼품. 외관. ¶这个建筑真有个～; 이 건축물은 매우 볼품이 있다.

〔讲课〕 **jiǎng·kè** [동] 수업을 하다. 강의하다. ¶上午讲了三堂课; 오전 중에 3시간 강의를 했다.

〔讲阔气〕 **jiǎng kuòqì** 허세 부리다. 사치 부리다.

〔讲礼〕 **jiǎng·lǐ** [동] 예의를 알다〔중히 여기다〕.

〔讲礼貌〕 **jiǎng lǐmào** 예절바르다.

〔讲理〕 **jiǎng·lǐ** [동] ①시비(是非)를 논하다. 이치를 따지다. ¶咱们跟他～去! 우리 그 사람과 결말을 내러 가자! ②사리〔도리〕를 이해하다. 말이 통하다. ¶他太不～; 그는 전혀 도리를 모른다/他是个～的人; 그는 사리가 분명한 사람이다/蛮不～; 〈成〉 사리를 전혀 분별할 줄 모르다.

〔讲论〕 **jiǎnglùn** [동] …에 대한 이야기를 하다. 숙덕공론하다. ¶说曹操, 曹操就到, 我们正～你呢; 호랑이도 제 말하면 온다더니, 마침 자네 이야기를 하던 참이었네.

〔讲面子〕 **jiǎng miànzi** 체면을 존중하다〔따지다〕. 체면에 구애되다. ¶他这个人很～, 你好好儿地求求他, 一定可以成功; 그는 체면을 따지는 사람이니 잘 부탁하면 반드시 잘 될 겁니다.

〔讲明〕 **jiǎngmíng** [동] 상세히 설명하다. 명백히 표시하다. ¶～我们的立场; 우리의 입장을 분명히

하다.
〔讲排场〕 jiǎng páichǎng 격식을 중시하다〔차리다〕. 허세 부리다.
〔讲盘儿〕 jiǎng·pánr 동 〈方〉 거래 가격이나 조건을 교섭하다. =〔讲盘子〕
〔讲评〕 jiǎngpíng 명동 논평(하다). 강평(하다).
〔讲情〕 jiǎng·qíng 동 ①인정에 호소하다. 남을 위해 용서를 구하다. (둘 사이에) 화해 붙이다. ②대신 사과하다. =〔说情(儿)〕
〔讲情面〕 jiǎngqíngmiàn 정실에 호소하다. 정실에 얽매이다.
〔讲求〕 jiǎngqiú 동 추구하다. 꾀하다. 중히 여기다. (어떤 결과가 나타나도록) 마음을 쓰다. ¶办事要～效率; 일을 하려면 효율을 헤아리지 않으면 안 된다 / 写文章应该～通顺; 글을 쓸 때는 당연히 논리정연하게 쓰도록 신경을 써야 한다 / ～外表; 허세 부리다.
〔讲儿〕 jiǎngr 명 ①해석. 뜻. ¶两个都有～; 양쪽 어느 쪽으로도 해석할 수 있다 / 这个句子会念就是不知道～; 이 구는 읽을 수 있으나 뜻을 모르겠다. ②도리(道理). ¶这是怎么个～? 이것은 무슨 도리냐?
〔讲人情〕 jiǎng rénqing 교제상의 의리를 다하다. 남을 대신하여 돌보다.
〔讲师〕 jiǎngshī 명 ①강연자. ②(학교의) 강사.
〔讲实际〕 jiǎng shíjì 실제를 중요시하다. 현실을 중히 여기다. 현실적이다. ¶农民是最～的; 농민은 가장 현실을 중요시한다.
〔讲史〕 jiǎngshǐ 명 강사《송대 설화(說話)의 일종. 주로 사실(史實)을 부연(敷衍)하여 이야기로 꾸민 것으로 후대 연의 소설(演義小說)의 모체가 됨》.
〔讲史书〕 jiǎngshǐshū 명 송·원대(宋元代)의 설화(說話) 대본.
〔讲授〕 jiǎngshòu 동 강의하다. 교수하다. ¶他耐心地～各种中国菜的烹饪方法; 그는 참을성 있게 각종 중국 요리의 조리 방법을 강의하였다.
〔讲书〕 jiǎng·shū 동 ①(책의) 강의를 하다. ②(문학을) 강의하다. (강창 문학에서 대본을) 이야기하다. ¶～的 =〔说书的〕; 이야기꾼.
〔讲述〕 jiǎngshù 동 강술하다. (도리 따위를) 말하다.
〔讲数〕 jiǎng·shù 동 (화해하기 위하여) 말을 붙이다. ¶他们俩打斗后, 在大茶厅里～; 그들 두 사람은 서로 치고 받고 싸운 후에 큰 찻집에서 화해의 말을 나누었다. →〔讲茶〕
〔讲说〕 jiǎngshuō 동 강의하다. 설명하다.
〔讲死〕 jiǎngsǐ 동 단언하다. 말을 하여 결정짓게 하다. 말이 바뀌지 않도록 결정짓다. 잘라 말하다.
〔讲台〕 jiǎngtái 명 강대. 연단(演壇). 교단(敎壇). =〔讲坛①〕
〔讲坛〕 jiǎngtán 명 ①⇨〔讲台〕 ②강연·토론·회의 장소.
〔讲堂〕 jiǎngtáng 명 교실《강당은 '礼堂'》.
〔讲题〕 jiǎngtí 명 강연 제목.
〔讲透〕 jiǎngtòu 동 철저하게 말하다. 말하여 (모든 것을) 밝히다. (잘 알도록) 분명하게 말하다.
〔讲头儿〕 jiǎngtour 명 이야기할 가치. 이야기하는 보람. ¶这有什么～; 여기에 무슨 말할 가치가 있는가?《이야기해도 소용 없다》.
〔讲妥〕 jiǎngtuǒ 동 원만히 타협을 짓다. 협상이 성립되다.
〔讲习〕 jiǎngxí 명동 강습(하다). ¶～会; 강습회 / ～班; 강습반 / ～所; 강습소. 동 연구하고 학습하다. 깊이 연마하다. ¶～学问; 학문을 깊이 연마하다.
〔讲席〕 jiǎngxí 명 교사가 강의하는 자리.
〔讲学〕 jiǎng·xué 동 학술 강연을 하다. (초대를 받고) 강의하다. ¶他在这里讲过学; 그는 이 곳에서 강연한 적이 있다.
〔讲筵〕 jiǎngyán 명 ①〈文〉 강의하는 자리. ②〈轉〉 강의.
〔讲演〕 jiǎngyǎn 명동 강연(하다). 연설(하다). ¶登台～; 연단에 올라가 강연하다 / 他的～很生动; 그의 강의는 생동감이 있다 / ～比赛; 변론(辯論) 대회. =〔演讲〕
〔讲义〕 jiǎngyì 명동 강의(하다). 명 강의 프린트. 강의록. ¶～夹jiā子; 프린트 끼우개.
〔讲章儿〕 jiǎngzhāngr 명 설명문. 설명. 해석.
〔讲座〕 jiǎngzuò 명 ①강좌. ¶汉语广播～; 중국어 방송 강좌. ②강의. (학문상의) 보고. ¶专题～; 특정 테마의 강의. 특수 강좌.

奖(獎) **jiǎng** (장)
①동 장려하다. 표창하다. 칭찬하다. ¶有功者～; 공적을 세운 사람은 표창한다 / 夸～; 칭찬하다 / 褒～; 표창하고 격려하다. ②동 돕다. ③명 (장려하기 위해 주는) 영예. 상. 상품. 상금. ¶头～; 일등상 / 得～; 상을 받다 / 发～; 상을 주다. ④명 당첨금. ¶中zhòng～; 당첨되다.
〔奖杯〕 jiǎngbēi 명 우승컵. 상배(賞杯).
〔奖惩〕 jiǎngchéng 명 장려와 징벌. 상벌. ¶～严明; 상벌이 엄정하다.
〔奖罚〕 jiǎngfá 명 상벌. ¶～兑现; 상벌을 공정히 하다. 신상 필벌.
〔奖金〕 jiǎngjīn 명 상금. 상여(賞與)금. 보너스. ¶诺贝尔Nuòbèi'ěr～; 노벨 상금 / ～率lǜ; 할증금률.
〔奖进〕 jiǎngjìn 동 장려하여 앞으로 나아가게 하다.
〔奖励〕 jiǎnglì 명동 ①장려(하다). ¶出口～金; 《商》 수출 장려금. ②표창(하다). 칭찬(하다).
〔奖牌〕 jiǎngpái 명 ①상패. ②(상품(賞品)으로서의) 메달. ¶挂～; 메달을 걸다.
〔奖品〕 jiǎngpǐn 명 상품. 장려품.
〔奖旗〕 jiǎngqí 명 표창기. 우승기.
〔奖劝〕 jiǎngquàn 동 장려하다. 격려하다.
〔奖券〕 jiǎngquàn 명 (정부·금융 기관에서 발행하는) 복권(福券). =〔〈俗〉 彩cǎi票〕
〔奖赏〕 jiǎngshǎng 명동 상(을 주어 칭찬하다). ¶～品 =〔奖品〕; 상품.
〔奖售〕 jiǎngshòu 동 제품의 판매를 장려하다.
〔奖许〕 jiǎngxǔ 동 〈文〉 칭찬하다.
〔奖学金〕 jiǎngxuéjīn 명 장학금. 육영(育英) 자금.
〔奖掖〕 jiǎngyè 동 〈文〉 장려하고 발탁하다. ¶～后进; 후진을 장려하고 발탁하다. =〔奖挹yì〕
〔奖章〕 jiǎngzhāng 명 장려하기 위해 주는 휘장·포장(褒章).
〔奖状〕 jiǎngzhuàng 명 상장. 표창장.

桨(槳) **jiǎng** (장)
명 (작은) 노(櫓)《큰 것은 '橹' lǔ》. ¶划～; 노를 짓다.
〔桨船〕 jiǎngchuán 명 《體》 조정(漕艇).
〔桨式飞机〕 jiǎngshì fēijī 명 프로펠러식 비행기.
〔桨叶〕 jiǎngyè 명 프로펠러. (기선 따위의 외륜) 물갈퀴. =〔明轮叶〕

蒋(蔣) **Jiǎng** (장)
명 ①주대(周代)의 나라 이름. ②성(姓)의 하나.

膙 jiǎng (강)
→〔膙子〕

〔膙子〕 jiǎngzi 명〈口〉(손발에 생기는) 못. ¶两手起～; 양손에 못이 생기다. =〔趼jiǎn子〕

耩 jiǎng (강)
동《農》'耧lóu'(씨 뿌리는 수레)로 파종하다. ¶～粪fèn; 거름을 주다 / ～花; '耧'로 목화씨를 뿌리다. =〔耧播〕〔耩地〕

〔耩子〕 jiǎngzi 명〈方〉파종기. =〔耧lóu子〕

匠 jiàng (장)
명 ①장인(匠人). 장색. ¶木～; 목수 / 瓦～; 기와장이. / 泥水～; 미장이 / 能工巧～; 솜씨가 좋은 장인. 숙련공. ②궁리. 착상. 기교. ③거장(巨匠). 대가(大家). 조예가 깊은 사람. ¶艺术巨～; 예술의 거장.

〔匠气〕 jiàngqì 명 매너리즘(mannerism). 속취(俗臭)《묘하게 빙퉁그러지고 창조성이 없음을 이름》. ¶写得很好, 不带～; 매너리즘에 빠지지 않고 잘 썼다.

〔匠人〕 jiàngrén 명 장인. 장색. ¶～屋下没凳坐; 〈諺〉목수 집에 앉을 걸상이 없다. 대장장이의 집에 식칼이 없다.

〔匠心〕 jiàngxīn 명 기술상의 고심(苦心). 솜씨. 궁리. 고안. ¶画面的布局颇费～; 화면 구성에 상당히 고심했다 / 独具～; 〈成〉독자적인 고안〔독창성〕이 있다 / ～独造; 〈成〉기법상 독자의 경지에 이르다.

降 jiàng (강)
①동 떨어지다. 낙하하다. ¶～落; ⇩ / ～雨; 비가 오다 / 温度～到冰点了; 온도가 빙점까지 내려갔다. ②동 내리다. 내리게 하다. 떨어뜨리다. ¶～级; ⇩ / ～旗; ⇩ / ～价; ⇩ ③명 성(姓)의 하나. ⇒xiáng

〔降班〕 jiàng,bān 동 낙제시키다〔하다〕. 유급시키다〔하다〕.

〔降半旗〕 jiàng bànqí 반기를 게양하다. ¶～致哀; 반기를 게양하여 애도의 뜻을 표하다. =〔下xià半旗〕

〔降等〕 jiàng,děng 동 등급을 내리다.

〔降低〕 jiàngdī 동 내리다. 낮추다. 낮게 하다. 저하시키다. ¶～地位; 지위를 낮추다 / ～生活水平; 생활 수준을 낮추다 / ～成本; 원가를 낮추다 / 温度～了; 온도가 내렸다 / 消耗～了; 소모가 줄었다.

〔降调〕 jiàngdiào 동〈簡〉관등을 낮추어 전임시키다. 좌천하다《'降级调用'의 준말》. 명《言》하강음조(下降音調).

〔降服〕 jiàngfú 동 복(服) 입는 등급이 내리다《양자(養子)로 간 사람의 생가 부모에 대한 복제(服制) 따위》. ⇒xiángfú

〔降革〕 jiànggé 동〈文〉관등을 내리고 면직하다.

〔降格〕 jiàng,gé 동〈文〉①격을 낮추다. ¶～以求; 〈成〉격을 낮추어 요구하다. ②신령이 하늘에서 내려오다.

〔降号〕 jiànghào 명 ⇨〔降音符〕

〔降滑〕 jiànghuá 명동《體》(스키 경기의) 활강(하다).

〔降级〕 jiàng,jí 동 ①관리의 등급을 강등 처분(降等處分)하다. ¶～留任; 관등을 내리고 유임시키다 / ～调用; 좌천하다. ②낙제시키다. 유급시키다.

〔降级数〕 jiàngjíshù 명《數》체감 급수.

〔降价〕 jiàng,jià 동 값이〔값을〕 내리다. (jiàngjià) 명 가격 인하.

〔降结肠〕 jiàngjiécháng 명《醫》하행 결장(下行結腸).

〔降临〕 jiànglín 동〈文〉닥치다. 찾아오다. (신·불이) 강림하다. ¶夜yè色～; 밤이 찾아오다 / 贵guì客～; 빈객이 찾아오다.

〔降落〕 jiàngluò 동 ①착륙하다. ¶飞机～在跑道上; 비행기가 활주로에 착륙하다 / 垂直～; 수직 착륙 / ～伞; 낙하산 / ～站; 착륙지. ②(값이) 내리다. 하락하다.

〔降旗〕 jiàng,qí 동 기(旗)를 내리다. ¶降半旗 =〔下半旗〕; 반기(조기(弔旗))를 내리다. ↔〔挂guà旗〕

〔降神〕 jiàngshén 동〈文〉강신하다.

〔降生〕 jiàngshēng 동 ①강탄(降誕)하다《성자(聖者)·위인 등의 탄생》. =〔降世〕 ②출생하다.

〔降世〕 jiàngshì 동 ⇨〔降生①〕

〔降水〕 jiàngshuǐ 명《天》강수. ¶～量;강수량.

〔降温〕 jiàng,wēn 동 ①(고온 작업장의) 온도를 내리다. ②《天》기온이 내리다. (jiàngwēn) 명 ①기온의 하강. ②(공장 따위의) 냉방.

〔降下〕 jiàngxià 동 낙하하다. 강하하다.

〔降心相从〕 jiàng xīn xiāng cóng 〈成〉자기의 뜻을 굽히고 남의 뜻에 따르다.

〔降压〕 jiàngyā 명《電》①강압. ②(유압) 릴리프(relief).

〔降压(变压)器〕 jiàngyā(biànyā)qì 명《電》강압 변압기.

〔降压片〕 jiàngyāpiàn 명《藥》하이퍼텐신(hypertensin). 앙기오텐신(angiotensin)

〔降音符〕 jiàngyīnfú 명《樂》플랫(flat)(♭). 내림표. =〔降号〕↔〔嬰yīng记号〕

〔降雨量〕 jiàngyǔliàng 명《天》강우량.

〔降旨〕 jiàngzhǐ 동〈文〉황제가 칙령을 내리다.

洚 jiàng (홍)
〈文〉①동 물이 불어서 강이 넘치다. 범람하여 수재(水災)를 일으키다. ②지명용 자(字). ¶杨家～; 양자장(楊家洚)《후베이 성(湖北省) 톈먼 현(天門縣) 서북에 있는 지명》.

〔洚水〕 jiàngshuǐ 명〈文〉①홍수. ②역류(逆流)하는 물.

绛(絳) jiàng (강)
명 ①《色》〈文〉짙은 적색. 심홍색(深紅色). ②(Jiàng)《地》장현(絳縣)《산시 성(山西省)에 있는 현 이름》.

〔绛紫(色)〕 jiàngzǐ(se) 명《色》진홍색. =〔酱紫(色)〕

将(將) jiàng (장)
①명《軍》장군. 사령관. ¶上～; 상장 / 中～; 중장 / 少～; 소장. ②명 옛날, 군대의 지휘관. ③동〈文〉(군대를) 통솔하다. 지휘하다. ¶～兵; ⇩ ④명 장기(將棋)의 말의 하나. ⑤명〈俗〉어떤 일을 잘 하는 사람. 어떤 일에 강한 사람을 이르는 말. ¶喝～; 대주가(大酒家). 술꾼 / 吃～; 대식가 / 耍shuǎ～; 노름꾼. ⇒jiāng qiāng

〔将兵〕 jiàngbīng 〈文〉동 병졸을 거느리다. 명 장병. 장군과 병사.

〔将才〕 jiàngcái 명 장군으로서의 기량(器量). 장군감. ⇒jiāngcái

〔将官〕 jiàngguān 명 장성(將星)《'元帅'보다는 낮고 '校官'보다는 높음》.

〔将官〕 jiàngguan 명 ⇨〔将领〕

〔将级军官〕 jiàngjí jūnguān 명 장성. 장군(將

軍).
〔将家子〕 jiàngjiāzǐ 명 장군 가문의 자손. =〔将种〕
〔将将〕 jiàngjiàng 동 〈文〉 대장을 통솔하다. ⇒ jiāngjiāng(r)
〔将领〕 jiànglǐng 명 장군. 장수. 고급 장교. =〔将官guan〕
〔将令〕 jiànglìng 명 〈古白〉 군령(軍令).
〔将门〕 jiàngmén 명 장군의 가문. ¶～出将子 =〔～出虎子〕〔～有将〕; 〈成〉 장군의 가문에서 장군이 나온다(가문은 역시 속일 수 없다).
〔将士〕 jiàngshì 명 장병(將兵). 장교와 병사. ¶～用命; 장교나 병사가 모두 명령에 복종하다.
〔将帅〕 jiàngshuài 명 장수. 사령관. =〔将率〕
〔将相〕 jiàngxiàng 명 〈文〉 장군과 재상. ¶～器; 장상의 그릇. 대장·대신감.
〔将校〕 jiàngxiào 명 《軍》 장교(흔히, 고급 장교를 이름).
〔将御〕 jiàngyù 동 〈文〉 통어(統御)하다. 통솔하다.
〔将指〕 jiàngzhǐ 명 〈文〉 ①가운뎃손가락. =〔中zhōng指〕 ②엄지발가락.
〔将佐〕 jiàngzuǒ 명 〈文〉 고급 무관.

酱(醬) jiàng (장)

①명 된장. ¶黄～; 콩으로 담근 적갈색 된장/炸zhá～面; 자장면/甜面～; 밀가루로 만든 달콤한 된장. ②명 된장이나 간장에 절인 식품. ¶～萝卜; ⇓/～肘子; ⇓ ③명 된장 모양으로 으깬 것. 잼(jam) 종류의 총칭. ¶果子～; 과일잼/花生～; 피넛 버터/芥jiè末蛋黄～; 타르타르 소스(tartar sauce)/辣là～; 칠리 소스(chili sauce)/打成烂泥～; 두드려서 흐물흐물하게 하다. ④동 된장이나 간장에 절이다. ¶把萝卜～; 무를 된장에 절이다. ⑤형 〈方〉 농후하다. 걸쭉하다. 되직하다. ¶粥熬得太～; 죽이 너무 되게 쑤어졌다. =〔糨①〕 ⑥명 《色》 된장 빛깔. 진한 갈색.
〔酱爆鸡丁〕 jiàngbào jīdīng 명 된장을 넣고 센 불에 볶은 닭고기 요리.
〔酱菜〕 jiàngcài 명 된장에 절인 야채. =〔酱小菜儿〕
〔酱菜篓儿〕 jiàngcàilǒur 명 된장에 절인 야채를 담는 바구니.
〔酱豆腐〕 jiàngdòufu 명 적당히 말린 두부를 발효시켜 소금을 친 부식물. =〔腐乳〕〔〈方〉乳rǔ腐〕
〔酱坊〕 jiàngfáng 명 ⇨〔酱园〕
〔酱缸〕 jiànggāng 명 장독. 장 항아리.
〔酱疙瘩〕 jiànggēda 명 순무 장아찌.
〔酱瓜〕 jiàngguā ①명 된장에 절인 오이. ②(jiàng guā) 오이를 된장에 절이다.
〔酱鸡〕 jiàngjī 명 간장에 조린 닭고기.
〔酱萝卜〕 jiàngluóbo ①명 무 장아찌. ②(jiàng luóbo) 무를 장에 절이다.
〔酱坯〕 jiàngpī 명 날된장(발효가 덜 된 된장). =〔酱糗子〕
〔酱茄子〕 jiàngqiézi 명 된장에 절인 가지.
〔酱糗子〕 jiàngqiǔzi 명 ⇨〔酱坯〕 형 날된장 냄새가 나는. ¶你这个菜是怎么做的? 还～味儿呢; 이 요리는 어떻게 만든 것이냐, 아직도 날된장 냄새가 난다.
〔酱肉〕 jiàngròu ①명 돼지고기 장조림. ②(jiàng ròu) 돼지고기를 간장에 조리다.
〔酱色〕 jiàngsè 명 《色》 짙은 갈색.
〔酱汤〕 jiàngtāng 명 된장국.
〔酱油〕 jiàngyóu 명 간장. ¶～瓶; 간장병.
〔酱油罐儿〕 jiàngyóuguànr 명 간장 항아리.
〔酱园〕 jiàngyuán 명 간장·된장·된장 졸임의 제조 판매점. =〔酱坊〕〔酱房〕
〔酱汁鱼〕 jiàngzhīyú 명 생선을 통째로 튀긴 후에 걸쭉한 양념장을 위에 친 음식.
〔酱肘花儿〕 jiàngzhǒuhuār 명 심줄이 많은 돼지 족발의 지방을 제거하여 그 살을 통째로 가죽으로 싸서 끈으로 매어 간장에 졸인 것(이것을 잘게 썰어 먹는데 빨간 살에 흰 심줄의 단면이 보여서 이 이름이 붙여짐. '酱肘子'와 함께 '凉菜'의 하나임).
〔酱肘子〕 jiàngzhǒuzi ①명 돼지 족발을 간장과 향료에 졸인 것(전채(前菜)에 쓰임). ②(jiàng zhǒuzi) 돼지 족발을 간장과 향료에 졸이다.
〔酱紫(色)〕 jiàngzǐ(sè) 명 《色》 거무스름한 적갈색. =〔绛紫(色)〕

虹 jiàng (홍)

명 〈口〉 무지개(단독으로 쓰일 때만의 음(音)). ¶天上出了一条～了; 하늘에 한 줄기 무지개가 섰다/～下去了; 무지개가 사라졌다/一道～ =〔一条～〕; 한 줄기 무지개. ⇒ hóng

弶 jiàng (강, 양)

〈方〉 ①명 (쥐나 작은 새를 잡는) 올가미. ②동 올가미로 잡다.

强〈強, 彊〉 jiàng (강)

형동 고집이 세어서 남의 말을 안 듣다. 고집불통이다. 고집부리다. ¶别～他; 그에게 고집을 부려서는 안 된다/屈jué～; 고집이 세다/他脾pí气太～; 그는 성미가 무척 고집스럽다/跟人～上了; 남에게 고집을 부리다/犯上～劲儿; 생떼를 쓰다/没有理由, 就别～嘴zui; 이유가 없거든 고집을 부리지 마라. =〔犟〕 ⇒ qiáng qiǎng
〔强劲儿〕 jiàngjìnr 명 생고집. 생떼. ¶犯～; 고집 부리다/看他那个～; 저 생떼 좀 봐라. (jiàng jìnr) 동 고집 부리다. 생떼 쓰다.
〔强性(子)〕 jiàngxìng(zi) 명 성품이 억센 사람. 고집쟁이.
〔强颜〕 jiàngyán 명 고집쟁이. 철면피. ⇒ qiǎngyán
〔强嘴〕 jiàng.zuǐ 동 ①말대꾸하다. ¶你别～! 말대꾸 하지마라! =〔顶嘴〕 ②억지를 쓰다. 자기 주장을 고집하다. ¶强了半天嘴; 오랫동안 억지를 썼다/他怎么那么～吟lìng; 그는 어쩌면 저렇게 고집이 셀까.

犟〈勥〉 jiàng (강)

형동 고집세다. 완강하다. 고집부리다. ¶你是天生的～; 너는 타고난 고집쟁이다. =〔强jiàng〕
〔犟劲〕 jiàngjìn 명 완강한 의지.
〔犟种〕 jiàngzhǒng 명 고집이 센 사람.

糨〈浆, 粡〉 jiàng (강)〈장〉

①형 (풀·죽 등이) 되다. 되직하다. 걸쭉하다. ¶粥太～了; 죽이 너무 되다. =〔酱⑤〕 ②명 풀. ⇒ '浆' jiāng
〔糨稠麻子〕 jiàngchóumázi 명 곰보딱지.
〔糨糊〕 jiànghu 명 풀. ¶打～; 풀을 쑤다/一肚子～ =〔一盆糊涂～〕; 철저한 바보. =〔糨子〕
〔糨性〕 jiàngxing 명 (옷 등의) 풀기. ¶这块布～太大, 不好; 이 천은 풀기가 너무 세서 좋지 않다.
〔糨子〕 jiàngzi 명 〈口〉 ⇨〔糨糊〕
〔糨子铲儿〕 jiàngzichǎnr 명 풀주걱.
〔糨子盒儿〕 jiàngzihér 명 풀그릇. 풀통.

JIAO ㄐㄧㄠ

艽 jiāo (교)
→〔秦qín艽〕

交 jiāo (교)
① 동 건네 주다. 넘겨 주다. 바치다. 제출하다. ¶～活; ⇩ / 扣kòu～; 공제하고 주다 / ～会费; 회비를 납입하다 / 货已经～齐了; 물품은 모두 인도하였다 / 到了时候儿不能～卷儿; 시간이 되어도 답안지를 내지 못하다. ② 동 맡기다. 인도하다. ¶～给我; ⓐ나에게 건네 주다. ⓑ나에게 맡기다 / 这件事～给我吧! 이 일은 나에게 맡겨 두시오! ③ 명동 무역(하다). 거래하다. 흥정(하다). ¶～易; ⇩ ④맞닿다. 접하다. 다가가다. 접근하다. ¶～界; 경계(境界) / 目不～睫jié;〈成〉한 잠도 자지 않다 / ～头接耳;〈成〉귀에 입을 가까이 대다. ⑤ 동 사귀다. 교제하다. ¶～朋友; 친구를 사귀다 / 相～日久; 사귄 지 오래다. ⑥ 동 (어떤 시간 또는 때가) 되다. ¶明天就～冬至了; 내일이 바로 동지다 / ～十二点; 12시가 되다. ⑦ 동 (남녀가) 성교하다. (동식물이) 교배(交配)하다. ¶杂～; 이종 교배. ⑧ 명 교제(交際). 사귐. 우정. ¶结～; 친교를 맺다 / 绝～; 절교하다 / 国～ =〔邦～〕; 국교 / 建～; 국교를 맺다 / 我和他没有深～; 나는 그와는 깊은 교제가 없다. ⑨ 명 친구. 벗. ¶旧～(儿); 옛 친구 / 至～; 아주 친한 벗. ⑩ 동 임무를 끝내고 보고하다. ¶～差; chāi; ⇩ ⑪ 명 인도(引渡). ¶现 ～; 현장 인도. ⑫ 명 변하는 고비. 옮겨지는 때. ¶春夏之～; 봄과 여름의 경계. ⑬ 부 서로. ¶文化～流; 문화 교류 / ～换; 교환하다. =〔互相〕 ⑭ 부 일제히. 동시에. ¶风雨～加; 바람과 비가 동시에 심해졌다 / 饥寒～迫; 굶주림과 추위가 동시에 닥치다. ⑮ 동 교차하다. ¶两直线相～于一点; 2개의 직선이 한 점에서 교차하다. ⑯ 명 ⇨〔跤jiāo〕

〔交白卷(儿)〕 jiāo báijuàn(r) ①백지 답안을 제출하다. ②〈比〉임무를 다하지 못하다. ¶咱们必须把情况摸清楚, 不能回去～; 우리는 상황을 똑바로 파악하지 않으면 안 된다. 돌아가서 백지 보고서를 낼 수는 없는 일이다. ③〈比〉득점이 없다. ¶友谊赛的结果一比一打成和局, 上半场各～; 친선 시합의 결과는 1대 1로 비겼는데, 전반은 모두 무득점이었다. ‖ =〔缴jiǎo白卷(儿)〕

〔交拜〕 jiāobài 동 ⇨〔拜堂〕

〔交班〕 jiāo↓bān 동 (근무를) 교대하다. ¶～的时间到了; 교대 시간이 되었다. (jiāobān) 명 근무 교대.

〔交办〕 jiāobàn 동 처리를 맡기다.

〔交保〕 jiāobǎo 동 ①《法》피고를 보증인에게 인도하다. 보석하다. ②보증서·보증인·보증금을 건네 주다.

〔交杯酒〕 jiāobēijiǔ 명 합환주(合歡酒). =〔交杯盏儿〕

〔交臂〕 jiāobì 동〈文〉팔과 팔이 서로 스치다.〈比〉서로 만나다. 명 공수(拱手)의 예.

〔交臂失之〕 jiāo bì shī zhī〈成〉어물어물하면서 기회를 놓치다. =〔失之交臂〕

〔交变磁场〕 jiāobiàn cíchǎng 명《電》교번 자장(交番磁場).

〔交兵〕 jiāobīng 동〈文〉교전하다.

〔交不了〕 jiāobuliǎo ①건네 줄 수 없다. ②만날 수 없다. ¶～好运; 좋은 운을 만나지 못하다. ‖ ↔〔交得了〕

〔交不起〕 jiāobuqǐ 동 (경제력이 없어서) 납부하지 못하다. 납입하지 못하다. ↔〔交得起〕

〔交叉〕 jiāochā 동 ①교차하다. ¶火车站上铁轨～; 기차 역에서는 선로가 교차하고 있다 / ～口; 교차점. ②갈마들다. 교체하다. 형 부분적으로 같은. 중복되는. ¶～的意见; 부분적으로 같은 의견. 명《生》교차(염색체 이상의 하나).

〔交叉步〕 jiāochābù 명《體》(육상의) 크로스 스텝(cross step). ¶交叉压步; (스케이트의) 코너의 크로스 스텝.

〔交差〕 jiāo↓chāi 동 (임무를 완수하고) 복명(復命)하다. ¶事情不办好, 怎么回去～? 일이 해결되지 않으면 어떻게 돌아가서 보고를 합니까?

〔交缠〕 jiāochán 동 복잡해지다. 헝클어지다. ¶～不清; 일이 복잡하게 얽히다.

〔交产〕 jiāochǎn 동《法》재산을 수수(授受)하다〔양도하다〕. ¶定期执行, 准备～; 기일 내로 집행하여 재산 수수의 준비를 하다.

〔交钞〕 jiāochāo 명 금(金)·원(元)·명대(明代)에 통용된 지폐.

〔交出〕 jiāochū 동 건네다. 내놓다. 인도하다. 교부하다. ¶～武器; 무기를 내놓다. 항복하다.

〔交春〕 jiāochūn 동〈文〉봄이 되다.

〔交存〕 jiāocún 동 기탁하다. ¶～了批准书; 비준서를 기탁했다.

〔交错〕 jiāocuò 동〈文〉교착하다. 교차하다. 뒤얽히다. ¶犬牙～;〈成〉경계선이 개의 이빨처럼 들쭉날쭉하다 / 纵横～的沟渠; 종횡으로 교차하는 도랑.

〔交代〕 jiāodài 동 ①사무를 인계하다. 교대하다. ¶办～; 사무를 인계하다 / ～工作; 일을 인계하다. ②이르다. 지시〔분부〕하다. ¶所有的事情, 向职员～好了; 모든 일을 사원들에게 지시했습니다 / 我已经～好了他回来的时候替我买来; 돌아올 때에 나대신 사 갖고 오도록 그에게 부탁하였다. =〔嘱咐〕 ③(사정·의견 등을) 자세히 말하다. 설명하다. ¶打～; 이야기하다 / 你用不着多～; 말씀하실 것까지 없습니다 / ～历史; 개인의 경력을 진술하다 / ～问题; 문제를 설명하다 / ～政策; 정책을 설명하다. ④결말이 나다. ¶这件事算是～了; 이 일은 대충 처리되었다 / 完蛋了, 完蛋了, 我这辈子算～了; 끝장이로다, 끝장이로다, 내 인생도 이것으로 마지막이로다. ⑤책임을 완수하다. 복명(復命)하다. ¶我回去没法儿～; 나는 돌아가서 보고할 방도가 없다. ⑥해명하다. ¶要是考不好, 可怎么～? 만일 시험 성적이 좋지 않으면 어떻게 해명하겠는가. ⑦자백하다. ¶拒不～; 완강히 자백을 거부하다. ⑧관계하다. 교제하다《흔히 부정(否定)으로》. ¶我不～你; 나는 너 따위는 상대 안 한다 / 这个人个性太强, 不好～; 이 사람은 개성이 강해서 교제하기 어렵다. ‖ =〔交待〕

〔交待〕 jiāodài 동 ⇨〔交代〕

〔交单〕 jiāodān 명《商》①상품에 딸려서 화수주(貨受主)에게 보내는 송장. ②계약서의 별칭.

〔交裆〕 jiāodāng 명 바지의 가랑이가 합쳐지는 부분.

〔交道〕 jiāodào 명 ①교제상의 친분·정의(情誼). ¶我不跟她打～; 나는 저 따위 여자는 상대를 하지 않는다 / 难打～; ⓐ사귀기 힘들다. ⓑ타협하기 힘들다. ②거래상의 친분. 동 도로가 교차하

다. ¶～口; 도로의 교차점.
〔交底〕 jiāo·dǐ 동 ①(감추어진) 이력이나 진실을 말하다. ②비결 등을 털어놓다. ¶对新负责人交过底; 새 책임자에게 비결을 털어놓았다.
〔交点〕 jiāodiǎn 명 ①《數》 교점. ②《天》 교점. ¶～月; 교점월.
〔交跌〕 jiāo·diē 동 발에 걸려 넘어지다. =〔跤跌〕
〔交订〕 jiāo·dìng 동 (결혼 따위의) 약속을 하다.
〔交发〕 jiāofā 동 발신을 의뢰하다. ¶～日时; (전보의) 발신 의뢰 일시.
〔交锋〕 jiāo·fēng 동 교전하다. 싸우다. ¶敌人不敢和我们～; 적은 우리와 일전(一戰)을 벌일 만한 용기가 없다 / 既是交上锋了, 总得打到底; 전쟁을 시작한 이상 끝까지 싸워야 한다.
〔交付〕 jiāofù 동 ①교부하다. ¶收～的; 화물 수취인. ②인도하다. 위임하다. 맡기다. ¶～任务; 임무를 넘겨 주다 / ～审判; 재판에 회부하다 / ～的物; 위탁 화물.
〔交感神经〕 jiāogǎn shénjīng 명 《生》 교감 신경. ¶副fù～; 부교감 신경.
〔交割〕 jiāogē 동 ①상품과 대금을 수수하다. 쌍방이 모든 거래에 대한 수속을 마치다. ¶银货～清楚; 대금과 상품과의 상호 인도가 끝났다〔거래가 완료됐다〕 ②(거래소를 거치지 않고) 직접 거래하다. ¶自行～; 직접 거래하다. ③관계를 끊다.
〔交给〕 jiāogei 동 (…에게) 건네 주다. 맡기다. ¶把任务～我; 나에게 임무를 맡기다.
〔交工〕 jiāo·gōng 동 공사를 끝내어 인도하다.
〔交公〕 jiāo·gōng 동 집단 또는 국가에 넘기다〔바치다〕.
〔交媾〕 jiāogòu 동 (남녀가) 성교하다. =〔交合〕
〔交股〕 jiāogǔ 동 《商》 주금(株金)을 불입하다. 명 〈文〉 (남녀의) 성교.
〔交骨〕 jiāogǔ 명 《生》 여자의 치골(恥骨).
〔交关〕 jiāoguān 동 관련되다. 관계되다. ¶性命～; 목숨에 관계되다. 부 〈方〉 대단히. 매우. ¶今年冬天～冷; 올해 겨울은 매우 춥다 / ～好; 아주 좋다. 형 〈方〉 대단히 많다. ¶公园里人～; 공원에는 사람이 매우 많다.
〔交过排场〕 jiāo guò pái chǎng 〈成〉 되는대로 임시 변통하다. 적당히 얼버무리다. ¶他托我的事, 本不愿意做, 不过是～就算完了; 그가 나에게 부탁해 온 일은 본시 나는 하고 싶지 않았으나, (의리상) 적당히 얼버무린 것뿐입니다.
〔交好〕 jiāo·hǎo 동 ①틀림없이 건네 주다. ②사이좋게 사귀다. 우호 관계를 맺다. ¶他们俩人很～; 그들 두 사람은 아주 사이가 좋다.
〔交合〕 jiāohé 동 ⇨〔交媾gòu〕
〔交哄〕 jiāohòng 동 사이가 틀어지다〔나빠지다〕.
〔交互〕 jiāohù 부 ①서로. =〔互相〕 ②번갈아 가며. 교대로. ¶他两手～地抓住野藤, 向山顶上爬; 그는 양손을 교대로 등나무 덩굴을 잡고 정상을 향해 올라갔다 / 俩人～做事; 두 사람이 번갈아 일을 하다.
〔交欢〕 jiāohuān 동 교환(交歡)하다. 같이 즐기다. 명동 성교(하다).
〔交还〕 jiāohuán 동 반환하다. 환부하다. =〔交回〕
〔交换〕 jiāohuàn 명동 교환(하다). ¶～意见; 의견을 교환하다 / ～财; 《經》 교환재.
〔交换齿轮〕 jiāohuàn chǐlún 명 《機》 변속 기어 장치. =〔〈北方〉 变biàn换齿轮〕〔〈南方〉 掉diào换齿轮〕〔〈北方〉 挂guà轮〕
〔交换机〕 jiāohuànjī 명 (전화의) 교환대.
〔交换价值〕 jiāohuàn jiàzhí 명 《經》 교환 가치.
〔交回〕 jiāohuí 동 ⇨〔交还〕
〔交汇〕 jiāohuì 동 합쳐 얽히다. 합류하다. ¶寒流和暖流的～点; 한류와 난류의 합류점.
〔交会〕 jiāohuì 동 모이다. 교차되다.
〔交会点〕 jiāohuìdiǎn 명 회합점(會合點). 합류점. ¶古代交通的～; 고대 교통의 합류점.
〔交喙鸟〕 jiāohuìniǎo 명 《鳥》 잣새. =〔交嘴zuǐ鸟〕
〔交婚〕 jiāohūn 동 양가가 서로 신부를 보내고 받아들이다.
〔交活(儿)〕 jiāo huó(r) 제품을 인도(引渡)하다.
〔交火〕 jiāo·huǒ 동 교전(交戰)하다.
〔交货〕 jiāo huò 상품을 인도하다. 납품하다. ¶～付款; 대금 상환 인도. COD / 船上～; 본선 인도(本船引渡) / 飞机上～; 비행장 인도 / ～单 =〔出货单〕; 화물 인도 지시서 / ～簿; 화물인도부 / 一手交钱一手～; 돈과 물품을 동시에 교환하다 / ～贸易; 바터 무역. 물물 교환 무역.
〔交集〕 jiāojí 동 (사물·감정이) 번갈아 모이다. 번갈아 계속해서 모여 오다. ¶惊喜～; 놀라움과 기쁨이 번갈아 오다 / 雷雨～; 천둥과 비가 번갈아 오다.
〔交际〕 jiāojì 명동 교제(하다). ¶他不善于～; 그는 교제를 잘 못한다.
〔交际花〕 jiāojìhuā 명 ①사교계의 꽃. ②〈貶〉 교제가 넓은 여자.
〔交际舞〕 jiāojìwǔ 명 사교춤. =〔交谊舞〕
〔交际员〕 jiāojìyuán 명 회사 따위의 섭외 담당. 외교원.
〔交加〕 jiāojiā 동 〈文〉 번갈아 가해지다. 뒤섞여〔한꺼번에〕 오다. ¶贫病～; 가난과 병이 한꺼번에 오다 / 风雪～; 바람과 눈이 뒤섞여 오다.
〔交角〕 jiāojiǎo 명 ①《數》 교각. ②호각(互角).
〔交缴〕 jiāojiǎo 동 〈文〉 교부하다. 납부하다.
〔交接〕 jiāojiē 동 ①잇다. 연접하다. ¶夏秋～的季节; 여름에서 가을로 옮아가는 계절 / 各路～的地方; 각 도로〔또는 철도〕의 연접해 있는 곳. ②교대하다. 인수 인계하다. ¶～制度; 계승 제도 / 举行新旧任会长～; 신구 회장이 인수 인계를 하다. ③교제를 맺다. 사귀다. ¶他～的朋友也是爱好京剧的; 그와 사귀는 친구도 경극을 좋아한다. ④성교(性交)하다. ⑤전달하다.
〔交节〕 jiāojié 동 계절이 바뀌다. ¶这两天快～了, 所以天气又有变化; 요 2, 3일이 계절이 바뀌는 고비이므로 날씨도 바뀐다.
〔交结〕 jiāojié 동 ①교제하다. 어울리다. ¶～新朋友; 새 벗을 만들다. ②연결되다.
〔交睫〕 jiāojié 동 눈을 붙이다. 잠들다. ¶刚一～, 他就把我叫醒了; 막 잠이 들었는데, 그가 나를 깨웠다.
〔交界〕 jiāojiè 동 경계와 접하다. 인접하다. ¶同中国～的地方; 중국과 경계를 접하는 곳. 명 경계. 접경. ¶打～; 경계를 정하다 / ～站; 중계역.
〔交解〕 jiāojiè 동 인도받아 호송하다.
〔交颈〕 jiāojǐng 형 〈文〉〈比〉 남녀가 서로 정답다.
〔交警〕 jiāojǐng 명 〈簡〉 교통 경찰.
〔交捐〕 jiāo·juān 동 세금을 물다. 납세하다.
〔交卷(儿)〕 jiāo·juàn(r) 동 ①답안을 제출하다. ¶交白卷(儿); 백지 답안을 내다 / 到了时候了, ～吧; 시간이 되었으니 답안지를 제출하시오. =〔缴卷(儿, 子)〕 ②맡은 일을 끝내다. 임무를 완성하다. ¶这事交给他办, 三天准能～; 이 일은 그에게 맡기면 사흘이면 틀림없이 해낸다. ③〈轉〉 결과

를 보고하다. ¶一切都好了, 我要～了; 모든 게 잘 됐으니, 나는 결과를 보고해야겠다.
〔交口〕 jiāo·kǒu 동 ①서로 말을 주고받다. ¶他们久已没有～; 그들은 오랫동안 말을 하지 않고 있다. ②입을 모아 말하다. ¶～称誉; 〈成〉 입을 모아 칭찬하다. ③말다툼하다.
〔交款〕 jiāo·kuǎn 명동 대금 지불(을 하다). ¶请您先去～! 먼저 가서 지불하십시오!
〔交困〕 jiāokùn 동 〈文〉 여러 곤란이 한꺼번에 나타나다. 곤경에 처하다. ¶内外～; 〈成〉 안팎으로 궁지에 처하다.
〔交流〕 jiāoliú 명동 교류(하다). 교환(하다). ¶文化～; 문화(의) 교류 / ～工作经验; 작업 경험을 교환하다 / ～会议; 교류 회의. 명 《電》 교류. ¶～电; 교류 전기.
〔交龙〕 jiāolóng 명 ①(회화·조각·자수 등의) 교룡. 용틀임. ② ⇨〔蛟龙〕
〔交买卖〕 jiāo mǎimai 거래하다. ¶我跟他交多年的买卖; 나는 그와 여러 해 거래를 했다.
〔交纳〕 jiāonà 동 납입하다. 불입하다. ¶～房租; 집세를 내다 / ～捐税; 세금을 내다 / ～会费; 회비를 내다. =〔缴纳〕
〔交派〕 jiāopài 명동 ①지시(하다). 명령(하다). 분부(하다). ¶上边～下来; 상부로부터 지시 받다. ②(하급자에게) 위임(하다). ¶你要走, 你的事～谁呢? 자네가 가면 뒷일은 누구에게 시키겠는가? ③배치(하다). 안배(하다). 할당(하다). ④(임무·일을) 인계(받다).
〔交盘〕 jiāo·pán 동 점포를 양도하다. =〔推盘〕
〔交配〕 jiāopèi 명동 교배(하다).
〔交朋友〕 jiāo péngyou 친구와 교제하다. ¶交下朋友防身宝; 〈諺〉 친구와 교제를 하는 것은 자신을 지키는 방법이다.
〔交迫〕 jiāopò 동 번갈아 다가오다. 각 방면에서 압박하다. ¶饥寒～的日子可不好过; 굶주림과 추위에 시달리는 생활은 견디기 어렵다.
〔交浅言深〕 jiāo qiǎn yán shēn 〈成〉 ①사귄 지도 얼마 안 되는데 친하게 말을 나누다. ②깊이 사귀지도 않았는데 중대한 일을 말하다〔함부로 충고하다〕.
〔交枪〕 jiāoqiāng 동 무기를 건네 주다. 투항하다.
〔交清〕 jiāoqīng 동 완전히 지불하다. 청산하다. =〔交足〕
〔交情〕 jiāoqing 명 친분. 우정. 우의(友誼). ¶～厚; 우정이 깊다 / 老～; 오랜 교분 / 我跟他掰了～; 나는 그 사람과 교제를 끊었다.
〔交秋〕 jiāoqiū 동 〈文〉 가을로 접어들다.
〔交让木〕 jiāoràngmù 명 《植》 굴거리나무.
〔交人〕 jiāo·rén 동 남과 사귀다.
〔交融〕 jiāoróng 동 융합하다. 한데 어우러지다. 혼합되다. ¶思想感情～在一起; 사상과 감정이 융합하여 하나가 되다.
〔交涉〕 jiāoshè 명동 ①〈文〉 관련(하다). 관계(하다). ②교섭(하다). 절충(하다). ¶办～; 교섭하다 / 双方互派代表进行～; 쌍방이 대표를 서로 파견하여 교섭을 하다.
〔交手〕 jiāo·shǒu 동 ①건네 주다. ②손과 손을 마주 잡다. 팔짱을 끼다. ③맞붙다. 드잡이 하다. ¶～战; 육탄전 / 虽说没有～, 实际上比那个还厉害; 치고 받으며 싸우지는 않았지만, 실제는 그것보다 더 심했다. ④상인이 처음 거래하다. ⑤ ⇨〔拱手〕 (jiāoshǒu) 명 비계. 발판. ¶搭个～; 비계를 세우다.
〔交手仗〕 jiāoshǒuzhàng 명 육탄전. 접전(接戰).
〔交售〕 jiāoshòu 동 (국가에) 매도(賣渡)하다. ¶向国家～余粮; 국가에 여분의 식량을 매도하다.
〔交税〕 jiāo·shuì 동 세금을 납부하다.
〔交绥〕 jiāosuí 동 〈文〉 교전하다. ¶两军～; 양군이 교전하다 / 第一次～后, 这队最为突出; 처음 교전했는데, 이 팀이 가장 걸출하다.
〔交谈〕 jiāotán 동 이야기하다. 잡담하다. ¶用电话～; 전화로 이야기하다 / 不懂中国话, 不能跟中国朋友直接～, 很不方便; 중국어를 모르면, 중국의 친구와 직접 대화할 수 없으므로 아주 불편하다.
〔交替〕 jiāotì 동 교대하다. 계승하다. 교체하다. ¶新旧～; 〈成〉 새로운 것과 낡은 것이 교체하다. 부 번갈아 가며. 교대로. ¶工作和休息应当～进行; 일과 휴식은 번갈아서 해야 한다 / 循环～; 빙글빙글 순환하다.
〔交通〕 jiāotōng 명 ①교통. ¶～要道; 주요 교통선. 교통의 요충 / ～流量; 교통량 / ～黑点; 교통사고 다발(多發) 지구 / ～阻塞; 교통 정체(停滯)〔체증〕. ②연락원. 비밀 통신원. =〔交通员〕 ③《軍》 통신·연락 업무. ¶～兵; 통신 연락병. 동 ①〈文〉 (종횡으로) 통하다. ¶阡陌～; 논두렁길이 통해 있다《서로 연락 교류하고 있음》. ②〈文〉 내통하다. ¶乃密使人诬告彪～袁术, 遂收彪下狱; 몰래 사람을 시켜 표(彪)가 원술(袁術)과 내통하고 있다고 죄를 뒤집어씌웠으므로 결국은 표(彪)를 잡아서 하옥하였다.
〔交通标志〕 jiāotōng biāozhì 명 도로 표지.
〔交通部〕 Jiāotōngbù 명 (중국 국무원의) 교통부.
〔交通车〕 jiāotōngchē 명 ①통근차. 전용차. ② 《軍》 연락차.
〔交通岛〕 jiāotōngdǎo 명 (도로 중심의) 교통 정리대.
〔交通灯〕 jiāotōngdēng 명 교통 신호등.
〔交通工具〕 jiāotōng gōngjù 명 교통 수단. 교통기관.
〔交通沟〕 jiāotōnggōu 명 《軍》 교통호《진지(陣地) 내의 참호와 각종 방어 공사 사이의 연락 통행을 위한 호(壕)》. =〔交通壕〕
〔交通壕〕 jiāotōngháo 명 ⇨〔交通沟〕
〔交通警(察)〕 jiāotōng jǐng(chá) 명 교통 순경.
〔交通事故〕 jiāotōng shìgù 명 교통 사고. ¶～与年俱jù增; 교통 사고는 해마다 증가한다. =〔交通意yì外〕
〔交通线〕 jiāotōngxiàn 명 수송선《철도·도로·항공 등의 노선》.
〔交通员〕 jiāotōngyuán 명 (항전 때나 해방 전쟁 때의) 연락원. 비밀 통신원. =〔交通②〕
〔交通噪声〕 jiāotōng zàoshēng 명 교통소음.
〔交头接耳〕 jiāo tóu jiē ěr 〈成〉 귀엣말을 하다. 비밀 이야기를 하다. ¶大家正在热烈讨论问题, 他们两个却在～地谈着什么; 모두 열심히 문제를 토론하고 있는데, 저 두 사람은 무언가 소곤거리고 있다.
〔交投〕 jiāotóu 명 《商》 거래. ¶化工原料市, 昨天比以前开朗, ～亦见增加; 어제의 화학 공업 원료 시장은 이제껏보다는 밝고, 거래 또한 증가하였다.
〔交托〕 jiāotuō 동 (일하는 것을 남에게) 맡기다.
〔交往〕 jiāowǎng 명동 교제(하다). 왕래(하다). ¶谁也不和他～; 아무도 그 사람하고는 사귀지 않는다 / 进行了广泛的～; 광범위한 교제를 행하다. =〔来往〕
〔交尾〕 jiāowěi 명동 교미(하다). 교배(交配)(하다).

〔交午〕 jiāowǔ 동 〈文〉 ①종횡으로 교차하다. ②정오가 되다. ¶天将～; 시간은 이제 정오가 된다.
〔交恶〕 jiāowù 동 〈文〉 사이가 나빠지다. ¶两者因外交意见不合而～; 양자는 외교상의 의견이 맞지 않은 일로 사이가 나빠졌다.
〔交相〕 jiāoxiāng 부 〈文〉 서로. 상호간에.
〔交相辉映〕 jiāo xiāng huī yìng 〈成〉 서로 비추며 빛내다. ¶星月灯火～; 별·달·등불 빛이 어우러져 빛나고 있다.
〔交响曲〕 jiāoxiǎngqǔ 명 《樂》 교향곡. =〔交响乐〕
〔交响诗〕 jiāoxiǎngshī 명 《樂》 교향시.
〔交响乐〕 jiāoxiǎngyuè 명 《樂》 교향악.
〔交响乐队〕 jiāoxiǎng yuèduì 명 《樂》 교향악단. =〔交响乐团〕
〔交卸〕 jiāoxiè 명동 (사무의) 인계(를 하다). ¶～职务; 사무를 인계하다.
〔交心〕 jiāo‧xīn 동 ①마음을 터놓다. ¶～的好朋友; 마음이 통하는 친구/～亮底; 마음을 터놓고 사귀다. ②마음을 바치다.
〔交椅〕 jiāoyǐ 명 ①교의. 곡록(曲錄)(등받이와 팔걸이가 반원형으로 되어 있고 다리를 접을 수 있는 구식 목제 의자). =〔〈文〉 胡húi床〕 ②〈方〉 (팔걸이) 의자. 〈轉〉 석차. ¶让小弟坐上第一把～; 첫째 의자에 나를 앉혔다. 나를 두목으로 추대하였다.
〔交议〕 jiāoyì 동 의안(議案)으로 제출하다.
〔交易〕 jiāoyì 명동 거래(하다). 매매(하다). 교역(하다). ¶不能拿原则做～; 원칙을 들어 거래할 수는 없다/做了一笔～; 거래를 한 건 했다/证券～; 증권 거래/商品～; 상품 거래.
〔交易所〕 jiāoyìsuǒ 명 《商》 (증권 및 상품의) 거래소. ¶证zhèng券～; 증권 거래소.
〔交谊〕 jiāoyì 명 〈文〉 우의. 우정. ¶～舞 =〔交际舞〕; 사교춤(댄스).
〔交印〕 jiāoyìn 동 직인(職印)을 인계하다. 〈比〉 사무 인계를 하다.
〔交游〕 jiāoyóu 명동 〈文〉 교제(하다). 교유(하다). ¶～甚广; 교제가 넓다.
〔交与〕 jiāoyǔ 동 〈文〉 교부하다. =〔交予〕
〔交运〕 jiāo‧yùn 동 ①행운을 만나다. 운이 트이다. ¶交好运; 행운을 만나다/你的面色很好, 今年许要～了; 너의 안색이 아주 좋으니 올해는 좋은 운수를 만날 것이다. ②(jiāoyùn) 탁송(託送)하다. ¶可免费～行李十五斤; 여행 화물 15근을 무료로 탁송할 수 있다.
〔交杂〕 jiāozá 동 뒤섞이다. 교차하다.
〔交战〕 jiāo‧zhàn 동 ①교전하다. ¶～国; 교전국. ②(사상·생각 따위가) 서로 충돌하다. ¶两种思想在脑子里～; 두 가지 생각이 마음 속에 갈등하고 있다.
〔交账〕 jiāo‧zhàng 동 ①계산을 하다. (현금으로) 지불하다. ②장부를 인계하다. ③〈俗〉 책임을 완수하다. 결말을 내다. 면목이 서다. ¶到时候, 你可怎么跟他们～呀? 때가 되면 당신은 어떻게 그들에 대해 책임을 다하겠습니까?/业务不过硬, 回去难～; 일을 온전히 익혀 놓지 않으면 돌아가서 면목이 서지 않는다. ④(사정이나 결과를) 보고(설명)하다.
〔交织〕 jiāozhī 동 ①섞어 짜다. ②교착(交錯)하다. (감정 등이) 엇갈리다. ¶生产过剩和通货膨胀～在一起; 생산 과잉과 인플레가 뒤얽혀 있다.
〔交趾鸡〕 jiāozhǐjī 명 《鳥》 코친(Cochin)(닭의 일종).
〔交质〕 jiāozhì 동 〈文〉 인질을 교환하다.
〔交子〕 jiāozi 명 송(宋)의 경력(慶曆) 연간에 발행된 중국 최초의 지폐명(꾸지나무 껍질에서 만든 종이에 인쇄했으므로 '楮chǔ币' 라고도 함).
〔交租〕 jiāo‧zū 동 집세를 내다. 소작료(小作料)를 바치다.
〔交租(子)〕 jiāo‧zū(zi) 동 세금·연공미(年貢米)나 각종 임차료를 물다. =〔缴jiǎo租〕
〔交租交息〕 jiāozū jiāoxī 소작료나 이자를 물다.
〔交嘴〕 jiāo‧zuǐ 동 언쟁하다. (jiāozuǐ) 명 《鳥》 되새 과(科) 잣새 속(屬)의 새(총칭). ¶红～(雀); 잣새.
〔交嘴雀〕 jiāozuǐquè 명 《鳥》 잣새. =〔交喙鸟huìniǎo〕

郊 jiāo (교)
①명 성(城) 밖. 교외. ¶近～; 근교/四～; 도시 근교. 교외. ②명 동지·하지 때에 천지(天地)에 올리는 제사. ③동 제사 지내다. ¶～天; 하늘에 제사 지내다.
〔郊甸〕 jiāodiàn 명 〈文〉 성문 밖과 그 바깥 부근 지역. 수도 부근 지역.
〔郊祭〕 jiāojì 동 〈簡〉 옛날에, 군주가 하지·동지에 천지(天地)를 제사 지내다('郊天祭地'의 준말).
〔郊区〕 jiāoqū 명 교외 구역. →〔市shì区〕
〔郊社〕 jiāoshè 동 〈文〉 천지를 제사 지내다.
〔郊外〕 jiāowài 명 교외. ¶到～游览; 교외를 유람하다.
〔郊野〕 jiāoyě 명 〈文〉 교외의 들. =〔郊原〕
〔郊游〕 jiāoyóu 명동 피크닉(들놀이)(가다). ¶秋凉气爽的时候结jié伴去～; 가을의 상쾌한 날씨와 함께 하이킹 가다. →〔野yě餐〕
〔郊原〕 jiāoyuán 명 ⇨〔郊野〕

茭 jiāo (교)
①명 〈文〉 꼴. 마초(馬草). 건초. ②명 《植》 줄풀. ③명 대오리나 갈대로 꼰 노. ④→〔〈方〉 玉yù茭(子)〕
〔茭白〕 jiāobái 명 《植》 줄의 어린 줄기(줄의 새싹의 줄기가 깜부기병에 걸려서 비대해진 것. 죽순과 비슷하며 흔히 식용으로 함). =〔茭儿菜〕〔茭瓜〕〔茭笋〕〔菰gū菜〕
〔茭米〕 jiāomǐ 명 줄의 씨(열매)(쌀 비슷하며 식용함).

峧 jiāo (교)
지명용 자(字).

姣 jiāo (교)
형 〈文〉 아름답다. 요염하다. ¶～好; 얼굴이 예쁘다. 아름답다.

胶(膠) jiāo (교)
①명 아교. 갖풀. ¶皮～; 짐승 가죽으로 곤 아교/鳔biào～; 물고기 부레를 고아 만든 아교. ②명 수지(樹脂). 진. ¶橡～; 고무/树～; ⓐ고무. ⓑ수지(樹脂)/亚喇伯～; 아라비아 고무. ③명 합성 수지. 플라스틱. ④형 단단하다. 튼튼하다. ⑤형 끈적(찐득)거리다. ¶～泥; ⇩ ⑥동 아교로 붙이다. 아교로 붙인 것처럼 움직이지 않다. 교착(膠着)하다. ¶水浅舟～; 물이 얕아서 배가 여울에 얹히다/镜框坏了, 把它～上吧! 액자가 부서졌으니 아교로 붙여라! ⑦동 속이다. 거짓말하다. ⑧(Jiāo) 명 《地》 자오 현(縣)(산둥 성(山東省)에 있는 현(縣) 이름). ⑨명 성(姓)의 하나.
〔胶板〕 jiāobǎn 명 ①고무판(板). ②플라스틱판(板).

〔胶版〕jiāobǎn 명 ①《印》 오프셋 인쇄판. ¶打样～机; 오프셋 교정기(校正機) / ～印刷机; 오프셋 인쇄기. ②고무제(製)의 철판(凸版). (탁상용) 고무판.
〔胶布〕jiāobù 명 ①점착 테이프. ¶绝jué缘～; 절연 테이프. ②〈口〉 반창고. =〔橡皮膏〕〔绊bàn创膏〕
〔胶菜〕jiāocài 명《植》 결구(結球) 배추《산둥 성(山東省) 자오둥(膠東)산(産)》.
〔胶带〕jiāodài 명 ①(녹음·녹화용의) 테이프. 자기 테이프. ¶一盘～; 테이프 하나 / 洗～; 테이프를 지우다 / 剪接～; 테이프를 편집하다. ②고무 밴드. 고무 바퀴. ¶车轮～; (차의) 타이어. ③(접착용의) 테이프. ¶透tòu明～; 셀로판 테이프. ④필름.
〔胶带录音机〕jiāodài lùyīnjī 명 테이프 리코더. =〔磁cí带录音机〕
〔胶带输送机〕jiāodài shūsòngjī 명《機》 고무 벨트 컨베이어. =〔橡xiàng胶皮带输送机〕
〔胶带纸〕jiāodàizhǐ 명 셀로판 테이프. =〔透明胶带(纸)〕
〔胶袋〕jiāodài 명 비닐 주머니. =〔塑sù料袋〕
〔胶冻〕jiāodòng 명 젤리.
〔胶附〕jiāofù 동 아교같이 딱 붙다.
〔胶葛〕jiāogé 명〈文〉분규. 분쟁. 말썽. 형 이리저리 뒤엉킨 모양.
〔胶固〕jiāogù 형 ①단단하다. ②완고하다. 융통성이 없다.
〔胶合〕jiāohé 동 아교로 붙이다.
〔胶合板〕jiāohébǎn 명 베니어 합판. ¶椴duàn木～; 피나무의 베니어 합판 / 水shuǐ曲柳～; 들메나무 베니어 합판. =〔胶夹板〕〔〈北方〉 包bāo板〕〔层céng板〕〔叠dié层木板〕〔〈南方〉 夹jiā板①〕〔〈南方〉 三夹板〕
〔胶画颜料〕jiāohuà yánliào 명 디스템퍼(distemper)《호분을 섞어 만든 된 그림물감》.
〔胶夹板〕jiāojiābǎn 명 ⇨〔胶合板〕
〔胶结〕jiāojié 동 점착(粘着)하다. 교착하다.
〔胶结率〕jiāojiélǜ 명 (베니어 합판 따위의 아교의) 교착률. 접착률.
〔胶卷(儿)〕jiāojuǎn(r) 명 감아 놓은 필름. 롤(roll) 필름.
〔胶轮〕jiāolún 명 고무 타이어. ¶～大车; 타이어를 단 이륜 짐수레《흔히, 소·말·당나귀가 끎》.
〔胶绵〕jiāomián 명《化》 콜로디온(collodion)《질화 셀룰로오스를 에텔·알코올 기타의 용제에 녹인 무색 투명의 액. 사진 필름·화학 섬유 따위의 제조에 쓰임》. =〔绵胶〕〔涂tú胶〕
〔胶姆糖〕jiāomǔtáng 명 껌. 추잉검(chewing gum). =〔口香糖〕〔橡胶糖〕
〔胶木〕jiāomù 명《化》 페놀(phenol) 수지. 베이클라이트(bakelite). =〔酚fēn醛塑胶〕
〔胶囊〕jiāonáng 명 캡슐(capsule). 교갑. =〔胶壳ké〕
〔胶泥〕jiāoní 명 점토. 찰흙.
〔胶泥巴儿〕jiāoníbar 명 점토의 덩어리. 찰흙덩이.
〔胶黏〕jiāonián 동 끈적끈적 달라붙다.
〔胶黏纸条〕jiāonián zhǐtiáo 명 접착 테이프. =〔胶黏纸带〕〔胶条(儿)〕
〔胶凝作用〕jiāoníng zuòyòng 명《化》 겔화(Gel化).
〔胶皮〕jiāopí 명 ①고무. 황화 고무. ¶～底; 구두창용의 고무 / ～管(子); 고무 호스 / ～手套; 고무장갑 / ～带; 고무 밴드 / ～活; 고무 제품 / ～糖; 젤리. ②〈方〉 인력거(人力車). =〔胶皮车〕
〔胶皮车轮〕jiāopí chēlún 명 고무 차바퀴.
〔胶皮裤衩〕jiāopí kùchǎ 명 고무제(製) 바지.
〔胶皮球〕jiāopíqiú 명 고무공.
〔胶(皮)鞋〕jiāo(pí)xié 명 ①고무신. ②고무덧신. ③고무창을 댄 신발. ‖=〔橡xiàng皮鞋〕
〔胶皮枕头〕jiāopí zhěntou 명 공기 베개. =〔气qì枕(头)〕
〔胶片(儿)〕jiāopiàn(r) 명 필름(film). ¶缩微～; 마이크로 필름 / 彩cǎi色～ =〔有色软片〕; 컬러 필름 / 电diàn影～; 영화용 필름. =〔软ruǎn片〕
〔胶片书籍〕jiāopiàn shūjí 명 마이크로 카드(micro card).
〔胶片鞋〕jiāopiànxié 명 고무신.
〔胶漆〕jiāoqī 명 아교와 옻. 〈比〉 우정이 두터움. ¶～相投; 대단히 친하다.
〔胶漆交〕jiāoqījiāo 명 〈比〉 친밀한 사귐〔교분〕.
〔胶乳〕jiāorǔ 명《化》 라텍스(latex).
〔胶梳〕jiāoshū 명 플라스틱제 빗.
〔胶水(儿)〕jiāoshuǐ(r) 명 ①고무풀. ②수용(水溶) 천연 고무. 아라비아 고무. ③아교풀.
〔胶胎〕jiāotāi 명 (차 바퀴의) 튜브.
〔胶态〕jiāotài 명《化》 콜로이드(colloid) 상태. ¶～银yín; 콜로이드 은. →〔胶质〕
〔胶体〕jiāotǐ 명《化》 콜로이드. ¶～溶液róngyè; 콜로이드 용액. =〔胶质〕
〔胶续〕jiāoxù 동 후처(後妻)를 맞이하다. =〔续娶〕
〔胶靴〕jiāoxuē 명 고무 장화. =〔胶皮靴〕
〔胶印〕jiāoyìn 명《印》 오프셋(offset) 인쇄. ¶～油墨; 오프셋 잉크 / ～用纸; 오프셋 인쇄 용지 / ～机; 오프셋 인쇄기. =〔胶印印刷〕
〔胶玉瓷漆〕jiāoyùcíqī 명 합성 에나멜 페인트. →〔瓷漆〕
〔胶园〕jiāoyuán 명 고무나무 밭.
〔胶粘〕jiāozhān 동 접착하다.
〔胶粘剂〕jiāozhānjì 명 접착제.
〔胶粘纸条〕jiāozhān zhǐtiáo 명 (접착용) 테이프. =〔胶粘纸带〕
〔胶执〕jiāozhí 동 〈文〉 고집하다. ¶～己见; 자기 의견을 고집하다.
〔胶纸〕jiāozhǐ 명 스티커. ¶～带; 접착 테이프.
〔胶质〕jiāozhì 명《化》 콜로이드. =〔胶体〕
〔胶柱鼓瑟〕jiāo zhù gǔ sè 〈成〉 교주 고슬. 기러기발을 아교로 붙여 놓고 비파를 타다《사물에 구애되어 융통성이 없음》.
〔胶着〕jiāozhuó 동 교착하다. ¶～状态; 교착 상태.

鵁(鵁) jiāo (교)

→〔鵁鶄〕

〔鵁鶄〕jiāojīng 명《鳥》 푸른백로.

蛟 jiāo (교)

명 ①교룡(蛟龍)《큰물을 일으킨다는 전설상의 동물》. ②〈文〉 악어의 하나.

〔蛟龙〕jiāolóng 명 교룡. ¶～得水; 〈比〉 영웅이 힘을 발휘할 기회를 얻음. =〔交龙②〕
〔蛟蜻蛉〕jiāoqīnglíng 명《蟲》 명주잠자리.

跤 jiāo (교)

명 공중제비. 곤두박질. ¶跌diē了一～; 실족하여 넘어지다 / 摔shuāi～; 씨름(하다). =〔交jiāo⑯〕

鲛(鮫) jiāo (교)

명《魚》〈文〉 상어. =〔鲨鱼shāyú〕〔沙鱼〕

〔鮫鶲〕 jiāowēng 명 《鳥》 솔딱새.

浇(澆) jiāo (요) ①동 (물이나 액체를) 끼얹다. 뿌리다. ¶～了一身水; 온몸에 물을 뒤집어썼다 / 火上～油; 〈成〉 불에 기름을 뿌리다(불난 집에 부채질하다). ②동 (거푸집에) 부어 넣다. ¶～铅字; 활자 모형(母型)에 납을 부어 넣다. ③형 〈文〉 경박하다. 바르지 않다. 박정하다. ¶～薄; ⇩ ④동 관개(灌漑)하다. 물을 주다〔대다〕. ¶车水～地; 수차로 논밭에 물을 대다 / ～菜园; 채소밭에 물을 주다 / 花儿蔫niān了, 恐怕～不活; 꽃이 시들어 버려, 물을 주어도 다시 살지 못할 것이다. ⑤동 〈文〉 풀다. 없애다. ¶以酒～愁; 술로 시름을 풀다.

〔浇版〕 jiāo,bǎn 동 《印》 연판 주조하다(지형에 납을 붓는 일).

〔浇薄〕 jiāobó 형 〈文〉 ①박정하다. 인간미가 없다. 냉혹하다. ¶人情～; 인정이 박하다. ②경박하다. ‖ =〔〈文〉浇漓〕

〔浇菜〕 jiāo,cài 동 야채에 물을 주다.

〔浇地〕 jiāo,dì 동 관개하다.

〔浇肥〕 jiāo,féi 동 거름을〔비료를〕 주다.

〔浇粪〕 jiāo,fèn 동 똥거름〔인분〕을 주다.

〔浇风〕 jiāofēng 명 〈文〉 경박한 풍속.

〔浇灌〕 jiāoguàn 동 ①(거푸집 따위에) 부어 넣다. ¶～混凝土; 콘크리트를 부어 넣다. ②(작물에) 물을 주다. 물을 대다.

〔浇过〕 jiáoguo 동 ⇨〔浇裹〕

〔浇裹〕 jiáoguo 〈京〉 동 (목돈을) 쏟아 넣다. ¶办这通儿事～十万块钱; 이 일을 하는 데 10만원의 돈을 쏟아 넣었다. =〔浇过〕 명 '饺子'와 같은 좋은 음식.

〔浇季〕 jiāojì 명 〈文〉 도덕이 쇠퇴하고 인정이 메마른 말세. =〔浇世〕

〔浇竞〕 jiāojìng 동 〈文〉 경박하게 겨루다.

〔浇冷水〕 jiāo lěngshuǐ ⇨〔泼pō冷水〕

〔浇漓〕 jiāolí 형 ⇨〔浇薄〕

〔浇淋〕 jiāolín 동 (물을) 뿌리다. (비 등에) 맞다. ¶被雨～; 비를 맞다. 비에 젖다.

〔浇洒〕 jiāosǎ 동 (물을) 뿌리다. ¶给两旁的两排青松～清水; 양측에 두 줄로 늘어선 소나무에 맑은 물을 주었다.

〔浇湿〕 jiāoshī 동 물을 뿌려 축이다.

〔浇手〕 jiāoshǒu 동 ①손을 씻다. ②사례하다. ¶把酒食来与他～; 술자리를 베풀어 그에게 사례하다.

〔浇水〕 jiāo,shuǐ 동 물을 뿌리다〔붓다〕.

〔浇头〕 jiāotou 명 〈方〉 밥이나 국수 따위에 얹는 갖은 양념을 한 요리. ¶这碗肉丝面的～太不好了; 이 고기 국수의 양념은 너무 좋지 않다.

〔浇油〕 jiāoyóu 동 기름을 붓다〔치다〕.

〔浇注〕 jiāozhù 동 ①(액체나 걸쭉한 것을) 붓다. 주입하다. ②《工》 금속을 녹여 거푸집에 붓다.

〔浇铸〕 jiāozhù 동 《工》 주조하다. 금속을 녹여 거푸집에 붓다.

〔浇筑〕 jiāozhù 명동 콘크리트를 부어서 건조하는 토목 공사(를 하다). ¶～大坝; 큰 봇둑을 축조하다.

侨(僑) jiāo (교) ⇨〔骄jiāo〕

娇(嬌) jiāo (교) ①형 (여자·어린애·꽃 따위가) 예쁘고 귀엽다. 아리땁다. 사랑스럽다. ¶江山如此多～; 강산이 이렇게도 아름답다. ②명 요염한 미녀. =〔阿ā娇②〕 ③동 응석〔아양〕 부리다. ¶小孩子撒sā～; 어린애가 응석 부리다. ④동 지나치게 예뻐하다. 응석을 받아주다. ¶别～孩子; 어린애의 응석을 받아 주지 마라 / 养活得～; 응석받이로〔어하게〕 기르다. →〔娇生惯养〕 ⑤형 나약하다. 가냘프다. 잔약하다. 무기력하다. ¶才走几里地, 就说腿酸, 未免太～了; 얼마 걷지도 않았는데 벌써 다리가 아프다니, 참 나약하구나.

〔娇痴〕 jiāochī 형 천진하다. 순진하고 귀엽다. ¶撒sā娇撒痴; 어리광 부리다. 떼쓰다. =〔娇憨〕

〔娇喘〕 jiāochuǎn 동 〈文〉 (미녀(美女)가) 가냘프게 숨을 헐떡이다.

〔娇滴滴(的)〕 jiāodīdī(de) 형 상냥하고 귀염스러운 모양. 나긋나긋한 모양. 어리광〔응석〕 부리는 모양. ¶～的声音; 귀여운 〔애교스러운〕 목소리. 어리광〔응석〕 부리는 목소리.

〔娇儿〕 jiāo'ér 명 ①응석받이. ②사랑하는 자식. 애아(愛兒). ‖ =〔娇子zǐ〕

〔娇哥儿〕 jiāogēr 명 응석받이로 자란 남자애.

〔娇狗上灶〕 jiāo gǒu shàng zào 〈成〉 응석을 받아 주면 어디까지고 기어오른다.

〔娇姑娘〕 jiāogūniang 명 응석받이 아가씨.

〔娇乖乖(的)〕 jiāoguāiguāi(de) 형 (아이가) 사랑스러운 모양. 귀여운 모양.

〔娇惯〕 jiāoguàn 동 어하게〔응석받이로〕 기르다. 익애(溺愛)하다. ¶养活得过于～; 지나치게 응석받이로 키우다 / 我对她太～了! 나는 저 아이를 너무 응석받이로 길렀다!

〔娇贵〕 jiāogui 형 ①떠받들려 자라서 약하다. 풍족한 생활을 하여 사소한 괴로움도 견디지 못하다. 어하게 자라 연약하다. ¶自己比一切人都～可怜; 자신은 누구보다도 소중하고 귀여운 것이다 / 他们的孩子太～了; 그들의 아이는 너무도 어하게 자랐다 / 养得太～; 너무 응석받이로 키우다. 익애(溺愛)하다. ②무르다. 부서지기 쉽다. ¶仪表～, 要小心轻放; 계기(計器)는 부서지기 쉬우니까 조심해서 살짝 놓아라.

〔娇憨〕 jiāohān 형 천진난만하다. 천진스럽고 귀엽다. =〔娇痴〕

〔娇喉〕 jiāohóu 명 〈文〉 요염하고 상냥한 목소리. 교성(嬌聲). =〔娇声〕

〔娇客〕 jiāokè 명 ①〈俗〉 사위. ②귀엽게〔응석받이로〕 자란 사람.

〔娇懒〕 jiāolǎn 형 어리광스럽고 게으르다.

〔娇丽〕 jiāolì 형 ⇨〔娇美〕

〔娇美〕 jiāoměi 형 ①(사람·물건 따위가) 아름답다. 멋지다. ②귀엽다. 호감이 가다. 느낌이 좋다. ③(몸·얼굴 따위가) 부드럽다. 우아하다. 운치가 있다. 애교가 있다. ‖ =〔娇丽〕

〔娇媚〕 jiāomèi 형 ①요염하게 교태부리는 모양. ②자태가 아름답고 사랑스럽다. =〔妩媚〕

〔娇模娇样〕 jiāomú jiāoyàng 요염한 자태. 미태(媚態).

〔娇嫩〕 jiāonen 형 ①야들야들하다. 가냘프다. 연약하다. ¶～的鲜花; 부드럽고 연한 생화 / ～的声音; 가냘픈 목소리 / 你的身体也太～, 风一吹就病了! 네 몸도 무척이나 연약해서, 조금 바람만 불어도 곧 병이 난다. ②무르고 연해서 부서지기 쉽다. ¶～东西; 부서지기 쉬운 것.

〔娇娘〕 jiāoniáng 명 〈文〉 귀여운〔아리따운〕 여자아이. 아름다운 처녀.

〔娇弄〕 jiāonòng 동 어리광 부리게 하다. 아양 떨게 하다.

〔娇女(儿)〕 jiāonǚ(r) 명 ①귀여운〔아리따운〕 여자. 요염한 미인. ②응석받이로 기른 딸. ¶膝下无儿, 只一～; 슬하에 아들은 없고 외동딸이 있을 뿐이다.
〔娇娜〕 jiāonuó 형 어여쁘다. 아리땁다.
〔娇妻〕 jiāoqī 명〈文〉 아리따운 아내. ¶～美妾; 〈成〉 아름다운 아내와 첩.
〔娇气〕 jiāoqi 명 나약함. 연약한 태도. ¶去掉～; 응석을 버리다. 형 ①나약〔허약〕하다. 가냘프다. ¶这点雨还怕, 那就太～了; 이 정도의 비를 맞고 기가 죽어서야, 나약하지 않은가. ②까다롭다. 까탈스럽다.
〔娇怯〕 jiāoqiè 형〈文〉 ①허약〔연약〕하다. 버틸 힘이 없다. ②멈칫〔흠칫〕거리다. 쭈뼛쭈뼛하다.
〔娇娆〕 jiāoráo 형〈文〉 요염하다. 나긋나긋하게 아름답다.
〔娇容〕 jiāoróng 명〈文〉 아름다운 용모.
〔娇柔〕 jiāoróu 형 아름답고 상냥하다〔부드럽다〕.
〔娇弱〕 jiāoruò 형 아리땁고 가냘프다.
〔娇生惯养〕 jiāo shēng guàn yǎng〈成〉 지나치게 귀여움 받고 자라다. 응석받이로 자라다. ¶我在你身边的时候, 真是～啊! 내가 당신 곁에 있을 땐, 정말 고생 모르고 자랐습니다!
〔娇声〕 jiāoshēng 명 아리따운〔요염한〕 목소리. =〔娇喉〕
〔娇态〕 jiāotài 명 교태. 요염한 태도. 아양부리는 태도. →〔媚mèi态〕
〔娇娃〕 jiāowá 명 사랑스러운〔아름다운〕 소녀.
〔娇小〕 jiāoxiǎo 형 귀엽고 작다. 사랑스럽다. ¶～的女孩子; 작고 귀여운 여자 아이 / ～的野花; 작고 예쁜 야생화.
〔娇小玲珑〕 jiāo xiǎo líng lóng〈成〉 작고 깜찍하다〔귀엽다〕. 작고 정교하다. ¶生得～, 引人怜爱; 모습이 아름답고 깜찍하여 사람을 끌다 / 这块东西～, 很是可爱; 이것은 자그마하고 아담하여 참으로 귀엽다.
〔娇性〕 jiāoxìng 명 응석부리는 성격. 방종한 성질.
〔娇羞〕 jiāoxiū 형 (젊은 여성이) 교태를 부리며 수줍어하는 모양.
〔娇艳〕 jiāoyàn 형 아름답고 요염하다.
〔娇养〕 jiāoyǎng 동 응석받이로 기르다. →〔娇生惯养〕 명 어린이의 애칭(愛稱).
〔娇纵〕 jiāozòng 동 (아이를) 버릇없게 기르다. 어하여 방임(放任)하다. ¶～孩子, 不是爱他而是害他; 자식을 어하여 기르는 것은 사랑하는 것이 아니고 망치는 것이다.

骄(驕)
jiāo (교)
① 형 교만하다. 거만하다. ¶戒～戒躁; 〈成〉 방자함과 서두름을 경계하다 / 多～必败; 〈成〉 지나치게 교만하면 반드시 실패한다. ② 동 자랑하다. 뽐내다. 우쭐대다. ¶这是值得我们～傲ào的; 이것은 족히 우리들이 자랑할 만한 것이다. ③ 동 제멋대로 굴다. ④ 동 경시하다. 깔보다. ¶～敌dí; 적을 얕보다. ⑤ 명 교만. 거만. ⑥ 형〈文〉 강(렬)하다. 맹렬하다. ¶～阳yáng; (여름의) 강렬한 햇빛. ‖ =〔憍jiāo〕
〔骄傲〕 jiāo'ào 명형 교만(하다). 거만(하다). ¶他自以为了不起而～; 그는 스스로 잘났다고 자만하고 있다. 동 자랑하다. 자랑삼다. 자부하다. 명 ①자랑. 긍지. ¶祖国工业化的进展, 使我们感到～; 조국 공업화의 진전은 우리들에게 자랑을 느끼게 한다 / 民族的～; 민족의 자랑. ②교만. 방자. 자만. ¶这不是～, 是自豪; 이것은 방자함이 아니고 자랑입니다 / 虚心使人进步, ～使人落后; 겸허함은 사람을 진보시키며, 교만은 사람을 낙후시킨다. ③자랑할 만한 인물 또는 사물. ¶柳宽顺是我们青年人的～; 유관순은 우리 젊은이의 자랑이다.
〔骄傲自大〕 jiāo'ào zìdà 오만 불손하다.
〔骄傲自满〕 jiāo ào zì mǎn〈成〉 자만하고 거만하다.
〔骄兵〕 jiāobīng 명〈文〉 세(勢)를 믿고 교만한 군대. ¶～必败, 哀兵必胜; 〈成〉 교만한 군대는 반드시 패하고, 억압 받다가 일어선 군대는 꼭 이긴다.
〔骄兵悍将〕 jiāo bīng hàn jiàng〈成〉 통제할 수 없는 장병. 통제에 복종하지 않는 장병.
〔骄怠〕 jiāodài 형〈文〉 교만하고 태만하다. =〔骄惰〕
〔骄敌〕 jiāodí〈文〉 동 적을 얕보다. 명 교만한 적.
〔骄儿〕 jiāo'ér 명 ⇨〔骄子〕
〔骄横〕 jiāohèng 형 오만불손하고 횡포하다. ¶～跋扈; 〈成〉 자만해서 멋대로 굴다 / ～不可一世; 눈 뜨고는 볼 수 없는 정도로 건방지다.
〔骄蹇〕 jiāojiǎn 형〈文〉 오만하고 방자하다.
〔骄矜〕 jiāojīn 형〈文〉 교만하다. ¶他为人谦逊和蔼, 毫无～之态; 그는 사람됨이 겸손하고 온화해서, 조금도 교만한 데가 없다.
〔骄倨〕 jiāojù 형〈文〉 불손하다. 오만하다.
〔骄慢〕 jiāomàn 형 교만〔오만〕하다.
〔骄气〕 jiāoqi 명 교만한〔건방진〕 태도. ¶他有一种～令人生厌; 그에게는 일종의 오만함이 있어서 남들이 싫어한다.
〔骄人〕 jiāorén 동 거만하게 굴다. 건방지게 굴다. 명 남에게 아첨하여 높은 지위를 얻은〔뜻을 이룬〕 사람.
〔骄色〕 jiāosè 명〈文〉 교만하여 우쭐거리는 태도〔기색〕.
〔骄奢〕 jiāoshē 형〈文〉 ①오만불손하다. ②지나치게 사치스럽다.
〔骄奢淫逸〕 jiāo shē yín yì〈成〉 교만 사치스럽고 무궤도한 생활을 하다.
〔骄肆〕 jiāosì 형 ⇨〔骄纵〕
〔骄狎〕 jiāoxiá 동〈文〉 교만하여 남을 깔보다.
〔骄阳〕 jiāoyáng 명〈文〉 여름의 뙤약볕. ¶～灼zhuó人; 〈成〉 뙤약볕이 사람을 태울 듯이 심하다.
〔骄躁〕 jiāozào 형〈文〉 오만하고 난폭하다. ¶性情～的人不可接近; 오만 무례한 사람에게는 가까이 하지 말아야 한다.
〔骄战〕 jiāozhàn 동〈文〉 힘센 것을 자랑하여 싸우다. 자기 세력이 강한 것을 믿고 싸우다.
〔骄者必败〕 jiāozhě bì bài〈諺〉 교만한 자는 패하게 마련. 권불십년.
〔骄恣〕 jiāozì 형 ⇨〔骄纵〕
〔骄子〕 jiāozi 명 ①버릇없이 제멋대로 자란 아이. ②인기 있는 사람. 총아(寵兒). ¶时代的～; 시대의 총아. ‖ =〔骄儿〕
〔骄纵〕 jiāozòng 형 거만〔교만〕하고 방종하다. =〔骄肆〕〔骄恣〕

鸡(鷮)
jiāo (교)
명《鳥》 긴꼬리꿩.

教〈敎〉
jiāo (교)
동 가르치다. 전수(傳授)하다《구어(口語)에서 단음절어(單音節語)로 쓰이는 경우》. ¶我～历史; 나는 역사를 가르친다 / 我～给他中国话; 나는 그에게 중국어를 가르쳐 준다 / 谁～你们中国话? 누가 너희들에게 중

국어를 가르치는가? ⇒jiào
〔教给〕 jiāogei 동 가르쳐 주다. ¶～学生国文; 학생에게 국어를 가르쳐 주다 / 你要不会, 我～你; 네가 모르면 내가 가르쳐 주겠다.
〔教坏〕 jiāohuài 동 가르쳐서 나쁘게 만들다. 나쁜 것을 가르치다. ¶被坏人～; 나쁜 녀석에게 물들다.
〔教会〕 jiāohuì 동 가르쳐 터득시키다. 가르쳐 알게하다. ¶～办工厂的方法; 공장의 운영 방법을 가르쳐 터득시키다. ⇒jiàohuì
〔教书〕 jiāo.shū 동 글을〔공부를〕 가르치다. ¶他在小学里～; 그는 초등 학교에서 교사를 하고 있다 / ～先生; 학교의 선생.
〔教书匠〕 jiāoshūjiàng 명 (교육 방법이 구태의연한) 교사.
〔教学〕 jiāo.xué 동 가르치다. 교수하다. ⇒jiàoxué

焦 jiāo (초)
①동 (불에) 눋다. 타다. ¶饭烧～了; 밥이 눌었다 / 舌敝唇～; 〈成〉 혀가 해지고 입술이 타다(입이 닳도록 말하다). →〔煳hú〕 ②형 (불에 굽거나 기름에 튀기어) 바삭바삭하게 만들다. (바싹 말라서) 바삭바삭하게 되다. ¶炸得～; 바삭바삭하게 튀겨지다 / 柴火晒得～干了; 장작이 볕에 바싹 말랐다 / 他的嘴唇老是～的; 그의 입술은 언제나 꺼칠꺼칠하다. ③동 조바심 내다. 초조해하다. 애태우다. ¶等得心～; 애타게 기다리다. ④명 불에 타는 냄새. 단내. ⑤명 조그만 초막(草幕). ⑥(～子) 명 《鑛》 코크스. =〔焦炭〕 ⑦명 《漢醫》 삼초(三焦)《위(胃)의 분문(噴門)까지를 '上～', 유문(幽門)까지를 '中～', 배꼽 아래까지를 '下～'라고 하며 소화·흡수·수송·배설을 맡음》. ⑧명 성(姓)의 하나.
〔焦巴巴〕 jiāobābā 형 까맣게 탄 모양. ¶把饭烧得这么～的, 怎么吃呢? 밥을 이렇게 태웠으니 어떻게 먹겠니?
〔焦比〕 jiāobǐ 명 《工》 코크스비(독 Koks比).
〔焦愁〕 jiāochóu 동 애태우고 근심하다.
〔焦脆〕 jiāocuì 형 바삭바삭하다. ¶这种麻花儿～好吃; 이 꽈배기는 바삭바삭한 게 맛있다.
〔焦点〕 jiāodiǎn 명 ①⇨〔主zhǔ焦点〕 ②《數》 초점. ③(사건의) 초점.
〔焦点距离〕 jiāodiǎn jùlí 명 《物》 초점 거리.
〔焦耳〕 jiāo'ěr 명 《物》 〈音〉 줄(joule)《에너지의 절대 단위》. =〔乔尔〕〔焦尔〕
〔焦干〕 jiāogān 동 눋어서 바삭바삭해지다. ¶烤kǎo得～; 바삭바삭하게 굽다 / ～的烧饼; 눋어서 바삭바삭한 '烧shāo饼'.
〔焦黑〕 jiāohēi 명 물체가 탄 후의 검정색. 새까맣게 탄 것. 동 (흔히, '～了'로 하여) 새까맣게 타다. 까맣게 태우다. ¶让火熏xūn得～; 불에 그을려서 까맣게 탔다.
〔焦糊〕 jiāohú 동 눋어 붙다. ¶饭～了; 밥이 눌었다〔탔다〕.
〔焦化〕 jiāohuà 명동 《化》 코크스화(하다).
〔焦黄〕 jiāohuáng 명 옅은 갈색. 흑황색(黑黃色). 형 눋어서 누르스름하다. ¶烤得～了; 노릇노릇하게 구웠다.
〔焦急〕 jiāojí 동 안달하다. 초조해하다. ¶～万分; 매우 안달하다 / 心理～; (마음이) 몹시 초조하다. =〔焦热〕
〔焦痂〕 jiāojiā 명 《醫》 부스럼 딱지. 가피(痂皮).
〔焦结力〕 jiāojiélì 명 《工》 코크스화(化)하는 힘.
〔焦距〕 jiāojù 명 《物》 초점거리. 포컬 렝스(focal length). ¶对好～; 핀트를 맞추다 / (可)变biàn～镜头; 가변 렌즈.
〔焦渴〕 jiāokě 형 목이 몹시 마르다. ¶跑了一段山路, ～不堪kān; 산길을 한참 동안 달렸더니, 목이 말라 견딜 수 없다. 동 초조해하다. 애태우다. ¶～地等待日子到; 그 날이 오기를 초조하게 기다리다.
〔焦枯〕 jiāokū 동 (식물이) 말라 시들다.
〔焦块〕 jiāokuài 명 코크스 덩어리.
〔焦烂〕 jiāolàn 동 타서 문드러지다.
〔焦劳〕 jiāoláo 동 조바심하다. 조급히 굴다. 초조해하다.
〔焦雷〕 jiāoléi 명 우렁찬 우레〔천둥〕. ¶响xiǎng声和～一般; 소리가 우렁찬 우렛소리와 같다.
〔焦愣〕 jiāoleng 형 〈京〉 (과자 등이 알맞게 구워져서) 바삭바삭하다. ¶这块点心真～; 이 과자는 바삭바삭해서 정말 맛있다.
〔焦虑〕 jiāolǜ 동 애태우다. 애타게 근심하다. 마음을 졸이다. =〔焦思①〕
〔焦眉之急〕 jiāo méi zhī jí 〈成〉 초미지급. 급박한 업무〔일〕.
〔焦煤〕 jiāoméi 명 《鑛》 강점결탄(強粘結炭)《코크스용》. =〔主zhǔ焦煤〕
〔焦热〕 jiāorè 명 타는 듯한 더위. 동 ⇨〔焦急〕
〔焦思〕 jiāosī 동 ①애타게 염려하다. 가슴을 태우다. =〔焦虑〕 ②〈文〉 연모(戀慕)하다.
〔焦酸〕 jiāosuān 명 《化》 피로(pyro)산.
〔焦炭〕 jiāotàn 명 코크스. ¶～落; 콜타르(coal tar) / ～沥青; 피치코크스(pitch cokes). =〔焦子〕
〔焦头烂额〕 jiāo tóu làn é 〈成〉 머리를 태우고 이마를 데다《심한 곤경에 빠지다》. ¶他现在工作忙得～; 그는 지금 일에 쫓기어 허둥지둥한다 / 敌人被我们打得～狼狈而逃; 적은 아군의 공격을 받고 큰 타격을 입어 혼쭐이 나서 도망쳤다.
〔焦土〕 jiāotǔ 명 초토. ¶化为～; 초토화하다 / ～战术; 초토 전술.
〔焦土抗战〕 jiāotǔ kàngzhàn 국토를 전부 태우는 한이 있더라도 철저하게 항전하다.
〔焦土政策〕 jiāotǔ zhèngcè 명 초토 정책.
〔焦尾虫〕 jiāowěichóng 명 《蟲》 벼꼬마명충나방.
〔焦香〕 jiāoxiāng 형 향기롭다.
〔焦心〕 jiāoxīn 동 〈方〉 조급〔초조〕해하다. 애태우다. ¶病老没有起色不由得～《老舍 駱駝祥子》; 병이 좀처럼 낫지 않으니까 아무래도 초조해진다.
〔焦盐〕 jiāoyán 명 (요리나 약용의) 구운 소금.
〔焦油〕 jiāoyóu 명 《化》 ①타르(tar). ¶木～; 목타르. =〔黑hēi油〕〔溚tǎ〕 ②〈俗〉 콜타르(coal tar). 석탄 타르.
〔焦枣(儿)〕 jiāozǎo(r) 명 불에 말린 대추.
〔焦躁〕 jiāozào 형 몹시 애타고 초조하다.
〔焦炸糕〕 jiāozhágāo 명 쌀가루를 쪄서 반죽한 것에 팥소를 넣어 기름에 튀긴 떡.
〔焦砟〕 jiāozhǎ 명 숯덩이나 석탄이 타다 남은 덩어리.
〔焦炙〕 jiāozhì 형 몹시 초조하다.
〔焦灼〕 jiāozhuó 명 화상(火傷). 동 〈文〉 초조해하다. 애를 태우다. 조바심 내다. ¶心中～; 애를 태우다.
〔焦子〕 jiāozǐ 명 씨 없는 비파(枇杷)《광둥(廣東) 산》.
〔焦子〕 jiāozi 명 코크스(cokes). =〔焦炭〕

僬 jiāo (초)
→〔僬侥〕

〔僬侥〕 jiāoyáo 명 옛날, 전설 중의 소인(小人).

蕉 jiāo (초)
명 《植》 ①〈簡〉 파초(『芭蕉』의 약칭). ②파초잎과 같은 큰 잎을 갖고 있는 식물. ¶香~ =〔甘~〕; 바나나 / 美人~; 칸나(canna). ⇒qiáo
〔蕉布〕 jiāobù 명 《紡》 파초포(布)(파초의 섬유로 짠 평직의 천). =〔蕉葛〕〔蕉纱〕
〔蕉风椰雨〕 jiāofēng yēyǔ 〈比〉 열대의 풍토. 열대의 풍물. ¶这个地方真所谓~, 到处是高大而笔直的热带树林; 이 지방은 소위 열대의 풍토라서, 곳곳에서 크고 곧게 자란 열대림을 볼 수 있다.
〔蕉柑〕 jiāogān 명 《植》 귤의일종.
〔蕉麻〕 jiāomá 명 《植》 마닐라삼.
〔蕉藕〕 jiāo'ǒu 명 《植》 식용 칸나. =〔蕉芋〕〔姜jiāng芋〕
〔蕉扇〕 jiāoshàn 명 파초선(芭蕉扇)(파초잎으로 만든 부채).
〔蕉叶〕 jiāoyè 명 ①파초의 잎. ②〈文〉 얕은 잔.

噍 jiāo (초)
형 〈文〉 소리가 급하고 짧다. ¶~杀shā; 초조하여 목소리가 나오지 않다. ⇒jiào jiū

嶕 jiāo (초)
→〔嶕峣〕
〔嶕峣〕 jiāoyáo 형 〈文〉 (산이) 우뚝 솟은 모양.

燋 jiāo (초)
〈文〉 ①동 (불로) 태우다. ②명 횃불. =〔火把〕

礁 jiāo (초)
명 ①암초(暗礁). ¶暗~; 암초 / 触~; (배가) 좌초하다. ②산호초. ③〈比〉 장애. 곤란.
〔礁沙蚕〕 jiāoshācán 명 《動》 해안갯지렁이.
〔礁石〕 jiāoshí 명 암초.
〔礁芽〕 jiāoyá 명 《動》 갯지렁이. →〔沙shā蚕〕

鷦(鷦) jiāo (초)
→〔鷦鷯〕
〔鷦鷯〕 jiāoliáo 명 《鳥》 굴뚝새.

椒 jiāo (초)
①명 《植》 산초나무. ¶胡~; 후추 / 花~ =〔秦~〕; 산초나무 / 辣~ =〔番~〕; 고추 / 柿shì(子)~ =〔灯笼~〕〔青qīng~〕〔甜tián~〕; 《植》 피망(프pimen). ②형 향기롭다.
〔椒房〕 jiāofáng 명 ①황후의 거처. ②〈轉〉 황후.
〔椒面儿〕 jiāomiànr 명 산초(山椒)의 가루. =〔椒末儿〕
〔椒盐(儿)〕 jiāoyán(r) 명 소금과 후추를 볶아서 곱게 빻은 조미료. ¶~排骨; '椒盐'를 바른 갈비. =〔花椒盐〕

轇(轇) jiāo (교)
→〔轇轕〕
〔轇轕〕 jiāogé 동 〈文〉 뒤섞이다. 교착하다.

矫(矯) jiáo (교)
→〔矫情〕 ⇒jiǎo
〔矫情〕 jiáoqing 동 〈方〉 억지부리다. 생떼를 쓰며 말썽부리다. ¶这个人太~; 이 사람은 너무 억지를 부린다. ⇒jiǎoqíng

嚼 jiáo (작)
동 ①씹다. ¶大~特~; 맘껏 먹다. ②(문장 등을) 음미하다. ③벌레 먹다. ④거드름 피우며〔젠체하며〕 말하다. 듣기 싫게 지껄이다. ⇒jiào jué
〔嚼不动〕 jiáobudòng 깨물어 부술 수가 없다. 씹을 수 없다. ¶牙活动了, ~; 이가 흔들려 씹을 수가 없다.
〔嚼不烂〕 jiáobulàn 충분히 씹을 수 없다. 씹어 삭이지 못하다. ¶贪多~; 〈諺〉 지나치게 탐하면 소화 불량이 된다. ↔〔嚼得烂〕
〔嚼嗤〕 jiáochi 동 씹어 부스러뜨리다.
〔嚼得动〕 jiáodedòng 씹어서〔깨물어〕 부술 수 있다. 씹을 수 있다. ¶这样硬的东西, 谁~呢? 이렇게 단단한 것을 누군들 깨물 수 있겠는가?
〔嚼动〕 jiáo.dòng 동 씹다. 깨물다.
〔嚼谷(儿)〕 jiáogu(r) 명 ⇨〔嚼裹儿〕
〔嚼裹儿〕 jiáoguor 명 〈方〉 생활비. ¶赚zhuàn的这点钱连~都不够; 이 정도로 벌어서는 생활비도 부족하다. =〔嚼谷(儿)〕〔嚼过儿〕〔缴jiǎo裹儿〕
〔嚼话〕 jiáohuà 동 수다 떨다. ¶又来~了? 또 수다 떨려고 왔는가?
〔嚼劲儿〕 jiáojìnr 명 씹히는 맛. 씹는 맛.
〔嚼口〕 jiáokǒu 명 재갈. ¶套~; 재갈을 물리다. =〔嚼子〕
〔嚼烂〕 jiáolàn 동 잘게 씹어 부수다. 충분히 잘 씹다.
〔嚼情〕 jiáoqíng 형 사리를 판별 못하다. 방자하다.
〔嚼蛆〕 jiáoqū 동 되는대로 아무렇게나 지껄이다. 터무니없는 말을 하다.
〔嚼舌(头)〕 jiáoshé(tou) 동 ①되는대로 지껄이다. 당치않은 말을 하다. 이러쿵저러쿵 지껄이다. ¶有意见当面提,别在背后~! 하고 싶은 말이 있으면 앞에서 해라, 뒤에서 이러쿵저러쿵 지껄이지 말고! ②이유 없이〔쓸데없는〕 논쟁하다. ¶没工夫跟你~! 너하고 부질없는 입씨름이나 하고 있을 틈이 없다! ‖=〔嚼舌根〕〔嚼舌根板子〕〔嚼舌子〕
〔嚼说〕 jiáoshuo 동 이러쿵저러쿵 떠들다. 수다를 떨다. ¶你瞎xiā~什么呢? 너는 무슨 수다를 떨고 있니?
〔嚼头〕 jiáotóu 명 씹(히)는 맛('有~'·'没(有)~'로 쓰임). ¶有~; 씹(히)는 맛이 있다.
〔嚼烟〕 jiáoyān 명 씹는 담배.
〔嚼咽〕 jiáoyàn 동 씹어 삼키다. ¶他停住~; 그는 씹었지만 삼키기를 그만두었다.
〔嚼用〕 jiáoyòng 명 〈方〉 생활비. ¶不够~; 생활비가 부족하다 / 收入刚刚够~; 수입은 겨우 입에 풀칠이나 할 정도다 / 人口多, ~大; 식구가 많아 생활비가 많이 든다.
〔嚼争〕 jiáozhēng 동 끈덕지게 말다툼하다. 성가시게〔까다롭게〕 주장하다.
〔嚼子〕 jiáozi 명 재갈. ¶~给马戴上; 말에 재갈을 물리다. =〔嚼口〕
〔嚼嘴胡说〕 jiáozuǐ húshuō 함부로 지껄이다. 허튼 소리를 마구 하다.
〔嚼嘴嚼舌〕 jiáozuǐ jiáoshé 수다를 떨다. 쓸데없는 잡담을 하다.

角 jiǎo (각)
①명 (짐승의) 뿔. ¶牛~; 쇠뿔 / 鹿~; 사슴뿔. ②(~儿) 모서리. 모퉁이. 구석. ¶桌子的四个~; 테이블의 네 모서리 / 墙~儿; 담 모퉁이 / 拐~儿; 길 모퉁이. ③명 《數》 각. 각도. ¶三~形; 삼각형 / 直~; 직각 / 锐~; 예각 / 钝~; 둔각. ④명 방위. ¶东北~上起了火; 동북 방향에서 불이 났다. ⑤명 (옛날, 군대에서 쓰던) 뿔피리. ⑥명 어린아이의 결발(結髮)의 이름. 총각(틀어 올린 머리). ⑦명 곶. 갑(岬)(흔히, 지명으로 쓰임). ¶好望~; 《地》 희망봉 / 镇

海～；《地》전하이 자오(푸젠 성(福建省)에 있음). ⑧명 되(약 4승들이). ⑨(～儿) 명 콩과자. ⑩명 콩꼬투리. ⑪명 뿔 비슷한 물건의 일컬음. ¶菱～；마름의 열매. ⑫양 ㉠4분의 1. ¶一～毛线；4분의 1 파운드의 털실. ㉡보조 통화의 단위. 1'元'의 10분의 1. ¶四～钱；40전. =〔毛〕→〔块〕〔圆〕〔分〕 ㉢월리(月利)가 원금의 10분의 1인 것. ¶月息一～；월 1할 이자. ㉣옛날, 공문서를 세는 말. ¶一～公文；공문서 1통. ㉤덩어리를 나눈 조각. ¶一～饼；한 조각의 '饼'. ㉥기계 등의 길이의 단위('一吋'(1인치)의 1/32). ㉦정(錠). 알(환약을 세는 말). ¶吃一～荷叶丸；하엽환을 한 알 먹다. ㉧〈方〉일을 세는 말. ¶你说我该学这～活儿；내가 이 일을 배워야 합니까. ⑬명《天》28수(宿)의 하나. ⑭명⇨〔饺jiǎo〕⇒jué

〔角暗里〕 jiǎo'ànli 명〈方〉구석. 외진 곳.

〔角搬子〕 jiǎobānzi 명《機》앵글 렌치(angle wrench).

〔角贝〕 jiǎobèi 명《魚》뿔조개. =〔牛niú角螺〕

〔角鸱〕 jiǎochī 명《鳥》수리부엉이.

〔角尺〕 jiǎochǐ 명 곡척(曲尺). 곱자. =〔矩jǔ尺〕

〔角橱〕 jiǎochú 명 방 한구석에 둔 장식을 겸한 찬장.

〔角笛〕 jiǎodí 명 각적. 뿔피리.

〔角顶〕 jiǎodǐng 명《數》꼭지점.

〔角动量〕 jiǎodòngliàng 명《物》각운동량. 운동량 모멘트.

〔角度〕 jiǎodù 명 ①《數》각도. ②시점(視點). 관점. ¶换了个～说；각도를 달리해서 말하다 / 从各个～看问题；온갖 각도에서 문제점을 검토하다.

〔角度尺〕 jiǎodùchǐ 명 각도자.

〔角(度)规〕 jiǎo(dù)guī 명 앵글 게이지(angle gauge). 각도 게이지.

〔角分〕 jiǎofēn 양《度》분(각도의 단위. ' ′ '로 표시함).

〔角弓反张〕 jiǎogōng fǎnzhāng 명《漢醫》각궁반장(뇌막염·파상풍 등에서 볼 수 있는 경련).

〔角鲛〕 jiǎojiāo 명《魚》곱상어.

〔角角〕 jiǎojiǎo 명《植》〈方〉강낭콩. =〔豆角〕

〔角角落落〕 jiǎojiaoluòluò 명 구석구석. 도처(에서). ¶从四方八面，～扬起喊声；사면 팔방 도처에서 함성이 일어났다 / ～都明亮了；구석구석까지 환하게 되었다.

〔角喇叭〕 jiǎolǎba 명《樂》호른(Horn).

〔角楼(儿, 子)〕 jiǎolóu(r, zi) 명 성(城)의 한 구석에 세운 성루(城樓).

〔角落〕 jiǎoluò 명 ①구석. 귀퉁이. ¶院子的一个～长着一棵桃树；뜰 한 구석에 복숭아나무가 한 그루 나 있다 / 渗透了他们的生活的各个～；그들의 생활 구석구석까지 스며 있다. =〔嘎拉儿〕〔旯旮〕→〔犄角〕 ②외진 곳. 벽촌. ¶在全国的每一个～里，人们都在搞新生活运动；전국의 구석구석까지 사람들은 새마을 운동에 종사하고 있다.

〔角马〕 jiǎomǎ 명《動》뿔말.

〔角门(儿)〕 jiǎomén(r) 명 측문(側門). 쪽문. =〔脚门〕

〔角秒〕 jiǎomiǎo 양《度》초(秒)(각도의 단위. ' ″ '로 나타냄).

〔角膜〕 jiǎomó 명《生》각막. ¶～炎yán；각막염 / ～白bái斑 =〔～白瞖〕；삼눈. =〔明míng角罩〕

〔角票〕 jiǎopiào 명 액면이 '角'을 단위로 하는 지폐의 총칭('1角' '2角' '5角'의 지폐). =〔毛máo票(儿)〕

〔角旗〕 jiǎoqí 명《體》(럭비·축구 등의) 코너 플랙(corner flag).

〔角器〕 jiǎoqì 명 뿔제품.

〔角墙〕 jiǎoqiáng 명 모퉁이의 담. 담의 귀퉁이 부분.

〔角球〕 jiǎoqiú 명《體》코너 킥(corner kick). ¶踢～；코너 킥을 하다 / ～区域；코너 에어리어(corner area).

〔角儿〕 jiǎor 명 ①귀퉁이. 모퉁이. ¶东北～上也有一个角门儿；동북의 모퉁이에도 쪽문이 하나 있다 / 票子～上有打的图章；표 귀퉁이에 도장이 찍혀 있다. ②방향. ¶哪～? 어느 방향이냐? / 东北～上起了火光(儿)；동북쪽에 불길이 올랐다. ③⇨〔饺子〕⇒juér

〔角鲨〕 jiǎoshā 명《魚》돔발상어. ⇒juéshā

〔角梳〕 jiǎoshū 명 뿔로 만든 빗. →〔梳子〕

〔角速度〕 jiǎosùdù 명《物》각속도.

〔角铁〕 jiǎotiě 명《機》앵글 스틸(angle steel). 산형강(山形鋼). L형강(鋼)

〔角头妻〕 jiǎotóuqī 명 옛날, 어릴 적부터 혼인이 정해진 아내.

〔角铣刀〕 jiǎoxǐdāo 명《機》산형(山形) 밀링 커터(milling cutter).

〔角岩〕 jiǎoyán 명《鑛》각석(角石).

〔角鹰〕 jiǎoyīng 명《鳥》뿔매.

〔角鱼〕 jiǎoyú 명《魚》성대.

〔角云〕 jiǎoyún 명 길흉사(吉凶事)가 있을 때 '喜xǐ棚'이나 '丧sāng棚'의 네 귀퉁이에 달아 맨 구름 모양의 판자(흰색과 남색으로 칠해짐).

〔角质〕 jiǎozhì 명《生》각질.

〔角雉〕 jiǎozhì 명《鳥》수계(綬鷄).

〔角柱体〕 jiǎozhùtǐ 명《數》각주(角柱). =〔棱léng柱体②〕

〔角锥体〕 jiǎozhuītǐ 명《數》각추(角錐). =〔角锥〕〔棱léng锥体〕

〔角子〕 jiǎozi 명 ①〈方〉옛날의 '1角'·'2角'의 은화(銀貨). ②야채 소를 넣은 '饺子'.

佼 jiǎo (교)

형〈文〉①아름답다. 예쁘다. ¶～人；미인. ②빼어나다. 우수하다.

〔佼佼〕 jiǎojiǎo 형〈文〉(재주가) 남보다 뛰어나다. ¶庸yōng中～；〈成〉보통 사람보다 뛰어나다 / ～者；뛰어난 존재.

〔佼童〕 jiǎotóng 명〈文〉미소년(美少年).

狡 jiǎo (교)

①형 교활하다. 음험하다. 간사하다. ②동 미치다. 발광하다. ③형 아름답다. 예쁘다. ④형 건장하다. ⑤명 강아지.

〔狡辩〕 jiǎobiàn 동 교활하게 변명을 하다. 명 궤변. 교활한 언사.

〔狡供〕 jiǎogòng 명 교활한 진술. 교활한 변명. 간사한 핑계. ¶不要信他的～；그의 교활한 진술〔변명〕을 믿지 마라.

〔狡棍〕 jiǎogùn 명 교활한 악당.

〔狡猾〕 jiǎohuá 형 교활〔간사〕하다. ¶性情～，奸谋百出；성격이 교활해서 별의별 간계를 다 생각해 내다. =〔狡滑〕

〔狡计〕 jiǎojì 명 교활한 계교. 간책(奸策).

〔狡捷〕 jiǎojié 형 교활하고 재빠르다. ¶在野兽里面，狐狸算是顶～的；짐승 가운데서 여우가 가장 교활하고 재빠른 편이다.

〔狡狯〕 jiǎokuài 형 교활하다. ¶故弄～；(속이기 위해) 못된 꾀를 부리다.

〔狡赖〕 jiǎolài 동 교활하게 변명하여 발뺌하다. 교

활하게 딱 잡아떼다. ¶你尽jǐn管怎么样～, 也是你做错了; 네가 아무리 강변(強辯)해도 역시 네 과실이다. →〔狡展zhǎn〕
〔狡骗〕 jiǎopiàn 동 교활하게 속이다.
〔狡强〕 jiǎoqiáng 동 이치에 맞지 않는 말로 교묘히 속여 억지를 쓰다.
〔狡童〕 jiǎotóng 명〈文〉①미소년. ②〈轉〉경박한 소년.
〔狡兔三窟〕 jiǎo tù sān kū〈成〉교활한 토끼는 세 개의 굴이 있다《일신(一身)을 지키고 재난을 피하는 데 매우 용의주도함》.
〔狡兔死走狗烹〕 jiǎotù sǐ zǒugǒu pēng 토끼를 다 잡으면 사냥개는 볼일이 없으므로 주인에게 잡아 먹힌다《유용했던 인간도 볼일을 다 보면 버림을 받는다》.
〔狡脱〕 jiǎotuō 동 술책을 부려 도망치다.
〔狡黠〕 jiǎoxiá 형〈文〉교활하다. 간교하다. =〔狡伪〕
〔狡诈〕 jiǎozhà 형 교활하다. 간사하다.
〔狡展〕 jiǎozhǎn 동 속이다. 교묘하게 발뺌을 하다. 억지를 쓰며 다투다. ¶真凭实据都给人拿着了, 他还～呢; 확실한 증거가 완전히 잡혀 있는데도, 그는 속이려고 든다/你就不要在这儿～了, 赔个不是不就完了? 그렇게 억지를 부리지 마라. 사과해 버리면 그만 아닌가? →〔狡赖〕

饺(餃) jiǎo (교) (～儿, ～子) 명 만두. 교자. ¶水～儿; 물만두/烫面～儿; 익반죽한 피로 만든 만두. =〔角jiǎo⑭〕
〔饺子〕 jiǎozi 명 만두. 교자. ¶～皮; 만두피/包～; ⓐ만두를 빚다. ⓑ〈俗〉에워싸서 독 안의 쥐로 만들어 섬멸하다/见着～都不乐; 만두를 보고도 웃지 않다《무표정함》. =〔〈文〉饺饵〕〔饺儿〕〔角儿③〕 注 물에 찐 것을 '蒸～', 삶은 것을 '水～' '煮～' '煮饽bō饽', 납작한 냄비에 한쪽 면만 구운 것을 '锅贴(儿)', 기름에 튀긴 것을 '煎～'라고 함.

绞(絞) jiǎo (교) ①동 (끈·밧줄 따위로) 조르다. 죄다. ②동 목을 매다. 교수형(絞首刑)에 처하다. ¶～刑; ⇩/～架; ⇩ ③동 (실을) 한데 꼬다. 꼬아서 합치다. ¶两条线～在一块儿; 두 가닥의 실을 한데 꼬다. ④동 쥐어짜다. 비틀다. ¶把毛巾～干; 타월을 꼭 짜다/满身大汗, 连头发上都可以～出水来; 온몸이 땀투성이어서 머리털에서도 쥐어짜면 물이 나온다/～脑汁; ⇩ =〔拧níng〕 ⑤동 뒤얽히다. (복잡하게) 엉키다. ¶好多问题～在一起, 闹不清楚了; 많은 문제가 뒤얽혀서 뭐가 뭔지 모르게 되어 있다. ⑥동《機》(리머(reamer)로) 절삭하다. ¶～孔; 리머로 구멍을 깎다. =〔铰jiǎo②〕 ⑦양 타래《면사(綿絲)나 털실 등을 세는 단위》. ¶一～毛线; 털실 한 타래. ⑧동 감다. 감아 올리다. ¶～车; ⇩/～盘pán; ⇩/～着辘轳汲水; 고패를 돌려 물을 퍼 올리다. ⑨동 송곳으로 쑤시듯 몹시 아프다. ¶～着疼; 욱신욱신 아프다.
〔绞包针〕 jiǎobāozhēn 명 ①포장용 핀. ②마대(麻袋) 따위를 꿰매는 굵은 바늘.
〔绞肠痧〕 jiǎochángshā 명《漢醫》곽란(霍亂). 급성 장염(腸炎).
〔绞车〕 jiǎochē 명《機》자아틀. 윈치(winch). =〔卷juǎn扬机〕
〔绞车杆〕 jiǎochēgān 명《機》권양기〔윈치(winch)〕의 조종간.
〔绞车棘轮〕 jiǎochē jílún 명《機》권양기〔윈치〕의 톱니바퀴〔래칫(ratchet)〕.
〔绞床〕 jiǎochuáng 명《機》리머(reamer)반(盤).
〔绞刀〕 jiǎodāo 명《機》확공기(擴孔器). 리머. ¶手(用)～; 핸드 리머(hand reamer).
〔绞犯〕 jiǎofàn 동 죄인을 교수형에 처하다. 명 교수형에 처해질 죄인.
〔绞果子器〕 jiǎoguǒziqì 명 주서(juicer). 과일 믹서(mixer).
〔绞架〕 jiǎojià 명 교수대. =〔吊diào架②〕
〔绞决〕 jiǎojué 명 교수형. 동 교수형을 집행하다.
〔绞脸〕 jiǎo·liǎn 동 (옛날) 여성이 실로 얼굴의 잔털을 뽑다. =〔绞面〕
〔绞链〕 jiǎoliàn 명 ①(쇠)사슬. ②큰 사슬. 닻사슬.
〔绞面〕 jiǎo·miàn 동 ⇨〔绞脸〕
〔绞脑汁〕 jiǎo nǎozhī 머리를 쓰다. 지혜를 짜내다. ¶绞尽脑汁; 온갖 지혜를 짜내다. =〔费fèi脑筋〕
〔绞盘〕 jiǎopán 명《機》①캡스턴(capstan). ②캡스턴 윈치(capstan winch). =〔绞盘卷扬机〕
〔绞肉〕 jiǎoròu 동 고기를 다지다〔갈다〕. ¶用手摇～机～; 손으로 고기 다짐기(器)를 돌려 고기를 다지다. 명 다진〔간〕 고기.
〔绞肉机〕 jiǎoròujī 명 고기를 가는 기계. =〔绞肉器〕
〔绞杀〕 jiǎoshā 동 교살하다. 목을 졸라 죽이다.
〔绞纱〕 jiǎoshā 명《紡》실타래.
〔绞手〕 jiǎo·shǒu 동 손을 비비다. (jiǎoshǒu) 명《機》탭 렌치(tap wrench).
〔绞水〕 jiǎo·shuǐ 동 고패로 우물물을 푸다.
〔绞丝旁〕 jiǎosīpáng 명 실사변《한자 부수의 하나. '纸·约' 등의 '纟'의 이름》. =〔绞丝儿〕
〔绞死〕 jiǎosǐ 동 ①목을 졸라 죽이다. ②목매어 죽다.
〔绞索〕 jiǎosuǒ 명 목을 조르는〔매는〕 밧줄. 올가미. ¶把～套在自己的脖子上; 목매는 줄을 자기 목에 걸다.
〔绞台〕 jiǎotái 명 교수대. 처형대.
〔绞痛〕 jiǎotòng 형 (쥐어짜듯이) 몹시 아프다. ¶肚子～; 쥐어짜듯이 배가 아프다/心～; 협심증. 명 쥐어짜는 듯한 아픔. 내장의 발작적 격통.
〔绞线〕 jiǎo·xiàn 동 ①실이 얽히다. ②두 가지 방법이 뒤섞이다. (일이) 뒤죽박죽이 되다.
〔绞刑〕 jiǎoxíng 명 교수형.
〔绞缢〕 jiǎoyì 동〈文〉목 졸라〔목 죄어〕 죽이다.
〔绞罪〕 jiǎozuì 명《法》교수형.

铰(鉸) jiǎo (교) 동〈口〉①가위로 베다〔자르다〕. ¶用剪子～; 가위로 베어 내다/把绳子～开; 밧줄을 가위로 자르다. =〔剪jiǎn①〕 ②《機》(리머로) 절삭(切削)하다. ¶～孔; 리머로 구멍을 깎다. =〔绞⑥〕
〔铰刀〕 jiǎodāo 명 ①가위. ②《機》리머.
〔铰断〕 jiǎoduàn 동 가위로 자르다.
〔铰剪〕 jiǎojiǎn 명 가위.
〔铰接〕 jiǎojiē 동 경첩으로 접속〔연결〕하다. ¶～式无轨电车; 관절식 트롤리(trolley) 버스.
〔铰具〕 jiǎojù 명 경첩.
〔铰开〕 jiǎokāi 동 가위로 베다. 잘라 내다.
〔铰链〕 jiǎoliàn 명 ①경첩. =〔合hé叶〕 ②《機》힌지(hinge). ¶～接合; 힌지 조인트(hinge joint). ③《機》(크레인의) 앵커 체인(anchor

chain).
〔铰票〕 jiǎo piào 차표 따위에 가위질을 하다. 개찰하다. ¶～了! 개찰합니다! ＝〔剪jiǎn票〕 → 〔查chá票〕
〔铰纸花〕 jiǎo zhǐhuā 조화(造花) 세공을 하다.

皎 jiǎo (교) ①형 희고 밝다. ¶～日; ⇓/～洁; ⇓/～白驹; 백마(白馬). ②형 분명하다. 명백하다. ③형 빛나다. ④명 성(姓)의 하나.
〔皎白〕 jiǎobái 형 새하얗다.
〔皎黄〕 jiǎohuáng 명《色》주황색. 울금색.
〔皎皎〕 jiǎojiǎo 형〈文〉①결백하다. 깨끗하다. ②교교하다. 새하얗고 밝다. ¶～的月光; 교교한 달빛.
〔皎洁〕 jiǎojié 형 ①(달이) 밝고 희다. ②순결하다. 밝고 깨끗하다. ③공명 정대하다.
〔皎然〕 jiǎorán 형〈文〉①밝고 환하다. ②분명하다. 명백하다. ¶～在人耳目; 다른 사람들에게 명백해지다.
〔皎日〕 jiǎorì 명 밝은 해.

筊 jiǎo (교) 명 ①대끈. 죽삭(竹索)《댓조각을 잘게 쪼개어 만든 줄》. ②옛날의 소(簫)《대로 만든 악기》. ③옛날, 점복(占卜)에 쓰이던 바가지 모양의 것. ＝〔杯bēi筊〕〔珓jiào〕

侥(僥) jiǎo (요) →〔侥幸〕 ⇒yáo
〔侥幸〕 jiǎoxìng 명 우연한 행운. 요행. ¶～取胜; 요행으로 승리를 얻다/心存～; 마음에 요행을 바라다. 형 운이 좋다. 요행이다. 부 다행히. 운좋게도. ‖＝〔儌倖〕〔儌倖〕

挢(撟) jiǎo (교) 동〈文〉위로 올리다. 들어올리다. ＝〔抬起〕
〔挢捷〕 jiǎojié 형〈文〉행동이 경쾌하고 민첩하다.
〔挢舌〕 jiǎoshé 동〈文〉놀라서 혀를 말아 올린 채 말소리가 안 나오다. 놀라서 혀를 빼물다. 어이없어 하다.

矫(矯) jiǎo (교) ①동 교정하다. 시정하다. 고치다. ¶痛～前非; 〈成〉이전의 잘못을 크게 고치다/～正错cuò误; 잘못을 교정하다. ②동 가장하다. 위조하다. 속이다. ¶～命; 명령을 위조하다/～饰外貌; 외모를 속여 꾸미다. ③동〈文〉들다. ¶～首而望; 얼굴을 쳐들고 보다. ④형 용감하다. 강하다. 늠름하다. 씩씩하다. ¶～健; ⇓ ⑤명 성(姓)의 하나. ⇒jiáo
〔矫激〕 jiǎojī 동〈文〉일부러 상궤를 벗어날 정도로 과격한 행동을 하다.
〔矫健〕 jiǎojiàn 형 ①씩씩하고 힘차다. ¶～的步伐; 씩씩하고 힘찬 발걸음. ②건전하다.
〔矫矫〕 jiǎojiǎo 형〈文〉①용감한 모양. ②높이 올리는〔오르는〕 모양. ¶～不群; 일반 수준을 훨씬 능가하다. 발군하다.
〔矫捷〕 jiǎojié 형 늠름하고 민첩하다. 힘차고도 잽싸다. ¶他飞速地攀到柱顶, 像猿猴那样～; 그는 나는 듯 빠르게 기둥 꼭대기까지 기어올랐는데, 마치 원숭이처럼 재빨랐다.
〔矫亢〕 jiǎokàng 동〈文〉(일부러 남과 다른 짓을 하여) 스스로 우쭐해하다. 으스대다.
〔矫理(儿)〕 jiǎolǐ(r) 동 억지 이론을 펴다. 생떼 쓰다. 억지로 끌어다 붙이다. ¶这件事明明是你做了, 不要再瞎xiā～了; 이 일은 분명히 네가 한 짓이니, 다시는 억지 생떼 쓰지 마라.
〔矫命〕 jiǎomìng 동〈文〉상부의 명령이라고 속이다.
〔矫扭〕 jiǎoniǔ 형 성질이 순박(淳朴)하지 못하다. 비꼬이다.
〔矫强〕 jiǎoqiáng 동 견강부회(牽強附會)하다. 억지로 끌어다 붙이다. ¶本来没理, 还～什么? 처음부터 이치에 맞지 않았는데, 무얼 또 억지를 부리려느냐?
〔矫情〕 jiǎoqíng 동〈文〉고의로 일반적 도리를 위반하여 남과 다르거나 뛰어남을 나타내다. ⇒jiáoqing
〔矫揉〕 jiǎoróu 동〈文〉(잘못을) 바로잡다. 고치다. 교정하다.
〔矫揉造作〕 jiǎo róu zào zuò〈成〉일부러 과장하다. 부자연스럽게 행동하다. ¶大家都是熟朋友, 你不要这么～地假客气; 모두 잘 알고 있는 친구들이니까, 자넨 지나치게 스스러워하지 않아도 된다.
〔矫世〕 jiǎoshì 동 ⇨〔矫俗〕
〔矫饰〕 jiǎoshì 동〈文〉억지로 꾸미다. 외모를 거짓으로 꾸미다.
〔矫首〕 jiǎoshǒu 동〈文〉고개를 들다.
〔矫俗〕 jiǎosú 동 사회의 못된 풍습을 바로잡다. ¶移风～; 〈成〉풍속을 고치다. ＝〔矫世〕
〔矫托〕 jiǎotuō 동〈文〉거짓 핑계를〔구실을〕 대다. 가탁(假托)하다.
〔矫枉过正〕 jiǎo wǎng guò zhèng〈成〉폐해를 고치려 하다가 오히려 더 나빠지다. ¶他最近戒除烟酒, 自然是很好, 可是连茶都不肯喝一杯, 未免～了; 그가 최근 술·담배를 끊은 것은 물론 잘한 일이지만, 차 한 잔조차 마시지 않는다는 것은 좀 지나치다/矫枉必须过正; 폐해를 바로잡으려면 철저한 방법을 취해야 한다.
〔矫诬〕 jiǎowū 동〈文〉속이다. 기만하다. ¶这明明是一种～的态度, 我不能接受; 이것은 분명히 사기 행위이니, 나는 받아들일 수 없다.
〔矫形〕 jiǎoxíng 동《醫》정형하다. ¶牙齿～; 치열 교정/～外科; 정형 외과.
〔矫诏〕 jiǎozhào 동〈文〉조서(詔書)라고 사칭하다.
〔矫正〕 jiǎozhèng 동 바로잡다. 고치다. 교정하다. ¶～错误; 잘못을 바로잡다/～偏差; 편차를 교정하다. 명 교정.
〔矫直〕 jiǎozhí 동 바르게 하다. 바로잡다. ¶～机; 《機》교정기(矯正機). ＝〔调diào直〕〔校jiào直〕
〔矫治〕 jiǎozhì 동〈文〉교정(矯正)하다.
〔矫制〕 jiǎozhì 동〈文〉조정(朝廷)의 명령이라고 사칭하다.

跻(蹻) jiǎo (교) 형 용맹스럽다. 강하다. ¶～勇yǒng; 힘이 센 모양. ⇒qiāo, '屩' juē

鲚(鱎) jiǎo (교) 명 ⇨〔鲌bó〕

脚〈腳〉 jiǎo (각) 명 ①발《발목부터 발끝까지의 부분》. ¶手～; 손발/没有下～的地方; 발 디딜 곳도 없다/一只～; 한쪽 발/一双～; 양쪽 발. →〔腿tuǐ〕 ②(동물 또는 도구류의) 발. ¶桌子～＝〔桌腿〕; 책상 다리/高～杯; (포도주·샴페인 등의) 발이 긴 잔. ③물건의 최하부. ¶山～; 산기슭/墙～; 담밑. ④운임. ＝〔〈方〉运脚〕 ⑤체력(體力)으로 운반하는 것과 관계되는 것. ¶～夫; ⇩/骡～; 운반용의 노새/车～; 운반용의 수레. ⑥위로부터 수직으로 내려진 것. ¶雨～; 빗발/日～; 햇발. ⑦〈方〉(그다지 좋지 않은 의미로 소량의) 남은 것. 나머지. 우수리. 여분. ¶酒～; 술 남은 것. ⇒jué
〔脚板〕 jiǎobǎn 명 ①〈方〉 발바닥. =〔脚掌〕 ②페달(pedal). 발판. ¶踩～; 페달을 밟다.
〔脚板气〕 jiǎobǎnqì 〈比〉 업신여김. 모욕. ¶受人家的～; 남에게 모욕을 당하다.
〔脚背〕 jiǎobèi 명 발등. =〔脚面〕
〔脚本〕 jiǎoběn 명 (영화·연극의) 대본(臺本). 각본. →〔剧jù本(儿)〕
〔脚脖子〕 jiǎobózi 명 〈京〉 발목. =〔脚腕子〕
〔脚布〕 jiǎobù 명 발수건.
〔脚步(儿)〕 jiǎobù(r) 명 ①보폭(步幅). 걸음나비. ¶～大; 보폭이 넓다. ②발걸음. 걸음걸이. ¶放慢了～; 발걸음을 늦췄다/～蹒pán跚的老人; 발걸음이 비틀거리는 노인/踏着沉重的～走了下来; 무거운 걸음걸이로 내려왔다. ③발소리. ¶听不出～来; 발소리를 들을 수 없다. ④(추상적 의미의) 발자취.
〔脚踩两只船〕 jiǎo cǎi liǎngzhī chuán 〈諺〉 두 척의 배에 걸터 타다《양다리 걸치다》. =〔脚踏两只船〕
〔脚踩棉花〕 jiǎo cǎi miánhua (술·병기운 등으로) 다리가 후들후들하다. 다리에 힘이 없어 비틀거리다.
〔脚踩石〕 jiǎocǎishí 명 디딤돌. 징검돌.
〔脚车〕 jiǎochē 명 사람을 태우는 일륜차(一輪車). 자전거.
〔脚程〕 jiǎochéng 명 각력(脚力). 다리 힘. 걷는 능력. ¶这匹马～很好; 이 말은 먼길을 갈 수 있다.
〔脚搭子〕 jiǎodāzi 명 ①발판. ②책상의 발디딤대. =〔脚踏子〕
〔脚打脑勺子〕 jiǎo dǎ nǎosháozi 〈比〉 빨리 달리다. ¶听见了一点儿消息, ～地就跑回来报告了; 소식을 좀 듣기만 하면 나는 듯이 달려와 보고하였다.
〔脚灯〕 jiǎodēng 명 《劇》 각광(脚光). 푸트 라이트(footlight).
〔脚蹬〕 jiǎodēng 명 페달. ¶自行车～; 자전거의 페달.
〔脚蹬板(儿)〕 jiǎodēngbǎn(r) 명 (기계·자동차 따위의) 발판(板). 디딤판. =〔脚踏板儿〕〔踏tà板(儿)④〕
〔脚蹬子〕 jiǎodēngzi 명 ①⇨〔脚踏子〕 ②(기계의) 다리 받침대. ③발을 얹는 것《말의 등자·자전거의 페달 따위》.
〔脚凳〕 jiǎodèng 명 발판.
〔脚底板(儿)〕 jiǎodǐbǎn(r) 명 〈方〉 발바닥. ¶山高高不过～; 산이 높다 해도 발바닥보다 높지는 않다.
〔脚底下〕 jiǎodǐxia 명 ①발 아래. ②발 밑. ¶～使绊bàn子; 〈比〉 몰래 사람을 함정에 빠뜨리다. ③발. 걸음. ¶～一用力, 就追上他了; 조금만 힘을 내면 그를 따를 수 있다.
〔脚地〕 jiǎodì 명 ①〈方〉 가옥 안의 봉당. ②구석.
〔脚垫〕 jiǎodiàn 명 인력거의 발판《손님이 발 놓는 데》.
〔脚肚子〕 jiǎodùzi 명 장딴지.
〔脚风湿〕 jiǎofēngshī 명 〈俗〉 ⇨〔脚气①〕
〔脚夫〕 jiǎofū 명 ①옛날의 짐꾼. ②(짐발이) 소몰이꾼.
〔脚杆(子)〕 jiǎogān(zi) 명 ①정강이. 종아리. ②다리에 의한 노동력.
〔脚根〕 jiǎogēn 명 ⇨〔脚跟〕
〔脚跟〕 jiǎogēn 명 발뒤꿈치. ¶立住～; 기반을 굳히다. =〔脚根〕〔脚后跟〕
〔脚孤拐〕 jiǎogūguai 명 〈方〉 발의 제1 설상골(楔狀骨) 부분. =〔孤拐(儿)②〕
〔脚行〕 jiǎoháng 명 ①포터(porter). 운반인. 운송 노동자. ②운송업.
〔脚后跟〕 jiǎohòugen 명 발뒤꿈치. ¶～打后脑勺; 발뒤꿈치로 목덜미를 치다《바삐 쫓아 헤매다》. =〔脚跟〕〔脚根〕
〔脚划船〕 jiǎohuáchuán 명 발로 노를 젓는 1·2인승의 작은 배《장쑤(江蘇)·저장(浙江) 지방에 많음》.
〔脚踝(骨)〕 jiǎohuái(gǔ) 명 복사뼈. 거골(距骨). =〔〈俗〉 脚眼〕
〔脚货〕 jiǎohuò 명 하등품.
〔脚鸡眼〕 jiǎojīyǎn 명 《生》 발에 생기는 티눈.
〔脚急〕 jiǎojí 형 발걸음이 급하다. ¶你怎么这么～, 话没说完就跑了; 너는 왜 그렇게 성급하냐, 이야기도 끝나기 전에 벌써 가 버리다니.
〔脚迹〕 jiǎojì 명 발자국. =〔脚印(儿)②〕
〔脚价〕 jiǎojià 명 (사람·마소에 의한) 운임. 운반비.
〔脚尖(儿)〕 jiǎojiān(r) 명 발끝. 발가락 끝. ¶踮diǎn着～走; 발돋움하고〔발끝으로〕 걷다/～舞; 토 댄스(toe dance).
〔脚劲(儿)〕 jiǎojìn(r) 명 〈方〉 다리 힘. ¶妈妈的眼睛不如从前了, 可是～还很好; 어머니의 눈은 전 같지 않지만, 다리는 아직 매우 튼튼하다.
〔脚扣〕 jiǎokòu 명 디딤쇠.
〔脚擂鼓一世苦〕 jiǎo léigǔ yīshì kǔ 〈諺〉 발을 떠는 사람은 평생 고생한다.
〔脚力〕 jiǎolì 명 ①다리 힘. ¶这匹马～出众; 이 말은 다리 힘이 유달리 세다. ②운반비. 운임. ③옛날, 짐꾼. 운반 인부. ④옛날, 선물을 보낼 때 심부름꾼에게 주는 삯.
〔脚镣(儿)〕 jiǎoliào(r) 명 차꼬. 족쇄. ¶套～; 차꼬를 채우다.
〔脚炉〕 jiǎolú 명 발을 쬐는 난로.
〔脚驴〕 jiǎolǘ 명 손님을 태우는 나귀. 짐삯을 벌어들이는 나귀.
〔脚馒头〕 jiǎomántou 명 〈方〉 무릎.
〔脚门〕 jiǎomén 명 ⇨〔角门(儿)〕
〔脚面〕 jiǎomiàn 명 발등. ¶～上长眼睛; 발등에 눈이 생기다《자기가 높이 보이다. 자부〔자만〕하다》. =〔脚背〕
〔脚气〕 jiǎoqì 명 《醫》 ①각기(脚氣). =〔〈俗〉 脚风湿 fēngshī〕 ②⇨〔脚癣〕
〔脚前脚后〕 jiǎo qián jiǎo hòu 〈成〉 전후하여. 앞서거니 뒤서거니. ¶我是～跟着他来的; 나는 앞서거니 뒤서거니 하며, 그를 따라왔다.
〔脚钱〕 jiǎoqián 명 ①가게에서 산 물건을 배달하여 준 점원에게 주는 팁. ②운임 기입장. ③운임. 거마비. 여비(旅費).
〔脚轻〕 jiǎoqīng 형 발걸음이 가볍다. ¶你走起来～着点儿; 발걸음을 가볍게 해라. ↔〔脚重〕
〔脚儿〕 jiǎor 명 발《흔히, 여자의 발》. ¶小xiǎo～; 옛날, 전족(纏足)한 (작은) 발.
〔脚软〕 jiǎoruǎn 형 다리가 나른하다. 다리에 맥이 없다.
〔脚煞〕 jiǎoshā 명 발로 밟는 브레이크. 푸트(foot) 브레이크.

〔脚上泡〕 jiǎoshàng pào ①발에 생긴 물집. ②〈轉〉 스스로 노력하여 얻은 성과. 일해서 흘린 땀의 결정(結晶).
〔脚手〕 jiǎoshǒu 명 ①발과 손. ②⇨〔脚手架〕
〔脚手架〕 jiǎoshǒujià 명 《建》 비계(飛階). =〔脚手②〕
〔脚酸腿软〕 jiǎosuān tuǐruǎn 피곤해서 다리가 시큰시큰하고 나른하다. ¶跑了一天, 累得我～; 종일 걸어다녔더니 피곤해서 다리가 시큰시큰하고 나른하다.
〔脚踏板轴〕 jiǎotàbǎnzhóu 명 《機》 페달.
〔脚踏车〕 jiǎotàchē 명 〈南方〉 자전거. ¶～汽泵; 자전거 펌프 / ～轮胎; 자전거 타이어 / ～行háng; 〈方〉 자전거포. =〔自行车〕
〔脚踏两只船〕 jiǎo tà liǎngzhī chuán 〈諺〉 ⇨〔脚踩cǎi两只船〕
〔脚踏盘〕 jiǎotàpán 명 발판. 페달.
〔脚踏汽车〕 jiǎotà qìchē 명 오토바이. =〔机器脚踏车〕
〔脚踏实地〕 jiǎo tà shí dì 〈成〉 땅을 힘껏 밟다 《착실히 일을 하는 모양》. ¶作事总要作得～才好; 일을 하려면 착실해야 한다.
〔脚踏子〕 jiǎotàzi 명 책상의 발디딤대. =〔脚搭子②〕〔脚登儿〕〔脚蹬dēng子①〕〔脚踏儿〕
〔脚踢球〕 jiǎotīqiú 명 《體》 (핸드볼의) 킥 볼《파울의 하나》.
〔脚头〕 jiǎotóu 명 발끝. 발. ¶～坚硬; (축구 따위에서) 킥이 강하다.
〔脚腕〕 jiǎowàn 명 수족. ¶转动～; 수족을 움직이다.
〔脚腕子〕 jiǎowànzi 명 발목. =〔拐guǎi棒骨①〕〔腿tuǐ腕子〕〔〈方〉 脚脖子〕〔脚腕儿〕
〔脚窝〕 jiǎowō 명 ①족심(足心). ②발자국. ¶一步一个～; 한 걸음마다 발자국을 남기다. 〈比〉 행동이 착실하여 일일이 책임을 지다.
〔脚下〕 jiǎoxià 명 ①발 밑. 발 아래. ¶突然～一滑, 我跌倒在地上; 갑자기 미끄러져, 나는 땅 위에 나뒹굴었다. ②〈文〉 지금. 바로. 목하. →〔现xiàn在〕 ③〈方〉 무렵. 부근. ¶冬至～; 동지 무렵.
〔脚心(儿)〕 jiǎoxīn(r) 명 발바닥의 오목한 부분. 족심(足心). =〔脚掌心〕
〔脚癣〕 jiǎoxuǎn 명 발의 무좀. =〔脚气②〕
〔脚丫把(儿)〕 jiǎoyāba(r) 명 발가락. =〔脚丫巴(儿)〕
〔脚丫缝儿〕 jiǎoyāfèngr 명 ⇨〔脚指缝儿〕
〔脚丫子〕 jiǎoyāzi 명 〈方〉 발. ¶光着～; 맨발이 되다. =〔脚巴丫儿〕〔脚鸭儿〕〔脚鸭子〕
〔脚鸭子〕 jiǎoyāzi 명 ⇨〔脚丫子〕
〔脚印(儿)〕 jiǎoyìn(r) 명 ①발 모양을 종이에 찍은 것《글씨 못 쓰는 남편이 아내와의 이혼장 대신에 두 발을 먹 또는 인주로 찍어서 주던 것》. ②발자국. ¶～是自己走出来的; 발자국은 스스로 걸어서 만든 것이다《자기가 한 짓은 지워지지 않는다》. =〔脚迹〕
〔脚鱼〕 jiǎoyú 명 《動》 자라. =〔甲jiǎ鱼〕
〔脚闸〕 jiǎozhá 명 (자전거의) 코스터 브레이크 (coaster brake).
〔脚掌〕 jiǎozhǎng 명 발바닥《땅에 닿는 부분》. =〔〈方〉 脚板①〕
〔脚掌心〕 jiǎozhǎngxīn 명 ⇨〔脚心(儿)〕
〔脚爪〕 jiǎozhǎo 명 〈方〉 동물의 발톱.
〔脚正不怕鞋歪〕 jiǎo zhèng bùpà xié wāi 〈諺〉 발 모양이 바르면, 신발 형태가 일그러져 있어도 관계없다《스스로 바르면, 아무것도 두려워할 것이 없다》.
〔脚指〕 jiǎozhǐ 명 발가락.
〔脚指缝儿〕 jiǎozhǐfèngr 명 발샅. 발가락 사이. =〔脚丫缝儿〕
〔脚指甲(儿)〕 jiǎozhǐjia(r) 명 발톱.
〔脚指头(儿)〕 jiǎozhǐtou(r) 명 〈口〉 발가락. ¶～缝子; 발가락의 볼록한 곳 / ～缝儿; 발가락 사이.
〔脚趾〕 jiǎozhǐ 명 발가락.
〔脚重〕 jiǎozhòng 형 발걸음이 무겁다〔둔중하다〕. ¶他走路真～, 人没到声音先到了; 그는 발걸음이 둔중하기 때문에, 사람이 닿기 전에 소리가 먼저 닿는다. ↔〔脚轻〕
〔脚注〕 jiǎozhù 명 각주. ¶给…作～; …에 각주하다.
〔脚踪(儿)〕 jiǎozōng(r) 명 발자국. ¶踩人的～; 선인(先人)의 발자취를 따르다.

湫 jiǎo (초)

형 〈文〉 (지세(地勢)가) 움푹하고 좁으며 습기차다. ⇒qiū
〔湫隘〕 jiǎo'ài 형 〈文〉 저습(低濕)하고 좁다.

搅(攪) jiǎo (교)

동 ①휘젓다. 휘저어 섞다. ¶把喂马的料豆和草～匀; 말꼴에 콩과 풀을 고루 섞어라 / 把锅～一～; 냄비 속의 것을 고루 섞다. ②뒤섞다. 혼합하다. ¶不能让好的坏的～在一起; 좋은 것과 나쁜 것을 한데 뒤섞어 놓을 수 없다. ③휘정거리다. 방해하다. 혼란시키다. 떠들썩하게 만들다. ¶他睡着了, 不要～他! 그는 잠들었으니 방해하지 말도록 해라! / 我现在忙, 你别～我; 나는 지금 바쁘니, 방해하지 마라. ④교제하게 하다. 사귀다. ¶～成一体; 교제하여 일체(一體)가 되다. ⑤〈方〉 언쟁하다. 다투다.
〔搅拌〕 jiǎobàn 동 휘저어 섞다. 반죽하다. 이기다. ¶～混凝土; 콘크리트를 휘저어 섞다.
〔搅拌机〕 jiǎobànjī 명 《機》 믹서. 교반기.
〔搅动〕 jiǎo·dòng 동 ①(막대로 액체를) 휘젓다. ②교란하다. 훼방놓다.
〔搅害〕 jiǎohài 동 혼란시켜〔휘저어〕 방해하다.
〔搅合〕 jiǎohe 동 뒤섞어서 조화시키다. 휘저어 섞다. ¶要是嫌稀, 就～一点儿面粉; 묽은 것을 싫어한다면 밀가루를 좀 더 섞어라 / ～机; 믹서 (mixer).
〔搅化〕 jiǎohuà 동 휘저어 녹이다. ¶把糖～了; 설탕을 휘저어 녹였다.
〔搅浑〕 jiǎo·hún 동 휘정거리다. 휘저어 흐리게 하다《흔히, 비유에 쓰임》. ¶把水～; 물을 휘저어 혼탁하게 하다.
〔搅混〕 jiǎohun 동 ①휘정거리다. 혼란을 야기시키다. ②(뒤)섞이다. ¶歌声和笑声～成一片; 노랫소리와 웃음소리가 한데 뒤섞이다.
〔搅和〕 jiǎohuo 동 〈口〉 ①혼합하다. 뒤섞다. 휘젓다. 뒤엉클다. ¶把水搀chān上去, 一～就成了; 물을 섞어 한 번 휘저으면 그것으로 된다 / 惊奇和喜悦的心情～在一起; 놀라움과 기쁜 마음이 함께 뒤섞이다. ②훼방놓다. 방해하다. ¶事情让他～糟了; 일은 그 사람이 훼방놓는 통에 엉망이 되었다.
〔搅惑〕 jiǎohuo 동 혼란시켜 갈피를 못잡게 하다. ¶没你的事, 你又插chā腿, 这不是～吗! 자네에겐 관계 없는 일인데 또 끼여들다니, 이건 훼방놓으려는 것 아닌가!
〔搅家〕 jiǎojiā 동 가정을 어지럽히다〔혼란시키다〕. ¶他娶了个～的妻子; 그는 가정을 혼란시키는 처

와 결혼했다.
〔搅局〕 jiǎo·jú 동 (사태를) 어지럽히다. 혼란시키다. ¶意见好不容易统一了, 你别再来～了! 겨우 의견의 통일을 보았으니, 자네는 이제 어지럽히지 말게!
〔搅炼炉〕 jiǎoliànlú 명《機》 패들로(paddle爐)《반사로의 하나》.
〔搅乱〕 jiǎoluàn 동 ①교란하다. ¶这种说法是为了～人们的视线; 그런 말투는 틀림없이 사람들의 시선을 딴 데로 돌리기 위한 것이다. ②방해하다. 망치다.
〔搅闹〕 jiǎonào 동 소란하게 하다. 소란을 피우다. ¶～的; 깡패. 등쳐 먹는 자. 무뢰한(無賴漢).
〔搅七念三〕 jiǎo qī niàn sān 멋대로 말을 늘어놓다. 이것저것 지껄여 혼란시키다.
〔搅扰〕 jiǎorǎo 동 방해하다. 귀찮게 하다. ¶姐姐温习功课, 别去～她! 누나는 복습을 하고 있으니까, 가서 방해하지 마라! =〔打dǎ搅〕
〔搅是搅非〕 jiǎo shì jiǎo fēi 〈成〉 혼란시켜 옳고 그름을 전도시키다.
〔搅醒〕 jiǎoxǐng 동 떠들어서 잠을 깨게 하다. ¶我被一阵说话声～了; 나는 떠들썩한 말소리에 잠이 깨었다.
〔搅匀〕 jiǎoyún 동 고르게 뒤섞다. ¶搁上点儿白糖再～了; 설탕을 좀 넣고 골고루 섞어라.
〔搅汁器〕 jiǎozhīqì 명 믹서.

剿〈勦〉 jiǎo (초)
동 ①(무력으로) 토벌하다. 섬멸하다. ¶～匪fěi; ⇩ / 围wéi～; 포위 토벌〔섬멸〕하다. 〈比〉 뭇매를 가하다. ②약탈하다. ③죽이다. ⇒chāo
〔剿除〕 jiǎochú 동 ⇨〔剿灭〕
〔剿匪〕 jiǎofěi 동 비적을 토벌하다.
〔剿蝗〕 jiǎohuáng 동 메뚜기떼를 퇴치하다.
〔剿尽杀绝〕 jiǎojìn shājué 남김없이 토벌하다. 철저하게 해치우다.
〔剿绝〕 jiǎojué 동 ⇨〔剿灭〕
〔剿灭〕 jiǎomiè 동 토벌하여 멸(滅)하다. 철저하게 토벌하다. ¶～土匪; 비적을 토벌하여 섬멸하다. =〔剿除〕〔剿绝〕
〔剿拿〕 jiǎoná 동 〈文〉 토벌하여 체포하다.
〔剿平〕 jiǎopíng 동 토벌하여 평정하다.
〔剿讨〕 jiǎotǎo 동 토벌하다.
〔剿殄〕 jiǎotiǎn 동 〈文〉 멸(滅)하다. 멸망시키다.

敫 Jiǎo (약)
명 성(姓)의 하나.

僥 jiǎo (교)
→〔僥倖〕
〔僥倖〕 jiǎoxìng ⇨〔侥幸〕

徼 jiǎo (요)
① 동 〈文〉 구(求)하다. ② →〔徼倖〕 ⇒jiào
〔徼倖〕 jiǎoxìng ⇨〔侥幸〕

缴(繳) jiǎo (교)
동 ①바치다. 납부〔상납〕하다. 불입하다. ¶～公粮; (현물로) 농업세를 바치다 / 上～; 상납하다 / ～会费; 회비를 납입하다 / 未～资本; 미불입 자본 / ～股款; 주금(株金)을 불입하다. ②(무기를) 넘겨 주다. 무장을 해제하다. ¶～枪不杀! 무기를 버리면 죽이진 않는다!《적병에게 외치는 말》. ③원물(原物)을 반환하다. 되돌려 보내다. ¶～回一封信来了; 편지가 반송되어 왔다. ④얽히다. 걸리다. 휘감기다. ¶蜘zhī蛛～丝 =〔蜘蛛织zhī网〕; 거미가 집을 짓다 / 苛kē察～绕; 〈成〉 세세한 일에 시끄럽게 굴다. ⇒zhuó
〔缴案〕 jiǎo·àn 동《法》 사건을 넘기다.
〔缴保候审〕 jiǎobǎo hòushěn《法》 보석 중(保釋中). ¶～的人; 보석중인 사람.
〔缴呈〕 jiǎochéng 동 〈文〉 제출하다. ¶所有证据, 全部～法庭; 모든 증거를 전부 법정에 제출하다.
〔缴存〕 jiǎocún 동 〈文〉 내주어 보존하다. 예금하다. ¶你可将这批款项, 暂zàn时～某银行; 이 돈을 잠시 모 은행에 예금해 두어라.
〔缴费〕 jiǎo·fèi 동 비용을 납입하다.
〔缴付〕 jiǎofù 동 납부하다. 납입하다.
〔缴股〕 jiǎo·gǔ 동 주식의 불입을 하다《'缴纳股款'의 준말》.
〔缴裹儿〕 jiǎoguor 명 〈方〉 ⇨〔嚼jiáo裹儿〕
〔缴还〕 jiǎohuán 동 반환하다. ¶～借物; 빌린 물건을 반환하다 / 公共财物用毕请～原处! 공공물은 사용 후 원래 장소에 갖다 두십시오!
〔缴回〕 jiǎohuí 동 반환하다. 반납하다. ¶～农具; 농구를 반납하다 / 多余物资要～拨发单位! 잉여 물자는 발급 부문에 반환할 것!
〔缴获〕 jiǎohuò 동 ①획득하다. 노획하다. ¶～了不少武器弹药; 많은 무기와 탄약을 노획했다. ②되찾아서 제 것으로 만들다. 명 전리품. 노획품.
〔缴价〕 jiǎo·jià 동 〈文〉 대금(代金)을 지불하다. =〔付fù价〕
〔缴交〕 jiǎojiāo 동 내〔넘겨〕주다. 교부하다.
〔缴捐〕 jiǎo·juān 동 세금을 납부하다.
〔缴卷(儿, 子)〕 jiǎo juàn(r, zi) 답안지를 제출하다. ¶缴白卷 =〔交白卷〕; 백지 답안을 내다. =〔交卷(儿)①〕
〔缴款〕 jiǎokuǎn 명 납입금(納入金). 불입금. (jiǎo·kuǎn) 동 금전을 납부하다. 돈을 불입하다.
〔缴粮〕 jiǎo·liáng 동 ①곡물을 바치다. ②농업세를 바치다. =〔缴公粮〕
〔缴纳〕 jiǎonà 동 납입〔납부〕하다. 납세하다. ¶～证; 납입 증명서 / ～款; 불입금 / ～会费; 회비를 납부하다 / ～日期; 납부 기일. 불입 기일. =〔交纳〕
〔缴齐〕 jiǎoqí 동 전액 납입 완료하다. ¶各项捐款均已～; 각종 세금은 이미 납입 완료했다. =〔缴足〕
〔缴清〕 jiǎoqīng 동 전부 넘겨〔내〕 주다. 전부 불입하다. =〔交jiāo清〕
〔缴绕〕 jiǎorào 동 (어떤 일에) 휘감겨 붙다. 끈질기게 달라붙다.
〔缴税〕 jiǎo·shuì 동 납세하다. =〔纳nà税〕
〔缴丝〕 jiǎo·sī 동 (거미가) 실을 분비하여 붙이다. 집을 짓다.
〔缴销〕 jiǎoxiāo 동 반납시켜 취소·무효로 하다. 반납 폐기하다. ¶汽车报废时, 应将原牌照～; 자동차를 폐차 처분하려면 허가증을 반환 취소하지 않으면 안 된다.
〔缴械〕 jiǎo·xiè 동 ①(적을) 무장 해제시키다. ¶把敌人～; 적을 무장 해제시키다 / 缴了敌人的械; 적의 무장을 해제했다. ②(적이) 무장 해제하다. ¶～投降; 무기를 넘겨 주고 투항하다.
〔缴验〕 jiǎoyàn 동 제출하여 심사를 받다.
〔缴租〕 jiǎozū 동 도조미(賭租米)·세금·각종 임차료(賃借料)를 납부하다. =〔交jiāo租〕
〔缴足〕 jiǎozú 동 ⇨〔缴齐〕

〔皦足资本〕 jiǎozú zīběn 명 불입 자본.

皦 jiǎo (교) ① 형 〈文〉 (구슬이) 희고 밝다. 새하얗다. ② 형 〈文〉 깨끗하다. 순결하다. ③ 명 성(姓)의 하나.

叫〈呌〉 jiào (규) ① 동 큰 소리로 외치다. 고함치다. ¶大声～喊; 큰 소리로 외치다 / 大～一声; 큰 소리로 한 마디 외치다 / 拍pāi手～好; 박수 갈채하다. ② 동 (동물이) 울다. 짖다. 지저귀다. ¶鸡～; 닭이 울다 / 狗～; 개가 짖다 / 蝈guō蝈儿～; 여치가 울다. ③ 동 (기계·기구 등이) 소리를 내다. 울리다. ¶汽笛～; 기적〔고동〕이 울리다 / 机关枪～起来了; 기관총 소리가 울리기 시작했다. ④ 동 부르다. ㉠(…라고) 하다. 일컫다. 이름을 …라고 하다. ¶外号～气不死; 별명이 '气不死'이다 / 他～什么名字? 그의 이름은 무엇입니까? / 这～机关枪; 이것은 기관총이라고 합니다 / 什么～真理? 무엇을 진리라고 하는가? ㉡불러 오게 하다. (차·택시 등을) 부르다. 찾다. ¶有人～你呢; 누가 너를 부르고 있다 / ～了一声妈妈; '어머니' 하고 외마디 소리로 부르다 / 请你把他～来; 그를 불러 와 주시오. ⑤ 동 (식당 따위에서) 시키다. 주문하다. (사서) 배달을 부탁하다. ¶～米来; 쌀을 가져오게 하다 / 菜已经～了, 这就送来; 요리는 이미 시켰으니까, 곧 올 테지요. ⑥ 동 떠맡다. 인수하다. 뒤집어쓰다. ¶这样的事, 谁也不敢往身上～; 이런 일은 누구라도 떠맡고 싶어하지 않는다. ⑦ 명형 〈方〉 (가축·가금의) 수컷(의). ¶～鸡; ⇩ / ～驴; ⇩ ⑧ 동 허락하다. 맡기다. ¶他不～去, 我就不去; 그가 가지 말라고 한다면, 나는 안 간다. ⑨ 개 …에게 (…당하다). …에 의하여(…하게 되다). …되다 《북방의 구어에서 널리 쓰이며, 흔히 '叫'에 호응하여 '给'를 동사 앞에 가져옴》. ¶黄河的滚滚洪流终于～我们(给)制服了; 황허(黃河)의 도도한 흐름은 마침내 우리들에게 제압되었다 / 你是不是～他(给)绊住脚了? 그가 자네의 다리를 건 게 아닐까? / 事后一想, 我就想到她是～人家(给)卖了; 나중에 생각하니, 문득 그녀는 팔려 간 것이라는 것을 깨달았다 / 树～风刮倒guādǎo了; 나무가 바람에 쓰러졌다. 注 '叫'는 '让'과 마찬가지로, 그 뒤에 동작을 가하는 주체를 보이는 것이 보통이며, 동작을 가하는 주체를 특정(特定)할 수 없을 때는 '人' 또는 '人家' 따위가 옴. 그러나 '被'와 마찬가지로, 직접 동사의 앞에 올 때도 있으며, 이런 경우 동작을 가하는 주체는 앞뒤의 문장·이야기의 장면에 의해서 암시됨. ¶他们都～抓去了; 그들은 모두 끌려갔다. ＝〔被bèi〕〔教⑤〕 ⑩ 동 (사역 표현에 쓰이어) 시키다. 하게 하다. ㉠어떤 동작·작용을 일으키는 대로 방치 또는 용인함을 나타냄. ¶没说完～他慢慢说吧! 이야기가 다 끝나지 않았으면, 그로 하여금 천천히 말하게 내버려 두자! / 你不～我走怎么着! 자네가 나를 가지 못하게 하니 어찌하겠다는 건가! 注 '叫'의 뒤에, 동작·작용을 나타내는 것이 보통이지만, 문장의 위아래·이야기의 장면에서 암시되어 '叫'가 동사에 직접 붙어 있을 때도 있음. 이 경우에는 허락과 방임의 어기가 셈. ¶找不到理由再不～说; 더 이상 말 못 하게 하는 이유를 찾을 수 없다. ㉡사람에게 어떤 동작·작용을 일으키게 하는 것을 나타냄. ¶～他做事; 그에게 일을 시키다 / ～他拿来; 그에게 가져오도록 시켜라 / 有什么事只管～我们做, 我们都是您的儿女; 무엇이든 일이 있으면 저희들에게 시키십시오, 저희는 모두 당신의 자식들이니까요 / 你们真～我这老婆子心里痛快啊! 여러분은 나 같은 이런 할미를 진정 기쁘게 해 주셨군요! 注 이런 경우에는 '叫'를 직접 동사 앞에 가져오는 수도 있음. ＝〔教jiào④〕 ⑪ 동 소리를 높이다. 죽는 소리를 하다. ¶他～了, "爸爸! 别打!" 그는 "아버지! 때리지 마세요!"하고 죽는 소리를 했다.

〔叫板〕 jiào·bǎn 명 중국 전통극에서, 대사(臺詞)의 마지막을 다음에 이어지는 노래에 연결이 잘 되도록 가락을 붙이는 것.

〔叫本儿〕 jiào·běnr 동 원금을 되찾다. ¶这点货色～卖; 이 상품은 원가 판매이다.

〔叫不开〕 jiàobukāi ①(명칭 등을) 부르는데 익숙지 않다. 일반적으로 쓰이지 않다. ¶书上的古名儿嘴里～; 책의 옛 명칭은 부르기에 익숙하지 않다. ②(문을) 두드려도 열어 주지 않다. ‖↔〔叫得开〕

〔叫不上〕 jiàobushàng (알지 못해서) 이름을 부를 수 없다. ¶小零件也～名称; 작은 부품(部品)도 무어라고 하는지 명칭을 댈 수 없다.

〔叫不上来〕 jiàobushànglái (잘 몰라서) 말을 못 하다. 알 수 없다. ¶那边是一路平川的地方, 桥倒有, 也没很大的, 叫不上名儿来; 그 일대는 내내 평원이라서, 다리는 있지만 아주 큰 것은 없으므로 이름도 알 수 없다. ＝〔叫不出来〕

〔叫不响〕 jiàobuxiǎng 상대하지〔어울리지〕 않다.

〔叫不应〕 jiàobuyìng 불러도 대답이〔반응이〕 없다. ¶我叫了半天也～, 大概是睡着zháo了; 내가 한참을 불러도 대답이 없으니, 아마 잠들어 버렸나 보다.

〔叫菜〕 jiào cài 요리를 주문하다〔시키다〕.

〔叫吃〕 jiàochī 단수!《바둑에서 나머지 한 수로 상대방의 돌을 딸 때에 상대에게 경고하는 말》.

〔叫春〕 jiào·chūn 동 (교미기에) 동물이 암내를 내며 울다. ¶猫儿～; 고양이가 암내를 내며 울다. (jiàochun) 명 암내 울음.

〔叫倒好(儿)〕 jiào dàohǎo(r) 거짓 갈채를 보내다《출연자가 서투른 연기를 했을 때 야유를 퍼부으며 놀리는 것》. ＝〔喊倒好(儿)〕

〔叫讹〕 jiào'é 동 ①틀린 발음을 하다. ¶慢慢地把字音给～了; 점점 글자 음이 잘못 발음되었다. ② 한자의 음을 잘못 읽다. ‖＝〔叫白〕

〔叫哥哥〕 jiàogēge 명 《蟲》 〈方〉 여치. ＝〔蝈蝈儿〕〔叫姑姑〕

〔叫聒〕 jiàoguā 동 왁자지껄 떠들다.

〔叫喊〕 jiàohǎn 동 큰 소리로 외치다〔부르다〕 명 외침. 부르짖음. 절규. ¶绝望的～; 절망적인 외침. ‖＝〔喊叫〕

〔叫行〕 jiàoháng 명 경매를 하는 가게.

〔叫号〕 jiàoháo 동 큰 소리로 외치다. 울부짖다.

〔叫好(儿)〕 jiào·hǎo(r) 동 갈채를 보내다. 큰 소리로 '好!' 하며 칭찬하다《출연자가 연기를 잘 했을 때에 '好!' 하고 소리를 지르는 일. 반대로 출연자가 잘못했을 때 등에 야유하는 것을 '叫倒dào好(儿)'라고 하며, '好!'의 말끝을 길게 끌거나, '好吗!'라고 말해 출연자의 잘못을 비방함. 또, '通!' 하고 야유를 보내는 것을 '打通'이라고 함》. ＝〔喊hǎn好(儿)〕〔唱chàng好〕〔嚷ràng好(儿)〕 →〔倒好(儿)〕〔喝hè彩〕

〔叫号儿〕 jiàohàor 명 (전화 따위의) 호출 번호. 동 선창(先唱)하다. ¶这一队人前头的一～, 后头的全呼应yìng了; 이 대열의 사람은 선두가 선창하니 뒷사람들도 거기에 맞추어 불렀다. ＝〔喊

hǎn号儿〕
〔叫横〕 jiàohèng 동 강하게 나오다. 사납게 하다. 뻔뻔스럽게 굴다. ¶买东西不给钱, 还要～! 물건을 사고 돈도 안 낸 주제에 큰소리 치냐!
〔叫吼〕 jiàohǒu 동 (짐승 따위가) 짖다.
〔叫化〕 jiàohuā 동 구걸〔걸식〕하다. ¶叫化子沿街～; 거지가 길거리에서 구걸하며 다니다. =〔叫花〕
〔叫化子〕 jiàohuāzi 명 ⇨〔叫花子〕
〔叫花〕 jiàohuā 동 ⇨〔叫化〕
〔叫花子〕 jiàohuāzi 명〈口〉 거지. ¶～过年; 거지의 설쇠기(가난할수록 더욱 바쁘다). =〔叫化子〕〔乞qǐ丐〕
〔叫唤〕 jiàohuan 동 ①울부짖다. 소리 지르다. ¶疼得直～; 아파서 자꾸 소리 지르다. ②(새나 짐승이) 울다. ¶牲口～; 가축이 울다/一条狗在门口儿直～; 개가 집 앞에서 자꾸 짖어 댄다/～的雀儿没有肉; 잘 지저귀는 참새는 살이 없다. 잘 짖는 개는 물지 않는다(빈 수레가 요란하다).
〔叫回〕 jiàohuí 동 불러서 돌아오게 하다.
〔叫魂(儿)〕 jiào·hún(r) 동 ①혼을 불러들이다(주로 어린애들이 병으로 경기(驚氣)를 일으키거나, 정신을 잃었을 때, 그것은 혼이 육체에서 떠난 때문이라고 하여, 혼이 나갔다고 생각되는 방향으로 가서 '집으로 돌아오라'는 뜻으로, '宝儿, 回家呀!'이라고 고함침). ②계속하여 큰 소리로 외치다.
〔叫混〕 jiàohùn 동 남의 이름을 잘못 부르다.
〔叫货〕 jiào huò 물품을 주문하여 가져오게 하다.
〔叫鸡〕 jiàojī 명《鳥》〈方〉 수탉. =〔公鸡〕
〔叫价〕 jiàojià 명《商》 부르는 값. 호가. ¶玻璃制品, 竟于几个月前～高达二百五十美元; 유리 제품은 마침내 수 개월 전에 호가가 250 달러에 달했다. =〔喊hǎn价〕
〔叫街的〕 jiàojiēde 명 길거리에 앉아 구걸하는 거지. →〔叫花子〕
〔叫劲(儿)〕 jiào·jìn(r) 동 ①힘을 내다. 열심히 노력하다. 분발하다. ¶双手一～, 身子就上了墙头了; 양손에 힘을 주자, 몸은 담 위로 올라갔다/这日子口儿算叫上劲了; 요즘은 크게 분발하고 있는 중이다. =〔加油儿〕〔加劲儿〕 ②거스르다. 대들다. ¶别再跟他～! 더 이상 그에게 거역하지 마라! =〔别biè扭〕
〔叫局〕 jiào·jú 동 ⇨〔叫条子〕
〔叫绝〕 jiào·jué 동 훌륭하다고 외치다. 매우 훌륭하다고 칭찬하다. ¶拍pāi案～; 책상을 치며 훌륭하다고 외치다.
〔叫开〕 jiàokāi 동 ①(말이) 널리 쓰이게 되다. 일반화되다. ¶拖拉机原来是外国话, 已经在中国～了, 成了中国话了; 트랙터는 원래 외국어지만, 이미 중국에 널리 퍼져 중국어가 되어 버렸다. ②조정〔중재〕하다. 절충이 되다. ¶他们俩人闹意见, 经人调tiáo停, 这件事算～了; 그들 두 사람은 싸우고 있었으나, 중재하는 사람이 있어 타협이 됐다.
〔叫渴〕 jiàokě 동 목이 몹시 마르다. ¶怎么这么～呀, 大半是晚饭的时候, 咸菜吃多了的原故吧; 어째서 목이 이렇게 탈까, 저녁을 먹을 때 짠지를 너무 먹어서인지도 모르겠다. =〔叫水〕
〔叫苦〕 jiào·kǔ 동 ①탄식하다. 비관하다. ②비명을 지르다. 고통을 호소하다. ¶～不迭; 〈成〉 자꾸 비명을 지르다/～连天; 〈成〉 자꾸〔끊임없이〕 고통을 호소하다.
〔叫帘〕 jiàolián 명동 앙코르(하다). →〔谢xiè幕〕
〔叫铃〕 jiàolíng 명 초인종.
〔叫驴〕 jiàolǘ 명《動》〈方〉 수당나귀.
〔叫骡〕 jiàoluó 명《動》〈方〉 수노새. ↔〔草cǎo骡〕
〔叫妈〕 jiào·mā 동 ①어머니를 부르다〔찾다〕. ②〈轉〉 곤란한 경우에 빠지다. ¶将来总有～的日子; 장래에 반드시 곤란에 처할 날이 올 것이다.
〔叫马跑, 又叫马不吃草〕 jiào mǎ pǎo, yòu jiào mǎ bùchī cǎo 말은 달리게 하면서, 풀은 먹이지 않다(사람을 혹사하다. 뻔뻔스런 짓을 하다).
〔叫骂〕 jiàomà 동 큰 소리로 꾸짖다〔욕하다〕.
〔叫卖〕 jiàomài 동 ①(노상·점두에서) 외치며 물건을 팔다. ②(가게에서) 손님을 불러들이다. ③경매하다. 명 경매. ¶～行; 경매점. ‖=〔喊hǎn卖〕
〔叫门〕 jiào·mén 동 ①(문에서 소리를 질러) 안내를 청하다. ②밖에서 소리를 질러 문을 열게 하다.
〔叫名〕 jiàomíng 명〈方〉 ①(～儿) 명칭. 이름. ¶活字本是版本放面的～; 활자본(本)이란, 판본(版本)의 관념에서 부르는 이름이다. ②명목상. 명의상. ¶这孩子～十岁, 其实还不到九岁; 이 아이는 명목상으론 열 살이지만, 실제로는 아직 아홉 살도 안 되었다.
〔叫名头〕 jiào míngtou ①협잡하다. 속임수를 쓰다. ②이름을 사칭하다. 명의(名義)를 속이다.
〔叫你说的了〕 jiào nǐ shuōdele 당치도 않은 소리를 하는군! 무슨 말을 그렇게 하니! ¶～, 我怎么能说瞎xiā话呢? 당치 않은 소리, 내가 왜 쓸데없는 말을 하겠는가?
〔叫鸟〕 jiàoniǎo 명 잘 우는 새. ¶～宰zǎi无肉; 잘 우는 새는 잡아도 먹을 고기가 없다(말 잘 하는 사람 속은 비었다).
〔叫起来〕 jiàoqǐlai ①불러일으키다. 불러깨우다. ¶明天六点钟叫我起来吧; 내일 여섯 시에 깨워 줘. →〔叫醒〕 ②소리치기 시작하다.
〔叫屈〕 jiào·qū 동 불평〔억울함〕을 호소하다.
〔叫嚷〕 jiàorǎng 동 큰 소리로 외치다. 소리치다.
〔叫饶〕 jiàoráo 동 소리내어 용서를 빌다.
〔叫人电话〕 jiàorén diànhuà 명 (전화의) 지명(指名) 통화.
〔叫人钟〕 jiàorénzhōng 명 (탁상 따위에 설치한) 초인종.
〔叫啥〕 jiàoshá 부〈吳〉 뜻밖에도. 그런데.
〔叫水〕 jiàoshuǐ 동 ⇨〔叫渴〕
〔叫摊〕 jiàotān 동 (가게 앞에서) 소리치며 손님을 불러들여 팔다.
〔叫天〕 jiàotiān 동 하늘에 호소하다. 하늘에 의지하다.
〔叫天不应, 唤地不灵〕 jiào tiān bù yìng, huàn dì bù líng 〈成〉 하늘에 대고 외쳐도, 땅에다 울부짖어도 소용이 없다(고립 무원의 상태를 말함).
〔叫天子〕 jiàotiānzi 명《鳥》 종다리. =〔云雀〕
〔叫条子〕 jiào·tiáozi 동 옛날, 연회 자리에 기녀를 부르다. =〔叫局〕↔〔出chū条子〕
〔叫痛〕 jiào·tòng 동 아픔을 호소하다. =〔叫疼téng〕
〔叫下〕 jiàoxià 동 ①(배달하도록) 주문하다. ¶米我～了, 还没送来呢; 쌀을 갖다 달라고 주문했는데, 아직 도착하지 않았다. ②(윗사람이 아랫사람에게) 명령〔지시〕하다.
〔叫响〕 jiàoxiǎng 동 잘 알려져 있다. 평판이 좋다. 신용이 있다. ¶他的名字在这儿～了, 没有人不知道; 그의 이름은 여기서는 잘 알려져 있어서 모르는 사람이 없다/他近来～了; 그는 근래 유

명해졌다 / 叫不响; 무명(無名)이다. 평판이 좋지 못하다. 신용이 없다.
〔叫嚣〕 jiàoxiāo 동 큰 소리로 외쳐 대다. 요란스럽게 선전하다. ¶疯狂～; 미친 사람처럼 떠들어 대다 / ～赶快下马; 빨리 그만두라고 소리치다. 명 외침. 부르짖음.
〔叫醒〕 jiàoxǐng 동 불러 깨우다. 불러 일으키다. ¶我睡得正熟shú, 忽然让母亲～了; 내가 한참 곤하게 자고 있는데 어머니가 갑자기 깨웠다. =〔喊hǎn醒〕
〔叫真(儿)〕 jiàozhēn(r) 동 진지하게 받아들이다. 곧이듣다. =〔较真儿〕〔认真〕〔顶真〕
〔叫阵〕 jiào·zhèn 동 (적진 앞에서 큰 소리로) 싸움을 걸다. 도전하다. ¶互相～, 展开了热火的竞赛; 서로 큰 소리로 도전하면서 열띤 경쟁을 전개했다.
〔叫正〕 jiàozheng 동 강변(強辯)〔논쟁〕하다. 우겨대다. ¶～了半天, 也没结果; 오랫동안 논쟁을 벌였으나 결론을 얻지 못했다.
〔叫转〕 jiàozhuǎn 동 호전시키다. 만회하다. 본래의 상태로 돌아가다. ¶有好些铺子帮助他, 他总算把事情～了; 많은 가게가 그를 원조했기 때문에 간신히 형편을 만회할 수 있었다.
〔叫字号〕 jiào zìhao ①상점 이름이 널리 퍼지다〔유명해지다〕. ¶在这一带地方, 他很～; 이 일대에서는 그 가게 이름이 잘 알려져 있다. ②얼굴을 팔다. 자랑삼아 내세우다. ¶谁都知道谁的, 何必在这儿～! 서로 잘 알고 있는 터에, 이런 데서 자랑할 필요가 있겠느냐!
〔叫子〕 jiàozi 명 〈方〉 호루라기. 경적. =〔叫笛〕〔哨shào儿〕
〔叫座(儿)〕 jiàozuò(r) 동 (연극이나 배우가) 관중에게 인기가 있다. 손님을 끌다. ¶这出戏准能～; 이 연극은 꼭 인기를 끌 것이다 / 他现在老了, 不～; 그는 이제 늙어서 인기가 떨어졌다.
〔叫做〕 jiàozuò 동 …라고 불리어지다〔부르다〕. 이름을 …라고 하다. ¶这个东西～沙发; 이것은 소파(sofa)라고 부른다 / 把这～现实主义; 이것을 현실주의라고 한다 / 这个～什么? 이것은 무엇이라고 하느냐? / 什么～学习? 학습이란 무엇인가?

峤(嶠) jiào (교)
명 〈文〉 산길. ⇒qiáo

轿(轎) jiào (교)
(～儿, ～子) 명 어깨에 메는 탈것. 가마. ¶花huā～ =〔彩cǎi～〕〔喜xǐ～〕; (시집 갈 때 타는) 꽃가마 / 抬～子; ⓐ가마를 메다. ⓑ아첨하다 / 坐～; 가마를 타다.
〔轿车〕 jiàochē 명 ①세단(sedan). 승용차. ¶小～; 소형 승용차 / 中国第一辆高级～八月一日诞生; 중국 최초의 고급승용차가 8월 1일 탄생했다. =〔轿式汽车〕 ②노새가 끄는 가마 모양의 이륜(二輪) 마차. →〔骡车〕 ③상자 모양의 마차. 서양식의 네 바퀴 마차.
〔轿顶子〕 jiàodǐngzi 명 가마 지붕 중앙에 있는 금속제 장식물.
〔轿夫〕 jiàofū 명 교군꾼.
〔轿式汽车〕 jiàoshì qìchē 명 ⇨〔轿车①〕
〔轿围〕 jiàowéi 명 가마 주위에 두른 휘장.
〔轿衣子〕 jiàoyīzi 명 가마 내부의 사방에 두른 붉은 천.
〔轿子〕 jiàozi 명 가마.

觉(覺) jiào (교)
명동 잠(자다). ¶睡晌～ =〔睡午～〕; 낮잠 자다 / 睡大～; 충분히 자다. 늦잠 자다 / 一～醒来; 잠이 깨다 / 饭也不吃, 连～也不睡; 밥도 못 먹고, 제대로 자지도 못 하다 / 一～; 한잠 / 我每天总要睡八个钟头的～; 나는 매일 8시간은 자야 한다. ⇒jué
〔觉包〕 jiàobao 명 잠꾸러기.
〔觉醒〕 jiàoxǐng 동 잠이 깨다. ⇒juéxǐng

珓 jiào (교)
명 〈文〉 ⇨〔筊jiǎo③〕

校 jiào (교)
①동 교정〔정정〕하다. 바로잡다. ¶～稿子; 원고를 교정하다. ②동 점검(點檢)하다. ③동 비교하다. ④동 헤아리다. 계산하다. ⑤명 죄인의 손·발·목 등에 채우는 형구. ⑥명 〈文〉 학교. ⇒xiào
〔校本〕 jiàoběn 명 교정본《선본(善本)에 의해서 잘못을 바로잡은 책》.
〔校比〕 jiàobǐ 동 ⇨〔校核hé①〕
〔校表〕 jiàobiǎo 명 《機》 〈南方〉 다이얼 게이지(dial guage). =〔千qiān分表〕
〔校场〕 jiàochǎng 명 연무장(演武場). =〔较场〕
〔校雠〕 jiàochóu 동 〈文〉 ⇨〔校勘〕
〔校点〕 jiàodiǎn 동 교열·정정하고 구둣점을 찍다.
〔校订〕 jiàodìng 명동 교정(하다). ¶在初校的时候编辑部又～出一些原文里有些该斟酌的字句; 초교 때에 편집부에서 원문 중의 몇 군데를 더 고려해야 할 자구를 수정했다.
〔校对〕 jiàoduì 동 ①대조하여 확인하다. 검사〔검열〕하다. 체크하다. ¶一切计量器都必须～合格才可以发售; 모든 계기는 검사한 뒤에 합격한 것이 아니면 팔 수 없다. ②(원고를) 교정하다. ¶～校样; 게라(galley)를 교정하다 / ～清样; 최종 교정쇄를 교정하다 / ～员把排字工排错的字～好了; 교정원이 식자공이 오식(誤植)한 글자를 교정했다 / ～电报; 교정 전보 / ～符号; 교정 부호. =〔校合〕 명 교정원. ¶他在印刷厂当～; 저 사람은 인쇄 공장에서 교정을 담당하고 있다. =〔校对员〕
〔校改〕 jiàogǎi 동 대조하여 고치다.
〔校稿子〕 jiào gǎozi 원고를 교정하다.
〔校合〕 jiàohé 동 ⇨〔校对②〕
〔校核〕 jiàohé 동 ①〈文〉 비교하여 조사하다. 대조 검토하다. ¶著者在排版时亲自～, 抽换了一段文章; 저자가 조판할 때 친히 대조 검토하고, 한 단락의 문장을 갈아 넣었다. =〔校比〕 ②체크하다. 조사하다. 검사하다. ¶～试shì验; 입회(立會) 시험.
〔校勘〕 jiàokān 동 교감하다. 책의 내용이나 자구의 이동 등을 조사하고 연구하다. ¶～学; 교감학. =〔校雠〕〔较勘〕
〔校量〕 jiàoliàng 동 ⇨〔较量〕
〔校猎〕 jiàoliè 동 울타리를 쳐서 새나 짐승이 도망가지 못하게 막고 사냥하다.
〔校书〕 jiào shū 동 책을 교정〔교감〕하다.
〔校书〕 jiàoshū 명 〈文〉 기녀(妓女).
〔校调〕 jiàotiáo 동 ⇨〔校准〕
〔校误〕 jiàowù 동 〈文〉 잘못〔틀린 곳〕을 정정하다.
〔校样〕 jiàoyàng 명 《印》 교정쇄. 게라(galley)쇄.
〔校阅〕 jiàoyuè 명동 교열(하다). 검열(하다).
〔校正〕 jiàozhèng 동 바르게 고치다. 수정하다. 교정하다. ¶重新～炮位; 포위(砲位)를 다시 바로잡다. 명 교정. 대조. 수정.

〔校直〕 jiàozhí 동 바로잡다. =〔矫jiǎo直〕
〔校准〕 jiào‧zhǔn 동 (기계·공구·공작물 등의) 부정확〔불안정〕한 눈금〔작동〕을 조정하다〔바로잡다〕. ¶已～; 조정필(調整畢). =〔校调〕〔搞gǎo正〕〔矫jiǎo调〕〔找zhǎo正〕

较(較) jiào (교)

①동 비교하다. 견주다. 겨루다. ¶～一～劲儿; 힘을 비교하다〔겨루다〕/两者相～, 截然不同; 양자를 비교하면 확실히 다르다/今年的收入～去年增加了百分之十; 올해의 수입은 작년에 비해 10% 증가했다/跟他～上劲儿了; 그와 격렬하게 맞섰다. ②부 약간. 보다. 비교적. ¶～佳; 비교적 양호하다/面积～小; 면적이 비교적 작다/用～少的钱, 办～多的事; 보다 적은 비용으로 보다 많은 일을 하다/～多; 좀 많다/回来～晚; 돌아오는 것이 비교적 늦다. ③명 〈文〉 대략. 개략. =〔大较〕 ④명 《數》 (두 수 사이의) 차(差). ¶九与三的～是六; 9와 3의 차는 6이다. ⑤형 〈文〉 분명하다. 현저하다. ¶～然不同; 현저히 틀리다/～著; ⇩ ⑥명 이익(利益)의 독점.

〔较比〕 jiàobǐ 부 〈方〉 비교적《일정한 정도임》. ¶这间房子～宽绰; 이 방은 비교적 넓다/这里的气候～热; 이 곳 기후는 비교적 덥다. =〔比较〕
〔较场〕 jiàochǎng 명 ⇨〔校jiào场〕
〔较劲(儿)〕 jiào jìn(r) ①힘을 겨루다. 힘을 들이다. 지지 않으려고 하다. 경쟁하다. ¶这是娇嫩东西, 可别～; 이것은 부서지기 쉬운 것이니, 너무 힘을 주지 마시오/你要是不服我的力气, 你敢跟我～吗? 너 만일 내 힘에 승복하지 못하겠다면 나하고 한번 힘을 겨뤄 볼까? ②(jiàojìn(r)) 형 심하다. 혹독하다. ¶这两天天气可有点～, 连外屋的脸盆都冻住了; 요 며칠간 날씨가 몹시 추워져 바깥채에 있는 대야의 물이 꽁꽁 얼어붙어 버렸다.
〔较量〕 jiàoliàng 동 비교하다. ①(힘·기량 따위를) 겨루다. 경쟁하다. 싸우다. ¶两个人～～武艺; 두 사람은 무예로 승부를 겨루었다/各种政治力量长期地激烈地～和斗争; 각종 정치 세력이 오랫동안 격렬하게 서로 경쟁하며 다투었다/他像赌钱的人那样, 想和人家～一下输贝; 그는 돈을 건 사람처럼 남과 승부를 다투려고 한다/斤斤～; 〈成〉 세세한 데까지 주의하다. 소소한 데까지 상관하다. ②비교하다. 논쟁하다. ‖ =〔校jiào量〕
〔较前〕 jiàoqián 부 이전에 비하면. 이전보다는.
〔较然〕 jiàorán 부 분명히. 뚜렷하게.
〔较数〕 jiàoshù 명 뺄셈의 답.
〔较为〕 jiàowéi 비교적. 보다《뒤에 2음절의 단어가 옴》. ¶这样想, 这样做, ～有益, 而较少受害; 이렇게 생각하고, 이렇게 하는 것이 보다 유익하며 해(害)가 보다 적다.
〔较宜〕 jiàoyí 형 비교적 좋다〔낫다〕. ¶这个病, 还是在家里静养～; 이 병은 역시 집에서 정양하는 게 좋다.
〔较真(儿)〕 jiàozhēn(r) 형 〈方〉 성실〔진지〕하다. ¶他办事很～; 그는 일을 매우 착실하게 한다. (jiào‧zhēn(r)) 동 진실로 받아들이다. 정말로 여기다. ¶这只是一种夸张的说法, 怎么能～呢? 이것은 일종의 과장된 말에 불과한데, 어떻게 진심으로 받아들일 수 있겠는가? =〔叫真〕〔认真〕
〔较之〕 jiàozhī 〈文〉 …과 비교하면. …보다 비교적.
〔较著〕 jiàozhù 형 〈文〉 현저하다. 분명하다. ¶彰明～; 〈成〉 너무도 분명하다.
〔较准〕 jiàozhǔn 동 (초점 따위를) 맞추다.

教〈敎〉 jiào (교)

①동 가르치다. 지도하다. ¶～授; ⇩/～导; ⇩/传chuán～; 포교하다/请～! 가르침을 바랍니다! ②명 가르침. 지도. 교육. 교훈. ¶施～; 교육을 하다/领～领～! (가르침을 받아) 고맙습니다《인사말》/家～; 가정 교육. ③명 종교. ¶耶yē苏 =〔新～〕; 기독교/佛～; 불교/～会; ⇩/在～; 신앙을 가지다. ④동 ⇨〔叫⑩〕 ⑤개 …에 …당하다. ¶他是～公会给打跑了的; 저 사람은 동업 조합(同業組合)에 의해 추방당했다. =〔被〕〔叫⑨〕 ⑥…하게 두다. …을 허락하다. 하는 대로 맡겨 두다. ⑦명 성(姓)의 하나. ⇒jiāo

〔教案〕 jiào'àn 명 ①강의안. 교안. ②《史》 청말(清末) 종교 또는 포교(布教)에 관한 사건.
〔教本〕 jiàoběn 명 교본. 교과서. →〔课kè本(儿)〕
〔教鞭〕 jiàobiān 명 교편. ¶执～于某校; 모(某) 학교에서 교사로 근무하고 있다.
〔教材〕 jiàocái 명 교재. 교수의 재료.
〔教场〕 jiàochǎng 명 연병장(練兵場).
〔教程〕 jiàochéng 명 ①과정(課程). 강좌. ②텍스트. 교과서.
〔教导〕 jiàodǎo 동 가르쳐 인도하다. 지도하다. ¶这都是先生们～有方的缘故; 이 모두가 선생님께서 잘 지도해 주신 덕분입니다.
〔教导员〕 jiàodǎoyuán 명 '政zhèng治教导员'의 통칭.
〔教法〕 jiàofǎ 명 가르치는 방법. 교수법.
〔教范〕 jiàofàn 명 《軍》 무기 따위의 조작(操作) 요령을 적은 책.
〔教匪〕 jiàofěi 명 옛날, 반란을 일으킨 종교도에 대한 멸칭《특히, '白Bái莲教(백련교)'를 일컬었음》. =〔斋zhāi匪〕
〔教改〕 jiàogǎi 명 〈簡〉 ⇨〔教学改革〕
〔教官〕 jiàoguān 명 ①교관《옛날, 교화의 일을 맡았던 관리. =〔学xué官〕 ②옛날, 학교의 교련을 맡았던 사람. ③군대에서 병사의 교련을 맡은 군인》.
〔教规〕 jiàoguī 명 《宗》 종교상의 규칙.
〔教化〕 jiàohuà 동 〈文〉 교화하다.
〔教皇〕 jiàohuáng 명 《宗》 로마 교황. =〔教王〕〔教宗〕
〔教会〕 jiàohuì 명 《宗》 교회. ¶～学校; 미션(misson) 스쿨. ⇒jiāohuì
〔教诲〕 jiàohuì 동 〈文〉 가르쳐 깨우치다〔타이르다〕. ¶谆谆～; 잘 알아듣도록 되풀이해서 타이르다/不吝～; 가르쳐 타이르는 데 인색하지 않다. →〔教训〕
〔教具〕 jiàojù 명 교구.
〔教科书〕 jiàokēshū 명 교과서. =〔课kè本(儿)〕
〔教练〕 jiàoliàn 명 코치. ¶～员; 코치/足球～; 축구의 코치. =〔指zhǐ导员②〕 동 코치하다. 가르치다. ¶～车; 운전 연습차/～机; 연습기.
〔教门(儿)〕 jiàomén(r) 명 ①교단(教團) 또는 교회의 통칭. ②이슬람교의 신자. 이슬람교.
〔教民〕 jiàomín 명 교도(教徒).
〔教猱升木〕 jiào náo shēng mù 〈成〉 새끼원숭이에게 나무에 오르는 것을 가르치다《소인(小人)에게 지혜를 넣어 주면 오히려 나쁜 짓을 함》.
〔教派〕 jiàopài 명 교파. 종파.
〔教区〕 jiàoqū 명 (그리스도교 등의) 교구.
〔教师〕 jiàoshī 명 교사. ↔〔学xué生①〕
〔教师爷〕 jiàoshīyé 명 옛날, 무술의 사범. 훈장.
〔教士〕 jiàoshì 명 그리스도교의 선교사.

〔教室〕 jiàoshì 명 교실. ¶新建的～; 새로 지은 교실/阶梯～; 계단 교실. =〔课kè室〕〔课堂①〕
〔教授〕 jiàoshòu 동 교수하다. 전수하다. 명 (대학의) 교수. 부교수. 조교수. ¶客kè座～; 객원 교수/～会; 교수회.
〔教唆〕 jiàosuō 동 (나쁜 일을) 권하다. 꼬드기다. 교사하다. ¶～犯; 교사범.
〔教态〕 jiàotài 명 가르칠 때의 교사의 태도.
〔教堂〕 jiàotáng 명 교회당. 예배당. ¶～地; 옛날, 중국의 외국 교회용 토지. =〔礼拜lǐbài堂〕
〔教条〕 jiàotiáo 명 ①교조. 종교상 신도가 따라야 할 조항. =〔信xìn条〕 ②입증적인 논거 없이 맹목적으로 받아들이는 원칙·원리. ③교조를 중시하지만, 실제에 맞지 않음을 이름. ¶别～了; 강압적인 말을 하지 마라. 교조주의적으로 하지 마라. →〔教条主义〕
〔教条主义〕 jiàotiáo zhǔyì 명 공식주의(公式主義). 교조주의.
〔教调〕 jiàotiáo 동 훈련하다. 조교(調教)하다. (버릇 등을) 가르치다. 길들이다.
〔教廷〕 jiàotíng 명 바티칸 궁전. 로마 교황청. ¶～大使; 주(駐)바티칸 대사.
〔教头〕 jiàotóu 명 ①옛날, 군대에서 무술을 가르치던 교관. ¶三十万禁军～《水滸傳》; 30만의 근위병(近衛兵)의 무술 사범. →〔教官〕 ②《體》 헤드 코치. 강화 코치.
〔教徒〕 jiàotú 명 교도. 신도.
〔教王〕 jiàowáng 명 ⇨〔教皇〕
〔教务〕 jiàowù 명 교무. 교육상의 사무. ¶～科kē; 교무과/～长zhǎng; 교무 주임.
〔教习〕 jiàoxí 명 옛날, 관학(官學)의 교사.
〔教席〕 jiàoxí 명 ①교원의 자리·지위. ②이슬람교도용의 연석(돼지고기를 쓰지 않고 양고기나 쇠고기 요리를 씀).
〔教学〕 jiàoxué 동 ①수업하다. 교수하다. ②학생의 학습을 지도하다. 注 '教育'은 인간 형성을 포함하지만, '教学'은 단지 가르치는 데 중점이 있음. ¶～大纲; 교수 대강. 수업 요강/组织～; 수업의 일정을 짜다/～点; 분교장(分教場). 명 가르치는 일과 학습하는 일. ⇒jiāo·xué
〔教学改革〕 jiàoxué gǎigé 명 교육 개혁. =〔教改〕
〔教学相长〕 jiào xué xiāng zhǎng 〈成〉 교학상장. 가르치고 배우는 과정을 통해 선생도 학생도 발전하다.
〔教训〕 jiàoxun 명 교훈. ¶接受～, 改进工作; 교훈을 받아들여 작업을 개선하다. 동 ①타일러 깨우치다. ¶～孩子; 아이를 타일러 깨우치다. ②징계하다. 따끔한 맛을 보여 주다. 꾸짖다. ¶～了他一顿; 그에게 뜨끔한 맛을 보여 줬다/遇见他要痛痛快快地～～他; 그를 만나면 통쾌하게 따끔한 맛을 보여 주어야 한다.
〔教言〕 jiàoyán 명 〈敬〉〈文〉 고견. 고설(高說). 가르침. ¶初聆～, 不胜感佩; 〈翰〉 처음으로 고견을 듣사옵고 감격해 마지않았습니다.
〔教研〕 jiàoyán 명 교학 연구. ¶～相长; 가르치는 것과 연구하는 것을 관련시켜 서로 진보를 꾀하다.
〔教研室〕 jiàoyánshì 명 교연실((교육 행정 기관·학교 등의) 교학과 연구를 행하는 조직).
〔教研组〕 jiàoyánzǔ 명 '教研室'보다 작은 연구반. ¶热处理～; 열처리 연구반/化学～; 화학 연구실.
〔教养〕 jiàoyǎng 동 (아이를) 가르쳐 기르다. 양육하다. 예의 범절을 가르치다. ¶～员; 유치원의 교원. 보모/把～儿童的责任担dān负起来! 아이에게 교양을 가르칠 책임을 집시다!/～成人; 가르쳐 길러서 사람이 되게 하다/～兼施; 교육과 양육을 아울러 행하다. 명동 교양(을 익히다). ¶有～的人; 교양 있는 사람.
〔教养院〕 jiàoyǎngyuàn 명 ①소년원. ②양육원. ③양호 시설. ¶妇女生产～; 옛날의 매춘부 등의 사회 복귀를 위한 시설.
〔教义〕 jiàoyì 명《宗》교의. 종교의 교리.
〔教益〕 jiàoyì 명 교훈과 이익. 가르침을 받고 얻은 유익한 점. ¶吸取～; 교훈과 이익을 흡수하다/～不少; 가르침을 받는 바가 많다/得到～; 교훈과 이익을 얻다/我们可以从他的作品中获得许多～; 우리는 그의 작품에서 많은 교훈과 이익을 얻을 수가 있다.
〔教引〕 jiàoyǐn 동 〈文〉 가르쳐 이끌다.
〔教友〕 jiàoyǒu 명《宗》교우. 같은 교의 벗.
〔教诱〕 jiàoyòu 동 교사(教唆)하다.
〔教育〕 jiàoyù 동 ①교육하다. ¶～青年一代; 젊은 세대를 교육하다. ②타이르다. 가르치다. ¶这件事～了我们很多; 이 일로 우리는 많은 것을 배웠다/我～了他一顿; 나는 그에게 한바탕 설교를 했다. 명 ①가르침을 받은 바. 가르침. ¶看了他的信, 我很受～; 그의 편지를 보고 나는 큰 교훈을 얻었다. ②교육. ¶抓紧～; 교육에 힘을 쏟다/～片; 교육 영화/～工作人员; 교직원. 교육 관계자/高等～; 고등 교육.
〔教育部〕 jiàoyùbù 명 교육부.
〔教育局〕 jiàoyùjú 명 시(市) 또는 현(縣)의 교육 행정 기관.
〔教育行政〕 jiàoyù xíngzhèng 명 교육 행정.
〔教员〕 jiàoyuán 명 교원. ¶他是当～的; 그는 교사입니다. ↔〔学xué员①〕
〔教泽〕 jiàozé 명 교육의 은혜.
〔教正〕 jiàozhèng 동 〈套〉〈文〉 지도하여 고치다. 질정(叱正)하다(자기의 서화(書畫)나 저작을 남에게 보낼 때에 씀). ¶送上拙著一册, 敬希～! 졸저(拙著)를 1권 보내 드리오니, 삼가 질정 있으시기 바랍니다! =〔指zhǐ正〕
〔教职员〕 jiàozhíyuán 명 교직원. 교원과 직원.
〔教中人〕 jiàozhōngrén 명 신자.
〔教主〕 jiàozhǔ 명《宗》교주. 종교의 창시자. 개조(開祖).

滘

jiào (교)
지명용 자(字). ¶东～; 둥자오(東滘)(광저우 시(廣州市) 교외에 있는 구역 이름). =〔㴔jiào〕

酵

jiào (효)
① 명 효모(酵母). ② 명동 발효(하다). =〔发酵〕
〔酵粉〕 jiàofěn 명《化》이스트.
〔酵母〕 jiàomǔ 명《化》〈簡〉 '酵母菌'의 약칭.
〔酵母菌〕 jiàomǔjūn 명《化》이스트균(菌). 효모균. 발효균. =〔酿niàng母菌〕〔酵母〕
〔酵素〕 jiàosù 명 ⇨〔酶méi〕
〔酵子〕 jiàozi 명 〈方〉 효모균이 함유된 밀가루를 반죽한 덩이. =〔引yǐn酵〕

窖〈窌〉

jiào (교)
① 명 (겨울에 야채 따위를 저장해 두기 위한) 구덩이. 지하 저장실. 움. ¶冰～; 빙실(氷室)/白菜～; 배추 지하 저장실. =〔地窖〕 ② 동 구덩이에 저장해 두다. ¶～萝卜; 무를 구덩이에 넣어 두다. ③ 동 생매장하다.
〔窖菜〕 jiào cài 야채를 구덩이에 저장하다.

〔窖藏〕 jiàocáng 동 땅굴〔움〕에 저장하다.
〔窖肥〕 jiàoféi 명 〈方〉 퇴비(堆肥). (jiào·féi) 동 〈方〉 퇴비를 만들다.
〔窖子〕 jiàozi 명 땅굴. 움.

滘 jiào (규)
명 〈方〉 지류(支流)《주로 지명에 씀》. ¶双Shuāng～圩xū; 솽자오쉬(雙滘圩)《광둥성(廣東省)에 있는 땅 이름》.

嘦 jiào (규)
접 〈方〉 …이기만 하면. …하기만 하면《'只zhǐ 要'의 합성자》.

斠 jiào (각)
① 명 옛날에, 되(升)가 정확한가를 재보던 도구. ② 동 〈文〉 교정(校訂)하다. ¶～订 =〔校正〕; 교정하다. ③ 동 〈文〉 달다. 무게를 바로잡다.

噍 jiào (초)
동 〈文〉 먹다. 씹다. ¶倒dǎo～ =〔倒嚼〕; 반추(反芻)하다. 되씹다. =〔嚼jiáo〕 ⇒jiāo jiū

〔噍咀〕 jiàojǔ 동 〈文〉 씹다. 깨물어 먹다.
〔噍类〕 jiàolèi 명 〈文〉 (음식물을 씹어먹는) 생물. 살아 있는 것. 살아 있는 인간. ¶竟无～; 살아 있는 것이란 전혀 없다.

醮 jiào (초)
① 동 옛날, 승려 또는 도사가 제단(祭壇)을 만들어 신(神)에게 제사하다. ② 명 옛날, 혼례(婚禮) 때 행하던 간단한 의식. ¶再～; (여자가) 재혼하다.

噭 jiào (교)
〈文〉 ①큰 소리로 외치는 소리. ¶众人～然而应; 모두가 큰 소리로 응답하다. ②울음소리. ¶猿啼～～; 원숭이가 깩깩 하고 울다.

〔噭应〕 jiàoyìng 동 〈文〉 큰 소리로 대답하다.
〔噭噪〕 jiàozào 형 〈文〉 시끌시끌하여 소란하다.

徼 jiào (요)
〈文〉 ① 명 국경. 경계. ¶～外; 경계 밖. ② 명 작은 길. ③ 동 돌다. 순찰하다. ⇒jiǎo

藠 jiào (효)
→〔藠头〕〔藠子〕

〔藠头〕 jiàotou 명 《植》 염교. =〔薤xiè〕〔藠子〕
〔藠子〕 jiàozi 명 ⇨〔藠头〕

嚼 jiào (작)
명동 되새김질(하다). ¶倒dǎo～ =〔倒噍〕; 동물의 반추(反芻). 되새김질. ⇒jiáo jué

皭 jiào (작)
형 〈文〉 깨끗하다. 결백하다. 새하얗다.

JIE ㄐㄧㄝ

节(節) jiē (절)
→〔节骨眼(儿)〕〔节子〕 ⇒jié

〔节骨眼(儿)〕 jiēguyǎn(r) 명 〈方〉 기회. 순간. 포인트. 결정적인 국면·시기. ¶到这～上不能各管各的; 이 순간에 당해서 각자의 일에 매달려 있을 수는 없다 / 你回来得正是～; 자네는 마침 좋은 시기에 돌아왔다 / 做工作要抓住～儿, 别乱抓一气; 일을 하는 데는 결정적인 관건을 잡아야 하니 아무렇게나 하지 마라. =〔接骨眼(儿)〕
〔节子〕 jiēzi 명 (나무의) 옹이.

疖(癤) jiē (절)
→〔疖子〕

〔疖子〕 jiēzi 명 ①《醫》 부스럼. 종기. ¶是个～得出脓; 부스럼은 고름을 짜내지 않으면 안 된다《문제가 생기면 철저하게 해결해야 한다》. ②목재의 흠집. 나무의 옹이.

阶(階〈堦〉) jiē (계)
명 ①계단. 층계. ¶石台～(儿); 돌층계〔계단〕/ ～梯; ⇩ / 进身之～; 출세의 계단. ②계급. 등급. ¶官～; 관등(官等). ③사닥다리. ④일의 경로.

〔阶层〕 jiēcéng 명 ①계층. ②(인텔리)처럼 출신 계급이 달라도, 공통의 특성에 의해서 형성된 사회 집단.
〔阶次〕 jiēcì 명 관위(官位)의 등급.
〔阶地〕 jiēdì 명 《地質》 대지(臺地). 테라스(terrasse).
〔阶段〕 jiēduàn 명 단계. ¶计划已经进入了决定性的～; 계획은 이미 결정적인 단계에 들어섰다 / 语言不是～式的突然变化, 而是直线式的渐变; 언어는 단계식의 돌연 변화가 아니고, 직선식의 점차 변화이다.
〔阶级〕 jiējí 명 계급. ¶工人～; 노동자 계급 / 资产～; 자본가 계급 / ～社会; 계급사회 / ～成分; 계급 성분 / ～本能; 계급적 본성 / ～分析; 계급 분석.
〔阶级斗争〕 jiējí dòuzhēng 명 계급 투쟁.
〔阶级斗争熄灭论〕 jiējídòuzhēng xīmièlùn 명 계급 투쟁 소멸론. 사회주의 사회에 있어서의 계급과 계급 투쟁의 존재를 부정하는 이론.
〔阶级觉悟〕 jiējí juéwù 명 계급 의식. 프롤레타리아 의식.
〔阶级路线〕 jiējí lùxiàn 명 계급 노선.
〔阶级性〕 jiējíxìng 명 계급성.
〔阶级窑〕 jiējíyáo 명 (도자기를 굽는) 오름가마.
〔阶前万里〕 jiē qián wàn lǐ 〈成〉 가만히 있으면서도, 먼 곳의 일을 잘 알고 있다.
〔阶石〕 jiēshí 명 댓돌. 디딤돌.
〔阶梯〕 jiētī 명 ①층층대. 계단. ¶～教室; 계단 교실. ②〈轉〉 초보. 입문(入門). (향상하기 위한) 발판. ¶中文～; 중국어 입문서.
〔阶下囚〕 jiēxiàqiú 명 옛날, 계단 밑에서 심문을 받던 수인(囚人)《넓은 뜻으로는 구류된 사람, 또는 포로를 가리킴》.

结(結) jiē (결)
① →〔结巴〕 ② →〔结实shi〕 ③ 동 결실하다. 열매를 맺다. ¶树上～了许多苹果; 나무에 많은 사과가 열렸다. ⇒jié

〔结巴〕 jiēba 동 말을 더듬다. ¶结结巴巴地说; 더듬거리며 말을 하다 / 他～得利害, 半天说不出一句话; 그는 말을 심하게 더듬어서, 오래 걸려서도 한 마디도 못 한다. 명 말더듬이. ¶～可以矫正过来; 말더듬이는 고칠 수 있다. ‖ =〔吃口③〕
〔结巴颏子〕 jiēba kēzi 명 말더듬이. ¶～说话越急越结巴; 말더듬이가 말할 때 조급하면 조급해할수록 말을 더듬는다. =〔嗜巴喀子〕
〔结果〕 jiēguǒ 동 과일이 열리다. 열매를 맺다. ⇒jiéguǒ
〔结结巴巴〕 jiējiebābā 형 말을 더듬는 모양. =〔嗜嗜吧吧〕

〔结结实实〕 jiējieshíshí 형 ①굳다. 견실하다. 튼튼하다. ②내용이 충실하다〔있다〕. ¶～的文章; 내용이 충실한 문장.
〔结实〕 jiēshí 동 열매를 맺다. ¶开花～; 꽃이 피고 열매를 맺다.
〔结实〕 jiēshi 형 ①튼튼하다. ㉠(물건이) 견고하다. ¶这双鞋很～; 이 신발은 매우 튼튼하다. ㉡(몸이) 강건하다. ¶他身子不很～; 그는 몸이 그다지 튼튼하지 않다. ②확실하다. 견실하다. 확고하다. ¶～的凭据; 확실한 증거. ③질기다. 단단하다. ④충실하다. 내용이 있다.
〔结枝儿〕 jiēzhīr 명 ①(과실이) 달린 가지. ②과실 풍년의 해. 과일이 잘 되는 해. =〔大dà年①〕
〔结子儿〕 jiēzǐr (식물이) 열매를 맺어 씨를 가지다. ¶这种花不～; 이런 종류의 꽃은 씨를 맺지 않는다.

秸〈稭〉

jiē (갈)
명 (베어 낸 뒤의 농작물의) 줄기. 대. 짚. ¶麦～; 보릿짚 / 秫shú～; 수숫대 / 豆～; 콩대 / 包米～ =〔玉米～〕; 옥수수숫대.
〔秸秆〕 jiēgǎn 명 짚. 대. 줄기.
〔秸料〕 jiēliào 명 수수 · 보리 · 삼〔마(麻)〕 등의 대〔줄기〕(버들가지나 흙과 섞어서 제방 보수용으로 쓰임).

皆

jiē (개)
부 〈文〉 모두. 전부. 다. ¶人人～知; 모두가 알고 있다 / ～然; 모두 그렇다.
〔皆大欢喜〕 jiē dà huān xǐ 〈成〉 모두가 크게 기뻐하다.
〔皆(既)蚀〕 jiē(jì)shí 명 《氣》 개기식. =〔全quán食〕
〔皆捷〕 jiējié 명동 〈文〉 전승(全勝)(하다). ¶四战～, 而且赢的分数相当多; 4전 전승에다, 이긴 점수도 상당히 높다.
〔皆因〕 jiēyīn 〈文〉 모두 …때문이다. ¶～他不愿意才不用他; 그가 원하지 않기 때문에 그를 쓰지 않습니다. =〔因为〕

湝

jiē (개)
→〔湝湝〕
〔湝湝〕 jiējiē 형 〈文〉 물이 흐르는 모양. ¶淮Huái水～; 화이허(淮河)의 물이 도도히 흐르다.

喈

jiē (개)
→〔喈喈〕
〔喈喈〕 jiējiē 〈擬〉〈文〉 ①종이나 북의 은은하고 명쾌한 소리. 또는 부드럽고 여운 있는 소리. ¶钟鼓～; 종과 북 소리가 은은하게 울리다. ②새가 우짖는 소리. ¶鸡鸣～; 닭이 꼬꼬댁 울다.

楷

jiē (해)
명 《植》 〈方〉 황련목(黃連木). 공목(孔木). =〔黄连木〕 ⇒ kǎi

接

jiē (접)
①동 계속하다. 계속되다. ¶～着讲; 강의를 계속하다. 계속하여 말하다 / ～前; 앞에서 계속하다 / 这套电影片, 上下两集～着演; 이 영화는 전편 · 후편이 연속 상영된다 / ～着念; 계속해서 읽다. ②동 잇다. ㉠연결하다. ¶～线; 실이나 전화를 연결하다 / 把两张桌子～起来; 두 테이블을 한데 잇다 / 这一句跟上一句～不上; 이 문장은 앞의 문장과 연결이 안 된다. ㉡접목(椄木)하다. ¶把蔷qiáng薇～上; 장미를 접목하다. ㉢접합하다. 용접하다. ③동 다가서다. 접촉〔접근〕하다. 닿다. ¶邻～; 인접하다 / 交头～耳; 〈成〉 얼굴을 가까이 대고 입을 귀에 가져가다(소곤거리다). ④동 받다. ㉠접수하다. ¶～到一封信; 1통의 편지를 받았다 / 把行李～过来; 짐을 받아 오다. ㉡(던진 것 · 떨어지는 것을) 잡다. 받아 내다. 받아 쥐다. ¶用手～住; 손으로 받아 내다 / ～生员～小孩儿; 조산원이 갓난아기를 받다 / 果子落下来, 用筐子～它; 과실이 떨어지는 것을 광주리로 받다. ⑤동 마중하다. 맞이하다. ¶迎～; 영접하다 / 到车站～朋友去; 정류장으로 친구를 마중 나가다 / ～病人出院; 환자를 데리고 퇴원하다. ↔〔送①〕 ⑥명 《體》 테니스의 리시브. ⑦동 (일 따위를) 인계 맡다. 교대하다. ¶谁～你的班? 누가 당신과 교대합니까? / ～任; ⇩ / ～办; ⇩ ⑧동 구제(救濟)하다. ¶～应; 응원하다. ⑨명 성(姓)의 하나.
〔接班(儿)〕 jiē.bān(r) 동 (일을) 인계받다. 이어받다. 교대하다. 뒤를 잇다. ¶我们下午三点～, 晚上十一点交班; 우리는 오후 3시에 일을 인계받아, 밤 11시에 교대한다 / 接你的班吧! 당신과 교대하지요! / ～人; 후계자.
〔接办〕 jiēbàn 동 계속해서 하다. 사무를 이어받다. 계속해 처리하다. ¶这学校由教育部～; 이 학교의 운영은 교육부에 의해 인계된다.
〔接棒〕 jiēbàng 명동 《體》 (릴레이에서) 배턴(baton)(을 받다).
〔接不上〕 jiēbushàng ①연결이 안 되다. ¶电话打了半天, 可老～; 전화를 오랫동안 걸었는데도 연결이 안 된다. ②제때에 댈 수 없다. ¶材料～了; 자재(資材)가 떨어졌다. ③이어지지 않다. 도중에서 끊어지다. ¶～气儿; 숨이 중단되다. ↔〔接得上〕
〔接茬儿〕 jiē.chár 동 〈方〉 ①남의 말을 이어받다. 말에 한몫 끼다. ¶他几次跟我说到老王的事, 我都没～; 그는 여러 번 왕씨에 대한 말을 했으나, 나는 전혀 그 말을 받아 주지 않았다. ②또 다른 일을 바로 이어서 하다. ¶随后他们～商量晚上开会的事; 뒤이어 그들은 바로 저녁 회의에 관한 일을 상의한다.
〔接差〕 jiēchāi 동 임무를 인계〔이어〕받다.
〔接车〕 jiēchē 명 마중 나가는 차. (jiē.chē) 동 (정거장 · 정류장에) 마중 나가다. 출영하다.
〔接充〕 jiēchōng 동 새로 인계받아 직무를 보다.
〔接触〕 jiēchù 동 ①접촉하다. 접하다. 닿다. 만지다. ¶他过去从没有～过书本; 그는 이제껏 책을 접해 본 적이 없다 / 皮肤和物体～时, 所生的感觉就是触觉; 피부와 물체가 닿을 때 생기는 감각이 촉각이다. ②(사람과 사람이) 교제하다. 접촉하다. 관계를 갖다. ¶机关干部需要跟群众～; 기관의 간부는 대중과 접촉해야 한다. ③《軍》 (군대가 적과) 교전하다. ¶一排已经跟敌人的前哨～; 제1 소대는 이미 적의 전초 부대와 교전했다. 명 접촉. 교제. ¶跟他有～; 그와 접촉이 있다 / ～眼镜; 콘택트 렌즈.
〔接待〕 jiēdài 명동 응접(하다). 접대(하다). ¶～室; 응접실 / ～办公室; 접대 사무실 / ～外宾; 외국의 빈객(賓客)을 접대하다. →〔招zhāo待①〕
〔接到〕 jiēdào 동 받다. 입수하다. ¶～你的信; 당신 편지를 받았습니다.
〔接敌〕 jiēdí 동 《軍》 적(敵)과 접촉하다.
〔接地〕 jiēdì 《電》 명 접지. 어스(earth). ¶负极～; 마이너스 어스. (jiē.dì) 동 어스〔접지〕하다.
〔接点〕 jiēdiǎn 명 ①《軍》 접점. 접촉. ②《電》 (개폐기 · 플러그 따위) 접촉 부분.

〔接电〕 jiē·diàn 동〈翰〉전보를 받다.
〔接读〕 jiēdú 동〈翰〉보내 주신 편지 잘 받아 보았습니다.
〔接短(儿)〕 jiē·duǎn(r) 동 절박한 처지를 도와 주다. ¶老大爷逗趣儿地接了个短; 할아버지는 우스갯소리로 급한 고비를 모면해 주었다.
〔接二连三〕 jiē èr lián sān〈成〉계속하여. 차례차례로. ¶捷报～地传来; 승리의 소식이 잇달아 전해 오다.
〔接发〕 jiēfā 명동 접수·발송(하다). 발착(發着)(하다).
〔接防〕 jiē·fáng 동《軍》①수비를 인계 맡다. ②수비병이 교대하다.
〔接风〕 jiēfēng 동 멀리서 온 손님을 환영하다. 환영회를 열다. ¶给他～; 그를 위해서 환영의 연회(宴會)를 베풀다. =〔拂fú尘〕〔洗xǐ尘〕
〔接奉〕 jiēfèng 동〈翰〉받다. 배수(拜受)하다. ¶～大函; 주신 편지는 잘 받아 보았습니다.
〔接缝〕 jiēfèng 명 이에짬. 이음매.
〔接羔〕 jiē·gāo 동 양(羊)·돼지의 분만을 돕다.
〔接骨〕 jiēgǔ 명동《漢醫》접골(하다).
〔接骨丹〕 jiēgǔdān〈比〉임시 방편의 치료. 좋은 계기나 조건. ¶趁此倒是个好～; 이 기회야말로 좋은 계기다.
〔接骨匠〕 jiēgǔjiàng 명〈俗〉접골사.
〔接骨木〕 jiēgǔmù 명《植》접골목. 딱총나무.
〔接骨眼(儿)〕 jiēguyǎn(r) 명 ⇨〔节jiē骨眼(儿)〕
〔接关系〕 jiē guānxi 연락을 취하다. 관계를 맺다. 절충하다. 교섭하다.
〔接管〕 jiēguǎn 동 접수하여 관리하다. ¶强行～一切行政权力; 모든 행정권을 강행 접수하다. 명 접수·관리.
〔接轨〕 jiē guǐ 레일을 접속하다〔시키다〕. ¶～处; 철도 선로의 접속점〔교차점〕.
〔接合〕 jiēhé 명동 연결(하다). 접합(하다). ¶气密～; 《機》기밀 접합 / ～器; 어댑터(adapter).
〔接话〕 jiē huà ①대답하다. ②이야기를〔말을〕 잇다.
〔接换〕 jiēhuàn 동 새것과 교체하다. 교대하다. ¶站岗gǎng的步哨每一点钟一～; 근무 보초는 1시간마다 교대한다. =〔交替〕
〔接活(儿)〕 jiē·huó(r) 동 일을 떠맡다〔인수하다〕.
〔接火(儿)〕 jiē·huǒ(r) 동〈口〉①교전하다. 서로 맞붙기 시작하다. ¶先头部队跟敌人～了; 선두 부대는 적과 교전했다. ②전기가 통하다. ¶电灯安好了, 但是还没～; 전등은 달았으나, 전기는 아직 통하지 않는다.
〔接获〕 jiēhuò 동 입수(入手)하다. ¶～消息; 소식을 입수하다.
〔接济〕 jiējì 동 ①(물자나 금전으로) 구제하다. 원조하다. ¶～难民; 난민을 구제하다 / ～粮食; 식량을 원조하다. ②(학비나 생활비를) 보내 주다. ¶学费～不上; 학비를 계속 보낼 수가 없다. ③보급하다. ¶把弹药和补给品用空投～地面部队; 탄약과 보급품을 공중 투하로 지상 부대에 보급하다. →〔补bǔ给〕
〔接继板〕 jiējìbǎn 명《機》접속판.
〔接家〕 jiē·jiā 동 가족을 맞이하다.
〔接驾〕 jiējià 동 고귀한 사람을 맞다〔영접하다〕.
〔接见〕 jiējiàn 동 접견하다. 회견(會見)하다. ¶他在北京～代表团全体人员; 그는 베이징에서 대표단 전원을 접견하였다. →〔见面(儿)〕
〔接交〕 jiē·jiāo 동 사귀다. 어울리다. 교제하다. 관계를 맺다. ¶～朋友; 친구와 교제하다.
〔接界〕 jiējiè 명 경계(지). 인접 지대. (jiē·jiè) 동 경계를 접하다. 인접하다. =〔接壤〕〔接境〕
〔接近〕 jiējìn 동 ①접근하다. 가까워지다. (가까이) 다가가다. ¶时间已～半夜; 시간은 이미 한밤중에 가까워졌다 / ～末日; 말일에 가까워지다. ②가까이〔친하게〕하다. 가깝다. ¶别跟他～! 저 녀석과는 가까이하지 마라! ③접근해 있다. 비슷하다. 가깝다. ¶大家意见已经很～, 没有多大分歧了; 모두의 의견은 이미 비슷해져서, 큰 엇갈림은 없어졌다.
〔接境〕 jiējìng 동 인접하다. 경계를 접하다. =〔接壤〕〔接界〕
〔接客〕 jiē·kè 동 ①손님을 접대하다. ②(기녀가) 기루의 유객을 맞아들이다.
〔接口〕 jiēkǒu 명 ①(컴퓨터의) 인터페이스(interface). ¶～电路; 인터페이스 회로. ②이음매. (jiē·kǒu) 동 말을 잇다. =〔接嘴〕
〔接力〕 jiēlì 명동 릴레이(하다). ¶异路～; 세퍼레이트(separate) 코스에 의한 릴레이 / 自由泳～; 자유형 릴레이 / ～运输; 릴레이 수송 / ～投手; (야구에서) 구원 투수.
〔接力棒〕 jiēlìbàng 명 배턴(baton). ¶和平与友谊的～; 평화와 우호의 배턴.
〔接力赛跑〕 jiēlì sàipǎo 명 릴레이 경주. =〔替tì换赛跑〕
〔接力越野赛〕 jiēlì yuèyěsài 명 역전(驛傳) 경주. →〔马mǎ拉松(赛跑)〕
〔接连〕 jiēlián 부 계속하여. 잇달아. ¶他～说了三次; 그는 잇달아 세 번 말했다 / ～不断; 잇달아 계속되다.
〔接龙〕 jiēlóng 명 도미노식 놀이의 하나《어떤 끝수를 기준으로 하여, 차례로 손에 든 패를 내놓아 먼저 손을 뗀 사람이 이김》. =〔顶牛儿〕
〔接木〕 jiē·mù 동 접목(接木)하다. ¶接果木; 과수(果樹)를 접목하다. =〔接枝〕〔嫁jià接〕 (jiēmù) 명 접목. ¶～法; 접목법.
〔接目镜〕 jiēmùjìng 명《物》접안(接眼) 렌즈.
〔接纳〕 jiēnà 동 (개인이나 단체가 조직에 참가하는 것을) 받아들이다. ¶他被～为员; 그는 회원으로서 받아들여졌다 / ～订单; 주문을 받아들이다.
〔接盘〕 jiēpán ⇨〔受shòu盘〕
〔接气〕 jiē·qì 동 ①(문장 따위가) 연결되다〔이어지다〕. ②숨을 잇다. ¶接不上气; (문장·숨이) 이어지지 않다.
〔接洽〕 jiēqià 동 ①상담하다. 의견을 교환하다. 교섭〔협의〕하다. ¶进行～; 교섭을 진행하다. =〔洽商〕 ②인계하다. ③《商》거래나 거래 조건 등의 사전 조회를 받다.
〔接腔儿〕 jiē·qiāngr 동 응답하다. 말을 잇다. 뒤를 받아 노래하다. =〔接声儿〕
〔接亲〕 jiē·qīn 동 장가를 들다. 아내를 맞다.
〔接球〕 jiē·qiú《體》동 공을 받다. 포구(捕球)하다. (jiēqiú) 명 ①포구. 캐칭. 리시브. ¶接发球; 서브 리시브 / 接扣kòu球; 어택 리시브(attack receive) / 漏～; 공을 놓치다. 에러가 되다. ②(축구에서) 공을 자기 팀의 범위내에 컨트롤을 하는 것《트래핑(trapping)·스토핑(stopping)》.
〔接壤〕 jiērǎng 동 ⇨〔接界〕
〔接任〕 jiē·rèn 동 후임이 되다. 취임하다. 사무를 인계받다. ¶～视事; (직무를) 인계받아 집무하다. =〔交代〕
〔接衫〕 jiēshān 명 옛날, '马mǎ掛' 밑에 '大dà掛'의 아래 반쪽을 이어붙인 옷《경제적이고 시원함》.

〔接墒〕 jiēshāng 동 《農》 (비 또는 물을 뿌림으로써) 흙의 습도가 발아(發芽)·성육(成育)에 알맞게 하다.
〔接上〕 jiē·shang 동 계속하다. 이어서 하다. ¶～气儿; 자식이 부모의 뒤를 잇다.
〔接身儿〕 jiēshēnr 동 대를 잇는 자식. 후사(後嗣). ¶连个～都没有; 대를 이을 자식도 없다.
〔接生〕 jiē·shēng 동 아기를 받다. 조산(助産)하다. ¶～婆pó =〔收生婆〕; 조산원. 산파.
〔接生站〕 jiēshēngzhàn 명 산원(産院). 조산소.
〔接声儿〕 jiē·shēngr 동 (목소리에) 응하다. 응답하다. 뒤를 받아 노래하다. ¶敲qiāo了半天门, 也没人～; 오랫동안 문을 두드렸으나 응답이 없다. =〔接腔儿〕
〔接事〕 jiē·shì 동 직무를 인계받다. 취임하다.
〔接收〕 jiēshōu 동 ①(물품을) 수취하다〔받다〕. ¶～来稿; 보내 온 원고를 받다. ②(법령으로 재산 등을) 접수하다. ¶～敌产; 적의 재산을 접수하다. ③(라디오 따위를) 수신하다. ¶～天线; 수신 안테나. ④받아들이다. ¶～新会员; 새 회원을 받아들이다.
〔接收财〕 jiēshōucái 명 접수 재산.
〔接手〕 jiēshǒu 동 인계받다. 교체하다. 명 《體》 야구의 캐처. 포수. =〔捕手〕
〔接手〕 jiēshou 명 ①(역이나 백화점 등에 비치되어 있는) 작은 탁자. ②옆에서 접대를 돕는 사람.
〔接受〕 jiēshòu 동 (물건·조건·의견·제안 따위를) 받아들이다. 수락〔승인〕하다. 인수하다. ¶～批评; 비평을 인정하고 받아들이다 / ～任务; 임무를 떠맡다 / ～礼物; 예물〔선물〕을 받아들이다 / ～中央指示; 중앙의 지시를 받다 / ～工会的要求; 조합의 요구를 받아들이다 / 不～对我们内政的任何干涉; 우리는 내정에 대한 어떠한 간섭도 받아들이지 않는다 / 他拒绝～这一条件; 그는 이 조건을 받아들이는 것을 거절했다. →〔承chéng受①〕 명 수락. ¶印巴两国政府对于这个决议都表示～; 인도·파키스탄 양국 정부는 이 결의에 대해 다 같이 수락의 뜻을 표명했다.
〔接署〕 jiēshǔ 동 사무를 인계하여 그 대리를 하다.
〔接送〕 jiēsòng 동 송영(送迎)하다. ¶用汽车～; 자동차로 송영하다.
〔接穗〕 jiēsuì 명 《農》 접수(椄穗). 접지(椄枝)(나무를 접붙일 때 접본에 꽂는 나뭇가지).
〔接榫〕 jiē·sǔn 《建》 동 장부촉을 구멍에 끼우다. (jiēsǔn) 명 장부.
〔接摊〕 jiētān 동 교체〔교대〕하다. 인계하다.
〔接谈〕 jiētán 동 접견하여 회담하다. 면담하다. ¶跟来访的学生～; 찾아온 학생과 만나 이야기하다.
〔接替〕 jiētì 동 교체하다. (임무를) 인계맡다. ¶公司上决定派你去～他的工作; 회사에서는 당신을 파견해서, 그의 일을 인계하기로 결정했다. 명 교체. 인계.
〔接条〕 jiētiáo 명 《機》 링크(link).
〔接通〕 jiētōng 동 (전화가) 통하다. ¶电话～了吗? 전화는 통했나요?
〔接头〕 jiētóu 명 ①이은 부분. ②단자(端子). (jiē·tóu) 동 ①(가늘고 긴 것을) 잇다. ②절충하다. 상담하다. 교섭하다. ¶～人; 교섭할 상대. 연락할 상대 / 跟他～商量吧! 그와 연락을 취하여 의논해라! ③내부 사정을 잘 알고 있다. ¶这个事我不～; 이 일은 나는 모르는 일입니다.
〔接头儿〕 jiētour 명 ①(가늘고 긴 것의) 이음새. ¶～松脱了; 이음매가 헐거워져서 벗겨졌다. ②(의복 등의) 잇대어 꿰맨 곳.
〔接吻〕 jiē·wěn 동 키스하다. ¶接一下吻; 입을 한 번 맞추다. =〔亲嘴〕
〔接物〕 jiēwù 동 사물에 접하다. 남과 교제하다. ¶待dài人～; 사람을 응대하고 사물에 접하다. 세상에 처하다.
〔接物镜〕 jiēwùjìng 명 《物》 대물(對物) 렌즈.
〔接膝〕 jiēxī 동 무릎을 접하다〔맞대다〕. =〔促cù膝〕
〔接下〕 jiēxià 동 ①계속하다. ¶他再～去说; 그는 다시 계속하여 말하다. ②받다.
〔接线〕 jiēxiàn 명 《電》 코드. 도선(導線). (jiē·xiàn) 동 ①《電》 (도선(導線)으로) 전선을 잇다. ¶～图; 배선도. ②(교환수가) 전화를 연결하다. ¶～员; 교환원. ③연락을 취하다. ④실을 잇다. ⑤ ⇨〔接线头〕
〔接线板〕 jiēxiànbǎn 명 《電》 접속자. 단자. =〔接线柱〕
〔接线机〕 jiēxiànjī 명 전화 교환기.
〔接线生〕 jiēxiànshēng 명 전화 교환원의 구칭.
〔接线头〕 jiē·xiàntou 동 (지하 공작원 따위가) 연락을 취하다. 접선하다. =〔接线⑤〕
〔接线匣〕 jiēxiànxiá 명 《電》 로제트(rosette).
〔接线柱〕 jiēxiànzhù 명 ⇨〔接线板〕
〔接续〕 jiēxù 동 접속하다. 잇다. 계속하다. ¶～前稿; 전고(前稿)에 이어지다 / ～着办; 계속해 하다 / ～器qì; 어댑터(adapter).
〔接续香烟〕 jiē xù xiāng yān 〈成〉 조상의 제사를 계속 잇다. 자손이 끊어지지 않다. =〔接香烟〕
〔接眼镜子〕 jiēyǎn jìngzi 명 콘택트 렌즈. =〔接触眼镜〕
〔接演〕 jiēyǎn 동 (연극·영화 따위를) 속연(續演)하다.
〔接引〕 jiēyǐn 동 ①이끌다. 인도하다. ② ⇨〔导dǎo引〕 ③《佛》 중생을 극락 정토로 인도하다.
〔接印〕 jiē·yìn 동 사무 인계를 하다.
〔接应〕 jiēyìng 동 ①호응하다. 응원하다. 지원하다. ¶你们先冲上去, 二排随后～; 너희들은 먼저 돌격해라. 2소대가 곧 뒤이어 호응할 테니까. ②보급하다. 공급하다. ¶子弹～不上; 탄환 보급이 제때에 이루어지지 않다. =〔接济〕 ③맞이하다. ¶我们多次派人去～你, 可始终没联系上; 우리는 자네를 맞이하기 위해 몇 차례나 사람을 보냈으나, 끝내 연락을 취할 수가 없었다.
〔接用〕 jiēyòng 동 이어받다. 승계하다. 인수하여 사용하다. ¶～别人的电话办理过户手续; 남의 전화를 물려받아 명의 변경 수속을 하다.
〔接援〕 jiēyuán 동 응원하다. 지원하다.
〔接载〕 jiēzài 동 적화(積貨)를 인수받다.
〔接展〕 jiēzhǎn 동 (편지를) 받아 개봉하다.
〔接仗〕 jiēzhàng 동 맞받아 치다. 응전하다. ¶敌兵也开炮～了; 적도 발포하며 응전했다.
〔接着〕 jiēzhe 동 ①(손으로) 받다. ¶我往下扔, 你在下面～; 내가 아래로 던질 테니, 너는 아래에서 받아라. ②(감정 등을) 받아들이다. ¶你这份情意, 他不能不～; 당신의 이 마음을 그가 받아들이지 않을 리가 없다. 부 (앞의 동작이나 말에) 계속해서. 잇달아서. 이어서. ¶我讲完了你～讲下去; 내 말이 끝나거든, 자네가 계속해서 얘기해 주게 / 这本书, 你看完了我～看; 이 책은 당신이 다 읽으신 뒤에 제가 계속해서 읽겠습니다 / ～, 他列举了许多实例; 잇달아 그는 많은 실례를 늘어놓았다.
〔接枝〕 jiē·zhī 동 접목하다. =〔接木〕〔嫁jià接〕
〔接踵〕 jiēzhǒng 동 (사람이) 계속해서 오다. 잇따

르다. ¶摩mó肩～; 〈成〉 사람이 계속해서 오는 모양. 밀치락달치락하는 모양/～而来 =〔～而至〕; 속속〔잇달아〕 오다.

〔接种〕 jiēzhòng 통 〘醫〙 (백신이나 우두 따위를) 접종하다. ¶～牛niú痘; 우두를 접종하다/～疫yì苗; 왁친 접종을 하다.

〔接住〕 jiēzhù 통 ①(확실히) 받아 쥐다. ¶用双手～; 양손으로 받다. ②(떨어지지 않도록) 잇다. ¶～线头; 실끝을 (한데) 잇다.

〔接嘴〕 jiē·zuǐ 통 남의 말에 잇대 말하다. 말을 잇다. 말을 받다.

痎 jiē (해)

명 〘醫〙 〈文〉 학질. 고금.

揭 jiē (게)

①통 (들러붙은 것·붙인 것 따위를) 떼다. 벗기다. ¶把鞍子～下来; 안장을 벗겨 떼다/把这张膏药～下来; 이 고약을 떼라/把墙上贴着的画儿～下来; 벽에 붙어 있는 그림을 떼내다/～开书本儿; 책장을 뜯다. ②통 (닫혀 있는 것을) 떼다. 열다. ¶～锅盖; 냄비 뚜껑을 열다. ③통 공개하다. 들춰〔드러〕내다. 폭로하다. 게시하다. ¶～示; ⇩/～发; ⇩/被他～住去年的事情; 그에게 작년의 일을 폭로 당했다/因为你～他的短, 所以他急了; 자네가 그의 단점을 폭로했으므로, 그는 조급하게 되었다. ④통 〈文〉 들다. 들어 올리다. ¶～竿; ⇩ ⑤통 〈文〉 지다. 메다. ⑥통 밭을 가래로 갈다. ⑦명 표준. ⑧명 (이자가 붙는) 금전의 대차(貸借). ⑨명 성(姓)의 하나.

〔揭榜〕 jiēbǎng 통 시험의 합격자를 발표하다. 방을 붙이다.

〔揭裱〕 jiēbiǎo 통 (오래 된 서화를 벗기고) 표장(表裝)을 다시 하다.

〔揭不开锅〕 jiēbukāi guō 〈比〉 (생활이 곤궁해서) 먹지 못하다. 먹을 것이 없다.

〔揭穿〕 jiēchuān 통 폭로하다. 적발하다. 들추어 내다. ¶～谣言; 소문을 들추어 내다/～黑幕; 내막을 폭로하다/恶行～了; 못된 짓이 드러났다/你要是不听话, 我可要～你的秘密了! 말을 안 들으면, 너의 비밀을 폭로하겠다!

〔揭疮疤〕 jiē chuāngba 〈比〉 부스럼 딱지를 떼어 내다《남의 결점을 들추어 내다》.

〔揭底(儿)〕 jiē·dǐ(r) 통 ①사람의 결점·비밀 또는 마음의 상처를 들춰 내다. ②내막을 폭로하다.

〔揭短(儿)〕 jiē·duǎn(r) 통 남의 약점·부정(不正) 등을 폭로하다. 아픈 곳을 들춰 내다. ¶骂人不可～; 남을 욕할망정 약점은 들추지 마라.

〔揭发〕 jiēfā 통 (착오·죄상·결점 등을) 폭로하다. 적발하다. ¶～缺点; 결점을 샅샅이 들추어 내다/～真相; 진상을 폭로하다/～和消除自己的缺点和错误; 자신의 결점과 착오를 드러내어 제거하다/～黑后台; 흑막을 폭로하다.

〔揭盖儿〕 jiē gàir ①뚜껑을 열다. ②비밀이나 과거의 일을 폭로하다. ③내막을 들춰내다. ‖=〔揭盖子〕

〔揭竿〕 jiēgān 통 ①깃대를 들다〔세우다〕. ②〈比〉 갑작스레 거사하다.

〔揭竿而起〕 jiē gān ér qǐ 〈成〉 ①봉기하다. 반기를 들다. ②정의로운 전쟁에 과감히 나서다.

〔揭根子〕 jiē·gēnzi 통 원조한 사람에게 불만을 품고 노염을 터뜨리다. (전에 친했던〔은혜를 입혔던〕 사람의) 옛일을 끄집어 내어 화풀이하다.

〔揭锅〕 jiē·guō 통 ①공개하다. 폭로하다. ②결말을 내다. ③〈比〉 밥을 먹게 되다. ¶三天没～; 3일 동안 밥을 먹지 못했다.

〔揭过〕 jiēguò 통 결말을 짓다. 마감하다. 끝내다. ¶前事～另谈别事; 앞에 이야기는 끝내고 다른 이야기를 하다.

〔揭换〕 jiēhuàn 통 (지붕의 기와 따위를) 벗기어 새것과 바꾸다.

〔揭开〕 jiēkāi 통 ①떼어 내다. 떼어 버리다. 벗기다. ¶～宇宙的奥秘; 우주의 비밀을 벗겨 내다. ②(닫힌 것을) 열다. 봉한 것을 자르다. ¶～了历史的崭新的一页; 역사의 새로운 한 페이지를 열었다. ③폭로하다. 공개하다. ¶～真相; 진상을 폭로하다.

〔揭露〕 jiēlù 통 게시해서 여러 사람에게 발표하다. 명통 (남의 나쁜 점을 들춰서) 폭로(하다). 적발(하다). ¶把一切～出来; 일체를 폭로하다/～无余 =〔～无遗〕; 남김없이 폭로하다/～矛盾; 모순을 파헤치다.

〔揭幕〕 jiēmù 통 ①막을 열다. 제막(除幕)하다. ¶～礼lǐ; 제막식. ②개점하다. 개장하다. ③(사건 등이) 시작하다. ¶战争～了; 전쟁이 시작되었다.

〔揭幕(典)礼〕 jiēmù(diǎn)lǐ 명 제막식. ¶那是去年九月三日举行～的; 그것은 작년 9월 3일에 제막식이 거행되었다.

〔揭批〕 jiēpī 통 적발·폭로하여 비난하다.

〔揭破〕 jiēpò 통 폭로하다. 까발리다. (죄인·죄악을) 고발하다. 적발하다.

〔揭深批透〕 jiē shēn pī tòu 철저하게 적발하거나 폭로해서 비판하다.

〔揭示〕 jiēshì 통 ①게시하다. 발표하다. =〔揭贴〕〔揭帖〕 ②명시(明示)하다. 지적하여 보이다. ¶～了事物的内在联系; 사물의 내부 관계를 명시하다.

〔揭帖〕 jiētiě 명 벽보. 격문. ¶寻人的～; 사람 찾는 벽보/匿nì名～; ⓐ익명의 선전문. ⓑ낙서. 통 게시하다. 발표하다. =〔揭示①〕〔揭贴〕

〔揭下〕 jiēxià 통 벗기다. 떼다. ¶把膏药～了; 고약을 떼내다.

〔揭下来〕 jiē·xia·lai ①떼어 내다. ¶把招牌～; 간판을 떼어 내리다. ②젖히다. ③벗겨 내다.

〔揭晓〕 jiēxiǎo 명통 ①발표(하다). ¶录取名单还没有～; 채용 합격자 명단은 아직 발표되지 않았다. ¶投票结果～; 투표 결과가 발표되다. ②시세 공시(公示)(를 하다). ¶～行市hángshi; 공시 시세(公示時勢).

嗟 jiē〔juē〕 (차)

①통 탄식하다. ¶～叹; ⇩ ②통 감탄하다. 찬미하다. ③감 아!《탄식하는 소리》. ④감 와!《찬탄하는 소리》.

〔嗟悼〕 jiēdào 통 〈文〉 한탄하며 슬퍼하다. ¶不胜～之至; 슬프기 짝이 없다.

〔嗟呼〕 jiēhū 감 아!

〔嗟悔〕 jiēhuǐ 통 〈文〉 탄식하며 후회하다.

〔嗟悔无及〕 jiē huǐ wú jí 〈成〉 아무리 후회해도 돌이킬 수 없다.

〔嗟嗟〕 jiējiē 감 오호《감탄·찬미하는 소리》.

〔嗟来之食〕 jiē lái zhī shí 〈成〉 옜다 먹어라 하고 무례하게 내놓은 음식. 던져 주듯 하는 음식을 받는 것은 떳떳하지 못하다는 것을 이른 말《모욕적인 베풂〔은혜〕》.

〔嗟叹〕 jiētàn 통 탄식하다. 차탄하다.

街 jiē (가)

명 ①(양쪽에 집이 있는 비교적 넓은) 도로. 가로(街路). 길. 거리. 시가(市街). ¶大～;

대로(大路) / 上～了; 거리로 나갔다 / 大～小巷; 한길과 작은 골목길 / 十字～; 사거리. →〔胡同(儿)〕 ②타이완(臺灣)의 행정 구획의 하나(‘庄’ 보다 큰 것). ③〈方〉(정기적으로 서는) 장. ¶赶～; 장보러 가다.
〔街道〕 **jiēdào** 명 ①(～儿) 한길. 가로(街路). ¶～树; 가로수. ②도회지. 상공업 지구. 비(非)농업 지구. ¶～居民; 도회지 주민. 상공업 지구 주민들 / ～工业; 가내 공업 / ～小工厂; 시내의 작은 공장 / ～消费合作社; 도시 소비 협동 조합의 일종.
〔街道办事处〕 **jiēdào bànshìchù** 명 시〔구〕청의 출장소.
〔街道工作〕 **jiēdào gōngzuò** 명 (시·동의) 거주 조직의 일. 동회(洞會)의 일. ¶我既作～, 就得关心别人呢! 나는 동회 일을 하고 있어서, 다른 사람에게 어쩐지 관심을 갖게 된다네!
〔街灯〕 **jiēdēng** 명 가로등.
〔街坊〕 **jiēfang** 명 〈口〉 이웃(장소·사람). 인근. ¶～邻舍 =〔～四邻〕; 이웃 / 咱们爷儿们住～; 우리 남자들은 이웃에 살고 있다 / ～住; 이웃 사촌이 되다 / ～家的狗, 吃了就走; 〈歇〉 이웃집 개는 다 먹으면 곧 가버린다(배은망덕하다).
〔街害〕 **jiēhài** 명 〈音〉 평방(프carré).
〔街混子〕 **jiēhùnzi** 명 〈方〉(거리의) 불량배. 깡패. 건달.
〔街垒〕 **jiēlěi** 명 바리케이드. 거리에 구축한 토치카(러 totschta). ¶～战; 시가전 / 筑～; 바리케이드를 구축하다.
〔街里街坊〕 **jiēli jiēfāng** 명 ①이웃. 이웃마을. ②이웃간의 교제〔정의〕. ‖ =〔街里道坊〕
〔街邻〕 **jiēlín** 명 이웃(장소·사람). =〔街邻街坊〕
〔街溜子〕 **jiēliūzi** 명 건달. 부랑자. 무뢰한.
〔街门〕 **jiēmén** 명 큰길에 접해 있는 문. 앞문. 정문.
〔街门口儿〕 **jiēménkǒur** 명 집 부근의 땅.
〔街面〕 **jiēmiàn** 명 ①세상. 시정(市井). 거리. ¶～事; 시정(市井)의 일 / 他是久在～上混的人; 그는 오랫동안 세상을 살아 온 사람이다 / ～人; 버젓한 인물. ②거리에 면한 곳. ¶～房; 거리에 면한 집.
〔街面儿上〕 **jiēmiànrshang** 명 〈方〉 ①세상. 시정(市井). 거리. ¶一到春节, ～特别热闹; 음력설이 되면, 거리는 유난히 활기차다. ②(대로의 골목길) 부근. 근처. 동네. ¶～没有不知道他的手艺的; 인근(隣近)에서 그의 실력을〔솜씨를〕 모르는 사람은 없다.
〔街面儿上的人〕 **jiēmiànrshàngderén** 명 세상을 돌아다니며 고생한 사람. 남의 밥을 먹어 본 사람. ¶都是～, 有什么不好说的?《老舍 駱駝祥子》; 모두 고생한 사람들뿐인데, 말하기 힘든 것이 뭐 있겠는가?
〔街衢〕 **jiēqú** 명 〈文〉 거리. 가로.
〔街上〕 **jiēshang** 명 거리. 시가(市街). 가두. ¶～交通; 도로 교통 / 上～去; 시가로 가다 / 常在～看到; 거리에서 늘 볼 수 있다. =〔街头〕
〔街市〕 **jiēshì** 명 (상점이 늘어서 있는) 거리. 시가지. 상점가.
〔街谈巷议〕 **jiē tán xiàng yì** 〈成〉(항간의) 평판. 세상의 소문. 항설(巷說). =〔街谈巷语〕〔街谈巷说〕
〔街亭〕 **jiētíng** 명 통행인의 휴식을 위해 마련한 거리의 정자.
〔街筒子〕 **jiētǒngzi** 명 가도(街道). 거리(‘胡**hú**同(儿)’ 보다 좀 넓음).
〔街头〕 **jiētóu** 명 가두. 거리. ¶十字～; 십자로. 시가. 항간 / 流落～; 영락(零落)하여 거리를 떠돌다. =〔街上〕
〔街头剧〕 **jiētóujù** 명 가두극. →〔活**huó**报(剧)〕
〔街头诗〕 **jiētóushī** 명 거리에 내붙인 시(詩). =〔墙**qiáng**头诗〕
〔街头巷尾〕 **jiē tóu xiàng wěi** 〈成〉 큰 거리와 골목. 온 거리 도처.
〔街外工作〕 **jiēwài gōngzuò** 명 외근(外勤)일. 밖에 나다니며 하는 일. 외부와의 사업.
〔街巷〕 **jiēxiàng** 명 큰길과 골목길. ¶穿**chuān**街过**guò**巷; 거리를 여기저기 거닐다 / 街街巷巷; 큰길도 골목길도. 온 거리 도처(에).
〔街心〕 **jiēxīn** 명 도로의 중앙. 거리의 한가운데.
〔街心花园〕 **jiēxīn huāyuán** 명 도로 중앙에 만든 화단(그린벨트의 일종).
〔街账〕 **jiēzhàng** 명 외상. 외상 구매. ¶欠下～不计其数; 외상값이 밀려 그 금액도 대단한 것이 되었다.
〔街招〕 **jiēzhāo** 명 (거리에 붙이는) 포스터. 광고.

鍥(鐭) jiē (결)

명 〈方〉(벼를 베는) 톱날 낫.

孑 jié (혈)

①형 〈文〉 남다. 남겨지다. ②형 〈文〉 외롭다. 고독하다. ③→〔孑孓**jué**〕 ④형 짧다. ¶～盾; ⇩
〔孑盾〕 **jiédùn** 명 〈文〉 수레에서 가지는 좁고 짧은 방패.
〔孑孑〕 **jiéjié** 형 〈文〉 ①특히 걸출한 모양. ②작은 모양. ③외롭게 선 모양.
〔孑孓〕 **jiéjué** 명 《蟲》 모기의 유충. 장구벌레. =〔〈俗〉 跟头虫儿〕
〔孑立〕 **jiélì** 동 고립하다. =〔单特孑立〕
〔孑然〕 **jiérán** 형 〈文〉 고독한 모양. ¶～一身; 고독한 몸. 혈혈단신.
〔孑身〕 **jiéshēn** 명 〈文〉 단신. 홀몸. =〔孑身一人〕
〔孑遗〕 **jiéyí** 명 (전란 등에서) 간신히 살아 남은 몇몇 사람. 오직 하나만 남아있는 것. ¶靡有～; (기근이나 전란으로 모두 죽고) 살아 남은 사람이 없다.
〔孑遗生物〕 **jiéyí shēngwù** 명 산 화석(living fossil). =〔活**huó**化石〕

讦(訐) jié (힐)

동 〈文〉 ①남의 비밀을 들추어 내다. 폭로하다. ¶攻～; 폭로하여 공격하다. ②책(責)하다.
〔讦短〕 **jiéduǎn** 동 남의 단점을 들춰 내다.
〔讦扬〕 **jiéyáng** 동 〈文〉 남의 못된 짓을 폭로하다.
〔讦直〕 **jiézhí** 동 〈文〉 강직해서 감추지 못하다. 곧바로 남의 과실을 책하다.

节(節〈莭〉) jié (절)

①(～儿, ～子) 명 (물건·식물의) 마디. ¶竹～子; 대의 마디. ②(～儿, ～子) 명 관절(關節). ¶脱～; ⓐ탈구(脫臼). ⓑ접질리다 / 骨头～儿; 골관절 / 关～; 관절. ③명 절도(節度). 규칙. 알맞은 정도. ¶礼～; 예절 / 饮食有～; 음식을 취하는 데 절도가 있다. ④명 절조(節操). ¶气～; 기개 / 守～; 수절 / 变～降**xiáng**敌; 변절하고 적에게 투항하다. ⑤명 문장의 단락. ¶分～; 절을 나누다 / 第五～; (책의) 제5절 / 情～; 사정. 줄거리. ⑥명 절. 절기(1년을 24절로 나눔). 계절(季節). ¶过～; 명절을 쇠다 / 清明～; 청명절 /

春～; 음력설. 춘절. ⑦ 명 축제일. 기념일. ¶国庆～; 국경절. 건국 기념일(10월 1일)/国际劳动～; 국제 노동절(5월 1일). ⑧ 명 옛날, 외국으로 가는 사신이 소지하던 증표(證票). ¶符～; 부절/使～; (타국에 파견되는) 사절. ⑨ 동 초록(抄錄)하다. ¶～录; ⇩/删shān～; 일부를 삭제하다/～译; 초역(抄譯)하다. ⑩ 명 (음악의) 음률. 박자. 절주. ¶～拍; ⇩/快慢中zhòng～; 음률 박자가 꼭 맞는다. ⑪ 명 사항. 일. 항목. 조항. ¶生活末～; 일상 생활 중의 사소한 일/不拘小～; 사소한 일에 얽매이지 않다/他对于这一～没什么表示; 그는 이 일에 대해 아무 말도 하지 않았다. ⑫ 동 절제하다. 절약하다. 제한하다. ¶～点儿食; 먹는 것을 절약하다〔제한하다〕/～衣缩食; 의식을 절약하다. 살림을 조리차하다. ⑬ 양 단락·구분 따위를 가리키는 명사에 쓰임. ¶一～竹子; 대나무 한 마디/上了两～课; 2시간 수업을 하였다/两～火车; 열차 2량(輛)/第三章第八～; 제3장 제8절/这首诗有四～; 이 시는 4절로 이루어졌다. ⑭ 명 《工》 피치(pitch). ⑮ 양 노트(knot)《선박의 속도》. ⑯ 형 〈文〉 높고 험하다. ⑰ 양 성(姓)의 하나. ⇒jiē

〔节哀〕 jié'āi 동 (죽음에 대한) 슬픔을 누르다《불행을 당한 집 사람에게 하는 인사말》. ¶请你～, 少悲恸 =〔请你～, 多保重〕; 〈套〉 (불행을 당한 사람에게) 너무 슬퍼하지 마십시오/～顺变; 너무 슬퍼하지 마시고 변사(變事)에 대처하십시오.

〔节本〕 jiéběn 명 초본(抄本). 발췌본(拔萃本).

〔节操〕 jiécāo 명 〈文〉 절조. 절개. ¶守住～; 절조를 지키다.

〔节槎〕 jiéchá 명 대나무나 나무의 가지.

〔节度〕 jiédù 명 〈文〉 절도. ¶～使shǐ; 절도사.

〔节段〕 jiéduàn 명 단락. 구획. 절. =〔节扣儿〕

〔节妇〕 jiéfù 명 옛날, 절부. 열녀. →〔守shǒu节〕

〔节规〕 jiéguī 명 《工》 피치 게이지(pitch gauge).

〔节过活儿〕 jiéguòhuór 명 과세 비용. 명절 쇠는 비용.

〔节花〕 jiéhuā 명 나무 옹두리 무늬.

〔节级〕 jiéjí 명 ①등급. ②당·송대(唐宋代)의 군관명(軍官名).

〔节假日〕 jiéjiàrì 명 '节日'(경축일)과 '假日'(휴일)의 병칭.

〔节俭〕 jiéjiǎn 동 ①검약하다. ②절감하다.

〔节减〕 jiéjiǎn 동 삭감하다. 깎다. 절감하다. ¶～开支; 지출을 삭감하다.

〔节节〕 jiéjié 부 하나하나. 점차. 착착. ¶～进行侵略的准备; 착착 침략 준비를 진행하다/～胜利; 점차 승리를 거두다.

〔节节草〕 jiéjiécǎo 명 《植》 속새. =〔木贼〕

〔节径〕 jiéjìng 명 《工》 피치(Pitch)의 직경. =〔节圆直径〕〔有yǒu效(直)径〕〔中zhōng(心)径〕

〔节敬〕 jiéjìng 명 〈文〉 명절에 보내는 선물. =〔节仪〕

〔节劳〕 jiéláo 동 노력(勞力)을 아끼다.

〔节礼〕 jiélǐ 명 단오·중추·세말의 세 절기에 주고받는 예물.

〔节理〕 jiélǐ 명 《地質》 절리.

〔节烈〕 jiéliè 형 (여인의) 절개가 굳다. 명 두 남편을 섬기지 않는 여성과 절개를 지켜 죽은 여성.

〔节令〕 jiélìng 명 계절. 절기. 사철의 기후. ¶～不正; 기후가 비정상적이다.

〔节流〕 jiéliú 동 ①경비를〔지출을〕 절감하다. 절약하다. ¶开源～; 〈成〉 수입원을 확충하고 지출을 절감하다. ②《工》 유체(流體)의 속도를 조절하다〔억제하다〕. ¶～阀; 《機》 멈춤판(瓣). 스로틀밸브.

〔节录〕 jiélù 동 요점을 기록하다〔간추리다〕. 초록(抄錄)하다. 발초(拔抄)하다. ¶这篇文章太长, 只能～发表; 이 글은 너무 길어서, 발췌하여 발표할 수밖에 없다. 명 초록. 발초.

〔节律〕 jiélǜ 명 물체의 운동의 리듬과 법칙.

〔节略〕 jiélüè 명 ①적요(摘要). 요약(要約). 개요(概要). 강요(綱要). ②(공문서 중의) 각서(覺書). =〔备忘录②〕 동 (글·책 따위를) 요약하다. 발췌하다.

〔节煤器〕 jiéméiqì 명 《機》 절탄기(節炭器). =〔节热器〕〔省shěng煤器〕〔省热器〕

〔节目〕 jiémù 명 ①프로그램. 스케줄. ¶原定～的安排, 已有了修改; 원래의 프로그램 순서가 이미 바뀌었다/播送～; 방송 프로그램/～表 =〔～单〕; 프로그램/预告～; 예고 프로그램/～简介; 프로그램의 간단한 소개/～主持人; 프로그램 사회자. MC/今天晚会的～很精彩; 오늘 저녁 만찬회의 프로그램은 매우 재미있다. ②항목. 사항.

〔节能〕 jiénéng 명 에너지 절약.

〔节拍〕 jiépāi 명 ①《樂》 박자. 리듬. ②가락. ¶随着军乐～高唱; 군악의 가락에 맞춰 큰 소리로 노래하다.

〔节气〕 jiéqì 명 ①절기《1년을 기후에 따라 24절(節)로 나눈 것》. ¶～不饶人; 〈諺〉 계절은 사람을 기다려 주지 않는다《농사는 절기에 따르지 않으면 안 된다》. ②절의(節義). ¶讲～; 절의를 중히 여기다. ③한 달의 전반(前半)《후반은 '中气'》.

〔节钱〕 jiéqián 명 옛날, 설날·단오·중추 삼절(三節)에 하인 등에게 주던 돈. 행하(行下). 정표. =〔节赏〕

〔节情〕 jiéqíng 명 ①(영화·연극·소설 따위의) 대강. 줄거리. ②심상치 않은 사정.

〔节日〕 jiérì 명 ①축일(祝日). 기념일. ②명절.

〔节啬〕 jiésè 동 〈文〉 절약하다. 검약하다.

〔节赏〕 jiéshǎng 명 ⇨〔节钱〕

〔节省〕 jiéshěng 동 절약하다. 아끼다. ¶～时间; 시간을 절약하다/～劳动力; 노동력을 덜다/～饭费; 식비를 줄이다.

〔节食〕 jiéshí 동 절식하다. 음식을 줄이다.

〔节数〕 jiéshù 명 《工》 피치(pitch)수(數).

〔节外生枝〕 jié wài shēng zhī 〈成〉 나무의 마디 이외에서 가지가 나오다《뜻하지 않은 사태가 일어나다》. ¶这件事情基本上已经解决, 想不到会～; 이 일은 기본적으로 이미 해결된 것인데, 또 다른 문제가 일어나리라고는 생각지도 못했다. =〔节上生枝〕

〔节位〕 jiéwèi 명 《農》 수목의 마디의 위치. ¶果枝～低; 결과지(結果枝)의 마디 위치가 낮다.

〔节温器〕 jiéwēnqì 명 《工》 서모스탯(thermostat). 온도 조절 장치. 항온기(恒溫器).

〔节下〕 jiéxia 명 명절. 명절 무렵〔때〕《흔히, 정월·단오·중추절을 말함》.

〔节选〕 jiéxuǎn 동 문장의 일부를 고르다. 명 (문장의) 초록(抄錄). 발췌.

〔节要〕 jiéyào 명 발췌의 요약(要約). 절록(節錄). ¶论文～; 논문 절록〔요약〕.

〔节衣缩食〕 jié yī suō shí 〈成〉 입고 먹는 것을 절약하다. 생활비를 절약하다. =〔缩衣节食〕

〔节义〕 jiéyì 명 절개와 의리.

〔节译〕 jiéyì 명동 초역(抄譯)(하다). =〔摘zhāi译〕

〔节用〕 jiéyòng 동 (경비·재료 따위를) 절약하다.

조리차하다. 사용하는 것을 삼가다.

〔节余〕 **jiéyú** 동 절약하여 남기다. ¶～了一些煤; 석탄을 조금 절약하여 남겼다. 명 절약하여 남긴 돈이나 물건.

〔节育〕 **jiéyù** 명동 산아 제한(하다). 인구 조절(하다). 계획 출산(하다). 수태 조절(하다). ¶～环 =〔～花〕; 피임 링 / 通过～来控制人口; 산아 제한으로 인구 증가를 억제하다. =〔节制生育〕

〔节欲〕 **jiéyù** 동 절욕(節欲)하다. 욕심을 누르다.

〔节约〕 **jiéyuē** 동 절약하다《비교적 큰 범위에 사용함》. ¶～时间; 시간을 절약하다. →〔节省〕

〔节账〕 **jiézhàng** 명 ①3대 명절(구정·단오·중추)에 행하는 결산. ②3대 명절 때에 지불을 요구하는 외상값.

〔节肢动物〕 **jiézhī dòngwù** 명《動》 절지 동물. 절족 동물.

〔节制〕 **jiézhì** 명동 제한. 억제. 절제. 컨트롤. ¶受气候的～; 기후에 영향을 받다 / 饭食有～, 就不容易得病; 음식을 절제하면, 좀처럼 병에 걸리지 않는다 / ～生育; 산아 제한하다. 동 지휘하다. 관할하다.

〔节制闸〕 **jiézhìzhá** 명 수량(水量) 조절을 위한 수문. =〔分fēn水闸〕

〔节制资本〕 **jiézhì zīběn** 명 자본의 절제《쑨 원(孫文)이 주창한 삼민주의 중의 민생주의(民生主義) 실시의 구체적 방법의 하나》.

〔节子〕 **jiézi** 명 ①마디(모양의 것). ¶藕ǒu～; 연뿌리의 마디 / 竹zhú～; 대나무의 마디 / 伤疤～; 켈로이드(독 **keloid**). ②《樂》 여러 개의 댓조각으로 만든 박자판. 양 마디로 이루어진 것을 세는 단위.

〔节奏〕 **jiézòu** 명 ①《樂》 리듬. 박자. =〔节拍〕 ②(규칙적인 일의) 진행 과정. 동 (일의 진행 상태가) 규칙적이다. 율동적이다. 리드미컬하다. ¶有～地进行; 율동적으로 진행하다 / 把劳动和休息安排得很有～; 노동과 휴식을 매우 율동적으로 안배하다.

蚧(蝍)

jié (절)

명《動》 절지 동물. 갑각류의 하나《몸은 가늘고 길며, 발은 사마귀와 비슷함》. =〔竹zhú节虫②〕〔麦秆虫〕

劫〈刦, 刧, 刼〉

jié (겁)

①명 노상 강도. ②명《佛》 겁(劫)《무한히 긴 시간》. ③동 위협〔협박〕하다. ¶～制; ⇩ ④동 빼앗다. 약탈하다. ¶路～; 노상 강도질(을 하다). ⑤동 급습(急襲)하다. ¶偷营～寨zhài; 적의 군영 성채를 급습하다. ⑥명 재난(災難). ¶浩～; 커다란 재난 / 遭了～了; 재난을 만났다 / ～后余生; 재해를 모면한 여생. 재해의 생존자.

〔劫案〕 **jié'àn** 명《法》 강도 사건. 약탈 사건. ¶～迭见diéjiàn; 종종 강탈 사건이 발생하다.

〔劫财〕 **jiécái** 동 재산을 빼앗다.

〔劫持〕 **jiéchí** 동 (물건·사람·결점 등을 미끼삼아) 협박하다. 유괴하다. 약점을 기화로 등을 치다. 인질로 하다. ¶～飞机; 비행기를 납치하다 / ～者; 비행기 납치자. 하이재커(**hijacker**). =〔要挟〕〔挟持〕

〔劫盗〕 **jiédào** 명동 강도(질을 하다).

〔劫道〕 **jiédào** 동 길을 가로막고 약탈하다. 명 노상 강도. ‖=〔劫路〕

〔劫夺〕 **jiéduó** 동 폭력으로 빼앗다. 강탈하다.

〔劫匪〕 **jiéfěi** 명 노상 강도.

〔劫富济贫〕 **jié fù jì pín** 〈成〉 빈자를 구제하기 위해 부자의 재물을 탈취하다.

〔劫灰〕 **jiéhuī** 명 ①〈比〉 재난의 여파. ②《佛》 세계가 겁화(劫火)로 모조리 불타고 그 뒤에 남은 여신(餘燼). ‖=〔灰劫〕

〔劫机〕 **jiéjī** 명동 하이 재킹(하다). 공중 납치(하다). =〔劫持客机〕〔空中劫持〕

〔劫牢〕 **jié.láo** 동 ⇨〔劫狱〕

〔劫路〕 **jiélù** 명동 ⇨〔劫道〕

〔劫掠〕 **jiélüè** 명동 약탈(하다). 강탈(하다).

〔劫难〕 **jiénàn** 명 재난. 재화. ¶遭～; 재난을 만나다.

〔劫抢〕 **jiéqiǎng** 동 강탈하다. 으르대고 빼앗다.

〔劫收财〕 **jiéshōucái** 명 ①협박하여 빼앗은 재물. ②적의 재산을 접수할 때, 부정으로 접수한 것.

〔劫数〕 **jiéshù** 명《佛》 액운(厄運).

〔劫索〕 **jiésuǒ** 동 강요하다.

〔劫营〕 **jié.yíng** 동 적진을 습격하다. =〔劫寨zhài〕

〔劫余〕 **jiéyú** 명 재난의 여후(餘後)〔여파〕.

〔劫狱〕 **jié.yù** 동 탈옥시키다. =〔劫牢〕

〔劫运〕 **jiéyùn** 명 악운. 비운.

〔劫制〕 **jiézhì** 동 위압〔위협〕하다. 힘으로 누르다.

蜐

jié (겁)

→〔石shí蜐〕

岊

jié (절)

명 〈文〉 산의 만곡(彎曲)한 곳《인명용 자(字)》.

疌

jié (섭)

형 〈文〉 (속도·동작이) 빠르다. =〔捷jié③〕

倢

jié (첩)

〈文〉 ①형 빠르다. =〔捷③〕 ② →〔婕jié妤〕

捷〈㨗〉

jié (첩)

①동 싸움에 이기다. ¶连战连～ =〔连战皆～〕; 연전 연승 / 我军大～; 아군이 대승하다. ②동 성공하다. ③형 잽싸다. 빠르다. ¶动作敏～; 움직임이 민첩하다. =〔倢①〕 ④명 〈文〉 전리품(戰利品). ¶献～; 전리품을 헌납하다. ⑤명 성(姓)의 하나.

〔捷报〕 **jiébào** 명 ①승전보. 전쟁 승리의 보고. ②성공의 알림. 성공의 소식. ③옛날, 과거 시험에 합격한 사람에게 알리는 속보.

〔捷才〕 **jiécái** 명 기지(機智)의 재주. 임기 응변의 재주.

〔捷给〕 **jiéjǐ** 형 〈文〉 응답(應答)하는 데 막힘이 없다.

〔捷径〕 **jiéjìng** 명 첩경. 가까운 길. 지름길. ¶另寻～; 달리 지름길을 찾다 / 学习英文的～; 영어를 배우는 지름길 / 开辟一条～; 한 줄기 지름길을 열다.

〔捷克斯洛伐克〕 **Jiékèsīluòfákè** 명《地》 체코(**Czech Republic**)《수도는 '布拉格'(프라하: **Praha**)》.

〔捷口〕 **jiékǒu** 동 언변이 좋다. 말을 잘 하다.

〔捷书〕 **jiéshū** 명 〈文〉 승전 보고의 문서.

〔捷塔〕 **jiétǎ** 명 (그리스 문자) 제타. →〔希xī腊字母〕

〔捷泳〕 **jiéyǒng** 명《體》 (수영의) 크롤(**crawl**) 영법(泳法).

〔捷足先登〕 **jié zú xiān dēng** 〈成〉 ①행동이 민첩하여 먼저 목적을 달성함. ②먼저 행한 자가 유리함. 남모르게 앞질러 행함. ‖=〔捷足先得〕

婕 jié (첩)
→〔婕妤〕

〔婕妤〕 jiéyú 명 한대(漢代)의 궁중 여관(女官)의 하나(비빈(妃嬪)의 칭호). =〔倢伃〕〔婕母〕

睫 jié (첩)
①명 속눈썹. ¶目不交～; 〈成〉 뜬눈으로 밤을 새우다. ②동 깜박거리다.

〔睫毛〕 jiémáo 명 속눈썹. ¶假～; 가짜 속눈썹.

踕 jié (첩)
형 〈文〉 발이 빠르다.

诘(詰) jié (힐)
①동〈文〉 힐문하다. 문책하다. ¶盘～; 힐문하다 / ～其未返之故; 아직 돌아오지 않는 이유를 따지다. ②명 다음 날. 이튿날. ⇒jí

〔诘问〕 jiéwèn 동 〈文〉 따져 묻다. 힐문하다.

〔诘责〕 jiézé 동 〈文〉 견책(譴責)하다. 힐책하다.

〔诘朝〕 jiézhāo 명 〈文〉 익조(翌朝). 이튿날 아침. =〔诘旦〕

劼 jié (길, 할)
동 〈文〉 ①견실하다. 단정하다. ②삼가다. 조심〔경계〕하다. ③노력하다.

洁(潔) jié (결)
①형 깨끗하다. 청결하다. ¶街道清～; 거리는 청결하다 / 性好～; 성격이 깨끗한 것을 좋아하다 / 整～; 정결하다. ②형 청렴하다. ¶～士; 청렴한 선비 / 廉～; 청렴하다. ③동 깨끗이 하다. 청결하게 하다.

〔洁白〕 jiébái 형 새하얗다. 순결하다. 결백하다. ¶～的雪花; 새하얀 눈 / ～的心灵; 순진한 마음씨.

〔洁白雕〕 jiébáidiāo 명 〔鳥〕 꼬리수리.

〔洁杯候叙〕 jiébēi hòuxù 〈翰〉 (초대장에 쓰는 글귀) 술잔을 깨끗이 닦아 놓고 오시기를 기다리고 있겠습니다. =〔洁樽候光〕

〔洁己〕 jiéjǐ 동 〈文〉 ①자기만 결백하게 살고 남의 일은 생각하지 않다. ②관리가 청렴 결백하게 처신하다. ¶～奉公; 청렴하게 공무를 집행하다.

〔洁净〕 jiéjìng 형 ①깨끗하다. 정갈하다. ②청렴 결백하다.

〔洁廉〕 jiélián 명형 청렴(하다).

〔洁癖〕 jiépǐ 명 결벽.

〔洁身如玉〕 jié shēn rú yù 〈成〉 옥처럼 더러움을 모르다. 몸에 더러움이 없고 결백하다.

〔洁身自好〕 jié shēn zì hào 〈成〉 ①세속에 동조(同調)하지 않고 고고(孤高)함을 지니다. ②자기 한 몸만을 돌보다.

〔洁治〕 jiézhì 명동 〔醫〕 스케일링(하다). 치석 제거(를 하다).

拮 jié (갈, 길)
동 ①손과 입이 같이 일을 하다. ②핍박(逼迫)하다.

〔拮据〕 jiéjū 형 ①곤란을 당해서 당황하다. 옹색하다. 궁박(窮迫)하다. ¶财政～; 재정 곤란 / 手头～; 주머니 사정이 여의치 않다. ②바쁘게 일하는 모양. 바빠서 쩔쩔매는 모양.

结(結) jié (결)
①동 맺다. 결합하다. 결성하다. ¶～团; ⇓ ②동 매다. 묶다. 매듭을 짓다. ¶～网; ⇓ / ～绳; ⇓ ③동 형성하다. 맺어지다. ¶～仇; 원수가 되다 / ～好; 우의를 맺다. 사이좋게 되다. ④동 단단해지다. 응결하다. ¶～冰; 얼음이 얼다 / ～成硬块; 응결하여 단단한 덩어리가 되다. ⑤동 끝나다. 결말이 나다. 마치다. ¶了liǎo～; 종료하다. 결말나다 / 就～了; 그만이다. 끝장이다 / 这不～啦; (반어적(反語的)) 그것은 당연하다. 물론이다. 말할 나위 없다 / 没～没完; 아직 끝나지 않다. 아직 결말이 안 나다 / 这还不～了吗? 이래도 아직 안 됩니까? ⑥동 열매를 맺다. ⑦명 증서. 증명서. ¶切～; 확실한 증명서 / 保～; 보증서 / 甘～; 서약서. 승낙서. ⑧(～子) 명 매듭. ¶活～; 풀매듭 / 死～; 옭매듭 / 打一个～; 매듭을 하나 짓다 / 蝴蝶～; 나비 매듭. ⑨명 〔電〕 접합(接合). ¶生长～; 성장 접합. ⑩명 〔生〕 결절(結節). ¶淋巴～; 임파결. ⇒jiē

〔结案〕 jié∥àn 동 사건이 종결되다. 판결을 내리다.

〔结疤〕 jiébā 명 ①〔醫〕 흉터. ②〔工〕 철강을 압연할 때 표면의 산화물의 막(膜)이 감겨 들어가 생기는 흠.

〔结拜〕 jiébài 동 의형제의 인연을 맺다. =〔结义〕

〔结伴(儿)〕 jié∥bàn(r) 동 패를 짜다. 일행〔동행〕이 되다. 길동무가 되다. ¶～还乡; 길동무가 되어 (함께) 고향에 돌아가다 / 今世～; 이 세상에서 맺어지다. =〔搭dā伴儿〕

〔结帮〕 jié∥bāng 동 도당(徒黨)을 짜다. 파벌을 만들다. ¶～营私; 〈成〉 도당을 짜고 사욕(私慾)을 꾀하다.

〔结报〕 jiébào 동 총괄하여 보고하다.

〔结彩〕 jié∥cǎi 동 경축 때에 문이나 실내에 색(色) 테이프·색헝겊으로 장식하다. ¶国庆节, 家门前都结着彩, 喜气洋洋; 국경일에 모든 집의 대문 앞은 가지각색으로 장식되고 기쁨에 넘친다.

〔结草〕 jiécǎo 동 〈文〉 결초 보은하다. 죽은 후에 은혜에 보답하다.

〔结草虫〕 jiécǎochóng 명 〔蟲〕 도롱이벌레. =〔避bì债虫〕〔蓑suō(衣)虫〕〔蓑衣丈人〕

〔结草衔环〕 jié cǎo xián huán 〈成〉 은혜에 보답하다.

〔结册〕 jiécè 명 옛날, 결산서(結算書).

〔结肠〕 jiécháng 명 〔生〕 결장.

〔结仇〕 jié∥chóu 동 ①원수가 되다. ②원한을 품다.

〔结存〕 jiécún 명 〔商〕 ①차변 잔액(借邊殘額). 수지 상쇄(相殺)한 결과의 이익. 흑자(黑字). =〔结余yú〕 ②상품 잔고. 동 결제하다.

〔结党营私〕 jié dǎng yíng sī 〈成〉 작당하여 사리 사욕을 위해 나쁜 행위를 하다.

〔结缔组织〕 jiédì zǔzhī 명 〔生〕 결체 조직.

〔结冻〕 jié∥dòng 동 ①얼다. 결빙하다. ②젤리 모양으로 굳히다.

〔结毒〕 jiédú 동 〔漢醫〕 매독이 전신에 퍼지다.

〔结队〕 jié duì 결대. 대(隊)를 조직하다. 떼를 짓다.

〔结额〕 jié'é 명 잔금. 잔액.

〔结发〕 jié∥fà 동 ①결발하다. ②〈文〉 (결발하여) 성인이 되다. ¶～夫妻; 〈成〉 성인이 된 지 얼마 안 되어 결혼한 부부(널리 초혼의 부부를 이름).

〔结粉〕 jiéfěn →〔竹zhú芋〕

〔结付〕 jiéfù 동 결산하여 지불하다. ¶货款每隔两个月～一次; 상품 대금을 2개월마다 결산하여 지불한다.

〔结构〕 jiégòu 명 ①구조. 조직. 구성. ¶句子的～; 글의 구성 / ～简单, 操作方便; 구조는 간단하고, 조작은 편리하다 / 语言的～; 언어의 구조 / ～力学; 구조 역학 / ～图; 구조도. ②기구(機構). ¶权力～; 권력 기구 / 国际贸易～; 국제 무역 기구. ③〔言〕 구조. 구. ¶动宾～; 동빈 구조 / ～助词; 구조 조사. ④〔建〕 구조물.

〔结关〕 jiéguān 명동 (세관의) 통관 절차(를 완료하다).
〔结棍〕 jiégùn 형 ①몸이 건실하다. 단단하다. ②무섭다. 다부지다. 사납다. ¶上海人讲究杀搏～; 상하이(上海) 사람은 난투극의 난투 장면이 격렬한 것을 좋아한다.
〔结果〕 jiéguǒ 명 사물의 귀결. 결과. 결실. ¶优良的学习成绩，是长期刻苦学习的～; 우수한 학업 성적은, 오랫동안 몸을 아끼지 않고 학습한 결과이다. 부 마침내(는). 결국. 필경. ¶～叛党而去; 결국 당을 배반하고 이탈해 버렸다 / 经过一番争论, ～他还是让步了; 한바탕 논쟁을 벌인 끝에, 결국 그가 양보하기로 했다 / 我心想这个人很像老陈, ～还是老陈啊! 이 사람은 진씨를 닮은 사람이라고 여겼었는데, 역시 진씨였구나! 동〈古白〉①죽이다. 해치우다. 처치하다. ¶今天～了一个犯人; 오늘 한 사람의 범인을 해치웠다. ②열매가 맺다. ⇒jiēguǒ
〔结合〕 jiéhé 명동 결합(하다). 결부(하다). ¶理论和实践相～; 이론과 실천이 서로 결합하다 / 理论～实际; 이론이 실제와 결합하다. 동 부부가 되다.
〔结合合同〕 jiéhé hétong 명《商》링크 계약.
〔结合能〕 jiéhénéng 명《物》결합 에너지.
〔结合器〕 jiéhéqì 명《機》어댑터. =〔适配器〕
〔结核〕 jiéhé 명 ①《醫》결핵. ¶～病; 결핵병 / ～杆菌; 결핵균 / 结(核菌)素; 투베르쿨린(독 Tuberkulin). ②《鑛》결핵.
〔结喉〕 jiéhóu 명《生》결후(結喉).
〔结汇〕 jiéhuì 명《商》(무역 결산의) 결제. 환어음 매매 계약. ¶单面～; 편도(片道) 결제. (jié·huì) 동 환어음을 결제하다.
〔结婚〕 jiéhūn 명 결혼. ¶～证zhèng书; 결혼 증명서 / ～登记; 혼인 신고/ ～蛋糕 =〔婚礼蛋糕〕〔礼饼〕; 웨딩 케이크. (jié·hūn) 동 결혼하다.
〔结伙〕 jié·huǒ 동 한패가〔한통속이〕 되다. 무리를 짓다. ¶～盗窃仓库里的物资; 한패가 되어 창고 속의 자재를 훔치다.
〔结集〕 jiéjí 동 ①문집(文集)을 편찬하다. ¶～付印; 문집을 엮어 인쇄에 부치다. ②《軍》(군대가) 결집하다. 집결하다. 집결시키다. ¶～兵力; 병력을 집결시키다 / 正在～待命; 집결하여 명령을 기다리고 있다.
〔结记〕 jiéjì 동 ①걱정〔근심〕하다. 마음에 두다. 마음에 걸리다. =〔惦念〕 ②유의해 두다. 확실히 기억해 두다. ¶别忘了! ～着啊! 잊지 말고 확실히 기억해 두어라! ③생각해 내다. ¶一会儿～; 기억했다가 나중에 생각해 내 주게.
〔结价〕 jiéjià 동 협의하여 거래 가격을 결정하다. ¶～交割; 타협 가격 거래.
〔结茧〕 jié·jiǎn 동 ①(누에가) 고치를 틀다. ②결실을 맺다. 성과를 얻다.
〔结交〕 jié·jiāo 동 사귀다. 관계를 맺다. ¶跟他结了交; 그 사람과 친구가 되었다 / ～名士; 명사와 교제를 맺다. =〔缔交〕
〔结焦〕 jiéjiāo 명동《物》건류(乾溜)(하다). 코크스화(化)(하다). ¶～性; 코크스화하는 성질 / 它(焦煤)的特征是～性强, 粘结性良好; 그것(코크스용탄)의 특징은, 코크스화 성질이 강하고, 점결성(粘結性)이 좋은 것이다.
〔结节〕 jiéjié 명 ①《生》결절. ②《植》(대나무 따위의) 마디.
〔结金兰谱〕 jié jīnlánpǔ 의형제를 맺다.
〔结晶〕 jiéjīng 명동 결정(하다). ¶这本著作是他多年研究的～; 이 저작은 그가 여러 해 동안 연구해 온 성과이다. 명 ①《工》결정화. 정화(晶化). ②크리스털. =〔晶体〕
〔结晶体〕 jiéjīngtǐ 명 ⇨〔晶体〕
〔结局〕 jiéjú 명 결국. 결말. ¶～是有无诚意的问题; 결국 성의가 있느냐 없느냐의 문제이다. (jié·jú) 동 종결시키다.
〔结了〕 jiéle 결말이 나다. 이것으로 끝이다. ¶这不～吗; 그것 봐라〔이 정도면 됐지〕/ 老这么下去, ～! 언제까지나 이런 정도로만 된다면 괜찮다! =〔罢了〕〔完了〕
〔结缡〕 jiélí 명〈文〉결혼.
〔结力〕 jiélì 명《物》응집력.
〔结力劳动〕 jiélì láodòng 명 두 사람 이상이 동시에 다른 일을 해서 하나의 작업을 완성하는 노동.
〔结涟〕 jiélián 명 크림(cream). =〔奶油〕〔忌念〕
〔结缕草〕 jiélǚcǎo 명《植》잔디. 금잔디.
〔结论〕 jiélùn 명동 결론(을 내리다). ¶等有了～再作报告; 결론을 얻고 나서 다시 보고하다 / 下～; 결론을 내리다. 명 (논리학에서) 결론. 종결. =〔断duàn案〕
〔结脉〕 jiémài 명《漢醫》결체맥(結滯脈).
〔结茅〕 jiémáo 동 허술한 집을 짓다. 암자를 짓다.
〔结盟〕 jié·méng 동 맹약〔동맹〕을 맺다. ¶不～国家; 비동맹 국가.
〔结膜〕 jiémó 명《生》결막. ¶～炎yán; 결막염. =〔结合膜〕
〔结幕〕 jiémù 명 여러 막 연극의 최후의 한 막(일의 끝판〔클라이맥스〕).
〔结纳〕 jiénà 동〈文〉①결탁하다. ②끝맺다.
〔结念〕 jiéniàn 동〈文〉골똘히〔깊이〕 생각하다.
〔结契〕 jiéqì 동〈文〉교제를 맺고 친하게 지내다. 친교를 맺다.
〔结欠〕 jiéqiàn 명《商》결산 부족액.
〔结亲〕 jié·qīn 동 ①〈俗〉결혼하다. =〔结婚〕 ②인척 관계를 맺다.
〔结清〕 jiéqīng 동 (장부 따위를) 마감하다. 청산하다.
〔结球甘蓝〕 jiéqiú gānlán 명《植》양배추. =〔〈北方〉洋白菜〕〔〈方〉卷juǎn心菜〕〔〈方〉包心菜〕
〔结肉〕 jiéròu 명 혹. 육종(肉腫).
〔结舌〕 jiéshé 동 ①(긴장하거나 두렵거나 하여) 혀가 굳어지다. ②횡설수설하다. 말문이 막히다. ¶问得他张口～; 그는 추궁을 당하여 말문이 막혀 버렸다〔말을 갈팡질팡했다〕
〔结社〕 jiéshè 명 결사. (jié·shè) 동 단체를 조직하다. ¶有～的自由; 결사의 자유가 있다.
〔结绳〕 jiéshéng 동 (옛날, 문자가 없었던 시대에) 새끼에 매듭을 지어 기록하다. ¶～记事; 새끼에 매듭을 지어 기록하다.
〔结石〕 jiéshí 명《醫》결석. ¶胆dǎn～; 담석.
〔结识〕 jiéshí 동 사귀다. 알게 되다. ¶～了许多国际友人; 여러 나라의 친구와 교우 관계를 맺다. =〔结交〕
〔结束〕 jiéshù 명 ①결산. 종결. ¶已告～; 이미 종말을 고했다 / ～语; 끝맺음말. ②내용. 사정. 명동《商》결산(하다). 마감(하다). ¶～账目; 결산하다. 동 ①결말을 짓다. 종결하다. 끝나다. 끝내다. ¶访泰～; 태국 방문을 끝내다 / ～讨论; 토의를 끝내다 / 都～了; 모두 끝났다 / 秋收快要～了; 가을 추수가 이제 곧 끝난다. ②〈古白〉몸단장을 하다. 옷치장하다. =〔装束〕
〔结束语〕 jiéshùyǔ 명 결어. 맺음말.

〔结驷连骑〕 jié sì lián qí 〈成〉 위세당당한 귀인의 행차를 이름(‘驷’는 4두 마차).
〔结素〕 jiésù 명 《醫》 투베르쿨린(독 Tuberkulin) (‘结核菌素’의 속칭).
〔结算〕 jiésuàn 명동 《商》 결산(하다). ¶～余额; 결산 잔액.
〔结头〕 jiétou 명 매듭. 조인트.
〔结团〕 jiétuán 동 단체를 결성하다.
〔结网〕 jié wǎng ①그물을 뜨다. ②(거미 따위가) 줄을 치다. =〔织zhī网〕
〔结尾〕 jiéwěi 명 ①결말. 최종 단계. ¶～工程; 최종 공정〔공사〕. 마무리 공사. ②《樂》 코다(coda).
〔结习〕 jiéxí 명 〈文〉 뿌리 깊은 습관.
〔结嫌〕 jiéxián 동 감정상의 맺힘이 생기다. 사이가 나빠지다. 불쾌한 감정을 갖다.
〔结香〕 jiéxiāng 명 《植》 삼지닥나무.
〔结穴〕 jiéxué 명 일의 귀결점. 글의 결말(結末) (부분).
〔结业〕 jiéˌyè 동 (학업·업무·강습 등을) 완전히 끝내다. 수료하다. ¶～生; (단기 과정의) 수료생 / ～证书; 수료 증명서.
〔结义〕 jiéyì 동 ⇨〔结拜〕
〔结余〕 jiéyú 명 잔고(殘高). 잉여(剩餘). ¶他收入不多, 但是每月都有～; 그는 수입은 많지 않으나, 매월 흑자(黑字)이다. 동 청산하고 남다. ¶～七百多元; 청산하고 7백여 원이 남다.
〔结语〕 jiéyǔ 명 맺음말. =〔结束语〕
〔结冤〕 jiéyuān 동 원한을 품다. 사이가 틀어지다.
〔结缘〕 jiéˌyuán 동 ①인연을 맺다. 관계를 갖다. ¶他年轻的时候就和音乐结了缘; 그는 젊을 때부터 음악과 인연을 맺었다. ②《佛》 불문(佛門)에 귀의(歸依)하다.
〔结怨〕 jiéˌyuàn 동 원수를 맺다. 원한을 품다. ¶～记仇; 앙심을 먹다.
〔结约〕 jiéˌyuē 동 조약을 맺다. 계약하다.
〔结扎〕 jiézā 명동 《醫》 결찰(하다).
〔结账〕 jiézhàng 명 결산. ¶年末～; 연말 결산. (jiéˌzhàng) 동 결산〔청산〕하다. (셈을) 결제하다.
〔结症〕 jiézhèng 명 《漢醫》 (소·말 등의) 변비·소화 불량.
〔结转〕 jiézhuǎn 동 이월하다. ¶～于下届; 차기(次期)로 이월하다 / ～额; 이월 금액.
〔结子〕 jiézi 명 ①매듭. ¶打～; 매듭을 짓다 / ～线xiàn; 연사(撚絲). ②(의복·신 따위의) 터지기 쉬운 곳을 두세겹의 실로 단단히 끝매듭함.
〔结嘴拌舌〕 jié zuǐ bàn shé 〈成〉 혀가 말려서 말을 더듬다.

桔 jié (길)
①→〔桔槔〕 ②→〔桔梗〕 ⇒jú
〔桔槔〕 jiégāo 명 두레박. 방아두레박.
〔桔梗〕 jiégěng 명 《植》 도라지

袺 jié (결)
동 〈文〉 옷깃으로 (물건을) 싸다. →〔襭xié②〕

颉(頡) jié (힐)
①인명용 자(字). ¶仓Cāng～; 황제의 신하로, 글자를 만들었다고 전해짐. ②명 성(姓)의 하나. ⇒xié

鲒(鮚) jié (길)
①명 《貝》 마합(馬蛤). 말씹조개류(類). ②지명용 자(字). ¶～埼亭; 제치팅(鮚埼亭)(저장 성(浙江省)에 있는 옛 땅 이름).

杰〈傑〉 jié (걸)
①형 뛰어나다. 걸출하다. 우수하다. ¶～出chū; ⇩ / ～作; ⇩ ②명 걸물. 대인물(大人物). 뛰어난 인물. ¶豪～; 호걸. 뛰어난 인물 / 俊～; 준걸.
〔杰出〕 jiéchū 형 걸출하다. 뛰어나다. ¶～的人物; 걸출한 인물.
〔杰构〕 jiégòu 명 훌륭한 작품. ¶脍kuài炙人口, 誉为～; 널리 사람들의 입에 오르내리며 우수한 작품이라고 칭찬을 받고 있다.
〔杰作〕 jiézuò 명 걸작. 훌륭한 작품. →〔佳jiā作〕

挈 jié (결)
형 깨끗하다. 순결하다(주로 인명에 쓰임). =〔洁〕

絜 jié (결)
형 〈文〉 깨끗하다. =〔洁〕 ⇒xié

桀 jié (걸)
①형 흉포하다. ②형 교활하고 약다. ③동 짊어지다. ④(Jié) 명 《人》 걸(傑)(하(夏)나라 말기의 폭군의 이름으로 흉돈한 사람의 대명사로 씀). ¶助～为虐; 〈成〉 나쁜 놈을 도와서 못된 짓을 거들어 주다. ⑤‘杰jié’와 통용. ⑥명 성(姓)의 하나.
〔桀骜不驯〕 jié ào bù xùn 〈成〉 성질이 오만하여 고분고분하지 않다. 사납게 굴어 애먹이다.
〔桀犬吠尧〕 Jié quǎn fèi Yáo 〈成〉 폭군 걸(桀)이 기르는 개는 명군(名君)인 요제(堯帝)한테도 짖는다(선악을 불문하고 각기 그 주인을 위해 충성을 다하다).
〔桀纣〕 JiéZhòu 명 《人》 하(夏)나라의 걸왕(桀王)과 은(殷)나라의 주왕(紂王)(역사상 대표적인 폭군. 폭군의 대명사).

榤 jié (걸)
명 〈文〉 ①말뚝. ②닭장의 홰.

偈 jié (걸)
형 〈文〉 ①용맹하다. ②달리는 것이 빠르다. ⇒jì

楬 jié (갈)
명 표지로 사용된 작은 나무 말뚝. 푯말.
〔楬橥〕 jiézhū 〈文〉 명 푯말. 동 푯말을 세우다. 〈轉〉 표시하다. 밝히다. ¶～全世界人民热爱和平之要义; 전세계인이 평화를 사랑한다는 중요한 의의를 분명히 밝혔다.

竭 jié (갈)
동 ①다하다. 소모되어 없어지다. ¶～力; ⇩ / 力～声嘶; 〈成〉 힘은 다하고 목소리는 쉬다 / 取之不尽jìn, 用之不～; 아무리 취(取)해도 다하지 않고, 아무리 써도 없어지지 않는다(무궁무진하다). ②패하다.
〔竭诚〕 jiéchéng 동 성의를 다하다. ¶～帮助; 성의를 다하여 원조하다 / ～招待; 성의를 다해 접대하다.
〔竭尽〕 jiéjìn 동 (힘·기운 등을) 다하다. ¶～所能 =〔～全力〕; 전력을 다하다.
〔竭蹶〕 jiéjué 동 ①발부리가 채여 넘어지다. 실족하다. 〈轉〉 어려움을 견디어 매진하다. ②(경제가) 곤란하다. 고갈하다. ¶经济～; 경제 부진(不振) / 财政～; 재정이 바닥나다. →〔拮据jiéjū①〕
〔竭力〕 jiéˌlì 동 힘을 다하다. 진력하다. ¶尽心jìnxīn～; 〈成〉 전심전력을 다하다 / ～挣zhēng扎; 전력을 다하여 발버둥치다. =〔殚力〕

〔竭泽而渔〕 jié zé ér yú 〈成〉 못의 물을 말려 물고기를 잡다《눈앞의 일만 보고 장래를 생각지 않음. 남김없이 잔혹하게 착취함》.

碣 jié (갈)
명 (윗부분이 둥근) 비석. ¶～石; 둥근 석비(石碑) / 残碑断～; 파손된 비석.

羯 jié (갈)
명 ①《動》 거세한 숫양. ②《民》 제 족(羯族)《옛날 북방 민족. 오호(五胡)의 하나》.

〔羯鼓〕 jiégǔ 명 《樂》 북의 일종《어깨에 메고 앞으로 늘어뜨려, 두 손의 북채로 양쪽 가죽 면을 침》. =〔两liǎng杖鼓〕

〔羯鸡〕 jiéjī 명 거세한 닭. =〔阉yān鸡〕

〔羯羊〕 jiéyáng 명 거세한 숫양.

截 jié (절)
① 동 절단하다. 자르다. 끊다. ¶把木头～成两段; 재목을 두 토막으로 자르다. ② 동 가로막다. 막다. ¶～留; ⇩ / ～住他; 그 사람을 만류하다. ③(～儿, ～子) 양 긴 것의 한 토막. 또는 사물의 단락을 세는데 쓰임. ¶一～儿木头; 한 토막의 나무 / 上中下三～; 상중하의 3부분 / 话说了半～(儿); 말을 도중에서 그만두었다. ④ 동 마감하다. 뚜렷하게 구획을 짓다. ¶直～了当; 〈成〉 (언어 · 행동 등이) 정곡을 찌르다. 단순 명쾌하다.

〔截标〕 jiébiāo 명 입찰 마감. ¶～日期; 입찰 마감 기일.

〔截查〕 jiéchá 동 도중에 기다렸다가 문초하다.

〔截长补短〕 jié cháng bǔ duǎn 〈成〉 ①긴 데를 깎고 짧은 데를 보충하다《장점을 취하여 단점을 보완하다》. ¶你和他在一起, 正好～; 자네는 그와 함께 하면 장단을 서로 보완할 수 있겠군. ②남은 것으로 모자라는 데를 메우다.

〔截钉器〕 jiédīngqì 명 《機》 리벳 커터(rivet cutter).

〔截短〕 jiéduǎn 동 절약하다. 아끼다.

〔截断〕 jié·duàn 동 ①절단하다. 끊다. ¶～机 =〔截削机xiāojī〕; 커터(cutter) / 高温的火焰能～钢板; 고온의 불은 강판을 절단할 수 있다 / ～粮道; 양도를 끊다 / ～退路; 퇴로를 차단하다. ② 중지하다. 중단하다. ¶电话铃声～了他的话; 전화벨이 그의 이야기를 중단시켰다 / 他故作惊讶地～我的话; 그는 일부러 놀란 듯한 표정을 지어 내 이야기의 허리를 끊었다. =〔打断〕〔拦住〕

〔截夺〕 jiéduó 동 길에서 기다렸다 재물을 빼앗다. 노상 강도를 하다. =〔截劫〕

〔截稿〕 jiégǎo 동 원고(原稿)를 마감하다.

〔截获〕 jiéhuò 동 중간에서 탈취하다. ¶～了敌军的一列货车; 적의 화차를 중간에서 탈취했다.

〔截击〕 jiéjī 동 (적의 진로(進路)를) 막고 공격을 가하다. ¶～敌人的增援部队; 적의 증원 부대를 차단 공격했다. 명 《體》 (테니스 등의) 발리(volley).

〔截劫〕 jiéjié 동 ⇨〔截夺〕

〔截截〕 jiéjié 형 〈文〉 말을 능란하게 잘 하는 모양.

〔截句〕 jiéjù 명 시(詩)의 절구(絶句).

〔截开〕 jiékāi 동 절단하다. ¶～这根木料; 이 목재를 절단하다.

〔截拦〕 jiélán 동 (중도에서) 가로막다. 저지시키다.

〔截流〕 jiéliú 동 물 흐름을 막다. ¶～工程; 흐르는 물을 막는 공사.

〔截流井〕 jiéliújǐng 명 《建》 (하수구 따위에 쓰레기나 오물을 거르기 위해 설치한) 배수 웅덩이.

〔截留〕 jiéliú 동 (딴 곳으로 보내거나 보내야 할 물자를) 차단하여 억류하다. ¶～公款; 공금을 도중에서 탈취하다 / ～物资wùzi; 물자를 압류하다.

〔截路〕 jiélù 동 길을 가로막다. ¶青天白日就～抢人; 백주에 노상에서 강탈하다. =〔劫路〕

〔截煤机〕 jiéméijī 명 《機》 콜 커터(coal cutter). 절탄기.

〔截门〕 jiémén 명 파이프의 밸브.

〔截面〕 jiémiàn 명 ①단면《측량 용어》. ②벤 자리.

〔截拿〕 jiéná 동 ①저지하여 잡다. 도중에 가로막아 나포하다. ②(즉석에서) 만류하다.

〔截疟〕 jiénüè 동 《漢醫》 학질의 발작 전 2-4시간에 항(抗)말라리아 약물을 복용함으로써 주기적인 발작을 예방하다.

〔截清〕 jiéqīng 동 청산하다.

〔截球〕 jiéqiú 《體》 명 (구기(球技)에서의) 방해. 동 (구기에서) 방해〔커트〕하다.

〔截取〕 jiéqǔ 동 일부분을 떼어 내다. ¶从文章中～一段作为例子; 문장에서 한 가락을 빼내어 예(例)로 들다.

〔截然〕 jiérán 형 (구별이) 명백한 모양. 분명한 모양. ¶二者不能～分开; 양자(兩者)는 딱 잘라 나눌 수 없다 / 作出了～相反的解释; 뚜렷이 상반된 해석을 했다 / ～不同; 확실히 다르다 / 两种～不同的评价; 두 개의 확실히 다른 평가.

〔截水沟〕 jiéshuǐgōu 명 물막이 도랑.

〔截水门〕 jiéshuǐmén 명 수도의 본관(本管) · 지관(支管) 도중에 마련한 밸브.

〔截瘫〕 jiétān 명 《醫》 하지(下肢) 마비. 하반신 불구.

〔截铁斩钉〕 jié tiě zhǎn dīng 〈成〉 ⇨〔斩钉截铁〕

〔截邮〕 jiéyóu 명 우편의 접수 마감. ¶邮局～时间; 우체국의 접수 마감 시간.

〔截肢〕 jiézhī 《醫》 명 (수족의) 절단 수술. (jié-zhī) 동 (수족을) 절단하다.

〔截止〕 jiézhǐ 동 (…까지) 마감하다. 일단락 짓다. ¶于九月底～; 9월 말일 한 / ～日期rìqī; 마감날 / 八日～; 8일로 마감하다 / 报名在昨天已经～; 신청은 어제로 이미 마감했습니다.

〔截趾适履〕 jié zhǐ shì lǚ 〈成〉 발가락을 끊어서 신발에 맞추다《일의 경중(輕重)을 뒤바꿈. 불합리한 것을 억지로 적용함》.

〔截至〕 jiézhì 동 (시간적으로) …까지 (이다). …에 이르러《주로 '为wéi止' 와 함께 사용됨》. ¶～今年七月底的统计; 금년 7월 말까지의 통계 / ～目前为止; 현재에 이르기까지 / ～下月十号为止; 내달 10일 까지로 (마감한다).

〔截住〕 jiézhù 동 가로막다. 막다. 저지하다. ¶我要往院子里去, 被他～了; 안마당 쪽으로 가려고 했는데, 그가 가로막았다 / 快把弹药车～! 빨리 탄약차를 막아라!

〔截子〕 jiézi 양 단계. 토막. 단락《사물이나 시간의 한 구획을 나타냄》. ¶活儿干了半～; 일을 절반하다 / 走了一大～山路; 산길을 한참 동안 갔다.

蠘 jié (절)
명 《魚》 〈文〉 꽃게의 별칭. =〔蝤yóu蛑〕

姐 jiě (저)
명 ①누나. 언니. ¶大～; 큰누나. 큰언니 / 二～; 둘째 언니. 둘째 누님 / ～妹; ⇩ =〔姐姐〕〔姊zǐ〕 ②같은 항렬에서 자기보다 연장(年長)의 여성에 대한 통칭. ¶表～; 사촌 누나〔언니〕. ③아가씨《젊은 여성에의 호칭》. ¶杨三～; 양(楊)씨 댁의 셋째 따님. =〔小姐〕

〔姐夫〕 jiěfu 명 누나의 남편. 매형. 형부. =〔姐

丈〕〔姊夫〕〔姐婿〕
〔姐姐〕 jiějie 명 ①누나. 언니. ¶大～; 맏누이 / 二～; 둘째 누이. ②같은 항렬에서 자기보다 연장(年長)의 여자《형수는 포함되지 않음》. ¶叔伯～; 사촌 언니.
〔姐妹〕 jiěmèi 명 ①자매. ㉠본인을 제외. ¶她没有～, 只有一个哥哥; 그녀는 자매가 없고, 단지 오빠 한 사람이 있을 뿐이다. =〔姐儿①〕 ㉡본인을 포함. ¶她就～一个; 그녀는 외동딸이다. ②형제자매(兄弟姊妹). 注 말하는 사람이 여성이면 '①㉠' 또는 '②'의 뜻이 되며, 말하는 사람이 남성이면 '②'의 뜻이 됨.
〔姐妹城市〕 jiěmèi chéngshì 명 자매 도시.
〔姐们儿〕 jiěmenr 명 ①자매. 여자 형제. =〔姐儿们①〕 ②형제의 부인 사이 또는 친한 부인끼리 서로 부르는 호칭.
〔姐儿〕 jiěr 명〈方〉 ①⇨〔姐妹①㉠〕 ②형제 자매. ¶你们～几个; 너희는 몇 남매냐. ③동서간《형제의 아내끼리》. ④따님. ¶～上学去了吗? 따님은 학교에 갔습니까?
〔姐儿俩〕 jiěrliǎ ①두 자매(姊妹). ¶～守寡; 〈歇〉 두 자매가 수절 과부로 지내다《과부 사정은 과부가 안다》. ②누이와 남동생. ③사이가 좋은 여자친구 두 사람.
〔姐儿们〕 jiěrmen 명 ①⇨〔姐们儿①〕 ②따님들.
〔姐丈〕 jiězhàng 명 누나의 남편. 매형. =〔姐夫〕

毑

jiě (저)
→〔娭āi毑〕

解〈觧〉

jiě (해)
①동 풀다. 풀어 헤치다. ¶～带子; 허리띠를 풀다 / ～扣儿; 매듭을 풀다 / ～开纽子; 단추를 끄르다. ②동 나누다. 가르다. 분리하다. 분해하다. ¶瓦～; 와해하다 / 溶～; 용해하다 / 难～难分; 〈成〉 나누기 힘들다. ③동 맺힌 것을 풀다. ¶劝～; 중재하다. 화해시키다 / 和～; 《法》 화해하다 / 排难nàn～纷; 〈成〉 곤란을 배제하고 분규를 풀다. ④동 해석하다. 해설하다. ¶这句话～得很切; 이 말은 매우 적절한 해석이다 / 不求甚～; 철저하게 이해하려고 하지 않다. 지나치게 추구하지 않다 / ～说; ⇩ / 注～; 주해(하다) / 讲～; 강석하다. ⑤동 이해하다. 알다. ¶我～不下这些; 나는 이것을 잘 이해 못 하겠다 / 我～不开那个办法; 나는 그 방법을 이해할 수가 없다 / 令人不～; 이해하기 어렵다. ⑥명 의식. 식견. ¶见～; 견해. ⑦동 배설하다. 변(便)을 보다. ¶大～; 대변 / 小～; 소변 / ～完手儿了; 변을 다 봤다 / 大～不畅快; 대변이 잘 나오지 않는다. ⑧개〈京〉 …부터. ¶～这儿到那儿; 여기서 저기까지. =〔由〕〔打〕〔从〕 ⑨명 문체(文體) 이름《의문을 풀고 까다로운 곳을 푸는 것》. ⑩동 없애다. 고치다. 풀다. ¶～渴; ⇩ / ～毒; ⇩ / ～嘴馋; 먹고 싶은 것을 먹고 식욕을 만족시키다 / 疲乏也～了; 피로도 풀렸다. ⑪명동 《數》 방정식의 해답(을 구하다). ¶～方程组; 연립 방정식을 풀다. ⇒jiè xiè
〔解饱〕 jiěbǎo 형〈方〉 배가 부르다. (음식이) 근기가 있다. ¶～的东西; 근기 있는 음식.
〔解表〕 jiěbiǎo 동 《漢醫》 발한(發汗)시키다. ¶～药; 발한제.
〔解馋〕 jiě·chán 동 ①(맛있는 것을 먹고) 식욕을 채우다. ②욕망을 채우다. 만족시키다.
〔解嘲〕 jiě·cháo 동 (남의 비웃음을 받을 일에 대해) 겉꾸림을 하다(변명하다). 겸연쩍음을 숨기려고 얼버무리다. 자조(自嘲)하다. ¶那不过对方的～; 그것은 저쪽의 변명일 뿐이다 / 聊以～; 멋쩍음을 감추려고 얼버무리다.
〔解酲〕 jiěchéng 동 ⇨〔解酒〕
〔解仇〕 jiě·chóu 동 ⇨〔解恨〕
〔解愁〕 jiě·chóu 동 근심·걱정을 풀다.
〔解除〕 jiěchú 동 ①해제하다. 해임하다. ¶～警报; 경보를 해제하다 / ～武装; 무장을 해제하다 / ～职务; 직무를 해제하다. ②제거하다. 없애다. ¶～顾虑; 걱정을 없애다. =〔消除〕
〔解答〕 jiědá 명동 해답(하다).
〔解冻〕 jiě·dòng 동 ①해동〔해빙〕하다. 봄이 되어 얼음이 녹다. ¶一到春天, 江河都～了; 봄이 되니 강물은 완전히 녹았다 / 翻耕～的土地; 해동된 땅을 파헤쳐 갈다. ②(자금의) 동결을 해제하다. ③긴장이 완화되다. ¶中美关系～了; 중미 관계의 긴장이 풀렸다.
〔解毒〕 jiě·dú 동 ①《醫》 독을 없애다. 해독하다. ¶～剂; 해독제. ②《漢醫》 상기(上氣)·발열의 원인을 없애다.
〔解饿〕 jiě'è 동 굶주림을 해결하다. ¶拿白薯～; 고구마로 주린 배를 채우다.
〔解乏〕 jiě·fá 동 피로를 풀다. ¶穿着棉衣睡觉不～; 솜옷을 입고 자면 피로가 풀리지 않는다 / 洗个澡～; 목욕을 해서 피로를 풀다.
〔解法〕 jiěfǎ 명 ①해석의 방법. ¶这个字有两个～; 이 글자는 두 가지 해석이 있다. ②《數》 해법.
〔解放〕 jiěfàng 명동 해방(하다). 자유(롭게 하다). ¶从束缚中～出来; 속박에서 해방되다.
〔解放军〕 jiěfàngjūn 명 해방군. →〔中zhōng国人民解放军〕
〔解放帽〕 jiěfàngmào 명 인민모.
〔解放区〕 jiěfàngqū 명 해방구《항일 전쟁 및 해방 전쟁의 시기에 홍군(紅軍)에 의하여 해방된 지구》.
〔解放鞋〕 jiěfàngxié 명 해방화《원래 해방군 병사의 구두를 말했음》.
〔解放战争〕 jiěfàng zhànzhēng 명 해방 전쟁《특히, 1945년 8월의 일본 항복으로부터 1949년 10월의 중화 인민 공화국 성립에 이르는 제3차 국내 혁명 전쟁을 말함》.
〔解纷〕 jiěfēn 동 분쟁을 해결하다.
〔解诂〕 jiěgǔ 동〈文〉 주해(注解)하다《현대어로 고어를 해석하다》. =〔解故①〕 명 주석.
〔解故〕 jiěgù 동 ①⇨〔解诂〕 ②고사(故事)를 빌려 해설하다.
〔解雇〕 jiě·gù 동 해고하다. ¶～津贴; 해고 수당. →〔开kāi除①〕
〔解和(儿)〕 jiěhé(r) 동 화해시키다. 중재하다. ¶给他们～完了; 그들을 완전히 화해시켰다.
〔解恨〕 jiě·hèn 동 원한을 풀다. 증오를 풀다. 불만이 싹 가시다. ¶我恨不得一口把他咬死才～呢! 무슨 일이 있어도 그 녀석을 단숨에 물어 죽여 원한을 풀고 싶다! =〔解仇〕
〔解甲归田〕 jiě jiǎ guī tián 〈成〉 제대하다. 제대하고 고향에 돌아가 농업에 종사하다.
〔解禁〕 jiě·jìn 동 해금하다. ¶～货单; 금수 해제 품목.
〔解痉〕 jiějìng 명 《醫》 진경(鎭痙)《경련의 해소〔완화〕》.
〔解酒〕 jiějiǔ 동 술이 깨게 하다. 숙취를 풀다. =〔〈文〉解酲〕
〔解救〕 jiějiù 동 (방법을 강구하여) 구하다. (위기·위험을) 벗어나게 하다. ¶～自己的危机; 자신의 위기를 구하다.

〔解决〕 jiějué 동 ①해결하다. ¶～困难; 곤란을 해결하다 / ～问题; 문제를 해결하다 / 事情圆满～了; 사건이 원만히 해결되었다. ②끝내다. 결말을 내다. 낙착시키다. ¶这事必须赶紧～! 이 일은 빨리 매듭지어야 한다! / ～家庭的纠纷; 가정의 분규를 가라앉히다. ③해치우다. 소멸시키다. ¶把逃跑的敌人全～了; 도망치는 적을 모조리 처치했다. 명 해결. 낙착. ¶～ 方法; 해결 방법. 타개(대응)책.

〔解开〕 jiěkāi 동 ①해체하다. ②(종기(腫氣)를) 절개하다. ③(솔기 · 끈 · 포장한 것 · 머리 따위를) 풀다. (넥타이 · 단추 · 쇠사슬 · 밧줄 · 매듭 등을) 풀다〔끄르다〕. (신발의) 끈을 끄르다. ¶～扣儿; 매듭을 풀다. ④해방하다. 해제하다. ⑤(꾸러미 따위를) 펴다. (편지의) 봉한 것을 뜯다. (길을) 만들다. ⑥(수수께끼를) 풀다. ¶～这里面的谜; 이 속의 수수께끼를 풀다.

〔解渴〕 jiě·kě 동 ①해갈하다. 갈증을 풀다. ¶喝杯茶解解渴; 차를 마시고 갈증을 풀다. ②만족하다.

〔解扣〕 jiěkòu 명 《機》 트립(trip). 걸었다 벗겼다 하는 장치. (jiě·kòu) 동 트립(trip)이 작동하다.

〔解扣(儿)〕 jiěkòu(r) 동 ①매듭을 풀다. ②단추를 벗기다. ③맺힌 감정을 풀다.

〔解缆〕 jiělǎn 동 배가 출범하다.

〔解离〕 jiělí 명 《化》 화합물의 해리(解離)《가역적(可逆的) 분해》.

〔解铃系铃〕 jiě líng xì líng 〈成〉 끝매듭을 짓는 일은 그것을 일으킨 사람이 해결해야 한다《자기가 뿌린 씨는 자기가 거둬야 한다. 결자해지(結者解之)》.

〔解码〕 jiěmǎ 동 (전신 등의 부호를) 해독하다.

〔解闷(儿)〕 jiě·mèn(r) 동 기분을 풀다. 울분을 풀다. =〔破闷儿①〕〔遣情〕 명 도박. 노름.

〔解木〕 jiěmù 동 〈文〉 톱으로 나무를 베다.

〔解囊〕 jiěnáng 동 돈을 내어 남을 돕다. 돈주머니 끈을 풀다. ¶慷慨～; 〈成〉 선뜻 돈지갑의 끈을 풀다 / ～相助; 〈成〉 돈을 내어 다른 사람을 돕다.

〔解纽〕 jiěniǔ 동 ①맨 끈이 풀리다. 〈轉〉 해이해지다. 흐트러지다. ②〈文〉 관직을 사임하다.

〔解聘〕 jiě·pìn 동 직무를 풀다. 해임하다.

〔解剖〕 jiěpōu 동 ①해부하다. ¶～学; 해부학 / 活体～; 생체 해부 / ～尸体; 시체를 해부하다 / ～麻雀; 참새를 해부하다. 〈轉〉 전형적인 사물을 조사 연구하여 교훈을 얻다. ②(작품 따위를) 해부하다. 분석하다. 명 해부. 분석.

〔解气〕 jiě·qì 동 ①울분을 풀다. 분풀이하다. ¶他常常拿小孩～; 그는 곧잘 어린애에게 분풀이를 한다. ②(남의) 노염을 풀다. 성난 사람을 달래다. ③속이 후련해지다. ¶喝一斤酒～; 술을 한 되 마시고는 속이 후련해졌다.

〔解劝〕 jiěquàn 동 달래다. 중재하다.

〔解热〕 jiě·rè 동 열을 식히다. 해열하다. ¶～剂; 해열제.

〔解人〕 jiěrén 명 사리(事理)를 아는 사람. 이해성이 있는 사람.

〔解任〕 jiě·rèn 동 해직하다. →〔解雇〕

〔解朊酶〕 jiěruǎnméi 명 단백질 분해 효소.

〔解散〕 jiěsàn 명동 ①(대열을) 해체(하다). 해산! 《구령》 ②(조직을) 해산(하다). ↔〔集jí合〕

〔解事〕 jiěshì 동 사물〔사리〕을 알다. 사물〔사리〕을 이해하다.

〔解释〕 jiěshì 동 ①해석하다. 해설하다. ¶善意地～旁人的话; 남의 말을 선의(善意)로 해석하다. ②(이유 따위를 상세히) 설명하다. 해명하다. 이유를 대다. 말하다. ¶～误会; 오해를 해명하다 / ～态度; 태도를 석명(釋明)하다 / 没法～; 변명이 서지 않다 / 请容我～一下! 한 마디 변명 좀 하게 해 주세요! 명 해석. 해명. ¶宪法的～; 헌법의 해석.

〔解手〕 jiě·shǒu 동 ①헤어지다. =〔分手〕 ②⇨〔解手儿〕

〔解手儿〕 jiě·shǒur 동 대소변을 보다. 변소에 가다. ¶我要～; 나는 변소에 가고 싶다 / 解大手儿; 대변을 보다 / 解小手儿; 소변을 보다. =〔解手②〕

〔解树〕 jiě·shù 동 나무를 베어 판자를 만들다.

〔解数〕 jiěshù 명 상대의 술수를 깨뜨리는 술(術). ¶使出～; 온갖 술수를 쓰다.

〔解说〕 jiěshuō 동 ①해설〔설명〕하다. ¶～新式拖拉机的构造和效能; 신식 트랙터의 구조와 기능을 해설하다. ¶～员; 해설원. 설명자. ②중재하다. 달래다. 명 ①해설. 설명. 해석. ②(영화 따위의) 나레이션(narration).

〔解松〕 jiěsōng 동 (묶은 것을) 풀어 늦추다. 풀리어 느슨해지다.

〔解素〕 jiěsù 동 육식의 금(禁)을 풀다. 정진(精進) 기간을 끝내다. →〔吃chī素〕

〔解疼〕 jiě·téng 동 아픔을 멎게 하다.

〔解体〕 jiětǐ 명동 해체(하다). 붕괴(하다). 와해(瓦解)(하다). 분해(하다).

〔解调〕 jiětiáo 명 《電》 복조(復調).

〔解脱〕 jiětuō 동 ①《佛》 해탈하다. ②죄〔책임〕를 모면하다〔회피하다〕. =〔开脱〕 ③면하다. 벗어나다. ¶有几百个家庭～了孩子的拖累; 몇 백이나 되는 가정이 어린애라는 무거운 짐에서 벗어났다 / ～新的经济危机; 새로운 경제 위기에서 벗어나다.

〔解围〕 jiě·wéi 동 ①포위를 풀다. ②(남을 위해) 곤혹 · 곤란에서 벗어나게 하다. 구해 내다.

〔解悟〕 jiěwù 동 《佛》 심중에 깨닫다. 해오하다.

〔解吸〕 jiěxī 명 《化》 용해 흡수. 탈착(脫着). 탈리(脫離).

〔解析〕 jiěxī 동 분석하다. 해석하다. 명 해석. ¶～几何; 《數》 해석 기하.

〔解下来〕 jiě·xia·lai 풀다. 끄르다. ¶快把带子～! 빨리 혁대를 풀어라!

〔解弦更张〕 jiě xián gēng zhāng 〈成〉 새로 다시 하다. 개혁하다.

〔解消〕 jiěxiāo 동 ①(약속 등을) 취소하다. ②(곤란 등을) 해소하다. ¶～误会; 오해를 풀다.

〔解心宽〕 jiěxīnkuān 기분이 상쾌하다. 마음이 후련하다.

〔解严〕 jiě·yán 동 ①방비를 완화하다. ②계엄령을 해제하다.

〔解颜〕 jiěyán 동 〈文〉 웃음짓다. 기뻐서 웃다.

〔解药〕 jiěyào 명 해독약.

〔解衣〕 jiěyī 동 〈文〉 옷을 벗다.

〔解衣推食〕 jiě yī tuī shí 〈成〉 옷이나 음식을 남에게 주다《남을 동정하는〔생각하는〕 마음이 깊음을 이름》.

〔解颐〕 jiěyí 동 〈文〉 턱을 풀다. 크게 웃다. ¶～一笑; 파안일소(破顔一笑).

〔解疑儿〕 jiě·yír 동 재수가 없을 때 굿 · 제사 따위를 해서 재수를 빌다.

〔解忧〕 jiě·yōu 동 시름을 덜다.

〔解语花〕 jiěyǔhuā 명 말을 알아듣는 꽃《미인》.

〔解冤〕 jiěyuān 동 속죄하다. 한을 풀다.

〔解约〕 jiě·yuē 동 해약하다. (약속 · 계약을) 취소하다.

〔解职〕 jiěˌzhí 동 해직하다.
〔解装〕 jiězhuāng 동 여장을 풀다. 휴식하다.
〔解组〕 jiězǔ 동 관직을 사퇴하다.

介 jiè (개)
①명 경계(境界). ②명 등딱지. 갑각(甲殼). ¶～属; 어개류(魚介類). ③명 갑옷. ¶～胄zhòu; 갑옷과 투구. =〔甲jiǎ③〕 ④명 《據》 배우(俳優)의 연기. 동작. ¶打～; 때리는 시늉/哭～; 우는 동작/饮酒～; 술 마시는 동작. ⑤명 중매인. ⑥명 하인. =〔价jiè〕 ⑦동 (양자의) 중간에 끼다. 사이에 들다. ¶～乎两者之间; 양자 사이에 끼다. ⑧동 두 사람 사이에 끼이다. 소개하다. ¶～绍; ⇩/媒～; 매개하다/中～; 중개(하다)/居间为～; 사이에서 중개하다. ⑨동 사이를 두고 떨어지다. ⑩동 의지하다. 믿다. ⑪동 돕다. 부축하다. ⑫동 개의(介意)하다. 걱정하다. ¶勿～; 걱정 마라/不必～意; 걱정할〔마음 쓸〕 필요는 없다/～～; 마음에 걸리는 모양/自争论之后, ～～于怀; 논쟁을 한 이래 그 일이 마음에 걸린다. ⑬형 외톨의. ⑭형 〈文〉 크다. ¶～福; 큰 복. ⑮양 한 개의. 한 사람의. ¶一～书生; 일개 서생. =〔个gèA〕④㈀ ⑯명 미세한 것. ¶无纤～之过; 사소한 과실도 없다. =〔芥jiè②〕 ⑰형 〈文〉 강직하다. 기골이 있다. ¶狷juàn～; 성미가 대쪽 같아 남과 동화되지 않다. ⑱〈方〉 그와 같은. 이와 같은. ¶阿有～事? 그런 일이 있습니까?/他整天龇牙咧嘴, 像煞有～事的样子; 그는 하루 종일 흥분해 있어, 마치 무언가 그래야만 될 일이 있었던 것 같다. ⑲명 성(姓)의 하나.

〔介壁〕 jièbì 명 이웃. =〔隔gé壁〕〔间壁〕
〔介虫〕 jièchóng 명 《動》 개충. 갑충(甲蟲).
〔介词〕 jiècí 명 《言》 개사. 전치사(명사·대명사 또는 명사성의 연어(連語) 앞에 쓰이며, 방향·대상 등을 나타냄. 방향·장소·시간을 나타내는 '从'·'自'·'往'·'朝'·'在'·'当'이나, 대상·목적을 나타내는 '把'·'对'·'同'·'为'나, 방식을 나타내는 '以·按照', 또는 비교를 나타내는 '比'·'跟'·'同' 따위).
〔介弟〕 jièdì 명 〈敬〉〈文〉 남의 남동생에 대한 일컬음. 현제(賢弟).
〔介乎〕 jièhu 동 …에 개재하다. …의 중간에 있다. ¶～两者之间; 두 사람 사이에 있다. 이도 저도 아니다. =〔介在〕
〔介怀〕 jièˌhuái 동 〈文〉 괘념〔개의〕하다. 걱정하다.
〔介黄〕 jièhuáng 명 《色》 황색의 일종. ¶盐基～; 오라민(auramine)의 일종.
〔介居〕 jièjū 동 〈文〉 ①두 사람 사이에 있다. 개재하다. 중간에 서다. ②혼자 살다.
〔介类〕 jièlèi 명 《蟲》 갑각류(甲殼類).
〔介立〕 jièlì 동 〈文〉 독립하다.
〔介仑〕 jièlún 명 〈南方〉 갤런(gallon). =〔加jiā仑〕
〔介壳〕 jièqiào 명 개각(介殼). 겉껍질.
〔介壳虫〕 jièqiàochóng 명 《蟲》 개각충.
〔介然〕 jièrán 〈文〉 명 잠시 동안. 형 ①의지가 굳은 모양. ②고고한 모양. ¶～自好hào; 남과 어울리지 않고 고고한 것을 좋아하다.
〔介入〕 jièrù 동 개입하다. ¶不～双方之间的争端; 쌍방간 분쟁에 개입하지 않다.
〔介绍〕 jièshào 동 ①소개하다. ¶我给你～一下, 这就是张同志; 소개 드립니다. 이 쪽은 장(張)씨입니다. ②선을 뵈다. (결혼 상대를) 소개하다. ¶他们俩是通过～结婚的; 그 두 사람은 중매 결혼이다. ③(새 사람 또는 사물을) 끌어들이다. ¶～入会; 새로 입회시키다. ④이해시키다. 숙지(熟知)시키다. 설명하다. ¶～情况; 정황을 소개하다/我来～一下这本书的内容; 이 책의 내용을 잠깐 설명해 드리죠/现在我们～救生衣的使用方法; 이제부터 구명구의 사용법을 설명하겠습니다.
〔介绍人〕 jièshàorén 명 ①소개인. 소개자. ②결혼 중매인. ¶她是我们的结婚～; 그녀는 우리의 결혼 중매인이다.
〔介绍信〕 jièshàoxìn 명 소개장(기관·단체 등 어떤 단위가 다른 단위에 사람을 파견하여 교섭하게 할 때에 쓰는 서신). →〔荐jiàn书〕
〔介士〕 jièshì 명 〈文〉 ①갑옷을 입고 투구를 쓴 용사. ②강직한 선비.
〔介寿〕 jièshòu 동 〈文〉 장수를 축하하다.
〔介属动物〕 jièshǔ dòngwù 명 갑각류(甲殼類) 동물.
〔介特〕 jiètè 〈文〉 형 고립 무원(孤立無援)하다. 외딸다. 명 외토리.
〔介体〕 jiètǐ 명 매체. 매개물. =〔媒质〕
〔介意〕 jièˌyì 동 개의하다. 마음에 두다. 주의하다(흔히, 부정이나 금지문에 씀). ¶毫不～; 전혀 개의치 않다/刚才这句话我是无心中说的, 你可别～! 방금 그 말은 아무 뜻 없이 한 말일세, 개념치 말도록 하게! =〔屑意〕
〔介音〕 jièyīn 명 《言》 개음(운모(韻母) 중 주모음(主母音)의 앞에 있는 모음 i, u, ü. 예컨대, '天tiān'의 i, '多duō'의 u 따위).
〔介在〕 jièzài 동 개재하다. 사이에 있다. =〔开乎〕
〔介质〕 jièzhì 명 매질(媒質). 매개체. =〔媒méi质〕〔介体〕
〔介子〕 jièzǐ 명 《物》 중간자(中間子).

价 jiè (개)
〈文〉 ①명 하인. 하녀. 심부름꾼. 고용인. ¶小～; 저의 심부름꾼/贵～ =〔盛～〕〔尊～〕; 귀하의 심부름꾼. ②형 좋은. 아름다운. ⇒jià jie

芥 jiè (개)
명 ①《植》 갓. 개채(芥菜). ②〈比〉 미세(微細)한 것. ¶草～; 가치가 없는 것. ⇒gài

〔芥菜〕 jiècài 명 《植》 갓. 개체(芥菜). ¶～头; 겨자의 둥근 뿌리로 담근 김치/～子油 =〔～油〕; 겨자 기름. ⇒gàicài
〔芥蒂〕 jièdì 명 〈文〉 맺힌 감정. 감정의 응어리. ¶经过调解, 两人心中都不再有什么～了; 화해를 붙인 결과 두 사람의 마음 속에는 맺힌 감정이 없어졌다. =〔蒂芥〕
〔芥黄〕 jièhuáng 명 ①⇨〔芥末〕 ②《染》 황분(黃粉).
〔芥面儿〕 jièmiànr 명 ⇨〔芥末〕
〔芥末〕 jièmo 명 겨자 가루. ¶～蹲儿; 큰 배추를 통째로 썰어 삶아 식혀서 겨자를 발라 먹는 요리. =〔芥黄①〕〔芥粉〕〔芥面儿〕
〔芥子〕 jièzǐ 명 ①겨자씨. ¶～泥; 《漢醫》 겨자 가루를 갠 약. 개자습포(폐렴 같은 데 가슴에 붙이는 찜질용)/～气 =〔～瓦斯〕〔伊伯利脱〕; 《化》 이페리트(yperite). =〔芥籽zǐ〕 ②〈比〉 미세한 것.

玠 jiè (개)
①명 〈文〉 옛날, 임금이 제후(諸侯)를 봉할 때에 표지로 쓰던 옥(玉). ②지명용 자(字). ¶～溪; 제시(玠溪)(저장 성(浙江省)에 있는 땅 이름).

疥 jiè (개)
명 《醫》 개선(疥癬). 옴. =〔疥疮chuāng〕

〔疥疤〕 jièbā 명 옴을 앓은 자국.
〔疥虫〕 jièchóng 명《蟲》옴벌레. 개선충(疥癬蟲).
〔疥蛤蟆〕 jièháma 명《動》두꺼비의 통칭. =〔蟾蜍〕
〔疥疠〕 jièlì 명 ⇨〔疥癣〕
〔疥癣〕 jièxuǎn 명《醫》옴. 개선. ¶长了一手~; 손에 옴이 생겼다. =〔疥疮〕〔疥疠〕
〔疥癣虫〕 jièxuǎnchóng 명《蟲》개선충. 옴벌레. =〔疥虫〕

界 jiè (계)
①명경계(境界). ¶国~; 국경/划~; 경계를 긋다. ②명 한계. 범위. ¶眼~; 시계(視界)/管~; 관할 범위/本区~内; 이 관내. 본구역. ③명 장소. ④명 (직업·장소·일·성별 따위에 의거하여 나누어진) 사회. 분야. ¶商~; 상업계/教育~; 교육계/各~人士; 각계 인사들. ⑤동 경계를 정하다. 구분하다. 구획하다. ¶版面~为三栏; 지면을 세 개의 난으로 구획하다. ⑥동 간격을 두다. ⑦명《地》계(界)《생물학 분류상의 최고 단계. 동물계와 식물계로 나눔》. ¶天机~; 무기계. ⑧명《地》계(界)《지질 시대의 대(代)에 해당하는 지층 분류의 최고 단계》.
〔界碑〕 jièbēi 명 ⇨〔界石〕
〔界尺〕 jièchǐ 명 직선자.
〔界稻〕 jièdào 명《農》음력 11월에 심어 다음 해 4월에 수확하는 벼.
〔界河〕 jièhé 명 두 나라 혹은 두 지구의 경계를 이루는 하천.
〔界乎〕 jièhū 〈文〉 …사이에 있다. …에 접하다. ¶村子~两山之间; 마을은 두 개의 산 사이에 있다.
〔界面〕 jièmiàn 명《物》계면. 경계를 이루는 면.
〔界内场〕 jiènèichǎng 명《體》페어 그라운드(fair ground). →〔界外场〕
〔界内球〕 jiènèiqiú 명《體》(야구에서) 페어 볼(fair ball).
〔界石〕 jièshí 명 경계를 보이는 돌. 경계석. =〔界碑〕
〔界说〕 jièshuō 명 정의(定義). =〔定义〕
〔界外场〕 jièwàichǎng 명《體》파울 그라운드(foul ground). →〔界内场〕
〔界外球〕 jièwàiqiú 명《體》(야구의) 파울볼(foul ball).
〔界限〕 jièxiàn 명 ①(사물의) 경계. 한계. ¶是非的~; 시비의 한계/~明确; 한계가 명확하다. ②한도. 제한. 끝. ¶他们的野心是没有~的; 그들의 야심은 한이 없다. ③틈. 장벽. 갭(gap). 거리. ¶和本地人之间存在着很大的~; 그 고장 사람과의 사이에는 커다란 격차가 있다.
〔界限量规〕 jièxiàn liángguī 명《機》한계 게이지(limit guage).
〔界线〕 jièxiàn 명 ①경계선. ②사물의 갈림길. 기로(岐路). ¶生死存亡的~; 생사존망의 갈림길. ③(사물의) 가장자리. ④(재봉에서) 시침질.
〔界于〕 jièyú 〈文〉 …의 경계선에 있다.
〔界约〕 jièyuē 명 경계 조약. 국경 조약.
〔界址〕 jièzhǐ 명 경계.
〔界桩〕 jièzhuāng 명 (경계를 나타내는) 표지. 석주(石柱). 말뚝.

蚧 jiè (개)
→〔蛤gé蚧〕

骱 jiè (갈)
명〈方〉관절. ¶脱~ =〔脱位〕; 관절이 퉁겨지다. 탈구하다. =〔关guān节①〕

戒 jiè (계)
①동 경계하다. 조심하다. 방비하다. ¶~心; ⇩/~备; ⇩/~骄; 교만을 경계하다. ②동 타이르다. 경계하다. 삼가다. ¶~躁; 경박〔성급〕함을 경계하다. =〔诫jiè①〕 ③명《宗》계율. ¶受~; 수계하다. 계율을 받다. ④동 (기호물을) 끊다. ¶我~了烟了; 나는 담배를 끊었다. ⑤명 훈계(訓戒). ⑥명 경계(境界). ⑦명 경비. ⑧명 반지. ¶钻~; 다이아 반지.
〔戒备〕 jièbèi 동 경비하다. 경계하다. ¶处于~状态; 경계 태세에 있다. 명 경비. 경계. ¶~森严; 경계가 삼엄하다/加强~; 경비를 강화하다/松懈~; 경비를 완화하다.
〔戒尺〕 jièchǐ 명 옛날, 사숙(私塾)의 스승이 제자를 때리는 데 쓰던 나무 판자. =〔戒方〕
〔戒饬〕 jièchì 동〈文〉①훈계하여 타이르다. ②스스로 삼가다.
〔戒除〕 jièchú 동 (좋지 않은 기호를) 끊다. ¶~吸烟; 담배를 끊다.
〔戒刀〕 jièdāo 명 계도《옛날, 승려가 가지고 다니던 칼》.
〔戒牒〕 jièdié 명《佛》도첩(度牒).
〔戒赌〕 jiè,dǔ 동 도박을 끊다.
〔戒箍儿〕 jiègūr 명 골무《바느질용》.
〔戒荤〕 jièhūn 동 누린내·비린내 나는 음식을 끊다. 육식을 금하다.
〔戒忌〕 jièjì 동 ①꺼리고 싫어하다. 금기하다. →〔禁jìn忌〕 ②금기해야 할 일에 대하여 경계심을 가지다.
〔戒骄戒躁〕 jiè jiāo jiè zào〈成〉오만과 조급함을 경계하다.
〔戒酒〕 jiè,jiǔ 동 금주하다. 술을 끊다. =〔止zhǐ酒〕 명 금주.
〔戒口〕 jièkǒu 명동 ①금식(하다)《병으로 인해 어떤 음식을 금하는 일》. ②말조심(하다). →〔忌jì嘴〕
〔戒律〕 jièlǜ 명《佛》계율. =〔戒条〕
〔戒慎〕 jièshèn 동 삼가다. 주의하다. 몸을 조심하다.
〔戒坛〕 jiètán 명 승려에게 계율을 전수하는 식단(式壇).
〔戒条〕 jiètiáo 명 ⇨〔戒律〕
〔戒心〕 jièxīn 명 경계심.
〔戒烟〕 jiè,yān 동 ①아편을 끊다. ¶~丸; 아편 중독을 고치는 환약. ②금연하다.
〔戒严〕 jiè,yán 동 계엄령을 펴다. (jièyán) 명 계엄. ¶~令; 계엄령.
〔戒意〕 jièyì 명 경계하는 마음. ¶他马上取消了~; 그는 곧 경계심을 풀었다.
〔戒躁〕 jièzào 동 조급함을 경계하다.
〔戒指(儿)〕 jièzhi(r) 명 반지. 지환(指環). =〔戒子〕〔〈京〉手镏子〕〔〈文〉约指〕
〔戒子〕 jièzi 명 ⇨〔戒指(儿)〕

诫(誡) jiè (계)
①동 타이르다. 경고하다. 주의주다. ¶~其下次; 다음 번엔 주의하도록 타이르다/规~; 주의를 주다. =〔告gào诫〕 ②명 타이름. 훈계(訓戒). 경고.
〔诫条〕 jiètiáo 명 금령(禁令). 금제(禁制).

届〈屆〉 jiè (계)
①동 이르다. 미치다. 달하다. (때가) 되다. ¶已~暑假; 벌써 여름 휴가가 되었다. ②양 번. 회(回). 기(期)《정기적인 회의·모임·졸업년차 등에 쓰임》. ¶第二~;

제2회 / 上半～; 상반기 / 本～毕业生; 금년도 졸업생 / 十一～三中全会; 제11기 제3회 중앙 위원회 전체 회의. →〔次cì⑤〕
〔届满〕 jièmǎn 동 만기가 되다.
〔届期〕 jièqī 동 기한〔기일〕이 되다. ¶～还huán清; 기일이 되어 말끔히 청산하다. =〔到期〕
〔届时〕 jièshí 동 그 때가 되다. 정한 기일이 되다. ¶～务请出席! 그 때에는 꼭 참석해 주십시오! / ～准到; 그 시각에는 반드시 도착한다 / 月之廿日开会～即请驾临; 이 달 20일 개회(開會)하겠사오니 그 때에는 왕림해 주시옵기 바랍니다. =〔到dào时〕

借(藉)[B] jiè (자)

A) 동 ①빌리다. 빌려 오다. ¶～钱; 돈을 빌리다 / ～书; 책을 빌리다 / ～你的房子, 暂住一两个月; 당신의 집을 세들어 한두 달 살겠습니다 / 那部自行车给他～走了; 그 자전거는 그가 빌려 갔다. ②(보통 '～给', '～+명사+给'의 형식으로) 빌리다. 빌려 주다. ¶～给他钱; 그에게 돈을 꾸어 주다 / ～书给他; 그에게 책을 빌려 주다 / ～给你钱; 너에게 돈을 꾸어 주지 / 这本书不能外～; 이 책은 외부 대출은 할 수 없다 / 他向我～钱, 可是我没～; 그는 내게서 돈을 꾸려고 했으나, 나는 꾸어 주지 않았다. ③빌려 쓰다. 차용(借用)하다. ¶～用古字, 作为新的机件名词; 고자(古字)를 빌려 새로운 기계 부품의 명칭으로 하다 / ～名欺骗 =〔～名讹诈〕; (남의) 이름을 빌려 사람을 속이다.
B) ① 동 가탁하다. 핑계삼다. ¶～故; ⇓ / ～端; ⇓ ② 동 의뢰하다. 의지하다. 빌리다. ¶～着势力欺负人; 세력에 의지하여 남을 업신여기다 / ～助; ⇓ / ～手; ⇓ ③ 접 〈文〉 설사〔설령, 비록〕…라 하더라도. ¶～令我来, 恐亦无能为力; 설사 내가 온대도 아무 도움이 안 된다. =〔借如〕〔假jiǎ使〕 →〔藉jiè③〕
〔借彼挪此〕 jièbǐ nuócǐ 저것을 빌려 이것에 쓰다. 변통을 하다.
〔借词〕 jiè·cí 동 구실을 삼다. =〔借口〕 (jiècí) 명 ①구실. ②《言》 차용어(借用語). 외래어.
〔借此〕 jiècǐ 동 이 기회를 빌리다. ¶大家～谈谈吧! 모두 이번 기회에 서로 이야기해 봅시다! 접 이로써. 그것으로써. ¶他给小孩讲故事, ～对他们进行教育; 그는 아이들에게 이야기를 들려 주고 그로써 그들을 교육했다.
〔借代〕 jièdài 명 《言》 환유법.
〔借贷〕 jièdài 동 (돈을) 빌리다. ¶靠～生活; 빚으로 생활하다 / 他从没有向人家～过; 그는 이제껏 남에게서 돈을 꾼 적이 없다. 명 (부기 따위의) 차변(借邊)과 대변(貸邊). ¶～关系; 대차 관계 / ～资本; 《經》 대부 자본.
〔借贷不周〕 jièdài bùzhōu 대차(貸借)가 깨끗이 끝나지 않다. 대차로 문제를 일으키다.
〔借单〕 jièdān 명 차용 증서. =〔借契〕〔欠条〕
〔借当(头)〕 jiè·dàng(tou) 동 저당잡힐 만한 물건을 빌리다.
〔借刀杀人〕 jiè dāo shā rén 〈成〉 남을 부추겨서 사람을 죽이게 하다《상대방의 힘을 역용(逆用)하여 나쁜 짓을 하다》. =〔借剑杀人〕
〔借道〕 jièdào 동 ①경유하다. ¶～香港回国; 홍콩을 경유하여 귀국하다. ②길을 빌리다.
〔借地权人〕 jièdìquánrén 명 《法》 지상권자(地上權者).
〔借调〕 jièdiào 동 (타기관에서) 일시적으로 인원을 차출해 오다. 차출〔근무〕하도록 허락을 받다.
〔借读〕 jièdú 동 옛날, 학교의 이전 혹은 교통 관계 등으로, A학교의 학생을 B학교에 의탁하여 학업을 이수하게 하다.
〔借端〕 jièduān 동 트집을〔말꼬투리를〕 잡다. ¶～讹诈; 시비를 걸어 금품을 갈취하다 / ～滋扰; 무슨 일을 구실삼아 소동을 일으키다 / ～生事; 트집을 잡아 분란을 일으키다.
〔借方〕 jièfāng 명 《商》 부기의 좌변. 차변(借邊).
〔借风使船〕 jiè fēng shǐ chuán 〈成〉 바람의 방향을 보고 배를 몰다《남의 힘을 빌려 자기의 목적을 이루다》. =〔借风驶船〕〔借水行舟〕
〔借给〕 jiègěi 대여(貸與)하다. 빌려 주다. ¶请～我词典查查! 저에게 사전을 빌려 주십시오!
〔借公济私〕 jiè gōng jì sī 〈成〉 공사(公事)를 이용하여 사리(私利)를 꾀하다.
〔借古讽今〕 jiè gǔ fěng jīn 〈成〉 옛날의 일이나 인물에 대한 평론을 빌려 현대의 일이나 사람을 풍자하다.
〔借故〕 jiè·gù 동 트집잡다. 이유를 붙이다. 구실로 삼다. ¶他不愿意再跟他们谈下去, 就～去了; 그는 그들과 그 이상 말하고 싶지 않아서 핑계를 대고 가 버렸다. =〔借端〕
〔借故推辞〕 jiè gù tuī cí 〈成〉 핑계 대고 사퇴하다.
〔借光〕 jiè·guāng 동 ①남의 덕을 입다. 사소한 도움을 빌리다. 남의 신세를 지다. ¶我们再借你的光; 또, 신세를 지다. ②〈套〉 좀 여쭤 보겠습니다. 실례합니다. 고맙습니다《말을 걸거나 끝냈을 때의 인사말》. ¶～, 让我过去! 미안합니다만, 좀 지나가겠습니다! / ～, 百货大楼在哪儿? 실례합니다. 백화점은 어디에 있습니까? →〔劳驾③〕
〔借户〕 jièhù 명 차주. 빌려 쓰는 사람.
〔借花献佛〕 jiè huā xiàn fó 〈成〉 남의 떡에 설쇤다. 남의 꽃을 빌려 부처에게 바치다《남의 것으로 생색냄》. =〔借物请客〕
〔借火(儿)〕 jiè·huǒ(r) 동 (담배)불을 빌리다. ¶给我借个火儿! 잠깐 불 좀 빌립시다!
〔借机〕 jièjī 동 기회를 빌리다. 기회를 틈타다. ¶～攻击; 기회를 틈타 공격하다 / ～说了他一顿; 좋은 기회라는 듯이 그를 꾸짖었다.
〔借鉴〕 jièjiàn 동 참고로 하다. 거울로 삼다.
〔借景生情〕 jiè jǐng shēng qíng 〈成〉 ⇨〔见jiàn景生情①〕
〔借镜〕 jièjìng 동 본보기로 하다. 참고로 하다. 거울삼다. ¶以资～; 참고로 하다 / 有很多值得我们～和观摩的地方; 우리들이 거울삼아 참고로 하고, 또 서로 연구할 만한 가치가 많이 있다. =〔借鉴jiàn〕
〔借酒谈心〕 jièjiǔ tánxīn 술의 힘을 빌려 본심을 말하다.
〔借据〕 jièjù 명 차용 증서. =〔借券quàn〕〔借单〕
〔借考〕 jièkǎo 명 기류지(寄留地)에서 임시로 수험함.
〔借口〕 jiè·kǒu 동 구실을 삼다. ¶别～快速施工而降低工程质量! 빨리 시공(施工)한다는 것을 구실삼아 공사의 질을 떨어뜨리지 마시오! (jièkǒu) 명 구실. 핑계. 발뺌. ¶寻找～; 구실을 찾다 / 别拿忙做～而放松学习! 바쁘다는 것을 구실로 하여 학습을 소홀히 하지 마라!
〔借款〕 jiè·kuǎn 동 ①돈을 빌리다. ¶向银行～; 은행에서 돈을 빌리다. ②돈을 빌려 주다. ¶～给施工单位; 시공 부문에 돈을 빌려 주다. (jièkuǎn) 명 차금(借金). 차관. 부채(負債). ¶～(字)据; 차용 증서.

〔借乱裹乱〕 jiè luàn guǒ luàn 〈成〉 다른 사람의 혼란을 틈타 일을 일으키다(불난 집에 부채질하기).
〔借名〕 jiè·míng 동 남의 이름〔명의〕을 빌리다. ¶～讹诈; 남의 이름을 빌려 사기치다.
〔借票〕 jièpiào 명 차용 증서.
〔借期〕 jièqī 동 차용 기간.
〔借契〕 jièqì 명 ⇨〔借单〕
〔借钱〕 jiè·qián 동 돈을 빌리다. 돈을 빌려 주다. ¶借他的钱 =〔向他～〕; 그에게서 돈을 빌리다 / 借给他钱 =〔～给他〕; 그에게 돈을 빌려주다 / 借利息钱; 이잣돈을 빌리다 / 借高利贷; 고리 대금의 돈을 빌리다.
〔借券〕 jièquàn 명 ⇨〔借据〕
〔借如〕 jièrú 접 만일. 가령.
〔借神庇佑〕 jiè shén bì yòu 〈成〉 신의 가호에 의지하다.
〔借尸还魂〕 jiè shī huán hún 〈成〉 죽은 사람의 혼이 타인의 시체를 빌려 환생하다(이미 멸망한 것이 새로운 형식으로 부활하다).
〔借势〕 jièshì 동 ①남의 세력을 빌리다. 남의 세력을 등에 업다. 매세(賣勢)하다. ②기세〔추세〕를 이용하다.
〔借是人情, 不借是本分〕 jiè shì rénqíng, bùjie shì běnfèn 〈諺〉 빌려 주는 것은 의리 인정 때문이고, 빌려 주지 않는 것이 당연하다. 빌려 주지 않는 것이 원칙이나, 인정상 빌려 준다.
〔借手〕 jiè·shǒu 동 남의 손을 빌리다. 남을 의지하다.
〔借寿〕 jièshòu 동 ⇨〔讨tǎo寿〕
〔借书〕 jiè shū ①책을 빌리다. ②책을 빌려 주다.
〔借书处〕 jièshūchù 동 (도서관의) 대출 접수(처).
〔借水行舟〕 jiè shuǐ xíng zhōu 〈成〉 ⇨〔借风使船〕
〔借宿〕 jiè·sù 동 숙소〔잠자리〕를 빌리다. =〔借寓〕
〔借台〕 jiètái 명 차금(借金). ¶～高筑; 빚이 쌓이다.
〔借梯上楼〕 jiètī shànglóu 사닥다리를 빌려서 2층에 올라가다. 〈比〉 남의 경험을 거울삼아 향상의 길을 걷다.
〔借题〕 jiè·tí 동 무슨 일을 핑계 삼다〔빙자하다〕. ¶借这个题目…; 이 일을 청탁〔빙자〕하여.
〔借题发挥〕 jiè tí fā huī 〈成〉 ①어떤 일을 구실삼아 자기 의사를 발표하거나 자기가 생각하는 바를 행한다. ②트집을 잡다. 아무에게나 무턱대고 분풀이하다. ¶他是～, 别理他; 그는 아무에게나 무턱대고 분풀이를 하는 거야. 상관하지 마라.
〔借条(儿)〕 jiètiáo(r) 명 (약식의) 차용증(借用證).
〔借帖〕 jiètiě 명 차용 증서.
〔借托〕 jiètuō 동 구실로 하다.
〔借位〕 jiè·wèi 동 《數》 뺄셈에서 높은 자릿수에서 빌려 오다.
〔借问〕 jièwèn ①〈敬〉 말씀 좀 여쭙겠습니다(남에게 무엇을 물어 볼 때에 쓰는 말). ¶～, 这里离城还有多远? 잠깐 여쭤 보겠습니다만, 이 곳은 시내에서 얼마나 됩니까? ②시험삼아 물어보다. =〔试shì问〕
〔借物请客〕 jiè wù qǐng kè 〈成〉 ⇨〔借花献佛〕
〔借悉〕 jièxī 동 〈翰〉 …에 의해 알았다. ¶慈接手示, ～吾兄不日来此; 편지 받아 보고, 그로써 귀형이 오래지 않아 당지에 오신다는 것을 알았습니다. =〔借稔rěn〕
〔借饷〕 jiè·xiǎng 동 돈 또는 양초(糧草)를 빌리다.
〔借项〕 jièxiàng 명 《商》 차변 계정(借邊計定). =〔收shōu项〕
〔借孝〕 jièxiào 동 옛날, 복(服)을 입고 있는 사람이 사정이 있어 잠시 상복 아닌 보통 옷을 입다.
〔借以〕 jièyǐ 접 …함으로써. …에 의해. ¶略举几件事实, ～证明这项工作的重要性; 몇 개의 사실을 들어, 그로써 이 일의 중요성을 증명하다.
〔借用〕 jièyòng 동 ①차용하다. 빌려서 쓰다. ¶～一下你的铅笔! 당신 연필을 좀 빌리겠습니다! ②전용(轉用)하다. 다른 용도(用途)로 쓰다. ¶'道具'这个名词原来指和尚念经时所用的东西, 现在～来指演戏时所用的器物; '道具'라는 명사는 본래 승려가 독경(讀經)할 때에 쓰는 것을 가리켰으나, 현재는 전용되어 연극에 쓰이는 소품(小品)을 가리키는 데 쓰이고 있다.
〔借予〕 jièyǔ 동 〈文〉 대여(貸與)하다.
〔借喻〕 jièyù 동 비유를 들다. 비유하다.
〔借寓〕 jiè·yù 동 ⇨〔借宿〕
〔借约〕 jièyuē 명 차용 증서.
〔借韵〕 jièyùn 명동 오·칠언(五七言) 근체시(近體詩)의 첫 구에 비슷한 운(韻)을 빌려 쓰는 것〔빌려 쓰다〕.
〔借债〕 jiè·zhài 동 돈을 빌려 오다. 빚을 내다. =〔借账〕
〔借账〕 jiè·zhàng 동 ⇨〔借债〕
〔借支〕 jièzhī 동 ①가불 받다. ②선대(先貸)하다. 가불해 주다.
〔借重〕 jièzhòng 동 〈敬〉 힘을 빌리다. 신세를 지다. 도움을 받다. ¶这件事～您才成功了; 이번 일은 당신 덕분에 잘 끝냈습니다 / 将来～您的地方多了; 장차 당신의 신세를 질 일이 많이 있습니다.
〔借主(儿)〕 jièzhǔ(r) 명 차용주(借用主). 채무자.
〔借住〕 jièzhù 동 잠시 빌려 머물다. =〔借宿〕
〔借助〕 jièzhù 동 (흔히, '～于'로서) 도움을 빌리다. ¶要窥探极远的东西, 就得～于望远镜; 먼뎃것을 탐지하려면 망원경의 도움을 빌려야 한다.
〔借箸〕 jièzhù 동 〈文〉 임시로 젓가락을 써서 점을 쳐 보다. 〈比〉 남을 위해 계략을 세우다. =〔借箸代筹〕
〔借资〕 jièzī 동 자본을 빌리다. ¶向银行～; 은행에서 자본을 빌리다.
〔借字(儿)〕 jièzì(r) 명 차용 증서. =〔借据jù〕
〔借走〕 jièzǒu 동 빌려 가다. ¶那本词典他～了; 그 사전은 그가 빌려 갔다.

唶

jiè (차)
〈擬〉〈文〉 탄식하는 소리.

藉

jiè (자)
① 동 펴다. 깔다. ¶～草而坐; 짚을 깔고 앉다 / 枕～; 겹쳐 쓰러지다. 뒤섞여 자다. ② 명 〈文〉 깔개. 자리. ③ ⇨〔借B〕 ⇒jí

解〈觧〉

jiè (해)
동 호송(護送)하다. 압송하다. ¶～送囚犯; 죄수를 호송하다 / ～到公安局去了; 공안국에 압송하였다. =〔押解〕〔起解〕 ⇒jiě xiè
〔解案〕 jiè'àn 동 ①안건을 송달하다. ②범인을 보내어 출정(出廷)시키다.
〔解部〕 jièbù 동 지방에서 중앙의 본성(本省)으로 보내다.
〔解差〕 jièchāi 동 범인을 압송하다. 물건·돈을 호송하다. 명 ①범인을 호송하는 직무. ②호송원.
〔解犯〕 jièfàn 동 범인을 호송하다. ¶～到案; 범인

을 압송하여 출정(出廷)시키다.
〔解繳〕 jièjiǎo 동 (범인을 호송하여) 인도(引渡)하다. ¶～就近警察; 가까운 경찰에 넘기다. =〔解交〕
〔解款〕 jièkuǎn 동 현금을 호송하다.
〔解粮〕 jiè.liáng 동 식량을 호송하다.
〔解审〕 jièshěn 동 호송하여 재판에 회부하다. =〔解讯〕
〔解送〕 jièsòng 동 (재물·범인을) 호송하다. 압송하다.
〔解元〕 jièyuán 명 (명(明)·청대(清代)의) 과거(科擧) 향시(鄉試)에서의 장원(壯元).

褯 jiè (자)
→〔褯子〕
〔褯子〕 jièzi 명 〈方〉 기저귀. ¶一块～; 기저귀 한 장/胶皮～; 기저귀 커버. =〔尿niào布〕

价(價) jie (가)
① 조 〈方〉 부정 부사(否定副詞)의 뒤에 붙어 어기(語氣)를 강하게 함. ¶不～! 아니!/甭～! 필요 없어! 그럴 것까지는 없다!/别～! 그만둬! 注 이 구조를 취하면 뒤에 다른 성분(成分)은 놓을 수 없음. ② 접미 시간이나 수량을 나타내는 말의 뒤에 붙음. ¶成天～闹; 하루 종일 떠들다/四五斗～米; 너덧 말의 쌀/雪后雨儿雨后雪, 镇日～不歇; 눈이 비가 되고 비가 눈이 되었다 하면서 하루 종일 그치지 않는다. ③ 접미 부사 접미사(副詞接尾詞)로, 원곡(元曲)·옛 소설·현대 오어(吳語)에 쓰임. ¶一面～; 한쪽으로는/彼此～; 서로가/震天～响; 하늘을 진동시킬 듯이 울리다. =〔地de〕 ‖ =〔家jie〕 ⇒jià jiè

家 jie (가)
⇨〔价jie〕 ⇒gū jiā

JIN ㄐㄧㄣ

巾 jīn (건)
① 명 (네모로 자른) 헝겊. 천. ¶手～; 손수건/围～; 스카프. 목도리/蒙头～; 스카프/披pī～; 숄. ② 명 두건(頭巾). ¶头～; 두건. ③ 동 쓰다. ④ 동 장식하다. 덮다.
〔巾帼〕 jīnguó 명 〈文〉 부인('帼'는 옛날에 부인들이 쓰던 두건). ¶～英雄; 여자 영웅. 여걸/～丈夫; 여장부/～须眉; 〈成〉 여걸. 여장부.
〔巾箱本〕 jīnxiāngběn 명 건상본(소형의 서적. 포켓판). =〔袖xiù珍本〕

今 jīn (금)
① 명 지금. 현재. 현대. ¶当～; 지금. 현재/古为～用; 〈成〉 옛것의 좋은 점을 흡수해서 새로운 사회의 전진에 도움이 되게 하다. ↔〔旧jiù③〕〔古gǔ①〕 ② (～儿) 명 〈方〉 오늘. ¶～晚上; 오늘 밤. ③ 형 지금의. 현재의. 현대의(연(年)·사계(四季)·일(日) 및 아침·낮·밤 등에 대해). ¶从～以后; 금후(今後)/～天; ⇓/～晨; ⇓/～夜; ⇓
〔今辈子〕 jīnbèizi 명 이 한세상. 현세.
〔今不如昔〕 jīn bù rú xī 〈成〉 지금은 예전만큼 좋지 않다.
〔今草〕 jīncǎo 명 금초. 초서의 일종(해서(楷書)에 결부시켜 발전시킨 것).
〔今晨〕 jīnchén 명 오늘 아침.
〔今次〕 jīncì 명 ⇨〔今番〕
〔今番〕 jīnfān 명 이번. 금회. =〔今次〕
〔今非昔比〕 jīn fēi xī bǐ 〈成〉 지금은 옛날에 비할 바가 아니다. 지금은 옛날과 다르다(변화가 많음).
〔今后〕 jīnhòu 명 금후. ¶～更要加倍努力; 금후는 더 한층의 노력을 해야 한다.
〔今隶〕 jīnlì 명 해서(楷書)의 별칭. ↔〔古gǔ隶〕
〔今年〕 jīnnián 명 금년.
〔今儿〕 jīnr 명 〈京〉 오늘. ¶～就顾～; 하루살이/～是就～; 오늘은 오늘이지 내일은 없다(되고 안 되는 것은 오늘에 달렸다)/～就是～啦! 오늘이야말로 고비다! =〔今天〕〔今儿个〕
〔今人〕 jīnrén 명 당대 사람. 현대인.
〔今日〕 jīnrì 명 ①오늘날. 현대. 현재. ②⇨〔今天〕
〔今上〕 jīnshàng 명 〈文〉 금상. 현대의 황제.
〔今生〕 jīnshēng 명 현세. 금생. 이 한평생〔세상〕. ¶～今世; 이 한평생. 살아 있는 동안. =〔今世②〕〔此cǐ生〕
〔今世〕 jīnshì 명 ①현대. ②⇨〔今生〕
〔今是昨非〕 jīn shì zuó fēi 〈成〉 지금 것은 옳고 옛것은 그르다(과거의 잘못을 깨닫다).
〔今天〕 jīntiān 명 ①오늘. ¶～几号? 오늘은 며칠입니까? =〔〈京〉 今儿〕 ②지금. 현재. ¶说来～; 현재에 대해서 말한다면. ¶～, 中国的对外贸易有了很大的发展; 현재, 중국의 대외 무역은 매우 큰 발전을 이루고 있다. =〔现在〕〔目前〕 ③'明天'과 연용(連用)하여 대립된 사태를 나타냄. ¶～说要去, 明天说不去; 오늘 간다고 해 놓고선, 내일은 가지 않는다고 한다. ‖ =〔今日〕
〔今文〕 jīnwén 명 한대(漢代)에 당시 통용되던 예서체(隸書體)의 문자를 칭하던 말.
〔今昔〕 jīnxī 명 현재와 과거. ¶～之感; 금석지감. 세상의 격심한 변천에 대한 감개/～对比; 현재와 과거를 대비하다.
〔今夜〕 jīnyè 명 오늘 밤.
〔今译〕 jīnyì 명 금역. 옛 문헌의 현대어역. ¶古籍～; 고서의 현대어역.
〔今音〕 jīnyīn 명 《言》 ①현재 쓰이는 어음(語音). ②절운(切韻)·광운(廣韻) 따위 운서(韻書)로 대표되는 수·당(隋唐)의 음.
〔今用〕 jīnyòng 명동 현재의 필요(가 되다). 현재 쓰임(이다). ¶古为～, 洋为中用; 예전의 일을 현재를 위해 도움이 되게 하고, 외국의 것을 중국을 위해 도움되게 하다.
〔今早〕 jīnzǎo 명 ①오늘 아침. ②〈方〉 오늘.
〔今朝〕 jīnzhāo 명 ①〈方〉 오늘. ¶～有酒～醉; 〈諺〉 오늘 술이 있으면 오늘 취한다(하루살이 생활을 하다). ②현재. →〔今天〕
〔今者〕 jīnzhě 명 현재. 요사이.
〔今兹〕 jīnzī 명 〈文〉 ①이 때. 지금. ②금년. 올해.

纼(紟) jīn (금)
명 〈文〉 ①띠. (아이들의) 허리에 꿰매 단 띠. 돌띠. ②옷고름.

衿 jīn (금)
① 명 옷깃. 옷섶. ¶大～; 겉섶/小～ =〔底～〕; 안섶. =〔襟①〕 ② 명 〈文〉 옷고름. ③ 동 〈文〉 (옷의 띠를) 매다.

矜 jīn (긍)
동 ①공경〔존경〕하다. ②불쌍히 여기다. ¶～怜; ⇓ ③자랑하다. 우쭐하다. 건방지다. ¶自～其功; 공로를 뽐내다. 우쭐하다. =〔骄矜〕 ④조신하다. 신중히 하다. 정중하다. ¶～持; ⇓ ⑤

애석히 여기다. 아끼다. ⑥위태롭다. ⇒guān qín
〔矜持〕 jīnchí 동 ①스스러워〔어려워〕하다. 얼다. ¶他在台上显得有点～; 그는 무대 위에서 좀 얼어 있는 것 같다. =〔拘谨〕 ②자중하다. 스스로 억제하고 조심하다. ③긍지를 갖다.
〔矜宠〕 jīnchǒng 동 〈文〉 총애를 믿고 오만하다.
〔矜孤恤寡〕 jīngū xùguǎ 동 〈文〉 고아나 과부를 불쌍히 여겨 구휼하다.
〔矜夸〕 jīnkuā 동 거드럭거리다. 거만〔도도〕하게 굴다. 자만하다. 명 건방짐. 오만 불손. ¶力戒～; 힘써 오만을 경계하다.
〔矜怜〕 jīnlián 동 〈文〉 동정하다. 가엾게 여기다. =〔矜悯〕
〔矜悯〕 jīnmǐn 동 ⇒〔矜怜〕
〔矜式〕 jīnshì 동 존경하여 본보기로 삼다. 명 모범. 본보기. 귀감.
〔矜惜〕 jīnxī 동 〈文〉 애석히 여기다. 불쌍히 여기다.
〔矜重〕 jīnzhòng 동 〈文〉 단정하다. 엄숙하고 무게가 있다.

斤〈觔〉② jīn (근)
①명 도끼. ¶斧～; 도끼 / 运～成风; 〈成〉 도끼를(바람이 일 정도로) 힘차게 휘두르다(명장(名匠)의 신기(神技)를 형용해서 하는 말). ②양 《度》 근('市制'에서는 1'斤'이 10'两'이며, 구제(舊制)에서는 1'斤'이 16'两'이고, 미터법(法)의 0.5kg). ¶公～; 킬로그램(kg). ③ 접미 '斤'으로 무게로 재는 물건에 붙이는 말. ¶煤～; 석탄 / 盐～; 소금.
〔斤斗〕 jīndǒu 명 〈方〉 곤두박질. 공중제비. ¶打～ =〔翻～〕; ⓐ공중제비를 하다. ⓑ씨름하다 / 摔～; ⓐ나동그라지다. ⓑ일에 실패하다 / 半空里翻～; 허공에서 곤두박이치다. =〔跟头〕〔筋斗〕
〔斤计儿〕 jīnjìr 명 꼭 알맞은 분량.
〔斤斤〕 jīnjīn 형 분명한 모양. 동 세밀히 캐고 따지다. 자세히 조사하다. 작은 일에 구애하다. ¶用不着～两两地计算; 세세히 계산할 필요는 없다 / 不要～于表面形式, 应该注意实际问题; 표면의 형식에만 어쩌니저쩌니 구애하지 말고, 실제 문제를 주의해야 한다.
〔斤斤计较〕 jīn jīn jì jiào 〈成〉 세밀히 비교하다. 세세한 일에 구애되다. 지나치게 따지다. =〔斤斤较量〕
〔斤两〕 jīnliǎng 명 ①무게. 중량. ¶～多少? 근량은 얼마인가? =〔斤重〕 ②(말·태도 따위) 무게. ¶人家说法才有～呢; 저분의 말이야말로 무게가 있다. ③참뜻. 말의 내용〔함축〕. ¶她懂得这句话的～; 그녀는 이 말의 내용을 알고 있다.
〔斤两〕 jīnliang 명 적당한 척도(尺度). 표준. 분별. 무게. ¶他更意识到自己的话是有～的; 그는 더욱더 자기의 말이 조리에 닿는다고 생각했다.
〔斤量〕 jīnliàng 명 무게. =〔斤两liǎng①〕
〔斤头〕 jīntóu 명 〈方〉 조건.

金 jīn (금)
① 명 《化》 금(Au:aurum)(금속 원소의 하나). =〔〈俗〉 金子〕〔黄金〕 ② 명 금속(금·은·동·철·주석 따위). ¶合～; 합금. =〔五金〕 ③ 명 철물의 총칭. ④ 명 돈. ¶现～; 현금 / 奖～; 상금. 장려금 / 赡shàn养～; 부양금. 연금. 부조금. ⑤ 명 옛날, '钲'(정) 따위의 금속제 타악기. ¶～鼓; 징과 북 / 鸣～收兵; 〈成〉 (철퇴의 신호로) 징을 울려 군사를 물리다. 〈比〉 휴전하다. ⑥ 형 소중하다. 귀(중)하다. ¶～口玉言; ⇩ / 乌～墨玉; 흑다이아(석탄). ⑦ 명 금빛. ¶～色纽扣; 금단추. ⑧(Jīn) 명 《史》 금(여진족이 세운 나라, 1115～1234). ⑨(Jīn) 명 《地》 진현(金縣)(랴오닝 성(遼寧省)에 있는 땅 이름). ⑩ 명 성(姓)의 하나.
〔金瘢〕 jīnbān 명 베인 상처 자국.
〔金榜〕 jīnbǎng 명 (옛날, 과거에서) 전시(殿試) 합격 게시방. ¶～题名; '金榜'에 이름이 끼이다.
〔金镑〕 jīnbàng 명 파운드(pound)(영국의 무게·화폐 단위).
〔金背斑鸠〕 jīnbèi bānjiū 명 《鳥》 산비둘기.
〔金背子〕 jīnbèizi 명 《鳥》 검은가슴물떼새.
〔金本位〕 jīnběnwèi 명 《經》 금(金)본위 화폐 제도. =〔金币bì本位制〕
〔金镚儿〕 jīnbèngr 명 〈俗〉 금화(金貨).
〔金笔〕 jīnbǐ 명 만년필. →〔自来水笔〕
〔金笔尖〕 jīnbǐjiān 명 금펜촉. 금촉.
〔金币〕 jīnbì 명 금화.
〔金币本位制〕 jīnbì běnwèizhì 명 ⇒〔金本位〕
〔金碧〕 jīnbì 명 금빛과 푸른빛. 〈轉〉 매우 화려하고 정밀한 채색.
〔金碧辉煌〕 jīn bì huī huáng 〈成〉 황금빛과 푸른빛이 휘황찬란하다(궁전 건축 따위의 아름다움을 이름).
〔金碧山水〕 jīn bì shānshuǐ 명 《美》 청록(青綠)의 산수화의 봉우리나 바위 윤곽에 황금줄을 사용한 수법(북종(北宗) 화법의 하나로, 이사훈(李思訓)이 창시함).
〔金边〕 jīnbiān 명 ①금테두리. 〈轉〉 상등품. ¶～精装; 금박(金箔)의 고급 제본. ②금실의 끈목. ③(Jīnbiān) 《地》 프놈펜(Pnompenh)('柬Jiǎn埔寨'(캄푸치아: Kampuchea)의 수도).
〔金匾〕 jīnbiǎn 명 금문자를 써 넣은 가로 액자.
〔金表〕 jīnbiǎo 명 ⇒〔金壳(儿)表〕
〔金箔〕 jīnbó 명 금박. ¶～纸; 금박지 / ～匠; 금박 기술자.
〔金不换〕 jīnbùhuàn ①〈比〉 대단히 값어치가 있음. ¶浪子回头～; 방탕한 아들이 개심하는 것은 돈으로도 바꿀 수 없는 귀한 것이다. ② 명 〈比〉 먹. ③ 명 《漢醫》 삼칠초(三七草)의 뿌리(지혈·절상(切傷)·타박상 등에 쓰임).
〔金灿灿(的)〕 jīncàncàn(de) 형 금빛으로 눈부시게 빛나는 모양. ¶菜花～的; 유채꽃이 눈부시게 빛나다 / ～的阳光洒满大地; 눈부시게 쏟아지는 햇빛이 대지에 넘치다.
〔金钗〕 jīnchāi 명 ①금비녀. ②〈轉〉 부인(婦人). 여성. ¶～十二; 〈文〉 첩이 많은 모양.
〔金蝉脱壳〕 jīn chán tuō qiào 〈成〉 매미가 허물을 벗다(계략을 써서 몰래 달아나다. 감쪽같이 빠져 나가다).
〔金钞〕 jīnchāo 명 ①태환(兌換) 지폐. ②달러 지폐.
〔金城汤池〕 jīn chéng tāng chí 〈成〉 금속의 성벽과 열탕(熱湯)의 해자(垓子)(난공 불락의 성(城)). =〔金汤〕
〔金翅雀〕 jīnchìquè 명 《鳥》 검은방울새. =〔金翅儿〕
〔金虫〕 jīnchóng 명 《蟲》 풍이. 풍뎅이. =〔金龟子〕〔金壳郎〕
〔金疮〕 jīnchuāng 명 《漢醫》 금창(칼·창 따위에 의한 상처). =〔金疡〕
〔金疮小草〕 jīnchuāng xiǎocǎo 명 《植》 금창소초. 제비꿀.
〔金达莱〕 jīndálái 명 《植》 〈音〉 진달래(한국어).

=〔杜鹃花〕〔金黛莱〕
〔金丹〕 jīndān 명 금단(옛날, 도사(道士)가 금으로 연제(煉製)한 '金液yè'와 단사(丹砂)로 연제한 '还huán丹'. 이것을 먹으면 신선이 된다고 함).
〔金丹棒子〕 jīndānbàngzi 명 아편 덩어리.
〔金的玉的〕 jīnde yùde 금이야 옥이야 하는 귀중한 물건. 보물.
〔金灯笼〕 jīndēnglong 명 《植》 꽈리.
〔金狄〕 jīndí 명 〈文〉 동상(銅像).
〔金店〕 jīndiàn 명 금은 장신구 따위를 파는 금방. 금은방.
〔金钿〕 jīndiàn 명 부인(婦人)의 장신구.
〔金殿〕 jīndiàn 명 〈比〉 아름다운 궁전.
〔金雕〕 jīndiāo 명 《鳥》 검둥수리.
〔金赌银还〕 jīndǔ yínhuán 현금을 걸다. 돈 놓고 돈 먹기 하다.
〔金额〕 jīn'é 명 금액. ¶～大; 금액이 크다.
〔金饭碗〕 jīnfànwǎn 명 ①금주발. ②〈比〉 엄청난 벌잇자리. 수입이 좋은 자리〔직위〕
〔金粉〕 jīnfěn 명 〈文〉 ①분. 백분(白粉). ②노란 꽃가루.
〔金风〕 jīnfēng 명 〈文〉 추풍(秋風). 가을 바람. ¶～送爽; 가을 바람이 상쾌하게 불고 있다.
〔金刚〕 jīngāng 명 ①(Jīngāng) 《佛》 〈簡〉 금강야차명왕(金剛夜叉明王)의 약칭(이따금 유력자(有力者)에 비유됨). ②매우 굳은 의지. ③〈方〉 (파리 따위의) 번데기. =〔蛹yǒng〕
〔金刚怒目〕 jīn gāng nù mù 〈成〉 눈을 부릅뜨고 있는 무시무시한 모양. =〔金刚努目〕
〔金刚砂〕 jīngāngshā 명 금강사. 에머리(emery). =〔钢砂〕〔钢石粉〕〔钢(玉)砂〕
〔金刚石〕 jīngāngshí 명 금강석. 다이아몬드. =〔金刚钻③〕〔钻zuàn石〕
〔金刚钻〕 jīngāngzuàn 명 ①금강사(金剛砂). =〔水shuǐ钻(儿)〕 ②금강사가 붙은 송곳. ¶锔jū碗儿的用～; 깨진 도자기〔사기〕 그릇을 붙이는 기술자는 금강사가 붙은 송곳을 사용한다 / 没有～揽不起瓷器活; 금강사가 붙은 송곳이 없으면 도자기 수리를 맡을 수 없다. ③ ⇨〔金刚石〕
〔金糕〕 jīngāo 명 ⇨〔山shān查糕〕
〔金糕纸〕 jīngāozhǐ 명 습자 용지의 하나('毛máo边纸'와 비슷하나, 그보다 얇고 부드러우며, 누른빛을 띠고 있음).
〔金戈铁马〕 jīn gē tiě mǎ 〈成〉 빛나는 창과 무장한 말(①전쟁. 전쟁에 관한 일. ②전사들의 용감한 모습).
〔金革〕 jīngé 명 ①무기와 갑옷. ②전쟁.
〔金工〕 jīngōng 명 금속 가공의 총칭. 또는 그 직공.
〔金工场〕 jīngōngchǎng 명 ⇨〔机jī工厂〕
〔金工车间〕 jīngōng chējiān 명 ⇨〔机jī工厂〕
〔金钩儿虾米钓鲤鱼〕 jīngōur xiāmǐ diào lǐyú 〈諺〉 새우로 잉어를 낚다(작은 노력으로 많은 이익을 얻음).
〔金钩虾米〕 jīngōu xiāmǐ 명 말린 작은 새우살.
〔金箍棒〕 jīngūbàng 명 (서유기(西遊記)에서 손오공이 갖고 있던) 여의봉(如意棒).
〔金谷子〕 jīngǔzi 명 누렇게 황금빛으로 익은 곡식.
〔金鼓〕 jīngǔ 명 군중(軍中)에서 지휘 신호로 사용하던 징과 북. ¶～齐鸣; 징과 북이 함께 울리다(대격전이 벌어짐).
〔金瓜〕 jīnguā 명 ①《植》 호박의 일종. ②《植》 금빛 껍질의 참외(동글납작하고 가을에 수확됨). ③옛날 무기의 하나.
〔金光〕 jīnguāng 명 금빛. ¶～闪闪; (금빛이) 번쩍번쩍 빛나다. 형 찬란하게 빛나다.
〔金光大道〕 jīn guāng dà dào 〈成〉 빛나는 대도〔길〕.
〔金光菊〕 jīnguāngjú 명 《植》 반혼초(返魂草)(관상용으로 재배됨).
〔金龟〕 jīnguī 명 ①《動》 거북. =〔乌龟〕 ②금도장(金圖章)의 거북 모양으로 판 손잡이.
〔金龟子〕 jīnguīzǐ 명 《蟲》 풍뎅이. =〔金壳ké郎〕〔金蜣螂〕
〔金贵〕 jīnguì 형 금처럼 귀하다. 귀중하다. ¶眼泪就这么～! 눈물은 이렇게도 귀중하다! / 把国家资材看得很～; 나라의 자재를 매우 귀중하게 여기다. =〔珍zhēn贵〕
〔金桂〕 jīnguì 명 《植》 박달목서.
〔金匮〕 jīnguì 명 〈文〉 금궤. 〈比〉 소중한 것. ¶～计; 영원한 계획 / ～书; 비장의 책.
〔金行〕 jīnháng 명 귀금속상. =〔金银首饰楼〕
〔金合欢〕 jīnhéhuān 명 《植》 아카시아의 하나(자귀나무 비슷한 열대성 관목). =〔荆jīng球花〕
〔金鸻〕 jīnhéng 명 《鳥》 검은가슴물떼새.
〔金衡〕 jīnhéng 명 트로이(troy)(귀금속·보석 등을 다는 규준).
〔金红〕 jīnhóng 명 《色》 주황색(약간 황색을 띤 적색).
〔金红石〕 jīnhóngshí 명 《鑛》 금홍석. 루틸(rutile).
〔金壶〕 jīnhú 명 ①옛날의 동제(銅製) 물시계. ②주기(酒器), 동제(銅製)의 술주전자.
〔金虎〕 jīnhǔ 명 〈文〉 ①욕심이 많으며, 남을 비방하기 좋아하는 소인배. ②태양의 별칭. →〔太tài阳〕
〔金花菜〕 jīnhuācài 명 《植》 거여목의 근연종(近緣種).
〔金花草〕 jīnhuācǎo 명 《植》 토끼풀. 클로버.
〔金花茶〕 jīnhuāchá 명 《植》 황색 동백나무.
〔金花虫〕 jīnhuāchóng 명 《蟲》 (벼의 잎을 갉아 먹는) 벼잎벌레.
〔金煌煌(的)〕 jīnhuānghuāng(de) 형 금빛으로 반짝반짝 빛나는 모양. ¶～的招牌; 금빛 찬란한 간판 / ～的勋章; 금빛 찬란한 훈장. =〔金晃晃〕
〔金黄〕 jīnhuáng 명 《色》 (황)금빛. 오렌지빛. ¶田野里一片～; 밭이 온통 황금빛이다. =〔金黄色〕 형 금빛의. 금빛으로 빛나는. ¶～的麦田; 금빛으로 빛나는 보리밭 / ～色头发; 금발.
〔金汇兑本位制〕 jīnhuìduìběnwèizhì 명 《經》 금환 본위제(金換本位制). =〔虚xū金本位制〕
〔金婚〕 jīnhūn 명 금혼(식).
〔金货〕 jīnhuò 명 금제품.
〔金鸡〕 jīnjī 명 《鳥》 ①별나라에 살고 있다는 전설 속의 닭. 또는, 닭의 미칭. ②금계(錦鷄)의 별칭.
〔金鸡独立〕 jīnjī dúlì 명 무예(武藝)의 자세의 하나(한쪽발로 서는 자세).
〔金鸡纳〕 jīnjīnà 명 《植》 기나수(幾那樹). 키나. =〔金鸡勒〕〔规guī那树〕〔几jī那树〕
〔金鸡纳树皮〕 jīnjīnà shùpí 명 《藥》 기나피(幾那皮).
〔金鸡纳霜〕 jīnjīnàshuāng 명 《藥》 금계랍. 키니네(네 kinine). =〔奎宁kuíníng〕
〔金夹子〕 jīnjiāzi 명 금 클립. 금 옷깃꽂이. ¶～自来水笔; 금 클립이 달린 만년필.
〔金甲〕 jīnjiǎ 명 갑옷과 투구의 미칭(美稱). ¶～神; 몸에 갑옷을 입고 손에 항마장(降魔杖)을 들고 있는 무신(武神).

〔金浆玉醴〕 jīnjiāng yùlǐ 명 ①선약(仙藥). 불로장생의 약. ②〈比〉 미주(美酒).
〔金酱色〕 jīnjiàngsè 명 《色》 보랏빛을 띤 짙은 황색.
〔金戒指〕 jīnjièzhǐ 명 금반지.
〔金酒〕 jīnjiǔ 명 〈音〉 진(gin). =〔杜松子酒〕〔毡酒〕
〔金橘〕 jīnjú 명 《植》 금귤나무. ¶～儿; 금귤의 열매. =〔金柑〕〔卢lú橘②〕
〔金橘饼〕 jīnjúbǐng 명 설탕에 금귤을 담근 것.
〔金科玉律〕 jīn kē yù lǜ 〈成〉 금과옥조(金科玉條)《금옥과 같이 귀중히 여기는 법칙이나 규정》. =〔金科玉条〕
〔金壳(儿)表〕 jīnké(r)biǎo 명 금딱지 시계. =〔金表〕
〔金锞〕 jīnkè 명 (알이 작은) 금괴.
〔金口〕 jīnkǒu 명 ①입. 〈比〉 귀중한 말. ②불상(佛像)의 입. ③ (Jīnkǒu) 《地》 진커우《우한(武漢)의 서남(西南)쪽 진수이(金水)가 창장 강(長江)으로 들어가는 곳》.
〔金口木舌〕 jīnkǒu mùshé 명 ⇨〔木铎duó〕
〔金口玉牙〕 jīn kǒu yù yá 〈成〉 한번 말하면 바꾸지 않음. 군자의 일언(一言).
〔金口玉言〕 jīn kǒu yù yán 〈成〉 매우 귀중한 말《천자의 말을 가리킴. 흔히, 약속은 반드시 지켜야 한다는 뜻으로 쓰임》.
〔金库〕 jīnkù 명 ①금고. ②국고(國庫).
〔金块〕 jīnkuài 명 금괴(金塊).
〔金矿〕 jīnkuàng 명 금광(金鑛).
〔金昆〕 jīnkūn 명 〈文〉 은(銀).
〔金兰〕 jīnlán 명 ①《植》 금란(金蘭). ②정의(情誼)가 매우 두터운 친구 사이. ③옛날, 의형제의 인연을 맺음.
〔金兰弟兄〕 jīnlán dìxiong 명 ⇨〔拜bài把子的〕
〔金兰谱〕 jīnlánpǔ 명 옛날, 의형제를 맺을 때 교환하는 친족 문서.
〔金荔枝〕 jīnlìzhī 명 《植》 여주.
〔金莲(儿)〕 jīnlián(r) 명 전족(纏足)한 발.
〔金莲花〕 jīnliánhuā 명 《植》 ①⇨〔金梅草〕 ②금련화. 한련(旱蓮). =〔旱hàn金莲〕
〔金脸儿〕 jīnliǎnr 명 ①황금빛 얼굴. ②〈比〉 최고의 인물. 일류의 인물.
〔金链丝菌素〕 jīnliànsī jūnsù 명 《藥》 오레오마이신. =〔金霉素〕
〔金链子〕 jīnliànzi 명 금사슬〔줄〕.
〔金铃子〕 jīnlíngzǐ 명 ①《蟲》 방울벌레. ②《植》 금령자. 고련실(苦楝實)《한방에서 진통제로 쓰임》. =〔川chuān楝(子)〕 →〔楝liàn〕
〔金镏子〕 jīnliùzi 명 〈北方〉 금반지.
〔金缕玉衣〕 jīnlǚ yùyī 명 금사(金絲)와 옥(玉) 조각으로 짜서 지은 옷《옛날에, 왕후(王侯)나 귀족에게 이 옷을 입혀 장사지냄》.
〔金绿宝石〕 jīnlǜ bǎoshí 명 《鑛》 금록옥(金綠玉).
〔金銮殿〕 jīnluándiàn 명 당대의 궁전 이름《후세의 소설이나 연극에서, 황제를 배알(拜謁)하는 궁전》.
〔金轮〕 jīnlún 명 달의 별칭. →〔月yuè亮〕
〔金锣〕 jīnluó 명 《樂》 징《옛날의 금속제 타악기》.
〔金马克〕 jīnmǎkè 명 라이히스 마르크(독Reichsmark)《독일의 화폐》. →〔马克〕
〔金猫〕 jīnmāo 명 《動》 금털 살쾡이《쓰촨(四川)·윈난(雲南)·광둥(廣東)·광시(廣西) 각 성(省)〔자치구〕에 살며, 고양이를 닮은 몸길이 1m 정도의 야행성 동물》.
〔金猫儿〕 jīnmāor 명 《植》 노루오줌.
〔金梅草〕 jīnméicǎo 명 《植》 금매초. =〔金莲花①〕
〔金霉素〕 jīnméisù 명 《藥》 클로르테트라사이클린(chlortetracycline). 오레오마이신(Aureomycin). =〔金链丝菌素〕
〔金迷纸醉〕 jīn mí zhǐ zuì 〈成〉 생활이 호화롭고 사치스럽다《방이 호화롭게 장식되어, 보는 사람의 마음을 혹하게 한다는 뜻》. =〔纸醉金迷〕
〔金面〕 jīnmiàn 명 (널리 알려져) 잘 통하는 얼굴. (추상적인) 훌륭한 얼굴. 낯. ¶你敢驳那位先生的～吗? 자넨 그분의 낯이 깎이게 하려는 건가? / 冲他的～不能不答应了; 그의 체면을 봐서 승낙하지 않을 수 없었다.
〔金牛座〕 jīnniúzuò 명 《天》 황소자리.
〔金诺〕 jīnnuò 명 〈翰〉 귀중한 승낙.
〔金瓯〕 jīn'ōu 명 〈文〉 금속제 술잔《영토(領土)》. ¶～无缺; 〈成〉 국토가 완전하고 견고하다. 방어가 완벽한 국토.
〔金牌〕 jīnpái 명 ①(운동 경기의) 금메달. ②〈比〉 선두. 우수한 것. 가장 좋은 것.
〔金琵琶〕 jīnpípa 명 《蟲》 청귀뚜라미.
〔金瓶梅(词话)〕 Jīnpíngméi(cíhuà) 명 《書》 금병매《명대(明代)의 장편 소설. 수호전(水滸傳)·삼국지연의·서유기(西遊記)와 함께 사대 기서(四大奇書)로 알려짐》.
〔金珀〕 jīnpò 명 옅은 색깔의 호박(琥珀).
〔金漆〕 jīnqī 명 《美》 금칠. ¶～盒子; 금칠을 한 상자.
〔金器〕 jīnqì 명 황금의 기물(器物). 금제품.
〔金钱〕 jīnqián 명 금전.
〔金钱豹〕 jīnqiánbào 명 《動》 표범의 일종. =〔豹①〕
〔金钱草〕 jīnqiáncǎo 명 싸리의 일종《청량(淸涼)·이뇨(利尿) 등의 약효가 있음》.
〔金钱松〕 jīnqiánsōng 명 《植》 토송(土松).
〔金钱蟹〕 jīnqiánxiè 명 《魚》 꽃게.
〔金枪鱼〕 jīnqiāngyú 명 《魚》 다랑어.
〔金蜣螂〕 jīnqiāngláng 명 ⇨〔金龟子〕
〔金雀花〕 jīnquèhuā 명 《植》 금작화. 골담초.
〔金阙〕 jīnquè 명 〈文〉 궁전. 대궐.
〔金人〕 jīnrén 명 금속으로 만든 사람의 상. 동상.
〔金融〕 jīnróng 명 금융. ¶～界; 금융계.
〔金融寡头〕 jīnróng guǎtóu 명 《經》 금융 독점. =〔财cái政寡头〕
〔金融实名制〕 jīnróng shímíngzhì 명 금융 실명제.
〔金融资本〕 jīnróng zīběn 명 《經》 금융 자본. =〔财cái政资本①〕
〔金色〕 jīnsè 명 ①금빛. ¶～的朝zhāo阳; 금빛의 아침 태양. ②금의 품위.
〔金沙〕 jīnshā 명 사금(砂金).
〔金山〕 jīnshān 명 ①옛날, 장례식 때 죽은 사람을 위하여 태우는 산 모양의 금색 종이. ②(Jīnshān) 《地》 진산《상하이 시(上海市) 서남쪽에 있는 현 이름》. ③알타이 산의 별칭. ¶～额鲁特; 명대(明代)에 알타이 산 부근에 살고 있던 몽고의 부족 이름.
〔金山银山〕 jīnshān yínshān 명 금색 종이나 은색 종이로 만든 산 모양의 것《옛날, 장례식 때 태움》.
〔金闪闪〕 jīnshǎnshǎn 형 (～的)(금빛이) 반짝거리다. ¶～的佛像; 금빛 찬란한 불상 / ～的奖杯; 빛나는 우승컵.
〔金蛇〕 jīnshé 명 ①황금색의 작은 뱀. ②〈比〉 전광(電光).
〔金身〕 jīnshēn 명 금을 칠한 불상. 금불상.

〔金声玉振〕 jīn shēng yù zhèn 〈成〉 음악을 연주하려면 우선 종을 쳐서 소리를 내고, 끝으로 경쇠를 치고 운(韻)을 끝낸다《모든 음(音)을 집대성하다. 지덕(知德)을 모두 갖추다》.
〔金石〕 jīnshí 명 ①종정(鐘鼎)과 비갈(碑碣)류. ¶～学; 금석학 / ～文; 금석문. 금문(金文)과 석문(石文)의 합칭. ②종(鐘)과 경(磬). ③금속류와 옥석류. ④〈比〉 금석과 같이 굳고 변하지 않는 것. ¶～良言; 〈比〉 금언(金言). 귀중한 말 / 精诚所至, ～为开; 〈諺〉 정성이 지극하면〔의지가 굳으면〕 어떠한 곤란도 극복할 수 있다.
〔金石交〕 jīnshíjiāo 명 금석처럼 굳은 친교. =〔金石之交〕
〔金石人〕 jīnshírén 명 〈比〉 사사로운 정에 사로잡히지 않는 강직한 사람.
〔金石声〕 jīnshíshēng 명 편종·편경에서 나는 소리《시문(詩文)이나 운율(韻律) 또는 문장이 훌륭함》.
〔金市〕 jīnshì 명 《商》 금 시장. 금 시세. ¶～上落表; 금 시세 등락표.
〔金首饰〕 jīnshǒushì 명 금장식품《목·머리·귀·손가락·팔 등에 장식함》.
〔金属〕 jīnshǔ 명 금속. ¶～模; 금형(金型) / ～切削机床; 금속 절삭용 공작 기계 / ～瓶盖; 금속제 병마개. 왕관(王冠) / ～陶瓷; 《工》 도성(陶性) 합금. 서멧(cermet) / ～探伤; 비(非)파괴 검사 / ～衣; (펜싱용의) 금속 동의(胴衣).
〔金属版〕 jīnshǔbǎn 명 금속제의 인쇄판.
〔金属薄片〕 jīnshǔ báopiàn 명 ⇨〔钣bǎn金〕
〔金属货币〕 jīnshǔ huòbì 명 금속 화폐. =〔硬yìng币〕〔硬货〕〔铸zhù币〕 →〔软ruǎn币〕
〔金属片规〕 jīnshǔ piànguī 명 《機》 금속편의 두께를 재는 게이지.
〔金属丝〕 jīnshǔsī 명 금속선. 철사줄.
〔金属丝纱〕 jīnshǔ sīshā 명 쇠그물.
〔金属线〕 jīnshǔxiàn 명 금속선. 철사줄. =〔金属丝〕
〔金丝(儿)〕 jīnsī(r) 명 금실. ¶～眼镜; 금테 안경.
〔金丝猴〕 jīnsīhóu 명 《動》 원숭이의 일종《중국 서남 지방의 원시림에 살며, 온몸이 아름다운 털로 덮여 있고, 등의 가장 긴 털은 5, 60센티미터나 됨》.
〔金丝梅〕 jīnsīméi 명 《植》 금사매. 갈퀴망 종화.
〔金丝雀〕 jīnsīquè 명 《鳥》 카나리아. =〔金丝鸟〕〔芙fú蓉鸟〕〔小xiǎo黄鸟〕〔黄huáng鸟①〕
〔金丝燕〕 jīnsīyàn 명 《鳥》 금사연《남양의 해변에 서식하는 제비. 절벽에 집을 짓는데, 이 집은 '燕(窩)菜'(제비집 요리)의 원료가 됨》.
〔金丝枣(儿)〕 jīnsīzǎo(r) 명 《植》 대추의 일종《속살이 두껍고 껍질에 노란 실 같은 세로 무늬가 있어 이런 이름이 붙음》.
〔金斯敦〕 Jīnsīdūn 명 《地》 킹스턴(Kingston)《'牙Yá买加'(자메이카:Jamaica)의 수도》.
〔金松〕 jīnsōng 명 《植》 금송.
〔金汤〕 jīntāng ⇨〔金城汤池〕
〔金天〕 jīntiān 명 가을 하늘.
〔金条〕 jīntiáo 명 막대 모양의 금괴.
〔金童玉女〕 jīn tóng yù nǚ 〈成〉 도가(道家)에서 선인(仙人)을 시중드는 동남동녀《천진무구한 어린이》.
〔金位〕 jīnwèi 양 캐럿(carat)《순금의 함유도를 나타냄》.
〔金文〕 jīnwén 양 금문《은(殷)·주(周)·진(秦)·한(漢)의 청동기에 새겨진 문자》. =〔钟zhōng鼎文〕
〔金乌〕 jīnwū 명 〈文〉 태양의 별칭. ¶～西坠; 해가 서쪽으로 지다.
〔金乌玉兔〕 jīnwū yùtù 명 〈比〉 해와 달.
〔金乌贼〕 jīnwūzéi 명 《動》 빼오징어.
〔金线草〕 jīnxiàncǎo 명 《植》 이삭여뀌. 금선초.
〔金线蛙〕 jīnxiànwā 명 《動》 참개구리. 금개구리. =〔石shí鸭〕
〔金线鱼〕 jīnxiànyú 명 《魚》 나비돔. =〔红hóng鱼①〕
〔金相学〕 jīnxiàngxué 명 금속 조직학. 금상학.
〔金相玉质〕 jīn xiàng yù zhì 〈成〉 문장의 형식과 내용이 훌륭하다.
〔金星〕 jīnxīng 명 ①《天》 금성. ②아플 때나 안신경에 자극을 받았을 때, 눈 속에 느끼는 불꽃 같은 것. ¶他眼前起了～《老舍 駱駝祥子》; 그는 눈앞에 불꽃이 튀는 것같이 느꼈다. →〔飞fēi蚊症〕 ③금빛 별 모양의 것.
〔金牙〕 jīnyá 명 금니.
〔金言〕 jīnyán 명 금언《교훈이 되는 귀중한 말》.
〔金眼鲷〕 jīnyǎndiāo 명 《魚》 금눈돔.
〔金眼圈〕 jīnyǎnquān 명 《鳥》 동박새.
〔金叶(子)〕 jīnyè(zi) 명 금박(金箔). →〔金箔〕
〔金银箔(儿)〕 jīnyínbó(r) 명 종이에 금·은칠을 한 종이. 금은박.
〔金银财宝〕 jīnyín cáibǎo 금은 보화.
〔金银花〕 jīnyínhuā 명 《植》 금은화. 인동(忍冬) 덩굴의 꽃. =〔忍冬rěndōng花〕
〔金银莲花〕 jīnyín liánhuā 명 《植》 어리연꽃.
〔金印〕 jīnyìn 명 〈文〉 금속제의 관인(官印).
〔金樱子〕 jīnyīngzi 명 《植》 금앵자.
〔金油〕 jīnyóu 명 금니(金泥). 아교에 갠 금박 가루. ¶上～; 금니를 개다 / ～花; 금가루를 뿌려 그린 그림. =〔金泥〕
〔金油菜〕 jīnyóucài 명 《植》 평지의 일종.
〔金鱼〕 jīnyú 명 ①《魚》 금붕어. ¶～缸gāng; 금붕어 어항. ②(자물쇠를 여는) 열쇠의 별칭.
〔金鱼草〕 jīnyúcǎo 명 《植》 금어초. =〔龙lóng头花〕
〔金鱼虫〕 jīnyúchóng 명 《蟲》 물벼룩. =〔水蚤shuǐzǎo〕
〔金鱼藻〕 jīnyúzǎo 명 《植》 붕어 마름. =〔聚jù藻②〕〔水shuǐ蕴〕〔〈方〉 蕰wēn草〕
〔金玉〕 jīnyù 명 〈文〉 금과 옥《진귀한 것. 귀중한 보물》. ¶～满堂; 금이나 옥 같은 귀중한 것이 방안에 가득하다. 〈轉〉 사람이 재능이 있고 학식이 풍부함. 형 화려하다. 귀중하다. ¶～其外, 败絮xù其中; 외면은 훌륭하나, 속은 텅 비었다.
〔金玉良言〕 jīn yù liáng yán 〈成〉 귀중한 말. 귀중한 의견. =〔金玉之言〕
〔金元〕 jīnyuán 명 ①금전(金錢). ¶～万能; 금전 만능. ②달러. ¶～外交; 달러외교. ③금화.
〔金圆〕 jīnyuán 명 ①금화(金貨). =〔金元③〕 ②달러. =〔金元②〕
〔金圆券〕 jīnyuánquàn 명 1948년에 국민당 정부가 발행한 지폐.
〔金云母〕 jīnyúnmǔ 명 《鑛》 금운모.
〔金盏菜〕 jīnzhǎncài 명 《植》 갯개미취.
〔金盏花〕 jīnzhǎnhuā 명 《植》 금잔화. 금송화. =〔金盏草〕〔金盅花〕
〔金盏子〕 jīnzhǎnzi 명 《植》 '蒲公英'(민들레)의 별칭.
〔金针〕 jīnzhēn 명 ①바느질·자수용의 금속제의 바늘. ②금바늘《옛날, 채랑(采娘)이란 처녀가 직

녀신(織女神)에게서 받았다는 이상한 바늘). 〈比〉 비결. ③침구(鍼灸)의 침(특히, 금제(金製)를 가리킴). ④ ⇨〔金针菜②〕
〔金针菜〕 jīnzhēncài 명 《植》 ①원추리(관상용·식용). ②원추리의 꽃(말려서 식용으로 함). =〔金针④〕 ‖ =〔〈俗〉 黄花〕〔黄花菜〕
〔金针虫〕 jīnzhēnchóng 명 《蟲》 '叩kòu头虫' (방아벌레)의 유충.
〔金汁〕 jīnzhī 명 ①금의 용액. ②똥물(원예 용어).
〔金枝玉叶〕 jīn zhī yù yè 〈成〉 금지옥엽. 황족(皇族)〔귀족〕의 자손.
〔金钟(儿)〕 jīnzhōng(r) 명 《蟲》 방울벌레.
〔金钟罩〕 jīnzhōngzhào 명 ①권술(拳術)로 단련하는 강신술(強身術)의 일종. ②허풍을 쳐서 남을 압도하는 일.
〔金竹〕 jīnzhú 명 ①《植》 금죽. 황금죽. ②금속 악기와 죽관 악기(竹管樂器).
〔金装〕 jīnzhuāng 명 훌륭한 차림. 동 금박으로 칠하다.
〔金镯〕 jīnzhuó 명 금팔찌.
〔金字旁〕 jīnzìpáng 명 《言》 쇠금변(한자 부수의 하나로, '银·铜'의 '金'을 이름).
〔金字塔〕 jīnzìtǎ 명 ①금자탑. ②피라미드.
〔金字招牌〕 jīnzì zhāopái 명 ①금문자(金文字) 간판. ②〈比〉 남에게 자랑하기 위한 명예나 칭호. 유명무실한 것. 빛 좋은 개살구.
〔金子〕 jīnzi 명 금. 금괴.

津 jīn (진)
① 명 나루터. ¶～渡; 도선장(渡船場). 나루터 / 问～; 나루터를 묻다. 〈比〉 남에게 캐어묻다. ②명 교통의 요지. ③명 강가. 바닷가. ④명 타액. 침. =〔津液〕 ⑤명 땀. ¶生～; 땀 흘리다. ⑥명 톈진(天津)의 약칭. ¶～浦铁路; 톈진(天津)과 푸코우(浦口)간의 철도(장쑤 성(江蘇省)). ⑦형 윤택하다. ¶～贴; ⇓ ⑧형 물이 끊임없이 흘러 나오다. 흥미진진하다. ¶～～有味; ⇓
〔津巴布卫〕 Jīnbābùwèi 명 《地》 〈音〉 짐바브웨(Zimbabwe)(수도는 '哈Hā拉雷'(하라레: Harare)).
〔津埠〕 Jīnbù 명 《地》 톈진(天津)의 별칭.
〔津筏〕 jīnfá 명 (나루를 건네 주는) 대나무로 만든 뗏목.
〔津津〕 jīnjīn 형 ①입에 달라붙을 만큼 맛있다. ②재미가 있다. 흥미진진하다. ③(물·땀이) 흘러 넘치는 모양.
〔津津乐道〕 jīn jīn lè dào 〈成〉 흥미 진진하게 이야기하다. 칭찬하다. 평판이 좋다. ¶外国观众所～; 외국 관중에게 평판이 좋다.
〔津津有味〕 jīn jīn yǒu wèi 〈成〉 흥미가 끊이지 않다. 흥미진진하다. ¶他一谈起戏来就～, 连饭都顾不得吃; 그는 연극 이야기를 시작하기만 하면, 재미있어 밥도 먹으려 하지 않는다.
〔津口〕 jīnkǒu 명 나루터.
〔津梁〕 jīnliáng 명 〈文〉 ①나루와 다리. 다리를 놓음(중간 역할을 하는 방법·수단). ②안내. 입문(入門). ¶韩语Hányǔ ～; 한국어 입문.
〔津润〕 jīnrùn 형 〈文〉 (물기를 머금어) 촉촉하다. →〔滋zī润①〕
〔津贴〕 jīntiē 명 수당. 보조금(補助金). ¶生活～; 생활 수당 / 应酬～; 교제(交際) 수당 / 车费～; 교통비 수당 / 房租～; 주택 수당 / 特tè定～; 특별 수당 / 加jiā点～; 초과 근무〔잔업〕 수당. 동 수당을 지급하다. ¶每月～他一些钱; 매월 그에게 얼마간의 수당을 지급한다.
〔津要〕 jīnyào 명 〈文〉 ①요직(要職)(에 있는 사람). ②요충지.
〔津液〕 jīnyè 명 《漢醫》 체내의 모든 액체의 총칭(혈액·타액·눈물·땀 따위. 보통 타액을 이름).

琎(璡) jīn (진)
①명 옥 같은 돌. ②인명용 자(字).

筋 jīn (근)
명 ①근육. =〔肌肉〕 ②힘줄. ¶扭了～; 접질리어 힘줄을 다치다 / 伤～动骨; 힘줄과 뼈를 다치다. ③건축물의 뼈대. ¶铁～洋灰; 철근 콘크리트. ④〈口〉 피하의 정맥(靜脈) 혈관. ¶青～暴露; 핏대가 서다. ⑤맥락상(脈絡狀)의 것. ¶叶～(儿); 엽맥. 잎맥 / 橡皮～(儿); 고무줄.
〔筋道〕 jīndao 형 (음식물의) 씹는 맛이 좋다. 쫄깃쫄깃하다. ¶这面条挺～; 이 국수는 아주 쫄깃쫄깃하여 씹는 맛이 있다. =〔筋豆〕〔咬yǎo劲儿〕
〔筋斗〕 jīndǒu 명동 곤두박질(하다). ¶翻fān～ =〔折zhé～〕; 공중제비를 넘다 / 摔shuāi～; 곤두박질치다. =〔金斗〕〔〈方〉 斤斗〕〔跟gēn头①〕
〔筋肚〕 jīndù 명 《生》 근육 중단(中段)의 신축이 자재로운 부분.
〔筋疙瘩〕 jīngēda 명 《醫》 근육의 수축으로 생긴 융기(隆起). 나력(瘰癧)
〔筋骨〕 jīngǔ 명 《生》 ①근골. ②체격. 체력. ¶锻炼～; 체력을 단련하다 / 在屋里怪闷的, 出来活动～吧! 방 안에서는 매우 따분하니 밖에 나가 몸을 움직여 풀자!
〔筋骨胶〕 jīngǔjiāo 명 《化》 젤라틴.
〔筋骨儿〕 jīngur 명 ①(음식물의) 찰기. 차진〔끈기가 많은〕 성질. ¶没～; 찰기가 없다. 탄력이 없다 / 这面粉不好, 抻chēn出的面条儿没～; 이 밀가루는 좋지 않아, 뽑아 낸 국수가 쫄깃쫄깃한 맛이 없다. ②〈俗〉 기력(氣力). ¶累得我浑身一点～都没有了; 나는 전신이 피로하여 기운이 조금도 없다.
〔筋骨眼〕 jīnguyǎn 명 중요한 점. 포인트.
〔筋腱〕 jīnjiàn 명 《生》 건(腱). 힘줄.
〔筋节(儿)〕 jīnjié(r) 명 ①근육과 관절. ②〈俗〉 알맞은〔적당한〕 정도나 시기. ¶这锅炖dùn肉是～了; 이 냄비의 고기는 알맞게 익었다. ③(문장이나 말에서의) 핵심. 요점. 중요한 대목.
〔筋力〕 jīnlì 명 ①근력. 근육의 힘. ②(국수 따위의) 찰기. ¶这路面～好; 이런 유의 국수는 찰기가 좋다〔쫄깃쫄깃하다〕
〔筋络〕 jīnluò 명 《生》 뼈마디에 연결된 근육.
〔筋疲力尽〕 jīn pí lì jìn 〈成〉 피곤해서 지쳐 버리다. 지쳐서 온몸에 힘이 빠지다. =〔精疲力竭〕
〔筋肉〕 jīnròu 명 근육. ¶～劳动; 근육 노동. =〔肌jī肉〕
〔筋条〕 jīntiao 형 (몸이) 탄탄하다. (살에) 탄력이 있다. ¶这人正在壮年, 个子不高, 身子骨儿～; 이 사람은 지금 장년으로서 키는 크지 않지만 몸은 탄탄하다.
〔筋头儿〕 jīntóur 명 동물의 근육.
〔筋头儿麻脑(儿)〕 jīntóur mánǎo(r) 〈京〉 고기의 맛 없는 부분. 〈比〉 하찮다. 쓸모없다. ¶这些～的留着喂狗吧; 이런 맛 없는 부분은 떼어 두었다 개에게 주자 / 他最会利用废物, 什么～的东西到他手里都有用处; 그는 폐물 이용에 매우 능해서, 어떤 하찮은 것도 그의 손에 가면 쓸모가 있다.
〔筋炎〕 jīnyán 명 《醫》 근염.

禁 jīn (금)
㊐ ①견디다. 지탱하다. ¶～得起考验; 시련을 견디어 내다/不～; 견디지 못하다/这种布～穿; 이 천은 오래 간다〔질기다〕. ②임무를 감당해 내다. ③참다. ¶他不～笑起来; 그는 참을 수가 없어 웃음을 터뜨렸다/失～; 실금하다. ⇒jìn

〔禁不起〕 jīnbuqǐ 감당하지 못하다《흔히, 사람에게 씀》. ¶～大风浪; 큰 풍파〔시련〕에 견디지 못하다. ↔〔禁得起〕

〔禁不住〕 jīnbuzhù ①(사람이나 물건이) 감당 못하다. 지탱 못 하다. ¶这种植物～冻; 이 종류의 식물은 추위에 견디지 못한다. ②참지 못하다. …하지 않을 수 없다. ¶～笑了起来; 참지 못하고 웃음을 터뜨렸다. ‖↔〔禁得住〕

〔禁穿〕 jīnchuān ㊓ (천 따위가) 오래 가다. 질기다. 마디다. ¶不会掉色, 耐洗～; 빛깔이 바래지 않고, 빨아서 입어도 오래 간다. =〔经穿〕〔禁穿耐用〕

〔禁得起〕 jīndeqǐ 견딜 수 있다《흔히, 사람에 대하여 씀》. ¶～风吹雨打; 세상의 쓰라림을 견딜 수 있다/青年人要～种种考验; 젊은 사람은 여러 가지 시련에 견디어야 한다. ↔〔禁不起〕

〔禁得住〕 jīndezhù 견딜 수 있다《사람이나 물건에 대하여 씀》. ¶河上的冰已经～人走了; 강의 얼음은 벌써 얼어서 사람이 걸어가도 견딜 수 있게 되었다. ↔〔禁不住〕

〔禁花〕 jīnhuā ㊓ (돈이) 쓸 만한 가치가 있다.

〔禁受〕 jīnshòu ㊐ 참다. 참고 견디다. ¶～疼痛; 아픔을 참다/～考验; 시련에 견디다.

〔禁用〕 jīnyòng ㊓ 질기다. 마디다. 오래 쓸 수 있다. ¶那个锅很～; 이 냄비는 내구력이 있다. =〔经用〕

〔禁脏〕 jīnzāng ㊓ 더럼을 타지 않다. 더럼이 별로 드러나지 않다. ¶这种布颜色暗, ～; 이 천은 거무스름해서 더럼을 타지 않는다. =〔禁黷〕

襟 jīn (금)
①㊔ 옷섶. =〔衿①〕 ②㊔ 가슴. 심중. ③㊐ 품다. ④㊔ 동서(同壻)《자매(姉妹)의 남편끼리의 관계》. ¶～兄; 처형의 남편/～弟; 처제의 남편. =〔连lián襟〕

〔襟抱〕 jīnbào ㊔ ⇒〔襟怀〕

〔襟度〕 jīndù ㊔〈文〉 생각과 도량.

〔襟怀〕 jīnhuái ㊔ 흉중. 의견. 생각. 포부. ¶～坦白; 마음이 담백하다. =〔襟抱〕〔胸襟〕〔胸怀〕

〔襟情〕 jīnqíng ㊔ 심정(心情).

〔襟兄弟〕 jīnxiōngdì ㊔ 동서(同壻).

〔襟翼〕 jīnyì ㊔ (비행기의) 보조익(補助翼).

〔襟章〕 jīnzhāng ㊔ 흉장(胸章). →〔领lǐng章〕

仅(僅) jǐn (근)
㊕ ①간신히. 겨우. ¶他～～上了一年学; 그는 겨우 1년 동안 학교에 다녔을 뿐이다. ②다만. …만으로. …뿐으로. ¶这些意见～供参考; 이 의견들은 다만 참고로 내놓을 뿐이다/他不～识字还能写文章; 그는 글자를 알고 있을 뿐 아니라, 문장도 쓸 수 있다. ‖=〔厪jǐn〕⇒jìn

〔仅次于〕 jǐncìyú …에 좀 못 미치다. 겨우 …에 버금 가다. ¶我的法语～小朱; 내 프랑스어 실력은 주(朱)군에 못 미친다.

〔仅够〕 jǐngòu 간신히 자라다〔충족되다〕. 간신히 …만하다.

〔仅见〕 jǐnjiàn 겨우 볼 수 있다. 거의 볼 수 없다. →〔罕hǎn见〕

〔仅仅〕 jǐnjǐn ㊕ ①조금. 약간. ¶～一点; 아주 조금. ②간신히. 겨우. ¶～说了几句话就完了; 겨우 몇 마디 말하고 끝냈다. ③단지. 다만. ¶这座大桥～半年就完工了; 이 대교(大橋)는 단지 반 년 만에 완공되었다. ‖=〔仅只〕

〔仅可〕 jǐnkě 단지〔그저〕 …할 수 있을 뿐이다. ¶～敷衍一时, 不能叫人了解; 단지 일시적으로 호도(糊塗)할 수 있을 뿐, 남을 이해시킬 수는 없다. =〔只可〕

〔仅有〕 jǐnyǒu 거의 …없다.

〔仅有绝无〕 jǐn yǒu jué wú〈成〉 좀처럼 없다. 있다 해도 매우 적다.

〔仅止〕 jǐnzhǐ 겨우 …함에 그치다. 그저〔단지〕 …할 뿐이다. ¶～会说几句中文; 단지 몇 마디 중국어를 할 수 있을 뿐이다.

〔仅只〕 jǐnzhǐ ㊕ 겨우. 단지. ¶～剩他一个人了; 겨우 그 한 사람만이 남아 있을 뿐이다/～会说几句外国话; 그저 외국어를 좀 할 수 있을 뿐이다. =〔仅仅〕

尽(儘) jǐn (진)
① 접두 제일. 가장. 맨《흔히, 방위(方位)를 나타내는 말 앞에 씀》. ¶～前头; 맨 앞/～后头; 맨 뒤/～北边; 맨 북쪽/～前坐; 맨 앞에 앉다. ㊟ 이런 경우 '～晚' '～慢' 처럼 소극적인 뜻이 있는 말과는 결합되지 않음. ②㊕ 될 수 있는 대로. 되도록. 힘 닿는 대로. ¶～先录用; 맨 먼저 채용하다/～着力气做; 전력을 다하여 하다/～可能地减少错误; 될 수 있는 대로 잘못을 줄이다. ③㊐ ('～着'의 형태로) 맡겨 둔 채로 버려 두다. 자유에 맡기다. ¶～着你吃; 네가 먹고 싶은 대로 먹어라. ④㊐ ('～着'의 형태로) 맨 먼저 …하도록 하다. ¶座位先～着请来的客人坐; 좌석은 먼저 초청한 손님부터 앉게 한다/先～着旧衣服穿; 우선 헌옷부터 입다/单间房间不多, ～着女同志住; 독방이 적어서 여성부터 입실하게 하다/～着他先用; 그에게 먼저 사용하게 하다. ⑤㊐ ('～着'의 형태로)(…을) 한도로 하다. …이내로 하다. ¶～着一百块钱花; 백 원 한도로 쓰다/～着三天把事情办好; 3일 이내로 일을 끝내다. ⑥㊕〈方〉 줄곧. 내내. 언제까지나. ¶这些日子～下雨, 真是腻人; 요 며칠 동안 비가 계속해 내려 정말로 지겹다/事情已经过去了, ～责备他也无益; 이미 끝난 일인데 언제까지고 그를 책망해도 소용 없다. ⇒jìn

〔尽当间儿〕 jǐndāngjiānr 한가운데. 중앙. ¶把桌子搁在～; 책상을 한가운데 놓다.

〔尽底下〕 jǐndǐxia ㊔ 맨 밑. 맨 아래. ¶那个箱子在～呀! 그 상자는 맨 밑에 있어요!

〔尽够〕 jǐngòu ㊓ 넉넉하다. 충분하다.

〔尽管〕 jǐnguǎn ㊕ ①마음껏. 마음대로. 얼마든지. ¶有意见～提, 不要客气! 의견이 있으면 마음껏 제시해 주십시오. 거리낄 것은 없습니다!/你有什么困难～说, 我们一定帮助你解决; 당신에게 어떤 어려운 일이 있으시면 얼마든지 말씀해 주시오. 우리들은 반드시 당신을 도와 해결해 드리겠습니다. ②〈方〉 늘. 오로지. 그냥. ¶有病早些治, ～耽搁着也不好; 병이 있으면 빨리 고쳐라. 언제까지고 내버려 두는 것은 좋지 않다. ㊑ …에도 불구하고〔…에 관계없이〕. 비록〔설령〕 …라 하더라도《'但(是)', '可是', '还', '也' 따위로 호응시킴》. ¶我们的学习～得了一些成绩, 但我们必须继续努力, 争取更大的收获; 우리의 학습이 어느 정도의 성적을 거두었지만 반드시 계속 노력하여, 보다 큰 수확을 쟁취해야 한다/～下着大雨, 马

路上的行人还是很多; 세찬 비가 내리지만 거리의 인파는 변함 없이 많다 / ～你的本领大, 你也不应当骄傲! 자네는 솜씨가 좋긴 하겠지만, 그렇다고 해서 거만해서는 안 된다! 注1 위에서 보인 '尽管'은 '虽然'으로 바꿔 놓아도 문장의 뜻은 거의 변하지 않음. 注2 사실이 기정 사실이 아니고, 발생되는 사실이면 가정을 나타내는 '哪怕'의 뜻이 됨. ¶～他手艺再好, 也比不上机器; 그의 솜씨가 아무리 좋다고 해도, 기계에는 못 당한다 / ～他不接受这个意见, 我还是要向他提; 그가 이 의견을 받아들이려 하지 않더라도, 나는 그에게 말을 해야 한다. 注3 '尽管'과 '不管'은 서로 혼동하기 쉬운데, '尽管'은 특정한 사실을 들어, 그래도 사태가 변함 없음을 나타내는 것이므로 '不管'처럼 임의·불특정의 내용이 되지 않음. '尽管这样', '不管怎么样'라고는 할 수 있어도, '尽管怎么样', '不管这样'이라고는 할 수 없으며, '不管他来不来, …'라고는 할 수 있어도, '尽管他来不来, …'라고는 할 수 없는데, 혼용(混用)한 예도 있음. ¶～如此; 그래도, 이렇기는 하지만. =〔尽教②〕

〔尽尖儿(上)〕 jǐnjiānr(shang) 명 맨 꼭대기. 최첨단. (뾰족한) 맨 끝.

〔尽教〕 jǐnjiào ①되는 대로 맡기다. 언제나 …이다. ¶～人诽谤; 남이 비방하는 대로 내버려 두다. ② 접 ⇒〔尽管〕

〔尽可〕 jǐnkě 부 오로지. 상관 말고. ¶你～赞成他; 너는 상관 없이 그에게 찬성해도 좋다. 접 ⇒〔宁nìng可〕

〔尽可能〕 jǐnkěnéng 부 되도록. 될 수 있는 대로. 할 수 있는 최대한의. ¶～利用人力; 되도록 인력을 이용하다. =〔尽所能〕

〔尽快〕 jǐnkuài 부 되도록 빨리. ¶使新建的企业～投入生产; 새롭게 만든 기업이 가급적 빨리 조업을 시작하도록 하다 / ～地完成国家的收购任务; 국가의 수매 임무를 될 수 있는 대로 빨리 완수하다.

〔尽里头〕 jǐnlǐtou 명 가장 안쪽〔깊숙한 속〕. ¶在～搁着呢; 제일 속에 두었습니다.

〔尽量(儿)〕 jǐnliàng(r) 부 될 수 있는 대로. 가능한 한. ¶～保证; 가능한 한 보장하다 / 你～帮助我吧! 가급적 나를 도와 주세요! ⇒jìnliàng(r)

〔尽溜头(儿)〕 jǐnliūtóu(r) 명 (늘어선 것의) 맨 끝. 막다름. ¶他住在那条街的～; 그는 그 거리 맨 끝에 살고 있다.

〔尽前〕 jǐnqián 명 맨 앞. ¶～坐; 맨 앞에 앉다.

〔尽让〕 jǐnràng 명동 〈方〉 겸양(하다). 양보(하다).

〔尽上头〕 jǐnshàngtou 명 맨 위. ¶把～的拿下来; 맨 위의 것을 내려라.

〔尽数〕 jǐnshù 부 있는 만큼. 전부. 모두. ⇒jìnshù

〔尽速〕 jǐnsù 부 될 수 있는 대로 빨리. 가급적 신속히.

〔尽外头〕 jǐnwàitou 명 제일 밖〔가장자리〕. ¶～站着; 제일 밖에 서 있다.

〔尽先〕 jǐnxiān 부 우선. 맨 먼저. 선두(先頭)로. ¶～照顾老年人; 우선 노인을 돌보다 / 你～拿来给我看看! 먼저 가져와서 나에게 보여라!

〔尽早〕 jǐnzǎo 부 될 수 있는 한 빨리. ¶～写回信; 될 수 있는 한 빨리 답장을 쓰다 / ～不尽晚; 가급적 빨리 해야 하며, 늦으면 귀찮은 일이 생긴다. 注 앞 예문의 경우 '尽晚'은 독립적으로 쓰이는 경우는 없음.

〔尽着〕 jǐnzhe 부 될 수 있는 대로. 되도록. ¶～各人的能力做事; 각자의 능력을 다해서 일을 하다 / ～力儿办; 힘껏 하다 / 咱们先～要紧的说; 우리는 먼저 될 수 있는 대로 중요한 일부터 이야기합시다.

〔尽自〕 jǐnzi 부 〈方〉 ①언제나. 늘. 하염없이. ¶天不早了, 他还～不走; 이미 시간이 늦었는데도, 그는 언제까지나 자리를 뜨지 않는다 / 要想办法克服困难, 别～诉苦! 언제까지 우는 소리만 하고 있지 말고 어떻게 하든 곤란을 극복해야 한다! =〔老是〕〔总是〕 ②자꾸. 억지로. 무턱대고. ¶～一说就讨厌了; 자꾸 지껄이면 싫증이 난다. ③마음대로. 멋대로. 거리낌없이. ¶你～去作, 决没有问题; 네가 멋대로 해도 결코 문제가 되지 않는다. ‖ =〔紧自〕

卺

jǐn (근) 명 옛날, 혼례에 쓰인 술잔. ¶合hé～; 구식 혼례에서, 신랑 신부가 술잔을 주고받다. 〈轉〉 결혼하다.

紧(緊〈緊〉)

jǐn (긴) ① 형 팽팽하다. 느즈러짐이 없다. ¶绳子拉得很～; 밧줄이 팽팽히 당겨져 있다 / 鼓面绷得非常～; 북의 가죽이 팽팽하다. ↔〔松sōngB)①〕 ② 형 움직이지 않다. 단단히 고정되어 있다. 흔들리지 않다. ¶捆～; 꽉〔단단히〕 묶다 / 捏～笔杆; 붓대를 단단히 쥐다 / 眼睛～盯住他; 그를 잠자코 바라보다 / ～记着别忘了! 잘 기억해 두고 잊지 마라! ③ 형 빈틈이 없다. 꼭 끼다. 빡빡하다. 단단히 붙어 있다. ¶～邻; 바로 이웃 / ～靠着; (곁에) 꼭 붙어 있다 / 这双鞋太～, 穿着不舒服; 이 신발은 너무 꼭 끼어서 신기에 불편하다 / 抽屉～, 拉不开; 서랍이 빡빡해서 열리지 않다. ④ 동 꼭 죄다. 단단히 죄다. (팽팽이) 잡아당기다. ¶～一～腰带; 허리띠를 꽉 죄다 / ～一～螺丝钉; 나사를 죄다. ⑤ 형 (일이) 꽉 차 있다. 잔뜩 쌓여 있다. (시간이) 촉박〔박두〕해 있다. 틈이 없다. (상황·상태가) 급박하다. ¶功课很～; 공부가 무척 바쁘다 / 任务很～; 일이 꽉 차 있다. 〈比〉 시간 관계로 서두르고 있다 / 手～点就能多出活; 일손을 좀더 부지런히 놀리면 생산량이 많아진다 / 事情～急; 사정이 급하다 / 时间这样～, 我怎么也来不及; 시간이 이렇게 닥쳐왔는데, 나는 아무리 해도 시간에 댈 수 없다. ⑥ 부 〈南方〉 ('得～'의 형태로) 정도의 심함을 나타냄. 매우. 대단히. ¶忙得～; 무척 바쁘다 / 快活得～; 매우 즐겁다. ⑦ 부 쉴 새 없이. 연달아. ¶雨下得～; 비가 쉴 새 없이 오다. ⑧ 형 엄중하다. 엄격하다. ¶管制得很～; 엄중히 통제하다 / 查得很～; 검사(檢査)가 굉장히 엄중하다. ⑨ 형 (돈·생활에) 여유가 없다. 여의치 못하다. ¶手头～; 수중(手中)이 여의치 않다 / 他家日子～了; 그의 집은 생활이 어렵다. ↔〔宽kuān⑥〕 ⑩ 형 뒤숭숭하다. ¶这一带夜里很～; 이 근방은 밤에는 매우 위험하다. ⑪ 동 절약하다. 존절히 쓰다. ¶～着点儿过; 조금 절약해서 살다.

〔紧挨〕 jǐn'āi 동 꼭 달라붙다. 바싹 붙다.

〔紧挨着〕 jǐn'āizhe 극히 밀접하여. 바싹 접근해서. ¶他～我坐; 그는 내게 꼭 붙어 앉아 있다.

〔紧巴巴(的)〕 jǐnbābā(de) 형 ①(사물의 표면이) 바싹 죄어지는 모양. 꼭 끼어 갑갑한 모양. ¶没洗脸, 脸上～的; 얼굴을 씻지 않아서 얼굴이 당긴다. ②(경제적으로) 여유가 없는 모양. 곤궁한 모양. ¶日子过得总是～的; 생활이 언제나 궁핍하다.

〔紧梆梆〕 jǐnbāngbāng 형 바짝 죈 모양. 꼭 끼는

모양. ¶这双鞋穿着～; 이 신은 신어 보니 꽉 조인다.
〔紧绷〕 jǐnbēng 동 팽팽히 켕기다〔당기다〕.
〔紧绷绷(的)〕 jǐnbēngbēng(de) 형 ①팽팽한 모양. 꽉 맨 모양. ¶皮带系jì得～的; 혁대를 꽉 졸라매고 있다. ②긴장해서 표정이 부자연스러운 모양. ¶脸～的, 像很生气的样子; 얼굴 표정이 굳은 것이 몹시 화가 난 것 같다.
〔紧逼〕 jǐnbī 동 (흔히, '～着'의 형태로) 몰아 대다. 기다리지 않고 재촉하다. ¶～着问答应不答应; 무슨 대답을 줄 것이냐고 대들 듯 다그치다 / 报社～着我要稿子; 신문사에서 나한테 원고를 달라고 재촉한다.
〔紧闭〕 jǐnbì 동 꼭 닫다.
〔紧衬〕 jǐnchen 형 ①(몸에 걸치는 것이) 꼭 맞다〔끼다〕. ¶这双鞋穿在脚上很～; 이 구두는 발에 꼭 낀다. ②(그릇·집 따위가) 아담하고 편리하다. ¶这屋小点儿, ～; 이 방은 작고 편리하다. ‖ =〔紧称〕
〔紧称〕 jǐnchen 형 ⇨〔紧衬〕
〔紧吃〕 jǐnchī 동 부지런히〔급히〕 먹다. 자꾸 먹다.
〔紧凑〕 jǐncòu 형 잘 정리되어〔다듬어져〕 있다. 꽉〔잘〕 짜여지다. 빈틈없다. ¶这个影片很～, 一个多余的镜头也没有; 이 영화는 잘 짜여 있어서 군더더기 장면이 조금도 없다 / 表现得非常～; 표현이 아주 빈틈없다.
〔紧促〕 jǐncù 형 급박하다. 절박하다. 임박하다.
〔紧蹙〕 jǐncù 동 (눈살 따위를) 잔뜩 찌푸리다. ¶～眉头; 미간을 찌푸리다.
〔紧催〕 jǐncuī 동 자꾸〔몹시〕 재촉하다.
〔紧盯〕 jǐndīng 동 ①가만히 응시하다. ¶眼睛～住他; 그를 지그시 바라보다. ②('～着'의 형태로) 사이를 두지 않다. 틈을 주지 않다. ¶又～着问, '他的话可靠吗?' 다시 틈을 주지 않고 '그의 이야기는 틀림없는가?'라고 물었다.
〔紧防〕 jǐnfáng 동 긴급 방비하다. 단단히 방비하다.
〔紧赶〕 jǐngǎn 동 ①급히〔서둘러〕 하다. ¶把活儿～了一天多; 일을 하루 남짓 동안 서둘러 했다. ②급히 쫓다. 급추(急追)하다. ③급히 앞에 나오다. ¶～几步; 급히 몇 걸음 앞에 나오다.
〔紧赶快赶〕 jǐngǎn kuàigǎn (제때에 대려고) 몹시 서두르다. ¶～完成了任务; 몹시 서둘러서 주어진 일을 완성했다 / ～跑到那里; 부리나케 그곳으로 달려갔다.
〔紧赶慢赶〕 jǐngǎn màngǎn 몹시 서두르다. 注 '慢赶'에는 실제적인 뜻이 없음. =〔紧赶快赶〕
〔紧跟(着)〕 jǐngēn(zhe) 동 바싹 뒤따르다《문장에서는 주로 부사성 수식어인 상황어로 쓰임. '곧 잇따라'·'곧 뒤를 따라'》. ¶～着就跑来了; 곧 뒤쫓아 왔다 / ～着强占领土, 攫取了种种特权; 영토의 강탈 점령에 뒤이어 여러 가지 특권을 빼앗았다.
〔紧箍〕 jǐngū 동 (중심을 향해 또는 전체적으로) 세게 죄다. ¶衣服瘦了～在身上; 의복이 작아져서 꽉 죄어든다.
〔紧箍咒〕 jǐngūzhòu 명〈比〉 사람을 구속·속박하는 것《서유기(西遊記)에서 삼장법사(三藏法師)가 손오공의 무궤도한 행위를 제지하기 위해 그 머리에 씌운 금테를 단단히 죌 때 쓰는 주문(呪文)》. =〔金jīn箍咒〕
〔紧固螺栓〕 jǐngù luóshuān 명 죄는 볼트.
〔紧乎〕 jǐnhu 형 긴박〔절박〕하다.
〔紧急〕 jǐnjí 형 (정황·형세가) 절박〔급박〕하다. ¶情况特别～; 상황은 특히 절박하다 / 风云～; 풍운이 급박하다 / 进攻～的时候; 진공이 박두해 있는 때 / ～措施; 긴급 조치 / ～起飞; 《軍》(전투기의) 긴급 발진 스크램블(scramble) / ～关头; 위급한 고비〔갈림길〕.
〔紧急避险〕 jǐnjí bìxiǎn 명 《法》 긴급 피난.
〔紧急呼吁〕 jǐnjí hūyù 동 급히 부르다.
〔紧急求救讯号〕 jǐnjí qiújiù xùnhào 명 S.O.S.《긴급 구조 신호. 조난 신호》. ¶发出～; S.O.S.를 발신하다.
〔紧急状态〕 jǐnjí zhuàngtài 명 비상 사태. 절박한 상태.
〔紧接下来〕 jǐnjiēxiàlái 바로 뒤를 잇다. ¶～, 他开始讲演; 곧바로 뒤를 이어 그는 강연을 시작했다.
〔紧接着〕 jǐnjiēzhe 부 연이어서. 뒤이어서. 잇달아. ¶～十月十八日宣布了美国给他的一封信; 잇달아 10월 18일에, 미국이 그에게 준 한 통의 편지를 공표했다.
〔紧紧〕 jǐnjǐn 부 꽉. 단단히. ¶～握手; 굳게 악수하다 / ～地掌握霸权; 패권을 단단히 장악하다.
〔紧紧巴巴〕 jǐnjinbābā 형 ①몹시 궁핍해 있다. (가난하여) 쪼들리고 있다. ¶他老是～的; 그는 늘 쪼들리고 있다. ②(비좁아서) 답답한 모양. ¶这屋子住着～; 이 방은 살기에 비좁다.
〔紧救慢救〕 jǐn jiù màn jiù 〈成〉 급히 구하다. 서둘러 구해 내다. 注 '慢救'에는 실제적인 뜻이 없음.
〔紧靠〕 jǐnkào 동 가까이 다가서다. 기대다. 의지하다. 바로 이웃해 있다. ¶～着他坐; 그에게 바짝 붙어서 앉다 / 那块旱田～着水库, 不愁没有水; 저 밭은 댐과 바로 이웃해 있으므로, 물부족의 걱정은 없다.
〔紧牢〕 jǐnláo 형 견고하다.
〔紧邻〕 jǐnlín 명 가까운 이웃.
〔紧锣急鼓〕 jǐn luó jí gǔ 〈成〉 연달아 징과 북 소리가 세차게 울리다《(장면·상황이) 긴박한 모양》.
〔紧锣密鼓〕 jǐn luó mì gǔ 〈成〉 (흥을 돋우기 위해) 징과 북을 계속 울리다. (정세가) 긴박하다《정치 운동 등의 공식 활동을 시작하기 전에 성대하게 사전 선전을 하는 일(주로 비난하는 뜻으로 쓰임)》. =〔密锣紧鼓〕
〔紧慢迟急儿〕 jǐnmàn chíjír 명 일이 절박한 상태. ¶有个～也不至于慌手忙脚的了; 긴급한 경우라도 당황하지 않는다.
〔紧忙〕 jǐnmáng 형 바쁘다. 분주하다. =〔紧忙慢忙〕 注 '慢忙'에는 실제적인 뜻이 없음.
〔紧毛〕 jǐnmáo 동 오싹하다. 소름이 끼치다. ¶见了血也有点儿～; 피를 보기만 해도 소름이 끼친다.
〔紧密〕 jǐnmì 형 ①긴밀하다. ¶～结合; 긴밀한 결합 / ～联系; 긴밀한 관계 / ～合作; 긴밀한 협력. ②잇달아 끊임없다. 잦다. ¶枪声十分～; 총성이 잦다. 동 긴밀히 하다. ¶～了关系; 관계를 긴밀히 하다 / ～了团结; 단결을 긴밀히 하다.
〔紧迫〕 jǐnpò 형 급박하다. 긴박하다. 절박하다. ¶形势十分～; 정세가 매우 긴박하다. =〔急迫〕
〔紧俏商品〕 jǐnqiào shāngpǐn 명 (팔림새가 좋아서) 부족한 상품. 인기 상품.
〔紧切〕 jǐnqiè 형 (정세가) 급박〔긴박〕하다.
〔紧缺〕 jǐnquē 형 겨우 되다. 빠듯하다. ¶来回十天, 限期显着～点儿; 10일로는 왕복하기에 기한이 조금 빠듯하다.
〔紧身布〕 jǐnshēnbù 명 배두렁이《배를 따뜻하게 하기 위해 두르는 천》.

〔紧身褡〕 jǐnshēndā 명 코르셋(여성용). =〔紧腰衣〕

〔紧身儿〕 jǐnshēnr 명 내의. 속옷. ¶绒～; 모직 내의/线～; 면내의/穿上一件绒～搪táng搪寒; 모직 내의 하나를 입고 추위를 견디다. =〔紧子〕〔近jìn身儿〕

〔紧士裤〕 jǐnshìkù 명 진(jean) 바지.

〔紧守〕 jǐnshǒu 동 ①엄중히 수비하다. ②엄격히 지키다. ¶～信用; 신용을 굳게 지키다. ③아껴 쓰다.

〔紧缩〕 jǐnsuō 동 긴축하다. 축소하다. 억제하다. ¶～开支; 지출을 억제하다/～财政; 재정을 긴축하다/～信用; 발행 지폐를 회수하고 대부(貸付)를 억제하여 신용을 높이는 방법.

〔紧锁〕 jǐnsuǒ 동 바싹 죄다. 단단히 죄어지다. ¶双眉～; 양미간을 당겨 좁히다(흔히, '～面带愁容' 이라고 써서, 계속되어 수심에 찬 표정을 나타냄).

〔紧贴〕 jǐntiē 동 꼭 달라붙다. ¶～着他的身旁; 그의 곁에 꼭 붙어 있다.

〔紧腿裤〕 jǐntuǐkù 명 좁은 진바지.

〔紧握〕 jǐnwò 동 꼭 쥐다. 단단히 쥐다. ¶～手; 굳게 악수하다.

〔紧压茶〕 jǐnyāchá 명 찻잎을 증기로 쪄서 연하게 하여 덩어리로 만든 차('砖茶' 따위).

〔紧腰衣〕 jǐnyāoyī 명 코르셋. =〔夹腰带〕

〔紧要〕 jǐnyào 형 긴요〔중대〕하다. 긴급하고 중요하다. ¶～关头; 중대한 고비/无关～; 대수롭지 않다. 중요하지 않다/这一点十分～; 이 점은 매우 중요하다. 注 북방(北方)에서는 '要紧' 보다 딱딱한 표현인 서면어(書面語)로 씀. =〔要紧〕

〔紧用项〕 jǐnyòngxiàng 명 급히 필요한 돈.

〔紧张〕 jǐnzhāng 형 ①긴장해 있다. ㉠(정신적으로) 긴장하다. (흥분하여) 불안하다. ¶有病设法治，不要先～起来! 병이 있으면 방안을 세워 고치면 되지, 처음부터 불안해해서는 안 된다/第一次登台，免不了有些～; 첫 무대는 아무래도 좀 긴장한다/一直～的心情松弛下来了; 내내 긴장했던 마음이 풀어졌다. ㉡(근육이) 긴장되어 있다. 팽팽하다. ¶体操的选手，浑身的肌肉都很～; 체조 선수는 전신의 근육이 모두 긴장되어 있다. ②바쁘다. 긴박하다. 심하다. ¶工作～; 일이 바쁘다/战线～; 전선이 긴박하다/～的劳动; 쉴 틈도 없는 노동/～动人的情节; 긴박하고 감동적인 줄거리/～的中东局势; 긴박한 중동의 정세. ③(경제적으로) 힘겹다. (물건이) 부족하다. ¶现在市内住房很～; 지금 시내에서는 주택이 매우 부족하다/去年你们村遭了这么大灾，粮食一定很～吧? 지난해 자네들 마을이 이렇게 큰 재난을 당했으니, 필시 식량이 부족하겠지? ④(의욕에 차) 긴장하다. ¶～地做工作; 긴장해서 일하다. 명 긴장. 불안. 긴박. 핍박. ¶天天在搞～; 매일 긴장감을 조성하고 있다.

〔紧着〕 jǐnzhe 동 〈俗〉 서두르다. 다그치다. ¶～走不歇着; 부리나케 걸어 쉬지 않다/你写得太慢了，应该～点儿! 자네는 쓰는 것이 너무 느리니, 좀 빨리 해야겠어!/下星期一就要演出了，咱们得～练; 내주 월요일에는 상연하게 되니까, 우리는 서둘러 연습해야 한다. =〔加紧〕

〔紧抓〕 jǐnzhuā 동 ①꼭 쥐다〔잡다〕 ②(어떤 점을) 중점적으로 문제삼다〔다루다〕.

〔紧子〕 jǐnzi 명 속옷. 내의(內衣).

〔紧自〕 jǐnzi 부 ⇨〔尽jǐn自〕

〔紧走〕 jǐnzǒu 동 급한 걸음으로〔부리나케〕 걷다. ¶～慢走; 급히 걷다. 注 '慢走' 에는 실제적인 뜻은 없음. ¶我～慢走跑到那里去，还是晚了; 나는 거기에 급히 뛰어갔으나 역시 늦었다.

堇 jǐn (근)

표제어 참조.

〔堇菜〕 jǐncài 명 〈植〉 제비꽃. ¶立lì～; 선제비꽃/紫zǐ花～; 낚시제비꽃. =〔如rú意草〕〔堇堇菜〕

〔堇堇菜〕 jǐnjǐncài 명 ⇨〔堇菜〕

〔堇青石〕 jǐnqīngshí 명 〈鑛〉 근청석. 코지라이트.

〔堇色〕 jǐnsè 명 〈色〉 엷은 보랏빛. 바이올렛(violet).

谨(謹) jǐn (근)

①동 신중(히) 하다. 조심하다. ¶勤～; 근면하다. 부지런하다/～守规程; 규칙을 엄수하다/～防假冒; 모조록 가짜에 조심하십시오(광고 용어). ②동 주의하여 취급하다. ③부 삼가. 정중히. 공경히. ¶～赠; 삼가 드리다/～领; 삼가 받다/～守; ⇩

〔谨禀〕 jǐnbǐng 동 〈翰〉〈文〉 삼가 아뢰다.

〔谨布〕 jǐnbù 동 삼가 알려 드립니다(광고 용어).

〔谨饬〕 jǐnchì 형 ⇨〔谨慎〕

〔谨防〕 jǐnfáng 동 (…에) 주의하시오. 주의하라(표어·게시 등의 용어). ¶～扒手; ⓐ소매치기 조심. ⓑ신변(身邊) 조심/～火灾; 불조심/～害病; 병에 걸리지 않도록 조심하십시오.

〔谨记〕 jǐnjì 동 잘 기억하다. ¶～在心; 마음 속에 잘 기억해 두다/～勿忽; 〈翰〉 아무쪼록 잊지 마십시오.

〔谨具〕 jǐnjù 동 ①〈文〉 삼가 갖추다〔마련하다〕. ¶～菲仪; 삼가 조품(粗品)을 갖추어 보내 드립니다. ②〈翰〉 삼가 서류를 갖추다. ¶～申请书，即祈查核; 〈公〉 삼가 신청서를 갖추어 제출하오니, 심사하신 후 허가 있으시기를 바랍니다.

〔谨叩〕 jǐnkòu 동 〈翰〉 삼가 경례를 드리다('叩' 는 옛날에는, 최상급의 경의를 나타내었음). ¶～台安; 삼가 문안드립니다.

〔谨启〕 jǐnqǐ 〈翰〉 삼가 말씀드립니다. 근계(謹啓).

〔谨上〕 jǐnshàng 동 〈翰〉 삼가 올립니다(편지 끝에 쓰는 문구).

〔谨慎〕 jǐnshèn 형 (일을 하는 데) 신중하다. (태도가) 조심스럽다. ¶讲得很～; 매우 신중하게 말하다/小心～; 주의 깊고 신중하다/～的乐观; 신중함을 잃지 않은 낙관/～驾驶; 운전 조심(교통 표어). =〔谨饬〕

〔谨守〕 jǐnshǒu 동 주의 깊게 지키다. 엄수하다. ¶～规则; 규칙을 엄수하다.

〔谨小慎微〕 jǐn xiǎo shèn wēi 〈成〉 사소한 데에 마음을 쓰다. 지나치게 소심하다.

〔谨严〕 jǐnyán 형 근엄하다. 신중하고 엄밀하다. ¶治学～; 학문을 닦는 데 신중하고 엄밀하다/这篇文章结构～; 이 문장은 짜임새가 신중하고 허술함이 없다.

〔谨言慎行〕 jǐn yán shèn xíng 〈成〉 언행을 특히 신중히 하다. 언행에 조심하다.

〔谨依来命〕 jǐnyī láimìng 〈翰〉 삼가 분부에 따르다.

〔谨愿〕 jǐnyuàn 형 성실하다. 근직(謹直)하다.

廑〈厪〉 jǐn (근)

부 〈文〉 ⇨〔仅jǐn〕

馑(饉) jǐn (근)

①형 주리다. ②명 기근(飢饉). ¶饥～; 기근. ③명 흉작(凶作).

瑾 jǐn (근) ①명 〈文〉 아름다운 옥. ②인명용 자(字).

槿 jǐn (근) →〔木mù槿〕

锦(錦) jǐn (금) ①명 (색채가 아름다운) 비단. ②명 비단옷. ③형 아름답다. 화려하다. ¶～翰; ⇓/～霞; ⇓
〔锦标〕 jǐnbiāo 명 우승기. 우승 메달. 우승컵. ¶～主义; 우승〔공명〕주의. →〔锦旗〕
〔锦标赛〕 jǐnbiāosài 명 우승 대회. 선수권 시합. =〔冠guàn军决赛〕
〔锦带花〕 jǐndàihuā 명 《植》 붉은병꽃나무.
〔锦缎〕 jǐnduàn 명 수를 놓은 비단.
〔锦翰〕 jǐnhàn 명 〈翰〉 귀한(貴翰). 혜서(惠書).
〔锦还〕 jǐnhuán 동 금의 환향하다. =〔衣yī锦还乡〕
〔锦鸡〕 jǐnjī 명 《鳥》 금계. =〔金鸡〕
〔锦葵〕 jǐnkuí 명 《植》 당아욱.
〔锦纶〕 jǐnlún 명 ⇨〔尼ní龙〕
〔锦囊〕 jǐnnáng 명 ①(옛날에, 시고(詩稿)를 넣던) 비단으로 만든 주머니. ②시문(詩文)의 재능이 풍부함. ③〈轉〉 훌륭한 시(詩). ④《鳥》 칠면조.
〔锦旗〕 jǐnqí 명 우승기. 페넌트(pennant).
〔锦缛〕 jǐnrù 형 문식(文飾)이 많고 번잡하다.
〔锦上添花〕 jǐn shàng tiān huā 〈成〉 금상 첨화. 비단에 꽃을 더함《좋은 일에 또 좋은 일이 더함》. ¶只有～的人, 不见雪里送炭的; 좋은 것에 더 좋은 것을 더하려는 사람만 있고, 다른 사람이 핀잔을 겪을 때 도움을 주는 사람은 없다《부귀한 사람에게 아부하는 사람은 많지만, 가난한 사람을 가엾어하는 사람은 적다》.
〔锦上添花〕 jǐnshàngtiānhuā 명 '蟹xiè爪兰'(크리스마스 선인장)의 별칭.
〔锦霞〕 jǐnxiá 명 오색(五色)의 구름. 아름다운 노을.
〔锦心绣口〕 jǐn xīn xiù kǒu 〈成〉 문사(文辭)가 뛰어나게 아름답고 화려하다. =〔锦心绣腹fù〕
〔锦绣〕 jǐnxiù 명 ①금수. 비단에 놓은 수. ②〈比〉 매우 아름다운 것. ¶～前程; 〈成〉 빛나는 미래. 유망한 전도.
〔锦绣山河〕 jǐn xiù shān hé 〈成〉 금수 강산. 아름다운 국토. =〔锦绣江山〕
〔锦衣玉食〕 jǐn yī yù shí 〈成〉 금의옥식. 매우 사치스러운 생활.
〔锦藻〕 jǐnzǎo 명 〈文〉 뛰어난 문장.
〔锦注〕 jǐnzhù 명 〈翰〉 배려(配慮). 심려. =〔锦怀〕〔锦念〕〔绮注〕

仅(僅) jìn (근) 〈文〉 거의. …에 가깝다《당대(唐代)의 시문(詩文)에서 볼 수 있음》. ¶士卒～万人; 병사의 수는 만 명에 가깝다. ⇒jǐn

尽(盡) jìn (진) ①동 다하다. 없어지다. 다 없애다. 진(盡)하다. ¶～心; ⇓/用～力气; 힘을 모두 써 버리다/说不～的好处; 말로 다할 수 없는 장점. ②동 다 쓰다. 모두 발휘하다. ¶人～其才, 物～其用; 〈成〉 사람이 그 재능을 다 발휘하고, 사물이 그 쓰임을 다하다/～其所有; ⇓ ③동 (임무·책임을) 다하다. 완성하다. ¶～责任; 책임을 다하다〔완수하다〕/～义务; 의무를 다하다. ④동 극한에 다다르다. 극치에 달하다. ¶～头; 끝. 말단(末端)/山穷水～; 〈成〉 이러지도 저러지도 못하게 된 모양. 막다른 모양/吃～了苦; 온갖 고통을 다 겪다/～善～美; ⇓/仁至义～; 〈成〉 인의의 최고에 달했다. ⑤부 다. 모두. 대부분. ¶山上～是苍; 산 위는 온통 푸른빛 일색이다/不～然; 다 그렇다고는 할 수 없다/到会的～是战斗英雄; 출석자는 모두 전투 영웅이다. ⑥부 단지 …뿐. …만. ¶你别～抽烟呀! 자네 그렇게 담배만 피우지 말게!/～顾着说话, 忘了办事; 이야기하는 데만 정신이 팔려서, 일하는 것을 잊어버렸다. ⑦동 〈文〉 죽다. 사망하다. ⇒jǐn
〔尽处〕 jìnchù 명 (길 따위의) 막다른 곳.
〔尽瘁〕 jìncuì 동 〈文〉 힘을 다하다. 진력하다.
〔尽到〕 jìndào 동 (충분히) 다하다. ¶～责任; 책임을 (충분히) 다하다.
〔尽端〕 jìnduān 명 ①끝. ②극단(極端).
〔尽付东流〕 jìn fù dōng liú 〈成〉 ①모든 것을 되어 가는 형편에 맡기다. ②모든 것을 잃고 완전히 물거품이 되다.
〔尽皆〕 jìnjiē 부 〈古白〉 모두《뒤에 2음절어가 옴》. ¶～失色; 모두 실색하다.
〔尽绝〕 jìnjué 동 떨어지다. 다 없어지다.
〔尽力〕 jìn//lì 동 힘을 다하다. ¶～而为; 전력을 다해서 일을 하다/我一定～帮助你; 나는 반드시 있는 힘을 다해서 당신을 돕겠습니다.
〔尽量(儿)〕 jìnliàng(r) 동 양을 다하다. 충분히 하다. 양껏 하다. ¶请～喝吧; 부디 많이 드십시오/我～帮忙; 나는 힘껏 도와 주겠다/喝酒不可～; 술은 그만 작작 마셔라. ⇒jǐnliàng(r)
〔尽命〕 jìnmìng 동 목숨을 바치다.
〔尽七〕 jìnqī 명 49일《사후 7주째》.
〔尽其所长〕 jìn qí suǒ cháng 〈成〉 잘하는 점을 다 발휘하다.
〔尽其所有〕 jìn qí suǒ yǒu 〈成〉 가지고 있는 바를 전부 다하다. 전력을 다하다.
〔尽情〕 jìnqíng 동 ①하고 싶은 대로 하다. 마음껏 하다. ¶～地玩; 실컷 놀다/～欢笑; 마음껏 즐기다/～而散; 마음껏 즐기고 헤어지다/孩子们～地唱着跳着; 아이들은 마음껏 노래하고 춤추고 있다. ②성의를 다하다. 호의(好意)를 충분히 보이다. ¶礼物的多少没什么一定的标准, ～就是了; 선물이 많고 적음은 무슨 일정한 기준이 있는 것이 아니라, 성의만 다하면 그것으로 족하다. ‖=〔尽jìn意②〕
〔尽情尽理〕 jìn qíng jìn lǐ 〈成〉 정리(情理)를 다하다.
〔尽然〕 jìnrán 동 정말로 그렇다. 모두가 그렇다. ¶也不～; 모두가 그렇다는 것도 아니다.
〔尽人皆知〕 jìn rén jiē zhī 〈成〉 누구나 다 알고 있다.
〔尽人力听天命〕 jìn rénlì tīng tiānmìng 진인사 대천명(盡人事待天命). 사람이 할 일을 다하고 천명을 기다리다. →〔谋móu事在人, 成事在天〕
〔尽人情〕 jìn rénqíng 정리(情理)를 다하다.
〔尽人事〕 jìn rénshì 사람이 할 일을 다하다.
〔尽日〕 jìnrì 명 (온)종일. =〔竟日〕
〔尽日尽夜〕 jìnrì jìnyè 종일 종야. 밤낮 쉬지 않고.
〔尽如人意〕 jìn rú rén yì 〈成〉 사람들의 생각과 완전히 일치하다. 사람을 완전히 만족시키다.
〔尽如所期〕 jìn rú suǒ qī 〈成〉 모두 예기(豫期)한 대로 되다.
〔尽善尽美〕 jìn shàn jìn měi 〈成〉 전미(全美)를 다하다. 내용과 형식 모두 완전 무결. 더할 나

위 없음. ¶～的款待; 지극한 대접.
〔尽是〕 jìnshì 모두〔전부〕 …이다. ¶这里展出的～新产品; 이 곳에 전시한 것은 전부 신제품입니다.
〔尽数〕 jìnshù 부 있는 대로 모두. 모조리. ¶～用掉了; 모조리 써 버렸다. 동 다하다. ¶库存物资几天就用得～; 재고 물자는 수일 내에 다 써 버렸다. ⇒jǐnshù
〔尽头(儿)〕 jìntóu(r) 명 극점(極點). 절정. 끝. 막바지. 고비. 말단. ¶半岛的～; 반도의 끝/学问是没有～的; 학문에는 끝이 없다/路走到～总会有转变的; 궁(窮)하면 통하는 법이다.
〔尽头牙〕 jìntóuyá 명 사랑니.
〔尽孝〕 jìn∙xiào 동 ①효도를 다하다. 효행하다. ②탈상(脫喪)하다.
〔尽心〕 jìn∙xīn 동 (남을 위해) 성의를 다하다. 마음을 다하다. ¶你尽尽心吧! 너는 성의를 다하도록 해라!
〔尽心竭力〕 jìn xīn jié lì 〈成〉 전심전력을 다하다. 있는 성의를 다하다. =〔尽心尽力〕
〔尽行〕 jìnxíng 부 모조리《흔히, 뒤에 2음절의 행위 동사가 옴》. ¶～赦免; 모두 사면하다.
〔尽兴〕 jìn∙xìng 동 마음껏 즐기다. ¶玩了一天, 他们还觉得没有～; 하루 종일 놀았는데도 그들은 아직도 아쉬워했다/～而归; 마음껏 즐기고 돌아가다.
〔尽意〕 jìnyì 동 ①의견을 충분히 말하다. ②⇒〔尽jìn情〕
〔尽职〕 jìn∙zhí 동 직무를 다하다. 직무에 힘쓰다. ¶～尽责; 직책을〔직무를〕 다하다.
〔尽致〕 jìnzhì 부 충분히. 최대한으로. ¶～地反映群众的意见; 민중의 의견을 충분히 (상부에) 전하다.
〔尽忠〕 jìn∙zhōng 동 ①충성을 다하다. ¶～报国; 충성을 다해 나라에 보답하다. ②충성을 다하여 목숨을 희생하다. ¶为国～; 나라를 위해 목숨 바쳐 충성하다.

浕(濜) Jìn (진) 명 《地》 진수이(濜水)《후베이 성(湖北省)에 있는 강 이름》.

荩(藎) jìn (신) 명 ①《植》 조개풀. =〔荩草〕 ②충성. ¶～臣chén; 충신.

烬(燼) jìn (신) 명 ①타고 남은 찌꺼기. 재. ¶化为灰～; 잿더미로 돌아가다/余～; 타다 남은 것. ②나머지.

赆(贐〈賮〉) jìn (신) 명 〈文〉 ①전별품(餞別品). ②조공(朝貢) 들어온 물건.
〔赆仪〕 jìnyí 명 송별할 때 선물로 주는 재물(財物).

劲(勁〈劤〉) jìn (경)〈근〉 명 ①(～儿) 힘. ¶使～儿打; 힘을 가해 두드리다/使出全身的～来; 온 몸의 힘을 내다/有多大～, 使多大～; 있는 힘을 다 내다/一个～哀求; 몹시 애원하다/后～大; (술 따위가) 나중이 되어 취기가 오르다/这句话说得有～; 이 말에는 힘이 있다. ②(～儿) 기운. 의기. 의욕. 흥미. 재미. 맛. ¶鼓足干～; 〈成〉 크게 벼르다. 의욕을 북돋우다/他们谈得正起～; 그들은 지금 한창 활기를 띠며 이야기하고 있다/没有～儿; 재미없다/一个～儿地做; (외곬으로) 전념하다/下棋没～, 不如打乒乓球去; 장기는 재미 없다, 탁구치러 가는 게 낫다/干活儿起～; 일에 의욕이 나다/活个什么～; 살아서 무슨 낙이 있을 것인가/穿中国衣服的那种～叫做松快; 중국 옷을 입은 그 느낌은 편하다는 것이다/要那么一周旋, 我倒吃着不得～; 그렇게 신경을 써 주시면, 제가 먹어도 도리어 거북합니다/脸上不得～; 낯 간지럽다. ③정신. ¶冒险～儿; 모험적인 정신. ④(～儿) 형용사·동사 뒤에 와서 그것을 명사화하고, 또한 그 뜻을 강조함《태도·상태 따위의 정도를 나타냄》. ¶冷～儿; 추위(의 정도)/咸～儿; 간(의 정도)/亲热～; 친함(의 정도)/说话～儿; 말투/骄傲～儿; 뽐내는 태도〔모양〕/你瞧这块布这个白～儿! 이 천 흰 것 좀 봐!/这场雨下～(儿)够大呀; 이 비는 정말 세차게도 내린다. ⑤기분. ¶不起～; 할 맛이 안 나다. 내키지 않다. ⑥(～儿) 기개. 태도. 꼴. 자존심. ¶～大; 큰 체하다. 뽐내다/见人不理, 好大的～! 사람을 만나도 인사도 않다니, 되게 도도하다!/你看他那臭～, 真叫人难耐; 저 녀석의 뽐내는 꼴이라니, 정말 역겹다/瞧他那个～; 저 기세라니! ⑦기질. 성질. =〔脾气〕 ⇒jìng
〔劲道〕 jìndao 명 ①보람. ¶这个工作很有～; 이 일은 매우 보람이 있는 일이다. ②힘. 기운. 원기. ③(사람·사물의) 내력. 천성. 본질. ¶他是个什么～我不知道; 그가 어떤 혈통인지 나는 모른다.
〔劲节〕 jìnjié 명 꺾이지 않는 용기. 기개.
〔劲气〕 jìnqi 명 ①힘. ②원기. 기운.
〔劲峭〕 jìnqiào 형 혹심하다. 사납다. ¶山风多么～呀! 산바람이 정말 모질기도 하구나!
〔劲儿〕 jìnr ①→〔字解〕 ② 명 (술의) 독한 정도. 입 안이 화끈한 느낌. ¶没有～; (술이 약해서) 어딘가 성에 차지 않다.
〔劲儿味儿的〕 jìnrwèirde 〈北方〉 (불평이나 노여움을 참고) 구석에서 투덜대다. 볼멘 얼굴을 하다. ¶你要有什么不满意, 只管明说, 何必这么～; 불만이 있으면 드러내고 얘기를 할 것이지, 구태여 구석에서 투덜대는가/他们俩～不是一天半天了; 저 둘이 투덜대는 것은 하루 이틀 일이 아니다.
〔劲上加劲〕 jìn shàng jiā jìn 〈成〉 ①노력에 노력을 거듭하다. ②힘이 있는 자에게 보다 힘있는 자가 협력을 하다. 범에 날개.
〔劲上来〕 jìnshànglái 기운 나다. 신명나다. 우쭐해지다.
〔劲头(儿)〕 jìntóu(r) 명 〈口〉 ①힘. ¶他身体好, ～大; 그는 몸이 튼튼하고 힘이 세다/比～; 힘을 겨루다/使足～; 온 힘을 쓰다. =〔力量〕〔力气〕 ②위세가 올랐을 때. 기세. 흥. ¶趁这～上把罗燕君叫出来; 이 기회를 놓치지 않고 罗燕君을 불러 내었다. ③열정. 열의. 의욕. ¶～不足; 패기가〔의욕이〕 부족하다/他们学习起来～十足; 그들은 공부를 하는 데 의욕이 충분하다/开始～很足, 几天后渐渐松劲了; 처음에는 대단한 의욕이었으나 며칠 후에는 점점 느슨해졌다. ④참을 고비. 중요한 고비. 절정. ¶过了这个～, 准有好日子; 이 고비만 넘기면 반드시 좋은 날이 있다. ⑤모양. 모습. 꼴. 태도. ¶看他那兴高采烈的～; 저 사람이 기뻐서 어쩔 줄 모르는 모양을 봐라.

进(進) jìn (진) ① 동 나아가다. 전진하다. ¶前～; 전진하다/更～一层; 다시 더 전진시키다/～一步退两步; 일보 전진 이보 후퇴. ↔〔退①〕 ② 동 향상하다. ¶～一步提高产品质量;

제품의 품질을 더욱 향상시키다. ③동 들어가다〔오다〕. ¶请~来; 들어오십시오/~屋里去; 방에 들어가다/~学校; 학교에 들어가다. ↔〔出chū A〕① ④동 사들이다. ¶~款; ⇩/~货; ⇩ ⑤ 동사 뒤에 붙여, '안으로 들어가다. 넣다'의 뜻을 나타냄. ¶把水灌guàn~去; 물을 부어 넣다/把衣服放~箱子里去; 옷을 상자 속에 넣(어 두)다. ⑥동 바치다. 올리다. ¶~奉; 헌상(獻上)하다/~言; 진언하다. ⑦동 추거(推擧)하다. ⑧동 출사(出仕)하다. ⑨명 수입. ⑩명 도당(徒黨). ⑪양 동. 채《건물의 동호(棟號)를 나타내거나, 여러 채로 된 건물들 사이에 있는 '院子'를 세는 데 쓰임》. ¶第三~房子是会议室; 제3동 건물은 회의실이다/两~院子; 안뜰 둘.

〔进逼〕 jìnbī 동 ①(군대 따위가) 진격해 육박하다. ②…을 향하여. (바짝) 다가가다. ¶他层层揭露, 步步~地指出; 그는 하나하나 폭로하여 한 걸음 한 걸음 다가서서 지적한다.

〔进兵〕 jìn.bīng 동 진군하다. 출병하다. ¶~波兰; 폴란드에 출병하다.

〔进步〕 jìnbù 동 진보하다. 전진하다. 명 (학술적인) 진보. ¶假~; 진보를 가장(假裝)하다. 형 진보적이다. 선진적이다. ¶~人士; 진보적인 인물.

〔进餐〕 jìncān 동 식사를 하다. ¶按时~; 제때에 식사를 하다.

〔进茶〕 jìn.chá 동 차를 권하다. 차를 대접하다.

〔进场〕 jìnchǎng 동 ①(과거 때) 과장(科場)에 들어가다. ②(회의장·경기장·극장 등에) 입장하다. ③(비행기가) 활주로에 들어오다. 착륙하다. ¶~失败; 진입 실패.

〔进呈〕 jìnchéng 동 바치다. =〔进献〕

〔进城〕 jìn.chéng 동 ①성 안으로 들어가다. 시내로〔문안으로〕 들어가다. 도시로 가다. ②(살거나 일을 위해) 상경하다.

〔进程〕 jìnchéng 명 ①수속. 절차. 순서. ②행정(行程). 여정(旅程). ③(사건·행위의) 경과. 발전. 진전. ¶历史的~; 역사의 발전 과정/延缓汉字发展的~; 한자 발전의 진행을 더디게 하다.

〔进尺〕 jìnchǐ 명 채광(採鑛)·터널 굴진(掘進) 따위의 진도. ¶掘进工作面的月~; (터널이나 경도 따위의) 1개월당 굴진 진도.

〔进出〕 jìnchū 동 ①출입하다. 드나들다. ¶他们都由这个门~; 그들은 모두 이 문으로 드나든다. ②수출입하다. 명 수지(收支). 수입과 지출. ¶每天有好几千元的~; 매일 몇천 원(元)씩의 수지가 있다.

〔进出口〕 jìnchūkǒu 명 ①수출입. ¶~平衡; 수출입의 균형. ②출입구.

〔进寸退尺〕 jìncùn tuìchǐ 〈比〉 얻는 것은 적고, 잃는 것은 많다. =〔得不偿失〕

〔进抵〕 jìndǐ 동 (군대가) 전진해서 …에 도달하다.

〔进度〕 jìndù 명 ①(일이나 공사의) 진도. ¶工程的~大大地加快了; 공사의 진도는 훨씬 빨라졌다. ②진도 계획. ¶~表; 공정표/根据~表安排生产; 진행 속도 계획표에 의거 생산의 순서·방법을 정하다.

〔进而〕 jìn'ér 부 ①(한층 더) 나아가서. ¶把这些术语的含义弄清楚以后才能~讨论文件的内容; 이 술어가 가진 뜻을 밝힌 후에야 비로소 한층 나아가 문헌의 내용을 토론할 수 있다. ②한 걸음 더 나아가서. ¶希望对于国内和平~对于国际和平作出贡献; 국내의 평화, 나아가서는 국제 평화에 공헌하고 싶다.

〔进发〕 jìnfā 동 (차·배 또는 집단이) 출발하다. 전진하다. ¶列车向北京~; 열차가 베이징(北京)을 향해 떠나다/各小队分头~; 각 소대가 갈라져 각기 출발 전진하다.

〔进犯〕 jìnfàn 동 (적군이) 침범하다.

〔进奉〕 jìnfèng 동 바치다. 헌상(獻上)하다.

〔进港〕 jìn.gǎng 동 입항하다. ¶船已经~了; 배는 이미 입항했다/~费; 입항세.

〔进攻〕 jìngōng 명동 진공(하다). ¶~姿势; 진공 태세/~性; 침략적. 공격적/~性军事力; 공격적 군사력.

〔进贡〕 jìn.gòng 동 공물(貢物)을 바치다《현재는 흔히 속국(屬國)의 입장에서의 뜻으로 쓰임》.

〔进洪闸〕 jìnhóngzhá 명 (홍수를 유수지(池)로 끌어들이는) 수문. 방수용 수문.

〔进化〕 jìnhuà 명동 진화(하다). ¶~论; 진화론.

〔进货〕 jìn.huò 동 ①(상품을) 매입하다. 사들이다. ¶~价格jiàgé; 매입 가격. =〔办货〕 ②상품이 들어오다. 입하(入荷)하다. (jìnhuò) 명 입하품.

〔进货簿〕 jìnhuòbù 명 상품 구입 대장. =〔进货账〕

〔进击〕 jìnjī 동 진격하다. ¶~敌军; 적군을 향해 진격하다.

〔进给阀管〕 jìnjǐfáguǎn 명《機》 급수용 밸브 파이프.

〔进给旋塞〕 jìnjǐxuánsāi 명《機》 흡입 콕(cock). 입구 콕.

〔进见〕 jìnjiàn 동 알현하다. 배알(拜謁)하다.

〔进京〕 jìn.jīng 동 입경하다. 상경하다. =〔晋京〕

〔进境〕 jìnjìng 명 진경. 진보의 상태.

〔进酒〕 jìn.jiǔ 동 술을 권하다. =〔敬jìng酒〕

〔进军〕 jìnjūn 동 ①진군하다. ¶~的号角响了; 진군 나팔이 울려 퍼졌다/~号; 진군 나팔/吹~号; 진군 나팔을 불다. ②(혁명·생산·자연 개조 따위에 집단으로) 맞서 가다. ¶向科学~; 과학을 향해 진군하다.

〔进口〕 jìn.kǒu 동 ①수입하다. ↔〔出口②〕 ②입항(入港)하다. (jìnkǒu) 명 ①(건물 등의) 입구. ↔〔出口〕 ②수입. ¶~商; 수입상/~税; 수입세/~货; 수입품/~报单; 수입 신고서(申告書). ③《機》 흡입구.

〔进口配额制〕 jìnkǒu pèi'ézhì 명《經》 수입 할당제.

〔进库〕 jìn.kù 동 입고(入庫)하다.

〔进款〕 jìnkuǎn 명 〈口〉 개인·가정·단체 등의 수입(收入). =〔进账〕〔进项〕

〔进来〕 jìn.lai 동 들어오다. ¶请~; 들어오십시오/你~, 我跟你谈谈! 들어오십시오, 저랑 이야기 좀 합시다!/门开着谁都进得来, 门一关谁也进不来; 문이 열려 있으면 누구라도 들어올 수 있고, 문이 닫혀 있으면 누구도 들어올 수 없습니다.

〔-进来〕 -.jin.lai (동사 뒤에 쓰이어) '안에 들어오다', '안에 넣다'의 뜻을 나타냄. ¶搬~; 운반해 들이다/搁~了; 안에 넣었다/走进屋子里来了; 방에 들어왔다.

〔进料〕 jìnliào 동《工》 (원료·재료 따위를) 공급하다.

〔进料轮〕 jìnliàolún 명 재료 공급 차륜.

〔进料砂轮机〕 jìnliào shālúnjī 명《機》 피드그라인더.

〔进路〕 jìnlù 명 ①진로. ②입구(入口).

〔进门三相〕 jìnmén sānxiàng ①남의 집에 들어가면 주위의 상황을 잘 살피다. ②가게에 손님이

들어왔을 때, 정말 매상(買上) 손님인가, 눈요기나 할 손님인가 살펴본 다음에 옷 입은 것을 보고 다시 손님의 심리를 파악하고 취향을 헤아리다.
〔进气阀〕 jìnqìfá 명 《機》 급기판(瓣). 흡입판(吸入瓣).
〔进气通路〕 jìnqì tōnglù 명 《機》 흡입로.
〔进汽路〕 jìnqìlù 명 《機》 흡입로(吸入路). 급기로(給氣路).
〔进汽门〕 jìnqìmén 명 《機》 흡입 밸브. 흡기구(吸氣口). ↔〔出chū汽门〕
〔进前〕 jìnqián 동 나아가다. 전진하다.
〔进钱〕 jìnqián ① 명 수입. 매상금. ②(jìn qián) 돈이 들어오다. 벌다. ¶ ~路; 수입이 들어오는 길. 수입의 길. 돈 버는 방도.
〔进去〕 jìn.qu 동 들다. 들어가다. ¶听tīng不~; 귀에 안 들리다 / 你~看看, 我在门口等着你; 들어가 보십시오, 나는 입구에서 기다리겠습니다 / 我有票进得去, 他没票进不去; 나는 표가 있어 들어갈 수 있지만, 그는 표가 없어서 못 들어간다. ↔〔出来〕
〔-进去〕 -.jin.qu (동사 뒤에 쓰이어) '안에 들어감', '안에 넣음'의 뜻을 나타냄. ¶把桌子搬~; 책상을 날라 들이다 / 把他推~; 그를 밀어넣다 / 走进屋里去; 방에 들어가다 / 瓶口很大, 手都伸得~; 병의 아가리가 매우 커서 손도 넣을 수 있다 / 胡同太窄, 卡车开不~; 골목길이 너무 좁아서 트럭은 들어갈 수 없다 / 从窗口递进信去; 창문으로 편지를 건네 주다.
〔进人孔〕 jìnrénkǒng 명 맨홀(manhole). =〔进人洞〕〔检jiǎn修孔〕
〔进入〕 jìnrù 동 진입하다. 들(어가)다. ¶ ~新阶段; 새 단계에 (접어)들다 / 节约运动~了高潮; 절약 운동이 고조에 이르렀다 / 国产品~世界市场; 국산품이 세계 시장에 진출하다.
〔进身〕 jìnshēn 동 ①입신 출세하다. ¶ ~(之)阶jiē; 출세의 계단. 등용문. ②채용되다. 직장을 얻다.
〔进深〕 jìnshen 명 (뜰이나 건물의) 앞쪽에서 뒤쪽까지의 길이. ¶这块地~有五十公尺; 이 땅은 길이가 50m이다 / 院子的~有多少? 뜰의 길이는 얼마나 됩니까?
〔进食〕 jìnshí 동 식사를 하다. ¶按时~是个好习惯; 정한 시간에 식사를 하는 것은 좋은 습관이다. =〔吃饭〕
〔进士〕 jìnshì 명 진사(전시(殿試) 합격자의 칭호). →〔举人〕〔秀才④〕
〔进水〕 jìnshuǐ 명 수리(水利). 진수(進水). 취수(取水). ¶ ~闸门; 취수문(取水門). 취수구. 동 ①(배가) 진수하다. ②침수(浸水)하다.
〔进退〕 jìntuì 명 ①전진과 후퇴. ¶ ~自如; 진퇴 모두 마음대로이다 / ~失据; 〈成〉 진퇴 모두 의거할 데를 잃다. ②마땅히 나아가야 할 때 나아가고, 물러나야 할 때 물러남. ¶不知~; 몸을 어떻게 처해야 할지 모르다. 분수를 모르다.
〔进退两难〕 jìn tuì liǎng nán 〈成〉 진퇴 양난. 진퇴유곡. =〔进退维谷〕
〔进退维谷〕 jìn tuì wéi gǔ 〈成〉 ⇨〔进退两难〕
〔进位〕 jìn.wèi 동 《數》 ①반올림하다. ②자리옮김하다. (jìnwèi) 명 《數》 자리옮김. 반올림.
〔进贤〕 jìnxián 동 어진 선비를 천거(薦擧)받아 쓰다. (Jìnxian) 명 《地》 진셴(進賢)(장쑤 성(江西省)에 있는 땅 이름).
〔进香〕 jìn.xiāng 동 부처님께 향을 피우고 절하다(특히, 멀리서 와서 참배할 때를 가리킴).
〔进项〕 jìnxiang 명 수입(收入). ¶没个准~; 일정한 수입이 없다 / 他近来~很不错; 그는 요즘 수입이 꽤 좋다. ↔〔开支〕
〔进行〕 jìnxíng 동 ①(어떤 활동을) 하다. 진행하다. 추진하다. ¶ ~交涉; 교섭을 추진하다 / ~讨论; 토론하다 / ~游说; 《政》 로비하다 / ~教育和批评; 교육과 비판을 행하다 / 会议正在~; 회의는 지금 진행되고 있다. 注₁ 지속적이며 정식(正式)·엄숙한 행위에 쓰이며, 잠시적·일상적인 행위에는 쓰지 않음. 따라서, '进行午睡' 라든지 '进行叫喊' 이라고는 하지 않음. 注₂ 뒤에 오는 행위를 나타내는 말은 2음절임. ②전진하다.
〔进行曲〕 jìnxíngqǔ 명 《樂》 행진곡. ¶义yì勇军~; 의용군 행진곡(중화 인민 공화국의 국가).
〔进修〕 jìnxiū 동 연수(研修)하다(업무 수준을 향상시키기 위해 전문 지식을 깊이 함). ¶ ~日语; 일본어 연수를 하다 / ~生; 연수생 / 出国~人员; 외국에 유학하는 사람. 명 연수. 세미나.
〔进学〕 jìnxué 동 ①진학하다. 입학하다. ②과거(科擧)에서, '秀才'에 합격하여 부(府)·현(縣)의 학교에 입학하다.
〔进言〕 jìn.yán 동 진언하다. ¶向您进一言; 당신에게 한 마디 진언드립니다.
〔进谒〕 jìnyè 동 〈翰〉 뵈러 가다. 찾아뵙다.
〔进一步〕 jìn yī bù 한 걸음 더 나아가다. ¶ ~研究; 한 걸음 더 나아가 연구를 하다 / ~实现农业机械化; 한 걸음 더 나아가 농업의 기계화를 실현하다.
〔进益〕 jìnyì 명 〈文〉 (학식·수양의) 진보.
〔进展〕 jìnzhǎn 동 진전하다. ¶工程~得很快; 공사의 진척이 무척 빠르다 / 工作顺利~; 일이 잘 되어 가다. 명 진전. ¶交涉有了~; 교섭에 진전을 보았다.
〔进占〕 jìnzhàn 동 점령하다. 진공 점령하다.
〔进账〕 jìnzhàng 명 입금(入金). 수입.
〔进止〕 jìnzhǐ 명 ①진퇴. ②행동거지.
〔进驻〕 jìnzhù 동 진주하다.

近 jìn (근)
형 ①가깝다. ㉠(공간적인) 거리가 가깝다. ¶路很~; 길은 매우 가깝다 / 离家很~; 집에서 매우 가깝다 / 天津离北京很~; 톈진은 베이징에서 아주 가깝다. ㉡(현재를 기준으로) 시간적으로 멀지 않다. ¶ ~来; 근래. 요즘 / ~几天; 요며칠 / ~百年史; 근 백년사 / 现在离国庆节很~了; 국경일이 아주 가까워졌다. ㉢친밀하다. 관계가 가깝다. ¶关系很~; 관계가 아주 가깝다 / 最~的朋友; 가장 가까운〔친한〕 친구 / 两家走得挺~; 두 집은 매우 친밀하게 교제하고 있다. ㉣접근하다. 근접하다. ¶年~五十; 나이는 오십 가깝다 / 其地~海; 그 땅은 바다에 가깝다. ↔〔远yuǎn①〕 ②비근(卑近)하다. ¶言~旨远; 말은 비근해도〔쉬워도〕 뜻은 심장(深長)하다. ③닮다. 비슷하다. ¶这两个字音相~; 이 두 자는 음이 비슷하다.
〔近便〕 jìnbian 동 (길이) 가깝고 편리하다. ¶从小路走要~一些; 샛길로 가면 조금 가깝다 / 买东西~; 물건을 사기에 가깝고 편리하다.
〔近程〕 jìnchéng 명 ①단기(간). ②단거리. 사정(射程)이 짧음.
〔近程航线〕 jìnchéng hángxiàn 명 근해 항로. 단거리 항로.
〔近代〕 jìndài 명 ①《史》 (시대 구분의) 근대. ②자본주의의 시대. ¶ ~经营; 근대적〔자본주의적〕 경영. =〔近世②〕

〔近代五项〕 jìndài wǔxiàng 명《體》근대 5종 경기.
〔近道〕 jìndào 명 지름길. ¶抄chāo～走; 지름길을 가다.
〔近地点〕 jìndìdiǎn 명《天》근지점.
〔近东〕 Jìndōng 명《地》근동.
〔近古〕 jìngǔ 명《史》(시대 구분의) 근고(近古)《중국에서는 보통 송(宋)·원(元)·명(明)·청(清)(19세기 중엽까지)을 가리킴》.
〔近海航行〕 jìnhǎi hángxíng 명 근해 항행. →〔远yuǎn洋航行〕
〔近乎〕 jìnhu ①(…에) 가깝다. ¶脸上露出一种～天真的表情; 얼굴에 일종의 천진난만에 가까운 표정이 나타나다. ②(～儿) 형〈方〉친하다. 가깝다. ¶套～儿; 허물 없이 굴다. 친한 체하다/两个人越走动越～; 두 사람은 왕래하면 할수록 더욱 친해졌다.
〔近畿〕 jìnjī 명〈文〉근기. 수도 부근.
〔近郊〕 jìnjiāo 명 근교. ¶北京～; 베이징(北京) 근교.
〔近景〕 jìnjǐng 명 ①근경(近景). ②《映》클로즈 숏(close shot). 클로즈업.
〔近距离投篮〕 jìnjùlí tóulán 명《體》(농구의) 근거리 슛. →〔投篮〕
〔近况〕 jìnkuàng 명 근황. ¶～怎么样? 근황은 어떻습니까?
〔近来〕 jìnlái 명 요사이. 요즈음. ¶～你们生活怎么样? 요즈음 자네들 생활은 어떤가?
〔近理〕 jìnlǐ 동 이치에 맞다.
〔近邻〕 jìnlín 명 근린. 가까운 이웃.
〔近路〕 jìnlù 명 지름길. ¶走～; 지름길을 가다.
〔近貌〕 jìnmào 명 최근의 형편.
〔近密〕 jìnmì 형 친밀하다.
〔近年〕 jìnnián 명 근년.
〔近旁〕 jìnpáng 명 근방. 부근. 곁. ¶屋子～种着许多梨树; 집 곁에 많은 배나무가 심어져 있다. =〔附近〕〔旁边〕
〔近迫〕 jìnpò 동 접근하다. 다가오다〔가다〕.
〔近迫作业〕 jìnpò zuòyè 명《軍》(적진에 접근하기 위한) 대호(對壕)를 팜.
〔近前〕 jìnqián 명〈方〉부근. 곁.
〔近亲〕 jìnqīn 명 근친. 가까운 친척.
〔近亲密友〕 jìnqīn mìyǒu 명 근친과 친우. →〔亲友〕
〔近情〕 jìnqíng 동 정리(情理)에 맞다. ¶～近理; 〈成〉인정에도 이치에도 맞다. 명 근황.
〔近日〕 jìnrì 명 요 며칠 전. 최근. 注 장래에 관해서는 쓰이지 않음. =〔近来〕
〔近日点〕 jìnrìdiǎn 명《天》근일점.
〔近山区〕 jìnshānqū 명 도시와 가깝고 비교적 교통이 편리한 산촌(山村) 지역.
〔近生代〕 jìnshēngdài 명《地質》신생대(新生代).
〔近什〕 jìnshí 명〈文〉최근 지은 시. 근작(近作).
〔近世〕 jìnshì 명 ①《史》(시대 구분의) 근세《중국에서는 송(宋)·원(元)·명(明)·청(清)을 가리킴》. ②⇨〔近代②〕
〔近视镜〕 jìnshìjìng 명 근시경. =〔近视眼镜〕
〔近视(眼)〕 jìnshì(yǎn) 명 근시(안). ¶～镜; 근시용의 안경. 형 식견이 얕다.
〔近水楼台(先得月)〕 jìn shuǐ lóu tái (xiān dé yuè)〈成〉물가의 누대에 달이 맨 먼저 비춘다《관계가 가까운 자가 더 이득을 봄》.
〔近水知鱼性, 近山识鸟音〕 jìn shuǐ zhī yúxìng, jìn shān shí niǎoyīn〈諺〉물에 가까우면 물고기의 성질을 알고, 산에 가까우면 새 소리를 안다《사람의 경험·지식은 환경에서 얻어진다》.
〔近似〕 jìnsì 동 근사하다. 거의 같다. ¶～值; 근사치/这两个地区的方音有些～; 이 두 지구의 방어음은 조금 비슷하다.
〔近岁〕 jìnsuì 명〈文〉근년.
〔近台攻〕 jìntáigōng 명 (탁구의) 전진(前陣) 공격.
〔近体诗〕 jìntǐshī 명 근체시《당대(唐代)에 생긴 율시(律詩)와 절구(絶句)의 통칭》.
〔近乡〕 jìnxiāng 명 인접 구역.
〔近些日子〕 jìnxiērìzi 명 요즘. 최근. 요 며칠.
〔近幸〕 jìnxìng 명〈文〉임금이 가까이하여 총애하는 신하.
〔近因〕 jìnyīn 명 근인. 직접적인 원인. ↔〔远yuǎn因〕
〔近忧〕 jìnyōu 명〈文〉목전의 근심사. ¶人无远虑必有～; 〈成〉먼 계획이 없는 자는 반드시 목전의 근심사가 생긴다.
〔近于〕 jìnyú ①(…에) 가깝다《흔히, 추상적인 것에 관하여 쓰임》. ¶～人情; 인정에 합당하다. ②거의. ¶这种戏～失传; 이런 종류의 연극은 거의 전해지지 않고 있다.
〔近悦远来〕 jìn yuè yuǎn lái〈成〉가까운 곳의 사람은 기뻐하고, 먼 곳의 사람은 흠모하여 모이다《덕화(德化)가 널리 미침》.
〔近在咫尺〕 jìn zài zhǐ chǐ〈成〉아주 지척에 있다.
〔近战〕 jìnzhàn 명《軍》근접전(近接戰). ↔〔远yuǎn战〕
〔近支(儿)〕 jìnzhī(r) 명 (혈연 관계가) 가까운 동족.
〔近朱者赤, 近墨者黑〕 jìn zhū zhě chì, jìn mò zhě hēi〈成〉근묵자흑(近墨者黑). 사람은 사귀는 친구에 감화된다. =〔近朱近墨〕
〔近状〕 jìnzhuàng 명 근황.

靳 jìn (근)

①명 가슴걸이《말의 가슴에서 안장에 걸친 가죽끈》. 〈轉〉복마(服馬). ②동〈文〉조소하다. 비웃다. ③동〈文〉아끼다. 아까워하다. ¶～而不与; 아까워서 주지 않다. ④동〈文〉욕(辱)보이다. ⑤명 성(姓)의 하나.

妗 jìn (금)

→〔妗母〕〔妗子〕

〔妗母〕 jìnmǔ 명〈方〉외숙모. =〔舅母〕〔舅妈〕
〔妗子〕 jìnzi 명 ①외숙모. ②처남의 아내. ¶大～; 손위 처남의 아내/小～; 손아래 처남의 아내.

浸〈寖〉③ jìn (침)

①동 물에 잠기다〔담그다〕. ¶把种子放在水里～一～; 씨앗을 물에 담그다. ②동 물이 차차 스며들다. 젖어들다. ¶衣服让汗～湿了; 옷이 땀으로 흠뻑 젖었다/水～货物; 《商》침수 화물. ③부〈文〉점점. 차차. ¶友情～厚; 우정이 점점 두터워지다. ④명 늪.

〔浸沉〕 jìnchén 동 ⇨〔沉浸〕
〔浸膏〕 jìngāo 명《藥》익스트랙트(extract). 진액.
〔浸坏〕 jìnhuài 동 점점 스며들어 파괴하다.
〔浸剂〕 jìnjì 명《藥》침제. 뜨거운 물에 넣어 성분을 우려 냄.
〔浸渐〕 jìnjiàn 동 차츰 스며들다.
〔浸礼〕 jìnlǐ 명 세례. =〔洗xǐ礼①〕
〔浸礼会〕 jìnlǐhuì 명 침례 교회. 침례파《그리스도교의 일파》.

〔浸沐〕 jìnmù 동 잠기다. 젖어들다. ¶访问团就～在友谊的气氛中; 방문단은 우호적 분위기에 잠겼다.
〔浸泡〕 jìnpào 동 잠기게 하다. (물 등에) 잠기다.
〔浸染〕 jìnrǎn 동 ①물들이다. 물들게 하다. 침투하다. 침윤(浸潤)하다. ¶血水～了白衬衣; 흰 셔츠에 피가 물들었다. ②(관념·의혹·사상 등에) 물들다. 점차 영향을 받다.
〔浸入〕 jìnrù 동 차츰 스며들다.
〔浸软〕 jìnruǎn 동 (물 등에) 담가서 부드럽게 하다.
〔浸润〕 jìnrùn〔qīnrùn〕 동 ①차츰 스며들어 젖다. ②(액체가) 서서히 스며들다. ③부착하다. 붙다. 명《醫》 침윤.
〔浸湿〕 jìnshī 동 (수분이 스며들어) 젖다. ¶背包给雪～了; 배낭이 눈에 젖었다.
〔浸蚀拔染〕 jìnshí bárǎn 명 부식 발염(腐触拔染).
〔浸水〕 jìnshuǐ 동 물이 스며들다. 침수하다.
〔浸透〕 jìntòu 동 ①흠뻑 적시다. ¶汗水～了衣裳; 옷이 땀에 흠뻑 젖었다. ②침투하다. ③가득 차다. (사상. 감정이) 넘쳐 흐르다.
〔浸淫〕 jìnyín 동〈文〉 점점 스며들다. 점점 깊이 들어가다.
〔浸种〕 jìn.zhǒng 동《農》 씨앗을 물에 담가 발아(發芽)를 촉진하다. ¶温水～; 미지근한 물에 씨앗을 담그다. (jìnzhǒng) 명 발아를 촉진시키기 위해 (물에) 담근 씨앗.
〔浸渍〕 jìnzì 동 ①물이 스며들다. 물에 젖다. ②담그다. 흠뻑 적시다. ¶～剂jì; 침지제.

祲 jìn (침)
명〈文〉 상서롭지 못한 기운.

晋〈晉〉 jìn (진)
①동 나아가다. ¶加官～爵; 관위(官位)·작위(爵位)가 오르다. =〔进〕 ②동 어른 앞에 나가 뵙다. ③(Jìn) 명《史》 진《주대(周代)의 나라 이름. 현재의 산시 성(山西省) 및 허베이 성(河北省)의 남부 일대, B.C. 1106～376》. ④명《地》 산시 성(山西省)의 별칭. ⑤명《史》 진《사마염(司馬炎)이 세운 왕조, 265～420》. ⑥명《史》 후진(後晉)《석경당(石敬塘)이 세운 나라. 오대(五代)의 하나, 384～417》. ⑦명 성(姓)의 하나.
〔晋级〕 jìn.jí 동〈文〉 진급하다. 승진하다.
〔晋见〕 jìnjiàn 동〈文〉 알현하다. =〔晋谒yè〕
〔晋京〕 jìnjīng 동 ⇨〔进京〕
〔晋剧〕 jìnjù 명 산시 성(山西省) 일대의 전통 지방극. =〔中路梆子〕〔山西梆子〕
〔晋升〕 jìnshēng 동〈文〉 승진하다. (지위가) 오르다.
〔晋言书〕 jìnyánshū 명 진언서.
〔晋谒〕 jìnyè 동 ⇨〔晋见〕

搢〈搢〉 jìn (진)
동 끼우다. 끼워 넣다. ¶～笏hù; 허리띠에 홀(笏)을 질러 넣은 사람. 관리. 귀현(貴顯).
〔搢绅〕 jìnshēn 명〈文〉 관리. 신사. =〔缙绅〕

缙(縉〈縉〉) jìn (진)
①명〈文〉 붉은 비단. ②→〔缙绅〕 ③지명용 자(字). ¶～云jìnyún; 《地》 진운(縉雲)《저장 성(浙江省)에 있는 현(縣) 이름》.
〔缙绅〕 jìnshēn 명 ⇨〔搢绅〕

瑨〈瑨〉 jìn (진)
명〈文〉 옥 같은 돌. 옥석.

唫 jìn (금)
동〈文〉 입을 다물다. ⇒'吟' yín

禁 jìn (금)
①명 천자의 거처. 대궐. ¶～宫; ⇩/紫～城; 자금성. ②명 법도(法度). ③명 은밀(隱密)한 일. ④명 울 안. ⑤동 금지하다. ¶～赌; 도박을 금지하다/严～吸烟; 흡연을 엄금하다/～用体罚; 체벌을 금하다. ⑥동 기피하다. 기(忌)하다. ⑦동 구금(拘禁)하다. ⑧명 법률·습관 등으로 금지된 일. 금지령. ¶违～品; 금제품(禁製品)/烟～ =〔～毒〕; 아편 금지령/犯～; 금령(禁令)을 어기다. ⇒jīn
〔禁闭〕 jìnbì 동 감금(監禁)하다. 외출을 금지하다. ¶关～; 감금하다. 명 감금. 외출 금지.
〔禁城〕 jìnchéng 명 궁성(宮城).
〔禁道〕 jìndào 명 통행을 금한 길.
〔禁地〕 jìndì 명 금제지(禁制地). 출입 금지 장소.
〔禁方〕 jìnfāng 명 비밀 처방. 비방(祕方).
〔禁宫〕 jìngōng 명 대궐.
〔禁锢〕 jìngù 동 ①옛날, 신하의 자유 행동을 금하고, 장기간 등용치 않다. ②지배자가 정적(政敵)이 정치에 참가하는 것을 허락지 않다. ③《法》 가두다. 감금하다. 금고형에 처하다. ④활동을 금지하다. 속박하다. ¶～文字的发展; 문자의 발전을 금지하다. ⑤(문서·출판물 따위를) 발매(發賣) 금지시키다.
〔禁海〕 jìnhǎi 명 (항행·해상 수송·어획 등의) 해상 금지 구역. ¶～范围; 해상 금지 구역.
〔禁货〕 jìnhuò 명 금제품. =〔禁品pǐn〕
〔禁忌〕 jìnjì 명 ①금기. 터부(taboo). =〔忌讳huì〕〔讳忌〕 ②《醫》 금기. ¶～症; 금기 증상. 동 꺼리다. 기피하다.
〔禁假〕 jìnjià 명 근신(謹身)이나 외출·결석을 금지하는 등의 처분《학교 처벌의 일종》.
〔禁戒〕 jìnjiè 동 ①(기호(嗜好)를) 끊다. ②(음식을) 끊다. ③(육식을) 중단하다. ④명령하여 금하다.
〔禁绝〕 jìnjué 동 금지되어 없어지다. ¶赌博～了; 도박은 금지되어 없어졌다.
〔禁军〕 jìnjūn 명 ⇨〔禁(卫)军〕
〔禁例〕 jìnlì 명 금지 조례.
〔禁林〕 jìnlín 명 ①궁궐 안의 숲. ②옛날 한림원(翰林院)의 별칭.
〔禁令〕 jìnlìng 명 금령.
〔禁旅〕 jìnlǚ 명〈文〉 근위병. →〔禁(卫)军〕
〔禁脔〕 jìnluán 명 ①임금이 먹는 상등(上等)의 저민 고기. ②〈比〉 독점하고 남에게 주지 않는 것. ¶视为～; 남이 손도 대지 못하게 할 만큼 귀중한 것이라고 간주하다/～客; 사위.
〔禁门〕 jìnmén 명〈文〉 금문. 궁궐문.
〔禁内〕 jìnnèi 명〈文〉 궁중. 금내. 대궐안.
〔禁氢〕 jìnqīng 명동 원자 폭탄·수소 폭탄의 사용 금지(하다).
〔禁囚〕 jìnqiú 명〈文〉 죄수. 수인.
〔禁区〕 jìnqū 명 ①금지 구역《자연 보호 구역. 출입 금지 지구》. ②성역(聖域)《비유적으로 쓰임》. ③《醫》 침을 놓아서는 안 되는 곳. 의학상 수술을 해서는 안 되는 부위. ④《體》 (농구의) 제한 구역. (축구의) 페널티 에어리어.
〔禁赛〕 jìnsài 명 출전 금지.

〔禁食〕 jìnshí 명동 단식(하다).
〔禁书〕 jìnshū 명 금서. 발금본(發禁本).
〔禁条〕 jìntiáo 명 금지 조항.
〔禁土〕 jìntǔ 점술가(占術家)가 토왕(土王)을 꺼리어 공사(工事) 등을 기피하는 일.
〔禁网〕 jìnwǎng 명 금망. 법망(法網).
〔禁(卫)军〕 jìn(wèi)jūn 명 근위병. =〔禁军〕〔近卫军〕
〔禁物〕 jìnwù 명 금지된 물건. 금제품(禁制品).
〔禁穴〕 jìnxué 명〔漢醫〕 금혈《침을 놓아서는 안 되는 경혈(經穴)》.
〔禁烟〕 jìnyān 명 ①금연. ②한식절(寒食節)《동지로부터 105일째》. =〔禁火〕 ③담배〔아편〕의 흡음(吸飮)을 금지하다. ¶～车; 금연차.
〔禁夜〕 jìnyè 명 야간 통행 금지.
〔禁欲〕 jìnyù 명동 금욕(하다). ¶～主义; 금욕주의. 내핍주의.
〔禁运〕 jìnyùn 명동 ①수송 금지(하다). ②수출입 금지(하다). 무역 금지(하다). ¶～政策; 금수(禁輸) 정책 / ～物资; 수출입 금지의 물자 / ～放宽; 금수 완화.
〔禁止〕 jìnzhǐ 명동 금지(하다). ¶～攀折花木! 화초를 꺾지 말 것! / ～入内! 안에 들어가지 말 것! / ～通行! 통행 금지!
〔禁(制)品〕 jìn(zhì)pǐn 명 금제품. =〔禁货〕
〔禁子〕 jìnzi 명 감옥의 간수(看守). =〔禁卒〕
〔禁卒〕 jìnzú 명 ⇨〔禁子〕
〔禁阻〕 jìnzǔ 동 금하여 저지하다.

噤 jìn (금)
동 ①〈文〉 입을 다물다. ②추위 때문에 몸이 떨리다. ¶寒hán～; 추위 때문에 몸이 떨리다.
〔噤害〕 jìnhài 동〈文〉 말은 안해도 속으로는 적의를 품다.
〔噤口〕 jìnkǒu 동 입을 다물다. ¶～无言; 입을 다물고 말하지 않다.
〔噤口风〕 jìnkǒufēng 명〔醫〕 실어증(失語症).
〔噤口痢〕 jìnkǒulì 명〔漢醫〕 금구리《이질로 먹지 못하는 병》.
〔噤娄〕 jìnlóu 명〔植〕 무환자나무.
〔噤若寒蝉〕 jìn ruò hán chán 〈成〉 입을 다물고 말하지 않다. 늦가을 매미처럼 입을 다물다. =〔禁若寒蝉〕〔仗zhàng马寒蝉〕
〔噤声〕 jìnshēng 동 소리를 내지 않다.
〔噤战〕 jìnzhàn 동〈文〉 두려워 벌벌 떨다.

墐 jìn (근)
동〈文〉 ①진흙으로 발라서 막다. ②묻다.

殣 jìn (근)
동〈文〉 ①묻다. ¶～枯骨; 뼈를 묻다. ②굶어 죽다.

觐(覲) jìn〔〈舊〉jǐn〕 (근)
동 (임금께) 배알하다. (성지를) 참배하다. ¶～亲qīn; 부모를 뵙다 / 入～; 궁중에 들어가 천자에게 알현하다. =〔觐见〕

JING ㄐㄧㄥ

巠(巠) jīng (경)
명〈文〉 (지하의) 수맥(水脈).

泾(涇) jīng (경)
①(Jīng) 명〔地〕 징허(涇河)《간쑤성(甘肅省)에 있는 강 이름》. ②형 물이 맑다. ¶～渭; 청(清)과 탁(濁).
〔泾渭〕 Jīng Wèi 명〔地〕 징허(涇河)와 웨이수이(渭水)《웨이수이(渭水)는 탁하고 징허(涇河)는 맑음》.
〔泾渭不分〕 jīng wèi bù fēn 〈成〉 청탁·선악이 분명치 않다.
〔泾渭分明〕 jīng wèi fēn míng 〈成〉 경위가 밝다. 선악의 구별이 분명하다.

茎(莖) jīng (경)
①명 풀의 줄기. ②명 물건의 자루. 손잡이. ③양〈文〉 가늘고 긴 물건을 세는 단위. ¶数～白发; 몇 오라기의 흰 머리털 / 数shù～小草; 몇 포기의 작은 풀.

经(經) jīng (경)
A) ①명 날실. 〈比〉 세로. ②명〔地質〕 경도(經度). 경선. 자오선. ¶北京市在东～一百一十六度; 베이징 시(北京市)는 동경 116도에 있다. ③명 모세 혈관. ④형 보통의. 정상의. ¶不～之谈; 황당 무계한 말 / 这种称呼可不～; 이렇게 부르는 것은 보통이 아니다 / 荒诞dàn不～; 〈成〉 터무니없고 도리에 어긋나다 / 天～地义; 〈成〉 천지간의 불변의 진리. ⑤명 경서. 경전(經典). 경문. 성서. ⑥명 경계(境界). ⑦명 월경. ¶停～; 월경 정지. ⑧명〔漢醫〕 기혈(氣血)이 순행(循行)하는 길. 인체 안의 맥락. ⑨명 성(姓)의 하나. B) ①동 경과하다. …을 거치다. ¶不～我手; 나의 손을 거치지 않다 / 路～天津; 톈진(天津)을 경유하다 / ～了几百年; 몇백 년을 경과했다. ②개 …에 의하여. ¶～原主领去; 원(原)주인이 받아 가다 / ～人指点, 恍然大悟; 남에게 지적당하고서야, 과연 그렇구나 하고 깨달았다 / ～此教训痛改前非; 이 교훈에 의해, 전의 잘못을 철저히 고쳤다. →〔由yóu④〕 ③동 목을 매다. ¶自～; 스스로 목을 매어 죽다. =〔上吊〕 ④동 경험하다. ¶身～百战; 많은 전투 경험이 있다 / 久～大敌; 〈成〉 오랜 기간에 걸쳐 큰 적과의 전투를 경험하고 있다. ⑤동 다스리다. 영위(營爲)하다. 행하다. 관리하다. ¶～商; 장사를 하다 / 整军～武; 군을 정비하고 무술을 연마하다. =〔搞gǎo〕 ⑥동 지탱하다. 견디다. ¶不～洗; 세탁할 수 없다 / ～不起考验; 시련을 견디지 못하다. ⑦동사 앞에 놓여, '曾'·'已'와 복합하여 동작이 지나고 일이 이미 끝난 것을 나타냄. …하다. ¶曾～说过; 일찍이 말한 적이 있다. ⑧〈俗〉 같다. 같은 내용이다. ¶两～; 다르다 / 我是和人两～; 나는 세상 사람과 같지 않다 / 这两件事情是一样似的, 其实是两～; 이 두 가지 일은 같은 것 같지만 사실은 다르다. =〔两样〕⇒jìng
〔经办〕 jīngbàn 동 (상품 등을) 취급하다. ¶～人; 수탁자(受託者). 제작 청부인(請負人).
〔经闭〕 jīngbì 명〔醫〕 월경이 멎는 현상. 폐경.
〔经编〕 jīngbiān 동〔紡〕 날실로 짜다. 세로 짜다. ↔〔纬wěi编〕
〔经部〕 jīngbù 명 한적(漢籍)의 전통적 분류업.
〔经不起〕 jīngbuqǐ 못 견디다. 대항하지 못하다. ¶～风险; 폭풍우에 견디지 못하다. =〔禁不起〕 ↔〔经得起〕
〔经不住〕 jīngbuzhù 참고 있을 수 없다. ↔〔经得住〕
〔经常〕 jīngcháng 부 ①자주. 밤낮. ¶大家最好～

交换意见；모두들 자주 의견을 교환하는 것이 가장 좋다 / 学习外国语最要紧的，就是～要用功；외국어를 배우는 데 가장 중요한 것은 끊임없이 공부하는 것이다. ②언제나. 평소. ¶～开支；경상 지출 / ～工作；일상의 일 / ～税；특별세에 대하여 매년 정기적으로 징수하는 세금.
【经常费】 jīngchángfèi 명 경상비. ↔〔特tè别费〕
【经厂本】 jīngchǎngběn 명 〈文〉 명(明)나라의 경창고(經廠庫)에 소장한 판목(板木)으로 인쇄한 책.
【经穿】 jīngchuān 형 ⇨〔禁jīn穿〕
【经幢】 jīngchuáng 명 육각형 또는 원형의 돌기둥에 불호(佛號)나 경문을 새긴 것. =〔八佛头〕
【经达权变】 jīng dá quán biàn 〈成〉 ⇨〔通tōng权达变〕
【经得起】 jīngdeqǐ 견디어 내다. 이겨 내다. 참아 내다. ¶只有～困苦的生活，才能争取到美满的生活；곤궁한 생활을 견디어 내야만 비로소 훌륭한 생활을 쟁취할 수 있다. ↔〔经不起〕
【经典】 jīngdiǎn 명 ①사상 행동의 표준이 되는 책. ②유학(儒學)의 경서. 경전. ③종교의 교의를 설명한 책. ④고전(古典). ¶～力学；《理》고전 역학.
【经度】 jīngdù 명 《地》 경도. ↔〔纬wěi度〕
【经断】 jīngduàn 명 《漢醫》 월경 폐지(閉止).
【经放】 jīngfàng 동 놓아 둘 수 있다. ¶这个点心可以～几天；이 과자는 며칠씩 두어도 된다.
【经费】 jīngfèi 명 (기관·학교 등의) 경비. ¶教育～；교육 경비.
【经风雨，见世面】 jīng fēng yǔ, jiàn shì miàn 〈成〉 사회에 나가서 실제로 단련하다.
【经官动府】 jīng guān dòng fǔ 〈成〉 소송(訴訟) 거리가 되다. 관청을 소란케 하다.
【经管】 jīngguǎn 동 관리하다. 취급하다. ¶由～人签字盖章；취급자가 서명 날인하다 / 凡金钱出人都归他一手～；대개 금전의 출납은 모두 그 사람 혼잣손으로 다룬다. 명 경영과 관리.
【经国济民】 jīngguó jìmín 나라를 다스리고 민복(民福)을 증진하다.
【经过】 jīngguò 동 ①통과하다. 경과하다. ¶～二十分钟就结束了；20분으로 끝났다. ②경험하다. ¶事非～不知难；일은 해 보지 않고는 그 어려움을 모른다. 부 …을 통하여. ¶～群众去执行；대중을 통하여 실행에 옮기다.
【经互会】 Jīnghùhuì 명 ⇨〔经济互助委员会〕
【经籍】 jīngjí 명 ①⇨〔经书①〕 ②〈文〉 옛날 서적의 총칭.
【经纪】 jīngjì 동 ①(기업의) 계획·관리를 하다. ②〈文〉 처리하다. (집안을) 꾸리다. ¶～其家；그 집 살림을 꾸려 나가다. =〔料理〕 명 중개인(仲介人). (거래소의) 중매인(仲買人). =〔经纪人〕
【经纪(人)】 jīngjì(rén) 명 ①옛날, 거간꾼. 대리인. 브로커. =〔〈廣〉经济佬〕〔〈方〉掮qián客〕 ②옛날, 상인. 행상인.
【经济】 jīngjì 명 ①《經》 경제. ¶～观点；정치적인 관점을 도외시하고 경제적인 관점에 치중하는 생각. ②국민 경제에 있어서 유리(有利) 또는 유해한 것. ¶～植物；경제 식물. ③개인 생활. 그 비용. ¶他家～比较宽裕；그의 집은 생활이 비교적 여유가 있다 / 算～账；경제적인 관점에서 사물을 평가하다. 자기만의 속셈을 하다. 형 경비가 절약되다. 경제적이다. ¶现在买这种东西，那太不～了；지금 이런 물건을 사는 것은 너무 낭비다 / ～舱；(선박이나 항공기의) 이코노미 클래스 / ～小吃 =〔～饭〕；간단한 요리.
【经济地理学】 jīngjì dìlǐxué 명 경제 지리학.
【经济饭】 jīngjìfàn 명 간단한 요리. 경제적인 요리.
【经济封锁】 jīngjì fēngsuǒ 명 경제 봉쇄.
【经济杠杆】 jīngjì gànggǎn 명 《經》 경제의 지렛대《생산·유통 등의 경제 활동에 작용하는 수단. 세금·금리·가격 등》
【经济合作】 jīngjì hézuò 명 《經》 경제 협력.
【经济合作与发展组织】 Jīngjì Hézuò Yǔ Fāzhǎn Zǔzhī 명 오이시디(OECD)《경제 개발 협력 기구》.
【经济核算制】 jīngjìhésuànzhì 명 《經》 경제 계산제. 독립 채산제.
【经济互助委员会】 Jīngjì Hùzhù Wěiyuánhuì 명 코메콘(COMECON)《(동유럽의) 경제 상호 원조 회의》. =〔经互会〕
【经济机体】 jīngjì jītǐ 명 경제적 유기체.
【经济基础】 jīngjì jīchǔ 명 《哲》 하부 구조(下部構造)《줄여서, '基础'라고도 함. '上shàng层建筑'(상부 구조)의 상대적인 말》.
【经济及社会理事会】 Jīngjì Jí Shèhuì Lǐshìhuì 명 《經》 (유엔) 경제 사회 이사회.
【经济竞赛】 jīngjì jìngsài 명 《經》 경제 경쟁.
【经济绝交】 jīngjì juéjiāo 명 경제 단교.
【经济开发区】 jīngjì kāifāqū 명 《經》 경제 개발구.
【经济昆虫】 jīngjì kūnchóng 명 《經》 경제 곤충《경제상 유익 혹은 유해한 곤충》.
【经济林】 jīngjìlín 명 경제림.
【经济特区】 jīngjì tèqū 명 《經》 경제 특구.
【经济危机】 jīngjì wēijī 명 《經》 경제 공황.
【经济小吃】 jīngjì xiǎochī 명 간단한 요리. 경식(輕食).
【经济学】 jīngjìxué 명 《經》 ①경제학. ②〈簡〉 정치 경제학의 약칭.
【经济学家週刊】 Jīngjì xuéjiā zhōukān 명 《經》 이코노미스트《경제 잡지》.
【经济杂交】 jīngjì zájiāo 명 《生》 일대 잡종.
【经济主义】 jīngjì zhǔyì 명 경제주의.
【经济作物】 jīngjì zuòwù 명 《經》 공업 원료 작물. 공예 작물.
【经见】 jīngjiàn 동 경험하다. ¶大战场还没～过；큰 전장은 아직 경험한 일이 없다.
【经界】 jīngjiè 명 전답의 경계.
【经今】 jīngjīn 부 〈古白〉 현재에 이르기까지. 현재까지. ¶～三年光景；현재까지 약 3년 정도.
【经经意意】 jīngjingyìyì 부 주의 깊게. 소중하게. ¶奶奶作好了饭，～盛chéng出几碗晾liàng在案上；할머니는 밥을 다 짓더니, 조심스레 몇 그릇 담아 상 위에 늘어놓았다.
【经久】 jīngjiǔ 동 ①오랜 시일이 경과하다. ¶掌声～不息；박수 소리가 오랫동안 그치지 않다. ②오래 가다〔견디다〕. ¶～硬化；시효(時效) 경화《금속 등이 시간의 경과에 따라 경도(硬度)가 증가하는 일》/ ～是必败的；오랜 시간이 지나면 반드시 깨진다 / ～不息的欢呼声；언제까지나 그치지 않는 환호성. =〔经久耐用〕
【经久硬化】 jīngjiǔ yìnghuà 명 《工》 시효(時效) 경화.
【经看】 jīngkàn 동 볼 만하다. 돋보이다. ¶这幅画～；이 그림은 보아서 싫증이 나지 않는다.
【经魁】 jīngkuí 명 《史》 명대(明代), 오경(五經)으로 나누어 시행했던 과거(科擧)의 수석 합격자.
【经理】 jīnglǐ 명 지배인. 기업의 책임자. ¶总～；

총지배인. 동 취급하다. 관리하다. ¶～处; 취급점(店). 대리점.
〔经历〕 jīnglì 명 과거의 경력. 경험. ¶讲述自己的～; 자신의 신상에 대해서 이야기하다. 동 경과하다. 체험하다. ¶他一生～过两次世界大战; 그는 두 차례의 세계 대전을 체험했다.
〔经练〕 jīngliàn 동 경험하다. 경험을 쌓다.
〔经略〕 jīnglüè 동 〈文〉 ①나라를 다스리다. 천하를 다스려 사방을 공략하여 탈취하다. ②경영하고 계획하다. 명 옛날의, 벼슬 이름.
〔经纶〕 jīnglún 명 ①〈文〉 (정치상의) 정책·식견. 경륜. ¶大展～; 크게 경륜을 발휘하다 / 满腹～; 풍부한 경륜. ②옛날의, 벼슬 이름.
〔经罗〕 jīng luó 체질하다. 체로 치다. ¶经一遍罗; 한 번 체질하다.
〔经络〕 jīngluò 명 ①모세 혈관(毛細血管). ②《漢醫》 경락.
〔经脉〕 jīngmài 명 《漢醫》 혈관.
〔经磨〕 jīngmó 동 마찰에 견디다. 쉽게 닳아서 떨어지지 않는다. ¶这块布厚实～, 干活穿挺好; 이 무명천은 두꺼워서 닳아 떨어지지 않아, 작업복으로 매우 좋다.
〔经目〕 jīngmù 동 대강 훑어보다.
〔经年〕 jīngnián 동 세월을 보내다. ¶～累月 lěiyuè; 〈成〉 세월이 거듭되다. 명 〈文〉 긴 세월. ¶潭上的瀑布～向下奔腾; 못 위의 폭포는 오랜 세월 세차게 흘러내리고 있다. ‖ =〔弥mí年〕
〔经年累月〕 jīng nián lěi yuè 〈成〉 오랜 세월이 지나다.
〔经期〕 jīngqī 명 《生》 월경기.
〔经纱〕 jīngshā 명 《紡》 날실. ↔〔纬wěi纱〕 동 날실을 조정하다〔정리하다〕.
〔经商〕 jīng·shāng 동 장사하다. (jīngshāng) 명 ①장사. ②중개인.
〔经师〕 jīng·shī 동 스승을 따라 배우다. (jīngshī) 명 경학(經學)에 정통한 학자.
〔经师〕 jīngshi 명 〈文〉 경서(經書)의 서사(書寫)를 업으로 하는 사람.
〔经史子集〕 jīng shǐ zǐ jí 명 중국의 전통적 도서 분류법《'经·史·子·集'의 사대류(四大類)로 나누어 사부(四部)라 함》.
〔经始〕 jīngshǐ 동 시작하다. 일어나다.
〔经世〕 jīngshì 동 〈文〉 국가·사회를 다스리다.
〔经手〕 jīng·shǒu 동 ①취급하다. 손수 처리하다. ¶这件事是他～的; 이 일은 그가 취급한 것이다. ②매개(媒介)하다. ¶～费 =〔～佣〕; 수수료. 환(換)중개료 / ～三分肥; 중개를 하면 다소나마 이득을 볼 수 있다. (jīngshǒu) 명 ①중개인(仲介人). =〔经手的〕〔经手人〕 ②지배인.
〔经受〕 jīngshòu 동 (시련·단련 등을) 받다. 견디다. ¶～考验; 시련을 받다 / 怎么能～得起呢? 어떻게 견딜 수 있을까? / ～了战斗洗礼; 전투 세례에 견디었다. =〔承受〕〔禁受〕
〔经售〕 jīngshòu 동 대리 판매하다. 중개 판매하다. ¶～家 =〔经销处〕〔～商号〕; 대리점 / 本书由中华书店总～; 이 책은 중화(中華) 서점에서 총판한다. =〔经销〕
〔经书〕 jīngshū 명 ①유교(儒教)의 경전의 일컬음. =〔经籍①〕 ②경학(經學)에 관한 모든 서적. ③불교의 경전. ④도가(道家)의 경문(經文).
〔经术〕 jīngshù 명 경학(經學).
〔经水〕 jīngshuǐ 명 월경.
〔经水不调〕 jīngshuǐ bùtiáo 명 월경 불순.
〔经丝〕 jīngsī 명 손으로 켠 생사(生絲).
〔经死〕 jīngsǐ 동 목을 매어 죽다. =〔吊死〕
〔经天纬地〕 jīng tiān wěi dì 〈成〉 천지를 경영할 수 있을 정도로 재능이 뛰어나다.
〔经痛〕 jīngtòng 명 ⇨〔痛经〕
〔经外奇穴〕 jīngwài qíxué 명 《漢醫》 중국 옛날 의서(醫書)에 나오지 않는 경혈(經穴).
〔经纬〕 jīngwěi 명 ①날실과 씨실. ②《地質》 경도(經度)와 위도(緯度). ¶～仪 =〔转镜仪〕; 경위의. =〔经纬度〕 ③남북으로 통하는 길과 동서로 통하는 길. ④경위. 복잡한 사정. ⑤〈轉〉 일체(一切). 모두. ¶～万端; 남김없이 모두.
〔经委〕 jīngwěi 명 경제 위원회의 약칭.
〔经洗〕 jīngxǐ 형 세탁해도 무방하다. 물세탁이 가능하다. ¶～耐用; 물세탁해도 되며 오래 쓸 수 있다.
〔经线〕 jīngxiàn 명 ①날실. ②《地質》 경선. 자오선.
〔经销〕 jīngxiāo 동 ⇨〔经售〕
〔经心〕 jīngxīn 동 걱정하다. 염려하다. 주의하다. ¶漫不～; 전혀 개의치 않다 / 无论什么事, 只要多～就不会出大错; 무슨 일을 하든지 충분히 조심하면 큰 잘못이 없을 것이다.
〔经穴〕 jīngxué 명 《漢醫》 (침뜸의) 경혈.
〔经学〕 jīngxué 명 경서를 연구하는 학문.
〔经学院〕 jīngxuéyuàn 명 종교 학교.
〔经血〕 jīngxuè 명 《漢醫》 월경. =〔月经〕
〔经筵〕 jīngyán 명 옛날, 제왕이 경서의 강의를 듣던 곳.
〔经验〕 jīngyàn 명동 경험(하다). ¶他～很少; 그는 경험이 얕다 / 从来没有～过; 이제까지 경험한 일이 없다.
〔经验定律〕 jīngyàn dìnglǜ 명 경험적 법칙.
〔经验批判主义〕 jīngyàn pīpàn zhǔyì 명 ⇨〔马mǎ赫主义〕
〔经验主义〕 jīngyàn zhǔyì 명 ①《哲》 경험주의. ②경험에만 의존하고 이론 연구를 경시한 사고 방식.
〔经一事长一智〕 jīng yī shì zhǎng yī zhì 〈成〉 한 가지 일을 경험하면 그만큼 성장한다. =〔经一番长一智〕
〔经义〕 jīngyì 명 ①경서의 뜻. ②옛날, 향시 때 과하던 과목의 하나.
〔经意〕 jīngyì 동 마음을 쓰다. 주의하다. 관심을 갖다. ¶不～; 부주의하다. =〔经心〕〔精心jīngxīn〕 명 경서(經書)의 뜻.
〔经营〕 jīngyíng 동 ①경영하다. 관리하다. ¶～农业; 농업을 경영하다. ②계획하다. 획책하다. ¶～贸易; 장사를 하다. ③취급하다. 처리하다. ¶我公司～废铁; 이 회사는 고철을 취급한다.
〔经用〕 jīngyòng 형 ①오래가다. 오래 쓸 수 있다. ¶不～; 오래가지 못하다. =〔禁jīn用〕〔劲jìng用〕 ②쓸모 있다.
〔经由〕 jīngyóu 동 경과하다. ¶～京沪线到济南; 징후 선(京滬線)을 경유하여 지난(濟南)에 도착하다.
〔经援〕 jīngyuán 명 경제 원조.
〔经院哲学〕 jīngyuàn zhéxué 명 《哲》 스콜라 철학. =〔烦琐哲学〕
〔经轴〕 jīngzhóu 명 《紡》 (방적에서) 날실 감기 막대. 워프 빔(warp beam).
〔经传〕 jīngzhuàn 명 ①경서 및 그 주석. ②권위 있는서적. ¶名不见～; 유명하지 않다. 이름 없다.
〔经子〕 jīngzi 명 〈方〉 삼끈. 대마(大麻)의 끈.

〔经租〕 jīngzū 통 (토지 · 가옥 · 기계를) 대리 관리하다. ¶机械修理～站; 기계 수리 대출 센터.

京 jīng (경)
①명 도읍. 수도. ¶进～; 상경하다. ②명 높은 언덕. ③형〈文〉큰. ¶莫之与～; 이보다 큰 것은 없다. ④형 성(盛)한. ⑤명〈簡〉베이징(北京). ⑥수 옛날에 일천만 또는 10^{16}을 이르던 말. ⑦(Jīng) 명《民》징 족(京族)《중국의 소수 민족의 하나》. ⑧명 성(姓)의 하나.

〔京白〕 jīngbái 명 ①《劇》경극(京劇)에서 베이징(北京)말 대사. ②베이징(北京)의 구두어(口頭語) 또는 그 구어문(口語文).

〔京包铁路〕 jīngbāo tiělù 명 베이징(北京) · 바오터우(包頭) 간의 철도.

〔京菜〕 jīngcài 명 베이징(北京) 요리《'北京菜'의 약칭》.

〔京察〕 jīngchá 명 명(明) · 청대(清代)에 3년마다 치른 재경(在京) 관리에 대한 근무 평정(評定).

〔京城〕 jīngchéng 명〈文〉수도. =〔京都〕

〔京葱〕 jīngcōng 명《植》파. =〔青葱〕

〔京调儿〕 jīngdiàor 명 ①베이징(北京)에서 하는 연극 · 잡곡(雜曲). ②베이징(北京) 사투리.

〔京冬菜〕 jīngdōngcài 명 ⇨〔冬菜〕

〔京都〕 jīngdū 명 ⇨〔京师〕

〔京二胡〕 jīng'èrhú 명《樂》호궁(胡弓)의 일종《'二胡'와 비슷하며 소리는 '京胡'와 '二胡'의 중간 정도로, '京剧' 반주 등에 쓰임》.

〔京官〕 jīngguān 명 옛날, 중앙 관청의 관리.

〔京广铁路〕 Jīng-Guǎng tiělù 명 베이징(北京) · 광저우(廣州) 간의 철도.

〔京果条〕 jīngguǒtiáo 명 ⇨〔江jiāng米条儿〕

〔京胡〕 jīnghú 명《樂》호궁(胡弓)의 일종《'二胡'보다 작고 음이 높으며, 주로 '京剧'의 반주용》.

〔京话〕 jīnghuà 명 베이징(北京)말《흔히, 베이징(北京) 사투리를 이름》.

〔京畿〕 jīngjī 명〈文〉수도 및 그 부근 지방.

〔京酱〕 jīngjiàng 명《色》짙은 팥빛.

〔京剧〕 jīngjù 명《劇》중국 전통극 곡(曲)의 하나《19세기 초기에 베이징(北京)에서 발달하여 오늘에 이어짐》. =〔京戏〕

〔京炉〕 jīnglú 명 과자 제조용의 베이징(北京)식 가마.

〔京派〕 jīngpài 명《劇》경극(京劇) 유파(流派)의 하나《베이징(北京)풍의 연기를 대표로 함》.

〔京片子〕 jīngpiànzi 명 순수한 베이징(北京)말. ¶他久住北京, 一口～完全和北京人一样; 그는 베이징(北京)에 오래 살고 있기 때문에, 베이징(北京) 어투는 베이징(北京) 사람과 완전히 같다.

〔京平〕 jīngpíng 명 베이징(北京) 일대에서 쓰던 무게의 단위《'京平'의 일량사분(一兩四分)이 '库平'의 일량(一兩)에 해당됨》.

〔京腔〕 jīngqiāng 명 ①경극(京劇). ②베이징(北京) 사투리.

〔京沈铁路〕 Jīng-Shěn tiělù 명 베이징(北京) · 심양(瀋陽) 사이의 철도.

〔京师〕 jīngshī 명 수도. =〔〈文〉京都〕〔〈文〉京华〕

〔京戏〕 jīngxì 명 ⇨〔京剧〕

〔京音〕 jīngyīn 명 베이징음(北京音). ¶～京调; 베이징(北京)의 음과 악센트.

〔京油子〕 jīngyóuzi 명 말만 잘 하는 베이징(北京) 놈. ¶十个～说不过一个卫嘴子; 열 사람의 교활한 베이징(北京) 사람도 한 사람의 톈진(天津) 말재간에는 못 당한다.

〔京韵大鼓〕 jīngyùn dàgǔ 명 '代鼓(儿)'의 일종《베이징(北京)에서 시작되어 북방 각지에 퍼짐》.

惊(驚) jīng (경)
①통 놀라다. ¶吃～ =〔受～〕; 깜짝 놀라다 / 胆战心～; 〈成〉몹시 놀라다. ②통 놀라게 하다. ¶打草～蛇; 풀을 쳐서 뱀을 놀라게 하다. 〈比〉행동에 조심성이 없어서 들키다. ③통 말이 놀라 뛰다. ¶马～了; 말이 놀라 뛰었다. ④명 놀라움. ⑤통 밖으로 나오다. 흘러나오다. ¶奶～了; 젖이 흐르듯이 저절로 나오다 / 痱fèi子～了; 땀띠가 났다 / 奶不来～; 젖이 지지 않다.

〔惊诧〕 jīngchà 통〈文〉놀라고 의아해하다. ¶他的突然出现使大家～不置; 그의 갑작스런 출현은 여러 사람을 놀라고 수상쩍게 만들었다.

〔惊呆〕 jīngdāi 통 놀라서 어안이 벙벙하다. 멍청하다. 놀라게 하여 제정신을 잃게 하다.

〔惊倒〕 jīngdǎo 통 몹시 놀라다.

〔惊动〕 jīngdòng 통 ①떠들다. 훼방 놓다. 폐를 끼치다. ¶娘睡了, 别～她! 어머니가 주무시고 계시니까 떠들어서 깨시지 않도록 해라! ②놀라다. 놀래다. ¶她这么一叫喊, 把全屋人都～了; 그 여자가 큰 소리로 외쳤기 때문에, 방 안 사람들이 깜짝 놀랐다.

〔惊愕〕 jīng'è 통 놀라다. ¶十分～, 手足无措; 놀라서 손을 쓸 여지가 없다.

〔惊风〕 jīngfēng 명 ①《漢醫》경풍. 경기(驚氣). ¶急～; 급성 경풍 / 小孩儿起了～; 아이가 경풍을 일으켰다. =〔抽风〕 ②강풍(強風).

〔惊弓之鸟〕 jīng gōng zhī niǎo〈成〉활만 보고도 놀라는 새《한번 공포감을 가지면 침착하지 못함》. ¶敌人一听到解放军来了, 便像～一样, 四处逃散; 적은 해방군이 왔다고 듣자, 겁을 집어먹고 사방으로 흩어져 도망쳐 버렸다. =〔伤弓之鸟〕

〔惊官动府〕 jīng guān dòng fǔ〈成〉큰 사건으로 관청을 놀라게 하여 소란케 하다.

〔惊闺〕 jīngguī 명 실 · 바늘 등을 파는 박물장수가 치는 북과 종. =〔惊绣〕

〔惊骇〕 jīnghài 통〈文〉놀라다.

〔惊耗〕 jīnghào 명 뜻밖의 소식.

〔惊鸿〕 jīnghóng 명 놀라 날아오르는 기러기《날씬한 미인(美人)》.

〔惊慌〕 jīnghuāng 통 놀라서 당황하다.

〔惊惶〕 jīnghuáng 통 무서워하다. 놀라다. 무서워서 허둥거리다. ¶毫不～; 조금도 놀라거나 허둥거리지 않다.

〔惊惶失措〕 jīng huáng shī cuò〈成〉놀라 당황하여 어찌할 바를 모르다. =〔惊慌失措〕

〔惊魂〕 jīnghún 명 깜짝 놀랐을 때의 마음. ¶～未定; 놀라서 아직 마음이 가라앉지 않다.

〔惊鸡〕 jīngjī 명 놀란 닭. ¶慌得～似的; 당황하는 것이 마치 놀란 닭 같다.

〔惊悸〕 jīngjì 통〈文〉놀라서 가슴이 두근거리다. 명《漢醫》놀람 · 불안 · 공포 · 격노 등으로 가슴이 두근거리는 증상.

〔惊叫〕 jīngjiào 통 놀라 외치다.

〔惊惧〕 jīngjù 통〈文〉두려워하다. 명 두려움. 공포.

〔惊厥〕 jīngjué 통〈文〉놀라서 실신하다. 명《漢醫》경련.

〔惊恐〕 jīngkǒng 통 놀라 무서워하다. ¶～症; 공포증 / 他睡觉总惊惊恐恐的睡不好; 그는 자다가도 놀라 잠도 제대로 못 잔다.

〔惊恐失色〕 jīng kǒng shī sè〈成〉놀라서 얼굴빛이 벙벙하다.

〔惊恐万状〕 jīng kǒng wàn zhuàng 〈成〉 놀랍고 두려워서 추태를 속출시키는 모양.

〔惊愣〕 jīnglèng 동 놀라서 멍청해지다. ¶人们～了片刻; 사람들은 잠시 어안이벙벙했다.

〔惊马〕 jīngmǎ 명 놀라 날뛰는 말. ¶拦～; 날뛰는 말을 움쭉 못 하게 하다.

〔惊怕〕 jīngpà 동 놀라다. 두려워하다. =〔害怕〕

〔惊跑〕 jīngpǎo 동 놀라서 도망하다.

〔惊破〕 jīngpò 동 크게 놀라게 하다. ¶深夜枪声～安眠; 심야의 총성이 단잠을 깨웠다.

〔惊奇〕 jīngqí 명 기상 천외(奇想天外). 동 이상함에 놀라다. ¶他的进步实在叫人～; 그의 진보는 정말 놀랍다.

〔惊雀铃〕 jīngquèlíng 명 사당(祠堂)이나 탑의 처마 끝에 매단 종.

〔惊扰〕 jīngrǎo 동 떠들다. 놀라게 하다. 폐를 끼치다. ¶自相～; 혼자 놀라서 떠들고 있다.

〔惊人〕 jīngrén 동 ①사람을 놀라게 하다. 깜짝 놀라다. ②놀랄 만하다. 경이적이다. ¶～的成就; 놀랄 만한 성과 / ～事件; 돌발적인 큰 사건. 놀랄 만한 사건 / ～之笔bǐ; 놀랄 만한 작품.

〔惊蛇入草〕 jīng shé rù cǎo 〈成〉 초서(草書) 필세(筆勢)의 강함과 빠름을 이름. =〔飞鸟出林, 惊蛇入草〕

〔惊世骇俗〕 jīng shì hài sú 〈成〉 세상을 깜짝 놀라게 하다.

〔惊叹〕 jīngtàn 동 경탄(驚嘆)하다. ¶深为～; 매우 경탄하다.

〔惊叹号〕 jīngtànhào 명 ⇨〔感gǎn叹号〕

〔惊堂(木)〕 jīngtáng(mù) 명 옛날, 법정에서 법관이 탁상을 두드리며 범인에게 경고할 때 사용하던 막대기.

〔惊涛骇浪〕 jīng tāo hài làng 〈成〉 맹렬한 파도《험악한 환경》. ¶他一生中, 不知经历过多少次的～; 그는 평생 동안 얼마나 많은 위험한 일을 당했는지 모른다.

〔惊天动地〕 jīng tiān dòng dì 〈成〉 하늘을 놀라게 하고, 땅을 뒤흔들다. 세상을 깜짝 놀라게 하다.

〔惊湍〕 jīngtuān 명 〈文〉 급류(急流).

〔惊悉〕 jīngxī 동 〈翰〉 …라는 것을 알고 놀랐습니다《상대방의 가정에 불행한 일이 있는 것을 알았을 때 씀》. ¶～尊大人溘焉逝世; 춘부장께서 별세하셨음을 알고 깜짝 놀랐습니다.

〔惊喜〕 jīngxǐ 명 놀람과 기쁨. ¶～交集; 놀람과 기쁨이 엇갈리다. 동 놀라고도 기뻐하다.

〔惊吓〕 jīngxià 동 놀라다. 겁내다. ¶～失魂; 놀라서 실신함. 아이가 놀라서 경련을 일으킴 / 孩子受了～, 哭起来了; 어린아이가 놀라 울기 시작했다.

〔惊险〕 jīngxiǎn 형 모험적이다. 조마조마하다. ¶～片; 스릴러 영화 / ～小说; 스릴러 소설.

〔惊心怵目〕 jīng xīn chù mù 〈成〉 놀라다.

〔惊心动魄〕 jīng xīn dòng pò 〈成〉 벌벌 떨다. 놀라서 어떻게 할 바를 모르다. =〔惊心吊胆〕

〔惊醒〕 jīngxǐng 동 ①놀라서 눈을 뜨다. ¶突然从梦中～; 갑자기 꿈에서 놀라 깨다. ②놀라게 하여 잠을 깨다. ¶别～了孩子; 아이를 깨우면 안 된다.

〔惊醒〕 jīngxing 형 잠이 설다. 잠귀가 밝다. ¶他睡觉很～, 有点儿响动都知道; 그는 잠이 설어서 작은 소리도 모두 알고 있다.

〔惊绣〕 jīngxiù 명 ⇨〔惊闺〕

〔惊讶〕 jīngyà 동 놀라고 또 의아하게 생각하다. 어이없다. ¶～到极点; 너무 기가 막히다 / 他这次居然考上了北京大学, 真令人～; 이번에 베이징대학(北京大學)에 합격하였다니, 정말 놀라운 일이야.

〔惊疑〕 jīngyí 동 겁내어 의심하다.

〔惊异〕 jīngyì 동 놀라 이상히 여기다.

〔惊炸〕 jīngzhà 동 깜짝 놀라다(흔히, '～了肺'로 씀).

〔惊蛰〕 jīngzhé 명 경칩. 24절기의 하나《음력 3월 5, 6일경》. (jīng.zhé) 동 벌레들이 겨울잠에서 깨다.

〔惊住〕 jīngzhù 동 놀라 멈추어 서다.

〔惊走〕 jīngzǒu 동 놀라서 도망치다. ¶那当儿咳嗽一声儿把他～了; 그 때 헛기침을 한 번 하여, 그를 놀라 달아나게 하였다.

〔惊座〕 jīngzuò 동 동석한 사람을 놀라게 하다.

猄 jīng (경)
명 《動》 사슴의 일종. =〔黄猄〕

鲸(鯨) jīng (경)
명 《動》 고래. =〔〈俗〉 鲸鱼〕 →〔鲵ní〕

〔鲸船〕 jīngchuán 명 포경선.

〔鲸蜡醇〕 jīnglàchún 명 《化》 세틸 알코올.

〔鲸蜡烷〕 jīnglàwán 명 《化》 세탄(setane).

〔鲸目动物〕 jīngmù dòngwù 명 《動》 고래목(目) 동물.

〔鲸鲵〕 jīngní 명 사납고 악독하여 작은 물고기를 잡아먹는 큰 물고기. 〈比〉 악인 또는 죄인.

〔鲸鲨〕 jīngshā 명 《魚》 고래상어.

〔鲸吞〕 jīngtūn 동 고래처럼 통째로 삼키다《토지·영토를 병탄(倂呑)함을 이름》.

〔鲸吞蚕食〕 jīngtūn cánshí 〈比〉 ①강자가 약자를 병탄하다. ②(영토 등을) 병탄하다.

〔鲸须〕 jīngxū 명 고래 수염.

〔鲸油〕 jīngyóu 명 경유. 고래 기름.

〔鲸鱼〕 jīngyú 명 《動》 고래의 속칭. =〔京鱼〕

〔鲸仔〕 jīngzǎi 명 새끼고래.

麖 jīng (경)
명 《動》 사슴의 일종.

荆 jīng (형)
명 ①《植》 가시나무. 모형. =〔楚(木)〕〔牡荆〕 ②《植》 미모사. 함수초. ③형벌에 쓰이는 곤장. ¶负～请罪; 〈成〉 사죄하고 처벌을 청원하다. ④(Jīng) 《史》 춘추(春秋) 시대 초국(楚國)의 별칭《후베이(湖北)·후난(湖南)·광시(廣西)·구이저우(貴州) 지방의 일컬음》. ⑤성(姓)의 하나.

〔荆布〕 jīngbù ⇨〔荆钗布裙〕

〔荆钗布裙〕 jīng chāi bù qún 〈成〉 부녀자의 복장이 검소함. =〔荆布〕

〔荆柴〕 jīngchái 명 〈文〉 사립문. 허술한 집.

〔荆楚〕 Jīngchǔ 명 《史》 춘추(春秋) 시대의 초국(楚國).

〔荆川纸〕 jīngchuānzhǐ 명 대나무의 섬유로 만든 얇은 투명지.

〔荆妇〕 jīngfù 명 〈文〉 형처《자기의 아내를 이름》. =〔荆妻〕〔荆人〕〔荆室〕

〔荆棘〕 jīngjí 명 《植》 가시나무. ¶～地; ⓐ가시나무에 덮인 장소. ⓑ(멧돼지 등이 도망쳐 오는) 가시나무 덤불 / 前途遍布～; 앞길에는 수많은 난관이 놓여 있다.

〔荆棘载途〕 jīng jí zài tú 〈成〉 앞날에 수많은 곤경과 장애가 기다리고 있다.

〔荆芥〕 jīngjiè 명 《植》 형개. 정가(약용으로 쓰임).
〔荆妻〕 jīngqī 명 ⇨〔荆妇〕
〔荆球花〕 jīngqiúhuā 명 《植》 아카시아의 일종.
〔荆人〕 jīngrén 명 ⇨〔荆妇〕
〔荆三棱〕 jīngsānléng 명 《植》 매자기. =〔三棱(草)〕
〔荆室〕 jīngshì 명 ⇨〔荆妇〕
〔荆树皮〕 jīngshùpí 명 미모사(mimosa) 나무 껍질.
〔荆树皮膏〕 jīngshùpígāo 명 미모사 껍질 진액.
〔荆天棘地〕 jīng tiān jí dì 〈成〉 혼란하여 곤란한 세상.
〔荆条〕 jīngtiáo 명 ①가시나무의 가지. ¶～囤; 가시나무 가지를 결어서 만든 멍석 모양의 바구니. ②《植》 무궁화. =〔木槿〕
〔荆条疙瘩球儿〕 jīngtiáogēdaqiúr 명 가시나무 뿌리로 만든 공.
〔荆条筐(子)〕 jīngtiáokuāng(zi) 명 가시나무로 엮은 바구니.
〔荆条篱笆〕 jīngtiáo líba 명 가시나무 울타리. =〔棘jí墙〕

菁 jīng (정, 청)
①명 《植》 순무. =〔芜菁〕〔蔓菁〕 ②형 초목이 무성한 모양. ③명 정화(精華). 정수(精粹).
〔菁华〕 jīnghuá 명 정화(精華). 간추려 낸 부분. 에센스(essence).
〔菁菁〕 jīngjīng 형 〈文〉 초목이 무성하다.

腈 jīng (정)
명 《化》 케톤(keton).
〔腈纶〕 jīnglún 명 《紡》 아크릴 모사(毛絲).

睛 jīng (정)
명 눈알. 눈동자. ¶目不转～; 〈成〉 눈 하나 깜빡하지 않다 / 定～看 =〔～珠zhū儿〕〔～球qíu的〕; 응시하다. 눈여겨 보다 / 画龙点～; 〈成〉 가장 긴요한 부분을 완성시킴.

鶄(鵁) jīng (청)
→〔鵁jiāo鶄〕

精 jīng (정)
①형 정백(精白)하다. 순수한. ¶～金; 순금 / ～盐; 정제한 소금 / 人参～; 인삼 트랙트 / 酒～; 알코올. ②명 정력. 원기. ¶聚～会神; 정신을 집중하다 / ～疲pí力尽; 기진맥진하다. ③형 정통하다. 능통하다. ¶博而不～; 넓게 알지만 깊이 알지 못한다 / 这位大夫～于外科; 이 의사는 외과에 능통하다. ④형 총명하다. 빈틈없다. ¶这孩子真～! 이 아이는 정말 영리하다! ⑤형 우수한. 훌륭하다. ¶贵～不贵多; 양보다 질 / 兵～粮足; 〈成〉 병사는 정예하고 식량은 충분하다. ⑥명 정액(精液). ¶滑～; 유정(遺精)하다 / 丢diū～; 사정하다. ⑦명 신령. 괴물. 유령. ¶狐狸成了～了; 여우가 둔갑했다. ⑧부 〈北方〉 매우. ¶～窄的山道; 매우 좁은 산길 / 衣服淋得～湿; 옷이 흠뻑 젖었다 / ～细的两条腿; 매우 가는 두 다리. ⑨형 자세한. 상세한. ¶～打细算; 면밀하게 계획을 세우다. ↔〔粗④〕
〔精氨酸〕 jīng'ānsuān 명 《化》 아르기닌(Arginin). ¶～酶; 아르기나아제(Arginase).
〔精白〕 jīngbái 형 새하얗다.
〔精胞〕 jīngbāo 명 ⇨〔精囊〕
〔精刨〕 jīngbào 동 대패로 마무르다. =〔光guāng刨〕
〔精兵〕 jīngbīng 명 정병. 정예 군대.
〔精兵简政〕 jīng bīng jiǎn zhèng 〈成〉 군(軍)의 정예화와 행정의 간소화를 꾀하는 일.
〔精采〕 jīngcǎi 형 (상연물(上演物)·전람·언론·문장 따위가) 훌륭하다. ¶晚会的节目很～; 밤 모임의 프로그램은 아주 멋지다. =〔精彩〕〔出色〕 명 풍채. 풍모(風貌).
〔精巢〕 jīngcháo 명 《生》 정소. 정낭(精囊). →〔睾gāo丸〕
〔精车〕 jīngchē 명 《機》 선반(旋盤)으로 마무름. =〔光guāng车〕
〔精诚〕 jīngchéng 명 〈文〉 정성. 지성(至誠). ¶～所至, 金石为开; 〈成〉 지성이면 바위도 뚫는다. 형 성실하다.
〔精诚团结〕 jīng chéng tuán jié 〈成〉 성심껏 일치 단결하다.
〔精赤条条〕 jīng chì tiáo tiáo 〈成〉 발가벗은 모양.
〔精虫〕 jīngchóng 명 ⇨〔精子〕
〔精醇〕 jīngchún 형 맛이 순수하고 좋다.
〔精粗〕 jīngcū 명 정교함과 조잡함.
〔精粹〕 jīngcuì 형 (문예 작품 등이) 간명하고 순수하다. ¶写得很～; 문장이 세련되어 있다.
〔精打光〕 jīngdǎguāng 형 아주 말끔하다. ¶我家穷得～; 우리 집은 가난해서 아무것도 없다 / 祖遗的财产他花得～; 조상 대대로 내려온 재산을 그는 몽땅 다 써 버렸다.
〔精打细算〕 jīng dǎ xì suàn 〈成〉 (인력(人力)·물자를 사용하는 데) 면밀히 계획〔계산〕하다.
〔精淡〕 jīngdàn 형 산뜻하다. 극히 담박하다.
〔精当〕 jīngdàng 형 (언론·문장 등이) 정확하고 적절하다.
〔精到〕 jīngdào 형 주도 면밀하다. ¶这个道理发挥得十分～; 이 도리는 주도 면밀하게 전개되어 있다.
〔精雕细刻〕 jīng diāo xì kè 〈成〉 ①세밀하게 조각하다. ②(창작을) 정성스럽게 하다. ¶～的抒情曲; 고도로 세련된 서정곡.
〔精读〕 jīngdú 명동 정독(하다).
〔精度〕 jīngdù 명 《工》 정밀도.
〔精钝〕 jīngdùn 명 ⇨〔希xī钝〕
〔精纺锭〕 jīngfǎngdìng 명 《紡》 정방추(精紡錘).
〔精纺毛〕 jīngfǎngmáo 명 《紡》 소모(梳毛)와 방모(紡毛). ¶～纺织厂; 소모 방모 직포(織布) 공장.
〔精肥〕 jīngféi 명 〈方〉 ①성분이 순수한 비료. ②돼지 똥·닭 똥 등의 비료.
〔精干〕 jīnggàn 형 머리도 좋고 수완이 있다. 착실하다. 영리하다. 야무지다. ¶他年纪虽轻, 却是很～老练; 그는 젊지만, 대단히 수완이 있고 경험이 풍부하다.
〔精干老练〕 jīng gàn lǎo liàn 〈成〉 ⇨〔精明强干〕
〔精耕细作〕 jīng gēng xì zuò 〈成〉 정성들여 갈고 조심스럽게 심다.
〔精工〕 jīnggōng 형 정교하다. 명 치밀한 일. ¶～巧匠; 치밀한 일을 하는 공장(工匠). 숙련 노동자.
〔精乖伶俐〕 jīng guāi líng lì 〈成〉 매우 영리하여 남의 마음에 들다.
〔精怪〕 jīngguài 명 (조수(鳥獸)나 초목이 둔갑한) 요괴(妖怪).
〔精光〕 jīngguāng 형 ①반들반들한 모양. ②빈털

터리. 텅텅 빈 모양. ¶把酒喝个～; 술을 한 방울도 남기지 않고 다 마셔 버리다/牺牲个～; 완전히 희생이 되다/把衣裳脱得～; 홀랑 벗고 알몸이 되다. ③원기 왕성한.

〔精悍〕 jīnghàn 형 ①두뇌가 명석하고 수완이 있다. ②(문장 따위가) 세련되고 날카롭다. ¶笔力～; 필력이 날카롭다.

〔精核〕 jīnghé 명《植》정핵(웅성(雄性) 세포의 핵). 동 자세히 계산〔조사〕하다.

〔精华〕 jīnghuá 명 정화(精華). 정수(精粹). ¶取其～, 去其糟粕; 그 정화를 취하고 찌꺼기를 버리다.

〔精货〕 jīnghuò 명 상등품. 일등품.

〔精加工〕 jīngjiāgōng 명 마무리. ¶半～; 중간 마무리.

〔精简〕 jīngjiǎn 동 간소화하다. 정예화(精銳化)하다. ¶～节约运动; 간소화하여 거기서 얻은 경제의 여잉(餘剩)을 유효화하는 운동/～人员; 인원을 삭감하다/～汉字; 한자(漢子)를 정리하여 간소화하다.

〔精金美玉〕 jīng jīn měi yù 〈成〉①인품이 양순하고 기질이 온후하다. ②완벽하다. ‖=〔精金良玉〕

〔精劲〕 jīngjìn 형 생기가 있고 굳세다.

〔精进〕 jīngjìn 동 ①〈文〉정진(精進)하다. 열심히 노력하다. ②《佛》잡념을 버리고, 한 마음으로 불도를 닦다.

〔精究〕 jīngjiù 형 훌륭하다. =〔精明讲究〕

〔精绝〕 jīngjué 형 매우 정밀하다. 명《地》한대(漢代) 서역(西域)의 지명.

〔精力〕 jīnglì 명 정력. 정신과 힘. ¶～充沛; 정력이 넘치다/～旺盛; 정력이 왕성하다.

〔精炼〕 jīngliàn 동⇒〔提tí炼①〕 형 (말·문장 따위가) 간결하다. 군더더기가 없다. ¶～的文章; 간결한 문장. =〔精练〕

〔精炼厂〕 jīngliànchǎng 명 정련소(精鍊所).

〔精良〕 jīngliáng 형 ①정밀하고 훌륭하다. ¶装备～; 장비가 훌륭하다. ②매우 양호하다. 나무랄 데 없다.

〔精量播种〕 jīngliàng bōzhòng 명《農》정밀한 양으로 파종함(종자의 절약과 수확을 증가시키기 위함).

〔精列〕 jīngliè 명 ⇒〔鹡jí鸰〕

〔精灵〕 jīnglíng 명 도깨비. =〔鬼怪〕 형 〈方〉영리하다. 빈틈이 없다. ¶～人; 감각이 예민한 사람/～鬼; 〈比〉빈틈없는 놈. 영리한 놈/这孩子真～, 一说就明白了; 이 아이는 아주 영리해서 한 마디만 하면 곧 알아듣는다.

〔精馏〕 jīngliú 동《化》정류(精溜)하다. 명 정류. ¶～塔; 정류탑.

〔精美〕 jīngměi 형 정미하다. 정교하고 아름답다. ¶～的艺术品; 정교한 예술 작품/包装～; 포장이 정미하다.

〔精密〕 jīngmì 형 ①분명하다. 명확하다. ¶语言运用得～; 언어의 운용이 정밀하다/听也听不～; 들어도 잘 알 수 없다. =〔清楚〕 ②정밀하다. ¶～仪器; 정밀 기기/～陶瓷; 파인 세라믹스(fine ceramics).

〔精密卧式镗盘〕 jīngmì wòshì tángpán 명《機》정밀 보링 머신(precision boring machine, fine boring machine).

〔精密铸造〕 jīngmì zhùzào 명 ⇒〔熔róng蜡铸造法〕

〔精密桌上车床〕 jīngmì zhuōshàng chēchuáng 명《機》정밀 탁상 선반(旋盤).

〔精妙〕 jīngmiào 형 정교하고 아름답다. ¶～的手工艺品; 정교하고 치밀한 수공예품.

〔精敏〕 jīngmǐn 형 세밀하고 민첩하다. 총명하다. 영리하다.

〔精明〕 jīngmíng 형 ①총명하다. 정통하다. 정세(精細)하다. ¶他很～, 一说明白了; 그는 매우 총명해서 한 마디 하면 금방 알아듣는다. ②〈轉〉〈婉〉교활하다.

〔精明强干〕 jīng míng qiáng gàn 〈成〉똑똑하고 실행력이 뛰어나다. ¶他年纪虽轻, 却是～; 그는 젊지만, 꽤 능력이 있고 똑똑하다. =〔精干〕〔精干老练〕〔精明干练〕

〔精明善变〕 jīng míng shàn biàn 〈成〉총명하고 재치가 있다.

〔精囊〕 jīngnáng 명《生》정낭. =〔精胞〕

〔精泞〕 jīngnìng 형 몹시 질퍽거리다. ¶路上～很难走; 길이 매우 질어서 걷기 힘들다.

〔精疲力竭〕 jīng pí lì jié 〈成〉심신(心身)이 극도로 피로한 모양. 기진맥진한 모양. =〔精疲力尽〕〔筋疲力尽〕

〔精辟〕 jīngpì 형 (견해·이론이) 치밀하다. 투철하다. ¶～的分析; 투철한 분석/～的见解; 핵심을 정확히 찌르는 견해.

〔精品〕 jīngpǐn 명 상등품. 우수한 작품.

〔精气〕 jīngqì 명 ①천지 만물의 근본. 혼. 정력. 생명. ②정신과 기력.

〔精气神(儿)〕 jīngqìshén(r) 명 걱정. 원기. 온몸의 주의력. ¶费～; 온 신경을 쓰다/～钉不住, 什么事也办不好; 정신력과 체력이 약해서는 아무 일도 할 수 없다.

〔精巧〕 jīngqiǎo 형 정교하다.

〔精切〕 jīngqiè 부 자세히. 상세히.

〔精勤〕 jīngqín 동 전심하여 일에 힘쓰다.

〔精穷〕 jīngqióng 형 몹시 가난하다.

〔精确〕 jīngquè 형 세밀하고 정확하다. ¶论点～, 语言明快; 논점(論點)이 정확하고 말이 명쾌하다.

〔精儿〕 jīngr 명 모유(母乳)가 자연히 흘러나옴. ¶又来了一个～了; 또 모유가 흘러나왔다.

〔精肉〕 jīngròu 명 비계가 없는 살코기. =〔瘦shòu肉〕

〔精锐〕 jīngruì 명 정예한 병사·군대. 형 (군대가) 정예하다. 장비가 우수하고 전투력이 강하다.

〔精舍〕 jīngshè 명 ①학사(學舍). ②절. 승방(僧房). =〔静jìng舍〕

〔精深〕 jīngshēn 형 (학문·이론이) 상세하고 깊다. 깊이 통하고 있다. ¶学识～, 见解卓越; 학식이 깊고 견해가 탁월하다.

〔精神〕 jīngshén 명 ①정신. ¶～上的满足; 정신상의 만족/～头; 정신력. ②주지(主旨). 근본 취지. ¶来信的～是好的; 내신의 취지는 훌륭하다/这次会议的～; 이번 회의의 의의(意義).

〔精神〕 jīngshen 명 원기. 기력. 정력. ¶提～; 기운을 내다/振作～; 원기를 복돋다/～焕发; 원기가 충만함/～涣散; 정신이 산만해지다. 형 원기가 있다. 생기가 있다. ¶花儿叫雨浇得分外的～; 꽃은 비에 맞아 각별히 생기가 있다/你老是这么～; 변함 없이 건강하시군요.

〔精神病〕 jīngshénbìng 명《醫》정신병. =〔疯fēng病〕〔痴病〕

〔精神抖擞〕 jīng shén dǒu sǒu 〈成〉정신이 활기에 차 있다.

〔精神分裂症〕 jīngshén fēnliezhèng 명《醫》정

신 분열증.
〔精神贵族〕 jīngshén guìzú 명 인텔리 귀족.
〔精神耗弱〕 jīngshén hàoruò 명 정신 박약.
〔精神枷锁〕 jīngshén jiāsuǒ 명 정신적 속박.
〔精神劳动〕 jīngshén láodòng 명 정신 노동.
〔精神满腹〕 jīng shén mǎn fù 〈成〉 경륜이 풍부하다.
〔精神失常〕 jīngshén shīcháng 명 정신 이상.
〔精神食粮〕 jīngshén shíliáng 명 마음의 양식.
〔精神衰弱〕 jīngshén shuāiruò 명 《醫》 신경 쇠약.
〔精神损耗〕 jīngshén sǔnhào 명 ⇨〔无形损耗〕
〔精审〕 jīngshěn 형 〈文〉 ①(계획 · 의견 등이) 주도 면밀하다. ②(글 따위가) 상세하다. 동 (사람이나 서류 등을) 자세히 심사하다.
〔精湿〕 jīngshī 형 매우 축축하다. 흠뻑 젖다.
〔精收细打〕 jīng shōu xì dǎ 〈成〉 (작물을) 정성들여 꼼꼼하게 수확하다.
〔精瘦〕 jīngshòu 형 〈方〉 말라 빠지다.
〔精梳〕 jīngshū 동 《紡》 양모 등을 빗질하다. 소모(梳毛)하다.
〔精熟〕 jīngshú 동 정통하다. 숙달하고 있다.
〔精爽〕 jīngshuǎng 형 ①활발하다. 깔끔하다. ②머리의 회전이 빠르다.
〔精(饲)料〕 jīng(sì)liào 명 농후 사료.
〔精髓〕 jīngsuǐ 명 사물의 중심. 중요한 부분. 진수.
〔精通〕 jīngtōng 동 정통하다. ¶～业务; 업무에 정통하다 / ～日语; 일본어에 정통하다.
〔精微〕 jīngwēi 명 깊고 미묘한 비밀〔신비〕. ¶探索宇宙的～; 우주의 비밀을 탐색하다. 형 (지식 · 학식이) 깊고 정밀하다.
〔精卫填海〕 jīng wèi tián hǎi 〈成〉 ①원한을 품고 보복하려고 뜻을 세움. ②곤란을 무릅쓰고 열심히 분투함. ¶要改造大自然, 就要有～的顽强精神; 대자연을 개조하려면, 목적을 달성해야 한다는 꿋꿋한 정신이 필요하다.
〔精稀〕 jīngxī 형 몹시 묽다. ¶～的水饭; 묽은 죽.
〔精细〕 jīngxì 형 ①매우 가늘다. ¶～的腿; 매우 가는 다리. ②세심하다. 정교하고 치밀하다. ¶做事～; 일을 세심하게 하다 / ～人儿; 세상 경험이 많아 주도 면밀한 사람.
〔精细胞〕 jīngxìbāo 명 《生》 정세포.
〔精细儿〕 jīngxìr 명 극히 미세한 것.
〔精心〕 jīngxīn 형 주의하다. 정밀(精密)하다. 정성들이다. ¶～计划; 세심하게 계획하다 / ～护理病人; 정성껏 환자를 간호하다 / ～炮制; 공들여 만들어 내다. =〔经心〕〔经意〕
〔精选〕 jīngxuǎn 동 정선하다. ¶用～的原料制成; 정선된 재료로 제조한 것이다.
〔精轧〕 jīngyà 명 《工》 마무리 압연(壓延).
〔精研〕 jīngyán 동 깊이 연구하다.
〔精盐〕 jīngyán 명 정제염. ↔〔大dà盐〕
〔精液〕 jīngyè 명 《生》 정액.
〔精一〕 jīngyī 동 〈文〉 정신을 경주(傾注)하다. 형 순일(純一)하다. 순수하다.
〔精义〕 jīngyì 명 〈文〉 정의. 자세한 의의.
〔精益求精〕 jīng yì qiú jīng 〈成〉 끊임없이 진보를 추구하다. 더욱더 훌륭하게 하다.
〔精油〕 jīngyóu 명 (향료 · 살충제 · 의약 따위에 쓰이는) 정유.
〔精油嘴的〕 jīngyóuzuǐde 명 말 잘 하는 사람.
〔精于〕 jīngyú 형 …에 환한. 정통한. ¶～外语; 외국어에 정통하다 / ～一种技艺的人; 어떤 기예(技藝)에 능숙한 사람.
〔精湛〕 jīngzhàn 형 자세하고 깊이가 있다. ¶～的演技; 자세하고 깊이 있는 연기 / 技术～; 기술이 뛰어나다 / ～不磨之论; 깊은 이치가 있고, 후에도 없어지지 않는 이론. →〔精深〕
〔精整〕 jīngzhěng 동 《機》 마무르다. ¶～工段; 마무리 공정.
〔精汁〕 jīngzhī 명 ①엑스(ex). ②《漢醫》 담즙(膽汁).
〔精制〕 jīngzhì 동 정제하다. 명 ⇨〔光guāng制〕
〔精制品〕 jīngzhìpǐn 명 정제품.
〔精致〕 jīngzhì 형 ①(제조 방법이) 정교 치밀하다. 정성이 들어 있다. ¶～的花纹; 정교하고 치밀한 무늬. ②품질이 좋다. ¶割二斤肉, 要～的; 고기 두 근 썰어 주세요. 좋은 것이어야 해요.
〔精忠〕 jīngzhōng 명 사심(私心)이 없는 순수한 충성심.
〔精装〕 jīngzhuāng 명 ①고급 장정(裝訂). ¶～本; 위의 책. ②정성스러운 포장(包裝).
〔精壮〕 jīngzhuàng 형 ①(사람 · 동물이) 체력이 강하다. ②(문체(文體) · 변론 등이) 힘차다.
〔精子〕 jīngzǐ 명 《生》 정자. =〔精虫〕
〔精子银行〕 jīngzǐ yínháng 명 《醫》 정자은행.
〔精作工具〕 jīngzuò gōngjù 명 《機》 마무리 바이트(bite).
〔精作机〕 jīngzuòjī 명 《機》 마무리 기계.

鶄 jīng (정)
→〔鶌qú鶄〕

旌 jīng (정)
①명 깃털로 장식한 기(旗)의 일종. ②명 기의 총칭. ③동 〈文〉 표창하다. ¶以～其功; 그 공을 표창하다. ④동 식별하다.
〔旌表〕 jīngbiǎo 동 옛날, '牌坊'을 세우거나 편액(扁額)을 걸거나 하여 예교(禮教)를 지킨 사람을 표창하다.
〔旌别〕 jīngbié 동 식별하다. 명백하게 구별하다.
〔旌德〕 jīngdé 동 선행을 표창하다. 명 《地》 징더 현(旌德縣)《안후이 성(安徽省)에 있는 현 이름》.
〔旌节〕 jīngjié 명 ①옛날, 사신의 표시로 지닌 기(旗)와 부절(符節). ②(당(唐) · 송대(宋代)의) 절도사(節度使)의 의장(儀仗). 또는 절도사.
〔旌节花〕 jīngjiehuā 명 《植》 신이(莘夷).
〔旌旗〕 jīngqí 명 가지각색의 기. ¶～招展; 오색의 깃발이 펄럭이다.
〔旌恤〕 jīngxù 동 〈文〉 죽은 사람의 공로를 표창하고, 그 유족을 도우며 위로하다.
〔旌扬〕 jīngyáng 동 〈文〉 선행(善行)을 표창하다.

晶 jīng (정)
①명 《鑛》 수정. ¶墨mò～; 흑수정 / 茶～; 갈색 수정. ②형 빛나다. 분명하다. ¶亮～～的; 반짝반짝 빛나는 모양 / 风高日～; 하늘은 맑고, 태양은 빛난다. ③명 결정체.
〔晶簇〕 jīngcù 명 《鑛》 정족. 정동(晶洞). =〔晶群〕
〔晶糕〕 jīnggāo 명 산사 정과.
〔晶格〕 jīnggé 명 《化》 결정 격자(格子).
〔晶化〕 jīnghuà 동 《物》 결정하다. 정출(晶出)하다.
〔晶粒〕 jīnglì 명 결정립(結晶粒).
〔晶亮〕 jīngliàng 형 반짝반짝 빛나다. 맑고 환하다. ¶火光仍然～～的; 불빛은 여전히 반짝반짝 빛나고 있다.
〔晶面〕 jīngmiàn 명 《鑛》 결정면.

〔晶群〕 jīngqún 명 ⇨〔晶簇〕
〔晶石〕 jīngshí 명《鑛》철평석(鐵平石). 스파(spar)《방해석(方解石) 등》.
〔晶体〕 jīngtǐ 명《物》결정체. 결정(結晶). ¶～结构; 결정 구조. =〔结晶体〕
〔晶体玻璃〕 jīngtǐ bōli 명 크리스털 유리.
〔晶体点阵〕 jīngtǐdiǎnzhèn 명《物》공간 격자(格子). 결정 격자.
〔晶体管〕 jīngtǐguǎn 명 반도체를 사용한 전자 장치. 트랜지스터.
〔晶体管电算机〕 jīngtǐguǎn diànsuànjī 명《機》트랜지스터 컴퓨터.
〔晶体管收音机〕 jīngtǐguǎn shōuyīnjī 명 트랜지스터 라디오.
〔晶体听筒〕 jīngtǐ tīngtǒng 명 크리스털 리시버.
〔晶体扬声器〕 jīngtǐ yángshēngqì 명《電》크리스털 스피커.
〔晶系〕 jīngxì 명《鑛》결정계(結晶系).
〔晶须〕 jīngxū 명《機》촉침(觸針).
〔晶荧〕 jīngyíng 형 반짝반짝 빛나는 모양.
〔晶莹〕 jīngyíng 형 투명하고 밝다. 반짝반짝 빛나다. ¶～透彻; 반짝반짝 빛나고 투명하다.
〔晶轴〕 jīngzhóu 명《鑛》결정축.
〔晶状体〕 jīngzhuàngtǐ 명《生》수정체.

粳〈稉, 秔〉 jīng (갱)

→〔粳稻〕〔粳米〕

〔粳稻〕 jīngdào 명《植》메벼.
〔粳米〕 jīngmǐ 명 멥쌀.

兢 jīng (긍)

→〔兢兢〕〔兢兢业业〕

〔兢兢〕 jīngjīng 형 ①무서워 떠는 모양. ②신중한 모양.
〔兢兢业业〕 jīng jīng yè yè〈成〉①삼가고 두려워하는 모양. ¶～的神情; 두려워하는 표정. ②근면한 모양. ¶～, 克服困难; 부지런히 힘써 곤란을 이겨 내다.

井 jǐng (정)

① 명 우물. ¶一口～ =〔一眼～〕; 한 개의 우물／挖～ =〔打～〕〔穿～〕; 우물을 파다／甜tián水～; 음료수용의 우물／苦水～; 음료수로 쓸 수 없는 광물질을 함유한 우물. ② 명 우물 모양의 구멍. 광갱(鑛坑). ¶竖～ =〔立～〕〔矿～〕; 수갱(竪坑). ③ 명 좁고 깊은 지형 또는 건물. 건물과 건물 사이의 좁은 공지(空地). ④ 형 정연(整然)한 모양. ⑤ 명 28수(宿)의 하나《정수(井宿). 동정(東井)》. ⑥ 명 성(姓)의 하나.

〔井拔凉〕 jǐngbaliáng 명 갓 길어 온 차가운 우물물.
〔井壁〕 jǐngbì 명 우물·유정(油井) 등의 벽.
〔井场〕 jǐngchǎng 명 우물·유정(油井) 등의 현장. 보링의 현장.
〔井底〕 jǐngdǐ 명 ①우물 밑. ②광산 유정(油井) 등의 최하부.
〔井底之蛙〕 jǐng dǐ zhī wā〈成〉우물 안 개구리《견식(見識)이 좁은 사람》. =〔井鱼yú〕
〔井灌〕 jǐngguàn 명동 우물물로 관개(灌漑)(하다).
〔井架〕 jǐngjià 명 ①우물확. ②유정탑(油井塔). ③우물의 두레박을 매다는 틀.
〔井井〕 jǐngjǐng 형 정돈된 모양.
〔井井有条〕 jǐng jǐng yǒu tiáo〈成〉조리가 정연하다. 질서 정연하다.
〔井臼〕 jǐngjiù 명 물긷기와 절구질《가정을 다스림》. ¶操cāo～;〈比〉집안일을 돌보다.
〔井臼等事〕 jǐngjiùděngshì 여자가 가정에서 하는 살림살이 일.
〔井口边草〕 jǐngkǒubiāncǎo 명《植》봉미초. =〔凤fèng尾蕨〕
〔井口儿〕 jǐngkǒur 명 ①굴 등의 어귀. ②우물·유정(油井)의 아가리.
〔井口视星〕 jǐng kǒu shì xīng〈成〉⇨〔井中观天〕
〔井栏〕 jǐnglán 명 우물의 확〔난간〕. ¶～草 =〔～边草〕;《植》봉의꼬리. =〔井兰〕
〔井阑〕 jǐnglán 명 ①우물의 테두리. 우물 벽. 우물 목책〔난간〕. =〔井栏〕②옛날의 성(城)을 공격하는 데 사용한 무기의 일종.
〔井里打水往河里倒〕 jǐngli dǎ shuǐ wǎng héli dào〈諺〉우물에서 물을 길어 강에 쏟아 버리다《돈을 벌기가 무섭게 써 버리다》.
〔井辘轳〕 jǐnglùlu 명 두레박을 올렸다 내렸다 하는 도르래〔고패〕.
〔井喷〕 jǐngpēn 명 유정으로부터의 원유의 분출.
〔井然〕 jǐngrán 형〈文〉정연하다. 잘 정돈되어 있다.
〔井然有条〕 jǐng rán yǒu tiáo〈成〉질서 정연하다.
〔井身〕 jǐngshēn 명 우물의 아가리에서 바닥까지의 깊이.
〔井绳〕 jǐngshéng 명 두레박줄.
〔井水〕 jǐngshuǐ 명 우물물. ¶打～; 우물물을 푸다.
〔井水不犯河水〕 jǐngshuǐ bù fàn héshuǐ〈比〉①남의 세력권을 침범하지 않는다. ②조금도 관계가 없다. ‖ =〔河水不犯井水〕
〔井台(儿)〕 jǐngtái(r) 명 우물의 둔덕.
〔井探〕 jǐngtàn 명《鑛》탐광(探鑛)《광갱(鑛坑)의》. 보링(boring).
〔井淘三遍吃好水〕 jǐng táo sān biàn chī hǎo shuǐ〈諺〉우물을 세 번 쳐내면 좋은 물을 마실 수 있다《노력을 한 만큼 보답해 줌》.
〔井田制〕 jǐngtiánzhì 명《史》정전법《하(夏)·은(殷)·주(周) 3대에 행하여진 전제(田制)》.
〔井亭〕 jǐngtíng 명 우물에 세운 정자(亭子).
〔井桶子〕 jǐngtǒngzi 명 우물의 입구에서 수면까지의 원통형 부분.
〔井筒〕 jǐngtǒng 명 ①땅 속의 우물확. ②펌프의 파이프. 관(管).
〔井蛙见〕 jǐngwājiàn 명〈比〉좁은 견식(見識).
〔井窝子〕 jǐngwōzi 명 ①베이징(北京)의 물장수가 우물가에 지은 살림집. ②〈轉〉우물가. ‖ =〔水shuǐ窝子〕
〔井斜〕 jǐngxié 명 유정(油井)의 수직에 대한 경사도(度).
〔井渫不食〕 jǐng xiè bù shí〈成〉우물을 치워서 식수에 곤란을 받음. 재능이 있으면서도 불우함.
〔井盐〕 jǐngyán 명 염분을 함유한 우물물로 만든 소금《쓰촨(四川)·윈난(雲南)에 많음》.
〔井鱼〕 jǐngyú〈成〉⇨〔井底之蛙〕
〔井灶〕 jǐngzào 명 염정(鹽井)의 물로 소금을 만드는 공장.
〔井中观天〕 jǐng zhōng guān tiān〈成〉우물 속에서 하늘을 보다《견식이 좁음》. =〔井口视星〕〔坐zuò井观天〕

阱〈穽〉 jǐng (정)

명 함정. =〔陷xiàn阱〕〔陷坑kēng〕

汫 jǐng (경, 정)
→〔汫洲〕

〔汫洲〕 Jǐngzhōu 명 《地》 징저우(汫洲)《광둥(廣東)에 있는 땅 이름》.

肼 jǐng (정)
명 《化》 하이드라진(hydrazine). ¶苯~; 페닐하이드라진. =〔联氨〕

刭(剄) jǐng (경)
동 〈文〉 목을 베다. ¶自~ =〔自刎wěn〕; 자살하다.

颈(頸) jǐng (경)
명 ①목. ¶长~鹿; 《動》 기린. =〔〈口〉脖子〕 ②병의 목. ¶长~瓶 =〔烧瓶〕; 《化》 플라스크. ③베어링. =〔轴承〕 ⇒gěng

〔颈背〕 jǐngbèi 명 목덜미.
〔颈脖子〕 jǐngbózi 명 〈方〉 목. 멱살. =〔脖子〕
〔颈动脉〕 jǐngdòngmài 명 《生》 경동맥.
〔颈根〕 jǐnggēn 명 목. 목덜미.
〔颈巾〕 jǐngjīn 명 스카프.
〔颈链〕 jǐngliàn 명 목걸이. 네클리스.
〔颈窝〕 jǐngwō 명 ①목덜미. ②목덜미의 옴폭 팬 곳.
〔颈项〕 jǐngxiàng 명 목.
〔颈轴承〕 jǐngzhóuchéng 명 《機》 저널(journal) 베어링.
〔颈椎〕 jǐngzhuī 명 《生》 경추.
〔颈子〕 jǐngzi 명 목.

景 jǐng (경)
①(~儿) 명 경치. ¶良辰美~; 〈成〉 날씨도 좋고 경치 또한 아름답다 / 雪xuě~; 설경(雪景) / ~致zhì; 풍경. ②명 경기(景氣). 경제적 환경. ¶生意不~; 장사가 불경기이다 / 大闹不~; 극심한 불경기로 곤경에 처해 있다. ③명 모양. 정황. ¶盛~; 성황(盛況) / 新中国的远~; 새로운 중국의 장래 / 远~计画; 장기 계획 / 冬~天儿; 겨울철. 동계. ④형 큰. 위대한. ¶~行; 훌륭한 행실. ⑤동 흠모하다. 존경하다. ¶~仰yǎng; 존경하다 / ~慕mù; 흠모하다. ⑥명 《劇·映》 연극·영화의 세트 및 로케이션의 야외 장면. ¶内~; 스튜디오의 세트. ⑦명 희곡의 1막을 배경으로 나눈 단락. 장(場). 경(景). ¶第三幕第一~; 제3막 제1경. ⑧지명용 자(字). ¶~县; 징 현(景縣)《허베이 성(河北省)에 있는 현 이름》. ⑨명 성(姓)의 하나. ⇒yǐng

〔景风〕 jǐngfēng 명 〈文〉 〔경사스러운〕 바람.
〔景福〕 jǐngfú 명 〈文〉 크나큰 복.
〔景观〕 jǐngguān 명 ①경관. 풍경. ②《地質》 지형(地形).
〔景光〕 jǐngguāng 명 〈文〉 ①상서로운 빛. 서광. ②광경. 모습.
〔景教〕 Jǐngjiào 명 《宗》 당(唐)나라 태종(太宗)때 중국에 들어온 그리스도교의, 네스토리우스파(Nestorius派).
〔景况〕 jǐngkuàng 명 ①살림살이. 형편. ②경기. ③상황. 주위의 사정. (사람·사물이 놓인) 상태. ¶~补语; 《言》 상황 보어.
〔景慕〕 jǐngmù 명동 ⇨〔景仰yǎng〕
〔景片〕 jǐngpiàn 명 《劇》 플랫(flat)《몇 조각으로 된 무대의 배경》.
〔景颇族〕 Jǐngpōzú 명 《民》 징포 족《중국의 소수 민족의 하나. 윈난 성(雲南省)에 거주함》.
〔景气〕 jǐngqì 명 경기(景氣). ¶有的国家的不~情况是不容易克服的; 어떤 나라의 불경기는 쉽게 극복되지 않는다. =〔煤山〕
〔景儿〕 jǐngr 명 ⇨〔景象①〕
〔景色〕 jǐngsè 명 〈文〉 경치. ¶日出的时候~特别美丽; 일출 때의 경치는 특히 아름답다.
〔景色宜人〕 jǐng sè yí rén 〈成〉 경치가 아름다워 사람들의 마음을 기쁘게 만들다.
〔景山〕 Jǐngshān 명 《地》 베이징(北京)의 옛 쯔진청(紫禁城) 북쪽에 있는 나지막한 인공(人工)의 산.
〔景深〕 jǐngshēn 명 (사진의) 피사(被寫)범위《사진에 찍히는 심도(深度)》.
〔景泰蓝〕 jǐngtàilán 명 경태람《명(明)나라의 경태(景泰) 연간에 만들어진 칠보(七寶) 세공 도자기》. =〔景泰蓝器qì〕〔景泰兰〕〔景泰蓝瓷〕
〔景天〕 jǐngtiān 명 《植》 꿩의비름.
〔景物〕 jǐngwù 명 경물. 관상(觀賞)할 것. 풍물(風物). ¶山川秀丽, ~宜人; 산천은 수려하고, 풍물은 사람을 즐겁게 만든다.
〔景象〕 jǐngxiàng 명 ①현상. 상태. 광경. 모양. 양상. ¶社会新~; 사회의 새로운 현상. =〔景儿〕〔景状〕 ②경치. 경관. ③경기(景氣)의 상황. =〔市景〕
〔景星〕 jǐngxīng 명 ①〈文〉 상서로운 별. ②중화민국 정부가 유공자에게 주는 훈장의 명칭.
〔景仰〕 jǐngyǎng 명동 경모(하다). =〔〈文〉景慕〕
〔景遇〕 jǐngyù 명 〈文〉 경우. 처지.
〔景云〕 jǐngyún 명 〈文〉 서운(瑞雲).
〔景致〕 jǐngzhì 명 풍경. 풍광. 경치. ¶冬天一下雪, 这里的~就更美了; 겨울에 눈이 오면 이 곳의 경치는 더욱 아름다워진다.
〔景状〕 jǐngzhuàng 명 ⇨〔景象①〕
〔景祚〕 jǐngzuò 명 〈文〉 큰 행복.

憬 jǐng (경)
〈文〉 ①동 깨닫다. ¶闻之~然; 듣고서 과연 (그렇구나) 하고 납득하다. ②형 멀다.

〔憬然〕 jǐngrán 형 문득 깨닫는 모양.
〔憬悟〕 jǐngwù 동 깨닫다.

璟 jǐng (경)
명 〈文〉 옥(玉)의 빛.

儆 jǐng (경)
동 ①타이르다. 훈계하다. ¶惩chéng一~百; 〈成〉 일벌 백계하다. ②경계하다. 조심하다.

〔儆惩〕 jǐngchéng 동 〈文〉 징계하다.
〔儆对儿〕 jǐngduìr 명 경구(警句)의 대련(對聯).
〔儆戒〕 jǐngjiè 동 ①경계하다. ②훈계하여 타이르다.

警 jǐng (경)
①동 경계하다. 경비하다. ②동 정채(精彩)가 있어 남을 움직이다. 눈을 뜨게 할 만하다. ¶~句; 경구《남을 각성시킬 만한 기발한 문구》. ③명 경계해야 할 위험이나 통지. ¶火~; ⓐ불조심. ⓑ화재 경보 / 报~; 위급을 알리다. ④명 '警察'의 약칭. ¶交通~; 교통 경찰 / ~政; 경찰 행정.

〔警报〕 jǐngbào 명 (위급을 알리는) 경보. ¶防空~; 공습 경보 / 台风~; 태풍 경보. =〔警耗hào〕
〔警备〕 jǐngbèi 명동 경계 수비(하다). ¶~司令部; 경비 사령부 / ~森严; 경비가 삼엄하다.
〔警跸〕 jǐngbì 동 〈文〉 벽제(辟除)하다《옛날에, 천자의 거둥 때 통행을 금하고 경계하던 일》.

〔警标〕 jǐngbiāo 명 수중(水中)의 위험 구역에 설치된 표지(등대·부표(浮標) 따위).
〔警策〕 jǐngcè 동 〈文〉 말에 채찍질하다. 명 〈比〉 문장 중의 훌륭한 문구.
〔警察〕 jǐngchá 명 ①경찰. ②경관. ¶~阁子; 폴리스박스 / ~局; 경찰서. =〔巡xún警〕
〔警车〕 jǐngchē 명 경찰차. 순찰차.
〔警灯〕 jǐngdēng 명 경보용의 등불. 경고등(警告燈).
〔警笛(儿)〕 jǐngdí(r) 명 ①경찰관의 호루라기. ②경보(警報)의 기적. 경적(警笛). ③순찰차의 사이렌.
〔警动〕 jǐngdòng 동 (이상한 짓을 하여) 남을 놀라게 하다. 남을 감동시키다.
〔警匪片〕 jǐngfěipiàn 명 《映》 갱(gang) 영화.
〔警告〕 jǐnggào 명동 ①경고(하다). ②경고 처분(하다)《행정 처분의 하나》.
〔警鼓〕 jǐnggǔ 명 옛날에, 위급을 알리는 북.
〔警棍〕 jǐnggùn 명 경찰봉(棒)《경찰의 곤봉》.
〔警号〕 jǐnghào 명 군대·경찰·기상대 등에서 위급함을 알리는 기호(記號) 또는 통보.
〔警耗〕 jǐnghào 명 ⇨〔警报〕
〔警戒〕 jǐngjiè 동 ①주의를 주다. 타이르다. =〔儆戒〕〔儆诫〕 ②《軍》 (적을) 경계하다. ¶让他在后边~; 그에게 뒤에서 경계토록 하다 / ~线; 경계선. 비상선. 경계 수위선. 명 《軍》 ①경계병. ¶放~; 경계병을 내보내다. ②경계. 훈계. ¶这次失败, 对他是个~; 이번의 실패는 그에게 좋은 교훈이 되었다.
〔警界〕 jǐngjiè 명 경찰계. 경찰관의 사회.
〔警觉〕 jǐngjué 동 재빠르게 깨닫다. ¶妈一听~起来; 어머니는 듣고 문득 깨달았다. 명 ①민감. 찰지(察知). ¶引起~; 남에게 알려지다. ②경계심. ¶提高~; 경계심을 높이다.
〔警铃〕 jǐnglíng 명 비상 벨.
〔警锣〕 jǐngluó 명 옛날에, 비상을 알리는 징.
〔警区〕 jǐngqū 명 경찰의 관할 지역.
〔警犬〕 jǐngquǎn 명 경찰견.
〔警人〕 jǐngrén 동 사람을 놀라게 하다. ¶这一桩就是~的技艺; 이것은 사람을 놀라게 하는 재주이다.
〔警世〕 jǐngshì 동 〈文〉 세상 사람에게 경고하다.
〔警探〕 jǐngtàn 명 경찰관과 형사.
〔警惕〕 jǐngtì 명동 ①경계(하다). ¶放松~; 경계를 늦추다. ②경계심(을 가지다). ¶外国的间jiàn谍还有, 你们必须提高~; 외국의 스파이가 아직 있으므로, 경계심을 높이지 않으면 안 된다.
〔警卫〕 jǐngwèi 동 (무력으로) 경호하다. 경비하다. ¶~森严; 경호가 삼엄하다 / ~室; 수위실 / ~连 =〔~团〕; 경호 조직. 명 경호원. =〔警卫员〕
〔警悟〕 jǐngwù 동 〈文〉 ①훈계하여 타이르다. ②문득 깨닫다.
〔警醒〕 jǐngxǐng 형 잠귀가 밝다. 눈치 빠르다. ¶我睡觉~, 误不了事; 나는 잠귀가 밝으니까, 틀림이 없습니다. 동 ①세인을 계몽하다. ②경계를 하다. ¶吩fēn咐下人夜间~些; 하인에게 밤에는 단단히 경계하도록 분부하다.
〔警章〕 jǐngzhāng 명 경찰의 치안 유지 규칙.
〔警枕〕 jǐngzhěn 명 둥근 목침《잠에서 깨기 쉬운 목》.
〔警钟〕 jǐngzhōng 명 경종.

劲(勁)

jìng (경)
형 〈文〉 힘차다. 강하다. 세차다. ¶字体端~; 자체가 단정하고 힘차다 / 外柔内~; 외유내강하다. ⇒jìn
〔劲草〕 jìngcǎo 명 ①비바람에도 끄떡없는 풀. ②〈比〉 충렬 불굴(忠烈不屈)의 사람. ¶疾jí风(知)~; 〈成〉 곤란을 당하여 비로소 진가(眞價)가 나타나다.
〔劲敌〕 jìngdí 명 〈文〉 강적(強敵).
〔劲风〕 jìngfēng 명 〈文〉 강풍.
〔劲旅〕 jìnglǚ 명 〈文〉 ①정예 군대. ②강(強)팀.
〔劲用〕 jìngyòng 형 ⇨〔经jīng用①〕
〔劲卒〕 jìngzú 명 〈文〉 강한 병사.

径(徑〈逕〉A))

jìng (경)
A) ① 명 좁은 길. ¶扫~以待; 왕림하여 주시옵기 고대하나이다 / 曲~; 꼬불꼬불한 길 / 山~; 오솔길. ② 명 〈比〉 길. 목적 달성을 위한 방법. ¶捷~; 첩경. 빠른 길 / 门~; (학문의) 초보. 첫걸음. ③ 부 즉시. 직접. 느닷없이. ¶直情~行; 다른 제약을 돌보지 않고 생각대로 척척 해 나가다 / ~行办理; 즉시 처리하다 / ~与该公司进行联系; 직접 그 회사와 연락하다. **B)** 명 〈簡〉 직경. 지름. ¶~五厘米; 지름 5센티미터.
〔径寸〕 jìngcùn 명 〈文〉 지름 한 치. ¶~之珠; 지름 한 치의 구슬.
〔径节〕 jìngjié 명 지름 피치(pitch)《지름과 톱니수와의 비율》. =〔〈音〉匹pǐ取〕
〔径开〕 jìngkāi 동 직행하다. =〔径驶〕
〔径宽〕 jìngkuān 명 직경(直徑).
〔径流〕 jìngliú 명 《地質》 비의 유실(流失). 급격한 비로 인해 토양에 흡수되지 않고 흘러 버리는 물. ¶地表~; 지표 유실 / 地下~; 지하 유실.
〔径路〕 jìnglù 명 좁은 길. 소로(小路).
〔径启者〕 jìngqǐzhě 〈翰〉 전략(前略)하고 삼가 말씀드리자면…《서두에 쓰며, 곧바로 용건을 말함의 뜻》.
〔径情〕 jìngqíng 동 마음대로 하다. ¶~直遂zhísuì; 〈成〉 (일이) 생각대로 성공함.
〔径赛〕 jìngsài 명 《體》 트랙 경기. ¶~跑道; 트랙 / 田~; 육상 경기.
〔径驶〕 jìngshǐ 동 ⇨〔径开〕
〔径庭〕 jìngtíng 명 차이. 상위. ¶大有~; 〈成〉 큰 차가 있다.
〔径向轴承〕 jìngxiàng zhóuchéng 명 《機》 래디얼 베어링.
〔径行〕 jìngxíng 동 ①곧장 가다. ②생각한 대로 행동하다. 솔직하게 꾸밈없이 행동하다.
〔径行办理〕 jìngxíng bànlǐ 〈公〉 즉시 처리하다.
〔径直〕 jìngzhí 부 ①곧장. 즉시. 그대로. ¶~到…来; 곧장 …에 오다 / 登山队员~地攀登主峰; 등산 대원은 곧바로 주봉에 올랐다. =〔一直〕 ②직접. ¶他没有向主任请示, ~地跟对方交涉; 그는 주임에게 지시를 청하지 않고, 상대방과 직접 교섭했다.
〔径自〕 jìngzì 부 ①제멋대로. ¶他没等会议结束就~离去; 그는 회의가 끝나는 것을 기다리지 않고 마음대로 가 버렸다. =〔径自不改〕 ②오로지. 일념(一念)으로. ¶~干活; 오로지 일만 하다 / ~说下去; 한결같이 말을 계속하다. ③곧장. 그대로. 즉시. =〔径直①〕

弪(弳)

jìng (정)
양 《數》 래디안(radian). 호도(弧度).

经(經)

jìng (경)
동 천을 짜기 전에, 방직기에 촘촘하게 실을 메우고 여러 번 빗질하

여 날실로 만들다. ¶～纱; ⓐ날실. ⓑ날실을 메우다. ⇒jīng

胫(脛〈踁〉) jìng (경) 명 정강이. ¶不～而走; 〈比〉(소문이) 매우 빨리 퍼지다. =〔小腿〕

痉(痙) jìng (경) →〔痉挛〕

〔痉挛〕 jìngluán 명동 경련(痙攣)(을 일으키다).

净(淨) jìng (정) ①형 청결한. ¶脸要洗～; 얼굴은 깨끗이 씻어야 한다/窗明几jī～; 〈成〉 밝은 창과 말끔하고 깨끗한 책상. ②형 빈. 텅 빈. ¶钱用了～; 돈을 몽땅 써 버리다/用～; 깨끗이 다 써 버리다/材料都用～了; 재료는 모두 써 버렸다/都当dàng～了; 모두 전당잡혀 버렸다. ③형 순수한. ¶～利; 순이익/纯～; 순수(한)/～重; 실중량. ④부 완전히. 깨끗이. ⑤부 오로지. …뿐. ¶～拣好的说; 좋은 점만을 골라 말하다/～说不干gàn; 말뿐이지 실행은 하지 않다/他～看外国书, 不看本国书; 오로지 외국책을 읽고, 자국의 책은 읽지 않는다. ⑥명 정량(正量). ¶～欠下四十多元借款; 꼭 40원 남짓한 빚을 졌다. ⑦명 중국 전통극의 악인역. ¶～角; 적(敵)의 역(役). →〔生〕〔旦〕〔丑〕 ⑧동 청결하게 하다. ¶洗～; 깨끗이 빨다/～下鼻子; 코를 깨끗이 풀다. ⑨부 전부. 통틀어. ¶桌子上～是书; 책상 위에는 맨 책이다. ⑩부 뿐. ¶～说不干; 말뿐이고 실행하지 않다. ⑪형 무지(無地)의. 무늬가 없는. ¶～面儿; 무지. 무늬 없는 표면〔겉면〕.

〔净办〕 jìngban 형 ⇨〔静便〕

〔净本儿〕 jìngběnr 명 (생산자의) 원가.

〔净鞭〕 jìngbiān 명 ⇨〔静鞭〕

〔净便〕 jìngbiàn 형 ①편안하고 고요하다. 안온(安穩)하다. ②〈北方〉 (외모가) 말쑥하다. ¶一看他身上这样～, 就知道是生活有规律的人; 그의 외모가 말쑥한 것만 보아도, 생활에 규율이 있는 사람이라는 것을 안다.

〔净便〕 jìngbian 동 초경(初經)이 아직 없다. 월경이 끝나다.

〔净菜〕 jìngcài 명 ①육류가 없는 요리. =〔净馔〕〔素菜〕 ②흙을 떨어 낸 야채.

〔净产值〕 jìngchǎnzhí 명《經》순생산액.

〔净存〕 jìngcún 명 (예금의) 잔액(殘額).

〔净吨〕 jìngdūn 명《商》네트 톤(net ton).

〔净干干(的)〕 jìnggāngān(de) 형 청결하다. 깨끗하다. 부 깨끗이. 통틀어. 전부.

〔净谷〕 jìnggǔ 동 탈곡한 곡물을 키질하다. 풍구질하다. ¶复式脱谷机能把脱谷, ～和选谷结合在一起; 복식 탈곡기는 탈곡·풍구질·선곡까지 일관작업을 할 수 있다.

〔净光〕 jìngguāng 형 (아무것도 없이) 빈털터리다《보어용(補語用)으로 쓰임》. ¶把钱都花得～了; 돈을 몽땅 써 버렸다.

〔净荷载〕 jìnghèzài 명 순적재량.

〔净化〕 jìnghuà 동 정화하다. ¶～间; (전자 공업 등의) 청정실(淸淨室). 클린 룸/～废水; 폐수를 정화하다.

〔净货〕 jìnghuò 명 ①순수한 물건. ②정량. ¶～多少斤? 정량 몇 근이냐?

〔净价〕 jìngjià 명 ①할인하지 않은 실제 가격. =〔实shí价②〕 ②운임 등을 공제한 순전한 원가.

〔净街〕 jìng.jiē 동 〈俗〉 통행을 금지하다. ¶刚刚把车拉出去, 又净了街; 방금 차를 끌고 나왔는데, 또 통행 금지이다.

〔净结赢余〕 jìngjié yíngyú 명 순이익금.

〔净尽〕 jìngjìn 형 하나도 남아 있지 않다. ¶把老鼠消灭～; 쥐를 모조리 퇴치하다. =〔干gān尽〕

〔净净儿〕 jìngjīngr 형 깨끗한 모양. ¶洗～; 깨끗이 빨다〔씻다〕.

〔净利〕 jìnglì 명 순이익. ↔〔毛利〕

〔净利子〕 jìnglìzi 명《商》순〔실〕이자.

〔净脸儿〕 jìngliǎnr 명 맨얼굴《화장 등을 하지 않은》. ¶这个女人～已经就很好看, 要是打扮出来更不知道多漂亮; 이 여자는 화장하지 않아도 예쁜데, 만일 제대로 모양을 내면 얼마나 예쁠지 모를 거야. =〔青水脸儿〕〔清水脸儿〕

〔净亮〕 jìngliàng 형 깨끗하고 밝다.

〔净量〕 jìngliàng 명 정량. 알맹이의 양. =〔净重〕

〔净面〕 jìngmiàn 동 〈方〉 세면하다. 얼굴을 닦다.

〔净面儿〕 jìngmianr 명 무늬 없는 면. 무지(無地)의 표면.

〔净硼砂〕 jìngpéngshā 명 정제 붕사.

〔净瓶〕 jìngpíng 명《佛》정병《승려가 손을 씻는 물병》.

〔净檠〕 jìngqíng 명 (경비·수수료 등을 뺀) 실수령금. ¶你卖多少钱都不管, 我只要～一万就行; 네가 얼마에 팔건 상관없다. 나는 내 손에 1만만 쥐면 된다.

〔净身〕 jìngshēn 명 ①옛날에, 남자가 음경을 잘라 내는 일. ②순결한 몸. 동 몸을 깨끗이하다. 부 입은 채로. 맨몸으로.

〔净身出户〕 jìngshēn chūhù 맨몸으로〔달랑 입은 채로〕 집을 나오다《토지 개혁 때의 지주에 대한 대우 방법의 하나》.

〔净剩(儿)〕 jìngshèng(r) 명 순이익.

〔净剩了〕 jìngshèngle 다만 …할 뿐이다. ¶～哭; 다만 울 뿐이다. =〔只剩了〕

〔净收款项〕 jìngshōu kuǎnxiàng 명 실수령액.

〔净收入〕 jìngshōurù 명 순수입. 정미 수령액. ¶农业生产～; 농업 생산에 의한 순수입.

〔净手〕 jìng.shǒu 동 ①〈方〉 손을 씻다. =〔净净手〕〔净一净手〕 ②〈婉〉 변소에 가다. 용변을 보다. ¶他起身～; 그는 소변을 보러 갔다.

〔净数〕 jìngshù 명 ①정미의 수. ②실수량. =〔整数〕

〔净水龙〕 jìngshuǐlóng 명《化》할라존(halazone). =〔哈hā拉宗〕

〔净损〕 jìngsǔn 명 순손실.

〔净添〕 jìngtiān 명 순증가(純增加).

〔净桶〕 jìngtǒng 명 변기. =〔马桶〕

〔净头〕 jìngtóu 명 선사(禪寺)의 변소 관리 승려.

〔净土〕 jìngtǔ 명《佛》정토.

〔净写〕 jìngxiě 동 정서하다.

〔净信〕 jìngxìn 동 완전히 믿다. ¶别～一个人的话; 한 사람의 말만을 믿어서는 안 된다.

〔净业〕 jìngyè 명《佛》〈文〉 ①정업. 선인(仙人)들의 수행. 청정한 선업(善業). ②서방 정토에 왕생하는 업인(業因).

〔净意〕 jìngyì 부 고의(故意)로. 일부러. ¶我也不是～扔的; 나도 일부러 던진 것은 아니다.

〔净赢〕 jìngyíng 명《體》낙승. 완승. ↔〔光guāng蛋〕

〔净余〕 jìngyú 명 나머지. ¶～款; 청산 잉여금/除去开支, ～二百元; 지출을 빼고 순이익이 200원이다.

〔净院〕 jìngyuàn 명〈文〉사원(寺院).
〔净增殖率〕 jìngzēngzhílǜ 명 (가축의) 사망수를 뺀 증가율.
〔净宅〕 jìngzhái 동 방사(方士)가 집안의 악마·부정을 떨어 물리치다.
〔净整儿〕 jìngzhěngr 명 우수리가 적은 수. ¶～没有零儿; 딱 떨어져 우수리가 없다.
〔净值〕 jìngzhí 명 ①《經》감가 상각 후의 가격(ʻ固定资产～ʼ의 약칭). =〔折余价值〕 ②정미 금액.
〔净重〕 jìngzhòng 명《商》정량(正量). ¶～五公斤; 정량 5kg. =〔纯量〕〔〈俗〉去皮〕↔〔毛重〕
〔净赚〕 jìngzhuàn 명 순익. ¶～外汇1,130万卢比; 외화 1,130만 루피의 순익을 얻다.
〔净馔〕 jìngzhuàn 명 채식 요리.

竫 jìng (정)
형〈文〉조용하다. =〔静〕

静 jìng (정)
①형 조용하다. 평온하다. ¶风平浪～; 〈文〉바람도 자고 물결도 고요하다/安～; 조용하다. 평온하다. ②형 정숙하다. ¶～女; 정숙한 여자. ③동 조용하게 하다. ¶大家～一～吧! 여러분 조용히! ④동 진정시키다. ⑤형 아무 소리도 나지 않다. ¶夜～人稀; 〈成〉밤이 깊어 고요하고 사람의 그림자가 드물다/清～; 고요하다/主席走上台来, 场内～下去了; 의장이 단상에 오르자, 장내는 조용해졌다. ⑥명 성(姓)의 하나.
〔静办〕 jìngban 형 ⇨〔静便〕
〔静鞭〕 jìngbiān 명 천자의 의장 용구(儀仗用具)의 하나. =〔鸣鞭〕〔净鞭〕
〔静便〕 jìngbian 형 조용하다. 편안하고 고요하다. ¶心里不～; 마음이 안정되지 않다. 불안하다/地方儿不～; 치안이 좋지 않다. =〔静办〕〔净办〕〔净便biàn〕
〔静场〕 jìngchǎng 동 (폐쇄 시간이 되어) 회장(會場) 밖으로 사람을 나가게 하다.
〔静点〕 jìngdiǎn 명《機》사점(死點). 데드 포인트(dead point).
〔静电〕 jìngdiàn 명《物》정전기. ¶～感应; 정전 유도(誘導)/～计; 전위계/～印刷; 건식(乾式) 복사.
〔静定〕 jìngdìng 동 조용해지다. 조용히 가라앉다.
〔静荷载〕 jìnghèzài 명《建》정하중(靜荷重). 사(死)하중.
〔静极思动〕 jìng jí sī dòng 〈成〉조용한 상태가 오래 계속되면 움직이고 싶어진다.
〔静寂〕 jìngjì 명형 정적(하다). ¶一切～; 모든 것은 고요하다.
〔静静地〕 jìngjìngde 부 조용히. ¶～立着; 조용히 서 있다.
〔静静儿〕 jìngjìngr 형 조용하다. ¶～吧! 조용히 하시오!
〔静落落〕 jìngluōluō 형〈古白〉쥐죽은듯이 조용하다. ¶药铺不开, ～的; 약국은 가게를 닫아 쥐죽은듯이 고요하다.
〔静脉〕 jìngmài 명《生》정맥.
〔静脉曲张〕 jìngmài qūzhāng 명《醫》정맥이 확장, 신장(伸張) 또는 만곡하는 증상.
〔静脉注射〕 jìngmài zhùshè 명《醫》정맥 주사.
〔静美〕 jìngměi 명 정지 상태의 아름다움.
〔静谧〕 jìngmì 형〈文〉①조용하다. ¶～的月夜; 고요한 달밤. ②(세상이) 평온하다.
〔静默〕 jìngmò 동 ①침묵하다. ¶会场上又是一阵～; 회의장은 또 한 차례 침묵했다. ②묵도하다. ¶～致哀; 묵도를 드리다.
〔静穆〕 jìngmù 형 정숙하다. 엄숙하다.
〔静女〕 jìngnǚ 명〈文〉지조가 곧고 정숙한 여자.
〔静配合〕 jìngpèihé 명《機》기계 각 부분간에 다소 여유가 있는 맞물림.
〔静僻〕 jìngpì 형 조용하고 쓸쓸하다. 고요하다.
〔静悄悄(的)〕 jìngqiāoqiāo(de) 형 고요한 모양. ¶～地走; 소리를 내지 않고 살금살금 걷다/～地过日子; 조용히 지내다.
〔静如处女, 动如脱兔〕 jìng rú chǔ nǚ, dòng rú tuō tù 〈成〉조용히 있을 때는 처녀와 같고, 움직일 때는 달아나는 토끼와 같다(적시(適時)에 행동한다).
〔静舍〕 jìngshè 명 절. 승방.
〔静适〕 jìngshì 형〈文〉조용하고 기분이 좋다.
〔静水〕 jìngshuǐ 명 흐르지 않는 물. 고인 물. =〔止zhǐ水〕
〔静思〕 jìngsī 동 조용히 생각하다.
〔静肃〕 jìngsù 형 정숙하다. 조용히 삼가다.
〔静态〕 jìngtài 명 정태(靜態). ¶～分析; 정태 분석.
〔静听〕 jìngtīng 동 조용히 듣다. ¶请诸位～; 여러분 잘 들으십시오.
〔静物画〕 jìngwùhuà 명 정물화.
〔静下来〕 jìngxiàlai ①조용히! ②조용해지다. ¶周围～了; 주위는 조용해졌다.
〔静闲〕 jìngxián 형〈文〉한적하고 고요하다. 조용하다.
〔静心〕 jìngxin 명 편안하고 고요한 마음. (jìng, xīn) 동 마음을 가라앉히다.
〔静养〕 jìngyǎng 명동 정양(하다).
〔静止〕 jìngzhǐ 명동 정지(하다).
〔静止锋〕 jìngzhǐfēng 명《氣》정체 전선(停滯前線).
〔静中待变〕 jìng zhōng dài biàn 〈成〉침착하게 변동되는 것을 기다리다.
〔静字〕 jìngzì 명 (구문법 용어에서) 형용사. =〔形容词〕
〔静坐〕 jìngzuò 명동 정좌(하다). 동 연좌(連坐)하다. ¶举行～示威; 연좌 시위를 벌이다.
〔静坐罢工〕 jìngzuò bàgōng 명 연좌 파업.
〔静坐示威〕 jìngzuò shìwēi 명동 연좌 스트라이크(를 하다).
〔静座配合〕 jìngzuò pèihé 명《機》정지(靜止) 맞물림(기계 각 부분간에 틈이 없는 맞물림).

倞 jìng (경)
①형〈文〉강(強)하다. ②인명용 자(字). ⇒liàng

竞(競) jìng (경)
①동 경쟁하다. 다투다. ¶～技; ⇩/～走; ⇩ ②형 힘이 세다. ③명 성(姓)의 하나.
〔竞存〕 jìngcún 명동〈文〉생존 경쟁(하다).
〔竞渡〕 jìngdù 명 ①보트 경기. ¶龙lóng舟～; (단오절의) 용선(龍船) 경기. ②수영 경기.
〔竞技〕 jìngjì 명《體》경기. ¶～体操; 경기 체조.
〔竞进〕 jìngjìn 동〈文〉경진(競進)하다. 나란히 나아가다.
〔竞赛〕 jìngsài 명동 ①경기(競技)(하다). ¶体育～; 체육 경기. 체육 시합/汽车～; 자동차 경주. 카레이스. ②경쟁(競爭)(하다). ¶～会; 경연회(競演會)/话剧～会; 신극 경연회/汉语演说～会; 중국어 웅변 대회. →〔竞争zhēng〕

〔竞爽〕 jìngshuǎng 동 〈文〉 영예를 겨루다.
〔竞投〕 jìngtóu 명동 경쟁 입찰(하다).
〔竞销〕 jìngxiāo 동 경쟁하여 팔다. ¶减价～; 할인하여 경쟁 판매하다.
〔竞选〕 jìngxuǎn 동 선거 운동하다. 선거에 입후보하다. ¶深入开展～活动; 대중 속으로 깊이 파고들어가 선거 운동을 전개하다. 명 선거 운동. 선거전.
〔竞选诺言〕 jìngxuǎn nuòyán 명 선거 공약. ¶履lǚ行～; 선거 공약을 이행하다.
〔竞选演说〕 jìngxuǎn yǎnshuō 명 선거 연설. ¶作～; 선거 연설을 하다.
〔竞争〕 jìngzhēng 명동 경쟁(하다). ¶生存～; 생존 경쟁 / ～价格; 경쟁 가격. 경매값 / 贸易～; 무역 경쟁.
〔竞走〕 jìngzǒu 명《體》 경보. ¶十公里～; 10킬로 경보 / ～比赛; 경보 경기.

竟 jìng (경)
① 부 〈文〉 마침내. 결국. ¶有志者事～成; 뜻이 있는 사람은 마침내 성공하고야 만다 / ～无一言; 결국 한 마디도 안 했다 / ～是你的错误; 결국 네 잘못이다. =〔毕bì竟〕 ② 부 …만. …뿐. 오로지. ¶～当本就是五千块钱; 전당잡힌 것만 해도 오천 원이 된다 / 他～说废话; 그는 허튼 소리만 한다 / 别～在屋里闷mēn着; 집 안에만 틀어박혀 있으면 안 된다. ③ 부 뜻하지 않게도. 뜻밖에도. ¶一个小孩子～能写出这么好的文章来, 真了不起! 아이가 이렇게 훌륭한 글을 쓸 수 있다니 정말 대단하구나! / 他～敢欺负我; 저 놈이 건방지게도 나를 괴롭히다니 / 三年工作任务～在一年内完成; 3년의 작업 임무를 의외로 1년 안에 완성했다. ④그런데. 오히려. ⑤ 부 전혀 …뿐. 다만 …할 따름. ¶～在家里念书; 집에 틀어박혀 공부만 하고 있다. ⑥ 형 꼬박. 온통. ¶～日忙碌; 온종일 바쁘다. ⑦ 동 끝나다. ¶写～; 다 쓰다 / 整理既～; 정리는 이미 끝났다. =〔完wán毕〕
〔竟拨灯不添油〕 jìng bō dēng bù tiān yóu 〈諺〉 심지만 돋구고 기름을 치지 않는다(임시 변통만 할 뿐 근본적인 해결을 하지 않다).
〔竟不〕 jìngbù 부 ⇨〔白bái不〕
〔竟不肯〕 jìngbùkěn ⇨〔白bái不肯〕
〔竟得尔曼〕 jìngdé'ěrmàn 명 〈音〉 신사(紳士). 젠틀맨(gentleman). =〔绅士〕〔先生〕〔男士〕〔尖头鳗〕〔尖头满〕〔真特尔门〕
〔竟敢〕 jìnggǎn 부 ①하필이면. ¶～那么回答! 하필이면 그렇게 대하다니! ②감히. 대담하게도. ¶～报告给上级; 대담하게도 상급 기관에 보고하다.
〔竟顾〕 jìnggù 동 오직 …에만 신경을 쓰다. ¶写文章要～文字整齐; 문장을 지을 때에는 조리 있게 쓰는 데에만 신경을 써야 한다.
〔竟管〕 jìngguǎn 부 상관할 것 없이. 서슴지 말고. ¶你～说吧! 서슴지 말고 말하시오!
〔竟光〕 jìngguāng 부 …만(으로). …뿐. ¶～西瓜子儿就有十几种; 수박씨만도 열 몇 종류나 있다.
〔竟然〕 jìngrán 부 결국에는. 드디어. 의외로. ¶两个人～谁都不理谁了; 두 사람이 모두 결국에는 서로 상대하지 않게 되었다 / 他～成功了; 그는 결국 성공했다 / 他～敢说出这样的话来了; 그는 놀랍게도 이런 말을 하기 시작했다.
〔竟日〕 jìngrì 명 종일.
〔竟天价〕 jìngtiānjie 명 ①하늘 가득. ¶凑巧风紧, 刮刮杂杂地火起, ～烧起来; 마침 바람이 세었으므로, 불길이 확확 올라, 온 하늘을 태우는 듯했다. ②하루 종일.
〔竟夕〕 jìngxī 명 〈文〉 꼬박 하룻밤. 밤새도록.
〔竟须〕 jìngxū 조동 ⇨〔直zhí须〕
〔竟夜〕 jìngyè 명 ⇨〔整zhěng夜〕
〔竟至〕 jìngzhì ①마침내 …에 이르다. 드디어 …로 되어 버리다. ¶因为经久没修, ～完全失去效用; 오랫동안 수리를 하지 않았으므로, 마침내 완전히 효용을 잃게 되었다. ②생각 외로 …에 이르다.
〔竟自〕 jìngzì 부 ①무턱대고. 전혀. ¶我那么托他, 他～不管; 내가 그렇게 부탁했는데도, 그는 전혀 상관하지 않는다. ②결국(기대에 어그러진 기분). 의외로. 놀랍게도. ③언제까지나. 계속. ¶水～流着; 물은 계속 흐르고 있다.

境 jìng (경)
명 ①경계(境界). 국경(國境). ¶出～; ⓐ출국하다. ⓑ어느 고장에서 떠나다 / 驱逐出～; 국외로 추방하다. ②장소. ¶如入无人之～; 무인지경에 이르는 것 같다 / 渐入佳～; 점입가경. ③경우. 처지. 형편. ¶家～; 가정 형편 / 处～不同; 놓여 있는 처지가 다르다 / 环huán～; 환경. 신변의 사정. ④정도(품행·학업의). 경지. ¶学有进～; 학문이 진보되었다 / 学无止～; 학문에는 한도가 없다.
〔境地〕 jìngdì 명 ①경계. ②(생활이나 작업상의) 정황(情况). 입장. 상태. ¶处于朝不保夕的～; 내일 어찌 될지도 모르는 상태에 있다. ③정도(程度).
〔境界〕 jìngjiè 명 ①경계. ②경지. 처지. ¶理想～; 이상의 경지 / 他的演技达到出神入化的～; 그의 연기는 입신의 경지에 달해 있다.
〔境况〕 jìngkuàng 명 경우. 생활 형편. ¶～不佳; 살림 형편이 좋지 않다.
〔境内〕 jìngnèi 명 경계선 내. 관할 구역 내. ¶石家庄在河北省～; 스자좡(石家莊)은 허베이 성(河北省) 경내에 있다 / 在中国～; 중국 국내에서.
〔境外〕 jìngwài 명 경계의 땅. 국외.
〔境域〕 jìngyù 명 ①경계 안의 땅. ②경계. ③경지.
〔境遇〕 jìngyù 명 경우. 생활 형편.

獍 jìng (경)
명 호랑이나 범과 비슷한 전설상의 흉포한 짐승. ¶枭xiāo～; 〈比〉 불효자.

镜(鏡) jìng (경)
①(～儿, ～子) 명 거울. ¶玻bō璃～; 유리 거울 / 帽mào～; 탁자 위에 놓고 보는 거울. ② 명 본보기. ¶借～; 〈比〉 참고로 하다. ③ 명 안경. ¶平光～; 도수 없는 안경 / 花～; 노안경 / 望wàng远～; 망원경. ④ 명 렌즈. ¶三合(透)～; 트리플렛 타입 렌즈 / 滤色～; 컬러 필터 / 凹透～ =〔负透～〕; 오목렌즈 / (三)棱léng～; 《物》 프리즘. ⑤ 명 스냅. ⑥ 동 비추어 보다. ⑦ 동 자세히 관찰하다.
〔镜贝〕 jìngbèi 명 《貝》 떡조개.
〔镜墩儿〕 jìngdūnr 명 ⇨〔镜支儿〕
〔镜盒〕 jìnghé 명 거울함.
〔镜花水月〕 jìng huā shuǐ yuè 〈成〉 ①환영(幻影). ②실체(實體)를 붙잡을 수 없는 것.
〔镜架〕 jìngjià 명 ①액자. ②거울의 테. ③안경테.
〔镜监〕 jìngjiān 명 ⇨〔镜戒〕
〔镜戒〕 jìngjiè 명 〈文〉 훈계. 모범. ¶当以前人为～; 이전 사람을 거울로 삼아야 한다. =〔镜监〕〔镜考〕

〔镜考〕 jìngkǎo 명 ⇨〔镜戒〕
〔镜框(儿)〕 jìngkuàng(r) 명 ①액자. ②거울의 테.
〔镜里观花〕 jìng lǐ guān huā 〈成〉 실제적이 아님. 헛된 일.
〔镜奁〕 jìnglián 명 ⇨〔镜匣xiá〕
〔镜面磨削〕 jìngmiàn móxiāo 명 정밀도.
〔镜面呢〕 jìngmiànní 명 〔紡〕 촘촘하게 짠 나사(羅紗)의 일종.
〔镜面儿平〕 jìngmiànrpíng 형 거울처럼 평평하다.
〔镜片〕 jìngpiàn 명 (광학 기계의) 렌즈. 안경 알.
〔镜水〕 jìngshuǐ 명 〈比〉 거울처럼 편평한 수면.
〔镜台〕 jìngtái 명 경대. =〔镜奁lián〕
〔镜头〕 jìngtóu 명 ①렌즈. ¶阔kuò角～; 광각 렌즈/摄近～; 접사(接寫) 렌즈/～罩; 렌즈 덮개/这个相机, ～很细; 이 카메라는 렌즈가 샤프하다. ②영화의 화면. 커트 신. ¶～号数; 신 넘버/长～; 롱 쇼트. 원사(遠寫)/中～; 미디엄 쇼트. 근경(近景) 촬영/摇～; 파노라마 촬영. 판(pan)/特写～; 클로즈업/这个～特精彩! 이 장면은 특히 멋있다! ③〔映〕 스틸(still)(영화의 한 장면을 크게 인화한 선전용 사진).
〔镜匣〕 jìngxiá 명 화장 상자. 경대. =〔镜奁lián〕
〔镜箱〕 jìngxiāng 명 ①카메라. =〔摄影机〕 ②화장 상자. 경대. ③카메라의 주머니.
〔镜像〕 jìngxiàng 명 〔物〕 경상(鏡像). 미러 이미지(mirror image).
〔镜鱼〕 jìngyú 명 〔魚〕 병어. =〔鲳鱼〕
〔镜支儿〕 jìngzhīr 명 경대(열면 거울이 버티어지고 닫으면 안으로 들어감). =〔镜墩儿〕
〔镜子〕 jìngzi 명 ①거울. ¶照～; 거울에 비추다/碧绿的江静得像一面～; 초록빛의 강이 거울처럼 잔잔하다. ②〈口〉 안경.

婧 jìng (청)
형 〈文〉 여성이 총명하다〔재치 있다〕(여성 이름에 쓰임).

靓(靚) jìng (정)
명동 〈文〉 화장(하다). 단장(하다). ⇒liàng
〔靓饰〕 jìngshì 명 ⇨〔靓妆〕
〔靓衣〕 jìngyī 명 〈文〉 곱게 꾸민 의상.
〔靓质〕 jìngzhì 명 〈文〉 상질(上質). 상등.
〔靓妆〕 jìngzhuāng 명 〈文〉 아름다운 화장〔장식〕. =〔靓饰〕

靖 jìng (정)
①동 진압하고 다스리다. ②형 평안하다. 평온하다. ③명 성(姓)의 하나.
〔靖边〕 jìngbiān 동 〈文〉 국경 지대를 진압하다.
〔靖国〕 jìngguó 동 〈文〉 난국을 안정시키고 다스리다.
〔靖乱〕 jìngluàn 동 난을 평정하다.
〔靖难〕 jìngnàn 동 〈文〉 난국을 안정시키고 다스리다.

敬 jìng (경)
①동 존경하다. ¶～之以礼; 예의바르게 공경하다/致zhì～; 경의를 표하다/肃然起～; 숙연히 옷깃을 바로하다/～请指教; 삼가 지도해 주시기를 청합니다. ②동 올려 바치다. ¶～你一杯; 한 잔 드십시오/还huán～; 술잔을 돌려 주다. ③선물 겉에 쓰는 정해진 글귀. ¶喜xǐ～ =〔奁lián～〕; 결혼을 축하합니다/奠diàn～; 향전(香奠)/菲～ =〔～仪〕; 촌지(寸志). 조품(粗品)/酬～; 사례(謝禮)/饯～ =〔别～〕; 전별(餞別) 금품. ④명 성(姓)의 하나.
〔敬爱〕 jìng'ài 동 경애하다. ¶～的李老师; 경애하는 이선생님. 명 경애(하는 마음).
〔敬菜〕 jìngcài 동 주인이 손님에게 음식을 권하다. (jìngcài) 명 ①남을 요릿집에 초대하여 초대자가 주문하는 고급 요리. ②요릿집에서 잘 아는 손님에게 무료로 대접하는 요리. =〔外敬菜〕
〔敬茶〕 jìng chá 차를 올리다. 차를 권하다.
〔敬称〕 jìngchēng 명동 경칭(하다).
〔敬辞〕 jìngcí 명 경어. 공대말.
〔敬而远之〕 jìng ér yuǎn zhī 〈成〉 경원(敬遠)하다. ¶他对知识分子一向有些～; 그는 전부터 인텔리에 대하여 좀 경원(敬遠)하는 기분이 있었다.
〔敬奉〕 jìngfèng 동 〈文〉 (신불에) 정중히 올리다.
〔敬服〕 jìngfú 명동 〈文〉 경복(하다). ¶受别人～; 남에게 경복받다.
〔敬复〕 jìngfù 〈翰〉 삼가 답장을 올립니다. 배복(拜復)하다.
〔敬贺〕 jìnghè 동 ⇨〔拜bài贺〕
〔敬谨其事〕 jìng jǐn qí shì 〈成〉 정중한 태도로 하다.
〔敬酒〕 jìng jiǔ 술을 권하다. ¶向他～; 그에게 술을 권하다/敬一杯酒; 우선 한 잔 받으십시오.
〔敬酒不吃, 吃罚酒〕 jìngjiǔ bù chī, chī fájiǔ 〈諺〉 ①친절하게 권할 때는 사절하지만 억지로 떠맡기면 할 수 없이 받아들임. ②시기를 놓치면 좋지 않은 일을 당함. =〔拉lā着不走, 打着倒走〕〔〈南方〉晴qíng天不肯走, 直待雨淋头〕
〔敬老院〕 jìnglǎoyuàn 명 양로원. =〔老人院〕〔幸xìng福院〕〔养yǎng老院〕
〔敬礼〕 jìnglǐ 명 ①선물. ②경례. ¶打～; 거수 경례를 하다. ③〈翰〉〈敬〉 경백(敬白)(편지 말미에 쓰는 말). (jìng,lǐ) 동경례하다. ¶向老师敬个礼; 선생님에게 경례하다.
〔敬领〕 jìnglǐng 동 고맙게 받다. ¶～厚赐感激无既; 〈翰〉 훌륭한 물건을 주셔서 고맙기 이를 데 없습니다.
〔敬末〕 jìngmò 명 옛날, 천자의 이름과 같은 자를 쓰기를 꺼리어 그 글자의 마지막 필획(筆畫)을 생략하는 일('胤yìn'을 '胤'으로 쓰는 등).
〔敬慕〕 jìngmù 동 공경하여 따르다. 경모하다.
〔敬陪〕 jìngpéi 동 ①출석하겠습니다(초대자에 대한 구두 답변. 서면에서는 '敬知'를 흔히 씀). ②배석(陪席)하다.
〔敬佩〕 jìngpèi 동 ⇨〔钦qīn佩〕
〔敬启者〕 jìngqǐzhě 〈翰〉 삼가 아룁니다. 배계(拜啓).
〔敬使〕 jìngshǐ 명 선물을 받았을 때, 그 심부름꾼에게 주는 팁.
〔敬事〕 jìngshì 동 〈文〉 일을 주의 깊게 처리하다.
〔敬颂〕 jìngsòng 〈翰〉 삼가 축하합니다.
〔敬挽〕 jìngwǎn 동 삼가 애도의 뜻을 나타내다.
〔敬维〕 jìngwéi 〈翰〉 삼가 …라고 생각합니다.
〔敬畏〕 jìngwèi 명 존경과 두려움. 명동 경외(하다).
〔敬惜〕 jìngxī 동 존경하고 소중히 하다. ¶～字纸; 글씨가 써 있는 종이를 소중히 하다(쓰레기통 따위에 써서 붙이는 말).
〔敬悉〕 jìngxī 〈翰〉 잘 받았습니다.
〔敬献〕 jìngxiàn 동 삼가 드리다〔바치다〕.
〔敬谢〕 jìngxiè 동 ①삼가 사의를 표하다. ②공손히 사퇴하다(초대장에 불참을 알리는 데 쓰는 말). ↔〔敬知〕 ③(남에게) 감사하다. 사례하다.
〔敬谢不敏〕 jìng xiè bù mǐn 〈成〉 그 소임을 감당할 수 없어 사절하다. 임무를 감당 못 하여 사퇴하다.

〔敬烟〕 jìng yǎn 담배를 권하다. ¶敬上一支烟; 담배를 한 대 권했다.
〔敬仰〕 jìngyǎng 동 경모(敬慕)하다.
〔敬意〕 jìngyì 명 존경하는 심정. ¶我们对你们无微不至的招待表示深切的~; 당신네들의 극진한 접대에 대하여 심심한 경의를 표합니다 / 致以~; 경의를 표하다.
〔敬赠〕 jìngzèng 동 삼가 (선물을) 드리다.
〔敬知〕 jìngzhī 명 '知单'(연명식(連名式)의 회람(回覽) 초청장)에 출석하겠다는 뜻으로 적는 말. ↔〔敬谢②〕〔心领〕
〔敬治〕 jìngzhì 동 〈文〉 삼가 …을 준비하다. ¶~菲酌; 〈翰〉 변변찮은 주효(酒肴)나마 준비하겠습니다 / ~喜筵; 〈翰〉 삼가 축하연을 베풀다.
〔敬重〕 jìngzhòng 동 삼가다. 존경하다. 고맙게 여기다. ¶互相~; 서로 존경하다.
〔敬祝〕 jìngzhù 동 ①경축하다. ②〈翰〉 기원하다. ¶~您健康! 건강하시기를 기원합니다!

JIONG ㄐㄩㄥ

坰 **jiōng** (경)
명 〈文〉 교외(郊外). 들판. =〔郊坰〕〔坰野〕

駉(駉) **jiōng** (경)
〈文〉 ①형 말이 살찌다. ②명 목장.

扃 **jiōng** (경)
〈文〉 ①명 빗장. =〔扃关〕 ②명 문. 입구. =〔扃户〕 ③동 닫다. ¶~门; 문을 닫다.

冏 **jiǒng** (경)
〈文〉 ①명 빛. ②형 밝다.

泂 **jiǒng** (형)
형 〈文〉 ①⇨〔迥①〕 ②물이 넓고 깊은 모양.
〔泂蛤仔〕 jiǒnggézǐ 명 《貝》 점박이올조개.
〔泂鲫〕 jiǒngjì 명 《魚》 인상어.

迥〈逈〉 **jiǒng** (형)
〈文〉 ①형 요원한. 먼. ¶山高路~; 〈成〉 산은 높고 길은 멀다. =〔泂①〕 ②부 훨씬. 대단히.
〔迥拔〕 jiǒngbá 형 〈文〉 한결 뛰어나다.
〔迥别〕 jiǒngbié 형 〈文〉 아주 다르다. =〔迥殊〕〔迥异〕
〔迥不相同〕 jiǒng bù xiāng tóng 〈成〉 크게 다르다. =〔迥然不同〕
〔迥非昔比〕 jiǒng fēi xī bǐ 〈成〉 사뭇 옛날과는 다르다.
〔迥乎〕 jiǒnghū 부 요원하게. 멀리.
〔迥乎不同〕 jiǒng hū bù tóng 〈成〉 훨씬 다르다.
〔迥空〕 jiǒngkōng 명 〈文〉 광활 무변한 하늘.
〔迥然〕 jiǒngrán 부 전혀. 매우. 현저히. 아주. ¶~不同; 전혀 다르다.
〔迥殊〕 jiǒngshū 형 ⇨〔迥别〕
〔迥异〕 jiǒngyì 형 훨씬 다르다. 전혀 틀리다.

䌹(絅〈褧〉) **jiǒng** (경)
명 〈文〉 홑으로 된 덧옷. ¶衣锦尚~《禮記 中庸》; 비단옷을 입고 그 위에 홑덧옷을 입다(안을 아름답게 하고 겉에 나타내지 않다).

炯〈烱〉 **jiǒng** (형)
〈文〉 ①명 빛. ¶目光~~; 〈成〉 눈이 반짝반짝 빛나다. ②형 밝다. 분명하다. ¶~戒; 분명한 경계. ③동 불길이 오르다.
〔炯炯〕 jiǒngjiǒng 형 〈文〉 (눈빛이) 날카롭고 생기가 있다. 빛나는 모양. ¶他的一双眼睛~有神; 그의 눈은 날카롭게 빛나고 있다.
〔炯眼〕 jiǒngyǎn 명 〈文〉 날카로운 눈.
〔炯灼〕 jiǒngzhuó 형 〈文〉 (눈 따위가) 번쩍번쩍 빛나다.

炅 **jiǒng** (경)
명 〈文〉 불빛. 햇빛. 일광(日光). ⇒Guì

煚 **jiǒng** (경)
①명 〈文〉 햇빛. ②인명용 자(字).

颎(熲) **jiǒng** (경)
①명 〈文〉 불빛. ②인명용 자(字).

窘 **jiǒng** (군)
형 ①궁박하다. 곤궁하다. ¶生活很~; 생활이 매우 어렵다. ②곤혹(困惑)하다. ¶什么问题也~不住他; 어떤 문제라도 그를 곤란하게 하지 않는다. ③(입장이) 난처하다. ¶他叫人家问住了, ~得他面红耳赤; 그는 추궁을 받아, 얼굴이 새빨개지고 말았다.
〔窘促〕 jiǒngcù 형 〈文〉 궁지에 몰려 난처하다.
〔窘急〕 jiǒngjí 형 매우 궁박하다. 다급해지다. ¶处chǔ境~; 궁박한 처지에 놓이다. =〔窘迫pò〕〔窘蹙cù〕
〔窘境〕 jiǒngjìng 명 궁경. 궁지. ¶处于~; 궁경에 처하다.
〔窘况〕 jiǒngkuàng 명 궁핍한 상황.
〔窘困〕 jiǒngkùn 형 곤궁하다.
〔窘迫〕 jiǒngpò 형 ①궁박(窮迫)하다. ¶生计~; 생활이 곤궁하다. ②궁하다. 곤란하다. 다급하다.
〔窘事〕 jiǒngshì 명 처리에 고심함. 손을 써 볼 수 없게 됨. 취해야 할 수단이 없음.
〔窘态〕 jiǒngtài 명 궁상(窮狀). =〔窘相〕
〔窘相〕 jiǒngxiàng 명 추태(醜態). ¶~毕露; 온통 추태가 드러나다.
〔窘住〕 jiǒngzhù 동 궁박(窮迫)해지다. 정돈(停頓) 상태에 빠지다.

JIU ㄐㄧㄡ

勼 **jiū** (구)
①동 〈文〉 모이다. 모으다. ②→〔醭bú勼儿〕

究 **jiū** (구)
①동 깊이 추구하다. ¶~不出根儿来; 근원을 구명할 수 없다. ②동 캐묻다. 신문(訊問)하다. ③동 마치다. ④부 〈文〉 결국에는. 필경. ¶~属是同志不能不帮助他; 결국에는 동지이니까 그를 돕지 않을 수 없다 / ~应如何处理? 결국 어떻게 처리해야 할 것인가?
〔究办〕 jiūbàn 동 〈文〉 죄를 밝혀 처벌하다. ¶依法~; 법에 의거 심문하여 처분하다. =〔究治〕〔究处〕

〔究察〕 jiūchá 동 구명(究明)하다.
〔究处〕 jiūchǔ 동 ⇨〔究办〕
〔究根儿〕 jiū‚gēnr 동 끝까지 조사하다. 철저히 규명하다. ¶要～可不是一天半天就能打听得明白的; 철저히 조사해 내려면 하루나 반나절에 분명하게 밝힐 수 있는 일은 아니다.
〔究根问底〕 jiūgēn wèndǐ 철저히 규명하다. 샅샅이 조사하다. ＝〔追zhuī根究底〕
〔究诘〕 jiūjié 동 〈文〉 캐어 묻다.
〔究竟〕 jiūjìng 명 ①결국. ㉠의문문에 쓰이어, 끝까지 추궁함의 어세(語勢)를 나타냄. 도대체. ¶～这意味着什么呢? 도대체 이것은 무엇을 뜻하는가? / ～是谁错了呢? 결국 누가 틀린 건가? 注 '～吗'는 의문문에 쓰지 않음. ㉡평서문에 쓰이어, 궁극적으로 생각하면 이렇다의 뜻을 나타냄. 과연. 뭐라고 해도. 말하자면. ¶差不～; 대체로 보아 / ～是知识份子…; 과연 인텔리라…. ②결말. 결과. 결론('个'를 앞에 놓을 때가 많음). ¶追个～; 끝까지 추궁하다 / 大家都想知道个～; 모두들 결론을 알고 싶어한다. ‖＝〔毕bì竟〕〔必bì竟〕
〔究理〕 jiūlǐ 동 이치를 규명하다.
〔究明〕 jiūmíng 동 구명하다. 밝혀 내다.
〔究其实〕 jiūqíshí 동 사실을 추구하다. ¶～一说; 사실을 까놓고 말하면.
〔究属〕 jiūshǔ 동 〈文〉 결국 …이다. ¶～何故; 결국 어찌 된 셈인가 / ～不合; 결국 옳지 않다.
〔究问〕 jiūwèn 동 캐어 물어 밝히다.
〔究细儿〕 jiūxìr 동 ①자세히 규명하다. ¶一～就不好办; 까다롭게 굴면 일하기가 어렵다. ②꼼꼼하게 하다. 착실하게 하다.
〔究责〕 jiūzé 동 〈文〉 추궁하여 나무라다.
〔究真儿〕 jiūzhēnr 동 추궁하다. →〔究根问底〕
〔究之〕 jiūzhī 부 요컨대. 결국.
〔究治〕 jiūzhì 동 ⇨〔究办〕

鸠(鳩)

jiū (구)
① 명 《鳥》 비둘기. ② 동 모으다. 모이다. ③ 동 안심하다.

〔鸠工〕 jiūgōng 동 〈文〉 인부(人夫)를 모집하다. 노동자를 모으다.
〔鸠合〕 jiūhé 동 ⇨〔纠合〕
〔鸠集〕 jiūjí 동 모으다. 모이다. ＝〔纠集〕
〔鸠居〕 jiūjū 명 〈文〉 허술한 집.
〔鸠口〕 jiūkǒu 명 《生》 치골(恥骨).
〔鸠敛〕 jiūliǎn 동 〈文〉 치안을 잘 하여 국민이 안심하고 살게 하고 징세(徵稅)하다.
〔鸠率〕 jiūshuài 동 〈文〉 모집하여 이를 통솔하다.
〔鸠尾〕 jiūwěi 명 《建》 더브테일(dovetail).
〔鸠尾槽〕 jiūwěicáo 명 《建》 열장 장부촉을 끼우는 구멍(비둘기 꼬리 모양임).
〔鸠尾铣刀〕 jiūwěi xǐdāo 명 《機》 더브테일 커터(dovetail cutter).
〔鸠形鹄面〕 jiū xíng hú miàn 〈成〉 굶주려서 뼈만 앙상한 모양. ＝〔鸟面鹄形〕
〔鸠占〕 jiūzhàn 동 〈文〉 남의 지위를 차지하다.
〔鸠占鹊巢〕 jiū zhàn què cháo 〈成〉 ⇨〔鹊巢鸠占〕

纠(糾〈糺〉)

jiū (규)
동 ①얽히다. 휘감기다. ②교정하다. 바로잡다. ③모으다. 모이다. ④조사하다. 감독하다. ⑤비틀다.

〔纠察〕 jiūchá 동 따지고 조사하다. 질서를 유지하다. 명 질서 유지를 맡은 사람. ¶～队; ⓐ(노동쟁의 등의 배반자에 대한) 감시대. ⓑ풍기 단속자 / ～线; 감시선 / 布置～线; 감시선을 치다.
〔纠缠〕 jiūchán 동 ①서로 얽히다. 말썽을 일으키다. ¶问题～不清; 문제가 뒤얽히다 / 那件事～了许久仍无结果; 그 일은 오랫동안 말썽이 있는데, 역시 해결이 나지 않는다. ②항상 따라다니다. 폐를 끼치다. 달라붙어 방해하다. ¶俗事～; 속무(俗務)에 다망(多忙)하다 / ～不休; 달라붙어 떨어지지 않다. 늘 따라다니다. ③다가가다. 상대하다. ¶他这样不讲道理, 不要和他～了; 그 사람 같은 이런 벽창호는 상대하지 않는 편이 낫다.
〔纠纷〕 jiūfēn 명 분규. 분쟁. ¶闹出～来; 분규가 일어나다 / 邻居～; 이웃간의 승강이. 동 분쟁하다. 옥신각신하다.
〔纠葛〕 jiūgé 동 복잡한 사정에 휩쓸려 들다. ¶跟…～; …과 복잡한 관계가 되다. 명 분쟁. 분규.
〔纠合〕 jiūhé 동 〈貶〉 규합하다. ¶～党羽; 도당(徒黨)을 규합하다. ＝〔鸠合〕
〔纠伙〕 jiūhuǒ 동 도당을 규합하다. ¶～行劫; 도당을 만들어 약탈을 자행하다.
〔纠劫〕 jiūjié 동 〈文〉 결탁하여 약탈하다.
〔纠举〕 jiūjǔ 동 〈文〉 탄핵하다.
〔纠谋〕 jiūmóu 동 〈文〉 사람을 모아서 모의하다. 공모하다.
〔纠偏〕 jiū‚piān 동 〈簡〉 치우친 점을 바로잡다. 지나친 것을 시정하다('纠正偏向'의 약칭).
〔纠扰〕 jiūrǎo 동 귀찮게 덤벼들다.
〔纠仪〕 jiūyí 명 식전(式典)에서 식의 순서 등 진행을 살피고 감독하는 사람.
〔纠正〕 jiūzhèng 동 바로잡다. 고치다. ¶～偏向; 편향을 바로잡다 / 你们要勇敢地～自己的错误; 당신들은 용감하게 자기의 잘못을 바로잡아야 한다. ＝〔〈文〉纠绳〕
〔纠众〕 jiūzhòng 동 〈文〉 여러 사람을 모으다. ¶～闹事; 여러 사람을 모아서 소란을 일으키다.

赳

jiū (규)
형 용감한 모양. 사납다.

〔赳赳〕 jiūjiū 형 웅장한 모양. ¶雄xióng～, 气昂昂; 용맹스럽고 의기(意氣)가 높다.

阄(鬮)

jiū (구, 규)
(～儿) 명 제비(종이를 꼬거나 뭉친 것). ¶抓zhuā～(儿) ＝〔拈niān～(儿)〕; 제비를 뽑다.

揪〈揫〉

jiū (추)
동 ①붙잡다. (힘을 주어) 쥐다. ¶～着绳子往上爬; 새끼줄을 잡고 기어오르다 / 把他～住别叫他走; 그를 꼭 붙들고 있어, 놓치면 안 된다. ②잡아당기다. ¶把耳朵～住; 귀를 잡아당기다 / ～出来; 잡아서 끄집어 내다. ③다발을 지어 묶다. ④싸움하다. ¶～起来; 싸움을 시작하다. ⑤간신히 키워 놓다. ＝〔拉扯〕

〔揪辫子〕 jiū biànzi 변발(辮髮)을 단단히 잡다(꼬투리를 잡다). ＝〔抓zhuā辫子〕
〔揪出来〕 jiūchulai 동 집어 내다. 끌어 내다. ¶把他们～; 그들을 끄집어 내다.
〔揪打〕 jiūdǎ 동 ⇨〔扭niǔ结①〕
〔揪斗〕 jiūdòu 동 잡아 내어 곤욕을 주다. 귀찮게 따라붙어 떼를 쓰다.
〔揪耳朵〕 jiū ěrduo 귀를 잡아당기다(강제하다).
〔揪揪着〕 jiūjiuzhe 형 〈方〉 구김살이 있다. ¶衣服没熨, 还～呢; 옷은 다리미질을 안 해서 아직도 구김살이 있다.

〔揪扭〕 jiūniǔ 동 ①꼬집다. 붙잡다. ②잡아당기다. ③드잡이하다.
〔揪起来〕 jiūqǐlai 동 ①맞붙어 싸우기 시작하다. ②잡아 내다.
〔揪痧〕 jiūshā 명 《漢醫》 더위를 먹었을 때 인후염(咽喉炎) 따위의 민간 치료법.
〔揪手〕 jiūshou 명 (문·포장 등의) 잡는 끈. 쥐는 곳. ¶拴shuān个~就好拿了; 손으로 잡는 데를 붙들어매면 들기 쉽다.
〔揪心〕 jiū.xīn 동 〈方〉 ①걱정하다. 결과가 마음에 걸리다. 마음 졸이다. ¶老不定规好了真叫人~; 언제까지나 결정되지 않으니까 애가 탄다 / 这事儿叫我老揪着心; 이 일 때문에 나는 늘 마음을 졸인다. ②두려워하다. 벌벌 떨다. ③고생하다. 고통받다. 고민하다. ¶伤口痛得~; 상처가 아파서 고생하다.
〔揪心扒肝〕 jiū xīn bā gān 〈成〉 걱정하다. 마음을 졸이다. 지나치게 신경 과민이 되다. ¶你这么~就不行, 要办就放着胆儿干下去吧; 너, 그렇게 걱정하면 못써. 할 바에는 눈 딱 감고 해치워라. =〔揪心拉肝儿〕〔揪着心细儿〕
〔揪心拉肝儿〕 jiū xīn lā gānr 〈成〉 ⇨〔揪心扒肝〕
〔揪心钱〕 jiūxīnqián 명 아까워서 발발 떨며 쓰는 돈. ¶他既然舍不得, 何必让他花这~呢; 그가 아까워하고 있는데, 이런 아까운 돈을 쓰게 할 필요가 있는가.
〔揪着心细儿〕 jiū zhe xīn xìr 〈成〉 ⇨〔揪心扒肝〕
〔揪住〕 jiūzhù 동 움켜쥐다. 꽉 잡다. ¶被人~黄辫子; 갈색 변발을 꽉 잡혔다 / ~尾巴; 약점을 잡다. 꼬리를 잡다.

啾 jiū (추)
→〔啾唧〕〔啾啾〕

〔啾唧〕 jiūjí 〈擬〉 찌르륵. 짹짹(가느다랗게 우는 소리. 음성이 뒤섞여 있는 모양).
〔啾啾〕 jiūjiū 〈擬〉 짹짹(①벌레나 새가 일제히 우는 소리. ②처참〔처량〕한 소리).

鬏 jiū (추)
(~儿) 명 머리를 둘둘 틀어 올린 상투.

噍 jiū (초)
〈擬〉〈文〉 즐거운 목소리. ¶啁~; 지껄이다.
⇒jiāo jiào

〔噍噍〕 jiūjiū 〈擬〉 ①새의 울음소리. ②환호 소리.

樛 jiū (규)
동 〈文〉 ①나뭇가지가 늘어져서 휘다. ¶~木; 가지가 늘어져 휜 나무(군자의 혜택이 아래까지 미침). ②휘감기다. 졸라매다.

九 jiǔ (구)
① 수 아홉. 아홉 개. ②다수. ¶~牛一毛; 〈成〉 구우 일모(아주 적은 수) / 三弯~转; 일의 진행에 우여 곡절이 많음. ③ 명 동지로부터 81일간. 또, 그 기간의 매(每) 9일간. ¶~尽寒尽, 伏尽热尽; 동지 후 80일이 지나면 추위가 다 가고, 복이 지나면 더위가 다간다. 注 단독으로 9를 말할 때 흔히 gōu라고도 발음함.

〔九八规银〕 jiǔbā guīyín 명 옛날, 상해의 은화.
〔九百〕 jiǔbǎi 명 〈古白〉 얼간이. 멍텅구리. =〔九伯〕〔九陌mò〕
〔九成〕 jiǔchéng 명 ①10분의 9. 9할. 90%. ¶这事有~可做; 이 일은 10중 9는 할 수 있다. ②〈文〉 9층.
〔九成金〕 jiǔchéngjīn 명 22금. 22k.
〔九成九〕 jiǔchéngjiǔ 명 9할 9푼. 99퍼센트. 십중팔구. 거의. ¶这事~是确定了; 이 일은 99퍼센트 확정되었다 / ~去得了; 십중팔구 갈 수 있다.
〔九城〕 Jiǔchéng 명 베이징(北京) 전체를 가리키는 말(내성(內城)에 아홉 개의 문이 있으므로). =〔九城圈儿〕
〔九城圈儿〕 Jiǔchéngquānr 명 ⇨〔九城〕
〔九城闻名〕 Jiǔ chéng wén míng 〈成〉 ①온 베이징(北京)에 알려져 있다. ②시내 어디를 가건 유명하다.
〔九重〕 jiǔchóng 명 〈文〉 ①하늘. =〔九重霄xiāo〕 ②궁성(宮城).
〔九重天〕 jiǔchóngtiān 명 높고 높은 하늘.
〔九春〕 jiǔchūn 명 〈文〉 봄철의 90일간.
〔九代〕 jiǔdài 명 ⇨〔九族②〕
〔九道箍〕 jiǔdàogū 명 ⇨〔皱zhòu唇鲨〕
〔九道痕〕 jiǔdàohén 명 《魚》 열동가리돔.
〔九地〕 jiǔdì 명 〈文〉 ①적에게 발견되기 어려운 깊숙한 땅. ¶善守者藏于~之下; 잘 지키는 자는 깊숙한 곳에 숨는다. ②병법상, 싸움의 이(利)·불리(不利)에 의해서 구별한 9종류의 땅.
〔九鼎〕 jiǔdǐng 명 전설에서 하(夏)의 우왕(禹王)이 '九州'의 금을 바치게 하여 만든 솥. ¶~大吕; 〈比〉 말에 천 근의 무게가 있음.
〔九冬〕 jiǔdōng 명 〈文〉 겨울철 90일간.
〔九二〇〕 jiǔ'èrlíng 명 《化》 지베렐린(gibberellin). =〔赤chì霉素〕
〔九方〕 Jiǔfāng 명 복성(複姓)의 하나.
〔九陔〕 jiǔgāi 명 가장 높은 하늘.
〔九宫〕 jiǔgōng 명 고대 악곡의 가락. =〔宫调〕
〔九宫格儿〕 jiǔgōnggér 명 한자 연습용 방안지식(方眼紙式)의 종이.
〔九谷〕 jiǔgǔ 명 아홉 가지 곡물(수수·기장·차조·벼·콩·팥·보리·밀·깨).
〔九归〕 jiǔguī 명 《數》 구귀법. 주산(珠算)에서, 1에서 9까지 9개의 한 자리 숫자를 제수(除數)로 쓰는 제법(除法).
〔九花儿〕 jiǔhuār 명 《植》〈方〉 국화(9월에 피는 꽃이란 뜻).
〔九阍〕 jiǔhūn 명 ⇨〔九门〕
〔九家〕 jiǔjiā 명 전국 시대의 유가·도가·음양가(陰陽家)·법가(法家)·명가(名家)·묵가(墨家)·종횡가(縱橫家)·잡가(雜家)·농가(農家)의 아홉 학파. =〔九流〕
〔九江狸〕 jiǔjiānglí 명 《動》 사향고양이과의 작은 동물. =〔大灵猫〕.
〔九节辰〕 jiǔjiéchén 명 중양절(重陽節)(음력 9월 9일).
〔九节虾〕 jiǔjiéxiā 명 《動》 참새우.
〔九斤姑娘〕 jiǔjīn gūniang 명 시골 처녀.
〔九斤黄鸡〕 jiǔjīn huángjī 명 《鳥》 코친(cochin)(닭의 품종). =〔〈俗〉九斤黄〕
〔九九〕 jiǔjiǔ 명 ①동지로부터 계산하여 81일째 되는 날. ¶~河开; '九九' 날에는 강의 얼음이 녹는다 / ~寒天; 동지부터 81일간의 추운 계절. ②(~儿) 생각. 견식. ¶你心里没个~; 너는 약간의 견식도 갖고 있지 않다. ③셈법의 구구(九九). ¶~表; 구구단표. ④타산(打算). ¶小~; 작은 타산.
〔九九登高〕 jiǔjiǔ dēnggāo 명 음력 9월 9일 중양절(重陽節)에 높은 곳에 오르는 풍습.
〔九九归一〕 jiǔ jiǔ guī yī 〈成〉 결국. 필경. 어차피 …이다. ¶~就是大办农业了; 결국, 농사를 크게 지어야 한다. =〔九九归原〕

〔九九诀〕 jiǔjiǔjué 명 (산술 곱셈의) 구구법. →〔九归〕
〔九九鱼〕 jiǔjiǔyú 명《魚》망성어.
〔九孔〕 jiǔkǒng 명《貝》조가비가 붙은 채로의 생(生)전복.
〔九孔螺〕 jiǔkǒngluó 명《貝》전복.
〔九扣〕 jiǔkòu 명 10퍼센트〔1할〕 할인. =〔九折〕
〔九黎〕 jiǔlí 명 (전설 중의 이(夷)의 수장) 무렵의 제후(諸侯)를 일컬음.
〔九连环〕 jiǔliánhuán 명 지혜의 고리《장난감》. ¶折～; 지혜의 고리를 풀다 / 套～; 지혜의 고리를 연결하다.
〔九炼成钢〕 jiǔ liàn chéng gāng〈成〉몇 번이고 연마되어 좋은 것이 되다.
〔九流〕 jiǔliú 명 ⇨〔九家〕
〔九流三教〕 jiǔ liú sān jiào〈成〉⇨〔三教九流〕
〔九龙口〕 jiǔlóngkǒu 명 중국의 전통극에서, 무대 등장 입구(登場入口)에서 무대로 대충 세 걸음쯤 되는 곳.
〔九漏〕 jiǔlòu 명 아홉 개의 구멍이 있는 피리.
〔九门〕 jiǔmén 명 황거(皇居). 베이징(北京)성(城). ¶～提督; 베이징(北京) 전체의 치안 책임을 맡은 보병(步兵)의 우두머리. =〔九城〕〔九閫〕
〔九牛二虎之力〕 jiǔ niú èr hǔ zhī lì〈比〉대단히 센 힘. 있는 한의 온 힘.
〔九牛造〕 jiǔniúzào 명《植》눈범꼬리.
〔九派〕 Jiǔpài 명《地》양쯔 강(揚子江)《특히, 후베이(湖北)·장시(江西) 일대를 이름》.
〔九七纪念〕 Jiǔqī jìniàn 명《史》1901년, 의화단(義和團) 사변 강화(講和), 곧 신축(辛丑) 조약 체결의 국치 기념일.
〔九窍〕 jiǔqiào 명《漢醫》①아홉 개의 구멍《두 눈·두 귀·양 콧구멍·입·배뇨구(排尿口)·항문》. ¶～生烟;〈比〉몸에서 악취가 남. ②몸의 구멍이 있는 곳 모두.
〔九卿〕 jiǔqīng 명 아홉 사람의 대신《시대에 따라 명칭은 다름》.
〔九秋〕 jiǔqiū 명〈文〉가을철의 90일간.
〔九曲八拐〕 jiǔ qū bā guǎi〈成〉꾸불꾸불함.
〔九曲桥〕 jiǔqūqiáo 명 아홉 번 구부러진 다리. 구불구불한 다리.
〔九泉〕 jiǔquán 명〈文〉구천. 황천. 저승. ¶～之下; 저승 / 含笑于～; 저승에서 웃음을 머금다. 저승에서 기뻐하고 있다. =〔黄泉〕
〔九日登高〕 jiǔrì dēng gāo 옛날, 음력 9월 9일 중양절(重陽節)에 산에 올라 국화주를 마시며 한 해의 액막이를 하던 구습(舊習).
〔九儒十丐〕 jiǔrú shígài 미천한 자《나약한 지식인》.
〔九色〕 jiǔsè 명《色》구색《청(青)·적(赤)·황(黃)·흑(黑)·백(白)·녹(綠)·자(紫)·홍(紅)·감(紺)의 9가지 색》.
〔九世之仇〕 jiǔ shì zhī chóu〈成〉몇 대에 걸친 원수.
〔九死一生〕 jiǔ sǐ yī shēng〈成〉구사일생. =〔一yī生九死〕
〔九天〕 jiǔtiān 명 구천. 천상(天上). ¶吹上～; 구천에 불러 올리다《높고 높은 자리에 앉혀지다》. =〔九陔〕
〔九天九地〕 jiǔ tiān jiǔ dì〈成〉매우 높은 하늘과 매우 깊은 땅 속. 동떨어짐이 심함.
〔九天四海〕 jiǔ tiān sì hǎi〈成〉구천의 높음과 사방의 바다《하늘과 땅》.
〔九天之上〕 jiǔ tiān zhī shàng〈成〉아득히 저쪽.
〔九通〕 jiǔtōng 명《書》역대의 제도에 관한 아홉 가지 책의 총칭.
〔九头鸟〕 jiǔtóuniǎo 명 ①아홉 개의 목을 가진 요조(妖鳥). ②〈轉〉교활한 사람. =〔鬼车jū〕
〔九尾狐〕 jiǔwěihú 명 ①구미호. ②〈比〉간사하고 아첨 잘 하는 자.
〔九五〕 jiǔwǔ 명 제왕(帝王)의 자리. ¶～之尊; 제왕의 존귀한 몸.
〔九五折〕 jiǔwǔzhé 명 5푼〔5%〕 할인.
〔九夏〕 jiǔxià 명〈文〉①여름철의 90일간. ②주대(周代)의 조정(朝廷)의 9가지 주악.
〔九霄〕 jiǔxiāo 명 하늘 제일 높은 곳. →〔九天〕
〔九霄云外〕 jiǔ xiāo yún wài〈成〉하늘의 극히 높은 곳. 하늘 저 멀리《극히 먼 곳》. ¶把本来的宗旨撇piě在～去了; 본래의 취지를 포기하여 돌아보지 않다 / 忘到～去了; 모두 까맣게 잊어버리고 말았다.
〔九一八(事变)〕 Jiǔyībā(shìbiàn) 명《史》만주(滿州) 사변《1931년 9월 18일 일본군이 남만주 철도를 유조호(柳條湖)에서 폭파한 사건》.
〔九一四〕 jiǔyīsì 명《藥》네오살바르산.
〔九一四针〕 jiǔyīsìzhēn 명《藥》네오살바르산. =〔新xīn胂凡纳明〕
〔九音锣〕 jiǔyīnluó 명 ⇨〔云yún锣〕
〔九幽〕 jiǔyōu 명〈文〉지하(地下).
〔九渊〕 jiǔyuān 명〈文〉매우 깊은 못.
〔九月九〕 jiǔyuèjiǔ 명 음력 9월 9일의 중양절.
〔九云锣〕 jiǔyúnluó 명《樂》아홉 개의 작은 징을 늘어놓은 악기.
〔九章算术〕 jiǔzhāng suànshù 명《數》구장 산술《중국 최고(最古)의 산법(算法)》.
〔九折〕 jiǔzhé 명 ⇨〔九扣〕
〔九州〕 jiǔzhōu 명 천하《옛 중국의 호칭》.
〔九转成功〕 jiǔ zhuǎn chéng gōng〈成〉노력을 계속하여 성공하다.
〔九子十成〕 jiǔ zǐ shí chéng〈成〉자식 아홉이 모두 훌륭해지다.
〔九族〕 jiǔzú 명 ①고조부터 현손까지의 친족. ②외조부·외조모·이모의 자녀·장인·장모·고모의 자녀·자매의 자녀·딸의 자녀·자기의 동족(同族). =〔九代〕

氿
jiǔ (구)
지명용 자(字). ⇒guǐ

久
jiǔ (구)
①형 오래다. 시간이 길다. ¶等了好～了; 오랫동안 기다렸다 / 很～没有见面了! 오랫동안 뵙지 못했습니다! ②형〈文〉오래 된. 묵은. ¶～怨; 묵은 원한 / ～要不忘平生之言; 오래된 약속이라도 반드시 이행한다. ③명 시간의 길이. ¶你来多～了? 자네는 온 지 얼마나 되는가? / 他不～就回来; 그는 곧 돌아옵니다 / 两个月之～; 2개월 동안. ④동 기다리다. ⑤동 씌우다. 덮다. ⑥동 받치다.
〔久别〕 jiǔbié 동 오랫동안 이별하다.
〔久别重逢〕 jiǔ bié chóng féng〈成〉오랫동안 헤어졌다 오래간만에 재회하다. 오래간만의 재회.
〔久病〕 jiǔbìng 명 오랜 병. ¶～初愈; 오랜 병이 비로소 나았다.
〔久病成医〕 jiǔ bìng chéng yī〈成〉오래 병을 앓은 사람은 병에 대해 박사가 된다.
〔久等〕 jiǔděng 동 오래 기다리다. ¶让您～了! =〔叫你～了!〕; 오래 기다리셨지요!

〔久赌无胜家〕 jiǔdǔ wú shèngjiā 〈諺〉 도박을 오래 하면 반드시 패가한다.
〔久而久之〕 jiǔ ér jiǔ zhī 〈成〉 꽤 오랜 시간이 지나면. 오래되면. 점차. ¶～就要生锈; 오래되면 녹이 슨다 / ～, 这些穷人无法偿还债务了; 오래되자, 이들 가난한 사람들은 채무를 상환할 방도가 없어졌다 / ～差不多的话就都能说了; 그것을 계속해 나가면 대강의 것은 말할 수 있게 됩니다.
〔久旱〕 jiǔhàn 동 오랫동안 가뭄이 계속되다. ¶～逢甘雨, 他乡遇故知; 오랜 가뭄 끝에 단비를 만나듯, 타향에서 지기를 만나다(오랫동안의 희망이 이루어짐).
〔久假不归〕 jiǔ jià bù guī 〈成〉 ⇨〔久借不归〕
〔久交〕 jiǔjiāo 명 오랫동안의 사귐〔교제〕.
〔久借不归〕 jiǔ jiè bù guī 〈成〉 ①빌려 간 채 돌려 주지 않다. ¶我知道他一借出就一定～, 会丢了的; 그가 한번 빌려 갔다 하면 그것으로 끝장이고, 잃어버리고 만다는 것을 나는 잘 알고 있다. ②빌려 준 지 오래 된 것은 돌아오지 않는 법이다. ‖ =〔久假不归〕
〔久经大敌〕 jiǔ jīng dà dí 〈成〉 대적(大敵)과의 싸움〔세간의 대사건〕에 오랜 경험을 갖고 있다.
〔久经锻炼〕 jiǔjīng duànliàn 오랜 기간 단련하다.
〔久经考验〕 jiǔjīng kǎoyàn 장기간의 시련을 거친(것).
〔久久〕 jiǔjiǔ 부 오래오래. 오래도록. 오랫동안. ¶躺在床上～不能入睡; 오랫동안 누워 있었으나 잠을 잘 수 없었다.
〔久客〕 jiǔkè 〈文〉 명 오랫동안 객지에 가 있는 사람. 동 오랫동안 객지에 살다.
〔久阔〕 jiǔkuò 동 오랫동안 헤어져 있다. =〔契qì阔〕
〔久炼成钢〕 jiǔ liàn chéng gāng 〈成〉 오랫동안 단련해서 쓸 만한 것이 되다(쓸 만한 것이 되려면 오랜 시일이 필요하다).
〔久留〕 jiǔliú 동 오랫동안 머무르다. ¶此地不可～; 이 곳엔 오래 머물러서는 안 된다.
〔久慕〕 jiǔmù 〈翰〉 오랫동안 경모(敬慕)하고 있습니다.
〔久视〕 jiǔshì 명 〈套〉 도가(道家)에서 불로 장수(不老長壽)를 이름.
〔久违〕 jiǔwéi 〈套〉 오랫동안 못 만나다. 오래간만입니다. ¶～雅教! 적조했습니다! / ～了, 这几年您上哪儿去啦? 오래간만입니다. 요 몇 해 동안 어디에 계셨는지요?
〔久未〕 jiǔwei 오랫동안 …아니하다. ¶～问候wènhòu; 〈翰〉 오랫동안 격조(隔阻)했습니다.
〔久闻大名〕 jiǔwén dàmíng 〈套〉 존함은 익히 들었습니다.
〔久仰〕 jiǔyǎng 〈套〉 존함은 익히 듣고 있습니다(초대면일 때 씀). ¶～大名; 전부터 존함은 듣고 있습니다. =〔久仰久仰!〕
〔久已〕 jiǔyǐ 부 오래 전부터. 오랫동안.
〔久已夫〕 jiǔyǐfu 형 ⇨〔久矣乎〕
〔久已向往〕 jiǔyǐ xiàngwǎng 오랫동안 동경하고 있다.
〔久矣乎〕 jiǔyǐhu 형 〈文〉 오래다. 오래되다. ¶中国地广人多, 物产丰富, 这是～的事实了; 중국은 땅이 넓고 사람이 많으며 산물이 풍부하다는 것은 오랫동안의 사실이다. =〔久已夫〕
〔久远〕 jiǔyuǎn 형 까마득하다. 멀고 오래다. ¶虽然不能马上就来, 也没有什么～了; 곧 온다는 것은 불가능해도, 그리 까마득한 것도 아니다. =〔远向〕
〔久坐〕 jiǔzuò 동 오래 있다. 오래 머물다. ¶今天有点儿事, 不能～; 오늘은 볼일이 있어서 오래 있을 수가 없다.

灸 jiǔ (구)
①동 뜸을 뜨다. ¶拿艾ài子～一～; 쑥으로 뜸을 뜨다 / 腹部～了两次; 복부에 두 차례 뜸을 떴다. ②명 뜸질.

玖 jiǔ (구)
명 ①옥에 버금 가는 아름다운 검은 돌. ②〔數〕 '九'의 갖은자. ¶共～拾元整; 합계 90원정.

韭〈韮〉 jiǔ (구)
명 〔植〕 부추. ¶黄huáng～; 온실 재배 부추. =〔韭菜〕

〔韭菜〕 jiǔcài〔jiǔcai〕 명 〔植〕 부추. ¶我不是～脑袋; 나의 머리는 부추 대가리가 아니다(부추는 둘로 쪼개어도 새싹이 나오지만, 머리는 한번 깨지면 그만이다).
〔韭菜花儿〕 jiǔcàihuār 명 ①부추의 꽃. =〔韭花①〕 ②소금에 절인 부추꽃.
〔韭菜苗儿〕 jiǔcàimiáor 명 부추의 꽃대.
〔韭葱〕 jiǔcōng 명 〔植〕 리크(leek)(백합과의 파 비슷한 채소).
〔韭花〕 jiǔhuā 명 ①⇨〔韭菜花儿①〕 ②⇨〔花韭〕
〔韭黄〕 jiǔhuáng 명 〔植〕 (겨울에 재배하는) 부추.
〔韭芽〕 jiǔyá 명 ①부추의 씨를 싹 틔운 나물. ②〔植〕 산파의 싹.
〔韭子〕 jiǔzi 명 부추의 열매.

酒 jiǔ (주)
명 ①술. ¶一杯～; 한 잔의 술 / 啤～; 맥주 / ～有圣贤; 술에는 청주(聖)와 탁주(賢)가 있다 / ～后吐真言; 〈諺〉 취중진담 / 一壶～; 한 병의 술. ②알코올을 함유한 액체. 정기(丁幾). ¶碘diǎn～ =〔碘酊〕; 요오드팅크. =〔酊dīng〕 ③성(姓)의 하나.

〔酒吧〕 jiǔbā 명 〈方〉 바(bar). 술집. =〔酒吧间〕
〔酒拔子〕 jiǔbázi 명 마개뽑이. 따개. =〔酒搬子〕
〔酒包〕 jiǔbāo 명 〈貶〉 술꾼. 술고래. 모주(꾼).
〔酒保〕 jiǔbǎo 명 〈古白〉 술집 종업원〔보이(boy)〕. =〔量liáng酒〕
〔酒杯〕 jiǔbēi 명 술잔. 글라스.
〔酒悲〕 jiǔbēi 명 술에 취해서 감상적으로 욺. 취하면 우는 버릇(이 있는 사람).
〔酒甏〕 jiǔbèng 명 술독.
〔酒鳖〕 jiǔbiē 명 옛날에, 술을 담던 휴대용 가죽 주머니.
〔酒饼〕 jiǔbǐng 명 ⇨〔酒曲〕
〔酒材〕 jiǔcái 명 (누룩 따위) 양조의 원료.
〔酒菜(儿)〕 jiǔcài(r) 명 ①술안주. =〔下xià酒〕〔下酒菜〕〔下酒物〕 ②술과 안주.
〔酒厂〕 jiǔchǎng 명 (맥주·포도주) 양조장. (증류주) 제조장.
〔酒场〕 jiǔchǎng 명 ①바(bar). 술집. ②요리점.
〔酒掣子〕 jiǔchèzi 명 술독의 술을 다른 그릇에 옮기기 위한 사이펀식의 굽은 관(管). =〔倒dào流儿〕
〔酒池肉林〕 jiǔ chí ròu lín 〈成〉 ①갖은 향락을 다하는 모양. ②호사스런 술잔치('以酒为池, 悬肉为林' 술로써 못을 이루고, 고기를 걸어 놓아 숲을 이룬다는 데서 나온 말). →〔肉山脯林〕
〔酒筹〕 jiǔchóu 명 술을 마실 때 마신 잔수를 세기 위한 대쪽으로 된 산가지.
〔酒刺〕 jiǔcì 명 ⇨〔面miàn疱〕
〔酒德〕 jiǔdé 명 ①술을 마실 때의 태도. ¶～不雅; 술버릇이 나쁘다. ②술의 공덕(功德).

〔酒底子〕 jiǔdǐzi 명 술의 가라앉은 앙금〔찌꺼기〕.
〔酒颠〕 jiǔdiān 명 술에 취해 날뛰는 못된 버릇. 주란(酒亂). 주사. =〔酒狂〕
〔酒店〕 jiǔdiàn 명 ①술집. 바. ②〈廣〉 호텔《주로 홍콩에서 쓰임》. =〔饭fàn店〕
〔酒饭〕 jiǔfàn 명 술과 밥. ¶～之余; 식후(食後). 식사 동안.
〔酒坊〕 jiǔfáng 명 ①술집. ②양조장.
〔酒风〕 jiǔfēng 명 《漢醫》 주풍. 누풍증.
〔酒疯(儿)〕 jiǔfēng(r) 명 술버릇이 나쁜 사람. 주사가 있는 사람. 주란(酒亂). ¶撒～; 취하여 미친 짓을 하다 / 闹起～来; 주사를 부리다. →〔酒颠〕
〔酒缸〕 jiǔgāng 명 ①술독. ¶掉在～里头; 늘 술에 취해 있다. ②〈北方〉 대폿집. 선술집. ¶到大～去喝二两白干儿; 선술집에 가서 배갈을 조금 마시다.
〔酒谷〕 jiǔgǔ 명 술의 원료가 되는 곡물《보통, 고량》.
〔酒馆〕 jiǔguǎn 명 술집. 선술집.
〔酒鬼〕 jiǔguǐ 명 〈罵〉 고주망태. 술고래. =〔酒魔〕
〔酒过〕 jiǔguò 명 술김에 저지른 과실. =〔酒失〕
〔酒酣耳热〕 jiǔ hān ěr rè 〈成〉 술에 취한 모양. 술을 잔뜩 마시고 상기(上氣)하여 귀까지 벌개진 모양. 주홍이 도도한 모양.
〔酒后见真情〕 jiǔ hòu jiàn zhēnqíng 〈諺〉 술을 마시면 본심이 나오는 법이다《취중에 진담이 나온다》.
〔酒后失言〕 jiǔhòu shīyán 술에 취해서 하는 실언.
〔酒壶〕 jiǔhú 명 아가리가 잘쑥한 술병.
〔酒花〕 jiǔhuā 명 ①《植》 홉(hop). =〔蛇麻〕 ②홉의 이삭. =〔忽布花〕
〔酒化酶〕 jiǔhuàméi 명 《化》 치마제(zymase). =〔酒化酵素〕〔酿niàng酶〕
〔酒话〕 jiǔhuà 명 술김에 지껄이는 이야기.
〔酒荒〕 jiǔhuāng 동 술에 빠지다. ¶他有～之病; 그는 술에 빠지는 결점이 있다. 명 술이 모자람. 술부족.
〔酒黄宝石〕 jiǔhuáng bǎoshí 명 ⇨〔黄玉〕
〔酒磺〕 jiǔhuáng 명 《化》 타트라진(tartrasine) 《황색 물감》.
〔酒幌子〕 jiǔhuǎngzi 명 ⇨〔酒望(子)〕
〔酒会〕 jiǔhuì 명 간단한 연회〔파티〕. ¶鸡尾jīwěi～; 칵테일 파티.
〔酒家〕 jiǔjiā 명 ①요리점. ②옛날, 술집. 바. ③술집 종업원. =〔酒保〕
〔酒浆〕 jiǔjiāng 명 ①원주(原酒). 진국 술. ②술. =〔酒〕
〔酒窖〕 jiǔjiào 명 술 저장소.
〔酒节〕 jiǔjié 명 술 축제.
〔酒戒〕 jiǔjiè 명 금주(禁酒).
〔酒劲儿〕 jiǔjìnr 명 술 기운. 술의 힘. ¶～早跑了; 술기운은 벌써 없어졌다 / 借着～闹; 술기운을 빌려 떠들다.
〔酒禁〕 jiǔjìn 명 〈文〉 금주령.
〔酒精〕 jiǔjīng 명 《化》 알코올. =〔火酒〕〔乙醇〕
〔酒精表〕 jiǔjīngbiǎo 명 액체 중의 알코올 함유량을 측정하는 기구.
〔酒精浓度测试〕 jiǔjīng nóngdù cèshì 명 음주 측정.
〔酒捐〕 jiǔjuān 명 주세(酒稅).
〔酒客〕 jiǔkè 명 ①술을 마시는 손님. ②술꾼. 술을 즐기는 사람.
〔酒课〕 jiǔkè 명 주세(酒稅). =〔酒榷què〕
〔酒狂〕 jiǔkuáng 명 ⇨〔酒颠〕
〔酒困〕 jiǔkùn 명 술에 취해 괴로워함.
〔酒阑〕 jiǔlán 동 〈文〉 주연(酒宴)이 끝나려 하다.
〔酒类〕 jiǔlèi 명 ①술의 종류. ②알코올 음료.
〔酒力〕 jiǔlì 명 ①주량(酒量). ②팁. =〔酒钱 ②〕 ③술의 독한 정도. ¶～猛; 술이 독하다.
〔酒帘〕 jiǔlián 명 ⇨〔酒望(子)〕
〔酒帘(儿)〕 jiǔlián(r) 명 술집 간판으로 내거는 기. =〔酒旗〕
〔酒脸〕 jiǔliǎn 명 술에 취한 얼굴. ¶趁着～; 술 취한 것을 빙자하다.
〔酒量〕 jiǔliàng 명 주량. ¶～很大; 주량이 크다 / ～窄zhǎi; 주량이 적다. =〔酒力 ①〕
〔酒令(儿)〕 jiǔlìng(r) 명 (벌주(罰酒) 마시기 등의) 술자리에서의 놀이. ¶行～; 벌주 놀이를 하다. =〔觥gōng令〕〔〈文〉 觞shāng令〕〔〈文〉 觞政〕
〔酒溜子〕 jiǔliùzi 명 ⇨〔酒漏子〕
〔酒龙〕 jiǔlóng 명 〈文〉 대주호(大酒豪).
〔酒楼〕 jiǔlóu 명 〈南方〉 ①요릿집. 요정. ②선술집.
〔酒篓〕 jiǔlǒu 명 모주. 술고래. ¶他一天到晚酒不离口, 真是～; 그는 하루 종일 술을 마시고 있으니, 정말 술고래야.
〔酒漏子〕 jiǔlòuzi 명 깔때기. =〔酒溜子〕 →〔漏斗(儿)〕
〔酒绿灯红〕 jiǔ lǜ dēng hóng 〈成〉 화류항(花柳巷).
〔酒媒〕 jiǔméi 명 ⇨〔酒曲〕
〔酒米〕 jiǔmǐ 명 〈方〉 찹쌀.
〔酒魔〕 jiǔmó 명 ①⇨〔酒鬼〕 ②술을 먹고 싶어하는 욕념. 술의 유혹.
〔酒母〕 jiǔmǔ 명 ⇨〔酒曲〕
〔酒囊〕 jiǔnáng 명 술고래. 대주가(大酒家).
〔酒囊饭袋〕 jiǔ náng fàn dài 〈成〉 밥벌레. 밥통. ¶～茶祖师; 술 마시고 밥 먹고 차 마시는 것 외에는 아무 재주도 없는 사람. 식충이. =〔酒囊饭桶〕〔酒瓮wèng饭囊〕〔饭坑酒囊〕
〔酒囊饭桶〕 jiǔ náng fàn tǒng 〈成〉 ⇨〔酒囊饭袋〕
〔酒粘儿〕 jiǔniánr 명 〈比〉 알코올 중독자. =〔酒糟儿〕
〔酒娘〕 jiǔniáng 명 감주(甘酒). =〔酒酿〕〔〈南方〉 钵bō酒〕
〔酒酿〕 jiǔniáng 명 ⇨〔酒娘〕
〔酒排间〕 jiǔpáijiān 명 호텔·선박 따위에 마련된 바(bar). →〔酒吧〕
〔酒脾气〕 jiǔpíqi 명 술버릇. ¶～不好; 술버릇이 나쁘다 / 发～; 취하여 못된 술버릇을 보이다.
〔酒癖〕 jiǔpǐ 명 술을 좋아함. 알코올 중독.
〔酒铺儿〕 jiǔpùr 명 술집.
〔酒气〕 jiǔqì 명 취기. 술 한 잔 한 기분. ¶带了点儿～抬起来了; 얼근한 기분에 싸움을 시작했다 / ～散了; 취기가 깨었다 / ～喷喷; 물씬 술 냄새를 풍기다.
〔酒器〕 jiǔqì 명 주기(酒器)《술병·술잔 따위》.
〔酒钱〕 jiǔqián 명 ①술값. ②팁. ¶付～; 팁을 쓰다.
〔酒曲〕 jiǔqū 명 누룩. =〔酒饼〕〔酒母〕〔酒媒〕〔酒面〕
〔酒榷〕 jiǔquè 명 주세(酒稅).
〔酒肉〕 jiǔròu 명 술과 고기. ¶～朋友; 술 친구 / ～和尚; 육식을 하는 파계승(僧).
〔酒入愁肠〕 jiǔ rù chóu cháng 〈成〉 근심사가 있어 술이 잘 먹히지 않음.
〔酒润〕 jiǔrùn 형 주독으로 빨갛다.

〔酒色〕 jiǔsè 명 ①주색. 술과 여색. ②술기운을 띤 얼굴빛.
〔酒色财气〕 jiǔ sè cái qì 〈成〉 술과 여색. 돈과 성급한 성질《사람을 그르치는 네 가지》.
〔酒生儿〕 jiǔshēngr 명 술집 보이.
〔酒圣〕 jiǔshèng 명 ①맑은 술. ②주호(酒豪).
〔酒失〕 jiǔshī 명 ⇨〔酒过〕
〔酒石酸〕 jiǔshísuān 명 《化》 주석산. =〔二羟qiǎng丁二酸〕〔果酸〕
〔酒食〕 jiǔshí 명 ①술과 밥. ¶～征逐; 함께 마시고 먹을 뿐인 교제. ②음식물의 총칭.
〔酒市〕 jiǔshì 명 주류 시장. ¶本埠～均在其掌握中; 이 곳의 주류 시장은 모두 그의 손에 장악되어 있다.
〔酒是英雄胆〕 jiǔ shì yīngxióng dǎn 〈諺〉 술을 마시면 담이 커진다.
〔酒税〕 jiǔshuì 명 주세. =〔酒捐〕〔〈文〉酒课〕〔〈文〉酒榷〕
〔酒肆〕 jiǔsì 명 〈文〉 주사. 술집. 주점.
〔酒嗉子〕 jiǔsùzi 명 ⇨〔酒觫子〕
〔酒觫子〕 jiǔsùzi 명 아가리가 잘쑥한 술병. =〔偏piān提〕〔酒嗉子〕
〔酒尿泡〕 jiǔsuīpāo 명 〈方〉 돼지의 방광으로 만든 휴대용 술통.
〔酒摊儿〕 jiǔtānr 명 선술집. 노천 술집. 들병 장수.
〔酒坛〕 jiǔtán 명 술독.
〔酒厅〕 jiǔtīng 명 바. 술집. =〔酒吧bā〕
〔酒徒〕 jiǔtú 명 술꾼. 술고래. ¶～吃客; 술만 마시고 먹기만 하는 사람.
〔酒望(子)〕 jiǔwàng(zi) 명 술집 간판《헝겊으로 만듦》. =〔酒帘〕
〔酒味儿〕 jiǔwèir 명 ①술맛. ②술의 향기.
〔酒翁〕 jiǔwēng 명 ①술을 빚는 노인. ②술을 좋아하는 영감.
〔酒瓮〕 jiǔwèng 명 (큰) 술독.
〔酒瓮饭囊〕 jiǔ wèng fàn náng 〈成〉 ⇨〔酒囊饭袋〕
〔酒窝(儿)〕 jiǔwō(r) 명 보조개. ¶两个～总是挂在她那小脸上; 두 개의 보조개가 늘 그 여자의 귀여운 얼굴에 떠 있다. =〔酒涡(儿)〕〔〈文〉酒靥〕
〔酒席〕 jiǔxí 명 ①연회의 요리. ②연석(宴席).
〔酒仙〕 jiǔxiān 명 주선. 주호(酒豪).
〔酒香〕 jiǔxiāng 명 술의 향기. ¶闻～; 술의 향기를 맡다.
〔酒心糖〕 jiǔxīntáng 명 위스키 봉봉(whisky bonbon).
〔酒兴〕 jiǔxìng 명 ①술에 취한 즐거움. 주흥. ②술기운.
〔酒言酒语〕 jiǔyán jiǔyǔ 술 취한 자의 허튼 소리.
〔酒肴〕 jiǔyáo 명 〈文〉 주효. 술과 안주.
〔酒药〕 jiǔyào 명 이스트(yeast). 양조주(釀造酒)·감주(甘酒)용의 누룩.
〔酒靥〕 jiǔyè 명 〈文〉 ⇨〔酒窝wō(儿)〕
〔酒意〕 jiǔyì 명 ①거나해질 때의 기분. 얼근한 정도. ¶他的～失去了一半; 그의 취기가 반은 깼다. ②주기(酒氣). ¶带着～; 주기를 띠고 있다.
〔酒瘾〕 jiǔyǐn 명 ①술을 먹는 버릇. ②알코올 중독(의 사람).
〔酒友〕 jiǔyǒu 명 술 친구.
〔酒友宝魔〕 jiǔyǒu bǎomó 명 술 친구와 도박광(狂).
〔酒有别肠〕 jiǔ yǒu bié cháng 〈成〉 술 들어가는 창자는 따로 있는 법이다. 주량은 몸집의 대소에 관계가 없다. 배가 불러도 술은 마실 수 있다《술을 권할 때 하는 말》.
〔酒余饭后〕 jiǔyú fànhòu 술을 마시거나, 식후에 편히 쉴 때. 식후의 한때.
〔酒晕〕 jiǔyùn 동 ①술에 취해 얼굴이 붉어지다. ②술에 취해 비틀거리다.
〔酒糟〕 jiǔzāo 명 술지게미. =〔酒滓〕
〔酒糟鼻(子)〕 jiǔzāo bí(zi) 명 주독코. 주부코. =〔酒渣鼻〕〔酒齇zhā鼻〕〔糟鼻子〕
〔酒糟儿〕 jiǔzāor 명 ⇨〔酒粘儿〕
〔酒渣〕 jiǔzhā 명 술지게미. 재강. =〔酒糟〕
〔酒渣鼻〕 jiǔzhābí 명 ⇨〔酒糟鼻(子)〕
〔酒齇鼻〕 jiǔzhābí 명 ⇨〔酒糟鼻(子)〕
〔酒蒸〕 jiǔzhēng 동 술로 맛을 내어 찌다.
〔酒卮〕 jiǔzhī 명 〈文〉 술잔.
〔酒盅(儿)〕 jiǔzhōng(r) 명 작은 술잔. =〔酒盅子〕〔酒钟〕
〔酒壮怯人胆〕 jiǔ zhuàng sóngrén dǎn 〈諺〉 겁쟁이도 술을 마시면 대담해진다.
〔酒资〕 jiǔzī 명 행하(行下). 팁.
〔酒滓〕 jiǔzǐ 명 ⇨〔酒糟〕
〔酒足饭饱〕 jiǔzú fànbǎo 술도 밥도 많이 잘 먹었습니다《남에게 대접을 받았을 때의 인사말》.
〔酒钻子〕 jiǔzuànzi 명 병의 코르크 마개뽑이.
〔酒醉〕 jiǔzuì 동 술에 취하다. ¶倚着～; 술에 취한 것을 빙자하다 / ～饭饱; 배불리 마시고 먹고 하다. 진수성찬을 대접하다 / ～心不醉; 술에 취하되 마음은 취하지 않다. 〈比〉 술에 취하되 본심은 잊지 않는다. 명 술에 담근 음식. ¶～螃蟹 =〔醉蟹〕; 술에 담근 게.

旧(舊) jiù (구)

①형 오래 되다. 낡다. ¶守～; 오랜 전통·방식을 고수하다 / 衣服～了; 옷이 낡았다 / ～房子; 오래 된 집 / 又～又破的鞋; 오래 되어 해진 구두. ②명 오랜 교분·정분. 교분이 있던 사람. ¶有～; 오랜 교분이 있다. 오랜 친구이다 / 怀～; (지난 일·옛 벗을) 그리워하다 / 念～; 옛 친구를 잊지 않다. ③형 옛날의. 이전의.
〔旧案〕 jiù'àn 명 ①오랫동안 현안(懸案)이 되어 있는 안건. ¶积年～都已经清理完毕; 여러 해 된 안건은 모두 이미 정리가 끝났다. ②과거의 조례(條例)나 사례. ¶这个工作暂照～办理; 이 활동은 당분간 종래의 예에 의거해서 처리한다. ③전부터 결정된 것. ¶把这个～翻过来了; 이 오래 전의 결정을 뒤집었다.
〔旧病(儿)〕 jiùbìng(r) 명 고질병. =〔老病〕〔旧疾〕
〔旧病复发〕 jiù bìng fù fā 〈成〉 ①고질병이 재발하다. ②나쁜 경향이나 버릇이 다시 나오다.
〔旧部〕 jiùbù 명 전(前)의 부하.
〔旧仇〕 jiùchóu 명 숙원(宿怨). 오래 묵은 원한. 옛날 원수. ¶报～; 묵은 원한을 풀다.
〔旧仇宿怨〕 jiù chóu sù yuàn 〈成〉 여러 해 쌓인 원한.
〔旧德〕 jiùdé 명 조상의 유덕(遺德).
〔旧地〕 jiùdì 명 전에 살았던, 또는 방문한 적이 있는 곳. ¶～重遊; 〈成〉 구유(舊遊)의 땅이나 전에 살던 집을 방문하다.
〔旧调重弹〕 jiù diào chóng tán 〈成〉 변함 없는 말·논조(論調)를 되풀이하다. 지난 일을 들먹이다. ¶这部机器已经～了; 이 가게는 이제 시대에 뒤떨어졌다 / 这完全是～; 이것은 완전히 재탕이다. 〔老调重弹〕
〔旧东〕 jiùdōng 명 〈文〉 옛〔본디의〕 주인. =〔旧居

停〕
〔旧都〕 jiùdū 명 옛 도읍. 고도(古都).
〔旧恶〕 jiù'è 명〈文〉과거의 잘못〔과실〕. ¶不念～; 지난 잘못은 생각지 않다.
〔旧翻新〕 jiùfānxīn 동 헌 것을 새것으로 바꿔 만들다. ¶这件衣服可以～一下; 이 옷은 새것으로 고쳐 만들 수 있다.
〔旧废橡皮〕 jiùfèi xiàngpí 명 헌 고무.
〔旧根儿〕 jiùgēnr 명 최초. 처음.
〔旧故〕 jiùgù 명 옛 친구. 구우(舊友). =〔旧交(儿)〕
〔旧观〕 jiùguān 명 (예)전 모양〔모습〕. ¶恢复～; 본디 모양을 되찾다 / 迥jiǒng非～; 전 모습과는 전혀 다르다.
〔旧贯〕 jiùguàn 명〈文〉옛 제도.
〔旧规〕 jiùguī 명 옛날의 규칙. 관례. =〔旧章〕
〔旧国〕 jiùguó 명〈文〉옛 도읍. 고도(古都).
〔旧好〕 jiùhǎo 명 ①옛 정. 옛날 정의(情誼). ②옛 친구. 구우(舊友).
〔旧恨新仇〕 jiù hèn xīn chóu〈成〉오래 쌓인 원한에 새로운 원한이 겹치다.
〔旧话〕 jiùhuà 명 옛날의 이야기.
〔旧货〕 jiùhuò 명 오래 된 물건. 고물. ¶～店; 고물점 / ～铺儿 =〔～商〕; 고물상 / ～摊; 고물을 파는 노점.
〔旧迹〕 jiùjì 명 구적. 고적(古跡).
〔旧家〕 jiùjiā 명 그 곳에 대대로 살아 온 명망 있는 집안. =〔旧族〕
〔旧家庭〕 jiùjiātíng 명 구식 가정.
〔旧交(儿)〕 jiùjiāo(r) 명 오래 된 친구. 구우(舊友). =〔旧故〕
〔旧教〕 Jiùjiào 명《宗》구교. 가톨릭. =〔天Tiān主教〕
〔旧金山〕 Jiùjīnshān 명《地》'圣Shèng弗兰西斯科'(샌프란시스코)의 별칭('新金山'은 멜버른의 이칭(異稱)).
〔旧景〕 jiùjǐng 명 옛날의 모양〔모습〕. ¶见这白头巾, ～又重现; 이 흰 두건을 보면 옛날 모습이 상기된다.
〔旧酒新装〕 jiùjiǔ xīnzhuāng 묵은 술을 새 그릇에 담다. 간판을 다시 칠하다. →〔旧瓶装新酒〕
〔旧居〕 jiùjū 명 전에 살던 곳〔집〕
〔旧疴〕 jiùkē 명〈文〉오래 앓고 있는 병. 지병(持病).
〔旧坑〕 jiùkēng 명 옛날에, 사람이 죽으면 입·코·귀·항문 등에 구슬을 넣었는데, 후세 사람들이 이를 발굴하여 연대가 오래 된 것을 '旧坑'이라 하고, 연대가 얕은 것을 '新坑'이라 함.
〔旧框框〕 jiùkuāngkuang 명 ①옛 관습. 구투(舊套). ②〈比〉재래의 경험과 방법. ¶突破～的限制; 낡은 관습의 틀을 깨뜨리다.
〔旧老〕 jiùlǎo 명 고로(古老).
〔旧礼教〕 jiùlǐjiào 명 ①봉건 사회의 예절과 도덕. ②〈比〉유교.
〔旧历〕 jiùlì 명 구력. 음력.
〔旧历年〕 jiùlìnián 명 음력설. 구정.
〔旧例〕 jiùlì 명 관례. 구례(舊例). ¶打破～; 관례를 깨다.
〔旧路〕 jiùlù 명 구로. 옛 길. 전부터 있던 길. 전의 길.
〔旧梦重温〕 jiùmèng chóngwēn〈文〉옛날의 꿈을 다시 실현시키고자 하다.
〔旧棉〕 jiùmián 명 헌 솜. 묵은 솜.
〔旧年〕 jiùnián 명 ①작년. 지난 해. ②구력(舊曆)의 신년(新年). 구정. ③이전. 옛.
〔旧瓶装新酒〕 jiù píng zhuāng xīn jiǔ〈成〉묵은 병에 새 술을 담다(간판(看板)만 새로 칠하다. 낡은 형식에 새로운 내용을 담다).
〔旧前〕 jiùqián 명 이전. 예전.
〔旧欠〕 jiùqiàn 명 옛날에 진 빚.
〔旧情〕 jiùqíng 명 ①구정. 옛정. ②이전의 사정. 옛 모양.
〔旧人儿〕 jiùrénr 명 전(前) 사람.
〔旧日〕 jiùrì 명 지난날. 예전.
〔旧柔佛〕 Jiùróufó 명 ⇨〔新Xīn加坡〕
〔旧社会〕 jiùshèhuì 명 구사회. 옛 사회(보통, 중화 인민 공화국 성립 이전을 이름).
〔旧诗〕 jiùshī 명 문언시(文言詩)(전통적인 격률(格律)을 써서 만드는 시. 고체시와 근체시가 있음).
〔旧时〕 jiùshí 명 옛날. 예전. ¶～故友; 옛 친구.
〔旧式〕 jiùshì 명형 구식(의).
〔旧事〕 jiùshì 명 과거의 일. ¶～之戒, 来事之师也; 과거에 있었던 일에 대한 경계는 앞으로의 일에 지침이 된다. =〔去qù事〕
〔旧事重提〕 jiù shì chóng tí〈成〉옛날 일을 들먹이다. 전의 일을 되풀이하다.
〔旧书〕 jiùshū 명 고본(古本). 헌책('新书'에 대한 상대어로서 말하며, 문화재로서의 '古书'와 구별해서 이름).
〔旧态〕 jiùtài 명 구태. 옛 모양.
〔旧态复萌〕 jiù tài fù méng〈成〉옛 양상이 다시 나타나기 시작하다. 옛 모습이 되살아나다.
〔旧套〕 jiùtào 명 구투. 예전 양식. ¶打破～; 구투를 타파하다.
〔旧套子〕 jiùtàozi 명 구투. 옛 투. 오래된 옛 습관.
〔旧铜铁〕 jiùtóngtiě 명 고동(古銅)과 고철류(古鐵類).
〔旧闻〕 jiùwén 명 전에 들은 적이 있는 일. ¶已经是～了; 이미 구문이 되었다.
〔旧物〕 jiùwù 명 ①유물. ②본디〔전〕의 국토(國土). ¶光复～; 국토를 광복하다.
〔旧习〕 jiùxí 명 구습.
〔旧戏〕 jiùxì 명 중국 전통극('新戏'에 상대되는 말).
〔旧相识〕 jiùxiāngshí 명 오래전부터 아는 사이. 오랜 지기.
〔旧学〕 jiùxué 명 근대 서구(西歐) 문화의 영향을 받지 않은 중국 고유의 학문.
〔旧样儿〕 jiùyàngr 명 구식. 시대에 뒤짐.
〔旧衣〕 jiùyī 명 헌 옷.
〔旧友〕 jiùyǒu 명 옛 친구. ¶～重逢, 倍加亲热; 옛 친구와 재회하여 더 한층 친밀감을 느끼다.
〔旧有〕 jiùyǒu 형 옛날부터 있다. ¶～的文化; 구래(舊來)의 문화.
〔旧雨〕 jiùyǔ 명〈文〉〈比〉구우(舊友).
〔旧章〕 jiùzhāng 명 옛날 관습. 관례. ¶变乱～; 오랜 관습을 바꾸어 어지럽히다 / 按～办事; 옛 관례대로 일을 처리하다 / 请客送礼是～; 손님을 초청하거나 선물을 하거나 하는 것은 오래 된 관례이다.
〔旧账〕 jiùzhàng 명 ①옛 빚. 묵은 빚. ¶算 ～; ⓐ 묵은 대차(貸借)를 셈하다. ⓑ〈轉〉전의 은혜나 원수를 갚다. =〔烂làn账〕 ②과거에 행한 선행이나 악행.
〔旧辙〕 jiùzhé 명 오랜 관습. ¶数千年来的～一时不易改换; 수천 년래의 관습은 일시에 고쳐 바꾸기가 쉽지 않다.
〔旧址〕 jiùzhǐ 명 ①옛 터. ②전(의) 주소.

〔旧族〕 jiùzú 명 ⇨〔旧家〕

臼 jiù (구)
명 ①절구. =〔臼子〕 ②절구 비슷한 것. ③《生》관절. ¶脱～; 탈구하다.

〔臼齿〕 jiùchǐ 명《生》어금니. =〔磨mó牙④〕〔槽cáo牙〕
〔臼扣〕 jiùkòu 명 훅(hook) 단추. =〔钩纽〕〔臼纽〕
〔臼炮〕 jiùpào 명《軍》구포(곡사포의 하나). =〔〈俗〉虎蹲dūn炮〕〔〈俗〉落luò地炮〕

桕 jiù (구)
명《植》오구목(烏臼木). =〔乌wù桕〕

〔桕壳饼〕 jiùqiàobǐng 명 오구목 열매의 찌끼를 굳힌 것(비료로 씀).
〔桕油〕 jiùyóu 명 오구목 열매의 껍질에서 짜낸 기름. =〔皮油①〕

舅 jiù (구)
명 ①외삼촌. 외숙. ¶二～; 둘째 외삼촌. ②〈文〉옛날, 시아버지. ¶～姑; ⇩ ③(～子) 처남. ¶大～子; 큰처남/小～子; 막내 처남. =〔妻舅〕

〔舅表姐妹〕 jiùbiǎojiěmèi 명 외사촌 자매. =〔亲qīn表姐妹〕
〔舅表兄弟〕 jiùbiǎoxiōngdì 명 외사촌 형제. =〔亲表兄弟〕
〔舅父〕 jiùfu 명 외삼촌. =〔〈口〉舅舅〕〔母舅〕〔舅氏〕〔亲娘舅〕
〔舅姑〕 jiùgū 명 시부모.
〔舅舅〕 jiùjiu 명 ⇨〔舅父〕
〔舅舅家〕 jiùjiujiā 명 외삼촌〔외숙〕의 집.
〔舅老爷〕 jiùlǎoye 명 옛날, 하인이 주인의 '舅祖'(할머니의 형제)·외삼촌 또는 아내의 형제를 이르던 존칭.
〔舅妈〕 jiùmā 명 ⇨〔舅母〕
〔舅母〕 jiùmǔ 명 외삼촌댁. 외숙모. =〔舅妈〕
〔舅奶〕 jiùnǎi 명 (외가 쪽의) 할머니 형제의 아내. 아버지의 외숙모.
〔舅奶奶〕 jiùnǎinai 명 ①아버지의 외삼촌댁. ②하인이 주인의 형제의 아내를 부르던 말. ¶大～; 주인의 맏형의 아내.
〔舅嫂〕 jiùsǎo 명〈口〉아내의 큰올케. 큰처남의 아내.
〔舅甥〕 jiùshēng 명 외숙과 자기(와의 사이).
〔舅氏〕 jiùshì 명 외숙. 외삼촌.
〔舅太太〕 jiùtàitai 명 옛날, 하인이 주인의 외숙모를 일컫던 말.
〔舅兄〕 jiùxiōng 명 큰처남. =〔大dà舅子〕〔内兄〕
〔舅爷〕 jiùyé 명 (외가 쪽의) 할머니의 형제.
〔舅爷〕 jiùye 명 남의 처남에 대한 칭호.
〔舅子〕 jiùzi 명〈口〉처남.
〔舅祖〕 jiùzǔ 명 아버지의 외숙. 할머니의 친정 형제.

咎 jiù (구)
① 명 잘못. 허물. 과오. ¶归～于人; 허물을 남에게 뒤집어씌우다/负～; 책임을 지다. ② 명 화(禍). 흉사(凶事). ¶休～; 길흉. ③ 동 나무라다. ¶既往不～; 〈成〉지난 과거사는 나무라지 않는다.

〔咎戾〕 jiùlì 명〈文〉잘못. 죄과(罪過).
〔咎殃〕 jiùyāng 명〈文〉재앙.
〔咎由自取〕 jiù yóu zì qǔ 〈成〉자신이 뿌린 씨는 자신이 거둠(자업자득).
〔咎有应得〕 jiù yǒu yīng dé 〈成〉재화(災禍)는 모두 당연한 결과로서 초래된 것임(그 책망은 받아 마땅하다).
〔咎有攸归〕 jiù yǒu yōu guī 〈成〉화는 죄를 저지른 자에게 돌아간다.
〔咎征〕 jiùzhēng 명〈文〉천벌이 내릴 징후. 천재(天災)의 조짐.

疚 jiù (구)
〈文〉① 명 오랜 병. ② 형〈比〉근심되고 괴롭다. 심중이 괴롭고 떳떳하지 못하다. ¶负fù～; 떳떳하지 못하다/内～于心; 부끄럽고 마음이 괴롭다/使我心～; 나를 부끄럽게 만들고 괴롭힌다.

〔疚心〕 jiùxīn 형〈文〉마음에 부끄럽다. 떳떳하지 못하다.

柩 jiù (구)
명 시체가 들어 있는 관. =〔棺柩〕

〔柩车〕 jiùchē 명 영구차.

救〈捄〉 jiù (구)
① 동 (재난·위험으로부터) 구하다. 살려 내다. 모면케 하다. ¶挽wǎn～; 만회하다/抢～; 급히 구하다/一定要把他～出来; 그를 꼭 구해내야 한다. =〔搭dā救〕〔营yíng救〕 ② 명 구함. 구제. 구원. ¶求～于人; 남에게 구조를 청하다.

〔救拔〕 jiùbá 동 위험에서 구출하다.
〔救兵〕 jiùbīng 명 원병(援兵). 원군(援軍).
〔救度〕 jiùdù 동 (종교상에서) 남을 구제하다.
〔救国〕 jiù,guó 동 나라를 구하다. ¶～救民; 나라를 구하고 백성을 건지다.
〔救护〕 jiùhù 명동 구호(하다). ¶～伤兵; 부상병을 구호하다.
〔救护车〕 jiùhùchē 명 구급차. =〔救伤车〕
〔救护人员〕 jiùhùrényuán 명 구호 요원.
〔救护站〕 jiùhùzhàn 명 구호소.
〔救荒〕 jiù,huāng 동 기근을 구제하다. ¶～作物; 구황 작물. 흉년에도 주곡에 대신할 수 있는 농작물.
〔救回〕 jiùhuí 동 죽게 된 것에서 구하다.
〔救活〕 jiùhuó 동 (죽음에서) 구하다. 생명을 구하다.
〔救火〕 jiù,huǒ 동 소화하다. ¶～工; 소방수/～须救灭, 救人须救彻; 〈諺〉소방은 불이 다 꺼질 때까지, 사람을 구하려면 끝까지 해야 한다.
〔救火泵〕 jiùhuǒbèng 명 소방 펌프.
〔救火车〕 jiùhuǒchē 명 소방차.
〔救火队〕 jiùhuǒduì 명 소방대.
〔救火会〕 jiùhuǒhuì 명 지방에 조직된 소방단.
〔救火机〕 jiùhuǒjī 명 소화기.
〔救火梯子〕 jiùhuǒ tīzi 명 소화용 사다리.
〔救火扬沸〕 jiù huǒ yáng fèi 〈成〉불을 끄기 위하여 끓는 물을 뿌리다(근본적인 폐해를 제거하지 못하다).
〔救火衣〕 jiùhuǒyī 명 소방복(服).
〔救火以薪〕 jiù huǒ yǐ xīn 〈成〉불을 장작으로 끄다(근본적인 폐해를 제거하지 못하다). →〔抱bào薪救火〕
〔救急〕 jiù,jí 동 ①위급함을 구하다. ¶先救～吧! 우선 위급함을 구하시오!/一下子就把一亩地种上了, 真～; 한번에 일 묘(一畝)의 밭에다 씨를 뿌렸다, 정말 이제 시원하다/～救不了穷; 당장의 위급함은 구해 줄 수 있으나, 가난은 구제할 수 없다. ②급한 환자를 구하다. 응급 처치하다. ¶～包; 구급 가방/～良方; 급한 병을 치료하는 좋은 처방.

〔救济〕 jiùjì 명동 구제(하다). ¶～粮; 구호 양곡. 구제〔구호〕미/～费; 구호금.
〔救经引足〕 jiù jīng yǐn zú 〈成〉 목을 맨 사람을 구하는데 발을 잡아당기다《점점 더 목적에서 벗어난 짓을 하다》. =〔救经而引其索〕
〔救苦救难〕 jiù kǔ jiù nàn 〈成〉 고난에 빠진 사람을 구하다. 어려움을 겪고 있는 사람을 구제하다.
〔救命〕 jiù∙mìng 동 ①생명에 위험이 있는 사람을 구하다. 목숨을 구하다. ¶～草; 미덥지 못한 의지. 한가닥 희망/他们还想抓住这个～草, 挽回败局; 그들은 아직도 한 가닥의 미덥지 못한 짚을 붙잡아, 파국을 만회하려고 하고 있다. ②〈套〉 사람 살려!《다급하게 구조를 청하는 소리》.
〔救难〕 jiùnàn 동 재난에서 구하다. 명 구난. ¶～船; 구조선.
〔救球〕 jiù∙qiú 동 (구기(球技)에서) 공을 잡다.
〔救儿〕 jiùr 명 살아날 가망. ¶我还有～没～呀? 나는 아직 살아날 가망이 있습니까?
〔救人〕 jiù rén 사람을 구하다. ¶～救到底 =〔～须救彻〕; 〈諺〉 남을 구하려면 끝까지 구해야 한다.
〔救伤车〕 jiùshāngchē 명 구급차.
〔救伤床〕 jiùshāngchuáng 명 들것.
〔救生〕 jiùshēng 동 인명(人命)을 구하다. ¶～梯; 비상용 구명 사다리.
〔救死扶伤〕 jiù sǐ fú shāng 〈成〉 죽어 가는 사람을 구하고 부상자를 돌보다《현재는 흔히 의료 관계자가 환자에게 봉사함을 이름》.
〔救亡〕 jiùwáng 동 멸망에서 구하다. (조국을) 위급에서 구하다. ¶～运动; 구국 운동.
〔救险车〕 jiùxiǎnchē 명 레커차(wrecker 車). 구난차(救難車).
〔救星〕 jiùxīng 명 〈比〉 구해 준 사람. 목숨의 은인. 구원의 신. ¶正在紧要关头, 来了～; 마침 아슬아슬한 고비에 구원의 신이 찾아왔다. =〔救命星儿〕
〔救药〕 jiùyào 동 구(제)하다. ¶不可～; 구제할 길이 없다. 단념하다.
〔救应〕 jiùying 동 응원하다. 구원하다. →〔接jiē应〕
〔救援〕 jiùyuán 명동 구원(하다). 원호(하다). ¶对遭受灾害的人伸出～之手; 이재민(罹災民)에게 원호의 손을 뻗치다.
〔救灾〕 jiù∙zāi 동 ①피해자(被害者)를 구제하다. ②재해를 없애다〔방지하다〕. ③재해에서 구하다.
〔救治〕 jiùzhì 동 치료하여 고치다. ¶医生赶来～病人; 의사가 달려와서 병자를 구하다.
〔救助〕 jiùzhù 명동 구조(하다). ¶～基金; 구제기금〔자금〕/～灾民; 이재민을 구제하다.

厩〈廐, 廏〉 jiù (구) 명 〈文〉 마구간. 외양간. 〈比〉 가축 우리의 총칭. =〔〈俗〉 马棚〕
〔厩肥〕 jiùféi 명 쇠두엄. 외양간 두엄. =〔圈juàn肥〕〔〈方〉 圊qīng肥〕

就 jiù (취)
A) 동 ①다가가다. 가까이 가다. ¶往前～身子; 몸을 앞으로 다가 붙이다/～着灯光看书; 등불 가까이서 책을 읽다/反邪～正; 〈成〉 사악(邪惡)에 반대하고 정의의 편을 들다. ②(자리·지위에) 앉다. 취임하다. 종사하다. ¶～席; 자리에 앉다/～位; ⇩/不计职位高低, 欣然乐～; 지위가 높고 낮음을 문제삼지 않고, 기꺼이 취임하다. ③이루다. 완성하다. ¶造～; 양성하다/功成名～; 공을 이루어 이름을 빛내다/日～月将; 〈成〉 일취월장하다. 나날이 진보하다/生～了的美貌; 타고난 미인/人已经死～了; 그 사람은 확실히 죽었다/书已经印～了, 立即要出版了; 책은 인쇄가 끝나고, 곧 출판된다. ④곁들여 먹다. 술안주로 먹다. ¶～饭吃; 밥에 곁들여서 먹다/花生仁儿～酒; 땅콩을 안주로 술을 마시다/炒鸡子儿～饭; 달걀 볶음을 반찬으로 하다. ⑤빌리다. 소용에 닿게 하다. 아쉬운 대로 쓰다. ¶～着这个机会给你引见引见; 이 기회에 너를 소개시켜 주마/～着热锅温点水; 냄비의 여열(餘熱)을 이용하여 물을 데우다/～热儿打铁; 뜨거울 때 쇠를 두드리다. ⑥오그라들다. ¶～筋(儿); ⇩ ⑦유루(遺漏) 없이 …하다. ¶预备～了; 준비가 다 되었다. **B**) ①부 곧. 바로. ¶～快吃饭, 不用去了; 곧 식사니까 가지 않아도 된다/他～要结婚了; 그는 곧 결혼한다/我明天～去; 내일 곧 갑니다/你略候一候, 饭～好了; 잠깐 기다려라. 식사가 곧 되니까. ②부 (만일) …하면 …하다. …이면. 가정문(假定文)을 받음《흔히, '只要'·'要是'·'既然' 따위와 호응함》. ¶只要努力, ～能学好; 노력만 하면 마스터할 수 있다/他要是不来, 我～去找他; 그가 만약 오지 않으면, 내가 그를 찾아가겠습니다/他既然来了, 我～不去了; 그가 와 있다면 나는 가지 않는다. ③부 단지. 그저. 다만. …뿐〔만〕《명사·대사(代詞)·조수사(助數詞) 따위를 포함한 연어(連語)의 앞에 직접 올 때도 있음》. ¶他～爱看书; 그는 독서밖에 좋아하지 않는다/怎么～是我不能去? 어째서 나만이 갈 수 없는 건가?/他们～这一个儿子; 그 부부에겐 이 아들 하나밖에 없다/～他们几个人会唱这个歌; 그들 몇 사람만이 이 노래를 부를 수 있다/你的要求～是那些吗? 자네의 요구는 그것뿐인가? =〔单dān⑩〕〔只zhǐ①〕 ④부 …에도 불구하고 오로지. ¶没事儿～往姐姐那儿跑; 용무도 없으면서 누나한테만 늘 간단 말이야. ⑤접 (흔히, '～是'의 꼴로) 비록〔설사〕 …라도《가정의 양보를 나타냄》. ¶～是不增加人, 也能完成任务; 비록 증원하지 않더라도, 임무를 완수할 수 있다/你～是送来, 我也不要; 설사 보낸다 하더라도, 나는 받지 않는다/你～生气, 也是无益的; 자네가 화를 낸다고 해 봤자 아무 소용 없네/～不愿意, 也得将就一点儿; 설사 싫더라도, 좀 참아야 한다. =〔即使〕〔即便〕 ⑥부 그 중(에서). ¶～有五个没成人; 그 중 5명이 성인(成人)이 되지 못했다. ⑦글쎄 말이야《달래는 기분을 나타냄》. ¶～别抱怨啦; 글쎄 말이야 언짢게 생각지는 마라. ⑧부 그러면. ¶～这么办吧; 그러면 이렇게 합시다. ⑨부 다름 아닌. 즉. 곧《사실은 이렇다는 주관의 강조의 뜻을 나타냄》. ¶这～是我的同学王新英; 이쪽은 나의 학우(學友)인 '王新英'군입니다/幼儿园～在这个胡同里; 유치원은 이 골목 안에 있습니다. **C**) 부 ①…하자 곧《두 개의 동작이 시간적으로 밀착되어 있음을 나타냄》. ¶站起来～走; 일어서자 곧 걷다/卸下了行李, 我们～到车间去了; 짐을 내려놓자, 우리들은 곧 작업장으로 향했다. 注 다음 예처럼 앞부분이 뒷부분의 원인임을 아울러 나타내는 경우도 있음. ¶他觉得有点儿累, ～坐下来休息了一会儿; 그는 조금 피로를 느꼈으므로, 곧 앉아서 잠시 쉬었다. ②(비교하여) 수가 많거나, 횟수가 많거나, 능력이 뛰어나거나 하는 것 등을 강조함. ¶你们两个小组一共才十个人, 我们一个小组～十个人; 너희들은

두 그룹을 합쳐서 겨우 10명이지만, 우리는 한 그룹이 10사람이다 / 他三天才来一次, 你一天～来三次; 그는 사흘에 한 번 올 뿐인데, 너는 하루에 세 번이나 온다 / 这块大石头两个人抬都没抬起来, 他一个人～把它背走了; 이 큰 바위는 두 사람이 들어 올리려고 했으나 못했는데, 그는 혼자서 등에 지고 갔다. ③같은 동사 사이에 와서 '좋아', '됐다', '그렇게 할 테면 그렇게 해라' 따위 용인(容認)의 뜻을 나타냄. ¶去～去吧! 갈 테면 가거라! / 大点儿～大点儿吧, 可以买下; 크면 큰 대로 좋다, 사 두어라 / 丢了～丢了吧, 不必再找了! 없어졌다면 됐다. 이제 찾지 않아도 좋다! ④…하면 곧. …하자마자(《'一'과 호응하여 두 개의 동작이 끊임없이 계속해서 행해짐을 나타냄》). ¶你一说平海燕, 他～知道了; '平海燕'이란 말씀만 하시면 그는 곧 압니다. ⑤(흔히, '～是'의 꼴로) 동작·상태가 어떤 동작에 계속돼 있음을 나타냄. ¶哭了～是一巴掌; 울면 곧 따귀다. ⑥결연한 어기(語氣)를 보완함. ¶我～不信我学不会; (남이 뭐라고 하건) 내가 마스터 못 한다고는 생각되지 않는다 / 我～做下去, 看到底成不成; 할 수 있는지 없는지, 나는 계속해 보련다. ⑦어떤 동작·행위·성질·상태를 나타내는 말의 뒤에 와서, 다시 그 말들을 거듭 말함으로써, 그것이 어떠한가를 강조함. ¶他吓～吓糊涂了; 그는 놀라서 완전히 이성(理性)을 상실했다 / 好～好在那里; 좋은 점은 바로 그 점에 있다. ⑧본디. 원래 또는 훨씬 전부터 그러했음을 나타냄. ¶街道本来～不宽, 每逢集市更显得拥挤了; 길은 본래 넓지 않아서 장이 서는 날이면 더욱 밀치락달치락하게 된다 / 我～知道他会来的, 今天他果然来了; 나는 그가 꼭 오리라고 알고 있었는데, 오늘 과연 그는 왔다.

〔就班〕 jiùbān 동 〈文〉 본분을 지키다. 질서를 지키다. →〔按àn部就班〕

〔就伴(儿)〕 jiù·bàn(r) 동 동행(同行)이〔동반자가〕 되다.

〔就便〕 jiù·biàn 부 ①(～儿) …하는 김에. 그대로. ¶我打算～住在这儿; 나는 이대로 여기 살 작정입니다 / 路过仁川时, 我～看老同学去了; 인천에 들른 김에 학교 때의 친구를 만나러 갔다. ②설령 …이라도. ¶～他要, 我也不给; 만일 그가 요구해도 나는 주지 않는다.

〔就菜〕 jiù cài 밥과 함께 반찬으로 하다. ¶你别净吃饭, ～吃吧; 밥만 먹지 말고, 반찬도 함께 먹어라.

〔就餐〕 jiùcān 동 〈文〉 식사를 하다.

〔就场〕 jiùchǎng 부 그 자리에서. 즉석에서.

〔就此〕 jiùcǐ 부 여기에서. 그 곳에서. 이대로. 그대로. 그 때에. ¶文章～结束; 문장은 거기서 끝난다 / 不会～罢休; 이대로 계획이 중지되는 것은 아니다 / 果真这样的话, 我岂不～完蛋了吗? 참으로 이렇다면 나는 이대로 끝장이 나는 것이 아닐까?

〔就次〕 jiùcì 부 차례대로. ¶～完成任务; 차례차례 임무를 완수하다.

〔就打着〕 jiùdǎzhe 부 〈北方〉 비록〔설사·가령〕 …일〔할〕지라도. ¶～有点儿不是, 应该包涵着点儿; 설사 좋지 않은 점이 있다 하더라도, 조금은 용서해야 한다 / 这个～你卖一块钱, 我也不要; 이것을 1원에 판다 하더라도, 나는 필요 없다. =〔就满打着〕

〔就搭〕 jiùda 동 적당히 때우다〔조절하다〕. 참다. ¶双方一～, 事情就好办了; 쌍방이 조금씩 참으면 일은 잘 풀려 나간다 / 材料不够数, ～～吧; 재료의 수효가 모자라니, 적당히 때워 봅시다.

〔就逮〕 jiùdài 동 순순히 오랏줄을 받다〔체포되다〕.

〔就道〕 jiùdào 동 〈文〉 발족하다. 여행길을 떠나다. ¶束装～; 여장(旅裝)을 갖추고 길을 떠나다 / 来电一再催促立即～; 전보가 와서 여러 차례 곧 떠나도록 재촉했다. =〔上路〕〔就途〕

〔就得了〕 jiùdéle 그만하면 됐다. …하면 좋다. =〔就是了〕〔就结了〕〔就好了〕

〔就地(儿)〕 jiùdì(r) 명 ①마루. ②땅바닥. 지면. ¶搁在～上; 바닥〔지면〕에 놓여 있다. 부 ①그 곳에서. 현지에서. 그 자리에서. ¶～挖了一个坑, 把他埋了; 그 곳에 구덩이를 파서, 그를 매장했다 / 都采取了从群众中来, ～解决的办法; 모두 대중의 자발적인, 현지 해결의 방법을 취했다 / ～枪决; 그 자리에서 총살하다. ②실지로. 동 땅에 붙이다〔대다〕. 땅 위를 질질 끌다. ¶两支脚～趿tā拉; 두 발을 지면에 질질 끌다.

〔就地取材〕 jiù dì qǔ cái 〈成〉 현지에서 취재하다〔재료를 조달하다〕.

〔就地散开〕 jiùdì sànkāi 《軍》 (그 자리에서) 해산!(《호령》).

〔就地踏勘〕 jiùdì tàkān 실지로 답사하다.

〔就地正法〕 jiù dì zhèng fǎ 〈成〉 죄인을 중앙에 보내지 않고, 체포한 그 자리에서 사형에 처하는 일. =〔就地正义〕

〔就地正义〕 jiù dì zhèng yì 〈成〉 ⇨〔就地正法〕

〔就读〕 jiùdú 동 학교 등에서 공부하다. 학교에 다니다. ¶～于某学校四年级; 모(某)학교 4학년에 재학하다.

〔就饭〕 jiù·fàn 동 밥 반찬으로 하다. ¶～吃很好; 밥 반찬으로 먹으면 무척 맛있다.

〔就范〕 jiùfàn 동 ①복종하다. 규범 내에 들어가다. 틀 안에 들다. ¶迫使～; 협박하여 복종시키다 / 想通过软硬兼施的手段使埃及～; 강온(強穩) 양면의 수단으로 이집트로 하여금 말을 듣게 하려고 하다. ②일정한 범위를 넘지 않다. 궤도를 벗어나지 않다.

〔就俯〕 jiùfǔ 동 남에게 동조하다. 남과 가락을 맞추다.

〔就根儿〕 jiùgēnr 부 근본부터. 근본적으로. 아예. ¶他～不上我这儿来; 그는 아예 나한테는 오지도 않는다.

〔就棍打腿〕 jiù gùn dǎ tuǐ 〈成〉 ①좋은 기회를 놓치지 않고 하다. ②자기가 유리해진 것을 기회로 남을 책(責)하다.

〔就航〕 jiùháng 동 취항하다. ¶定期船今春将～; 정기선은 올봄에 취항한다.

〔就好〕 jiùhǎo ①…하면 그것으로 좋다. ②다만 …할 도리밖에 없다.

〔就合〕 jiùhe 동 〈方〉 ①굽히고 나오다. 타협하다. 참다. ¶你要是～他, 他就不那么咬牙了; 네가 타협적으로 나온다면 그도 그렇게 심술궂게 굴지는 않을 것이다 / 没法子, ～给他办了; 할 수 없지. 참고 해 주자 / 听说是两下里已经～了; 이미 쌍방은 화해했다고 한다. =〔迁就〕 ②한데로 섞이다. ③오그라들다. ¶～在一块儿; 한데로 오그라들다. ④('～着'로 쓰여) 아쉬운 대로〔임시 변통으로〕 대용하다. ¶～吃现剩饭吧! 아쉬운 대로 (남아) 있는 밥을 먹자!

〔就歼〕 jiùjiān 동 섬멸되다. 전멸하다. ¶敌军都～了; 적군은 모두 섬멸되었다.

〔就将〕 jiùjiāng 부 곧. ¶～出发; 곧 출발한다.

〔就教〕 jiùjiào 동 스승에게 가르침을 받다.
〔就筋(儿)〕 jiù.jīn(r) 동 근육이 땅기다. ¶腰就了筋儿了; 허리가 땅겼다〔삐근했다〕. =〔抽chōu筋(儿)〕
〔就劲儿〕 jiùjìnr 동 형세를〔상황을〕 이용하다. ¶他想～把他搀到椅子上去; 그는 그 기회를 이용해서, 그를 부축하여 의자에 앉히려고 생각했다.
〔就近〕 jiùjìn 부 ①가까이. 가까이에서. ¶～生产, ～供应; 가까운 곳에서 만들어 인근에 공급하다 / 工人～做工, 家属～种地; 노동자는 근처 현장에서 일하고, 가족은 가까이서 밭일을 한다 / 你既到那儿去, ～到邮政局去买邮票来吧; 네가 그 곳에 간다면, 그 근처의 우체국에 가서 우표를 사 가지고 와라. ②곧. 우선.
〔就酒〕 jiù.jiǔ 동 술안주로 하다. ¶说着别人家的闲话, 正好～, 即多吃几杯何好; 남의 집 이야기를 하고 있노라면, 마침 좋은 술안주감이 되죠, 좀 과음하셔도 괜찮지 않습니까.
〔就就地〕 jiùjiùde 부 충분히. 잘. 확실히. ¶我和他说得～; 나는 그에게 충분히 이야기를 했단다.
〔就快〕 jiùkuài 부 곧《문말(文末)에 '了'가 옴》. ¶～吃饭了; 곧 식사를 한다.
〔就里〕 jiùlǐ 명 내부 사정. 이면의 경위. ¶不知～; 내정을 모르다 / 他岂知～的事; 그가 어떻게 속사정을 알랴. 부 내밀히. 가만히. ¶汝可殷勤相待, ～提防; 은근히 접대하고 가만히 경계해라.
〔就连〕 jiùlián 개 가령 …조차도. ¶～国务院也不理这个碴儿; 국무원조차도 이 일에 상관 않는다.
〔就粮〕 jiùliáng 동 〈文〉 군사를 이동하여 양식이 풍부한 땅으로 가다.
〔就令〕 jiùlìng 부 설령. 가사.
〔就满打着〕 jiùmǎndǎzhe 부 설사〔비록〕 …일지라도. ¶～他很会打算盘, 我也有点儿不放心; 비록 그가 주판을 잘 놓는다 해도, 나는 약간 걱정스럽다.
〔就木〕 jiùmù 동 관에 들어가다. (사람이) 죽다. ¶一个行xíng将～的地主; 여생이 얼마 남지 않은 지주.
〔就陂儿溜〕 jiùpōrliū ⇨〔就陂儿下〕
〔就陂儿下〕 jiùpōrxià 〈比〉 ①타성으로 계속하다. ¶～地接续稿; 타성으로 원고를 계속해 쓰다. ②대세를 알아차리고 남에게 따르다. 타협적으로 나오다. ¶人家既是找你来了, 你还不～; 저쪽에서 기왕 자네를 찾아왔으니, 자네도 못 이기는 체 타협적으로 나오는 게 어떤가. ‖=〔就陂儿溜〕
〔就坡骑驴〕 jiù pō qí lǘ 〈成〉 언덕을 이용하여 나귀에 올라타다《마침가락(으로 이용하다)》.
〔就坡下驴〕 jiù pō xià lǘ 〈成〉 마침가락(으로 물러나다).
〔就亲〕 jiùqīn 동 결혼 당사자가 먼 곳에 있을 때 그 곳으로 가서 결혼하다. ¶她这回是来～, 住在南关他们一个同乡家里了; 그녀는 이번에 결혼하려고 온 것인데, 남관(南關)의 동향인 집에 묵고 있습니다.
〔就擒〕 jiùqín 동 〈文〉 잡히다. 사로잡히다. ¶束手～; 순순히 체포되다 / 当场～; 그 자리에서 사로잡히다.
〔就寝〕 jiùqǐn 동 〈文〉 취침하다. =〔就枕〕〔入寝〕
〔就让〕 jiùràng 접 〈口〉 설사. 비록 …이라도.
〔就热打铁〕 jiù rè dǎ tiě 〈成〉 달아오른 쇠를 식기 전에 때리다. 쇠뿔도 단김에 빼랬다《시기를 놓치지 않고 일을 하다》.
〔就任〕 jiù.rèn 동 직무에 나아가다. 취임하다.
〔就师〕 jiùshī 동 ⇨〔投tóu师〕
〔就时〕 jiùshí 〈文〉 동 때를 이용하다. 기회를 보다. 부 그 때에 바로. 즉각.
〔就实论虚〕 jiù shí lùn xū 〈成〉 실천을 통하여 이론을 확립하다.
〔就食〕 jiùshí 동 〈文〉 밥을 청하다. ¶～无门; 생계의 길이 없다.
〔就使〕 jiùshǐ 접 ⇨〔就是②〕
〔就世〕 jiùshì 동 ⇨〔去qù世〕
〔就事〕 jiùshì 동 ①일을 하다. 취직하다. 취임하다. ②사실에 입각하다.
〔就事论事〕 jiù shì lùn shì 〈成〉 사물 자체에 관해서만 득실을 논하다. 사실에 입각해서 일을 논(論)하다. 공리 공론(空理空論)을 하지 않는다. ¶这件事不能～地解决, 要从思想上找原因; 그 일은 그 일만의 해결로 끝나는 것이 아니고, 사상면에서 원인을 캐지 않으면 안된다.
〔就势〕 jiùshì ①기세를 틈타다. ¶他把铺盖放在地上, ～坐在上面; 그는 요를 바닥에 깔자, 그 바람에 그 위에 주저앉았다. ②…하는 김에. ¶～你给我带一包糖来; 오는 김에 내게 사탕 한 봉지 갖다 다오.
〔就是〕 jiùshì ①〈套〉 그래 그래. 맞다 맞아. ¶～, ～, 您的话很对; 맞습니다. 지당하신 말씀입니다. ② 접 비록〔설사〕 …하더라도('～…也…'로 쓰여 양보를 나타냄). ¶为了祖国, ～生命也不吝惜; 조국을 위해서라면 목숨조차 아까워하지 않다. ③ 부 강조를 나타냄. ㉠강하게 긍정함. ¶他～不同意; 그는 도무지 찬성하지 않는다 / 我不干～不干; 안 한다면 안 한다. ㉡동작의 민첩함을 나타냄. ¶对准了狼～一枪; 이리를 정확히 겨냥하여 꽝 하고 한 방을 쏘다. ㉢많음을 나타냄. ¶一病～半个月; 병에 걸리면 반 달이나 눕는다. ④ 부 단지 …뿐이다《범위를 정함》. ㉠다른 것을 배제하다. ¶我们家～这一间屋子; 집이라곤 (단지) 이 한 칸뿐이다. ㉡단지 하나뿐인 불만 또는 유감인 것을 초들어 말함. ¶他能站起来, ～不能走; 그는 일어설 수는 있으나, 유감스럽게도 걷지를 못한다. ⑤ 부 …할 따름〔뿐〕이다. 확실히 …합니다《문말(文末)에 써서 긍정을 나타내거나 '不过'·'只是'와 호응함. 맨 끝에 '了'를 붙임》. ¶我们各尽各的力量去努力～了; 우리는 각자 역량껏 노력할 따름이다 / 我一定遵您的说办～了; 나는 꼭 당신의 말씀대로 하겠습니다 / 你可别当真, 我只是随便说说～了; 곧이듣지 말게나. 그저 말 좀 해 봤을 뿐이야.
〔就是说〕 jiùshì shuō 그것은 곧〔즉〕. 바꿔 말하면. 결국. =〔也就是说〕
〔就手(儿)〕 jiùshǒu(r) 부 ①…하는 김에. ¶你上街～给我买点儿东西, 成不成? 네가 시내에 나가는 김에, 물건을 좀 사다 주었으면 싶은데, 괜찮겠지? =〔顺手〕〔顺便〕 ②…하고 곧. …을 기회로. ¶出去～把门带上; 나가거든 곧 문을 닫아 주십시오 / 稍微待一待儿, 站起来说明了缘故, ～告辞了; 잠시 후에 일어나서 이유를 설명하고, 그것을 기회로 곧 작별을 고했다.
〔就手把手〕 jiùshǒu bǎshǒu 친절히 이끌다. ¶～地教; 친절을 다하여 이끌어 가르치다.
〔就衰〕 jiùshuāi 동 〈文〉 점차 쇠(衰)하다.
〔就说〕 jiùshuō 접 설사 …라 하더라도. ¶～还活着, 也活不长吧; 설사 아직 살아 있다 해도, 그다지 오래는 살지 못할 게다.
〔就算〕 jiùsuàn 접 〈口〉 가령 …일지라도. ¶～有困难, 也不会太大; 설사 곤란한 일이 있더라도 별로 대단한 것은 아니다 / ～兜里空着东摘西借, 也

得帮你; 설사 주머니 속이 비어서 여기저기 돈을 춰하러 다니더라도 자네를 돕겠다 / ～眼前没有多大妨碍, 可以后呢? 비록 지금은 그다지 지장이 없다 하더라도, 금후는 어떨까?

〔就汤儿泡〕 jiùtāngrpào 〈比〉 다른 일을 하는 김에. ¶趁着这个机会您～办那个事吧; 이 기회에 함께 저 일도 하시오.

〔就汤下面〕 jiù tāng xià miàn 〈成〉 마침 있는 국물에 국수를 넣다(뜻밖의 행운. 마침가락). ¶对, 咱们就来个～; 그렇고말고, 우리는 그것을 이용해서 역수(逆手)로 나온단 말일세.

〔就途〕 jiùtú 동 ⇨〔就道〕

〔就位〕 jiù,wèi 동 자리에 앉다. 착석하다. ¶各就各位; 각각 그 위치에 자리잡다.

〔就先〕 jiùxiān 부 우선. 급한 대로.

〔就绪〕 jiù,xù 동 〈文〉 궤도에 오르다. 윤곽이〔실마리가〕 잡히다. 일이 진척되기 시작하다. ¶大致～; 대체로 궤도에 올랐다.

〔就学〕 jiù,xué 동 취학하다(본디는 학생이 선생한테 가서 공부하다. 지금은 학교에 가서 배우다).

〔就养〕 jiùyǎng 동 ①부모를 섬기다. ②부모가 자식에게 가서 부양을 받다.

〔就要〕 jiùyào 부 곧(문장 끝에 '了'를 씀). ¶大邱站～到了; 곧 대구역에 도착합니다 / 暴风雨～来了; 금새라도 폭풍우가 올 것 같다.

〔就业〕 jiù,yè 동 취업하다. ¶～机会越来越少了; 취업의 기회는 점점 적어졌다 / 充分～; 완전 고용 / ～不足; 불완전 취업 / ～面; 취직의 종류와 범위.

〔就业介绍所〕 jiùyè jièshaosuǒ 명 직업 소개소.

〔就医〕 jiù,yī 동 의사의 진찰을 받다.

〔就义〕 jiùyì 동 〈文〉 의(義)를 위해 죽다. ¶从容～; 조용히 의를 위해 죽다 / 慷慨～; 의기 헌앙(意氣軒昂)하게 정의를 위하여 희생되다.

〔就着〕 jiùzhe 개 ①(…의) 때에. ¶～这个机会…; 이 기회에…. ②(…에) 대해서. (…에) 의해서. (…의) 속에서. ¶～现有的人挑选; 지금 있는 사람 속에서 고른다.

〔就诊〕 jiùzhěn 동 〈文〉 ①진찰하다. ②진찰을 받다.

〔就枕〕 jiùzhěn 동 취침하다.

〔就正〕 jiùzhèng 동 〈文〉 질정(叱正)을 바라다. ¶～于读者; 독자의 질정을 바라다.

〔就职〕 jiù,zhí 동 ①취직하다. ②취임(就任)하다. ¶～典礼; 취임식 / ～演说; 취임 연설 / ～记者会; 취임 기자 회견.

〔就中〕 jiù,zhōng 부 〈文〉 ①중간에서. ¶～调停; 중간에서 조정하다 / ～斡旋; 중간에 서서 알선하다. =〔居中〕 ②그 중에서도. 특히. ¶这件事他们三个人都知道, ～王先生知道得最清楚; 이 일은 그들 세 사람이 모두 알고 있으나, 그 중에서도 특히 왕씨가 가장 잘 압니다. =〔其中〕

〔就座〕 jiù,zuò 동 자리에 앉다. ¶他终于就了座…; 그는 마침내 자리에 앉아….

僦 jiù (추)
동 〈文〉 ①빌다. 임차(賃借)하다. ¶～屋; 집을 세내다. 셋집. ②빌려 주다. ③운송(하다). ¶～费; ⓐ운임. ⓑ집세.

鹫(鷲) jiù (취)
명 《鳥》 독수리.

〔鹫雕〕 jiùdiāo 명 《鳥》 검둥수리. =〔金jīn雕〕〔洁jié白雕〕

蹴 jiu (축)
→〔圪gē蹴〕 ⇒ cù

JU ㄐㄩ

车(車) jū (거)
명 ①중국 장기의 말의 하나. ② '车chē'의 문어음(文語音). ⇒ chē

且 jū (저)
①조 〈文〉 문어(文語)의 조사(문말(文末)에 두어 어기(語氣)를 강조함. 구어(口語)의 '啊'에 해당함). ¶狂童之狂也～; 미치고 또 미친 놈. ②인명용 자(字). ⇒ qiě

沮 jū (저)
①지명용 자(字). ¶～水; 쥐수이(沮水)(산시 성(陝西省)·후베이 성(湖北省)에 있는 강 이름). ②명 성(姓)의 하나. ⇒ jǔ jù

苴 jū (저)
①→〔苴麻〕 ②명 삼씨. ③동 〈文〉 싸다. 깔다. ¶苞bāo～; 짚으로 싼 것. 〈比〉 선물. 뇌물.

〔苴布〕 jūbù 명 〈文〉 거친 삼베.

〔苴绖〕 jūdié 명 옛날, 상중에 입던 삼베옷.

〔苴麻〕 jūmá 명 '大麻'(삼)의 암포기〔자주(雌株)〕. =〔子zǐ麻〕〔种麻〕

狙 jū (저)
①명 《動》 〈文〉 큰 원숭이의 하나. ②동 〈文〉 겨누다. 저격하다. ¶遇yù～; 저격(狙擊)을 당하다. ③형 교활하다.

〔狙击〕 jūjī 명동 저격(하다). ¶～手; 저격수. 동 남의 허를 찔러 공격하다.

〔狙伺〕 jūsì 동 〈文〉 가만히 엿보다.

疽 jū (저)
명 《漢醫》 뿌리가 깊이 박힌 악성의 종기.

罝 jū (저)
명 〈文〉 토끼 잡는 그물.

趄 jū (저)
①→〔趑zī趄〕 ②동 피하다. ⇒ qiè

〔趄避〕 jūbì 동 〈文〉 앞으로 나아가려 들지 않다. (만나지 않도록) 피하다.

雎 jū (저)
①명 《鳥》 물수리(암수 사이가 좋아서, 의가 좋은 부부에 비유됨). ¶关关～鸠jiū; 캉캉 하고 서로 마주 울어 대는 암수의 물수리. =〔雎鸠jiū〕 ②인명용 자(字).

泃 jū (거)
지명용 자(字). ¶～河Jūhé; 쥐허(泃河)(허베이 성(河北省)에 있는 강이름).

拘 jū (구)
①동 붙잡다. ¶～捕bǔ; 체포하다. 억류하다 / 即～原告来审; 원고를 소환하여 조사하다. ②동 구류〔구금〕하다. ¶被～于某处; 모처에 구금되어 있다. =〔拘留〕〔拘押〕 ③동 구애하다. 얽매이다. ¶～于旧法; 오랜 예법에 구속되다 / 无～无束; 누구에게도 구속되지 않다. 멋대로 하다 / 不～多少; 다소에 얽매이지 않다. ④형 융통성이

없다. 완고하다. ¶不～形跡; 형식에 얽매이지 않다/别～, 您先请; 사양하지 마시고 부디 먼저/这个人太～了; 이 사람은 매우 완고하다/我倒不～; 나는 어느 쪽이나 상관없다. ⑤ 동 제한하다. ¶多少不～; 수량에 제한은 없다. ⑥ 동 추위에 오그라들다. ⇒jú

〔拘案〕 jū'àn 동 구인(拘引)하다. ¶～究讯; 구인하여 신문하다.

〔拘板〕 jūbǎn 형 〈方〉 (거동이나 말이) 딱딱하다. ¶自己人随便谈话, 不必这么～; 우리끼리인데 그렇게 딱딱하게 굴지 말고 터놓고 이야기합시다.

〔拘捕〕 jūbǔ 동 《法》 체포하다. =〔拘拿〕〔拘执②〕

〔拘管〕 jūguǎn 동 ①구금하다. 구류하다. ②단속〔감독〕하다. 제어하다. 억압하다. ¶对孩子不要～得太严! 아이를 지나치게 엄하게 억압하면 안 된다!/他的父亲去年死了, 现在他没有～的; 부친이 작년에 돌아가시어, 지금은 그를 단속할 사람이 없다.

〔拘获〕 jūhuò 동 포획하다. 체포하다.

〔拘忌〕 jūjì 동 〈文〉 꺼리다. 어려워하다.

〔拘介〕 jūjiè 형 〈文〉 딱딱하다. 엄격하다.

〔拘解〕 jūjiè 동 〈文〉 체포하여 호송하다.

〔拘谨〕 jūjǐn 형 ①소심하다. 걱정하다. ②고지식하고 융통성이 없다. ③어색하다. 딱딱하다.

〔拘禁〕 jūjìn 명동 《法》 구금(하다). =〔拘押〕

〔拘究〕 jūjiū 동 구인(拘引)하여 심문하다. =〔拘讯〕

〔拘拘〕 jūjū 형 ①구애되는 모양. 융통성이 없이 딱딱한 모양. ②몸이 잘 펴지지 않는 모양.

〔拘拘缩缩〕 jūjusuōsuō ①무서워서 떨다. 작은 일에 구애되어 안절부절하다. ②우물쭈물하다.

〔拘礼〕 jūlǐ 동 점잔 빼다. (표정·태도 따위가) 딱딱해지다. 조심스럽게 행동하다. ¶熟不～; 아는 사이라서 스스럼이 없다.

〔拘留〕 jūliú 명동 《法》 구금(하다). 구류(하다)《행정 처벌》. ¶～所; 구류장. 구치소/～证; 구속 영장.

〔拘溜儿〕 jūliur 명 〈北方〉 오므라진 곳. 비비 꼬인 데. ¶这根绳子拧nǐng得太紧都打～了; 이 새끼줄은 너무 바싹 꼬아서 오그라들 정도이다.

〔拘挛〕 jūluán 동 ①경련을 일으키다. 쥐가 나다. ¶～症; 《醫》 파상풍(破傷風). ②〈文〉 얽매이다. 구애되다. ③(～儿)〈方〉 손발이 곱다. ¶冷得～了; 추워서 (손발이) 빳빳해졌다. ④(～儿) (머리털이) 곱슬곱슬하다. ¶头发烫tàng得～; 퍼머를 해서 머리털이 곱슬곱슬해지다.

〔拘拿〕 jūná 동 ⇨〔拘捕〕

〔拘泥〕 jūnì〔jūni〕 동 ①구애되다. ¶～礼节; 지나치게 예의에 얽매이다/～成法; 기성(旣成)의 법에 얽매이다. ②사양하다. 스스러워하다. ¶别～; 사양하지 마시오. 형 고집스럽다. 완고하다. ¶～不通; 완고하여 융통성이 없다/那个人很～不随和儿; 그는 아주 완고해서 다른 사람과 조화가 안된다.

〔拘票〕 jūpiào 명 《法》 체포 영장. 구속 영장. =〔提tí票〕

〔拘牵〕 jūqiān 동 구애되다. 사로잡히다. 관련되다. ¶应该具体情况具体处理, 不要太～于形式; 구체적인 상황은 구체적으로 해야지, 너무 형식에 구애돼서는 안 된다/竟～文字的小节, 不管人民生活的实在; 세세한 규정에 얽매여서, 국민 생활의 실제를 돌아보지 않는다. 명동 〈文〉 속박(하다).

〔拘儒〕 jūrú 명 〈文〉 편협하고 융통성이 없는 유학자(儒學者).

〔拘守〕 jūshǒu 동 관습을 굳게 지키다〔고수(固守)하다〕. ¶～积jī习; 관습을 굳게 지키다〔고수하다〕/～旧法; 옛 법률을 고수하다.

〔拘束〕 jūshù 동 구속하다. 속박하다. ¶不要～孩子的正当活动; 아이의 정당한 활동을 속박해서는 안 된다. 형 어색하다. 딱딱하다. 거북하다. ¶她～地站起来; 그녀는 거북하여 일어섰다/毫不～地说; 거리낌없이 툭툭 말하다.

〔拘数〕 jūshù 동 수를 제한하다. 수를 정하다. 양을 결정하다. ¶平常做饭可以～; 평소에 밥을 지을 경우는 (쌀의) 양을 정하는 것이 좋다.

〔拘送〕 jūsòng 동 《法》 압송하다.

〔拘提〕 jūtí 동 《法》 구인(拘引)하다. ¶出票～; 구속 영장을 발행하여 구인하다.

〔拘文〕 jūwén 동 〈文〉 문법에 얽매이다.

〔拘系〕 jūxì 동 구금하다.

〔拘虚〕 jūxū 형 〈文〉 〈比〉 견문이 좁고 천박하다. ¶～之见; 고집스러운 좁은 견식(見識).

〔拘讯〕 jūxùn 동 구인(拘引)하여 심문하다. =〔拘究jiū〕

〔拘押〕 jūyā 명동 《法》 구금(하다). ¶非法～; 불법 구류(하다). =〔拘禁〕

〔拘役〕 jūyì 명 《法》 형기(刑期)가 비교적 짧은 구금형(拘禁刑).

〔拘囿〕 jūyòu 동 ①구애되다. 고집하다. ②제한하다. 한정하다.

〔拘执〕 jūzhí 동 ①고집하다. 구애되다. ②체포하다. =〔拘捕〕〔拘拿〕

驹(駒) jū (구)

명 ①좋은 말. 젊은 멋진 말. ¶千里～; 천리마. ②(～儿, ～子) 망아지. 당나귀 새끼. ③성(姓)의 하나.

〔驹光〕 jūguāng 명 〈文〉 광음(光陰). 시간. =〔驹影〕

〔驹骊〕 jūlí 명 《動》 〈方〉 염소.

〔驹隙〕 jūxì 시간이 빠르게 지나감.

〔驹影〕 jūyǐng 명 ⇨〔驹光〕

〔驹子〕 jūzi 명 작은 말. 망아지. 새끼 당나귀.

痀 jū (구)

→〔痀偻〕〔痀瘘〕

〔痀偻〕 jūlóu 명 곱사등이. =〔痀瘘〕

〔痀瘘〕 jūlòu 명 ⇨〔痀偻〕

跔 jū (구)

형 〈文〉 추워서 다리를 뻗을 수 없다. 추워서 손발이 곱다.

鮈(鮈) jū (구)

명 《魚》 잉어 비슷한 담수어《미꾸라지와 잉어의 중간 성질을 가짐》.

居 jū (거)

①동 (…에) 있다. (…에) 위치하다. ¶～间; 사이에 서다. ②동 살다. 거주하다. ¶久～乡间; 오랫동안 시골에서 살다/分～; 별거하다/～家; 집에 있다. 집에서 지내다. ③동 쌓다. 사서 쟁여 두다. ¶囤积～奇; 사서 저장해 두어 가지고 가격 오르기를 기다리다/奇货可～; 물건을 독점하여 이익을 남기려고 하다. ④동 …의 자리를 맡아 보다. ¶身～要职; 요직을 맡다. ⑤동 (…을) 자처〔자임〕하다. …연(然)하다. ¶以前辈自～; 선배를 자처하다. ⑥명 주거(住居). 거처. 주소. ¶新～; 새집/迁qiān～; 이사하다/～无定址; 주소 부정. ⑦명 음식점의 점포 이름에 붙이는 말. ⑧부 평안히. →〔居然rán〕 ⑨동 자리잡다. 머물다. ¶岁月不～; 세월은 사람을

기다리지 않는다 / 变动不～; 끊임없이 변동하다. ⑩ 동 마음에 품다. 두다. ⑪ 명 성(姓)의 하나.

〔居哀〕 jū'āi 동 ⇨〔居丧〕

〔居安思危〕 jū ān sī wēi 〈成〉 평화시에 전시(戰時)를 생각하다. =〔于安思危〕

〔居安资深〕 jū ān zī shēn 〈成〉 학문의 조예가 깊다.

〔居常〕 jūcháng 명 〈文〉 평소. 평상시.

〔居多〕 jūduō 동 다수를 차지하다. ¶他所写的文章, 关于青年教育方面的～; 그가 쓴 글은 청년교육에 관한 것이 다수를 차지한다.

〔居高临下〕 jū gāo lín xià 〈成〉 높은 곳에서 내려다보다《점유하고 있는 지세(地勢)가 유리함의 형용》.

〔居功〕 jū·gōng 동 〈文〉 공로가 있다고 자처하다. ¶～自满; 공훈이 있다고 자만하다.

〔居官〕 jūguān 동 〈文〉 관직에 있다.

〔居户〕 jūhù 명 ①주택. 저택. ②거주민.

〔居积〕 jūjī 동 〈文〉 (재물을) 축적하다.

〔居家〕 jūjiā 동 집에 있다. ¶～人等; 한집안 사람들. 일가족 / ～不出; 집에 있어 외출하지 않다 / ～日用; 집에서 매일 쓰는 것. 명 집에서의 일상 생활.

〔居间〕 jūjiān 동 ①중간에 서서 조정하다. ¶～人; 조정인. 중개인. ②두 사람 사이를 알선하여 계약을 성립시키다. ¶～业 =〔～商〕; 중개업. 브로커(broker) / ～钱; 주선료. 구전 / ～贸易; 중개 무역.

〔居居〕 jūjū 형 〈文〉 서로 미워하여 친하게 지내지 않는 모양.

〔居里〕 jūlǐ 양 《物》 〈音〉 퀴리(curie)《방사능성 물질의 질량 단위》. ¶微～; 마이크로 퀴리. =〔居礼〕

〔居里夫人〕 Jūlǐ fūrén 명 《人》 퀴리(Marje Sklodowska Curie)《프랑스의 물리학자, 1867～1934》.

〔居留〕 jūliú 명동 거류(하다). 체류(하다). ¶给以～的权利; 거류권을 주다.

〔居楼园馆〕 jū lóu yuán guǎn 명 요릿집·음식점의 총칭《'居'는 작은 점포. '楼'·'馆'은 큰 점포. '园'은 찻집》.

〔居卖〕 jūmài 동 앉은〔점포를 갖고〕 장사를 하다. →〔居商〕

〔居民〕 jūmín 명 거민. 주민.

〔居民点〕 jūmíndiǎn 명 거주구(居住區). 주택단지《새로운 수요에 따라 조성되고 있는 단지》.

〔居民区〕 jūmínqū 명 거주구《'居民点'보다 범위가 넓음》.

〔居民身份证〕 jūmín shēnfenzhèng 명 신분 증명서.

〔居奇〕 jūqí 동 폭리를 탐하여 귀한 상품을 팔지 않고 값이 오르기를 기다리다. ¶囤tún积～; 매점하여 값이 오르기를 기다리다. =〔囤积居奇〕〔奇货可居〕

〔居其大半〕 jū qí dàbàn 〈文〉 그 태반을 차지하다.

〔居然〕 jūrán 부 ①예기치 않게. 뜻하지 않게. 갑자기《뜻밖의 일에 대한 놀란 마음을 나타냄》. ¶他唱的～不错; 그의 노래는 (잘 할 줄 몰랐는데) 보통이 아니다 / 谁也没想到, 这么大的一座铁桥～只用了一年的时间就建成了; 이렇게 큰 철교가 불과 1년 만에 완공되리라곤 아무도 생각 못했다 / 他做事不几年, ～当起局长来了; 그는 불과 몇 해 만에 놀랍게도 국장이 되었다. ②버젓이. 평온히. ¶～生子zǐ; 순탄하게 아들을 낳다. 순산하다. ③결국. ④〈文〉 확실히. 분명하게. ¶～可知; 분명하게 알다.

〔居人之上〕 jū rén zhī shàng 〈成〉 남의 위에 서다. 남의 윗자리에 서다.

〔居丧〕 jūsāng 동 〈文〉 상중(喪中)에 있다. =〔居哀〕〔居忧〕

〔居商〕 jūshāng 명 점포를 차린 상인. =〔坐商〕 →〔居卖〕

〔居上风〕 jū shàngfēng 우위(優位)를 차지하다. ¶他久～, 毫无傲ào气, 真是难得; 그는 오랫동안 상위(上位)를 차지하고 있지만, 조금도 교만하지 않으니, 참 훌륭하다.

〔居摄〕 jūshè 동 〈文〉 섭정(攝政)을 보다.

〔居士〕 jūshì 명 ①재가 불도(在家佛徒). 거사. ②벼슬하지 않고 은거해 있는 학자.

〔居室〕 jūshì 명 거실.

〔居首〕 jū·shǒu 동 〈文〉 첫째를 차지하다. ¶他的学习成绩居全班学生之首; 그의 성적은 전반의 학생 중 수석을 차지한다.

〔居孀〕 jū·shuāng 동 과부가 수절하다.

〔居所〕 jūsuǒ 명 주소. 거주하고 있는 곳.

〔居停〕 jūtíng 명 집 주인. 거처하고 있는 집의 주인. 동 기류(寄留)하다. 체류하다.

〔居停(主人)〕 jūtíng(zhǔrén) 명 거처하고 있는 집의 주인.

〔居先〕 jūxiān 동 앞에 서다. 선두에 서다.

〔居心〕 jūxīn 명 요량. 마음. 생각. 속셈. ¶是何～? 무슨 속셈이지? / ～何在? 저의가 어디 있지? / ～不良; 좋지 않은 속셈〔꿍꿍이속〕이 있다 / ～叵pǒ测 =〔～莫mò测〕; 〈成〉 무슨 생각으로 있는지 모른다. 본심을 헤아리기 어렵다.

〔居忧〕 jūyōu 동 ⇨〔居丧〕

〔居于〕 jūyú 〈文〉 …에 있다. …을 차지하다. ¶～多数; 다수를 차지하다 / 他的错误同他的成绩比较起来, 只～第二位的地位; 그의 잘못은 그 성적에 비하면, 부차적인 일에 지나지 않는다.

〔居长〕 jūzhǎng 명 〈文〉 나이가 위인 사람. 연장자. ¶他是～; 저 사람이 나이가 위이다.

〔居止〕 jūzhǐ 명 ①주거. ¶～不详; 주거 불명. ②일상 생활. ¶你的～怎样? 어떻게 지내십니까? 동 거주하다. 투숙(投宿)하다.

〔居址〕 jūzhǐ 명 주소. =〔住址〕

〔居治不忘乱〕 jū zhì bù wàng luàn 〈成〉 치세(治世)에 있어 난세를 잊지 않는다《태평한 세상에 있어도 난시를 잊지 않고 방심하지 않음》.

〔居中〕 jūzhōng 명동 ①중간(에 서다). ¶～调tiáo停; 중간에 서서 조정하다 / ～斡旋; 중간에서 알선하다. ②한가운데 (있다). ¶两旁是对联, ～是山水画; 양쪽이 대련(對聯)이고, 가운데는 산수화이다.

〔居诸〕 jūzhū ⇨〔日rì居月诸〕

〔居住〕 jūzhù 동 (장기간) 살다. 거주하다《'住'보다 문어적(文語的)임》. ¶他家一直～在北京; 그의 일가(一家)는 내내 베이징(北京)에 살고 있다 / 改善～条件; 거주의 조건을 개선하다. 명 거주지. ¶～分散; 거주지가 분산되어 있다.

据 jū (거)

명 손의 병(病). ¶拮jié～; 재정(財政)이 여의치 못하다. ⇒jù

琚 jū (거)

명 ①〈文〉 옛날, 몸에 찬 옥(玉)의 일종. ②성(姓)의 하나.

椐 jū (거)
명〖植〗 개비자나무의 별칭. =〔灵líng寿(木)〕

腒 jū (거)
명〈文〉 조육(鳥肉)의 포 또는 소금절이.

裾 jū (거)
명〈文〉 ①옷자락. ②윗도리의 겉섶.

鶋(鶋) jū (거)
→〔鹎bēi鹍〕

倶 Jū (구)
명 성(姓)의 하나. ⇒jù

掬 jū (국)
〈文〉 ①명 흙을 담아 메어 나르는 멱서리. 삼태기. ②동 힘을 합쳐 들어 올리다. 짊어지다.

椈 jū (국)
명〈文〉(대나무 따위로 만든) 간단한 가마(주로 산길에서 썼음).

锔(鋦〈鋸〉) jū (거)
①명 꺾쇠. ②동 깨진 그릇에 꺾쇠를 물리다. ¶她们俩闹决裂了, 我去给～锅去; 그 여자들은 사이가 틀어져 있으니까, 내가 가서 중재해야겠다. ⇒jú, '锯' jù

〔锔锅的戴眼镜〕 jūguōde dài yǎnjìng〈歇〉 땜장이가 안경을 끼다(흠을 찾다. 남의 결점을 집어내다).

〔锔碗儿的〕 jūwǎnrde 명 옹기그릇을 땜질하는 사람.

〔锔子〕 jūzi 명 깨진 옹기그릇을 잇대는 작은 꺾쇠. ¶用～锔上; 걸쇠로 사기그릇을 땜질하다.

掬〈匊〉 jū (국)
①동 양손으로 뜨다. ¶以手～水; 양손으로 물을 떠내다〔올리다〕/笑容可～;〈成〉 웃는 얼굴이 양손으로 그 웃음을 받아 담을 수 있는 것처럼 보이다. ②양 양손으로 한 번 떠내는 것을 세는 데 쓰이는 단위. ¶摘果盈～; 과일을 양손 가득히 따다.

〔掬水〕 jūshuǐ 동 양손으로 물을 뜨다.

〔掬水轮〕 jūshuǐlún 명〖機〗(관개용) 급수사.

鞠 jū (국)
①명 제기 공(옛날, 공차기에 쓰인 가죽공). ¶蹴cù～; 제기 공을 차다. ②명 누룩. ③〈文〉'菊jú'와 통용. ④동 몸을 구부리다. 꼬부리다. ⑤동 양육하다. ⑥형 작은. 어린. ⑦명 성(姓)의 하나.

〔鞠部〕 jūbù 명 ⇨〔菊jú部〕

〔鞠断〕 jūduàn 동 ⇨〔鞫jū断〕

〔鞠躬〕 jū gōng 동 상반신을 앞으로 구부려 절하다. 국궁의 절을 하다. ¶鞠一个躬, 鞠了一个九十度的躬; 최경례(最敬禮)하다/～如也; 삼가 황송해하는 모양. (jūgōng) 명 ①상반신을 구부리며 하는 절. ¶行xíng三～礼; 상반신을 앞으로 굽혀 세 번 계속해서 절하다. ②〈翰〉 구식 서간문·초대장 따위의 서명 밑에 써 넣는 문구의 하나(현재는 '敬jìng礼'라고 씀). ¶某某～; 모모배(某某拜)(편지 끝에 쓰는 말).

〔鞠躬尽瘁〕 jū gōng jìn cuì〈成〉 국사를 위해 온 힘을 다하다. ¶～, 死而后已《諸葛亮 後出師表》; 나라를 위해 힘을 다하여 죽을 때까지 그치지 않다.

〔鞠躬如也〕 jūgōngrúyě 형〈文〉 몸을 굽히어 두려워하고 삼가는 모양. ¶那老头儿不知什么时候就已～站在书房门外; 그 노인은 어느 틈엔가 서재문 밖에 몸을 굽히고 조심스럽게 서 있었다.

〔鞠䓖〕 jūqióng 명 ⇨〔芎xiōng䓖〕

〔鞠问〕 jūwèn 동 ⇨〔鞫问〕

〔鞠讯〕 jūxùn 동 ⇨〔鞫讯〕

〔鞠养〕 jūyǎng 동〈文〉 기르다. 양육하다.

〔鞠育〕 jūyù 동〈文〉 ①(어린애에게) 젖을 주다. ②(아이를) 기르다. 부양하다. 양육하다.

〔鞠狱〕 jūyù 동 ⇨〔鞫狱〕

〔鞠治〕 jūzhì 동 ⇨〔鞫治〕

〔鞠子〕 jūzǐ 명〈文〉 어린 아이.

㘦 jū (구)
동〈文〉(액체를) 뜨다. 푸다.

鞫 jū (국)
①동〈文〉 죄를 캐어 조사하다. ¶严yán～; 엄중히 심문하다. ②동 극한(極限)에 이르다. ③명 물가의 땅.

〔鞫断〕 jūduàn 동〈文〉 심문하여 죄를 결정하다. =〔鞠断〕

〔鞫问〕 jūwèn 동〈文〉 심문하다. =〔鞠问〕

〔鞫讯〕 jūxùn 동〈文〉 심문하다. =〔鞠讯〕

〔鞫狱〕 jūyù 동〈文〉 단죄하여 형을 집행하다. =〔鞠狱〕

〔鞫治〕 jūzhì 동〈文〉 심문하여 단죄하다. =〔鞠治〕

局 jú (국)
①명 기관(機關)·기업체 등 조직의 한 부분. ㉠국무원(國務院) 밑의 '中国民航总～'·'中央气象～' 따위는 '部bù'와 동격(同格). 보통은 '部'의 아래로서 '司sī'와 동격(하부 기관으로는 '处chù'·'科kē'·'股'를 가짐). ¶教育～; 교육국. ㉡성(省) 행정 기관의 한 부분('厅tīng'과 동격. 하부에는 '处'·'科'·'股'를 가짐). ¶(省)物资～; (성)물자국. ㉢시(市)·현(縣) 행정 기관의 한 부분(하부에는 '处'·'科'·'股'를 가짐). ¶(市)商业～; (시)상업국. ㉣국영 기업체의 명칭. ¶电话～; 전화국/邮(政)～; 우체국. ②명 점포(店鋪)의 호칭. ¶书～; 서점/果子～ =〔水果铺〕; 과일 가게/皮～ =〔皮货店〕; 모피점. ③명 바둑판. 장기판. ¶棋～; 바둑〔장기〕판/打了个平～; 비기다. ④양 바둑·장기 및 운동 시합 한 판 승부〔시합 횟수〕. 라운드. ¶一～棋; 바둑·장기의 일국(一局)/第一～比赛; (테니스 따위의) 제1세트〔게임〕/最后一～; 최후의 1세트〔라운드. 이닝(inning)〕/打满了五～; (탁구 등의) 풀 게임을 하다/下三～赢yíng两～算赢; 3국(局) 싸워서 2국승(局勝)하면 승리한다. ⑤명 연회·주석 따위의 모임. (주석을 마련하여) 사람들을 초대하기. ¶午～; 점심 초대/晚～; 밤 연회의 초대/我作一～约上二位吧; 제가 한자리에 마련해서 두 분을 초대하겠습니다. ⑥명 국면(局面). 바둑〔장기〕의 형세. 사건의 형세. ¶布～; 배치. 포석(布石). 대비/成～; 이미 이루어져 있는 국면/结jié～; 결과. 결말/大～; 중요 국면. 대세. ⑦명 어떤 국면. 어떤 사건 또는 일. ¶～外中立; 국외 중립/～中人; 사건의 관련자/当～; 국면을 담당하다. 당국/当～者迷;〈成〉 그 국면에 처해 있는 자는 정확한 판단을 하기가 어렵다. ⑧명 사람의 기량(器量). 재덕(才德). ⑨명 함정. 술책. 계략. 책략. ¶话～子; 몇 사람이 꾸민 함정〔협잡〕/骗piàn～; 계략. 속임수/

美人～; 미인계. ⑩ 동 구속하다. 억누르다. ¶～限; ⇩ ⑪ 명 부분. ¶～部; 국부. 한 부분. ⑫ 동 구부러지다. ⑬ 동 구석으로 몰아붙이다. 끽소리 못 하게 혼내 주다. ¶我再拿面子～他; 다음에는 내 위신을 내세워 그를 꼼짝달싹 못 하게 혼내 줬다.

〔局板〕 **júbǎn** 명 청대(清代)의 관서국(官書局) 간행의 책.

〔局部〕 **júbù** 명 국부. 일부분. ¶～战争; 국지전(局地戰) / ～地区有小雨; 일부 지역은 가랑비가 내리겠습니다《일기 예보의 말》/ ～麻醉; 《醫》 국부 마취.

〔局部工人〕 **júbù gōngrén** 명 부분(部分) 노동자. 부분별로 일하는 근로자. ¶在手工工场中, 完成商品生产的个别操作的工人是～; 수공업 제조 공장 안에서, 상품 생산의 개개 작업을 행하는 근로자는 부분 노동자이다.

〔局差〕 **júchāi** 동 기녀(妓女)가 손님에게 불려 가다.

〔局处〕 **júchǔ** 동 〈文〉 (중원(中原)을 잃고) 국지(局地)에 처하다.

〔局处偏安〕 **jú chǔ piān ān** 〈成〉 국지에 처하면서 겨우 안거(安居)를 보전하다.

〔局促〕 **júcù** 형 ①기량이 작다. 규모가 작다. (답답하고) 비좁다. ¶房间太～, 走动不便; 방이 좁아서 거동하기에 불편하다 / 大部分是在～破旧的厂房里生产; 대부분은 답답하고 비좁은 낡아 빠진 공장 내에서 생산하고 있다 / 初见生人, 样子很～; 초대면의 사람을 만났기 때문에 태도가 매우 조심스럽다. ②〈方〉 (시간적으로) 여유가 없다. 시간이 촉박하다. 어수선하다. ¶三天太～, 恐怕办不成; 3일간으로는 너무 촉박해서 아마 해내지 못할 것이다. ③거북스럽다. (태도가) 딱딱하다. 어색하다. 쭈뼛쭈뼛하다. ¶～不安; 어색해서 불안하다 / 他不像刚才那样～了; 그는 좀전처럼 쭈뼛거리지 않게 되었다 / 他初到这里, 感觉有些～; 그는 처음으로 이 곳에 왔기 때문에, 마음이 조금 거북하다. ‖ =〔侷促〕

〔局度〕 **júdù** 명 ⇨〔格gé度〕

〔局方〕 **júfāng** 명 의관(醫官)이 모인 관청에서 내리던 처방전(處方箋). =〔药局方〕

〔局蹐〕 **jújí** 동 오므라들다. 두려워 움츠리다. 겁을 먹다. 곰상스레 굴다.

〔局家儿〕 **jújiār** 명 ①도박장. ②도박장의 경영자.

〔局局面面〕 **jújúmiànmiàn** 형 성실하다. 점잖다. 진지하다. ¶～地说正经话; 성실하게 올바른 이야기를 하다. 점잖게 진지한 이야기를 하다.

〔局量〕 **júliàng** 명 〈文〉 기량(器量). 사람의 재간.

〔局面〕 **júmiàn** 명 ①국면. 형편. 정세. (어느 기간 내의) 상태. ¶稳定的～; 안정된 상태〔국면〕/ ～好转了; 국면이 호전되었다. ②만듦새. ③〈方〉 규모. ¶这家商店～虽不大, 货色倒齐全; 이 가게는 규모는 크지 않지만, 상품은 구색을 갖추었다.

〔局面〕 **júmian** 명 체면. 얼굴. 명예. 면목. ¶敷衍～; 체면을 세우다 / 讲jiǎng究～; 체면에 신경을 쓰다 / ～人; ⓐ점잖은 사람. ⓑ발 너른 사람. 안면이 넓은 사람 / 得děi有点儿～; 조금은 점잖은 데가 있어야 한다.

〔局内〕 **júnèi** 명 당국자. 당사자.

〔局骗〕 **júpiàn**〔**júpian**〕 동 계략 따위로 남을 속이다. 함정에 빠뜨리다. =〔局诈zhà〕

〔局票〕 **júpiào** 명 옛날에, 기생을 부를 때 쓰던 종이 쪽지.

〔局气〕 **júqi** 형 사리에 맞다. 공평하다. ¶别来不～的; 당치도 않은 소리 마라.

〔局卡〕 **júqiǎ** 명 옛날의 '厘lí卡' 및 그 파출소.

〔局识〕 **júshí** 명 〈文〉 좁은 식견.

〔局式〕 **júshì** 명 ①양식. 구조. ②형세. ¶～不佳bùjiā; 형세가 불리하다.

〔局势〕 **júshì** 명 (정치 · 군사상으로 일정 기간 중의) 발전 정황(情況). 정세. 상태. ¶～平稳; 정치 정세는 평온하다 / 这对于缓和中美之间的紧张～将有帮助; 이 일은 중 · 미간의 긴장 정세를 완화하는 데에 도움이 될 것이다.

〔局束〕 **júshù**〔**júshu**〕 명동 속박(하다). 구애(하다). ¶受～; 속박을 받다.

〔局缩〕 **júsuō** 동 웅크리다. 움츠러들다.

〔局所〕 **júsuǒ** 명 관청〔공공〕의 사무소.

〔局图〕 **jútú** 명 기보(棋譜).

〔局外〕 **júwài** 명 국외(局外). ¶严守～中立; 국외 중립을 엄수하다 / ～旁观; 국외에서 방관하다 / ～条规; 국외 중립의 결정.

〔局外人〕 **júwàirén** 명 국외자(局外者). 제3자. 부외자(部外者). ¶～不得而知; 국외자가 알 바 아니다. =〔墙qiáng外汉〕

〔局戏〕 **júxì** 명 (바둑 · 장기 등의) 국희(局戲).

〔局限〕 **júxiàn** 명동 국한(하다). 한정(하다). ¶～性; 한계성 / 不～在日常生活问题上; 일상 생활의 문제에 국한되지 않다.

〔局诈〕 **júzhà** 동 ⇨〔局骗〕

〔局长〕 **júzhǎng** 명 ①국장(局長). ②서장(署長).

〔局躅〕 **júzhú** 형 〈文〉 나아가기 어려운 모양. 머뭇거리는 모양.

〔局子〕 **júzi** 명 ①바둑판. ②〈口〉 옛날, 공안국 관공서, 경찰서 따위. ③점포에 부설된 제조 공장.

侷

jú (국)
동 〈京〉 공손하게 굴어 상대의 방자한 언동을 누르다. ¶拿面子～他; 체면을 생각하여 자중(自重)토록 하다 / 不用打他, 一～他就好了; 때릴 필요 없어, 부드럽게 대하면 넘어가게 되어 있다 / 不受～; 부드럽게 대해도 그 수에 넘어가지 않는다.

〔侷促〕 **júcù** 형 ⇨〔局促〕

焗

jú (거)
〈方〉 ① 동 (증기에) 쪄서 익히다. ② 형 (날씨 따위가) 푹푹 찌다.

〔焗油〕 **júyóu** 명 모발 영양제. 헤어 트리트먼트.

锔(鋦)

jú (국)
명 《化》 퀴륨(Cm:curium)《인조(人造) 방사성 원소의 하나》. ⇒jū

跼

jú (국)
① 형 〈文〉 굽다. 오므라들다. ¶蜷quán～; 오므라들다. 구부리다 / ～蹐jí; ⇩ ② 동 〈文〉 둥글게 구부리다 / 鬓bīn发曲qū～; 머리가 곱슬곱슬하다.

〔跼蹐〕 **jújí** 동 〈文〉 두려워 몸을 움츠리다.

拘

jú (구)
동 ①〈京〉 (긴장하여) 굳어지다. ¶大家初次见面, 总有点～着; 모두 초면이므로 아무래도 좀 굳어져 있다. ②〈京〉 겸손하게 말을 꺼내어 상대의 방자한 언동을 누르다. ¶大家拿话～着他, 他倒不好意思胡闹了; 모두가 공손하게 말을 꺼내서 그를 눌렀으므로, 멋대로 굴 수가 없게 되었다. ⇒jū

〔拘着〕 **júzhe** →〔字解〕

桔

jú (길)
'橘jú'의 속자(俗字). ⇒jié

菊 jú (국)
명 ①《植》 국화. ②성(姓)의 하나.

〔菊部〕 júbù 명 극단《송(宋)나라 고종(高宗) 때 궁중 악부(樂部)의 국부인(菊婦人)이 가무 음곡(歌舞音曲)에 뛰어나 악부를 '～'라고 칭한데서, 후세의 '戏xì班(儿)', 즉 극단을 일컫게 되었음》. =〔鞠jū部〕→〔菊谈〕
〔菊淀粉〕 júdiànfěn 명 《化》 이눌린(inulin). =〔菊糖〕〔土木香粉〕
〔菊糕〕 júgāo 명 국화를 넣어 만든 과자《음력 9월 9일인 중양절(重陽節)에 먹음》. =〔重chóng阳糕〕
〔菊虎〕 júhǔ 명 《蟲》 주방(廚房) 벌레. =〔出chū尾虫〕〔菊牛〕
〔菊花〕 júhuā 명 ①《植》 국화꽃. ②작고 풍미가 있다는 뜻으로, 음식물에 붙이는 말. ¶～酒; 국화와 약을 넣어서 빚은 술《중양절(重陽節)에 마시면 장수한다 함》.
〔菊花菜〕 júhuācài →〔茼tóng蒿(菜)〕
〔菊花茶〕 júhuāchá 명 국화차《국화꽃을 말려 건조시킨 것》.
〔菊花锅〕 júhuāguō 명 냄비 요리의 일종《알코올 연료를 사용하는 일종의 '火huǒ锅'을 사용하는데, 여기에 점화를 하게 되면 불꽃이 국화꽃처럼 퍼짐》.
〔菊花青〕 júhuāqīng 명 국화의 잎처럼 짙은 녹색.
〔菊花儿包〕 júhuārbāo 명 (껍질이 두꺼운) 고기만두《고기 만두는 표면의 중앙 부분을 꽃 모양으로 오므렸고, 팥 따위를 넣은 만두는 표면을 평평하게 하였음》.
〔菊花牙轮〕 júhuā yálún 명 ⇨〔伞sǎn齿轮〕
〔菊牛〕 júniú 명 ⇨〔菊虎〕
〔菊人〕 júrén 명 〈文〉 배우(俳優).
〔菊石〕 júshí 명 암모나이트(ammonite)《화석 동물의 하나》.
〔菊谈〕 jútán 명 연극에 관한 이야기《'剧jù谈'의 아어(雅語)》.
〔菊糖〕 jútáng 명 ⇨〔菊淀粉〕
〔菊芋〕 júyù 명 《植》 돼지감자. 뚱딴지. =〔洋大头〕〔鬼子姜〕
〔菊月〕 júyuè 명 음력 9월의 별칭.
〔菊枕〕 júzhěn 명 말린 국화를 채워 넣은 베개.

湨 jú (격)
지명용 자(字). ¶～水Júshuǐ; 쥐수이(湨水)《허난 성(河南省)에 있는 강 이름》.

䴗(鶪) jú (격)
명 《鳥》 때까치. =〔伯bó劳〕

橘 jú (귤)
명 《植》 귤(나무). ¶～子; 귤.

〔橘(子)瓣(儿)〕 jú(zi)bàn(r) 명 귤의 알맹이.
〔橘饼〕 júbǐng 명 귤을 설탕에 절여 만든 과자.
〔橘红〕 júhóng 명 ①《漢醫》 귤 따위의 껍질을 말린 것《진해제(鎮咳劑)》. ②《色》 (붉은색을 띤) 귤색. ③《植》 뽕깡(柑柑).
〔橘化为枳〕 jú huà wéi zhǐ 〈成〉 회남(淮南)의 귤을 회북(淮北)으로 옮기면 탱자나무가 된다《고장이 바뀌면 풍속·습관·말 따위도 달라지는 법이다》.
〔橘黄(色)〕 júhuáng(sè) 명 《色》 등색(橙色). 오렌지색.
〔橘络〕 júluò 명 《漢醫》 귤의 살에 붙어 있는 섬유질《한약제》.
〔橘霉素〕 júméisù 명 《藥》 시트리닌(citrinin)《항생 물질의 일종》.
〔橘皮〕 júpí 명 ①귤 껍질. ②진피(陳皮)《귤 껍질을 말린 약의 재료》.
〔橘蚜〕 júyá 명 《農》 귤나무의 진드기류(類).
〔橘汁〕 júzhī 명 (100%의) 귤〔오렌지〕 주스《'橘子汁'이라고도 하며, 물을 섞은 것은 '橘子水'》.
〔橘中之乐〕 jú zhōng zhī lè 바둑을 두는 즐거움《파공(巴邛)에 사는 사람이 뜰의 귤나무에서 큰 열매를 따서 자르니, 그 안에서 두 사람의 노인이 바둑을 두고 있었다는 고사에서 유래》.
〔橘子汽水〕 júzi qìshuǐ 명 오렌지 소다수.

沮 jǔ (저)
동 ①패하다. 무너지다. 의기 소침하다. ¶惨cǎn～; (의기가) 완전히 꺾이다 / 神色颇～; 풀이 꺾이어 기가 죽다. ②〈文〉 저지하다. 막다. ¶～止; 가로막아 저지하다 / ～其成行; 가는 길을 가로막다. =〔阻zǔ①〕 ③〈文〉 새게 하다. ⇒ jū jù

〔沮短〕 jǔduǎn 동 남을 헐뜯다. 욕하다.
〔沮诽〕 jǔfěi 동 〈文〉 남을 헐뜯다. 비방하다.
〔沮格〕 jǔgé 동 〈文〉 저지하다.
〔沮坏〕 jǔhuài 동 〈文〉 패하다. 실패하다.
〔沮恐〕 jǔkǒng 동 〈文〉 의기 저상(沮喪)하여 두려워하다.
〔沮衄〕 jǔnǜ 동 〈文〉 기가 꺾이어 패하다.
〔沮丘〕 jǔqiū 명 〈文〉 강을 뒤에 낀 험준한 언덕.
〔沮丧〕 jǔsàng 동 ①기세가 꺾이다. 실망하다. ②기세를 꺾다. 실망시키다. ‖ =〔沮索〕
〔沮索〕 jǔsuǒ 동 ⇨〔沮丧〕
〔沮泄〕 jǔxiè 동 〈文〉 새다. 새게 하다.

咀 jǔ (저)
동 ①입속에서 맛보다. (입 안에 넣어) 깨물다〔씹다〕. ¶～嚼jué =〔噍jiào～〕; 씹다. 〈比〉 되풀이 반복해서 체득하다. ②〈比〉 (말 따위를) 음미하다. ¶含英～华; 〈成〉 문장을 잘 음미해 가며 책을 읽다 / ～文义; 글의 뜻을 이해하다. ⇒ '嘴' zuǐ

岨 jǔ (서)
→〔岨峿〕

〔岨峿〕 jǔyǔ 동 〈文〉 ⇨〔龃龉〕

钼(鉏) jǔ (서)
→〔钼铻〕

〔钼铻〕 jǔyǔ 동 〈文〉 ⇨〔龃龉〕

龃(齟) jǔ (서)
→〔龃龉〕

〔龃龉〕 jǔyǔ 동 〈文〉 치아의 아래와 윗니가 맞지 않다. 〈比〉 의견이 엇갈리다. ¶以细故相～; 사소한 일로 의견의 충돌을 가져오다. =〔岨峿〕〔钼铻〕

弆 jǔ (거)
동 넣어 두다. 감추다. ¶藏cáng～; 광에 넣어 두다.

柜 jǔ (거)
→〔柜柳〕 ⇒ guì

〔柜柳〕 jǔliǔ 명 《植》 버드나무의 일종《중국의 가로수로 흔히 씀》. =〔元宝枫〕

矩〈榘〉 jǔ (구)
명 ①곡척(曲尺). 곱자. ②법칙. 규정. ¶七十而从心所欲, 不逾

yú～; 70세가 되어 하고 싶은 대로 행해도 도(道)에서 벗어나는 일은 없다 / 循xún规蹈～; 〈成〉 규율을 잘 지키다. ③《物》 모멘트(moment).
〔矩尺〕 jǔchǐ 명 곡척(曲尺). 티자형(T字型) 자. =〔〈南方〉 角jiǎo尺〕〔〈北方〉 弯wān尺〕
〔矩范〕 jǔfàn 명 ①규범. 본보기. ②〈翰〉 상대방〔편〕. ¶睽kuí隔～; 오랫동안 격조하였습니다.
〔矩管〕 jǔguǎn 명 《機》 직각으로 구부러진 연결용의 짧은 관(管). 엘보(elbow). =〔直zhí角弯管〕
〔矩体〕 jǔtǐ 명 《數》 직육면체(直六面體).
〔矩形〕 jǔxíng 명 장방형. 구형(矩形).
〔矩矱〕 jǔyuē〔〈舊〉 jǔhuò〕 명 〈文〉 규칙. 척도(尺度). 표준.
〔矩阵〕 jǔzhèn 명 《電算》 (컴퓨터의) 매트릭스(matrix).

莒

jǔ (거)
① 명 〈文〉 '토란'의 옛 이름. ②지명용 자(字). ¶～县; 《地》 쥐 현(縣)《산둥 성(山東省)에 있는 현(縣) 이름》. ③(Jǔ) 명 《史》 주대(周代)의 나라 이름.

筥

jǔ (거)
명 〈文〉 (쌀을 담는) 둥근 대바구니.

枸

jǔ (구)
표제어 참조. ⇒gōu gǒu

〔枸桔〕 jǔjú 명 《植》 탱자나무.
〔枸檬〕 jǔméng 명 ⇨〔枸橼〕
〔枸橼〕 jǔyuán 명 《植》 시트론. 또, 그 열매. =〔枸檬〕
〔枸橼皮〕 jǔyuánpí 명 《藥》 구연피. 레몬의 껍질.
〔枸橼酸〕 jǔyuánsuān 명 《化》 구연산. ¶～钠nà; 구연산 나트륨. =〔柠níng檬酸〕
〔枸橼酸铁铵〕 jǔyuánsuān tiě'ǎn 명 《化》 구연산철 암모늄.

蒟

jǔ (구)
→〔蒟蒻〕〔蒟酱〕

〔蒟酱〕 jǔjiàng 명 《植》 나도후추《후추과의 만성(蔓性) 상록 식물. 향신료의 원료》.
〔蒟蒻〕 jǔruò 명 《植》 구약나물. =〔蘑芋〕

举(舉〈擧〉)

jǔ (거)
① 동 (물건을 높이) 들어 올리다. 치켜들다. ¶把旗子～起来; 기를 게양하다 / ～枪; 받들어 총(을 하다). ② 동 (손을) 들다. (발을) 올리다. ¶～手; 손을 들다 / ～步; 발을 내딛다 / ～臂bì高呼; 〈文〉 팔을 높이 치켜들며 소리 높이 외치다〔부르다〕 ③ 동 선거하다. 추천하다. ¶推～; 추천하다 / 选～; 선거(하다). ④ 동 제시하다. ¶～一个例; 예를 하나 들다 / ～出一件事实来; 하나의 사실을 제시하다. ⑤ 명 행동. 동작. ¶一～一动; 행동의 하나하나 / 义～; 정의를 위해 하는 행동. ⑥ 동 〈文〉 날다. 높이 뛰다. ¶高～远蹈; 높이 뛰어 멀리 도망가다. ⑦ 동 일으키다. 시작〔기도〕하다. ¶～兵; 거병하다 / ～义; 의거(義擧)하다. ⑧ 동 (봉화 따위를) 올리다. 펴다. ¶～火; (신호로) 봉화를 올리다. (아궁이·난로에) 불을 때다〔지피다〕 ⑨〈文〉 통틀어. 전부. ¶～国欢腾; 나라 전체가 기쁨에 들뜨다 / 村人闻之, ～欣欣然有喜色; 마을 사람들은 그것을 듣고, 모두 기뻐하여 희색을 띠었다. ⑩ 명 〈簡〉 '举人'의 약칭《명청 시대 향시에 합격한 사람》. ¶中zhòng～; 급제하다. ⑪ 동 〈文〉 (아이를) 낳다. ¶～一男; 사내아이를 낳았다.
〔举哀〕 jǔ'āi 동 ①장례식에서 큰 소리로 울다. ②죽음을 애도하다.
〔举案齐眉〕 jǔ àn qí méi 〈成〉 쟁반을 공손하게 눈높이까지 받쳐 들다《아내가 남편을 존경하고 부부간에 예절이 바름》.
〔举办〕 jǔbàn 동 ①거행하다. 개최하다. ¶～学术讲座; 학술 강좌를 개최하다 / ～事业shìye; 사업을 일으키다. ②개설하다.
〔举保〕 jǔbǎo 동 〈文〉 보증하여 추천하다.
〔举报〕 jǔbào 동 (당국에) 통보하다. 밀고하다.
〔举杯〕 jǔ.bēi 동 술잔을 들다. ¶～祝酒; 축배를 들다 / ～消愁, 愁更愁; 술을 마시고 근심을 잊으려 해도, 시름은 더욱 심해질 뿐이다. 〈比〉 비관·절망감이 더욱 심해짐을 이름.
〔举兵〕 jǔbīng 동 거병하다. 군사를 일으키다.
〔举不胜举〕 jǔ bù shèng jǔ 〈成〉 (너무 많아서 예 따위를) 일일이 들 수가 없다. ¶拾金不昧的事情, 简直是～; 돈을 습득해도 슬쩍 감추지 않는 예는 이루 헤아릴 수가 없다.
〔举步〕 jǔ.bù 동 ⇨〔拔bá步〕
〔举翅〕 jǔchì 동 〈文〉 날개를 쳐들다. 날다.
〔举充〕 jǔchōng 동 〈文〉 선임하다.
〔举措〕 jǔcuò 명 〈文〉 ① 행동거지. ¶～失当; 〈成〉 행동거지가 올바르지 못하다. ②조치(措置).
〔举鼎绝膑〕 jǔ dǐng jué bìn 〈成〉 힘이 부족하여 소임을 감당하지 못하다.
〔举动〕 jǔdòng 명 거동. 동작. 움직임. 행위. 행동거지. ¶～缓慢; 동작이 느리다 / 近来他有什么新的～? 요즘 그에게 어떤 새로운 움직임이 있습니까?
〔举动儿〕 jǔdongr 명 (결혼·장례식 따위의) 접대. 잔치(행사). ¶这～不小; 이 잔치〔행사〕는 성대하다.
〔举墩子〕 jǔdūnzi 명 봉(棒)의 양끝에 납작하고 둥근 돌을 바퀴처럼 끼운 것을 들어 올리는 무예의 일종.
〔举发〕 jǔfā 동 ①적발하다. =〔检举〕 ②고발하다. ③폭로하다. =〔揭发〕
〔举凡〕 jǔfán 부 〈文〉 대체로. 대개. 개략(槪略). 모두. ¶～要点都胪lú列于后; 모든 요점(要點)을 다음에 열거(列擧)한다. =〔大凡〕〔大概〕
〔举国〕 jǔguó 명 온 나라. 전국《주로 부사성 수식어로 쓰임》. ¶～上下; 온 나라 모두가.
〔举劾〕 jǔhé 동 〈文〉 이름을 들어 탄핵하다. 명 추천과 탄핵.
〔举火〕 jǔ.huǒ 동 〈文〉 ①봉화를 올리다. ¶～为号; 봉화를 올리어 신호하다. ②불을 때어 밥을 짓다. 난로에 불을 지피다.
〔举家〕 jǔjiā 명 온 집안. 집안 전체.
〔举架〕 jǔjià 명 〈方〉 가옥의 높이. ¶这间房子～很矮; 이 집은 매우 낮다.
〔举荐〕 jǔjiàn 동 〈京〉 (사람을) 추천하다.
〔举举〕 jǔjǔ 형 〈文〉 (언행이나 태도가) 단정하다. ¶其人～大方; 언행이 단정하며 세련되다.
〔举力〕 jǔlì 명 《物》 부력(浮力). 양력(揚力).
〔举例〕 jǔ.lì 동 예를 들다. ¶～说明; 예를 들어 설명하다.
〔举毛筋〕 jǔmáojīn 명 《生》 모발의 움직임을 지배하는 근육. 입모근(立毛筋).
〔举目〕 jǔmù 동 〈文〉 눈을 치뜨고 보다. 고개를 들고 보다. ¶～远眺; 〈成〉 (고개를 들고) 먼 곳을 바라보다.

〔举目了望〕 jǔ mù liǎo wàng〈成〉눈을 크게 뜨고 바라다보다.
〔举目无亲〕 jǔ mù wú qīn〈成〉육친이라고는 한 사람도 없다(의지할 데가 없다).
〔举其一而概其余〕 jǔ qíyī ér gài qíyú 일부분을 들어(서) 전체를 개괄(概括)하다. ¶我们都不妨采取～的方法; 우리는 일부를 가지고 전반(全般)을 미루어 헤아린다는 방법을 썼다.
〔举棋不定〕 jǔ qí bù dìng〈成〉바둑알을 손에 들고 놓지 못하다(망설이며 결단을 내리지 못하다). ¶他们这次计划～, 把日期一改再改; 그들의 이번 계획은 뚜렷한 결정이 없더니, 기일을 몇 차례나 변경하였다.
〔举枪〕 jǔ qiāng ①총을 들어 올리다. ②〖軍〗받들어 총(하다). ¶～敬礼; 받들어 총의 경례를 하다.
〔举人〕 jǔrén 명 명(明)·청(淸) 시대에 '乡试'에 급제한 사람의 칭호. →〔进士jìnshi〕〔秀才xìucai④〕
〔举世〕 jǔshì 명 온 세상〔천하〕. 전세계.
〔举世未有〕 jǔ shì wèi yǒu〈成〉세계 어디에도 아직 없다.
〔举世闻名〕 jǔ shì wén míng〈成〉온 천하에 이름을 떨치다.
〔举世无敌〕 jǔ shì wú dí〈成〉천하 무적.
〔举世无双〕 jǔ shì wú shuāng〈成〉천하 무쌍이다. 비견할 자가 없다. =〔盖gài世无双〕
〔举世瞩目〕 jǔ shì zhǔ mù〈成〉온 세상 사람들이 주목하고 있다.
〔举事〕 jǔshì 동〈文〉사건을 일으키다. 무장 봉기하다.
〔举手〕 jǔ.shǒu 동 ①손을 들다. 거수하다. ¶谁知道谁～! 누구 알고 있는 사람은 손을 드세요! ②거수 경례를 하다. ¶～礼; 거수 경례.
〔举手之劳〕 jǔ shǒu zhī láo〈成〉약간의 수고.
〔举尾虫〕 jǔwěichóng 명〖蟲〗밑들이벌레(잠자리 비슷한 곤충). =〔蝎xiē蛉〕〔蝎蝇〕
〔举行〕 jǔxíng 동 거행하다. 실행하다. ¶～入学典礼; 입학식을 거행하다. →〔举办〕
〔举业〕 jǔyè 명 옛날에, 과거를 보기 위한 공부. 과거 준비. ¶这个学生虽是启蒙, 却比一个～的还劳神; 이 학생은 비록 초보이기는 하지만, 과거를 보려고 준비중인 학생보다 더 힘이 든다.
〔举一反三〕 jǔ yī fǎn sān〈成〉일면으로 다른 면을 유추(類推)하다. 하나를 듣고 열을 알다. ¶这个小伙子很聪明, 才懂得些摩托车发动机的修理方法, 就～去修理汽车、拖tuō拉机的发动机; 이 젊은이는 매우 머리가 좋아, 오토바이 엔진의 수리를 막 익혔을 뿐인데, 하나를 듣고 열을 안다는 식으로, 자동차나 트랙터의 엔진도 수리한다.
〔举义〕 jǔyì 동〈文〉의병(義兵)을 일으키다. 혁명을 일으키다.
〔举债〕 jǔ.zhài 동 기채(起債)하다. (jǔzhài) 명 기채. ¶财政预算赤字愈yù来愈大怎么办呢? 政府的办法, 第一是～; 예산 회계의 적자가 점점 증대해 가는 것을 어떻게 처리할 것인가? 정부의 방법으로는 첫째가 기채이다.
〔举止〕 jǔzhǐ 명 동작. 행동거지. ¶～轻率shuài; 행동이 경솔하다.
〔举止言谈〕 jǔzhǐ yántán 명 언어 동작. 언행.
〔举踵〕 jǔzhǒng 동〈文〉발돋움하(여 기다리)다. ¶～而望; 발돋음하(여 기다리)다.
〔举重〕 jǔzhòng 명〖體〗역도. 역기. ¶～比赛; 역도 경기. 동 무거운 것을 들어 올리다. ¶～若轻;〈成〉무거운 것을 거뜬히 들어 올리다(큰일을 아주 쉽게 하다).
〔举重器〕 jǔzhòngqì 명 기중기(起重機). =〔吊车〕〔吊机〕〔老叼diāo〕
〔举重哑铃〕 jǔzhòng yǎlíng 명〖體〗바벨(barbell). =〔仙xiān人担〕
〔举主〕 jǔzhǔ 명〈文〉추천자. 소개자(피추천자가 추천자를 지칭).
〔举状〕 jǔzhuàng 명 ⇨〔荐jiàn书〕
〔举子〕 jǔzǐ 동 ①〈文〉아이를 낳다. ②〈文〉아이를 키우다. 명 지방에서 선발되어 과거〔관리 등용 시험〕에 응시하는 수험생.
〔举足轻重〕 jǔ zú qīng zhòng〈成〉일거수 일투족이 전체에 중요한 영향을 미치다. ¶我国在日内瓦会议中佔～的地位; 우리 나라는 제네바 회의에서 아주 중요한 위치에 있다.
〔举座〕 jǔzuò 명〈文〉마침 그 자리에 있었던 사람 전부. 만좌(滿座)의 사람들.

榉(櫸) jǔ (거)

명〖植〗①느티나무. =〔榉树〕②너도 밤나무속(屬)의 식물. =〔山shān毛榉〕

踽 jǔ (우)

→〔踽踽〕〔踽偻〕

〔踽踽〕 jǔjǔ 형 홀로 외로이 길을 걷는 모양. ¶～独行; 혼자서 외롭게 가다.
〔踽偻〕 jǔlóu 명 곱추. 곱사등이.

巨〈鉅〉① jù (거)

①형 크다. ¶～型飞机; 초대형 비행기/损失甚～; 손실이 매우 크다. =〔钜〕②명 성(姓)의 하나.

〔巨案〕 jù'àn 명 큰 사건(事件). =〔钜案〕
〔巨擘〕 jùbò 명〈文〉①엄지손가락. =〔巨指〕②〈比〉걸출한 사람. 거장. 권위자. ¶医界～; 의학계의 거두.
〔巨创〕 jùchuāng 명〈文〉큰 상처. 큰 타격.
〔巨大〕 jùdà 형 거대하다. 막대하다. 대규모이다. ¶～的财产; 막대한 재산/～的工程; 거대한 공사/～的成就; 뛰어나게 큰 성과/～的国际收支逆差; 거액의 국제 수지 적자.
〔巨盗〕 jùdào 명〈文〉대도(大盜).
〔巨额〕 jù'é 명형 거액(의). 큰 금액(의). ¶～投资; 거액 투자/～赤字; 거액의 적자.
〔巨幅〕 jùfú 명 대형 화폭. ¶～画像; 대형의 초상화.
〔巨富〕 jùfù 명〈文〉거부. 거액의 재산.
〔巨棍〕 jùgùn 명〈文〉대악당.
〔巨豪〕 jùháo 명〈文〉호족(豪族).
〔巨亨〕 jùhēng 명〈南方〉대부호. 옛날, 재계(財界)의 우두머리.
〔巨红〕 jùhóng 명〖色〗진홍색.
〔巨猾〕 jùhuá 명〈文〉매우 교활한 사람. 대악인. ¶老奸～的人; 매우 음험하고 교활한 인간.
〔巨祸〕 jùhuò 명 큰 화(禍)〔재앙〕
〔巨奸〕 jùjiān 명 대악당. 대악인.
〔巨匠〕 jùjiàng 명〈文〉거장. ¶文坛～; 문단의 거장.
〔巨劫〕 jùjié 명〈文〉큰 재난.
〔巨寇〕 jùkòu 명〈文〉거도(巨盜). 큰 도둑.
〔巨款〕 jùkuǎn 명 대금(大金). 거액의 돈.
〔巨魁〕 jùkuí 명〈文〉악당의 두목.
〔巨流〕 jùliú 명 ①거대한 강. ②〈比〉거대한 흐름〔물결〕. ¶遊行队伍的～; 데모대의 거대한 물결. ③〈比〉시대 조류.

〔巨轮〕 jùlún 명 ①거선(巨船). ¶远洋～; 원양 대형 기선. ②호화선. ③큰 수레바퀴. ¶历史的～; 역사의 큰 수레바퀴.
〔巨片〕 jùpiàn 명 초특작(超特作)의 영화(映畫).
〔巨人〕 jùrén 명 ①《醫》 거인증(症)의 사람. ②(동화·신화·전설 등에 나오는) 거인. 자이언트. ③〈比〉 위대한 인물. 위인.
〔巨儒〕 jùrú 명 〈文〉 거유. 위대한 유학자.
〔巨商〕 jùshāng 명 대상인. 호상(豪商).
〔巨室〕 jùshì 명 〈文〉 ①큰 집. 저택. ②큰 세력이 있는 일족(一族)〔한집안〕. 명문가.
〔巨头〕 jùtóu 명 대수령. 거두. 보스. ¶金融～; 금융계의 거두〔보스〕.
〔巨细〕 jùxì 명 ①대(大)와 소(小). 큰 일과 작은 일. ②〈轉〉 상세(詳細). ¶事无～; 〈成〉 일에 대소(大小)를 가리지 않다.
〔巨细毕究〕 jù xì bì jiū 〈成〉 크고 작은 것을 빠뜨리지 않고 추구하다.
〔巨星〕 jùxīng 명 ①《天》 거성. ②〈比〉 거성(큰 인물).
〔巨型〕 jùxíng 형 초대형의.
〔巨眼〕 jùyǎn 명 〈文〉 잘 보이는 눈.
〔巨著〕 jùzhù 명 대작(大作). 거작.
〔巨子〕 jùzǐ 명 거물. 거두. 대가. 큰 인물. ¶商界～; 상업계의 거물. =〔钜子〕

讵(詎)

jù (거)
부 〈文〉 ①어떻게(반문을 나타내며 현대 중국어의 '难道' '哪里'에 해당됨). ¶～能; 어떻게 …할 수 있겠는가/如无援助, ～能成功; 만일 원조가 없었더라면, 어떻게 성공할 수 있었겠는가. ②뜻밖에도.
〔讵料〕 jùliào 부 어찌 알겠는가. 뜻밖에도. =〔讵意〕
〔讵知〕 jùzhī 부 뜻밖에도.

苣

jù (거)
→〔莴wō苣〕 ⇒qǔ

拒

jù (거)
동 ①거절하다. ¶来人不～; 오는 사람을 거절하지 않다/～不受贿huì; 물리쳐 뇌물을 받지 않다/～人千里; 의지하고 찾아온 사람을 물리치다. ②막다. 저항하다. ¶抗～; 저항하다/～敌于国门之外; 적을 성문 밖에서 막다.
〔拒捕〕 jùbǔ 동 저항하여 포박을 피하려고 하다. 체포에 저항하다.
〔拒不〕 jùbù 거절하여 …하지않다.
〔拒敌〕 jùdí 동 적에 저항하다. 적을 막다.
〔拒毒〕 jùdú 동 〈文〉 (아편 따위의) 독물을 금절(禁絶)하다.
〔拒付〕 jùfù 동 어음 따위의 지급을 거절하다. ¶～支票; 지급 거절 수표/～票据; 부도 어음.
〔拒付证书〕 jùfù zhèngshū 명 지급 거절 증서.
〔拒谏饰非〕 jù jiàn shì fēi 〈成〉 충고를 마다하고 잘못을 숨기다.
〔拒绝〕 jùjué 동 거절하다. 퇴짜 놓다. 명 거절. 거부. ¶遭zāo了～; 거절을 당하다.
〔拒签〕 jùqiān 동 서명 조인을 거부하다.
〔拒却〕 jùquè 명동 《法》 거절〔거각〕(하다).
〔拒收〕 jùshōu 동 받아들이기를 거절하다.
〔拒载〕 jùzài 명동 승차 거부(하다).
〔拒人于千里之外〕 jù rén yú qiān lǐ zhī wài 〈成〉 다른 사람의 옳은 의견을 전혀 받아들이려 하지 않다. 단호히 거절하다. 다른 사람을 얼씬도 못하게 하다.

岠

jù (거)
명 〈文〉 큰 산. =〔峰fēng岠〕

驱(駏)

jù (거)
명 《動》 버새(암노새와 수말 사이의 새끼). →〔骡luó〕

炬

jù (거)
①명 횃불. ¶目光如～; 눈빛이 번뜩이다. =〔火炬〕〔〈俗〉 火把〕 ② →〔蜡là炬〕

钜(鉅)

jù (거)
①형 ⇨〔巨①〕 ②명 〈文〉 강철. 단단한 쇠. ③명 〈文〉 갈고리. ④지명용 자(字). ¶～野; 쥐예(鉅野)(산둥 성(山東省)에 있는 현(縣) 이름).

秬

jù (거)
명 《植》 〈文〉 수수. 검은 기장.

粔

jù (거)
→〔粔籹〕
〔粔籹〕 jùnǚ 명 〈文〉 옛날, 고리 모양의 떡.

距

jù (거)
①명 거리. 간격. ¶等～离; 등거리/株～; 식물의 포기와 포기 사이. ②동 (시간적·거리적으로) 떨어지다. ¶～今已数年; 지금으로부터 벌써 수 년이 되다. ③동 〈文〉 저항하다. 항거하다. ④명 수탉의 며느리발톱.
〔距离〕 jùlí 명 거리. ¶他的看法和你有～; 그의 견해와 너의 견해와는 거리가 있다/留下～; 거리를 떼어 놓다/保持一定的～; 일정한 간격을 유지하다/缩小～; 간격을 좁히다〔줄이다〕/～控制; 《機》 디스턴트(distant) 컨트롤. 동 …으로부터 떨어지다. …을 떠나다. ¶天津～首都约有二百四十里; 천진과 수도는 약 240리 떨어져 있다.

句

jù (구)
①(～子) 명 《言》 문장(주어·술어를 갖추어 완전한 뜻을 나타낸 것). ¶分～; 《言》 절(節). 종속절/问～; 의문문/造; 글을 짓다. →〔字〕〔词〕〔语〕 ②명 구절(句節). ③양 마디. 편(말·글을 세는 단위). ¶说几～话; 몇 마디 말하다/说不出一～整话; 한 마디도 제대로 말하지 못하다/话只说了半～; 이야기를 끝맺지 못하다. ⇒'勾' gōu gòu
〔句次〕 jùcì 양 글의 사용·인용(引用) 횟수. ¶共引例句二百九十三～; 연(延) 293회의 예문을 인용하다.
〔句点〕 jùdiǎn 명 ⇨〔句号〕
〔句读〕 jùdòu 명 구두(문장의 뜻이 완성되어 끊어 읽는 곳을 '句'라 하고, 뜻이 완성되지 않은 채로 끊어 읽는 곳을 '读'이라 함). ¶～点; 구두점.
〔句法〕 jùfǎ 명 ①문장(文章)의 구성법. 통사론(統辭論). ¶诗的～; 시의 구성. ②《言》 신택스(syntax).
〔句号〕 jùhào 명 《言》 마침표. 온점(.). 고리점(。). =〔句点〕
〔句尾〕 jùwěi 명 이야기의 끝. 문말(文末).
〔句型〕 jùxíng 명 《言》 문형.
〔句子〕 jùzi 명 《言》 글. 문(文). 센텐스. ¶把～点出来; 문장에 단락을 짓다.
〔句子成分〕 jùzi chéngfèn 명 《言》 문장의 성분('主语'·'谓语'·'宾语'·'补语'·'定语'·'状语'의 여섯 개를 가리킴. 예컨대, '我们又筑成一条铁路'에서 '我们'은 '主语', '又'는 '状语', '筑'는 '谓语', '成'은 '补语', '一条'는 '定

语', '铁路' 는 '宾语' 임).

具 jù (구)
① 명 기구. 기물(器物). ¶工～; 도구/文～; 문방구/卧～; 침구/雨～; 우비(雨備). ② 양 관(棺)·시체 또는 기물(器物)을 세는 단위. ¶座钟一～; 탁상 시계 한 개/我家一共有三～座钟; 우리 집에는 모두 세 개의 탁상 시계가 있다. ③ 동 갖추다. 구비하다. ¶略～轮廓; 거의 모습을 갖추고 있다/独～只眼; 독특한 견식을 가지고 있다. ④ 동 〈文〉 준비하다. ¶谨～薄礼; 죄송합니다마는 변변치 않은 물품을 준비하였습니다/～保; ⇩ ⑤ 동 〈文〉 서명하다. ¶～名; 서명하다. 이름을 적다/知名不～; 〈翰〉 이름을 알고 있으므로 서명을 생략합니다. ⑥〈文〉 충분히 …할 수 있다. ¶～见事先准备不足; 사전의 준비가 충분하지 못했다는 것을 잘 알 수 있다. =〔足可〕 ⑦ 명 성(姓)의 하나.

〔具办〕 jùbàn 동 준비하다.

〔具保〕 jùbǎo 동 보증인을 세우다.

〔具报〕 jùbào 동 ①구신(具申)하다. ②보고서를 내다. 문서로 보고하다.

〔具备〕 jùbèi 동 완비하다. 갖추다. 갖추고 있다. ¶一切条件～了; 모든 조건이 완전히 구비되어 있다/～一定的有利条件; 일정의 유리한 조건을 구비하다.

〔具禀〕 jùbǐng 동 〈文〉 서류로 신청하다.

〔具臣〕 jùchén 명 〈文〉 인원수에 포함되어 있는 모든 부하. 가신(家臣) 전부. 없느니만 못한 부하〔수하〕.

〔具陈〕 jùchén 동 구신(具申)하다. 자세히 진술하다.

〔具呈〕 jùchéng 동 〈文〉 문서로 신청〔신고〕하다. 구신(具申)하다. ¶～控kòng告; 소장(訴狀)을 제출하여 고소하다.

〔具复〕 jùfù 〈公〉 문서로 답신하다.

〔具供〕 jùgòng 동 〈文〉 죄상(罪狀)을 진술하다.

〔具见〕 jùjiàn 동 〈文〉 충분히 알다. ¶～匠心; 생각을 많이 한 것이 역력하다.

〔具结〕 jùjié 명 관공서에 제출할 서약서. (jù.jié) 동 관공서에 서약서 따위를 제출하다. ¶～完案; 사건의 결말을 보고하는 문서를 제출하다/～领回失物; 증서를 한 통 써 주고 유실물을 인수받다/具安分结; 분수를 지키어 나쁜 짓을 하지 않겠다는 서약서를 쓰다.

〔具控〕 jù.kòng 동 소장(訴狀)을 내어 고소하다.

〔具列〕 jùliè 동 〈文〉 줄이어〔줄줄이〕 쓰다. 서면으로 열거하다.

〔具领〕 jùlǐng 동 영수증과 함께 받다.

〔具名〕 jù.míng 동 ①서명하다. ②이름을 내놓다.

〔具票人〕 jùpiàorén 명 어음 등의 발행인. =〔出票人〕

〔具庆〕 jùqìng 명동 〈文〉 구존(俱存)(하다).

〔具体〕 jùtǐ 형 ①구체적이다. ¶～化; 구체화/～计划; 구체적인 계획/～建议; 구체적인 제의/他谈得非常～; 그는 매우 구체적으로 이야기했다/再～点儿地说! 좀더 구체적으로 말씀하시오!/～真理; 구체적 진리. ②특정의. ¶～的人; 특정의 사람/你担任什么～工作? 너는 구체적으로 어떤 일을 담당하느냐? ③실제의. ¶～的执行者; 실제의 집행자. 동 구체화하다《뒤에 '到' 를 수반하여 이론이나 원칙을 특정인이나 사물에 결부시킨다는 뜻》.

〔具文〕 jùwén ① 명 형식적인 공문(空文)·규칙·규정. ¶一纸～; 한 장의 종이 쪽지에 지나지 않는 공문(空文). ②〈公〉 문서를 작성하다라는 뜻으로 문서 뒷줄에 쓰임. ¶理合～呈请鉴核; 마땅히 문서를 작성하여 제출해서 심사를 청구하여야 한다. ③선물. ¶你何必闹这个～; 이렇게 선사를 받아서 죄송합니다.

〔具闻〕 jùwén 동 자세히 듣다.

〔具象〕 jùxiàng 동 구상·형상을 갖추다〔구비하다〕. 명 구상. ¶～美; 구상미.

〔具眼〕 jùyǎn 형명 〈文〉 감별하는 안식(眼識) 능력이 있다〔있는 사람〕. ¶～之士; 사리 판단이 정확한 사람.

〔具有〕 jùyǒu 동 가지다. 구비하다《객어(客語)는 보통 추상적임》. ¶～信心; 신념〔자신〕을 가지고 있다/～这种倾向; 이러한 경향을 가지고 있다/～深远意义; 깊은 의미를 가지고 있다/这个工厂～最新式的设备; 이 공장은 최신 설비를 갖추고 있다.

〔具状〕 jùzhuàng 동 〈文〉 소장(訴狀)을 내다. ¶～告人; 고소장을 내어 고소하다.

〔具足〕 jùzú 동 〈文〉 모두 구비되다. 갖추어져 있다. 두루 갖추다. ¶条件～; 조건이 충분하게 갖추어져 있다.

俱 jù 〔〈舊〉 jū〕 (구)
부 ①〈文〉 모두. 어느 것이나. ¶父母～存; 양친이 다 살아 계시다/万事～备; 〈成〉 일체의 준비가 갖추어지다/～已了解; 모두 양해하였다/事实～在; 증거가 갖추어져 있다. →〔全〕〔都〕 ②함께. ⇒Jū

〔俱发〕 jùfā 동 〈文〉 한꺼번에 발생하다. 일시(一時)에 성립되다. ¶二罪～; 두 가지 죄가 동시에 성립되다. 병합죄(併合罪)가 성립되다.

〔俱发罪〕 jùfāzuì 명 《法》 경합범(競合犯)《재판이 확정되기 전에 발각된 동일인의 다른 죄》.

〔俱乐部〕 jùlèbù 명 〈音〉 클럽(club)《단체나 장소》.

〔俱全〕 jùquán 동 〈文〉 모두 구비되다. 완전히 갖추다. ¶一概gài～ =〔一应～〕; 〈成〉 일체가 구비되다. 모두다 갖추다.

〔俱已齐备〕 jù yǐ qí bèi 〈成〉 모든 것이 갖추어져 있다.

惧(懼) jù (구)
동 두려워하다. ¶临危不～; 위기에 임해서 두려워하지 않다/毫无所～; 조금도 두려워하지 않다. =〔畏惧〕

〔惧内〕 jùnèi 동 〈文〉 아내를 두려워하다. ¶～的; 공처가.

〔惧内草〕 jùnèicǎo 명 ⇨〔含hán羞草〕

〔惧怕〕 jùpà 동 두려워하다. 공포를 느끼다. ¶他对于你一点～都没有; 그는 너에 대해 조금도 두려워하고 있지 않다.

〔惧色〕 jùsè 명 두려워하는 기색〔모습〕. ¶面无～; 얼굴에 두려워하는 기색이 없다.

犋 jù (구)
① 양 경작기(耕作機)를 끄는 하나 또는 두세 마리의 가축(家畜)의 일조(一組). ¶今天两～牲口耕地; 오늘은 두 겨리의 축력(畜力)으로 논밭을 간다. ② 명 경작용 써레의 쇠로 된 부분을 '犁lí' 라고 하고, 뒤쪽의 목질부(木質部)를 이르는 말.

飓(颶〈颶〉) jù (구)
→〔飓风〕

〔飓风〕 jùfēng 명 《氣》 ①허리케인. ②싹쓸바람《풍력 계급 12 이상》.

沮 jù (저) 명 낮아서 습기가 많은 땅. ⇒jū jǔ

〔沮洳〕 jùrù 명 썩은 식물이 퇴적(堆積)한 저습 지대. =〔沮泽zé〕

剧(劇) jù (극) ① 형 심하다. 격렬하다. ¶病～; 병이 심하다 / 病势加～; 병세가 무거워지다 / ～烈; ⇓ / ～减; 격감(하다). ② 명 연극. 극. ¶独dú幕～; 단막극. ③ 형 〈文〉 크다. ¶～盗; 큰 도둑. 대도(大盜). ④ 형 〈文〉 극히 즐겁다. 통쾌하다. ¶～饮; 통음(痛飮)하다. ⑤ 형 〈文〉 바쁘다. 번거롭다. ¶事有简～; 일에는 간단하며 시간적 여유가 있는 것과 번잡하고 바쁜 것이 있다. ↔〔简jiǎn①〕 ⑥ 명 성(姓)의 하나.

〔剧本(儿)〕 jùběn(r) 명 (연극의) 각본. 대본. ¶分镜头～; (영화의) 각 장면의 촬영대본.

〔剧场〕 jùchǎng 명 극장.

〔剧词〕 jùcí 명 대사(臺詞).

〔剧地〕 jùdì 명 〈文〉 중요한 지역〔장소〕

〔剧毒〕 jùdú 명 극독약. 강렬한 독물.

〔剧繁〕 jùfán 형 〈文〉 대단히 바쁘다.

〔剧寇〕 jùkòu 명 난폭한 도적.

〔剧烈〕 jùliè 형 격렬하다. 심하다. ¶饭后不宜做～运动; 식후에 격렬한 운동은 삼가야 한다 / 受到～攻击; 맹렬한 공격을 받다.

〔剧论〕 jùlùn 명동 〈文〉 격론(하다). 극론(하다).

〔剧目〕 jùmù 명 연극의 예제(藝題). 레퍼토리. ¶保留～; 재연(再演)을 위해 보류하고 있는 레퍼토리.

〔剧难〕 jùnàn 동 〈文〉 격렬히 논란하다〔비난하다〕.

〔剧评〕 jùpíng 명 연극의 평론〔비평〕

〔剧情〕 jùqíng 명 ①시나리오. ②극의 스토리〔줄거리〕. ¶～说明书; 연극의 줄거리 설명서.

〔剧坛〕 jùtán 명 연극계.

〔剧谈〕 jùtán 동 〈文〉 마음껏(서로) 이야기하다. →〔畅chàng谈〕 명 극에 관한 이야기. →〔菊jú谈〕

〔剧痛〕 jùtòng 명 심한 통증〔고통〕. 동 심한 통증〔고통〕을 느끼다. ¶脸上一阵～，伸手一摸，揩着一把血; 얼굴이 갑자기 심하게 아파서 손으로 만져 보았더니, 온 손에 피가 묻었다.

〔剧团〕 jùtuán 명 극단.

〔剧务〕 jùwù 명 ①극단의 연습·상연 등의 실무. 스테이지 매니지먼트(stage management). ②극단의 담당자〔실무자〕. ¶～主任; 무대 감독.

〔剧泻药〕 jùxièyào 명 설사약. 하제(下劑). =〔峻jùn泻药〕

〔剧院〕 jùyuàn 명 ①극장. ②극단 이름에 쓰임. ¶中国京～; 중국 경(京)극단.

〔剧贼〕 jùzéi 명 〈文〉 대도(大盜). 큰 도둑.

〔剧照〕 jùzhào 명 연극·영화의 스틸(still)〔사진〕. 무대 사진.

〔剧中人〕 jùzhōngrén 명 (연극 따위의) 등장 인물.

〔剧终〕 jùzhōng 명 (연극·소설·희곡의) 대단원(大團圓).

〔剧种〕 jùzhǒng 명 연극〔희극〕의 종류.

〔剧作家〕 jùzuòjiā 명 극작가.

倨 jù (거) 형 〈文〉 거만 떨다. 오만하다. ¶前～后恭; 〈成〉 처음에는 오만하더니 나중에는 갑자기 공손해지다.

〔倨傲〕 jù'ào 형 〈文〉 오만불손하다.

〔倨色〕 jùsè 명 〈文〉 거만한 표정. 우쭐한 얼굴.

〔倨视〕 jùshì 동 〈文〉 우쭐해서 사람을 업신여기다.

据(據〈攄〉) jù (거) ① 동 의거하다. 근거하다. ¶～他说; 그가 말하는 바에 의하면 / ～实报告; 실제대로 보고하다 / ～他说是这样; 그가 말하는 바로는 이렇다. ② 동 점거하다. ¶盘～; 버티고 움직이지 않다. 불법으로 점거하다 / ～为己有; ⇓ ③ 동 〈公〉 문서를 접수하다《상급자가 하급자로부터 받는 것》. ④ 명 증거. ¶立此为～; 이 증서로써 증거를 삼다 / 无凭无～; 아무런 증거가 없다 / 空口无凭, 立字为～; 구두로써만은 증거가 없으므로, 계약서를 작성하여 증거로 한다《계약서에 쓰이는 문구》/ 真凭实～; 진실의 증거. ⑤ 명 증서. 증빙 서류. ¶收～; 영수증 / 字～; 계약 증서. ⑥ 개 …에 따르면〔의하면〕. ¶～组长说, 明天的会不开了; 반장의 말에 의하면 내일 회의는 열리지 않는다고 한다. ⇒jū

〔据报〕 jùbào 동 ①보고에 의하다. ②신문에 의하다.

〔据称〕 jùchēng ①〈公〉 진술한 바에 의하면. ② …라고 한다. ¶～这种建筑方法起源于欧洲; 이런 종류의 건축법은 유럽에서 생겼다고 한다.

〔据呈〕 jùchéng 〈公〉 제출된 원서에 의하면.

〔据传〕 jùchuán 〈文〉 전하는 바에 의하면. ¶～, 以前那里有座庙; 전해 들은 바로는, 전에 그 곳에 묘(廟)가 있었다는 것이다.

〔据此〕 jùcǐ ①〈文〉 이에 의하면. 이에 의해서. ② 〈公〉 의거하여《하급 기관에서의 신청문을 인용하여 본문에 옮기기 전에 쓰임》.

〔据点〕 jùdiǎn 명 ①(전투의) 거점. ¶东山头安了～, 西山头修了碉堡; 동쪽 산기슭에 거점을 설치하고, 서쪽 산기슭에는 진지를 구축했다. ②(생활의) 거점. 중요한 발판.

〔据理〕 jùlǐ 동 〈文〉 정당한 이유에 입각하다. 도리를 좇다. ¶～交涉; 정당한 이유에 입각하여 교섭하다 / ～公断; 도리에 맞게 공정하게 판단하다 / ～反驳; 이치에 근거하여 반박하다.

〔据理力争〕 jù lǐ lì zhēng 〈成〉 이치에 맞는 일을 강력히 밀어붙이다.

〔据料〕 jùliào 예상하는 바(로는). 추측하는 바(로는). ¶～除大豆以外, 库存继续减少; 예상하는 바에 의하면 대두 이외는, 재고가 계속해서 감소되고 있다고 한다.

〔据情〕 jùqíng 실정에 근거하다.

〔据认为〕 jùrènwéi …라고 인정된 바에 의하면. 인정되고 있듯이.

〔据实〕 jùshí 있는 그대로. 사실에 근거하여. ¶～说; 사실대로 말하다. 실(實)은.

〔据守〕 jùshǒu 동 지키다. 고수하다. (성 안에) 틀어박혀 방어하다.

〔据说〕 jù shuō 말하는 바에 의하면. 풍문에 의하면. …이라고 한다. …이라는 것이다. =〔据云yún〕

〔据所了解〕 jù suǒ liǎojiě 알고 있는 바로는《조사·문의(問議) 등의 알게 된 원인 여하에 불문하고》.

〔据推测〕 jù tuīcè 추측에 의하면.

〔据为己有〕 jù wéi jǐ yǒu 〈成〉 점거하여 자기의 것으로 하다.

〔据为心得〕 jù wéi xīn dé 〈成〉 스스로 자신이 있다고 생각하다. 괜찮을 것이라는 자신을 가지다.

〔据我看〕 jùwǒkàn 내가 보는 바로는…. =〔据我想〕

〔据我所知〕 jùwǒsuǒzhī 내가 아는 바로는.
〔据悉〕 jùxī ①〈文〉 아는 바에 의하면. 판명된 바에 의하면. ¶～, 双方达成了协议; 아는 바로는 쌍방에 협의가 이루어졌다는 것이다. ②〈翰〉 모두 잘 알았습니다.
〔据信〕 jùxìn 믿고 있는 바에 의하면.
〔据以〕 jùyǐ 접 (…에) 따라서. (…에) 의거하여. ¶他讲了很多前人失败的例子, ～说明任务的艰巨性; 그는 선인(先人)이 실패한 예를 들고는 임무가 어렵다는 것을 설명했다.
〔据有〕 jùyǒu 동 점유하다.

锯(鋸)

jù (거)
①(～子) 명 톱. ¶拉～; 톱질하다 / 手～; 손으로 켜는 톱 / 电～; 전기톱 / 圆yuán～; 원형톱. ②동 톱으로 켜다. ¶～断; ⇩ / ～树; 나무를 톱으로 베어 쓰러뜨리다 / ～木头; 목재를 톱으로 자르다. ⇒ 锔 jū
〔锯扯〕 jùche 동 ①무딘 칼로 쪼개다. ②〈比〉 재빠르지 않다. 결단성이 없다.
〔锯齿〕 jùchǐ 명 ①(～儿) 톱니. ②(재봉 따위의) 지그재그 모양[무늬]. 뇌문(雷紋). ③《漢醫》 자면서 이를 가는 것. =〔啮niè齿〕 ④톱니 모양의 잎사귀. 동 〈轉〉 자꾸만 트집을 잡아 들볶다. ¶来回的～人; 자꾸만 트집을 잡아 괴롭히다.
〔锯齿草〕 jùchǐcǎo 명 《植》 톱풀(국화과). =〔蚰yóu蜒草〕
〔锯齿滚刀〕 jùchǐgǔndāo 명 《機》 세레이션 호브(serration hob).
〔锯齿子嘴〕 jùchǐzi zuǐ ①말을 더듬더듬〔띄엄띄엄〕하다. ②언청이의 입술의 째진 부분이 많아 톱니 모양으로 되어 있는 것.
〔锯床〕 jùchuáng 명 《機》 기계톱. ¶弓gōng～; 띠기계톱 / 圆yuán～; 원반 모양의 기계톱.
〔锯带〕 jùdài 명 ⇨〔锯片〕
〔锯倒了树, 捉老鸹〕 jùdǎole shù, zhuō lǎoguā 〈諺〉 나무를 베어 넘어뜨리고는 까마귀를 잡으려 한다(일을 함에 융통성이 없음). =〔锯倒了树, 拿老鸹〕
〔锯掉〕 jùdiào 동 톱으로 잘라 버리다.
〔锯断〕 jùduàn 동 톱으로 잘라 떨어뜨리다.
〔锯工〕 jùgōng 명 톱장이.
〔锯弓子〕 jùgōngzi 명 ⇨〔弓锯〕
〔锯匠〕 jùjiàng 명 (옛날의) 제재공.
〔锯锯齿齿〕 jùjuchǐchǐ 형 〈比〉 말을 막힘없이 술술 하지 못하는 모양. 말을 우물우물 하는 모양. ¶要说什么, 你就爽快说吧, 不用～的; 할 말이 있거든 우물쭈물하지 말고 시원스레 말을 해라.
〔锯开〕 jùkāi 동 톱으로 켜다.
〔锯糠〕 jùkāng 명 ⇨〔锯末〕
〔锯口〕 jùkǒu 명 톱질한 자리.
〔锯末(儿, 子)〕 jùmò(r, zi) 명 톱밥. =〔木mù屑〕〔锯糠〕〔锯屑〕
〔锯磨〕 jùmo 동명 ⇨〔折zhé磨〕
〔锯木〕 jùmù 동 톱으로 나무를 켜다. ¶～厂chǎng; 제재소.
〔锯片〕 jùpiàn 명 톱양. 톱날의 몸체. ¶风车～; 둥근 톱의 톱양 / 木匠～; 목수용(用) 톱의 톱양. =〔锯带〕〔锯条〕
〔锯片铣刀〕 jùpiànxǐdāo 명 《機》 연삭(研削)톱.
〔锯条〕 jùtiáo 명 ⇨〔锯片〕
〔锯屑〕 jùxiè 명 ⇨〔锯末(儿, 子)〕
〔锯牙〕 jùyá 명 ①톱니. ②(톱니처럼 날카로운) 엄니. ¶～钩爪; (맹수의) 날카로운 엄니와 발톱.
〔锯子〕 jùzi 명 톱. ¶用～锯jù; 톱으로 자르다.

踞

jù (거)
동 ①웅크리다. 쭈그리다. ¶虎～龙盘; 〈成〉 호랑이는 웅크리고 용은 몸을 서린다. 〈比〉 지세(地勢)의 험악한 상태 / 箕jī～; 〈文〉 두 다리를 뻗고 앉다. ②웅거하다. 점거하다. ¶盘pán～; 불법으로 점거하다.

虡〈簴〉

jù (거)
명 〈文〉 종(鐘)·경(磬)쇠 등을 거는 기둥. =〔鐻jù②〕

窭(窶)

jù (구)
형 〈文〉 가난하다. 초라하다. ¶贫pín～; 가난하다.

屦(屨)

jù (구)
명 〈文〉 마(麻)·칡 따위로 엮은 신발. ¶削xuē趾适～ =〔削足适～〕; 〈成〉 발을 깎아 신발에 맞추다.

聚

jù (취)
①동 모이다. 모으다. 회합하다. ¶～了多少人? 몇 사람이나 모였느냐? / ～在一块儿; 한 곳에 모이다 / 大家～在一起谈话; 모두가 한 곳에 모여 이야기하다. ②동 저장하다. ③명 사람이 모이는 곳. 마을. ④명 집회. 모임. ⑤접두 《化》 폴리(poly)('多'·'聚'의 뜻의 접두사).
〔聚氨酯〕 jù'ānzhǐ 명 《化》 폴리우레탄. =〔聚氨基甲酸酯〕
〔聚宝盆〕 jùbǎopén 명 ①전설에서, 금은 재보가 얼마든지 나온다는 그릇. 요술 방망이. ¶这是共产党给我们一家人送来的一个～; 이것은 공산당이 우리 집 식구에게 준 요술 방망이다. ②〈比〉 자원(資源)이 풍부한 땅.
〔聚苯乙烯〕 jùběnyǐxī 명 《化》 폴리스틸렌. =〔多duō苯乙烯〕
〔聚变反应〕 jùbiàn fǎnyìng 명 《物》 열〔원자〕 핵반응. 핵융합. =〔热核反应〕
〔聚丙烯〕 jùbǐngxī 명 《化》 폴리프로필렌.
〔聚丙烯腈〕 jùbǐngxījīng 명 《化》 폴리아크릴로니트릴.
〔聚餐〕 jù,cān 동 회식(會食)하다. (jùcān) 명 회식. ¶～会; 회식의 모임.
〔聚电器〕 jùdiànqì 명 《電》 집전 장치.
〔聚赌〕 jùdǔ 동 많은 사람이 모여 도박하다.
〔聚光〕 jùguāng 명 스포트라이트(spotlight). 동 집광(集光)하다.
〔聚光灯〕 jùguāngdēng 명 스포트라이트.
〔聚光镜〕 jùguāngjìng 명 ①집광 렌즈. ②집광경.
〔聚光器〕 jùguāngqì 명 《物》 집광기. 콘덴서(condenser).
〔聚合〕 jùhé 동 ①함께 모이다. 한 곳에 모으다. ②《化》 중합(重合)하다. ¶～物; 중합체. 폴리머(polymer).
〔聚会〕 jùhuì 동 집합〔회합〕하다. 명 회합. 모임. ¶今天有个～; 오늘 모임이 있습니다.
〔聚伙成群〕 jù huǒ chéng qún 〈成〉 도당(徒黨)을 규합하여 무리를 이루다.
〔聚积〕 jùjī 동 한데 모으다. 비축하다. 명 축적.
〔聚集〕 jùjí 동 모이다. 모으다. ¶～兵力; 병력을 집결하다. 명 《物》 초점(焦點).
〔聚甲基丙烯酸甲酯〕 jùjiǎjī bǐngxīsuān jiǎzhǐ 명 《化》 폴리메타크릴산(酸) 메틸에스테르.
〔聚甲醛〕 jùjiǎquán 명 《化》 폴리에틸렌글리콜.
〔聚歼〕 jùjiān 동 포위 섬멸하다.
〔聚焦〕 jùjiāo 동 《物》 초점에 모으다. 집광하다.
〔聚精会神〕 jù jīng huì shén 〈成〉 정신을 통일〔집중〕하다. 전심하다. 열심히 하다. ¶每个同学

都～地听老师讲课; 어느 학생이나 다 교사의 강의를 열심히 듣는다.
〔聚居〕 jùjū 동 〈文〉 한곳에 모여 살다. 취락을 만들다. ¶少数民族～的地方; 소수 민족이 살고 있는 곳.
〔聚矿作用〕 jùkuàng zuòyòng 명 《鑛》 집광(集鑛) 작용(물리적·화학적 변화로 지층에 함유된 각종 금속이 모이는 작용).
〔聚敛〕 jùliǎn 동 무자비하게 거두다. 수탈(收奪)하다. ¶不择手段地～财富; 수단을 가리지 않고 재물을 그러모으다. =〔〈文〉裒póu敛〕
〔聚拢〕 jùlǒng 동 한군데에 엉기어 모이다. ¶大家～在一块儿; 모두가 한군데에 모이다.
〔聚氯乙烯〕 jùlǜyǐxī 명 《化》 PVC(폴리염화비닐).
〔聚落〕 jùluò 명 취락. 부락.
〔聚偏二氯乙烯〕 jùpiān'èrlǜyǐxī 명 《化》 폴리염화비닐리던.
〔聚齐〕 jù.qí 동 한곳에 모이다. 일제히 모이다. =〔会齐〕
〔聚醛树脂〕 jùquán shùzhī 명 《化》 알데히드 수지(樹脂).
〔聚伞花序〕 jùsǎn huāxù 명 《植》 취산 화서(集繖花序).
〔聚散〕 jùsàn 명 집합과 이산.
〔聚少成多〕 jù shǎo chéng duō 〈成〉 티끌 모아 태산. =〔聚沙成塔〕
〔聚首〕 jùshǒu 동 〈文〉 서로 만나다. 회합하다. 대면하다. ¶～一堂; 한 자리에 모이다 / ～言欢yánhuān; 서로 모여서 재미나게 이야기하다. =〔聚头〕〔聚会〕
〔聚四氟乙烯〕 jùsìfú yǐxī 명 《化》 4불화 에틸렌(테프론이라고 불리는 합성 수지). =〔特氟纶〕
〔聚讼纷纭〕 jù sòng fēn yún 〈成〉 송사(訟事)가 끊이지 않다(맹렬히 잘못을 들어 책하다). ¶对于这个问题, 专家学者争论多年, ～, 意见还没有取得完全一致; 이 문제에 대해서는, 전문가·학자들이 다년간 논쟁하고 있으나, 이도 저도 아니어서, 의견은 완전히 일치되지 않고 있다.
〔聚谈〕 jùtán 동 여러 사람이 회담하다.
〔聚碳酸酯〕 jùtànsuānzhǐ 명 《化》 폴리카보네이트. 폴리탄산 에스테르.
〔聚头〕 jùtóu 명 모이다. 얼굴을 맞대다. ¶～一堂; 한자리에 모이다. =〔聚首〕
〔聚头扇〕 jùtóushàn 명 접도록 되어 있는 보통의 부채. =〔折zhé扇〕
〔聚酰胺〕 jùxiān'àn 명 《化》 폴리아미드.
〔聚酰胺纤维〕 jùxiān'àn xiānwéi 명 《化》 폴리아미드 섬유(합성 화학 섬유의 일종. 이것이 제품화된 것이 미국에서는 나일론, 소련에서는 '卡普隆' 임).
〔聚一氯三氟乙烯〕 jùyīlǜsānfúyǐxī 명 《化》 트리플루오로클로로에틸렌(trifluorochloroethylene).
〔聚乙酸乙烯酯〕 jùyǐsuānyǐxīzhǐ 명 《化》 폴리비닐 아세테이트.
〔聚乙烯〕 jùyǐxī 명 《化》 폴리에틸렌.
〔聚乙烯醇〕 jùyǐxīchún 명 《化》 폴리비닐알코올 수지(樹脂)(이것에 홀름아르데이드를 축합(縮合)시키면 비닐론이 됨).
〔聚藻〕 jùzǎo 명 《植》 ①이삭물 수세미(개미탑과(科)의 다년생 초본). ②⇨〔金jīn鱼藻〕
〔聚酯〕 jùzhǐ 명 《化》 폴리에스테르.
〔聚酯树脂〕 jùzhǐ shùzhī 명 《化》 폴리에스테르 수지(테릴렌은 이것을 원료로 하는 합성 섬유). =〔多duō酯树脂〕
〔聚众〕 jùzhòng 동 〈文〉 군중을 모으다. 군중이 모이다. ¶～起义; 군중을 모아 봉기하다 / ～滋zī事; 많은 사람을 모아 소동을 일으키다.

澽
Jù (거)
명 《地》 쥐수이(澽水)(산시 성(陝西省)에 있는 강 이름).

遽
jù (거)
①부 급히. 갑자기. 서둘러. 황급히. ¶不敢～下断语; 갑작스럽게는 단언할 수 없다 / 言毕～行; 말을 끝내고는 서둘러 갔다 / 情况未明, 不能～下结论; 정황이 아직 불명하기 때문에, 서둘러 결론을 내릴 수 없다. ②동 놀라 당황하다. =〔惶huáng遽〕 ③명 옛날, 역참(驛站)에 두던 수레.
〔遽尔〕 jù'ěr 부 ⇨〔遽然〕
〔遽难〕 jùnán 지금 곧 …하기는 곤란하다. ¶～照准zhàozhǔn; 지금으로서는 허가하기 어렵다. =〔一时遽难〕
〔遽然〕 jùrán 부 〈文〉 갑자기. ¶～倒dǎo在地下; 갑자기 땅에 쓰러졌다. =〔遽尔ěr〕
〔遽色〕 jùsè 명 〈文〉 놀라 당황해하는 안색.

镓(鐻)
jù (거)
명 〈文〉 ①《樂》 나무로 만든 옛 악기 이름. ② ⇨〔虡jù〕

醵
jù (거, 갹)
동 〈文〉 ①돈을 추렴하여 술을 마시다. ②돈을 모으다. 갹금(醵金)하다. =〔醵金〕〔醵资zī〕

瞿
jù (구)
동 〈文〉 깜짝 놀라서 보다. ⇒ qú
〔瞿然〕 jùrán 형 깜짝 놀라는 모양.

JUAN ㄐㄩㄢ

涓
juān (연)
〈文〉 ①명 가느다란 물줄기. 졸졸 흐르는 물. ②형 청결하다. 깨끗하다. ③동 고르다. 선택하다. ④동 버리다. 제거하다.
〔涓埃〕 juān'āi 명 〈文〉〈比〉 사소한 것. 미세(微細)한 일. ¶略尽～之力; 적으나마 미력을 다하다. =〔涓尘〕
〔涓尘〕 juānchén 명 ⇨〔涓埃〕
〔涓滴〕 juāndī 명 〈文〉 ①물방울. 매우 적은 양의 물. ②〈比〉 적은 액수의 돈 또는 적은 양의 물건. ¶～节省; 적은 돈일지라도 절약하다.
〔涓滴不漏〕 juān dī bù lòu 〈成〉 크고 작은 것을 빼놓지 않고 모조리 망라하다.
〔涓滴归公〕 juān dī guī gōng 〈成〉 적은 것이라도 국가에 되돌리며 낭비하지 않는다.
〔涓毫〕 juānháo 명 〈文〉 적은 물과 털. 〈比〉 아주 작은 것.
〔涓吉〕 juānjí 동 〈文〉 길일(吉日)을 택하다. =〔蠲吉〕
〔涓涓〕 juānjuān 형 〈文〉 물이 조금 흐르는 모양.
〔涓人〕 juānrén 명 〈文〉 좌우에서 모시는 근시(近侍)나 환관(宦官).

捐
juān (연)
①동 재물로 원조하다. 기부하다. ¶停止～; 기부를 그만두다 / ～一月工资; 한 달 임금(賃金)을 기부하다 / 募～; 기부 모집. 모금하다.

②명 세금《주로 임시적인 것》. 조세. ¶房～; 가옥세 / 车～; 차량세. ③동 내던지다. 바치다. 희생하다. ¶为wèi国～躯; 나라를 위하여 한 몸을 바치다. ④동 옛날, 돈으로 관직을 사다. ⑤동 (세금·할당금을) 내다. ¶上～; 세금을 납부하다.

〔捐班(儿)〕 juānbān(r) 명 (청대(清代)에) 돈을 내고 관직을 산 사람들.

〔捐班(儿)出身〕 juānbān(r)chūshēn 명 돈을 내고 관직을 산 사람. =〔捐纳出身〕→〔正zhèng途出身〕

〔捐簿〕 juānbù 명 ⇨〔捐册〕

〔捐册〕 juāncè 명 기부금 명부. 기부금 명세서. =〔捐簿〕

〔捐功名〕 juān gōngmíng 동 ⇨〔捐官〕

〔捐官〕 juānguān 동 정부에 돈을 바치고 관직 또는 그 명목만을 손에 넣다. 매관매직하다. =〔捐功名〕〔捐纳〕

〔捐馆〕 juānguǎn 동 〈文〉 살던 집을 버리다. 〈比〉 죽다.

〔捐款〕 juān,kuǎn 동 돈을 기부하다. (juānkuǎn) 명 기부금. 헌금(献金). ¶把～存入银行; 기부금을 은행에 예금하다.

〔捐立〕 juānlì 동 경비를 기부해서 설립하다.

〔捐例〕 juānlì 명 '捐官'의 규정《한대(漢代)에 생겨, 청말(清末)에 가장 문란했음》.

〔捐命〕 juānmìng 동 〈文〉 목숨을 내던지다.

〔捐募〕 juānmù 명동 의연금품 모집(을 하다).

〔捐纳〕 juānnà 동 ⇨〔捐官〕

〔捐纳出身〕 juānnà chūshēn 명 ⇨〔捐班(儿)出身〕

〔捐牌儿〕 juānpáir 명 감찰(鑑札)《보통 '牌照'라고 함》. ¶车子的～每年换一回; 차량의 감찰은 매년 1회씩 바뀐다. →〔执zhí照①〕

〔捐启〕 juānqǐ 명 기부금 모집 광고.

〔捐弃〕 juānqì 동 〈文〉 ①(권리 따위를) 버리다. ②(처자 등을) 유기(遺棄)하다. 돌보지 않다.

〔捐钱〕 juānqián 명 의연금(義捐金). 기부금. (juān,qián) 동 의연하다. 돈을 기부하다. ‖→〔捐款〕

〔捐躯〕 juānqū 동 (숭고한 일에) 신명을 바치다. ¶～赴义; 신명을 던져 의(義)를 따르다.

〔捐身〕 juānshēn 동 생명을 내던지다. =〔捐生〕

〔捐生〕 juānshēng 동 ⇨〔捐身〕

〔捐税〕 juānshuì 명 세금《각종 세금의 총칭》. ¶政府有许多苛捐杂税; 정부에는 무거운 세금이나 잡세가 많다. =〔税捐〕〔税金〕 (juān,shuì) 동 세금을 내다.

〔捐献〕 juānxiàn 명 헌금. 동 ①헌납하다. 기부하다. ¶～飞机大炮; 비행기·대포를 헌납하다 / 用义演得来的票款～建设肥料厂; 자선 공연으로 얻은 입장료는 비료 공장 건설에 기부한다. ②바치다. ¶～宝贵的生命; 귀한 목숨을 바치다.

〔捐修〕 juānxiū 동 ①비용을 기부해서 수리케 하다. ②기부를 모아 수리하다.

〔捐血〕 juānxuè 명동 헌혈(하다). =〔献xiàn血〕

〔捐赠〕 juānzèng 동 기증하다. 기부하다. ¶～图书; 도서를 기증하다.

〔捐赈〕 juānzhèn 동 의연(義捐)하여 구제하다.

〔捐助〕 juānzhù 동 재물을 기부하여 원조하다.

〔捐资〕 juānzī 동 〈文〉 돈〔자금〕을 기부하다. ¶～兴学; 자금을 기부하여 학교를 세우다.

娟 juān (견, 연)

형 〈文〉 아름답다. 곱다. 보기 좋다. ¶婵chán～; 용모가 아름다운 모양 / 字迹～秀; 필적이 수려하다.

〔娟容〕 juānróng 명 〈文〉 아름다운 모습.

〔娟秀〕 juānxiù 형 〈文〉 자태가 수려하다〔아름답다〕.

鹃(鵑) juān (견)

→〔杜dù鹃〕

酮 juān (견)

명 《化》 락탐(lactam).

圈 juān (권)

①동 가두다. ¶把小鸡～起来; 병아리를 계사(鷄舍)에 넣다. ②동 〈口〉 구금하다. 감금하다. ¶被人家～起来做了一年多苦工; 구금당하여 1년 남짓 고역에 시달렸다. ③형 가득 끼다〔차다〕. 자욱하다. ¶屋子里～住了气味; 방 안에 냄새가 가득 찼다 / ～着疹zhěn子; 홍역 기운이 몸 안에 퍼졌다. ⇒juàn quān

〔圈槛〕 juānjiàn 명 동물을 가두어 두는 우리.

〔圈住烟〕 juānzhù yān 연독(煙毒)에 중독되다.

朘 juān (선)

동 〈文〉 ①착취하다. ②줄다. 감소하다. ¶日削xuē月～; 나날이 감소하다. ⇒zuī

〔朘削〕 juānxuē 동 〈文〉 착취하다.

镌(鐫〈鎸〉) juān (전)

①동 〈文〉 조각하다. 새기다. ¶～碑bēi; ⇓ / 永～金石; 영구히 금석(金石)에 새겨 두다. ②동 관직을 물러나다. ③명 쪼개진 나무.

〔镌碑〕 juānbēi 동 〈文〉 비석에 글자를 새기다.

〔镌级〕 juānjí 동 〈文〉 벼슬을 깎다. 좌천시키다.

〔镌刻〕 juānkè 동 〈文〉 ①조각하다. ②도장을 새기다.

蠲 juān (견)

①동 〈文〉 제외하다. (세금·벌금·노역을) 면제하다. ②형 깨끗하다. 청결하다. ¶除其不～, 去其恶臭; 그 불결한 것을 제거하여, 그 악취를 없애다. ③형 분명하다. ④동 쌓아두다.

〔蠲除〕 juānchú 동 〈文〉 면제하다.

〔蠲涤〕 juāndí 동 〈文〉 씻어서 청결히 하다.

〔蠲赋〕 juānfù 동 〈文〉 세금 부과를 면제하다.

〔蠲吉〕 juānjí 동 ⇨〔涓吉〕

〔蠲免〕 juānmiǎn 동 〈文〉 면제하다. 제거하다. ¶～赋税; 조세를 면제하다 / ～成见; 선입관을 없애다 / 闲话～; 여담(餘談)을 그만두다.

〔蠲租〕 juānzū 동 〈文〉 조세를 면제하다.

卷(捲〈餞〉⑥) juǎn (권)

①동 (원통형(圓筒形)으로) 말다. 걷다. 감다. ¶～帘子; 발을 말다 / ～起袖子就干; 소매를 걷어올리고 일을 시작하다 / 把画儿～好了装进纸筒子里; 그림을 말아서 종이통 속에 넣다. ②동 (바람 따위가) 말아 올리다. (사건 등에) 휩쓸려들게 하다. ¶汽车～起尘土, 飞驰而过; 자동차가 흙먼지를 내면서 빠른 속도로 지나가다 / ～入漩涡; 소용돌이에 휘말리다 / 他是～进了一次集体犯罪活动而被拘留的; 그는 한 번 집단 범죄 활동에 휩쓸려서 구류되었다 / ～土重chóng来; 권토중래. ③동 〈北方〉 호통하다. 야단치다. ¶～他一顿了; 그를 한 차례 호통쳤다 / 常挨地主的～; 노상 지주에게 호통맞다 / 那个娘们敢～我半句, 我叫她滚着走; 저 계집이 조금이라도 앙탈을 부린다면 내가 내쫓아 버리겠다. ④동 확 낚아채다. 가지고 도망가다. ¶～款; ⇓ ⑤(～儿) 명 원통형의 물건. 둘둘 만 것. ¶烟～儿; 궐련(卷煙) / 铺

盖～儿; 이불을 뚤뚤 말아 갠 것/胶～; 롤 필름(roll film). ⑥(～儿) 명 요리(料理)의 한 가지《밀가루를 반죽하여 얇게 밀어 한쪽에 기름이나 소금을 바르고, 둘둘 말아서 쪄낸 음식》. →〔卷子〕 ⑦ 명 주먹. =〔拳quán①〕 ⑧ 양 돌돌 만 것을 세는 데 쓰이는 단위. ⑨ 동 (칼)날이 말리다. 휘어지다. ¶头发打～儿; 머리털이 돌돌 말려 있다. =〔锩juǎn〕 ⇒juàn quán

〔卷巴〕 juǎnba 동〈俗〉(급히 마구) 둘둘 말다〔감다〕. ¶他把棉衣～～都卖了; 솜옷을 둘둘 말아서 팔아 버렸다.

〔卷柏〕 juǎnbǎi 명〘植〙 부처손《산지(山地) 암산등지에 나는 다년생 초본. 잎은 노송나무잎과 비슷한데 건조하면 오그라듦》.

〔卷包(儿)〕 juǎnbāo(r) 동 ① 몽땅 털다. ¶昨儿夜里闹贼, 把我的东西～都偷了去了; 어젯밤에 도둑이 들어 내 물건을 모조리 훔쳐 갔다. ②모든 것을 전당잡히다. ¶现在一个大铜板都没有, 来个～; 지금은 큰 동전 한 닢도 없으니, 가진 것을 몽땅 전당잡히자.

〔卷笔刀〕 juǎnbǐdiāo 명 연필깎이.

〔卷边〕 juǎn·biān 동 ①(날붙이의 날·천 따위가) 말리다. ②가장자리를 감치다. (juǎnbiān) 명 ①(날붙이·천 따위의) 말림. ②사뜨기. 감침질.

〔卷材〕 juǎncái 명 코일재(材). =〔卷料〕

〔卷层云〕 juǎncéngyún 명〘氣〙 권층운. 솜털구름.

〔卷尺〕 juǎnchǐ 명 권척. 줄자. ¶钢～; 강철제 줄자/麻制布～; 헝겊제 줄자/拉～量来量去; 줄자를 펴서 이것저것 재다. =〔皮pí尺〕

〔卷丹〕 juǎndān 명〘植〙 참나리《백합과(科)의 다년생 초본》.

〔卷地皮〕 juǎn dìpí〈比〉(관리가) 국민을 괴롭히고 착취하다.

〔卷耳〕 juǎn'ěr 명〘植〙 ①점나도나물의 근연종(近緣種). =〔菤耳〕〔婆婆指甲菜〕 ②털진득찰의 이칭(異稱). =〔苍cāng耳〕

〔卷发〕 juǎnfà 명 곱슬곱슬하게 만 머리. 컬(curl)한 머리. (juǎn·fà) 동 머리를 곱슬곱슬하게 하다. 머리를 컬하다.

〔卷怀〕 juǎnhuái 동〈文〉①말아서 품 속에 집어넣다. ②〈比〉 재능 따위를 밖에 나타내지 않다.

〔卷积云〕 juǎnjīyún 명〘氣〙 권적운. 조개구름.

〔卷茎蓼〕 juǎnjīngliǎo 명〘植〙 나도닭의 덩굴.

〔卷卷(着)〕 juǎnjuǎn(zhe) 말리다. 걷어올려지다. ¶耳朵边儿往后～; 귓불 끝이 뒤쪽으로 말리다.

〔卷口〕 juǎn·kǒu 동 (칼)날이 말려서 들지 않게 되다.

〔卷口鱼〕 juǎnkǒuyú 명〘貝〙 잉어과의 담수어《양식 물고기의 하나》. =〔〈方〉嘉jiā鱼〕

〔卷款〕 juǎnkuǎn 동 돈을 가지고 달아나다.

〔卷帘格〕 juǎnliángé 명 '灯dēng谜'의 한 형식으로, 밑에서 거꾸로 읽으면 풀리는 수수께끼.

〔卷领儿〕 juǎnlǐngr 명 밖으로 꺾어 넘기도록 만든 옷깃.

〔卷铝片〕 juǎnlǚpiàn 명 둥글게 만 알루미늄 판.

〔卷螺〕 juǎnluó 명〘貝〙 소라.

〔卷骂〕 juǎnmà 동 욕을 퍼붓다. ¶教我一顿～; 내가 한바탕 호통을 쳐 주었다.

〔卷毛〕 juǎnmáo 명 곱슬털(머리).

〔卷毛巾〕 juǎnmáojīn 명 롤러 타월(roller towel). =〔环huán状毛巾〕

〔卷棚〕 juǎnpéng 명 좌우 양측의 벽만 있고, 앞뒤로는 벽이 없는 집.

〔卷篷〕 juǎnpéng 명 말아 올리게 되어 있는 천막.

〔卷片〕 juǎnpiàn 명 ①롤 필름. ¶～匣; 필름 감는 틀. 매거진. ②〘機〙 (둥글게) 감은 금속판. ¶青铜～; 감긴 놋쇠판(板).

〔卷片扳手〕 juǎnpiàn bānshǒu 명 감아 올리는 지렛대.

〔卷铺盖〕 juǎn pūgai ①이불을 뚤뚤 말다. ②꽁무니를 빼고 도망치다. 야반 도주하다. ③해고당하거나 사직하여 직장을 떠나다. ④망설이지 않고 관계를 끊다.

〔卷起〕 juǎnqǐ 동 말아 올리다.

〔卷绕〕 juǎnrào 동〘紡〙 실을 감다. ¶～机; 와인더(winder).

〔卷刃〕 juǎn·rèn 동 (날붙이의) 날이 말리다. 날이 말려 둥글게 되다.

〔卷入〕 juǎnrù 동 말아〔휩쓸어〕들이다. 말려〔휩쓸려〕들게 하다. ¶他担心我也～浊流; 그는 나까지 탁류에 휩쓸려 들어갈까 염려하고 있다/～一场纠纷; 분규에 휘말리다/～旋涡; 〈成〉 (분쟁 따위의) 소용돌이 속에 끌어들이다.

〔卷舌〕 juǎnshé 동 (놀라거나 몹시 긴장해서) 혀가 굳다. 말을 하지 못하다. ¶～不言; 혀가 굳어서 말하지 못하다.

〔卷舌音〕 juǎnshéyīn 명〘言〙 권설음《zh, ch, sh, r로 나타내는 음》. =〔翘qiào舌音〕

〔卷身上〕 juǎnshēnshàng 명〘體〙 (철봉에서) 거꾸로 오르기.

〔卷酥〕 juǎnsū 명 과자 이름《곱게 으깬 참깨나 땅콩 따위를 엿에 묻혀 얇게 밀어서 둥글게 만 부드러운 과자》.

〔卷堂〕 juǎntáng 동〈文〉①전교(全校)가 학과를 중단〔포기〕하다. ¶三学～伏阙上书; 삼학(三學)이 과업을 포기하고 대궐앞을 나아가 엎드려 상서(上書)하다. ②사원의 승려가 파업하다.

〔卷逃〕 juǎntáo 동 옷이나 물건을 가지고 도망치다. ¶～细软; 귀금속이나 고급 의류 따위를 가지고 도망치다.

〔卷筒〕 juǎntǒng 명 (종이·테이프·필름 따위를) 감는 둥근 틀〔얼레〕. 두루마리. 릴(reel). ¶～新闻纸; 두루마리 신문 용지.

〔卷筒机〕 juǎntǒngjī 명 윤전기. ¶高速度～; 고속도 윤전기.

〔卷筒轮〕 juǎntǒnglún 명〘機〙 통형(筒形) 차륜.

〔卷筒手纸〕 juǎntǒng shǒuzhǐ 명 두루마리 휴지.

〔卷筒纸〕 juǎntǒngzhǐ 명 (신문 용지의) 두루마리 종이.

〔卷土重来〕 juǎn tǔ chóng lái 〈成〉 권토중래《재기(再起)를 도모하다》.

〔卷线车架〕 juǎnxiàn chējià 명〘工〙 보빈 프레임(bobbin frame).

〔卷线库〕 juǎnxiànkù 명〘紡〙 보빈 매거진(bobbin magazine).

〔卷心菜〕 juǎnxīncài 명〘植〙〈方〉 양배추. =〔包菜〕〔〈方〉包头白〕〔包头菜〕〔〈方〉包心菜〕〔包(心)白〕

〔卷袖扎裤〕 juǎn xiù zā kù 〈成〉 소매를 걷어올리고 바지를 졸라매다《버르는 모양》.

〔卷须〕 juǎnxū 명〘植〙 덩굴손.

〔卷烟〕 juǎnyān **A**) 명 ①궐련. ¶～机器; 궐련말이 기계/～纸; 궐련 종이. =〔香烟①〕 ②여송연. 시가. **B**) (juǎn yān) 담배를 말다.

〔卷烟厂〕 juǎnyānchǎng 명 담배 (제조) 공장.

〔卷烟纸〕 juǎnyānzhǐ 명 궐련용 종이. 담배 마는 종이.

〔卷颜子〕 juǎnyánzi 동 체면을 손상하다. 이름을 더럽히다. =〔丢diū人〕
〔卷扬机〕 juǎnyángjī 명《機》윈치(winch). 권양기. =〔镐gǎo车〕〔绞jiǎo车〕
〔卷叶蛾〕 juǎnyè'é 명《蟲》잎말이 나방.
〔卷云〕 juǎnyún 명《氣》새털구름. 권운.
〔卷轴〕 juǎnzhóu 명《紡》빔(beam) 릴(reel)《직기(織機)의 피륙 감는 굴대》. ⇒juànzhóu
〔卷子〕 juǎnzi 명 밀가루 반죽을 발효시켜 얇게 밀어서 기름·소금을 치고 돌돌 말아서 얇게 썰어 찐 식품.

蕃

juǎn (권)
→〔蕃耳〕

〔蕃耳〕 juǎn'ěr 명《植》점나도나물의 근연종(近緣種). =〔卷耳①〕

锩(鍺)

juǎn (권)
동〈文〉(날붙이의) 날이 말리다. =〔卷juǎn⑨〕

帣

juǎn (권)
동〈文〉소매를 걷어올리다. ⇒juàn

卷

juàn (권)
①(～儿) 명 권축(卷軸) 족자. ②명 보존서류(保存書類). 철(綴). ¶底～; 원부(原簿) / 查～; 문서를 조사하다 / 一～档案; 공문서철(綴) 한 권. ③(～儿, ～子) 명 시험 답안. ¶交白～; 백지 답안을 내다 / 看～; 답안지를 채점하다. ④명 서적(書籍). ⑤양 서적의 각 편(篇) 또는 장(章)의 수(數). ¶第一～; 제1권 / 每～订成一本; 한 권을 한 책으로 매다. ⇒juǎn quán
〔卷册〕 juàncè 명〈文〉서책. 서적류.
〔卷牍〕 juàndú 명〈文〉왕복의 공문서.
〔卷票〕 juànpiào 명 수험표(受驗票).
〔卷纸〕 juànzhǐ 명〈文〉시험 답안 용지.
〔卷帙〕 juànzhì 명〈文〉서적. 책《주로 수량을 말할 때 쓰임》. ¶～浩繁; 책을 많이 소장(所藏)하고 있다.
〔卷轴〕 juànzhóu 명〈文〉①두루말이. ②책. ⇒juǎnzhóu
〔卷子〕 juànzi 명 ①권축. 족자. 두루마리로 되어 있는 고서. ②시험 답안지. ¶交～; 답안을 제출하다 / 批～; 답안을 비평하다 / 看～; 답안을 조사하다 / 判pàn～; 답안의 옳고 그름을 판정하다 / 改～; 첨삭하다. =〔考卷〕〔卷儿〕〔试卷〕〔答卷〕
〔卷宗〕 juànzōng 명 ①〈文〉(관청의 보존용) 서류. 한건 한건 분류한 보존 서류. ¶诉讼～; 소송 서류. ②파일(file). 서류철.

倦〈勌〉

juàn (권)
①동 싫증이 나다. ¶诲人不～; 〈成〉열심히 가르치다 / 孜zī孜不～; 부지런히 힘쓰는 모양. ②형 피로하다. 나른하다. ¶身上发～; 몸이 나른하다 / 困kùn～; (피곤해서) 졸리다.
〔倦飞〕 juànfēi 동〈文〉나는 일에 싫증이 나다. 〈比〉싫증과 피곤으로 고향 생각이 나다. ¶鸟～而知还; 새는 날다 지치면 돌아올 줄 안다.
〔倦鸟知还〕 juàn niǎo zhī huán〈成〉날다 지친 새는 제 보금자리로 돌아온다《고향 생각이 나서 돌아온다》.
〔倦勤〕 juànqín 동〈文〉일에 싫증나다.
〔倦容〕 juànróng 명 권태로운〔피곤한〕 모습.
〔倦态〕 juàntài 명〈文〉나른한〔지친〕 모양.
〔倦惕惕(的)〕 juànxíngxíng(de) 형 피곤해서 눈이 떼꾼한〔거슴치레한〕 모양.
〔倦眼〕 juànyǎn 명 피곤해 보이는 눈.
〔倦意〕 juànyì 명〈文〉권태감. 피곤한 기분.
〔倦游〕 juànyóu 동 ①〈文〉싫증나게 놀다. 실컷 유람(遊覽)하다. ¶～归来; 마음껏 유람을 즐기고 돌아오다. ②관리 생활에 싫증나다.

圈

juàn (권)
명 ①가축의 우리. 외양간. ②요리(料理)를 담는 그릇. ③성(姓)의 하나. ⇒juān quān
〔圈肥〕 juànféi 명 쇠두엄.

帣

juàn (권)
명〈文〉주머니. 자루. ⇒juǎn

桊

juàn (권)
명 (～儿) 쇠코뚜레. =〔牛鼻桊儿〕

眷〈睠〉②

juàn (권)
①명 집안. 친족. 가족. ¶家～; 자신의 가족《특히, 처자를 지칭》/ 宝～; 〈敬〉댁의 가족 / 女～; 가족 중의 부녀. ②동〈文〉사랑하다. 유의하다. 마음에 두다. ¶蒙承殊～; 특별한 보살핌을 받다.
〔眷爱〕 juàn'ài 동 ⇨〔眷顾〕
〔眷弟〕 juàndì 명〈謙〉인척간 동배(同輩)에 대하여 쓰이는 자칭(自稱).
〔眷顾〕 juàngù 동〈文〉친절히 돌보다. 관심을 두다. ¶蒙您～, 多谢! 돌보아 주셔서 감사합니다! =〔眷爱〕〔眷注〕
〔眷怀〕 juànhuái 동〈文〉귀여워하며 마음에 두다. 그리워하다.
〔眷眷〕 juànjuàn 형〈文〉마음에 두고 잊지 않는 모양. 늘 그리워하는.
〔眷口〕 juànkǒu 명 가족. 식구의 수.
〔眷恋〕 juànliàn 동〈文〉(사람이나 고향에 대해) 오래도록 마음이 끌리다. 미련이 남다. ¶一点也不～过去; 지난 일에 아무런 미련도 없다.
〔眷念〕 juànniàn 동〈文〉마음에 두다. 염려하다. 걱정하다.
〔眷亲〕 juànqīn 명〈文〉친척. 권속.
〔眷生〕 juànshēng 명〈謙〉결연된 친척 사이에서 연장자가 후배에 대해 부르는 공손한 말.
〔眷属〕 juànshǔ 명〈文〉①가족. 친척. ¶～宿舍; 가족 숙소. ②양친. ③자기 편. 부하.
〔眷晚生〕 juànwǎnshēng 명 인척간에서 연장자에 대하여 쓰이는 자칭(自稱).
〔眷姻弟〕 juànyīndì 명 인척간 연장자에 대하여 쓰이는 자칭, 또는 연하자를 지칭하는 호칭.
〔眷佑〕 juànyòu 동〈文〉돕다. 도와 주다.
〔眷注〕 juànzhù 동 ⇨〔眷顾〕

悁

juàn (연)
형〈文〉①안달하다. 초조해하다. ②근심하다.
〔悁忿〕 juànfèn 형〈文〉옹졸하고 성미가 급하다.
〔悁急〕 juànjí 형〈文〉안달하다. 초조히 굴다. 애태우다.
〔悁悁〕 juànjuān 형〈文〉①걱정하는 모양. ②화내는 모양.

狷〈獧〉

juàn (견)
형〈文〉①성급하다. 도량이 좁다. ②절개를 지켜 굽히지 않다. 강직하다.
〔狷忿〕 juànfèn 형〈文〉도량이 좁고 성급하다. 성마르다.

〔狷急〕 juànjí 형 〈文〉 (성질 따위가) 성급하다. 조급하다.
〔狷介〕 juànjiè 형 〈文〉 절개가 굳고 고지식하다.
〔狷狭〕 juànxiá 형 〈文〉 편협하다.

绢(絹) juàn (견)
명 ①얇은 견직물. ②(～子) 〈方〉 손수건. =〔手绢儿〕
〔绢本〕 juànběn 명 견본(絹本)(서화를 그린 깁 바탕). ¶这两幅山水都是～; 이 두 폭의 산수화는 모두 견본(絹本)이다.
〔绢绸〕 juànchóu 명 《紡》 작잠사(柞蠶絲)로 짠 갈색을 띤 견사. 견주(絹紬).
〔绢纺〕 juànfǎng 명 《紡》 견방. ¶～人造丝; 레이온 견사. =〔纺丝〕
〔绢光〕 juànguāng 형 반짝반짝 빛나다. 윤나다.
〔绢猴〕 juànhóu 명 《動》 원숭이의 일종(털이 가늘고 길며, 몸은 작고 꼬리가 긺. 남미산).
〔绢花〕 juànhuā 명 비단 천으로 만든 꽃.
〔绢柳〕 juànliǔ 명 《植》 꽃버들(버들과(科)의 작은 교목(喬木)으로 나뭇가지로 바구니 등을 엮음).
〔绢罗〕 juànluó 명 비단으로 만든 체.
〔绢丝〕 juànsī 명 《紡》 견사. ¶～纺; 스펀실크.
〔绢素〕 juànsù 명 서화용인 흰 바탕의 견포(絹布).
〔绢头〕 juàntóu 명 〈方〉 손수건. =〔手绢儿〕
〔绢网印花〕 juànwǎng yìnhuā 명 《紡》 실크 스크린으로 날염한 것.
〔绢子〕 juànzi 명 ①〈方〉 손수건. =〔手帕〕〔手绢儿〕 ②네커치프(neckerchief).

睊 juàn (견)
→〔睊睊〕
〔睊睊〕 juànjuàn 동 〈文〉 곁눈으로 노려보다. 흘겨보다.

罥 juàn (견)
①동 〈文〉 걸다. 걸치다. ②명 그물.

隽〈雋〉 juàn (전)
①명 살찐 고기. ②→〔隽永〕 ③명 성(姓)의 하나. ⇒ '俊' jùn
〔隽永〕 juànyǒng 형 (시문(詩文) · 말이) 의미심장하다.

鄄 Juàn (견)
명 《地》 쥐안청(鄄城) 현(산둥 성(山東省)에 있는 현(縣) 이름).

JUE ㄐㄩㄝ

撧(撧) juē (절)
동 ①꺾다. ¶把这一支粉笔～开, 两个人使吧; 이 분필을 두 개로 잘라서, 두 사람이 쓰도록 하여라. =〔撅A)③〕 ②숨을 돌리게 하다. 활기를 불어넣다. ¶还能～过来; 아직 살릴 수 있다. ③면목이 없어지다. 남을 난처하게 만들다. 콧대를 꺾다. 꼼짝 못하게 해대다. 거역하다. ¶～回去; 퇴짜 놓다 / 什么难题也～不倒他; 어떤 어려운 문제라도, 그 녀석을 꼼짝 못 하게 할 수는 없다 / 这不是故意～人吗? 이는 고의로 남의 체면을 깎아서 난처하게 만드는 것이 아닌가? / 当面～人; 남에게 면박을 주다 / 叫你给～了; 너한테 한 방 먹었다 / 昨儿刚挨ái了～, 今儿又吹起来了; 어제 당하고서도, 오늘 또 허풍을 떨기 시작했다.
〔撧不动〕 juēbudòng 딱딱해서〔단단해서〕 부러지지 않는다.
〔撧过来〕 juēguolai 숨을 돌리게 하다.
〔撧花儿〕 juē.huār 동 꽃을 꺾다.
〔撧叫〕 juējiào 동 인사 불성이 된 사람을 큰 소리로 불러 깨우다.
〔撧开〕 juēkāi〔juēkai〕 동 (눌러서) 꺾다.
〔撧人〕 juērén 동 남의 체면을 깎다. 무시하다. 남에게 무안을〔창피를〕 주다. ¶你当着好些个人跟我要钱, 这不是～吗? 자네는 여러 사람 앞에서 나한테 돈을 독촉하다니 이것은 사람을 무시하는 것이 아닌가?
〔撧折〕 juēshé 동 무리하게 꺾다. 휘어 꺾다.

嗟 juē (차)
'嗟jiē' 의 구음(舊音). ⇒jiē

屩(屫〈蹻〉) juē (갹)
명 〈文〉 짚신. ⇒ '蹻' qiāo

撅〈噘〉B) juē (궐)
A) ①동 빳빳이 위로 올리다〔세우다〕. 쑥 올리다. ¶～尾巴; 꼬리를 쑥 올리다 / 小辫～～着; 땋아 늘인 머리가 위로 뻗치다 / 马拉粪都～起尾巴来; 말이 똥을 눌 때에는 언제나 꼬리를 번쩍 치켜든다. ②동 〈方〉 남을 난처하게 하다. 윽박지르다. 찍소리 못하게 하다. ③동 〈口〉 꺾다. 부러뜨리다. ¶把竿子～断了; 장대를 부러뜨렸다 / ～一条柳条当马鞭; 버드나무 가지를 꺾어 채찍으로 하다. =〔折zhéA)②〕〔撧①〕 ④동 움켜잡다. ⑤동 지다. 당하다. ¶教你给～了; 너한테 졌다. ⑥형 〈俗〉 완고하다. ¶～老头子; 완고한 두목. B) 동 ①(화났을 때, 불쾌할 때) 입을 삐쭉 내밀다. 불평 · 불만을 나타내다. ¶胡子都～起来; 수염이 곤두서다(분노한 모양) / 小刀子蜡笔要借给她用, 用坏了也不许～! 나이프, 크레용을 그녀에게 빌려 주려면, 못 쓰게 만들어도 불평하지 마라! ②매도(罵倒)하다.
〔撅巴〕 juēba 동 부축해서 일으키다. 누워 있는 사람의 상반신을 일으키다. ¶廉仲和刘妈把廉伯太太～起来; 염중(廉仲)과 하녀인 유(劉)는 염백(廉伯)의 부인을 부축해서 일으켰다. 형 〈比〉 완고하고 융통성이 없는 모양.
〔撅短儿〕 juē.duǎnr 동 〈俗〉 남의 결점을 들춰 내다. ¶说人不～; 남을 책망할 때는 그의 단점을 들춰 내어 나무라지 않는 것이 좋다.
〔撅撅着〕 juējuezhe 뾰족하게 하다. 뒤로 젖혀지다. ¶～小嘴儿生起气来; 조그만 입을 뾰족히 내밀며 화를 냈다.
〔撅老头子〕 juēlǎotóuzi 명 완고한 늙은이.
〔撅人不撅短〕 juērén bù juēduǎn 〈諺〉 사람을 책망하더라도 결점을 들추지는 않는다. =〔打人别打脸, 说人别说短〕
〔撅撒〕 juēsā 동 ⇨〔决jué撒〕
〔撅嘴〕 juē.zuǐ 동 (화가 났거나 기분이 나쁠 때에) 입을 삐쭉 내밀다. ¶气得他撅着嘴一语不发; 그는 화가 나서 입을 삐쭉 내밀고 말 한 마디도 하지 않는다 / 他的相貌特点是有点～儿; 그의 용모의 특징은 입을 약간 삐죽 내민 점이다.

孓 jué (궐)
→〔孑jié孓〕

决〈決〉 jué (결)

①동 정하다. 결정하다. 판단하다. ¶犹豫不～; 우물쭈물하며 결정하지 못하다/下～心; 결심하다/判～; 판결(하다)/表～; 표결(하다)/一言而～; 한 마디로 결정하다/迟疑不～; 우유부단하다. ②동 승패를 정하다. ¶一～高下; 일거에 우열을 결정하다. ③부 결코 (…하지 않다). 절대로 (…않다)(부정사(否定詞)의 앞에 놓여 강조를 나타냄). ¶我～不反悔; 나는 절대로 후회하지 않는다/天还下大雨, 他～不会回来了; 아직 큰비가 세차게 내리고 있으니, 그가 절대로 돌아올 리가 없다/～不退缩; 결코 뒤로 물러서지 않는다/～无异言; 절대로 이의 없음. ④동 사형을 집행하다. ¶处chǔ～; 사형에 처하다/枪～; 총살형에 처하다/绞～; 교수형에 처하다. ⑤동 무너지다. (제방 따위가) 터지다. ¶河～了口了; 강의 제방이 터졌다. ⑥동 해결하다.

〔决不〕 juébù 결코 …하지 않다. 절대로 …하지 않는다.

〔决不罢休〕 jué bù bàxiū 결코 중단하지 않다. 최후까지 하다.

〔决不食言〕 jué bù shí yán 〈成〉 결코 식언을 하지 않다. 절대로 거짓말하지 않다.

〔决策〕 juécè 동 책략·방법을 결정하다. 명 결정된 책략. ¶战略～; 전략의 결정된 방책.

〔决雌雄〕 jué cíxióng 자웅을 겨루다. 승패를 정하다.

〔决定〕 juédìng 동 ①정하다. 결정하다. 단정하다. ¶～开会日期; 모임의 날짜를 정하다/～胜负; 승부를 정하다/我～不去上大学; 나는 대학에 가지 않기로 결정했다/就这样～了吧! 이대로 결정합시다! ②결정짓게 하다. 좌우하다. ¶存在～意识; 존재는 의식을 결정짓게 한다/生产力的发展～生产方式的变革; 생산력의 발전은 생산 양식의 변혁에 달려 있다. 형 결정적이다. 확정적이다. ¶～因素; 결정적인 요소. 명 결정. ¶及时地作出了这项～; 적시에 이 결정을 내세웠다.

〔决定性〕 juédìngxìng 형 결정적이다. ¶～的胜利; 결정적인 승리.

〔决定于〕 juédìngyú 동 〈文〉 (…에 따라서) 결정되다. ¶一切都～路线; 모든 것은 노선에 따라 결정된다.

〔决斗〕 juédòu 명동 결투(하다).

〔决断〕 juéduàn 명동 ①결단(하다). ②결단력(이 있다).

〔决防〕 juéfáng 동 〈文〉 제방이 무너지다.

〔决非〕 juéfēi 결코〔절대로〕 …없다〔않다〕 ¶～恶意; 전혀 적의를 품고 있지 않다.

〔决计〕 juéjì 부 ①마침내. 단호히. ¶～自己带领一个队; 마침내 자신이 일대(一隊)를 이끈다. ②반드시. 꼭. ¶～是他来了; 반드시 그는 온다/我～要走; 나는 꼭 간다/这样办～没错儿; 이렇게 하면 꼭 틀림없다. 동 ①결심하다. ¶于是他～出门求食去了; 그래서 그는 밖으로 걸식하러 나가기로 결심했다. ②계략(計略)을 정하다.

〔决绝〕 juéjué 동 관계를 끊다. 결별〔결열〕하다. 형 (태도 등이) 분명하다. 단호하다. ¶～而强硬; 단호하면서도 강경하다.

〔决口〕 jué.kǒu 동 제방이 터지다. (juékǒu) 명 터진 곳. ¶堵塞～; 터진 곳을 막다.

〔决裂〕 juéliè 동 (회의·담판 등이) 결렬되다. ¶和议～了; 평화 회의가 결렬되었다.

〔决明〕 juémíng 명 《植》 결명차(決明茶). ¶～子; 결명자.

〔决然〕 juérán 형 〈文〉 (결심 따위가) 확고〔결연〕하다. ¶毅然～; 동요됨이 없이 단호한 모양/～起来了; 결연히 일어섰다. 부 절대로. 도저히. ¶东张西望, 道听途说, ～得不到什么完全的知识; 일관성 없이 불확실한 것들을 이것저것 보고 듣기만 하다가는, 완전한 지식을 절대로 얻을 수 없다.

〔决撒〕 juésā 동 〈古白〉 ①실패하다. 탄로나다. ¶莫要弄得～了; 잘못해서 탄로나면 안된다. ②결렬되다. (관계가) 끊어지다. ‖ =〔撅撒〕

〔决赛〕 juésài 명 결승전. ¶半～; 준결승전.

〔决胜〕 juéshèng 명동 결승(을 하다). 동 승리를 거두다.

〔决死〕 juésǐ 동 결사〔필사〕적이 되다. ¶～的斗争; 필사의 투쟁/～战; 결사적인 싸움.

〔决算〕 juésuàn 명동 결산(하다). ¶年终～; 연말 결산.

〔决心〕 juéxīn 명동 결심(하다). 결의(하다). ¶下定～; 굳게 결의하다/～书; 결의서/从那时候起我就下定～学会中国话; 그 때부터 나는 중국어를 배워 익히기로 결심했다.

〔决选〕 juéxuǎn 명동 결선 투표(를 하다).

〔决一雌雄〕 jué yī cí xióng 〈成〉 자웅을 결하다(승패를 결정하다).

〔决一死战〕 jué yī sǐ zhàn 〈成〉 전력을 다하여 승패를 결정하다. 승패를 걸고 격렬히 싸우다.

〔决疑〕 juéyí 동 〈文〉 의혹을 해결하다.

〔决议〕 juéyì 명동 결의(하다). ¶作出～; 결의를 하다/～(草)案; 결의문 초안.

〔决意〕 juéyì 명동 결의(하다). 결심(하다). ¶他～明天一早就动身; 그는 내일 아침이 되자마자 떠나기로 했다.

〔决战〕 juézhàn 명동 결전(하다).

〔决眦〕 juézì 동 〈文〉 ①눈초리가 째지다. ②〈比〉 격노하다.

诀(訣) jué (결)

①동 헤어지다. ②동 작별 인사를 하다. ③명 작별. 결별. ¶永～; 영원한 이별. 사별(死別). ④명 오의(奧義). 비결. ¶妙～; 비결. 묘수. ⑤명 음조(音調)가 좋고 외기 쉽게 나열한 어구(語句). ¶歌～; 노래 형식의 암송용(暗誦用) 글.

〔诀别〕 juébié 동 결별하다. 이별하다.

〔诀策〕 juécè 명 비책(秘策).

〔诀法〕 juéfǎ 명 ⇨〔密mì传〕

〔诀分儿〕 juéfènr 명 비결.

〔诀窍(儿)〕 juéqiào(r) 명 비결. 비법(秘法). 요령. ¶发财致富的～; 돈을 벌어 부자가 되는 비결. 치부하는 비결. =〔诀要〕〔窍要〕

〔诀要〕 juéyào 명 ⇨〔诀窍(儿)〕

抉 jué (결)

동 〈文〉 ①선택하다. 가려내다. ②도려 내다. 후벼내다. ¶钉陷槽中, ～而出之; 못이 구멍에 빠진 것을 쑤셔서 끄집어 내다.

〔抉开〕 juékāi 동 억지로 열다. 비집어 열다.

〔抉目〕 juémù 동 눈을 후벼 내다.

〔抉剔〕 juétī 동 도려 내다.

〔抉择〕 juézé 명동 〈文〉 선택(하다). 채택(하다). ¶两者之间作一～; 양자택일하다.

〔抉摘〕 juézhāi 동 ①골라내다. 가려내다. ②폭로하다.

驶(駃) jué (결)

→〔驶騠tí〕

〔駃騠〕 juétí 명《動》①수말과 암탕나귀의 교배에 의한 잡종. ②준마(駿馬)의 일종.

玦 jué (결)
명 ①결(玦)(한쪽이 트인 고리 모양의 패옥). ②활 쏠 때 엄지손가락에 끼는 깍지.

砄 jué (결)
명〈文〉돌. 돌멩이.

鴃(鴂) jué (격)
명《鳥》〈文〉때까치. =〔伯bó劳〕

〔鴃舌〕 juéshé 명〈比〉알아듣기 어려운 말.

鴂(鴂) jué (결)
①→〔鶗tí鴂〕 ②→〔南nán蛮鴂舌〕

觖 jué (결)
형〈文〉불만족스럽다. 못마땅하다.

〔觖如〕 juérú 형 만족스럽지 못한 모양.
〔觖望〕 juéwàng 동〈文〉불만족스러워 원망하고 한탄하다.

角 jué (각)
①동 경쟁하다. 승패를 겨루다. ¶～力; ⇩/～斗; ⇩/口～; 말다툼하다. ②(～儿) 명 ㉠배우. ¶主～; 주역(主役)/名～; 명배우/配～; 조연. ㉡배역(配役). ¶他去什么～儿? 그는 무슨 역으로 분장합니까? ㉢(중국 전통극에서의 배역의 특성에 따른) 역할 분담. ¶丑chǒu～; 어릿광대역/旦dàn～; 여자역/净～; 악역. =〔脚jué〕 ③명 옛날의 술그릇(모양은 '爵'과 비슷함). ④명《樂》옛날, 오음(五音)의 하나. ⑤명 성(姓)의 하나. ⇒jiǎo

〔角斗〕 juédòu 명 격투 경기. ¶～场; 격투 경기장. 링. 동 격투 경기를 하다. ¶～了半天, 不分胜负; 장시간 맞붙어 싸웠으나 승부가 나지 않다.
〔角冠〕 juéguān 명 도사(道士)가 쓰는 모자.
〔角妓〕 juéjì 명〈文〉기예가 뛰어난 기녀(妓女).
〔角口〕 juékǒu 동 말다툼하다. =〔角嘴〕→〔吵chǎo嘴〕
〔角力〕 juélì 동 ①힘을 겨루다. 씨름하다. →〔摔shuāi交〕 ②서로 힐난하다. 서로 다투다. ¶只是一种吵嘴或者～; 그저 일종의 말다툼이거나 경쟁이다.
〔角立〕 juélì 형〈文〉걸출하다. 뛰어나다. ¶～杰jié出; 두드러지게 뛰어나다.
〔角儿〕 juér 명 ①(어엿한) 인간. ②극중 인물. ③어떤 일을 하는 사람. 당사자. ⇒jiǎor
〔角色〕 juésè 명 ①(연극·영화에서 배우가 연출하는) 극중의 인물. 배역. ②연극 배우가 분장하는 성별이나 성격에 의해 나눈 유형(중국 전통극에서는 '生'·'旦'·'净'·'丑' 등). ③수완가. 최적임자. ④인물. 명사(名士). ¶他是学界的新进～; 그는 학계에서의 신진 명사이다. ‖=〔脚色〕
〔角鲨〕 juéshā 명《魚》곱상어. ⇒jiǎoshā
〔角试〕 juéshì 명 무예의 시합.
〔角黍〕 juéshǔ 명 찹쌀을 풀잎으로 싸서 찐 것. =〔粽zòng子〕
〔角逐〕 juézhú 동〈文〉승패를 겨루다. 각축하다. ¶这次赛跑的锦标就剩了他们两个人～了; 이번 경주의 우승은 그들 두 사람이 결승에서 승패를 가리게 되었다.
〔角嘴〕 juézuǐ〔jiǎozuǐ〕 동 언쟁하다. 말다툼하다. =〔角口〕

脚〈腳〉 jué (각)
명 ⇨〔角jué②〕 ⇒jiǎo

桷 jué (각)
명〈文〉네모난 서까래.

绝(絕) jué (절)
①동 끊다. 절단하다. 단절하다. 멀리하다. ¶～交; ⇩/～食; ⇩/天不～人(之)路;〈諺〉하늘은 쉽사리 사람을 버리지 않는다(하늘이 무너져도 솟아날 구멍은 있다)/络绎不～; 연속적으로 단절됨이 없다. ②동 끊어지다. 다하다. 끝나다(동사의 뒤에 붙어서 '철저한'이라는 강한 뜻을 첨가하는 데에도 쓰임). ¶气～; 숨이 끊어지다/革命种子是～不了的; 혁명의 씨앗은 결코 끊이지 않는다/法子都想～了; 온갖 방법을 다 강구했다/～望; ⇩ ③동 궁(窮)하다. 막다르다. 앞이 막히다. ¶～处逢生; ⇩/陷于～地; 도저히 면할 길 없는 어려운 처지에 빠지다/这事不能做得太～了; 이것을 빼도 박도 못할 처지로 몰고 가서는 안 된다. ④형 비할 데가 없다. 둘도 없다. ¶～技; ⇩/双～; 두 가지 묘기. ⑤부 극히. 매우. ¶～好; 매우 좋다/～细的面; 매우 가느다란 국수/做得别太～; 너무 심한 짓을 하면 안 된다. ⑥형 기발하다. 특이하다. 유별나다. ¶特务们想的法子够～的了; 스파이들이 생각해 낸 방법이란 것이 매우 기발한 것이었다. ⑦부 결코 …이 아니다. 절대로 …이 아니다(뒤에 부정사(否定詞)를 수반함). ¶～没有; 절대로 없다/他～不再来了; 그는 절대로 두 번 다시 오지 않는다/这个结实, ～坏不了; 이것은 튼튼해서, 절대로 부서지지 않는다. ⑧형 후손이 없는. ⑨형 험한. ¶～壁; 절벽. ⑩명 절구(絶句). ¶五～; 오언 절구.

〔绝爱〕 jué'ài 동 매우 사랑하다.
〔绝版〕 jué.bǎn 동 절판되다. (juébǎn) 명 절판. ¶～书; 절판본.
〔绝比〕 juébǐ 형〈文〉비할 데 없다. 발군(拔群)이다.
〔绝笔〕 juébǐ 명 절필. 최후의 작품 또는 필적.
〔绝壁〕 juébì 명 절벽.
〔绝不〕 juébu 결코 …하지 않다. 조금도 …않다. ¶～妥协; 결코 타협하지 않다/～允许; 절대로 허가하지 않다.
〔绝不了〕 juébuliǎo 끊임이 없다. 끊어지지 않다.
〔绝不亚于〕 juébuyàyu 결코 …에 뒤지지 않다. ¶他的学问～外国学者; 그의 학문은 결코 외국 학자에 뒤지지 않는다.
〔绝才〕 juécái 명〈文〉비할 데 없는 재능.
〔绝产〕 juéchǎn 명 ①《法》매도한 뒤에 다시 환매할 수 없는 부동산. ②〈文〉산출량이 매우 많음. ③상속인이 없는 재산.
〔绝长补短〕 jué cháng bǔ duǎn〈成〉긴 것을 끊어 짧은 데를 보충하다(장단점을 서로 보완하다). =〔采长补短〕〔截jié长补短〕
〔绝唱〕 juéchàng 명 더할 나위 없이 뛰어난 시문(詩文). ¶千古～; 천고에 비할 데 없이 뛰어난 시문.
〔绝尘〕 juéchén 동 ①허공을 나는 듯이 달리다. ②세속을 초월하다.
〔绝俦〕 juéchóu 형〈文〉발군(拔群)이다. 비할 데 없이 뛰어나다.
〔绝处逢生〕 jué chù féng shēng〈成〉아슬아슬한 고비에서 도움을 받다. 구사일생으로 살다.

〔绝大〕 juédà 형 매우 큰. 압도적인 부분의. 압도적 다수의. ¶～部分; 대부분 / ～部分的人; 압도적 다수의 사람 / ～多数; 절대 다수 / ～的错误; 더할 수 없는 커다란 착오 / 占全国人口的～部分; 전국 인구의 압도적 부분을 차지하다.
〔绝代〕 juédài 〈文〉 명 아주 오랜 옛날. 형 절세이다. 당대에 비견할 만한 사람이 없다. ¶～佳人; 절세의 미인 / 忠勇～; 충용이 당대에 으뜸이 되다. =〔绝世〕
〔绝岛〕 juédǎo 명 멀리 떨어져 있는 섬. 외딴 고도(孤島).
〔绝倒〕 juédǎo 동 〈文〉 ①큰 소리로 웃다. 포복절도하다. ¶诙谐百出, 令人～; 농담이 많이 쏟아져 나와 사람들을 웃겼다 / 哄hòng堂～; 모든 사람이 포복절도하다. ②대단히 경복(敬服)하다.
〔绝等〕 juéděng 형 ⇨〔绝伦〕
〔绝地〕 juédì 명 ①매우 험준한 곳. ¶这里左边是悬崖, 右边是深沟, 真是个～; 이곳은 왼쪽은 낭떠러지, 오른쪽은 깊은 골짜기로 정말 매우 험준한 곳이다. ②진퇴유곡의 지점. 막다른 곳. 궁지. ¶我们生活到了～了; 우리들의 생활은 결국 막바지에 오고 말았다 / 陷于～; 궁지에 빠지다.
〔绝顶〕 juédǐng 명 〈文〉 산의 최고봉. 절정. 부 매우. 극도로. 형 더할 나위 없다. ¶～聪明cōngming; 아주 현명하다.
〔绝断〕 juéduàn 동 ⇨〔断绝〕
〔绝对〕 juéduì 형 ①절대(의). 절대적(인)《비교나 대립을 허용치 않는 절대적인 상태》. ¶～服从; 절대 복종하다 / ～不可动摇的信念; 절대로 동요되어서는 안 될 신념 / ～优势; 압도적인 우세. ↔〔相xiāng对〕 ②절대적(인)《단 하나의 조건을 근거로 하며 기타의 조건을 무시하는 상태》. ¶～平均主义; 대우 따위의 절대적 평등을 주장하는 주의. 부 ①반드시. 결코. 절대로. ¶这件事～做不到; 이것은 절대로 해낼 수 없다. ②가장. 매우. 절대. ¶～多数; 절대 다수.
〔绝对高度〕 juéduì gāodù 명 절대 고도《평균 해수면을 표준으로 한 고도》.
〔绝对观念〕 juéduì guānniàn 명 《哲》 절대 개념. =〔绝对(观念)精神〕
〔绝对化〕 juéduìhuà 동 절대화하다. ¶防止思想上的～; 사상의 절대화에 빠지는 것을 피하다.
〔绝对零度〕 juéduì língdù 명 《物》 절대 영도.
〔绝对民主〕 juéduì mínzhǔ 명 절대적인 민주주의《무제한적으로 자유·민주를 추구하는 주의》.
〔绝对命令〕 juéduì mìnglìng 명 지상(至上) 명령. 절대 명령.
〔绝对温度〕 juéduì wēndù 명 《物》 절대 온도. 켈빈(kelvin) 온도.
〔绝对真理〕 juéduì zhēnlǐ 명 《哲》 객관적 전면적인 진리. 절대 진리.
〔绝对值〕 juéduìzhí 명 《數》 절대치.
〔绝乏〕 juéfá 동 결핍하다.
〔绝非偶然〕 jué fēi ǒurán 절대로 우연이 아니다.
〔绝甘分少〕 jué gān fēn shǎo 〈成〉 좋은 음식을 먹지 않고, 절약한 것을 가난한 사람에게 나눠 주다《스스로 절약하여 빈자에게 나눠 줌》.
〔绝根(儿)〕 jué.gēn(r) 동 ①근절하다. ②후사〔후계자〕가 없다.
〔绝国〕 juéguó 명 〈文〉 멀리 떨어져 있는 나라.
〔绝海〕 juéhǎi 명 멀리 떨어져 있는 바다.
〔绝好〕 juéhǎo 형 매우 훌륭하다. 더 할 수 없이 좋다.
〔绝后〕 jué.hòu 동 ①후사(後嗣)가 없다. =〔绝户〕 ②앞으로 두 번 다시 없다. 형 공전 절후하다. ¶空前～; 〈成〉 공전 절후.
〔绝户〕 juéhu 명 자손이 없는 가정〔사람〕. ¶那个老～真可怜; 저 노인은 자식이 없어서 가엾다. 형 〈轉〉 죄 많다. 터무니없다. ¶他不知道是谁出的这样的～主意; 그는 누가 이리 터무니없는 생각을 해냈는지 알 수 없다. 동 ⇨〔绝后①〕
〔绝户坟〕 juéhufén 명 무연고자(無緣故者)의 묘.
〔绝户网〕 juéhuwǎng 명 ①일망타진의 망. 하나도 남김없이 잡는 망. ②남을 꼼짝달싹 못 하게 하는 악랄한 수단〔책략〕. ¶她撒的是～; 그녀가 쓴 수법은 사람을 꼼짝 못하게 하는 악랄한 것이다.
〔绝荤〕 juéhūn 동 육식(肉食)을 끊다.
〔绝活儿〕 juéhuór 명 독특한 기술. 특기(特技). 신기(神技). ¶他发球有～; 그는 서브에 특기가 있다 / 他还有一种～; 그는 그 밖에 특기를 가지고 있다 / 他那棋真下得～了; 그의 바둑은 정말 비할 데가 없다. =〔绝技〕〔绝艺〕
〔绝迹〕 jué.jì 동 ①세속과 단절하다. ②자취를 없애다. 완전히 없어지다. ¶天花在我们区儿几乎完全～; 천연두는 우리 지역에서 거의 완전히 없어졌다. (juéjì) 명 인적이 없는 곳.
〔绝技〕 juéjì 명 특기. 비할데 없는〔둘도 없는〕 기술. =〔绝活(儿)〕
〔绝佳〕 juéjiā 형 매우 좋다. 대단히 아름답다.
〔绝交〕 jué.jiāo 동 ①절교하다. ¶我早就跟他～了; 나는 벌써 그와 절교하였다. ②국교를 단절하다.
〔绝经〕 juéjīng 명 《醫》 폐경.
〔绝景〕 juéjǐng 명 〈文〉 매우 뛰어난 경치. 비할 데 없는 아름다운 경관(景觀).
〔绝境〕 juéjìng 명 ①〈文〉 세속을 떠난 경지(境地). ②전인미답(前人未踏)의 땅. ③절망의 상태. 궁지. ¶和平工作到了～; 평화 공작은 절망에 이르렀다 / 濒于～; 궁지에 몰리다. ④극히 험난한 곳.
〔绝句〕 juéjù 명 절구《옛날 시(詩)의 한 형식》. ¶五言～; 오언 절구.
〔绝口〕 juékǒu 동 ①말을 그만두다. 개 '不' 뒤에서만 쓰임. ¶骂不～; 욕설을 마구 퍼붓다. ②입을 다물다. ¶他～不提; 그는 입을 다물고 아무 말도 안 한다. 부 극구(極口). ¶赞不～; 극구 칭찬하다.
〔绝了〕 juéle 끝까지 …하다. ¶斗～; 끝까지 싸우다.
〔绝粒〕 juélì 명동 ⇨〔绝食〕
〔绝粮〕 jué.liáng 동 ⇨〔休xiū粮〕
〔绝路〕 juélù 명 막다른 길. 막바지. 막힌 골목. ¶～逢生; 〈成〉 지옥에서 부처님을 만나다《몹시 어려운 지경에서 도움을 받다》. (jué.lù) 동 길을 끊다. 길이 막히다. ¶自趋～; 스스로 자신의 길을 끊어 버리다 / 这个办法要是还不行, 那可就绝了路了; 이 방법이 안 된다면, 이제 끝장이다.
〔绝伦〕 juélún 형 〈文〉 발군(拔群)의. 절륜의. 탁월하게 뛰어난. 비교할 수 없을 정도의. ¶聪颖～; 탁월하게 총명하다 / 荒谬～; 황당하기 그지없다. =〔绝等〕〔绝群〕
〔绝卖〕 juémài 동 팔아 넘기다《환매할 수 없는 판매》. ↔〔典diǎn卖〕
〔绝美〕 juéměi 형 더할 나위 없이 아름답다.
〔绝密〕 juémì 명형 극비(의). ¶～消息; 극비의 뉴스 / 超级大国侵略中东的～计划已经落入共和国政府手中; 초대국의 중동 침략의 극비 계획이 이미

공화국 정부의 수중으로 들어왔다.
〔绝妙〕 juémiào 형 더할 나위 없이 좋다. 절묘하다. ¶～的讽刺; 절묘한 풍자 / ～好词; 더없이 멋있는 자구(字句).
〔绝命〕 jué·mìng 동 죽다. ¶～书; 유서 / ～词; 절명사(辭). 사세(辭世)의 문장이나 시가(詩歌).
〔绝目〕 juémù 명 〈文〉 눈이 미치는 한. 눈에 들어오는 것 모두.
〔绝品〕 juépǐn 명 〈文〉 절품. 매우 뛰어난 좋은 물건.
〔绝巧〕 juéqiǎo 명 비결. 요령. 호기(好機). 형 극히 교묘한.
〔绝群〕 juéqún 형 ⇨〔绝伦〕
〔绝然〕 juérán 부 〈文〉 절대로. 전연. ¶至于贫富～不论; 빈부 따위는 전연 문제로 삼지 않는다.
〔绝热〕 juérè 동 《物》 단열하다. ¶～材料; 단열재 / ～压缩; 단열 압축.
〔绝塞〕 juésài 명 〈文〉 변경의 보루〔성채〕.
〔绝色〕 juésè 명 〈文〉 절색. 뛰어나게 아름다운 용색(容色). 형 뛰어나게 아름답다. ¶～佳人; 절세의 미인.
〔绝声屏息〕 juéshēng bǐngxī 긴장해서 마른 침을 삼키다. 숨을 죽이다.
〔绝食〕 jué·shí 동 절식하다. 단식하다. (juéshí) 명 단식. 절식. ¶～疗法; 《醫》 단식 요법. ‖ =〔〈文〉 绝粒〕
〔绝食罢工〕 juéshí bàgōng 명 단식 투쟁〔파업〕. =〔饿è工〕
〔绝世〕 juéshì 동 ①죽다. ②⇨〔绝嗣〕 형 ⇨〔绝代〕
〔绝嗣〕 jué·sì 동 〈文〉 후계자가〔자손이〕 끊기다. =〔绝世②〕〔绝绪〕
〔绝嗣无后〕 jué sì wú hòu 〈成〉 자손이 끊기다. =〔绝子绝孙①〕
〔绝俗〕 juésú 동 〈文〉 ①범속을 초월하다. ②속세를 떠나다. 세속을 버리다.
〔绝头〕 juétóu 완고한. 고집이 센.
〔绝望〕 jué·wàng 동 절망하다. (juéwàng) 명 절망.
〔绝望挣扎〕 juéwàng zhēngzhá 명 최후의 발악. ¶帝国主义的～; 제국주의의 최후 발악. →〔垂chuí死挣扎〕
〔绝问〕 juéwèn 동 소식이 끊어지다.
〔绝无〕 juéwú 결코 …이 없다.
〔绝无仅有〕 jué wú jǐn yǒu 〈成〉 극히 적다. 거의 없다.
〔绝香火〕 jué xiānghuǒ 향불이 꺼지다《자손이 끊어지다》.
〔绝响〕 juéxiǎng 명 〈文〉 ①실전(失傳)된 음악. ②〈比〉 이미 전통이 끊어진 것.
〔绝心眼子〕 juéxīnyǎnzi 명 악랄한 생각.
〔绝绪〕 juéxù 동 ⇨〔绝嗣〕
〔绝续〕 juéxù 명 단절과 계속. ¶存亡～的关头; 생사 존망의 때.
〔绝学〕 juéxué 명 〈文〉 (후계자에게) 전할 수 없는 학문. 동 학문을 그만두다.
〔绝业〕 juéyè 명 〈文〉 중단된 사업.
〔绝艺〕 juéyì 명 매우 뛰어난 기예.
〔绝诣〕 juéyì 명 〈文〉 매우 깊은 조예.
〔绝育〕 jué·yù 동 ①불임(不妊) 수술을 하다. →〔节jié育〕 ②임신 중절을 하다. ¶～手术; 임신 중절 수술. →〔打dǎ胎〕
〔绝域〕 juéyù 명 〈文〉 교통이 나쁜 먼 벽지의 땅. 멀리 떨어진 지역《외국을 지칭함》.
〔绝缘〕 jué·yuán 동 절연하다. 외계(外界)와의 접촉을 끊다. (juéyuán) 명동 《電》 절연(하다). ¶～体tǐ =〔非导体〕; 절연체 / ～材料; 절연재. =〔隔gé电〕
〔绝缘钢丝钳〕 juéyuán gāngsīqián 명 ⇨〔绝缘钳子〕
〔绝缘胶〕 juéyuánjiāo 명 절연 혼합물. =〔绝缘康磅〕
〔绝缘康磅〕 juéyuán kāngbàng 명 ⇨〔绝缘胶〕
〔绝缘起子〕 juéyuán qǐzi 명 절연(絶緣) 드라이버.
〔绝缘钳子〕 juéyuán qiánzi 명 절연 펜치. =〔绝缘钢丝钳〕
〔绝缘子〕 juéyuánzi 명 《電》 애자(碍子). =〔绝缘瓷器〕〔瓷碗②〕〔瓷珠儿〕〔瓷瓶②〕
〔绝早〕 juézǎo 명 이른 아침. ¶五日～过苏州; 5일 이른 아침 쑤저우(蘇州)를 통과하였다. 부 아주 일찍.
〔绝招儿〕 juézhāor 명 철저한 방법. 최후의 수단. 비장(秘藏)의 솜씨. ¶出了个～; 마지막 수단을 썼다.
〔绝症〕 juézhèng 명 불치의 병. ¶癌ái症是不是～呢? 암이란 정말로 불치의 병인가? / 肺结核现在已经不是～了; 폐결핵은 지금으로서는 이미 불치의 병이 아니다.
〔绝种〕 jué·zhǒng 동 사멸하다. 절멸하다. 근절시키다. ¶要使机会主义～; 기회주의를 근절시키다. (juézhǒng) 명 ①멸종된 생물. 절멸(絶滅) 동물. ②〈罵〉 씨가 마를 놈.
〔绝子绝孙〕 jué zǐ jué sūn 〈成〉 ①자손이 끊어지다. =〔绝嗣无后〕 ②〈罵〉 천벌을 받을 놈. 씨가 마를 놈. ‖ =〔绝子断孙〕

珏〈瑴〉 jué (각)

①명 〈文〉 한 쌍의 옥(玉). ②인명용 자(字).

觉(覺) jué (각)

①동 외부로부터의 자극을 받아 무엇을 느끼다. …을 알게 되다. ¶我～着冷; 나는 춥다 / 不知不～的; 부지불식간에 / 我～得不舒服; 나는 컨디션이 좋지 않다 / 我在屋里还～着冷呢; 나는 집 안에 있어도 춥다. ②동 …의 기분이다. ¶如梦初～; 꿈에서 금방 깨어난 것 같은 기분. ③동 발각(發覺)하다〔되다〕 ④동 깨다. ¶大梦方～; 꿈에서 깨어나다. ⑤동 자각하다. 깨닫다. ¶先知先～; 남보다 먼저 알고 앞서 깨닫다〔깨달은 현인〕. ⑥명 사물에 대한 감각 느낌. ¶失去知～; 감각을 잃다 / 听～; 청각. ⇒jiào
〔觉察〕 juéchá 동 찰지(察知)하다. 발각하다. 느끼다. ¶他～到了死期已到; 그는 임종이 온 것을 알았다 / 你刚才用话骗他, 恐怕他已经～了; 너는 지금 입으로 그 녀석을 속이고 있지만, 아마 그는 이미 눈치채고 있을지도 모른다.
〔觉得〕 juéde 동 ①느끼다. 기억하다. ¶～很冷; 아주 차게 느끼다 / 一点儿也不～疲倦; 조금도 피곤함을 느끼지 않는다. ②생각하다. ¶～怎么样? 어떻게 생각하느냐? / 我～应该先跟他商量一下; 나는 우선 그와 한 차례 의논해야 된다고 생각한다.
〔觉得不差〕 juéde bùchà 그런대로 좋을 것같이 생각되다. ¶这个厨子做的菜, 你不爱吃, 我倒是～; 이 요리사가 만든 음식은 너는 좋아하지 않지만, 나는 오히려 그런대로 괜찮다고 생각한다.
〔觉乎〕 juéhu 동 〈京〉 느끼다. ¶～有一点儿痛;

약간 통증을 느끼다 / 我不～怎么样; 나는 아무렇게도 느끼지 않는다.
〔觉惊〕 juéjīng 동 (깜짝) 놀라다. ¶一提起那事来他就～; 그 일에 관한 이야기를 끄집어 내자 그는 깜짝 놀랐다.
〔觉美〕 juéměi 형 건방지다. ¶你多～; 너 이만저만 건방진 놈이 아니구나.
〔觉色〕 juése 동 산기(産氣)가 돌다. ¶等～了, 再到产院去也不迟; 산기가 돌고 나서, 산부인과에 가도 늦지 않는다.
〔觉王〕 juéwáng 명 《佛》 부처.
〔觉悟〕 juéwù 동 깨닫다. 자각하다. ¶彻底chèdǐ～; 마음으로부터 깨닫다 / 亲切说服的结果, 很顽固的他, 也逐渐地～起来了; 부드럽게 설득했더니, 완고한 그도 점점 깨닫기 시작했다. 명 의식(意識). 각성. 자각. ¶～程度; 자각의 정도 / ～高; 자각의 도가 높다 / ～低; 자각의 정도가 낮다 / 政治～; 정치적 자각.
〔觉悟分子〕 juéwùfènzǐ 명 깨우친 자. 각성 분자.
〔觉寤〕 juéwù 동 〈文〉 잠이 깨다.
〔觉醒〕 juéxǐng 명동 각성(하다). ¶唤起他的～; 그의 각성을 환기시키다 / 促使当局～; 당국의 각성을 촉구한다. ⇒jiàoxǐng

倔 jué (굴)
형 완고하다. 고집이 세다. ¶他事事都要～; 그는 무슨 일에나 고집을 부리려 한다. ⇒juè
〔倔强〕 juéjiàng 형 ①굳세다. ¶故作～; 일부러 센 체하다. ②고집이 세다. ‖ =〔崛强〕

掘 jué (굴)
동 ①파다. ¶发～; 발굴(하다). =〔挖wā①〕 ②떠내다. 뜨다. ¶～了一勺子蜂蜜; 벌꿀을 한 숟가락 떴다.
〔掘采〕 juécǎi 동 채굴하다.
〔掘发〕 juéfā 동 (묘를) 파헤치다. 파내다. ¶～尸首; 시체를 파헤치다.
〔掘沟机〕 juégōujī 명 도랑 파는 기계.
〔掘壕〕 juéháo 동 호를 파다.
〔掘进〕 juéjìn 동 《鑛》 굴진하다.
〔掘井〕 juéjǐng 명 우물을 파다. ¶临渴～; 〈成〉 목이 말랐을 때야 우물을 판다《급한 경우에 임시 변통이 되지 않음》 / 到时候儿临渴～也来不及了; 그 때가 되어서 벼락치기로 덤벼도 소용이 없다.
〔掘墓人〕 juémùrén 명 무덤을 파는 사람. 〈比〉 스스로 파멸을 자초하는 사람.
〔掘三代〕 juésāndài 동 (남을 욕할 때, 그 사람의) 3대 조상까지 함께 욕하다. ¶他爱骂人, 张嘴就～; 그는 곧잘 사람을 나쁘게 말하고, 입을 열었다 하면 조상까지 들먹이며 매도한다.
〔掘头〕 juétou 명 괭이.
〔掘土〕 juétǔ 동 흙을 파다. =〔挖wā土〕
〔掘土机〕 juétǔjī 명 《機》 엑스커베이터(excavator). 파워 셔블(power shovel).
〔掘凿机〕 juézáojī 명 굴착기.

崛 jué (굴)
〈文〉 ①형 돌기(突起)한 모양. ②동 우뚝 솟아오르다.
〔崛强〕 juéjiàng 형 ⇨〔倔强〕
〔崛崎〕 juéqí 형 〈文〉 산이 거칠고 험한 모양.
〔崛起〕 juéqǐ 동 〈文〉 ①힘차게〔갑자기〕 일어서다. 궐기하다. ¶匪徒乘机～; 비적(匪賊)들이 기회를 놓칠새라 갑자기 날뛰기 시작한다. ②(산봉우리 등이) 우뚝 솟다. ¶平地上～一座青翠的山峰; 평지 위에 푸르른 산봉우리가 우뚝 솟아 있다.
〔崛兴〕 juéxīng 동 〈文〉 발흥(勃興)하다.

厥 jué (궐)
①대 〈文〉 그. 이것. 그것. 그의. 그 사람의. ¶～父; 그의 아버지 / ～后; 그 뒤 / 只虑当前, 未顾～后; 단지 목전의 일만을 걱정하고, 그 후의 일은 생각하지 않는다 / 克伸～志; 훌륭하게 자기의 뜻을 말한다 / 大放～词; 대단한 기세로 그 말을 내뱉다. 기염을 토하다. ②동 숨이 막혀 혼도(昏倒)하다. 인사불성이 되다. ¶昏～ =〔～倒〕; 기절〔졸도〕하다. ③형 의복이 짧아져서 껑뚱하다. ④부 즉(卽).

劂 jué (궐)
→〔剞jī劂〕

瀨 Jué (궐)
명 《地》 궤수이(瀨水)《후베이 성(湖北省)에 있는 강 이름》.

蕨 jué (궐)
명 ①《植》 고사리. ②양치(羊齒) 식물의 총칭.
〔蕨菜〕 juécài 명 《植》 고사리.
〔蕨类植物〕 juélèi zhíwù 명 《植》 양치 식물.
〔蕨麻〕 juémá 명 《植》 인삼과(人參果).

獗 jué (궐)
→〔猖chāng獗〕

橛〈橜〉 jué (궐)
명 ①(～儿, ～子) 짧은 말뚝. 쐐기. ¶钉上一个小木～儿; 조그마한 쐐기〔말뚝〕를 박다. ②(말의) 재갈. ③그루터기. ④문(門)의 한가운데 있는 짧은 나무 말뚝.
〔橛巴〕 juébā 형 완고하다. 우직하다. 옹고집이다.
〔橛子〕 juézi 명 ①말뚝. 쐐기. ¶插～; 말뚝을 박다. 쐐기를 박다. ②〈比〉 성품이 강직한 사람. ③나뭇조각. ④나뭇조각의 모양을 한 것.

蹶〈蹷〉 jué (궐)
동 ①엎어지다. 실족하다. ¶～而伤足; 실족하여 발을 다치다. ②실족하여 고생하다. ¶竭～; ⓐ발이 걸려 넘어지다《곤란을 견뎌 내어 매진하다》. ⓑ고갈하다. 부족하다. ③〈比〉 실패하다. 좌절(挫折)하다. ¶一～不振; 실패해서 재기 불능이 되다. 좌절한 채로 재기하지 못한다. ④힘을 주어 밟다. 땅을 차고 급히 일어서다. ¶～然而起; 결연(决然)히 일어나다. ⑤들어 올리다. ¶一～屁股就走了; 궁둥이를 일으켜 (일어나서) 나갔다. ⇒juě

傕 jué (각)
①인명용 자(字). ②명 성(姓)의 하나.

谲(譎) jué (휼)
동 〈文〉 속이다. 거짓말하다. 일을 꾸미다. ¶～而不正; 뱃속이 검다.
〔谲觚〕 juégū 형 〈文〉 간계(奸計)에 뛰어나다. 교활하다.
〔谲诡〕 juéguǐ 형 〈文〉 ①변화 무쌍하다. 교활하다. ¶手段～; 수법이 교묘하다. 명 거짓(말).
〔谲谏〕 juéjiàn 동 〈文〉 넌지시 간하다.
〔谲诈〕 juézhà 동 〈文〉 사람을 교묘하게 속이다. 형 교활〔간교〕하다. ¶性情～; 성격이 교활하다.

潏 Jué (휼)
명 《地》 궤수이(潏水)《산시 성(陕西省)에 있는 강 이름》. ⇒yù

镢(鐍) **jué** (결, 휼)
명〈文〉(문을 잠그는) 고리. 걸쇠(트렁크 따위에 붙은 자물쇠용의 고리).

噱 **jué** (갹)
동〈文〉크게 웃다. ¶令人发~; 배꼽을 빼게 웃기다. 폭소하다 / 可发一~; 크게 웃음을 자아내다. ⇒xué

爵 **jué** (작)
명 ①(옛날의) 술그릇(구리로 만든 세발 달린 그릇). ②작위(공(公)·후(侯)·백(伯)·자(子)·남(男)으로 나뉨). ¶~高位危; 신분이 높으면 높을수록 그 지위는 위태롭다. ③참새.

〔爵杯〕 juébēi 명〈文〉술잔.
〔爵禄〕 juélù 명 작위와 봉록. =〔爵秩〕
〔爵士〕 juéshì 명 ①유럽 군주국의 최하의 작위 칭호(로드(Lord)). ②〈音〉재즈(jazz). ¶~音乐队; 재즈 밴드 / ~舞wǔ; 재즈 춤. =〔爵士乐〕〔札兹〕
〔爵位〕 juéwèi 명 작위.
〔爵秩〕 juézhì 명 작위와 봉록(俸祿). =〔爵禄〕

嚼 **jué** (작)
'嚼jiáo'의 문어음(文語音)(복합어·성어(成語)에 쓰일 때의 독음). ¶咀~; 씹다. 저작하다. 〈比〉잘 생각하고 충분히 이해하여 자기 것으로 하다 / 过屠门而大~; 푸줏간 앞을 지나가며 씹는 시늉을 하다(냉수 마시고 이 쑤시기. 허무한 자기 만족). ⇒jiáo jiào

爝 **jué** (작)
→〔爝火〕

〔爝火〕 juéhuǒ 명〈文〉횃불. 화톳불. ¶日月出矣, ~不息; 해나 달이 떠 있는데 횃불을 피우고 있는 것은 쓸데없는 일이다. →〔火huǒ把〕

矍 **jué** (확)
〈文〉① 형 깜짝 놀라 어리둥절하다. ②→〔矍铄〕

〔矍然〕 juérán 형〈文〉깜짝 놀라 두리번거리는 모양. ¶闻之~失色; 그것을 듣고 깜짝 놀라 아연실색하였다.
〔矍铄〕 juéshuò 형〈文〉정정하다. 노인이 원기 왕성하다.

攫 **jué** (확)
동 ①움켜잡다. 낚아채다. ¶老鹰~兔; 매가 토끼를 움켜잡았다. ②가로채다. 빼앗다. ¶~为己有; 가로채서는 자기 것으로 하다. ¶~客; 소매치기.

〔攫夺〕 juéduó 동 강탈하다. 탈취하다.
〔攫取〕 juéqǔ 동 강탈하다. 약탈하다. 닥치는 대로 빼앗다. ¶~特权; 특권을 빼앗다 / ~高额利润; 떼돈을 벌다.
〔攫扬器〕 juéyángqì ⇨〔握wò扬器〕

䦆(钁〈鐝〉) **jué** (곽)〈결〉
명〈文〉큰 괭이.

〔䦆头〕 juétou 명 ①〈方〉괭이. ¶鸭嘴~; 끝이 평평하고 폭이 넓은 괭이. =〔镐gǎo头〕 ②〈比〉성품이 곧은 사람.

躩 **jué** (각)
동〈文〉(나는 듯이) 뛰다. 달리다.

蹶 **juě** (궐)
동 ①(말 따위가) 놀라서 뛰다. ②뛰어 오르다. ③어지럽히다. ④급히 가다. ⑤분기(奮起)하다. ⇒jué

〔蹶然〕 juěrán 형〈文〉놀라는 모양. 움찔하여 일어서는 모양.
〔蹶窝〕 juěwo 형〈俗〉(영양 부족으로) 발육이 나쁘다. 영양이 부족하다. 비실비실하다. ¶把孩子都饿~了; 아이들을 영양 실조로 비실비실거리게 만들었다.
〔蹶子〕 juězi 명 뒷발질. ¶尥liào~; 뒷발질하다.

倔 **juè** (굴)
형 퉁명스럽다. 태도가 불손하다. ¶说话太~; 말투가 너무 거칠고 무뚝뚝하다 / 那老头子真~; 저 영감은 붙임성이 없다. ⇒jué

〔倔巴〕 juèba 형〈方〉무뚝뚝하고 고집불통이다. ¶这人有点~; 이 사람은 좀 무뚝뚝하다.
〔倔巴棍子〕 juèba gùnzi 명〈俗〉거리낌없이 함부로 말하는 사람. 말을 툭툭 함부로 내뱉는 사람.
〔倔劲〕 juèjìng 명 고집. 억지. 고집통이.
〔倔骡子〕 juèluózi 명 고집이〔억지가〕 센 녀석. 고집통이.
〔倔脾气〕 juèpíqi 명 고집. 오기. 괴벽한 성미. ¶他的~, 来了劲谁也没治; 그의 고집은 한번 부렸다 하면 아무도 못 말린다.
〔倔头倔脑〕 juè tóu juè nǎo〈成〉①무뚝뚝한 모양. 퉁명스러운 모양. ②외곬으로 융통성이 없는 모양.
〔倔性子〕 juèxìngzi 명 비뚤어진 성질(을 가진 사람).

JUN ㄐㄩㄣ

军(軍) **jūn** (군)
① 명 군대. ¶参~; 종군(하다). ② 명 전쟁. ③〔軍〕 군단(2개 사단). →〔师〕〔旅〕〔团〕〔营〕〔连〕〔排〕 ④ 명 병사(兵士)의 통칭. ⑤ 동〈文〉주둔하다. ¶~于邯郸之郊; 한단(邯鄲)의 교외에 군사를 주둔시키다. ⑥ 동〈文〉유형(流刑)에 처하다. ¶充~; 유형으로 변경 수비대에 편입하다.

〔军靶机〕 jūnbǎjī 명 군용 표적기(標的機).
〔军备〕 jūnbèi 명 군비(군사 요원과 군사 장비). ¶~缩减 =〔裁cái军〕; 군비 축소.
〔军便服〕 jūnbiànfú 명 군대의 통상복〔약장(略裝)〕.
〔军操〕 jūncāo 명 군사 훈련.
〔军差〕 jūnchāi 명 군무(軍務).
〔军车〕 jūnchē 명 ①군대의 승용차(자동차 따위). ②군용 열차.
〔军持〕 jūnchí 명〈梵〉〈音〉군지(범 kundi)(승려가 물을 담아 휴대하는 병).
〔军刀〕 jūndāo 명 군도. 장도(長刀)(옛날 군인용).
〔军队〕 jūnduì 명 군의 각종 편성의 총칭. 군대. ¶~分界线; 군의 경계선 / 一支~; 한 개 부대의 군대.
〔军阀〕 jūnfá 명 군벌.
〔军法〕 jūnfǎ 명 군법. 군대의 형법. ¶~处; 군사 재판소.
〔军法会议〕 jūnfǎ huìyì 명 군법 회의.
〔军法司〕 jūnfǎsī 명 군 법무국(法務局).
〔军犯〕 jūnfàn 명 군인 범죄자.

〔军费〕 jūnfèi 명 군비. 군사비.
〔军风纪〕 jūnfēngjì 명 ①군의 복장. ¶整理好～; 군장(軍裝)을 바르게 정돈하다. ②군기(軍紀).
〔军服〕 jūnfú 명 군복.
〔军港〕 jūngǎng 명 군항(軍港).
〔军歌〕 jūngē 명 군가.
〔军工〕 jūngōng 명 ①군수 산업. ②군공사(軍工事).
〔军功〕 jūngōng 명 ⇨〔武wǔ功①〕
〔军鼓〕 jūngǔ 명《軍》군고《행군시에 쓰이는 북》.
〔军官〕 jūnguān 명《軍》①장교. ¶～学校; 사관학교. ②부대에서 '排长'(소대장) 이상의 간부.
〔军管〕 jūnguǎn 명 군사 관리.
〔军规〕 jūnguī 명 ⇨〔军纪〕
〔军国〕 jūnguó 명 ①군사와 국정 또는 군대와 국가. ②군비 강대를 주요 목적으로 하는 국가. ¶～主义; 군국주의.
〔军汉〕 jūnhàn 명 병졸.
〔军号〕 jūnhào 명 군용 나팔. 신호 나팔. ¶吹～; 나팔을 불다.
〔军徽〕 jūnhuī 명 군대의 기장(記章).
〔军火〕 jūnhuǒ 명 무기의 총칭. ¶～工业; 무기 산업/～库; 무기고/～商; 무기상.
〔军机〕 jūnjī 명 ①군사 계획. 군사적 책략. ¶贻yí误～; 군사 전략을 그르치다. ②군사상의 기밀. ¶泄xiè漏～; 군사 기밀을 누설하다.
〔军机处〕 jūnjīchù 명《史》군기처《청대(淸代), 군사·정치의 중요 사무를 맡던 최고 기관》.
〔军鸡〕 jūnjī 명《鳥》군계(軍鷄). 투계(鬪鷄). 싸움닭.
〔军籍〕 jūnjí 명 ①군적. ②〈轉〉군인의 신분.
〔军纪〕 jūnjì 명 군대의 규율. 군기. =〔军规〕
〔军纪废弛〕 jūnjì fèichí 명《軍》군기 해이.
〔军健〕 jūnjiàn 명 병졸.
〔军舰〕 jūnjiàn 명 군함. =〔兵bīng舰〕
〔军阶〕 jūnjiē 명 군인의 계급.
〔军界〕 jūnjiè 명 군인 사회.
〔军警〕 jūnjǐng 명 군대와 경찰. 군경.
〔军垦农场〕 jūnkěn nóngchǎng 명 군대가 개간한 농장.
〔军盔〕 jūnkuī 명 군인이 쓰는 헬멧. 투구.
〔军佬〕 jūnlǎo 명〈方〉군대.
〔军礼〕 jūnlǐ 명 ①군인의 예법. ②군대에서 행하는 경례.
〔军力〕 jūnlì 명 병력. 군사력.
〔军龄〕 jūnlíng 명 군대의 근무 연수(年數).
〔军令状〕 jūnlìngzhuàng 명 (희곡 또는 구소설에서) 옛날, 군대 서약서의 일종《만약 위반하면, 군령에 의해 처벌받겠다는 내용을 씀》. ¶原纳～! 三日不办, 甘当重罚《三國志演義》; 군령장을 제출하겠습니다! 사흘 안으로 처리하지 못하면 어떤 중벌도 달게 받겠습니다.
〔军旅〕 jūnlǚ 명 군대.
〔军律〕 jūnlǜ 명 ①군율. 군기(軍紀). ②군법.
〔军略〕 jūnlüè 명 군사상의 책략.
〔军门〕 jūnmén 명 ①군영의 문. ②옛날, 통솔관의 존칭.
〔军民〕 jūnmín 명 군인과 민간인. 군과 국민. ¶～鱼水情; 군과 국민 사이에는 물고기와 물과 같은 서로 끊을 수 없는 정의(情誼)가 있다.
〔军民渠〕 jūnmínqú 명 군과 민(民)이 협력해서 만든 용수로(用水路).
〔军呢〕 jūnní 명 군복용 카키색 옷감.
〔军票〕 jūnpiào 명 군표. =〔军用钞票〕〔军用票〕
〔军棋〕 jūnqí 명 군대 장기《군대 체재와 무기를 응용한 장기의 일종》. ¶下～; 군대 장기를 두다.
〔军旗〕 jūnqí 명 군기(軍旗).
〔军器〕 jūnqì 명 병기(兵器).
〔军情〕 jūnqíng 명 군사 정세. 군사 정황.
〔军区〕 jūnqū 명 (전략상 필요에 따라 설치한) 군사 구역.
〔军权〕 jūnquán 명 병권(兵權)《군을 지휘하는 권력·권한》.
〔军犬〕 jūnquǎn 명 군용견.
〔军人〕 jūnrén 명 군인.
〔军容〕 jūnróng 명 군용. 군대의 장비·규율 따위의 외용(外容). 군인의 복장 따위. ¶整饬～; 군용을 정돈하다.
〔军师〕 jūnshī 명 ①군사(軍師)《군(軍) 안에서 책략을 담당하던 사람》. ②〈比〉책사(策士). 입안자(立案者). ¶狗头～; 엉터리〔바보〕 참모/你要下象棋, 我来给你当～; 장기를 두게 된다면, 내가 너의 책사가 되어 주겠다.
〔军实〕 jūnshí 명 군용의 병기·양식.
〔军士〕 jūnshì 명 ①병사. ②《軍》하사관.
〔军士哨〕 jūnshìshào 명《軍》하사초(下士哨)《하사 1명, 병사 6명으로 편성한 경계 부대》.
〔军事〕 jūnshì 명 ①군사. 군의 사무. 군사 행동. ¶～勤务; 군사상의 후방 근무/～调处tiáochǔ; 군사적 조정(調停)/～路线; 군사 노선/～设施; 군사 시설. ②전쟁.
〔军事订货〕 jūnshì dìnghuò 명 (군수 물자의) 특수(特需). ¶韩国战争之后, ～越来越少; 한국 전쟁 후, 군수 물자의 특수는 적어지고 있는 형편이다.
〔军事法庭〕 jūnshì fǎtíng 명 군사 법원. 군사 법정. 군법 회의. =〔军事法院〕
〔军事犯〕 jūnshìfàn 명《法》군법으로 재판되는 범인.
〔军事工业〕 jūnshì gōngyè 명 군수 산업.
〔军事管制〕 jūnshì guǎnzhì 명 군사 관제.
〔军事化〕 jūnshìhuà 명동 군사화(하다). ¶生活的～; 생활의 군사화.
〔军事基地〕 jūnshì jīdì 명 군사 기지.
〔军事家〕 jūnshìjiā 명 군사 평론〔이론〕가.
〔军事教育〕 jūnshì jiàoyù 명 일반인에 대하여 실시하는 군사 교육.
〔军事训练〕 jūnshì xùnliàn 명 군사 교련. =〔军训〕
〔军事压力〕 jūnshì yālì 명 군사력에 의한 압박.
〔军事政变〕 jūnshì zhèngbiàn 명 ⇨〔武wǔ力政变〕
〔军书〕 jūnshū 명 ①군사상의 문서. ②군사(軍事)에 관한 서적.
〔军属〕 jūnshǔ 명 ①현역 군인의 가족. ②군대 내의 비전투원(非戰鬪員).
〔军缩〕 jūnsuō 명〈簡〉군축《'军备缩减'의 약칭》. =〔裁cái军〕
〔军台〕 jūntái 명 ①청대(淸代)의 군사 통보 및 공문서를 전달하던 기관《신장(新疆)·몽고(蒙古)의 여러 곳에 설치되어 있었음》. ②죄인 유배의 땅.
〔军帖〕 jūntiě 명 (옛날의) 군사 소집 영장. ¶昨夜见～; 어젯밤에 소집 영장이 나왔다.
〔军统〕 jūntǒng 명〈簡〉국민당의 특무 기관의 하나《'国民政府军事委员会调查统计局'의 약칭》.
〔军团〕 jūntuán 명 군단. 병단. ¶～司令部; 군단 사령부.
〔军务〕 jūnwù 명 군사(軍事). 군무. ¶～繁忙; 군

무가 바쁘다 / 督理～; 군무를 감독 처리하다.
〔军衔〕 jūnxián 명 군의 계급(장).
〔军饷〕 jūnxiǎng 명 군량. 군의 양말(糧秣). 군대의 급여.
〔军校〕 jūnxiào 명 군사 간부를 양성하는 학교의 총칭. 사관 학교.
〔军械〕 jūnxiè 명 무기. 병기.
〔军心〕 jūnxīn 명 군대 전투원의 사기. ¶～摇动起来了; 군의 사기가 동요하기 시작했다.
〔军需〕 jūnxū 명 ①군수. 군수품. ②〈簡〉 옛날, 군수 장교. =〔军需官〕
〔军宣队〕 jūnxuānduì 명 〈簡〉 문화 혁명 때에 각 학교·문화 단체에 파견되어 학생이나 직원의 지도를 담당한 '中国人民解放军毛泽东思想宣传队'(중국 인민 해방군 모택동 사상 선전대)의 약칭.
〔军衣〕 jūnyī 명 군복. =〔军服〕
〔军医〕 jūnyī 명 군의관.
〔军役〕 jūnyì 명동 군복무(하다).
〔军营〕 jūnyíng 명 병영(兵營).
〔军用地图〕 jūnyòng dìtú 명 군용 지도.
〔军用飞机〕 jūnyòng fēijī 명 군용 비행기.
〔军用卡车〕 jūnyòng kǎchē 명 군용 트럭.
〔军用列车〕 jūnyòng lièchē 명 군용 열차.
〔军用免票〕 jūnyòng miǎnpiào 명 군용 무임 승차권.
〔军用品〕 jūnyòngpǐn 명 군용품.
〔军邮〕 jūnyóu 명 군사 우편.
〔军援〕 jūnyuán 명 군원. 군사 원조. ¶商讨美国～, 经援的有关问题; 미국의 군사 원조·경제 원조에 관계 있는 문제를 협의하다.
〔军乐〕 jūnyuè 명 ①군악. ¶～队; 군악대. ②〈俗〉 취주악.
〔军长〕 jūnzhǎng 명 군단장.
〔军政〕 jūnzhèng 명 ①군사 행정. ②군사와 정치. ③군대와 정부. ¶～关系; 군대와 정부간의 관계.
〔军政时期〕 jūnzhèng shíqī 명 군정 시기.
〔军职〕 jūnzhí 명 ①군대에서의 직위. ②군인으로서의 직무.
〔军制〕 jūnzhì 명 군사상의 제도.
〔军种〕 jūnzhǒng 명 군대의 기본 종별(육군·해군·공군의 3군으로 분류).
〔军装〕 jūnzhuāng 명 군복. 군인의 복장.
〔军佐〕 jūnzuǒ 명 장교에 해당하던 군인(군의관·회계 경리 관계의 서기 등이 이에 해당).
〔军座〕 jūnzuò 명 '军长'에 대한 존칭.

皲(皸) jūn (군)
동 손발이 트다. 얼어 터지다. =〔龟jūn〕
〔皲裂〕 jūnliè 동 〈文〉 ⇨〔龟裂〕

龟(龜) jūn (균)
동 살갗이 트다. 균열이 생기다. =〔皲〕 ⇒guī qiū
〔龟裂〕 jūnliè 동 ①살갗이 트다. ②균열이 생기다. ¶天久不雨, 田地～; 오래 가물어서 논바닥이 갈라졌다. ‖ =〔皲jūn裂〕
〔龟手〕 jūnshǒu 명 얼어서 튼 손.

均 jūn (균)
①형 평등하다. 같다. 균등하다. ¶贫富不～; 빈부가 고르지 않다 / 利益～沾zhān; 이익 균점. 이익을 균등하게 받다 / 势～力敌; 세력이 백중(伯仲)하다. ②부 모두. 전부. ¶老少～安; 노인과 아이들이 모두 편안합니다 / 凡出席者～可自由发言; 대개의 출석자는 모두 자유롭게 발언할 수 있다 / 各项工作～已布置就绪; 모든 일은 전부 사전 준비가 되어 있다. ③동 고르게 나누다. 같게 하다. 균등하게 하다. ¶有多有少, 不如～一～吧; 많거나 적거나 하기보다는 고르게 나누는 편이 좋겠다. =〔钧④〕 ⇒yùn
〔均不开〕 jūnbukāi 고르게 나눌 수 없다. =〔均分不开〕
〔均产〕 jūnchǎn 동 재산을 균등하게 분배하다.
〔均冲口〕 jūnchōngkǒu 명 〖機〗 평형구(平衡口).
〔均此〕 jūncǐ 〈翰〉 모두 이와 같이. 똑같이. ¶～办理; 어느 것이나 다 똑같이 처리하고 있습니다 / ～道好; 모두에게 안부 전해 주십시오.
〔均等〕 jūnděng 형 균등하다. 평균되어 있다. ¶机会～; 기회 균등.
〔均分〕 jūnfēn 동 균등하게 나누다. 고르게 분배하다. ¶～不开 =〔均不开〕; 균등하게 나눌 수 없다.
〔均富〕 jūnfù 동 부(富)를 고르게 하다.
〔均赋〕 jūnfù 동 과세(課稅)를 균등히 하다.
〔均衡〕 jūnhéng 명 균형. 조화. ¶保持～; 균형을 유지하다. 형 균형 잡히다.
〔均衡轮〕 jūnhénglún 명 평형 바퀴(balance wheel).
〔均鉴〕 jūnjiàn 〈翰〉 같이 읽어 주십시오(두 사람 이상의 수신인에게 보내는 편지의 수신인명 아래에 붙이는 말).
〔均可〕 jūnkě 형 어느 것이나 다 좋다. 이상(以上) 다 좋다.
〔均派〕 jūnpài 동 고르게 지정하다. 고르게 분배하다.
〔均赔〕 jūnpéi 동 균등하게 배상하다.
〔均平〕 jūnpíng ⇨〔平均〕
〔均齐〕 jūnqí 명형 균정(均整)(하다). 균제(하다). ¶～美; 균형미 / ～方正; 가로 세로로 균형이 잡혀져 있어 반듯하다.
〔均势〕 jūnshì 명 세력 균형. 균형된 세력의 정황(情況). ¶急剧地破坏～; 갑자기 균형을 깨다.
〔均属〕 jūnshǔ 부 〈文〉 전부. 모두. ¶～妨碍生产; 모두 다 생산을 방해하다.
〔均摊〕 jūntān 동 평균하게〔균등하게〕 부담하다. 할당 계산(計算)하다. ¶这一笔费用, 大家～吧; 이 비용은 모두가 고르게 부담하도록 하자. =〔分fēn摊〕
〔均摊均散〕 jūntān jūnsàn 고르게 부담하고 고르게 분배하다.
〔均田制〕 jūntiánzhì 명 균전제(옛날, 전답을 균등히 분배하던 제도).
〔均悉〕 jūnxī 〈翰〉 자세한 내용 모두 잘 알았습니다.
〔均窑〕 jūnyáo 동 도자기의 일종(송대(宋代)의 균주요(均州窯). 지금의 허난 성(河南省) 위현(禹縣)에서 산출되었던 유명한 도자기).
〔均徭〕 jūnyáo 동 부역의 부담을 고르게 하다. ¶～银; 부역의 부담을 고르게 하기 위해 내는 돈.
〔均一〕 jūnyī 형 균일하다. 동 〈文〉 한 가지 일에 몰두하다.
〔均夷作用〕 jūnyí zuòyòng 명 〖地質〗 풍식(風蝕)·해식(海蝕) 따위의 작용으로 파괴된 암석·토사가 저지(低地)로 운반되어 산이 점차로 낮아지는 것.
〔均匀〕 jūnyún 형 고르다. 균등하다. 균일하다. ¶品pǐn质～; 품질이 균일하다 / 呼吸很～; 호흡이 고르다 / 钟摆发出～的声音; 시계의 추가 일정한 간격으로 째깍거린다.
〔均沾〕 jūnzhān 동 〈文〉 평등하게 혜택을 입다.

고르게 은혜를 받다. ¶实惠～; 실질적인 은혜를 고르게 받다.

钧(鈞) jūn (균) ①명 질그릇을 만드는 기구. 녹로(轆轤). ②〈文〉〈敬〉 존장(尊長)에 대한 높임말. ③양 옛날의 중량 단위(30근(斤)에 해당). ¶千～一发; 무거운 것을 머리카락 한 가닥에 매달다(위험천만함). ④동 같게 하다. 균등하게 하다. =〔均jūn③〕

〔钧安〕 jūn'ān 명 〈翰〉 균안(鈞安). (두루) 편안함. ¶敬请～; 삼가 편안하오신지 문안드리옵니다. =〔钧祺〕

〔钧函〕 jūnhán 명 〈翰〉 귀한(貴翰). 혜서(惠書).

〔钧衡〕 jūnhéng 동 ①균형되게 하다. 공평을 기하다. ②〈文〉 인재를 평정(評定)하다.

〔钧鉴〕 jūnjiàn 〈翰〉 고람(高覽). =〔钧览〕

〔钧览〕 jūnlǎn 〈翰〉 ⇨〔钧鉴〕

〔钧命〕 jūnmìng 명 〈翰〉 귀명(貴命)('당신의 명령'의 존댓말). =〔钧命谕〕

〔钧祺〕 jūnqí 명 ⇨〔钧安〕

〔钧启〕 jūnqǐ 〈翰〉 삼가 아뢰오니 보십시오(봉투의 수신인명 다음에 씀).

〔钧示〕 jūnshì 명 〈翰〉 귀한(貴翰). 내시(來示)(상대방 편지의 높임말).

〔钧枢〕 jūnshū 명 〈文〉 중요한 지위에 있는 사람.

〔钧陶〕 jūntáo 동 〈文〉 인재를 양성하다.

〔钧意〕 jūnyì 명 〈翰〉 귀의(貴意). 존의(尊意).

〔钧谕〕 jūnyù 명 〈翰〉 귀명(貴命). 교시(教示). 지시(指示)(상대방의 지시·명령 따위의 존댓말).

〔钧院〕 jūnyuàn 명 〈翰〉 귀원(貴院).

〔钧札〕 jūnzhá 명 〈翰〉 귀서(貴書). 귀간(貴簡)(상대방 편지의 높임말).

〔钧照〕 jūnzhào 〈翰〉 고람(高覽)하시기 바랍니다.

〔钧旨〕 jūnzhǐ 명 ①〈翰〉 귀하〔높으신〕의 뜻. ②〈文〉 천자(天子)의 명령.

〔钧座〕 jūnzuò 명 〈翰〉 귀하(貴下). 각하(閣下)(흔히, 손윗사람에게 씀).

筠 Jūn (균) 명 《地》 권롄(筠連) 현(쓰촨 성(四川省)에 있는 현(縣) 이름). ⇒yún

君 jūn (군) 명 ①군주(君主). 황제. 국왕. ¶国～; 군주. 국왕/～臣chén; 군주와 신하. ②남에 대한 경칭. ¶李～; 이(李)군/诸～; 여러분/朱～自清; 주자칭군. ③당신(아내가 남편을 지칭할 때에 씀). ¶～能来此否? 당신은 이쪽으로 오실수 있나요? ④자손이 그 조상을 부르는 말. ¶家～; 부친/先～; 망부(亡父).

〔君臣佐使〕 jūn chén zuǒ shǐ 《漢醫》 약을 처방하는 방법(한방 용어로, '君'은 주요약, '臣'은 주요약의 보조로 쓰이는 약. '佐'는 주약(主藥)의 지나친 효력을 억제하여 부작용을 막는 약. '使'는 이른바 '引yǐn经药'로 각종 약물을 환부(患部)로 유도함과 동시에 그 작용을 조화시키는 약).

〔君公〕 jūngōng 명 〈文〉 제후(諸侯).

〔君火〕 jūnhuǒ 명 《漢醫》 ①원기(인체 기력의 근원). ②심장.

〔君迁子〕 jūnqiānzǐ 명 《植》 고욤나무. =〔软ruǎn枣(儿)〕〔羊yáng枣〕

〔君权〕 jūnquán 명 군주의 권력. ¶～不振; 군주의 위령(威令)이 떨치지 못하다.

〔君山银针〕 Jūnshān yínzhēn 고급 녹차의 일종(후난(湖南)의 웨양청(岳陽城) 시둥팅후(西洞庭湖)의 쥔산다오(君山島) 산).

〔君上〕 jūnshàng 명 〈文〉 군주.

〔君士坦丁堡〕 Jūnshìtǎndīngpù 명 ⇨〔伊Yī斯坦布尔〕

〔君王〕 jūnwáng 명 〈文〉 ①군왕. 왕의 존칭. ②제후와 천자.

〔君影草〕 jūnyǐngcǎo 명 《植》 은방울꽃. =〔铃líng兰〕

〔君主〕 jūnzhǔ 명 군주.

〔君子〕 jūnzǐ 명 ①군자. 신사. ¶～自重; 공덕(公德)을 지키시오. 대소변 금지/正人～; 인격자(풍자적으로도 씀)/～安贫, 达人知命; 군자는 가난 속에서도 편안한 마음을 갖고, 달인은 천명을 안다/以小人之心, 度～之腹; 〈成〉 소인의 마음으로 군자의 마음을 헤아린다. ②아내가 남편을 부르는 말. ③지위 있는 사람의 호칭(呼稱). ④자식의 망부(亡父)를 일컫는 호칭. =〔先君子〕

〔君子报仇, 十年不晚〕 jūnzǐ bào chóu, shínián bù wǎn 〈諺〉 군자가 원수를 갚는 데에는 10년이 걸려도 늦지 않다. ¶何必现在就和他拼命? ～呢; 지금 당장 그와 다툴 필요는 없다. 군자는 원수를 갚는 데 10년을 고생하더라도 그 목적을 이룬다고 하지 않더냐.

〔君子不羞当面〕 jūnzǐ bùxiū dāngmiàn 〈諺〉 군자는 면전에서 남을 욕하지 않는다.

〔君子成人之美〕 jūnzǐ chéng rén zhī měi 〈諺〉 군자는 다른 사람을 위해 힘을 쓴다.

〔君子动口, 小人动手〕 jūnzǐ dòng kǒu, xiǎorén dòng shǒu 〈諺〉 군자는 입을 움직이고〔도리로써 다투고〕, 소인은 손을 움직인다〔완력으로써 일을 처리한다〕.

〔君子花〕 jūnzǐhuā 명 《植》 '荷hé花(儿)'의 별칭.

〔君子绝交, 不出恶言〕 jūnzǐ jué jiāo, bùchū èyán 〈諺〉 군자는 교제를 끊더라도 나쁜 소문을 내지 않는다.

〔君子人不跟命争〕 jūnzǐrén bù gēn mìng zhēng 〈諺〉 군자는 운명을 거역하지 않는다.

〔君子人儿〕 jūnzǐrénr 명 ①군자와 같은 사람. ②군자.

〔君子儒〕 jūnzǐrú 명 인격이 훌륭한 유생(儒生).

〔君子协定〕 jūnzǐ xiédìng 명 신사 협정.

〔君子一言, 好马一鞭〕 jūnzǐ yīyán, hǎomǎ yībiān 〈諺〉 군자의 일언은 빠른 말에 채찍질 한 번 하는 것과 같다. ¶您说办就办了, 真是～; 한다고 말씀하신 대로 하셨으니, 그야말로 군자의 일언(一言)이군요.

〔君子一言, 驷马难追〕 jūnzǐ yīyán, sìmǎ nán zhuī 〈諺〉 군자의 일언은 중천금(重千金)이다. ¶你既说出来, 可就是～, 是算定规了; 네가 말을 꺼냈듯이, 군자의 말 한 마디는 중천금(重千金)이라고, 이것으로 확정되었다.

〔君子之交〕 jūn zǐ zhī jiāo 〈成〉 군자의 교제. ¶～淡如水, 小人之交甜如蜜; 〈成〉 군자의 교제는 담담하기가 물과 같고, 소인의 교제는 달기가 꿀과 같다.

莙 jūn (군) 명 ①수조(水藻)의 일종. ②《植》 근대(식용함).

〔莙荙菜〕 jūndácài 명 《植》 근대. =〔萘tián菜〕〔叶yè用萘菜〕

鲪(鮶) jūn (군) 명 《魚》 양볼락과(科)(쏨뱅이·쑥감펭 등).

菌 jūn (균)
명 균(菌). 균류(菌類). ¶病原细~; 병원균/细xì~; 세균/霉méi~; 박테리아/结jié核杆~; 결핵균. ⇒jùn
〔菌核〕 jūnhé〔jùnhé〕 명 《植》 균핵.
〔菌浆针〕 jūnjiāngzhēn 명 《醫》 백신 주사.
〔菌苗〕 jūnmiáo 명 《醫》 백신. ¶伤shāng寒~; 장티푸스 백신/霍huò乱~; 콜레라 백신/小儿麻痹bì~; 소아마비 백신.
〔菌丝〕 jūnsī 명 《植》 균사.

麇〈麏〉 jūn (균)
명 《動》 노루. =〔獐zhāng子〕 ⇒qún

俊〈隽③, 儁〉 jùn (준)
①명 빼어난 체구가 당당하고 기세가 왕성한 모양. ¶高空一鹰, 姿达神~; 매가 당당히 높은 하늘을 날고 있다. ②형 얼굴이 아름답다. 용모가 수려하다. ¶那个姑娘真~; 저 아가씨는 참으로 아름답다. ③명 우수한 인물. 재지(才智)가 뛰어난 사람. ‖=〔〈文〉寯〕 ⇒ '隽' juàn
〔俊拔〕 jùnbá 형 재지(才智)가 뛰어나다. 걸출하다.
〔俊德〕 jùndé 명 〈文〉 큰 덕.
〔俊法〕 jùnfǎ 명 〈文〉 준엄한 법률.
〔俊慧〕 jùnhuì 형 걸출하고 현명하다.
〔俊杰〕 jùnjié 명 ①공로자. 훈공자. ②재능이 탁월한 사람. 준걸. ¶识时务者为~; 〈諺〉 시세(時勢)를 아는 자는 준걸(俊傑)한 사람이다.
〔俊迈〕 jùnmài 명 영매(英邁). 걸출한 수재. 형 영매하다. 비범하다.
〔俊茂〕 jùnmào 형 〈文〉 재학(才學)에 뛰어나다.
〔俊美〕 jùnměi 형 뛰어나게 아름답다. (용모가) 아름답다. (인물이) 뛰어나다.
〔俊民〕 jùnmín 명 〈文〉 준수한 사람. =〔俊士〕
〔俊俏〕 jùnqiào 형 〈口〉 용모가 아름답다. 수려하다. ¶前后庄上第一个~媳妇; 부근 마을에서 제일 가는 미인 아낙네.
〔俊人物(儿)〕 jùnrénwù(r) 명 용모가 준수〔수려〕한 사람.
〔俊士〕 jùnshì 명 ⇨〔俊民〕
〔俊爽〕 jùnshuǎng 형 용모가 총명하고 이지적이다.
〔俊秀〕 jùnxiù 형 ①재지가 뛰어나다. ②(용모가) 아름답다. 미목이 수려하다.
〔俊眼〕 jùnyǎn 명 ①아름다운 눈매. ②영리해 보이는 눈.
〔俊义〕 jùnyì 명 〈文〉 현재(賢才).
〔俊异〕 jùnyì 형 비범(非凡)하다.
〔俊逸〕 jùnyì 형 재지(才智)가 뛰어나다. 명 〈文〉 재능이 남달리 뛰어난 사람.
〔俊语〕 jùnyǔ 명 〈文〉 새로운〔색다른〕 말.

浚〈濬〉 jùn (준)
①형 〈文〉 깊다. ¶水流急~; 물의 흐름이 급하고도 깊다. ②동 (우물·도랑 등을) 쳐내다. ¶~井; 우물을 쳐내다. ③동 〈文〉 꺼내다. ④(Jùn) 명 《地》 산둥성(山東省)에 있는 강 이름. =〔浚河〕 ⇒Xùn
〔浚河机〕 jùnhéjī 명 《機》 준설기. =〔浚泥机〕
〔浚利〕 jùnlì 형 〈文〉 물이 막힘 없이 잘 흐르는 모양.
〔浚泥船〕 jùnníchuán 명 준설선. =〔挖wā泥(船)〕
〔浚泥机〕 jùnníjī 명 ⇨〔浚河机〕

峻 jùn (준)
형 ①산이 높고 험하다. ¶高山~岭; 높은 산. 험준한 봉우리. ②크다. ¶~德; 큰 덕. ③가파르다. ④가혹하다. 엄하다. ¶严刑~法; 엄격한 형과 법률/性情~急; 성격이 모질다.
〔峻坂〕 jùnbǎn 명 〈文〉 험준한 언덕〔산비탈〕.
〔峻笔〕 jùnbǐ 명 〈文〉 당당한 문장.
〔峻法〕 jùnfǎ 〈文〉 명 엄격한 법률. 동 법률을 엄하게 하다.
〔峻急〕 jùnjí 형 〈文〉 ①성급하며 엄하다. ②수류(水流)가 빠르다. 물살이 세차다.
〔峻节〕 jùnjié 명 〈文〉 높은 절개.
〔峻拒〕 jùnjù 동 단호히 거절하다.
〔峻刻〕 jùnkè 형 〈文〉 준엄하고 가혹하다. =〔峻峭②〕
〔峻酷〕 jùnkù 형 〈文〉 준엄하고 가혹하다.
〔峻厉〕 jùnlì 형 〈文〉 과격하다. 심하다. ¶语气~; 말투가 과격하다.
〔峻岭〕 jùnlǐng 명 험하고 높은 봉우리〔고개〕.
〔峻论〕 jùnlùn 명 〈文〉 날카로운 논의〔언론〕.
〔峻密〕 jùnmì 형 〈文〉 엄밀하다.
〔峻峭〕 jùnqiào 형 ①높고 험하다. ②⇨〔峻刻〕 ③〈比〉 인품이 뛰어나다.
〔峻泻药〕 jùnxièyào 명 ⇨〔剧jù泻药〕
〔峻刑〕 jùnxíng 명 준엄한 형벌.
〔峻药〕 jùnyào 명 약성(藥性)이 센 약품.
〔峻宇〕 jùnyǔ 명 〈文〉 높고 큰 건물.
〔峻擢〕 jùnzhuó 동 〈文〉 특별히 발탁하다. 특채하다.

馂(餕) jùn (준)
명 〈文〉 먹고 남은 것. =〔馂余〕

骏(駿) jùn (준)
①명 좋은 말. 준마. ¶驽nú~不分; 〈成〉 둔한 말과 준마를 구별하지 못하다. =〔骏马〕 ②형 크고 훌륭한 모양. ¶~业yè; 크나큰 사업《남의 사업을 이르는 말》. ③형 빠르다.
〔骏奔〕 jùnbēn 동 〈文〉 준마처럼 빨리 달리다.
〔骏齿〕 jùnchǐ 명 〈文〉〈敬〉 젊은 남자의 연령. ¶~多少? 나이가 몇 살이지요?
〔骏发〕 jùnfā 동 〈文〉 빠르게 발전하다. ¶财源~; 빨리 돈을 벌다.
〔骏惠〕 jùnhuì 명 〈文〉 크나큰 은혜.
〔骏骥〕 jùnjì 명 〈文〉 ①훌륭한 말. ②〈比〉 뛰어난 인재. 준걸. ‖=〔骏足〕
〔骏马〕 jùnmǎ 명 준마. 좋은 말.
〔骏逸〕 jùnyì 형 재능이 뛰어나다. 명 수재(秀才).
〔骏足〕 jùnzú 명 〈文〉 ①뛰어나게 좋은 말. ②〈比〉 뛰어난 인재. ‖=〔骏骥〕

焌 jùn (준)
동 〈文〉 불로 태우다. 굽다. ⇒qū

竣 jùn (준)
동 끝나다. 완료하다. ¶诸事已~; 모든 일은 이미 완료되었다.
〔竣工〕 jùngōng 명동 완공(하다). 준공(하다).
〔竣事〕 jùnshì 동 일을 끝내다. 완공하다.

畯 jùn (준)
명 〈文〉 ①옛날에, 농사를 관장하던 관리. ②농부.

郡 jùn (군)
명 군《옛날의, 지방 행정 구획(區劃)의 하나. 진대(秦代) 이전에는 '县'보다 작았고,

진대(秦代) 이후는 '县' 보다 컸음).
〔郡将〕 jùnjiàng 명 ⇨〔郡守①〕
〔郡守〕 jùnshǒu 명 ①군수. 한 군(郡)의 우두머리 (한(漢)나라 때에는 '太守'라 일컬었음). =〔郡将〕 ②옛날에, 지부(知府)의 별칭.
〔郡王〕 jùnwáng 명 군왕(작위의 하나. '亲qīn王'의 다음).
〔郡望〕 jùnwàng 명 〈文〉 군내의 명망가(家).
〔郡庠〕 jùnxiáng 명 〈文〉 과거(科擧) 시대의 부립(府立) 학교.
〔郡邑〕 jùnyì 명 〈文〉 지방의 군.
〔郡主〕 jùnzhǔ 명 군주(친왕(親王)의 딸).

捃〈攟, 攈〉

jùn (군)
동 〈文〉 모으다. 줍다.
〔捃华〕 jùnhuá 동 〈文〉 정수(精髓)를 취하다.
〔捃拾〕 jùnshí 동 〈文〉 채집하다. =〔捃摭〕
〔捃摭〕 jùnzhí 동 〈文〉 채집하다. 집록(集錄)하다. =〔捃拾〕

珺

jùn (군)
명 〈文〉 아름다운 옥의 일종.

菌

jùn (균)
명 《植》 버섯. ¶香xiāng～ =〔香蕈〕〔香菇〕〔香姑〕; 표고버섯. ⇒jūn
〔菌柄〕 jùnbǐng 명 《植》 균병. 팡이자루.
〔菌菇〕 jùngū 명 버섯류(類).
〔菌轮〕 jùnlún 명 《植》 균륜(버섯갓 가의 막(膜)으로, 축(軸)에 붙어 있어 바퀴 모양을 이룬 것).
〔菌伞〕 jùnsǎn 명 《植》 균산. 버섯갓. 균모(菌帽).
〔菌香油〕 jùnxiāngyóu 명 《化》 아니스유(anise 油).
〔菌液〕 jùnyè 명 백신. =〔菌苗〕
〔菌褶〕 jùnzhě 명 《植》 균산(菌伞) 안쪽의 주름.

箘

jùn (균)
〈文〉 ①명 대나무. ②명 죽순. ③→〔箘桂〕
〔箘桂〕 jùnguì 명 육계(肉桂). 계수나무. =〔肉ròu桂〕

雋

jùn (준)
형 〈文〉 재지(才智)가 뛰어나다.

K

KA ㄎㄚ

咔 kā (가) 〈擬〉 콰당. ¶～的一声关上抽屉; 콰당 하고 서랍을 닫았다. ⇒kǎ

〔咔吧〕 kāba 〈擬〉 ⇨〔喀吧〕

〔咔嚓〕 kāchā 〈擬〉 ⇨〔喀嚓〕

〔咔哒〕 kādā 〈擬〉 ⇨〔喀哒〕

咖 kā (가) 표제어 참조. ⇒gā

〔咖啡〕 kāfēi 명 〈音〉 커피(coffee). ¶煮～; 커피를 끓이다 / ～壶hú; 커피포트 / ～精; 커피 엑스 / 速溶～; 인스턴트 커피 / ～豆 =〔～子〕; 커피 원두 / 冰镇～; 아이스 커피 / 牛奶～; 카페오레 / ～馆; 다방. =〔珈琲〕

〔咖啡杯〕 kāfēibēi 명 ①커피잔. ②유원지 등에 있는 놀이 기구의 하나(큰 원반 위에 커피잔 모양의 좌석을 여러 개 장치해 놓고 빙글빙글 돌게 되어 있음).

〔咖啡碱〕 kāfēijiǎn 명 ⇨〔咖啡因〕

〔咖啡色〕 kāfēisè 명 《色》 커피색. 갈색.

〔咖啡厅〕 kāfēitīng 명 다방. (호텔 등의) 커피 숍.

〔咖啡因〕 kāfēiyīn 명 〈音〉 카페인(caffeine). =〔咖啡碱〕〔咖啡素〕〔加非英〕〔茶精〕〔茶精油〕〔茶香精油〕

喀 kā (객) ①'카' 음의 사음자(寫音字). ②〈擬〉 왝. 악. 뚝. 딱(구토(嘔吐)·기침 소리 및 물건이 부러지는 소리). ¶～哧～哧; 쥐가 쏘는 소리 / ～吱zhī～吱; 삐걱삐걱 / ～噔dēng; 털컹. 털썩. ⇒kē

〔喀吧〕 kābā 〈擬〉 가지 따위가 부러지는 소리. ¶～一声, 树枝子折了; 뚝 하고 나뭇가지가 부러졌다. =〔咔吧〕

〔喀布尔〕 Kābù'ěr 명 《地》 카불(Kabul)('阿富汗'(아프카니스탄; Afghanistan)의 수도).

〔喀嚓〕 kāchā 〈擬〉 뚝. 우지직. 쨍그렁(부러지고, 깨지고, 찢어지는 소리. 도끼로 나무를 패는 소리). ¶～一声碗摔碎了; 쨍그렁 하고 찻종이 깨졌다. =〔咔嚓〕〔咔喳〕

〔喀哧〕 kāchī 〈擬〉 ①아작아작(씹는 소리). ②하아하아(거친 숨소리).

〔喀哒〕 kādā 〈擬〉 딸칵. 탁(수화기를 내려놓는 소리). ¶～一声, 放下了电话; 탁 하고 수화기를 내려놓았다. =〔咔哒〕

〔喀尔巴阡山〕 Kā'ěrbāqiānshān 명 《地》 카르파티아 산맥.

〔喀咕〕 kāgū 명 《鳥》 〈南方〉 뻐꾸기.

〔喀喇昆仑〕 Kālākūnlún 명 《地》 카라코람(카슈미르 지방 북부, 트랜스히말라야와 곤륜(崑崙) 산맥 사이의 산맥).

〔喀麦隆〕 Kāmàilóng 명 《地》 〈音〉 카메룬(Cameroon)(아프리카 중부 해안에 연한 공화국. 수도는 '雅yǎ温得'(야운데: Yaoundé)).

〔喀纳乐〕 kānàlè 명 〈音〉 대령(大領)(colonel). =〔陆军上校〕

〔喀秋莎〕 kāqiūshā 명 〈音〉 ①《軍》 카추샤포(砲)(로켓포의 일종). ②(Kāqiūshā) 《人》 카추샤(톨스토이의 소설 《부활(復活)》의 여주인공).

〔喀斯特〕 kāsītè 명 ①《地質》 카르스트(Karst). =〔岩溶〕 ②카스트(caste). 인도의 신분 계급.

擖 kā (갈) 동 (칼로) 긁어 내다. 깎다. ¶～铁锈tiěxiu; 녹을 긁어 내다.

〔擖哧〕 kāchi 동 〈口〉 (칼로) 긁어 내다. 깎다. ¶把糊在墙上纸～干净; 벽에 붙여진 종이를 깨끗하게 긁어 내다.

卡 kǎ (가) ①명 〈音〉 카드. ¶资料～; 자료 카드 / 年历～; (카드처럼 소형의) 캘린더. ②명 〈音〉 트럭. ¶十轮～; 십륜 트럭. ③명 〈簡〉 칼로리. ④동 퀙 하고 토해 내다. ⑤동 안다. ¶～上孙子; 손자를 안다. ⑥동 내리누르다. ¶把帽子～～; 모자를 누르다. ⑦동 (사람·물건을) 억제하다. 돌리지 않다. 조달하지 않다. ¶材料科～住了水泥不发; 자재과에서 시멘트를 잡고 내어 주지 않는다 / ～住敌人的退路; 적의 퇴로를 막다. ⇒qiǎ

〔卡巴〕 kǎba 명동 안짱다리(를 하다). ¶～着腿走; 안짱다리로 걷다.

〔卡巴裆(儿)〕 kǎbādāng(r) 명 (바지 밑의) 바대. =〔卡裆儿〕

〔卡巴列〕 kǎbāliè 명 〈音〉 카바레(프 cabaret). =〔卡吧莱〕

〔卡巴胂〕 kǎbāshèn 명 《化·藥》 〈音〉 카르바존(carbarsone). =〔对脲基苯胂酸〕

〔卡宾枪〕 kǎbīnqiāng 명 《軍》 카빈총. 기총(騎銃). =〔马枪〕

〔卡波兰登〕 kǎbōlándēng 명 《化》 〈音〉 카보런덤(carborundum). =〔碳化硅〕〔金刚砂〕

〔卡波麻〕 kǎbōmá 명 《藥》 아달린. =〔阿大林〕

〔卡勃拉脱〕 kǎbólātuō 명 〈音〉 카뷰레터(carburetor). =〔汽化器〕〔化油器〕

〔卡脖子〕 kǎ bózi〔qiǎ bózi〕 ①목덜미를 짓누르다. 억압하다. 압력을 가해 움직이지 못하게 하다. ②일의 진행상 난관·장애가 되다. ③목을 조르다.

〔卡嚓〕 kǎchā 〈擬〉 찰칵(사진기의 셔터 따위의 소리).

〔卡车〕 kǎchē 명 ①트럭. ¶马达～; 모터 트럭. =〔载重汽车〕 ②카(car). 자동차. =〔汽车〕

〔卡尺〕 kǎchǐ 명 《機》 노기스.

〔卡代柴而〕 kǎdàicháí'ér 명 ⇨〔卡地阿唑〕

〔卡裆儿〕 kǎdāngr 명 ⇨〔卡巴裆(儿)〕

〔卡倒〕 kǎdǎo 동 실족하다. 뒹굴다.

〔卡德尔〕 kǎdé'ěr 명 ⇨〔卡特尔〕

〔卡地阿唑〕 kǎdì'āzuò 명 《化》 펜타메틸렌 테트라졸(pentamethylene tetrazole). =〔卡代柴而〕〔圜戊四氮唑〕〔来泼他唑〕〔四氮五甲烷〕

〔卡港会议〕 kǎgǎng huìyì 명 《史》 카사블랑카 회의(1943년 1월의 미영(美英) 수뇌 회의).

〔卡箍〕 kǎgū 명 칼라(collar)(역도의 바벨의 디스크를 고정시키는 조임쇠).

〔卡规〕 kǎguī 명 《機》 캘리퍼 게이지(calliper

gauge).
〔卡叽〕 kǎjī 명 카키(khaki)색(色). ¶~布; 개버딘《옷감》. =〔咔叽〕〔卡机〕〔卡其〕
〔卡计〕 kǎjì 명 칼로리미터(calorimeter). =〔热量计〕〔量热器〕
〔卡介苗〕 kǎjièmiáo 명《醫》비시지(B.C.G.). =〔卡介疫苗〕
〔卡介疫苗〕 kǎjièyìmiáo 명 ⇨〔卡介苗〕
〔卡克〕 kǎkè 명 ⇨〔旋xuán塞〕
〔卡拉〕 kǎlā 명〈方〉〈音〉컬러(color) 사진. =〔采色相片〕
〔卡拉OK〕 kǎlā ok 명 가라오케. =〔伴唱音乐〕〔空头乐队〕〔无人乐队〕
〔卡拉奇〕 kǎlāqí 명《地》〈音〉카라치(Karachi)《파키스탄의 옛 수도》.
〔卡拉亚树胶〕 kǎlāyà shùjiāo 명 카라야(kalaya) 고무.
〔卡剌特〕 kǎlàtè 양 캐럿(carat).
〔卡路里〕 kǎlùlǐ 명〈音〉칼로리. =〔卡〕〔卡路理〕〔卡洛里〕〔加罗里〕〔加落利〕〔加路里〕〔卡热〕
〔卡伦〕 kǎlún 명《軍》몽고 지방에 있는 외적에 대한 감시 초소. =〔边台〕
〔卡马表〕 kǎmǎbiǎo 동 초시계. 스톱 워치(stop watch).
〔卡马拉〕 kǎmǎlā 명《藥》〈音〉카말라(kamala).
〔卡门〕 kǎmén 명《書》〈音〉카르멘《프랑스의 작가 메리메의 소설, 1845년》.
〔卡那霉素〕 kǎnàméisù 명《藥》〈音〉카나마이신(kanamycin).
〔卡内基〕 kǎnèijī 명《人》〈音〉카네기(Carnegie)《미국의 강철왕, 1835~1919》.
〔卡农〕 kǎnóng 명《樂》〈音〉카논(canon). =〔两重轮唱曲〕〔加农〕
〔卡帕〕 Kǎpà 명《言》〈音〉카파(Kappa)《그리스 문자》.
〔卡片〕 kǎpiàn 명 ①카드. ¶~穿孔机; 키 펀치(key punch) / 圣诞~; 크리스마스 카드. =〔卡〕 ②명함.
〔卡片阅读机〕 kǎpiàn yuèdújī 명 ⇨〔读卡机〕
〔卡普隆〕 kǎpǔlóng 명〈音〉카프론(kapron)《폴리아미드의 제품화된 것》.
〔卡其〕 kǎqí 명《色》〈音〉카키(인 khaki)색. ¶~布; 카키색의 옷감. =〔卡叽〕〔卡几〕〔卡机〕〔咔叽〕
〔卡钳〕 kǎqián 명《機》캘리퍼스. 측경 양각기(測徑兩脚器).
〔卡热〕 kǎrè 명 ⇨〔卡路里〕
〔卡萨布兰卡〕 Kǎsàbùlánkǎ 명《地》〈音〉카사블랑카(Casablanca)《아프리카 북서부 모로코 중부의 항구 도시》.
〔卡萨赫〕 Kǎsàhè 명 ⇨〔哈Hā萨克族〕
〔卡塞式录音机〕 kǎsāishì lùyīnjī 명 ⇨〔暗àn盒式携带录音机〕
〔卡什米尔〕 Kǎshímǐ'ěr 명《地》〈音〉카슈미르(Kashmir)《인도의 북서부 지방》. =〔克kè什米尔〕
〔卡什密阿〕 kǎshímì'ā 명〈音〉캐시미어. ¶~披巾; 캐시미어 숄.
〔卡士〕 kǎshì 명 캐스트(cast).
〔卡式录音带〕 kǎshì lùyīndài 명 카세트(cassett) 테이프.
〔卡私〕 kǎsī 동 (적산(敵産) 또는 밀수품을) 검문하여 몰수하다.
〔卡斯坦涅特〕 kǎsītǎnniètè 명《樂》〈音〉캐스터네츠(castanets). =〔响特〕
〔卡他〕 kǎtā 명《醫》〈音〉카타르(Katarrh). =〔黏膜炎〕〔卡答儿〕〔加答儿〕
〔卡塔尔国〕 Kǎtǎ'ěr guó 명《地》〈音〉카타르(Qatar)국《페르시아만 연안의 토후국. 수도는 '多Duō哈'(도하: Doha)임》.
〔卡忒尔〕 kǎtè'ěr 명 ⇨〔卡特尔〕
〔卡特尔〕 kǎtè'ěr 명《經》〈音〉카르텔. 기업 연합. =〔卡德尔〕〔同业联盟〕〔卡台尔〕〔加特尔〕〔加迭尔〕〔嘉提尔〕〔卡忒尔〕
〔卡特式〕 kǎtèshì 명《商》카드식《은행 등에서 흔히 쓰이는 카드식 기장법(記帳法)》.
〔卡通〕 kǎtōng 명 ①풍자 만화(諷刺漫畫). ②만화 영화. 카툰(cartoon). =〔漫画〕〔活动画〕〔动画影片〕
〔卡脱〕 kǎtuō 명〈音〉커트(cut). =〔割开〕〔中断〕〔克脱〕〔咳〕
〔卡位〕 kǎwèi 명 시트(seat). ¶餐室的~; 식당의 시트.
〔卡西诺〕 kǎxīnuò 명〈音〉카지노(casino).
〔卡纸〕 kǎzhǐ 명 켄트지(紙).
〔卡纸盒〕 kǎzhǐhé 명 카턴(carton). 종이 상자. 판지 상자.
〔卡住〕 kǎzhù 동 (이동·지출할 수 없도록) 잡다. 막다. 동결하다. ¶~了日用品不发; 일용품을 잡고 내주지 않다.
〔卡座〕 kǎzuò 명 ①다방 등의 박스(box). ②옆 좌석과 칸막이로 분리되어 있는 좌석.

佧
kǎ (가)
→〔佧佤族〕

〔佧佤族〕 Kǎwǎzú 명《民》'佤族Wǎzú'의 구칭(舊稱). →〔佤族〕

咔
kǎ (가)
→〔咔叽〕〔咔唑〕 ⇒kā

〔咔叽〕 kǎjī 명《紡》〈音〉카키색의 제복. ¶~色; 카키색. =〔卡其〕
〔咔唑〕 kǎzuò 명《化》카르바졸(carbazole).

胩
kǎ (가)
명《化》이소니트릴(isonitrile). 카르빌라민(carbylamine). =〔异yì腈〕

咳
kǎ (해)
동 칵 하고 내뱉다. ¶~血xuè; 객혈하다. 토혈(吐血)하다 / ~痰; 가래를 뱉다 / 把鱼刺~出来; (꽂힌) 생선 가시를 캭 하고 뱉다. =〔咯〕 ⇒hāi hài kài ké

咯
kǎ (객)
동 캑 하고 내뱉다. ¶把鱼刺~出来; 생선 가시를 캑 하고 뱉어 내다. ⇒gē lo luò

〔咯痰〕 kǎ·tán 동 가래를 뱉어 내다. 객담(咯痰)하다.
〔咯血〕 kǎxiě 명《醫》각혈. (kǎ·xiě) 동 각혈하다.

KAI ㄎㄞ

开(開)
kāi (개)
A) ① 동 (닫힌 것을) 열다. ¶~门; 문을 열다 / ~幕; 막을 올리다 / ~窗户; 창문을 열다 / 不~口; 입을 열지 않

다 / ～箱子; 상자를 열다. ↔〔闭bì〕〔关guān〕 ② 동 (길을) 트다. 뚫어 통하게 하다. 넓히다. 늘리다. 캐다. 늘리다. 개간하다. ¶～路; ⇩/～荒; ⇩/～矿; ⇩/墙上～了个窗口; 벽에 창을 하나 내다/～了三千亩水田; 논 3천 묘(畝)를 개간했다. ③ 동 (오므라진 것이) 열리다. 벌어지다. (붙은 것이) 떨어지다. (꽃이) 피다. ¶～花; 꽃이 피다/扣儿～了; 단추가 벗겨졌다/两块木板没粘好, 又～了; 두 장의 판자가 접착이 좋지 않아, 또 떨어졌다. ④ 동 가르다. 따다. 자르다. 절개(切開)하다. ¶～一个西瓜; 수박 한 개를 쪼개다/在医院～疙gē瘩; 병원에서 종기를 절개하다/～刀; ⇩ ⑤ 동 (응고된 것이) 녹다. 풀리다. ¶河～了; 강의 얼음이 녹았다. ⑥ 동 (봉쇄·금지 사항·제한 등을) 풀다. 해제하다. ¶～禁; ⇩/～戒; ⇩ ⑦ 동 (기계를) 조종하다. 움직이다. (차·배를) 운전하다. 발차〔출범〕시키다. ¶～机jī器; 기계를 운전하다〔움직이다〕/～汽车; 자동차를 운전하다/～风扇; 선풍기를 돌리다〔틀다〕/～电diàn灯; 전등을 켜다/～船chuán; 배를 내다. 배가 나가다/火车～了; 기차는 발차했다. 기차가 떠났다/北京二十点二十分到, 四十分～; 베이징(北京) 20시 20분 (도)착, 40분 (출)발. ⑧ 동 (총포를) 발사하다. 쏘다. ¶向空中～枪; 공중을 향해 발포하는 위협 사격을 하다/向敌人阵地～了一炮; 적의 진지를 향해 대포를 한 발 쏘았다. ⑨ 동 (부대가) 출동하다. 이동하다. ¶军队向北～; 군대가 북쪽을 향해 가다. ⑩ 동 시작하다. 개시하다. ¶～工; ⇩/～学; ⇩/～了戏了; 연극이 시작되었다. ⑪ 동 개설하다. 창설하다. 개업하다. ¶～医院; 병원을 설립하다/这所工厂～了三年了; 이 공장은 개설된 지 3년이 된다. ⑫ 동 (회의·좌담회·전람회 등을) 행하다. 개최하다. 거행하다. ¶～会; ⇩/～运动会; 운동회를 개최하다. ⑬ 동 (증거 서류, 소개장, 처방전 등을) 기술하다. 작성하다. 발행하다. ¶～发票; 송장(送狀)을 쓰다/～方子; ⇩/～介绍信; 소개장을 쓰다. ⑭ 동 돈을 지불하다. ¶～房钱; 집세를 지불하다/除～了那两块钱, 实际上得了九十八元; 그 2원의 지불을 제하고 실제로는 98원 벌었다/～发 =〔～付〕; ⇩ ⑮ 동 〈方〉 제명하다. 해고시키다. ¶公司不能随便～掉工人; 회사는 마음대로 근로자를 해고시킬 수 없다. ⑯ 동 끓다. 펄펄 끓다. ¶～水; ⇩/水～了; 물이 끓었다. ⑰ 양 캐럿《금의 순도(純度)를 나타내는 단위》. ¶十八～金; 18금. ⑱ 동 늘어놓다. 진열하다. 차리다. ¶～饭; ⇩/饭～在哪里? 밥은 어디에다 차려 놓았느냐? ⑲ 동 〈口〉 다 먹다. ¶他把面包都～了; 그는 빵을 다 먹어 치웠다. ⑳ 동 분배하다. ¶三七～; 3대 7로 분배하다. ㉑ 양 종이의 크기를 나타냄《전지(全紙)의 몇 분의 일로 잘랐는가를 이름》. ¶三十二～纸; 32절지/对～纸; 반절지. 전지(全紙)의 2분의 1. ㉒ 명 성(姓)의 하나. B) 동사 뒤에 보어로 쓰여, 일정한 뜻을 첨가함. ㉠퍼지다. 퍼뜨리다라는 뜻을 더함. ¶这个方法行～了; 이 방법이 퍼졌다. ㉡어떤 상태가 갑자기 전개됨을 나타냄. ¶冻得她哆嗦～了; 그녀는 추워서 떨기 시작했다. ㉢열다. 또는 떨어짐을 뜻함. ¶拉～; 열다/张～嘴; 입을 벌리다/把门开～; 문을 열다. ㉣사물이 공간을 차지하는 데 여지(餘地)가 있음을 나타냄. ¶这个屋子小, 人多了坐不～; 이 방은 작아서 사람이 늘면 앉을 수 없다. ㉤말끔하게 할 수 있음을 나타냄. ¶这碗饭我吃不～; 이 밥은 목에 넘어가지 않는다.

주 이 때에 '～开来'라고는 안 함.

〔开拔〕 kāibá 동 《軍》 (주둔지·휴식지에서) 출발하다. 이동하다. ¶部队～了; 부대가 이동했다.

〔开白水〕 kāibáishuǐ 명 끓인 물. =〔白开水〕

〔开班〕 kāi.bān 동 ①새로운 반을 만들다. 반을 신설하다. ②일을 시작하다. ③옛날, 기생 따위의 화대를 계산하기 시작하다.

〔开板〕 kāi.bǎn 동 ①타악기로 박자를 맞추기 시작하다. ②일의 시작을 말하다. ¶一～就大讲…; 처음부터 …라고 떠들어 대다.

〔开钣轮〕 kāibǎnlún 명 《機》 평판차(平板車).

〔开办〕 kāibàn 동 ①창립하다. 창설하다. 설립하다. 개업하다. ②주최(主催)하다.

〔开榜〕 kāibǎng 명동 시험 결과(를 발표하다). 합격자 발표(하다).

〔开报〕 kāibào 동 신고하다. 써서 보고하다.

〔开本〕 kāiběn 명 《印》 인쇄 용지〔전지〕의 절지 방법에 따른 종이의 크기. ¶十六～; 16절지/三十二～; 32절지.

〔开笔〕 kāi.bǐ 동 ①처음으로 시문(詩文)을 배우기 시작하다. ②처음으로 쓰다. ¶新春～; 신춘 휘호.

〔开闭器〕 kāibìqì 명 《電》 개폐기. =〔开关①〕

〔开标〕 kāi.biāo 동 (입찰의) 개표를 하다.

〔开播〕 kāibō 명동 방송 개시(하다). 개국(하다). ¶这电视台国庆节～; 이 텔레비전 방송국은 국경일에 개국한다.

〔开不败〕 kāibubài ①꽃이 시들지 않다. ¶花儿遍地开, 永远～; 꽃이 주변 일대에 만발하고, 오래도록 시들지 않는다. ②꽃이 (어떤 장애로 인해) 화기(花期)를 다 채우지 못하고 시들다. ¶这个时候常爱下连阴雨, 花儿～, 老是叫雨给淋谢了; 요즘은 장마가 늘 계속되어, 꽃은 오래 가지 못하고, 늘 비를 맞아 져버린다.

〔开不开〕 kāibukāi 열 수가 없다. 열리지 않다.

〔开步〕 kāibù 동 (가슴을 펴고) 걷기 시작하다. ¶～走; 《軍》 앞으로 가《구령》.

〔开埠〕 kāibù 동 개항하다. 상업항을 열다.

〔开采〕 kāicǎi 동 (광산을) 채굴하다. (지하 자원을) 발굴하다. 채굴하다. 개발하다. ¶～矿藏; 광산을 채굴하다/～石油; 석유를 채굴하다/～原料; 자원을 개발하다.

〔开彩〕 kāicǎi 동 ①일을 공개하다. ②상처를 입어 출혈하다. ③복권을 추첨하다. =〔开奖〕

〔开舱〕 kāicāng 동 배의 승강구〔해치〕를 열다. ¶～起qǐ货; 승강구를 열고 짐을 부리다.

〔开叉〕 kāichā 동 열다. 펴다.

〔开衩(儿)〕 kāichà(r) 명 중국 옷의 단이 옆으로 터진 곳. =〔开隙儿xìr〕〔开气(儿)〕 →〔开口儿①〕

〔开拆〕 kāichāi 동 ①편지를 뜯다. 개봉(開封)하다. =〔开发fā①〕 ②나누다. ¶四六～; 4·6제로 나누다.

〔开差〕 kāi.chāi 동 ①퇴직시키다〔당하다〕. ②군대가 이동하다. ¶军队开了差了; 군대가 이동했다.

〔开场〕 kāi.chǎng 동 ①(연극 따위의) 공연을 시작하다. 개막하다. ¶他们到了剧院, ～已很久了; 그들이 극장에 갔을 때에는 개막된 지가 이미 오래 되었다. ②〈比〉 (일이) 시작하다. (kāichǎng) 명 개막. (일의) 개시.

〔开场白〕 kāichǎngbái 명 ①(연극·야담 등의) 개막사. 프롤로그(prologue). ②(소설·시·강연 등의) 서언(序言). ‖↔〔收shōu场白〕

〔开车〕 kāi chē ①발차하다. 시동하다. ¶～表; 발차 시각표. ②(차를) 운전하다. ¶～人 =〔～

的]〔～夫〕; 운전수. ③기계를 시동하다.

〔开陈〕 kāichén 동 개진하다. 진술하다.

〔开诚布公〕 kāi chéng bù gōng 〈成〉 성의(誠意)를 털어놓아 마음 속에 숨김이 없다. =〔开诚相见〕

〔开诚相见〕 kāi chéng xiāng jiàn 〈成〉 ⇨〔开诚布公〕

〔开秤〕 kāi·chèng 동 (주로 계절 상품의) 거래를 시작하다. 매입(買入)을 시작하다.

〔开出〕 kāichū 동 (차·배가) 떠나다. 떠나가다. ¶～轮船预告; 출항기선 예고 / ～港gǎng口; (배가) 항구를 떠나다.

〔开初〕 kāichū 부 〈方〉 처음. 시초. 당초. =〔开始〕〔起初〕

〔开除〕 kāichú 동 ①면직시키다. 해고하다. 그만두게 하다. ¶～公职; 공직에서 면직시키다 / 我早把他～了; 나는 진작에 그를 그만두게 하였다. =〔开革〕〔辞cí退〕 →〔解jiě雇〕 ②제거하다. 떼어내다. ③제명하다. ¶～出党; 당에서 추방하다 / ～他出会; 그를 제명하여 모임에서 내쫓다 / ～学籍; 학적을 박탈하다.

〔开锄〕 kāi·chú 동 새해 처음으로 밭에 괭이질을 하다《옛 농가 행사의 하나》.

〔开船〕 kāichuán 명동 출항(하다). 출범(하다). ¶～便遇打头风; 출범하자마자 역풍을 만나다. 〈比〉 운이 나쁘다. 처음부터 재수가 없다. →〔挂船guàchuán〕

〔开窗信封〕 kāichuāng xìnfēng 명 (파라핀지(paraffin紙) 또는 셀로판(cellophane)지를 붙인) 창 모양이 있는 봉투.

〔开创〕 kāichuàng 동 창업하다. (사업을) 시작하다. 창립하다. 창설하다. ¶～了封建王朝; 봉건왕조를 창업하다 / 前辈～的事业; 선배가 시작한 사업.

〔开春(儿)〕 kāichūn(r) 명 초봄. (kāi·chūn(r)) 동 봄이 되다.

〔开打〕 kāidǎ 동 연극에서 난투 장면을 벌이다. 명 (연극에서) 격투 장면.

〔开单(儿, 子)〕 kāidān(r, zi) 동 ①품목(品目)·금액을 늘어놓다. ②계산서를 쓰다. ③계산서에 의해 지불하다.

〔开裆裤〕 kāidāngkù 명 개구멍바지《어린이용》. =〔散sǎn腿裤〕

〔开当铺〕 kāi dàngpù ①전당포를 내다. ②〈轉〉 주석(酒席)에서 하는 '划huá拳②' 놀이의 하나《술잔을 한 사람 앞에 모으고, 차례로 '划huá拳②'를 하여, 이기면 술잔을 상대방에게 넘기고, 지면 자기가 마셔, 술잔이 다 나갈 때까지 계속함. →〔划huá拳②〕 ③〈轉〉 (과음하여) 토하다.

〔开刀〕 kāi·dāo 동 ①〈古白〉 참형(斬刑)을 집행하다. ②제물(祭物)로 삼다. 희생시키다. ¶总不能拿咱～啊; 아무리 해도 나를 희생시킬 수는 없을걸. ③〈俗〉 수술하다. 수술을 받다. ¶他的病重了, 得～动手术啦; 그의 병세가 대단하여 수술을 받아야만 한다.

〔开导〕 kāidǎo 동 선도하다. 이끌다. ¶孩子有缺点, 应该耐心～; 아이에게 결점이 있으면 참을성 있게 가르쳐 인도해야 한다.

〔开倒车〕 kāi dàochē ①차를 거꾸로 나가게 하다. 생억지를 쓰다. ②〈比〉 시대에 역행하다. ¶开历史的倒车; 역사의 흐름에 역전하다.

〔开道〕 kāi·dào 동 ①충고하다. ②길을 트다. ③앞장 서다. ④〈方〉 길을 양보하다.

〔开灯〕 kāi dēng 등불을 켜다. ¶开电灯; 전등을 켜다.

〔开地〕 kāidì 동 토지를 개간하다.

〔开点〕 kāidiǎn 명 (교통 기관의) 출발 시간.

〔开吊〕 kāidiào 동 초상난 지 3일째에 마당에 가옥을 짓고 문상을 받기 시작하다.

〔开冬〕 kāi·dōng 동 겨울이 되다. (kāidōng) 명 초겨울.

〔开动〕 kāidòng 동 ①(기계 등을) 움직이다. 운전하다. ¶～机器; 기계를 움직이다. ②〈比〉 머리를 쓰다. ¶～脑nǎo筋; 머리를 쓰다. ③(군대가) 이동하다. 전진하다.

〔开冻〕 kāi·dòng 동 (봄이 되어) 강의 얼음이 녹다.

〔开读〕 kāidú 동 어린이가 책읽기를 배우기 시작하다.

〔开端〕 kāiduān 명 발단. 시초. 계기(契機). ¶事情的～; 일의 발단 / 一个很好的～; 하나의 순조로운 첫 출발 / 两国关系的新～; 양국 관계의 새로운 출발 / 无论做什么事, 凡事～的时候都免不了有些困难; 무엇을 하든 처음에는 모두 얼마간의 곤란을 피할 수 없다. (kāi·duān) 동 시작되다. 꼬투리를 만들다.

〔开队〕 kāiduì 동 군대가 진발(進發)하다.

〔开恩〕 kāi'ēn 동 〈謙〉 은혜를 베풀다. 관대히〔너그럽게〕 용서해 주십시오《남에게 사죄할 때나 관용을 청할 때 씀》. ¶请您～; 제발 용서해 주십시오.

〔开(尔文)〕 kāi(ěrwén) 명 《物》 켈빈(kelvin) 온도《열역학 온도의 단위》.

〔开耳〕 kāi'ěr (소리 따위가) 귀에 기분 좋게 들리다.

〔开耳梢〕 kāi ěrshāo 들어서 즐겁다〔재미있다〕.

〔开发〕 kāifā 동 ①열다. 개봉하다. =〔开拆chāi①〕 ②교도(教導)하다. ¶～愚蒙; 어리석은 자를 교도하다. ③(자연계를) 개발〔개척〕하다. ¶～荒山; 황폐한 산을 개발하다 / 把海底的矿藏～出来; 해저의 매장 광물을 개발하다.

〔开发〕 kāifa 동 (개별적으로 계산해서) 지불하다. 넘겨 주다. ¶～车钱; 찻삯을 지불하다. =〔开付〕

〔开饭〕 kāi·fàn 동 ①밥상을 차려 내놓다. 식사를 하다. ②공공의 식당에서 식사를 제공하기 시작하다. ¶食堂快～了; 식당이 곧 열립니다.

〔开方〕 kāifāng 명 《數》 개방(開放). (kāi·fāng) 동 처방전을 쓰다. =〔开(药)方〕

〔开方子〕 kāi fāngzi ①처방을 쓰다. ¶你快给～吧! 빨리 처방을 써 주십시오! ②〈京〉 옛날, 기생이 손님을 조르다.

〔开房间〕 kāi fángjiān ①〈方〉 (호텔 따위의) 방을 빌리다. ②〈轉〉 남녀가 여관에 들다. 밀회하다.

〔开放〕 kāifàng 동 ①(꽃이) 피다. ¶花儿到处～; 꽃이 여기저기 피어 있다. ②(봉쇄·금령(禁令) 등을) 해제하다. ¶～门mén户; 문호를 개방하다. ③(비행장·항구 등의) 폐쇄를 풀다. 개항(開港)하다. (도로의 교통을) 허가하다. ¶～城市; 외국인이 유람할 수 있는 도시. ④(공원·전람회·도서관 등을) 일반에 공개하다. ⑤《電》 가동하다. 방출하다. ¶～冷气; 냉방 중. ⑥석방하다.

〔开放工厂制〕 kāifàng gōngchǎngzhì 명 자유고용제《비조합원이라도 동일 공장에서 조합원과 함께 일할 수 있는 제도》. =〔自zì由雇用制〕

〔开放医院〕 kāifàng yīyuàn 명 《醫》 개방 병원《정신 병원의 일종》.

〔开封〕 kāifēng 동 (편지를) 개봉하다. 편지를 뜯

다. →〔启qǐ封〕 명 《地》 카이펑(허난 성(河南省)에 있는 도시 이름).
〔开付〕 kāifù 동 ①지불하다(나누어서). ②(적당히) 다루다. 하게 하다. ¶我总算把他～走了; 나는 결국 그를 가도록 했다〔쫓았다〕.
〔开复〕 kāifù 동 ①〈文〉 회복하다. ②징계 처분을 받고 있던 관리가 용서를 받아 복직되다.
〔开赴〕 kāifù 동 출동해서 …에 가다. (어떤 목적지를 향해) 출발하다. ¶ ～前线; 전선으로 출동하다.
〔开钢条子〕 kāi gāngtiáozi 자기 선전을 하다.
〔开割〕 kāigē 동 ①(의사가) 수술하다. ②수확(收穫)을 시작하다.
〔开革〕 kāigé 동 ⇨〔开除①〕
〔开工〕 kāi.gōng 동 공사를 시작하다. 착공하다. 조업(操業)하다. 기능·설비가 가동하다. ¶完wán全～; 완전 조업(하다) / ～典礼; 기공식전(式典) / ～不足; 조업 단축 / 工厂～率; 공장의 가동률 / 由于一时缺乏材料, 不能及时～; 일시적인 재료의 결핍으로 제때에 착공할 수 없다. =〔动工〕
〔开弓〕 kāigōng 동 활을 쏘다. ¶～没有回头箭; 〈諺〉 한번 쏜 화살은 돌아오지 않는다.
〔开沟〕 kāi gōu 도랑을 파다. 해자를 파다. ¶～机; 도랑 파는 기계.
〔开瓜〕 kāiguā 동 ①수박〔참외·오이〕을 자르다. ②〈俗〉 여자가 되다. 남자를 알게 되다. →〔破pò瓜〕
〔开关〕 kāiguān 명 ①《電》 스위치. 개폐기. ¶～扣kòu; 스위치의 누름단추 / ～台; 스위치 스탠드(switch stand) / 闸刀～ =〔刀形～〕; 나이프 스위치(knife switch) / 只要按动温度控制设备的～, 就会自动调节温度; 온도 조절용의 스위치를 누르기만 하면 온도는 자동으로 조절된다. =〔开闭器〕〔掣门〕〔〈北方〉电门〕〔司路机〕 →〔电闸〕 ②⇨〔快门〕 ③밸브(valve). 명동 개폐(하다). →〔启闭〕
〔开关板〕 kāiguānbǎn 명 《電》 배전반. 스위치 보드. =〔配电板〕〔配电盘〕
〔开棺弃尸〕 kāiguān qìshī 묘를 파서 부장품을 훔치다. 도굴하다.
〔开馆〕 kāiguǎn 동 개관하다.
〔开罐头刀〕 kāiguàntoudāo 명 깡통따개. =〔罐头刀〕
〔开光〕 kāi.guāng 동 《佛》 (신불상(神佛像)의) 개안 공양(開眼供養)을 하다. (kāiguāng) 명 이발(理髮)·체발(剃髮)·면도 등을 이름(해학(諧謔)을 함축함).
〔开锅〕 kāi.guō 동 〈口〉 ①냄비 속의 것이 부글부글 끓다. ¶煮了半天还没有～; 꽤 오래 끓였는데 아직 냄비에 든 것이 끓지 않는다. ②큰 소동을 벌이다.
〔开国〕 kāiguó 동 새 나라를 세우다. 건국하다. ¶～大典; 건국 식전.
〔开过去〕 kāiguoqu 추월하다. =〔抢qiǎng过去〕
〔开航〕 kāi.háng 동 ①(새롭게 열린 해로 따위를) 항행하다. ②(비행기가) 항행을 개시하다. ¶新中国民用航空从1950年～; 새로운 중국의 민간 항공은 1950년에 항행을 개시하였다. ③(선박이) 출항〔출범〕하다.
〔开好花结好果〕 kāi hǎohuā jiē hǎoguǒ 좋은 꽃이 피면 좋은 열매를 맺는다(선인선과(善因善果)).
〔开合桥〕 kāihéqiáo 명 도개교(跳開橋).
〔开河〕 kāi.hé 동 ①강물이 녹아서 배가 통하다. ↔〔封河〕 ②운하를 뚫다. ③〈轉〉 거침없이 지껄이다. ¶信口～; 입에서 나오는 대로 지껄이다.
〔开贺〕 kāihè 동 날을 정해 축하를 받다. 축하 행사를 하다. ¶搬到新房子去～; 신축 축하 행사를 하다.
〔开后门〕 kāi hòumén ①뒷문을 열다. 뒷문을 열어 놓다. ②〈比〉 부정한 루트를 만들다. 편의를 봐 주다. ③〈比〉 뇌물을 받다.
〔开户〕 kāi.hù 동 (기관(機關)·개인이 은행과) 업무 관계를 맺다. 계좌(計座)를 개설하다. (kāihù) 명 옛날, 천민이 공로에 의해 평민으로 편입되는 일.
〔开花(儿)〕 kāi.huā(r) 동 ①꽃이 피다. ②〈比〉 물건이 찢어지다. 빠끔히 입이 벌어지다. ¶～儿馒头; 위쪽이 터진 만두 / 这只鞋～儿了; 이 신은 구멍이 뚫렸다. ③포탄이 작렬하다. ④〈俗〉 (마음에) 기쁨이 넘치다. (얼굴에) 웃음꽃이 피어나다. ¶心里开了花; 마음 속에 기쁨이 넘치다. ⑤(사업이) 발전하다. ¶全面～; (사업이) 전면적으로 발전하다.
〔开花弹〕 kāihuādàn 명 유산탄(榴散彈)의 별칭.
〔开花豆(儿)〕 kāihuādòu(r) 명 기름에 튀긴 누에콩. =〔兰lán花豆儿〕
〔开花结果〕 kāi huā jiē guǒ 〈成〉 꽃이 피어 열매를 맺다(순조롭게 좋은 결과를 맺다).
〔开花螺丝帽〕 kāihuāluósimào 명 《機》 국화형(菊花形) 너트. =〔堞dié形螺母〕
〔开花鞋〕 kāihuāxié 명 〈比〉 찢어진 구두.
〔开花账〕 kāihuāzhàng 엉터리 장부를 만들다. 장부를 허술하게 작성하다.
〔开化〕 kāihuà 동 ①세상이 개화되다. ¶这一带～了; 이 일대는 개발되었다. ②(～儿) 〈方〉 얼음이 녹다. ③이해가 빠르다. 보수적이 아니다.
〔开化〕 kāihua 동 ①과실 따위가 결실을 잘 맺다. ¶这萝卜还没长～呢; 이 무우는 아직 여물지 않았어. ②기분이 상쾌해지다. ③어른이 되다. 성숙해지다. ¶他还没～; 그는 아직 미성년이다.
〔开话匣子〕 kāi huàxiázi ①축음기를 울리다〔틀다〕. ②〈比〉 계속해서 마구 지껄여대다.
〔开怀〕 kāihuái 동 흉금(胸襟)을 터놓다. ¶笑得最～的是他; 가장 시원하게 거리낌 없이 웃은 것은 그였다.
〔开怀儿〕 kāi.huáir 동 〈口〉 처음으로 아이를 낳다. ¶没开过怀儿; 아이를 낳은 적이 없다.
〔开荒〕 kāi.huāng 동 황무지를 개간하다.
〔开会〕 kāi.huì 동 개회하다〔되다〕. 회의를 열다. 회합에 나가다〔출석하다〕. 회합이 있다. ¶准zhǔn时～; 정시에 개회하다 / 他～去了; 그는 회의에 나갔다 / 开了三天会; 회의를 3일간 열었다. 회의에 3일간 참석했다 / 今天的会不开了; 오늘의 회의는 중지됐다 / 会议没开成, 流会了; 회의가 성립되지 않아 유회되었다 / 开完会了; 회의는 끝났다. (kāihuì) 명 집회. 모임.
〔开荤〕 kāi.hūn 동 ①(육식을 금했던 사람이) 다시 육식을 시작하다. =〔开切①〕 ②큰 소리로 욕하다. ¶有话好讲, 别～啦! 할 말이 있으면 곱게 말하지, 욕지거리는 마라!
〔开活门, 放生路〕 kāi huómén, fàng shēnglù 〈比〉 미리 빠져 나갈 길을 생각해 두다.
〔开火(儿)〕 kāi.huǒ(r) 동 ①개전하다. 싸움을 시작하다. ¶前线～了; 전선에서 전투가 시작되었다. ②발포(發砲)하다. ¶～! 발사!(호령).
〔开火仓〕 kāi huǒcāng 〈南方〉 취사(炊事)를 하다.

〔开火车〕 kāihuǒchē 명 기차 놀이《어린이 놀이의 하나》.
〔开伙〕 kāihuǒ 동 ①식사를 마련하다. ②〈比〉 생활하다. ¶今后我要自己～了; 앞으로 나는 스스로 생활을 해 나가야겠다.
〔开豁〕 kāihuò 형 ①도량이 넓다. 의젓하며 곰상스럽지 않다. ¶难得他心地～, 不拘小节; 그는 마음이 커서, 작은 일에 구애되지 않음은 참 장한 일이다. ②(마음이) 상쾌하다. ¶听了报告, 他的心里更～了; 보고를 듣고서 그는 더욱 마음이 시원해졌다. ③(도량·사상 등이) 트이다. ¶常常看书看报, 思想也～多了; 항상 책이나 신문을 보면 생각도 많이 트인다. ④넓고 시원스럽다. 동 ⇨〔开脱〕
〔开饥荒〕 kāi jīhuāng 위기〔절박한 시기〕를 타개하다.
〔开基〕 kāijī 동 기초를 쌓아 올리다〔닦다〕. 토대를 마련하다.
〔开价〕 kāijià 동 값을 매기다. 명 부르는 값. 발표된 가격.
〔开架式〕 kāijiàshì 명 개가식《도서관에서 이용자가 자유롭게 서가에서 책을 꺼내 볼 수 있는 방식》.
〔开间〕 kāijiān 〈南方〉 양 구식 가옥의 정면의 폭을 나타내는 단위《정면의 주간수(柱間數)를 말함. 주간(柱間)은 약 3미터 전후임》. ¶单～; 단칸(의 방) / 五～的住宅; 내림 다섯 칸의 주택. 명 방의 넓이. 내림. ¶这间房子～很大; 이 집은 내림이 넓다.
〔开疆〕 kāijiāng 동 변경 지방을 개척하다.
〔开讲〕 kāijiǎng 동 ①강의를 시작하다. ②강담(講談)을 시작하다.
〔开奖〕 kāijiǎng 동 ⇨〔开彩③〕
〔开交〕 kāijiāo 동 결말이 나다. 끝장이 나다. 해결하다. 결말짓다. ¶不可～; 심판〔수습〕할 수가 없다. 어쩔 도리가 없다. 다급해지다 / 舆论沸腾不可～; 여론이 비등하여 어떻게 손을 댈 수가 없다 / 忙得不可～; 바빠서 어쩔 도리가 없다.
〔开脚〕 kāi.jiǎo 동 발을 내딛다. 〈比〉 개시하다.
〔开解〕 kāijiě 동 ①걱정되는 일을 위로하여 기분이 풀리게 해 주다. ¶大家说了些～的话, 她也就想通了; 모두가 여러 가지로 위로의 말을 해 주었기 때문에, 그녀도 가슴이 후련해졌다. ②이유를 설명하여 위급에서 구해 주다. ③완성시키다.
〔开戒〕 kāi.jiè 동 《宗》 ①계율을 풀다. ②〈轉〉 금주·금연 따위를 해제하다. ¶他戒了三天酒, 又～了; 그는 금주 3일 만에 또 술을 시작했다.
〔开金〕 kāijīn 명 캐럿(carat)《금의 함유량을 표시함》. ¶十八～; 18금(18k).
〔开禁〕 kāijìn 동 해금하다.
〔开经〕 kāijīng 동 독경하다.
〔开径〕 kāijìng 동 〈文〉 실마리를 풀다. 단서를 찾다.
〔开局〕 kāijú 동 ①개국하다. ②도박장을 개장하다. ¶～聚jù赌; 도박장을 개장하고 도박꾼을 모으다.
〔开具〕 kāijù 동 쓰기 시작하다. (서장을) 작성하다. ¶～清qīng单; 정산서〔명세서〕를 작성하다 / ～信用状; 신용장을 개설하다. =〔开立〕
〔开捐〕 kāijuān 동 (청대(清代)에 정부가) 돈으로 관직을 팔다. 매관매직하다.
〔开卷〕 kāijuàn 동 〈文〉 책을 펴다. 독서하다. ¶～有益; 독서는 유익한 법이다. 명 ⇨〔开卷考试〕
〔开卷考试〕 kāijuàn kǎoshì 명 참고서를 지참하고 볼 수 있는 시험. =〔开卷〕〔开卷作题〕 ↔〔闭bì卷考试〕
〔开掘〕 kāijué 동 (숨겨져 있거나 지하에 있는 것을) 파(내)다. 발굴하다. ¶～机 =〔开井机〕; 《機》 착정기. 보링 머신.
〔开浚〕 kāijùn 동 준설(浚渫)하다.
〔开科〕 kāikē 동 과거(科擧) 시험을 실시하다. →〔科举〕
〔开课〕 kāi.kè 동 ①수업을 시작하다. ②(대학 교수가) 과목을 담당하다. 개강(開講)하다. ¶教授～要做充分的准备; 교수는 강의를 위해 충분한 준비를 하여야 한다.
〔开垦〕 kāikěn 명동 개간(하다). ¶～荒地; 황무지를 개간하다.
〔开口〕 kāi.kǒu 동 ①입을 열다. 발언하다. ¶～相求; (말하여) 부탁하다 / 不好再～; 이 이상은 말하기 곤란하다. ②입에 풀칠하다. ③새 칼을 갈아서 잘 들게 하다. =〔开刃儿〕 ④제방(堤防)이 터지다. =〔开口子〕
〔开口闭口〕 kāikǒu bìkǒu (입을 벌려) 말할 적마다. 말할 때는 언제나. ¶他～就是骂人; 그는 이야기할 때마다 남을 욕한다.
〔开口呼〕 kāikǒuhū 명 《言》 운두(韻頭) 모음이 i·u·ü가 아닌 음(音). →〔四呼〕
〔开口儿〕 kāikǒur 명 ①(상의(上衣)의) 양 겨드랑이 또는 뒤쪽 트기. 벤트(vent). ②(갓난아기에 대한) 처음의 수유(授乳).
〔开口跳〕 kāikǒutiào 명 ⇨〔武wǔ丑〕
〔开口味〕 kāi kǒuwèi 식욕을 돋우다. 식욕이 나다.
〔开口销〕 kāikǒuxiāo 명 《機》 분할 핀(pin)《너트 등의 회전을 막는 핀》. =〔开尾销〕
〔开口信〕 kāikǒuxìn 명 개봉한 편지.
〔开口子〕 kāi kǒuzi ①하천의 제방이 무너지다. ¶黄河开了口子了; 황하의 제방이 무너졌다. ②(추위로 손 따위가) 트다.
〔开快车〕 kāi kuàichē ①〈比〉 일·작업의 속도를 내다. 박차를 가하다. ¶体育会组班突～; 체육회는 팀 편성에 갑자기 박차를 가했다. ②급행차(急行車)를 달리게 하다.
〔开旷〕 kāikuàng 형 휑하게 넓다.
〔开矿〕 kāi.kuàng 동 광물을 채굴하다. ¶～炸药; 다이너마이트 / ～执照; 광산 채굴 허가증.
〔开扩〕 kāikuò 동 넓히다. ¶～眼界; 시야를 넓히다.
〔开阔〕 kāikuò 형 ①(면적·공간이) 널찍하다. ¶～的广场; 널찍한 광장. ②(마음속 등이) 넓다. 밝다. 트이다. ¶他是一个心思～而活泼愉快的人; 그는 마음이 넓고 활발하며 유쾌한 사람이다. ③(수단 혹은 규모가) 크다. 동 넓히다. ¶～眼界; 시야를 넓히다 / ～路面; 길을 넓히다.
〔开阔地〕 kāikuòdì 명 《軍》 개활지.
〔开朗〕 kāilǎng 형 ①(공간이) 널찍하고 밝다. ¶前面豁然～; 눈앞이 탁 트이어 밝고 널찍하다. ②(성격·기분·생각이) 밝다. 명랑하다. ¶心情～; 마음이 유쾌하다.
〔开了春的画眉〕 kāile chūnde huàméi 입춘(立春) 지난 뒤의 화미조(畫眉鳥). 〈比〉 잘 지껄이다《'画眉'는 입춘 뒤에 잘 지저귐》. ¶他说起话来像～似的; 그가 말을 하기 시작하면 입춘 뒤의 화미조처럼 끝이 없다.
〔开犁〕 kāi.lí 동 ①(밭에서) 한 해의 첫 가래질을 하다. ② ⇨〔开墒〕
〔开立方〕 kāilìfāng ① 명 《數》 개립방(開立方). ②

(kāi lìfāng) 〔數〕 입방근(立方根)을 구하다.
〔开例〕 kāi.lì 동 선례를 만들다. ¶从你这里~吧! 자네 쪽에서 선례를 만들게!
〔开镰〕 kāi.lián 동 수확을 시작하다. ¶小麦快熟了, 一到下月就~; 밀이 거의 익어 가니 내달이 되면 수확을 시작한다.
〔开脸〕 kāi.liǎn 동 ①옛날에, 여성이 시집 갈 때 얼굴과 목의 솜털을 뽑다. 〈轉〉 시집 가다. ②얼굴 부분을 그리다〔조각하다〕.
〔开脸子〕 kāi liǎnzi ①화장을 하다. ②세수를 하다(아침에 잠을 깨려고).
〔开列〕 kāiliè 동 쓰기 시작하다. 뽑아 쓰다. 죽 써 나가다. ¶~于左yúzuǒ; 왼쪽에 열거하다 / ~清单qīngdān; 명세서를 만들다.
〔开裂〕 kāiliè 동 금이 가다.
〔开领〕 kāi.lǐng 동 옷깃을 트다. 넓게 트인 칼라로 하다(옷을 만들 때 옷깃을 넓게 틈).
〔开溜〕 kāiliù 동 살금살금 도망치다. 달아나다.
〔开炉〕 kāi.lú 동 용광로를 열다. 〈轉〉 생산을 시작하다. 명 ⇨〔平píng炉〕
〔开颅手术〕 kāilú shǒushù 명 〔醫〕 뇌의 외과 수술.
〔开录〕 kāilù 동 쓰기 시작하다. 기록하다.
〔开路〕 kāi.lù 동 ①길을 트다. 길을 내다. ¶逢山~, 遇水搭桥; 산을 만나면 길을 내고, 강을 만나면 다리를 놓는다. ②앞에서 길을 안내하다. 선도하다. ¶~先锋; 선구자. 선봉대. 선결 조건 / 他是这个地区经济体制改革的~; 그는 이 지역 경제 체제 개혁의 선구자다. =〔开道③〕 ③망혼(亡魂)을 인도하다. ④돌아가다. 명 〔電〕 개방 회로. 오픈 서킷(open circuit). =〔断duàn路〕
〔开路神〕 kāilushén 명 장의(葬儀) 행렬의 선두에 들고 나가는 무서운 형상의 종이 인형. =〔开路鬼〕
〔开绿灯〕 kāi lǜdēng 청색 신호를 보내다(허가하다. 시인하다).
〔开罗〕 Kāiluó 동 〔地〕 〈音〉 카이로(Cairo)('埃及'(이집트: Egypt)의 수도). ¶~宣言; 카이로 선언.
〔开锣〕 kāi.luó 동 ①〔劇〕 공연을 시작하다. 개연(開演)하다(중국 전통극에서, 당일의 연극이 시작됨을 말함. 개연 시간이 되면 '闹台'(징이나 북을 쳐서 흥을 고조시키는 것)가 행하여짐). ②〈比〉(시합이나 회의 등이) 시작되다. 개시되다.
〔开麦拉〕 kāimàilā 명 〈音〉 카메라. =〔照相机〕〔撮影机〕〔开末拉〕
〔开卖机〕 kāimàijī 명 자동 판매기.
〔开眉〕 kāiméi 동 눈살이 펴지다. 웃는 얼굴이 되다.
〔开门〕 kāi.mén 동 ①문〔도어〕을 열다. 개점하다. 상점을 열다. ¶有人敲门, 快~去; 누군가가 문을 두드리고 있다. 빨리 열어 주어라 / 商店在早晨九点钟~; 상점은 아침 9시에 문을 연다. ②준비가 다 되어서 노름을 시작하다. ③문호를 개방하다. (참가하는) 기회를 주다. ④공개하다. 공적으로 …을 행하다.
〔开门办学〕 kāimén bànxué 문화 혁명기에 강조된 학교 운영 방식으로, 교실 안에서의 수업뿐만 아니라 공장·농촌 등을 방문하며 학문과 실제를 연계시키는 방식.
〔开门红〕 kāiménhóng 〈比〉 좋은 스타트를 끊다〔끊기〕. 처음부터 대성공하다〔하기〕.
〔开门见山〕 kāi mén jiàn shān 〈成〉 중간의 것은 생략하고 곧장 본론으로 들어가다. (말·문장 등이) 단도직입적으로 본론에 들어가다. ¶~问有这么回事没有; 대뜸 이런 일이 있었는지 어떤지를 묻다.
〔开门见喜〕 kāi mén jiàn xǐ 〈成〉 처음부터 기쁜 일이 있다.
〔开门七件事〕 kāimén qījiànshì 명 땔나무·쌀·기름·소금·장·초·차의 일곱 가지 물건(생활 필수품).
〔开门儿放〕 kāi ménr fàng 방면(放免)하다. 석방하다. 관대하게 보다. 용서하다.
〔开门揖盗〕 kāi mén yī dào 〈成〉 문을 열고 도둑을 맞아들이다. 스스로 재앙을 끌어들이다〔끌어들이는 짓을 하다〕. →〔引yǐn狼入室〕
〔开门整党〕 kāimén zhěngdǎng 당 조직이 비(非)당원·대중을 참가시켜서 당내의 사상 비판과 당 조직의 정돈을 실시하는 일.
〔开门整风〕 kāimén zhěngfēng 비(非)당원·대중을 참가시켜서, 당원에 대한 비판과 당원의 자기 비판을 통하여 당원이 공작 활동·생활 태도를 개선하는 운동.
〔开蒙〕 kāi.méng 동 ⇨〔启qǐ蒙〕
〔开面〕 kāimiàn 동 낯〔체면〕을 세우다. 면목을 세우다.
〔开庙〕 kāimiào 명 사원(寺院)의 개장(開場). 공양날. 동 사당을 열다.
〔开敏〕 kāimǐn 형 이해가 빠르다. 재치 있다.
〔开明〕 kāimíng 형 개명하다. 개화하다. (사상이 진보적이며) 보수적이 아니다. ¶~份子 =〔~人士〕; 보수적 계급에 속해 있으면서 비교적 진보적인 입장을 취하는 사람 / ~绅士 =〔~地主〕; 봉건적 지주 계급에 속하는 사람 중에서, 비교적 진보적인 사상을 가진 층.
〔开幕〕 kāi.mù 동 ①연극의 막을 열다. 개막하다. ¶几点钟~? 몇 시에 개막하지? ②(회의·전람회 따위가) 시작되다. 개회하다. 개업하다. ¶银行~; 은행이 개업하다 / ~礼 =〔~式〕〔~典礼〕; 개업식 / ~词; 개회사. (kāimù) 명 개막. 개업. 개회.
〔开年〕 kāinián 동 새해가 밝다. 명 ①연초(年初). ¶今年~以来; 금년의 연초 이래. ② ⇨〔明míng年〕
〔开拍〕 kāipāi 동 ①거래소에서의 매매를 개시하다. ②〔映〕 촬영을 개시하다.
〔开牌〕 kāi.pái 동 트럼프·마작(麻雀)을 시작하다.
〔开盘(儿)〕 kāipán(r) 명 〔商〕 개장(開場). 거래 개시. ¶~价格; 개장 가격. =〔初chū开②〕 ↔〔收shōu盘〕 →〔盘⑤〕 (kāi.pán(r)) 동 ①(옛날, 증권·황금 등 교역소가) 영업을 개시하다. ② ⇨〔打dǎ茶围〕
〔开盘子〕 kāipánzi 동 ⇨〔打dǎ茶围〕
〔开嗙〕 kāipǎng 동 〈京〉 (아는 체하며) 허풍을 떨다. 자랑을 늘어놓다.
〔开炮〕 kāi.pào 동 ①포를 쏘다. 발포하다. =〔放fàng炮〕 ②(상대방을) 공격하다. 날카롭게 비판하다. 비난의 화살을 퍼붓다. ¶他始终不承认chéngrèn错误, 所以大家一齐对他开了炮; 그가 끝까지 잘못을 인정하지 않자, 모두 일제히 그에게 비난을 퍼부었다.
〔开配〕 kāipèi 명동 배급 개시(하다).
〔开辟〕 kāipì 동 ①통로(通路)를 열다. ②새로 열다. 창립하다. ¶~航线; 항로를 개설하다. ③개척하다. ¶~前进的路; 전진할 길을 열다 / ~货源; 상품의 공급원을 개척하다 / ~新的领域; 새

로운 영역을 개척하다 / ～边疆; 변경을 개척하다. 명 개벽(‘开天辟地’의 약칭).
〔开篇〕 kāipiān 명 ‘弹词’에서 이야기를 들려 주기 전에 부르는 ‘唱chàng词’.
〔开瓢儿〕 kāi,piáor 동 〈俗〉 머리를 깨다. 골통이 깨지다. ¶你少招根, 留神叫人开了瓢儿; 남에게 원한을 사서, 골통이 깨지지 않도록 조심해야 한다.
〔开票〕 kāi,piào 동 ①개표하다. ②어음을 발행하다. ③영수증 따위를 만들다〔끊다〕.
〔开屏〕 kāi,píng 동 ①병풍을 펴다. ②병풍 모양으로 펴다. ¶孔雀在～; 공작이 병풍같이 날개를 펴고 있다.
〔开普敦〕 Kāipǔdūn 명 《地》 케이프타운(Cape Town)《아프리카 남단의 항구 도시》.
〔开铺〕 kāi,pù 동 ①점포를 열다. ②〈比〉 기루(妓樓)에 묵다.
〔开启〕 kāiqǐ 동 ①(동력 등을) 열다. 넣다. ¶开关能自动～; 노즐(nozzle)이 자동적으로 열리다. ②계몽하다. ¶知识是～生活的钥匙; 지식은 생활을 여는 열쇠다.
〔开气(儿)〕 kāiqì(r) 명 ⇨〔开衩(儿)〕
〔开钱〕 kāiqián 동 돈을 지불하다.
〔开枪〕 kāiqiāng 동 (소총 · 권총 · 기관총 등을) 발포〔발사〕하다. ¶他要再跑, 你就～; 그 녀석이 다시 도망을 치면 발포해라. =〔放fàng枪〕
〔开腔〕 kāi,qiāng 동 ①〈俗〉 입을 열다. 말을 하다. 지껄여 대다. ¶他头一个～; 그가 맨 먼저 발언하다 / 怎么不～? 왜 잠자코 있는가? ②노래하기 시작하다.
〔开窍(儿)〕 kāi,qiào(r) 동 ①깨닫다. 분별이 서다. 빨리 깨닫다. ¶思想开了窍, 工作才做得好; 생각 속에서 납득이 가야만 일을 훌륭히 할 수 있다. ②자극하다. ③기분이 시원해지다. 기분을 풀다. ④정욕(情慾)을 일으키다. ⑤철이 나다. 사춘기에 접어들다. ⑥〈方〉 견문을 넓히다《풍자의 뜻이 있음》. ¶到人家那儿一看可～多了; 이웃집에 가서 보고 많은 견문을 넓혔습니다.
〔开秋〕 kāiqiū 동 가을이 되다. 명 초가을.
〔开球〕 kāiqiú 명 《體》 ①시구(始球). ②시축(始蹴). 킥오프. (kāi,qiú) 동 시축하다. 시구하다.
〔开渠抗旱〕 kāiqú kànghàn 수로를 만들어 가뭄에 대항하다.
〔开缺〕 kāi,quē 동 (옛날에, 관리의 사직 또는 사망으로) 공석(空席)이 생기다.
〔开刃儿〕 kāi,rènr 동 ⇨〔开口③〕
〔开塞钻〕 kāisāizuàn 명 코르크 마개 따개. =〔螺luó锥〕
〔开山〕 kāi,shān 동 ①산을 무너뜨리다. 산림(山林)을 개간하다. ¶～造田; 산을 개간해서 논밭을 만들다. ②명산(名山)에 처음으로 사원(寺院)을 짓다. ③(일시적으로) 산을 개방하다. (kāishān) 명 (절의) 개조(開祖). 개산(開山). ¶～老祖; (도시의) 건설자. (나라의) 창건자. (학교 · 회사의) 창립자. (학파 · 종파의) 개조. (학술 · 기예 따위의) 창시자.
〔开山窗〕 kāishānchuāng 명 지붕에 낸 (채광용(採光用)의) 창문.
〔开山机〕 kāishānjī 명 〈俗〉 채광용(採鑛用)의 이동식 공기 압축기.
〔开山立户〕 kāishān lìhù 개업해서 상점을 가지다. ¶在北京～; 베이징(北京)에서 개업하다.
〔开山祖师〕 kāishān zǔshī ①《佛》 절을 창건한 사람. ②〈轉〉 일종일파(一宗一派)의 개조(開祖). 시조(始祖).
〔开衫〕 kāishān 명 카디건(cardigan). =〔开襟绒线衫〕〔开胸毛衫〕〔对duì襟毛(绒)衣〕
〔开墒〕 kāi,shāng 동 (정지(整地)할 때에) 먼저 쟁기로 도랑을 파고, 그 도랑을 따라 차례로 이랑을 만들어 가다. =〔开犁②〕
〔开设〕 kāishè 동 ①(학과목을) 개설하다. 설치하다. ②설립하다.
〔开审〕 kāishěn 동 《法》 재판을〔심리를〕 시작하다.
〔开食〕 kāishí 동 ①직장을 얻어 밥을 먹을 수 있게 되다. ②(봄이 되어 물고기가) 먹이를 먹기 시작하다.
〔开始〕 kāishǐ 동 개시하다. 착수하다. ¶～一项新的工作; 새로운 일에 착수하다. 명 최초. 처음. ¶～有人反对; 처음에는 반대하는 사람도 있었다.
〔开驶〕 kāishǐ 동 (배 · 자동차 따위를) 운행하다. 운행을 시작하다.
〔开士〕 kāishì 명 《佛》 ①보살의 별칭. ②〈敬〉 승려에 대한 존칭.
〔开士米〕 kāishìmǐ 명 《紡》 〈音〉 캐시미어(cashmere). =〔开司米〕〔茄士咩〕〔斜xié绒〕
〔开市〕 kāi,shì 동 ①(가게 따위에서 휴일이 끝나고) 가게를 열다. 영업 개시하다. ¶这个商店每年春节都是一过初一就～; 이 상점은 매년 음력설을 하루 보내면 곧 영업을 시작한다 / ～大吉; 장사가 번창함. ②(가게에서) 그 날의 첫거래를 하다. 마수걸이를 하다. ③개점〔개업〕하다. ¶多咱～呢? 언제 개점합니까?
〔开示〕 kāishì 동 지시하다. 가리켜 보이다.
〔开事律〕 kāishìlǜ 명 케이스 로(case law). =〔判例法〕
〔开释〕 kāishì 동 석방하다. 석방되다. ¶他在英国被控坐了九年牢, 至本月三日始获huò～; 그는 영국에서 기소되어 9년 동안 감옥에 있었으나, 이 달 3일에 겨우 석방되었다.
〔开手〕 kāishǒu 동 시작하다. ¶明天～办吧! 그럼 내일부터 시작합시다! 명 시초. 시작. ¶～顺利, 后来却输了; 처음에는 잘 나갔는데, 나중에 지고 말았다.
〔开首〕 kāishǒu 명 〈方〉 처음. 최초. ¶她～不同意, 后来答应了; 그녀는 처음에 동의하지 않았지만 후에 승낙했다.
〔开曙〕 kāishǔ 명 〈文〉 여명(黎明).
〔开水〕 kāishuǐ 명 ①끓인 물. ¶热～; 끓는 물. 열탕 / 喝温wēn～; 미지근한 물을 마시다 / 凉liáng～; 끓이어 식힌 물 / 烧shāo～; 물을 끓이다. ②끓는 물. 열탕. =〔沸fèi水〕〔沸汤①〕〔〈方〉滚gǔn水〕〔滚汤〕 →〔热rè水〕〔汤tāng①〕
〔开(水)壶〕 kāi(shuǐ)hú 명 주전자. =〔水壶〕
〔开司〕 kāisī 명 〈音〉 키스(kiss). =〔接吻〕
〔开司米〕 kāisīmǐ 명 ⇨〔开士米〕
〔开锁〕 kāi suǒ 자물쇠를 열다.
〔开台〕 kāitái 동 《劇》 (연극 등이) 개막하다. 시작하다. ¶～锣鼓; 개막을 알리는 악기《나팔 · 북 · 꽹과리 따위》 / 戏已～; 연극이 이미 시작되었다.
〔开谈判〕 kāi tánpàn 담판을 하다.
〔开汤〕 kāitāng 동 수프(soup)를 만들다.
〔开膛〕 kāi,táng 동 (동물의 배를) 째다. 가르다.
〔开特皮拉〕 kāitèpílā 명 《機》 〈音〉 캐터필러(caterpillar).
〔开天窗〕 kāi tiānchuāng ①매독 환자의 코가 썩어 문드러지다. ②신문의 기사가 당국의 검열로 삭제되어 공백이 생기다.

〔开天辟地〕 kāi tiān pì dì 〈成〉 천지개벽. ①개벽 이래. 유사 이래. ¶～第一回; 시작하고서 제1회. ②자연을 개조하다.
〔开条斧〕 kāi tiáofǔ 〈俗〉 조르다. 강요하다. ¶自从他的儿子入了大学以后, 交结了一些流氓学生, 时不常儿地跟他父亲～; 그의 아들은 대학에 들어간 뒤로는 불량 학생들과 사귀어, 늘 아버지에게 돈을 뜯어 가고 있다.
〔开庭〕 kāi.tíng 동 《法》 (법정을) 개정하다. ¶～审判; 개정해서 재판하다 / ～记录; 공판 기록 / ～宣判; 개정해서 판결을 언도하다.
〔开通〕 kāitōng 동 ①장애물을 제거하다. 개통하다. ¶～河道; 강을 준설하여 배가 다니도록 하다 / 航道已经～了; 항로는 이미 개통되었다. ②계발하다. 개화시키다. ¶～风气; (보수적인 풍습을) 개화시키다. ③진척되다.
〔开通〕 kāitong 형 개명하다. 깨다. 진보적이다. ¶他很～; 그는 상당히 깨어 있다 / 思想～; 사상이 진보적이다.
〔开头(儿)〕 kāi.tóu(r) 동 시작되다. 시작하다. ¶话刚开个头(儿); 이야기가 막 시작되었다 / 我们的学习刚～, 你现在来参加还赶得上; 우리들의 학습은 이제 막 시작하였으므로, 네가 지금 참여하여도 따라올 수 있다. (kāitóu(r)) 명 시초. 처음. 최초. 첫째로. ¶信的～; 편지의 첫머리 / 现在还回到我～所说的话; 여기서 다시 처음 말한 이야기로 돌아간다.
〔开头儿〕 kāitour 동 열 만한 가치. ¶没有什么～呀; 개회해 봤자 별수없다.
〔开投〕 kāitóu 명동 입찰 개표(하다). ¶当众～方式; 공중 앞에서 입찰을 개표하는 방식.
〔开腿〕 kāi.tuǐ 동 (재빨리) 발을 내디디다. 성큼성큼 걷다. ¶他～往前猛跑; 그는 재빨리 앞으로 뛰기 시작했다 / ～逃táo跑; 성큼성큼 도망치다.
〔开脱〕 kāituō 동 사건으로부터 해방시켜 주다. 남의 책임을 해제하여 주다《혐의가 풀려서》. (죄·과실·책임 따위에서) 벗어나다. 면하다. ¶～责任; 책임을 면하다 / ～杀人的罪名; 살인이라는 죄명에서 벗어나다. =〔开豁〕〔出脱①〕
〔开拓〕 kāituò 동 개척하다. 개간하다. ¶在荒原上～出一大片农田; 황야에 너른 밭을 개간하였다 / 为发展石油工业～一条道路; 석유 공업 발전을 위하여 도로를 하나 만든다. 명 《鑛》 (광산의) 개발《채굴 전에 갱도 등의 시설을 만드는 공정의 총칭》.
〔开挖〕 kāiwā 동 개삭(開削)하다. 파다.
〔开外〕 kāiwài 명 (나이나 수가) …이상. …남짓. ¶四十岁～; 40세 이상 / 东西六十里～; 동서 60리 이상. =〔出头〕
〔开玩笑〕 kāi wánxiào ①놀리다. 농담을 하다. ¶他是跟你～的; 그는 자네를 놀리고 있는 거야 / 别～; 농담하지 마라 / 随便开两句玩笑; 마음대로 두세 마디 농담을 하다. ②장난으로 하다. ¶这事跟许多人的安全有关系, 可不是～的事情; 이것은 여러 사람의 안전에 관한 일로 결코 장난거리가 아니다.
〔开往〕 kāiwǎng 동 ①차 따위로 …에 가다. ②…로 향해 발차〔출범〕하다.
〔开胃〕 kāiwèi 동 ①입맛이 나다. ¶～的食品; 식욕을 돋우는 식품 / 不～; 식욕이 없다. ②〈方〉 놀리다. 깔보다.
〔开物成务〕 kāi wù chéng wù 〈成〉 도리(道理)를 알고 도리로써 행하면 성공한다.
〔开线〕 kāi xiàn 동 실이 풀리다. (솔기 따위가) 터지다. (kāixiàn) 명 실의 풀림.
〔开箱〕 kāixiāng 동 ①상자를 열다. 짐을 풀다. ②(극장에서 새해에) 공연을 시작하다. ③결혼 후 혼수함을 열고 시가 사람들에게 보이다《이 때 가족들은 각기 신부에게 선물을 줌》.
〔开消〕 kāixiāo 명 비용. 동 해고하다. ¶把佣人都～了; 고용인을 모두 해고하였다. ‖ =〔开销〕
〔开销〕 kāixiāo 동 ①비용을 지불하다. ②해고(解雇)하다. ¶被明家～了; 명씨 집에서 해고당하다. 명 출비(出費). ¶一年的～; 1년간의 출비. ‖ =〔开消〕
〔开小差(儿)〕 kāi xiǎochāi(r) ①옛날, 병사가 외출시에 신고서를 쓰다. 〈比〉 (군인이) 탈주하다. ②살짝 도망가다. (일·공부 따위를) 빼먹다. ¶他上课早退, 补课～; 그는 수업은 조퇴하고 보충 수업도 빼먹는다. ③도피처만 찾다. ¶遇到困难, 不找办法, 光想～呀; 어려움에 부닥치면 방도는 생각지도 않고, 도피할 생각만 하고 있다. ④〈比〉 (회의나 학습시에) 마음은 거기에 없고 멍청해 있다. 멍해 있다. ¶思想不能～; 정신을 집중하지 않으면 안 된다.
〔开心〕 kāi.xīn 동 ①기분을 풀다. 마음이 풀리다. ②놀리다. 희롱하다. ¶拿我～ =〔寻我～〕; 나를 놀린다 / ～话; 농담. ③〈文〉 마음의 눈을 틔어 주다. 계발하다. ④〈文〉 성의를 보이다. 형 〈南方〉 유쾌하다. 즐겁다. ¶～的事; 즐거운 일.
〔开心果〕 kāixīnguǒ 명 피스타치오(pistachio)《건조과(乾燥果)》.
〔开心丸儿〕 kāixīnwánr 명 ⇨〔宽kuān心丸儿〕
〔开行〕 kāixíng 동 (차나 배를) 운전하다. 움직이다. 발차하다. ¶火车已经～了; 기차는 벌써 발차했다.
〔开学〕 kāi.xué 동 학교〔학기〕가 시작되다. ¶～典礼; 개학식 / 这个学期是九月一号～; 이번 학기는 9월 1일부터 시작된다.
〔开言〕 kāi.yán 동 말하기 시작하다. 입을 열다《희곡(戲曲)에서 많이 쓰이는 말》.
〔开言透语〕 kāi yán tòu yǔ 〈成〉 말을 분명히 하다. 말에 숨김이 없다. ¶有什么事你就～地说吧! 할 말이 있으면 숨기지 말고 해라!
〔开筵〕 kāiyán 동 연회를 열다〔마련하다〕. 연회를 시작하다.
〔开颜〕 kāiyán 동 〈文〉 웃음을 짓다. 웃다.
〔开眼〕 kāi.yǎn 동 (진기한 것·아름다운 것을 보고) 견문을 넓히다. 눈을 뜨다.
〔开眼界〕 kāi yǎnjiè 시야를 넓게 하다. 시야가 넓어지다.
〔开演〕 kāiyǎn 동 개연하다. 연설·연극 등을 시작하다. ¶～时间; 개연 시간.
〔开验〕 kāiyàn 동 (세관 등에서 화물을) 열고 검사하다.
〔开洋〕 kāiyáng 명 〈方〉 약간 큰 새우를 말린 것. =〔虾米〕
〔开洋荤〕 kāi yánghūn 처음으로 무엇을 하다《농조의 말》. ¶～吃西餐; 처음 서양 요리를 먹다.
〔开业〕 kāi.yè 동 ①개업하다. ②영업을 시작하다.
〔开夜车〕 kāi yèchē ①야간 열차를 운전하다. ②(야업(夜業)이나 시험 준비에서) 철야하다. 밤일하다. ¶开了个夜车完成了工作; 야간 작업을 하여 일을 완성하였다. =〔做夜工〕
〔开议〕 kāiyì 동 〈文〉 개의하다. 의제의 토의를 시작하다.
〔开音节〕 kāiyīnjié 명 《言》 개음절《모음 또는 이중모음으로 끝나는 음절》.

〔开印〕 kāiyìn 명동 〈文〉 시무(始務)(를 하다)《청대(淸代)에 연말에는 관인을 봉하고, 정월 보름경에 그 봉인을 풀었음》. ↔〔封fēng印〕
〔开映〕 kāiyìng 동 영화를 개봉하다.
〔开硬弓〕 kāi yìnggōng 〈比〉 (반대 따위를 무릅쓰고) 억지로 하다. 강행하다.
〔开元〕 kāiyuán 명 ①〈文〉 개국(開國). ②(Kāiyuán) 당현종(唐玄宗)의 연호(年號)(713-741).
〔开元音〕 kāiyuányīn 명 《言》 개구 모음(開口母音). =〔开韵〕〔下xià降元音〕
〔开源〕 kāiyuán 동 공급원을 개발하다. 자금원을 개척하다. ¶～节流; 재원을 개척하고, 지출을 절약하다.
〔开云见天〕 kāi yún jiàn tiān 〈成〉 구름이 걷히고 하늘이 보이다《암흑을 쫓아 내고 광명을 맞이함. 오해가 풀림》.
〔开载〕 kāizǎi 동 〈文〉 기재하다.
〔开凿〕 kāizáo 동 (운하·터널 따위를) 파다. 굴착하다. ¶～隧道; 터널을 파다 / ～渠道; 수로를 파다.
〔开闸〕 kāi,zhá 동 ①수문을 열다. ②(봇물이 터진 것처럼) 확 터져 나오다.
〔开斋〕 kāi,zhāi 동 ①⇨〔开荤①〕 ②(이슬람교 등에서) 라마단(Ramadan) 재계(齋戒)를 끝내다.
〔开斋节〕 Kāizhāijié 명 《宗》 (이슬람교의) 단식 재계가 끝나는 날. 소(小)바이람제(Bairam祭).
〔开展〕 kāizhǎn 동 (소(小)에서 대(大)로 점차) 펴지다. 펼치다. 확대하다. 전개(展開)하다. ¶～城乡交流; 도시와 농촌의 교류를 확대하다 / ～韩中贸易; 한·중 무역을 확대하다 / ～体育运动; 체육 운동을 전개하다. 명 전개. 발전. ¶推动工作的～; 일의 발전을 촉진하다. 형 (생각·기분·성격이) 명랑하고 낙관적이다. 활달하다. ¶这个人不大～; 이 사람은 그다지 활달하지가 못하다.
〔开战〕 kāi,zhàn 동 개전(開戰)하다. =〔开仗〕 →〔开火(儿)〕 (kāizhàn) 명 개전.
〔开绽〕 kāi,zhàn 동 (솔기가) 터지다. ¶鞋～了; 신발이 떨어졌다.
〔开张〕 kāi,zhāng 동 ①개점하다. 창업하다. 영업을 시작하다. ¶这家百货商店明天～; 이 백화점은 내일 영업을 시작한다. ②그 날의 첫거래를 시작하다. 마수걸이를 하다. ③〈比〉 (일을) 시작하다. ④처음 성약(成約)하다. (kāizhāng) 명 ①개점. 창업. ②(가게의 매일의) 개점. ③일의 시초. ④처음으로 하는 거래. 마수걸이.
〔开仗〕 kāi,zhàng 동 전쟁을 시작하다. =〔开战zhàn〕
〔开账〕 kāi,zhàng 동 ①거래 금액을 적다. 계산을 기장(記帳)하다. ②(음식점이나 호텔에서) 셈을 치르다.
〔开棹〕 kāizhào 동 〈文〉 배를 저어 나가다.
〔开证银行〕 kāizhèng yínháng 명 신용장 개설 은행.
〔开支〕 kāizhī 동 ①지출하다. ¶由国库～; 국고에서 지출하다. ②〈方〉 임금(賃金)을 지불하다. 명 지출. 비용. ¶严格地节省～; 엄격히 지출을 절약하다 / 生活～; 생활비.
〔开筑〕 kāizhù 동 (도로를) 개통시키다.
〔开宗明义〕 kāi zōng míng yì ①효경(孝經)의 제1장(章)의 편명(篇名). ②전서(全書)의 취지를 밝히고 있다. ③담화나 문장 서두에 그 취지를 밝히는 일. 조리 있게 그 의의를 밝힘.
〔开走〕 kāizǒu 동 ①(군대 등이) 출발하다. ②차가 나오다. (어떤 곳에서) 멀어지다.
〔开足马力〕 kāizú mǎlì 전속력을 내다.
〔开罪〕 kāizuì 동 ①…에 못할 짓을 하다. 죄를 짓다. ¶不要～于人! 남에게 못할 짓을 해서는 안 된다! ②감정을 해치다. 남의 미움을 사다. =〔得罪〕

锎(鐦) kāi (개) 명 《化》 칼리포르늄(Cf: californium)《방사성 원소》.

揩 kāi (개) 동 ①비벼 닦다. 닦아 내다. ¶～汗; 땀을 닦다 / ～眼泪; 눈물을 닦다 / 用毛巾～; 타월로 닦아 내다 / 把桌子～干净; 탁자를 깨끗이 닦다. ②말소하다.
〔揩背〕 kāibèi 동 〈文〉 등을 문지르다. 등을 닦다.
〔揩布〕 kāibù 명 행주.
〔揩掉〕 kāidiào 동 닦아 내다.
〔揩干净〕 kāi gānjìng 깨끗이 닦다〔훔치다〕.
〔揩黄鱼〕 kāi huángyú 〈方〉〈俗〉 ①무임 승차하다. ②운전수에 돈을 주고 규정 운임보다 싼 값으로 타다.
〔揩拭〕 kāishì 동 닦다. 문지르다.
〔揩刷〕 kāishuā 명 〈南方〉 칠판 지우개.
〔揩油〕 kāi,yóu 동 ①〈比〉 흉계〔속임수〕를 써서 단단히 재미를 보다. ¶揩国家的油; 국가의 돈을 속임수를 써서 착복하다. ②공짜로 벌다. ③남의 불에 게 잡는다. =〔借花献佛〕 ④(돈이나 물건을) 속이다. 우수리를 떼어먹다《심부름으로 물건을 살 때 따위에》.
〔揩桌布〕 kāizhuōbù 명 〈方〉 행주.

岂(豈) kǎi (개) 형 화락하게 즐기다. =〔恺①〕〔凯②〕 ⇒ qǐ

剀(剴) kǎi (개) →〔剀切〕

〔剀切〕 kǎiqiè 형 〈文〉 ①적절하다. 사리에 합당하다. ¶～中理; 적절하고 이치에 맞다 / ～详明; 적절하고 상세 명료하다. ②착실하다. 성실하다. ¶～教导; 착실히 지도하다.

凯(凱) kǎi (개) ①명 전승의 환호. 승리의 함성. 개가. ¶～歌; ⇩ / 奏zòu～; 개가를 올리다. ②형 즐기다. ③형 부드러워지다. ④형 좋은. ⑤형 즐겁다. ⑥명 성(姓)의 하나.
〔凯尔特人〕 Kǎi'ěrtè rén 명 《民》 〈音〉 켈트인《유럽의 한 종족》.
〔凯歌〕 kǎigē 명 개선가. 승리의 노래. ¶战士们高唱～而归; 전사들이 개선가를 높이 부르며 돌아오다.
〔凯列夫〕 Kǎilièfū 명 《宗》 〈音〉 칼리프(caliph). =〔哈里发〕〔卡里夫〕
〔凯旋〕 kǎixuán 동 개선하다. ¶～归来; 개선해서 돌아오다 / ～牌坊; 승리 축하의 아치(arch).
〔凯乐〕 kǎiyuè 명 전승(戰勝)의 음악.

恺(愷) kǎi (개) ①형 〈文〉 즐겁다. 화락하다. ¶～悌tì; 온화하고 편안하다 / ～乐; 기뻐하며 즐거워하다. ②명 전승의 환호.
〔恺撒〕 Kǎisā 명 《人》 ①카이저(Kaiser). 황제. ②카이사르(Caesar). ‖ =〔凯撒〕

闿(闓) kǎi (개) 〈文〉 ①동 열다. =〔开启〕 ②'恺kǎi'에 통용되며, 인명용 자(字).

垲(塏) kǎi (개)
형 〈文〉 땅이 높고 메마르다. ¶爽~ = 〔~朗〕; 건조하고 상쾌하다.

铠(鎧) kǎi (개)
명 갑옷. ¶~甲; 갑옷 / ~仗zhàng; 갑옷과 무기 / ~马mǎ; 옛날, 방어용 갑옷을 입힌 군마 / ~装电缆; 장갑(裝甲) 케이블.

慨〈嘅〉④ kǎi (개)
①통 분격하다. 흥분하다. ¶慷~激昂; 〈成〉 비분강개(悲憤慷慨)하다. ②형 우물쭈물하지 않다. 서슴없다. 흔쾌하다. ¶~允; ⇩ ③형 슬퍼하다. ④통 개탄하다. 탄식하다. ¶~叹; ⇩

〔慨不追究〕 kǎi bù zhuī jiū 〈成〉 관대하게 보고 일체 추궁하지 않다. 일체 추구(追求)하지 않다.
〔慨而慷〕 kǎi ér kāng ①자신을 희생하여 어려운 일에 부딪칠 기개가 있다. ②활수(滑手)하다. 시원시원하다.
〔慨愤〕 kǎifèn 통 〈文〉 개탄하며 분개하다.
〔慨恨〕 kǎihèn 통 〈文〉 개탄하며 원망하다.
〔慨慨〕 kǎikǎi 형 〈文〉 몹시 개탄하는 모양.
〔慨诺〕 kǎinuò 통 ⇨〔慨允〕
〔慨然〕 kǎirán 형 ①흔쾌하다. 시원시원하다. ¶他~应允; 그는 흔쾌히 응낙했다. ②감개(感慨)하다. ¶~长叹; 감개무량하여 깊이 탄식하다.
〔慨世〕 kǎishì 통 〈文〉 세상을 개탄하다.
〔慨叹〕 kǎitàn 통 걱정하며 한탄하다.
〔慨息〕 kǎixī 통 〈文〉 탄식하다. →〔叹tàn息〕
〔慨允〕 kǎiyǔn 통 시원스레 대답하다. 쾌히 승낙하다. ¶~捐助; 기부하여 도울 것을 쾌히 승낙하다. =〔慨诺nuò〕

蒈 kǎi (개)
명 《化》 카란(carane).

楷 kǎi (해)
명 ①법식(法式). 모범. ¶~模; ⇩ ②해서(楷書). ¶小~; 가는 글자의 해서 / 正~; 정체(正體)의 해서. ⇒jiē

〔楷法〕 kǎifǎ 명 해서의 서법(書法).
〔楷模〕 kǎimó 명 모범. 본보기. ¶先烈的行事, 可以做我们的~; 선열의 행적은 우리들의 모범으로 삼을 수가 있다.
〔楷书〕 kǎishū 명 해서. =〔正楷〕
〔楷体〕 kǎitǐ 명 ①해서(楷書). ②표음 자모(表音字母)의 인쇄체.

锴(鍇) kǎi (개)
명 〈文〉 정제한 쇠. 좋은 철(鐵)《인명용 자(字)》.

忾(愾) kài (개)
통 분개하다. 성내다. ¶同仇敌~; 〈成〉 다 같이 적개심을 일으켜 적에 대항하다.

咳 kài (해)
'咳ké'의 문어음(文語音). ¶~唾tuò; 기침과 침. 말소리. 〈比〉 손윗사람·장자(長者)·학문이 뛰어난 사람의 입에서 나온 의견·담론. ⇒hāi hài kǎ ké

欬 kài (해)
통 〈文〉 기침을 하다.

愒 kài (개)
통 〈文〉 탐하다.

KAN ㄎㄢ

刊〈栞〉 kān (간)
①통 새기다. ¶~石; 돌에 새기다 / 宋元~本; 송(宋)·원대(元代)에 판목(版木)에 새겨진 책. ②통 출판하다. 간행하다. ¶创chuàng~; 창간하다 / 停tíng~; 정간하다〔되다〕 / 期qī~; 정기 간행(물) / 副fù~; (신문 따위의) 문예〔학예〕란 / 本报用汉, 蒙, 藏文字~行; 본 신문은 중국어, 몽고어, 티베트어로 간행된다. ③통 삭제하다. 고치다. ¶不~之论; 〈成〉 지리 지당(至理至當)한 명언(名言). ④명 간행물.

〔刊版〕 kānbǎn 통 제판〔조판〕 인쇄하다. 명 판(版).
〔刊布〕 kānbù 통 〈文〉 인쇄물에 의해 공포하다. 간행하여 반포(頒布)하다.
〔刊出〕 kānchū 통 간행하다. 발간하다. ¶这一件事情老早就~了; 이 사건은 오래 전에 활자화되어 발표되었다.
〔刊登〕 kāndēng 통 인쇄물에 싣다〔실리다〕. ¶~定期广告; 정기 광고를 싣다 / 各报~了展览会的消息图片; 각 신문은 전람회의 뉴스와 사진을 게재하였다. =〔刊载〕
〔刊定〕 kāndìng 통 개정(改訂) 간행하여 정본(定本)으로 하다.
〔刊发〕 kānfā 통 출판하다. 발간하다. ¶你马上把这个稿子送到报馆去~吧; 너는 곧장 이 원고를 신문사로 보내서 발간되도록 하여라.
〔刊件〕 kānjiàn 명 인쇄물.
〔刊刻〕 kānkè 통 판목(版木)에 새기다. 명 판각(版刻).
〔刊例〕 kānlì 명 신문·잡지 따위의 광고 등재 규칙《광고료 따위》.
〔刊落〕 kānluò 〈文〉 통 ①틀린 곳을 삭제하다. ¶此页~一字; 이 페이지에서 한 자(字) 삭제했다 / ~陈言; 진부한 말을 삭제하다. ②조판(組版)할 때 탈자(脫字)하다. 명 ①오자(誤字)의 삭제. ②조판상의 탈자.
〔刊谬〕 kānmiù 통 잘못을 삭제하다. 교정하다. ¶~补缺; 잘못을 바로잡고 부족을 보충하다.
〔刊启〕 kānqǐ 통 게재하여 인사하다. 인사를 게재하다.
〔刊授大学〕 kānshòu dàxué 명 잡지 구독자를 대상으로 하는 통신 교육의 하나.
〔刊头〕 kāntóu 명 신문·잡지 따위의 그 명칭·호수 따위가 표시되어 있는 장소.
〔刊物〕 kānwù 명 간행물. 출판물. ¶办~; 간행물을 내다 / 预订~; 간행물을 예약하다 / 内部~; 내부〔비밀〕 간행물 / 定期~; 정기 간행물.
〔刊误〕 kānwù 통 ①교정하다. ②잘못을 삭제하다. ¶~表; 정오(正誤)표. ‖ =〔刊正〕〔勘正〕
〔刊行〕 kānxíng 명통 인쇄 발행(하다). 간행(하다).
〔刊印〕 kānyìn 통 ①도장을 파다. ②〈比〉 조판 인쇄하다. 인쇄〔간행〕하다.
〔刊载〕 kānzǎi 통 게재하다. ¶~广告; 광고를 싣다 / 次日报上~那个演说; 다음 날 신문에 그 연설이 게재되었다.
〔刊正〕 kānzhèng 통 ⇨〔刊误〕

看 kān (간)

동 ①지켜 보다. 파수 보다. 붙어 있다. ¶～家; ↓/病人得～着; 환자는 옆에서 지켜 보지 않으면 안 된다/我一出门, 没人给我～孩子了; 내가 외출하면 아이를 봐 줄 사람이 없다. ②관리하다. 떠맡다. ¶一个人～六台机器; 혼자서 6대의 기계를 담당하다. ③감시하다. ¶把他～起来; 그를 감시하다. ④구류하다. ¶把他们～起来; 그들을 구금하다. ⇒kàn

〔看财奴〕 kāncáinú 명 수전노. =〔守财奴〕

〔看场〕 kān.cháng 동 (수확기에) 타작 마당을 감시하다.

〔看坟〕 kānfén 동 ①묘를 지키다. ②〈比〉 가난한 생활을 하다(가난한 사람들이 먹는 '窝wō(窝)头'의 형상이 무덤과 비슷하므로 이렇게 이름). ¶他们家现在很苦, 一天两顿竟～; 그의 집은 지금 몹시 어려워서 하루 두 끼는 '窝(窝)头'만 먹고 있다.

〔看坟的〕 kānfénde 명 묘지기.

〔看瓜〕 kānguā 〈比〉 바지를 벗기다. =〔扒bā裤子〕

〔看馆〕 kānguǎn 동 (큰 저택을) 지키다. 집을 지키다.

〔看管〕 kānguǎn 명동 감시(하다). 감금(하다). ¶捉zhuō住他, 先把他～起来; 그를 붙잡아서 우선 감금하자/他还在军事当局的～下; 그는 아직 군당국의 감시 아래 있다. 동 돌보다. 지키다. ¶小孩子没有人～不成; 어린이는 돌보는 사람이 없어서는 안 된다.

〔看护〕 kānhù 동 간호하다. 보살피다. 명 옛날, 간호사. →〔护士〕

〔看家〕 kān.jiā 동 집을 지키다. ¶～的; 집을 지키는 사람. 호위/你们都去逛去, 我一个人～; 너희들은 모두 놀러 가거라, 내가 혼자서 집을 지키겠다. (kānjiā) 명 십팔번(十八番). 장기(長技).

〔看家本领〕 kānjiā běnlǐng 비장의 수법〔수단〕. 비법〔비전〕. ¶这是英国政治家的～; 이것은 영국 정치가의 비장의 수법이다. =〔看家本事〕

〔看家狗〕 kānjiāgǒu 명 ①번견. 파수 보는 개. =〔守shǒu犬〕 ②〈轉〉 추종자. 아첨꾼.

〔看家戏〕 kānjiāxì 명 옛날, 배우 또는 극단이 장기〔특기〕로 하는 연극. 십팔번.

〔看看〕 kānkān 부 곧. 머지않아. 거의. 이윽고. 얼마 안 있으면. ¶这个人～不行; 이 사람은 이제 거의 가망이 없다. =〔堪堪〕〔看看kànkan〕 ⇒kànkan

〔看妈(儿)〕 kānmā(r) 명 애 보는 여자. 보모. =〔看妈妈〕

〔看麦娘〕 kānmàiniáng 명 《植》 둑새풀.

〔看门〕 kān.mén 동 문지기 노릇을 하다. ¶～的; 문지기.

〔看钱鬼〕 kānqiánguǐ 명 ⇒〔守shǒu财奴〕

〔看青(儿)〕 kān.qīng(r) 동 《農》 농작물을 지키다. 농작물을 둘러보다. ¶～的; 농작물을 지키는 사람/～去; 농작물을 지키러〔둘러보러〕 가다.

〔看守〕 kānshǒu 동 ①감시하다. 지켜 보다. ¶在重要地方派人～; 요소마다 감시인을 두다. ②관리하다. 책임을 지다. ¶谁负责～仓库? 누가 창고 관리의 책임을 지고 있는가? ③구류하다. 구금하다. ¶把叛徒～起来; 반역자를 구금하다/～所; 구치소. 명 옛날, 교도소의 교도관.

〔看守内阁〕 kānshǒu nèigé 명 과도 내각. 선거 관리 내각. =〔看守政府〕〔过渡内阁〕〔过渡政府〕

〔看押〕 kānyā 동 (임시로) 유치시키다. 구류하다.

〔看养〕 kānyǎng 동 ①사육하다. ¶～牲口; 가축을 키우다. ②부양하다. ¶～孤儿; 고아를 돌보다.

〔看夜儿〕 kānyèr 명동 야번(夜番)(을 서다).

〔看园子的〕 kānyuánzide 명 꽃밭·차밭·과수원 등의 파수꾼.

〔看栈房的〕 kānzhànfángde 명 창고지기.

〔看座儿〕 kānzuòr 동 옛날, 좌석을 안내하다. ¶～的; 극장의 좌석 안내원.

勘 kān (감)

동 ①교정하다. 교감하다. ¶校～; 교감하다/～误; ↓ ②자세히 조사하다. 실지 조사하다. ¶～探; ↓/～验; ↓ ③심문하다. ¶推～; 죄인을 심문하다.

〔勘测〕 kāncè 동 실지로 조사 측량하다. ¶～储量; 측정 매장량. 명 실지 측량. 조사.

〔勘查〕 kānchá 동 답사하다.

〔勘察〕 kānchá 동 《地質》 (지형·지질 구조·지하 자원 매장 상황 등을 실지로) 조사하다. 시굴(試掘)하다. ¶实地～; 실지로 조사하다. 명 실지 조사. ¶去年冬季已开始进行厂chǎng址的～工作; 지난해 겨울부터 이미 공장용 부지의 실지 조사를 시작했다.

〔勘定〕 kāndìng 동 ①원고를 정정하다. 교열(校閱)하다. ②(회계를) 검사하다. ③(기계를) 점검하다. 명 정정. 교열. 감사. 검사. 점검.

〔勘对〕 kānduì 동 서로 맞추어 보다. 명 서로 맞추어 봄.

〔勘估〕 kāngū 명동 견적(하다). ¶～工程; 공사를 견적하다/原料、制造费以及各方面的情形都得有详细的～; 원료·제조비로부터 각 방면의 사정에 걸친 상세한 견적이 필요하다.

〔勘合〕 kānhé 동 대조하여 조사하다. 공문서에 할인(割印)을 찍다. 명 청대(淸代)에 관리가 공무 출장시 소지하는 신분 증명서.

〔勘校〕 kānjiào 동 책의 내용을 조사해서 고치다. 교정하다.

〔勘掘〕 kānjué 동 탐사 발굴하다.

〔勘量〕 kānliáng 동 〈文〉 측량하다.

〔勘路〕 kānlù 동 (철도·도로의) 건설 예정지를 조사하다.

〔勘探〕 kāntàn 동 (지하 자원을) 탐사하다. 답사하다. ¶～船; (해저 석유의) 탐사선. =〔探勘〕 명 탐사.

〔勘问〕 kānwèn 명동 사문(查問)(하다).

〔勘误〕 kānwù 동 교정하다. 잘못을 교정하다. ¶～表; 정오표.

〔勘验〕 kānyàn 동 ①실지로 조사하다. ②검증(檢證)하다. ③검시(檢屍)하다.

〔勘灾〕 kānzāi 동 재해의 실지 조사를 하다.

〔勘丈〕 kānzhàng 동 (토지·전답을) 측량하다. 실측(實測)하다.

〔勘正〕 kānzhèng 동 (글자를) 교정하다. =〔校正〕

堪 kān (감)

①조동 충분히 …할 능력이 있다. …할 만하다. (…하기에) 족하다. ¶～议; 논의할 만하다/～称佳作; 가작이라고 말하기에 족하다/～胜重任; 중임(重任)을 감당하다/不～设想shèxiǎng; 상상도 할 수 없다. ②동 견디다. 감당하다. 참다. 이겨 내다. ¶不～; 참을 수 없다/难～; 견디기 어렵다/污wū秽不～; 매우〔견디기 어려울 정도로〕 더럽다.

〔堪布〕 kānbù 명 《宗》 ①계율(戒律)을 주관하는 라마승(僧). ②라마 사원(寺院)의 주지(住持). ③

티베트 지방 정부의 승관(僧官).
〔堪察加半岛〕 Kānchájiā bàndǎo 명 《地》 캄차카 반도《시베리아 동부로부터 남쪽으로 돌출한 반도》.
〔堪达罕〕 kāndáhǎn 명 ⇒〔驼tuó鹿〕
〔堪当〕 kāndāng 동 …의 값어치가 있다. 어울리다. 임무를 감당하다. 담당할 수 있다. ¶我怎么能～此任呢? 내가 어떻게 이 임무를 감당할 수 있어?
〔堪火〕 kānhuǒ 부 ⇒〔险些(儿)〕
〔堪堪〕 kānkān 부 거의. 이제 곧. ¶病得很重～要死; 병이 매우 무거워 이제 곧 죽을 것 같다.
〔堪堪儿地〕 kānkānrde 부 마침. ¶他～要出门, 就下起大雨来了; 그가 마침 문을 나가려고 했을 때, 큰비가 내리기 시작했다.
〔堪可〕 kānkě 형 〈文〉 …하기에 족하다. …하여도 좋다. ¶～委用; 채용하여도 무방하다.
〔堪克〕 kānkè 동 〈文〉 잘 견디다〔감당하다〕.
〔堪能〕 kānnéng 동 할 수 있다. 감당하다.
〔堪培拉〕 Kānpéilā 명 《地》 〈音〉 캔버라(Canberra)《'澳大利亚'(오스트레일리아: Australia)의 수도. '坎Kǎn柏剌', '坎培拉', '康Kāng伯拉'라고도 썼음》.
〔堪任〕 kānrèn 동 소임을 감당하다.
〔堪宜〕 kānyí 형 〈文〉 아주 적합하다. 알맞다.
〔堪用〕 kānyòng 형 쓸 수 있다. ¶坏到这步田地, 不～了; 여기까지 무너진다면 쓸 수 없다.
〔堪虞〕 kānyú 형 〈文〉 우려할 만하다. ¶生命～; 생명이 위태로워지고 있다.
〔堪舆〕 kānyú 명 〈文〉 천지(天地). 동 풍수(風水)를 보다. ¶～家; 풍수장이.

戡 **kān** (감)
동 ①(반란을) 진압하다. 평정시키다. ¶～平; 반란을 진압하다 / ～平叛乱; 반란을 평정하다. ②죽이다. ③이기다.
〔戡乱〕 kānluàn 동 반란을 진압하다. 소란을 평정하다.

龛(龕) **kān** (감)
(～儿, ～子) 명 ①탑(塔). ②탑 밑의 1실(室). 감실(龕室). ③불단(佛壇). =〔佛fó龛〕
〔龛影〕 kānyǐng 명 뢴트겐 검사 때 위장의 궤양 부위가 바륨제(劑)에 의해 뢴트겐 사진에 찍힌 음영.

坎〈埳〉③ **kǎn** (감)
①명 감괘《팔괘(八卦)의 하나로, 물을 대표함》. ②명 정북(正北). ③(～儿) 명 두렁. 두둑. 둔덕. ¶田～儿; 논두렁 / 土～儿; 흙두둑. ④명 〈文〉 움푹 팬 땅. 구덩이. 구멍. ¶凿地为～; 땅을 파서 구덩이를 만들다. ⑤명 입구의 상인방이나 문지방. ¶门～儿; 문지방 / 上～; 상인방. ⑥〈擬〉 댕댕. ⑦(～儿) 명 신소리. 은어(隱語).
〔坎德拉〕 kǎndélā 명 《物》 칸델라(candela)《광도의 단위, cd. 그냥 '坎'이라고도 함》.
〔坎宫〕 kǎngōng 명 팔괘(八卦)에서 말하는 북의 방위.
〔坎肩(儿)〕 kǎnjiān(r) 명 조끼. =〔背心(儿)〕
〔坎坎〕 kǎnkǎn ①〈擬〉 쿵쿵《나무를 자르는 소리》. ②〈擬〉 둥둥《북을 두드리는 소리》. ¶击jī鼓～; 북을 둥둥 두드리다. ③형 공복 또는 가득 채워지지 않은 모양. ④부 이제 막. 방금.
〔坎坷〕 kǎnkě 형 길이 울퉁불퉁한 모양. ¶这条路～不平, 很难走; 이 길은 울퉁불퉁해서 걷기가 매우 힘들다. 동 ①〈文〉〈比〉 뜻을 이루지 못하다. ¶半生～; 반생을 실의(失意) 속에 보내다. ②일이 순조롭지 못하다.
〔坎坑〕 kǎnkēng 명 ①(땅에 판) 구멍. 묘혈(墓穴). ②(폐(肺) 등의) 공동(空洞).
〔坎壈〕 kǎnlǎn 형 〈文〉 ①피로해서 지쳐 늘어진 모양. ②뜻을 얻지 못한 모양. 실의에 찬 모양.
〔坎帕拉〕 Kǎnpàlā 명 《地》 캄팔라(Kampala)《'乌Wū干达'(우간다: Uganda)의 수도》.
〔坎炁〕 kǎnqì 명 《漢醫》 탯줄. =〔脐qí带〕
〔坎儿〕 kǎnr 명 ①울퉁불퉁한 (계단처럼 된) 토지·통로. ②입구의 문지방. 문턱. ¶这个门～高; 이 문지방은 높다. ③중요한 장면. 요점. 포인트(point). 관문. 불운. 액. 고비. ¶过了这道～, 就是一马平川的大道了; 이 고개를 넘으면, 그 다음은 평탄한 대로입니다 / 过了～了; (병의) 고비를 넘겼다 / 六十六岁是个～; 66세는 위험한 고비입니다. ④〈方〉 은어(隱語). ¶吊diào～; 암호를 쓰다. ⑤말에게 "발 밑을 조심하라"는 뜻으로 지르는 소리.
〔坎儿井〕 kǎnrjǐng 명 신장(新疆) 지구에서 볼 수 있는 관개용 우물.
〔坎儿上〕 kǎnrshang 명 ①요점(要點). 급소(急所). 정곡. ¶提到～; 말이 핵심을 찌르다 / 问的正是～; 질문이 바로 정곡을 찔렀다. ②액년(厄年). ¶今年正是～; 금년이 마침 액년이다.
〔坎土曼〕 kǎntǔmàn 명 위구르(Uighur) 족 지구에서 쓰이는 철제 농구《곡괭이의 일종》. =〔砍土镘〕
〔坎陷〕 kǎnxiàn 동 함정을 설치하다.
〔坎子〕 kǎnzi 명 지면이 높아져 있는 곳《흙더미·성토(盛土)·제방 따위》.
〔坎佐那〕 kǎnzuǒnà 명 《樂》 〈音〉 칸초네(이 canzone). =〔干左那〕

砍 **kǎn** (감)
동 ①(날붙이로 쳐서) 베다. 찍다. 패다. ¶～柴; 장작을 패다 / 把树枝～下来; 나뭇가지를 치다. ②〈方〉 집어던지다. ¶拿砖头～狗; 벽돌을 개한테 집어 던지다. ③(조직 따위를) 파괴하다〔부수다〕. ④말이 무뚝뚝하고 잔인하다.
〔砍包〕 kǎnbāo 명 (작은 주머니에 팥 따위를 넣은) 공기로 서로 던지는 도지 볼식(dodge ball式)의 놀이.
〔砍大山〕 kǎn dàshān 〈方〉 한없이 잡담하다. 한담하다. =〔侃大山〕〔聊liáo天(儿)〕 「우다」.
〔砍大树〕 kǎn dàshù 큰 나무를 베다《두목을 해치
〔砍刀〕 kǎndāo 명 큰 칼. 청룡도. →〔大dà刀〕 동 도끼로 베다. 〈轉〉 대폭 잘라 내다. 과감하게 정리하다.
〔砍掉〕 kǎndiào 동 ①베어 내다. 잘라 내다. 삭제하다. ¶这篇稿子太长, 得～一半; 이 원고는 너무 길어서 절반을 삭제해야만 한다. ②(조직 등을) 강제적으로 해방시키다. 부수다.
〔砍断〕 kǎnduàn 동 절단하다. 내리쳐 자르다.
〔砍伐〕 kǎnfá 동 (톱·도끼 따위로) 나무를 베다. 벌채하다. ¶昼夜不停地在那里继续～; 주야를 멈추지 않고 그 곳에서 계속해서 벌채하다.
〔砍翻〕 kǎnfān 동 베어 쓰러뜨리다. ¶把大树～了; 큰 나무를 베어 쓰러뜨렸다.
〔砍斧头〕 kǎnfǔtou 동 〈俗〉 약점을 빌미로 재물을 우려 내다. →〔敲qiāo诈〕
〔砍肩(儿)〕 kǎnjiān(r) 명 ⇒〔背bèi心(儿)〕
〔砍进〕 kǎnjìn 동 깊숙이 베다.
〔砍开〕 kǎnkāi 동 찍어 열다. ¶一斧子就把它给～

了; 단 한 번의 도끼질로 그것을 쪼개었다.
〔砍落〕 kǎnluò 동 잘라〔베어〕 떨어뜨리다. ¶他就是~了三个手指也要打麻将; 그는 손가락을 세 개나 잘렸는데도 마작을 하지 않고는 못 견딘다.
〔砍墙儿〕 kǎnqiángr 명 중국 가옥의 창 밑의 벽 《높이 1미터 가량으로, 그 위쪽은 도려 낸 것처럼 되어 창문이 있음》.
〔砍杀〕 kǎnshā 동 ①베어 죽이다. ②〈比〉 매장하다. 사장시키다.
〔砍伤〕 kǎnshāng 명 베인 상처. 동 베어서 상처를 내다.
〔砍社〕 kǎn.shè 동 인민공사를 때려 부수다. ¶大刮~妖风; 1961년경부터 인민공사를 없애고, 개인 경영화하려던 움직임을 말함.
〔砍收〕 kǎnshōu 동 (곡물 따위를) 베어 내다. 수확하다. ¶这是经过部分~后估算的; 이것은 평당 수확량으로 견적된 것이다.
〔砍死〕 kǎnsǐ 동 (칼로) 베어 죽이다. =〔砍毙〕
〔砍头〕 kǎn.tóu 동 ①목을 베다. ②참수형(斬首刑)에 처하다.
〔砍头疮〕 kǎntóuchuāng 명 목덜미에 나는 악성 종기. =〔砍头痈〕
〔砍土镘〕 kǎntǔmàn 명 곡괭이. →〔坎土曼〕
〔砍挖运动〕 kǎnwā yùndòng 명 지주나 자본가가 숨기고 있는 금은 재화나 무기를 찾아 내는 운동.
〔砍竹遮笱〕 kǎn zhú zhē sǔn 〈成〉 낡은 것을 버리고 새로운 것을 구하다. ¶他是~的脾气, 只有三天的新鲜劲儿; 그는 낡은 것을 버리고 새로운 것을 추구하는 성질이라 (무엇을 해도) 사흘을 가지 못한다.

莰 kǎn (감)
→〔莰烷〕〔莰烯〕
〔莰烷〕 kǎnwán 명 〖化〗 보르난(bornane)《캄판(camphane)은 구칭》.
〔莰烯〕 kǎnxī 명 〖化〗 캄펜(camphene).

欿 kǎn (감)
〈文〉 ① 명 움폭 들어간 곳. 구멍. ② 형 불만족하다. 성에 차지 않다. ¶~然rán; 만족하지 못한 모양. ③ 형 걱정하다. 마음대로 안 되다.

侃〈偘〉 kǎn (간)
① 형 〈文〉 강직하다. ¶~~; ⇓ / ~而谈tán; 〈成〉 겁내지 않고 당당하게 말하다 / ~言yán; 직언. ②(~儿) 명 〈方〉 은어. ¶这是他们那一行的~; 이것은 그들의 상업상의 은어이다. =〔坎⑦〕
〔侃侃〕 kǎnkǎn 형 〈文〉 올바르고 굳세다. 강직하다.

槛(檻) kǎn (함)
명 문지방. ⇒jiàn

颇(顑) kǎn (함)
→〔颇颔〕
〔颇颔〕 kǎnhàn 형 굶주려 있는 모양.

轗(轗) kǎn (감)
→〔轗轲〕
〔轗轲〕 kǎnkě 형 ①길이 울퉁불퉁하여 나가기 힘들다. ②일이 뜻대로 되지 않다. ‖ =〔坎坷〕

衎 kàn (간)
① 형 〈文〉 화목한 모양. 화락(和樂)한 모양. ¶~~; ⇓ / ~然; 안정되어 있는 모양. ② 형 〈文〉 강직한 모양. ③인명용 자(字).
〔衎衎〕 kànkàn 형 〈文〉 평온히 즐기는 모양.

看 kàn (간)
동 ①보다. ¶你~; ⓐ보라! ⓑ봐《상대에게 주의를 촉구하는 말》/ ~了; 보았다 / ~见了; 보였다 / ~电diàn影(儿); 영화를 보다 / ~现在的光景…; 지금의 광경을 보니 … / ~一年再说吧; 1년 동안 상황을 보고 나서 하자. ②…으로 인정하다. …이라 생각하다〔여기다〕. …으로 보다. ¶你~怎么样? 어떻게 생각하십니까? / 你别~学中国话容易; 중국어 배우기가 쉽다고 생각해서는 안 된다 / 我~他是个可靠的人; 나는 그가 믿을 만한 사람이라고 본다. ③관찰하다. ④(소리를 내지 않고) 읽다. ¶~小说; 소설을 읽다 / ~报; 신문을 읽다 / ~书; 책을 읽다. →〔念〕〔读〕 ⑤(동사 뒤에 붙어) …해 보다. 시험해 보다. ¶先试一试~; 먼저 한 번 해 봅시다 / 我来吃吃~; 어디 내가 먹어 보자 / 用着~~; 써 보고 있다. 注 동사 뒤에 '了'와 '着'를 붙여 쓸 경우에는 '看'을 중첩함. ⑥(어떤 희망·예상을 안고) 예상하다. 바라보다. …으로 생각되다. ¶像这种投机的营业还能~长吗? 이 같은 투기적인 장사가 오래 계속되리라 생각하십니까? / 可以~几分利息; 몇 푼의 이자를 바라볼 수 있다. ⑦진찰하다. 진찰을 받다. ¶请大dài夫~了没有? 의사에게 진찰을 받았느냐? / 这位医生把我~好了; 이 의사 선생님이 나를 진찰하고 고쳐 주었다. ⑧방문하다. 면회하다. ¶我~他去; 나는 그를 방문하러 간다. ⑨문병하다. ¶~病人; 병자를 문병하다. ⑩돌봐주다. 기르다. 사육하다. ¶照zhào~; 보살펴 주다. ⑪(동작 또는 변화를 나타내는 말이나 연어(連語) 앞에 놓고) …하지 않도록 조심하다〔조심해〕. ¶别跑, ~跌着; 뛰지 마라. 넘어질라 / 你哭什么, ~叫人笑话; 무얼 울고 있어, 사람들이 웃는단 말야. ⑫접대하다. 대우하다. ¶另lìng眼~待dài; 특별 취급하다. ⑬(체면 따위를) 생각해 주다. 고려해 주다. ¶~在我的脸上, 你躲躲; 내 낯을 보아서 몸을 피해 다오. ⑭…에 의하다. …나름이다. …여하에 달리다. ¶那也~地方不一样; 그것도 곳에 따라 같지 않다 / 成功不成功全~你的努力怎么样; 성공하느냐 못하느냐는 오로지 너의 노력 여하에 달렸다. ⑮…의 방향이 되다. ¶打这儿往南~; 이 곳으로부터 남쪽 방향이다. ⑯〈俗〉 가지고 오다. ¶~茶来! 차를 가져와라! ⇒kān
〔看案子的〕 kàn'ànzide 명 (당구의) 득점 계산을 해 주는 사람.
〔看白戏〕 kàn báixì 연극을 공짜로 구경하다.
〔看扁〕 kànbiǎn 동 낮추어보다. 경시(輕視)하다. ¶你太把人~了; 너는 사람을 너무 경시한다.
〔看病〕 kàn.bìng 동 ①병문안을 하다. ¶他住医院了, 咱们看他病去吧; 그가 입원했으니, 병문안을 갑시다. ②진찰하다. 치료하다. ¶王大夫~很认真; 왕선생은 매우 성실하게 진찰해 주신다. =〔诊病〕 ③〈南方〉 진찰을 받다. ¶到医院~去; 병원에 진찰을 받으러 가다 / 请大夫~来; 의사에게 왕진을 청하다. ‖ =〔瞧qiáo病〕
〔看不出〕 kànbuchū ①구분〔분별〕하지 못하다. 보아도 알지 못하다. 간파하지 못하다. ¶是真是假我~; 정말인지 아닌지 분별하지 못하다. ②…라고는 생각되지 않는다〔인정할 수 없다〕. ¶~他这人倒很有魄pò力; 그와 같은 사람에게 그만한 줏대가 있는 줄은 생각지 못했다.
〔看不出来〕 kànbuchūlái 구별이 안 되다. ¶嘆!

他是中国人吗? 倒～; 허어, 그는 중국 사람인가? 좀처럼 구별할 수가 없는데. =〔瞧qiáo不出来〕 ↔〔看得出来〕
〔看不得〕 kànbude ①보아서는 안 된다. ¶色情小说青年人是～的; 포르노 소설은 젊은이들이 보아서는 안 되는 것이다. ②꼴불견이다. ¶他喝醉了酒在大街上晃晃摇摇地走, 实在～; 그가 술에 만취해서 길에서 비틀거리며 걷고 있는데 정말 꼴불견이다. ③(…라고) 생각해서는 안 된다〔생각하는 것은 잘못이다〕. ¶你～他现在这么穷, 他是有大志的; 지금 저렇게 가난하다고 해서 그를 하찮게 생각해서는 안 된다. 그는 큰 뜻을 지니고 있다. ‖ =〔瞧qiáo不得〕
〔看不惯〕 kànbuguàn 익숙하지 않다. 눈에 거슬리다. 마음에 안 든다. ¶～的人以为wéi很奇怪; 눈에 익숙지 않은 사람은 이상하게 생각한다 / 我～他那股子主观劲; 나는 그의 저 독선적인 점이 눈에 거슬린다 / 他那种下流的样子, 我～; 그의 상스러운 꼴은 나에게는 눈에 거슬린다. =〔瞧不惯〕 ↔〔看得惯〕
〔看不过〕 kànbuguò 차마 그대로 볼 수 없다. 간과할 수 없다. 보아 넘길 수 없다. ¶～眼去; 보다못하다. 차마 볼 수 없다 / 我真～他那样地对待小孩子; 그가 그렇게 어린이를 대하는 것을 정말 보고 있을 수가 없다. =〔瞧不过〕 ↔〔看得过〕
〔看不见〕 kànbujiàn 보이지 않다. 눈에 띄지 않다. =〔瞧不见〕 ↔〔看得见〕
〔看不尽〕 kànbujìn 다 볼 수 없다.
〔看不看的〕 kànbukànde 보든지 안 보든지. 보거나 말거나. ¶～你先拿去; 보건 안 보건 우선 가지고 가라.
〔看不来〕 kànbulái (문자를 모르거나, 어려워서) 보아도 모르다. →〔吃chī不来〕
〔看不破〕 kànbupò 간파할 수 없다. 꿰뚫어보지 못하다.
〔看不起〕 kànbuqǐ 〈口〉 ①멸시하다. 깔보다. ¶别～他! 그를 경시하지 마라! =〔看轻qīng〕 ②(돈이 없어) 볼 수 없다. ¶音乐会的票价太贵, 我～; 음악회의 표값이 너무 비싸서, 나는 볼 수 없다. =〔瞧不起〕 ↔〔看得起〕
〔看不清〕 kànbuqīng 똑똑히 볼 수가 없다. 보아도 분명치 않다. ¶我是近视眼, 远的地方～; 나는 근시이므로 먼 곳은 잘 보이지 않습니다. =〔看不清楚〕 ↔〔看得清〕
〔看不入眼〕 kànburùyǎn 마음에 들지 않다. 눈에 거슬리다. ↔〔看得入眼〕
〔看不上〕 kànbushàng ①(보아서) 마음에 들지 않다. ¶他举jǔ动轻佻, 让人～; 그는 거동이 경망하여, 사람들이 싫어한다. ②(어떤 사물에까지) 눈이 미치지 못하다. ③(보려고 해도) 볼 수 없다. ④경멸〔멸시〕하다. ‖ =〔看不上眼〕〔瞧不上〕 ↔〔看得上〕
〔看不透〕 kànbutòu (미리) 간파할 수 없다. ¶～他还有这么大的本领; 그 사람에게 이렇게 큰 능력이 있을 줄은 미처 몰랐다. ↔〔看得透〕
〔看不完〕 kànbuwán 다 보지 못하다. 끝까지 못 보다.
〔看不下去〕 kànbuxià.qù 계속해서 볼 수 없다. 차마 볼 수 없다. 가만히 보고 있을 수 없다. →〔看不过〕
〔看不中〕 kànbuzhòng 마음에 안 들다.
〔看不准〕 kànbuzhǔn 분명하게 모르다. 분별할 수 없다.
〔看菜吃饭, 量体裁衣〕 kàncài chīfàn, liàngtǐ cáiyī 반찬에 맞추어 밥을 먹고, 몸에 맞추어 옷을 만들다(자신을 환경에 적응시키다. 구체적인 상황에 따라서 일을 처리하다).
〔看操〕 kàncāo 동 조련(하는 것)을 보다.
〔看茶〕 kànchá 〈套〉 차를 내오거라(옛날, 하인에게 손님께 차를 대접하도록 분부하던 말).
〔看长〕 kàncháng 동 길게 계속되다. 긴 안목으로 보다. ⇒kànzhǎng
〔看成〕 kànchéng 동 (…라고) 보다. 간주하다. ¶把要紧事～儿戏; 중요한 일을 어린애 장난으로 보다.
〔看承〕 kànchéng 동 〈文〉 응대하다. 대우하다.
〔看出〕 kànchū 동 간파하다. 헤아려 알다. 분별하다. ¶～了他的心思; 그의 마음을 간파하다 / ～问题在哪里; 문제가 어디에 있는지 분별하다.
〔看出来〕 kànchulai 분간하다. 알아차리다. 간파하다. ¶他今天不高兴, 我已经～了; 그는 오늘 기분이 언짢은 거야. 나는 진작에 알았지 / 由此可以～; 이로부터 알아차릴 수 있다.
〔看穿〕 kàn.chuān 동 간파하다. 속까지 들여다보다. ¶～了花招; 속임수를 간파하다 / 一眼就～了他是一个骗子; 한눈으로 그가 사기꾼이라는 것을 간파했다. =〔看破①〕
〔看呆〕 kàndāi 동 넋을 잃고 보다. 보고 멍해지다.
〔看大夫〕 kàn dàifu 의사의 진찰을 받다. =〔瞧qiáo大夫〕 →〔看病〕
〔看待〕 kàndài 동 ①취급하다. 대우하다. ¶跟他一样～; 그와 똑같이 취급하다 / 另眼～; 특별한 눈으로 보다. 특별 취급하다 / 同样～; 동일시하다 / 不能一律～; 일률적으로 취급할 수는 없다 / 他把我跟小孩子一样～; 그는 나를 어린아이처럼 취급한다. =〔对待〕 ②…으로 간주하다.
〔看到〕 kàndào 동 보(이)다. 눈이 닿다. 눈을 돌리다. ¶拐个弯儿就可以～村子了; (그곳을) 돌아가면 곧 마을이 보입니다.
〔看得出来〕 kàndechū.lái 구별〔구분〕할 수가 있다. 보고 알다. ¶他们的作风由此～; 그들이 하는 방식은 여기서 보고도 알 수가 있다 / 看得出事来 =〔看得出话来〕; 이해력이 좋다. 기지가 있다. ↔〔看不出来〕
〔看得过〕 kàndeguò 볼만한 가치가 있다. 볼만하다. ¶这出戏还～(儿); 이 연극은 꽤 볼만하다. =〔看得过去〕〔看得过眼儿〕〔瞧得过〕
〔看得过去〕 kàndeguòqu 볼만하다. 눈에 거슬리지 않다. ↔〔看不过去〕
〔看得见〕 kàndejiàn 보이다. ¶你～黑板上的字吗? 너는 흑판의 글자가 보이느냐? =〔瞧qiáo得见〕 ↔〔看不见〕
〔看得来〕 kàndelái (그런대로) 볼만하다. 눈에 거슬릴 정도는 아니다. ¶他的唱工倒不怎么样儿, 做工倒还～; 그의 노래는 대단치 않으나, 몸짓은 그런대로 볼 만하다.
〔看得明白〕 kàndemíngbai 보아서 잘 알다. ¶这件事太简单, 谁都～; 이 일은 매우 간단해서 보면 누구라도 잘 알 수 있다.
〔看得起〕 kàndeqǐ 〈口〉 중시(重視)하다. 존경하다. ¶谁都～他; 누구나 다 그를 존경한다. =〔瞧得起〕 ↔〔看不起〕
〔看得上〕 kàndeshàng 마음에 들다. =〔瞧qiáo得上〕 ↔〔看不上〕
〔看得准〕 kàndezhǔn 정확히 보고 있다.
〔看灯〕 kàndēng 동 음력 정월 보름, 즉 '元宵节'의 밤에 등롱(燈籠)을 구경하다.
〔看低〕 kàndī 동 경시하다. 업신여기다. 낮추어

보다. 깔보다.
〔看地方(儿)〕 kàn dìfang(r) ①터를〔장소를〕 보다. ¶盖gài房子得先～; 집을 지으려면 우선 터를 보아야 한다. ②장소에 의하다. ¶这件事得～说; 이 일은 경우를 고려해서〔생각해서〕 이야기해야 한다.
〔看跌〕 kàndiē 동 (주가나 상품가가) 하락세를 보이다.
〔看法(儿)〕 kànfǎ(r) 명 보는 방법. 견해. 의견. ¶各有各的～; 각기 보는 방법이 다르다 / 你怎么～? 너는 어떻게 보느냐?
〔看翻〕 kànfān 동 뒤집어 보다. ¶你把材料～了; 너는 자료(資料)를 뒤집어서 보았다.
〔看风〕 kànfēng 동 ①풍향을 보다. 형세를 살피다. ②〈比〉 망보다. ¶给开会的工友们～; 회의를 하고 있는 공원들을 위해 망을 봐 주다.
〔看风色〕 kàn fēngsè 풍향을〔형세를〕 살피다. 〈比〉 기회를 엿보다.
〔看风使舵〕 kàn fēng shǐ duò 〈成〉 바람 따라 노를 잡다. 바람 부는 데 따라 태도를 바꾸다. 형세를 관망함. =〔看风使帆〕〔看风驶shǐ船〕
〔看风水〕 kàn fēngshuǐ 방위 또는 지상(地相)을 보다. =〔相xiàng宅〕
〔看佛敬僧〕 kàn fó jìng sēng 〈成〉 부처님을 공경하는 관계로 스님까지 존경하다(덩달아서 곁다리로 존중하다). ¶人家捧他并不是他怎么高明, 不过是～就是了; 사람이 그를 받드는 것은 그가 뛰어나서가 아니라, 다른 사람의 곁다리로 존중받고 있을 뿐이다.
〔看顾〕 kàngù 동 돌보다. 주선하다. 후원해 주다. ¶蒙您méngnín～; 후원해 주시다 / ～病人很周到; 환자를 꼼꼼히 잘 간호하고 있다. =〔照应zhàoying〕
〔看官〕 kànguān 〈套〉 독자 여러분(옛날, 백화(白話) 소설에서).
〔看惯〕 kànguàn 동 (항상) 보아서 익숙하다. 낯익다.
〔看过眼儿〕 kànguòyǎnr 그럭저럭 만족할 수 있다. ¶要叫我～去, 我何尝爱这么劳神; 그럭저럭 만족할 수 있다면, 나도 구태여 이렇게 신경 쓸 까닭은 없다.
〔看哈哈笑〕 kàn hāhāxiào 〈方〉 남의 재난이나 불행을 보고 웃다.
〔看好〕 kànhǎo 동 ①잘될 것이라고 예감(豫感)하다. (정세나 시세 따위가) 잘 풀릴 것이라고 예견하다. ②(kànhǎo) 잘 보다. 똑똑히 보다. 잘 지켜 보다.
〔看红了眼〕 kànhóngleyǎn 〈俗〉 (남의 물건을 보고) 자신도 탐〔샘〕이 나다.
〔看活〕 kànhuó 동 융통성을 가지고 보다. ¶把条件都～了; 조건을 모두 폭넓게 보다.
〔看货〕 kànhuò 명 겉만을 보는 것.
〔看见〕 kàn.jian 동 ①보이다. 보다. ¶你～他了吗? 자네 그를 보았나? ②발견하다. ③만나 보다. ¶我～你, 很高兴; 만나서 매우 기쁩니다.
〔看脚路〕 kàn jiǎolù (도둑이) 잠입할 집의 상태를 미리 조사해 놓다.
〔看今朝忆往昔〕 kàn jīnzhāo yì wǎngxī 오늘의 행복을 볼 때마다 옛날의 괴로움을 생각하다. =〔忆苦思甜〕
〔看景不如听景〕 kànjǐng bùrú tīngjǐng 〈諺〉 경치를 보니 듣던 것만 못하다.
〔看九〕 kànjiǔ 명 구식 결혼에서, 신부가 근행한 지 며칠 뒤에 신랑 집 사람이 신부를 보기 위해 찾아가는 일.
〔看卷(子)〕 kànjuàn(zi) 동 답안을 조사하다〔채점하다〕.
〔看开〕 kànkāi 동 체념하다. 깨우치다. 달관하다. ¶小孩子是死了, 您可得～着点儿啊; 아이는 이미 죽었으니 체념하도록 하시오 / 年纪老的人, 把世情都～了; 늙은이는 속세의 일을 달관하고 있다 / ～些吧, 何必认真呢; 단념해라, 진지하게 생각할 필요가 있느냐.
〔看看〕 kànkan 동 ①넌지시 보다. (물건이나 모양을) 자세히 보다. 입회하여 검사하다. (사람을) 방문하다(‘看’의 중첩형). ②(시험)해 보다. 부 ⇨〔看看kānkān〕 ⇒ kānkān
〔看客〕 kànkè 명 구경꾼. 관객. =〔瞧qiáo客〕〔瞧主儿②〕
〔看来〕 kànlai 부 보건대. 생각하건대. 아무래도. ¶～实行颇难; 보건대 실행은 꽤 어렵겠다.
〔看脸子〕 kàn liǎnzi 남에게 경시당하다. 차갑게 취급당하다. ¶你别让人家～呀; 남에게서 바보 취급을 받아서는 안 된다. =〔看眉眼①〕
〔看眉眼〕 kàn méiyǎn ①⇨〔看脸子〕 ②남의 안색을 살피다.
〔看门诊〕 kàn ménzhěn 택진(宅診)하다. ¶专zhuān～; 택진 전문으로 환자를 보다. =〔瞧门脉〕〔瞧门诊〕 →〔出chū诊〕
〔看面子〕 kàn miànzi 체면〔낯〕을 보다〔세우다〕. ¶看着你的面子…; 네 체면을 보아….
〔看明〕 kànmíng 동 확실히 보다. 확인하다. ¶如要穿过马路须先～左右有无车辆驶来; 만일 큰 거리를 횡단하려고 한다면, 차량이 오는지 아니 오는지 좌우를 잘 살펴야 한다.
〔看你〕 kànni 〈罵〉 조심해. 뭐야 너는. 뭐냔 말이야(상대가 미처 알지 못하는 일을 나무랄 때 하는 말. 감탄사에 가까움. 보통 ‘你’는 경성으로 발음함). ¶～们的! 너희들은 정말!
〔看偏〕 kànpiān 동 비뚤어지게 보다. 색안경을 끼고 보다.
〔看票子的〕 kànpiàozide 명 은행 등에서 지폐·어음등을 감식하는 사람.
〔看破〕 kànpò 동 ①간파하다. 꿰뚫어보다. ¶他的手段我全～了; 그의 술책을 나는 모두 간파하였다. =〔看穿〕 ②(가망 없는 것으로) 단념〔포기〕하다. ¶～红尘chén; 속세를 포기하다.
〔看齐〕 kànqí 동 ①(우로·좌로) 나란히 하다. ¶向右～! 우로 나란히!(구령) / 别说话, ～了! ～了! 떠들지 말고 정렬해라! 정렬해라! / ～线; 정돈선. ②본받다. 모범으로 삼다. …과 같이 하다. ¶向姜少校～; 강소령을 본받아 따르다 / 你应该向他～; 그를 본받아라 / 我和他～吧; 저는 그와 똑같이 하죠.
〔看起〕 kànqǐ 동 중시하다. →〔看不起〕〔看得起〕
〔看起来〕 kànqilai ①볼 것 같으면. 보면. ¶这么～; 이렇게 볼 것 같으면. ②보아하니. 보기에. 보매. ¶天阴上来了, ～要下雨了; 하늘이 흐려진 것을 보니, 비가 올 것 같다.
〔看轻〕 kànqīng 동 멸시하다. 경시하다. ¶你别～他; 너는 그를 경시하지 마라.
〔看清〕 kànqīng 똑똑히 보다. 보고서 분명히 하다. ¶你～了吗? 너 똑똑히 보았니? / ～是非; 시비를 분명히 하다.
〔看情〕 kànqíng 동 정의(情誼)를 중히 여기다. ¶和亲近人交往总要～; 친근한 사람과의 교제는 정의를 중히 여겨야 한다.
〔看情面〕 kàn qíngmiàn 얼굴〔낯〕을 세우다. 체

면을 보다. ¶看老林的情面, 饶ráo他一回吧; 임씨의 체면〔낯〕을 봐서 이번 한 번은 그를 용서해 주십시오.
〔看觑〕 kànqù 동 〈古白〉 ①보다. 바라보다. ②돌보다.
〔看热闹〕 kàn rènao 소동을 방관하다. 구경하다. ¶～的; (호기심 많은) 구경꾼. =〔瞧热闹儿〕
〔看人眉睫〕 kàn rén méi jié 〈成〉 남의 안색을 살피며 행동하다. →〔看眉眼〕
〔看人下菜(碟)〕 kàn rén xià cài(dié) 사람을 보고 음식 접시를 놓아라《사람을 보고 대우 해라》.
〔看人行事〕 kàn rén xíng shì 〈成〉 사람에 따라 방법을 바꾸다. 사람을 보고 적당한 방법으로 대응하다.
〔看色〕 kànsè 동 옛날, 은(銀)의 순분(純分)을 감별하다. ¶～的 =〔～人rén〕; 은의 순분을 감별하는 사람.
〔看上〕 kàn.shang 동 ①보고 그것에 넋을 빼앗기다. 반하다. ¶她一眼就～了这小伙子; 그녀는 이 젊은이가 한눈에 좋아졌다. ②착안(着眼)하다. 눈여겨보다. ¶我早已～这个东西了; 나는 일찍부터 이 물건에 눈독을 들이고 있었다. ③넋을 잃고 보다. 탐독하다. ¶他～了那本小说连觉都没睡; 그는 자지도 않고 그 소설을 탐독하고 있다. ‖ =〔瞧上〕
〔看渗路儿〕 kàn shènlur 〈北方〉 물의 흐르는 방향을 살피다《상황을 잘 살피다》. ¶这件事头绪太多, 你可得～办事; 이 건은 까다로운 일이 많으므로, 상황을 잘 살펴서 처리하지 않으면 안 된다.
〔看时候儿〕 kàn shíhour ①시기를 보다. ¶你提出这意见要～; 네가 이 의견을 제출하려면 때를 선택해야 한다. ②때에 따르다. 때에 따라 다르다. ¶成功与不成功得看什么时候儿办了; 성공하느냐 못 하느냐는 언제 하는가에 따라 결정된다.
〔看事〕 kànshì 상태〔상황〕를 보다. ¶～行xíng事 =〔～做事〕; 상황을 보고 일을 처리하다. 대상에 따라 방식을 바꾸다 / ～容易做事难; 〈諺〉 보기는 쉬워도 행하기는 어렵다.
〔看手相的〕 kànshǒuxiàngde 명 손금 보는 사람.
〔看书〕 kàn.shū 동 책을 읽다. ¶～入rù迷; 독서에 몰두하다. →〔读dú书〕〔念niàn书〕
〔看死〕 kànsǐ 동 고정적(固定的)으로 보다. (그렇다고) 믿다. ¶不要把人～了; 사람은 변하지 않는 것이라고 생각해서는 안 된다. ↔〔看活〕
〔看台〕 kàntái 명 (주로, 운동장의) 관중석. 관람석. 스탠드. ¶搭～; 관람석을 만들다.
〔看透〕 kàn.tòu 동 ①(상대의 속셈·계책 등을) 간파하다. 꿰뚫어보다. 빤히 들여다보다. ¶我～了他的用意; 나는 그의 속을 빤히 들여다보고 있어 / 看不透; 간파할 수 없다. 꿰뚫어볼 수 없다. ②(상대의 결점이나 사물의 무가치함·무의미함 등을) 철저히 인식하다. 꿰뚫어보다. 알아보다. ¶这个人我～了; 이 사람에 대해서는 내가 잘 안다.
〔看头儿〕 kàntour 명 〈口〉 볼 만한 가치. 볼 만한 점. ¶那个片子没什么～; 그 영화는 볼 만한 값어치가 없다. =〔瞧qiáo头儿〕
〔看图识字〕 kàntú shízì 그림을 보고 글자를 배우다〔익히다〕《5·4 운동 이후, 그림과 글자를 대조시켜 가면서 아동이나 문맹자에게 글자를 배우게 하였다. 이에 사용된 것을 '认rèn字本'이라고 한다》. =〔读图识字〕
〔看歪〕 kànwāi 동 비뚤게 보다. 잘못 보다. ¶把事情～了; 일을 바르게 보지 않았다.
〔看歪脖子胡〕 kàn wāibózihú 다른 사람이 노름하는 것을 옆에서 (목을 빼고) 바라보다.
〔看外〕 kànwài 동 따돌리다. 예외자 취급을 하다. 남 취급을 하다. ¶别把他～了; 그를 따돌리지 마라〔예외자 취급하지 마라〕.
〔看望〕 kànwang 동 문안드리다. 안부를 묻기 위해 방문하다《웃어른이나 친구에 대하여》. ¶～父母; 부모님께 문안드리다 / ～老朋友; 오랜 친구를 방문하다.
〔看戏〕 kàn xì 연극을 보다〔관람하다〕. ¶～用望远镜; 오페라용 망원경. =〔观guān剧〕 →〔听tīng戏〕
〔看香〕 kànxiāng 동 사원으로 잿날의 흥청거림을 보러 가다. ¶北京的人到妙峰山～瞧热闹去的真不少; '妙峰山'의 '香会'를 구경 가는 베이징(北京) 사람이 적지 않다.
〔看香的〕 kànxiāngde 명 선향(線香)의 연기가 올라가는 것을 보고 점을 치는 점쟁이.
〔看相〕 kàn.xiàng 동 관상을 보다. ¶～的; 관상가.
〔看眼色行事〕 kàn yǎnsè xíngshì 남의 눈치를〔안색을〕 보고 일을 하다.
〔看样(儿,子)〕 kàn yàng(r,zi) ①견본을 보다. ¶我来～来了; 나는 견본을 보러 왔다. ②모양〔상황〕을 보니. 이 상태로는. 본 바에 의하면. ¶～也许不来; 이런 상태라면 오지 않을지도 모른다 / ～他有十几岁; 보건대 그는 열 살 가량이다. ③교료쇄(校了刷)를 보다. 최종 교정을 보다.
〔看野眼〕 kàn yěyǎn ①한눈 팔다. 곁눈질하다. ¶上课不好好儿地上课, 东张西望地看什么野眼呢! 수업도 제대로 안 받고, 두리번거리면서 뭔 한눈을 파는 거냐! ②공짜 구경을 하다. ¶叫茶房把～的那小子轰出去; 급사에게 일러서 공짜로 보고 있는 저 녀석을 좇아 내게 하여라.
〔看茔地〕 kàn yíngdì ①묘지의 위치 방향을 선정하다. ②묘지를 찾다.
〔看在〕 kànzài 동 …에 새기며 보다. ¶～眼里; 눈에 새겨 두다 / 没～眼里; 눈에 새겨 두지 않다. 인지하지 않다 / ～你的面上; 당신의 체면을 보아서〔세우려고〕.
〔看在眼里〕 kànzài yǎnli 눈여겨보아 두다. ¶这些现象, 他都～; 이러한 현상을 그는 모두 눈여겨보았다.
〔看长〕 kànzhǎng 동 ⇨〔看涨〕 ⇒kàncháng
〔看涨〕 kànzhǎng 동 ①(시세가) 강세(強勢)가 되다. ¶～行市; 시세가 강세〔오름세〕임. ②값이 오르다. ¶一个劲地～; 계속해서 값이 오르다. ‖ =〔看长〕
〔看着〕 kànzhe ①가늠해 보아. 알맞은 기회를 보아. ¶～给gěi; 알맞은 기회를 보아 주다 / ～办; 보아 가면서 처리하다. ②보기에는. 겉보기에는. ¶～容róng易, 做着难; 겉보기에는 쉬우나 실지 해 보니 어렵다. ③'眼yǎn～' (금세. 뻔히 보면서)의 생략형. ‖ =〔瞧qiáo着〕
〔看终〕 kànzhōng 동 결과를 내다보다〔예측하다〕. ¶我～了这回事了, 反正没有我的好处; 나는 이번 일을 이미 내다보았는데, 어차피 내게는 좋을 것이 없다.
〔看中〕 kàn.zhòng 동 ①눈에 들다. 좋아하다. 사랑하다. 마음에 들다. ¶他～了这件衣料, 一定要做一套来穿; 그는 이 옷감이 마음에 들어서, 꼭 옷 한 벌을 만들어 입고 싶어한다. ②정해 놓다. ¶我～他顶好做教员; 나는 그가 교원이 되는 것이

가장 좋다고 생각한다.
〔看重〕 kànzhòng 동 중시하다. 존경하다. ¶我们要~他们; 우리들은 그들을 중시하여야 한다. ↔〔看轻〕
〔看朱成碧〕 kàn zhū chéng bì 〈成〉 붉은 것이 파랗게 보인다《마음이 산란해서 사물을 분별할 수 없음》. ¶王福甫遭父丧, 心乱如麻, ~; 王福甫는 아버지의 상을 당해 마음은 천 갈래 만 갈래로 흐트러져 사물을 분별할 수 없는 그런 상태다.
〔看主(儿)〕 kànzhǔ(r) 명 구경꾼. 손님. ¶他倒是个~, 真肯花钱; 그 사람이야말로 일등 손님이다. 정말 돈을 잘 쓴다. 동 그것은 사람 나름이다. ¶那得~了; 그것은 사람 나름이다.
〔看赚〕 kànzhuàn 동 이득이 있다. ¶咱们呢, 山查zhā~, 可赔在糖上; 우리는요, 산사나무(의 열매)로는 이익을 올렸는데, 설탕으로는 손해를 보았어요.
〔看准〕 kànzhǔn 동 전망〔예측〕하다. 정확히 보다. 확인하다. ¶他~了最主要的困难是在经济破绽, 物品匮乏; 가장 주요한 어려움은, 경제의 파탄과 물자의 결핍이라고 그는 보았다. =〔瞧准〕
〔看资〕 kànzī 명 관람료.
〔看作〕 kànzuò 동 ⇨〔看做〕
〔看做〕 kànzuò 동 …으로 간주하다. …라고 생각하다. …이란 속셈으로 있다. ¶他把公共的财产~自己的东西; 그는 공공의 재산을 자기의 것이라는 속셈으로 있다 / 把特殊~普遍; 특수한 것을 보편이라고 간주하다. =〔看成〕〔看作〕

崁 kàn (감)
지명용 자(字). ¶赤Chì~; 츠칸(赤崁)《타이완(臺灣) 가오숑(高雄)에 있는 땅 이름》.

嵌 kàn (감)
지명용 자(字). ¶赤Chì~; 츠칸(赤嵌)《타이완(臺灣)에 있는 땅 이름》. ⇒qiàn

墈 kàn (감)
① 명 〈方〉 높은 둑. ② 명 〈方〉 경계를 짓기 위해 흙을 쌓아올린 것. ¶井~; 우물 둘레의 지면 위로 도드라진 부분. ③지명용 자(字). ¶~上; 칸상(墈上)《장시 성(江西省)에 있는 땅 이름》.

磡 kàn (감)
〈方〉 벼랑의 뜻으로 지명용 자(字). ¶槐huái花~; 화이화칸(槐花磡)《저장 성(浙江省) 창싱 현(長興縣)에 있는 땅 이름》.

阚(闞) Kàn (감)
명 성(姓)의 하나. ⇒'嚪' hǎn hǎn

瞰〈矙〉② kàn (감)
동 ①내려다보다. ¶~视shì; 내려다보다 / 鸟~; 높은 곳에서 한눈에 바라보다. 전망(하다). ②〈文〉 들여다보다. 엿보다.

KANG ㄎㄤ

闶(閌) kāng (항)
→〔闶阆(子)〕 ⇒kàng

〔闶阆(子)〕 kāngláng(zi) 명 〈方〉 (건물의) 내부. 공간(空間). ¶这井下面的~这么大啊! 이 우물은 아래쪽의 공간이 어쩌면 이렇게 넓을까!

康 kāng (강)
① 형 평안하다. 편안하다. 건강하다. ¶健~; 건강하다. ② 형 즐겁다. ③ 형 ⇨〔糠kāng④〕 ④음역자로 쓰임. ¶~德; 《人》 칸트. ⑤ 명 (Kāng) 《地》 캉 현(康縣)《간쑤 성(甘肅省)에 있는 현 이름》. ⑥ 명 성(姓)의 하나.
〔康拜因〕 kāngbàiyīn 명 ①《農》 〈音〉 콤바인(combine). =〔联合收割机〕 ② ⇨〔康拜因纳雄〕
〔康拜因纳雄〕 kāngbàiyīnnàxióng 명 〈音〉 콤비네이션(combination). =〔康拜因②〕〔康拜因维雄〕
〔康磅〕 kāngbàng 명 〈音〉 혼화물(混和物). 콤파운드. ¶绝jué缘~; 절연 혼화물.
〔康秉纳〕 kāngbǐngnà 명 〈音〉 콤비나트(kombinat). =〔联合企业〕〔综合工厂〕
〔康采恩〕 kāngcǎi'ēn 명 《經》 〈音〉 콘체른(독 Konzern). =〔康采因〕〔康撒恩〕〔康载尔〕〔孔经〕
〔康得深〕 kāngdéshēn 명 〈南方〉 카운터싱크(countersink)《접시머리구멍(나사못구멍)을 뚫는 드릴》. →〔锥zhuī坑钻头〕
〔康定生〕 kāngdìngshēng 명 《電》 〈音〉 콘덴서(condenser). =〔电容器〕〔冷凝器〕
〔康阜〕 kāngfù 형 〈文〉 안락하고 풍요롭다.
〔康复〕 kāngfù 동 〈文〉 건강을 회복하다. ¶病体~; 병이 낫다 / 希望他能早日~; 그가 하루 빨리 회복하기를 바란다.
〔康加〕 kāngjiā 명 〈音〉 콩가(스 conga)《통 모양의 큰 북》. ¶~舞; 콩가 춤《콩가 북에 연유하여 이름 붙여진 쿠바의 민속 무용》.
〔康健〕 kāngjiàn 명형 ⇨〔健康①〕
〔康居〕 Kāngjū 명 옛날 나라 이름《현재의 신장(新疆) 위구르 자치구에서 소련령(領) 아시아에 걸치는 넓은 지역에 있었는데, 한(漢)나라 초기에 가장 번성하였음. 대월씨(大月氏)와 동족》.
〔康康舞〕 kāngkāngwǔ 명 〈音義〉 (프랑스의) 캉캉(프 cancan). =〔坎坎舞〕〔肯肯舞〕
〔康乐〕 kānglè 형 안락하다. 평안하고 즐겁다. 명 ①레크리에이션. ②옛 무곡(舞曲) 이름.
〔康乐球〕 kānglèqiú 명 〈音〉 캐럼즈(caroms)《보통 2인 또는 4인이 네 귀퉁이에 구멍이 나 있는 당구대 모양의 나무판 위에 장기알 모양의 것을 놓고 막대로 구멍 속에 쳐서 넣는 오락. 당구의 풀(pool)과 유사함》. =〔克郎球〕〔克郎棋〕
〔康乐室〕 kānglèshì 명 오락실. ¶每层楼设有一间~; 각 층마다 오락실이 설비되어 있다.
〔康了〕 kāngle 동 〈俗〉 (일 따위가) 허사가 되다. 못 쓰게 되다. ¶这件事~; 이 일은 허사가 되었다 / 这根木料发~; 이 재목은 (썩어서) 속이 숭숭하다.
〔康门尼斯姆〕 kāngménnísīmǔ 명 〈音〉 코뮤니즘. =〔共产主义〕〔康敏主义〕
〔康民尼斯特〕 kāngmínnísītè 명 〈音〉 코뮤니스트(communist). =〔共产党员〕〔共产主义者〕〔抗闵尼斯特〕
〔康民团〕 Kāngmíntuán 명 코민테른(Komintern). =〔共产国际〕
〔康年〕 kāngnián 명 풍년.
〔康宁〕 kāngníng 형 〈文〉 건강하고 편안하다. 강녕하다.
〔康平〕 kāngpíng 형 〈文〉 잘 다스려져 태평하다.
〔康强〕 kāngqiáng 형 〈文〉 ①(사람·동물이) 체력이 강하다. 늠름하다. ②(의지(意志)·결심 등이) 강하다.
〔康青〕 kāngqīng 명 청대(清代) 강희조(康熙朝)

자기(磁器) 특유의 청색.
〔康衢〕 kāngqú 명 ⇨〔康庄〕
〔康沙模尔〕 Kāngshāmó'ěr 명 〈音〉 콤소몰(Komsomol). =〔共青团〕〔共莎算勒〕
〔康塔塔〕 kāngtǎtǎ 명 《樂》〈音〉 칸타타(cantata). =〔清唱剧〕
〔康泰〕 kāngtài 형 〈文〉 건강하다. 평안하다. ¶全家~; 가족이 모두 건강하다〔평안하다〕.
〔康特〕 kāngtè 명 《物》〈音〉 카운트(count)《가이거 계수관에 의해 측정된 방사선 중의 하전 입자(荷電粒子)의 수》. ¶这月所降落的辐射雨, 平均含辐射能在二千~以上; 이 달에 내린 방사능 비에는, 평균 2,000 카운트 이상의 방사능이 포함되어 있다.
〔康铜〕 kāngtóng 명 콘스탄탄(constantan)《상품명: 구리·니켈·망간의 합금. 전기 계기·열전대(熱電對) 따위에 사용됨》.
〔康熙〕 Kāngxī 명 강희《청(淸) 성조(聖祖)의 연호(1662~1722)》.
〔康熙字典〕 kāng xī zì diàn 명 《書》 강희 자전.
〔康庄〕 kāngzhuāng 명 〈文〉 큰 거리. 대로(大路). ¶~大道; 〈成〉 사통팔달(四通八達)의 큰 도로. 넓고 평탄한 길. 탄탄대로. =〔康衢〕

慷〈忼〉 kāng (강)
①동 흥분하여 격해지다. ②형 개탄하다. ③형 너그럽다. =〔大方①〕
〔慷慨〕 kāngkǎi 형 〈文〉 ①비분 강개하다. (정서 따위가) 격해지다. 정의감에 넘쳐 의기가 오르다. ¶言词~; 말이 격해지다 / ~陈词; 〈成〉 격한 어조로 이야기를 하다. 당당한 이야기 / ~激昂; 〈成〉 의기가 격앙되어 있는 모양. ②배짱 있다. 기개가 있다. ¶这个人很~; 이 사람은 기개가 있다. (kāng.kǎi) 동 〈文〉 아까워하지 않다. 인색하지 않다. 후하게 대하다. ¶~的援助; 아낌없이 원조하다 / ~捐献; 선뜻 기부하다 / ~解囊; 〈成〉 아낌없이 돈을 내어 원조하다 / 慷他人之慨; 남의 재물로 크게 선심쓰면서 자기 생색을 내다.
〔慷慨就义〕 kāng kǎi jiù yì 〈成〉 장한 의기로 희생하다.
〔慷然〕 kāngrán 형 〈文〉 활수(滑手)하다. 인심이 후하다. 마음 편하다. ¶~允诺了; 기분 좋게 승낙했다.

槺 kāng (강)
→〔榔láng槺〕

糠〈穅〉 kāng (강)
①명 겨. 지스러기. ¶米mǐ~; 쌀겨 / 木mù~ =〔锯jù~〕〔锯末〕; 톱밥 / 拿~喂wèi猪; 겨를 돼지에게 먹이다. ②형 열등한. 조악(粗惡)한. ③명 겨와 같이 잗다란 것. ④형 구멍이 숭숭 뚫리다. (무 등에) 바람이 들다. 못 쓰게 되다. ¶这东西~了; 이 물건은 못 쓰게 되었다 / 这木料发~了; 이 나무는 (썩어서) 속이 비었다 / 萝luó卜~了; 무에 바람이 들었다. =〔康③〕
〔糠包〕 kāngbāo 명 ①겨 주머니. ②〈轉〉〈罵〉 쓸모없는 놈. 밥벌레.
〔糠秕〕 kāngbǐ 명 ①겨. ②무용지물. =〔秕糠〕
〔糠饼子〕 kāngbǐngzi 명 겨를 반죽해서 만든 빵류의 식품. 매우 거친 조식(粗食).
〔糠菜〕 kāngcài 명 겨와 야채《조식(粗食)》. ¶~半年粮; 일 년의 태반을 겨나 푸성귀 같은 것으로 지내다《옛날 사회의 가난하고 어려운 생활을 형용함》.
〔糠菜饽饽〕 kāngcài bōbo 명 쌀겨와 야채를 섞어 경단 모양으로 둥글게 한 것《가난 또는 흉작으로 기근을 면하기 위해 만들어 먹는 식품》.
〔糠麸〕 kāngfū 명 밀기울.
〔糠核〕 kānghé 명 〈文〉 겨와 밀기울《조식(粗食)이란 뜻》.
〔糠货〕 kānghuò 명 품질이 거칠고 나쁜 물건. 흠이 있는 물건.
〔糠糜〕 kāngmí 명 〈文〉 겨죽. 〈轉〉 조악한 음식.
〔糠皮〕 kāngpí 명 겨. ¶去~; 겨를 벗겨 내다.
〔糠醛〕 kāngquán 명 《化》 푸르푸랄(furfural). 푸르알데히드(furaldehyde).
〔糠筛子〕 kāngshāizi 명 겨를 치는 체.
〔糠市〕 kāngshì 명 〈文〉 빈민굴(貧民窟).
〔糠穗〕 kāngsuì 명 《植》 겨이삭《벼과(科)》.
〔糠虾〕 kāngxiā 명 《魚》 보리새우《얕은 바다에서 나는 작은 새우》.
〔糠心病〕 kāngxīnbìng 명 《農》 선충병(線蟲病).
〔糠油〕 kāngyóu 명 겨기름. 미강유(米糠油).

鱇(鱇) kāng (강)
→〔鮟ān鱇〕

扛〈摃〉 káng (강)
①동 (어깨에 물건을) 메다. ¶~东西; 물건을 어깨에 메다 / ~枪; 총을 메다 / ~小孩儿; 아이를 무동〔목말〕 태우다. ②동 부담하다. 떠맡다. ¶这个任务你一定要~起来; 이 임무는 꼭 네가 맡아야 한다 / ~着一家五口的生活; 한 집안 다섯 식구의 생활을 짊어지고 있다. ③동 기어오르다. 버릇없이 굴다. ④동 말대꾸하며 대들다. ⑤동 〈俗〉 참다. ¶你吃了吗? 我还~着呢; 너는 먹었니? 나는 아직 참고 있는 중이야. ⑥양 메는 것·힘든 일 따위를 세는 단위. ⇒gāng
〔扛棒〕 kángbàng 명 멜대.
〔扛驳〕 kángbó 명동 하역(을 하다).
〔扛叉的〕 kángchāde 명 ①옛날, 기생의 후원자. 기둥서방. ②〈轉〉 후원자.
〔扛长工〕 káng chánggōng 머슴살이를 하다. →〔扛活〕
〔扛大个儿〕 káng dàgèr 〈方〉 (옛날, 부두나 철도의 하역장에서) 짐을 나르다〔하역하다〕. ¶~的; 노동자. 인부.
〔扛刀〕 kángdāo 동 ①칼을 등에 지다. ②〈轉〉 남의 빚까지 짊어지다.
〔扛费〕 kángfèi 명 ⇨〔扛力〕
〔扛夫〕 kángfū 명 짐꾼《짐을 져 나르는 인부》.
〔扛杆〕 kánggān 명 지렛대.
〔扛活〕 káng.huó 동 농가에 고용되어 일하다. 머슴 살다. ¶扛长活; 장기간 농가에 고용되다. 지주의 머슴이 되다 / 扛大活; 중노동에 고용되다.
〔扛枷〕 kángjiā 동 옛날, 목에 칼을 씌우다〔씌워지다〕《옛날 형벌의 하나》.
〔扛价〕 kángjià 동 값을 올리다.
〔扛肩儿的〕 kángjiānrde 명 짐을 지는 일꾼.
〔扛轿〕 kángjiào 동 옛날, 가마를 메다. →〔六liù色〕
〔扛力〕 kánglì 명 짐삯. 하역비. =〔扛费〕
〔扛七个打八个〕 káng qīge dǎ bāge 솜씨가 뛰어난 모양. 일을 잘하는 모양. ¶别管他就是~的, 我也不怕; 그가 아무리 솜씨 좋은 사람일지라도 나는 두렵지 않다.

〔扛嗓子〕 káng sǎngzi 말다툼하다.
〔扛抬〕 kángtái 동 (둘이서 어깨에) 메다.
〔扛天〕 kángtiān 명 〈音〉 컨테이너(container).
〔扛头〕 kángtóu 동 ①독선적이다. 토라져 말을 듣지 않다. 기어오르다. 주제넘게 굴다. ¶他生来一副~脾性; 그는 태생이 독선적인 성질이다 / 你不用~, 没你也行; 주제넘게 굴지 마라. 너 없이도 해 나갈 수 있으니까 / 他对我有点~; 그는 나에게 좀 건방지게 군다. ②도도하게 굴다. 명 심술쟁이. 비뚤어진 사람. 완고한 사람.
〔扛箱〕 kángxiāng 명 메는 상자. 동 상자를 메다. 짐을 짊어지다.
〔扛重机(器)〕 kángzhòngjī(qì) 명 《機》 잭(jack). =〔〈俗〉千qiān斤(顶)〕

亢 kàng (항)
①형 〈轉〉 잘난 체하다. 고자세를 취하다. ¶高~; ⓐ잘난 체하다. ⓑ(목소리가) 크게 잘 울리다. ⓒ(지세가) 높다 / 不~不卑bēi; 비굴하거나 거만하지 않다. ↔〔卑〕 ② 형 심하다. 너무 지나치게 …하다. ③ 동 〈文〉 대항하다. 맞서다. ④ 명 28수(宿)의 하나. ⑤ 명 성(姓)의 하나.
〔亢傲〕 kàng'ào 형 오만하다.
〔亢奋〕 kàngfèn 동 극도로 흥분하다.
〔亢旱〕 kànghàn 명 대한발. 심한 가뭄.
〔亢进〕 kàngjìn 명동 《醫》 (기능) 항진(하다). ¶甲状腺机能~; 갑상선 기능 항진.
〔亢礼〕 kànglǐ 동 〈文〉 대등한 예를 취하다. =〔抗礼〕
〔亢龙有悔〕 kàng lóng yǒu huǐ 〈成〉 교만한 사람은 오래 가지 못한다. 교만한 사람은 곧 후회한다.
〔亢阳〕 kàngyáng 명 ①〈文〉 가뭄. =〔亢晴〕 ②《漢醫》 양기(陽氣)뿐이고 음기(陰氣)가 없어, 조화를 잃고 상기되어 일어나는 병.
〔亢燥〕 kàngzào 형 〈文〉 (흥분해서) 목소리가 들떠 있다.
〔亢直〕 kàngzhí 형 〈文〉 기골이 세다. 강직하다. =〔抗直〕
〔亢宗之子〕 kàng zōng zhī zǐ 〈成〉 가업(家業)을 일으키고 종족(宗族)을 지키는 자손.

伉 kàng (항)
① 형 잘 어울리다. 대등하다. ¶~俪; ⇓ ② 동 〈文〉 대항하다. =〔抗kàng①〕 ③ 형 〈文〉 강하다. ¶~健jiàn; 강건하다. ④ 명 성(姓)의 하나.
〔伉俪〕 kànglì 명 〈文〉 부부(夫婦). 배우자. ¶~之情; 부부의 정.

闶(閌) kàng (항)
형 〈文〉 높고 크다. 고대하다. ⇒ kāng

抗 kàng (항)
① 동 저항하다. 반항하다. 싸우다. ¶对duì~; 대항하다 / 抵~; 저항하다 / ~暴; ⇓ / 顽~; 완강히 저항하다. ② 동 거절하다. 거역하다. 항거하다. ¶~租; ⇓ / ~命; ⇓ ③ 동 〈文〉 들어 올리다. ④ 동 〈文〉 맞서다. 대등하다. 필적하다. ¶~衡; ⇓ / 分庭~礼; 대등하게 나란히 서다. 대등한 예로써 대하다. ⑤ 동 집어넣어 두다. ⑥ 동 고상하다. ⑦ 명 성(姓)의 하나.
〔抗癌霉素〕 kàng'ái méisù 명 《藥》 자르코마이신(sarcomycin). =〔〈音〉寿shòu高迈仙〕
〔抗暴〕 kàngbào 동 폭력에 저항하여 반격하다.
〔抗爆剂〕 kàngbàojì 명 안티녹제(劑). 제폭제《내연 기관 안에서의 이상 폭발 방지를 위해 연료에 첨가하는 물질》.
〔抗爆汽油〕 kàngbào qìyóu 명 앤티노크 가솔린(antiknock gasoline).
〔抗币〕 kàngbì 명 항일 전쟁 중에, 해방구 정부에 의해 발행된 지폐. =〔边biān币〕
〔抗辩〕 kàngbiàn 명동 항변(하다). ¶无法~; 항변할 방법이 없다. =〔抗论〕 명 《法》 반대 변론.
〔抗病〕 kàngbìng 동 병과 싸우다.
〔抗不住〕 kàngbuzhù 저항할 수 없다. 가만히 참고 있을 수 없다. ↔〔抗得住〕
〔抗尘走俗〕 kàng chén zǒu sú 〈成〉 속세계(俗世界)를 분주히 돌아다니다. 명리(名利)를 구해서 돌아다니다.
〔抗传〕 kàngchuán 동 《法》 구인(拘引) 혹은 출두의 명령을 거부하다. ¶~不到; 구인 혹은 출두를 거부하고 출두하지 않다.
〔抗敌素〕 kàngdísù 명 《醫》 항생 물질의 하나《백색 또는 담황색의 분말로 대장간균(大腸桿菌) 따위에서 일어나는 감염을 치료한다》.
〔抗丁〕 kàng.dīng 동 옛날, 장정(壯丁) 징발에 저항하다. ¶~抗粮; 장정과 식량 징발에 저항하다.
〔抗毒素〕 kàngdúsù 명 《醫》 항독소. ¶白bái喉~; 디프테리아 항독소.
〔抗毒血清〕 kàngdú xuèqīng 명 《醫》 면역 혈청.
〔抗断不遵〕 kàngduàn bùzūn 〈文〉 판결에 불복하다.
〔抗风〕 kàngfēng 동 바람을 거스르다. 바람을 막다. ¶~而上; 바람을 거슬러 올라가다.
〔抗告〕 kànggào 명동 《法》 항고(하다).
〔抗过敏药〕 kàngguòmǐnyào 명 《藥》 항(抗)히스타민제.
〔抗过载服〕 kàngguò zàifú 명 인체의 내가속도성(耐加速度性)을 높이는 복장《인체에 가해지는 압력을 막기 위한 기낭(氣囊)이 마련되어 있음》.
〔抗寒〕 kànghán 동 추위를 막다. 방한하다. ¶高粱酒, 冷天喝点儿~真不错; 고량주는 추울 때 한 잔 마셔서 몸을 따뜻하게 하는 데 참으로 좋다.
〔抗旱〕 kàng.hàn 동 ①가뭄과 싸우다. 한발 피해에 대처하다. ¶~品种; 한발에 강한 품종 / 这个新品种能~; 이 신품종은 가뭄 피해에 강하다 / 积极~; 적극적으로 한발과 싸우다. ②〈轉〉 (건설) 자재 부족과 싸우다. ¶工业~运动; 공업 자재 부족 타개의 운동.
〔抗衡〕 kànghéng 동 대항하여 서로 양보하지 않다.
〔抗洪〕 kànghóng 동 홍수를 막다.
〔抗坏血酸〕 kànghuàixuèsuān 명 비타민 C. =〔维生素C〕
〔抗击〕 kàngjī 동 저항하여 반격하다.
〔抗价(儿)〕 kàngjià(r) 동 가격을 유지하다.
〔抗剪强度〕 kàngjiǎn qiángdù 명 《工》 전단력(剪斷力) 강도.
〔抗节〕 kàngjié 동 〈文〉 절조를 견지하며 굽히지 않다.
〔抗久〕 kàngjiǔ 동 〈文〉 오래 가다. 오래 견디다.
〔抗拒〕 kàngjù 동 (사람·공격에) 저항·반항하다. (법을) 무시하다. (의지·계획에) 반대하다. 거역하다. 받을 것을 거절하다. ¶不可~的历史潮流; 거역할 수 없는 역사의 조류. 명 ①(공기·물 등의) 항력(抗力). 저항. ②(사람의 의지·계획 등에 대한) 반대. 방해. ③(물체의 외력에 대한) 강도(強度).

〔抗菌素〕 kàngjūnsù 명《藥》항생 물질. ¶～饲料; 항생 물질을 배합한 가축 사료. =〔抗生素〕
〔抗菌血清〕 kàngjūnxuèqīng 명《醫》항체 혈청. 면역 혈청.
〔抗菌药物〕 kàngjūn yàowù 명 항균성 약물.
〔抗拉强度〕 kànglā qiángdù 명 ⇨〔抗牵强度〕
〔抗痨剂〕 kàngláojì 명《醫》항(抗)결핵제(劑).
〔抗老剂〕 kànglǎojì 명 노화 방지제.
〔抗老强身〕 kàng lǎo qiáng shēn 〈成〉 늙는 것에 구애받지 않고 체력을 기르다.
〔抗礼〕 kànglǐ 동〈文〉⇨〔亢礼〕
〔抗力〕 kànglì 명 저항력.
〔抗脸儿〕 kàngliǎnr 거만(하게 굴다). ¶你这是朝谁～呢? 너 이게 누구한테 건방지게 구는 거냐?
〔抗粮〕 kàngliáng 동 (납세로서) 곡물의 납입을 거절하다(‘～不交’ 라고도 표현함).
〔抗论〕 kànglùn 동〈文〉알랑거리지 않고 직언하다. 명동 ⇨〔抗辩〕
〔抗霉素〕 kàngméisù 명《藥》안티마이신(antimycin).
〔抗命〕 kàngmìng 동 명령에 거역하다.
〔抗纳〕 kàngnà 동 조세 따위의 납입을 거부하다.
〔抗逆〕 kàngnì 동 반항하며 거역하다. ¶～性; 《農》(식물의 냉해 · 병충해 따위에 대한) 저항력.
〔抗疟剂〕 kàngnüèjì 명《藥》항(抗)말라리아제(劑).
〔抗牵强度〕 kàngqiān qiángdù 명《工》인장(引張) 강도. =〔抗张强度〕〔抗拉强度〕
〔抗欠〕 kàngqiàn 동 조세를 체납하며 거부하다.
〔抗日〕 kàngrì 동 일본(군국주의)에 저항하다〔저항하기〕. ¶～根据地; 항일 전쟁 중에 세워진 혁명 근거지 / ～战争; 1937년～1945년의 중일 전쟁.
〔抗生素〕 kàngshēngsù 명 ⇨〔抗菌素〕
〔抗湿纸〕 kàngshīzhǐ 명 방습지.
〔抗手〕 kàngshǒu 명 대항자. 동〈文〉손을 쳐들다.
〔抗属〕 kàngshǔ 명 항일 전쟁 중 군인이나 게릴라 대원의 집에 남은 가족.
〔抗税〕 kàngshuì 동 세금의 납부를 거부하다. =〔抗捐〕
〔抗酸药〕 kàngsuānyào 명《藥》약(弱) 알칼리성(性) 또는 알칼리성 물질.
〔抗体〕 kàngtǐ 명《醫》항체. 면역체.
〔抗违〕 kàngwéi 동 반항하여 명령에 따르지 않다.
〔抗压强度〕 kàngyā qiángdù 명《物》압축 강도.
〔抗药性〕 kàngyàoxìng 명《醫》약물 내성.
〔抗议〕 kàngyì 명동 항의(하다). ¶～书; 항의 각서(외교용어).
〔抗硬〕 kàngyìng 동 꺾이지 않고 저항하다. 강경하게 맞서다.
〔抗御〕 kàngyù 동 저항하여 막다. ¶～能力; 저항력 / ～外侮; 외국의 침략에 저항하여 방어하다.
〔抗灾〕 kàng,zāi 동 재해와 싸우다. ¶～备荒; 자연 재해와 싸우다. 기근에 대비하다.
〔抗债〕 kàng,zhài 동 부채의 반제를 거절하다. ¶～不还huán; 채무를 이행 않고 반환치 않는다.
〔抗战〕 kàngzhàn 명동 (외국으로부터의 침략에) 항전(하다)(특히, ‘抗日战争’(중국의 항일 전쟁)을 가리킴). ¶～到底; 철저하게 항전하다 / ～时期; 항일 전쟁시.
〔抗战夫人〕 kàngzhàn fūrén 명 항일전 기간 중에 오지로 이동한 남자와 현지에서 결혼하고 전열에 참가한 아내의 호칭. →〔沦lún陷夫人〕
〔抗战建国纲领〕 kàngzhàn jiànguó gānglǐng 명《史》1938년 4월 1일, 한커우(漢口)에서 개최된 중국 국민당 임시 전국 대표 대회에서 결의된 항일전 수행에 관한 중요 결의.
〔抗战区〕 kàngzhànqū 명 항일 전쟁 중에 교전이 행하여졌던 지역.
〔抗张强度〕 kàngzhāng qiángdù 명 ⇨〔抗牵强度〕
〔抗震〕 kàngzhèn 명 내진(耐震). ¶～结构; 《健》내진 구조 / ～救灾工作; 지진 재해 구제 작업〔사업〕.
〔抗争〕 kàngzhēng 명동 항쟁(하다).
〔抗租〕 kàngzū 동 농민이 지주에 반항하여 지조(地租)의 납부를 거부하다. →〔赖lài租〕
〔抗组(织)胺剂〕 kàngzǔ(zhī)ànjì 명《藥》항(抗)히스타민제(劑).
〔抗嘴〕 kàngzuǐ 동 말대답하다. 언쟁하다. ¶你别～, 要一哼hēng哼我就揍你; 말대답하지 마라. 이러쿵저러쿵 지껄이면 때려 줄 테다.

闶 kàng (항)

동〈方〉치우다. 간수하다.

炕 kàng (항)

① 명 (중국식) 온돌. ¶躺tǎng在～上; 온돌 위에 눕다. ② 명〈轉〉침상. 침구. ¶尿了～了; 자다가 오줌을 쌌다 / 把～叠上; 이불을 개다 / 铺～; 자리를 깔다. ③ 동〈方〉건조시키다. 불에 쬐다. 굽다. ¶放在炉子旁边～一～; 난로 옆에 놓고 쬐이다 / 搁在暖气管上把手绢儿～干了; 라디에이터 위에 손수건을 올려놓고 말렸다. =〔烤〕
〔炕床〕 kàngchuáng 명 ①온돌. ②2 인용의 나무 의자.
〔炕单子〕 kàngdānzi 명 온돌 위에 까는 시트(sheet).
〔炕洞〕 kàngdòng 명 ①온돌 밑의 4각형 구멍(‘炕炉子’를 넣는 데). ②온돌 아궁이.
〔炕孵〕 kàngfū 동 온돌에서 부화(孵化)하다.
〔炕公炕母〕 kànggōng kàngmǔ 명 온돌의 신(神)(어린애가 태어난 지 3일째의 축하에 이 신을 모심).
〔炕火〕 kànghuǒ 명 온돌의 불. ¶笼lóng～; 온돌에 불을 피우다.
〔炕几〕 kàngjī 명 ⇨〔炕桌儿〕
〔炕炉子〕 kànglúzi 명 온돌 밑의 ‘炕洞’에 넣는 작은 난로.
〔炕面砖〕 kàngmiànzhuān 명 (온돌에 까는) 구들장.
〔炕面子〕 kàngmiànzi 명 온돌 바닥.
〔炕屏〕 kàngpíng 명 ①온돌이 있는 방의 벽걸이(4폭 또는 8폭의 짝으로 되어 있는 글씨 · 그림으로 되어 있음). ②온돌 위에서 사용되는 칸막이.
〔炕琴桌儿〕 kàngqínzhuōr 명 온돌방 아랫목에 설치한 폭 한 자 높이 한 자 가량의 나무 또는 벽돌의 대(臺)(장식품을 놓거나 물건을 올려놓거나 함). =〔炕琴(儿)〕
〔炕上地下〕 kàngshang dìxia 여성의 자질구레한 일(바느질 · 청소 · 식사 준비 등). ¶她～都很不错; 그녀는 집 안의 자질구레한 일들을 모두 잘 한다.
〔炕上一把炕下一把〕 kàngshang yībǎ kàngxia yībǎ (여자의 일이라면) 온돌 위에서 하는 일〔재봉 등〕이나 아래에서 하는 일〔취사 · 청소 등〕 모두 잘 하다. =〔炕上一把剪jiǎn子, 炕下一把铲

chǎn子〕
〔炕梢〕 kàngshāo 명 온돌의 윗목.
〔炕头〕 kàngtóu 명 ①(온돌) 아랫목. ②온돌의 (걸터앉게 되어 있는 쪽의) 가장자리. ¶让他坐在~上了; 그를 온돌의 가장자리 쪽에 앉혔다.
〔炕头子货〕 kàngtóuzihuò ①세상사에 어두운 여자《세상을 모르는 여자》. ②〈比〉 어리석고 소심해서 집 밖으로 나서기를 꺼리는 여자.
〔炕围画〕 kàngwéihuà 명 온돌 둘레(창 밑과 양쪽 벽)의 조붓하고 긴 곳에 그려진 그림.
〔炕席〕 kàngxí 명 온돌 위에 까는 돗자리.
〔炕沿(儿)〕 kàngyán(r) 명 온돌의 가장자리. =〔炕沿子〕
〔炕毡(子)〕 kàngzhān(zi) 명 온돌 위에 까는 깔개〔융단〕.
〔炕砖〕 kàngzhuān 명 온돌을 만드는 벽돌.
〔炕桌儿〕 kàngzhuōr 명 온돌에 놓고 쓰는 낮은 책상. =〔炕几〕

钪(鈧) **kàng** (강)
명《化》 스칸듐(Sc: scandium)《희토류 금속 원소》.

KAO ㄎㄠ

尻 **kāo** (고)
명〈文〉 궁둥이. ¶~坐; 무릎을 세우고 앉다. =〔屁股pìgu〕
〔尻骨〕 kāogǔ 명 꽁무니뼈. 미저골.

考〈攷〉A) **kǎo** (고)
A) ① 명동 시험(하다). ¶高~; 대학의 입학 시험 / ~试; ⇩ / 招zhāo~新生; 신입생을 시험 모집하다 / 下礼拜要~了; 내주 시험이 있다. ② 동 수험하다. ¶应~ =〔投~〕; 응모하여 시험치다 / 我想~大学; 나는 대학 입학 시험을 치려고 한다. ③ 동 조사하다. 연구하다. 조사하여 구명하다. ¶~察; ⇩ / ~勤; ⇩ / ~一~年代; 연대를 조사하다. ④ 동 연구하다. 고증하다. ¶思~; 사고(하다) / ~证; ⇩ / ~古; ⇩ **B**) ① 형 늙었다. 장수하다. ¶寿shòu~; 장수. 고령. ② 명〈文〉 망부(亡父). 선친. ¶先~; 망부 / 如丧~妣; 양친을 여읜 것처럼 슬퍼하다.
〔考案〕 kǎo'àn 명동 고안(하다).
〔考邦油〕 kǎobāngyóu 명〈音〉 혼성 윤활유. 콤파운드(compound)유.
〔考妣〕 kǎobǐ 명〈文〉 망부(亡父)와 망모. ¶~三年; 부모의 사망에는 3년간 복상(服喪)한다.
〔考兵〕 kǎobīng 명 옛날, 병사의 채용 시험 제도.
〔考不上〕 kǎobushàng 시험에 합격 못하다. 시험에 떨어지다. =〔考不中〕〔考不进〕 ↔〔考得上〕
〔考查〕 kǎochá 명동 조사(하다). 검사(하다). 검토(하다). ¶~学生的学业成绩; 학생의 학업 성적을 검사하다.
〔考察〕 kǎochá 동 ①시찰하다. 현지 조사하다. ¶~团; 시찰단 / ~上海金融界的现状; 상하이(上海)의 금융계 현상을 시찰하다. ②면밀히 관찰하다. 고찰하다. ¶~丰富的材料; 풍부한 자료를 잘 조사하다. 명 시찰. 관찰.
〔考察队〕 kǎochádùi 명 관측대(觀測隊). 시찰대.
〔考场〕 kǎochǎng 명 시험장. ¶进jìn~; 시험장에 들어가다.
〔考成〕 kǎochéng 동 옛날, 공무원·고용인의 성적을 평가하다. ¶照着一年的~分花红; 1년간의 근무 평정에 따라 상여를 주다 / 长官~出他的成绩最好; 장관은 그의 성적을 가장 좋다고 평가하였다 / 谁不各顾~; 누구든 자기 성적에는 신경이 쓰인다 / 顾惜~; 성적에 신경을 쓰다.
〔考茨基〕 Kǎocíjī 명《人》 카우츠키《Kautsky Karl Johann, 1854~1938. 독일 사회 민주당의 이론가》.
〔考点〕 kǎodiǎn 명 시험 치르는 장소.
〔考掉〕 kǎodiào 동 (시험에) 떨어지다. ¶初试~的人就没有参加复试的资格了; 1차 시험에 떨어진 자는 2차 시험에 참가할 자격이 없어진다.
〔考订〕 kǎodìng 동 (고서의 진위나 내용의 이동(異同) 따위를) 연구하여 바로잡다.
〔考耳〕 kǎo'ěr 명《電》 코일(coil). =〔线圈〕〔廓衣耳〕
〔考费〕 kǎofèi 명 수험료.
〔考复〕 kǎofù 명동 재심(하다). ¶我认为这案子无须~了, 老兄以为如何? 나는 이 안건은 재심을 요하지 않는다고 생각하는데, 당신은 어떻게 생각하십니까?
〔考格〕 kǎogé 명 복무 규정. 시험 규칙. ¶不照着~办事的, 算是渎职; 복무 규정에 따라 처리하지 않는 것은, 독직하는 것이 된다.
〔考工〕 kǎogōng 명 ⇨〔领lǐng班〕 동 공원(工員)의 기능 검정을 하다. ¶~制zhì; ⓐ기능 검정 제도. ⓑ작업 검정 제도. 노동 점검 제도 / ~升shēng级; 기능을 검정하여 승급시키다.
〔考工厂〕 kǎogōngchǎng 명 옛날, 상품 진열 장소.
〔考古〕 kǎogǔ 동 고고(考古)하다. 명 ⇨〔考古学〕
〔考古学〕 kǎogǔxué 명 고고학. =〔考古〕
〔考官〕 kǎoguān 명 옛날, 과거 시험의 담당 관리. ¶主~坐在中间儿, 陪péi~分侍两旁; 주임 시험관이 중앙에 앉고, 부시험관은 양쪽으로 갈라져 배석한다.
〔考核〕 kǎohé 동 고사하다. 검사하다. 심사하다. ¶~录用; 심사하고 채용하다 / ~干部; 간부를 심사하다〔고사하다〕《시험 따위로》. 명 심사. ¶~飞行; 시험 비행 / 定期~; 정기 심사.
〔考及格〕 kǎo jígé 시험에 급제하다. ¶没~ =〔没及格〕; 급제하지 못하였다 / 考不及格; 급제하지 못하다.
〔考绩〕 kǎojì 동 ①성적을 검사하다. ②근무 평정하다. ¶要求政府取消定期~制度; 정기 근무 평정을 취소하도록 정부에 요구하다. 명 시험 성적.
〔考校〕 kǎojiào 명 시험. 동 ⇨〔考较〕
〔考较〕 kǎojiào 동 비교 조사하다. =〔考校〕
〔考进〕 kǎojìn 동 시험을 치고 들어가다. 시험을 쳐서 들어가게 하다. ¶~大学; 시험을 쳐서 대학에 들어가다.
〔考镜〕 kǎojìng 명〈文〉 참고. ¶这本书可以做您研究的~; 이 책은 당신의 연구에 참고가 될 것입니다.
〔考究〕 kǎojiu 동 ①조사 연구하다. 밝혀(찾아) 내다. ¶这问题很值得~; 이 문제는 잘 연구 조사할 만한 값어치가 있다 / ~不出是哪个朝代的东西; 어느 조대(朝代)의 것인지 밝혀 낼 수가 없다. ②〈方〉 마음을 쓰다. 신경 쓰다. 중시하다. ¶衣服只要整洁就行, 不必多去~; 옷은 단지 입어서 단정하면 그만이지, 너무 신경 쓸 필요가 없다. =〔讲jiǎng究〕 ③공들이다. ¶他穿着非常~的西装; 그는 굉장한 고급 양복을 입고 있다. 형 정교하고

아름답다. 정미(精美)하다. ‖ =〔考求〕

〔考据〕 kǎojù 명 근거. 고증. =〔考证〕

〔考卷(儿)〕 kǎojuàn(r) 명 시험 답안. ¶交～; 답안을 제출하다.

〔考拉〕 kǎolā 명 《動》 코알라(koala). =〔树(袋)熊〕

〔考篮〕 kǎolán 명 전에 관리 등용 시험을 받는 서생(書生)이 시험장에 식사와 기타 필요한 것을 지참하기 위해 쓰던 손에 드는 광주리《대나무로 네모지게 짜서 2·3단으로 겹치게 되어 있음》.

〔考量〕 kǎoliang 동 신중히 생각하다. 신중하게 고려(考慮)하다.

〔考列〕 kǎoliè 동 (시험에) …의 성적으로 합격하다. ¶～优等; 우등의 성적으로 합격하다 / ～前茅máo; 〈成〉 우등으로 합격하다.

〔考虑〕 kǎolǜ 명동 생각(에 넣다). 고려(하다). ¶～周到; 생각이 주도 면밀하다 / 你冷静地～一下; 냉정하게 생각해 보아라 / 他没有加以～, 冒然就决定了; 그는 생각도 하지 않고, 갑자기 결정해 버렸다 / 给予适当的～; 적당한 배려를 베풀다 / ～一下看看吧! 어떻게든 배려해 봅시다! →〔研yán究②〕

〔考期〕 kǎoqī 명 시험 기일.

〔考勤〕 kǎoqín 동 근태(勤怠)를 조사하다. (근무 따위를) 평정하다. ¶～簿bù; 출근부. 근태부 / ～加薪; 근무 평정하여 증봉(增俸)하다 / ～员; 출퇴근 기록원. 명 평정.

〔考求〕 kǎoqiú 동형 ⇨〔考究〕

〔考取〕 kǎoqǔ 동 시험을 쳐서 채용하다〔되다〕. 시험에 합격하다. ¶他～了大学; 그는 대학에 합격했다 / 他被～为司法官了; 그는 시험을 치른 다음에 사법관으로 채용되었다.

〔考上〕 kǎoshàng 동 시험에 합격〔급제〕하다. ¶他～大学了; 그는 대학에 합격하였다 / 考不上; 합격하지 못하다. (시험에) 떨어지다.

〔考生〕 kǎoshēng 명 수험생.

〔考试〕 kǎoshì 명 시험. ¶期中～; 중간 고사. 동 시험하다.

〔考释〕 kǎoshì 동 고문자(古文字)의 고증(考證)과 해석을 하다. 명 고증과 해석.

〔考题〕 kǎotí 명 시험 문제. =〔试shì题〕

〔考童〕 kǎotóng 명 수험 아동. 수험생.

〔考问〕 kǎowèn 명동 시문(試問)(하다).

〔考选〕 kǎoxuǎn 동 시험으로 뽑다〔선발하다〕. 시험으로 뽑히다〔선발되다〕.

〔考研〕 kǎoyán 동 ⇨〔研考〕

〔考验〕 kǎoyàn 명동 시험(하다). 시련(을 주다). 검증(하다). ¶经不起艰难的～; 고난의 시련을 견디어 내지 못하다 / 久经～; 장기간에 걸친 시련을 겪어 왔다.

〔考语〕 kǎoyǔ 명 옛날, 공직자에 대한 평어(評語).

〔考院〕 kǎoyuàn 명 옛날, 과거(科擧) 시험장. →〔贡gòng院〕

〔考证〕 kǎozhèng 명동 고증(하다). ¶～学; 고증학 / 他是一位有～癖pǐ的学者; 그는 고증벽이 있는 학자이다. =〔考据〕

〔考中〕 kǎo,zhòng 동 합격하다. ¶考不中 =〔考不上〕; 합격하지 못하다. =〔考上〕〔取中〕

拷 **kǎo** (고)
① 동 치다. 때리다. 고문하다. =〔打dǎ〕〔挞tà〕 ② →〔拷绸〕

〔拷贝〕 kǎobèi 명 ①〈音〉 복사. 카피(copy). ¶～纸; 복사용지. ②영화 필름의 카피. 프린트. =〔正片②〕 ‖ =〔栲贝〕

〔拷贝笔〕 kǎobèibǐ 명 복사용 연필.

〔拷贝机〕 kǎobèijī 명 복사기. =〔复fù印机〕

〔拷绸〕 kǎochóu 명 '香云纱'(광둥(廣東)산의 엷은 견직물)에 '薯莨'이라는 일종의 만초(蔓草) 뿌리의 즙을 물들인 거무스름하고 가슬가슬한 광택 있는 천《땀이 배지 않아 여름철 중국 옷에 애용됨》. =〔拷纱〕〔黑胶绸〕〔漆绸〕

〔拷打〕 kǎodǎ 동 두들기다. 고문하다. 때리다. ¶在～成招之下, 难免要有冤狱; 고문으로 자백시키려는 상태에서는, 억울하게 투옥당하는 일을 면치 못한다.

〔拷鼓〕 kǎogǔ 동 북을 두드리다.

〔拷花〕 kǎo,huā 동 《紡》 (직물에) 돋을무늬를 내다. ¶～布; 돋을무늬로 짠 천. (kǎohuā) 명 무늬를 찍는 틀.

〔拷掠〕 kǎolüè 명동 ⇨〔拷问〕

〔拷纱〕 kǎoshā 명 ⇨〔拷绸〕

〔拷问〕 kǎowèn 명동 고문(하다). ¶禁不起～; 고문을 견디지 못하다. =〔拷讯〕〔拷掠〕

〔拷讯〕 kǎoxùn 명동 고문(하다).

烤 **kǎo** (고)
동 ①불에 쬐다. ②불을 쬐다. 불을 쬐어 몸을 따뜻이 하다. ¶我～了一会火, 暖和了; 잠시 불을 쬐어 몸을 따뜻이 하였다 / 围着炉子～火; 난로를 둘러싸고 불을 쬐다 / 这炉子太～人; 이 난로는 잘 탄다〔너무 덥다〕. ③불에 굽다《석쇠를 사용하여 불에서 떨어뜨려서》. ¶～肉; ⇓ / ～白薯; ⇓ / ～着吃; 불에 구워 먹다 / 别离火炉子太近, 留神把衣裳～着了; 난로 옆으로 너무 가까이 가지 마라, 옷이 눋지 않도록 주의해야지. →〔烘hōng〕 ④불기로 건조시키다. (불에 쬐어) 말리다. ¶把湿衣裳～一～; 축축한 옷을 불에 말리다.

〔烤白薯〕 kǎobáishǔ ① 명 군고구마. ②(kǎo báishǔ) 고구마를 굽다.

〔烤饼〕 kǎobǐng 명 찜구이 가마로 구워 만드는 '烧饼'. ¶～之中再没有比吊炉烧饼好吃的了; '烤饼' 중에서는 가마에 넣어 윗불로 구운 것만큼 맛이 있는 것은 없다. →〔烘hōng炉〕〔烧shāo饼〕

〔烤电〕 kǎodiàn 《醫》 명 디아테르미(diathermy)《일종의 투열(透熱) 요법. 고주파 전류로 피하 조직에 열을 발생시키는 요법》. (kǎo,diàn) 동 전기 치료를 하다.

〔烤干〕 kǎogān 동 불에 쬐어 말리다.

〔烤煳〕 kǎohú 동 눋다. 태우다. ¶把白薯～了; 고구마를 태웠다.

〔烤火〕 kǎo,huǒ 동 불에 쬐다. 불을 쬐다. ¶～费; 난방비 / 你们快烤烤火; 자, 빨리 불을 쬐어요.

〔烤焦〕 kǎojiāo 동 (까맣게) 눋다. 타다.

〔烤蓝〕 kǎolán 동 ⇨〔发fā蓝②〕

〔烤炉〕 kǎolú 명 오븐(oven). ¶中国人烤鸭子都是吊着烤, 西方烤鸭却是送进～里去; 중국 사람이 오리구이를 만들 때에는 매달아서 굽지만, 양식의 오리 로스는 오븐 속에 넣어 굽는 방식이다.

〔烤面包〕 kǎomiànbāo ① 명 토스트 빵. 구운 빵. ②(kǎo miànbāo) 빵을 굽다.

〔烤面包器〕 kǎomiànbāoqì 명 토스터(toaster). =〔〈音義〉多duō士炉〕

〔烤木〕 kǎomù 동 나무를 불에 쬐어 구부리다.

〔烤牛肉〕 kǎoniúròu ① 명 불고기. ②(kǎo niúròu) 쇠고기를 불에 굽다.

〔烤盘子〕 kǎopánzi 명 ⇨〔平píng底煎锅〕

〔烤漆〕 kǎoqī 명동 무늬를 구워 넣는 도장(塗裝)(을 하다).
〔烤肉〕 kǎoròu ①명 석쇠로 불에 구운 (돼지)고기. ¶～馆; 불고기 집. ②(kǎo ròu) (돼지)고기를 불에 굽다.
〔烤田〕 kǎotián 명동 벼의 그루터기를 태워 비료로 하다〔하는 일〕.
〔烤箱〕 kǎoxiāng 명 레인지(range). 오븐(oven).
〔烤鸭〕 kǎoyā 명 오리의 통구이. ¶北京～; 페킹덕(Peking duck)《밀가루를 반죽하여 둥글고 얇게 밀어 구운 다음 오리고기를 잘게 저민 것과 파·된장을 함께 싸서 먹는 유명한 요리명》.
〔烤烟〕 kǎoyān ①명 (특별한) 건조실에서 발효·건조시킨 잎담배. ②(kǎo yān) 건조실에서 담배의 잎을 건조시키다.
〔烤羊肉〕 kǎoyángròu 명 칭기즈칸 요리《양고기를 얇게 저며 양념을 하여 석쇠에 구워 먹는 불고기》. →〔烤牛肉〕
〔烤直〕 kǎozhí 동 (나무나 대나무를) 불에 쬐어 곧게 하다. ¶把那条藤拐棍儿～了; 그 등지팡이를 불에 쬐어 곧게 하였다.
〔烤猪肉〕 kǎozhūròu ①명 구운 돼지고기. ②(kǎo zhūròu) 돼지고기를 굽다.

栲 kǎo (고)
명《植》 붉나무.

〔栲贝〕 kǎobèi 명 ⇨〔拷贝〕
〔栲胶〕 kǎojiāo 명 타닌 엑스(tannin extract).
〔栲栳〕 kǎolǎo 명 버들가지로 엮은 원형의 바구니《곡물을 넣음》. =〔笆篓〕〔笆bā斗〕
〔栲皮〕 kǎopí 명 맹그로브(mangrove) 나무 껍질《타닌이 많음》.
〔栲香〕 kǎoxiāng 명《植》 굴피나무.

笺 kǎo (고)
→〔笺篓〕

〔笺篓〕 kǎolǎo 명 ⇨〔栲栳〕

铐(銬) kào (고)
①(～子) 명 수갑. ¶手～子; 수갑. 고랑. ②동 수갑을 채우다. ¶把犯人～起来; 범인에게 수갑을 채우다.

鲓(鮳) kào (고)
→〔鲓子鱼〕

〔鲓子鱼〕 kàoziyú 명《魚》 웅어. =〔靠子鱼〕

犒 kào (호)
동 (돈·술·음식 등으로) 위로하다.

〔犒劳〕 kàolao 동 ①수고를 위로하다. ②(반갑지 않은 것이) 닥쳐오다. 받다《풍자의 뜻이 있음》. ¶～了一蹄子; (말한테) 한 번 채였다. 명 ①위로. ②수고를 위로하는 음식 대접.
〔犒赏〕 kàoshǎng 동 공 있는 자에게 상을 주다.
〔犒师〕 kàoshī 동〈文〉 군대를 술과 음식 등으로 위로하다. =〔犒军〕

靠 kào (고)
①동 의뢰하다. 의지하다. ¶～着什么过日子; 무엇으로 생계를 이어 가고 있는가/～劳动生活; 노동에 의지하여 생활하다/学习要～自己, 不要～别人; 학습함에 있어서는 자기를 의지해야지, 남을 의지해서는 안 된다/～减少开支来降低成本; 지출을 줄임으로써 원가를 낮추다. ②동 기대다. 기대어 세우다. ¶～柜外站着; 스탠드의 바깥쪽에 기대어 서 있다/你把梯子～在墙上! 사다리를 담에 기대어 세워 놓아라! ③동 접근하다. 다가서다. 대다. ¶～窗户有一长桌子; 창가에 탁자가 하나 놓여 있다/～着大树有柴烧; 이왕이면 큼직한 나무 그늘에 의지하여야 덕을 본다. ④동 안심하고 의지하다. 신뢰하다. 믿다. ¶～得住; 신용할 수 있다. 의지가 되다/可～的人; 믿을 만한 사람. ⑤동〈俗〉 주사위의 눈이 나타나다. ¶～! ～! 二三～呀! 나와라! 나와라! 2,3 나와라! ⑥명 뭉근한 불에 끓이는 요리법《'～在旁边儿'의 뜻으로 노(爐)의 가장자리에서 약한 불에 끓임》. ¶炖肉得用微火～; 고기는 약한 불에 고아야 한다. ⑦명《劇》(중국 전통극에서) 무장(武將)이 입는 갑옷. ¶扎～; 갑옷을 입다.
〔靠岸〕 kào∙àn 동 배를 물가에 대다. 배가 물가에 닿다. 접안하다.
〔靠把〕 kàobǎ 동 ⇨〔靠背〕
〔靠白〕 kàobái 명《色》 엷은 담황색. ¶墙上糊～色; 벽을 엷은 담황색으로 바르다.
〔靠傍〕 kàobàng 동〈方〉 의지하다. 의뢰하다.
〔靠包〕 kàobāo 명 ⇨〔靠垫〕
〔靠包儿的〕 kàobāorde 명 의지가 되는 것. 후원자.
〔靠背〕 kàobèi 명 ①의자의 등널. ②의자의 쿠션. =〔靠背垫子diànzi〕 ③〈轉〉 의지가 되는 것. 후원자. 동《劇》 경극(京劇)의 전쟁 장면에서 배우가 (갑옷으로 무장하고) 싸우는 장면을 연기하다《'靠'는 갑옷, '把'는 칼·창을 가리킴》. ¶～武生 =〔靠把武生〕; 전사(戰士)·용사(勇士)의 역(役). =〔靠把〕
〔靠背轮〕 kàobèilún 명 ①⇨〔联lián轴节〕 ②⇨〔离lí合器〕
〔靠边(儿)〕 kào∙biān(r) 동 ①(길의) 가쪽으로 비키다. ¶～! ～! 비켜! 비켜! 가로 비켜 서라. ②〈方〉〈比〉 (그럭저럭) 도리(道理)에 가깝다. ¶这话说得还～; 이 말은 그런대로 이치에 맞는다. ③직무를 떠나 근신하다. 직권이나 권한에서 멀리하다. ④…가깝다. ¶五十～的人; 50세 가량의 사람.
〔靠边(儿)站〕 kàobiān(r)zhàn ①가장자리에 서다《조연(助演)적인 입장에 섬》. ②근신하다. 현직·현장을 떠나다. ③뒤로 미뤄 두다.
〔靠泊〕 kàobó 동 정박하다.
〔靠不住〕 kàobuzhù 맡길 수 없다. 믿을 수 없다. 신용 못 하다. ¶这话～; 이 말은 믿을 수 없다/他靠得住～? 그 사람은 신용할 수 있습니까? ↔〔靠得住〕
〔靠常儿〕 kàochángr 부〈俗〉 평소. 항시. ¶那家旅馆里～总住着一百多客人; 저 여관에는 평소 언제나 백 명 이상의 손님이 유숙하고 있다. 형 오래 가다. 내구력이 있다.
〔靠船〕 kàochuán 동 배를 물가에 대다.
〔靠得住〕 kàodezhù 신용할 수 있다. 믿을 수 있다. 의지가 되다. ¶有～的人, 请给介绍一位吧; 믿을 수 있는 사람이 있으면, 한 사람 소개해 주시오.
〔靠垫〕 kàodiàn 명 (의자 따위의) 쿠션(cushion). =〔靠背垫子〕〔靠包〕
〔靠滚〕 kàogǔn 동 사람을 속이다. ¶～为生; 사람 속이기를 업으로 삼다.
〔靠河吃河〕 kào hé chī hé〈諺〉 강 가까이 살면 강에서 생계를 유지한다《'靠山吃山'에 연결되어, 사람은 그 고장에 의해 살아간다는 뜻》.
〔靠湖〕 kàohú 명《色》 옥색. 물색.

〔靠己〕 kàojǐ 형 친하다. ¶～的朋友; 친한 친구.
〔靠耩〕 kàojiǎng 동《農》(파종의 폭을 넓히기 위하여 이미 만들어져 있는) 이랑에 흙을 더 갖다 붙이다. =〔靠耧lóu〕
〔靠近〕 kàojìn 형 가깝다. ¶两人坐得十分～; 두 사람은 매우 가깝게 앉아 있다. 동 ①접근하다. ¶～沙发的墙角里有一个火炉; 소파 근처의 벽 구석에 난로가 놓여 있다. ②가까이 가다. (곁으로) 대다. ¶把脸～铁丝网; 얼굴을 철망 옆에 갖다 대다 / 轮船慢慢地～码头了; 기선이 천천히 부두에 접근했다. ③〈轉〉 아주 친해지다. ‖ =〔挨āi近〕〔〈京〉企qǐ扈〕
〔靠赖〕 kàolài 동 의지〔의존〕하다. ¶～祖产的, 不是好骨头; 조상의 유산에 의존하려는 자는 별볼일 없는 자이다.
〔靠老本〕 kào lǎoběn 본래 가진 재산을 의지하다. ¶～过日子; 밑천을 믿고 생활하다.
〔靠脸〕 kàoliǎn 동 얼굴을 팔다. ¶～去办; 얼굴을 내세워 일을 도모하다.
〔靠拢〕 kào.lǒng 동 ①밀집(密集)하다. ¶～队; 밀집 부대 / ～分子 =〔～派〕; 편승(便乘)파 / 向前～; ⓐ앞으로 다그다. 줄을 좁히다. ⓑ집합! 《구령》 ②접근하다. 다가가다. =〔靠近〕
〔靠码头〕 kào mǎtou 배를 부두에 대다〔부두에 닿다〕.
〔靠卖〕 kàomài 동 시세대로 팔다. ¶打鼓儿的给价儿太低了, 就是想～凑不上价儿也不行啊; 고물장수가 부르는 값이 너무 싸서, 시가(市價)대로 팔려고 하나, 값이 맞지 않아 역시 안 된다.
〔靠摸〕 kàomo 부〈俗〉 대략. 약. ¶～二斗; 두 말 남짓.
〔靠模〕 kàomú〔kàomó〕 명《機》 프로파일링(profiling). 본뜨기.
〔靠模铣床〕 kàomú xǐchuáng 명《機》 모방(模倣) 프레이즈반(fraise盤). =〔模制机〕〔仿fǎng形铣床〕
〔靠牌儿〕 kàopáir 형 신용할 수 있다. 확실하다.
〔靠盘儿〕 kàopánr 형〈俗〉 확실하다. 착실하다. ¶做事, 说话儿都很～; 하는 일 말하는 것 모두가 확실하다 / 做事得～; 일은 확실하게 해야 한다.
〔靠旗〕 kàoqí 명 경극(京劇)에서, 무장(武將)이 갑옷의 등에 꽂는 넉 대의 삼각기(三角旗).
〔靠亲家儿〕 kàoqìngjiār 동 (남녀가) 달라붙다. 사통하다.
〔靠儿〕 kàor 명 (의자 따위의) 기대는 곳.
〔靠人家〕 kào rénjiā 남에게 의지하다.
〔靠色〕 kàosè 명 ①같은 계통의 색채. ¶守旧的颜色与演员服装的颜色, 是不能太～的; 배경의 막 색깔과 배우의 복장 색깔이 너무 비슷한 색깔이어서는 안 된다. ②《色》 하늘색에 가까운 잿빛.
〔靠山〕 kàoshān 동 산에 접근하다. ¶～的地方; 산에 가까운 곳 / ～吃山, 靠水吃水; 〈諺〉 산에 사는 사람은 산에 의해 살고, 물가에 사는 사람은 어업으로 산다. →〔靠河吃河〕 명 ①의지가 되는 사람. 후원자. 보호자. 뒷배. ¶仗着～; 후원자를 믿고 / 不要紧, 有我给你做～了; 걱정 마라, 내가 뒷배를 보아 줄 테니 / 他父亲一死, 把个～没了; 그의 아버지가 돌아가시자 의지할 사람이 없게 되었다. ②〈方〉 낚시 도구.
〔靠手〕 kàoshǒu 명 의자의 팔걸이.
〔靠天〕 kào.tiān 동 하늘에 맡기다. 운(運)에 맡기다. ¶～吃饭; 운을 하늘에 맡기고 살아가다 / ～保佑; 하늘의 가호에 의지하다 / ～天不佑, 叫地地不应; 〈成〉 하늘의 도움도 없고, 땅의 도움도 없다. 하늘도 땅도 무심하다 / ～田; ⓐ노력(勞力)을 들이지 않고 수확을 얻으려 하는 논밭. ⓑ지형상 관개할 필요도 없이 방치한 대로 수확을 거두는 논밭. ⓒ천둥지기. 천수답.
〔靠头(儿)〕 kàotóu(r) 명 의지할 수 있는 것.
〔靠托〕 kàotuō 동 믿고 맡기다. ¶这件事情我可全～您了! 이 건(件)은 모두 당신에게 맡깁니다!
〔靠椅〕 kàoyǐ 명 등널이 있는 의자.
〔靠右行驶〕 kào yòu xíngshǐ (차량의) 우측 통행. =〔靠右行车〕
〔靠着〕 kàozhe 나란히 서서. 다가서서. ¶～她散步; 그녀와 나란히 산보하다 / 坐在～窗的沙发上; 창에 가까운 소파에 앉아 있다.
〔靠枕〕 kàozhěn 명 허리 뒤에 대고 기대는 원형의 긴 베개.
〔靠住〕 kàozhù 동 ①전적으로 의지하다. 기대려 들다. ¶拿面子～他, 他总不好意思推辞; 안면을 내세워 그에게 의지하려 들면, 그는 아무래도 측은하여 거절하지 못할 것이다. ②시세가 보합세(保合勢)이다. 시세가 변동이 없다. ¶节前这几天市面全～了, 没什么涨落; 명절 전의 요 며칠 동안은 시세가 완전히 보합이어서, 조금도 등락(騰落)이 없다.
〔靠准(儿)〕 kàozhǔn(r) 형〈方〉 확실(하다). 엉터리가 아니다. ¶他这话～吗? 그의 이 이야기는 확실하냐? / 他做事真～, 一点儿不敷衍; 그는 일하는 것이 확실해서 조금도 적당히 넘기거나 하지 않는다.
〔靠子〕 kàozi 명 ①등받이. ¶车～; 마차 좌석의 등받이. ②연극에서 무장이 갑옷 따위를 입는 것.

KE ㄎㄜ

剅 kē (과)
→〔剅쉽〕

〔剅拉〕 kēlā 명 ⇨〔坷拉〕

匼 kē (갑)
① 명 옛날 두건(頭巾)의 일종. ② →〔匼匝〕 ③지명용 자(字). ¶～河镇; 커허 진(匼河鎭)《산시 성(山西省)에 있는 땅 이름》.

〔匼匝〕 kēzā 형 에워싼 모양.

坷 kē (가)
→〔坷坷绊绊(的)〕〔坷拉〕 ⇒ kě

〔坷坷绊绊(的)〕 kēkebànbàn(de) 형 (발이 걸려서) 넘어질 듯하면서 걷는 모양.
〔坷拉〕 kēla 명〈方〉 흙덩이. =〔剅拉〕

苛 kē (가)
형 ①번거롭다. ¶～法; 번거로운 법. ②가혹하다. ¶对方提出的条件太～了; 상대방이 내놓은 조건은 아주 가혹하다 / 他待人很～; 그는 사람을 대하는 것이 지나치게 엄격하다. ③엄하다.

〔苛察〕 kēchá 동〈文〉 자세히 성가시게 조사하다.
〔苛打〕 kēdǎ 명〈音〉 할당(割當) 제한액. 쿼터(quota).
〔苛待〕 kēdài 동〈文〉 가혹하게 대우하다. 학대하다.
〔苛疾〕 kējí 명〈文〉 중병(重病).
〔苛禁〕 kējìn 명 가혹한 금령.

〔苛捐〕 kējuān 명 가혹한 세금. ¶～杂税; 가혹하고 잡다한 세금.
〔苛刻〕 kēkè 형 잔혹하다. 용서 없다. 가혹하다.
〔苛苦〕 kēkǔ 동 심하게〔모질게〕 대하다. ¶他太～工人; 그는 근로자들에게 너무 심하게 대한다.
〔苛酷〕 kēkù 형 가혹하다. =〔苛刻kè〕
〔苛滥〕 kēlàn 형 〈文〉 너무 엄격하거나 너무 관대하다.
〔苛礼〕 kēlǐ 명 〈文〉 지나치게 번거로운 예의.
〔苛吏〕 kēlì 명 〈文〉 가혹한 관리.
〔苛敛〕 kēliǎn 동 〈文〉 가혹하게 징수하다. ¶～诛zhū求; 가렴주구.
〔苛令〕 kēlìng 명 〈文〉 엄명(嚴命).
〔苛评〕 kēpíng 명 가혹한 비평.
〔苛求〕 kēqiú 동 ①가렴(苛斂)하다. 가혹하게 징수하다. ②지독하게 요구하다. ¶对于他们不要～! 그들에게 너무 가혹하게 요구해서는 안 된다! 명 가혹한 요구.
〔苛丧〕 kēsàng 동 ①냉정하게 대우하다. ②기분 나쁜 기색을 하다.
〔苛碎〕 kēsuì 형 〈文〉 자차분하고 번거롭다. 까다롭다. =〔苛细〕
〔苛铁达〕 kētiědá 명 ⇨〔武力政变〕
〔苛性钾〕 kēxìngjiǎ 명 《化》 가성 칼리. =〔氢qīng氧化钾〕
〔苛性苏达〕 kēxìng sūdá 명 ⇨〔氢qīng氧化钠〕
〔苛杂〕 kēzá 명 여러 가지 명목으로 징수하는 가혹하고 잡다한 세금.
〔苛责〕 kēzé 동 가책하다. 가혹하게 책하다.
〔苛征〕 kēzhēng 동 〈文〉 가혹하게 징수하다. =〔苛派〕
〔苛政〕 kēzhèng 명 가혹한 정치. ¶～猛于虎; 가혹한 정치는 호랑이보다도 무섭다.

呵 kē (가)
음역어에 쓰임. ¶～叻Kēlè; 코라트(Khorat)《태국의 지명》. ⇒'啊' ā á ǎ à a, hē

珂 kē (가)
〈文〉 ① 명 흰 마노(瑪瑙). ② 명 말의 재갈의 장식. ③ 형 아름답다.
〔珂里〕 kēlǐ 명 〈文〉〈敬〉 귀지(貴地). =〔珂乡〕
〔珂罗版〕 kēluóbǎn 명 《印》 콜로타이프(collotype). =〔玻璃bōli版〕〔珂罗版〕
〔珂罗摩纸板〕 kēluómó zhǐbǎn 명 크로모 판지.
〔珂雪〕 kēxuě 형 〈文〉 ①새하얗다. ②〈比〉 결백하다.

柯 kē (가)
명 ①〈文〉 도끼 자루. ②〈文〉 나무·풀의 줄기. ¶槐huái～; 홰나무 줄기. ③성(姓)의 하나.
〔柯达〕 Kēdá 명 〈音〉 코닥(Kodak) 카메라.
〔柯打仄〕 kēdǎzè 명 〈廣〉 수표. ¶开好～两张; 수표 두 장을 쓰다.
〔柯尔克孜〕 Kē'ěrkèzī 명 《民》 키르기즈(kirgiz)족《중국 소수 민족의 하나. 주로 신장(新疆) 위구르 자치구에 분포함》.
〔柯卡〕 kēkǎ 명 코카(coca). 코카나무. =〔古柯〕〔可卡〕〔高根〕
〔柯柯豆油〕 kēkēdòuyóu 명 카카오(cacao) 기름. ¶柯柯豆油栓shuān; 카카오 기름 좌약(坐藥). =〔柯柯脂〕
〔柯利狗〕 kēlìgǒu 명 《動》 콜리(collie) 개.

轲(軻) kē (가)
고대 수레의 일종으로 인명용 자(字). ⇒kě

牁 kē (가)
지명용 자(字). ¶牂Zāng～; 장가(牂牁)《한대(漢代)의 군(郡) 이름. 지금의 구이저우성(貴州省) 쭌이 현(遵義縣) 일대에 해당함》.

疴〈痾〉 kē (아) 〔〈舊〉ē〕
〈文〉 ① 명 병(病). ¶微～; 가벼운 병. 미양 / 沈～; 중병 / 养～; 몸조리하다. 요양하다 / 染～; 병에 걸리다. ② 동 앓다.

砢 kē (가)
→〔砢碜〕 ⇒luǒ

〔砢碜〕 kēchen 형 〈北方〉 보기 흉하다. 꼴불견이다. 눈에 거슬리다. ¶这些脏东西, 摊在这儿多～呢; 이런 지저분한 것을 여기에 벌여 놓아서는 보기 흉하지 않으냐. 동 수치를 주다. 부끄럽게 하다. ¶要在众人面前～我一场; 뭇 사람들의 면전에서 나를 부끄럽게 하다.

钶(鈳) kē (가)
명 《化》 니오븀(Nb) 또는 콜럼븀(Cb)의 구칭(舊稱). =〔铌ní〕

蚵 kē (가)
→〔屎蚵螂shǐkeláng〕

科 kē (과)
① 명 과(科)《학술·업무의 분류》. ¶～目; ⇩ / 文～; 문과 / 理～; 이과 / 专～学校; 전문 대학. 전문 학교 / 牙～; 치과. ② 명 과《기관 등 조직상의 한 부문》. ¶秘书～; 비서과 / 人事～; 인사과 / 总务～庶务股; 총무과 서무계 / 总务处庶务～; 총무부 서무과. ③ 명 《生》 (생물 분류학상의) 과《'目mù⑥'의 아래, '属shǔ⑧'의 위에 상당함》. ④ 명 과거. =〔科举〕 ⑤ 명 옴폭 들어간 곳. ⑥ 명 조목(條目). ⑦ 동 (죄를) 과하다. 처벌하다. ¶～以罚金; 벌금을 과하다 / ～处徒刑; 징역형에 처하다. ⑧ 명 정도. ⑨ 명 《劇》 배우의 몸짓. ¶做关门～; 문을 닫는 시늉을 하다 / 插～打浑; (사이에) 연기 동작을 끼워 넣거나 우스운 대사로 웃김.
〔科白〕 kēbái 명 《劇》 몸짓과 대사(臺詞).
〔科班(儿)〕 kēbān(r) 명 ①옛날, 경극(京劇) 배우 양성소. ②〈比〉 정규의 교육·훈련. ¶～出身; ⓐ배우 양성소 출신자. ⓑ정규 교육이나 훈련을 받은 사람.
〔科场〕 kēchǎng 명 과장. 옛날, 과거 시험장.
〔科处〕 kēchǔ 동 형벌에 처하다. ¶～徒刑; 징역에 처하다.
〔科葱〕 kēcong 명 《植》 골파.
〔科第〕 kēdì 명 ①과거 제도에서 관리의 보결을 채용할 때 성적순으로 이름을 나열함. ②⇨〔科举〕
〔科斗〕 kēdǒu 명 《動》 올챙이. =〔蝌蚪〕
〔科斗文〕 kēdǒuwén 명 과두 문자(蝌蚪文字)(로 쓴 고문)《주대(周代) 글자의 한 가지. 글자의 첫 획이 올챙이처럼 굵고, 글자의 선이 꿈틀거리고 있는 데서 이름》.
〔科段〕 kēduàn 명 수단. 수〔법〕. ¶你好不分晓, 是前番～, 今番又来使; 너는 머리가 잘 안 도는구나, 전과 같은 수를 또 쓰려 하다니.
〔科尔火支〕 Kē'ěrhuǒzhī 명 〈音〉 콜호즈(kolkhoz)《집단 농장》. =〔集体农庄〕〔集体农场〕
〔科罚〕 kēfá 동 (벌·형(刑)을) 과하다. 벌금을 과하다. 명 징벌. 벌. 처벌. 형벌.
〔科房〕 kēfáng 명 옛날, 관청의 서기실(書記室).
〔科分〕 kēfen 명 과거에 합격한 연차《예를 들면,

'辛xīn酉年'에 합격한 진사는 '辛酉科进士'라 이름).
〔科幻小说〕 kēhuàn xiǎoshuō 명 〈簡〉 공상 과학 소설. SF 소설('科学幻想小说'의 약칭).
〔科诨〕 kēhùn 명 《劇》 웃기는 행동·대사.
〔科技〕 kējì 명 과학 기술. ¶～大学; 과학 기술 대학.
〔科甲〕 kējiǎ 명 ⇨〔科举〕
〔科教〕 kējiào 명 과학 교육.
〔科教片〕 kējiàopiàn 명 과학 교육 영화.
〔科举〕 kējǔ 명 과거(수(隋)·당(唐)에서 청말(清末)까지 이어져 온 관리 등용 제도). =〔科第〕〔科甲〕
〔科考〕 kēkǎo 명 과거 시험에서 '乡试'에 응하려는 자가 받는 예비 시험. =〔科试〕
〔科敛〕 kēliǎn 동 (돈이나 물건을) 갹출하다. 추렴하다.
〔科伦坡〕 Kēlúnpō 명 《地》〈音〉 콜롬보('斯里兰卡'(스리랑카: Sri Lanka)의 수도).
〔科名〕 kēmíng 명 〈文〉 과거 시험 합격의 공명(功名).
〔科摩罗共和国〕 Kēmóluó gònghéguó 명 《地》〈音〉 코모로(Comoros) 공화국(아프리카 '莫桑比克'(모잠비크) 해협(海峽)에 있는 섬나라. 수도는 '莫罗尼'(모로니: Moroni)임).
〔科目〕 kēmù 명 과목(科目).
〔科纳克里〕 Kēnàkèlǐ 명 《地》〈音〉 코나크리(Conakry)('几jǐ内亚共和国'(기니: Guinea)의 수도).
〔科派〕 kēpài 동 할당하다. 할당하여 내게 하다.
〔科普〕 kēpǔ 명 〈簡〉 과학 보급. ¶～读物; 과학 지식을 보급하는 서적류. 과학 잡지.
〔科任〕 kērèn 명 학과 담임(교사).
〔科室〕 kēshì 명 기업 또는 관청의 관리 부문의 각 과·각 실의 총칭. ¶～人员; 각 실·각 과의 요원. 사무 직원.
〔科税〕 kēshuì 동 과세하다.
〔科头〕 kētóu 명 맨머리. ¶～跣足; 맨머리에 맨발.
〔科威特〕 Kēwēitè 명 《地》〈音〉 쿠웨이트(Kuwait)(수도는 '科威特'(쿠웨이트: Kuwait)임).
〔科学〕 kēxué 명 과학. ¶～工作者; 과학자 / ～教育影片 =〔科教片〕; 과학 교육 영화. 형 과학적이다. ¶这么办不～; 이런 식은 과학적이 아니다.
〔科学家〕 kēxuéjiā 명 과학자.
〔科学社会主义〕 kēxué shèhuì zhǔyì 명 과학적 사회주의. 마르크스주의적 사회주의. =〔科学共产主义〕
〔科学研究〕 kēxué yánjiū 명 과학의 연구. =〔〈簡〉科研〕
〔科学院〕 kēxuéyuàn 명 과학원. 아카데미.
〔科研〕 kēyán 명 과학 연구. ¶～机构; 과학 연구 기구.
〔科员〕 kēyuán 명 과원(課員).
〔科则〕 kēzé 명 〈文〉 과세(課稅)의 항목·등급.
〔科长〕 kēzhǎng 명 과장(課長).
〔科罪〕 kēzuì 동 〈文〉 죄를 결정하다.

蝌 kē (과)
→〔蝌蚪〕

〔蝌蚪〕 kēdǒu 명 《動》 올챙이. =〔蛤há蟆骨朵儿〕

喀 kē (객)
①→〔唠喀(儿)〕 ② 동 가다. ¶你回～等着罢; 너는 돌아가서 기다려라. =〔去〕 ⇒ kā

棵 kē (과)
① 양 초목·야채 따위를 세는 단위. ¶一～树shù; 한 그루의 나무 / 一～白菜; 배추 한 포기. ② 양 궐련을 세는 단위. ¶一～烟; 담배 한 개비. ③(～子) 명 〈方〉 (주로 농작물의) 줄기.
〔棵儿〕 kēr 명 식물(植物)의 크기. ¶这棵花～小; 이 꽃은 작다 / 这白菜～很小; 이 배추는 포기가 작다.

窠 kē (과)
명 ①짐승·새의 보금자리. ②동물이 사는 구멍. ③〈轉〉 사람이 사는 굴. ④ 움폭 들어간 곳.
〔窠臼〕 kējiù 명 〈文〉 상투(常套). (문장 따위의) 재래 형식. ¶落～; 틀에 박힌 형식이 되어 버리다. =〔科kē臼〕

稞 kē (과)
→〔稞麦〕

〔稞麦〕 kēmài 명 《植》 쌀보리. =〔青稞〕

颗(顆) kē (과)
① 명 알. 알 모양의 것. ② 양 작고 둥근 것 또는 알맹이 모양의 물건을 세는 데 쓰임. ¶一～黄húang豆; 한 알의 콩 / 一～珠; 한 알의 구슬 / 一～星星; 별 하나 / 汗hàn珠子一～一～往下掉; 땀방울이 한 방울 한 방울 밑으로 떨어지다.
〔颗粒〕 kēlì 명 톨. 알맹이. 과립. ¶～不收; 〈成〉 한 알의 곡식도 거두어들이지 못하다 / ～归仓; 쌀 한 톨도 소홀히 하지 않고 창고에 넣다 / ～肥料; 과립상(顆粒狀) 비료 / ～性结膜炎; 《醫》 트라코마(trachoma).
〔颗盐〕 kēyán 명 함수호에서 자연히 건조해서 생기는 낟알 모양의 소금. =〔苦kǔ盐〕

髁 kē (과)
명 ①대퇴골. 넓적다리뼈. ②슬개골. 종지뼈. ③뼈의 양 끝에 있는 돌기(突起).
〔髁膝盖〕 kēxigài 명 무릎.

颏(頦) kē (해)
명 ①턱. =〔〈俗〉下巴〕〔下巴颏儿〕 ②(～子) 여우 가죽의 하나. ⇒ ké
〔颏颊涛〕 kējiátāo 명 ⇨〔颏下绦〕
〔颏勒嗉〕 kēlesù 명 ⇨〔喉hóu结〕
〔颏皮〕 kēpí 명 동물의 목 부분의 모피.
〔颏下绦〕 kēxiàtāo 명 구레나룻. 양볼 밑의 수염. =〔颏颊涛〕

搕 kē (갑)
동 톡톡 치다. ¶～烟袋锅子; (재를 떨기 위해) 담뱃대를 톡톡 두들기다. =〔磕kē〕
〔搕打〕 kēda 동 ①(톡〔탁〕) 치다. 내리치다. 부딪뜨리다. ¶你小心点儿! 一～就坏了; 조심하여라. 조금이라도 부딪치면 쉬이 망그러진다. =〔磕打①〕 ② ⇨〔搕挞〕
〔搕碎〕 kēsuì 동 때려 부수다.
〔搕挞〕 kētà 동 떨어 버리다. 털어 버리다. ¶把鞋～～; 구두를 톡톡 쳐서 (흙 따위를) 떨다. =〔搕打②〕

嗑 kē (합)
→〔唠lào嗑(儿)〕 ⇒ kè xiá

榼 kē (합)
① 명 옛날 술그릇의 일종. ② →〔榼藤〕

〔榼藤〕 kēténg 명 《植》 합등자.

磕 kē (갑, 개)

동 ①쿵 하고 부딪치다. ¶～了脑袋一下; 머리를 탁 부딪치다 / 撞在石头上把胳膊～破了; 돌에 부딪쳐 팔을 다쳤다. ②(기물이 부딪쳐) 이지러지다. ¶这个饭碗这儿～了一块; 이 밥공기는 여기 한 곳이 이지러졌다. ③갉다. 수박씨 따위를 먹다. ¶白蚂蚁～木头; 흰개미는 나무를 갉는다 / ～瓜子儿～; 수박씨를 먹다. →〔嗑kè①〕 ④〈俗〉 서로 겨루어 가며 열심히 하다. ¶咱们俩今儿～了! 오늘은 서로 지지 않도록 해 나가세! ⑤ ⇨〔搕kē〕

〔磕巴〕 kēba 〈方〉 명 말더듬이. 동 말더듬다. ‖ =〔结jiē巴〕〔口吃〕

〔磕绊儿〕 kēbanr 명 불우(不遇). 고생.

〔磕喳〕 kēchā 〈擬〉 뚝. 쨍그랑(부러지거나 깨지는 소리). (칼로) 싹둑. ¶～一刀砍下来了; 싹둑 한 칼에 잘라 버리다.

〔磕铳〕 kēchòng 명 〈方〉 졸음. ¶打～ =〔打盹儿〕; 졸다. 꾸벅 졸다.

〔磕打〕 kēda 동 ①치다. 때리다. =〔搕打①〕 ②두들겨 떨다. ¶他～了一下烟袋锅儿; 그는 담뱃대를 콩콩 두들겨 재를 떨었다 / 把鞋～～; 구두를 좀 털어라.

〔磕打牙儿〕 kēdayár 놀리다. 시시덕거리다. ¶你别拿他～了; 그를 놀리지 마라. =〔磕牙②〕

〔磕开〕 kēkāi 동 ①부딪뜨려 깨다. 부딪쳐서 깨지다. ¶他一下就把砖～了; 그는 벽돌을 부딪쳐서 단번에 깨었다. ②깨물어 깨다.

〔磕磕吧吧〕 kēkebābā 형 ①말을 더듬는 모양. ②〈轉〉 말하는 것이 엉터리인 모양. 애매한 말로 속이려 하는 모양.

〔磕磕绊绊〕 kēkebànbàn 형 ①아장아장 위태롭게 걷는 모양. ②말을 더듬거리는 모양. ¶小脚儿～地走; 전족으로 아장아장 걷다 / 说话～; 말이 자꾸 막히다. ③울퉁불퉁한 길의 형용. ‖ =〔坷坷绊绊〕

〔磕磕撞撞(的)〕 kēkezhuàngzhuàng(de) 형 (당황하거나 술에 취해) 넘어지거나 비틀거리는 모양. 여기저기에 부딪치는 모양.

〔磕棱盖儿〕 kēlénggàir 명 무릎.

〔磕泥饽饽儿〕 kēníbōbor 명 과자 만들기 놀이(진흙을 틀에 채워 과자 모양으로 찍어 내는 놀이).

〔磕碰〕 kēpèng 동 ①물건이 서로 부딪다. ¶一箱瓷器路上磕磕碰碰地碎了一半; 사기그릇이 도중에서 서로 부딪쳐 반이나 깨어졌다. ②〈方〉 사람과 물건이 부딪치다. ¶衣架放在走廊里, 晚上走路的时候总是～; 옷걸이를 복도에 놓아 두면, 밤에 걸을 때 아무래도 부딪치고 만다. ③〈比〉 충돌하다. 시시한 일로 싸우다. 말다툼하다. ¶几家住一个院子, 生活上出现一点～是难免的; 한 지붕 밑에 살고 있으면, 생활상 사소한 충돌이 일어나는 것은 어쩔 수 없다. 명 ⇨〔磕碰儿②〕

〔磕碰儿〕 kēpengr 명 〈方〉 ①(그릇의) 부딪쳐 생긴 흠. ¶花瓶口上有个～; 꽃병 주둥이에 흠이 있다. ②〈比〉 타격. 장애. 실패. 좌절. ¶一点儿～也经不住; 약간의 타격에도 견디지 못하다 / 他没遇见过大～; 그는 큰 좌절을 당한 적이 없다. =〔磕碰〕

〔磕破〕 kēpò 동 부딪쳐서 흠을 내다.

〔磕伤〕 kēshāng 동 부딪쳐서 상처를 내다〔가 생기다〕.

〔磕碎〕 kēsuì 동 때려 부수다. 부딪쳐 깨어지다.

〔磕挞〕 kētà 동 톡톡〔툭툭〕 털다. ¶他～了烟袋灰; 그는 담뱃재를 톡톡 떨었다.

〔磕头〕 kē.tóu 동 ①이마를 땅에 조아리며 절하다. ¶～～! 황송합니다. 송구스럽습니다! / ～虫; ⓐ방아벌레. ⓑ굽실거리는 사람. =〔叩头〕 ②〈轉〉 스승으로 모시다. ¶给谁磕的头; 누구의 제자로 들어갔느냐. ③〈方〉 의형제를 맺다. ¶～弟兄 =〔～的〕〔磕过头的〕; 의형제(를 맺은 사람).

〔磕头碰脸〕 kētóu pèngliǎn 〈比〉 종종 얼굴을 대하다.

〔磕头碰脑(儿)〕 kētóu pèngnǎo(r) 〈京〉 사람이나 물건이 많아서 서로 부딪치는 모양. ¶一大群人～地挤着看热闹; 많은 사람이 몰려들어 밀치고 밀리면서 구경하고 있다.

〔磕膝盖(儿)〕 kēxīgài(r) 명 〈方〉 무릎. =〔百棱盖儿〕〔膝盖〕

〔磕响头〕 kēxiǎngtóu 동 옛날, 머리가 땅에 닿도록 절하다. ¶～的; 머리가 땅에 닿도록 절하여 구걸하는 거지. →〔碰pèng响头〕

〔磕牙〕 kēyá 동 ①잡담을 하다. ¶我没闲工夫儿跟他～; 나는 그와 잡담을 하고 있을 시간이 없다. ②웃고 까불다.

瞌 kē (갑)

동 ①자다. ②졸다.

〔瞌睡〕 kēshuì 동 ①(꾸벅꾸벅) 졸다. ¶～虫; 잘 조는 사람. =〔打盹儿〕 ②졸리다.

壳(殼) ké (각)

(～儿) 명 〈口〉 껍데기. 단단한 껍질. ¶贝～; 조개 껍질 / 鸡蛋～儿; 계란 껍질 / 子弹～; 탄피 / 脑～; 머리(통). 골(통). ⇒ qiào

〔壳囊〕 kénáng 명 작은 돼지(새끼보다는 큰).

〔壳儿〕 kér 명 〈口〉 껍데기. ¶鸡蛋～; 달걀 껍질 / 闷～表; 뚜껑 달린 회중(懷中) 시계 / 核桃～; 호두 껍데기.

〔壳子〕 kézi 명 껍데기. 케이스.

咳 ké (해)

명동 기침(을 하다). ¶百日～; 백일해 / ～了一声; 쿨룩하고 기침을 하다. ⇒ hāi hài kǎ kài

〔咳呛〕 kéqiàng 동 기침이 계속 나다. 콜록거리다.

〔咳嗽〕 késou 명동 기침(하다). ¶打～; 기침하다.

颏(頦) ké (해)

→〔红hóng点颏(儿)〕〔仰yǎng颏儿〕 ⇒ kē

揢 ké (객)

동 〈方〉 ①손으로 잡다. 손에 들다. ¶手里～着一大把铜钱; 손에 한 움큼 동전을 쥐고 있다. ②붙들다. 붙잡다. ¶～出去; 붙잡아 끌어내다. ③걸리다(빼지도 박지도 못하게 되다). ¶这抽屉～住了拉不开; 이 서랍은 걸려서 뺄 수가 없다 / ～嗓子; 목에 걸리다 / 瓶塞儿～在瓶子里; 병마개가 안에 끼이다. ④트집을 잡다. ¶～人; 남을 트집 잡다. 남을 괴롭히다 / 你可别拿这事儿来～我; 너, 이 일로 내게 트집을 잡지 마라. =〔刁难〕 ⑤기침을 하다. ¶他打了一个～, 接着说; 그는 기침을 하더니, 말을 계속했다.

可 kě (가)

① 동 가하다. 좋다. 옳다. ¶均～; 다 좋다. ②당연히 …하여야 한다. ¶不～说谎; 거짓말을 해서는 안 된다. ③ 동 승인하다. 가하다고 여기다. 찬성하다. ¶不加～否; 가부를 말하지 않다. ④…할 만하다. …할 값어치가 있다. 注 주로 단음절 동사와 결합함. ¶～爱; 사랑스러운 /

这片子～看; 이 영화는 볼 만하다. ⑤ 동 안성맞춤이다. 꼭 알맞다. 흡족하다. 들어맞다. ¶不～心; 마음에 흡족하지 않다. 마음에 안 들다. ⑥ 형 전부의. ¶～村的人; 온 마을 사람들. =〔全〕 ⑦어의(語意)나 상황(狀況)을 강조하는 말. ㉠무척. 꽤. ¶他写字～快! 그는 글씨 쓰는 것이 무척 빠르다! / ～热闹多了; 아주 굉장한 성황이다. ㉡(…할 것 같으면) 그야말로. ¶滑到沟里～怎么办; 도랑에 미끄러져 빠졌다간 그야말로 큰일이다. ㉢전혀. 정말. 참으로. 확실히. 과연. 틀림없이. ㉣결코. ¶千万～别勉强; 제발 결코 무리를 해서는 안 된다. ㉤아무리 해도. ¶～没法儿办; 아무래도 어찌할 도리가 없다. ㉥그러나. ¶瘦是瘦, 精神～好; 마르기는 했으나 원기는 왕성하다. ㉦그런데. 도대체. ¶这～怎么好? 그런데 도대체 어찌하면 좋단 말이냐? ㉧어쩌면 글쎄. ¶～不是他吗? 어쩌면 글쎄 그가 아니었겠어? ㉨하나… 그러나. ¶这个好, 那～不好; 이것은 좋으나 저것은 좋지 않다. ⑧의문이나 나무라는 말. ¶你～知道; 너 알고 있잖아 / 这话～是真的? 이 말은 정말이냐? ⑨ 부 약. 대략. 대강. ¶长～六尺; 길이 약 6척 / 年～三十; 나이는 대강 30 가량. ⑩ 동 전부를 사용하다. 있는 대로 전부를 사용하다(그 범위 내에 접합시키어). ¶～着钱花; 가진 돈을 몽땅 써 버리다 / ～着肚子吃; 양껏 먹다. ⑪할 수 있다. ¶～大～小; 크게도 작게도 할 수 있다. ⑫허가하다. …해도 괜찮다. …해도 좋다. …해도 관계 없다. ¶～大～小; 크든 작든 관계 없다. ⑬…에 따라. ¶～着大小; 크기에 따라서. ⑭ 명 성(姓)의 하나. ⇒kè

〔可爱〕 kě'ài 형 ①귀엽다. 사랑스럽다. ¶眼睛生得～; 눈매가 귀엽다 / 多么～的孩子; 참 귀여운 아이구나 / ～的祖国; 사랑스러운 조국. ②그립다. 친밀감을 가질 수 있다. ¶我感到这里的一切都很～; 나는 이 곳의 모든 것에 친밀감을 느낀다.

〔可悲〕 kěbēi 형 슬프다. 가련하다. ¶～的下场; 가련한 말로(末路).

〔可比价格〕 kěbǐ jiàgé 명 ⇨〔不bù变价格〕

〔可鄙〕 kěbǐ 형 비열하다. 수치스럽다. ¶～的行为; 수치스러운 행위.

〔可变电容器〕 kěbiàn diànróngqì 명 〖電〗 가변 축전기. 바리콘(variable condenser).

〔可变焦距镜头〕 kěbiàn jiāojù jìngtóu 명 (사진의) 줌 렌즈(zoom lens). =〔变焦距镜头〕〔变焦距透镜〕

〔可变资本〕 kěbiàn zīběn 명 〖經〗 가변 자본. →〔不bù变资本〕

〔可不〕 kěbu ①그렇다. 물론이다. 그대로이다. 그렇고말고. ¶～, 我正想这个问题呢; 그렇고말고, 나도 마침 그 문제를 생각하고 있는 참이다 / ～, 我也这么想; 그래, 나도 그렇게 생각해. =〔可不是bushì〕〔可不是吗shìma〕 ②아니 …이 아닌가. 어찌 …이 아니겠는가. ¶报与伍元知道, ～好也; 오원(伍元)에게 알려 주면 좋지 않은가. =〔岂不(是)〕

〔可不道〕 kěbudào 속담에도 …라고 하지 않던가. ¶～一言既出便有驷马难追; 일단 말을 꺼낸 이상 4필이 끄는 말로도 따라잡기 어렵다고 하지 않는가.

〔可不是〕 kěbushì〔kěbùshi〕 ①하지만〔그러나〕 …은 아니다. ¶这～我出的主意; 하지만 이것은 내가 낸 생각은 아니다. ②어찌 …이 아닐 수가 있겠는가. …이고말고. ¶～真的, 我撒谎做什么; 정말이고말고요, 제가 거짓말을 해서 무엇하겠습니까 / 我再一细看, ～他吗; 내가 다시 잘 보니 뜻밖에도 그가 아닌가.

〔可不是〕 kěbushì 바로 그렇습니다. 아무렴 그렇고말고. ¶～, 都出去了; 글쎄 말이에요. 모두 다 나갔어요. =〔可不①〕〔可不是嘛〕〔可不是吗〕

〔可不是吗〕 kěbushìma ⇨〔可不bu是〕

〔可不是嘛〕 kěbushìma ⇨〔可不bu是〕

〔可不知道〕 kěbùzhīdào …인지 어떤지 모르지만. ¶～究jiū竟怎么样; 결국 어떨지는 모른다.

〔可采储量〕 kěcǎi chǔliàng 명 채굴 가능한 매장량.

〔可操左券〕 kě cāo zuǒ quàn 〈成〉 확실하다. 틀림없다(‘操券’이라고도 함). ¶生意兴旺～; 장사가 번창할 것은 틀림없다.

〔可拆〕 kěchāi 형 분해 가능한. ¶～砂箱; 떼었다 붙였다 할 수 있는 주물용 모래 거푸집.

〔可乘之机〕 kě chéng zhī jī 〈成〉 틈을 탈 기회. 이용할 수 있는 기회. 놓칠 수 없는 기회.

〔可耻〕 kěchǐ 형 부끄럽다. 수치스럽다. ¶～下场; 수치스러운 말로(末路).

〔可此可彼〕 kěcǐ kěbǐ 이것도 좋고 저것도 좋고 어느 쪽이라도 좋다. ¶填字费推敲的地方是遇到～的情况; 십자말풀이에서 머리를 짜내게 되는 것은 이래도 좋고 저래도 좋은 상황에 부딪쳤을 때이다.

〔可褡裢儿倒〕 kě dāliánr dào 주머니를 뒤집다〔털다〕. 있는 돈을 다 쓰다. ¶我～帮你吧; 내가 있는 돈 다 털어서 돕겠소.

〔可待因〕 kědàiyīn 명 〖藥〗 〈音〉 코데인(독 kodein). =〔蔻弟因〕〔可提因〕〔科点英〕

〔可倒〕 kědào 부 그야말로(반어음(反語音)). ¶这么说～好? 이렇게 말하면 좋겠지요?

〔可的松〕 kědìsōng 명 〖藥〗 〈音〉 코티존(cortisone). =〔皮质酮〕〔可体松〕〔考的松〕

〔可锻性〕 kěduànxìng 명 〖物〗 (금속의) 전성(展性).

〔可锻铸铁〕 kěduàn zhùtiě 명 가단 주철. 전성이 있는 단조(鍛造) 가능한 주철.

〔可儿脱〕 kě'ěrtuō 명 콜타르(coal tar). =〔煤焦油〕

〔可烦〕 kěfán 형 번거롭다. 불쾌하다. 동 싫어하다. 귀찮게 생각하다.

〔可分裂物质〕 kěfēnliè wùzhì 명 〖物〗 핵분열성 물질.

〔可风〕 kěfēng 형 〈文〉 널리 칭송할 만하다. ¶节jié义～; 그 절의는 모범으로 삼기에 족하다.

〔可否〕 kěfǒu ① 명 가부(可否). ¶不置～; 가부를 결정하지 않다. ②좋고 나쁨. ③〈文〉 될는지 안 될는지. ¶～胜任, 难于断定; 책임을 다할 수 있을는지 단정하기 힘들다.

〔可歌可泣〕 kě gē kě qì 〈成〉 감동을 불러일으키기에 충분하다. 칭찬·감동할 만하다.

〔可耕地〕 kěgēngdì 명 가경지. 경작하기에 알맞은 땅.

〔可怪〕 kěguài 형 이상하다. 수상하다. ¶～! 이상하군!

〔可观〕 kěguān 형 ①볼 만하다. 가관이다. ¶这出戏大有～; 이 연극은 매우 볼 만하다 / 没什么～的地方儿; 볼 만한 곳이 없다. ②훌륭하다. 대단하다. ¶这个数目也就很～了! 이 숫자만으로도 아주 대단하다!

〔可逛〕 kěguàng 형 산책하기 좋다. 놀 만하다. ¶那儿还有什么～的地方儿没有? 그 곳에는 달리 또 놀러 가기 좋은 곳이 있는가?

〔可贵〕 kěguì 형 소중하다. 기특하다. 훌륭하다. ¶～的品质; 존중할 만한 품성 / 这种积极性是很～的; 이런 적극성은 실로 칭찬할 만한 것이다.
〔可好〕 kěhǎo 부 때마침. 계제 좋게. 알맞게도. ¶我正想找他来帮助, ～他来了; 그에게 거들어 달라고 부탁하려던 참에 마침 그가 왔다.
〔可恨〕 kěhèn 형 원망스럽다. 한심스럽다. 밉살스럽다. 괘씸하다. ¶他～极了; 저놈은 정말 밉살스럽다.
〔可见〕 kějiàn ①…임을 알 수 있다. …으로 볼 것 같으면 …임이 분명하다《앞의 내용을 받아, 아래와 같은 판단·결론을 내릴 수 있음을 나타냄》. ¶～他对这些事情毫不关心; 그가 이 일들에 대하여 아무 관심도 없음을 알 수 있다 / 既然没有回信, ～他是不愿意参加我们的活动了; 대답이 없는 것을 보니, 그는 우리 활동에 참가하고 싶지 않은 것 같다. ②('由此～'의 형태로) 이상으로 알 수 있듯이. ¶由此～, 只有实践才是检验真理的唯一标准; 이 일로 알 수 있듯이 실천이야말로 진리를 검증하는 유일한 기준이다.
〔可见度〕 kějiàndù 명 가시성(可視性).
〔可见光〕 kějiànguāng 명《物》 가시 광선.
〔可脚〕 kějiǎo 형 (신발이) 발에 맞다.
〔可劲〕 kějìn (～儿) 동〈方〉 전력을 다하다. 힘을 다하다. ¶现在条件这么好, 咱们得～儿干一场; 지금 조건이 이렇게 좋으니, 우리 한바탕 힘껏 해 보자.
〔可惊〕 kějīng 형 놀랄 만하다. 놀랍다.
〔可敬〕 kějìng 형 존경할 만하다.
〔可就〕 kě jiù (…하면. …이라면) 그야말로. 완전히. ¶照那样办, ～坏了! 그렇게 한다면, 그야말로 못 쓰게 된다!
〔可决〕 kějué 명동 가결(하다).
〔可卡因〕 kěkǎyīn 명《藥》〈音〉 코카인. =〔古柯碱〕〔柯卡因〕〔可加音〕〔科加因〕〔加哥因〕〔高加印〕
〔可堪〕 kěkān〈文〉 어찌 견딜 수 있으랴. =〔何hé堪〕
〔可看〕 kěkàn 형 볼 만하다. 볼 값어치가 있다. 보아서 재미있다.
〔可考〕 kěkǎo 동 고증할 수 있다. 조사가 끝나다. ¶铜器很旧, 年代不～; 동기(銅器)는 매우 오래된 것으로, 연대는 알 수가 없다.
〔可靠〕 kěkào 형 믿을 만하다. 믿음직스럽다. 미덥다. 확실하다. ¶他为人很～; 그의 사람됨은 믿을 수 있다 / 这个消息～不～? 이 뉴스는 확실합니까? / 他的话～; 그의 이야기는 신뢰할 수 있다.
〔可靠消息〕 kěkào xiāoxi 명 믿을 만한 정보. 신뢰할 만한 소식. ¶～说, …; 믿을 만한 소식통에 의하면 …이다.
〔可可〕 kěkě 명 ①코코아(cocoa). =〔柯柯〕〔蔻蔻〕 ②코코아나무. =〔可可树〕 ③코코아 열매. =〔可可子zǐ〕〔可可豆〕 ④코코아 분말. =〔可可粉〕 ⑤코코아《음료》. ⑥카카오(cacao). ¶～脂 =〔柯柯脂〕; 카카오 버터. =〔卡高〕〔咯咕〕
〔可可碱〕 kěkejiǎn 명《藥》 테오브로민(theobromine).
〔可可儿(的)〕 kěkěr(de) 부〈方〉 마침. 막. ¶我正想出门, ～就遇着下雨; 집을 나서려는데, 마침 비를 만났다. =〔恰好〕
〔可控硅〕 kěkòngguī 명《電》 사이리스터(thyristor)《극히 미세한 전류로 큰 전류를 제어할 수 있는 반도체 소자》.
〔可口(儿)〕 kěkǒu(r) 형 입에 맞다. 맛있다.
〔可口可乐〕 Kěkǒukělè 명〈音〉 코카콜라(coca cola).
〔可兰经〕 Kělánjīng 명《宗·書》 코란경(經). =〔古兰经〕〔可伦经〕〔歌兰〕
〔可乐〕 kělè 명〈音〉 콜라(cola).
〔可怜〕 kělián 형 ①가련하다. 불쌍하다. ¶娘儿俩无依无靠真～; 모자(母子) 둘이서 의지할 곳도 없이 참으로 불쌍하다 / ～虫; 가련한〔불쌍한〕 사람 / ～的孤儿; 가엾은 고아. ②(수량이 적거나 질이 나빠서) 거론할 값어치가 없다. 말도 안 된다《보어용(補語用)》. ¶知识贫乏得～; 불쌍할 정도로 무식하다. 동 불쌍히 여기다. ¶～～我吧; 제발 불쌍히 여겨 주십시오《애원할 때의 말》.
〔可怜巴巴〕 kěliánbābā 형 몹시 가련하다. 애처롭다. ¶儿子眼里含着泪, ～地瞅着他; 아들애는 눈물이 그렁해서 애처롭게 그를 바라보고 있다.
〔可怜见(儿)〕 kěliánjiàn(r) 형 불쌍하다. 가련하다.
〔可怜相〕 kěliánxiàng 명 가엾은 모양. ¶装出一副～; 가련한 모습을 가장하다.
〔可裂变物质〕 kělièbiàn wùzhì 명《物》 핵분열 물질.
〔可奈〕 kěnài 동 ⇨〔叵pǒ耐〕
〔可脑〕 kěnǎo 형 화나다. 약오르다. 괴롭다. =〔可恼〕
〔可能〕 kěnéng 조동 가능하다. …할 수 있다. ¶前者现在已经证明, 后者也应该说是～的; 전자는 이미 증명되었고, 후자도 당연히 가능하다고 할 수 있다. 부 아마도. …일지도 모르다《객관적 가능성이 있음》. ¶～有大量的需要; 대량의 수요가 있을지도 모른다 / 下午～下雨; 오후에는 비가 올지도 모른다 / 这样办法～不会得到好结果; 이런 방식으로는 아마도 좋은 결과는 얻을 수 없을 것이다. 명 전망. 가능성. ¶这种～不大; 이런 종류의 가능성은 적다. →〔恐kǒng怕〕〔也yě许〕
〔可能性〕 kěnéngxìng 명 가능성. ¶有～; 가능성이 있다.
〔可逆反应〕 kěnì fǎnyìng 명《化》 가역 반응.
〔可念〕 kěniàn 형〈文〉 고맙다. 감사하다. ¶厚意～; 후의는 고맙습니다.
〔可怕〕 kěpà 형 무섭다. 두렵다. ¶叫人觉得～; 남에게 두렵다는 느낌을 주다 / 世上最～的是半通不通的人; 세상에서 가장 무서운 것은 어설프게 아는 사람이다.
〔可佩〕 kěpèi 형 기특하다. 탄복할 만하다.
〔可欺〕 kěqī 형 속기 쉽다. 어리석다. 동 곯리다. 을러서 따르게 하다. ¶软弱～; 약한 자를 곯리다.
〔可气〕 kěqì 형 속상하다. 화나다.
〔可巧〕 kěqiǎo 부 마침. 계제 좋게〔나쁘게〕. 다행스럽게. ¶～来了一位客人; 마침 손님이 한 사람 왔다. =〔恰巧〕〔凑巧〕
〔可取〕 kěqǔ 형 본받을 만하다. 취할 만하다. 배울 만하다. 칭찬할 만하다. ¶老张的为人确有～之处; 장(張)군의 인품은 확실히 본받을 만한 데가 있다 / 毫无～的地方儿; 조금도 쓸모가 없다.
〔可燃性〕 kěránxìng 명《物》 가연성.
〔可人〕 kěrén〈文〉 명 쓸모 있는 사람. 본받을 사람. 동 사람에게 좋은 느낌을 주다. 마음에 들다. ¶气味温柔～; 향기가 부드럽고 좋은 느낌을 주다 / 相当～的女郎; 매우 호감이 가는 여성.
〔可人儿〕 kěrénr 명 좋아하는 사람.
〔可人意〕 kěrényì 마음에 들다.
〔可溶片〕 kěróngpiàn 명《電》 퓨즈. =〔保险丝〕
〔可溶性〕 kěróngxìng 명《物》 가용성.

〔可身(儿)〕 kěshēn(r) 형 〈方〉 (옷이) 몸에 맞다. =〔可体〕
〔可视电话〕 kěshì diànhuà 명 텔레비전 전화.
〔可是〕 kěshì A) 접 ①…이지만(그러나). ¶他有学问, ～品性不好; 그는 학문은 있지만, 품성은 좋지 않다. ②그런데(화제를 바꿀 때의 말). ¶～, 他近来好吗? 그런데, 요즈음 그는 건강한가요? ③…이기는 하지만. ¶好～好,有点儿俗气; 좋기는 좋지만, 좀 속되다. B) 부 굉장히(형용사 술어문의 술어를 강조하는 말). ¶这～真不错; 이건 아주 근사하다 / 你～说得太过火了; 너는 아무래도 말투가 너무 심하다. C) …이겠죠(질문할 때 '对不对'의 뜻으로 쓰임). ¶我说的～? 내 말이 맞지요?
〔可手儿〕 kěshǒur 형 손에 적당하다〔알맞다〕. ¶～的家伙; 손에 적당한 무기. =〔合手儿〕
〔可说呢〕 kěshuōne ①그렇고말고. 지당한 말씀. ¶是啊! ～! 그래요! 그렇고말고요 / ～, 他是个靠不住的人; 그렇고말고요, 그는 신용할 수 없는 사람입니다. ②그래 그래(생각났을 때). ‖=〔可说吗〕
〔可思莫思花〕 kěsīmòsīhuā 명 《植》 코스모스. =〔大波斯菊〕
〔可塑性〕 kěsùxìng 명 ①《物》 가소성. ②적응성.
〔可汤可水儿〕 kětāng kěshuǐr 〈俗〉 몽땅. 하나 남기지 않고. ¶这～都给你了, 还不够, 可没法子了; 이것은 모조리 너에게 주겠다, 그래도 모자라면 할 수 없다.
〔可体〕 kětǐ 형 ⇨〔可身(儿)〕
〔可调拔头〕 kětiáo bátou 명 《機》 자유 조정 렌치(wrench).
〔可桶(儿)〕 kětǒng(r) 부 통째로. 〈轉〉 ㉠비가 몹시 내리는 모양. ¶雨～下; 비가 몹시 내린다. ㉡생각한 것을 모두 드러내어 말하다. ¶一肚子话～地都倒出来《兒女英雄傳》; 가슴 속에 간직한 것을 몽땅 털어놓다. 형 가득〔많이〕 있는 모양. ¶～的人; 많은 사람.
〔可望〕 kěwàng 가망이 있다. 유망하다. ¶～夺得今年农业生产好收成; 금년은 양호한 농업 생산의 수확을 바라볼 수 있다.
〔可望而不可即〕 kě wàng ér bù kě jí 〈成〉 볼 수는 있으나, 가까이 갈 수는 없다(그림의 떡). =〔可望而不可及〕
〔可谓〕 kěwèi 〈文〉 …이라고 할 만하다. ¶～是双全其美了; 양쪽 다 잘 되었다고 할 만하다.
〔可恶〕 kěwù 형 가증스럽다. 괘씸하다. ¶他那旁若无人的态度真～; 그의 저 방약 무인한 태도는 참으로 가증스럽다.
〔可惜〕 kěxī 형 아깝다. 억울하다. ¶表被他弄坏了, 真～! 그가 시계를 망가뜨려 놓아, 정말 아깝다! 부 아깝게도. ¶～! 애석하군! / ～他没考上; 아깝게도 그는 떨어졌다. 동 아까워하다. ¶不愿吃零食, ～那些钱; 군것질도 않고 돈을 아끼다.
〔可惜了儿的〕 kěxīliǎorde (낭비에 대해) 아깝다. 아까워서 견딜 수 없다.
〔可喜〕 kěxǐ 형 기쁘다. 즐겁다. 기뻐할 만하다. 만족스럽다. ¶～的成绩; 만족스러운 성적 / 取得了～的进展; 기뻐할 만한 진전을 이루다.
〔可想而知〕 kě xiǎng ér zhī 〈成〉 상상할 수 있다. 생각하면 알 수 있다. 상상이 된다. ¶那困难是～的; 그 곤란은 상상하기에 어렵지 않다.
〔可笑〕 kěxiào 형 우습다. 가소롭다. ¶说起来也～; 말하는 것조차 우스운 일이다 / 简直～! 정말, 가소롭군!
〔可心〕 kě.xīn 동 ①마음에 들다. ¶可我的心; 내 마음에 들다. ②생각대로 되다. ¶那件事办得倒还可了他的心了; 그 일 처리가 그런대로 그의 마음에 들었다 / ～可意的; 희망대로의.
〔可信〕 kěxìn 형 믿을 수 있다. 믿을 만하다. 신용할 수 있다.
〔可行〕 kěxíng 형 실행해도 좋다. 해도 무방하다. ¶切实～; 적절하여 실행할 수 있다.
〔可行可止〕 kěxíng kězhǐ 실행해도 괜찮고, 그만두어도 된다. 아무래도 좋다. ¶～的事; 아무래도 상관없는 일.
〔可言〕 kěyán 형 말할 만한 가치가 있다. ¶毫无～; 전혀 말할 만한 가치가 없다.
〔可疑〕 kěyí 형 의심스럽다. 수상하다. ¶～分子; 혐의자 / 形迹～; 거동이 수상하다.
〔可以〕 kěyǐ A) 조동 ①할 수 있다(가능이나 능력을 표시함. 부정에는 '不能'을 씀). ¶有两天就～做完了; 이틀이면 해낼 수 있다 / 这～有好些原因; 여기에는 많은 원인이 있을 수 있다 / 这棵树～作二十来张桌子; 이 나무로 근 20개의 테이블을 만들 수 있다. ②…해도 좋다(허가의 뜻. 부정(否定)에는 '不～' 또는 '不能'을 씀. 대답의 경우 흔히 '不行', '不成'을 씀). ¶我也～参cān加吗? 나도 참가해도 좋습니까? / 这还～的; 이것은 그런대로 좋습니다 / 好了, 你～回去吧; 좋아, 넌 돌아가거라. ③…함에 적합하다. …의 값어치가 있다(부정에는 '不直得'를 씀). ¶他是～同情的; 그는 동정의 가치가 있는 자다 / 这个问题很～研究一番; 이 문제는 한 번 연구할 만한 가치가 있다. ④혹은 …일지도 모르다. ¶将来的展望～是好的, 也～是坏的; 앞으로의 전망은 좋은지 나쁜지 모른다. B) 〈口〉 형 ①지독하다. 심하다. ¶你真～呀; 넌 정말 너무 심하다. ②비교적 좋다. 나쁘지 않다. ¶日子过得还～; 형편이 그저 그만합니다 / 成绩还算～; 성적은 그럭저럭 괜찮은 편이다. ③기특하다. 훌륭하다. (정도가) 상당하다. ¶今天, 冷得～; 오늘 추위는 대단하다 / 你真～, 肯给人家白效劳; 너는 훌륭해, 남에게 대가 없는 수고를 하고 있으니.
〔可意〕 kě.yì 동 마음에 들다. ¶这间房子你住得～吗? 이 집에 살면서 마음에 들었느냐?
〔可用〕 kěyòng 형 쓸 만하다. 채용할 만하다.
〔可有可无〕 kě yǒu kě wú 〈成〉 있어도 좋고 없어도 좋다. ¶～的小事; 있어도 좋고 없어도 좋은 사소한 일.
〔可原〕 kěyuán 형 〈文〉 용서〔양해〕할 만하다.
〔可憎〕 kězēng 형 가증스럽다. 밉살스럽다. 지긋지긋하다.
〔可照时数〕 kězhào shíshù 명 하루의 일조(日照) 시간.
〔可着〕 kězhe 〈口〉 ①(치수·사이즈에) 맞추어서. ¶～脑袋做帽子; 머리에 맞추어 모자를 만들다 / ～人数计算; 인원수에 맞춰서 계산하다. ②…의 범위 안에서. (있는 것)만으로. ¶～这块料子做一件衣裳; 이 천의 범위 안에서 옷을 한 벌 만들다 / ～钱数儿买东西; 돈의 범위 안에서 물건을 사다 / ～这张大纸画一个地图; 이 넓은 종이에 가득차게 지도를 그리다 / 我～这范围内出题目; 이 범위 내에서 문제를 낸다. ③온통. 전부. 모두. ¶～马路上都是人; 한길에는 사람이 가득하다 / ～那儿都是外国人; 저 곳에 있는 것은 모두 외국인뿐이다 / ～一屋子的人全笑了; 온 방 안의 사람이 모두 웃었다. ④꼭 알맞다. 딱 들어맞다. ¶进好的是～

院子的暖棚; 뜰에 알맞은 장막을 주문했다. ⑤있는 …한껏. ¶船长～嗓子招呼; 선장은 목청껏 불렀다.

〔可知〕 kězhī 동 ①…을 알 수 있다. 그러고 보면 …이다. ¶他的帽子扔在这里, ～还没走呢; 그의 모자가 여기에 팽개쳐져 있는 것을 보니, 아직 나가지 않았어. ②알아야 할 것이다. 알아 주면 좋겠다. 형 …인 것도 무리가 아니다.

〔可知道〕 kězhīdào ①알 수 있다. 알고 있는 바와 같이. ②대단히. 심한. ¶把我吓了个～; 나를 매우 놀라게 했다.

〔可质天日〕 kě zhì tiān rì 하늘에 물어봐도 좋다《신에 맹세코 부끄러운 일은 없다》.

〔可朱浑〕 Kězhūhún 명 복성(複姓)의 하나.

〔可资考据〕 kězī kǎojù 명 참고 자료.

坷 kě (가)
① →〔坎kǎn坷〕 ②(～儿) 명 66의 액년(厄年). ⇒kē

岢 kě (가)
지명용 자(字). ¶～岚县; 커란 현(岢嵐縣)《산시 성(山西省)에 있는 현 이름》.

轲(軻) kě (가)
→〔轗kǎn轲〕 ⇒kē

渴 kě (갈)
형 ①목이 마르다. ¶我～了; 나는 목이 마르다 / 口～了 =〔口干了〕; 목이 마르다 / 解～; 해갈하다 / ～得慌; 목말라 죽겠다. ②〈轉〉 진지하다. 간절하다. ¶～望; 갈망(하다).

〔渴爱〕 kě'ài 동 열애하다.

〔渴笔〕 kěbǐ 명 《美》 ①먹을 충분히 머금지 않은 붓. ②갈필《먹이 덜 묻은 붓으로 씀》.

〔渴病〕 kěbìng 명 ⇨〔消xiāo渴〕

〔渴慕〕 kěmù 동 〈文〉 절실하게 사모하다. =〔渴仰〕

〔渴念〕 kěniàn 동 간절히 생각하다. ¶～得很; 간절히 생각하고 있습니다〔있었습니다〕. 오랜만입니다. =〔渴想〕

〔渴求〕 kěqiú 동 〈文〉 간절히 바라다.

〔渴赏〕 kěshǎng 동 〈文〉 상을 타려고 갈망하다.

〔渴市〕 kěshì 명 공급 부족.

〔渴睡〕 kěshuì 동 졸려서 견딜 수 없다.

〔渴死〕 kě sǐ 목이 몹시 마르다.

〔渴望〕 kěwàng 명동 갈망(하다). 절망(切望)(하다). =〔渴想〕

〔渴想〕 kěxiǎng 동 ⇨〔渴念〕 명동 ⇨〔渴望〕

〔渴仰〕 kěyǎng 동 ⇨〔渴慕〕

〔渴雨〕 kěyǔ 형 〈文〉 오래 비가 오지 않다. 매우 가물다.

〔渴葬〕 kězàng 동 (날을 고르지 않고) 급히 매장하다.

可 kè (가)
→〔可敦dūn〕〔可汗hán〕 ⇒kě

〔可敦〕 kèdūn 명 칸(khan)의 부인. =〔贺hè敦〕

〔可汗〕 kèhán 명 칸(khan)《옛날의 선비(鮮卑)·돌궐(突厥)·위구르·몽골족 등의 군주의 칭호》.

克(剋 A)②③ B)〈尅〉) kè (극)
A) ①동 극복하다. 이기다. 제압하다. ¶～己; ⇓ / 以柔～刚; 유(柔)로써 강(剛)을 제압하다. ②동 승전하다. 함락하다. 점령하다. ¶战必～, 攻必取; 싸우면 반드시 이기고, 공격하면 반드시 탈취한다 / 我军～敌; 아군이 적에게 이기다. ③동 소화(消化)하다. ¶～食; ⇓ / ～化; ⇓ ④조동 할 수 있다. 능히 …할 수 있다. ¶不～亲自出席; 스스로 출석할 수 없다 / 不～胜任; 임무를 감당할 수 없다 / 不～分身; 떨어질 수 없다. 달리 지장이 있다〔있어 …할 수 없다〕. =〔能〕 ⑤동 (기특하게) 잘하다. ¶～勤～俭; ⇓ ⑥양 《度》 그램. ¶微wēi～; 마이크로그램 / 毫～; 밀리그램《'公丝'는 구칭(舊稱)》 / 厘～; 센티그램《'公毫'는 구칭》 / 分fēn～; 데시그램《'公厘'는 구칭(舊稱)》 / 十～; 10그램. 데카그램《'公钱'은 구칭(舊稱)》 / 百～; 100그램. 헥토그램《'公两'은 구칭(舊稱)》 / 千qiān～ =〔公斤〕; 킬로그램. =〔克兰姆〕〔公分〕 ⑦양 《度》 용량·지적(地積) 단위(티베트(語)에서 유래함. 쌀보리 1'克'은 25斤. 또, 1'克'의 씨를 심을 수 있는 땅을 1'克'의 토지라고 함》.
B) 동 ①(날짜를) 엄격하게 한정하다. ¶～日完成; 날짜를 정하고 완성시키다 / ～期动工; 기한을 정하고 착공하다. ②엄하다. 가혹하다. 모질게 굴다. ¶他～了我一顿; 그는 나에게 모질게 굴었다. ⇒'剋〈尅〉' kēi

〔克臂〕 kèbì 동 〈文〉 팔을 베어〔상처를 내어〕 서로 맹세하다. ¶～以誓; 팔을 베어 서로 맹세하다.

〔克城〕 kèchéng 동 〈文〉 성을 함락시키다.

〔克从〕 kècóng 동 〈文〉 참고 복종하다.

〔克当量〕 kèdāngliàng 명 《化》 그램 당량(當量)《반응 물질의 양을 나타내는 단위. 당량에 그램을 붙인 양을 1로 함》.

〔克敌制胜〕 kè dí zhì shèng 〈成〉 적을 이기다.

〔克吨〕 kèdūn 명 《度》 톤《1,000kg》.

〔克恩〕 kè'ēn 명 《紡》 콘(cone). 방추(紡錐). 원추형

〔克分子〕 kèfēnzǐ 명 《化》 몰(mol)《분자의 경우》. ¶～浓度; 몰 농도.

〔克服〕 kèfú 동 ①극복하다. ②참다. ¶这儿生活条件不太好, 咱们先～点吧; 이 곳의 생활 조건은 별로 좋지 않지만, 우리 우선 조금만 참자.

〔克复〕 kèfù 동 (싸움에서) 회복하다. 되찾다. 탈환하다. ¶～沦陷地区; 피(被) 점령 지구를 탈환하다.

〔克格勃〕 Kègébó 명 〈音〉 KGB (국가 보안 위원회)《소련의 특무 기관. 또, 그 인원》.

〔克核〕 kèhé 형 ⇨〔刻核〕

〔克化〕 kèhuà〔〈京〉 kéhua〕 동 〈方〉 (음식을) 소화하다. ¶好吃难～; 맛은 있지만 소화는 잘 안 된다 / ～不开; 소화가 안 되다. =〔消化〕

〔克己〕 kèjǐ 동 ①극기하다. 자기를 이겨 내다. ¶～奉公; 〈成〉 멸사(滅私) 봉공. ②〈轉〉 (상인 용어로) 에누리해 주다. 싸게 하다. ¶格gé外～; 각별히 싸게 하다. ③검약하다. 절약하다.

〔克家〕 kèjiā 동 〈文〉 집안을 잘 다스리다〔꾸려 나가다〕. ¶～子zǐ; 집안을 잘 다스려 나가는 자식.

〔克俭〕 kèjiǎn 형 절약하다. 검소하다.

〔克减〕 kèjiǎn 동 〈文〉 빼다. 삭감하다.

〔克斤扣两〕 kè jīn kòu liǎng 〈成〉 ①사소한 것까지도 인색하게 굴다. ②자잘한 일에까지 간섭하다.

〔克卡〕 kèkǎ 양 《度》 그램칼로리(gram calorie). →〔卡(路里)〕

〔克堪〕 kèkān 동 〈文〉 충분히 견뎌 내다.

〔克扣〕 kèkòu 동 ①할인하다. ②우수리를 떼어먹다. ¶～军饷; 군대의 급료를 가로채다. =〔掯扣〕 ③억제하다. 심하게 대하다. ¶他老是～自己, 宽待别人; 그는 언제나 자기를 억제하고, 남에게는

관대히 대한다.
〔克苦〕 kèkǔ 동 학대하다.
〔克拉〕 kèlā 양 《度》〈音〉 캐럿. =〔克辣〕〔卡拉〕〔加拉〕〔卡剌特〕
〔克拉立涅特〕 kèlālìniètè 명 《樂》〈音〉 클라리넷(clarinet). =〔竖笛〕〔单簧管〕〔克拉里涅特〕〔克拉管〕
〔克兰姆〕 kèlánmǔ 양 《度》〈音〉 그램(gramme). =〔克郎姆〕〔格郎瓦〕〔克〕
〔克郎〕 kèláng 양 ⇨〔克朗〕
〔克郎球〕 kèlángqiú 명 ⇨〔康乐球〕
〔克朗〕 kèlǎng 양 〈音〉 크로네(독 Krone)《덴마크·북유럽 여러 나라 등의 통화 단위. 1'～'은 덴마크·노르웨이·스웨덴 등에서는 100'欧ōu耳'(외레(öre)), 아이슬란드에서는 100'奥ào拉'(아우라르(Aurar))》. =〔克郎〕〔克罗纳〕
〔克冷〕 kèlěng 양 《度》 그레인(grain). =〔格gé冷〕〔喱lí②〕
〔克里姆林宫〕 Kèlǐmǔlíngōng 명 크레믈린 궁전. 러시아 정부 당국.
〔克里苏油〕 kèlǐsūyóu 명 《藥》 크레오소트(creosote). =〔木馏油〕〔蒸木油〕
〔克力登〕 kèlìdēng 명 《染》 칼레돈. ¶～蓝; 칼레돈 블루/～青莲; 칼레돈 브리리언트 퍼플/～金英; 칼레돈 골드 오렌지/～灰; 칼레돈 그레이.
〔克力架〕 kèlìjià 명 〈音〉 크래커.
〔克利沙尔〕 kèlìshā'ěr 명 《藥》 크레졸(cresol). =〔甲酚〕〔克勒梭尔〕
〔克利史马史〕 Kèlìshǐmǎshǐ 명 ⇨〔圣Shèng诞节〕
〔克隆〕 kèlóng 명 《生》〈音〉 클론(clone). =〔无性系〕〔复制生物〕
〔克鲁克斯管〕 kèlǔkèsī guǎn 명 《物》 크룩스관(Crookes' tube).
〔克鲁马农人〕 Kèlǔmǎnóng rén 명 크로마뇽(Cro-Magnon)인. =〔克罗马努人〕〔克罗麦囊人〕
〔克鲁赛罗〕 kèlǔsàiluó 명 〈音〉 크루제이로(cruzeiro)《브라질의 통화 단위. 1'～'는 100'生shēng太伏'(센타보(centavo)임)》.
〔克罗埃次〕 Kèluó'āicì 명 크로아티아(croatia)인《크로아티아에 사는 슬라브인》.
〔克罗地亚共和国〕 Kèluódìyà gònghéguó 명 《地》 크로아티아 공화국.
〔克罗米〕 kèluómǐ 명 ⇨〔铬gè〕
〔克期〕 kèqī 동 기한을 한정하다. ¶～交货; 기한을 정하고 상품을 주고받다. 명 지급(至急). ‖ =〔刻期〕
〔克勤克俭〕 kè qín kè jiǎn 〈成〉 열심히 일하고 알뜰히 절약하다. 근검 절약하다. ¶他的～的作风, 值得我们学习; 그의 근면하고 검약한 생활 방식은 우리들이 모범으로 삼을 만하다.
〔克让〕 kèràng 동 〈文〉 자신을 억누르고 남에게 잘 양보하다.
〔克人〕 kèrén 동 남을 기만하다.
〔克日〕 kèrì 〈文〉 동 ①날짜를 정하다. ②〈轉〉 서두르다. ¶～完成; (기한을 정하여) 빨리 완성시키다. ‖ =〔刻日〕
〔克煞〕 kèshā 동 쫓아 버리다. 구축하다. ¶～凶xiōng神; 역귀(疫鬼)를 내쫓다.
〔克山病〕 Kèshānbìng 명 《醫》 카신벡병(Kaschin-Beck病). 전신성 골관절염. 셀세늄 결핍증《헤이룽장 성(黑龍江省) 케산 현(克山縣) 지방에서 발견된 풍토병》. =〔〈方〉 攻gōng心翻〕
〔克绍箕裘〕 kè shào jī qiú 〈成〉 자제(子弟)가 선인(先人)의 업적을 계승함《학문·기예 등》.
〔克食〕 kèshí 동 (음식물의) 소화를 돕다. ¶槟榔能～; 빈랑은 소화를 돕는다.
〔克丝钳子〕 kèsīqiánzi 명 펜치《손잡이 부분이 절연(絶緣)되어 있는 것》. =〔钢gāng丝钳〕
〔克他奴〕 kètānú 명 《染》 카타놀(katanol)《염기성 목면 물감의 매염제》.
〔克殄〕 kètiǎn 동 〈文〉 (적을) 섬멸하다.
〔克汀病〕 kètīngbìng 명 ⇨〔呆dāi小症〕
〔克限〕 kèxiàn 동 기한을 정하다.
〔克心〕 kèxīn 동 〈文〉 명심하다.
〔克星〕 kèxīng 명 〈比〉 성격이 맞지 않는 상대. 적수. 거북한 상대. ¶被认为是韩国队的～印度队, 已被匈牙利队所淘汰; 한국 팀의 적수로 지목되어 왔던 인도 팀은 이미 헝가리 팀에게 지고 말았다. →〔棘jí手〕
〔克意〕 kèyì 명 〈文〉 예의(銳意).
〔克欲〕 kèyù 동 〈文〉 욕망을 억제하다.
〔克原子〕 kèyuánzǐ 명 〈音〉《化》 그램 원자.
〔克择〕 kèzé 동 〈文〉 길일을 택하다.
〔克臻完整〕 kè zhēn wán zhěng 〈成〉 잘 보전되어 있음. 완벽한 상태를 이름.
〔克制〕 kèzhì 동 억제하다. 억누르다. 자제하다. =〔抑制〕 명 억제. 자제. 자중(自重). ¶我的～是有限度的; 나의 인내에도 한도가 있다.

氪 **kè** (극)
명 《化》 크립톤(Kr: krypton)《희가스 원소》.

刻 **kè** (각)
① 동 새기다. 조각하다. ¶雕～; 조각하다/～石; ⇩/～字; ⇩/～图章; 도장을 새기다. ②15분. 15분간. ¶下午五点一～开车; 오후 5시 15분에 발차한다/三点一～; 3시 15분. ③ 부 지금. 방금. 이제. ¶～接来示; 〈翰〉 보내신 편지 금방 받았습니다. ④ 명 시각. 시기. ¶此～ =〔此时〕; 지금. 현재/顷～; 경각/即～; 즉각/～下; 목하(目下). ⑤ 동 박정하다. 심하다. 가혹하다. ¶待人太～; 남에게 지나치게 박정하다. ⑥정도가 심함을 형용. ¶深～; 심각하다/～苦; ⇩ ⑦ 동 시일을 한정하다. =〔克**B**〕①〕
〔刻安〕 kè'ān 〈翰〉 목하 평안하심. ¶此颂～; 여기 귀하의 평안을 기원합니다《편지의 끝맺는 말》.
〔刻板〕 kè,bǎn 동 판에 새기다. =〔刻版〕 (kèbǎn) 형 〈比〉 판에 박은 듯하다. 융통성이 없다. ¶成了～文字; 판에 박은 문구가 되다/一切的活动都是～的; 모든 활동이 판에 박혀 있다/学生～记忆; 학생이 그대로 암기하다.
〔刻碑匠〕 kèbēijiàng 명 비석을 새기는 장인.
〔刻本〕 kèběn 명 판각본(板刻本).
〔刻剥〕 kèbō 동 괴롭히며 착취하다. ¶他竟～人; 그는 사람을 괴롭히며 쥐어짜기만 한다/贪官～百姓; 부정한 관리가 백성을 괴롭히고 착취하다.
〔刻薄〕 kèbó 형 박정하다. 냉혹하다. 잔인하다. 인정이 없다. ¶尖酸～; 가혹하고 박정하다/他为人～, 群众关系不好; 그의 사람 됨됨이가 각박해서, 대인 관계가 좋지 않다/～成家, 理无久享; 〈諺〉 잔인하게 모은 재물은, 오래 그 행복을 누릴 수 없다. 남을 울리고 얻은 것은 오래 가지 못한다. =〔刻峭〕〔峭薄〕〔峭刻〕
〔刻不容缓〕 kè bù róng huǎn 〈成〉 일각(一刻)도 지체할 수 없다.
〔刻戳子〕 kè chuōzi ①도장을 새기다. ②〈俗〉 몽정(夢精)하다.
〔刻刀〕 kèdāo 명 조각도. 새김칼.
〔刻毒〕 kèdú 형 마음이 흉악하다. (말이) 박정하

고 악랄하다. ¶～的宣传战; 악랄한 선전전.
〔刻度〕 kèdù 명 눈금. ¶～盘; 눈금반. 문자반. 다이얼.
〔刻符〕 kèfú 명 진대(秦代)의 '八体(书)'의 하나《부절(符節) 따위에 쓰인 서체》.
〔刻腑〕 kèfǔ 동 〈文〉 마음〔가슴〕에 새기다.
〔刻工〕 kègōng 명 글씨나 무늬를 새기는 일. 또, 그 일을 하는 사람.
〔刻骨〕 kègǔ 동 뼈에 새기다. 마음 속 깊이 새겨서 잊지 않다. ¶～铭míng心 =〔铭心～〕〔镂lòu骨铭心〕; 〈成〉 마음 속 깊이 새기다 / ～的仇恨; 뼈에 사무치는 원한〔미움〕.
〔刻核〕 kèhé 형 〈文〉 가혹하다. =〔克核〕
〔刻鹄〕 kèhú 동 〈比〉 남의 행위를 모방하다.
〔刻花〕 kè,huā 동 무늬를 새기다. (kèhuā) 명 새긴 무늬.
〔刻画〕 kèhuà 동 (글이나 그 밖의 것으로 인물·성격을) 그리다. 형상화하다. 표현하다. ¶～人物; 인물을 부각시켜 묘사하다. =〔刻划〕
〔刻画无盐〕 kè huà wú yán 〈成〉 실제와의 차이가 심하다《옛날에, 어떤 사람이 제(齊)나라의 무염(無鹽)이라는 곳에 살고 있던 종이춘(鍾離春)이라는 못생긴 여인을 그리어 이것이 미인이라고 말했다는 고사(故事)에서 유래함》.
〔刻即〕 kèjí 부 〈文〉 즉시. 즉각.
〔刻苦〕 kèkǔ 동 고생을 잘 견디다. 애써 노력하다. ¶～为wéi学; 고생하며 공부하다 / ～耐劳; 노력하여 고생을 견디다. 형검소하다. ¶他生活很～; 그의 생활은 아주 검소하다.
〔刻蜡版〕 kè làbǎn (등사판의) 원지를 긁다. =〔刻钢板〕〔写xiě腊纸〕〔写钢板〕
〔刻漏〕 kèlòu 명 물시계.
〔刻期〕 kèqī 명동 ⇨〔克期〕
〔刻峭〕 kèqiào 형 ⇨〔刻薄〕
〔刻日〕 kèrì 동 ⇨〔克日〕
〔刻深〕 kèshēn 형 〈文〉 가혹하고 짓궂다.
〔刻石〕 kè,shí 동 돌에 글씨나 그림을 새겨 넣다. (kèshí) 명 조각한 석재(石材)《도장 따위》.
〔刻书〕 kèshū 동 〈文〉 서적을 간행하다.
〔刻丝〕 kèsī 명 명주천에 색실을 박아 무늬를 짜낸 고급 직물. ¶～的画; 비단 바탕에 색실로 짜낸 그림. =〔克丝〕〔缂丝〕
〔刻闻〕 kèwén 〈文〉 지금 들은 바에 의하면.
〔刻下〕 kèxià 명 목하. 목전. =〔目mù下〕
〔刻舷求剑〕 kè xián qiú jiàn 〈成〉 ⇨〔刻舟求剑〕
〔刻绣线〕 kèxiùxiàn 명 자수실.
〔刻削〕 kèxuē 동 〈文〉 가혹하게 착취하다.
〔刻意〕 kèyì 동 극력(極力) …하다. 머리를 짜다. 고심하다. ¶～求工; 백방으로 궁리하다 / ～经营; 고심하여 경영하다.
〔刻责〕 kèzé 동 〈文〉 가혹하게 나무라다. 가책(苛責)하다.
〔刻针〕 kèzhēn 명 ①(시계) 바늘. ②특히, 초침(秒針)을 가리킴.
〔刻舟求剑〕 kè zhōu qiú jiàn 〈成〉 각주구검. 시세(時勢)의 변화에도 아랑곳없이 옛 법식대로 함. 완고하여 융통성이 없음《옛날, 초(楚)나라 사람이 강을 건너다가 물 속에 칼을 빠뜨리자, 칼을 빠뜨린 자리를 기억하려고 배에다 표시를 하고 나서 배가 정박한 뒤에 칼을 찾으려 했다는 고사에서 유래함》. =〔刻舷求剑〕〔契舟求剑〕
〔刻字〕 kè,zì 동 글씨를 새기다.
〔刻子〕 kèzi 명 마작에서 같은 패 3개를 갖춘 것《'字zì牌'든 '数牌'든 다 되며, '兵bīng牌'로 갖춘 것을 '暗刻', '碰pèng'하여 갖춘 것은 '明刻'라고 함》.

恪

kè (각, 격)
동 〈文〉 삼가다. 근신하다. ¶～遵zūn =〔～守shǒu〕; 삼가 지키다 / ～遵规章; 규칙을 힘써 지키다 / ～勤; 부지런히 힘쓰다. =〔愙kè〕

客

kè (객)
①명 손님. ¶主～; 주객. 주인과 손님 / 来了一位～人; 손님이 한 분 오셨다 / 请qǐng～; 손님을 부르다. 초대하다 / 顾gù～; 단골 / 宾～; 손님. ↔〔主zhǔ①〕 ②명 여객. ¶旅lǚ～; 여객 / 各位乘chéng～; 승객 여러분 / 直～; 쾌속 열차. ③명 타관에서 온 사람. 타처 사람. ¶作～他乡; 타향에서 살다. ④형 외래의《사람 또는 물건》. ¶～队duì; ⇩ ⑤명형 객관(적인). ¶～观; ⇩ / ～体; ⇩ ⑥동 ('旗qí人'의 말로) 가다. ¶上哪儿～; 어디에 가느냐. =〔去〕 ⑦양 〈方〉 분《손님 상을 세는 데 쓰임》. ¶一～饭; 1인분의 요리 / 来三～冰激凌! 아이스크림 셋! ⑧명 (가게 등의) 손님. ¶乘～; 승객. =〔顾客〕 ⑨명 객. 특정한 사람에 대한 호칭. ¶政～; 정객 / 刺～; 자객. 암살자 / 说～; 유세객 / 侠～; 협객. ⑩명 상인. ¶珠宝～; 보석 상인 / 绸chóu缎～; 견직물 상인. ⑪명 성(姓)의 하나.
〔客安〕 kè'ān 명 〈翰〉 여행 중의 평안. ¶即颂～; 무엇보다 여행중 무사하시기를 빕니다.
〔客帮〕 kèbāng 명 옛날, 지방 상인. 타지방에서 집단으로 와 있는 상인. =〔外帮〕
〔客窆〕 kèbiǎn 동 〈文〉 객사하여 타향에 묻히다.
〔客兵〕 kèbīng 명 〈文〉 외지에서 와서 주둔하고 있는 군대. =〔客军〕〔侨军〕
〔客不送客〕 kè bù sòng kè 〈成〉 손님끼리는 서로 배웅은 하지 않는 법이다.
〔客舱〕 kècāng 명 배나 비행기의 객실. 선실. =〔座zuò舱〕
〔客娼〕 kèchāng 명 옛날, 타지에서 흘러들어온 매춘부.
〔客车〕 kèchē 명 ①객차(客車). ②대형 승용차. ③보통 열차《'普通旅客列车'의 약칭》. =〔慢车〕
〔客尘〕 kèchén 명 ①〈文〉 여행지에서 겪는 고생. 객고. ②《佛》 번뇌.
〔客程〕 kèchéng 명 여행 일정.
〔客船〕 kèchuán 명 객선. 여객선.
〔客串(儿)〕 kèchuàn(r) 동 아마추어 배우가 임시로 프로 극단에 들어가 극에 출연하다. 〈轉〉 초보자가 전문인의 집단에 들어가다.
〔客春〕 kèchūn 명 〈文〉 지난해 봄.
〔客次〕 kècì 명 〈文〉 여행간 곳. 여행중.
〔客地〕 kèdì 명 〈文〉 여행지. 타향. =〔客土②〕
〔客店〕 kèdiàn 명 여인숙《구식의 작고 설비가 좋지 않은》. →〔旅lǚ馆〕
〔客队〕 kèduì 명 초대(招待) 참가 팀. 원정(遠征)팀.
〔客饭〕 kèfàn 명 ①(호텔·열차·기선 등에서 파는) 정식(定食). ¶在菜馆吃～; 식당에서 정식을 먹다. ②(기관(機關)·단체 등의 식당이) 임시로 오는 손님에게 대접하는 식사.
〔客贩〕 kèfàn 명 상품 구입을 위해 타지방에서 출장 와 있는 상인.
〔客房〕 kèfáng 명 사랑방. 손님방. 손님용 침실. =〔客室〕〔客屋〕
〔客观〕 kèguān 명《哲》 객관. ¶～规律; 객관적 법칙 / ～实际; 객관적 사실 / ～主义; 객관주의.

형 객관적이다. ¶他看问题比较～; 그는 비교적 객관적으로 사물을 본다 / 要冷静～些! 냉정해라! ↔〔主zhǔ观〕
〔客观唯心主义〕 kèguān wéixīn zhǔyì 명《哲》 객관적 유심론. 객관적 관념론.
〔客官〕 kèguān 명〈古白〉〈敬〉 고객(顧客). 손님《여관·음식점·극장 등의 손님에 대한 존칭》.
〔客馆〕 kèguǎn 명 ⇨〔客舍〕
〔客户〕 kèhù 명 ①토박이에 대해서 외래 사람의 일컬음. =〔〈廣〉客家②〕 ↔〔主户〕 ②고객. 거래선〔처〕. ③호적.
〔客货〕 kèhuò 명 타지방에서 온 화물. 외래 상품.
〔客货轮〕 kèhuòlún 명 화객선. =〔客货船〕
〔客机〕 kèjī 명 여객기.
〔客籍〕 kèjí 명 ①임시 거주지. 현주소. ↔〔原籍〕 ②거류자. 외지 사람.
〔客家〕 Kèjiā 명 ①하카(Hakkas)《서진(西晉) 말년에서 북송(北宋) 말년에 이르기까지 황하 유역에서 점차로 남방으로 이동한 종족. 현재 광둥(廣東)·푸젠(福建)·광시(廣西)·장시(江西)·후난(湖南)·타이완(臺灣) 등지에 거주함》. ②(kèjiā) ⇨〔客户①〕
〔客家话〕 Kèjiāhuà 명《言》 객가어《중국 주요 방언의 하나. 주로 광둥(廣東)·광시(廣西)·푸젠(福建)·장시(江西)·후난(湖南) 등지에 분포하며, 중원(中原)의 옛 음을 보존하고 있음》.
〔客间〕 kèjiān 명 객실.
〔客居〕 kèjū 동 객지살이하다. 타향에서 살다.
〔客军〕 kèjūn 명 ⇨〔客兵〕
〔客乐我歌〕 kèlèwǒgē 명〈音〉 가라오케《가요곡 등의 반주만 나오는 테이프 또는 카세트》.
〔客里空〕 kèlǐkōng 명〈比〉(신문 등의) 날조한 보도 및 그 방법. 가짜〔부정〕 상품.
〔客流〕 kèliú 명 승객의 물결〔무리〕. ¶～高峰; 승객이 제일 혼잡한 시각. 러시 아워.
〔客旅〕 kèlǚ 명〈文〉 숙박객.
〔客轮〕 kèlún 명 객선(客船).
〔客满〕 kèmǎn 명형 (손님이) 만원(이다). ¶公共汽车, 早上常常～, 挤不上去; 버스는 아침엔 항상 만원이어서, 꽉꽉 태워도 못 타는 때가 있다.
〔客米〕 kèmǐ 명〈文〉 수입쌀. 외국쌀.
〔客民〕 kèmín 명 타지에서 온 사람. 타관 사람.
〔客盆(儿)〕 kèpén(r) 명 일인용의 양식 욕탕. →〔澡zǎo堂(子)〕
〔客票〕 kèpiào 명 ①승차권. ②(극장의) 무료 우대권.
〔客妻〕 kèqī 명 하룻밤 아내《옛날, 매춘부의 별칭》. 현지처.
〔客气〕 kèqì 명〈文〉 객기. 객쩍게 부리는 혈기. 허세.
〔客气〕 kèqi 동 사양하다. ¶不～的说; 외람되게〔당돌하게〕 말하다 / 您别～; 사양 마시고. 형 공손하다. 겸손하다. ¶您太～了; 너무 사양하시니 송구스럽습니다 / ～话; ⓐ인사말 따위의 형식적인 말. ⓑ겸손한 말 / 不～; ⓐ사양 않겠습니다. ⓑ부디 사양 마시고. ⓒ예의를 돌보지 않다.
〔客卿〕 kèqīng 명〈文〉 옛날에, 중국의 관직 자리에 있었던 외국인.
〔客清〕 kèqīng 명 외상 판매 장부의 별칭.
〔客情(儿)〕 kèqíng(r) 명 친절한 마음(으로 하는 일). ¶我帮你的忙是～, 不是本分; 너를 도와 주는 것은 친절한 마음에서 나온 것이지 의무로 하는 것이 아니다.
〔客鹊〕 kèquè 명《鳥》 까치.
〔客人〕 kèren 명 ①손님. ②나그네. ③행상인.
〔客商〕 kèshāng 명 ①도붓장수. ②타지방에서 온 상인.
〔客舍〕 kèshè 명〈文〉 ①여관. ②저택 안의 손님을 묵게 하는 건물. ‖ =〔客馆〕
〔客室〕 kèshì 명 ⇨〔客房〕
〔客死〕 kèsǐ 동〈文〉 객사하다. 객지에서 죽다. ¶～于伦lún敦; 런던에서 객사하다.
〔客随主便〕 kè suí zhǔ biàn〈成〉 객(客)은 주인의 형편에 따라야 함《객이 겸손해서 하는 말》.
〔客岁〕 kèsuì 명〈文〉 작년.
〔客堂〕 kètáng 명〈方〉 객실. 응접실.
〔客堂楼〕 kètánglóu 명 상하이(上海)식 주택 건축에서 '前楼' 중앙의 가장 창에 가깝고 밝은 방. 객실.
〔客套〕 kètào 명 겉치레 인사. 형식적인 인사말. 동 ①사양하다. ¶～话; ⓐ조심성스러운 말. ⓑ계절 인사의 말. =〔客气〕 ②(형식적으로) 인사하다. ¶他们两个彼此～了几句; 그들 두 사람은 서로 형식적으로 두서너 마디 인사말을 주고받았다.
〔客体〕 kètǐ 명《哲》 객체《'主体'에 대하여 이름》.
〔客厅〕 kètīng 명 (넓은) 접객실. 응접실. =〔客堂〕
〔客亭〕 kètíng 명〈文〉 손님을 맞고 배웅하는 대기소.
〔客土〕 kètǔ 명동《農》 객토(하다). 명〈文〉 객지(客地).
〔客位〕 kèwèi 명 ①객석. 좌석. =〔客座zuò〕 ②손님으로서의 지위.
〔客屋〕 kèwū 명 ⇨〔客房〕
〔客星〕 kèxīng 명〈文〉 평소에는 안 보이고 때때로 나타나는 별《옛날, '彗huì星'이나 '新xīn星' 따위를 말했음》.
〔客姓〕 kèxìng 명 동성(同姓)이 사는 동네에 온 타성(他姓) 세대의 성(姓).
〔客爷〕 kèyé 명〈古白〉 손님.
〔客佣〕 kèyōng 명 ⇨〔客作〕
〔客寓〕 kèyù 명 ①나그네가 묵는 곳. ②임시 거처·우거(寓居).
〔客运〕 kèyùn 명 여객 운반 업무. ¶～三轮车; 사람을 태우는 삼륜차 / ～量; 여객 수송량.
〔客载船〕 kèzàichuán 명 여객선.
〔客栈〕 kèzhàn 명 여인숙《전의 설비가 좋지 않은 여관. 창고업·운수업을 겸한 것도 있었음》.
〔客长〕 kèzhǎng 명〈古白〉〈敬〉 낯선 손님.
〔客账〕 kèzhàng 명 거래선의 계정. 외상 판매.
〔客中〕 kèzhōng〈文〉 여행 중.
〔客子〕 kèzi 명 나그네. 에트랑제.
〔客作〕 kèzuò 명 임시 고용. =〔客佣〕
〔客座(儿)〕 kèzuò(r) 명 ①객석. 좌석. ②〈轉〉 객실. 응접실. 동 외부·외국에서 초청되어 임시로 일하다.
〔客座教授〕 kèzuò jiàoshòu 명 객원 교수.

窓 kè (각)

동 ⇨〔恪kè〕

课(課) kè (과)

① 명 수업. 강의. ¶上～; 수업을 하다 / 下～; 수업이 끝나다 / 今天没～; 오늘은 수업이 없다 / 罢～; (학교의) 스트라이크〔동맹 휴학〕(를 하다) / 怠～; 동맹 휴교하다. 동맹 휴학하다. ② 명 수업 과목. 교과. ¶我们这学期共有八门～; 우리들은 이번 학기에 8과목의 수업이 있다. ③ 명 수업 시간. ¶一节～;

한 시간의 수업. ④명 과(課)《교재의 한 단락》. ¶第一~; 제1과/这本教科书共有二十五~; 이 교과서는 모두 25과로 되어 있다. ⑤동 가르치다. ¶~读; 읽는 것을 가르치다. ⑥명 과(課)《기관(機關)·학교 등의 행정상의 단위》. ¶会计~; 회계과/秘书~; 비서과. ⑦명 〈文〉 세금. ¶国~; 국세/~役; 세금과 부역/盐~; 염세. ⑧동 기부(寄附)·세금을 과하다〔징수하다〕. ¶~以重税; 중세를 과하다. ⑨명 점(占)의 하나《몇 개의 동전을 흔들어 길흉을 점침》. ¶起~; 점치다.

〔课本(儿)〕 kèběn(r) 명 교과서. =〔教科书〕

〔课毕〕 kèbì 동〈文〉수업이 끝나다.

〔课表(儿)〕 kèbiǎo(r) 명 수업 시간표. =〔功课表〕

〔课钞〕 kèchāo 명 〈文〉 세금.

〔课程〕 kèchéng 명 과정. 커리큘럼(curriculum). ¶~表; 수업 시간표.

〔课卦〕 kèguà 명 팔괘(八卦). 역점(易占).

〔课馆〕 kèguǎn 명 옛날, 세무서의 별칭.

〔课户〕 kèhù 명 〈文〉 납세자.

〔课间〕 kèjiān 명 수업과 수업의 사이. ¶~操; 수업 사이에 하는 체조/~休息; 수업 사이의 휴식.

〔课金〕 kèjīn 명 〈文〉 군대가 점령지 주민에게 과하는 돈.

〔课卷〕 kèjuàn 명 (글짓기·리포트 등) 학생이 써 내는 숙제.

〔课款〕 kèkuǎn 명 군대가 점령지 주민에게 과하는 돈.

〔课吏〕 kèlì 동 〈文〉 관리의 공적을 조사하다.

〔课命〕 kèmìng 동 역단(易斷)하다. 운명의 길흉을 역(易)으로 판단하다. ¶~馆; 역단소(所).

〔课期〕 kèqī 명 〈文〉 ①시험 시기. ②징수 시기.

〔课时〕 kèshí 명 시한(時限). 수업 시간. ¶每周授课十六~; 매주 열여섯 시간의 수업을 하다.

〔课室〕 kèshì 명 ⇨〔课堂①〕

〔课收〕 kèshōu 동 세금을 거두다.

〔课算〕 kèsuàn 동 점을 치다.

〔课堂〕 kètáng 명 ①교실. ¶~教学和课外活动; 교실에서의 교학(教學)과 과외 활동/~作业和课外作业; 교실에서의 숙제와 과외 숙제/~讨论; (대학 따위의) 세미나. =〔课室〕〔教jiào室〕 ②(추상적인 의미로) 학습의 장(場). ¶搅乱~秩序; 교실의 질서를 어지럽히다.

〔课题〕 kètí 명 과제.

〔课筒〕 kètǒng 명 역단(易斷)에 사용하는 심지통.

〔课外〕 kèwài 명 과외. ¶~活huó动; 과외 활동/~作业; 과외 작업. 숙제/~读物; 과외 읽을거리〔독본〕.

〔课文(儿)〕 kèwén(r) 명 교과서 속의 본문《주석·연습 문제에 대해》. ¶朗读~; 본문을 읽다.

〔课业〕 kèyè 명 수업. 학업. ¶不可荒废~; 학업을 등한시할 수 없다.

〔课艺〕 kèyì 명 (학생의 시문·글씨·그림 등의) 성적품·작품.

〔课余〕 kèyú 명 과외(課外). 수업 외. 과업의 여가. ¶~时间; 과외 시간. →〔业余〕

〔课兆〕 kèzhào 명 점을 친 결과.

〔课桌〕 kèzhuō 명 ①교탁. ②교실의 책상.

骒(騍) kè (과)
명《動》암말. =〔牝pìn马〕〔〈北方〉骒马〕 ↔〔儿ér马〕

〔骒驴〕 kèlǘ 명《動》암탕나귀.

〔骒骡〕 kèluó 명《動》암노새.

〔骒子马〕 kèzimǎ 명《動》번식용의 암말.

锞(錁) kè (과)
명 화폐의 지금(地金). 금은괴(塊).

〔锞子〕 kèzi 명 ①금은의 작은 덩어리. ②옛날, 통화로서의 은덩어리로 10냥 내외의 것. ③《劇》높이 뛰어올라 공중제비를 하고 등허리부터 떨어지는 곡예.

缂(緙) kè (격)
→〔缂丝〕

〔缂丝〕 kèsī 명《美》①자수(刺繡). ②자수품. ‖=〔刻丝〕〔克丝〕

溘 kè (합)
〈文〉①부 갑자기. 돌연. ¶~逝shì =〔~然长逝〕〔~谢xiè〕; (사람이) 갑자기 죽다. ②〈擬〉철벅《물 소리》. ¶飞下双鸳鸯, 塘水声~~; 한 쌍의 원앙이 수면에 내려, 연못의 물소리 절벅절벅이네. ③형 추운 것을 형용. ¶沙堤十里寒~~; 십 리의 모래 둔덕이 싸늘하게 가로질러 있다. ④→〔溘匝〕

〔溘匝〕 kèzā 형 꽉 차 있다.

嗑〈齗〉 kè (합)〈가〉
①동 앞니로 깨물어 쪼개다. ¶~毛子壳ké; 해바라기씨를 깨물다/老鼠把箱子~破了; 쥐가 상자를 쏠아 망가뜨렸다. ②→〔嗑喳喳〕⇒kē xiá, '齗' qiā

〔嗑喳喳〕 kèchāchā 〈擬〉짜자작《도끼로 쪼개는 소리》.

KEI ㄎㄟ

剋〈尅〉 kēi (극)
동〈方〉①(남을) 때리다. ¶~架; ⇓ ②야단치다. 몹시 혼내다. 모질게 굴다. ¶挨了~了; 야단맞았다/~人; 사람을 곯리다. 호되게 윽박지르다. 손들게 하다/那个饭馆子真~人; 저 음식점은 아주 비싸게 받는다. ⇒'克' kè

〔剋架〕 kēi,jià 동〈方〉싸우다. =〔打架〕

KEN ㄎㄣ

肯〈肎〉 kěn (긍)
①동 승낙하다. 동의하다. 수긍하다. 기꺼이 하다. ¶首~; 승낙하다/他总不~答应; 그는 아무리 해도 승낙해 주지 않는다/他已经千~万~了; 그는 두말 없이 승낙해 주었다. ②조동 …하고 싶다. …을 원하다. 기꺼이 …하다. ¶我~出力, 就是力气不大; 나는 힘껏 해 보고 싶으나, 힘이 모자란다/他不~来; 그는 오려고 하지 않다. ③조동〈方〉곧잘 …하다. …하기 쉽다. ¶这几天, 天~下雨; 요새는 비가 잘 온다/他~说人家的短处; 그는 곧잘 남의 단점을 말하고 싶어한다/这孩子~生病; 이 아이는 곧잘 병을 앓는다. =〔爱③〕 ④명〈文〉뼈에 붙은 고기. 〈比〉가장 중대한 점. 핵심. ¶说话中zhòng~; 이야기가 아주 정곡을 찌르다.

〔肯德基〕 Kěndéjī 명〈音〉 켄터키 프라이드 치킨(KFC).
〔肯定〕 kěndìng 동 긍정하다. 인정하다. ¶充分～了这个意义; 이 의의를 충분히 확인하였다/现在我～了自己的看法是错的; 지금 나는 자신의 생각이 잘못이었음을 인정했다. 형 ①틀림없다. 확정적이다. ¶～地说; 딱 잘라 말하다. ②긍정적이다. ↔〔否fǒu定〕 부 확실히. 분명히. ¶～是他做的; 확실히 그가 한 짓이다.
〔肯定关系〕 kěndìng guānxi 관계를 인정하다〔인정된 관계〕. ①남녀가 연애 감정을 확인하고 연애관계로 들어섬. ②약혼함.
〔肯分的〕 kěnfēnde 부 기이하게도. 마침. 공교롭게도. ¶将我选配沙门岛去, ～遇着爹爹; 나를 사문도(沙門島)에 유배시켰는데, 공교롭게도 부친을 만났다.
〔肯干〕 kěngàn 동 자발적으로 일을 하다. ¶他为人老实厚道, 积极～; 그는 사람이 얌전하고 친절하며, 적극적이고 일을 좋아한다.
〔肯尼亚〕 Kěnníyà 명《地》 케냐(Kenya)《수도는 '内罗毕'(나이로비: Nairobi)》. =〔怯尼亚〕
〔肯诺〕 kěnnuò 동 승낙하다.
〔肯綮〕 kěnqìng 명〈文〉 뼈와 살이 닿는 곳. 〈比〉 일의 요점. ¶中zhòng～ =〔中肯〕〔深入～〕; 〈成〉 핵심〔요점〕을 찌르다.
〔肯确地〕 kěnquède 부 확실히〔긍정하여〕. ¶天佑还不能～说大局究竟如何《老舍 四世同堂》; 천우(天佑)는 아직 대세가 결국 어떻게 될지를 단정적으로는 말할 수 없었다.
〔肯堂肯构〕 kěn táng kěn gòu 〈成〉 자식이 아버지의 유업을 계승하여 성공시키다. =〔肯构肯堂〕
〔肯许〕 kěnxǔ 동 ⇨〔肯允〕
〔肯要〕 kěnyào 명〈文〉 요점. 요령. ¶恰qià中～; 마침 요점에 들어맞다.
〔肯于〕 kěnyú 부〈文〉 스스로. 자발적으로.
〔肯允〕 kěnyǔn 동〈文〉 승낙하다. =〔肯许〕.
〔肯做〕 kěnzuò 동 자진하여 일하다. ¶他很～; 그는 일을 잘 한다.

啃〈齦〉 kěn (간)

①동 갉다. 덥석 물다. 깨물다. ¶狗～骨头; 개가 뼈를 갉아먹다/老鼠把抽屉～坏了; 쥐가 서랍을 갉아서 망가뜨리다. ②동〈比〉 …만 하고 있다. 몰두하다. ¶抱着书本儿～; 책을 안고 갉다《책에만 매달리고 있다》/做一把椅子～了三天; 의자 하나 만드는 데 꼬박 사흘이 걸렸다. ③입을 놀리는 소리. ⇒ kèn, '齦' yín
〔啃不动〕 kěnbudòng ①(딱딱해서 또는 이가 약해서) 씹을 수 없다. ②(맞붙어) 힘에 겨워하다. 감당할 수 없다. ‖↔〔啃得动〕
〔啃不下〕 kěnbuxià ①(배가 불러서) 먹을 수가 없다. ②이해할 수 없다. ‖↔〔啃得下〕
〔啃草〕 kěncǎo 동 풀을 뜯(어먹)다. 풀을 씹다.
〔啃吃〕 kěnchi 동 (질겅질겅) 씹다. (힘을 들여) 씹다. ¶挺好的玩艺儿, 让孩子～坏了; 멀쩡한 장난감을 어린아이가 씹어서 망그러졌다. =〔啃嗤〕
〔啃骨头〕 kěn gǔtou ①〈比〉 (천천히) 어려운 일을 해 나가다. 차근차근 해 나가다. ¶再硬的骨头也敢于啃; 아무리 힘겨운 상대라 해도 침착하게 대항하다. ②뼈를 갉다.
〔啃脚〕 kěnjiǎo 동 신에 쓸려 까지다. 명 신에 쓸려 까짐.
〔啃刻〕 kěnkè 동 ①학대하다. ②착취하다.
〔啃老本〕 kěn lǎoběn 고물스러운 것에 매달리다.
〔啃气〕 kěnqì 동 말하다《주로, 부정(否定)의 경우에 쓰임》. ¶一路上谁也不～; 도중에 모두 입을 다물고 아무도 말하는 사람이 없다.
〔啃青〕 kěnqīng 동〈方〉 ①곡물이 충분히 익기 전에 퍼런 것을 거두어 굶주림을 채우다. ②가축이 푸른 싹을 먹다.
〔啃书本〕 kěn shūběn 책에 몰두하다. 열심히 공부하다.
〔啃鼠〕 kěnshǔ 명《動》 모르모트. =〔腮袋鼠〕
〔啃袜子〕 kěn wàzi 양말을 해지게 하다.
〔啃咸菜〕 kěn xiáncài 짠지를 씹다. 〈比〉 가난하게 살다.
〔啃洋本本〕 kěn yángběnběn 외국물을 신봉하여 매달리다.
〔啃硬骨头〕 kěn yìnggǔtou 특히, 어려운 일이라도 두려워하지 않고 하다.

垦(墾) kěn (간)

동 ①개간하다. ¶～荒huāng; 황무지를 개척하다/开～; 개간(하다). ②상(傷)하다.
〔垦地〕 kěndì 동 토지를 개척하다.
〔垦复〕 kěnfù 동 재개간하다.
〔垦户〕 kěnhù 명 개간자.
〔垦荒〕 kěnhuāng 동 황무지를 개간하다.
〔垦辟〕 kěnpì 동〈文〉 개간하다.
〔垦区〕 kěnqū 명 개간 지구.
〔垦田〕 kěntián 동 개간하여 논밭으로 만들다.
〔垦殖〕 kěnzhí 동 황무지를 개간하여 경지화(耕地化)하다.
〔垦种〕 kěnzhòng 동〈文〉 개간하여 경작하다.

恳(懇) kěn (간)

① 형 친절하다. 간절하다. 정성스럽다. ¶～谈; 간담하다/诚～; 성실하다. 간절하다/勤～; 근면 성실하다/意诚辞～; 〈成〉 성의가 깃들어 있고 말도 공손하다. ② 동 간청하다. ¶奉fèng～ =〔敬～〕; 간청하옵니다.
〔恳逼〕 kěnbī 동〈文〉 귀찮게 부탁하다.
〔恳到〕 kěndào 형〈文〉 매우 자상하다. 친절하고 자상하다. =〔恳至〕
〔恳恩〕 kěn'ēn 동〈文〉 간원(懇願)하다.
〔恳恳〕 kěnkěn 형 정중하다. 간절하다.
〔恳祈〕 kěnqí 동 간절히 빌다.
〔恳乞〕 kěnqǐ 동〈文〉 간청하다.
〔恳切〕 kěnqiè 형 ①간절하다. 공손하다. ¶我～地希望大家帮助我; 모두가 나를 도와 주기를 간절히 희망한다. ②은근하다. 진지하다. ¶面对面～地说; 얼굴을 맞대고 진지하게 이야기하다.
〔恳请〕 kěnqǐng 동 간청하다. ¶～出席会议; 회의에 출석해 줄 것을 간청하다.
〔恳求〕 kěnqiú 동 간절히 원하다. 간청하다.
〔恳商〕 kěnshāng 동 친근하게 의논하다.
〔恳书〕 kěnshū 동〈文〉 휘호(揮毫)를 부탁하다.
〔恳托〕 kěntuō 동 간곡히 부탁하다.
〔恳挚〕 kěnzhì 형〈文〉 성의가 담겨 있다. (태도·말씨가) 성실하고 진지하다. ¶词意～动人; 말에 진실성이 있어 사람을 감동시키다.

掯 kèn (긍)

동〈方〉 ①눌러 복종시키다. 내리누르다. ②강탈하다. ③억지로〔무리하게〕 …하다〔시키다〕. 못 살게 굴다. ¶～留; 억지로 머물게 하다. ④…하기를 꺼리다. 주저주저하다. ⑤살해하다. ¶被他～了; 그의 함정에 빠져 떨어졌다.
〔掯价〕 kènjià 동 값을 흥정하다.

〔揹客〕 kènkè 명 매점 상인(買占商人).
〔揹扣〕 kènkòu 동 ⇨〔克kè扣②〕
〔揹勒〕 kènlēi 동 누르다. 강제(強制)하다.
〔揹手〕 kènshǒu 동 결심이 서지 않아 주저하다. 우물쭈물하다.
〔揹赎〕 kènshú 동 (찾아야 할) 전당물을 미적거리며 찾지 않다.
〔揹吞〕 kèntūn 동 독차지하다. 혼자 매점하다.
〔揹账〕 kènzhàng 동 빚 갚기를 주저하다.
〔揹照〕 kènzhào 동 (건네 주어야 할 면허장·허가증 따위를) 미적거리며 내놓지 않다.
〔揹阻〕 kènzǔ 동 가로막다. 저지하다.

啃 kèn (간)
동 〈京〉 먹다. ¶白~他几顿嘴头子食; 공짜로〔아무 일도 하지 않고〕 몇 번 그 집 밥을 먹었다. =〔吃〕 ⇒kěn

裉〈褃〉 kèn (긍) 〈건〉
명 의복의 겨드랑 밑의 솔기. 소맷길 달기. ¶抬tái~; 어깨에서 겨드랑 밑까지의 치수/腰~; 허리 둘레의 치수/煞~; 옷의 소매를 달다.

KENG ㄎㄥ

坑 kēng (갱)
①(~儿, ~子) 명 구멍. 구덩이. ¶挖wā~; 구멍을 파다/泥~; 진흙 구덩이/弹~; 탄혈(彈穴)/留神! 这里有水~; 조심해! 여기 물웅덩이가 있어/一个萝卜一个~儿; 〈諺〉 제 구실을 하다. 자기 위치를 지키다. ②명 땅 속의 갱도. 지하도. ¶~道战; 참호전. ③명 변소. ④동 〈文〉 구멍에 묻다. 생매장하다. ¶项羽~秦之降卒; 항우는 진의 투항한 군사를 생매장하였다/焚书~儒; 분서갱유(진시황이 책을 불사르고 유생을 생매장한 고사). ⑤동 구멍에 빠지다. ⑥동 함정에 빠뜨리다. 속여 빼앗다. ¶你别~人了! 남을 함정에 빠뜨려서는 안 돼!
〔坑崩地〕 kēngbēngde 부 〈俗〉 곧. 즉시.
〔坑边纸〕 kēngbiānzhǐ 명 〈方〉 뒤지 혹은 포장지로 쓰이는 황갈색을 띤, 조금 두툼하고 꺼끌꺼끌한 느낌을 주는 짚으로 만든 종이《저장 성(浙江省)산(産)》.
〔坑不了〕 kēngbuliǎo 동 속일 수가 없다. 해치는 일은 없다. ¶他~你, 都有我呢! 내가 옆에 붙어 있으니까, 그 사람이 너를 해칠 수는 없다! ↔〔坑得了〕
〔坑道〕 kēngdào 명 ①갱도. 지하도. ②《軍》 참호. 갱도.
〔坑堆堆儿〕 kēngduīduīr 명 (무덤의) 봉.
〔坑害〕 kēnghài 동 해치다. 빠뜨려 해치다. 괴롭히다. 학대하다. ¶为什么还要做~人的事呢? 무엇 때문에 남을 또 함정에 빠뜨려 해치려느냐?/他滥交游, 结果坏朋友~了; 그는 아무하고나 마구 사귀어, 결과적으로 못된 친구에게 당했다.
〔坑井〕 kēngjǐng 명 갱도와 수갱(竪坑).
〔坑坎〕 kēngkǎn 명 ①구멍이나 구덩이. ¶~不平; 구덩이가 있어 울퉁불퉁하다. ②〈比〉 함정.
〔坑坑洼洼〕 kēngkengwāwā 형 울퉁불퉁하다. ¶那条路~地不好走; 저 길은 울퉁불퉁하여 걷기 힘들다.
〔坑口〕 kēngkǒu 명 《廣》 갱구. 굿문.
〔坑苦〕 kēngkǔ 동 사람을 함정에 빠뜨려 괴롭히다.
〔坑戮〕 kēnglù 동 〈文〉 생매장하여 죽이다.
〔坑埋〕 kēngmái 동 묻어 버리다. 묻어 감추다.
〔坑蒙拐骗〕 kēng mēng guǎi piàn 〈成〉 남을 속이고, 남의 눈을 가리고, 남의 물건을 훔치고, 함정에 빠뜨리는 일.
〔坑木〕 kēngmù 명 갱도의 낙반 방지용 갱목.
〔坑骗〕 kēngpiàn 동 속여서 재물을 빼앗다. 사람을 속이어 곤경에 빠뜨리다. 사기치다.
〔坑气〕 kēngqì 명 ⇨〔沼zhǎo气〕
〔坑渠〕 kēngqú 명 하수구.
〔坑儿〕 kēngr 명 ①구멍. 구덩이. ¶碰了个~; 부딪뜨려 움푹 들어가게 하다. ②빚. ¶平不了~; 빚을 갚을 수가 없다.
〔坑儿坎儿〕 kēngr kǎnr 명 ①곡절(曲折). ②좌절. 곤란. ③〈俗〉 자질구레한 일들. 무엇이든지. ¶家里的事~的都得顾到; 집안 일이란 무엇이든지 일일이 마음을 쓰지 않으면 안 된다.
〔坑人〕 kēngrén 동 ①사람을 함정에 빠뜨리다. 야바위 치다. ¶~的事做不得; 남에게 손해를 주는 일 따위는 하지 마라. ②〈俗〉 슬프게 하다. 비통히 여기게 하다. ¶这孩子活到这么大死了, 才~哪! 이 아이가 이렇게 커서 죽었다니, 얼마나 비통한 일입니까!
〔坑杀〕 kēngshā 동 생매장하여 죽이다.
〔坑砂〕 kēngshā 명 햇볕에 말린 인분《비료로 씀》.
〔坑生〕 kēngshēng 동 목숨을 잃다. ¶在山中~; 산중에서 목숨을 잃다.
〔坑探〕 kēngtàn 명 《鑛》 갱도 채광(坑道採鑛).
〔坑塘〕 kēngtáng 명 저수지.
〔坑田〕 kēngtián 명 무논의 별칭.
〔坑头〕 kēngtóu 명 광부의 우두머리.
〔坑洼〕 kēngwā 명 (땅에 판) 구멍. 구덩이. ¶路面坑坑洼洼积满了水; 길바닥은 울퉁불퉁해서 물이 잔뜩 괴어 있다. =〔坑凹āo〕
〔坑陷〕 kēngxiàn 동 사람을 함정에 몰아넣다.
〔坑型〕 kēngxíng 명형 (토목에서) 물결 모양(의). 주름(이 달린). =〔起线〕〔起皱〕〔皱纹①〕〔起沟〕
〔坑型石棉瓦〕 kēngxíng shímiánwǎ 명 물결형 석면 슬레이트. =〔马mǎ屎坭瓦坑〕
〔坑鱼〕 kēngyú 명 활어조(活魚槽)의 물고기.
〔坑子〕 kēngzi 명 〈口〉 ①구멍. ②똥통. ③움폭 팬 곳. 구덩이. ¶水~; 물 구덩이.

吭 kēng (항)
동 소리를 내다. 말하다. ¶众人~也不~的听着; 많은 사람이 소리 없이 듣고 있다/一声不~; 한 마디도 하지 않다/受了累也不~声儿; 지쳐서도 아무 소리 안 하다. ⇒háng
〔吭哧〕 kēngchi 동 ①(힘이 들어서) 헐떡이다. 낑낑거리다. 씩씩거리다. ¶他背起口袋来~~地走了; 그는 포대를 메고 낑낑거리며 갔다/他一个人~~地把箱子搬到五楼; 그 사람은 씩씩거리며 상자를 5층으로 옮겼다. ②몹시 고생하다. 쩔쩔매다. 애써 일하다. ¶~了半天还没写成呢; 오랫동안 애써 봤지만 아직 다 쓰지 못했다. ③말이 잘 나오지 않다. 우물쭈물하다. (말을) 횡설수설하다. ¶他~了半天才说出来; 그는 한참 우물쭈물하다가 겨우 말을 끄집어 냈다. ‖ =〔吭嗤chi〕
〔吭吭吃吃〕 kēngkengchīchī 동 당황하여 어쩔 줄 모르다. ¶他红着脸~地说; 그는 얼굴을 붉히고 당황하면서 말했다. =〔啃kěn啃哧哧〕
〔吭气(儿)〕 kēng.qì(r) 동 소리를 내다. 입을 열다《흔히, 부정(否定)으로 쓰임》. ¶不~; 소리를 내

지 않다. 전연 말이 없다 / 被人欺负不敢～的时代已经过去了; 남에게 무시당하고 가만히 있던 시대는 이미 지났다 / 既不吃饭也不～; 먹지도 않고 말도 안 한다. =〔吭声(儿)〕

〔吭声(儿)〕 kēng.shēng(r) 통 ⇨〔吭气(儿)〕

硁(硜〈䃘〉) kēng (갱) ①〈文〉〈擬〉 딱딱(돌이 부딪치는 소리). ② →〔硁硁〕

〔硁硁〕 kēngkēng ①형 견식이 좁아 고집스러운 모양. ¶～自守; 천박하고 고집을 부려 융통성이 없다. ②〈擬〉 돌이 부딪는 소리.

铿(鏗) kēng (갱) ①〈擬〉 쨍그랑. 땅땅(쇠붙이가 부딪치는 소리). ¶～然有声; 쨍그랑 소리가 났다 / ～的一声; 짤까당 하는 소리(가 나서). ②통〈文〉 치다. 때리다. ¶～钟zhōng; 종을 치다.

〔铿锵〕 kēngqiāng〈擬〉〈文〉 곱고 맑은 악기〔노래〕 소리. ¶～悦耳; 뚱땅 듣기 좋게 울리다.

〔铿然〕 kēngrán〈擬〉〈文〉 소리가 잘 울려 맑고 세찬 모양. ¶溪水奔流, ～有声; 시냇물이 급히 흘러 콸콸 소리가 난다.

KONG ㄎㄨㄥ

空 kōng (공) ①명 하늘. 공중. ¶天～; 하늘 / 对～射shè击; 대공 사격 / ～投; ⇩ / 高～作业;《建》(빌딩 건설 등의) 높은 곳에서의 작업 / 领lǐng～;《法》영공 / 航háng～; 항공. ②형 (속이) 텅 비다. ¶～箱子; 빈 상자 / ～瓶子; 빈 병 / 里头～着哪; 속은 텅 비어 있다. ③통 비우다. 비워 두다. ¶～着手儿; 맨손으로 / 把房子腾～了; 집을 비웠다. ④부 헛되이. 쓸데없이. 덧없이. ¶～过了一年; 허무하게 1년이 지나다 / ～走了一趟; 한 번 헛걸음질을 했다 / ～忙; ⇩ / 落～; 허탕치다. ⑤형 공허한. 실속 없는. 내용 없는. 헛된. ¶竟说～话; 헛된 말만 한다 / 叫～了; 불러도 대답이 없다. ⑥형 널찍한. 끝없는. ⑦명 성(姓)의 하나. ⇒kòng

〔空靶〕 kōngbǎ 명 (표적용의) 기(旗)드림. 공중 표적.

〔空包弹〕 kōngbāodàn 명 공포탄. →〔实shí弹〕

〔空包儿〕 kōngbāor 명 '旗人'이 녹봉을 받기 위해 만든 이름뿐인 가공 인물.

〔空背〕 kōngbèi 통 암기하다. 기억하다.

〔空舱费〕 kōngcāngfèi 명《商》 공하(空荷) 운임. 데드 프레이트(dead freight).

〔空肠〕 kōngcháng 명 ①《生》 공장(空腸). ② ⇨〔黄huáng芩〕

〔空车〕 kōngchē 명 빈 차. ↔〔重zhòng车〕

〔空车兜客〕 kōngchē dōukè (택시 운전 기사가) 요금 미터기를 작동시키지 않고 달려 그 보수를 가로채다.〈比〉 사기치다.

〔空城计〕 kōngchéngjì 성을 비우는 계략. 위급한 상황에서 상대방을 속이는 계책. 허장성세(성문을 열어 젖히고 적을 맞이하여 치는 것처럼 가장한 체 성을 다 비워 놓고 도망친 제갈 공명의 고사에서 유래).

〔空铳〕 kōngchòng 명 ⇨〔空竹〕

〔空船〕 kōngchuán 명 빈 배.

〔空大老脬〕 kōng dà lǎo pāo〈成〉 겉은 굉장하지만 내용이 없다(빛 좋은 개살구).

〔空当子〕 kōngdāngzi 명〈俗〉 여가(餘暇). 한가한 때.

〔空荡荡(的)〕 kōngdāngdāng(de)〔kōngdàngdàng(de)〕 형 텅 비다. 황량하다. ¶车站～的, 只有几个人在等车; 역(驛)은 텅 비어 있고, 단지 몇 사람이 기차를 기다리고 있을 뿐이다 / 屋子～; 방이 텅 비어 있다.

〔空挡〕 kōngdǎng 명 뉴트럴(neutral)(자동차 따위의 속도 변환 기어에 동축(動軸)으로부터의 힘이 걸려 있지 않은 상태).

〔空订〕 kōngdìng 통 헛되이〔공연히〕 정하다. ¶议程问题如果得不到解决, ～日期又有什么用处; 의사 일정의 문제가 해결되지 않으면, 공연히 일정을 정하여 본들 무슨 소용이 있는가.

〔空洞〕 kōngdòng 형 텅 비어 공허하다. 내용이 없다. 알맹이가 없다. ¶～诺nuò言; 실없는 약속 / ～无物;〈成〉 텅 비어 알맹이가 없다. 명《醫》 공동. 구멍.

〔空对地导弹〕 kōngduìdì dǎodàn 명《軍》 공대지 유도탄. 공대지 미사일.

〔空对空导弹〕 kōngduìkōng dǎodàn 명《軍》 공대공 유도탄. 공대공 미사일. =〔空空导弹〕

〔空翻〕 kōngfān 명《體》 공중제비.

〔空泛〕 kōngfàn 형 텅 비다. 공막하다. 요령 부득이다. ¶～的议论; 요령 부득한 의론.

〔空饭〕 kōngfàn 명 맨밥.

〔空防〕 kōngfáng 명 방공(防空).

〔空房(子)〕 kōngfáng(zi) 명 ①빈 집. ②빈 방. 사람도 살지 않고 물건도 놓여 있지 않은 텅 빈 방.

〔空放着〕 kōngfàngzhe 통 내버려 두다〔방치하다〕.

〔空费〕 kōngfèi 통 헛되이 쓰다.

〔空腹〕 kōngfù 명 공복. →〔空kòng肚儿〕

〔空谷〕 kōnggǔ 명〈文〉 유곡(幽谷). 인적이 드문 골짝. ¶～足音;〈成〉 인적이 드문 계곡 속에서 듣는 사람의 발짝 소리(구하기 어려운 탁견(卓見)·편지·사물 따위. 뜻밖의 구원).

〔空股〕 kōnggǔ 명 공로주(株). =〔人股〕

〔空过〕 kōngguò 통 헛되이 보내다.

〔空函〕 kōnghán 명 ①글씨가 씌어 있지 않은 백지 편지. ②〈轉〉 견본이나 카탈로그 따위의 청구서에 우송료를 동봉하지 않은 것.

〔空喊〕 kōnghǎn 통 말뿐이며 실제 행동이 없다. 빈말을 하다. =〔空唤〕〔空嚷〕

〔空耗〕 kōnghào 통 헛되이 소모하다〔쓰다〕. ¶～时间; 헛되이 시간을 낭비하다. →〔白bái费〕

〔空盒风雨表〕 kōnghé fēngyǔbiǎo 명 진공 기압계〔청우계〕.

〔空侯〕 kōnghóu 명 ⇨〔箜篌〕

〔空华〕 kōnghuā 명《佛》 망상(妄想). =〔空花〕

〔空花〕 kōnghuā 통 낭비〔허비〕하다. 명 망상.

〔空话〕 kōnghuà 명 공염불. 공론. 빈말. ¶纸上～; 지상 공론 / ～连篇;〈成〉 빈말을 잔뜩 늘어놓다 / 不切实际的主张不过是～; 현실에 부합되지 않는 주장은 공론에 불과하다.

〔空怀〕 kōnghuái 통 (어미 가축의) 불임(不妊)이다. 공태(空胎)이다. ¶牲畜不掉膘色, 不～; 가축은 살집도 좋고 윤기도 있어서 수태 못할 리가 없다.

〔空欢喜〕 kōnghuānxǐ 통 헛되이 기뻐하다. 명 헛

된 기쁨.
〔空幻〕 kōnghuàn 명 가공. 환상. ¶ ~的希望; 헛된 희망.
〔空灰〕 kōnghuī 명《商》〈俗〉부도. ¶ ~支票; 부도 수표.
〔空际〕 kōngjì 명 하늘. 공중.
〔空架子〕 kōngjiàzi 명 ①겉모양뿐이고 내용이 없음. ②몹시 가난함. 적빈(赤貧). ③허세(虛勢).
〔空间〕 kōngjiān 명 ①공간. ¶ ~点阵;《物》공간 격자(格子). ②우주 공간. ¶ ~发展; 우주 개발 / ~探索; 우주 탐사 / ~站; 우주 정거장. →〔航háng天〕〔宇yǔ宙〕
〔空间波〕 kōngjiānbō 명 ⇨〔天tiān波〕
〔空间图形〕 kōngjiān túxíng 명《數》공간 도형.
〔空讲〕 kōngjiǎng 동 ⇨〔空谈〕
〔空降〕 kōngjiàng 동 비행기나 낙하산을 이용하여 착지(着地)하다. 공수(空輸)하다. ¶ ~兵; 낙하산병.
〔空姐〕 kōngjiě 명 ⇨〔空中小姐〕
〔空军〕 kōngjūn 명《軍》공군.
〔空空〕 kōngkōng 형 아무것도 없다. 허무하다.
〔空空导弹〕 kōngkōng dǎodàn 명 ⇨〔空对空导弹〕
〔空空儿〕 kōngkōngr 명 도둑의 별칭. (~地) 부 빈손으로. 맨손으로. ¶头一次去看望人家, 怎么好意思~呢; 처음으로 남의 집에 찾아가는데 어떻게 빈손으로 갈 수 있느냐.
〔空空如也〕 kōng kōng rú yě〈成〉텅텅 비어 있다. 아무것도 없다.
〔空口〕 kōngkǒu ①허풍을 떨다. ②말 뿐이고 실행이 따르지 않는 이야기. ¶ ~说白话;〈諺〉기분 나는 대로 말하다. 아무렇게나 말할 뿐(으로 실제는 해 주지 않다). ③(안주 없이) 술만 마시다. (차(茶) 없이) 밥만 먹다. (밥·술 없이) 반찬〔안주〕만 먹다.
〔空口儿〕 kōng.kǒur 동 ⇨〔空嘴zuǐ儿〕
〔空旷〕 kōngkuàng 형〈文〉①훤히 넓다. 텅 비어 있다. ②헛되다. 막막하다. ¶ ~的雪地; 막막한 적설(積雪) 지대.
〔空匮〕 kōngkuì 형〈文〉궁핍하다.
〔空阔〕 kōngkuò 형 (장소가) 광활하다.
〔空廓〕 kōngkuò 형 널찍하다. 텅 비어 있다. ¶ ~的大厅里什么也没有放; 휑뎅그렁한 홀에는 아무것도 놓여 있지 않다.
〔空劳无益〕 kōng láo wú yì〈成〉헛수고를 하다.
〔空雷〕 kōngléi 명《軍》공뢰. 공중 어뢰.
〔空冷〕 kōnglěng 형〈文〉휑뎅그렁하여 쓸쓸하다.
〔空里空〕 kōnglikōng 형 전혀 진실미가 없다. 아주 무원칙하다. 내용미(內容味)가 도무지 없다.
〔空亮窗儿〕 kōngliàngchuāngr 명 채광창(採光窓).
〔空灵〕 kōnglíng 형 ①변화 무쌍하다. ¶我的笔写不出来这~的妙景; 나로서는 이 변화 무쌍한 훌륭한 풍경은 묘사할 수 없다. ②막연하다.
〔空隆空隆〕 kōnglóngkōnglóng〈擬〉우르르 쾅《대포·우렛소리》.
〔空漏〕 kōnglòu 형 공허하고 불만스럽다. ¶觉着~; 뭔가 부족한 느낌이 든다.
〔空落〕 kōngluò 형 휑뎅그렁하다. ¶ ~无人; 휑뎅그렁하고 사람이 없다. 명 빈터.
〔空落落(的)〕 kōngluòluò(de) 형 아득히 넓고 쓸쓸하다. ¶ ~的房间; 휑뎅그렁한 방 / 心里~的; 마음이 텅 비어 무척 쓸쓸하다.
〔空忙〕 kōngmáng 동 공연히 바쁘기만 하다.
〔空门〕 kōngmén 명《佛》불교(佛敎). 불문. ¶遁人~; 속세를 피해서 출가(出家)하다.
〔空濛〕 kōngméng 형 ⇨〔涳濛〕
〔空名〕 kōngmíng 명 허명(虛名).
〔空冥〕 kōngmíng 명〈文〉하늘.
〔空漠〕 kōngmò 형〈文〉공막하다.
〔空盘〕 kōngpán〔kòngpán〕①〈成〉⇨〔买空卖空〕②명 구호(뿐). ¶恐怕又是一个~; 아마 또 구호에 그칠 것이다.
〔空跑〕 kōngpǎo 동 헛되이 뛰다. 헛걸음치다.
〔空票〕 kōngpiào 명 ①⇨〔空头票据〕②공표. 제비 따위에서 빈 표.
〔空票据〕 kōngpiàojù 명 ⇨〔空头票据〕
〔空坪〕 kōngpíng 명〈文〉공터. ¶常有人站在~上眺望着《丁玲 我在霞村的時候》; 언제나 공터에 서서 바라보고 있는 사람이 있다.
〔空气〕 kōngqì 명 ①공기. ¶ ~槽cáo; 에어 탱크. ②분위기. 공기. 여론. 세론. ¶政治~浓厚; 정치적인 분위기가 짙다 / 造zào~; 분위기를 조성하다 / 这一团体的~与他不适; 이 단체의 분위기가 그에게는 맞지 않는다.
〔空气锤〕 kōngqìchuí 명《機》공기 해머《압축 공기를 이용한 단공용(鍛工用)의 망치》. =〔气锤〕〔电diàn动锤〕
〔空气炉〕 kōngqìlú 명 (야금의) 반사로.
〔空气滤清器〕 kōngqì lǜqīngqì 명 에어 필터. 공기 여과기.
〔空气塞门〕 kōngqì sāimén 명 에어 콕(air cock). =〔气嘴〕
〔空气调节〕 kōngqì tiáojié 명 에어컨. 에어 컨디셔너.
〔空气污染〕 kōngqì wūrǎn 명 대기 오염.
〔空气轴承〕 kōngqìzhóuchéng 명《機》공기 축받이《공기를 윤활제로 사용한 활성(滑性) 축받이》.
〔空前〕 kōngqián 형 전례가 없는. 공전(의). ¶盛况~; 공전의 성황 / 情绪~高涨; 사기가 전례에 없이 고양되다.
〔空前绝后〕 kōng qián jué hòu〈成〉전무후무(前無後無)하다. 공전절후하다. =〔空前未有〕
〔空枪〕 kōngqiāng 명 공포(空砲). ¶放~; 공포를 쏘다.
〔空勤〕 kōngqín 명 기상(機上) 근무. ¶ ~人员; 항공기 승무원.
〔空拳头〕 kōngquántou 명 맨손. 빈손. ¶他竟仗着~过日子; 그는 일정한 직업도 없이 지내고 있다.
〔空群而出〕 kōng qún ér chū 떼지어 오다.
〔空群之选〕 kōng qún zhī xuǎn〈成〉걸출한 인재《옛날에, 백락(伯樂)이 좋은 말을 사들이며 지나간 뒤에는 좋은 말이 남지 않을 정도였다는 고사에 의함》.
〔空儿事〕 kōngrshì 명 아무것도 아닌 일〔것〕. 겉뿐임. ¶别看这人衣帽鲜明, 其实也是~; 이 사람의 옷차림은 그럴 듯하나 실제로는 아무것도 아니다 / 人家都忙死了, 哪有工夫搞这些~; 사람들은 모두 굉장히 바쁘단 말이야, 그런 하찮은 일을 할 틈이 어디 있어.
〔空然〕 kōngrán 형〈文〉공허한 모양. ¶不做~辩词; 빈말을 하지 않다.
〔空嚷〕 kōngrǎng 동 공연히 큰 소리로 떠들다. 헛되이 떠들다.
〔空人(儿)〕 kōngrén(r) 명 ⇨〔空身人儿〕
〔空山〕 kōngshān 명〈文〉인적 없는 산.
〔空身〕 kōngshēn 명 빈손.

〔空身人儿〕 **kōngshēnrénr** 명 ①물건을 휴대하지 않은 사람. ②부양할 사람이 없는 자. ‖ =〔空人(儿)〕

〔空驶〕 **kōngshǐ** 동 ①(차 따위를) 빈 채로 달리게 하다. ②비행하다. ¶～里程; 비행 거리수(距離數).

〔空室清野〕 **kōng shì qīng yě** 〈成〉 집안을 비우고 밭의 농작물을 모두 없앰(적의 침공에 대비하여 취한 조치).

〔空手(儿)〕 **kōngshǒu(r)** 명 공수. 빈손. 맨손. ¶～起家; ⓐ무일푼으로 자수 성가하다. ⓑ맨주먹으로 큰일을 성취시키다 / ～入白刃; 맨손으로 예리한 칼날 속으로 뛰어들다(무예가 뛰어난 모양). 부 본〔본보기〕 없이. ¶～画的画儿; 실물을 보지 않고 그린 그림 / ～扎的花; 본 없이 수놓은 것.

〔空手抓饼〕 **kōngshǒu zhuābǐng** 〈比〉 밑천 없이 벌다.

〔空疏〕 **kōngshū** 형 〈文〉 공소하다. 내용이 비고 소략하다.

〔空说〕 **kōngshuō** 동 ⇨〔空谈〕

〔空踏踏(的)〕 **kōngtàtà(de)** 형 ⇨〔光guāng踏踏(的)〕

〔空谈〕 **kōngtán** 동 입으로 말할 뿐 실행하지 않다. =〔空讲〕〔空说〕 명 공담. 헛소리. ¶纸上～; 지상 공론 / ～快意; 〈成〉 공론을 하고 만족해하다. =〔空话〕〔空言〕

〔空膛(儿)〕 **kōngtáng(r)** 형 ①몸통이 비어 있다. ②〈比〉 겉만 번지르르하다.

〔空调〕 **kōngtiáo** 명 공기 조정. 에어컨디셔닝.

〔空铁筒〕 **kōngtiětǒng** 명 빈 드럼통.

〔空桶(儿,子)〕 **kōngtǒng(r,zi)** 명 ①빈 통. ②알맹이가 없는 것. ③아무것도 아는 것이 없는 사람. 머릿속이 텅 빈 사람. ④주견(主見)이 없는 사람. ⑤몸이 약한 사람.

〔空头〕 **kōngtóu** 명 (옛날, 증권 거래에서) 공매(空賣)·투기 매매(하는 사람). ¶做zuò～ =〔卖mài～〕; 공매하다 / 做～买卖究竟是危险的事; 공매매하는 것은 결국은 위험한 일이다. ↔〔多duō头〕 →〔买mǎi空卖空〕 형 〈比〉 실속 없는. 유명무실한. ¶～人情做了也没意思; 겉으로만 다정한 체해 봐야 무의미하다 / ～政治家; 공론 정치가.

〔空头〕 **kōngtou** 명 겉만 갖추고 속이 빔. ¶吃～; (가공의 인물로) 월급을 거저 받다〔착복하다〕.

〔空头票据〕 **kōngtóu piàojù** 명 《商》 융통 어음. 공(空)어음. =〔空票①〕〔空票据〕〔通tōng融票据〕

〔空头(人)情〕 **kōngtóu(rén)qíng** 명 겉치레뿐인 인정. ¶罢, 罢, 这～我不领; 그만둬 그만둬, 난 그런 겉치레뿐인 인정은 받지 않겠어.

〔空头支票〕 **kōngtóu zhīpiào** 명 ①《商》부도 수표. ¶行使～骗货案; 공(空)어음을 써서 상품을 사취한 사건. ②〈比〉 실현 가능성이 없는 승낙. 공수표.

〔空投〕 **kōngtóu** 명 공중 투하. ¶～接济; 공중 투하로 하는 구제. 동 공중에서 투하하다.

〔空王〕 **kōngwáng** 명 《佛》 부처의 별칭.

〔空文〕 **kōngwén** 명 공문. 유명무실한 법률·규정. →〔具jù文①〕

〔空无所有〕 **kōng wú suǒ yǒu** 〈成〉 아무것도 없다.

〔空误〕 **kōngwù** 동 ①시간을 허비하다. ②무단 결석하다.

〔空吸〕 **kōngxī** 명 《物》 흡인. 석션(suction).

〔空袭〕 **kōngxí** 명 공습. ¶～警jǐng报; 공습 경보.

〔空闲〕 **kōngxián** 명 틈. 여가. 동 비어 있다. 쓰지 않다. ¶～房屋; 빈 집. 형 한가하다. 시간이 비어 있다.

〔空想〕 **kōngxiǎng** 명동 공상(하다). 상상(하다). ¶～家; 공상가 / ～社会主义; 공상적 사회주의.

〔空相〕 **kōngxiàng** 명 ①《佛》〈文〉 공상(공허한〔알맹이 없는〕 모습). ②복성(複姓)의 하나.

〔空心〕 **kōng.xīn** 동 수목(樹木)·야채의 심(芯)이 비어 있다〔바람 들다〕. ¶大白菜空了心了; 배추의 심에 바람이 들다. (**kōngxīn**) 형 속 빈. 공동(空洞)의. ¶～泡; 《植》 거지딸기 / ～坝bà; 중공(中空) 댐. ⇒**kòngxīn**

〔空心菜〕 **kōngxīncài** 명 ⇨〔蕹wèng菜〕

〔空心大老官〕 **kōngxīn dàlǎoguān** 〈南方〉 겉보기에는 큰 부자처럼 보이지만, 실은 돈이 없는 사람. =〔空小大老官〕

〔空心钢〕 **kōngxīngāng** 명 《工》 중공강(中空鋼).

〔空心钢条〕 **kōngxīn gāngtiáo** 명 《工》 중공강 소재(中空鋼素材)로 만든 막대.

〔空心楼板〕 **kōngxīn lóubǎn** 명 《建》 중공의 마루판(몇 줄의 구멍을 뚫어 재료를 절약하고 중량을 가볍게 한 것).

〔空心轮〕 **kōngxīnlún** 명 《機》 이중 부가 활차.

〔空心枢轴〕 **kōngxīn shūzhóu** 명 《機》 중공(中空) 피벗(pivot).

〔空心汤团〕 **kōngxīn tāngtuán** 명 〈南方〉 속이 빈 경단. 〈比〉 이름뿐이고 쓸모없는 것.

〔空心砖〕 **kōngxīnzhuān** 명 콘크리트 블록.

〔空虚〕 **kōngxū** 형 ①공허하다. 허술하다. ¶防守～; 수비가 허술하다. ②허전하다. 휑하다.

〔空穴来风〕 **kōng xué lái fēng** 〈成〉 ①허를 틈타다〔잡히다〕. ②근거가 없다. ¶这消息是～, 不可尽信; 이 편지〔뉴스〕는 근거가 없으므로 모두 믿을 수는 없다.

〔空押〕 **kōngyā** 명 수결(手決)뿐으로 관인(官印)이 찍히지 않은 것.

〔空言〕 **kōngyán** 명 ⇨〔空谈〕

〔空邮〕 **kōngyóu** 명 '航háng空邮件'의 약칭. 동 항공편으로 부치다.

〔空域〕 **kōngyù** 명 영공(역).

〔空月子〕 **kōngyuèzi** 명 사산(死產). ¶坐zuò～; 사산하다.

〔空运〕 **kōngyùn** 명동 공중 수송(하다). ¶～部bù队; 《軍》 공정대(空挺隊).

〔空载〕 **kōngzài** 명 《機》 무부하(無負荷). 노로드 아이들링(no-load idling).

〔空造〕 **kōngzào** 명 〈文〉 빈손으로 찾아가는 방문.

〔空战〕 **kōngzhàn** 명 공중전. ¶～导弹; 대공 미사일(AAM).

〔空中〕 **kōngzhōng** 명 ①공중. ¶～管制站; 항공 터미널 / ～陷阱; 에어 포켓 / ～劫持; 공중 납치. 하이잭. ②가공. ¶～设想; 가공으로 생각하다.

〔空中〕 **kōngzhong** 명 ⇨〔空竹〕

〔空中堡垒〕 **kōngzhōng bǎolěi** 명 ①공중 요새. ②대형 군용 비행기(제2차 세계 대전 중 미군 폭격기 B29를 이르던 말).

〔空中大学〕 **kōngzhōng dàxué** 명 방송 통신 대학. =〔空大〕〔广播电视大学〕

〔空中飞人〕 **kōngzhōng fēirén** 명 공중 그네 곡예사.

〔空中飞跃〕 **kōngzhōng fēiyuè** 명 (스키 점프의) 공중 비상(飛翔).

〔空中服务〕 **kōngzhōng fúwù** 명 항공 서비스.

〔空中公共汽车〕 **kōngzhōng gōnggòng qìchē** 명 에어 버스(airbus).

〔空中鬼〕 kōngzhōngguǐ 명 산성(酸性)비(‘酸suān性雨’의 속칭).
〔空中楼阁〕 kōng zhōng lóu gé 〈成〉 ①신기루. 공중 누각. ②공중에 누각을 짓는 것처럼 근거 없는 이론이나 현실과 동떨어진 환상 따위.
〔空中小姐〕 kōngzhōng xiǎojie 명 스튜어디스. =〔空姐〕
〔空中姿势〕 kōngzhōng zīshì 명 《體》 (수영 경기의 다이빙에서) 공중 자세(‘直zhí体姿势’ 몸을 펴는 자세, ‘屈qū体姿势’ 새우 모양으로 구부리는 자세, ‘抱bào膝姿势’ 무릎을 껴안는 자세의 세 가지가 있음).
〔空钟〕 kōngzhong 명 ⇨〔空竹〕
〔空竹〕 kōngzhú〔kōngzhu〕 명 공중 팽이(두 개의 대막대기에 긴 끈을 매고, 그것으로 바퀴 모양의 죽제(竹製) 팽이를 공중에서 돌림). ¶抖dǒu～; 공중 팽이를 돌리다. =〔空钟〕〔空中zhong〕〔空铳〕
〔空转〕 kōngzhuàn 명동 《機》 공전(하다).
〔空嘴儿〕 kōngzuǐr 동 〈俗〉 배를 곯리다. 아무것도 먹지 않고 있다. ¶大新正月的别空着嘴儿; 설인데 아무것도 드시지 않아서는 안 됩니다(드십시오). =〔空口儿〕
〔空坐〕 kōngzuò 동 아무것도 하지 않고 앉아 있(게 하)다. ¶～～! 아무런 대접도 못했습니다!

倥 kōng (공)
→〔倥侗〕 ⇒ kǒng

〔倥侗〕 kōngtóng 형 〈文〉 사리에 어둡다. 무지몽매하다.

涳 kōng (공)
→〔涳蒙〕

〔涳濛〕 kōngméng 형 〈文〉 가랑비가 부슬부슬 내려 어둠침침한 모양. =〔空濛〕 →〔溟míng蒙〕

悾 kōng (공)
→〔悾悾〕

〔悾悾〕 kōngkōng 형 〈文〉 ①성실한 모양. ②아무것도 모르는 모양.

崆 kōng (공)
지명용 자(字). ¶～峒tóng; 쿵퉁산(崆峒山)(산 이름. 간쑤(甘肅)·쓰촨(四川)·허난(河南)·장시(江西) 등지에 동명(同名)의 산이 있음).

箜 kōng (공)
→〔箜篌〕

〔箜篌〕 kōnghóu 명 《樂》 공후(옛날 현악기의 하나). =〔空侯〕

孔 kǒng (공)
① 명 구멍. ¶针～; 바늘 구멍 / 鼻～; 콧구멍 / 气～; 기공 / 螺luó栓～; 볼트 구멍 / 一～之见; 〈成〉 좁은 견식. 편견. ② 부 대단히. 매우. ¶～昭zhāo; 아주 분명하다 / ～艰; 매우 곤란하다. ③ 동 통하다. ④ 명 공자(孔子). ⑤ 양 〈方〉 동혈(洞穴) 따위를 세는 데 쓰임. ¶一～土窑; 한 개의 토굴. ⑥ 명 성(姓)의 하나.

〔孔壁〕 kǒngbì 명 공자(孔子)의 구택(舊宅)의 벽(한(漢)나라 때 이 벽 속에 많은 고서가 발견되어 전적(典籍) 연구에 크게 기여하였음).
〔孔壁古文〕 kǒngbì gǔwén 명 공자(孔子)의 옛집 벽에서 나온 고문경전(古文經傳).
〔孔翠〕 kǒngcuì 명 공작과 물총새.
〔孔聃〕 Kǒng Dān 명 《人》 공자(孔子)와 노자(老子)(聃은 老子의 이름). =〔孔老〕
〔孔道〕 kǒngdào 명 〈文〉 ①공자(孔子)의 가르침. ②사방으로 통하는 길. ③요로(要路). ¶交通～; 교통의 요로.
〔孔洞〕 kǒngdòng 명 구멍(기물(器物)에 인공적으로 뚫은 것).
〔孔方兄〕 kǒngfāngxiōng 명 돈(옛날에 동전에 방형(方形)의 구멍이 있었던 데서).
〔孔夫子〕 Kǒngfūzǐ 명 《人》 〈敬〉 공자.
〔孔怀〕 kǒnghuái 동 〈文〉 마음에 새기고 서로 걱정하다. 몹시 그리워하다. 명 〈轉〉 형제.
〔孔急〕 kǒngjí 형 〈文〉 몹시 급하다. ¶风云～; 정세가〔세상의 풍운이〕 몹시 급하다. =〔孔棘〕
〔孔棘〕 kǒngjí 형 ⇨〔孔急〕
〔孔家店〕 kǒngjiādiàn 명 공자의 학설(야유적으로 이르는 말). ¶打倒～; 유교를 타도하라.
〔孔教〕 kǒngjiào 명 공자의 가르침. =〔儒rú教〕
〔孔径〕 kǒngjìng 명 구멍의 직경. 구경(口徑), 또는 터널이나 교각(橋脚)의 아치의 폭(幅).
〔孔口〕 kǒngkǒu 명 구멍. ¶把铜币投入～; 동전을 구멍에 던져 넣다.
〔孔林〕 Kǒnglín 명 공자의 묘지(산둥 성(山東省) 취푸 현(曲阜縣)에 있음).
〔孔门〕 kǒngmén 명 공문. 공자의 문하.
〔孔孟之道〕 Kǒng Mèng zhī dào 공맹지도. 공자와 맹자의 가르침. 〈轉〉 유교.
〔孔密兄〕 kǒngmìxiōng 명 〈音〉 커미션(commission). =〔佣金〕〔回扣〕〔酬劳金〕〔康密勋〕
〔孔庙〕 Kǒngmiào 명 공자묘. =〔孔子zǐ庙〕〔夫fū子庙〕〔文wén庙〕〔学xué庙〕
〔孔明车〕 kǒngmíngchē 명 무논에 물을 올리는 수차의 일종.
〔孔明灯〕 kǒngmíngdēng 명 ①열기구(熱氣球)의 원리를 이용하여 종이로 만든 작은 기구(촉(蜀)나라의 제갈 공명(諸葛孔明)이 발명했다고 전해짐). ②(들고 다니는) 네모난 제등(提燈).
〔孔目〕 kǒngmù 명 ①《史》 문서를 다루는 중앙 관청 이름(명(明)나라·청(淸)나라에서는 한림원(翰林院)에 두었음). ② ⇨〔条tiáo目〕
〔孔鸟〕 kǒngniǎo 명 ⇨〔孔雀〕
〔孔窍〕 kǒngqiào 명 〈文〉 구멍.
〔孔雀〕 kǒngquè 명 《鳥》 공작. ¶～开屏; ⓐ공작이 날개를 부채 모양으로 펴다(거드름 피우다). ⓑ(곡예사 등이) 옆으로 공중제비를 넘다. =〔孔鸟〕
〔孔雀绿染料〕 kǒngquèlǜ rǎnliào 명 《染》 트리페닐메탄(triphenylmethane) 〔키톤(kiton)〕 염료류의 녹색 염료(양모·비단·무명의 염색에 쓰임).
〔孔雀石〕 kǒngquèshí 명 공작석(동광석의 일종). ¶孔雀(石)绿; 《色》 말라카이트 그린(malachite green). =〔绿lǜ青〕〔青qīng琅玕〕〔青珠〕〔石shí绿〕
〔孔硕〕 kǒngshuò 형 〈文〉 몹시 크다.
〔孔隙〕 kǒngxì 명 구멍. 틈.
〔孔型〕 kǒngxíng 명 (야금에서) 홈형.
〔孔穴〕 kǒngxué 명 ①틈. 구멍. ②인체의 개구부(開口部)를 이름(입·눈·귀·코 등).
〔孔眼〕 kǒngyǎn 명 작은 구멍. 구멍. ¶叶子上有虫吃的～; 잎에 벌레가 먹은 구멍이 나 있다 / ～大小不同的筛shāi子; 구멍 크기가 같지 않은 체.
〔孔鳐〕 kǒngyáo 명 《魚》 홍어. =〔劳láo子鱼〕〔老lǎo板〕

〔孔子〕 Kǒngzǐ 명《人》공자(춘추 시대 노(魯)나라 출신. 유교의 시조. 이름은 구(丘), 자는 중니(仲尼). '三圣'의 하나. '孔夫子' '孔圣(人)'는 존칭. 비방하여 '孔老二'(공씨 집안의 둘째 아들의 뜻)라고도 함).

〔孔子门前卖孝经〕 Kǒngzǐ ménqián mài Xiàojīng 〈諺〉 공자(孔子) 집 문 앞에서 효경을 팔다(부처님한테 설법). =〔孔子门前卖文章〕

倥 **kǒng** (공)
→〔倥偬〕 ⇒kōng

〔倥偬〕 kǒngzǒng 형 〈文〉 ①일이 절박하다. 황급하다. ¶戎马~; 〈成〉 군마가 황망히 움직이다. 싸움으로 세월을 보내다. ②곤궁하다. 곤란받다.

恐 **kǒng** (공)
①동 무서워하다. 두려워하다. ¶惶~; 황공하다 / 惊~; 놀라 두려워하다. 질겁하다. ②동 겁나게 하다. 위협하다. 으르다. ¶~吓; ⇓ ③부 아마. 아마도(좋지 않은 결과를 염려하여 말할 경우). ¶~已忘掉; 아마 벌써 잊어버렸을 것이다 / ~不可靠; 필시 확실한 것은 아닐 것이다 / ~不可得; 아마도 얻지 못할 것이다. →〔大概〕 ④동 걱정하다.

〔恐怖〕 kǒngbù 명 ①공포. ¶~心理片; 스릴러 영화 / 感到~; 공포를 느끼다 / 战争的~; 전쟁의 공포. ②테러. ¶白色~; 백색 테러. 형 무서워하다.

〔恐怖份子〕 kǒngbù fènzǐ 명 테러 분자. ¶白色~; 반혁명측〔반동파〕의 테러. 백색 테러 / 炸zhà弹是由~扔入一家饭店的; 폭탄은 테러 분자가 한 식당에 던져 넣은 것이다.

〔恐怖活动〕 kǒngbù huódòng 명 테러 활동.

〔恐怖小说〕 kǒngbù xiǎoshuō 명 공포 소설. 스릴러 소설.

〔恐怖主义〕 kǒngbù zhǔyì 명 테러리즘. 폭력주의.

〔恐怖组织〕 kǒngbù zǔzhī 명 테러 조직. ¶三K党是美国最老的法西斯~; KKK(큐 클럭스 클랜(Ku Klux Klan)은 미국에서 가장 오래된 테러 조직이다.

〔恐核病〕 kǒnghébìng 명 핵 공포증.

〔恐吓〕 kǒnghè 동 위협하다. ¶~信; 협박장. =〔恐喝〕

〔恐后无凭〕 kǒng hòu wú píng 〈成〉 뒤에 증거가 없어지는 것을 우려하다〔우려하여〕. 뒷일을 위해. ¶~立此借券为证; 뒷일을 위해 이 차용증을 작성하여 증거로 삼음. =〔恐后无据〕

〔恐慌〕 kǒnghuāng 형 무서워하다. 무서워 떨다. 명 위기. 공황. ¶经济~; 패닉(panic) / 发生经济~; 경제 공황이 일어나다 / 金融~; 금융 공황.

〔恐悸〕 kǒngjì 동 〈文〉 흠칫흠칫하다. 두려워 떨다.

〔恐惧〕 kǒngjù 명 공포. 동 ①무서워하다. ¶无所~; 두려울 것이 없다 / ~不安; 겁먹어 불안하다. ②황송해하다.

〔恐口无凭〕 kǒng kǒu wú píng 〈成〉 구두(口頭) 약속만으로는 증거가 되지 못할 우려가 있다. ¶~立字为据; 뒷날을 위해 계약서를 작성하다.

〔恐龙〕 kǒnglóng 명《動》공룡.

〔恐怕〕 kǒngpà 동 무서워하다. 부 ①(나쁜 결과를 생각해서) 아마도. 아마 …일 것이다. ¶~他不会同意; 아마도 그는 찬성하지 않을 것이다 / 看这样子~要下雨; 보아하니 비가 오지 않을까 싶다. ②대략. 대체로. ¶他走了~有二十天了; 그가 떠난 지 대략 20일이나 되었을 것이다.

〔恐其〕 kǒngqí 동 …을 두려워하다. 부 〈比〉 필시. 아마. ¶他的病~好不了; 그의 병은 아마 좋아질 것 같지 않다.

〔恐水病〕 kǒngshuǐbìng 명 ⇨〔狂kuáng犬病〕

〔恐竦〕 kǒngsǒng 동 두려워 위축되다.

〔恐系〕 kǒngxì 부 〈文〉 필시 …일 것이다.

空 **kòng** (공)
①(~儿, ~子) 명 틈새. 사이. ¶漏lòu了~; 틈이 벌어졌다. ②(~儿, ~子) 명 여가. 틈. 짬. 겨를. ¶你有~儿, 请来谈谈; 틈이 있으면 놀러 오십시오 / 没~; 시간〔짬〕이 없다 / 抓~; 틈〔시간〕을 내다 / 抽~; 시간을 변통하다. 짬을 내다. ③명 빈궁. 가난. ④명 간격. 여유. 빈 데. ¶留个~儿; 빈자리를 남겨 두다. 여유를 남겨 두다. ⑤동 〈俗〉 늘어뜨리다. ¶~着头; 머리를 푹 숙이고 있다. ⑥동 때·장소·사이를 비워 두다. 비우다. 우선 비워 놓다. 이용하지 않고 내버려 두다. ¶位子都~着哪; 좌석이 텅텅 비어 있다 / ~出时间来; 시간을 마련해서 내다 / 他又~了一天了; 그는 또 하루를 결근했다 / ~出一间房子; 방을 한 칸 비우다. ⑦(~子) 명 손(損). 결손(缺損). ⇒kōng

〔空白〕 kòngbái 명 공백. 여백. 블랭크(blank).

〔空白背书〕 kòngbái bèishū 명《商》무기명 배서. 백지 배서.

〔空白点〕 kòngbáidiǎn 명 ①고리점. ②블랭크(blank). 맹점. ③미개척 분야.

〔空白抬头〕 kòngbái táitóu 명 (수표 등의) 무지시(無指示)〔무기명〕. →〔抬头人〕

〔空便〕 kòngbiàn 명 〈古白〉 틈. ¶我且把这毒药藏在一处, 只等觑个~才好下手; 이 독약은 내가 우선 어딘가에 숨겨 놓았다가, 틈을 보아 손을 써야 하겠다.

〔空场〕 kòngchǎng 명 ⇨〔空地(儿)〕

〔空出〕 kòngchū 동 비우다. 틈새가 생기다. ¶~房间; 방을 비워 놓다.

〔空当(儿, 子)〕 kòngdāng(r, zi) 명 〈口〉 ①(물건 사이의) 틈. 간격. ¶有三寸宽的~; 세 치 정도의 틈이 있다. ②(시간적인) 틈. 사이. ¶趁这~, 你去一趟了解一下! 이 동안에, 네가 가서 한번 알아보라! ‖ =〔空隙〕

〔空地(儿)〕 kòngdì(r) 명 공지. 빈터. =〔空场〕

〔空肚儿〕 kòngdùr 명 공복. 빈속. ¶~喝酒; 빈속에 술을 마시다 / 这剂药是~吃的; 이 약은 공복에 복용한다.

〔空额〕 kòng'é 명 결원(缺員). 부족액.

〔空乏〕 kòngfá 형 궁핍하다.

〔空格(儿)〕 kòng.gé(r) 동 글자를〔칸을〕 띄우다. ¶头一个字要空两格; 처음 글자는 두 자를 띄운다. =〔暗抬头〕 (kònggér) 명 공란(空欄). ¶填~; 공란을 메우다.

〔空格键〕 kònggéjiàn 명《電算》(컴퓨터의) 스페이스 바(space bar).

〔空开〕 kòngkāi 동 사이를 띄우다.

〔空缺〕 kòngquē 명 ①(직위(職位)의) 공석(空席). ②(금전의) 부족.

〔空儿〕 kòngr 명 ①틈. ¶抽~ =〔抓~〕; 틈을 내다 / 你有~过来谈谈; 틈이 나실 때에는 좀 놀러 오십시오. =〔闲工夫〕 ②〈俗〉 기회. ③빈자리.

〔空屋(子)〕 kòngwū(zi) 명 빈방. 빈집.

〔空隙〕 kòngxì 명 ①간격. ¶铁轨接头的地方有一定的~; 레일의 이음매에는 모두 일정한 간격이 있

다. ②(시간적) 사이. ¶战士们利用战斗～加固工事; 병사들은 전투하는 사이에 방어 공사를 강화하고 있다.
〔空暇〕 kòngxiá 명 틈. 짬.
〔空闲〕 kòngxián 형 ①그치다. 한가하다. ②비어 있다. 명 틈. 짬. 빈자리. ¶～的时间; 비어 있는 시간 / ～无wú事; 한가하고 할 일이 없다 / ～之处; 비어 있는 데.
〔空心〕 kòngxīn (～儿) 명 ①빈속. 공복. ¶～酒; 빈속에 마시는 술. =〔空肚儿〕 ②〈比〉 속이 비어 있는 것. ¶穿chuān～大袄; 속옷을 입지 않고 겉옷만을 입다. ⇒kōngxīn
〔空心毒〕 kòngxīndú 먹지 않았는데 중독을 일으키다(까닭도 없이 나무람 받다〔재난을 당하다〕). ¶这是中的～; 이건 엉뚱한 피해였다.
〔空余〕 kòngyú 형 남아 돌다. 남아서 비어 있다. ¶～时间; 여가 / ～房屋; 빈방〔집〕.
〔空子〕 kòngzǐ 명 호인(好人). 멍텅구리. 생각이 없는 사람.
〔空子〕 kòngzi 명 ①틈. 틈새. 사이. 빈자리(일·시간·장소). ¶找了个～往里挤进来; 틈을 찾아서 기어들어가다. ②짬. 기회. ¶钻～; 기회를 이용하다. ③손해. 부채. 빚. ¶你女婿自从弄这官到省, 就背了一身的～; 당신의 사위는 이 관직을 얻어 성(省)으로 부임하고 나서 완전히 빚을 지고 말았다.

控 kòng (공)

동 ①(용기 따위를) 거꾸로 들고 쏟다. 거꾸로 세우다. ¶把瓶子里的水～出来; 병 속의 물을 거꾸로 해서 쏟다 / ～着搁; 거꾸로 놓다. ②제압하다. 통제하다. 제어하다. ¶遥～; 리모트 컨트롤하다 / ～马; 말의 고삐를 당겨 세우다 / 驭者失～, 马惊奔; 마부가 말을 잘못 다루었으므로, 말이 놀라서 달려나갔다. ③활을 당기다. ¶～弦而射shè; 활시위를 당겨 쏘다. ④고소하다. 고발하다. ¶被～; 고발당하다 / ～诉; ⇓ / 上～; 상고(上告)하다. 공소(控訴)하다. ⑤던지다. ⑥(지체(肢體) 또는 그 일부분을 허공에) 매달다. 드리우다. ¶腿都～肿了; 오랫동안 발을 늘어뜨리고 있었더니 부었다.
〔控案〕 kòng'àn 명《法》 소송 사건. 동 소송하다.
〔控扼〕 kòng'è 동〈文〉 제약하다.
〔控告〕 kònggào 명동《法》 (사법 기관에) 고발(하다). 고소(하다). →〔告发〕 동 ⇨〔告状〕
〔控股公司〕 kònggǔ gōngsī 명 지주(持株) 회사.
〔控官〕 kòngguān 동 관에 호소하다.
〔控节〕 kòngjié 동 조절하다. ¶自动～; 자동 조절.
〔控诉〕 kòngsù 명동《法》 고발(하다). 고소(하다).
〔控诉大会〕 kòngsù dàhuì 명 규탄 대회. 성토 대회.
〔控弦〕 kòngxián 동〈文〉 활을 당기다. 명〈轉〉 활을 지닌 병사.
〔控御〕 kòngyù 동〈文〉 ①말을 사육하여 길들이다. ②〈轉〉 사람에게 됨됨이를 가르치다.
〔控折〕 kòngzhé 동 빼다. 공제(控除)하다.
〔控制〕 kòngzhì 동 제어하다. 지배하에 두다. 규제하다. 컨트롤하다. 억제하다. ¶～自己的感情; 자신의 감정을 누르다 / 很难～和掌握; 제어하고 장악하기가 매우 어렵다 / ～程序; 컨트롤 프로그램. 명 제어. 지배. 규제. 억제. ¶出口～; 수출 규제 / ～塔; 컨트롤 타워 / ～栅shān; 《電》 컨트롤 그리드(contol grid).
〔控制板〕 kòngzhìbǎn 명《電算》 제어판(control panel).
〔控制棒〕 kòngzhìbàng 명《物》 제어봉(카드뮴·붕소 등 중성자를 잘 흡수하는 재료를 써서 만든 막대. 이것으로 원자로 안의 핵반응을 제어함).
〔控制部件〕 kòngzhìbùjiàn 명《電算》 (컴퓨터의) 제어 장치. 제어부.
〔控制论〕 kòngzhìlùn 명 사이버네틱스(cybernetics). 인공 두뇌학. ¶特别是由于电子计算机, ～和自动化技术的发展, 正在迅速提高生产自动化的程度; 특히 컴퓨터, 사이버네틱스와 오토메이션 기술의 발전에 의하여 생산의 자동화가 급속히 발전하고 있다.
〔控制器〕 kòngzhìqì 명《機》 제동기. 제어기(모터 등의 시동·정지·변속 등을 하는 장치). =〔〈北方〉 制御器〕
〔控制数字〕 kòngzhì shùzì 명 목표 숫자. 통제 숫자(생산 계획의 목표 숫자를 말함).
〔控制装置〕 kòngzhì zhuāngzhì 명 조정 장치. ¶操纵室里的～; 조작실의 조절 장치.
〔控追〕 kòngzhuī 동《法》 소추(訴追)하다.

鞚 kòng (공)

명〈文〉 (말의) 굴레.

KOU ㄎㄡ

芤 kōu (규)

명 ①《植》 파(고서(古書)에 보임). =〔葱〕 ②《漢醫》 누른 곳에서는 감지(感知)하지 못하고, 양측(兩側)에서 느끼는 맥박(주로 대출혈이 있을 때 나타나는 맥박 현상). =〔芤脉mài〕

抠(摳) kōu (구)

①동 (손가락 또는 가느다란 물건으로) 후비다. 파다. 쑤시다. ¶玻璃球掉在窟窿里, 把它～出来; 구슬이 구멍에 떨어져서 그것을 후비어 꺼내다 / 在地上～个洞; 땅에 구멍을 파다 / 他把窗户纸～破了; 그는 창호지를 손가락으로 찔러서 찢었다 / 这小孩儿好用手～人; 이 아이는 할퀴기를 좋아한다. ②동 조각(彫刻)하다. ¶在镜框边上～出花儿来; 액자 둘레에 꽃무늬를 조각하다. ③동 (쓸데없이) 추궁하다. 끝까지 밝히다. 샅샅이 캐다. ¶死～字面儿; 공연히 문자에 대해서만 이러쿵저러쿵 따지다 / 他遇着一个问题, 总好死～; 그는 무슨 문제에 부딪치면, 으레 죽어라 하고 파고들기를 좋아한다. ④동 찾아 내다. ⑤동〈文〉 옷자락을 들어 올리다(옛날에, 경의(敬意)를 나타내는 태도). ⑥형〈方〉 인색하다. ¶他太～了; 그는 너무 인색하다 / 连一块钱都舍不得给, 真是～; 1원조차도 주기가 아깝다니, 정말 인색하다. =〔吝啬〕 ⑦동 난폭하게 움켜쥐다.
〔抠哧〕 kōuchi 동〈京〉 (손가락으로) 후비다. 문질러 지우다. ¶写错字用橡皮擦, 别～; 글씨를 잘못 썼으면 고무 지우개로 지워요, 문지르지 말고.
〔抠豆沙〕 kōudòushā 동〈俗〉 전하는 돈〔물건〕의 일부를 떼어먹다.
〔抠开〕 kōukāi 동 ①(손가락 따위로) 후비어 열다. ②(남을) 좇아 내다. 추방하다.
〔抠抠屁股, 嘬嘬指头〕 kōukou pìgu, zuōzuo zhǐtou 〈比〉 몹시 인색하고 쩨쩨하다. ¶花钱不

大方，总是～；돈 씀씀이가 활수하지 못해 늘 인색하다.
〔抠抠搜搜〕 kōukousōusōu 형 곰상스러운 모양. ¶他专爱占小便宜，～的；그는 눈앞의 작은 이익에만 눈이 어두워, 곰상스레 굴고 있다.
〔抠门儿〕 kōuménr 형〈方〉인색하다. ¶和那～的人在一块儿，净剩了你吃亏了；저런 인색한 자와 함께 하면 너 혼자만 손해볼 뿐이다. =〔吝啬〕
〔抠破〕 kōupò 동 쑤셔서 터뜨리다.
〔抠钱〕 kōu qián ①귀찮게 돈을 조르다. ②부당한 방법으로 돈을 벌다.
〔抠伤〕 kōushāng 명 긁힌〔할퀸〕 상처. 동 긁어〔할퀴어〕 상처 내다.
〔抠手〕 kōushǒu 명 (서랍 등의) 손잡이.
〔抠死眼儿〕 kōusǐyǎnr 형 완고하다. 부 완고하게. 완고히.
〔抠搜〕 kōusou 동〈口〉캐내어 찾다. 형 ①인색하다. =〔吝啬〕 ②검약하다. ¶不～就不够过的了；검약하지 않으면 살아가기에 부족하다. ③꾸물거리다. ④좀스럽다. 곰상스럽다. →〔抠抠搜搜〕 ‖ =〔抠唆〕
〔抠唆〕 kōusuo 동형 ⇨〔抠搜〕
〔抠心挖胆〕 kōuxīn wādǎn 몹시 놀라다.
〔抠牙〕 kōuyá 동 이를 쑤시다.
〔抠衣〕 kōuyī 동〈文〉옷자락을 들어 올리(어 경의를 표하)다.
〔抠着鬼〕 kōuzheguǐ〈比〉아주 빨리. ¶～起来；일찍 일어나다.
〔抠字眼儿〕 kōu zìyǎnr ①말꼬리를 잡다. ②일자일구(一字一句)를 자세히 음미(吟味)하다.

弜(彄) kōu (구)
① 명〈文〉활고자《활 양끝의 시위를 거는 곳》. ② 동 활시위를 얹다. ¶～弓搭箭；시위를 메우고 화살을 메기다.〈比〉싸움 준비를 하다.

眍(瞘) kōu (후)
동 (눈이) 퀭하게 들어가다. ¶他这一场病，瘦得眼睛～～着；그는 이번의 병으로 (수척해져) 눈이 퀭하게 들어가 버렸다.
〔眍䁖〕 kōulou 동 눈이 퀭하게 들어가다. ¶连着几夜赶工作，眼睛都～了；계속해서 며칠 밤을 새워 급히 일을 했더니, 눈이 퀭하게 들어가고 말았다.

口 kǒu (구)
① 명 입. ¶开～；입을 열(어 말하)다 / 闭～无言；입을 다물고 말을 하지 않다 / ～出不逊；불손한 말을 하다. ② 명 변설. 말씨름. 입담. 지껄임. ¶有～才；말재주가 있다 / 让～；말에 지다. 입씨름에서 지다 / ～不严；입이 가볍다 / 特务杀了他为的是灭～；간첩이 그를 죽인 것은 말이 새나갈 것을 막기 위해서이다. ③(～儿) 명 출입구. ¶～～；〈俗〉입구 / 门～儿；문간 / 关～；관문 / 道～；길목 / 港～；항구 / 胡hú同～；골목의 어귀 / 海～；ⓐ내하(內河)에서 바다로 나가는 길목. ⓑ큰 입《허풍》 / 进～货；수입품. ④(～儿) 명 (용기 따위의) 주둥이. 아가리. ¶瓶～；병 아가리. ⑤ 명 (Kǒu) 《地》장자커우(張家口)의 약칭. ¶～北běi =〔～外wài〕；장자커우(張家口)의 북쪽《장성(長城) 이북, 몽골》 / ～马mǎ；몽골 산의 말. ⑥(～儿,～子) 명 째진〔터진〕 데. 상처. 갈라진 데. ¶伤～；상처 / 茶碗裂了一个～；찻종에 금이 하나 갔다 / 收了～儿了；상처가 아물었다 / 撕了一个～子了；(옷 따위가) 한 군데 터졌다〔찢어졌다〕. ⑦ 명 요리의 간맛《주로 소금 정도》. ¶～沉；맛이 진하다 / ～轻；⇩ ⑧(～儿) 명 칼이나 가위의 날. ¶这把新小刀子还没开～呢；이 새 나이프는 아직 날이 서 있지 않다 / 刀券juǎn了～了；칼날이 무디어졌다. ⑨ 명 말하는 인간. 말을 퍼뜨리는 사람 따위를 가리키는 말. ⑩ 명 (말이나 노새의) 나이. ¶这马～还小；이 말은 아직 젊다 / 这头骡子是六岁～；이 노새는 여섯 살이다. ⑪ 양 ㉠사람을 세는 말. ¶夫妻两～；부부 두 사람 / 老两～；노부부 / 他家人～多；그의 집은 식구가 많다 / 张家三～儿；장씨 집의 3인 가족. ㉡일부의 가축을 세는 말. ¶一～猪；돼지 1두(頭). ㉢아가리가 있는 기물(器物)을 세는 말. ¶一～锅；냄비 한 개 / 一～井；우물 하나 / 一～缸；항아리 한 개. ㉣입에 머금은 것. 입에서 나오는 것을 세는 말. ¶喝了一～水；물을 한 모금 마셨다 / 一～烟；(후웃 하고) 한 번 내뿜는 담배 연기. 한 개비의 담배 / 叹了一～气；휘 하고 한숨을 쉬었다 / 吸了一～气；훌쩍 한 숨 들이쉬다 / 咬yǎo了一～苹果；사과 한 입 씹었다. ㉤날이 있는 것을 세는 말. ¶一～刀；칼 한 자루 / 一～剑；한 자루의 검. ㉥말에 쓰임. ¶说一～好普通话；훌륭한 표준어를 말하다 / 说一～流利的英语；유창한 영어를 말하다. ⑫관련된 부문·계통을 하나로 모아서 이르는 말. ¶农林～；농림 부문.
〔口岸〕 kǒu'àn 명 항구. ¶通商～；통상 항구.
〔口巴巴〕 kǒubābā 형 정중히 말하는 모양. ¶人家～地央告了半天，怎么好意思不答应呢；사람들이 정중하게 오랫동안 간절히 부탁하는데, 어떻게 허락하지 않을 수 있겠는가.
〔口白〕 kǒubái 명 ①구어(口語). 대사. ②허튼소리.
〔口保〕 kǒubǎo 명 말로 보증함.
〔口报条〕 kǒubàotiáo 명 사람이 죽었을 때, 근친에게 재빨리 알리는 부고장.
〔口杯〕 kǒubēi 명 입《음주를 뜻함》. ¶贪tān于～；〈文〉입이 천하다. 술을 좋아하다.
〔口碑〕 kǒubēi 명 ①사람들이 극구 칭찬함. ②〈比〉구전(口傳). ¶～载道；〈成〉사람들의 입에 올라 극구 칭찬을 받다.
〔口北〕 Kǒuběi 명 창청(長城) 이북의 지방《주로, 장자커우(張家口) 이북의 허베이 성(河北省) 북부와 내몽고(內蒙古) 자치구 중부》.
〔口辩〕 kǒubiàn 명 ⇨〔口才〕
〔口表〕 kǒubiǎo 명 ⇨〔口探〕
〔口禀〕 kǒubǐng 동 구두로 품신하다.
〔口不应心〕 kǒu bù yìng xīn〈成〉말을 마음대로 할 수 없다. 입이 말을 듣지 않다.
〔口布〕 kǒubù 명 냅킨(napkin).
〔口才〕 kǒucái 명 구변의 재주. ¶他有～；그는 구변이 좋다. =〔口辩〕
〔口彩〕 kǒucǎi 명 상서(祥瑞)로운 말. ¶当时的习惯，演员们都要在新年里讨取～；당시의 습관으로 (경극의) 배우들은 모두 정월 중 경사스런 말로 관객의 비위를 사려고 했다.
〔口操〕 kǒucāo 동 (말을) 구사하다. ¶他能流利地～全国五十六种方言；그는 유창하게 전국 56종류나 되는 방언을 구사한다.
〔口敞〕 kǒuchǎng 형 입이 가볍다. 수다스럽고 사려가 없다.
〔口陈〕 kǒuchén 명동 구두 진술(하다).
〔口沉〕 kǒuchén 형〈方〉①(음식이) 짜다. 자극적이다. ¶喜欢吃～的；짠것을 좋아하다. ↔〔口轻〕

①〕②맛이 텁텁하다. 맛이 진하다.
〔口碜〕kǒuchěn 형 상스러운 말을 하다. ¶亏你不害～, 说出这等话来; 상스러운 말을 부끄럼도 없이 (뻔뻔스럽게) 잘도 하는구나.
〔口吃〕kǒuchī 동 말을 더듬거리다. 명 말더듬이. ‖=〔结巴〕
〔口吃儿〕kǒuchīr 명 먹을 것. ¶要～; 먹을 것을 바라다.
〔口齿〕kǒuchǐ 명 ①가축의 연령. ¶这头牛～还轻; 이 소는 아직 어리다. ②말. 언어. ¶～伶俐; 말재주가 있다/～不清; 말이 분명하지 않다/～清楚; 말이 또랑또랑하다.
〔口铳〕kǒuchòng 명 (야담가가 실수로) 이름이나 호칭을 잘못 말함.
〔口仇〕kǒuchóu 명 말의 어긋남에서 생긴 불화.
〔口臭〕kǒuchòu 명《醫》구취. 입냄새.
〔口出不逊〕kǒu chū bùxùn 불손한 말을 하다.
〔口出大言〕kǒu chū dàyán 호언 장담하다. 뻥을 까다.
〔口出恶言〕kǒu chū è yán〈成〉욕을 하다.
〔口传〕kǒuchuán 동 ①입으로 전수하다. ¶～心授;〈成〉입으로 전수하고, 마음으로 가르치다. ② ⇨〔言yán传②〕
〔口疮〕kǒuchuāng 명 입 속의 염증. 구내염(‘《醫》口内炎’의 통칭).
〔口词〕kǒucí 명 ⇨〔口供〕
〔口大口小〕kǒudà kǒuxiǎo〈比〉권력자나 부자의 말은 이치에 맞지 않아도 통하고, 지위와 재산이 없는 사람의 말은 이치에 맞더라도 통하지 않음. ¶上司说的话, ～不得dé分辩; 상사가 하는 말은 지당일변도이며 사리를 따져서 말할 수가 없다.
〔口呆〕kǒudāi 동 (놀라서) 입을 헤벌리다. ¶目瞪～; 눈을 똥그랗게 뜨고 어안이 벙벙해하다.
〔口袋(儿)〕kǒudài(r)〔kǒudai(r)〕명 ①(의복의) 호주머니. 포켓. ¶制服上有四个～; 제복에는 포켓이 4개 있다. ②양〈方〉석(石). ¶打了十几～米; 10여 석의 쌀을 수확하였다.
〔口袋(儿)〕kǒudai(r) 명 주머니. 자루. 부대. ¶面～; 밀가루 부대/纸～儿; 종이 봉지/皮～; 가죽 주머니/落入～了; 독 안에 든 쥐가 되었다.
〔口袋书〕kǒudàishū 명 포켓 사이즈의 책.
〔口袋嘴儿〕kǒudaizuǐr 명 ①자루의 아가리. ②확실한 모양. 꼼짝 못 할 형편. ¶唉! 这两天简直是扎zā上～分文不进呢; 참으로 요 2, 3일엔 콱 막히어 땡전 한 닢 들어오지 않는다/你放心, 我扎上～, 一定给你保守秘密; 마음 놓게나, 난 입이 무거우니까 비밀은 꼭 지키네.
〔口道(儿)〕kǒudao(r) 명 ①맛. ②식욕.
〔口道福儿〕kǒudaofúr 명 ⇨〔口福〕
〔口德〕kǒudé 명 말의 에티켓. ¶年轻的人, 总要留～; 젊은이는 아무쪼록 말의 에티켓에 유의해야 한다.
〔口疔〕kǒudīng 명 입 언저리에 생기는 부스럼.
〔口读〕kǒudú 동 음독(音讀)하다. 소리 내어 읽다. →〔默mò读〕
〔口耳〕kǒu'ěr 명 ①입과 귀. ②말하는 것과 듣는 것. ¶～相传; 친히 전수하다. 입에서 귀로 전하다/～之学;〈成〉얻어들은 깊이 없는 학문. 귀동냥의 학문.
〔口伐〕kǒufá 동 심하게 나무라다〔꾸짖다〕.
〔口风(儿)〕kǒufeng(r) 명 ⇨〔口气〕
〔口风琴〕kǒufēngqín 명《樂》멜로디언(melodion).
〔口服〕kǒufú 동 ①말로만 승낙하다. ¶～心不服; 말로만 복종하고 마음 속으로는 복종하지 않다. ②《醫》내복(內服)하다.
〔口福〕kǒufú 명 먹을 복. ¶您可真有点儿～, 一来就赶上我们吃好的; 당신은 참으로 먹을 복이 있단 말이야, 마침 우리가 맛난 것을 먹고 있는데 왔으니. =〔口道福儿〕〔口头tou福儿〕→〔眼福〕
〔口讣〕kǒufù 명 구두 부고(訃告).
〔口腹〕kǒufù 명〈比〉음식. ¶～之累lèi; 먹기 위한 수고/不贪～; 음식을 탐하지 않다.
〔口赋〕kǒufù 명 ‘人头税’(인두세)의 속칭. =〔口钱〕〔口算〕
〔口盖〕kǒugài 명〈俗〉구개. 입천장《학술적으로는 ‘上颌hé’임》. →〔腭è〕
〔口干肚空〕kǒu gān dù kōng〈成〉입은 마르고 배는 고프다《극도로 피곤함》.
〔口干舌苦〕kǒu gān shé kǔ〈成〉입이 마르고 혀가 써지다.〈比〉냅다 지껄여대어 지치다. 입이 닳도록 이야기하다. ¶您说了半天话, 该～了吧; 오랫동안 말하였으니 이야기에 지치셨겠어요. =〔口干舌燥〕
〔口供〕kǒugòng 명 (범인·용의자의) 진술. 자백. ¶招zhāo～; 자백하다. =〔口词〕
〔口过〕kǒuguò 명 설화(舌禍). 실언.
〔口号〕kǒuhào 명 ①구호. 슬로건. ¶喊～; 구호를 부르짖다. →〔标语biāoyǔ〕②군호(軍號). 군대의 암호. =〔口令②〕③구호. 구령. =〔口合〕
〔口红〕kǒuhóng 명 입술 연지. 립스틱(lipstick). ¶抹～; 립스틱을 바르다. =〔胭脂〕
〔口滑〕kǒuhuá 동 입을 잘못 놀리다. 쓸데없이 지껄이다. 입이 가볍다.
〔口话(儿)〕kǒuhuà(r) 명 말투. 어세(語勢). ¶强硬的～; 강경한 말투/～松了; 말투가 누그러졌다/露出～来; 말투 속에 기분을 나타내다/听他～再定行止; 그의 생각을 듣고서 어떻게 할 것을 정하자.
〔口黄〕kǒuhuáng 형 주둥이가 노랗다.〈比〉젖비린내가 가시지 않다. 풋내기이다. ¶他以为他自己是～未退的‘雏chú儿’《老舍 四世同堂》; 그는 자기 자신을 아직 주둥이가 노란 병아리로 생각하고 있다.
〔口惠〕kǒuhuì 명 말뿐임. 말뿐인 은혜. ¶～而实不至; 말로는 좋게 약속을 하나 조금도 실행치 않다.
〔口给〕kǒujǐ 명〈文〉변설(辯舌). ¶御yù人以～屡憎于人《論語》; 말재간으로 사람을 다스리면 곧잘 남에게 미움을 받는다.
〔口技〕kǒujì 명 성대 모사. 입내. ¶卖～的; 입내 내는 예인(藝人). =〔〈方〉相xiàng书〕
〔口碱〕kǒujiǎn 명〈方〉서북 지구에 산출하는 소다회.
〔口荐〕kǒujiàn 동 구두로 추천하다.
〔口讲指画〕kǒu jiǎng zhǐ huà〈成〉몸짓·손짓으로 형용하여 말하다.
〔口角〕kǒujiǎo 명 입아귀. 입가. ¶～炎;《醫》구각염/～流涎; 입에서 군침을 흘리다《몹시 탐나다》/～春风;〈成〉ⓐ말하는 것이 온건하다. ⓑ마구 칭찬하면서 선전해 주다. =〔嘴角〕〔嘴边〕⇒kǒujué
〔口紧〕kǒujǐn 형 ①입이 무겁다. 말이 신중하다. ¶他很～; 그는 매우 입이 무겁다. ②억지가 세다. ¶～不依; 억세게 허락하지 않다.
〔口噤〕kǒujìn 동 말을 더듬다. 명《漢醫》(경련을 일으켜) 이를 악물고 열지 않는 증상.

〔口径〕 kǒujìng 명 ①(기물(器物)의) 구경(口徑). ¶各种不同～的大炮一齐开火了; 여러 가지 구경의 대포가 일제히 불을 뿜었다. ②〈比〉(요구되는) 규격. 성능. 척도. ¶～不合; 규격에 맞지 않는다 / 闭门造车的计划往往对不上～; 탁상 공론식의 계획은 왕왕 실제와는 꼭 맞지 않는 데가 있다. ③상대방에게 이야기할 내용. ¶按照他的～说; 그와 말이 어긋나지 않도록 사전에 담합(談合)하고 말하다.
〔口具〕 kǒujù 명동 〈文〉 진술(하다).
〔口诀〕 kǒujué 명 ①구구(九九)를 욀 때처럼 읊조리는 어구(語句). ¶乘法～; 곱셈 구구. ②구전(口傳)의 비결.
〔口角〕 kǒujué 동 입씨름하다. ¶两人经常～; 둘이서 언쟁을 잘한다. 명 언쟁(言爭). 말다툼. ⇒ kǒujiǎo
〔口可铄金〕 kǒu kě shuò jīn 〈成〉 입으로 하는 말이 쇠도 녹인다(참언은 무서운 것이다).
〔口口声声〕 kǒukoushēngshēng 부 ①입을 모아. 사람마다 모두. 자꾸만. 여러 번. ¶～地说; 자꾸만 말하다. ②입을 벌렸다 하면. 입만 벌리면.
〔口口(儿)香〕 kǒukǒu(r)xiāng 무엇을 먹어도 맛있다. ¶这两人胃口很好, 吃什么都～; 이 두 사람은 식욕이 좋아서, 무엇을 먹든 맛이 있단다.
〔口快〕 kǒukuài 형 ①말이 솔직하다. 마음에 먹은 것을 함부로 입 밖에 내다. ¶心直xīnzhí～; 〈成〉 정직해서 생각하는 바를 숨김없이 말하는 일. ②입이 빠르다. 입이 싸다〔가볍다〕.
〔口粮〕 kǒuliáng 명 ①옛날, 군대에 지급되었던 미곡. =〔口分〕 ②배급미(일반 국민 각자가 필요로 하는 쌀). 1인분의 식량.
〔口粮田〕 kǒuliángtián 명《農》 자가용(自家用)의 쌀을 생산하는 논.
〔口令〕 kǒulìng 명 ①(체조·훈련의) 구령. 호령. ¶发～; 호령하다. ②군호. 군대의 암호. ③슬로건. 표어. ④(컴퓨터 등의) 패스워드(password). 암호.
〔口笼〕 kǒulóng 명 (마소의 입에 채우는) 부리망.
〔口率〕 kǒulǜ 명 옛날, 인두세(人頭稅)의 세율. →〔口赋fù〕
〔口轮筋〕 kǒulúnjīn 명《生》 구륜근(입 주위의 근육).
〔口马〕 kǒumǎ 명《動》 '口北'(장자커우(張家口) 이북의 땅)에서 나는 말(馬).
〔口盟〕 kǒuméng 동 말로 맹세하다. 명 말로 맺은 의형제.
〔口糜〕 kǒumí 명 〈俗〉 구미(입 속이 헒).
〔口米〕 kǒumǐ 명 ①몽고산 곡물(이 경우엔 '小米(儿)'(좁쌀)). ②청대(清代)에 '旗人'에게 내린 녹미(祿米).
〔口蜜腹剑〕 kǒu mì fù jiàn 〈成〉 구밀복검. 말은 달콤하게 하면서, 속에는 칼을 품고 있다(음험하다). =〔口甜心里苦〕〔舌shé蜜腹剑〕 →〔蜜口蛇心〕〔佛fó口蛇心〕〔笑xiào里藏刀〕
〔口面〕 kǒumiàn 명 ①중국 신의 볼의 너비. ②토지·가옥의 정면의 폭. ③연극에서 쓰는 수염 달린 탈.
〔口蘑〕 kǒumó 명《植》 몽고(蒙古)산의 버섯.
〔口内炎〕 kǒunèiyán 명《醫》 구내염(흔히, '口疮'이라 함). =〔口腔qiāng炎〕〔口炎〕 →〔口糜mí〕
〔口孽〕 kǒuniè 명 설화(舌禍).
〔口皮〕 kǒupí 명 몽고산의 모피.
〔口气〕 kǒuqi 명 ①말솜씨. 입심. 어세(語勢). ¶缓缓～; 어조를 부드럽게 하다 / ～很大; 큰소리치다 / 他的～真不小; 그의 입심은 정말 세다. ②언외(言外)의 뜻. (속에 든) 뜻. 말투. ¶听他的～, 这件事不容易成功; 그의 말투로 보아, 이 일은 성공하기가 어렵다 / 露～; 말투에 넌지시 풍기다. ③(뉘앙스를 나타내는) 어조(語調). 말씨. ¶谐谑的～; 유모에 찬 말씨 / 埋mán怨的～; 원망스러운 어조. ‖ =〔口风(儿)〕
〔口器〕 kǒuqì 명《生》 (곤충의) 구기.
〔口钱〕 kǒuqián 명 ⇨〔口赋〕
〔口腔〕 kǒuqiāng 명《生》 구강. ¶～卫生; 구강 위생. →〔腭è〕〔颔hé〕〔上shàng颔〕
〔口腔炎〕 kǒuqiāngyán 명 ⇨〔口内炎〕
〔口强〕 kǒuqiáng 형 ⇨〔嘴zuǐ硬〕
〔口琴〕 kǒuqín 명《樂》 하모니카(harmonica).
〔口轻〕 kǒuqīng 형 ①맛이 담백하다. 싱겁다. ¶这个菜太～; 이 음식이 너무 싱겁다. ↔〔口沉①〕 ②(말·당나귀 등의) 나이가 젊다. =〔口小〕 동 싱거운 것을 좋아하다.
〔口请〕 kǒuqǐng 동 구두로 초대하다.
〔口儿〕 kǒur 명 ①(그릇의) 아가리. 출입할 때 드나드는 곳. 터진〔째진〕 데. ②사람. ¶小两～; 젊은 부부.
〔口儿老〕 kǒurlǎo 동 나이가 들었다. ¶长得倒不错, 就是～; 기량은 상당한데 다만 나이가 들었다.
〔口若悬河〕 kǒu ruò xuán hé 〈成〉 물 흐르듯 좔좔 지껄여 댐. 말을 청산유수로 잘하다.
〔口哨儿〕 kǒushàor 명 휘파람. ¶吹～; 휘파람을 불다. =〔口笛〕〔〈俗〉口溜子〕〔呼哨〕
〔口舌〕 kǒushé 명 말솜씨. 변설(辯舌). ¶～灵líng便; 말솜씨가 뛰어나다. 동 (남의 일을) 이러쿵저러쿵 말하다. ¶他一见我免miǎn不了～是非; 그는 나를 만나기만 하면 이러쿵저러쿵 남의 이야기를 한다.
〔口舌〕 kǒushe 동 말다툼하다. 명 ①(말로 일어난) 다툼질. 말다툼. 분쟁. 언쟁. ¶这事让他知道了, 又是一场～; 이 일을 그가 알면 또 싸움이 난다 / ～是非; 말로 인한 티격태격. ②(교섭·언쟁·권고·설득하는) 말. 언설(言說). ¶白费～; 쓸데없이 말을 허비하다 / 费了很大的～, 才把他说服; 입이 닳도록 말한 결과 겨우 그를 설득할 수 있었다. ③소문. 풍문. ¶他近来常犯fàn～; 그는 요즈음 화제(話題)에 잘 오른다.
〔口生〕 kǒushēng 형 말이 서툴다.
〔口实〕 kǒushí 명 구실. ¶他借着这个当dàng～; 그는 이것을 구실로 삼고 있다 / 贻yí人～; 〈成〉 남에게 구실을 주다.
〔口试〕 kǒushì 명 구두 시문. 구술 시험. →〔笔bǐ试〕
〔口是风, 笔是踪〕 kǒu shì fēng, bǐ shì zōng 〈諺〉 말은 바람이고, 써 둔 것은 흔적이다(구두(口頭)로는 증거가 되지 못함. 써 두는 것만이 후일의 증거가 됨).
〔口是心非〕 kǒu shì xīn fēi 〈成〉 말로는 찬동하지만 속셈은 다르다. →〔口不应心〕〔口服心不服〕
〔口授〕 kǒushòu 동 ①말로 전수하다. 구수하다. ②구술하여 받아쓰게 하다.
〔口疏〕 kǒushū 명 〈文〉 기도(祈禱).
〔口述〕 kǒushù 명동 구술(하다).
〔口水〕 kǒushuǐ 명 ①입가에 흘리는 침. ¶～兜dōu; 턱받이 / 流～; 침을 흘리다. ②〈俗〉 침. ¶在局内买了邮票想贴上信封时, 不得不用～, 大家

甚感不便; 우체국(郵遞局) 안에서 우표를 사도 봉투(封套)에 붙이려면, 침으로 붙일 수밖에 없어서, 많은 사람은 매우 불편을 느끼고 있다.
〔口说〕 kǒushuō 명 말로 하는 것. 말. ¶～无凭; 〈成〉말로 하는 것으로는 증거가 되지 않는다.
〔口死〕 kǒusǐ 동 입으로만 항복하다. ¶～心不死; 입으로는 손들었다면서 마음으로는 그렇지 않다.
〔口诵〕 kǒusòng 동 읊조리다.
〔口算〕 kǒusuàn 명 ⇨〔口赋fù〕
〔口探〕 kǒutàn 명 구강 측정 체온계. ¶摄shè氏～; 섭씨 구강 체온계. =〔口表〕
〔口套〕 kǒutào 명 (개 따위의) 부리망.
〔口蹄疫〕 kǒutíyì 명〖醫〗구제역(소목(目) 동물의 급성 바이러스 전염병).
〔口条〕 kǒutiáo 명〈方〉(요리용의) 돼지나 소의 혀.
〔口头〕 kǒutóu 명 ①(사상이나 행동과 대별하여) 말. 입에 발린 말. ¶～说得好听; 입에 발린 말을 듣기 좋게 하다 / ～不似sì心头; 〈諺〉입에 발린 말과 속마음과는 다르다 / ～话huà; 입에 발린 말 / ～之交 =〔～交(儿)〕; 겉으로만 친한 체하는 교제. ②(서면(書面)에 대한) 구두(口頭). ¶～道歉; 구두로 사과하다 / ～汇报; 구두로 보고하다 / ～翻译; 통역하다 / ～契约; 구두 계약.
〔口头〕 kǒutou 명〈方〉맛(과일의 맛). ¶这个西瓜的～很好; 이 수박의 맛은 매우 좋다.
〔口头禅〕 kǒutóuchán 명 ①〖佛〗구두선. 구두삼매(口頭三昧). ②〈轉〉입버릇. ¶"我怕谁?"这是挂在他嘴上的～; "누가 겁날 줄 알고?"는 그의 입버릇이다. →〔口头语〕
〔口头福儿〕 kǒutoufúr 명 ⇨〔口福〕
〔口头语〕 kǒutóuyǔ 명 입버릇. ¶他一来就说"岂有此理", 这成了他的～了; 그는 걸핏하면 "말도 안 돼!"라고 하는데, 이것이 이젠 그의 입버릇이 되었다.
〔口外〕 kǒuwài 명 ①만리장성(萬里長城) 이북의 땅. ¶～蘑菇; 〈歇〉만리장성(萬里長城) 이북에서 나는 버섯. 〈比〉형제가 없는 사람. 외동아들. ②항구 밖. ③입 밖. ④골목 어귀. ¶～有商店; 골목 어귀에 상점이 있다.
〔口腕〕 kǒuwàn 명〖動〗촉수(觸手)(어떤 종류의 하등 동물(해파리 따위)의 입가에 있는 먹이를 잡는 기관).
〔口味(儿)〕 kǒuwèi(r) 명 ①맛. ¶这瓜～不错; 이 오이는 맛이 좋다 / ～高; 입이 고급이다 / 换换～; 맛을 바꾸어 보다. 다른 요리로 하여 보다. 취향을 바꾸다. ②식욕. 취미. 기호(嗜好). ¶开～; 구미가 돌다. 식욕이 나다 / 合～; 기호〔입맛〕에 맞다.
〔口胃〕 kǒuwèi 명 ①식욕. ②기호(嗜好). 취미. =〔口味(儿)②〕
〔口吻〕 kǒuwěn 명 ①말투. 어조. =〔口气(儿)③〕 ②〖動〗(물고기·개 따위의) 주둥이 부분(입·코를 포함한 앞으로 내민 부분).
〔口香糖〕 kǒuxiāngtáng 명 추잉 검(chewing gum). 껌.
〔口小〕 kǒuxiǎo 형 ⇨〔口轻②〕
〔口信(儿)〕 kǒuxìn(r) 명 ①말로 전달함. 전언. ¶托人带～; 전언을 부탁하다. ②소문. 전문(傳聞).
〔口形〕 kǒuxíng 명 입의 모양(음성학상에서는 특히 발음할 때의 아래위 입술의 위치를 가리킴).
〔口型〕 kǒuxíng 명 말할 때나 발음할 때의 입의 모양.
〔口羞的〕 kǒuxiūde 입에 올리기조차 부끄러운 것. ¶～话不要说; 입에 올리기조차 부끄러운 것은 말하지 마라 / 这话说起来, 怪～; 이런 것을 말하면 너무 낯뜨겁다.
〔口许〕 kǒuxǔ 동 구두로 약속하다.
〔口血未干〕 kǒu xuè wèi gān 〈成〉서로 피를 마시면서 세운 맹세를 그것이 마르기도 전에 어기다.
〔口炎〕 kǒuyán 명 ⇨〔口内炎〕
〔口眼㖞斜〕 kǒuyǎn wāixié 명〖漢醫〗안면 신경 마비증.
〔口译〕 kǒuyì 명동 구두(口頭) 통역(을 하다).
〔口音〕 kǒuyīn 명〖言〗구강음(口腔音)(비음(鼻音) 및 비음화음을 제외(除外)한 것).
〔口音〕 kǒuyin 명 ①발음. ¶他～好; 그는 발음이 좋다 / 听他的～, 好像是山东人; 그의 발음을 들으니까 산둥(山東) 사람 같다. ②소리. 음성. ¶听你的～不像本地人; 당신의 말씨로는 이 고장 사람이 아닌 것 같다. ③(발음의) 사투리. ¶上海～; 상해 사투리 / 他说话带～; 그의 말에 사투리가 있다.
〔口盂儿〕 kǒuyúr 명 양치질 컵.
〔口语〕 kǒuyǔ 명 ①구어. 구두어. ↔〔书shū面语〕 →〔白话báihuà①〕 ②〈文〉훼방하는 말. ③〈文〉의론.
〔口愿〕 kǒuyuàn 명 구두로 발원한 소원.
〔口约〕 kǒuyuē 명 구두 약속.
〔口脏〕 kǒuzāng 형 입이 걸다. 동 야비한 소리를 하다. ¶他一喝酒就～; 그는 술을 마시면 말하는 것이 상스러워진다.
〔口占〕 kǒuzhàn 동 시를 지을 때 초고를 만들지 않고 읊조리기만 하다.
〔口罩(儿)〕 kǒuzhào(r) 명 마스크. ¶戴上了～; 마스크를 하다.
〔口脂〕 kǒuzhī 명 ①⇨〔口红〕 ②립크림(lip cream). =〔口蜡〕
〔口直心快〕 kǒu zhí xīn kuài 〈成〉말은 직설적으로 하지만 마음은 좋다. 생각한 대로 이야기하다. 노골적이어서 숨김이 없다.
〔口中雌黄〕 kǒu zhōng cí huáng 〈成〉말하자마자 취소하다. 엉터리 말을 하다.
〔口众我寡〕 kǒu zhòng wǒ guǎ 〈成〉비난하는 사람은 많고 내 편은 적다.
〔口重〕 kǒuzhòng 형 (요리의 맛이) 짜다. =〔〈方〉口沉〕 동 짠 음식을 좋아하다. ↔〔口轻〕
〔口诛笔伐〕 kǒu zhū bǐ fá 〈成〉(언론·글로써) 인정 사정 없이 폭로와 비난을 가하다.
〔口状〕 kǒuzhuàng 명 자공서(自供書). 자백서.
〔口拙〕 kǒuzhuō 형 말주변이 없다. →〔嘴zuǐ笨〕
〔口字旁〕 kǒuzìpáng 명 입구변(한자 부수의 하나. '叩·叫' 등의 '口'의 이름).
〔口子〕 kǒuzi 명 ①〈方〉입. ②깨진 데. 흠이 있는 곳. 상처. ¶手上拉的～快好了; 손의 상처는 곧 낫는다 / 袖子撕了个～; 소매가 터졌다. ③〈方〉항구. ¶这只船不靠别的～; 이 배는 다른 항구에는 들르지 않는다. ④관문(關門). ⑤〈口〉부부 또는 그 한쪽. ¶两～; 부부 두 사람 / 我(的)那～; 우리 집 양반. 양〈口〉명(사람을 세는 데 쓰임). ¶一百多～人; 100인 남짓한 사람 / 你们家有几～? 댁의 식구는 몇 명입니까?

叩〈敂〉② kòu (고) 〈구〉

동 ①머리를 땅에 조아리고 절하다(충심으로). ¶～贺hè; 충심으로 축하하다. =〔叩拜〕 ②두드리다. 노크하다.

¶～门mén =〔扣门〕; ⓐ문을 두드리다. ⓑ안내를 청하다. ③장사하다. ④〈文〉찾다. 묻다. ¶以难解之文义相～; 문장의 어려운 뜻을 묻다.
〔叩拜〕 kòubài 명동 옛날의, 머리를 땅에 조아리고 하는 경례(를 하다). →〔叩头①〕 명〈翰〉돈수(頓首)·경백(敬白)에 상당하는 말의 하나.
〔叩禀〕 kòubǐng 동〈文〉머리를 조아려 절하고 여쭙다.
〔叩步〕 kòubù 명동 방문의 답례(를 하다).
〔叩辞〕 kòucí 동〈文〉정중히 사양하다.
〔叩打〕 kòudǎ 동 두드리다.
〔叩关〕 kòuguān 동〈文〉①관문의 개문을 요청하다. ②이민족의 입관(入關)을 요구하다. =〔扣边〕
〔叩阍〕 kòuhūn 명동〈文〉직소(直訴)(하다).
〔叩见〕 kòujiàn 동〈文〉면회를 부탁하다. 뵙다.
〔叩叩〕 kòukòu ①〈擬〉똑똑(노크 소리). ② 형 정중하다. 공손하다.
〔叩年〕 kòunián 동 세배하다. →〔拜年〕
〔叩乞〕 kòuqǐ 동〈文〉간원하다. =〔叩请〕〔叩求〕
〔叩求〕 kòuqiú 동 간절히 원하다.
〔叩身〕 kòushēn 동 (옷 따위가) 몸에 꼭 맞다.
〔叩首〕 kòu·shǒu 동 머리를 땅에 조아리고 절하다. 고두(叩頭)하다.
〔叩头〕 kòu·tóu 동 옛날, 머리를 땅에 조아리는 매우 경의가 담긴 절을 하다. ¶三跪九～; 옛날, 무릎을 꿇고 세 번 머리를 조아리는 예를 세 번 되풀이하는 가장 공손한 절(을 하다) / ～～! 황송합니다. 송구스럽습니다! =〔叩首〕〔大dà礼〕〔磕kē头①〕 →〔叩拜〕〔顿dùn首〕 (kòutóu) 명〈翰〉돈수(頓首)·경백(敬白)에 상당하는 말.
〔叩头虫〕 kòutóuchóng 명 ①《蟲》방아벌레. →〔金jīn针虫〕 ②남에게 굽실거리는 사람. ‖=〔磕kē头虫(儿)〕〔跳tiào米虫〕
〔叩问〕 kòuwèn 동 좀 묻겠습니다.
〔叩喜〕 kòuxǐ 동 (윗사람에게) 축하 인사를 하다. ¶我给伯母～去吧; 백모님에게 축하 인사하러 가자.
〔叩谢〕 kòuxiè 동〈文〉정중하게 예의를 다하다.
〔叩谒〕 kòuyè 동 뵙다. 배알하다. 찾아뵙다.
〔叩诊〕 kòuzhěn 명동《醫》타진(打診)(하다).

扣〈釦〉B)

kòu (구)
A) ① 동 빼다. 제하다. 공제하다. ¶从中～一个佣钱; 그 중에서 정해진 수수료를 제하다 / 坐zuò～; (채권자가 사람에게 돈이 들어오는 것을 기다렸다가) 그 자리에서 공제하다. ② 동 구류하다. 차압하다. ¶把王三贵～起来了; 왕삼귀를 구금했다 / ～下行李; 짐을 차압하다. ③ 동 할인하다. ¶打八五折, ～净后的售价三万四千元; 15퍼센트 할인한, 할인한 판매 가격이 3만 4천 원. ④ 명 할인율. ¶九～; 10퍼센트 할인. ⑤ 동 뚜껑을 하다. 덮다. 씌우다. ¶给他～帽子; 그에게 모자를 씌우다 / 拿碗把菜～上; 종지로 요리를 덮어 두다. ⑥ 동 엎어 놓다. 뒤집어 놓다. 거꾸로 하다《표면 또는 아가리를 밑으로 해서》. ¶～上书背诵; 책을 덮고 외다 / 别把碗～在桌子上; 종지를 탁자 위에 엎어 놓아서는 안 된다. ⑦ 동 치다. 때리다. ⑧ 동 총살(銃殺)하다. ¶老子一枪～了你; 나는 총 한 방으로 너를 처치할 수 있다. ⑨ 동 말(馬)을 멈추게 하다. ⑩ 동 …에 …을 더하다. =〔加上〕〔配合〕 ⑪ 동〈轉〉꼭 들어맞다. 적합하다. 걸맞다. ¶这句话～在题上了; 이 말은 제목에 꼭 들어맞는다. ⑫ 동 (단추 따위를) 채우다. 끼우다. ¶～上钌liào铞儿; 걸쇠를 걸다 / ～上门; 문에 걸쇠를 걸다 / 把扣子～好; 단추를 채우다 / ～上衣服; (호크 단추나 단추를 채워) 옷을 입다. ⑬(～儿, ～子) 명 매듭. ㉠끈 따위를 잡아맨 것. ¶打了一个～; 매듭을 하나 짓다. =〔结子〕 ㉡응어리. 숙원(宿怨). 요점. ¶认死～; 고집하다 / 他们俩也不知是为什么, 系上～了; 그 두 사람은 왠지 모르지만, 숙원이 있다. ⑭ 양 타래. 뭉치《철한 것·다발 지은 것을 세는 데 쓰임》. ¶一～线; 한 타래의 실 / 一～文书; 한 묶음의 서류. ⑮ 동 두드리다. ¶～舷而歌; 뱃전을 두드리며 노래를 부르다. =〔叩②〕 ⑯ 명 다진 고기. ¶～鸭; 다진 오리고기. ⑰ 명 야담(野談) 따위에서 가장 긴박한 고비에 이르러 이야기를 갑자기 중단하는 대목. ⑱ 명 나사산. ¶螺丝帽松上两～儿; 나사 대가리를 (돌려서) 두 피치만큼 느슨케 하다. ⑲ 동 (얼음이) 얼다. ¶大冰一～, 十天半月化不开; 얼음이 두껍게 얼면 열흘이나 스무 날은 녹질 않는다.
B) ①(～儿, ～子) 명 단추. 벨트의 버클. ¶钉～子; 단추를 달다 / 制zhì服～; 금단추 / ～洞dòng =〔～口kǒu〕〔～窟kū窿〕〔～眼yǎn儿〕; 단춧구멍 / 把～眼儿锁suǒ上; 단춧구멍을 사뜨다 / 带～ =〔皮带～〕; 허리띠의 버클. ② 동 아로새기다. ③ 동 금은으로 그릇의 가를 장식하다.
〔扣拨〕 kòubō 동 공제하고 지출하다.
〔扣布〕 kòubù 명《紡》그레이 시팅(gray sheeting)《표백하지 않은 재래식의 손으로 짠 무명천류》. =〔筘布〕〔本běn色粗布〕
〔扣车〕 kòuchē 동 ①차를 미리 준비하여 대기시키다. ②차를 못 가게 하다.
〔扣除〕 kòuchú 동 공제하다. 제하다. 바칠 돈의 일부를 가로채다. ¶～贴息; (어음의) 할인료를 공제하다 / ～工资; 임금의 일부를 공제하다〔가로채다〕.
〔扣船〕 kòuchuán 동 배를 억류하다.
〔扣打〕 kòudǎ 동 (손가락 혹은 손바닥을 둥글게 하여) 두드리다. ¶～门; 문을 두드리다.
〔扣带〕 kòudài 명동 멈춤쇠가 달린 띠(를 매다).
〔扣底〕 kòudǐ 명 공제된 잔액.
〔扣底子〕 kòu dǐzi 커미션〔리베이트·구전〕을 먹다《옛날, 사용인이 주인 집의 물건을 살 때, 그 액수에 따른 행하(行下)를 가게 주인에게 요구하는 일》.
〔扣发〕 kòufā 동 (돈이나 물건의 배분을) 잡고 지급치 않거나 일부분만 지급하다. ¶～工资; 임금 지급을 압류하다.
〔扣翻〕 kòufān 동 ①뒤집히다. ¶小船被风浪～了; 작은 배가 바람으로 뒤집혔다. ②뒤집어엎다. 뒤짚다. ¶把茶碗～了, 免得落土; 찻종을 엎어 놓아라, 먼지가 앉지 않게.
〔扣分(儿)〕 kòufēn(r) 동 ①점수를 빼다. 감점(減點)하다. ②임금(賃金) 점수를 공제하다. ‖=〔扣工分〕
〔扣俸〕 kòufèng 동 봉급에서 공제하다.
〔扣付〕 kòufù 동 공제하고 지급하다.
〔扣盖儿〕 kòu gàir 〈俗〉최후 수단을 취하다. 끝까지 하다. 결말을 짓다. ¶朋友们拽zhuài住我～不放; 친구가 나를 잡아당기며 도무지 놓지 않다 / 这件事, 我跟它扣了盖儿了, 非弄成不可; 이 건(件)과 맞붙어 보기로 나는 결심하였다, 끝까지 해내지 않고는 못 배기겠어.
〔扣锅〕 kòuguō 동 냄비가 비다. 〈轉〉먹을 것이 없다.
〔扣怀〕 kòuhuái 형 (의기가 투합하여) 헤어지기 어렵다.

〔扣还〕 kòuhuán 명동 일부 환불(하다).
〔扣环〕 kòuhuán 명 《機》 리테이닝 링(retaining ring). 동 〈文〉 의기투합하다.
〔扣活〕 kòuhuó 명 비즈(beads) 수예《작은 유리 구슬을 꿴 끈으로 하는 수예》.
〔扣价〕 kòujià 명 할인 가격. ¶按~计算; 할인가로 계산하다.
〔扣叫儿〕 kòujiàor 동 〈俗〉 말을 걸어 오기를 기다리다. ¶我老在家里~; 나는 줄곧 집에서 기다리고 있다.
〔扣克〕 kòukè 동 ①할인하다. ②일부를 떼어먹다. 가로채다.
〔扣扣〕 kòukou 동 덮어씌어져 있다《'~着'의 형으로 쓰임》. ¶眼~着; 눈이 거슴츠레하다.
〔扣扣气气〕 kòukouqìqì 형 마음이 무겁다. 우울하다.
〔扣款分润〕 kòu kuǎn fēn rùn 〈成〉 공금을 후무려서 사복을 채우다.
〔扣利〕 kòulì 동 이자를 공제하다.
〔扣留〕 kòuliú 동 ①차압〔압류〕하다. ¶把军械~; 무기를 압수하다. ②구류시키다.
〔扣马〕 kòumǎ 동 〈文〉 말을 잡아 못 가게 하다.
〔扣帽子〕 kòu màozi (사람이나 일에 대해 면밀히 검토하지 않고 경솔하게) 레테르〔딱지〕를 붙이다. 무책임하게 정해 버리다. 죄를 덮어씌우다. ¶批评错误是应该的, 可别乱~; 잘못을 비평함은 당연하나, 함부로 어떤 종류의 낙인을 찍어 버리거나 해서는 안 된다.
〔扣门〕 kòumén 동 ①문을 노크하다. ②안내를 청하다.
〔扣钮〕 kòuniǔ 동 단추를 채우다.
〔扣牌子〕 kòupáizi 동 ①마작에서 중요한 패가 남에게 건너가지 않도록 하다. ② ⇨〔拴shuān牌子〕
〔扣槃扪烛〕 kòu pán mén zhú 〈成〉 인식이 일방적이며 옳지 않다. 잘못 생각하다. 착각하다《맹인이 어느 사람에게서 태양을 징과 같은 것이라고 듣고, 또 다른 사람한테서는 태양의 빛은 초와 같은 것이라고 들었는데, 뒤에 징 소리를 듣고 그것을 태양이라 생각하고, 또 피리를 만져 보고 태양은 이와 같은 모양의 것이라고 생각했음. '槃'은 '盘'이라 쓰기도 함》.
〔扣襻(儿)〕 kòupàn(r) 명 중국 옷에서 걸어 채우는 단추의 고리로 되어 있는 쪽의 부분.
〔扣清〕 kòuqīng 동 깨끗이 공제하다. 남김없이 공제하다.
〔扣球〕 kòuqiú ① 명 《體》 (배구의) 스파이크. (테니스·탁구의) 스매시. ¶短平快~; 퀵 스파이크 / 平拉开~; 오픈 스파이크 / 跳起~; 점프하여 스매시하다. ②(kòu qiú) 스파이크를 하다. 스매시를 하다.
〔扣儿〕 kòur 명 ①매듭. ¶死~; 옭매듭 / 活huó~; 풀매듭 / 打~; 매듭을 짓다. ②〈俗〉 단추. ③불화. 갈등.
〔扣人心弦〕 kòu rén xīn xián 〈成〉 (사람의) 심금을 울리다. 감동적이다. =〔动人心弦〕
〔扣肉〕 kòuròu 명 요리법의 하나《돼지고기를 적당한 크기로 썰어 냄비에 차곡차곡 넣고 찜통에 쪄내어 모양이 흐트러지지 않도록 접시에 옮겨 담고 국물을 끼얹어 먹음》.
〔扣赛因〕 kòusàiyīn 명 《數》 〈音〉 코사인(cosine). =〔余弦〕
〔扣杀〕 kòushā 동 《體》 (탁구·테니스·배드민턴 따위의) 스매시하다. (배구의) 스파이크(하다). ¶高压球~; 오버헤드 스매시(overhead smash).
〔扣上〕 kòushang 동 (단추나 걸쇠 따위를) 잠그다. ¶~门; 문의 걸쇠를 걸(어 잠그)다 / ~钮子; 단추를 채우다.
〔扣屎盆子〕 kòu shǐpénzi 요강을 뒤집어씌우다. 〈轉〉 누명을 씌우다. ¶你别往我脑袋上~! 너는 나에게 누명을 씌워서는 안 된다!
〔扣手〕 kòushou 명 돌절구처럼 무거운 기물에 손을 걸도록 뚫은 구멍.
〔扣数(儿)〕 kòushù(r) 명 공제 수량(액).
〔扣水〕 kòushuǐ 명 공제 수수료.
〔扣税〕 kòushuì 동 세금을 공제하다.
〔扣算〕 kòusuàn 동 공제하고 계산하다. =〔扣抵〕
〔扣谈近〕 kòutánjìn 명 《數》 코탄젠트(cotangent). =〔余切〕
〔扣头〕 kòutou 명 ①공제한 금액. ②할인액.
〔扣西根〕 kòuxīgēn 명 《數》 코시컨트(cosecant). =〔余割〕
〔扣下〕 kòuxià 동 ①차압하다. ¶~大批私货; 대량의 밀수품을 차압하다. ②구류시키다.
〔扣现〕 kòuxiàn 명 현금 거래의 할인.
〔扣项〕 kòuxiàng 명 공제금(액).
〔扣心〕 kòu xīn 마음에 와 닿다. ¶扣人心弦 =〔动人心弦〕; 사람의 심금을 울리다 / 一场扣人心弦的比赛; 보는 사람의 마음을 죄게 하는 경기.
〔扣压〕 kòuyā 동 눌러 두다. 실은 채 방치하다. ¶~稿件; 원고 그대로 방치하다.
〔扣押〕 kòuyā 동 ①구금하다. ¶许多韩国渔民曾被~在日本; 많은 한국 어민이 일본에 억류된 일이 있었다. ②압류하다. ¶~工资; 임금 압류(를 하다).
〔扣眼(儿)〕 kòuyǎn(r) 명 단춧구멍.
〔扣用(钱)〕 kòuyòng(qián) 명 구전. 수수료. 동 수수료를 떼다.
〔扣账〕 kòu·zhàng 동 할인하여 계산하다.
〔扣针〕 kòuzhēn 명 안전핀.
〔扣子〕 kòuzi 명 ①단추. ②매듭. ③일의 얽힘. ④야담 등의 사람을 끌어당기는 대목. 클라이맥스. ¶聊斋的~短, 拴shuān不住人; 요재 지이(聊齋志異)의 야담은 클라이맥스가 짧아서 사람의 흥미를 잡아 두지 못한다.

筘〈簆〉 kòu (구)

명 《紡》 (베틀의) 바디. =〔杼zhù①〕

寇〈宼, 冦〉 kòu (구)

①명 도둑. 강도. ¶海~; 해적 / ~党; 도둑의 무리. ②명 외적(外敵). ③동 약탈하다. ¶~掠lüè; 함부로 들어가 약탈하다. ④동 침략하다. ¶~边; 국경 지대를 침략하다 / 入~; 쳐들어오다. 침입해 오다. ⑤명 성(姓)의 하나.
〔寇仇〕 kòuchóu 명 원수. 적.

蔻 kòu (구)

표제어 참조.

〔蔻丹〕 kòudān 명 매니큐어. ¶修得整整齐齐的指甲上, 涂着浅紫色的~; 잘 손질한 손톱 위에는 엷은 보랏빛 매니큐어가 칠해져 있었다. =〔指zhǐ甲油〕
〔蔻弟因〕 kòudìyīn 명 《化》 〈音〉 코데인(독 kodein).
〔蔻咯〕 kòukā 명 《植》 〈音〉 코카. ¶~因; 코카인.
〔蔻蔻〕 kòukòu〔kòukou〕 명 코코아. =〔可可〕
〔蔻仁(儿)〕 kòurén(r) 명 《植》 육두구(肉豆蔻)의 씨.

彀(轂) **kòu** (구)
명〈文〉막 깬 새끼새. ¶哺bǔ～; 새끼새/雀què～; 막 깬 참새 새끼/～食; 새끼 새가 어미새에게서 먹이를 받아 먹다. 〈轉〉남에게 의지함으로써 만족해하다/～音; (새끼새의) 우는 소리. 〈轉〉남의 주장의 시비를 단정하기 어려움.

KU ㄎㄨ

刳 **kū** (고)
동〈文〉후비어 파다. 도려 내다. ¶～木为舟; 나무를 파서 통나무배를 만들다/盐工们在结晶池里～盐; 제염공들은 결정지 안에서 소금을 긁어 낸다.

〔刳剥〕 kūbō 동〈文〉도살하여 가죽을 벗기다.

〔刳腹〕 kūfù 동 배를 자르다〔가르다〕.

挎 **kū** (고)
동 ①지니다. ②새기다. 에다. 도려 내다. ⇒kuà

矻 **kū** (굴)
→〔矻矻〕

〔矻矻〕 kūkū 형〈文〉①부지런히 일하는 모양. ¶～終日; 하루 종일 부지런히 일하다. ②지친 모양.

枯 **kū** (고)
① 동 (식물이) 시들다. (우물 따위가) 마르다. ¶～了; 시들었다. 말라 죽었다/～树; 고목/～干; 시들다. 마르다/～井; ⇓ ② 명 반신 불수. =〔偏piān枯〕〔偏风〕 ③ 형 가난하다. ④ 명〈方〉찌끼. 부스러기. ¶花生～; 낙화생 깻묵/～饼 =〔油饼〕; 깻묵을 넓적하게 굳힌 것. ⑤ 형 생기 없다. 재미가 없다. 무미 건조하다. ⑥ 형 멍하니 있다. ¶一人～坐; 혼자 쓸쓸히 앉아 있다.

〔枯饼〕 kūbǐng 명 ⇨〔油yóu饼①〕

〔枯草〕 kūcǎo 명 마른 풀. ¶～热; 《醫》 고초열.

〔枯禅〕 kūchán 동〈文〉만사를 버리고 고목처럼 좌선하다.

〔枯肠〕 kūcháng 명〈文〉〈比〉학식이 얕아 사상이 짧음. 생각이 다함. ¶搜索～; 없는 지혜를 짜다.

〔枯冬〕 kūdōng 형〈比〉거칠고 쓸쓸하다. ¶我～的心头; 나의 메마르고 쓸쓸한 심정.

〔枯干〕 kūgān 형 시들다. 생기 없다. 메말라 있다.

〔枯槁〕 kūgǎo 동 (초목이) 시들다. ¶～的树梢; 말라 죽은 우듬지. 형〈轉〉(얼굴이) 초췌하다. 여위다. ¶形容～; 얼굴이 야위다.

〔枯骨〕 kūgǔ 명〈文〉①(사람·짐승의) 해골. ②뼈와 가죽만 남은 사람. ③〈轉〉고인(故人).

〔枯涸〕 kūhé 동〈文〉(물이) 마르다.

〔枯候〕 kūhòu 동 쓸쓸히 기다리다.

〔枯黄〕 kūhuáng 동 (초목이) 시들어 누렇게 되다.

〔枯瘠〕 kūjí 형〈文〉바짝 말라 야위다.

〔枯寂〕 kūjì 형〈文〉메마르고 쓸쓸하다. ¶生活～; 생활이 메마르고 쓸쓸하다. 생활이 무미건조하다.

〔枯竭〕 kūjié 동 고갈하다. 소멸하다. ¶水源～; 수원이 말랐다/财源～; 재원이 고갈되었다/精力～; 정력이 다하다.

〔枯竭窘迫〕 kūjié jiǒngpò 형 ⇨〔枯窘〕

〔枯井〕 kūjǐng 명 마른 우물. =〔穷qióng井〕

〔枯窘〕 kūjiǒng 형 힘이 진하여 궁박하다. =〔枯竭窘迫〕

〔枯木逢春〕 kū mù féng chūn〈成〉고목 생화(枯木生花)(의 형국이 되다). 곤경에 처했다가 살 길을 찾다.

〔枯木死灰〕 kū mù sǐ huī〈比〉말라 죽은 나무와 불이 꺼진 재《생기를 잃은 모양》.

〔枯憔〕 kūqiáo 형 ①(꽃·잎 등이) 시들어 있다. ②(피부에) 탄력·윤기가 없다. 생기가 없다. ③(아름다움 등이) 쇠퇴하다. ④(마음이) 메마르다. ⑤(문체 등이) 무미건조하다.

〔枯荣〕 kūróng 명〈文〉성쇠(盛衰).

〔枯涩〕 kūsè 형 재미가 없고 딱딱하다. 무미건조하다. ¶文字～; 글이 재미가 없고 딱딱하다. 문장이 무미건조하다.

〔枯手〕 kūshǒu 명 야윈 손.

〔枯瘦〕 kūshòu 형 말라 빠지다. 몹시 여위다.

〔枯树生花〕 kū shù shēng huā〈成〉마른 나무에 꽃이 피다《생기를 잃었던 것이 생기를 되찾다》.

〔枯水季节〕 kūshuǐ jìjié 명 갈수기(渴水期). ¶必须保证在～能正常供应水力发电; 갈수기에도 평상시처럼 수력 발전(에 의한 전기)을 공급할 수 있도록 하여야 한다.

〔枯索〕 kūsuǒ 형〈文〉생기가 없다.

〔枯萎〕 kūwěi 동 시들다. ¶花～了; 꽃이 시들다. 형 시들어 있다. 생기가 없다. ¶～病; 《農》 곡물 등의 입고병(立枯病).

〔枯杨生稊〕 kū yáng shēng tí〈成〉마른 버드나무가 싹을 틔우다. 노인이 젊은 여자를 아내로 맞이하다. 늙어서 자식을 얻다.

〔枯叶蛾〕 kūyè'é 명 《蟲》 베버들나방.

〔枯燥〕 kūzào 형 ①바싹 마르다. ②〈轉〉무미 건조하다. 흥미 없다. 재미 없다. ¶～无味; 무미 건조하다.

〔枯枝败叶〕 kū zhī bài yè〈成〉말라 죽은 잔가지나 잎.

〔枯冢〕 kūzhǒng 명 황폐한 무덤.

骷 **kū** (고)
→〔骷矗儿〕〔骷髅〕

〔骷矗儿〕 kūchùr 명 ①끝은 없어지고 뿌리만 남은 것. 나무의 그루터기. ②손발이 없는 사람. 몽당비. 손가락이 없는 사람.

〔骷髅〕 kūlóu 명 해골. ¶简直瘦shòu得成了～了; 야위어 마치 해골처럼 되었다.

哭 **kū** (곡)
동 ①(소리내어) 울다. ¶～泣; ⇓/放声大～; 목놓아 울다. 방성대곡하다/有声有泪lèi谓之～, 有泪无声谓之泣qì, 无泪有声谓之号háo; 소리와 눈물이 함께 있는 것을 '哭'이라 하고, 눈물만 있고 소리가 없는 것을 '泣'이라 하며, 눈물이 없고 소리만 있는 것을 '号'라고 한다. →〔泣qì①〕 ② …때문에 울다. ¶我不想～妈妈; 나는 어머니를 위해 눈물을 흘리고 싶지는 않다/～什么? 왜 우느냐?

〔哭板〕 kūbǎn 명 《劇》 연극에서 우는 경우 주악의 박자.

〔哭鼻子〕 kū bízi〈口〉훌쩍훌쩍 울다. 코멘 소리로 울다. ¶赛不过人家也不兴～! 남을 이기지 못할지라도 울상을 지어서는 안 된다!

〔哭的拉笑的〕 kūde lā xiàode 우는 자는 웃고 있는 자를 잡아당긴다. 사람은 정에 끌린다.

〔哭发〕 kūfā 명 울며불며 떠나감(시집 갈 때 부모 형제와의 눈물의 고별).
〔哭喊〕 kūhǎn 동 울부짖다.
〔哭嚎〕 kūháo 동 〈方〉 큰 소리로 울부짖다.
〔哭哭泣泣〕 kūkuqìqì 형 울고불고하는 모양(하염없이 우는 모양).
〔哭哭啼啼〕 kūkutítí 형 하염없이 눈물을 흘리는 모양(언제까지나 우는 모양). ¶～地离别了; 눈물의 이별을 했다.
〔哭哭嗞嗞〕 kūkuzīzī 형 훌쩍훌쩍 우는 모양. 흐느껴 우는 모양.
〔哭妈〕 kūmā 동 어머니를 여의어 울다.
〔哭泣〕 kūqì 동 소리 없이 울다. 하염없이 울다.
〔哭穷〕 kū,qióng 동 ①남에게 우는 소리를 하다. ¶～叫苦; 생활고에 대한 넋두리를 늘어놓다. ②건성으로 가난한 체하다.
〔哭丧棒〕 kūsāngbàng 명 장례식 때 상주가 짚는 지팡이. 상장(喪杖). =〔哀杖〕
〔哭丧脸〕 kūsangliǎn 명 맥 빠진 얼굴. 울상. 초라한 얼굴. (kūsang liǎn) 동 (흔히, '哭丧着脸'으로 하여) 울상을 짓다.
〔哭声〕 kūshēng 명 곡성. 우는 소리.
〔哭死〕 kūsǐ 동 죽도록〔몹시〕 울다. ¶～哭活; 몹시 우는 모양.
〔哭诉〕 kūsù 동 우는 소리를 하다. 눈물로 호소하다.
〔哭叹〕 kūtàn 동 울며 한탄하다.
〔哭啼〕 kūtí 동 울다. 소리내어 울다.
〔哭天喊地〕 kū tiān hǎn dì 〈成〉 큰 소리로 울다.
〔哭天抹泪(儿)〕 kū tiān mǒ lèi(r) 〈成〉 한없이 울다. 훌쩍거리다.
〔哭头〕 kūtou 명 《劇》 (연극에서) 울 때의 가락이나 동작.
〔哭笑〕 kūxiào 동 울고 웃고 하다.
〔哭笑不得〕 kū xiào bù dé 〈成〉 울어야 할지 웃어야 할지 모르다. 웃을 수도 울 수도 없다(이러지도 저러지도 못하다).
〔哭(一)鼻子〕 kū (yī) bízi 훌쩍훌쩍 울다. 울상을 짓다.
〔哭竹〕 kūzhú 옛날, 맹종(孟宗)이라는 효자가 겨울에 대나무밭에서 울어 어머니가 좋아하는 죽순을 손에 넣었다는 고사.
〔哭主〕 kūzhǔ 명 피해자의 유족.

堀

kū (굴)
명 〈文〉 동굴. =〔窟〕 동 동굴을 뚫다.

窟

kū (굴)
명 ①구멍. ②동혈. 굴. ¶狡兔三～; 〈諺〉 교활한 토끼는 (난을 피하기 위해) 세 개의 구멍을 가지고 있다(적당히 교묘한 방법으로 몸을 피하다). ③짐승의 굴. ④소굴. 굴(나쁜 패거리들의 집합 장소). ¶匪～; 비적의 소굴/赌dǔ～; (비밀) 도박장.
〔窟窖〕 kūjiào 명 토굴. 움.
〔窟窿〕 kūlong 명 ①구멍. 굴. ¶挖wā～; 구멍을 파다/～眼儿; 작은 구멍/老鼠～; 쥐구멍. ②〈比〉 빚구멍. 결손. 적자. 부채. ¶塌下～; 빚을 지다/掏～; 결손을 내다. 〈轉〉 잔뜩 빚을 지다. ③술책(術策).
〔窟窿灌馅儿〕 kūlong guànxiànr 〈俗〉 속임수를 쓰다.
〔窟窿桥〕 kūlongqiáo 명 ①⇨〔拱gǒng桥〕 ②(～儿) 〈比〉 곤란하고 위험한 곳. 일에 있어서 허점이 많아 엉터리인 것. ¶他那篇话是～, 洞眼儿很多呢; 그의 그러한 말은 엉터리여서 허점이 많이 있다.
〔窟窿心儿〕 kūlóngxīnr 방심할 수 없는〔안심할 수 없는〕 사람의 형용.
〔窟室〕 kūshì 명 지하실.
〔窟臀〕 kūtún 명 〈方〉 궁둥이. =〔臀〕
〔窟宅〕 kūzhái 명 지하의 주거(住居). 소굴.

㘈〈圐〉

kū (만)
→〔㘈崘〕
〔㘈崘〕 kūlüè 명 몽골어로 울타리를 친 목초지의 뜻. 흔히, 지명으로 쓰임.

苦

kǔ (고)
①형 쓰다. 맛없다. ¶～药; 쓴 약/～似黄连; 약초의 황련처럼 쓰다/饭食不～; 식사는 맛없지 않다. →〔甜〕〔甘gān〕 ②형 고생스럽다. 힘들다. 고통스럽다. 괴롭다. ¶他的生活越来越～; 그의 생활은 갈수록 더욱 고생스럽다/小心得děi～子! 따끔한 맛을 보여 줄 테다!/吃了三年～; 3년 동안 혼났었다/～日子总算渡过来了; 괴로운 생활을 어쨌든 지내 왔다. ③동 고생하다〔시키다〕. 괴롭히다. ¶你这么给我卖力, 我万不能白～了你; 네가 이렇게 나를 위해 힘을 써 주는데, 너를 그냥 고생시킬 수는 절대로 없다. ④동 …에 고생하다. …때문에 괴로워하다. ¶～于不识字; 글을 몰라서 고생하다. ⑤부 고통을 참고. 전심 전력으로. 열심히. 오로지. ¶～劝; ⇩/～干gàn; ⇩ ⑥형 〈方〉 (잘라서 제거하거나, 손실되는 것 정도가) 과도하다. 심하다. 몹시 …하다. ¶想～; 여윌 정도로 생각하다. 몹시 걱정하다/指甲剪得太～了; 손톱을 너무 바싹 깎았다/使唤得～; 부리는 것이 심하다(혹사하다)/剪枝条不要太～了; 가지치기를 너무 지나치게 해서는 안 된다.
〔苦艾〕 kǔ'ài 명 《植》 쓴쑥. 압생트(프 absinthe) 쑥. ¶～酒; 압생트주.
〔苦熬〕 kǔ'áo 동 고생스럽게 살아가다. ¶～岁月; 고생스런 나날을 보내다.
〔苦熬苦修〕 kǔ áo kǔ xiū 〈成〉 고통을 견디고 수련하다.
〔苦巴巴〕 kǔbābā 형 곤란을 겪으며 고생하는 모양.
〔苦巴丢〕 kǔbādiū 형 괴롭다. 고통스럽다. ¶～地; 고생하여.
〔苦巴苦挨〕 kǔ bā kǔ ái 〈成〉 (고통을 참고) 기다리다. 고통스러운 생활을 참고 지내다.
〔苦拔苦掖〕 kǔ bá kǔ yè 〈成〉 무리해서 발탁하여 보살펴 키워 주다.
〔苦奔苦曳〕 kǔ bēn kǔ yè 〈成〉 애써서 사업을 경영하다. 고생스럽게 살아가다.
〔苦不过〕 kǔbuguò ①고통을 견딜 수 없다. ②가장 쓰다〔고통스럽다〕. ¶最～; 가장 고통스럽다〔쓰다〕.
〔苦不唧儿〕 kǔbujīr 형 〈方〉 쌉싸래하다. ¶这种菜～的, 就是还不难吃; 이 야채는 씁쓰레하지만, 먹기에 그다지 거북하지는 않다.
〔苦不堪言〕 kǔ bù kān yán 〈成〉 괴로움을 이루 다 말할 수 없다.
〔苦菜〕 kǔcài 명 《植》 방가지똥.
〔苦草〕 kǔcǎo 명 《植》 익모초. =〔茺chōng蔚〕
〔苦茶〕 kǔchá 명 〈文〉 차(茶)의 일종.
〔苦差〕 kǔchāi 명 고통스러운 임무. =〔苦差使shi〕

〔苦撑〕 kǔchēng 동 오로지 버텨 내다. ¶～待变; 〈成〉 고통을 겨우 견디어 무언가 변화가 생기기를 기대하다.
〔苦虫〕 kǔchóng 명 ①불행한 사람. ②사소한 일까지도 속태우며 걱정하는 사람. ③고생하는 것이 당연한 사람.
〔苦楚〕 kǔchǔ 동 상심하고 슬퍼하다. →〔愁楚〕 명 〈文〉 (생활상의) 괴로움.
〔苦处〕 kǔchu 명 ①괴로움. ②고통스러운 점〔일〕.
〔苦待〕 kǔdài 동 학대하다.
〔苦胆〕 kǔdǎn 명 〈俗〉 쓸개. 담낭.
〔苦道儿〕 kǔdàor 명 괴로운 길. 가시밭길. ¶走～; 가시밭길을 가다.
〔苦得了〕 kǔdeliǎo 내버려 둘 수 있다. 방치할 수 있다. ¶我这么叫你们受苦, 哪儿能～你们呢! 이렇게 너희들을 고생시키고 어찌 그냥 둘 수 있겠는가!
〔苦迭打〕 kǔdiédá 명 〈音〉 쿠데타. =〔苦推打〕〔苦铁打〕〔苛铁达〕〔武力政变〕〔武装政变〕
〔苦栋〕 kǔdòng 명 《植》 멀구슬나무.
〔苦读寒窗〕 kǔ dú hán chuāng 〈成〉 고학하다.
〔苦干〕 kǔgàn 동 일심 불란(一心不亂)으로 하다. 피땀 흘려 일하다. ¶埋头máitóu～; 일에 몰두하다 / 实干, ～, 巧干; 착실하게, 참을성 있게, 머리를 써서 하다.
〔苦根〕 kǔgēn 명 괴로움의 원인〔씨앗〕. ¶挖～; 고통의 원인을 없애다 / 拔bá～; 괴로움의 원인을 제거하다.
〔苦工〕 kǔgōng 명 ①고된 노동. 고역. ¶做～ =〔服～〕; 고된 노동을 하다. =〔苦活〕 ②힘든 일을 하는 노동자.
〔苦工夫〕 kǔgōngfu 명 힘든 수업(修業)〔공부〕. ¶他的中文是下了几年的～才学好的; 그의 중국어는 몇 해 동안의 힘든 공부로 터득한 것이다.
〔苦功〕 kǔgōng 명 고통스러운 수업(修業). 일심전념하는 노력. 고생하여 몸에 익힌 솜씨. ¶要想精通语言, 非下～不可; 언어에 정통하고 싶으면, 필사적으로 노력하지 않으면 안 된다.
〔苦骨〕 kǔgǔ 명 ⇨〔苦参〕
〔苦瓜〕 kǔguā 명 ①《植》 덩굴여지. 여지. ¶～藤上生～; 〈諺〉 여지에는 여지밖에 열리지 않는다. 부전자전. =〔〈方〉 癞lài瓜〕 ②〈轉〉 고통을 당하고 있는 사람. ¶咱们是一根藤上的～; 우리들은 고통을 함께 겪은 사람이다.
〔苦果〕 kǔguǒ 명 고생한 보람. 쓴 경험.
〔苦过〕 kǔguò 동 고생스러운 생활을 하다. 고생하며 살아가다. ¶～日子; 고생스러운 생활을 하다.
〔苦孩子〕 kǔháizi 명 ①생활 환경이 불우한 아이. ②돌보아 줄 사람이 없는 아이. 애정을 줄 사람이 없는 아이.
〔苦海〕 kǔhǎi 명 ①《佛》 고해. 괴로운 세상. ②비참한 처지. 곤경. ‖ =〔苦河〕
〔苦害〕 kǔhài 명 〈方〉 손해. 동 해를 끼치다. 고통으로 손해 입다.
〔苦寒〕 kǔhán 명 혹한.
〔苦汉〕 kǔhàn 명 고통받는 남자.
〔苦旱〕 kǔhàn 명 심한 가뭄.
〔苦河〕 kǔhé 명 ⇨〔苦海〕
〔苦横〕 kǔhèng 형 괴로운 처지에 있으면서 자부심이 강하다.
〔苦瓠只生苦瓠〕 kǔhù zhǐ shēng kǔhù 〈諺〉 덩굴여지에는 덩굴여지만 열린다. 부전자전.
〔苦患〕 kǔhuàn 명 병고(病苦). 고난.
〔苦活(儿)〕 kǔhuó(r) 명 고생스럽고 수입이 적은 일.
〔苦谏〕 kǔjiàn 동 강력하게 간하다〔훈계하다〕.
〔苦节〕 kǔjié 명 〈文〉 괴로운 가운데 지켜 나가는 굳은 절개.
〔苦筋拔力〕 kǔ jīn bá lì 〈成〉 고생하면서 열심히 일하다. 고생을 많이 하다.
〔苦尽甘来〕 kǔ jìn gān lái 〈成〉 ⇨〔苦尽甜来〕
〔苦尽甜来〕 kǔ jìn tián lái 〈成〉 고진 감래. ¶苦不尽甜不来; 고생도 끝나지 않고 낙도 찾아오지 않는다. =〔苦尽甘来〕 ↔〔乐lè极生悲〕
〔苦井〕 kǔjǐng 명 '苦水'(먹지 못하는 물)가 나오는 우물.
〔苦井水〕 kǔjǐngshuǐ 명 쓴 우물물《알칼리성이 강함》. ↔〔甜井水〕
〔苦酒〕 kǔjiǔ 명 〈文〉 식초의 고칭(古稱). →〔醋cù①〕
〔苦苣菜〕 kǔjùcài 명 《植》 방가지똥.
〔苦苣苔〕 kǔjùtái 명 《植》 시화.
〔苦口〕 kǔkǒu 형 ①자꾸 설득하여 권하는 모양. ¶～相劝; 극력 권고하다 / ～良言; 극력 좋은 말로 충고하다 / ～婆pó心; 〈成〉 충고와 노파심. 호의를 가지고 고언을 올리다. ②입에 쓰다. ¶良药～利于病; 〈諺〉 좋은 약은 입에 쓰나 병에 이롭다.
〔苦苦〕 kǔkǔ 부 오로지. 한결같이. 참을성 있게. 극력. ¶～哀求; 극력 탄원하다.
〔苦况〕 kǔkuàng 명 괴로운 처지. 고달픈 상황.
〔苦辣〕 kǔlà 형 ①쓰고 맵다. ¶～的烟抽到了半节; 쓰고 매운 담배를 반(半)이나 피웠다. ②괴롭다. 지독하다. 가혹하다.
〔苦辣辣〕 kǔlàlà 형 ①몹시 괴롭다. ②쓰고 맵다.
〔苦剌呱唧〕 kǔlaguājī 형 〈方〉 쓰다. =〔苦辣呱唧〕〔苦剌戛唧〕
〔苦劳〕 kǔláo 명동 고생(하다). 노고(하다).
〔苦乐〕 kǔlè 명 고락.
〔苦累〕 kǔlèi 형 (일이) 고되다. 힘들다. ¶～活儿; 고된 일. 동 (일 때문에) 힘들어 하다. 고생하다.
〔苦力〕 kǔlì 명 ①쿨리(cooly)《중국·인도의 불숙련 노동자의 일컬음》. ②고역.
〔苦枥〕 kǔlì 명 《植》 (중국산) 물푸레나무의 일종.
〔苦粒索〕 kǔlìsuǒ 명 〈音〉 큐라소(curaçao). =〔柑桂酒〕〔柑香酒〕
〔苦脸〕 kǔliǎn 명 괴로운 표정. 생각에 잠긴 듯한 표정.
〔苦练〕 kǔliàn 동 열심히 단련하다.
〔苦楝(子)〕 kǔliànzi 명 《植》 멀구슬나무.
〔苦溜溜〕 kǔliūliū 형 오래도록〔나중까지 남아서〕 쓰다.
〔苦留〕 kǔliú 동 자꾸만 말리다〔만류하다〕. ¶～不住; 자꾸 말려도 어쩔 수 없다.
〔苦卤〕 kǔlǔ 명 《化》 간수.
〔苦买卖〕 kǔmǎimai 명 이익이 없는 장사.
〔苦荬菜〕 kǔmǎicài〔kǔmaicài〕 명 《植》 이고들빼기.
〔苦闷〕 kǔmèn 동 고민하다.
〔苦命〕 kǔmìng 명 불운. 불행한 운명. ¶～人; 불운한 사람. 불행한 사람.
〔苦磨儿〕 kǔmòr 명 〈比〉 어려운 입장. 불운.
〔苦谋〕 kǔmóu 동 거듭 구하다〔찾다〕. 일념(一念)으로 구하다. ¶～对策; 대책을 강구하다.
〔苦木〕 kǔmù 명 《植》 소태나무. =〔黄楝树〕
〔苦难〕 kǔnàn 명 고난. ¶～的深渊; 고난의 구렁텅이.
〔苦恼〕 kǔnǎo 동 고뇌하다. 고민하다. 형 괴롭다.
〔苦腻〕 kǔnì 동 귀찮게 따라다니다. 달라붙다. 지

근거리다. ¶～了半天还是不得结果; 한참 매달렸지만 역시 결과는 얻지 못했다.
〔苦蓬〕 kǔpéng 명 《植》 쓴쑥.
〔苦求〕 kǔqiú 동 탄원(歎願)하다.
〔苦劝〕 kǔquàn 동 힘을 다해 권하다. 연달아 충고하다. 끈질기게 충고하다.
〔苦缺〕 kǔquē 명 밥벌이가 안 되는 괴로운 관직.
〔苦人〕 kǔrén 명 ①생활이 어려운 사람. ②불운(不運)한 사람.
〔苦人所难〕 kǔ rén suǒ nán 〈成〉 어려운 일로 남을 굳이 괴롭히다. 무리한 요구를 하다.
〔苦日子〕 kǔrìzi 명 고생스런 살림. 가난한 살림살이. ¶过～; 어렵게 살아가다.
〔苦肉计〕 kǔròujì 명 고육지책.
〔苦涩〕 kǔsè 형 ①떫고 쓰다. ¶这柿子味道～; 이 감은 떫고 쓰다. ②(고통으로) 괴롭다. 마음이 쓰라리다. ¶～的表情; 괴로운 표정.
〔苦参〕 kǔshēn 명 《植》 고삼(苦蔘). =〔苦骨〕
〔苦水〕 kǔshuǐ 명 ①마실 수 없는 물. 쓴물. 짠물. ¶～井; 쓴물. 짠물. ↔〔甜水〕 ②위액(胃液). ③〈轉〉 원한. 쌓이고 쌓인 고통. ¶吐～; 마음의 괴로움을 털어놓다. ④괴로워서 흘리는 눈물. 괴로운 생활. ¶他从小泡在～里; 그는 어릴 때부터 고통 속에서 자랐다.
〔苦水子〕 kǔshuǐzi 명 탕약(湯藥). 물약.
〔苦思〕 kǔsī 동 〈文〉 애써 생각하다. 고심하다. ¶～对策; 대책을 고심하다 / ～苦想; 계속 생각하다. 머리를 짜내어 생각하다 / ～力索; 문제 해결에 머리를 짜내다 / ～冥想; 〈成〉 머리를 짜내다. =〔苦想〕
〔苦死〕 kǔsǐ 동 죽도록 (몹시) 고생하다. ¶～了每天也得děi给他两顿饭吃; 아무리 고생해도, 그에게 매일 두 끼의 밥은 먹여 주어야 한다. 부 꼭. 한결같이. ¶你这厮～要来, 一路上呕òu死我也《水滸傳》; 네가 꼭 가겠다고 하는 바람에 가는 도중에 화딱지가 나서 혼났다.
〔苦条子〕 kǔtiáozi 명 우는 소리. 넋두리. 푸념.
〔苦痛〕 kǔtòng 명 ⇨〔痛苦〕
〔苦头(儿)〕 kǔtóu(r) 명 쓴맛. ¶这个井里的水带点～儿; 이 우물물은 약간 쓴맛이 난다.
〔苦头(儿)〕 kǔtou(r) 명 괴로움. 따끔한 맛. 고통. 고생. ¶受shòu～ =〔吃chī～〕; 괴로움을 당하다. 고통을 겪다 / 不听忠告得děi～了吧; 충고를 듣지 않으면 따끔한 맛을 보게 된다.
〔苦荼〕 kǔtú 명 〈文〉 차(茶)의 별칭.
〔苦推打〕 kǔtuīdá 명 ⇨〔武wǔ力政变〕
〔苦味酊〕 kǔwèidīng 명 《化》 고미 정기(苦味丁幾). =〔苦味丁儿〕
〔苦味酸〕 kǔwèisuān 명 《化》 피크린 산(picrin酸)(‘黄huáng色炸药’은 통칭).
〔苦戏〕 kǔxì 명 비극. =〔悲剧〕
〔苦夏〕 kǔxià 동 여름을 타다. ¶我有～的毛病; 나는 여름을 타는 기질이다. 명 여름을 탐. ‖ =〔〈方〉注夏〕〔〈方〉疰zhù夏〕
〔苦咸〕 kǔxián 형 몹시 짜다.
〔苦想〕 kǔxiǎng 동 ⇨〔苦思〕
〔苦相〕 kǔxiàng 명 ①운수가 사나운 인상(人相). ②고뇌에 찬 표정. ③괴로워하는 표정.
〔苦象〕 kǔxiàng 명 ①괴로워하는 모습. ②십자가의 그리스도.
〔苦小子〕 kǔxiǎozi 명 가난뱅이.
〔苦笑〕 kǔxiào 명동 쓴웃음(을 짓다).
〔苦心〕 kǔxīn 명 고심. 걱정. ¶母亲的一片～, 我是知道的; 나는 어머니가 걱정하시는 것을 잘 알고 있다 / 煞shā费～; 고심 참담(慘憺)하다. 동 고심하다. 고생하다. ¶～研究; 심혈을 기울여 연구하다 / ～经营; ⓐ고심하여 준비·계획하다. ⓑ고심하여 유지 발전을 꾀하다.
〔苦心孤诣〕 kǔ xīn gū yì 〈成〉 매우 고심하여 훌륭한 경지에 이르다. 남다른 고생을 하며 종사하다〔경영하다〕.
〔苦心人〕 kǔxīnrén 명 대단한 노력가. ¶～天不负; 〈諺〉 노력하는 사람은 하늘이 버리지 않는다.
〔苦辛〕 kǔxīn 명 노고. 신고(辛苦).
〔苦刑〕 kǔxíng 명 괴로운 형벌.
〔苦行〕 kǔxíng 명 《宗》 고행.
〔苦行僧〕 kǔxíngsēng 명 고행승.
〔苦杏仁〕 kǔxìngrén 명 ⇨〔杏仁(儿)〕
〔苦杏仁甙〕 kǔxìngréndài 명 《化》 아미그달린(amygdalin). =〔苦杏仁素〕
〔苦修〕 kǔxiū 명동 고행(하다).
〔苦学深思〕 kǔxué shēnsī 애써 배우고 깊이 생각하다.
〔苦言〕 kǔyán 명 고언. =〔苦语〕
〔苦盐〕 kǔyán 명 ⇨〔颗kē盐〕
〔苦业〕 kǔyè 명 《佛》 번뇌의 업연(業緣).
〔苦役〕 kǔyì 명 힘드는 노동. 고역.
〔苦薏〕 kǔyì 명 《植》 ①감국. ②산국. ‖ =〔野菊〕
〔苦阴阴(儿)〕 kǔyīnyīn(r) 형 (음식이) 쌉싸래하고 맛있다. ¶橄榄～的很好吃; 올리브는 쌉쌀한 것이 아주 맛있다. =〔苦殷殷(儿)〕
〔苦于〕 kǔyú 형 〈文〉 …로 괴로워하다. 괴로운 것은〔곤란하게도〕 …이다. ¶～自己的办法少; 자신의 방책(方策)이 적은 것 때문에 괴로워하다 / ～连药都不能下咽; 곤란하게도 약마저 목을 넘어가지 않는다.
〔苦雨〕 kǔyǔ 명 ①싫증나는 비. ②장마.
〔苦语〕 kǔyǔ 명 ⇨〔苦言〕
〔苦窳〕 kǔyǔ 명 〈文〉 ①쓸모없는 도기(陶器). ②〈轉〉 무용지물. ③조잡한 물건.
〔苦战〕 kǔzhàn 동 고전하다. 고투하다.
〔苦这么〕 kǔzhème 부 열심히.
〔苦着口(儿)〕 kǔzhekǒu(r) 입에 신물이 나도록. ¶我常常～说阵劝阵; 나는 늘 입에 신물이 나도록 나무라거나 달래거나 한다.
〔苦诤〕 kǔzhēng 동 〈文〉 충고하다.
〔苦汁〕 kǔzhī 명 《化》 간수.
〔苦中苦〕 kǔzhōngkǔ 명 고통 중의 고통. ¶吃得～, 方为人上人; 〈諺〉 고통 중의 고통을 견디어야 비로소 윗사람이 될 수 있다 / 不得～, 难得甜上甜; 〈諺〉 고생 끝의 행복이야말로 진정한 행복.
〔苦中作乐〕 kǔ zhōng zuò lè 〈成〉 고생 속에서도 즐거움을 찾다. =〔苦中寻乐〕
〔苦衷〕 kǔzhōng 명 고충. ¶应该体谅他的～; 그의 고충을 알아 주어야 한다.
〔苦槠〕 kǔzhū 명 《植》 가시나무. =〔青桐〕
〔苦竹〕 kǔzhú 명 《植》 고죽. 참대. ¶～笋; 고죽의 죽순《약용함》.
〔苦主〕 kǔzhǔ 명 ①(살인 사건의) 피해자 또는 그 가족. ¶你是～, 告他一状; 너는 피해자이다. 저 놈을 고발하여라. ②받은 고통을 폭로하는 사람.
〔苦子〕 kǔzi 명 ①쓰라림. 고통. ¶得～; 쓰라린 꼴을 당하다 / 认rèn～; 괴로운 것을 (하는 수 없다고) 체념하다. ②손해. 곤란.

楛 kǔ (고)
형 〈文〉 조잡하다. 허술하다. 튼튼하지 않다. ¶～窳yǔ =〔苦窳〕; 조잡한 기물. ⇒hù

库(庫) **kù** (고) 명 ①옛날, 병거(兵車)를 넣는 곳집. ②창고. ¶仓～; 창고 / 入～; 창고에 넣다 / 水～; 저수지. ③'库仑lún'의 약칭. ④성(姓)의 하나.
〔库兵〕 kùbīng 명 ①창고지기 병사. ②무기고 안의 병기.
〔库部〕 kùbù 명 옛날의 성(省)의 하나로, 병기·의장(儀仗)·탈것 등을 관리하던 관청.
〔库藏〕 kùcáng 동 창고에 저장하다. ¶清点～物资; 저장 물자를 점검하다 / ～图书三十万册; 장서 30만 권. ⇒kùzàng
〔库存〕 kùcún 명 ①재고. 잔고. ¶～资金; 현재 보유 자금 / ～现金; 현재 현금 액수 / ～簿; 재고표. 재고장 / ～货物 =〔存货〕; 재고품. ②재고량. =〔库存量〕
〔库丁〕 kùdīng 명 창고지기. 창고계.
〔库缎〕 kùduàn 명 궁중의 창고에 저장하던 고급 단자(緞子). =〔贡缎〕
〔库房〕 kùfáng 명 창고. 저장실.
〔库灰色〕 kùhuīsè 명《色》회색을 띤 황색.
〔库锦〕 kùjǐn 명 금실·은실 물들인 털실 등으로 무늬를 낸 비단.
〔库款〕 kùkuǎn 명 ①국고금. ¶～支绌; 국고가 비어 가다. ②금고에 넣은 돈.
〔库雷蚊〕 kùléiwén 명《蟲》집모기《쿨렉스속(Culex屬)》. =〔库蚊〕〔常蚊〕〔家蚊〕
〔库利吉管〕 kùlìjíguǎn 명《物》쿨리지관(Coolidge管). =〔X-射线发生管〕
〔库鲁库斯管〕 kùlǔkùsī guǎn 명《物》크룩스관(Crookes管).
〔库仑〕 kùlún 양《電》쿨롱. ¶～定dìng律; 쿨롱의 법칙 / ～计; 쿨롱 미터. =〔库〕〔库伦〕〔哥洛柏〕
〔库伦〕 kùlún 명 ⇨〔乌wū兰巴托〕
〔库平〕 kùpíng 명 관용(官用)의 도량형《청조(清朝)의 징세(徵稅)·출납에 쓰임. '～'의 1량(兩)은 37.301그램에 해당됨》.
〔库秋〕 kùqiū 명 농가에서 가을 추수 후의 저장량(貯藏量).
〔库券〕 kùquàn 명 국고 채권(債券)《'国库券'의 약칭》.
〔库容〕 kùróng 명 ①댐의 저수량. ②창고의 저장 용량. =〔仓容〕
〔库蚊〕 kùwén 명 ⇨〔库雷蚊〕
〔库银〕 kùyín 명〈文〉①국고에 있는 돈. ②청대(清代), '库平'으로 무게를 단 은. =〔库平银〕
〔库藏〕 kùzàng 명〈文〉창고. ⇒kùcáng

裤(褲〈袴〉) **kù** (고) 명 바지. 슬랙스(slacks). 팬츠(pants)류의 총칭. ¶做一条～子; 바지를 한 벌 만들다 / 长～; 긴 바지 / 短duǎn ～; 반바지. 짧은 바지 / 棉mián～; 솜바지 / 马mǎ～; 승마 바지 / 西xī～; 양복 바지 / 单dān～; 홑바지 / 水shuǐ～儿 =〔兜dōu肚～儿〕; 어린아이의 배두렁이가 달린 바지 / 工gōng装～; 작업복 바지. 오버올 / 运yùn动～; 운동복 바지 / 喇叭～; 나팔바지. 판탈롱(pantaloon). →〔裤子〕 =〔绔〕
〔裤袄〕 kù'ǎo 명 (중국 옷의) 바지와 저고리.
〔裤衩(儿)〕 kùchǎ(r) 명 ①잠방이. 팬티. ¶三角～; 삼각 팬티. ②반바지. ③바지 안에 입는 속옷. ‖ =〔裤叉(儿)〕
〔裤长〕 kùcháng 명 바지 치수의 길이.
〔裤带〕 kùdài 명 허리끈. 어린애 바지의 멜빵. ¶勒紧～; ⓐ허리끈을 바짝 졸라매다. ⓑ〈轉〉굳은 결심을 하다. ⓒ먹는 것을 절약하다. ⓓ주린 배를 참다.
〔裤带子〕 kùdàizi 명 ①대님. ②허리끈.
〔裤袋儿〕 kùdàir 명 바지 주머니.
〔裤裆〕 kùdāng 명 바지의 샅폭(幅). =〔裤子裆〕
〔裤兜(儿,子)〕 kùdōu(r,zi) 명 ①바지주머니. ②바지의 허리 부분《주머니처럼 생겼다 하여 이렇게 말함》. ¶这孩子拉了一～屎shǐ; 이 아이는 똥을 싸서 (허리 부분이) 온통 젖었다.
〔裤缝儿〕 kùfèngr 명 바지의 솔기.
〔裤褂〕 kùguà 명 바지와 윗옷《흔히, 몸차림을 가리킴》.
〔裤管(儿)〕 kùguǎn(r) 명 바지통.
〔裤角〕 kùjiǎo 명 ⇨〔裤脚(儿)〕
〔裤脚(儿)〕 kùjiǎo(r) 명 ①바짓단. ¶卷起了～; 바짓자락을 걷어올리다. ②⇨〔裤腿①〕 ‖ =〔裤角〕
〔裤脚管〕 kùjiǎoguǎn 명 ⇨〔裤筒〕
〔裤口〕 kùkǒu 명 바짓자락의 폭(幅).
〔裤口袋〕 kùkǒudài 명 바지 호주머니. =〔裤袋〕
〔裤料绒〕 kùliàoróng 명 모직 바짓감. =〔裤料呢〕
〔裤褟儿〕 kùtār 명 양복 바지 안에 입는 속옷.
〔裤筒〕 kùtǒng 명 바지통. ¶～窄zhǎi; 바지통이 좁다 / ～阔kuò; 바지통이 넓다 / ～卷juǎn得高高的; 바지를 위로 걷어 올리다. =〔裤管〕〔裤脚管〕
〔裤头〕 kùtóu 명〈方〉바지. ¶三角～; 삼각 팬티.
〔裤腿(儿,子)〕 kùtuǐ(r,zi) 명 ①바지의 가랑이 부분. =〔〈方〉裤脚②〕 ②옛날, 전족을 한 여자가 바지 아랫부분에 덧대어 발을 감싸는 짧은 통 모양의 천.
〔裤线〕 kùxiàn 명 양복바지의 다림질한 금.
〔裤腰〕 kùyāo 명 바지 허리통.
〔裤腰带(儿)〕 kùyāodài(r) 명 ①중국 옷의 허리띠《바지가 흘러내리지 않게 맴》. ¶系jì～; 허리띠를 매다 / ～松sōng; 허리띠가 헐겁다. 〈轉〉(여자가) 궁둥이가 가볍다. ②벨트. 밴드.
〔裤褶〕 kùzhé 명 옛날, 승마용의 옷.
〔裤子〕 kùzi 명 바지. 슬랙스. ¶脱～放屁; 이중의 수고. 헛수고 / ～里打木鱼; 바지 속에서 목탁을 치다. 〈比〉밖에 조금도 알려지지 않다. 이름이 전혀 알려지지 않다 / 一条～; ⓐ바지 한 벌. ⓑ한패가 되어 있다 / 穿～ =〔蹬～〕; 바지를 입다.

绔(絝) **kù** (고) 명 ⇨〔裤〕 →〔纨wán绔(子)〕

喾(嚳) **Kù** (곡) 명《人》제곡(帝嚳)《중국의 전설상의 제왕. 요(堯)임금의 아버지라고 함》. =〔高辛氏〕

酷 **kù** (혹) ①형 심하다. 가혹하다. 잔혹하다. ¶～刑xíng; ⇩ / 苛kē～; 가혹(하다). ②부 몹시. 심히. 매우. ¶～寒hán; ⇩ / ～爱ài; ⇩ / ～爱和平; 평화를 매우 사랑하다. ③형 술이 독하다. ④형 향기가 좋고 강렬하다. ⑤명 원한.
〔酷爱〕 kù'ài 동 열애(熱愛)하다.
〔酷待〕 kùdài 동〈文〉가혹하게 다루다.
〔酷法〕 kùfǎ 명〈文〉가혹한 법률.
〔酷寒〕 kùhán 명 혹한. 형〈文〉몹시 춥다.
〔酷好〕 kùhào 동〈文〉몹시 좋아하다. =〔酷嗜〕
〔酷克斯〕 kùkèsī 명 코크스(cokes). =〔焦炭〕〔焦

煤〕〔酷尔克斯〕
〔酷吏〕 kùlì 명 〈文〉 가혹한 관리. →〔暴bào吏〕
〔酷烈〕 kùliè 형 〈文〉 ①잔혹하다. 가열(苛烈)하다. 격렬하다. ②향기가 강하다.
〔酷虐〕 kùnüè 명형 〈文〉 잔혹(하다).
〔酷热〕 kùrè 명 혹서. 형 몹시 덥다.
〔酷嗜〕 kùshì 동 ⇨〔酷好〕
〔酷暑〕 kùshǔ 〈文〉 명 혹서. 형 더위가 심하다.
〔酷似〕 kùsì 동 〈文〉 흡사하다. 빼쏘다. =〔酷类〕
〔酷肖〕 kùxiào 동 〈文〉 얼굴이나 모양이 흡사하다〔꼭 닮다〕. ¶该商标～我们公司的商标; 그 상표는 우리 회사의 것과 매우 비슷하다.
〔酷刑〕 kùxíng 명 잔학한 형벌. 혹형.

KUA ㄎㄨㄚ

夸(誇) kuā (과) ① 동 자랑하다. 젠체하다. 자만하다. ② 동 과장해서 말하다. 허풍떨다. ¶～得比天还大; 크게 허풍을 떨다. ③ 동 칭찬하다. ¶～他做得好; 그가〔그를〕 잘 했다고 칭찬하다. ④ 형 크다. ⑤ 동 이쪽에서 저쪽으로 걸치다. =〔跨kuà②〕 ⑥ 형 아름답다. ⑦ 명 성(姓)의 하나.
〔夸大〕 kuādà 동 ①과장하다. 과대하다. 크게 대포를 놓다. ¶～成绩; 성적을 과장하다 / ～其词地说; (말을) 과장하다. 허풍을 치다. ②거만 피우다.
〔夸大其词〕 kuā dà qí cí 〈成〉 말을 과장하다. 허풍을 치다.
〔夸大喜功〕 kuā dà xǐ gōng 〈成〉 사실을 어마어마하게 말하다. 허풍을 떨며 만족해하다. ¶有些军人常常好hào～; 군인 중에는 곧잘 전공을 과시하는 자가 있다.
〔夸诞〕 kuādàn 형 〈文〉 과장되며 엉터리다.
〔夸多斗靡〕 kuā duō dòu mǐ 〈成〉 지식이 풍부하다는 것을 자랑하다.
〔夸父追日〕 kuā fù zhuī rì 〈成〉 '夸父'가 태양을 좇다《신화의 인물 과부(誇父)가 태양을 쫓아가다가 목이 말라 황허(黃河) · 웨이수이(渭水)의 물을 전부 마시고도 모자라서 결국은 죽었다는 뜻》. ㉠대업(大業)이 마침내 성공하지 못한 일. ㉡분수를 모름. ㉢큰 뜻을 품음.
〔夸富〕 kuāfù 동 돈이 있는 체하다. 돈이 있다고 자랑하여 허세를 부리다.
〔夸功〕 kuāgōng 동 공로를 자랑하다.
〔夸海口〕 kuā hǎikǒu 허풍을 떨다. 큰소리치다. 떠벌리다. ¶我们可以看到他们在科学方面曾经夸下海口; 우리는 그들이 과학 방면에서 이제까지 허풍을 떨고 있었음을 알 수 있다. →〔夸口〕〔夸下海口〕〔海口②〕
〔夸好〕 kuāhǎo 동 칭찬하다.
〔夸奖〕 kuājiǎng〔kuājiang〕 동 굉장히 칭찬하다. 명 칭찬을 받고 황송할 때의 말. ¶～～! 과찬이십니다!
〔夸将〕 kuājiàng 명 《劇》 창 시합이 끝난 다음, 쌍방이 마주 보고 으쓱거리며 엄지손가락을 내밀어 상대의 무예를 칭찬하는 연기.
〔夸姣〕 kuājiāo 형 〈文〉 아름답고 애교가 있는 모양.
〔夸克〕 kuākè 명 《物》 〈音〉 쿼크(quark). =〔层子〕
〔夸口〕 kuā,kǒu 동 대포를 놓다. =〔夸嘴〕〔说大话〕
〔夸夸其谈〕 kuā kuā qí tán 〈成〉 큰소리치다. 허풍 떨다. 공론(空論)뿐이고 알맹이가 없는 말을 하다. ¶作文章, 则～的一大篇; 문장을 지으면, 호언장담하는 일대 장편이 된다.
〔夸卖〕 kuāmài 동 물건을 소리쳐 자랑하며 팔다. ¶使出～的本领来; 물건을 소리쳐 자랑하며 파는 수완을 발휘하다.
〔夸漫〕 kuāmàn 동 뽐내어 자랑하다.
〔夸能〕 kuānéng 동 재능을 자랑하다.
〔夸毗〕 kuāpí 동 〈文〉 비굴하여 남이 하라는 대로 하다. ¶～子; 비굴하게 남에게 굽신거리는 사람.
〔夸人〕 kuārén 명 허풍선이. 떠버리.
〔夸容〕 kuāróng 명 〈文〉 훌륭한 모습.
〔夸示〕 kuāshì 동 과시하다.
〔夸饰〕 kuāshì 동 〈文〉 지나치게 꾸미다. 과도하게 묘사하다.
〔夸说〕 kuāshuō 동 ①지나치게 칭찬하다. ②자랑하며 말하다.
〔夸脱〕 kuātuō 명 《度》 〈音〉 쿼트(quart)《1갤런의 1/4》. =〔夸尔〕
〔夸下海口〕 kuāxià hǎikǒu ⇨〔夸海口〕
〔夸羡〕 kuāxiàn 동 칭찬하고 부러워하다.
〔夸诩〕 kuāxǔ 동 〈文〉 큰소리치다. 호언(豪言)하다.
〔夸扬〕 kuāyáng 동 고언(高言)하다. 큰소리치다.
〔夸耀〕 kuāyào 동 〈貶〉 자랑하다. 뽐내다. ¶～于人; 남에게 자랑하다 / 这人喜欢～自己; 이 사람은 자기를 자랑하는 것을 좋아한다.
〔夸赞〕 kuāzàn 동 칭찬하다.
〔夸张〕 kuāzhāng 동 과장하다. ¶我说的都是事实, 没有一点儿～; 내가 말한 것은 모두 사실이고 약간의 과장도 없다. 명 《言》 (수사학(修辭學)의) 과장.
〔夸嘴〕 kuā,zuǐ 동 〈口〉 허풍을 떨다. 대포 놓다. 자만하다. ¶～的大夫没好药; 〈諺〉 자만하는 의사에게는 좋은 약〔처방〕이 없다. =〔夸口〕

姱 kuā (과) 형 〈文〉 아름답다. 곱다. ¶～容 =〔～姿zī〕; 미모 / ～名; 미명.

侉〈咵〉 kuǎ (과) 형 〈方〉 ①(튼튼하고) 크다. 투박하게 크다. ¶几年不见, 长成一个～大个儿; 몇 해 못 만난 동안에 장성했다 / 这个箱子太～了, 携带不便; 이 상자는 너무 커서 휴대하기가 불편하다. ②(발음 · 억양 따위가) 부정확하다. (말씨가) 촌티나다. 사투리가 있다《특히, 말씨가 제 고장 말씨가 아니거나 귀에 거슬릴 때 비웃는 말》. ¶他说话有点～; 그의 말에는 사투리가 좀 있다. ③투박하다. 촌스럽다. ¶～姑娘 =〔～丫yā头〕; 시골 처녀. 촌색시. →〔怯qiè②〕
〔侉老鸦〕 kuǎlǎoyā 명 《鳥》 갈가마귀.
〔侉模侉样〕 kuǎmú kuǎyàng 명 촌스러운 얼굴이나 모습.
〔侉气〕 kuǎqì 형 촌스럽다. 세련되지 못하다.
〔侉声侉气〕 kuǎshēng kuǎqì 명 촌스러운 말이나 태도.
〔侉子〕 kuǎzi 명 〈轉〉 촌뜨기. 촌놈. 사투리를 쓰는 사람《베이징(北京) 사람이 산둥(山東) 사람을 또는 남방 사람이 북방 사람을 말함》.

垮 kuǎ (과) 동 ①붕괴하다. 못 쓰게 되다. 무너져 내려앉다. ¶打～; 해치우다 / 搞gǎo～; 그르치다. 망치다. 무너뜨리다 / 那家公司～了; 저 회사는 망했다 / 身体累～了; 피로하여 몸을 망가뜨리다 / 这堵墙要～了; 이 담은 무너지려고 한다. ② 실패하다.
〔垮不了〕 kuǎbuliǎo 실패할 리가 없다. ¶计划性强, 事情就～; 계획성이 충분하다면 일은 실패할 리가 없다.
〔垮架〕 kuǎ.jià 동 ①무너지다. 도괴(倒壞)하다. 붕괴하다. ②일이 틀어지다.
〔垮散〕 kuǎsàn 동 무너지다. 붕괴하다. ¶军队～了; 군대가 붕괴했다.
〔垮塌〕 kuǎtā 동 ①붕괴하다. ②(조직 등이) 와해하다. 붕괴하다.
〔垮台〕 kuǎ.tái 동 (사업 또는 단체가) 와해·해산되다. 거꾸러지다. 실패로 돌아가다. 붕괴하다. ¶这个政府迟早是要～的; 이 정부는 조만간 붕괴할 것이다 / 法国内阁又～了; 프랑스 내각이 또 와해했다.

挎 **kuà** (고)
동 ①팔에 걸다. ¶胳膊上～着篮子; 팔에 바구니를 걸어 끼고 있다. ②물건을 허리나 어깨〔목〕에 지니고 있다. ¶腰里～了一把大刀; 허리에 큰 칼을 차고 있다 / ～枪; 총을 어깨에 걸다 / ～着照相机; 사진기를 메고 있다. ③팔과 팔을 서로 끼다. ¶两个人～着胳臂走; 두 사람이 팔짱을 끼고 걷다. ⇒kū
〔挎包(儿)〕 kuàbāo(r) 명 ①어깨에 메는 가방. 숄더 백《서류를 넣는》. ②군대의 잡낭.
〔挎袋〕 kuàdài 명 어깨에 메는 자루. 숄더 백.
〔挎篮(儿)〕 kuàlán(r) 명 어깨에 메는 바구니.
〔挎盘子的〕 kuàpánzide 명 끈으로 목에서 팔 앞에 걸어서 맨 그릇에 상품을 늘어놓고 팔러 다니는 사람.

胯 **kuà** (과)
①명 사타구니. 샅. ¶伸shēn腰拉～; 허리를 펴거나 가랑이를 벌리거나 하다. ②동 팔에 걸다. ③동 치다. ‖ =〔骻kuà〕
〔胯裆儿〕 kuàdāngr 명 바지의 샅. =〔胯步裆〕〔裆〕
〔胯股〕 kuàgǔ 명 샅. 사타구니.
〔胯骨〕 kuàgǔ〔kuàgu〕 명《生》〈俗〉 관골(髖骨). 무명골(無名骨). 허리뼈. ¶～臼; 관골구 / ～轴儿; ⓐ허리의 관절. ⓑ관계가 먼 사람 / 扭～轴儿; 엉덩이를 흔들다 / ～轴儿的亲戚; 먼 친척. =〔髀骨bìgǔ〕
〔胯下〕 kuàxià 명 가랑이 밑. 사타구니 밑. ¶～之辱; 〈成〉 남의 가랑이 밑을 기어가는 치욕《한신(韓信)의 고사》.

跨 **kuà** (과)
동 ①(가랑이를 벌리고) 건너다. 넘어 건너다. 큰 걸음으로 걷다. ¶～海; 바다를 건너다 / ～进; ⇓ / 向左～一步; 왼쪽으로 한 걸음 크게 내디뎠다. ②(2개의 점에) 걸치다. ¶～两省; 두 성(省)에 걸치다 / ～年度; 연도에 걸치다 / 地～欧亚两洲; 지역이 유럽·아시아 두 주에 걸쳐 있다. ③두 다리를 벌리고 걸터타다. ¶～在马上; 말에 올라타다 / ～着门槛站着; 문턱을 걸쳐서 있다. ④앞으로 마구 전진하다. ⑤옆에 다붙어 있다. 인접해 있다. ⑥첨가(添加)하다. 양다리 걸치다. 겸업하다. ¶旁边还另外～着一行小字; 옆에 따로 작은 글자가 한 줄 첨부되어 있다 / 另外还～着一个工作; 그 밖에도 또 하나 일을 겸해하고 있다. ⑦팔에 걸다. =〔挎kuà①〕
〔跨边儿〕 kuà.biānr 동 의자 따위의 옆쪽에 기대다〔앉다〕. ¶跨半边儿椅子; 의자 끝에 반쯤 엉덩이를 걸쳐서 앉다.
〔跨步电压〕 kuàbù diànyā 명《電》 접지 전압(接地電壓).
〔跨部门〕 kuà bùmén 다른 부문에 걸쳐 있다.
〔跨长江〕 kuà chángjiāng 양쯔 강(揚子江)을 건너다〔횡단하다〕.
〔跨车儿〕 kuàchēr 명 일륜(一輪) 손수레.
〔跨乘〕 kuàchéng 동 걸터타다. 올라타다.
〔跨大步〕 kuà dàbù ①성큼성큼 걷다. ②〈轉〉 일을 서두르다.
〔跨党〕 kuàdǎng 동 한 사람이 둘 이상의 당적(黨籍)을 가지다.
〔跨刀〕 kuà.dāo 동 ①칼을 겨드랑이에 끼다〔허리에 차다〕. ②〈轉〉 연극에서, 배우가 다른 배우의 조연 역할을 하다.
〔跨斗〕 kuàdǒu 명 사이드카식 차(車).
〔跨度〕 kuàdù 명《建》 지주(支柱)와 지주 사이의 거리. 경간(徑間).
〔跨跪〕 kuàguì 동 말 탄 것처럼 양다리를 걸터앉다.
〔跨国公司〕 kuàguó gōngsī《經》 다국적(多國籍) 기업. =〔跨国企业〕〔超国家公司〕〔多duō国公司〕
〔跨过〕 kuàguò 동 넘어가다. 타고 넘다. ¶～了几种不同的社会制度; 다른 몇 가지 사회 제도를 거쳤다.
〔跨行〕 kuàháng 동 다른 업종에 양다리 걸치다. ¶～商品; 다른 업종에 걸치는 상품 / ～业; 몇 가지 업종에 걸치다.
〔跨河线〕 kuàhéxiàn 명 강 위를 건너지르는 전선(電線).
〔跨鹤〕 kuàhè 동 학에 올라타다. 〈比〉 선인(仙人)이 되다. ¶～西归; 〈成〉 사망하다.
〔跨进〕 kuàjìn 동 ①발을 들여놓다. ¶～了原子时代; 원자 시대에 들어갔다. ②약진(躍進)하다. ¶～了一步; 일보 약진했다.
〔跨考〕 kuàkǎo 동 ①호적(戶籍)을 속이고 두 군데의 시험을 치다. ②양다리를 걸치고 시험을 치다.
〔跨栏〕 kuàlán《體》 명 허들 경기. ¶～赛跑; 허들 레이스 / ～接力; 허들 릴레이. (kuà.lán) 동 허들을 넘다. 허들 경기를 하다.
〔跨路桥〕 kuàlùqiáo 명 길이나 선로를 가로질러 놓인 다리.
〔跨轮〕 kuàlún 명 ⇨〔背bèi轮〕
〔跨马〕 kuàmǎ 동 말을 타다. →〔骗piàn马〕
〔跨名儿〕 kuàmíngr 동 이름만 걸어 놓다. →〔挂guà名(儿)③〕
〔跨年度〕 kuà niándù ①두 해에 걸치다. ②(kuàniándù) 형 연도(年度)에 걸치는. ¶～工程; 두 해에 걸치는 공정.
〔跨区供应〕 kuàqū gōngyìng 명 타구간(他區間) 공급.
〔跨所儿〕 kuàsuǒr 명 (주택의) 별채.
〔跨线桥〕 kuàxiànqiáo 명《建》 과선교.
〔跨院(儿)〕 kuàyuàn(r) 명 옆마당《저택의 뒤쪽 또는 '厢房'과 '正房'의 공지(空地)》.
〔跨越〕 kuàyuè 동 (지구(地區)나 시기(時期)를) 넘다. 뛰어넘다.
〔跨灶〕 kuàzào 동 〈比〉 자식이 아비보다 낫다《'釜fǔ'를 거는 부뚜막을 뛰어넘다. 즉 '父fù'를 뛰어넘다》.
〔跨子车〕 kuàzichē 명 사이드카(sidecar).
〔跨子船〕 kuàzichuán 명 지붕이 있는 작은 객선(客船).

KUAI ㄎㄨㄞ

擓(㧟) **kuǎi** (괴) 동 〈方〉 ①손톱으로 긁다. 할퀴다. ¶～痒痒(儿)yǎngyang(r); 가려운 데를 긁다 / ～哧chi; 박박 긁다 / ～破了皮肤; 피부를 긁어 상처가 났다. ②(팔·어깨에) 걸다. 걸치다. ¶～着篮子; 바구니를 팔〔어깨〕에 메다. =〔挎kuà①〕 ③뜨다. 푸다. ¶～一碗凉水; 물을 한 그릇 푸다. =〔舀yǎo①〕

蒯 **kuǎi** (괴) 명 ①《植》 황모(黃茅). ②성(姓)의 하나.

〔蒯草〕 kuǎicǎo 명 《植》 괴초. 황모《수초(水草)의 일종으로 자리를 만드는 데 쓰임》.

凷 **kuài** (괴) 명 〈文〉 흙덩이.

会(會) **kuài** (회) 동 계산하다. 통계하다. 명 통계. 회계. ⇒guì huì

〔会计〕 kuàijì〔kuàiji〕 동 출납을 계산하다. 명 ①회계(업무). ¶～年度; 회계 연도 / ～制度; 회계 제도 / ～室; 회계실. ②회계원. ¶～师; 회계사 / 高级～师; 공인 회계사 / 助理～师; 회계 조수. 수습 회계사.

侩(儈) **kuài** (쾌) 명 ①옛날, 중개인. 거간. 브로커. ¶市～; ⓐ중간 상인. ⓑ〈轉〉 악덕 상인. =〔牙侩〕〔牙子〕 ②대행자.

郐(鄶) **Kuài** (회) 명 ①춘추 시대에, 지금의 허난 성(河南省) 미 현(密縣) 근방에 있었던 작은 나라 이름. ②성(姓)의 하나.

浍(澮) **kuài** (회) 명 〈文〉 논밭의 도랑. =〔浍渠〕〔沟浍〕〔田浍〕 ⇒Huì

哙(噲) **kuài** (쾌) ①동 〈文〉 삼키다. 마시다. ②명 목. ③형 유쾌하다. =〔快⑥〕 ④인명용 자(子). ¶樊～Fánkuài; 번쾌(樊噲)《전한(前漢)의 무장(武將)》 / ～伍; ⓐ번쾌(樊噲) 같은 (하찮은) 패거리. ⓑ속인(俗人)《한(漢)의 한신(韓信)이 한 말》. ⑤명 성(姓)의 하나.

狯(獪) **kuài** (쾌, 회) 형 교활하다. ¶狡～; 교활하다.

脍(膾) **kuài** (회) 〈文〉 ①명 생선회. 잘게 썬 고기. ¶～炙人口; ⇓ ②명 녹말을 넣고 국물을 많게 만든 요리. ¶～什件儿; 여러 가지 재료를 섞어 녹말을 넣고 끓인 요리. ③동 (고기·생선살을) 얇게 썰다. 회치다. ¶～鲤; 잉어회.

〔脍炙人口〕 kuài zhì rén kǒu 〈成〉 인구에 회자하다. 좋은 시문(詩文)이나 사물이 널리 사람의 입에 오르내리다. ¶白居易的《琵琶行》是一篇～的作品; 백낙천의 《琵琶行》은 인구에 회자하는 작품이다.

鲙(鱠) **kuài** (회) 명 《魚》 준치. =〔鲙鱼yú〕〔快鱼〕〔鳓lè鱼〕〔白鳞lín鱼〕

快 **kuài** (쾌) ①형 (동작·속도가) 빠르다. ¶日子过得真～; 날 가는 것이 참 빠르기도 하구나 / 这个表～一点儿; 이 시계는 조금 빠르다 / 他进步很～; 그는 진보가 매우 빠르다 / 你走得太～, 我跟不上; 네 걸음이 너무 빨라서, 내가 따라잡을 수 없다. ↔〔慢①〕 →〔速①〕 ②부 빨리. 어서. ¶你～来; 빨리 오너라 / ～上学吧! 빨리 학교에 가거라! / ～上车吧; 빨리 차에 타라 / ～跟我走! 빨리 나를 따라와라! ③부 머지않아. 곧. 얼마 안 있어《'了'가 문말(文末)에 옴》. ¶～要开车了; 곧 발차한다 / 火车～到了; 기차가 곧 도착한다 / ～完了; 이제 곧 끝난다 / 我来这儿～两年了; 내가 이 곳에 온 지 머지않아 2년이 된다 / 天～黑的时候他才回来; 날이 어두워지려 할 때서야 그는 집으로 돌아갔다. ④형 영민하다. 예민하다. 영리하다. 약삭빠르다. ¶他脑子～, 理解力很强; 그는 머리가 영리해서 이해력이 매우 좋다. ⑤형 예리하다. 칼 따위가 잘 들다. ¶这把刀子很～; 이 칼은 잘 든다. ↔〔钝dùn①〕 ⑥형 기분 좋다. 즐겁다. 후련하다. 상쾌하다. ¶精神不～; 기분이 유쾌하지 않다 / 身体不～; 몸이 불편하다 / ～感; ⇓ / 拍手称～; 손뼉을 치고 쾌재를 부르다 / 痛～; 통쾌하다 / 凉～; 시원하다 / 这人真爽～; 이 사람은 참 시원스럽다. ⑦동 기쁘게 하다. 즐겁게 하다. ¶大～人心; 남의 마음을 아주 유쾌하게 만들다. ⑧형 (성격이) 시원스럽다. 솔직하다. ¶心直口～; 성격이 시원스러워서 생각한 것을 기탄없이 말하다 / ～人～语; 〈成〉 시원스러운 사람의 시원스러운 말. 시원스러운 사람은 분명한 말을 한다. ⑨형 상품의 회전이 빠르다. 상품이 잘 나가다.

〔快把〕 kuàibǎ 명 《紡》〈廣〉 인조 섬유. 인조견. ¶～纱 =〔木制纱〕; 인조 견사 / ～板; 경화(硬化) 또는 황화(黃化) 섬유판.

〔快班〕 kuàibān 명 ①옛날, 포졸(捕卒). =〔快役〕〔马mǎ快(班)〕 ②(수업의 진도가) 빠른 반.

〔快板配合〕 kuàibǎn pèihé 명 《體》 (핸드볼의) 스카이 플레이.

〔快板(儿)〕 kuàibǎn(r) 명 ①캐스터네츠처럼 생긴 대나무판(板)으로 박자를 맞추고, 대사(臺辭)와 노래를 섞은 민간 예능. ②《劇》 반주 음악의 빠른 가락. 빠른 템포《이 밖에 '流水板'('板' 뿐이고 느린 장단)·'慢板'·'板眼①' 등의 가락이 있음》. ‖ =〔快书〕

〔快报〕 kuàibào 명 ①신문 호외(號外). 속보《벽신문 등》. ②지급 통지(至急通知).

〔快步〕 kuàibù 명 ①(교련의) 속보(速步). 빠른 걸음. ¶～走! 속보 앞으로 가! / ～地向前迈mài进; 속보로 앞을 향해 돌진하다 / ～流星 =〔大dà步流星〕; 〈比〉 성큼성큼 빨리 걷다. →〔跑pǎo步①〕 ②마술(馬術)의 속보. 트롯(trot). →〔慢màn步〕〔袭xí步〕

〔快餐〕 kuàicān 명 즉석 요리. ¶～食品; 인스턴트 식품·경식(輕食) 따위 / ～部; 간단한 요리나 국수류를 파는 식당의 창구(窓口) / ～厅 =〔～馆〕; 패스트 푸드(fast food) 식당. 즉석 음식점.

〔快差〕 kuàichāi 명 옛날, 급사(急使). 파발꾼.

〔快车〕 kuàichē 명 급행 열차〔버스〕. ¶～票piào; 급행권 / ～道; ⓐ고속 도로. ⓑ앞지르기 차선(車線) / 特别～; 특별 급행열차. =〔急行(车)〕 ↔〔慢màn车〕

〔快当〕 kuàidang 형 신속하다. 민첩하다. ¶牛跑起来没有马～; 소가 뛰어도 말처럼 빠르지는 않

다/没想到你这么～就写好了; 네가 이렇게 척척 빨리 쓸 줄은 예상도 못했다.
〔快当当〕 kuàidāngdāng 형 잽싼 모양(『快当』의 중첩형(重疊形)). ¶～地做; 척척〔빨랑빨랑〕 해내다.
〔快刀〕 kuàidāo 명 잘 드는 칼. ¶～斩乱麻; 〈成〉 곤란〔혼란〕한 일을 보기 좋게 처리하다/～切豆腐; 〈歇〉 잘 드는 칼로 두부를 자르다(『四面光』(절단된 4면이 모두 매끄럽다. 곧, 누구와도 원만히 지내다)의 뜻).
〔快递〕 kuàidì 명 속달(速達). ¶～费; 속달 요금/～信件 =〔～邮件〕; 속달 우편.
〔快电〕 kuàidiàn 명 지급 전보. ¶打～通知; 지급 전보를 쳐서 알리다.
〔快靛〕 kuàidiàn 명 《染》 인디고 블루(Indigo blue). 남빛.
〔快干〕 kuàigān 형 속건성의.
〔快干磁漆〕 kuàigān cíqī 명 속건성 에나멜.
〔快感〕 kuàigǎn 명 좋은 느낌. 쾌감.
〔快攻〕 kuàigōng 명동 《體》 속공(速攻)(하다).
〔快果〕 kuàiguǒ 명 『梨子』(배)의 별칭.
〔快喝酒〕 kuài hējiǔ ①빨리 술을 마시다. ②→〔划huá拳②〕
〔快货〕 kuàihuò 명 잘 팔리는 상품.
〔快活〕 kuàihuo 형 즐겁다. 쾌활하다. ¶～地笑; 명랑하게 웃다/～的人; 쾌활한 사람/～汤; 〈比〉 술의 별칭/～酒; 즐거운〔맛 좋은〕 술. 동 즐겁게 살다. ¶～一辈子; 일생을 즐겁게 살다.
〔快将〕 kuàijiāng 부 머지않아. 이윽고. 곧. ¶暑假～到来; 여름 휴가가 곧 다가온다.
〔快捷〕 kuàijié 형 재빠르다. 날래다.
〔快镜〕 kuàijìng 명 소형 카메라의 별칭. ¶～照片; 스냅 사진.
〔快客〕 kuàikè 명 관내(管內) 급행 (열차)(같은 철도국 관내를 운행하는 급행 열차). →〔直zhí快〕
〔快口〕 kuàikǒu 형 말투가 시원스럽다. 명 ⇨〔快嘴〕
〔快快(儿)〕 kuàikuài(r) 부 대지급으로. 아주 빨리(민첩하고 신속한 모양).
〔快快当当(儿)〕 kuàikuaidāngdāng(r) 형 척척. ¶～地做; 척척 해내다.
〔快览〕 kuàilǎn 명 편람. ¶日用～; 일용 편람.
〔快乐〕 kuàilè 명 즐거움. 쾌락.
〔快乐〕 kuàile 형 즐겁다. ¶～的家庭; 즐거운 가정/～地过日子; 즐겁게 지내다〔살다〕.
〔快利〕 kuàilì 형 ①날카롭다. (칼이) 잘 들다. ②재빠르다.
〔快里马撒〕 kuàili mǎsā 〈方〉 (동작이) 매우 빠르다. 기민(機敏)하다.
〔快溜〕 kuàiliū 형 재빠르다. 기민하다.
〔快溜溜地〕 kuàiliūliūde 부 척척. 빨랑빨랑. ¶有了事, 要～做; 볼일이 있으면 빨랑빨랑 해야 한다. =〔快溜儿〕
〔快轮〕 kuàilún 명 ①쾌속선. 기선. ②활차(滑車).
〔快马〕 kuàimǎ 명 준마(駿馬). 빠른 말. ¶～一鞭; 〈成〉 준마는 채찍질 한 번이면 족하다. 재능 있는 자가 손쉽게 해치움. 즉각 솜씨를 발휘함.
〔快马加鞭〕 kuài mǎ jiā biān 〈成〉 준마에 채찍질하다. 속도를 더욱 증가시키다. 단호하게 일을 처리하고 물러나지 않다.
〔快马儿〕 kuàimǎr 명 옛날, 민간의 속신으로, 아이가 밤중에 울거나 경기를 일으키거나 했을 때 사다가 태우면 그 병이 낫는다고 하는 신상(神像)을 그린 그림.
〔快慢(儿)〕 kuàimàn(r) 명 빠르기. 속도. ¶这条轮船的～怎么样? 이 배의 속도는 어느 정도인가요? =〔速度〕
〔快忙〕 kuàimáng 부 다그쳐서. 서둘러서. ¶～去; 급히 가다. 서둘러 가다.
〔快门〕 kuàimén 명 (사진기의) 셔터. ¶按～; 셔터를 누르다/～纽; 케이블 릴리즈(사진기의 셔터를 누르는 보조 기구). =〔开关②〕
〔快男子〕 kuàinánzǐ 명 쾌남. →〔好hǎo汉〕
〔快拍〕 kuàipāi 명 (사진의) 스냅(snap). =〔快相〕〔快照〕
〔快跑〕 kuàipǎo 동 빨리 달리다〔달아나다〕. 명동 (말의) 갤럽〔구보〕(로 달리다). →〔跑步〕〔小xiǎo跑〕
〔快炮〕 kuài pào 명 속사포(速射砲). =〔连珠炮〕〔速射炮〕
〔快票〕 kuàipiào 명 급행권.
〔快枪〕 kuàiqiāng 명 ①연발총(連發銃). =〔连环枪〕〔连珠枪〕 ②《劇》 무대에서 창으로 싸우는 장면의 하나로, 승부를 분명히 내는 것.
〔快人〕 kuàirén 명 〈文〉 쾌활한 사람. 시원시원한 사람. ¶～快语; 쾌활한 사람은 시원스럽게 말한다/～做快事; 시원스러운 사람은 일을 척척 해치운다.
〔快人心〕 kuài rénxīn 사람을 기쁘게 하다. 통쾌하게 만들다.
〔快上〕 kuàishàng 동 ①앞으로 나아가다. ②(차를) 빨리 타다. ③빨리 시작하다.
〔快食面(条)〕 kuàishímiàn(tiáo) 명 ⇨〔方fāng便面(条)〕
〔快驶〕 kuàishǐ 동 (배·수레 따위가) 질주하다.
〔快事〕 kuàishì 명 유쾌〔통쾌〕한 일.
〔快适〕 kuàishì 형 쾌적하다.
〔快手(儿)〕 kuàishǒu(r) 명 (일을 하는 데) 재빠른 사람. 형 재빠르다. ¶～快脚; 재빠른〔민첩한〕 모양.
〔快书〕 kuàishū 명 ⇨〔快板〕
〔快熟粉〕 kuàishúfěn 명 고무 가황(加黃) 촉진제. =〔橡xiàng胶硫化促进剂〕
〔快速〕 kuàisù 형 신속한. 속도가 빠른. 쾌속의. ¶～照相机; 고속 카메라. 폴라로이드 카메라/～切削法; 고속 절삭법/～钢; 하이스피드 스틸/～球; 스피드 볼/～行军; 강(強)행군.
〔快速车床〕 kuàisù chēchuáng 명 ⇨〔高gāo速车床〕
〔快速降下〕 kuàisù jiàngxià 명 《體》 (스키 알파인 종목의) 활강. 다운힐. →〔高gāo山滑雪〕
〔快速溜冰〕 kuàisù liūbīng 명 《體》 스피드 스케이팅. =〔速度滑冰〕〔速滑〕
〔快速移动〕 kuàisù yídòng 명 《工》 쾌속 횡단(공작 기계의 커터대(臺)가 신속히 움직여 시간을 단축하는 기술).
〔快艇〕 kuàitǐng 명 ①커터(cutter). 모터보트. =〔汽艇〕 ②요트. ¶～比赛 =〔～竞赛〕; 요트 경기/驾～; 요트를 타다. ③〈簡〉 『鱼雷～』(쾌속 어뢰정)의 약칭.
〔快腿〕 kuàituǐ 명 ①빠른 발. ②발이 빠른 사람.
〔快慰〕 kuàiwèi 형 즐겁다. 즐겁고 마음이 누그러지다. 마음이 놓이다. 위안이 되다. 마음이 편하다. ¶现出了～的笑容; 마음이 놓인 듯한 웃음을 띠었다/第一～的事; 가장 즐거운 일.
〔快相〕 kuàixiàng 명 ⇨〔快拍〕

〔快像〕 kuàixiàng 명 ①스냅 사진. ②속성 사진(단시간 내에 완성되는 사진). ‖＝〔快相〕
〔快心〕 kuàixīn 명 좋은 기분. 상쾌함.
〔快信〕 kuàixìn 명 속달 우편. ＝〔快递信件〕〔快递邮件〕〔快邮〕
〔快行〕 kuàixíng 동 시원시원하게 하다. ¶他做事～; 그의 일솜씨는 시원시원하다.
〔快行路〕 kuàixínglù 명 쾌속 차선(車線).
〔快性〕 kuàixing 명형 시원시원한 성격(의). ¶他是个～人, 只要是能办的事绝不会推三阻四的; 그는 소탈한 인간이다. 할 수 있는 일이기만 하면 절대로 이리저리 구실을 대어 거절하거나 하지는 않는다 / 他倒～, 不摸索; 그는 제법 빠릿빠릿해서 꾸물거리지 않는다.
〔快婿〕 kuàixù 명 ⇨〔佳jiā婿〕
〔快靴〕 kuàixuē 명 창이 얇고 옆부분이 부드러운 중국 신발.
〔快要〕 kuàiyào 부 (문말(文末)에 '了'를 놓고) 이제 곧〔머지않아〕…하다. ¶～到元旦了; 이제 곧 설이 된다. ＝〔就要〕 注$_1$ '就要'와 똑같이 쓰이나 절박한 느낌이 강하다. 다만, '一分钟以后就要开身了'(1분 후에 곧 발차합니다)와 같이 시간을 나타낼 때는 '～'를 쓸 수 없음. 注$_2$ 관형어에 쓰이며, '的'을 놓을 때는 문말(文末)의 '了'를 뺌.
〔快役〕 kuàiyì 명 ⇨〔快班①〕
〔快意〕 kuàiyì 형 ①유쾌하다. 즐겁다. 기분이 좋다. ¶微风吹来, 感到十分～; 산들바람이 불어와서 매우 상쾌하다. ②만족하다. ¶～当前; 한때의 만족에 흡족하다.
〔快硬水泥〕 kuàiyìng shuǐní 명〘建〙속건성 시멘트.
〔快邮〕 kuàiyóu 명 ⇨〔快信〕 동 속달로 부치다.
〔快鱼〕 kuàiyú 명〘魚〙준치. ＝〔鲙鱼〕
〔快燥〕 kuàizào 형〈南方〉빠르다. 빨리. ¶～点起来; 빨리 일어나라.
〔快照〕 kuàizhào 명 스냅(snap). ＝〔快相〕〔快拍〕 동 스냅 촬영하다.
〔快中子〕 kuàizhōngzǐ 명〘物〙고속(高速) 중성자.
〔快足〕 kuàizú 형 걸음이 빠르다. 명 잰걸음.
〔快嘴〕 kuàizuǐ 명 입이 가벼운 사람. ¶～快舌; 수다스럽다. 입이 가볍다. ＝〔快口〕

块(塊) kuài (괴)

①(～儿) 명 덩어리. 조각. 덩이 모양의 (것). ¶石shí头～; 돌덩이 / 糖táng～; ⓐ설탕 덩어리. ⓑ엿 덩어리 / 方fāng～; 네모진 덩이 / 煤méi～; 괴탄(塊炭) / 这儿一～那儿一～地, 满mǎn街都是马屎堆; 여기 한 덩이 저기 한 덩이, 거리가 온통 말똥투성이다. ②〈方〉(～儿) 명 곳. 장소. ¶这～儿; 이 곳. 여기 / 哪～儿; 어디. ③양 ㉠덩이진 물건을 세는 말. ¶一～肥皂; 비누 한 개 / 一～肉ròu; 고기 한 덩이 / 一～砖头; 벽돌 한 조각 / 碗碰pèng了一～; 찻잔의 한 곳에 이가 빠졌다. ㉡일정한 넓이로 한정된 땅·장소·천·그릇 따위에 쓰이는 말. ¶那(一)～山地; 저 산지 / 一～纸; 한 장의 종이 / 一～地; 일정한 넓이의 땅 / 这～倒霉的地方; 이 시시하고 멋없는 고장 / 袖子上沾了一～油; 소매에 기름이 묻었다 / 一～布; 한 조각의 천 / 一～盘子; 하나의 큰 접시. ④양〈口〉화폐의 단위('元'·'圆'에 해당함). ¶一～钱; 1원(元). 1원(圓). ⑤함께(보통 '一～儿'로 쓰임). ¶和他一～儿看电影儿去了; 그와 함께 영화를 보러 갔다. ⑥〈方〉(～儿) 명 크고 튼튼한 몸. ¶你看人家那～, 一般人真比不了; 봐라. 저 덩치 큰 사나이는 보통 사람과 비교도 안 된다. ⑦명 (요리의) 뭉텅뭉텅 자른 토막.
〔块把钱〕 kuàibaqián 명 1원(元) 남짓(한 돈).
〔块根〕 kuàigēn 명〘植〙덩이뿌리.
〔块规〕 kuàiguī 명〘機〙블록 게이지(block gauge)(길이의 기준으로 공장 등에서 널리 쓰는 단도기(端度器)). ＝〔规矩块〕〔标准块规〕〔标准量规〕
〔块茎〕 kuàijīng 명〘植〙구경(球莖).
〔块垒〕 kuàilěi 명 마음 속에 뿌리 박힌 불평 불만. 쌓이는 근심. 없어지지 않는 고민. 마음의 응어리.
〔块料〕 kuàiliào 명 덩어리진 것.
〔块绿〕 kuàilǜ 명〘染〙결정(結晶) 그린. ¶盐基～; 결정 말라카이트 그린(malachite green).
〔块(儿)煤〕 kuài(r)méi 명 괴탄(塊炭).
〔块儿〕 kuàir 명 ①덩어리. 조각. ¶糖～; 눈깔사탕. ②〈方〉곳. 장소. ¶我在这～工作好几年了; 나는 이 곳에서 일을 한 지 벌써 몇 년이 되었다.
〔块儿八毛〕 kuàir bā máo 〈俗〉1원(元) 남짓(한 돈)(8'角'에서 1'元' 사이). ＝〔块儿八七〕
〔块儿糖〕 kuàirtáng 명 각사탕. ＝〔方糖〕
〔块然〕 kuàirán 형 ①망연자실한 모양. 외딴 모양. ¶～一物; 외따로 한 개가 있다. ②머리가 둔한 모양. 우둔한 모양. ¶～无知; 우둔하고 무지하다. ③평안한 모양.
〔块头〕 kuàitóu 명〈方〉(사람의) 키. 덩치. ¶大～; 거한(巨漢) / 他～不大; 그의 몸집은 크지 않다. ＝〔个子〕
〔块状轫〕 kuàizhuàngrèn 명〘機〙블록 브레이크(block brake).
〔块状岩〕 kuàizhuàngyán 명〘鑛〙화성암.

筷 kuài (쾌)

(～子) 명 젓가락. ¶动dòng～; 식사하다 / 用～吃饭; 젓가락으로 밥을 먹다 / 请动～吧; 어서 드세요 / 火～子; 부젓가락 / ～箱; 젓가락통(여러 벌을 넣고 식당에서 씀) / ～盒; 젓가락집(1인용) / 碗～; 공기와 젓가락. 식기류 / 竹～; 대나무 젓가락 / 一双～; 젓가락 한 벌. ＝〔〈文〉箸〕
〔筷桶儿〕 kuàitǒngr 명 젓가락꽂이.
〔筷子〕 kuàizi 명 젓가락(식사의 뜻으로 흔히 쓰임). ¶不动～; 젓가락을 대지 않다(먹고 싶은 생각이 없음) / 不撂～; 젓가락을 놓지 않다. 계속 먹다.

KUAN ㄎㄨㄢ

宽(寬) kuān (관)

①형 (폭·범위·장소·마음 따위가) 넓다. ¶道路倒很～; 길은 꽤나 넓다 / 他交往得很～; 그는 교제 범위가 넓다 / 眼界～; 시야가 넓다 / 期限定的～一点儿; 기한이 조금 느긋하다〔넉넉하다〕. ↔〔窄〕 ②명 폭. 넓이. ¶长乘～; 길이 곱하기 넓이 / 有多～; 폭은 얼마나 되나. 넓이는 어느 정도인가 / 这条河有一公里～; 이 강의 폭은 1km이다. ③형 느슨하다. 느슨하게 하다. 너그럽(게 하)다. 관대하다. 편하게 하다. ¶把心放～一点; 마음을 좀 편하게 가져라 / ～政zhèng; 관대한 정치 / ～备窄用 ＝

〔～打窄用〕; 〈成〉 듬뿍 준비하여 적게 쓰다. 많이 필요하지 않은데 많이 준비하다〔신청하다〕/ 对于这种小事看得很～; 이런 사소한 일에 대해서는 매우 관대하게 생각하다 / 往～里说; 대충 말하다 / 从～处chǔ理; 관대하게 처리하다. ④ 동 (기한을) 늦추다. 연기하다. ¶ ～展五天; 5일간 연기하다 / ～限两个月; 2개월 기한을 늦추다. ⑤ 동 (옷 따위를) 늦추다. 풀다. 벗다. ¶ 请把衣裳～～吧; 윗옷을 벗으십시오《편하시도록》/ ～衣解带; 옷을 벗고 허리띠를 풀다. ⑥ 동 풍족하다. 풍부하다. 넉넉하다. ¶ 农民手头比过去～多了; 농민의 주머니 사정이 이전보다 훨씬 좋아졌다. ↔〔紧jǐn⑨〕 ⑦ 동 금융(金融) 사정이 완화되다. ⑧ 명 성(姓)의 하나.

〔宽办〕 **kuānbàn** 동 관대하게 취급하다. 관대하게 처리〔처벌〕하다.

〔宽勃拉可膏〕 **kuānbólākě gāo** 명 《染》 케브라초 엑스(quebracho ex)《남미산의 옻나무과 식물인 케브라초로 만든 물감》.

〔宽畅〕 **kuānchàng** 형 (마음이) 편안하다. 시원하다. 후련하다. ¶ 胸怀～; 마음이 편안하다.

〔宽敞〕 **kuānchang** 형 장소가 널찍하다. ¶ 地方儿～; 장소가 넓다 / 这间房子～明亮; 이 방은 아주 널찍하고 밝다 / 还有再～点儿的屋子没有? 좀더 넓은 방은 없느냐? / 好像一座美丽～的宫殿; 마치 아름답고 널찍한 궁전 같다. =〔宽厂〕

〔宽绰〕 **kuānchuò** 형 (태도가) 여유가 있다. 온화하다. ¶ 听了他的话, 心里显着～多了; 그의 말을 들으니 마음이 편안하다.

〔宽绰〕 **kuānchuo** 형 ①풍족하다. 여유롭다. ¶ 手头儿不～; 수중에 여유가 없다 / 生活越来越～了; 생활이 나날이 넉넉해졌다. ②넓다. 여유가 있다. ¶ 他家有一个～的大客厅; 그의 집에는 널찍한 응접실이 있다.

〔宽打窄用〕 **kuān dǎ zhǎi yòng** 〈成〉 (예산·시간 등을) 여유 있게 잡아 놓고, 실행면에서는 절약하다《준비는 충분히 하고 쓰는 데는 검약함》.

〔宽大〕 **kuāndà** 형 ①(면적·용적(容積)이) 넓고 크다. ¶ ～的候车室; 넓은 대합실 / ～的上衣; 헐렁헐렁한 상의 / 这间房子整齐～; 이 방은 깔끔하고 넓다. ②관대하다. 너그럽다. ¶ ～处理; 관대하게 처리하다. 동 관대하게 취급하다. ¶ ～为怀; 남에게 관대하게 대함.

〔宽待〕 **kuāndài** 동 관대히 취급하다.

〔宽贷〕 **kuāndài** 동 너그러이 봐 주다.

〔宽度〕 **kuāndù** 명 ①(건조물의) 넓이. ②폭.

〔宽恩〕 **kuān'ēn** 명 관대한 배려. ¶ ～饶ráo恕; 자비심으로 용서하다. 동 용서해 주다. ¶ 求先生～吧! 선생님, 너그럽게 용서해 주십시오!

〔宽泛〕 **kuānfàn** 형 (뜻이) 광범위하다. 넓다. ¶ 这个词的涵义很～; 이 단어가 포함하는 뜻은 대단히 광범위하다.

〔宽房大屋〕 **kuānfáng dàwū** 광대한 건물《'宽大'와 '房屋'(가옥)의 합성어》.

〔宽放〕 **kuānfàng** 동 유예하다. ¶ ～期间; 유예기간.

〔宽幅〕 **kuānfú** 명 더블(double)폭. ¶ ～棉布; 더블폭의 무명 / ～布 =〔宽面布儿〕; 광폭(廣幅)의 옷감.

〔宽广〕 **kuānguǎng** 형 (면적·범위가) 넓다. ¶ ～的道路; 넓은 길 / 见识～; 견식이 넓다 / 面积～; 면적이 넓다 / ～的剧场; 널찍한 극장 / ～胸怀; 넓은 마음.

〔宽轨〕 **kuānguǐ** 명 광궤(廣軌). ¶ ～铁路; 광궤 철도. ↔〔狭轨〕

〔宽和〕 **kuānhé** 형 ①너글너글하다. 쩨쩨하지 않다. ②관대하다.

〔宽宏〕 **kuānhóng** 형 (도량이) 크다. ¶ ～大量 =〔宽洪大量〕〔宽海大量〕; 〈成〉 도량이 크다.

〔宽洪〕 **kuānhóng** 형 ①(목청이) 우렁차다. ¶ ～的歌声; 우렁찬 노랫소리. ②(도량이) 넓다. ¶ ～大量; 〈成〉 도량이 넓다.

〔宽厚〕 **kuānhòu** 형 ①(남에 대하여) 관대하고 융숭하다. 동정심이 있다. ②넓고 두텁다. ¶ ～结实的肩膀; 넓고 늠름한 어깨.

〔宽怀〕 **kuānhuái** 동 ①편안히 하다. 마음을 놓다. ②마음을 크게 가지다.

〔宽缓〕 **kuānhuǎn** 형 (행정(行政) 등이) 여유를 갖다. 성급하지 않다. ¶ 这一改订比原先～得多了; 이번 개정으로 이전보다 훨씬 여유로워졌다. 동 유예(猶豫)하다. 늦추다. ¶ 请再～几天吧; 수일간 더 유예해 주십시오.

〔宽假〕 **kuānjiǎ** 동 〈文〉 용서하다. 사정을 보아 주다.

〔宽解〕 **kuānjiě** 동 마음을 편하게 하다. 마음을 가라앉히다. ¶ 母亲生气的时候, 姐姐总能设法～; 어머니가 화를 낼 때는 언제나 언니가 방법을 강구해 마음을 가라앉혀 준다.

〔宽紧带〕 **kuānjǐndài** 명 양말 대님. 고무줄 넣은 테이프. =〔松紧带(儿)〕

〔宽旷〕 **kuānkuàng** 형 널찍하다. 광활하다.

〔宽阔〕 **kuānkuò** 형 ①폭이 넓다. 광대하다. ¶ ～平坦的林荫大道; 넓고 평탄한 가로수길. ②(옷이) 낙낙해서 편안하다. ③아량(雅量)이 있다. ¶ 胸怀～; 도량이 크다. ④(견해·마음이) 활달하다.

〔宽朗〕 **kuānlǎng** 형 너그럽고 명랑하다.

〔宽里下〕 **kuānlixia** 명 〈俗〉 ①넓이. ②폭.

〔宽谅〕 **kuānliàng** 동 양해하다. 용서하다. →〔原yuán谅①〕

〔宽量〕 **kuānliàng** 명 〈文〉 아량. 큰 도량.

〔宽垄密植〕 **kuānlǒng mìzhí** 《農》 두렁 사이를 넓게 잡고 밀식하다《다수확 재배법》.

〔宽眉大眼〕 **kuānméi dàyǎn** 짙은 눈썹에 큰 눈.

〔宽猛相济〕 **kuān měng xiāng jì** 〈成〉 관용(寬容)함과 엄격함이 잘 조화되어 있다.

〔宽免〕 **kuānmiǎn** 동 (너그러이 보아) 면제하다. 죄를 용서하다.

〔宽期〕 **kuānqī** 동 ⇨〔缓huǎn期〕

〔宽让〕 **kuānràng** 동 너그러이 양보하다. 관용하다.

〔宽饶〕 **kuānráo** 동 용서하다. 관대하게 취급하다. =〔宽恕〕

〔宽仁〕 **kuānrén** 형 〈文〉 너그럽고 자비롭다.

〔宽容〕 **kuānróng** 형 관용하다. 동 관대하게 용서하다.

〔宽嗓〕 **kuānsǎng** 명 《劇》 굵고 묵직한 목소리.

〔宽赦〕 **kuānshè** 동 관대하게 사면하다. 너그러이 용서하다.

〔宽舒〕 **kuānshū** 형 ①(마음이) 후련하다. 시원하다. 편안하다. ¶ 心境～; 마음이 편안하고 시원하다. ②(장소가) 넓고 평평하다. ¶ 街道用大石头铺成, 也还平整～; 길을 큰 돌로 포장하니, 넓고 평평하게 되었다.

〔宽恕〕 **kuānshù** 동 관대하게 다루다. 너그러이 봐 주다. ¶ 请你～这一次! 제발 이번만은 용서해 주십시오! =〔宽宥〕

〔宽松〕 **kuānsōng** 형 ①(장소가) 널찍하다. 여유가 있다. 느슨하다. ¶ 列车开动以后, 拥挤yōngj

的车厢略为～了一些；열차가 출발한 후, 붐비던 객실이 조금 느슨해졌다. ②(마음이) 시원하다. 후련하다. 편안하다. ¶她听了同事们勸慰的话, 心里～多了；그녀는 동지들이 위로하는 말을 듣고서 마음이 한결 후련해졌다. ③(금전적으로) 부유하다. 넉넉하다. ¶日子过好了, 手头～了；생활이 나아져서 주머니 사정이 좋아졌다. 동 (마음이) 느슨해지다. 이완되다.

〔宽坦〕 kuāntǎn 형 넓고 평탄하다. ¶～大道；넓고 평탄한 길.

〔宽慰〕 kuānwèi 동 달래다. 마음을 가라앉히다. ¶～地舒了一口气；후유 하고 한숨 쉬다.

〔宽限〕 kuān↓xiàn 동 기한을 연기하다. 기한을 늦추다. ¶我们借的东西还要用, 请他～几天；우리가 빌린 물건은 아직 필요하니까, 그에게 기한을 늦춰 달라고 부탁하자.

〔宽想〕 kuānxiǎng 동 단념하다. 너그럽게 생각하다.

〔宽心〕 kuān↓xīn 동 안심하다. 위로하다. 마음을 편히 먹다〔넓게 가지다〕. ¶～话；기분을 밝게 하는 이야기. 위안의 말 / 你去给他～吧! 너는 그에게 가서 위로해 주어라 / 您宽宽心吧；마음을 넓게 가지세요 / 你去看电影儿宽宽心吧；영화라도 보러 가서 기분을 전환해라 / 拿自己的话宽自己的心；스스로 타일러서 자기의 마음을 달래다 / ～丸儿 = 〔开心丸儿〕；ⓐ《漢醫》 진정제. ⓑ위안이 되는 말〔물건 · 일〕.

〔宽心肠儿话〕 kuānxīnchángrhuà 명 태평스러운 말. ¶说～；태평스런 말을 늘어놓다.

〔宽沿儿帽〕 kuānyánrmào 명 챙이 넓은 모자.

〔宽衣〕 kuānyī 명 편안한 옷. (kuān↓yī) 동 ①(윗옷을 벗거나 단추를 풀어서) 편안히 하다. ¶天气热, 请～! 더우니까 복장을 편안히 하십시오. ②벗다《공손하게 하는 말》. ¶请您宽了大衣再入场! 외투를 벗으시고 입장해 주십시오!

〔宽音〕 kuānyīn 명《言》 '浪làng' 과 같이 'ng' 로 끝나는 자음(字音). →〔窄音〕

〔宽银幕〕 kuānyínmù 명 와이드 스크린(wide screen). ¶～电影；와이드 스크린 영화. 시네마스코프. =〔宽银幕屏〕

〔宽宥〕 kuānyòu 동 ⇨〔宽恕〕

〔宽裕〕 kuānyù 형 풍부하다. 여유가 있다. ¶时间很～；시간은 넉넉하다 / 过日子很～；살림에 여유가 있다. =〔宽余①〕〔富足fùzú〕

〔宽余〕 kuānyu 형 ①⇨〔宽裕〕 ②널찍하고 여유가 있다.

〔宽窄(儿)〕 kuānzhǎi(r) 명 ①폭. 넓이. 크기. ¶您看这张纸～合适吗? 어떻습니까? 이 종이의 크기로 괜찮을까요? ②넓음과 좁음. ¶宽宽窄窄的河流；넓어졌다 좁아졌다 하는 하류.

〔宽展〕 kuānzhǎn 동 연기하다. 늦추다. 연장하다. ¶日期～五天；기일은 5일을 연장한다. 형 〈方〉 ①(마음이) 느긋하다. ②(장소가) 널찍하다.

〔宽转〕 kuānzhuǎn 형 (여유가 있고) 넓다.

〔宽纵〕 kuānzòng 동 제멋대로 하게 두다. 방임(放任)하다. 속박하지 않다. ¶不要～自己；자신을 멋대로 놓아 두면 안 된다.

〔宽嘴鹟〕 kuānzuǐwēng 명《鳥》 솔딱새.

〔宽坐〕 kuānzuò 동 ①편히 앉다. ②편히 앉으세요.

髋(髖) kuān (관)

명《生》 관골. =〔髋骨gǔ〕〔〈俗〉 胯骨〕

款〈欵〉 kuǎn (관)

①명 돈. 금액. 경비. 비용. ¶一笔～子；한 몫〔얼마〕의 돈 / 公～；공금 / 存cún～；예금(하다) / 借jiè～；차관(을 얻다) / 放fàng～；대출(하다) / 赔péi～；배상금(을 지불하다) / 筹chóu～；돈을 마련하다 / 归guī～；돈을 돌려 주다 / 巨jù～；거액의 돈 / 细xì～；하찮은 돈. 사소한 돈 / 剩shèng～；잉여금. ②명 기물(器物)에 새겨진 글씨. ¶钟鼎～识zhì；종 · 정의 관지(款識). ③명 (법령 · 규정(規定) 조문 중의) 항목(項目). 조항(條項)《보통 '条' '款' '项' 의 순서임》. ¶第几条第几～；제 몇 조 제 몇 항 / 这个条约一共有五～；이 조약은 모두 5개 항목으로 되어 있다 / 列～；항목을 열거하다 / 次～；다음 조항. ④(～儿) 명 서화에 쓰는 서명 · 표제(表題). ¶落～；낙관 / 上～；첫머리 부분의 이름 / 画是画好了还没题～呢；그림은 다 그렸으나 아직 표제나 서명 따위를 써 넣지 못하였다. ⑤형 성실하다. 진실하다. 정성스럽다. ¶～留；⇩ / ～曲；⇩ / 忠～；충성심 / 悃kǔn～；충정. ⑥동 접대하다. 초대하다. 환대하다. ¶～客以酒；손님에게 술로 접대하다 / ～待；⇩ ⑦형 〈文〉 느릿느릿하다. ¶点水蜻蜓～～飞；물을 치면서 잠자리가 천천히 날고 있다 / ～～而行；천천히 나아가다. ⑧동 〈文〉 두드리다. 노크하다. ¶～门；문을 두드리다. =〔叩kòu〕〔敲qiāo〕 ⑨→〔款式〕

〔款案〕 kuǎn'àn 명 사건의 기록 문서.

〔款步〕 kuǎnbù 동 ⇨〔缓huǎn步①〕

〔款诚〕 kuǎnchéng 명 〈文〉 정성. 성의.

〔款待〕 kuǎndài 동 정중하게 대접하다. ¶～客人；손님을 환대하다. =〔款接〕 ↔〔慢待〕〔薄待〕

〔款冬〕 kuǎndōng 명《植》 머위. =〔款东〕〔款冻〕〔〈文〉菟tù奚〕

〔款动〕 kuǎndòng 동 가볍게 움직이다. 천천히 움직이다. ¶～脚；발을 가볍게 들어 올리다.

〔款冻〕 kuǎndòng 명 ⇨〔款冬〕

〔款段马〕 kuǎnduànmǎ 명 〈文〉 노마(駑馬). 걸음이 느린 말.

〔款额〕 kuǎn'é 명 금액. =〔款数〕

〔款服〕 kuǎnfú 동 〈文〉 ①마음으로부터 복죄(服罪)하다. ②마음으로부터 복종하다. =〔款附〕 ‖ =〔款伏〕

〔款关〕 kuǎnguān 동 〈文〉 관문의 문을 두드리(어 통과를 바라)다. 방문하다.

〔款交〕 kuǎnjiāo 동 〈文〉 진실하게 사귀다.

〔款接〕 kuǎnjiē 동 ⇨〔款待〕

〔款襟〕 kuǎnjīn 동 〈文〉 흉금을 터놓고 이야기하다.

〔款客〕 kuǎnkè 동 손님을 극진히 대접하다.

〔款款〕 kuǎnkuǎn 부 천천히. 서서히. ¶～而行；천천히 걷다 / ～站起来了；천천히 일어섰다.

〔款留〕 kuǎnliú 동 환대하여 만류하다. 성심으로 만류하다. ¶～客人；손님을 성심으로 만류하여 머무르게 하다.

〔款门〕 kuǎnmén 동 〈文〉 문을 두드리다. 방문하다. =〔款扉〕

〔款密〕 kuǎnmì 형 〈文〉 친밀하다.

〔款目〕 kuǎnmù 명 항목. 조항.

〔款洽〕 kuǎnqià 형 기분이 서로 융화되다. 마음이 잘 맞다.

〔款曲〕 kuǎnqū 형 〈文〉 격의 없이 사귀다. 흉허물 없다. ¶与人不～；남과 흉금을 터놓고 사귀지 않다. 명 상대방에게 나타내는 간절한 마음. 진실

한 마음. ¶互通~; 진실한 마음이 서로 통하다.
〔款儿〕 kuǎnr 명 ①→〔字解②④〕 ②양식. 형 …다움. …다운 모양. ¶小姐xiǎojie~; 아가씨 티가 나는.
〔款扇〕 kuǎnshàn 명 부채살에 조각한 부채.
〔款式〕 kuǎnshì 명 격식. 양식. 견본. 디자인. 스타일(style). ¶新~; 새로운 디자인 / 这件衣服~新颖; 이 옷의 디자인은 독특하다〔참신하다〕/ 这个书柜的~很好; 이 책장의 디자인이 괜찮다.
〔款式〕 kuǎnshi 형 ①태도가 당당하고 훌륭하다. 의젓하다. 풍채가 좋다. ¶看哪儿哪儿~; 어느 모로 보나 태도에 한 치의 빈틈이 없다. ②(방 따위가) 깔끔하고 훌륭하다.
〔款数〕 kuǎnshù 명 ⇨〔款额〕
〔款问〕 kuǎnwèn 동 공손하게 묻다.
〔款项〕 kuǎnxiàng 명 ①경비. 대금. 금액. 비용《주로, 기관·단체 등에서 취급하는 비교적 큰 금액의 돈을 가리킴》. =〔款子〕 ②(법령·규칙·조약 따위의) 조항. 항목.
〔款要〕 kuǎnyào 명 〈文〉 진정.
〔款印〕 kuǎnyìn 명동 낙관(落款)(하다).
〔款语〕 kuǎnyǔ 명 완곡(婉曲)한 말. 터놓고 하는 말. 동 서로 터놓고 이야기하다.
〔款识〕 kuǎnzhì 명 ①종·세발솥·석기 등에 새겨진 글자《음각한 것을 '款'이라 하고, 양각한 것을 '识'라 함》. ②서화에 써 넣은 표제나 서명 등의 일컬음. ¶单dān款儿; 필자만의 표제와 서명 / 双shuāng款儿; 의뢰자의 것까지 써 넣은 표제와 서명 / 上款儿; 상단에 써 넣은 표제나 서명 / 下款儿; 말미 쪽에 써 넣은 표제나 서명 / 落luò款儿 =〔题tí款儿〕; 낙관하다. ‖ =〔〈俗〉款儿①〕〔款志〕
〔款状〕 kuǎnzhuàng 명 조서(調書).
〔款子〕 kuǎnzi 명 돈. 금액. 경비. =〔款项①〕

窾 **kuǎn** (과)
명 〈文〉 틈. 구멍. ¶怪石生~; 괴석에 구멍이 뚫려 있다 / ~要; 〈比〉 요점.

KUANG ㄎㄨㄤ

匡 **kuāng** (광)
①동 바로잡다. 바르게 하다. ¶~谬; ⇩ / ~正; ⇩ ②동 돕다. 보좌하다. ¶~我不逮dài; 나의 부족한 점을 보좌해주다. ③동 〈方〉 대충 셈하다. 어림잡다. =〔一匡〕 ④명 성(姓)의 하나.
〔匡持〕 kuāngchí 동 〈文〉 지지해 나가다. 도와서 유지해 나가다. =〔匡维〕
〔匡扶〕 kuāngfú 동 〈文〉 바로잡아 도와 주다. 보좌하다.
〔匡辅〕 kuāngfǔ 동 보좌하다. ¶~国政; 국정을 보좌하다. =〔匡翼〕〔匡佐〕
〔匡复〕 kuāngfù 동 〈文〉 국가를 본디 상태로 도와서 되돌리다.
〔匡计〕 kuāngjì 동 〈文〉 대충 계산하다.
〔匡济〕 kuāngjì 동 〈文〉 사태를 구하여 돕다. ¶~艰jiān危; 곤란한〔위태로운〕 상태를 구조하다.
〔匡矫〕 kuāngjiǎo 동 〈文〉 교정하다.
〔匡靖〕 kuāngjìng 동 (천하를) 평정하다.
〔匡救〕 kuāngjiù 동 〈文〉 구제하여 정도(正道)로 돌아오게 하다.
〔匡谬〕 kuāngmiù 동 〈文〉 잘못을 바로잡다.
〔匡时〕 kuāngshí 동 시폐(時弊)를 교정하다. 목하의 급무를 원만하게 수습하다.
〔匡算〕 kuāngsuàn 동 대충 계산하다.
〔匡维〕 kuāngwéi 동 ⇨〔匡持〕
〔匡襄〕 kuāngxiāng 동 〈文〉 보조(補助)하다.
〔匡翼〕 kuāngyì 동 ⇨〔匡辅〕
〔匡正〕 kuāngzhèng 동 바로잡다.
〔匡助〕 kuāngzhù 동 돕다. 보좌하다.
〔匡佐〕 kuāngzuǒ 동 ⇨〔匡辅〕

诓(誆) **kuāng** (광)
동 기만하다. 속이다. ¶他还会~你吗? 그 사람이 너를 속일 리가 있겠니?
〔诓哄〕 kuānghǒng 동 거짓말을 하여 속이다.
〔诓骗〕 kuāngpiàn 동 편취하다. 속여 빼앗다.

俇 **kuāng** (광)
→〔俇儴〕
〔俇儴〕 kuāngráng 형 ⇨〔劻勷〕

劻 **kuāng** (광)
→〔劻勷〕
〔劻勷〕 kuāngráng 형 서두는 모양. 몹시 당황하는 모양. 어수선하여 침착하지 못한 모양. =〔俇儴ráng〕

洭 **Kuāng** (광)
명 《地》 광허(洭河)《후난 성(湖南省)에서 발원하여 광둥 성(廣東省)을 흐르는 강의 이름》.

恇 **kuāng** (광)
동 〈文〉 두려워하다. 겁내다.
〔恇骇〕 kuānghài 동 〈文〉 놀라서 두려워하다. 두려워하여 겁에 질리다.
〔恇惧〕 kuāngjù 동 〈文〉 겁이 나서 두려워하다.
〔恇怯〕 kuāngqiè 동 〈文〉 두려워서 움츠러들다.
〔恇扰〕 kuāngrǎo 동 〈文〉 두려워서 이성을 잃다.

哐 **kuāng** (광)
〈擬〉 댕그렁. 쾅《부딪치는 소리》. ¶~的一声脸盆掉在地上了; 쾅 소리를 내고 세숫대야가 땅에 떨어졌다.
〔哐啷〕 kuānglāng 〈擬〉 꽈당. 쾅《기물(器物)이 부딪치는 소리》. ¶他回身把门~一声关上了; 그는 돌아서더니 쾅 하고 문을 닫았다.

筐 **kuāng** (광)
①(~儿) 명 대나무나 버들가지로 결은 바구니. ¶竹~; 대바구니 / 柳~; 버들가지로 엮은 광주리 / 抬~; 흙을 담아 나르는 삼태기 / 胳臂上挎着~; 팔에 광주리를 끼고 있다. ②양 바구니에 넣은 것을 세는 데 쓰임. ¶一~果guǒ子; 한 바구니의 과일.
〔筐举〕 kuāngjǔ 형 〈比〉 식견이 좁다.
〔筐箩〕 kuāngluó 명 버들가지로 엮은 바구니.
〔筐箧〕 kuāngqiè 명 폭이 좁고 긴 나무 상자. ¶~中物; 폭이 좁고 긴 나무상자 속의 물건. 〈比〉 흔한 사물〔물건〕.
〔筐子〕 kuāngzi 명 (손잡이가 없는) 작은 바구니. ¶提溜的tíliude~; 바스켓 / 菜~; 야채 바구니.

狂 **kuáng** (광)
①명 광인. 미치광이. ②동 미치다. 미쳐 날뛰다. ¶发~; 발광하다 / 丧sàng心病~; 〈成〉 이성을 잃고 미쳐 날뛰다. ③부 기분 내키는 대로. 제멋대로. 미친 듯이《주로 즐거울 때에 쓰임》. ¶~笑; 미친 듯이 웃다 / ~喜; ⇩ ④형

분별 없다. 허황하다. ¶口出～言; 분별 없이 말하다 / 你这话可说得有点儿～; 너의 이 말은 좀 허황되다. ⑤ 형 젠체하다. 오만하다. ¶看他～得这个样子, 人难免对他有意见; 그가 이렇듯 오만한 것을 보니, 사람들이 그를 이러쿵저러쿵 말하는 것도 무리가 아니다. ⑥ 동 격심하다. 기세가 대단하다. 맹렬하다. ¶水流得～; 물이 세차게 흐르다 / ～风暴雨; 심한 폭우 / 价格～跌; 값이 폭락하다 / ～奔的马; 맹렬하게 뛰는 말.

〔狂傲〕 kuáng'ào 형 오만하다. ¶那个人～得很; 저 사람은 아주 오만하다.

〔狂暴〕 kuángbào 형 흉포하다. ¶～行为; 흉포한 행위.

〔狂悖〕 kuángbèi 동 억지이며 사리에 벗어나다.

〔狂奔〕 kuángbēn 동 ①광분하다. ②갑자기 뛰어나가다. ‖ =〔狂走〕

〔狂飙〕 kuángbiāo 명 굉장한 폭풍. 질풍노도(맹렬한 조류 또는 그런 세력). ¶～运动 =〔～突进运动〕; 질풍 노도 운동. 슈투름 운트 드랑(독 Sturm und Drang)(18세기 후반 독일에서 일어난 괴테를 중심으로 한 문학 운동).

〔狂病〕 kuángbìng 명 ①정신병. 정신 착란. ②발광. 심신(心身) 상실. ③미친 짓.

〔狂草〕 kuángcǎo 명 광초(심하게 갈겨쓴 초서(草書)의 하나).

〔狂潮〕 kuángcháo 명 ①세찬 조수. ②〈比〉 드높은 기세.

〔狂痴〕 kuángchī 명 미치광이. 바보.

〔狂蛋〕 kuángdàn 명 앞뒤를 가리지 않는 사람. 정열가.

〔狂当〕 kuángdāng 〈擬〉 덜컹덜컹. ¶火车～～地走; 기차가 덜컹덜컹 달리다.

〔狂荡〕 kuángdàng 형 ⇨〔放fàng荡〕

〔狂跌〕 kuángdiē 동 ⇨〔暴bào跌〕

〔狂放〕 kuángfàng 형 방자하다. 하고 싶은 대로 하다. 상궤(常軌)를 벗어나다.

〔狂吠〕 kuángfèi 동 ①미친 듯이 외치다. ②〈比〉 (무턱대고) 있지도 않은 말을 하다. 가당찮은 말을 하다.

〔狂风〕 kuángfēng 명 ①폭풍. ¶～大作; 폭풍이 심하게 불다. ②〈天〉 노대바람(초속 24.5～28.4미터, 풍력 10의 바람).

〔狂风暴雨〕 kuáng fēng bào yǔ 〈成〉 폭풍우(극도로 위험한 처지. 맹렬한 기세). =〔狂风骤雨〕

〔狂蜂浪蝶〕 kuángfēng làngdié 〈比〉 방탕아. 여자에 미친 사람.

〔狂风怒号〕 kuángfēng nùháo 폭풍이 윙윙 소리를 내다.

〔狂夫〕 kuángfū 명 ①⇨〔狂生〕 ②천치. 바보.

〔狂喊〕 kuánghǎn 동 절규(絶叫)하다. 미친 듯이 외치다.

〔狂嗥〕 kuángháo 동 미친 듯이 부르짖다.

〔狂轰〕 kuánghōng 동 맹폭(盲爆)하다.

〔狂轰滥炸〕 kuánghōng lànzhà 무차별 폭격(을 가하다).

〔狂呼〕 kuánghū 동 〈文〉 (미친 듯이) 큰 소리로 부르다〔아우성치다〕. ¶～大叫; 큰 소리로 떠들어 외치다. →〔大dà呼〕

〔狂花〕 kuánghuā 명 ①제철이 아닌 때에 피는 꽃. ②수꽃. 열매를 맺지 않는 꽃.

〔狂话〕 kuánghuà 명 ⇨〔狂言〕

〔狂欢〕 kuánghuān 동 광희(狂喜)하다. 들떠서 떠들다. ¶～之夜; 광희의 하룻밤 / ～节; 사육제. 카니발.

〔狂客〕 kuángkè 명 〈比〉 제멋대로 행동하는 사람.

〔狂澜〕 kuánglán 명 광란. 거대한 파도. 〈比〉 격동하는 정세. 맹렬한 조류. ¶回～于既倒dǎo; 광란을 밀어 내다(이미 기울어진 형세를 만회하다) / 力挽～; 애써 패세(敗勢)를 만회하다.

〔狂虐〕 kuángnüè 형 광포하다.

〔狂嫖〕 kuángpiáo 동 계집질에 미치다. ¶～滥赌; 계집질과 놀음에 미치다.

〔狂气〕 kuángqi 명 아주 거만한 태도나 말씨. 광기를 띤 말투. 기세가 등등한 거동.

〔狂犬〕 kuángquǎn 명 ①광견. ¶～吠日; 〈成〉 미친 개가 해를 보고 짖다(헛된 소동을 벌이다). →〔疯fēng狗〕 ②〈比〉 바보.

〔狂犬病〕 kuángquǎnbìng 명 《醫》 광견병. =〔〈俗〉 疯fēng犬病〕〔恐kǒng水病〕

〔狂犬疫苗〕 kuángquǎn yìmiáo 명 《藥》 광견병 백신.

〔狂然〕 kuángrán 〈比〉 헛일.

〔狂热〕 kuángrè 명형 열광(적이다). ¶～的信徒; 광신자.

〔狂人〕 kuángrén 명 ①미치광이. 광인. ②거만한 사람.

〔狂生〕 kuángshēng 명 방탕자. =〔狂夫①〕

〔狂士〕 kuángshì 명 〈文〉 상궤(常軌)를 벗어난 짓을 하는 사람.

〔狂死〕 kuángsǐ 동 미쳐서 죽다.

〔狂童〕 kuángtóng 명 못된 짓을 하는 불량 소년.

〔狂徒〕 kuángtú 명 ①방탕자. 분별이 없는 자. ②무뢰한 도당. 경거망동하는 자. 폭도(暴徒).

〔狂妄〕 kuángwàng 형 ①오만하다. 교만하다. 미친 것 같다. 상규(常規)를 벗어나다. ¶～分子; 오만불손한 사람 / ～阴谋; 엉뚱한 음모 / ～无知; 거만하고 무식하다. ②엉터리없다. 망령스럽다. ¶～胡闹; 터무니없는 말을 하고 분별 없이 법석을 떨다.

〔狂喜〕 kuángxǐ 동 〈文〉 광희하다. 미친 듯이 기뻐하다. =〔狂悦〕 →〔大dà喜②〕

〔狂想曲〕 kuángxiǎngqǔ 명 《樂》 광상곡. 카프리치오(이 capriccio).

〔狂相(儿)〕 kuángxiàng(r) 명 미친 듯한 모양. 방자하고 오만하며 경박한 모습.

〔狂笑〕 kuángxiào 동 마구 웃다. 미친 듯이 웃다.

〔狂言〕 kuángyán 명 터무니없는 소리. ¶口出～; 터무니없는 소리를 하다 / ～绮qǐ语; 광언 기어. 소설 같은 이야기. =〔狂话〕

〔狂饮〕 kuángyǐn 동 (술을) 마구 마시다.

〔狂悦〕 kuángyuè 동 ⇨〔狂喜〕

〔狂噪〕 kuángzào 동 야단법석을 떨다. 떠들어 대다.

〔狂恣〕 kuángzì 동 〈文〉 제멋대로이다.

〔狂纵〕 kuángzòng 동 〈文〉 우쭐해서 멋대로 굴다. 버릇없이 굴다.

〔狂走〕 kuángzǒu 동 ⇨〔狂奔〕

诳(誑) kuáng (광)

① 동 속이다. 기만하다. ¶你别再～我啦; 이제 더 이상 나를 속이지 마라 / ～语; ⇩ / ～来; 속여서 오게 하다〔데리고 오다〕. ② 명 〈方〉 거짓말. ¶说～; 거짓말을 하다 / 扯了个～; 거짓말을 하다.

〔诳诞〕 kuángdàn 동 ⇨〔荒诞〕

〔诳惑〕 kuánghuò 동 속이고 현혹하다.

〔诳骗〕 kuángpiàn 동 (거짓말로) 기만하다. 속이다.

〔诳人〕 kuángrén 동 사람을 속이다.
〔诳语〕 kuángyǔ 명 거짓말. 허풍. ¶打～; 거짓말하다. =〔诳话〕〔诳言〕

鵟(鵟) **kuáng** (광) 명 《鳥》 말똥가리. =〔土豹〕

夼 **kuǎng** (광) 〈方〉 움푹 팬 땅의 뜻으로, 지명용 자(字). ¶大～; 산둥 성(山東省) 라이양 현(來陽縣)의 남쪽에 있는 지명 / 刘liú家～; 산둥 성 모우핑 현(牟平縣)의 남쪽에 있는 지명.

卝 **kuàng**〔〈舊〉 gǒng〕 (광) 명 〈文〉 ⇨〔矿kuàng〕

邝(鄺) **Kuàng** (광) 명 성(姓)의 하나.

圹(壙) **kuàng** (광) 명 ①묘혈. 묏구덩이. ¶打～; 묏구덩이를 파다. ②광야. 들.
〔圹埌〕 kuànglàng 형 〈文〉 들이 끝없이 넓은 모양. 명 무덤.

纩(纊〈絖〉) **kuàng** (광) 명 〈文〉 솜. 무명실. 솜옷. →〔丝sī绵〕
〔纩丝〕 kuàngsī 명 제사(製絲). =〔缫丝〕

旷(曠) **kuàng** (광) ①형 널찍하다. 끝없이 넓다. ¶～野; ⇩ / 这屋子挺～; 이 방은 정말 넓다 / 地～人稀; 땅은 넓고 인구는 적다. ②동 소홀히 하다. 게으름 피우다. 빠지다. 무단 결석하다《쉬다》. ¶临时生病, ～了半天工; 병이 나서 한나절을 쉬었다 / ～课; ⇩ ③형 마음이 넓다. 속이 넓고 활달하다. ¶～达; ⇩ / 心～神怡; 마음이 후련하고 기분이 상쾌하다. ④형 〈方〉 틈새기〔(기계의) 삐끗거림 · 놀이〕가 크다. (옷 따위) 커서 몸에 안 맞다. ¶轴zhóu～; 축과 축받이 사이의 삐끗거림이 심하다 / 这双鞋我穿着太～了; 이 신은 신어 보니 너무 크다. ⑤명 황무지. ⑥명 성(姓)의 하나.
〔旷达〕 kuàngdá 형 〈文〉 대범하다. 활달하다. =〔旷荡②〕〔旷放〕
〔旷代〕 kuàngdài 형 〈文〉 당대에 견줄 자가 없다. ¶～文豪; 당대에 견줄 바 없는 문호. =〔旷代无比〕
〔旷荡〕 kuàngdàng 형 ①끝없이 넓다. ②⇨〔旷达〕
〔旷地〕 kuàngdì 명 황폐한 빈 땅. =〔旷土〕
〔旷典〕 kuàngdiǎn 명 〈文〉 이제까지 없던〔오래도록 거행하지 않은〕 대전(大典).
〔旷度〕 kuàngdù 명 〈文〉 큰 도량.
〔旷额〕 kuàng'é 명 〈文〉 부족한 액수〔수량〕.
〔旷恩〕 kuàng'ēn 명 대은. 큰 은혜.
〔旷放〕 kuàngfàng 형 ⇨〔旷达〕
〔旷废〕 kuàngfèi 동 게으름 부리다. 소홀히 하다. 내던져 두다. ¶～学业; 학업을 소홀히 하다 / ～职务; 직무를 소홀히 하다.
〔旷费〕 kuàngfèi 동 허비하다. ¶～时间; 시간을 낭비하다.
〔旷夫〕 kuàngfū 명 ⇨〔鳏guān夫〕
〔旷工〕 kuàng.gōng 동 (노동자가) 무단 결근(無斷缺勤)하다. ¶他已经旷了几天工了; 그는 벌써 며칠을 무단 결근했다. =〔旷功gōng〕 →〔罢bà工〕〔怠dài工〕 (kuànggōng) 명 사보타주(프 sabotage).
〔旷功〕 kuànggōng 동 ⇨〔旷工〕
〔旷古〕 kuànggǔ 명 〈文〉 미증유(未曾有). 공전(空前). ¶～未闻; 〈成〉 예부터 들은 적이 없다. 전대 미문.
〔旷官〕 kuàngguān 동 〈文〉 직무를 소홀히 하다. (자격이 없으면서) 공연히 자리만 차지하고 있다.
〔旷花〕 kuànghuā 동 허비〔낭비〕하다. ¶一个钱也没～; 한 푼도 헛되이 쓰지는 않았다.
〔旷久〕 kuàngjiǔ 형 〈文〉 세월이 길고 오래다.
〔旷课〕 kuàng kè (학생이 개인적으로) 수업을 빠지다. 무단 결석을 하다. ¶旷了一次课; 수업을 한 번 빼먹었다. →〔罢bà课〕〔怠dài课〕〔缺quē课〕
〔旷旷〕 kuàngkuàng 형 〈文〉 ①밝은 모양. ②광대한 모양.
〔旷日〕 kuàngrì 동 허송세월하다.
〔旷日持久〕 kuàng rì chí jiǔ 〈成〉 ①오랫동안 허송세월하다. ②오랫동안 끌어 두다.
〔旷士〕 kuàngshì 명 〈文〉 제멋대로 행동하고 사소한 일에 얽매이지 않는 사람.
〔旷世〕 kuàngshì 형 〈文〉 당대에서 필적할 자가 없다. ¶～功勋; 필적할 만한 자가 없는 공적.
〔旷岁〕 kuàngsuì 동 〈文〉 헛되이 세월을 보내다.
〔旷土〕 kuàngtǔ 명 ⇨〔旷地〕
〔旷外话〕 kuàngwàihuà 명 ⇨〔离lí旷话〕
〔旷误〕 kuàngwù 동 〈文〉 태만하여 일을 그르치다.
〔旷学〕 kuàng.xué 동 학업을 소홀히 하다. →〔旷废〕
〔旷野〕 kuàngyě 명 광야. 너른 들판. =〔旷原〕
〔旷远〕 kuàngyuǎn 형 〈文〉 멀리 동떨어지다. =〔旷隔〕
〔旷职〕 kuàng.zhí 동 ①직무를 소홀히 하다. 무단 결근하다. →〔旷废〕 ②〈文〉 관직을 결원인 채로 두다.

矿(礦〈鑛〉) **kuàng** (광) 〔〈舊〉 gǒng〕 명 ①광물. 광석. ¶这是一块磁cí铁～; 이것은 자철광 덩어리다 / 采cǎi～ =〔挖wā～〕; 광석을 채굴하다. ②광산. ¶煤～; 탄광 / 开～; 광산을 개발하다 / 下～; 채굴 현장에 내려가다. ③→〔矿床〕 ‖ =〔卝〕
〔矿藏〕 kuàngcáng 명 지하 자원. 광맥. 매장 광물. ¶～很丰富; 지하 자원이 풍부하다.
〔矿层〕 kuàngcéng 명 광층.
〔矿碴〕 kuàngchá 명 광산 폐기물. 광재(鑛滓). 슬래그. ¶～水泥; 고로(高爐) 시멘트.
〔矿产〕 kuàngchǎn 명 광산물. ¶～资源; 광물 자원.
〔矿场〕 kuàngchǎng 명 광산.
〔矿车〕 kuàngchē 명 광석 운반차. 광차.
〔矿尘〕 kuàngchén 명 광석 분진(粉塵).
〔矿床〕 kuàngchuáng 명 《鑛》 광상. =〔矿③〕〔矿体〕
〔矿灯〕 kuàngdēng 명 광산용 램프. 캡 라이트(cap light).
〔矿点〕 kuàngdiǎn 명 광석 매장 지점. 광산이 있는 지점.
〔矿丁〕 kuàngdīng 명 ⇨〔矿工〕
〔矿洞子〕 kuàngdòngzi 명 광갱(鑛坑).
〔矿毒〕 kuàngdú 명 광독.
〔矿工〕 kuànggōng 명 광부. 갱부. ¶～用灯; 광부용 등. 간데라. =〔矿丁〕
〔矿股〕 kuànggǔ 명 광산주(株).
〔矿花〕 kuànghuā 명 광물의 표면에 꽃처럼 부착

되어 있는 다른 광물.
〔矿界〕 kuàngjiè 명 ⇨〔矿区〕
〔矿井〕 kuàngjǐng 명 《鑛》 수직갱. 수갱(竪坑)과 갱도(坑道) 및 사갱(斜坑) 등의 총칭.
〔矿坑〕 kuàngkēng 명 광갱.
〔矿脉〕 kuàngmài 명 광맥.
〔矿棉〕 kuàngmián 명 ⇨〔石shí棉〕
〔矿苗〕 kuàngmiáo 명 ①지상이나 지면 가까이에 노출된 광맥의 부분. 노두(路頭). ②미정련의 광물. 광석.
〔矿民〕 kuàngmín 명 광산 노동자와 그 가족.
〔矿区〕 kuàngqū 명 광구. =〔矿界〕
〔矿泉〕 kuàngquán 명 광천. ¶矿(泉)水; 광천수.
〔矿砂〕 kuàngshā 명 (모래 모양이 된) 광석. ¶铁～; (모래 모양이 된) 철광석 / 铀yóu～; 우라늄 광.
〔矿山〕 kuàngshān 명 광산.
〔矿师〕 kuàngshī 명 광산 기사.
〔矿石〕 kuàngshí 명 ①광석. ②(라디오 용의) 광석. ¶～收音机 =〔～机〕; 광석 라디오.
〔矿税〕 kuàngshuì 명 광업세.
〔矿酸〕 kuàngsuān 명 ⇨〔无wú机酸〕
〔矿体〕 kuàngtǐ 명 ⇨〔矿床〕
〔矿务〕 kuàngwù 명 ⇨〔矿业〕
〔矿物〕 kuàngwù 명 광물. ¶～纤维; 광물 섬유 / ～油; 광물유.
〔矿物棉〕 kuàngwùmián 명 석면(石綿).
〔矿盐〕 kuàngyán 명 암염. =〔岩yán盐〕
〔矿业〕 kuàngyè 명 광업. =〔矿务〕
〔矿用爆药〕 kuàngyòng bàoyào 명 ⇨〔炸zhà油爆药〕
〔矿源〕 kuàngyuán 명 광산 자원. ¶勘察～; 광산 자원을 답사하다.
〔矿渣〕 kuàngzhā 명 광재(鑛滓). 슬래그(slag).
〔矿照〕 kuàngzhào 명 광산 채굴 허가증.
〔矿脂〕 kuàngzhī 명 ⇨〔凡fán士林〕
〔矿质油〕 kuàngzhìyóu 명 광물유.
〔矿柱〕 kuàngzhù 명 광주(鑛柱). 갱도의 채굴 막장의 안전 유지를 위해 남겨 두어 자연의 기둥으로 삼는 광체(鑛體) 부분.

况〈況〉

kuàng (황)
① 명 상황. 모양. 상태. ¶近～; 근황 / 状～; 상황 / 情～; 정황 / 景～; 형편. 상황 / 战～; 전황. ② 동 비교하다. 대비하다. ¶不能以往～今; 지나간 일을 현재와 비교할 수는 없다 / 二者不可比～; 두 사람은 비교할 수 없다. ③ 부 〈文〉 황차. 하물며. 더구나. ¶此事成人尚不能为, ～幼童乎? 이 일은 어른조차도 못 하거늘 하물며 아이들이 어찌할 수 있으리요? →〔况且〕〔况又〕 ④ 부 더욱. ⑤ 명 성(姓)의 하나.
〔况复〕 kuàngfù 접 ⇨〔况又〕
〔况乎〕 kuànghu 접 〈文〉 황차. 하물며.
〔况兼〕 kuàngjiān 접 ⇨〔况又〕
〔况且〕 kuàngqiě 접 하물며. 더군다나. 게다가 《'也' '又' '还'와 호응하여 많이 쓰임》. ¶他是外行人, ～那几个伙计又都不守铺规, 怎么能做买卖呢? 그는 생무지인데다가 저 점원들도 가게 규칙을 지키지 않으니 어떻게 장사가 될 수 있겠니? / 这种录音机携带方便, ～也不贵, 可以买一个; 이 카세트는 휴대하기가 편리하고 게다가 비싸지도 않으니 한 개 살 만하다. =〔抑yì且〕
〔况味〕 kuàngwèi 명 〈文〉 형편과 사정. 처지. ¶旅途中的～; 여행 중에 만난 일.
〔况又〕 kuàngyòu 접 게다가. 하물며. ¶这本书内容很好, ～也很便宜, 买一本吧! 이 책은 내용이 좋고 게다가 값이 싸니까 1권 삽시다! =〔况复〕〔况兼〕

贶(貺)

kuàng (황)
① 동 주다. ② 동 주시다. 내리다. ③ 명 선물. ¶厚～; 후한 선물. ④ 명 성(姓)의 하나.

框

kuàng (광)
A) 명 ①문얼굴. 문틀. 문광(門框). ¶门～; 문틀 / 窗～; 창틀. ②(～儿, ～子) (액자나 거울 따위의) 틀. 테. ¶镜jìng～; 거울의 테 / 眼～; 눈가. 눈언저리 / 眼镜～子; 안경테 / 条tiáo条～～=〔～～条条〕; 구태의연한 낡은 약속·방식·제한·속박. B) 〔〈舊〉 kuāng〕 ①→〔框框〕 ② 동 〈方〉 글·사진·그림의 둘레를 선으로 두르다. 틀을 붙이다. ¶把这几个字～起来; 이 몇 글자에 테두리를 둘러라. ③ 동 틀에 박다. 제한하다. 속박하다. ¶～得太死了; 제한을 받아서 꼼짝 못 하다.
〔框架〕 kuàngjià 명 ①《建》 (건축 공사에서) 뼈대. 틀. ②〈比〉 (사물의) 큰 테두리. 틀.
〔框框〕 kuàngkuang〔kuāngkuang〕 명 ①둘레의 테. ¶他拿红铅笔在照片四周画了个～; 그는 사진 둘레를 붉은 연필로 테를 둘렀다. ②고유의 격식. 본래의 범위. 전통적인 방법. 테. 제한. 속박. ¶土～; 중국 재래의 것〔방식〕 / 洋～; 외국의 것〔방식〕 / 老～; 낡은 관례 / 突破旧～的限制; 낡은 격식의 제한을 무너뜨리다.
〔框图〕 kuàngtú 명 전기 회로·공정 순서 등의 내재 관계를 나타낸 도식《'方框图'의 약칭》.
〔框子〕 kuàngzi 명 틀. 테《비교적 작은 것에 쓰임》. ¶眼镜～; 안경테.

眶

kuàng (광)
명 ①(～儿, ～子) 눈꺼풀. 눈가. ¶眼泪夺～而出; 눈에서 눈물이 쏟아지다 / 感动得热泪满～; 감격하여 뜨거운 눈물이 눈에 고이다. =〔眼眶子〕 ②눈에 고인 눈물을 이르는 말. ¶两～热泪; 양눈에 고인 뜨거운 눈물.

KUI ㄎㄨㄟ

亏(虧)

kuī (휴)
① 형 부족하다. 모자라다. ¶～血; 빈혈(을 일으키다) / 理～; 이치가 통하지 않다 / 月有盈～; 달은 차기도 하고 기울기도 한다 / 身大力不～; 몸이 크면 힘도 부족함이 없다 / 这笔费用还～着一半呢; 이 비용은 아직 반은 부족합니다. ↔〔盈yíng①〕 ② 동 결손나다. 손해를 보다. 손실이 되다. ¶～有一万多块钱; 1만 원 남짓 손해 보았다 / ～不着zháo你; 너에게 손해는 끼치지 않겠다 / 不～不赚; 밑지지도 않고 벌지도 않다 / 血xuè～ =〔血虚〕; 《漢醫》 빈혈증. ③ 부 다행히. 운수 좋게. 공교롭게도. 덕분에. ¶～你来帮助, 要不就搞不好了; 네가 와서 도와 준 덕분이었지, 그렇지 않았더라면 잘 안 되었을 것이다 / ～你提醒我, 我才想起来了; 자네가 깨우쳐 준 덕으로 겨우 생각해 내었다. =〔幸亏〕〔多亏〕 ④ 부 …인 주제에. 감히 …어쩌면 잘도 《나무라는 어조의 말》. ¶～你好意思埋怨我哩; 어찌 태연히 나를 원망할 수 있단 말이냐 / ～你是

个大人，还和小孩儿打起架来了；넌 어른인 주제에 아이와 싸우다니 (무슨 꼴이냐) / ～你还上过学呢，连一封信都念不下来；너는 학교에 다녔는데도 편지조차 읽지 못하는구나 / ～你说出这样的话来；감히 이런 말을 하다니. ⑤ 동 거역하다. 저버리다. 배반하다. 배신하다. ¶人不～地，地不～人；인간이 땅에다 정성을 쏟으면 땅은 인간에게 충분하게 보답해 준다 / 放心吧！我～不了你；안심하세요！호의에 거슬리는 일은 안 할 테니까요. ⑥ 명 손실. 부족. 결손. ¶吃～；손을 보다.

〔亏本〕kuī.běn 동 원금을 밑지다. 본전을 잘리다. ¶～的买卖 =〔～的生意〕; 밑지는 장사 / ～抛pāo售; 밑지고 투매하다 / ～订货; 출혈 수주(出血受注). =〔吃chī本〕〔缺本钱〕〔缺本〕〔折shé本(儿)〕

〔亏差〕kuīchà 부 …은 당연한 일이다. 어쩐지. ¶～他不来，原来他有病了！어쩐지 그가 안 온다 했더니 앓고 있었구나！

〔亏待〕kuīdài 동 의리를 저버린 대우를 하다. 의리 없는 짓을 하다. ¶他不会～你！그가 자네한테 잘못할 리가 없다！/ 我向来没～过你们; 나는 여태껏 자네들에게 의리 없는 짓을 한 일이 없네.

〔亏得〕kuīde 부 ①다행히. 덕분에. ¶～你帮助我，才渡过了这个难关; 다행히도 네가 도와 주어서 이 난관을 넘겼다 / ～我肚量大，搁在别人身上，早给气崩了; 내가 배짱이 컸으니 망정이지, 다른 사람이었더라면 화가 잔뜩 나 있었을 거야. =〔多亏〕 ②어쩌면 잘도. ¶～你说出那样的话来！자네는 어쩌면 그런 말을 잘도 해내는군！

〔亏斗〕kuīdǒu 명형 두량(斗量) 부족(하다). ¶这米又湿又～；이 쌀은 눅눅한데다 되도 부족하다.

〔亏短〕kuīduǎn 동 부족하게 되다. 모자라다.

〔亏对〕kuīduì 동 남을 마주 대할 수 없다. 남에게 의리 없는 짓을 하다. ¶没有～一个部下; 한 사람의 부하에게도 의리 없는 짓을 하지 않았다.

〔亏乏〕kuīfá 동 줄어서 부족해지다.

〔亏负〕kuīfù 동 배반하다. 의리를 저버리다〔저버려 불만을 사게 하다〕. 호의를 거스르다. ¶我并没～过你; 나는 결코 너를 저버린 적이 없다 / 他待底下人赏罚分明，也不～人; 그는 고용인에 대하여 상벌이 분명하며, 남에게 불만을 사게 할 만한 일도 없다. =〔辜gū负〕

〔亏耗〕kuīhào 명 적자(赤字). 결손. 손실. 소모(消耗). 동 적자 나다. 결손 보다. 소모되다. ‖ =〔损耗〕

〔亏空〕kuīkong 명 빚. 적자. 결손. ¶拉了～; 적자(赤字)로 빚을 지다 / 弥补～; 적자를 메우다. 동 ①결손 보다. 적자를 내다. 빚지다. ②예산 이상으로 소비하다. ‖ =〔亏累〕

〔亏了〕kuīle 부 덕택으로. 다행스럽게도.

〔亏累〕kuīlěi 동 몇 번이나 거듭 결손 보다. (kuīlei) 명 누적된 결손.

〔亏你〕kuīnǐ 부 당신 덕택으로. 명 〈罵〉 제기랄.

〔亏赔〕kuīpéi 동 배상하다.

〔亏欠〕kuīqiàn 명동 빚(지다). 부채(를 지다). 미불(로 되다). ¶我不～你什么; 나는 너에게 빚 따위는 없다.

〔亏人〕kuī.rén 동 ①남의 덕을 입다. ②남에게 폐를 끼치다. ③남을 배반하다. 남의 기대에 어긋나다.

〔亏弱〕kuīruò 형 허약하다. 체질이 약하다. ¶先天～; 《醫》 선천적 허약.

〔亏杀〕kuīshā 부 덕분으로. 다행히도.

〔亏折〕kuīshé 동 결손이 나다. =〔亏本(儿)〕

〔亏蚀〕kuīshí 명 《天》 월식(月蝕) 또는 일식(日蝕). 동 결손 보다. 본전을 잘리다. ¶财政收支对比，～了三万六千八百元; 재정 수지를 비교하면 3만6천8백 원 결손이 되었다.

〔亏输〕kuīshū 동 패배하다. 지다. ¶在东西竞赛中西方国家大败～; 동서의 경쟁에서 서구 국가가 대패하였다.

〔亏损〕kuīsǔn 동 ①결손 보다. 손실 나다. ¶这个工厂去年一年～严重; 이 공장은 작년 한 해 동안 심각한 결손을 보았다. =〔亏短〕 ②몸이 약해지다. 명 ①결손. 적자. 손실. ②몸의 쇠약.

〔亏天〕kuītiān 동 하늘을 대할 낯이 없다. 양심에 부끄럽다.

〔亏头〕kuītóu 명 ①손실. ②손실액.

〔亏图〕kuītú 동 죽이다. 살해하다. ¶哪里会定计断～; 어찌 계략을 꾸며서 살해하는 일 따위를 할 수 있을까?

〔亏心〕kuīxīn 동 양심에 거리끼다. ¶不做～事，不怕鬼叫门; 〈諺〉 떳떳하지 못한 짓을 하지 않는다면, 두려울 것은 아무것도 없다. →〔曲qū心〕

〔亏账〕kuīzhàng 명동 결손(보다).

〔亏众不亏一〕kuī zhòng bù kuī yī 〈諺〉 손해 본 것은 혼자서 뒤집어쓰지 않고 모두 함께 메꾸는 것이다.

刲 kuī (규)

동 〈文〉 잘라 내다. 자르다. 베다.

岿(巋) kuī (귀)

형 높고 큰 모양. ¶～然独存; 홀로 높고 크게 우뚝 솟아 있다 / ～然不动; 〈比〉 (공격·반대 등에) 굴하지 않고 동요하지 않다.

〔岿巍〕kuīwēi 형 〈文〉 우뚝 솟다. ¶山峰～; 산봉우리가 우뚝 솟아 있다.

悝 kuī (회)

① 동 〈文〉 조롱하다. 놀리다. ②인명용 자(字). ⇒lǐ

盔 kuī (회)

명 ①투구. ¶一顶钢～; 하나의 철모. ②헬멧. ¶白bái～; 흰 헬멧. ③(～子) 바리. 주발. ④투구 비슷한 또는 반구형(半球形)의 모자. ¶帽～儿; 베레모.

〔盔甲〕kuījiǎ 명 투구와 갑옷. 갑주(甲冑). =〔盔铠〕

〔盔头〕kuītou 명 《劇》 배우가 머리에 쓰는 것의 총칭.

〔盔子〕kuīzi 명 ①모자의 골. ②수반 모양의 자기 그릇. ¶瓦wǎ～; 토기 그릇 / 瓷cí～; 자기 그릇.

窥(窺〈闚〉) kuī (규)

동 엿보다. 틈으로 들여다보다. ¶自门隙～其行动; 문틈으로 행동을 엿보다. 관찰이 천박함 / 管～蠡测; 〈成〉 대나무 대롱으로 하늘을 들여다보고, 표주박으로 바닷물을 되어 보다《식견이 좁다》.

〔窥豹一斑〕kuī bào yī bān 〈成〉 (전체를 보지 않고) 일부분만을 보다. 일부분만을 보고 전체를 추측하여 알다.

〔窥测〕kuīcè 동 몰래 탐색하다. ¶～方向，以求一逞; 몰래 동정을 살피고 야망을 이루려 하다.

〔窥见〕kuījiàn 동 엿보다. 살펴보다. ¶好像自己的秘密被～了似的《茅盾 子夜》; 마치 자기의 비밀을 들킨 것과 같았다.

〔窥看〕kuīkàn 동 엿보다.

〔窥器〕kuīqì 명 《醫》 내시경《자궁경(子宮鏡)·이

문경(耳門鏡) 따위).
〔窥事〕 kuīshì 동 일이 되어 감을 살피다.
〔窥视〕 kuīshì 동 엿보다. 몰래 들여다보다. ¶～颜色; 기색(氣色)을 엿보다.
〔窥伺〕 kuīsì 동 엿보다. 동정(動靜)을 살피고 기회를 이용하여 움직이다. 형세를 살펴 행동하다.
〔窥探〕 kuītàn 동 ①간첩 행위를 하다. (남의 동정, 행동 등을) 살피다. ②(남의 결점 따위를) 잡으려고 하다. ③(기회를) 엿보다.
〔窥天镜〕 kuītiānjìng 명 옛날, 망원경의 별칭.
〔窥听〕 kuītīng 동 엿듣다. ¶暗àn地里～; 몰래 엿듣다.
〔窥望〕 kuīwàng 동 살피다. 살짝 보다.
〔窥窬〕 kuīyú 동 틈을 노리다.

奎 kuí (규)
①명 《天》 규성(奎星)《28수(宿)의 하나》. =〔奎宿〕 ②명 넓적다리. ③음역자. →〔奎宁〕 ④명 성(姓)의 하나.
〔奎哪〕 kuínǎ 명 《藥》 키나(quina). =〔鸡纳〕
〔奎宁〕 kuíníng 명 《藥》 〈音〉 키니네. 키닌. ¶～酒; 기나 포도주/～树皮; 키니네나무 껍질. 기나피(皮). =〔金鸡纳霜〕〔规宁〕〔抉宁〕〔苦以林〕〔桂那〕〔规尼涅〕
〔奎星〕 kuíxīng 명 ⇨〔魁星①〕
〔奎宿〕 kuíxiù →〔字解①〕
〔奎运〕 kuíyùn 명 〈文〉 문운(文運).
〔奎章〕 kuízhāng 명 〈文〉 황제의 친필.

喹 kuí (규)
→〔喹啉〕
〔喹啉〕 kuílín 명 《化》 〈音〉 퀴놀린(quinolin).

蝰 kuí (규)
→〔蝰蛇〕
〔蝰蛇〕 kuíshé 명 《動》 북살무사.

馗 kuí (규)
①명 광대뼈. ②명 길. 아홉 방면으로 통하는 길. ③인명용 자(字). ¶钟Zhōng～; 종규(鍾馗)《재액을 쫓는 신의 이름》.

隗 Kuí (외)
명 성(姓)의 하나. ⇒Wěi

魁 kuí (괴)
①명 우두머리. 두목. 수령. 괴수. ¶贼～; 도적의 두목/罪～; 원흉(元兇). 죄인의 괴수. ②명 선봉. 선구. 수위(首位)를 차지하는 것. ¶夺～; 수위를 차지하다. ③명 북두칠성의 첫째 별, 또는 첫째에서 넷째 별까지의 총칭. ④형 뛰어난. 제1의. 으뜸 가는. ⑤형 (몸집이) 크다. ¶～伟; ⇓/～梧wú; ⇓
〔魁岸〕 kuí'àn 형 체격이 당당하다.
〔魁柄〕 kuíbǐng 명 조정의 대권.
〔魁大〕 kuídà 형 거대하다.
〔魁堆〕 kuíduī 형 높은 모양.
〔魁甲〕 kuíjiǎ 명 장원. =〔状元①〕
〔魁儒〕 kuírú 명 대유학자. 대학자.
〔魁士〕 kuíshì 명 훌륭한 학자.
〔魁手〕 kuíshǒu 명 앞섬. 선두.
〔魁首〕 kuíshǒu 명 〈文〉 ①괴수. 두목. →〔头tóu目〕 ②(옛날, 문장의 재주에 대하여 이른) 제일인자. ¶文章～; 문장의 제일인자.
〔魁殊〕 kuíshū 형 특히 우수하다.
〔魁帅〕 kuíshuài 명 총수.
〔魁伟〕 kuíwěi 형 (사람 · 풍채 등이) 위엄이 있다. 엄숙하다. 무게가 있다. 당당하다.
〔魁梧〕 kuíwú 형 체격이 당당하다. 크고 훌륭하다. =〔魁岸〕
〔魁武〕 kuíwǔ 형 용모에 위엄이 있다.
〔魁星〕 kuíxīng 명 ①《天》 괴성《북두칠성의 첫째 별. 또는 첫째에서 넷째 별까지의 총칭》. =〔奎星〕 ②중국의 신화에서 문운(文運)의 성쇠를 주관하는 별《옛날, 여러 지방에는 '～楼' · '～阁' 등의 건축물이 있었음》.
〔魁圆〕 kuíyuán 명 《植》 용안(龍眼).

櫆 kuí (괴)
명 〈文〉 북두(칠)성.

逵 kuí (규)
〈文〉 ①명 각지로 통하는 도로. ②인명용 자(字). ¶李～Lǐkuí; 이규(李逵)《《수호지(水滸誌)》에 나오는 사람》.

葵 kuí (규)
①명 《植》 해바라기. ¶～花子huāzǐ; 해바라기 씨. =〔向日葵〕 ②명 《植》 아욱《총칭》. ¶冬～ =〔冬寒菜〕; 동규의 약칭《예전에 식용됨》/蜀shǔ～; 접시꽃/锦jǐn～; 당아욱/秋qiū～; 오크라/蒲pú～; 빈랑(檳榔). ③동 헤아리다. =〔揆〕
〔葵瓜子〕 kuíguāzǐ 명 ⇨〔葵花子〕
〔葵花〕 kuíhuā 명 《植》 해바라기. ¶～籽; 해바라기 씨. =〔向日葵〕〔向阳花〕〔向阳葵〕
〔葵花鸟〕 kuíhuāniǎo 명 《鳥》 규화조《앵무새 비슷한 흰 새. 머리의 깃털이 해바라기꽃이 활짝 핀 것처럼 보이므로 이렇게 부름》.
〔葵花子〕 kuíhuāzǐ 명 해바라기 씨. =〔葵瓜子〕〔葵花籽〕
〔葵藿〕 kuíhuò 명 《植》 해바라기와 배초향《모두 흔히 있는 풀》. 〈轉〉 자기를 말하는 비칭.
〔葵倾〕 kuíqīng 동 ⇨〔葵向〕
〔葵扇〕 kuíshàn 명 빈랑의 잎으로 만든 부채.
〔葵私〕 kuísī 명 〈比〉 충정. 진심. ¶聊liáo表～; 〈翰〉 약간의 충정을 표합니다.
〔葵向〕 kuíxiàng 동 해바라기꽃처럼 기울다《마음이 기울다. 사모하다》. =〔葵倾〕〔葵心〕
〔葵心〕 kuíxīn 동 ⇨〔葵向〕

揆 kuí (규)
①동 추측하다. 생각하다. ¶～情度duó理; 정리로 헤아리다. 인정과 도리를 헤아리다/～之…; 생각건대…. ②명 도리. 이치. ¶其～一也; 그 도리는 하나이다. ③명 사무(事務). 정무(政務). ¶百～; 백반(百般)의 정무(政務). ④명 재상(宰相) · 총리의 별칭. ¶阁～; 내각 총리.
〔揆测〕 kuícè 동 〈文〉 헤아리다. 추측하다. ¶～优劣; 우열을 헤아리다/～时势; 시세를 헤아리다. =〔揆度〕
〔揆度〕 kuíduó 동 헤아리다. 대어 보다.
〔揆席〕 kuíxí 명 재상. 총리. =〔阁gé揆〕〔首shǒu揆〕

骙(騤) kuí (규)
①→〔骙骙〕 ②인명용 자.
〔骙骙〕 kuíkuí 형 〈文〉 말의 힘이 센 모양.

戣 kuí (규)
명 〈文〉 규(戣)창《옛날의 무기. 세 갈래 또는 네 갈래로 갈라진 창》. →〔戟jǐ①〕

睽 kuí (규)
동 (사람과 사람 · 사람과 장소가) 떨어지다. 헤어지다. ¶～违数载; 여러 해 동안 격조하

였습니다 / ～索suǒ; 이산(하다). =〔睽④〕
〔睽别〕 kuíbié 동 〈文〉 갈라지다. 이별하다. ¶～多日; 갈라진 지 며칠 되다 / ～经年; 이별해서 오랜 세월이 지나다.
〔睽隔〕 kuígé 동 〈文〉 이별하다. 헤어지다. 떨어지다.
〔睽离〕 kuílí 동 〈文〉 이별하다.
〔睽违〕 kuíwéi 동 〈文〉〈翰〉 헤어지다. 떨어지다. ¶～数载; 여러 해 동안 헤어지다.

睽 kuí (규)
동 ①눈을 크게 뜨고 보다. 바라보다. ¶万目～～; 뭇 사람들이 주시하다. ②거스르다. 반대하다. ¶～异yì; ⇩ ③반목하다. ④⇨〔睽kuí〕
〔睽睽〕 kuíkuí 형 눈을 크게 뜨고 주시하는 모양. ¶众目zhòngmù～; 여러 사람이 눈을 크게 뜨고 보고 있다.
〔睽异〕 kuíyì 형 (의견이) 맞지 않다.

夔 kuí (기)
① 명 옛날 전설상의 용 비슷한 동물. ¶～龙lóng =〔～纹wén〕; 옛날의 거울·정(鼎) 따위에 새겨진 문양 이름 / ～～; 두려워 삼가는 모양. ②인명용 자(字). ③지명용 자(字). ¶～州Kuízhōu; 쿠이저우(夔州)《지금의 쓰촨 성(四川省) 펑제 현(奉節縣) 일대에 있었던 옛 부(府)명. ④ 명 성(姓)의 하나.

傀 kuǐ (괴)
→〔傀儡〕 ⇒guī

〔傀儡〕 kuǐlěi 명 ①나무 인형. 꼭두각시. ¶耍shuǎ～的; 인형 놀리는 사람 / 提～儿; 꼭두각시 / ～戏 =〔木mù偶戏〕; 꼭두각시 놀음. 인형극. ②〈比〉 (주로 정치상의) 괴뢰. 허수아비. 꼭두각시. ¶～政府 =〔伪wěi政府〕; 괴뢰 정부.

跬 kuǐ (규)
〈文〉 ① 명 반보(半步). ¶～步不离; 바싹 달라붙어서 떨어지지 않음. ② 형 일시적인. ¶～誉; 일시적인 명예.
〔跬步〕 kuǐbù 명 〈文〉 반 걸음. ¶～千里; 〈成〉 반 걸음을 내딛어 천 리를 가다《비록 능력이 모자라도 좌절하지 않으면 성공할 수 있다》.

匮(匱) kuì (궤)
동 〈文〉 (물자·금전이) 결핍되다. 탕진하다. 모자라다. ¶～乏; ⇩ / ～竭; ⇩ ⇒guì
〔匮乏〕 kuìfá 형 ①(물자가) 모자라다. 결핍되다. ¶食品～; 식품이 모자라다. ②가난하다. ¶不虞～; 가난을 근심하지 않다.
〔匮竭〕 kuìjié 동 〈文〉 다 써 버리다. 탕진하다.
〔匮缺〕 kuìquē 형 모자라다. 결핍하다. ¶能源～; 에너지원이 모자라다.

溃(潰) kuì (궤)
동 ①(제방이) 터지다. 무너지다. ¶～堤; 둑이 터지다 / ～决; ⇩ ②(포위를) 돌파하다. ¶～围南奔; 포위를 돌파하여 남으로 도망치다. ③(패배하여) 뿔뿔이 흩어지다. 궤멸하다. ¶～退; ⇩ / 敌人～下去了; 적은 패배하여 달아났다 / ～不成战; 싸우기도 전에 뿔뿔이 흩어지다 / ～不成军; 〈成〉 패배하여 군대가 뿔뿔이 흩어지다. ④《醫》 문드러지다. 궤양이 되다. ¶胃～疡; 위궤양. ⇒huì
〔溃败〕 kuìbài 동 완전히 패배하다.
〔溃兵〕 kuìbīng 명 패잔병. 동 군대가 괴멸하다. 군대가 완전히 패배하다.
〔溃出〕 kuìchu 동 무너져 범람하다〔넘쳐나다〕.
〔溃窜〕 kuìcuàn 동 모두 붕괴되어 패퇴하다.
〔溃决〕 kuìjué 동 (제방 따위가) 큰물로 무너지다. ¶～成灾zāi; 무너져 재해를 초래하다.
〔溃溃〕 kuìkuì 형 〈文〉 어지러운 모양. 흩어진 모양.
〔溃烂〕 kuìlàn 동 ①《醫》 궤양(潰瘍)이 되다. 화농하다. 썩어 문드러지다. ¶伤口已经～化脓; 상처는 이미 짓물러 곪았다. ②도덕적으로 부패하다. 명 《醫》 궤양.
〔溃乱〕 kuìluàn 동 무너져 형태가 흐트러지다.
〔溃盟〕 kuìméng 동 〈文〉 맹약을 어기다.
〔溃灭〕 kuìmiè 동 궤멸하다. 싸움에 져서 붕괴되다.
〔溃散〕 kuìsàn 동 (군대가) 완전히 패배하다. 군대가 사방으로 흩어지다.
〔溃逃〕 kuìtáo 동 패주(敗走)하다. 뿔뿔이 흩어져 도망치다.
〔溃退〕 kuìtuì 동 여지없이 패하여 총퇴각하다.
〔溃围〕 kuìwéi 동 포위망을 뚫다.
〔溃疡〕 kuìyáng 명 《醫》 궤양. ¶胃wèi～; 위궤양.

愦(憒) kuì (궤)
형 ①심란해지다. ¶～乱luàn =〔～眊mào〕; 마음이 산란하여 모르겠다〔판단이 안 서다〕. ②분명치 않다. 머리가 혼란하다. 어리석다. ¶昏hūn～; 어리석음 / ～～俗间, 不辩真伪; 속세의 일이 전혀 분명치 않으므로 참인지 거짓인지 분간하기 어렵다. ③혼란하다. ¶天下～～, 非独我曹罪也; 천하가 아주 어지러운 것은 우리들만의 죄가 아니다.

蒉(蕢) kuì (궤)
명 ①〈文〉 짚으로 엮어 만든 섬. 삼태기. ②성(姓)의 하나.

馈(饋〈餽〉) kuì (궤)
동 (예물을) 드리다. 선사하다. 진상하다. ¶～送; ⇩ / ～赠; ⇩ / ～以鲜果; 과일을 선사하다 / 厚～; 후한 선물 / ～物致敬; 선물하여 경의를 표하다.
〔馈电〕 kuìdiàn 동 《電》 급전(給電)하다. ¶～线; 급전선. 피더(feeder).
〔馈奠〕 kuìdiàn 명동 〈文〉 신에게 바치는 공물(을 차리다).
〔馈饯〕 kuìjiàn 명동 전별(餞別)의 금품(을 보내다). 명 송별 연회.
〔馈礼〕 kuìlǐ 명동 〈文〉 선물(하다).
〔馈粮〕 kuìliáng 동 〈文〉 양식을 운송하다.
〔馈路〕 kuìlù 명 〈文〉 양식 운수의 노정(路程).
〔馈人〕 kuìrén 명 〈文〉 요리사.
〔馈食〕 kuìshí 명 〈文〉 신 앞에 요리를 차림.
〔馈送〕 kuìsòng 동 선사하다. ¶～礼物lǐwù; 선물을 선사하다.
〔馈岁〕 kuìsuì 명 〈文〉 세모(歲暮) 선물.
〔馈饷〕 kuìxiǎng 동 〈文〉 군비(軍費)를 보내다.
〔馈赠〕 kuìzèng 동 (물건을) 선사하다.
〔馈中无人〕 kuì zhōng wú rén 〈成〉 음식 시중을 드는 사람이 없다《남자가 독신이다》.
〔馈馔〕 kuìzhuàn 동 〈文〉 음식을 연장자에게 드리다.

䙊(襀) kuì (궤)
〈方〉 ①(～儿) 명 끈이나 띠를 매어 생긴 매듭. ¶活～儿; 나비 매듭 / 死～; 옭매듭. ② 동 매다. 묶다. 묶어 놓다. ¶把牲口～上; 가축을 묶어 놓다.

聩(聵) kuì (귀)
명 〈文〉 장님. 소경. →〔瞎xiā①〕

聩(聵) kuì (외, 회)
① 명 귀가 들리지 않음. 또, 귀머거리. ¶振聋发~ =〔发fā聋振~〕; 〈成〉 (귀머거리한테도 들릴 정도로) 큰 소리로 주장하다. 고함치다. (사람의 생각을) 깨우치다. ② 형 〈轉〉 멍청하다. ¶昏~; 어리석다.

〔聩聩〕 kuìkuì 형 멍하니 있는 모양.

篑(簣) kuì (궤)
명 〈文〉 흙 따위를 나르는 삼태기. ¶功亏一~; 〈成〉 오래오래 쌓은 공로가 최후의 한 번 실수나 부족으로 실패하게 됨.

愧〈媿〉 kuì (괴)
동 (잘못을) 부끄러워하다. ¶不~; 부끄러워하지 않다 / 问心无~; 양심에 부끄럼이 없다 / 惭~; 부끄러워하다 / 心里有~; 마음에 부끄러이 여기는 바가 있다 / 深~未能尽力; 진력하지 못한 것을 깊이 부끄러워하다 / 仰不~于天; 〈成〉 하늘을 우러러 부끄럽지 않다.

〔愧对〕 kuìduì 형 대할 낯이 없다. 면목 없다. ¶做出这样丢脸的事来, 真是~亲友; 이런 수치스런 일을 저질러서 친척이나 친구에게 참으로 면목 없게 되었다.

〔愧服〕 kuìfú 동 〈文〉 (능력이 뒤떨어지는 것을 부끄럽게 여기어) 복종하다. 굴복하다.

〔愧汗〕 kuìhàn 동 〈文〉 부끄러운 나머지 땀을 흘리다. (창피하여) 식은 땀을 흘리다.

〔愧恨〕 kuìhèn 동 부끄러움이 지나쳐 원망하다. 부끄러워 자신에게 화를 내다.

〔愧悔〕 kuìhuǐ 동 부끄러워하다. 후회하다. ¶~无wú及; 부끄러워 후회해도 이미 때는 늦었다.

〔愧疚〕 kuìjiù 명 뒤가 켕기는 일. 양심의 가책을 느끼는 일. ¶心怀~; 양심의 가책을 느낄 일이 있다. 동 양심에 가책을 느끼다.

〔愧惧〕 kuìjù 동 부끄러워 어쩔 줄을 모르다.

〔愧赧〕 kuìnǎn 동 〈文〉 부끄러워 얼굴을 붉히다.

〔愧恧〕 kuìnǜ 동 〈文〉 부끄러워하다.

〔愧色〕 kuìsè 명 부끄러워하는 표정. ¶面有~; 계면쩍은 얼굴을 하다.

〔愧死〕 kuìsǐ 형 몹시 부끄러워하다.

〔愧心〕 kuìxīn 동 내심 부끄러워하다. 명 부끄러워하는 마음.

〔愧怍〕 kuìzuò 형 ⇨〔惭cán怍〕

喟 kuì (위)
동 〈文〉 탄식하다. ¶~~; 자꾸 한숨을 쉬는 모양 / ~然长叹; 크게 탄식하다. 긴 한숨을 쉬다.

〔喟然〕 kuìrán 형 탄식하는 모양.

〔喟叹〕 kuìtan 동 한숨을 쉬며 탄식하다.

KUN ㄎㄨㄣ

坤〈堃〉 kūn (곤)
① 명 8괘(卦)의 하나《대지(大地)를 이름》. ② 명 여자에 관한 것. ¶乾~; 천지 / ~宅 =〔女家(儿)〕; ⇓ / ~表; ⇓ ↔〔乾qián②〕 ③ 명 서남방. ④ 명 음양의 음. ⑤인명용 자(字).

〔坤班〕 kūnbān 명 여성 극단.

〔坤包〕 kūnbāo 명 여성용 백.

〔坤表〕 kūnbiǎo 명 여자용 손목시계.

〔坤车〕 kūnchē 명 ①여성용 자전거. ¶鸽子牌~比英国产自行车还轻便; 비둘기표의 여성용 자전거는 영국제 자전거보다 편리하다. ②〈文〉 여성용 마차.

〔坤道〕 kūndào 명 〈文〉 곤도. 부도(婦道).

〔坤德〕 kūndé 명 여성이 지녀야 할 덕. =〔坤范〕〔坤仪②〕

〔坤范〕 kūnfàn 명 ⇨〔坤德dé〕

〔坤卦〕 kūnguà 명 곤괘.

〔坤极〕 kūnjí 명 황후의 위.

〔坤角儿〕 kūnjuér 명 여배우. =〔坤伶〕〔女戏子〕〔女优〕

〔坤伶〕 kūnlíng 명 ⇨〔坤角儿〕

〔坤灵〕 kūnlíng 명 땅의 신.

〔坤六断〕 kūnliùduàn 명 8괘의 ☷ 모양을 이름.

〔坤履〕 kūnlǚ 명 ⇨〔坤鞋〕

〔坤门〕 kūnmén 명 여성계.

〔坤母〕 kūnmǔ 명 ①어머니의 별칭. ②대지(大地).

〔坤书〕 kūnshū 명 여자가 노래하는 '大dà鼓(书)'《두 사람이 어울려 부르는 가창물 예술의 1종》. ¶~馆; 여자의 '大鼓书'를 들려 주는 곳.

〔坤戏〕 kūnxì 명 여자 연극.

〔坤鞋〕 kūnxié 명 여자 구두〔신〕. =〔坤履〕

〔坤仪〕 kūnyí 명 ①대지. ②⇨〔坤德〕

〔坤舆〕 kūnyú 명 대지. =〔坤仪①〕

〔坤造〕 kūnzào 명 (궁합을 보기 위한) 여자의 생년월일.

〔坤宅〕 kūnzhái 명 결혼 때의 신부(新婦)의 집. =〔女nǚ家(儿)〕

昆〈崑, 崐〉B) kūn (곤)
A) ① 명 후계자. 자손. 후손. ¶后~; 후손. ② 명 형(兄). ¶~弟; 형제. ③ 형 여럿. 많다. ¶~虫; 많은 벌레의 뜻. 곤충. B) 지명용 자(字). ¶~仑Kūnlún; 곤륜(崑崙)(산맥).

〔昆布〕 kūnbù 명 《植》 다시마. =〔海hǎi带(菜)〕

〔昆虫〕 kūnchóng 명 곤충.

〔昆季〕 kūnjì 명 ⇨〔昆仲〕

〔昆剧〕 kūnjù 명 ⇨〔昆曲①〕

〔昆仑〕 Kūnlún 명 《地》 쿤룬《산맥 이름. 파미르 고원에서 티베트 · 신장(新疆)을 거쳐 중국 본토로 들어오는 산맥》. =〔崑崘〕

〔昆仑奴〕 Kūnlúnnú 명 (唐 · 宋代에) 말레이 지방에서 데려온 노예.

〔昆腔〕 Kūnqiāng 명 곤강《중국 전통 희곡 곡조의 하나. 원대(元代)에 장쑤 성(江蘇省) 쿤산 현(昆山縣)에서 민간 희곡으로 발생, 명대(明代)에서 청대(淸代) 중엽까지 매우 유행하여 많은 민간 희곡의 형성과 발전에 중대한 영향을 끼쳤음》. =〔昆曲②〕〔昆山腔〕

〔昆曲〕 kūnqǔ 명 ①장쑤 성(江蘇省) 남부와 베이징(北京) · 허베이(河北) 등지에서 유행했던 지방 희곡《'昆腔'으로 연창(演唱)했음》. =〔昆剧〕 ②⇨〔昆腔〕

〔昆山片玉〕 kūn shān piàn yù 〈成〉 매우 희소하고 귀중한 사람 또는 물건.

〔昆山腔〕 kūnshānqiāng 명 ⇨〔昆腔〕

〔昆孙〕 kūnsūn 명 자기부터 세어 6대째 손자《'来孙'의 아들》.

〔昆裔〕 kūnyì 명 후예. 자손.

〔昆玉〕 kūnyù 명 ⇨〔昆仲〕
〔昆仲〕 kūnzhòng 명 형제분(남의 형제에 대해서 말함). ¶～几位; 형제분은 몇이나 되십니까? =〔昆弟〕〔昆季〕〔昆玉〕

焜 kūn (혼)
① 동 〈文〉 밝게 빛나다. ¶～耀yào; 밝게 빛나다. 빛내다. ②인명용 자(字).

琨 kūn (곤)
명 〈文〉 아름다운 옥(인명으로 쓰이는 글자).

锟(錕) kūn (곤)
①→〔锟铻wú〕 ②인명용 자.

〔锟铻〕 Kūnwú 명 고서(古書)에 나오는 산 이름.

鹍(鵾〈鶤〉) kūn (곤)
→〔鹍鸡jī〕

〔鹍鸡〕 kūnjī 명 〈文〉 전설상의 학 비슷한 새.

醌 kūn (곤)
명 《化》 키논(quinone). ¶蒽ēn～; 안트라키논(anthraquinone).

鲲(鯤) kūn (곤)
① 명 전설상의 최대의 물고기. ¶～鹏péng; 전설상의 제일 큰 물고기와 제일 큰 새. ②인명용 자(字).

裈(褌〈幝, 裩〉) kūn (곤)
명 옛날의 바지나 잠방이 따위. ¶～衣; 곤의. 잠방이.

髡〈髨〉 kūn (곤)
① 명 남자의 머리를 깎던 옛날의 형벌. ② 동 나뭇가지를 치다. ¶～树shù; 가지치기하다. 나뭇가지를 치다.

悃 kǔn (곤)
명 〈文〉 진심. 성의. ¶谢～; 감사의 진심. 사의 / 聊liáo表谢～; 약간이나마 사의를 표하다.

〔悃愊〕 kǔnbì 형 〈文〉 성실하다. ¶～无wú华; 성실하고 꾸밈이 없다.
〔悃诚〕 kǔnchéng 형 〈文〉 성실하다.
〔悃望〕 kǔnwàng 동 〈文〉 갈망하다.

阃(閫) kǔn (곤)
명 ①문지방. =〔门坎〕 ②전에, 여자가 거처하는 곳을 이르던 말. 〈比〉 부인. 부도(婦道). ¶尊～; 영부인. =〔壸kǔn②〕 ③군사. ¶专zhuān～; 지방의 군(軍)의 장관.

〔阃德〕 kǔndé 명 부덕(婦德). =〔阃范〕〔阃仪〕
〔阃范〕 kǔnfàn 명 ⇨〔阃德〕
〔阃令〕 kǔnlìng 명 여성의 명령. 산신(山神)의 명령.
〔阃内〕 kǔnnèi 명 ①여성의 거실 내부. ②문(門) 안. 〈轉〉 국내.
〔阃外〕 kǔnwài 명 국외. ¶～之任; 장군의 직책.
〔阃则〕 kǔnzé 명 부녀자가 지켜야 할 것.

捆〈綑〉 kǔn (곤)
① 동 (끈으로) 묶다. 매다. ¶～上; 묶어 버리다 / ～行李; 짐을 꾸리다〔묶다〕 / 把这批书～起来; 이 책을 묶어라〔묶어서 짐을 꾸려라〕. ② 동 두들겨서 다지다. ③(～儿, ～子) 양 단. 묶음. 다발(묶은 것, 다발을 세는 데 쓰임). ¶一～柴chái火; 한 다발의 장작 / 把草捆一个～; 짚을 한 다발로 묶다. ④ 명 《電》 코일. ¶附电～; 감응(感應) 코일. =〔线圈(儿)〕

〔捆绑〕 kǔnbǎng 동 묶다. 동이다. ¶～贼匪; 도적을 묶다.
〔捆哧〕 kǔnchi 동 묶다. 동이다.
〔捆拘儿〕 kǔnjur 명 〈俗〉 구속. 제한. 속박. ¶现在的儿媳妇在婆婆面前也不觉着～了; 요즘 며느리들은 시어머니 앞에서도 별로 어려워하지 않는다 / 父亲死后没有～; 부친이 돌아가신 후에 속박하는 것이 없어졌다.
〔捆儿〕 kǔnr 명 〈京〉 결말. 끝. ¶原有些真, 到了你嘴里越发没了～了; 원래 진실이 조금은 있었지만, 네 입에 오르자 점점 허풍이 부풀어져 끝이 없게 되었다. 명양 다발. 단. 묶음.
〔捆束〕 kǔnshù 동 다발로 묶다.
〔捆仙绳〕 kǔn xiānshéng ①도교(道教) 법술(法術)의 하나로, 사람을 쇠사슬로 묶듯 꼼짝 못 하게 만듦. ②어린아이의 몸의 균형을 잡기 위해, 기저귀를 채울 때 몸도 같이 감음.
〔捆扎〕 kǔnzā 동 (물건을) 한데 묶다. 동이다.
〔捆着发麻, 吊着发木〕 kǔnzhe fāmá, diàozhe fāmù 〈比〉 묶으나 달아매나 저린 것은 매한가지(아무런 방법이 없음).

壸(壼) kǔn (곤)
명 ①궁중(宮中)의 길. ¶～政; 대궐의 안살림. ② ⇨〔阃kǔn②〕

〔壸奥〕 kǔn'ào 명 궁중의 깊숙한 곳(심오한 경지).
〔壸德〕 kǔndé 명 부덕(婦德). =〔壸范〕〔壸仪〕
〔壸闱〕 kǔnwéi 명 〈文〉 대궐 안 깊숙한 곳. 여자가 거처하는 내실. =〔闺guī阃〕
〔壸训〕 kǔnxùn 명 여훈(女訓).

困〈睏〉⑦⑧ kùn (곤)
① 명 곤란. 고통. ② 동 고생하다. 시달리다. 고통스럽다〔받다〕. 곤경〔궁지〕에 빠지다. ¶为病所～; 병으로 고통 받다 / 被琐碎事务给～住, 不能往远大处看; 자질구레한 일에 시달려서는 원대한 방향으로 눈을 돌릴 수 없다. ③ 동 앞이 막히다. ¶冰～芝罘口外; 얼음으로 배가 지부(芝罘) 밖에서 발이 묶이다. ④ 형 곤란하다. 난처하다. 어렵다. 곤궁하다. ¶～难; ⇩ / ～而好学; 곤궁하지만 학문을 좋아하다. ⑤ 동 포위하다. 독 안의 쥐를 만들다. 가두다. ¶～守; ⇩ / 围～; 포위하다 / 把数十万敌军～在长安; 수십 만의 적군을 장안에서 포착하여 독 안의 쥐로 만들었다. ⑥ 동 피로하다. 지치다. 녹초가 되다. ¶～乏; ⇩ ⑦ 형 졸리다. ¶你～了就先睡! 졸리면 먼저 자라! / ～得睁不开眼; 졸려서 눈을 뜰 수 없다. ⑧ 동 〈方〉 자다. ¶天不早了, 快点～吧! 이제 늦었다. 어서 자라! / ～过一觉再去工作; 한숨 자고 나서 다시 일을 시작하다. =〔睡①〕

〔困惫〕 kùnbèi 형 〈文〉 고달프다. 지치다.
〔困城〕 kùnchéng 동 〈文〉 성을 포위하여 괴롭히다〔공격하다〕.
〔困处〕 kùnchǔ 명 곤경. 곤란한 입장. 동 곤경에 처하다. 갇혀 있다. 오도 가도 못 하고 있다. ¶只身～在山沟里; 산골짜기에 혼자서 꼼짝 못 하고 있다.
〔困斗〕 kùndòu 동 끝까지 저항하여 싸우다.
〔困顿〕 kùndùn 형 ①진력이 나다. =〔困倦〕 ②(생활 · 처지가) 곤궁하다.
〔困厄〕 kùn'è 명형 곤궁(하다). =〔困坷〕
〔困乏〕 kùnfá 형 ①궁핍하다. 곤궁하다. ②피로하다. 지치다.

〔困惑〕 kùnhuò 명동 곤혹(하다). 난처(하다). 어리둥절(하다). ¶～不解; 어리둥절하여 알지 못하다.
〔困觉〕 kùn.jiào 동 〈方〉 자다. 누워 자다. =〔睡觉〕
〔困劲儿〕 kùnjìnr 명 졸음. ¶～都上来了; 졸음이 왔다.
〔困境〕 kùnjìng 명 곤경. 어려운 입장. ¶陷入～; 곤경에 빠지다 / 摆脱～; 어려운 처지에서 빠져나오다.
〔困窘〕 kùnjiǒng 형 ①핍박(逼迫)하다. 곤궁하다. 궁색하다. ¶财政～; 재정이 핍박하다. ②궁지에 몰리다. 난처하다. ¶他～地站在那里, 一句话也说不出来; 그는 난처해서 그 자리에 선 채로 한 마디도 말하지 못했다.
〔困倦〕 kùnjuàn 형 피곤하여 노곤해지다. 노곤하다. ¶一连忙了几天, 大家都十分～; 며칠 동안 계속 바빴기 때문에, 모두들 꽤 피곤했다.
〔困坷〕 kùnkě 명형 ⇨〔困厄è〕
〔困苦〕 kùnkǔ 명 곤고. 괴로움. 형 (생활이) 곤궁하다.
〔困匮〕 kùnkuì 명형 궁핍(하다).
〔困难〕 kùnnan 명 곤란. 애로. ¶有不少～; 여러 가지로 곤란한 일이 있다 / 有什么～, 就尽管提出来; 어려운 일이 있거든 기탄없이 말해 주십시오 / 给我们带来了不少～; 우리에게 크나큰 곤란을 안겨다 주었다. 형 경제적으로 곤란하다. 살림이 어렵다. ¶～户hù; 생활이 곤궁한 가정.
〔困穷〕 kùnqióng 명형 곤궁(하다).
〔困扰〕 kùnrǎo 명 혼란. 트러블. 동 (옆에서) 성가시게 하다. 폐를 끼치다. 괴롭히다. ¶一妥协他就来～你; 해결이 잘 되었다 싶으면 그는 금방 와서는 트러블을 일으킨다.
〔困人〕 kùnrén 동 남을 지쳐서 졸리게 만들다. ¶～的天气; 졸음이 오는 날씨. 형 피곤하여 졸리다.
〔困衫〕 kùnshān 명 ⇨〔睡shuì衣〕
〔困守〕 kùnshǒu 동 사수(死守)하다. ¶～孤城; 고성을 사수하다.
〔困兽犹斗〕 kùn shòu yóu dòu 〈成〉 도망갈 길이 없는데도 완강하게 저항하다《악인은 절망적인 경우에 있어서도 최후 발악을 하다》.
〔困死〕 kùnsǐ 동 절박해지다. 병고·생활고에 시달리다. 형 절박하다.
〔困桶〕 kùntǒng 명 젖먹이 아이를 재우는 밑이 열은 나무통.
〔困围〕 kùnwéi 명동 〈文〉 포위 공격(하다).
〔困醒〕 kùnxǐng 동 푹 자다.
〔困学〕 kùnxué 동 〈文〉 고학하다. 어려움을 견디고 공부하다. ¶～不倦juàn; 어려움을 견디고 공부하여 지칠 줄을 모르다.
〔困眼〕 kùnyǎn 명 졸음이 가득히 온 눈. ¶～朦胧; 졸려서 눈이 게슴츠레하다.
〔困意〕 kùnyì 명 졸음. 졸음기.
〔困于〕 kùnyú …로 괴로워하다. 당혹하다. 고생하다. ¶～游击战争; 게릴라전 때문에 골머리를 앓다.
〔困约〕 kùnyuē 형 가난하다. 빈핍하다.
〔困知勉行〕 kùn zhī miǎn xíng 〈成〉 지식은 고통 속에서 몸에 지니는 것《인덕(人德)은 극기(克己)함으로써 탄생하는 것》.
〔困住〕 kùnzhù 동 갇히다. 오도 가도 못하게 되다. ¶火车被雪～了; 눈 때문에 기차가 오도 가도 못하게 되었다.

KUO ㄎㄨㄛ

扩(擴) kuò (확)

동 넓히다. 크게 하다. ¶～而充之; 넓히어 충실하게 하다 / ～军jūn; ⇩ / ～大范围; 범위를 넓히다.
〔扩编〕 kuòbiān 동 확대 편성하다.
〔扩充〕 kuòchōng 동 확충하다. ¶～设备; 시설을 확충하다 / ～人力; 인원을 늘리다.
〔扩大〕 kuòdà 동 확대하다. ¶～机jī; 확대기.
〔扩大发行〕 kuòdà fāxíng (신문·잡지의) 발행부수를 늘리다.
〔扩大化〕 kuòdàhuà 동 확대화하다. 과장하다.
〔扩大再生产〕 kuòdà zàishēngchǎn 명 《經》 확대 재생산.
〔扩建〕 kuòjiàn 동 증축하다. 확장하다.
〔扩军〕 kuòjūn 명동 군비 확장(을 하다). ¶他表示对于～的热情; 그는 군비 확장에 대한 열의를 보였다 / ～备战政策; 군비를 확충하여 전쟁에 대비하는 정책.
〔扩孔〕 kuòkǒng 명 《工》 천공기 등의 천공 작업의 마무리 공정《리머(reamer)를 통해서 마무리하는 일》.
〔扩散〕 kuòsàn 명동 확산(하다·시키다). ¶～器; 디퓨저(diffuser). =〔弥mí散〕
〔扩胸器〕 kuòxiōngqì 명 《體》 엑스 밴드. =〔练liàn力带〕
〔扩眼界〕 kuò yǎnjiè ①시야〔시계〕를 넓히다. ②경험을 넓히다.
〔扩音喇叭〕 kuòyīnlǎba 명 라우드 스피커.
〔扩音器〕 kuòyīnqì 명 확성기. ¶用～传达; 확성기로 전달하다. =〔扩音机jī〕〔播bō音机〕
〔扩音室〕 kuòyīnshì 명 방송실.
〔扩印〕 kuòyìn 동 (사진을) 확대하다. 명 확대 인화.
〔扩展〕 kuòzhǎn 동 넓히다. 확대하다. ¶火势向四面～; 불이 사방으로 퍼지다.
〔扩张〕 kuòzhāng 동 (세력 범위를) 넓히다. (세력·야심 등을) 확대하다. ¶～势力; 세력을 넓히다 / ～战果; 전과를 넓히다 / ～主义; 대외 침략주의. 명 《醫》 확장. ¶胃～; 위확장.

括 kuò (괄)

동 ①포괄(包括)하다. 에워싸다. ¶总zǒng～起来; 총괄하면 / 包～; 포괄하다 / 包～在内; 속에 포괄하고 있다 / 概～; 개괄하다 / 笼～ =〔囊～〕; 망라하다. ②한데 묶다. 동여매다. ③탐구하다. 찾다. ⇒guā
〔括发〕 kuòfà 동 거상(居喪) 때에 삼베로 머리를 묶다.
〔括号〕 kuòhào 명 ①괄호《( )는 '小～' '圆yuán～', 〔 〕는 '中zhōng～' '方fāng～', { }는 '大～' '花～', 《 》는 '双shuāng～'이라고 함》. ②(문장 부호로서의) 괄호. =〔括弧②〕
〔括弧〕 kuòhú 명 ①《數》 소괄호《( )》. =〔小括弧〕 ② ⇨〔括号②〕
〔括开斯〕 Kuòkāisī 명 《宗》 퀘이커(Quaker) 교「도」.
〔括模底板〕 kuòmó dǐbǎn 명 《機》 기초판(基礎板).
〔括要〕 kuòyào 동 요점을 파악하다.
〔括约筋〕 kuòyuējīn 명 《生》 괄약근. =〔括约肌jī〕

栝 **kuò** (괄)
→〔檃yǐn栝〕⇒guā

阔(闊〈濶〉) **kuò** (활)
①형 (공간적으로) 넓다. 광활하다. ¶辽～; 광활하다 / 海～天空; 〈成〉 사방이 가없이 넓다. ②형 부유(富裕)하다. 사치스럽다. ¶～人; 부자 / 摆～; 부자인 체하다 / 做～; 부자같이 행동하다. 부자인 체하다 / 一帆风顺地～起来了; 순풍에 돛단 듯이 순탄하게 부자가 되어 왔다. ③형 (시간적·거리적으로) 멀다. 소원(疎遠)하다. ¶～别 =〔远yuǎn别〕; 멀리 헤어져 있다. ④형 오래간만이다. ¶叙～; 격조했던 인사를 하다. 오래간만에 뵈옵다. ⑤명 폭. 넓이. ¶二指～的皮带; 손가락 2개 폭의 밴드.

〔阔别〕 kuòbié 동 멀리 떨어져 가는 이별을 하다. 오랫동안 만나지 못하다. ¶～多年; 오랜 동안 만나지 않다 / ～重逢; 오래간만에 만나다. =〔远别〕

〔阔步〕 kuòbù 동 성큼성큼 걷다. 활보하다. ¶～前进; 성큼성큼 전진하다〔나아가다〕.

〔阔吃阔喝〕 kuò chī kuò hē 〈成〉 호사스럽게 먹고 마시다.

〔阔绰〕 kuòchuò 형 호사스럽다. 여유가 있다. 유복(裕福)하다.

〔阔达〕 kuòdá 형 〈文〉 활달하다.

〔阔大〕 kuòdà 형 ①폭이 넓다. ②아량(雅量)이 풍부하다. ③(옷 따위가) 낙낙하다.

〔阔大爷〕 kuòdàyé 명 부자.

〔阔度〕 kuòdù 명 폭. 너비. ¶龟jūn裂的～这十五英尺; 균열의 폭은 15피트에 이른다.

〔阔家主(儿)〕 kuòjiāzhǔ(r) 명 부자. 금만가.

〔阔角〕 kuòjiǎo 명 광각(廣角). ¶～镜头; 광각 렌즈.

〔阔口〕 kuòkǒu 명 주둥이가 넓은〔넓음〕. ¶～酱油瓶; 주둥이가 넓은 간장병.

〔阔老〕 kuòlǎo 명 부자. =〔阔佬〕

〔阔落〕 kuòluò 형 성기다. 드문드문하다. ¶花园里地方很宽畅, ～地栽种zhòng着一些树木花草; 꽃밭은 장소가 넓어서, 드문드문 약간의 나무나 화초가 심어져 있다.

〔阔略〕 kuòlüè 형 되는대로 하다. 소홀하다. 겉날리다. ¶～成性; 겉날리는 것이 습관이 되었다.

〔阔气〕 kuòqi 형 매우 호사스럽다. ¶图～; 허세부리다. 동 호세(豪勢)를 부리다. 쩡쩡거리다.

〔阔人(儿)〕 kuòrén(r) 명 부자. 유복한 사람. =〔阔主(儿)〕 →〔穷人〕

〔阔人家〕 kuòrénjiā 명 부잣집. =〔阔宅子〕

〔阔少〕 kuòshào 명 부잣집 도련님.

〔阔手〕 kuòshǒu 명 돈의 씀씀이가 헤픈 사람.

〔阔疏〕 kuòshū 형 (사정에) 어둡다.

〔阔狭〕 kuòxiá 명 넓이.

〔阔叶树〕 kuòyèshù 명 《植》 활엽수. ¶～材 =〔有孔材〕〔硬材〕; 활엽수 재목. ↔〔针zhēn叶树〕

〔阔荧幕电视机〕 kuòyíngmù diànshìjī 명 와이드 스크린 텔레비전 수상기(受像機).

〔阔远〕 kuòyuǎn 형 아득히 멀다.

〔阔宅子〕 kuòzháizi 명 ⇨〔阔人家〕

〔阔主(儿)〕 kuòzhǔ(r) 명 ⇨〔阔人(儿)〕

蛞 **kuò** (활)
→〔蛞蝼〕〔蛞蝓〕〔蛞蝓鱼〕

〔蛞蝼〕 kuòlóu 명 《蟲》 땅강아지.

〔蛞蝓〕 kuòyú 명 《動》 괄태충. =〔鼻涕虫〕

〔蛞蝓鱼〕 kuòyúyú 명 《魚》 활유어. =〔文wén昌鱼〕

筈 **kuò** (괄)
명 〈文〉 (화살의) 오늬.

适〈适〉 **kuò** (괄)
형 빠르다. 신속하다《대개 인명(人名)에 쓰임》. ¶南宫～; 남궁괄《주(周)나라 때의 사람 이름》. ⇒'适' shì

漷 **Kuò** (곽)
명 《地》 쿼수이(漷水)《현재의 산둥 성(山東省) 텅 현(滕Téng縣)에 있는 '漷河'의 옛 이름》. ⇒huǒ

廓 **kuò** (곽, 확)
①형 광대하다. 광활하다. ¶～落luò; ⇓ ②동 공허(空虛)하다. 비어 있다. ¶～清qīng; ⇓ ③동 크게 하다. 확대하다. 넓히다. ¶～张; ⇓ ④명 물체의 둘레. ¶轮～; 윤곽 / 耳～; 이각(耳殼).

〔廓廓〕 kuòkuò 형 공허한 모양.

〔廓落〕 kuòluò 형 넓고도 큰 모양. 휑뎅그렁한 모양.

〔廓清〕 kuòqīng 동 숙청하다.

〔廓然〕 kuòrán 형 휑뎅그렁한 모양.

〔廓土〕 kuòtǔ 명 넓은 토지. 동 강토(疆土)를 개척하다.

〔廓张〕 kuòzhāng 동 〈方〉 확장하다. 확대하다.

鞟〈鞹〉 **kuò** (곽)
명 〈文〉 털을 제거한 짐승 가죽.

霩 **kuò** (확)
지명용 자(字). ¶～衢qú; 저장 성(浙江省) 닝보 시(寧波市)의 동쪽에 있는 지명.

L

LA ㄌㄚ

䶎 lā (랄)
→〔䶌kē䶎〕

垃 lā (랄)
→〔垃圾〕

〔垃圾〕 lājī 명 ①오물. 쓰레기. ¶倒dào～; 쓰레기를 버리다 / 倒～的; 쓰레기 청소 인부 / ～车; 쓰레기차 / ～站; 쓰레기 집적장(集積場) / ～堆; 쓰레기 버리는 곳. 쓰레기 더미 / ～桶; 쓰레기통 / 集中～; 쓰레기를 모으다. =〔拉圾〕〔拉撒〕〔拉飒〕 ②〈比〉깡패. ¶政治～; 정치 깡패.

拉 lā (랍)
① 동 (잡아)당기다. 끌다. ¶把鱼网～上来; 어망을 끌어올리다 / 你把车～过来; 수레를 끌어오너라 / ～弓; ⇩ ② 동 (차나 수레에) 실어 운반하다. 운송하다. ¶套车去～肥料; (말에) 수레를 매어 비료를 운반하러 가다 / 平板车能～货, 也能～人; 삼륜차는 짐을 실어 나를 수도 있고, 사람을 태울 수도 있다. ③ 동 연결하다. 연합하다. 맺다. ¶～交情; 사람과 사귀다. 친교를 맺다 / ～关系; 관계를 맺다. 연결 관계가 있다 / 手～手儿; 손에 손을 잡다. ④ 동 악기를 켜다. ¶～小提琴; 바이올린을 켜다. →〔弹tán③〕 ⑤ 동 납치하다. ⑥ 동 미루다. 질질 끌다. 꾸물꾸물 날짜를 끌다. ¶～日子; 기일을 연기하다 / ～长声音说话; 목소리를 길게 끌어 이야기하다. ⑦ 동 빚을 지다. =〔挪nuó借〕 ⑧ 동 발견하다. 찾아 내어 오다. ¶～点别的活计; 다른 일거리를 찾아 오다. ⑨ 동 〈方〉세상 이야기를 하다. 잡담하다. ¶～闲话; 잡담하다. 한담하다 / ～家常; 일상 생활을 이야기하다. ⑩ 동 〈口〉대변 보다. ¶～屎; ⇩ / ～肚子; ⇩ =〔啦③〕〔屙ē〕 ⑪ 동 부수다. 부러뜨리다. ⑫ 동 대저울이 수평으로 되지 않고 한쪽으로 기울다. ⑬ 동 〈方〉인솔하다. 이끌다. (주로 부대를) 인솔하여 이동하다. ¶把二连～到河那边去; 제2 중대를 강변 저쪽으로 이동시키다. ⑭ 동 돕다. 거들다. ¶人家有困难, 咱们应该～他一把; 누군가가 곤란을 당하고 있으면 우리는 마땅히 그 사람을 도와야 한다. ⑮ 동 양육하다. 키우다. ¶他母亲很不容易地把他～大; 그의 어머니는 그를 힘들게 키웠다. ⑯ 명 자수(刺繡)의 하나《나뭇가지나 쇠사슬 모양의 긴 무늬의 수를 놓는 방법》. ⑰ 동 (나쁜 일에) 연루시키다. 관련시키다. ¶自己做的事, 为什么～上别人? 자기 일인데, 왜 다른 사람을 끌어들이냐? ⑱ 동 떼어 놓다. 갈라 놓다. ¶把他们～在后头; 그들을 뒤로 떼어 놓았다 / 快跟上, 不要～开距离; 빨리 따라오너라. 거리를 떨어뜨리지 말고. ⇒lá lǎ là

〔拉爱〕 lā'ài 명 《植》〈音〉라이(rye)보리. 호밀. =〔裸麦〕〔黑麦〕

〔拉巴〕 lāba 동 〈方〉①잡아당기다. 말리다. ②키우다. 기르다. ③원조하다. 돌봐주다. ‖ =〔拉拔③〕〔拉把〕

〔拉巴斯〕 Lābāsī 명 《地》〈音〉라파스(La paz)《'玻bō利维亚共和国'(볼리비아: Bolivia)의 수도》.

〔拉巴特〕 Lābātè 명 《地》〈音〉라바트(Rabat)《'摩mó洛哥'(모로코 왕국: Morocco)의 수도》.

〔拉拔〕 lābá 동 ①⇨〔提tí拔〕 ②뽑다. ③⇨〔拉巴〕

〔拉把〕 lābǎ 명 ①파스너(fastener)의 쇠고리. ②캔의 풀톱(pull-top)《당겨 따는 쇠고리》.

〔拉把〕 lāba 동 ⇨〔拉巴〕

〔拉把把〕 lā bǎba 대변을 보다《원래 '屙ē～'라는 장쑤(江蘇) 방언에서 유래한 말》. →〔拉屎〕

〔拉白纱布〕 lābái shābù 명 라페트(lappet)《옷이나 모자 따위에 늘어뜨리는 장식》.

〔拉伴儿〕 lā.bànr 동 짝을 꾀어 오다. 친구를 꾀어 오다. ¶我去拉个伴儿去吧; 가서 짝을 꾀어 오자.

〔拉绊着〕 lābànzhe 동 견제하다. 적당히 얼버무리다. ¶凤姐听了心中一想…还是二姐儿不去, 自己～还妥当《紅樓夢》; 봉저(鳳姐)는 그것을 듣고, 역시 이저(二姐)는 가지 못하게 하고 자기가 적당히 얼버무리는 편이 낫겠다고 생각했다.

〔拉帮〕 lābāng 동 ⇨〔拉扯③④〕

〔拉帮结派〕 lā bāng jié pài 〈成〉파벌을 만들다.

〔拉帮手〕 lā bāngshǒu 싸움을 거들다〔편들다〕. =〔拉偏手儿〕〔打dǎ帮架〕

〔拉帮套〕 lā bāngtào 동거하다.

〔拉包车的〕 lābāochēde 명 전속 인력거꾼.

〔拉比〕 lābǐ 명 《宗》〈音〉랍비(헤 rabbi).

〔拉髊儿〕 lā bìr 기적을 울리다. =〔拉毕儿〕

〔拉兵〕 lā.bīng 동 병사로 징발하다. 징병하다.

〔拉脖子〕 lābózi 동 목을 치다〔베다〕.

〔拉不出〕 lābuchū 끌어 낼 수 없다. 끄집어 낼 수 없다.

〔拉不出屎怨茅房〕 lābuchū shǐ yuàn máofáng 〈諺〉대변이 나오지 않는다고 변소를 원망하다《자기의 잘못은 뒷전으로 하고 남을 원망함》.

〔拉不动〕 lābudòng 끌어서 움직이게 할 수 없다.

〔拉不断〕 lābuduàn ①잡아당겨도 끊어지지 않다《계속적임》. ¶他～地跟我说个没完; 그는 끊임없이 나에게 이야기를 하였다. ②(관계를) 끊을래야 끊을 수 없다.

〔拉不断扯不断〕 lābuduàn chěbuduàn 한도 없이 지껄이다. 쉴새없이 이야기하다. ¶他们俩很亲密, 见了面～地说; 그들 두 사람은 아주 친해서, 만나면 한도 없이 지껄인다.

〔拉不开〕 lābukāi 당겨서 열 수 없다. 당겨서 떼어 놓을 수 없다.

〔拉不了〕 lābuliǎo (무거워서) 끌어당길 수 없다. (많아서) 끌 수 없다.

〔拉不起来〕 lābuqǐlái 끌어당길 수 없다.

〔拉不上去〕 lābushàngqù 끌어당겨도 올라오지 않다. 끌어올릴 수 없다.

〔拉不下来〕 lābuxiàlái ①끌어내릴 수 없다. 끌어당겨도 당겨지지 않다. ②버틸 수 없다.

〔拉不下脸来〕 lābuxià liǎn lái ①면목 없다고 생각하다. 부끄럽게 생각하다. ②상대방을 딱하게 생각하다. ‖↔〔拉得下脸来〕

〔拉叉〕 lāchā 동 ①사지(四肢)를 뻗치다. 사지를 뻗다. ¶那条狗吃了一口, 四脚～, 倒在地下; 그

개는 한입 먹고는 사지를 뻗고 땅 위에 쓰러졌다. ②뻗고 벌리다. ¶四脚～地躺成一个'大字'; 손발을 뻗고 큰대자로 눕다.
〔拉茬〕 lāchá 동 사지를 쭉 뻗다. =〔拉碴〕
〔拉岔〕 lāchà 명 (카드) 도박의 일종.
〔拉长〕 lā,cháng 동 시간〔기간〕을 연장하다. 연기하다. 길게 늘이다. ¶这事马上不能决定, 要～来看; 이 일은 지금 당장 결정할 수는 없고, 시간을 두고 생각해 봐야 한다.
〔拉长(方)脸(儿)〕 lācháng (fāng)liǎn(r) ①철면피이다. 뻔뻔스럽다. 염치를 모르다. 낯가죽이 두껍다. ②불쾌한 얼굴을 하다. 안색이 흐리다. ¶把脸拉长长的, 没出声…; 어두운 표정을 짓고 말도 하지 않고 ….
〔拉长儿〕 lā,chángr 동 꾸준히 하다. 오래 끌다. 오랜 시간을 걸려서 하다. ¶咱们办事别尽在一时, 得～才好; 우리들 일은 단번에 하려고 들지 말고, 꾸준히 계속해야 한다 / ～做一件事, 总会厌烦的; 오랜 동안 한 가지 일을 계속하노라면, 아무래도 싫증이 나고 만다. =〔拉常儿〕
〔拉场〕 lā,chǎng 동《劇》 극을 지연시키다. 시간을 끌다(배우가 무대에서 다음 출연자의 출연이 늦어질 때 일부러 시간을 끌면서 연기하는 일).
〔拉场子〕 lāchǎngzi 명 (광대들의) 야외 공연. =〔撂liào地(儿)〕
〔拉车〕 lāchē 동 차〔수레〕를 끌다. ¶～的; 차부. 명《植》 사과의 변종(變種)(북방의 조생(早生) 사과).
〔拉扯〕 lāche 동〈口〉 ①잡아 끌다. 말리다. 만류하다. ¶我叫大奶奶～住说话儿; 나는 형수에게 붙들리어 이야기하고 있었다. ②(간신히〔겨우〕) 키워 놓다. ¶把他～成这么大; 그를 겨우 이만큼 크게 키워 놓았다. =〔拉持〕 ③돌봐 주다. 원조하다. 이끌어 주다. ¶他还年少无知, 你该～他才好; 그는 아직 어려서 철이 없으니까, 네가 돌봐 주어야 한다. =〔拉帮〕〔拉持〕〔拉揪〕 ④돈을 꾸다. 빚을 지다. ¶为了给爹治病, 他～了不少饥荒; 아버지의 병을 고치기 위하여 그는 적지 않게 빚을 졌다 / 他想～几百块钱; 그는 몇백 원쯤 빚을 얻으려고 생각한다. =〔拉帮〕 ⑤결탁하다. 한패가 되다. 끌어넣다. ⑥끌어들이다. 말려들게 하다. ¶你自己做事自己承当, 不要～别人! 자신이 저지른 일은 자기가 책임져야지 남을 끌어넣으면 안 된다! ⑦〈方〉 실없는 이야기를 하다. 한담(閑談)하다. ¶她急着要出门, 无心跟他～; 그녀는 급히 밖에 나가야 하기 때문에 그와 잡담할 마음이 없었다. ⑧물색해 오다. ¶～别的活计; 다른 일거리를 물색하다.
〔拉扯儿〕 lācher 동 평균하다. 고르게 하다. ¶～过来还是合算; 평균해 보니 역시 수지가 맞는다.
〔拉臣〕 lāchén 명〈方〉〈音〉 라이센스(licence). =〔执照〕〔牌照〕
〔拉持〕 lāchí 동 ⇨〔拉扯②③〕
〔拉抽屉〕 lā chōuti ①서랍을 열다. ②식언(食言)하다. 횡설수설하다. 이랬다저랬다 하다. ③〈比〉 왔다 갔다 하며 멈추지 않다. =〔拉锯②〕
〔拉船带舵〕 lā chuán dài duò〈成〉 남을 끌어들이다.
〔拉床〕 lāchuáng 명《機》 브로칭 머신(broaching machine)(특별한 모양의 구멍을 깎는 공구). =〔剥bō孔机〕
〔拉搭〕 lādā 동〈俗〉 이야기하다. 말을 하다. ¶慢慢儿地～起来; 천천히 이야기하기 시작하다.
〔拉答〕 lādā 형〈南方〉 ①침착 중후한 모양. ②산만하고 정돈이 안 된 모양.
〔拉大排〕 lā dàpái 군대를 거느리다. 무력을 쥐다. 실력으로 누르다.
〔拉大皮子〕 lā dàpízi 낯가죽이 두껍다. 시치미를 떼다. 뻔뻔스럽게 모른 체 하다. ¶输了拳你得喝, ～不喝可不成; 내기에 졌으니까 마셔야 하는데, 시치미떼고 마시지 않다니 괘씸하다.
〔拉大片(儿)〕 lādàpiàn(r) 명 ⇨〔拉洋片①〕
〔拉大旗作为虎皮〕 lā dàqí zuòwéi hǔpí ①겉모양으로 사람을 놀라게 하다. ②혁명의 깃발로 사람을 위협하고 기만하다.
〔拉带〕 lādài 동 거느리다. ¶拉家带口, 生活吃不消; 가족을 거느리고서는 생활해 나갈 수 없다.
〔拉刀〕 lādāo 명《機》 브로치(broach)(일종의 절삭구(切削具)). =〔剥bō刀〕
〔拉倒〕 lādǎo 동〈口〉 ①고꾸라뜨리다. ②중지하다. 중단하다. 그만두다. ¶你不同意就～; 네가 반대한다면 그만두기로 하자 / 那场买卖说不妥～了; 그 매매는 흥정이 타협되지 않아 중단했다. =〔作罢〕 ③끝나다.
〔拉德〕 lādé 양《物》〈音〉 래드(rad)(방사선의 흡수선량(吸收線量)의 단위).
〔拉地(纤)〕 lādì(qiàn) 동 (토지 매매 등을) 거간하다. 중개하다. 주선하다. ¶～的; 토지의 거간꾼. →〔拉房(纤)〕〔拉纤②〕
〔拉丁〕 lādīng ①동 ⇨〔拉夫fū①〕 ②(Lādīng) 명〈音〉 라틴(Latin). ¶～文; 라틴어 / ～字母; 로마자. 라틴 문자 / ～化; 로마자화(중국어를 로마자로 표기함) / ～民族; 라틴 민족 / ～教会;《宗》 로마 정교회 / ～美洲; 라틴 아메리카. =〔腊là丁〕
〔拉肚子〕 lā dùzi 설사를 하다. =〔拉稀①〕〔腹泻〕
〔拉短儿〕 lāduǎnr 동 ①임시적인 일을 하다. 단시간의 임시일을 하다. ②잠시 체류하다.
〔拉队〕 lā duì 팀을 인솔하다. ¶准备～作远征菲律宾之举; 팀을 인솔하고 필리핀 원정을 준비하다. =〔拉队伍〕
〔拉房(纤)〕 lāfáng(qiàn) 동 (가옥의 임대차 매매의) 거간을 하다. 중개하다. 주선하다. ¶～的; 가옥 중매인.
〔拉风箱〕 lā fēngxiāng 풀무질하다.
〔拉夫〕 lā,fū 동 ①병사나 인부를 강제 징발하다. =〔拉丁①〕 ②〈俗〉 일을 강요하다.
〔拉幅机〕 lāfújī 명《機》 장포기(張布機). 텐터(tenter)(폭을 당겨 펴는 기계).
〔拉杆〕 lāgān 명 (～儿)《機》 ①드래그 링크(drag link). 텐션 로드(tension rod). ¶～天线; 로드 안테나(rod antenna). ②당기는 막대.
〔拉杆子〕 lā gānzi 졸개를 모아 도당을 만들다. 토비(土匪)가 되다. =〔拉胡子〕
〔拉格泰姆〕 lāgétàimǔ 명《樂》〈音〉 래그타임(ragtime).
〔拉各斯〕 Lāgèsī 명《地》〈音〉 라고스(Lagos)('尼Ní日利亚' (나이지리아: Nigeria)의 옛 수도).
〔拉弓〕 lā gōng 활을 당기다. ¶～不可拉满;〈諺〉 활을 힘껏 당기면 안 된다(남을 너무 심하게 책망하지 마라). =〔拉开弓〕
〔拉钩〕 lāgōu 명《機》 드래그 후크(drag hook). (lā,gōu) 동 ①앞엣말을 취소하다. ②손가락을 마주 걸다(두 사람의 오른손 중지를 마주 걸어 맹세하는 일).
〔拉呱儿〕 lā,guǎr〔lā,guār〕 동〈方〉 세상 이야기를 하다. 잡담하다. 한담하다.
〔拉关系〕 lā guānxi〈貶〉 ①(주로 나쁜 일로) 관

계를 맺다. 다리를 놓다. 교섭을 벌이다. ¶这个人靠不住, 你不要给他乱～; 이 사람은 별로 신용할 수 없으니, 여기저기 함부로 소개하지 마라. ②관계를 이용하다. 연고를 이용하다. ¶拉亲戚关系; 친척 관계를 이용하여 빌붙다.
〔拉官司纤〕 lā guānsīqiàn 송사(訟事)를 알선하다(한쪽에서 소송을 일으키게 하고, 다른 쪽에서 중재에 나서 이득을 취하는 악랄한 수법).
〔拉管儿〕 lāguǎnr 동 ⇨〔闲xián磕(打)牙(儿)〕
〔拉和儿〕 lāhér 동 (양쪽을 연회에 초대하여) 화해시키다. ¶给他们俩～; 그들 두 사람을 화해시켜 주다.
〔拉后〕 lāhòu 동 후퇴시키다. ¶但是干起活来谁也不肯～; 그러나 일을 시작하면 누구나 후퇴하고 싶지 않다.
〔拉后勾儿〕 lā hòugōur 여지를 남기다. =〔拉后沟儿〕
〔拉后腿〕 lā hòutuǐ 〈比〉〈貶〉 뒷다리를 잡아당기다. 남의 진보를 방해하다(친밀한 관계나 감정을 이용하여 다른 사람을 견제하는 행동을 비유함). ¶他要去外国, 妻子不要～! 그는 외국에 가려 하니, 부인은 말리지 말아야 해! =〔扯chě后腿〕
〔拉胡琴(儿)〕 lā húqínr 호금을 켜다.
〔拉胡子〕 lāhúzi ⇨〔拉杆子〕
〔拉祜族〕 Lāhùzú 명〖民〗 라후 족(중국 소수 민족의 하나. 윈난 성(雲南省) 란창(瀾滄) 라후 족 자치현(自治縣)에 거주함).
〔拉忽〕 lāhu 형 깜빡하다. 방심하다. 부주의하다. 단순 난폭하다. 무책임하게 일을 하다. 어리석다. ¶这是我一时～; 이건 제가 좀 깜빡했습니다 / 喝来喝去有点儿～了; 취해서 몽롱해졌다. =〔拉疲〕〔喇唿〕〔喇糊〕〔喇虎〕
〔拉话〕 lā.huà 동 〈方〉 이야기하다. 잡담 하다.
〔拉簧〕 lāhuáng 명 ①〖體〗 엑스밴드(X band). 익스팬더(expander). =〔练力带〕 ②〖機〗 잡아당기는 스프링. =〔牵力弹簧〕
〔拉活〕 lāhuó 명 무명실로 구슬을 수놓는 일.
〔拉火(儿)〕 lā.huǒ(r) 동 풀무로 불기운을 세게 하다. 풀무질하다.
〔拉火绳〕 lāhuǒshéng 명〖軍〗 (옛날, 대포 발사용의) 당기는 줄.
〔拉火药〕 lāhuǒyào 명 뇌홍(雷汞)·염소산 칼륨·황화 주석·유릿가루·아교 등을 섞은 발화제(發火劑)(방망이 수류탄·비행기 조명탄 등에 쓰임).
〔拉饥荒〕 lā jīhuang 〈口〉 ①생활이 곤란하다. ②돈을 꾸다. 빚을 지다. ‖=〔拉窟窿〕〔掏亏空〕
〔拉圾〕 lājī 명 ⇨〔垃圾①〕
〔拉家常〕 lā jiācháng 일상 생활의 이야기를 하다. 세상 이야기를 하다.
〔拉家带口〕 lā jiā dài kǒu 〈成〉 ①가족을 거느리다. ②가정·가족의 번거로운 일.
〔拉架〕 lā.jià 동 ⇨〔劝quàn架〕
〔拉缰儿的〕 lājiāngrde 명 말 중매인. 마도위.
〔拉交情〕 lā jiāoqíng 〈貶〉 친교를 맺다. 교제하다.
〔拉角〕 lājiǎo 동 빼내다. 스카우트(scout)하다(‘角’는 ‘角色’(배우·인기인·인물)의 뜻). ¶～潮; (선수) 스카우트전(戰). 스카우트 소동.
〔拉脚〕 lā.jiǎo 동 ①발을 잡아당기다. ②사람·짐을 운반하다.
〔拉紧〕 lājǐn 동 조르다. 팽팽하게 하다. ¶～绳子; 새끼줄을 당겨서 팽팽하게 하다.
〔拉紧器〕 lājǐnqì 명 ⇨〔牵qiān力器〕
〔拉近〕 lājìn 동 ①친한 척하다. ②가까이 끌어당기다. ¶把那碗菜～了; 그 요리 그릇을 끌어당겼다.
〔拉锯〕 lā.jù 동 ①(둘이서) 톱질하다. ②〈比〉 쉴새없이 왔다갔다 하다. ¶～战; 일진일퇴의 싸움. 시소 게임(seesaw game) / 打～战; 시소 게임을 벌이다. =〔拉抽屉③〕 형 꾸물꾸물하여 답답하다.
〔拉开〕 lākāi 동 ①당겨 열다. ¶把抽屉(儿)～; 서랍을 당겨 열다 / 这个弓我拉不开; 이 활은 (세어서) 나는 당길 수 없다. ②떼어 놓다. 차가 벌어지다. ¶他们打起来了, 你去把他们～吧; 그들이 주먹질을 시작했는데 네가 가서 그들을 떼어 놓아라 / 把比分～到十六比八; 점수 차가 16대 8까지 벌어졌다 / 不要～距离; 거리〔사이〕가 벌어지게 하지 마라. ③지껄이다. 이야기하다. ¶～了闲话; 잡담을 시작했다. ⇒lákāi
〔拉开当儿〕 lākaidāngr 틈을 내다. ¶～慢慢儿做; 틈을 내어 천천히 하다.
〔拉开架子〕 lākai jiàzi ①권술(拳術)의 첫 준비 자세를 취하다. ②잘난 체하다. 그럴싸한 체하다.
〔拉客〕 lā.kè 동 손님을 끌다.
〔拉空〕 lā.kōng 동 결손(缺損)이 나다. 손해를 보다.
〔拉口子〕 lākǒuzi 동 뇌물을 쓰다.
〔拉裤补被〕 lākù bǔbèi 바지를 가져와 이불을 깁다(당황하다. 허둥지둥하다).
〔拉跨〕 lākuà 동 (다리·허리를 다쳐서) 발을 끌며 걷다.
〔拉亏空〕 lā kuīkōng ①빚을 지다. 돈을 꾸다. ②손해를 보다. 적자를 내다.
〔拉拉扯扯〕 lālachěchě 동 ①결탁하다. 한패로 끌어들이다. 아주 친하게 굴다(비방하는 뜻으로 쓰임). ¶～形成小集团; 서로 결탁하여 그룹을 만들다. ②꾸물꾸물 끌다.
〔拉拉队〕 lālāduì 명〖體〗 응원단. ¶～姑娘; 치어리더(cheerleader). =〔啦啦队〕
〔拉拉呱〕 lālaguā 동 ①일상적인 이야기를 하다. 세상 이야기를 하다. 잡담을 하다. =〔聊liáo天(儿)〕 ②소곤소곤 이야기를 하다. 속삭이다. ‖=〔拉聒〕〔拉呱儿〕
〔拉拉儿(的)〕 lālār(de) 형 ①무게를 달 때, 대저울의 한쪽 끝이 기울어져 내려오는 모양. ②(진력나게) 질질 끌며 그치지 않는 모양.
〔拉拉手儿〕 lālāshǒur ①악수하다. 손을 잡다. 제휴하다. ②마찬가지입니다(서로 비슷한 의견·사정). ¶昨天我上跳舞场去了, 您呢? 哈哈, ～我也去了; 어제 나는 댄스홀에 갔습니다. 당신은? 하하, 마찬가지로 나도 갔습니다.
〔拉拉杂杂〕 lālāzázá〔lālazāzā〕 형 〈方〉 ①난잡하고 지저분하다. 정리가 안 되고 깔끔하지 않다. ②사소하다. 잔다랗다.
〔拉拉拽拽〕 lālazhuàizhuài 동 무리하게 잡아당기다.
〔拉老婆舌头〕 lā lǎopó shétou ①수다떨다. 말을 퍼뜨리다. ②중상하다. 헐뜯다. ③거짓말하다.
〔拉了〕 lāle ①당겨 벗기다. ②힘이 다하여 실패하다. →〔拉稀②〕
〔拉力〕 lālì 명〖物〗 장력(張力)(견인에 견디는 힘). ¶这种纸～大; 이 종류의 종이는 질기다. =〔张zhāng力②〕
〔拉力赛〕 lālìsài 명〖體〗〈音義〉 랠리(rally)(자동차경주 대회). 「带〕
〔拉力(挺胸)器〕 lālì(tǐngxiōng)qì 명 ⇨〔练liàn力
〔拉痢〕 lālì 동 설사하다. 이질을 앓다.
〔拉练〕 lāliàn 명동 야외 훈련〔야영 훈련〕(을 하

다).
〔拉链(儿)〕 lāliàn(r) 명 척(chuck). 지퍼(zipper). 파스너(fastener). ¶袋口有～; 주머니에 지퍼가 달려 있다. =〔拉锁儿〕
〔拉铃儿〕 lālíngr 명 설렁. (끈을 당겨 소리를 내는) 초인종.
〔拉溜儿〕 lāliùr 명 줄. 열(列). ¶这一～有五所房子; 이 줄에 집이 다섯 채 있다.
〔拉拢〕 lālong 동 ①연락하다. 접촉하다. 교제하다. 서로 손을 맞잡다. ¶各方面有～; 각 방면에 교제가 넓다 / 他和那个女人有～; 그는 저 여자와 교제하고 있다. ②(자기 이익을 위해) 관계를 맺다. 끌어들이다. 약게 굴어 비위를 맞추어 호감을 얻다. ¶～人伙; 한패로 끌어들이다 / 跟人套～; 다른 사람과 관계를 잘 맺다 / 就要～一些人, 排挤一些人; 일부의 사람과는 관계를 맺어 친하게 지내고 일부의 사람은 배척하다. ③(돈을) 쓰다. (시간을) 허비하다. ¶钱不禁～; 쓰는 만큼 돈이 없다 / ～工夫; 시간을 허비하다.
〔拉拢凑合〕 lālong còuhe 다른 사람과 기분을 맞추어 친하게 지내다. ¶～是处世的良方; 다른 사람과 기분을 맞춰 나가는 것은 처세하는 데 좋은 방법이다.
〔拉拢买卖〕 lālong mǎimài 장사를 하다. →〔拉买卖〕
〔拉骆驼〕 lāluòtuo 명동 (장난으로) 아이의 코를 손가락으로 잡아당기는 일〔당기다〕.
〔拉马〕 lāmǎ ⇨〔拉皮条〕
〔拉马杆儿〕 lāmǎgānr 명 (맹인 안내자가) 맹인을 이끌고 가는 막대기. ¶～的; 막대기로 맹인을 인도하는 안내자.
〔拉马克学说〕 Lāmǎkè Xuéshuō 명 라마르크(Lamarck)설(說)《라마르크의 생물 진화 이론》.
〔拉买卖〕 lā mǎimai ①(장사하려고) 고객을 끌다. 널리 거래처를 구하다. ②수레를 끌고 행상하다.
〔拉买卖纤〕 lā mǎimaiqiàn 상담(商談)의 중개를 하다.
〔拉门(儿)〕 lāmén(r) 명동 미닫이(를 닫다).
〔拉面〕 lāmìan ①명〈方〉손으로 뺀 국수. 수타(手打) 국수. ②(lā mìan) 손으로 국수를 만들다.
〔拉面儿〕 lā,miànr 동〈比〉화해시키다. ¶给他们俩拉一个面儿; 그들 두 사람을 화해시키다.
〔拉灭〕 lāmiè 동 끈을 잡아당겨 (전등을) 끄다.
〔拉磨〕 lā,mò 동 맷돌질하다. 연자매를 돌리다.
〔拉模〕 lāmú 명《機》다이스(dies).
〔拉尼娜〕 lānínà 명《氣》〈音〉라니냐(스 laniña)《태평양의 중부 및 동부의 적도 지역의 해면 수온이 평년보다 낮아지는 현상》. ↔〔厄è尔尼诺〕
〔拉弄〕 lānòng 동 ①쓰다. 사용하다. ¶这件衣裳不禁jīn～; 이 옷은 (입어서) 오래 견디지 못한다. ②뿔뿔이 흩어지다. 산산조각 나다.
〔拉炮〕 lāpào 명 크래커(cracker). 코멧(comet)《끈을 잡아당기면 펑 소리가 나며 5색 테이프 따위가 튀어나오는 장난감》.
〔拉篷〕 lāpéng 동 돛을 올리다. =〔扯chě篷〕
〔拉篷扯纤〕 lā péng chě qiàn〈成〉〈貶〉여러 가지로 쓸데없는 수고를 하다.
〔拉皮条〕 lā pítiáo〈俗〉매춘을 알선하다. 남녀의 사통을 주선하다. =〔拉皮条纤〕〔拉马〕〔扯皮条〕
〔拉皮子〕 lāpízi 동 뻔뻔스럽게〔염치없이〕 굴다.
〔拉偏手儿〕 lā piānshǒur ⇨〔拉帮手〕
〔拉便宜手儿〕 lā piányishǒur 중재(仲裁)하면서 뒤로는 한쪽을 돕고 다른 쪽을 공격하다.
〔拉片儿汤〕 lā piànrtāng ①수제비를 만들다. →〔片儿汤〕 ②이것저것 두서없이 지껄이다.
〔拉票〕 lāpiào 동 ①(선거에서) 표를 모으다. ¶～活动; 집표(集票) 운동 / 多方～; 팔방으로 표를 그러모으다. ②선거 운동을 하다.
〔拉平〕 lā,píng 동 ①고르(게 하)다. 평균하다. ②《體》동점이 되다. 비기다.
〔拉钱〕 lāqián 명 인력거를 끌어 돈을 버는 일《인력거꾼의 용어》. =〔拉脚钱〕
〔拉纤〕 lā,qiàn 동 ①(둑에서) 배를 밧줄로 끌다. ②매개하다. 안내하다. 주선하다. ¶～的; 거간〔주선, 중개, 매개〕하는 사람. =〔拉纤儿〕 ③가옥 등의 알선을 하여 수수료를 받다.
〔拉球〕 lāqiú 명《體》(배드민턴의) 클리어(clear)《상대방의 후방에 깊고 높게 쳐 올리는 것》.
〔拉曲儿〕 lāqǔr 동 (호금 등으로) 곡을 켜다.
〔拉劝〕 lāquàn 동 (싸움하는 것을) 화해시키다. ¶给他们～; 그들을 화해시키다.
〔拉人下水〕 lā rén xià shuǐ ①(어떤 지위에서) 남을 끌어내리다. ②남을 나쁜 데로 끌어들이다.
〔拉入〕 lārù 동 끌어들이다.
〔拉散坐〕 lā sǎnzuò (인력거꾼이) 돌아다니며 손님을 태우다.
〔拉纱的〕 lāshāde 명 (서양식 결혼식에서) 신부의 옷자락을 드는 소녀.
〔拉山头〕 lā shāntóu 파벌을 만들다. 당내(黨內)의 분파 활동을 하다.
〔拉上〕 lāshang 동 ①끌어올리다. ②끌어 들이다. ¶顺路～他们一块儿走; 가는 길에 그들을 데리고 함께 가자. ‖ =〔拉起〕
〔拉上补下〕 lāshàng bǔxià 평균이 되게 고르다.
〔拉舌头〕 lā shétou ①잘 지껄이다. ②남의 험담을 하다.
〔拉舌头扯簸箕〕 lā shétou chě bòji〈京〉남의 험담을 하다.
〔拉绳〕 lāshéng 명 잡아당기는 끈〔줄〕. ¶窗帘lián的～; 커튼의 끈. (lā,shéng) 동 끈을 잡아당기다.
〔拉屎〕 lā,shǐ 동〈方〉배변(排便)하다. 대변을 보다. ¶骑着脖子～;〈比〉남을 업신여기다. =〔拉矢〕〔落矢〕
〔拉手(儿)〕 lā,shǒu(r) 동 ①악수하다. ¶～告辞; 악수하고 헤어지다 / 手拉着手儿; 손에 손을 잡다. ②손을 잡다. 협력하다. 제휴하다. ¶他们俩～了来反对我们; 그들 두 사람은 손을 잡고 우리에게 반대한다.
〔拉手(儿)〕 lāshou(r) 명 (창(窓)·서랍 따위의) 손잡이. ¶这门上的～坏了, 要修一修; 이 문의 손잡이는 망가져서 고쳐야 한다.
〔拉司〕 lāsī 양〈音〉라스트(last)《영국의 무게 단위, 보통 4,000 파운드》.
〔拉丝〕 lāsī 동《機》금속 재료를 늘려서 실이나 가락처럼 만들다. 형 ①우물쭈물하다. 꾸물거리다. ¶人家决不～, 说走就走; 그들은 결코 꾸물거리지 않는다, 간다 하면 곧 간다 / ～怠惰的决不行, 痛痛快快儿地答应吧; 우물쭈물하면 안 된다, 빨리 대답해라. ②이야기가 장황하고 길다. 시원시원하지 않다. ¶说的简捷脆cuì快, 并不～; 이야기는 간단명료하여 장황하지 않다. ‖ =〔拉线儿屎〕 동 ⇨〔拔bá丝〕
〔拉丝拽垛〕 lāsī zhuàiduò 민첩하지 않다. 꾸물거리다. =〔拉丝带垛〕〔拉丝带舵〕
〔拉锁(儿)〕 lāsuǒ(r) 명〈俗〉척(chuck). 지퍼

(zipper). ¶安一个～; 지퍼를 달다. =〔拉链liàn(儿)〕
〔拉遢〕 lāta 형 ⇨〔邋遢〕
〔拉躺下〕 lātǎngxià ①끌어내리다. 넘어뜨리다. ②손해를 보고 가게를 닫다.
〔拉趟儿〕 lātàngr 동 도수(度數)를 늘리다. 횟수를 늘리다. ¶大夫～; (한 번에 잘 봐 주지 않고) 의사가 진찰 횟수를 늘리다.
〔拉套(子)〕 lā,tào(zi) 동 ①마차의 끌채 안에 매는 말에 대하여, 끌채 밖에 부마(副馬)로서 마차를 끌다. ¶这匹马是～的; 이 말은 보조 말이다. =〔拉梢〕 ②〈方〉 원조하다. 거들다. 남을 위하여 일하다.
〔拉替身儿〕 lātìshenr (미신에서) 영혼이 되살아나려고, 살아 있는 사람을 죽음으로 끌어들여서 자기의 대신으로 삼다. ¶年年都有人在这儿淹死, 快别下去游泳, 留神～; 해마다 이 곳에서 사람이 물에 빠져 죽으니까 절대로 강에서 헤엄 치면 안된다. 영혼의 대역(代役)이 되지 않도록 조심해라. =〔拉替(身)〕〔拉替托〕 →〔托tuō生〕〔冤yuān鬼〕
〔拉天儿〕 lā tiānr 일을 질질 끌다. 말을 장황하게 늘어놓다. ¶说书的爱～; 야담가는 이야기를 길게 늘이기를 좋아한다.
〔拉条〕 lātiáo 명 ①《機》 브레이스(brace). 스테이(stay). 지선(支線). ②지삭(支索). 버팀줄. ¶隔gé框～; 배의 칸막이 밧줄.
〔拉条翼〕 lātiáoyì 명 비스듬히 교차한 날개.
〔拉土〕 lā,tǔ 동 (수레 따위로) 흙을 나르다.
〔拉脱维亚〕 Lātuō wéiyà 명 《地》〈音〉 라트비아(Latvia). ¶～共和国; 라트비아 공화국《수도는 '里加'(리가: Riga)》.
〔拉砣〕 lātuó 명 잡아당기고 있는 추《문을 여닫기 위하여 끈으로 당겨서 매달아 놓은 추》.
〔拉瓦尔品第〕 Lāwǎ'ěrpǐndì 명 《地》〈音〉 라왈핀디(Rawalpindi)《'巴bā基斯坦'(파키스탄: Pakistan)의 옛 수도》.
〔拉弯子〕 lā,wānzi 동 〈俗〉 조정하다. 수습하다. ¶别任着他们各走极端, 请您给拉个弯子吧; 그들이 각각 극단으로 흐르지 않도록 당신이 조정해 주십시오.
〔拉完了磨儿杀驴〕 lāwánle mòr shā lǘ 〈諺〉 연자매 일이 끝나면 당나귀를 죽인다《쓸모 있을 때는 부리다가 일이 끝나면 쫓아내다》.
〔拉晚儿〕 lā wǎnr ①밤샘하며 놀다. ②인력거꾼이 밤에 영업하다. ¶要是～就能多挣点儿钱; 밤까지 인력거를 끌면 돈을 더 많이 벌 수 있다.
〔拉网〕 lā,wǎng 동 ①그물을 걷다. ②거미가 집을 짓다.
〔拉稀〕 lā,xī 동 ①〈口〉 설사하다. =〔腹泻〕〔拉肚子〕〔泻xiè肚子〕 ②(～了) 힘이 다하여 실패하다. 기력이 소모되다. ¶跑着～; 달려서 기력이 다하다. ③용두사미로 끝나다. (일을 함에) 오래 계속되지 않다. 열중하지 않다. ④당황하다. ¶考试的时候儿拉了稀了; 시험 때 당황하였다.
〔拉下〕 lāxià 동 ①밑으로 잡아당기다. 끌어내리다. ②빌리다. 돈을 꾸다.
〔拉下脸〕 lāxià liǎn ①〈口〉 정실(情實)에 사로잡히지 않다. 가엾게 여기지 않다. 부끄럽게 생각지 않다. ②흥미 없는 표정을 하다. 불쾌한 표정을 하다. ¶他听了这句话, 立刻～来; 그는 이 말을 듣자마자 금세 불쾌한 표정을 했다.
〔拉下马〕 lāxià mǎ ①말에서 끌어내리다. ②〈轉〉 (권력자·지배자를) 끌어내리다. ¶舍得一身剐, 敢把皇帝～; 갈가리 찢길지언정 감히 황제를 끌어내리겠다.
〔拉下水〕 lāxià shuǐ 타락시키다. 공범자로 만들다. ¶拉人下水; 남을 타락시키다. =〔拖下水〕
〔拉闲篇〕 lā xiánpiān 동 〈方〉 쓸데없는 이야기를 하다.
〔拉线〕 lāxiàn 명 지선(支線). 버팀 줄. (lā,xiàn) 동 ①실[줄]을 잡아당기다. ¶～开关; 풀 스위치(pull switch). ②전선 등을 치다. ③목수나 미장공이 줄을 쳐서 측정하다. ④조정하다. 다루다. ¶～人; 조정하는 사람. ⑤소개하다. ¶～人; 소개인.
〔拉线儿瞧活〕 lāxiànr qiáohuó 재봉 솜씨를 운침(運針)의 상태를 보고 안다《사물의 상태를 살펴봄》. ¶～, 内行háng人一眼就明白了; 어떤 상태인지 정통한 사람이 보면 한눈에 알 수 있다.
〔拉心拉肝〕 lā xīn lā gān 〈成〉 쓸데없이 마음을 쓰다. 자꾸만 조바심을 내다.
〔拉延〕 lāyán 명 《工》 드로잉(drawing). =〔拉制〕
〔拉秧〕 lā,yāng 동 《農》 (오이류·기타 야채류의 수확기가 지난 후) 뿌리를 뽑다.
〔拉洋片〕 lāyángpiàn 명 ①요지경(瑤池鏡). ¶戳chuō穿～ =〔拆穿～〕; 〈比〉 내막을 폭로하다. =〔拉大片(儿)〕〔推tuī洋片〕〔西湖景〕〔西洋景〕 ②렌즈를 사용하지 않는 일종의 그림 연극. =〔拉大画儿〕
〔拉曳〕 lāyì 동 견인(牽引)하다.
〔拉硬屎〕 lā yìngshǐ 〈比〉 허세 부리다. 무리하게 하다. ¶瘦驴～穷皮气; 〈歇〉 마른 당나귀가 굳은 똥을 누다《가난한 사람이 오기로 버팀》.
〔拉远〕 lāyuǎn 동 이야기를 엉뚱한 데로 끌고 가다. 빙 둘러서 말하다. 명 줌 렌즈(zoom lens)로 피사체가 급격히 축소되는 효과.
〔拉匀〕 lāyún 명동 평균(하다).
〔拉运〕 lāyùn 명 〈簡〉 중국어 라틴화 운동. =〔拉丁化运动〕 동 (수레로) 운반하다. 끌어 나르다. ¶～粮食; 식량을 운반하다.
〔拉运动〕 lā yùndòng 권세에 아부하여 운동하다.
〔拉杂〕 lāzá ① 형 →〔拉遢lāta〕 ②앞뒤가 맞지 않다. 두서가 없다. 조리가 없다. ¶我拉拉杂杂谈了这些, 请大家指教! 제가 두서없는 말을 했습니다, 여러분의 지도를 바랍니다!
〔拉杂谈〕 lāzátán 명 여러 가지 (잡다한) 이야기. ¶乒pīng乓球锦标赛～; 탁구 선수권 대회의 이런 일 저런 일.
〔拉债〕 lā,zhài 동 ⇨〔拉账〕
〔拉账〕 lā,zhàng 동 ①외상으로 하다. ②빚을 지다. 돈을 갚지 않고 오래 끌다. ‖=〔拉债〕
〔拉者〕 Lāzhě 명 〈音〉 라자(Raja)《동인도·말레이시아·자바의 군주·추장·제후(諸侯)의 칭호》.
〔拉着何仙姑叫大嫂子〕 lāzhe Héxiāngū jiào dàsǎozi 〈歇〉 하선고(何仙姑)에 빌붙어 형수님이라고 부르다. 〈比〉 세력 있는 사람과 친한 척하다《하선고는 팔선인(八仙人)의 한 사람》.
〔拉着拽着〕 lāzhe zhuàizhe 억지로 끌어당기다. ¶我的马一看火车就死儿地不往前走, 我～才弄过去了; 내 말은 기차를 보면 죽어라 하고 앞으로 가려 하지 않아, 나는 억지로 잡아당겨서 겨우 지나갔다.
〔拉正〕 lāzhèng 동 바르게 다잡다. ¶把脸～; 정색을 하다.
〔拉制〕 lāzhì 명 《工》 드로잉(drawing). =〔拉延〕

〔拉主顾〕 lā zhǔgu 고객을 끌다. 서비스를 잘 하여 단골을 잡다. =〔拉主道〕
〔拉住〕 lāzhu 동 ①끌어당겨서 붙잡다. ②단단히 잡아매다.
〔拉抓〕 lāzhuā 동 움켜잡다. 꽉 붙잡다.
〔拉拽〕 lāzhuài 동 잡아당기다. 힘주어 끌다.

啦 lā(랍)
①'라'음의 표음자(表音字). ②→〔哩nbsp哩啦啦〕 ③ 동 〈方〉 잡담하다. 지껄이다. 재잘거리다. ¶～一会儿; 잠깐 이야기하다. =〔拉lā⑨〕 ⇒ la
〔啦呱〕 lāguǎ 동 이야기를 하다. ¶～他一顿; 그와 한 번 이야기해 보다. =〔拉呱〕
〔啦啦队〕 lālāduì 명 응원단. =〔拉拉队〕

剌 lā (라, 랄)
①음역자(音譯字). ¶阿～伯; 아라비아. ②〈擬〉 의성어. ¶刮～; 와르르. 와지끈. ⇒ lá là

喇 lā (라)
'라'음의 표음자. ⇒ lá lǎ là

邋 lā (랍)
→〔邋遢〕
〔邋遢〕 lāta 형 ①불결하다. 더럽다. ¶这厨子做菜很～; 이 요리사는 요리하는 것이 매우 불결하다. ②칠칠치 못하다. 질서 없이 뒤죽박죽이다. 후련치 않다. 정숙지 못하다. 단정치 못하다. ¶～鬼; 칠칠치 못한 놈. ‖=〔拉遢〕〔拉沓〕

旯 lá (라)
→〔旮gā旯儿〕

拉 lá (랍)
동 ①자르다. 잘라 내다. ¶～下一块肉; 고기를 한 덩이 잘라 내다 / 手上～了一个口子; 손을 한 군데 베였다. =〔剌lá〕 ②잡담하다. ⇒ lā lǎ là
〔拉开〕 lákāi 동 절개(切開)하다. 쪼개다. ¶这西瓜好不好, ～看看! 이 수박이 잘 익었는지 한번 쪼개 보자! =〔剌lá开〕 ⇒ lākāi
〔拉闲篇〕 lá xiánpiān〔lā xiánpiān〕 쓸데없는 말을 지껄이다. 잡담하다. 심심풀이로 지껄이다.

砬〈磖〉 lá (랍)
①→〔砬子〕 ②지명에 쓰이는 글자. ¶红石Hóngshí～; 홍스라(紅石砬)(허베이 성(河北省)에 있는 땅 이름).
〔砬子〕 lázi ① 명 〈方〉 (산 위의) 큰 암석(巖石). ¶～地dì; 돌이 많은 논밭. ②지명용 자(字). ¶白石～; 바이스라쯔(白石砬子)(헤이룽장 성(黑龍江省)에 있는 땅 이름).

剌 lá (랄)
동 (칼로 살 따위를) 째다. 자르다. 절단하다. 절개하다. ¶手指头叫小刀子～了; 손가락을 칼에 베었다 / 这个疙瘩等热了再～吧; 이 종기는 곪은 다음에 쨉시다. =〔拉lá①〕 ⇒ lā là
〔剌不动〕 lábudòng (단단하거나 칼이 무디어서) 자를 수 없다.
〔剌不开〕 lábukāi 절개(切開)할 수 없다. 잘라 버릴 수 없다.
〔剌打〕 ládǎ 동 귀찮게 잔소리하다.
〔剌断〕 láduàn 동 절단하다. 끊다.
〔剌开〕 lákāi 동 절개하다. 쪼개다. =〔拉lá开〕
〔剌破〕 lápò 동 베다. 째다. ¶不小心把手指头～了; 부주의하여 손가락을 베였다.
〔剌下〕 láxia 동 잘라 내다. ¶～去; 잘라버리다.
〔剌心剌肝〕 láxīn lágān ①뱃속에 음식물이 들어가서 꾸룩꾸룩하다. ②(마음이) 잔혹(殘酷)하다. ¶那小子～的, 不可交; 저 녀석은 잔인하니까 사귀어서는 안 된다.
〔剌子〕 lázi 명 ⇨〔揦子〕

揦 lá (랄)
→〔揦子〕
〔揦子〕 lázi 명 〈方〉 유리로 만든 병. =〔剌子〕〔玻璃瓶〕

喇 lá (라)
→〔喇喇〕〔哈hā喇子〕 ⇒ lā lǎ là
〔喇喇〕 lála 동 (물 등을) 질질 흘리다. ¶吓得小狗子直～溺儿; 강아지가 놀라서 오줌을 질질 흘리다.

拉 lǎ (랍)
→〔半bàn拉子〕〔虎hù不拉〕 ⇒ lā lá là

喇 lǎ (라)
표제어 참조. ⇒ lā lá là
〔喇叭〕 lǎba 명 ①《樂》 나팔. ¶吹～; ⓐ나팔을 불다. ⓑ허풍을 떨다 / 歪嘴吹～; 〈比〉 성질이 급한 사람의 형용. =〔喇吧〕 ②나팔 모양의 물건. ¶汽车～; (자동차의) 클랙슨. 경적 / 按～; 경적〔클랙슨〕을 울리다 / 无线电～; 라디오의 스피커(speaker) / ～烟; 손으로 만 담배 / 把手卷成～形; 손을 나팔 모양으로 하다 / ～嗓子; 높고 큰 목소리.
〔喇叭虫〕 lǎbachóng 명 《蟲》 나팔벌레(원생 동물 섬모류의 일종).
〔喇叭花(儿)〕 lǎbahuā(r) 명 《植》 나팔꽃. =〔牵qiān牛花〕
〔喇叭口(儿)〕 lǎbakǒu(r) 명 ①나팔의 주둥이. (악기의) 벨. ②〈比〉 물체의 아가리가 넓게 퍼져 있는 것. ¶～的裤脚; 나팔 모양의 바짓부리 / ～的袖子; 나팔 (모양의) 소매.
〔喇叭裤〕 lǎbakù 명 나팔바지.
〔喇叭漏了气〕 lǎba lòule qì ①나팔의 김이 샌다. ②〈比〉 반향(反響)이 없다.
〔喇叭裙〕 lǎbaqún 명 플레어 스커트(flare skirt). =〔太阳裙〕
〔喇叭嗓子〕 lǎba sǎngzi 명 높고 큰 목소리.
〔喇叭筒〕 lǎbatǒng 명 ⇨〔话huà筒③〕
〔喇叭嘴〕 lǎbazuǐ 명 ①나팔의 주둥이. ②〈比〉 수다쟁이.
〔喇嘛〕 lǎma 명 《佛》 라마승(티베트어로 무상(無上)의 뜻). ¶大～; 라마의 고승. 동 〈俗〉 술 취하다(라마승이 붉은 옷을 입으므로, 술 마신 붉은 얼굴에 빗대어 이름). ‖=〔剌là麻〕
〔喇嘛的帽子〕 lǎmade màozi 명 ①라마승의 모자. ②〈比〉 노란 것.
〔喇嘛糕〕 lǎmagāo 명 둥글고 작은 카스테라.
〔喇嘛逛青儿〕 lǎma guàngqīngr 명 ①옥수수 가루로 만든 단자(團子)에 시금치를 넣고 끓인 음식. ②달걀과 시금치를 넣고 끓인 국.
〔喇嘛教〕 Lǎmajiào 명 《宗》 라마교.
〔喇嘛庙〕 Lǎmamiào 명 라마교의 사원.
〔喇嘴〕 lǎzuǐ 동 큰소리치다. 허풍떨다.

拉 là (랍)
→〔拉拉蛄〕 ⇒ lā lá lǎ

〔拉拉蛄〕 làlàgǔ 명 ⇨〔蝲蝲蛄〕

剌 là (랄)
동 반역하다. 어기다. 배반하다. 어그러지다. ¶乖guāi～; 사리에 어긋나다. ⇒lā lá

〔剌戾〕 làlì 동 ⇨〔乖guāi违〕

〔剌谬〕 làmiù 동 언행이 상규(常規)에 벗어나다.

〔剌贤垤尔〕 làxiándié'ěr 명《植》〈音〉 라벤더(lavender). =〔薰衣草〕〔拉芬大〕〔拉文大〕〔拉文达〕

〔剌子〕 làzi 명 ①성질이 아주 못된 사람. 불량배. =〔流氓〕 ②루비(ruby)의 별칭. =〔红宝石〕

喇 là (라)
→〔喇伙〕〔喇喇蛄〕 ⇒lā lá lǎ

〔喇伙〕 làhuǒ 명 유민(流民)의 패거리[무리]. ¶这～的事而今行不得《儒林外史》; 이 유민의 일은 지금 어찔 도리가 없다.

〔喇喇蛄〕 làlagǔ 명《蟲》 땅강아지. =〔喇喇蛌〕〔喇喇咕〕〔拉拉蛄〕〔蝲蝲蛄〕

瘌 là (랄)
→〔瘌痢〕〔瘌痢头〕

〔瘌痢〕 làlì 명《醫》〈方〉 머리의 옴. 독두병(禿頭病). =〔瘌黎lí〕〔鬎là鬁li〕

〔瘌痢头〕 làlìtóu 명〈方〉 ①《醫》 독두병. ②독창(禿瘡)에 걸린 머리[사람].

辣〈辢〉 là (랄)
①명 매운 맛. ¶酸甜苦～; 신 맛, 단 맛, 쓴 맛, 매운 맛. 〈比〉 각양 각색의 맛. 세상의 온갖 고초. ②형 맵다. 얼얼하다. ¶大蒜是～的; 마늘은 맵다/～得他直出汗; 매워서 그는 땀을 줄줄 흘리고 있다. ③형 독하다. 흉악하다. 악랄하다. ¶手段～; 수단이 악랄하다/白干儿很～; '白干儿'은 대단히 독하다/眼睛发～; 매서운 눈초리를 하다/毒～; 가혹하다. 잔혹하다. ④동 (눈·코·입에) 자극을 받다. 냄새가 코를 찌르다. ¶～眼睛; 눈이 뜨끔뜨끔하다.

〔辣巴唧(儿)〕 làbājī(r) 형〈俗〉 얼얼하게 맵다. =〔辣不唧儿〕

〔辣菜〕 làcài 명 갓뿌리와 무를 조린 음식.

〔辣斐理〕 làfěilǐ 명〈方〉〈音〉 레프리(referee). =〔裁判员〕

〔辣根〕 làgēn 명《植》 서양 고추냉이.

〔辣古皮式足球〕 làgǔpíshì zúqiú 명《體》 럭비(Rugby). =〔橄榄球〕〔辣古皮〕〔拉格比式足球〕

〔辣蒿蒿(的)〕 làhāohāo(de) 형 (입 안이) 타는 듯 맵다. 매워서 얼얼한 모양.

〔辣乎乎(的)〕 làhūhū(de) 형 얼얼하다. 맵다. 지독하게 맵다. ¶芥菜疙瘩～的; 갓은 매우 맵다. =〔辣豁豁(的)〕

〔辣货〕 làhuò 명〈罵〉 닳고 닳은 여자. 알로 까진 여자.

〔辣酱〕 làjiàng 명 ①고춧가루를 반죽한 것. 고추장. ②푸른 콩과 고추를 기름에 볶은 것. ③칠리 소스(chili sauce)《칠레 고추를 넣은 토마토 소스》.

〔辣酱油〕 làjiàngyóu 명 우스터 소스(Worcester sauce). =〔洋酱油〕

〔辣椒〕 làjiāo 명《植》 고추. ¶～糊; ⓐ다진 고추. ⓑ고춧가루를 참기름에 갠 것/～面儿 =〔～粉〕; 고춧가루/～酱; ⓐ고추에 소금·회향풀·산초 등을 넣은 조미료. ⓑ잘게 다진 고추에 된장을 섞은 것/～油; 고추 기름/～素sù; 캡사이신(capsaicin)/干～蕃茄酱; 매운 토마토 소스. =〔辣子①〕〔海椒〕〔〈京〉秦qín椒②〕

〔辣角〕 làjiǎo 명 고추의 별칭.

〔辣蓼〕 làliǎo 명《植》 여뀌. =〔水蓼〕

〔辣茄〕 làqié 명《植》 피망.

〔辣嗓子的〕 làsǎngzide 형 맵싸하다. 떫다.

〔辣实〕 làshí 형 지독하다. 혹독하다. 신랄하다. 잔혹하다. ¶他为人阴险, 手段～; 그는 사람됨이 음험하고 수법이 잔인하다/冷得～; 추위가 매섭다.

〔辣手〕 làshǒu 명 악랄한 수법. ¶下～; 악랄한 수단을 쓰다. 형 ①〈方〉 (수법이) 무섭다. 악랄하다. ②〈口〉 애먹다. 하기에 까다롭다. ¶这件事真～! 이 일은 아주 까다롭다!

〔辣丝丝〕 làsīsī 형 ⇨〔辣酥酥(的)〕

〔辣酥酥(的)〕 làsūsū(de) 형〈方〉 약간 맵다. ¶这个菜～的; 이 요리는 조금 맵다. =〔辣丝丝〕〔辣穌sù穌(的)〕

〔辣蒜〕 làsuàn 명《植》 마늘. =〔大dà蒜〕

〔辣汤〕 làtāng 명 ①후추를 넣은 수프 요리. ②〈比〉 술. 소주. ¶你还忘不了喝～; 당신은 아직도 술을 잊지 못하는군요.

〔辣味(儿)〕 làwèi(r) 명 매운 맛.

〔辣薤〕 làxiè 명《植》 부추. 구채. 정구지. →〔薤〕〔韭jiǔ菜〕

〔辣油〕 làyóu 명 ①고추 기름《다진 고추를 기름에 넣고 끓인 후 기름만 걸러 낸 것》. =〔辣椒油〕 ②소스(sauce).

〔辣语〕 làyǔ 명 심한 말. 가혹한 말.

〔辣燥〕 làzào 형 (여자가) 닳고 닳았다. 성품이 거칠다. ¶娶个～的媳妇; 표독스런 아내를 맞았다.

〔辣子〕 làzi 명 ①고추. =〔辣椒jiāo〕 ②개망나니. 막 굴러먹은 사람. 말괄량이. ③인정머리 없는 놈. 매서운 인간. ¶你只叫他凤～就是了; 너는 그를 봉 독종이라고만 부르면 된다.

蝲 là (랄)
→〔蝲蛄〕〔蝲蝲蛄〕

〔蝲蛄〕 làgǔ 명《動》 가재.

〔蝲蝲蛄〕 làlagǔ 명《蟲》 땅강아지. =〔喇喇蛄〕〔拉là拉蛄〕〔蝼lóu蛄〕

鯻(鰳) là (랄)
명《魚》 ①세동가리돔. =〔鯻鱼〕 ②줄벤자리. 실벤자리과(科)의 총칭. ¶细鳞～; 실벤자리.

鬎 là (랄)
→〔鬎鬁〕

〔鬎鬁〕 làlì 명 ⇨〔瘌痢〕

落 là (락)
동 ①실수가 있다. 미급한 데가 있다. ②미처 생각을 못 하여 그대로 내버려 두다. ¶每场电影我都看, 今天怎么～空kòng了; 매번 영화를 보고 있는데, 오늘은 어찌하여 깜박 보는 것을 잊었을까. ③물건을 잊어버리고 가다. 빠뜨리다. ¶～了一个字; 한 자 빠졌다/眼镜～在家里, 忘了带来; 안경을 집에 둔 채 갖고 오는 것을 잊었다. ④낙오하다. 처지다. ¶她半路上～下来了; 그는 도중에서 낙오되었다. ⇒lào luō luò

〔落不了〕 làbuliǎo 내버려 두는 일이 없다. 잊은 채로 두는 일이 없다. ¶吃饭时总～他; 식사 때에 그를 빼놓는 일이 없다.

〔落场〕 làchǎng 동 (수속하면서) 빠뜨리다. ⇒luòchǎng

〔落空〕 làkòng 동 소홀하여 간과하다. 넋을 놓다. 깜박 잊고 하지 않다. ⇒luò.kōng
〔落下〕 làxia 동 ①물건을 잊어버리고 가다. =〔攞下〕 ②뒤에 남다. 낙오(落伍)하다. ¶大家一跑, 他就～了; 모두들 뛰어가서 그 혼자 남았다. ③남기다. ¶各处都安好了, 只～这一段; 모두 설치했는데, 이 부분만 남았다. ⇒luòxià

腊(臘〈臈〉) là (랍)

명 ①납향(臘享)(동지 후 셋째 술(戌)의 날에 지내는 제사). ¶做～; 납향을 지내다. ②〈轉〉 연말(음력 12월). ¶～尽春来; 〈成〉 해가 바뀌어 봄이 되다 / ～日; ⇩ ③겨울(보통 '腊月')에 소금에 절여 말린 고기·생선. ¶～肉; ⇩ / ～鱼; ⇩ ④중이 된 이후의 햇수. ⑤성(姓)의 하나. ⇒xī
〔腊八(儿)〕 Làbā(r) 명 《佛》 음력 12월 8일(석가여래가 성도(成道)한 날). =〔腊八日〕
〔腊八醋〕 làbācù 명 음력 12월 18일 '腊八蒜'에 사용한 식초.
〔腊八豆〕 làbādòu 명 콩을 발효시킨 식품(돼지고기와 으깬 마늘·간장을 넣어 쪄서 먹음).
〔腊八(儿)米〕 làbā(r)mǐ 명 '腊八(儿)粥'을 쑤기 위한 여러 가지 쌀과 콩.
〔腊八蒜〕 làbāsuàn 명 음력 12월 8일에 마늘을 초에 절여 제야·정월에 만두에 곁들여 먹는 풍습이 있으며, 그 마늘을 이름.
〔腊八(儿)粥〕 làbā(r)zhōu 명 음력 12월 8일의 '腊八(儿)'에 먹는 일종의 죽(석가의 성도(成道)를 축하하는 뜻으로, 이 날 각종의 쌀·콩·과일 등을 넣고 죽을 쑤어 부처 및 조상에 바치고 친척이나 벗에게 보냄). =〔佛fó粥〕〔七qī宝粥〕
〔腊半〕 làbàn 명 음력 섣달 12일 또는 섣달 중순.
〔腊茶〕 làchá 명 푸젠(福建)에서 나는 명차(名茶). =〔蜡茶〕〔建jiàn茶〕
〔腊肠(儿)〕 làcháng(r) 명 순대. (중국식) 소시지(sausage).
〔腊鼓〕 làgǔ 명 옛날에, '腊日'에 각 가정에서 두드리는 북(초(楚)나라의 풍속에서는 북을 두드리고 금강 역사(金剛力士)를 만들어 역병을 물리쳤음).
〔腊鸡〕 làjī 명 소금에 절여 말린 닭고기.
〔腊克〕 làkè 명 〈音〉 래커(lacquer). ¶上～; 래커를 칠하다. =〔硝化纤维素清漆〕〔喷漆〕〔清喷漆〕〔蜡克〕〔瀫克(漆)〕
〔腊梅〕 làméi 명 《植》 납매. =〔蜡梅〕〔冬dōng梅〕〔狗gǒu蝇梅〕〔〈文〉寒hán客〕
〔腊日〕 làrì 명 납일(동지 후 셋째 술일(戌日). 옛날에는 이 날 제사를 지냈음).
〔腊肉〕 làròu 명 베이컨(bacon).
〔腊头鱼〕 làtóuyú 명 《魚》 복어.
〔腊尾〕 làwěi 명 〈文〉 연말. 세모(歲暮).
〔腊尾岁尽〕 làwěi suìjìn 명 연말(年末). =〔年底dǐ〕
〔腊味〕 làwèi 명 ①베이컨이나 건어 따위의 총칭. ②음력 12월에 만드는 술.
〔腊西雪兹姆〕 làxīxuězīmǔ 명 〈音〉 나르시시즘(narcissism). =〔自身恋爱〕〔爱己症〕〔自我陶醉症〕
〔腊先祖〕 là xiānzǔ '腊月'에 살아 있는 희생을 바치어 조상을 제사 지내다.
〔腊雪〕 làxuě 명 납설. 음력 12월의 눈.
〔腊鸭〕 làyā 명 절여 말린 오리(오리를 통째로 간장·술·설탕 등의 조미료에 담가서 말린 것. 그 가운데 배를 갈라 납작하게 누른 것을 '扁biǎn鸭' '琵pí琶鸭', 배를 가르지 않은 것은 '板bǎn鸭'라 함).
〔腊鱼〕 làyú 명 건어물. 생선의 훈제품.
〔腊月〕 làyuè 명 음력 12월〔섣달〕. ¶～节; 섣달에 셈〔대금〕을 청산하는 날 / ～的白菜, 冻了心儿了; 〈歇〉 섣달의 배추는 속이 얼었다. 마음은 변한다〔움직인다〕('冻dòng'이 '动'과 음이 통하는 데서) / ～的葱, 根枯叶黄,心不死; 〈歇〉 섣달의 파는 뿌리는 마르고 잎은 누렇게 떠도 '芯'(속)은 죽지 않는다. ('芯'이 '心'과 음이 통하는 데서) 단념하지 않는다는 뜻.
〔腊蔗〕 làzhè 명 《植》 사탕수수의 일종(껍질이 붉고 즙이 많음).

蜡(蠟) là (랍)

①명 납. 밀랍. 왁스(wax). ¶石～; 파라핀(paraffin). ②명 초. 양초. ¶一支～; 양초 한 자루. ③동 초를 먹이다. ④명 고통. 괴로움. ¶坐zuò～; 고통을 당하다. ⑤명 밀랍 세공물. ⇒ zhà
〔蜡白〕 làbái 형 (얼굴에) 핏기가 없다. 창백하다.
〔蜡板〕 làbǎn 명 ①(인쇄용의 도금한) 연판(鉛版). ②등사 원지. =〔蜡版〕 ③백랍을 만드는 데 쓰이는 도구.
〔蜡版〕 làbǎn 명 등사 원지. =〔蜡板②〕
〔蜡笔〕 làbǐ 명 크레용(crayon). ¶～画; 크레용 그림. =〔颜色笔〕
〔蜡饼〕 làbǐng 명 초나 밀랍의 덩어리(재봉에서 실에 바름).
〔蜡虫〕 làchóng 명 《蟲》 백랍벌레. =〔水蜡虫〕
〔蜡打〕 làdǎ 명 백랍·초 따위를 입힌 것.
〔蜡灯〕 làdēng 명 ①촛불. ②(등롱 모양의) 촛대.
〔蜡防印花法〕 làfáng yìnhuāfǎ 명동 ⇨〔蜡染〕
〔蜡蜂〕 làfēng 명 《蟲》 꿀벌. =〔蜜蜂(儿)〕
〔蜡狗〕 làgǒu 명 《蟲》 쥐똥나무의 해충.
〔蜡管儿〕 làguǎnr 명 (파라핀 등을 입힌) 스트로(straw)〔빨대〕.
〔蜡光纱〕 làguāngshā 명 왁스를 써서 광택이 나도록 만든 실.
〔蜡光纸〕 làguāngzhǐ 명 반수지(礬水紙)· 납지 따위. 플린트지(flint紙) 따위의 유광지(有光紙).
〔蜡果〕 làguǒ 명 《美》 밀랍으로 만든 공예품(채소·과일 등).
〔蜡花(儿,子)〕 làhuā(r,zi) 명 등화(燈花). 불똥. ¶照管各处剪～儿《紅樓夢》; 각처의 등화를 (자르는 일을) 관리하다 / 那灯也没人来～; 저 등불도 아직 등심의 불똥을 자르지 않았다. =〔腊花儿〕
〔蜡花布〕 làhuābù 명 《紡》 광택이 나게 만든 사라사(saraca) 무명천.
〔蜡花剪〕 làhuājiǎn 명 양초의 불똥을 자르는 가위. =〔蜡夹子〕〔蜡镊子〕〔蜡剪〕
〔蜡黄〕 làhuáng 형 윤기가 없이 노랗다. 핏기가 없다. ¶～脸; 노랗고 생기 없는 얼굴 / 面色～; (안색이) 밀랍처럼 창백하다.
〔蜡笺〕 làjiān 명 밀납 먹인 종이.
〔蜡剪〕 làjiǎn 명 ⇨〔蜡花剪〕
〔蜡晶〕 làjīng 명 《鑛》 황수정(黃水晶).
〔蜡炬〕 làjù 명 초.
〔蜡泪〕 làlèi 명 ⇨〔蜡液〕
〔蜡疗〕 làliáo 명 《醫》 납석(蠟石)을 녹여 환부에 바르는 물리 요법의 하나(관절염·접질림 등에 쓰임).
〔蜡梅〕 làméi 명 ⇨〔腊梅〕
〔蜡捻子〕 làniǎnzi 명 쭉정이.
〔蜡镊子〕 làniězi 명 ⇨〔蜡花剪〕

〔蜡皮(儿,子)〕 làpí(r,zi) 명 《漢醫》 환약의 겉을 싼 밀랍으로 된 껍질.
〔蜡珀〕 làpò 명 《鑛》 광택있고 투명한 황색의 호박(琥珀).
〔蜡铺〕 làpù 명 양초·선향(線香)·비누 등을 파는 가게. =〔香蜡铺〕
〔蜡扦〕 làqiān 명 ①(~儿, ~子) 촛대《못에 꽂는 것》. =〔蜡台〕 ②어린아이의 숫구멍 부분의 머리만 길게 길러서 땋은 것.
〔蜡染〕 làrǎn 명동 《染》 납결(臘纈)(하다). =〔〈文〉蜡缬〕〔蜡防印花法〕
〔蜡人(儿)〕 làrén(r) 명 밀랍 인형.
〔蜡人型〕 làrénxíng 명 인체 모형.
〔蜡石〕 làshí 명 《鑛》 납석.
〔蜡书〕 làshū 명 '蜡丸' 속에 숨기어 보내는 비밀 통신.
〔蜡树〕 làshù 명 《植》 ①오구목. =〔桕〕 ②쥐똥나무. =〔水蜡树〕 ③ ⇨〔女nǚ贞〕
〔蜡刷〕 làshuā 명 밀랍을〔왁스를〕 마루에 칠하기 위한 귀얄.
〔蜡酸〕 làsuān 명 《化》 세로틴산(Serotin 酸). =〔二十六酸〕
〔蜡台〕 làtái 명 (구멍에 꽂는 식의) 촛대. =〔蜡扦①〕
〔蜡头〕 làtóu 명 《魚》 복섬.
〔蜡头儿〕 làtóur 명 ①거의 타서 없어질 것 같은 촛불. ②타다 남은 짧은 양초. ③〈比〉(일이) 종말(終末)에 가까움.
〔蜡图纸〕 làtúzhǐ 명 에나멜 페이퍼(enamel paper). =〔有光纸〕
〔蜡坨(儿)〕 làtuó(r) 명 초가 흘러내리다 굳은 덩어리.
〔蜡丸〕 làwán 명 ①밀랍으로 겉을 싼 환약. ②물건의 겉을 밀랍으로 쌈. 봉랍.
〔蜡碗(儿)〕 làwǎn(r) 명 정초에 신전(神前)에 바치는 도제(陶製)의 조그만 등잔(燈盞).
〔蜡像〕 làxiàng 명 밀랍으로 만든 형상(形像).
〔蜡缬〕 làxié 명동 ⇨〔蜡染〕
〔蜡芯儿〕 làxīnr 명 양초의 심지.
〔蜡液〕 làyè 명 촛농. =〔蜡泪〕〔蜡珠(儿)〕
〔蜡油〕 làyóu 명 촛물《초가 녹아서 기름 모양으로 된 것》.
〔蜡渣(子)〕 làzhā(zi) 명 양초의 찌꺼기《'蜡渣(子)白' 혹은 '蜡渣(子)黄'의 형태로, '공포 때문에 안면이 창백해짐'의 뜻으로 쓰임》. =〔蜡滓zǐ〕
〔蜡纸〕 làzhǐ 명 ①등사판 원지. ¶写~ =〔写xiě钢板〕〔刻kè蜡版〕; 등사판 원지를 긁다. =〔钢gāng版蜡纸〕〔誊téng写版纸〕 ②파라핀지(紙)《포장용의 유지》. =〔石shí蜡纸〕
〔蜡制〕 làzhì 명 밀납으로 만든 것. 동 밀랍으로 처리하다. 밀랍을 먹이다.
〔蜡珠(儿)〕 làzhū(r) 명 녹아서 흐르는 촛농. =〔蜡液yè〕〔蜡泪〕
〔蜡烛〕 làzhú 명 양초. ¶~包; (갓난아기의) 포대기《양초를 싸듯이, 대각선으로 아기를 뉘어 발끝과 좌우의 세 귀퉁이를 여며서 끈으로 맴》/~油; 《魚》 노랑촉수/~脾气; 〈南方〉 ⓐ칭찬하면 기어오르고 나무라면 비뚤어지는 성질. ⓑ노예 근성.
〔蜡自来火〕 là zìláihuǒ 명 양초를 먹여 굳힌 무명실 끈을 개비로 써서 만든 성냥. =〔蜡火柴〕
〔蜡子〕 làzi 명 ①백랍벌레가 산란하기 위하여 화포(花苞) 모양으로 모인 집. ②〈文〉 보랏빛 보석.
〔蜡嘴雀〕 làzuǐquè 명 《鳥》 콩새. =〔蜡嘴〕

攋 là (랍)
동 ①선택하여 가지다. ②부러뜨리다. 꺾다.
〔攋下〕 làxia 동 (물건을) 잊어버리고 놓고 가다. =〔落là下①〕

镴(鑞〈鏰〉) là (랍)
명 땜납. =〔白镴〕〔锡xī镴〕〔焊hàn镴〕
〔镴箔〕 làbó 명 지전(紙錢)을 만드는 데 쓰는 납지(鑞紙).
〔镴枪头〕 làqiāngtóu 명 ①땜납으로 만든 창끝. ¶银样~; 은과 같은 무딘 창끝. ②〈比〉 유명 무실.

啦 la (랍)
조 '了le'와 '啊a'의 합음자(合音字)로, 어기 조사(語氣助詞) '了'와 '啊'의 용법을 함께 지님. 어기 조사이기 때문에 '吃了饭'(밥을 먹었다), '来了一个客人'(손님 한 사람이 왔다)의 경우처럼 동사에 직접 붙는 시태 동사(時態動詞)인 '了'와 구별됨. ①동작·행위가 이미 완료되었음을 자연스럽고 굴절(屈折) 없는 느낌으로 나타냄. ¶他睡醒~! 그는 잠에서 깼어!/我们已经吃饭~! 우리는 이미 밥을 먹었어! ②'是'·'有'·'在'와 같은 정지적(靜止的)인 뜻의 동사나, 동사가 조동사 '能'·'会'·'要'·'应该' 등을 수반하고 있는 경우는 그러한 상태가 되었음을 굴절 없는 느낌으로 나타냄. ¶我有把握~! 나는 자신이 있다!/他已经不是过去的他~! 그는 이미 과거의 그가 아니다! ③어떤 상황·사태가 발생했음을 굴절 없는 느낌으로 나타냄《이 경우 동사나 형용사가 없어도 무방함》. ¶下雨~! 비 온다!/春天~! 봄이다! ④어떤 조건하에서 어떤 상황이 출현함을 굴절 없는 느낌으로 나타냄. ¶天一下雨, 我就不出门~! 비가 오면 나는 외출하지 않겠다! ⑤인식·생각·주장·행동 등에 변화가 있었음을 굴절 없는 느낌으로 나타냄. ¶我走~! 나 가요!/我现在明白他的意见~! 나는 이제 그의 생각을 알았다!/我本来不想去, 后来还是去~! 나는 본래 가고 싶지 않았으나, 나중에는 역시 가기로 했어! ⑥독촉이나 금지를 굴절 없는 느낌으로 나타냄. ¶走~, 走~, 不能再等~! 가자, 가자, 이제 더 이상 기다릴 수 없어! ⑦열거를 나타냄. ¶铅笔~, 纸~, 橡皮~, 课本儿~, 都放在皮包里; 연필이랑 종이랑 지우개랑 책은 모두 가방 속에 넣어 두었다. ⇒lā

鞡 la (랍)
→〔靰wù鞡〕

蓝(藍) la (람)
→〔苤piě蓝〕 ⇒lán

LAI ㄌㄞ

来(來) lái (래)
①동 오다《장소를 나타내는 말을 직접 목적어로 쓸 수 있음》. ¶我~汉城三年了; 나는 서울에 온 지 3년이 되었다/他就~; 그는 곧 온다/我~了! 나 왔다!/快~呀! 빨리 와라!/你几月到北京~的? 너는 몇 월에 베이징에 왔니? ↔〔去〕 ②동 (문제·사건 등이) 발

생하다. 도래(到來)하다. 초래하다. ¶问题～了; 문제가 생겼다 / 这事儿是怎么～的? 이 일이 어떻게 일어난 거냐? / 雷阵雨马上就要～了; 뇌우(雷雨)가 곧 쏟아질 것 같다. ③ 동 보내 오다. 오게 하다. 가져오다. ¶老李走后～过两封信; 이군이 간 후에 두 통의 편지를 보내 왔다 / 明天割麦子, 你们村子能～几个人帮忙吗? 내일 보리베기를 하는데, 너희 마을에서 몇 사람 도와 주러 올 수 있을까? / ～茶吧; 차를 가져오너라 / ～一碗汤面; 국수 한 그릇 가져와라 / 快～回信; 빨리 회답해 주십시오 / ～一辆车; 차를 한 대 보내다. ④ 동 (어떤 동작·행동을) 하다(구체적인 동사를 대신하여 사용함). ¶胡～; 생각 없이 함부로 하다. 되는 대로 하다 / 照样儿再～一回; 그대로 다시 한 번 해 보아라 / 她唱完了, 我～; 그녀가 노래를 다 부르면 내가 하겠습니다 / 这不是胡～吗? 이건 너무하지 않으냐? / 这样可～不得; 이렇게는 절대 할 수 없다 / 英文我一点儿不～; 영어는 조금도 공부하지 않는다. ⑤ 동 잡아 오다. ¶金鱼是哪儿～的? 금붕어는 어디서 잡아 온 것이냐? ⑥ 동 획득하다. 입수하다. ¶～一个秘书; 비서의 지위를 얻다. ⑦ 조 쯤. 정도. 가량('十'·'百'·'千' 등의 수사 또는 수량사 뒤에 붙여 대체적인 어림수를 나타냄). ¶十～个; 열 개쯤 / 四十～岁的汉子; 40세쯤 되는 사나이 / 五～斤肉; 5근 정도의 고기. ⑧ 조 수사(數詞) '一'·'二'·'三'의 뒤에 붙여 열거(列擧)를 나타내는 말. ¶一～领导正确, 二～自己努力, 所以能胜利地完成任务; 첫째로는 지도를 옳게 했고, 둘째로는 자신이 노력하였으므로 훌륭하게 임무를 달성할 수 있었다. ⑨ 동 다른 동사 앞에 쓰이어, 어떤 일을 하려고 하는 적극성이나 상대방에게 어떤 행동을 유발시키는 어감을 나타냄. ¶我～问你! 내가 당신에게 묻겠소! / 大家～想想办法! 모두들 방법을 생각해 보자! / 你～唱歌, 我～伴奏; 네가 노래해라. 나는 반주하겠다. ⑩ 동 다른 동사 또는 동사 구조의 뒤에 붙여, …하러 오다의 뜻을 나타냄. ¶他回家看爹娘～了; 그는 고향으로 부모를 만나러 왔다 / 我们贺喜～了; 우리는 축하하러 왔다. ⑪ 접 동사구〔개사구〕와 동사(구) 사이에 쓰여서 방법·방향·목적을 나타냄. ¶你又能用什么理由～说服他呢? 너는 또 어떤 이유를 가지고서 그를 설득하겠다는 건가? / 拿北京话～做中国话的标准; 북경어를 중국어의 표준으로 삼다 / 用这个木料～做一张桌子; 이 나무로 탁자 하나를 만들다. ⑫그 이후로. 그 때부터. 줄곧. 계속하여. ¶从上月～就没有信; 지난 달 이후 소식이 없다 / 年～身体更好了; 1년 전부터 건강이 부쩍 좋아졌다. ⑬금후(今後)(의). 장래(의). ¶～年; 내년 / ～日; ⇩ ⑭ 조 문말(文末)에 쓰이어 회상(回想)하거나 회상을 촉구하는 어기(語氣)를 첨가함(북방어(北方語)에서는 '来着'로 쓰기도 함). ¶这话我在哪儿说～? 이 이야기를 내가 어디서 했더라? / 昨天开会你跟谁辩论～? 어제 회의에서 너는 누구와 논쟁했었지? / 怎么说～? 어떤 식으로 말했더라? ⑮ 조 시가(詩歌)나 숙어 등의 사이에 두어 뜻을 보충하거나 음절수(音節數)를 조절하는 조사. ¶正月里～是新春; 정월이 오면 곧 새봄이다 / 不愁吃～不愁穿; 먹을 것 걱정이 없을뿐더러 입는 것도 근심이 없다. ⑯자. 이봐(남을 재촉하여 움직이게 하는 말). ¶～呀! (승부를 겨룰 때) 자 덤벼라! / 咱们划huá一拳吧, ～! 우리 '划拳' 한 번 하자, 자! / ～! 零的给你; 자! 작은 것은 네게 주마. ⑰동사 뒤에 붙어, 동작의 주체가 화자(話者)에게 접근하는 의미를 나타냄. ¶大哥托人捎～了一封信; 맏형이 남에게 부탁하여 편지 한 통을 보내 왔다 / 拿～; 가지고 오다 / 下～; 내려오다 / 说～; 이야기하고 오다. ⑱동사 뒤에 붙어, 동작의 결과를 나타냄. ¶说～话长; 이야기하자면 길지만 / 这人看～年纪不小; 이 사람은 보기에 꽤 나이가 든 것 같다 / 屈指算～, 已经有十年了; 손꼽아 헤아려 보니, 벌써 10년이 된다. ⑲'동사+得〔不〕+～'의 형태로 쓰여, 장애·습관·연습의 유무에 의한 가능·불가능을 나타냄. ¶他们俩很谈得～; 그들 두 사람은 이야기하는 것이 죽이 잘 맞는다 / 这个歌我唱不～; 이 노래를 나는 잘 부르지 못한다. ⑳ 명 성(姓)의 하나.

〔来报〕 láibào 명 ⇨〔来电〕

〔来比多〕 láibǐduō 명 〈音〉 (심리학에서) 리비도 (libido). =〔里比多〕

〔来宾〕 láibīn 명 내빈. ¶～致词; 내빈의 인사.

〔来不得〕 láibude ①올 수 없다. ②…할 수 없다. …해서는 안 된다. ¶这样可～! 이래서는 정말 곤란합니다! / 这是一个科学问题, ～半点虚伪; 이것은 과학 문제다, 조금도 허위가 허용되서는 안 된다.

〔来不及〕 láibují ①이미 늦다. 대지 못하다. 미치지 못하다. ¶后悔也～; 후회했댔자 소용 없다. 이미 때는 늦었다 / 火车怕～了吧; 기차 타기에는 이미 늦은 것 같다. →〔赶gǎn不及〕〔赶不上〕 ②여유가 없다. ¶～谈了; 더 이상 이야기하고 있을 여유가 없다 ‖↔〔来得及〕

〔来不来〕 láibulái ①오는지 오지 않는지. ②가능한지 불가능한지. ③자칫하면. 걸핏하면. 좋고 나쁘건 간에. ¶～就犯疑心; 걸핏하면 의심하려고 한다 / ～就发脾气; 걸핏하면 화를 낸다. ④해낼 수 없다. 불가능하다. 질색이다. ¶太甜的菜我～; 나는 너무 단 음식은 질색이다 / 他要是没有他哥哥作帮手, 家务上有些～了; 그는 형님이 도와 주지 않으면 살림을 지탱하지 못한다.

〔来不了〕 láibuliǎo ①올 수가 없다. 올 리가 없다. ②할 수가 없다. ‖↔〔来得了〕

〔来差〕 láichāi 명 (상대방의) 사자(使者). 심부름꾼.

〔来潮〕 lái.cháo 동 밀물이 되다. 만조가 되다. ¶心血～; 〈成〉 어떤 생각이 퍼뜩 떠오르다.

〔来到〕 láidào 동 오다. (…에) 도착하다. ¶～这里有几天了? 이 곳에 온 지 며칠이나 되었습니까? / 春天～了; 봄이 왔다.

〔来的〕 láide 조 …했다(과거부터 해 왔으며 지금도 관계가 있는 경우). ¶这是我说～; 이것은 내가 계속 주장해 온 것이다.

〔来得〕 láide ①〈口〉 맡길 수 있다. 할 능력이 있다. 할 수 있다. ¶粗细活儿她都～; 큰 일이고 작은 일이고 그녀는 모두 할 수 있다 / 我也～; 나도 할 수 있다. ②〈口〉 동태(動態)나 힘 따위의 정도·결과를 나타내는 말. …하는 방식(동사를 대신하여 씀). ¶你这一招儿～真厉害; 자네의 이 수단은 정말 대단하다. ③…보다 훨씬 …하다. …쪽이 한층 더 …하다(비교의 결과를 명백히 밝힐 때에 쓰는 말). ¶海水比淡水重, 因此压力也～大; 해수는 담수보다 무겁다, 따라서 압력도 훨씬 크다.

〔来得及〕 láidejí ①시간에 닿다. 늦지 않다. ¶现在就去, 也许还～; 지금 곧 가면 아마 시간에 닿을지도 모른다. ↔〔来不及〕 ②할 수 있다.

〔来得老〕 láidelǎo 방법이 나쁘다. 형편이 좋지 않다.

〔来得勤〕 lái de qín 빈번히 오다. 자주 오다.
〔来得容易去得快〕 lái de róngyì qù de kuài 〈諺〉 쉽게 얻은 것은 잃기 쉽다《부정한 재물은 오래 가지 않는다》. =〔来得易去得易〕
〔来电〕 láidiàn 명 내전(來電). 입전(入電). =〔来报〕 (lái.diàn) 동 전보〔전화〕가 오다. ¶请~告知; 전보로 알려 주십시오.
〔来牍〕 láidú 명 ⇨〔来函〕
〔来顿瓶〕 láidùnpíng 명 《物》 〈音〉 라이덴병(Leyden jar).
〔来而不往〕 lái ér bù wǎng 〈成〉 ①내방(來訪)에 대해 답방(答訪)을 하지 않다. ②선물을 받고 답례를 하지 않다. ③상대방의 공격에 반격하지 않다.
〔来犯〕 láifàn 동 (적이) 공격해 오다. 영토에 침입하다. (권리를) 침해하다.
〔来访〕 láifǎng 명동 방문(하다). 내방(하다). ¶钱先生~是极稀奇的事; 전(錢)씨가 찾아온다는 것은 극히 드문 일이다.
〔来附〕 láifù 명동 귀순(하다). =〔来归②〕
〔来复枪〕 láifùqiāng 명 《軍》 〈音〉 라이플(rifle)총(銃). =〔步枪〕〔来福枪〕〔来扶枪〕
〔来复线〕 láifùxiàn 명 《軍》 총신(銃身) 내벽(內壁)의 나선형의 강선(腔線)《'膛tángxiàn'의 구칭(舊稱)》.
〔来稿〕 láigǎo 명 투고(投稿). 외부 원고.
〔来古〕 láigǔ 명 〈文〉 옛날. 옛적.
〔来归〕 láiguī 동 여자가 출가하다《남편 집으로 돌아온다는 뜻》. 명동 ⇨〔来附〕
〔来函〕 láihán 명 〈翰〉 보내신 편지. ¶~领悉; 귀함(貴函)의 취지를 잘 알았습니다 / 昨接~, 敬悉一切; 어제 귀함을 잘 받았으며, 모든 것을 잘 알았습니다. =〔来示〕〔来信〕〔来牍〕〔来翰〕〔来书〕〔来札〕
〔来亨鸡〕 láihēngjī 명 《鳥》 〈音〉 레그혼(leghorn). =〔来航鸡〕〔来克亨鸡〕
〔来回〕 láihuí 명 ①(~儿) 왕복. ¶打~; 왕복하다 / 从北京到天津, 一天可以打两个~儿; 베이징(北京)에서 톈진(天津)까지 하루에 두 번 왕복할 수 있다. ②전후(前後). 내외《어림수를 나타냄》. ¶六十~的人; 60세 전후의 사람. 동 ①왕복하다. ②물건을 교환하다. ¶管打~; 물건은 언제든지 교환해 드립니다. ③몇 번이나 왕래하다. 왔다 갔다 하다. ¶大家抬着土筐~跑; 모두가 '土筐'을 매고 몇 번이나 달려서 왔다갔다 하다. 부 자꾸. 재삼. ¶~上我们家来干什么? 자꾸 우리집에 와서 무엇을 어쩌자는 거냐?
〔来回倒〕 láihuídǎo 부 번갈아. 교대로.
〔来回的话〕 láihuídehuà 앞뒤가 모순된 말. 애매한 말. =〔来回话儿〕
〔来回话儿〕 láihuíhuàr ⇨〔来回的话〕
〔来回脚儿〕 láihuíjiǎor 왕복 운반.
〔来回来去〕 láihuí láiqù 〈方〉 ①(같은 곳을) 자꾸 왔다갔다 하다. ¶他皱着眉头~地走着; 그는 미간(眉間)을 잔뜩 찌푸리고 왔다갔다 하고 있다. =〔来来去去①〕 ②(같은 말을) 되풀이하다. 되씹다. ¶他怕别人不明白, 总是~地说; 그는 다른 사람이 잘 모를까 봐 늘 말을 되새겨 반복한다.
〔来回明信片〕 láihuí míngxìnpiàn 명 왕복 엽서.
〔来回票〕 láihuípiào 명 왕복표. =〔来回车票〕〔往wǎng返票〕 ↔〔单dān程票〕
〔来火〕 lái huǒ 발끈해지다. 핏대를 올리다.
〔来货〕 láihuò A) 명 ①입하품(入荷品). ¶有了~; 물품(物品)이 들어오다. ②(토산물에 대하여) 외래(外來)의 물건. ③물건의 도착. B) (lái huò) 동 입하하다.
〔来价〕 láijià 명 《商》 ①매입 가격. ②지정 가격.
〔来件〕 láijiàn 명 보내 온 물건 또는 문서.
〔来劲(儿)〕 lái.jìn(r) 동 〈方〉 ①기운이 나다. 흥(興)이 나다. 힘이 나다. ¶他越干越~; 그는 일을 하면 할수록 힘이 나온다 / 他这个人越夸越~; 이 사람은 칭찬받을수록 의기양양해진다. ②분발(奮發)시키다. 격동시키다. 흥분시키다. ¶这样伟大的工程, 可真~! 이렇게 큰 공사는 정말이지 일 할 마음이 나게 한다!
〔来惊(儿)〕 láijīng(r) 동 젖이 탱탱해지다. ¶奶~了, 快喂奶吧; 젖이 불었다. 빨리 젖을 먹여라.
〔来客〕 láikè 명 내객. 손님. (lái.kè) 동 손님이 오다. ¶他们家~了; 저 집에는 손님이 와 있다.
〔来款〕 láikuǎn 명 송금액. 보내 온 금액.
〔来贶〕 láikuàng 명 보내 주신 물건〔편지〕. ¶~辄诵永以自慰; 〈翰〉 귀함(貴函)을 읽고 매우 마음 든든해졌습니다.
〔来来〕 láilai ①〈套〉 이리 오너라. =〔来呀①〕 ②동 해 보다. ¶他做的不好, 你~; 그가 하는 방식은 좋지 않다, 네가 해 보아라. =〔试shìshi〕〔做一做〕
〔来来去去〕 láilaiqùqù ①같은 곳을 왔다갔다 하다. =〔来回来去①〕〔来来回回〕〔来来往往〕 ②이것 저것 해 보다. 되풀이해서 해보다.
〔来历〕 láilì 명 ①내력. 경력. 신원(身元). ¶~不明; 내력이 분명치 않다. 신원이 확실치 않다 / 查明~; 내력을 조사해서 밝히다 / ~不小; 경력이 보통이 아니다. =〔来头③〕 ②이유. 사유.
〔来莅〕 láilì 명동 〈文〉〈敬〉 내림(來臨)(하다). 출석(하다).
〔来料加工〕 láiliào jiāgōng ①제공된 원료를 가공하다. ②위탁 가공(무역).
〔来临〕 láilín 동 ①다가오다. ¶国庆节快要~; 국경일이 곧 다가온다 / 新年~; 새해가 오다. ②왕림하다. 명 (상대방의) 출석. 내림.
〔来龙去脉〕 lái lóng qù mài 〈成〉 산세(山勢)·지형이 용의 모양처럼 이어져 전체의 모양이 분명한 모양《사건의 경위·전후 관계의 연결·인과 관계의 비유》. ¶说出个~; 경위를 말하다.
〔来路〕 láilù 명 ①이쪽으로 오는 길. 진로(進路). ¶挡住了敌人的~; 적의 진로를 차단하였다. ②수입(收入). ③상품의 매입처. 출처.
〔来路〕 láilu 명 내력. 경력. ¶他的~不明; 그의 내력은 분명치 않다.
〔来路货〕 láilùhuò 명 ①〈方〉 박래품(舶來品). 외래품《廣東》. ②타지방에서 온 상품.
〔来路儿〕 láilùr 명 ①구조《기초·규모·자본 등을 종합적으로 가리킨 것》. ¶他们铺子的~很大; 그들 가게의 규모는 대단하다. ②수입(收入). ¶~大; 수입이 많다.
〔来麦〕 láimài 명 ⇨〔黑hēi麦〕
〔来命〕 láimìng 명 하명(下命). 분부.
〔来年〕 láinián 명 〈文〉 내년. 명년. ¶以待~《孟子 滕文公下》; 다음 해를 기다리다. =〔来岁〕 →〔明míng年〕
〔来牛儿〕 láiniúr 동 〈京〉 좋아지다. 호전되다. ¶好容易熬到事情~了, 大家都很高兴; 참고 견디어 겨우 상황이 호전되었으므로 모두 매우 기뻤다.
〔来派〕 láipài 명 ①⇨〔来势〕 ②태도. 거동. 기색. ③신분.
〔来派〕 láipai 명 ①징조. 조짐. 징후. ②(사물의)

진행 상황. 추세. 정세.

〔来钱(儿)〕 láiqián(r) 형 (장사의) 이익이 많다. 벌이가 괜찮다. ¶这个买卖倒是挺～儿的; 이 장사는 매우 돈벌이가 좋다.

〔来情去意〕 láiqíng qùyì 명 까닭. 사항. 이유. ¶小喽罗问了备细～《水滸傳》; 부하들이 자세히 까닭을 물었다 / 等派来的代表同志说明了～, 大家都很喜欢; 파견되어 온 대표가 까닭을 설명하자 모두들 크게 기뻐하였다.

〔来去〕 láiqù ①오는 것과 가는 것. 〈轉〉 일의 동태(動態). 인간의 거취(去就). ¶～自由; 거취가 자유롭다. ②오가다. 왕래하다. ③ 명 …쯤. …가량(비교해서 나타나는 차이나 거리). ¶三十～的岁数儿; 30세 정도의 나이. =〔来往wang〕

〔…来…去〕 …lai…qu (끊임없이) 왔다갔다하다. …하곤 하다《같은 동사 또는 2개의 뜻이 같은 동사 뒤에 쓰여, 동작이 끊임없이 되풀이됨을 나타내는 말》. ¶飞～飞～; 이리저리 날아다니다 / 翻～覆～; 자꾸 뒤집어엎다. 자면서 자꾸 몸을 뒤척이다 / 看～看～; 거듭거듭 보다.

〔来去分明〕 láiqù fēnmíng ①일의 결과, 금전의 수지(收支)가 분명하다. ②거취가 공명정대하여 사욕이 없다.

〔来人〕 láirén ①〈套〉 누구 없느냐. 이리 오너라《옛날, 하인을 부를 때에 썼던 말》. ¶快, ～呀; 이봐라, 누구 없느냐. ② 명 오는 사람. 심부름꾼. 사자(使者)《왔을 경우》. ¶收条儿请交～带回! 영수증은 (이쪽) 심부름꾼에게 주어 보내 주십시오. =〔来手〕

〔来人儿〕 láirénr 명 (매매·고용(雇用)·대차(貸借) 등의) 중개인(仲介人).

〔来人抬头〕 láirén táitóu 《商》 지참인불(持參人拂). ¶～的支票; 지참인불 수표.

〔来日〕 láirì 명 ①내일. ②장래. 앞으로의 날들. 금후. ¶～方长; 〈成〉 앞으로 충분한 날짜가 있다《서두를 필요 없다. 장래의 기회가 많다》/ ～无多; 앞으로 시일은 많지 않다 / ～大难; 전도 다난하다. ③근간(近間).

〔来身上〕 láishēnshang 동 월경(月經)하다.

〔来神〕 láishén 동 ①득의양양해지다. 흥겨워하다. 신나다. ¶他就是好说, 越说越～; 그는 참으로 말하기를 좋아하여 말을 하면 할수록 더욱 신바람을 낸다. ②민감하다. 지나치게 억측하다. 신경쓰다.

〔来生〕 láishēng 명 내세(來世). 저승.

〔来使〕 láishǐ 명 심부름꾼. 사자(使者).

〔来世〕 láishì 명 ①후대(後代). ②《佛》 내세. 후세.

〔来事〕 láishì 명 〈文〉 장래의 일. 형 〈吳〉 좋다. 괜찮다.

〔来势〕 láishì 명 (밀려오는) 세력. (일이 일어나는) 힘. 기세. ¶～汹汹; 세력이 굉장하다 / ～凶猛; 기세가 거칠고 사납다. =〔来派pài①〕〔来头〕

〔来说是非者, 便是是非者〕 láishuō shìfēi zhě, biànshì shìfēi zhě 〈諺〉 이러니저러니 하고 남의 말을 하는 사람은, 그 사람 자신에 문제가 있는 것이다.

〔来四(花)边〕 láisì(huā)biān 명 《紡》 〈音義〉 레이스(lace).

〔来苏儿〕 láisū'ér 명 《藥》 〈音〉 크레졸(cresol) 비눗물. =〔来沙儿〕〔来沙而〕〔来苏水〕〔拉lā苏水〕〔煤méi酚皂溶液〕〔杂zá酚皂液〕

〔来孙〕 láisūn 명 현손의 자식《자기의 6대손》.

〔来头〕 láitou 명 ①경위. 이유. 연유. 까닭. ¶他说这些话是有～的; 그가 이렇게 말하는 데에는 이유가 있다. =〔来头(儿)④〕 ②(밀려오는) 세력. 기세. 힘. ¶有～; 힘이 있다 / 你别小看他, 他～可不小! 그를 얕보지 마라, 그는 기세가 대단하다. =〔来势〕 ③내력. 경력. 신원. ¶这个人～不小; 이 사람의 경력은 보통이 아니다. =〔来历①〕

〔来头(儿)〕 láitou(r) 명 ①흥미. 하고 싶은 마음. ¶打乒乓球? 真没～儿! 탁구를 친다고? 정말로 흥미 없는데! ②(일을 하는) 방법. 태도. 일의 발단. ¶～不对; 방법이 틀렸다. ③(일을 하는) 보람. ④까닭. 이유. 연유. ¶这里有什么～儿没有? 여기에는 무슨 연유가 있느냐? =〔来头①〕 注 ①③④는 주로 '有～', '没(有)～'로 많이 쓰임.

〔来头人〕 láitóurén 명 〈方〉 추천인. 중개인.

〔来完了〕 láiwánle 구제 불능이 되다.

〔来往〕 láiwǎng 동 왕래하다. 오고 가다. ¶翻修路面, 禁止车辆～; 도로 공사 중으로 차량의 통행을 금한다 / ～人; 통행인 / ～文件; 왕복 문서.

〔来往〕 láiwang 명동 교제(하다). 거래(하다). 왕래(하다). ¶最好别和那些人～; 저 사람들하고는 사귀지 않는 것이 상책이다. ¶跟他有～; 그와 왕래〔거래〕가 있다 / ～借贷; 거래상의 대차(貸借). 명 정도. 안팎. 쯤《어림수를 나타내는 말》. ¶三丈～; 3장 가량. =〔来去③〕

〔来文〕 láiwén 명 보내 온 서류. 받은 서류. ¶～处; 문서 접수처.

〔来无影〕 láiwúyǐng 동 〈文〉 몰래 살짝 오다. ¶～去无踪; 몰래 왕래하다.

〔来兮〕 láixī 〈南方〉 형용사 어미에 붙여, 보통화(普通話)의 '…得很'(대단히 …하다)의 뜻을 나타내는 말. ¶好～; 매우 좋다 / 他的门槛精～; 그는 그 방면에 매우 정통하다. =〔来西〕〔来些〕

〔来项〕 láixiàng 명 수입. 입금.

〔来信〕 láixìn 명 내신. 투서(投書). ¶接得～一封; 내신 한 통을 받다 / 处理人民～; 백성의 투서를 처리하다. (lái,xìn) 동 편지를 보내다. 편지가 오다. ¶到了那里请来一封信吧! 그 곳에 도착하면 편지해 주십시오!

〔来讯〕 láixùn 명 ①내신(來信). 보내 온 편지. ②(상대방으로부터 온) 편지에 의한 문의.

〔来呀〕 láiya ①⇨〔来来①〕 ② 감 어이! 이 봐!《소리내어 부를 때》. 자!《술 등을 권할 때》. 자, 덤벼!《승부를 겨룰 때》.

〔来言〕 láiyán 명 걸어 온 말. ¶你有～我就有去语; 자네가 말을 걸어 온다면 나도 응답하겠다 / ～去语; ⓐ저마다 한 마디씩 하다. ⓑ서로 주고받는 말. 동 와서 말하다. ¶～是非者便是是非人; 〈諺〉 나에게 와서 남의 선악을 말하는 사람은, 또한 나의 시비를 남에게 말하는 사람이다. 남을 욕하면 자기의 품위가 떨어진다.

〔来样〕 láiyàng 명 보내 온 견본. ¶～加工; 보내온 견본대로 가공하다.

〔来样订货〕 láiyàng dìnghuò 명 《經》 견본에 의한 주문.

〔来一排〕 láiyīpái 동 한바탕 싸우다. ¶咱们就～; 우리 한번 싸워 보자.

〔来意〕 láiyì 명 ①내의. 온 뜻. 온 이유. ②상대방이 말한 뜻.

〔来音〕 láiyīn 명 〈文〉 상대방이 한 말. 전해 온 소식.

〔来由〕 láiyóu 명 경위. 유래. 원인. 내력. ¶那大概是有什么～; 거기에는 아마 무슨 내력이 있을 것이다 / 无～的话; 근거 없는 이야기. =〔来因〕 →〔来历〕

〔来谕〕 láiyù 명 〈翰〉 혜서(惠書). 보내 주신 편지

《윗사람의 편지에 대한 경칭》.

〔来源〕 láiyuán 명 ①(사물이 연유해 나오는) 근원. 출처. ¶收入~; 수입원/经费~; 경비의 출처. 재원(財源)/生活~; 생활의 기반. ②수원(水源). ¶你知道这道河的~吗? 이 강의 수원을 알고 있느냐? ③원산지. 생산지. ④(원산지의) 출하. (상품의) 공급(원). ¶~丰富; 공급이 풍부하다/廉价原料的~; 값싼 원료의 공급원. 동 ('于'를 동반하여) (사물이) 기원(起源)하다. 유래하다. ¶神话的内容也是~于生活的; 신화의 내용도 생활에서 유래한 것이다/正确的决心~于正确的判断; 올바른 결심은 올바른 판단에서 나온다.

〔来缘〕 láiyuán 명 ①내세(來世)의 인연. ②⇨〔缘由〕

〔来月〕 láiyuè 명 〈文〉 내달《보통 '下xià月'라 함》.

〔来者〕 láizhě 명 〈文〉 ①장래의 일. ¶既往不咎~可追; 지나간 일은 나무라지 않을테니, 앞으로 잘 해라. ②이미 온 사람.

〔来者不拒〕 lái zhě bù jù 〈成〉 ①오는 자는 거절하지 않는다. ¶~, 去者不追; 오는 자는 막지 않고 가는 자는 쫓지 않는다《오건 말건 그 뜻에 맡기어 간섭하지 않는다》. ②(사례·부탁·정의로 보내는) 선물을 기꺼이 받다.

〔来者不善, 善者不来〕 lái zhě bù shàn, shàn zhě bù lái 〈諺〉 나서는 자는 변변치 못하고, 훌륭한 자는 나서지 않는다.

〔来着〕 láizhe 조 …하고 있었다. …이었다《문말(文末)에 놓아 회고(回顧)의 기분을 나타내는 어기사(語氣詞)》. ¶他吃饭~; 그는 밥을 먹고 있었다/你刚才做什么~? 너는 방금 무엇을 하고 있었는가?/我怎么说~? 내가 무엇이라 했었던가?/从先它在西门外头~; 전에는 서문 밖에 있었던 것이다.

〔来之不易〕 lái zhī bù yì 〈成〉 성공하는 것이나 손에 넣는 것은 쉬운 일이 아니다. ¶那里的巨变是~的; 그 곳의 커다란 변화는 고생한 덕에 얻어진 것이다.

〔来咨〕 láizī 명 〈公〉 동급 기관에서 온 공문. =〔咨文①〕

〔来子(儿)〕 láizǐ(r) 〈京〉 수입(收入)이 있다. ¶这个买卖虽然危险, 可是~; 이 장사는 비록 위험하지만 소득이 있다.

〔来自〕 láizì 동 〈文〉 (…으로부터) 오다. (…에서) 탄생하다. ¶~韩国; 한국에서 오다. 注 '自…来'보다 장소가 강조됨.

涞(淶) lái (래)

지명용 자(字).

〔涞水〕 Láishuǐ 명 《地》 라이수이(淶水)《허베이 성(河北省)에 있는 현 이름. 또, 강 이름》.

〔涞源〕 Láiyuán 명 《地》 라이위안(淶源)《허베이 성(河北省)에 있는 현 이름》.

莱(萊) lái (래)

명 ①《植》 명아주. ¶草~; 〈文〉 잡초. =〔藜lí〕 ②교외(郊外)의 휴경전(休耕田) 또는 황무지. ③(Lái) 《地》 라이산(萊山)《광둥 성(廣東省)에 있는 산 이름》.

〔莱昂斯俱乐部〕 lái'ángsī jùlèbù 명 〈音〉 라이온스 클럽(Lions Club). =〔国际狮子会〕

〔莱菔〕 láifú 명 《植》 무. =〔来服〕〔萝卜〕

〔莱卡〕 láikǎ 명 〈音〉 라이카(독 Leica) 카메라.

〔莱妻〕 Láiqī 명 ①《人》 춘추 시대, 초(楚)나라의 노래자(老萊子)의 아내《남편을 간(諫)하여 벼슬하지 못하게 하고 청빈한 생활을 감수한 부인》. ②〈轉〉 현부인(賢婦人). ‖=〔莱妇〕

〔莱塞〕 láisè 명 《物》 〈音〉 레이저(laser). =〔激光射器〕〔激光器〕〔雷射〕〔莱泽〕〔目来泽〕

〔莱索托〕 Láisuǒtuō 명 《地》 〈音〉 레소토(Lesotho)《아프리카 남부의 왕국. 수도는 '马塞卢'(마세루: Maseru)》.

〔莱田〕 láitián 명 〈文〉 황폐한 논밭.

〔莱阳梨〕 láiyánglí 명 《植》 내양(萊陽) 배《라이양현(萊陽縣) 경계에서 나는 배로, 맛이 좋기로 유명함》.

崃(崍) lái (래)

지명용 자(子). ¶邛Qióng~山 =〔~山〕; 충라이산(邛崍山)《쓰촨 성(四川省)에 있는 산 이름》.

徕(徠〈倈〉) lái (래)

→〔徕呆〕〔徕卡〕〔招zhāo徕〕⇒lài

〔徕呆〕 láidāi 형 〈俗〉 나쁘다. ¶这个东西不~; 이 상품은 나쁘지 않다.

〔徕卡〕 láikǎ 명 〈音〉 라이카(Leica)《사진기의 상품명》. ¶~型; 라이카 형(型). =〔来卡〕〔莱克〕

梾(棶) lái (래)

→〔梾木〕

〔梾木〕 láimù 명 《植》 층층나무.

铼(錸) lái (래)

명 《化》 레늄(Re: rhenium)《금속 원소》.

鶆(鶆) lái (래)

→〔鶆鷞〕

〔鶆鷞〕 lái'ǎo 명 《鳥》 아메리카타조. 레아. =〔美洲鸵〕

徕(徠) lài (래)

동 〈文〉 위로하다. ¶劳~; (노고를) 위로하다. ⇒lái

赉(賚) lài (뢰)

동 〈文〉 (공(功)을 기리어 상을) 수여(授與)하다. 하사하다. 내리다.

〔赉纳机〕 làinàjī 명 〈音〉 라이노 타이프(Linotype).

〔赉品〕 làipǐn 명 〈文〉 하사품(下賜品).

〔赉锡〕 làixī 동 〈文〉 하사하다.

睐(睞) lài (래)

①명 사팔뜨기. 사시(斜視). ②동 (옆을) 보다. 곁눈으로 보다. ¶盼~; 희망하다/得某君之青~; 모씨(某氏)의 중시(重視)와 후대(厚待)를 받다.

赖(賴〈頼〉) lài (뢰)

①동 의지하다. 의뢰하다. 기대다. ¶仰~; 의지하다/全~大家帮忙; 모든 것이 여러분이 도와주신 덕분입니다/完成任务, 有~于大家的努力; 임무를 완성하려면 여러분의 노력에 의지해야 한다. ② 부 다행히도. 고맙게도. …의 덕분으로. ¶~此一言, 生命得保; 이 한 마디의 덕분으로 목숨을 건졌다/~有防火设备, 当时将火焰扑灭了; 다행히도 방화 설비가 있어서 즉시 불을 껐다. →〔幸亏〕 ③동 나무라다. 책하다. 탓하다. ¶这不能~我; 이것으로 나를 책할 수 없다/这只~你自己不小心; 이것은 오직 네 자신이 부주의한 탓이다. ④동 (자기의 책임·잘못을) 부인하다. 승

인하지 않다. 속이다. ¶撒sā～; 부인하다. 시치미 떼다/他犯的错误是～不掉的; 그가 범한 실수는 부인할 수 없는 것이다. ⑤동 (자기의 책임 또는 잘못을 속이어) 남의 탓으로 돌리다. 뒤집어씌우다. ¶诬～好人; 무고한 사람에게 죄나 잘못을 뒤집어씌우다/大家都～他偷东西; 모두 그가 훔쳤다고 죄를 그에게 뒤집어씌우다. ⑥형〈口〉나쁘다. 뒤떨어지다. ¶好的～的要分清; 좋은 것과 나쁜 것은 확실히 구별해야 한다/这块地真不～; 이 땅은 참 좋은 땅이다. →〔癞④〕〔坏〕↔〔好〕 ⑦동 떼를 쓰고 움직이려 하지 않다. 뻔뻔스럽게 버티다. 눌러앉다. ¶孩子看到橱窗里的玩具, ～着不肯走; 어린아이가 진열장의 장난감을 보고는 떼를 쓰며 움직이려고 하지 않다/用～的一手来搪塞; 모른체하는 수법으로 적당히 얼버무리다. ⑧명 성(姓)의 하나.

〔赖不掉〕 **làibudiào** 트집을 잡을 수가 없다. 등을 칠 수가 없다.

〔赖床〕 **làichuáng** 동 (일어나기 싫어서) 잠자리에서 빠져 나오기가 어렵다. 좀처럼 잠자리를 뜨지 않다. 늦잠을 자다. ¶别～了; 꾸물거리지 말고 어서 일어나거라/他有～的毛病; 그는 아침에 늦잠자는 못된 버릇이 있다.

〔赖词儿〕 **làicír** 명〈方〉①핑계. 거짓말. ②남을 모함하는 무책임한 언동.

〔赖歹〕 **làidǎi** 형 나쁘다. 좋지 않다.

〔赖地〕 **làidì** 동 토지를 횡령하다. 명 척박한 땅.

〔赖掉〕 **lài·diào** 동 (억지를 부려 책임을) 발뺌하다. 부인(否認)하다. 도망칠 준비를 하다. ¶事实是赖不掉的; 사실은 부인할 수 없다.

〔赖狗扶不上墙去〕 **làigǒu fúbushàng qiáng qù**〈比〉몹쓸 놈은 아무리 뒤에서 밀어 주어도 소용이 없다.

〔赖话〕 **làihuà** 명 꼴 사나운 이야기. 추문. =〔癞话〕

〔赖婚〕 **lài·hūn** 동 (이런저런 이유를 붙여서) 혼약(婚約)을 이행하지 않다. 결혼 약속을 지키지 않다.

〔赖货〕 **làihuò** 명 열등품. 조악한 물건.

〔赖急〕 **làijí** 동 ①어린아이가 칭얼거리다〔보채다〕. ②남에게 책임을 전가하다. 형 미적지근하다.

〔赖赖急急〕 **làilai jíjí** 형 꾸물거리는 모양. 미적지근한 모양.

〔赖脸〕 **làiliǎn** 명형 ⇨〔赖皮〕

〔赖磨子〕 **làimózi** 명 투정. 생떼. ¶你这孩子又耍～; 이 애는 또 성가시게 투정을 부리는군.

〔赖皮〕 **làipí** 형 낯가죽이 두껍다. 교활하다. 뻔뻔스럽다. 무례하다. 유들유들하다. ¶碰着这样赖皮赖脸的人, 真叫人急不得恼不得; 이런 염치도 없고 체면도 없는 사람한테 걸리면 정말 이러지도 저러지도 못한다. 명 뻔뻔함. 능글맞음. ¶耍shuǎ～; 뻔뻔스러운 행동을 하다. ‖ =〔赖脸〕〔赖皮赖脸〕〔死皮〕

〔赖欠〕 **lài·qiàn** 동 ⇨〔赖债〕

〔赖人〕 **làirén** 명 악한. 무뢰한.

〔赖像儿〕 **làixiangr** 명 앓고 있는 것 같은 모양.

〔赖学〕 **lài·xué** 동〈方〉꾀를 부리고 학교에 가지 않다. 학교를 빠지다. =〔逃学〕

〔赖衣求食〕 **lài yī qiú shí**〈成〉의식(衣食)을 남한테서 구하다. 남에게 의지하여 살아가다. ¶常年～总不是办法; 늘 남에게 업혀 사는 것은 결코 마땅한 해결책이 아니다.

〔赖艺求食〕 **làiyì qiúshí** 재주를 팔아 생활하다.

〔赖约〕 **làiyuē** 동 약속이나 계약을 부인하다.

〔赖诈〕 **làizhà** 동 ①트집을 잡아 금품을 빼앗다. ②속이다. 기만하다.

〔赖债〕 **lài·zhài** 동 부채를 갚지 않다. 부채를 인정하지 않다. =〔赖账①〕〔赖欠〕

〔赖账〕 **lài·zhàng** 동 ①⇨〔赖债〕 ②〈比〉부인하다.

〔赖着〕 **làizhe** 뻔뻔스럽게. 염치없이. ¶某国军队准备～不撤; 모국의 군대는 뻔뻔스럽게도 철퇴하려고 하지 않는다/～不走; 버티고 앉아서 꿈쩍도 하려 하지 않다.

〔赖争〕 **làizhēng** 동 ①트집을 잡아 다투다. ②떼어먹으려고 싸우다.

〔赖住〕 **làizhù** 동 떼를 쓰며 움직이지 않다. 트집을 잡다. 물고 늘어지다.

〔赖子〕 **làizi** 명 ①편취. 협잡. ②무뢰한(無賴漢).

〔赖租〕 **làizū** 명 옛날, 농민이 지주에게 반항하여 땅세나 소작료 등을 내지 않는 것.

濑(瀨) lài (뢰)

명〈文〉①여울. ¶江～; 강의 여울/急～; 급류. ②모래 위의 얕은 물 흐름.

〔濑鱼〕 **làiyú** 명〘魚〙놀래기.

〔濑仔〕 **làizǐ** 명〈貶〉수상(水上) 거주자에 대한 멸칭(蔑稱).

癞(癩) lài (라)

①명〘醫〙문둥병. 나병. =〔麻má风〕 ②명〘醫〙〈方〉부스럼으로 머리가 빠지는 병. ③명〘醫〙나병과 비슷한 병. ㉠옴 등의 피부병. ㉡겉에 반점이나 두드러기가 생기는 병. ④형 나쁘다. 좋지 못하다. ¶东西有好有～; 물건에는 좋은 것과 나쁜 것이 있다.

〔癞疤〕 **làibā** 명 개선병(疥癬病)을 앓고 난 후의 대머리.

〔癞病〕 **làibìng** 명〈文〉⇨〔麻má风〕

〔癞疮〕 **làichuāng** 명〘醫〙①문둥병. 나병. ②(악성의) 피부병.

〔癞疮疤〕 **làichuāngbā** 명 피부병 흉터의 대머리. ¶最恼人的是在他头皮上, 颇有几处不知起于何时的～《鲁迅 阿Q正傳》; 가장 고민거리는, 그의 머리의 언제 생긴 지도 모르는 몇 군데의 옴 흉터 자국이다.

〔癞歹〕 **làidǎi** 형 불결하다. 더럽다. ¶你的衣裳忒tuī～; 네 옷은 몹시 더럽다.

〔癞狗〕 **làigǒu** 명 ①부스럼을 앓는 개. ②〈比〉값어치 없는 인간. 시시한 인간. ¶～扶不上墙去;〈歇〉못난 놈은 아무리 뒷바라지를 해 주어도 소용이 없다/～生毛要咬人;〈諺〉부스럼 딱지가 난 개도 털이 나면 사람을 문다《결함이 있으면 삼가지만, 일단 우세해지면 제멋대로 설치고 싶어한다》. =〔癞皮狗〕

〔癞瓜(儿,子)〕 **làiguā(r,zi)** 명〘植〙〈方〉여주. =〔苦瓜〕

〔癞蛤蟆〕 **làihámá** 명〘動〙두꺼비. ¶～想吃天鹅肉;〈諺〉두꺼비가 백조 고기를 먹고 싶어하다《제 분수를 모르다》/～想上樱桃树;〈諺〉두꺼비가 앵두나무에 오르려 하다《이룰 수 없는 사랑. 추남이 미녀를 사모하는 경우》. =〔蟾蜍〕〔癞团〕

〔癞汉〕 **làihàn** 명 추남(醜男).

〔癞活〕 **làihuó** 동 고통 속에서 살아 나가다. 겨우 먹고 살다. ¶好死不如～着;〈諺〉편안하게 죽는 것보다 괴롭게 사는 편이 낫다. 죽은 정승이 산 개만 못하다. =〔赖活〕

〔癞货〕 **làihuò** 명 조악(粗惡)한 물품.

〔癞癞〕 **làilài** 명〘動〙독 있는 거미의 일종.

〔癞泥〕 **làiní** 명 썩은 흙. ¶～下窑烧不成个东西

썩은 흙은 가마에 넣고 구워도 아무것도 되지 않는다. →〔朽xiǔ木粪土〕
〔癞皮病〕 làipíbìng 명 《醫》 펠라그라(독 Pellagra).
〔癞皮狗〕 làipígòu 명 ⇨〔癞狗〕
〔癞头〕 làitóu 명 백선(白癬). 백선 등으로 머리카락이 빠진 두부(頭部).
〔癞头疮〕 làitóuchuāng 명 《醫》 머리에 생겨 털이 빠지는 피부병. 나두창.
〔癞头鼋〕 làitóuyuán 명 《動》 두피(頭皮)에 사마귀 모양의 돌기물이 있는 자라보다 큰 거북.
〔癞癣〕 làixuǎn 명 《醫》 옴·백선과 같이 머리털이 빠지는 병.
〔癞蛛儿〕 làizhūr 명 《動》 독거미의 일종.
〔癞子〕 làizi 명 ①문둥병 환자. ②〈方〉 두부 백선(頭部白癬)에 걸린 사람.

籁(籟) lài (뢰)
명 ①고대(古代)의 생황(笙簧). ②〈轉〉 음(音). 소리. ¶天～; 천뢰. 자연의 소리 / 地～; 지뢰. 땅에서 나는 소리 / 万～无声 =〔万～俱寂〕; 〈成〉 아무 소리도 없이 조용하다.

LAN ㄌㄢ

兰(蘭) lán (란)
명 ①《植》 난초. ②《植》 등골나물의 일종. ③《地》〈簡〉 란저우(蘭州)의 약칭. ④성(姓)의 하나.
〔兰艾〕 lán'ài 명 난과 쑥. 〈比〉 군자와 소인. ¶～同焚; 옥석구분(玉石俱焚)《선악의 구별 없이 함께 멸망함》. =〔兰莸yóu〕
〔兰宝石〕 lánbǎoshí 명 《鑛》 사파이어(sapphire)《9월의 탄생석(誕生石)》. =〔蓝宝石〕
〔兰鲍〕 lánbào 명 〈比〉 향기와 악취.
〔兰草〕 láncǎo 명 ①⇨〔佩pèi兰①〕 ②⇨〔华huá泽兰〕 ③⇨〔兰花〕
〔兰摧玉折〕 lán cuī yù zhé 〈成〉 현인(賢人)의 죽음을 이르는 말《군자·미인·재사 등은 단명하다는 것을 말함》.
〔兰芳〕 lánfāng 명 〈文〉 난초의 향기. 난향. =〔兰芬〕
〔兰闺〕 lánguī 명 ⇨〔兰室②〕
〔兰桂〕 lánguì 명 ①난초와 계수나무. ②〈比〉 자손.
〔兰花〕 lánhuā 명 《植》 난초《춘란(春蘭)과 건란(建蘭)의 총칭》. ¶～野百合; 《植》 활나물. =〔兰草③〕〔春兰〕
〔兰花描〕 lánhuāmiáo 명 《美》 윤곽만 그리고 채색하지 않는 화법의 하나.
〔兰花手〕 lánhuāshǒu 명 《劇》 경극(京劇)에서, 가운뎃손가락을 구부리고 집게손가락과 약손가락을 편 손 모양《부드러운 느낌을 주는 손놀림으로, 난꽃 모양과 비슷함》. =〔兰花指〕
〔兰花烟〕 lánhuāyān 명 살담배의 일종.
〔兰诲〕 lánhuì 명 〈文〉 교훈. 가르치심. =〔兰教〕
〔兰交〕 lánjiāo 명 〈文〉 뜻을 같이하는 친구.
〔兰蕉〕 lánjiāo 명 《植》 칸나.
〔兰襟〕 lánjīn 명 〈文〉 ①옷깃. ②〈比〉 벗. 친구.
〔兰卡〕 lánkǎ 명 〈音〉 라이카(독 Leica). ¶～照相机; 라이카 사진기.
〔兰开夏锅炉〕 lánkāixià guōlú 명 〈音〉 랭커셔 보일러(Lancashire boiler)《노통(爐筒)이 둘 있는 보일러》. =〔双炉胆锅炉〕〔双心锅炉〕
〔兰客〕 lánkè 명 〈比〉 좋은 벗.
〔兰陵酒〕 Lánlíngjiǔ 명 난릉주《장수 성(江蘇省) 우진 현(武進縣)의 서쪽 번뉴 진(奔牛鎭)에서 나는 술. 맛이 달콤함》. =〔曲qū阿酒〕
〔兰姆酒〕 lánmǔjiǔ 명 ⇨〔朗lǎng姆酒〕
〔兰谱〕 lánpǔ 명 ①의형제의 인연을 맺을 때 서로 교환하는 가족의 계보(系譜)를 적은 문서《이것을 교환하는 일을 '换huàn帖'이라 함》. ¶同～; 청대(清代), 같은 해에 과거에 합격한 자의 명부. ②《書》 난에 관한 것을 쓴 책.
〔兰情〕 lánqíng 명 〈比〉 결백한〔정결한〕 마음.
〔兰秋〕 lánqiū 명 음력 7월의 별칭.
〔兰麝〕 lánshè 명 난초와 사향.
〔兰省〕 lánshěng 명 ⇨〔御yù史台〕
〔兰石〕 lánshí 명 난초의 향기와 돌의 견고성. 〈比〉 좋은 성질을 타고남. 높은 절조.
〔兰室〕 lánshì 명 〈文〉 ①귀댁(貴宅). ②부인의 거실〔침실〕. =〔兰闺〕
〔兰孙〕 lánsūn 명 〈文〉 남의 손자를 이름. 영손. ¶桂guì子～; 영식(令息)과 영손(令孫).
〔兰荪〕 lánsūn 명 ⇨〔菖chāng蒲〕
〔兰台〕 lántái 명 ①한(漢)나라 때의 궁전의 문고(文庫). ②⇨〔御yù史台〕 ③《地》 후베이 성(湖北省) 중샹 현(鍾祥縣)의 동쪽에 있는 지명. ④관상가가 말하는 코의 양쪽 콧방울의 명칭.
〔兰汤〕 lántāng 명 〈文〉 향탕(香湯).
〔兰心蕙性〕 lánxīn huìxìng 〈比〉 여자가 총명함. =〔兰心蕙意〕
〔兰臭〕 lánxiù 명 〈比〉 의기 투합(意氣投合). 의기투합한 교제. ¶同心之言, 其臭如兰; 뜻이 맞고 마음이 통하는 말은 향기롭기가 난초와 같다. =〔兰言〕
〔兰熏桂馥〕 lán xūn guì fù 〈成〉 ①은혜가 오래 계속됨. ②자손 중에 인재가 나와 집안이 번영함.
〔兰讯〕 lánxùn 명 〈翰〉 귀한(貴翰). =〔兰章①〕
〔兰仪〕 lányí 명 ①〈翰〉 훌륭한 자태〔모습〕. ¶自别～久疏笺候; 작별한 후 오랫동안 격조(隔阻)했습니다. ②(Lányí) 《地》 허난 성(河南省) 란펑 현(蘭封縣)의 구칭.
〔兰因絮果〕 lán yīn xù guǒ 〈成〉 ①(남녀간에) 좋게 시작해도 결국은 헤어진다. ②만남은 이별의 시초.
〔兰缨〕 lányīng 명 검에 달려 있는 장식 끈.
〔兰莸〕 lányóu 명 ⇨〔兰艾〕
〔兰友瓜戚〕 lányǒu guāqì 〈比〉 좋은 벗과 친척.
〔兰玉〕 lányù ①〈簡〉 '芝zhī兰玉树'의 약칭. ②〈比〉 뛰어나고 선량한 자제. ③〈比〉 훌륭한 부덕(婦德).
〔兰藻〕 lánzǎo 명 〈比〉 미려한〔아름다운〕 문장.
〔兰章〕 lánzhāng 명 ①⇨〔兰讯〕 ②〈比〉 훌륭한 문장.
〔兰芝〕 lánzhī 명 《植》 난초. ¶～花儿; 난꽃.
〔兰芷〕 lánzhǐ 명 ①《植》 난초와 구리때. ②〈比〉 현인(賢人). 미녀. ③〈比〉 아름다운 것.
〔兰质〕 lánzhì 명 〈比〉 순진한 좋은 성질〔성품〕.
〔兰铸〕 lánzhù 명 《魚》 난주《금붕어의 일종》.

拦(攔) lán (란)
동 (가로)막다. 방해하다. 저지하다. ¶用手一～; 손으로 한 번 가볍게 가로막다 / 你不能～人说话; 너는 남이 말하는 것을 방해하면 안 된다 / 有一道河～住去路; 한 줄기의 강이 앞길을 가로막고 있다. =〔阑③〕

〔拦词〕 láncí 동 〈文〉 말을 가로막다. ¶～抵dǐ辩; 〈成〉 남의 말을 가로막고 말대답하다.
〔拦挡〕 lándǎng 동 만류하다. 훼방하다. 앞길을 가로막다. ¶横拦竖挡; 〈成〉 무턱대고 마구 훼방을 놓다 / ～住敌人的去路; 적의 퇴로를 막다.
〔拦道木〕 lándàomù 명 통행자 · 차량 등의 통행을 가로막는 횡목(橫木).
〔拦柜〕 lánguì 명 (가게 안에 있는 나무로 만든) 계산대〔카운터〕. =〔栏柜〕
〔拦海造田〕 lánhǎi zàotián 얕은 해면을 둘러막아 논을 만들다.
〔拦河〕 lán.hé 동 강을 막다. ¶～闸; 댐의 수문.
〔拦河坝〕 lánhébà 명 ⇨〔拦水坝〕
〔拦洪〕 lánhóng 동 홍수를 막다. ¶～水库; 홍수 방지용 저수지.
〔拦洪坝〕 lánhóngbà 명 홍수 방지용 제방.
〔拦击〕 lánjī 동 적의 진로 · 퇴로를 막아 공격을 가하다. 명 《體》 (구기(球技)에서의) 발리(volley).
〔拦江沙〕 lánjiāngshā 명 강 어귀의 모래톱.
〔拦窖〕 lánjiào 명동 엉터리말(을 하다).
〔拦街〕 lánjiē 동 통행을 막다. →〔拦路虎〕
〔拦劫〕 lánjié 동 노상 강도질을 하다. =〔拦夺〕
〔拦截〕 lánjié 동 가로막아 세우다. 갈길을 막다. ¶～车辆; 차량을 가로막아 세우다.
〔拦君子不拦小人〕 lán jūnzǐ bù lán xiǎorén 〈諺〉 (장애물이 있을 때) 군자는 신중하게 피하지만, 소인은 부딪치며 간다《군자는 신중하나, 소인은 폭주(暴走)한다》.
〔拦路〕 lán.lù 동 길을 가로막다. ¶～抢劫; 길을 막고 강도짓하다.
〔拦路虎〕 lánlùhǔ 명 ①길을 가로막는 호랑이. 〈轉〉 옛날, 노상(路上) 강도. ②〈轉〉 방해꾼. 방해자. 장애물. ③〈比〉 모르는 글자. ‖ =〔拦街虎〕
〔拦路石〕 lánlùshí 명 통행을 방해하는 돌. 〈比〉 장애물. ¶增产的～; 증산의 장애물.
〔拦门墙儿〕 lánmenqiángr 〈比〉 (일에서 일단의) 규칙이나 한계. ¶他说话没有～; 그는 아무런 스스럼없이 마구 지껄인다 / 这句话不过是个～, 你何必过于拘执; 이 말은 대강의 규칙에 지나지 않으니까 너는 구태여 지나치게 구애받을 필요는 없다. =〔拦绊墙儿〕〔拦马墙儿〕
〔拦劝〕 lánquàn 동 못 하도록〔말려서〕 중재하다.
〔拦水坝〕 lánshuǐbà 명 댐의 둑. =〔拦河坝〕〔水坝〕
〔拦头〕 lántóu 동 콧대를 꺾다. ¶～一杠gàng子; 일격을 가하여 콧대를 꺾다.
〔拦网〕 lánwǎng 명동 《體》 (배구에서) 블로킹(blocking)(하다). ¶集体～; 콤비네이션 블로킹(combination blocking) / ～盖帽; 블로킹으로 공을 되돌려 보냄.
〔拦污栅〕 lánwūzhà 명 오물 방책(防柵)《수문 입구에 부유물(浮遊物)이 흘러들지 못하게 막는 쇠창살》.
〔拦胸〕 lánxiōng 동 멱살을 잡다. 가슴팍을 누르다.
〔拦蓄〕 lánxù 동 수류(水流)를 막아 저수(貯水)하다. ¶～洪水; 홍수를 막고 저수하다.
〔拦羊〕 lányáng 동 양을 기르다. 목양하다. ¶～的孩子; 양치기 소년. =〔放羊〕
〔拦腰〕 lányāo 동 ①중도(中途)에서 차단하다. ¶～切断; 가운데서 두 토막 내다. ②허리를 부둥켜안다. ¶～抱住; 허리를 끌어안다.
〔拦鱼栅〕 lányúzhà 명 (대나무나 철망으로 만든) 물고기 방책(防柵).
〔拦住〕 lánzhù 동 가로막다. 차단하다. ¶一座大山～了去路; 큰 산이 가는 길을 가로막았다.
〔拦阻〕 lánzǔ 동 가로막다. 만류하다. 훼방놓다. ¶～我们前进的道路; 우리의 나아갈 길을 가로막다.

栏(欄) lán (란)

①명 (나무를 가로 걸쳐 만든) 울타리. 울짱. 난간. ¶石～; 돌난간 / 凭～远望; 난간에 기대어 멀리 바라보다 / 高～赛跑; 《體》 하이 허들(high hurdle) 경주. =〔阑②〕 ②명 (가축의) 우리. ¶木～; 목책 / 牛～; 외양간. ③명 신문 · 잡지의 란. 편지지 등의 괘선(罫線). ¶广告～; 광고란 / 分上中下三～; 상중하 세 난으로 나누다 / 通～标题; 전단(全段) 표제 / 乌丝～; 검은 괘선. ④동 가축을 기르다. ¶～羊; 염소를 기르다.
〔栏肥〕 lánféi 명 쇠두엄. 마구간에 쌓인 거름.
〔栏杆〕 lángān 명 ①난간. ¶桥～; 다리의 난간 / ～桌子; 가장자리에 낮은 장식 난간이 달린 탁자《신부(新婦)의 세간으로, 이 위에 여러 가지 물건을 올려놓음》. =〔阑干〕 ②옷의 가장자리 장식. 레이스(lace) 따위.
〔栏柜〕 lánguì 명 ⇨〔拦柜〕
〔栏架〕 lánjià 명 《體》 (높이뛰기 · 허들 경기 등의) 바(bar). =〔横竿〕
〔栏目〕 lánmù 명 ①항목. ¶人巨大成就的～内; 큰 성과의 항목에 넣다. ②(인쇄물의) 난.

岚(嵐) lán (람)

명 ①〈文〉 이내. 남기(嵐氣)《산에서 피어 오르는 안개 · 산 속의 습기》. ¶晓xiǎo～; 아침 안개 / 夕xī～; 저녁 안개. ②(Lán) 《地》 란 현(嵐縣)《산시 성(山西省)에 있는 현 이름》.
〔岚气〕 lánqì 명 산의 습기를 머금은 연무(煙霧).
〔岚瘴〕 lánzhàng 명 장기(瘴氣)《산 속의 습기를 머금은 독기》.

婪〈惏〉 lán (람)

동 욕심부리다. 탐하다. ¶贪～成性; 탐욕이 습관이 되어 버리다.
〔婪夫〕 lánfū 명 〈文〉 탐욕한 사람. 욕심쟁이.
〔婪酣〕 lánhān 명동 탐식(하다). 게걸(대다).
〔婪婪〕 lánlán 형 〈文〉 탐욕스러운 모양.
〔婪索〕 lánsuǒ 동 〈文〉 탐욕스럽게 구하다.
〔婪尾酒〕 lánwěijiǔ 명 주석(酒席)에서 술이 한 순배 돈 후에 마지막 사람이 석 잔을 연거푸 마시는 것. =〔蓝尾酒〕

阑(闌) lán (란)

①부 〈文〉 함부로. 멋대로. ¶～出; ⇩ / ～人; ⇩ ②명 난간. =〔栏①〕 ③동 ⇨〔拦〕 ④동 깊어지다. 저물어 가다. 끝나 가다. ¶夜～人静; 〈成〉 밤이 깊어지고 인적이 없다 / 岁～ =〔岁底〕; 연말이 되다 / 酒～; 주연이 끝나 가다. ⑤동 한창때가 지나다. 끝나려 하다. 쇠퇴해 가다. ¶～珊; ⇩
〔阑残〕 láncán 동 ⇨〔阑珊〕
〔阑出〕 lánchū 동 (외출 금지 구역에서) 허가 없이 외출하다.
〔阑殚〕 lándān 동 〈文〉 지쳐서 힘이 다하다.
〔阑风〕 lánfēng 명 〈文〉 그치지 않고 계속 부는 바람. 쉴새없이 부는 바람.
〔阑干〕 lángān 동 〈文〉 종횡으로 교차하다. 이리저리 뒤얽히다. ¶星斗～; 별이 흩어져 있다. 명 ⇨〔栏杆①〕
〔阑截〕 lánjié 동 가로막다. 차단하다. 방해하다. =〔拦截〕
〔阑门〕 lánmén 명 《生》 소장(小腸)과 대장이 접하

는 곳.
〔阑入〕 lánrù 동〈文〉①함부로 뛰어들다. 멋대로 들어오다. ¶无介绍信者不得～; 소개장이 없는 자는 함부로 들어오지 마시오. ②끼워 넣다. ¶以未经整理之旧资料～其中, 甚为不妥; 정리되지 않은 옛 자료를 그 안에 함부로 끼워 넣는 것은 매우 부당하다.
〔阑珊〕 lánshān 동〈文〉(바야흐로) 끝나려 하다. 쇠퇴하다. 조락(凋落)하다. ¶春意～; 화창한 봄도 이제 가려 하다/客意～; 살 사람의 기분이 시들해지다/意兴～; 감흥이 없어지다. =〔阑残〕
〔阑暑〕 lánshǔ 명〈文〉잔서(殘暑). 늦더위.
〔阑尾〕 lánwěi 명《生》충수(蟲垂). ¶～炎 =〔〈俗〉盲肠炎〕;《醫》맹장염.
〔阑夕〕 lánxī 명〈文〉심야.
〔阑腰〕 lányāo 명 앞치마.
〔阑遗〕 lányí 명〈文〉유실물(遺失物).

谰(讕) lán (란) 동〈文〉함부로 입을 놀리다. 무고(誣告)하다. 비방〔중상〕하다. ¶无耻～言; 수치심도 없는 거짓말.
〔谰言〕 lányán 명 망언. 욕. 무책임한 말. ¶制造～; 남을 중상하는 말을 날조하다/～恶语; 욕설. 악담.

澜(瀾) lán (란) ①명 큰 물결〔파도〕. ¶狂kuáng～; 사나운 물결. 노도(怒濤)/波～; 파도/推波助～; 부채질하다. 파란을 조장시키다. 소동을 부추기다. ②지명용 자(字). ¶～沧Láncāng江; 란창 강(瀾滄江)《윈난 성(雲南省)에 있는 강 이름》.

斓(斕) lán (란) →〔斑bān斓〕

襕(襴〈幱〉) lán (란) 명 옛날, 상의와 하의가 붙어 있는 옷. ¶～衫shān; 옛날, 학생이 입던, 깃이 둥글고 소매가 큰 저고리와 치마가 한데 붙은 옷/～裙qún; 어린아이의 소매 없는 윗옷.

镧(鑭) lán (란) 명《化》란탄(La: lanthan)《희토류 원소의 하나》.

籣(籣〈韊〉) lán (란) 명 전동(箭筒)《화살을 넣어 등에 지는 도구》.

蓝(藍) lán (람) ①명《植》쪽. =〔蓼liǎn蓝〕 ②명 남빛. 쪽빛. ¶～墨水; ⇩ ③형 남루하다. ¶～褛; ⇩ ④명 성(姓)의 하나. ⇒la
〔蓝桉〕 lán'ān 명《植》유칼립투스. =〔桉树〕
〔蓝白线儿〕 lánbáixiànr 명 남빛 줄무늬.
〔蓝膀喜鹊〕 lánbǎng xǐquè 명《鳥》물까치.
〔蓝宝石〕 lánbǎoshí 명《鑛》사파이어. =〔蓝石英〕〔蓝水晶〕〔翡fěi翠石〕〔青宝石〕〔青玉〕〔西冷石〕
〔蓝本(儿)〕 lánběn(r) 명 원본(原本). 대본(臺本).
〔蓝笔〕 lánbǐ 명 ⇨〔蓝铅笔〕
〔蓝布〕 lánbù 명 남색의 면직물. ¶～衫儿; 남색 무명으로 만든 긴 윗옷《중국인의 가장 보편적인 옷》.
〔蓝翠毛〕 láncuìmáo 명《鳥》〈南方〉청호반새. =〔蓝翡翠〕
〔蓝点鲅〕 lándiǎnbà 명《魚》삼치. =〔鲅〕〔蓝点马鲛〕
〔蓝点冈儿〕 lándiǎngāngr 명《鳥》〈北方〉유리딱새. =〔蓝尾鸲〕
〔蓝点颏〕 lándiǎnké 명《鳥》흰눈썹울새. =〔蓝喉歌鸲〕
〔蓝点马鲛〕 lándiǎn mǎjiāo 명 ⇨〔蓝点鲅〕
〔蓝点儿〕 lándiǎnr 명 ①쪽빛의 점. ②새의 이름.
〔蓝淀〕 lándiàn 명《染》천연 쪽으로 만든 물감. =〔蓝靛diàn①〕〔青靛〕
〔蓝靛〕 lándiàn 명 ①⇨〔蓝淀〕 ②《色》짙은 남색. ③천연쪽.
〔蓝矾〕 lánfán 명《化》황산구리. =〔硫liú酸铜〕
〔蓝黑〕 lánhēi 명《色》검은 남색.
〔蓝灰色〕 lánhuīsè 명《色》푸르스름한 잿빛.
〔蓝货〕 lánhuò 명 칠보(七寶)를 세공한 기구(器具).
〔蓝矶鸫〕 lánjīdōng 명《鳥》바다지빠귀.
〔蓝晶晶(的)〕 lánjīngjīng(de) 형 파랗게 빛나는 모양《흔히, 물이나 보석에 대해서 씀》.
〔蓝晶石〕 lánjīngshí 명《鑛》청수정(青水晶).
〔蓝鲸〕 lánjīng 명《動》흰긴수염고래.
〔蓝菊〕 lánjú 명 ⇨〔翠cuì菊〕
〔蓝褛〕 lánlǚ 형 (옷이) 남루하다. =〔蓝缕〕〔褴lán褛〕
〔蓝绿玉〕 lánlǜyù 명《鑛》에메랄드의 일종.
〔蓝帽子〕 lánmàozi 명 방직업의 기계보수 · 수리 기술자.
〔蓝煤〕 lánméi 명 ①쪽빛의 석탄. ②〈比〉동력원(動力源)으로서의 풍력 또는 수력.
〔蓝墨水〕 lánmòshuǐ 명 푸른색 잉크.
〔蓝牌钢〕 lánpáigāng 명 탄소량이 많은 일종의 강철의 별칭.
〔蓝披〕 lánpī 명《鑛》브라질리언 사파이어(Brazilian sapphire)《청색의 전기석(電氣石)》.
〔蓝皮书〕 lánpíshū 명《政》청서(青書)《영국 정부가 간행하는 외교 문서》.
〔蓝脾气〕 lánpíqi 명 얌전한 성격.
〔蓝铅笔〕 lánqiānbǐ 명 파란색 연필. =〔蓝笔〕
〔蓝青〕 lánqīng 명 ①《色》청색과 녹색을 섞은 색. 청록색. ②〈比〉불순(不純)한 것. 사이비. ¶～官话; 사투리를 쓰는 사람들이 말하는 표준말. 사투리가 많은 표준말.
〔蓝鹊〕 lánquè 명《鳥》물까치.
〔蓝色分区线〕 lánsè fēnqūxiàn 명《體》(아이스하키의) 블루 라인(blue line).
〔蓝晒纸〕 lánshàizhǐ 명 청사진 용지. =〔蓝纸〕
〔蓝衫〕 lánshān 명〈比〉'秀xiù才'를 일컬음.
〔蓝闪闪〕 lánshǎnshǎn 형 남색이 매우 맑은 모양.
〔蓝石英〕 lánshíyīng 명 ⇨〔蓝宝石〕
〔蓝水晶〕 lánshuǐjīng 명 ⇨〔蓝宝石〕
〔蓝天(儿)〕 lántiān(r) 명 푸른 하늘. 창공. 하늘.
〔蓝田生玉〕 Lán tián shēng yù〈成〉현부(賢父)한테서 현명한 아들이 태어난다.
〔蓝田猿人〕 Lántián yuánrén 명《史》남전 원인《1963년 산시 성(陝西省) 시안 시(西安市)에 가까운 란톈 현(藍田縣)에서 발굴된 홍적세(洪積世) 중기의 화석 인류. '北京猿人'보다 조금 오래 됨(85만～65만 년 전)》. =〔蓝田人〕
〔蓝铁矿〕 lántiěkuàng 명《鑛》남철광.
〔蓝铜矿〕 lántóngkuàng 명《鑛》남동광.
〔蓝图〕 lántú 명 ①건설 계획. 설계도. 청사진. ¶金工程师正在审视～; 김 기사(技師)가 설계 도면을 자세히 살펴보고 있다. ②〈比〉(계획 따위의) 예

상도. 미래도. 청사진. ¶国家建设的～; 국가 건설의 청사진.
〔蓝汪汪儿〕 lánwāngwangr 형 푸르디푸르다. 맑고 푸르다. ¶天朗气清, ～的怪可爱的; 하늘은 높고 공기도 맑아 창창한 것이 정말 상쾌하다.
〔蓝尾酒〕 lánwěijiǔ 명 ⇨〔婪尾酒〕
〔蓝蔚蔚(的)〕 lánwèiwèi(de) 형 새파랗고 맑게 갠 모양. ¶～的天上, 没有一丝白云; 맑게 갠 파란 하늘에는 구름 한 점 없다.
〔蓝像片〕 lánxiàngpiàn 명 청사진.
〔蓝盐〕 lányán 명 《染》 불변청(不變靑).
〔蓝眼〕 lányǎn 명 파란 눈. (lán.yǎn) 동 눈빛이 변하다. ¶饿蓝了眼; 굶주려 눈빛이 변했다.
〔蓝盈盈(的)〕 lányíngyíng(de) 형 〈方〉 새파랗게 빛나는 모양. ¶～的天空; 맑게 갠 푸른 하늘. =〔蓝莹莹(的)〕
〔蓝油木〕 lányóumù 명 《植》〈俗〉 유칼립투스.
〔蓝舆〕 lányú 명 ①〈文〉 경차(輕車). ② ⇨〔篮舆〕
〔蓝宇〕 lányǔ 명 《佛》 절. 불각(佛閣).
〔蓝圆鲹〕 lányuáncān 명 《魚》 가라지.
〔蓝藻〕 lánzǎo 명 《植》 남조 식물.
〔蓝纸〕 lánzhǐ 명 청사진 용지. =〔蓝晒纸〕

褴(襤) **lán** (람) ① 명 가선을 두르지 않은 옷. ②→〔褴褛〕
〔褴褛〕 lánlǚ 형 (의복이) 남루하다. ¶身上穿得很～; 누더기 옷을 걸치고 있다 / ～不堪; (옷차림이) 몹시 남루하다. =〔褴缕lǚ〕〔蓝缕〕

篮(籃) **lán** (람) ①(～儿, ～子) 명 바구니(대나무·버들가지 등으로 엮은 그릇. 북방에서는 '筐kuāng子'라고 함). ¶菜～; 야채 바구니 / 草～; 밀짚 등으로 엮은 장바구니류(類) / 网～; 위를 망으로 씌운 여행용 바구니 / 花～; 꽃바구니. ②(～儿) 명 《體》 (농구의) 바스켓(basket). ¶投～儿; 슛하다. ③ 양 바구니(바구니에 든 것을 세는 데 쓰임). ¶提着一～菜; 한 바구니의 야채를 들고 있다.
〔篮板〕 lánbǎn 명 《體》 (농구 골대의) 백보드(backboard). ¶～球; 리바운드 볼(rebound ball).
〔篮筐〕 lánkuāng 명 (손잡이가 없는) 바구니. 소쿠리.
〔篮球〕 lánqiú 명 《體》 ①농구. 바스켓 볼(basket ball). ¶打～; 농구를 하다 / ～队; 농구 팀 / ～场; 농구장 / ～网; 골네트(goal net) / ～架; 골 포스트(goal post). 골대 / ～赛; 농구 경기 / 投～; 슛(shoot)하다. 슛. ②농구공.
〔篮圈〕 lánquān 명 (농구의) 바스켓(의 링).
〔篮舆〕 lányú 명 대로 만든 가마. =〔蓝舆②〕
〔篮柱〕 lánzhù 명 (농구에서) 지주(支柱). 농구대.
〔篮子〕 lánzi 명 바구니. 광주리. ¶提～; 바구니를 손에 들다.

览(覽) **lǎn** (람) ① 동 보다. 훑어보다. ¶游～; 유람(하다) / 一～表; 일람표 / 阅～室; 열람실 / 展～会; 전람회 / 一～无遗 =〔一～无余〕; 남김없이 훑어보다. ② 동 고찰하다. 관찰하다. ③ 명 성(姓)의 하나.
〔览古〕 lǎngǔ 동 〈文〉 고적(古跡)을 유람하다.
〔览观〕 lǎnguān 명동 〈文〉 관람〔구경〕(하다).
〔览揆〕 lǎnkuí 명 〈文〉 탄생일. =〔览揆之辰〕
〔览胜〕 lǎnshèng 동 〈文〉 명승지를 찾아보다〔유람하다〕.

揽(攬〈擥〉) **lǎn** (람) 동 ①전부를 한 손에 쥐다. 장악하다. 독차지하다. 독점하다. ¶大权独～; 권력을 독점하다. ②불러들이다. ¶延～人材; 인재를 불러 오다. ③떠맡다. 청부 맡다. 인수하다. (주문이나 손님을) 받다. ¶一包总～; 몽땅 떠맡다 / 兜dōu～; (주문이나 손님을) 받다 / ～买卖; ⇩ / 他把责任都～到自己身上了; 그는 스스로 모든 책임을 떠안았다〔떠맡았다〕. ④묶다. 새끼를 감다. ¶用绳子把柴火～上点儿; 새끼로 장작을 묶다. ⑤(고용되어) 일하다. ¶～了长工; 장기 계약의 고용일을 했다. ⑥끌어안다. ¶母亲～着孩子睡觉; 어머니는 아이를 안고 잔다.
〔揽笔〕 lǎnbǐ 동 〈文〉 붓을 들다. 집필하다.
〔揽采〕 lǎncǎi 동 〈文〉 장악하다. 독점하다.
〔揽单〕 lǎndān 명 ⇨〔揽契〕
〔揽稻〕 lǎndào 동 〈文〉 벼를 베다.
〔揽钉〕 lǎndīng 명 《機》 리벳(rivet). 대갈못.
〔揽工〕 lǎn.gōng 동 ①〈方〉 노동하다. 날품팔이하다. ¶～受苦; 노동을 하며 고생하다. ②공사를〔일을〕 청부 맡다. =〔揽活(儿)〕 (lǎngōng) 명 날품. ¶～汉; 날품팔이꾼. =〔短工〕
〔揽活(儿)〕 lǎn.huó(r) 동 일을 청부 맡다. =〔揽工②〕
〔揽货〕 lǎn.huò 동 ①물품의 운송·판매를 떠맡다. ②집화(集貨)하다. 매점(買占) 하다.
〔揽客〕 lǎn.kè 동 손님을 끌다. 손님을 초대하다. =〔招揽顾客〕
〔揽买〕 lǎnmǎi 동 매점하다.
〔揽买卖〕 lǎn mǎimai ①주문을 받다. ②고객을 끌다. ‖ =〔揽生意〕
〔揽辔〕 lǎnpèi 동 〈文〉 고삐를 잡아 말을 세우다.
〔揽扑〕 lǎnpū 동 잡다. 쥐다.
〔揽契〕 lǎnqì 명 화물 운송 인수증. =〔揽单〕
〔揽权〕 lǎn.quán 동 내외(內外)의 권력을 한 손에 쥐다. 권력을 독점하다. 권력을 휘두르다. ¶～纳贿huì; 〈成〉 직권을 남용하여 뇌물을 받다.
〔揽人〕 lǎnrén 동 사람을 고용하다. 부하로 삼다.
〔揽生意〕 lǎn shēngyi ⇨〔揽买卖〕
〔揽胜图〕 lǎnshèngtú 명 명승 쌍륙(名勝雙六). →〔升shēng官图〕
〔揽事〕 lǎn.shì 동 일을 끌어들이다. 일을 맡다.
〔揽势〕 lǎnshì 동 과시하다. 뽐내다.
〔揽头〕 lǎntóu 명 ①사무의 총괄자. ②적하(積荷) 취급자.
〔揽闲事〕 lǎn xiánshì 쓸데없는 일을 떠맡다.
〔揽秀〕 lǎnxiù 동 〈文〉 좋은 경치를 한눈에 바라보다.
〔揽载单〕 lǎnzàidān 명 화물 운송 계약서.
〔揽载纸〕 lǎnzàizhǐ 명 적하(積荷) 신청서.
〔揽总(儿)〕 lǎnzǒng(r) 명동 결말〔매듭〕 (을 짓다). 명 모두. 총계.
〔揽做〕 lǎnzuò 동 청부 맡아 제조하다.

缆(纜) **lǎn** (람) ① 명 배를 매는 밧줄. 뱃줄. ¶解～; 출범(出帆)하다. ② 명 여러 겹으로 꼰 굵은 밧줄. 케이블(cable). ¶钢～; 와이어 로프(wire rope) / 电～; 전력 케이블. ③ 동 (밧줄로) 배를 매다. ¶～船; 배를 매다.
〔缆车〕 lǎnchē 명 케이블 카(cable car). ¶悬空～; 공중 케이블카. 로프 웨이(ropeway).
〔缆绳〕 lǎnshéng 명 뱃줄. 로프.

〔缆索〕 lǎnsuǒ 명 밧줄. 새끼. 케이블.
〔缆桩〕 lǎnzhuāng 명 계선주(繫船柱). 갑판 위의 계주(繫柱). 비트(bitt). =〔铁tiě桩〕

榄(欖) lǎn (람) →〔榄仁〕〔榄糖〕〔榄香脂〕〔榄油〕〔橄榄〕

〔榄仁〕 lǎnrén 명 '乌wū榄'(검은감람)의 종자(식용. 또, 양질의 기름이 채취됨).
〔榄糖〕 lǎntáng 명《化》올리브나무의 줄기에서 나온 진을 나무 껍질·잎과 함께 삶아 아교 상태로 만든 물질.
〔榄香脂〕 lǎnxiāngzhī 명 ⇨〔越yuè列密树胶〕
〔榄油〕 lǎnyóu 명 올리브 기름.

漤〈灠〉 lǎn (람) 동 ①더운 물이나 석회수로 감의 떫은 맛을 빼다. ②(생선·고기·야채에) 소금 또는 다른 조미료를 치다.

罱 lǎn (람) 〈南方〉① 명 물고기·수초(水草)·진흙 따위를 떠올리는 그물. 반두(막대기 2개를 교차시켜 양끝에 그물을 단 것). ② 동 반두로 훑다. 훑어 떠내다. ¶～河泥; ⓐ강바닥의 진흙을 퍼내다. ⓑ반두로 훑어 낸 진흙으로 만든 퇴비/～泥船; 강바닥의 수초·진흙을 퍼내는 배. 준설선(浚渫船).

〔罱竿〕 lǎngān 명 퍼내는 그물의 막대.
〔罱网〕 lǎnwǎng 명 진흙 등을 퍼내는 그물.

懒(懶〈嬾〉) lǎn (라)〈란〉 ① 형 게으르다. 나태하다. ¶腿～; 외출을 꺼리다/他这个人很～; 이 사람은 너무 게으르다/好hào吃～做要不得; 먹기만 하고 게으름 피우면 안 된다. ② 형 찜부럭 나다. 귀찮다. ¶～得说话; 말하는 것이 귀찮다. ③ 형 싫어하다. 싫다. ④ 형 녹초가 되어 기운이 없다. 피로하다. 노곤하다. ¶浑身发～; 온몸이 노곤하다/身上发～, 大概是感冒了; 몸이 노곤한 걸 보니, 아마 감기가 든 모양이다. ⑤ 동 마지못해 하다.

〔懒吃懒喝〕 lǎn chī lǎn hē 〈成〉 ①먹는 것도 마시는 것도 귀찮다(식욕이 없는 모양). ②몹시 나른하다.
〔懒虫〕 lǎnchóng 명 〈罵〉〈口〉 게으름뱅이.
〔懒怠〕 lǎndai 동 게으름 피우다. 귀찮아하다(뒤에 동사가 옴). ¶～写信; 편지 쓰기를 싫어하다/～动弹; (일을) 싫어하다. 게을리하다. 형 나태하다.
〔懒蛋〕 lǎndàn 명 〈罵〉 게으름뱅이.
〔懒得〕 lǎnde 동 …하는 것이 내키지 않다. …할 마음이 나지 않다. …하는 것이 귀찮다. ¶～吃; 입맛이 없다/天太热, 我～上街; 날씨가 너무 더워서 거리에 나갈 마음이 안 난다.
〔懒凳〕 lǎndèng 명 직사각형의 긴 걸상.
〔懒动〕 lǎndòng 동 게으름 피우다. 일하기 싫어하다. 움직이기 싫어하다.
〔懒惰〕 lǎnduò 형 게으르다. 나태하다. ¶～的学生; 공부를 잘 하지 않는 학생.
〔懒夫〕 lǎnfū 명 ⇨〔懒人〕
〔懒妇〕 lǎnfù 명 ①채신없는 여자. 게으른 여자. ②《蟲》'蟋蟀'(귀뚜라미)의 별칭.
〔懒骨头〕 lǎngǔtou 명 〈罵〉 게으름뱅이. 뻔뻔스러운 놈.
〔懒惯〕 lǎnguàn 동 나태한 버릇이 들다.
〔懒鬼〕 lǎnguǐ 명 〈罵〉 게으름뱅이.
〔懒汉〕 lǎnhàn 명 (남자) 게으름뱅이. ¶～懦夫; 〈成〉 게으른 사내와 무기력한 자. 어찌 할 수 없는 녀석/～鞋; 끈이 없는 헝겊신.
〔懒猴〕 lǎnhóu 명《動》슬렌더로리스(slender loris). 늘보원숭이.
〔懒架〕 lǎnjià 명 독서대. =〔懒儿〕
〔懒筋〕 lǎnjīn 명 이완된 근육.
〔懒劲儿〕 lǎnjìnr 형 ①기분이 내키지 않은 모양. ②께느른한 모양. 명 태만한 버릇.
〔懒懒〕 lǎnlǎn 부 마지못해. ¶他～地说了请坐下; 그는 마지못해 자리를 권했다.
〔懒龙〕 lǎnlóng 명 밀가루를 반죽해서 만두의 소를 넣고 뱀이 서리고 있는 모양으로 만들어 쪄낸 식품.
〔懒驴愁〕 lǎnlǘchóu 명 나귀용의 굵고 짧은 가죽채찍.
〔懒驴上磨屎尿多〕 lǎnlǘ shàngmò shǐniàoduō 〈諺〉 게으른 당나귀가 연자매를 돌리면 똥오줌이 많다(핑계를 대어 게으름 핌).
〔懒慢〕 lǎnmàn 형 태만하다.
〔懒皮〕 lǎnpí 명 게으름뱅이. 무시근한 사람.
〔懒癖〕 lǎnpǐ 명 게으른 버릇.
〔懒人〕 lǎnrén 명 게으름뱅이. =〔懒夫〕〔懒崽子〕→〔懒汉〕
〔懒人草〕 lǎnréncǎo 명《植》부추.
〔懒散〕 lǎnsǎn 형 칠칠찮다. 마음이 해이하다. 굼뜨고 산만하다. ¶不要这样～, 振作起来; 그렇게 꾸물거리지 말고 정신 차려라.
〔懒洋洋(的)〕 lǎnyāngyāng(de) 형 탐탁지 않은〔내키지 않는〕 모양. 귀찮은 모양. ¶阿Q虽然答应着, 却～的出去了; 아Q는 대답은 했지만, 마음이 내키지 않는 듯 밖으로 나갔다.
〔懒腰〕 lǎnyāo 명 노곤한〔피로한〕 허리. ¶伸shēn～; ⓐ노곤한 허리를 펴다. ⓑ기지개를 켜다.
〔懒崽子〕 lǎnzǎizi 명 ⇨〔懒人〕

壈 lǎn (람) →〔坎kǎn壈〕

烂(爛) làn (란) ① 형 (삶거나 익어서) 무르다. 물렁물렁하다. 흐물흐물하다. ¶煮～了; 흐물흐물하게 삶아졌다/饭焖mèn～了; 밥이 뜸들었다/这个桃儿又～又甜; 이 복숭아는 물렁물렁하고 달다. ② 동 문드러지다. 썩다. ¶果子～了; 과일이 썩었다/腐～; 썩어 문드러지다. ③ 형 뒤죽박죽이다. 어수선하다. 엉터리다. ¶一本～账; ⓐ엉터리로 꾸민 한 권의 장부. ⓑ회수(回收)가 안 되는 묵은 빚/～摊子; ⇓ ④ 부 심하게. 완전히. 몹시. ¶～醉; 몹시 취하다/～熟; 푹 익다. ⑤ 형 빛나 번쩍거리는 모양. ¶月亮好像～银盘; 달이 빛나는 은쟁반 같다. ⑥ 형 헐다. 낡다. 너덜너덜하게 되다. ¶～纸; ⇓/穿～了; 오래 입어서 너덜너덜하게 되었다/书都翻～了; 책이 온통 너덜너덜해졌다/破铜～铁; 파쇠. 헌쇠붙이.

〔烂板凳〕 lànbǎndèng 명 다 부서져서 삐걱거리는 걸상.
〔烂包〕 lànbāo 동 실패하다. 잡치다. ¶昨天的仗是～了; 어제의 싸움은 잡쳤다.
〔烂布(碎)〕 lànbù(suì) 명 넝마.
〔烂蚕茧〕 làncánjiǎn 명《紡》짓무른 누에고치. =〔烂蚕壳ké〕
〔烂肠瘟〕 lànchángwēn 명 ⇨〔牛niú瘟〕
〔烂扯淡话〕 làn chě dàn huà 〈成〉 무의미한 말

을 하다. 시시한 잡담을 하다.
〔烂调〕 làndiào 명 늘 하는 말. 진부(陳腐)한 말.
〔烂掉〕 làndiào 동 썩어 버리다. 썩어서 문드러지다.
〔烂饭〕 lànfàn 명 진 밥.
〔烂肝花〕 làngānhuā 명 〈比〉 부정(不正)한 인간. 불량배.
〔烂好人〕 lànhǎorén 명 무골 호인(無骨好人).
〔烂乎〕 lànhu 형 ⇨〔烂糊〕
〔烂乎乎〕 lànhūhū 형 ⇨〔烂糊〕
〔烂糊〕 lànhu 형 (음식이) 매우 무르다. 푹 익다. 물렁하다. ¶老年人吃～的好; 노인은 물렁한 것을 먹는 것이 좋다/南瓜要煮～了才好吃; 호박은 푹 삶아야 맛이 좋다/烤白薯真～! 군고구마가 정말 잘 익었군! =〔烂乎〕〔烂乎乎〕〔烂化〕
〔烂货〕 lànhuò 명 ①파치. 조잡한 물건. ¶～市; 넝마 시장. ②밀매음녀(密賣淫女).
〔烂镜盘〕 lànjìngpán 명 달의 별칭.
〔烂烂儿(的)〕 lànlànr(de) 형 매우 흐물흐물하다〔무르다〕. ¶你给我熬粳jīng米粥, 要～; 쌀죽을 쑤어 줘, 푹 끓여야 해.
〔烂漫〕 lànmàn 형 ①빛깔이 선명하고 아름답다. ②솔직하고 꾸밈이 없다. ¶天真～; 천진난만. 동 흩어져 있다. ‖ =〔烂熳〕〔烂缦〕
〔烂熳〕 lànmàn 형동 ⇨〔烂漫〕
〔烂木头〕 lànmùtou 명 썩은 나무.
〔烂泥〕 lànní 명 곤죽같이 된 진흙. 진흙탕. ¶陷进～; 〈比〉 수렁에 빠지다/～坑; 진흙 구덩이.
〔烂票〕 lànpiào 명 찢어진〔헌〕 지폐.
〔烂然〕 lànrán 형 〈文〉 ①밝은 모양. ②고운 모양.
〔烂肉〕 lànròu 명 ①썩은 고기. ②흐물흐물하게〔연하게〕 삶은 고기.
〔烂肉面〕 lànròumiàn 명 국수장국《큼직한 돼지고기 덩이를 삶아서 육수를 내고, 끓는 물에 삶은 국수를 사발에 담아, 앞의 삶은 돼지고깃점을 얹고 육수를 부어서 냄. 예전에, '茶馆'에서 팔던 대중 식품》. ¶吃碗～; 〈比〉 화해하다.
〔烂熟〕 lànshú 형 ①(고기·야채 따위가) 충분히 익다. 푹 익다. ②익숙하다. 숙련되다. ¶技术～了; 기술이 완전히 자기 것이 되었다/台词背得～; 대사를 완전히 암기하다.
〔烂死岗子〕 lànsǐgǎngzi 명 연고자 없는 무덤.
〔烂蒜〕 lànsuàn 명 다진 마늘.
〔烂摊子〕 làntānzi 명 ①지저분한 노점. 잡동사니를 늘어놓은 노점(露店). ②〈比〉 손을 댈 수 없는 어수선한 사물(事物). 수습하기 어려운 국면(局面). ¶他跑了, 丢下这～谁来收拾? 그가 달아난 뒤에 남은 이 성가신 일을 누가 수습할 것이냐?
〔烂桃儿〕 làntáor 명 ①썩은 복숭아. ②〈比〉 음란한 여자.
〔烂头疮〕 làntóuchuāng 명 머리가 짓무르는 종기.
〔烂腿〕 làntuǐ 명 넓적다리의 종기.
〔烂尾〕 lànwěi 형 〈比〉 나중에 나쁘게 되다. ¶将来是否～很难说; 금후로 나빠질지 어떨지 말하기 어렵다.
〔烂污〕 lànwū 명 ①썩은 것. ②더러운 것. 똥. 설사똥. ¶～货; 〈比〉 ⓐ불량배. ⓑ저질품(低質品). ⓒ이성 관계가 문란한 여자. 갈보. =〔滥污〕
〔烂虾酱〕 lànxiājiàng 〈比〉 형 흔적도 없이 된 모양. 완전히 무너져 버린 모양. 명 묵사발. ¶把敌人打成～; 적을 묵사발을 만들다.
〔烂小人〕 lànxiǎorén 명 품행이 나쁜 사람.
〔烂心〕 lànxīn ①동 야채 따위의 속이 썩다. ②(làn∙xīn) 양심을 잃다.
〔烂腥话〕 lànxīnghuà 명 불쾌한 말. 추잡한 말. ¶他的～在耳边听多了; 그의 추잡한 말은 귀에 못이 박히도록 들었다.
〔烂眼〕 lànyǎn 명 짓무른 눈. 진눈.
〔烂眼儿赶蝇子〕 lànyǎnr gǎnyíngzi 〈歇〉 짓무른 눈이 파리를 쫓는다. ¶～忙不开; 짓무른 눈이 파리를 쫓느라고 바빠 죽을 지경이다.
〔烂秧〕 lànyāng 명 썩은 모종.
〔烂羊头〕 lànyángtóu 명 〈比〉 변변치 못한 녀석. 쓸모 없는 녀석. =〔烂羊胃〕
〔烂衣〕 lànyī 명 ⇨〔破pò衣服〕
〔烂银〕 lànyín 명 순은(純銀). =〔足zú纹〕〔足银〕
〔烂饮〕 lànyǐn 동 폭음하다.
〔烂游〕 lànyóu 동 마음대로 유람하다. 만유(漫遊)하다.
〔烂仔〕 lànzǎi 명 〈廣〉 건달. 부랑자.
〔烂账〕 lànzhàng 명 ①엉터리 장부. ②오래 된 빚. 장기간 회수 안 되고 있는 대금. ¶竟打～; 〈比〉 엉터리 짓만 하다. 터무니없는 짓만 하다.
〔烂芝麻〕 lànzhīma 명 ①썩은 참깨. ②〈比〉 쓸모없는 것.
〔烂纸〕 lànzhǐ 명 휴지. 파지.
〔烂纸篓子〕 lànzhǐlǒuzi 명 휴지통. =〔烂篓纸筐〕〔纸篓(子)〕
〔烂嘴角〕 lànzuǐjiǎo 명 짓무른 입아귀.
〔烂醉〕 lànzuì 동 만취(漫醉)하다. ¶～如泥; 곤드레만드레 취하다.

滥(濫) làn (람)

①동 (물이) 범람하다. ¶泛～; 범람하다. ②동 도를 지나치다. 과도하다. 함부로 …하다. ¶～用职权; 직권을 남용하다/宁缺勿～; 〈成〉 부족할지언정 함부로 수를 채우지는 않는다《양(量)보다는 질(質)》. ③형 들떠 있다. 실제에 적합하지 않다. 내용이 없다. ¶～调; ⇩ ④함부로. ¶～交; 함부로 사귀다.
〔滥钞〕 lànchāo 명 남발된 지폐.
〔滥吃滥喝〕 lànchī lànhē 마구 먹어 대다. 폭음폭식하다.
〔滥出来〕 lànchulai 범람하다.
〔滥调(儿)〕 làndiào(r) 명 ①(피상적이고 내용 없는) 판에 박힌 글〔말〕. 사람을 짜증나게 하는 논조. 진부한 말〔문장〕. ¶～的文章; 지루한 글. 새로운 맛이 나지 않는 글/陈词～; 낡아 빠진 논조/千篇一律的～; 천편일률적인 내용 없는 빈말. ②케케묵은〔진부한〕 음곡(音曲). ¶～没人弹; 케케묵은 곡은 타는 사람이 없다.
〔滥恶〕 làn'è 형 극악(極惡)하다.
〔滥发〕 lànfā 동 (지폐나 표 따위를) 남발하다. 마구 발행하다.
〔滥伐〕 lànfá 동 남벌하다. 함부로 산이나 숲의 나무를 베다.
〔滥放〕 lànfàng 동 ⇨〔滥支〕
〔滥费〕 lànfèi 동 함부로 소비하다. 낭비하다.
〔滥斧〕 lànfǔ 명 〈方〉〈音〉 램프(lamp).
〔滥好人〕 lànhǎorén 명 〈方〉 무골 호인(無骨好人).
〔滥交〕 lànjiāo 동 (친구를 고르지 않고) 마구 사귀다.
〔滥借〕 lànjiè 동 무턱대고 빌리다.
〔滥举〕 lànjǔ 동 함부로 추천하다.

〔滥觞〕 lànshāng 명 〈文〉 사물의 시초. 기원(起源)《황허(黃河) 창장(長江)도 그 수원(水源)은 술잔을 띄울 만한 물 웅덩이에 지나지 않다는 데에서 나온 말》.
〔滥赏〕 lànshǎng 동 무턱대고〔마구〕 칭찬〔표창〕하다.
〔滥事〕 lànshì 명 〈文〉 분수에 넘치는 일. 쓸데없는 일.
〔滥收〕 lànshōu 동 ⇨〔滥索〕
〔滥索〕 lànsuǒ 동 함부로 징수하다. ¶～民财; 백성의 재물을 함부로 징수하다. =〔滥收〕
〔滥套(儿,子)〕 làntào(r,zi) 명 (문장에서) 판이 박힌 말. 새로운 맛이 없는 형식.
〔滥污〕 lànwū 형 ①(도덕적으로) 불결하다. 추잡하다. ②부정(不貞)하다. 명 ⇨〔烂污②〕
〔滥写〕 lànxiě 동 낙서하다.
〔滥行〕 lànxíng 동 〈文〉 함부로 …을 하다. ¶～处罚; 함부로 처벌하다.
〔滥刑〕 lànxíng 명 터무니없이 중한 형. 부당한 형벌. 동 형벌을 남용하다.
〔滥言〕 lànyán 동 〈文〉 마구 지껄여 대다.
〔滥用〕 lànyòng 동 남용하다. 낭비하다. ¶～职权; 직권을 남용하다.
〔滥竽充数〕 làn yú chōng shù 〈成〉 ①그만한 능력이 없으면서 그 지위에 있다. 실력 이상의 지위에 오르다《옛날, 제(齊)나라에 피리를 불 줄 모르는 사람이 악사(樂士) 사이에 끼여 있었다는 이야기에서, 후에 실력 없이 그 자리에 있는 것을 이름》. ②수효를 맞추기 위하여 불량품을 섞어서 속이다. ‖ =〔滥吹〕
〔滥炸〕 lànzhà 명동 맹폭(盲爆)(하다). ¶遭受～; 맹폭을 당하다.
〔滥支〕 lànzhī 동 함부로 지출하다. ¶～帑tǎng银; 마구 공금을 지출하다. =〔滥放〕
〔滥仔〕 lànzǎi 명 방탕아.

LANG ㄌㄤ

啷 lāng (랑)
①소리를 표시하는 글자. ¶当～; 댕그랑. 땡/哗huā～～; 댕그랑댕그랑/哐kuāng～; 꽈당《물건이 부딪치는 소리》. ②→〔啷当(儿)〕
〔啷当(儿)〕 lāngdāng(r) 명 ①가량. 내외. 안팎《주로 연령에 쓰임》. ¶他才二十～岁, 正是年经力壮的时候; 그는 20살 안팎으로 한창 원기가 왕성할 때이다. ②〈俗〉…따위. 등(等). ¶这个小孩子带着镯子～的; 이 아이는 팔찌 따위를 차고 있다.

郎 láng (랑)
명 ①옛 관명. ¶侍～; 시랑. ②남자의 미칭(美稱). ¶周～; 삼국 시대 오(吳)나라의 주유(周瑜). ③남자. (젊은) 사내. ¶货～; 행상인/放牛～; 소 치는 사람. 목동. ④주인. 낭군《남편·애인에 대한 호칭》. ¶送～参军; 낭군이 종군하는 것을 배웅하다. ⑤(동물의) 수컷. ⑥사위. ¶新～新娘; 신랑 신부. ⑦성(姓)의 하나. ⇒ làng
〔郎伯〕 lángbó 명 ①⇨〔郎君④〕 ②〈方〉 아버지. 아비. =〔郎罢〕
〔郎才女貌〕 láng cái nǚ mào 〈成〉 신랑은 재사이며 신부는 미인《잘 어울리는 부부》. =〔男nán才女貌〕
〔郎从〕 lángcóng 명 〈文〉 부하. 가신(家臣).
〔郎当〕 lángdāng 형 ①옷이 헐렁해서 단정하지 않다. ¶衣裤～; 옷이 헐렁해서 칠칠치 못하다. ②영락(零落)하여 초라한 모양. ③지친 모양. 의기소침한 모양. ④⇨〔银铛〕 ⑤쓸모없다. 무능하다. 명 빗치개.
〔郎官〕 lángguān 명 낭관《한(漢)나라 때의 시랑(侍郎)·낭중(郎中), 당(唐)나라 이후는 낭중·원외(員外)를 이름》.
〔郎将〕 lángjiàng 명 ①진(秦)나라·한(漢)나라 때의 무관. ②낭장《별의 이름》.
〔郎舅〕 lángjiù 명 남편의 형제와 아내의 형제의 관계를 지칭하는 말. 매부와 처남.
〔郎君〕 lángjūn 명 〈文〉 ①남자의 미칭. ②자제분. 영식(令息). 영랑(令郎). ③귀공자. ④남편에 대한 호칭. 당신. =〔郎伯①〕
〔郎君子〕 lángjūnzǐ 명 《魚》 눈알고둥《연체 동물. 소라의 일종》.
〔郎猫〕 lángmāo 명 수고양이. =〔公猫〕↔〔女猫〕
〔郎奶〕 lángnǎi 명 〈方〉 어머니.
〔郎生〕 lángshēng 명 〈音〉 노비(奴婢)《티베트어(語)》. =〔朗生〕〔囊生〕
〔郎童〕 lángtóng 명 소년.
〔郎鹟〕 lángwēng 명 《鳥》 딱새.
〔郎中〕 lángzhōng 명 ①고대의 관직명(官職名). ②〈方〉 의사《주로 한의사》. →〔医生〕

廊 láng (랑)
명 ①차양(遮陽). 처마. 포치(porch). ¶前～后厦; 앞의 포치와 뒤의 베란다. ②복도. 통로. 낭하. ¶走～; 복도/穿～; 연결 복도/游～; 긴 복도.
〔廊房〕 lángfáng 명 (유리문이 있는) 복도.
〔廊林〕 lánglín 명 좁고 길게 이어지는 숲.
〔廊庙〕 lángmiào 명 〈文〉 ①조정. ②정전(正殿). ¶～器qì; 재상이 될 그릇. 재상감/～论; ⓐ국가의 대계. ⓑ조의(朝議)/～之志; 국가의 대권을 잡으려는 뜻.
〔廊庑〕 lángwǔ 명 〈文〉 복도.
〔廊檐〕 lángyán 명 방 앞의 처마 밑 부분.
〔廊腰〕 lángyāo 명 복도의 꺾인 곳.
〔廊子〕 lángzi 명 (지붕이 있는) 복도. 처마 밑 통로.
〔廊座〕 lángzuò 명 극장의 양쪽 좌석.

嫏 láng (랑)
→〔嫏嬛〕
〔嫏嬛〕 lánghuán 명 신화(神話) 속의 천제(天帝)의 문고(文庫). =〔琅嬛〕

榔〈桹〉 láng (랑)
명 ①《植》 빈랑나무. →〔槟bīng榔〕 ②어부가 쓰는 물고기를 모는 장대.
〔榔槺〕 lángkang 형 기물(器物)이 크고 무거워서 다루기 힘들다. =〔狼抗③〕
〔榔榔〕 lángláng 〈擬〉 딱딱《나무를 마주치는 소리》.
〔榔梅〕 lángméi 명 후베이 성(湖北省) 쥔현(均縣) 타이허 산(太和山)에서 나는 매화의 일종.
〔榔头〕 lángtou 명 ⇨〔鎯头〕
〔榔座〕 lángzuò 명 극장의 양쪽 좌석.

锒(鋃) láng (랑)
→〔锒头〕

〔鄉头〕 lángtou 명 큰 쇠망치. 해머. ¶甩～; 해머를 휘두르다 / 敲qiāo～; (전신기의) 키(key)를 두드리다 / 拿～钉钉dìngdīng子; 망치로 못을 박다. =〔鄉锤〕〔狼头〕〔榔锤〕〔榔头〕

螂〈蜋〉 láng (랑)
→〔螳táng螂〕〔蜣qiāng螂〕〔蟑zhāng螂〕〔虼gè螂〕〔蚂螂〕

阆(閬) láng (랑)
→〔闶kāng阆(子)〕⇒làng

莨 láng (랑)
→〔莨尾〕⇒làng liáng

〔莨尾〕 lángwěi 명 《植》 ①기름새. ②수크령. =〔狼尾草cǎo〕

狼 láng (랑)
①명 《動》 이리. ②명 별 이름. ③형 잔인하다. 흉악하다. ¶～心狗肺的人; 잔인 무도한 사람. ④동 협박하여 빼앗다. ¶～人; ⇓ ⑤명 성(姓)의 하나.

〔狼把草〕 lángbǎcǎo 명 《植》 가막사리. 낭파초.
〔狼狈〕 lángbèi 동 〈比〉 ①궁지에 몰리다. 곤경에 빠지다. ¶他失业已久, 境况非常～; 그는 오랫동안 실직하고 있어 몹시 곤란을 겪고 있다 / 那样子, 就连我也觉得十分～; 저런 꼴이라 나도 난감하다. ②낭패하다. 허둥대다. 당황하다. ¶～逃窜; 매우 당황해서 (허겁지겁) 달아나다. ③한패가 되어 못된 짓을 저지르다. 결탁[공모]하다. ¶～为奸; 〈成〉 서로 결탁해서 나쁜 일을 하다.
〔狼狈不堪〕 láng bèi bù kān 〈成〉 ①몹시 낭패하다. ②영락[몰락]해서 초라해지다.
〔狼奔豕突〕 láng bēn shǐ tū 〈成〉 ①악인이 무리를 지어 행패를 부리다. ②도적이나 적군이 크게 당황해하며 도망치는 모양. 허둥지둥하다. ‖=〔狼奔猪突〕〔豕突狼奔〕
〔狼餐〕 lángcān 동 게걸스레 먹다.
〔狼吃的〕 lángchīde 〈罵〉 뒈져라.
〔狼齿〕 lángchǐ 명 ⇨〔狼牙①〕
〔狼虫虎豹〕 láng chóng hǔ bào 맹수의 총칭.
〔狼疮〕 lángchuāng 명 《醫》 낭창(피부병의 일종. 결핵성으로, 심상성(尋常性)과 홍반성(紅斑性)의 두 가지가 있음).
〔狼叼(来)喂狗〕 láng diāo (lái) wèi gǒu 이리가 먹을 것을 물고 와서 개를 기르다. 〈轉〉 애써서 얻은 것을 남에게 빼앗기다.
〔狼蝶〕 lángdié 명 《蟲》 표범나비. =〔豹bào蝶〕
〔狼毒〕 lángdú 형 〈比〉 〈文〉 잔인하다. 잔악하다. =〔狼恶〕 명 ①《植》 감수(뿌리는 약용함). ②《植》 오독도기(뿌리는 약용함).
〔狼多肉少〕 láng duō ròu shǎo 〈成〉 갖고자 하는 자는 많은데, 나눌 물건은 적다.
〔狼恶〕 láng'è 형 ⇨〔狼毒dú〕
〔狼狗〕 lánggǒu 명 《動》 셰퍼드(shepherd). 양치기 개. 사냥에 쓰이는 개.
〔狼顾〕 lánggù 동 ①이리가 항상 뒤돌아보며 두려워하다. ②〈比〉 후고(後顧)의 염려가 있다. 두려워하다.
〔狼孩〕 lánghái 명 용감하고 일 잘 하는 아이(이리가 아이를 길렀다는 인도의 전설에서 유래함).
〔狼毫〕 lángháo 명 족제비의 털로 만든 붓.
〔狼嚎〕 lángháo 동 이리가 짖다. ¶～鬼叫 =〔～怪叫〕; 〈比〉 ⓐ미친 듯이 큰 소리로 부르짖다. ⓑ무시무시한 소리로 부르짖다. =〔狼号〕〔狼嗥háo〕
〔狼虎〕 lánghǔ 명 ①이리와 호랑이. ②〈轉〉 탐욕스럽고 부정(不正)한 사람. 악한. 악당.
〔狼扈〕 lánghù 형 ⇨〔狼藉jí〕
〔狼獾〕 lánghuān 명 《動》 늑대오소리. =〔貂熊〕
〔狼急撺稀, 狗急跳墙〕 láng jí cuānxī, gǒu jí tiàoqiáng 이리는 초조하게 굴면 똥을 싸고, 개는 끝까지 쫓기면 담을 뛰어넘는다(악한이 궁지에 몰리면 자구책(自救策)을 쓴다).
〔狼疾〕 lángjí 형 ⇨〔狼藉〕 동 〈文〉 소사(小事)에 마음을 빼앗겨 대사(大事)를 잃다.
〔狼藉〕 lángjí 형 〈文〉 난잡하게 흐트러진 모양. ¶声名～; 명성이 땅에 떨어지다 / 杯盘～; 식기가 어지럽게 널려 있다. =〔狼扈〕〔狼疾〕〔狼戾lì②〕
〔狼抗〕 lángkàng 형 ①우둔하다. ②덩치가 크다. ③크고 무거워서 다루기 힘들다. =〔榔槺〕 동 (걸신들린 것처럼) 게걸스럽게 먹다. ¶慢着点! 吃得那么～不怕噎yē死! 천천히 먹어라! 그렇게 허겁지겁 먹다가 목에 걸리면 어떡해! =〔狼吭kēng〕〔狼犺〕
〔狼戾〕 lánglì 형 〈文〉 ①포악하다. ②⇨〔狼藉〕
〔狼忙〕 lángmáng 형 〈文〉 당황하다. 서두르다.
〔狼猛〕 lángměng 명형 〈文〉 포학(하다).
〔狼木〕 lángmù 명 《植》 분단나무.
〔狼披羊皮〕 láng pī yángpí 이리가 양가죽을 쓰다(위선적인 행동을 하다).
〔狼萁〕 lángqí 명 《植》 ①고사리. ②발풀고사리.
〔狼儿狼当〕 lángrlángdāng〔làngrlàngdāng〕 〈俗〉 하는 일 없이 빈둥거리다. ¶他整天在家～的; 그는 하루 종일 집에서 빈둥거리고 있다.
〔狼人〕 lángrén 명 ①이리 모양을 하고 밤에 다니는 마법사. ②〈貶〉 옛날, 광시 성(廣西省)의 변경에 사는 소수 민족에 대하여 쓰던 멸칭(蔑稱). (láng,rén) 동 사람을 협박하여 등치다. 공갈해서 빼앗다.
〔狼日的〕 lángrìde 〈罵〉 개잡놈. 개자식. =〔狗gǒu养的〕
〔狼山鸡〕 lángshānjī 명 《鳥》 장쑤 성(江蘇省) 난퉁(南通)의 랑산(狼山) 일대에서 나는 난육(卵肉) 양용의 닭.
〔狼胎〕 lángtāi 명 ①날 때부터의 악인. ②잔인한 사람. 형 잔인하다. 악랄하다. ¶其中一个姓王的最～; 그 중에 왕씨가 가장 악랄하다.
〔狼贪〕 lángtān 동 탐욕을 부리다.
〔狼铁矿〕 lángtiěkuàng 명 《鑛》 텅스텐이 포함된 철광.
〔狼头〕 lángtou 명 ⇨〔鄉头〕
〔狼吞虎咽〕 láng tūn hǔ yàn 〈成〉 씹지도 않고 통째로 삼키다. 게걸스럽게 먹다. 꿀꺽 삼키다.
〔狼尾草〕 lángwěicǎo 명 《植》 강아지풀.
〔狼窝〕 lángwō 명 ①늑대 굴. ②㉠악당의 소굴. ㉡나쁜 장소.
〔狼筅〕 lángxiǎn 명 낭선창(고대의 무기, 창의 일종).
〔狼心〕 lángxīn 명 〈比〉 잔인한 마음. 극악무도. ¶～狗肺gǒufèi; 〈成〉 양심이 없는 인간.
〔狼牙〕 lángyá 명 ①이리의 이빨. =〔狼齿〕 ②《魚》 갯장어. =〔狼牙鳝〕 ③《植》 낭아초. =〔狼牙草〕
〔狼牙棒〕 lángyábàng 명 옛 무기의 하나(무수한 못끝이 밖을 향하게 박고 긴 자루를 단 것).
〔狼牙箭〕 lángyájiàn 명 화살의 일종(살촉 모양이 이리의 엄니 비슷하고 날카로움).
〔狼牙拍〕 lángyápāi 명 낭아박(옛 병기의 하나. 방어구(防禦具)의 일종).
〔狼烟〕 lángyān 명 봉화(烽火)(변경의 수비병이 위급함을 알리기 위해 이리의 똥을 태워 신호로 썼

음》. ¶～四起; 〈成〉 사방에서 봉화가 오르다《각지에서 전란이 일어남》/～墩dūn; 봉화대/～地动; 〈比〉 전쟁을 하다.
〔狼眼鼠眉〕 lángyǎn shǔméi 〈比〉 험상궂은〔흉칙한〕 인상(人相).
〔狼尾巴谷〕 lángyǐ bagǔ 명 《植》 〈俗〉 조의 일종《이삭이 늑대 꼬리 비슷함》.
〔狼崽(子)〕 lángzǎi(zi) 명 ①이리 새끼. ②불효자식. ③〈罵〉 배은망덕한 놈.
〔狼子〕 lángzǐ 명 이리 새끼. 늑대 새끼.
〔狼子野心〕 láng zǐ yě xīn 〈成〉 ①이리의 새끼는 길들이기 어렵다《흉악한 성질은 길들이기가 힘들다》. ②흉악한 근성. 흉악한 야심(을 품은 사람).

琅〈瑯〉 láng (랑)
①명 옥(玉) 이름. ②옥 소리의 형용. ③명 성(姓)의 하나.
〔琅珰〕 lángdāng A) 명 ①⇨〔锒铛〕 ②방울. →〔铃líng铛(儿)〕 B) 〈擬〉 옥(玉)이 부딪치는 소리.
〔琅玕〕 lánggān 명 〈文〉 옥과 같은 아름다운 돌. =〔瑯lán玕〕
〔琅函〕 lánghán 명 ①책 상자. ②〈翰〉 (상대방의) 편지.
〔琅嬛〕 lánghuán 명 천제(天帝)의 장서가 있는 곳. ¶～福地; 선경(仙境)에서 기서(奇書)를 모아두는 곳. =〔嫏嬛〕
〔琅琅〕 lánglang 〈擬〉 ①쨍그렁《금석(金石)이 부딪치는 소리》. ②책을 읽는 낭랑한 목소리. ¶读书之声～; 책 읽는 소리가 낭랑하다.

硠 láng (랑)
〈擬〉〈文〉 바위·돌이 부딪치는 소리.

锒(鋃) láng (랑)
①→〔锒铛〕 ②〈擬〉 종소리. ③명 《化》 '镧lán'(란탄)의 구칭.
〔锒铛〕 lángdāng ①명 〈文〉 옛날, 죄인을 매는 쇠사슬. ¶～下狱; 쇠사슬로 매어 옥에 가두다. ②〈擬〉 쨍그랑쨍그랑《금속이 부딪치는 소리》. ‖=〔郎当④〕〔琅珰A)①〕

稂 láng (랑)
명 《植》〈文〉 강아지풀. =〔狼尾草〕
〔稂莠〕 lángyǒu 명 《植》 가라지. 밭에 나는 잡초.

筤 láng (랑)
→〔苍cāng筤〕

朗 lǎng (랑)
①형 밝다. ¶月～风清; 〈成〉 달은 밝고 바람은 맑다/天地明～; 천지가 밝다. ②형 〈文〉 명랑하다. 산뜻하다. 상쾌하다. ¶疏～; 시원스럽다/爽～; 명랑하다. ③형 (목)소리가 낭랑하다. (목)소리가 맑고 크다. ¶～读; 낭독하다/高声～诵; 큰 소리로 읽다. ④명 성(姓)의 하나.
〔朗读〕 lǎngdú 동 낭독하다.
〔朗鉴〕 lǎngjiàn 〈翰〉 ⇨〔朗照〕
〔朗朗〕 lǎnglǎng 형 낭랑하다. 책 읽는 소리의 모양. ¶书声～; 책 읽는 소리가 낭랑하다.
〔朗姆酒〕 lǎngmǔjiǔ 명 〈音〉 럼주(rum 酒). =〔朗母酒〕〔老姆酒〕〔罗木酒〕〔林酒〕〔霖酒〕〔兰姆酒〕
〔朗若列眉〕 lǎng ruò liè méi 〈成〉 가지런한 눈썹처럼 산뜻하다.
〔朗生〕 lǎngshēng 명 ⇨〔囊náng生〕
〔朗声〕 lǎngshēng 명 맑고 우렁찬 소리. ¶～大笑; 큰 소리로 웃다.
〔朗诵〕 lǎngsòng 동 낭송하다. 큰 소리로 읽다. ¶～诗shī; 낭송을 목적으로 지은 시.
〔朗星〕 lǎngxīng 명 빛나는 별.
〔朗咏〕 lǎngyǒng 동 낭영(朗詠)하다. 낭랑하게 읊다.
〔朗照〕 lǎngzhào 〈翰〉 양찰(諒察). =〔朗鉴〕

烺 lǎng (랑)
형 〈文〉 빛나고 밝다. 명랑하다《흔히, 인명(人名)에 씀》.

塱〈塱〉 lǎng (랑)
지명용 자(字). ¶元Yuǎn～; 위안랑(元塱)《광둥 성(廣東省)에 있는 땅 이름》.

㮾 lǎng (랑)
지명용 자(字). ¶～Lǎng梨; 랑리(㮾梨)《후난 성(湖南省)에 있는 땅 이름》.

郎 làng (랑)
→〔屎shǐ壳郎(子)〕 ⇒láng

浪 làng (랑)
①명 (큰) 파도. 물결. ¶波～; 파도. 물결/白～; 흰 물결/风平～静; 바람도 고요하고 물결도 잔잔하다/乘风破～; 〈成〉 바람을 타고 파도를 넘다《유리한 형세를 타고 난국을 극복함》. ②명 물결처럼 기복(起伏)이 있는 것. ¶声～; ⓐ군중이 떠드는 소리. ⓑ음파(音波)/麦～; 보리의 물결. ③형 방종하다. ④부 함부로. 헛되이. ¶～费; 낭비하다. ⑤〈南方〉 …에. …에서《장소를 나타내는 접미어(接尾語). 표준어의 '上shàng'에 해당함》. ¶书～; 책에/俚lǐ到书场～去哉; 그는 야담(野談) 공연장에 갔다네. ⑥명 성(姓)의 하나.
〔浪潮〕 làngcháo 명 ①물결과 조수. ②〈比〉 소동. 풍조. ¶罢工的～; 스트라이크 소동. 파업 소동/涌yǒng起～; 소동이 일어나다. →〔风fēng潮〕
〔浪吃二喝〕 làngchī èrhē 폭음 폭식하다.
〔浪传〕 làngchuán 동 경솔하게 전하다. 되는 대로 선전하다.
〔浪船〕 làngchuán 명 ①배 모양의 그네. ②⇨〔浪木〕
〔浪闯〕 làngchuǎng 동 못된 곳에 다니다〔드나들다〕. 못된 짓을 하다.
〔浪催〕 làngcuī 형 (여자가) 상스럽다. 바람기가 있다. 음란하다.
〔浪旦〕 làngdàn 명 ⇨〔花huā旦〕
〔浪当〕 làngdāng 동 (일을 안 하고) 빈둥빈둥하다. 싸다니다. ¶～汉; 방탕아.
〔浪当汉〕 làngdānghàn 명 방탕자. 난봉꾼.
〔浪荡〕 làngdàng 명동 방탕(하다). ¶～鬼儿; 방탕아. 동 일정한 직업 없이 빈들거리다.
〔浪的你呢〕 làngdenǐne 〈罵〉 이 칠칠맞은〔단정치 못한〕 놈아!
〔浪堤〕 làngdī 명 방파제(防波堤).
〔浪动〕 làngdòng 명 《物》 파동(波動).
〔浪放〕 làngfàng 형 방탕하다. 치신사납다.
〔浪费〕 làngfèi 동 낭비하다. 형 헛되다. 비경제적이다.
〔浪峰〕 làngfēng 명 물마루.
〔浪谷〕 lànggǔ 명 파곡(波谷). 물결의 골.
〔浪花(儿)〕 lànghuā(r) 명 ①물보라. 파도의 비말(飛沫). ②〈比〉 세상의 풍파(風波). ③《植》 수꽃. 웅화.
〔浪货〕 lànghuò 명 〈比〉 방탕한 사람《흔히, 여자의 경우》.

〔浪击〕 làngjī 동 함부로 치다. 마구 때리다.
〔浪迹〕 làngjì 동 각지를 방랑하고 다니다. 떠돌아다니다. ¶～江湖; 〈成〉 세상을 방랑하다.
〔浪尖〕 làngjiān 명 ①파도 머리. 물마루. ②〈比〉 시대의 첨단.
〔浪来浪去〕 lànglái làngqù 〈比〉 빈둥빈둥 지내다. ¶整天～; 온종일 빈둥거리고 지내다.
〔浪里浪荡儿〕 làngli làngdàngr 방탕이 심하다.
〔浪漫〕 làngmàn 형 ①낭만적이다. 로맨틱(romantic)하다. ¶～主义; 로맨티시즘(romanticism) / ～性; 낭만적 / ～曲; 〖樂〗 로맨스(romance). ②(남녀 관계에서) 행실이 나쁘다. 방탕하다. ③현실과 동떨어져 있다. 흘게 늦다. ④동요성(動搖性)이 있다. 명 허구적(虛構的)으로 아름다운 경지(境地).
〔浪漫派〕 làngmànpài 명 (미술·문예 상의) 낭만파.
〔浪莽〕 làngmǎng 동 방랑하다. 떠돌아다니다.
〔浪孟〕 làngmèng 형 뜻을 얻지 못한 모양. 실의(失意)한 모양.
〔浪墨赘词〕 làngmò zhuìcí 〈比〉 필요 없는 자구(字句).
〔浪木〕 làngmù 명 〖體〗 유동 원목(圓木)《운동 기구의 하나》. =〔浪桥①〕〔浪船②〕〔荡木〕
〔浪脐生〕 làngqíshēng 명 〖漢醫〗 태(胎)가 먼저 나오는 난산의 일종.
〔浪桥〕 làngqiáo 명 ①〖體〗 유동 원목. =〔浪船②〕〔浪木〕〔荡木〕 ②〖建〗 선개교(旋開橋).
〔浪曲儿〕 làngqǔr 명 음란(淫亂) 가곡.
〔浪人〕 làngrén 명 ①유민(遊民)《일정한 직업·주소가 없이 떠돌아다니는 사람》. ②(일본의) 대륙 낭인.
〔浪声〕 làngshēng 명 음탕한 소리.
〔浪声浪气〕 làng shēng làng qì 〈成〉 아양 떠는 달콤한 목소리. 음탕한 소리와 방탕한 기색.
〔浪士〕 làngshì 명 〈文〉 방랑자.
〔浪水〕 làngshuǐ 명 물결. 파도.
〔浪死〕 làngsǐ 동 어이없이 죽다. 헛된 죽음을 하다. 객사(客死)하다. ¶～岗; 연고자가 없는 무덤.
〔浪头〕 làngtou 명 ①〈口〉 파도. ¶风大～高; 바람은 세차고 파도는 높다. ②〈轉〉 흐름. 조류(潮流). 경향. ¶赶～; 시대 조류를〔유행을〕 좇다. ③〖劇〗 '昆曲'에서, 길게 끌어서 노래 부르는 대목.
〔浪纹计〕 làngwénjì 명 〖物〗 오실로그래프(oscillograph).
〔浪线〕 làngxiàn 명 물결 모양의 선.
〔浪言大语〕 làngyán dàyǔ 터무니없는 큰소리. ¶～是他的本事; 터무니없이 큰 소리 치는 것이 그의 장기다.
〔浪用〕 làngyòng 동 남용〔낭비〕하다. ¶～钱财; 금전을 낭비하다.
〔浪游〕 làngyóu 동 만유(漫遊)하다. 유랑하다. 방랑하다. ¶～四方; 각지를 만유하다.
〔浪语〕 làngyǔ 명 근거 없는 이야기. 터무니없는 말.
〔浪职〕 làngzhí 동 직책을 다하지 않다.
〔浪掷驹光〕 làng zhì jū guāng 〈成〉 세월을 헛되이 보내다.
〔浪子〕 làngzǐ 명 방탕아. 불량 소년. ¶～回头; 나쁜 짓 한 자가 개심(改心)하다 / ～回头金不换; 〈諺〉 방탕아의 개심은 돈 주고도 바꿀 수 없다.
〔浪嘴轻舌〕 làngzuǐ qīngshé 경솔하게 마구 지껄이다.

阆(閬) **làng** (랑) ①형 〈文〉 널찍한 모양. 광대한 모양. ②명 〈文〉 성(城)의 물 없는 해자. =〔〈文〉 隍huáng〕 ③지명용 자(字). ¶～中Làngzhōng; 랑중(閬中)《쓰촨 성(四川省)에 있는 현(縣) 이름》. ⇒láng
〔阆风瑶池〕 làngfēng yáochí 명 〈比〉 선경(仙境).
〔阆苑〕 làngyuàn 명 〈文〉 신선이 있는 곳. 선경(仙境).

埌 **làng** (랑) →〔圹kuàng埌〕

莨 **làng** (랑) →〔莨菪〕 ⇒láng liáng
〔莨菪〕 làngdàng 명 〖植〗 사리풀.

崀 **làng** (랑) 지명용 자(字). ¶～山; 랑산(崀山)《후난 성(湖南省)에 있는 땅 이름》.

眼 **làng** (랑) 동 〈方〉 햇볕·그늘에 말리다. =〔晾liàng① ②〕

蒗 **làng** (랑) 지명용 자(字). ¶宁Níng～; 닝랑(寧蒗)《윈난 성(雲南省)에 있는 '彝族Yízú'(이족)의 자치현(縣)》.

LAO ㄌㄠ

捞(撈) **lāo** (로) 동 ①물 속에서 건져 올리다. ¶打～; ⓐ건져 내다. ⓑ(침몰선 등의) 인양 작업 / ～鱼; ⇩ / 大海～针; 〈成〉 바다에서 바늘을 건져 올리다《불가능한 일》. ②(부정하게) 입수하다. 획득하다. 손에 넣다. ¶一毛钱也没～着zháo; 수중에는 한 푼도 없다 / 趁机～一把; 기회를 타서 한탕하다. ③〈方〉 (닥치는 대로) 손에 잡다. …로 잡아당기다. 들어 올리다. ¶他一把～起姓李的手; 그는 이씨의 손을 획 잡아당겼다.
〔捞本(儿)〕 lāo,běn(r) 동 ①노름으로 잃은 본전을 되찾다. ②〈比〉 한편에서 잃은 것을 다른 쪽에서 벌충하다. 구멍을 메우다. 결손을 보충하다. ‖ =〔捞钞〕〔捞捎shāo〕
〔捞不上来〕 lāobushànglái 건져 올리지 못하다.
〔捞钞〕 lāochāo 동 ⇨〔捞本(儿)〕
〔捞沉船〕 lāochénchuán 명 구조선. 인양 선박. =〔打dǎ捞(沉)船〕
〔捞稠〕 lāochóu 〈比〉 단물만을 빨아먹다. 이익만 보다.
〔捞稻草〕 lāo dàocǎo 〈比〉 ①공들이지 않고 이득을 취하다. 한밑천 잡다. ¶休想在这件事上～; 이 일로 재미를 보려고 생각하지 마라. →〔占zhàn便宜①〕 ②물에 빠진 자가 지푸라기를 잡다. 무익한 짓을 하다. ¶快要淹死的人, 连一根稻草也想捞; 물에 빠진 사람은 지푸라기라도 잡으려 한다.
〔捞底(儿)〕 lāo dǐ(r) ①바닥에 있는 것을 건져 올리다. ②(노름 따위에서 손해 본) 본전을 되찾다.
〔捞饭〕 lāo,fàn 동 ①밥을 먹게 되다. 입에 풀칠하

다. ②밥을 짓다(쌀을 대충 익을 정도로 끓여 시루에 건져 넣고 찌는 방식). 명 끓이다 건져 찐 밥.
〔捞工夫〕 lāo gōngfu 시간을 내다. ¶我没有捞着工夫跟你去; 나는 너와 같이 갈 시간이 없다.
〔捞回来〕 lāohuilai ①(물 속 따위에서) 도로 건져 올리다. ②(원금(元金) 등을) 되찾다. 회수(回收)하다.
〔捞毛的〕 lāomáode 명 ①창녀〔기생〕의 남편〔기둥서방〕. ②기루(妓樓)의 잡역부(雜役夫). ③기루에서 생활하는 불량배.
〔捞面〕 lāo miàn 동 삶은 국수를 건져 올리다. (lāomiàn) 명 삶아 건져서 국물을 부어 먹는 국수.
〔捞摸〕 lāomo 동 ①물 속의 물건을 손으로 더듬어 찾다(부당 이득을 얻다). ②〈轉〉 무턱대고 찾다.
〔捞模〕 lāomú 동 거푸집을 만들다. 주형(鑄型)을 뜨다.
〔捞跑〕 lāopǎo 동 채뜨려〔낚아채〕 도망치다. ¶东西都叫他们～了; 물건은 모두 그들에게 날치기 당했다.
〔捞钱〕 lāo qián 부정하게 돈을 벌다. ¶捞笔钱; 한밑천 잡다.
〔捞取〕 lāoqǔ 동 ①건져 내다. ②(부정한 방법으로) 획득하다. 취득하다. ¶通过非法途径～货币; 불법 수단으로 화폐를 입수하다.
〔捞上(来)〕 lāoshang(lai) 동 (물 속에서) 건져 올리다.
〔捞捎〕 lāoshāo 동 ⇨〔捞本(儿)〕
〔捞什子〕 lāoshízi 명형 ⇨〔牢什子〕
〔捞世界〕 lāo shìjiè 〈廣〉 돈을 벌다. ¶他在广播电台～, 捞得甚为笃定; 그는 방송국에서 돈을 버는데, 그 벌이가 상당하다.
〔捞一把〕 lāo yī bǎ 쉽게 이득을 취하다. 실속을 차리다. 한밑천 잡다. 횡재하다. ¶乘人之难大～; 남의 곤경을 틈타서 큰돈을 벌다.
〔捞一家伙〕 lāo yījiāhuo 한밑천 잡다.
〔捞鱼〕 lāo yú 물고기를 건지다. 물고기를 잡다.
〔捞月〕 lāoyuè 동 (물에 비치는) 달을 건지다(헛된 기도(企圖)를 하다). ¶水底～; 〈成〉 물 속에서 달을 건져 내다.
〔捞着〕 lāo,zháo 동 ①얻다. 건져 내다. ②기회를 잡다〔얻다〕. ¶那天的电影, 我没～看; 나는 그 날의 영화를 볼 기회를 잡지 못했다.

牢 láo (뢰)
①명 (가축의) 우리. ¶亡羊补～; 〈成〉 양이 도망간 뒤에 우리를 고치다. 사후 약방문(死後藥方文). ②명 감옥. ¶监～; 감옥/坐～; 감옥에 들어가다. ③형 튼튼하다. 견고하다. 단단하다. 확실하다. ¶把箱子钉～; 상자를 단단히 못질하다/嘴上无毛, 办事不～; 〈諺〉 수염이 없으면〔나이가 어리면〕 일하는 것이 미덥지 않다(나이와 경험은 귀중한 밑천이다). ④동 붙들다. ⑤명 희생. 제물로 바치는 가축. ¶太～; 제물로 바치는 소/少～; 제물로 바치는 양(羊). ⑥명 성(姓)의 하나.
〔牢不可拔〕 láo bù kě bá 〈成〉 견고하여 뽑을 수 없다.
〔牢不可破〕 láo bù kě pò 〈成〉 견고(堅固)하여 파괴할 수 없다. ¶人民之间的友谊～; 국민들 간의 우의가 반석(盤石)과 같다.
〔牢城〕 láochéng 명 ①옛날의 감옥. ¶～营; 옛날, 귀양간 죄수를 수용하는 곳. ②(Láochéng) 〖地〗 푸젠 성(福建省) 요우시(尤溪) 베이충링(北崇嶺)에 있는 관문의 이름.
〔牢愁〕 láochóu 명 〈文〉 우수(憂愁). 근심거리.
〔牢度〕 láodù 명 견뢰도(堅牢度). 튼튼한 정도.
〔牢房〕 láofáng 명 감옥. ¶坐～; 감옥에 들어가다. =〔牢狱〕
〔牢固〕 láogù 형 튼튼하다. 견고하다. ¶～的大坝挡住了洪水; 견고한 큰 댐(dam)이 홍수를 막았다. (Láogù) 명 〖地〗 라오구(牢固)(산시 성(陝西省) 닝창 현(寧羌縣)에 있는 관문(關門)의 이름).
〔牢乎〕 láohu 부 〈文〉 확실하게. 단단히.
〔牢记〕 láojì 동 단단히 기억해 두다. 명심하다.
〔牢监〕 láojiān 명 ⇨〔牢狱〕
〔牢槛〕 láojiàn 명 ⇨〔牢狱〕
〔牢靠〕 láokao 형 ①견고하다. 튼튼하다. ¶把门拴～了吗? 문은 단단히 잠갔느냐?/这个工事很～; 이 공사는 아주 튼튼하게 되어 있다. ②믿음직하다. 확실하다. 확실하여 신뢰할 만하다. ¶得děi找个～人儿来掌管银钱; 누군가 믿을 만한 사람을 찾아서 금전 관리를 맡겨야 한다.
〔牢牢〕 láoláo 부 단단히. 확실히. ¶～记在心头; 마음에 단단히 기억해 두다/～生根; 단단히 뿌리를 내리다.
〔牢礼〕 láolǐ 명 신(神)에게 양·소·돼지의 세 가지 희생물을 바치는 제례.
〔牢笼〕 láolóng 동 ①포괄(包括)하다. 싸다. ②(손아귀에 넣고) 농락하다. 구슬리다. ¶～穷人; 가난한 사람을 손아귀에 넣고 농락하다. ③몰아넣어 가두다. 속박하다. 명 ①계책. 계략. 함정. ¶堕人～; 함정에 빠지다/～计; 올가미. 모략. ②(짐승을 가두는) 우리. 새장. ③〈比〉 빠져 나올 수 없는 고된 속박. 제한. ¶冲破旧思想的～; 낡은 사고의 속박을 타파하다. ④감옥.
〔牢落〕 láoluò 형 〈文〉 ①드문드문하다. =〔稀疏〕 ②인적이 없어 쓸쓸하다. ②고독하다. 고립되다.
〔牢配合〕 láopèihé 명 〖工〗 드라이브 피트(drive fit)(망치로 때려 박는 방식). =〔打dǎ人配合〕〔迫pò合座〕
〔牢骚〕 láosāo 명 음울한 기분. 불평. 불만. 푸념. ¶发～; 불평을 터뜨리다. 울분을 폭발시키다/满腹～; 불평불만으로 가득하다/他一喝酒就犯～; 그는 술을 마시면 금방 불평이 튀어나온다. 형 귀찮다. 성가시다. 동 원망하다. 불평하다. 게정거리다. ¶～了半天; 오랫동안 푸념을 하였다.
〔牢什子〕 láoshízi 명 〈俗〉 보기 싫은 것. 하찮은 것. 지겨운 것. 정체를 알 수 없는 것. 이상야릇한 것. ¶我不要这～; 나는 이 따위 것은 필요 없다. 형 성가시다. 귀찮다. ‖ =〔捞什子〕〔劳什子〕
〔牢实〕 láoshí 형 ①(만듦새가) 튼튼하다. 견고하다. ②(사람이) 믿음직하다. ③(일을 처리하는 데) 빈틈이 없다. 확실하다. 견실하다.
〔牢死〕 láosǐ 동 옥사하다.
〔牢头〕 láotóu 명 (옛날의) 간수. ¶～禁卒 =〔～禁子〕; 옥리(獄吏)와 옥졸.
〔牢头犯〕 láotóufàn 명 장기 복역수. 오랫동안 감옥살이를 하고 있는 사람.
〔牢稳〕 láowěn 형 믿을 만하다. (안전하여) 안심이 되다. ¶重要文件放在保险柜里比较～; 중요한 문서는 금고 속에 넣어 두는 것이 비교적 안심이 된다. 동 소중히 간직하다.
〔牢稳〕 láowen 형 (물체가) 안정되어 흔들리지 않다. 동요하지 않다. ¶这个花瓶摆在这儿很～; 이 화병은 여기에 놓아 두면 안전하다.
〔牢眼儿〕 láoyǎnr 명 옥사자(獄死者)를 내가는 작

은 출구(出口). 동 〈轉〉 옥사하다. ¶他～了; 그는 옥사했다.
〔牢狱〕 láoyù 명 감옥. =〔牢房〕〔牢监〕〔牢槛〕〔囚qiú牢〕
〔牢子〕 láozi 명 옥졸.

咾 láo (로)
〈擬〉 개가 짖는 소리.
〔咾叨〕 láodao 동 ⇨〔唠láo叨〕

劳(勞) láo (로)
① 명동 일(하다). 노동(하다). ¶按～计酬; 노동에 따라 보수를 계산하다 / 没有不～而获的事; 일하지 않고 얻어지는 것은 없다. ② 동 근무하다. ③ 동 번민하다. ④ 동 수고를 끼치다. 애쓰게 하다(다른 사람에게 일을 시킬 때 쓰는 공손한 말). ¶有～有～! 〈套〉 ⓐ수고 좀 해 주세요! ⓑ수고했습니다! / 请你偏～! 수고 좀 해 주세요! ⑤ 동 (체력·기관·기능을) 사용하다. 쓰다. ¶～力; ⇩ / ～神; ⇩ ⑥ 동 인력을 사용하다. 부리다. ¶～人; 사람을 부리다 / ～师动众; 많은 인력을 동원하다. 〈比〉 어마어마한 일을 하다. ⑦ 명 공적. 공로. 공훈. ¶汗马之～; ⓐ전공(戰功). ⓑ남을 도와 주어 이룬 공적. ⑧ 명 노고. 고생. ⑨ 명 노동자. ¶～资关系; 노사 관계. ⑩ 동 (수고를) 위로하다. 위문하다. 어루만지다. ¶～师; ⇩ / 犒～; (돈이나 주식(酒食) 등으로) 위로하다. ⑪ 동 지치다. 피로하다. ¶疲～; 피로(하다) / 过～了; 과로했다 / 积～成疾; 피로가 쌓여서 병이 되다. ⑫ 명 성(姓)의 하나.
〔劳保〕 láobǎo 명 〈簡〉 ①'劳动保险' (노동 보험)의 약칭. ②'劳动保护' (노동(자) 보호)의 약칭.
〔劳兵〕 láobīng 동 군인을 위문〔위로〕하다.
〔劳病〕 láobìng 명 ⇨〔痨病〕
〔劳步〕 láobù 〈敬〉 발걸음하시다. 수고하시다(다른 사람을 오게 한 데 대한 인사의 말). ¶～～! 오시느라 힘드셨죠! / 昨天～, 还没回拜呢; 어제는 모처럼 오시게 하고도 아직 인사를 드리지 못했군요.
〔劳嘈〕 láocáo 형 와글와글 떠드는 모양.
〔劳瘁〕 láocuì 형 〈文〉 피로하여 지치다. ¶不辞～; 피로를 마다하지 않다. =〔劳顿〕
〔劳动〕 láodòng 명동 ①노동(하다). 일(하다). ¶脑力～; 정신 노동 / 体力～; 육체노동 / 不～者不得食; 일하지 않는 자는 먹지 말라. ②(특히) 육체노동(하다). ¶～纪律; 노동 규율 / ～效率 =〔工作效率〕; 노동능률 / ～竞赛 =〔工作竞赛〕〔生产竞赛〕; 노동 경쟁. 생산 경쟁 / ～车; (흔히, 바퀴가 타이어로 된) 손수레 / ～号子; 일할 때의 맞춤 소리(어영차 따위) / 他～去了; 그는 막노동하러 갔다. =〔体力劳动〕
〔劳动〕 láodong 〈敬〉 수고를 끼치다(노고를 감사하는 말). ¶又得děi～您; 또다시 선생님께서 수고를 해 주셔야겠습니다.
〔劳动保护〕 láodòng bǎohù 명 노동(자) 보호. →〔惠huì工〕
〔劳动保险〕 láodòng bǎoxiǎn 명 노동 보험. =〔劳保〕
〔劳动报〕 láodòngbào 명 〈義〉 트루드(trud)(소련 노동 조합 중앙 위원회의 기관지).
〔劳动布〕 láodòngbù 명 《紡》 데님(denim).
〔劳动产品〕 láodòng chǎnpǐn 명 노동 생산물. ¶能成为商品的物品必须是为出售而生产的～; 상품이 될 수 있는 물건은 팔기 위하여 생산된 노동 생산물이어야 한다.
〔劳动定额〕 láodòng dìng'é 명 노동 기준량. 노르마(러 norma).
〔劳动锻炼〕 láodòng duànliàn 명 노동 단련(지식 분자가 육체 노동에 참가하여 농민·노동자의 생활 활동 속에서 사회 발전의 방향을 파악하고 자기의 사상 단련을 확고 부동한 것으로 하는 일).
〔劳动对象〕 láodòng duìxiàng 명 노동의 대상이 되는 것(채굴되는 광석, 가공되는 철강재 따위).
〔劳动法(令)〕 láodòng fǎ(lìng) 명 ⇨〔劳工法规〕
〔劳动纷争〕 láodòng fēnzhēng 명 ⇨〔劳动争议〕
〔劳动风潮〕 láodòng fēngcháo 명 ⇨〔劳动争议〕
〔劳动改造〕 láodòng gǎizào 명 《法》 교정(矯正)노동(성인의 형사 범죄인 등에 대하여 강제 노동을 과하여 그 사상을 교정하는 일). ¶劳改犯; 교정 노동자 / 劳改制品; 수형자(受刑者) 노동에 의한 제품. =〔〈簡〉 劳改〕
〔劳动歌〕 láodònggē 명 노동가.
〔劳动工分〕 láodòng gōngfēn 명 ⇨〔工分①〕
〔劳动观点〕 láodòng guāndiǎn 명 노동자의 입장에 선 사고 방식.
〔劳动合同〕 láodòng hétóng 명 노동 계약.
〔劳动后备军〕 láodòng hòubèijūn 명 노동 예비군.
〔劳动化〕 láodònghuà 동 노동자화(化)하다. (지식인에게) 노동을 몸에 익히게 하다. ¶劳动人民知识化, 知识分子～; 노동자를 지식화하고, 지식분자를 노동자화하다.
〔劳动教养〕 láodòng jiàoyǎng 명 노동 교육(노동 방식에 의해서 일반 교육을 실시함과 동시에 그 사상을 교정하는 일. 행정상의 처분으로서, 직업·지위 등은 보장되며 전과(前科)는 붙지 않음). =〔〈簡〉 劳教〕
〔劳动节〕 Láodòngjié 명 메이데이. 국제 노동 기념일. =〔国guó际劳动节〕〔五一劳动节〕
〔劳动力〕 láodònglì 명 노동력. ¶调tiáo剂～; 노동력을 조정하다 / 他年青力壮, 是个强～; 그는 나이가 젊고 힘이 넘쳐, 강력한 노동력이다.
〔劳动模范〕 láodòng mófàn 명 (노동자 중에서 선출되는) 모범 노동자(밑에서부터 '模范工作者' '～' '劳动英雄'의 세 단계가 있음). =〔〈簡〉 劳模〕
〔劳动契约〕 láodòng qìyuē 명 ⇨〔工gōng作契约〕
〔劳动强度〕 láodòng qiángdù 명 노동 강도. →〔岗gǎng位津贴〕
〔劳动人民〕 láodòng rénmín 명 노동 인민. 일하는 사람들.
〔劳动人民文化宫〕 láodòng rénmín wénhuàgōng 명 노동자를 위한 문화 센터. =〔劳动者文化宫〕 →〔文化宫〕
〔劳动日〕 láodòngrì 명 ①근무일. 일하러 나가는 날. ↔〔休xiū息日〕 ②노동 시간을 계산하는 단위(일반적으로 8시간을 '一个～'라 하고, '一个～'는 '十个(劳动)工分'으로 구성됨). ③노동량을 한 사람의 노동력으로 완성시키는 데 필요한 일수로 환산해서 계산한 칭호. ¶五万个～; 혼자서 5만 일을 일한 것과 같은 노동량.
〔劳动生产率〕 láodòng shēngchǎnlǜ 명 노동 생산성. ¶～由单位劳动时间内所创造的产品的数量来决定; 노동 생산성은 단위 노동 시간 안에 만들어지는 생산물의 양에 의해서 정해진다. =〔生产率〕
〔劳动时间〕 láodòng shíjiān 명 ⇨〔工gōng作时间〕

〔劳动手段〕 láodòng shǒuduàn 명 ⇨〔劳动资料〕
〔劳动条件〕 láodòng tiáojiàn 명 노동 조건. =〔待dài遇条件〕〔工gōng作条件〕
〔劳动卫国体育制度〕 láodòng wèiguó tǐyù zhìdù 명 ⇨〔劳卫制〕
〔劳动协作〕 láodòng xiézuò 명《經》협업(協業).
〔劳动英雄〕 láodòng yīngxióng →〔劳动模范〕
〔劳动者〕 láodòngzhě 명 노동자. =〔工gōng人〕
〔劳动争议〕 láodòng zhēngyì 명 노동 쟁의〔분쟁〕. =〔劳动纷fēn争〕〔劳动风潮〕〔劳工纠jiū纷〕〔劳资纠纷〕〔劳资争议〕〔工潮cháo〕〔雇gù主佣yōng工争执〕
〔劳动资料〕 láodòng zīliào 명《經》노동 수단. 생산수단('劳动手段'은 구칭).
〔劳动组合〕 láodòng zǔhé 명 ①노동 조합. (기업에 있어서의) 노동력의 구성. ②협동 조합(아르텔리(러 artel)의 역어).
〔劳顿〕 láodùn 동 ⇨〔劳累〕
〔劳而少功〕 láo ér shǎo gōng 〈成〉 애쓴 보람이 적다.
〔劳而无功〕 láo ér wú gōng 〈成〉 수고만 있고 공은 없다. 헛수고하다.
〔劳乏〕 láofá 동 지치다. 형 피로하다. 힘들다.
〔劳烦〕 láofán 동 ①지치다. ②걱정하다.
〔劳方〕 láofāng 명 노동자측. 피고용자. =〔佣yōng方〕↔〔资方〕
〔劳费〕 láofèi 명 노력(勞力)과 경비(經費).
〔劳费〕 láofei 동 소모하다. 낭비하다. ¶做统计工作, 太～工夫; 통계를 내는 일은 시간이 아주 많이 걸린다.
〔劳复〕 láofù 동《漢醫》무리를 하여 병이 도지다.
〔劳改〕 láogǎi 명 ⇨〔劳动改造〕
〔劳改犯〕 láogǎifàn 명 노동 교화를 받은 범인.
〔劳工〕 láogōng 명 ⇨〔工人〕
〔劳工党〕 láogōngdǎng 명 노동당. =〔劳动党〕
〔劳工法规〕 láogōng fǎguī 명《法》노동 법규〔법령〕. 노동법. =〔劳动法(令)〕
〔劳工号〕 láogōnghào 명 부역(賦役). 의무적으로 할당되는 노동 봉사. ¶谁料正赶铲草的时候又摊上～, 地全扔了; 공교롭게 마침 김맬 때에 부역이 할당되어, 밭은 완전히 방치해 놓았다. =〔官差guānchāi〕
〔劳工纠纷〕 láogōng jiūfēn 명 ⇨〔劳动争议〕
〔劳工司〕 láogōngsī 명 국민 정부 초기의 최고 노동 행정 기관(노동국(勞動局)에 상당하며, 실업부(實業部)에 속해 있었음).
〔劳工运动〕 láogōng yùndòng 명 노동 운동.
〔劳绩〕 láojì 명 공로. 공적. ¶～股gǔ; 공로주(株). 권리주.
〔劳驾〕 láo.jià 〈套〉 ①발걸음시키다. 오시게 하다. 〈轉〉와 주셔서 고맙습니다. ¶～! =〔劳你驾!〕〔老您大驾!〕; 오시느라 수고하셨습니다. ②(일을 부탁한 뒤의) 수고하셨습니다. ③미안합니다만…. 죄송하지만…. 잠깐 여쭈어 보겠습니다만…(남에게 무슨 일을 의뢰하거나, 길을 비켜 달라고 할 때, 또는 무언가를 물을 때에 쓰는 말). ¶～, 把那本书递给我; 미안하지만, 그 책 좀 집어 주세요 / ～, 请让让路; 미안합니다만, 길 좀 비켜 주십시오.
〔劳教〕 láojiào 명 ⇨〔劳动教养〕
〔劳金〕 láojīn 명 ①옛날, (가게 주인·지주에게서 받는) 보수. 임금. 급료. ¶他的～一个也不花, 全部交给妈; 그는 급료를 한 푼도 쓰지 않고 모두 어머니에게 드린다. ②영업 이익 중에서 받는 위로금. 위로 이익 배당. ¶他吃上～; 그는 이익 배당을 탔다〔받았다〕. ‖ =〔劳钱〕
〔劳倦〕 láojuàn 동 지치다. 피로해지다. 지쳐 기력이 없어지다.
〔劳军〕 láo.jūn 동 군대를 위문하다. =〔劳师〕
〔劳苦〕 láokǔ 명동 노고(하다). 신고(辛苦)(하다). ¶～功高; 고생하여 세운 공이 크다. 동 위문하다. 위로하다.
〔劳苦灶〕 láokǔzào 명 〈俗〉 끓인 물을 파는 장수.
〔劳困〕 láokùn 동 ①애쓰다. 고생하다. ②피곤해지다. 지치다.
〔劳来〕 láolái 동 〈文〉 (오는 사람의) 수고를 위로하다. ¶～安集; 모여드는 사람을 위로하여 안정시키다. =〔劳徕〕
〔劳赉〕 láolài 동 〈文〉 격려하다. 힘을 돋구다.
〔劳劳碌碌〕 láolaolùlù 동 ⇨〔劳碌〕
〔劳累〕 láolèi 동 일을 너무 해서 지치다. 녹초가 되다. ¶多年～, 头发都灰白了; 여러 해에 걸친 과로로 머리가 모두 희어졌다. =〔劳顿〕
〔劳力〕 láolì 동 힘을 들이다. 명 ①노력. 노동력. ②노동 인력이 있는 사람.
〔劳淋〕 láolìn 명《漢醫》과로로 인하여 생기는 비뇨기 계통의 질환.
〔劳碌〕 láolù 동 ①동분서주하다. 애쓰다. ②쉴 사이 없이 바쁘게 수고하다. ¶为生活而～; 생활을 위하여 바쁘게 일하다. ‖ =〔劳劳碌碌〕
〔劳民伤财〕 láo mín shāng cái 〈成〉 백성을 피폐시키고 재물을 축내다. ①혹독한 과세나 노역으로 민중을 피폐케 함. ②인력·물력을 남용하는 일.
〔劳模〕 láomó 명 〈簡〉 '劳动模范'(모범 노동자)의 약칭.
〔劳农〕 láo nóng 노동자와 농민.
〔劳农政府〕 láonóng zhèngfǔ 명 노농 정부(①주권이 노동자와 농민에게 있는 정부. ②소비에트 사회주의 공화국 연방 정부의 약칭. 소련 정부).
〔劳钱〕 láoqián 명 ⇨〔劳金〕
〔劳人费马〕 láorén fèimǎ ①사람이나 말에게 일을 시키다. ②〈比〉 남에게 폐를 끼치다. 남을 혹사(酷使)하다.
〔劳伤〕 láoshāng 명《漢醫》피로로 인한 내장(內臟) 장애. 동 피로로 인해 내장 장애를 일으키다.
〔劳神〕 láo.shén 동 신경을 쓰다. 걱정하다. 수고를 끼치다. 걱정을 끼치다(때로는 남에게 무엇을 부탁할 때 쓰는 상투 어구로도 쓰임). ¶～代为照顾一下! 수고스럽더라도 대신 좀 돌봐 주십시오! / 叫人～; 남에게 걱정을 끼치다.
〔劳生〕 láoshēng 〈文〉 명 살아가기 위한 고생. 동 살아가기 위해 고생을 하다. 어렵게 살아가다.
〔劳师〕 láo.shī 동 〈文〉 군대를 위문하다. =〔劳军〕
〔劳师动众〕 láo shī dòng zhòng 〈成〉 군대를 출동시키고 민중을 동원하다(많은 인력을 동원해서 큰 일을 하다. 일을 크게 떠벌리다).
〔劳什子〕 láoshízi 명 ⇨〔牢什子〕
〔劳损〕 láosǔn 동《醫》일을 너무 많이 해서 탈이 나다. ¶腰脊～了; 일을 너무 많이 해서 허리뼈를 다치다.
〔劳卫制〕 láowèizhì 명 국가 건설과 방위를 위하여 체육 장려를 목적으로 하는 제도. =〔劳动卫国体育制度〕
〔劳问〕 láowèn 동 〈文〉 위문하다.
〔劳务〕 láowù 명 노무. 역무(役務). ¶出口～; 외

국에 나가서의 벌이 / ～输出; (농촌에서 도시로, 국내에서 외국으로의) 노무 수출 / ～人员; 해외 노무자 / ～市场; 노무자와 고용주가 모이는 장소 / ～合作; 노무 협력.

〔劳心〕 láo.xīn 동 마음을 쓰다. 머리를 쓰다. ¶～者治人, 劳力者治于人; 마음으로 애쓰는〔정신 노동 하는〕 자는 남을 다스리고, 힘을 쓰는〔육체 노동 하는〕 자는 남에게 다스림을 받는다.

〔劳恤〕 láoxù 동 〈文〉 위로하고 도와 주다〔은혜를 베풀다〕.

〔劳燕分飞〕 láo yàn fēn fēi 〈成〉 뿔뿔이 헤어지다. 제각기 다른 방향으로 나아가다. =〔两燕分飞〕

〔劳役〕 láoyì 명 ①노력으로써 공역(公役)에 복무하는 일. ②《法》 노역. ¶判处～一年; 1년의 노역을 선고하다. ③수고. 동 (가축을) 부리다.

〔劳役地租〕 láoyì dìzū 명 《經》 노동 지대. =〔徭yáo役地租〕

〔劳逸〕 láoyì 명 노동·작업과 휴식. ¶～安排得怎么样? 노동과 휴식의 안배는 어떠냐? / ～结合; 노동과 휴식을 알맞게 하다.

〔劳症〕 láozhèng 명 《醫》 폐병. =〔痨症〕

〔劳资〕 láozī 명 노사. 노자. 노동자와 자본가. ¶～争执 =〔劳动争议〕; 노동 쟁의 / ～协xié商会议; 노사 협의회 / ～评píng断委员会; 노사 평의〔협의〕 위원회.

〔劳资合同〕 láo zī hétóng 명 노사간의 계약.

〔劳资纠纷〕 láo zī jiūfēn 명 ⇨〔劳动争议〕

〔劳资争议〕 láo zī zhēngyì 명 ⇨〔劳动争议〕

〔劳作〕 láozuò 명 초·중등 학교 교과의 하나로, 가사(家事)·농사·공예 등을 포괄한 것. 명동 힘드는 일(을 하다). 육체 노동(을 하다). ¶社员们都在田间～; 사원들 모두가 밭에서 일한다.

唠(嘮) láo (로)

동 시끄럽다. 재잘거리다. ⇒lào lao

〔唠叨〕 láodao 동 시끄럽게 떠들다. 수다 떨다. 잔소리하다. 잡담하다. ¶～半天; 오래도록 수다를 떨었다 / ～起就没完了; 잔소리를 시작하면 끝이 없다 / 唠三叨四; 쓸데없는 말을 지껄여 시끄럽다 / 咱们晚上再～吧! 우리 밤에 다시 이야기합시다! =〔哰叨〕〔唠呶〕〔叨唠〕〔叨罗〕

〔唠呶〕 láonáo 동 ⇨〔唠叨〕

崂(嶗) Láo (로)

명 《地》 라오산(崂山)《산둥 성(山東省)에 있는 산 이름》. ¶～(矿泉)水; '崂山'에서 나는 광천수. =〔劳山〕

痨(癆) láo (로)

①명 《漢醫》 결핵. ¶肺～; 폐결핵 / 肠～; 장결핵 / 害～病; 폐병을 앓다 / 防～注射; 결핵 예방 주사. ②형 피로해서 여위다.

〔痨病〕 láobìng 명 《漢醫》 폐병. 결핵. =〔劳病〕

〔痨病底子〕 láobìng dǐzi 명 폐병에 걸리기 쉬운 체질. 폐병 체질.

〔痨病腔子〕 láobìng qiāngzi 명 ①폐병 환자. ②〈轉〉 허약한 사람. 부서지기 쉬운 것.

〔痨虫〕 láochóng 명 〈俗〉 폐병(肺病)의 세균. 결핵균(結核菌).

〔痨瘵〕 láozhài 명 폐결핵. =〔肺痨瘵〕

〔痨症〕 láozhèng 명 결핵. 폐병.

铹(鐒) láo (로)

명 《化》 로렌슘(Lr: lawrencium) 《인공 방사성 원소》.

蟧(蟧) láo (로)

명 〈文〉 ①소라의 종류. ②작은 매미.

醪 láo (료)

명 〈文〉 ①막걸리. 탁주. ②감칠맛이 나는 술. 미주(美酒).

〔醪药〕 láoyào 명 ①술로 조합(調合)한 약. ②술로 국부를 문지르거나 술로 조합한 약으로 고름을 빼내는 치료법.

〔醪糟(儿)〕 láozāo(r) 명 단술. 감주(甘酒). =〔江米酒〕〔酒jiǔ娘〕

老 lǎo (로)

①형 늙다. 노년이다. 나이가 들다. ¶～母; 노모 / 这匹马是～的; 이 말은 나이를 먹었다 / 三年不见, 他～多了; 3년 동안 보지 못했는데 그는 많이 늙었다 / 活huó到～, 学到～; 〈成〉 살아 있는 한 몇 살이 되어도 학문을 계속하다. ↔〔少shào〕〔幼yòu〕 ②명 〈敬〉 노인. ¶徐～; 서노인 / 敬～院; 양로원 / 扶～携幼; 노인을 부축하고 아이를 이끌다. ③명 노인의 자칭. 나. ④형 노쇠하다. ¶他这几年显着～了; 그는 최근 수년간 부쩍 노쇠해졌다. ⑤성 밑에 붙여 노인을 존경하는 말. ¶李～; 이 선생. 이 노인장. ⑥동 〈俗〉〈婉〉 죽다. 돌아가시다《주로 노인의 죽음을 가리키며, 반드시 '了'를 붙여 씀》. ¶～了; 죽다 / 他～了; ⓐ그는 늙었다. ⓑ그는 죽었다 / 他去年正月～了; 그는 작년 정월에 죽었다 / 送～; 친상(親喪)을 치르다. ⑦동 〈轉〉 은퇴하여 쉬다. ¶告～; (노령으로) 은퇴를 청원하다. 은퇴하다. ⑧부 예로부터의. 오랜. 옛날부터의. 오래 된. ¶～厂; 오래 된 공장 / ～交jiāo情; 오랜 사귐 / ～朋友; 오랜 친구 / ～家; 고향 / ～战士; 고참(古參) 병사(兵士) / ～习惯; 오랜 습관 / ～干gàn部; 오랜〔초창기부터의〕 간부 / ～醋cù; 해묵은 (상등의) 식초 / 这话～了; 이 이야기는 오래 전의 일이다. ↔〔新xīn①〕 ⑨형 구식의. 시대에 뒤진. 낡은. ¶～式shì(儿); 구식의 / ～机器; 구식 기계 / ～办bàn法; 옛날 방식. ⑩형 본래의. 원래의. ¶～脾气; 본래의 성미 / ～地方; ⇩ =〔原来的〕 ⑪형 (야채·과일·고기 등이) 굳어지다. 쇠다. 질기다. ¶菠bō菜～了不好吃; 시금치가 쇠면 질겨져서 맛이 없다. ↔〔嫩⑥〕 ⑫형 (요리에서) 불기운이 너무 세다. ¶鸡蛋煮～了; 달걀이 너무 삶아졌다 / 炒得太～了不好吃; 너무 볶으면 맛이 없다 / 把牛排煎得～些; 비프스테이크는 좀 오래 익혀라. ⑬동명 (고분자 화합물의) 변질(하다). 노화(老化)(하다). ¶～化; 노화하다 / 防～剂; 노화 방지제. ⑭형 (색이) 짙은. ¶～绿; 짙은 초록. 진초록 / ～红; 진홍. 짙은 홍색. ⑮형 경험이 풍부한. 숙련된. 노련한. ¶～手(儿); 숙련자 / ～谋深算; 경험이 풍부한 주도한 계획. ⑯형 많은. ¶花招可～了; 교활한 방법은 여러 가지 있다. ⑰부 오래. 오랫동안. ¶～没见; ⓐ오래 못 만났다. ⓑ오래간만입니다《인사말》 / 他～不来; 그는 오랫동안 오지 않았다 / 一搁～了不好治了; 오래 내버려 두면 고치기 어렵다. ⑱부 항상. 언제나. 언제든지. ¶每月生产～是超额; 매월의 생산고는 언제나 정액 이상이다 / 他～不听我的话; 그는 언제나 내 말을 듣지 않는다 / ～是闹病; 늘 앓고 있다. ⑲부 매우. 대단히. ¶～远; 매우 멀다 / 不大～容易; 결코 손쉬운 일이 아니다 / 日头还～高; 해는 아직 꽤 높다. ⑳접두 끝의. 제일 아래의. ¶第～的; 막내 / ～儿子; 막내 아들 / ～姨(儿); 막내 이모. ㉑접두 친근함을 나타내는

말. ¶～王; 미스터 왕. ㉒ 접두 형제의 순서를 일컫는 말. ¶～二; 차남. 차녀 / 你是～儿? 너는 형제 중의 몇 째냐? =〔排〕〔行háng〕 ㉓ 접두 어떤 종류의 동물 또는 식물에 붙이는 말. ¶～虎; 호랑이 / ～鼠; 쥐 / ～玉米; 옥수수. ㉔ 명 성(姓)의 하나.

〔老艾〕 lǎo'ài 명〈文〉노옹. 노인. 영감.

〔老媪〕 lǎo'ǎo 명〈文〉노파. 할머니. 노부인.

〔老八板(儿)〕 lǎobābǎn(r) 명〈方〉케케묵은 관습을 지키는 일, 또 그러한 사람. 진부한 생각을 가진 사람. =〔老板板〕〔老死凿(儿)〕

〔老八辈子〕 lǎobābèizi 형 오래 되다. 케케묵다. 진부하다. ¶这是～的话了, 没人听了; 이것은 진부한 말이라 아무도 듣지 않는다.

〔老把式〕 lǎobǎshi 명 달인(達人). 오랜 연공(年功)을 쌓은 사람. 숙련자. =〔老把势〕

〔老把势〕 lǎobǎshi 명 ⇨〔老把式〕

〔老白干儿〕 lǎobáigānr 명 최상등(最上等)〔최고급〕의 '白干儿' (고량주).

〔老白相〕 lǎobáixiàng 명〈南方〉놀고 먹는 건달. 백수.

〔老百姓〕 lǎobǎixìng 명〈俗〉세상 사람들. 일반대중. 여러 사람들. (군인 · 공무원 · 간부에 대하여) 일반인.

〔老班〕 lǎobān 명 윗사람. 손윗사람. 연장자. 형 경험이 많다. 세상 물정에 밝다. ¶～人; 세상 물정에 밝은 사람 / 处世不～; 처세에 능하지 못하다.

〔老般大儿〕 lǎobāndàr 명 나이가 비슷한 노인. 동년배의 노인. =〔老板大儿〕

〔老板〕 lǎobǎn 명 ①주인. ㉠〈南方〉상점의 주인. 또는 지배인. =〔掌柜〕 ㉡사유 상공업의 재산 소유자. 기업주. ②〈敬〉상인에 대한 경칭. ③〈方〉〈敬〉(경극(京劇) 등의) 배우에 대한 경칭. ¶梅méi兰芳～; 매란방 선생〔님〕. ④옛날의 목판(木版)책. =〔老本(儿)①〕

〔老板板〕 lǎobǎnbǎn 명 ⇨〔老八板(儿)〕

〔老板大儿〕 lǎobǎndàr 명 ⇨〔老般大儿〕

〔老板娘〕 lǎobǎnniáng 명〈南方〉(주인의) 아내. 마님. (경영주의) 처. =〔老板奶奶〕

〔老板鱼〕 lǎobǎnyú 명〖魚〗〈方〉가자미. =〔鲽dié鱼〕

〔老半天〕 lǎobàntiān 명 ①꽤 오랜 시간. 긴 시간. ¶～说不出话来; 꽤 오랫동안 말이 나오지 않았다 / 他们谈了～; 그들은 오랜 시간 이야기를 나누었다. ②한나절. ‖ =〔〈方〉老大半天〕

〔老伴(儿)〕 lǎobàn(r) 명 ①배우자《노부부의 한 쪽. 흔히, 여자 쪽을 가리킴》. ②허물 없이 지내는 친구. 노인 친구.

〔老梆人〕 lǎobāngrén 명〈罵〉늙다리 할아범〔할멈〕《사리를 분간 못 하는 노인을 욕하는 말》. =〔老帮谷〕〔老梆壳〕〔老梆子〕〔老棒子〕

〔老蚌〕 lǎobàng 명 ①〖貝〗펄조개. 씹조개. ②〈轉〉노인.

〔老蚌生珠〕 lǎo bàng shēng zhū〈成〉만년(晩年)에 이르러 자식을 낳음.

〔老棒〕 lǎobàng 형 ①메마르다. 바짝 마르다. ②수완가(手腕家)이다. 솜씨 있다. ③튼튼하다. 기력이 있고 건강하다. ¶小鸡儿～了; 병아리가 튼튼해졌다.

〔老保〕 lǎobǎo 명 완고한 보수파.

〔老鸨(子)〕 lǎobǎo(zi) 명 ⇨〔鸨母①〕

〔老鸨鸨儿〕 lǎobǎobaor 명 ⇨〔鸨母①〕

〔老悖(晦)〕 lǎobèi(hui)〈罵〉늙어 빠지다. 늙어서 망령이 나다. =〔老背晦〕

〔老惫〕 lǎobèi 형 노후(老朽)하다. 노쇠하다. ¶～不堪; 노쇠가 심하다.

〔老辈(儿)〕 lǎobèi(r) 명 연배자(年輩者). 연장자(年長者). 웃어른. =〔长zhǎng辈〕

〔老辈们〕 lǎobèimen 명 ①연장자들. 선배들. 노인네들. ¶～的记忆力真比咱们要强得多呢; 노인네들의 기억력은 정말 우리네들보다 훨씬 낫군. ②전시대(前時代)의 사람들.

〔老本(儿)〕 lǎoběn(r) 명 ①구각(舊刻)의 목판 서적. =〔老板④〕 ②자본. 밑천. ¶有了～; 밑천이 생겼다 / 蚀了～; 본전을 날렸다.

〔老本息〕 lǎoběnxī 명 출자액에 대하여 배정하는 순 이익금.

〔老绷〕 lǎobēng 동〈俗〉①(상처 따위가) 시간이 지나 굳어지다〔아물다〕. ¶这块伤痕已经长～了; 이 상처 자국은 이제 완전히 아물었다. ②사람이 경험을 쌓아 차분하게 되다.

〔老绷〕 lǎobēng 형〈俗〉①아주 많다. ②매우 심하다. 참을 수 없다.

〔老鼻子〕 lǎobízi 형〈北方〉굉장히〔대단히〕 많다《끝에 '了'를 동반함》. ¶今年收的白菜可～了! 올해에는 배추의 수확이 굉장히 많다! / 他可发～了; 그는 꽤 돈을 벌었다.

〔老婢〕 lǎobì 명 늙은 하녀.

〔老表〕 lǎobiǎo 명 ①〈方〉당신. 여보《낯선 남성을 부를 때의 호칭》. →〔老嫂②〕 ②〈俗〉장시(江西) 사람을 풍자하여 이르는 말. ③사촌. =〔表兄弟〕

〔老婊子〕 lǎobiǎozi 명 옛날, 유곽의 여주인.

〔老瘪〕 lǎobiě 형 매우 가난하다. ¶穷qióng了个～似的; 알거지가 되고 말았다.

〔老兵〕 lǎobīng 명 ①노병. 고참병. ②선배. 베테랑.

〔老病〕 lǎobìng 명 ⇨〔老病儿〕 동〈文〉늙어서 병들다.

〔老病儿〕 lǎobìngr 명 ①지병(持病). 숙아(宿痾). ¶犯～; 지병이 재발하다〔도지다〕. =〔旧jiù病儿〕 ②〈比〉오래 된 버릇 · 습관 · 결점. ‖ =〔老病〕〔老毛病(儿)〕

〔老伯〕 lǎobó 명〈敬〉①아저씨《아버지의 친구 및 친구의 아버지에 대한 경칭》. →〔老伯母〕 ②백부(伯父).

〔老伯伯〕 láobóbo 명 ⇨〔老大爷〕

〔老伯母〕 lǎobómǔ 명 아주머님《아버지 친구 · 친구의 아버지 등의 배우자에 대한 경칭》.

〔老布〕 lǎobù 명 ①⇨〔粗cū布①〕 ②집에서 짠 무명.

〔老不死〕 lǎobusǐ ①언제까지나 죽지 않다. ②〈罵〉죽지도 않는 늙은이. ¶有恒元那～给他撑腰; 항원(恒元), 저 죽지도 않는 늙은이가 그의 뒤를 봐주고 있다.

〔老不修〕 lǎobuxiū ①늘 행실이 바르지 못하다. ②품행이 좋지 않다. 남자〔여자〕를 밝히다.

〔老财〕 lǎocái 명 ①큰 돈. 큰 재산. ¶发了～了; 큰 부자가 되었다. ②〈方〉대지주. 큰 부자.

〔老餐〕 lǎocān 명동 ⇨〔老馋chán〕

〔老残〕 lǎocán 형 나이들어 쇠약해지다. 노쇠하다.

〔老仓米〕 lǎocāngmǐ 명 창고에 여러 해 쌓아 둔 쌀. 여러 해 묵은 쌀.

〔老伧〕 lǎocāng 명〈罵〉놈팽이《남을 업신여겨 이름》.

〔老苍〕 lǎocang 명 노인. ¶结交皆～; 교우(交友)는 모두 노인뿐이다. 형 ①늙직하다. 늙수그레하

다. ¶还不到三十岁, 怎么就这么～了; 아직 서른도 안 되었는데 왜 이렇게 늙어 보이느냐. ②(색·무늬 등이) 수수하다[차분하다].

〔老馋〕 lǎochán 동 탐식(貪食)하다. 명 탐식가. ‖=〔老餮cān〕

〔老长〕 lǎocháng 형 〈方〉 매우 길다. ¶他把手伸得～, 要到处摘果子; 그는 먼 곳까지 손을 뻗쳐서라도 곳곳에서 성과를 따내려고 한다.

〔老巢〕 lǎocháo 명 ①오랜 근거지. ②새의 보금자리. 〈比〉 비적의 소굴.

〔老陈人儿〕 lǎochénrénr 명 고용·복역(服役)이 장시일에 걸친 것. 오랫동안 고용되어 있는 사람. =〔老人(儿)③〕

〔老成〕 lǎochéng 형 ①(경험이 풍부하여 일을 하는 데) 온건·신중하다. 노련하다. ¶～人; 노련한 사람. ②문장이 원숙하다. 문장이 잘 다듬어져 있다. ③어른스럽다. 숙성(夙成)하다. ¶少shào年～; 나이는 어리지만 숙성하다.

〔老成持重〕 lǎo chéng chí zhòng 〈成〉 노련하고 신중하다. 경험이 풍부하여 신중하고 침착하다.

〔老成练达〕 lǎo chéng liàn dá 〈成〉 경험을 쌓아 숙련되어 있음. =〔老成谙练〕

〔老诚〕 lǎochéng 형 선량하고 성실하다.

〔老城〕 lǎochéng 명 ①옛 성. ②오래 된 성시(城市).

〔老秤〕 lǎochèng 명 구식 저울.

〔老吃老做〕 lǎochī lǎozuò 늙은이 티를 내다. →〔倚yǐ老卖老〕

〔老尺〕 lǎochǐ 명 구식 자.

〔老虫药〕 lǎochóngyào 명 쥐약.

〔老处女〕 lǎochǔnǚ 명 노처녀. 올드 미스.

〔老膗〕 lǎochuái 명 ①〈俗〉 돼지처럼 뒤룩뒤룩 살찐(사람). 뚱뚱보. ②무르고 푸석푸석한 살.

〔老葱〕 lǎocōng 명 〖植〗 굵은 파. 대(大)파.

〔老粗〕 lǎocū 형 무뚝뚝하다. 무교양(無教養)하다. 경솔하다. 명 ⇨〔老粗儿〕

〔老粗儿〕 lǎocūr 명 〈謙〉 무식쟁이. 무식한 사람. 교양 없는 사람. 무뚝뚝한 사람. ¶我是个～, 工作也做得粗; 저는 무식하고 일하는 것도 조잡합니다. =〔老粗〕

〔老醋〕 lǎocù 명 맛이 좋은 오래 된 식초.

〔老搭档〕 lǎodādàng 명 ①오랜 동안의 동료. ②오래 된 동반자.

〔老大〕 lǎodà 명 ①노인. ②장남. 장녀. =〔〈南方〉阿ā大①〕 ③맏형(형제 중의 최연장자). ④〈方〉 목조선의 선장. 뱃사공. ⑤손아랫사람에 대한 애칭. 형. 공(公). 동 〈文〉 나이를 먹다. 늙다. ¶～无成; 〈成〉 나이만 먹고 아무것도 한 것이 없다 / 少壮不努力, ～徒伤悲; 〈成〉 젊을 때 노력하지 않으면 나이 들어 부질없이 슬퍼진다. 부 굉장히. 대단히. ¶心里～的不高兴; 대단히 불쾌하게 생각하다. 형 굉장히 큰. ¶老大老大的铁轮子; 굉장히 큰 쇠바퀴.

〔老大半天〕 lǎodàbàntiān 명 ⇨〔老半天〕

〔老大不小〕 lǎodàbùxiǎo 〈方〉 어른이 되다. ¶他也～的啦; 그도 다 컸다.

〔老大哥〕 lǎodàgē 명 〈敬〉 (큰)형님《같은 연대의 남자 연장자에 대한 경애의 호칭》.

〔老大姐〕 lǎodàjiě 명 (큰)언니《같은 연대(年代)에서 연상(年上)의 여자를 친밀하게 부르는 호칭》.

〔老大难〕 lǎodànán 명 현안(懸案)이 되어 있는 곤란한 큰 문제. (오랫동안 해결하지 못한) 난제. ¶～技术问题; 오랫동안 해결되지 않은 기술상의 난제(難題).

〔老大娘〕 lǎodàniang 명 〈敬〉 할머니《나이 많은 여자에 대한 호칭》.

〔老大人〕 lǎodàrén 명 ①영감님. ②아버님. ③춘부장님《경칭》.

〔老大爷〕 lǎodàye 명 〈敬〉 할아버지《나이 많은 남자에 대한 경칭》. =〔老伯伯bóbo〕

〔老呆〕 lǎodāi 명 〈罵〉 멍청이. 얼간이. 등신.

〔老旦〕 lǎodàn 명 〖劇〗 (경극(京劇)에서의) 노파역. 또는 그 배우.

〔老旦作亲〕 lǎodàn zuòqīn 명 〖劇〗 중국 전통극에서, 요괴물(妖怪物)을 상연한 뒤 기분 전환을 목적으로, 남녀 복장을 한 한 쌍의 배우가 무대에 나와 관객에게 인사를 하고 물러나는 일. 주로, 지방 공연 때에 실시됨.

〔老当〕 lǎodāng 형 글이 간결하고 요령이 있다.

〔老当益壮〕 lǎo dāng yì zhuàng 〈成〉 늙어도 기력이 왕성하다. 노익장을 과시하다.

〔老道〕 lǎodào 명 〈口〉 도사(道士). ¶～庙miào; 도교(道教)의 사원.

〔老到〕 lǎodao 형 〈方〉 노련하고 주도 면밀하다. 견실하다. 숙달(熟達)되다. ¶最～的办法; 가장 견실한 방법 / 他做事～, 一看就知道是经验丰富的人; 그는 일이 야무져서, 한눈에 곧 경험이 풍부한 사람임을 알 수 있다.

〔老的〕 lǎode 명 노인. ¶～, 小的; 노인과 어린이.

〔老的儿〕 lǎoder 명 〈北方〉 ①선배. 손윗사람. ②노친. 늙은 부모. ¶他家里还有～呢; 그의 집에는 늙은 부모도 계시다.

〔老等〕 lǎoděng 명 〖鳥〗 〈俗〉 왜가리. 해오라기. =〔苍cāng鹭〕〔长脖老等〕 동 오래〔마냥, 죽〕 기다리다. ¶他老半天不来, 我在那里～; 그가 오랫동안 오지 않아 나는 거기서 마냥 기다렸다.

〔老底(儿)〕 lǎodǐ(r) 명 ①내력. 경력(經歷). 구악(舊惡). 비밀. 내막. ¶揭穿～; 비밀〔내막〕을 폭로하다 / 你的～我已经知道了; 너의 내력은 이미 알고 있다. ②대대로 물려받은 재산. ¶他家有～; 그의 집에는 대대로 물려받은 재산이 있다. ③가문. 문벌. ④(확고한) 근거. 자신. 믿는 데. 기반. ¶我心里有～; 나는 확실한 근거를 가지고 있다.

〔老底子〕 lǎodǐzi 명 ①저력(底力). 기초. ②본래부터의 저축.

〔老地方〕 lǎodìfang 명 본디 있던 곳. 늘 가는 곳.

〔老弟〕 lǎodì 명 ①너. 당신. 자네《연소자에 대한 호칭》. ②자네《제자에 대한 호칭》.

〔老店〕 lǎodiàn 명 노포(老鋪).

〔老吊〕 lǎodiāo 명 ⇨〔起qǐ重机〕

〔老凋〕 lǎodiāo 형 〈文〉 노쇠하다.

〔老雕〕 lǎodiāo 명 〖鳥〗 독수리.

〔老调〕 lǎodiào 명 ①상투적(常套的)인 말. 진부한 말. ¶唱～; 늘 하던 투로 하다 / ～高弹; 옛 가락으로 노래하다《옛날 일을 소리 높이 이야기하다》. ②허베이 성(河北省) 중부의 고양(高陽)·박야(博野) 일대에서 유행되는 지방극(地方劇). =〔老调梆子〕

〔老调重弹〕 lǎo diào chóng tán 〈成〉 ⇨〔旧jiù调重弹〕

〔老掉牙〕 lǎodiào yá 늙어서 이가 빠지다《낡아 빠지다. 케케묵다》. ¶这部机器已经～了; 이 기계는 이미 낡아 버렸다 / 穿了～的衣裳, 说着～的话也不怕人家笑话您吗? 낡아 빠진 옷을 입고, 케케묵은 이야기를 하고 있으면 사람들의 웃음거리가

되지 않을까요?
〔老爹〕 lǎodiē 명 ①〈敬〉 옛날, 관리의 아버지에 대한 존칭. ②〈方〉〈敬〉 노인에 대한 경칭. ③〈方〉 할아버지.
〔老东〕 lǎodōng 명 산둥(山東) 사람의 별칭.
〔老东家〕 lǎodōngjiā 명 주인. 주인 어른《집 주인·자본주·가게 주인 등》. =〔老东儿〕
〔老东老伙〕 lǎodōng lǎohuǒ ①오랜 동안의 주인과 고용인의 관계. ②오랜 동료.
〔老东西〕 lǎodōngxi 명 ①〈罵〉 늙정이. 늙다리. ②오래 된〔낡은〕 물건. ③진부한 것. ‖=〔老货(儿)〕〔老物〕
〔老斗〕 lǎodǒu 명 〈文〉 ①극단에서 선생역을 맡는 노련한 배우. ②남창(男娼)역.
〔老豆腐〕 lǎodòufu 명 ①보통 두부. ②약간 딱딱하게 만든 두부. ↔〔嫩nèn豆腐〕
〔老肚〕 lǎodù 명 배《의인법으로 익살스럽게 표현한 것》. ¶～有点儿不答应我了; 배란 놈이 아무래도 내 말을 알아듣지 못해.
〔老多〕 lǎoduō 형 〈方〉 대단히 많다.
〔老儿子〕 lǎo'érzi 명 ①막내 아들. =〔老疙瘩①②〕 ②늙어서 낳은 아들.
〔老而不死〕 lǎo ér bù sǐ 〈罵〉 늙어서도 죽지 않는다.
〔老二〕 lǎo'èr 명 차남. 둘째 아들. ¶孔kǒng～; 공자(孔子)《냉소의 뜻을 포함하여 이름》. =〔〈南方〉阿ā二〕〔〈文〉次cì子〕
〔老法(子)〕 lǎofǎ(zi) 명 옛날〔낡은〕 방법.
〔老犯〕 lǎofàn 명 상습범.
〔老方子〕 lǎofāngzi 명 《醫》 ①옛 처방. ②〈轉〉 옛〔낡은〕 치료 방법. ¶～不治新病; 낡은 치료 방법으로는 새로운 병을 낫게 할 수 없다.
〔老废物〕 lǎofèiwù 명 ①노폐물. ②〈轉〉 쓸모없는 사람. 무용지물.
〔老风气〕 lǎofēngqì 명 예로부터의 풍습.
〔老封建〕 lǎofēngjiàn 형명 ①융통성이 없는 (사람). ②시대의 흐름을 모르는 (사람).
〔老佛爷〕 lǎofóye 명 ①〈俗〉 부처님. ②〈敬〉 청대(清代)의 황태후·태상 황제의 존칭.
〔老夫〕 lǎofū 명 ①늙은 남자의 자칭. ②나《후배에 대한 자칭》.
〔老夫老妻〕 lǎofū lǎoqī 명 노부부. 오랫동안 함께 살아 온 부부.
〔老夫子〕 lǎofūzi 명 ①(옛날, 가정·사숙(私塾))의 교사. ②청대(清代)에, 장군·재상의 상담역을 부르던 말. ③세상일에 어둡고 실천하기를 꺼리는 지식인. 샌님. ¶他真是个～, 除了读书什么也不会干; 그는 정말 샌님이라, 글 읽는 것 외에는 아무것도 할 줄 모른다.
〔老腐败〕 lǎofǔbài 명 생각이 케케묵어서 아무 쓸모없는 사람. 완미(頑迷)한 사람. 시대에 뒤진 사람.
〔老妇〕 lǎofù 명 ①노부인. ②저. 노파《노부인의 자칭》.
〔老杆〕 lǎogǎn 명 ①선 채로 죽은 나무. ②⇨〔怯qiè八裔〕 ③⇨〔老憨hān(儿)②〕
〔老杆子〕 lǎogǎnzi 명 옛날, 늙은 아편쟁이.
〔老赶〕 lǎogǎn 명 ①〈方〉 시골 사람. 촌뜨기. 세상 물정을 모르는 사람. =〔老杆〕 ②⇨〔老憨(儿)②〕
〔老干〕 lǎogan 형 수수하다. 검소하다. 견실하다. 착실하다. ¶～人家的姑娘; 점잖은 집의 딸/他虽然年轻可是很～; 그는 젊지만 아주 견실하다/他打扮得很～; 그의 차림은 매우 수수하다/颜色～了禁黷jīnzhǎn; 빛깔이 수수하면 더럼이 눈에 띄지 않는다.
〔老干部〕 lǎogànbù 명 오래 된 간부. 고참 간부《특히 중화 인민 공화국 성립 이전에 혁명 과업에 종사하고 있던 사람》.
〔老干家〕 lǎogànjiā 명 만만찮은 사람. 솜씨가 뛰어난 사람.
〔老高〕 lǎogāo 형 매우 높다.
〔老疙瘩〕 lǎogēda 명 ①막내 아들. ②나이 들어 낳은 자식. ‖=〔老儿子〕 ③맺힌 응어리. ¶解开～; 오래 된 응어리를 풀다.
〔老哥〕 lǎogē 명 친한 친구끼리의 호칭. =〔老哥们〕
〔老哥儿俩〕 lǎogērliǎ ①나이가 비슷한 두 남자를 이르는 말. ②상당한 연배의 남자와 좀 젊은 남자의 두 사람.
〔老哥儿们〕 lǎogērmen 명 〈俗〉 ①(여러) 형님들. 여러분《친근감을 나타내는 호칭》. ¶～, 你好哇! 여러분 안녕하십니까! ②형님《하류 사회에서 쓰는 말》.
〔老根〕 lǎogēn 명 ①오래 된 뿌리. ②(부정적인 것의) 완강한 뿌리. (뽑기 힘든) 오랜 뿌리. ¶挖绝了～; 완강한 뿌리를 송두리째 뽑았다.
〔老根老底〕 lǎogēn lǎodǐ 〈比〉 기초가 단단함.
〔老根儿〕 lǎogēnr 명 ①가문. 문벌. ¶老根人家儿; 구가(舊家). =〔家世〕 ②생활의 주요한 기반.
〔老工(人)〕 lǎogōng(rén) 명 숙련 노동자. 숙련공. =〔熟shú练工(人)〕
〔老公〕 lǎogōng 명 ①〈南方〉 남편. =〔丈夫zhàngfu〕 ②노인. 늙은이.
〔老公〕 lǎogong 명 〈俗〉 환관(宦官). ¶～嘴儿; 수염이 나지 않은 사람. 〈轉〉 환관. =〔太监〕
〔老公公〕 lǎogōnggong 명 〈方〉 ①할아버지《어린이가 남자 노인을 부르는 말》. ②시아버지《호칭으로도 씀》.
〔老公花〕 lǎogōnghuā 명 《植》 할미꽃. 일본할미꽃.
〔老公卷儿〕 lǎogōngjuǎnr 명 둘둘 만 이불짐.
〔老公母俩〕 lǎogōngmǔliǎ 명 노년의 부부. 노부부.
〔老公嘴儿〕 lǎogōngzuǐr (어른이 되어도) 수염이 나지 않는 사람《'老公'은 환관을 이름》.
〔老狗〕 lǎogǒu 명 ①늙은 개. ②〈轉〉〈罵〉 늙은 것.
〔老姑娘〕 lǎogūniang 명 ①노처녀. 올드 미스. ②막내딸. ③늘그막에 난 딸.
〔老古板〕 lǎogǔbǎn 명 〈比〉 케케묵은 사람.
〔老古董〕 lǎogǔdǒng 명 ①고물. 골동품. ②〈比〉 완고한 사람. 고루한 사람. ③〈轉〉 노인이 스스로를 일컫는 말.
〔老古话〕 lǎogǔhuà 명 옛말. ¶～说得好: "没男没女是神仙"《茅盾 霜葉紅似二月花》; 옛말에도 아들딸이 없으면 신선이라고〔무자식이 상팔자라고〕 잘도 말했다.
〔老骨头〕 lǎogǔtou 명 ①늙은 몸. ②〈罵〉 늙다리. 늙정이.
〔老鸹〕 lǎogua 명 《鳥》 까마귀. ¶～落在猪身上; 〈諺〉 까마귀가 돼지 몸 위에 내려 앉다《남의 결점은 눈에 잘 띄지만 자기의 결점은 모름》/～窝里出凤凰; 〈諺〉 까마귀 둥우리에서 봉황이 나다. 개천에서 용난다. =〔乌wū鸦〕
〔老乖子〕 lǎoguāizi 명 귀여운〔사랑하는〕 아기를 어르거나 부르는 말. 착한 아가야. =〔老乖儿〕
〔老关〕 lǎoguān 명 ①상관(常關)《'海关'에 대하여

종래의 세관을 이름). ②《地》 후난 성(湖南省) 리링 현(醴陵縣) 동남쪽과 장시 성(江西省) 핑샹 현(萍鄉縣)의 경계에 있으며, 옛날의 요로(要路).
〔老鹳〕 **lǎoguàn** 명 《鳥》 황새. ¶～草; 《植》 이질풀. =〔灰鹤〕
〔老光(眼)〕 **lǎoguāng(yǎn)** 명 ⇨〔老视眼〕
〔老光眼镜〕 **lǎoguāng yǎnjìng** 명 노안경(老眼鏡). 돋보기.
〔老规矩〕 **lǎoguīju** 명 구습. 전부터의 관례. =〔老例lì〕
〔老鬼〕 **lǎoguǐ** 명 ①늙은이. ②기관장《선원끼리의 호칭》.
〔老棍〕 **lǎogùn** 명 늙은 건달. 못된 노인네.
〔老海鼠〕 **lǎohǎishǔ** 명 ⇨〔海鞘qiào〕
〔老憨(儿)〕 **lǎohān(r)** 명 ①⇨〔怯qiè八裔〕 ②무기력한 사람. 얼간이. 뒷북만 치는 자. =〔老杆gǎn③〕〔老赶gǎn②〕〔老土tǔ鳖〕
〔老汉〕 **lǎohàn** 명 ①노인. ②늙은이. 늙은 몸《노인의 자칭》.
〔老汗〕 **lǎohàn** 명 고여 있던 땀. ¶他蒙在被窝里，出了一身～; 그는 이불을 뒤집어 쓰고 있어, 온몸이 땀투성이다.
〔老行〕 **lǎoháng** 명 노포(老鋪). =〔老号hào②〕
〔老行当〕 **lǎohángdang** 명 계속해 오는 일. 손에 익은 일. ¶全国解放了，他离开了部队又干起了铁路这个～; 전국이 해방되어, 그는 제대하고 나서 배운 도둑질이라고 다시 철도원이 되었다.
〔老行家〕 **lǎohángjiā** 명 감정〔감식〕가. 숙련자. 오랜 연공〔경험〕을 쌓은 사람. …통(通).
〔老好〕 **lǎohǎo** 형 〈方〉 대단히 좋다. ¶～人; 〈俗〉 ⓐ상냥하고 남에게 미움을 사지 않는 좋은 사람. ⓑ대호인(大好人).
〔老好(儿)〕 **lǎohǎo(r)** 명 ①얌전한 사람. 온화한 사람. ②호인(好人). 천성(天性)이 착한 사람.
〔老号〕 **lǎohào** 명 ①진짜. 진품(眞品). ②⇨〔老行〕
〔老和尚〕 **lǎohéshang** 명 노승(老僧). 스님. ¶～看嫁妆; 〈歇〉 스님이 혼수(婚需)를 보다《'今世不想'(이승에서는 단념하는 수밖에 없다)의 뜻》.
〔老红〕 **lǎohóng** 명 암홍색.
〔老狐狸〕 **lǎohúli** 명 ①늙은 여우. ②〈比〉 매우 교활한 사람.
〔老胡涂〕 **lǎohútu** 동 망령들다《주로 '～了'로 쓰임》. 명 〈罵〉 늙다리. 늙정이.
〔老虎〕 **lǎohǔ**〔lǎohu〕 명 ①《動》 호랑이. ¶纸～; 종이 호랑이 / ～嘴里拔牙; 〈比〉 감히 위험을 무릅쓰다. 호랑이 굴에 들어가다 / ～带佛珠; 〈歇〉 호랑이가 염주를 가지고 있다《착한 척함》 / ～石; 《鑛》 호안석(虎眼石) / ～牙 =〔紫萁〕; 《植》 고비 / ～鱼; 《魚》 쑤기미 / ～式子; 무예에서, 맹렬하게 덤벼들려고 하는 자세 / ～头上抓虱子; 〈諺〉 호랑이 머리의 이를 잡다《(신중하지 않아서) 권세 있는 사람의 감정을 상하게 하다》 / ～套车; 〈歇〉 호랑이에 수레를 매다《아무도 할 만한 담력이 없다》. ②〈比〉 국가나 인민의 이익을 해치는 개인이나 단체. ③〈比〉 전력 소비가 큰 기계나 설비. ④〈比〉 사람에게 해를 끼치는 사물.
〔老虎车〕 **lǎohǔchē** 명 손수레. =〔小xiǎo车(儿)①〕
〔老虎窗〕 **lǎohǔchuāng** 명 천창(天窓).
〔老虎打盹儿〕 **lǎo hǔ dǎ dǔnr** 〈成〉 호랑이도 존다《신중한 사람도 방심할 때가 있음》.
〔老虎大夫〕 **lǎohǔ dàifu** 명 악덕〔악질〕 의사. 환자의 약점을 이용하여 돈을 버는 의사.
〔老虎胆〕 **lǎohǔdǎn** 명 호랑이의 담. 〈比〉 대담함. 배짱이 큼. ¶吃了～; 대담해졌다.
〔老虎凳〕 **lǎohǔdèng** 명 옛날, 고문용 의자. ¶把他拉下去上～，灌肥皂水! 이놈을 끌어내려 고문 의자에 앉히고 비눗물을 마시게 하라!
〔老虎挂素珠〕 **lǎohǔ guà sùzhū** 〈歇〉 위선자《'假貌为善'(착한 일을 하는 체하다)의 뜻》. ¶他这么和气是～假充善人; 그가 이렇게 얌전하게 있는 것은, 본성을 숨기고 선인인 체하고 있을 뿐이다. =〔老虎挂念珠〕
〔老虎帽儿〕 **lǎohǔmàor** 명 호랑이 머리 모양의, 마귀를 물리친다는 모자《돌 전후의 아기에게 씌움》. =〔虎头帽〕
〔老虎皮〕 **lǎohǔpí** 명 ①호랑이 가죽. ②군복《옛날, 군대는 사람을 잡아먹는 호랑이와 같다고 해서 빗대어 말함》. ¶穿～; 호랑이 가죽을 뒤집어쓰다. 〈轉〉 군인이 되다.
〔老虎屁股〕 **lǎohǔ pìgu** 호랑이의 엉덩이. 〈比〉 위험한 것에 손대지 않는 일.
〔老虎屁股摸不得〕 **lǎohǔ pìgu mōbude** 〈歇〉 호랑이 엉덩이와 같이 아무도 감히 건드리려고 하지 않다《위험한 일에는 손을 대지 않는다》.
〔老虎棋〕 **lǎohǔqí** 명 장기의 일종《한 마리의 호랑이와 16마리의 양(羊)을 본뜬 말을 사용하는 장기의 하나》. =〔老虎羊〕
〔老虎钳(子)〕 **lǎohǔqián(zi)** 명 ①집게. ②바이스(vice).
〔老虎茄儿〕 **lǎohǔqiér** 명 〈京〉 '蒜suàn泥'(다진 마늘)로 가지를 무친 음식.
〔老虎肉〕 **lǎohǔròu** 명 호랑이 고기. 〈轉〉 매우 귀한〔비싼〕 고기. ¶～，哪里动得起呢; 호랑이 고기처럼 비싼 고기를 어떻게 손에 넣을 수 있겠느냐.
〔老虎摊儿〕 **lǎohǔtānr** 명 옛날, 가짜 물건을 비싸게 파는 고물·골동품의 노점.
〔老虎田〕 **lǎohǔtián** 명 옛날에, 높은 소작료를 물던 밭.
〔老虎头上拍苍蝇〕 **lǎohǔ tóushang pāi cāngying** 〈諺〉 위험한 작두타기를 하다. 대담하게 (위험한) 일을 하다. ¶那些乡下佬儿敢～吗; 저 촌놈들이 감히 위험한 작두타기를 할 수 있겠느냐.
〔老虎鞋〕 **lǎohǔxié** 명 호랑이 머리 모양의 어린이 신. =〔虎头鞋〕〔鼻bí子眼鞋〕
〔老虎眼〕 **lǎohǔyǎn** 명 ①호안(虎眼). 호랑이 눈. ②대추의 일종《시고 열매가 큼》.
〔老虎灶〕 **lǎohǔzào** 명 〈方〉 ①〈俗〉 물을 끓이는 화덕. ②⇨〔热rè水店〕
〔老虎嘴上拔毛〕 **lǎohǔ zuǐshang bámáo** 〈諺〉 호랑이 수염을 뽑다《극히 위험한 일》.
〔老户〕 **lǎohù** 명 옛날부터의 토착민.
〔老花〕 **lǎohuā** 동 늙어서 눈이 침침해지다. 노안(老眼)이 되다.
〔老花眼〕 **lǎohuāyǎn** 명 ⇨〔老视眼〕
〔老花子〕 **lǎohuāzi** 명 거지.
〔老猾头〕 **lǎohuátóu** 명 교활한 인간.
〔老化〕 **lǎohuà** 동 노화하다.
〔老话(儿)〕 **lǎohuà(r)** 명 ①옛날부터 해 내려오는 말. 옛말. ¶'世上无难事，只怕有心人'，这是很有道理的～; '이 세상에 불가능한 일은 없으니, 뜻을 가지고 하면 된다'라는 옛말은 정말 맞는 말이다. ②케케묵은 이야기. 옛 이야기. ③항상 하는 말. 상투어(常套語).
〔老皇历〕 **lǎohuángli** 명 〈比〉 (지금은 통용되지 않는) 옛날 규칙이나 표준. =〔老黄历〕
〔老黄牛〕 **lǎohuángniú** 명 〈比〉 묵묵히 국민을 위

하여 봉사하는 사람.
〔老黄忠班〕 lǎohuángzhōngbān 명〈比〉오랜 동안 열심히 일해 온 간부들《황충(黄忠)은 삼국지에 나오는 유명한 늙은 충신의 이름》.
〔老昏〕 lǎohūn 동 늙어 빠지다. 노쇠하여 망령이 들다.
〔老火〕 lǎohuǒ〈方〉형 ①대단하다. 심하다. ¶等到～就不好办了; 심해질 때까지 내버려 두면 처리하기 어렵다. ②(일이) 까다롭다. 동〈四川〉성을 내다. =〔恼火〕
〔老伙计〕 lǎohuǒji 명 ①늙은 점원(店員). ②(같은 직업의) 오래 된 동료. 오랜 장사 친구. ¶我们俩是～了; 우리 두 사람은 오랜 장사 친구다.
〔老货(儿)〕 lǎohuò(r) 명 ⇨〔老东西〕
〔老货底儿〕 lǎohuòdǐr 명 ①오래 전부터 있는 화물. ②〈轉〉근본이 있는 학문·지식.
〔老鸡〕 lǎojī 명 묵은〔늙은〕닭. 어미닭. ¶～不上灶, 小鸡不乱跳;〈諺〉어미닭이 부뚜막 위에 오르지 않으면 병아리도 함부로 뛰어다니지 않는다《윗사람이 올바르면 아랫사람도 바르게 처신한다》.
〔老几〕 lǎojǐ 대 ①몇 째《형제의 순서를 물을 때의 말》. ¶他～? 그는 형제 중의 몇 번째인가요? ②〈俗〉반어(反語)로 쓰이며, 어떤 범위 안에서는 축에도 못 듦을 나타내는 말. ¶别理他, 他算～呢; 상관하지 마. 저 따위가 뭔데 / 我算～; 나 같은 건 축에도 못 낀다.
〔老骥伏枥〕 lǎo jì fú lì〈成〉천리마(千里馬)가 늙어 사료통 사이에 엎드려 있다. ¶～, 志在千里, 烈士暮年, 壮心不已;〈比〉ⓐ늙었으나 아직 웅지(雄志)가 있음. ⓑ〈轉〉유능하면서도 불우함.
〔老家〕 lǎojiā 명 ①원적. 출생지. 고향. ¶你～在哪儿? 고향은 어디입니까? / 我～是广东; 나의 원적은 광동(廣東)입니다. ②옛집. 옛 보금자리. ③〈轉〉저 세상. ¶把你打发到～; 너를 저 세상에 보내 주마《죽여 주마》.
〔老家伙〕 lǎojiāhuo 명〈罵〉늙은이.
〔老家儿〕 lǎojiār 명 ①〈方〉(남에게 말할 때의 자기나 남의) 부모. 양친. ②선배.
〔老家人〕 lǎojiārén 명 선대(先代)부터 부리고 있는 하인. ¶二十年的～; 20년래(年來) 부리고 있는 하인.
〔老家贼〕 lǎojiāzéi 명 ⇨〔麻má雀①〕
〔老家子〕 lǎojiāzi 명 ⇨〔麻má雀①〕
〔老奸巨猾〕 lǎo jiān jù huá〈成〉①산전수전 다 겪어 능수능란하다. 교활하고 간사하여 보통 방법으로는 안 된다. ②매우 음험하고 교활한 사람.
〔老奸头〕 lǎojiāntóu 명 몹시 교활한 인간. =〔老奸门儿〕
〔老悭〕 lǎojiān 명 구두쇠. 인색한 사람.
〔老趼〕 lǎojiǎn 명 손발에 박힌 오래 된〔딱딱한〕못. =〔老茧〕〔老蹇〕
〔老健〕 lǎojiàn 형 늙었어도 건강하다. 정정(亭亭)하다. ¶～春寒秋后热;〈諺〉노인의 건강은 봄 추위와 가을 후의 더위 같은 것이다《아무리 정정한 노인도 그 건강은 일시적이다》.
〔老江湖〕 lǎojiānghu 명 ①여러 곳을 떠돌아다녀 세상 물정에 밝은 사람. ②떠돌이. 굴러먹은 사람. 도박꾼. ¶他是个十几年的～, 这点小事还瞒得住他吗? 그는 십수 년래 세상을 떠돌아다닌 인간인데, 이만한 일로 그를 속여 넘길 수 있겠느냐?
〔老姜〕 lǎojiāng 명 ①〖植〗묵은 생강. ②연공(年功)을〔경륜을〕쌓은 사람. 세상 물정에 밝은 사람. ③〈比〉성격이 비뚤어진〔괴팍한〕노인. 심술쟁이 영감〔할멈〕.
〔老将(儿)〕 lǎojiàng(r) 명 ①노장. ②베테랑. →〔老手〕③〈俗〉장기의 궁(宮).
〔老交〕 lǎojiāo 명 ①오랜 교제. ②⇨〔老友〕
〔老交情〕 lǎojiāoqíng 명 오랜 친교. 오랜 친구.
〔老教门儿〕 lǎojiàoménr 명 이슬람교도. ¶～馆子; 이슬람교도가 이용하는 음식점《돼지고기를 쓰지 않음》.
〔老街坊〕 lǎojiēfang 명 오래 사귀어 온 이웃 사람.
〔老街旧邻〕 lǎo jiē jiù lín〈成〉이웃(사람). 동네 사람. ¶～, 都快预备点粮食啊, 城门关上了!《老舍 四世同堂》; 동네의 여러분, 급히 식량 준비를 하십시오. 성문이 닫힙니다! =〔老街旧坊〕
〔老姐妹儿〕 lǎojiěmèir 명 ①늙은 자매(姉妹). ②오랫동안 친밀하게 지내 온 여자들의 사이. ¶咱们可是从小儿的～; 우리들은 그야말로 어릴 적부터 단짝이다. =〔老姐儿们②〕〔老姐们儿②〕
〔老姐们儿〕 lǎojiěmenr 명 ①옛날, 하녀에 대한 경칭. =〔老姐儿们①〕〔老干gān儿〕②⇨〔老姐妹儿〕
〔老姐儿俩〕 lǎojiěrliǎ 명 같은 연배의 두 여자.
〔老姐儿们〕 lǎojiěrmen ①⇨〔老姐们儿〕②⇨〔老姐妹儿〕
〔老解放区〕 lǎojiěfàngqū 명 중화 인민 공화국 성립 이전에 해방되어, 비교적 장기간에 걸쳐서 인민 정권이 수립되어 있던 지구.
〔老经验〕 lǎojīngyàn 명 ①오랜 경험. ②베테랑. 경험이 풍부한 사람.
〔老荆儿〕 lǎojīngr 명〈謙〉늙은 아내. 노처.
〔老景〕 lǎojǐng 명 나이먹은 뒤의 처지. 늘그막의 신세. ¶～堪怜; 늘그막의 신세가 가엾다. =〔老境②〕
〔老境〕 lǎojìng 명 ①노경. 노년기. ¶渐入～; 점점 노년기에 접어들다. ②⇨〔老景〕
〔老九的兄弟〕 lǎojiǔde xiōngdì〈歇〉(형제 중에서) 아홉 번째의 다음 동생. 성실한〔착실한〕사람《'～, 老十'(열 번째)에 해당함. '老实shi'(착실하다)에 통함》.
〔老酒〕 lǎojiǔ 명〈方〉여러 해를 묵은 술이라는 뜻으로, 특히 '소흥주(紹興酒)'·'황주(黃酒)'를 이름.
〔老舅〕 lǎojiù 명 막내 외삼촌. →〔老叔(叔)①〕
〔老举〕 lǎojǔ 명〈廣〉옛날, 기녀(妓女).
〔老绝户〕 lǎojuéhù 명〈貶〉늙어서도 자식이 없는 사람《옛날에는, 후사(後嗣)가 없는 것은 최대의 불행으로 여겨졌음》. =〔老绝后〕
〔老军〕 lǎojūn 명〈文〉늙은 병사. 노병.
〔老君〕 Lǎojūn 명 노자의 존칭. ¶～庙miào; 태상 노군(太上老君), 곧 노자(老子)를 모신 사당.
〔老开〕 lǎokāi 명 ①(카드놀이의) 킹(king). =〔老K〕②댄스 홀 등에서 낭비하는 손님.
〔老墈〕 lǎokàn 명 산촌에 있는 계단밭의 높게 쌓아 올린 두렁길.
〔老客〕 lǎokè 명 단골 손님.
〔老客儿〕 lǎokèr 명 타지방 사람에 대한 존칭.
〔老客仔〕 lǎokèzǎi 명〈廣〉단골(손님).
〔老口〕 lǎokǒu 명 ①늙은 가축. ¶～牛; 늙은 소 / ～角jué色; 전문가. ②만만찮은 사람. 전문가. ¶都是～, 枪花不小; 모두가 만만찮은 사람들이라, 제법 신통한 짓을 한다. 형 (가축 따위가) 늙다.
〔老框框〕 lǎokuāngkuang 명 낡은 관습. →〔框kuàng框〕
〔老辣〕 lǎolà 형 악랄하다. 악착같다. 명 민완(敏

腕). 동 척척 일을 해내다. ¶办事～得很, 不大容易对付; 노련한 수완가라, 어지간한 보통 방법으로는 안 된다.
〔老来〕 lǎolái 명 노후(老後). ¶～俏qiào; (여자가) 나이를 먹어도 젊게 꾸미는 것. 중년의 아름다움이 있는 것 / ～少 shào; ⓐ나이 들어도 마음은 젊다. ⓑ《植》 색비름 / ～娇; 《植》 포인세티아(poinsettia).
〔老莱〕 Lǎolái 명 복성(複姓)의 하나. ¶～子zǐ; 춘추 시대 말기의 초(楚)나라의 은사(隱士).
〔老老〕 lǎolao 명 ①⇨〔姥姥〕 ②영감(노부부의, 아내가 남편을 이름). =〔老头儿②〕 →〔老伴(儿)〕〔老婆子②〕
〔老老少少〕 lǎolaoshàoshào 늙은이와 젊은이. 부모와 자식. ¶～的人真不少; 늙은이며 젊은이들이 정말 많다. →〔老少〕〔老小〕
〔老老实实〕 lǎolaoshíshí 형 대단히 성실한 모양. 얌전한 모양. →〔老实〕
〔老老太太〕 lǎolǎotàitai 명 남의 할머니에 대한 존칭. →〔老太太〕
〔老姥〕 lǎolao 명 ⇨〔姥姥〕
〔老了不在乎〕 lǎole bùzàihu 나이 들어 외양 따위는 개의(介意)치 않는다.
〔老羸〕 lǎoléi 형 〈文〉 늙어서 허약하다. 노쇠(老衰)하다.
〔老泪〕 lǎolèi 명 〈文〉 노인의 (슬픈) 눈물.
〔老例(儿)〕 lǎolì(r) 명 선례. 전례. 낡은 방법. ¶按照～; 전례대로. 선례에 따라. =〔老规矩〕
〔老脸〕 lǎoliǎn 명 ①〈罵〉 뻔뻔스러운 놈. 철면피. =〔老脸皮〕〔老面皮〕〔老皮子〕 ②(～儿) 〈謙〉 (나이 먹은 사람이 말하는) 나의 체면〔얼굴〕. ¶请看着～饶恕他吧! 이 늙은이의 얼굴을 보아서라도 그를 용서해 주게나! =〔老面子②〕 ③《劇》 특수한 분장을 하는 역(役). =〔花脸〕
〔老脸皮〕 lǎoliǎnpí 명 ⇨〔老脸①〕
〔老练〕 lǎoliàn 형 노련〔노회〕하다. ¶他办事很～, 出不了错儿; 그는 일하는 것이 매우 노련해서 틀림이 없다.
〔老两口儿〕 lǎoliǎngkǒur 명 노부부.
〔老林〕 lǎolín 명 원시림. 처녀림.
〔老琉璃〕 lǎoliúli 명 《蟲》 잠자리. =〔蚂螂〕
〔老路〕 lǎolù 명 ①옛 길. 전에 지나간 적이 있는 길. ②〈轉〉 낡은 방법. 오래 된 수단. ¶走前人失败的～; 이전 사람이 실패한 낡은 방법을 쓰다.
〔老驴〕 lǎolǘ 명 ①늙은 나귀. ②〈轉〉 노틀. 늙정이.
〔老绿〕 lǎolǜ 명 《色》 진초록.
〔老妈(儿,子)〕 lǎomā(r,zi) 명 어멈(식모. 하녀 등을 좀 가볍게 부르는 말).
〔老妈妈〕 lǎomāma 명 늙은 식모. 할멈.
〔老妈儿店〕 lǎomārdiàn 명 〈俗〉 옛날, 하녀 소개소. 식모를 알선해 주는 집. =〔老妈儿作坊〕
〔老马识途〕 lǎo mǎ shí tú 〈成〉 ①늙은 말은 길을 알고 있다. ②〈謙〉 경험자가 후진을 지도할 때 쓰는 말. ‖=〔识途老马〕
〔老马嘶风〕 lǎo mǎ sī fēng 〈成〉 늙은 말이 바람 소리를 듣고 울다(늙어도 마음은 젊다). ¶别瞧他那么大年纪, 还有点儿～呢; 그는 저 나이에도 아직 바람기가 있다구.
〔老买卖儿〕 lǎomǎimair 명 〈俗〉 유서 깊은 상점. 오래된 가게.
〔老迈〕 lǎomài 형 늙다. 늙어 빠지다. 바싹 늙다. ¶～无能; 늙어 쓸모가 없다.
〔老猫〕 lǎomāo 명 어미고양이(‘小xiǎo猫(儿)②’(새끼고양이)에 대하여 이름).
〔老毛病〕 lǎomáobìng 명 ①〈比〉 옛날 버릇. 오랜 결점. ¶他的～又犯了; 그의 오랜 버릇이 또 나타났다 / ～改不了; 오랜 버릇은 고칠 수 없다. ②〈方〉 지병(持病). ‖=〔老病儿〕
〔老毛子〕 lǎomáozi 명 〈貶〉〈北方〉 백계(白系) 러시아인.
〔老眊〕 lǎomào 명 〈文〉 눈이 부실한〔어두운〕 노인. 동명 ⇨〔老耄〕
〔老耄〕 lǎomào 동 노망하다. 망령들다. 명 80세 이상의 노인. ‖=〔老眊②〕
〔老帽(儿)〕 lǎomào(r) 명 ⇨〔怯qiè八裔〕
〔老妹妹〕 lǎomèimei 명 막내 여동생. →〔老叔(叔)①〕
〔老门槛〕 lǎoménkǎn 명 〈比〉 ①그 길에 정통한 사람. 숙련자. 베테랑. ②모든 방면의 일에 정통한 사람. 만물 박사. ③솜씨는 좋으나 품위가 없는 사람.
〔老门儿〕 lǎoménr 부 ⇨〔一yī门(儿,地)〕
〔老米〕 lǎomǐ 명 ①묵은 쌀. =〔陈chén米〕 ②누렇게 뜬 쌀.
〔老面〕 lǎomiàn 명 〈方〉 ⇨〔发fā面头〕
〔老面皮〕 lǎomiànpí 명 〈罵〉 낯가죽이 두꺼움. 뻔뻔스러움. 철면피.
〔老面子〕 lǎomiànzi 명 ①오랜 동안의 정의(情誼)〔신용〕. ②⇨〔老脸②〕
〔老命〕 lǎomìng 명 ①늙은이의 생명. 노인의 목숨. ②남은 목숨. 얼마 남지 않은 목숨. ¶拼了这条～; 이 늙은 목숨을 내던지다.
〔老谋〕 lǎomóu 명 용의주도한 계략. ¶～深算; 〈成〉 심모원려(深謀遠慮). 빈틈없이 노련하게 일을 도모함.
〔老母〕 lǎomǔ 명 노모. 늙은 어머니.
〔老母鸡〕 lǎomǔjī 명 늙은 암탉.
〔老母猪〕 lǎomǔzhū 명 한 번 새끼를 낳은 암퇘지. ¶～炮; 〈俗〉 유탄포(榴彈砲).
〔老姆酒〕 lǎomǔjiǔ 명 ⇨〔朗lǎng姆酒〕
〔老衲〕 lǎonà 명 〈文〉 노승. 늙은 중.
〔老奶奶〕 lǎonǎinai 명 ①증조모(曾祖母). ②〈敬〉 친척 중 자기보다 연장인 부인에 대한 존칭. ③〈敬〉 늙은 부인에 대한 어린이의 호칭.
〔老脑筋〕 lǎonǎojīn 명 ①케케묵은 머리〔생각〕. ②머리가〔사고 방식이〕 낡은 사람. 완고한 사람.
〔老嫩〕 lǎonèn 명 ①늙은이와 어린이. ②고목과 새싹. ③질긴 것과 연한 것(고기 따위).
〔老蔫儿〕 lǎoniānr 명 ①무뚝뚝한 사람. ②말수가 적고 굼뜬 사람. 시원시원하지 못한 사람. 행동·결단이 굼뜨고 꾸물거리는 사람.
〔老年〕 lǎonián 명 ①옛적. 옛날. ¶～的时候; 옛날 / ～的规矩; 옛 관습. =〔老年程〕 ②(60·70세 이상의) 늙은이. ¶～的人; 노인.
〔老年间〕 lǎoniánjiān 명 왕년. 옛날. ¶老头儿, 老太太最爱说～的事儿; 할아버지, 할머니는 옛날 이야기를 하는 것을 제일 좋아한다.
〔老年少〕 lǎoniánshào 명 ⇨〔老少年①〕
〔老年兄〕 lǎoniánxiōng 명 연장의 친구. 선배.
〔老年医学〕 lǎonián yīxué 명 《醫》 노인 의학.
〔老娘〕 lǎoniáng 명 ①노모(老母). 늙으신 어머니. 유모(乳母). ②〈方〉 노년 부인의 자칭(약간의 자부심이 포함됨). ¶你敢欺负～吗! 네가 감히 나를 깔볼 작정이냐!
〔老娘〕 lǎoniang 명 ①〈俗〉 산파(産婆). ②〈方〉 외조모.

〔老娘们儿〕 lǎoniángmenr 명 ①기혼 여성. ②〈貶〉 여편네. ③아내. 처. ¶他～病了; 그의 아내는 병에 걸렸다.
〔老娘娘〕 lǎoniángniang 명 ①'娘娘庙'의 아이를 점지하는 신. =〔娘娘菩萨〕 ②〈文〉 황태후.
〔老娘儿〕 lǎoniángr 명 막내 고모. =〔老姑gū(儿)〕
〔老娘儿俩〕 lǎoniángr liǎ ①두 모자(母子). ②두 모녀. ③늙은 여자와 젊은 여자의 두 사람.
〔老娘儿们〕 lǎoniángrmen 명 여자들. 부인들. ¶～事; 〈貶〉 여자들이 하는 짓거리. 〈比〉 무책임하고 신용이 없는 일.
〔老孽障〕 lǎonièzhàng 명 〈罵〉 늙다리. 늙은이.
〔老牛〕 lǎoniú 명 늙은 소. ¶～赶山; 〈歇〉 늙은 소가 산을 넘다(자신 없다. 믿음성이 없다) / ～箍gū嘴儿; 늙은 소의 입에 테를 끼우다. 〈比〉 입 다물고 말하지 않음.
〔老牛破车〕 lǎo niú pò chē 〈成〉 ①늙은 소와 부서진 수레(쓸모없는 것끼리 모여 있음). ¶～, 疙gē瘩套; 쓸모없는 잡동사니가 한데 모임. ②늙은 소가 부서진 수레를 끌다(굼뜨게 일을 하다. 전진 속도가 느리다).
〔老牛舐犊〕 lǎo niú shì dú 〈成〉 어미소가 송아지를 핥다(부모가 자녀를 애지중지 사랑함).
〔老农〕 lǎonóng 명 ①늙은 농사꾼. ②농사일에 익숙한 농군. 노련한 농부.
〔老奴(才)〕 lǎonú(cái) 명 ①늙은 종. ②〈罵〉 저 놈. 그 자식.
〔老排子〕 lǎopāizi 명 〈罵〉 완고한 늙은이. 완고한 할아범[할멈].
〔老牌(儿,子)〕 lǎopái(r,zi) 명 ①오랫동안 이름이 알려진 신용 있는 상표(商標). ②오래 된 상점(의 옥호·간판). ③연조를 쌓은 사람. 고참. 베테랑.
〔老牌压迫者〕 lǎopái yāpòzhě 오랜 동안 약자를 괴롭혀 온 자.
〔老牌殖民帝国〕 lǎopái zhímín dìguó 막강한[이름난] 식민지를 가진 제국주의 국가.
〔老派儿〕 lǎopàir 명 보수적인 사람. 또, 그 일파(一派).
〔老朋友〕 lǎopéngyou 명 ①옛 동무. 친한[오랜] 친구. ②친한 친구를 부르는 말.
〔老皮子〕 lǎopízi 명 ⇨〔老脸①〕
〔老脾气〕 lǎopíqi 명 늘 하는 버릇. 성벽(性癖). 천성. ¶～发作; 늘 하는 버릇이 나오다.
〔老婆〕 lǎopo 명 ①〈口〉 처. 마누라. 아내(흔히, 중년 이상의 사람이 씀). =〔大老婆〕 ②〈貶〉 노파.
〔老婆姐〕 lǎopójiě 명 남편보다 나이가 많은 아내. 연상의 아내.
〔老婆婆〕 lǎopópo 명 〈方〉 ①〈敬〉 할머니(늙은 부인에 대한 아이들의 존칭). ②시어머니.
〔老婆儿〕 lǎopór 명 ①할머니(노부인에 대한 친근한 호칭). ②할멈(노부부의 남편이 아내를 이름). →〔老婆子〕〔老头儿〕
〔老婆舌头〕 lǎopó shétou ①말참견. ②말전주. ¶她最爱拉～; 저 사람은 말을 퍼뜨리기를 무척 좋아한다. ③같은 이야기를 뇌고 뇌는 일.
〔老婆心〕 lǎopóxīn 명 노파심.
〔老婆子〕 lǎopózi 명 ①〈貶〉 노파. 노부인. 할망구. ¶～卖瓜màiguā; 노파가 참외를 팔다(자신의 참외가 제일 달다고 했던 데서 '아전인수(我田引水)'). =〔老婆②〕 ②할멈((노부부의) 남편이 아내를 이르는 말). ③하녀. 할멈.
〔老圃〕 lǎopǔ 명 ①오랫동안 푸성귀 농사를 짓고 있는 사람. ②채마밭. 채원(菜園). →〔老农〕
〔老谱儿〕 lǎopǔr 명 낡은 규칙. 낡은 방식. 상투수단.
〔老铺〕 lǎopù 명 대를 이어온 유명한 가게.
〔老乞婆〕 lǎoqǐpó 명 거지 할멈[노파].
〔老气〕 lǎoqì 형 〈方〉 ①어른스럽다. 노숙하다. 노련하다. ②(옷 등의 색깔이) 어둡고 침침하다. ③(복장 등이) 예스럽다. 명 노련하고 세련된 성격. 고참자인 체하는 기세.
〔老气横秋〕 lǎo qì héng qiū 〈成〉 ①나이들어 까다롭고 엄한 모양. 노인이 나이를 내세워 위세를 부리는 모양. ¶看她说起来～的! 어떠냐, 저 여자가 입을 열었다 하면 우쭐대는 꼬락서니는! →〔老声老气〕 ②젊은이가 노티를 내는 모양. 패기가 없는 모양. 생기가 없는 모양.
〔老契〕 lǎoqì 명 〈文〉 ①옛 친구. 구우. ②오래 된 계약서나 증권.
〔老千〕 lǎoqiān 명 사기꾼. ¶女～; 여자 사기꾼.
〔老千儿〕 lǎoqiānr 명 종규(鐘馗)(빨간 얼굴의 대명사처럼 쓰임). ¶喝得都成了～了; 술을 마시고 얼굴이 새빨개졌다.
〔老牵〕 lǎoqiān 명 ①옛날, 기둥서방. 뚜쟁이. ②옛날, 유곽의 주인. 포주. 창부의 본남편.
〔老悭〕 lǎoqiān 명 〈文〉 구두쇠. 노랑이.
〔老前辈〕 lǎoqiánbèi 명 ①연장자에 대한 칭호. ②〈敬〉 대선배(大先輩)(동업(同業)에서, 나이가 많고 경험이 풍부한 사람에 대한 존칭).
〔老钱〕 lǎoqián ①⇨〔满mǎn钱〕 ②⇨〔长cháng钱〕
〔老枪〕 lǎoqiāng 명 ①애연가(愛煙家). ②〈南方〉 아편 중독자.
〔老腔儿〕 lǎoqiāngr 명 거만한 태도. 거드름. ¶～拍人; 거만한 태도로 남을 위협하다.
〔老抢儿〕 lǎoqiǎngr 명 ⇨〔抢匪〕
〔老雀子〕 lǎoqiǎozi 명 ⇨〔麻雀máquè①〕
〔老俏〕 lǎoqiào 형 중년 여성의 아름다운[요염한] 모양.
〔老亲〕 lǎoqīn 명 ①늙은 부모. ②오랜 친척. ¶～旧邻; 오랜 친척과 이웃.
〔老秋〕 lǎoqiū 명 깊은 가을. 늦가을. =〔深shēn秋〕
〔老区〕 lǎoqū 명 오래 전에 해방된 지구('老解放区'의 생략).
〔老去〕 lǎoqù 동 ①해마다 나이를 먹다. ②죽다.
〔老拳〕 lǎoquán 명 ①주먹. ¶饱以～; 주먹으로 한 대 먹이다. ②노련한 솜씨.
〔老拳奉敬〕 lǎoquán fèngjìng 주먹으로 한 대 먹이다. 주먹으로 쥐어박다. ¶再不客气我就要～了; 또 까불면 주먹으로 치겠다. =〔奉敬老拳〕
〔老雀〕 lǎoquè 명 〈比〉 고참(古參). ¶在他们当中, 你不难把～和新丁分辨出来; 그들 중에서 너는 어렵지 않게 고참과 신참을 구별할 수 있다.
〔老儿〕 lǎor 명 ①노인. ②타고난 사람. …꾼. …뜨기. ¶乡下～; 타고난 촌사람. ③낡은 물건. ④남편.
〔老人(儿)〕 lǎoren(r) 명 ①노인. ②(늙은) 부모. 또는 조부모. ¶我家里有两位～儿; 우리 집에는 부모님이 건재하시다. ③⇨〔老陈人儿〕
〔老人班〕 lǎorénbān 명 노인축. 노인네들. 형 나이먹은 티가 나는 모양. ¶二十岁就人了～了; 스무 살에 벌써 노인티가 난다.
〔老人斑〕 lǎorénbān 명 (노령에 따른) 검버섯. 기미. =〔寿斑〕
〔老人家〕 lǎorenjia 명 〈口〉 ①자기 또는 남의 아

버지에 대한 일컬음. ¶你们～今年有七十了吧! 당신들의 아버님은 올해 70세가 되셨지요! ②〈敬〉노인에 대한 경칭. ¶他～; 저 어르신네 / 你～ =〔您～〕; 당신 / 他～这程子身体好啊? 그 어르신은 요즘 몸이 건강하십니까?
〔老人家儿〕 lǎorénjiar 명 오랜 집안. 구가(舊家). 대갓집. ¶那可是靠得住的～; 저 집안은 믿을 수 있는 구가다.
〔老人星〕 lǎorénxīng 명 《天》 노인성(용골자리(龍骨座) 카노푸스(Canopus)의 일컬음). 〈轉〉 장수(長壽)의 상징. 장수 노인. ¶他是这一带的～, 代表着人口昌旺与家道兴隆; 그는 이 일대의 장수 노인으로 자손 번영과 가문 번성의 대표이다. =〔南nán极老人星〕
〔老人院〕 lǎorényuàn 명 ⇨〔敬jìng老院〕
〔老弱〕 lǎoruò 형 〈文〉 나이들어 몸이 쇠약해지다〔쇠약하다〕. ¶～残兵; 〈成〉 나이들어 아무것도 할 수 없는 사람. 명 늙은이와 연소자. ¶～病残cán; 노인·허약자·병자·신체 장애자.
〔老三〕 lǎosān 명 형제 자매의 세 번째. 셋째 아들. 셋째 딸.
〔老三〕 lǎosan 동 〈俗〉 ①마구 먹다. ②마구 놀다. 노는 데 정신이 팔리다. ¶你在外头～什么呀! 너는 밖에서 무엇에 정신이 팔리고 있느냐!
〔老三点(儿)〕 lǎosandiǎn(r) 명 '吃点' '喝点' '乐点'의 세 가지(즉, 먹고 마시고 즐기는 일). ¶北京人说, 人生在世, 吃一点, 喝一点, 乐一点, ～; 베이징(北京) 사람의 말로는 인생이란 먹고 마시고 즐기는 세 가지라는 것이다.
〔老三届〕 lǎosānjiè 명 문화 대혁명(文化大革命)이 시작되던 시기인 1966～1968년에 중학·고교를 졸업한 학생.
〔老三老四的〕 lǎosān lǎosìde 노련하다. ¶他讲话总～; 그의 이야기는 대체로 노련하다.
〔老三篇〕 Lǎosānpiān 명 문화 대혁명(文化大革命) 시기에 자주 인용된 마오 쩌둥(毛澤東)의 해방 전의 세 논문(1939년의 '纪念白求恩', 1944년의 '为人民服务', 1945년 '愚公移山'의 세 편을 이름).
〔老三色〕 lǎosānsè 명 수수한 세 가지 빛깔(옷감의 남색·검은색·회색의 세 가지 빛깔).
〔老丧〕 lǎosāng 명 노인의 장례(늙어서 죽는 일).
〔老骚货〕 lǎosāohuò 명 ①여자를 좋아하는 노인의 일컬음. =〔老色鬼〕 ②〈轉〉 (여자가) 남자를 놀리는 말의 일종. ¶～! 아이 징그러운〔얄미운〕 사람! ‖ =〔老骚胡〕
〔老嫂〕 lǎosǎo 명 ①누님. ②아주머니(낯선 부인을 부르는 말).
〔老色〕 lǎosè 명 짙은 색. 수수한 색.
〔老色鬼〕 lǎosèguǐ 여자를 밝히는 노인의 일컬음.
〔老沙皇〕 Lǎoshāhuáng 명 옛 러시아 황제. 차르(tsar). =〔沙皇〕
〔老山〕 lǎoshān 명 깊은 산. ¶～老峪yù =〔～沟〕; 심산유곡(深山幽谷).
〔老山参〕 lǎoshānshēn 명 지린 성(吉林省) 라오산 산(老山)에서 나는 고려 인삼. =〔老参②〕
〔老少〕 lǎoshào 명 ①노소. 늙은이와 젊은이. =〔老幼〕〔〈文〉 童tóng叟〕 ②가족. →〔老老少少〕
〔老少年〕 lǎoshàonián 명 ①어린이 마음을 가지고 있는 노인. 건강하고 활달한 노인. =〔老年少〕 ②⇨〔雁yàn来红〕 ③애늙은이.
〔老少无欺〕 lǎo shào wú qī 〈成〉 노인에게나 어린이에게나 똑같이 대하고 절대로 속이지 않는다(옛날, 상점의 선전 문구의 하나). =〔童tóng叟无欺〕
〔老身〕 lǎoshēn 명 늙은 몸(노부인(老婦人)의 자칭).
〔老参〕 lǎoshēn 명 ①야생의 고려 인삼. ②⇨〔老山参〕
〔老生〕 lǎoshēng 명 ①《劇》 (경극(京劇)에서) 중년 이상의 명상(名相)·충신·현상(賢相)·열사·학자역 등으로 분장하는 배우(수염을 붙이므로 '胡hú子'·'须xū生'라고도 함. 노래 부르기를 주로 하며 '文～'·'武～'의 구별이 있음). ②노서생(老書生).
〔老生常谈〕 lǎo shēng cháng tán 〈成〉 노인의 세상 이야기. 늙은이의 넋두리〔푸념〕(아주 흔해 빠진 이야기. 평범한 세상 이야기. 귀에 못이 박히도록 들은 이야기).
〔老生儿〕 lǎoshēngr 명 ①막내로 태어나는 일. ¶父母专爱～的儿子; 부모는 막내 자식만을 사랑한다. ②막둥이. 막내 아들. =〔老生子〕
〔老生子〕 lǎoshēngzǐ 명 ⇨〔老生儿②〕
〔老声老气〕 lǎoshēng lǎoqì ①노인다운 목소리나 태도. ②익숙한 태도.
〔老师〕 lǎoshī 명 ①선생님. 스승. 은사. ¶他是我们的～; 그는 우리들의 선생님이시다 / 王～教我们数学; 왕선생님은 우리에게 수학을 가르친다. ②과거(科擧)에서 자기의 답안을 사열(査閱)한 시험관(자신을 '门生'이라 칭했음). ③〈文〉 사기(士氣)가 떨어진 군대.
〔老师傅〕 lǎoshīfu 명 〈敬〉 스승님. 사부님(어떤 기능에 뛰어난 늙은 사람에 대한 존칭).
〔老世交(儿)〕 lǎoshìjiāo(r) 명 세교(世交). 조상 때부터 몇 대나 이어진 친한 교제.
〔老世台〕 lǎoshìtái 명 세교(世交)가 있는 집안의 어른에 대한 경칭. =〔老世翁〕
〔老式(儿)〕 lǎoshì(r) 명형 구식(의).
〔老视眼〕 lǎoshìyǎn 명 심한 원시. 노안(老眼). =〔老花眼〕〔老光(眼)〕
〔老实〕 lǎoshi 형 ①진실〔성실〕하다. 가식이 없다. 정직〔솔직〕하다. ¶～话; 진실한〔솔직한〕 이야기 / 手不～; 손버릇이 나쁘다 / ～可靠; 정직하고 믿을 만하다 / ～主儿; 정직한 사람. 성실한 사람. ②얌전하다. 온순하다. 점잖다. ¶这孩子很～, 从来没有跟人打过架; 이 아이는 매우 얌전해서 이때까지 싸움을 한 적이 없다. ③〈婉〉 영리하지 않다. 투미하다. 우직하다. 부 천만의 말씀. 천만에. 어딜(상대방의 행동을 가로막을 때 내는 소리). ¶～不怕这一套; 천만에 그 따위 수작에는 놀라지 않는다.
〔老实巴交(儿)〕 lǎoshibājiāo(r) 〈方〉 고지식하다. 아주 올곧다. 매우 얌전하다. ¶你是～的人, 提dī防上当; 너는 고지식한 사람이니까, 속지 않도록 조심해라. =〔老实巴焦〕〔老实巴脚〕
〔老实疙瘩〕 lǎoshi gēda 〈比〉 고지식한 사람. 어수룩한 사람. 얌전하기만 하고 쓸모가 없는 사람.
〔老实气儿〕 lǎoshiqìr 명 진실한 성질. 성실성. ¶这孩子真淘气, 一点儿～都没有; 이 아이는 정말 장난꾸러기여서, 조금도 성실성이 없다.
〔老实人〕 lǎoshirén 명 ①정직하고 온후한 사람. 충실하고 훌륭한 사람. 정직한 사람. ②어수룩한 사람. ‖ =〔老实头(儿)①〕
〔老实说〕 lǎoshi shuō 솔직히 말하면. 사실대로 말하면.
〔老实头(儿)〕 lǎoshitóu(r) 명 ①⇨〔老实人〕 ②패기 없는〔무기력한〕 사람.
〔老是〕 lǎoshi 부 언제나. 늘. 언제까지나. 도무

지. 죽 내리. ¶他～那么不听话; 그는 언제나 저 모양으로 말을 듣지 않는다.
〔老手(儿)〕 lǎoshǒu(r) 명 숙련(熟練)된 사람. 베테랑. ¶开车的～; 운전의 명수 / 个中～; 그 방면의 베테랑. =〔老手旧胳臂〕〔老斫zhuó轮〕〔熟shú手(儿)〕
〔老寿〕 lǎoshòu 명 ①장수. 장생(長生). ②〈敬〉 고령자에 대한 경칭. 노인장. ③노인의 모양을 한 신상(神像). ④구식 혼례에서, 신랑 신부에 대한 축하의 인사말로, '오래오래 건강하라'의 뜻.
〔老寿星〕 lǎoshòuxing 명 ⇨〔寿星(老儿)〕
〔老书〕 lǎoshū 명 고서. 옛 사람이 쓴 책(요즈음 사람의 편저(編著)에 대한 말). =〔古gǔ书〕
〔老叔(叔)〕 lǎoshū(shu) 명 ①막내 숙부(叔父)〔삼촌〕. →〔老舅〕〔老妹妹〕〔老兄弟〕 ②중년 남자에 대한 친근한 호칭. 아저씨.
〔老熟人〕 lǎoshúrén 명 오래 전부터 친하게 지내는 사람. 이전부터 잘 알고 있는 사람.
〔老树〕 lǎoshù 명 노목(老木).
〔老鼠〕 lǎoshu 명 《動》 쥐. ¶～拉木锨 =〔大头在后头〕; ⓐ우선은 적은 일이어서 아무것도 아니나, 그 뒤에는 잇달아 큰 일이 있다. ⓑ뒷놈이 복(福)을 차지한다 / ～闸; ⓐ쥐덫. ⓑ함정. 궁지(窮地). ⓒ경찰이 잠복하고 있는 곳 / ～疮; 《醫》〈俗〉 경부(頸部) 림프선 결핵 / ～洞; 쥐구멍 / ～屎 =〔〈北方〉耗hào子屎〕; ⓐ쥐똥. ⓑ남에게 미움 받는 사람. ⓒ겉은 흙이고 나선형으로 만든 작은 화포(花砲)(불을 붙이면 불꽃을 내고 튀면서 움직임). ⓓ《植》 개구리발톱 / ～鲨; 《魚》 돌묵상어 / ～眼; 《植》 쥐눈이콩 / ～过街, 人人喊打; 〈歇〉 한길에 나온 쥐가 뭇매 맞는다(해 끼치는 자는 모든 사람들에게 미움을 산다) / ～跳秤钩; 〈歇〉 쥐가 저울고리에 뛰어오른다(자기 자랑을 하다) / ～尾儿; 국수 요리의 일종(면이 짧고 쥐꼬리 같음). =〔〈方〉耗hào子〕
〔老帅〕 lǎoshuài 명 ①고령의 원수(元帥)에 대한 애칭. ②장기의 궁(宮)을 가리킴.
〔老司务〕 lǎosīwù 명 〈南方〉 상점의 잡역부(雜役夫).
〔老死〕 lǎosǐ 부 어디까지나. 무슨 일이 있어도. 끝까지. ¶～不肯妥协; 어디까지나 타협하지 않다 / ～不放他; 무슨 일이 있어도 그를 놓아 주지 않는다.
〔老死不相往来〕 lǎo sǐ bù xiāng wǎng lái 〈成〉 언제까지나 서로 왕래하지 않고 관계를 갖지 않다. 서로 고립되어 있다. ¶人总不能～; 사람은 아무래도 서로 왕래하지 않고 지낼 수는 없다.
〔老死凿儿〕 lǎosǐzáor 형 성질이 비뚤어지다. 완고해서 융통성이 없다. 명 보수적이고 완고한 사람.
〔老四件〕 lǎosìjiàn 명 자전거 · 재봉틀 · 라디오 · 손목시계의 네 가지 물건.
〔老宋体〕 lǎosòngtǐ 명 ⇨〔宋体(字)〕
〔老叟〕 lǎosǒu 명 노인. 늙은이. →〔老媪ǎo〕
〔老俗戏〕 lǎosúxì 명 통속극. 모두가 친숙한 연극.
〔老宿〕 lǎosù 명 〈文〉 노대가(老大家).
〔老太监〕 lǎotàijiàn 명 ⇨〔宦huàn官①〕
〔老太婆〕 lǎotàipó 명 할머니. 노부인.
〔老太太〕 lǎotàitai 명 〈敬〉 ①노마나님(하인이 주인의 어머니를 가리키는 말). ②자당(남의 어머니에 대한 경칭). ③할머님. 노부인(노부인에 대한 존칭). ④자친(慈親)(남에게 자기의 어머니나 장모 또는 시어머니를 말할 때의 경칭).
〔老太爷〕 lǎotàiyé 명 〈敬〉 ①나리(하인이 주인의 아버지를 가리키는 말). ②춘부장(남의 아버지에 대한 경칭). ③노인에 대한 존칭. ④남에게 자기 아버지나 장인 또는 시아버지를 말할 때의 경칭.
〔老态〕 lǎotài 명 ①늙은이의 모습. ②옛 모습. →〔故gù态〕
〔老态龙钟〕 lǎo tài lóng zhōng 〈成〉 나이 들어 동작이 자유롭지 못한 모양〔둔해지는 모양〕.
〔老汤〕 lǎotāng 명 닭 · 오리 · 돼지고기 등을 여러 번 삶은 진한 국물.
〔老饕〕 lǎotāo 명 대식가(大食家).
〔老套(子)〕 lǎotào(zi) 명 흔히 있는 방법. 상투 수단. 낡은 수법.
〔老天〕 lǎotiān 명 ①하늘. ②하늘의 신(神). 천신(天神). ¶～不负苦心人; 〈諺〉 하늘은 스스로 돕는 자를 돕는다.
〔老天爬地〕 lǎo tiān pá dì 〈成〉 노인의 활발하지 못한〔굼뜬〕 동작. ¶这是～, 走一丈算一丈, 以后的事谁也不敢保险; 이것은 늙다리 소의 산 오르기나 매한가지로, 한 걸음 한 걸음 해 나아가, 그 후 어찌 될 것인지 아무도 보증할 수 없다. =〔老天拔地〕
〔老天爷〕 lǎotiānyé 명 ①하늘의 신. ¶～饿不死瞎雀儿; 〈諺〉 하늘은 앞못보는 참새를 굶겨 죽이지는 않는다(하늘은 무심치 않다) / ～有眼; 〈成〉 하늘에는 눈이 있다(하늘이 다 보고 있다). ②태양. 감 세상에. 맙소사. ¶我的～! 오 하느님! 이것 참! 이것 큰일났네! =〔天爷〕
〔老…头〕 lǎo…tóu 노인에 대한 호칭. ¶老龚头; 공(龔)씨. 공(龔)할아버지.
〔老头皮〕 lǎotóupí 명 머리.
〔老头儿〕 lǎotóur 명 ①노인. 늙은이. ②영감. 할아범(좀 나이 많은 남편을 일컬음). ③〈方〉〈俗〉 아버지. 아버님(남의 아버지 또는 자기의 아버지에 대한 속칭).
〔老头(儿)乐〕 lǎotóu(r)lè 명 ①'痒yǎng痒挠儿'(효자손)의 별칭(등을 긁는 데 쓰는 기구). ②〈方〉 특히 두껍게 솜을 두어 만든 방한화. →〔棉mián鞋〕
〔老头儿鱼〕 lǎotóuryú 명 《魚》 '鮟鱇ānkāng'(아귀)의 통칭.
〔老头子〕 lǎotóuzi 명 ①노인. 노인장. 할아범(공손치 않은 말투의 호칭). ②통속적으로 나이 많은 남자에 대한 칭호. ③두목. 두령. 보스(단체 · 결사 따위의 우두머리). ④〈俗〉 남편. 영감(늙은 남편을 이를 때 쓰임).
〔老秃翁〕 lǎotūwēng 명 대머리 노인.
〔老外〕 lǎowài 명 〈方〉〈俗〉 ①문외한(門外漢). 풋내기. 초심자. ②외국인. ③시골뜨기. 촌뜨기(북경 사람이 타지방 사람을 바보 취급하여 이르는 말).
〔老顽固〕 lǎowángu 명 벽창호. 고집통이.
〔老亡八〕 lǎowángba 명 〈罵〉 늙은이. 늙정이. 늙다리.
〔老王卖瓜〕 lǎowáng màiguā 〈歇〉 왕서방이 자기 참외가 제일 달다며 팔다(자화자찬하다. '自卖自夸'가 이어지기도 함).
〔老问题〕 lǎowèntí 명 (미해결의) 현안(懸案).
〔老翁〕 lǎowēng 명 ①〈文〉 할아버지. 노옹(老翁). ②남의 아버지에 대한 경칭.
〔老挝〕 Lǎowō 명 《地》 라오스(Laos)(수도는 '万wàn象'(비엔티안: Vientiane)).
〔老倭瓜〕 lǎowōguā 명 《植》〈方〉 호박. →〔南nán瓜〕
〔老窝〕 lǎowō 명 소굴. 보금자리.

〔老物〕 lǎowù 명 ⇨〔老东西〕
〔老西儿〕 lǎoxīr 명 구두쇠 산시(山西) 사람(산시성(山西省) 사람을 경멸하여 이름). ¶那家铺子是～开的; 저 가게는 산시 사람이 하고 있다. =〔西老①〕〔山shān西老〕
〔老锡儿〕 lǎoxīr 명《鳥》〈方〉콩새.
〔老喜丧〕 lǎoxǐsāng 명 호상(好喪)(고령으로 죽은 경우의 장례를 경사스러운 일처럼 치름).
〔老戏〕 lǎoxì 명 구극(舊劇).
〔老细〕 lǎoxì 명〈南方〉후원자. 패트론(patron). ¶由一位～独资经营; 한 후원자가 단독의 자본으로 경영하고 있다.
〔老先生〕 lǎoxiānshēng 명〈敬〉노선생(老先生). 선배(연장(年長)의 자기보다 높은 지위에 있는 사람에 대한 존칭).
〔老弦〕 lǎoxián 명 호궁(胡弓)이나 거문고의 굵은 줄.
〔老(贤)侄〕 lǎo(xián)zhí 명 ①젊은이에 대한 애칭. ②친구의 아들을 부르는 칭호.
〔老乡〕 lǎoxiāng 명 ①동향(同鄕) 사람. ¶听你的口音, 咱们好像是～; 당신의 말투를 듣고 있자니, 동향 사람 같군요. ②동향 사람을 친근하게 부르는 말. ③시골 사람을 친근하게 부르는 말. ④낯선 농민을 친근하게 부르는 말. ¶经常向～请教; 늘 농민에게서 가르침을 받다. ⑤늙은 농부. ‖ =〔老乡亲〕
〔老相好〕 lǎoxiānghǎo 명 옛 친구. 오래 된 친구. 구면(舊面). =〔老相识〕
〔老相〕 lǎoxiàng 명 얼굴이 나이에 비해 늙어 보이는 일. 형 늙수그레하다. 늙직하다. 늙어 보이다.
〔老小〕 lǎoxiǎo 명 ①늙은이와 어린이. ¶～们! 여러분! ②가족. ③〈南方〉사내아이.
〔老小孩儿〕 lǎoxiǎoháir 명 마음이 젊은 노인. ¶你可真是个～, 六十多岁了, 还跟孩子一起在地上爬; 당신 정말로 마음이 젊은 사람이군. 예순이 지나도 여전히 자식과 함께 밭일을 하고 있으니.
〔老小子〕 lǎoxiǎozi 명〈罵〉늙은이. 늙정이.
〔老姓〕 lǎoxìng 명 만 족(滿族)이나 멍구 족(蒙古族)의 본래의 성. 구성(舊姓)(만 족이나 멍구 족(蒙古族)의 성은 지나치게 길기 때문에, 한 족(漢族)식으로 요약해서 부르는 '汉hàn姓'에 대하여 이름).
〔老兄〕 lǎoxiōng 명 ①〈敬〉노형. 당신(동배에 대한 경칭). ¶～几时到的? 언제 왔습니까? ②나(동생에 대한 형의 자칭).
〔老兄弟〕 lǎoxiōngdi 명 ①막내 동생. ②연하의 친구의 호칭(친근하게 이르는 말).
〔老熊〕 lǎoxióng 명 ①늙은 곰. ②〈轉〉무능한 사람. ¶～头;〈罵〉얼간이 노인네.
〔老羞成怒〕 lǎo xiū chéng nù〈成〉부끄러운 나머지 화를 내다.
〔老朽〕 lǎoxiǔ 형 ①노후되어 있다. 낡다. ②늙어 빠지다. 망령들다. ¶昏庸～; 나이들어 망령이 들다. 노쇠하여 멍청해지다 / ～无能; 늙어 빠져 쓸모없다. =〔朽迈〕 명 우로(愚老). 늙은이(노인의 겸칭).
〔老许〕 lǎoxǔ 형 많은. ¶花了～钱; 많은 돈을 썼다.
〔老学究〕 lǎoxuéjiū 명 ①노서생(老書生). ②완고한 학자. 고루한〔세상 물정을 모르는〕 노서생.
〔老丫头〕 lǎoyātou 명 ①부모가 막내딸을 부르는 애칭. ②나이가 지긋한 하녀〔식모〕.
〔老鸦〕 lǎoyā 명《鳥》까마귀. =〔乌鸦〕
〔老腌瓜〕 lǎoyānguā 명 ⇨〔越yuè瓜〕
〔老腌儿〕 lǎoyānr 형 오래 담근〔절인〕. ¶～咸xián菜; 묵은 김치. 짠지 / ～的鸡子儿; 오래 소금에 절인 달걀. 명 소금에 절인 오리알이나 달걀. ¶夏天天热吃不下油腻, 有俩～下酒就很不错; 여름은 더워서 기름진 음식은 먹을 수 없고, 절인 오리알 두세 개 안주삼아 술을 마시는 것은 아주 괜찮다.
〔老眼光〕 lǎoyǎnguāng 명 옛날 그대로의 눈. 낡은 안목. ¶别拿～看人; 선입견으로 사람을 보아서는 안 된다.
〔老眼昏花〕 lǎoyǎn hūnhuā 노안으로 눈이 침침하다.
〔老厌物〕 lǎoyànwù 명〈罵〉늙정이. 늙다리.
〔老羊皮〕 lǎoyángpí 명 털이 거칠고 가죽이 두꺼운 하치 양피.
〔老样(儿,子)〕 lǎoyàng(r,zi) 명 ①종래의 형식. ②구식. 고풍. 유행에 뒤떨어진 식. ¶～的衣服; 유행에 뒤진 옷. ↔〔时样儿〕 ③본래의 모습. 그 모양 그 꼴. ¶他总是那付～; 그는 여전히 그 모습이다 / 你还是～; 너는 여전히 그대로이군.
〔老妖〕 lǎoyāo 명 도깨비. 요괴.
〔老谣(车)〕 lǎoyáo(chē) 명 유언비어를 퍼뜨리는 사람. 터무니없는 말을 하는 사람. ¶你别信他那～了; 그의 터무니없는 말을 믿어서는 안 된다.
〔老要猖狂, 少要稳〕 lǎo yào chāngkuáng, shào yào wěn〈諺〉노인은 거만해야 하고, 젊은이는 온순해야 한다.
〔老鹞鹰〕 lǎoyàoyīng 명《鳥》매.
〔老爷〕 lǎoye 명 ①주인·윗사람에 대한 일반적인 호칭. ②아내가 남편을 일컫는 말. ¶我家～; 우리 집 주인〔양반〕/ 您家～; 댁의 주인 어른. ③〈方〉(외)할아버지(외조부에 대한 호칭). ④〈敬〉관리에 대한 경칭. 나리(현재는 풍자의 뜻으로도 쓰임). ¶～思想; 봉건적인 사상. ⑤〈敬〉관우(關羽)에 대한 존칭. ⑥노인. ¶～队; 노년 팀.
〔老爷班儿〕 lǎoyébānr 명 양반님네들(다소 경멸의 뜻으로 이름).
〔老爷兵〕 lǎoyébīng 명 양반 군대(호강스럽고 안일하게 지내 온 군대).
〔老爷车〕 lǎoyéchē 명〈南方〉①고물차. 낡아서 손 볼 데가 많은 차. ②낡은 기계.
〔老爷们儿〕 lǎoyémenr 명 ①〈俗〉사나이. 남자. ②남편. ¶她～在外地做卖买; 그녀의 남편은 외지에서 장사를 한다.
〔老爷庙〕 lǎoyemiào 명 관우(關羽)를 모신 사당.
〔老爷儿〕 lǎoyér 명〈方〉①〈俗〉해님. ¶晒～; 볕을 쬐다 / ～地里晒暖儿shàinuǎnr; 양지에서 볕을 쬐다. ②외조부.
〔老爷儿地〕 lǎoyérdì 명 양지. 볕이 잘 드는 곳. ¶你把这件衣裳在～里晒shài一晒; 너 이 옷을 양지에 널어 말려라. =〔日rì头地儿〕〔太tài阳地(儿)〕
〔老爷儿俩〕 lǎoyér liǎ ①두 부자(父子)〔부녀(父女)〕. ②연상의 남자와 연하의 남자의 두 사람.
〔老爷爷〕 lǎoyéye 명 ①증조부(曾祖父). ②〈敬〉할아버지(아이들의 노인에 대한 존칭).
〔老爷子〕 lǎoyézi 명〈方〉①아버님. =〔父fù亲〕 ②노인네. 노인장.
〔老叶子烟儿〕 lǎoyèziyānr 명 묵은 잎담배(오래되어 맛이 쓴 잎담배). 형〈轉〉지독하다. 큰일이다. 야단났다. ¶我的～, 雨下得真厉lì害; 야단났다. 비가 정말 몹시 오네. 감〈轉〉가벼운 기쁨을 나타냄. ¶哎哟, ～您可来了! 어머, 고마워라.

당신 오셨군요! / ～, 这篇论文可写完了; 이제 됐다. 이 논문도 다 썼다 / 他这病居然好了, 我的～, 关东杆儿! 그의 병도 이제 좋아졌다. 잘 됐다. 잘 됐어. ‖ =〔老爷子烟儿〕
〔老一辈〕 lǎoyībèi 명 전세대(前世代). 한대 전의 세대. ¶～人; 전세대의 사람 / 过去～艺人, 差不多都没念过书; 과거 구세대의 연예인들은 거의 학문을 한 적이 없다.
〔老一套〕 lǎoyitào 명 ①케케묵은 방식. 틀에 박힌 것. 상투적 수법. ¶以～方式对待对方也是枉wǎng然的; 낡은 방식으로 상대에게 대해 보았자 소용이 없다. ②(전부터 입에 오르내리는) 상투적인 말. ¶'民主'是～, 说话容易, 实际做起来难; '민주' 라는 말은 오래된 상투어이지만, 말은 쉬워도 실제로 하자면 어렵다. ③인습에 젖음. ‖ =〔老套〕
〔老姨(儿)〕 lǎoyí(r) 명 막내 이모.
〔老鹰〕 lǎoyīng 명《鳥》①매. ②솔개. ¶～不吃窝下食; 〈諺〉 솔개는 둥우리 근처에 있는 것은 먹지 않는다(악인은 제 고장을 파손하지 않음).
〔老茔地〕 lǎoyíngdì 명 조상 전래의 묘지. 선영(先塋).
〔老营〕 lǎoyíng 명 ①(옛날, 군대·산적·비적의) 주둔지. 근거지. 본거지. ②(～儿) 〈比〉 주거지. 의지처. ¶大家都出去逛去了, 就剩我一个守～了; 모두들 놀러 나가 버리고 나만 집을 지키게 남겨 놓았다.
〔老油子〕 lǎoyóuzi 명 ①〈貶〉 교활한 놈. 노회(老獪)하고 만만치 않은 사람. 닳고 닳은 사람. 산전수전 다 겪은 사람. 세상 물정에 밝은 사람. ¶他是个～, 谁也骗不了他; 그는 만만치 않은 인간이라 속일 수 없다 / 他那样的～, 还能吃得了亏? 그와 같은 닳고 닳은 인간이 손해를 볼 리가 있습니까? / 他是个走南闯北的～; 그는 여기저기 떠돌아다닌 닳고 닳은 사람이다. →〔京jīng油子〕 ②(어떤 일에 관한) 전문가. ‖ =〔老油杓儿〕〔〈南方〉 老油条〕〔老囮子〕
〔老友〕 lǎoyǒu 명 옛 친구. 친한 친구. =〔老交②〕〔故gù友①〕〔旧jiù友〕
〔老有所依〕 lǎoyǒu suǒ yī 노인에게는 의지할 데가 있다.
〔老幼〕 lǎoyòu 명 ⇨〔老少shào①〕
〔老于〕 lǎoyú 〈文〉…에 뛰어나다〔밝다〕. ¶～世故; 세상 물정에 밝다.
〔老鱼〕 lǎoyú 명 ①오래 묵은 물고기. 〈比〉 산전수전 다 겪은 자. ¶～不上钩; 〈諺〉 오래 묵은 물고기는 낚시에 걸리지 않는다(세상을 아는 사람은 달콤한 말에 넘어가지 않는다). ②《魚》 방어.
〔老玉米〕 lǎoyùmi 명《植》 옥수수. =〔玉米〕
〔老妪〕 lǎoyù 명 〈文〉 노년의 부인. 할머니.
〔老峪〕 lǎoyù 명 〈文〉 깊은 산골짜기. 심산 유곡(幽谷).
〔老鸢〕 lǎoyuān 명 ⇨〔鸢①〕
〔老冤〕 lǎoyuān 명 오래 된 억울한 죄. 숙원(宿冤).
〔老鼋〕 lǎoyuán 명 ①⇨〔鼋鱼〕 ②〈比〉 오쟁이진 놈. 아내의 간음을 묵인하는 남자. ③〈罵〉 무기력한 놈. 바보 자식. 병신새끼.
〔老远〕 lǎoyuǎn 형 ①아주 멀다. ¶走了～; 아주 멀리까지 걸었다. ②아주 옛날이다. 훨씬 전이다.
〔老在行〕 lǎozàiháng 명 전문가.
〔老凿子〕 lǎozáozi 명 〈京〉 지나치게 열중하는 사람. 열광자. 애호가. ¶他是听戏的～, 什么戏好请教他没错儿; 그는 연극에 미친 사람이니까, 어떤 연극이 좋은지 물어 보면 틀림이 없을 것이다 / 你真是吃辣子的～; 너는 정말 고추 먹는 데 도사구나.
〔老早〕 lǎozǎo 부 훨씬 전에. 벌써. 명 조조. 이른 아침. ¶～巴夜; 〈方〉 이른 아침.
〔老贼〕 lǎozéi 명 〈罵〉 ①제기랄. 우라질. ②영감태기.
〔老掌柜的〕 lǎozhǎngguìde 명 ①나이먹은 지배인. ②지배인의 아버지를 이름.
〔老丈〕 lǎozhàng 명 〈古白〉〈敬〉 ①노인장. 할아버지. 늙으신네(노인에 대한 경칭). ②연장자에 대한 경칭. 귀하.
〔老丈人〕 lǎozhàngrén 명 ①⇨〔岳yuè父〕 ②〈罵〉 바보.
〔老账〕 lǎozhàng 명 ①옛날 빚. 오래 된 채무. ②〈比〉 지나간 옛 일.
〔老招牌的〕 lǎozhāopáide 명 노포(老鋪).
〔老者〕 lǎozhě 명 ①나이 든 남자. 노인. ②〈敬〉 할아버지. 노인장.
〔老着脸皮〕 lǎozhe liǎnpí ①뻔뻔스럽게. 철면피하게. ¶～干gàn; 뻔뻔스럽게 굴다. 강심장으로 나오다. ②눈 딱 감고. 작정을 하고. ‖ =〔老着面皮〕
〔老直〕 lǎozhí 형 성실하고 정직하다.
〔老直理〕 lǎozhílǐ 명 ①움직일 수 없는〔확고한〕 도리〔이치〕. ②융통성 없는 억지. ¶爱说一股～; 자주 억지를 쓰다.
〔老主顾〕 lǎozhǔgù 명 오랜 단골 손님. =〔老照顾主儿〕
〔老主意〕 lǎozhǔyì 명 ①이전부터의 생각·계획. ②명확한 방침. ¶还是照～办; 역시 명확한 방침에 따라 하자.
〔老准(儿)〕 lǎozhǔn(r) 명 변함 없는 기준. 일정한 기준.
〔老拙〕 lǎozhuō 명 〈謙〉 쓸모 없는 늙은이. 우로(愚老).
〔老资格〕 lǎozīge 명 ①풍부한 직장 경력. 상당한 경력. ¶摆～; 선배티를 내다. ②경력이 풍부한 사람. ¶要讲办教育, 他可是个～; 교육 사업에 있어서, 그는 대선배이다. ③베테랑. 고참.
〔老子〕 Lǎozǐ 명 ①《人》 노자(주(周)나라 때의 사상가. 초(楚)나라 출신. 도가(道家)의 시조. 성은 이(李), 이름은 이(耳), 자는 백양(伯陽), 휘(諱)를 담(聃)이라 함). =〔老聃〕 ②《書》 노자가 저술한 책. =〔(老子)道德经〕 ⇒ lǎozi
〔老子〕 lǎozi 명 ①〈口〉 아버지. ¶有什么～有什么儿子; 〈諺〉 그 아버지에 그 자식 / ～英雄, 儿好汉; 아비가 영웅이면 자식도 호한이다 / ～娘 =〔娘老子〕; 양친. 부모. 아버지와 어머니. ②본인. 이 어르신네(거드름 피우며 자칭하는 말로 보통 노할 때나 농담할 때 씀). ¶～天下第一; 나는 천하의 제일인자 / 当～当惯了; 독불 장군이 다 되어 있다 / ～党; 두목의 당(최고 권위를 자칭하는 당이라는 뜻으로, 소련 공산당의 자칭). ⇒ Lǎozǐ
〔老字号〕 lǎozìhao 명 ①노포(老鋪). 오래 된 전통 있는 상점. ②신용이 있는 가게.
〔老总〕 lǎozǒng 명 ①총재. 총지배인. 지배인. ②〈敬〉 옛날, 군인 또는 경관을 일컫던 존칭. ③〈敬〉 중국 인민 해방군의 고급 간부에 대한 존칭(흔히, 성(姓) 뒤에 붙여서 씀).
〔老祖儿〕 lǎozǔr 명 ①선조. 조상(조부모 이상의 조상의 일컬음). ②증조.

〔老祖宗〕 lǎozǔzōng 명 ①조상(祖上). ②원조(元祖).

佬 lǎo (로)
명 〈貶〉 어른. 성년의 남자(경멸의 뜻이 있으며 남자에게만 씀). ¶阔～; 부자 / 美国～; 미국놈. 양키.

姥 lǎo (로)
→〔姥姥〕〔姥鲨〕 ⇒mǔ

〔姥姥〕 lǎolao 명 ①〈口〉 외조모. 외할머니. ②〈方〉 산파. ‖ =〔老老①〕〔老娘〕〔老娘niang〕

〔姥鲨〕 lǎoshā 명 《魚》 돌묵상어.

栳 lǎo (로)
→〔栲kǎo栳〕

铑(銠) lǎo (로)
명 《化》 로듐(Rh: rhodium)(금속 원소).

簩 lǎo (로)
→〔箬kǎo簩〕

潦 lǎo (료)
①명 물 웅덩이. ②명 장마비. ③형 (비가) 세차다. ⇒liáo

络(絡) lào (락)
〈口〉 뜻은 '络luò'와 같음. ⇒luò

〔络子〕 làozi 명 ①실로 엮은 그물〔그물 주머니〕. ②실패.

烙 lào (락)
동 ①다림질을 하다. ¶～衣裳; 옷을 다리다. ②소인〔낙인〕을 찍다. ③(전병 따위를) 쇠냄비에 굽다. ⇒luò

〔烙饼〕 làobǐng 명 밀전병(북방 사람이 상식(常食)함). (lào,bǐng) 동 '饼'을 굽다.

〔烙葱花儿猪油饼〕 làocōnghuār zhūyóubǐng 명 밀가루 반대기에 돼지기름을 바르고, 다진 파를 넣어 얇게 밀어서 철판에 구운 것.

〔烙红〕 làohóng 동 (다리미 따위를) 벌겋게 달구다.

〔烙煳〕 làohú 동 눌리다. 눋게 하다.

〔烙花〕 lào,huā 동 인두로 부채살 · 빗 · 파초선(芭蕉扇) 및 그 밖의 목제 가구 등에 여러 가지 무늬를 새기다. =〔烫tàng花〕

〔烙火印〕 lào huǒyìn 낙인을 찍다.

〔烙焦〕 làojiāo 동 눋게 하다. 눌리다. =〔烙煳〕

〔烙开〕 làokāi 동 다림질하여 주름을 펴다.

〔烙平〕 làopíng 동 다리미로 다려 판판하게 하다.

〔烙铁〕 làotie 명 ①다리미. ¶电diàn～; 전기 다리미. ②납땜 인두.

〔烙铁印儿〕 làotieyìnr 명 ①낙인. ②어린이 머리형의 하나(정수리 부위에 앞이 좁고 뒤가 넓은 다리미 모양으로 머리를 남겨 놓는 머리형).

〔烙衣裳〕 làoyīshang →〔字解①〕

〔烙印〕 làoyìn 명 낙인. 소인(燒印). ¶加盖～; 소인〔낙인〕을 찍다.

落 lào (락)
특수한 구두어(口頭語)에만 쓰임. →〔落儿〕〔落架〕〔落子〕 ⇒là luō luò

〔落白事〕 lào báishì 상(喪)을 당하다.

〔落褒贬〕 lào bāobian 동 비판을 받다. 비난을 받다.

〔落不是〕 làobùshi 동 ①책망을 듣다. 잔소리를 듣다. ②나쁜 결과가 되다. 난처하게 되다.

〔落地砸坑儿〕 làodì zákēngr 부 〈北方〉 아무래도. 결국(값 따위의 마지막 한계점 · 방법으로서의 마지막 한 가지를 나타냄). ¶这件事, ～只有这么办了; 이 일은 아무래도 이렇게 할 수밖에 없겠다.

〔落黑(儿)〕 làohēi(r) 명 황혼 때. 해질녘. ⇒luòhēi(r)

〔落架〕 lào,jià 동 〈方〉 ①집이 무너지다. ¶再下雨, 这间房子要～; 더 이상 비가 오면 이 집은 무너질 것이다. ②〈轉〉 집이 몰락하다.

〔落炕〕 lào,kàng 동 〈方〉 중병으로 기동을 못할 상태가 되다. 몸져눕다. ¶这病已经～了, 怕没多大指望; 이 병은 이미 기동을 못할 지경이 되었으니, 아마도 별로 가망이 없을 것 같다.

〔落埋怨〕 lào mányuan 원망당하다〔듣다〕. 불평을 듣다.

〔落名誉〕 lào míngyu 명예를 얻다.

〔落儿〕 làor 명 〈口〉 ①⇨〔落lào子③〕 ②(상업상의) 재미. ¶有～; 재미가 있다. ⇒luòr

〔落忍〕 làorěn 형 〈方〉 안쓰럽게 생각지 않다. 마음이 편하다(흔히, 부정형으로 쓰임). ¶您这个周旋劲儿的, 叫我太不～; 이렇게 돌보아 주셔서 대단히 송구스럽습니다.

〔落色〕 lào,shǎi 동 빛이 바래다. =〔走颜色〕〔掉diào色〕〔退tuì色〕〔落颜色〕

〔落头〕 làotou 명 〈北方〉 이익. 수입. ¶这回结账, 多少总有些～; 이번 결산에서는 필시 다소의 이익은 있다 / 这里头～不少; 여기에는 적지 않은 소득이 있다.

〔落屋〕 làowū 집〔방〕에 자리잡고 안정하다. ¶他不到吃饭和睡觉的时节, 很少～了; 그는 밥을 먹거나 잘 때가 아니면 좀처럼 집에 오지 않는다.

〔落闲话〕 lào xiánhuà 남의 입에 오르내리게 되다.

〔落枕〕 lào,zhěn 동 ①《漢醫》 수면중에 체위 이상(體位異常)으로 목 · 어깨 부분이 결리고 아프다. ②베개를 베다. ¶因白天太劳累, 晚上～就着; 낮에 너무 피곤했기 때문에, 밤에 베개를 베자마자 잠들었다.

〔落子〕 làozi 명 ①〈方〉 속곡(俗曲)의 일종(북방(北方)에서 '莲花落'(거지들이 흔히 불렀던 일종의 속곡)을 읊은 것을 '唱～'이라 함). ②《劇》 '评剧'의 구칭. ③〈口〉 생활상의 안정. 생계(生計) 수단. 생활의 방도. 일정한 직업(구체적으로 금전 · 재물을 가리키며, '有' '没有'의 뒤에서만 쓰임). ¶没有～; 빈곤하다 / 有～; 재물을 풍부히 갖고 있다. =〔落儿①〕 ⇒luòr

〔落子馆〕 làoziguǎn 명 〈北方〉 일종의 대중 연예장.

〔落作(儿)〕 làozuō(r) 동 〈北方〉 ①요리사가 미리 요리를 준비하여 두다. ②〈轉〉 미리 계획하다. 사전에 준비하다.

酪 lào (락)
명 ①소 · 양 등의 젖을 반응고시킨 유제품. ¶酸奶～; 요구르트 / 干～; 치즈. ②과실을 삶아 잼 모양으로 만든 것. ¶山查～; 산사자〔아가위〕 잼 / 核hé桃～; 호두잼. ③진한 젖 모양의 것. ④술 종류.

〔酪氨酸〕 lào'ānsuān 명 《化》 티로신(tyrosine).

〔酪干儿〕 làogānr 명 우유를 끓인 뒤 볶아 만든 치즈 비슷하고 단 식품.

〔酪精〕 làojīng 명 《化》 카세인(casein). 건락소(乾酪素).

〔酪乳〕 làorǔ 명 (치즈 원료인) 버터 밀크.

〔酪朊〕 làoruǎn 명 《化》 카제인(casein). =〔酪蛋白〕〔酪精〕〔酪素〕〔干gān酪素〕〔干酪质〕
〔酪酥〕 làosū 명 ①유제품(乳製品)《치즈 따위》. ②《植》 '茄子'(가지)의 별칭.
〔酪素〕 làosù 명 《化》 카세인(casein).
〔酪酸〕 làosuān 명 ⇨〔丁dīng酸〕

涝(澇) lào (로) ①동 물에 잠기다. ②동 (논밭의 작물이) 물에 잠기다. 침수되다. ¶雨下~了; 비로 농작물이 물에 잠겼다/防~; 침수를 막다/庄稼~了; 농작물이 침수되었다. ↔〔旱hàn〕 ③명 논밭에 고인 물. ¶排~; 고인 물을 배출하다. 배수하다.
〔涝池〕 làochí 명 (비·홍수에 의한) 못. 습지(濕地).
〔涝刮〕 làoguā 동 습한 바람이 불다.
〔涝害〕 làohài 명 관수해(冠水害).
〔涝坏〕 làohuài 동 (논밭의 작물이) 물에 잠겨 못 쓰게 되다.
〔涝漫〕 làomàn 동 침수(浸水)되다.
〔涝年头儿〕 làoniántóur 명 비가 많은 해.
〔涝死〕 làosǐ 동 ①(농작물이) 물에 잠겨 죽다. ②익사(溺死)하다.
〔涝天〕 làotiān 명 계속 비가 오는 날씨. 장마철.
〔涝洼地〕 làowādì 명 ①저습지(低濕地). ②저습지의 논밭.
〔涝雨〕 làoyǔ 명 장마비.
〔涝灾〕 làozāi 명 수해(水害).
〔涝朝〕 làozhāo 명 〈文〉 짙은 안개가 낀 아침.
〔涝渍〕 làozì 동 홍수로 물에 잠기다.

唠(嘮) lào (로) 동 〈方〉 지껄이다. 잡담하다. 말하다. ¶~给你听; 네게 들려 주마. ⇒láo lao
〔唠扯〕 làochě 동 〈方〉 지껄이다. 잡담하다. →〔聊liáo天(儿)〕
〔唠喀(儿)〕 lào.kē(r) 동 ⇨〔唠嗑(儿)〕
〔唠嗑(儿)〕 lào.kē(r) 동 〈方〉 수다떨다. 잡담하다. ¶昨天我跟他唠了会儿嗑; 어제 그와 잠시 잡담했다/没事就几个人在一块儿~; 일이 없으면 몇 사람이 모여서 수다를 떤다. =〔唠喀(儿)〕

耢(耮) lào (로) ①명 버들가지 따위로 엮은 갈퀴의 일종《농기구》. =〔耱mò〕〔盖gài〕 ②동 (위의 갈퀴로) 논밭의 흙을 고르게 하다.

嫪 lào (로) 인명용 자.

唠(嘮) lao (로) 조 〈方〉 어기사(語氣詞). ¶真要走~, 可怎么办? 정말로 가야 하는데, 어떻게 하면 좋으냐? →〔了le〕 ⇒láo lào

LE ㄌㄜ

肋 lē (륵) →〔肋脦〕 ⇒lèi
〔肋脦〕 lēde〔lēte〕 형 (의복이) 단정치 못하다. 청결치 못하다. 불결하다. ¶瞧你穿得这个~! 네 이 칠칠치 못한 옷 매무새 좀 봐라!

嘞 lē (륵) →〔嘞嘞〕 ⇒lei
〔嘞嘞〕 lēle 동 〈方〉 수다떨다. 잔소리하다. 시끄럽게 떠들다. ¶瞎~; 쓸데없이 떠들다/你穷~什么? 너 뭘 쓸데없이 헛소리만 지껄이는 거야?/少~两句行不行? 좀 그만 지껄일 수 없니?

仂 lè (륵) 명 〈文〉 끝수. 나머지수.
〔仂语〕 lèyǔ 명 《言》 구(句). 연어(連語). =〔词组〕

艻 lè (륵) →〔萝luó艻〕

叻 Lè (륵) 명 《地》〈簡〉 싱가포르. ¶~埠bù =〔石~〕; 싱가포르《'화교(華僑)'의 용어》/~元; 싱가포르 달러. →〔新Xīn加坡〕

玏 lè (륵) →〔瑊jiān玏〕

泐 lè (륵) 동 〈文〉 ①돌이 (결에 따라) 쪼개지다. ②(편지를) 쓰다. 적다. ¶手shǒu~; 손수 쓰다/名另~; 이름은 따로 적는다. ③새기다. 조각하다. =〔勒lè⑤〕
〔泐此〕 lècǐ 〈翰〉 이에 편지를 써서 아룁니다《편지의 맺음말》. =〔手此〕

勒 lè (륵) ①명 (말의) 재갈. ¶金鞍玉~; 황금 안장에 옥 재갈. =〔马勒〕 ②동 제어(制御)하다. 제지하다. 고삐를 잡아당겨 멎게 하다. ¶悬崖~马; 〈成〉 낭떠러지에 이르러 말고삐를 잡아채다《위험에 직면해서야 정신을 차리고 돌아서다》. ③동 억지로 시키다. 강제하다. ¶~令; ⇓/~派; ⇓ ④동 통솔하다. 인솔하다. ¶亲~六军; 육군을 친히 거느리다/整~兵马; 〈成〉 군대를 통솔하다. ⑤동 〈文〉 조각(彫刻)하다. ¶~石; 돌에 (글자를) 새기다. ⑥동 눈을 부릅뜨다. ⑦동 치켜올리다. ¶~起嗓子喊; 소리를 치켜올려 고함을 지르다. ⑧명 《物》〈簡〉 럭스(lux)《조명 단위》. ⇒lēi
〔勒板〕 lèbǎn 명 《機》 스트리퍼(stripper)《편칭 머신의 일부로, 바닥에 붙어 있는 판》.
〔勒碑〕 lè.bēi 동 ⇨〔勒石〕
〔勒逼〕 lèbī 동 강박하다. 무리하게 강요하다. 압박하다.
〔勒兵〕 lè.bīng 동 ①군대의 행진을 제지하다. 진군을 막다. 군대를 억제하다. ②군사의 대오를 정돈하고 점검하다.
〔勒草〕 lècǎo 명 《植》 한삼덩굴. =〔葎lǜ草〕
〔勒差〕 lèchāi 동 강제로 복무시키다.
〔勒充兵役〕 lè chōng bīngyì 〈文〉 병역에 복무하도록 강제하다.
〔勒传〕 lèchuán 동 강제로 소환하다.
〔勒催〕 lècuī 동 강경하게〔무리하게〕 재촉하다.
〔勒光〕 lèguāng 동 갈아서 광택을 내다. =〔辊gǔn光〕
〔勒交〕 lèjiāo 동 ①《商》 인도(引渡)를 강요하다. ②양도(讓渡)를 강요하다.
〔勒借〕 lèjiè 동 무리하게 빌리다. 강제로 빌리다.
〔勒拘〕 lèjū 동 강제로 구금하다.
〔勒捐〕 lè.juān 동 강제적으로 세금을 내게 하다.
〔勒克斯〕 lèkèsī 양 《物》〈音〉 럭스(lux)《조명 단

위). =〔米烛光〕〔勒⑧〕
〔勒令〕 lèlìng 동 강제적으로 하게 하다. 억지로 …시키다. ¶～交还; 강제적으로 반환시키다.
〔勒掠〕 lèlüè 동 강탈〔약탈〕하다.
〔勒马〕 lè mǎ 〈文〉 고삐를 당겨 말을 멈추게 하다. ¶～悬崖xuányá =〔悬崖～〕; 〈成〉 일보 직전에서 위험을 모면하다.
〔勒命〕 lèmìng 동 강제(強制)하다. 엄명(嚴命)하다.
〔勒派〕 lèpài 동 강제로 할당하다. ¶～军捐; 군사 과세를 강제로 할당하다.
〔勒迫〕 lèpò 동 강박(強迫)하다.
〔勒散〕 lèsàn 동 강제로 해산시키다.
〔勒石〕 lè,shí 동 돌에 글자를 새기다. (비석 등의) 돌을 파서 새기다. =〔勒碑〕
〔勒收〕 lèshōu 동 강제로 빼앗다〔거두다〕.
〔勒赎〕 lèshú 동 (사람·포획선(捕獲船) 등의) 몸값·대상(代償)을 강요하다. 인질을 잡고 무리하게 받아 내다.
〔勒税〕 lèshuì 동 무거운 세금을 과하다.
〔勒索〕 lèsuǒ 동 강탈하다. 강제로 빼앗다. 조르다. 강요하다. 공갈해서 빼앗다. 우려내다. ¶～信; 협박장. =〔勒赚〕
〔勒吐精〕 lètǔjīng 명 《化》 락토겐(lactogen).
〔勒衔〕 lèxián 동 말고삐를 잡아당기다. →〔勒马〕
〔勒限〕 lèxiàn 동 무리하게 기한을 정하다. ¶～十天; 10일 기한을 정하다.
〔勒小〕 lèxiǎo 동 바싹 죄다.
〔勒休〕 lèxiū 동 휴직을 명하다. ¶勒令休职; 휴직을 명하다.
〔勒抑〕 lèyì 동 협박하여 값을 내리게 하다.
〔勒诈〕 lèzhà 동 ⇨〔讹é诈〕
〔勒竹〕 lèzhú 명 ⇨〔簕竹〕
〔勒住〕 lèzhù 동 ①만류하다. 말리다. ②억류하다.
〔勒追〕 lèzhuī 동 억지로 돈을 내게 하다. 금품을 강요하다. 후리다.

簕 lè (락)
→〔簕竹〕

〔簕竹〕 lèzhú 명 《植》 〈廣〉 대의 일종(가시가 돋쳐 있음). =〔勒竹〕

鳓(鰳) lè (륵)
명 《魚》 준치. ¶～鲞; 햇볕에 말린 준치. =〔鲙鱼〕〔快鱼〕〔白鳞鱼〕〔曹白鱼〕

乐(樂) lè (락)
①(～儿, ～子) 명 즐거움. 쾌락. ② 형 즐겁다. 유쾌하다. 기쁘다. ¶欢～; 즐겁다. 유쾌하다 / ～不可支; ⇩ / ～得了liǎo不得; 기뻐 죽겠다. ③ 동 〈京〉 웃다. 싱글벙글하다. ¶你～什么? ⓐ무엇이 즐거우냐? ⓑ왜 웃느냐? / 逗人～; 사람을 웃기다. ④ 동 즐기다. 좋아하다. ¶～眼前; 눈앞의 일을 즐기다 / ～于助人; 남을 돕기를 좋아하다. ⑤ 명 성(姓)의 하나. ⇒yào yuè
〔乐邦〕 lèbāng 명 《佛》 낙토(樂土). 안락한 나라. 서방 극락 세계. =〔乐国〕〔乐郊〕〔乐土〕
〔乐不可支〕 lè bù kě zhī 〈成〉 좋아서 어찌할 바를 모르다. 기쁘가 그지없다.
〔乐不思蜀〕 lè bù sī Shǔ 〈成〉 즐기느라 고향에 돌아가는 것을 잊다. 안락하여 돌아갈 것을 잊다(촉한(蜀漢)이 멸망한 후에 후주(後主)인 유선(劉禪)이 낙양에 옮겨 살았는데, 어느 날 사마소(司馬昭)가 그에게 촉나라를 생각하느냐고 묻자 '此间乐, 不思蜀'라고 대답했다는 고사에서 나옴). =〔乐而忘返〕
〔乐处〕 lèchù 명 즐거운 곳. 즐거운 일.
〔乐此不倦〕 lè cǐ bù juàn 〈成〉 ⇨〔乐此不疲〕
〔乐此不疲〕 lè cǐ bù pí 〈成〉 즐거워서 어떤 일을 하는 데에도 피로한 줄을 모르다. =〔乐此不倦〕
〔乐从〕 lècóng 동 따르기를 원하다. 기꺼이 따르다. 기꺼이 하다.
〔乐道〕 lèdào 동 ①칭찬하다. 평판이 좋다. ¶最为影迷所～; 영화 팬에게 가장 평이 좋다. ②기꺼이 이야기하다. 이야기하기를 좋아하다. ¶津津～; 흥미진진하게 이야기하다. ③웃으며 …하다. 우스워서 …하다. ¶～闭不上嘴; 우스워서 입이 다물어지지 않다 / ～弯下腰; 우스워서 허리를 꺾(고 웃)었다.
〔乐得〕 lède ①기꺼이〔즐겁게〕 …하다. …하는 편이 낫다. …하는 편이 속이 편하다. ¶～作好人; 기꺼이 남에게 잘해 주다 / ～偷tōu懒; 꾀부리고 게으름 피우는 편이 낫다 / 政府既然决定了我们就～漂亮点; 정부가 정한 이상, 우리로서는 이 기회에 깨끗하게 행동하는 편이 낫다. ②자연히 좋은 형편이 되다. …하기에 안성마춤이다. …하지 말라는 법도 없다. ¶～人财两进《紅樓夢》; 돈과 사람이 함께 굴러 들어오는 꼴이 된다 / 现在正是好机会, 您～托人办一办; 지금은 마침 좋은 기회인데, 당신이 다른 사람에게 부탁해서 처리하지 말라는 법도 없다.
〔乐颠了馅儿了〕 lèdiānle xiànrle 아주 좋아하다. 기뻐서〔좋아서〕 어찌할 바를 모르다.
〔乐而忘返〕 lè ér wàng fǎn 〈成〉 ⇨〔乐不思蜀〕
〔乐疯〕 lèfēng 동 기뻐 어찌할 바를 모르다.
〔乐哥子〕 lègēzi 명 낙천가(樂天家). 만사 태평한 사람. =〔乐鸽子〕〔乐格子〕
〔乐观〕 lèguān 명형 낙관(하다). 낙관적(이다). ¶过于～; 지나치게 낙천적이다 / ～主义; 낙관주의. 낙천주의. 옵티미즘(optimism) / ～主义者 =〔～家〕; 낙천가. 옵티미스트(optimist). ↔〔悲bēi观〕
〔乐国〕 lèguó 명 ⇨〔乐邦〕
〔乐果〕 lèguǒ 명 《農》 로고르(rogor). 디메소에이트(dimethoate)(농약의 이름. 홍거미·진디 등의 방제에 쓰임). =〔氧yǎng化乐果〕
〔乐哈哈(的)〕 lèhāhā(de) 형 (기뻐서) 싱글벙글하는 모양.
〔乐呵〕 lèhē 형 즐겁다. ¶心里～透了; 마음이 온통 들뜨다.
〔乐呵呵〕 lèhēhē 형 기뻐하는〔즐거워하는〕 모양.
〔乐和〕 lèhe 형 〈方〉 즐겁다. 행복하다(주로 생활의 행복을 가리킴). ¶日子过得挺～; 생활이 매우 쾌적하다. 동 즐겁게 하다. 즐기다.
〔乐坏〕 lèhuài 동 우스워 못 견디게 되다. 기뻐서 어쩔 줄 모르게 되다.
〔乐祸〕 lèhuò 명 즐거움과 재앙. 동 남의 재앙을 기뻐하다. →〔幸xìng灾乐祸〕
〔乐极生悲〕 lè jí shēng bēi 〈成〉 낙(樂) 끝에 비애가 생긴다. 낙이 있으면 고생이 있다. 낙은 고통의 씨앗. =〔福fú过灾生〕 ↔〔苦kǔ尽甜来〕〔否pǐ极泰来〕
〔乐劲儿〕 lèjìnr 명 좋아하는 모습. 기뻐하는 모습. ¶看他那～! 그의 저 기뻐하는 모양이라니!
〔乐境(乡)〕 lèjìng(xiāng) 명 안락한 경지·처지·낙천지.
〔乐捐〕 lèjuān 동 기꺼이 기부하다. 쾌히 의연금을 내다. 희사하다. =〔乐助〕 명 옛날, 가무 음곡을

업으로 하는 자, 또는 기생 집의 영업세.
〔乐趣〕 lèqù 명 즐거움. 기쁨.
〔乐群〕 lèqún 형 ①사교적이다. 사귐성이 좋다. ②동료와 함께 있기를 좋아하다.
〔乐儿〕 lèr 명 ①즐거움. 놀이. ¶多么大~呀! 얼마나 즐거운 일이냐! / 我以为听戏倒是~; 나는 연극을 보는 것이 정말 즐거움이라고 생각한다. = 〔乐子①〕 ②어떤 일에 의하여 일어나는 웃음. ¶他说的话真招~; 그의 이야기는 정말로 사람을 웃긴다.
〔乐融融(的)〕 lèróngróng(de) 형 화기애애한 모양. ¶~的晚会; 화기애애한 야회(夜會).
〔乐山乐水〕 lè shān lè shuǐ 〈成〉 산수를 즐기다.
〔乐善〕 lèshàn 동 자선 사업을 즐거이 하다. 선행을 즐겨 하다.
〔乐善好施〕 lè shàn hào shī 〈成〉 선행을 좋아하다. 자선 사업을 즐겨 하다.
〔乐生〕 lèshēng 동 생(生)을 즐기다. 생활을 즐기다.
〔乐施〕 lèshī 동 희사하기를 즐기다. →〔乐善〕
〔乐事〕 lèshì 명 즐거운 일.
〔乐输〕 lèshū 동 〈文〉 ①납세(納稅)를 자원하다. ②기꺼이 기부(寄附)하다. 희사(喜捨)하다.
〔乐岁〕 lèsuì 명 〈比〉 풍년.
〔乐陶陶〕 lètáotáo 형 〈文〉 한가롭고 즐거운 모양.
〔乐天〕 lètiān 동 천명을 즐기다. ¶~知命; 〈成〉 천명을 즐기고 분수를 지키다. 형 〈轉〉 낙천적이다. 태평스럽다. ¶你老是这么~; 너는 늘 태평이구나.
〔乐天派〕 lètiānpài 명 낙천가. 낙천주의자.
〔乐土〕 lètǔ 명 ⇨〔乐邦〕
〔乐纹儿〕 lèwénr 명 웃을 때 생기는 주름. ¶看看他的脸上, 连点儿~都没有; 보십시오. 그의 얼굴에는 웃음기도 없어요.
〔乐闻〕 lèwén 동 듣기를 원하다. ¶愿听~; 듣기를 원하다.
〔乐嘻嘻(的)〕 lèxīxī(de) 형 기뻐서 싱글벙글하는 모양. 기뻐서 히죽히죽하는 모양.
〔乐洋洋(的)〕 lèyángyáng(de) 형 즐거움에 가득 찬 모양. ¶~的空气; 즐거움에 가득 찬 분위기.
〔乐业〕 lèyè 동 즐겁게 일을 하다. 각자 그 직분을 즐기다. ¶安居~; 분수를 지키고 각자 맡은 바 일을 즐겨 하다.
〔乐一天是一天〕 lè yītiān shì yītiān 하루하루 되는 대로 살아가다. 아무런 계획도 없이 그냥 살아가다.
〔乐意〕 lèyì 동 ①…하고 싶어하다. (…하는 것을) 기쁘게 생각하다. ¶~吃啥就吃啥; 먹고 싶은 것은 무엇이든지 먹는다. ②만족해하다. 즐기다. 기뻐하다.
〔乐用〕 lèyòng 명동 애용(하다). ¶蒙各界人士~; 여러분의 애용을 입다. 여러분이 애용해 주시다.
〔乐于〕 lèyú 부 …을 기뻐하다. 기꺼이 …하다. ¶~吃苦; 기꺼이 고생하다 / ~助人; 기꺼이 남을 돕다 / 这也是他们所~搜集的; 이것도 그들이 기꺼이 수집한 것이다.
〔乐与往还〕 lè yǔ wǎnghuán 〈文〉 기꺼이 남과 교제하다.
〔乐育〕 lèyù 동 〈文〉 교육하는 것을 즐거움으로 삼다. 인재 육성을 즐거움으로 삼다. ¶~英才; 즐거이 영재를 교육하다.
〔乐园〕 lèyáun 명 낙원.
〔乐助〕 lèzhù 동 자발적으로 돕다. 기꺼이 돕다.
〔乐滋滋〕 lèzīzī 형 기뻐서 어쩔 줄을 모르는 모양.
〔乐子〕 lèzi 명 〈方〉 ①즐거운 일. 즐거움. ¶出去找个~; 나가서 재미있는 일을 찾다. ②우스개. 농담. 웃음거리(남의 재난을 좋아하는 뜻도 포함됨). ¶闹了场~, 十分有趣; 한바탕 우스운 일이 벌어져서, 정말 재미있었다 / 你丢脸, 人家瞧~; 자네가 흉한 꼴을 보이면 남들의 웃음거리가 된다.

了 le (료)

조 ①벌써 …하다(실제 이미 발생한 동작이나 변화를 나타냄). ¶我学~三年的中国语; 나는 3년간 중국어를 공부했다. ②…하면, …하고 나서(예정되거나 가정적인 동작을 나타냄). ¶毕~业以后, 是要进医科大学的了; 졸업한 다음에는 의과 대학에 들어가려고 한다. ③…이 되다. …한. …의 상태로 된. …이 되어 그 상태로 있다(새로운 상태의 실현·발생·사정의 변화의 완성, 또 그 결과의 존속을 나타냄). ¶他来~; 그가 왔다 / 中年~的老婆; 중년이 된 마누라. ④…하여(다음으로 계속되는 어기(語氣)를 나타냄). ¶孔乙己着~慌伸开五指将碟子罩住; 공을기(孔乙己)는 당황하여 다섯 손가락을 펴서 접시를 꽉 싸 덮었다. ⑤주의·희망·명령을 나타내는 문장에 강의적(強意的)으로 쓰는 말. ¶老爷, 饶~我吧; 나리, 용서하십시오. ⑥…이다(단정·강조·긍정 따위를 나타내는 어기사(語氣詞)). ¶那就不用说~; 그것은 필요도 없다 / 再好没有~; 그 이상 좋은 것은 없다 / 别提~; 말도 마라. ⑦(…~…~) 어떤 상태로 완성되었음을 나타내는 말(문장으로서 완결되고 뒤에 계속되는 어기(語氣)를 갖지 않음). ¶我吃~饭~; 나는 밥을 먹었다(지금 막 먹었다. 벌써 먹어 버렸다). ⑧일부의 단음사(單音詞)의 뒤에 놓여 복음사화(複音詞化)함으로써 다음에 이어지는 말과의 관계를 두드러지게 함. ¶你快拿~去吧; 너는 빨리 가지고 가거라 / 为~实现和平…; 평화를 실현하기 위하여…. ⑨사물을 열거할 경우 쓰이는 조사. ¶衣裳~, 鞋~, 帽子~什么都有; 의복이라든가, 신발이라든가, 모자라든가, 무엇이든지 다 있다. ⇒ liǎo
〔-了去〕 -lequ 접 (동사·형용사의 뒤에 두고) 어떤 결과·상태에 계속하여, 또는 저항 없이 진행됨을 나타내는 접미사. ¶只好让企业倒闭或者由大资本家合并~; 기업이 도산하는 대로 버려 두거나 또는 대자본가가 합병하도록 두는 수밖에 도리가 없다.

饹(餎) le (락)

→〔饸hé饹〕

LEI ㄌㄟ

勒 lēi (륵)

동 ①(끈으로) 졸라매다. 단단히 묶다. ¶把行李~上; 짐을 단단히 묶다 / ~了一个印; 묶은 자국이 남다 / 背包带太紧, ~得慌; 배낭끈이 너무 팽팽해서 몹시 죈다. ②절약하다. 검약하다. ③문지르다. 닦다. ¶用手巾~一~身上的水; 수건으로 몸의 물기를 닦아 내다. ⇒ lè
〔勒巴〕 lēibā 동 단단히 묶다. ¶腿上~着好些绳子;

넓적다리 위를 새끼로 꼭 매다.
〔勒毙〕 lēibì 통 ⇨〔勒死①〕
〔勒脖子〕 lēi bózi (옷깃 따위로) 목이 죄다.
〔勒肚带〕 lēidùdài 명 복대(腹帶). 통 (말의) 복대(腹帶)를 죄다.
〔勒脚〕 lēijiǎo 명 《建》 주춧돌. 초석(礎石).
〔勒紧〕 lēijǐn 통 ①단단히 묶다[조르다]. ¶～裤kù带 =〔～腰带yāodài〕; ⓐ허리띠를 졸라매고 분기하다. ⓑ〈比〉 시장한 것을 참다. ②고삐를 세게 당기다.
〔勒揹〕 lēikèn 통〈方〉 ①구속하다. 단단히 졸라매다. 꼼짝달싹 못 하게 하다. 억지로 밀어 붙이다. ¶一条条不合理的法令～得人喘不过气来; 불합리한 법령의 한 조목 한 조목에 얽매여서 숨도 쉴 수 없다 / 这世道快把人～死了; 이 세상 꼴은 사람을 졸라 죽일 것만 같다 / 这孩子竟～人; 이 아이는 사람을 졸라대고만 있다 / 你别～我了; 너 나를 괴롭히지 마라. ②떨떠름해하다. 선뜻 …하지 않다. 꾸물거리다. ‖ =〔勒悬〕〔撇揹〕〔累揹〕
〔勒破〕 lēipò 통 베어 찢다. 죄어 망가뜨리다.
〔勒伤〕 lēishāng 명 묶여서 생긴 찰과상. 통 묶여서 상처가 나다.
〔勒上〕 lēishang 통 단단히 묶다. ¶把行李～; 짐을 단단히 묶다.
〔勒死〕 lēisǐ 통 ①교살하다. =〔勒毙〕 ②매듭을 풀 수 없을 정도로 단단히 매다.

累(纍) léi (루)
① 형 귀찮다. 번거롭다. 성가시다. ¶～赘; ⇩ / 给别人添～; 남에게 폐를 끼치다 / 路上带着这么个行李, 真是个～; 길에서 이런 짐을 지고 다니기란 정말 번거롭다. ② 명 〈文〉 굵은 밧줄. ③ 통 묶다. ④ 형 서로 연결되어 있는. ⑤ 통 감기다. ⑥ 명 성(姓)의 하나. ⇒lěi lèi
〔累累〕 léiléi 형 ①실의(失意)한 모양. ¶～若丧家之狗; 실망함이 상갓집 개와 같다. =〔儡儡〕 ②초췌해지고 피로한 모양. ¶丧容～; 야위고 지쳐서 단정한 자세를 잃다. =〔儡儡〕 ③쌓아올린 모양. ¶负债～; 빚이 산더미이다. ④연이어 꿰어 있는 모양. 주렁주렁한 모양. ¶果实～; 과일이 주렁주렁하다. ⇒lěilěi
〔累囚〕 léiqiú 명 감옥에 갇힌 죄수. 부로(俘虜). 포로.
〔累息〕 léixī 〈文〉 ①숨을 죽이고 조용히 하다. ② 민심이 위축되다. ‖ =〔累气〕
〔累绁〕 léixiè 명 〈文〉 포승(捕繩). 〈轉〉 옥중(獄中). ¶幽于～; 옥중에 유폐(幽閉)되다.
〔累赘〕 léizhui 형 ①(사물이) 어수선하다. 성가시다. 부담스럽다. (문장이) 장황하다. ②들어 나르는 데 불편하다. 번거롭다. 달라붙어 귀찮다. ¶带孩子去, ～极了! 아이를 데리고 가는 일은 아주 귀찮은 일이다! 통 매달리다. 휘감다. 귀찮다. ¶被孩子～住; 아이에게 거추장스럽게 얽매이다. 명 번거로운 것. 성가신 일. ‖ =〔累堆〕〔累坠〕

蔂 léi (라, 류)
명 〈文〉 흙을 담는 그릇. =〔蘽②〕

嫘 léi (루)
인명용 자(字). ¶～祖Léizǔ; 누조《황제(黃帝)의 정비(正妃)로, 처음으로 백성에게 양잠(養蠶)을 가르쳤다 함》.
〔嫘萦〕 léiyíng 명 《紡》 〈音〉 레이온(rayon). =〔雷虹hóng〕

缧(縲) léi (류)
명 포승(捕繩). ¶～绁xiè; ⓐ포승. ⓑ〈轉〉 감옥.

檑 léi (루)
명 〈文〉 황소. =〔公gōng牛〕

卟 léi (뢰)
명 《化》 포핀(porphin)《네 개의 피롤(pyrrole)환(環)》. =〔卟吩bǔfēn〕

雷 léi (뢰)
명 ①천둥. 번개. 우레. ¶打～; 천둥치다 / 一个～天下响; 〈比〉 소문이 온 세상에 전해지다. ②(군사용의) 폭파 병기. ¶地～; 지뢰 / 布～ =〔埋～〕; 지뢰를 부설하다[묻다] / 扫～; 지뢰를 제거하다. ③성(姓)의 하나.
〔雷暴〕 léibào 명 《氣》 천둥. 우레《때때로 비 또는 우박을 동반함》.
〔雷暴雨〕 léibàoyǔ 명 뇌우(雷雨). 천둥을 수반하는 소나기.
〔雷奔〕 léibēn 통 〈比〉 세차게 달리다.
〔雷鞭〕 léibiān 명 번개. 번갯불
〔雷部〕 léibù 명 우레를 맡은 여러 신(神).
〔雷陈〕 Léi Chén 〈比〉 우정(友情)이 두터움《동한(東漢)의 뇌의(雷義)와 진중(陳重)의 고사(故事)에서 유래》.
〔雷池〕 Léichí 명 《地》 옛날, 안후이 성(安徽省) 왕장 현(望江縣)에 있었던 강. 〈轉〉 일정한 범위. 한계. ¶不敢越～一步; 〈比〉 한계를 한 발짝도 넘으려 하지 않다.
〔雷达〕 léidá 명 〈音〉 레이더(radar). 전파 탐지기. ¶～手; 레이더 조종사 / ～网; 레이더 망 / ～跟踪; 레이더 추적 / 导航～; 항행용 레이더. =〔无wú线电定位(器)〕〔无线电探测器〕
〔雷打〕 léidǎ 통 〈比〉 깜짝 놀라다.
〔雷打不动〕 léi dǎ bù dòng 〈成〉 ①의지가 굳어 흔들리지 않다. 무슨 일이 있어도 꿈쩍도 않다. ②(협정 · 결정 등이) 무슨 일이 있어도 변경할 수 없다.
〔雷电〕 léidiàn 명 우레와 번개. 뇌전(雷電).
〔雷动〕 léidòng 통 우렛소리와 같이 울려 퍼지다. ¶～掌声; 우레 같은 박수 / 欢迎的人群发出了～的欢呼声; 환영하는 군중은 우레와 같은 환호성을 올렸다.
〔雷斧〕 léifǔ 명 석기 시대의 돌도끼 또는 돌망치. =〔雷斧石〕 통 번개의 도끼로 바위를 뚫다. 〈比〉 산이나 바윗돌들이 기묘하게 구멍이 뚫려 있는 모양.
〔雷公〕 Léigōng 명 천둥의 신(神). 뇌신(雷神). ¶～打豆腐, 拣软的欺; 〈歇〉 뇌신이 두부를 치는 것과 같이, 약한 자를 괴롭히다.
〔雷汞〕 léigǒng 명 《化》 뇌홍. 뇌산 수은《기폭제로 쓰임》. =〔雷酸水银〕〔雷汞水〕〔雷酸汞〕
〔雷鼓〕 léigǔ A) 명 ①뇌고. 8면의 북(일설에는 6면)《옛 악기의 하나. 고대에 천신(天神)에게 제사 지낼 때에 쓴 것》. ②뇌명(雷鳴). 우렛소리. B) ⇨〔擂鼓〕
〔雷管〕 léiguǎn 명 뇌관《화약의 점화, 폭약의 기폭(起爆)에 쓰이는 발화구(發火具)》. =〔底dǐ火②〕
〔雷害〕 léihài 명 우레에 의한 피해. 벼락 피해.
〔雷虹〕 léihóng 명 〈音〉 레이온(rayon). 인조견사. ¶～绸; 레이온 제(製)의 천 / ～缎; 레이온 수자직(繻子織) / ～洋缎; 레이온 양단 / ～绉纱; 레이온 크레이프 / ～剪绒; 레이온 벨벳 / ～充剪绒; 레이온 벨베틴 / ～丝织物; 레이온 직물 / ～

细毛绒; 레이온 저지 / ～急巴甸绒; 레이온 개버딘. =〔累萦〕〔嫘萦〕〔缧萦〕〔人rén造丝〕
〔雷击〕 léijī 명동《氣》낙뢰(落雷)(하다). 형 명성(名聲)이 떨쳐지는 모양. 동 ①벼락을 내리다. 큰 소리로 남을 욕하다. ②(어뢰 등으로) 적함을 치다.
〔雷殛〕 léijí 동〈文〉①벼락 맞아 사람이 죽다. ②우레가 사물을 파괴하다.
〔雷巾〕 léijīn 명 도사(道士)의 관(冠).
〔雷克雅未克〕 Léikèyǎwèikè 명《地》레이캬비크(Reykjavik)《'冰bīng岛'(아이슬란드: Iceland)의 수도》.
〔雷厉风行〕 léi lì fēng xíng〈成〉①맹렬하고 빠른 모양. 맹렬한 기세로 진행하는 모양. ②(정책·법령의) 시행이 엄격하고 신속함. ¶～地一办, 盗案竟自没有了; 엄격하고 신속하게 했더니, 절도 사건은 자연히 없어졌다.
〔雷米封〕 léimǐfēng 명《藥》하이드라지드(hydrazide).
〔雷名〕 léimíng 명 ①뇌명. 고명(高名)《남의 성명 또는 명예에 대한 경칭》. ②세상에 널리 알려진 명성.
〔雷鸣〕 léimíng A) 명 ①뇌성. ¶雷声隆隆; 천둥소리가 우르르 나다. =〔雷声〕 ②〈比〉소리가 큼. ¶掌声～; 박수 소리가 요란하다〔우레와 같다〕. B) (léi míng) 천둥치다.
〔雷姆〕 léimǔ 명《物》렘(rem).
〔雷鸟〕 léiniǎo 명《鳥》뇌조. ¶～属; 뇌조속(屬). =〔岩雷鸟〕
〔雷霹〕 léipī 동 ①낙뢰(落雷)하다. 벼락치다. ②벼락맞다. 벼락맞아 죽다. ‖=〔雷劈〕
〔雷普塔〕 léipǔtǎ 명〈音〉레프타(Lepta)《그리스의 보조 통화 단위 이름. 100'～'가 '德dé拉克马'(드라크마)》. =〔雷波顿〕
〔雷蜞〕 léiqí 명《蟲》푸젠(福建)의 바닷가 논에 살며, 모양은 지렁이 비슷한 붉은 벌레로, 길이 2,30센티, 벼 뿌리에 붙어 삶. =〔稻dào根虫〕
〔雷闪〕 léishǎn 동 번개가 번쩍하다. 명 번갯불. ¶～交作; 우렛소리와 번갯불이 번갈아 일어나다.
〔雷射光〕 léishèguāng 명〈音義〉레이저 광선.
〔雷神〕 léishén 명 뇌신(雷神). 천둥. 우레. =〔雷公〕〔雷师〕〔雷兽〕〔雷祖〕
〔雷声(儿)大, 雨点(儿)小〕 léishēng(r) dà, yǔdiǎn(r) xiǎo〈歇〉천둥 소리만 요란하고 빗방울은 작다《구호만 요란하고 실제의 행동이 따르지 않다》.
〔雷叹〕 léitàn 동〈文〉매우 슬퍼하다. 큰 소리를 내어 한탄하다.
〔雷霆〕 léitíng 명 ①우레의 세찬 소리. 천둥. ②천둥 소리와 같이 목소리가 크고 우렁참. 〈比〉격노. ¶大发～; 몹시 화내다 / ～之怒; 격렬한 분노.
〔雷霆火炮〕 léitíng huǒpào ①격노하는 모양. ②화를 잘 내는 모양.
〔雷霆万钧〕 léi tíng wàn jūn〈成〉위력이 큼. 매우 큰 힘. 굉장한 힘. ¶我百万雄师下江南, 以～之势, 横扫敌人残余军队; 우리측 백만의 정병이 강남으로 내려가, 당해 낼 수 없는 기세로 적의 남은 군대를 소탕하였다.
〔雷同〕 léitóng 동 뇌동하다. 무분별하게 공명(共鳴)하다.
〔雷头风〕 léitóufēng 명 대갈(大喝)함. 느닷없이 큰 소리로 꾸짖음. ¶给他个～; 그를 호되게 한번 꾸짖다. 그에게 벼락이 떨어지다. =〔擂头风〕〔下马威〕
〔雷丸〕 léiwán 명《植》뇌환. 대뿌리에 생기는 균(菌)의 일종《약용》. =〔雷实〕
〔雷雨〕 léiyǔ 명 뇌우. ¶～云yún =〔积jī雨云〕;《天》쌘비구름. 적란운.
〔雷阵雨〕 léizhènyǔ 명 천둥을 수반한 소나기.
〔雷震〕 léizhèn 동 천둥 소리가 울려 퍼지다.
〔雷芝〕 léizhī ⇨〔荔lì枝〕
〔雷子〕 léizi 명〈俗〉사복(私服)한 공안 경찰.

擂 léi (뢰)

동 ①(북채로) 북을 두드리다〔치다〕. ¶～鼓; ⇩ / 自吹自～; 〈成〉자화자찬 하다. ②갈아서 가루를 만들다. 갈아 으깨다. ¶～钵; ⇩ ③두드리다. 주먹으로 때리다. ¶～了一拳; 주먹으로 한 대 때렸다 / ～拳跳脚; 주먹으로 손바닥을 치고, 발을 구르며 분해하다. ⇒lèi
〔擂钵〕 léibō 명 물건을 갈거나 빻는 유발(乳鉢). 절구. 철확. =〔擂盆〕
〔擂槌〕 léichuí 명 (약을 가루로 으깨는) 막자.
〔擂鼓〕 léi gǔ 북을 두드리다〔치다〕. ¶～三通tòng; 북을 세 번 두드리다 / ～筛shāi锣; 북을 두드리고 징을 치다. 〈轉〉크게 떠벌리는 모양. =〔雷鼓B)〕
〔擂门〕 léi,mén 동 세게 문을 두드리다.
〔擂盆〕 léipén 명 ⇨〔擂钵〕
〔擂沙团〕 léishātuán 명〈南方〉'汤tāng团'(삶은 경단)을 설탕 친 팥고물을 묻힌 식품. →〔元yuán宵②〕
〔擂丝〕 léisī 명 ⇨〔滚gǔn花〕
〔擂丝刀〕 léisīdāo 명 ⇨〔滚gǔn花刀〕
〔擂碎〕 léisuì 동 갈아 으깨다.
〔擂头风〕 léitóufēng 동 별안간 호통을 치다. 느닷없이 버럭 소리치다. ¶给一顿～; 별안간 야단치다.
〔擂碗〕 léiwǎn 명 작은 절구〔철확〕.
〔擂砖〕 léi,zhuān 동〈文〉걸식(乞食)하다《벽돌로 가슴을 치면서 걸식한 데서》.

檑 léi (뢰)

→〔檑木〕
〔檑木〕 léimù 명 뇌목. 큰 통나무《옛날에, 쳐들어오는 적을 향해 성벽 위에서 굴려 떨어뜨렸음》.

礌〈礧〉 léi (뢰)

① 명 옛날, 전쟁시 성벽(城壁)에서 투하(投下)하여 적을 격퇴시키던 돌. =〔礌石〕 ② 동〈文〉공격하다.
〔礌石〕 léishí 명 ⇨〔礌①〕

镭(鐳) léi (뢰)

명《化》라듐(Ra: radium). =〔镭锭dìng〕
〔镭锭疗法〕 léidìng liáofǎ 명《醫》라듐 요법. =〔镭疗〕
〔镭射〕 léishè 명〈音〉레이저(laser).
〔镭射气〕 léishèqì 명《化》라돈(radon).
〔镭射线〕 léishèxiàn 명《化》라듐 방사선.
〔镭盐〕 léiyán 명《化》라듐염(鹽).
〔镭柚〕 léiyòu 명《植》감귤의 일종《여름 밀감의 큰 것》.

羸 léi (리)

형〈文〉수척하다. 허약하다. ¶身体～弱; 몸이 허약하다. =〔羸弱ruò〕

櫑 léi (뢰)

명 ⇨〔罍léi〕

罍 **léi** (뢰, 루)
명 옛날에 사용하던 술잔(단지와 비슷한 모양에 표면에 뇌운문(雷雲紋)이 새겨져 있음). =〔櫑〕

儡 **léi** (루)
→〔傀儡〕

〔儡儡〕 léiléi 형 ⇨〔累léi累①②〕

虆 **léi** (류)
명 〈文〉 ①식물의 덩굴. ② ⇨〔蘽léi〕

欙 **léi** (류)
명 〈文〉 산행(山行)에 쓰이는 간단한 가마.

耒 **lěi** (뢰)
명 ①가래. 쟁기. ¶ ~耜sì; ⇩ ②나무 쟁기의 손잡이.

〔耒耨〕 lěinòu 동 〈文〉 토지를 경작하다(‘耨’는 땅을 갈아 엎다. 또는 김을 맴).

〔耒耜〕 lěisì 명 〈文〉 ①쟁기(‘耜’는 흙을 갈아 엎는 나무쟁기의 날, ‘耒’는 그 손잡이). ②〈轉〉 농구의 총칭.

诔(誄) **lěi** (뢰)
① 동 〈文〉 옛날에, 죽은 사람의 사적을 서술하고 애도하다. ② 명 죽은 사람을 애도하는 글. ¶ ~文; 조사(弔辭).

垒(壘) **lěi** (루)
① 명 성채. 보루. ¶ 营~; 군영과 보루 / 深沟高~; 해자를 깊이 파고 성벽을 높게 쌓다 / 两军对~; 양군이 대치하다. ② 동 (벽돌 · 돌 따위를) 쌓아올리다. (성벽을) 쌓다. ¶ ~一段墙; 성벽을 쌓아올리다. ③ 명 《體》 (야구 · 소프트볼의) 베이스(base). ¶ 一~打; 1루타 / 本~打; 홈런.

〔垒壁〕 lěibì 명 성채(城砦). 보루(堡壘). =〔垒城〕〔垒培②〕

〔垒城〕 lěichéng 동 성벽을 쌓다. 명 ⇨〔垒壁〕

〔垒垫〕 lěidiàn 명 (야구의) 베이스. =〔垒包〕

〔垒井〕 lěijǐng 동 우물 아가리에 돌을 쌓다.

〔垒块〕 lěikuài 명 ①돌덩이. ②가슴 속에 불평을 품음. ‖ =〔磊块〕

〔垒垒〕 lěilěi 형 (무덤이) 즐비하게 들어서 있는 모양.

〔垒卵之危〕 lěi luǎn zhī wēi 〈成〉 ⇨〔累卵之危〕

〔垒培〕 lěipéi 명 ①〈文〉 작은 언덕. ② ⇨〔垒壁〕

〔垒坯〕 lěi.pī 동 ①멍청한 척하다. 모르는 척하다. ②〈北方〉 가로막다. ¶ 这事你怎么不明白, 心里垒着坯呢; 이 일을 너는 어찌 이해하지 못하느냐 하면, 선입견에 사로잡혀 있기 때문이다.

〔垒砌〕 lěiqì 동 (벽돌 · 돌 따위를) 쌓아올리다. ¶ ~墙; (벽돌 · 돌을) 쌓아올려 담을 만들다.

〔垒堑〕 lěiqiàn 명 보루(堡壘)와 참호(塹壕).

〔垒墙〕 lěiqiáng 명 성벽. 누벽(壘壁). 동 벽 또는 담을 쌓다.

〔垒球〕 lěiqiú 명 《體》 소프트볼(softball). 또는 그 공. ¶ 打~; 소프트볼을 하다.

〔垒石〕 lěishí 명 쌓아올린 돌. 동 돌을 쌓아올리다. ¶ ~山; 석산. 돌산.

〔垒窝〕 lěiwō 동 새가 둥지를 틀다.

累(纍)[B] **lěi** (루)
A) ① 동 쌓이다. ¶ 日积月~; 〈成〉 날과 달이 거듭되다(점점 날짜가 지나다. 오랜 세월이 흐르다) / 成千~万; 〈成〉 수천 수만. ② 부 자꾸. 여러 번. 누차. 자주. ¶ ~建大功; 자주 큰 공을 세우다 / ~戒不改; 누차 경고했지만 고치지 않다. ③ 동 연속하다. 계속되다. ¶ 经年~月; 세월을 거듭하다. **B)** 동 연좌시키다〔되다〕. 연루되다. 폐를 끼치다. 폐를 입다. 말려들(이)다. 관련되다. ¶ 我这一病, ~你挂心; 이 병으로 너에게까지 걱정을 끼친다 / ~及无辜; 〈成〉 죄 없는 사람에게까지 누를 끼치다 / 带~ =〔连~〕; 관련되다. 연루되다. ⇒léi lèi

〔累乘法〕 lěichéngfǎ 명 《數》 누승법.

〔累次〕 lěicì 부 자주. 여러 번. 누차. =〔〈成〉 累次三番〕〔屡次〕

〔累代〕 lěidài 명 역대. 대대. =〔累世〕〔累叶〕

〔累牍连篇〕 lěi dú lián piān 〈成〉 문장 등이 길고 장황하여 지루함.

〔累缎〕 lěiduàn 명 《紡》 고급 비단(강남 지방에서 많이 산출됨).

〔累犯〕 lěifàn 명 ⇨〔累行犯〕 동 범행을 거듭하다. 자주 죄를 범하다.

〔累积〕 lěijī 동 쌓다. 적립하다. 누적하다. ¶ ~资金zījīn; 자금을 적립하다.

〔累及〕 lěijí 동 누를 끼치다. 연루되다. ¶ ~无辜; 〈成〉 누를 인민에게 끼치다.

〔累计〕 lěijì 명동 누계(하다).

〔累加〕 lěijiā 명동 누가(하다). =〔累增〕

〔累加器〕 lěijiāqì 명 《電算》 (컴퓨터의) 누산기(累算器). 어큐뮬레이터(accumulator).

〔累加税〕 lěijiāshuì 명 《經》 누가세(소득세의 증가에 따라 일정한 표준에 의해서 세율이 증가하는 것).

〔累减〕 lěijiǎn 명동 누감(하다). ¶ ~税; 누감세(일정한 소득액 이상에 대하여, 세액이 누감 되는 것). →〔累进〕

〔累教不改〕 lěi jiào bù gǎi 〈成〉 누차 교육을 시켜도 고치지 않음.

〔累戒不戒〕 lěi jiè bù jiè 〈成〉 ⇨〔屡lǚ教不改〕

〔累进〕 lěijìn 명동 누진(하다). ¶ ~法; 누진법 / ~税; 누진세(‘加税’와 ‘累减税’의 두 종류가 있음) / ~继承税; 유산 세율이 그 계승액에 따라 누진하는 세 / ~优先股; 누가(累加) 배당 우선주. →〔累减〕

〔累累〕 lěilěi 부 거듭거듭. 누누이. 겹겹이. 형 겹쳐 쌓이는 모양. ¶ 罪行~; 죄가 겹겹이 쌓이다. ⇒léiléi

〔累利〕 lěilì 명 《經》 복리(複利).

〔累卵〕 lěiluǎn 동 〈文〉 알을 쌓아올리다(매우 위험하다). ¶ ~之危 =〔危如~〕; 〈成〉 위험하기가 달걀을 쌓아올린 것과 같다.

〔累卵之危〕 lěi luǎn zhī wēi 〈成〉 누란의 위기. 매우 위험함. =〔垒卵之危〕 →〔累卵〕

〔累落〕 lěiluò 동 가난해지다. 영락하다.

〔累年〕 lěinián 명 해마다. 매년.

〔累七斋〕 lěiqīzhāi 명 《佛》 사후 7일째에 올리는 제사(칠칠일〔49일〕까지 지내는 것을 ‘斋七’라 이름).

〔累棋〕 lěiqí 동 바둑돌을 쌓아올리다(위험하다. 불안정하다).

〔累起〕 lěiqǐ 동 자주 일어나다. 빈발하다.

〔累气〕 lěiqì 형 문장(文章)이 엄숙하고 무게가 있어 딱딱하다. 문장이 중복되고 난삽하다.

〔累千累万〕 lěi qiān lěi wàn 〈成〉 수천 수만. =〔成千累万〕〔成千上万〕

〔累迁〕 lěiqiān 동 ①누진하다. ②몇 번이나 변하다〔바뀌다〕. ③여러 번 옮기다. ④〈文〉 관직이 자

주 승진되다.
〔累仍〕 lěiréng 동 〈文〉 겹치다. 번잡하다.
〔累日〕 lěirì 명 〈文〉 매일. 연일(連日).
〔累觞〕 lěishāng 동 〈文〉 술잔을 거듭 기울이다.
〔累时〕 lěishí 명 〈文〉 오랫동안. 오랜 세월.
〔累世〕 lěishì 명 역대. 대대. ¶～升平 =〔重chóng照累洽〕; 〈文〉 태평 세대가 이어지다. =〔累代〕〔累叶〕
〔累讼〕 lěisòng 동 〈文〉 소송을 거듭하다.
〔累岁〕 lěisuì 명 〈文〉 매년. 해마다. 연년세세.
〔累窝〕 lěi.wō 동 (새가) 보금자리를 만들다.
〔累宵〕 lěixiāo 명 〈文〉 매일 밤.
〔累行犯〕 lěixíngfàn 명 《法》 누범. 중범. 상습범. =〔累犯〕
〔累叶〕 lěiyè 명 ⇨〔累代〕
〔累月经年〕 lěi yuè jīng nián 〈成〉 오랜 세월(이 지남).
〔累增〕 lěizēng 동 점점 증가하다. =〔累加〕
〔累债不如疏亲〕 lěizhài bùrú shūqīn 〈諺〉 친척간의 교제에 허세를 부리어 빚을 지기보다는 소원해지는 편이 낫다.
〔累战〕 lěizhàn 동 연전(連戰)하다. 싸움을 거듭하다. ¶～皆捷; 연전연승하다.
〔累治〕 lěizhì 동 〈文〉 태평 세대가 오래 계속되다.
〔累坐〕 lěizuò 동 연좌(連坐)되다.

磊 lěi (뢰)
① 형 돌이 많이 쌓여 있는 모양. ¶一～一～的; 사물이 포개져 있는 모양 / ～在一块儿; 함께 포개다 / 这儿堆的货一～儿有多少? 여기에 쌓인 화물은 한 무더기가 얼마나 되느냐? ② 양 무더기. 더미(쌓아올린 것을 세는 말). ¶一～帽子; 한 무더기의 모자. ③ 형 〈文〉 크다.
〔磊磊〕 lěilěi 형 〈文〉 돌이 많이 쌓여 있는 모양.
〔磊磊落落〕 lěileiluòluò 형 ①분명한 모양. ②시원스러워 작은 일에 얽매이지 않는 모양. 공명정대한 모양. ¶大丈夫行事当～如日月皎然《晉書 石勒載記》; 대장부가 일을 함에 공명정대하여 해와 달의 밝음과 같아야 한다. ‖=〔磊落②〕〔礌礌落落〕
〔磊砢〕 lěiluǒ 형 〈文〉 ① ⇨〔磊落②〕 ②성정(性情)·재지(才智)가 훌륭한 모양.
〔磊落〕 lěiluò 형 ①(마음이) 분명하여 섞이지 않다. 마음이 밝고 시원스럽다. ②많은 모양. 착잡하고 복잡한 모양. =〔磊砢①〕

蕾 lěi (뢰)
명 〈文〉 꽃봉오리. =〔蘲lěi④〕〔蓓bèi蕾〕〔花蕾〕
〔蕾铃〕 lěilíng 명 ⇨〔棉mián桃〕

瘤 lěi (뢰)
명 《醫》 작은 종기.

儡 lěi (뢰)
→〔傀kuǐ儡〕

藟 lěi (류)
① 명 《植》〈文〉 등나무·댕댕이덩굴류(類). ② 동 〈文〉 붙어 다니다. 떨어지지 않다. ③ 동 영향을 주다. ④ 명 ⇨〔蕾lěi〕

灅 Lěi (루)
명 《地》 옛날 강 이름(지금 허베이(河北)의 융딩 허(永定河)).

肋 lèi (륵)
명 《生》 옆구리. 가슴의 양겨드랑이. ¶两～; 양옆구리. ⇒lē
〔肋巴骨〕 lèibagǔ 명 《生》〈方〉 늑골.
〔肋巴扇儿〕 lèibashànr 명 양쪽 늑골의 전체.
〔肋部〕 lèibù 명 《生》 늑간부(肋間部). 갈빗대 부분.
〔肋岔窝子〕 lèichàwōzi 명 《生》 늑골 상하의 말랑한 부분. =〔肋岔窝儿〕
〔肋骨〕 lèigǔ 명 《生》 늑골. 갈빗대. =〔肋巴骨〕〔肋条①〕
〔肋尖窝子〕 lèijiānwōzi 명 《生》 명치.
〔肋间肌〕 lèijiānjī 명 《生》 늑간근(肋間筋).
〔肋膜〕 lèimó 명 《生》 늑막. ¶～炎 =〔〈俗〉 肋xié痛〕〔胸膜炎〕; 《醫》 늑막염. =〔胸xióng膜〕
〔肋木〕 lèimù 명 《體》 (체조의) 늑목.
〔肋肉〕 lèiròu 명 《生》 갈비살.
〔肋条〕 lèitiao 명 〈方〉 ①늑골. ¶从～上脱下来的钱; 피땀 흘려 번 돈. =〔肋lèi骨〕 ②돼지의 갈비 부분의 살.
〔肋窝〕 lèiwō 명 《生》 겨드랑이. =〔肋夹子jiāzi〕
〔肋销〕 lèixiāo 명 《機》 피스톤 핀(piston pin).
〔肋腰〕 lèiyāo 명 배에 두르는 천이나 털실로 뜬 것.

泪〈淚〉 lèi (루)
명 눈물. ¶流～; 눈물을 흘리다 / ～痕; ⇩ / ～如雨下; 눈물이 비 오듯 흐르다. =〔眼泪〕
〔泪骨〕 lèigǔ 명 《生》 안면골의 일부. 누골(淚骨).
〔泪管〕 lèiguǎn 명 《生》 누관(누점(淚點)에서 나온 가는 관).
〔泪河〕 lèihé 명 〈文〉 눈물의 강(슬픔이 매우 심함).
〔泪痕〕 lèihén 명 눈물 자국〔흔적〕. ¶满脸～; 온 얼굴의 눈물 자국.
〔泪花(儿)〕 lèihuā(r) 명 ①눈물 방울('眼泪'의 문학적인 표현). ②곧 흘러내릴 것 같은 눈물.
〔泪枯〕 lèikū 동 〈文〉 눈물이 마르다.
〔泪蜡〕 lèilà 명 촛농. 촉루(燭淚).
〔泪囊〕 lèináng 명 《生》 누낭. ¶～炎; 《醫》 누낭염.
〔泪人儿〕 lèirénr 명 〈比〉 눈물을 흘리면서 슬피 우는 사람. ¶哭得成了个～了; 너무 울어서 눈물투성이가 되었다.
〔泪水〕 lèishuǐ 명 눈물. ¶含着～说; 눈물을 머금고 말하다.
〔泪汪汪(的)〕 lèiwāngwāng(de) 형 눈에 눈물이 가득히 고인 모양.
〔泪腺〕 lèixiàn 명 《生》 눈물샘. 누선. ¶他～浅; 그는 눈물이 흔하다. =〔泪涡子〕
〔泪眼〕 lèiyǎn 명 눈물이 글썽거리고 있는 눈. 눈물에 젖은 눈.
〔泪液〕 lèiyè 명 《生》 누액. 눈물.
〔泪珠(儿)〕 lèizhū(r) 명 눈물 방울.
〔泪妆〕 lèizhuāng 명 ①분을 양볼에 바르는 화장법. ②눈물 자국으로 보이게 하는 화장법.

类(類) lèi (류)
① 명 종류. 같은 부류〔무리〕. ¶分～; 분류(하다) / 同～; 동류 / 按～分别安放; 종류별로 갈라서 따로따로 놓다. ② 명 종족. ③ 명 동류. ④ 명 비교. ⑤ 동 유사하다. 비슷하다. 닮다. …와 같다. ¶画虎～狗; 호랑이를 그렸는데 개를 닮다 / 滋味大～奶油; 맛은 버터와 매우 비슷하다. ⑥ 부 〈文〉 대개. 대략. 전부. ¶如此等提案～难通过; 이와 같은 제안은 거의 채택될 가망이 없다. ⑦ 명 성(姓)의 하나.
〔类比〕 lèibǐ 명동 (논리학에서) 유추(하다).
〔类别〕 lèibié 명동 유별(하다).

〔类此〕 lèicǐ 형 〈文〉 이와 유사하다〔비슷하다〕.
〔类次〕 lèicì 동 종류에 따라 배열하다.
〔类地行星〕 lèidì xíngxīng 명 《天》 지구형 행성.
〔类毒素〕 lèidúsù 명 《藥》 유독소. 변성(變性) 독소.
〔类乎〕 lèihu 동 …와 비슷하다. …에 가깝다. ¶这个故事很离奇, ～神话; 이 이야기는 참으로 기괴해서 신화 같다.
〔类化〕 lèihuà 명 《哲》 유화《새로운 개념을 낡은 개념과 연결시켜서 받아들이는 일》.
〔类聚〕 lèijù 동 같은 종류를 모으다. 각 부류에 따라 모으다. =〔类族〕
〔类木行星〕 lèimù xíngxīng 명 《天》 목성형(木星型) 행성.
〔类人猿〕 lèirényuán 명 유인원.
〔类如〕 lèirú 동 〈文〉 예를 들면, 마치 …같다.
〔类伤寒〕 lèishānghán 명 《漢醫》 티푸스 유사균에 의한 병.
〔类书〕 lèishū 명 유서《사항에 따라 분류하여 검색(檢索)에 편하게 한 책》.
〔类似〕 lèisì 명동 유사(하다). 비슷(하다). ¶～厘金的杂税; 이금(釐金)과 비슷한 잡세.
〔类同〕 lèitóng 동 대체로 같다. 대략 비슷하다.
〔类同法〕 lèitóngfǎ 명 귀납법(歸納法)의 하나《각종 사실을 해석해 그 유사점을 발견하여, 한 현상의 원인을 밝혀 내는 것》.
〔类推〕 lèituī 명동 유추(하다). ¶其他可以～; 그 밖의 것은 유추할 수 있다.
〔类新星〕 lèixīnxīng 명 《天》 준신성(準新星).
〔类星体〕 lèixīngtǐ 명 《天》 준성(準星).
〔类型〕 lèixíng 명 유형.
〔类缘〕 lèiyuán 명 종류와 혈연(血緣).
〔类族〕 lèizú 동 ⇨〔类聚〕

累 lèi (루)

① 형 (몸이) 피로하다. 지치다. ¶你不～吗? 너는 피로하지 않니? / 走～了; 걸어서 지쳤다 / ～病了; 피로해서 병이 났다 / 我～得慌; 난 굉장히 피로하다. =〔乏fá〕 ② 동 과도하게 사용하다. 혹사시키다. ¶眼睛刚好, 不要～它; 눈이 이제 막 나았으니까, 너무 혹사시키지 마라. ③ 동 괴로움을 끼치다. 귀찮게 하다. ¶叫您受～; 폐를 끼쳐 드려 죄송합니다 / 这事还要～你; 이 일도 당신께 수고를 끼쳐야 하겠습니다 / ～你走一趟吧; 수고스럽지만 한 번 가 보아 주십시오. ④ 동 수고하다. 노력하다. 악착같이 일하다. ¶从早到晚～了一天, 该休息一会儿了; 아침부터 저녁까지 하루 종일 일했으니 좀 쉬어야 한다. ⑤ 형 고되다. 힘들다. 괴롭다. ¶～活(儿); ⇩ ⑥ 동 연루(連累)가 되다. ⑦ 명 〈文〉 결점. 결여(缺如). ¶此节空洞, 为全书之～; 이 대목이 빠진 것은 전서(全書)의 결함이다. ⇒léi lěi

〔累巴〕 lèiba 형 지치다. 피로하다.
〔累巴巴〕 lèibābā 형 ①몹시 지치다. ②〈轉〉 몹시 가난하다. ¶他～的, 这个钱未必能还; 그는 무척 가난하여 이 돈은 되돌려 받지 못할지도 모른다. ‖ =〔累扒扒〕
〔累敝〕 lèibì 형 가난하다.
〔累兵〕 lèibīng 명 〈罵〉 복장이 매우 단정하지 못한 자. 또는, 어수선하게 휴대품이 많은 자.
〔累不过来〕 lèibuguòlai 동 (지쳐서) 말을 수가 없다. 해낼 수 없다. 벅차다. ¶家里这些事, 一个人～; 이렇게 많은 집안일은 혼자서는 벅차다.
〔累不行〕 lèibùxíng 동 못 견디게 지치다.
〔累喘〕 lèichuǎn 동 지쳐서 헐떡거리다. 피로하여 숨이 차다.
〔累倒〕 lèidǎo 동 지쳐 쓰러지다.
〔累德〕 lèidé 명 (품행이 좋지 않아) 인덕(人德)에 흠을 주는 일.
〔累乏〕 lèifá 동 지쳐서 기진맥진하다.
〔累坏〕 lèihuài 동 ①극도로 지치다. ②피로로 몸을 해치다.
〔累活(儿)〕 lèihuó(r) 명 괴로운 일. 힘드는 일. 육체 노동. ¶我又没有力气干不了～儿; 나는 힘이 없어서 육체 노동을 못한다.
〔累及〕 lèijí 동 연좌시키다. 폐를 끼치다. 말려들게 하다. ¶～无辜; 무고한 사람을 끌어넣다.
〔累肯〕 lèikěn 동 (남에게) 도움을 받다. 폐를 끼치다. 번거롭게 하다. ¶我有一件事～您; 당신에게 부탁드릴 일이 있습니다 / ～你去拿来吧; 수고스럽지만 가서 가지고 오너라. =〔累恳〕
〔累垮〕 lèikuǎ 동 지쳐서 몸에 탈이 나다. ¶我不是拉你的后腿, 我怕你把身子～了! 내가 너를 못하게 하려는 것이 아니라, 네가 피곤해서 병이 날까 걱정하는 것이야!
〔累缺〕 lèiquē 명 ①결손(缺損). ②힘드는 직무(職務).
〔累人〕 lèi·rén 동 피로하게 하다. 고생을 시키다. (lèirén) 형 (피곤해서) 편하지 않다. 고생이 따르다. 고달프다. ¶工作太多真～! 일이 많아서 정말로 피곤하다!
〔累身〕 lèishēn 동 성가시게 하다. 거치적거리다. 몸이 지치다.
〔累事〕 lèishì 명 ①귀찮은 문제. 번거로운 일. ②힘이 드는 일.
〔累死〕 lèisǐ 동 ①몹시 지치다. 힘들어 죽을 지경이다. ¶～我了; 나는 너무 피곤하다 / ～累活地干, 还糊不上一家儿张口; 죽도록 일을 해도, 한 가족 몇 식구의 입에 풀칠도 할 수 없다. ②지쳐서 죽다.
〔累透〕 lèitòu 동 지쳐 빠지다. 완전히 지치다.
〔累戏〕 lèixì 명 힘이 드는 연극.
〔累心〕 lèixīn 동 번민하다. 걱정하다. 고민하다. ¶～的事; 걱정거리. 형 귀찮다. ¶大小事都要他管, 有多～呢; 대소사를 모두 그가 관리해야 하니, 어지간히 성가시겠다.
〔累眼睛〕 lèi yǎnjīng 눈을 혹사하다.
〔累着〕 lèizháo 동 지치다. 피로하다. ¶你这一程子身体不好, 别～! 당신은 요즈음 몸이 좋지 않으니, 피로하지 않도록 하십시오!
〔累重〕 lèizhòng 명 무거운 짐. 계루(係累)《가족·처자식 등을 이름》.

酹 lèi (뢰)

동 〈文〉 제사 지내다《술을 땅에 뿌리고 신에게 제사 지내는 일》.

擂 lèi (뢰)

명 연무대(演武臺). ⇒léi

〔擂台〕 lèitái 명 연무대. 무술 시합을 위해 만들어진 대(臺). ¶打～; ⓐ무술 시합에 참가하다. ⓑ도전(挑戰)에 응하여 무술을 겨루다 / ～赛; 도전 시합.

颣(纇) lèi (뢰)

명 〈文〉 흠. 결점. 티. ¶疵cī～; 흠. 결점.

嘞 lei (륵)

조 용법은 '喽lou'에 가까우나, 어기(語氣)는 가벼움. ¶雨不下了, 走～! 비가 그쳤다, 가자! ⇒lē

LENG ㄌㄥ

棱 **lēng** (릉)
→〔红hóng不棱登〕〔花huā不棱登(的)〕〔扑pū棱〕⇒léng líng

唥 **lēng** (랭)
〈擬〉 덜그렁《물레 따위가 돌아가는 소리》. ¶纺车～～转得欢; 물레가 덜그렁덜그렁 힘차게 돌아가다.

崚 **léng** (릉)
→〔崚嶒〕

〔崚嶒〕 léngcéng 형〈文〉 산이 높은 모양.

棱〈稜〉 **léng** (릉)
①명〈文〉 신(神)의 위광(威光). 존엄한 위광. ②(～儿) 명 모서리. 귀퉁이. ¶四～; 네 모서리 / 六～钢; 6각의 강철 / 见～见角; 〈成〉 네모 반듯하다. (사람이나 물건이) 모나다. ③명 네모진 재목. 각재. ④(～儿) 명 물결 모양으로 솟은 부분. ¶搓板的～儿; 빨래판의 두드러진 부분 / 瓦～; 기와 이랑. ⑤형 거칠다. 난폭하다. ‖ =〔楞léng①〕 ⇒lēng líng

〔棱缝(儿)〕 léngfeng(r) 명〈方〉 ①이음매. ②〈轉〉 틈. 빈틈. 기회. ¶他是精明人, 哪儿有得着～不钻zuān的; 그는 약은 사람이라, 기회를 잡으면 놓치지 않는다. ③〈轉〉 내정(內情). 속내. ¶他看出点儿～来《老舍 駱駝祥子》; 그는 속내를 조금 알게 되었다.

〔棱蝗〕 lénghuáng 명《蟲》 메뚜기의 일종. =〔灰huī蚱蜢〕

〔棱脊〕 léngjǐ 명 산봉우리.

〔棱角(儿)〕 léngjiǎo(r) 명 ①(물건의) 모서리. 모. ¶把～磨掉了; 모서리를 갈아 버렸다. ②성품의 예민함. 날카로움. 두뇌의 명석함. 재능. 규각(圭角). ¶表面不露～; 날카로움을 표면에 나타내지 않다 / 他很聪明, 但是不露～; 그는 매우 총명하나, 여간해서 재기(才氣)를 드러내지 않는다 / 说话带～; 말에 모가 나다 / 青年人应该有～; 젊은이에게는 마땅히 예리함이 있어야 한다. ③거친 태도. 모난 태도. ④약삭빠른 모양.

〔棱镜〕 léngjìng 명《物》 프리즘. =〔角jiǎo棱镜〕〔三sān角镜〕〔三棱镜〕

〔棱镜角〕 léngjìngjiǎo 명《物》 프리즘의 양굴절면에 의해서 이루어진 각도.

〔棱棱〕 léngléng 형 ①〈文〉 (표정이) 차가운 모양. ②〈文〉 위엄스러운 모양. 동 눈에 노기(怒氣)를 나타내다. 눈에 쌍심지를 켜다.

〔棱棱角角〕 lénglengjiǎojiǎo 형 울퉁불퉁. 들쭉날쭉한 모양.

〔棱棱着〕 lénglengzhe 동 무서운 눈초리로 보다. ¶～眼睛; 성난 눈으로. 눈꼬리를 곤두세우고 / ～眉, 一脸不耐烦的神气; 찌푸린 얼굴을 하고, 번거롭기 짝이 없다는 표정 / 他的嘴角上带笑, 而眼角～; 그는 입가에는 웃음을 띠고 있었지만, 눈초리는 매서웠다.

〔棱皮龟〕 léngpíguī 명《動》 장수거북. =〔革gé龟〕

〔棱台〕 léngtái 명 ⇨〔棱锥台〕

〔棱条花布〕 léngtiáo huābù 명《紡》 코르덴《골지게 짠 면(綿) 비로드》.

〔棱头〕 léngtou 명 멍에.

〔棱眼〕 léng·yǎn 동 도끼눈을 하다.

〔棱睁〕 léngzhēng 형 ①표정이 무섭고 차갑다. ②거칠다. 난폭하다.

〔棱柱体〕 léngzhùtǐ 명 ①《物》 (광학) 프리즘. ②《數》 각기둥. 각주. =〔角jiǎo柱体〕

〔棱锥台〕 léngzhuītái 명《數》 각뿔대. 각추대. =〔棱台〕

〔棱锥体〕 léngzhuītǐ 명《數》 각뿔. 각추(角錐). 피라미드형. =〔角jiǎo锥体〕

〔棱子〕 léngzi 명〈方〉 물체의 모서리. 모.

薐 **léng** (릉)
→〔菠bō薐菜〕

塄 **léng** (랭)
명〈方〉 밭 가장자리의 높은 부분. 두렁. =〔地塄〕〔塄坎kǎn〕

楞 **léng** (릉)
①⇨〔棱léng〕 ②부 매우. ¶一棵～高的树; 한 그루의 굉장히 높은 나무. ⇒lèng

冷 **lěng** (랭)
①형 차다. 춥다. ¶～水浴; 냉수욕 / 天气～了; (날씨가) 추워졌다 / 你～不～? 춥지 않느냐? / ～暖nuǎn; ⇩ / ～热rè; ⇩ ↔〔热rè③〕 →〔寒hán①〕 ②동〈方〉 (주로 음식물을) 식히다. 차게 하다. ¶太烫了, ～一下再吃; 뜨거우니 잠깐 식혀서 먹자. ③형〈轉〉 냉담하다. 쌀쌀하다. 냉정하다. ¶态度很～; 태도가 냉담하다 / 心灰意～; 의기소침하다 / ～眼旁观; 냉정〔냉담〕하게 방관하다. ④형 고요한. 한산한. 호젓한. ¶～清清; 고요하고 쓸쓸한 모양 / ～落; ⇩ ⑤부 느닷없이. 불의(不意)에. 불시에. ¶～不防; ⇩ / ～箭; ⇩ / ～枪; ⇩ ⑥형 눈에 익지 않다. 생소하다. ¶～字; 좀처럼 쓰지 않는 글자 / ～僻; ⇩ ⑦형 철에 맞지 않는. 인기가 없는. 평판이 좋지 않은. ¶～货; ⇩ / ～门; ⇩ ⑧명 성(姓)의 하나.

〔冷巴巴〕 lěngbābā 형 몹시 추운 모양.

〔冷拔〕 lěngbá 명동《工》 냉간 인발(冷間引拔)(하다). 냉간 압연(壓延)(하다).

〔冷板凳〕 lěngbǎndèng 명 ①차가운 걸상. ②〈轉〉 한직(閑職). 냉대. ¶坐～; 한직에 있다. 냉대받다.

〔冷背货〕 lěngbèihuò 명 ⇨〔冷货〕

〔冷冰冰(的)〕 lěngbīngbīng(de) 형 ①냉정하다. 쌀쌀하다. ¶～的脸色; 냉정한 얼굴빛 / ～的态度; 냉랭한 태도. ②(물건·손 등이) 얼음처럼 차다.

〔冷布〕 lěngbù 명 거칠고 얇은 마포. 한랭사(寒冷紗). 방충망천. ¶～帐; 모기장. =〔寒hán冷纱〕〔棂líng布〕

〔冷不丁〕 lěngbudīng 부 ⇨〔冷不防〕

〔冷不防〕 lěngbufáng 부 느닷없이. 돌연. ¶～摔了一跤; 갑자기 넘어졌다 / 他～从后面打了我一拳; 그는 갑자기 뒤에서 나를 한 대 때렸다. =〔〈方〉 冷不丁〕〔冷打警〕〔冷地里〕〔〈方〉 冷丁〕〔〈方〉 冷孤丁〕

〔冷餐〕 lěngcān 명 뷔페. ¶～招待会; 뷔페 리셉션.

〔冷藏〕 lěngcáng 명동 냉장(하다). ¶～室 =〔～间〕; 냉장실 / ～船; 냉동선. →〔冰bīng箱〕 명〈比〉 '斗争会'가 지주를 규탄하여 눈 속에 묻어서 골탕먹이는 일.

〔冷藏库〕 lěngcángkù 명 냉동고. 냉장 창고. =

〔冷库〕
〔冷肠〕 lěngcháng 명형 〈比〉 (세상일이나 남에게) 무관심(하다). 냉담(하다).
〔冷场〕 lěngchǎng 명 ①(연극·곡예 따위에서 연기자가 제때에 등장하지 않거나 대사를 잊어버려) 난처한 장면. 흥이 깨진 장면. ②(회의에서, 발언하는 사람이 없는) 활발하지 못한〔어색한〕 장면. 열기가 없는 장(場).
〔冷嘲〕 lěngcháo 명 차가운 조소. ¶～暗箭; 〈成〉 빗대어 빈정대는 일이나 중상하는 일.
〔冷嘲热讽〕 lěng cháo rè fěng 〈成〉 차가운 조소와 신랄한 풍자. =〔冷讥热骂〕〔冷嘲热骂〕
〔冷处理〕 lěngchǔlǐ 명 ⇨〔冰bīng冷处理〕
〔冷床〕 lěngchuáng 명 《農》 냉상. ¶～育苗; 냉상 못자리.
〔冷脆〕 lěngcuì 명 《物》 취성(脆性)〔메짐성〕(금속이 온도가 내려갈 때 나타나는 잘 깨지는 성질).
〔冷打警〕 lěngdǎjǐng 부 ⇨〔冷不防〕
〔冷待〕 lěngdài 동 냉대하다.
〔冷淡〕 lěngdàn 형 ①냉담하다. 무관심하다. 쌀쌀하다. ¶～的回答; 쌀쌀한 대답/～地拒绝; 냉정하게 거절하다. ②쓸쓸하다. 한산하다. 적막하다. 불경기이다. ¶生意shēngyi～; 장사가 불경기다. 동 냉담하게 대하다. 푸대접하다.
〔冷地里〕 lěngdìlǐ 부 ⇨〔冷不防〕
〔冷店〕 lěngdiàn 명 식사를 제공하지 않는 여관. ↔〔热rè店〕
〔冷碟(儿)〕 lěngdié(r) 명 〈方〉 전채(前菜)(중국요리에서 맨 처음에 식탁 위에 늘어놓는 작은 접시의 요리). →〔冷盘(儿)〕
〔冷丁〕 lěngdīng 부 ⇨〔冷不防〕
〔冷冻〕 lěngdòng 명동 냉동(하다). ¶～食品; 냉동 식품/～卵婴儿; 인공 수정아.
〔冷独〕 lěngdú 형 고독하다. 쓸쓸하다.
〔冷毒〕 lěngdú 명형 ⇨〔冷酷〕
〔冷锻〕 lěngduàn 명 《工》 냉간 단조(冷間鍛造).
〔冷饭〕 lěngfàn 명 ①남은 밥. ②찬 밥. ③〈比〉 일이 잘 이루어지지 않음. ④〈轉〉 쓸모없는 것.
〔冷房子〕 lěngfángzi 명 〈俗〉 감옥. 형무소. ¶坐～; 감옥에 들어가다.
〔冷风〕 lěngfēng 명 ①찬바람. 한풍. 〈轉〉 냉담. 경시(輕視). ¶刮～; 찬바람이 불다. 찬물을 끼얹다/吹～; 경시하다. 빈정대다. 비꼬다/一股～卷着雪片猛地向我扑来; 찬바람이 눈송이를 위로 불어 올리더니 갑자기 내게 부딪쳐 왔다. ②〈俗〉 압축 공기.
〔冷锋〕 lěngfēng 명 《氣》 한랭 전선. =〔冷空气前锋〕
〔冷敷〕 lěngfū 《醫》 명 냉습포(冷濕布). 동 (얼음주머니나 수건 따위로) 환부(患部)를 식히다.
〔冷宫〕 lěnggōng 명 ①옛날, 군주(君主)의 총애를 잃은 후비(後妃)의 거처. ②〈轉〉 쓸모없는 것을 놓아 두는 곳. 누구도 돌보지 않는 곳. ¶打入～; 창고에 집어넣다. 낡은 창고 속에서 먼지를 뒤집어쓰고 있다.
〔冷孤丁〕 lěnggūdīng 부 ⇨〔冷不防〕
〔冷官〕 lěngguān 명 별로 할 일이 없는 관직. 한직(閑職). =〔冷宦〕
〔冷光〕 lěngguāng 명 《物》 냉광. 루미네선스(luminescence)(형광·인광 따위).
〔冷锅里冒热气〕 lěngguōli mào rèqì 식은 냄비에서 열기(熱氣)가 나오다(밑도끝도없는 이야기를 하다. 까닭 모를 말을 하다). ¶～, 哪儿来的话呢? 밑도끝도없는 이야기군. 어디서 나온 말이냐?
〔冷害〕 lěnghài 명 냉해.
〔冷汗〕 lěnghàn 명 식은땀. ¶吓xià了我一身～; 나는 깜짝 놀라 온몸에 식은땀이 났다/吓出～; 놀라서 식은땀이 나다.
〔冷焊〕 lěnghàn 명 《工》 냉간압접(冷間壓接)(전력이나 열을 쓰지 않고 기계 압력만으로 금속을 용접하는 방법). =〔冷压接〕
〔冷呵呵〕 lěnghēhē 형 추위가 심한 모양.
〔冷化器〕 lěnghuàqì 명 ⇨〔冷却器〕
〔冷话〕 lěnghuà 명 차가운 말. 가시 돋친 말. 냉랭한 말.
〔冷灰〕 lěnghuī 명 ①불기가 없어진 재. ②〈比〉 냉담.
〔冷荤〕 lěnghūn 명 차게 해서 먹는 '荤菜'의 요리.
〔冷货〕 lěnghuò 명 잘 팔리지 않는 상품. 제철이 아닌 상품. 수요가 많지 않은 상품. =〔冷背货〕〔冷门货〕 ↔〔热rè货〕〔温wēn货〕
〔冷讥热骂〕 lěng jī rè mà 〈成〉 ⇨〔冷嘲热讽〕
〔冷寂〕 lěngjì 형 쓸쓸하다. 적막하다.
〔冷加工〕 lěngjiāgōng 명 《工》 냉간 가공(금속에 대한 상온 이하에서의 시공. 보통, 절삭 가공에 관하여 이름).
〔冷箭〕 lěngjiàn 명 ①불시에 날아온 화살. 유시(流矢). =〔暗àn箭〕 ②〈比〉 불의(不意)의 위해(危害). 암암리에 남을 해치는 수단. ¶放～; 뒷구멍에서 사람을 해치다. =〔冷拳〕 ③〈比〉 살을 에는 듯한 북풍.
〔冷浆田〕 lěngjiāngtián 명 질척한 논.
〔冷角落〕 lěngjiǎoluò 명 인기척이 없는 후미진 곳. =〔背bèi旮旯儿〕
〔冷节〕 lěngjié 명 ⇨〔寒hán食(节)〕
〔冷噤〕 lěngjìn 명 전율. 몸서리. ¶打～; 몸을 떨다. =〔冷战zhan〕
〔冷静〕 lěngjìng 형 ①〈方〉 쓸쓸하다. 조용하다. 고요하다. ②냉정하다. 침착하다. ¶保持～; 냉정을 유지하다. 동 냉정하게 하다.
〔冷酒〕 lěngjiǔ 명 찬 술. ¶～后犯; 찬 술은 나중에야 취한다(그 때는 가만히 있다가 나중에야 떠들어 댄다)/有话趁早儿说, 别～后犯; 나중에 가서 이러쿵저러쿵하지 말고 할 말이 있으면 지금 빨리 해라.
〔冷锯〕 lěngjù 명 상온(常溫) 톱.
〔冷隽〕 lěngjuàn 명 차갑고 아름다운 것.
〔冷觉〕 lěngjué 명 《生》 냉각.
〔冷蕨〕 lěngjué 명 《植》 한들고사리.
〔冷峻〕 lěngjùn 형 냉혹하다. 무정하다. (태도·표정이) 차다. 엄하다.
〔冷开水〕 lěngkāishuǐ 명 끓여 식힌 물. =〔凉liáng开水〕
〔冷库〕 lěngkù 명 ⇨〔冷藏库〕
〔冷酷〕 lěngkù 명형 냉혹(하다). 잔인(하다). ¶～无情; 냉혹하고 인정이 없다. =〔冷毒〕
〔冷冷清清〕 lěnglengqīngqīng ①매우 쓸쓸〔호젓〕하다. ¶家里成天～的; 집안은 하루 종일 쥐 죽은 듯이 조용하다. ②냉담하다.
〔冷冷儿〕 lěnglengr 동 ①식히다. 가라앉히다. 침착하게 하다. 냉각기를 두다. ¶且等～老太太的心再说; 할머니의 마음을 가라앉히고 나서 다시 얘기합시다. ②추워지다. ¶等～再给他们穿棉袄; 추워지면 그들에게 솜옷을 입히십시오.
〔冷脸子〕 lěngliǎnzi 명 ①표정이 없는 얼굴. ②〈方〉 냉담한 표정.

〔冷落〕 lěngluò 형 쇠퇴하다. 쓸쓸하다. ¶过去这里很～, 现在变得热闹了; 이 근처는 이전에는 아주 쓸쓸했는데, 지금은 무척 번화해졌다. 동 냉대하다. 소홀히 다루다. ¶别～了他; 그를 소홀하게 대하지 마라.
〔冷骂〕 lěngmà 동 심하게〔무정하게〕 욕하다.
〔冷铆〕 lěngmǎo 명 《工》 열을 가하지 않고 리벳(rivet)을 박는 일.
〔冷门〕 lěngmén 명 찾아오는 사람이 없는 집.
〔冷门(儿)〕 lěngmén(r) 명 ①(도박에서) 돈을 잘 걸지 않는 곳. ②〈比〉 (학문·사업·경기 등의) 다른 사람의 주의를 끌지 않는 곳. 인기 없는 것. 경쟁률이 낮은 것. ¶这回球赛爆出～了, 想不到让这么个不出名的球队抢了冠军; 이번 시합은 예상 밖의 결과가 나왔다. 이런 이름 없는 팀이 우승하다니 뜻밖이었다 / 年底下, 这些～货恐怕卖不出去吧; 연말에는 이런 인기 없는 상품은 팔리지 않을 것이다 / 史密德的胜利, 一般认为是～; 슈미트(Schmidt)의 승리는, 일반적으로 예상 외의 결과로 간주되고 있다.
〔冷门货〕 lěngménhuò 명 ⇨〔冷货〕
〔冷门冷户〕 lěngmén lěnghù 〈比〉 쓸쓸한 가정.
〔冷面〕 lěngmiàn 명 ①불쾌한 얼굴. =〔冷面孔〕 ②냉담하고 동정심이 없는 모양. ③찬 면류. 냉면·냉국수류.
〔冷庙〕 lěngmiào 명 참배자가 적은 사찰〔묘당〕.
〔冷漠〕 lěngmò 형 (태도가) 차갑다. 쌀쌀하다. 무관심하다. ¶～的态度; 냉담한 태도.
〔冷凝〕 lěngníng 명 《物》 응축. 콘덴세이션(condensation).
〔冷凝器〕 lěngníngqì 명 콘덴서(condenser). 응축기.
〔冷暖〕 lěngnuǎn 명 차가움과 따뜻함. 〈轉〉 (사람의) 생활. ¶关心群众的～; 군중의 일상 생활에 관심을 가지다 / 人情～; 인정은 차갑기도 하고 따뜻하기도 하다 / ～自知; 〈成〉 물을 마셔 보면, 그 온도를 저절로 안다(마음의 깨달음은 자기가 제일 잘 안다).
〔冷盘(儿)〕 lěngpán(r) 명 (중국 요리의) 전채(前菜). =〔攒盘(儿)〕
〔冷炮〕 lěngpào 명 불시에 쏜 포탄. 갑자기 쏜 포탄.
〔冷僻〕 lěngpì 형 ①외지다. 한산하다. 쓸쓸하다. ②(글자·명칭·전고·서적 등에서) 자주 보지 못하는. 생소한. ¶～字; 흔히 안 쓰는 글자. 벽자(僻字).
〔冷气〕 lěngqì 명 ①냉각 공기. 냉기. ②냉방 장치. ¶～机; 에어 컨디셔너(air conditioner) / ～开放; 냉방 중. ③냉담한 기분. ④(낙심하거나 놀랐을 때의) 한숨.
〔冷气工〕 lěngqìgōng 명 열의 힘을 사용하는 기계 이외의 기계를 다루는 공원(工員).
〔冷气团〕 lěngqìtuán 명 《氣》 한랭 기단.
〔冷枪〕 lěngqiāng 명 ①드문드문 발사되는 총 소리. ②불의의 사격. 〈轉〉 남의 허(虛)를 찔러 불시에 위해(危害)를 가하는 일. 기습. ¶放～是不光明的行为; 남의 허를 찌르는 것은 공명정대한 방법이 아니다 / ～杀敌; 갑자기 공격하여 적을 죽이다.
〔冷峭〕 lěngqiào 형 〈文〉 ①한기(寒氣)가 심하다. ②〈比〉 몰인정하고 악랄하다. 각박하다. (말씨가) 신랄하다.
〔冷清〕 lěngqing 형 ①쓸쓸하다. 적막하다. ②냉담하다. (일을 하는 데) 열의가 없다. 명형 한산(하다). 불경기(이다).
〔冷清清(的)〕 lěngqīngqīng(de) 형 ①한산하고 조용한 모양. 으스스 추운 모양. 스산한 모양. ¶～的月色; 스산한 달빛. =〔冷湫湫〕 ②냉담한 모양.
〔冷泉〕 lěngquán 명 냉천. →〔温wēn泉〕
〔冷拳〕 lěngquán 명 ⇨〔冷箭②〕
〔冷却器〕 lěngquèqì 명 냉각기. 냉각 장치. =〔冷化器〕
〔冷热〕 lěngrè 명 ①입고 있는 옷의 다소(多少). ②날씨의 덥고 추운 것. ③음식의 뜨거움과 참. ④남을 대하는 태도의 냉담함과 따뜻함. ¶～话; 〈比〉 빈정대는 말. ⑤(몸의) 한기(寒氣)와 열기.
〔冷热病〕 lěngrèbìng 명 ①〈方〉 학질. =〔疟nüè疾〕 ②〈比〉 쉽게 뜨거워지고 쉽게 냉담해지는 일. ¶克服工作中的～; 작업에서의 말라리아를 극복하다(꾸준하게 일하다).
〔冷若冰霜〕 lěng ruò bīng shuāng 〈成〉 얼음같이 찬 모양. 매우 냉담한 모양.
〔冷色〕 lěngsè 명 ⇨〔寒hán色〕
〔冷森森〕 lěngsēnsēn 형 ①오싹오싹 차가운 모양. ¶山洞里～的; 동굴 안은 선뜩하다. ②소름이 끼칠 정도로 적막한 모양.
〔冷杉〕 lěngshān 명 《植》 전나무.
〔冷神〕 lěngshén 동 마음을 가라앉히다.
〔冷石〕 lěngshí 명 ⇨〔滑huá石〕
〔冷食〕 lěngshí 명 ①찬 식품(아이스크림 따위). ②차게 해서 먹는 음식물.
〔冷手〕 lěngshǒu 명 ①차가운 손. ②초심자. 풋내기. 신참(新參).
〔冷霜〕 lěngshuāng 명 콜드 크림(cold cream).
〔冷水〕 lěngshuǐ 명 ①냉수. 생수(生水)(끓이지 않은 물). ¶喝～容易得病; 끓이지 않은 물을 마시면 병 걸리기 쉽다. ②찬물. 냉수(비유적으로도 쓰임). ¶用～洗澡; 찬물에 목욕하다 / 浇jiāo了一瓢～; 찬물을 끼얹다 / ～浇头; 〈成〉 찬물을 머리에 끼얹다(흥이 깨지다. 희망이 사라지다. 뜻밖의 일을 당해 쩔쩔매다). →〔凉liáng水〕
〔冷水缸〕 lěngshuǐgāng 명 응축기(凝縮機). =〔冷水柜〕
〔冷水浴〕 lěngshuǐyù 명 냉수욕. ¶他为了锻炼, 每天做～; 그는 단련을 위해 매일 냉수욕을 한다.
〔冷丝丝〕 lěngsīsī 형 싸늘하다. 으스스하다. =〔冷丝儿丝儿〕
〔冷飕飕〕 lěngsōusōu 형 찬바람이 매서운 모양. ¶～地叫人打寒颤; 바람이 차서 몸이 덜덜 떨린다.
〔冷摊(儿)〕 lěngtān(r) 명 빈약한 길거리의 노점.
〔冷烫〕 lěngtàng 명 콜드 퍼머넌트(cold permanent). 동 콜드 파마를 하다.
〔冷淘〕 lěngtáo 명 녹말 가루로 만든 경단을 식힌 것. →〔凉liáng粉(儿)〕
〔冷天〕 lěngtiān 명 추운 날(씨).
〔冷铁〕 lěngtiě 명 《工》 칠러(chiller). 냉각쇠(주물의 일부분을 빨리 냉각시키기 위하여 거푸집의 일부에 넣는 철편).
〔冷铁铺〕 lěngtiěpù 명 철물점. =〔生shēng铁铺〕
〔冷巷〕 lěngxiàng 명 적적한〔쓸쓸한〕 골목.
〔冷笑〕 lěngxiào 명동 냉소(하다). 조소(하다).
〔冷笑白哈哈(儿)〕 lěngxiào bái hāha(r) 방관하며 사람을 냉소하다. ¶看着人家着急他在一边～, 怎么一点同情都没有呢? 그는 남이 허둥대는 것을 보고 방관하고 냉소하면서, 어째서 조금도 동정하

지 않는 것일까?
〔冷心〕 lěngxīn 명 냉담한 마음〔태도〕. 동 흥이 깨지다.
〔冷心肠(儿)〕 lěngxīncháng(r) 명 냉담한 마음.
〔冷血动物〕 lěngxuè dòngwù 명 ①《動》 냉혈 동물(‘变biàn温动物’의 속칭). ②〈比〉 차가운〔냉혹한〕 사람.
〔冷言〕 lěngyán 명 ⇨〔冷语〕
〔冷言冷语〕 lěng yán lěng yǔ 〈成〉 풍자의 의미를 담은 쌀쌀한 말. 비꼬는 말.
〔冷眼〕 lěngyǎn 명 ①냉정한 태도〔눈〕. ¶～观察来客的言谈举止; 내객의 말투나 거동을 냉정히 관찰하다 / ～一看仿佛换了人似的样子; 냉정하게 보면 사람이 싹 변한 것 같다. ②냉담한 대우. 냉대. 차가운 눈. ¶～相待; 냉담하게 대우하다 / ～看人; 사람을 냉대하다.
〔冷眼旁观〕 lěng yǎn páng guān 〈成〉 냉정한〔냉담한〕 태도로 방관하다〔외면하다〕.
〔冷眼人〕 lěngyǎnrén 명 〈比〉 관계 없는 사람.
〔冷罨法〕 lěngyǎnfǎ 명 《醫》 냉엄법. 냉찜질.
〔冷一句, 热一句〕 lěng yī jù, rè yī jù 〈成〉 ①비꼬는 말과 풍자를 섞은 차가운 말. ②〈比〉 때로는 냉담하고 때로는 친절함.
〔冷一阵, 热一阵〕 lěng yī zhèn, rè yī zhèn 〈成〉 ①추웠다 더웠다 하다. ②때로 희망을 가졌다가 이내 실망하다. ③어느 때는 냉정하다가 어느 때는 친절하다. ④이랬다저랬다 하다. ¶他干工作, 总是～的, 没个长劲; 그는 일하는 게 언제나 이랬다저랬다 해서 꾸준하지 못하다.
〔冷饮〕 lěngyǐn 명 찬 음료. 청량 음료. ¶～部; 아이스 드링크 코너(ice drink corner).
〔冷硬工作〕 lěngyìng gōngzuò 명 《工》 (주물의) 냉경 작업.
〔冷硬铸件〕 lěngyìng zhùjiàn 명 냉경 주물. 칠드(chilled) 주물.
〔冷语〕 lěngyǔ 명 ①차가운 말. ②비꼬는 말. ¶～侵人; 〈成〉 매정한 말이 사람의 마음을 찌른다. ‖ =〔冷言〕
〔冷语冰人〕 lěng yǔ bīng rén 〈成〉 차가운 말투로 사람을 대하다. 사람을 냉담하게 대접하다.
〔冷遇〕 lěngyù 명동 냉대(하다).
〔冷在三九〕 lěng zài sānjiǔ 〈諺〉 동지(冬至)로부터 첫 9일간을 ‘一九’, 다음 9일간을 ‘二九’라 하고, 81일간을 ‘九九’라 하는데, 그 가운데 ‘三九’가 가장 추움. ¶～, 热在三伏; 〈諺〉 ‘三九’가 가장 춥고, 삼복은 가장 덥다.
〔冷凿〕 lěngzáo 명 《工》 콜드 치즐(cold chisel) 《차가운 금속을 절삭하는 데 쓰는 끌》.
〔冷灶〕 lěngzào 명 ①불 없는 부뚜막. ②〈比〉 힘〔세력〕 없는 사람. 가난한 집. →〔烧shāo冷灶〕
〔冷轧〕 lěngzhá 명동 《工》 냉간 압연(冷間壓延)(하다). 상온(常溫) 압연(하다). ¶～带钢轧机; 콜드 스트립 밀(cold strip mill).
〔冷战〕 lěngzhàn 명 냉전.
〔冷战〕 lěngzhan 명 〈口〉 (추위·두려움으로 인한) 전율. 몸서리. ¶打了一个～; 몸서리치며 떨었다. =〔寒战〕〔冷颤〕
〔冷颤〕 lěngzhan 명 〈文〉 ⇨〔冷战〕
〔冷辗钢〕 lěngzhǎngāng 명 냉간 압연 강철《상온 상태의 강철을 일정한 규격의 두께로 제조한 강철》.
〔冷着脸〕 lěngzheliǎn ⇨〔寒hán着脸〕
〔冷铸〕 lěngzhù 명동 냉경 주물(冷硬鑄物)(하다). 칠드 주물(chilled鑄物)(하다).
〔冷字〕 lěngzì 명 벽자(僻字). 많이 쓰이지 않는 글자. =〔冷僻pì字〕
〔冷子〕 lěngzi 명 《氣》 〈北方〉 우박. ¶下一阵～; 우박이 한 차례 쏟아지다. =〔雹báo〕
〔冷作〕 lěngzuò 명 ①냉간(冷間) 가공. ②냉각(冷却) 작업.

堎 lèng (랭)
지명용 자(字). ¶长Cháng头～; 《地》 창터우링(長頭堎)《장시 성(江西省)에 있는 땅 이름》.

睖 lèng (릉)
동 ①눈을 크게 뜨고 흘기다. ②멀거니 쳐다보다.
〔睖睁〕 lèngzheng 동 (놀라서) 눈을 동그랗게 뜨다. 눈을 휘둥그레 뜨고 아연해하다. =〔愣睁〕〔愣怔〕

愣 lèng (릉)
①동 멍해지다. 정신 놓고 멍하니 있다. ¶他～了半天没说什么; 그는 한동안 멍하니 아무 말도 안 했다. =〔呆dāi〕 ②동 멍하니 쳐다보다. ¶别竟～着, 怎么不动筷子啊; 멍청히 보고 있지만 말라구, 왜 먹지 않는 거냐. ③형 경솔하다. 경망스럽다. 분별이 없다. 무모하다. 거칠다. ¶～小子; 분별 없는 녀석 / 这个人说话太～, 他不想想就张嘴; 이 사람은 말하는 것이 너무 경솔해서, 변변히 생각도 하지 않고 그냥 말을 한다. ④부 경솔하게. 무모하게. 서슴없이. 억지로. 뜻대로. ¶你～说吧, 不用害怕; 서슴없이 말해라, 겁내지 않아도 괜찮다 / 他可～进去了; 하지만 그는 아랑곳하지 않고 들어갔다 / 他胡～倒～对了; 그는 되는 대로 마구 지껄였는데 그것이 잘 되었다 / 明知不对, 他～那么做; 옳지 않은 줄을 잘 알면서도 그는 무분별하게 저렇게 한다 / 不要～干; 억지로 해서는 안 된다. ⑤부 어쨌든. 하여간. ¶长江大桥, ～两年就完成了; 장강 대교는 어쨌든 2년 만에 완성되었다. ⑥팔짱을 끼고. ¶～让陈根地治的做不出好活来吗? 그저 팔짱만 끼고 진근지한테 눌리어 제대로 일도 하지 않는단 말이냐? ⑦동 〈俗〉 기다리다. ¶您请先走, 我还在这儿～一会儿; 먼저 가시지요, 나는 여기서 좀 더 기다리겠습니다. ‖ =〔楞〕
〔愣巴巴(的)〕 lèngbābā(de) 형 (어이가 없거나 놀라서) 눈이 휘둥그레지는 모양.
〔愣吃〕 lèngchī 동 마구 먹다. ¶他是～, 愣喝, 愣做活儿; 그는 마구 먹고, 마시고, 일한다.
〔愣二呱唧〕 lèng'èrguājī 형 〈俗〉 덜렁대다. 거칠다. 경솔〔무분별〕하다.
〔愣发〕 lèngfā 동 넋을 잃다. 멍하니 있다. 깜짝 놀라 눈을 동그랗게 뜨다.
〔愣干〕 lènggàn 동 억지로 하다. ¶～是不行的, 要有点科学头脑; 억지로 해 봐야 안되니, 좀더 과학적으로 머리를 써야 한다.
〔愣家伙〕 lèngjiāhuo 명 ⇨〔愣人rén〕
〔愣劲(儿)〕 lèngjìn(r) 명 기력. 원기. ¶这些小伙子真有股子～; 이 젊은이들은 정말 원기 왕성하다.
〔愣啦呱唧〕 lèngla guājī 형 경솔한 모양. 무모한 모양. =〔愣二呱唧〕
〔愣来〕 lènglái 무리하게〔억지로〕 하다. =〔生shēng来〕
〔愣愣地〕 lènglèngde 부 ①망연히. 어리둥절하게. ②분별 없이. 무모하게. 경솔하게.
〔愣愣瞪瞪〕 lènglengdèngdèng 형 멍한 모양.
〔愣愣瞌瞌〕 lènglengkēkē 형 ①멍한 모양. ②(태

도 · 동작이) 무례하고 당돌한 모양. 조심성이 없는 모양. ‖ =〔愣愣睁睁〕
〔愣愣儿〕 lènglengr 동 〈方〉 잠시 기다리다. 잠깐 사이를 두다.
〔愣里咕咕〕 lèngli gūjī 형 멍하니〔멍청하게〕 있는 모양. =〔愣里呱唧guājī〕
〔愣里愣气〕 lèngli lèngqì 얼이 빠져 있다. 멍하니 있다. 경솔하고 덜렁거리다.
〔愣掐扼脖〕 lèngqiā èbó 〈比〉 억지로 시키다. 강제로 시키다.
〔愣青〕 lèngqīng 형 단단하고 푸르다.
〔愣儿〕 lèngr 동 놀라서 멍해지다. 멍청해지다. ¶当时一~; 한때는 얼떨떨했다 / ~巴睁; 멍해지다. 멍하니 있다 / 刚一睡醒~巴睁; 잠에서 막 깨어나 멍해 있다. 명 ①신참(新參). 신출내기. ②침입자.
〔愣人〕 lèngrén 명 분별 없는 사람. 무턱대고 덤비는 사람. =〔愣傢伙〕
〔愣神儿〕 lèng.shénr 동 〈方〉 멍청하다. 얼이 빠지다. 얼떨떨해하다. ¶自从死了妻子以后, 他干工作总是~; 아내가 죽은 후로는, 그는 일하는 게 늘 건성이다.
〔愣实〕 lèngshí 형 ①(몸이) 튼튼하다. ②(일을 하는 것이) 몹시 견실하다. 지나치게 정성스럽다. ¶妇女们干得挺~; 여자들은 일을 빈틈없이 잘 하고 있다.
〔愣是〕 lèngshi 부 〈四川〉 어찌됐든 간에. 하여간.
〔愣说〕 lèngshuō 동 턱없는 말을 하다. 무리한 말을 하다. 생떼를 쓰다.
〔愣头葱〕 lèngtóucōng 명 〈俗〉 ⇨〔愣头(儿)青〕
〔愣头瞌脑〕 lèng tóu kē nǎo 〈成〉 ①멍한 모양. ②갑작스러운 모양.
〔愣头愣脑〕 lèng tóu lèng nǎo 〈成〉 덜렁거리는 모양. 경솔한 모양.
〔愣头(儿)青〕 lèngtóu(r)qīng 명 〈俗〉 버릇 없는 사람. 겁없이 날뛰는 사람. 세상 물정을 모르는 사람. 무지막지한 사람. =〔愣头葱〕
〔愣忘了〕 lèngwàngle 동 멍하니 잊어버리다. ¶那么重要的大事, 他~, 真让人哭笑不得; 그런 중요한 일을 멍청하게 잊어버리다니, 정말 울 수도 웃을 수도 없다.
〔愣小子〕 lèngxiǎozi 명 〈京〉 만사 태평인 사람. 덜렁이. 분별 없는〔무모한〕 젊은이.
〔愣眼〕 lèngyǎn 동 시선을 돌리다. ¶~一看; 흘끗 보다.
〔愣眼巴唧(的)〕 lèngyǎnbājī(de) 형 〈俗〉 (갑자기 잠을 깨어) 눈을 껌뻑거리는 모양.
〔愣眼(儿)巴睁〕 lèngyǎn(r) bāzhēng ①졸려서 눈이 떠지지 않다. ②놀라 눈을 깜박거리다.
〔愣怔〕 lèngzheng 동 ⇨〔睖睁〕
〔愣睁〕 lèngzheng 동 ⇨〔睖睁〕
〔愣住〕 lèngzhù 동 멍청해지다. 아연(啞然)해지다. ¶吓得他~了; 그는 깜짝 놀라서 멍청해졌다.

楞

lèng (릉)
⇨〔愣lèng〕 ⇒léng

LI ㄌㄧ

俚

lī (리)
대 〈蘇〉 그 사람. 그 여자. =〔他tā①〕〔她tā①〕 ⇒lǐ

哩

lī (리)
표제어 참조. ⇒lǐ li

〔哩哩啦啦〕 līlilālā ①〈擬〉 뚝뚝. 질금질금. 띄엄띄엄. 드문드문《액체가 단속적(斷續的)으로 떨어지는 모양. 사물의 움직임이 산만한 모양》. ¶雨~的, 下个没完; 비가 질금질금 계속 내리고 있다 / 他不会挑水, ~洒了一地; 그는 물을 길어 나를줄을 몰라서 땅에 온통 질금질금 흘렸다 / 已经过了开会时间, 但只~地来了几个人; 이미 회의 시간이 지났는데, 단지 몇 사람만이 드문드문 왔다. ②(일을 하는 데) 시원스럽지 않다. 실수가 많다. ‖ =〔沥沥拉拉〕
〔哩哩啰啰〕 līliluōluō 형 〈口〉 말이 장황해서 분명하지 않은 모양. ¶他~地说了半天, 也没说清楚他的意思; 그는 한참동안 장황하게 늘어놓았지만, 그래도 자기의 뜻을 분명하게 말할 수 없었다.
〔哩哩啰嗦〕 līliluōsuo 형 수다떠는 모양.
〔哩溜哇啦〕 līliuwālā 형 ①(술에 취하여) 혀 꼬부라진 소리를 하는 모양. ②(무엇이라 하는지 모르지만) 입심 좋게 지껄이는 모양. ¶他们俩见了面, 总是~地说家乡话; 그들 두 사람은 만나기만 하면 고향 사투리로 수다를 떤다.
〔哩溜歪斜〕 līliuwāixié 형 〈方〉 ①삐뚤삐뚤한 모양. ¶他的字写得~的; 그의 글씨는 삐뚤삐뚤하다. ②비틀비틀〔비트적비트적〕한 모양. ¶走道儿~的; 길을 비틀거리며 걷다.
〔哩噜〕 līlū 동 중얼중얼 말하다. 말이 분명하지 않다. ¶~半天, 也没说出什么道理来; 한참 중얼중얼 영문 모를 소리를 지껄이고 있었지만, 제대로 조리 있는 말은 한 마디도 하지 않았다. =〔哩啰〕
〔哩儿啰〕 līrluo 명 〈俗〉 말하고자 하는 일. ¶说了半天也说不出~来; 오랫동안 이야기하고 있으면서 정작 말하고자 하는 일을 꺼내지 못하다.
〔哩也波〕 līyěbō 명 〈古白〉 이러저러. 여차여차. ¶和他~, 哩也罗哩; 그와는 여차여차한 사이이다. =〔哩也波哩也罗〕

丽(麗)

Lí (려)
①→〔高丽〕 ②명 《地》 리수이(麗水)《저장 성(浙江省)에 있는 현 이름》. ⇒lì

缅(纚)

lí (리)
→〔綝lín缅〕

骊(驪)

lí (려)
①명 〈文〉 가라말. 털빛이 검은 말. ②동 〈文〉 두 필의 말에 수레를 끌리다. ③지명용 자(字). ¶~山; 《地》 리산(驪山)《산시 성(陝西省) 린퉁 현(臨潼縣)에 있는 산 이름. 유명한 온천 '华huá清池'가 있음》.
〔骊歌〕 lígē 명 〈文〉 이별의 노래.
〔骊珠〕 lízhū 명 ①흑룡(黑龍)의 여의주. 〈比〉 비싸고 아름다운 구슬. 얻기 어려운 보배. =〔骊龙之珠〕 ②《植》 용안. =〔龙lóng眼(肉)〕

鹂(鸝)

lí (리)
→〔黄huáng鹂〕

鲡(鱺)

lí (리)
→〔鳗mán鲡〕

杝

lí (리)〈치〉
명 〈文〉 장리(牆籬). 바자울. →〔篱笆〕

厘〈釐〉

lí (리)

①명《度》리. ㉠길이의 단위(1尺의 1000분의 1). ㉡무게의 단위(1냥의 1000분의 1). ㉢넓이의 단위(1亩의 100분의 1). ②명 이율의 단위. ㉠연리(年利)에서는 100분의 1. ¶年利八～; 연리 8리. ㉡월리에서는 1000분의 1. ¶月利三～; 월리 3리. ③동 다스리다. ④동〈文〉정리하다. 개정하다. ¶～正; ⇩ ⑤→〔厘金〕⇒'釐' xǐ

〔厘泊〕 líbó 명《物》센티 푸아즈(poise)(점도(粘度)의 단위).

〔厘定〕 lídìng 동〈文〉개정하다. 정리하고 개정하다. ¶～规章制度; 규칙 제도(制度)를 개정하다. =〔厘订〕〔厘制〕

〔厘革〕 lígé 동〈文〉정리하여 개혁하다.

〔厘金〕 líjīn 명 청대(清代), 상품의 지방 통과세. =〔厘捐〕〔厘税〕〔厘饷〕

〔厘克〕 líkè 명《度》센티그램(cg).

〔厘米〕 límǐ 명《度》센티미터. =〔公分〕〔糎〕〔〈音〉生的米突〕〔〈音〉生的迈当〕〔〈音〉生的密达〕

〔厘米克秒单位〕 límǐkèmiǎo dānwèi 명《物》CGS 단위.

〔厘卡〕 líqiǎ 명 청(清) 말, 각 성(省)에 설치한 상품 통과세(商品通過稅)를 징수(徵收)하는 관청. =〔厘金局〕〔卡子〕

〔厘剔〕 lítī 동〈文〉바로잡아 없애다. 개정하여 제거하다. ¶～弊病; 낡은 폐단을 고치다.

〔厘务〕 líwù 명 '厘金'의 사무. ¶～总局; '厘金' 징수 본국. →〔厘金〕

〔厘正〕 lízhèng 동〈文〉수정〔개정〕하다.

〔厘孳〕 lízī 명〈文〉쌍둥이. 쌍생아(雙生兒).

哩

lí (리)

①→〔咖gā哩〕 ②명《度》그레인(grain)(영국 형량(衡量)의 최저 단위로, 0.064 그램에 상당함). =〔克kè冷〕

狸〈貍〉

lí (리)

명《動》①너구리. =〔貉hé〕 ②〈俗〉살쾡이. =〔山猫〕〔狸猫〕〔豹bào猫〕〔狸子〕

〔狸猫〕 límāo 명《動》살쾡이. =〔豹bào猫〕

〔狸奴〕 línú 명 '猫māo'(고양이)의 별칭.

〔狸鼪〕 líshēng 명《動》살쾡이와 족제비.

〔狸藻〕 lízǎo 명《植》통발(수중에 나는 풀).

〔狸子〕 lízi 명《動》살쾡이. =〔豹bào猫〕

梩

lí〔sì〕(리)

명〈文〉가래(농기구).

离(離)

lí (리)

①동 떨어지다. 분리하다. 갈라지다. 떠나다. 헤어지다. ¶～别; ⇩ / 他从来没～过家; 그는 지금까지 집을 떠나 본 적이 없다 / 寸步不～; 〈比〉(딱 붙어) 조금도 떨어지지 않다 / 悲欢～合; 슬픔과 기쁨, 헤어짐과 만남 / 始终没～开过会场; 줄곧 회장에서 떠난 적은 없다. ②동 떼다. ¶把行李～身儿; 수하물을 몸에서 떼어 놓다 / 他～了甜的不行; 그는 단 것은 떼어 놓지 못한다〔없어서는 안 된다〕. ③동 멀리 떨어지다. 큰 차이가 나다. ¶差chà不～(儿) =〔差不多〕; 대체로. 거의. 그럭저럭 / 还算不～ =〔还不大～儿〕; 대체로 괜찮은 편이다 / 八九不～十(儿); 십중팔구. ④동 이반(離反)하다. ⑤동 헤어지다. 이혼하다. ¶他跟太太～了; 그는 부인과 이혼했다. ⑥개 …로부터. …에서 ㉠장소를 나타냄. ¶～北京不远; 베이징에서 멀지 않다 / 我家～车站很近; 내 집은 역에서 매우 가깝다. ㉡시간을 나타냄. ¶～国庆节还有一个礼拜; 국경절까지 아직 1주일 남았다 / ～上课还有十分钟; 수업 시간까지 아직 10분 남았다 / ～接班还有一个小时; 일을 인계하기까지 아직 한 시간 남았다. ⑦동 결핍하다. 빠지다. 없다. ¶发展工业～不了liǎo钢铁; 공업을 발전시키는 데 철강은 없어서는 안 된다 / ～了眼镜, 我什么也看不见; 안경이 없이는 나는 아무것도 볼 수 없다. ⑧명 8괘(卦)의 하나(불〔火〕을 상징함). ⑨명 성(姓)의 하나.

〔离岸加保险费价格〕 lí'àn jiā bǎoxiǎnfèi jiàgé 명《商》가격 보험료 포함 선상도(船上渡) 가격. C&I 가격.

〔离岸加运(费)价格〕 lí'àn jiā yùn(fèi) jiàgé 명《商》운임 포함 가격. C&F 가격.

〔离岸价(格)〕 lí'ànjià(gé) 명《商》본선 인도 또는 갑판 인도 가격. FOB 가격. ¶中国盐卖给韩国的～, 只合每吨七美元多一点; 중국 소금의 대한국(對韓國) FOB 가격은 1톤에 7달러 정도이다. →〔到dào岸价格〕

〔离把头〕 líbatóu 명 소인(素人). 문외한. 신출내기. =〔力巴头〕

〔离瓣花冠〕 líbàn huāguān 명《植》갈래꽃부리. 이판 화관. ↔〔合hé瓣花冠〕

〔离背〕 líbèi 동 배반하다.

〔离别〕 líbié 동 헤어지다. 이별하다. 떠나다. ¶三天之后咱们就要～了; 3일 후면 우리들은 헤어지게 될 것이다 / 我～故乡已经两年了; 고향을 떠난 지 벌써 2년이 된다.

〔离不得〕 líbude 떨어질 수 없다. 피할 수 없다. ¶他那样作风～遭受主任痛骂; 그의 그러한 일하는 방식으로는, 언젠가 주임의 호된 꾸중을 피할 수 없을 것이다. →〔免miǎn不了〕〔少shǎo不得②〕

〔离不惯家〕 líbuguàn jiā 자기 집을 떠나 생활에 익숙지 못하다.

〔离不开〕 líbukāi 떨어질 수 없다. 그만둘 수 없다. ¶～手儿 =〔～身儿〕; 바빠서 손을 뗄 수가 없다 / ～人儿; 곁에 늘 누군가 붙어 있지 않으면 안 된다 / ～眼儿; (위험해서) 눈을 뗄 수 없다. ↔〔离得开〕

〔离不了〕 líbuliǎo ①떨어질 수 없다. 떠나는 일은 없다. ¶鱼～水; 물고기는 물에서 떠날 수 없다. ②빠뜨릴 수 없다. 없어서는 안 된다. …할 수밖에 없다. ¶宣传是买卖场中万～的; 선전은 장사하는 데 절대로 없어서는 안 되는 것이다. ‖↔〔离得了〕

〔离厂〕 lí∥chǎng 동 (근로자가) 퇴직하다. (líchǎng) 명 (근로자의) 퇴직. =〔退tuì工〕 ↔〔入rù厂〕

〔离尘〕 líchén 동 속세를 떠나다. ¶～脱俗; 속세를 떠나다. 명 '袈jiā裟'(가사)의 별칭.

〔离愁〕 líchóu 명 이별의 슬픔.

〔离愁别恨〕 lí chóu bié hèn 〈成〉이별의 슬픔과 한.

〔离床〕 lí∥chuáng 동 잠자리를 뜨다. 일어나다.

〔离得了〕 lídeliǎo 떨어질 수 있다. ¶孩子已经断了奶, ～娘了; 애는 이미 젖을 떼었기 때문에 어머니로부터 떨어질 수 있다.

〔离断〕 líduàn 동 (팔·다리 따위를) 절단하다. ¶～手术; 절단 수술.

〔离队〕 lí∥duì 동 ①부대를 이탈하다. ②부서를 떠나다〔이탈하다〕.

〔离贰〕 lí'èr 동〈文〉두 마음을 품다. 떨어져 나와 배반하다.

〔离港〕 lí.gǎng 동 출항하다.
〔离格儿〕 lí.gér 동 ①현격한 차이가 있다. 거리가 있다. ¶太tài离了格儿了; 크게〔너무〕 차이가 난다. ②격식에 맞지 않다. 실제에 맞지 않다. 탈선하다. ¶写字儿离了格儿了; 글씨를 써도 격식에 맞지 않는다/说话别～; 이야기는 탈선해서는 안 된다.
〔离隔〕 lígé 동 헤어져 멀리 떨어지다.
〔离宫〕 lígōng 명 이궁. 별궁.
〔离股儿〕 lí.gǔr 동 ①(끼운 것이) 헐거워지다. (집·기계·기구 등이) 낡아지다〔덜거덕거리다〕. ②(박거나 끼운 것이) 벗겨지다. 빠지다. 탈선하다. ③주식(株式)에서 빠지다.
〔离广〕 líguǎng 동 ①밀접하지 않다. ②사실과 매우 동떨어지다. ¶这件事太～了; 이 일은 사실과는 딴판이다/～话; 엉터리 이야기.
〔离合〕 líhé 명 헤어짐과 만남. 명동 이합 집산(하다). ¶～悲欢; 만나는 기쁨과 이별의 슬픔. ‖=〔离会〕
〔离合器〕 líhéqì 명《機》(자동차의) 클러치(clutch). ¶～踏板; 클러치 페달(clutch pedal). =〔〈北方〉靠kào背轮②〕〔〈南方〉〈音〉克kè拉子〕
〔离恨〕 líhèn 명〈文〉이별의 한.
〔离怀〕 líhuái 명 떨어져 있는 동안의 가슴속의 생각. ¶彼此把～诉sù说一番; 서로 떨어져 있는 동안의 회포를 털어놓고 이야기하다.
〔离黄〕 líhuáng 명 ⇨〔黄鹂〕
〔离会〕 líhuì 명동 ⇨〔离合〕
〔离婚〕 lí.hūn 동 이혼하다. (líhūn) 명 이혼. ¶～书 =〔退tuì婚书〕; 이혼 결정서. 퇴혼서.
〔离魂病〕 líhúnbìng 명《醫》몽유병(夢遊病).
〔离家〕 lí jiā ①자기 집을 떠나다. 고향을 떠나다. ¶～千里地, 各处各乡风;〈諺〉고장이 다르면 풍습도 다르다. ②집까지(의 거리). ¶～很近; 집에 가깝다.
〔离间〕 líjiàn 동 이간질하다. 사이를 갈라놓다. ¶～骨肉; 형제의 사이를 갈라 놓다/用～计; 이간책을 쓰다.
〔离解〕 líjiě 명《物》해리(解離). ¶～能; 해리 에너지.
〔离经〕 líjīng 동 상궤(常軌)를 벗어나다.
〔离经叛道〕 lí jīng pàn dào〈成〉경전(經典)의 말씀에서 벗어나 상도(常道)에 어긋나다. 도리에 어긋나다《주류(主流)에 어긋나는 사상이나 행위》. ¶那件事还不大～; 그 일은 크게 상궤를 벗어나고 있지는 않다.
〔离境〕 líjìng 동 경계를 벗어나다. 출국하다. 월경(越境)하다.
〔离开〕 lí.kāi 동 ①(사람·물건·장소에서) 떠나다. 헤어지다. ¶～上海三年了; 상하이(上海)를 떠난 지 3년이 됐다. ②멀리하다. ¶把他～; 그를 멀리하다.
〔离旷话〕 líkuànghuà 명 도리에 맞지 않는 거짓 이야기《후베이(湖北) 방언》. =〔旷外话〕
〔离离拉拉〕 lílilālā 형 흐트러진 모양. 연속되어 있지 않은 모양. ¶男人和女人, 三个一伙, 五个一群, ～地来了; 남자와 여자가 삼삼오오 무리지어 띄엄띄엄 왔다.
〔离娘草〕 líniángcǎo 명 '蔷qiáng薇'(장미)의 속칭.
〔离娘饭〕 líniángfàn 명 혼례 당일에 신랑집에서 신부 집으로 보내는 음식.
〔离叛〕 lípàn 동 배반하다. 이반하다.
〔离谱(儿)〕 lí.pǔ(r) 동 악보에 맞지 않다.〈轉〉가락이 맞지 않다. 실제와 달라지다. 핀트가 맞지 않다. ¶今后报道消息不要太～; 앞으로 보도는 크게 핀트에서 벗어나지 않도록 하다/越说越～; 말을 하면 할수록 실제와 동떨어진다. →〔离格儿〕
〔离奇〕 líqí 형 기괴하다. 엉뚱하다. 이상하다. 색다르다. ¶～得惊人; 이상하기가 사람을 깜짝 놀라게 할 정도이다/～古怪;〈成〉기괴하다. 터무니없다.
〔离弃〕 líqì 동 내버려 두고 돌보지 않다. 포기하다.
〔离腔走板〕 lí qiāng zǒu bǎn〈成〉①가락이 맞지 않다. ②〈轉〉정도(正道)를 벗어나다. 요점에서 벗어나다.
〔离情〕 líqíng 명 이별의 감정. =〔离绪〕
〔离去〕 líqù 동 떠나가다.
〔离群索居〕 lí qún suǒ jū〈成〉한 무리에서 헤어져 쓸쓸히 지내다. =〔离索〕
〔离任〕 lírèn 동 이임하다. ¶～大使即将回国; 이임한 대사는 곧 귀국할 예정이다.
〔离日〕 lírì 명 입춘·입하·입추·입동의 전날을 말함.
〔离乳〕 lírǔ 명동 이유(하다). →〔断duàn奶〕
〔离散〕 lísàn 명동 뿔뿔이 헤어짐〔헤어지다〕. 이산(하다).
〔离骚〕 Lísāo 명 이소《초사(楚辭)의 대표적 작품명. 초나라의 굴원(屈原)이 참소를 당해 우수에 젖어 지은 장편 서사시》. =〔楚Chǔ骚〕
〔离晒谱〕 líshàipǔ 형〈廣〉엉터리다. 엉망이다.
〔离山窎远〕 lí shān diào yuǎn〈成〉아득히 멀리 떨어져 있다. →〔离乡调远〕
〔离身(儿)〕 lí.shēn(r) 동 (일에서) 몸을 빼다. (물건을) 손에서 놓다. ¶行李不能～! 손에서 짐을 놓으면 안 된다!
〔离书〕 líshū 명 절연장(絶緣狀). 이혼장. =〔休xiū书〕
〔离索〕 lísuǒ〈成〉⇨〔离群索居〕
〔离题〕 lí.tí 동 ①이야기 따위가 본제를 벗어나다. ②(시험 따위의) 예상이 빗나가다.
〔离题万里〕 lí tí wàn lǐ〈成〉본제에서 멀리 떨어지다. =〔去qù题万里〕
〔离亡〕 líwáng 동 고향을 떠나 유랑하다.
〔离析〕 líxī 동〈文〉따로따로 떨어지다. 뿔뿔이 흩어지다. 분리하다. 명《工》주조(鑄造)하여 냉각 응고한 후에, 그 합금(合金) 성분의 분포가 평균을 잃고 있는 상태. =〔偏piān析〕 명동 분석(하다).
〔离析器〕 líxīqì 명《電》세퍼레이터(separator).
〔离隙〕 líxì 명《工》선반의 절삭대(切削臺)에 날붙이의 동작 때문에 붙인 단면(斷面)《절삭 때의 마찰을 적게 하기 위한 여유》.
〔离奚〕 líxi 동〈方〉농담하다. =〔奚离〕
〔离弦走板儿〕 lí xián zǒu bǎnr〈成〉①가락이 맞지 않다. ②〈比〉핵심을 벗어나다. 정도(正道)에서 벗어나다.
〔离乡〕 líxiāng 동 고향을 떠나다. ¶～背bèi井 =〔背井～〕;〈成〉고향을 떠나다.
〔离乡调远〕 lí xiāng diào yuǎn〈成〉고향을 아득히 멀리 떠나다. →〔离山窎远〕
〔离心〕 líxīn 동 ①(단체나 지도자와) 뜻이 맞지 않다. 정떨어지다. ②복종하지 않다. 배반하다. ③중심에서 멀리 떨어지다. 명《物》원심(遠心).
〔离心泵〕 líxīnbèng 명 ⇨〔离心(水)泵〕
〔离心机〕 líxīnjī 명《機》원심 분리기(遠心分離

機).
〔离心离德〕 lí xīn lí dé 〈成〉 불화 반목하다. 이반(離反)하다. ↔〔同tóng心同德〕
〔离心力〕 líxīnlì 명 《物》 원심력. =〔远心力〕
〔离心神经〕 líxīn shénjīng 명 《生》 운동 신경.
〔离心(水)泵〕 líxīn(shuǐ)bèng 명 원심 펌프(centrifugal pump). =〔离心唧jī筒〕〔离心泵〕
〔离心压气机〕 líxīn yāqìjī 명 《機》 원심 압축기.
〔离心铸法〕 líxīn zhùfǎ 명 《工》 원심 주조법.
〔离休〕 líxiū 동 이직 휴양하다('离职休养' 늙은 간부, 특히 고위 간부가 노령·질병으로 퇴임하는 일). →〔退tuì休〕
〔离绪〕 líxù 명 ⇨〔离情〕
〔离异〕 líyì 명동 〈文〉 이혼(하다). =〔离婚〕
〔离辙〕 lí/zhé 동 〈比〉 주제에서 벗어나다〔빗나가다〕.
〔离职〕 lí/zhí 동 ①일시적으로 무직 상태가 되다. ②→〔离休〕 ③무책임하게 직무에서 이탈하다. →〔辞cí职〕〔去qù职〕
〔离衷〕 lízhōng 명 〈文〉 이별의 정.
〔离子〕 lízǐ 명 《物·化》 이온. ¶阳～ =〔正～〕; 양이온/阴～ =〔负～〕; 음이온/～键; 이온 결합/～晶体; 이온 결정/～化; 전리(電離). =〔〈音〉伊yī洪〕〔游子②〕〔伊洪〕
〔离子交换〕 lízǐ jiāohuàn 명 《化》 이온 교환.
〔离子交换树脂〕 lízǐ jiāohuàn shùzhī 명 《化》 이온 교환 수지.
〔离子束〕 lízǐshù 명 《化》 이온 빔(ion beam).
〔离座〕 lízuò 동 좌석을〔자리를〕 뜨다.

漓(灕)[B)] lí (리)
A) →〔淋lín漓〕 B) 지명용 자(字). ¶～江Líjiāng; 《地》 리장 강(灕江)(광시 성(廣西省)에 있는 강 이름).

蓠(蘺) lí (리)
→〔江jiāng蓠〕

缡(縭〈褵〉) lí (리)
명 옛날, 여자가 몸에 지니던 향 주머니. ¶结～; 〈文〉 (여자가) 결혼하다.

璃〈琍, 瓈〉 lí (리)〈려〉
→〔玻bō璃〕〔琉liú璃〕

篱(籬) lí (리)
①명 바자울(대나무·나뭇가지 따위로 엮어 만든 울타리). ¶竹～茅舍; 대울타리를 둘러친 초가집. ②→〔笊zhào篱〕
〔篱笆〕 líba 명 바자울. ¶～扎得紧野狗钻不进; 〈諺〉 울타리를 탄탄히 해 놓으면 들개는 못 들어온다(단속을 잘 하면 걱정 없다)/一个～要打三个桩, 一个好汉要有三个帮; 〈諺〉 울타리 하나에도 세 개의 말뚝이 필요하며, 한 사람의 대장부도 세 사람의 도움이 필요하다(일을 하려면 남의 도움이 필요함). =〔笆篱〕〔篱笆墙〕〔〈北方〉 篱笆障儿〕
〔篱笆圈儿〕 líbaquānr 명 집 주위의 바자울.
〔篱蜂〕 lífēng 명 《蟲》 벌의 일종(바자울 부근에 흔히 나타남).
〔篱根〕 lígēn 명 울타리의 밑. 울밑.
〔篱牢犬不入〕 líláo quǎn bùrù 〈比〉 조심을 하면 틀림이 없다.
〔篱落〕 líluò 명 〈文〉 울타리.
〔篱鷃〕 líyàn 명 울타리 안의 메추라기. 〈比〉 좁은 곳에 살아서 견문·식견이 좁음.
〔篱垣〕 líyuán 명 〈文〉 바자울.

醨 lí (리)
명 〈文〉 박주(薄酒). 묽은 술.

梨〈棃〉 lí (리)
명 《植》 ①배. ¶六月里的～疙瘩; 6월의 배(아직 맛이 심). 〈比〉 미숙한 사람. =〔梨子〕 ②배나무. =〔梨树〕
〔梨脯〕 lífǔ 명 껍질을 벗기고 둘로 쪼개어 설탕 또는 꿀에 절인 배.
〔梨干儿〕 lígānr 명 설탕 절이하여 바삭바삭하게 말린 배.
〔梨膏〕 lígāo 명 배를 짠 즙(汁)에 설탕을 넣어 조린 것(이것을 따뜻한 물에 풀어서 마심. 진해(鎭咳) 작용이 있음). =〔秋qiū梨膏〕
〔梨糕〕 lígāo 명 깨를 엿으로 굳힌 과자. 깨강정.
〔梨疙瘩〕 lígēda 명 ⇨〔梨子〕
〔梨狗〕 lígǒu 명 ⇨〔梨星毛虫〕
〔梨花春〕 líhuāchūn 명 술 이름(배꽃이 필 무렵 빚으므로 이렇게 말함).
〔梨花大鼓〕 líhuā dàgǔ 명 산둥(山東) 지방에서 일어난 '大鼓(书)'의 일종(두 개의 반원형의 쇳조각 또는 구릿조각을 두드려 박자를 맞추며 노래 부름). =〔山shān东大鼓〕〔铁tiě片大鼓〕
〔梨花简〕 líhuājiǎn 명 '梨花大鼓'를 연주할 때 반주에 쓰이는 두 개의 반달 모양의 쇳조각 또는 구릿조각.
〔梨树〕 líshù 명 배나무.
〔梨炭〕 lítàn 명 ⇨〔白bái炭〕
〔梨涡〕 líwō 명 보조개.
〔梨星毛虫〕 líxīngmáochóng 명 《蟲》 사과먹나방(사과·배의 해충). =〔梨狗〕
〔梨锈病〕 líxiùbìng 명 《農》 배나무의 적성병(赤星病).
〔梨园〕 líyuán 명 ①(Líyuán) 당대(唐代)에 현종(玄宗) 황제가 악공(樂工)과 궁녀에게 음악·무용을 연습시키던 곳. ②〈轉〉 극장. 연극계. ¶～子弟; 배우/～行háng; 연극업(業).
〔梨园戏〕 líyuánxì 명 《劇》 푸젠 성(福建省) 남부에서 널리 유행한 지방극의 일종.
〔梨枣〕 lízǎo 명 배나무와 대추나무. 〈轉〉 판목(版木)(옛날, 판목의 재료로 많이 쓰였음).
〔梨子〕 lízi 명 〈方〉 배. =〔梨疙瘩〕

犁〈犂〉 lí (려, 리)
①명 《農》 쟁기. ¶手推～; 가래/马拉～; (마소가 끄는) 쟁기/五铧～; 5단(段) 쟁기. ②동 쟁기로 땅을 갈다. ¶用新式犁～地; 신식 쟁기로 땅을 갈다. ③형 털빛이 얼룩얼룩한. ④명 성(姓)의 하나.
〔犁把〕 líbà 명 《農》 쟁기의 손잡이. 잡좆.
〔犁巴〕 líba 명 《農》 쟁기. ¶～雨; 〈比〉 논에 쟁기질할 즈음에 오는 비. 봄비. =〔犁头〕
〔犁耙〕 líba 명 《農》 쟁기.
〔犁壁〕 líbì 명 《農》 쟁기의 볏(갈린 흙을 뒤쳐서 넘어가게 하는 보습에 붙인 쇳조각). =〔犁镜〕
〔犁柄〕 líbǐng 명 《農》 쟁깃술.
〔犁底层〕 lídǐcéng 명 《農》 경지(耕地) 밑의 굳은 층.
〔犁耕〕 lígēng 동 《農》 논밭을 갈다.
〔犁冠〕 líguān 명 《農》 쟁기의 머리 부분.
〔犁薅〕 líhāo 동 《農》 땅을 갈고 김을 매다. 경작하다. ¶多犁多薅; 여러 번 갈고 자주 김을 매다.
〔犁花〕 líhuā 명 《農》 쟁기로 간 후의 밭의 파상문(波狀紋).

〔犁铧〕 líhuá 명《農》보습. ¶双～; 두 날 보습. =〔犁刀〕〔铧〕
〔犁镜〕 líjìng 명 ⇨〔犁壁〕
〔犁老〕 línǎo 명〈文〉노인.
〔犁牛〕 líniú 명 ①흰 반점이 있는 검정소. 얼룩소. ¶～之子;〈成〉천한 부모에게서 훌륭한 자식이 태어나는 일. ②⇨〔牦máo牛〕 ③일소. 부림소. 역우(役牛).
〔犁色〕 lísè 명《色》황갈색. 볕에 그을린 빛깔.
〔犁鼠〕 líshǔ 명《動》두더지(《'鼹yǎn鼠'의 별칭》).
〔犁田〕 lí∥tián 동 논밭을 갈아 엎다. 논을 갈다.
〔犁庭扫闾〕 lítíng sǎolǘ〈比〉다른 나라를 철저하게 멸망시킴. =〔犁庭扫穴xué〕
〔犁头〕 lítou 명《農》쟁기. ¶～草;《植》왜제비꽃 / ～刺;《植》며느리배꼽.
〔犁头鲨〕 lítoushā 명《魚》가래상어. =〔犁头鳐〕
〔犁无三寸土〕 lí wú sān cùn tǔ 표토(表土)가 적어 바로 밑이 사력(砂礫)이나 점토(粘土)로 되어 있는 땅의 형용.
〔犁杖〕 lízhang 명《農》①〈方〉쟁기. ②쟁깃술.
〔犁嘴〕 lízuǐ 명 보습.

蜊 lí (리)
→〔蛤gé蜊〕

筣 lí (리)
→〔筣笆〕〔筣笓〕

〔筣笆〕 líba 명 바자울. =〔篱笆〕
〔筣笓〕 lípí 명 대로 엮은 새우잡이 어구(漁具). =〔藜笓〕〔笓筣〕

剺 lí (리)
동〈文〉(칼로) 절개(切開)하다. 베다.

嫠 lí (리)
명〈文〉과부. =〔嫠妇fù〕

〔嫠不恤纬〕 lí bù xù wěi〈成〉과부가 직포(職布)의 일을 걱정하지 않다(《자기를 잊고 나라를 걱정하다》).

犛 lí (리)
명《動》야크(yak).

〔犛牛〕 líniú 명《動》야크(yak). =〔犁牛②〕〔毛máo牛〕〔牦máo牛〕
〔犛针〕 lízhēn 명《漢醫》야크의 꼬리처럼 끝이 굵은 침(鍼).

黎 lí (려)
① 형〈文〉검다. 어둡다. ② 형〈文〉많다. ¶～民; ⇩ ③→〔黎族〕 ④ 명 성(姓)의 하나.

〔黎巴嫩〕 Líbānèn 명《地》〈音〉레바논(Lebanon)(《수도는 '贝Bèi鲁特'(베이루트: Beirut)》).
〔黎黑〕 líhēi 형〈文〉(얼굴빛이) 검다. ¶面目～; 얼굴이 검다. =〔黧黑〕
〔黎锦〕 líjǐn 명 여동(黎峒)(리 족(黎族)이 살고 있는 곳)에서 나는 인물·화조 등의 무늬를 넣어 짠 비단.
〔黎老〕 lílǎo 명〈文〉노인. =〔犁老〕
〔黎檬〕 líméng 명《植》광둥(廣東) 레몬. =〔广东黎檬〕〔柠níng檬②〕〔〈南方〉宜yí母子〕
〔黎民〕 límín 명〈文〉서민. 백성. =〔黎苗〕〔黎首〕〔黎庶〕〔黎元〕〔黎蒸〕〔黎众〕→〔黔qián首〕〔烝zhēng民〕
〔黎明〕 límíng 명 새벽녘. 여명. ¶～即起, 洒扫庭除;〈成〉아침 일찍 일어나 뜰을 쓸다(《부패한 것을 제거하려면 집을 청소하듯이 항상 관심을 쏟고 있어야 한다》) / ～的觉, 半道的妻;〈俗〉새벽에 개잠 드는 것과 후취(後娶)는 좋은 것이다 / ～运动; 계몽 운동. →〔五wǔ四运动〕
〔黎人〕 lírén 명 리 족(黎族) 사람. =〔俚lǐ人〕〔俚子〕
〔黎献〕 líxiàn 명〈文〉서민(庶民) 중의 현자(賢者). 현명한 백성.
〔黎族〕 Lízú 명《民》리 족(《중국 소수 민족의 하나. 주로 하이난 성(海南省)에 거주함》).

藜〈蔾〉 lí (려)
① 명《植》명아주. ②→〔蒺jí藜〕

〔藜床〕 líchuáng 명〈文〉명아주로 엮어 만든 침상.
〔藜羹〕 lígēng 명 명아주 국(《조식(粗食). 검소한 식사》).
〔藜藿〕 líhuò 명 명아주잎과 콩잎(《변변치 않은 반찬》).
〔藜蕨〕 líjué 명 명아주와 고사리(《변변치 않은 반찬》).
〔藜芦〕 lílú 명《植》여로(《나리과의 다년초》). =〔鹿lù葱〕〔山shān葱②〕
〔藜笓〕 lípí 명 ⇨〔筣笓〕
〔藜杖〕 lízhàng 명 청려장(青藜杖)(《명아주 줄기로 만든 지팡이》).

黧 lí (려, 리)
명 흑황색. 암황색. ¶面目～黑; 얼굴빛이 암흑색이다.

〔黧黑〕 líhēi 형 ⇨〔黎黑〕
〔黧鸡〕 líjī 명〈比〉초조한 눈매. 간사한 눈매. 원망스러운 눈매. ¶两眼就像那～似的; 두 눈이 사뭇 교활해 뵈는 눈매다.
〔黧莺〕 líyīng 명〈鳥〉꾀꼬리의 일종(《깃의 빛이 엷고 부리가 긺》).

罹 lí (리)
〈文〉① 동 (질병·재난에) 걸리다. 만나다. ② 명 걱정. 우환(憂患). 재난.

〔罹病〕 líbìng 동 병에 걸리다.
〔罹祸〕 líhuò 동 재난을 만나다. =〔罹殃〕
〔罹难〕 línàn 동〈文〉①조난하다. ¶爬pá山的二人可能～; 산에 오른 두 사람은 조난당한 것 같다. ②살해되다.
〔罹殃〕 líyāng 동 ⇨〔罹祸〕

蠡 lí (려)
명 ①표주박. ¶以～测海 =〔以～酌zhuó海〕; 표주박으로 바닷물을 재다(《천견(淺見)으로 사물을 재다. 좁은 견식으로 헤아리다》). ②조개 껍데기. 조가비. ⇒lǐ

劙 lí (리)
동〈文〉찔리다. 긁히다.

礼(禮) lǐ (례)
명 ①예. 예의. ¶您太多～! 너무 정중하시니 송구스럽습니다! ②절. 인사. ¶行～; 절하다. 경례하다 / 敬～; 경례 / 鞠躬～; 머리를 숙이는 절 / 行大～; 큰절을 하다. ③예물. 선물. ¶寿～; 생일 선물 / 送～; 선사하다 / 不受～; 선물을 받지 않다. ④의식. 식전(式典). ¶婚～; 혼례 / 开学～; (학교의) 개학식 / 毕业～; 졸업식. ⑤예절. ⑥성(姓)의 하나.

〔礼案〕 lǐ'àn 명 식장용(式場用)의 장방형 큰 책상.
〔礼拜〕 lǐbài 명 ①〈口〉〈簡〉일요일. ¶今儿个～;

오늘은 일요일이다. =〔礼拜日〕〔礼拜天〕〔星期日〕 ②〈口〉 요일(曜日). ¶～一; 월요일 / ～六; 토요일 / ～几? 무슨 요일인가요? ③〈口〉 주(週). 주간. ¶两个～; 2주일 / 下～; 내주 / 开学已经三个～了; 개학한 지 벌써 3주일이 지났다 / 七天一个～; 7일이 1주간이다. ‖ =〔星期〕 명동 예배(하다). ¶～堂; 예배당 / 做～; 예배 보다.
〔礼拜寺〕 lǐbàisì 명 〖宗〗 이슬람교의 사원. =〔清qīng真寺〕
〔礼拜堂〕 lǐbàitáng 명 〖宗〗 예배당.
〔礼拜天〕 lǐbàitiān 명 〈口〉 일요일. =〔礼拜日〕
〔礼包〕 lǐbāo 명 선물용 포장. ¶请包成～! 선물용으로 싸 주십시오!
〔礼宾司〕 lǐbīnsī 명 의전국(儀典局).
〔礼饼〕 lǐbǐng 명 ①웨딩 케이크(신랑측이 신부측에 보내는 '喜饼'). ②남에게 인사로 보내는 과자.
〔礼忏〕 lǐchàn 동 〖佛〗 삼보(三寶)를 예배하여 죄를 참회하다. =〔拜忏〕
〔礼成〕 lǐchéng 동 의식이 끝나다.
〔礼从外来〕 lǐ cóng wài lái 〈成〉 주객이 전도되다. 손님이 주인을 접대하다(이쪽에서 경의를 표해야 하는데, 도리어 그쪽에서 먼저 그렇게 하시니 실례가 많다는 뜻). ¶你是客, 倒请我们吃饭, 哪儿有～的; 자네는 손님인데, 도리어 우리를 불러 주다니 당치도 않다. 그런 주객이 전도된 일이 어디 있는가.
〔礼单〕 lǐdān 명 ①(주고받은) 선물 목록. ②식의 차례를 적은 카드 또는 접책(摺冊) 식의 것.
〔礼当…〕 lǐdāng… 예의상 당연히 …해야 한다.
〔礼度〕 lǐdù 명 ⇨〔礼法〕
〔礼多人不怪〕 lǐ duō rén bù guài 〈諺〉 예의는 아무리 차려도 지나치단 법이 없다.
〔礼法〕 lǐfǎ 명 예식. 예법. 예절. =〔礼度〕
〔礼房〕 lǐfáng 명 의식실(儀式室).
〔礼分〕 lǐfèn 명 예의. ¶僭越～; 분수에 넘치게 예의를 차리다.
〔礼凤〕 lǐfèng 명 〈音〉 리본(ribbon). =〔〈音〉 礼朋〕
〔礼服〕 lǐfú 명 예복(특히, 신랑·신부의 예복을 이름). ¶常cháng～ =〔晨～〕〔男子昼～〕; 모닝 코트 / 大～; 프록 코트 / 晚(会)～; 이브닝 코트. 이브닝 드레스. ↔〔便biàn服①〕
〔礼服呢〕 lǐfúní 명 ⇨〔礼服绒〕
〔礼服绒〕 lǐfúróng 명 〖紡〗 베니션 모직(Venetian 毛織) 옷감(고급의 능직 나사). =〔礼服呢〕
〔礼花〕 lǐhuā 명 경축 행사 때 쏘아 올리는 꽃불.
〔礼货〕 lǐhuò 명 ①선물용품. ②〈比〉 겉보기만 그럴 듯하고 내용은 보잘것 없는 것.
〔礼记〕 Lǐjì 명 〖書〗 예기.
〔礼教〕 lǐjiào 명 예법과 도덕.
〔礼节〕 lǐjié 명 ①예절. 의례. 에티켓. ¶作～访问; 의례적인 방문을 하다 / ～性; 의례적 / ～性的首脑交往; 의례적인 수뇌의 내왕. ②존경·축하·애도 등을 나타내는 각종의 관용적 형식(악수·꽃다발 증정·예포 따위). ¶懂～; 의례적인 것을 알고 있다 / 他对～满不在乎; 그는 의례적인 것에 전혀 무관심하다.
〔礼金〕 lǐjīn 명 ①사례금. ②축의금(祝儀金). ③부의(賻儀). 향전(香奠).
〔礼路(儿)〕 lǐlù(r) 명 〈方〉 예의. 인사성. ¶～不利; 예의가 없다. 인사성이 밝지 못하다. →〔礼貌〕
〔礼帽〕 lǐmào 명 ①예모. ②실크 모자.
〔礼貌〕 lǐmào 명 예의. 매너. ¶很有～; 매우 예의가 바르다 / 没～; 무례하다 / 讲～; 예의를 존중하다. 형 예의바르다. ¶这样说很不～; 이처럼 말하는 것은 대단히 실례이다 / ～行车; 규칙 바르게 운전할 것(표어).
〔礼炮〕 lǐpào 명 예포. ¶鸣～二十一响; 21발의 예포를 울리다.
〔礼朋〕 lǐpéng 명 〈音〉 리본. =〔绸chóu带〕〔〈音〉 礼凤〕
〔礼票〕 lǐpiào 명 상품권.
〔礼品〕 lǐpǐn 명 ⇨〔礼物〕
〔礼聘〕 lǐpìn 동 예의를 깍듯이 하여 초빙하다.
〔礼器〕 lǐqì 명 제사·접객 그 밖의 여러 가지 의식에 쓰이는 그릇(특히, 고대의 청동기를 이름).
〔礼钱〕 lǐqián 명 〈俗〉 축의금. →〔贺hè仪〕〔酒jiǔ钱〕〔小xiǎo账(儿)〕
〔礼轻人意重〕 lǐ qīng rén yì zhòng 〈成〉 선물은 변변치 않지만 정성이 담겨 있다('千qiān里送鹅é毛' 뒤에 이어지는 문구).
〔礼券〕 lǐquàn 명 상품권. 선물 상환권(相換券). ¶图书～; 도서 상품권 / 就到百货商店买一张～送给他; 바로 백화점에 가서 상품권을 한 장 사서 그에게 보내다.
〔礼儿〕 lǐr 명 ①예의상의 글·편지. ②답례품. 축의(祝儀). 부의(賻儀). ③예절.
〔礼让〕 lǐràng 명 예의상의 겸양. 동 ①겸양·호양의 정신으로 양보하다. ②일정한 법도에 따라 양보하다. ¶母子俩～了他一阵, 他才上了炕; 모자 둘이서 한동안 그에게 양보하여 권한 다음에야 그는 겨우 온돌에 올랐다.
〔礼尚往来〕 lǐ shàng wǎng lái 〈成〉 ①방문(訪問)에는 방문으로 답례하는 것이 예의다. ②선물을 받으면 답례를 하는 것이 예의에 맞는 일이다. ③상대방이 어떻게 나오느냐에 따라 이쪽의 태도를 정하다.
〔礼式〕 lǐshì 명 예절.
〔礼事银〕 lǐshìyín 명 〈廣〉 약혼 선물로 주는 돈. →〔彩cǎi礼〕
〔礼书〕 lǐshū 명 ①예의에 관한 책. ②약혼을 서약하는 문서. 혼서(婚書). =〔婚hūn书〕
〔礼鼠〕 lǐshǔ 명 ⇨〔黄huáng鼠〕
〔礼数〕 lǐshù 명 ①예식의 가짓수나 차등(差等). ②예의. 예절. ¶亏了～; 예의가 없다 / 不懂～; 예절을 모르다.
〔礼俗〕 lǐsú 명 예의와 풍속(널리 관혼상제·교제(交際) 등의 의례).
〔礼堂〕 lǐtáng 명 강당. 홀.
〔礼体〕 lǐtǐ 명 의식. 예절에 맞는 형식.
〔礼帖〕 lǐtiě 명 선물 목록.
〔礼物〕 lǐwù 명 선물. 예물. ¶送～; 선물을 하다. =〔礼品〕
〔礼贤下士〕 lǐ xián xià shì 〈成〉 어진 사람에게는 예로 대하고, 선비에 대해서는 겸손히 대한다.
〔礼性〕 lǐxìng 명 의례. 형식. 체재. ¶办喜事总要讲～; 경사(慶事)를 치르려면 아무래도 형식을 존중해야 한다.
〔礼行货〕 lǐxinghuò 명 ①겉은 훌륭하나 질이 나쁜 선물용의 상품. 보기에 좋은 선사품. ②겉보기만 그럴 듯하고 내용은 보잘것 없는 것〔선물〕.
〔礼仪〕 lǐyí 명 예의. ¶～之邦bāng; 예의를 존중하는 나라.
〔礼遇〕 lǐyù 명동 예우(하다). ¶受到了隆重的～; 융숭한 예우를 받았다.
〔礼乐〕 lǐyuè 명 ①의식(儀式) 음악. ②제사와 음악.

〔礼制〕 lǐzhì 명 예식.

〔礼烛〕 lǐzhú 명 혼례용의 붉은 초.

李 lǐ (리)

명 ①《植》 자두나무. ¶瓜田不纳履lǚ, ～下不整冠; 과전지리 이하지관《오이밭에서는 신이 벗어져도 엎드려 신을 신지 아니하며, 오얏나무 아래서는 관을 고쳐 쓰지 아니한다》. 〈諺〉 혐의받을 짓은 하지 않는 것이 좋다 / 桃～不言, 下自成径; 복숭아나 오얏은 잠자코 있어도 아래로는 자연히 사람이 다니는 길이 생긴다《훌륭한 사람은 가만히 있어도 남이 찾아온다》. ②(～子) 자두. ③→〔行xíng李〕 ④성(姓)의 하나.

〔李代桃僵〕 lǐ dài táo jiāng 〈成〉 벌레가 복숭아나무를 먹으려다 잘못하여 자두나무를 먹어 없애다《①형제간에 서로 보살피고 돕다. ②남의 재난을 자신이 받다. ③어떤 것을 대신하여 받다》.

〔李光桃〕 lǐguāngtáo 명 ⇨〔油桃〕

〔李逵绣花〕 Lǐ kuí xiùhuā 이규(李逵)가 무늬를 수(繡)놓다《익숙하지 않은 일을 힘겹게 하는 일. 이규(李逵)는 《수호지(水滸誌)》에 나오는 호걸의 한 사람》.

〔李奈桑斯〕 Lǐnàisāngsī 명 〈音〉 르네상스. 문예부흥(文藝復興).

〔李宁服〕 lǐníngfú 명 리닝복《운동복 상표. 중국 체조 선수 리닝(李寧)의 명의로 생산되며, 올림픽 등의 경기엔 국가 지정 운동복으로 입음》.

〔李森科学说〕 Lǐsēnkē xuéshuō 명 소련의 과학자 리셍코(Lysenko)의 생물 진화에 관한 학설.

〔李树〕 lǐshù 명 《植》 오얏나무. 자두나무. ¶李子树下埋死人; 오얏나무 밑에는 죽은 사람을 묻는다《오얏을 많이 먹는 것을 경계하는 말》.

〔李唐〕 Lǐ Táng 명 ①이당《당(唐)나라의 별칭》. ②《人》 송(宋)나라 시대의 산수 화가의 이름.

〔李子〕 lǐzi 명 《植》 ①자두나무. ②자두.

里(裏〈裡〉)B) lǐ (리)

A) 명 ①촌락. ②골목길. 작은 길. ¶～弄lòng; ⇩ ③고향. 향리(鄕里). ¶故～; 고향 / 返～; 고향에 돌아가다. ④길이의 단위《1'～'는 500미터임. '市里'의 약칭》. ¶公～; 1킬로미터 / 市～; 500미터. ⑤이웃. 인근. ¶邻～; 이웃. ⑥리《옛날에는 오호(五戶)를 '邻'이라 하고, 다섯 '邻'을 '里'로 했음》. ⑦성(姓)의 하나. B) ①(～儿) 명 (표(表)·리(裏)의) 안. 뒤(쪽). ¶表biǎo～; 겉과 속 / 这纸不分～儿面儿; 이 종이는 겉과 안의 구별이 없다. ②명 안쪽. 속. ↔〔外wài〕 →〔内nèi①〕 ③(～儿, ～子) 명 (옷·모자·구두 따위의) 속. 안. ¶这面是～儿, 那面是面儿; 이쪽이 안이고 저쪽이 겉입니다 / 这布正好做袄ǎo～; 이 천은 웃옷 안감으로 하기에 딱 좋다 / 被bèi～; 이불의 속 / 鞋xié ～(儿); 중국 신의 속. ↔〔表〕〔面〕 ④장소·범위·시간을 나타내는 말에 곁들여져서 '…중(中)'·'…안'의 뜻을 나타냄《경성(輕聲)일 경우가 많음》. ¶夜yè～动身; 밤중에 떠나다 / 假jià期～回家省xǐng亲; 휴가 중에 귀성(歸省)하다 / 家～没人; 집(안)에는 사람이 없다 / 话～有话; 말 속[언외]에 뜻이 숨겨 있다 / 笑～藏cáng刀; 웃음 속에 가시가 있다 / 这～ =〔这儿〕; 여기(에) / 那～ =〔那儿〕; 저기(에) / 哪～ =〔哪儿〕; 어디(에). ⑤형용사 뒤에 붙어 '往'과 함께 그런 경향을 나타냄. ¶往大～说; 크게 말하다 / 往好～说; 좋게 말하다《흔히 경성(輕聲)》. ⑥명 《漢醫》 속《몸의 내부·내장 조직을 말함》. ¶～证; 이증(裏證)《몸 안의 증상》. ↔〔表biǎo〕 ⑦명 '红帮' 또는 '青帮'에 가맹하고 있는 자. =〔在帮〕〔在家里〕 ⑧왼쪽을 가리킴《오른쪽 팔꿈치를 기준으로 그 바깥쪽을 '右', 안쪽은 '左' 임》.

〔里白〕 lǐbái 명 《植》 풀고사리의 일종.

〔里边(儿)〕 lǐbian(r) 명 (일정한 시간·공간·범위) 이내. 동안. 가운데. 중(中). 속. 안. ¶他一年～没有请过一次假; 그는 일 년 동안 한 번도 휴가를 받은 적이 없다 / ～没有人; 안에는 사람이 없다 / 请～坐; (손님에게) 안으로 들어오셔서 앉으십시오 / 这件事～有问题; 이 일에는 문제가 있다. =〔里面〕〔里头①〕

〔里表〕 lǐbiǎo 명 안팎. 안과 밖.

〔里勃而特〕 lǐbó'értè 명 〈音〉 리버티(liberty). =〔自由〕

〔里布〕 lǐbù 명 안감. →〔衬chèn布〕

〔里层〕 lǐcéng 명 (옷·모자·구두 등의) 안. 속. 또, 그것에 해당하는 부분.

〔里程〕 lǐchéng 명 ①이정. 거리. ¶～表; (택시 등의) 미터. ②과정. 노정. 코스. ¶革命的～; 혁명 과정.

〔里程碑〕 lǐchéngbēi 명 ①이정표. ②〈比〉 역사상 이정표가 되는 사건. 획기적인 사건. ¶弓箭的发明是劳动工具改善的重要～; 활과 화살의 발명은 노동 기구 개선에 중요한 이정표이다. ‖ =〔里程标〕〔〈文〉里堠〕

〔里程标〕 lǐchéngbiāo 명 ⇨〔里程碑〕

〔里出外进〕 lǐ chū wài jìn 〈成〉 ①울퉁불퉁한 모양. ②사람의 출입이 잦은 모양. 들락날락하는 모양.

〔里带〕 lǐdài 명 〈口〉 (타이어의) 튜브(tube). =〔内胎〕

〔里袋〕 lǐdài 명 안주머니. 안포켓. ¶西装～; 양복의 안주머니. =〔内nèi口袋〕

〔里地〕 lǐdì 명 이정(里程). 리(里). ¶一～; 1리(里).

〔里耳〕 lǐ'ěr 명 〈文〉 속인의 귀. ¶大声不入于～《莊子 天地》; 큰 목소리는 속인의 귀에는 들리지 않는다.

〔里封面儿〕 lǐfēngmiànr 명 안겉장. 속표지.

〔里工〕 lǐgōng 명 기업 행정이 직접 지도하는 직공〔노동자〕.

〔里勾(儿)外联〕 lǐgōu(r) wàilián 안팎이 기맥을 통하다. 안팎이 호응하다. 내통하다. 한패가 되다.

〔里拐外拐〕 lǐguǎi wàiguǎi 이렇게 저렇게 속여서 돈을 떼어먹다.

〔里柜〕 lǐguì 명 가게 안의 셈하는 곳. 카운터.

〔里怀(里)〕 lǐhuái(li) 명 뒤쪽. 안쪽. ¶把这个花瓶放在～里那张桌儿上吧; 이 꽃병을 안쪽 책상 위에 놔 주십시오.

〔里急后重〕 lǐ jí hòu zhòng 명 《漢醫》 이급후중《대변을 자주 보지만 시원히 나오지 않음. (설사를 수반하는 전염병에서 느끼는) 무지근함》.

〔里脊〕 lǐji 명 안심. ¶～丝(儿); 잘게 썬 안심 고기 / 滑溜～; 죽순·버섯·로스 고기 따위의 지스러기 잡탕 / 炸zhá～; 안심을 기름에 튀긴 요리. =〔里肌〕〔力lì脊〕

〔里奸外曹〕 lǐ jiān wài cáo 〈成〉 속은 간악한데 겉으로는 한(漢)나라 조삼(曹參)처럼 충성스럽게 굴다. →〔萧xiāo规曹随〕

〔里间(儿)〕 lǐjiān(r) 명 한 채 안에 있는 몇 개의 방중, 직접 밖으로 통하는 곳이 없고 다른 방을 거쳐서 나가야 되는 방. =〔里间屋〕〔里屋〕〔内屋〕

〔里脚背踢球〕 lǐjiǎobèi tīqiú 명 (축구의) 인프론트 킥.
〔里脚手〕 lǐjiǎoshǒu 명 《建》 건축물 내부에 걸쳐 놓은 발판.
〔里居〕 lǐjū 〈文〉 동 관직에서 물러나서 고향에서 살다. 명 주거(住居).
〔里裤〕 lǐkù 명 바지 안에 입는 속옷.
〔里拉〕 lǐlā 명양 《貨》〈音〉 리라(lira)《이탈리아의 화폐 단위》.
〔里里拉拉〕 lǐlilālā 형 자질구레하다. 세세하다. =〔零líng零碎碎〕
〔里里外外〕 lǐliwàiwài 명 ①내외. 안팎. ¶～换了新衣服; 속옷에서 겉옷까지 새 옷으로 갈아 입었다. ②집 안과 집 밖.
〔里臁〕 lǐlián 명 넓적다리의 안쪽. 허벅지.
〔里料〕 lǐliào 명 안감.
〔里趔外趄〕 lǐ liè wài qiè 〈成〉 발걸음이 휘청거리는 모양.
〔里弄〕 lǐlòng 명 〈南方〉 ①골목(길). ¶全区内大规模地清扫了马路, 使家家户户, ～, 马路都干净; 전 구내에서 대대적으로 한길을 청소하고, 각 집·동네·대로를 온통 깨끗이 했다. ②동내(洞內) 주민에 관한 일. ¶～工作; 골목에 사는 주민에 대한 활동. ‖ =〔里巷xiàng〕
〔里闾〕 lǐlǘ 명 ⇨〔里门〕
〔里落〕 lǐluò 명 촌락. 마을.
〔里门〕 lǐmén 명 ①마을의 문. 마을의 입구. ②향리. ‖ =〔里闾〕
〔里面〕 lǐmiàn 명 ①내부. 속. ¶车厢～十分凉爽; 차칸이 매우 시원하다. =〔里边〕 ②좌측.
〔里排〕 lǐpái 명 요릿집 등의 안쪽 테이블.
〔里圈〕 lǐquān 명 《體》 (육상에서) 러닝 트랙의 안쪽 레인(lane).
〔里儿〕 lǐr 명 ①의복의 안. ②물건의 안쪽. ③안감.
〔里儿表儿的〕 lǐrbiǎorde 명 친한 사람.
〔里人〕 lǐrén 명 이 고장 사람. 마을 사람.
〔里三层外三层〕 lǐ sāncéng wài sāncéng 〈比〉 안으로 세 겹 밖으로 세 겹. 겹겹이. ¶会场四围～地挤满了人; 회의장의 주위는 사람들로 겹겹이 둘러싸였다.
〔里社〕 lǐshè 명 토지의 신(神)을 제사 지내는 '社'. →〔土tǔ地神〕
〔里舍〕 lǐshè 명 〈文〉 사택(私宅).
〔里生外熟〕 lǐ shēng wài shú 〈成〉 ①겉은 삶아졌으나[익었으나] 속은 아직 설었다. ②〈比〉 풋내기면서 겉으로는 전문가인 체하다.
〔里手〕 lǐshǒu 명 ①(～儿) 차·기계를 운전할 때의 좌측. ¶骑自行车的人总是从～上车; 자전거를 타는 사람은 늘 좌측에서 올라탄다. ②〈文〉 전문가. 익수. 숙달한 사람. ¶他门门～; 그는 무슨 일이나 잘 한다.
〔里首〕 lǐshǒu 명 ⇨〔里头①〕
〔里斯本〕 Lǐsīběn 명 《地》 리스본(Lisbon)《'葡pú萄牙'(포르투갈: Portugal)의 수도》.
〔里俗〕 lǐsú 명 지방의 습관. 일반인 사이에서 행해지는 풍속. 형 촌스럽다. 거칠다. 무례하다. 조잡하다.
〔里胎〕 lǐtāi 명 ①《機》 (고무의) 에어 백(air bag). ②타이어의 튜브. =〔〈口〉 里带〕
〔里通〕 lǐtōng 동 내통하다. ¶～外国; 외국과 내통하다.
〔里头〕 lǐtou 명 ①속. 안. (건물 내의) 안쪽. 내부. ¶请～坐; 안쪽으로 앉으시지요 / 这～有几个不好的; 이 속에는 몇 개인가 좋지 않은 것이 있다. =〔里边(儿)〕〔〈方〉 里首〕 ②(우측 통행 따위에서) 안쪽. 왼쪽. ‖↔〔外wài头〕 ③옛날, 궁중. 대궐. ¶进～召见去了; 궁중에 알현하러 갔다.
〔里头的〕 lǐtoude 명 〈方〉 아내. 처. 집사람. ¶是我伯伯跟我～吵架; 큰아버지와 아내와의 말다툼이다. ↔〔外头的〕
〔里外〕 lǐwài 명 ①안과 밖. 안팎. ¶～不是人; 양쪽 모두에 대할 낯이 없다 / ～受敌; 안팎으로 적을 맞다 / ～夹jiā攻; 안팎으로 협공하다 / ～合适; 안팎이 꼭 맞다 / 里里外外都站满了人; 안팎에 잔뜩 사람들이 서 있다. ②집 안과 집 밖. ‖ =〔里里外外〕 ③…쯤. …가량(어림수를 나타냄). ¶三十岁～; 30세쯤. ④좌우(左右). 부 어찌됐든 간에. 아무튼.
〔里外不找〕 lǐwài bùzhǎo 이것저것 계산하면 주고받을 것이 없다.
〔里外发烧〕 lǐ wài fā shāo 〈成〉 내우 외환(內憂外患).
〔里外汉〕 lǐwàihàn 명 두 마음을 품은 사나이. 간첩. 첩자.
〔里外间儿〕 lǐwàijiānr 명 〈方〉 안방과 바깥방.
〔里外里〕 lǐwàilǐ 명 〈方〉 양쪽의 합계《수입이 줄고 지출이 느는 경우. 지출이 줄고 수입이 느는 경우. 예정 외의 수입·지출이 있는 경우》. ¶这个月省了五块钱, 爱人又多寄来了十五块, ～有二十块的富余; 이달은 5원(元) 절약했고, 게다가 남편이 15원 더 보냈으므로 합쳐서 20원 남았다. 부 (어떻게 계산하든) 결국. 요컨대. ¶三个人干五天跟五个人干三天, ～是一样; 3인이 5일간 하는 것이나 5인이 3일간 하는 것은 결국 같다.
〔里外刷油〕 lǐwài shuāyóu 굽는 떡의 겉과 속에 기름을 바르다. 〈比〉 양손에 꽃《한꺼번에 두 가지 좋은 일이 생기다. 좋은 것을 혼자 차지하다》.
〔里外辙儿〕 lǐwàizhér 꼼꼼하고 성실하다. 표리가 같다. ¶那位老先生又明道理又通人情, 做起事来, 总是有个～; 저 양반은 도리도 밝고, 또 인정도 잘 알아, 하는 일이 모두 착실하다. =〔有yǒu里有面儿〕
〔里屋〕 lǐwū 명 ⇨〔里间(儿)〕
〔…里下〕 …lixià …함. …임《장단(長短)·광협(廣狹) 따위의 형용사에 붙어 장단을 나타내는 말》. ¶长～; 길이 / 短～; 짧기 / 大～; 크기 / 宽～; 넓이 / 窄～; 좁기.
〔里弦〕 lǐxián 명 (호궁 등의) 안쪽 줄《3현이면 중간 정도의 줄, 2현·4현이면 안쪽의 줄, 약간 굵은 줄을 이름》.
〔里巷〕 lǐxiàng 명 소로(小路). 골목길. 뒷골목. ¶～间的琐事; 뒷골목의 잡다한 일.
〔里亚式海岸〕 lǐyàshì hǎi'àn 명 리아스식(rias式) 해안. =〔沉chén降海岸〕
〔里言〕 lǐyán 명 진심에서 우러나온 말.
〔里谚〕 lǐyàn 명 ⇨〔俚谚〕
〔里衣〕 lǐyī 명 속옷.
〔里应外合〕 lǐ yìng wài hé 〈成〉 밖에서 공격하고 안에서 응대하다. 안팎에서 호응하다. ¶我国政府也～, 停止付款给印尼政府; 우리 나라 정부도 이에 호응하여, 인도네시아 정부에 대한 지급을 정지했다.
〔里院〕 lǐyuàn 명 '正房'(안채) 앞의 안뜰.
〔里子〕 lǐzi 명 ①(의복·모자·신 따위의) 안[속]. ¶～布; 안감. =〔里层〕〔里儿〕 ↔〔面miàn子④〕 ②《劇》 조연(助演). 조역(助役).

俚 lǐ (리)
①형 저속하다. 촌스럽다. ②형 민간의. ③명 종족의 이름. =〔黎lí③〕⇒lī

〔俚鄙〕 lǐbǐ 형 야비하다. 천하고 속되다.
〔俚耳〕 lǐ'ěr 명 (아취(雅趣)를 이해 못 하는) 비속(卑俗)한 귀.
〔俚歌〕 lǐgē 명 속가(俗歌). 속요(俗謠).
〔俚篇〕 lǐpiān 명 통속적인 시가(詩歌).
〔俚曲〕 lǐqǔ 명 ⇒〔小xiǎo调(儿)〕
〔俚人〕 Lǐrén 명《民》'黎lí族'(리 족)의 구칭. =〔俚子〕
〔俚俗〕 lǐsú 명 민간의 풍속. 형 통속적이다. 속되다.
〔俚言〕 lǐyán 명 ①속어(俗語). 상스런 말. 속된 말. ②시골 말《통속적인 말로 통용 범위가 좁은 방언(方言)》. ‖=〔俚语〕
〔俚谚〕 lǐyàn 명 민간의, 또는 통속적인 속담. =〔里谚〕〔野yě谚〕
〔俚医〕 lǐyī 명 ①시골 의사. ②돌팔이 의사.
〔俚语〕 lǐyǔ 명 ⇒〔俚言〕

浬 lǐ 〔hǎilǐ〕(리)
명 '海里'(해리)의 고칭(古稱).

悝 lǐ (리)
동〈文〉근심하다. 슬퍼하다. ⇒kuī

哩 lǐ〔yīnglǐ〕(리)
양 '英yīng里'(마일(mile))의 고칭(古稱). ⇒lī li

娌 lǐ (리)
→〔妯zhóu娌〕

理 lǐ (리)
①명 결. 무늬. ¶肌～; 살결/木～; 나뭇결. ②명 도리. 이치. 사리. 조리. ¶道dào～; 도리/条tiáo～; 조리. 줄거리/按～说…; 이치대로 말하면/有～讲倒jiǎngdǎo人;〈成〉도리에 맞으면 상대를 말로 꺾을〔설복할〕수 있다/有条有～; 조리가 있다. ③명 (자연 과학의) 이학. 물리학. ¶物～学; 물리학/～化; 물리·화학. ④명 이유. ⑤동 처리하다. 관리하다. ¶处chǔ～; 처리하다/办bàn～; 처리하다. 다루다/受shòu～;《法》수리하다/～家; 한 집안 살림을 꾸려 나가다. ⑥동 정리하다. ¶～好了; 빠짐없이 다 정리했다/整～; 정리하다. ⑦동 유념하다. 마음에 두다. 상관〔상대〕하다. 돌보다. ¶～都不～; 전혀 상관하지 않다. 상대도 하지 않다/置之不～; (그것을) 상관하지 않고 내버려 두다/你不要～他; 그를 상대하지 마라/谁都不～谁; 서로 상대하지 않다. 피차 상관하지 않다/不爱～人; 남을 돌보기를 싫어하다/待dài～儿不～儿; 무뚝뚝하게 대하다. 제대로 상대하지도 않다. ⑧동 다스리다. =〔治理〕 ⑨명 성(姓)의 하나.

〔理不该〕 lǐ bùgāi 도리상 그래서는 안 된다. 이치로 보아 적당치 못하다.
〔理财〕 lǐ.cái 동 재정을 관리하다. 금전에 관한 일을 처리하다. (lǐcái) 명〈文〉재정.
〔理睬〕 lǐcǎi 동 관계〔관련〕하다. 상대하다. 문제삼다《주로 부정문에 쓰임》. ¶按理说决不会去～这种荒唐的事; 이치대로 말하면, 이런 황당한 일에 관련할 리는 없다/假装聋子不去～; 들리지 않은 체하고 아랑곳하지 않다.
〔理舱费〕 lǐcāngfèi 명《商》적하료(積荷料).
〔理茬儿〕 lǐchár 동〈方〉대꾸해 주다. 상대해 주다. 응대해 주다《주로, 부정형으로 쓰임》.
〔理产〕 lǐchǎn 동〈文〉재산을 처리하다〔정리하다〕.
〔理长〕 lǐcháng 형 조리가 바르다. 이치에 맞다.
〔理处〕 lǐchǔ 동 정리하다. 처리하다. ¶把稻草～了; 짚을 가지런히 추렸다. =〔处理〕〔理楚〕〔理齐〕
〔理当〕 lǐdāng 당연히. 응당. 당연히 …해야 한다. ¶～到府面谢; 당연히 뵙고서 직접 사례해야 할 일이다/～! ～! 지당합니다! =〔理该〕〔理应〕
〔…理道的〕 …lǐdaode 명〈北方〉…의 사이. ¶亲戚～; 친척 사이/朋友～; 친구간/街坊～; 이웃 사이.
〔理短〕 lǐduǎn 형 조리에 맞지 않다. 이치가 서지 않다.
〔理发〕 lǐ.fà 동 이발하다. ¶你等我一下, 我去理个发; 잠깐 기다려 주게, 머리를 깎고 올 테니/～员; 이발사/～店 =〔～馆〕; 이발소/～业; 이발업/～吹风器; 드라이어.
〔理发推子〕 lǐfà tuīzi 명 바리캉. 이발기. =〔理发剪jiǎn刀〕〔理发剪子〕
〔理佛留显〕 lǐfóliúxiǎn 명〈音〉레벌루션(revolution). =〔革命〕
〔理该〕 lǐgāi ⇒〔理当〕
〔理工科〕 lǐgōngkē 명 이과와 공과.
〔理官〕 lǐguān 명 재판관의 고칭(古稱).
〔理合〕 lǐhé〈公〉당연히 …해야 한다. (…하는 것이) 도리이다. ¶～备文呈报; 당연히 문서로 꾸며 보고해야 한다.
〔理会〕 lǐhuì 동 ①알다. 이해하다. ¶这段话的意思不难～; 이 단락의 말뜻은 어렵지 않다. ②깨닫다. 느끼다. 주의하다. 마음을 쓰다《흔히 부정(否定)으로 쓰임》. ¶人家说了半天, 他也没有～, 到时候还是问这问那; 한참 이야기했는데도 그는 건성으로 들었다가, 때가 되어서도 이것저것 물었다. ③상대하다. 상관하다《흔히, 부정으로 쓰임》. ¶他在旁边站了半天, 谁也没～他; 그는 곁에 오랫동안 서 있었으나, 아무도 상대해 주지 않았다. ④(끝)매듭을 짓다. 처치〔처리〕하다.
〔理货〕 lǐhuò 동 (세관에서 적하(積荷)를) 검사하다. 검수(檢數)하다.
〔理货费〕 lǐhuòfèi 명《商》트리밍 차지(trimming charge).
〔理货人〕 lǐhuòrén 명 검사계. 검수인. 탤리먼(tallyman). =〔理货员〕
〔理家〕 lǐ.jiā 동 집안 살림을 하다〔꾸려 나가다〕.
〔理解〕 lǐjiě 동 이해하다. 알다. ¶你的意思我完全～; 당신의 말씀은 완전히 이해합니다/只能那样～; 그렇게밖에는 받아들일 수 없다. 명 이해. ¶～力; 이해력.
〔理科〕 lǐkē 명 ①(대학의) 이학부(理學部). ②이과.
〔理亏〕 lǐkuī 형 (행위가) 도리에 위배되다. 이유〔조리〕가 서지 않다. ¶自知～; 스스로 이치에 닿지 않음을 알다/～心虚;〈成〉이치에 맞지 않아 불안해하다. →〔理直气壮〕
〔理疗〕 lǐliáo 명《醫》'物wù理疗法'의 준말.
〔理路〕 lǐlù 명 ①(사상·문장 등의) 조리. ¶～不清的文章; 조리가 정연하지 않은 문장. ②〈方〉도리(道理). 조리. 이치. ¶他每句话都在～上, 使人听了不能不心服; 그의 말은 모두 이치에 맞아, 듣고 있다 보면 감복하지 않을 수 없게 한다. =〔道理〕
〔理乱〕 lǐluàn〈文〉명 다스림과 어지러움. 질서와

무질서. 동 난을 다스리다.
〔理论〕 lǐlùn 명 이론. ¶为学～而学～; 이론을 위해서 이론을 배우다 / ～家; 이론가 / ～联系实际; 이론이 실제와 결부되다. 동 ①논의하다. 시비를 논하다. 따지다. ¶何必这么～; 이렇게 논쟁할 필요가 있는가. ②깨닫다. 느끼다《조기백화문(早期白話文)에 주로 보임》.
〔理念〕 lǐniàn 명《哲》이념.
〔理偏〕 lǐpiān 형 ⇨〔理屈〕
〔理七〕 lǐqī 명동 사십구일재(四十九日齋)(를 지내다).
〔理齐〕 lǐqí 동 가지런하게 (정리) 하다. ¶把稻草～了; 볏단을 가지런하게 정돈하다.
〔理气〕 lǐqì 명 ①《哲》이(理)와 기(氣). 본체계(本體界)와 현상계(現象界). ②《漢醫》기(氣)의 삽체(澀滯)를 제거하여 통행시키는 약물을 써서, 기체(氣滯)·기역(氣逆)·기허(氣虛) 따위를 치료하는 방법.
〔理曲〕 lǐqū 형 ⇨〔理屈〕
〔理屈〕 lǐqū 형 이치가 통하지 않다. 이유가 서지 않다. ¶～词穷cíqióng =〔～词谬〕;〈成〉이치에 닿지 않아 말문이 막히다. =〔理曲〕〔理偏piān〕
〔理儿〕 lǐr 명 이치. 도리. ¶说不出～来; 이치에 맞는 소리를 할 수 없다. 그 이유를 설명할 수가 없다.
〔理事〕 lǐshì 동 일을 처리하다. 다스리다. (lǐshi) 명 이사. ¶常任～国; 상임 이사국 / 安全～会; 안전 보장 이사회.
〔理所当然〕 lǐ suǒ dāng rán〈成〉당연한 이치이다. 이치상 당연하다.
〔理头儿〕 lǐtour 명 일의 조리. 사리(事理). ¶那个人没～; 저 사람(의 언동)은 사리에 맞지 않는다.
〔理妥〕 lǐtuǒ 동 타당하게 처리하다.
〔理枉〕 lǐwǎng 형 이치〔도리〕에 어긋나다.
〔理弦〕 lǐxián 명동 ⇨〔调tiáo弦〕
〔理想〕 lǐxiǎng 명 이상. ¶～主义; 이상주의. 형 이상적이다. 좋다. ¶那更gèng～; 그것은 더욱 이상적이다 / 这个办法还不～; 이 방식은 그다지 이상적이지 못하다.
〔理想乡〕 lǐxiǎngxiāng 명 ⇨〔乌wū托邦〕
〔理性〕 lǐxìng 명《哲》이성. →〔本běn能〕〔感gǎn性〕 형 이성적이다. 지적(知的)이다.
〔理性认识〕 lǐxìng rènshi 명《哲》이성적 인식.
〔理学〕 lǐxué 명《哲》이학(理學). 성리학《송·명(宋明) 때의 유가(儒家)인 주돈이(周敦頤)·장재(張載)·정호(程顥)·정이(程頤)·주희(朱喜)·육구연(陸九淵)·왕수인(王守仁) 등의 철학 사상》. =〔道学〕〔宋学〕
〔理血〕 lǐxuè 동《漢醫》어혈(瘀血)을 제거하여 피를 보충하고, 출혈을 멎게 하다.
〔理应〕 lǐyīng ⇨〔理当〕
〔理由(儿)〕 lǐyóu(r) 명 이유. 구실. ¶毫无～; 전혀 이유가 되지 않다.
〔理喻〕 lǐyù 동 이치로 깨우치다. 이치로 알아듣게 하다.
〔理冤〕 lǐyuān 동〈文〉원죄(寃罪)를 풀다. 억울한 죄를 벗다〔씻다〕.
〔理债〕 lǐzhài 동〈文〉채무를 정리하다.
〔理张〕 lǐzhāng 동〈方〉①상대하다. 상관하다. ¶没人～他; 아무도 그에게 상관하지 않다. ②인사하다.
〔理直〕 lǐzhí 형 이치가 서 있다. 동 깨끗이 처리하다.
〔理直气壮〕 lǐ zhí qì zhuàng〈成〉말의 조리가 서서 당당하다. 주장이 옳아서 대담하게 되다. ¶～地回答; 자신있게 대답하다.
〔理智〕 lǐzhì 명 이지. 이성. 형 이지적이다.
〔理中〕 lǐzhōng 동《漢醫》위장과 비장(脾臟)의 기능을 조절하다.

锂(鋰) lǐ (리)

명《化》리튬(Li: lithium)《금속 원소의 하나》. ¶～云母;《鑛》홍운모(紅雲母). 리티아(lithia) 운모.

鲤(鯉) lǐ (리)

명 ①《魚》잉어. ¶～鱼跳龙门; ⓐ잉어가 용문에 뛰어오르다《출세하다. 직위가 높이 오르다》. ⓑ발딱 일어나는 모양. =〔鲤鱼〕〔文wén鱼〕〔〈俗〉鲤拐子〕 ②편지(片紙).
〔鲤蠢〕 lǐchǔn 명《蟲》잉어에 기생하는 촌충의 일종.
〔鲤虱〕 lǐshī 명《蟲》물고기·새우 등의 몸 표면에 붙어 사는 기생충의 일종.
〔鲤素〕 lǐsù 명〈文〉편지. 음신(音信). 소식. =〔鲤雁〕
〔鲤庭〕 lǐtíng 명〈文〉아들이 아버지로부터 가르침을 받는 장소.

逦(邐) lǐ (리)

→〔逦迤〕
〔逦迤〕 lǐyǐ 형〈文〉높고 낮게〔구불구불·넘실넘실〕 연이어 이어진 모양. ¶大队人马～而行; 대부대의 인마(人馬)가 구불구불 연이어 가다. =〔迤逦〕

豊 lǐ (례)

명〈文〉굽이 높은 옛날의 제기(祭器).

澧 lǐ (례)

지명용 자(字). ¶～水; 리수이(澧水)《후난성(湖南省) 북부에 있는 둥팅 호(洞庭湖)에 흘러드는 강 이름》.

醴 lǐ (례)

〈文〉①명 감주(甘酒). ②형 감미롭다. ③지명용 자(字). ¶～泉; 리취안(醴泉)《산시 성(陝西省)에 있는 현 이름. 현재는 '礼泉'라 함》.

鳢(鱧) lǐ (례)

명《魚》가물치(과(科)의 총칭). 뇌어(雷魚). =〔鳢鱼〕〔黑鱼〕

蠡 lǐ (려)

①명《蟲》나무좀. ②동 벌레 먹다. ③명〈比〉그릇 따위의 표면이 벗겨져 떨어져서 벌레 먹은 것처럼 된 것. ④지명용 자(字). ¶～县Lǐxiàn; 리 현(蠡縣)《허베이 성(河北省)에 있는 현 이름》. ⑤인명용 자(字). ¶范Fàn～;《人》범여. 춘추 시대(春秋時代) 사람. ⇒lí

力 lì (력)

①명《物》힘. ②명 (체력으로서의) 힘. 체력. ¶用～推车; 힘껏 수레를 밀다 / 大～士; 씨름꾼. 대력사 / 四肢无～; 사지에 힘이 없다 / 尽～而为;〈成〉힘을 다하여 하다. ③명 힘. 능력. 역량. 작용. ¶人～; 인력. 노동력 / 物～; ⓐ재력. ⓑ물체의 힘. 물력 / 目～; ⓐ시력(視力). ⓑ사물을 식별하는 힘 / 电～; 전력 / 药～; 약의 효능 / 说服～; 설득력 / 理解～; 이해력 / 购gòu买～; 구매력. ④동 큰 힘을 쓰다. 힘을 다하다. 노력하다. ¶～战; 힘을 다해 싸우다 / 工作不～; 일에 힘을 쓰지〔기울이지〕 않다 / 办事不～;

일에 힘을 안 들이다. ⑤ 명 세력. 정력. ⑥ 명 성분의 함유량 따위를 나타내는 퍼센티지. 성분. ¶九九～锌粉xīnfěn; 99% 아연분(粉)/足～; 성분이 충분하다. ⑦ 명 인부(人夫). ⑧ 명 운반비. =〔力钱〕⑨ 동 견지(堅持)하다. ⑩ 부 극력. 애써. ⑪ 명 성(姓)의 하나.

〔力巴〕 lìba 형〈方〉서투르다. 졸렬하다. 미숙하다. ¶你刻字倒像行家, 印刷可是～; 너는 글자를 새기는 일에는 전문가인 것 같지만, 인쇄 쪽은 서투르다. →〔外行〕 명 서투른 사람. 익숙지 않은 사람. 신출내기.

〔力巴儿〕 lìbar 명 ①⇨〔力巴头(儿)〕 ②옛날, 상점의 견습 점원.

〔力巴头(儿)〕 lìbatóu(r) 명 생무지. 문외한. 풋내기. 신출내기. ¶想不到这些～现在都成了行háng家了; 이 풋내기들이 현재 모두 내로라 하는 전문가가 되리라고는 생각지도 못했다/行háng家不说力巴儿话;〈諺〉전문가는 풋내기 같은 소리는 하지 않는 법이다. =〔力巴儿①〕→〔生shēng手(儿)〕〔外wài行〕

〔力笨〕 lìben 형 서투르다. 미숙하다. ¶作得一点不～; 하는 것이 조금도 서툴지 않다〔초대(初對)가 아니다〕.

〔力笨儿〕 lìbenr 명 아마추어(amateur). 신출내기의 젊은 견습생. 신참(新參). 미숙련자.

〔力避〕 lìbì 동 애써 피하다.

〔力臂〕 lìbì 명《物》지렛대의 역점(力點)과 지점(支點) 간의 거리.

〔力辩〕 lìbiàn 동〈文〉극구 변명하다.

〔力驳〕 lìbó 동〈文〉극력 반박하다.

〔力不从心〕 lì bù cóng xīn〈成〉하고 싶은 마음은 있으나 힘이 따르지 못하다. 역부족(力不足)이다.

〔力不胜任〕 lì bù shèng rèn〈成〉역량이 맡은 임무를 감당하지 못하다. 힘에 부치다. →〔力能胜任〕

〔力场〕 lìchǎng 명《物》힘의 장(場). 역장.

〔力持〕 lìchí 동 견지(堅持)하다. ¶～正义; 정의를 견지하다.

〔力畜〕 lìchù 명 역축(役畜). 사역용 가축.

〔力促〕 lìcù 동 힘써 독촉하다. 빠르게 하기 위해 노력하다. 힘써 촉진하다. ¶～发展; 힘써 발전을 촉진하다.

〔力催〕 lìcuī 동〈文〉엄중히 재촉하다.

〔力道〕 lìdào 명 효력. 효능. 효과. ¶豆饼～长; 콩깻묵(의 비료)은 효력이 길다.

〔力敌〕 lìdí 동〈文〉역전(力戰)하다. 극력 저항하다.

〔力点〕 lìdiǎn 명《物》(지레의) 힘점.

〔力斗〕 lìdòu 동〈文〉힘을 다하여 싸우다. =〔死sǐ斗〕

〔力度〕 lìdù 명 ①힘. 기량. 역량. ②《樂》(음의) 강약. 셈여림.

〔力积〕 lìjī 명《物》충격량(衝擊量). 역적.

〔力疾〕 lìjí 동〈文〉병을 무릅쓰고 (무리를) 하다. ¶～从公;〈成〉병을 무릅쓰고 공무에 종사하다. 형 매우 빠르다.

〔力荐〕 lìjiàn 동〈文〉극력 추천하다〔진권(進勸)하다〕.

〔力矫〕 lìjiǎo 동〈文〉극력〔애써〕교정(矯正)하다.

〔力竭气喘〕 lì jié qì chuǎn〈成〉힘이 다하여 숨이 차지다〔호흡이 촉박해지다〕.

〔力竭声嘶〕 lì jié shēng sī〈成〉힘이 다하고 목소리도 쉬다《피로의 극에 달한 모양》. =〔声嘶力竭〕

〔力戒〕 lìjiè 동 극력 경계하다. 단단히 훈계하다. 힘써 막다. ¶～骄傲; 교만을 극력 경계하다/～片面性; 애써 일방적임을 막다.

〔力尽筋疲〕 lì jìn jīn pí〈成〉힘이 다하고 몸이 지칠 대로 지치다. 녹초가 되다. ¶～, 动弹不得; 아주 녹초가 되어 움직일 수 없다.

〔力矩〕 lìjǔ 명《物》(힘의) 모멘트(moment)《물체를 회전시키는 능력의 크기를 나타냄》.

〔力拒〕 lìjù 동〈文〉극력 저항하다.

〔力量〕 lìliang 명 ①(육체적·추상적인) 힘. ¶团结就是～; 단결은 힘이다/尽着～做; 힘껏 하다. ②능력. 실력. ¶他很有～; 그는 매우 능력이 있다. ③작용(作用). 효력. ¶这种农药的～很大; 이 종류의 농약의 효력은 대단하다/烧酒～大; 소주는 독하다. ④세력. ¶～对比; 힘의 균형/～薄弱; 세력이 약하다/民主～; 민주 세력. ⑤병력. ¶武装～; 무장 병력.

〔力率〕 lìlǜ 명 ⇨〔功gōng率因数〕

〔力勉〕 lìmiǎn 동〈文〉노력하다.

〔力谋〕 lìmóu 동〈文〉극력〔힘써〕…을 꾀하다.

〔力能扼虎〕 lì néng è hǔ〈成〉호랑이를 졸라 죽일 만한 힘이 있다《대단한 장사》.

〔力能举鼎〕 lì néng jǔ dǐng〈成〉세발 솥을 들어 올릴 만한 힘이 있다《대단한 장사》.

〔力能胜任〕 lì néng shèng rèn〈成〉능히 임무를 감당할 수 있다. 임무를 다할 만큼의 힘이 있다.

〔力偶〕 lì'ǒu 명《物》우력(偶力). 짝힘.

〔力排众议〕 lì pái zhòng yì〈成〉힘으로 대중의 의견을 누르다. 힘으로 다수 의견을 물리치다.

〔力气〕 lìqi 명 (육체상의) 힘. 완력. 체력. ¶出～; 힘을 내다/他～很大; 그는 힘이 세다/我们年轻人不掏～, 对得起谁呀? 우리들 젊은 사람이 힘을 내지 않고, 대할 낯이 있다고 생각하는가?/卖～; ⓐ노동력을 팔다. ⓑ열심히 하다/卖～的;〈俗〉노동자/～活(儿); 육체 노동. 막일.

〔力钱〕 lìqian 명 ①〈方〉예물을 가지고 온 심부름꾼에게 주는 행하(行下). ¶开发～; 행하를 주다. =〔脚钱〕②짐삯. 운반비.

〔力求〕 lìqiú 동 극력 노력하다. 기(를) 쓰다. ¶～不犯错误; 잘못을 저지르지 않도록 극력 노력하다/～转嫁危机; 위기를 전가하려고 기를 쓰다/写文章～合乎群众的口味; 문장을 쓰는데 일반의 구미에 맞도록 하다.

〔力劝〕 lìquàn 동〈文〉힘써 권하다. 강권하다. ¶～诸君不要去; 아무쪼록 여러분 가지 말도록 하십시오.

〔力士〕 lìshì 명 ①역사. ㉠힘센 사람. 장사. 씨름꾼. =〔力人〕㉡역도 선수. →〔举jǔ重〕②관명(官名)《명대(明代), 사문(四門)의 수위(守衛)를 맡고, 천자의 출입에 수종(隨從)함》. ③《天》별의 이름.

〔力守〕 lìshǒu 동〈文〉극력 지키다. 사수(死守)하다.

〔力所能及〕 lì suǒ néng jí〈成〉힘이 미칠 수 있다. 자기 힘으로 할 수 있다. 힘이 닿는 한(限). ¶找点儿～的活儿干; 자기의 힘으로 할 수 있는 일을 찾다.

〔力索〕 lìsuǒ 동〈文〉극력〔애써〕찾다.

〔力田〕 lìtián 동〈文〉농경(農耕)에 힘쓰다. =〔力耕gēng〕〔力稼jià〕

〔力透纸背〕 lì tòu zhǐ bèi〈成〉필력(筆力)이 좋아 뒷면까지 꿰뚫다《필력이 늠름하고 힘차다》.

〔力图〕 lìtú 동 극력 …을 도모하다. 필사적이 되다. ¶～自强; 애써서 스스로 강해지려고 하다. =〔力求〕
〔力挽狂澜〕 lì wǎn kuáng lán 〈成〉 위험한 국면을 열심히 만회하려 하다.
〔力行〕 lìxíng 동 〈文〉 극력 힘쓰다. 애써 하다. ¶～不懈xiè; 꾸준히 힘써 노력하다.
〔力学〕 lìxué 명 《物》 역학. 동 〈文〉 노력하여 학습하다. ¶～不倦; 힘써 배워 싫증내지 않다.
〔力战〕 lìzhàn 동 ⇨〔奋fèn战〕
〔力争〕 lìzhēng 동 ①극력 노력하다. 필사적으로 하다. ¶～在今春之前完成; 금년 봄 이전에 완성하도록 극력 노력하다 / ～上游; 〈成〉 높은 목표로의 도달을 지향하여 크게 노력하다. ②끝까지 논쟁하다. 강력히 논쟁하다. ¶据理～; 도리를 근거로 하여 강력히 논쟁하다.
〔力征〕 lìzhēng 동 〈文〉 힘으로 정복하다. ¶欲以～经营天下; 무력 정복의 방식으로 천하를 다스리려고 하다. =〔力伐fá〕〔力政zhèng〕
〔力政〕 lìzhèng 동 ⇨〔力征zhēng〕 명동 〈文〉 노역(勞役)에 종사(하다). ¶五十不从～《禮記 王制》; 50세가 되면 노역에 종사하지 않는다.
〔力之所及〕 lì zhī suǒ jí 〈成〉 (자기 또는 남의) 힘으로 할 수 있음.
〔力指其非〕 lì zhǐ qí fēi 〈成〉 잘못을 단단히 지적하다.
〔力主〕 lìzhǔ 동 〈文〉 극력 주장하다. ¶～和平; 평화를 강력히 주장하다.
〔力壮〕 lìzhuàng 형 기운차다. 힘이〔활기에〕 넘치다. ¶年轻～; 나이 젊고 활기가 있다.
〔力资〕 lìzī 명 운반비. 운임.
〔力阻〕 lìzǔ 동 〈文〉 극력 방해〔저지〕하다. ¶居民～测量; 주민은 측량을 극력 저지한다.
〔力作〕 lìzuò 동 (육체 노동이나 집필에) 진력하다〔힘쓰다〕. ¶耕田～; 농사에 힘을 다하다. 명 역작. ¶这个剧本是他晚年的～; 이 각본은 그의 만년의 역작이다.

历(歷[A], 曆〈厤〉[B])

lì (력)

A) ① 동 겪다. 경험하다. ¶来～; 내력. 경력 / 履～; 이력 / ～尽难辛; 갖은 고생을 다 겪다. ② 동 (시간·세월이) 경과하다. 지나다. 거치다. ¶～时十年; 10년이 경과하다. ③이제까지의. 과거의. ¶～年; ⇓ / ～代; ⇓ ④ 부 하나하나. 두루. 골고루. ¶～访各校; 각 학교를 두루 방문하다. ⑤ 형 분명한. **B**) ① 명 역. 역법. ¶阳～; 양력 / 阴～ =〔旧～〕〔农～〕; 음력 / 公～; 서력. ② 명 역서(曆書). 책력. ¶日～; 일력 / 月～; 달력 / 挂～; 벽에 거는 달력. ③ 명 운명. ④ 명 연대(年代). ⑤ 명 연령. ⑥ 명 수(數). ⑦ 동 헤아리다.
〔历本〕 lìběn 명 ⇨〔历书〕
〔历朝〕 lìcháo 명 역대 왕조. 과거의 각 왕조. ¶～历代; 역대 왕조의 각(各)대.
〔历程〕 lìchéng 명 역정. 과정. 노정. ¶回顾战斗的～; 전투의 경과를 되돌아보다 / 光辉的～; 빛나는 경력.
〔历次〕 lìcì 명 이 때까지의 매회(每回). ¶这次参加的人数比～都要多; 이번의 참가 인원은 이제까지의 어느 회(回)보다도 많다. 부 자주. 누차.
〔历代〕 lìdài 명 역대. 대대. ¶～名人年谱; 역대 명사의 연보 / ～史表; 역대 역사표.
〔历法〕 lìfǎ 명 역법.
〔历观〕 lìguān 동 〈文〉 두루 보다〔살피다〕.
〔历回〕 lìhuí 명 ①수회(數回). ②매회(每回).
〔历阶〕 lìjiē 명 〈文〉 진보의 단계.
〔历劫〕 lìjié 동 〈文〉 ①많은 곤란을 겪다. ②오랜 세월을 지내다〔지나다〕.
〔历届〕 lìjiè 이 때까지의 각 회(回)〔매회〕(의).
〔历尽〕 lìjìn 동 모두〔두루〕 다 경험하다. ¶～甘苦; 〈成〉 고생을 두루 경험하다 / ～千辛万苦; 천신만고를 다 겪다.
〔历经〕 lìjīng 동 ①여러 차례 경험하다〔경과하다〕. 두루 겪다. ②가끔 …하다.
〔历久〕 lìjiǔ 동 〈文〉 오랜 동안에 걸치다. 오랜 기간이 지나다. 부 오랫동안.
〔历来〕 lìlái 부 종래. 예로부터. 이 때까지 죽. ¶～如此; 이전부터 죽 이러하다.
〔历历〕 lìlì 형 뚜렷한 모양. 하나하나 분명한 모양. ¶～在目; 〈成〉 역력히 눈에 떠오르다 / ～可考; 역력하여 확인할 수 있다 / ～可数; 하나하나 셀 수 있다.
〔历练〕 lìliàn 명 경험과 단련. ¶他有～; 그는 숙달되어 있다. 동 경험을 쌓다. 실지 수련〔연습〕을 하다. ¶多在外头～～, 得点经验; 밖에서 많이 단련되어 경험을 쌓다 / 在大学里一毕业, 就到社会上～去; 대학을 졸업하면 곧 사회에 나가 경험을 쌓는다. →〔闯chuǎng练〕
〔历乱〕 lìluàn 형 〈文〉 어수선하고 어지러운 모양. 동 반란·전란 따위를 겪다.
〔历落〕 lìluò 형 ① ⇨〔利落〕 ②착잡한 모양. =〔历历落落〕 ③목소리나 소리가 그치지 않는 모양.
〔历年〕 lìnián 명 ①예년. 다년간. 수년래. ¶这种供gōng求关系～的情况总是供不应yìng求, 表现紧张; 이 종류의 수급 관계의 예년의 상황은, 공급이 아무래도 수요를 따르지 못하는 꼴이라 핍박한 양상을 드러내고 있다 / ～的积蓄; 다년간의 축적. ②《天》 역년(曆年).
〔历年账〕 lìniánzhàng 명 ①연대표. ②매년의 장부.
〔历任〕 lìrèn 동 ①역임하다. ¶他～股长, 科长, 处长等职; 그는 계장·과장·부장의 직책을 역임했다. ②계속해서 담당하다. 연속해서 담당하다. ¶这个公社的～党委书记; 이 인민 공사를 연속해서 맡고 있는 당 위원회 서기이다.
〔历时〕 lìshí 동 시간이 지나다〔걸리다〕. ¶～四天的会谈; 4일간에 걸친 회담.
〔历史〕 lìshǐ 명 ①역사. ¶～意义; 역사적 의의 / 完成～使命; 역사적 사명을 다하다 / ～特点; 역사적 특수성 / ～潮流; 역사의 흐름 / ～车轮; 역사의 수레바퀴. 역사의 발전 / ～火车头; 역사의 원동력. ②개인의 경력. 이력. ¶～上犯过错误; 이제까지 과오를 범한 적이 있다 / 了解他的全部～; 그의 모든 경력을 조사하다 / 我～清白; 나는 경력상 과오를 범한 적이 없다. ③과거의 사실. ④과거 사실의 기록. ⑤역사학과.
〔历史观〕 lìshǐguān 명 역사관. 사관.
〔历史剧〕 lìshǐjù 명 《劇》 역사극. 사극.
〔历史唯物主义〕 lìshǐ wéiwù zhǔyì 명 《哲》 유물 사관. 역사적 유물론. =〔唯物史观〕
〔历史唯心主义〕 lìshǐ wéixīn zhǔyì 명 《哲》 유심 사관. 역사적 관념론. =〔唯心史观〕
〔历史文化名城〕 lìshǐ wénhuà míngchéng 명 (국무원(國務院)에서 지정한) 유구한 역사 문화나 자랑스런 혁명 전통을 보유하고 있는 도시.
〔历史性〕 lìshǐxìng 명 역사성. 역사적. ¶～胜利;

역사적 승리.
〔历室〕 lìshì 명 옛날의 관상대(觀象臺).
〔历书〕 lìshū 명 달력. 역서. =〔〈方〉 历本〕〔历头②〕
〔历数〕 lìshǔ 동 열거하다. ¶~徒日的功过; 지난날의 잘잘못을 늘어놓다 / ~侵略者的罪行; 침략자의 죄상(罪狀)을 열거하다. ⇒lìshù
〔历数〕 lìshù 명 ①계절이 바뀌는 정도. ②〈比〉 천도(天道)《천명이 바뀌어 제위(帝位)가 변천하는 도리》. ⇒lìshǔ
〔历诉〕 lìsù 동 〈文〉 상세하게 알리다.
〔历头〕 lìtóu 명 ①역서(曆書)의 첫머리. 연초(年初). ②⇨〔历书〕
〔历尾〕 lìwěi 명 달력의 말미(末尾). 세밑. 세모(歲暮).
〔历险〕 lìxiǎn 동 위험을 겪다. 탐험하다. ¶山中~记; 산중 탐험기.
〔历象〕 lìxiàng 명 〈文〉 천문(天文). 기상(氣象).
〔历月〕 lìyuè 명 《天》 역월.

叻
Lì (륵)
명 《地》 싱가포르(Singapore). =〔叻埠〕〔新嘉坡〕
〔叻元〕 lìyuán 명 《貨》 해협(海峽) 달러. 말레이시아 달러. 싱가포르 달러.

朸
lì (력)
명 〈文〉 (나무의) 결.

沥(瀝)
lì (력)
①동 물이 듣다. 액체가 방울방울 떨어지다. ¶~血; ⇩ ②동 거르다. 여과하다. ③명 (물)방울. ¶余~; 여적. 남은 물방울.
〔沥忱〕 lìchén 동 진심을 보이다〔표시하다〕.
〔沥陈〕 lìchén 동 〈文〉 생각을 숨김 없이 말하다.
〔沥胆〕 lìdǎn 동 〈文〉 충성을 다하다.
〔沥滴〕 lìdī 동 〈文〉 물방울이 듣다〔떨어지다〕.
〔沥恳〕 lìkěn 동 〈文〉 간절히 바라다.
〔沥涝〕 lìlào 동 작물(作物)이 물에 잠기다. 관수(冠水)하다.
〔沥沥〕 lìlì 〈擬〉〈文〉 ①바람 소리의 형용. ②물 소리의 형용.
〔沥青〕 lìqīng 명 ①아스팔트. 피치(pitch). 역청. ¶地~; 천연 아스팔트 / 铺~ =〔浸~〕; 아스팔트를 깔다 / ~路; 아스팔트 도로. =〔〈俗〉柏bǎi油〕〔臭油〕 ②송진의 별칭. =〔松脂〕
〔沥青焦炭〕 lìqīng jiāotàn 명 《化》 피치 코크스(pitch cokes).
〔沥青搅拌机〕 lìqīng jiǎobànjī 명 《機》 아스팔트 믹서.
〔沥青煤〕 lìqīngméi 명 ⇨〔烟yān煤〕
〔沥青铺路机〕 lìqīng pūlùjī 명 《機》 아스팔트 포장기.
〔沥青撒布机〕 lìqīng sǎbùjī 명 《機》 아스팔트 살포기.
〔沥青炭〕 lìqīngtàn 명 ⇨〔烟yān煤〕
〔沥青砖〕 lìqīngzhuān 명 아스팔트 타일(asphalt tile). 아스타일.
〔沥情〕 lìqíng 동 〈文〉 사정을 말하다. ¶~禀bǐng求; 사정을 말하며 부탁하다.
〔沥述〕 lìshù 동 〈文〉 피력하여 말하다.
〔沥水〕 lìshuǐ 명 고인 물.
〔沥血〕 lìxuè 동 ①피가 방울방울 떨어지다. 피를 방울방울 떨어지게 하다. ②피로써 맹세하다. ③〈轉〉 성의를 표시하다.
〔沥液〕 lìyè 명 뚝뚝 떨어지는 물《얼마 안 되는 물》.

坜(壢)
lì (력)
지명용 자. ¶中~; 타이완 성(臺灣省) 타오위안 현(桃園縣)의 서쪽에 있는 지명.

苈(藶)
lì (력)
→〔葶tíng苈〕

呖(嚦)
lì (력)
→〔呖呖〕
〔呖呖〕 lìlì 〈擬〉〈文〉 ①말소리가 맑고 유창한 모양. ②아름다운 새 울음소리의 형용. ¶莺yīng声~; 꾀꼬리의 울음소리가 귀를 즐겁게 한다.

枥(櫪)
lì (력)
명 ①〈文〉 ㉠말구유. ㉡〈轉〉 마구간. ¶~马; 〈比〉 갇힌 사람. →〔老骥伏枥〕 ②⇨〔栎lì〕 ③(양잠용의) 섶. =〔蚕cán箔〕

疬(癧)
lì (력)
→〔瘰luǒ疬〕

雳(靂)
lì (력)
→〔霹pī雳〕

厉(厲)
lì (려)
①명 숫돌. ②명 악마(惡魔). ③명 유행병. 돌림병. ④형 엄숙하다. ¶正颜~色; 〈成〉 엄숙한 얼굴〔표정〕. 진지한 얼굴. ⑤형 심하다. 맹렬하다. (거칠고) 사납다. ¶雷~风行; 〈成〉 천둥이 심하고 바람도 세차다 / 声色俱~; 음성도 얼굴도 거칠다. ⑥형 엄격하다. 엄하다. ¶~行节约; 절약을 힘써 행하다. ⑦형 흉포하다. ⑧명 성(姓)의 하나.
〔厉兵〕 lìbīng 동 〈文〉 무기를 갈다. =〔砺兵〕
〔厉兵秣马〕 lì bīng mò mǎ 〈成〉 무기를 갈고 말을 기르다《전쟁 준비를 함》.
〔厉风〕 lìfēng 명 〈文〉 맹렬한 바람.
〔厉鬼〕 lìguǐ 명 ①악귀(惡鬼). ¶死后一定变为~向害人的家伙报复; 죽은 뒤 반드시 악귀가 되어 남을 해친 자에게 보복하다. ②죽은 사람. 망자(亡者).
〔厉害〕 lìhai 형 ①심하다. 호되다. 사납다. 지독하다. ¶他的手段太~; 그의 수법은 너무 지독하다 / 向孩子为什么~? 어린애에게 어쩐 일로 그리 심하게 하느냐? / 老虎很~; 호랑이는 매우 사납다. ②('…得~') 지독하다. 대단하다. 굉장하다. ¶冷得~; 지독히 춥다 / 饿得~; 배가 고파 못 견디겠다 / 心跳得~; 심장이 몹시 두근거린다. 명 지독함. 잔인함. 본때. ¶给你个~看! 뜨끔한 맛을 보여 줄 테다! / 叫他们知道我们的~; 그들에게 우리가 얼마나 무서운지 알려 줘야겠다. ‖ =〔利害lìhai〕
〔厉疾〕 lìjí 〈文〉 명 역질(疫疾). 형 맹렬하게 빠르다.
〔厉阶〕 lìjiē 명 재앙을 부르는 실마리. 화근. =〔祸huò端〕
〔厉禁〕 lìjìn 동 〈文〉 엄금하다.
〔厉民〕 lìmín 동 〈文〉 백성을 학대하다. ¶~政策; 국민을 괴롭히는 정책.
〔厉然〕 lìrán 형 〈文〉 엄한 모양.
〔厉色〕 lìsè 명 엄격한 표정. 노여운 기색. 동 안색을 엄하게 하다.

〔厉声〕 lìshēng 명 격한〔엄한〕 목소리. 큰 소리. ¶声色不动地～说; 안색(顏色)을 바꾸지 않고 엄한 목소리로 말하다. 동 큰 소리를 내다. 목소리를 사납게 하다.
〔厉肃〕 lìsù 형 〈文〉 엄숙하다.
〔厉行〕 lìxíng 동 ①엄격히 실행하다. ②강행하다. 단행하다.
〔厉言〕 lìyán 명 엄한 말.

励(勵) lì (려) ①동 (부지런히) 힘쓰다. 노력하다. ¶夙sù夜勤～; 〈成〉 아침 일찍부터 밤 늦게까지 부지런히 힘쓰다. ②동 격려하다. ¶奖jiǎng～; 장려(하다) / 鼓gǔ～; 기운을 북돋우다. =〔勉miǎn励〕 ③명 성(姓)의 하나.
〔励磁〕 lìcí 명 《物》 자기화(磁氣化). 여자.
〔励磁机〕 lìcíjī 명 《電》 여자기. 익사이터(exciter).
〔励精〕 lìjīng 동 〈文〉 정신을 분발시키다. ¶～图治; 〈成〉 나라를 잘 다스리기 위해 정치에 힘쓰다.
〔励民〕 lìmín 동 〈文〉 국민을 격려하다.
〔励行〕 lìxíng 동 힘써 실행하다. 실행하기를 장려하다. ¶～节约; 절약을 힘써 실행하다〔장려하다〕.
〔励志〕 lìzhì 동 〈文〉 자신을 격려하다. 스스로 분발하다.

疠(癘) lì (라, 려) 명 《醫》 〈文〉 ①유행병. ¶～疫; ⇩ ②못된 병. ③악성의 부스럼〔종양〕. ¶疥jiè～ =〔疥癬〕; 《醫》 옴. ④문둥병.
〔疠风〕 lìfēng 명 ⇨〔痳má风〕
〔疠疫〕 lìyì 명 온역(瘟疫). 유행병.

砺(礪) lì (려) 〈文〉 ①명 결이 거친 숫돌. ②동 (칼 등을) 갈다. ¶磨mò～; ⓐ갈다. ⓑ연마하다 / 砥～; 연찬(硏鑽)하다 / 秣mò马～兵; 〈成〉 전쟁 준비를 하다.
〔砺兵〕 lìbīng 동 무기를 갈다. =〔厉兵〕
〔砺带山河〕 lì dài shān hé 〈成〉 산은 작아져서 숫돌과 같고, 강은 작아져서 띠처럼 되다《ⓐ나라가 영원 무궁토록 번영하다. ⓑ세월이 까마득하여 산천의 변화가 매우 크다》.

粝(糲〈糲〉) lì (려) 〈文〉 ①명 현미(玄米). ¶～饭fàn; 현미식(食). =〔粝米〕 ②형 거칠다. ¶粗～之食; 조악한〔변변찮은〕 음식.

蛎(蠣) lì (려) 명 《貝》 굴. =〔牡mǔ蛎〕〔海蛎子〕〔蚝háo〕
〔蛎房〕 lìfáng 명 굴의 껍데기.
〔蛎粉〕 lìfěn 명 굴껍데기 분말.
〔蛎干(儿)〕 lìgān(r) 명 말린 굴.
〔蛎黄〕 lìhuáng 명 굴(살). =〔蛎蟥〕
〔蛎奴〕 lìnú 명 《動》 속살이게.
〔蛎塘〕 lìtáng 명 굴양식장.
〔蛎鹬〕 lìyù 명 《鳥》 검은머리물떼새.

立 lì (립) ①동 서다. ¶～在台上; 대 위에 서다 / 并bìng～; 나란히 서다. 병립하다 / 对duì～; 맞서다. 대립하다 / 坐～不安; 〈成〉 안절부절못하다. ②동 홀로 서다. 자립하다. ¶民族独dú～; 민족 독립 / 他已经能自～了; 그는 이미 자립할 수 있게 되었다. ③동 세우다. ㉠(밑에 있는 것, 가로놓인 것을) 일으키다. 세로로 하다. ¶把伞～在门后头; 우산을 문 뒤에 세우다 / 横héng眉～目; 〈成〉 눈썹을 찡그리고 눈초리를 치켜뜨다《성난 얼굴을 하다》. ㉡(없었던 것을) 만들다. 일으키다. 설립〔건립·수립〕하다. ¶～学校; 학교를 세우다 / ～国; 나라를 세우다 / ～功; 공을 세우다 / ～志zhì; 뜻을 세우다 / ～生意; 장사를 시작하다 / ～榜bǎng样; 모범을 보이다. ㉢(귀를) 쫑긋 세우다. ④동 (약정·계약·증서를) 작성하다. (제)정하다. ¶～合同; 계약을 맺다. ⑤동 존재하다. 생존하다. ⑥부 즉시. 곧. 금세. ¶～见效验; 즉시 효험이 나타나다 / ～行停止; 즉시 정지하다.
〔立案〕 lì.àn 동 ①입안하다. ¶立了案禀了上司了; 입안하여 상사에게 보고하였다. ②등록하다. 등기하다. ¶请批准～; 허가 등록을 출원하다. (lì'àn) 명 인가필(認可畢).
〔立巴次布〕 lìbācìbù 명 《紡》 무명 리플(ripple).
〔立榜〕 lì.bǎng 동 팻말을 세우다. 게시(揭示)하다.
〔立保〕 lìbǎo 동 보증인을 세우다. ¶～单; 보증서를 작성하다 / ～单人; 보증인.
〔立碑〕 lì.bēi 동 비(碑)를 세우다. =〔树shù碑〕
〔立本子〕 lì.běnzi 동 통장을〔계좌를〕 만들다. =〔立折子〕
〔立逼〕 lìbī 동 무리하게〔억지로〕 핍박하다. 강요하다. ¶～他答应; 그에게 억지로 승낙할 것을 강요하다 / ～着要办完; 무리하게 일을 끝마치라고 강요하다.
〔立不住〕 lìbuzhù ①서 있을 수가 없다. =〔站zhàn不住〕 ②계속할 수가 없다. 유지가 안 되다. ¶这买卖～; 이 장사는 계속 해 나갈 수가 없다. ③자라지〔크지〕 않다. ¶小孩儿～; 아이가 자라지를 않다.
〔立餐〕 lìcān 명 입식(立食). 서서 먹는 일.
〔立场〕 lìchǎng 명 ①입장. 관점. ¶站在…的～; …의 입장에 서다. ②정치적〔계급적〕 입장.
〔立朝〕 lìcháo 동 〈文〉 조정에서 벼슬하다.
〔立春〕 lìchūn 명 입춘《양력 2월 4일경》. =〔始shǐ春〕 (lì.chūn) 동 입춘이 되다.
〔立此存照〕 lìcǐ cúnzhào 뒷날의 증거로 문서로서 보존함《계약서·공문서의 관용어》.
〔立待〕 lìdài 동 〈文〉 ⇨〔立候hòu〕
〔立单人〕 lìdānrén 명 계약서 작성인.
〔立裆〕 lìdāng 명 바지 가랑이의 살 위의 길이. 밑위길이.
〔立党为公〕 lì dǎng wéi gōng 많은 사람을 위하여 당을 결성하다.
〔立党为私〕 lì dǎng wéi sī 이기적인 목적을 위하여 당을 결성하다.
〔立刀(儿)〕 lìdāo(r) 명 《言》 칼도방《한자 부수의 하나. '分·刊' 등의 '刀·刂'의 이름》.
〔立德〕 lìdé 동 〈文〉 덕을 쌓다. →〔立言〕
〔立德粉〕 lìdéfěn 명 ⇨〔锌xīn钡白〕
〔立等〕 lìděng 동 〈文〉 ⇨〔立候hòu〕
〔立等可取〕 lì děng kě qǔ 즉석 수리《수리·수선집 등의 간판 용어로 주로 쓰임》.
〔立低莫斯〕 lìdīmòsī 명 《化》 〈音〉 리트머스(litmus). =〔石蕊〕〔〈音〉 立脱麦司〕
〔立地〕 lìdì 부 그 자리에서. 즉시. 당장. ¶吃下去～生效, 一天比一天好了; 먹으니까 즉시 효력이 나타나서 나날이 좋아졌다 / 放下屠刀, ～成佛; 백정이 칼을 놓으면 즉시 부처가 될 수 있다《나쁜 사람도 회개하면 즉시 좋은 사람이 될 수 있다》. =〔立刻kè〕 동 ①〈古白〉 서다. =〔立着〕 ②땅에

서다. ¶顶天～; 〈成〉 하늘을 떠받치고 땅 위에 우뚝 서다(영웅적 기개를 형용) / ～书橱chú; 〈成〉 살아 있는 사전적인 인물.
〔立定〕 lìdìng 동 ①제자리 서!(군대·체조에서 구령). ②(흔히, '～了'로 하여) 단단히 서다. 똑바로 서다. =〔站zhàn定〕
〔立定跳远〕 lìdìng tiàoyuǎn 명 《體》 제자리 넓이뛰기.
〔立冬〕 lìdōng 명 입동. (lì.dōng) 동 입동이 되다.
〔立顿红茶〕 Lìdùn hóngchá 명 〈音義〉 립턴(Lipton) 홍차.
〔立法〕 lì.fǎ 동 입법하다. ¶～机关; 입법 기관.
〔立法程序〕 lìfǎ chéngxù 명 《法》 입법 절차.
〔立方〕 lìfāng 명 ①입방. 세제곱. ¶～根gēn; 《數》 세제곱근. 입방근. ②입방체의 준말. ¶～体 =〔正zhèng方体〕; 정육면체. 입방체. ③《度》 입방〔세제곱〕 미터. ¶一～土; 1입방 미터의 흙.
〔立方分米〕 lìfāng fēnmǐ 명 《度》 입방 데시미터.
〔立方根〕 lìfānggēn 명 《數》 세제곱근. 입방근.
〔立方毫米〕 lìfāng háomǐ 명 《度》 입방 밀리미터.
〔立方厘米〕 lìfāng límǐ 명 《度》 입방 센티미터.
〔立方米〕 lìfāngmǐ 명 《度》 입방 미터.
〔立方体〕 lìfāngtǐ 명 《數》 입방체. =〔正方体〕〔立方〕
〔立坟〕 lìfén 동 묘지를 만들다.
〔立浮〕 lìfú 명 선헤엄. 입영(立泳).
〔立竿见影〕 lì gān jiàn yǐng 〈成〉 장대를 세우면 그림자가 생긴다(즉시 효과가 나타남). ¶用这办法治虫, 成绩～; 이 방법으로 해충을 퇴치한다면 금방 효과를 볼 수 있다.
〔立功〕 lì.gōng 동 공적을 세우다. ¶～自赎shú =〔～赎罪〕; 공을 세워 속죄하다. 공을 세워 자기의 죄를 비겨 없애다. →〔立言〕
〔立柜〕 lìguì 명 장롱(위쪽에는 서랍이 있고 아래쪽은 양쪽으로 여닫게 되어 있음). =〔竖shù柜〕
〔立合同〕 lì hétong →〔字解④〕
〔立后〕 lìhòu 동 〈文〉 ⇨〔立嗣sì〕
〔立候〕 lìhòu 동 〈文〉 곧 …할 것을 기다리다〔요하다〕. ¶～回信 =〔～回音〕; 〈翰〉 곧 회답해 주십시오. =〔立待dài〕〔立等〕
〔立户〕 lì.hù 동 ①한 가정을 세우다〔일으키다〕. ②은행에 계좌를 트다.
〔立即〕 lìjí 부 즉각. 즉시. ¶～转移; 곧 이동하다 / 闻报～赶到; 소식을 듣고 즉시 달려오다 / ～通知; 즉각 통지하다. =〔立刻〕
〔立继〕 lìjì 동 〈文〉 후계자를 세우다. ¶～单; 후계(後繼) 증서.
〔立枷〕 lìjiā 명 옛날, 형구의 일종(통나무 우리 속에 가두어 세워 놓음). =〔立笼〕〔站zhàn笼〕
〔立家〕 lì.jiā 동 독립하여 한 가정을 꾸미다〔이루다〕.
〔立交桥〕 lìjiāoqiáo 명 〈簡〉 '立体交叉桥'(입체 교차교)의 약칭.
〔立脚(儿)〕 lì.jiǎo(r) 동 서다. 입각하다. 발판으로 하다. ¶～不稳; 발판〔입장〕이 불안정하다 / ～地; ⓐ발판. ⓑ입각지. 근거지 / 立不住脚; 입각지를 잃다. 계속 서 있을 수 없다. =〔立足〕
〔立脚点〕 lìjiǎodiǎn 명 ①(사물을 관찰·판단할 때의) 입장. 위치. 태도. 관점. ¶观察事物要有正确的～, 才能得出正确的判断来; 사물을 관찰하려면 정확한 입장에 설 때만이 정확한 판단을 내릴 수 있다. →〔立场〕 ②근거지. 발판. ¶把这里作为～和联络站; 이 곳을 발판 및 연락 장소로 한다. ‖=〔立足点〕
〔立脚手〕 lìjiǎoshǒu 명 내응자(內應者).
〔立井〕 lìjǐng 명 《鑛》 수갱(竪坑). 곧은쌤. =〔竖shù井〕
〔立据〕 lìjù 동 증서를 내밀다〔제출하다. 내다〕.
〔立决〕 lìjué 동 ①즉결하다. ②〈文〉 즉결로 처형하다.
〔立开〕 lìkāi 동 세우다. 벌리다. 늘이다. ¶～脚步; 보폭을 벌리다.
〔立克次氏体〕 lìkècìshìtǐ 명 《醫》 〈音〉 리케차(rickettsia). =〔立克次氏病原体〕
〔立刻〕 lìkè 부 즉각. 곧. 즉시에. ¶～写信通知他; 곧 편지를 써서 그에게 알리다 / 请大家, ～到会议室去! 여러분, 곧 회의실로 가 주십시오! =〔立地〕〔立即〕〔立时〕〔立时巴刻〕〔立时刻〕〔马上〕
〔立枯病〕 lìkūbìng 명 《農》 (식물의) 입고병.
〔立擂〕 lìlèi 동 '擂台'를 세우다(무술 시합이나 연극을 하기 위하여 무대를 만들다).
〔立棱儿〕 lì.léngr 동 모나다. 피라미드형을 이루다. 능선(稜線)을 만들다. =〔立楞②〕
〔立楞〕 lìléng 동 ①눈에 쌍심지를 돋우다. 남의 흠을 잡다. ¶～着眼说; 눈에 쌍심지를 돋우며 말하다. 남의 흠을 들어 말하다. ② ⇨〔立棱儿〕
〔立领〕 lìlǐng 명 목닫이. 스탠딩 칼라. ¶～中山服; 목닫이의 중산복(인민복).
〔立论〕 lìlùn 동 입론하다. 이론을 세우다. 명 입론. 내세운〔주장한〕 이론.
〔立马〕 lìmǎ 동 말을 멈추다. 부 곧. 즉각. =〔立马间〕 →〔立即〕
〔立马追风〕 lìmǎ zhuīfēng 〈比〉 곧. 즉시. ¶不料接他的同志～要他动身; 뜻밖에 그를 맞이한 그의 동지는 그에게 곧 출발하도록 요구했다.
〔立眉瞪眼〕 lì méi dèng yǎn 〈成〉 눈썹을 추켜세우고 눈을 부라리다. 눈에 쌍심지를 켜다(몹시 성난 모양). ¶一个做底下人的怎么动不动就～呢? 일개 고용인 주제에 왜 툭하면 화를 내는가? =〔立眉立眼〕
〔立门户〕 lì ménhu 집〔가정〕을 가지다. 살림을 차리다. ¶他自己立了门户; 그는 자기 살림을 차렸다.
〔立面图〕 lìmiàntú 명 《建》 입면도. 정면도. =〔正视图〕
〔立名〕 lìmíng 동 명예를 세우다. 평판을 좋게 하다.
〔立票〕 lìpiào 동 어음을 발행하다. ¶～人; 어음 발행인 / ～为照; 어음을 떼어 증거로 하다.
〔立起〕 lìqǐ 동 일어서다. 일어나다.
〔立契〕 lìqì 동 〈文〉 증거 문서를 작성하다.
〔立秋〕 lìqiū 명 입추. (lì.qiū) 동 가을에 들다.
〔立券〕 lìquàn 동 〈文〉 증서를 작성하다.
〔立人儿〕 lìrénr 명 《言》 사람인 변(한자 부수의 하나. '仁·代' 등의 '亻'의 이름). ¶单～; 사람인 변 / 双～; 두인변. 중인변.
〔立射〕 lìshè 《軍》 명 입사(立射). 서서 쏴. 동 서서 쏘다. →〔跪guì射〕〔卧wò射〕
〔立身处世〕 lì shēn chǔ shì 〈成〉 처세(處世). 사람과의 사귐.
〔立时〕 lìshí 부 즉각. =〔立刻〕
〔立时刻〕 lìshíkè 부 ⇨〔立刻〕
〔立时三刻〕 lì shí sān kè 〈成〉 곧. 즉시. ¶逼着我～把信写好; 나로 하여금 무슨 일이 있어도 곧 편지를 다 쓰게 하다 / 心里悬的那只吊桶～落了地; 마음에 걸려 있던 불안이 곧 없어졌다. =〔立

刻〕
〔立式刨床〕 lìshì bàochuáng 명 《機》 수직〔직립〕 평삭반(平削盤).
〔立式车床〕 lìshì chēchuáng 명 《機》 직립 선반. 수직 보링 선반.
〔立式电灯〕 lìshì diàndēng 명 전기 스탠드.
〔立式牛头刨床〕 lìshì niútóu bàochuáng 명 《機》 수직〔직립〕 셰이핑 머신(shaping machine).
〔立式水泵〕 lìshì shuǐbèng 명 수직 펌프(vertical pump).
〔立式镗床〕 lìshì tángchuáng 명 《機》 수직 보링 머신(vertical boring machine).
〔立式铣床〕 lìshì xǐchuáng 명 《機》 수직식 밀링 머신(milling machine). ¶ ～用电气控制箱; 《機》 수직식 밀링 머신용(用) 전기 제어함(制御函).
〔立式钻床〕 lìshì zuànchuáng 명 《機》 직립 드릴링 머신(drilling machine).
〔立室〕 lìshì 동 〈文〉 ①아내를 얻다. ②집을 짓다.
〔立誓〕 lì,shì 동 〈文〉 맹세하다.
〔立手笔〕 lì shǒubǐ 글씨를 써 놓다〔남기다〕. 문서〔증서〕를 쓰다.
〔立手立脚儿〕 lì shǒu lì jiǎor 〈成〉 어린아이가 남의 도움 없이 혼자서 걸을 수 있게 되다. =〔立手儿〕
〔立庶〕 lìshù 동 〈文〉 서자를 후계자로 삼다.
〔立嗣〕 lìsì 동 〈文〉 양자를 들여 후사로 삼다. =〔立后〕
〔立索〕 lìsuǒ 동 〈文〉 즉시 요구하다. 곧〔즉시〕 청구하다.
〔立坛〕 lìtán 동 〈文〉 제단(祭壇)을 만들다.
〔立谈〕 lìtán 동 〈文〉 서서 이야기하다. ¶ ～之间; 〈成〉 서서 이야기하는 사이(극히 잠깐).
〔立陶宛〕 Lìtáowǎn 명 《地》 리투아니아(Lithuania)(수도는 '维wéi尔纽斯'(빌니우스: Vilnius)).
〔立梯子〕 lì tīzi ①사다리를 걸치다. ②〈比〉 남의 심부름을 해 주다. 힘이 되어 주다. ¶ 你要上高儿我给你～; 자네가 무언가 한다고 할 때는 내가 힘이 되어 줄께.
〔立体〕 lìtǐ 명 ①입체. ¶ ～地看农村; 입체적으로 농촌을 보다 / ～电视; 입체 텔레비전 / ～战争; 입체전 / ～照相; 입체 사진 / ～作业; 입체 작업. ②《數》 입체. =〔几何体〕
〔立体电影〕 lìtǐ diànyǐng 명 《映》 입체 영화. ¶ 宽kuān银幕～; 시네라마(Cinerama).
〔立体几何〕 lìtǐ jǐhé 명 《數》 입체 기하.
〔立体交叉〕 lìtǐ jiāochā 명 입체 교차(교통).
〔立体交叉桥〕 lìtǐ jiāochāqiáo 명 입체 교차교.
〔立体角〕 lìtǐjiǎo 명 《數》 입체각. =〔多面角〕
〔立体派〕 lìtǐpài 명 《美》 입체파.
〔立体声〕 lìtǐshēng 명 입체 음향. 스테레오(stereo). ¶ ～录音机; 스테레오테이프 리코더. 스테레오 녹음기 / ～唱机; 스테레오 레코드 플레이어.
〔立停表〕 lìtíngbiǎo 명 ⇨〔停表①〕
〔立体图〕 lìtǐtú 명 입체도.
〔立突〕 lìtū 명 ⇨〔立脱tuō尔〕
〔立脱尔〕 lìtuō'ěr 명 《度》 〈音〉 리터(liter). =〔公升〕〔立脱耳〕〔立得儿〕〔立特〕〔立特tè尔〕〔立突〕
〔立脱马司试纸〕 lìtuōmǎsīshìzhǐ 명 《化》 리트머스(litmus) 시험지.
〔立文书〕 lì wénshū 증서〔문서〕를 쓰다. 증서를 제출하다. =〔立字(儿)〕〔立字据〕
〔立席〕 lìxí 명 (노선 버스 · 기차의) 입석. ¶ ～票; 입석표.
〔立铣刀〕 lìxǐdāo 명 《機》 바닥 밀링 커터(milling cutter).
〔立铣头〕 lìxǐtóu 명 《機》 수직의 작은 끌의 끝(수직식 밀링 머신에 쓰임).
〔立夏〕 lìxià 명 입하. (lì,xià) 동 여름에 들어서다.
〔立下〕 lìxia 동 ①세우다. ¶ ～大功; 큰 공을 세우다. ②체결하다. 맺다. ¶ ～合同; 계약을 체결하다.
〔立宪〕 lìxiàn 명동 입헌(立憲)(하다).
〔立像〕 lìxiàng 명 입상. →〔坐zuò像〕
〔立心〕 lìxīn 동 뜻을 세우다. 결심하다.
〔立言〕 lì,yán 동 (후세까지 전할 만한 훌륭한) 언론(言論)을 이루다.
〔立业〕 lì,yè 동 ①사업을 일으키다. ¶ 成家～; 결혼하고 독립해서 생계를 꾸리다. ②재산을 만들다〔이루다〕.
〔立义发凡〕 lìyì fāfán 요지를 설명하고 범례를 들다. →〔发凡〕
〔立异〕 lì,yì 동 이론(異論)을 말하다. 이의를 제기하다.
〔立意〕 lìyì 동 뜻〔의견〕을 결정하다. ¶ 他～为wèi人民服务; 그는 국민을 위해 봉사하기로 결심했다. 명 ①결심. ②생각. 구상(構想). 착상. ¶ 这幅画儿～不好; 이 그림은 구상이 좋지 않다.
〔立于〕 lìyú 〈文〉 (…에) 서다. ¶ ～不败之地; 〈成〉 불패의 땅에 서다(확고한 위치를 차지하다).
〔立鱼〕 lìyú 명 《魚》 황돔.
〔立愿〕 lì,yuàn 동 ①염원을 품다. ②맹세하다.
〔立约〕 lì,yuē 동 약속을 정하다. 약정하다. 계약〔조약〕을 맺다.
〔立寨〕 lì,zhài 동 천막을 치다. 캠핑하다.
〔立正〕 lìzhèng 동 ①똑바로 하게 하다. 버릇을 가르치다. ②(흔히 '～了'로 하여) 부동의 자세를 취하다. 바른 자세로 서다. ③충성(忠誠)을 맹세하다. 경의를 표하다. 명 차렷(구령).
〔立止表〕 lìzhǐbiǎo 명 스톱 워치(stop watch) ('停tíng表'의 구칭).
〔立志〕 lì,zhì 동 뜻을 세우다.
〔立中〕 lìzhōng 명 《漢醫》 침구(鍼灸) 경혈(經穴)의 하나(빗장뼈 아래쪽의 움푹한 혈).
〔立轴〕 lìzhóu 명 ①족자. =〔挂guà轴〕 ②《機》 직립축(直立軸). 버티컬 샤프트(vertical shaft).
〔立主意〕 lì zhǔyi 결심〔결정〕하다. →〔主意〕
〔立住脚跟〕 lìzhù jiǎogēn 발판을 굳히다. 입장이 흔들리지 않게 하다.
〔立柱〕 lìzhù 명 《鑛》 칼럼(column). 지주(支柱).
〔立锥之地〕 lì zhuī zhī dì 〈成〉 송곳을 꽂을 만한 땅(매우 좁은 장소). ¶ 无wú～; ⓐ땅이 몹시 좁음. ⓑ아주 좁은 땅도 없을 만큼 가난하다. =〔置zhì锥之地〕
〔立姿〕 lìzī 명 《軍》 기립 자세.
〔立字(儿)〕 lì,zì(r) 동 문자화하다. 증서(證書)를 쓰다. ¶ ～为证; 문자로 써서 증거로 삼다.
〔立字据〕 lì zìjù ⇨〔立文书〕
〔立足〕 lìzú 동 ①근거하다. 입각하다. (입장에) 서다. ¶ ～于独立自主和自力更生; 독립 자주와 자력갱생에 입각하다. ②서 있을 수 있다. 버틸 수 있다. 살아갈 수 있다. ¶ 失去了～地位; 설 곳을 잃다 / ～之地; 〈成〉 입각점(立脚點). 입장. 성립의 기반.
〔立足点〕 lìzúdiǎn 명 발판. 입각점(立脚點). 입장.

莅〈蒞, 涖〉 lì (리)
동 〈文〉 임하다. 다다르다. 임석〔출석〕하다.

〔莅场〕 lìchǎng 동 〈文〉 임장(臨場)하다. 어떤 장소에 임하다.
〔莅官〕 lìguān 동 〈文〉 관직에 나아가다.
〔莅会〕 lìhuì 동 〈文〉 모임에 나가다. 회의에 출석하다.
〔莅莅〕 lìlì 〈擬〉〈文〉 물이 흐르는 소리.
〔莅临〕 lìlín 동 〈文〉 친히 왕림하시다. 임석(臨席)하시다. ¶敬请～指导! 친히 왕림하시어 지도해 주시기를 부탁드립니다!
〔莅盟〕 lìméng 동 모여서 맹약을 맺다.
〔莅民〕 lìmín 동 〈文〉 백성을 다스리다.
〔莅任〕 lìrèn 동 〈文〉 부임(赴任)하다. 사무를 보다. =〔莅差〕〔莅止〕
〔莅事〕 lìshì 동 〈文〉 부임하다. 사무를 보다.
〔莅庭〕 lìtíng 동 〈文〉 법정에 임하다.
〔莅政〕 lìzhèng 동 〈文〉 정무를 보다.
〔莅职〕 lìzhí 동 〈文〉 취임하다.

粒 lì (립)
①(～儿) 명 입상(粒狀)의 것. 알. 알갱이. 톨. 입자. ¶米～儿; 쌀알 양饭～; 밥알 / 碎～; 부스러기 / 颗～; 과립. ② 작은 입상의 것을 세는 데 쓰임. ¶一～米; 한 톨의 쌀 / 两～丸药; 두 알의 환약 / 三～子弹; 세 발의 총탄.

〔粒度〕 lìdù 명 ①《鑛》 석탄 따위 광물 알갱이의 크기. ②《機》 연마재(研磨材)인 모래알의 대소(大小)의 정도. ¶三十号～; 1/30인치의 체의 눈을 통할 정도의 크기.
〔粒肥〕 lìféi 명 입상(粒狀) 비료.
〔粒黑〕 lìhēi 명 《染》 결정(結晶) 니그로신(nigrosine).
〔粒火〕 lìhuǒ 명 극히 미미한 불. ¶～能烧万重chóng山; 아주 미미한 불도 만중의 산을 태운다《개미 구멍으로 둑도 무너진다》.
〔粒米〕 lìmǐ 명 한 알〔톨〕의 쌀. ¶～不进; (병(病)·걱정으로) 음식이 조금도 넘어가지 않다.
〔粒食〕 lìshí 동 〈文〉 곡물을 식용으로 하다.
〔粒选〕 lìxuǎn 동 《農》 파종용의 종자(種子)를 한 알씩 고르다.
〔粒银〕 lìyín 명 알갱이 은(銀).
〔粒子〕 lìzǐ 명 ①《物》 입자. ¶基jī本～; 소립자 / 不稳定～; 불안정 소립자. ②알. 알갱이.

笠 lì (립)
명 (대나무나 풀로 엮어 만든) 삿갓. ¶斗dǒu～; 삿갓.

〔笠管〕 lìjiān 명 《植》 꽃대. =〔薹tái〕
〔笠檐〕 lìyán 명 갓양태.

吏 lì (리)
명 ①옛날, 하급 관리. ¶胥～; 서기(書記) / ～不举, 官不究; 〈諺〉 하급 관리가 적발하지 않으면, 상급 관리는 추구(追究)하지 않는다. =〔吏员〕 ②옛날, 관리《총괄적으로 쓰임》. ¶酷～; 혹독한 관리 / 贪官污～; 탐관오리 / 澄清～治; 지방관의 기풍을 쇄신하다. ③성(姓)의 하나.

〔吏干〕 lìgàn 명 〈文〉 관리로서의 재능. =〔吏能〕
〔吏胥〕 lìxū 명 ⇨〔书shū吏〕
〔吏员〕 lìyuán 명 하급 관리. 구실아치.
〔吏治〕 lìzhì 명 〈文〉 ①관리의 치적. ②관리의 공무 집행.

丽(麗) lì (려)
① 형 수려하다. 아름답다. ¶辞采甚～; 말씨도 풍채도 매우 아름답다 / 风和日～; 〈成〉 바람이 온화하고 날씨도 화창하다 / 山水秀～; 경치가 수려하다 / 壮～; 장려하다. ② 형 화려하다. ③ 동 〈文〉 부착(附着)하다. 의지하다. ¶附～; 부착하다 / 日月～乎天; 해와 달이 하늘에 걸려 있다. ④ 동 연결되다. ¶～泽zé; ⇩ ⑤ 명 둘. 쌍(雙). ⑥ 명 성(姓)의 하나. ⇒Lí

〔丽辞〕 lìcí 명 〈文〉 미사(美辭). 미문(美文). ¶美言～; 미사여구.
〔丽楼〕 lìlóu 명 〈文〉 벽에 무늬를 섭새김하여 창문처럼 한 것.
〔丽人〕 lìrén 명 미인.
〔丽日〕 lìrì 명 〈文〉 화창한 태양.
〔丽藻〕 lìzǎo 명 〈比〉 아름다운 문사(文詞).
〔丽泽〕 lìzé 명 〈文〉 연결되어 있는 두 늪. 동 〈轉〉 친구가 서로 도와 절차탁마(切磋琢磨)하다.
〔丽质〕 lìzhì 명 〈文〉 미모(美貌).
〔丽瞩〕 lìzhǔ 명 〈文〉 미관(美觀).

俪(儷) lì (려)
① 명 부부. ¶伉～; 부부 / ～影; ⇩ ② 명 쌍(雙). 짝. ¶骈pián～文; 변려문 / ～句; ⇩ ③ 동 나란히 하다.

〔俪安〕 lì'ān 〈翰〉 내외분의 건강을 빕니다.
〔俪词〕 lìcí 명 쌍으로 된 어구(語句).
〔俪句〕 lìjù 명 대구(對句).
〔俪影〕 lìyǐng 명 〈文〉 부부의 사진.

郦(酈) Lì (려, 력)
명 ①《地》 춘추(春秋) 시대 초(楚)나라의 옛 지명《지금의 허난 성(河南省) 네이샹 현(內鄕縣)의 동북쪽 지방》. ②성(姓)의 하나.

栭(欐) lì (려)
명 〈文〉 들보. 대들보.

利 lì (리)
① 명 이익. 이로움. 이득. ¶这件事对农民有～; 이 일은 농민에게 유익하다 / 唯～是图; 〈成〉 오직 이익만을 추구하다 / 有～有弊; 이로움도 있고 폐단도 있다. ↔〔害hài②〕〔弊bì①〕 ② 동 이롭게 하다. 득을 보다. 유익하게 하다. 유리하게 하다. ¶毫不～己, 专门～人; 조금도 이기적이 아니고 오로지 남의 이익을 도모하다. ③ 형 순조롭다. 유리하다. 편리하다. 이롭다. 유익하다. ¶吉～; 재수가 좋다 / 敌军屡战不～; 적군은 여러 번 싸웠으나 불리하다 / 形势不～; 형세가 불리하다 / 交通～器; 교통의 이기 / 成败～钝; 〈成〉 성공과 실패. 순조로움과 곤란 / 互助两～; 서로 도움이 되어 양쪽이 모두 이익이 있다. ④ 명 효용. ⑤ 형 (날붙이가) 날카롭다. 예리하다. ¶～刃; ⇩ / ～爪; 날카로운 발톱 / 锐～; 예리하다. ↔〔钝dùn①〕 ⑥ 명 이윤. 이식. 이자. ¶本～; 원금과 이식 / 暴～; 폭리 / 连本带～都还清 =〔本～两清〕; 원금과 이자를 모두 갚다〔청산하다〕 / 薄～多卖; 박리다매. ⑦ 형 빠른. ⑧ 명 성(姓)의 하나.

〔利薄〕 lìbáo 형 이윤이 박하다. 이익이 적다.
〔利比里亚〕 Lìbǐlǐyà 명 《地》〈音〉 라이베리아(Liberia)《수도는 '蒙罗维亚'(몬로비아: Monrovia)》.
〔利比亚〕 Lìbǐyà 명 《地》〈音〉 리비아(Libya)《수도는 '的黎波里'(트리폴리: Tripoli)》.
〔利弊〕 lìbì 명 이익과 폐해. 이해(利害). ¶～得失; 〈成〉 이해 득실 / ～相因; 이해가 서로 따르다. =〔利病〕

〔利兵〕 lìbīng 명〈文〉정예한 군대.
〔利病〕 lìbìng 명 이익과 폐해. =〔利弊bì〕
〔利伯维尔〕 Lìbówéi'ěr 명《地》리브르빌(Libreville)《'加jiā蓬共和国'(가봉: Gabon)의 수도》.
〔利单〕 lìdān 명《法》이권(利券). =〔利票〕
〔利刀〕 lìdāo 명 잘 드는 날붙이. 예리한 칼.
〔利导〕 lìdǎo 동 잘 이끌다. 유리하게 인도하다. →〔因yīn势利导〕
〔利得〕 lìdé 명《法》이득.
〔利钝〕 lìdùn 명 ①날붙이의 드는 정도. ②일의 순조로움과 좌절. 길흉.
〔利凡诺〕 lìfánnuò 명《藥》리바놀(rivanol). 아크리놀(acrinol). =〔雷léi佛奴耳〕
〔利废〕 lìfèi 명동 폐물 이용(을 하다). =〔利用废料〕
〔利改税〕 lì gǎi shuì《商》이윤을 세금으로 바꾸다《국영 기업에서 이윤을 납부하는 대신 세금을 바치는 일》. =〔以税代利〕
〔利钢〕 lìgāng 명《工》고속도강(鋼).
〔利滚利〕 lì gǔn lì 이자에 이자가 붙다. 복리(複利)로 이자가 붙다. =〔利上滚利〕
〔利害〕 lìhài 명 이익과 손해. 이해. ¶～冲突; 이해가 충돌하다 / 不计～; 이해를 문제삼지 않다 / ～攸yōu关 =〔～相关〕;〈成〉밀접한 이해 관계가 있음.
〔利害〕 lìhai 형 ⇨〔厉lì害〕
〔利己主义〕 lìjǐ zhǔyì 명 이기주의.
〔利剑〕 lìjiàn 명 예리한 양날의 칼.
〔利金〕 lìjīn 명 ⇨〔利钱〕
〔利久酒〕 lìjiǔjiǔ 명〈音義〉리큐어(liqueur).
〔利口〕 lìkǒu 형 구변이 좋다. 달변이다. ¶～伤身; 구변이 좋으면 몸을 망친다 / ～花牙; 말을 잘 하다. =〔利舌shé〕〔利嘴zuǐ〕
〔利来〕 lìlái 명《電》〈音〉릴레이(relay). =〔继电器〕〔中继器〕
〔利亮〕 lìliang 형 ①산뜻〔말쑥〕하다. ②(목소리가) 또랑또랑〔쩌렁쩌렁〕하다. ③(용모가) 시원하다. 깨끗하다. ‖=〔俐亮〕
〔利令智昏〕 lì lìng zhì hūn〈成〉이욕(利慾)은 사람의 마음을 혼미하게 만든다. 이욕 때문에 이성을 잃다.
〔利隆圭〕 Lìlóngguī 명《地》릴롱궤(Lilongwe)《'马Mǎ拉维'(말라위: Malawi)의 수도》.
〔利禄〕 lìlù 명〈文〉이익과 관록(官祿). ¶～熏心; 이익이나 관록에 현혹되다.
〔利率〕 lìlǜ 명《經》이율.
〔利落〕 lìluo 형 ①(말·동작이) 민첩하다. 재빠르다. 경쾌하다. 생기가 넘치다. 시원(시원)하다. ¶说话不～; 말이 시원시원〔또깡또깡〕하지 않다 / 他走道儿也不～; 그는 걷는 것도 느릿느릿하다 / ～话; 숨김없는 말 / ～手; 솜씨 좋은〔야무진〕사람 / 干脆～说说吧! 툭 털어놓고 시원스럽게 말해라! ②단정하다. 정연하다. 깔끔하다. ¶身上干净～; 차림새가 청결하고 단정하다 / 那个瓦匠的活茬儿很～; 저 미장이의 일 마무리는 깔끔하다. ③말끔하다《흔히, 보어(補語)로 쓰임》. ¶事情已经办～了; 일은 이미 말끔하게 처리되었다 / 病已经好～了; 병이 이제 완전히 나았다 / 交代～; 깨끗이 인계하다 / 有的人饭没咽～, 鞋也没提上, 就跑出来了; 밥도 제대로 삼키지 못하고 신발도 제대로 신지 못한 채 도망쳐 나온 사람도 있다. ④눈치가 빠르다. ‖=〔俐落〕〔俐索〕〔利索〕〔历落①〕
〔利落手〕 lìluoshǒu 명 시원시원한 사람. 솜씨가 좋은 사람.
〔利马〕 Lìmǎ 명《地》리마(Lima)《'秘Mì鲁'(페루: Peru의 수도》.
〔利马豆〕 lìmǎdòu 명《植》〈音義〉리마(Lima)콩.
〔利玛窦〕 Lìmǎdòu 명《人》마테오 리치(Matteo Ricci)《이탈리아의 선교사. 명(明)나라 만력(萬曆) 9년에 광둥(廣東)에 와서 포교에 종사, 중국에 최초의 교회를 세움. 1552～1610》.
〔利迷心窍〕 lì mí xīn qiào〈成〉이(利)때문에 마음이 미혹되다. 이익에 눈이 어두워지다. ¶他～竟偷了银行二十万; 그는 이익에 눈이 어두워 마침내 은행에서 20만을 훔쳤다.
〔利尿〕 lìniào 명《醫》이뇨.
〔利尿剂〕 lìniàojì 명《藥》이뇨제.
〔利票〕 lìpiào 명 ⇨〔利单〕
〔利器〕 lìqì 명 ①이기. 예리한 무기. ②이기. 편리한 도구. ③〈比〉영재(英才). ¶不遇盘根错节, 无以别～; 곤란에 맞닥뜨리지 않으면, 영재임을 알지 못한다.
〔利钱〕 lìqian 명 이식. 이자. 이익금. =〔利金〕
〔利权〕 lìquán 명 이권. ¶～外溢; 이권이 국외로 유출되다 / 挽回～; 권익을 되찾다.
〔利儿〕 lìr 명 (금전적인) 이익. 벌이. ¶没什么～; 별 이익이 없다 / 这项买卖很有～; 이 거래는 꽤 이익이 많다.
〔利人〕 lìrén 동 남의 이익을 도모하다. ¶专门～的人; 오로지 남의 이익을 도모하는 사람.
〔利刃〕 lìrèn 명 예리한 칼.
〔利润〕 lìrùn 명 이윤. ¶～率lǜ; 이율.
〔利润挂帅〕 lìrùn guàshuài 명 이익〔이윤〕제일〔위주〕.
〔利(上)滚利〕 lì (shang) gǔn lì 이자에 이자가 붙다. 이자가 이자를 낳다. 복리로 이자가 붙다. =〔利上生利〕〔驴lǘ打滚(儿)①〕
〔利舌〕 lìshé 형 ⇨〔利口〕
〔利什曼原虫〕 Lìshímàn yuánchóng 명《醫》리슈마니아(Leishmania)《동물에 기생하는 흑열병(黑熱病)의 병원체》.
〔利市〕 lìshì 명 ①복신(福神)의 이름. ②(장사에서 얻은) 이익. 이윤. ¶发～; 이윤을 얻다 / ～三倍; 3배의 이익이 있다. 큰 이득이 되다. ③〈方〉상점에서 점원에게 주는 보너스. ④〈方〉(장사가 번창할) 조짐〔징후〕. 재수. 운수. ¶发个～; 장사의 번창을 도모하다. 재수 있기를 비는 서비스를 하다《개점 때 또는 마수걸이 손님에게 싸게 파는 따위》. 형〈方〉운이 좋다.
〔利手利脚〕 lì shǒu lì jiǎo〈成〉재빠른 모양. 일을 척척 잘 해내는 모양.
〔利薮〕 lìsǒu 명〈文〉이(利)가 모이는 곳.
〔利飕〕 lìsou 형 ①정리〔정돈〕되어 깨끗하다. ¶东西收拾～了; 물건은 깨끗이 정리되었다. ②시원(시원)하다. ¶他做事很～; 그의 일솜씨는 실로 시원시원하다. ③홀가분하다. 경쾌하다. ¶孩子送到幼儿园身上～了; 아이를 유치원에 데려다 주고 나니 홀가분해졌다. ④(어린아이 등의 걸음걸이가) 뒤뚝거리지 않다. ⑤(흔히, 보어(補語)로 써서) 깨끗이 끝나다. ¶话还没说～, 他走开了; 이야기가 다 끝나기도 전에 그는 가 버렸다.
〔利索〕 lìsuo 형 ⇨〔利落〕
〔利他〕 lìtā 동 남의 행복을 도모하다. ¶～主义; 이타주의. =〔利人〕
〔利物〕 lìwù 명 인출물(引出物). 상금.
〔利物浦〕 Lìwùpǔ 명《地》〈音〉리버풀(Liver-

pool).
〔利析秋毫〕 lì xī qiū háo 〈成〉 이(利)에 있어서는 조금도 소홀히 하지 않다. 잇속에 밝다.
〔利息〕 lìxī 명 ①이자. 이식. ¶～钱; 이잣돈/付～; 이자를 지급하다/～折扣; 이자의 할인/～所得税; 이자 소득세. ②이익. ¶～广大; 크게 이익이 있다.
〔利心〕 lìxīn 명 욕심. 이욕에 눈이 어두운 마음.
〔利牙〕 lìyá 명 날카로운 이.
〔利雅得〕 Lìyǎdé 명〘地〙〈音〉 리야드(Riyadh) 《'沙Shā特阿拉伯'(사우디아라비아: Saudi Arabia)의 수도》.
〔利益〕 lìyì 명 이익. ¶～均沾; 〈文〉 이익 균점. 평등하게 이익을 받다.
〔利用〕 lìyòng 동 ①이용하다. 활용하다. 응용하다. ¶～这种经验; 이런 유(類)의 경험을 살리다/～一切可用的人材; 모든 쓸 수 있는 인재를 활용하다/～敌人空虚; 적의 허를 찌르다/～农闲时期积肥; 농한기를 이용해서 두엄을 쌓다. ②(사람·사물을) 자기에게 도움이 되게〔쓸모 있게〕 하다. ¶互相～; 서로 이용하다. 명 이용. 응용. 활용. ¶废物～; 폐물 이용/～率lǜ; 이용률. 유용도/～系数; 〘機〙 제강로(爐)·제철로의 효율의 높고 낮음을 표시하는 지표.
〔利用废料〕 lìyòng fèiliào 폐물 이용(을 하다). =〔利废〕
〔利诱〕 lìyòu 동 이익을 미끼로 남을 꾀다. ¶威逼～; 〈成〉 위협을 했다가, 이익을 미끼로 유혹했다 하다. 명 이익을 미끼로 꾐. 이익에 의한 유혹. ¶不受～, 不怕威胁xié; 이익에 의한 유혹도 받지 않고 위협해도 두려워하지 않다.
〔利于〕 lìyú …에 유리하다. …을 이롭게 하다. ¶～推广普通话; 공통어를 보급하는 데 도움이 되게 하다.
〔利欲熏心〕 lì yù xūn xīn 〈成〉 이욕은 마음을 흐리게 만든다. 이욕은 사람의 이성을 잃게 한다.
〔利源〕 lìyuán 명 돈이 나오는 곳. 재원(財源). =〔富fù源〕
〔利嘴〕 lìzuǐ 형 ⇨〔利口〕
〔利嘴花牙〕 lì zuǐ huā yá 〈成〉 ①말솜씨가 좋은 모양. ②교묘한 말.

俐 lì (리)
형 약다. 영리하다. →〔伶líng俐〕
〔俐亮〕 lìliàng 형 ⇨〔利亮〕
〔俐落〕 lìluo 형 ⇨〔利落〕
〔俐索〕 lìsuo 형 ⇨〔利落〕

悧 lì (리)
→〔伶líng悧〕

莉 lì (리)
①→〔茉mò莉〕 ②인명용 자(字).

猁 lì (리)
→〔猞shē猁〕

痢 lì (리)
명〘醫〙 이질《전염성 설사 증상의 총칭》. ¶白～; 백리/赤～; 적리/下～; 하리. 설사. =〔痢疾〕
〔痢疾〕 lìji 명〘醫〙 이질.

鬁 lì (리)
→〔鬎là鬁〕

例 lì (례)
①(～子) 명 예. ¶举～说明; 예를 들어 설명하다/～证; ⇩ ②명 전례. 선례. 관례. ¶先～; 전례/援～; 예를 들다. 전례에 따르다/破～; 전례를 깨뜨리다/史无前～; 사상 유례〔전례〕가 없다. ③명 (조사·통계의) 사례(事例). 경우. ¶病～; 병례/三十三～中, 二十一～有显著的进步; 33사례 중, 21사례에서 현저한 진보를 볼 수 있다. ④명 규정. 규칙. ¶条～; 조례. ⑤동 조례·규칙대로 행하다. ¶以彼～此; 그 예를 여기에 적용시키다.
〔例案〕 lì'àn 명 전례가 되는 안건(案件).
〔例不十, 法不立〕 lì bù shí, fǎ bù lì 〈諺〉 열 가지 예가 없으면 법칙은 만들 수 없다.
〔例规〕 lìguī 명 ①관례에 따른 규칙. ②법례(法例) 규칙.
〔例话〕 lìhuà 명 예화. 교훈이 되는 구체적인 실화.
〔例换〕 lìhuàn 동〈文〉 규정대로 바꾸다.
〔例会〕 lìhuì 명 예회. 정기〔정례〕 모임.
〔例假〕 lìjià 명 ①정기 휴가. 정기 휴일. ¶本报星期日及～停刊; 본 신문은 일요일과 정휴일은 휴간합니다. ②〈婉〉 월경 또는 생리기(生理期).
〔例金〕 lìjīn 명 수수료.
〔例禁〕 lìjìn 명 금례(禁例). 금령(禁令).
〔例句〕 lìjù 명 예문. ¶造～; 예문을 만들다.
〔例来〕 lìlái 이제까지의 예로서. 상례로. 통례로. ¶～都拿黄金当dàng做标准; 이제까지는 모두 금을 표준으로 해 왔다.
〔例马〕 lìmǎ 명 옛날, 규정에 따라 무관(武官)에게 지급된 말.
〔例牌老套〕 lìpái lǎotào 〈比〉 늘 쓰는 수법. 예의 그 수법.
〔例如〕 lìrú 예를 들면. 예컨대. ¶～他所举的例子, 还值得商権; 이를테면, 그가 들은 예도 역시 논의할 만한 점은 있다/田径运动的项目很多, ～跳高、跳远、百米赛跑等; 육상 경기의 종목은 매우 많은데, 예를 들면 높이뛰기·멀리뛰기·백미터 달리기 따위이다.
〔例题〕 lìtí 명 예제. 원칙에 따라 예로서 든 문제.
〔例条〕 lìtiáo 명 법규. 조례. =〔例章zhāng〕
〔例外〕 lìwài 명 ①예외. ¶这个可要做～处理; 이것만은 예외로 취급되야 한다. ②예외적 정황(情況). ¶一般讲, 纬度越高, 气温越低, 但也有～; 일반적으로 위도가 높아지면 높아질수록 기온은 낮아지지만, 예외적인 정황도 있다. 동 ①(흔히, 부정적(否定的)으로) 예외로 하다. ¶谁也不能～; 아무도 예외로 할 수는 없다/我这个人也不～; 나라고 해서 예외는 아니다. ②(흔히, 부정적(否定的)으로) 예외이다. ¶并不～; 결코 예외는 아니다.
〔例外程序〕 lìwài chéngxù 명 특인(特認)제도. ¶英国援用～放松禁运; 영국은 특인 제도를 인용하여 금수(禁輸)를 완화하고 있다.
〔例行〕 lìxíng 동 관례에 따라 (…을) 행하다. ¶～公事; 관례상의 공적일. 항례(恒例)의 행사《흔히, 실제 필요에 의해서가 아니며, 효과를 생각지 않는 형식주의적인 일》/～性质的批汇权; 형식적으로 집행하는 성질의 환(換)허가권.
〔例行程序〕 lìxíng chéngxù 명 루틴(routine) 《컴퓨터의 정형적(定形的) 프로그램》.
〔例行会议〕 lìxíng huìyì 명 정례(定例)회의. ¶官方说: 此项会议是～; 관변측(官邊側)에서는 이 회의는 정례 회의라고 말하고 있다.

〔例言〕 lìyán 명 예언(例言). 범례(凡例).
〔例章〕 lìzhāng 명 ⇨〔例条〕
〔例证〕 lìzhèng 명 증거로서 든 예. 동 예로 들어 증명하다.
〔例子〕 lìzi 명 예. 보기. 샘플(sample). ¶现在举几个～说明; 그러면 몇 가지 예를 들어 설명하겠다.

沴 lì (려)
〈文〉 ①명 요기(妖氣)·악기(惡氣). ②동 손상하다. 상하게 하다.
〔沴孽〕 lìniè 명 요기(妖氣).
〔沴气〕 lìqì 명 악기(惡氣). 나쁜 기운.

戾 lì (려)
①동 다다르다. 이르다. ¶鸢飞～天; 연이 하늘로 올라가다. ②동 반항〔거역〕하다. 어기다. 빙퉁그러지다. ③동 멈추다. ④형 흉악하다. ¶暴～; 포학(暴虐)하다. ⑤명 죄. ¶取～; 죄를 받다. =〔罪zuì戾〕
〔戾虫〕 lìchóng 명 호랑이의 별칭.
〔戾气〕 lìqì 명 〈文〉 악기(惡氣).
〔戾输出〕 lìshūchū 명동 재수출(하다).
〔戾税〕 lìshuì 명 (관세의) 환세(還稅)《재수출의 경우, 이미 납부한 관세를 환급받는 일》.
〔戾止〕 lìzhǐ 동 〈文〉 도착하다. 다다르다.

唳 lì (려)
①동 새가 울다〔지저귀다〕. ②명 새의 울음소리. ¶风声鹤～; 〈成〉 바람 소리나 학의 울음소리(에 놀라다). 아무것도 아닌 것에 무서워서 떨다.

隶(隸〈隷, 𨽻〉) lì (례)
①동 부속되다. 속하다. ¶直～中央; 중앙에 직속되다. ②명 봉건 시대 관청의 사용인. ¶～卒; ⇩/皂zào～; 옛날, 하급 관노(官奴). ③명 신분이 낮은 자. ¶奴～; 노예. ④명 예서(隸書)《서체(書體)의 이름》. ¶～书; ⇩/汉～; 한대(漢代)의 예서.
〔隶农〕 lìnóng 명 ①(춘추 시대의) 농업 노예. ②《經》 (서구(西歐) 노예 시대 말기의) 자유민과 노예의 중간적 지위인 소(小)생산자층으로서, 중세의 농노(農奴)의 전신인 소작농.
〔隶人〕 lìrén 명 〈文〉 ①죄인. ②하인. 종.
〔隶书〕 lìshū 명 예서(隸書)《서체의 하나. 진(秦)나라 정막(程邈)이 전서(篆書)를 간단하게 고쳐 만들었다고 함. 진나라 때에 생겨 한위(漢魏) 시대에 보편화되었음》. =〔隶字〕〔佐zuǒ书〕
〔隶属〕 lìshǔ 동 예속되다. ¶直辖市是直接～国务院的市; 직할시란 직접 국무원에 예속된 시이다/局部～于全局; 부분은 전체에 예속된다.
〔隶篆〕 lìzhuàn 명 예서와 전서.
〔隶字〕 lìzì 명 ⇨〔隶书〕
〔隶卒〕 lìzú 명 하급 관리.

荔 lì (려)
①명 《植》 염교. ②→〔荔枝〕 ③지명용 자(字). ¶～江; 《地》 리장(荔江)《광시퉁족(廣西僮族) 자치구에 있는 강 이름》. ④명 성(姓)의 하나.
〔荔奴〕 lìnú 명 《植》 용안. 여지노(荔枝奴). =〔龙lóng眼(肉)〕
〔荔实〕 lìshí 명 《植》 꽃창포. =〔马mǎ蔺〕
〔荔枝〕 lìzhī 명 《植》 ①여지. ¶～奴nú; 용안(龍眼)의 별칭. ②여지의 과실. ‖ =〔荔支〕〔丹dān荔〕〔雷léi芝〕〔离lí枝〕
〔荔子〕 lìzǐ 명 《植》 여지의 과실. =〔荔枝②〕

珎(瓅) lì (력)
→〔玓dì珎〕

栎(櫟) lì (력)
명 《植》 상수리나무. =〔栎树shù〕〔〈方〉 麻má栎〕〔橡xiàng〕〔〈俗〉 柞树〕〔枥②〕 ⇒yuè
〔栎散〕 lìsǎn 명 ①무용(無用)의 재목. ②〈比〉 무용의 인물. ‖ =〔栎樗chū〕〔樗材〕〔樗栎〕

轹(轢) lì (력)
동 〈文〉 ①수레로 (사람·동물을) 치다. ②위압하다. (남을) 짓밟다. ¶陵～; 능욕하다. 학대하다.

砾(礫) lì (력)
명 〈文〉 자갈. 돌멩이. ¶沙～; 모래와 자갈/瓦wǎ～; 기와와 자갈《가치 없는 것》.
〔砾石〕 lìshí 명 자갈. 조약돌.

跞(躒) lì (력)
동 〈文〉 움직이다. 행동하다. ¶骐qí骥一～, 不能千里; 준마도 단걸음에 천 리를 갈 수는 없다《어떤 현인(賢人)도 학문을 이루기 위해서는 차례를 밟아 나아가야만 한다》. ⇒luò

栗〈慄〉B) lì (률)
A) ①명 《植》 밤나무. ②명 밤. ¶炒～子; 군밤. ③형 단단하다. ④동 근직(謹直)하다. ⑤형 위엄 있다. ⑥명 성(姓)의 하나. B) 동 무서워 떨다. 전율하다. ¶战zhàn～; 부르르〔와들와들〕 떨다. 전율하다/不寒而～; 〈成〉 춥지도 않은데 떨다. 무서움으로 와들와들 떨다.
〔栗暴〕 lìbào 명 알밤. 꿀밤. ¶凿záo上两个～《水滸傳》; 알밤을 두 개 먹이다/头上挨了几个～; 머리에 꿀밤 몇 대를 맞았다. =〔栗苞②〕〔栗凿〕
〔栗苞〕 lìbao 명 ①밤송이. =〔栗房〕〔栗蓬〕〔栗球〕〔栗子毛儿〕 ②〈比〉 알밤. 꿀밤.
〔栗椟〕 lìdú 명 송아지《뿔이 작고 밤같이 생겼으므로 이렇게 말함》. =〔牛niú椟〕
〔栗钙土〕 lìgàitǔ 명 《地質》 갈색 석회토《주로 중국의 서북부 및 내몽고 자치구에 분포함》.
〔栗寄生〕 lìjìshēng 명 《植》 동백나무 겨우살이.
〔栗栗〕 lìlì 형 〈文〉 ①많은 모양. ②두려워하는 모양.
〔栗栗危惧〕 lì lì wēi jù 〈成〉 무서워 벌벌 떨다.
〔栗烈〕 lìliè 형 〈文〉 추위가 매섭다. =〔栗洌〕
〔栗碌〕 lìlù 형 〈文〉 일이 번잡하고 바쁘다. =〔栗六〕〔栗陆〕
〔栗毛马〕 lìmáomǎ 명 갈색말.
〔栗木膏〕 lìmùgāo 명 밤나무 껍질의 엑스. 밤나무진《가죽 무두질용(用)》.
〔栗然〕 lìrán 형 두려워 떠는 모양.
〔栗色〕 lìsè 명 《色》 밤색. 고동색. ¶～纸; 크레용화(畫)에 쓰이는 밤색 종이.
〔栗鼠〕 lìshǔ 명 《動》 다람쥐.
〔栗尾〕 lìwěi 명 붓의 별칭.
〔栗凿〕 lìzáo 명 ⇨〔栗暴〕
〔栗子〕 lìzi 명 《植》 ①밤. 밤알. 밤톨. ¶糖炒tángchǎo～; 감률(甘栗). 단밤/～肌肉; 거친 살갗. =〔栗黄〕 ②밤나무.
〔栗子毛儿〕 lìzimáor 명 ⇨〔栗苞①〕

溧 lì (률)
형 〈文〉 춥다. 한랭하다.

傈 **lì** (리)
→〔傈傈族〕

〔傈傈族〕 Lìsùzú 명 《民》 리수 족《중국 소수 민족의 하나. 윈난(雲南)과 쓰촨(四川) 성(省)에 거주함》.

溧 **lì** (률)
지명용 자(字). ¶～水Lìshuǐ; 《地》 리수이(溧水)《장쑤 성(江蘇省)에 있는 현 이름》.

篥 **lì** (률)
→〔觱bì篥〕

鬲〈甌, 歷〉 **lì** (력)
명 ①옛날의 세발솥《속이 비어 있으며 아가리는 둥근 모양》. ②옛날에 쓰이던 질항아리. ⇒gé

詈 **lì** (리)
동 〈文〉 욕하다. ¶骂～; 꾸짖고 욕하다 / 众人莫不～为国贼; 매국노를 욕하지 않는 사람은 없다 / 申申而～; 자꾸 욕하다.

磿 **lì** (력)
〈擬〉〈文〉 돌이 부딪치는 소리.

盭 **lì** (려)
동 〈文〉 반항하다. 어기다.

哩 **li** (리)
조 〈方〉 ①백화 소설(白話小說)에 쓰이는 어기사(語氣詞). 거의 '呢ne'와 같이 쓰이나 의문문에는 쓰이지 않음. ¶山上的雪还没有化～; 산 위의 눈은 아직 녹지 않았구나. ②열거(列擧)할 때 쓰이는 어기사. ¶用过了的碗～, 筷子～, 都在一边儿放着; 사용하고 난 후의 그릇이랑 젓가락들이 모두 그대로 옆에 늘어놓여 있다. =〔啦〕 ⇒lī lǐ

LIA ㄌㄧㄚ

俩(倆) **liǎ** (량)
수량 〈口〉 ①두 개. 두 사람. ¶夫妇～; 부부 두 사람 / 我们～; 우리 두 사람. ②두셋. 약간. 조금. 얼마쯤. ¶给我～钱儿; 돈을 좀 주십시오. ‖ 主 '俩' 뒤에는 양사(量詞)를 붙이지 않음. ⇒liǎng

〔俩钱儿〕 liǎqiánr 명 얼마 안 되는 돈. ¶多花～买好的, 绝不吃亏; 돈을 좀더 내고 좋은 것을 사면 절대로 손해보지 않는다.

〔俩人〕 liǎrén 명 두 사람.

〔俩心眼儿〕 liǎxīnyǎnr 〈比〉 ①의견이 일치하지 않음. ¶他跟咱们是～; 그는 우리와 의견이 다르다. ②두 마음. 성실하지 않은 마음.

〔俩月〕 liǎyuè 명 2개월. 두 달.

LIAN ㄌㄧㄢ

连(連) **lián** (련)
①동 연이어 놓다. 이어 맞추다. ¶这两句话～不起来; 이 두 문장은 연결이 안 된다 / 把这条线～在那条线上; 이 줄을 저 줄에 잇다. ②동 (하나하나) 이어지다. 계속되다. 연결되(어 있)다. ¶天～水, 水～天; 하늘과 수면이 하나로 이어져 있다 / 骨gǔ头折shé了, 筋还～着; 뼈는 부러졌어도 힘줄은 아직 연결되어 있다 / 藕ǒu断丝～; 〈成〉 연뿌리는 부러져도 연사(蓮絲)는 이어져 있다《꼬리를 끌다. 관계가 좀처럼 끊어지지 않다》 / 利弊bì相～; 좋은 점과 폐단이 상접해 있다《좋은 점이 있는가 하면 폐해가 따르고 있다》. ③부 계속해서. 잇달아. ¶～着; 계속적으로. 계속해서 / ～打几枪; 총을 몇 발 계속해서 쏘다 / 年～丰收; 해마다 계속해서 풍작이다 / ～夜赶活儿; 밤새도록 일을 하다 / ～下三天雨; 사흘을 연속적으로 비가 내린다. ④동 교미(交尾)하다. ⑤명 《軍》 중대《영(營)의 아래 배(排)의 위》. ¶第三～; 제3중대 / 陆军编制, 三排成一～; 육군의 편성은 3개 소대가 1개 중대를 이루고 있다. →〔军〕〔师〕〔旅〕〔团〕〔营〕〔排〕 ⑥명 친척 관계. ⑦동 포함하다. 합하다. 더하다. ¶～皮有多重? 포장까지 끼어서 무게가 얼마 가량 되느냐? / ～你一共五位; 너까지 넣어서 5명이다. ⑧개 …까지도. …조차도. …마저도《뒤에 '都dōu' '也yě' '还hái'와 호응해서 쓰임》. ¶～水也不能喝; 물조차도 마셔서는 안 된다 / 你～这个字还不认识吗? 너는 이 글자조차도 아직 모르느냐? / ～他都不成, 你更不行; 그조차 못 하니 너는 더군다나 안 된다 / ～理都不理; 거들떠보지도〔상대도〕 않다 / ～看都不爱看; 보기(조차)도 싫다. ⑨개 …을. ¶等我～这张报看完了再去; 내가 이 신문을 다 읽고 나서 가자. =〔把〕〔将〕 ⑩접 …과. …및. ⑪명 성(姓)의 하나.

〔连保〕 liánbǎo 명동 연대 보증(하다).

〔连本带利〕 liánběn dàilì 원리(元利) 합계.

〔连比(例)〕 liánbǐ(lì) 명 《數》 연비례.

〔连笔〕 liánbǐ 명동 문자의 필획(筆畫)을 떼지 않고 연속해서 쓰기〔쓰다〕. ¶～带草就写好了; 이어쓰기와 초서로 금방 다 썼다.

〔连璧〕 liánbì 명 ①한 쌍의 옥(玉). ②〈轉〉 ㉠일월(日月). 해와 달. ㉡학재(學才) 또는 용모가 뛰어난 한 쌍의 벗. ‖ =〔联璧〕

〔连鬓胡子〕 liánbìn húzi 명 구레나룻.

〔连部〕 liánbù 명 《軍》 중대 본부(中隊本部).

〔连不起来〕 liánbuqǐlái 이어지지 않다. 이을 수 없다. ¶这三个句子～; 이 세 문장은 연결이 되지 않는다.

〔连茬〕 liánchá 명동 《農》 연작(連作)(하다).

〔连缠不断〕 liánchán bùduàn 연속하여 끊이지 않다.

〔连成〕 liánchéng 동 잇다. 이어지다. ¶～一片 =〔～一气〕; 하나로 이어지다. 하나로 서로 통하다.

〔连城〕 liánchéng ①〈比〉 물건의 귀중함. ¶价值～的钻zuàn石; 값이 매우 비싼 다이아몬드. ②명 롄청 현(連城縣) 산(産)의 종이〔纸〕 이름.

〔连城璧〕 liánchéngbì 명 ①화씨벽(和氏璧)《조(趙)나라 혜왕(惠王)이 가지고 있던 보옥. 진(秦)나라 소왕(昭王)이 열다섯 개 성과 바꾸고 싶다고 말한 고사에서 유래》. =〔赵zhào璧〕 →〔完wán璧归赵〕 ②〈轉〉 다시 없는 보물.

〔连乘〕 liánchéng 명동 《數》 연승(하다).

〔连除〕 liánchú 명동 《數》 연제(連除)(하다).

〔连串〕 liánchuàn 동 연속되다. 한 줄로 이어지다. ¶一～儿问题; 일련의 문제 / ～反应; 연쇄반응. =〔连串儿〕

〔连词〕 liáncí 명《言》접속사(‘和’·‘与’·‘而且’·‘但是’·‘如果’ 따위). =〔连接词〕

〔连次〕 liáncì 부 자주. 여러 차례.

〔连带〕 liándài 동 ①연대하다. ¶～负担; 연대(하여) 부담(하다)/～责任; 연대 책임/～债权; 연대 채권/～债务; 연대 채무. ②연관하다. 관련하다. ¶这件事～双方; 이 일은 쌍방에 관련된다. ③…까지 포함하다. ¶～下肥工作需要一个礼拜; 거름 주는 일까지 포함하여 1주일 걸린다.

〔连…带…〕 lián…dài… ①…랑 …랑 모두. …에서 …까지(앞뒤의 두 항목(項目)을 함께 포괄함). ¶连车带牲口都借来了; 차를 위시해서 가축까지 모두 빌려 왔다/连人带马; 사람, 말할 것 없이 모두/连老带小; 노인에게서 어린이까지/连男带女的都外出了; 남자며 여자며 모두 밖으로 나가 버렸다. ②…하면서 …하다(두 종류의 동작이 이어져 거의 동시에 일어남을 나타내는 말). ¶连说带唱; 이야기 하다 노래하다 한다/连吃带喝; 마시다 먹다 하다/连滚带爬; 뒹굴었다 엎어졌다 하다.

〔连带上班制〕 liándài shàngbānzhì 명 ①연대 책임 근무 제도(어떤 일정한 일을 각 조(組)에서 분담하고, 어떤 조에 결근자가 생겼을 경우에는 그 조 전체가 연대 책임을 지고 그 일을 완성하는 제도). ②책임 근무 제도(어떤 일을 빨리 완성하기 위하여, 다음 차례의 사람에게 인계하지 않는 한 일을 중단할 수 없는 제도).

〔连裆裤〕 liándāngkù 명 ①가랑이가 터지지 않은 중국의 바지(어린이의 바지처럼 가랑이가 터진 것을 ‘开裆裤’라 함). ②〈方〉한통속. ¶穿chuān～; 두 사람이 한 통속이 되어 서로 감싸 주다.

〔连刀儿理四〕 liándāor lǐsì 〈北方〉장황하게 지껄이다. 투덜거리다. 씨부렁거리다. ¶这个人～的, 不知道说些什么; 이 사람이 무어라고 투덜거리고 있는데, 도대체 무슨 소리를 하고 있는 거야.

〔连登〕 liándēng 동 ①연속해서 급제〔합격〕하다. ②연속 게재(揭載)하다.

〔连底器〕 liándǐqì 명 ⇨〔连通管〕

〔连东〕 liándōng 명 여러 개의 가게를 가진 주인〔경영주〕.

〔连动轮〕 liándònglún 명《機》한 쌍의 연결되어 있는 고리〔바퀴〕.

〔连队〕 liánduì 명《軍》중대 또는 중대 상당의 부대.

〔连二接三〕 lián'èr jiēsān ⇨〔连三带四〕

〔连二灶〕 lián'èrzào 명 아궁이 하나에 냄비나 솥을 얹는 크고 작은 둥근 구멍이 둘 있는 부뚜막.

〔连二桌儿〕 lián'èrzhuōr 명 ‘连三桌儿’의 서랍이 두 개 있는 것.

〔连发〕 liánfā 명《軍》연발. ¶六～手枪; 육연발 권총. =〔〈俗〉转儿zhuǎnr〕

〔连房带饭〕 liánfáng dàifàn 방값에서 식대까지. 자고 먹는 것까지.

〔连杆〕 liángǎn 명《機》커넥팅 로드(connecting rod). 연결봉(連結棒). 연접봉(連接棒). =〔〈南方〉荡dàng柱〕〔宕dàng柱〕〔〈北方〉甩子shuǎizi②〕

〔连根拔〕 liángēnbá 동 뿌리째 뽑다.

〔连根儿烂〕 liángēnrlàn 〈比〉뿌리까지 썩다. 근본적으로 못 쓰게 되다.

〔连亘〕 liángèn 동 (산맥 등이) 연속해 있다. ¶山岭～; 산이 연달아 있다.

〔连工带料〕 liángōng dàiliào 임금(賃金)에서 재료에 이르기까지.

〔连拱坝〕 liángǒngbà 명《土》연속 아치 댐.

〔连贯〕 liánguàn 동 ①연속하다. 계속하다. 이어지다. ¶意思～; 뜻이 이어지다/～性; 연관성. 일관성. =〔联贯〕 ②(활을 쏠 때) 잇달아 적중시키다.

〔连滚带爬〕 liángǔn dàipá 구르고 기면서 허둥지둥.

〔连锅端〕 liánguōduān 동〈比〉철저하게 파괴하다. 송두리째 뽑아 버리다.

〔连号(儿)〕 liánhào(r) 명 ①일련 번호. ②체인 스토어. 연쇄점. →〔连东dōng〕 ③《言》하이픈(hyphen)(-). (lián∥hào(r)) 동 번호가 이어지다. 일련 번호로 매기다.

〔连衡〕 liánhéng 동 횡으로 연합하다. 그룹을 이루다. 명 연횡. 연형설. ‖=〔连横〕

〔连环〕 liánhuán 명 ①사슬. ②지혜(知慧)의 고리.

〔连环保〕 liánhuánbǎo 명 연대 보증.

〔连环故事长片〕 liánhuán gùshì chángpiàn 명 연속 장편 극영화.

〔连环画〕 liánhuánhuà 명 연속 그림 이야기(책). (어린이용의) 그림 이야기책. =〔连环图画〕〔〈口〉小人儿书〕 「画剧〕

〔连环画剧〕 liánhuán huàjù 명 그림 연극. =

〔连环计〕 liánhuánjì 명 ①차례로 교묘하게 꾸민 계략. ②중국 전통극 이름의 하나(삼국 시대의 왕윤(王允)이 미녀 초선(貂蟬)을 여포(呂布)에게 주고, 뒤에 동탁(董卓)에게 바치어 두 사람 사이를 이간질하여, 여포가 동탁을 죽이도록 꾸몄음).

〔连环具保〕 liánhuán jùbǎo ⇨〔连环作保〕

〔连环枪〕 liánhuánqiāng 명 ⇨〔快kuài枪①〕

〔连环图画〕 liánhuán túhuà 명 ⇨〔连环画〕

〔连环戏〕 liánhuánxì 명 연속극.

〔连环作保〕 liánhuán zuòbǎo 연대하여 보증하다. =〔连环具保〕

〔连婚〕 liánhūn 명 인척 관계에 있는 사람. 친인척 관계. 동 혼인하다. ‖=〔连姻〕〔联姻〕

〔连伙〕 liánhuǒ 동 한패가 되다. 짝이 되다.

〔连机〕 liánjī 명 ⇨〔联线〕

〔连击〕 liánjī 명동《體》(배구의) 드리블(dribble)(하다).

〔连及〕 liánjí 동 ①…에 이어지다. ②말려들다. 연루되다. →〔连累〕

〔连记法〕 liánjìfǎ 명《法》(선거의) 연기법. ↔〔单dān记法〕

〔连记投票〕 liánjì tóupiào 명《法》연기 투표.

〔连家铺儿〕 liánjiāpùr 명 주택 겸용의 작은 가게.

〔连耞〕 liánjiā 명《農》도리깨. =〔连枷〕〔梿耞〕

〔连蹇〕 liánjiǎn 동〈文〉①전진(前進)하지 못하고 머뭇거리다. ②말을 더듬거리다.

〔连脚裤〕 liánjiǎokù 명 어린아이가 입는 버선 달린 바지.

〔连接〕 liánjiē 동 ①연접하다. 이어지다. ②연접시키다. 잇다. ¶～线;《樂》타이(tie). 붙임줄. ‖=〔联接〕→〔接连〕

〔连接词〕 liánjiēcí 명 ⇨〔连词〕

〔连接号〕 liánjiēhào 명 하이픈(-). =〔连号③〕〔连字符〕〔连字号〕→〔破pò折号〕

〔连结〕 liánjié 동 연결하다.

〔连捷〕 liánjié 동 ①연승하다. ②〈比〉옛날, 과거의 각급 시험에 계속해서 합격하다. ‖=〔联捷〕

〔连衿(儿)〕 liánjīn(r) 명 ⇨〔连襟(儿)〕

〔连襟(儿)〕 liánjīn(r) 명 동서. 자매의 남편끼리의 사이. ¶他是老张的～; 그는 장씨(張氏)의 동서다/他们是～; 그들은 동서간이다. =〔连衿(儿)〕〔连

袂〕〔襟兄弟〕〔〈文〉僚liáo婿〕〔〈俗〉挑tiāo担①〕〔〈俗〉一yī担儿挑〕〔友yǒu婿〕
〔连晶〕 liánjīng 명 ⇨〔复fù晶〕
〔连娟〕 liánjuān 형 〈文〉 ①눈썹이 가늘고 긴 모양. ②호리호리한 모양. ‖ =〔联娟〕
〔连哭带喊〕 liánkū dàihǎn 울고불고 하다. 울부짖다.
〔连裤内衣〕 liánkùnèiyī 명 콤비네이션(combination) 내의.
〔连来带去〕 liánlái dàiqù 갈 때부터 돌아올 때까지. 왕복. ¶～得děi四天; 왕복에 4일 걸린다.
〔连累〕 liánlěi 동 연루하다. 말려들다. 끌고 들어가다. ¶我决不为此事～你; 나는 절대로 이 일에 너를 끌어들이지 않겠다. =〔挂guà累〕
〔连类而及〕 liánlèi érjí 연이어 파급되다. 유추(類推)하다.
〔连理〕 liánlǐ 형 〈文〉 두 그루의 나무가 한데 붙어 한 나무가 되다《부부가 서로 사랑하다》. ¶～枝zhī; 연리지. →〔比bǐ翼连理〕
〔连利〕 liánlì 형 〈方〉 말이 유창하다.
〔连连〕 liánlián 부 ①연이어. 연달아. 계속. ¶我被朋友们的应酬～住了; 친구들의 교제(交際)가 연달아 빠져 나오지 못했다 / ～点头; 연해 끄덕거리다 / ～喘气; 자꾸 숨을 헐떡이다. ②서서히. 천천히. ‖ =〔联联〕
〔连连串串〕 liánlianchuànchuàn 잇닿다. 이어지다. →〔连串〕
〔连霖〕 liánlín 명 〈文〉 장마(비). 임우(霖雨).
〔连络〕 liánluò 명동 ⇨〔联络〕
〔连忙〕 liánmáng 부 서둘러. 황급히. 허둥지둥. 부랴부랴. 얼른. 재빨리. ¶他～收拾了行李; 그는 서둘러 짐을 꾸렸다.
〔连毛僧〕 liánmáosēng 명 ①두발(頭髮)이 긴 중. ②〈轉〉 머리가 덥수룩한 사람.
〔连袂〕 liánmèi 동 〈文〉 손을 맞잡다. 손을 맞잡고 행동하다. =〔联袂〕 명 ⇨〔连襟(儿)〕
〔连盟〕 liánméng 명 연맹. =〔联盟〕
〔连绵〕 liánmián 형 연이어 끊이지 않는 모양. ¶～不断; 끊임없이 이어지다 / ～起伏的山峦luán; 연이어 길게 이어지고 있는 기복이 심한 산줄기. =〔联绵〕〔绵联〕 →〔绵延〕 명 처마.
〔连绵字〕 liánmiánzì 명 ⇨〔联绵字〕
〔连名〕 liánmíng 명동 연명(하다). ¶～公禀; 연명으로 출원(出願)하다 / ～签押 =〔～签约〕; 연서(連署)하다. =〔联名〕
〔连明带夜〕 liánmíng dàiyè 아침부터 밤까지. ¶～忙着给人家收款; 아침부터 밤까지 여기저기 뛰어다니며 수금하다.
〔连匿油〕 liánnìyóu 명 《化》〈音義〉 레네트(rennet)《우유 응고 효소》.
〔连年〕 liánnián 명 연년. 여러 해 계속. ¶～大丰收; 여러 해 계속해서 대풍작이다.
〔连弩〕 liánnǔ 명 연사식(連射式) 쇠뇌.
〔连跑带颠〕 liánpǎo dàidiān 허둥지둥. 허겁지겁(달리다).
〔连跑带跳〕 liánpǎo dàitiào 나는 듯이 달리는 모양. 달리다 뛰다 하는 모양.
〔连皮〕 liánpí 동 포장째(의 알맹이)·포장(의 중량)을 포함하다. →〔刨páo皮〕
〔连皮带骨〕 liánpí dàigǔ 가죽도 뼈도 모두《완전히. 죄다. 모두. 몽땅》.
〔连篇〕 liánpiān 명 전편(全篇). ¶白bái字～; 오자투성이. 형 여러 편에 걸쳐 있다. ¶～累牍 =〔累牍～〕; 〈成〉 문장이 장황함. 저작(著作) 또는 문장이 대량임.
〔连翩〕 liánpiān 형 〈文〉 ⇨〔联翩〕
〔连谱〕 liánpǔ 명 성씨가 같은 사람끼리 가계도(家系圖)를 보여 조상이 같음을 서로 인정하는 일.
〔连谱号〕 liánpǔhào 명 《樂》 브레이스(brace)《오선보(五線譜)를 세로로 묶기 위한 중괄호 '{'》.
〔连气(儿)〕 liánqì(r) 부 계속해서. 끊임없이. ¶你能～说三个绕口令吗? 너는 발음하기 어려운 말을 연달아 세 마디 말 할 수 있느냐? →〔绕rào口令〕 동 숨을 멈추지 않다.
〔连气带急〕 liánqì dàijí 화도 나고 조급하기도 하다.
〔连起来〕 lián qi lai 이어지다. 연결하다. ¶这三个句子连不起来; 이 세 개의 문장은 연결이 안 된다.
〔连钱〕 liánqián 명 ①말의 장식. =〔连乾〕 ②연전《둥그런 엽전 모양의 풀잎이 연결된 모양. 엽전을 늘어놓은 모양의 무늬》. ③《鳥》 '鹡jí鸰'(할미새)의 별칭.
〔连墙〕 liánqiáng 동 〈文〉 이웃하다. 근린(近隣)하다.
〔连翘〕 liánqiáo 명 《植》 개나리.
〔连勤〕 liánqín 동 연속하여 근무하다.
〔连卷〕 liánquán 형 〈文〉 굴곡하다. 굽다.
〔连雀〕 liánquè 명 《鳥》 황여새. =〔太tài平鸟〕
〔连仁〕 liánrén 명 《紡》〈音〉 리넨(linen). =〔亚麻布〕
〔连任〕 liánrèn 동 중임하다. 재임하다. ¶他～外交部长; 그는 외무 장관에 재임되었다. =〔联任〕
〔连日〕 liánrì 명 연일. 매일. ¶～来; 연일 계속.
〔连软带硬〕 liánruǎn dàiyìng ⇨〔硬yìng打软热和〕
〔连三并四〕 liánsān bìngsì 끊임없이 이어지는 모양. 잇달아 이어지는 모양.
〔连三带四〕 liánsān dàisì 계속하여 여러 번. 거듭거듭. 연달아. ¶～地追问; 여러 번 추궁하다. =〔连二接三〕〔连三并四〕〔连一接二〕
〔连三桌儿〕 liánsānzhuōr 명 위쪽에 서랍이 세 개 있고, 아래쪽에 여닫는 문이 달린 긴 탁자.
〔连衫裙〕 liánshānqún 명 원피스. =〔连衣yī裙〕
〔连上〕 liánshang 동 ①연(連)하다. 이어지다. ②…을 하나하나 세다. 열거하다.
〔连升〕 liánshēng 동 연달아〔잇달아〕 지위가 오르다. ¶～三级; 3등급 계속해서 승급하다.
〔连声〕 liánshēng 동 연달아 목소리를 내다. 계속해서 말하다. ¶～说; 계속해서 말하다.
〔连史纸〕 liánshǐzhǐ 명 주로 푸젠(福建)·장시(江西) 두 성(省)에서 나는 대를 재료로 한 고급 특산 종이《서적·비첩(碑帖)·편지·서화·부채 등에 쓰임. 원래 '连四纸'라 하였으나 오용되어 '～'라 말함》. =〔船chuán笺〕
〔连市〕 liánshì 동 《商》 정월(正月)이나 명절의 휴일에도 평소와 같이 영업하다.
〔连手〕 lián.shǒu 동 ①손을 (마주) 잡다. 제휴하다. ②관계하다. ‖ =〔联手〕
〔连书〕 liánshū 명동 ⇨〔连写〕
〔连输〕 liánshū 동 계속해서 지다. 연패하다.
〔连署〕 liánshǔ 명동 연서(하다).
〔连属〕 liánshu 명 교제. (친척·친구로서의) 왕래. 친척·친구 사이의 사귐. 유대. ¶他们两家儿早没～了; 두 집안은 일찍부터 친척간의 왕래가 끊겼다. ⇒liánzhǔ
〔连岁〕 liánsuì 명 〈文〉 매년. 해마다.
〔连锁〕 liánsuǒ 명 연쇄. 연결되어 있는 사슬. ¶～

商店 =〔联号〕; 체인점. 연쇄점. 동 연쇄되어 있다. 묶여 있다. ¶～反应; 연쇄 반응/～在一块儿; 함께 묶어 놓다/～贸易; 링크(link)제 무역. ‖ =〔联锁〕
〔连锁法〕 liánsuǒfǎ 명 《數》 연쇄법.
〔连锁反应〕 liánsuǒ fǎnyìng 명 《物》 연쇄 반응. =〔连串反应〕〔链liàn式反应〕
〔连台〕 liántái 명 ①연속 상연(上演). ¶～本戏; 연속해서 공연하는 장편 연극. ②〈比〉 쉬지 않고 속행하는 일. 몰아치는 일. ¶这项工作的期限已到, 不得不加添夜工, 接着打了几个～, 这才略有眉目; 이 일은 기한이 닥쳐서, 부득이 야근까지 하고, 게다가 막판에 몇 차례 몰아쳐서 했기 때문에 겨우 일의 윤곽이 잡히게 되었다/今儿个他打～不回来; 오늘도 그는 계속 돌아오지 않는다.
〔连踢带打〕 liántī dàidǎ 걷어차고 때리고 (하여).
〔连天〕 liántiān 명 연일. 며칠 동안. ¶～连夜; 연일연야/～赶路; 며칠 동안 길을 재촉하다. 동 ①며칠 동안 연속하다. ¶叫苦～; 늘 괴롭다고 우는 소리를 한다. ②하늘에 이어지다. 하늘에 닿다. ¶茫máng茫大海, 天连水, 水～, 一眼望不到边儿; 망망 대해는, 하늘과 바다가 맞닿아서 수평선 너머는 바라볼 수도 없다/炮火～; 대포 터지는 빛이 하늘에 붉게 비치다.
〔连贴〕 liántiē 명 《生》 췌장(膵臟). ¶猪zhū～; 돼지의 췌장.
〔连通〕 liántōng ⇨〔通连〕
〔连通管〕 liántōngguǎn 명 《物》 연통관(둘 또는 그 이상의 관의 밑부분이 연결되어 있는 것으로, 수평면을 재는 기구). =〔连底器〕
〔连同〕 liántóng …와 함께. 통틀어서. ¶将各点记录～样本存备参考; 각 기록을 견본과 함께 참고하기 위하여 보존하다. =〔联同〕
〔连筒〕 liántǒng 명 대나무 홈통.
〔连推带拉〕 liántuī dàilā ①밀고 당기고 (하여). ②〈比〉 억지로. 무리하게. ‖ =〔连推带搡〕
〔连锡〕 liánxī 명 정련하지 않은 주석.
〔连席〕 liánxí 동 ⇨〔联席〕
〔连香树〕 liánxiāngshù 명 《植》 계수나무.
〔连宵〕 liánxiāo 명 〈文〉 매일 밤. 밤마다.
〔连写〕 liánxiě 명동 붙여쓰기(하다)(중국어를 로마자로 표기할 때 복음절어(複音節語)를 이어서 쓰는 것. 예컨대, 'rénmín (人民)'·'tuōlājī(拖拉机)' 따위). =〔连书〕
〔连泻〕 liánxiè 동 연속 폭락하다. ¶纽约股票价格～十多天; 뉴욕의 주식 가격은 십수일간 연속 폭락하고 있다.
〔连心〕 liánxīn 동 서로의 기분〔마음〕이 충분히 통하다. 서로 사랑하고 사모하다. ¶～肉; 혈육을 나눈 사람(자식)/他倒还～, 昨日特意跑来看我一回; 그는 도리어 마음이 잘 통하여 어제는 일부러 나를 만나러 달려왔다.
〔连星〕 liánxīng 명 견우(牽牛)와 직녀(織女)의 두 별.
〔连续〕 liánxù 동 연속하다. 이어지다. ¶～不断; 쉴새없이/～犯; 연속범/～生产制 =〔流liú水作业法〕; 연속〔일관〕 작업. 콘베이어 시스템/～装订折书机; 연속 제본기. =〔联续〕
〔连续剧〕 liánxùjù 명 (TV 방송의) 연속극.
〔连选〕 liánxuǎn 동 연속하여 당선하다.
〔连延〕 liányán 동 〈文〉 계속되다. 죽 이어지다.
〔连檐〕 liányán 명 중국 가옥의 서까래와 처마를 연결하는 나무.
〔连夜(儿)〕 liányè(r) 부 ①밤새도록. ¶～赶gǎn活; 밤새도록 일하다. 야근하다. ②그 날 밤 안에. 그 날 밤 즉시. ¶公社领导接到通知～赶回来; 인민 공사의 지도자는 통지를 받자, 그 날 밤 즉시 되돌아왔다. ③몇 날 밤이나 (계속하여). ¶会议的问题太多, ～开了几天会才解决完; 회의에서 문제가 많아, 몇 날 밤이나 계속 모임을 열어 겨우 해결을 보았다.
〔连衣裙〕 liányīqún 명 원피스. ¶无wú袖～; 점퍼 스커트. =〔连衫shān裙〕
〔连阴〕 liányīn 명 ①계속되는 흐린 날씨. ②〈文〉 장마.
〔连阴天(儿)〕 liányīntiān(r) 명 장마 날씨.
〔连阴雨〕 liányīnyǔ 명 장마. ¶这些日子竟下～; 요즘은 계속 비가 온다.
〔连姻〕 liányīn 명동 ⇨〔连婚〕
〔连赢〕 liányíng 명동 연승(連勝)(하다).
〔连用〕 liányòng 동 연용하다. 계속해서 쓰다.
〔连语〕 liányǔ 명 ⇨〔联绵字〕
〔连运〕 liányùn 명동 ⇨〔联运〕
〔连栽带滚〕 liánzāi dàigǔn 엎어지며 넘어지며(곤두박질쳐서 달려오다). ¶敌人见红军来了, ～地逃走了; 적은 홍군이 온 것을 보자 곤두박질해서 달아났다.
〔连载〕 liánzǎi 명동 연속 등재(登載)(하다). 연재(하다).
〔连战皆捷〕 lián zhàn jiē jié 〈成〉 연전연승.
〔连长〕 liánzhǎng 명 《軍》 중대장(中隊長).
〔连着〕 liánzhe 동 잇닿다. 연속하다. ¶～班儿; 잇달아 이어져서.
〔连枝〕 liánzhī 명 ①한 줄기에 이어져 있는〔달린〕 가지. ②〈比〉 형제 자매.
〔连指手套〕 liánzhǐ shǒutào 명 ①《體》 (야구의) 미트(mitt). =〔大dà元手套〕〔合hé手套〕〔两liǎng指手套〕 ②벙어리 장갑.
〔连中〕 liánzhòng 동 ①계속해서 급제하다. ¶～三元; 향시(鄕試)·회시(會試)·전시(殿試)에 계속 장원으로 급제하다. ②잇달아 맞다〔당첨되다〕. ¶～二奖jiǎng; 계속해서 2등으로 당첨되다.
〔连种〕 liánzhòng 명동 ⇨〔连作〕
〔连轴(儿)转〕 liánzhóu(r)zhuàn 멈추지 않다. 쉴새없이 하다. 연일연야 쉬지 않고 일하다. 밤낮없이 일하다. ¶～不歇台儿; 끊임없다. 쉴새없다.
〔连珠〕 liánzhū 동 구슬을 꿰다. 명 ①꿴 구슬. ②계속하여 끊이지 않는 것. ¶笑声～爆出; 웃음소리가 계속 터지다/～似的机枪声; 콩볶듯 하는 기관총 소리. ③삼단 논법의 별칭. ④《植》 '山shān丹' (산단)의 별칭. ⑤연주체(후한(後漢) 때 반고(班固) 등이 시작한 문체).
〔连珠炮〕 liánzhūpào 명 ⇨〔快kuài炮〕
〔连珠枪〕 liánzhūqiāng 명 ⇨〔快kuài枪①〕
〔连属〕 liánzhǔ 동 연접(連接)하다. 잇다. ¶～成编; 연결시켜서 하나의 문장으로 만들다. ⇒ liánshu
〔连庄〕 liánzhuāng 동 계속 선을 잡다(마작에서, '庄家'(선)이 된 사람이 나서, 다시 선을 잡고 게임을 함).
〔连庄会〕 liánzhuānghuì 명 마을 연합회(聯合會).
〔连缀〕 liánzhuì 동 연결시키다. 잇다.
〔连字符〕 liánzìfú 명 ⇨〔连接号〕
〔连字号〕 liánzìhào 명 ⇨〔连接号〕
〔连宗〕 liánzōng 동 ①(혈족 관계가 없는) 같은 성받이끼리 일족(一族)으로서 친하게 왕래하는 관계

를 맺다. ②〈轉〉 이어지다. 연결되다. ¶这人的眉毛都～了; 이 사람의 눈썹은 이어져 있다. ‖＝〔联宗〕
〔连奏〕 liánzòu 명 《樂》 레가토(이 legato). →〔断duàn奏〕
〔连作〕 liánzuò 명동 《農》 연작(하다). ＝〔连茬〕〔连种〕〔重chóng茬〕
〔连坐〕 liánzuò 명동 연좌(하다).

涟(漣) lián (련) 〈文〉 ① 명 잔물결. 파문. ② 형 눈물이 멈추지 않다. ¶泣涕～～; 하염없이 울다.
〔涟洏〕 lián'ér 형 〈文〉 눈물을 흘리며 우는 모양.
〔涟漪〕 liányī 명 〈文〉 잔물결. ¶翡翠色的～; 비취색의 잔물결.

莲(蓮) lián (련) 명 《植》 ①연. ②연밥. ＝〔莲子zǐ〕
〔莲步〕 liánbù 명 〈比〉 미인의 걸음걸이.
〔莲菜〕 liáncài 명 〈方〉 ①연근《식용》. ② '莲蓬' 연밥의 화포(花苞)와 연근.
〔莲船〕 liánchuán 명 ①연근(蓮根)을 채취하는 배. ②〈罵〉 옛날에, 여자의 전족(纏足)의 큰 것을 욕하는 말.
〔莲房〕 liánfáng 명 ①연밥의 화포(花苞). ＝〔莲蓬〕 ②〈文〉 중의 거실.
〔莲粉〕 liánfěn 명 한천(寒天). 우무.
〔莲钩〕 liángōu 명 〈比〉 옛날, 전족(纏足)한 부인네의 작은 발. ¶～蹴cù凤; 예쁜 신을 신은 전족으로 걸음을 옮기는 모양. →〔金jīn莲(儿)〕
〔莲华〕 liánhuā 명 〈文〉 연꽃. ＝〔莲葩pā〕
〔莲华衣〕 liánhuāyī 명 《佛》 가사(袈裟)의 별칭.
〔莲花〕 liánhuā 명 《植》 연꽃. ¶～池 ＝〔～塘〕; 연못.
〔莲花白〕 liánhuābái 명 ①《植》 캐비지. ＝〔卷心菜〕 ②소주에 연밥을 넣어 빚은 술.
〔莲花草〕 liánhuācǎo 명 《植》 자운영(紫雲英).
〔莲花(儿)灯〕 liánhuā(r)dēng 명 연화등. 연꽃 모양의 등《중원절(中元節) 밤에 아이들이 가지고 놂》.
〔莲花镀金〕 liánhuā dùjīn 〈比〉 연꽃에 금도금을 하다《쓸데없는 손질을 하여, 도리어 본래의 아름다움을 잃다》.
〔莲花落〕 liánhuālào 명 몇 사람이 간단한 분장을 하고 '拍pāi板①' (박자판)을 치면서 부르는 일종의 통속적인 가곡. ＝〔莲花乐〕
〔莲花乐〕 liánhuālè 명 ⇨〔莲花落〕
〔莲花漏〕 liánhuālòu 명 옛날, 여산(廬山)의 승려 혜원(慧遠)이 고안해 냈다고 하는 연꽃 모양의 물시계.
〔莲灰〕 liánhuī 명 《色》 자색을 띤 회색.
〔莲经〕 liánjīng 명 《佛》 법화경. ＝〔法fǎ华经〕
〔莲炬〕 liánjù 명 화촉(華燭)《연꽃 모양으로 만든 초의 일종》.
〔莲龛〕 liánkān 명 불감(佛龕). 감실(龕室)《불상을 안치하는, 두 개의 문짝이 있는 궤》. ＝〔佛fó龛〕
〔莲藕〕 lián'ǒu 명 연근.
〔莲葩〕 liánpā 명 ⇨〔莲华huā〕
〔莲蓬〕 liánpeng 명 ⇨〔莲房fáng①〕
〔莲蓬老儿〕 liánpenglǎor 명 ①연실(蓮實)을 딴 후 외포(外苞)를 노인(老人) 모양으로 만든 어린이의 장난감. ②〈比〉 옷이 커서 헐렁헐렁한 것.
〔莲蓬篓儿〕 liánpenglǒur 명 연밥이 들어 있는 벌집 모양의 부분. ¶穿着件～似的棉袄; 벌집 같은 누더기 솜옷을 입고 있다.
〔莲蓬头〕 liánpengtóu 명 ①샤워기의 노즐(nozzle). ②물뿌리개의 노즐.
〔莲蓬子儿〕 liánpengzǐr 명 ①연실. 연밥. ＝〔莲子zǐ〕 ②연밥 모양의 것. ③ '枣zǎo(儿)' (대추)의 일종.
〔莲蓉〕 liánróng 명 연밥을 간 것. ¶～馅儿xiànr; 연밥을 갈아 설탕으로 졸여 만든 소.
〔莲蕊〕 liánruǐ 명 연꽃의 꽃술. 연꽃 수술. ＝〔莲须〕
〔莲实〕 liánshí 명 ⇨〔莲子〕
〔莲室〕 liánshì 명 〈文〉 남의 거실(居室)의 존칭.
〔莲台〕 liántái 명 《佛》 연화대. 연대. 불좌(佛座). ＝〔莲座〕
〔莲塘〕 liántáng 명 연못.
〔莲娃〕 liánwá 명 연을 따는 여인.
〔莲心〕 liánxīn 명 연밥의 배아(胚芽)《쓴 맛이 있어 약용으로 쓰이며, 식용할 때는 제거함》. ＝〔莲子心(儿)〕
〔莲舆〕 liányú 명 〈文〉 ①옛날, 부인의 승용차〔수레〕. ②〈轉〉 부인에 대한 경칭.
〔莲子〕 liánzǐ 명 연밥. ¶～粥; 연밥죽 / ～汤; 연밥을 넣은 국물. ＝〔莲实〕
〔莲足〕 liánzú 명 〈比〉 여인의 전족(纏足)한 발. →〔莲步〕
〔莲座〕 liánzuò 명 ⇨〔莲台〕

梿(槤) lián (련) ①→〔梿枷〕 ②지명용 자(字). ¶～市; 《地》 련스(槤市)《저장 성(浙江省)에 있는 땅 이름》.
〔梿枷〕 liánjiā 명 ⇨〔连枷〕

裢(褳) lián (련) →〔褡dā裢(儿)〕

鲢(鰱) lián (련) →〔鲢鱼〕
〔鲢鱼〕 liányú 명 《魚》 연어(鰱魚). ＝〔白鲢〕〔鱮xù〕

奁(奩〈匳, 匲, 籢〉) lián (렴) ①(옛날) 화장 케이스. ¶镜jìng～ ＝〔镜匣〕; 화장 도구 상자. ②(옛날, 시집 갈 때 가지고 가는) 세간. 혼수. ¶～具; ⇩
〔奁安〕 lián'ān 〈翰〉 부인네에 대한 편지 말미(末尾)의 편안하도록 기원하는 말.
〔奁币〕 liánbì 명 혼수품과 지참금. ＝〔奁资〕
〔奁敬〕 liánjìng 결혼 축의금, 또 그 봉투에 쓰는 말. ＝〔奁仪〕
〔奁具〕 liánjù 명 혼수. ＝〔妆zhuāng奁〕
〔奁田〕 liántián 명 옛날, 신부의 지참금으로 떼어 주던 논밭.

怜(憐) lián (련) 동 ①불쌍히 여기다. 동정하다. ¶～贫pín; 가난한 사람을 불쌍히 여기다 / 同病相～; 〈成〉 동병상련하다 / ～其无辜; 무고한 백성을 동정하다. ②애석히 여기다. 아끼다. ③사랑하다. 귀여워하다. ¶人皆～幼子; 사람은 모두 유아를 귀여워한다. ⇒líng
〔怜爱〕 lián'ài 동 가엾어하다. 귀여워하다.
〔怜才〕 liáncái 동 재능을 아끼다.
〔怜恻〕 liáncè 동 〈文〉 동정하다. 불쌍히 여기다.
〔怜见〕 liánjiàn 동 불쌍히 여기다. ¶到如今有谁

来～咱; 이제 와서 누가 우리를 불쌍히 여겨 주겠는가.
〔怜悯〕 liánmǐn 동 ⇨〔怜悯〕
〔怜悯〕 liánmǐn 동 동정하다. 가엾이 여기다. =〔怜悯〕〔怜念〕
〔怜念〕 liánniàn 동 ⇨〔怜悯〕
〔怜贫惜老〕 lián pín xī lǎo 〈成〉⇨〔惜老怜贫〕
〔怜惜〕 liánxī 동 ①깊이 사랑하다. ②동정하고 애호하다. ¶决不～坏人; 결코 악인을 동정하지 않는다.
〔怜香惜玉〕 lián xiāng xī yù 〈成〉 여자를 사랑하여 아끼다. 여자에게 무르다(때로는 색(色)을 좋아하는 뜻으로도 쓰임). =〔惜玉怜香〕
〔怜心〕 liánxīn 명 〈文〉 동정심.
〔怜恤〕 liánxù 동 불쌍히 여겨 돕다. ¶这位老先生乐善好hào施, ～困苦人; 이 영감님은 선행(善行)이나 베풀기를 잘 해, 늘 곤경에 처해 있는 사람이나 어려운 사람을 불쌍히 여겨 도와 준다.
〔怜宥〕 liányòu 동 ①〈文〉 불쌍히 여겨 용서하다. ②〈翰〉 양찰하다.

帘(簾)③

lián (렴)
①선술집의 간판으로 거는 기. =〔酒旗〕 ②막(幕). ③커튼. (갈대 또는 대로 만든) 발. ¶窗chuāng～儿; 창의 커튼. 창발.
〔帘布〕 liánbù 명 (타이어·고무 제품 등의) 안에 대는 천. =〔帘子布〕
〔帘架〕 liánjià 명 문 밖에 만든 발걸이.
〔帘栊〕 liánlóng 명 〈文〉 발을 친 창문.
〔帘幕〕 liánmù 명 발과 장막. 유막(帷幕).
〔帘栅〕 liánshān 명 〖電〗 가리기 그리드(grid). 차폐 격자. 스크린 그리드(screen grid).
〔帘栅管〕 liánshānguǎn 명 〖電〗 차폐 그리드관. 가리기 그리드관.
〔帘栅极〕 liánshānjí 명 〖電〗 차폐 그리드. 가리기 그리드.
〔帘押〕 liányā 명 발이 흔들리지 않도록 눌러 두는 기구.
〔帘政〕 liánzhèng 명동 〈文〉 수렴청정(하다)(황태후가 섭정(攝政)을 맡는 일).
〔帘子〕 liánzi 명 ①커튼. ②발. ‖ =〔帘儿〕
〔帘子布〕 liánzǐbù 명 카커스(carcass).

莶(薟)

lián (렴)
→〔白bái莶〕 ⇒xiān

联(聯)

lián (련)
①동 연결하다. 연합하다. 합동하다. ¶～盟; ⇩ / ～军; ⇩ / ～络; ⇩ / ～欢会; 합동 축하회. 친선 모임. ②동 짝지우다. ③명 연결. 관련. ④명 대련(對聯). ¶对duì～(儿); ⓐ대련. ⓑ대구(對句) / 喜xǐ～; 축하 대련 / 寿shòu～; 생일 축하 대련 / 挽wǎn～; 조상(弔喪) 대련 / 春chūn～; 춘련(정월에 출입구에 경사스러운 말을 적어 붙이는 대련).
〔联邦〕 liánbāng 명 〖政〗 연방.
〔联邦调查局〕 liánbāng diàochájú 명 미국의 연방 수사국. 에프 비 아이(F.B.I.).
〔联保〕 liánbǎo 명동 연대 보증(하다). 명 ①상호 보험. ¶～寿险; 상호 생명 보험. ②지방의 촌락 따위가 치안을 목적으로 연합한 단체.
〔联苯〕 liánběn 명 〖化〗 페닐벤젠(phenyl benzene). →〔苯②〕
〔联苯胺〕 liánběn'àn 명 〖化〗 벤지딘(benzidine).
〔联璧〕 liánbì 명 ⇨〔连璧〕
〔联播〕 liánbō 명동 (라디오·텔레비전 등의) 네트워크(network) 방송(하다). ¶～节目时间; 네트워크 방송 시간.
〔联产到户〕 lián chǎn dào hù 〖農〗 농가 생산 청부제. =〔包产到户〕
〔联程站〕 liánchéngzhàn 명 중계역(中繼驛).
〔联大〕 Liándà 명 〈簡〉 '联合国大会'의 약칭.
〔联单〕 liándān 명 점구멍이 있어 떼어 내게 된 두 장이 붙은 전표. ¶三～; 3장이 연결된 떼어 내게 된 전표.
〔联刀块〕 liándāokuài 명 고기 따위를 썬 것이, 잘 썰어지지 않고 붙어 있는 것.
〔联电〕 liándiàn 동 연명으로 타전(打電)하다.
〔联动机〕 liándòngjī 명 ⇨〔联合hé机〕
〔联动轮〕 liándònglún 명 연동 바퀴.
〔联队〕 liánduì 동 합동팀을 만들다. 명 〖軍〗 〈文〉 비행 대대(飛行大隊).
〔联防〕 liánfáng 명동 〖軍〗 공동 방위(하다). 동 〖體〗 연합하여 수비하다.
〔联共(布)〕 Liángòng(bù) 명 〖政〗 〈簡〉 소련 공산당. 볼셰비키.
〔联购〕 liángòu 명동 연합(하여) 구입(하다).
〔联管节〕 liánguǎnjié 명 〖機〗 유니언 조인트(union joint). 파이프 커플링(pipe coupling).
〔联贯〕 liánguàn 동 ⇨〔连贯①〕
〔联行〕 liánháng 동 (상인이) 연합하다. 명 연합 상점. ㉠특정 업무를 제휴하는 각각 독립된 상점. ㉡위의 상점이 연합하여 새로 성립한 상점.
〔联号〕 liánhào 명 연쇄점. 체인 스토어. =〔连锁商店〕
〔联合〕 liánhé 명동 연합(하다). 결합(하다). 단결(하다). 공동(하다). ¶～举行记者招待会; 공동으로 기자 회견을 하다 / ～举办; 공동 주최 / ～邦; ⓐ연방. ⓑ연합국. 동맹국 / ～兵种; 혼성 부대 / ～经营; 합판(合辦) 경영 / ～票; (여러 구간·기간 등에 쓰이는) 통용표(通用票) / ～签名; 연서(連署)하다 / ～诊所; (의사 그룹에서 관리하는) 무료 진찰실. 명 〖生〗 결합(2개 이상의 뼈가 고정되는 일).
〔联合采煤机〕 liánhé cǎiméijī 명 〖機〗 콤바인 채탄기. =〔采煤康拜因(机)〕〔康kāng拜因采煤机〕
〔联合大企业〕 liánhé dàqǐyè 명 ⇨〔多duō国公司〕
〔联合抵制〕 liánhé dǐzhì 명 보이콧(boycott).
〔联合(工)厂〕 liánhé (gōng)chǎng 명 ⇨〔联合企业①〕
〔联合公报〕 liánhé gōngbào 명 공동 성명. 공동 코뮈니케(communiqué). ¶他在～中表示希望…; 그는 공동 성명에서 …을 희망한다고 표명하고 있다.
〔联合公司〕 liánhé gōngsī 명 ⇨〔联合企业①〕
〔联合国〕 Liánhéguó 명 〖政〗 국제 연합(가맹국). 유엔(UN). ¶～大会 =〔～代表大会〕; 유엔 총회 / 参加～; 유엔에 가입하다 / ～宪章; 국제 연합 헌장 / ～观察团; 유엔 시찰단 / ～教育科学(及)文化组织 =〔～教科文组织〕; 유네스코(UNESCO) / ～秘书长; 유엔 사무 총장 / ～亚太经社委员会; 유엔 아시아 태평양 경제 사회 위원회. 에카페(ECAFE) / ～安理会 =〔安理会〕; 유엔 안전 보장 이사회 / ～儿童基金会; 유엔 아동 기금회 / ～粮食及农业组织; 유엔 식량 농업 기구 / ～工业发展组织; 유엔 공업 개발 기구 / ～开发计划署; 유엔 개발 계획 / ～贸易和发展会议; 유엔 무역 개발 회의.
〔联合会〕 liánhéhuì 명 연합회.

〔联合机〕 liánhéjī 명《機》콤바인(combine)《수종의 기계의 결합체》. =〔联动机〕
〔联合企业〕 liánhé qǐyè 명《經》①콤비나트(러 kombinat). =〔联合(工)厂〕〔联合公司〕 ②카르텔(독 kartell).
〔联合社〕 Liánhéshè 명 ⇨〔美měi联社〕
〔联合声明〕 liánhé shēngmíng 명 공동성명.
〔联合收割机〕 liánhé shōugējī 명 ⇨〔康kāng拜因〕
〔联合售票处〕 liánhé shòupiàochù 명 합동 매표소. 플레이 가이드(play guide)《베이징 등의 도시에서, 주요 영화관·극장·경기장의 입장권을 취급함》.
〔联合王国〕 Liánhé Wángguó 명《地》영국의 별칭.
〔联合战线〕 liánhé zhànxiàn 명 연합 전선. 통일 전선. 공동 전선.
〔联合政府〕 liánhé zhèngfǔ 명 연립 정부. 연립 내각.
〔联欢〕 liánhuān 동 한데 모여 친목을 도모하다. 친목 모임을 갖다.
〔联欢会〕 liánhuānhuì 명 간친회. 친목회. →〔联谊会〕
〔联欢节〕 liánhuānjié 명 친목회(親睦會). 간친회(懇親會). 간친 연예회.
〔联欢晚会〕 liánhuān wǎnhuì 명 친목 만찬회.
〔联环保〕 liánhuánbǎo 명동 연대 보증(하다). ¶～结; 연대 보증서.
〔联环画〕 liánhuánhuà 명 ⇨〔连环(图)画〕
〔联机〕 liánjī 명 ⇨〔联线〕
〔联接〕 liánjiē 동 ⇨〔连接〕
〔联捷〕 liánjié 동 ⇨〔连捷〕
〔联结〕 liánjié 명동 연결(하다). 결부(시키다). ¶～两国人民的友谊的纽带; 양국 국민의 우호적 유대를 맺다.
〔联结器〕 liánjiéqì ⇨〔转zhuǎn钩〕
〔联节箱〕 liánjiéxiāng 명《工》커플링 스크루 박스(coupling screw box). 연결함.
〔联句〕 liánjù 명 연구. 시구(詩句)를 지어 이음《각자가 한 구씩 지어 연결시키고 일련(一連)의 시를 구성함》.
〔联娟〕 liánjuān 형 ⇨〔连娟〕
〔联军〕 liánjūn 명 연합군. ¶美英～; 미영 연합군.
〔联立方程〕 liánlì fāngchéng 명《數》연립 방정식.
〔联立内阁〕 liánlì nèigé 명 ⇨〔混hùn合内阁〕
〔联联〕 liánlián 부 ⇨〔连连〕
〔联络〕 liánluò 명동 연락(하다). ¶～票; 연락표 / ～兵; 연락병 / ～站; 연락소 / ～网; 연락망. =〔连络〕
〔联络员〕 liánluòyuán 명 연락원.
〔联袂〕 liánmèi 동 ⇨〔连袂〕
〔联盟〕 liánméng 명 ⇨〔连盟〕
〔联绵〕 liánmián 형 ⇨〔连绵〕
〔联绵字〕 liánmiánzì 명《言》연면어《두 개의 음절이 연속하여 뜻을 이루고, 분리되어서는 의미를 갖지 못하는 단어를 가리킴. 예컨대, ①쌍성(雙聲)·첩운(疊韻)의 관계가 있는 것; '玲珑'·'徘徊'. ②쌍성·첩운의 관계가 없는 것; '蜈蚣'·'妯娌'. ③같은 음의 중첩어; '匆匆'·'津津' 등이 있음》. =〔联绵词〕〔连绵字〕〔连语〕
〔联名〕 liánmíng 명동 ⇨〔连名〕
〔联翩〕 liánpiān 형〈文〉새가 나는 모양.〈比〉잇달아 끊이지 않다. =〔连翩〕
〔联翩而至〕 lián piān ér zhì〈成〉(집회(集會) 따위에) 사람들이 잇달아 오다.
〔联票〕 liánpiào 명 (여러 장이 붙은) 티켓. 쿠폰(coupon).
〔联券〕 liánquàn 명 회수권(回數券). 쿠폰(coupon). =〔联票〕
〔联群〕 liánqún 동 군집(群集)하다. (양 따위가) 무리를 짓다.
〔联任〕 liánrèn 동 ⇨〔连任〕
〔联赛〕 liánsài 명《體》리그전(league戰). ¶棒bàng球～; 야구 리그전. =〔循xún环赛〕↔〔淘táo汰赛〕
〔联省自治〕 liánshěng zìzhì 명 민국 초기에, 각 성에 자치제를 실시하여 연합하고 중앙 정부를 만듦으로써 전국의 정치 통일을 이루고자 했던 제도.
〔联手〕 liánshǒu 동 ⇨〔连手〕
〔联属〕 liánshǔ 명동 연쇄 관계(가 있다). 거래 관계(가 있다). ¶各行栈都是和小号有～; 각 도매상은 모두 우리 가게와 거래하고 있다.
〔联锁〕 liánsuǒ 명동 ⇨〔连锁〕 동 연동(連動)하다. ¶～机构;《機》연동 장치.
〔联体〕 liántǐ 명《醫》몸이 한데 붙은 쌍둥이. =〔连体〕
〔联同…〕 liántóng ⇨〔连同…〕
〔联为一气〕 lián wéi yī qì〈成〉공모하다. 한패가〔한통속이〕되다.
〔联席〕 liánxí 동 연석하다. 둘 이상의 단체가 합동하다. ¶～会议; 합동 회의. 연석 회의. =〔连席〕
〔联系〕 liánxì 명동 ①연락(하다). 연계(하다). 관계(하다). 결부(하다). ¶加强自己同人民群众的～; 자신과 국민 대중과의 연계를 강화하다 / 建立～; 관계를 수립하다 / 使学问～实际; 학문과 실제를 연계시키다 / 我和他们那儿向来没～, 怎么能知道内情呢; 나와 그 사람들과는 이제까지 관계가 없으니까 내정 같은 거 알 턱이 없다. ②연락(을 취하다). 협의(하다). ¶彼此～; 서로 연락〔협의〕하다 / ～工作; 작업〔사업〕을 협의하다. ③관련(하다). ¶这句话～到事情的解决; 이 말은 일의 해결에 연관을 갖는다.
〔联系簿〕 liánxìbù 명 통신부.
〔联衔〕 liánxián 동〈文〉(관리가) 연서(連署)하다.
〔联线〕 liánxiàn 명《電算》(컴퓨터의) 온라인(online). =〔联机〕〔连机〕↔〔脱线〕
〔联箱〕 liánxiāng 명 ⇨〔集jí管〕
〔联想〕 liánxiǎng 명동 연상(하다).
〔联销〕 liánxiāo 동 연합하여 팔다.
〔联心合作〕 liánxīn hézuò 합심하여 한 가지 일을 하다.
〔联续〕 liánxù 동 ⇨〔连续〕
〔联谊会〕 liányìhuì 명 국제적인 친선 활동을 하는 상설적 또는 임시적인 조직. →〔联欢会〕
〔联姻〕 liányīn 명동 ⇨〔连婚〕
〔联营〕 liányíng 동 연합하여 경영하다. ¶～公司; 합판(合辦) 회사.
〔联运〕 liányùn 명동 (여객·화물을) 연락 수송(하다). ¶火车汽车～; 열차와 자동차의 연락 수송. =〔连运〕
〔联运舰〕 liányùnjiàn 명《軍》호송함(護送艦).
〔联运客票〕 liányùnkèpiào 명 연계(連繫) 승차표.

〔联运票〕 liányùnpiào 명 연락표. 연락 운송장. →〔全quán程票〕〔通tōng票〕
〔联运提单〕 liányùntídān 명 《商》 연계(連繫) 선하 증권(船荷證券).
〔联展〕 liánzhǎn 명 여러 사람이 함께 여는 전시회.
〔联轴节〕 liánzhóujié 명 《機》 샤프트 커플링(shaft coupling). 축 이음. =〔轴接手〕〔〈北方〉对duì轮〕〔〈南方〉考kǎo不令〕〔〈北方〉靠kào背轮①〕
〔联宗〕 liánzōng 동 ⇨〔连宗〕

廉〈廉〉 lián (렴) ① 형 (값이) 싸다. ¶低~; 저렴하다 / 物美价~; 품질이 좋고 값이 싸다. =〔便pián宜〕〔贱〕 ② 형 탐내지 않다. 청렴하다. ¶清~; 청렴하다. ③ 동 〈文〉 자세히 살펴보다. 조사하다. ¶~其事; 그 사건을 조사하다. ④ 명 〈文〉 모서리. =〔棱léng②〕 ⑤ 명 가봉(加俸). ⑥ 명 성(姓)의 하나.
〔廉白〕 liánbái 명형 〈文〉 ⇨〔廉洁〕
〔廉耻〕 liánchǐ 명 염치. ¶无wú~; 염치가 없다.
〔廉访〕 liánfǎng 동 〈文〉 가서 조사하다.
〔廉俸〕 liánfèng ⇨〔俸廉〕
〔廉官〕 liánguān 명 청렴한 관리. =〔廉吏〕
〔廉价〕 liánjià 명형 싼 값(이다). 염가(이다). ¶~出售; 염가 판매(하다) / ~抛pāo售; 투매(하다) / ~部; (백화점 등의) 특매장. 바겐 코너(bargain corner) / ~劳动力; 값싼 노동력. =〔低dī价〕 →〔高gāo价〕
〔廉价餐馆〕 liánjià cānguǎn 명 대중 식당.
〔廉节〕 liánjié 형 〈文〉 청렴하고 절개가 있다. =〔清qīng洁②〕
〔廉洁〕 liánjié 명형 〈文〉 청렴 결백(하다). ¶~奉公; 염결하여 공사를 위하여 힘써 일하다. =〔廉白〕〔廉明〕
〔廉吏〕 liánlì 명 ⇨〔廉官〕
〔廉明〕 liánmíng 명형 〈文〉 ⇨〔廉洁〕
〔廉泉〕 liánquán 명 ① ⇨〔廉水〕 ② 〈翰〉 당신의 돈. ¶屡蒙~之沾润; 종종 금전상의 걱정을 해 주시다. ③ 《漢醫》 침구(針灸)의 혈.
〔廉省〕 liánshěng 동 절약하다.
〔廉士〕 liánshì 명 〈文〉 청렴 결백한 선비.
〔廉水〕 Liánshuǐ 명 《地》 롄수이(산시 성(陝西省)에서 시작하여 장시 성(江西省)으로 흐르는 강 이름). =〔廉泉①〕
〔廉纤〕 liánxiān 형 〈文〉 가늘고 작은 모양. 명형 〈比〉 가랑비(가 부슬부슬 내리는 모양).
〔廉隅〕 liányú 명 〈文〉 기물(器物)의 능각(稜角). 형 〈轉〉 인품이 바르고 절조(節操)가 있다.
〔廉正〕 liánzhèng 형 청렴하고 바르다. ¶~无私; 청렴해서 사심(私心)이 없다.
〔廉直〕 liánzhí 형 결백하고 정직하다.

磏 lián (렴) 명 〈文〉 숫돌의 일종. ⇒qiān

濂 Lián (렴) 명 《地》 롄장(濂江)(장시 성(江西省) 남부에 있는 강 이름).

臁 lián (렴) 명 《生》 정강이의 양측(兩側). ¶~骨; 정강이뼈 / ~疮; 하퇴궤양(下腿潰瘍).

镰(鐮〈鎌〉) lián (겸) 명 낫. =〔镰刀dāo〕

蠊 lián (렴) →〔蜚fěi蠊〕

鬑 lián (렴) →〔鬑鬑〕
〔鬑鬑〕 liánlián 형 〈文〉 (수염·머리카락이) 길다〔텁수룩하다〕.

零 lián (령) →〔先xiān零〕 ⇒líng

琏(璉) liǎn (련) ① 명 곡물을 담는 제기(祭器). =〔瑚hú琏〕 ②인명용 자(字).

敛(斂) liǎn (렴) 동 ①모으다. 그러모으다. ¶~钱; 돈을 모으다 / 挨门~去; 한집 한집 모으러 가다. ②거두어 넣다. ③수축하다. ¶收shōu~剂; 수렴제. ④(수분이 발산하여) 굳어지다. ⑤구속하다. 제한하다. ⑥좌정하다. 멈추다. →〔敛步〕 ⑦ ⇨〔殓liàn〕
〔敛笔〕 liǎnbǐ 동 붓이 굳어지다. ¶墨太稠就要~; 먹이 너무 진하면 붓이 굳어진다.
〔敛步〕 liǎnbù 동 〈文〉 걸음을 멈추다. 앞으로 나아가지 않다. =〔敛足〕
〔敛财〕 liǎn,cái 동 재물을 착취하다.
〔敛分〕 liǎnfèn 동 할당금을 거두다.
〔敛缝〕 liǎnfèng 명 《工》 코킹(caulking) 접합. =〔捻niǎn缝〕
〔敛迹〕 liǎn,jì 동 ①끝장나다. 종언(終焉)하다. ②(제멋대로 굴던 것이) 얌전해지다. ③행방을 감추다. 숨다. 잠적하다.
〔敛局〕 liǎnjú 동 사람을 모아 도박판을 열어 자릿세를 뜯다.
〔敛衽〕 liǎnrèn 동 옷깃을 바로잡다. (복장을 바로 하여) 경의를 표하다. 명동 〈文〉 ⇨〔裣衽〕
〔敛容〕 liǎnróng 동 〈文〉 태도를 바르게 하다. 엄숙히 하다. 정색하다. =〔敛身〕
〔敛(涩)剂〕 liǎn(sè)jì 명 《藥》 수렴제. =〔收shōu敛剂〕
〔敛声静气〕 liǎn shēng jìng qì 〈成〉 목소리를 낮추고 숨소리를 죽이다.
〔敛手〕 liǎnshǒu 동 ①손을 소매에 넣다. ②〈轉〉 손을 빼다〔떼다〕. 손을 거두어들이다.
〔敛租〕 liǎnzū 동 〈文〉 조세를 징수하다.
〔敛足〕 liǎnzú 동 〈文〉 ⇨〔敛步〕

脸(臉) liǎn (검) 명 ①(~儿, ~子) 얼굴(「脸子」는 약간 혐오감을 갖고 쓰이는 경우가 있음). ¶他的~(儿)红了; 그의 얼굴은 빨개졌다 / 圆合~儿; 오동통한 얼굴 / 长方~儿 =〔四方~儿〕; 네모난 얼굴 / 洼wā心~; 주걱턱의 얼굴 / 洗xǐ~; 세수하다 / 刮~; 얼굴을 면도하다. ②〈轉〉 면목. 체면. ¶丢~; 체면을 떨어뜨리다〔잃다〕 / 露lòu~; 면목〔체면〕을 세우다 / 没~; 면목이 없다 / 不要~; 〈罵〉 창피한 줄 모르다 / 给~不要~! 체면을 세워 주려는데 창피한 줄도 모르고! ③(~儿) 물체의 전면〔앞면〕. ¶鞋xié~; 신의 앞쪽 / 门~; ⓐ성문의 정문과 그 부근을 말함. ⓑ점포의 내림. 가게의 구조. ④(~儿) (얼굴의) 표정. ¶笑~(儿); 웃는 얼굴 / 变biàn~; 표정을 바꾸다. 낯빛이 달라지다.
〔脸巴子〕 liǎnbāzi 명 〈俗〉 얼굴.
〔脸巴子丑, 怪不着镜子〕 liǎnbāzi chǒu, guài-

buzháo jìngzi 〈諺〉 얼굴이 못생긴 것은 거울 탓이 아니다. 자기가 일을 잘못해 놓고 남을 원망할 수 없다.

〔脸大〕 liǎndà 형 ①얼굴이 넓다. 신용이 있다. ¶多少人讲情他都不准, 到底是你的～; 누가 사과하러 가도 그는 듣지 않았는데, 과연 당신은 신용이 있군요. ②부끄러운 줄 모르다. 뻔뻔스럽다(흔히 여자에 대하여 말함).

〔脸蛋子〕 liǎndànzi 명 ①용모. ②볼. 뺨. ¶小姑娘的～红得像苹果; 소녀의 볼은 사과처럼 새빨갛다. =〔脸颊骨〕 ‖ =〔脸蛋儿〕

〔脸对脸〕 liǎn duì liǎn 얼굴과 얼굴을 맞대하다〔맞대하고〕. 마주 향하다〔향하고〕.

〔脸孤拐〕 liǎngūguai 명 양볼 광대뼈(가 있는 부분).

〔脸憨皮厚〕 liǎnhān píhòu 낯가죽이 두껍다. 뻔뻔스럽다. 철면피이다. =〔脸皮厚〕

〔脸红〕 liǎnhóng 형 얼굴이 붉다. 매우 부끄러워하다. 동 (노여움·흥분 따위로) 얼굴이 붉어지다. ¶～耳赤; 얼굴이 벌개지다 / ～脖子粗; 얼굴이 벌개지고 목에 핏대가 서다(불끈 화를 내거나 흥분하는 모양. 격분하는 모양).

〔脸厚〕 liǎnhòu 형 낯가죽이 두껍다. 뻔뻔스럽다. ¶你别以为她～, 其实她是个爽快人; 너는 그녀가 뻔뻔스럽다고 생각하지 마라. 사실 그녀는 솔직한 사람이다.

〔脸黄〕 liǎnhuáng 형 얼굴에 핏기가 없다. ¶～皮寡; 얼굴이 누렇게 뜨고 야윈 모양.

〔脸急〕 liǎnjí 형 화를 잘 내다. ¶这个人～, 别招惹他; 이 사람은 화 잘 내는 사람이니 건드리지 마시오.

〔脸颊〕 liǎnjiá 명 볼. ¶摸摸～; 볼을 쓰다듬다.

〔脸颊骨〕 liǎnjiágǔ 명 ⇨〔脸蛋子②〕

〔脸孔〕 liǎnkǒng 명 〈方〉 얼굴. 생김새. =〔脸①〕

〔脸面〕 liǎnmiàn 명 ①얼굴. ¶～很大; 얼굴이 알려져 잘 통하다 / ～发光; 얼굴이 훤하다. ②면목. 명예. 체면. ¶也给他个～吧; 그의 체면도 좀 세워 주어라. ‖ =〔脸嘴〕

〔脸模儿〕 liǎnmúr 명 ①얼굴 모습. ¶～很像父亲; 얼굴 모습이 부친과 아주 닮았다. ②안색. ¶今天你的～很好; 오늘은 너의 안색이 좋다. ‖ =〔面模儿〕

〔脸嫩〕 liǎnnèn 내성적이다. 조심스럽다. 수줍어하다.

〔脸帕〕 liǎnpà 명 면사(포). 베일(veil).

〔脸盘儿〕 liǎnpánr 명 얼굴 모양. 용모. ¶他的～很像他的父亲, 眉méi儿, 眼儿像母亲; 그의 얼굴 생김은 그의 아버지를 꼭 닮았고, 눈썹이나 눈은 어머니와 닮았다. =〔脸盘子〕〔脸庞páng〕〔〈方〉脸膛儿〕〔〈方〉面miàn盘子〕〔〈方〉面庞(儿)〕

〔脸盘子〕 liǎnpánzi 명 ⇨〔脸盘儿〕

〔脸庞〕 liǎnpáng 명 ⇨〔脸盘儿〕

〔脸盆〕 liǎnpén 명 세숫대야. ¶～架子; 세면대. =〔面miàn盆①〕〔洗脸盆〕

〔脸皮(儿)〕 liǎnpí(r) 명 ①얼굴 가죽. 낯가죽. ¶～厚; 낯가죽이 두껍다. 뻔뻔스럽다. ②면목. 체면. ¶撕不破～; (상대방 체면을 깎으면서까지) 강력히 나가지 못하다. 삼가다.

〔脸皮厚〕 liǎnpíhòu 낯가죽이 두껍다. 뻔뻔스럽다. 철면피이다. =〔脸憨皮厚〕〔脸罕hǎn〕〔脸皮(儿)壮〕 ↔〔脸皮儿薄〕

〔脸皮儿薄〕 liǎnpírbáo 숫기가 없다. 조심스럽다. 수줍음을 잘 타다. =〔脸嫩〕 ↔〔脸皮厚〕

〔脸谱〕 liǎnpǔ 명 ①《劇》 중국 전통극 배우의 얼굴 분장(극중 등장 인물의 특징·성격 따위를 표시함). ②용모. 얼굴생김. ¶她的～漂亮; 그녀의 용모는 예쁘다. ‖ =〔面谱(儿)〕

〔脸青〕 liǎnqīng 형 얼굴이 거무스름하다〔시퍼렇다〕. ¶～鼻肿; (맞아서) 얼굴이 부어오른 모양.

〔脸软〕 liǎnruǎn 형 마음이 약하다. 정에 끌리기 쉽다. ¶他一向～, 对别人的要求总是不好意思拒绝; 그는 옛날부터 마음이 약해서 남이 부탁하면 거절을 못 한다 / ～吃亏; 사람이 너무 좋으면 손해를 본다. =〔脸热〕〔脸善〕 ↔〔脸硬〕

〔脸色〕 liǎnsè 명 ①안색. ¶她最近～不大好; 그녀는 요즘 얼굴색이 좋지 않다. ②얼굴 표정. ¶～变了; 얼굴 표정이 바뀌었다. ‖ =〔面miàn色〕

〔脸善〕 liǎnshàn 형 ⇨〔脸软〕

〔脸上〕 liǎnshàng 명 ①얼굴. ¶～刷白; 안색이 창백하다. ②체면. 낯. 면목. ¶～不得劲儿 =〔～挂不住〕; 면목이 없다 / ～贴金tiējīn; 〈成〉 뽐내다. 자화자찬하다 / 自己往～贴金, 多不好意思; 제가 자기를 내세우려 하다니 부끄러운 일이 아니냐.

〔脸生〕 liǎnshēng 형 일면식(一面識)도 없다. 알지 못하다. =〔面生〕

〔脸水〕 liǎnshuǐ 명 세숫물. =〔洗脸水〕

〔脸酸〕 liǎnsuān 형 사사로운 정에 사로잡히지 않다. ¶他～心硬; 그는 사사로운 감정에 매이지 않는 대가 센 면이 있다.

〔脸膛(儿)〕 liǎntáng(r) 명 〈方〉 ①얼굴 생김새. ②얼굴. ¶长～; 긴 얼굴.

〔脸硬〕 liǎnyìng 형 마음이 강하다(감정이나 정실에 움직이지 않고 주장할 것은 당당히 주장하다). ↔〔脸软〕

〔脸子〕 liǎnzi 명 〈方〉 ①얼굴. 용모(흔히, 미모를 가리키지만 속된 표현. '脸(儿)'라고 할 때에 비해 호감이 없을 때에 씀). ¶女歌手唱得好, 也得～好, 要不这样不能唱红呢; 여가수는 노래를 잘 부르고 얼굴도 잘생겨야 한다. 그렇지 않으면 인기 가수가 못 된다 / 人家～好; 저 사람은 잘생겼다. ②불쾌한 표정. ¶给～瞧; 불쾌한 얼굴을 하다. 냉담한 얼굴을 하다.

裣(襝) liǎn (렴)

→〔裣衽〕

〔裣衽〕 liǎnrèn 명동 〈文〉 절(하다)(부녀자의 절을 말함). =〔斂衽〕

蔹(蘞) liǎn (렴)

→〔白bái蔹〕

练(練) liàn (련)

①동 연습하다. 훈련하다. ¶～习; ⇩ / ～字; ⇩ / 游泳我刚学会, 还得下功夫多～; 수영은 이제 막 배웠으니, 더욱 노력해서 연습해야 한다 / 训xùn～; 훈련하다 / 排pái～; 조련(調練)하다. ②동 공연하다. 연기하다. ¶上场～了一套武术; 무대에 나가 일장의 무예를 연기했다. ③동 몸을 단련하다. ¶～得一身都是腱子肉; 단련되어 몸의 근육이 울퉁불퉁하다. ④동 숙련되다. 노련하다. 능숙하다. 경험이 풍부하다. ¶老～; 노련하다. 능숙하다 / 干gàn～; 유능하고 노련하다. ⑤동 〈文〉 고르다. ¶～日; 길일(吉日)을 고르다. ⑥동 생사(生絲)를 잘 누이어 부드럽고 희게 하다. ⑦명 흰〔누인〕 명주. ¶江平如～; 강물이 흰 명주필같이 잔잔하다. ⑧명 성(姓)의 하나.

〔练把式〕 liàn bǎshi 무예를 연습하다. 무예 연기

를 하다. ¶～的; 거리에서 무예를 연기하여 관중에게 보여 주는 사람. =〔练把势〕〔打dǎ把式〕
〔练本事〕 liàn běnshi 기량을 닦다. =〔练本领〕
〔练笔〕 liàn.bǐ 동 ①글짓기를 연습하다. ②글쓰기를 연습하다.
〔练兵〕 liàn.bīng 동 연병하다. 연습(演習)하다. 〈轉〉 훈련하다. ¶～场; (군대의) 연병장.
〔练操〕 liàn.cāo 동 조련(操練)하다.
〔练达〕 liàndá 형 〈文〉 숙달하다. ¶～世事; 세상사에 통달하다 / ～人情; 인정을 환하게 알다.
〔练队〕 liàn.duì 동 정렬(整列) 행진의 연습을 하다.
〔练坊〕 liànfáng 명 피륙을 누이는 공장.
〔练杠子〕 liàn gàngzi 《體》 철봉 운동을 하다. 기계 체조를 연습하다. =〔打dǎ杠子(的)⑤〕
〔练工〕 liàngōng 명 숙련공.
〔练工夫〕 liàn gōngfu (무예 등의) 수련을 쌓다. →〔用yòng工夫〕
〔练功〕 liàn.gōng 동 (무예의) 연습을 하다. 단련하다. ¶天天～; 매일 연습하다 / ～场; 연습장 / 练硬功; 고된 연습을 하다.
〔练核〕 liànhé 동 〈文〉 자세히 조사하다〔살피다〕.
〔练家(子)〕 liànjiā(zi) 명 무예(武藝)의 달인(達人).
〔练就〕 liànjiù 동 훈련·연습하여 익히다. ¶～一手好枪法; 창법을 훌륭하게 익히다.
〔练军〕 liànjūn 동 〈文〉 군대를 훈련시키다. 명 청대(清代) 팔기(八旗) 또는 녹영(綠營)의 병사 중에서 선발하여 서양식 훈련을 실시한 군대.
〔练力带〕 liànlìdài 명 《體》 익스팬더(expander). 엑스 밴드(X band). =〔拉lā簧①〕〔拉力(挺胸)器〕〔扩kuò胸器〕
〔练牛奶〕 liànniúnǎi 명 연유(煉乳).
〔练跑〕 liànpǎo 동 달리기 연습을 하다.
〔练跑打气〕 liànpǎo dǎqì 워밍업(warming-up)(하다). 준비 운동(하다). ¶他们在球场～, 准备应战; 그들은 구장에서 워밍업하며 시합에 대비한다.
〔练气〕 liànqì 동 (도가(道家)에서) 호흡을 조절하다. →〔养yǎng气②〕
〔练球〕 liàn.qiú 동 구기(球技)를 연습하다. (경기 직전의) 워밍업(warming-up)을 하다. 타격 연습을 하다.
〔练拳〕 liàn.quán 동 권법을 수련하다.
〔练鹊〕 liànquè 명 《鳥》 삼광조(三光鳥). =〔绶shòu带鸟〕
〔练染〕 liànrǎn 동 직물을 누이고 염색하다.
〔练日〕 liànrì 동 〈文〉 길일을 택하다. 택일하다. ¶～简辰; 날을 잡고 시간을 고르다.
〔练师〕 liànshī 명 ⇨〔炼师〕
〔练实〕 liànshí 명 《植》 멀구슬나무의 열매. =〔楝实〕
〔练手儿〕 liàn.shǒur 동 ①(기예를) 연마하다. ②습자(習字)를 하다.
〔练手儿〕 liànshour 명 숙련자.
〔练武〕 liànwǔ 동 무술을 연마하다. 군사 훈련을 하다.
〔练习〕 liànxí 명동 연습(하다). ¶～本 =〔～簿〕; 연습장. 공책 / ～机; 연습기 / ～生; 연습생 / ～子儿 =〔空kōng包弹〕; 공포탄 / ～曲; 에튀드(étude). 연습곡 / ～题; 연습 문제 / 做～; 연습하다 / 交～; 숙제를 제출하다 / 直接写在～里; 직접 문제지에 답을 쓰다.
〔练阅〕 liànyuè 동 〈文〉 검열하다.
〔练择〕 liànzé 동 〈文〉 선택하다.
〔练字〕 liànzì ①⇨〔炼字炼句〕 ② (liàn.zì) 동 습자(習字)를 하다. ¶～本; 습자 공책.
〔练子嘴〕 liànzizuǐ 명 말이 술술 나오는 입.

炼(煉〈鍊〉) liàn (련) ① 동 (광물을 녹여서) 정제(精製)하다. 정련(精鍊)하다. 단련하다. ¶铁是怎样～成的? 쇠는 어떻게 정련된 것이냐? / 锻duàn～; 단련하다 / 千锤chuí百～; 〈成〉 단련에 단련을 거듭하다. ② 동 가열하여〔졸여서〕 정제하다. ¶提tí～; 정련하다. 추출(抽出)하다 / 把油～出来; 기름을 정제하여 추출하다. ③ 동 (불로) 달구다. (열로) 불리다. ¶真金不怕火～; 순금은 불로 달구는 것을 두려워하지 않는다《의지가 강한 사람은 시련을 이겨 낼 수 있다》. ④ 동 숙련(熟練)되다. ⑤ 동 (머리를 짜내어) 자(字)·구(句)를 다듬다. ¶～字; ⇩ / ～句; ⇩ ⑥ →〔链①〕
〔炼丹〕 liàndān 명 도가(道家)의 단약(丹藥)《불로장생약》. (liàn.dān) 동 단약(丹藥)을 개다〔만들다〕. =〔铅qiān汞〕 ‖ =〔炼药〕
〔炼钢〕 liàn.gāng 명동 제강(하다). ¶～厂; 제강소 / ～炉; 제강로 / ～工人; 제강공.
〔炼火〕 liànhuǒ 동 (대장장이 등이) 불을 피우다.
〔炼焦〕 liàn.jiāo 동 코크스를 만들다. ¶～技术; 코크스를 만드는 기술. (liànjiāo) 명 코크스(cokes). =〔炼焦煤〕〔焦炭〕
〔炼焦炉〕 liànjiāolú 명 코크스로(爐). ¶把煤炼成焦炭的炉子叫～; 석탄을 코크스로 만드는 노를 코크스로라 부른다.
〔炼金术〕 liànjīnshù 명 연금술. →〔点diǎn金术〕
〔炼句〕 liàn.jù 동 (시문의) 자구를 다듬다.
〔炼矿〕 liàn.kuàng 동 (광석을) 정련하다.
〔炼煤油机器〕 liànméiyóu jīqì 명 《機》 석유 정제 기계.
〔炼蜜〕 liàn.mì 동 꿀을 정제하다. (liànmì) 명 정제한 꿀.
〔炼奶〕 liànnǎi 명 연유(煉乳).
〔炼气〕 liànqì 명 《工》 공업용 기체 산소·수소·이산화탄소·아세틸렌 따위. ¶～厂chǎng =〔～工业〕; 기화(氣化) 공업. 동 호흡을 조절하고 기를 단련하다《도가의 장생술》.
〔炼钳〕 liànqián 명 《機》 체인 파이프 렌치(chain pipe wrench). →〔管guǎn搬子〕
〔炼乳〕 liànrǔ 명 연유. =〔炼奶〕〔凝níng浓牛奶〕
〔炼山〕 liàn.shān 동 (조림을 위해) 산의 잡초나 관목을 베어 태워 버리다.
〔炼师〕 liànshī 명 깊이 수련을 쌓은 도사《도사에 대한 호칭》. =〔练师〕
〔炼石补天〕 liànshí bǔtiān 태고의 여와씨(女媧氏)가 오색의 돌을 불려서 무너진 하늘을 메웠다는 전설.
〔炼糖〕 liàn.táng 동 설탕을 정제하다. ¶～厂; 정당(精糖) 공장.
〔炼锑〕 liàntī 명 《化》 정제(精製)된 안티몬(Sb).
〔炼条〕 liàntiáo 명 체인(chain).
〔炼铁〕 liàn.tiě 동 제철하다. ¶～厂; 제철소 / ～炉; (선철의) 용광로. 고로(高爐).
〔炼仙〕 liànxiān 명동 신선(神仙) 수업(을 하다).
〔炼形〕 liànxíng 명 《宗》 몸을 단련하여 건전히 하는 도가의 술. ¶～家; 기를 수업하는 사람.
〔炼药〕 liànyào 명동 ⇨〔炼丹〕
〔炼油〕 liàn.yóu 동 ①기름을 정제하다. ¶～机器; 정유기(精油機) / ～厂; 석유 정제 공장 / ～公司;

정유 회사. ②제유하다. ③동물·식물유를 가열하여 식용유로 만들다.
〔炼狱〕 liànyù 명《宗》(가톨릭교에서) 연옥.
〔炼指〕 liànzhǐ 명《佛》(불교에서) 손가락을 불에 데우는 고행.
〔炼制〕 liànzhì 명동 정련(하다).
〔炼字〕 liànzì 동 시문(詩文)의 용자(用字)를 퇴고하다.
〔炼字炼句〕 liànzì liànjù 시문의 자구를 퇴고(推敲)하다. =〔练字①〕

恋(戀) liàn (련) ① 명동 연애(하다). 사랑(하다). ¶～爱ài; ⇓/初chū～; 첫사랑/失shī～; 실연(하다). ② 동 그리워하다. 헤어지기가 아쉽다. ¶～旧jiù; ⇓/留liú～; 서운해하다. 아쉬워하다/依yī～; 헤어지기 아쉬워하다. →〔依依②〕 ③ 명 성(姓)의 하나.
〔恋爱〕 liàn'ài 명동 연애(하다). ¶谈～; 연애하다.
〔恋歌〕 liàngē 명 연가.
〔恋家〕 liàn.jiā 동 집을 그리워하다.
〔恋奸〕 liànjiān 동〈文〉 사랑하여 사통(私通)하다.
〔恋酒〕 liànjiǔ 동 술을 무척 좋아하다.
〔恋旧〕 liànjiù 동〈文〉 고향을 그리워하다.
〔恋恋〕 liànliàn 동 애타게 그리(워하)다. ¶～不忘wàng; 그리워서 잊지 못하다. =〔挛luán挛〕
〔恋恋不舍〕 liàn liàn bù shě〈成〉 연연하는 모양. 단념하지 못하는 모양.
〔恋慕〕 liànmù 명동 연모(하다).
〔恋群〕 liànqún 동 혼자서는 쓸쓸하여 여럿이 되고 싶어하다. ¶羊爱～; 양은 떼를 이루기를 좋아한다.
〔恋人〕 liànrén 동 사람을 연모하다. 명〈文〉 연인.
〔恋色〕 liànsè 동〈文〉 색에 빠지다.
〔恋头〕 liàntou 명 연연할 만한 값어치. 미련. ¶这穷乡村可有什么～? 이 가난한 동네에 무슨 미련이 있으랴?
〔恋土难移〕 liàn tǔ nán yí〈成〉 오랫동안 정들어 살던 고장은 떠나기가 어렵다. 정들면 고향.
〔恋喜〕 liànxǐ 동 (일에) 마음이 끌리다. 재미있어하다. (보고 싶고 듣고 싶은) 기분이 들다. ¶他很贪热闹, ～事儿; 그는 호기심이 강해서 일을 재미있어한다.
〔恋栈〕 liànzhàn 동 말이 마구간을 떠나기 싫어하다《지위(地位)에 연연하다. 지위에 매달리다》. ¶他是否～我就不管; 그가 지위에 미련을 갖고 있건 말건 나는 그런 것에 상관하지 않는다. =〔恋皂zào〕
〔恋枕〕 liànzhěn 동〈文〉 잠자리에서 일어나기를 아쉬워하다.
〔恋职〕 liànzhí 동 관직에 미련이 있다.
〔恋住身子〕 liànzhu shēnzi 목숨 걸고 …에 빠지다.

殓(殮) liàn (렴) 동 염습(殮襲)하고 입관하다. ¶收～ =〔人～〕; 입관하다/小～; 염습하다. 소렴하다/大～; 염습하여 입관하다. 대렴하다/成～; 염습이 끝나다. =〔敛liǎn⑦〕
〔殓具〕 liànjù 명 납관(納棺)에 쓰는 용구(用具).
〔殓埋〕 liànmái 동〈文〉 납관(納棺)하여 매장하다.
〔殓衣〕 liànyī 명 수의(壽衣).
〔殓葬〕 liànzàng 동 시신을 염습하여 장사 지내다. ¶～费; 장례 비용.

潋(瀲) liàn (렴) →〔潋滟〕
〔潋滟〕 liànyàn 형〈文〉 ①수세(水勢)가 성(盛)한 모양. ②물이 잔물결을 이루며 흐르는 모양.

链(鏈) liàn (련) ①(～儿, ～子) 명 (쇠)사슬《본래 '炼'이라고도 썼음》. ¶锁suǒ～; (쇠)사슬/铁tiě～; 쇠사슬/表biǎo～; 시곗줄/项xiàng～; 목걸이/拉lā～; 지퍼(zipper). ② 명 정제하지 않은 납광석. ③ 양《度》 연(鏈)《영국의 도량형에서 거리의 단위, 1/10 해리로 200야드 또는 185미터로 환산됨》.
〔链耙〕 liànbà 명 체인 해로우(chain harrow). →〔耙耜〕
〔链扳手〕 liànbānshǒu 명《機》 체인 렌치(chain wrench).
〔链板输送机〕 liànbǎn shūsòngjī 명 체인 컨베이어(chain conveyor).
〔链车〕 liànchē 명《機》 스프로킷(sprocket). 체인 휠(chain wheel).
〔链尺〕 liànchǐ 명 (토지 측량용의) 쇠줄자. →〔卷juǎn尺〕
〔链齿刀〕 liànchǐdāo 명《機》 체인 스프로킷 커터(chain sprocket cutter).
〔链带〕 liàndài 명《機》 링크 벨트(link belt).
〔链钩〕 liàngōu 명《機》 체인 훅(chain hook).
〔链轨〕 liànguǐ 명《機》 캐터필러(caterpillar). 무한 궤도. =〔履lǚ带〕
〔链环〕 liànhuán 명 고리 모양으로 된 사슬.
〔链唧筒〕 liànjītǒng 명《機》 체인 펌프(chain pump).
〔链锯〕 liànjù 명《機》 체인 톱. 체인 소(chain saw).
〔链轮〕 liànlún 명《機》 체인축(軸). 체인 휠(chain wheel)《자전거의 톱니바퀴》.
〔链霉素〕 liànméisù 명《藥》스트렙토마이신(streptomycin). =〔肺fèi针〕
〔链钳子〕 liànqiánzi 명《機》 체인 파이프 렌치(chain pipe wrench).
〔链球〕 liànqiú 명《體》 ①해머 던지기. ②경기용 해머.
〔链球菌〕 liànqiújūn 명 연쇄상 구균.
〔链上取代〕 liànshàng qǔdài 명《化》 연쇄 치환(chain sustitution).
〔链式反应〕 liànshì fǎnyìng 명 연쇄 반응. =〔连锁反应〕
〔链式铆〕 liànshìmǎo 명 체인 리베팅(chain riveting). 병렬 리벳(rivet) 이음.
〔链式磨木机〕 liànshì mòmùjī 명《機》 체인 그라인더(chain grinder).
〔链式碳氢化合物〕 liànshì tànqīnghuàhéwù 명《化》 사슬 모양 탄화 수소. ¶烷属wánshǔ～; 포화(飽和) 사슬 모양 탄화 수소. 메탄계 탄화 수소/烯xī属～; 알켄(alkene). 올레핀계(olefin系) 탄화 수소. =〔链烃〕
〔链式悬桥〕 liànshì xuánqiáo 명 적교(吊橋). 체인 브리지(chain bridge).
〔链式运输机〕 liànshì yùnshūjī 명《機》 체인 컨베이어(chain conveyor).
〔链套〕 liàntào 명 자전거의 체인 커버. =〔链罩〕
〔链条〕 liàntiáo 명《機》 ①쇠사슬. =〔链子①〕 ② 기계의 전동용(傳動用) 사슬.
〔链条管子钳〕 liàntiáo guǎnziqián 명《機》 체인

(chain) 집게.
〔链条滑轮〕 liàntiáo huálún 명 체인 풀리(chain pulley). 체인 스프로킷 휠(chain sprocket wheel). =〔链条滑车〕
〔链烃〕 liàntīng 명《化》쇄상(鎖狀) 탄화수소 화합물.
〔链闸〕 liànzhá 명 체인 브레이크(chain brake). =〔链杀车〕
〔链罩〕 liànzhào 명 ⇨〔链套〕
〔链转滑车〕 liànzhuàn huáchē 명《機》체인 블록(chain block)(ʻ起qǐ重机ʼ의 일종). =〔滑车倒dǎo链〕〔〈北方〉捯dáo链〕〔〈北方〉千qiān不落〕〔〈俗〉神shén仙葫芦〕
〔链子〕 liànzi 명 ①쇠사슬. =〔链条①〕 ②(자전거·오토바이 따위의) 체인.

楝 **liàn** (련)
명《植》멀구슬나무. ¶～果子guǒzi =〔～枣子zǎozi〕; 멀구슬나무의 열매. =〔苦kǔ楝〕〔楝树shù〕

LIANG ㄌㄧㄤ

良 **liáng** (량)
①형 좋다. 훌륭하다. 우수하다. 선량하다. ¶～好; ⇩/善～; 선량하다/～药苦口; ⇩/品质优～; 품질 우량/消化不～; 소화 불량. ②형 상서롭다. ③부 대단히. 심히. 아주. 매우. ¶用心～苦; 마음 씀이 대단하다/获huò利～多; 아주 많은 이익을 얻다. ④부〈文〉확실히. 생각했던 대로. 과연. ¶皆以为赵氏孤儿～已死; 모든 사람이 조씨의 고아는 이젠 분명히 죽은 것으로 생각했다/～有不得已, 可予yǔ以辅助之; 과연 어쩔 수 없으니, 원조를 해 주어야 한다. ⑤명 남편. ⑥명 선량한 사람. 양민. ¶诬～为盗; 선량한 사람을 도둑놈 취급하다. ⑦명 성(姓)의 하나.
〔良伴〕 liángbàn 명〈文〉좋은 친구〔동반자〕.
〔良弼〕 liángbì 명〈文〉잘 보필(輔弼)하는 신하.
〔良兵〕 liángbīng 명〈文〉좋은 병사.
〔良材〕 liángcái 명〈文〉①좋은 목재. ②훌륭한 인재. =〔良才〕
〔良策〕 liángcè 명〈文〉양책. 좋은 책략. =〔良算〕
〔良产〕 liángchǎn 명〈文〉훌륭한 재산.〈轉〉책. 서적.
〔良辰〕 liángchén 명〈文〉좋은 날. 길일. ¶佳jiā礼～; 경사스러운 의식이 치러지는 좋은 날. =〔令lìng辰〕
〔良辰美景〕 liáng chén měi jǐng〈成〉경사스러운 날의 아름다운 정경(情景).
〔良导体〕 liángdǎotǐ 명 ⇨〔导体〕
〔良方〕 liángfāng 명 ①훌륭한 처방전. ②효력이 있는 약.
〔良工〕 liánggōng 명〈文〉훌륭한 직공. 숙련된 장인. =〔良工巧qiǎo匠〕
〔良工心苦〕 liáng gōng xīn kǔ〈成〉훌륭한 예술가는 고심이 많은 법이다. 훌륭한 예술가일지라도 애써 만들지 않으면, 좋은 것을 제작할 수 없다.
〔良弓〕 liánggōng 명〈文〉①좋은 활. ②활을 잘 쏘는 사람.
〔良贾〕 liánggǔ 명〈文〉대상인(大商人).
〔良规〕 liángguī 명〈文〉친절한〔유익한〕충고.
〔良贵〕 liángguì 명〈文〉본래부터 귀한 것. ¶人之所贵者, 非～也《孟子》; 사람이 귀하게 여기는 것은 본래부터의 귀함이 아니다.
〔良好〕 liánghǎo 명형 양호(하다). ¶～的成绩jī; 양호한 성적/出售～ =〔销xiāo路～〕; 잘 팔려 나가다/～的愿望; 좋은 소망/～开端; 좋은 출발. 아주 괜찮은 발단.
〔良婚〕 liánghūn 명〈文〉천생 연분.
〔良机〕 liángjī 명 좋은 기회. 호기(好機). ¶～难逢, 万勿错过; 좋은 기회는 좀처럼 없으니, 결코 놓쳐서는 안 된다/莫失～; 좋은 기회를 놓치지 마라. =〔好hǎo机〕
〔良家〕 liángjiā 명 양가. ¶～子zǐ(女); 양가의 아들〔자녀〕.
〔良贱〕 liángjiàn 명〈文〉(신분의) 귀천.
〔良姜〕 liángjiāng 명 ⇨〔高gāo良姜〕
〔良金美玉〕 liáng jīn měi yù〈成〉훌륭한 인물. 또는 훌륭한 문장.
〔良久〕 liángjiǔ〈文〉명 오랜 시간. 오랫동안. 형 꽤 오래다. =〔很久〕
〔良吏〕 liánglì 명〈文〉좋은 관리.
〔良民〕 liángmín 명 ①평민. 양민(ʻ贱jiàn民ʼ(천민)에 대한 말). ②옛날, 양민(법을 잘 지키고 생업에 힘쓰는 백성).
〔良谟〕 liángmó 명 좋은 계획.
〔良能〕 liángnéng 명〈文〉타고난 재능. 천분(天分).
〔良懦〕 liángnuò 형〈文〉선량하고 나약하다.
〔良庖〕 liángpáo 명〈文〉솜씨 좋은 요리사.
〔良匹〕 liángpǐ 명〈文〉좋은 배필.
〔良人〕 liángrén 명 ①남편. ②일반 양민. ↔〔奴①〕〔婢①〕 ③군자(君子). 선인(善人). ④궁중의 여자 관직명(漢代). ⑤처(妻). ⑥옛날, 지방 관직명.
〔良善〕 liángshàn 형 선량하다. ¶他们都是～的人; 그들은 모두 선량한 사람이다. =〔善良〕
〔良师益友〕 liáng shī yì yǒu〈成〉좋은 스승과 유익한 벗.
〔良史〕 liángshǐ 명〈文〉①뛰어난 사관(史官). ②좋은 역사서.
〔良士〕 liángshì 명〈文〉훌륭한 인사. 어진 사람.
〔良死〕 liángsǐ 명 천수(天壽)를 다한 죽음. =〔良终〕
〔良算〕 liángsuàn 명〈文〉⇨〔良策cè〕
〔良田〕 liángtián 명〈文〉양전. 좋은 논밭. ¶～万顷qǐng; 좋은 밭이 만경(萬頃)이나 된다〔한없이 넓다〕. →〔顷qǐng⑤〕
〔良图〕 liángtú 명〈文〉좋은 계획〔계책〕.
〔良晤〕 liángwù 명〈文〉즐거운 회합. ¶～匪遥;〈翰〉머지않아 만나 뵙겠습니다.
〔良相〕 liángxiàng 명〈文〉양상. 훌륭한〔어진〕재상.
〔良宵〕 liángxiāo 명〈文〉좋은 밤. 아름다운 밤. ¶趁此～, 我俩痛饮几杯; 이 아름다운 밤에, 우리 흠뻑 마십시다.
〔良心〕 liángxīn 명 양심. ¶你的～不坏; 네 양심은 틀림이 없다〔확실하다〕/老实～地办事; 성실하게 양심적으로 일을 하다/～话; 진실한 이야기. 양심적인 이야기. 공평한 말/没有～; 양심이 없다/～叫狗吃了;〈比〉양심이라곤 조금도 없다.
〔良性〕 liángxìng 동 좋은 결과를 가져오다. (의학

적으로 보아) 중대한 결과에는 이르지 않다. ¶国民经济的～循环; (경제 각 부분의 상호 연관이 잘 이루어져) 국민 경제가 순조롭게 발전하는 좋은 순환.
〔良性肿瘤〕 liángxìng zhǒngliú 명《醫》양성 종양.
〔良言〕 liángyán 명 좋은 말. 유익한 이야기. ¶～相劝; 좋은 말로 권고하다 / ～一句三冬暖, 恶è语伤人六月寒; 〈諺〉좋은 말 한 마디는 삼동의 추위도 따뜻하게 느끼고, 못된 말로 상처를 입으면 유월의 더위도 춥게 느껴진다.
〔良药苦口〕 liáng yào kǔ kǒu 〈成〉좋은 약은 입에 쓰다.
〔良冶〕 liángyě 명 〈文〉훌륭한 대장장이. 솜씨 좋은 대장장이.
〔良夜〕 liángyè 명 ①좋은 밤《경치 좋은 밤. 기분 좋은 밤》. ②심야. 깊은 밤.
〔良医〕 liángyī 명 좋은 의사. 명의(名醫). ¶～不自医; 명의도 제 병은 고치지 못한다.
〔良医三折肱〕 liángyī sān zhé gōng 〈諺〉사람은 뜻하지 않은 여러 가지 곤란을 당하는 법이다.
〔良友〕 liángyǒu 명 〈文〉좋은 친구. 양우(良友). =〔良朋〕〔良知②〕
〔良莠不齐〕 liáng yǒu bù qí 〈成〉선인과 악인이 섞여 있다. 옥석혼효(玉石混淆).
〔良缘〕 liángyuán 명 좋은 인연〔연분〕. ¶～天定; 좋은 인연은 하늘이 정한다.
〔良月〕 liángyuè 명 〈文〉음력 10월의 별칭.
〔良知〕 liángzhī 명 〈文〉①배우지 않고 깨달아 얻는 지능. ②⇨〔良友〕
〔良种〕 liángzhǒng 명 우량 품종. ¶～基地; 집중적으로 우량 품종을 만드는 곳 / ～繁育; 우량종을 키워서 번식시키다.
〔良子〕 liángzǐ 명 〈文〉좋은〔훌륭한〕 아들.

俍 liáng (량)
①명형 〈文〉우수한(장인). ②인명용 자(字).

莨 liáng (량)
→〔薯shǔ莨〕〔莨绸〕 ⇒láng làng
〔莨绸〕 liángchóu 명 ⇨〔黑胶绸〕

粮(糧) liáng (량)
명 ①양식. 식량. 곡물. 곡식. ¶细xì～; 쌀과 보리류 / 糙cāo～; 조·수수·콩류 / 打了三石dàn～; 세 섬의 곡물을 수확하였다. ②(쌀이나 밀가루로 만든) 식품·식량. ¶干gān～; 휴대 식량 / 口kǒu～; 인원수대로의 식량. ③농업세. 현물세. ¶钱～; 지세(地税) / 公～; 현물세. ④〈南方〉급료. 급여.
〔粮包〕 liángbāo 명 곡물 자루.
〔粮仓〕 liángcāng 명 곡물 창고.
〔粮草〕 liángcǎo 명 (군대의) 식량과 사료(飼料).
〔粮册〕 liángcè 명 옛날, 연공 대장(年貢臺帳).
〔粮差〕 liángchāi 명 옛날, 조세(租稅) 징수 관리.
〔粮船〕 liángchuán 명 곡물 수송선《옛날, 세공미(歲貢米)를 싣고 남쪽에서 북쪽으로 수송하는 데 썼음》.
〔粮石〕 liángdàn 명 ①곡류. ②양식. 식량.
〔粮道〕 liángdào 명 ①⇨〔督dū粮道〕 ②양도. 옛날, 양식을 나르던 도로.
〔粮地〕 liángdì 명 ①지조(地租)를 거두는 토지. ②옛날, 소작인이 지주를 위해 경작하는 토지.
〔粮店〕 liángdiàn 명 ⇨〔粮(食)店〕
〔粮豆〕 liángdòu 명 ①곡류와 콩. ②곡물의 낟알.
〔粮囤〕 liángdùn 명 곡물 저장을 위해 거적으로 에두른 것.
〔粮坊〕 liángfáng 명 곡물 판매점. =〔粮房〕
〔粮房〕 liángfáng 명 ⇨〔粮坊〕
〔粮粉〕 liángfěn 명 곡물 가루.
〔粮赋〕 liángfù 명 곡물로 납부하는 지조(地租).
〔粮谷〕 liánggǔ 명 (양식으로 쓰는) 곡물.
〔粮谷油脂〕 liánggǔ yóuzhī 명 ⇨〔粮油〕
〔粮行〕 liángháng 명 옛날, 곡물 도매상.
〔粮户〕 liánghù 명 지주. 논밭의 소유자. =〔地dì主②〕
〔粮荒〕 liánghuāng 형 식량이 결핍하다. 명 식량 결핍. 식량 기근. ¶闹～; 식량 기근이 생기다.
〔粮集〕 liángjí 명 정기적인 곡물 시장.
〔粮捐〕 liángjuān 명 옛날, 지조(地租). 토지 소득세.
〔粮捐票〕 liángjuānpiào 명 ⇨〔粮票①〕
〔粮库〕 liángkù 명 양식 창고.
〔粮料〕 liángliào 명 ⇨〔粮秣〕
〔粮米(儿)〕 liángmǐ(r) 명 곡물.
〔粮秣〕 liángmò 명 군대의 양식과 말먹이. =〔粮料〕
〔粮票〕 liángpiào 명 ①옛날, 지조(地租) 영수증. =〔粮串〕〔粮捐票〕 ②양곡 구입권. 식량 배급표.
〔粮商〕 liángshāng 명 미곡상.
〔粮市〕 liángshì 명 곡물 시장.
〔粮食〕 liángshi 명 양식. (곡류·두류(豆類)·감자류 등의) 식량. ¶～定量; 곡물 배급량《1949년 이래, 식량은 배급제를 채택하여, 직종·연령에 따라 배급량이 정해져 있음》 / ～供应证; 곡물 구입 통장.
〔粮(食)店〕 liáng(shi)diàn 명 양곡 판매점. =〔粮食铺pù〕〔粮店〕
〔粮食作物〕 liángshi zuòwù 명 벼·밀·잡곡 등의 작물(의 총칭).
〔粮台〕 liángtái 명 병참(兵站). ¶安ān～; 병참을 두다.
〔粮饷〕 liángxiǎng 명 〈文〉①병량(兵糧). ②군대의 급여.
〔粮银〕 liángyín 명 옛날, 군대의 급여(給與).
〔粮油〕 liángyóu 명 곡류에서 빼낸 식물 유지. =〔粮谷油脂〕
〔粮栈〕 liángzhàn 명 ①옛날의 곡물〔식량〕 창고. ②옛날의 곡물〔미곡〕 도매상.
〔粮站〕 liángzhàn 명 곡물류를 관리하고 배분하는 기관.
〔粮仗〕 liángzhàng 명 〈文〉군량과 무기.

踉 liáng (량)
→〔跳tiào踉〕 ⇒liàng

凉〈涼〉 liáng (량)
①형 서늘하다. 선선하다. ¶立秋之后天气～了; 입추 후에 날씨가 서늘해졌다. ↔〔暖nuǎn①〕 ②형 (썰렁하게) 춥다. 차갑다. ¶手脚发～; 손발이 싸늘하다 / ～～儿的; 쌀쌀하다. 몹시 차갑다 / ～水; ⇓ ③형 시원하다. ④형 〈文〉엷다. 적다. ¶～德; ⇓ ⑤동 내팽개쳐 두다. 일을 중도에서 팽개치다. ⑥동 〈比〉실망하다. 낙심하다. 흥이 깨지다. ¶他的心～了一些; 그는 약간 실망했다 / 一听这个消息, 他心里就～了; 이 소식을 듣자 그는 낙심했다. ⑦동 바람 쐬다. ⑧동 식다. 차가워지다. ¶饭～了; 밥이 식었다. ⑨명 감기. ¶受～; 감기 걸리다. ⑩명 성(姓)의 하나. ⇒liàng

〔凉白开〕 liángbáikāi 명 〈口〉 끓여서 식힌 맹물.
〔凉拌〕 liángbàn 동 차갑고 산뜻한 음식물을 무침으로 만들다. ¶～菜; 야채·고기·기름·간장·식초 등으로 차게 무친 음식.
〔凉冰冰(的)〕 liángbīngbīng(de) 형 얼음처럼 차가운 모양. 섬뜩하게 차가운 모양.
〔凉菜〕 liángcài 명 찬 요리. 냉채(冷菜).
〔凉茶〕 liángchá 명 ①냉차. ②홍분을 가라앉히는 약으로 마시는 차.
〔凉窗〕 liángchuāng 명 한랭사(寒冷紗)를 발라 통풍이 잘 되게 만든 창.
〔凉床〕 liángchuáng 명 (대나무 따위로 만든) 시원한 침상.
〔凉带〕 liángdài 명 여름 옷의 띠.
〔凉德〕 liángdé 명 〈文〉 박덕. 부덕(不德).
〔凉碟(儿)〕 liángdié(r) 명 전채(前菜). (서양 요리의) 오르 되브르(프 hors-d'oeuvre)(접시에 담겨 있는 것).
〔凉饭〕 liángfàn 명 찬밥.
〔凉粉(儿)〕 liángfěn(r) 명 녹두묵. =〔〈方〉 玻bō璃粉〕
〔凉粉草〕 liángfěncǎo 명 《植》 선초(차조기과의 풀. 그 즙과 쌀가루를 끓여서 여름철 냉식품을 만듦). =〔仙xiān草〕
〔凉糕〕 liánggāo 명 인절미 비슷한 여름 식품(속에 대추 또는 팥소를 넣고 얼음 위에 얹어 차게 하여 먹음. 남쪽에는 갈분(葛粉)으로 만든 비슷한 식품이 있음).
〔凉话〕 liánghuà 명 기분 잡치는 말. 푸념. 기분 나쁜 말. ¶她没说过半句～; 그녀는 한 마디도 푸념한 적이 없다.
〔凉轿〕 liángjiào 명 문을 열어 놓은 가마.
〔凉劲儿〕 liángjìnr 명 차가움. 냉기. ¶鲜橙chén汁必须冷却, 要没有那股～, 不太够味; 오렌지 주스는 아무래도 차게 하지 않으면 안 된다. 그 차가운 맛이 없으면 제 맛이 제대로 나지 않는다.
〔凉浸浸〕 liángjìnjìn 형 썰렁하게 느끼다. 아주 서늘하다.
〔凉净净〕 liángjìngjìng 형 ①차갑다. ②살풍경〔썰렁〕한 모양.
〔凉酒〕 liángjiǔ 명 찬 술.
〔凉开水〕 liángkāishuǐ 명 끓여서 식힌 물. =〔冷lěng开水〕
〔凉快〕 liángkuai 형 선선하다. 시원하다. ¶下了一阵雨, 天气～多了; 비가 한차례 오더니 날씨가 훨씬 선선해졌다/这儿很～; 이 곳은 아주 시원하다. 동 바람을 쐬다. 더위를 식히다. ¶我们到树阴下面去～一会儿吧! 우리 나무 그늘로 가서 잠시 더위를 식힙시다!
〔凉了半截(儿)〕 liángle bànjié(r) 〈比〉 실망하다. ¶他一看就～了; 그는 보자마자 실망했다. 注 '半截(儿)'는 반신(半身)을 이르는 말.
〔凉帽〕 liángmào 명 ①여름 모자. ② 청대(清代)에 쓰던 여름예모(禮帽).
〔凉面〕 liángmiàn 명 냉국수.
〔凉木〕 liángmù 명 ⇨〔松sōng杨〕
〔凉棚〕 liángpéng 명 차양. ¶搭dā～; 차양을 가설하다. 동 햇볕을 가리기 위해 이마 위에 손으로 가리다. ¶手搭～往前看; 손으로 이마를 가리고 앞쪽을 보다. =〔凉篷〕
〔凉气儿〕 liángqìr 명 시원한 기운. 냉기.
〔凉秋〕 liángqiū 명 음력 9월.
〔凉热〕 liángrè 명 추위와 더위.
〔凉肉〕 liángròu 명 냉육. 콜드 미트(cold meat).
〔凉伞〕 liángsǎn 명 양산. =〔旱hàn伞〕〔阳yáng伞〕
〔凉森森〕 liángsēnsēn 형 썰렁한 모양. ¶～的石头; 차가운 돌/这里到处都是～的, 让人觉得好舒服啊! 이 곳 어디든지 모두 서늘하여, 쾌적한 느낌이 든다.
〔凉衫〕 liángshān 명 〈文〉 여름에 입는 얇은 옷.
〔凉柿子〕 liángshìzi 명 냉동한 감. ¶心里吃了～了; 〈比〉 안도의 숨을 쉬다. 안심하다.
〔凉薯〕 liángshǔ 명 ⇨〔豆dòu薯〕
〔凉爽〕 liángshuǎng 형 선선하다. 시원하고 상쾌하다.
〔凉爽呢〕 liángshuǎngní 명 화학 섬유 제품의 일종(흔히, 춘추복 등의 옷감으로 쓰임).
〔凉爽爽(的)〕 liángshuǎngshuǎng(de) 형 상쾌한 모양. ¶一口气喝干, 心里顿时觉得～的; 단숨에 마시자마자 가슴이 상쾌해졌다.
〔凉水〕 liángshuǐ 명 ①냉수. ¶～浇头; 찬물을 머리에 끼얹다(흥분해 있는 사람의 머리를 식혀 주다). ↔〔开水〕〔热水〕 ②(끓이지 않은) 생수(生水).
〔凉丝丝〕 liángsīsī 형 약간 춥다. 서늘하다. ¶北京夏天早晚也是～的; 베이징(北京)은 여름에도 아침 저녁으로 약간 춥다.
〔凉飕飕〕 liángsōusōu 형 시원하다. 시원하고 상쾌하다. =〔凉簌簌sù簌〕
〔凉榻〕 liángtà 명 납량용(納凉用)의 평상.
〔凉台〕 liángtái 명 베란다. 발코니. 테라스. 노대(露臺).
〔凉厅〕 liángtīng 명 납량용(納凉用)의 건물.
〔凉亭〕 liángtíng 명 통행인이 비를 피해 가거나 휴식을 할 수 있게 만든 정자.
〔凉透〕 liángtòu 동 ①완전히 서늘해지다. ②완전히 흥이 깨지다.
〔凉席〕 liángxí 명 돗자리·기직 따위.
〔凉鞋〕 liángxié 명 ①샌들(sandal). ②여름 신발.
〔凉血动物〕 liángxuè dòngwù 명 냉혈 동물. 〈轉〉 냉혹하고 박정한 사람.
〔凉药〕 liángyào 명 《漢醫》 한성(寒性)의 약(약성(藥性)을 한(寒)·열(熱)·온(溫)·양(涼)의 넷으로 나누고, 이것을 대별하여 한성(寒性)·열성(熱性)으로 나누는데, 열병은 찬 성질의 약으로 다스리어 이를 '凉药'·'寒剂'라 하고, 한성의 병은 열성의 약으로 다스리어 이를 '热rè药'·'热剂'라 고 함).
〔凉阴阴(的)〕 liángyīnyīn(de) 형 ①그늘져서 선선한 모양. ¶找个～地方坐一会儿吧! 그늘지고 시원한 곳을 찾아 잠시 쉬자! ②썰렁하다. 으스스하다. ‖ =〔凉荫荫(的)〕
〔凉友〕 liángyǒu 명 〈比〉 (바람 부치는) 부채.
〔凉着〕 liángzháo 동 〈方〉 감기 들다. ¶昨天穿少了, 又～了; 어제 옷을 얇게 입어서 또 감기가 들었다.
〔凉枕〕 liángzhěn 명 (도기(陶器)·대나무·등나무 등으로 만든) 여름 베개.

谅(諒) liáng (량)

→〔谅暗〕⇒ liàng

〔谅暗〕 liáng'ān 명동 〈文〉 임금이 거상〔상복〕(을 입다). =〔谅阴〕〔亮阴〕

辌(輬) liáng (량)

→〔辒wēn辌〕

梁〈樑〉[A)] **liáng** (량)

A) 명 ①《建》들보. 대들보. =〔柁tuó〕〔柁梁〕②《建》도리. ¶正～ =〔大～〕〔脊jǐ檩〕; 마룻대/二～; (마룻대에서) 두 번째의 도리. B) 명 ①다리. ¶桥～; 다리. 교량/石～; 돌다리. ②가로질러 걸치는 것. ¶自行车的大～断了; 자전거의 위 파이프가 부러졌다. ③(～儿, ～子) 물체의 중간이 불룩 솟은 부분. ¶山～; 산등성이/鼻～; 콧마루. 콧날/一夜翻过三道～; 하룻밤 사이에 세 개의 산등성이를 넘었다. ④(～儿, ～子) 손으로 들게 된 손잡이. ¶茶壶～; 차 주전자 손잡이/过～的花篮; 위에 드는 손잡이가 달린 꽃바구니. ⑤물을 막아 물고기를 잡는 장치. 어량(魚梁). ⑥산(‘岭’의 변음). ⑦(Liáng)《史》양(전국 시대의 국명(國名). 위(魏)나라가 대량(大梁)으로 천도한 후에 부른 이름). ⑧(Liáng)《史》㉠남조(南朝)의 하나(소연(蕭衍)이 건국하였음). ㉡→〔后hòu梁〕⑨성(姓)의 하나.

〔梁暗〕liáng'àn 명 문미(門楣).
〔梁规〕liángguī 명 큰 컴퍼스.
〔梁架〕liángjià 명《建》트러스(truss).
〔梁津〕liángjīn 명〈文〉나루터.
〔梁丽〕liánglì 명〈文〉마룻대. 도리. =〔梁楄〕
〔梁檩〕liánglǐn 명《建》들보와 도리.
〔梁木〕liángmù 명《建》들보. 대들보.
〔梁桥(儿)〕liángqiáo(r) 명 ①(자매의 남편들 사이의) 동서 관계. ②《建》형교(桁橋).
〔梁山泊〕Liángshānpō 명 ①《地》양산박(북송(北宋)의 송강(宋江) 등이 산채를 차리고 있던 곳. 수호전(水滸傳)에 의해서 널리 알려짐. 산둥 성(山東省) 서우장 현(壽張縣)의 동남쪽, 량산 산(梁山)의 기슭에 있으며, 옛날의 거야택(鉅野澤)의 땅). ②〈轉〉호걸의 집결 장소. =〔梁山泺〕〔蓼儿liǎor洼〕〔宛wǎn子城〕
〔梁上君子〕liáng shàng jūn zǐ〈成〉①양상군자. 〈婉〉도둑의 별칭. ②〈轉〉사상적으로 태도를 결정짓지 못하는 사람.
〔梁柱〕liángzhù 명《建》①들보의 기둥. ②다리의 기둥.

粱 **liáng** (량)

명 ①《植》(우수한 품종의 총칭) 조. ②좋은 주식(主食). ¶膏～; 기름진 고기와 상등의 주식.

〔粱秸〕liángjiē 명 수수깡.
〔粱米〕liángmǐ 명 ①〈文〉오곡(五穀)의 총칭(總稱). ②조와 쌀.
〔粱肉〕liángròu 명〈文〉기름진 곡물과 고기.

墚 **liáng** (량)

명 (중국 서북 지구의) 띠 모양으로 된 황토층(黃土層)의 구릉(丘陵).

量 **liáng** (량)

동 ①(길이·분량 등을) 재다. 달다. 되다. ¶用斗～米; 되로 쌀을 되다/拿尺～衣裳; 자로 옷의 치수를 재다/～地; ⇩/～体温; 체온을 재다. ②어림치다. 헤아리다. 추측하다. ¶打～; 눈으로 어림잡다. 가늠하다/～你也不敢不; 너는 아마 감히 그렇게 하지 않을 수 없을 것이다. 생각건대, 너는 아마 그렇게 할 것이다. ③고려하다. ④〈方〉식량을 사다. ¶拿这钱～粮食; 이 돈으로 양식을 산다. ⇒liàng

〔量杯〕liángbēi 명 미터 글라스(meter glass).
〔量表〕liángbiǎo 명《化》비중계(比重計). 농력계.
〔量程〕liángchéng 명 계기(計器)의 측정할 수 있는 범위.
〔量地〕liáng dì 토지를 측량하다.
〔量度〕liángdù 명동 (길이·무게·용량·공률(工率) 등을) 측정(하다). ⇒liàngdù
〔量肺器〕liángfèiqì 명《醫》폐활량계(肺活量計).
〔量鼓〕liánggǔ 명 옛날, 되의 일종.
〔量规〕liángguī 명 ⇨〔测cè规〕
〔量角器〕liángjiǎoqì 명 각도기. =〔量角规〕〔半bàn圆规〕〔分fēn度尺〕〔分度规〕〔分度器〕〔分角规〕〔分角器〕
〔量具〕liángjù 명 (대소 장단 등을) 재는 도구. 계기(計器).
〔量(煤)气表〕liáng(méi)qìbiǎo 명 가스 계량기.
〔量米〕liáng.mǐ 동 ①쌀을 되다. ②쌀을 되어서 사다. ¶量着贵米吃; 비싼 쌀을 조금씩 되어서 사 먹다.
〔量奶杯〕liángnǎibēi 명 눈금이 있는 수유용(授乳用) 비커(beaker).
〔量能〕liángnéng 동〈文〉재능을 헤아리다.
〔量瓶〕liángpíng 명《化》메저링 플라스크(measuring flask).
〔量热气〕liángrèqì 명《物》열량계. =〔热量计〕〔卡kǎ计〕
〔量人〕liángrén 명 옛날, 도로 측량을 관장하는 관리.
〔量日镜〕liángrìjìng 명《天》별의 거리·각도·지름 등을 재는 기계.
〔量日仪〕liángrìyí 명《天》태양의(太陽儀). 헬리오미터(heliometer).
〔量乳表〕liángrǔbiǎo 명 우유의 농담(濃淡)을 검사하는 보메계(Baumé計).
〔量天尺〕liángtiānchǐ 명《天》육분의(六分儀).
〔量筒〕liángtǒng 명 메스 실린더(measuring cylinder).
〔量图仪〕liángtúyí 명 지도 계측기(地圖計測器).
〔量雪器〕liángxuěqì 명《氣》적설계. 설량계(雪量計).
〔量油尺〕liángyóuchǐ 명《機》계량봉(計量棒).
〔量予〕liángyǔ 동〈文〉참작하여 주다.
〔量雨表〕liángyǔbiǎo 명《氣》우량계(雨量計).

两(兩) **liǎng** (량)

①수 둘. 2. ¶～车; 차 두 대/～人; 두 사람. →〔二①〕②명 쌍방. 양쪽. ¶～全; 양쪽이 모두 완전하다/～相情愿;〈成〉쌍방이 다 원하고 있다. ③양《度》중량 단위. ㉠‘市shì～’의 약칭. ‘(市)钱qián’의 10배. ‘(市)斤jīn’의 1/10(약 50그램에 해당). ㉡구제(舊制)에서는 1‘～’은 31.25그램. 16‘～’이 1‘斤’(한국의 9돈 7푼). 한의(漢醫) 처방 따위에서는 이를 씀. ¶半斤八～;〈成〉반 근이나 여덟 냥이나(어슷비슷하다). ④양 테일(tael)(옛날, 중국 세관 ‘海关’의 무게 단위. 보통 37.7g, 또, 옛날 중국의 화폐 단위). ⑤형 두 개의. ⑥형 다른. 상이한. 별개의. ¶他们的习惯跟我们～样; 그들의 습관은 우리들과 다르다. ⑦형 두셋의. 몇몇의. ¶等～天; 이삼 일 기다리다/我要跟你说～句话; 나는 당신하고 몇 마디 이야기하고 싶다.

〔两掰〕liǎngbāi 동 양쪽 말의 중간을 취하다. 절충하다. 타협하다. 서로 양보하다. ¶别依买主儿也别依卖主儿, 咱们～了吧; 사는 쪽 말대로 하지도 말고, 파는 쪽 말대로 하지도 말고 중간을 취합시다.

〔两败俱伤〕 liǎng bài jù shāng 〈成〉 쌍방 모두 손상〔손실〕을 입다.

〔两班儿倒〕 liǎng bānr dǎo 2교대하다.

〔两半儿〕 liǎngbànr 명 (둘로 나눈) 절반. ¶把西瓜切成～; 수박을 절반으로 자르다.

〔两榜〕 liǎngbǎng 명 옛날, 과거의 향시(鄕試)와 회시(會試)의 두 시험에 급제한 사람, 즉 거인(擧人)과 진사(進士)를 말함. ¶～出身; 거인 출신과 진사 출신(의 사람).

〔两榜底子〕 liǎngbǎng dǐzi 명 ①진사 출신이라는 자격. ②〈歇〉 근시(‘进士’와 ‘近jìn视’가 같은 음이므로 익살스럽게 쓰는 말). ¶他是个～; 그는 근시이다.

〔两饱一倒儿〕 liǎng bǎo yī dǎor 먹고 자고, 자고 먹고 하다. 무위도식하다.

〔两被花〕 liǎngbèihuā 명 《植》 양피화(장미꽃·매화꽃 따위처럼 꽃잎과 꽃받침을 갖추고 있는 꽃).

〔两边〕 liǎngbiān 명 ①쌍방. ¶～都说好了; 쌍방 모두 합의했다. ②양측. ¶这张纸～长短不齐; 이 종이는 양변의 길이가 맞지 않는다. ③두 방향. 양쪽. ¶这间屋子～有窗户, 光线很好; 이 방은 창이 양쪽에 있어서 채광이 좋다.

〔两边倒〕 liǎngbiāndǎo 〈比〉 정견 없이 형편 좋은 데로 쏠리다. 양다리 걸치다. 두 길마 보기. →〔一边倒〕

〔两边客〕 liǎngbiānkè 명 팔 사람과 살 사람.

〔两便〕 liǎngbiàn 형 쌍방이 다 편하다. 동 ①서로 형편이 좋을 대로 하다. ¶咱们～吧; 〈套〉 그럼 각기 별개로 행동합시다. 그럼 여기에서 작별합시다(도중에서 동행인과 작별할 때의 인사. 3인 이상일 때는 ‘各便’). ②서로 돈을 추렴하다. 같이 계산하다. ¶彼此～吧; 서로 같이 부담하자. ③작별〔이별〕하다. 관계를 끊다. ¶该跟这个忘恩负义的人～了! 이런 망은지도(忘恩之徒)와는 관계를 끊어야 해!

〔两不误〕 liǎngbùwù 어느 쪽에도 지장은 일어나지 않다.

〔两不相让〕 liǎng bù xiāng ràng 〈成〉 양쪽 모두 양보하지 않다.

〔两不相涉〕 liǎng bù xiāng shè 〈成〉 쌍방이 서로 간섭하지 않다.

〔两不找〕 liǎng bù zhǎo ①(같은 값, 같은 가치를 쳐서 교환하는 경우에) 과부족이 없다. 균형이 맞다. ¶你打算～, 我不能换给你; 너는 맞바꾸고 싶겠지만, 나는 바꿔 줄 수 없다. ②(물건 값과 같은 액수의 돈을 치렀을 경우에) 거슬러 줄 것이 없다.

〔两步并走一步〕 liǎngbù bìng zǒu yībù 〈比〉 두 걸음을 한 걸음에 걷다(매우 급히 걷다). =〔两步改做一步〕

〔两步走(儿)〕 liǎngbùzǒu(r) 명 〈俗〉 걸음걸이. 걷는 모양. ¶看他那～就知道他会跳舞; 그의 걸음걸이를 보면 춤을 잘 춘다는 것을 곧 알 수 있다. 동 두 단계로 나누어 실행하다.

〔两参一改三结合〕 liǎngcān yīgǎi sānjiéhé 간부는 집단 노동에 참가하고, 노동자는 기업 관리에 참가하며(‘两参’), 불합리한 규칙·제도를 개혁하고(‘一改’), 노동자·간부·기술자의 삼자가 긴밀하게 협력하는 것(‘三结合’). →〔鞍Ān钢〕

〔两曹〕 liǎngcáo 명 ⇨〔两造〕

〔两层床〕 liǎngcéngchuáng 명 ⇨〔双shuāng层床〕

〔两层火车〕 liǎngcéng huǒchē 명 2층 기차.

〔两层楼〕 liǎngcénglóu 명 2층 건물. 2층집. →〔楼房〕

〔两场〕 liǎngchǎng 명 (영화·연극·경기 따위의) 2회(예컨대, 하루 2회 행해짐의 뜻).

〔两重〕 liǎngchóng 명 두 가지. 이중. ¶～性; 이중성 / 新旧社会～天; 두 개의 다른 사회.

〔两次三番〕 liǎng cì sān fān 〈成〉 ⇨〔再zài三再四〕

〔两次运球〕 liǎngcì yùnqiú 명 《體》 (농구의) 더블 드리블.

〔两搭〕 liǎngdā 동 양다리 걸치다. ¶～着, 自是个好办法; 양다리 걸치는 것은 물론 좋은 방법이다.

〔两大〕 liǎngdà 명 천지(天地). 하늘과 땅.

〔两袋烟的工夫〕 liǎngdàiyānde gōngfu 담배 한 두 대 피울 동안. 잠깐 사이.

〔两当〕 liǎngdāng 명 조끼. 동의(胴衣)(한쪽은 가슴에, 다른 한쪽은 등에 닿으므로 이렇게 부름).

〔两瞪眼〕 liǎngdèngyǎn 두 눈을 크게 뜨다. 쌍방이 서로 눈을 크게 뜨다. 〈比〉 ㉠눈을 부릅뜨고 안달할 뿐 어쩔 도리가 없다. ㉡서로 안달복달할 뿐 손을 쓸 수 없다.

〔两抵〕 liǎngdǐ 동 상쇄(相殺)하다. 쌍방이 플러스 마이너스 영이 되다. ¶～剩余; 차감(差減) 잔액 / 收支～; 수지가 균형을 이루다.

〔两点论〕 liǎngdiǎnlùn 명 《哲》 이점론(二點論)(유물 변증법의 대립면(對立面)의 통일에 관한 생각).

〔两点水儿〕 liǎngdiǎnshuǐr 명 《言》 이수변(二水邊)(한자 부수의 하나. ‘冻’·‘冷’ 따위의 ‘冫’의 이름).

〔两端〕 liǎngduān 명 ①양단. 양끝. 처음과 끝. ②극단과 극단. 양극단(지나침과 모자람). ③〈文〉 오른쪽으로 갈지 왼쪽으로 갈지 결정되지 않음. ¶发兵救郑, 其来持～, 故迟《史記》; 군사를 내어 정(鄭)나라를 구하려 하나, 파병 결정이 좀처럼 내려지지 않아, 그 때문에 늦었다.

〔两耳不闻窗外事〕 liǎng'ěr bùwén chuāngwàishì 〈諺〉 창 밖에서 무슨 일이 일어났는지 관심을 갖지 않다. 바깥 세상의 일에 귀를 기울이지 않다. ¶～, 一心只读圣贤书; 고전의 연구에 몰두하여, 세상사에 주의를 기울이려 하지 않다.

〔两分法〕 liǎngfēnfǎ 명 《論》 이분법(二分法).

〔两凤齐飞〕 liǎng fèng qí fēi 〈成〉 형제가 나란히 출세하다〔영달하다〕.

〔两个不变〕 liǎngge bùbiàn 농업에서, 토지의 기본 생산 수단의 공유제 및 집단 경제의 생산 책임제의 두 제도를 장기간 바꾸지 않는 일.

〔两个肩膀扛张嘴〕 liǎngge jiānbǎng káng zhāng zuǐ 〈比〉 ①공짜로 먹다. ②무위 도식하다(놀고 먹다). ③가난하다.

〔两个劲儿〕 liǎnggejìnr 좀 다르다. 좀 차이나다.

〔两个拳头主义〕 liǎngge quántou zhǔyì 협공 전법(挾功戰法).

〔两个人穿一条裤子〕 liǎnggerén chuān yītiáo kùzi 〈比〉 ①두 사람 사이가 매우 좋다. ②한통속이 되다. ③가난해서 바지 하나를 둘이서 입다.

〔两个文明〕 liǎngge wénmíng 물질 문명과 정신 문명.

〔两公婆〕 liǎnggōngpó 명 부부. ⇨〔公婆②〕

〔两股劲〕 liǎnggǔjìn 명 다른 패. 별파(別派). 경쟁 상대자끼리. ¶他跟我们是～; 그와 우리들과는 다른 파이다.

〔两股理〕 liǎnggǔlǐ 명 다른〔상이한〕 의견. ¶他跟我们说的是～; 그가 우리들에게 말하는 것은 전혀 상이한 의견이다.

〔两股绳(儿)〕 liǎnggǔshéng(r) 명 두 가닥을 꼰 끈〔새끼줄〕. =〔两合绳(儿)〕
〔两广〕 Liǎng Guǎng 명 《地》 광둥 성(廣東省)과 광시(廣西) 좡 족(壯族) 자치구(옛날, 광시 성)를 말함. =〔两粤yuè〕
〔两过子〕 liǎngguòzi 수량 ①두 번. 두 차례. ②두세 번(부정수를 나타냄). ¶也得揭他～!《梁斌 紅旗譜》; 저놈의 일을 두어 번 폭로해 줘야겠다!
〔两汉〕 Liǎng Hàn 명 《史》 전한(前漢)과 후한(後漢). →〔西汉〕〔东汉〕
〔两好并一好〕 liǎng hǎo bìng yī hǎo 〈成〉 좋은 것 두 개가 결합하면 더 좋은 것이 된다. 쌍방이 사이좋게 일치(一致)해서 일하다.
〔两合公司〕 liǎnghé gōngsī 명 《經》 주식 합자회사.
〔两合绳(儿)〕 liǎnghéshéng(r) 명 ⇨〔两股绳(儿)〕
〔两湖〕 Liǎng Hú 명 《地》 후베이 성(湖北省)과 후난 성(湖南省).
〔两虎相斗〕 liǎng hǔ xiāng dòu 〈成〉 양호 상투《두 영웅이 서로 싸우다》.
〔两淮〕 Liǎng Huái 명 《地》 화이난(淮南)과 화이베이(淮北)의 두 지구.
〔两回事〕 liǎng huí shì 두 개의 다른 일. 서로 다른 일. 별개의 일. ¶广州方言的'走', 意思是'跑', 跟普通话的'走'是～; 광저우 방언의 '走'는 달린다는 뜻이 되며, 표준어의 '走'와는 별개의 뜻이다 / 这是～; 이것은 별개의 일이다. =〔两码事〕
〔两极〕 liǎngjí 명 ①지구의 북극과 남극. ②전기의 양극과 음극. ③〈比〉 양극단. 상반되는 두 개의 그룹·계급. ¶～分化huà; 극단적인 방향으로 기울어 가다.
〔两夹间儿〕 liǎngjiājiànr 명 물건과 물건의 사이. ¶处chǔ在这～的地位, 可真叫人左右为wéi难; 그 양쪽 사이에 끼게 되는 처지가 되어 어찌해야 할지 모르겠다 / 渍zì在牙床子, 嘴唇子的～; 잇몸과 입술 사이에 달라붙다. =〔来间儿〕
〔两兼〕 liǎngjiān 동 양쪽을 겸하다. ¶～着办; 양쪽을 겸하여 실시하다.
〔两件套〕 liǎngjiàntào 명 투피스.
〔两江〕 Liǎng Jiāng 명 《地》 지금의 장쑤(江蘇)·안후이(安徽)·장시(江西)의 세 성《청초(淸初)에는 장쑤·안후이가 장난(江南)이라는 한 성(省)이었음》.
〔两脚拌蒜〕 liǎngjiǎo bànsuàn 다리가 휘청거리다. ¶看他～的样子, 准又喝多了; 그의 저 휘청거리는 다리의 꼴을 보라구. 필시 또 과음한 게 틀림없어.
〔两脚壁立直〕 liǎngjiǎo bìlìzhí 양다리가 뻣뻣해지다〔직립하다〕. 〈比〉 죽다《'壁'는 '毕'로도 씀》.
〔两脚规〕 liǎngjiǎoguī 명 컴퍼스(compass).
〔两脚虎〕 liǎngjiǎohǔ 명 두 발 달린 호랑이. 〈比〉 가혹한 사람. 정을 이해 못 하는 지독한 사람.
〔两脚莫踏两头船〕 liǎngjiǎo mò tà liǎngtóu chuán 〈諺〉 양다리를 걸치지 말라.
〔两脚书橱〕 liǎngjiǎo shūchú 두 발 달린 책장《책을 건성 읽어 활용을 못 하는 학자. 응용할 줄 모르는 인간》.
〔两脚野狐〕 liǎngjiǎo yěhú 〈比〉 간악한 인간.
〔两截(儿)〕 liǎngjié(r) 명 두 조각. 두 부분.
〔两晋〕 Liǎng Jìn 명 《史》 서진(西晉)과 동진(東晉).
〔两经〕 liǎngjīng 형 각기 다르다. ¶这件事同那件事～; 이 일과 그 일은 별개의 일이다.
〔两开〕 liǎngkāi 동 ①(하나의 것을) 갈라서 둘로 하다. ②양쪽이 서로 양보하여 비키다. ¶路太窄, 双方得～着走; 길이 너무 좁기 때문에 쌍방이 서로 양쪽으로 양보하여 지나가지 않으면 안 된다.
〔两可〕 liǎngkě 형 ①어느 쪽이나 다 좋다. ¶去不去, 是～的; 가든지 안 가든지 아무래도 좋다. ②이도 저도 아니다. ¶模mó棱～; 이도 저도 아니다. 애매모호(하다) / 还在～呢 =〔还在～之间〕; 아직 어느 쪽도 아니다.
〔两口儿〕 liǎngkǒur ① 명 ⇨〔两口子〕 ② 수량 (가족으로서의) 두 사람. ¶他家只有～人; 그의 집에는 단지 두 사람밖에 없다.
〔两口子〕 liǎngkǒuzi 명 부부. ¶～不和气; 부부 사이가 나쁘다 / 小～; 젊은 부부 / 老～; 노부부. =〔两口儿①〕
〔两廊〕 liǎngláng 명 옛날, 극장 아래층 좌우 양쪽의 자리.
〔两老〕 liǎnglǎo 명 부모. 양친.
〔两肋〕 liǎnglèi 명 양 옆구리.
〔两肋扎刀〕 liǎng lèi zhā dāo 〈成〉 양 옆구리를 칼로 찌르다〔찔리다〕《아주 대단한 위험을 무릅쓰다》. ¶为朋友～; 친구를 위하여 어떤 위험도 무릅쓰고 진력하다 / 他们几个结义弟兄答应随时～; 그들 몇몇 결의 형제한 사람들이 언제든지 목숨을 걸고 힘을 빌려 주기로 되어 있다.
〔两立〕 liǎnglì 동 양립하다. 병존(竝存)하다. ¶势shì不～; 양립할 수 없는 형세이다.
〔两利〕 liǎnglì 형 쌍방에 이익이 되다. ¶劳资～; 노사 쌍방에 이롭다.
〔两两〕 liǎng liǎng 둘과 둘. 둘씩. 둘 다. ¶～相对; 둘씩 상대하다.
〔两楼两底〕 liǎnglóu liǎngdǐ 2층이 두 칸, 아래층이 두 칸.
〔两路〕 liǎnglù 명 두 길. ¶～进攻; 두 방향으로 쳐들어가다. 형 서로 다른. ¶～人; 서로 다른 성격의 사람.
〔两论着〕 liǎnglùnzhe ⇨〔各gè群儿各论儿〕
〔两码事〕 liǎngmǎshì ⇨〔两回事〕
〔两髦〕 liǎngmáo 명 양쪽으로 늘어뜨린 머리.
〔两免〕 liǎngmiǎn 동 양쪽 모두 수고를 덜다. 서로 간략하게 하다. ¶咱们～了吧; 서로 간단하게 합시다.
〔两面(儿)〕 liǎngmiàn(r) 명 ①겉과 안. 양면. 표리. ¶这张纸～都写满了字; 이 종이는 양면에 모두 글씨가 잔뜩 씌어 있다. ②두 방면. 양측. ¶左右～都是高山; 이 곳은 좌우 양쪽이 모두 높은 산으로 둘러싸여 있다. ③사물의 두 가지 측면. →〔两面性〕 ④쌍방. ¶～有光; 쌍방이 모두 영광이다. ⑤〈比〉 반복이 무상함. 이도 저도 아닌 교활한 태도.
〔两面刀〕 liǎngmiàndāo 명 ①양날의 칼. =〔两刃刀〕 ②〈比〉 표리 부동(表裏不同)한 사람.
〔两面二舌〕 liǎng miàn èr shé 〈成〉 ⇨〔两面三刀〕
〔两面光〕 liǎngmiànguāng 〈比〉 쌍방에 다 좋게 처리해 나가다. 쌍방의 비위를 맞추다. ¶你不要～, 谁是谁非, 明确表个态; 비위 맞추면서 좋게 넘기지 말고 어느쪽이 옳고 그른지 태도를 분명히 밝혀라.
〔两面理儿〕 liǎngmiànlǐr 쌍방 모두 이치가 있다.
〔两面派〕 liǎngmiànpài 명 양다리 걸치고 있는 사람. 기회주의자.
〔两面三刀〕 liǎng miàn sān dāo 〈成〉 표리 부동하다. 이심을 갖다. 뱃속이 검다. ¶政府采取了

这种～的手法; 정부는 이러한 기회주의적 수법을 채용하고 있다 / ～的人; 겉과 속이 다른 사람. 표리 부동한 사람. =〔两面二舌〕
〔两面手法〕 liǎngmiàn shǒufǎ 명 겉과 속이 다른 기회주의적인 수법. ¶暴bào露～; 양면 수법을 폭로하다.
〔两面讨好〕 liǎngmiàn tǎohǎo 쌍방에 아첨하다.
〔两面性〕 liǎngmiànxìng 명 양면성. 이중 인격《계급이나 개인이 동시에 모순된 양면을 갖는 것을 '～'이 있다고 함》.
〔两难〕 liǎngnán 형 이러지도 저러지도 못하다. ¶在～之间; 이러지도 못하고 저러지도 못하는 상태이다 / 进退～; 〈成〉 진퇴양난이다 / 事在～; 일이 이러지도 못하고 저러지도 못하는 어려운 지경이다.
〔两旁〕 liǎngpáng 명 양측.
〔两撇〕 liǎngpiě 명 팔자(八字)형. ¶～胡hú子 =〔翘胡子〕; 팔자 수염.
〔两平一稳〕 liǎngpíng yīwěn 명 재정 수지의 평형·은행 신용 대부의 평형 및 시장의 물가 안정.
〔两栖〕 liǎngqī 동 땅에서도 물에서도 살다. 양서(兩棲)하다《두 가지를 겸해서 하다》. ¶水陆～; 수중 생활과 지상 생활을 함. 수륙 양서 / ～作战; 《軍》 수륙 양면 작전 / ～部队; 수륙 양용 부대 / 影视～; 영화에도 텔레비전에도 출연하다.
〔两栖类〕 liǎngqīlèi 명 양서류. 양서 동물. =〔两栖动物〕
〔两栖演习〕 liǎngqī yǎnxí 명 수륙 합동 연습. ¶强占渔港做～; 강제로 어항을 점거하여 수륙 합동 연습을 실시하다.
〔两栖植物〕 liǎngqī zhíwù 명 수륙 양생(水陸兩生) 식물.
〔两歧〕 liǎngqí 동 (의견·방법 등이) 둘로 갈라지다. 일치하지 않다. ¶以免～; 두 가지 모양이 되는 것을 면하다. 둘로 나눠지는 것을 막다 / 话分～; 이야기가 두 갈래로 갈라지다 / 事情闹成～了; 일이 두 갈래로 갈라져서 수습할 수 없게 되었다.
〔两讫〕 liǎngqì 동 《商》 쌍방의 계산이 끝나다. ¶银货～; 상품과 대금의 인수 인계가 끝나다. =〔两清〕
〔两清〕 liǎngqīng 동 ⇨〔两讫〕
〔两全〕 liǎngquán 동 양쪽 모두 완전하다. 쌍방 모두 손실이 없다. ¶～其美; 〈成〉 양쪽 다 만사가 잘 되다.
〔两儿八钱〕 liǎngrbāqián 한 냥이나 8전 정도의 은. 푼돈. 얼마 안 되는 돈.
〔两刃刀〕 liǎngrèndāo 명 ⇨〔两面刀①〕
〔两日酒〕 liǎngrìjiǔ 명 혼례 둘째 날에 신부의 친정에서 신랑 집으로 가서 술잔치를 벌이는 일.
〔两腮〕 liǎngsāi 명 양볼.
〔两三个〕 liǎngsānge 명 두세 개. 둘 또는 셋.
〔两三天〕 liǎngsāntiān 명 이삼 일.
〔两厦〕 liǎngshà 명 ⇨〔厢xiāng房〕
〔两扇门〕 liǎngshànmén 명 좌우 여닫이 문.
〔两伤〕 liǎngshāng 동 쌍방이 모두 손해를 입다.
〔两舌〕 liǎngshé 명동 일구이언(하다). ¶一嘴～; 일구이언(을 하다).
〔两审终审制〕 liǎngshěn zhōngshěnzhì 명 《法》 이심제(二審制).
〔两氏旁人〕 liǎngshì pángrén 〈比〉 관계없는 사람. 국외자(局外者). 생판 남. 인연도 연고도 없는 사람. ¶你不是～, 你应该关心这件事; 당신은 관계가 없는 것도 아니니까 이 일에 관심을 가져야 합니다. =〔两姓旁人〕
〔两世为人〕 liǎng shì wéi rén 〈成〉 간신히 목숨을 건지다. 구사일생(九死一生)하다.
〔两势下〕 liǎngshìxià 명 양측. 양쪽. ¶小喽罗～呐喊《水滸傳》; 부하들이 양쪽에서 와아 함성을 질렀다.
〔两手〕 liǎngshǒu 명 ①양손. 쌍수(雙手). ¶～空空; ⓐ빈손. ⓑ빈털터리. ②솜씨. 기량. ¶露～; 솜씨를 발휘하다 / 你这～真不错; 너의 이 솜씨는 정말 대단하군 / 他有～; 그는 솜씨가 있다. ③두 가지 경우〔방법〕. ¶做～准备; 두 가지 경우를 다 준비하다 / ～打算; 양립하는 계획. 어느 쪽으로 굴러도 지장이 없는 계획.
〔两手换〕 liǎngshǒuhuàn 동 물품을 대금상환으로 하다.
〔两手举枪〕 liǎngshǒu jǔqiāng 《軍》 받들어 총!
〔两手抓〕 liǎngshǒu zhuā ①양손으로 잡다. ②〈比〉 (권력·이익 등을) 남보다 갑절 자기 손에 장악하다. ③〈比〉 현실을 확실히 파악함으로써 장래에 대한 확신을 가지다.
〔两熟〕 liǎngshú 명 이모작(二毛作). ¶广东省绝大部分地区农作物可以一年～或三熟; 광둥 성(廣東省) 대부분 지구의 농작물은 1년에 이모작 또는 삼모작이 가능하다. =〔两茬〕
〔两税〕 liǎngshuì 명 옛날, 봄과 가을 두 번의 가산세.
〔两太阳〕 liǎngtàiyáng 명 《漢醫》 양쪽 관자놀이.
〔两天〕 liǎng tiān ①이삼일간. ②2일간.
〔两条道路〕 liǎngtiáo dàolù 두갈랫길《서로 용납되지 않는 (완전히 엇갈린) 생각이나 방식》.
〔两条腿〕 liǎngtiáo tuǐ ①양다리. 두 다리〔발〕의. ¶～的畜chù生; 〈比〉 인두겁을 쓴 짐승 같은 사람. ②〈比〉 두 가지 방식. ㉠중국 재래의 방식과 외국의 방식. ㉡공업과 농업. ㉢중공업과 경공업. ㉣중앙의 공업과 지방의 공업. ③〈比〉 준비와 실행《준비를 하면서 준비된 범위 안에서 실행에 옮기는 방식》.
〔两条腿走路〕 liǎng tiáo tuǐ zǒu lù 〈比〉 두 발로 걷다《중국의 국민 경제를 발전시키기 위해 제정된 두 개의 면의 균형을 유지시키는 일련의 정책. 즉, 농업과 공업, 중공업과 경공업, 국영 기업과 지방 경영 기업 등에 관한 정책의 비유 등에 쓰임》.
〔两头(儿)〕 liǎngtóu(r) ①명 쌍방. 양방(면). ¶～不见面; 쌍방이 모두 연락이 없다 / ～获利; 양쪽 다 이득을 보다 / ～出面装好人; 양쪽에 얼굴을 내밀어 호의적인 체하다 / 这件事～都满意; 이 일은 쌍방이 모두 만족해 한다. ②수량 두 번. 두 차례. ¶菜别老按着一样儿做, 三天～的变换着做; 요리는 같은 것만 만들지 말고, 사흘에 두 번 꼴로 바꾸어서 장만하도록 해라. ③명 처음과 끝. 처음부터 끝까지. ¶～算起来; 처음부터 끝까지 세다. 양쪽 끝까지 포함해서 계산하다 / 一月～; 1월의 시작과 끝 / 四年～; (4년 가운데) 첫해와 마지막 해. ④명 아침과 저녁. ⑤명 양단(兩端). 양끝. ¶梭的形状是中间粗, ～儿尖; (베틀의) 북 모양은 가운데는 굵고 양끝이 뾰족하다 / ～小, 中间大; 양끝은 작고, 중간은 크다. 진보 분자와 뒤처진 분자는 소수이고, 중간 분자는 다수를 차지한다 / 抓～, 带中间; (진보 분자와 뒤처진 분자의) 양극단에 작용하여 중간 분자를 이끌어 움직이다.
〔两头黑〕 liǎngtóu hēi 양끝이 검다《아침에는 어두울 때에 일하러 나가고, 밤에도 어두워진 다음에 돌아오는 일》. ¶他上下班, 总是～; 그는 통근

하는데 어두운 새벽에 나가고, 어두워진 다음에 돌아온다.
〔两头挤〕 liǎngtóu jǐ 양쪽이 꽉 막힘. 양쪽 사이에 낌.
〔两头计算〕 liǎngtóu jìsuàn 명 (이자 계산 등의) 처음과 끝을 모두 포함하는 계산.
〔两头忙〕 liǎngtóumáng 명 〈俗〉 ①손잡이 없는 양면(兩面) 줄. ②양면용 망치.
〔两头儿大〕 liǎngtóur dà 한 남성이 두 사람의 본처격인 아내를 갖다.
〔两头儿忙〕 liǎngtóur máng 〈比〉 토하고 설사하다.
〔两头儿蛇〕 liǎngtóurshé 명 ①머리가 둘 있는 뱀. 쌍두(雙頭)뱀. ②〈比〉 갑(甲)한테는 을(乙)의, 을한테는 갑의 욕을 하는 사람. 이간질하는 사람.
〔两头三绪〕 liǎngtóu sānxù 〈比〉 일이 복잡하다.
〔两头使劲〕 liǎngtóu shǐjìn 〈比〉 일구이언을 하다. 표리 있는 행동을 하다. ¶这么～嘴正手歪叫人怎能心服? 이렇게 말과 행동이 일치하지 않는 인간이 어떻게 사람을 심복시킬 수 있으랴?
〔两下〕 liǎngxià 명 ⇨〔两下里〕
〔两下处〕 liǎngxiàchu 명 ⇨〔两下里〕
〔两下里〕 liǎngxiàli 명 양쪽 (모두). ¶～都愿意; 쌍방이 모두 바라고 있다 / 怒气与惧怕往～扯chě他的心, 使他说不出话来; 분노와 공포가 양쪽에서 그의 마음을 잡아당겨 말도 못 할 지경이었다. =〔两下〕〔两下处〕
〔两下子〕 liǎngxiàzi 명 ①〈俗〉 상당한 솜씨. 상당한 능력〔힘〕. ¶他真有～; 그는 정말 재능이 있다 / 嘴上有～; 말주변이 좋다 / 有名大学的教授都有～; 유명 대학의 교수는 모두 상당한 학문을 지녔다. ②방법. 훌륭한 방법. ¶这孩子果然有～; 이 아이는 과연 좋은 방법을 가지고 있구나. ‖ =〔二èr下子〕
〔两相〕 liǎngxiāng 명 양쪽이 서로. 쌍방 모두. ¶～比较; 서로 비교하다 / ～抵消(销); 서로 삭치다〔플러스 마이너스 제로를 만들다〕. =〔两边厢〕〔两厢①〕
〔两相情愿〕 liǎng xiāng qíng yuàn 〈成〉 쌍방이 모두 원하다. 쌍방이 모두 납득하다(ʻ相ʼ은 ʻ厢ʼ으로도 씀). ¶谈恋爱不能单相思, 非得～才成; 연애를 한다 하면 짝사랑은 안 되고, 아무래도 쌍방이 그런 심정이 되어야 한다.
〔两厢〕 liǎngxiāng 명 ①⇨〔两相〕 ②동서 양쪽의 ʻ厢房ʼ.
〔两小无猜〕 liǎng xiǎo wú cāi 〈成〉 남녀 모두 어릴 때에는 시기심이 없고 순진하다. 어린이는 순진한 것. ¶那时双方均年幼, ～, 哪知大人的心事; 그 무렵에는 쌍방이 모두 어려서 순진하였으니, 어른의 걱정 같은 것은 알 턱도 없었다.
〔两心〕 liǎngxīn 명 두 마음. 딴 마음. =〔两意〕
〔两心眼〕 liǎngxīnyǎn 명 ①두 마음. ②의견이 일치하지 않다.
〔两性〕 liǎngxìng 명 ①양성. 남성과 여성. 암컷과 수컷. ¶～生殖; 《生》 양성 생식. ②두 가지 성질.
〔两性花〕 liǎngxìnghuā 명 《植》 갖춘꽃. 양성화.
〔两性化合物〕 liǎngxìng huàhéwù 명 《化》 양성 화합물.
〔两性人〕 liǎngxìngrén 명 《生》 중성(中性).
〔两姓旁人〕 liǎngxìng pángrén 〈比〉 ⇨〔两氏旁人〕
〔两袖清风〕 liǎng xiù qīng fēng 〈成〉 ①빈털터리이다. 호주머니에 한 푼도 없다. =〔清风两袖〕 ②관리의 청렴 결백하다.
〔两许〕 liǎngxǔ 동 〈文〉 어느 것〔어느 쪽〕이라도 좋다. 어느 쪽으로도 취할 수 있다. ¶～之言; 어느 쪽으로도 해석할 수 있는 말.
〔两眼一抹黑〕 liǎngyǎn yīmǒhēi 〈比〉 ①전혀 상황을 모르는 모양. ②선악의 분별이 서지 않음.
〔两洋〕 liǎngyáng 명 동양과 서양.
〔两样〕 liǎng yàng ① 이종. 두 종류. 두 가지〔물건〕. ¶～都有; 두 종류가 모두 있다. ②(liǎngyàng) 형 틀리다. 다르다. ¶跟他们～; 그들과는 다르다 / ～三般sānbān; 다르다. 틀리다 / 他的脾气和人～; 그의 기질은〔성미는〕 보통 사람과 다르다 / 有什么～处? 어떤 차이가 있느냐? ③(liǎngyàng) 형 보통과는 동떨어지다. 비범하다. 색다르다. ¶你的肚里到底～; 너의 생각은 과연 보통과 다르다.
〔两曜〕 liǎngyào 명 〈文〉 해와 달.
〔两仪〕 liǎngyí 명 〈文〉 하늘과 땅.
〔两姨(亲)〕 liǎngyí(qīn) 명 ⇨〔姨表(亲)〕
〔两姨兄弟〕 liǎngyí xiōngdì 명 ⇨〔姨(表)兄弟〕
〔两姨姊妹〕 liǎngyí zǐmèi 명 ⇨〔姨(表)姐妹〕
〔两意〕 liǎngyì 명 ⇨〔两心〕
〔两翼〕 liǎngyì 명 ①양날개. ¶鸟的～; 새의 양날개 / 飞机的～; 비행기의 양날개. ②(군대의) 좌우 양진영. ¶～包围; 《軍》 양익 포위.
〔两隐〕 liǎngyǐn ⇨〔两知〕
〔两用〕 liǎngyòng 명형 양용(의). 겸용(의). ¶～机 =〔收录～(录音)机〕〔盒式收录～机〕; 라디오 카세트 테이프 리코더 / ～雨衣; 겸용 우의 / ～衫 =〔春chūn秋衫〕; 춘추복 저고리〔상의(上衣)〕.
〔两院制〕 liǎngyuànzhì 명 《政》 양원제.
〔两造〕 liǎngzào 명 ①《法》 (소송 사건의) 원고와 피고. ¶原被～; 원고와 피고 / ～同意和解; 원고와 피고 쌍방이 화해하는 데 동의하다. ②쌍방. 양방면. ¶经纪是周旋～的; 거간꾼은 쌍방의 알선을 하는 것. ③《農》 〈方〉 두 차례의 작부(作付)와 수확. ¶一年可以种～; 1년에 2모작을 할 수 있다. ‖ =〔两曹〕〔两告〕
〔两招儿〕 liǎngzhāor 명 〈方〉 방식. 방법(헐뜯는 말씨).
〔两知〕 liǎngzhī 〈翰〉 양쪽 다 알고 있다의 뜻으로, 비밀 문서 등에서 기명(記名)하기를 피하여 대신 이 말을 쓰는 수가 있음. =〔两浑hún〕〔两隐yǐn〕〔两宥yòu〕
〔两盅(儿)〕 liǎngzhōng(r) 명 술 두 잔. 〈比〉 약간의 술. ¶喝hē～; 술을 조금 마시다.
〔两种制度两重天〕 liǎngzhǒng zhìdù liǎngchóngtiān 두 개의 다른 제도는 두 개의 다른 세계이다.
〔两足尊〕 liǎngzúzūn 명 《佛》 부처의 존칭.
〔两座山〕 liǎng zuò shān 두 개의 산. 〈比〉 제국주의와 봉건주의(마오 쩌둥(毛澤東)의 ʻ愚公移山ʼ).

俩(倆) liǎng (량)
→〔伎jì俩〕 ⇒liǎ

唡(啢) liǎng (량)
양 온스(1ʻ～ʼ은 1ʻ磅ʼ의 16분의 1. yīngliǎng이라고도 읽었음. ʻ英两ʼ의 합성 약자로, 지금은 ʻ英两ʼ을 씀).

裲(緉) liǎng (량)
양 〈文〉 (신발) 한 켤레.

裲(裲) liǎng (량)
→〔裲裆〕

〔裲裆〕 liǎngdāng 명 구식의 조끼.

蜽(蜽) liǎng (량)
→〔蝄wǎng蜽〕

魉(魎) liǎng (량)
→〔魍wǎng魉〕

亮 liàng (량)
①형 밝다. 환하다. ¶这盏灯不~; 이 등불은 밝지 않다 / 光~; 밝다 / 豁~; 넓고 환하다. ②동 (기분·마음이) 밝아지다. 분명해지다. 후련하다. 마음 속에 꺼릴 것이 없다. ¶你这一说, 我心里头~了; 네가 그렇게 말하니까 내 마음이 후련해졌다. ③형 (목소리가) 크다. 잘 들리다. ¶洪~ =〔宏~〕; (목소리가) 크다. 우렁차다. ④동 (목소리를) 크게 하다. ¶~起嗓子; 소리를 지르다. ⑤명 빛. 광. ¶火~儿; 불빛 / 拿~儿来; 등불을 가지고 오너라 / 屋里漆黑, 没有一点~儿; 방 안은 캄캄하여 한 점의 빛도 없다. ⑥동 밝아지다. 날이 새다. ¶天~了; 날이 밝았다 / 眼前一~; 눈앞이 확 밝아지다. ↔〔黑hēi②〕 ⑦동 번쩍번쩍 빛나다. ¶刀磨mó得真~; 칼이 잘 갈려서 번쩍번쩍한다. ⑧동 나타내다. 보이다. 드러내다. ¶~一手; 솜씨를 한번 보이다 / 净嘴说不行, 得~出来; 말만으로는 안 돼, 실제의 것을 보여 주어야지.

〔亮梆子〕 liàngbāngzi 명 새벽녘의 야경꾼의 딱딱이(소리). ¶直闹到打~以后才好些了《紅樓夢》; 새벽의 딱딱이 소리가 울려 퍼질 무렵까지 소동을 벌이더니 겨우 조금 가라앉았다.

〔亮察〕 liàngchá 동 환하게 헤아려 살피다. 양찰하다. ¶余维~; 〈翰〉 그 밖의 일은 아무쪼록 양찰해 주십시오.

〔亮出来〕 liàngchulai 동 나타내다. 드러내다. 현시(顯示)하다. ¶把本事~; 솜씨를 보이다.

〔亮处〕 liàngchu 명 밝은 곳.

〔亮窗(儿)〕 liàngchuāng(r) 명 ①(유리 등에 의한) 밝은 창. ②광창(光窓).

〔亮灯〕 liàngdēng 명동 등불(을 켜다). ¶回到城里已经~了; 성내(城內)로 돌아왔을 때는 이미 불이 켜졌을 때였다.

〔亮底〕 liàng,dǐ 동 속마음을 속속들이 드러내다. 마음을 털어놓다. 마음을 터놓다. 마음 속에 아무것도 감추지 않다. ¶交心~; 마음을 터놓고 진심으로 교제하다.

〔亮度〕 liàngdù 명 《物》 휘도(輝度). 밝기. →〔照zhào度〕

〔亮杠〕 liànggàng 명 옛날, 장례식 전에 '棺guān罩'를 집 앞이나 네거리 등에 장식하여 사람들에게 보이는 일.

〔亮槅〕 liànggé 명 방을 칸막이하는 종이나 나무벽.

〔亮光(儿)〕 liàngguāng(r) 명 훤한 빛. 밝은 빛. 광선. 광택. ¶夜已经很深了, 他屋里的窗户上还有~儿; 밤이 이미 깊었는데, 그의 방의 창문에는 아직도 불빛이 있다.

〔亮光光(的)〕 liàngguāngguāng(de) 형 ①번쩍번쩍 빛나는 모양. ¶~大刀; 번쩍번쩍 빛나는 큰 칼. =〔亮景景〕 ②〈轉〉 대머리가 번들번들하는 모양.

〔亮盒子摇〕 liàng hézi yáo 아무것도 숨길 바가 없다. 탁 털어놓아 비밀이 없다.

〔亮话〕 liànghuà 명 솔직한 말. 숨김없이 털어놓는 이야기. ¶打开窗户说~; 〈成〉 마음을 터놓고 이야기하다.

〔亮晃晃〕 liànghuǎnghuǎng 형 눈부시게 빛나는 모양.

〔亮家伙〕 liàng jiā huo (칼 따위를) 쑥 뽑다《무예자(武藝者)들이 시합을 위하여 무기를 뽑는 것》.

〔亮轿〕 liàngjiào 명 혼례 때, 신부가 타는 '花huā轿'나 신랑이 타는 '绿lǜ轿' 같은 것을 늘어놓고 구경꾼에게 보이는 일.

〔亮节〕 liàngjié 명 〈文〉 맑고 높은 절개와 지조(志操).

〔亮劲儿〕 liàngjìnr 동 힘을 나타내 보이다. 역량을 과시하다. 명 밝기.

〔亮晶晶(的)〕 liàngjīngjīng(de) 형 밝게 빛나는 모양. ¶~的眼睛; 밝게 빛나는 눈 / ~的星星; 밝게 빛나는 별.

〔亮景景〕 liàngjǐngjǐng 형 ⇨〔亮光光(的)①〕

〔亮开〕 liàngkāi 동 늘어서다. ¶~一队人马; 한 떼의 병마(兵馬)가 죽 늘어서다.

〔亮蓝〕 liànglán 명 《色》 밝은 남색.

〔亮牌子〕 liàng páizi ①일을 숨기지 않고 밝히다. 생각을 드러내다. ¶有胆子你就自己~! 배짱이 있거든 자신이 분명하게 밝혀라! ②카드를 보이다. 가지고 있는 패를 보이다.

〔亮盘儿〕 liàngpánr 명 관을 덮지 않고, 직접 메고 가는 가장 약식의 장례. =〔亮台tái儿〕

〔亮炮〕 liàngpào 명 옛날, 새벽을 알리는 시보(時報)의 대포.

〔亮情〕 liàng,qíng 동 호의를 보여 주다. 친절한 체하다. 생색을 내느라고 보살펴 주다. =〔亮人情〕

〔亮儿〕 liàngr 명 ①빛. 등불. ¶这儿太黑, 快拿个~来; 이 곳은 몹시 어두우니 빨리 등불을 가져오너라. ②〈比〉 금력(金力). 실력. ¶他们是萤火虫的屁股, ~不大; 그들은 개똥벌레 꽁무니의 반딧불과 같은 것이어서 힘이 별로 없다.

〔亮纱〕 liàngshā 명 《紡》 능사(綾紗)《여름용의 아주 얇은 비단》.

〔亮闪〕 liàngshǎn 명 번갯불.

〔亮闪闪〕 liàngshǎnshǎn 형 ①(눈 따위가) 번쩍번쩍 빛나다. ②빤짝빤짝하다. 반짝반짝 빛나다.

〔亮稍〕 liàngshāo 동 믿도록 돈을 내보이다《도박에 앞서 보여 주는 소지금》.

〔亮私〕 liàngsī 동 일을 비밀로 하지 않다. ¶~不怕丑; 〈成〉 개방적이어서 부끄럽고 비밀로 하는 일이 없다. 공명(公明)해서 부끄러운 일이 없다.

〔亮思想〕 liàng sīxiǎng 겁내지 않고 자기 사상을 있는 그대로 드러내다.

〔亮素〕 liàngsù 형 밝고 환하다. ¶屋子里~; 방안이 환하게 밝다.

〔亮台〕 liàngtái 명 ①납량대(納涼臺). 베란다. ②《劇》 막간. (liàng,tái) 동 ①〈轉〉 내막이 드러나다. 숨긴 일이 탄로나다. =〔漏台〕〔漏底〕 ②〈轉〉 기다리다 바람맞다. ¶明儿您可得来, 别给个~; 내일은 오셔야 합니다, 바람 맞히지 마시고요.

〔亮台儿〕 liàngtáir 명 ⇨〔亮盘儿〕

〔亮堂〕 liàngtang 형 ①널찍하고 밝다. ¶新盖的礼堂又高大, 又~; 새로 지은 강당은 높고 크며, 또한 널찍하고 밝다. ②(기분·생각이) 밝다. 환하다. 후련하다. 마음 속에 맺힌 감정이 없다.

¶他的心里～了, 劲头又鼓起来了; 그의 기분은 상쾌해지고 기운도 솟아났다 / 他的脸也～了; 그의 얼굴도 환해졌다. ③마음 속에 납득하고 있다. ④(사정이) 확실하다. 공공연하다.
〔亮堂堂(的)〕 liàngtāngtāng(de) 형 온통 밝은 모양. ¶一觉醒来, 窗外已经～的了; 잠을 깨어 보니 창 밖은 완전히 밝아 있었다. =〔亮镗镗(的)〕
〔亮威〕 liàngwēi 동 위세를 보이다.
〔亮响〕 liàngxiǎng 동 목소리가 우렁차게 퍼지다. 형 소리가 우렁차다.
〔亮相〕 liàng·xiàng 동 ①《劇》중국 전통극에서, 배우가 노래 끝이나 난투극의 일단락에서 매우 뽐내는 태도를 취하여 두드러지게 하다. =〔亮像儿〕 ②대중 앞에서 자기 생각〔입장〕을 분명히 하다. ③공공연하게 하다. 공개하다.
〔亮星〕 liàngxīng 명 샛별. →〔启qǐ明(星)〕
〔亮眼人〕 liàngyǎnrén 명 ①장님이 눈뜬 사람을 이르는 말. ②눈치가 빠른 사람. 앞일을 내다보는 사람. 선견지명이 있는 사람.
〔亮张〕 liàngzhāng 동 정식 개점 사흘 전에 상품을 점두에 진열시켜서 일반에게 보이다.
〔亮铮铮(的)〕 liàngzhēngzhēng(de) 형 반짝반짝 빛나다. ¶一把～的利剑; 한 자루의 반짝반짝 번득이는 예리한 검.
〔亮钟〕 liàngzhōng 명 새벽을 알리는 종.

喨 liàng (량)
→〔嘹liáo喨〕

凉〈涼〉 liàng (량)
동 ①식히다. 차갑게 하다. ¶茶太热, ～一～再喝; 차가 너무 뜨거우니, 식혀서 마시자. ②냉담하게 취급하다. ¶他抽大烟, 把一个老头～在一边; 그는 한 노인을 거들떠보지도 않고, 아편만 뻐끔뻐끔 빨고 있다. ⇒liáng

谅(諒) liàng (량)
①명동 허락(하다). 양해(하다). ¶原～ =〔宽～〕; 용서하다. 양해하다 / 体～; 알아 주다. 헤아려 동정하다 / 见～; 양해를 얻다. ②동 추측하다. 상상하다. 생각건대 …같다. ¶～他不能来; 아마도 그는 오지 못할 것이다 / ～必可行; 아마 괜찮을 것이라 생각한다 / ～不见怪; 짐작건대, 나무라시지는 않을 것이다. ③동 믿다. ④명 성(姓)의 하나. ⇒liáng
〔谅必〕 liàngbì 부〈文〉아마 반드시. 꼭 (…일 것이다).
〔谅察〕 liàngchá 동 미루어 살피다.〈翰〉양찰하다. ¶请～; 양찰하시기 바랍니다.
〔谅鉴〕 liàngjiàn〈翰〉양해〔양찰〕하여 주시기 바랍니다.
〔谅解〕 liàngjiě 명동 이해(해 주다). 양해(하다). ¶请大家～; 모두 양해해 주십시오.
〔谅可〕 liàngkě 부〈文〉생각건대 (…일 것이다). ¶～发生政变; 정변이 일어날 것이다.
〔谅来〕 liànglái 부〈文〉아마. 대체로.
〔谅情〕 liàngqíng 동〈文〉사정을 미루어 헤아리다.
〔谅想〕 liàngxiǎng 동 상상하다. 부〈轉〉생각건대. 상상하건대.
〔谅邀澄鉴〕 liàng yāo chéngjiàn〈翰〉보셨으리라 생각합니다.

倞 liàng (량)
①동 요구하다. ②형 밝다. =〔亮①〕 ⇒jìng

晾 liàng (량)
동 ①그늘에 말리다. 음건(陰乾)하다.〈比〉내버려 두다. ¶阴～; 그늘에 말리다 / 他～了台了; 그는 이젠 손들었다. ②햇빛에 말리다. ¶～衣服; 옷을 말리다 / 海滩上～着鱼网; 해변에 그물이 널려 있다. =〔晒shài①〕 ‖ =〔眼làng〕 ③식히다. ¶～一碗开水; 끓인 물 한 잔을 식히다.
〔晾干〕 liànggān 동 그늘에서 말리다. ¶～菜; (그늘에서) 말린 야채.
〔晾晒〕 liàngshài 동 햇볕에서 말리다. ¶把菜块～一天; 썬 야채를 하룻동안 햇볕에서 말리다.
〔晾台〕 liàngtái 동〈方〉(약속을 하고) 따돌리다. 바람 맞히다. 명 노대(露臺). 베란다.
〔晾烟〕 liàngyān 명 공기로 건조시킨 담뱃잎. (liàng·yān) 동 담배를 공기 중에서 건조시키다.
〔晾衣〕 liàngyī 동 옷을 볕을 쬐어 말리다. 옷을 그늘에 말리다. ¶～架; 빨래 너는 틀 / ～绳; 빨랫줄.
〔晾着〕 liàngzhe ①말리고〔식히고〕 있다. ②내버려져 있다. 방치되어 있다. ¶家里～一大片儿事, 我可要告辞; 집에 많은 할 일이 그대로 있기 때문에 가야겠습니다.

悢 liàng (량)
형〈文〉슬퍼하다. ¶～然; 슬퍼하다.
〔悢悢〕 liàngliàng 형 ①슬퍼하는 모양. ②그리워하는 모양.

踉 liàng (량)
→〔踉跄〕 ⇒liáng
〔踉跄〕 liàngqiàng 형 비틀거리는 모양. ¶～出门而去; 비틀거리며 집을 나가다. =〔踉蹡〕

辆(輛) liàng (량)
양 대. 량(차를 세는 데 쓰임). ¶两～车; 두 대의 차.

量 liàng (량)
①명 되(용량을 재는 도구). ②명 양. 분량. 수량. ¶降雨～; 강우량 / 度～衡; 도량형. ③명 용량. 한도. ¶酒～; 주량 / 饭～(儿); 밥의 양 / 数～; 수량 / 大～出品; 대량의 생산품. ④명 도량. 기량(器量). ¶他没有容人之～; 그는 남을 용서할 도량이 없다 / ～窄; ⇩ ⑤명 (질에 대한) 양. ¶质zhì～; ⓐ질량. ⓑ품질. 품성. ⑥동 대중 잡다. 재어 보다. 미루어 헤아리다. ¶不知自～; 자기 힘〔능력〕을 가량하지 못한다 / ～力而行; 힘〔능력〕을 감안해서 행하다. ⇒liáng
〔量必〕 liàngbì 부〈文〉반드시. 꼭.
〔量变〕 liàngbiàn 명동《哲》양적 변화(하다)《사물의 수량·정도의 변화》. ↔〔质zhì变〕
〔量才〕 liàngcái 동 능력을 가늠하다. 재능을 재다.
〔量才录用〕 liàng cái lù yòng〈成〉재능에 따라 적용하다《'才'는 '材'로도 씀》. →〔沿yán才授职〕
〔量才取用〕 liàng cái qǔ yòng〈成〉재능을 헤아려 채용하다《'才'는 '材'로도 씀》. =〔量材任使〕
〔量出以制入〕 liàng chū yǐ zhì rù〈成〉지출을 어림해 보고 그에 상응하는 수입을 꾀하다.
〔量词〕 liàngcí 명《言》양사《사물의 수량 단위를 나타내는 명량사(名量詞)와 동작 또는 변화의 횟수를 나타내는 동량사(動量詞)로 나뉘며 보통 수사(數詞)와 함께 쓰임. 예컨대, '个'·'张'·'条'·

'只'·'块'·'辆' 등이 있음). =〔陪伴词〕
〔量度〕 liàngdù 동 〈文〉 미루어 헤아리다〔생각하다〕. ⇒liángdù
〔量纲〕 liànggāng 명 ①길이. 치수. ②용적. 체적. 부피. ③《數·物》 차원(次元). 디멘션(dimension).
〔量决〕 liàngjué 동 〈文〉 헤아려 결정하다.
〔量了去〕 liàng le qù 〈俗〉 걸어서 가다. ¶不远, ~吧! 가까우니 걸어서 가자!
〔量力〕 liànglì 동 〈文〉 힘을 헤아리다. 능력을 생각하다. ¶~而行; 능력을 감안하여 행하다/不自~; 분수를 모르다.
〔量轻〕 liàngqīng 동 〈文〉 참작하여 가볍게 다루다. ¶~发落; 감안하여 가볍게 처리하다.
〔量入为出〕 liàng rù wéi chū 〈成〉 수입을 생각해서 지출하다.
〔量体裁衣〕 liàng tǐ cái yī 〈成〉 몸의 치수에 맞추어 옷을 짓다(실제 상황에 따라 일을 함).
〔量小〕 liàngxiǎo 형 ①양이 적다. ②주량이 적다('酒jiǔ量小'의 약칭).
〔量小非君子, 无毒不丈夫〕 liàng xiǎo fēi jūnzǐ, wúdú bù zhàngfū 〈諺〉 도량이 좁으면 훌륭한 인물이 못 되며, 배짱이 없으면 사나이가 아니다.
〔量刑〕 liàng.xíng 동 《法》 죄상을 참작하여 형량을 정하다. (liàngxíng) 명 양형.
〔量移〕 liàngyí 동 ①(당(唐)·송대(宋代)에) 변방으로 좌천되었던 자를 은사(恩赦)로 중앙 가까운 곳으로 귀임시키다. ②〈轉〉 전임(轉任)하다〔시키다〕.
〔量窄〕 liàngzhǎi 형 도량이 좁다. 협량하다.
〔量子〕 liàngzǐ 명 《物》 양자. ¶~论; 양자론.
〔量子力学〕 liàngzǐ lìxué 명 《物》 양자 역학.

靓(靚) liàng (정)
형 〈方〉 예쁘다. 아름답다. =〔漂亮〕〔好看〕 ⇒jìng
〔靓女〕 liàngnǚ 명 〈方〉 (젊은) 예쁜 여성.
〔靓仔〕 liàngzǎi 명 〈方〉 멋진 총각.

LIAO ㄌㄧㄠ

撩 liāo (료)
동 ①(옷자락·소매·커튼 등을) 치켜 들다. 끌어올리다. 걷어올리다. ¶ ~起衣裳; 옷(자락)을 걷어올리다/~开帐子; 모기장을 걷어올리다/把垂下的头发~上去; 흘러내린 머리카락을 쓸어 올리다. ②(손으로 물을) 뿌리다. ¶往菜上~水; 푸성귀에 물을 뿌리다. ③흘끔 보다. ¶~了一眼; 흘끔 한 번 보았다. ④도망가다. ¶他~了; 그는 달아났다. =〔蹽②〕 ⑤쓰다. ¶那几块钱, 几天就~光了; 그 조금 있는 돈은 며칠 안 가서 다 써 버렸다. ⇒liáo, '撂' liào
〔撩开〕 liāokāi 동 ①(옷자락이나 커튼 등을) 걷어올리다. ②밀어제치다. 벗어 던지다. ¶他把慈悲面孔~了; 그는 자비로운 얼굴을 벗어던졌다(싹 바꾸었다).
〔撩帘子〕 liāo liánzi 발〔커튼〕을 걷다.
〔撩袍拖带〕 liāopáo tuōdài 옷의 여기저기를 들춰 물건을 찾다.
〔撩起〕 liāoqǐ 동 걷어올리다. 말아 올리다. ¶~衣裳; 옷을 걷어올리다.
〔撩水〕 liāo.shuǐ 동 손으로 물을 (떠서) 뿌리다〔끼얹다〕. →〔洒sǎ水〕
〔撩下〕 liāoxià 동 ①(발·커튼 따위를) 내리다. ¶~帘子; 커튼을 내리다. ②물건을 밑에 놓다. (일 따위를) 그만두다. 내버려 두다. ¶正经事~, 竟出去逛山玩水; 정상적인 일은 내팽개치고, 산수(山水) 유람만 다닌다.

蹽 liāo (료)
동 ①〈北方〉 뛰다. 빨리 걷다. ¶他一气~了二十多里路; 그는 단숨에 20여 '里'를 걸었다. ②살짝 빠져 나가다. ¶他~到哪儿去了? 그는 어디로 도망쳤을까?

辽(遼) Liáo (료)
①(liáo) 형 멀다. 요원(遼遠)하다. ¶~远; ⇩/~阔; ⇩/~~九千里; 아득히 멀리 9천 리. ②《史》요나라(야율씨(耶律氏)에 의하여 건국되어 '契qì丹'으로 칭했다가 947년에 '~'로 개칭. 9대(代) 215년간 존속하고 금(金)에게 멸망당함. 916년~1125년). ③《地》 랴오허(遼河). ④《地》〈簡〉 랴오닝 성(遼寧省)의 약칭. ¶~东; 랴오닝 성(遼寧省)의 동부(및 남부)를 가리킴.
〔辽东〕 Liáodōng 명 《地》 랴오허(遼河)의 동부 지역.
〔辽东赤松〕 liáodōng chìsōng 명 《植》 소나무.
〔辽东桤木〕 Liáodōng qīmù 명 《植》 산오리나무.
〔辽东豕〕 liáodōngshǐ 명 요동의 돼지 새끼. 〈比〉 견문이 좁아 무엇이나 진귀하게 생각하는 일〔사람〕.
〔辽隔〕 liáogé 형 〈文〉 멀리 떨어져 있다.
〔辽旷〕 liáokuàng 형 ⇨〔辽阔〕
〔辽阔〕 liáokuò 형 광막하다. 넓고 넓다. (면적이) 끝없이 넓다. ¶~的华北大平原; 광막한 화베이(華北) 대평원/他的心~极了; 그의 마음은 매우 너글너글하다. =〔辽旷〕〔辽廓〕
〔辽廓〕 liáokuò 형 널찍하다. 끝없이 넓다. ¶胸襟~; 기개와 도량이 크다.
〔辽辽〕 liáoliáo 형 〈文〉 아득히 먼 모양.
〔辽落〕 liáoluò 형 〈文〉 매우 넓은 모양.
〔辽宁堇菜〕 liáoníngjǐncài 명 《植》 고깔제비꽃.
〔辽沙参〕 liáoshāshēn 명 《植》 갯방풍.
〔辽西〕 Liáoxī 명 《地》 랴오허(遼河)의 서부 지역.
〔辽杨〕 liáoyáng 명 《植》 백양.
〔辽垣〕 liáoyuán 명 〈文〉 밖을 둘러싼 울타리.
〔辽远〕 liáoyuǎn 형 아득히 멀다. 요원하다. ¶~的边疆; 아득히 먼 변경(邊境).

疗(療) liáo (료)
동 ①병을 치료하다. ¶医~; 의료/诊zhěn~; 진료(하다)/电~; 전기 요법(을 하다). ②(고통 따위를) 제거하다. 고치다. 극복하다.
〔疗病〕 liáo.bìng 동 병을 고치다〔치료하다〕.
〔疗程〕 liáochéng 명 치료 기간. 치료의 코스. ¶缩短了~; 치료 기간을 단축하다.
〔疗愁(草)〕 liáochóu(cǎo) 명 ⇨〔萱xuān草〕
〔疗妬〕 liáodù 동 〈文〉 질투하는 버릇을 고치다.
〔疗法〕 liáofǎ 명 치료법. ¶化学~; 화학 요법.
〔疗国〕 liáoguó 동 〈文〉 나라를 구하다. ¶~疾; 나라의 악폐(惡弊)를 고치다.
〔疗饥〕 liáojī 동 〈文〉 요기하다. 빈 배를 채우다.
〔疗救〕 liáojiù 동 〈文〉 치료하다.
〔疗渴〕 liáokě 동 〈文〉 갈증을 풀다.
〔疗贫〕 liáopín 동 〈文〉 가난을 구제하다.
〔疗效〕 liáoxiào 명 치료 효과. 효능.

〔疗养〕 liáoyǎng 명동 요양(하다). ¶～院; 요양소.
〔疗愈〕 liáoyù 동〈文〉치료하여 고치다.

肎(膋) liáo (료)
명〈文〉창자의 지방.

聊 liáo (료)
①부 약간. 조금. ¶～表敬意; 약간이나마 경의를 표하다. ②부 잠깐. 잠시. 우선. ③동〈口〉한담〔잡담〕을 하다. 재잘거리다. ¶别～啦, 赶快干吧! 잡담하지 말고 빨리 해라!/俩人～起从前的事; 두 사람은 지난 이야기를 하기 시작했다. ④동 편안히 하다. 즐기다. ¶不～生; 생활에 안정성이 없다. ⑤동 근거로 삼다. 의지하다. ¶解放以前民不～生; 해방 이전에 민중은 안심하고 생활할 수 없었다. ⑥명 성(姓)의 하나.
〔聊备一格〕 liáo bèi yī gé〈成〉아쉬운 대로〔그럭저럭〕모양을 갖추다.
〔聊表寸忱〕 liáo biǎo cùn chén〈成〉약간의 촌지(寸志)를 표하다. =〔聊表寸心〕
〔聊复尔尔〕 liáo fù ěr ěr〈成〉우선 이대로 해 두다. 잠시 이렇게 해 두다. 당분간 그대로 두다. =〔聊复尔耳〕
〔聊和〕 liáohe 동 잡담을 하다. 세상 이야기를 하다. ¶跟他～会子; 그와 잠시 잡담을 하다.
〔聊花人儿〕 liáohuā rénr〈俗〉듣기 좋은 말을 해서 남을 기쁘게 하다. =〔撩花人儿〕
〔聊啾〕 liáojiū 동 이명(耳鳴)〔귀울음〕이 나다.
〔聊扣〕 liáokou 동〈北方〉(자식이나 부모가) 기뻐할 말을 하다. ¶这个孩子～得他爹总是笑的; 이 아이가 듣기 좋은 말을 해서 아빠는 웃고만 있다.
〔聊赖〕 liáolài 동〈文〉믿고 의지하다. ¶身无～, 困穷之粮; 몸은 의지할 곳이 없고, 곤궁해서 먹을 것도 없다/百无～;〈成〉마음을 의탁할 곳이 없다. 지루하다. 따분하다. =〔寥赖〕
〔聊浪〕 liáolàng 형 ①방종〔방탕〕하다. ②광대하다.
〔聊且〕 liáoqiě 부〈文〉잠시. 일단. 여하튼. ¶～一观; 여하튼 한 번 보다. =〔姑且〕
〔聊生〕 liáoshēng 동〈文〉안심하고 생활하다. 편안히 지내다. ¶民不～;〈成〉백성이 안심하고 생활할 수가 없다.
〔聊胜一筹〕 liáo shèng yī chóu〈成〉비교적 뛰어나다〔우수하다〕.
〔聊胜于无〕 liáo shèng yú wú〈成〉없는 것보다는 낫다.
〔聊天(儿)〕 liáo.tiān(r) 동〈口〉한담〔잡담〕을 하다. ¶到隔壁～去了; 이웃집에 한담하러 갔다/只好拿看书、看报、～来度光阴; 책을 읽거나 신문을 보거나 세상이야기를 하면서 시간을 보내는 수밖에 없다. =〔寥天〕〔谈天〕〔唠扯〕 명《電算》(컴퓨터에서의) 채팅(chatting). ¶～室; 채팅룸.
〔聊闲篇〕 liáo xiánpiān 시시한 말을 하다. 심심풀이로 잡담하다.
〔聊闲天(儿)〕 liáo xiántiān(r) 잡담〔한담〕을 하다.
〔聊以解嘲〕 liáo yǐ jiě cháo〈成〉일시적으로 난처한 국면에서 벗어나다.
〔聊以塞责〕 liáo yǐ sè zé〈成〉잠시 책임을 면하다.
〔聊以自慰〕 liáo yǐ zì wèi〈成〉잠시 스스로를 위로하다.
〔聊以卒岁〕 liáo yǐ zú suì〈成〉그럭저럭 한 해를 넘기다.

僚 liáo (료)
명 ①관리. ¶官～; 관료. =〔寮④〕 ②동료.
〔僚机〕 liáojī 명《軍》아군(我軍) 비행기. 호위기.
〔僚舰〕 liáojiàn 명《軍》요함. 요선.
〔僚属〕 liáoshǔ 명 (옛날, 자기 밑에 있는) 하급 관리.
〔僚婿〕 liáoxù 명 (남자) 동서간의 호칭.
〔僚友〕 liáoyǒu 명〈文〉동료. =〔僚伴〕
〔僚佐〕 liáozuǒ 명〈文〉하급 관리〔공무원〕. =〔寮佐〕

潦 liáo (료)
→〔潦草〕〔潦倒〕 ⇒lǎo
〔潦草〕 liáocǎo 형 조잡하다. 허술하다. 소홀하다. ¶字写得太～; 글씨를 몹시 조잡하게 쓰다/～了liǎo事;〈成〉되는 대로 일을 해치우다. =〔了草〕〔老lǎo草〕
〔潦倒〕 liáodǎo 동 ①영락(零落)하다. 초라해지다. ¶～一辈子; 평생 초라하게 지내다. ②단정하지 못하다. 칠칠치 못하다. ③타락하다. 자포자기하다.
〔潦倒梆子〕 liáodǎo bāngzi〈罵〉영락해서 타락한 놈. 쓸모없는 놈.

寮 liáo (료)
①명 작은 창(窓). ②명 작은 방〔집〕. ¶茶～酒肆; 차를 파는 '茶馆'과 술집. ③명 합숙소. 숙소. ¶僧sēng～; 승방(僧房). ④명〈文〉관리. 벼슬아치. =〔僚①〕 ⑤지명용 자(字). ¶枋Fāng～; 타이완(臺灣)에 있는 땅 이름.
〔寮采〕 liáocǎi 명〈文〉백관(百官).
〔寮房〕 liáofáng 명 ①(하급 관리들의) 휴게실. ②기숙사.
〔寮国〕 Liáoguó 명《地》라오스(Laos)《수도는 '万象'(비엔티안: Vientiane)》. =〔老挝wō〕
〔寮棚〕 liáopéng 명 오두막집.

撩 liáo (료)
동 ①도발하다. 자극하다. ¶春色～人; 봄 경치가 사람의 마음을 들뜨게 한다/～情; 정욕을 도발하다/专喜～人生事; 언제나 사람을 꼬드겨서 말썽 일으키기를 좋아한다. ②희롱하다. 집적거리다. 놀리다. (말로) 화나게 하다. ¶闲人还不完, 只～他, 于是终而至于打; 할 일 없는 사람들은 여전히 그치지 않고, 계속 그를 희롱하여, 끝내 주먹 사태에까지 이르렀다. ③후리어 빼앗다. ④뒤죽박죽을 만들다. ⇒liāo, '撂'liào
〔撩拨〕 liáobō 동 ①꼬드기다. 자극하다. 부추기다. 도발하다. ¶拿言语来～他; 말로 그를 꼬드기다. ②구슬리다. ¶不是好～的; 다루기 쉬운 놈이 아니다《꽤 다루기 거북한 녀석이다》. ③집적거리다. 희롱하다.
〔撩动肝火〕 liáodòng gānhuǒ 격노하다. 화를 내다.
〔撩逗〕 liáodòu 동〈古白〉도발하다. 유혹하다. 집적거리다. ¶今日我着实～他一番; 오늘은 한번 본격적으로 그를 유혹해 보자. =〔撩斗〕
〔撩蜂剔蝎〕 liáofēng tīxiē〈比〉긁어 부스럼. ¶恶wù了西门庆, 却不是～?《水滸傳》; 서문경(西門慶)을 성나게 해서는, 오히려 긁어 부스럼이 아닌가?
〔撩火〕 liáohuǒ 동 불기운을 세게 하다.
〔撩乱〕 liáoluàn 형 ⇨〔缭乱〕
〔撩弄〕 liáonòng 동 ①손으로 들어 올리다. ②손

으로 다루다. 만지다.
〔撩敲〕 liáoqiāo 동 ①일부러 화나게 하여 초조하게 하다. 화를 돋구어 조바심나게 하다. ¶～地骂人; 화가 나도록 사람을 욕하다. =〔撩撩敲敲〕 ②철저하게 하지 않다. 되는대로 하다. 열심히 하지 않다. ¶做事总是做得～; 일하는 것이 도무지 철저하지 못하다.
〔撩情〕 liáoqíng →〔字解①〕
〔撩惹〕 liáorě 동 집적거리다. 건드리다. 유혹하다.
〔撩人〕 liáo·rén 동 남의 마음을 끌다. 남의 마음을 들뜨게 만들다. 자극하다. ¶拿好话～; 달콤한 말로 남의 마음을 끌다 / ～生事; 사람을 꼬드겨서 말썽을 일으키다 / 春色～; 춘색이 마음을 들뜨게 하다.
〔撩醒〕 liáoxǐng 동 자고 있는 사람을 장난질하여 깨우다.
〔撩战〕 liáozhàn 동 〈文〉 도전하다. 싸움을 걸다.

嘹 liáo (료)
형 반향하는. 울리는. ¶～嘈cáo; 〈擬〉 삐(피리 소리) / ～唳lì =〔～呖lì〕; 〈擬〉 끼룩(오리나 기러기 등이 날카롭게 우는 소리).
〔嘹亮〕 liáoliàng 형 소리가 맑고 깨끗하게 울리는 모양. ¶荡漾着他的～的歌声; 그의 맑은 노랫소리가 울려 퍼지다 / 话说～干脆; 말소리가 맑고 시원하다. =〔嘹喨〕〔聊亮〕

獠 liáo (료, 로)
①형 얼굴이 흉악한 모양. ¶～面; 흉악한 용모 / ～牙yá; 밖으로 삐드러진 이. 〈比〉 흉악한 형상. ②(～子) 명 〈貶〉 중국 서남방에 사는 소수 민족에 대한 멸칭.

屪 liáo (료)
(～儿, ～子) 명 〈方〉 남자의 생식기. 음경. =〔膫liáo〕 →〔阴yīn茎〕

嫽 liáo (료)
형 〈文〉 아름답다. 곱다. ¶～妙 =〔俊俏〕; 용모가 수려하다.

缭(繚) liáo (료)
동 ①걸치다. 휘감다. 휘감기다. ¶烟气～绕; 안개가 감돌아 끼다. ②(바늘로 비스듬히) 감치다. 사뜨다. 공그르다.
〔缭边儿〕 liáo·biānr 동 가장자리를 감치다. =〔敲边〕
〔缭份儿〕 liáofènr 명 (옷의) 곱솔. 동 (의복을) 꿰매다.
〔缭缝〕 liáoféng 동 솔기를 감쳐서 공그르다.
〔缭乱〕 liáoluàn 형 어지러이 뒤섞이다. 난잡하다. ¶心绪～; 마음이 혼란해지다 / 百花～; 백화 요란(갖가지 꽃이 어지러이 핌) / 满屋子都是～的家具、用品; 방 안은 온통 어수선하여 가구랑 갖가지 일용품뿐이다. =〔撩乱〕
〔缭绕〕 liáorào 동 곡선을 그리며 상승(上昇)하다. 감돌다. 피어 오르다. ¶炊烟～; 밥 짓는 연기가 천천히 오르다 / 歌声～; 노랫소리가 은은히 맴돌다.

燎 liáo (료)
동 타다. 태우다. ¶星星之火, 可以～原 =〔星火～原〕; 〈成〉 작은 불꽃도 온 광야를 불태울 수 있다(사소한 일도 화근이 될 수 있다). ⇒liǎo
〔燎草儿〕 liáo·cǎor 동 음력 섣달 30일 오후에 묘(墓) 앞에서 '纸钱'을 태우고 폭죽을 터뜨려 조상의 혼령을 맞이하다.
〔燎发〕 liáofà〔liǎofà〕 동 머리카락을 태우다. 〈比〉 일이 극히 쉽다. ¶易如～; 그 쉽기란 머리카락을 태우는 것과 같다. =〔燎毛〕
〔燎光〕 liáoguāng 형 〈文〉 밝다. 환하다. =〔燎亮〕
〔燎荒〕 liáohuāng 명동 들을 불질러 태우는 일(을 하다).
〔燎浆泡〕 liáojiāngpào 명 ①《漢醫》 화상(火傷)으로 생기는 물집. ¶看脚时, 都是～, 点地不得; 다리를 보니 온통 화상 때문에 생긴 물집이어서, 발을 땅바닥에 디딜 수가 없다. ②《醫》 아프타(aphta). 아구창(牙口瘡). ¶嘴角上长出好几个～; 입가에 아프타가 몇 개 생겼다. ‖ =〔燎泡〕〔烫tàng泡〕
〔燎筋大泡〕 liáojīn dàpào 명 (화상으로 인한) 큰 물집.
〔燎炬〕 liáojù 명 횃불.
〔燎拷〕 liáokǎo 명동 불고문(을 하다).
〔燎燎〕 liáoliáo 형 빛나다. 빛나고 밝다.
〔燎猎〕 liáoliè 명 들이나 산에 불을 질러 사냥감을 몰아 내는 사냥법.
〔燎泡〕 liáopào 명 ⇨〔燎浆泡〕
〔燎人〕 liáorén 동 사람을 태우다(뜨거움을 형용). ¶～的热风; 태울 듯한 열풍.
〔燎原〕 liáoyuán 동 ①불이 번져 들판을 태우다. ¶势如～烈火; 기세가 마치 벌판에 번지는 불길과 같다 / ～之势; 벌판의 불길과 같은 형세. 막을 길이 없는 기세. ②〈比〉 화란(禍亂)이 금세 널리 번지다.
〔燎原烈火〕 liáo yuán liè huǒ 〈成〉 원야(原野)를 태울 것 같은 열화. ①기세가 세차서 가까이할 수 없음. ②힘을〔기세를〕 저지할 수 없음.

膫 liáo (료)
명 ⇨〔屪liáo〕

鹩(鷯) →〔鹩鹑〕〔鹩哥〕〔鹪jiāo鹩〕
〔鹩鹑〕 liáochún 명 《鳥》 메추라기.
〔鹩哥〕 liáogē 명 《鳥》 아시아산 찌르레기과(科)의 수 종(數種)의 새의 총칭. 특히, '八bā哥(儿)' (구관조)를 이름.

漻 liáo (료)
①형 〈文〉 물이 깊고 맑다. ②(Liáo) 명 《地》 랴오수이(漻水)(후베이 성(湖北省)에 있는 강 이름).

寥 liáo (료)
형 ①드물다. 적다. ②공허(空虛)하다. 고요하다. ¶寂jì～; 적적하고 고요하다.
〔寥阔〕 liáokuò 형 〈文〉 고요하여 쓸쓸하다. 휑뎅그렁하다. 적요하고 광막하다.
〔寥廓〕 liáokuò 형 〈文〉 ①널찍하고 끝이 없는 모양. ¶～的天空; 끝없이 펼쳐지는 하늘. ②공소(空疎)하고 조용한 모양.
〔寥戾〕 liáolì 형 〈文〉 음성이 맑아 멀리까지 들리는 모양. =〔寥亮〕
〔寥寥〕 liáoliáo 형 〈文〉 ①공허하고 적적한 모양. ②매우 적은 모양. ¶～可数; 〈成〉 (매우 적어서) 하나하나 헤아릴 수 있을 정도이다. 셀 수 있을 정도밖에 없다.
〔寥落〕 liáoluò 형 〈文〉 한산하다. ¶疏shū星～; 별이 드문드문하다.
〔寥若晨星〕 liáo ruò chén xīng 〈成〉 새벽녘의 별처럼 드문드문하다(매우 적다〔드물다〕).
〔寥天〕 liáotiān 명 〈文〉 넓은 하늘. 동 ⇨〔聊天〕

(儿)〕

髎 liáo (료)

명 《漢醫》 골절(骨節)의 틈을 말하며, 보통 경혈(經穴)을 가리킴.

了(瞭)B) liǎo (료)

A) ① 동 완결하다. 끝나다. ¶这件事已经～了! 이 일은 이미 끝났다 / ～账; ⇓ / 一直看到～儿; 죽 끝까지 보다 / 没完没～; 끝이 없다. 한없이 이어지다 / 这事儿还没～呢; 이 일은 아직 끝나지 않았다 / 以不～～之; 끝나지 않은 것을 끝난 것으로 하다. 흐지부지해 버리다 / 话犹未～, …; 이야기가 아직 끝나지 않았는데, …. ② 동 결말을 짓다. 해결짓다. 처리하다. ¶什么事都～得起来; 무슨 일이나 모두 해결할 수 있다 / 能在村里～一～不能? 동네에서 해결을 지어 줄 수 있겠는지 없겠는지? / 这场纠jiū纷还是他出头给～了; 이 분쟁도 그가 나서서 조정해 주었다 / 怎么～呢? 어떻게 마무리지을 것이냐? / 咱们私下～吧; 우리 은밀히 처리하자. ③ 동 〈俗〉 던져 넣다. ¶谁把一块石头～到井里了? 누가 돌을 우물에 집어넣었느냐? ④ 동 〈俗〉 갖고 가 버리다. 가지고 떠나다. ¶皮袄也让他～去了le; 털가죽 옷도 그가 갖고 가 버렸다. ⑤ 부 〈文〉 전혀. 완전히. 조금도《부정으로 쓰임》. ¶～不相涉; 전혀 서로 간섭하지 않다 / ～无惧容; 전혀 두려워하는 기색이 없다. ⑥동사 뒤에 '得'·'不'와 연용(連用)하여 가능·불가능을 나타냄. ¶受不～; 참을 수 없다 / 这事你办得～; 이 일은 네가 해 낼 수 있다 / 做得～; 할 수 있다 / 来不～; 올 수 없다 / 吃不～; (많아서) 다 못 먹는다. B) 형 명백하다. 분명하다. 뚜렷하다. 알고 있다. ¶一目～然; 〈成〉 한눈에 알 수 있다 / 明～; 명료하다 / ～如指掌; ⇓ / 不甚～～; 그다지 뚜렷하지 않다. ⇒le, '瞭' liào

〔了案〕 liǎo'àn 동 재판을 끝내다.

〔了毕〕 liǎobì 동 〈文〉 끝내다. 완료하다. 종결하다.

〔了不成〕 liǎobuchéng ①결말이 나지 않다. 끝마치지 못하다. ¶这回恐怕～吧; 이번엔 결말이 잘 안 날 걸요. ②〈轉〉 큰일이다. ‖↔〔得成〕

〔了不得〕 liǎobude 형 ①대단하다. 훌륭하다. 굉장하다. ¶他的本领真～; 그의 솜씨는 참으로 대단하다 / 他也算是个～的人; 그도 비범한 사람이라고 할 수 있다. ②야단났다. 큰일이다. ¶可～, 他昏过去了! 이거 큰일났다. 그가 기절했다! =〔不得了〕 ③심하다. 지독하다. 견딜 수 없다. ¶冷得～; 추워서 못 견디겠다 / 创口痛得～; 상처가 쑤셔서 못 견디겠다 / 感激得～; 감격해 마지않다. =〔不得了〕

〔了不了〕 liǎobuliǎo 형 당해 낼 수 없다. 처리할 수 없다. 손을 쓸 수 없다. ¶他真拼起命来, 你可～; 그가 필사적으로 나오면 너는 어쩔 도리가 없다 / 到底～了le; 도저히 손을 쓸 수 없게 되었다. ↔〔了得了〕

〔了不起〕 liǎobuqǐ 형 굉장하다. 대단하다. 비범하다. ¶他的本事真～; 그의 솜씨는 정말로 대단한 것이다 / 没有什么～的; 뭐 그리 대단치 않다 / 他的功绩是～的; 그의 공적은 대단한 것이다. ↔〔了得起〕

〔了当〕 liǎodàng 형 (말이나 행동이) 깔끔하다. 솔직 담백하다. 분명〔명료〕하다. ¶他愿意直截～地办事; 그는 일을 재빠르게 척척 해내는 것을 원한다. 동 ①처리하다. 중재(仲裁)하다. ¶自能～得来; 스스로 처리할 수 있다. ②타당하게 낙착되다. 순조롭게 잘 되다. ¶只要他一出马, 这事自然～; 그가 출마하면 이 일은 자연히 순조롭게 될 것이다.

〔了得〕 liǎode 동 ①처리할 수 있다. ②놀람·반어·책망 등의 어기를 나타내는 글귀 끝에 쓰여 상태가 심각하여 수습할 수 없음을 표시《대부분 '还' 뒤에 붙임》. ¶嗳呀! 这还～! 에이! 이래서야 되겠는가! / 如果一交跌下去, 那还～! 만일 넘어지기라도 하면 큰일이다! ③이해할 수 있다. ¶只看这一句便～天下万物; 이 하나의 구(句)를 보기만 해도 천하의 만물을 이해할 수 있다. 형 굉장하다. 훌륭하다. 비범하다. ¶我看这女子着实～; 나는 이 여성은 매우 훌륭하다고 생각한다.

〔了得了〕 liǎodeliǎo 동 끝낼 수 있다. 완성시킬 수 있다. 결말을 질 수 있다. 해낼 수 있다. ↔〔了不了〕

〔了断〕 liǎoduàn 동 결말을 짓다. ¶那件事还没有～; 저 사건은 아직 결말이 나지 않았다.

〔了杠的〕 liǎogàngde 명 관을 메는 사람.

〔了工〕 liǎo,gōng 동 공사를 끝내다. 준공하다.

〔了结〕 liǎojié 동 결말이 나다. 해결하다. 끝나다. ¶终于～了我的心愿; 드디어 내 소원이 이루어졌다. 명 《商》 결제(決濟).

〔了解〕 liǎojiě 동 ①(잘) 알다. (의미·도리 따위를) 이해하다. 납득하다. 파악하다. ¶～人民的生活; 인민의 생활을 잘 알다 / ～情况; 상황을 파악하다 / 我不能完全～你的话; 나에게는 네가 하는 말이 잘 납득이 되지 않는다. ②묻다. 조사하다. 문의하다. ¶据～; (심문·조사로) 판명된 바에 의하면《문장 첫머리에 쓰임》 / 这究竟是怎么回事? 你去～一下! 이게 도대체 어떻게 된 일인가? 자네 가서 알아보고 오게나! 명 이해. 조사.

〔了局〕 liǎo,jú 동 결말이 나다. 끝나다. ¶后来呢, 你猜怎么～? 그 후에 어떻게 되었을 것 같으니? (liǎojú) 명 ①결말. 끝. ¶这就是故事的～; 이것이 바로 이 이야기의 끝이다. ②해결 방법. 해결책. ¶你这病应该赶快治, 拖下去不是个～; 당신의 이 병은 빨리 치료를 받아야지 내버려 두는 것은 해결책이 아니다.

〔了了〕 liǎole 동 청산하다. 끝내다. 완료하다. ¶～一件事; 한 가지 일을 완료했다 / 把账给～! 계산을 끝내시오! ⇒liǎoliǎo

〔了理〕 liǎolǐ 동 〈古白〉 깨끗이 (마무리를 지어) 처리하다. ¶尚有一事未曾～; 한 가지 아직도 분명히 마무리짓지 못한 일이 있다.

〔了亮〕 liǎoliang 형 ①(언행이) 분명하다. ¶这人行事说话都很～; 이 사람은 하는 일이나 말하는 것이나 매우 분명하다 / 干净～的人; 언동이 깨끗하고 분명한 사람. ②〈俗〉 (빈틈없이) 영리하다. ¶她是个～人; 그녀는 빈틈이 없게 똑똑한 여자이다.

〔了了〕 liǎoliǎo 형 〈文〉 ①명백하다. 분명히 알다. ¶那件事兄弟也不甚shèn～; 그 일은 저도 잘은 모릅니다. ②영리하다. ¶小时～; 어렸을 때에는 영리했다. ⇒liǎole

〔了清〕 liǎoqīng 동 ①완결하다. ②깨끗이 처리하다.

〔了却〕 liǎoquè 동 〈古白〉 성취하다. 이루다. 완수하다. 해결하다. ¶她一毕业就结婚, 我的心愿就～了; 그녀가 졸업하고 곧 결혼만 한다면 내 소원은 이루어진 것이다 / ～一生心愿; 평생 소원을 이루다 / ～一桩心事; 한 가지 걱정거리를 처리하다.

〔了儿〕 liǎor 명 ①최후. 끝. ¶一直看到～; 죽 끝까지 보다. ②결과. 결말.

〔了然〕 liǎorán 형 분명하다. 명확하다. ¶真相如

何，我也不大～；진상이 어떤지 나도 확실히는 모른다 / 一目～；일목요연하다 / ～而明；똑똑하고 분명하다.
〔了如指掌〕liǎo rú zhǐ zhǎng〈成〉손바닥을 가리키듯 훤히 안다. ¶他对这一带的地形～；그는 이 일대의 지형에 대해서는 손바닥을 가리키듯 훤하다.
〔了身达命〕liǎoshēn dámìng 생활의 안정을 기하다. 몸을 안정시키다. ¶寻个～之处；어딘가 정착할 곳을 찾다.
〔了事〕liǎo·shì 동 ①일이 분명해지다. ②(일을) 끝내다. 마치다(대개는 철저치 못하거나 어쩔 수 없는 뜻으로 쓰임). ¶草草～ =〔敷衍～〕；일을 아무렇게나 해치우다 / 含糊～；애매하게 일을 끝내다. ③사무를 처리하다. ④분쟁을 조정 화해시키다. ⑤〈轉〉죽다. ¶他～了；그는 죽었다.
〔了事人〕liǎoshìrén 명 ①사무를 처리하는 사람. 상가(商家)의 지배인 또는 각 부(部)의 주임. ②분쟁 조정자(調停者). ③물정을 잘 알고 있는 사람. 사리가 분명한 사람. ‖ =〔了事的〕
〔了手〕liǎo·shǒu 동〈方〉(용건을) 처리하여 끝내다. 마무리하다. ¶等事情～以后我就要到上海去；용무가 끝나면 나는 상하이(上海)로 갈 작정이다. =〔办完〕
〔了无〕liǎowú 형 조금도 없다. ¶他～长进；그는 조금도 진보되지 않는다.
〔了无惧色〕liǎo wú jù sè〈成〉조금도 두려워하는 기색이 없다.
〔了悟〕liǎowù 동《佛》깨닫다. 크게 깨달아 번뇌가 없어지다.
〔了(心)愿〕liǎo(xīn)yuàn 동 소원을 이루다.
〔了债〕liǎo·zhài 동 부채(負債)를 다 갚다.
〔了账〕liǎo·zhàng 동 ①셈을 끝내다. 청산하다. ②〈比〉매듭을 짓다. 끝내다. ③〈比〉흑백(黑白)을 가리다. ¶你敢跟他～吗? 자네는 그와 흑백을 가릴 셈인가? ④〈比〉(사람이) 죽다. ⑤〈比〉(사람을) 죽이다. 해 치우다. ¶一刀～；단칼에 죽이다.
〔…了之〕…liǎozhī …하여 결말이 나다〔결말을 내다〕. …으로 끝장(내다). ¶以不了liǎo～；사실은 결말이 나지 않았는데 끝난 것으로 하다. 되는 대로 해서 끝내다 / 老本吃光便一走～；밑천을 날리고 나면 도망가 버리면 그것으로 끝이다.

钌(釕) liǎo (료)
명《化》루테늄(Ru: ruthenium)(금속 원소의 하나). ⇒liào

蓼 liǎo (료)
명 ①《植》여뀌. 수료(水蓼). ¶水～；수료. 여뀌. ②옥수수의 이삭. ¶出～结棒；옥수수의 이삭이 나와 열매를 맺다. ③(Liǎo)《史》료(춘추 시대(春秋時代)의 나라 이름. 지금의 허난성(河南省) 구스 현(固始縣)의 동북부에 해당함). ④성(姓)의 하나. ⇒lù
〔蓼岸〕liǎo'àn 명〈文〉여뀌가 무성한 물가.
〔蓼花〕liǎohuā 명 과자의 일종(쌀가루 반죽으로 만든 탁구공 크기만한 것을 기름에 튀긴 후 설탕을 뿌린 것).
〔蓼蓝〕liǎolán 명《植》요람(蓼藍). 대청(大青).

燎 liǎo (료)
동 불 옆에 바싹 대어 눌리다〔태우다〕. ¶把头发～了；머리카락을 불에 태워 버리다 / 火～眉毛；불이 눈썹을 태우다(긴급한 국면이 되다) / ～毛子气；⇓ ⇒liáo
〔燎毛子气〕liǎo máozi qì 명 털이 타는 냄새.

尥 liào (료)
표제어 참조.
〔尥蹦儿〕liàobèngr 동〈北方〉①깡충깡충 뛰다. ②〈轉〉허둥지둥하다. 안달복달하다. ¶急得直～；성급하여 계속 안달복달하다. ‖ =〔尥迸儿〕
〔尥嗒〕liàoda 동〈北方〉(걸을 때) 옷자락이 펄럭거리며 올라가다. ¶你穿这么短的衣裳～得多难看；이렇게 짧은 옷을 입으니, 걸을 때마다 옷자락이 펄럭펄럭 올라가서 아주 볼썽사납다.
〔尥蹶子〕liàojiànzi 동 (토끼같이) 깡충깡충 달리다.
〔尥蹶子〕liàojuězi 동 (말·당나귀 따위가) 차다. 발길질하다. ¶留神驴～；당나귀에 채이지 않도록 주의해라 / 这匹pǐ马～踢了我了；이 말이 껑충 뛰면서 나를 찼다. 형〈比〉(사람이) 말을 잘 듣지 않다. 명 발길질하는 버릇이 없는 말〔당나귀〕. ‖ =〔撂蹶子〕〔打dǎ蹶子〕

钌(釕) liào (료)
→〔钌铞儿〕⇒liǎo
〔钌铞儿〕liàodiàor 명 걸쇠(자물쇠를 걸기 위한, 등 부분이 고리 모양으로 된 못). =〔钌吊儿〕

料 liào (료)
①(～儿, ～子) 명 재료. 원료. ¶原～；원료 / 衣裳～子；옷감 / 燃～；연료. ②양《漢醫》제(1회분의 환약을 만드는 데 필요한 약의 분량). ¶一～药；한 제의 약 / 吃了半～药就好了；약을 반 제 먹으니 금세 좋아졌다. ③명 유리관(管)의 공예품(工藝品). ¶这个戒指是～的，不是真翡翠的；이 반지는 유리로 만든 것이지 진짜 비취는 아니다. ④명 마소의 먹이. 사료. ¶饲sì～；사료 / 草cǎo～；꼴 / 牲口得喂～才能肥；가축은 곡류 사료를 주지 않으면 살이 찌지 않는다. ⑤명 관리들에게 봉급으로 주던 곡식. ¶～食；규정 항목 외 쌀로 주던 봉급. ⑥명 되로 된 양. 분량. ⑦(～子) 명〈罵〉쓸모없는〔변변치 않은〕것〔놈〕. ¶这儿不短你这块～；여긴 너 같은 머저리는 소용이 없다. ⑧양 목재를 헤아리는 단위(단면이 1평방자(尺), 길이가 7자인 것을 1'料'라 함). ⑨동 예상하다. 짐작하다. 추량하다. ¶不～；뜻밖에도 / 逆～；예상하다 / 果然不出所～；역시 예상했던 범위를 벗어나지 않았다. ⑩명 톱날이 번갈아 좌우로 휘어져 있는 부분. ¶拨～；톱날에 날어김을 내다. 톱날을 세우다.
〔料不到〕liàobudào 상상도 못 하다. 예측하지 못하다. 뜻밖이다.
〔料仓〕liàocāng 명 원료 창고.
〔料槽(子)〕liàocáo(zi) 명 ①원료를 담는 통. ②가축의 여물통.
〔料场〕liàochǎng 명 원료 적재장.
〔料车〕liàochē 명 용광로에 원광(原鑛)을 투입하기 위해 사용되는 무개차. 광차(鑛車).
〔料袋〕liàodài 명 ①〈古白〉물건 담는 자루. ¶便叫煮下干肉，作起蒸饼各把～装了，拴在身边《水滸傳》；그래서 말린 고기를 삶게 하여 찐 떡을 만들어, 각자 자루에 넣고 몸에 붙들어매었다. ②사료 부대.
〔料到〕liàodào 동 예상이 되다. 짐작이 가다. 생각이 미치다.
〔料道〕liàodào 동 추측하다.
〔料定〕liàodìng 동 단정하다. 추정〔예측〕하다. ¶我～你会这样做的；나는 자네가 이렇게 할

있을 것이라고 단정한다.
〔料斗〕 liàodǒu 명 ①《機》 호퍼(hopper)《광석·자갈·코크스·곡물 따위를 내리는 깔대기 모양의 아가리》. ②사료 넣는 통. 여물통.
〔料豆(儿)〕 liàodòu(r) 명 사료로 쓰는 콩.
〔料度〕 liàoduó 동 미루어 헤아리다. 추측하다.
〔料高儿〕 liàogāor 동 ⇨〔瞭高儿〕
〔料膏〕 liàogāo 명 ⇨〔阿ā片〕
〔料估〕 liàogū 동 ①대중잡다. 어림하다. ¶～着办; 대중잡아서 처리하다. ②짐작하다. 예측하다.
〔料规〕 liàoguī 동 계산하다《돈 따위를 계산하여 쓸 때 사용》.
〔料货〕 liàohuò 명 ①불투명한 유리질 제품《백색의 전등갓·유리 구슬 따위》. ②위조 보석.
〔料及〕 liàojí 동〈文〉 미리 생각〔계산〕하다. 예상〔예견〕하다. ¶中途大雨, 原未～; 도중에서의 큰 비는 처음부터 예상하지 못했다.
〔料件子〕 liào jiànzi 생산액에 따라 계산하다. 도급제로 하다. =〔撂件子〕
〔料件子活〕 liàojiànzihuó 명〈俗〉 제품 수량제 공임(工賃) 지불 형식의 일. 성과급 노동. ¶她闲下就在家做点～; 그녀는 틈이 나면 집에서 수량제 공임받는 일을 조금씩 한다. =〔撂件子活〕〔件工〕
〔料酒〕 liàojiǔ 명 요리에 쓰는 조미용의 술《양조주》.
〔料理〕 liàolǐ 동 정리하다. 처리하다. ¶把房间～一下; 방 안을 좀 치워 주시오/～家务jiāwu; 가사를 다스리다. 집안일을 처리하다.
〔料力〕 liàolì 동〈文〉 힘을 재다.
〔料粮〕 liàoliáng 명 말먹이와 곡식.
〔料量〕 liàoliàng 동〈文〉 ①계산하다. 어림잡다. ②(앞일을) 짐작하다. ‖ =〔料谅〕 명 원료의 필요량.
〔料面〕 liàomiàn 명《藥》 헤로인(heroin). =〔海洛因〕
〔料莫〕 liàomo〈古白〉 생각건대. 상상하건대. ¶～天也不使我水鸦儿吃草; 생각건대, 하늘도 역시 나를 오리에게 풀을 먹게 하듯 비참한 신세로 만들지는 않을 것이다.
〔料瓶〕 liàopíng 명 유리질(質)의 병.
〔料器〕 liàoqì 명 유리 제품. ¶～铺; 유리 가게.
〔料峭〕 liàoqiào 형〈文〉 으스스하다. 쌀쌀하다. ¶春寒～; 봄추위가 쌀쌀하다.
〔料儿〕 liàor 명 (옷 등의) 재료. 감. =〔料子①〕
〔料事〕 liàoshì 동 (일을) 예측하다. 내다보다. ¶他～料得很准; 그의 예측은 아주 정확하다/～如神;〈成〉 신처럼 선견지명이 있다. 귀신같이 예상하다/～如见; 예측이 눈으로 보듯 확실하다.
〔料算〕 liàosuàn 동 미리 예상하여 계산하다. 어림하여 예상하다.
〔料所不及〕 liàosuǒ bùjí 생각이 미치지 못하다. 미처 생각하지 못하다.
〔料透〕 liàotòu 동 꿰뚫어보다. 예상하다.
〔料想〕 liàoxiǎng 동 추측하다. 예상하다. ¶～不到; 뜻밖이다.
〔料栈〕 liàozhàn 명 재료 창고.
〔料中〕 liàozhòng 동 상상〔예상〕이 적중하다.
〔料珠〕 liàozhū 명 ①유리 구슬. ②유리 염주.
〔料子〕 liàozi 명 ①재료. 감. =〔料儿〕 ②〈方〉 옷감《특히, 모직물을 가리키는 말》. ③소지(素地)가 있는 것. ④가축의 먹이. ⑤〈罵〉 욕할 때 쓰는 말. …할 놈. ⑥〈口〉 (어떤 일에 적합한) 인재(人材).
〔料子服〕 liàozifú 명 모직물의 옷.

廖 Liào (료)

명 성(姓)의 하나.
〔廖仲恺〕 Liào zhòngkǎi 명《人》 광둥 성(廣東省) 후이양 현(惠陽縣) 사람. 이름은 언쉬(恩煦). 정치가. 민국 혁명을 위해 애썼고 국민 정부의 요직을 역임했으나, 1925년 암살됨(1876～1925).

撂〈撩〉 liào (략) 〈료〉

동〈口〉 ①놓다. 내려놓다. ¶～下车把; 수레의 채를 내려놓다/帘子～着; 커튼이 내려져 있다. →〔放fàng⑬〕 ②사후에 남겨 놓다. ¶～三个女孩子; (사후에) 세 딸을 남겨 놓다/空～下许多财产, 带不到坟里去; 많은 재산을 남겨 봤자 무덤으로 가져갈 수는 없다. ③쓰러뜨리다. ¶～倒了好几个人; 여러 사람을 쓰러뜨렸다. ④내던지다. 포기하다. 버려 두다. ¶～下不管; 내버려 두고 상관하지 않다/这个破碗可以～到垃圾箱里去; 이 깨진 주발은 쓰레기통에 버려도 좋다. ⇒ 撩 liāo liáo
〔撂不开手〕 liàobukāishǒu 손을 뗄 수 없다. 관계를 끊을 수 없다.
〔撂担子〕 liào dànzi ①(멜대 등으로 메는 짐을) 내려놓다. ②〈比〉 일을 중도에 내팽개치다. ¶他一不高兴就～; 그는 재미 없다 싶으면 곧 포기해 버린다. ‖ =〔撂挑子〕
〔撂倒〕 liàodǎo 동 내동댕이치(어 혼내 주)다.
〔撂地(儿)〕 liàodì(r) 동 (거리의 연예인이 길일(吉日)을 택해서) 야외 공연을 하다. ¶平常他总是在天桥～; 보통 그는 늘 (베이징(北京)의) 천교(天橋)에서 야외 공연을 한다. =〔拉场子〕
〔撂定钱〕 liào dìngqián 동 착수금을 치르다. ¶得先撂几个定钱; 처음에 얼마간의 착수금을 치러야 한다.
〔撂荒地〕 liàohuāngdì 명〈方〉 묵정밭.
〔撂件子〕 liào jiànzi ⇨〔料件子〕
〔撂件子活〕 liàojiànzihuó 명 ⇨〔件工〕
〔撂交〕 liào.jiāo 동〈方〉 내던지다. 쓰러뜨리다. 굴리다.
〔撂跤〕 liào.jiāo 동 ①〈方〉 씨름하다. =〔摔跤〕 ②〈比〉 번거로운 일을 몇 번이고 되풀이해서 하다. ¶我跟那块石头撂了半天跤了, 可是还扳不动; 나는 반나절이나 저 돌을 붙들고 씨름했지만 움직이지 못했다. (liàojiāo) 명 씨름.
〔撂蹶子〕 liàojuězi ⇨〔尥蹶子〕
〔撂开〕 liàokai 손을 떼다. ¶这个事情撂不开了; 이 일은 손을 뗄 수가 없다. =〔撩开手〕
〔撂了〕 liàole ①〈俗〉 죽다. 쓰러지다. ②(일을 하다 말고) 포기하다. 내던져 버리다.
〔撂皮〕 liàopí 형〈俗〉 교활하다.
〔撂生〕 liàoshēng 동 (사용하지 않아서) 무디어지다〔둔해지다〕. ¶把腿～了; (걷지 않아서) 다리가 무겁고 둔해졌다.
〔撂手〕 liào.shǒu 동 내팽개쳐 두고 돌보지 않다. 관계를 끊다. 손을 떼다.
〔撂台〕 liào.tái 동〈比〉 내버려 두다. 방치하다. ¶您要一～我可就抓瞎了; 당신이 방치하시면 전 정말 어쩔 줄 모르게 됩니다.
〔撂下〕 liàoxia 동 ①놓다. ②뒤에 남기다. ③버려두다. 방치하다. ④아래에 놓다. 내려놓다. ¶把衣裳～; 옷을 아래에 놓아 두다. ⑤〈轉〉 (얼굴을) 굳히다. ¶他脸子～来, 坐在那里看着手表; 그는 얼굴을 굳히고 거기에 앉아서 손목시계를 보고 있다.

〔撂在一边〕 liàozai yībiān 내버려 두다. 방치해 두다. 뒤로 미루어 놓다.

瞭 liào (료) 동 ①높은 곳에서 바라보다. 멀리 바라보다. ②〈方〉 보다. ③몰래 보다. ④주시하다. ⑤파수 보다. 지켜 보다. ⇒ '了' liǎo

〔瞭不到〕 liàobudào 바라다보이지 않다. 바라다볼 수 없다.

〔瞭高儿〕 liàogāor 동 ①높은 곳에서 망보다. ¶贼在房上～; 도적이 지붕 위에서 망을 보다. ②〈比〉 수수방관하다. ‖ =〔料高儿〕

〔瞭望〕 liàowàng 동 높은 곳에서 멀리 둘러보다. ¶～灯; 탐조등 / ～车; 전망차 / ～所; (높은 데에 있는) 감시소. 망루(望樓).

〔瞭望台〕 liàowàngtái 명 ①전망대. ②파수대. 감시대.

镣(鐐) liào (료) 명 족쇄. 차꼬(형틀). ¶戴上～; 차꼬〔족쇄〕를 채우다.

〔镣铐〕 liàokào 명 차꼬〔족쇄〕와 수갑. ¶我们是怎样挣脱了资本主义的～的; 우리는 자본주의의 질곡에서 어떻게 빠져 나왔는가.

LIE ㄌㄧㄝ

咧 liē (렬) →〔咧咧〕 ⇒liě lie

〔咧咧〕 liēliē 동 〈方〉 큰 소리로 왕왕대다. ¶唱唱～～; 큰 소리로 노래하다 / 哭哭～～; 엉엉 울다.

〔咧咧〕 liēlie 동 〈方〉 ①멋대로 지껄여 대다. ¶别瞎～了; 이러쿵저러쿵 지껄이지 마라. ②아이가 칭얼대다.

咧 liě (렬) 동 입을 삐죽거리다. (가로로) 입을 벌리다. ¶～着嘴笑; 입을 삐죽거리며 웃다. ⇒liē lie

〔咧嘴〕 liě.zuǐ 동 입을 삐죽거리다. (가로로) 입을 벌리다.

裂 liě (렬) 동 〈方〉 (사물의 양쪽 부분이) 열리다. (앞가슴을) 벌리다. ¶衣服没扣好, ～着怀; 옷의 단추를 잘 잠그지 않아 앞가슴이 벌어져 있다. ⇒liè

列 liè (렬) ①명 행렬. 줄. ②동 가지런히 하다. 줄서다. 진열하다. ¶陈chén～; 진열하다. ③열거하다. 열기(列記)하다. ¶来函所～出口货; 내신(來信)에 열기되어 있는 수출품 / 姓名～后; 성명은 아래와 같다. ④명 종류. 부류. 동아리. ¶不在此～; 이 부류는 아니다. ⑤형 각각의. ¶～国; 열국. ⑥양 열(列)로 된 것을 세는 데 쓰임. ¶一～横队; 일렬 횡대 / 一～火车; 열차 한 량(輛). ⑦동 귀속시키다. …의 속에 넣다. …로 하다. ¶～入甲等; 1급에 넣다. ⑧명 성(姓)의 하나. ¶～御; 복성의 하나.

〔列巴〕 lièbā 명 〈音〉 빵(러시아의 음역어). ¶黑～; 흑빵. =〔裂粑〕〔面miàn包〕

〔列表〕 lièbiǎo 명 리스트(list). 동 표로 만들다.

〔列兵〕 lièbīng →〔军jūn衔〕

〔列采〕 liècǎi 명 〈文〉 정복(正服). ¶非～不出公门; 정복이 아니면 공문(公門)을 나가지 않는다.

〔列刹〕 lièchà 명 《佛》 불탑(佛塔).

〔列车〕 lièchē 명 열차(연결된 기차 따위).

〔列车电站〕 lièchē diànzhàn 명 《機》 발전 설비를 특별 열차에 장치한 이동 발전소.

〔列车员〕 lièchēyuán 명 열차 승무원. ¶协助～打扫车厢; 열차 승무원과 협력하여 차량 청소를 하다.

〔列出〕 lièchū 동 죽 써 늘어놓다. 열거하다. ¶～几项; 몇 개 항목을 열거하다.

〔列次〕 liècì 명 ①〈文〉 순차. 순서. 서열. 차례. ②열차의 발차 순서.

〔列单〕 lièdān 명 ①조목조목 쓴 문서. ②명세서. 계산서.

〔列当〕 lièdāng 명 《植》 초종용(草蓯蓉).

〔列鼎〕 lièdǐng 명 〈文〉 ①많은 식기를 늘어놓은 식탁. ②〈轉〉 진수 성찬.

〔列队〕 liè.duì 동 대열을 짓다. ¶～游行; 대열을 지어 시위하다.

〔列公〕 liègōng 명 〈文〉 제공(諸公). 여러분.

〔列侯〕 lièhóu 명 〈文〉 제후(諸侯).

〔列后〕 lièhòu 동 〈文〉 ①뒤에 열거하다. 아래와 같다. ¶姓名～; 이름은 후기(後記)하였다〔아래와 같다〕. ②뒷줄에 서다. ③〈比〉 성적 따위가 남보다 뒤떨어지다.

〔列户〕 lièhù 명 〈文〉 각 가구(家口). 각호(各戶). ¶～挨āi查; 호별 조사하다.

〔列举〕 lièjǔ 동 열거하다.

〔列款〕 lièkuǎn 명동 〈文〉 하나씩 조항별(條項別)로 쓰기〔쓰다〕.

〔列宁〕 Lièníng 명 《人》 〈音〉 레닌(Nikolai Lenin)(러시아의 혁명가, 1870～1924). ¶～服; 레닌복〔服〕 / ～帽; 레닌모(레닌이 애용하던 헌팅캡) / ～主义; 레닌주의.

〔列诺伦〕 liènuòlún 명 《化》 리놀륨(linoleum). =〔亚麻油毡〕

〔列入〕 lièrù 동 집어넣다. 짜 넣다. 끼워 넣다. ¶～计划; 계획에 짜 넣다 / ～议程; 의사 일정에 넣다.

〔列氏温度计〕 lièshì wēndùjì 명 열씨 온도계. =〔列氏(寒暑)表〕

〔列数〕 lièshǔ 동 세어 열거하다. ¶～他们十大罪状; 그들의 10대 죄상을 열거하다.

〔列为〕 lièwéi 동 유(類)에 넣다. 부류에 속하다. ¶～议程; 의사(議事) 일정에 들다.

〔列位〕 lièwèi 〈文〉 명 ①제군. 여러분. ②차례. 동 벼슬 자리에 들다.

〔列席〕 lièxí 명 열석(발언권은 있으나 표결권은 없음). (liè.xí) 동 ①참석하다. ②열석하다.

〔列伊〕 lièyī 명양 〈音〉 레우(leu)(루마니아(Rumania)의 통화 단위 이름).

〔列岳〕 lièyuè 명 〈文〉 처의 백부〔숙부〕.

〔列阵〕 lièzhèn 동 〈文〉 포진(布陣)하다.

〔列支敦士登〕 Lièzhīdūnshìdēng 명 《地》 〈音〉 리히텐슈타인(Liechtenstein)(수도는 '瓦杜兹'(파두츠: Vaduz)).

〔列传〕 lièzhuàn 명 《史》 열전(사전(史傳) 가운데 기전체(紀傳體)의 역사에서, 신하의 전기를 차례로 벌여서 기술한 기록).

〔列子〕 Lièzǐ 명 《人》 열자(전국 시대의 사상가 열어구(列御寇). 또, 그의 저서(후대에 '冲虚真经'이라고도 함).

〔列祖列宗〕 liè zǔ liè zōng 〈成〉 역대의 조상.

洌 liè (렬)
형〈文〉차다. 춥다. ¶北风～; 북풍이 몹시 차다 / 凛lǐn～; 추위가 매섭다.

洌 liè (렬)
형〈文〉①(물이나 술이) 맑다. ¶～泉quán; 맑은 샘. ②차갑다. 냉랭하다. ¶虎啸风～; 바람이 차갑고 매섭다.

烈 liè (렬)
①동 맹렬히 타다. ②형 격렬하다. 열렬하다. 맹렬하다. 격심하다. ¶性如～火; 성질이 불같이 격렬하다 / 兴高采～; 〈成〉 신바람이 나서 어쩔 줄 모르다. ③명 의를 위해 목숨을 아끼지 않은 사람. 국가나 대의(大義)를 위하여 목숨을 바친 (사람). →〔烈士〕 ④형 (성격이) 강직하다. ⑤명〈文〉사업. 공적(功績). ¶祖先遗～; 조상의 유훈(遺勳) / 非一手一足之～; 한 사람의 공적이 아니다. ⑥명 해독(害毒). ⑦명 성(姓)의 하나.

〔烈度〕 lièdù 명〈簡〉'地震烈度'(진도)의 약칭.
〔烈风〕 lièfēng 명《氣》 큰센바람. 열풍.
〔烈功〕 liègōng 명 공적(功績).
〔烈火轰雷〕 lièhuǒ hōngléi 〈比〉(성미가) 사납고 과격하다. ¶性子又～似的, 煞shà是不好说话; 성미가 또 매우 과격해서, 정말 이야기하기가 어렵다.
〔烈火见真金〕 liè huǒ jiàn zhēn jīn 〈成〉 센 불에 구워 봐야 진짜 금을 알 수 있다《어려운 시련을 겪을 때 비로소 그 사람의 진가를 알 수 있다》.
〔烈火烹油〕 liè huǒ pēng yóu 〈成〉 기세가 더욱 더 성해지는 모양. ¶不日有一件喜事, 真是～鲜花着锦之盛; 머지않아 뭔가 경사스런 일이 있을 텐데, 그거야말로 더없이 성대하고 화려한 것일 게다.
〔烈火脾气〕 lièhuǒ píqi 급한 성질. 불 같은 성질. ¶他的～, 我也见他头痛; 그의 급한 성질은 나에게도 하나의 두통거리이다.
〔烈家伙〕 lièjiāhuo 명 (성깔이) 불 같은 녀석.
〔烈酒〕 lièjiǔ 명 독한 술.
〔烈倔〕 lièjué 형 성미가 사납다. ¶～媳xí妇; 성미가 사나운 아내.
〔烈军〕 lièjūn 명 혁명군.
〔烈考〕 lièkǎo 명〈文〉이름을 떨쳤던 망부(亡父).
〔烈烈〕 lièliè 형 ①용맹스러운 모양. ②성대한 모양. ③추위가 대단한 모양.
〔烈烈轰轰〕 liè lie hōng hōng 〈成〉 ⇨〔轰轰烈烈〕
〔烈马〕 lièmǎ 명 ①난폭한 말. ②기질이 강한 말. 좋은 말. ¶～不吃回头草, 好女不嫁二夫男; 〈諺〉 좋은 말은 되돌아와서 풀을 먹지 않으며, 정실(貞實)한 여자는 재혼하지 않는다.
〔烈名〕 lièmíng 명〈文〉높은 명성.
〔烈日〕 lièrì 명〈文〉타는 듯이 내리쬐는 햇볕. 열일(烈日). ¶～当空, 暑气逼人; 햇볕이 쨍쨍 내리쬐어 더워 못 견디다.
〔烈士〕 lièshì 명 ①충렬의 인사. 열사. ¶～纪念节; 열사 기념일《청명절(淸明節)을 이 날로 정하고 있음》. ②공적이 큰 사람. 공업(功業)에 진력한 사람. ¶～暮年, 壮心不已; 큰일에 뜻을 둔 사람은 만년이 되어도 장한 뜻은 조금도 쇠퇴하지 않는다.
〔烈属〕 lièshǔ 명 순국 열사의 유족. 전사자의 유족. 혁명에 목숨을 바친 사람의 유족. =〔烈士家属〕 →〔军属〕〔抗属〕
〔烈暑〕 lièshǔ 명〈文〉혹심한 더위.
〔烈武〕 lièwǔ 명〈文〉위대한 무공.
〔烈性〕 lièxìng 형 ①기질이 과격하다. 억척스럽다. ¶～汉hàn子; 성격이 과격한〔억척스러운〕 남자. ②강렬하다. 맹렬하다. ¶～酒; 독한 술 / ～炸药; 강력한 폭약 / ～毒药; 강력한 독약.
〔烈焰〕 lièyàn 명 세찬〔맹렬한〕 불길.

鴷(鴷) liè (렬)
명《鳥》 딱따구리. =〔啄zhuó木鸟〕

裂 liè (렬)
①동 금이 가다. 갈라지다. ¶分～; 분열하다 / 手冻～了; 손이 얼어 터지다 / 四分五～; 사분오열이 되다. 여러 갈래로 찢어지다. ②명《植》 결각(缺刻). ③동 (관계·우정 등이) 깨지다〔갈라지다〕. 일이 망가지다. ¶他们的交情～了; 그들의 사귐은 깨졌다. ⇒liě

〔裂变〕 lièbiàn 명동《物》 핵분열(하다). ¶～武器; 핵무기 / ～物质; 핵분열 물질. 동 분열하고 변화하다.
〔裂帛〕 lièbó 동 비단을 찢다. ¶声如～; 소리가 비단을 찢듯이 날카롭다.
〔裂胆〕 lièdǎn 동 쓸개가 찢어지다. 〈比〉 간 떨어지다. 몹시 놀라다.
〔裂瞪〕 lièdèng 동 눈을 크게 부릅뜨고 노려보다.
〔裂缝(儿)〕 lie,fèng(r) 동 금이 가다. 틈이 생기다. (lièfèng(r)) 명 금. 터진 곳. 틈. ¶结构上的～一天比一天长zhǎng; 구조상의 균열이 하루하루 커진다. =〔裂痕①〕
〔裂肤〕 lièfū 동 피부를 갈라지게 하다. 살을 에다《엄한(嚴寒)》.
〔裂锅〕 liè,guō 동〈北方〉 절교(絶交)하다.
〔裂痕〕 lièhén 명 ①⇨〔裂缝(儿)lièfèng(r)〕 ②(감정상의) 금. 불화. ¶他们两人之间一度有过～; 그들 두 사람 사이에 전에 금이 간 적이 있었다.
〔裂化〕 lièhuà 동《化》 (석유를) 분류(分溜)하다. ¶～车间; 분류 공장. =〔裂炼〕
〔裂筋〕 lièjīn 동 사이를 갈라 놓다. ¶长工和我们打得好交, 是主家～才不得到一块儿嘛? 머슴과 우리들은 사이가 좋은데, 주인이 사이를 갈라 놓고 훼방하니까 같이 있지 못하는 것 아닙니까?
〔裂开〕 lièkāi 동 쪼개지다. 쪼개다. 찢어지다. 갈라지다. 여물어서 터지다. ¶豆子～了; 콩이 여물어서 터지다 / ～缝fèng儿; 터지다. 갈라지다.
〔裂口(儿)〕 liè,kǒu(r) 동 갈라지다. 벌어지다. ¶手都冻得～了; 손도 동상으로 텄다. (lièkǒu(r)) 명 ①틈. 갈라진 틈새. ②동상(凍傷) 또는 벤 상처의 튼 금.
〔裂了锅了〕 lièle guō le 〈方〉 싸우고 헤어지다. ¶他们不是感情很好吗? 怎么～; 그들은 무척 사이가 좋았지 않나? 어째서 사이가 틀어졌을까.
〔裂纹〕 lièwén 명 ①갈라진 틈. ¶天有～了; 구름 사이에 틈이 생겼다. =〔裂璺〕 ②도자기의 장식용의 금. ③(～儿) 보조개. ¶脸上一点～儿都没有; 얼굴에 보조개도 하나 없다. =〔酒窝(儿)〕
〔裂璺〕 lièwèn 명 (기물(器物)의) 금. =〔裂纹①〕 (liè,wèn) 동 (기물에) 금이 가다.
〔裂隙〕 lièxì 명 갈라진 틈.
〔裂罅〕 lièxià 명 갈라진 틈.
〔裂牙儿酸〕 lièyár suān 이가 갈라지도록 시다.
〔裂眼〕 lièyǎn 명〈文〉 노한〔성난〕 눈.
〔裂叶牵牛〕 lièyèqiānniú 명《植》 나팔꽃.
〔裂叶榆〕 lièyèyú 명《植》 난티나무.
〔裂殖菌〕 lièzhíjūn 명《植》 분열균《본체가 분열하

여 증식하는 균류(菌類)).

〔裂眦〕 lièzì 동 〈比〉 몹시 화내다.

趔
liè (렬)
→〔趔趄〕

〔趔趄〕 lièqie〔lièju〕 동 ①몸이 휘청거리다. 비틀거리다. ¶把他推了个～; 그를 밀어서 비틀거리게 했다 / 他～着走进屋来; 그는 비틀거리며 방 안으로 들어왔다 / 老汉～了两步, 差点儿栽个大跟头; 노인은 두세 걸음 비실비실 걷더니, 하마터면 곤두박질할 뻔했다. ②(일에 익숙지 못하여) 우물쭈물하다. 꾸물거리다. 명 휘청거림. 비틀거림.

劣
liè (렬)
형 ①뒤떨어지다. 나쁘다. ¶不分优～; 우열의 차이가 없다 / 品质恶～; 품성이 나쁘다. ②미숙하다. 졸렬하다. ③(일정한) 표준보다 작다. ¶～弧; 《數》 열호.

〔劣把头〕 lièbatóu 명 문외한(門外漢). 풋내기.

〔劣薄〕 lièbó 형 〈文〉 졸렬하다. 박약(薄弱)하다. 빈약하다.

〔劣等〕 lièděng 명형 열등(하다). ¶～生; 열등생. ↔〔优yōu等〕

〔劣地〕 lièdì 명 물이 스며들어 침식(浸蝕)된 토지.

〔劣点〕 lièdiǎn 명 단점. 결점.

〔劣粉庸脂〕 lièfěn yōngzhī 〈比〉 (용모가) 평범한 부인.

〔劣根性〕 liègēnxìng 명 나쁜 근성. 저열한 근성.

〔劣工〕 liègōng 명 졸렬한 일〔세공〕. 보잘 것 없는 일.

〔劣棍〕 liègùn 명 무뢰한. 불량배.

〔劣货〕 lièhuò 명 ①열등품. 불량품. =〔糠货〕〔粗货〕 ②〈轉〉 적국(敵國)의 상품. ¶抵制～; 적대국 상품을 배격하다. ③몹쓸 사람. 나쁜 사람.

〔劣迹〕 lièjì 명 부도덕함. 나쁜 행실. 비열한 행위. ¶～昭彰 =〔～昭著〕; 〈成〉 악행이 드러나다.

〔劣蹶〕 lièjué 형 ①쓸모없다. ②사고 방식이 낡다. 고루하다. ③말(馬)이 사납다. ④어린아이가 개구쟁이다.

〔劣马〕 lièmǎ 명 불량한 말. 성질이 사나워 다루기 힘든 말. 노둔한 말.

〔劣绅〕 lièshēn 명 지방의 악덕 명사. ¶土豪～; 지방의 세력가와 악덕 명사. =〔劣董dǒng〕

〔劣牲口〕 lièshēngkou 명 ①쓸모 없는 가축. ②난폭한 가축. ③길들일 수 없는 가축.

〔劣势〕 lièshì 명 열세. ¶处于～; 열세에 놓이다.

〔劣性〕 lièxìng 명 열등한 성질. 못된 성질.

〔劣于〕 lièyú 〈文〉 …보다 뒤떨어지다. ¶质量便～外国货; 질은 외국 제품보다 뒤떨어진다.

〔劣员〕 lièyuán 명 못된 벼슬아치.

〔劣质〕 lièzhì 명 저질.

〔劣种〕 lièzhǒng 명 ①열등한 종류. 불량 품종. ②못된 놈.

〔劣株〕 lièzhū 명 발육이 나쁜 식물의 그루.

〔劣子〕 lièzǐ 명 〈文〉 불초(不肖) 자식.

埒
liè (날)
〈文〉 ① 명 낮은 담〔둑〕. ¶马～; 양쪽에 낮은 담이 있는 마장(馬場). ② 형 같다. 동등하다. ¶二人之才力相～; 두 사람의 재능이 비슷하다 / 富～王侯; 그 부는 왕후에 맞먹는다. ③ 명 경계. 한도(限度).

捩
liè (렬)
동 ①비틀다. 전환하다. ¶十月革命是世界历史的转～点; 10월 혁명은 세계 역사의 전환점이었다. ②손으로 비틀다. ③찢어 팽개치다.

猎(獵)
liè (렵)
① 명동 사냥(하다). ¶出～; 사냥하러 가다 / ～虎; 호랑이 사냥을 하다. ③ 동 〈轉〉 찾아 구(求)하여 다니다. ¶涉～ =〔～涉〕; 널리 많은 책을 읽다. 섭렵하다.

〔猎捕〕 lièbǔ 동 포획하다.

〔猎刀〕 lièdāo 명 사냥에 쓰는 칼.

〔猎狗〕 liègǒu 명 사냥개. =〔猎犬〕

〔猎户〕 lièhù 명 ①사냥꾼. =〔打dǎ猎的〕〔猎人〕 ②사냥을 업(業)으로 하는 집. ¶～座; 《天》 오리온자리.

〔猎获〕 lièhuò 동 〈文〉 사냥해서 잡다. ¶～物; 사냥감. 포획물.

〔猎奖者〕 lièjiǎngzhě 명 프라이즈 헌터(prize hunter). 상매니아(賞mania).

〔猎猎〕 lièliè 〈擬〉〈文〉 바람 소리. 깃발이 바람에 펄럭이는 소리. ¶秋风～; 가을 바람이 쏴 하고 불다.

〔猎囊〕 liènáng 명 사냥해서 잡은 것을 넣는 주머니. (어부의) 물고기를 넣는 부대. (양치기의) 가죽 주머니. =〔猎袋〕

〔猎奇〕 lièqí 동 〈貶〉 기이한 것만 찾아다니다(흔히, 비난하는 뜻으로 쓰임).

〔猎枪〕 lièqiāng 명 엽총. ¶一支～; 한 자루의 엽총.

〔猎取〕 lièqǔ 동 ①포획(捕獲)하다. 사냥을 하여 잡다. ②(명예·이익을) 얻다〔쟁취하다〕. ¶～名利, 获得特权; 명리를 빼앗아 특권을 얻다. ③탈취하다. 약탈하다. ¶ ～之货; 약탈한 물건. 전리품.

〔猎师〕 lièshī 명 ①수렵을 잘 하는 사람. 엽사. ②《佛》〈比〉 파계승(破戒僧).

〔猎食〕 lièshí 동 ①조수(鳥獸)를 사냥하여 식량으로 하다. ②〈比〉 술책을 부려 금전 재물을 손에 넣다.

〔猎手〕 lièshǒu 명 ①사냥꾼. ②숙련자. ③몰이꾼.

〔猎物〕 lièwù 명 사냥해서 잡은 것. 사냥감.

〔猎艳〕 lièyàn 동 〈文〉 여색을 찾아 헤매다.

〔猎鹰〕 lièyīng 명 사냥용의 매. 보라매.

〔猎影〕 lièyǐng 명 (상대방이 눈치채지 않도록) 숨어서 몰래 하는 촬영.

〔猎装绒〕 lièzhuāngróng 명 《紡》 트위드(tweed). =〔猎装呢〕

躐
liè (렵)
동 〈文〉 ①밟다. 밟고 넘다. ②〈比〉 (순서나 등급 따위를) 뛰어넘다. 초월하다.

〔躐场〕 lièchǎng 동 순서를 짓밟다. 차례를 지키지 않다.

〔躐登〕 lièdēng 동 〈文〉 계급 등을 뛰어넘어 승진하다. 특진하다.

〔躐等〕 lièděng 동 〈文〉 순서를〔등급을〕 뛰어넘다. ¶技术决不能～速成; 기술은 결코 순서를 뛰어넘어 속성이 될 수는 없다.

〔躐进〕 lièjìn 동 〈文〉 순서를 뛰어넘고 진급하다.

〔躐席〕 lièxí 동 〈文〉 순서를 따르지 않고 자리에 앉다.

鱲(鱲)
liè (렵)
명 《魚》 피라미. =〔桃táo花鱼〕

鬣
liè (렵)
명 (동물의) 갈기. ¶马～; 말갈기.

〔鬣狗〕 liègǒu 명 《動》 하이에나(hyaena).

〔鬣羚〕 lièlíng 명 《動》 시로우(serow). 수마트라

(sumatra) 영양《동아시아산의 영양》.

咧 lie (렬)
조 〈方〉 문말(文末)의 어기사(語氣詞). ¶好~! 좋아! / 他来~! 그는 왔단다! / …罢~; …일 뿐이죠, 뭐. ⇒liē liě

LIN ㄌㄧㄣ

拎 līn (령)
동 〈方〉 들어 올리다. 손에 들다. ¶~起一桶水; 한 통의 물을 들다 / 手不能~, 肩不能挑; 손으로 물건을 들 힘도 없고, 어깨로 짊어질 수도 없다.

邻(鄰〈隣〉) lín (린)
① 명 이웃. 근처. ¶远亲不如近~; 먼 친척보다 가까운 이웃이 낫다《이웃 사촌》/ 左右~; 이웃. ② 형 이웃하다. 인접하다. ¶~国; 이웃 나라. ③ 명 옛날에 집 5호(戶)를 '鄰'이라 하였음. ④ →〔邻(位)〕

〔邻邦〕 línbāng 명 이웃 나라. =〔邻壤〕

〔邻边〕 línbiān 명 《數》 다변형의 각의 양변(兩邊). 다변형의 이웃하는 두 변.

〔邻醋酸基苯酸〕 líncùsuānjīběnsuān 명 《藥》 아스피린(aspirin).

〔邻敌〕 líndí 명 〈文〉 ①이웃의 적국. ②이웃해 있는 적. ¶威震~《漢書 杜欽傳》; 위세는 이웃 적국에까지 떨쳤다.

〔邻磺酰苯酰亚胺〕 línhuángxiānběnxiānyà'àn 명 《化》 사카린(saccharine).

〔邻角〕 línjiǎo 명 《數》 인접각.

〔邻接〕 línjiē 동 인접하다. 이웃하다.

〔邻近〕 línjìn 명 ①⇨〔邻居〕 ②부근. ¶学校~有工厂; 학교 부근에 공장이 있다. 동 (위치가) 이웃하다.

〔邻境〕 línjìng 명 〈文〉 ①이웃 지역. ②이웃 나라.

〔邻居〕 línjū 명 〈方〉 이웃(집). 이웃 사람. ¶~好, 胜金宝; 좋은 이웃은 황금 보배보다 낫다. =〔邻近①〕

〔邻里〕 línlǐ 명 ①향리(鄕里). 동네. ¶~服务站; 지역 봉사 센터. ②시(市)의 인접 지구. ③동네 사람.

〔邻睦〕 línmù 형 〈文〉 친목(親睦)하다. 이웃과 화목하다.

〔邻羟基苯甲酸〕 línqiǎngjīběnjiǎsuān 명 《化》 살리실산(salicylin acid).

〔邻舍〕 línshè 명 〈方〉 이웃. ¶打~; 이웃과 사귀다. 이웃이 되다.

〔邻熟〕 línshú 동 〈文〉 (곡물이) 풍성하게 무르익다. ¶五谷~; 오곡이 무르익다.

〔邻屯〕 líntún 명 〈文〉 이웃 마을. =〔邻乡〕

〔邻(位)〕 lín(wèi) 명 《化》 오르토(O; ortho-).

〔邻伍〕 línwǔ 명 ①옛날, 이웃하는 다섯 집. ②〈轉〉 이웃. 근린(近隣).

〔邻谊〕 línyì 명 〈文〉 이웃간의 정의.

〔邻援〕 línyuán 〈文〉 명 이웃간의 도움. 동 이웃이 서로 돕다.

林 lín (림)
①(~子) 명 수풀. 숲. ¶树~; 숲. 수림. ② 형 〈文〉 (수풀처럼) 많다. 빽빽하다. ¶工厂~立; 공장이 임립하다〔즐비하다〕. ③ 명 〈比〉 (사람 · 사물의) 집단. 그룹. ¶艺yì~; 예술가의 집단 / 作家之~; 작가 그룹. ④ 명 〈簡〉 임업(林業)의 약칭. ⑤ 명 성(姓)의 하나.

〔林表〕 línbiǎo 명 〈文〉 수림(樹林)의 나뭇가지 끝〔우듬지〕. =〔林杪〕

〔林薄〕 línbó 명 〈文〉 수풀.

〔林产〕 línchǎn 명 임산(물).

〔林场〕 línchǎng 명 ①조림지(造林地). ②영림 기관(營林機關).

〔林丛〕 líncóng 명 숲. 삼림.

〔林带〕 líndài 명 (사방(砂防) · 풍방(風防) 따위의) 삼림대. ¶防风~; 방풍림.

〔林肥〕 línféi 명 《生》〈音〉 림프(lymph). =〔淋巴〕

〔林分〕 línfēn 명 임분《수종 · 수령 · 생육 상태가 거의 같아서 인접하는 숲과는 구별되는 산림》.

〔林格氏(溶)液〕 língéshì (róng)yè 명 《藥》 링게르(Ringer) 액(液).

〔林冠〕 línguān 명 수관(樹冠). 임관.

〔林海〕 línhǎi 명 수해(樹海).

〔林壑〕 línhè 명 〈文〉 깊은 산림.

〔林鹡鸰〕 línjígē 명 《鳥》 물레새.

〔林肯〕 Línkěn 명 《人》〈音〉 링컨(Abraham Lincoln)《미국의 제16대 대통령, 1809~1865》.

〔林垦〕 línkěn 명 〈文〉 조림과 개간.

〔林狸〕 línlí 명 《動》 너구리.

〔林离〕 línlí 형 ⇨〔淋漓〕 명 서이(西夷)의 음악 이름.

〔林立〕 línlì 동 〈比〉 임립하다. 즐비하다.

〔林林〕 línlín 형 〈文〉 많고 성한 모양.

〔林林总总〕 lín lín zǒng zǒng 〈成〉 매우 많다. ¶他们想尽~的诡计、奸计, 来反对官方; 그들은 갖가지 모략과 간계를 다 써서 관청측에 반대하려 한다.

〔林闾〕 Línlǘ 명 복성(複姓)의 하나.

〔林莽〕 línmǎng 명 〈文〉 우거진 초목(草木). 초목이 우거진 곳.

〔林杪〕 línmiǎo 명 나무의 우듬지. =〔林表〕

〔林木〕 línmù 명 ①수림. 숲. ②임목. 숲을 이루고 있는 나무.

〔林农〕 línnóng 명 임업 관계 일을 업(業)으로 하는 농민.

〔林奇裁判〕 línqícáipàn 명 〈音義〉 린치(lynch). =〔私刑〕

〔林禽〕 línqín 명 ①숲에 사는 조류. ②⇨〔林檎〕

〔林檎〕 línqín 명 《植》 능금(나무)《작고 신맛이 있음》. =〔花红〕〔林禽②〕

〔林区〕 línqū 명 ①삼림 지대. ②식림(植林) 지역.

〔林泉〕 línquán 명 ①산림과 샘물. ②〈比〉 은거(隱居)하기에 좋은 장소. ¶~之乐lè; 은거하여 지내는 즐거움.

〔林涛〕 líntāo 명 숲에서 일어나는 파도 소리 같은 바람 소리.

〔林田轮作制〕 líntián lúnzuòzhì 명 《農》 화전식(火田式) 윤작 농법.

〔林下〕 línxià 명 ①시골. 전야(田野). ②〈比〉 은퇴하여 지내는 장소. ¶退归~; 퇴관(退官)하여 향리로 돌아가다 / ~财主; 은퇴한 부자.

〔林响〕 línxiǎng 명 산울림. 메아리.

〔林衣〕 línyī 명 〈文〉 나뭇잎.

〔林役权〕 línyìquán 명 《法》 남의 임야를 사용하는 권리.

〔林阴道〕 línyīndào 명 가로수길. ¶开辟出充满诗情画意的~和街心花园; 시정(詩情)과 화의(畫意)

로 가득 찬 가로수길과 도로의 중심 지대의 화원을 만들기 시작하다. =〔林阴路〕
〔林于〕 línyú 명 《植》 잎이 얇고 넓은 대나무의 일종.
〔林园〕 línyuán 명 ①공원. ②원림(園林).
〔林苑〕 línyuàn 명 옛날, 황제가 수렵을 위하여 설정한 사냥터.
〔林子〕 línzi 명 ⇨〔树shù林(子)〕

淋 lín (림)
동 ①(물을) 뿌리다. ¶花蔫了, ～上点水吧! 꽃이 시들었으니 물을 좀 뿌려라! ②(비에) 젖다. (비가) 적시다. ¶身上～了雨; 비에 몸이 젖었다. ③물이 듣다. 방울방울 떨어지다. ¶大汗～漓; 땀을 많이 흘리다. ⇒lìn
〔淋汗〕 lín.hàn 동 땀이 줄줄 흐르다.
〔淋花〕 lín.huā 동 화초에 물을 뿌리다.
〔淋灰〕 línhuī 동 석회〔재〕에 물을 부어서 개다. ¶～水; ⓐ횟물〔잿물〕. ⓑ횟물〔잿물〕을 만들다.
〔淋浪〕 línláng 형 물이 계속하여 듣는〔방울방울 떨어지는〕 모양.
〔淋漓〕 línlí 형 〈文〉 ①물이 방울져 떨어지는 모양. ¶鲜血～; 선혈이 뚝뚝 떨어지다. ②산뜻한 모양. 힘찬 모양. ¶痛快～; 통쾌하기 그지없다. =〔淋离〕〔林离〕
〔淋漓尽致〕 lín lí jìn zhì 〈成〉 ①문장이 통쾌하기 그지없다. ②〈轉〉 정통으로 찌르다.
〔淋沥〕 línlì 형 뚝뚝 떨어지는 모양. 내리쏟아지는 모양.
〔淋淋〕 línlín 형 〈文〉 방울방울 떨어지는 모양. ¶湿～; 흠뻑 젖다. =〔淋漉〕
〔淋淋滴滴〕 línlindīdī 형 물방울이 계속해서 뚝뚝 떨어지는 모양.
〔淋铃〕 línlíng 명 빗소리.
〔淋露〕 línlù 명 《漢醫》 땀이 이슬 방울처럼 나오는 것.
〔淋洒〕 línsǎ 〈文〉 ① 형 끊이지 않는 모양. ②〈擬〉 물 흐르는 소리.
〔淋渗〕 línshèn 형 〈文〉 깃털이 처음 난 모양. ¶鹤hè子～; 두루미 새끼의 털이 보송보송하다.
〔淋湿〕 línshī 동 (비에) 흠뻑 젖다. ¶有可能被雨～; 비에 젖을 가능성이 있다. =〔淋透〕
〔淋溲〕 línsōu 명동 《漢醫》 소변이 찔끔찔끔 나오는 증상(을 보이다).
〔淋透〕 líntòu 동 (비에) 흠뻑 젖다. ¶雨真大, 衣裳都～了; 비가 세차게 와서 옷이 흠뻑 젖었다. =〔淋湿〕
〔淋下〕 línxià 동 뚝뚝 떨어지다.
〔淋谢〕 línxiè 동 (비를 맞아) 꽃이 지다.
〔淋雨〕 línyǔ 명 장마. (lín.yǔ) 동 비에 젖다.
〔淋浴〕 línyù 명동 샤워(를 하다).

啉 lín (람)
→〔喹kuí啉〕

绑(綝) lín (림)
→〔绑缡〕⇒chēn
〔绑缡〕 línlí 형 〈文〉 성장(盛裝)한 모양. =〔绑缅〕

琳 lín (림)
명 〈文〉 미옥(美玉).
〔琳宫〕 língōng 명 〈文〉 ①신선이 사는 곳. ②(도교의) 사원(寺院). =〔琳宇〕
〔琳琅〕 línláng ① 명 〈文〉 아름다운 옥. ② 명 〈比〉 아름답고 귀중한 것. 훌륭한 인재나 진귀한 도서(圖書). ③〈擬〉 댕강. 쟁강《옥돌이 울리는 소리》.
〔琳琅满目〕 lín láng mǎn mù 〈成〉 아름다운 옥이 눈앞에 가득하다.

霖 lín (림)
명 장마. ¶甘gān～; ⓐ〈文〉 자우(慈雨). 단비. ⓑ〈轉〉 은택 / 秋～; 가을의 장마.
〔霖霖〕 línlín 형 비가 계속 내리는 모양.

临(臨) lín (림)
① 동 (높은 데서) 내려다보다. 향하다. ¶居高～下; 높은 곳에 있어 아래를 내려다보다. ② 동 (어떤 장소에) 방문하다. 이르다. 가다. 임하다. ¶光～; 왕림하다 / 亲～指导; 친히 가서 지도하다 / 喜事～门; 경사스런 일이 찾아오다. ③ 동 …에 임하다. …에 접하다. 막 …하려고 하다. ¶～时; ⇩ / ～走; ⇩ / ～散会他才和我招呼一声; 산회할 즈음에야 그는 겨우 나에게 말을 건네었다. ④ 동 〈轉〉 직면하다. 맞닥뜨리다. 조우하다. ¶面～现实; 현실에 부닥치다 / ～难毋wú苟免; 곤란을 당하여도 임시 모면은 하지 마라. ⑤ 동 (서화(書畫) 등을) 보고 그대로 베끼다〔본뜨다〕. ¶这张画～得很像; 이 그림은 정말 똑같이 모사(模寫)되어 있다. ⑥ 명 성(姓)의 하나.
〔临别〕 línbié 동 막 이별하려 하다. ¶～纪念; 이별할 때의 기념 / 君子～赠言; 〈成〉 훌륭한 인물은 이별에 즈음해서 값진 명언을 선물한다. =〔临分〕
〔临病〕 línbìng 동 병을 진찰하다.
〔临产〕 línchǎn 동 해산하려고 하다. =〔临盆〕
〔临场〕 línchǎng 동 ①(그) 장소에 임하다〔임석하다〕. ②(영화 · 텔레비전 등에서) 본방송〔연기〕에 들어가다. ¶～紧jǐn张; 본방송〔연기〕에 들어가자 긴장하다.
〔临池〕 línchí 동 습자(習字)하다. 서도(書道)를 연습하다《한대(漢代)의 서예가인 장지(張芝) (일설에 의하면, 진(晉)의 왕희지(王羲之))가 연못가에서 습자를 하였을 때, 그 연못물에 항상 벼루를 씻어 연못의 물이 모두 검게 되었다는 고사(故事)에서 나옴》.
〔临楮〕 línchǔ 동 〈翰〉 편지를 쓰다. ¶～驰切; 서신을 올리느라 펜을 드니, 새삼 그립게 여겨집니다. =〔临书〕
〔临床〕 línchuáng 명 《醫》 임상. ¶有丰富的～经验; 풍부한 임상 경험이 있다 / ～讲义; 임상 강의.
〔临存〕 líncún 동 〈文〉 귀한 사람이 찾아오다. =〔临顾gù〕
〔临到〕 líndào 동 ①…에 이르다. …에 임하다. ¶～开会, 我还没准备好; 회의가 임박했는데도 나는 준비가 되어 있지 않았다. ②(일 따위가) 덮쳐오다〔닥치다〕. ¶这种事情如果～他的头上, 他会有办法; 이런 일이 그한테 닥치면 그는 잘 해낼 수 있을 것이다.
〔临凡〕 línfán 동 (하늘에서) 인간 세계로 내려오다. =〔临世〕
〔临风〕 línfēng 동 〈文〉 바람을 맞다〔쐬다〕.
〔临画〕 lín.huà 동 본을 보고 그림을 본뜨다.
〔临机〕 línjī 동 〈文〉 어떤 시기에 임하다. ¶～处置; 임기의 처치 / ～应变; 〈成〉 임기 응변으로 하다.
〔临记〕 línjì 명 (영화 · 연극 등의) 엑스트라. 임시 고용의 배우. =〔临时演员〕
〔临建〕 línjiàn 명 임시 주택.

〔临街〕 línjiē 동 거리에 면하다.
〔临界〕 línjiè 명《物》임계. ¶～压力; 임계압 / ～温度; 임계 온도. 동 ①한계에 달하다. ②위기에 직면하다.
〔临近〕 línjìn 동 가까워지다. 접근하다.
〔临渴掘井〕 lín kě jué jǐng〈成〉목이 말라야 우물을 판다. →〔临阵磨枪〕
〔临了(儿)〕 línliǎo(r) 부〈口〉마지막에 즈음하여. 결국. 마침내. ¶大家议论纷纷, ～还是没结果; 모두들 의론이 분분했으나, 결국 아무것도 결말이 나지 않았다. =〔临末了(儿)〕
〔临民〕 línmín 동〈文〉민중을 다스리다. ¶～之官; 목민관(牧民官).
〔临明〕 línmíng 명〈文〉새벽.
〔临摹〕 línmó 명동 (글씨 · 그림 등을) 모사(模寫)(하다). ¶～碑帖; 석비(石碑)의 탁본을 모사하다.
〔临盆〕 línpén 동〈俗〉출산하려고 하다. 분만하려고 하다. =〔临产〕
〔临期〕 línqī 동 그 시기가 되다. 기한〔기일〕이 되다. ¶事到～; 마침내 그 시기가 되다.
〔临氢重整〕 línqīngchóngzhěng 명《化》하이드로포밍(hydroforming).
〔临深履薄〕 lín shēn lǚ bó〈成〉매우 신중하고 조심스럽다. ¶如临深渊, 如履薄冰; 심연에 임함 같고 살얼음을 밟는 것과 같다. =〔临渊履冰〕
〔临时〕 línshí 동 그 때가 되다. ¶～误事; 그 때에 임하여 일을 그르치다. 명 임시. ¶～演员; 엑스트라(extra) / ～收据; 가(假)영수증 / ～签署; 가(假)서명 조인하다.
〔临时代办〕 línshí dàibàn 명 임시 대리 공사(公使)〔대사〕.
〔临时起岸报单〕 línshí qǐ'àn bàodān 명《商》임시 수입 명세서. =〔暂zàn时输入报单〕
〔临视〕 línshì 동〈文〉직접 가서 관찰〔시찰〕하다.
〔临睡〕 línshuì 동 잠들 때가 되다. ¶这包药是～吃的; 이 약은 잠자리에 들 때 먹는 것이다.
〔临死〕 línsǐ 동 죽을 때가 되다. 명 죽을 때. 임종시. ‖ =〔临命〕〔临终〕
〔临帖〕 líntiè 동 서첩(書帖)을 본으로 하여 습자하다. =〔临写〕
〔临头〕 líntóu 동 (재난 · 불행이) 눈앞에 닥치다. ¶别到～; 마침내 작별의 때가 왔다 / 大祸～; 큰 재난이 신상에 닥치다.
〔临完(儿)〕 línwán(r) 부 ①마지막에 즈음하여. 끝으로. ¶～要说一句; 끝으로 한 마디 하겠다. ②결국. 필경. ¶～把钱都喝了猫儿尿; 결국 그 돈으로 다 술을 마셔 버렸다.
〔临危〕 línwēi 동 ①위기〔위험〕에 직면하다. ¶～不惧; 위기에 직면하고도 두려워하지 않다. ②병이 위중하여 죽음에 면하다.
〔临危授命〕 lín wēi shòu mìng〈成〉위급 존망의 때를 맞아 목숨을 내던지다.
〔临刑〕 línxíng 명 사형 집행의 직전. 동 사형에 임하다.
〔临行〕 línxíng 동 ①이별할 때가 되다. ②출발할 때가 되다.
〔临幸〕 línxìng 동〈文〉천자가 친히 그 곳으로 가다.
〔临轩〕 línxuān 동〈文〉①천자가 평대(平臺)에 앉다. ②천자가 전시(殿試)에 왕림하다. ¶～策士; 천자가 전시에 왕림하여 선비를 시문(試問)하다.
〔临崖勒马〕 lín yá lè mǎ〈成〉위험 일보 직전에 서 멈추다.
〔临夜〕 línyè 명〈文〉저녁때. 황혼.
〔临颖〕 línyǐng 동〈文〉붓을 잡다〔들다〕. ¶～依驰; 〈翰〉이 편지를 쓰고자 하니 당신께 대한 갖가지 생각이 앞을 달려 그리움에 젖게 됩니다.
〔临渊羡鱼〕 lín yuān xiàn yú〈成〉물가에서 물고기를 탐내다. ¶～, 不如退而结网; 물가에서 물고기를 탐내는 것보다 물러가서 그물을 수선하는 편이 낫다(원하지만 말고 실행에 옮겨라).
〔临月(儿)〕 línyuè(r) 명 해산달. 임월. 산월.
〔临战〕 línzhàn 동 싸움에 임하다.
〔临阵磨枪〕 lín zhèn mó qiāng〈成〉적진에 임해서야 창을 갈다(일을 당하고야 당황하여 준비를 하다). ¶～不快也光; 벼락치기로 허둥지하는 것도 조금은 도움이 된다. →〔临渴kě掘井〕
〔临政〕 línzhèng 동〈文〉정치를 맡아 보다.
〔临症〕 línzhèng 동 (의사가 환자를) 진찰하다. ¶～下药; 진찰해서 약을 처방하다.
〔临走〕 línzǒu 동 떠날 즈음이 되다. 출발하려 하다.

僯 lín (린)
지명용 자(字). ¶～站zhàn; 광시(廣西) 좡족 자치구 능락 현(凌樂縣)의 남쪽에 있는 지명.

粼 lín (린)
→〔粼粼〕

〔粼粼〕 línlín 형〈文〉(물 · 돌 따위가) 맑고 깨끗한 모양. ¶～碧波; 깨끗한 푸른 물결.

潾 lín (린)
형〈文〉물이 맑다.

遴 lín (린)
①동 고르다. 선출〔선발〕하다. ¶宣传委员一人, 由小组中～选; 선전 위원 1명을 소위원회 중에서 뽑다. ②명 성(姓)의 하나. ⇒lìn
〔遴才〕 líncái 동〈文〉재능 있는 인물을 고르다.
〔遴派〕 línpài 동〈文〉선발하여 파견하다.
〔遴聘〕 línpìn 동〈文〉선발하여 초빙하다. 골라서 모셔오다.
〔遴委〕 línwěi 동〈文〉선임(選任)하다.
〔遴贤〕 línxián 동〈文〉현인을 뽑다.
〔遴选〕 línxuǎn 동〈文〉정선(精選)하다. 선발하다. ¶艺术团全部团员都是经过慎重的～才组成的; 예술 극단은 전원 모두는 신중한 선발을 거쳐서 구성된 것이다. =〔遴柬〕

嶙 lín (린)
→〔嶙峋〕

〔嶙峋〕 línxún 형〈文〉①산에 돌이 겹쳐 쌓여 있는 모양. ②〈轉〉사람이 수척해서 뼈가 앙상한 모양. ¶瘦骨～; 야위어 뼈가 앙상하게 드러나다.

璘 lín (린)
명〈文〉옥(玉)의 광택〔광채〕.

辚(轔) lín (린)
①→〔辚辚〕 ②명〈文〉문턱. ③형〈文〉왕성한 모양. ¶殷yīn～; 성대하다.
〔辚轹〕 línlì 동〈文〉①차로 치어 짓이기다. ②〈轉〉강제적으로 억누르다. ③〈轉〉업신여기다.
〔辚辚〕 línlín〈擬〉〈文〉수레 · 마차 등의 탈탈거리는 소리. ¶车～, 马萧萧xiāo; 달구지 소리가 나고 말 울음소리가 난다.

磷〈燐, 粦〉 lín (린) 명《化》인(P: phosphorus).
〔磷肥〕línféi 명《農》인산 비료《과린산·인산·암모니아 따위의 화학 비료》.
〔磷肥粉〕línféifěn 명《農》(분말의) 인비〔인산 비료〕.
〔磷酐〕língān 명《化》무수(無水) 인산.
〔磷光〕línguāng 명《物》인광.
〔磷化氢〕línhuàqīng 명《化》인화 수소(燐火水素).
〔磷火〕línhuǒ 명 도깨비불. =〔〈俗〉鬼火〕
〔磷乱〕línluàn 형〈文〉번쩍번쩍 빛나다. 여러 색으로 현란하다.
〔磷酸〕línsuān 명《化》인산.
〔磷酸铵〕línsuān'ǎn 명《化》인산 암모늄.
〔磷酸钙〕línsuāngài 명《化》인산 칼슘.
〔磷酸镁〕línsuānměi 명《化》인산 마그네슘.
〔磷酸钠〕línsuānnà 명《化》①인산 나트륨. ②⇨〔磷酸氢钠〕
〔磷酸氢钙〕línsuānqīnggài 명《化》제2인산 칼슘.
〔磷酸氢钠〕línsuānqīngnà 명《化》인산 수소 나트륨. =〔磷酸钠②〕
〔磷铜〕líntóng 명 (5～15%의 인을 함유하는) 동합금(銅合金).
〔磷脂〕línzhī 명《化》인지질(燐脂質) 포스파티드(phosphatide).
〔磷质肥料〕línzhì féiliào 명《農》인산 비료.

瞵 lín (린) 동〈文〉응시하다. 노려보다. ¶鹰yīng～鹗è视;〈成〉성난 눈으로 매섭게 쏘아보다.

鳞(鱗) lín (린) 명 ①비늘. ②비늘처럼 생긴 것. ¶～茎; ⇩ ③어류. ¶～介; 어개(魚介).
〔鳞苞〕línbāo 명《植》비늘잎. 인엽(鱗葉). 인편엽(鱗片葉). =〔鳞片③〕
〔鳞比〕línbǐ 형〈文〉(물고기 비늘같이) 즐비하다. ¶屋宇～; 집이 즐비하게 늘어서 있다.
〔鳞波〕línbō 명 (물고기 비늘 같은) 파문(波紋). 잔물결.
〔鳞翅类〕línchìlèi 명《蟲》인시류. 나비목.
〔鳞虫〕línchóng 명《動》인충《비늘이 있는 동물. 어류·파충류 등》.
〔鳞次〕líncì 동 비늘처럼 줄지어 늘어서다.
〔鳞次栉比〕lín cì zhì bǐ〈成〉가옥 따위가 처마를 나란히 하고 빽빽이 늘어서 있는 모양. ¶码头上～地停靠着一只只巨轮; 부두에는 거대한 기선들이 빽빽하게 정박하고 있다.
〔鳞鸿〕línhóng 명〈翰〉〈文〉서한. 서간. 편지. =〔鳞翰〕
〔鳞集〕línjí 동〈文〉군집〔밀집〕하다. ¶各国的商船～; 각국의 상선이 빽빽이 모이다. =〔鳞萃〕
〔鳞甲〕línjiǎ 명 물고기의 비늘과 절족(節足) 동물의 갑각(甲殼). (파충류의) 비늘과 딱지.
〔鳞接〕línjiē 동〈文〉연속하다.
〔鳞茎〕línjīng 명《植》인경. 비늘줄기. =〔鳞苗〕
〔鳞毛〕línmáo 명《美》①(화가(畫家)가) 새·짐승·벌레·물고기를 가리키는 말. ②인모(鱗毛).
〔鳞片〕línpiàn 명 ①비늘 조각. ②《蟲》인분(鱗粉). ③《植》인엽(鱗葉). =〔鳞苞〕
〔鳞伤〕línshāng 명 ①비늘 모양의 상처. ②〈比〉온몸에 부상당한 것. ¶遍体～;〈成〉온몸이 상처투성이이다.
〔鳞屑癣〕línxièxuǎn 명《醫》백선(白癬).
〔鳞芽〕línyá 명《植》비늘눈.
〔鳞爪〕línzhǎo 명〈比〉①극히 사소한 것. ②일의 일부분. ¶一鳞半爪;〈成〉단편(斷片). 토막.

麟〈麐〉 lín (린) 명《動》기린《수컷을 '麒', 암컷을 '麟'이라 함》. =〔麒qí麟〕
〔麟凤〕línfèng 명 봉황과 기린. 〈比〉귀한 물건〔인재〕. =〔麟角〕
〔麟凤龟龙〕lín fèng guī lóng〈成〉①진귀한 물건. ②덕이 있고 훌륭한 사람.
〔麟角凤距〕lín jiǎo fèng jù〈成〉갖추고 있으면서도 사용하지 않는 물건.
〔麟角凤嘴〕lín jiǎo fèng zuǐ〈成〉진귀한 물건〔사람〕.
〔麟麟〕línlín 형 공명정대한 모양.
〔麟喜〕línxǐ 명〈翰〉기린을 얻으신 기쁨《출산을 축하하는 말》.

菻 lǐn (림) →〔拂fú菻〕

凛〈凜〉 lǐn (름) ①형 춥다. 차다. ¶～若冰霜;〈成〉차갑기가 얼음이나 서리와 같다. ②형 늠름하다. 위엄 있다. ③동 무서워하다. 두려워하다. ¶～于夜行; 밤에 나다니는 것을 무서워하다.
〔凛乎〕lǐnhū 형〈文〉①어엿하고 단호한 모양. ②몹시 추운 모양. ③두려워서 긴장하는 모양.
〔凛冽〕lǐnliè 형〈文〉추위가 혹독하다. ¶北风～, 大雪纷飞; 북풍이 살을 베일 듯이 차갑고, 큰눈이 풀풀 날린다.
〔凛凛〕lǐnlǐn 형〈文〉①춥다. 차갑다. ¶北风～; 북풍이 차갑다. ②엄숙하다. 늠름하다. 위엄이 있다. ¶威风～; 위풍 당당하다. 동 ①삼가고 조심하다. ②두려워하다.
〔凛然〕lǐnrán 형〈文〉꿋꿋하고 위엄이 있는 모양. ¶大义～; 정의를 위해 단호하게 굴하지 않다/～不可侵犯; 엄숙해서 침범할 수 없다.
〔凛遵〕lǐnzūn 동〈文〉엄수하다. 굳게 지키다.

懔〈懍〉 lǐn (름) ①동 무서워하다. 두려워하다. ¶～于民族危亡的巨祸; 민족 멸망의 큰 화를 두려워하다. ②형 엄하다. 엄숙하다. ③형 겁나고 두렵다. ¶～然生畏; 겁나고 두려워서 무서워지다. ④형 위험한 모양.
〔懔栗〕lǐnlì 동〈文〉벌벌 떨다. 소름이 끼치다.
〔懔遵〕lǐnzūn 동〈文〉조심스레 따르다〔복종하다〕.

廪〈廩〉 lǐn (름) 명〈文〉①미창(米倉). 곡물 창고. ¶仓～; 쌀 곳간. ②식록(食祿). (양식의) 급여.
〔廪人〕lǐnrén 명 주대(周代)에 미곡의 출납을 관장한 관원(官員).
〔廪膳〕lǐnshàn 명〈文〉옛날의 관청에서 지급하던 녹미(祿米). =〔廪粮〕〔廪禄〕
〔廪生〕lǐnshēng 명 명청(明淸) 시대에, 관청에서 녹을 지급한 생원(生員).

檩〈檁〉 lǐn (름) 명《建》용마루와 평행해서 지붕을 받치는 가로나무. 도리. ¶这是一根松木的～; 이것은 소나무 도리다. =〔桁〕〔檩

条]〔〈方〉檩子〕→〔脊jǐ檩〕
〔檩柱椽柁〕 lǐn zhù chuán tuó 도리와 기둥과 서까래와 들보.

吝〈悋〉 lìn (린)
형 인색(吝嗇)하다. 쩨쩨하다. ¶不~教诲; 가르침에 인색하지 않다. =〔遴〕
〔吝财〕 lìncái 동 재물을 매우 아까워하다. 재물에 인색하다. ¶~不舍shě; 재물에 인색하여 내놓으려 하지 않다.
〔吝刻〕 lìnkè 형 인색하다. 단작스럽다. ¶~子; 〈方〉노랑이. 구두쇠.
〔吝色〕 lìnsè 명 〈文〉인색한 표정. 아까워 하는 기색.
〔吝啬〕 lìnsè 명형 인색(하다). ¶你~什么? 무얼 그렇게 인색하게 구느냐? =〔〈文〉悭qiān吝〕
〔吝惜〕 lìnxī 동 내기를 아까워하다. 내기를 꺼리다. 인색하게 굴다. ¶不~自己的力量; 자신의 역량을 내는 것을 아까워하지 않다. 자기의 역량을 아낌없이 내놓다.
〔吝于〕 lìnyú 〈文〉…을 지나치게 아끼다. …에 인색하다. ¶~用财; 재물을 쓰는 데 인색하다.

赁(賃) lìn (임)
①동 임대하다. 세를 얻다. ¶出~汽车; 자동차를 임대하다(자동차부의 간판)/这是~了来的; 이것은 세낸 것이다/招~; 빌릴 사람을 구하다. ②동 고용하다. 고용되다. ③동 셋돈을 지불하다. ④명 셋돈. 빌린 삯. ¶房fáng~; 집세. ⑤명 품삯. 임금.
〔赁车〕 lìn·chē 동 자동차를 임대하다. ¶赁了一辆车; 차를 한 대 빌렸다. (lìnchē) 명 세낸 차. 전세차.
〔赁舂〕 lìnchōng 명 〈文〉(쌀·보리 등의) 삯방아.
〔赁地〕 lìn·dì 동 땅을 빌리다〔세내다〕. (lìndì) 명 차지(借地). ¶~字据; 차지 증서.
〔赁房(子)〕 lìn·fáng(zi) 동 집〔방〕을 빌리다. ¶~钱; 집세. (lìnfáng(zi)) 명 세낸 집〔방〕.
〔赁缝〕 lìnféng 동 삯바느질을 하다.
〔赁货铺〕 lìnhuòpù 명 기구류(器具類)를 임대해 주는 가게.
〔赁家契〕 lìnjiāqì 명 가옥 임대 계약서.
〔赁金〕 lìnjīn 명 ①집세. ②(노동자의) 임금.
〔赁居〕 lìnjū 동 〈文〉세들어 살다. 셋집에 살다. 셋방살이하다.
〔赁据〕 lìnjù 명 부동산 차용 증서(借用證書). 임대 계약서(賃代契約書).
〔赁钱〕 lìnqián 명 ①차용료. 임대료. ②임금. 품삯.
〔赁书〕 lìnshū 동 ①필경(筆耕)을 하다. 사자생(寫字生)이 되다.=〔赁写〕 ②책의 임대차를 하다. 유료로 책을 빌리다.
〔赁做〕 lìnzuò 동 삯일을 하다.

淋 lìn (림)
①동 거르다. 밭다. ②명 《醫》임질(淋疾). =〔白浊〕〔痳má〕⇒lín
〔淋醋〕 lìncù 동 식초를 거르다〔걸러서 만들다〕.
〔淋酒〕 lìnjiǔ 명 청주(淸酒)(거른 술). 동 술을 거르다.
〔淋症〕 lìnzhèng 명 《醫》냉. 대하(帶下).
〔淋纸〕 lìnzhǐ 명 《化》여과지.
〔淋子〕 lìnzi 명 《機》여과기. 거르는 망(網).

蔺(藺) lìn (린)
명 ①《植》골풀. 등심초(燈心草). ②성(姓)의 하나.
〔蔺石〕 lìnshí 명 《軍》옛날, 성벽 방어용 돌.

躏(躪) lìn (린)
동 짓밟다. ¶蹂róu~; 유린하다.

遴 lìn (린)
형 〈文〉인색하다. 쩨쩨하다. =〔吝lìn〕⇒lín

膦 lìn (련)
명 《化》포스핀(독 phosphine).

LING ㄌㄧㄥ

〇 líng (령)
수 수(數)의 영(零)의 자리. 제로. ¶一千~三; 1003/一九九~年; 1990년. =〔零líng①〕

令 líng (령)
→〔令丁〕〔令狐〕⇒lǐng lìng
〔令丁〕 língdīng 명형 ⇨〔伶仃〕
〔令狐〕 Línghú 명 ①복성(複姓)의 하나. ②《地》링후(令狐)(현재의 산둥 성(山東省) 린이 현(臨猗縣) 일대의 옛 땅 이름).

伶 líng (령)
①형 영리하다. 총명하다. ¶好个聪明~俐的孩子; 아주 총명하고 영리한 아이. ②형 고독하다. 외롭다. ③명 (옛날) 배우(俳優). 광대. ¶坤kūn~; 여배우. ④명 악사(樂師). ⑤명 성(姓)의 하나.
〔伶仃〕 língdīng 명형 〈文〉고독(하다). ¶~孤苦; 〈成〉홀몸으로 의지할 데 없다/~到他乡; 홀로 타향을 헤매다. =〔伶丁〕〔〈文〉伶俜〕〔令丁〕
〔伶官〕 língguān 명 〈文〉악관(樂官). 악사(樂士). =〔伶工〕
〔伶界〕 língjiè 명 〈文〉연극계.
〔伶俐〕 línglì 형 약다. 영리하다. 총명하다. ¶口齿~; 말주변이 좋다. =〔伶俐〕〔怜俐〕
〔伶俜〕 língpīng 명형 ⇨〔伶仃〕
〔伶巧〕 língqiǎo 형 ①솜씨가 좋다. 재주가 있다. ②교활하다. 허투루 볼 수 없다.
〔伶人〕 língrén 명 〈文〉①배우. 무대 예술인. ②악관(樂官).
〔伶牙俐齿〕 líng yá lì chǐ 〈成〉말이 시원스럽다. 말솜씨가 좋다. 구변이 좋다.

泠 líng (령)
①형 〈文〉시원하다. 상쾌하다. ¶~风fēng; 산들바람. 시원한〔맑은〕 바람. ②→〔泠泠〕 ③명 성(姓)의 하나.
〔泠冽〕 língliè 형 〈文〉시원하다. 상쾌하다.
〔泠泠〕 línglíng ①형 〈文〉상쾌한〔시원한〕 모양. ②형 소리가 맑고 잘 들리는 모양. ③〈擬〉물이 졸졸 흐르는 소리.
〔泠然〕 língrán 〈文〉 A) 〈擬〉졸졸(작고 맑은 물소리). B) 형 ①맑고 시원한 모양. ②소리의 시원시원한 모양. ③경쾌한 모양. C) 동 깨닫다. 이해하다. 알다.

怜 líng (령)
→〔怜俐lì〕⇒lián
〔怜俐〕 línglì 형 총명하다. =〔伶俐〕

苓 líng (령)
①→〔苓耳〕②→〔茯fú苓〕③ 동 〈文〉 떨어지다.
〔苓草〕 língcǎo 명 《植》 ①조아재비(수수의 일종). ②솔새의 별칭.
〔苓耳〕 líng'ěr 명 《植》 도꼬마리.

图 líng (령)
→〔图圄〕
〔图圄〕 língyǔ 명 〈文〉 감옥. ¶不幸身入～; 불행히도 감옥에 들어가게 되다.

狑 líng (령)
명 ①〈文〉 양견. 좋은 개. ②옛날, '壮zhuàng族'(장 족)의 한 지파(支派)에 대한 멸칭(蔑稱).

玲 líng (령)
→〔玲玲〕〔玲珑〕〔玲珑剔透〕
〔玲玲〕 línglíng 〈擬〉 옥이 부딪치는 소리. ¶～盈耳; 옥이 부딪치는 소리가 귀 가득히 울리다.
〔玲珑〕 línglóng 형 ①아름답고 정교하다. ¶小巧xiǎoqiǎo～; 깜찍하고 정교하다 / 雕diāo刻着～的花纹; 정교한 무늬가 새겨져 있다. ②(사람이) 발랄하고 민첩하다. ¶娇小～; 몸집이 자그마하고 발랄하며 귀엽다 / 八面～; 〈成〉 팔방 미인.
〔玲珑剔透〕 líng lóng tī tòu 〈成〉 ①매우 정교하고 아름답다. ②(인품이) 매우 총명하고 밝으며 산뜻하다.

軨(軨) líng (령)
명 ①〈文〉 창살(수레의 창살). ¶～轩; ⇩ ②수레바퀴. ③차량에 단 장식.
〔軨軨〕 línglíng 명 《動》 소 비슷하며 호랑이 같은 무늬가 있는 미신상의 짐승.
〔軨轩〕 língxuān 명 〈文〉 수레의 창.

瓴 líng (령)
명 ①〈文〉 옛날에 물을 넣기 위해 쓰던 병. ¶高屋建～; 〈成〉 높은 지붕 위에서 물병을 기울이다(유리한 형세를 이름)('建'은 경도(傾倒)의 뜻). ②양끝이 위로 휜 기와. ③기와의 홈통.

铃(鈴) líng (령)
명 ①(～儿) 방울. 벨. 종. ¶车～; (차나 자전거의) 종〔벨〕/ 门mén～; 현관의 벨. 초인종 / 上课～; 수업 개시의 종〔벨〕/ 电diàn～; 전기로 울리는 벨 / 揿èn电～; 벨을 누르다 / 按～; (탁상)벨을 누르다 / 摇～上班; 벨을 신호로 일에 착수하다. ②방울 모양의 것. ¶哑～; 아령 / 杠gàng～; 《體》 (역도(力道)의) 플레이트(plate). ③목화 송이.
〔铃蟾〕 língchán 명 《動》 무당개구리.
〔铃虫〕 língchóng 명 《蟲》 방울벌레.
〔铃铛(儿)〕 língdang(r) 명 방울. 벨. ¶～心; 확고한 생각이 없음.
〔铃铛锤儿〕 língdāngchuír 명 방울 속의 철환. =〔铃铛胆〕〔铃铛坠儿〕
〔铃铛儿麦〕 língdāngrmài 명 《植》 〈俗〉 귀리.
〔铃铛寿星〕 língdang shòuxing ①어린아이의 모자나 팔찌에 붙어 있는 방울 장식의 총칭. ②〈轉〉 별로 중요하지 않은〔필요치 않은〕 물건. ¶你买这些个～的东西干什么呀? 너는 이런 하잘것없는 것을 사서 무얼 하려는 거냐?
〔铃铎〕 língduó 명 궁전·묘(廟)·누각 따위 지붕의 네 귀퉁이에 매다는 작은 종 모양의 동탁(銅鐸).
〔铃鼓〕 línggǔ 명 《樂》 탬버린(tambourine).
〔铃兰〕 línglán 명 《植》 은방울꽃.
〔铃儿草〕 língrcǎo 명 《植》 잔대.
〔铃下〕 língxià 명 〈敬〉 〈文〉 장수(將帥)에 대한 경칭.
〔铃子香〕 língzǐxiāng 명 《植》 사향초(麝香草)(향기가 있어 관상용으로 함).
〔铃子〕 língzi 명 〈方〉 방울.

鸰(鴒) líng (령)
→〔鹡jí鸰〕

羚 líng (령)
명 ①《動》 영양. =〔羚羊〕 ②영양의 뿔. =〔羚羊角〕
〔羚牛〕 língniú 명 《動》 타킨(takin). =〔扭niǔ角羚〕
〔羚羊〕 língyáng 명 《動》 영양. ¶斑～; 고럴(goral). 히말라야 영양. =〔羚①〕

聆 líng (령)
① 동 〈文〉 듣다. 경청하다. ¶拜bài～一是; 〈翰〉 자세한 사연 양지(諒知)하였나이다. ②→〔聆聆〕
〔聆教〕 língjiào 동 〈文〉 〈翰〉 가르침을 받다.
〔聆聆〕 línglíng 동 〈文〉 분명히 알다.
〔聆取〕 língqǔ 동 〈文〉 알아듣다. 들어서 취하다.
〔聆听〕 língtīng 동 〈文〉 공손히 듣다.
〔聆悉〕 língxī 〈翰〉 잘 알았습니다.
〔聆音〕 língyīn 동 〈文〉 ①이야기를 듣다. ¶～察理; 이야기를 잘 듣고 이치를 헤아리다. ②〈翰〉 소식을 들었습니다. 가르침을 잘 알았습니다.

蛉 líng (령)
①→〔白蛉(子)〕 ②→〔蜻qīng蛉〕

笭 líng (령)
→〔笭箵〕
〔笭箵〕 língxīng 명 〈文〉 물고기 잡을 때에 쓰는 대나무로 결은 작은 광주리.

舲 líng (령)
명 〈文〉 지붕과 창(窓)이 있는 배.

翎 líng (령)
명 ①깃털. ¶鸡jī～; 닭의 깃털. ②관(冠)의 깃 장식.
〔翎管〕 língguǎn 명 옛날 깃털 장식을 모자에 다는 데 쓴 대롱.
〔翎花〕 línghuā 명 (화살 등이) 깃날개. ¶箭的～; 화살의 깃날개.
〔翎箭〕 língjiàn 명 깃날개가 달린 화살.
〔翎毛(儿)〕 língmáo(r) 명 ①새의 깃. ②《美》 조류를 화제(畫題)로 한 중국화. ¶～画huà; 영모화. 새의 그림 / 花卉huì ～; 화조(花鳥).
〔翎扇〕 língshàn 명 깃으로 만든 부채.
〔翎子〕 língzi 명 ①새의 꼬리깃. =〔翎只〕 ②청대(清代)에 관리의 예모(禮帽)에 장식으로 붙이던 공작(孔雀)의 깃. ③희곡(戲曲) 중에 무장(武將)이 모자에 꽂는 꿩의 꽁지.

零 líng (령)
① 수 영. 제로. ¶二～五号; 205호 / 两点～五分; 2시 5분 / 等于～; 제로와 마찬가지이다. =〔〇〕 ②(～儿) 명 우수리. 나머지. ¶八十有～; 80 남짓. 80여 / 把～儿抹mǒ了去不算; 우수리를 잘라 버리고 계산에 넣지 않는다. ③ 형 자질구레하다. 영세하다. ¶～活儿; ⇩ / ～钱;

⇩ ④형 조금씩. 찔끔찔끔. 소량으로. ¶～售shòu; 소매(하다). ⑤명 (온도의) 영도. ¶～下十度; 영하 10도. ⑥동 초목이 시들어 떨어지다. ¶凋diāo～; 시들다. 지다. ⑦동〈比〉몰락〔영락〕하다. ¶飘piāo～; (떠돌아다녀) 영락하다. 몰락하다. ⇒lián

〔零部件〕 língbùjiàn 명《機》부품. 부속품.

〔零吃(儿)〕 língchī(r)〈口〉동 간식하다. 명 간식. 주전부리. =〔零食(儿)〕

〔零尺〕 língchǐ 명 자르고 남은 자투리.

〔零存整付〕 língcún zhěngfù 명 적금.

〔零存整取〕 líng cún zhěng qǔ〈成〉조금씩 저축했다 한몫으로 찾다〔찾는 저금〕.

〔零打印子〕 língdǎyìnzi〈俗〉몇 번으로 나누어서 돈을 물다. 분할 지불하다.

〔零担〕 língdàn 명 작은 화물. 소화물. ¶～提货单;《經》소하물 선하 증권(小荷物船荷證券).

〔零蛋〕 língdàn 명〈俗〉(득점에서) 0점. 제로. ¶这次考试, 他居然得了个～, 真少见; 이번 시험에서 그는 뜻밖에도 0점을 받았다, 정말로 이상한 일이다. =〔鸭yā蛋〕

〔零地〕 língdì 명 정지(整地)하지 않은 좁은 땅. ↔〔整zhěng地〕

〔零点〕 língdiǎn 명 ①영시(零時). 밤 12시. ¶～十分; 영시 10분. ②(소수점의) 영점. ¶～儿二五; 0.25. 동 일품 요리를 주문하다. ¶～菜单; 일품 요리 메뉴.

〔零叼(儿)〕 língdiāo(r) 동 찔끔찔끔 먹다. ¶这孩子就是～不正经吃饭; 이 아이는 께지럭거리기만 하고 제대로 먹지 않는다.

〔零趸〕 língdǔn 명 소매와 도매. ¶～批发; 대량·소량의 도매를 하다. =〔零卖趸批〕

〔零饭〕 língfàn 명 흘린 밥. 먹다 남은 밥.

〔零分(儿)〕 língfēn(r) 명 (시험 따위의) 영점(零點).

〔零工〕 línggōng 명 ①임시로 하는 일. 틈틈이 하는 일. 아르바이트. ②임시 고용 근로자.

〔零股〕 línggǔ 명《經》단주(端株). 매매가 적은 주식.

〔零花〕 línghuā 동 (돈을) 조금씩 쓰다. 용돈으로 쓰다. ¶这点儿钱, 你留着～吧! 이 돈은 네가 두었다가 조금씩 써라!

〔零花儿〕 línghuār 명〈口〉용돈. 대단치 않은 비용. ¶～费fèi; 용돈. 잡비 / 妈妈给他一块钱做～; 어머니는 그에게 용돈으로 1원(元)을 주신다.

〔零还〕 línghuán 동 (빚 따위를) 조금씩 갚아 나가다.

〔零活儿〕 línghuór 명 자질구레한 일. 잡일. ¶重活儿他干不了, 做点～还行; 잔일이라면 몰라도 힘든 일은 그에게는 무리이다.

〔零货(儿)〕 línghuò(r) 명 ①잡화(雜貨). ②낱개로 파는 물건.

〔零价〕 língjià 명 소매 가격. =〔零售价格〕

〔零剪〕 língjiǎn 동 ①가위로 잘게 자르다. ②〈轉〉피륙을 끊어서 팔다.

〔零件(儿)〕 língjiàn(r) 명 ①《機》부품. 부속품. ②〈俗〉몸의 각 부분.

〔零揪儿〕 língjiūr 동〈俗〉조금씩 여러 번 돈을 내다. ¶～不显; 조금씩 쓰는 것은 눈에 보이지 않는다.

〔零拷〕 língkǎo 동 나누어 팔다. (저울에) 달아서 팔다〔사다〕《화장용 크림·간장·맥주 따위를 용기는 빼고 내용물만을 사는 것》.

〔零拉八碎〕 línglābāsuì 찔끔찔끔. 조금씩. ¶～地卖, 不能看多大赚头; 조금씩 팔아서는 큰 이익을 못 본다.

〔零泪〕 línglèi〈文〉명 한 방울씩 떨어지는 눈물. 동 눈물을 떨어뜨리다.

〔零料〕 língliào 명 재료(材料)의 쓰고 남은 것. 부스러기 재료.

〔零陵香〕 línglíngxiāng 명《植》앵초. 영릉향(零陵香)《씨·뿌리에 방향(芳香)이 있으며 진통·진해제·해열제·향미료 등으로 쓰임》. =〔铃铃香〕〔黄huáng零草〕〔蕙huì草〕

〔零零散散〕 línglingsǎnsǎn 형 분산되어 있다. 뿔뿔이 흩어져 있다.

〔零乱〕 língluàn 형 혼란하다. 문란하다. 흐트러지다. 난잡하다. ¶队伍完全～了; 대열은 완전히 흐트러졌다. =〔凌乱〕

〔零落〕 língluò 동 ①(초목이) 시들다. 말라 떨어지다. ¶草木～; 초목이 시들어 떨어지다. ②〈比〉영락하다. 쇠퇴〔쇠미〕하다. ¶家道～; 집안이 영락하다. 형 드문드문하다. 흩어져 있다. ¶村庄零零落落地散布在河边上; 마을은 강 기슭에 드문드문 산재해 있다.

〔零买〕 língmǎi 동 소량으로 사다. 조금씩 사다.

〔零卖〕 língmài 명동 ⇨〔零售〕

〔零卖趸批〕 língmài dǔnpī 명 소매와 도매. =〔零趸〕

〔零七八碎(儿)〕 língqī bāsuì(r) ①자질구레한 모양. 혼잡한 모양. 너저분한 모양. ¶～的东西放满了一屋子; 자질구레한 물건이 방 안에 가득하다. ②(～儿) 잡다한〔사소한〕 일. ¶干些～儿; 잡다한 일을 하다 / 白天净忙些个～儿; 낮에는 죽 자질구레한 잡일에 쫓기고 있었다. ③조금씩 조금씩.

〔零钱〕 língqián 명 ①잔돈. ¶～铺; 소매점 / 没有～, 大票儿也行; 잔돈이 없으면 큰 지폐라도 상관없다. ②급여 외의 소득. 팁(tip). ③용돈.

〔零敲碎打〕 líng qiāo suì dǎ〈成〉(계획 없이) 일을 부분적으로 처리하다.

〔零儿〕 língr 명 우수리. 나머지.

〔零散〕 língsǎn 형 뿔뿔이 널려 있다. 흩어져 있다. 분산되어 있다.

〔零声母字〕 líng shēngmǔzì 명《言》표준어의 '爱ài'·'恩ēn'처럼, 성모〔자음〕를 앞에 갖지 않는 문자.

〔零食(儿)〕 língshí(r) 명 간식. 군것질거리. ¶吃～; 간식을 먹다 / 小孩好hào吃～; 어린아이는 간식을 좋아한다. =〔零吃(儿)〕

〔零售〕 língshòu 명 소매. ¶～装; 소매 포장 / ～摊; (노점식의) 소매점 / ～店; 소매점 / ～价格; 소매 가격. 동 소매하다. ¶～粮食; 식량을 소매하다. ‖ =〔零卖〕

〔零数(儿)〕 língshù(r) 명 우수리. 잔여. 나머지.

〔零碎〕 língsuì 형 자질구레하다. 잡다〔소소〕하다. ¶～东西; 자질구레한 물건 / ～钱; 잔돈 / 这些材料零零碎碎, 用处不大; 이들 재료들은 자질구레한 것들이어서 별다른 큰 용도가 없다. 부 조금씩. 소량으로. ¶～买不一定比整买化钱; 조금씩 사는 것이 한몫 모개로 사는 것보다 비싸다고는 할 수 없다. 명 잡동사니. 자잘한 물건.

〔零碎票〕 língsuìpiào 명 보조 지폐.

〔零头(儿)〕 língtóu(r) 명 ①잡단 물건. ②우수리. 나머지. ¶整五元, 没有～; 꼭 5'위안'이라 우수리가 없다 / 除～; 우수리를 에누리하다〔깎아 주다〕. ③짝맞지 않는 것. ④(옷 등의) 자투리. ¶～衣料; 옷감의 자투리. 자투리 천. ⑤푼돈.

잔돈.
〔零乌豆〕 língwūdòu 명〖植〗바둑돌콩.
〔零削〕 língxiāo 동 잘게 썰다. 잘게 저미다.
〔零星〕 língxīng 형 ①보잘것 없다. 소량(少量)이다. 자질구레하다. ¶～土地; 약간의 토지/～东西; 자질구레한 물건/～存款; 자유 저금. ②산발적이다. ¶～的枪声; 산발적인 총성/零零星星的小雨; 간간히 내리는 보슬비.
〔零修碎补〕 líng xiū suì bǔ 〈成〉 약간의 수리. 잡다한 보수(補修).
〔零讯〕 língxùn 명 잡보(雜報). (신문·잡지 등의) 단신. 토막 소식.
〔零要〕 língyào 동 ①조금씩 청구하다. ②(음식점에서) 조금씩 주문하다. ¶～的菜; 일품(一品) 요리.
〔零饮〕 língyǐn 명 한 잔 마시는 것. ¶交易会酒吧部有～; 교역회의 바(bar)에는 한 잔 하는 데가 있다.
〔零用〕 língyòng 명 잔비용. 용돈. ¶～费 =〔～钱〕; 용돈. 잡비/由国家供给伙食以及供～费; 국가에서 급식하고 용돈까지 준다/～现金簿; 소액 현금 출납부/～的东西; 신변 가까이에 두고 쓰는 도구. 동 (돈을) 조금씩 쓰다. 잡비로 쓰다. ¶十块钱交伙食费, 五块钱～; 10위안은 식비로 주고, 5위안은 잡비로 썼다.
〔零余〕 língyú 명〈文〉나머지. 우수리.
〔零余子〕 língyúzǐ 명〖植〗주아(珠芽)《참마의 잎이 붙어 있는 곳에 나는 눈. 식용함》.
〔零雨〕 língyǔ 명〈文〉가랑비. 이슬비.
〔零杂(儿)〕 língzá(r) 명 자질구레한 물건이나 일.
〔零账〕 língzhàng 명 소액 계정(小額計定).
〔零整〕 língzhěng 명 작은 것들이 하나로 정리되어 있는 것.
〔零指数〕 língzhǐshù 명〖數〗제로 지수.
〔零族〕 língzú 명〖化〗(원소 주기표상의) 제0족.
〔零嘴(儿)〕 língzuǐ(r) 명〈方〉간식. 주전부리.
〔零座〕 língzuò 명〈比〉단거리 승객. ¶不愿拉～《老舍 駱駝祥子》; 단거리 승객을 태우는〔끄는〕것은 사절한다.

龄(齡)

líng (령) 명 ①연령. 세(歲). 나이. ¶婚hūn～; 결혼 연령/五～幼童; 5세의 유아. ②연한(年限). 연수. ¶工～; 근무 연수. 공사 경험 연수/炉lú～; 로(爐)의 사용 연한〔수명〕. ③곤충·식물의 변태기(變態期)에서의 시간.

灵(靈〈霛〉)

líng (령) ①명 영. 영혼. 혼백. ②명 관(棺). 영구(靈柩). ¶一口～; 한 개의 관/移～; 영구를 옮기다/参cān～; 영구에 절하다/烈士的～位; 열사의 위패(位牌). ③명 정신. ④명 신〔신선〕에 관한 것. ¶神～; 신령. 신. ⑤형 (동작·기능 따위가) 민첩하다. 잘 듣다. 예민하다. 민감하다. 약빠르다. ¶身体～, 力气大; 동작이 날렵하고, 힘이 세다/机件很～; 기계는 아주 정교히 작동한다/猴hóu儿比别的牲畜～; 원숭이는 다른 가축에 비해 약다. ⑥형 영험하다. 효능이 있다. 신통하다. ¶这药很～; 이 약은 아주 잘 듣는다/这个法子倒很～; 이 방법은 꽤 효과가 있다. ⑦형 밝다. 정통하다. ¶我对于机器不大～; 나는 기계에는 별로 정통하지 않다〔모른다〕. ⑧명 성(姓)의 하나.
〔灵变〕 língbiàn 형 ①변화 무쌍하다. ②변하기 쉽다.
〔灵便〕 língbiàn 형 ①(손발·오관(五官)·기계 동작 등이) 민활하다. 민첩하다. 기민하다. ¶机器转动得～; 기계가 잘 작동하다/他的腿很～; 그의 발은 매우 빠르다. ②(사용이) 편리하다. 요긴하다. ¶这小锅使着～; 이 작은 냄비는 쓰기에 편리하다/这把钳子使着真～; 이 펜치는 쓰기가 아주편리하다. ‖ =〔灵翻(儿)〕
〔灵草〕 língcǎo 명 불로불사의 약초.
〔灵床〕 língchuáng 명 ①납관(納棺) 전에 시체를 뉘어 놓는 침상. ②죽은 자를 위해 임시로 마련해 놓은 침상.
〔灵丹〕 língdān 명 영약(靈藥). 특효약. ¶～妙药 =〔～圣药〕;〈成〉ⓐ영단 묘약. ⓑ〈比〉모든 문제를 풀 수 있는 방법.
〔灵动〕 língdòng 동 잘 움직이다〔활동하다〕. ¶眼睛耳朵放～些; 눈과 귀를 좀더 활동시켜라.
〔灵钝〕 língdùn 명〈文〉예민과 둔감(鈍感).
〔灵幡〕 língfān 명 장례에 쓰이는 기(旗).
〔灵翻(儿)〕 língfan(r) 형 ⇨〔灵便〕
〔灵飞经〕 Língfēijīng 명《書》도교(道敎)의 경전 이름.
〔灵妃〕 língfēi 명〈文〉선녀.
〔灵府〕 língfǔ 명〈文〉정신〔혼령〕이 깃들이는 곳. 〈比〉마음.
〔灵感〕 línggǎn 명 영감. 인스피레이션(inspiration).
〔灵怪〕 língguài 명 불가사의하고 이상야릇한 것.
〔灵官〕 língguān 명 ①도교의 신의 이름. ②명대(明代)에 설치한 도교 사원.
〔灵光〕 língguāng 형〈方〉효과가 뛰어나다. 효험이 있다. ¶疗liáo效～; 치료 효과가 뚜렷하다. 명 ①신기한 광휘(光輝). ②(옛날 그림에서) 신의 머리에 그려진 아름다운 빛.
〔灵慧〕 línghuì 형 재빠르고 영리하다.
〔灵魂〕 línghún 명 ①마음. 정신. 사상. ¶纯洁的～; 순결한 마음〔혼〕/～深处; 마음의 깊은 속. 깊은 속마음. ②영혼. 혼. ③인격. 양심. ¶出卖～; 양심을 팔다. ④〈比〉(사물의) 중심. 가장 중요한 부분. 요소. ¶思想政治工作是一切工作的～; 사상과 정치의 활동은 갖가지 모든 활동의 결정적 요소이다.
〔灵活〕 línghuó 형 ①활발하다. 민활〔민첩〕하다. ¶脑筋～; 머리 회전이 빠르다/～的眼睛; 약삭빠른 눈매. ②융통성이 있다. 활용면이 넓다. ¶～性; 유연성. 융통성/必须具有一定限度的～性; 반드시 일정 한도의 탄력성을 갖고 있지 않으면 안 된다/不要硬性规定, 可以～掌握; 무리하게 결정하지 마라. 융통성 있게 해도 된다. ③원활하다. ¶工作也比较～; 일도 비교적 원활하다.
〔灵几〕 língjī 명 ①관 앞에 놓는 책상. ②영전.
〔灵机〕 língjī 명 영감. 재치. 기지. ¶动～; 기지를 발휘하다.
〔灵轿〕 língjiào 명 장례 때에 고인의 사진을 싣고 가는 가마.
〔灵捷〕 língjié 형 재빠르다. 날래다.
〔灵界〕 língjiè 명〖佛〗영계.
〔灵柩〕 língjiù 명 영구. =〔灵榇〕
〔灵龛〕 língkān 명〖佛〗(탑 밑 따위의) 시신을 넣어 두는 방.
〔灵兰〕 línglán 명〈文〉서고(書庫). ¶～室; 황제(黃帝)의 서고.
〔灵猫〕 língmāo 명〖動〗사향고양이.
〔灵霉素〕 língméisù 명〖藥〗테라마이신(Ter-

ramycin).

〔灵妙〕 língmiào 형 영묘하다.

〔灵庙〕 língmiào 명 영묘. 사당. =〔灵屋〕

〔灵敏〕 língmǐn 형 민첩하다. 민감하다. 예민하다. ¶军用犬的嗅觉特别~; 군용견의 후각은 특히 민감하다/情报很~; 정보가 매우 빠르다.

〔灵敏度〕 língmǐndù 명 ①(계측기의) 감도. ②(라디오 따위의) 수신 능력.

〔灵牌〕 língpái 명 위패. =〔灵位〕

〔灵棚〕 língpéng 명 영구(靈柩)를 두는 막.

〔灵巧〕 língqiǎo 형 ①재주가 있다. 솜씨가 있다. ②움직임이 경쾌하다. 민첩하고 교묘하다. ③기능적이다. ¶这假手很~; 이 의수(義手)는 매우 기능적이다. ④(머리의) 회전이 빠르다. ↔〔笨bèn拙〕

〔灵俏〕 língqiào 형 ①민첩하다. ②움직임이 스마트하다. 세련되어 있다.

〔灵寝〕 língqǐn 명 관을 안치하는 곳.

〔灵泉〕 língquán 명 〈文〉 ①신기한 약효가 있는 샘. ②온천의 별칭.

〔灵雀〕 língquè 명 《鳥》 곤줄박이 비슷한 새.

〔灵砂〕 língshā 명 《漢醫》 영사《약 이름》.

〔灵山〕 língshān 명 영산《불교에서는 영취산(靈鷲山), 도교에서는 봉래산(蓬萊山)을 이름》. =〔灵岳〕

〔灵台〕 língtái 명 ①옛날 제왕이 천자의 기상을 관찰하던 대(臺). ②(Língtái) 《地》 간쑤성(甘肅省)에 있는 현(縣) 이름.

〔灵堂〕 língtáng 명 관을 안치해 두거나 위패(位牌)를 모신 방.

〔灵鼗〕 língtáo 명 〈文〉 자루를 잡고 흔들어 소리 내는 북.

〔灵通〕 língtōng 형 ①(뉴스 따위를) 남보다 빨리 알다. 소식이 빠르다. ¶消息xiāoxi~; 소식통이다/耳目~; 귀와 눈이 민감하다/新闻记者对于消息特别~; 신문 기자는 뉴스에 대해 특별히 민감하다. ②〈方〉 쓸모가 있다. 쓰기에 편리하다. ¶这玩意儿可不~; 이것은 도통 쓸모가 없다.

〔灵透〕 língtou 형 〈方〉 영리하다. 재치가 있다. 머리 회전이 빠르다. =〔聪明〕

〔灵位〕 língwèi 명 위패. =〔灵牌〕

〔灵物〕 língwù 명 〈文〉 신령한 물건〔짐승〕. 영물. 요괴.

〔灵犀〕 língxī 명 〈比〉 감응. ¶心有~一点通; 의사가 잘 통하다.

〔灵星〕 língxīng 명 영성. 농업을 맡아 본다는 별의 이름.

〔灵醒〕 língxǐng 형 머리가 좋다. 일을 잘하다. 반응이 빠르다. 예민하다.

〔灵性〕 língxìng 명 ①동물이 인간의 훈련으로 얻은 영리함. ②타고난 총명〔지혜〕. ③영혼. 형 두뇌 회전이 빠르다.

〔灵秀〕 língxiù 형 빼어나다. 우수하다. ¶~之气; 뛰어난 기질.

〔灵验〕 língyàn 명 영험. 신불의 은혜. ¶那个庙真有~; 저 절은 영검스럽다. 형 ①(약물 등이) 효력이 있다. 신통한 효과가 있다. ②(예언이) 잘 맞다. 적중하다. ¶这几天天气预报非常~; 요즘은 일기 예보가 매우 잘 맞는다.

〔灵药〕 língyào 명 영약.

〔灵雨〕 língyǔ 명 〈文〉 은혜로운 비. 자우(慈雨).

〔灵域〕 língyù 명 영지. 신불의 영험이 현저한 곳.

〔灵宅〕 língzhái 명 얼굴의 별칭《눈·코·입 등이 있는 중요한 곳. 관상 용어》. =〔大宅〕

〔灵芝〕 língzhī 명 《植》 영지. =〔芝草〕〔紫zǐ芝〕

〔灵桌〕 língzhuō 명 위패를 올려놓는 책상.

〔灵座〕 língzuò 명 위패를 모셔 두는 곳. 영좌.

棂(欞〈櫺〉) líng (령)

명 ①문살. 창살. ②처마. ③〈文〉 긴 막대기.

〔棂布〕 língbù 명 한랭사(寒冷紗). =〔寒冷纱〕

〔棂床〕 língchuáng 명 격자(格子) 난간이 있는 침대.

凌〈淩〉B) líng (릉)

A) 명 〈方〉 두꺼운 얼음《주로 유빙(流氷)에 관련되는 큰 덩어리》. ¶撞zhuàng~; 쇄빙하다/冰bīng~; 빙괴(氷塊). B) ①동 모욕하다. 업신여기다. 깔보다. ¶盛气~人; 〈成〉 오만하고 방자하여 남을 업신여기다/~辱rǔ; ⇩ ②동 (높이) 오르다. ¶~空kōng; ⇩ ③동 〈文〉 능가하다. ④동 접근하다. 다가오다. ¶~晨; ⇩ ⑤지명용 자(字). ¶大~河; 다링 허(大凌河)《랴오닝 성(遼寧省)에 있는 강 이름》. ⑥명 성(姓)의 하나.

〔凌暴〕 língbào 동 〈文〉 욕보이고 학대하다. 사람을 업신여겨 난폭한 짓을 하다. =〔陵暴〕

〔凌逼〕 língbī 동 〈文〉 ①압제(壓制)하다. 억누르다. 압박하다. ②모욕하여 강제(強制)하다. ‖=〔陵逼〕

〔凌波〕 língbō 명 〈比〉 파도를 타고 가듯 가벼운 (미인의) 걸음. ¶~仙子; 수선화.

〔凌晨〕 língchén 명 새벽. 동틀 무렵.

〔凌迟〕 língchí 명 능지처참《옛날의 극형의 하나》. 동 해체(解體)하다. 능지처참하다.

〔凌泽〕 língduó 명 〈方〉 고드름.

〔凌犯〕 língfàn 동 〈文〉 사람을 업신여겨 능욕하다. 능욕하여 범하다.

〔凌驾〕 língjià 동 〈文〉 능가하다. 압도하다. ¶救人的念头~一切, 他转身向大火中冲去; 사람을 구하는 것 외에는 아무 생각 없이 몸을 돌려 불 속에 뛰어들었다. =〔驾凌〕

〔凌空〕 língkōng 동 〈文〉 하늘 높이 오르다. 높이 솟다. ¶高阁~; 높은 건물이 하늘 높이 솟다/飞机~而过; 비행기가 하늘 높이 날아가다.

〔凌空倒勾射门〕 língkōng dàogōu shèmén 명 《體》 (축구의) 오버헤드 킥에 의한 슛.

〔凌厉〕 línglì 형 〈文〉 세력이 격렬하다. 기세가 맹렬하다. 치열하다. ¶攻势~; 공세가 맹렬하다.

〔凌轹〕 línglì 동 〈文〉 ①업신여겨 학대하다. ②밀어 내다. 배척하다. ‖=〔陵轹〕

〔凌凌〕 línglíng 형 〈文〉 ①으스스하게 추운 모양. ¶秋空日~; 가을의 하늘은 태양도 으스스하게 추워 보인다. ②얼음이 두껍게 언 모양. ¶河里就淌~块子; 강에는 벌써 두꺼운 얼음이 떠내려간다.

〔凌乱〕 língluàn 형 난잡하다. 혼란하다. ¶队伍的步伐~了; 대열의 보조가 흐트러졌다.

〔凌乱不堪〕 líng luàn bù kān 〈成〉 혼란이 매우 심하다.

〔凌骂〕 língmà 동 〈文〉 ①책망하다. 비난하다. ②마구 욕하다.

〔凌虐〕 língnüè 동 〈文〉 학대하다. 모욕하다. 능멸하다. ¶叫他给~死了; 그의 학대를 받고 죽었다.

〔凌人〕 língrén 명 주대(周代)의 얼음에 관한 일을 관장하는 관리. 동 〈文〉 ①남을 능가하다. ②남을 능욕하다.

〔凌辱〕 língrǔ 명동 모욕(하다). 능욕(하다).

〔凌弱〕 língruò 동 〈文〉 약한 자를 모욕하다.

〔凌室〕 língshì 명 〈文〉 빙실(氷室). 얼음 창고. =〔凌阴〕
〔凌谇〕 língsuì 동 〈文〉 사람에게 창피를 주고 욕하다.
〔凌霄〕 língxiāo 형 〈文〉 ①(하늘을 능가할 만큼) 고원(高遠)하다. 원대하다. ¶～之姿; 하늘을 능가할 정도의 아름다운 자태. ②우수하다. ¶～花 =〔紫zǐ葳〕; 《植》 능소화나무 / ～君; 《鳥》 매의 별칭. ‖ =〔陵霄〕
〔凌虚〕 língxū 동 〈文〉 하늘 높이 치솟다. =〔陵虚〕
〔凌汛〕 língxùn 명 얼음이 녹아 수위(水位)가 갑자기 높아지는 현상.
〔凌雨〕 língyǔ 명 〈文〉 ①큰비. 폭우. ②소나기. ‖ =〔陵雨〕
〔凌云〕 língyún 동 ①(기세가) 하늘을 찌르다. ¶壮志～; 〈成〉 장대한 뜻이 하늘을 찌르다. ②기뻐 어쩔 줄 모르다. ③세속에 초연(超然)하다. ‖ =〔陵云〕
〔凌锥〕 língzhuī 명 〈方〉 고드름. ¶屋檐上挂着一尺来长的～; 처마에 길이가 한 자 가량의 고드름이 매달려 있다.

陵 **líng** (릉)
①명 큰 묘 따위의 특별한 칭호. 국왕의 묘. ¶十三～; (명나라의) 십삼릉 / 帝dì～; 황제의 능 / 中山～; 손문의 능. ②명 〈文〉 언덕. 구릉. ¶～谷变迁; 〈成〉 산이나 골짜기 모습이 바뀌다《세상이 크게 달라지다》. ③동 〈文〉 넘다. 능가하다. ④동 업신여기다. ⑤명 성(姓)의 하나.
〔陵碑〕 língbēi 명 (군인 묘지 등 큰 무덤의) 묘비. ¶烈士～; 열사의 묘비.
〔陵稿〕 línggǎo 명 《植》 감수. =〔陵泽〕〔甘遂〕
〔陵谷易处〕 líng gǔ yì chù 구릉과 골짜기가 자리를 바꾸다. 〈比〉 세상이 크게 변화하다.
〔陵忽〕 línghū 동 〈文〉 무시하다. 깔보다. 얕잡다.
〔陵户〕 línghù 명 능지기.
〔陵坑儿〕 língkēngr 명 묘의 횡혈(橫穴).
〔陵庙〕 língmiào 명 능묘와 종묘.
〔陵墓〕 língmù 명 ①(지도자나 순국 열사의) 무덤. 묘. ②왕릉. 능묘.
〔陵寝〕 língqǐn 명 〈文〉 왕릉. =〔陵园①〕
〔陵丘〕 língqiū 명 구릉.
〔陵替〕 língtì 동 〈文〉 ①기강(紀綱)이 해이해지다. ②몰락하다. ¶家道～; 가업이 몰락하다.
〔陵夷〕 língyí 동 〈文〉 점점 쇠퇴하다. =〔陵迟〕
〔陵园〕 língyuán 명 ①왕릉. =〔陵寝〕 ②능묘를 둘러싼 원림(園林).

菱〈蔆〉 **líng** (릉)
명 ①《植》 마름. ②마름의 열매. ‖ =〔菱角〕 ③《數》 마름모.
〔菱白〕 língbái 명 마름의 싹.
〔菱粉〕 língfěn 명 마름(열매)의 전분. ¶～糕; 마름을 으깨어 달게 졸여 네모지게 자른 여름 간식.
〔菱歌〕 línggē 명 마름을 딸 때 부르는 노래.
〔菱花米〕 línghuāmǐ 명 마름(열매)의 살. =〔菱角米〕
〔菱角〕 língjiao 명 마름 (열매). ¶～米; 마름 (열매)의 살 / 刚摘下来的～又鲜又嫩; 막 딴 마름이라, 신선하고 연하다. =〔沙shā角〕
〔菱苦土〕 língkǔtǔ 명 《鑛》 마그네사이트(magnesite). =〔菱镁矿〕
〔菱锰矿〕 língměngkuàng 명 《鑛》 능(菱)망간광. =〔红hóng前俺〕
〔菱塘〕 língtáng 명 마름이 심어져 있는 연못.
〔菱锌矿〕 língxīnkuàng 명 《鑛》 탄산 아연광.
〔菱形〕 língxíng 명 《數》 마름모꼴.

绫(綾) **líng** (릉)
명 《紡》 ①(～子) 얇은 비단. ②무늬 있는 비단.
〔绫被〕 língbèi 명 능금(綾衾). 능견으로 잇을 시친 비단 이불.
〔绫绢花〕 língjuànhuā 명 얇은 비단으로 만든 조화(造花).
〔绫罗〕 líng luó 명 《紡》 능직물과 얇은 비단. ¶～绸缎chóuduàn; 견직물의 총칭.
〔绫罗纱〕 língluóshā 명 《紡》 커지(kersey). 능직 나사.
〔绫扇〕 língshàn 명 능선. 비단 부채.
〔绫文〕 língwén 명 《紡》 능문. ¶～布; 능직물.

祾 **líng** (릉)
명형 〈文〉 행복(하다).

棱〈稜〉 **líng** (릉)
지명용 자(字). ¶穆Mù～; 무링(穆棱)《헤이룽장 성(黑龍江省)에 있는 현 이름》. ⇒lēng léng

鲮(鯪) **líng** (릉)
①명 《魚》 '鲤lǐ(鱼)'(잉어)의 별칭. ②→〔鲮鱼〕 ③→〔鲮鲤〕
〔鲮鲭〕 línghuá 명 《魚》 돌잉어.
〔鲮鲤〕 línglǐ 명 《動》 천산갑(穿山甲).
〔鲮鱼〕 língyú 명 《魚》 황어류의 물고기.

酃 **líng** (령)
①(Líng) 명 《地》 링 현(酃縣)《후난 성(湖南省)에 있는 현 이름》. ②→〔酃渌〕
〔酃渌〕 línglù 명 ⇨〔醽醁〕

醽 **líng** (령)
→〔醽醁〕
〔醽醁〕 línglù 명 〈文〉 맛 좋은 술. =〔酃渌〕

令 **lǐng** (령)
양 연(連)《인쇄 용지의 전지(全紙) 500장을 1'令'이라 함》. =〔领lǐng⑪ㄴ〕〔另④〕 ⇒líng lìng

岭(嶺) **lǐng** (령)
명 ①산꼭대기. ②재. ¶爬pá山越～; 산을 기어오르고, 재를 넘다. ③큰 산맥. ¶秦～; 친링(秦嶺)《산시 성(陕西省)에 있는 산맥 이름》/ 北～; 창장 강(長江) 이북 황허 이남의 산계(山系). ④대유령(大庾嶺) 등의 오령(五嶺)을 이르는 말.
〔岭北〕 Lǐngběi 명 《地》 홍안령(興安嶺) 이북 지방. 몽고(蒙古) 지역.
〔岭海〕 Lǐnghǎi 명 《地》 〈文〉 광둥(廣東) · 광시(廣西) 지역.
〔岭南〕 Lǐngnán 명 《地》 광둥(廣東) · 광시 성(廣西省) 지방《오령(五嶺)의 남부 일대의 지역》. =〔岭表〕
〔岭右〕 Lǐngyòu 명 《地》 〈文〉 광시(廣西) 지방.

领(領) **lǐng** (령)
①명 목. (목)덜미. ¶引yǐn～而望; 목을 길게 빼고 바라보다. ②(～儿, ～子) 명 깃. 칼라. ¶白～; 흰 칼라 / 垫diàn～; 칼라(collar)를 달다. 깃을 달다. ③명 〈比〉 긴요한 부분. 사물의 요점. ¶提纲挈qiè～ 〈成〉 요점을 간추리다 / 不得要～; 〈成〉 요령 부

득이다. ④ 동 거느리다. 인솔하다. 안내하다. ¶他～着小孩子上公园去; 그는 어린아이를 데리고 공원에 간다 / ～道; 길 안내(를 하다). ⑤(～儿, ～子) 명 (의복의) 목 둘레를 판 선. 넥(neck). ¶圆～儿; 둥근 네크라인 / 尖～儿; 브이 넥(V neck). ⑥ 명 두목. 우두머리. ¶首～; 수령 / 将～; 장성. ⑦ 동 영수하다. 받다. ¶～工资; 급료를 받다 / ～奖; 상을 받다. ⑧ 동 깨닫다. 알다. 이해하다. ⑨받아들이다. ¶你的好意我～了; 당신의 호의는 내 마음에 깊이 사무쳤다 / 心～; 〈套〉 호의만은 감사히 받다. ⑩ 동 보유하다. 주권을 가지다. 다스리다. 관할하다. ¶～空; 영공 / 占zhàn～; 점령하다. ⑪ 양 ㉠《의복이나 가마니·발을 세는 데 쓰임》. ¶一～青衫; 한 벌의 평상복 / 一～席; 한 장의 자리. ㉡련《종이 500장을 나타냄》. =〔令lǐng〕

〔领班〕 lǐng bān ①반(班)·조(組)를 지도하다. ②(lǐngbān) 명 조장. 반장. =〔考工〕

〔领班人〕 lǐngbānrén 명《劇》중국 전통극에서, 극단의 대표자. 단장. =〔头tóu目人〕

〔领兵〕 lǐng bīng 군대를 거느리다.

〔领唱〕 lǐngchàng 동명 (노래의) 선창을 하다〔하는 사람〕.

〔领衬儿〕 lǐngchènr 명 깃의 심《깃 속에 넣는 빳빳한 심》.

〔领筹〕 lǐng·chóu 동 순번표〔번호표〕를 받다.

〔领赐〕 lǐngcì 동 받다. 얻다.

〔领大〕 lǐngdà 명 옷깃의 크기.

〔领带〕 lǐngdài 명 넥타이. ¶系～; 넥타이를 매다 / ～扣针; 넥타이핀. →〔领结(儿)〕 동 〈俗〉 안내하다. =〔带领〕

〔领带夹针〕 lǐngdài jiāzhēn 명 넥타이 핀. =〔饰针〕

〔领单〕 lǐngdān 명 인환증(引換證). 영수증. =〔领据〕

〔领导〕 lǐngdǎo 명동 지도(하다). 영도(하다). 리드(하다). ¶集体～; 집단 지도하다 / ～成员; 지도 멤버 / ～上; 지도 기관. 윗사람. 상사. 명 ① 정규(正規)의 행정 계통을 경유하여 행하여지는 지도. ②지도자. ¶～和群众; 지도자와 대중. ③ 지도력.

〔领导班子〕 lǐngdǎo bānzi 명 지도자 그룹.

〔领导岗位〕 lǐngdǎo gǎngwèi 명 지도 부서.

〔领导机构〕 lǐngdǎo jīgòu 명 지도 부문. 집행 기관.

〔领导作风〕 lǐngdǎo zuòfēng 명 지도하는 방식.

〔领到〕 lǐngdào 동 수취(受取)〔영수〕하다. 받다. ¶～汇huì款; 송금환(送金換)을 수취하다 / ～工资; 급료를 받다.

〔领道(儿)〕 lǐngdào(r) 〈口〉 명 길 안내자. (lǐng·dào(r)) 동 길을 안내하다. ¶路不熟, 找个人～; 길이 낯설어 누구에게 길 안내를 받아야겠다. ‖=〔领路〕

〔领地〕 lǐngdì 명 ①(봉건 시대의) 영지. ②영토(領土). =〔领土〕

〔领东〕 lǐngdōng 명동 가게 주인으로부터 가게를 위임받다〔위임받은 사람〕. ¶～掌柜的; 출자자가 임명한 지배인.

〔领读〕 lǐngdú 동 ①〈翰〉 배독(拜讀)하다. ②뒤를 따라서 읽게 하다.

〔领队〕 lǐng·duì 동 대열(隊列)을 인솔하다. (lǐngduì) 명 ①대(隊)를 인솔하는 사람. ②대장. ③ 인솔자. ④(팀의) 감독.

〔领饭〕 lǐngfàn 동 배급 식량을 받다.

〔领俸〕 lǐngfèng 동 (옛날, 관리가) 봉급을 받다. =〔关guān俸〕

〔领干薪〕 lǐng gānxīn (일은 하지 않고) 봉급만 받다.

〔领港〕 lǐnggǎng 명 수로 안내. 도선(導船). 동 뱃길을 안내하다. ¶～费; 도선료(料) / ～权; 도선권 / ～师shī =〔～的〕; 도선사(士). 파일럿.

〔领高〕 lǐnggāo 명 옷깃의 높이.

〔领工〕 lǐnggōng 동 ①공사를 지시하다. 일을 지휘하다. ¶领几天工; 며칠 동안 일을 맡아 지휘하다 / ～伙计; (옛날 작업장의) 현장 감독. 우두머리. ②(lǐng·gōng) 작업을 맡아하다. 명 ①소작인의 우두머리. =〔领工的〕 ②직공의 우두머리. 공사 감독.

〔领钩儿〕 lǐnggōur 명 옷깃의 훅(hook). ¶扣上～; 후크 단추를 채우다.

〔领馆〕 lǐngguǎn 명 〈簡〉 ⇨〔领事馆〕

〔领行情〕 lǐnghángqíng 동 상황을 살피다. 정황을 듣다.

〔领航〕 lǐngháng 동 (선박이나 비행기의) 항로를 인도하다. 명 파일럿(pilot). 항공 관제원. ¶～教员; 비행 교관. ‖=〔引yǐn航〕

〔领花(儿)〕 lǐnghuā(r) 명 나비 넥타이. =〔领结(儿)〕〔蝴蝶结①〕

〔领回〕 lǐnghuí 동 (되돌려) 받다. ¶我到终点站, 把落在车上的雨伞～了; 나는 종점까지 가서 차 안에 두고 온 우산을 되돌려 받았다.

〔领会〕 lǐnghuì 동 이해하다. 파악하다. 납득하다. ¶～文章的大意; 문장의 대의를 이해하다 / 细心～; 주의해서 잘 이해하다.

〔领魂〕 lǐnghún 동 (상주가) 장의 행렬 앞에 서다.

〔领魂车〕 lǐnghúnchē 명 (장례식 때) 영구에 앞서 가는 빈 상여.

〔领魂纸〕 lǐnghúnzhǐ 명 죽은 사람을 조상하기 위하여 태우는 종이돈.

〔领货〕 lǐnghuò 동 상품〔화물〕을 수령〔인수〕하다.

〔领机〕 lǐngjī 명 기계 담당자.

〔领家(儿)〕 lǐngjiā(r) 명 기생 어미.

〔领价〕 lǐngjià 동 대금을 수령하다〔받다〕.

〔领奖〕 lǐngjiǎng 동 상(품)을 받다〔타다〕. ¶～礼; 수상식.

〔领胶〕 lǐngjiāo 명 칼라〔옷깃〕에 먹이는 풀.

〔领脚〕 lǐngjiǎo 명 언더 칼라(under collar).

〔领教〕 lǐngjiào 동 ①〈套〉 가르침을 받다. ¶谢谢～; 지도하여 주시어 감사합니다 / 请你弹一个曲子, 让我们～一下! 부디 한 곡 연주하시어 우리들을 지도해 주십시오! / 老先生说得很对, ～～; 선생님 말씀은 정말 지당하십니다. 가르침을 주셔서 고맙습니다. ②가르침을 청하다. ¶有点儿小事向您～! 잠시 당신의 지도를 받고 싶습니다만!

〔领结(儿)〕 lǐngjié(r) 명 나비 넥타이. =〔领花(儿)〕

〔领结胡〕 lǐngjiéhú 명 〈俗〉 (두 가닥으로 늘어뜨린) 콧수염.

〔领巾〕 lǐngjīn 명 (목에 두르는) 네커치프(neckerchief). ¶红～; (소년 선봉 대원의) 빨간 스카프.

〔领进〕 lǐngjìn 동 안내하여 들어가다. 인도하여 들어가다.

〔领据〕 lǐngjù 명 영수증. 상환증. =〔领单〕

〔领军〕 lǐngjūn 동 군대를 지휘하다.

〔领看〕 lǐngkàn 동 안내하여 보이다.

〔领口〕 lǐngkǒu 명 ①옷의 목둘레. ¶这件毛衣～太小; 이 스웨터는 목둘레가 너무 작다 / 你～多大?

자네 목둘레는 얼마인가? ②옷깃이 합치는 곳. 멱살.
〔领扣〕 lǐngkòu 명 ①양복의 깃에 다는 단추. ②칼라(collar) 단추.
〔领款〕 lǐng.kuǎn 동 돈을 영수하다. ¶～人; 금전 수령인.
〔领路〕 lǐng.lù 명동 ⇨〔领道(儿)〕
〔领络〕 lǐngluo 동 〈俗〉 지도〔교도〕하다. ¶这群孩子得找个年纪大点儿的～着; 이 아이들에게는 나이가 좀 많은 사람을 골라 지도하게 해야 한다.
〔领略〕 lǐnglüè 동 (체험·관찰 등을 통해 감성적으로) 이해하다. 체득하다. ¶～江南风味; 장난(江南)의 독특한 맛을 알다 / 您真能～到中国菜的好处; 당신은 정말 중국 요리의 좋은 점을 잘 알고 있다. 注 '领会'·'领悟'는 이성적인 이해.
〔领帽店〕 lǐngmàodiàn 명 모피로 된 옷깃이나 모자를 파는 상점.
〔领命〕 lǐngmìng 동 명령을 받아들이(고 이해하)다.
〔领纳〕 lǐngnà 동 〈文〉 받아들이다. 손에 넣다.
〔领诺〕 lǐngnuò 동 〈文〉 승낙하다. 납득하다.
〔领牌〕 lǐngpái 동 감찰(鑑札)을 받다.
〔领盘〕 lǐngpán 동 주주(株主)의 출자를 받아 책임을 지고 경영하다.
〔领盘儿〕 lǐngpánr 명 (칼라에 때가 묻는 것을 막기 위해 대는) 깃 대용의 것. 동정.
〔领盆〕 lǐngpén 동 〈方〉 감탄하다. 감복(感服)하다.
〔领票〕 lǐngpiào 명 수령증. 영수증.
〔领讫〕 lǐngqì 동 〈文〉 수령을 끝내다. 명 수령필(受領畢).
〔领情〕 lǐng.qíng 동 ①두터운 정의를 받다. ②두터운 정의에 감사하다. ¶你帮bāng了他, 他也不领你的情; 자네가 그를 도와 주어도 그는 고맙게 생각하지 않는다 / ～不过; (마음 속으로부터) 고맙게 여기다.
〔领取〕 lǐngqǔ 동 (발급한 것을) 수령하다. ¶～护hù照; 패스포트(passport)를 받다 / 到邮局～; 우체국에 가서 받다. =〔关guān支〕
〔领圈〕 lǐngquān 명 ①깃 둘레의 치수. ②⇨〔领套〕
〔领赏〕 lǐngshǎng 동 상을 받다. 수상하다.
〔领事〕 lǐngshì 동 일을 맡다. 명 영사(領事).
〔领事裁判权〕 lǐngshì cáipànquán 명 《法》 영사재판권.
〔领事馆〕 lǐngshìguǎn 명 영사관. =〔领馆〕
〔领收〕 lǐngshōu 동 영수하다. 수령하다. ¶～人; 수취인.
〔领受〕 lǐngshòu 동 받다. (고맙게) 받아들이다.
〔领属〕 lǐngshǔ 명동 예속(되다). 종속(되다). ¶～关系; 종속 관계.
〔领率〕 lǐngshuài 동 인솔하다. =〔率领〕
〔领套〕 lǐngtào 명 (털실로 짠) 목도리의 일종. =〔领圈②〕
〔领条儿〕 lǐngtiáor 명 ①중국 옷의 깃. ②(옷에 꿰매어 붙이기 전의) 옷깃. ¶上～; 옷깃을 꿰매어 붙이다.
〔领帖〕 lǐngtiě 〈文〉 동 조문(弔問)을 받다. 명 부의(賻儀)를 접수하는 책자.
〔领头〕 lǐngtóu 명 〈方〉 옷깃.
〔领头(儿)〕 lǐng.tóu(r) 동 〈口〉 ①선두에 서다. 총지휘를 하다. 앞장 서다. 솔선하다. ¶我领个头儿, 大家跟着一起唱! 내가 선창(先唱)할 테니 여러분 다 함께 불러 주십시오! ②발기(發起)하다.
〔领窝(儿)〕 lǐngwō(r) 명 의복의 목 둘레.
〔领悟〕 lǐngwù 동 깨닫다. 터득〔납득〕하다.
〔领息〕 lǐngxī 동 이자를 받다〔수령하다〕.
〔领悉〕 lǐngxī 동 〈翰〉 삼가 받았습니다. ¶～一切; 삼가 모든 것을 받았습니다.
〔领洗〕 lǐng.xǐ 동 《宗》 (그리스도교에서) 세례를 받다.
〔领下〕 lǐngxià 동 인수하다. 영수하다. 불하(拂下)받다. ¶把荒地～来; 황무지를 불하받다.
〔领先〕 lǐng.xiān 동 ①선두에 서다. 톱(top)을 하다. 리드하다. ¶取得了在世界上～的成绩; 세계에서 선두의 성적을 거두었다 / 他仍然～; 그는 여전히 톱을 달리고 있다. ②앞장 서서 안내하다. 선도(先導)하다. ‖ =〔领前〕
〔领衔〕 lǐngxián 동 (공동 서명하는 문서의) 첫머리에 이름을 적다. 필두로 서명하다. ¶由他～, 接着其余的人具名; 그를 필두로 해서 다른 사람들이 차례로 연명(連名)〔서명〕하다. 명 첫 서명자.
〔领饷〕 lǐng.xiǎng 동 (병사나 경관이) 급료를 받다. =〔关guān饷〕
〔领项〕 lǐngxiàng 명 〈文〉 받아야〔수령해야〕 할 돈.
〔领谢〕 lǐngxiè 동 〈翰〉 (선물이나 호의를) 받자와 고맙게 여깁니다.
〔领薪〕 lǐngxīn 동 봉급을 받다〔타다〕.
〔领袖〕 lǐngxiù 명 ①깃과 소매. ②〈轉〉 수령. 지도자. 보스. ¶～大使; 수석 대사 / ～领事; 수석 영사 / ～国家guójiā; 지도적 국가 / 国家～; 국가의 지도자.
〔领袖魅力〕 lǐngxiù mèilì 명 카리스마(charisma).
〔领岩鹨〕 lǐngyánliù 명 《鳥》 바위종다리.
〔领养〕 lǐngyǎng 동 남의 아이를 양녀나 양자로 삼아 기르다.
〔领衣(子)〕 lǐngyī(zi) 명 옷깃이 더러워지지 않게 안에 덧대는 헝겊.
〔领有〕 lǐngyǒu 동 영유하다. 소유하다.
〔领域〕 lǐngyù 명 ①영역《국가 주권이 행사되는 구역》. ¶侵犯他国～; 타국의 영역을 침범하다. ②분야. 범위. 영역. ¶文学艺术～; 문학 예술의 분야.
〔领域名〕 lǐngyùmíng 명 《電算》 도메인 네임(Domain name). 네트워크 주소.
〔领运〕 lǐngyùn 동명 화물 운송의 책임을 지다〔지는 사람〕.
〔领赃〕 lǐng.zāng 동 장물(贓物)을 받다.
〔领责〕 lǐngzé 동 〈文〉 책임을 지다.
〔领章〕 lǐngzhāng 명 ①깃에 다는 휘장. ②배지(badge).
〔领照〕 lǐngzhào 동 허가증〔면허증〕을 받다.
〔领针〕 lǐngzhēn 명 넥타이 핀.
〔领赈〕 lǐngzhèn 동 〈文〉 구호 물자를 받다〔수령하다〕.
〔领旨〕 lǐngzhǐ ①〈套〉 (황제에 대하여) 삼가 분부를 받들겠습니다. ② 동 윗사람의 뜻을 받들다.
〔领种〕 lǐngzhòng 동 토지를 빌려 경작하다. ¶他打算要～那块官地; 그는 저 관용지(官用地)를 빌려서 경작을 하려고 한다.
〔领子〕 lǐngzi 명 깃. 칼라. ¶软～; 소프트(soft) 칼라 / 硬～; 하드(hard) 칼라 / 单dān～; 싱글(single) 칼라.
〔领罪〕 lǐng.zuì 동 복죄(服罪)하다. 죄를 받다.
〔领做〕 lǐngzuò 동 도급(都給)을〔청부를〕 맡아 일하다. ¶～的; 청부인(請負人).

令 lìng (령)
①명 명령. ¶命mìng～; 명령하다/下xià～; 명령을 내리다/法～; 법령/奉fèng～; 명령을 받들다. ②동 명령하다. 명하다. ¶～各级政府切实执行; 각급 정부에 착실히 시행하도록 명령하다. ③명 옛 관명(官名). ¶县～; 현 지사(知事). ④양〈簡〉'令克'의 약칭. ⑤명 시절. 때. 계절. ¶应节当～; 계절에 맞는. 지금 유행하는/预备应yìng时当～的货品; 계절에 맞는 상품을 준비하다/时～; 시절/夏～; 하계(夏季). ⑥접두〈敬〉상대의 가족에 대한 경칭. ¶～兄; 영형. ⑦형 훌륭하다. 좋다. ¶～名; 명성(名聲). 좋은 평판. ⑧명 주석(酒席)에서 행해지는 놀이. ¶猜拳行～; 주석에서 '猜拳'(손 안의 것에 대해 맞히는 놀이) 등을 하다. ⑨동 …로 하여금 …시키다. ¶～人兴奋; 남을 흥분시키다. →〔使〕 ⑩접〈文〉만일. 만약. ¶幸我有备, ～他人, 将不堪矣; 다행히 나에게는 대비가 있었지만, 만일 다른 사람이었더라면 견딜 수 없었을 것이다. ⑪명 '词cí'나 '曲qǔ'의 제명(題名). ⑫명 성(姓)의 하나. ⇒líng lǐng

〔令爱〕 lìng'ài 명〈敬〉따님. =〔令千金〕〔令媛〕→〔千金②〕

〔令别〕 lìngbié 부 특히. 유달리. ¶～是一般娇艳; 특히나 아름답다.

〔令伯〕 lìngbó 명〈敬〉(당신의) 백부님. 큰아버님.

〔令辰〕 lìngchén 명 길일(吉日). =〔良liáng辰〕

〔令称〕 lìngchēng 동〈文〉극구 칭찬하다.

〔令饬〕 lìngchì 동〈文〉명령하다.

〔令宠〕 lìngchǒng 명〈敬〉영총(옛날, 남의 애첩에 대한 경칭).

〔令德〕 lìngdé 명〈文〉미덕. 선덕(善德).

〔令弟〕 lìngdì 명〈敬〉영제. 아우님. 계씨(季氏).

〔令典〕 lìngdiǎn 명〈文〉①법령. ②좋은 법전(法典).

〔令东〕 lìngdōng 명〈敬〉(상대방의) 주인(主人) 어른.

〔令箭〕 lìngjiàn 명 옛날, 군대 명령 하달의 증거로 삼던 화살 모양의 것을 단 작은 기. ¶拿到～啦! 상부로부터 명령을 받았다!/拿着鸡毛当～; 〈諺〉(긴급한 명령 때문에) 닭털을 '令箭' 대신으로 쓰다(비정식적인 것을 정식으로 우기다).

〔令箭荷花〕 lìngjiàn héhuā 명〈植〉공작선인장.

〔令节〕 lìngjié 명〈文〉가절(佳節).

〔令姐〕 lìngjiě 명〈敬〉영자(令姊)(상대방의 누님을 이르는 말).

〔令价〕 lìngjiè 명〈文〉〈敬〉(당신의) 고용인.

〔令克〕 lìngkè 양〈音〉링크(link)(영국의 길이의 단위).

〔令昆仲〕 lìngkūnzhòng 명〈敬〉당신의 형제분.

〔令郎〕 lìngláng 명〈敬〉영식(令息). 영랑. 아드님.

〔令妹〕 lìngmèi 명〈敬〉영매(令妹). 매씨(妹氏).

〔令名〕 lìngmíng 명〈文〉높은 명성. 좋은 평판.

〔令谟〕 lìngmó 명〈文〉좋은 계책. 좋은 꾀. =〔令图〕〔令猷〕

〔令旗〕 lìngqí 명 영기(옛날, 군령(軍令)을 전하던 작은 기).

〔令器〕 lìngqì 명〈文〉①좋은 그릇. ②〈比〉훌륭한 인물. 재능 있는 사람.

〔令千金〕 lìngqiānjīn 명〈敬〉영양(令孃). 따님. =〔令爱〕

〔令亲〕 lìngqīn 명〈敬〉(당신의) 친척분. =〔高gāo亲〕

〔令人〕 lìngrén ①명〈文〉선인(善人). ②사람으로 하여금 …시키다〔하게 하다〕. ¶～钦qīn佩; 사람을 감복시키다/～作zuò呕; 사람에게 혐오감을 느끼게 하다.

〔令人不耐〕 lìng rén bù nài 참을 수 없게 하다. 귀찮아 못 견디게 하다.

〔令人发指〕 lìng rén fà zhǐ〈成〉머리칼이 곤두서도록 화나게 하다.

〔令人佩服〕 lìng rén pèifú 감탄〔감동〕시키다.

〔令人神往〕 lìng rén shén wǎng〈成〉①남에게 동경의 마음을 갖게 하다. ②남을 황홀하게 하다.

〔令人厌倦〕 lìng rén yànjuàn 싫증나게 하다. 진절머리가 나게 하다.

〔令日〕 lìngrì 명 ⇨〔另日〕

〔令嫂〕 lìngsǎo 명〈敬〉(당신의) 형수님.

〔令色〕 lìngsè 명〈文〉아첨하는 표정〔태도〕. ¶巧言～《論語 學而》; 교언영색.

〔令婶〕 lìngshěn 명〈敬〉(당신의) 숙모님. ¶～大人; (당신의) 숙모님.

〔令叔〕 lìngshū 명〈敬〉(당신의) 숙부님.

〔令嗣〕 lìngsì 명〈敬〉(당신의) 후사(後嗣). 자제분.

〔令泰山〕 lìngtàishān 명〈敬〉(당신의) 시아버님.

〔令泰水〕 lìngtàishuǐ 명〈敬〉(당신의) 시어머님.

〔令堂〕 lìngtáng 명〈敬〉〈文〉자당. ↔〔家母〕

〔令闻〕 lìngwén 명〈文〉좋은 평판. 명성. 미명(美名). =〔令望〕

〔令行禁止〕 lìng xíng jìn zhǐ〈成〉명령은 행하여지고, 금지된 일은 중지된다(법령이 엄정함).

〔令兄〕 lìngxiōng 명〈敬〉영형. (당신의) 형님. =〔尊兄〕

〔令婿〕 lìngxù 명〈敬〉영서. 서랑(婿郎). =〔令倩〕〔令坦〕

〔令仰〕 lìngyǎng 동〈公〉명령하여 …하게 하다. ¶～遵照; 그대로 준수하라.

〔令尹〕 lìngyǐn 명 ①춘추 시대 초(楚)나라의 집정관(執政官). ②〈轉〉현지사(縣知事)의 별칭.

〔令猷〕 lìngyóu 명 ⇨〔令谟〕

〔令友〕 lìngyǒu 명〈敬〉(당신의) 친구분.

〔令媛〕 lìngyuán 명 ⇨〔令爱〕

〔令月〕 lìngyuè 명〈文〉영월. 길월(吉月).

〔令岳〕 lìngyuè 명〈敬〉(당신의) 장인. 빙장(聘丈) 어른.

〔令正〕 lìngzhèng 명〈敬〉①합부인(閤夫人)(남의 부인에 대한 존칭). =〔令阁〕〔令眷〕〔令阃〕 ②옛 관명(사령(辭令)에 관한 일을 관장함). ¶子太叔为～; 자태숙이 영정이 되다.

〔令知〕 lìngzhī 동〈公〉명령으로 알리다.

〔令侄〕 lìngzhí 명〈敬〉영질. 당신의 조카.

〔令旨〕 lìngzhǐ 명〈文〉영지(황태후가 내리는 명령).

〔令终〕 lìngzhōng 동〈文〉①천명을 다하고 죽다. 영종하다. ②끝마무리를 하다.

〔令祖(父)〕 lìngzǔ(fù) 명〈敬〉당신의 조부님〔할아버님〕. =〔令大父〕

〔令祖母〕 lìngzǔmǔ 명〈敬〉당신의 조모님〔할머님〕. =〔令大母〕

〔令尊〕 lìngzūn 명〈敬〉춘부장. =〔令严〕↔〔家父jiāfù〕

〔令遵〕 lìngzūn 동〈文〉명령하여 그대로 시키다. ¶为wèi～事; 〈公〉명령대로 시행하라(명령문의 첫머리에 쓰이는 문구).

呤 **lìng** (령)
→〔嘌piào呤〕

另 **lìng** (령)
①형 별개의. 그 밖의. ¶～一件事; 별개의 일 / 这是～一回事; 이것은 별개의 문제이다. ②부 따로. 별도로. 달리. ¶～想办法; 달리 방법을 생각하다 / ～编一本书; 별도로 한 권의 책을 편집하다. ③동 〈北方〉 갈라지다. 나뉘다. ¶～居jū; 별거하다. ④양 ⇨〔令lǐng〕
〔另案办理〕 lìng'àn bànlǐ 별개의 안(案)으로 처리하다. =〔另办〕
〔另单〕 lìngdān 명 별지(別紙).
〔另当别论〕 lìng dāng biélùn 별개의 문제로 치다.
〔另电〕 lìngdiàn 명 〈文〉 별전(別電).
〔另订〕 lìngdìng 동 ①따로 결정하다. ②별도로 주문하다.
〔另付〕 lìngfù 동 ①첨부하다. ②별도로 지불하다.
〔另搞一套〕 lìng gǎo yī tào 〈贬〉 다른 방법을 쓰다. 다른 수법을 쓰다.
〔另过〕 lìngguò 동 별거하여 살다.
〔另函〕 lìnghán 명 〈文〉 별도 편지. 별편(別便). ¶～通知各股东; 별편으로 각 주주에게 통지하다.
〔另户〕 lìnghù 동 독립하여 일가(一家)를 차리다. 분가하다.
〔另换〕 lìnghuàn 동 다른 것과 바꾸다.
〔另寄〕 lìngjì 동 별편(別便)으로 보내다. 우편으로 별송(別送)하다.
〔另件〕 lìngjiàn 명 ①부속품. ¶连～总共一百二十五元; 부속품을 포함해서 125원(元)이다. ②부속문서.
〔另就〕 lìngjiù 동 다른 일을 하다. 직장이 바뀌다.
〔另居〕 lìngjū 명동 별거(하다).
〔另开〕 lìngkāi 동 ①따로 적다. 별지에 적다. ②〈方〉 분가(分家)하다. 별거하다. ¶弟兄们想～过日子; 형제들은 분가해서 살고 싶어한다.
〔另开张〕 lìng kāizhāng 백지화(白紙化)하고 새롭게 시작하다.
〔另立门户〕 lìng lì mén hù 〈成〉 ①따로 가게를 내다. ②따로 일가(一家)를 이루다.
〔另码事〕 lìng mǎshì 다른 일. 관계 없는 일. =〔另一件事〕〔另一回事〕
〔另谋生计〕 lìngmóu shēngjì 따로 살림을 차리다. 달리 생활 수단을 구하다.
〔另派〕 lìngpài 동 따로 파견하다.
〔另撇一笔〕 lìng piē yī bǐ 〈成〉 문장을 지을 때, 도중에 논지를 바꾸어 다른 측면으로 논하다.
〔另起炉灶〕 lìng qǐ lú zào 〈成〉 ①본래의 것을 버리고 새로 만들다. 처음부터 새로 시작하다. 구상(構想)을 새로이 하다. ②따로 일가를 이루다.
〔另请〕 lìngqǐng 동 따로 초빙〔의뢰〕하다. ¶请～高明吧! 아무쪼록 다른 훌륭한 사람을 찾으십시오!
〔另日〕 lìngrì 명 〈文〉 다른 날. 후일. =〔令日〕
〔另是〕 lìngshi 부 각별히. 유난히. 특별히. ¶～一番新气象; 각별하게 하나의 새로운 기상이 있다.
〔另算〕 lìngsuàn 동 ①(부기의) 별도 계정하다. ②따로 계산하다.
〔另头〕 lìngtóu 명 우수리. 단수(端數). ¶抹去～; 단수를 잘라 버리다.
〔另外〕 lìngwài 부 별도로. 따로. 그 밖에. ¶～有什么问题? 그 밖에 어떤 문제가 있는가? 형 별도의. 다른. 그 밖의. ¶～的人; 별도의 사람.
〔另巍巍(的)〕 lìngwēiwēi(de) 형 외따로 있는 모양. ¶山顶上有一棵～枯树; 산꼭대기에는 고목이 한 그루 외따로 서 있다.
〔另想〕 lìngxiǎng 동 달리 생각하다. ¶～办法; 달리 방법을 생각하다.
〔另行〕 lìngxíng 부 〈文〉 따로. 별도로《뒤에 2음절 행위 동사가 옴》. ¶～通知; 따로 통지하다.
〔另眼〕 lìngyǎn 명 별도의 견해. 특별한 견해.
〔另眼看待〕 lìng yǎn kàn dài 〈成〉 ①(존경 않던 사람을) 특별히 존경의 눈으로 보다. ②(문제로 생각지 않던 사람에게) 특별히 관심을 가지다. 특별 취급하다. ③(방법·관점을) 새롭게 하다. ‖ =〔另眼相待〕〔另眼相看〕
〔另样〕 lìngyàng 명 다른 양식. 다른 종류. 다른 무늬.
〔另一工(儿)〕 lìngyigōng(r) 〈俗〉 같지 않다. 각별하다. ¶别看都是木匠活, 这雕刻可是～; 다 같은 목수일로 보아서는 안 돼. 이 조각은 특별하니까.
〔另一回事〕 lìngyihuíshì ⇨〔另码事〕
〔另一件事〕 lìngyijiànshì ⇨〔另码事〕
〔另一经〕 lìngyijīng 방법이나 동작이 남과 다르다.
〔另一套〕 lìngyītào 다른 방법〔수법〕.
〔另议〕 lìngyì 동 〈文〉 따로 의논〔상담〕하다. =〔另商〕
〔另有笔账儿〕 lìng yǒu bǐzhàngr 장부가 따로 있다. 〈比〉 특별히 우대하다.
〔另约〕 lìngyuē 동 따로 약속하다. 명 별도 약조〔약속〕. 별도의 결정.
〔另择〕 lìngzé 동 따로 고르다.
〔另纸缮呈〕 lìngzhǐ shànchéng 〈翰〉 별지에 적어 말씀드리겠습니다.
〔另作〕 lìngzuò 동 (일 따위를) 다시 하다. 다시 만들다. ¶～别图; 〈文〉 따로 다른 계획을 세우다. =〔另做〕

LIU ㄌㄧㄡ

溜 **liū** (류)
①동 미끄러지다. 활강하다. ¶顺着斜xié坡～下来; 고갯길을 미끄러져 내리다. ②동 몰래 들어가다. 살짝 빠져 나가다. ¶悄悄地～了; 살짝 빵소니 쳤다 / ～出门去; 몰래 문으로 빠져 나가다 / 贼～进门来了; 도둑이 문으로 숨어 들어왔다. ③동 내려가다. 떨어지다. ¶行háng市往下～了; 시세가 아래로 떨어졌다. ④형 미끄럽다. 미끌미끌하다. ¶下了半天小雨, 地～得很; 반나절을 가랑비가 와서, 땅이 몹시 미끄럽다. ⑤동 흘끗 보다. ¶～了他一眼; 흘끔 그를 곁눈으로 쳐다보았다. ⑥동 매듭이 스르르 풀리다. ¶马～了缰了; 말이 고삐를 풀고 달아났다. ⑦동 엉겁결에 입을 놀리다. ¶说～了嘴; 저도 모르게 말을 해 버렸다. ⑧동 빈들빈들 걷다. ¶在院子里～一～; 뜰을 어슬렁거리다. ⑨명 쪽. 모서리. ¶～头儿; 끝쪽. 가장자리 / 尽jǐn～头; 맨 가장자리 / 茶碗～边儿搁危险; 찻잔을 가장자리 쪽에 놓으면 위험하다. ⑩동 환심을 사다. 아첨하다. ¶～须拍马; 〈成〉 장단을 맞추고 알랑거리다. ⑪중첩된 형태로 일부 단음의 형용사 뒤에 놓여 뜻을 강조시키는 말. ¶顺～～; 순종하다. 고분고분하다 / 圆～～; 동글동글하다 / 滑～～; 미끈미끈

하다 / 甜～～; 달콤하다 / 细～～; 가늘고 매끈하다. ⑫ 동 ⇨〔熘〕 ⑬ 부 대단히. 극히. 단단히. ¶关得～严的门; 단단히 엄중하게 닫혀져 있는 문 / ～平; 아주 평평한. ⇒liù
〔溜岸〕 liū'àn 동 논두렁에 흙을 돋구고 풀을 뽑아 정리하다.
〔溜边(儿)〕 liūbiān(r) 동 〈口〉 ①살짝 빠져 나오다. ¶人家玩得热闹, 他却～走了; 남들은 떠들썩하게 놀고 있는데, 그는 살짝 가 버렸다. ②가장자리로 붙다. ③귀찮은 일을 피하다. ④〈方〉 몰래 도망치다. ¶吓得溜了边儿了; 놀라서 몰래 도망쳤다. 명 구석. 가장자리. ¶一开会学习, 他准～坐着; 학습회가 열리면 그는 으레 구석에 앉는다.
〔溜边儿溜沿儿(的)〕 liūbiānr liūyánr(de) 〈北方〉 물 따위가 가득 차 곧 넘칠 것 같은 모양. ¶这桶tǒng水～的; 이 통에는 물이 가득 들어 있다.
〔溜冰〕 liūbīng 명 ①스케이팅. ¶～场; 스케이트장 / ～帽; 스케이트모. ②〈方〉 롤러 스케이트. =〔四轮滑冰〕 (liū,bīng) 동 ①스케이트 타다. ②롤러 스케이트 타다.
〔溜不掉〕 liūbudiào 미처 달아나지 못하다. 빠져 나오지 못하다.
〔溜槽〕 liūcáo 명 《機》 슈트(chute)《높은 데서 낮은 곳으로 물건을 흘러내리는 경사진 구도(溝道)》. =〔斜xié槽〕
〔溜缠〕 liūchán 동 천천히 걷다.
〔溜场儿下〕 liūchǎngrxià 동 잠자코 그 곳을 빠져 나가다.
〔溜出门儿〕 liūchūménr 동 달아나다. 도망치다. 빵소니치다.
〔溜出去〕 liū,chu,qu 동 ①슬그머니 빠져 나가다. ¶他一清早就～什么事也不管; 그는 아침 일찍 빠져 나가서 아무 일도 하지 않는다. ②슬그머니 달아나다. 뺑소니치다.
〔溜达〕 liūda〔liùda〕 동 〈口〉 산책하다. 어슬렁어슬렁 걷다. ¶他在河边来回～; 그는 강변을 왔다갔다하면서 어슬렁거리고 있다. =〔遛达〕
〔溜放〕 liūfàng 동 내버려 두다. 팽개쳐 두다.
〔溜奉〕 liūfèng 동 아첨하다. 알랑거리다.
〔溜缝子〕 liūfèngzi 동 틈새를 메우다. 채워서 틈새를 없애다.
〔溜沟子〕 liū gōuzi 알랑거리다. 아첨하다. ¶溜上司的沟子; 상사에게 알랑거리다.
〔溜骨髓〕 liūgǔsuǐ 〈比〉 색골(色骨)이다. ¶但凡好汉犯了～三个字的, 好生惹人耻笑; 무릇 호한(好漢)으로서 '溜骨髓' 석 자를 범하면 사람들의 웃음거리가 된다.
〔溜光〕 liūguāng 형 〈方〉 ①번들번들〔반들반들〕 빛나다. ¶～堂亮; 반짝반짝 빛나는 모양 / 头发梳得～; 빗질을 해서 머리칼이 반들반들 빛나고 있다 / 磨得～; 닦아서 반들반들하다. ②매우 매끄럽다. 미끌미끌하다.
〔溜光崭亮〕 liūguāng zhǎnliàng (새것처럼) 반짝이다. 윤이 나다.
〔溜过去〕 liū,guo,qu 동 미끄러지듯 지나가다. 빠져 나가다.
〔溜号〕 liū,hào 동 〈方〉 살살〔몰래〕 도망치다. 탈주하다. ¶民兵～回家了; 민병이 도망쳐 집으로 돌아갔다. (liūhào) 명 도망. 탈주. 뺑소니.
〔溜黑〕 liūhēi 형 검은빛으로 윤이 나다.
〔溜黑儿的〕 liūhēirde 명 밤도둑.
〔溜滑〕 liūhuá 형 ①미끄럽다. 미끌미끌하다. ¶～的道儿, 要慢点儿走; 미끄러운 길이니, 좀 천천히 걸어야겠다. =〔滑利〕 ②교활하다. 요령이 좋다. ¶贼鬼～的两只眼睛; 매우 교활한 두 눈.
〔溜尖(儿)〕 liūjiān(r) 형 ①(바늘 끝처럼) 날카롭고 뾰족하다. ②〈比〉 유별나다. 특출하다. ¶～的胡涂; 이름난 바보.
〔溜肩膀(儿)〕 liūjiānbǎng(r) ① 명 비스듬하게 처진 어깨. ¶～穿西服不好看; 어깨가 처진 사람은 양복이 어울리지 않는다. ② 형 〈方〉 〈轉〉 무책임하다. ③(liū jiānbǎng(r)) 짊어진 짐이 미끄러 내리다.
〔溜缰〕 liū,jiāng 동 말이 고삐에서 벗어나(서 달아나)다.
〔溜进去〕 liūjinqu 살짝 들어가다. 몰래 끼어들다.
〔溜净〕 liūjìng 형 매우 깨끗하다.
〔溜酒味〕 liū jiǔwèi 술에 취한 척하다.
〔溜开〕 liūkāi 동 슬그머니 빠져 나가다〔사라지다〕. ¶说不过我就～; 나를 말로 당하지 못하면, 어느 틈엔가 몰래 없어진다.
〔溜口大〕 liūkǒu dà 가축이 도망가서, 좀처럼 잡을 수 없음.
〔溜来溜去〕 liūlái liūqù 왔다갔다 빈둥거리다〔어슬렁거리다〕.
〔溜溜儿(的)〕 liūliūr(de) ①내리. 죽. 꼬박. 내내. ¶～累了一天; 하루 종일 꼬박 일해서 지쳤다. ②싹. 살짝. 재빠르게. ③미끈미끈. ④(바람이) 살랑살랑 부는 모양. ¶～的春风; 산들산들 부는 봄바람.
〔溜溜转〕 liūliūzhuàn 동 빙글빙글 돌다. ¶陀tuó螺～; 팽이가 빙글빙글 돌다.
〔溜满〕 liūmǎn 형 넘칠 정도로 가득하다. ¶两桶～的猪食; 두 통 가득한 돼지 먹이 / 别给他舀yǎo得～; 그에게 너무 가득 퍼주지 마라.
〔溜门绺〕 liūménliǔ 명 빈집털이. 좀도둑. =〔溜门贼zéi〕〔溜门子〕
〔溜门子〕 liū,ménzi 동 좀도둑질을 하다. (liūménzi) 명 빈집털이. 좀도둑. =〔溜门贼〕〔溜门绺〕
〔溜明崭亮〕 liūmíng zhǎnliàng 매우〔유난히〕 밝다.
〔溜派〕 liūpài 명 빈둥거리는 파. 요령만 피우고 놀고 지내는 파. 뺑소니파.
〔溜跑〕 liūpǎo 동 (슬그머니) 도망치다. 내빼다.
〔溜平〕 liūpíng 형 〈方〉 평평하고 매끄럽다. ¶～的球场; 평탄한 야구장.
〔溜坡〕 liūpō 명동 내리막(이 되다). 하락세(가 되다).
〔溜秋秋儿(的)〕 liūqiūqiūr(de) 부 ①남모르게. 슬그머니. ②한눈 팔지 않고. 곧장.
〔溜湫〕 liūqiu 동 힐끗거리다. 훔쳐보다. ¶他老～我, 一定干了什么鬼儿了; 그는 흘금흘금 나만 보고 있는데, 필시 뭔가 수상한 짓을 한 거야.
〔溜去〕 liūqù 동 몰래 달아나다. ¶悄qiāo悄地～; 몰래 슬그머니 달아나다. =〔溜走〕
〔溜绳〕 liūshéng 명 등산용 로프. 자일(독 Seil).
〔溜食〕 liūshí 동 (소화시키기 위해) 식후에 산책하다. ¶我吃完了饭～去; 나는 식사가 끝나면 식후의 산책을 간다. =〔溜溜食(儿)〕
〔溜弯儿〕 liū,wānr 동 산보하다. 어슬렁어슬렁 걷다. ¶出去溜一个弯儿; 나가서 한 바퀴 산책〔산보〕하다.
〔溜血〕 liūxiě 동 피가 나오다. 출혈하다.
〔溜须〕 liūxū 동 ①수염의 먼지를 털다. ②비위를 맞추다. 알랑거리다. 아첨하다. ¶ 那个孩子很会～人儿; 저 애는 남의 비위를 잘 맞춘다.
〔溜须拍马〕 liūxū pāimǎ 〈比〉 〈口〉 비위를 맞추

다. 알랑거리다.
〔溜严〕 liūyán 형 〈方〉 매우 엄밀하다. 빈틈없다. ¶瓶口封得～的; 병 주둥이를 꽉 봉해 놓았다.
〔溜眼〕 liūyǎn 동 곁눈질을 하다. 추파를 던지다. ¶也会合人～; 게다가 사람에게 추파를 던질줄도 안다.
〔溜圆〕 liūyuán 형 〈方〉 둥글다.
〔溜远儿〕 liūyuǎnr 동 멀리 산책 나가다. 소풍 가다.
〔溜遭〕 liūzāo 동 주위를 한 바퀴 돌다. ¶那个警察, 提着警棍转zhuàn游了一～; 그 경관은 경찰봉을 차고 한 바퀴 돌아보고 왔다.
〔溜之大吉〕 liū zhī dà jí 〈成〉 도망치다. 몰래 달아나다. ¶他只说了一句"不是"便～了; 그는 다만 한 마디 "그렇지 않다"고 말하고 달아났다. =〔溜之乎也〕
〔溜桌〕 liūzhuō 동 만취하다. 곤드레만드레 취하다.
〔溜子〕 liūzi 명 채굴한 석탄이나 광석 등을 나르는 철제 상자. ¶电diàn～; 전력으로 움직이는 콘베이어식의 상자.
〔溜走〕 liūzǒu 동 도망치다. 살짝 빠져 나가다. ¶从会场～; 회의장에서 살짝 도망치다.
〔溜嘴〕 liū,zuǐ 동 (습관이 되어) 입에서 불쑥 나오다. 입을 함부로 놀리다. 말이 헛나오다.

熘

liū (류)
동 볶다(조리법의 하나로, 기름에 지진 음식에 조미(調味)한 녹말 가루를 얹어 다시 볶는 것). =〔溜liū⑫〕
〔熘黄菜〕 liūhuángcài 명 달걀 노른자와 녹말 가루 갠 것에 '荸荠bíqí (올방개)를 잘게 썰어 넣고 햄 다진 것을 뿌려서 기름에 지진 것. =〔溜黄菜〕
〔熘黄鱼〕 liūhuángyú 명 녹말 가루 갠 것을 입혀서 지진 조기 요리. =〔溜黄鱼〕
〔熘丸子〕 liūwánzi 명 녹말 가루 갠 것을 입혀서 지진 완자. =〔溜丸子〕
〔熘虾仁〕 liūxiārén 명 녹말 가루 갠 것을 입혀서 지진 새우 요리. =〔溜虾仁〕
〔熘鱼片〕 liūyúpiàn 명 생선을 저며 녹말가루를 입혀서 지진 요리. =〔溜鱼片〕

刘(劉)

liú (류)
① 명 큰 도끼. ② 동 〈文〉 죽이다. ¶咸～厥敌; 〈成〉 적을 몰살하다. ③ 동 〈文〉 조락(凋落)하다. ④ 명 성(姓)의 하나.
〔刘备摔孩子〕 Liú Bèi shuāi háizi 〈歇〉 유비(劉備)가 아들을 내동댕이치다. 사람들의 마음을 얻기 위해 거짓 행동을 하다(뒤에 '收买人心'이 오기도 함). ¶～, 假仁假义; 가장된 인간성.
〔刘海儿(发)〕 liúhǎir(fà) 명 〈轉〉 여자의 이마에 내려뜨린 앞머리. =〔前留海儿〕
〔刘寄奴〕 liújìnú 명 《植》 '千里光' (삼잎방망이)을 이르는 말(송(宋)나라의 고조(高祖) 유유(劉裕)는 유명(幼名)을 기노(寄奴)라 했는데, 이 풀로 상처를 고쳤다고 하는 고사에서 유래된 말).
〔刘姥姥进了大观园〕 Liú lǎolao jìnle Dàguān-yuán 〈歇〉 유(劉)할머니가 대관원(大觀園)에 들어가다(시골뜨기가 화려한 자리에서 당황하다〔하는 모양〕).
〔刘猛将军〕 liúměng jiāngjūn 명 옛날, 농가에서 메뚜기 재해를 면하기 위해 모신 신.
〔刘人小店〕 liúrén xiǎodiàn 명 옛날, 구식의 싸구려 여인숙('刘'는 '留'의 대용자).
〔刘宋〕 Liúsòng 명 《史》 남조(南朝)의 송(宋)을 말함(유유(劉裕)가 세운 송조(宋朝)라는 뜻).

浏(瀏)

liú (류)
①→〔浏览〕 ② 형 〈文〉 물이 맑고 투명한 모양. ③ 형 〈文〉 바람이 세찬 모양. ④ 동 〈古白〉 몰래 달아나다. ⑤지명용 자(字). ¶～河; 류 허(瀏河)(장쑤 성(江蘇省)에 있는 강 이름).
〔浏览〕 liúlǎn 동 〈文〉 ①(기록·경치 따위를) 대강 보다. 대충 훑어보다. ¶～任便; 내키는 대로 대충 훑어보다. ②휙 둘러보다. 대강 둘러보다. ¶我匆匆～一下房间; 나는 서둘러 방 안을 한 바퀴 둘러보았다.

流

liú (류)
① 동 흐르다. 흘리다. ¶～汗; 땀을 흘리다. 흐르는 땀. ② 동 유통하다. 이동〔유동〕하다. ¶货币～通; 화폐의 유통. ③ 동 전해지다. 퍼지다. 퍼뜨리다. 전파되다. ¶～言; 유언. 근거 없는 소문 / ～弹dàn; 유탄. ④ 동 유랑하다. 이리저리 떠돌다. ¶漂～; 표류하다. ⑤ 동 〈比〉 좋지 않은 쪽으로 되어 가다〔흘러 버리다〕. ¶放任自～; 〈成〉 제멋대로 하게 방임하다 / 和而不～; 화합하면서도 아첨하지 아니하다. ⑥ 명 흐름. 유동하는 것. ¶气～; 기류 / 电～; 전류 / 下班的人～和车～; 퇴근해서 집으로 돌아가는 사람과 자동차의 흐름. ⑦ 동 유배시키다. 귀양보내다. ⑧ 동 흐르듯 거침이 없다. ¶～利 =〔～畅〕; (말 등이) 유창하다. ⑨ 명 종류. ㉠유파(流派). ¶一～人物; 같은 부류의 사람 / 汉奸之～; 매국노 족속. ㉡등급. 품위. ¶下～话; 상스러운 말 / 第一～作家; 일류 작가. ⑩ 명 시대의 흐름.
〔流辈〕 liúbèi 명 동배. 같은 또래.
〔流弊〕 liúbì 명 〈文〉 폐단. 악습. ¶发生～; 폐단을 불러일으키다.
〔流波〕 liúbō 동 〈比〉 추파를 보내다. 요염스레 보다.
〔流播〕 liúbō 동 〈文〉 전해지다. 전파하다.
〔流布〕 liúbù 명동 유포(하다).
〔流产〕 liú,chǎn 명동 《醫》 유산(하다). 동 〈比〉 (일이) 중지되다. 좌절되다.
〔流娼〕 liúchāng 명 옛날, 여기저기 옮겨 다니는 창기.
〔流畅〕 liúchàng 형 (글이나 목소리가) 유창하다〔막힘이 없다〕. ¶文笔～; 문장이 유창하다.
〔流程〕 liúchéng 명 ①(제품 생산에서의) 순서. 공정. 프로세스(process). ¶采用这种工艺, 就能缩短生产～; 이 기술을 채용하면 생산 공정의 흐름을 단축할 수 있다. ②유로(流路) 계통.
〔流出〕 liúchū 동 흘러나오다. 유출되다.
〔流传〕 liúchuán 동 널리 전하다. 전파하다. ¶～着一种说法; 어떤 종류의 말투가 전해지다 / 仅供参考, 请勿～; 다만 참고로 알려 드리는 것이니, 밖으로 새어 나가지 않게 해 주십시오.
〔流窜〕 liúcuàn 동 (난민(難民) 등이) 잇달아 도망치다. (적(敵)이) 뿔뿔이 도망치다.
〔流弹〕 liúdàn 명 유탄. =〔飞fēi弹〕
〔流宕〕 liúdàng 〈文〉 동 ①막힘 없이 흘러내려가다. ②⇨〔流荡〕 형 문장이 막힘이 없다.
〔流荡〕 liúdàng 동 ①유동〔이동〕하다. ②유랑 방탕하다. 전전하다. ‖=〔流宕②〕
〔流抵〕 liúdǐ 명 청대(清代), 재해를 당한 경우, 그 해에 바친 세금을 이듬해 분으로 충당하는 방법으로 면세해 주는 것.
〔流动〕 liúdòng 동 ①흐르다. ¶溪水缓缓地～; 시냇물이 천천히 흐르다. ②이동〔유동〕하다. ¶工gōng人～; 노동자가 직장을 옮기다.

〔流动办公室〕 liúdòng bàngōngshì 명 이동 사무소. ¶～和现场会议的工作方法; 이동 사무소와 현장 회의를 여는 방법.
〔流动车〕 liúdòngchē 명 순회차. ¶X光检查～; X 레이 진료 순회차.
〔流动图书馆〕 liúdòng túshūguǎn 명 이동 도서관.
〔流动资本〕 liúdòng zīběn 명《經》유동 자본.
〔流动资金〕 liúdòng zījīn 명《經》유동 자금.
〔流毒〕 liú.dú 동 해독(害毒)을 퍼뜨리다. 해독을 끼치다. ¶～全国; 온 나라에 해독을 끼치다. (liúdú) 명 나쁜 영향. 해독. ¶封建社会的～; 봉건 사회가 끼친 해독.
〔流芳〕 liúfāng 동〈文〉미명(美名)을 후세에 남기다. ¶千古～;〈成〉아름다운 이름을 후세에 남기다.
〔流放〕 liúfàng 동 ①유배하다. 추방하다. ②목재 따위를 강물에 띄워 수송하다.
〔流风〕 liúfēng 명 전해 내려오는 기풍〔풍속〕.
〔流丐〕 liúgài 명 떠돌아다니는 거지.
〔流感〕 liúgǎn 명《醫》〈簡〉인플루엔자(influenza)《유행성 감기의 약칭》.
〔流官〕 liúguān 명 옛날, 먀오 족(苗族)이나 야오 족(瑤族) 등 소수 민족이 집단 거주하는 지구에 임명된 한 족(漢族)의 벼슬아치.
〔流贯〕 liúguàn 동 관류(貫流)하다. ¶那条河～三个省; 그 강은 3개의 성을 관류한다.
〔流光〕 liúguāng 명 ①휘황찬란한 빛. ②광음(光陰). 세월. ¶～易逝;〈成〉세월은 화살과 같다.
〔流光〕 liúguang 명 일정한 직업에 종사하지 않고 빈둥거리는 사람. 건달.
〔流户〕 liúhù 명 떠돌아다니는 가족.
〔流滑〕 liúhuá 형 교활하다. =〔油yóu滑〕
〔流火〕 liúhuǒ 명《醫》〈方〉필라리아병(filaria病).
〔流金铄石〕 liú jīn shuò shí〈成〉금과 돌도 녹아 흐르다《지독한 더위》.
〔流口词儿〕 liúkǒucír 명 만담가의 서두(序頭).
〔流口辙〕 liúkǒuzhé 명 민간에 전해지는 일종의 운(韻)을 밟은 짧은 구.
〔流寇主义〕 liúkòu zhǔyì《軍》봉기한 농민의 전법(戰法)의 하나.
〔流浪〕 liúlàng 동 유랑하다. 방랑하다. ¶～汉; 떠돌이. 부랑자.
〔流泪〕 liú.lèi 동 눈물을 흘리다.
〔流泪弹〕 liúlèidàn 명 최루탄.
〔流离〕 liúlí 동〈文〉(재해나 전란으로 인해) 정처 없이 떠돌다. 이산(離散)하다. ¶～失所;〈成〉(재해나 전란으로) 살 곳을 잃다 / 颠沛～; 유랑하며 고생하다.
〔流丽〕 liúlì 형 (문장 따위가) 매끄럽고 아름답다.
〔流利〕 liúlì 형 ①유창하다. ¶他的英语说得很～; 그는 영어가 매우 유창하다. ②원활하다. 매끄럽다. ¶钢笔尖在纸上～地滑动着; 펜촉이 종이 위를 매끄럽게 움직인다.
〔流里流气〕 liúli liúqì 불량기가 있는 모양.
〔流连〕 liúlián 동 ①노는 데 빠져 돌아가기를 잊어버리다. ¶先王无～之乐, 荒亡之行; 선왕은 유락에 빠지는 일이 없고 사냥과 음주에 빠지는 일이 없다. ②(떠나기 싫어) 체재하다. 차마 떠나지 못하다. 형 눈물을 줄줄 흘리는 모양.
〔流连忘返〕 liú lián wàng fǎn〈成〉①놀이에 빠져 집에 돌아가는 것을 잊다. ②연연하여 떠나지를 못하다.
〔流恋〕 liúliàn 동 미련이 있어 아쉬워하다.
〔流露〕 liúlù 동 ①있는 그대로의 모습이 자연 속에 나타나다. ②있는 그대로를 숨김없이 나타내다. 토로하다.
〔流落〕 liúluò 동 유랑하다. 타향에서 고생하다. ¶～街头; (영락하여) 방황하다 / ～在上海; 상하이(上海)에서 유랑하다.
〔流氓〕 liúmáng 명 ①건달. 부랑자. 실업자. ②〈轉〉무뢰한. 불량배. ¶～集团; 불량배 집단 / 政治～; 정치 깡패. =〔无赖子wúlàizi〕 ③상스러운 행위. 외설적인 동작. 비속한 행동. ¶耍～; ⓐ불량한 태도를 취하다. 여성에 대하여 실례되는 짓을 하다. ⓑ뻔뻔스레 굴다 / ～用语; 비속한 말.
〔流氓阿飞〕 liúmáng āfēi 명 불량 청소년.
〔流眄〕 liúmiàn〔liúmiǎn〕 동 ①눈을 돌리다. 눈을 돌려서 보다. ②곁눈 주다. 추파를 던지다. ‖=〔流目〕〔流盼〕
〔流湎〕 liúmiǎn 동〈文〉①음주에 빠지다. ②방종하여 절도가 없다.
〔流民〕 liúmín 명 유민. 유랑민.
〔流民图〕 liúmíntú 명 ①송(宋) 정협(鄭俠)이 유민의 고달픈 모습을 그린 그림. ②〈轉〉이재민의 참상.
〔流名〕 liúmíng 동 소문을 퍼뜨리다. 소문이 돌다.
〔流(明)〕 liú(míng) 양《物》〈音〉루멘(lumen: lm)《광속(光束)의 단위》.
〔流内〕 liúnèi 명 옛날, 구품(九品) 이상의 벼슬아치. ↔〔流外〕
〔流年〕 liúnián 명 ①세월. ¶似水～;〈成〉세월 흐르는 것이 물과 같다. ②그 해의 운수. ¶～对他们不利; 그 해 운수가 그들에게 불리하다. =〔小运〕
〔流派〕 liúpài 명 ①(학술·예술·예도 따위의) 유파. 분파. =〔支派pài〕 ②물의 지류.
〔流配〕 liúpèi 동 유배형에 처하다〔처해지다〕.
〔流品〕 liúpǐn 명 ①품격. 인품. ②도덕·학문의 정도. ③사회적 지위.
〔流气〕 liúqì 명형 불량기〔건달기〕(가 있다). ¶他有点～; 그는 약간 불량기가 있다.
〔流人〕 liúrén 명〈文〉①유랑자. ②유배자.
〔流入〕 liúrù 동 유입하다. 흘러들다.
〔流散〕 liúsàn 동 전전하다. 떠돌아다니며 흩어지다.
〔流沙〕 liúshā 명 ①(사막의) 유사. ②(강바닥의, 또는 지하수와 함께 흐르는) 유사. ③사막.
〔流觞(曲水)〕 liúshāng(qūshuǐ) 명 3월 상순 마지막 날, 흐르는 물가에서 술잔을 띄워 놓고 술을 마시며 놀던 유희. =〔曲水流觞〕
〔流食〕 liúshí 명 유동식.
〔流矢〕 liúshǐ 명〈文〉①빗나간 화살. ②날아가는 화살. ‖=〔流箭〕
〔流逝〕 liúshì 동〈文〉(물 흐르듯) 흘러가다. ¶时光～; 세월이 유수처럼 빨리 지나가다.
〔流水〕 liúshuǐ 명 ①유수. 흐르는 물. ¶～道; 배수구. ②〈轉〉상점의 출납부. 당좌 대부(當座貸付) 기록장. 상점의 원장(元帳). =〔流水账〕 ③〈比〉계속하여 끊임이 없음. ¶～生产; 컨베이어 시스템(conveyor system)에 의한 생산 / 花钱如～; 돈을 물쓰듯 하다. 부〈古白〉곧. 즉시.
〔流水不腐, 户枢不蠹〕 liú shuǐ bù fǔ, hù shū bù dù〈成〉흐르는 물은 썩지 않고, 문짝의 빼대는 벌레 먹지 않는다.
〔流水无情〕 liúshuǐ wúqíng 흐르는 물처럼 무정

하다. 〈比〉 상관하지 않다. (상대방에게) 마음에 없다. ¶他对她是落花有意, 她却是～; 그는 그녀에게 마음이 있으나 그녀는 상관하지 않는다.
〔流水席〕 liúshuǐxí 명 지정석이 아닌 자리.
〔流水线〕 liúshuǐxiàn 명 (일관 작업의) 생산 라인.
〔流水账〕 liúshuǐzhàng 명 ①금전 출납부. 일기장. ②〈比〉 단지 나열뿐인 기술(記述)〔기록〕. ‖ =〔流水簿〕
〔流水作业(法)〕 liúshuǐ zuòyè(fǎ) 명 (공장의) 일관 작업.
〔流说〕 liúshuō 명 ①떠도는 설. 뜬소문. ②사설(邪說).
〔流送〕 liúsòng 동 강물에 띄워 보내다. ¶～木材; 목재 띄워보내기.
〔流苏〕 liúsū 명 (장막이나 깃발 또는 등롱 등의) 술.
〔流俗〕 liúsú 명 〈貶〉 세속. 일반적인 풍습.
〔流速〕 liúsù 명 《物》 유속《일반적으로 m/s 로 나타냄》.
〔流淌〕 liútǎng 동 (액체가) 흐르다. ¶滚热的泪水在她的脸颊上～; 뜨거운 눈물이 그녀의 뺨에 흘렀다.
〔流涕〕 liútì 동 〈文〉 눈물을 흘리다. ¶痛苦～; 〈成〉 고통스러워 눈물을 흘리다.
〔流头〕 liútóu 명 흐름.
〔流亡〕 liúwáng 동 ①유랑하다. 방랑하다. ②재해 따위로 고향에서 떠나다. ③망명하다. ¶～政府; 망명 정부 / ～海外; 해외로 망명하다. ‖ =〔流逋〕
〔流徙〕 liúxǐ 동 〈文〉 유랑하다. 여기저기 떠돌다.
〔流涎〕 liúxián 동 ①군침을 흘리다. ②〈比〉 갈망하다. 몹시 갖고 싶어하다.
〔流线体〕 liúxiàntǐ 명형 지렁이가 기어간 것 같은 (글자). 유선체(流線體)의 (글씨).
〔流泻〕 liúxiè 동 (액체나 광선 등이) 방사되어 흘러나오다. ¶泉水从山涧里～出来; 샘물이 산골짜기에서 흘러나온다 / 一缕阳光～进来; 햇빛이 한 줄기 흘러들어오다.
〔流星〕 liúxīng 명 《天》 유성. =〔〈俗〉 贼星〕〔飞星〕
〔流星〕 liúxing 명 ①옛날 무기의 하나《쇠사슬 양 끝에 쇠망치가 달려 있음》. ②곡예(曲藝)의 한 가지《기다란 끈 끝에 물이 담긴 그릇이나 화구(火球)를 달고 공중에서 돌림》. ¶～拨拉; (몸이) 휘청거리다.
〔流星马〕 liúxīngmǎ 명 〈比〉 준마. 빨리 달리는 말.
〔流刑〕 liúxíng 명 《法》 유죄. 유형.
〔流行〕 liúxíng 명동 유행(하다). 성행(하다). ¶～病; 《醫》 유행병. 동 ①널리 행하여지다. ¶德之～; 덕이 널리 행하여지다. ②유통하다. ¶血液的～; 혈액의 순환.
〔流行性〕 liúxíngxìng 명 《醫》 유행성. 전염성. ¶～感冒; 유행성 감기 / ～乙型脑炎; 유행성 일본 뇌염.
〔流油儿〕 liúyóur 명 음식에서 흘러나온 기름. (liú.yóur) 동 몸에서 땀이 흘러나오다.
〔流于〕 liúyú 〈文〉〈貶〉 …에 흐르다. …에 치우치다. ¶～形式; 형식에 흐르다.
〔流寓〕 liúyù 동 〈文〉 타향에서 기우(寄寓)하다. 객지에서 살다.
〔流贼〕 liúzéi 명 유적. 떠돌아다니는 도적. =〔流寇〕
〔流质〕 liúzhì 명 《醫》 ①유체(流體). ②유동식(流動食). ¶～膳食; 유동식.
〔流珠〕 liúzhū 명 수은(水銀)의 별칭.
〔流转〕 liúzhuǎn 동 ①유전(流轉)하다. 전전(轉轉)하다. ¶～四方; 각지를 전전하다. ②널리 전하여 알려지다. 명동 (상품 · 자금이) 회전(하다). 유통(하다). 부 차례대로. 돌아가면서.
〔流子〕 liúzi 명 (물의) 흐름. ¶水又深又绿, ～又急; 물은 깊고 푸르며, 게다가 흐름 또한 빠르다.

琉〈瑠〉 liú (류)

명 광채 있는 돌. 유리(瑠璃).

〔琉璃〕 liúlí 명 ①유리. ¶～喇叭; 장난감 유리 나팔. ②질그릇의 일종. ¶～砖zhuān; 오지 벽돌. ③잠자리의 속칭.
〔琉璃球儿〕 liúliqiúr 명 ①유리알. ②〈比〉 총명하고 재치 있는 사람. ¶这个新娘真机灵, ～似的; 이 신부는 정말 재치가 있고 영리한 사람이다. ③〈比〉 투명하고 아름다운 물체.
〔琉璃瓦〕 liúliwǎ 명 《建》 ①에나멜을 칠한 기와. ②유약을 바른 기와《사원 · 궁전의 건축물에 쓰임》. ‖ =〔碧bì瓦〕
〔琉雀〕 liúquè 명 《鳥》 참새.

硫 liú (류)

명 《化》 유황(S)《비금속 원소》.

〔硫胺素〕 liú'ànsù 명 비타민 B_1. =〔维生素B_1〕
〔硫代硫酸钠〕 liúdàiliúsuānnà 명 《化》 티오황산나트륨. =〔海hǎi波(苏打)〕
〔硫化〕 liúhuà 명 《化》 황화(黃化). 가황(加黃).
〔硫化汞〕 liúhuàgǒng 명 《化》 황화 제2수은.
〔硫化氢〕 liúhuàqīng 명 《化》 황화 수소.
〔硫化物〕 liúhuàwù 명 《化》 황화물.
〔硫化橡胶〕 liúhuà xiàngjiāo 명 《化》 황화 고무. 가황(加黃) 고무.
〔硫(磺)泉〕 liú(huáng)quán 명 유황천.
〔硫酸〕 liúsuān 명 《化》 황산.
〔硫酸铵〕 liúsuān'ǎn 명 《化》 유안(硫安). 황산암모늄.
〔硫酸钙〕 liúsuāngài 명 《化》 황산 칼슘.
〔硫酸镁〕 liúsuānměi 명 《化》 황산 마그네슘《사리염(瀉利鹽). 황산 고토(苦土)》. =〔硫酸苦土〕
〔硫酸亚铁〕 liúsuānyàtiě 명 《化》 황산철《녹반(綠礬)》. =〔青qīng矾〕〔绿矾〕
〔硫酸盐〕 liúsuānyán 명 《化》 황산염.

旒 liú (류)

명 〈文〉 ①깃발에 단 기드림《기엽(旗葉)》. ②황제의 예모(禮帽) 앞뒤에 늘어뜨린 옥(玉)으로 만든 장식. =〔鎏②〕

鎏 liú (류)

① 명 〈文〉 품위가 높은 금. ② 명 ⇨〔旒liú②〕 ③ 동 도금하다. =〔镏②〕

留〈畱〉 liú (류)

①동 머무르다. 체재하다. ¶他～在天津了; 그는 톈진(天津)에 머물게 되었다. ②동 잠시 그 자리에 있다. ③동 받다. 거두다. ¶把礼物～下; 선물을 받아 놓다 / 我要～这个; 난 이것을 받아 놓겠다. ④동 남기다. 보류하다. ¶其余的工作～着明天做吧; 그 나머지 일은 남겨 두었다가 내일 하자. ⑤동 훗날까지 남겨 두다. 물려주다. 전하다. ¶前人～下的文化遗产; 선인이 남긴 문화 유산. ⑥동 주의하다. 마음에 새기다. ⑦동 떼어 두다. 남겨 두다. ¶～余地; 여지를 남기다 / 给他～一份菜; 그에게 1인분의 요리를 남겨서 주다. ⑧동 붙들다. 만류

하다. ¶～住大家, 不让走; 여러 사람을 잡아 놓고 못 가게 하다 / 挽wǎn～; 만류하다 / 拘jū～; 구류(하다). ⑨ 명 성(姓)의 하나.
〔留案〕 liú'àn 동 사건을 적어 남겨 놓다.
〔留班〕 liú.bān 동 〈口〉 낙제〔유급〕하다. =〔留级〕
〔留笔〕 liúbǐ 동 적바림하다. 편지를 써 놓아 두다. 메모를 남기다. =〔留条〕〔留字〕
〔留别〕 liúbié 동 작별하면서 친구에게 물건이나 시(詩)를 남겨 놓다. ¶～之物; 이별의 기념품.
〔留兵〕 liúbīng 명동 수비병(을 두다).
〔留步〕 liúbù 〈套〉 나오시지 마십시오《손님이 주인의 전송을 만류하는 인사》. =〔纳nà步〕
〔留茶留饭〕 liúchá liúfàn 차(茶)와 식사로 손님을 대접하다. 손님을 정중히 대접하다.
〔留成〕 liúchéng 동 《經》 내부 유보(內部留保)하다. ¶1988年以后实行利润～的办法; 1988년 이후로 이윤의 내부 유보 방법을 실행하다.
〔留传〕 liúchuán 동 후대에 남기어 전하다.
〔留存〕 liúcún 동 ①남기다. 남겨 두다. 보존하다〔되다〕. ②존재하다. 현존하다.
〔留待〕 liúdài 동 〈文〉 뒤로 미루다. 나중 일로 남겨 두다. ¶～以后再说; 다음에 얘기하자.
〔留党察看〕 liúdǎng chákàn 당에서 제명은 당하지 않은 상태에서 관찰의 대상이 되다.
〔留得青山在, 不愁没柴烧〕 liúde qīngshān zài, bùchóu méi chái shāo 〈諺〉 청산(青山)을 남겨 놓으면 땔나무 걱정은 안 해도 된다《근본만 있으면 다시 희망은 가질 수 있다》. =〔留得青山在, 不怕没柴烧〕
〔留底(儿)〕 liúdǐ(r) 명 서류의 사본〔부본〕. (liú.dǐ(r)) 동 사본〔부본〕을 남기다. ‖ =〔留根〕
〔留地步〕 liú dìbù 여지〔여유〕를 남기다. ¶订计划要～; 계획을 세울 때에는 여유를 남겨야 한다. =〔留步手儿〕〔留有余地〕
〔留饭〕 liúfàn 동 손님을 머무르게 하고 식사를 대접하다.
〔留芳〕 liúfāng 동 〈比〉 이름을 후세에 남기다. 좋은 평판을 남기다. ↔〔遗yí臭〕
〔留分头〕 liú fēntóu 동명 머리를 전부 깎지 않고 남겨서 가르다(또, 그렇게 한 머리).
〔留个字(儿)〕 liúgezì(r) 동 쪽지를 남기다.
〔留给〕 liúgei 동 (…을 위해) 따로 남겨〔떼어〕 두다. ¶请把这个房间～我! 이 방을 나를 위해 남겨 두십시오!
〔留根〕 liúgēn 명동 ⇨〔留底(儿)〕
〔留光头〕 liú guāngtóu 형 머리를 짧게 깎다. 명 짧게 깎은 머리.
〔留后〕 liú.hòu 동 자손을 남기다. ¶替祖先留个后; 조상을 위해서 자손을 남기다.
〔留后路(儿)〕 liú hòulù(r) 후퇴의 여지를 남기다. (만일의 경우에 대비하여) 퇴로를 남겨 두다. =〔留后门〕〔留后手(儿)〕
〔留后门〕 liú hòumén ⇨〔留后路(儿)〕
〔留后手(儿)〕 liú hòushǒu(r) ⇨〔留后路(儿)〕
〔留胡子〕 liúhúzi 동 수염을 기르다. =〔留须xū〕
〔留话(儿)〕 liúhuà(r) 명 남기는 말. 전하는 말. 전언(傳言). (liú.huà(r)) 동 (전하는) 말을 남기다.
〔留惠〕 liúhuì 명 떠날 때 남겨 놓는 선물. =〔留赠〕
〔留级〕 liú.jí 동 낙제하다. 유급하다. ¶～生; 유급생. =〔留班〕
〔留脚〕 liújiǎo 동 머무르게 하다. 만류하다.
〔留居〕 liújū 동 거류하다. ¶直到现在, ～当地的犹太人还有二百多人; 현재까지 계속 이 곳에 거류하고 있는 유태인은 아직 200명 남짓이다.
〔留局待领〕 liújú dàilǐng ⇨〔留局候领〕
〔留局候领〕 liújú hòulǐng 유치 우편. 국(局) 유치. =〔留局待领〕
〔留卷〕 liújuàn 명 보존하여야 할 서류〔편지〕.
〔留客〕 liúkè 동 손님을 머물게 하다〔묵게 하다〕. ¶～雨; 길손을 머물게 하는 비. 〈比〉 자주 내리는 비.
〔留客住〕 liúkèzhù 명 《軍》 옛날의 무기 이름. ¶手里各拿着～《水滸傳》; 손에 손에 '留客住'를 들다.
〔留空〕 liúkòng 동 (적어 넣기 위해) 공백으로 비워 두다.
〔留扣子〕 liú kòuzi 야담가(野談家) 등이 흥미를 돋우려고 재미있는 대목에서 그쳐, 여운을 남겨 두다.
〔留髡〕 liúkūn 동 〈文〉 ①손님을 못 가게 잡아 놓고 술을 흠뻑 마시다. ②〈轉〉 옛날, 기녀가 손님을 붙잡아 묵게 하다.
〔留兰香〕 liúlánxiāng 명 《植》 양박하. 스피어민트(spearmint)《향미료로 쓰임》.
〔留连〕 liúlián 동 (떠나기 아쉬워) 눌러 앉다. 계속 머무르다. ¶～花月; 화류계에서 계속 지내다.
〔留恋〕 liúliàn 동 ①차마 떠나지 못하다. 떠나기 아쉬워〔섭섭해〕하다. ¶毫不～地辞职; 조금도 미련 없이 사직하다 / 没有什么可以～的了; 아무것도 미련은 없다 / 就要离开学校了, 大家十分～; 이제 곧 학교를 떠나가게 되어, 모두 무척 서운해한다. ②그리워하다. ¶～过去; 과거를 그리워하다.
〔留量〕 liúliàng 명 《機》 허용량. 정량(定量).
〔留门〕 liú.mén 동 문을 열어 두다. 문을 잠그지 않고 두다. ¶你给我～; 내가 돌아올 때까지 문을 열어 두어라.
〔留面子〕 liú miànzi 체면을 세우다. ¶给他留个面子; 그의 체면을 세워 주다.
〔留名〕 liú.míng 동 ①이름을 후대에 남기다. ②이름을 말해 두다.
〔留(名)片儿〕 liú (míng)piànr 방문하여 명함만을 두고 돌아오다.
〔留难〕 liúnàn 동 ①곤란한 문제를 안기다. 트집〔탈〕을 잡다. 시비를 걸다. ¶百般～; 모든 일에 트집을 잡다. ②남의 결점을 찾다.
〔留念〕 liú.niàn 동 기념으로 남기다《이별할 때의 전별에 흔히 씀》.
〔留鸟〕 liúniǎo 명 《鳥》 텃새. ↔〔候hòu鸟〕
〔留期〕 liúqī 동 기한을 유예하다〔늦추다〕.
〔留情〕 liú.qíng 동 ①정이 들다. ¶一见～; 한 번 만났는데도 정이 느껴진다. ②용서하다. ¶毫不～; 가차없다 / 手下～; 편의를 봐 주다. 용서하다 / ～不举手, 举手不～; 눈 감아 줄 수 있으면 손을 올리지 않으며, 손을 올린 이상은 용서하지 않는다.
〔留求子〕 liúqiúzi 명 《植》 사군자(使君子). =〔使君子〕
〔留神〕 liú.shén 동 주의하다. 조심하다. ¶～点儿, 看摔倒了! 조심해라. 넘어질라! =〔留心〕
〔留声机〕 liúshēngjī 명 ①축음기. 유성기. ¶～针; 축음기 바늘 / ～针头; 사운드 박스. =〔唱chàng机〕〔〈俗〉 话huà匣子〕 ②〈比〉 (앵무새처럼) 되뇌기만 하는 것〔기능〕.
〔留声片〕 liúshēngpiàn 명 레코드. =〔唱片(儿)〕
〔留省察看〕 liúshěng chákàn 명 청대(淸代), 관리의 징계 처분의 하나.

〔留守〕 liúshǒu 동 〈文〉 ①천자가 순행(巡幸)할 때 수도에 남아서 지키다. ②(기관(機關) 등이 다른 곳으로 옮겨 갔을 때에 연락을 맡기 위해) 뒤에 남아서 지키다.
〔留宿〕 liúsù 동 ①못 가게 붙들어 놓고 묵게 하다. ②묵다. 유숙하다. ¶今晚他就在这里～; 오늘 밤 그는 이 곳에서 묵는다.
〔留题〕 liú.tí 동 (의견·감상 등을) 참관·유람한 곳에 적어 놓다.
〔留条〕 liútiáo 동 글로 적어 두다. 메모를 남기다. =〔留笔〕
〔留头〕 liú.tóu 동 ①머리를 (깎지 않고) 기르다. ②(계집아이가) 처음으로 머리를 길게 기르다. ¶她是几岁裹guǒ脚, 几岁上～? 그녀는 몇 살 때 전족을 하고, 몇 살 때 머리를 길게 길렀느냐? ‖=〔留发〕
〔留退步(儿)〕 liú tuìbù(r) 물러날 여지를 남기다. 함축을 남기다. =〔留退身步儿〕
〔留下〕 liúxià 동 ①남다. ¶大部分都回去了, 但仍有少数人～; 대부분이 돌아갔으나 아직도 소수의 사람이 남아 있다. ②남기다. 남겨 두다. ¶他爹给～的; 그의 아버지가 남겨 준 것이다 / ～难忘的印象; 잊을 수 없는 인상을 남기다. ③(못 가게) 만류하다. ¶昨天他把我～了; 어제는 그가 나를 못 가게 만류했다. ④매입하다. ¶我～这个罢; 이것을 사겠다. 이것으로 하겠다. ⑤말해 두다. 말을 남기다. ¶他出去的时候～话了; 그는 나갈 때에 일러 놓고 갔다.
〔留心〕 liú.xīn 동 조심하다. 주의하다. ¶～在意zàiyì; 잘 주의하다 / ～假冒; 사기에 조심. =〔留意〕〔留神〕
〔留学〕 liúxué 명 유학. ¶～生; 유학생. (liú.xué) 동 유학하다.
〔留言〕 liúyán 명 메모. 전언. =〔留语〕
〔留言簿〕 liúyánbù 명 전언부(傳言簿).
〔留言牌〕 liúyánpái 명 (역·공공 기관 등에 설치해 놓은) 메모판. 전언판(傳言板).
〔留洋〕 liú.yáng 동 외국에 가다. 외유(外遊)하다. 유학하다. ¶他留过洋; 그는 유학한 적이 있다.
〔留养〕 liúyǎng 명 《法》 옛날의 형법 규정의 하나 《사형 또는 유배형의 죄인으로서 부모를 부양할 의무가 있는 자에 대한 특사》.
〔留一手(儿)〕 liú yīshǒu(r) 기술·비법·요령 등을 전부 내보이지 않다. 오의(奧義)만은 (가르치지 않고) 남겨 두다.
〔留遗〕 liúyí 동 〈文〉 ①(사람·물건을 어떤 곳에) 남겨 두다. ②후세에 남기다. ③(짐을) 맡기다.
〔留音片(儿)〕 liúyīnpiàn(r) 명 음반. 레코드.
〔留影〕 liú.yǐng 동 기념 촬영하다. 기념 사진을 찍다. (liúyǐng) 명 기념 촬영. 기념 사진.
〔留用〕 liúyòng 동 ①남겨 놓았다가 쓰다. ②계속 고용하다. ¶～察看; 관직에 머물게 하고 관찰하다 《행정 처분의 하나》.
〔留有余地〕 liú yǒu yú dì 〈成〉 여지가 남아 있다. 여유를 남겨 두다.
〔留账〕 liú.zhàng 동 ①장부에 적어 놓다. ②지출을 기입하다.
〔留支〕 liúzhī 동 지불을 미루다. 지불이 밀리다.
〔留职停薪〕 liúzhí tíngxīn 휴직과 동시에 급여를 중지함. 휴직에 의한 급여 정지.
〔留种地〕 liúzhǒngdì 명 《農》 종자 채취용의 농지. =〔种子地〕
〔留住〕 liúzhù 동 만류하다. 붙잡아 두다.
〔留驻〕 liúzhù 동 주류〔주둔〕하다.
〔留髭〕 liúzī 동 콧수염을 기르다.
〔留字〕 liúzì 동 ⇨〔留笔bǐ〕

遛 liú (류)
동 〈文〉 머물다. 잠시 체류하다. ⇒liù

馏(餾) liú (류)
동 증류하다. ¶干gān～; 건류(乾溜)(하다) / 蒸zhēng～; 증류(하다). ⇒liù
〔馏分〕 liúfēn 명 《物》 분별 증류.

骝(騮) liú (류)
명 (갈기와 꼬리가 검은) 붉은 말. ¶骅huá～; 주(周)나라 목왕(穆王)의 명마의 이름. =〔骝马〕

榴 liú (류)
명 《植》 석류나무. ¶～花; 석류꽃. →〔石shí榴〕
〔榴火〕 liúhuǒ 명 〈文〉 불타는 듯 빨간 석류꽃의 빛깔.
〔榴莲〕 liúlián 명 《植》 두리안(durian) 《열대산 과실》. =〔贵水果〕〔果王〕
〔榴霰弹〕 liúxiàndàn 명 《軍》 유산탄(榴散彈). =〔群qún子弹〕〔子zǐ母弹〕
〔榴月〕 liúyuè 명 음력 5월의 별칭.

飗(飀) liú (류)
→〔飕飗〕
〔飗飗〕 liúliú 형 〈文〉 바람이 살랑살랑 부는 모양. ¶小风～～地刮得很冷; 미풍(微風)이 불어 몹시 춥다.

瘤〈癅〉 liú (류)
명 《醫》 ①(～子) 혹. 종기. 종양. ¶毒～; 악성 종양. ②표면에 나온 돌기물의 총칭. ③암(癌). ¶胃wèi～; 위암. =〔癌〕
〔瘤牛〕 liúniú 명 《動》 인도소. 제부(zebu). =〔印度瘤牛〕
〔瘤胃〕 liúwèi 명 《動》 반추 동물의 위(胃)의 제1실(室).
〔瘤子眼(儿)〕 liúziyǎn(r) 명 《醫》 삼눈 《눈병의 하나》.

镏(鎦) liú (류)
① 명 ⇨〔镥lǔ〕 ② 동 은(銀)이나 동(銅)에 도금(鍍金)하다 《중국 특유의 방법》. ¶～金jīn; 금도금하다. =〔鎏③〕 ③ 명 〈文〉 가마솥. ⇒liù

鹠(鶹) liú (류)
→〔鸺xiū鹠〕

镠(鏐) liú (류)
명 《鑛》 〈文〉 순금. 양질(良質)의 금.

柳〈栁〉 liǔ (류)
명 ① 《植》 버드나무 《북방에서는 '旱hàn～'가 능수버들을 가리킴》. =〔柳树〕 ② 《天》 별 이름 《28수(宿)의 하나》. ③ 성(姓)의 하나.
〔柳安(木)〕 liǔ'ān(mù) 명 《植》 나왕(羅王).
〔柳暗花明又一村〕 liǔ'àn huāmíng yòu yīcūn 〈比〉 막다른 곳에서도 길은 열린다 《육유(陸游)의 시》.
〔柳串儿〕 liǔchuànr 명 《鳥》 되솔새.
〔柳笛儿〕 liǔdír 명 버들피리. 호드기.
〔柳斗〕 liǔdǒu 명 버드나무 가지로 엮은 물통.

〔柳斗子〕 liǔdǒuzi 명 버드나무 가지로 결어 만든 소쿠리.
〔柳狗儿〕 liǔgǒur 명《植》 ①버드나무꽃. ②버들개지.
〔柳拐子〕 liǔguǎizi 명 ①버드나무 가지의 구부러진 것. ②〈俗〉 곱추. 곱사등이. ¶～病;《醫》 캐신백(Kaschin Beck)병.
〔柳罐〕 liǔguàn 명 버드나무 가지를 결어 만든 두레박.
〔柳(花)球〕 liǔ(huā)qiú 명 버들개지가 날려 솜같이 뭉쳐 있는 것.
〔柳鸡〕 liǔjī 명《鳥》 뇌조(雷鳥).
〔柳江人〕 Liǔjiāngrén 명 구석기 시대의 인류의 화석(1958년 광시(廣西)에 있는 류장(柳江)에서 발견).
〔柳绿〕 liǔlǜ 명《色》 유록색. 짙은 연두빛.
〔柳麻蒂斯〕 liǔmádìsī 명《醫》〈音〉 류머티즘(rheumatism). =〔偻麻质斯〕
〔柳毛子〕 liǔmáozi 명 ⇨〔柳絮xù〕
〔柳眉〕 liǔméi 명 ①가늘고 긴 눈썹. ②〈比〉 미인(의 눈썹). ‖=〔柳叶眉〕
〔柳面〕 liǔmiàn 명 가는 국수(국물에 말아먹음).
〔柳木〕 liǔmù 명 버드나무 목재. ¶～脑袋;〈罵〉 머리가 텅 빈 사람. 쓸모없는 사람. 똥주머니.
〔柳(木)圈椅〕 liǔ(mù) quānyǐ 명 버들가지로 만든 팔걸이의자.
〔柳青〕 liǔqīng 명《色》 옅은 연두색.
〔柳杉〕 liǔshān 명《植》 삼목. 삼나무.
〔柳树〕 liǔshù 명 버드나무.
〔柳丝〕 liǔsī 명 (실처럼) 축축 늘어진 버들개지. 수양버들의 가지. =〔丝柳〕
〔柳体字〕 liǔtǐzì 명 유공권(柳公權)의 서체(書體). =〔柳字〕
〔柳条(儿)〕 liǔtiáo(r) 명 ①버드나무의 가지. ¶～箱; 버들고리 / ～筐; 버들 광주리. ②(가는 털이 도드라진) 줄무늬. ¶～布; 줄무늬가 들어간 천 / ～正质赤鸡皮纸; 줄무늬진 하드롱지(紙). ③버드나무 가지 비슷한 무늬.
〔柳条棉剪绒〕 liǔtiáo miánjiǎnróng 명《紡》 코르덴. 골우단.
〔柳条身〕 liǔtiáoshēn 명〈比〉 아리따운 용자(容姿)〔몸매〕.
〔柳线〕 liǔxiàn 명 (늘어진) 버드나무 가지.
〔柳巷〕 liǔxiàng 명 화류계. =〔柳陌〕
〔柳絮〕 liǔxù 명 버들개지. ¶～才;〈比〉 시문(詩文)의 재주에 능한 여자. =〔柳毛子〕
〔柳芽(儿)〕 liǔyá(r) 명《植》 버들눈. ¶～色;《色》 황록색. 연두빛.
〔柳眼〕 liǔyǎn 명《植》 버드나무 새싹. 버들눈.
〔柳腰〕 liǔyāo 명〈比〉 (미인의) 가는 허리.
〔柳腰屁股〕 liǔyāo pìgǔ〈比〉 궁둥이가 무겁다(오래 눌러앉아 있음).
〔柳叶(儿)〕 liǔyè(r) 명 ①버들잎. ②식품의 이름.
〔柳叶菜〕 liǔyècài 명《植》 바늘꽃.
〔柳叶刀〕 liǔyèdāo 명 언월도(偃月刀)의 일종.
〔柳叶描〕 liǔyèmiáo 명 중국 화법의 하나.
〔柳莺〕 liǔyīng 명《鳥》 솔새의 총칭.
〔柳子戏〕 liǔzixì 명《劇》 유자희(산둥(山東) 서부·장쑤(江蘇) 북부·허난(河南) 동부 일대에 유행하고 있는 지방극(地方劇)).

绺(綹) liǔ (류)

①(～儿) 양 가락. 타래. 토리. 묶음(머리·수염·실 따위의 다발을 세는 말). ¶两～儿线; 두 타래의 무명실 / 一～儿头发; 한 가닥의 머리 / 头发东一～, 西一～地披散pīsàn着; 머리가 마구 헝클어져 있다. ②(～子) 명 물건을 매는 끈. ③(～儿) 명 옷이 아래로 늘어져서 자연히 생기는 주름. ④명 소매치기. ¶小～; 소매치기.
〔绺窃〕 liǔqiè 동〈文〉 소매치기를 하다. =〔剪jiǎn绺〕
〔绺贼〕 liǔzéi 명 소매치기. =〔剪绺贼〕〔〈口〉 小绺〕

锍(鋶) liǔ (류)

명《化》 술포늄(sulfonium).

罶〈罒〉 liǔ (류)

명〈文〉 통발(물고기를 잡는 도구).

六 liù (륙)

①수 6. 여섯. ¶～角形; 육각형. ②명 6개. 6번째. ¶～号门; 여섯째의 문. ③〈俗〉 쳇!(깔보고 하는 말). ¶～, 你也配! 쳇, 너도 자격이 있다고! ④〈俗〉 좋지 않다. 나쁘다. ¶你们的成绩忒tuī～! 以后多用心念书才行啊! 너희들 성적은 정말이지 형편 없구나, 이후는 크게 마음을 써서 공부해야 되겠다. ⇒lù
〔六波罗蜜〕 liùbōluómì 명《佛》 육바라밀(피안(彼岸)에 이르는 여섯 가지 수행). =〔六度〕
〔六部〕 liùbù 명 육부(옛날, 이부(吏部)·호부(戶部)·예부(禮部)·병부(兵部)·형부(刑部)·공부(工部)의 여섯 중앙 관청).
〔六朝〕 Liù Cháo 명《史》 ①오(吳)·동진(東晉)·송(宋)·제(齊)·양(梁)·진(陳)등, 모두 건강(健康)(지금의 난징(南京))에 도읍한 여섯 왕조의 이름. ②남북조 시대를 가리킴.
〔六处〕 liùchù 명〈文〉 천지 사방의 6개 장소. 곧, 모든 장소. →〔六方〕
〔六畜〕 liùchù 명 육축(여섯 가지 가축, 곧 말·소·양·닭·개·돼지). =〔六扰〕〔六牲shēng〕
〔六丁六甲〕 liùdīng liùjiǎ 명 천제(天帝)를 호위하는 여러 신(神).
〔六耳不通谋〕 liù ěr bù tōng móu〈成〉 중요한 일을 꾀할 때는 당사자 두 사람만이 알고 있어야지 제3자에게 알려서는 안 됨.
〔六方〕 liùfāng 명〈文〉 동·서·남·북과 상·하의 여섯 가지 방위. =〔大合①〕
〔六腑〕 liùfǔ 명《漢醫》 위(胃)·담(膽)·삼초(三焦)·방광(膀胱)·대장(大腸)·소장(小腸)을 이름.
〔六谷〕 liùgǔ 명 벼·보리·조·콩·수수·피.
〔六国卖骆驼的事情〕 liùguó mài luò tuó de shìqing〈比〉 있지도 않은 일.
〔六合〕 liùhé 명 ①⇨〔六方〕 ②〈比〉 천하. 우주.
〔六角车床〕 liùjiǎo chēchuáng 명《機》 터릿(turret) 선반. =〔转zhuǎn塔车床〕
〔六脚虫〕 liùjiǎochóng 명 곤충류.
〔六眷〕 liùjuàn 명 친척이나 권속(眷屬)의 총칭.
〔六扣〕 liùkòu 명 정가의 60%(4할 할인한 가격).
〔六棱儿〕 liùléngr 명 각주(角柱).
〔六楞子〕 liùléngzi 명《數》 (등변) 육각형.
〔六檩五椽〕 liùlǐn wǔchuán〈比〉 훌륭한 집.
〔六零六〕 liùlíngliù 명《藥》 살바르산.
〔六六六〕 liùliùliù 명《化》 비에이치시(B.H.C.)(살충제). =〔六氯(化)苯〕
〔六氯(化)苯〕 liù lǜ(huà)běn 명 ⇨〔六六六〕
〔六轮〕 liùlún 명《軍》 6연발 권총.
〔六面光〕 liùmiànguāng 형〈比〉 구석구석까지 모두 반짝반짝 빛나다. ¶把机器擦得～; 기계를 온

구석구석까지 번쩍이게 닦다.
〔六婆〕 liùpó 명 〈文〉 만만치 않은 거센 여자의 총칭(‘牙婆’(첩을 소개하는 여자). ‘媒婆’(중매를 업으로 하는 여자). ‘师婆’(무당). ‘虔婆’(유곽의 포주). ‘药婆’(여의사). ‘稳婆’(산파)).
〔六亲〕 liùqīn 명 육친. ¶～无靠; 친척이라고 기댈 데가 없다 / ～不认; 의리가 없다. 사사로운 감정을 개입시키지 않다.
〔六情〕 liùqíng 명 희(喜)·노(怒)·애(哀)·락(樂)·호(好)·오(惡)의 여섯 가지 감정.
〔六日周〕 liùrìzhōu 명 1주 6일제(制)의 주(週)(5일 일하고 하루 쉬는 방식).
〔六三三学制〕 liù sān sān xuézhì 명 초등 학교 6년, 중학교 3년, 고등 학교 3년의 학제(學制).
〔六色〕 liùsè 명 ①관혼상제 때에 여러 가지 잡역에 종사하는 사람. ②‘青·白·赤·黑·玄·黄’의 여섯 가지 색.
〔六扇门儿〕 liùshànménr 명 ①여섯 짝의 문짝이 달린 문. ②육부(六部) 또는 육방(六房)의 속칭.
〔六神〕 liùshén 명 도교(道教)에서 말하는 심(心)·폐(肺)·간(肝)·신(腎)·비(脾)·담(膽)의 육장(六臟)의 신. ¶～不安; 〈成〉 마음이 가라앉지 않는〔불안한〕모양.
〔六神无主〕 liù shén wú zhǔ 〈成〉 놀라거나 당황하여 넋이 나가다. 〈比〉 매우 놀라는 모양.
〔六师〕 liùshī 명 〈文〉 천자의 육군(六軍). 군대의 총칭.
〔六十甲子〕 liùshí jiǎzǐ 명 육십 갑자(십간·십이지를 배합한 60의 수).
〔六十四开〕 liùshí sì kāi 명 《印》 64절판(의 책). 64절의 종이.
〔六十天〕 liùshítiān 명 ①60일. ②사후 60일째의 의식.
〔六时〕 liùshí 명 《佛》 육시(일주야 가운데, 아침·낮·일몰·초저녁·중야(中夜)·후야(後夜)를 이름).
〔六韬三略〕 Liùtāo sānlüè 명 《書》 육도 삼략.
〔六味〕 liùwèi 명 쓴맛·신맛·단맛·매운맛·짠맛·싱거운 맛.
〔六问三推〕 liù wèn sān tuī 〈成〉 몇 번이고 되풀이하여 묻다. 자세히 심문〔문초〕하다. ¶怕什么～; 여러 번의 심문을 어찌 두려워하랴.
〔六无〕 liùwú 명 가래나 침·더러운 물·먼지·쓰레기·대소변·난잡의 여섯을 없애는 일.
〔六仙桌(儿,子)〕 liùxiānzhuō(r,zi) 명 6인용의 사각형 탁자.
〔六弦琴〕 liùxiánqín 명 《樂》 기타(guitar). =〔吉jí他〕
〔六线鱼〕 liùxiànyú 명 《魚》 쥐노래미.
〔六旬〕 liùxún 명 〈文〉 육순. 예순 살. =〔六秩〕
〔六也不行〕 liù yě bù xíng 〈京〉 절대로 할 수 없다. 절대 안 된다.
〔六一(儿童)节〕 Liùyī(értóng)jié 명 국제 아동절(1949년부터 6월 1일로 지정됨).
〔六淫〕 liùyín 명 《漢醫》 옛날에, 병인(病因)으로 생각했던 ‘风’·‘寒’·‘热’·‘湿’·‘燥’·‘火’의 6종의 기상학적 인자(因子).
〔六院〕 liùyuàn 명 옛날, 여섯 개의 중앙 관청.
〔六月〕 liùyuè 명 유월. 6월. ¶～的包子; 〈歇〉 빛좋은 개살구(겉은 훌륭한데 속은 썩었다).
〔六月的日头, 晚娘的拳头〕 liùyuè de rìtou, wǎnniáng de quántou 유월의 태양과 계모의 주먹(이 세상에서 가장 인정 사정 없는〔매정한〕것).
〔六月飞霜〕 liù yuè fēi shuāng 〈成〉 억울한 죄로 투옥되다.
〔六证〕 liùzhèng 명 〈比〉 완전한 증거.
〔六指儿〕 liùzhǐr 명 ①육손이. ②쓸데없는 것. ¶就留你在家也是～抓痒kuǎiyǎng儿數余着一个; 너를 집에 두다니, 그야말로 공밥을 먹이는 것이나 마찬가지다.

陆(陸) liù (륙)
①수 ‘六’의 갖은자. ¶～仟qiān元整zhěng; 6천 원정(整). ②→〔碌liù碡〕 ⇒ lù

溜 liù (류)
①명 세찬 물살. 급류. ¶河里大～; 강물의 흐름이 굉장히 빠름 / 水深～急; 물은 깊고 흐름은 빠르다. ②형 뚝뚝 떨어지다. ¶袖子湿成～; 소매가 물이 뚝뚝 떨어질 정도로 젖었다. ③(～儿) 양 열(列). 줄. ¶一～儿三间房; 한 줄로 죽 늘어선 3칸 방 / 一～儿烟似的跑了; 한 줄기 연기처럼 슬그머니 달아났다. 걸음아 나 살려라 하고 급히 도망쳤다. ④(～儿) 명 근처. 근방. ¶这～儿有姓王的没有? 이 근처에 왕이라는 사람이 살고 있는지요? / 这～的果木树很多; 이 근처에는 과수(果樹)가 많다. ⑤동 천천히 걷다. 어슬렁어슬렁 걷다. ¶两三星期工夫, 他把脚～出来了; 두서너 주일 동안에 그는 다리를 길들여 놓았다. =〔遛liù〕 ⑥동 단단하게 된 것을 다시 무르게 찌다. ¶～上两个饼子; ‘饼子’ 두 개를 다시 쪄내다. =〔馏liù〕 ⑦동 〈京〉 (틈이나 구멍을 회·시멘트·종이 따위로) 메우다. 막다. ¶把窗户缝儿～一下; 창틈을 (종이로) 메우다. ⇒ liū
〔溜儿〕 liùr ①양 줄. 행렬. ¶种zhòng了一～树; 나무를 한 줄 심었다. =〔溜③〕 ②(남들과 같은) 보통 정도나 상태. ¶随suí～; 남만큼 하다. ③명 부근. 근처. ¶这～; 이 근방. =〔溜④〕
〔溜飕〕 liùsou 형 〈北方〉 재빠르다. 날래다. ¶上岁数的人腿脚不～了; 늙은이의 걸음은 재빠르지 못 하다. =〔利lì落〕
〔溜弯儿〕 liù∙wānr 동 한 바퀴 산책하다. ¶天天一清早就出去～去; 매일 아침 일찍 나가서 한 바퀴 산책을 한다. =〔遛弯儿〕
〔溜斋〕 liùzhāi 동 ⇨〔遛斋〕
〔溜子〕 liùzi 명 《鑛》 통형(桶形) 컨베이어.

遛 liù (류)
동 ①천천히〔어슬렁어슬렁〕 걷다. 이리저리 거닐다. 산책하다. ¶在院子里～一～; 뜰 안을 거닐다. ②가축을 천천히 걸리어 운동시키다. ¶他～马去了; 그는 말을 운동시키러 갔다. ‖ =〔溜⑤〕 ⇒ liú
〔遛病〕 liùbìng 동 병을 치료하기 위해 산책하다.
〔遛达〕 liùda 동 ⇨〔溜达liūda〕
〔遛晃〕 liùhuang 동 빈둥빈둥 놀러 다니다. 슬슬 거닐다.
〔遛马〕 liù∙mǎ 동 (말의 운동을 위하여) 말을 천천히 걸리다. =〔溜liù马〕
〔遛鸟〕 liù∙niǎo 동 새장을 들고 한적한 곳을 거닐다〔산책하다〕.
〔遛人〕 liùrén 동 남을 헛걸음치게 하다.
〔遛食(儿)〕 liùshí(r) 명동 (소화를 위해) 식후 산책(하다).
〔遛顺〕 liùshùn 동 걸으며 기분을 가라앉히다.
〔遛腿儿〕 liù∙tuǐr 동 (거리를) 어슬렁어슬렁 걷다.
〔遛弯儿〕 liù∙wānr 동 〈方〉 산책하다. ¶您到哪儿～去啦? 어디로 산책 가십니까? =〔溜弯儿〕
〔遛早儿〕 liù∙zǎor 동 아침 산책을 하다. (liùzǎor)

명 아침 산책.
〔遛斋〕 liùzhāi 동 승려가 식후에 소화를 돕기 위하여 산책하다. =〔溜斋〕

馏(餾) liù (류)
동 다시 찌다. ¶这馒头凉了不好吃, ～一～吧; 이 만두는 식어서 맛이 없으니, 다시 찌자/～着吃; 다시 쪄서 먹다. =〔溜liù⑥〕 ⇒ liú

镏(鎦) liù (류)
(～子) 명 〈北方〉 반지. =〔戒jiè指〕 ⇒ liú

霤 liù (류)
명 ①낙숫물. ②홈통. =〔水霤〕

碌 liù (록)
→〔碌碡〕 ⇒ lù

〔碌碡〕 liùzhóu 명 《農》 돌롤러(땅을 고르거나 탈곡하거나 하는 데 씀). =〔石磙〕〔陆liù轴〕〔磙子①〕

鹨(鷚) liù (류)
명 《鳥》 종다리. ¶树～; 층뚱새/天～; 종달새.

LO ㄌㄛ

咯 lo (락)
조 문말(文末)의 어기 조사(語氣助詞). ¶当然～! 당연하다!/那倒好～! 그것은 좋다! ⇒ gē kǎ luò

LONG ㄌㄨㄥ

隆 lōng (륭)
→〔黑咕隆咚(的)〕 ⇒ lóng

龙(龍) lóng (룡)
명 ①용(전설상의 동물). ¶一条～; 한 마리의 용/翼手～; 날개가 있는 공룡/～的后裔; 〈比〉 중화 민족. ②공룡 등의 파충류. ¶恐kǒng～; 공룡. ③〈比〉 천자. ¶～袍; 곤룡포(천자의 옷)/～床; 천자의 침대. ④〈比〉 명마(名馬). ⑤〈比〉 뛰어난 사람. 비범한 사람. ⑥성(姓)의 하나.

〔龙柏〕 lóngbǎi 명 《植》 노송나무.
〔龙笔〕 lóngbǐ 명 〈文〉 천자의 필적. 어필.
〔龙宾〕 lóngbīn 명 먹〔墨〕의 별칭.
〔龙车〕 lóngchē 명 〈文〉 천자가 타는 수레.
〔龙雏〕 lóngchú 명 죽순의 별칭. =〔笋sǔn〕
〔龙床〕 lóngchuáng 명 〈文〉 ①용상. 옥좌. ②천자의 침대.
〔龙胆〕 lóngdǎn 명 ①《植》 용담. ②〈比〉 진귀한 음식물. ¶～凤肝; 〈成〉 진기한 음식.
〔龙胆紫〕 lóngdǎnzǐ 명 《化》 메틸렌 블루(methylene blue). =〔〈俗〉 紫药水〕〔甲紫〕
〔龙灯〕 lóngdēng 명 용 모양의 등(정월 대보름날 여러 사람이 높이 들고 춤추며 거리를 돎).
〔龙邸〕 lóngdǐ 명 옛날, 천자가 즉위하기 이전의 거처.
〔龙洞〕 lóngdòng 명 석회암 동굴.
〔龙堆〕 Lóngduī 명 《地》 천산 남로(天山南路) 방면의 사막 지대.
〔龙多不治水〕 lóng duō bùzhìshuǐ 〈諺〉 사공이 많으면 배가 산으로 올라간다. =〔龙多不治水, 鸡多不下蛋〕〔龙多死靠〕
〔龙多死靠〕 lóng duō sǐkào 〈諺〉 ⇨〔龙多不治水〕
〔龙飞〕 lóngfēi 동 〈比〉 〈文〉 ①제위에 오르다. ¶～榜; 황제 즉위 후 첫 번째의 과거 시험. ②영웅이 뜻을 얻어 일어나다.
〔龙飞凤舞〕 lóng fēi fèng wǔ 〈成〉 ①필세(筆勢)가 생기가 넘치고 힘찬 모양. ¶他这几个字写得真是～; 그의 이 글씨들은 참으로 생기가 있고 힘차다. ②봉우리가 이어져 웅장한 모양.
〔龙凤〕 lóngfèng 명 ①용과 봉황. ¶～之姿zī; 〈比〉 고귀한 모습. ②〈比〉 뛰어난 재능〔인물〕. ③결혼의 상징.
〔龙凤饼〕 lóngfèngbǐng 명 혼인 때에 신랑 집에서 신부 집에 보내는 과자〔떡〕. =〔龙凤喜饼〕
〔龙凤婚书〕 lóngfènghūnshū 명 결혼 증명서.
〔龙凤帖〕 lóngfèngtiě 명 혼약서(婚約書)(사주 단자 비슷한 것).
〔龙肝豹胎〕 lóng gān bào tāi 〈成〉 매우 진기한 음식. =〔龙肝凤胆〕
〔龙骨〕 lónggǔ 명 ①배(船)의 용골. ¶～车chē =〔龙尾车〕; 용골차. 관개용의 수차. =〔船骨〕〔船脊骨〕 ②《漢醫》 고대의 거대 동물의 화석(강장제). ③《生》 조류(鳥類)의 흉골(胸骨).
〔龙归沧海〕 lóng guī cānghǎi 〈比〉 제왕이 붕어(崩御)하다.
〔龙衮〕 lónggǔn 명 ①옛날, 천자의 옷에 붙인 용의 무늬. ②〈轉〉 천자의 옷.
〔龙虎〕 lónghǔ 명 〈比〉 ①호걸(豪傑). ②도가(道家)에서 물과 불을 말함. ③풍수 지리설에서 무덤 좌우의 두 산맥.
〔龙虎榜〕 lónghǔbǎng 명 ①《樂》 인기 차트. =〔排行榜〕 ②옛날, 명사(名士)들이 한꺼번에 과거에 급제한 것을 게시했던 방(榜).
〔龙虎草〕 lónghǔcǎo 명 《植》 대극(大戟).
〔龙虎斗〕 lónghǔdòu 명 〈廣〉 뱀과 고양이 고기의 요리 이름.
〔龙户〕 lónghù 명 단민(蛋民)(주장 강(珠江) 등에 있던 수상(水上) 생활자. 현재는 대부분 육상 생활을 함).
〔龙集〕 lóngjí 명 〈文〉 해를 적을 때 쓰는 말. ¶～乙卯; 을묘년.
〔龙忌〕 lóngjì 명 불 때는 것을 금하는 날.
〔龙髻儿〕 lóngjìr 명 소용돌이 모양의 머리형.
〔龙驾〕 lóngjià 명 〈文〉 천자의 탈것. 천자의 거마(車馬).
〔龙睛虎目〕 lóngjīng hǔmù 〈比〉 위엄 있는 용모.
〔龙井(茶)〕 lóngjǐng(chá) 명 용정차(저장 성(浙江省) 룽징(龍井)에서 나는 녹차).
〔龙驹(子)〕 lóngjū(zi) 명 〈比〉 ①준마(駿馬). ②(장래 훌륭한 인물이 될 것 같은) 뛰어난 어린이.
〔龙聚日〕 lóngjùrì 명 음력 10월 3일.
〔龙卷(风)〕 lóngjuǎn(fēng) 명 《氣》 맹렬한 회오리.
〔龙口夺粮〕 lóng kǒu duó liáng 〈成〉 식량을 용의 입에서 빼앗다(날씨가 나빠지기 전에 서둘러 수확하다).
〔龙马〕 lóngmǎ 명 〈文〉 상서로운 말(요(堯)임금이

즉위할 때 황허(黃河)에 나타났다는 신마(神馬)). 형〈比〉심신이 건전하고 활기차다. ¶～精神; 원기 왕성하다. 정신이 활기에 차다.
〔龙脉〕 lóngmài 명 풍수 지리에서, 산의 기세와 기복.
〔龙眉〕 lóngméi 명〈比〉길게 치켜 올라간 눈썹.
〔龙媒〕 lóngméi 명 ①〈比〉준마(駿馬). ②지렁이의 별칭.
〔龙门〕 lóngmén 명 ①〈比〉입신 출세의 관문인 '贡院'(과거 시험장)의 문. 출세의 길. ¶鱼跳～; 〈比〉(과거) 시험에 합격하다. 관문을 돌파하다 / 登dēng～; 〈比〉출세의 실마리를 잡다. 출세의 계단을 오르다. ②〈比〉명망이 높은 인물. ③《體》(축구의) 골(goal). ¶～网wǎng; 골 네트(goal net) / ～柱zhù; 골대. 골포스트(goalpost).
〔龙门点额〕 lóngmén diǎn'é〈比〉낙제하다.
〔龙门吊(车)〕 lóngmén diào(chē) 명《機》문형(門形) 크레인(portal crane). 문형 이동 기중기(goliath crane).
〔龙门阵〕 lóngménzhèn 명 ①《軍》옛날의 연병(鍊兵) 진법의 하나. ②〈比〉논쟁. 수다.
〔龙牌〕 lóngpái 명 청대(清代), 관아·학교·사원·사당 등에 비치된 목제의 위패로, '皇帝万岁万万岁'라 씌어 있고, 의식날의 예배에 사용되었음. =〔龙亭tíng〕
〔龙盘虎踞〕 lóng pán hǔ jù〈成〉지형이 험준하고 요해(要害) 견고하다. =〔虎踞龙盘〕〔龙蟠虎踞〕
〔龙蟠凤逸〕 lóng pán fèng yì〈成〉비범한 인물이 아직 때를 만나지 못하다. ¶～之士, 皆欲收名定价于君侯《李白 與荊州書》; 비범한 재사는 모두 군후(君侯)에게 진가를 인정받기를 바란다.
〔龙旗〕 lóngqí 명 청나라의 국기.
〔龙潜〕 lóngqián 명 ①잠룡(천자가 아직 즉위하기 전의 상태). ¶～藩邸; 잠저(황제가 친왕(親王)이었을 때의 저택). ②음력 11월의 별칭.
〔龙丘〕 Lóngqiū 명 복성(複姓)의 하나.
〔龙泉〕 Lóngquán 명 용천(옛날의 보검의 이름). =〔龙渊〕
〔龙山文化〕 Lóngshān wénhuà 명 용산 문화(신석기 시대 후기의 문화).
〔龙勺〕 lóngsháo 명 용작(옛날의 예기(禮器)).
〔龙蛇〕 lóngshé 명〈比〉①비범한 사람. ②초서체에서 필세의 생동감. 동 몸을 숨기다. 은거하다.
〔龙蛇飞动〕 lóng shé fēi dòng〈成〉필세가 힘차고 약동감이 있는 모양. =〔龙蛇飞腾〕
〔龙生凤养〕 lóngshēng fèngyǎng〈比〉좋은 가문에서 태어나다.
〔龙生九子〕 lóng shēng jiǔ zǐ〈成〉같은 부모에게서 태어난 자식이라도 같은 성격을 지닌다고는 할 수 없음(뒤에 '种种有别'로 이어짐).
〔龙生龙, 凤生凤, 老鼠生儿会打洞〕 lóng shēng lóng, fèng shēng fèng, lǎoshǔ shēng ér huì dǎ dòng〈諺〉용은 용을 낳고, 봉황은 봉황을 낳으며, 쥐가 낳은 새끼는 구멍을 팔 줄 안다(그 아비에 그 아들). ¶王将军的儿子又得了第一名, 真是～呀! 왕장군의 아들은 또 일등을 했다. 정말 그 아버지에 그 아들이구나!
〔龙生日〕 lóngshēngrì 명 ①음력 5월 13일. ②길일(吉日). 진년(辰年).
〔龙生一子定乾坤, 猪生一窝拱墙根〕 lóng shēng yī zǐ dìng qiánkūn, zhū shēng yī wō gǒng qiánggēn〈諺〉용은 한 마리를 낳아도 천하를 다스리지만 돼지는 한배의 새끼를 낳아도 담 밑을 파는 재주뿐이다(사람의 슬기로움과 어리석음은 타고나는 것이다).
〔龙虱〕 lóngshī 명《蟲》물방개.
〔龙书案〕 lóngshū'àn 명 옛날, 관청의 사무용 책상.
〔龙孙〕 lóngsūn 명 ①죽순(竹筍)의 별칭. ②〈比〉훌륭한 말(馬).
〔龙抬头〕 lóng táitóu ①음력 2월 2일(옛날, 향을 피우고 해를 제사 지내는 날). ②〈比〉점차 운이 트이다.
〔龙潭〕 lóngtán 명 ①용이 사는 못(의 깊은 곳). ②〈比〉매우 위험한 곳. ¶～虎穴; 〈成〉ⓐ지세가 험한 곳. ⓑ매우 위험한 곳 / 跳出～再人虎穴; 일단 위험에서 벗어났다가 재차 위험에 맞닥뜨리다.
〔龙套〕 lóngtào 명《劇》①중국 전통극에서, 기(旗)를 든 의장병(儀仗兵)이 입는 의상(용의 무늬를 수놓았음). ②의병장역의 연기자. ¶跑～; 의병장 역(役)을 하다.
〔龙腾虎跃〕 lóng téng hǔ yuè〈成〉동작이 활력에 넘쳐 있는 모양.
〔龙体〕 lóngtǐ 명〈文〉옥체.
〔龙条布〕 lóngtiáobù 명 줄무늬가 돋은 무명 천.
〔龙跳虎卧〕 lóngtiào hǔwò〈比〉초서(草書)의 필세(筆勢)가 자유 분방하다.
〔龙庭〕 lóngtíng 명〈比〉①황제의 자리. ②조정(朝庭). ③〈貶〉권력자의 자리.
〔龙头〕 lóngtóu 명 ①장원. ②상석(上席). ¶占zhàn～; 상석을 차지하다. ③용머리. ¶～拐guǎi杖; 손잡이에 용머리가 달린 지팡이. ④〈方〉자전거 핸들. ⑤〈俗〉기관차. =〔火车头〕 ⑥〈比〉수령(首領). ¶～大哥; 유력자. ⑦사교춤에서 남자가 여자를 리드하는 것.
〔龙头〕 lóngtou 명 수도 꼭지. 펌프의 아가리.
〔龙王〕 Lóngwáng 명 용왕. 물의 신. ¶～庙; 물의 신을 모신 '庙' / 大水冲了～庙, 一家人不认得一家人; 〈歇〉잘아는 사이인데 서로 몰랐다. =〔龙王神〕〔龙王爷〕〔龙王老爷〕
〔龙位〕 lóngwèi 명 ①왕좌. 옥좌. ②왕위. 왕권. ③〈貶〉권력의 자리.
〔龙文〕 lóngwén 명〈文〉①용의 무늬. ②준마(駿馬). ③〈比〉훌륭한 자제.
〔龙虾〕 lóngxiā 명《動》왕새우.
〔龙涎(香)〕 lóngxián(xiāng) 명 용연향. 앰버그리스(ambergris).
〔龙骧虎步〕 lóng xiāng hǔ bù〈成〉위풍 당당한 모양.
〔龙须菜〕 lóngxūcài 명《植》①강리(江籬). ②〈方〉아스파라거스.
〔龙须(草)〕 lóngxū(cǎo) 명《植》용수초. 골풀. =〔龙修〕〔石shí龙刍〕
〔龙须友〕 lóngxūyǒu 명 붓의 별칭. ¶～使我至此《雲仙雜記》; 붓이 나를 여기에 이르게 했다.
〔龙穴〕 lóngxué 명 풍수 지리에서, 산의 기맥(氣脈)이 이어지는 곳으로 묘지로 적합한 땅.
〔龙牙草〕 lóngyácǎo 명 ①《植》짚신나물. ②차(茶)의 이름.
〔龙颜〕 lóngyán 명〈文〉천자의 얼굴. =〔隆颜〕
〔龙眼〕 lóngyǎn 명《植》용안. ¶～肉; 용안육(용안의 열매. 한약재). =〔桂圆〕
〔龙椅〕 lóngyǐ 명 ①천자의 의자. ②〈轉〉왕위.
〔龙吟虎啸〕 lóng yín hǔ xiào〈成〉용이 울자 구름이 일어나고, 호랑이가 포효하자 골짜기에 바람이 인다(영웅이 나타남).
〔龙舆〕 lóngyú 명〈文〉천자의 수레.

〔龙驭〕 lóngyù 명동〈文〉(천자가) 붕어(하다).
〔龙章凤姿〕 lóng zhāng fèng zī〈成〉풍채가 뛰어나게 훌륭하다.
〔龙争虎斗〕 lóng zhēng hǔ dòu〈成〉용호상박하다. 사투를 벌이다.
〔龙钟〕 lóngzhōng 형〈文〉①늙어서 행동이 부자유스러운 모양. 늙어서 휘청휘청하는 모양. ¶老态~; 늙어서 비실비실한 모양/叫他绊了一脚, 跌了个~; 그가 발을 걸어 휘청거리다가 넘어졌다. ②실의한 모양. 영락한 모양. ¶~三十九, 劳生已强半《蘇軾詩》; 실의 영락하여 어언 39세, 인생의 거의 절반 이상을 고생으로 지내고 말았다.
〔龙种〕 lóngzhǒng 명〈文〉①제왕의 자손. ②〈轉〉중국인의 자칭.
〔龙舟〕 lóngzhōu 명 ①용선《단오절에 용의 머리를 뱃머리에 장식하고 경조(競漕)하는 배》. =〔龙船〕 ②〈文〉제왕의 배.
〔龙兹〕 lóngzī 명〈文〉용수초 돗자리. =〔龙疏〕
〔龙子〕 lóngzǐ 명 ①용의 새끼. ②〈比〉훌륭한 아들. ③옛 현인.
〔龙子龙孙〕 lóngzǐ lóngsūn 훌륭한 자손들.
〔龙嘴掏珠〕 lóngzuǐ tāozhū 용의 아가리 속의 구슬을 꺼내어 가지다. 위험한 짓을 하다. =〔虎hǔ口拔牙〕〔模mō老虎屁股〕

泷(瀧) lóng (랑, 롱)

①명〈方〉분류(奔流). 급류. ②명 큰비의 형용. ③동 물에 잠기다. ④명 폭포. ⑤지명용 자(字). ¶七里~Qīlǐlóng; 치리룽(七里瀧)《저장 성(浙江省)에 있는 땅 이름》. ⇒shuāng
〔泷船〕 lóngchuán 명〈文〉①급류를 헤쳐가는 배. ②〈轉〉쾌속선.
〔泷夫〕 lóngfū 명〈比〉헤엄을 잘 치는 사람.
〔泷泷〕 lónglóng〈擬〉콸콸. 쏴쏴《물소리》. ¶谷中暗水响~; 골짜기 속 컴컴한 곳을 물이 쏴쏴 소리를 내며 흐르다. 형 비가 내리는 모양.

茏(蘢) lóng (롱)

①명《植》큰여뀌의 고칭(古稱). ②→〔茏葱〕
〔茏葱〕 lóngcōng 형〈文〉초목이 무성한 모양. =〔珑璁②〕

咙(嚨) lóng (롱)

→〔喉hóu咙〕

珑(瓏) lóng (롱)

→〔珑璁〕〔珑玲〕
〔珑璁〕 lóngcōng〈文〉①〈擬〉쨍그랑. 쨍쨍《금속·옥석(玉石) 등이 부딪치는 소리》. ②형 (초목이) 무성한 모양. =〔茏葱〕
〔珑玲〕 lónglíng〈文〉〈擬〉쨍쨍《옥이 서로 부딪치는 소리》. 형 빛나는 모양. 밝은 모양.

栊(櫳〈龑〉) lóng (롱)

명〈文〉①창(窓). ¶帘lián~; 발이 쳐진 창. ②짐승을 기르는 우리.

昽(曨) lóng (롱)

→〔昽昽〕
〔昽昽〕 lónglóng 형〈文〉어슴푸레하다.

胧(朧) lóng (롱)

①형 달이 빛나는 모양. ¶朦méng~; 달빛이 어스레한 모양. ②〈擬〉북이 둥둥둥 울리는 소리. ¶~朣鼓击赦书下; 북이 둥둥둥 울리고 사면장이 내려졌다.
〔胧光〕 lóngguāng 명 어슴푸레한 달빛.
〔胧明〕 lóngmíng 형〈文〉달빛이 어슴푸레하다.

砻(礱〈壠〉) lóng (롱)

〈方〉①명 맷돌. ②동 매갈이하다. ¶~出米来; 탈곡하다/~出来的米很整齐; 탈곡한 쌀은 매우 고르다.
〔砻稻子〕 lóng dàozi 겉겨〔왕겨〕를 제거하다. 탈곡하다.
〔砻坊〕 lóngfáng 명 매갈이하는 곳〔공장〕.
〔砻谷〕 lóng.gǔ 동 매갈이하다. 탈곡하다. ¶~机; (곡물·두류 등의) 탈곡기.
〔砻糠〕 lóngkāng 명〈方〉왕겨. 겉겨.

眬(矓) lóng (롱)

→〔蒙méng胧〕

聋(聾) lóng (롱)

①형 귀가 어둡다. 귀먹다. ¶耳朵~了; 귀가 먹었다. ②→〔聋子〕 ③형〈轉〉사리에 어둡다.
〔聋聩〕 lóngkuì〈文〉명 귀머거리. 형 ①귀가 어둡다. ②〈轉〉무지(無知)하다. 멍청하다. ¶牛马~, 不知混昧《易林》; 우마는 무지해서 깊은 맛을 모른다.
〔聋佬〕 lónglǎo 명 귀머거리 남자.
〔聋俗〕 lóngsú 형〈文〉속되고 무지하다.
〔聋哑〕 lóngyǎ 명 농아.
〔聋哑人〕 lóngyǎrén 명 농아. 농아자.
〔聋哑学校〕 lóngyǎ xuéxiào 명 농아 학교.
〔聋哑症〕 lóngyǎzhèng 명 농아증.
〔聋喑〕 lóngyīn 명〈文〉농아.
〔聋子〕 lóngzi 명 귀머거리. ¶~爱打岔;〈成〉귀머거리의 지레짐작/~放炮; 귀머거리가 폭죽을 터뜨리다.〈比〉무익한 짓을 하다. 쓸데없는 짓을 하다. =〔聋人〕

笼(籠) lóng (롱)

①(~儿, ~子) 명 주로 새나 벌레를 기르는 새장이나 곤충집. ¶鸟~子; 새장/鸡~; 닭의 어리/捕bǔ鼠~; 쥐덫/筷kuài~; 수저 넣는 바구니. 수저통. ②명 옛날에, 죄수를 가두던 곳. ¶囚~; (죄수 호송용) 함거(檻車)의 우리. ③명 채반시루. 찜통. ¶这些馒头还要上~蒸一蒸; 이 만두는 좀더 찜통에 넣어서 쪄야 한다. ④동〈方〉양손을 소매 속에 넣어 팔짱을 끼다. ⑤동〈北方〉불을 지피다. ¶~不着; 불이 붙지 않다/~得不旺wàng; 불이 잘 타지 않는다. ⑥명 제등(提燈). 등롱(燈籠). ⇒lǒng
〔笼饼〕 lóngbǐng 명 ⇨〔馒mán头〕
〔笼炊〕 lóngchuī 명 ⇨〔蒸zhēng饼①〕
〔笼火〕 lóng.huǒ 동〈北方〉불을 피우다. ¶今天不冷, 甭béng~了! 오늘은 춥지 않으니까 불을 피우지 않아도 된다!
〔笼笼〕 lónglóng 형〈文〉희미하게 보이는 모양. ¶~隔浅纱《劉孝威詩》; 얇은 사로 가린 것처럼 희미하게 보이다.
〔笼鸟〕 lóngniǎo 명 새장 속의 새. =〔笼禽〕
〔笼屉(子)〕 lóngtì(zi) 명 찜통. 채반시루. =〔蒸zhēng笼〕
〔笼铜〕 lóngtóng〈擬〉둥둥둥둥《북이 울리는 소리》. ¶~鼓报衙《柳宗元詩》; 둥둥 하고 호소하는 북 소리가 관아에 울리다.

〔笼头〕 lóngtóu 명 갇힌 죄수들 중의 우두머리. 감방장.

〔笼头〕 lóngtou 명 말 머리에서 재갈에 걸친 장식 끈. ¶没~的马; 굴레를 벗은 말. 〈比〉 버릇없는 사람. →〔笼嘴〕

〔笼中鸟〕 lóngzhōngniǎo 명 〈比〉 곤경에 처해 자유를 상실한 사람.

〔笼子〕 lóngzi 명 ①바구니(새장이나 벌레장 따위). ②시루. ⇒lǒngzi

〔笼嘴〕 lóngzui 명 (가축의 입에 씌우는) 부리망. 재갈.

隆 lóng (륭)
①형 봉긋이 솟아나다. ¶~起; 융기하다. ②형 성(대)하다. ¶~盛shèng; ⇩/兴xīng~; 흥성하다/~重zhòng举行; 성대하고도 엄숙히 거행되다. ③형 한창이다. 정도가 깊다. ¶~冬dōng; 추위가 지독한 한 겨울. ④형 두텁다. 융숭하다. ¶~情厚谊yì; 두터운 정의(情誼)/待遇优~; 대우가 융숭하다. ⑤형 흥성하다. 융성하다. ⑥〈擬〉 쾅. 탕. 우르르. ¶炮pào声~~; 포성이 울려 퍼지다/轰hōng~; 소리가 크게 울리다. ⑦명 성(姓)의 하나. ⇒lōng

〔隆爱〕 lóng'ài 명 〈文〉 깊은 애정. =〔隆眷〕

〔隆宠〕 lóngchǒng 명 〈文〉 크나큰 총애.

〔隆冬〕 lóngdōng 명 한겨울. 엄동.

〔隆恩〕 lóng'ēn 명 〈文〉 커다란 은혜. =〔洪恩〕〔鸿恩〕

〔隆福寺〕 Lóngfúsì 명 베이징(北京) 성내 동사패루(東四牌樓)에 있는 명찰(名刹). =〔东dōng庙〕

〔隆古〕 lónggǔ 명 〈文〉 옛날의 융성했던 시대.

〔隆贵〕 lóngguì 형 〈文〉 고귀하다.

〔隆寒〕 lónghán 명 〈文〉 극한. 엄한.

〔隆厚〕 lónghòu 형 정중하다. 융숭하다.

〔隆崛〕 lóngjué 형 〈文〉 우뚝 치솟은 모양.

〔隆礼〕 lónglǐ 명 〈文〉 융숭한 대접. 동 예절을 존중하다. 예를 극진히 하다.

〔隆隆〕 lónglóng 〈擬〉 우르릉. 꽈르릉(천둥 소리·요란한 진동(震動) 소리의 형용). ¶雷声~; 천둥소리가 우르르 울리다/机车~地向前冲; 기관차가 요란한 소리를 내며 돌진하다. 형 기세가 왕성하다. ¶声誉yù~; 명성이 매우 높다.

〔隆眄〕 lóngmiǎn 동 〈文〉 후대하다.

〔隆起〕 lóngqǐ 동 융기하다. 높이 솟아오르다. 명 《地質》 융기.

〔隆起皮带轮〕 lóngqǐ pídàilún 명 《機》 가운데가 볼록한 피대 바퀴. =〔凸tū背皮带轮〕

〔隆情〕 lóngqíng 명 후정(厚情). 후의. ¶感荷gǎnhè ~; 《翰》 두터우신 정의에 감사드리는 바입니다. =〔高情〕

〔隆热〕 lóngrè 〈文〉 명 혹서. 극서(極暑). 지독한 더위. 형 몹시 뜨겁다.

〔隆乳〕 lóngrǔ 동 ⇨〔隆胸〕

〔隆盛〕 lóngshèng 형 융성〔홍성〕하다.

〔隆暑〕 lóngshǔ 명 〈文〉 성하(盛夏). 혹서. 한더위.

〔隆替〕 lóngtì 명 〈文〉 성쇠. 흥폐(興廢).

〔隆头鱼〕 lóngtóuyú 명 《魚》 놀래기.

〔隆刑〕 lóngxíng 명 〈文〉 엄한 형벌.

〔隆胸〕 lóngxiōng 동 (수술 따위로) 가슴을 키우다. 유방을 확대하다. =〔隆乳〕

〔隆窑〕 lóngyáo 명 명(明) 융경(隆慶) 연간에 관요(官窯)에서 만들어진 도기(陶器).

〔隆仪〕 lóngyí 명 〈文〉 정중한 예물.

〔隆谊〕 lóngyì 명 〈文〉 높은 정의.

〔隆遇〕 lóngyù 명 융숭한 대접. 후한 대우.

〔隆运〕 lóngyùn 명 〈文〉 융운. 성운(盛運).

〔隆重〕 lóngzhòng 형 성대하다. 성대하고 엄숙하다. ¶~接待; 성대하게 접대하다/~开幕; 성대히 개막하다/喝! 欢迎多~啊; 하! 굉장한 환영이군.

〔隆准〕 lóngzhǔn 명 〈文〉 오똑한 콧마루.

漋 lóng (룡)
지명용 자(字). ¶永yǒng~河; 후베이 성(湖北省)에 있는 강 이름.

蕯 lóng (륭)
→〔蕯蕯〕

〔蕯蕯〕 lónglóng 명 남편이 아내를 일컫는 말.

窿 lóng (륭)
①→〔窟kū窿(儿)〕 ②명 〈方〉 갱도(坑道). ¶有不少~继续开工; 많은 갱도에서 잇달아 굴착이 시작되고 있다/清理废~; 폐광(廢鑛) 갱도를 정리하다.

癃 lóng (륭)
①형 〈文〉 노약해서 허리나 등이 굽은 모양. ②명 《漢醫》 배뇨(排尿)가 안 되는 병. =〔癃闭bì〕

优(儱) lǒng (롱)
→〔优侗〕

〔优侗〕 lǒngtǒng 형 ⇨〔笼lǒng统〕

陇(隴) Lǒng (롱)
명 ①《地》 룽산(隴山)(산시 성(陝西省)과 간쑤 성(甘肅省)의 경계에 있는 산 이름). ②《地》 '甘肃省'의 별칭. ③(lǒng) 논밭의 이랑.

〔陇客〕 lǒngkè 명 《鳥》 앵무새의 별칭.

〔陇亩〕 lǒngmǔ 명 ①밭이랑. 논밭. ②〈轉〉 시골. 민간. ‖ =〔垄亩〕

〔陇蜀时〕 lǒngshǔshí 명 농촉(隴蜀) 표준시.

〔陇西〕 Lǒngxī 명 《地》 룽산 산(隴山)의 서쪽.

〔陇右〕 Lǒngyòu 명 《地》 간쑤(甘肅) 룽디(隴坻) 서쪽, 신장(新疆) 디화(迪化) 동쪽의 땅을 이름.

垄(壟〈壠〉) lǒng (롱)
명 ①언덕. ②논밭의 두둑. 이랑. ¶麦~; 보리밭의 두둑/田~; 밭이랑/宽~密植; 이랑의 폭을 넓히고 밀식하다. ③이랑 비슷한 것. ¶瓦~; 기와 지붕의 골. ④〈文〉 분묘(墳墓).

〔垄川〕 Lǒngchuān 명 ⇨〔三sān宝垄〕

〔垄道〕 lǒngdào 명 논두렁길.

〔垄断〕 lǒngduàn 동 독점하다. 마음대로 다루다. 농단하다. ¶~市场; 시장을 독점하다/~价格; 독점 가격/~事业; 독점 사업/~一切; 모든 것을 독차지하다/~市面; 시장을 마음대로 조종하다/倾qīng销本国剩余产品, ~别国市场; 본국의 잉여 생산물을 덤핑하여 타국의 시장을 농단하다. 명 언덕의 깎아지른 데.

〔垄沟〕 lǒnggōu 명 밭고랑.

〔垄亩〕 lǒngmǔ 명 ⇨〔陇亩〕

〔垄畔〕 lǒngpàn 명 〈文〉 논두렁. 밭두렁.

〔垄丘〕 lǒngqiū 명 〈文〉 ①구릉. 작은 언덕. ②무덤. 묘(지).

〔垄作〕 lǒngzuò 《農》 명 (밭)이랑 만들기. 동 이랑을 지어 씨를 뿌리다.

拢(攏) lǒng (롱)
동 ①합치다. 모으다. 집계(集計)하다. ¶收~; 한 곳에 모으다. 회수하다 / 把账～一～! 장부를 마감하자! / 把钱票归～归～; 전표를 긁어모으다. ②(남의 마음을) 끌다. 사로잡다. ¶～住他的心; 그의 마음을 사로잡다. ③접근하다. 도착하다. 배를 물가에 대다. ¶船～了岸; 배가 물가에 닿았다 / 快～工地了; 이제 곧 공사 현장에 도착한다 / 两个人的说话总合不～; 두 사람의 이야기는 아무리 해도 접근되지 않는다. ④맞다. 맞추다《흔히 보어용》. ¶合不～; 딱 들어맞지 않다. 엇갈리다. ⑤묶다. 동이다. 죄다. ¶用绳子把柴火～住; 새끼로 장작을 묶다 / 拿带子～上腰; 띠로 허리를 질끈 죄다. ⑥(빗으로 머리를) 매만지다. (머리를) 빗질하다. ¶～头发tóufa; 머리를 매만지다〔빗다〕.

〔拢岸〕 lǒng.àn 동 (배가) 항구에 닿다. (배를) 항구에 대다. 착안(着岸)하다. =〔拢船〕

〔拢帮〕 lǒngbāng 동 서로 돕다.

〔拢拨〕 lǒngbō 동 (비파 따위를) 타다.

〔拢到手里〕 lǒng dào shǒulǐ 잘 구슬러서 손에 넣다.

〔拢发〕 lǒng.fà 동 머리를 빗다. =〔拢头〕

〔拢个捆儿〕 lǒnggekǔnr 동 한데 모아 묶다. 묶어 다발로 만들다.

〔拢共〕 lǒnggòng 명동 합계(하다). 총계(하다). ¶镇上～不过三百户人家; 도시의 인가는 합계해서 3백 호에 지나지 않는다 / ～凑了十元; 합계 10원(元)을 모았다. =〔拢总(儿)〕

〔拢古脑儿〕 lǒnggǔnǎor 동 〈俗〉 계산하다. 어림〔견적〕하다.

〔拢过来〕 lǒngguòlai 동 끌어당기다. 그러모으다. 한 곳에 모으다. ¶把东西～, 聚集在一起; 물건을 가져와 한 곳에 모으다.

〔拢活(儿)〕 lǒnghuó(r) 동 일을 떠맡다〔청부맡다〕.

〔拢火〕 lǒnghuǒ 동 불을 일으키다. =〔胧lóng火〕

〔拢货〕 lǒnghuò 동 상품을 독점하다.

〔拢近〕 lǒngjìn 동 (가까이) 잡아당기다. 곁으로 끌어당기다.

〔拢掠〕 lǒnglüè 동 (물건을) 빼앗다. (사람을) 납치하다.

〔拢梳〕 lǒngshū 명 빗. 참빗. =〔拢子①〕

〔拢味儿〕 lǒngwèir 동 (싱거울 때 살짝 졸여서) 맛을 짙게 하다. =〔笼味儿〕

〔拢意儿〕 lǒngyìr 동 본래의 뜻을 잃지 않다〔유지하다〕. 생각한 바를 모두 나타내다〔이해시키다〕. ¶这种译法是一面～, 一面按着平常说话的口气儿顺下来的; 이와 같은 번역 방식은 원뜻을 살리면서, 보통으로 이야기하는 투에 맞게 한 것이다.

〔拢音〕 lǒngyīn 형 음향을 잘 전달하다. 음향 효과가 좋다. ¶洞子里～, 一喊就传出去好远; 동굴은 소리가 잘 울려서 소리를 지르면 먼 곳까지 전해진다 / 这所剧院盖得好, 能～; 이 극장은 잘 지어져서 음향 효과가 좋다.

〔拢拥〕 lǒngyōng 동 〈文〉 한 곳으로 모이다〔모으다〕.

〔拢账〕 lǒng.zhàng 동 장부를 마감하다〔결산하다〕. ¶到月底拢一拢账就知道赔赚了; 월말에 장부의 결산을 하면 흑자인지 적자인지 바로 안다.

〔拢住〕 lǒngzhù 동 ①붙잡다. 만류하다. ¶～口; 입을 다물게 하다. 침묵하게 하다 / 拿话～他的心; 말로 그의 마음을 잡아 두다〔사로잡다〕. ②(흐트러진 것을) 뭉뚱그리다. ③바싹 껴안다.

〔拢子〕 lǒngzi 명 ①〈北方〉 빗살이 고운 빗. 참빗. =〔拢梳〕 ②(비교적 커다란) 잡물 상자.

〔拢总(儿)〕 lǒngzǒng(r) 명동 합계(하다). 전부(한데 모으다). 총계(하다). ¶～都来了; 전원이 다 왔다. ‖ =〔拢共〕

笼(籠) lǒng (롱)

①동 자욱하다. 북적거리다. 뒤덮다. ¶脸上～上一层灰色; 얼굴에 실망의 빛을 띠다 / 烟～雾锁; 〈文〉 연무가 자욱하게 끼다. ②동 한데 뭉치다. 뭉뚱그리다. 포괄하다. ③명 (비교적 큰) 상자. ¶箱xiāng～; 옷을 넣는 상자나 가마. ⇒lóng

〔笼街〕 lǒngjiē 동 온 거리에 넘칠 듯이 북적거리다. 붐비다.

〔笼括〕 lǒngkuò 동 ①포괄〔일괄〕하다. 전부 통틀다. ②독차지하다. 독점하다. ¶～天下; 천하를 독차지하다 / 世乒赛上韩国队～了全部七项金牌; 세계 탁구 대회에서 한국팀은 7종목의 금메달을 독점했다.

〔笼利〕 lǒnglì 동 〈文〉 이익을 독점하다. =〔网wǎng利〕

〔笼罗〕 lǒngluó 동 〈文〉 망라하다. 포괄〔일괄〕하다.

〔笼络〕 lǒngluò 동 (사람을) 농락하다. 구슬리다. ¶～人心; 사람의 마음을 구슬리다 / 用口头～; 말로 구워 삶다.

〔笼统〕 lǒngtǒng 형 확연하게 구별이 없다. 분명치가 않다. 두리뭉실하다. ¶～地对待种种的问题; 일괄해서 여러 가지 문제를 다루다 / 也不能～地说不好; 일괄적으로 나쁘다고는 말할 수도 없다 / 这么说也很～; 이렇게 말해도 막연하다 / 他的话说得非常～; 그의 말은 참으로 모호하다. =〔侗侗〕

〔笼烟眉〕 lǒngyānméi 명 〈比〉 검고 가늘게 가지런한 눈썹.

〔笼罩〕 lǒngzhào 동 자욱하다. 뒤덮다. 뒤덮이다. ¶月光～着原野; 달빛이 온 들판을 뒤덮듯 비추다 / 夜幕～着大地; 어둠이 대지를 뒤덮고 있다. 명 포위. 주위. 둘레.

〔笼子〕 lǒngzi 명 ①대형 트렁크. ②무대에서 악기를 놓는 곳. ⇒lóngzi

篢(篢) lǒng (롱)

①명 〈方〉 바구니. 궤. ②지명용 자(字). ¶织Zhī～; 즈룽(織篢)《광둥성(廣東省)에 있는 땅 이름》.

弄 lòng (롱)

①동 놀다. ¶不好hào～; 놀고 싶어하지 않다. ②동 악기(樂器)를 연주하다. ③명 곡명(曲名). ④명 〈蘇〉 소로(小路). 골목길. =〔衖xiàng②〕 ⇒nòng

〔弄堂〕 lòngtáng〔lòngtang〕 명 〈吳〉 작은 골목. ¶～口; 골목 입구. =〔弄唐〕

哢 lòng (롱)

동 〈文〉 (새가) 지저귀다.

硦 lòng (롱)

명 〈方〉 (좡어(壯語)로) 바위산 사이의 평지(平地).

LOU ㄌㄡ

搂(摟) lōu (루)

동 ①(손가락이나 갈퀴 따위로) 긁어〔그러〕모으다. ¶～柴火; 땔나무를 긁어모으다 / 拿耙pá子～草; 갈퀴로 풀을 그러모으다. ②〈方〉(방아쇠를 당기듯이) 손가락을 당기다. ¶～枪机; 방아쇠를 당기다. ③앞으로 채듯이 하여 뿌리치다. ④(옷을) 걷어올리다. ¶～着衣裳上楼; 옷을 걷어올리고 2층에 오르다 / ～着衣裳迈开大步; 옷을 걷어 들고 성큼성큼 걷다. ⑤〈比〉(재물 등을) 탐하다. 부정하게 손에 넣다. 잡아채어[억지로] 빼앗다. ¶～在怀里; (재물 등을) 품 속에 넣다 / 倘tǎng或～在他手可就出不来了; 만일 그의 손에 들어가면 다시는 되나오지 않는다 / 和大家在一块儿吃饭不要～菜; 여럿이서 함께 식사할 때에는 음식을 너무 많이 덜어 오면 안 된다. ⑥〈方〉(주판 따위를) 놓다. 계산하다. ¶把账～一～; 장부의 셈을 해 주시오 / 这笔账不清楚, 你给我～～; 이 셈은 정확하지 않으니, 한번 계산해 주시오. ⑦꾀다. 권유하다. ¶～人出去; 사람을 꾀어 나가다. ⑧위탁을 받다. ¶～来的货; ⓐ위탁된 물품. ⓑ그러모은 상품. ⑨보다. 헤아리다. 살피다. ¶你～～他那股子劲儿! 저 녀석 꼴 좀 봐라! / 我这个穷劲儿, 你～着点儿吧; 나의 이 어려운 사정을 잘 좀 살펴 주십시오. ⇒ lǒu

〔搂巴〕 lōuba 동 그러모으다. 긁어 가다. 횡령하다. 빼앗다. ¶～民财; 국민의 재산을 횡령하다 / 有贼进来把各样儿的东西～走了; 도둑이 들어와서 여러 가지 물건을 빼앗아 갔다. ＝〔搂吧〕

〔搂包儿〕 lōubāor 명 ①혼자서 모든 위탁을 떠맡아 하는 장사. ②무허가 운반[중개]업자. ③심부름 센터.

〔搂草〕 lōucǎo 동 (갈퀴로) 풀을 긁어모으다. ¶～机; 《農》 레이크(rake). 쇠갈퀴.

〔搂草耙〕 lōucǎopá 명 ①갈퀴. ②써레.

〔搂粪〕 lōufèn 동 땅에 떨어져 있는 똥을 (비료로 하기 위해) 주워 모으다.

〔搂火(儿)〕 lōu.huǒ(r) 동 방아쇠를 당기다[당겨서 발사하다].

〔搂货〕 lōuhuò 명 위탁 판매의 상품. ＝〔搂来的货①〕 →〔搂卖〕

〔搂来的货〕 lōuláidehuò 명 ①⇨〔搂货〕 ②긁어모은 물건.

〔搂揽〕 lōulǎn 동 혼자서 떠[도]맡다. 그러모으다. ¶把这号买卖～过来; 이 장사를 혼자서 떠맡다.

〔搂卖〕 lōumài 동 위탁된 상품을 판매하다. 위탁판매를 하다.

〔搂平〕 lōupíng 갈아서 고르게 하는 일.

〔搂钱〕 lōu qián (부정하게) 돈을 수중에 넣다. 부정 축재하다. 돈을 그러모으다. ¶他知道～; 그는 돈을 그러모으는 법을 알고 있다 / 贪tān官污吏就会～; 나쁜 벼슬아치는 부정하게 축재를 할 뿐이다.

〔搂算〕 lōusuàn 동 ①모든 것을 통틀어[하나로 합쳐서] 계산하다. 일괄하여 계산하다. ②(수를) 어림해 보다. 헤아려 보다.

〔搂头〕 lōutóu 부 〈方〉 정면으로. 정면에서. ¶～打下来了; 정면으로 내리쳤다 / ～就是一棍, 把他打倒了; 정면에서 단 한 방에 그를 때려 눕혔다.

〔搂下〕 lōuxià 동 ①(손으로 안쪽을) 긁어서 떼어내다. ②(부정한 수단으로 돈을) 수중에 넣다. 거둬들이다.

〔搂衣裳〕 lōu yīshang 옷자락을 걷어올리다.

〔搂账〕 lōu.zhàng 동 주판을 튀기다. 계산하다. ¶等搂完了账才能休息呢; 계산을 끝내야 겨우 쉴 수 있다.

〔搂子〕 lōuzi 명 《機》 브라우닝(Browning)형 피스톨. ＝〔橹子〕

瞜(瞜) lōu (루)
동 〈方〉 보다(가벼운 느낌). ¶让我～一～! 잠깐만 보여줘! / ～一眼; 한 번 보다 / ～着点儿! 조심해라!

剅〈剅〉 lóu (루)
명 〈方〉 ①제방 밑의 배수구나 관수구(灌水口). ②제방을 가로지르는 수로(水路).

娄(婁) lóu (루)
① 동 〈北方〉 나쁘다. ¶他的毛笔写得特～; 그의 붓글씨는 아주 엉망이다. ② 형 〈北方〉 (몸이) 허약하다. ¶他的身子骨～得厉害; 그는 몸이 무척 허약하다. ③ 형 〈北方〉 (과일 따위가) 너무 익거나 변질하다. ¶～瓜; 너무 익은 오이. ④ 명 《天》 28수(宿)의 하나. ⑤지명용 자(字). ¶～山; 구이저우 성(貴州省)에 있는 산 이름. ⑥ 명 성(姓)의 하나.

〔娄罗〕 lóuluó 명 ⇨〔喽啰〕

〔娄子〕 lóuzi 명 〈口〉 소동. 말썽. 혼란. 분쟁. ¶惹rě～; 소동을 일으키다 / 捅～; 분쟁이 일어나다 / 出～; 말썽을 저지르다.

偻(僂) lóu (루)
① 동 〈文〉 구부리다. ¶～腰缩背 yāosuōbèi; 허리를 구부리고 등을 움츠리다 / ～指计之; 손꼽아 세다. ② →〔偻啰〕 ③ 명 성(姓)의 하나. ⇒ lǚ

〔偻啰〕 lóuluó 명 ⇨〔喽啰〕

〔偻麻质斯〕 lóumázhìsī 명 《醫》 〈音〉 류머티즘(rheumatism). ＝〔风湿病〕〔柳麻蒂斯〕

溇(漊) lóu (루)
→〔溇水〕

〔溇水〕 Lóushuǐ 명 《地》 후난 성(湖南省)에 있는 강 이름.

慺(慺) lóu (루)
→〔慺慺〕

〔慺慺〕 lóulóu 형 〈文〉 정성을 다하여 힘쓰는 모양. ¶～之心 ＝〔～赤心〕; 정성을 다하여 힘쓰는 마음.

蒌(蔞) lóu (루)
→〔蒌蒿〕〔蒌叶〕

〔蒌蒿〕 lóuhāo 명 《植》 산쑥.

〔蒌叶〕 lóuyè 명 《植》 취참외.

喽(嘍) lóu (루)
→〔喽啰〕 ⇒ lou

〔喽啰〕 lóuluo 명 ①도둑의 수하. 괴수의 부하. ¶带了～罗先来与呼延灼交战; 부하를 데리고 오더니 우선 호연표(呼延灼)와 붙었다. ②앞잡이. 끄나풀. ‖ ＝〔偻啰〕〔喽罗〕

楼(樓) lóu (루)
① 명 2층 이상의 건물. ¶大～; 빌딩. ② 명 (건물의) 층. ¶三～; 3층 / 办事处设在四～; 사무실은 4층에 있다 / 十三层大～; 13층짜리 빌딩. ③(～儿) 명 망루(望樓). ④ 명 어떤 종류의 점포. ¶银yín～; 은방은 세공점 / 首饰～; 장식품 가게 / 杏花～; 요릿집 이름. ⑤ 양 동(棟)을 세는 데 쓰임. ¶一～ ＝〔一号～〕〔一栋dòng〕; 1(호)동. ⑥ 명 성(姓)의 하나.

〔楼板〕 lóubǎn 명 각 층(層)의 마루〔콘크리트 바닥〕.
〔楼层〕 lóucéng 명〖建〗2층(層) 이상의 각 층(層). ¶这座大楼分五个～; 이 빌딩은 5층이다.
〔楼车〕 lóuchē 명 옛날, 성을 공격할 때 쓰던 기구.
〔楼船〕 lóuchuán 명 ①망루가 있는 큰 배. 2층 배. ¶～铁马; 〈比〉 병선(兵船)과 병마(兵馬). ② 지붕 있는 배. 집 모양의 배.
〔楼葱〕 lóucōng 명〖植〗 파의 일종.
〔楼道〕 lóudào 명 통로. 복도. 회랑. 로비.
〔楼底(下)〕 lóudǐ(xià) 명 고루(高樓)의 최하층.
〔楼顶〕 lóudǐng 명 다층(多層) 건물의 지붕.
〔楼烦〕 Lóufán 명〖史〗누번《산시 성(山西省)에 있던 옛 나라 이름》.
〔楼房〕 lóufáng 명 2층 이상의 건물. 고층 건축물. =〔楼宇〕
〔楼盖〕 lóugài 명 각 층의 방의 천정.
〔楼鸽〕 lóugē 명 (인가(人家)·성루(城樓)에 사는) 집비둘기.
〔楼阁〕 lóugé 명 누각.
〔楼鼓〕 lóugǔ 명 망루의 북.
〔楼口〕 lóukǒu 명 위층으로 올라가는 (계단) 입구.
〔楼库〕 lóukù 명 (죽은 사람을 위해서 사르는) 종이로 만든 '楼房' 모양의 것.
〔楼兰〕 Lóulán 명〖史〗누란《신장(新疆) 위구르에 있던 옛 나라 이름》.
〔楼廊〕 lóuláng 명 베란다식의 복도.
〔楼橹〕 lóulǔ 명 망루. 전망대.
〔楼门楼窗〕 lóumén lóuchuāng 명 육중하고도 훌륭한 문짝이나 창문. 〈比〉 으리으리한 집.
〔楼面〕 lóumiàn 명〖建〗플로어(floor). 마루.
〔楼上〕 lóushàng 명 위층. (2층 건물에서) 2층. ¶～楼; 여러 층 집의 가옥 / ～是谁在说话? 2층에서 누가 얘기를 하고 있나?
〔楼台〕 lóutái 명 ①〈方〉 발코니. =〔凉台〕 ②널리 2층 이상의 건물. 고루(高樓)《흔히, 시(詩)·희곡 등에 쓰임》.
〔楼堂馆所〕 lóu táng guǎn suǒ 규모가 큰 건조물. ¶反对修建～; 대규모 건축물을 세우는 것에 반대하다.
〔楼梯〕 lóutī 명 계단. 층계. ¶走下～来; 계단을〔층계를〕 내려오다 / ～口儿; (위층으로) 올라가는 어귀 / 只听～响, 不见人下来; 층계 소리는 나는데 모습은 보이지 않는다《구호뿐 실행하지 않음》. =〔胡hú梯〕
〔楼下〕 lóuxià 명 아래층. 1층. ¶我在～住; 나는 아래층〔1층〕에서 살고 있다 / 饭店～有小卖部; 호텔 1층에 매점이 있다.
〔楼榭〕 lóuxiè 명 〈文〉 고루(高樓).
〔楼院〕 lóuyuàn 명 층집의 마당.
〔楼月〕 lóuyuè 명 〈文〉 누각의 달. 누각에서 바라보는 달.
〔楼子〕 lóuzi 명 ①층을 이루어 겹쳐져 있는 것. ②재난. 분규. 소동. 사고. 재화. 장애. ¶出～; 소동이 나다. 까다롭게 되다 / 撞～; 곤란한 일에 부딪치다. ③가마니로 둘러싼 원형의 곡물(穀物) 그릇. ④어린아이의 색동 모자. ⑤누각. 망루. ¶城门～; 성문 위의 망루 / 炮pào～; 대포를 설치한 망루.
〔楼子花儿〕 lóuzihuār 명 (꽃으로 꾸민) 높게 만든 화관.
〔楼座〕 lóuzuò 명 위층의 좌석.

耧(耬) lóu (루)

①명 바퀴 달린 파종 기구. =〔耧车〕〔〈方〉 耩子jiǎngzi〕 ②동 '耧'로 씨를 뿌리다. 경작하다. =〔耧地〕
〔耧播〕 lóubō 동〖農〗'耧'로 씨를 뿌리다.
〔耧地〕 lóu dì '耧'로 밭에 씨를 뿌리다.
〔耧斗〕 lóudǒu 명 '耧'의 씨를 넣는 깔때기 부분.
〔耧斗菜〕 lóudǒucài 명〖植〗매발톱꽃.

蝼(螻) lóu (루)

표제어 참조.
〔蝼蛄〕 lóugū 명〖蟲〗땅강아지. =〔蝼蝈〕〔〈俗〉 蝲蝲蛄làlàgǔ〕〔〈方〉 土狗子〕〔蝼蝈②〕
〔蝼蛄负山〕 lóugū fùshān 〈比〉 도저히 불가능한 일.
〔蝼蝈〕 lóuguō 명 ①〖動〗 개구리의 별칭. ¶～鸣míng; 〈文〉 개구리가 울다. ②⇨〔蝼蛄〕
〔蝼蚁〕 lóuyǐ 명 ①땅강아지와 개미. ②〈比〉 하찮은 것. ¶～之命; 벌레 같은 것의 보잘것 없는 생명 / ～尚且惜生命, 生死关头无英雄; 땅강아지조차도 생명에 미련을 갖는데 생사의 고비 사이에 서면 영웅은 없다. ‖ =〔蝼螘yǐ〕
〔蝼蜮〕 lóuyù 명 ⇨〔蝼蛄〕

貗(貗) lóu (루)

명〖動〗〈文〉 암퇘지.

髅(髏) lóu (루)

→〔髑dú髅〕〔骷kū髅〕

搂(摟) lǒu (루)

①동 껴안다. ¶～小孩子; 어린애를 안다 / ～在怀里; 가슴에 품다. ②양 아름. ¶一～粗的大树; 아름드리 큰 나무. ⇒lōu
〔搂抱〕 lǒubào 동 두 팔로 껴안다. 포옹하다. ¶小姑娘亲热地～着小猫; 소녀가 새끼고양이를 다정하게 껴안고 있다.
〔搂窜〕 lǒucuàn 동 (승마에서) 말이 구보로 달리다.
〔搂肚〕 lǒudù 명 옛날에, 어린이나 남자가 잘 때 덮는 것《배두렁이 비슷함》. =〔裹gǔo肚〕
〔搂紧〕 lǒujǐn 동 꼭 껴안다.
〔搂腰抱肩〕 lǒu yāo bào jiān 〈成〉 서로 얼싸안다. 허리나 어깨를 껴안다. ¶～地捽打; (반가운 나머지) 껴안고 (몸을) 서로 툭툭 치다.
〔搂住〕 lǒuzhù 동 꽉 껴안다. ¶～她的脖子接了一个吻; 그녀의 목을 껴안고 키스했다.

嵝(嶁) lǒu (루)

①명 〈文〉 산봉우리. ②→〔岣gǒu嵝山〕

篓(簍) lǒu (루)

(～儿, ～子) 명 바구니《대·버들가지로 엮어, 흔히 기름 종이로 발라 씀》. ¶油～; 기름을 담는 바구니 / 竹～; 대바구니 / 酒～; 술바구니 / 酱菜～; 된장에 절인 야채를 담는 바구니.
〔篓锞〕 lǒukè 명 마제은(馬蹄銀) 모양으로 오린 종이를 바구니에 담은 것《죽은 사람의 명복을 빌기 위하여 태움》.
〔篓纸〕 lǒuzhǐ 명 은종이를 잘게 썰어 바구니에 담은 것《죽은 사람의 명복을 빌기 위하여 태움》.

陋 lòu (루)

형 ①(누)추하다. 더럽다. 추하다. ¶貌mào～; 몸차림이 누추하다. ②좁다. 협소하다.

¶～巷; 좁은 골목. ③(견문이) 짧다. 빈약하다. ¶末学～识; 빈약한 학식 / 学识浅～; 학식이 얕고 좁다 / 见识浅～; 〈成〉 식견이 천박하다. ④허술〔엉성〕하다. 초라하다. ¶规模简～; 규모가 간단하고 허술하다 / 因～就简; 〈成〉 임시 변통으로 때우다.
〔陋规〕 lòuguī 명 ①(구래(舊來)의) 나쁜 관습. ¶这种封建性的～是应该否定的; 이런 봉건적인 못된 관습은 배제해야 한다. ②〈轉〉 뇌물. 커미션. ‖ =〔漏规〕
〔陋见〕 lòujiàn 명 좁은〔천박한〕 견해.
〔陋贱〕 lòujiàn 형 비천하고 속되다.
〔陋儒〕 lòurú 명 〈文〉 견식이 좁은 학자.
〔陋识〕 lòushí 명 저급한 지식.
〔陋视〕 lòushì 동 경시하다.
〔陋室〕 lòushì 명 〈轉〉〈謙〉 좁은 집《자기 집의 겸칭》.
〔陋俗〕 lòusú 명 좋지 않은〔낡은〕 풍속. 가치 없는 풍습. 형 속되다. 세련되지 못하다. ‖ =〔陋风〕〔陋习〕
〔陋屋〕 lòuwū 명 〈文〉 ①누추한 집. ②〈轉〉〈謙〉 나의 집. ‖ =〔陋庐lú〕
〔陋巷〕 lòuxiàng 명 〈文〉 좁은 골목. 뒷골목. =〔穷qióng巷〕

漏 lòu (루)
①동 새다. ¶～气; 바람이 새다 / ～水; 물이 새다 / 屋子～; 집이 비가 새다. ②동 누설하다. 누설시키다. 폭로하다. ¶走～风声; 비밀을 누설하다〔새뜨리다〕 / 他说话说～了; 그는 입을 잘못 놀려 이야기를 누설시켰다 / 瞒得很严, 一点儿不～; 완전히 속여 조금도 외부에는 알려지지 않다. ③동 빠뜨리(고 하)다. 탈락하다. ¶～了个数儿; 수(數)를 빠뜨리고 세지 않다 / 这一项可千万不能～掉; 이 항(項)은 절대로 빠뜨리지 말아야 한다 / 这一行～了三个字; 이 한 행은 석 자(字)가 빠져 있다. ④동 잘못하다. 실수하다. ¶卖～; 잘못 팔다《밑지고 파는 따위》 / 要价要～了; 비싸게 불러 못 팔았다. ⑤동 유인(誘引)하다. ¶特地要卖个破绽, ～他来赶; 짐짓 틈을 보여서, 그로 하여금 뒤쫓게 하려고 하다. ⑥(～儿, ～子) 명 샘. 누락. 실수. ⑦명 물시계. =〔漏壶〕 ⑧명 〈轉〉 시간. 시각. ¶～尽更深; 밤이 이슥해졌다.
〔漏报〕 lòubào 동 실제의 수량보다 적게 보고하다.
〔漏出〕 lòuchū 누출되다. 밖으로 새나가다.
〔漏疮〕 lòuchuāng 명 《醫》 ①고름이 잘 가시지 않는 병. ¶～痘dòu; 고름이 말라붙어 딱지가 된 두창(痘瘡). ②〈俗〉 치루(痔瘻). =〔瘘疮〕
〔漏窗〕 lòuchuāng 명 창틀에 장식 무늬가 있는 창문.
〔漏底〕 lòu.dǐ 동 ①밑바닥이 새다. ②〈比〉 본색이 드러나다. 본성을 드러내다. 들통나다. ‖ =〔漏台〕
〔漏电〕 lòudiàn 명 《電》 누전. (lòu.diàn) 동 누전하다.
〔漏掉〕 lòudiào 동 ①(글자·조항 등을) 빠뜨리다. ②새서 없어지다.
〔漏洞〕 lòudòng 명 ①새는 구멍. 빠지는 틈(새). ¶堵dǔ塞～; 새는 구멍을 막다. ②〈比〉 (말·일·방법 등에서) 허점. 파탄. 실수. 빈틈. ¶计划严密没有～; 계획이 치밀하여 빈틈이 없다 / ～百bǎi出; 실수투성이.
〔漏兜〕 lòu.dōu 동 〈方〉 비밀이 새다. (무의식중에) 비밀이 드러나다〔탄로나다〕. ¶把事说漏了兜; 무의식중에 입을 열어 일이 드러나고 말았다. =〔漏露〕
〔漏斗〕 lòudǒu 명 깔때기. =〔漏子①〕
〔漏斗云〕 lòudǒuyún 명 깔때기 모양의 구름《적란운》.
〔漏段庄地〕 lòuduàn zhuāngdì 명 불하에 누락된 전지(田地).
〔漏粉器〕 lòufěnqì 명 (운동장 등에) 흰 줄을 치는 기구.
〔漏风〕 lòu.fēng 동 ①바람이 새다〔새어들다〕. ¶这个风箱～; 이 풀무는 바람이 샌다 / 窗户有缝儿, 到冬天～; 창문에 틈새가 있어 겨울이 되면 바람이 새어든다. ②소문〔비밀〕이 새다. ③(이가 빠져 말을 하면) 말이 새다. ④〈方〉 맥〔얼〕이 빠지다. ⑤〈方〉 논밭의 지력(地力)이 없어지다. 명 《漢醫》 다한증(多汗症).
〔漏风声〕 lòu fēngshēng 소문을 퍼뜨리다. 소문이 나다. 비밀을 누설하다.
〔漏风掌〕 lòufēngzhǎng 명 손가락 사이가 벌어져 있는 손.
〔漏缝(儿)〕 lòufèng(r) 명 ①틈. 새는 곳. ②수속이나 말에서 빠진 곳. 빠뜨림. 실수.
〔漏脯充饥〕 lòu fǔ chōng jī 〈成〉 ①썩은 고기로 허기를 채우다. ②〈比〉 목전의 일만 생각하고 뒷일은 염두에 두지 않다.
〔漏脯毒〕 lòufǔdú 명 《漢醫》 마른 고기에 빗물이 떨어져 생기는 독《이 고기를 먹으면 심한 복통을 일으킴》.
〔漏鼓〕 lòugǔ 명 누고. 옛날, 시각을 알리는 북.
〔漏挂〕 lòuguà 동 청구서를 누락하다. 빠뜨리고 쓰다. ¶执行国家牌价, 有错挂, ～, 甚至不挂的现象; 국가가 정한 공정 시세를 실행하는데, 잘못된 청구서나 청구서 누락, 심지어는 표시 누락 등이 있다.
〔漏管〕 lòuguǎn 명 《醫》 누관(瘻管). =〔瘘管〕
〔漏光〕 lòu.guāng 동 빛이 새다. (필름 따위가) 감광(感光)하다.
〔漏柜〕 lòuguì 동 금고에 구멍이 뚫리다. 〈比〉 (회사 등의) 돈이 빠져 나가다. 손실을 보다.
〔漏耗〕 lòuhào 명 (상품의) 누손(漏損).
〔漏划〕 lòuhuà 동 분류에서 누락되다. ¶～地主; 토지 개혁 때의 지주나 부농(富農)의 분류에서 누락된 지주.
〔漏货〕 lòuhuò 명 ①빠진 물건. ②등록되지 않은 상품. ③밀수출입품.
〔漏箭〕 lòujiàn 명 물시계의 바늘〔침〕.
〔漏接球〕 lòu jiēqiú 《體》 ①공을 못 받다. ②(야구의) 패스볼(passed ball). 일구(逸球).
〔漏戒〕 lòujiè 동 《佛》 계율을 깨뜨리다. 파계하다.
〔漏尽〕 lòujìn 동 ①물시계의 물이 다 떨어져 하루의 시간이 끝나다. ②〈比〉 시간이 다하다. 명 ①〈比〉 세모(歲暮). 연말. ¶钟鸣～; 벌써 세밑〔연말〕이 되었다. ②〈轉〉 만년(晚年).
〔漏睛〕 lòujīng 명 《漢醫》 누정창(漏睛瘡). 안구(眼球)에서 고름이 나오는 병.
〔漏精〕 lòujīng 동 몽정〔유정〕하다.
〔漏捐〕 lòu.juān 동 ⇨〔漏税〕
〔漏开〕 lòukāi 동 지출을 빠뜨리고 쓰다.
〔漏孔〕 lòukǒng 명 새는 구멍.
〔漏空〕 lòu.kòng 동 깜박 잊다. 실수하다. =〔落luò空①〕
〔漏口(儿)〕 lòukǒu(r) 명 새는 곳. 틈새.
〔漏脸(儿)〕 lòuliǎn(r) 동 ①얼굴을 나타내다〔내밀

다〕. 〈比〉 출세하다. ②장점이 나타나다. 면목이 서다.
〔漏芦〕 lòulú 명 《植》 ①큰꽃엉겅퀴. ②절굿대《둘 다 국화과의 다년초로, 뿌리를 약용함》.
〔漏盘〕 lòupán 명 〈北方〉 ①공작물을 끼워 고정시키기 위한 구멍 뚫린 단공용(鍛工用)의 공구. ②펀치 프레스에 쓰이는 구멍 뚫린 형판(型板).
〔漏气〕 lòu qì 공기가〔바람이〕 빠지다. ¶自行车的车胎~了; 자전거 타이어의 바람이 빠졌다.
〔漏勺〕 lòusháo 명 그물〔구멍이 뚫린〕 국자.
〔漏失〕 lòushī 동 누실하다.
〔漏师〕 lòushī 동 〈文〉 군대 내의 기밀을 누설하다.
〔漏数〕 lòushù 동 계산에서 제외하다〔빼다〕.
〔漏水〕 lòu.shuǐ 동 물이 새다. ¶~船; 물이 새는 배.
〔漏税〕 lòu.shuì 동 탈세하다. =〔漏捐〕〔漏课〕〔逃táo税〕
〔漏天(儿)〕 lòu.tiān(r) 동 ①〈比〉 큰비가 계속 내리다. ②(집 따위가 부서져서) 구멍으로 하늘이 보이다.
〔漏贴〕 lòutiē 동 우표나 인지(印紙)가 붙어 있지 않다.
〔漏脱〕 lòutuō 동 탈락하다. 빠지다.
〔漏网〕 lòu.wǎng 동 ①(물고기가) 그물에서 새다. ②〈比〉 법망을 피하다. 도망치다. ¶~之鱼; 그물에서 도망친 물고기《법망을 피한 범인》/他们都漏了网了; 그들은 모두 달아나 버렸다. 명 〈比〉 법망에서 빠져 나간 범인〔악인·적〕. ¶无一~; 한 명도 놓치지 않다. 모조리 법망에 걸리다.
〔漏瓮沃焦釜〕 lòuwèng wò jiāofǔ 깨진 독의 물을 탄 솥에 붓다. 〈比〉 위급하고 절박하여 한시도 유예할 수 없다.
〔漏屋(子)〕 lòuwū(zi) 명 비가 새는 집.
〔漏楦(儿)〕 lòuxuànr 동 마각(馬脚)을 드러내다. 본심〔본색〕을 드러내다.
〔漏夜〕 lòuyè 명 심야(深夜). 야밤중. 깊은 밤.
〔漏油〕 lòuyóu 기름이 새다.
〔漏账〕 lòuzhàng 명 기장〔기입〕 누락. (lòu.zhàng) 동 장부 기입을 누락하다. ‖=〔漏笔〕
〔漏卮〕 lòuzhī 명 〈文〉 ①바닥이 새는 술잔. ②〈比〉 나라의 권리나 금전이 외부로 흘러나감. 손실. 낭비. ¶~无底; 손실이 막대하다. ③〈比〉 결함. 결점. ④유루(遺漏).
〔漏字〕 lòuzì ①명 탈자(脫字). ②(lòuzì) 글자를 빠뜨리다.
〔漏(字)板〕 lòu(zì)bǎn 명 스텐실(stencil). 인쇄〔찍어 내는〕 형판(型板).
〔漏子〕 lòuzi 명 ①〈口〉 깔때기. =〔漏斗〕 ②실패. 실수. 약점. 과실. ¶出~; 실수를 저지르다/我就担心出~; 나는 실수나 하지 않을까 하고 걱정하고 있다/这戏法儿变得让人看不出~来; 이 요술은 실수가 나지 않았다.
〔漏嘴〕 lòu.zuǐ 동 입을 잘못 놀리다.

瘘(瘻〈瘺〉) lòu (루) ①명 《漢醫》 치루(痔瘻). ②명 《漢醫》 누관(瘻管). =〔漏管〕 ③→〔瘘疮〕
〔瘘疮〕 lòuchuāng 명 《醫》 치루(痔瘻). =〔瘘症〕〔漏疮②〕
〔瘘疮(痘)〕 lòuchuāng(dòu) 명 《漢醫》 딱지가 앉은 두창(痘瘡).
〔瘘管〕 lòuguǎn 명 《醫》 누관(瘻管). ¶人工~; 인공 창자. =〔漏管〕

镂(鏤) lòu (루) ①동 조각하다. 새겨 넣다. ¶~花; 무늬를 조각하다/雕diāo~; 조각하다/~银yín; 은을 아로새기다. ②명 옛날, 솥의 한 종류. ③명 성(姓)의 하나.
〔镂版〕 lòubǎn 동 판목(版木)에 새기다.
〔镂冰〕 lòubīng 명동 〈比〉 헛된〔무익한〕 수고(를 하다). =〔吹chuī影镂尘〕〔镂尘吹影〕
〔镂骨〕 lòugǔ 동 〈文〉 마음에 깊이 새기다. 감명하다.
〔镂骨铭心〕 lòu gǔ míng xīn 〈成〉 마음속에 새기다. 명심하다. =〔刻kè骨铭心〕
〔镂金错彩〕 lòu jīn cuò cǎi 〈成〉 조각이나 그림이 화려하다.
〔镂刻〕 lòukè 동 ①(금속·돌·나무에) 새기다〔조각하다〕. ②〈轉〉 문장을 다듬다. 명 판각(板刻). 판화(版畫).
〔镂空〕 lòukōng 동 《美》 섭새기다. 투조(透雕)하다. ¶~的象牙球; 섭새김한 상아구.
〔镂空花边〕 lòukōnghuābiān 명 《紡》 레이스.
〔镂嵌细工〕 lòuqiàn xìgōng 모자이크.
〔镂身〕 lòushēn 동 (몸에) 먹실을 넣다. 문신하다. =〔镂身体tǐ〕〔镂身肤〕
〔镂月裁云〕 lòu yuè cái yún 〈成〉 달에 조각을 하고 구름을 재단하다《솜씨가 교묘함》.

露 lòu (로) 동 ①나타내다. 드러나다. ¶话里~出承认的意思; 말 속에 승인의 뜻을 나타내다/脸上~了笑容; 얼굴에 웃음을 띠다. ②새다. 누설하다. ¶走~风声fēngsheng; 소문이 새다/走~消息; 소식을 누설하다. ⇒lù
〔露八分儿〕 lòu bāfēnr 〈比〉 모호〔애매〕한 말투로 이야기하다.
〔露白〕 lòu.bái 동 ①갖고 있는 금품이 남의 눈에 띄다. ¶这钱收好了, 留神露了白叫人打算了去; 이 돈을 잘 간수하고, 남의 눈에 띄어 빼앗기면 안 되니까 조심해라. ②속속들이 드러내다. 폭로하다. ¶露了白了; 탄로났다.
〔露白〕 lòubai 동 나타내다. 과시하다. ¶~自己聪明; 자신이 총명하다는 것을 과시하다.
〔露本事〕 lòu běnshì 솜씨를 보이다.
〔露边刨〕 lòubiānbào 명 《機》 오픈사이드 플레이너(openside planer).
〔露齿(子)〕 lòuchǐ(zi) 명 뻐드렁니(난 사람). =〔龅bāo牙〕
〔露丑儿〕 lòu chǒur 창피를 당하다. 결점을 드러내다《겸양어로도 씀》. ¶~, 叫大伙儿见笑; 정말 부끄럽습니다.
〔露出〕 lòuchū 동 노출하다. 드러내다. ¶~本相来了; 본성을 드러냈다/事情~来了; 일이 드러났다. ⇒lùchū
〔露出马脚〕 lòuchu mǎjiǎo ⇨〔露马脚〕
〔露底〕 lòu.dǐ 동 내막〔진상〕을 드러내다. ¶这件事, 您先给我露个底, 我好有点儿准备; 이 일의 내막을 우선 가르쳐 주시지 않겠습니까, 좀 준비를 해 두고 싶습니다.
〔露缝子〕 lòufèngzi 동 결점이 나타나다. 실수가 드러나다.
〔露富〕 lòu.fù 동 (자신이) 부자임이 남에게 알려지다. ¶怕~; 부자임이 알려지는 것을 두려워하다.
〔露光〕 lòuguāng〔lùguāng〕 명 (사진의) 노출. (lòu.guāng) 동 노출하다.
〔露话〕 lòu.huà 동 말로 낌새를 풍기다〔암시하

다].
〔露筋〕 lòujīn 형 노골적이다. 분명하다. ¶话太~就没有说头儿了; 이야기가 너무 노골적이면 묘미가 없다.
〔露酒〕 lòujiǔ 동 취기가 밖으로 드러나다. ⇒lùjiǔ
〔露空〕 lòukòng 동 깜빡하다. 깜빡 잊다.
〔露脸〕 lòu.liǎn 동 ①얼굴을 내밀다〔나타내다〕. ¶他老不露面儿了; 그는 도무지 얼굴을 내밀지 않는다. ②면목이 서다. 체면을 세우다. ¶~事儿; 면목이 서는 일/他这件事做得很~; 그는 이 일을 하여 매우 체면을 세웠다. ③주제넘게 나서다. ‖ =〔露脖颈儿〕〔露面(儿)〕
〔露马脚〕 lòu mǎjiǎo 마각을〔정체를〕 드러내다. 마각〔진상〕이 드러나다. 탄로나다. ¶说谎早晚总要露出马脚来; 거짓말을 하면 언젠가는 탄로난다/要装到底, 可不能~; 끝까지 그런 체해라. 탄로나면 안 된다. =〔露出马脚〕〔露马蹄子〕→〔露馅儿〕
〔露面(儿)〕 lòu.miàn(r) 동 ⇨〔露脸〕
〔露苗(儿)〕 lòu.miáo(r) 동 ①《農》 싹이 돋다. 모종이 나오다. ②실마리가 보이다. 가망이 보이다. 조짐이 보이다. ¶事情露出苗儿来了; 이 사건은 단서가 나타났다. ③광맥(鑛脈)이 노출되다. ‖ =〔露出苗儿〕〔出苗〕
〔露盘(儿)〕 lòupán(r) 동 〈比〉 뿌리째 드러나다. 송두리째 폭로되다.
〔露怯〕 lòu.qiè 동 〈方〉 결점을〔실수를〕 드러내다. 지식·교양이 부족해서 말이나 거동에서 실수하다.
〔露肉〕 lòu.ròu 동 살이 나오다. 속이 드러나다.
〔露肉(儿)〕 lòuròu(r) 동 살갗이 벌겋게 벗겨지다.
〔露头〕 lòu.tóu 동 ①(~儿) 머리를 내밀다〔내놓다〕. ¶他从洞里爬出来, 刚一~儿就被我们发现了; 그는 동굴에서 나와 머리를 내민 순간 우리들에게 발견되었다. ②〈比〉 나타나다. 출현하다. ¶太阳还没有~, 我们就起来了; 해가 아직 얼굴을 내밀기 전에 우리는 일어났다. ②두각을 나타내다. ③주제넘게 나서다. ⇒lùtóu
〔露馅儿〕 lòu.xiànr 동 속〔결점〕이 드러나다. 내용〔진상〕이 드러나다. 비밀이 탄로나다. ¶这话本来是捏造的, 一对证, 非~不可; 이 이야기는 본래 조작된 것이므로 대증해 보면 거짓이 드러날 것임이 분명하다/露出馅儿来; 내용〔비밀〕이 알려지다. =〔露楦儿〕
〔露相(儿)〕 lòu.xiàng(r) 동 〈方〉 본래의 면목을 나타내다. 정체를 드러내다.
〔露像儿〕 lòu.xiàngr 동 안색이 변하다. ¶吓得露了像儿了; 놀라서 안색이 변했다.
〔露楦儿〕 lòu.xuànr 동 ⇨〔露馅儿〕
〔露一手(儿)〕 lòu yī shǒu(r) 솜씨를 보이다. 능력을 과시하다. ¶今天我~, 做个好菜给你吃; 오늘은 내가 솜씨를 부려서 맛있는 것을 만들어 대접하겠다. =〔露一鼻子〕
〔露着〕 lòuzhe 훌륭하게. 두드러지게.

喽(嘍) lou (루)
조 '了'와 '呕'가 결합한 어기조사(語氣助詞)《득의 양양한, 또는 매우 시원스런 어기를 나타냄》. ¶是~, 是~! 그렇다, 그렇다!/我要开窗户, 迭dié铺盖~; 내가 창문을 열고, 이불을 치우겠네/够~, 别说~; 알았다, 이제 말 안 해도 좋아/吃~饭就走; 밥만 먹으면 금방 떠나겠다. ⇒lóu

LU ㄌㄨ

撸(擼) lū (로)
〈方〉 ①동 (손으로) 훑다. ¶~了一把树叶子; 나뭇잎을 쭉 훑어서 땄다. ②동 해임시키다. 면직되다. ¶我们的科长早让人给~了; 우리 과장은 벌써 면직되었다. ③동 꾸짖다. 나무라다. 훈계하다. ④명 훈계. 책망.
〔撸子〕 lūzi 명 〈方〉 소형 권총.

噜(嚕) lū (로)
→〔噜哩噜苏〕〔噜苏〕〔哩lī噜〕〔嘟dū噜〕
〔噜哩噜苏〕 lūli lūsū 동 시끄럽게 자꾸 말하다. =〔噜哩噜嗦sù〕
〔噜苏〕 lūsū〔lūsu〕 동 〈方〉 자꾸 장황하게 말하다. 지껄이다. ¶你听他~些什么; 그 사람, 뭘 자꾸 뇌까리고 있는 거냐. =〔啰唆luōsuō〕

卢(盧) lú (로)
①명 술청. 술집. =〔垆lúB)〕 ②명 불을 담는 그릇. ③형〈文〉 검다. ¶彤tóng弓~矢; 붉은 활과 검은 칠을 한 화살《옛날, 황제가 공로가 있는 대신에게 내려 주던 것》. ④명 갈대. ⑤명 개《사냥개》. ¶~狗; (전국 시대 한(韓)나라의 훌륭한) 개. ⑥명 성(姓)의 하나. ⑦(Lú) 명 《地》 옛날, 지금의 후베이성(湖北省) 남장 현(南漳縣)에 있던 나라 이름. ⑧명 《地》 춘추 시대 제(齊)나라의 도읍 이름.
〔卢比〕 lúbǐ 명양 《貨》〈音〉 루피(rupee)《인도·파키스탄·스리랑카의 화폐 단위》.
〔卢宾石〕 lúbīnshí 명 〈音〉 루비(ruby). =〔红玉〕
〔卢布〕 lúbù〔lúbu〕 명양 《貨》〈音〉 루블(rouble)《소련의 화폐 단위》.
〔卢都子〕 lúdūzi 명 《植》 볼레나무.
〔卢夫宫〕 Lúfūgōng 명 〈音〉 루브르(Louvre) 궁전. =〔卢浮宫〕〔鲁lǔ佛尔宫〕
〔卢沟桥〕 Lúgōuqiáo 명 베이징(北京) 서남쪽을 흐르는 융딩 허(永定河)에 놓인 다리.
〔卢橘〕 lújú 명 《植》 ①〈廣〉 '枇杷'(비파)의 별칭. ②금귤의 별칭.
〔卢落〕 lúluò 명 〈文〉 시골. 마을. 촌락.
〔卢牟〕 lúmóu 동 〈文〉 내것으로 만들다. ¶~六合《淮南子》; 천하를 내 것으로 만들다.
〔卢扁〕 Lúpiān 명 《人》 옛날의 명의(名醫) '扁鵲'을 일컬음. 노(盧) 지방에 살고 있었으므로 이렇게 이름. =〔卢医〕
〔卢蒲〕 Lúpú 명 복성(複姓)의 하나.
〔卢森堡〕 Lúsēnbǎo 명 《地》〈音〉 룩셈부르크(Luxemburg).
〔卢山石鱼〕 lúshān shíyú 명 《魚》 갈문망둑.
〔卢梭〕 Lúsuō 명 《人》〈音〉 루소《18세기 프랑스의 작가》.
〔卢旺达〕 Lúwàngdá 명 《地》〈音〉 르완다(Rwanda)《수도는 '基jī加里'(키갈리: Kigali)》.

泸(瀘) Lú (로)
명 《地》 ①루수이(瀘水)㉠진사 강(金沙江)의 쓰촨 성(四川省) 이빈(宜賓)의 상류로, 윈난 성(雲南省)과 쓰촨 성(四川省)의 경계까지의 지방. ㉡지금의 누장(怒江). ②루저우(瀘州)《쓰촨 성(四川省)에 있는 시(市) 이름》.

垆(壚〈鑪〉B)) lú (로)
A) 명 검고 단단한 흙. ¶～埴zhí; 검은 점토. B) 명 술독을 올려놓기 위해 흙으로 쌓은 대(臺). 〈比〉술집. ¶当～; 술을 팔다. =〔卢①〕
〔垆邸〕 lúdǐ 명 〈文〉 주점(酒店).
〔垆坶〕 lúmǔ 명 《地質》 〈音〉 비토(肥土). 롬(loam).
〔垆土〕 lútǔ 명 《地質》 부식토(腐植土).

纑(纑) lú (로)
명 〈文〉 ①삼끈. ②《植》 모시풀류의 식물.

栌(櫨) lú (로)
명 《植》 거망옻나무. ¶黄huáng～; 둥근잎거망옻나무. =〔欂bó栌〕
〔栌橘〕 lújú 명 《植》 감귤의 일종.
〔栌蜡〕 lúlà 명 목랍(木蠟).
〔栌兰〕 lúlán 명 《植》 쇠비름과의 풀.

轳(轤) lú (로)
→〔轳纸呢〕〔轳轴〕〔辘lù轳〕
〔轳纸呢〕 lúzhǐní 명 《工》 제지용의 모포.
〔轳轴〕 lúzhóu 명 활차〔도르래, 녹로〕의 축.

胪(臚) lú (려)
〈文〉 ①동 늘어놓다. 배열하다. 진열하다. ②동 전달하다. ¶传～; 청대(清代) 과거 합격자가 천자에게 알현할 때, 담당자가 이름을 부르는 일. ③《漢醫》 전복부(前腹部). ¶～胀zhàng; 복부가 붓는 병.
〔胪陈〕 lúchén 동 〈公〉 일일이 진술하다. ¶谨将经过实情, ～如左; 삼가 일의 경과 실정을 상세히 진술한다면 좌와 같습니다.
〔胪传〕 lúchuán 동 〈文〉 (위에서 아래로) 전하다. 전하여 알리다.
〔胪欢〕 lúhuān 동 〈文〉 기쁨을 나타내다.
〔胪举〕 lújǔ 동 〈文〉 열거하다. 늘어놓다. ¶～特点; 특점을 열거하다.
〔胪列〕 lúliè 동 〈文〉 늘어놓다. 열거하다.
〔胪情〕 lúqíng 동 〈文〉 의견을 진술하다. ¶～三种方案, 以供采择; 세 가지 방책을 열거하여 채택하시도록 아뢰겠습니다.
〔胪叙〕 lúxù 동 〈文〉 순서대로 배치하다.
〔胪言〕 lúyán 명 〈文〉 전언(傳言). 전갈.

胪(矑) lú (로)
명 〈文〉 눈동자. 눈알.

鸬(鸕) lú (로)
→〔鸬鹚〕
〔鸬鹚〕 lúcí 명 《鳥》 가마우지. =〔〈俗〉 鱼鹰〕〔墨鸦〕〔水shuǐ老鸹〕〔水老鸦〕
〔鸬鹚咳〕 lúcíké 명 《醫》 백일해. =〔鸬鹚瘟〕
〔鸬鹚瘟〕 lúcíwēn 명 ⇨〔鸬鹚咳〕

颅(顱) lú (로)
명 《生》 ①머리. 두부. 두개(頭蓋). ¶圆～方趾zhǐ; 둥근 머리 네모난 발. 〈比〉 인간. =〔颅脑nǎo〕〔脑颅〕 ②머리 꼭대기. 정수리. ¶～顶骨; 두정골 / ～内压; 《醫》 뇌압(腦壓). 뇌두개골.
〔颅骨〕 lúgǔ 명 《生》 머리뼈. 뇌두개골.

舻(艫) lú (로)
명 〈文〉 ①뱃머리. 이물. ②고물. 선미. ¶舳～相继; 〈成〉 큰 배가 꼬리를 물고 잇달아 있는 것.

鲈(鱸) lú (로)
→〔鲈鲤〕〔鲈鱼〕
〔鲈鲤〕 lúlǐ 명 《魚》 농어의 일종.
〔鲈鱼〕 lúyú 명 《魚》 농어. =〔〈方〉 鲈板bǎn〕

庐(廬) lú (려)
명 ①초가집. ¶茅máo～; 풀로 엮은 암자. 초암(草庵). ②〈謙〉 자기 집의 겸칭. ③(Lú) 《地》 루저우(廬州)《안후이 성(安徽省)에 있던 옛날의 부(府) 이름》. ④성(姓)의 하나.
〔庐房〕 lúfáng 명 오막살이. 초암(草庵).
〔庐剧〕 lújù 명 《劇》 여극《안후이 성(安徽省)의 주요 연극의 하나》.
〔庐落〕 lúluò 명 〈文〉 마을. 시골.
〔庐墓〕 lúmù 명 〈文〉 ①여막(廬幕). 무덤 가까이에 있는 묘지기의 오두막. ②무덤과 여막. 동 여묘하다.
〔庐儿〕 lúr 명 옛날, 개인에게 속한 노예.
〔庐人〕 lúrén 명 〈文〉 목공.
〔庐山〕 Lúshān 명 《地》 루산 산《장시 성(江西省) 주장(九江) 강 남쪽에 있는 산으로, 중국 유수의 명승지·피서지》
〔庐山真面目〕 Lú shān zhēn miàn mù 〈成〉 사물의 진상. 본래의 면목.
〔庐舍〕 lúshè 명 〈文〉 초암(草庵). 초막.
〔庐帐〕 lúzhàng 명 〈文〉 융단 천막집. ¶～而居; 천막집에서 살다.

芦(蘆) lú (로)
①(～子) 명 《植》 갈대. =〔芦(子)草〕〔芦苇wěi〕〔苇子〕 ②→〔葫hú芦〕 ③명 성(姓)의 하나. ⇒lǔ
〔芦丁〕 lúdīng 명 ①〈文〉 풀을 베는 사람. ②《藥》〈音〉 루틴(rutin). =〔芸yún香甙〕〔络luò丁〕
〔芦豆苗〕 lúdòumiáo 명 《植》 ①갈퀴나물. ②큰등갈퀴.
〔芦藩〕 lúfān 명 〈文〉 갈대로 엮어 만든 울타리.
〔芦菔〕 lúfú 명 《植》 무.
〔芦柑〕 lúgān 명 《植》 푸젠 성(福建省) 남부에서 나는 귤의 일종.
〔芦稿鸟〕 lúgǎoniǎo 명 《鳥》 개개비.
〔芦根〕 lúgēn 명 《植》 갈대의 근경.
〔芦管〕 lúguǎn 명 갈피리.
〔芦蒿〕 lúhāo 명 《植》 개사철쑥《줄기는 식용함》.
〔芦虎〕 lúhǔ 명 《魚》 게의 일종.
〔芦花〕 lúhuā ①명 갈대꽃《약용》. ②⇨〔芦絮xù〕
〔芦花鸡〕 lúhuājī 명 《鳥》 플리머스록(Plymouth Rock).
〔芦花鸭子〕 lúhuāyāzi 명 《鳥》 갈대꽃 빛이 나는 집오리.
〔芦荟〕 lúhuì 명 《植》 알로에.
〔芦酒〕 lújiǔ 동 〈文〉 갈대로 만든 빨대로 술을 빨아 마시다.
〔芦课〕 lúkè 명 갈대밭의 세금. ¶～地; 갈대밭의 땅.
〔芦帘〕 lúlián 명 ①노렴《갈대 줄기로 엮어 만든 발》. ②지붕 밑에 치는 삿자리.
〔芦木〕 lúmù 명 《植》 노목(蘆木).
〔芦葩〕 lúpā 명 《植》 무.
〔芦棚〕 lúpéng 명 갈대 삿자리를 둘러친 오두막.
〔芦棚店〕 lúpéngdiàn 명 갈대 삿자리 오두막의 빈민용 싸구려 여인숙.
〔芦哨〕 lúshào 명 갈대 피리.
〔芦笙〕 lúshēng 명 갈대로 만든 생황(笙簧). ¶～

舞; 갈대 생황의 반주로 춤추는 먀오 족(苗族)의 춤.
〔芦粟〕 lúsù 명 《植》 사탕수수.
〔芦粟秫〕 lúsùshú 명 《植》 고량. 수수.
〔芦笋〕 lúsǔn 명 ①《植》〈俗〉 아스파라거스(asparagus). =〔蕗lù笋〕 →〔龙lóng须菜〕 ② 갈대의 새 순.
〔芦田〕 lútián 명 강가의 갈대밭.
〔芦苇〕 lúwěi 명 《植》 갈대.
〔芦席〕 lúxí 명 삿자리. ¶～棚; 삿자리 차일 덮개. =〔芦苇席〕
〔芦絮〕 lúxù 명 갈목의 솜 같은 것. =〔芦花②〕
〔芦衣〕 lúyī 명 솜 대신 갈대꽃의 솜털을 둔 옷.
〔芦洲〕 lúzhōu 명 노주(갈대가 난 강이나 해안의 사주(砂洲)).
〔芦竹〕 lúzhú 명 《植》 대나무 비슷한 갈대의 일종.

炉(爐〈鑪〉)

lú (로) ① 명 노. 난로. 스토브. 화로. 풍로. ¶锅～; 보일러 / 火油～; 석유 스토브. 석유 풍로 / 电diàn～; 전기 난로. 전기 스토브 / 烘hōng～; 빵 굽는 노 / 窑yáo～; 도자기 가마. ②지명용 자(字). ¶～霍huò县; 루훠 현(쓰촨 성(四川省)에 있는 현 이름).
〔炉箅(子)〕 lúbì(zi) 명 난로 하부의 쇠살판〔불경그레〕. ¶链lìan～; 사슬로 된 난로 쇠살판.
〔炉场〕 lúchǎng 명 대장간.
〔炉衬〕 lúchèn 명 《工》 용광로의 내벽(內壁).
〔炉捶〕 lúchuí 동 주조하다.
〔炉胆〕 lúdǎn 명 보일러.
〔炉挡〕 lúdǎng 명 ①(노(爐)·스토브 앞의) 둘러치는 철망. ②(노 따위의) 하부의 재를 긁어 내는 구멍.
〔炉底〕 lúdǐ 명 아궁이 바닥. 난로 바닥. ¶～灰; 아궁이·난로의 바닥의 재.
〔炉顶〕 lúdǐng 명 아궁이나 난로의 상부.
〔炉鼎〕 lúdǐng 명 향로.
〔炉房〕 lúfáng 명 청대(淸代) 마제은(馬蹄銀)을 만든 관허(官許) 업자(환전업 등도 겸함). =〔银yín炉〕
〔炉甘石〕 lúgānshí 명 《漢醫·鑛》 능아연광(菱亞鉛鑛)(안질(眼疾) 치료에 쓰임).
〔炉缸〕 lúgāng 명 〈北方〉 노(爐) 위에 올려놓는 물 단지.
〔炉耗〕 lúhào 명 옛날, 동전을 주조할 때 생기는 소모(消耗).
〔炉户〕 lúhù 명 〈文〉 ①대장장이. ②대장간.
〔炉灰〕 lúhuī 명 (풍로·난로의) 재. ¶～碴儿; 타다 남은 석탄 덩이.
〔炉灰渣子〕 lúhuīzhāzi 명 ①탄재(炭滓). 난로재. ②광재(鑛滓). 슬래그(slag). ‖=〔炉渣〕
〔炉火〕 lúhuǒ 명 ①난로〔풍로〕의 불. 보일러의 불. 용광로의 불. ②〈比〉 도가(道家)의 연단(煉丹)(을 만드는 기술).
〔炉火纯青〕 lú huǒ chún qīng 〈成〉 최고의 수준. ¶他的中国画儿达到了～的地步; 그의 중국화는 명인의 경지에 달했다.
〔炉架(子)〕 lújià(zi) 명 난로의 대(臺).
〔炉壳〕 lúké 명 난로·보일러의 외벽의 통칭.
〔炉坑〕 lúkēng 명 난로나 아궁이 등의 밑의 재가 모이는 곳.
〔炉料〕 lúliào 명 용광로에 넣어지는 광석 및 기타 원료의 혼합물.
〔炉龄〕 lúlíng 명 용광로의 내부 표면의 내용(耐用) 기간(용광로의 사용 횟수·시간수로 계산함).
〔炉瘤〕 lúliú 명 《工》 고로(高爐)의 제련 중의 중대한 고장의 하나.
〔炉门(儿)〕 lúmén(r) 명 난로의 불문. 노의 아궁이.
〔炉门板〕 lúménbǎn 명 난로의 아궁쇠.
〔炉前工〕 lúqiángōng 명 용광로의 앞에서 석탄을 넣으며 불을 알맞게 유지하는 일(을 하는 사람).
〔炉墙〕 lúqiáng 명 (아궁이·노·보일러의) 불받이 뒤의 벽돌 턱. ¶～技术; 노벽(爐壁)을 만드는 기술.
〔炉日〕 lúrì 명 《工》 노(爐)의 가동 일수.
〔炉肉〕 lúròu 명 돼지고기 불고기(불에 직접 구운 것). =〔〈廣〉烧shāo肉〕
〔炉食(饽饽)〕 lúshí(bōbo) 명 제사 또는 불공용의 과자류.
〔炉丝〕 lúsī 명 니크롬선. ¶盘pán～; 니크롬선을 감다.
〔炉台(儿,子)〕 lútái(r,zi) 명 난로·화덕의 위의 평평한 부분. 부뚜막.
〔炉膛〕 lútáng 명 스토브·화덕·노(爐) 따위의 불을 때는 아궁이. 노의 내부. ¶把～改小一点; 노의 내부를 조금 좁히다.
〔炉条〕 lútiáo 명 난로의 불경그레. 쇠살판.
〔炉鸭〕 lúyā 명 오븐(oven)에 구운 오리.
〔炉眼〕 lúyǎn 명 아궁이.
〔炉窑〕 lúyáo 명 가마. 보일러.
〔炉药〕 lúyào 명 《藥》 무당이 사용하는 선향(線香) 재의 약.
〔炉油〕 lúyóu 명 ①등유(스토브, 석유 난로용 따위). ②보일러용의 기름(중유 따위).
〔炉灶〕 lúzào 명 부뚜막. ¶另起～; 〈比〉 새로 하다. 처음부터 다시 하다.
〔炉渣〕 lúzhā 명 ⇨〔炉灰渣子〕
〔炉长〕 lúzhǎng 명 (제강소에서) 용강로의 직장(職長).
〔炉子〕 lúzi 명 아궁이·난로·용광로 등의 총칭. ¶洋～; 스토브.

芦(蘆)

lǔ (로) →〔油葫yóuhú芦〕 ⇒lú

卤(鹵,滷)

lǔ (로) ① 명 간수. =〔盐yán卤〕 ② 명 《化》 할로겐(독 halogen). =〔卤素〕 ③ 명 염기성(鹽基性) 토양. 경작에 맞지 않는 불모의 땅. ¶斥chī～; 척로(염분이 많아 경작을 할 수 없는 땅) / ～地; ⇩ ④ →〔卤簿〕 ⑤(～儿, ～子) 명 진하게 한 국물·음료. ¶茶～; 진한 차 / 打～拌面; 걸쭉한 국물을 부어 국수를 젓다 / 我们吃打～面吧! 울면을 먹자! ⑥ 동 소금물에 담그다. 간을 친 국물에 끓이다. ⑦ 명 육류나 달걀의 수프에 전분을 섞어 걸쭉하게 만든 국물. ⑧ 형 덜렁대다. 수선스럽다. ¶这个孩子太～, 时常碰坏东西; 이 아이는 무척 수선스러워서 늘 물건을 부수뜨린다 / 他是个～人; 그 사람은 덜렁이다. ⑨ 형 우둔하다. ⑩ 동 약탈하다. ⑪ 명 성(姓)의 하나.
〔卤簿〕 lǔbù 명 〈文〉 임금의 의장(儀仗) 행렬. =〔卤部〕
〔卤菜〕 lǔcài 명 닭·오리 따위에 양념장을 쳐서 통째로 구운 것을 얇게 썰어 먹는 요리. =〔卤味〕
〔卤潮〕 lǔcháo 형 (땀으로 몸이) 끈적끈적하다.
〔卤地〕 lǔdì 명 알칼리성 땅. =〔盐yán碱地〕

〔卤钝〕 lǔdùn 형 우둔하다. 어리석다. 명 바보. 멍청이.
〔卤耗〕 lǔhào 명 소금의 감량《간수가 흘러나와 생기는 감량》.
〔卤湖〕 lǔhú 명 함수호(鹹水湖).
〔卤化〕 lǔhuà 명《化》할로겐화(halogen化).
〔卤架〕 lǔjià 동 빼앗다. 약탈하다. =〔卤掠〕
〔卤碱〕 lǔjiǎn 명《化》소다. =〔卤盐〕
〔卤口条〕 lǔkǒutiáo 명 돼지 혓바닥에 양념장을 쳐서 통째로 익힌 요리.
〔卤莽〕 lǔmǎng 형 소홀하고 거칠다. 덤벙대다. 경솔하다. ¶～灭裂;〈成〉행동이 거칠고 무책임하다 / 决不能采用～的态度; 결코 난폭한 태도를 취해서는 안 된다. =〔鲁莽①〕
〔卤面〕 lǔmiàn 명 고기와 여러 가지 조미료를 써서 만든 진한 국물을 부은 국수.
〔卤砂〕 lǔshā 명 ⇨〔硇náo砂〕
〔卤牲口〕 lǔshēngkou 명 '卤菜'의 일종.
〔卤什件(儿)〕 lǔshíjiàn(r) 명 '肫肝(儿)'(닭의 밥통·모래주머니)를 진한 국물에 삶은 것.
〔卤石类〕 lǔshílèi 명《化》금속의 염화물·요드화물·브롬화물(brom化物)·플루오르화물(fluor化物).
〔卤水〕 lǔshuǐ 명 ①제염하기 위하여 쓰는 염분을 포함한 물. ②간수. ¶～点豆腐, 一物降xiáng一物;〈諺〉간수를 부으면 두부가 굳듯이 무엇이나 다른 물건을 제압할 수 있다. ‖=〔卤汤子〕
〔卤素〕 lǔsù 명《化》할로겐(독 halogen). =〔卤②〕
〔卤田〕 lǔtián 명 염분을 포함한 지질이 나쁜 논밭.
〔卤味〕 lǔwèi 명 간장을 넣고 푹 삶은 후에 식힌 요리《전채(前菜)》.
〔卤虾〕 lǔxiā 명 새우를 갈아 반죽처럼 만들어서 간을 첨가한 것. ¶～油; '卤虾'를 짠 조미료.
〔卤咸〕 lǔxian 동 물에 잠겨 썩다. ¶这边一座小门楼, 根脚快～完了; 이 곳의 작은 문루는 밑동이 물에 잠겨 썩게 되었다.
〔卤盐〕 lǔyán 명 ⇨〔卤碱jiǎn〕
〔卤汁〕 lǔzhī 명 ①간수《두부 제조에 쓰임》. =〔苦kǔ汁〕 ②조미한 국물.
〔卤质〕 lǔzhì 명 (토양에 함유된) 염기성 성질.
〔卤煮〕 lǔzhǔ 동 소금물에 삶아 만들다.
〔卤族〕 lǔzú 명《化》할로겐족(halogen族). →〔卤素〕

硇(磠) lǔ (로)

→〔硇精〕〔硇砂〕
〔硇精〕 lǔjīng 명 ⇨〔氨ān〕
〔硇砂〕 lǔshā 명 ⇨〔硇náo砂〕

虏(虜) lǔ (로)

①명동〈文〉포로(로 잡다). ¶俘～敌军十万人; 적군 10만명을 포로로 하다. ②명〈貶〉옛날, 북방 이민족에 대한 경멸의 호칭. ③동〈文〉탈취하다. 빼앗다. =〔掳①〕
〔虏疮〕 lǔchuāng 명《醫》천연두.
〔虏获〕 lǔhuò 동 노획하다. ¶～品; 노획품〔물〕. =〔掳获〕
〔虏掠〕 lǔlüè 동 ⇨〔掳掠〕

掳(擄) lǔ (로)

동 ①노략질〔약탈〕하다. 빼앗다. =〔虏③〕 ②(사람을) 억지로 끌고 가다. 인질로 잡다. ③〈方〉거두어들이다. ¶～柴chái; 섶나무를 하다. ④문지르다. 훑다. ¶不要～那个竹竿子, 看扎刺! 그 대나무를 훑지 마라, 가시에 찔린다!
〔掳胳膊〕 lǔgēbo 동 팔을 걷어붙이다. =〔掳挽wǎn袖〕
〔掳禁〕 lǔjìn 동〈文〉체포하여 옥에 가두다.
〔掳掠〕 lǔlüè 동 약탈하다. 빼앗다. 노략질하다. ¶烧、杀、～; 방화·살인·약탈. =〔掳架〕〔掳劫〕〔虏掠〕
〔掳起袖子〕 lǔqi xiùzi 소매를 걷어올리다. =〔捋luō起袖子〕
〔掳人〕 lǔ rén 사람을 사로잡다. 사람을 납치하다. ¶～勒lè赎; 사람을 납치해서 몸값을 요구하다.
〔掳叶子〕 lǔyèzi 동《劇》배우가 남의 연기를 구경하다.
〔掳皂〕 lǔzào 동 놀리다.〈比〉능욕하다. ¶～妇女; 부녀자를 욕보이다.

鲁(魯) lǔ (로)

①(Lǔ) 명《史》노(魯)나라《주대(周代)의 나라 이름》. ②(Lǔ) 명《地》산둥 성(山東省)의 별칭. ③형 둔하다. 어리석다. ¶愚～; 우둔하다. ④형 난폭하다. 경솔하다. ¶粗～; 거칠다. ⑤명 성(姓)의 하나.
〔鲁班〕 Lǔbān 명《人》옛날, 노(魯)나라의 유명한 목수의 이름. ¶～尺chǐ; 옛날, 목수가 쓰는 곱자. =〔鲁般〕 →〔班门弄斧〕〔曲qū尺〕
〔鲁班门前舞大斧〕 Lǔbān ménqián wǔ dàfǔ〈諺〉노반(魯班)의 문 앞에서 큰 도끼를 휘두르다. 부처님한테 설법하다.
〔鲁笨〕 lǔbèn 형 우둔하다. 노둔하다.
〔鲁毕克魔方〕 lǔbìkè mófāng 명〈音義〉루빅 큐브(Rubik Cube). =〔茹比克立方体〕
〔鲁壁〕 lǔbì 명 산둥 성(山東省) 취푸(曲阜)의 공자 구택(舊宅)의 벽《이 벽에서 한(漢)나라 때에 고문 상서(古文尚書)가 발견되었음》. →〔壁经〕
〔鲁菜〕 lǔcài 명 산둥(山東) 요리.
〔鲁(殿)灵光〕 lǔ(diàn) língguāng〈比〉명성이 있어 겨우 살아 남은 드문 인물.
〔鲁钝〕 lǔdùn 명형 우둔(하다).
〔鲁佛尔宫〕 lǔfó'ěr gōng 명 ⇨〔卢lú夫宫〕
〔鲁壶〕 lǔhú 명〈方〉질주전자《차(茶)를 진하게 끓이는 주전자》.
〔鲁黎礼整〕 lǔlílǐzhěng 명〈音〉종교(religion). =〔宗教〕
〔鲁莽〕 lǔmǎng 형 ①⇨〔卤lǔ莽〕 ②무모하다. ¶～出渔; 무모한 출어 / ～家; 무모한 사람. 경솔한 사람.
〔鲁米那〕 lǔmǐnà 명《藥》〈音〉루미날(독 Luminal).
〔鲁男子〕 lǔnánzǐ 명 견실한 남자. 여색을 싫어하는 남자.
〔鲁人〕 lǔrén 명 ①우둔한 사람. 바보. ②(Lǔrén) 노나라 사람.〈比〉산둥(山東) 사람.
〔鲁桑〕 lǔsāng 명《植》열매가 별로 열리지 않는 뽕나무의 일종.
〔鲁卫之政〕 lǔ wèi zhī zhèng〈成〉큰 차이가 없다. 어슷비슷하다.
〔鲁迅〕 Lǔxùn 명《人》노신《중국 현대 문학사상의 대표적 작가, 1881～1936》.
〔鲁阳〕 Lǔyáng 명 ①복성(複姓)의 하나. ②《地》춘추 시대 초(楚)나라의 읍(邑)《허난 성(河南省) 루산 현(魯山縣)에 있음》. ③《地》루산 현 서남쪽에 있는 관문 이름.
〔鲁鱼不辨〕 lǔ yú bù biàn〈成〉노어불변《무엇이든 가리지 않고 한데 얼버무림》.

〔鲁鱼帝虎〕 lǔ yú dì hǔ 〈成〉 노(魯)를 어(魚)로, 호(虎)를 제(帝)로 쓰다《비슷한 글자를 잘못 쓰다》. =〔鲁鱼亥豕〕
〔鲁鱼亥豕〕 lǔ yú hài shǐ 〈成〉 비슷한 글자를 잘못 쓰다《'鲁'를 '鱼'로, '亥'를 '豕'으로 씀》. =〔鲁鱼帝虎〕
〔鲁鱼之误〕 lǔ yú zhī wù 〈成〉 노(魯)와 어(魚)를 잘못 쓰는 일. 모양이 비슷한 글자를 잘못 쓰는 일. →〔别bié风淮雨〕

橹(櫓〈樐, 艪, 艣, 槝〉③)

lǔ (로)

명 ①〈文〉 큰 방패. ②(성의) 망루. ③(배의) 노. ¶摇yáo~; 노를 젓다 / 拔bá~; 뱃머리를 좌(左)로 돌리다 / 推tuī~; 뱃머리를 우(右)로 돌리다. ④(~子) 〈俗〉 권총. 피스톨.
〔橹脐〕 lǔqí 명 노의 사북《뱃전에 있는 놋좆과 결합되는 부분》.
〔橹声〕 lǔshēng 명 노를 젓는 소리.
〔橹索〕 lǔsuǒ 명 (배의) 노병아.
〔橹状聚电器〕 lǔzhuàng jùdiànqì 명 《機》 팬터그래프(panta graph). =〔电杆架〕
〔橹子〕 lǔzi 명 ⇨〔勃bó朗宁〕

镥(鑥)

lǔ (로)

명 《化》 루테튬(Lu: lutetium)《금속 원소》. =〔镏liú①〕

六

lù (륙)

① '六liù'의 문어음(文語音). ②지명용 자(字). ¶~安ān; 루안(六安)《안후이 성(安徽省)에 있는 산과 현 이름》/ ~合hé; 루허(六合)《장쑤 성(江蘇省)에 있는 현 이름》. ⇒liù

甪

lù (록)

지명·인명용 자(字). ¶~植镇; 장쑤 성(江蘇省) 우 현(吳縣)의 동남쪽 땅 / ~堰yàn; 저장 성(浙江省)에 있는 지명 / ~里lǐ; ⓐ복성(複姓)의 하나. ⓑ옛 지명《장쑤 성(江蘇省) 우 현(吳縣)의 서남쪽.

陆(陸)

lù (륙)

① 명 육지. ¶大~; 대륙 / 登dēng~; 상륙하다 / 水~交通; 수륙 교통. ② '陆liù'의 문어음(文語音). ③ 명 성(姓)의 하나. ⇒liù
〔陆半球〕 lùbànqiú 명 《地》 육반구.
〔陆产〕 lùchǎn 명 육지의 산물.
〔陆沉〕 lùchén 명 ①육지의 함몰. ②〈比〉 국가의 멸망. 동 남에게 알려지지 않도록 숨다.
〔陆稻〕 lùdào 명 육도. 밭벼. =〔旱hàn稻〕
〔陆地行舟〕 lùdì xíngzhōu 육지에서 배를 나아가게 하다. 〈比〉 불가능하다.
〔陆费〕 Lùfèi 명 복성(複姓)의 하나.
〔陆风〕 lùfēng 명 《氣》 육풍. →〔海hǎi风〕
〔陆海〕 lùhǎi 명 ①육군과 해군. ②산물이 풍부한 지구.
〔陆海潘江〕 Lùhǎi Pānjiāng 〈比〉 (진(晉)나라의 유명한 문인인) 육기(陸機)나 반악(潘岳)과 같은 뛰어난 문재(文才)《문인의 재능이 높음을 이름》. =〔潘江陆海〕
〔陆架〕 lùjià 명 ⇨〔大dà陆棚〕
〔陆军〕 lùjūn 명 《軍》 육군《중국에서는 통상 '步兵', '坦克兵', '炮兵', '工程兵', '空降兵', '防化学兵', '通信兵', '骑兵', '铁道兵' 및 각 '专业部队'로 구성되어 있음》.
〔陆离〕 lùlí 〈文〉 형 광색채가 뒤섞인 모양. 눈이 번쩍 뜨일 정도로 고운 모양. ¶光怪~; 모양이 기묘하고 광채가 뒤섞인 모양 / 光彩~; 광채가 번쩍여 아름답다. 명 아름다운 구슬.
〔陆连岛〕 lùliándǎo 명 《地質》 육지와 이어진 섬.
〔陆龙卷(风)〕 lùlóng juǎn(fēng) 명 《氣》 육상의 회오리바람. 토네이도(tornado).
〔陆陆〕 lùlù 형 ⇨〔碌碌〕
〔陆路〕 lùlù 명 육로. =〔旱hàn路〕
〔陆棚〕 lùpéng 명 ⇨〔大dà陆棚〕
〔陆王之学〕 Lù Wáng zhī xué 명 송(宋)나라의 육구연(陸九淵)과 명(明)나라의 왕수인(王守仁)의 학파.
〔陆行〕 lùxíng 동 육로로 가다.
〔陆续〕 lùxù 부 계속하여. 잇달아. ¶来宾~地到了; 손님이 연달아 왔다 / ~入场; 속속 입장하다 / 一月到三月, 桃花、李花和海棠陆陆续续地都开了; 정월에서 3월에 걸쳐 복숭아·자두·해당화꽃이 잇달아 피었다.
〔陆运〕 lùyùn 명 육운. 육상 운송. ¶~报单; 육상 운송 신고서.
〔陆战队〕 lùzhànduì 명 《軍》 육전대. 해병대.
〔陆终〕 Lùzhōng 명 ①《人》 고대의 제왕의 이름. ②복성(複姓)의 하나.

录(錄)

lù (록)

① 동 베끼다. 기록하다. 기재하다. ¶把这份公文~下来; 이 서류를 베끼다 / 照实直~; 있는 그대로 기록하다 / 另~一份; 따로 한 장 쓰다〔베끼다〕. ② 동 〈轉〉 선발하다. 채용하다. ¶收~; (사람을) 채용〔임용〕하다. ③ 명 언행·사물을 기재한 서적. 기록. ¶语~; 어록 / 同学~; 동창생 명부 / 职员~; 직원록. ④ 명 성(姓)의 하나.
〔录案〕 lù'àn 명 〈文〉 기록. =〔录单〕〔录第〕
〔录呈〕 lùchéng 동 〈文〉 기록하여 상관에게 제출하다.
〔录单〕 lùdān 명 ⇨〔录案〕
〔录供〕 lù·gòng 《法》 동 (범인 등의) 공술(供述) 조서를 받다. (lùgòng) 명 공술 기록. 진술서.
〔录籍〕 lùjí 명 〈文〉 기록. 문서.
〔录井〕 lùjǐng 명동 석유 굴착 공정에 관한 기록(을 하다).
〔录目〕 lùmù 명 〈文〉 목차. 목록. 차례.
〔录请〕 lùqǐng 동 〈文〉 기록을 제출하여 신청하다.
〔录囚〕 lùqiú 명 죄인의 죄상을 조사하는 일.
〔录取〕 lùqǔ 동 (흔히 시험으로) 채용하다. 임명하다. 뽑다. ¶今年~的新生; 금년에 뽑은 신입생. =〔取录〕
〔录取分数线〕 lùqǔfēnshùxiàn 명 합격 커트라인(cutline).
〔录事〕 lùshì 명 옛날, 관청의 기록 담당. 서기. 필생(筆生).
〔录送〕 lùsòng 동 〈文〉 기록하여 보내다.
〔录像〕 lùxiàng 《撮》 명 녹화. ¶~机; 녹화기 / 磁带~机; 비디오 테이프 리코더(V.T.R). (lù·xiàng) 동 녹화하다. ‖ =〔录相〕〔录影〕
〔录像放映厅〕 lùxiàng fàngyìngtīng 명 비디오방.
〔录写〕 lùxiě 동 필사(筆寫) 기록하다.
〔录遗〕 lùyí 동 나머지 것을 기록하다〔채용하다〕. 명 옛날에, 과거 시험에 있어서의 보결 채용.
〔录音〕 lù·yīn 동 녹음하다. 취입하다. (lùyīn) 명 녹음. 녹음한 것. ¶放~; 녹음을 틀다 / ~带dài; 녹음 테이프 / ~摄影机; 사운드 카메라(녹음 촬영기) / ~师; 녹음 기사 / 盒hé式~带; 카

세트 테이프.
〔录音机〕 lùyīnjī 명 《機》 녹음기.
〔录音片〕 lùyīnpiàn 명 녹음 테이프.
〔录影带〕 lùyǐngdài 명 비디오 테이프.
〔录影机〕 lùyǐngjī 명 《機》 브이티아르(VTR).
〔录用〕 lùyòng 동 (이름을 기록해 두고 자리가 나면) 채용하다. 임용하다. ¶量材～; 재능을 헤아려 임용하다 / 由国营商业部门～其从业人员; 국영 상업 부문에서 그 종업원을 채용하다.
〔录制〕 lùzhì 동 녹음 제작하다. ¶把解说词～下来; 해설을 녹음하다.
〔录子〕 lùzi 명 ⇨〔札zhá子②〕

渌 lù (록)
①형〈文〉 (물이) 맑다. ②형 축축하다. ③지명용 자(字). ¶～水; 장시(江西)에서 발원하여, 후난(湖南)으로 흘러드는 강 이름. ④명 성(姓)의 하나.
〔渌老(儿)〕 lùlǎo(r) 명 눈. ¶斜着～儿不住睃; 곁눈질로 계속 보다.
〔渌渌〕 lùlù 형 축축한 모양. ¶头上湿～的; 머리가 축축하게 젖었다.

逯 lù (록)
①동〈文〉 목표 없이 되는 대로 걷다. ②명 성(姓)의 하나.
〔逯逯〕 lùlù 형 ①〈文〉 행실을 삼가는 모양. ②⇨〔碌碌〕
〔逯遡〕 lùsù 동〈文〉 만연(漫然)히 걷다.

菉 lù (록)
①명 《植》 여초(戾草). ②지명용 자(字). ¶梅Méi～; 메이루(梅菉)《광둥 성(廣東省)에 있는 땅 이름》 / ～葭浜; 루자빈(菉葭濱)《장쑤 성(江蘇省)에 있는 땅 이름》. ⇒lǜ

𡍂 lù (로)
명 (좡 족(壯族)의 말로) 언덕 사이의 작은 평지.

绿(綠) lù (록)
'绿lǜ'의 문어음(文語音). →〔绿林〕〔绿营〕〔鸭绿江〕 ⇒lǜ
〔绿林〕 lùlín 명 ①산적(山賊)의 별칭. ②녹색 산림.
〔绿营〕 lùyíng 명 《軍》 청대(清代) 한인(漢人)으로 편성된 군영(軍營).

騄(騄) lù (록)
→〔騄耳〕
〔騄耳〕 lù'ěr 명〈文〉 고대의 발이 빠른 말 이름.

禄 lù (록)
명 ①행복. 복. ¶福～寿; 행복과 부귀와 장수. ②봉록. 봉급. ¶高官厚～; 녹이 많은 높은 고관. ③성(姓)의 하나.
〔禄蠹〕 lùdù 명〈文〉 녹만 축내는 사람〔도둑〕. 탐관 오리.
〔禄饵〕 lù'ěr 명〈文〉 녹봉이란 미끼. ¶～可以钓天下之中材《宋史》; 녹봉이란 미끼로 천하의 보통 인재는 낚을 수가 있다.
〔禄食〕 lùshí 명〈文〉 봉급. 녹봉.
〔禄位〕 lùwèi 명〈文〉 봉록과 작위(爵位). ¶～高升; 관위(官位)의 영진(榮進). =〔禄秩zhì〕〔禄爵jué〕
〔禄养〕 lùyǎng 동〈文〉 관직에 있으면서 녹봉으로 부모를 모시다.

琭 lù (록)
→〔琭琭〕
〔琭琭〕 lùlù 형〈文〉 성긴 모양. 매우 드문 모양.

碌 lù (록)
형 ①평범하다. ¶～～无奇; 평범하여 변변치 못하다. =〔庸碌〕 ②(쓸데없이) 바쁘다. ¶劳láo～; 쓸데없이 고생하다 / 忙～; 바쁘다. ⇒liù
〔碌碌〕 lùlù 형 ①(제 의견을 고집하지 않고) 사람에게 순종하는 모양. ②범용(凡庸)한〔평범한〕 모양. ¶庸庸～; 아주 평범하다 / ～无能; 평범해서 이렇다 할 능력이 없다. ③쓸데없이 바쁜 모양. ¶～半生; 빠빠지게 일하며 반생을 보내다. ‖=〔陆陆〕〔录录〕〔逯逯②〕
〔碌簌〕 lùsù 명 (옷감의) 자투리. ¶腰缠着～绦; 허리에 피륙의 자투리가 붙어 있다.

睩 lù (록)
동〈文〉 눈을 굴리다.

箓(籙) lù (록)
→〔图tú箓〕〔符fú箓〕

醁 lù (록)
→〔醽líng醁〕

𬶟(鯥) lù (록)
명 《魚》 양볼락과의 물고기《황점볼락 따위》. =〔𬶟鱼yú〕

辂(輅) lù (로)
명〈文〉 ①큰 수레. ②수레 앞의 가로나무.

赂(賂) lù (뢰)
명 ①뇌물. ¶贿～; 뇌물. 뇌물을 쓰다. 돈으로 매수하다. ②금품. 재화.

鹿 lù (록)
명 ①《動》 사슴. ¶一只～; 한 마리의 사슴 / 梅méi花～; 꽃사슴. ②성(姓)의 하나.
〔鹿葱〕 lùcōng 명 《植》 상사화(想思花).
〔鹿脯〕 lùfǔ 명 사슴고기를 말린 포. 녹포(脯).
〔鹿羔〕 lùgāo 명 《動》 새끼사슴.
〔鹿骇〕 lùhài 동〈文〉 놀라다《사슴의 잘 놀라는 성질에서 온 말》.
〔鹿藿〕 lùhuò 명 《植》 쥐눈이콩《열매는 거담(去痰)의 효력이 있음》. =〔〈俗〉 饿è马黄〕
〔鹿犄角〕 lùjījiǎo 명 녹각. =〔鹿角①〕
〔鹿角〕 lùjiǎo 명 ①녹각. ¶～胶jiāo; 《漢醫》 녹각을 고아서 농축 건조한 엑스《강장 강정약(強壯強精藥)》. =〔鹿犄角〕 ②방어용의 가시나무 울타리. 녹채(鹿砦).
〔鹿角菜〕 lùjiǎocài 명 《植》 청각채《해초》.
〔鹿筋〕 lùjīn 명 사슴의 건(腱)《요리의 재료》.
〔鹿梨〕 lùlí 명 《植》 콩배나무. =〔豆dòu梨〕
〔鹿卢〕 lùlú 명 《植》 대추나무의 일종.
〔鹿鸣〕 lùmíng 명 ①사슴의 울음소리. ②시경(詩經)의 편명(篇名)의 하나.
〔鹿鸣宴〕 lùmíngyàn 명 옛날, 향시(鄉試) 합격자 발표 다음 날에 베풀어지는 시험관과 합격자의 합동 연회.
〔鹿皮〕 lùpí 명 녹비. 사슴 가죽.
〔鹿茸〕 lùróng 명 《藥》 녹용. ¶老～; 늙은 사슴의 녹용 / 嫩nèn～; 어린 사슴의 녹용.
〔鹿豕〕 lùshǐ 명〈文〉 ①사슴과 돼지. ②〈比〉 야비한 사람. 무식한 사람.
〔鹿死不择荫〕 lù sǐ bù zé yīn 〈成〉 사슴이 죽어 갈 때에는, 장소를 가릴 만한 여유가 없다《급할 경우에는 작은 일을 돌볼 겨를이 없다》.

〔鹿死谁手〕 lù sǐ shuí shǒu 〈成〉 천하가 누구에게 돌아갈 것인가《제위(帝位)를 사슴에 비유해서 말함. 현재는 주로 경기(競技)에서 '누구에게 승리가 돌아갈 것인가'의 뜻으로 쓰임》.
〔鹿胎〕 lùtāi 명 사슴의 태반(胎盤).
〔鹿胎膏〕 lùtāigāo 명 《漢醫》 사슴의 태반에서 채취한 진액.
〔鹿台〕 Lùtái 명 《史》 녹대《은(殷)나라 주왕(紂王)이 재물을 저장했다는 땅. 현재의 허난 성(河南省) 치 현(淇縣)에 있음》.
〔鹿特丹〕 Lùtèdān 명 《地》 〈音〉 로테르담(Rotterdam)《네덜란드 남서부의 항구 도시로 공업 도시》.
〔鹿蹄草〕 lùtícǎo 명 《植》 노루발풀.
〔鹿尾〕 lùwěi 명 사슴 꼬리《중국 요리의 진품(珍品)》.
〔鹿尾菜〕 lùwěicài 명 《植》 녹미채《해초의 일종》. =〔羊yáng栖菜〕
〔鹿囿〕 lùyòu 명 〈文〉 사슴 사육장. =〔鹿圈juàn〕
〔鹿苑〕 lùyuàn 명 ①《佛》 석가가 최초로 설법한 장소. ②〈轉〉 사원(寺院). 절.
〔鹿砦〕 lùzhài 명 녹채. 바리케이드. =〔鹿寨〕
〔鹿寨〕 lùzhài 명 ⇨〔鹿砦〕
〔鹿爪〕 lùzhǎo 명 《樂》 가조각(假爪角)《비파 따위를 탈 때 손톱에 끼는 깍지》.
〔鹿竹〕 lùzhú 명 ⇨〔黄huáng精〕

漉 lù (록)
동 ①(액체가) 배다. 스미다. ②여과하다. 거르다. ¶～酒jiǔ; 술을 거르다. ③물이 뚝뚝 떨어지다. 흠뻑 젖다.
〔漉网〕 lùwǎng 명 (제지(製紙) 과정에서) 펄프의 수분을 거르는 망.

辘(轆) lù (록)
표제어 참조.
〔辘轳〕 lùlú〔lùlu〕 명 녹로. 고패. 자아틀. ¶安～; 녹로〔고패·자아틀〕를 설치하다.
〔辘轳歌儿〕 lùlugēr 명 물 긷는 노래《노동요의 일종》.
〔辘轳链〕 lùluliàn 명 체인 블록(chain block).
〔辘轳棉线〕 lùlu miánxiàn 명 실톳에 감은 무명실.
〔辘轳炮〕 lùlupào 명 《軍》〈俗〉 기관포.
〔辘轳梳棉机〕 lùlu shūmiánjī 명 롤러(roller) 소면기.
〔辘辘〕 lùlù 〈擬〉 덜커덩덜커덩《수레바퀴 소리》. ¶牛车发出笨重的～声; 소달구지가 덜커덩덜커덩 둔중한 소리를 내다/饥肠～; 시장해서 배가 꼬르륵꼬르륵 소리를 내다.
〔辘轴〕 lùzhóu 명 《機》 샤프트(shaft).

麗 lù (록)
명 〈文〉 작은 어망.
〔麗𥵀〕 lùsù 형 〈文〉 ⇨〔簏簌〕

簏 lù (록)
명 ①대나무 상자. 옷고리짝. ¶书～; 대나무로 만든 책 상자. 〈比〉 아는 것은 많지만 쓸모없는 사람. ②작고 깊은 대나무 바구니. ¶筷kuài～; 대오리로 엮은 수저통/字纸～; 휴지통.
〔簏簌〕 lùsù 형 〈文〉 축 늘어진 모양. =〔麗𥵀〕

麓 lù (록)
명 〈文〉 산기슭. ¶泰山之～; 타이산 기슭. =〔〈口〉山脚〕
〔麓守〕 lùshǒu 명 〈文〉 산림 간수. 산지기.

僇 lù (륙)
〈文〉 ①명동 〈文〉 모욕(하다). 욕(보이다). ¶～及先人; 치욕이 조상에게까지 미치다. ②동 죽이다. 사형에 처하다. ‖=〔戮A〕
〔僇民〕 lùmín 명 〈文〉 사형수. 중죄인. =〔僇人〕〔戮民〕

蓼 lù (륙)
형 〈文〉 (식물이) 장대(長大)한 모양. ⇒liǎo

戮〈剹A), 勠B)〉 lù (륙)
A) 동 ①죽이다. 사형에 처하다. ¶杀shā～; 살육하다. ②욕보이다. 모욕하다. ‖=〔僇〕
B) 동 〈文〉 합치다. 병합하다.
〔戮力〕 lùlì 동 〈文〉 힘을 합하다. ¶～同心; 힘을 합치고 마음을 함께 하다.
〔戮囚〕 lùqiú 동 《法》〈文〉 범인을 사형에 처하다.
〔戮尸〕 lùshī 동 〈文〉 사해(死骸)를 욕보이다. 육시하다.
〔戮诛〕 lùzhū 동 〈文〉 주살(誅殺)하다.

路 lù (로)
①명 길. 도로. ¶走～; 걷다. 길을 가다/公～; 자동차 도로/津浦～; 톈진(天津)·푸커우(浦口) 사이의 철도/柏bǎi油(马)～; 아스팔트 길〔도로〕/修xiū～; 도로를 고치다. 도로 공사를 하다. ②명 도정(道程). 거리. 여정(旅程). ¶～很远; 길은 멀다. ③(～儿, ～子) 명 방법. 방도. 순서. ¶活～儿; 활로(活路). 생활 방도/老～; 예로부터의 방식/门～; 장사나 생계의 방도/不要走老～; 낡은 수법을 쓰지 마라/他穷得没有活～儿; 그는 가난하여 생활의 방도가 전혀 없다. ④명 사상·행동의 방향. 조리. ¶思～; 사고의 방향/笔～; 문장의 조리/他想的很是～; 그의 사고 방식은 매우 논리적이다. ⑤명 방면. 지구. 지방. ¶外～货; 타지방에서 온 물품/四～进攻; 네 방면으로 쳐들어가다. ⑥명 연줄. 연고 관계. ¶找～; 연줄을 찾다. ⑦양 종류. 종별. ¶两～人; 별종의 인간/这一～人; 이런 유(類)의 사람/哪一～的病呢? 어떤 종류의 병입니까?/他跟我们是两～人; 그와 우리는 부류가 다른 인간이다. ⑧양 등급. ¶头～货; 1급품. 일등품/二三～角色; 2류, 3류의 배우/一～儿货; 같은 등급의 상품. ⑨명 중요한 직책. ⑩명 기호. 취미. ¶不对～; 취미에 안 맞다. ⑪명 노선. 루트. ¶七～公共汽车; 7번 노선의 버스. ⑫명 성(姓)의 하나. ⑬명 송대(宋代)의 행정 구획《현재의 성(省)에 해당함》.
〔路案〕 lù'àn 명 《法》 노상 강도 사건.
〔路霸〕 lùbà 명 멋대로 통행료를 받아 챙기는 자〔단체〕.
〔路毙〕 lùbì 동 길에서 쓰러져 죽다. 객사하다.
〔路边儿〕 lùbiānr 명 길가. 노변.
〔路标〕 lùbiāo 명 ①도로 표지. 교통 표지. 이정표. ②《軍》 행군할 때 도중에 남겨 놓고 가는 연락용의 표시. ‖=〔路表〕
〔路不拾遗〕 lù bù shí yí 〈成〉 길에 떨어져 있는 물건을 줍는 사람이 없다《세상이 잘 다스려져 생활이 풍족하고 안정되어 있음》. =〔道dào不拾遗〕
〔路菜〕 lùcài 명 여행 중에 휴대하는 부식품.
〔路程〕 lùchéng 명 ①노정. 도정. ¶我们曾经经历了长远而艰苦的～; 우리는 일찍이 길고도 험난한 노정을 겪었다. ②방침. ¶今后应行的～; 앞으로 실천해야 할 방침.

〔路程单子〕 lùchéng dānzi 명 ①이정표. ②여행 안내. =〔路程指南〕‖=〔路单〕
〔路床〕 lùchuáng 명 철도의 도상(道床).
〔路次〕 lùcì 부 길을 가다가. 가는 도중에. 명 노정(路程). 도정(道程).
〔路单〕 lùdān 명 ⇨〔路程单子〕
〔路倒〕 lùdǎo 동 길에서 쓰러져 죽다. 객사하다. ¶这几年了, 不知她在哪儿做了～喽; 몇 해나 되었으니, 그녀는 어디서 객사하지나 않았는지.
〔路道〕 lùdào 명 〈方〉 ①(하는) 방식. 처리 방법. ¶他人倒聪明, 就是～没有走对; 그는 머리는 좋은데, 다만 일의 처리 방식이 잘못되어 있다. ②〈貶〉 행동. 품행. 하는 짓. ¶～不正; 행실이 좋지 않다. ③활주로. 길.
〔路得〕 lùdé 양 《度》〈音〉 루드(rood)《영미(英美) 도량형의 면적 및 길이의 단위》.
〔路德会〕 Lùdéhuì 명 《宗》〈音〉 루터 교회.
〔路灯〕 lùdēng 명 가로등.
〔路堤〕 lùdī 명 평지에 흙을 쌓아올려서 만든 도로(의 기초).
〔路段〕 lùduàn 명 철도의 구간(區間).
〔路费〕 lùfèi 명 ⇨〔旅lǚ费〕
〔路份〕 lùfèn 명 품질. 품질 명세. 품질의 등급.
〔路工〕 lùgōng 명 ①도로 공사. ②도로 공사장의 인부.
〔路弓〕 lùgōng 명 〈文〉 큰 활.
〔路股〕 lùgǔ 명 철도주(株).
〔路鼓〕 lùgǔ 명 노고《옛날, 제사에 쓰인 사면고(四面鼓)》. =〔路鼗〕
〔路轨〕 lùguǐ 명 ①철도의 레일. ②궤도.
〔路过〕 lùguò 동 거치다. 경유해서 가다. 통과하다. ¶～香港到北京; 홍콩을 경유해서 베이징에 가다 / 从北京到上海～济南; 베이징에서 상하이로 가려면 도중에 지난을 거친다. =〔路经〕
〔路货〕 lùhuò 명 앞으로 도착할 상품. ¶一月中旬～; 1월 중순 입하할 물품.
〔路基〕 lùjī 명 《土》 (철도·도로의) 노상(路床). 노반(路盤).
〔路基石〕 lùjīshí 명 궤도의 포석(鋪石). =〔镶xiāng轨石头〕
〔路祭〕 lùjì 명 옛날에, 친척·친구가 길 옆에서 출관(出棺)하는 것을 맞이하여 배례(拜禮)하고 보내는 제식(祭式). =〔路奠diàn〕
〔路肩〕 lùjiān 명 노견(路肩). 갓길.
〔路见不平, 拔刀相助〕 lù jiàn bù píng, bá dāo xiāng zhù 〈成〉 노상에서 남의 위난(危難)을 보고 칼을 뽑아 도와 주다《의협심을 일으킴》.
〔路建队〕 lùjiànduì 명 도로 건설 부대.
〔路劫〕 lùjié 명동 노상 강도(를 하다). =〔路截jié〕
〔路紧〕 lùjǐn 형 가는 길이 위험하다〔뒤숭숭하다〕.
〔路警〕 lùjǐng 명 철도 경비의 경관·경찰.
〔路径〕 lùjìng 명 ①(목적지에 도달하기 위한) 도로. 경로. 코스. ¶～不熟; 길이 익숙치 않다 / 向导一边走一边辨认～; 안내인은 길을 확인해 가면서 나아갔다. ②(일을 행하는) 방법. 순서. 방도. ¶找到了成功的～; 성공에의 방법〔길〕을 찾았다.
〔路静人稀〕 lùjìng rénxī ①인적이 드물고 쓸쓸하다. ¶～的时候儿他就起来了; 인적도 드문 때에 그는 벌써 일어났다. ②〈比〉 다른 집과 왕래가 없는 조용한 집의 형용.
〔路酒〕 lùjiǔ 명 이별주. 이별의 술.
〔路局〕 lùjú 명 철도·자동차 도로의 관리 기구. 철도〔도로〕 관리국.
〔路坎〕 lùkǎn 명 ①산을 깎아서〔허물어서〕 낸 길. ②해자. 도랑. ‖=〔路堑〕
〔路口(儿)〕 lùkǒu(r) 명 길의 어귀. 길목. ¶十字shízì～; 십자로〔네거리〕 입구 / 三岔～; 삼거리 입구.
〔路矿〕 lùkuàng 명 철도와 광산의 총칭.
〔路路通〕 lùlùtōng 명 ①《漢醫》 단풍나무의 열매《약용》. ②〈比〉 모든 일을 환하게 아는 사람.
〔路洛〕 Lùluò 명 복성(複姓)의 하나.
〔路门〕 lùmén 명 옛 궁전에서, 가장 안쪽의 문. =〔毕bì门〕
〔路面〕 lùmiàn 명 노면. 도로 표면. 도로. 길바닥. ¶水泥～; 콘크리트 포장 도로 / 柏油～; 아스팔트 길.
〔路牌〕 lùpái 명 도로 표지《거리의 이름을 쓴 표지》.
〔路旁〕 lùpáng 명 노방. 길가. ¶～人; 낯선 사람. 길가의 사람. =〔路侧〕
〔路票〕 lùpiào 명 통행권.
〔路签〕 lùqiān 명 태블렛(tablet). 스태프(staff). 통표(通票)《단선(單線) 부분의 열차 운전 때, 기관수에게 주는 증표》.
〔路堑〕 lùqiàn 명 ⇨〔路坎〕
〔路桥〕 lùqiáo 명 철교.
〔路权〕 lùquán 명 ①철도 부설권. ②도로 점유권.
〔路儿〕 lùr 명 ①종류. ¶这～货; 이 종류의 상품. ②길. 방법. 요령. ¶找～; 방법을 찾다. ③친분 관계. 연고.
〔路人〕 lùrén 명 ①행인. 길 가는 사람. ¶～皆知; 지나가는 행인도 모두 알고 있다《세상 사람이 다 알고 있다》. ②〈比〉 낯선 사람. 관계 없는 사람. =〔陌mò路人〕
〔路上〕 lùshang 명 ①도중. 노중(路中). ¶～注意饮食; 노중 음식에 조심하다. ②노상. 길. ¶～停着一辆车; 노상에 차 한대가 정차해 있다.
〔路尸〕 lùshī 명 행려병사체. ¶在最冷那几天发现三十多具～, 这是严重的社会问题; 가장 추웠던 며칠 사이에 30여 명의 행려 병사자가 발견되었는데, 이는 중대한 사회 문제이다.
〔路熟〕 lùshú 형 길을 환하게 알다. ¶我～, 还是我去一趟吧! 길은 내가 환하니까 역시 내가 잠깐 갔다 오기로 하지!
〔路树〕 lùshù 명 가로수. ¶植zhí～; 가로수를 심다.
〔路数(儿)〕 lùshù(r) 명 ①수법. 수단. 순서. 방법. ¶他做事有一定的～; 그가 하는 일에는 일정한 순서〔절차〕가 있다. =〔路子①〕 ②계략. 책략. ¶轻车减从的先去看看～; 지위가 높은 사람이 먼저 계략을 보다. ③〈俗〉 내력. 내정(內情). ¶这樊雄飞是什么～? 이 번웅비(樊雄飛)란 사람은 어떤 내력의 인물인가? ④(무술의) 수(手). ⑤내막. 상황.
〔路说〕 lùshuō 명 뜬소문. 풍설. 풍문.
〔路条〕 lùtiáo 명 〈俗〉 (간편한) 통행증. ¶开kāi～ =〔起～〕〔打～〕; 통행증을 발행하다.
〔路透社〕 Lùtòushè 명 ①〈音〉 로이터(Reuter) 통신사. ②〈俗〉 소식통.
〔路头〕 lùtou ①명 길. 도로. ¶十里～; 10리 길. 10리. ②→〔路子〕
〔路途〕 lùtú 명 ①(지나가는) 길. 도로. ②이정. 길. 거리. ¶～遥yáo远; 길은 멀다 / ～债; 〈比〉 꼭 해야 할 여행〔방문〕.

〔路线〕 lùxiàn 명 ①노선. ㉠(철도 따위의) 노선. ¶火车～; 철도 노선/海上～; 항로. ㉡(사상·정치·작업상의) 방침. 원칙. 방향. 계획. ¶政治～; 정치 노선/中间～; 중간 노선/根本的组织～; 근본적 조직 원칙/坚持…(的)～; (…의) 노선을 굳게 지키다/走群众～; 대중 노선을 걷다/～是纲, 纲举目张; 노선은 핵심이며, 핵심을 파악하면 모든 것이 해결된다. ㉢한 지점에서 다른 지점으로 가는 길. 코스. ¶汽车～; 버스 노선. ②진행·발전하는 경로. ¶合成～; 합성 과정.

〔路线斗争〕 lùxiàn dòuzhēng 명 (정치상의) 노선 투쟁.

〔路线觉悟〕 lùxiàn juéwù 정치 기본 방침에 관한 인식을 높이는 일.

〔路心〕 lùxīn 명 도로의 중앙 부분.

〔路遥知马力, 日久见人心〕 lù yáo zhī mǎlì, rì jiǔ jiàn rénxīn 〈諺〉 길이 멀면 말의 힘을 알 수 있으며, 오래 사귀면 사람의 마음을 알 수 있다(사람은 지내 보아야 알고, 말은 타 보아야 안다).

〔路医〕 lùyī 명 돌팔이 의사.

〔路椅〕 lùyǐ 명 길 옆의 벤치.

〔路易氏毒气〕 lùyìshì dúqì 명 《化》 〈音〉 루이사이트(lewisite) 독가스. =〔氯乙烯二氯胂〕

〔路由〕 lùyóu 명 길 순서. (목적지로 가는) 길. ¶游行～; 데모 행렬 통과의 길 순서.

〔路遇〕 lùyù 동 길〔노상〕에서 만나다. ¶～敌人; 길에서 적을 맞닥뜨리다.

〔路员〕 lùyuán 명 철도 종사원.

〔路运〕 lùyùn 명 육로 운송.

〔路贼〕 lùzéi 명 ①노상 강도. ②옛날, 철도 이권을 외국인에게 넘긴 악당.

〔路障〕 lùzhàng 명 바리케이드(barricade). (도로 따위의) 통행 차단물. ¶兵变分子在市内一些地方设置zhì～了; 군내(軍內) 반란자들이 시내 여러 곳에 바리케이드를 설치하였다.

〔路照〕 lùzhào 명 여권.

〔路政〕 lùzhèng 명 철도〔도로〕 행정〔정책〕.

〔路中〕 lùzhōng 명 ①〈文〉 도중. 노중. ②(Lùzhōng) 복성(複姓)의 하나.

〔路中说话, 草里有人听〕 lù zhōng shuō huà, cǎoli yǒu rén tīng 〈諺〉 길에서 말을 하면 풀숲에서 사람이 그것을 듣는다(낮말은 새가 듣고, 밤말은 쥐가 듣는다).

〔路(庄)茶〕 lù(zhuāng)chá 명 생산지에서 제조하여 직접 도시로 운반되는 차.

〔路子〕 lùzi 명 ①수단. 방법. 순서. ¶生产上有了～; 생산의 길이 틔었다/找到～了没有? 방법을 찾았습니까?/两个人的唱法不是一个～; 두 사람의 창법은 같은 형식이 아니다. =〔路数(儿)①〕 ②연줄. 처세의 길. ¶走对了～; 시대의 조류를 잘 타다/他有长官的～; 그는 장관과의 연줄이 있다. ③취미. 기호. ¶对我～的东西; 내 취미에 맞는 물건.

潞 lù (로)

①지명용 자(字). ¶～西; 루시(潞西)(윈난 성(雲南省)에 있는 현 이름)/～酒; 루주(潞酒)(산시 성(山西省) 산의 소주의 일종). ②(Lù) 명 《地》 ㉠루허 강(潞河)(허베이 성(河北省)에 있는 강 이름). ㉡루장 강(潞江)(윈난 성(雲南省)에 있는 강 이름). =〔怒nù江〕 ③ 명 성(姓)의 하나.

璐 lù (로)

① '루' 음(音)의 음역자(音譯字). ¶赛sài～珞; 셀룰로이드. ②〈文〉 아름다운 옥(玉)의 뜻으로, 인명용 자(字).

鹭(鷺) lù (로)

명 《鳥》 해오라기. ¶朱～; 따오기/一行háng白～上青天; 한 줄로 늘어선 백로가 푸른 하늘로 날아오르다/苍～; 왜가리.

〔鹭鸶〕 lùsī 명 《鳥》 백로.

露 lù (로)

①명 이슬. ¶朝zhāo～; 아침 이슬. 〈比〉 짧은 목숨. 인생의 무상함. =〔露水〕 ②명 시럽. 과실주. ¶果子～; 과일 시럽. 주스/玫méi瑰～; 고량주에 장미꽃과 설탕을 넣어 만든 술. ③지붕 없는. 노천〔한데〕의. ¶堆放～天; 한데에 쌓다. 노적(露積)/～宿风餐; 〈成〉 바람을 맞으며 밥을 먹고 한뎃잠을 자다(나그넷길의 고생이나 야외에서의 노동의 괴로움을 비유). ④동 나타나다〔내다〕. 드러나다〔내다〕. ¶吐～; 토로하다/脸上～出了笑容; 얼굴에 웃음이 떠올랐다/藏cáng头～尾; 〈成〉 머리는 감추고 꼬리는 감추지 않다(진상을 밝히지 않다)/赤身～体; 알몸이 되다. 注 구두어(口頭語)에서 단독으로 쓰일 경우는 흔히 lòu로 발음함. ⑤명 성(姓)의 하나. ⇒lòu

〔露布〕 lùbù 명 ①〈文〉 격문(檄文). 포고문(布告文). ②〈文〉 군(軍)의 전승 소식. ③〈文〉 개봉(開封)한 조서(詔書), 또는 상소문. 동 〈方〉 공표〔포고〕하다.

〔露层〕 lùcéng 명 ⇨〔露头〕

〔露车〕 lùchē 명 ①짐수레. ②무개(無蓋) 마차. ③무개(無蓋) 화차.

〔露呈〕 lùchéng 동 〈文〉 드러내다.

〔露出〕 lùchū 명 노출하다. 겉으로 드러내다. ⇒lòuchū

〔露次〕 lùcì 명동 ⇨〔露宿①〕

〔露地〕 lùdì 명 집 밖의 공터.

〔露点〕 lùdiǎn 명 《物》 이슬점. 노점.

〔露电〕 lùdiàn 명 〈文〉 ①이슬과 번개. ②〈比〉 인생의 덧없음. 짧은 인생. ③눈 깜짝할 사이.

〔露店〕 lùdiàn 명 노점.

〔露兜树〕 lùdōushù 명 《植》 판다누스(Pandanus). =〔荣róng兰〕

〔露封〕 lùfēng 명 봉하지 않은 서신.

〔露骨〕 lùgǔ 형 노골적이다. ¶既然这么～地表示了, 就不容人再装糊涂; 이렇게 노골적으로 드러나고 보니, 이 이상 바보짓을 할 수도 없게 되었다.

〔露劾〕 lùhé 동 〈文〉 문장으로 써서 상주 탄핵(上奏彈劾)하다. =〔露章〕

〔露脊鲸〕 lùjǐjīng 명 《動》 참고래. 왕고래. =〔海hǎi鳅〕〔美měi脊鲸〕

〔露尖〕 lù.jiān 동 싹이 나오다.

〔露交电报〕 lùjiāo diànbào 명 봉하지 않은 전보.

〔露筋暴骨〕 lù jīn bào gǔ 〈成〉 ①피골이 상접한 모양. ②〈比〉 매우 궁핍한〔가난한〕 모양. ¶穷得已经到了～的地步了; 매우 가난해서 이미 아무것도 없는 형편이 되었다.

〔露井〕 lùjǐng 명 노천 우물. 지붕 없는 우물.

〔露酒〕 lùjiǔ 명 과즙·술·설탕을 섞어 만든 술. ⇒lòujiǔ

〔露葵〕 lùkuí 명 《植》 순채. =〔莼chún菜〕

〔露明〕 lùmíng 동 새벽이 되다. 날이 새다.

〔露炮台〕 lùpàotái 명 (군함 위의) 가리개 없는 포(砲).

〔露禽〕 lùqín 명 《鳥》 학〔두루미〕의 별칭.

〔露渠〕 lùqú 명 노출된 구거(溝渠)〔개골창〕.

〔露水〕 lùshuǐ 명 〈口〉 이슬. ¶一滴～; 이슬 한 방울 / 一个人一个～珠儿; 〈比〉 사람은 저마다 타고난 운명이 있다.
〔露水夫妻〕 lùshuǐ fūqī 명 정식으로 식을 올리지 않고 사는 부부. 일시적인 부부.
〔露水姻缘〕 lùshuǐ yīnyuán 명 (남녀의) 일시적인 인연. ¶她和他结jié了～; 그녀는 그와 일시적인 인연을 맺었다.
〔露宿〕 lùsù 명동 ①노숙(하다). =〔露次〕 ②야영(하다).
〔露宿风餐〕 lù sù fēng cān 〈成〉 여행의 고생. 객지 생활의 고생. =〔餐风宿露〕
〔露台〕 lùtái 명 〈方〉 ①발코니. ②베란다. ③일광 건조대. =〔晒台〕
〔露袒〕 lùtǎn 동 〈文〉 벌거벗다. 알몸이 되다.
〔露体〕 lùtǐ 명 나체. ¶赤chì身～; 전라(全裸).
〔露天〕 lùtiān 명 노천. 지붕이 없는 장소. 옥외. ¶～演说; 옥외 연설 / ～电影; 야외 영화. =〔露天地儿〕
〔露天开采〕 lùtiān kāicǎi 명 《鑛》 노천굴(掘).
〔露天煤矿〕 lùtiān méikuàng 명 《鑛》 노천굴 탄광.
〔露天牌九〕 lùtiān páijiǔ 명 〈南方〉 야합(野合).
〔露田〕 lùtián 명 허허 벌판에 있는 논밭.
〔露头〕 lùtóu 명 《鑛》 노두(露頭). 지상에 노출된 광맥. =〔露层〕〔露苗〕〔矿kuàng苗〕 ⇒lòu·tóu
〔露头角〕 lù tóujiǎo 두각을 나타내다. 재능을 드러내다. ¶参加会议的, 有不少是才～的新作家; 회의에 참석한 사람의 대부분은 막 두각을 나타내기 시작한 신진 작가였다.
〔露芽〕 lùyá 명 차(茶)의 일종.
〔露演〕 lùyǎn 동 무대에 출연하다.
〔露营〕 lùyíng 명 야영. 캠프. (lù·yíng) 동 야영하다. 캠프하다.
〔露珠(儿)〕 lùzhū(r) 명 이슬 (방울). =〔露水珠(儿)〕
〔露装〕 lùzhuāng 명 수송시, 포장 않은 채로 적재하기《목재나 철골 따위》.

氇(氌) lu (로)
→〔氆pǔ氇〕

LÜ ㄌㄩ

驴(驢) lǘ (려)
(～儿, ～子) 명 ①《動》 (당)나귀. ¶叫～ =〔公～〕; 수나귀 / 草～ =〔骒kè～〕; 암나귀. ②〈罵〉 인륜(人倫)을 분간 못 하는 사람.
〔驴不驴, 马不马〕 lǘ bù lǘ, mǎ bù mǎ 〈比〉 비슷하면서도 비슷하지 않다. 이상야릇하다. 까닭을 알 수 없다.
〔驴朝东, 马朝西〕 lǘ cháo dōng, mǎ cháo xī 〈比〉 제각기의 방향으로 따로따로 갈라지다. 뿔뿔이 헤어지다.
〔驴车〕 lǘchē 명 나귀가 끄는 수레〔달구지〕.
〔驴唇〕 lǘchún 〈比〉 매를 맞은 상처 자리. ¶被鞭子抽了一身的～; 회초리로 맞아 온몸에 회초리 자국이 생겼다.
〔驴唇不对马嘴〕 lǘ chún bù duì mǎ zuǐ 〈成〉 나귀의 입술은 말의 입에 맞지 않는다《앞뒤 말이 맞지 않다》. =〔驴头不对马嘴〕
〔驴打滚(儿)〕 lǘ dǎgǔn(r) ①이자 따위가 눈덩이 굴리듯 불어나다. ¶放～的账; 단기(短期) 고리채로 돈을 빌려 주다 / ～, 利滚利; 이자가 눈덩이 굴리듯 불어나다. ②명 〈北方〉 차좁쌀로 만든 경단에 콩가루를 묻힌 것.
〔驴驮子〕 lǘduòzi 명 짐을 나르는 당나귀. 나귀에 실은 짐.
〔驴粪球〕 lǘfèn qiú 〈歇〉 겉만 좋고 내용이 시원치 않은 것. 빛 좋은 개살구. ¶这几年过得好像宽绰一点儿, 其实也是～; 요 몇 해 동안 생활이 풍족한 것 같지만 실은 역시 빛 좋은 개살구일 뿐이다. =〔驴粪蛋子〕〔驴粪子〕
〔驴肝肺〕 lǘgānfèi 명 ①당나귀의 간과 허파《냄새가 고약해서 먹을 수 없음》. ②〈比〉 쓸모 없는 〔무가치한〕 것. 역겨운 것. ¶别拿我的好心当成～! 내 호의를 저버려서는 곤란하다 / 你真是把好心当dàng做～; 넌 완전히 내 호의를 저버리고 있다. ③〈比〉 악한 마음.
〔驴脚〕 lǘjiǎo 명 사람을 태우거나 짐을 나르는 당나귀.
〔驴叫〕 lǘjiào 명 ①당나귀 울음소리. ②〈比〉 듣기 거북한 소리. 돼지 멱따는 소리.
〔驴驹子〕 lǘjūzi 명 ①새끼당나귀. ②《蟲》 철써기. ③〈罵〉 저능아. 멍텅구리. ‖ =〔驴驹儿〕
〔驴脸〕 lǘliǎn 명 ①긴 얼굴(의 사람). ②〈罵〉 말상.
〔驴骡(儿)〕 lǘluó(r) 명 《動》 버새. =〔駃騠juétí〕
〔驴马〕 lǘmǎ 명 당나귀와 말.
〔驴鸣狗吠〕 lǘ míng gǒu fèi 〈成〉 졸렬한 글. 서툰 문장.
〔驴年马月〕 lǘnián mǎyuè 〈比〉 ①십이지 중에 나귀는 없으므로, 있지도 않은 해의 있지도 않은 달의 뜻. ②절대 있을 수 없는 일. ‖ =〔驴年〕
〔驴皮〕 lǘpí 명 당나귀 가죽. 형 〈比〉 완고하다. 뻔뻔스럽다. ②우둔하다. 융통성이 없다.
〔驴皮影〕 lǘpíyǐng 명 〈方〉 그림자 놀이《당나귀 가죽을 씌운 인형을 씀》. ¶ ～人儿; 당나귀 가죽을 쓴 그림자 놀이 중의 인물. 〈比〉 망석중이《남의 조정을 받는 사람》.
〔驴屁股上钉掌〕 lǘ pìgushang dìng zhǎng 〈歇〉 당나귀 궁둥이에 편자를 박다《'离蹄太远了'에 연결되어 '이야기가 본줄기에서 벗어나다〔탈선하다〕'의 뜻》.
〔驴蹄儿烧饼〕 lǘtír shāobǐng 명 굵은 환형(丸形)의 '烧饼'. →〔烧饼〕
〔驴条子〕 lǘtiáozi 명 당나귀 새끼.
〔驴推磨〕 lǘtuīmò ①당나귀가 연자매를 끌다. ②〈比〉 한 가지 일에 언제까지고 구애받음. 밤낮 하는 일이 반복됨.
〔驴下的〕 lǘxiàde 명 〈罵〉 당나귀 새끼. 바보 자식. 개새끼. =〔驴日的〕〔猫māo养的〕
〔驴心肝〕 lǘxīngān 명 음험한〔엉큼한〕 사람.
〔驴子〕 lǘzi 명 〈方〉 당나귀. =〔驴儿〕

闾(閭) lǘ (려)
명 ①촌락. 마을《옛날에 25호(戶)를 1'闾'라고 하였음》. ¶～里; ⇩ / 仙～; 선경. ②인근 사람. ③동네의 어귀. 골목의 어귀. ¶倚yǐ～而望; ⓐ〈成〉 골목 어귀에서 가족의 돌아옴을 기다리다. ⓑ〈翰〉 왕림을 기다립니다. ④골목. 작은 길. ¶乡～; 고향. ⑤성(姓)의 하나.
〔闾里〕 lǘlǐ 명 〈文〉 마을. 시골. 향리. =〔闾伍〕
〔闾门〕 lǘmén 명 〈文〉 마을 어귀에 있는 문.

〔闾丘〕 Lǘqiū 명 복성(複姓)의 하나.
〔闾巷〕 lǘxiàng 명 〈文〉 마을의 골목.
〔闾阎〕 lǘyán 명 〈文〉 ①촌락의 어귀(문). ②〈轉〉 여염. 민간. 마을에 사는 사람.
〔闾长〕 lǘzhǎng 명 면장(面長). 촌장(村長).
〔闾账〕 lǘzhàng 마을의 호적부.
〔闾左〕 lǘzuǒ 명 〈比〉 가난한 민가(民家). 빈민가.

榈(櫚) lǘ (려) →〔棕zōng榈〕

吕 lǚ (려) 명 ①옛 나라 이름. ②음률(音律)의 종류. ③성(姓)의 하나.
〔吕公枕〕 lǚ gōng zhěn 〈成〉 노생(盧生)의 꿈 고사《부귀 영화의 무상함을 뜻함》. ¶繁华一梦人不知, 万事邯郸～; 번화한 한바탕 꿈을 남은 모르네, 만사는 한단 여공의 베개인 것을.
〔吕剧〕 lǚjù 명 《劇》 산둥(山東) 지방극 중의 하나. =〔吕戏〕
〔吕宋〕 Lǚsòng 명 《地》〈音〉 루손섬.
〔吕宋麻〕 lǚsòngmá 명 《植》 마닐라삼.
〔吕宋麻绳〕 lǚsòngmáshéng 명 마닐라 로프.
〔吕宋烟〕 lǚsòngyān 명 여송연.
〔吕字儿〕 lǚzìr 명 〈俗〉 입맞춤. 키스《'吕'는 '口(입)'이 2개이므로》.
〔吕祖〕 Lǚzǔ 명 《人》 여동빈(呂洞賓)의 존칭《당(唐)나라 때 경조(京兆) 사람》.

侣 lǚ (려) ①명 반려(자). 동료. 동반자. ¶情～; 연인(戀人) / 游～; 놀이 친구. ②동 벗삼다. 동반하다.
〔侣伴〕 lǚbàn 명 〈文〉 동료. 한패. 반려. =〔伴侣〕〔侣俦〕

铝(鋁) lǚ (려) 명 《化》 알루미늄(Al:aluminium)《금속 원소》. ¶硅guī酸～; 규산알루미늄 / 硬yìng～ =〔强qiáng～〕; 두랄루민(duralumin).
〔铝扁坯〕 lǚbiǎnpī 명 알루미늄 덩어리.
〔铝箔〕 lǚbó 명 알루미늄 박.
〔铝锭〕 lǚdìng 명 알루미늄 잉곳(Ingot).
〔铝箍〕 lǚgū 명 건축용 알루미늄 테〔새시〕.
〔铝锅〕 lǚguō 명 알루미늄 냄비.
〔铝合金〕 lǚhéjīn 명 ⇨〔硬yìng铝〕
〔铝胶〕 lǚjiāo 명 《化》 알루미나겔(aluminagel).
〔铝块〕 lǚkuài 명 알루미늄 주괴(鑄塊).
〔铝凉盒〕 lǚliánghé 명 두꺼비집.
〔铝母金石〕 lǚmǔjīnshí 명 ⇨〔冰bīng晶石〕
〔铝片〕 lǚpiàn 명 알루미늄 판. =〔铝板〕
〔铝热剂〕 lǚrèjì 명 《化》 테르밋(독 Thermit).
〔铝丝〕 lǚsī 명 알루미늄 선. ¶～绳; 알루미늄으로 만든 와이어 로프.
〔铝铜〕 lǚtóng 명 알루미늄 청동《질이 단단하고 변색되지 않으며, 금색 광택이 있어, 장식품으로 쓰임》.
〔铝土〕 lǚtǔ 명 《鑛》 보크사이트(bauxite). =〔铝土矿〕〔铝矾土〕
〔铝线〕 lǚxiàn 명 《機》 알루미늄 케이블.
〔铝氧〕 lǚyǎng 명 《化》 알루미늄. ¶～粉; 알루미나. =〔〈俗〉钢精〕〔钢种〕
〔铝银粉〕 lǚyínfěn 명 알루미늄 청동 가루.
〔铝制〕 lǚzhì 명 알루미늄제(製). ¶～用具; 알루미늄 제품.

稆〈穭〉 lǚ (려) 동 곡물 등이 자생하다. ¶～生 shēng; 자생하다. =〔旅②〕

捋 lǚ (랄) 동 ①(손으로) 쓰다듬다. 어루만지다. 다듬다. ¶～虎须; 호랑이의 수염을 쓰다듬다《위험한 짓을 하다》/～平; 손끝으로 반반하게 펴는 듯이 쓰다듬어 문지르다 / 把纸～平了; 종이를 만져서 폈다. ②⇨〔拔细〕 ③간단히 이야기하다. ¶你给我从头再～一遍; 나에게 처음부터 다시 한 번 간단히 말해 주시오. ⇒luō
〔捋鬓〕 lǚbìn 동 귀밑머리를 쓰다듬다.
〔捋过来〕 lǚguòlai 동 무리하게〔강제로〕 빼앗다.
〔捋毛〕 lǚ máo 털을 쓰다듬다. 〈轉〉 달래다. 마음을 가라앉히다.
〔捋头儿〕 lǚ.tóur 동 머릿수를 채우다. 정리해서 모으다. ¶把那乱麻般的思绪捋了个头儿; 헝클어진 생각들을 정리해 보았다.
〔捋须〕 lǚxū 동 수염을 쓰다듬다.

旅 lǚ (려) ①동 여행하다. ¶～行; ⇩ / 商～; 행상인. ②동 식물이 야생하다. 자생하다. ¶～葵 kuí; 야생 해바라기 / ～谷; 자생한 곡물. =〔稆〕 ③명 〈文〉 군대. ¶强兵劲～; 강한 군대 / 军～之事; 군사(軍事). ④명 고향을 떠나 타관에서 사는 사람. ⑤부 함께. 공동으로. ⑥명 《軍》 여단. ¶两～兵; 2개 여단의 병력. →〔军〕〔师〕〔团〕〔营〕〔连〕〔排〕 ⑦명 성(姓)의 하나.
〔旅安〕 lǚ'ān 〈翰〉 여행지에 있는 사람에게 보내는 편지의 결미어(結尾語)《여행지에서의 건강과 무사함을 비는 뜻》. =〔敬候旅安〕〔顺请旅安〕
〔旅伴(儿)〕 lǚbàn(r) 명 여행길의 길동무.
〔旅部〕 lǚbù 명 《軍》 여단 본부.
〔旅差费〕 lǚchāifèi 명 (관리의) 출장 여비.
〔旅程〕 lǚchéng 명 여정. 여로.
〔旅次〕 lǚcì 명 ①여행자의 숙소. 여행중의 숙박지. ②여행 도중.
〔旅店〕 lǚdiàn 명 ⇨〔旅馆〕
〔旅费〕 lǚfèi 명 여비. =〔路lù费〕
〔旅馆〕 lǚguǎn 명 여관의 일반 명칭. =〔旅店〕〔旅社〕〔旅舍〕
〔旅馆住宿证〕 lǚguǎn zhùsùzhèng 명 여관 숙박권.
〔旅见〕 lǚjiàn 〈文〉 많은 사람이 나란히 함께 (윗사람을) 뵙다〔배알하다〕. ¶诸侯～天子《禮記》; 제후들이 함께 천자를 뵙다.
〔旅进旅退〕 lǚ jìn lǚ tuì 〈成〉 여러 사람과 진퇴를 같이하다《제 주장이 없이 남이 하는 대로 하다》.
〔旅京〕 lǚjīng 동 〈文〉 수도〔서울〕에 체재하다.
〔旅居〕 lǚjū 동 〈文〉 타향에 체재〔류〕하다. 객지에 머물다. ¶～国; 체류하고 있는 나라.
〔旅客〕 lǚkè 명 여객. 여행자.
〔旅力〕 lǚlì 명 〈文〉 ①대중의 힘. ②체력. =〔膂力〕
〔旅美〕 lǚměi 미국에 여행(하여 체재)하다.
〔旅商〕 lǚshāng 명 〈文〉 타향에 있는 행상인.
〔旅社〕 lǚshè 명 ⇨〔旅馆guǎn〕
〔旅舍〕 lǚshè 명 ⇨〔旅馆guǎn〕
〔旅鼠〕 lǚshǔ 명 《動》 레밍(lemming).
〔旅途〕 lǚtú 명 여행 도중. 여정. ¶～见闻; 여행 도중의 견문.
〔旅行〕 lǚxíng 명동 여행(하다)《비교적 원거리의 것》. ¶～社; 여행사 / ～袋; 여행 가방 / ～日程;

여행 일정 / ～指南; 여행 안내서 / ～常识; 여행자가 알아야 할 상식. 동 (동물이) 큰 무리를 이루고 이동하다.
〔旅行护照〕 lǚxíng hùzhào 명 여권. 패스포트. =〔护照〕
〔旅行经纪人〕 lǚxíng jīngjìrén 명 선주(船主)와 여객 사이에서 승선 수속 등을 알선하는 사람.
〔旅行票据〕 lǚxíng piàojù 명《商》 여행자 수표. =〔旅行支票〕〔〈俗〉 通tōng天单〕
〔旅行信用状〕 lǚxíng xìnyòngzhuàng 명 여행자 신용장.
〔旅行演出〕 lǚxíng yǎnchū 명 순회 공연. ¶～的剧团; 순회 공연단.
〔旅行演说〕 lǚxíng yǎnshuō 명 유세. ¶他开始到全国各地进行～; 그는 전국 각지로 돌아다니며 유세를 시작했다.
〔旅行毡〕 lǚxíngzhān 명 여행용 무릎덮개.
〔旅游〕 lǚyóu 명동〈文〉 유람(하다). 관광(하다). ¶是来留学, 还是～? 유학입니까, 관광입니까? / 大力发展～事业; 관광 사업을 크게 발전시키다.
〔旅游局〕 lǚyóujú 명〈敬〉 '中国旅行游览事业管理总局'의 약칭. 관광국('中国国际旅行社', '中国旅行社'의 상급 기관).
〔旅寓〕 lǚyù〈文〉 동 타향에 기우하다. 객지에서 묵다. 명 객지의 숙소.
〔旅长〕 lǚzhǎng 명《軍》 여단장(旅團長).

膂 lǚ (려)
명〈文〉 등뼈. =〔脊骨〕
〔膂力〕 lǚlì 명〈文〉 완력. 체력. 힘. ¶～过人; 체력이 남보다 앞서다. =〔旅力②〕

偻(僂) lǚ (루)
〈文〉 ① 형 등뼈가 굽다. 구부정하다. ¶伛yǔ～; ⓐ꼽추. ⓑ등을 구부리다(공손한 모양). ② 부〈文〉 즉시. 신속하게. ¶不能～指; 즉시 지적할 수는 없다. ③ 동 구부리다. ⇒lóu

屡(屢) lǚ (루)
부 자주. 누차. 몇 번이고. ¶鞍钢工人～有发明; 안산 제강소의 노동자는 자주 발명을 한다.
〔屡踣屡起〕 lǚ bó lǚ qǐ〈成〉 쓰러지고 또 쓰러져도 일어나다. 거듭되는 실패에도 끄떡 않다.
〔屡次〕 lǚcì 부 자주. 누차. ¶我～麻烦你, 真对不起! 자주 폐를 끼쳐 정말 미안합니다! / 他～创造新记录; 그는 여러 번 신기록을 수립했다 / 他是～地和我借钱; 그는 자주 나한테 돈을 꾼다.
〔屡次三番〕 lǚ cì sān fān〈成〉 자주. 연하여. 여러 번. 자꾸자꾸. ¶经过大家～的要求, 他们两个人又表演一段相声; 여러 사람한테서 누차 부탁을 받았기 때문에, 그들 두 사람은 다시 한바탕 만담을 하였다. =〔屡番〕
〔屡挫不馁〕 lǚ cuò bù něi〈成〉 여러 번 좌절해도 기가 꺾이지 않다.
〔屡见不鲜〕 lǚ jiàn bù xiān〈成〉 자주 볼 수 있는 일이어서 신기하지 않다.
〔屡教不改〕 lǚ jiào bù gǎi〈成〉 몇 번 깨우쳐도 고치지 않다. =〔累lěi教不改〕
〔屡经〕 lǚjīng 동〈文〉 자주 …하다.
〔屡屡〕 lǚlǚ 부 자주. 종종. ¶他写这篇回忆录的时候, ～搁笔沈思; 그는 이 회고록을 집필할 때, 종종 붓을 놓고 생각에 잠긴다.
〔屡年〕 lǚnián 명〈文〉 긴 세월. 여러 해. 오랜 동안.
〔屡试不爽〕 lǚ shì bù shuǎng〈成〉 여러 번 시험해 보아도 틀림없다. 몇 번 해 보아도 성적이 좋다.
〔屡战屡胜〕 lǚ zhàn lǚ shèng〈成〉 연전 연승〔백전 백승〕하다.

缕(縷) lǚ (루)
① 명 실. ¶一丝一～; 실 한 올. ② 양 가늘고 긴 것을 세는 데 쓰임. ¶一～线; 한 가닥의 실 / 一～炊烟; 한 줄기 밥 짓는 연기. ③ 명〈比〉 극히 얼마 안 되는 것. ¶千丝万～;〈成〉 서로 여러 가지 복잡한 관련이 있는 모양 / 不绝如～; (소리 등이) 가는 실처럼 여리고 길게 이어짐. ④ 부〈文〉 조리 있게. 상세하게. 하나하나. ⑤ 동 실마리〔갈피〕를 찾다.
〔缕陈〕 lǚchén 동 ①〈文〉 (하급자가 상급자에게) 의견을 진술하다. ② ⇨〔缕述〕
〔缕缕〕 lǚlǚ 형〈文〉 끊임없이 이어지는 모양. ¶～千言; 끊임없이 계속되는 긴 이야기 / 不尽～;〈翰〉 자세한 것은 충분히 말씀드릴 수 없다.
〔缕缕行行〕 lǚlǚhángháng 잇따르는 모양. 물건이 연속하여 있는 모양. ¶～的都是人; 줄줄이 모두 사람들뿐이다 / 蚂蚁～地爬; 개미가 죽 줄을 지어 가고 있다 / ～地人场; 계속 입장하다. =〔缕缕续续〕
〔缕述〕 lǚshù 동〈文〉 자세하게 말하다. 누누이 설명하다. =〔缕陈②〕
〔缕析〕 lǚxī 동〈文〉 상세히 분석하다. ¶～呈明; 자세히 말씀드리다 / 条分～;〈成〉 일일이 구별해서 세밀하게 분석하다.
〔缕续〕 lǚxù 부 자꾸 잇달아. 속속. 계속해서. ¶～地人场; 계속 입장하다.

褛(褸) lǚ (루)
명 ①해진 옷. ②넝마.

履 lǚ (리)
① 명 신발. ¶革～; 가죽 신발 / 草cǎo～; 짚신. ② 명 사람의 행위. 동작. ¶操cāo～; 행실. 품행. ③ 동 밟고 가다. 걷다. ¶如～薄冰;〈成〉 살얼음을 밟는 느낌이다. 아슬아슬하다. ④ 동 실천〔실행〕하다. 이행하다. ¶～约; 약속·계약을 실행하다.
〔履冰〕 lǚbīng 동 살얼음을 밟다. 위험을 무릅쓰다. 조마조마하다.
〔履穿踵决〕 lǚ chuān zhǒng jué〈成〉 신발에 구멍이 뚫리고 뒤꿈치가 해지다(빈궁하여 남루한 모양).
〔履带〕 lǚdài 명《機》 ①궤조(軌條). 궤도. ¶无限～; 무한 궤도. ②캐터필러(caterpillar). ¶～式拖拉机; 캐터필러식 트랙터.
〔履端〕 lǚduān 명〈文〉 ①연초. 원단(元旦). ¶～泰始; 신년 길상(新年吉祥) / ～多胜; 새해를 맞아 건승을 빌다. ②개원(改元).
〔履虎尾〕 lǚ hǔwěi 동 ①호랑이 꼬리를 밟다. ②〈比〉 감히 위험을 무릅쓰다.
〔履践〕 lǚjiàn 동〈文〉 실천〔실행〕하다. ¶～诺言; 승낙한 것을 실천하다.
〔履勘〕 lǚkān 동〈文〉 답사하다. 측량하다.
〔履历〕 lǚlì 명 ①이력. 경력. ¶～表 =〔～书〕; 이력서 / 出身～; 출신의 경력. ②이력서. ¶填一份～; 한 통의 이력서를 쓰다.
〔履霜〕 lǚshuāng 동 서리를 밟고 걷는 사이에 엄동이 오는 것을 안다(현재의 징후를 보고 미래에 경계 대비하다). ¶～之戒; 재앙을 미연에 방지하는 가르침 / ～之渐jiàn; 점점 규율이 문란해짐.

〔履舄交错〕 lǚ xì jiāo cuò 〈成〉 ①손님의 출입이 많다. ②남녀가 한데 어울려 격의 없이 노닐다.
〔履险〕 lǚxiǎn 동 〈文〉 위험한 곳을 지나다. 위험을 무릅쓰다.
〔履险犯难〕 lǚ xiǎn fàn nán 〈成〉 위험과 곤란에도 굴하지 않고 용감하게 행동하다.
〔履险如夷〕 lǚ xiǎn rú yí 〈成〉 ①위험을 전혀 개의치 않다. ②남이 어렵다고 생각하는 일을 간단히 해치우다.
〔履新〕 lǚxīn 명 신년. 새해. 동 취임하다. =〔履任〕
〔履信〕 lǚxìn 동 〈文〉 신의를 지키다.
〔履行〕 lǚxíng 동 이행하다. 실행하다. ¶～诺言; 약속을 이행하다.
〔履约保证〕 lǚyuē bǎozhèng 명 《經》 계약 이행 보증.
〔履祉〕 lǚzhǐ 명 〈翰〉 행복. 복지. ¶～日永; (당신의) 행복은 날로 영원할 것입니다. =〔履祺〕
〔履中〕 lǚzhōng 동 〈文〉 중용의 길을 가다〔행하다〕.

律 lǜ (률)
①명 법률. 법. ¶按～判罪; 법률에 따라 단죄하다. ②명 규칙. 규율. 법칙. ¶周期～; 주기율. ③명 음률(음악상의 멜로디나 리듬의 법칙). ¶旋xuán～; 선율. 멜로디. ④명 시(詩)의 체재. ¶～诗; 율시 / 五音六～; 오음 육률(중국 고대 음악의 음계). ⑤동 〈文〉 구속하다. 단속하다. ¶～以重典; 엄한 법전으로 단속하다. ⑥부 일률적으로. 모두 똑같이. ¶一～平等; 모두 일률적으로 평등하다. ⑦명 성(姓)의 하나.
〔律典〕 lǜdiǎn 명 〈文〉 법전(法典).
〔律动〕 lǜdòng 명 리듬. 가락.
〔律度〕 lǜdù 명 〈文〉 법률. 법도.
〔律法〕 lǜfǎ 명 〈文〉 법규. 법률.
〔律赋〕 lǜfù 명 율부(당(唐)나라 때의 부(賦). 과거 시험의 답안의 문체).
〔律己〕 lǜjǐ 동 〈文〉 자기를 단속하다. ¶～甚严; 자기 자신을 매우 엄하게 단속하다〔다루다〕.
〔律诫〕 lǜjiè 명 《佛》 계율.
〔律科〕 lǜkē 명 율령의 조문.
〔律例〕 lǜlì 명 ①법률 예규. 법규 판례. ②법률의 조문.
〔律令〕 lǜlìng 명 율령. 법령.
〔律吕〕 lǜlǚ 명 《樂》 ①옛날, 음양 열두 개의 음계. ②음률의 총칭. ③십이율관(十二律管).
〔律师〕 lǜshī 명 ①변호사. ②〈敬〉 화상(和尙) 또는 도사의 존칭.
〔律师楼〕 lǜshīlóu 명 변호사 사무실.
〔律条〕 lǜtiáo 명 〈文〉 규율. 법규.
〔律宗〕 Lǜzōng 명 《佛》 율종(불교의 한 파로 계율을 존중함).

葎 lǜ
→〔猲hū葎〕

葎 lǜ (률)
→〔葎草〕
〔葎草〕 lǜcǎo 명 《植》 한삼덩굴. =〔勒lè草〕

虑(慮) lǜ (려)
①동 헤아리다. 생각하다. 고려하다. ¶深思远～; 〈成〉 먼 장래까지 깊이 생각하다 / 别人～不到的, 他早就～到了; 다른 사람은 생각이 미치지 않고 있었지만, 그는 진작에 착상하고 있었다 / 朝不～夕; 〈成〉 아침에 저녁일을 걱정하지 않는다(상황이 급박하여 먼 데까지 생각지 못함). ②명동 근심(하다). 걱정(하다). 염려(하다). ¶顾～; 거리끼다. 고려하다 / 不必过～; 너무 염려하지 마세요 / 他所～的是材料不凑手; 그의 걱정은 재료를 입수할 수 없다는 것이다 / 可～的事情; 걱정이 되는 일.
〔虑拔布力〕 lǜbábùlì 명 〈音〉 리퍼블릭(republic). =〔共和国〕
〔虑后〕 lǜhòu 동 〈文〉 뒷일을 걱정하다. 장래를 우려〔고려〕하다.
〔虑患〕 lǜhuàn 동 〈文〉 미리 재앙을 걱정〔조심〕하다.
〔虑及〕 lǜjí 동 〈文〉 생각이 미치다〔떠오르다〕. 예상하다.
〔虑恋〕 lǜliàn 동 고려하다. 돌이켜 생각하다. ¶还是～周到点儿好; 역시 충분히 고려하는 것이 좋다.
〔虑念〕 lǜniàn 동 〈文〉 생각하다. 궁리하다. 고려하다.
〔虑事〕 lǜshì 〈文〉 동 ①미리 계획을 세우다. ②근심 걱정하다. 명 근심사. 마음에 걸리는 일.
〔虑想〕 lǜxiǎng 동 〈文〉 생각하다. 궁리하다.
〔虑远〕 lǜyuǎn 동 〈文〉 먼 앞날을 고려하다. 영구지계를 세우다.

滤(濾) lǜ (려)
동 (천으로 물을) 거르다. 여과하다. 밭다. ¶～袋dài; 거르는 자루 / 要是怕这碗药有渣zhā子, 可以～一过; 만약에 이 약에 찌꺼기가 있는 것이 걱정될 때에는 한 번 거르면 된다.
〔滤波〕 lǜbō 명 《電》 여파(전파를 웨이브 필터 따위로 분리하는 일).
〔滤波器〕 lǜbōqì 명 《電》 여파기. 웨이브 필터(wave filter).
〔滤斗〕 lǜdǒu 명 여과용 깔때기. 여광판(濾光板).
〔滤管〕 lǜguǎn 명 《醫》 소식자(消息子). 존데(독 Sonde).
〔滤光镜〕 lǜguāngjìng 명 《撮》 (사진기의) 필터(filter).
〔滤光器〕 lǜguāngqì 명 《物》 여광기. 라이트 필터.
〔滤过〕 lǜguò 동 여과하다. 거르다.
〔滤过布〕 lǜguòbù 명 《化》 화학 액체를 여과하는 헝겊.
〔滤过性病毒〕 lǜguòxìng bìngdú 명 《醫》 바이러스. 여과성 병원체.
〔滤净器〕 lǜjìngqì 명 필터(filter). 여과기.
〔滤酒〕 lǜjiǔ 동 술을 거르다.
〔滤泥〕 lǜní 명 진흙 상태의 침전물. 질척한 폐수와 같은 것.
〔滤器〕 lǜqì 명 여과기.
〔滤清〕 lǜqīng 동 걸러서 깨끗이 하다.
〔滤色镜〕 lǜsèjìng 명 《物》 라이트 필터. 컬러 필터(사진기용).
〔滤水池〕 lǜshuǐchí 명 정수지(淨水池).
〔滤水罗〕 lǜshuǐluó 명 물을 거르는 얇은 천. =〔滤布〕
〔滤水渣〕 lǜshuǐzhā 명 거른 물의 찌꺼기.
〔滤液〕 lǜyè 명 《化》 여액. 여과한 액.
〔滤渣〕 lǜzhā 명 거르고 남은 찌꺼기.
〔滤纸〕 lǜzhǐ 명 《化》 거름종이. 여과지(紙).
〔滤嘴〕 lǜzuǐ 명 (담배의) 필터. ¶过～香烟; 필터 달린 궐련.

鑢(鑢) **lǜ** (려) ①명 줄. ②동 줄질하다. 윤을 내다.

〔鑢纸〕 lǜzhǐ 명 사포(沙布). 샌드페이퍼(sandpaper).

率 **lǜ** (률) 명 비율. 퍼센티지. ¶速～; 속도/工作效xiào～; 작업 능률/或然～; 확률/百分～; 백분율. ⇒shuài

菉 **lǜ** (록) →〔菉豆〕 ⇒lù

〔菉豆〕 lǜdòu 명《植》녹두. =〔绿豆〕

绿(綠) **lǜ** (록) ①명《色》〈口〉녹색. ¶嫩nèn～; 연한 녹색. ②형 푸르다. ¶红花～叶; 빨간 꽃에 푸른 잎/桃红柳～;〈成〉봄의 경치가 아름답다/青山～水;〈成〉푸른 산과 푸른 물. ⇒lù

〔绿宝石〕 lǜbǎoshí 명《鑛》에메랄드(emerald). =〔绿玉〕

〔绿䴕打木〕 lǜbēndǎmù 명《鳥》청딱따구리. =〔绿啄木鸟〕

〔绿鬓〕 lǜbìn 명〈文〉소년의 새까만 머리. 검고 윤기가 도는 머리.

〔绿菜色〕 lǜcàisè 명 연녹색. 연둣빛.

〔绿苍蝇〕 lǜcāngying 명《蟲》금파리.

〔绿茶〕 lǜchá 명 녹차. =〔绿茗〕

〔绿翅鸭〕 lǜchìyā 명《鳥》상오리. 쇠오리.

〔绿葱葱〕 lǜcōngcōng 형 (식물 등이) 파릇파릇하게 무성한 모양.

〔绿丛丛(的)〕 lǜcóngcóng(de) 형 푸르고 무성한 모양. ¶河边的杂草、树木都是～的了; 강가의 잡초와 수목이 온통 파랗고 무성하다.

〔绿灯〕 lǜdēng 명 ①(도로 교통 표지의) 녹색등. ¶等着开～再过去; 청신호가 되거든 건너라/红～; 교통 신호등. ②(추상적으로) 청신호. ¶开～; 청신호를 나타내다.

〔绿豆〕 lǜdòu 명《植》녹두. =〔菉豆〕

〔绿豆粉〕 lǜdòufěn 명 ⇨〔团tuán粉〕

〔绿豆糕〕 lǜdòugāo 명 녹두 가루로 만든 마른 과자(틀에 찍어서 찐 것).

〔绿豆面(儿)〕 lǜdòumiàn(r) 명 녹두 가루.

〔绿豆烧〕 lǜdòushāo 명 녹두로 빚은 소주. =〔豆酒〕

〔绿豆汤〕 lǜdòutāng 명 녹두로 만든 수프(여름에 차 대신 마심).

〔绿豆蝇〕 lǜdòuyíng 명《蟲》청승(青蠅). 금파리. 쉬파리.

〔绿豆粥〕 lǜdòuzhōu 명 녹두죽.

〔绿萼梅〕 lǜ'èméi 명《植》꽃이 희고 꽃받침은 초록색인 매화.

〔绿矾〕 lǜfán 명 ⇨〔硫liú酸亚铁〕

〔绿肥〕 lǜféi 명《農》녹비(식물의 줄기 · 잎을 밭에 뿌려 거름으로 하는 것). ¶～作物; 녹비 작물.

〔绿肥红瘦〕 lǜ féi hóng shòu 〈成〉(여자들의) 옷차림이나 체격 등이 가지각색이다.

〔绿肥皂〕 lǜféizào 명 ⇨〔钾jiǎ肥皂〕

〔绿氟石〕 lǜfúshí 명《鑛》녹형석(綠螢石).

〔绿刚石〕 lǜgāngshí 명《鑛》오리엔탈에메랄드.

〔绿化〕 lǜhuà 명동 녹화(하다). ¶～城市; 도시를 녹화하다/～地带; 녹지대/～运动; 녹화 운동.

〔绿化钠〕 lǜhuànà 명 ⇨〔氯化钠〕

〔绿化物〕 lǜhuàwù 명 ⇨〔氯化物〕

〔绿轿〕 lǜjiào →〔亮liàng轿〕

〔绿茎〕 lǜjīng 명《植》잎 모양으로 변형한 줄기.

〔绿卡〕 lǜkǎ 명 그린 카드(green card)(미국 정부 발행의 외국인 영주 허가증. 현재는 훈련 · 학습 수효층을 가리키기도 함).

〔绿蓝色〕 lǜlánsè 명《色》청록색.

〔绿篱〕 lǜlí 명 생울타리.

〔绿帘石〕 lǜliánshí 명《鑛》녹렴석.

〔绿毛〕 lǜmáo 명 ①푸른 털. ②푸른곰팡이.

〔绿帽子〕 lǜmàozi 명〈比〉아내의 부정을 모르는 남편. 오쟁이진 여자의 남편. ¶戴～; 아내가 오쟁이지다/穿chuān～; 다른 사람에게 아내를 빼앗기다. =〔绿坎肩儿〕〔绿头巾〕

〔绿霉素〕 lǜméisù 명 ⇨〔氯霉素〕

〔绿泥石〕 lǜníshí 명《鑛》녹니석.

〔绿浓浓(的)〕 lǜnóngnóng(de) 형 푸르름이 짙은 모양. ¶～麦田; 짙은 녹색의 보리밭.

〔绿脓菌〕 lǜnóngjūn 명《醫》녹농균(화농균의 일종).

〔绿皮层〕 lǜpícéng 명《植》녹피층.

〔绿鳍鱼〕 lǜqíyú 명《魚》성대.

〔绿气〕 lǜqì 명 ⇨〔氯气〕

〔绿气炮〕 lǜqìpào 명《軍》독가스탄포(砲).

〔绿气罩〕 lǜqìzhào 명《軍》가스 마스크.

〔绿青〕 lǜqīng 명 ⇨〔孔kǒng雀石〕

〔绿茸茸(的)〕 lǜróngróng(de)〔lǜrōngrōng(de)〕 형 온통 푸르게 밀생(密生)한 모양. ¶～的稻田; 온통 푸른 논.

〔绿色〕 lǜsè 명《色》녹색. ¶～植物; 녹색 식물.

〔绿色贝雷帽〕 lǜsè bèiléimào 명《軍》〈音義〉(미국의) 그린 베레(Green Beret).

〔绿色产品〕 lǜsè chǎnpǐn 명 환경 보호 제품(환경 마크 획득 제품).

〔绿色产业〕 lǜsè chǎnyè 명 임업 계통의 다경영 산업.

〔绿色食品〕 lǜsè shípǐn 명 무공해 식품.

〔绿色组织〕 lǜsè zǔzhī 명 환경 기구. 환경 단체.

〔绿森森〕 lǜsēnsēn 형 푸릇푸릇하다. =〔绿青青〕

〔绿生生(的)〕 lǜshēngsheng(de) 형 녹색이 싱싱한〔싱그러운〕 모양. ¶～的白薯苗; 싱싱한 초록빛의 고구마 순.

〔绿石〕 lǜshí 명《鑛》섬록석(閃綠石).

〔绿室〕 lǜshì 명 연극 무대 뒤의 화장실.

〔绿柿〕 lǜshì 명 ①떫은 감. ②《植》돌감(나무).

〔绿水〕 lǜshuǐ 명 ⇨〔氯水〕

〔绿松石〕 lǜsōngshí 명《鑛》터키석(石).

〔绿酸钾〕 lǜsuānjiǎ 명 ⇨〔氯酸钾〕

〔绿笋〕 lǜsǔn 명《漢醫》중국 특산의 녹죽(綠竹)의 죽순을 쪄서 말린 것(약용함).

〔绿铁矿〕 lǜtiěkuàng 명《鑛》녹철광.

〔绿头鸭〕 lǜtóuyā 명《鳥》물오리. =〔野yě鸭〕〔大麻鸭〕

〔绿头蝇〕 lǜtóuyíng 명《蟲》금파리.

〔绿团鱼〕 lǜtuányú 명 ⇨〔鼋yuán鱼〕

〔绿尾色〕 lǜwěisè 명《色》푸르스름한 누른색.

〔绿叶成阴〕 lǜ yè chéng yīn 〈成〉푸른 잎이 무성해서 나무 그늘을 만듦(여자가 출가 후에 자식이 줄을 이룸).

〔绿衣黄里〕 lǜ yī huáng lǐ 〈成〉겉감이어야 할 황색을 안감으로 하고, 안감이어야 할 녹색을 겉으로 하다(①시비 선악을 뒤바꾸다. ②격에 맞지 않는 자가 우쭐대다).

〔绿衣使者〕 lǜyī shǐzhě 명 ①《鳥》앵무새의 별칭. ②우편 집배원. =〔邮差〕

〔绿衣战士〕 lǜyī zhànshì 명 ⇨〔邮yóu差〕
〔绿蚁〕 lǜyǐ 명 녹의. 술구더기.
〔绿阴〕 lǜyīn 명 녹음. 나무 그늘.
〔绿阴阴(的)〕 lǜyīnyīn(de) 형 녹음이 짙은 모양. 푸르름이 우거진 모양. ¶眼前是一片～的草地; 눈앞에는 온통 짙은 녹색의 초지가 펼쳐져 있다.
〔绿茵〕 lǜyīn 명 푸른 요(잔디밭·풀밭). ¶～场; 〈比〉 축구장.
〔绿茵茵〕 lǜyīnyīn 명 녹색 깔개를 깐 것 같은 모양(풀밭〔초원〕의 형용).
〔绿荫荫(的)〕 lǜyìnyìn(de) 형 녹음이 짙은 모양. 녹음이 우거진 모양.
〔绿莹莹〕 lǜyíngyíng 형 초록색이 선명한 모양. ¶秋苗在雨中显得～的; 볏모가 빗속에서 초록빛이 한층 산뜻하다.
〔绿油油(的)〕 lǜyōuyōu(de) 형 검푸르고 윤나는 모양. ¶～的麦苗màimiáo; 푸릇푸릇한 보리의 모종/一大片～庄稼; 온통 초록색의 작물. =〔碧bì油油〕
〔绿油〕 lǜyóu 명 《化》 안트라센유(油).
〔绿玉〕 lǜyù 명 ⇨〔绿宝石〕
〔绿云〕 lǜyún 명 〈比〉 아름다운 검은 머리. 삼단 같은 검은 머리.
〔绿藻〕 lǜzǎo 명 《植》 녹조.
〔绿帻〕 lǜzé 명 〈文〉 옛날, 천한 사람이 입는 옷.
〔绿洲〕 lǜzhōu 명 사막의 오아시스. =〔泉quán地〕
〔绿柱石〕 lǜzhùshí 명 《鑛》 녹주석.
〔绿紫菜〕 lǜzǐcài 명 《植》 김. 해태. =〔海苔〕

氯 lǜ (록)
명 《化》 염소(鹽素). ¶～气; ⇩

〔氯胺〕 lǜ'àn 명 《化》 클로라민(chloramine). =〔氯亚明〕
〔氯苯胍〕 lǜběnguā 명 《藥》 팔루드린(paludrine). =〔白bái乐君〕〔扑疟特灵〕
〔氯苯乙烷〕 lǜběnyǐwán 명 《藥》 디디티(D.D.T).
〔氯丙嗪〕 lǜbǐngqín 명 《藥》 클로르프로마진(chlorpromazine).
〔氯丙酮〕 lǜbǐngtóng 명 《化》 클로르아세톤.
〔氯丁橡胶〕 lǜdīng xiàngjiāo 명 《化》 클로르프렌(chlorprene) 고무.
〔氯仿〕 lǜfǎng 명 《化》 클로로포름(chloroform). ¶麻má醉～; 마취용 클로로포름(chloroform). =〔三氯甲烷〕〔哥罗芳〕〔哥罗仿〕
〔氯化〕 lǜhuà 명 《化》 염화. ¶～汞; 염화 수은.
〔氯化氨基汞〕 lǜhuà'ānjīgǒng 명 《藥》 백강홍(白降汞). =〔白bái降汞〕
〔氯化铵〕 lǜhuà'ǎn 명 《化》 염화 암모늄. =〔〈廣〉电diàn盐〕
〔氯化钡〕 lǜhuàbèi 명 《化》 염화 바륨.
〔氯(化)苯〕 lǜ(huà)běn 명 《化》 염화 벤젠. 클로로벤젠(chlorobenzen).
〔氯化铋〕 lǜhuàbì 명 《化》 염화 창연(蒼鉛).
〔氯化铂〕 lǜhuàbó 명 《化》 염화 제2합금.
〔氯化(丁二烯)橡胶〕 lǜhuà(dīng'èrxī) xiàngjiāo 명 《化》 네오프렌(neoprene). =〔新xīn聚烯〕
〔氯化钙〕 lǜhuàgài 명 《化》 염화 칼슘.
〔氯化(高)汞〕 lǜhuà(gāo)gǒng 명 ⇨〔升shēng汞〕
〔氯化镉〕 lǜhuàgé 명 《化》 염화 카드뮴.
〔氯化铬〕 lǜhuàgè 명 《化》 염화 크롬.
〔氯化钴〕 lǜhuàgǔ 명 《化》 염화 코발트.
〔氯化钾〕 lǜhuàjiǎ 명 《化》 염화 칼륨.
〔氯化锂〕 lǜhuàlǐ 명 《化》 염화 리튬.
〔氯化硫〕 lǜhuàliú 명 《化》 염화 유황.
〔氯化铝〕 lǜhuàlǚ 명 《化》 염화 알루미늄.
〔氯化镁〕 lǜhuàměi 명 《化》 염화 마그네슘.
〔氯化锰〕 lǜhuàměng 명 《化》 염화 망간.
〔氯化钠〕 lǜhuànà 명 《化》 염화 나트륨(보통 말하는 소금). =〔绿化钠〕
〔氯化镍〕 lǜhuànié 명 《化》 염화 니켈.
〔氯化氢〕 lǜhuàqīng 명 《化》 염화 수소.
〔氯化氰〕 lǜhuàqīng 명 《化》 염화 시안.
〔氯化物〕 lǜhuàwù 명 《化》 염소 화합물. =〔绿化物〕
〔氯化锌〕 lǜhuàxīn 명 《化》 염화 아연. 클로르 아연. =〔锌氯〕
〔氯化锌纤维片〕 lǜhuàxīnxiānwéipiàn 명 경화섬유판(硬化纖維板). =〔〈音〉凡fán尔康反白〕
〔氯甲烷〕 lǜjiǎwán 명 《化》 염화 메틸.
〔氯喹〕 lǜkuí 명 《藥》 클로로퀸(chloroquine)(말라리아의 특효약).
〔氯磷定〕 lǜlíndìng 명 《藥》 팜(PAM)과 같은 종류의 유기 인제(燐劑) 중독의 해독약.
〔氯纶〕 lǜlún 명 폴리염화비닐 섬유.
〔氯霉素〕 lǜméisù 명 《藥》 클로로마이세틴(chloromycetin). =〔氯胺苯醇〕〔绿霉素〕
〔氯气〕 lǜqì 명 염소 가스. ¶～炮pào; 독가스탄을 발사하는 포. =〔绿气〕
〔氯噻酮〕 lǜsāitóng 명 《藥》 클로르탈리돈(chlorthalidone).
〔氯水〕 lǜshuǐ 명 《化》 염소수(鹽素水). =〔绿水〕
〔氯四环〕 lǜsìhuán 명 《藥》 클로로테트라사이클린(chlorotetracycline).
〔氯酸〕 lǜsuān 명 《化》 염기산.
〔氯酸钾〕 lǜsuānjiǎ 명 《化》 염소산 칼륨. =〔绿酸钾〕
〔氯酸钠〕 lǜsuānnà 명 《化》 염소산 나트륨.
〔氯乙烷〕 lǜyǐwán 명 《化》 클로르에틸. 염화 에틸.
〔氯乙烯〕 lǜyǐxī 명 《化》 염화 비닐. =〔氯化乙烯〕

LUAN ㄌㄨㄢ

峦(巒) luán (란, 만)
명 〈文〉 ①작고 뾰족한 산. ②죽 이어진 산. 연산(連山). ¶岗gǎng～起伏; 크고 작은 산들이 들쭉날쭉 이어져 있다.
〔峦弟〕 luándì 명 〈文〉 손아래 처남.
〔峦石〕 luánshí 명 산의 돌.
〔峦头〕 luántóu 명 토지의 형상으로 길흉을 점치는 일(풍수 지리의 용어).
〔峦兄〕 luánxiōng 명 〈文〉 손위 처남.

娈(孌) luán (련)
형 〈文〉 (얼굴이) 아름답다.
〔娈童〕 luántóng 명 미소년(美少年). =〔冶yě郎〕

孪(孿) luán (련, 산)
명 〈文〉 쌍둥이.
〔孪生〕 luánshēng 동 쌍둥이가 태어나다. 명 쌍둥이. =〔孪生子〕〔孪子〕〔双胞胎〕〔双伴儿〕〔双生子〕
〔孪生子〕 luánshēngzǐ 명 ⇨〔孪生〕
〔孪子〕 luánzǐ 명 ⇨〔孪生〕

栾(欒) luán (란) 명 ①《植》 모감주나무. =〔栾树〕 ② 성(姓)의 하나.
〔栾栾〕 luánluán 형 ⇨〔脔脔〕
〔栾树〕 luánshù 명 《植》 모감주나무《열매는 검은 완두콩 크기이며, 염주알로 사용됨》. =〔栾华〕

挛(攣) luán (련) 동 ①서로 이어져 당기다. ②손발이 꼬부라지다〔옥죄이다〕. ¶手冻得拘～了; 손이 얼어서 곱아졌다. ③경련을 일으키다. ¶痉jìng～; 경련(을 일으키다)/拘～; 경련하다. (추위로) 곱다.
〔挛躄〕 luánbì 명 (손발의) 경련.
〔挛挛〕 luánluán 동 ⇨〔恋liàn恋〕
〔挛缩〕 luánsuō 동 경련이 나서 오그라들다.
〔挛踠〕 luánwǎn 명 《漢醫》 손발이 오그라들어 펴지지 않는 병.

鸾(鸞) luán (란) 명 ①봉황 비슷한 전설상의 영조(靈鳥). ¶～凤和鸣; 〈成〉 (부부간에) 금실이 좋다. ②천자(天子)가 타는 마차의 말에 단 방울.
〔鸾车〕 luánchē 명 ⇨〔銮舆〕
〔鸾带〕 luándài 명 중국 전통극에서, 의상용의 폭이 넓은 띠.
〔鸾刀〕 luándāo 명 방울 장식이 달린 칼.
〔鸾殿〕 luándiàn 명 〈文〉 황후의 궁전.
〔鸾凤〕 luánfèng 명 ①난새와 봉황. ②〈比〉 좋은 벗. ③〈比〉 걸출한 인물. ¶～不栖枳zhǐ棘; 〈諺〉 대인은 속된 일에 구애되지 않는다. ④〈比〉 부부(夫婦). ¶～和鸣; 〈成〉 부부가 서로 화목하다.
〔鸾和〕 luánhuò 명 두 종류의 방울을 단 수레.
〔鸾驾〕 luánjià 명 ⇨〔銮舆〕
〔鸾笺〕 luánjiān 명 색깔이 든 편지지.
〔鸾胶重续〕 luán jiāo chóng xù 〈成〉 후취(後娶)를 얻다.
〔鸾铃〕 luánlíng 명 ⇨〔銮铃〕
〔鸾飘凤泊〕 luán piāo fèng bó 〈成〉 ①서법(書法)이 교묘하다. ②부부가 갈라서다〔헤어지다〕.
〔鸾翔凤翥〕 luán xiáng fèng zhù 〈成〉 서예가의 붓놀림이 교묘하다.
〔鸾舆〕 luányú 명 ⇨〔銮舆〕

脔(臠) luán (련) 〈文〉 ①명 잘게 썬 고기. ¶尝cháng鼎一～; 솥 속의 고기 한점을 맛보다《작은 일로써 전모(全貌)를 알다》. ②→〔脔脔〕
〔脔割〕 luángē 동 〈文〉 잘게 썰다〔부수다〕. 분할하다.
〔脔脔〕 luánluán 형 〈文〉 여윈 모양. =〔栾栾〕

滦(灤) Luán (란) ①명 《地》 롼허(灤河)《허베이 성(河北省)에 있는 강 이름》. ②지명용 자(字).
〔滦州戏〕 luánzhōuxì 명 《劇》 허베이 성(河北省) 롼 현(灤縣)에 있던 그림자극.

圞(圝〈圞〉) luán (란) 〈文〉 동 둥글다. 동그랗다. ¶团tuán～; 둘러앉아 즐기다. 단란하다/团～明月; 둥근 달/一家子团～; 일가 단란하다.

銮(鑾) luán (란) 명 ①옛날, 수레나 가마에 단 방울. ②천자의 탈것〔수레〕. ¶回huí～; 환궁하다/起qǐ～; 임금이 행차하다. 천자가 거동하다.
〔銮驾〕 luánjià 명 ⇨〔銮舆〕
〔銮铃〕 luánlíng 명 〈文〉 천자의 수레·가마의 방울. =〔鸾铃〕
〔銮舆〕 luányú 명 천자의 수레. 봉련(鳳輦). =〔銮驾〕〔鸾车〕〔鸾驾〕〔鸾舆〕

卵 luǎn (란) 명 ①알. ②〈方〉 고환(睾丸)이나 음경(陰莖). ③《生》 난자(卵子). ④(곤충학상의) 수정란.
〔卵白〕 luǎnbái 명 알의 흰자위. 난백.
〔卵包儿〕 luǎnbāor 명 《生》 음낭(陰囊).
〔卵包子〕 luǎnbāozi 명 고환(睾丸).
〔卵巢〕 luǎncháo 명 《生》 난소.
〔卵蜂〕 luǎnfēng 명 《蟲》 벌의 일종《유충이 다른 벌레의 알 속에 기생하므로 이렇게 말함》.
〔卵黄〕 luǎnhuáng 명 알의 노른자위. 난황.
〔卵酱〕 luǎnjiàng 명 (물고기의) 알젓.
〔卵块〕 luǎnkuài 명 난괴《물고기·곤충 따위의 알의 덩어리》.
〔卵磷脂〕 luǎnlínzhī 명 《化》 레시틴(lecithine). =〔蛋dàn黄素〕
〔卵毛〕 luǎnmáo 명 (남자의) 음모(陰毛). 거웃.
〔卵鸟〕 luǎnniǎo 명 알을 식용으로 하는 새. 채란용의 새《닭·오리 따위》.
〔卵壳〕 luǎnqiào 명 알 껍질.
〔卵色〕 luǎnsè 명 《色》 달걀색.
〔卵生〕 luǎnshēng 명 《動》 난생.
〔卵石〕 luǎnshí 명 자갈. 조약돌. ¶砌qì～的渠qú道; 자갈을 깐 용수로. =〔河hé卵石〕
〔卵蒜〕 luǎnsuàn 명 마늘의 별칭. →〔蒜〕
〔卵胎生〕 luǎntāishēng 명 《動》 난태생.
〔卵细胞〕 luǎnxìbāo 명 난세포.
〔卵翼〕 luǎnyì 동 〈文〉 ①새가 알을 품고 부화시키다. ②〈轉〉〈貶〉 비호(庇護)하다. 두둔하다. ¶在他的～下, 居然孵出这样的人物; 그의 비호 아래 뜻밖에 이런 인물을 탄생시켰다/～新生力量; 신흥 세력을 키우다.
〔卵音〕 luǎnyīn 명 〈文〉 달콤한〔애교 있는〕 목소리. 교성(嬌聲).
〔卵子〕 luǎnzǐ 명 《生》 난자.
〔卵子儿〕 luǎnzǐr 명 〈俗〉 고환(睾丸).

乱(亂) luàn (란) ①동 어지럽히다. 현혹시키다. ¶扰～; 휘저어 어지럽히다/惟酒无量, 不及～; 술은 제한하지 않지만, 정신이 흐릴 정도로까지는 마시지 않는다/以假～真; 가짜를 진짜처럼 보이게 한다. ②형 어지럽다. 질서가 없다. 난잡하다. ¶话说得很～; 말이 두서가 없다/屋里很～, 请你收拾一下; 방이 어질러져 있으니 네가 좀 치워라/心～; 마음이 어지러워지다/～成一团; 〈成〉 혼란해지다. 야단법석이다. ③명 전쟁. 소란. ¶避～; 피난하다/作～; 모반하다. ④명 남녀의 부정한 관계. ¶淫～; 음란하다. ⑤부 함부로. 마구. ¶～吃; 마구 먹다/不要～吵! 함부로 떠들지 마라! ⑥(～子) 명 재난. 분규.
〔乱把杂〕 luànbǎzá 동 함부로 걷다. ¶你别在田地里～! 밭 속을 함부로 걸어다녀서는 안 된다!
〔乱邦〕 luànbāng 명 〈文〉 어지러운 나라. =〔乱国〕
〔乱迸〕 luànbèng 동 용솟음치다. 날아 흩어지다.
〔乱兵〕 luànbīng 명 ①반란병〔군〕. ②패잔병.
〔乱不清〕 luànbuqīng 다스릴 수 없다. 깨끗하게 할 수 없다. 정돈할 수 없다.

〔乱猜〕 luàncāi 통 멋대로 짐작하다. 마음대로 추측하다.
〔乱草〕 luàncǎo 명 제멋대로 자란 풀. ¶心里如同～一样; 마음이 제멋대로 자란 잡초처럼 어지럽다.
〔乱岔岔(的)〕 luànchàchà(de) 형 산산이 흐트러진 모양.
〔乱吵〕 luànchǎo 통 와글와글 떠들다. 시끄럽게 떠들다.
〔乱吵乱嚷〕 luànchǎo luànrǎng 함부로 큰 소리를 지르며 떠들다.
〔乱臣〕 luànchén 명 〈文〉 ①천하를 잘 다스리는 신하. ¶予有～十人《論語》; 나에게는 치란(治亂)의 신이 열 사람 있다. ②난신. 역신(逆臣). ¶～贼zéi子《孟子》; 난신적자.
〔乱闯〕 luànchuǎng 통 난입하다.
〔乱吹〕 luànchuī 통 ①두서없이 말하다. ②근거도 없는 말을 하다. ③함부로 큰소리치다〔허풍 떨다〕.
〔乱次〕 luàncì 통 순서를 어지럽히다.
〔乱窜〕 luàncuàn 통 여기저기 도망다니다.
〔乱党〕 luàndǎng 명 반란자의 일당. 반역자의 무리.
〔乱道〕 luàndào 명 무규칙. 통 터무니없는 말을 하다. 사설(邪說)을 주장하여 정도(正道)를 어지럽히다.
〔乱丁〕 luàndīng 난정《책을 장정할 때 페이지가 뒤섞이는 일》. =〔错cuò页〕
〔乱动〕 luàndòng 통 ①함부로 행동하다. 난동 부리다. ②함부로 손을 대다.
〔乱抖〕 luàndǒu 통 걷잡을 수 없이 떨다. 마구 떨다. ¶浑身～; 온몸을 와들와들 떨다. =〔乱颤〕
〔乱反射〕 luànfǎnshè 명 《物》 난반사.
〔乱放炮〕 luàn fàngpào ①난사(亂射)하다. ②함부로 내뱉는 발언(을 하다).
〔乱放一通〕 luàn fàng yī tōng 〈成〉 일마다 모두 비난하다. 무슨 일에나 나무라다. 무책임하게 비난하다.
〔乱纷纷(的)〕 luànfēnfēn(de) 형 어지럽게 흐트러진 모양. ¶他心里～的; 그는 마음이 천갈래 만갈래로 흐트러져 있다 / ～的人群; 북적거리는 인파.
〔乱干〕 luàngàn 통 아무렇게나 하다. =〔乱搞〕
〔乱哼乱叫〕 luànhēng luànjiào 왁자지껄 떠드는 모양.
〔乱轰轰(的)〕 luànhōnghōng(de) 형 사람이 많아 혼잡하고 떠들썩한 모양.
〔乱哄〕 luànhōng 통 떠들어 대다. 와글와글 들끓다. =〔乱烘〕
〔乱烘烘(的)〕 luànhōnghōng(de) 형 웅성거리는 모양. 와글와글 시끄럽게 떠드는 모양. ¶大家听到这个消息, ～地议论起来; 모두들 이 소식을 듣더니 떠들썩하게 의논을 시작했다. =〔乱哄哄(的)〕
〔乱糊〕 luànhu 형 어수선하다. 혼잡하다. ¶好些日子没打扫, 屋子里真～; 오랫동안 청소를 하지 않아 방 안이 몹시 어지럽다. =〔乱乎hu〕
〔乱晃〕 luànhuàng 통 안절부절못하다. ¶出来进去地～; 들락날락하며 안절부절못하다.
〔乱婚〕 luànhūn 명 (원시 사회의) 난혼. =〔乱交〕
〔乱机〕 luànjī 명 화란(禍亂)의 계기.
〔乱挤〕 luànjǐ 통 밀치락달치락하다. 함부로 밀치다.
〔乱纪〕 luànjì 통 규율이나 질서를 어지럽히다.
〔乱家子〕 luànjiāzǐ 명 가정을 어지럽히는 여자. ¶～不娶《大戴記》; 집안을 어지럽히는 여자는 얻지 않는다.
〔乱劲儿〕 luànjìnr 명 소동. 소란한 양태. 어지러운 모양.
〔乱砍〕 luànkǎn 통 마구 베다. 난도질하다. ¶～滥伐; 남벌하다.
〔乱扣帽子〕 luàn kòu màozi 함부로 죄를 덮어씌우다.
〔乱扣盘〕 luànkòupán 명 《機》 나선식 공정(工程) 측정기. =〔〈南方〉 牙yá表〕
〔乱来〕 luànlái 통 억지짓을 하다. 닥치는 대로 하다. ¶～一气; 마구 해 나가다.
〔乱(了)营〕 luàn(le)yíng 〈方〉〈比〉 (마음·질서 등이) 혼란해지다. 어지러워지다. ¶他心中～; 그는 마음이 혼란스러워졌다.
〔乱离〕 luànlí 통 전란으로 뿔뿔이 흩어지다.
〔乱(乱)腾腾〕 luàn(luan)tēngtēng 형 혼란해서 소란스러운 모양.
〔乱伦〕 luànlún 통 ①근친 상간하다. 상피(相避)붙다. ②인륜을 어지럽히다. 명 난륜. 근친 상간.
〔乱麻〕 luànmá 명 ①뒤얽힌 삼. ②〈比〉 혼란.
〔乱麻麻(的)〕 luànmámá(de) 형 흐트러져 구별을 못 짓는 모양. 매우 산란하고 뒤숭숭한 모양. ¶心绪～; 마음이 천갈래 만갈래로 흐트러져 있다. 마음이 산란하다.
〔乱骂〕 luànmà 통 함부로 욕하다. 까닭 없이 매도하다.
〔乱忙〕 luànmáng 통 바빠서 어쩔 줄 모르다.
〔乱萌〕 luànméng 명 〈文〉 소란의 싹. 소동의 조짐.
〔乱命〕 luànmìng 명 〈文〉 임종 때 의식이 몽롱한 상태에서 한 말〔유언〕.
〔乱谋〕 luànmóu 명 역모(逆謀). 반란의 음모.
〔乱跑乱窜〕 luàn pǎo luàn cuàn 〈成〉 ①함부로 뛰어다니다. ②여기저기 도망쳐 다니다.
〔乱跑乱叫〕 luàn pǎo luàn jiào 〈成〉 함부로 뛰어다니며 마구 소리지르다.
〔乱喷〕 luànpēn 통 터무니없는 소리를 하다. 입에서 나오는 대로 함부로 말하다.
〔乱蓬蓬(的)〕 luànpēngpēng(de) 형 ①머리털·수염·잡초 등이 더부룩이 흐트러진 모양. ¶～的胡子; 텁석부리 수염. ②혼란〔난잡〕한 모양.
〔乱捧乱骂〕 luàn pěng luàn mà 〈成〉 남을 함부로 치켜세웠다 헐뜯었다 하다.
〔乱七八糟〕 luàn qī bā zāo 〈成〉 난잡하다. 뒤죽박죽이다. 질서가 없다. ¶这篇稿子涂改得～, 很多字都看不清楚; 이 원고는 엉망으로 고쳐져서 알아볼 수 없는 글자가 많다. =〔乱七杂八〕
〔乱扔〕 luànrēng 통 장소를 가리지 않고 아무 데나 던져 버리다. ¶不要～废纸; 휴지를 아무 데나 마구 버리지 마라.
〔乱杀〕 luànshā 통 무차별로 죽이다. 마구 학살하다.
〔乱石〕 luànshí 명 조각돌. 굴러다니는 돌. ¶～沟; 돌이 여기저기 흩어져 있는 골짜기.
〔乱世〕 luànshì 명 난세. ¶～出英雄; 난세에 영웅이 나온다 / ～显忠臣; 난세에 충신이 나온다.
〔乱视(眼)〕 luànshì(yǎn) 명 난시(안). →〔散sǎn光〕
〔乱首〕 luànshǒu 명 ①화(禍)의 근원. 화근의 장본인. ②〈文〉 (이발을 하지 않은) 텁수룩한 머

리. =〔乱头〕
〔乱说〕 luànshuō 동 멋대로 지껄이다. ¶～一气; 한바탕 함부로 지껄이다.
〔乱说乱动〕 luàn shuō luàn dòng 〈成〉 언동을 멋대로 한다.
〔乱丝棉〕 luànsīmián 명 풀솜 지스러기.
〔乱丝纱〕 luànsīshā 명 지스러기 명주실.
〔乱丝头〕 luànsītóu 명 ①실보무라지. ②〈比〉 바보. 멍청이.
〔乱松松(的)〕 luànsōngsōng(de) 형 (머리카락 등이) 텁수룩하게 흐트러진 모양.
〔乱俗〕 luànsú 동 풍기를 문란시키다. 명 문란한 풍속.
〔乱抬胡要〕 luàntái húyào 터무니없이 값을 비싸게 부르다. ¶～的没章程; 터무니없이 비싼 값을 불러 기준이 없다.
〔乱弹〕 luàntán 명《劇》①중국 전통극의 가곡의 하나. ②경극(京劇)의 별칭.
〔乱弹琴〕 luàn tánqín 함부로 거문고를 타다. 〈比〉 아무렇게나 하다. 함부로〔무계획적으로〕 행동하다. ¶事情哪有这么办的, ～! 이 따위 일처리가 어디 있느냐, 엉터리가 아니냐! / 你别听他～; 너는 그놈의 허튼 수작을 따라선 안 된다.
〔乱掏〕 luàntāo 동 이것저것 마구 집다. 난잡하게 고르다.
〔乱套〕 luàn.tào 동 〈方〉 (차례·질서가) 어지러워지다. ¶这样, 会议就得～; 이런 식이라면 회의는 틀림없이 질서가 문란해진다 / 分两起斗, 人都分散了就～了; 두 패로 갈라져서 싸우면, 사람들이 분산되어 혼란을 가져온다.
〔乱腾〕 luànteng 형 ①혼란하다. 질서가 문란하다. ¶这条消息立刻使会场～起来了; 이 소식은 곧 회의장을 혼란스럽게 만들었다. ②어수선하다. 뒤숭숭하다. ¶现在路上～; 지금 길거리는 어수선하다.
〔乱腾腾(的)〕 luànténgtēng(de) 형 혼란하여 수습이 안 되는 모양. 혼란하고 소란스러운 모양.
〔乱跳〕 luàntiào 동 ①함부로 날뛰다. ②가슴이 두근두근 뛰다. ¶欢喜得心里～; 기뻐서 가슴이 두근거린다.
〔乱头粗服〕 luàn tóu cū fú 〈成〉 차림새를 신경쓰지 않다《흔히, 미인에 대하여 말함》.
〔乱透〕 luàntòu 동 아주 혼란해지다. ¶心里～了; 마음이 온통 혼란해지다.
〔乱为〕 luànwéi 동 제멋대로 행동하다. ¶不敢～; 제멋대로 행동하지 못한다.
〔乱想〕 luànxiǎng 동 이것저것 생각하다. 망상하다. ¶胡hú思～; 이것저것 쓸데없는 생각을 하다.
〔乱写〕 luànxiě 동 ①엉망으로 쓰다. ②낙서하다. ¶不准～; 낙서 금지.
〔乱营〕 luànyíng 동 ①병영(兵營)이 어지러워지다. ②〈比〉 갈피를 못 잡고 법석이다. 뒤죽박죽이 되다.
〔乱用〕 luànyòng 동 남용하다. 함부로 쓰다.
〔乱杂〕 luànzá 형 난잡하다.
〔乱葬岗子〕 luànzàng gǎngzi 명 행려 병사자나 가난한 사람을 마음대로 매장하는, 관리자가 없는 공동 묘지. =〔乱坟岗〕
〔乱糟糟(的)〕 luànzāozāo(de) 형 엉망으로 혼란한 모양. 마음이 어지러운 모양.
〔乱折腾乱闹〕 luànzhēteng luànnào 야단법석을 떨다. 혼란하여 뒤숭숭하다.
〔乱真〕 luànzhēn 동 〈文〉 (골동품·서화 등의 모조품을) 진품처럼 보이게 하다. ¶仿造之精, 几可～; 모조품의 정교함이 진짜와 혼동할 정도이다 / 以假～; 가짜를 진짜로 보이게 하다.
〔乱纸〕 luànzhǐ 명 휴지. 헌 종이.
〔乱抓〕 luànzhuā 동 ①함부로 잡다. ②함부로〔마구〕 긁다. ③함부로 손을 대다. ¶～活; 함부로 일에 손을 대다.
〔乱抓乱碰〕 luàn zhuā luàn pèng 〈成〉 계획없이 되는 대로 하다.
〔乱撞〕 luànzhuàng 동 ①(종 따위를) 함부로〔마구〕 치다. ②〈轉〉 멋대로 쏘다니다.
〔乱撞乱碰〕 luàn zhuàng luàn pèng 〈成〉 ①이리저리 부딪치다. ②맹목적으로 일에 임하다.
〔乱子〕 luànzi 〔lànzi〕 명 ①소동. 분규. 혼란. ¶闹nào～; 소동을 일으키다 / 惹rě～; 말썽을 일으키다 / 这样的做法, 没有不出～的; 이런 방식은 말썽을 일으키지 않을 수 없다. ②고장. 잘못. ¶出chū～; 잘못을 저지르다. 고장이 나다. ③재화(災禍). 재난.
〔乱钻〕 luànzuān 동 까닭 없이 도망쳐 다니다. ¶甚而至于将近五十岁的邹七嫂, 也跟着别人～《鲁迅 阿Q正傳》; 심지어는 그럭저럭 50세 가까이 되는 추칠수(鄒七嫂)까지 다른 사람들을 따라 까닭 없이 도망쳐 다녔다.
〔乱作一团〕 luàn zuò yī tuán 〈成〉 ①오합지졸이 되다. ②엉망으로 어지러워지다.

LÜE ㄌㄩㄝ

掠 **lüě** (략, 량)
동 〈方〉 닥치는 대로 집(어 들)다. ¶～起一根棍子就打; 닥치는 대로 몽둥이를 집어 들고 때리다. ⇒lüè

掠 **lüè** (략, 량)
① 동 약탈하다. 빼앗다. ¶不敢～人之美; 남의 성과를 내 것으로 취하지 못하다. 공로를 가로채지 못하다 / 抢qiǎng～; 약탈하다. ② 명 서법(書法)에서 왼쪽으로 삐치는 필법. ③ 동 가볍게 닿다. 가볍게 스치다. ¶凉风～面; 산들바람이 얼굴을 가볍게 스치다 / 他用手～过一下额前的头发; 그는 손으로 이마에 흘러내린 머리카락을 한차례 쓸어 올렸다 / 嘴角上～过一丝微笑; 입가에 미소를 띠었다. ④ 동 비스듬히 스치다. ¶一只燕子由头上～过; 한 마리 제비가 머리 위를 비스듬히 스쳐 갔다. ⑤ 동 곤장을 치다. 몽둥이로 때리다. ¶拷kǎo～; (회초리나 몽둥이로) 때리다. ⇒lüě
〔掠鬓〕 lüèbìn 동 귀밑머리를 매만지다.
〔掠地飞行〕 lüèdì fēixíng 명동 초저공 비행(하다).
〔掠夺〕 lüèduó 명동 약탈(하다). 강탈(하다).
〔掠夺婚〕 lüèduóhūn 명 약탈혼.
〔掠贩(人)〕 lüèfàn(rén) 명 인신 매매인.
〔掠过〕 lüèguo 동 스치고 지나가다. ¶一阵风～了屋顶; 한 차례의 바람이 지붕을 스치고 지나갔다.
〔掠劫〕 lüèjié 동 약탈하다.
〔掠卖〕 lüèmài 동 유괴하여 팔아 버리다.
〔掠美〕 lüè.měi 동 남의 명성·성공·공적을 약취하다. ¶这是他的手笔, 我不敢～; 이것은 그가 쓴 것이지, 내가 썼다고는 감히 말할 수 없다. =〔掠人之美〕〔攘rǎng善〕

〔掠面〕 lüè·miàn 동 가볍게 얼굴을 스치고 지나가다.
〔掠民〕 lüèmín 동 백성으로부터 약탈하다.
〔掠取〕 lüèqǔ 동 약취하다. 탈취다.
〔掠儿〕 lüèr 명 살이 가는 빗의 일종《참빗의 일종》.
〔掠头发〕 lüè tóufa 머리를 매만지다. 빗(질하)다.
〔掠影〕 lüèyǐng 명 스냅(snap).

略〈畧〉 **lüè** (략)
①명 계략. ¶策～; 책략/战zhàn～; 전략. ②명 대략. 대요. ¶～述大意; 대의를 대략하여 말하다. ③동 생략하다. ¶中间的话都～过去; 중간 이야기는 모두 생략해 버리다/从cóng～; 생략하다/～而不谈; 〈成〉 생략하고 이야기하지 않다. ④동 빼앗다. 탈취하다. ¶攻城～地; 성을 공략하여 땅을 빼앗다/侵qīn～; 침략(하다). ⑤부 거의. 대충. 약간. ¶～说一说; 대충 이야기하다/～见功效; 좀 효력이 나타나다/～差一筹chóu; 극히 경미한 차(差). ⑥형 간단하다. 대략적이다. ¶你写得太～了; 당신이 쓰는 것은 너무 간단하다. ⑦명 생략한 것. 개설한 것. ¶史shǐ～; 역사의 개설(槪說)/传～; 전기의 대략. 약전/事shì～; 일의 대략.
〔略薄〕 lüèbáo 부 조금. 가볍게. 약간. ¶我～地说他, 他就急了; 내가 조금 잔소리를 하였더니 그는 골을 내었다.
〔略尝滋味〕 lüè cháng zī wèi 〈成〉 대체로 그 맛〔멋〕을 알다.
〔略称〕 lüèchēng 명동 약칭(하다).
〔略地〕 lüèdì 동 〈文〉 ①적지(敵地)를 점거하다. ②경계를 실지로 조사하다.
〔略而不及〕 lüè ér bù jí 〈成〉 생략하고 언급하지 않다.
〔略过〕 lüèguò 동 생략하다. ¶～不提; 생략하고 문제삼지 않다.
〔略号〕 lüèhào 명 《言》 생략 부호. 줄임표.
〔略画〕 lüèhuà 명 스케치. 약화.
〔略迹原情〕 lüè jì yuán qíng 〈成〉 그 마음씨를 보아, 행위를 강력하게 추궁하지 않다.
〔略加〕 lüèjiā 동 조금 보태다. 부 조금. 약간. 거의《흔히, 뒤에 2음절어가 옴》. ¶～注意; 조금 주의를 하다.
〔略见功效〕 lüè jiàn gōng xiào 〈成〉 약간이나마 효과가 나타나다. 대강의 효과가 나오다.
〔略见一斑〕 lüè jiàn yī bān 〈成〉 대략 그 일부분을 알 수 있다.
〔略界〕 lüèjiè 명 〈文〉 경계.
〔略据〕 lüèju 동 옷감을 대충 재단한 후에 가지런히 가위질하다. ¶已经裁好了, 等我再把要紧的地方～一下, 你就缝去吧; 이제 재단은 끝냈습니다. 내가 중요한 곳을 맞추어 줄 테니, 그리고 나서 꿰매시오.
〔略可〕 lüèkě 형 제법 쓸 만하다〔괜찮다〕. 대체로 좋다.
〔略略〕 lüèlüè 부 대략. 거의. 약간. 注 뒤에 '点儿'·'些'·'几' 따위와 같은 적음을 뜻하는 말이 따름. ¶我～说了几句, 他就明白了; 내가 두서너 마디 말하니까 그는 금세 알아차렸다/微风吹来, 湖面上～起了点波纹; 산들바람이 불자, 호수면에 약간 물결이 일어났다/～晓得; 대충 알다.
〔略码〕 lüèmǎ 명 약호(略號).
〔略卖〕 lüèmài 동 아녀자 따위를 유괴하여 팔아 버리다.
〔略去〕 lüèqù 동 생략하다. 삭제하다. ¶把三个字～了; 석 자 생략했다.
〔略去不提〕 lüèqù bù tí 생략하고 말하지 않다.
〔略然〕 lüèrán 부 〈文〉 약간. 조금.
〔略让〕 lüèràng 동 값을 조금 깎다〔에누리하다〕.
〔略人〕 lüèrén 동 남을 약탈하다.
〔略胜一筹〕 lüè shèng yī chóu 〈成〉 조금 뛰어나다〔우세하다〕. =〔稍shāo胜一筹〕
〔略识之无〕 lüè shí zhī wú 〈成〉 글자를 조금밖에 모르다.
〔略述〕 lüèshù 명동 약술(하다). ¶～大意; 대의를 대충 말하다〔약술하다〕. =〔略舒〕
〔略算〕 lüèsuàn 명동 개산〔어림셈〕(하다).
〔略图〕 lüètú 명 약도.
〔略微〕 lüèwēi 부 약간. 조금. ¶擦破了皮, ～流了点血; 살가죽이 벗겨져 피가 조금 흘렀다/这不过是～表示一点心意; 이것은 마음을 조금 표시한 것일 뿐입니다.
〔略谓〕 lüèwèi 동 〈文〉 개략하여 말하다.
〔略些〕 lüèxiē 부 약간. 조금.
〔略讯〕 lüèxùn 동 〈文〉 대략 조사하다〔심문하다〕.
〔略言〕 lüèyán 동 〈文〉 대강 말하다. 대략을 말하다.
〔略有〕 lüèyǒu 부 다소. 얼마간. ¶～新闻; 다소 듣고〔들어 알고〕 있다. 약간 알고 있다.
〔略诱〕 lüèyòu 동 〈文〉 협박이나 계략 따위로 부녀자를 호리다〔유괴하다〕.
〔略语〕 lüèyǔ 명 약어. 준말. =〔缩suō写词〕
〔略暂〕 lüèzàn 부 잠시. 잠깐 동안.
〔略知一二〕 lüè zhī yī èr 〈成〉 조금이나마 알고 있다. 조금 알 뿐이다.

锊(鋝) **lüè** (렬)
양 〈文〉 옛날의 중량 단위《약 6냥(兩)에 상당함》.

啰〈圙〉 **lüè** (략)
→〔唠kū啰〕

LUN ㄌㄨㄣ

抡(掄) **lūn** (륜, 론)
동 ①크게 휘두르다. ¶～刀; 칼을 휘두르다/～拳quán; 주먹을 휘두르다. ②〈比〉 돈을 낭비하다. ¶家财万贯, 禁jīn不住胡～; 많은 재산이 있어도 함부로 낭비한다면 당해 내지 못한다. ③단련하다. ¶～得出来; ⇩ ④터무니없는 말〔짓〕을 하다. 함부로 말하다. ¶别胡～了; 터무니없는 말을 하지 마라. ⑤(향수 따위를) 뿌리다. ¶～了许多香水; 향수를 많이 뿌렸다. ⇒lún
〔抡打〕 lūndǎ 동 손을 휘둘러 치다.
〔抡打〕 lūnda 동 ①물건을 쥐고 손목으로 흔들다. ¶把手里的东西, ～掉了; 손에 있는 물건을 흔들다가 떨어뜨리고 말았다. ②손이나 도구를 사용하며 몸짓을 하다.
〔抡得出来〕 lūn de chū lái 〈方〉 단련을 견뎌 낼 수 있다. ¶多健壮啊, 这孩子～; 튼튼하구나. 이 애는 시련을 견뎌 낼 수 있겠다. =〔摔shuāi得出来〕
〔抡动〕 lūndòng 동 휘두르다. 빙빙 돌리다.

〔抡风〕 lūnfēng 동 뽐내다.
〔抡风使性〕 lūnfēng shǐxìng 제멋대로 행동하다.
〔抡棍子〕 lūn.gùnzi 동 몽둥이를 휘두르다. 지팡이를 휘두르다.
〔抡开〕 lūnkāi 동 휘두르다. ¶～铁锤打铁; 해머를 휘둘러 쇠를 치다 / 把大鞭～; 큰 채찍을 휘두르다.
〔抡起〕 lūnqǐ 동 치켜올리다〔들다〕. 번쩍 올리다.
〔抡钱〕 lūn.qián 동 돈을 뿌리다. 〈比〉 낭비하다.
〔抡枪舞剑〕 lūn qiāng wǔ jiàn 〈成〉 창이나 칼을 휘두르다. 일대 난투를 벌이다.
〔抡手〕 lūnshǒu 동 손을 흔들다.
〔抡圆〕 lūnyuán 동 ①(힘껏) 빙빙 돌리다. ¶拿刀～了砍; 칼을 빙빙 휘둘러 잘랐다. ②힘껏 휘두르다. ¶～打了一棍子; 몽둥이로 힘껏 한 대 때렸다 / 投手～了撇piě; 투수가 팔을 크게 휘둘러 투구하다.
〔抡转〕 lūnzhuàn 동 빙빙 휘두르다.

仑(侖) lún (륜)
①명 〈文〉 질서. 도리. 조리(條理). ②동 〈方〉 생각하다. 반성하다.

论(論) lún (론)
→〔论语〕 ⇒lùn

〔论语〕 Lúnyǔ 명 《書》 논어.

伦(倫) lún (륜)
①명 동류(同類). 동료. ¶不～不类; ⓐ조금도 닮지 않다. ⓑ돼먹지 못하다 / 英勇绝～的军队; 용감무쌍한 군대. ②명 사람의 길. 인륜. ¶五～; 오륜. ③명 조리. 순서. 질서. ¶语无～次; 〈成〉 말에 조리가 없다. ④음역용 자(字). ¶哥～比亚; 〈音〉 콜롬비아. ⑤명 성(姓)의 하나.
〔伦巴舞〕 lúnbāwǔ 명 《舞》 〈音〉 룸바(스 rumba). ＝〔伦巴〕〔轮摆舞〕
〔伦比〕 lúnbǐ 〈文〉 명 동류. 동 동등하다. 필적하다. ¶无与～; 비교할 만한 것이 없다.
〔伦比拉〕 lúnbǐlā 명 〈音〉 렘피라(lempira)《온두라스(Honduras) 통화 단위》.
〔伦常〕 lúncháng 명 사람이 지켜야 할 도리. 오륜(五倫). ＝〔伦纪〕
〔伦次〕 lúncì 명 순서. 질서. 맥락. ¶语无～; 말에 조리가 없다.
〔伦敦〕 Lúndūn 명 《地》 〈音〉 런던(London)《'英国'(영국: Britain)의 수도》.
〔伦鉴〕 lúnjiàn 명 〈文〉 인륜(人倫)의 거울〔귀감〕.
〔伦类〕 lúnlèi 명 〈文〉 동류. 한패. ＝〔伦侪〕〔伦匹①〕
〔伦理〕 lúnlǐ 명 윤리. ¶～学; 윤리학.
〔伦匹〕 lúnpǐ 명 ①⇨〔伦类〕 ②〈文〉 배우자. 배필.
〔伦琴〕 lúnqín 명 《物》 뢴트겐(독 Röntgen)《단위》. ¶～射线 ＝〔栾琴射线〕〔龙根射线〕; 뢴트겐선(線). X선.

沦(淪) lún (륜)
①명 물의 파문. 잔물결. ②동 침몰하다. 가라앉다. ¶～于海底; 바다 밑〔해저〕에 가라앉다. ③동 〈比〉 몰락하다. ¶在解放前, 他已～为乞丐; 해방 전에 그는 이미 거지로까지 몰락해 있었다. ④동 거느리다.
〔沦波〕 lúnbō 명 〈文〉 잔물결. 소파(小波). ＝〔沦漪〕
〔沦肌浃髓〕 lún jī jiā suǐ 〈成〉 깊은 영향〔감동〕을 받다. 깊이 은혜로 느끼다.
〔沦落〕 lúnluò 동 ①영락(零落)하다. 유랑하다. ¶～街头; 영락하여 거리를 헤매다. ②타락하다. ‖＝〔沦败〕
〔沦灭〕 lúnmiè 동 〈文〉 소멸하다.
〔沦没〕 lúnmò 동 〈文〉 몰락하다.
〔沦弃〕 lúnqì 동 〈文〉 몰락하여 세상에서 잊혀지다.
〔沦屈〕 lúnqū 동 〈文〉 영락하여 위축되다.
〔沦入风尘〕 lún rù fēng chén 〈成〉 영락하여 기녀(妓女)가 되다.
〔沦丧〕 lúnsàng 동 상실하다. ¶道德～; 도덕이 상실되다.
〔沦替〕 lúntì 동 〈文〉 소멸하다. 차차 몰락하여 쇠퇴하다.
〔沦亡〕 lúnwáng 동 (나라가) 멸망하다.
〔沦为…〕 lúnwéi… 동 전락하여 …이 되다. ¶～殖民地; 식민지로 전락하다.
〔沦陷〕 lúnxiàn 동 ①적의 손에 들어가다. 함락되다. 점령당하다. ¶～于敌手; 적에게 점령되다 / ～区; 피점령 지역. ②〈文〉 파묻히다. 수몰되다.
〔沦陷夫人〕 lúnxiàn fūrén 명 항일전 기간 중에 오지로 이동한 사람이 피점령 지역에 남겨 놓은 아내.
〔沦阴〕 lúnyīn 명 〈文〉 저녁놀.

抡(掄) lún (륜, 론)
동 〈文〉 선발하다. 선택하다. ⇒lūn

〔抡才〕 lúncái 동 〈文〉 인재를 고르다. ＝〔抡材①〕
〔抡材〕 lúncái 동 ①인재를 뽑다. ＝〔抡才〕 ②목재를 고르다.
〔抡选〕 lúnxuǎn 동 〈文〉 선택하다.
〔抡元〕 lúnyuán 동 〈文〉 ①시험에 1등으로 합격하다. 우승하다. ¶他在乒乓球锦标赛首次～; 그는 탁구 선수권 대회에서 처음으로 우승했다. ②잘 해내다.
〔抡择〕 lúnzé 동 〈文〉 고르다. 선택하다.

囵(圇) lún (륜)
→〔囫hú囵〕

纶(綸) lún (륜)
명 ①청색 비단 끈. ②조서(詔書). ③낚싯줄. ¶钓diào～; 낚싯줄. ④각종 합성 섬유. ⇒guān
〔纶言如汗〕 lún yán rú hàn 〈成〉 조서는 한번 나가면 취소하거나 고칠 수가 없다.
〔纶音〕 lúnyīn 명 〈文〉 조칙(詔勅). 조서(詔書). ＝〔纶綍〕〔纶诏〕

轮(輪) lún (륜)
①(～儿, ～子) 명 바퀴. ¶车～; 차륜. 수레바퀴 / 齿chǐ～; 톱니바퀴 / 暗àn～; 배의 스크루(screw). ②명 기선. 동력선. ¶快～; 쾌속선 / 巨jù～; 큰 배. 거선 / 江～; 하천용의 기선. ③명 주변. 둘레. ④명 원형〔고리〕 모양의 것. ¶日～; 태양 / 月～; 달. ⑤동 (순서에 따라) 교대로 하다. 차례가 돌아오다. ¶这回～到我了; 이번에는 내 차례다 / 永远～不到他; 끝내 그에게 차례가 돌아오지 않다 / 已经～完了一回, 又～到我念了; 한 바퀴 돌아서 다시 내가 읽을 차례가 되었다 / ～休; 교대로 쉬다. ⑥양 (～儿) ㉠시합·회담·영화 등의 일순(一巡)을 세는 데 쓰임. ¶比赛进入第二～; 시합은 2회전에 들어간다 / 第二～会谈; 제2차 회담 / 头～影片; 개봉 영화. ㉡연령의 12돌을 세는 데 쓰임《띠가 한 바퀴 다 돌려면 12년이 걸리므로》.

¶他比我大一～; 그는 나보다 한 바퀴〔12살〕 위다. ⓒ사물의 둘레를 세는 데 쓰임. ¶这木头大了一～; 이 나무는 한 둘레만큼 자랐다. ⓔ태양·달을 세는 데 쓰임. ¶一～明月; 밝은 달. ⑦ 형 높고 크다. ⑧ 명 성(姓)의 하나.
〔轮班〕 lún·bān 동 ①교대 근무하다. ¶昼zhòu夜～; 주야 교대 근무. ②차례가 오다〔되다〕. ¶下礼拜恐怕轮到你的班儿; 다음 일요일에는 아마도 너의 차례가 돌아올 것이다. →〔轮值zhí〕
〔轮班放风〕 lúnbān fàngfēng ①교대로 망을 보(게 하)다. ¶天天～大伙在一起痛痛快快地玩; 매일 번갈아 파수를 보며 모두가 함께 유쾌하게 논다. ②교도소에서 복역자에게 교대로 산보시키거나 화장실에 가게 하거나 하다.
〔轮扁〕 lúnbiǎn 명《人》 윤편《옛날, 수레바퀴 명인》.
〔轮拨儿〕 lún·bōr 동 (반(班)·그룹으로 나누어) 교대로 하다. 돌아가며 하다. ¶～进去参观; 조(組)로 나뉘어 차례로 견학하다. =〔轮流〕
〔轮采法〕 lúncǎifǎ 명 해마다 어장을 바꾸어 어류나 해조류를 채취하는 방법.
〔轮唱〕 lúnchàng 명《樂》 돌림노래.
〔轮掣〕 lúnchè 명《機》 (차의) 브레이크. 제동기.
〔轮充〕 lúnchōng 동 번갈아 일을〔임무를〕 맡다.
〔轮虫〕 lúnchóng 명《蟲》 윤충. 바퀴벌레. =〔轮形动物〕
〔轮船〕 lúnchuán 명 기선. =〔火轮船〕〔火船〕
〔轮船货单〕 lúnchuánhuòdān 명 B/L《선하 증권》. 기선의 화물 증서.
〔轮次〕 lúncì 명 〈文〉 차례. 순번. 순서.
〔轮催〕 lúncuī 동 차례로 돌아가며 재촉하다. 명 청대(淸代) 이갑(里甲) 중의 일정한 호수(戶數)에 미리 납세 고지서를 배부하여 놓고, 차례대로 납세를 거두던 방법.
〔轮带〕 lúndài 명 ①피대(皮帶). 벨트. ②타이어. =〔轮胎〕
〔轮带压力表〕 lúndài yālìbiǎo 명 타이어 게이지. 차륜 압력계.
〔轮到〕 lúndào 동 차례가 되다〔돌아오다〕. ¶什么时候儿～我? 언제쯤 내 차례가 됩니까?/这回可～他了; 마침내 이번에는 그의 차례가 되었다.
〔轮道〕 lúndào 명 ⇨〔电diàn路〕
〔轮灯〕 lúndēng 명 윤등《불전(佛前)에 매다는 윤상(輪狀)의 등》.
〔轮渡〕 lúndù 명 연락선. 페리(ferry). ¶市～; 시영(市營)의 페리.
〔轮伐〕 lúnfá 명동 윤벌(하다).
〔轮番〕 lúnfān 동 번갈아 하다. 교대로 하다. ¶～去做; 교대로 하다.
〔轮番战〕 lúnfānzhàn 명 ⇨〔车chē轮战〕
〔轮辐〕 lúnfú 명 바퀴살. 스포크(spoke). =〔轮条〕
〔轮箍〕 lúngū 명 바퀴통테.
〔轮毂〕 lúngǔ 명 차 바퀴의 보스(boss). 바퀴통. =〔〈音〉薄斯〕〔搭子①〕
〔轮官马〕 lúnguānmǎ 명 ①(관청 등의) 공용(公用) 말. ②〈比〉 일정한 거처 없이 자식의 집을 차례차례 돌며 생활하는 부모. ¶我成了～了; 나는 일정한 거처 없이 자식들 집을 차례로 돌아가며 사는 신세가 되고 말았다.
〔轮郭〕 lúnguō 명 ⇨〔轮廓〕
〔轮候〕 lúnhòu 동 차례를 기다리다. ¶小学生在卫生室～打针; 초등 학생들이 양호실에서 주사 맞을 차례를 기다리고 있다.
〔轮环〕 lúnhuán 동 ⇨〔循xún环〕
〔轮奂〕 lúnhuàn 형 〈文〉 건물 등이 크고 아름답다. ¶～一新; 건물이 새롭게 단장되어 훌륭해지다.
〔轮换〕 lúnhuàn 동 교대하다. 차례로 …하다. 번갈아 하다. ¶他们俩～继续做事; 그들 두 사람은 교대로 일을 계속한다.
〔轮回〕 lúnhuí 동 〈文〉 돌고 돌아 멈추지 않다. 순환하다. 명《佛》 윤회.
〔轮机〕 lúnjī 명《機》 ①터빈(turbine). ¶汽～; 증기 터빈/气～; 가스 터빈/水力～; 수력 터빈. ②기선의 동력기(動力機).
〔轮奸〕 lúnjiān 명동 윤간(하다). =〔轮淫〕
〔轮讲〕 lúnjiǎng 동 교대로 강의하다.
〔轮空〕 lúnkōng 명 ①일이 빔. 당번이 끝남. ②시드(seed)나 부전승(不戰勝)으로 대전하지 않음. 동 ①당번이 끝나다. 일이 비다. ②부전승이 되다.
〔轮廓〕 lúnkuò 명 ①윤곽선. 윤곽. ②사물의 개관. 개요. 아우트라인. ‖=〔轮郭〕
〔轮流〕 lúnliú 동 교대로 하다. 번갈아 하다. ¶～工作; 번갈아 일하다/～看管耕牛; 번갈아 일소를 돌보다/～值日; 교대로 당직하다. =〔轮拨儿〕
〔轮流坐庄〕 lúnliú zuòzhuāng ①(도박에서) 차례로 물주가 되다. ②교대로 주재자(主宰者)·책임자가 되다. ③정권 따위를 차례로 돌아가며 맡다.
〔轮磨〕 lúnmó 동 그라인더(grinder)에 갈다《다른 방법으로 가는 것에 대하여 쓰임》. ⇒lúnmò
〔轮磨〕 lúnmò 명 그라인더(grinder) 숫돌. ⇒lúnmó
〔轮牧〕 lúnmù 동 윤목하다《목초를 보호하기 위하여 차례로 장소를 바꿔서 방목하는 일》.
〔轮派〕 lúnpài 동 ①차례로 파견하다. ②돌아가며 분담하다.
〔轮盘〕 lúnpán 명 핸들.
〔轮盘赌〕 lúnpándǔ 명 (도박의) 룰렛(roulette). =〔回轮转〕
〔轮盘枪〕 lúnpánqiāng 명 톰슨 총(Thompson銃)《자동 소총의 일종》.
〔轮儿〕 lúnr 명 일주. 순환. ¶一～; 일주/头～的片子; 개봉 상영 영화.
〔轮任〕 lúnrèn 동 교대로 담임하다〔맡다〕. ¶安理会主席按月～; 안전 보장 이사회 의장은 달마다 교대로 맡는다.
〔轮扇〕 lúnshàn 명 ①옛날에 있던 일종의 선풍기. ②옛날, 기상 관측 기구.
〔轮生〕 lúnshēng 명동《植》 윤생(하다). =〔夹竹桃〕
〔轮式拖拉机〕 lúnshì tuōlājī 명 차륜식 트랙터.
〔轮胎〕 lúntāi 명 타이어. ¶汽车～; 자동차 타이어. =〔〈俗〉皮带〕〔〈俗〉轮带②〕
〔轮蹄〕 lúntí 명 〈文〉 바퀴와 말굽. 〈轉〉 거마(車馬).
〔轮替〕 lúntì 동 교대하다. 번갈아 하다. ¶～休息制; 교대 휴식제.
〔轮条〕 lúntiáo 명 바퀴의 살. 스포크(spoke). =〔轮辐〕
〔轮王〕 lúnwáng 명《佛》 부처〔석가〕의 별칭.
〔轮辋〕 lúnwǎng 명 바퀴의 겉테. 림(rim).
〔轮系〕 lúnxì 명《機》 기어 트레인(gear train). 일련의 톱니바퀴.
〔轮相〕 lúnxiàng 명《佛》 ①상륜《탑 꼭대기에 안

치하는 윤형(輪形)의 것). ②부처의 발바닥에 있는 천폭륜(千輻輪)의 무늬.
〔轮歇〕 lúnxiē 동 번갈아 쉬다.
〔轮歇地〕 lúnxiēdì 명《農》휴한지(休閑地). 휴경지(休耕地).
〔轮心〕 lúnxīn 명 윤심. 차축(車軸).
〔轮休〕 lúnxiū 명동《農》휴한(休閑)(하다). (논밭을) 차례로 쉬게 함(쉬게 하다). ¶一部分土地实行~种zhòng牧草; 일부의 토지는 차례로 쉬게 하여 목초를 심다. 동 (직원·노동자가) 교대로 쉬다.
〔轮训〕 lúnxùn 동 교대로〔차례로. 순차적으로〕훈련하다. 명 교대로 하는 훈련.
〔轮养〕 lúnyǎng 동 분가한 형제가 교대로 부모를 봉양하다.
〔轮叶〕 lúnyè 명 프로펠러의 날개.
〔轮椅〕 lúnyǐ 명 휠체어(wheel chair). =〔椅子车〕〔摇yáo手车〕
〔轮淫〕 lúnyín 명동 윤간(하다). =〔轮奸〕
〔轮阅〕 lúnyuè 동〈文〉차례로 돌려 보다. 회람하다.
〔轮运〕 lúnyùn 동 기선으로 운송하다. 해로(海路)로 수송하다.
〔轮栽〕 lúnzāi 명동《農》윤작(輪作)(하다). =〔轮作〕
〔轮值〕 lúnzhí 동 교대로 숙직하다. 교대로 임무를 담당하다. ¶卫生工作由大家~; 위생 작업은 여럿이 교대로 담당한다. 명 차례. 순번.
〔轮种〕 lúnzhòng 명동 ⇨〔轮作〕
〔轮轴〕 lúnzhóu 명 ①기계. 수레의 굴대〔축〕. ②차의 굴대. 차축(車軸).
〔轮转〕 lúnzhuàn 동 ①(빙빙) 돌다. ¶~眼睛; 눈을 돌리다. ②(목재·금속 등을) 선반에 걸고 작동시키다. (기계를) 회전시키다. ¶~印刷; 윤전 인쇄 / ~誊téng写机; 윤전 등사기. 명《體》로테이션(rotation).
〔轮子〕 lúnzi 명 ①바퀴. 차륜. ¶汽车上的~; 자동차용의 타이어. ②톱니바퀴.
〔轮子行儿〕 lúnzihángr 명 (마차의) 차부업(車部業).
〔轮子活〕 lúnzihuó 명 ①여럿이 차례로 번갈아 하는 일. ②같은 일〔단조로운 일〕을 되풀이해서 반복하는 일.
〔轮作〕 lúnzuò 명동《農》윤작(하다). =〔轮栽〕〔轮种〕〔倒dǎo茬〕〔调diào茬〕

抡(埨)

lǔn (륜)
명〈方〉①밭 경계의 조금 높은 곳. 밭두렁. ②문미(門楣).

论(論)

lùn (론)
①동 논하다. 논의하다. 토론하다. ¶不能一概而~; 한가지로 논할 수는 없다 / 就事~事; 사실 자체를 논하다 / 这还要继续讨~; 이것은 계속 토론해야 한다 / ~世界和平; 세계 평화를 논하다. ②동 문제삼다. 중시하다. ¶不~多少; 많고 적음은 가리지 않다 / 无~是谁; 누구를 막론하고. 누구든. ③동 평정(評定)하다. 따지다. ¶按质~价; 품질에 따라 가격을 평정하다 / ~功行赏; 〈成〉공적을 평가하여 상을 내리다 / ~业务, 他比组里其他同志强些; 업무를 따진다면, 그는 조(組)의 다른 동지들보다 훨씬 낫다. ④동 …에 관하여 말하다. ¶~情理; 의리 인정으로써 말하면. ⑤동 …을 기초로 계산하다. (…을) 기준으로〔단위로〕하다. ¶~斤卖; 근(斤)으로 팔다. 무게로 팔다 / 买鸡蛋是~斤还是~个儿? 계란은 근으로 삽니까 갯수로 삽니까? / ~月给工资; 1개월 계산으로 임금을 주다 / ~件付手续费; 건수에 따라 수수료를 치르다. ⑥동 비교하다. 구별하다. ¶~起来他比我小; 대어 보니까 그는 나보다 작다. ⑦명 이론. 학설. 주장. ¶社~; 사설 / 舆~; 여론 / 唯物~; 유물론 / 持平之~; 공정한 견해. ⑧명 성(姓)의 하나. ⇒lún
〔论驳〕 lùnbó 동〈文〉논박하다. 시비를 가리다.
〔论长论短〕 lùn cháng lùn duǎn〈成〉이러쿵 저러쿵 따지다〔논의하다〕.
〔论处〕 lùnchǔ 동 판정 처분하다. 단죄하다. ¶按违法的行为~; 위법 행위로서 처분할 것을 결정하다.
〔论串儿〕 lùnchuànr 명〈比〉①(사람·사물의) 행렬. ②연속된 말·행동.
〔论到…〕 lùndào ①…까지 논의하다. ②…까지 말하면〔논의한다면〕.
〔论道〕 lùndào 동 도리를 논하다. 진리를 말하다.
〔论敌〕 lùndí 명 논적.
〔论点〕 lùndiǎn 명 논점. 토론 대상의 중심점. ¶这篇文章~突出, 条理分明; 이 문장은 논점이 특출하고, 조리가 분명하다.
〔论调(儿)〕 lùndiào(r) 명 논조. 논의의 경향. 의견. ¶过分乐观的~; 너무나 낙관적인 의견〔논조〕.
〔论断〕 lùnduàn 명동 논단(하다).
〔论告〕 lùngào 명《法》논고.
〔论个儿〕 lùngèr 동 낱개를 기준으로 하다. 낱개로 팔다. ¶~卖; 낱개로 팔다.
〔论工〕 lùngōng 명동 작업량(作業量)에 따라 지급하는 도급금 계산(을 하다). →〔料件子 liàojiànzi〕
〔论功行赏〕 lùn gōng xíng shǎng〈成〉논공 행상《공적에 따라 상금 또는 영예를 주다》.
〔论过〕 lùnguò 동 죄를 논하다.
〔论货〕 lùnhuò 명동 제품 수량제 공임 계산(을 하다). 동 제품의 질과 양을 따지다.
〔论价〕 lùnˌjià 동 값을 의논하다.
〔论斤〕 lùnjīn 동 근을 기준으로 하다. 근으로 팔다. →〔论个儿gèr〕
〔论斤卖〕 lùnjīnmài 근으로 팔다. 무게로 팔다.
〔论据〕 lùnjù 명 ①논거. ¶充足的~; 충분한 논거. ②(논리학의) 논거.
〔论理〕 lùnˌlǐ 동 이치를 따지다. 이유를 분명히 하다. ¶~的; 합리적으로 / 把他找来论论理; 그를 찾아 내어 이야기를 분명히 하자 / ~应该是这么着; 본래 같으면 이러해야 한다. (lùnlǐ) 명 논리. ¶合乎~; 논리에 맞다.
〔论理学〕 lùnlǐxué 명 ⇨〔逻luó辑学〕
〔论两论斤〕 lùnliǎng lùnjīn 양이냐 근이냐. 양으로 따질 것이냐 근으로 따질 것이냐. 어떻게 해야 할지 모르겠다. ¶简直不知道是~; 어떻게 해야 할지 전혀 모르겠다.
〔论列〕 lùnliè 동〈文〉시비 득실을 논정(論定)하다. 일일이 논술하다. ¶这些问题, 在文学史上早有~; 이러한 문제는 일찍이 문학사에서 논의되었다.
〔论难〕 lùnnàn 명동 논란(하다). ¶各持已见, 互相~; 각자 자기 의견을 주장하여 갑론을박하다.
〔论瓶〕 lùnpíng 동 한 병에 얼마로 매매하다. 병 단위로 팔다.
〔论儿〕 lùnr 명 ①논의. ②관습. 습관. ¶妈妈~; 미신적인 풍속·습관. ③꺼리는 일. 금기시되는 말이나 행동. 금구(禁句).

〔论日〕 lùnrì 통 일당으로 계산하다. ¶～雇gù工; 일당 얼마로 사람을 고용하다 / ～给钱; 하루에 얼마로 돈을 치르다.
〔论述〕 lùnshù 명동 논술(하다).
〔论说〕 lùnshuō 명동 논설(하다). 통〈口〉이치〔원칙〕에 따라 말하다. ¶～这个会他应该参加, 不知道为什么没有来; 원칙대로라면 그는 이 모임에 출석해야 하는데, 어째서 오지 않았는지 모르겠다.
〔论坛〕 lùntán 명〈比〉언론계. 논단. ¶这是最近～上引起激烈争论的问题; 이것은 최근 논단에서 격렬하게 논의되기 시작한 문제이다.
〔论套〕 lùntào 통 장황하게 지껄이다.
〔论题〕 lùntí 명 논제.
〔论文〕 lùnwén 명 논문. ¶毕业～; 졸업 논문.
〔论心〕 lùnxīn 통 마음 속을 털어놓고 서로 이야기하다. ¶把酒～; 술을 마시면서 흉금을 털어놓고 이야기하다.
〔论月〕 lùnyuè 통 달을 기준으로 하다. 달로 계산하다.
〔论赞〕 lùnzàn〈文〉통 공덕(功德)을 논하여 칭찬하다. 명 사전(史傳)의 기술(記述) 끝에 작자가 덧붙이는 평론.
〔论战〕 lùnzhàn 명 논전. 논쟁.
〔论争〕 lùnzhēng 명동 논쟁(하다).
〔论证〕 lùnzhèng 명동 논증(하다). 명 ①논술과 증명. ②논거.
〔论钟点〕 lùn zhōngdiǎn 시간당으로 계산(하다).
〔论著〕 lùnzhù 명 논저. 논문 저작〔저술〕.
〔论资排辈〕 lùn zī pái bèi〈成〉자격을 문제삼고 연령 서열을 생각하다. 연공(年功) 서열에 따르다. ¶在用人上, 要打破～的旧观念; 사람을 쓸 때에는, 연공 서열의 구관념을 타파해야 한다.
〔论罪〕 lùn,zuì 통 논죄하다. 죄를 따지다. ¶依法～; 법에 의거하여 죄를 따지다.

LUO ㄌㄨㄛ

捋 **luō** (랄)
통 손으로 그러당기다. 훑다. 문지르다. 걷어올리다. ¶～起袖子; 소매를 치켜 올리다 / ～下手镯; 팔찌를 빼다 / ～树叶儿; 나뭇잎을 훑어서 떨어뜨리다. ⇒lǚ
〔捋稻子〕 luō dàozi (벼를) 탈곡하다.
〔捋干净〕 luōgānjing 통 깨끗이 훑어 내다.
〔捋胳膊〕 luō gēbo 팔소매를 걷어붙이다《단단히 벼르는 모양》. ¶～, 挽袖子; 팔 소매를 걷어올리다《싸움 따위의 준비 태세를 취하다》.
〔捋管儿〕 luōguǎnr 통 용두질하다. 수음(手淫)하다.
〔捋汗〕 luō hàn 손에 땀을 쥐다《급박하고 어려운 일을 만난 모양》.
〔捋虎须〕 luō hǔxū 호랑이 수염을 잡아당기다. 〈比〉모험을 하다. 위험을 무릅쓰다.
〔捋裤腿〕 luō kùtuǐ ①바짓가랑이를 걷어올리다. ②면화(棉花)의 아랫가지를 치다.
〔捋奶〕 luō,nǎi 통 젖을 짜다. =〔捋乳rǔ〕
〔捋牌〕 luōpái 통 (마작에서 손에 쥔 패를 알려고) 손끝으로 패를 비비다.
〔捋起袖子〕 luōqi xiùzi 소매를 걷어올리다.
〔捋拳〕 luōquán 통 팔을 걷어붙이다. ¶～跳脚; 팔을 걷어붙히고, 발을 구르며 덤벼들려 하다.
〔捋下〕 luōxià 통 훑듯이 떼어 내다. ¶～稻穗儿来; 벼이삭을 훑다.
〔捋糟〕 luōzāo 통 ①희롱하다. 놀리다. ¶他一喝酒就要～女人; 그는 술을 마시면 곧잘 여자를 희롱하려 든다. ②〈轉〉강간하다. ‖ =〔捋皂〕
〔捋掌〕 luōzhǎng 통 손을 비비다.

啰(囉) **luō** (라)
표제어 참조. ⇒luó luo
〔啰哩八嗦〕 luōli bāsuo 형 ①장황하게 지껄이는 모양. ②장황한 모양.
〔啰苏〕 luōsu 동형 ⇨〔啰嗦〕
〔啰索〕 luōsuo 동형 ⇨〔啰嗦suo〕
〔啰嗦〕 luōsuo 동 장황하게 지껄이다. 수다 떨다. ¶你～啥? 무얼 지루하게 지껄이는 것이냐? / 说话太～; 말하는 것이 너무 장황하다 / 说两句就够了, 别～了! 두세 마디면 충분하니, 장황하게 말하지 마라! 형 번거롭다. 귀찮다. 성가시다. ¶这件事太～; 이 일은 매우 번거롭다 / ～得不耐烦; 귀찮고 번거롭다. ‖ =〔啰琐〕〔啰索〕〔啰苏〕〔啰唆〕
〔啰琐〕 luōsuo 동형 ⇨〔啰嗦suo〕
〔啰文鸭〕 luōwényā 명《鳥》청머리오리.

落 **luō** (락)
→〔大大落落〕⇒là lào luò

罗(羅) **luó** (라)
①명 새 그물. 〈比〉수사망(搜査網). ¶天～地网; 〈成〉물샐틈없는 수사망을 치다 / 撒sā下天～地网, 打尽特务分子; 물샐틈없는 수사망을 펴서 스파이를 일망타진하다. ②명 실이 가는 직물《깁·명주·엷은 비단 따위》. ¶杭háng～; 항저우(杭州)산의 견직물. ③명 올이 고운 체. ¶铜丝～; 고운 놋쇠줄 체 / 绢juàn～; 명주실 체. ④동 잇대다. 이어지다. ⑤동 진열하다. 늘어놓다. ¶珍宝～于前; 진귀한 보배가 앞에 진열되어 있다. ¶星～棋布; 〈成〉사방에 온통 널려 있는 모양. ⑥동〈文〉그물로 새를 잡다. ¶门可～雀; 〈成〉문전에서 그물을 쳐 참새를 잡을 정도이다《황폐해져서 사람의 출입이 없다》. ⑦동 체로 치다. ¶把面再～一过儿; 가루를 또 한 번 체로 쳤다 / 这面已经过一次～了; 이 가루는 벌써 한 번 채질했다. ⑧동 혼잡하여 길이 막히다. =〔拥塞〕 ⑨동 초청하다. 수집하다. ¶网～; (인재를) 불러서 오게 하다 / 搜sōu～; 수집하다. ⑩→〔喽lóu罗〕 ⑪양 그로스(gross)《12다스》. ¶一～; 1 그로스《12 다스》/ 大～; 대그로스《144 다스》. ⑫명 성(姓)의 하나.
〔罗拜〕 luóbài 동〈文〉빙 둘러서서 절하다.
〔罗北分子〕 luóběi fènzǐ 명〈音義〉로비스트(lobbyist). =〔走廊议员〕
〔罗布〕 luóbù 동〈文〉빽빽하게 늘어놓다. 분포하다. 명《紡》(직물의) 사(紗).
〔罗布麻〕 luóbùmá 명《植》개정향풀. =〔茶叶花〕
〔罗布泊〕 Luóbùpō 명《地》로브노르(Lob Nor) 호수《중국 신장(新疆) 위구르 자치구 동남부에 위치한 염호. '방황하는 호수'라 말함》. =〔罗布诺nuò尔〕
〔罗刹〕 luóchà 명〈梵〉나찰《사람을 잡아 먹는 귀신의 이름》.
〔罗陈〕 luóchén 동〈文〉진열하다.
〔罗成关〕 luóchéngguān 명 남자 23세의 액년.
〔罗得西亚〕 Luódéxīyà 명《地》〈音〉로디지아

(Rhodesia). =〔洛luó谛西亚〕
〔罗底布〕 luódǐbù 명《工》 볼팅 클로스(bolting cloth).
〔罗地布〕 luódìbù 명《紡》 면(綿)코르덴.
〔罗缎〕 luóduàn 명《紡》 포플린.
〔罗垛〕 luóduò 동〈文〉 하나하나 쌓아올리다.
〔罗浮春〕 luófúchūn 명 소식(蘇軾)이 만든 술의 이름.
〔罗浮仙〕 luófúxiān 명 매화의 별칭.
〔罗锅(儿,子)〕 luóguō(r,zi) 명〈歇〉 곱사등이. 꼽추. =〔螺锅儿〕〔骡锅儿〕
〔罗锅〕 luóguo 동 (허리를) 굽히다. ¶～着腰坐在炕kàng上; 허리를 굽히고 온돌에 앉다. 명〈方〉 아치형(形). ¶～桥; 아치형 다리.
〔罗锅儿上山, 前短〕 luóguōr shàng shān, qián duǎn〈歇〉 곱사등이가 산을 오르는 데에는 앞이 짧다《금융 핍박(逼迫)》. ¶～, 你接个短儿吧; 돈이 모자라니, 부족분을 빌려 주게.
〔罗汉〕 luóhàn 명 ①《宗》 아라한(阿羅漢). ¶～请观音; 〈比〉 여러 사람이 한 사람을 초대하다. =〔阿罗汉〕 ②(Luóhàn)《地》 뤄한《후난 성(湖南省) 청부 현(城步縣)에 있는 산 이름》.
〔罗汉病〕 luóhànbìng 명《醫》〈方〉 주혈 흡충병(住血吸蟲病).
〔罗汉菜〕 luóhàncài 명 ①《植》 순무의 일종. ②야채류의 조림. =〔罗汉斋zhāi〕
〔罗汉豆〕 luóhàndòu 명 ⇨〔蚕cán豆〕
〔罗汉果〕 luóhànguǒ 명《植》 나한과《광시(廣西) 구이린(桂林)에서 나는 나무, 또 그 열매. 열매는 맛이 있고 향기가 있으며 약용됨》.
〔罗汉身子〕 luóhàn shēnzi 명 석녀. 돌계집.
〔罗汉松〕 luóhànsōng 명《植》 나한송. 이깔나무.
〔罗汉椅子〕 luóhànyǐzi 명 안락 의자. →〔罗圈椅〕
〔罗汉竹〕 Luóhànzhú 명《植》 나한죽.
〔罗侯〕 Luóhóu 명 복성(複姓)의 하나.
〔罗晃子〕 luóhuàngzi 명《植》 타마린드(tamarind). =〔酸豆〕〔酸角〕
〔罗辑〕 luójí 명형 ⇨〔逻辑〕
〔罗举〕 luójǔ 동〈文〉 열거하다.
〔罗掘一空〕 luó jué yī kōng〈成〉 빈털터리가 되다. ¶他的失业赓gēng续了四个月, 家里已～; 그의 실업은 4개월이나 계속되어, 집에는 돈 한 푼 없다.
〔罗可可艺术〕 luókěkě yìshù 명《美》〈音義〉 로코코(rococo) 예술. =〔洛可可式〕〔洛哥哥式〕
〔罗口〕 luókǒu 명 ①(메리야스 제품의) 소맷부리가 늘어나는 부분. ②나선상으로 되어 있는 것.
〔罗口灯口〕 luókǒu dēngkǒu 명《電》 나사 소켓. 에디슨형(形) 소켓.
〔罗口灯泡〕 luókǒu dēngpào 명《電》 나사 소켓용(用) 전구.
〔罗口灯头〕 luókǒu dēngtóu 명《電》 비틀어 넣는 식의 나사쇠. 스크루 소켓.
〔罗拉〕 luólā 명《機》〈音〉 롤러(roller). =〔罗勒②〕〔滚子〕
〔罗兰〕 luólán 명〈音〉 로랜(Loran)《전파를 이용한 장거리 항법》. =〔劳兰〕
〔罗勒〕 luólè 명 ①《植》 차조기과(科)의 약용 식물. 통칭 '矮ǎi糠'이라고 함. =〔萝艻〕 ②⇨〔滚gǔn子①〕
〔罗列〕 luóliè 동 ①벌여 놓다. 배열하다. ¶桌子上杯盘～着; 탁자 위에 술잔과 접시가 놓여 있다. ②나열하다. 열거하다. ¶光是～事实是不够的, 必须加以分析; 단지 사실을 나열하는 것만으로는 불충분하며, 반드시 분석을 해야 한다.
〔罗缕〕 luólǚ 동〈文〉 처음부터 끝까지 끊임없이 말하다. 상세히 말하다. ¶非片言所得～; 한 마디로 다 말해 버릴 수 있는 것이 아니다 / 今～详述于下; 아래에 상세히 설명하다.
〔罗络〕 luóluò 동 농락하다. 멋대로 놀리다.
〔罗马〕 Luómǎ 명《地》〈音〉 로마(Roma).
〔罗马尼亚〕 Luómǎníyà 명《地》〈音〉 루마니아(Rumania)《수도는 '布加勒斯特'(부쿠레슈티: Bucuresti)》.
〔罗马涅斯克〕 luómǎnièsīkè 명《美》〈音〉 로마네스크(Romanesque).
〔罗马数字〕 luómǎ shùzì 명 로마 숫자.
〔罗曼蒂克〕 luómàndìkè 명〈音〉 로맨틱(romantic). =〔浪漫蒂克〕〔浪漫〕
〔罗曼司〕 luómànsī 명〈音〉 로맨스(romance). =〔罗曼斯〕
〔罗面〕 luó∙miàn 동 가루를 체질하다. 체내리다.
〔罗碾〕 luóniǎn 동 어림짐작하다. 통찰하다. ¶虽百般～, 毕竟不是《朱子全書》; 여러모로 헤아려 보아도, 결국은 그것이 아니다.
〔罗盘〕 luópán 명 ①나침반. =〔罗盘仪〕〔罗经(仪)〕 ②풍수가가 쓰는 방향기《간지(干支)와 도수(度數)를 새긴 원반》.
〔罗绮丛〕 luóqǐcóng 명〈文〉 부인네들. 아낙네들.
〔罗圈(儿)〕 luóquān(r) 명 ①쳇바퀴. ②냄비 따위의 둥근 받침. ③〈比〉 한없이 돌고 도는 일. ¶～架; 자꾸 문제가 얽혀서 확대되어 가는 싸움.
〔罗圈铺〕 luóquānpù 명 등의자나 체 따위를 파는 가게.
〔罗圈儿揖〕 luóquānryī 명 주위 사람 전부에게 차례로 돌아가며 하는 절.
〔罗圈腿(儿)〕 luóquāntuǐ(r) 명 밭장다리.
〔罗圈椅〕 luóquānyǐ 명 등받이가 있는 둥근 중국식 의자.
〔罗雀〕 luóquè 동〈文〉 참새를 그물로 잡다. ¶门可～; 〈成〉 문전이 한적하고 찾아오는 이가 적다.
〔罗雀掘鼠〕 luó què jué shǔ〈成〉 ①온갖 수단을 써서 자금과 물자를 조달하다. ②극도로 재정이 곤란하다. ‖ =〔罗掘〕
〔罗裙〕 luóqún 명 비단 치마.
〔罗腮胡〕 luósāihú 명 구레나룻.
〔罗伞〕 luósǎn 동 우산〔양산〕을 펴다. 명 ①활짝 편 양산. ¶柑树已达五龄, 长得～一般; 귤나무는 벌써 5년이 지나서, 그 모양이 마치 활짝 편 양산과 같다. ②비단 우산.
〔罗塞达石〕 Luósèdáshí 명《史》〈音〉 로제타석(Rosetta石).
〔罗沙克试验〕 Luóshākè shìyàn 명〈音〉 로르샤흐 테스트(Rorschach test). =〔罗沙测验〕
〔罗衫儿〕 luóshānr 명 얇은 천으로 만든 (여성용의) 상의(上衣). 얇은 천의 (남성용) 짧은 소매의 셔츠.
〔罗扇〕 luóshàn 명 나선《얇은 비단으로 만든 부채》.
〔罗斯福〕 Luósīfú 명《人》〈音〉 루스벨트(Franklin Delano Roosevelt)《미국의 제32대 대통령, 1882～1945》.
〔罗宋〕 Luósòng 명 ⇨〔俄É罗斯〕
〔罗索〕 Luósuǒ 명《地》〈音〉 로조(Roseau)《'多米尼加联邦'(도미니카 연방: Commonwealth of Dominica)의 수도》.
〔罗瓦而精〕 luówǎ'érjīng 명 ⇨〔安ān乃近〕

〔罗网〕 luówǎng 명 ①새나 짐승을 잡는 그물. ②〈比〉사람을 빠뜨리는 함정. 계략. ¶陷在他的～里; 그의 계략에 넘어가다/布满了～; 온통 계략을 둘러쳐 놓았다/自投～; 〈比〉자기가 파 놓은 함정에 자기가 빠지다.
〔罗望子〕 luówàngzi 명 ⇨〔苹píng婆〕
〔罗纬帽〕 luówěimào 명 청대(清代) 관리의 여름 예모(禮帽).
〔罗纹〕 luówén 명 ①얇은 비단의 무늬. ②나뭇결. 목리(木理). ③지문. =〔腡纹〕
〔罗纹鸭〕 luówényā 《鳥》 흰뺨검둥오리.
〔罗谢尔盐〕 luóxiè'ěryán 명 《化》〈音〉 로셸염(Rochelle鹽). =〔罗谢耳盐〕〔四水酒石酸钾钠〕
〔罗衣〕 luóyī 명 비단옷.
〔罗织〕 luózhī 동 〈文〉 죄 없는 자를 죄에 빠뜨리다. 사람을 무고하여 죄를 받게 하다. ¶～罪名; 죄명을 날조하다.
〔罗致〕 luózhì 동 〈文〉 널리 인재를 초빙하다. ¶～人材; 널리 인재를 모으다.
〔罗祖〕 luózǔ 명 이발사가 모시는 신(神).

倮(儸) luó (라)
①→〔倭lóu倮〕 ②→〔倮luǒ倮〕

逻(邏) luó (라)
동 순찰하다. ¶巡xún～; 순찰하다.

〔逻各斯〕 luógèsī 명 〈音〉 로고스(logos). =〔罗各斯〕
〔逻辑〕 luóji 〈音〉 명 ①논리(論理). 로직(logic). ¶这几句话不合～; 이 몇 마디는 논리에 맞지 않는다/形式～; 형식 논리/他所讲的话～上很有矛盾; 그의 말은 논리상 모순이 있다. ②객관적인 법칙성. 논리성. ¶革命的～; 혁명의 객관적 법칙. 형 논리적이다. ¶不～; 비논리적이다. ‖=〔罗辑〕
〔逻辑学〕 luójíxué 명 논리학. =〔辨学〕〔论理学〕
〔逻骑〕 luóqí 명 기마(騎馬) 순찰병.
〔逻人〕 luórén 명 〈文〉 나졸. 순라꾼. =〔逻子〕〔逻卒zú〕
〔逻沙檀〕 luóshātán 명 《植》 티베트산(産)의 박달나무.
〔逻所〕 luósuǒ 명 (옛날) 파출소. 나졸의 초소.

萝(蘿) luó (라)
명 《植》 ①무. ②만성(蔓性) 식물. ¶茑niǎo～; 담쟁이/藤～; 등나무. ③〈文〉 쑥의 일종.

〔萝白〕 luóbai 명 《植》 무.
〔萝卜〕 luóbo 명 《植》 무. ¶大白～; 무(보통 것)/胡～; 당근. 홍당무/热～; 여름 무/水～; 래디시(radish)/拔～; ⓐ무를 뽑다. ⓑ(악당의) 두목을 처치하다. ⓒ어린아이의 머리를 두 손으로 붙들고 치켜올리며 어르다.
〔萝卜干(儿)〕 luóbogān(r) 명 잘게 썬 무. 무말랭이.
〔萝卜花〕 luóbohuā 명 《醫》 각막 백반(角膜白斑)(눈병의 일종).
〔萝卜快了不洗泥〕 luóbo kuàile bùxǐní 〈北方〉 일이 빠를 뿐 조잡하다. ¶咱们搞工作要又快又好, ～可不行; 일을 하는 데에는 빠르고도 잘 해야지, 빠르기만 하고 조잡해서는 안 된다.
〔萝卜螺〕 luóboluó 명 《動》 명주우렁이.
〔萝卜泥〕 luóboní 명 무강즙.
〔萝卜丝(儿)〕 luóbosī(r) 명 무채.
〔萝卜条(儿)〕 luóbotiáo(r) 명 막대 모양으로 길게 썬 무.
〔萝卜头〕 luóbotóu 명 ①까까머리. ②〈罵〉 옛날 일본인을 경멸하여 일컫던 말.
〔萝卜缨(儿)〕 luóboyīng(r) 명 무를 솎은 것.
〔萝卜子〕 luóbozǐ 명 무씨(약용으로도 함).
〔萝缠〕 luóchán 동 (등나무 덩굴처럼) 휘감기다. 얽히다.
〔萝芙木〕 luófúmù 명 《植》 협죽도(夾竹桃)과의 상록 관목. =〔蛇根草〕
〔萝汉豆〕 luóhàndòu 명 《植》 잠두.
〔萝艻〕 luólè 명 ⇨〔罗勒①〕
〔萝藦〕 luómò 명 《植》 박주가리.

啰(囉) luó (라)
→〔啰唣〕 ⇒luō luo

〔啰唣〕 luózào 동 〈古白〉 시끄럽게 떠들다. 떠들면서 불평하다. 소동을 부리다. ¶孩儿快了手, 休要～; 애야, 손을 놓아라. 소란 피지 말고. =〔罗唣〕

猡(玀) luó (라)
명 《動》〈南方〉 돼지. ¶猪zhū～; ⓐ돼지. ⓑ〈轉〉〈罵〉 바보 자식. ¶～! 眼睛有勿! 멍청아, 눈깔도 없어!

锣(鑼) luó (라)
→〔饆bì锣〕

珯(玀) luó (라)
→〔珂kē珯版〕

椤(欏) luó (라)
명 《植》 ①사라수. ②해당화의 일종. →〔桫suō椤〕

锣(鑼) luó (라)
명 《樂》 징. ¶打～; 징을 치다/打警jǐng～; 경보의 징을 치다.

〔锣槌儿〕 luóchuír 명 《樂》 징을 치는 채.
〔锣鼓〕 luógǔ 명 ①징과 북. 〈比〉 징과 북의 소리. ¶开台～; 개막을 알리는 징과 북. ②〈轉〉 타악기.
〔锣鼓经〕 luógǔjīng 명 중국 전통극에서, 반주(伴奏)로 징이나 북을 두드리는 가락〔리듬〕. ¶手里不停地敲打着, 嘴里还念着～; 손으로 쉴새없이 두드리면서, 입으로는 또한 그 장단을 읊조리고 있다.
〔锣鼓喧天〕 luó gǔ xuān tiān 〈成〉 ①징이나 북소리가 하늘을 진동하다. ②많은 사람이 힘차게 시작하는 모양.
〔锣架〕 luójià 명 징을 거는 대〔틀〕.
〔锣鸣鼓响〕 luó míng gǔ xiǎng 〈成〉 징을 치고 북을 울리다.
〔锣儿〕 luór 명 작은 징. 소라(小鑼).

箩(籮) luó (라)
명 대그릇. 소쿠리(바닥이 네모지고 위가 둥글어 물건을 넣거나 쌀 따위를 씻는 데 쓰임).

〔箩筐〕 luókuāng 명 소쿠리(대·버드나무 가지로 엮은 것).
〔箩筐树〕 luókuāngshù 《植》 박태기나무.
〔箩筛〕 luóshāi 명 체. =〔箩头〕

觋(覼〈覶〉) luó (라)
→〔觋缕〕

〔觋缕〕 luólǚ 동 〈文〉 자세하게 진술〔서술〕하다. 자초지종을 말하다. ¶不烦～; 상술(詳述)하는 것

을 마다하지 않다. 괴로움을 마다 않고 상술하다/非片言所得～; 한두 마디로는 자초지종을 설명할 수 없다/今～详述于下; 그러면 자초지종을 아래에 설명하겠다.

脶(腡) luó (라) 명 지문(指紋). =〔斗箕dǒujī〕

〔脶肌〕 luójī 명 손가락 끝의 볼록한 살(지문이 있는 부분).
〔脶纹〕 luówén 명 지문. =〔罗纹③〕〔螺纹③〕

骡(騾〈蠃〉) luó (라) 명 《動》 노새(암말과 수나귀의 혼혈종). →〔jù〕〔驴lǘ①〕

〔骡车〕 luóchē 명 노새가 끄는 수레.
〔骡店〕 luódiàn 명 노새·말·낙타·가마 따위가 유숙하는 주막. 가축을 끌고 다니는 여행자의 숙박소.
〔骡驮子〕 luóduòzi 명 노새에 실은 짐.
〔骡夫〕 luófū 명 노새를 부리는 사람.
〔骡纲〕 luógāng 명 대상(隊商)의 노새의 행렬.
〔骡锅儿〕 luóguōr 명 ⇨〔罗luó锅(儿,子)〕
〔骡户〕 luóhù 명 노새업자.
〔骡脚〕 luójiǎo 명 사람을 태우거나 짐을 나르는 노새.
〔骡驹〕 luójū 명 노새의 새끼.
〔骡马〕 luómǎ 명 ①노새와 말. ¶～成群; 노새와 말이 떼를 이루다. ②〈方〉 암말.
〔骡马店〕 luómǎdiàn 명 노새와 마부를 재우는 여관. =〔马店〕
〔骡驮轿〕 luótuójiào 명 노새 두 마리가 앞뒤에서 메는 가마. =〔驮轿〕
〔骡子〕 luózi 명 《動》 노새.
〔骡(子)车〕 luó(zi)chē 명 노새가 끄는 수레.

螺 luó (라) 명 ①《魚》 우렁이·다슬기·소라 등 나선상의 껍질을 갖는 연체 동물. ¶田～ =〔～蛳si〕〔蛳～〕; 우렁이/拳quán ～ =〔蝾róng～〕; 소라/窝wō～; 다슬기. =〔蠃②〕 ②나사못. ¶公～; 수나사/母～; 암나사. ③〈文〉 술잔. ④지문. =〔脶〕

〔螺贝〕 luóbèi 명 소라 껍질.
〔螺槽铣刀〕 luócáo xǐdāo 명 《機》 홈파기 커터(cutter).
〔螺垫〕 luódiàn 명 《機》 나사 베이스(base).
〔螺钿〕 luódiàn 명 ①조개의 껍데기. ②나전. 자개 공예품.
〔螺钉〕 luódīng 명 《機》 나사(못). ¶起一个～的作用; 나사와 같은 구실을 하다. =〔螺丝钉〕
〔螺钉帽〕 luódīngmào 명 《機》 고정 너트(固定nut). =〔母mǔ螺钉〕
〔螺房〕 luófáng 명 《生》 달팽이관(管)(내이(內耳)의 일부).
〔螺杆夹子〕 luógǎn jiāzi 명 《機》 볼트 클리퍼(bolt clippers). =〔螺杆剪截器〕
〔螺锅儿〕 luóguōr 명 ⇨〔罗luó锅(儿,子)〕
〔螺号〕 luóhào 명 법라(法螺). 소라 나팔. 나각(螺角)(소라고둥에 구멍을 내어 불어서 소리를 내는 것).
〔螺髻〕 luójì 명 ①소용돌이꼴로 틀어붙인 머리. (여자의) 트레머리. ②〈比〉 산봉우리.
〔螺桨泵〕 luójiǎngbèng 명 《機》 나선 양수기. 나사선 펌프. =〔螺桨式抽水机〕
〔螺阶〕 luójiē 명 《建》 나선 계단. 나사 층층대.
〔螺距〕 luójù 명 《機》 (나사류의) 피치(pitch). =〔螺节〕
〔螺帽攻丝机〕 luómào gōngsījī 명 《機》 너트 태퍼(nut tapper).
〔螺青〕 luóqīng 명 《色》 검정색을 띤 청색. 검푸른 색.
〔螺栓〕 luóshuān 명 《機》 볼트. 수나사. ¶用～栓住; 볼트로 조이다/带头～; 탭 볼트(tapbolt). =〔螺闩shuān〕
〔螺丝〕 luósī 명 ①나사못. ②나사산. 나사골. ¶～拧子; 드라이버.
〔螺丝扳子〕 luósī bānzi 명 《機》 스패너. 렌치. =〔螺丝扳手〕〔螺丝扳头〕
〔螺丝板〕 luósībǎn 명 《機》 다이스(dies). =〔螺丝板牙〕〔板牙②〕
〔螺丝(车)床〕 luósī(chē)chuáng 명 《機》 나사 절삭 선반(旋盤)(screw cutting lathe).
〔螺丝刀〕 luósīdāo 명 ⇨〔改gǎi锥〕
〔螺丝钉〕 luósīdīng 명 ⇨〔螺钉〕
〔螺丝钉钻〕 luósīdīngzuàn 명 ⇨〔螺丝钻〕
〔螺丝公〕 luósīgōng 명 ⇨〔螺纹攻〕
〔螺丝攻〕 luósīgōng 명 ⇨〔螺纹攻〕
〔螺丝酱瓜〕 luósī jiàngguā 명 두루미 냉이를 절인 것.
〔螺丝口灯泡(儿)〕 luósīkǒu dēngpào(r) 명 나사식으로 비틀어 끼우는 전구.
〔螺丝扣〕 luósīkòu 명 〈文〉 ⇨〔螺纹①〕
〔螺丝轮〕 luósīlún 명 《機》 나사톱니바퀴. =〔螺轮〕〔螺旋齿轮〕
〔螺丝帽(儿)〕 luósīmào(r) 명 ⇨〔螺丝母(儿)〕
〔螺丝帽攻〕 luósī màogōng 명 《機》 너트 탭(nut tap).
〔螺丝磨床〕 luósī móchuáng 명 《機》 나사 연삭기(研削機).
〔螺丝母(儿)〕 luósīmǔ(r) 명 《機》 〈口〉 암나사. 너트(nut). ¶环huán～; 링너트/锁紧～; 죄임 너트/方～; 각(角)너트/撑条～; 예비 너트/对开～; 하프 너트(half-nut)/凸tū缘～; 플랜지(flange). 붙이 너트/双～; 더블 너트/盖～; 캡(cap) 너트. =〔〈北方〉螺帽〕〔螺母〕〔螺丝帽(儿)〕
〔螺丝批〕 luósīpī 명 ⇨〔改gǎi锥〕
〔螺丝起子〕 luósīqǐzi 명 ⇨〔改gǎi锥〕
〔螺丝铅笔〕 luósī qiānbǐ 명 샤프펜슬. =〔自zì动铅笔〕
〔螺丝头〕 luósītóu 명 나사못대가리.
〔螺丝牙〕 luósīyá 명 ⇨〔外wài螺纹〕
〔螺丝(牙)规〕 luósī(yá)guī 명 ⇨〔螺纹规〕
〔螺丝锥(子)〕 luósī zhuī(zi) 명 ①⇨〔螺纹攻〕 ②(코르크)마개뽑이.
〔螺丝钻〕 luósīzuàn 명 나사돌리개. 드라이버. =〔螺丝钉钻〕
〔螺蛳〕 luósi 명 《魚》 우렁이.
〔螺蛳壳里作道场〕 luósiké li zuò dàochǎng 〈南方〉 좁은 세상에서 아둥바둥하다.
〔螺蛳转儿〕 luósizhuànr 명 소라 모양으로 구운 밀가루 빵.
〔螺纹〕 luówén 명 ①《機》 나사산. 나사골. ¶方fāng～; 나사산의 단면이 사각형인 것/梯tī形～; 나사산의 단면이 사다리꼴인 것. =〔螺丝扣〕 ②소용돌이〔나선형〕 무늬. ③지문(指紋).
〔螺纹攻〕 luówéngōng 명 《機》 탭(tap)(원주형 안쪽의 '螺纹', 곧 '内螺纹'(암나사 구멍)을 깎는 데 쓰이는 공구. ¶机器～; 기계 탭/复合钻zuàn～; 콤바인드 드릴 탭/手～; 핸드 탭/螺

形尖端～; 스파이럴 포인트 탭. 건 탭(gun tap). =〔螺丝攻〕〔螺丝公〕〔螺丝锥(子)①〕〔丝攻〕
〔螺纹规〕 luówénguī 명《機》피치 게이지(pitch gauge). =〔〈南方〉螺丝(牙)规〕〔〈北方〉扣kòu尺〕
〔螺纹接口(管)〕 luówén jiēkǒu(guǎn) 명《工》니플(nipple).
〔螺纹宽度〕 luówén kuāndù 명 나사산의 폭.
〔螺线〕 luóxiàn 명 나선. 나사선. ¶～形; 나선형 / ～轨道; 나선 궤도.
〔螺旋〕 luóxuán 명 ①나선. 나사. ¶～钉; 나사못 / 阳～; 수나사. 볼트(bolt) / 阴～; 암나사. 너트(nut). ②스크루(screw)《배의 추진기》. ③농경기(農耕機)의 날. ¶三个～; 세 개의 날 / 四个～; 네 개의 날.
〔螺旋刀〕 luóxuándāo 명《機》나사 깎는 도구. 나사깎기 기계.
〔螺旋端绞刀〕 luóxuán duānjiǎodāo 명《機》스파이럴 엔드 밀(spiral end mill).
〔螺旋规〕 luóxuánguī 명 나사 게이지.
〔螺旋桨〕 luóxuánjiǎng 명《機》(배의) 스크루. (비행기의) 프로펠러. ¶～飞机; 프로펠러 비행기. =〔螺旋推进机〕
〔螺旋桨毂板〕 luóxuánjiǎng gǔbǎn 명《機》비행기용 프로펠러판(板).
〔螺旋菌〕 luóxuánjūn 명《生》나선균. 나선상균.
〔螺旋伞齿轮〕 luóxuán sǎnchǐlún 명《機》스파이럴 베벨 기어(spiral bevel gear).
〔螺旋弹簧〕 luóxuán tánhuáng 명《機》나선형 용수철. =〔螺簧〕
〔螺旋体〕 luóxuántǐ 명《蟲》스피로헤타(spirochaeta).
〔螺旋线〕 luóxuánxiàn 명《機》나사선. 헬릭스(helix). ¶锥zhuī形～; 코니컬 헬릭스(conical helix). 원뿔형 나사선 / 正交～; 노멀 헬릭스(normal helix). 잇줄 직각 나사선.
〔螺旋状叶〕 luóxuánzhuàng yè 명《植》나선상을 이루어 성장하는 어린눈 잎.
〔螺旋锥〕 luóxuánzhuī 명《機》볼트 코어 비트(bolt core bit).
〔螺状送器〕 luózhuàng sòngqì 명 나선상 운반기.
〔螺子黛〕 luózidài 명 눈썹먹(빛). =〔蛾绿②〕

倮 luǒ (라)
①→〔倮倮〕 ②〈文〉동 ⇨〔裸luǒ〕
〔倮倮〕 Luǒluǒ 명《民》이족(彝族)《소수 민족의 하나》. =〔倮㑩luó〕

裸〈躶, 蠃〉 luǒ (라)
동 벌거벗다. 드러내다. =〔倮②〕
〔裸虫〕 luǒchóng 명〈文〉깃털이나 비늘이 없는 동물. 〈比〉인간.
〔裸花〕 luǒhuā 명《植》나화. 무피화(無被花).
〔裸露〕 luǒlù 동 벌거벗다. 노출하다. ¶～在地面上的煤层céng; 지표에 노출된 석탄층.
〔裸麦〕 luǒmài 명《植》쌀보리.
〔裸体〕 luǒtǐ 명 나체. 알몸. ¶～画huà; 나체화. =〔裸身〕〔裸形〕
〔裸体偶娃〕 luǒtǐ ǒuwá 명 큐피《장난감 나체 인형》.
〔裸体舞〕 luǒtǐwǔ 명 스트립쇼. =〔脱tuō衣舞〕
〔裸铜丝〕 luǒtóngsī 명 알구리줄. 나동선(裸銅線).
〔裸跣〕 luǒxiǎn 명〈文〉①나체에 맨발. ②〈比〉빈민.
〔裸线〕 luǒxiàn 명 나선. 피복되어 있지 않은 구리줄.
〔裸枝树〕 luǒzhīshù 명《植》박태기나무.
〔裸装货〕 luǒzhuānghuò 명 포장이 안 된 상품.
〔裸子植物〕 luǒzǐ zhíwù 명《植》나자 식물. 겉씨 식물.
〔裸足〕 luǒzú 명〈文〉맨발. →〔光guāng脚〕

砢 luǒ (라)
→〔磊lěi砢〕 ⇒kē

蓏 luǒ (라)
명〈文〉박과 식물의 총칭《참외·오이 따위》. ¶果guǒ～; 과실과 참외류(類).

瘰 luǒ (라)
→〔瘰疬〕
〔瘰疬〕 luǒlì 명《醫》연주창(連珠瘡). 나력(瘰癧). 경부(頸部) 림프절 결핵. ¶肺fèi～; 폐에 생기는 나력. 폐결핵.

蠃 luǒ (라)
①→〔蜾guǒ蠃〕 ②명 ⇨〔螺luó①〕

泺(濼) Luò (락, 록)
명《地》뤄수이 강(濼水)《산둥성(山東省)에 있는 강 이름》. ⇒泊 pō

跞(躒) luò (락)
→〔卓zhuó跞〕 ⇒lì

洛 Luò (락)
명 ①《地》뤄허 강(洛河)《산시 성(陝西省)에 있는 강 이름》 ②《地》뤄수이 강(洛水)《산시 성(陝西省)에서 발원하여 허난 성(河南省)으로 흐르는 강 이름. 옛날에는 '雒'라고도 썼음》. =〔雒③〕 ③《地》뤄양(洛陽)《허난 성(河南省)에 있는 도시의 이름》. ④성(姓)의 하나.
〔洛谛西亚〕 Luòdìxīyà 명〈音〉⇨〔罗Luó得西亚〕
〔洛京〕 Luòjīng 명《地》낙양(洛陽)의 구칭(舊稱).
〔洛克希德公司〕 Luòkèxīdé gōngsī 명〈音〉록히드(Rockheed) 항공 회사.
〔洛美〕 Luòměi 명《地》〈音〉로메(Lomé)《'多哥'(토고: Togo)의 수도》.
〔洛闽之学〕 Luò Mǐn zhī xué 명 송대(宋代)의 정호(程顥)·정이(程頤)와 주희(朱熹)의 학파.
〔洛杉矶〕 Luòshānjī 명《地》〈音〉로스앤젤레스(Los Angeles). =〔洛桑矶〕〔络杉矶〕〔劳láo斯安琪儿斯〕
〔洛杉矶珠〕 luòshānjīzhū 명《植》꽈리의 별칭.
〔洛神〕 luòshén 명 낙수(洛水)의 여신《복희씨(伏羲氏)의 딸이 낙수에 빠져 죽어 신이 되었다고 함》.
〔洛诵〕 luòsòng 동〈文〉(소리내어) 읽다. =〔雒诵〕
〔洛下〕 Luòxià 명 복성(複姓)의 하나.
〔洛学〕 luòxué 명 송대(宋代)의 정호(程顥)·정이(程頤)의 학설.
〔洛阳花〕 luòyánghuā 명《植》①석죽 곧 패랭이꽃과 비슷한 꽃의 이름. ②모란의 별칭.
〔洛阳纸贵〕 Luò yáng zhǐ guì 〈成〉책이 잘 팔리다. =〔纸贵洛阳〕

咯 luò (락)
→〔吡bǐ咯〕 ⇒gē kǎ lo

络(絡) luò (락)
①명《漢醫》 인체의 신경이나 혈관. ¶脉mài～; 맥락 / 经jīng～; 경락. ②명 과실의 섬유질이 그물 모양을 이룬 것. ¶橘～; 귤의 망상 섬유. ③명 말굴레. ④동 감기다. 감다. 달라붙다. ⑤형 잇대어 있다. ⑥동 동이다. 묶다. (망모양의 것을) 쓰다. 씌우다. ¶头上～着一个发网; 머리에 헤어네트를 쓰고 있다. ⑦동 합성하다. 화합하다. ⇒lào

〔络丁〕 luòdīng 명《藥》 루틴(rutin).

〔络管儿〕 luòguǎnr 명동 용두질(치다). 수음(手淫)(하다). =〔打手枪〕〔放高射炮〕

〔络合〕 luòhé 동《化》 합성하다. 화합하다.

〔络合物〕 luòhéwù 명《化》 착화합물(錯化合物). 착체(錯體).

〔络离子〕 luòlízǐ 명《化》 착이온(錯ion).

〔络脉〕 luòmài →〔经jīng络②〕

〔络腮胡子〕 luòsāi húzi 명 구레나룻. =〔闹nào腮胡子〕

〔络纱〕 luòshā 명 ⇨〔络丝〕

〔络石〕 luòshí 명 ①《植》 백화등. =〔耐nài冬〕 ② ⇨〔薜bì荔〕

〔络丝〕 luòsī 명 얽힌 실. =〔络纱〕

〔络丝娘〕 luòsīniáng 명《蟲》 베짱이. =〔络纬〕

〔络头〕 luòtóu 명 ①머리띠 종류. ②말 머리에서 재갈에 걸친 장식끈.

〔络网〕 luòwǎng 명 실로 짠 그물.

〔络网玻璃〕 luòwǎng bōli 명 망(網)유리. =〔夹jiā丝玻璃〕

〔络新妇〕 luòxīnfù 명《蟲》 무당거미.

〔络盐〕 luòyán 명《化》 착염(錯鹽).

〔络绎〕 luòyì 형〈文〉 (왕래가) 연속하여 그치지 않다.

〔络绎不绝〕 luò yì bù jué〈成〉 왕래가 끊이지 않는 모양. ¶车马来往～; 거마의 왕래가 끊이지 않다.

骆(駱) luò (락)
명 ①가리온《갈기가 검은 백마》. ②옛날, 종족명《바이웨(百越)족의 일종》. ③성(姓)의 하나.

〔骆马〕 luòmǎ 명《動》 라마(llama)《낙타과의 동물》.

〔骆驼〕 luòtuo 명《動》 ①낙타. ¶瘦shòu死的～比马大;〈諺〉 말라 죽은 낙타도 말보다 크다《썩어도 준치》 / 小蹄～ =〔明驼〕; 걸음이 빠른 낙타의 일종. ②〈比〉 키다리.

〔骆驼鞍儿〕 luòtuo'ānr 명 무명신의 이름. =〔骆驼弯wān儿〕

〔骆驼刺〕 luòtuocì 명《植》 사막에서 자라는 가시 있는 관목《낙타의 사료가 됨》.

〔骆驼桥〕 luòtuóqiáo 명 홍예다리.

〔骆驼绒〕 luòtuoróng 명 ①낙타털. ②낙타색의 일반 직물.

〔骆驼上车〕 luòtuo shàng chē〈俗〉 죽다. ¶人已经～了, 还有什么可争的? 본인은 이미 죽어 버렸는데, 이제 다투어 무슨 소용이 있느냐? / ～就是这么一个乐儿了; 낙타가 수레를 타는 격으로, 이것이 유일한 낙이다.

〔骆驼弯儿〕 luòtuowānr 명 ⇨〔骆驼鞍儿〕

〔骆驼相〕 luòtuoxiàng 명〈比〉 영락한 모양.

〔骆驼腰〕 luòtuoyāo 명 꼽추. 곱사등이.

烙 luò (락)
→〔炮páo烙〕 ⇒lào

珞 luò (락)
→〔珞巴族〕〔赛sài璐珞〕〔璎yīng珞〕

〔珞巴族〕 Luòbāzú 명《民》 뤄바 족(族)《중국 소수 민족의 하나》.

硌 luò (락)
명〈文〉 산에 있는 큰 바위. ⇒gè

落 luò (락)
①동 떨어지다. 떨어뜨리다. ¶太阳～了; 해가 졌다 / 花瓣bàn～了; 꽃잎이 떨어졌다 / ～在地下; 땅바닥에 떨어지다 / 小鸟～在树枝上; 작은 새가 나뭇가지에 내려와서 앉아 있다 / 到处～满了灰尘; 도처가 먼지투성이다. ②동 내리다. 낮추다. ¶～帆了; 돛을 내렸다 / 把帘子～下来; 발을 내리다. ③동〈方〉 (비 따위가) 내리다. ¶～雨; 비가 오다. ④동 영락하다. 쇠퇴하다. ¶衰shuāi～; 쇠락하다 / 沦lún ～; 영락하다 / 堕duò～; 타락하다. ⑤동 수위(水位)가 내리다. ¶水势未～; 물의 기세가 아직 줄어들지 않았다. ↔〔涨①〕 ⑥동 가격이 떨어지다. ¶～价了; 가격이 내렸다 / 行市～了; 시세가 떨어졌다. ↔〔涨③〕 ⑦동 남다. 남기다. ¶只～了一身单军服; 단지 한 벌의 군복이 수중에 남아 있을 뿐이다 / 名单里～下他了; 명단에 그가 빠져 있다 / 除去开销～了几块钱了; 경비를 제하고 돈이 좀 남았다 / ～不下什么钱; 돈이 얼마 남지 않다. ⑧동 손에 넣다. 획득하다. ¶～了个名誉; 명예를 획득했다 / 这个光荣任务, 总算～在咱们组里; 이 영광스러운 임무는 마침내 우리 그룹의 것이 되었다 / 金质奖章～在谁手里; 금메달은 누구의 것이 되느냐 / 他的房子～人家手里了; 그의 집은 남의 손에 떨어졌다. ⑨동 퇴색하다. ⑩동 낙성(落成)되다. ¶新屋～成; 새 집이 낙성되다. ⑪동〈方〉 탈 것에서 내리다. ¶～车; 하차하다. ⑫동 기록해〔적어〕 두다. ¶条子上也没有～我的名字; 쪽지에도 내 이름이 써 있지 않다. ⑬동 결과로서 …이 되다. …을 받는 결과가〔꼴이〕 되다. ¶～个够大; 결과로서 대단한 것이다 / 管闲事～不是;〈成〉 쓸데없는 짓을 해서 꼴사납게 되다 / ～了不少的埋怨; 적잖이 원망을 받았다 / ～个免职; 결국 면직만 되고 만 셈이다 / ～得没饭吃; 밥도 못 먹을 지경이 되었다. ⑭동 포개어 놓다. 쌓아올리다. ¶把书～起来; 책을 포개어 놓다 / 书在桌子上～着; 책은 책상 위에 쌓여 있다. =〔垒lěi〕 ⑮양 무더기《쌓아올려 놓은 것을 세는 데 쓰임》. ¶一～海碗; 포개어 놓은 한 무더기의 대접 / 一～书; 한 무더기의 책. ⑯명 마을. 취락. ¶村～; 촌락 / 部～; 부락. 마을. ⇒là lào luō

〔落案〕 luò'àn 동 재판에 부치다〔회부하다〕.

〔落白事〕 luò báishì 상을 당하다. 불행을 당하다.

〔落班〕 luòbān 동 한패에 들다. 팀에 끼다〔들어가다〕. ¶～有自主权; 한패〔팀〕에 들어가는 것은 각자의 뜻에 달려 있다.

〔落榜〕 luò,bǎng 동 ⇨〔落第〕

〔落包涵〕 luò bāohán 비평을 받다. 책망을 듣다. 비난 받다. =〔落褒贬〕〔落不是〕

〔落本(钱)〕 luòběn(qián) 동 출자(出資)하다. 투자하다.

〔落笔〕 luò,bǐ 동 쓰기 시작하다. 그리기 시작하다. ¶他的画是在先有了生活体验而后才～的; 그의 그림은 우선 생활의 체험을 쌓은 후에 비로소 그리기 시작한 것이다 / 真难～; 정말 붓을 대기가

어렵다. =〔落墨〕
〔落标〕 luòbiāo 동 ⇨〔落盘〕
〔落膘〕 luò·biāo 동 가축이 야위다〔마르다〕. ↔〔长zhǎng膘〕
〔落泊〕 luòbó 〈文〉 동 곤궁해지다. 영락해지다. 형 호매(豪邁)하다. 대범하여 소소한데 구애되지 않다. ‖ =〔〈文〉落魄〕〔落魂〕〔落薄〕〔落拓〕
〔落不出好(儿)来〕 luòbuchū hǎo(r) lái 변변한 꼴이 되지 않다. 좋은 결과를 얻지 못하다.
〔落残疾〕 luòcánji 동 병신이〔불구가〕 되다.
〔落槽(儿)〕 luò·cáo(r) 동 ①수세(水勢)가 떨어지다. 물이 빠지다. ②집안이 몰락하다. ③(～儿) 차분한 마음이 되다. 개운해지다. ¶他住在别人家里, 心里总是不～; 그는 남의 집에서 생활하기 때문에 늘 마음이 편치〔개운치〕 못하다.
〔落草〕 luòcǎo 동 ①(～儿) (어린애가) 태어나다. 출생하다. ¶孩子一～奶奶喜欢得合不上嘴; 아이가 태어나자 할머니는 기뻐서 입을 다물지 못한다. ②〈古白〉 산 속으로 도망쳐 들어가 비적이 되다. ¶共有二十个, 结为兄弟, 前往太行山梁上泺去～为寇; 스무 명의 사람이 형제의 의(義)를 맺고 태행산 양산박(梁山泊)으로 가서 산적이 되었다. ③《佛》 비천하게 되다.
〔落差〕 luòchā 명 (물의) 낙차. =〔水shuǐ头①〕
〔落场〕 luòchǎng 명 결말. 말로(末路). (luò·chǎng) 동 ①결말이 나다. ②간과하다. 빠뜨리다. ¶他在应酬上不～; 그는 교제 관계에는 빈틈이 없다. ⇒làchǎng
〔落潮〕 luò·cháo 동 퇴조하다. 썰물이 되다. (luòcháo) 명 썰물. 퇴조. ‖ =〔退tuì潮〕
〔落尘〕 luòchén 동 인간 세상에 내려오다. 속세에 몸을 던지다.
〔落成〕 luòchéng 명동 〈文〉 (건축 등을) 낙성(하다). ¶～典礼; 낙성식.
〔落出…来〕 luòchu…lái …이 되다. …이 되어 가다. ¶白受累没落出好(儿)来; 헛수고만 하고 잘 되지 않다 / 落出褒bāo贬来了; 세상의 비판을 받게 되었다.
〔落船〕 luòchuán 동 ①배에 짐을 싣다〔짐이 실리다〕. ②〈南方〉 배에서 (육지로) 올라가다. 상륙하다.
〔落锤〕 luòchuí 명 《機》 드롭 해머(drop hammer).
〔落单〕 luòdān 동 외톨이가 되다. 명 《劇》 배우가 미리 단장에게 제출한 자기의 역할 중에서 일부의 말소를 허락받는 일. =〔挂guà单〕
〔落胆〕 luòdǎn 동 ①간 떨어지다. 깜짝 놀라다. ②겁내다. 두려워하다.
〔落得〕 luòde 동 (어떤 경우가) 되다. …로 귀결되다. …로 끝나다. ¶～一场空; 일장춘몽이 되다 / 因为他给我出的主意, 所以才～这样儿的好收场; 그가 나에게 방법을 가르쳐 주어서 간신히 이와 같은 좋은 결과를 거둔 것입니다.
〔落得打〕 luòdédǎ 명 《植》 병풀.
〔落灯〕 luò·dēng 동 (밤이 되어) 가게 문을 닫다.
〔落底〕 luò·dǐ 동 마음이 가라앉다. ¶心里觉得不～; 마음이 불안해지다.
〔落地〕 luò·dì 동 ①땅에 떨어지다. 땅에 닿다. ¶脚疼得不敢～儿; 발이 아파서 땅을 디딜 수가 없다 / 四脚～; 네 다리를 땅에 붙이고 서다 / 心落了地; 마음을 놓았다. ②출생하다. ¶～为兄弟; 태어나서 형제가 되다. ③어떤 고장에 자리잡고 살다. ④〈轉〉 (말·소리 등이) 사라지다. 끝나다. ¶没等他的话～…; 그의 말이 끝나기도 전에…. (luòdì) 부 〈轉〉 죄다. 모두. ¶房子老了, 打算～重修; 집이 낡아서 모두 헐고 다시 건축할 작정이다. 명 (높이뛰기 따위의) 착지(着地).
〔落地车床〕 luòdì chēchuáng 명 ⇨〔平píng面车床〕
〔落地窗〕 luòdìchuāng 명 아래가 땅바닥이나 마루 바닥에 닿는 큰 창문.
〔落地的〕 luòdìde 형 최저의. 최하의. ¶～价儿; 최저 가격.
〔落地灯〕 luòdìdēng 명 ①플로어 스탠드(floor stand). ②무대 아래의 조명등.
〔落地捐〕 luòdìjuān 명 ⇨〔落地税〕
〔落地轮〕 luòdìlún 명 《機》 착륙용 바퀴.
〔落地梅〕 luòdìméi 명 《醫》 중증의 매독.
〔落地扇〕 luòdìshàn 명 스탠드 선풍기.
〔落地生根〕 luò dì shēng gēn 〈成〉 어떤 곳에 뿌리 내리고〔자리잡고〕 살다.
〔落地税〕 luòdìshuì 명 옛날, 물품을 판매한 곳에서 내는 일종의 소비세. =〔落地捐〕
〔落地线〕 luòdìxiàn 명 최고 부하선(負荷線).
〔落地有声〕 luò dì yǒu shēng〈成〉 목소리가 우렁차다. 목소리가 인근에까지 울리다.
〔落地罩〕 luòdìzhào 명 중국 가옥에서, 한 방을 둘로 갈라서 쓰는 경우의 칸막이.
〔落第〕 luò·dì 동 낙제하다. 불합격이 되다. =〔不bù及格〕〔落榜〕
〔落点〕 luòdiǎn 명 ①《體》 공이 떨어지는 지점. ②《軍》 낙하점. 낙하 지점.
〔落点(儿)〕 luòdiǎn(r) 동 (말소리가) 그치다. ¶话音还没～, 他…; 말이 끝나기도 전에 그는….
〔落店〕 luòdiàn 동 여관에 머물다. 투숙하다.
〔落顶〕 luò·dǐng 《鑛》 동 낙반(落盤)하다. (luòdǐng) 명 낙반 사고.
〔落定钱〕 luòdìngqián 동 착수금을 내다.
〔落发〕 luò·fà 동 머리를 깎(고 출가하)다. ¶～为僧sēng; 머리를 깎고 중이 되다.
〔落废〕 luòfèi 동 〈文〉 제거하다. 폐(廢)하다.
〔落风尘〕 luò fēngchén 옛날, 몸을 더럽혀 기생이 되다.
〔落个尾巴儿〕 luòge yǐbār 〈比〉 일이〔용무가〕 아직 좀 남아 있다.
〔落谷〕 luògǔ 동 〈方〉 (못자리에) 볍씨를 파종하다.
〔落果〕 luòguǒ 동 낙과하다. 명 떨어진 과실.
〔落汗〕 luò hàn ①땀을 흘리다. ②쉬면서 땀을 식히다〔들이다〕. ¶坐, 坐呀, 喝碗水, 落～; 앉아라, 앉아서 물을 마시고 땀을 식혀라 / 等我落了汗再做; 땀을 식히고 나서 다시 하자.
〔落好(儿)〕 luò·hǎo(r) 동 ①좋은 결과가 되다. 잘 되어 가다. ②호평을 얻다. 평판이 좋다. ¶他做了几年的事, 在大家面前很～了; 그가 몇 해 동안 한 일은, 대중 사이에서 대단히 평이 좋다.
〔落黑(儿)〕 luòhēi(r) 동 해가 지다. 어둑어둑해지다. ¶大伙唠到～时了; 모두 해가 질 때까지 지껄이고 있었다. 명 해질 무렵. ⇒làohēi(r)
〔落红〕 luòhóng 명 《工》 석탄 부스러기〔찌꺼기〕.
〔落后〕 luò·hòu 동 ①낙오하다. 뒤떨어지다. ¶～于群众的觉悟程度; 일반 대중의 자각 정도보다 뒤져 있다 / 他的船稍微～一点; 그의 배는 약간 뒤처져 있다 / 谁最～就帮助谁; 가장 뒤처진 사람이 있으면 그 사람을 원조한다. ②시대에 뒤떨어지다. 낙후하다. ¶经济上～的国家; 경제적으로 낙후된 나라. ③일의 진도가 늦어 처음 계획보다 늦어지다. (luòhòu) 명〈方〉 그 후. =〔以后〕
〔落户〕 luò·hù 동 (타향에) 정주하다. 정착하다

토착하다. ¶在农村安家～; 농촌에서 가정을 이루어 정주하다 / 他原是南方人, 可是在北京～多年; 그는 원래 남방 사람이지만, 베이징(北京)에 자리잡고 산지 여러 해가 된다.

〔落花流水〕 luò huā liú shuǐ **A)** 〈成〉 ①늦봄의 경치. =〔流水落花〕 ②〈比〉 깨끗이. 보기 좋게. 지독하게. 참패하다. ¶打了个～; 지독히 얻어맞다 / 偷tōu了个～; 모두 깨끗이 도둑 맞았다. **B)** 금붕어의 일종.

〔落花生〕 luòhuāshēng 명 《植》 낙화생. 땅콩.

〔落花有意, 流水无情〕 luò huā yǒu yì, liú shuǐ wú qíng 〈成〉 짝사랑하다. ¶我对她是落花有意, 她却是流水无情; 나는 그녀에게 뜻을 두고 있지만, 그녀는 전혀 마음이 없는 눈치다.

〔落话〕 luò·huà 동 말을 빠뜨리다. 말하는 것을 잊다.

〔落荒〕 luòhuāng 동 ①황야로 멀리 달아나다. ②〈比〉 행방을 감추다. 도망치다. ¶～而走 =〔～而逃〕; 〈成〉 전장(戰場)을 떠나 도망치다.

〔落火坑〕 luò huǒkēng 〈比〉 ①창녀의 신세가 되다. ②몸을 팔다.

〔落货〕 luòhuò 동 ①화물을 배에 싣다. ¶～单; 선적 증서 / ～人; 하송인(荷送人). ②짐을 차·배에서 내리다. 명 적송품(積送品).

〔落籍〕 luòjí 동 ①적(籍)을 옮기다. 원적(原籍)을 옮기다. ¶～做上海人; 적을 옮겨 상하이(上海) 사람이 되다. ②호적에서 빠지다. 소속에서 제명되다. ¶军士～者众皆聚山泽为盗; 군대의 제적자가 많아, 모두 산에 모여 도적이 되었다. ③(기생 등을) 낙적시키다.

〔落家〕 luòjiā 동 집에 안주하다. 집에 붙어 있다. ¶他为工作, 日夜都不～; 그는 일 때문에 밤낮 집에 붙어 있지 않는다.

〔落监〕 luòjiān 동 투옥되다. 교도소에 들어가다.

〔落脚(儿)〕 luò·jiǎo(r) 동 ①투숙하다. 머무르다. ¶他常在我家～; 그는 언제나 우리 집에 묵는다. ②다리를 쉬다. 휴식하다. ¶找个地方落落脚吧! 어디서 잠시 쉽시다! ③일을 할 결심을 하다. (사업·일 등에) 발을 들여 놓다. ④이주(移住)해서 살다.

〔落轿〕 luòjiào 동 가마를 내려놓다.

〔落井〕 luòjǐng 동 ①우물에 빠지다. ②재난을 만나다. =〔落阱〕

〔落井下石〕 luò jǐng xià shí 〈成〉 남의 약점을 이용하여 괴롭히다. 물에 빠진 개를 때리다. =〔落井投石〕〔投井下石〕

〔落卷〕 luòjuàn 명 옛날, 불합격자의 답안.

〔落科儿〕 luò·kēr 동 이야기를 하다. 잡담을 하다. ¶落一天的科儿; 하루 종일 잡담을 하다.

〔落空〕 luò·kōng 동 ①깜박하다. 정신 못 차리다. ¶我一～他跑了; 내가 멍청히 있는 사이에 그는 달아났다. =〔漏空〕 ②결과가 헛일이 되다. 물거품이 되다. ¶期待～; 기대에 벗어나다 / 由于准备不够慎重, 一切的计划～了; 준비가 신중하지 않았기 때문에 일체의 계획이 허사가 되었다 / 这一希望现在显然是完全～了; 이 희망은 지금에 와서는 완전히 허사가 되고 말았다.

〔落款(儿)〕 luò·kuǎn(r) 동 (서화 따위에) 낙관하다. (편지·화환·선물 등에) 이름을 쓰다. ¶画是画好了, 还没～呢; 그림은 다 그렸지만 아직 낙관을 하지 않았다.

〔落雷〕 luòléi 명동 《氣》 낙뢰(하다).

〔落泪〕 luò·lèi 동 눈물을 흘리다. =〔滚gǔn泪〕

〔落礼(儿)〕 luòlǐ(r) 동 결례하다. 의리를 잃다. 예절을 잊다. ¶我落了礼了; 나는 결례를 했다.

〔落俐〕 luòli 형 솜씨가〔수완이〕 있다. 기술이 훌륭하다.

〔落镰〕 luòlián 명 《農》 곡물이 너무 익어서 땅바닥에 떨어지는 일.

〔落铃〕 luòlíng 동 《農》 목화의 다래가 익어 터져서 솜털이 노출되기 전에 떨어지다.

〔落落〕 luòluò 형 〈文〉 ①대범한 모양. 마음이 넓은 모양. ¶～大方 =〔～托托〕; 〈成〉 대범하고 도량이 넓은 모양 / ～寡言; 초연하게 말이 적다. ②선선하고 솔직하다. ¶～实实; 솔직하고 견실하다. 틀림이 없다. ③남과 타협하지 못하다. 사람과 접촉을 않다. ¶～寡合; 남과 어울리지 못하다. ④많은 모양. ¶～如石; 돌처럼 흔하다.

〔落麻烦〕 luò máfan 귀찮게〔성가시게〕 되다.

〔落马〕 luòmǎ 동 낙마하다.

〔落脉〕 luòmài 명 (풍수 지리에서) 산의 기복이 높은 곳에서 낮은 곳으로 내려오는 것.

〔落埋怨〕 luò mányuàn 원망받다. 불평을 사다.

〔落忙〕 luòmáng 동 ①가세하다. 거들다. ¶给人家～; 다른 사람을 거들어 주다. ②방해를 하다. ¶你别在这儿～; 너 여기서 훼방 놓지 마라.

〔落梅风〕 luòméifēng 명 《氣》 (강회(江淮) 지방에서) 5월의 계절풍.

〔落煤〕 luòméi 동 석탄을 실어 들이다.

〔落名誉〕 luò míngyù 명예롭게 되다. 명예를 얻다.

〔落寞〕 luòmò 동 몰락하다. 전락하다. 형 쓸쓸하다. 적막하다.

〔落墨〕 luòmò 동 ⇨〔落笔〕

〔落难〕 luò·nàn 동 재난을 입다〔만나다〕. ¶～公子; 재난을 당한 젊은 도령.

〔落盘〕 luòpán 동 《商》 경락(競落)시키다. 낙찰하다.

〔落品〕 luòpǐn 동 〈文〉 타락하다. =〔落标〕

〔落平〕 luòpíng 동 ①수평이 되다. ¶～水; 수평의 물. ②아래에 놓다. 내려놓다. ¶把轿子～; 가마를 (어깨에서) 내려놓다.

〔落魄〕 luòpò 〈文〉 동 곤궁해지다. 실의에 빠지다. 형 대범하다. 호매(豪邁)하다. ‖=〔落泊〕〔落拓〕

〔落圈套〕 luò quāntào 남의 계략에 걸려들다. 함정에 빠지다. 속임수에 넘어가다. ¶落在他的圈套儿里; 그의 책략에 걸리다.

〔落儿〕 luòr 명 ①생계 수단. 생활 밑천. ②가망. 전망. ¶那件事没～了; 그 일은 가망이 없다. ③잘못. 실수. 양 무더기《포개어 놓은 것을 세는 말》. ¶一～碟子; 한 무더기의 접시. ⇒lào r

〔落日〕 luòrì 명 〈文〉 저녁 해. 지는 해. 석양. =〔落照〕

〔落入陷阱〕 luòrù xiànjǐng ①덫에 걸리다. 함정에 빠지다. ②술수에 떨어지다.

〔落腮胡(子)〕 luòsāi hú(zi) 명 구레나룻. =〔落腮须xū〕〔络腮胡子〕

〔落纱机〕 luòshājī 명 《紡》 도퍼(doffer)《섬유를 어떤 롤러에서 다른 롤러로 옮기는 롤러》.

〔落神〕 luò·shén 동 ①깜빡 정신을 놓다. ¶办这种事, 要一～可就要坏了; 이런 일을 할 때에는 정신을 놓으면 일을 그르친다. ②(～儿) 안도하다. 마음을 놓다. ¶她这样嘀嘀咕咕, 一个早晨没～; 그녀는 이렇게 조바심을 내며, 아침 내내 안절부절못하고 있었다.

〔落石〕 luòshí 명 낙석.

〔落实〕 luòshí 형 실행 가능하다. 실제와 맞다. 적절하다. ¶生产计划要订得～; 생산 계획은 적절하고 실행 가능한 것이라야 한다. 동 ①〈方〉 안심하다. 마음이 편해지다. 마음이 안정되다. ¶事情没有把握, 心里总是不～; 일에 자신이 없어서, 마음이 도무지 안정이 되지 않는다 / 他心中～了;

그는 마음이 편해졌다. ②사람이 착실하여 신용할 수 있다. ③미리 확인하다. 확정하다. 확실히 하다. ¶交货时间还没有最后～; 상품의 인도 기일은 아직 최종적으로 결정되지 않았다. ④수행하다. 실현하다. 구체화하다. ¶心里的悬案～了; 마음에 걸리던 일이 낙착되다/将大会的精神和要求落到实处; 대회의 정신과 요구를 구체적으로 실현시키다.

〔落矢〕 luòshǐ 동 ⇨〔拉lā屎〕

〔落市〕 luò,shì 동 철이 지나 시장에서 사라지다. ¶任何水果都一样, 在刚上市和接近～的时候都很贵; 어떤 과일이나 첫물과 끝물 무렵이 가장 비싸다.

〔落手〕 luòshǒu 동 착수하다.

〔落书〕 luòshū 명 쌓아 놓은 책.

〔落水〕 luò,shuǐ 동 ①물이 흘러 떨어지다. ②물속으로 떨어지다. 물에 빠지다. ③〈比〉 타락하다. 몸을 팔다.

〔落水狗〕 luòshuǐgǒu 명 ①물에 빠진 개. ②〈比〉 패배자. ③〈比〉 힘을 잃은 악당. ¶痛tòng打～; 힘을 잃은 악당을 추격하다.

〔落水管〕 luòshuǐguǎn 명 낙수 홈통. =〔水落管〕

〔落水擒水泡〕 luòshuǐ qín shuǐpāo 〈諺〉 물에 빠진 자는 지푸라기라도 잡는다.

〔落苏〕 luòsū 명 《植》 가지.

〔落宿〕 luòsù 동 〈文〉 투숙하다.

〔落孙山〕 luòsūnshān →〔名míng落孙山〕

〔落索〕 luòsuǒ 형 쓸쓸하다. 호젓하다.

〔落胎〕 luòtāi 동 ⇨〔堕duò胎〕

〔落太阳〕 luò tàiyáng 해가 지다.

〔落汤鸡〕 luò tāng jī 〈比〉 물에 빠진 생쥐 꼴. 함빡 젖은 모양. ¶我成了～, 他也闹了一身泥水; 나는 몸이 함빡 젖었고, 그도 온몸이 흙투성이가 되었다.

〔落汤螃蟹〕 luò tāng pángxiè 끓는 물에 빠진 게《다급해서 어찌할 바를 모르는 모양. 낭패함》.

〔落套〕 luò,tào 동 함정〔모함〕에 빠지다.

〔落土〕 luòtǔ 동 〈方〉 해가 지다. ¶太阳～; 해가 └지다.

〔落拓〕 luòtuò 동형 ⇨〔落泊〕

〔落网〕 luò,wǎng 동 ①그물에 걸리다. 포박되다. ¶主犯已经～; 주범은 이미 포박됐다. ②《體》 (공이) 네트에 걸리다. 네트 아웃하다. ¶不是～就是出界; 공이 네트에 걸리게 하거나 바깥으로 나가게 하다.

〔落尾〕 luòwěi 명동 결말(이 나다). 종결(되다). ¶瞅chǒu热闹吧, 看这出戏怎么～; 구경이나 해 보자, 이 연극이 어떻게 종결되는지.

〔落伍〕 luò,wǔ 동 ①낙오하다. ②시대에 뒤떨어지다. ¶有了电灯, 煤油灯就显得～了; 전등이 생기면서 석유 등잔은 시대에 뒤떨어진 것이 되고 말았다. ③퇴직하다.

〔落下〕 luòxià 동 ①떨어지다. 하락하다. 내리다. ¶行市～来了; 시세가 떨어졌다. ②…의 결과가 되다. ¶反倒～个坏名儿; 오히려 불명예스런 결과가 되었다. ③손에 넣다. 자기 것이 되다. ¶一年才～这点收成; 1년에 겨우 요만큼의 수확이 있다/那三盆花儿都死了, 连一盆都没～; 저 세 화분의 꽃이 모두 시들어 죽고, 한 화분도 건지지 못했다. ④남기다. ¶他一个月的进项不多, 落不下多少钱; 그는 한 달 수입이 적어서, 얼마 남지 않는다. ⑤잊어버리고 놓고 가다. ¶这把伞是谁～的; 이 우산은 누가 놓고 갔느냐. ⇒làxia

〔落(下)枪〕 luò(xià)qiāng 《軍》 걸어 총!

〔落闲话〕 luò xiánhuà 소문이 나다. 남의 입에 오르다. 「다.

〔落乡(儿)〕 luòxiāng(r) 형 〈方〉 외지다. 궁벽하

〔落血的屄〕 luòxiědebī 명 〈罵〉 여자를 욕하는 말. =〔小xiǎo屄〕

〔落新妇〕 luòxīnfù 명 《植》 노루오줌.

〔落选〕 luò,xuǎn 동 낙선하다.

〔落扬〕 luòyáng 동 〈方〉 타작하다. 탈곡하다. ¶麦子～以后, 就把麦秸垛好; 보리 타작이 끝나면 보릿짚을 쌓는다.

〔落叶〕 luòyè 명 낙엽. (luò,yè) 동 잎이 떨어지다.

〔落叶树〕 luòyèshù 명 《植》 낙엽수. 「깔나무.

〔落叶松〕 luòyèsōng 명 《植》 ①낙엽송. ②만주이

〔落音(儿)〕 luò,yīn(r) 동 (말·노래가) 끝나다. ¶他的话刚～, 你就进来了; 그의 말이 끝나자마자 당신이 들어왔다. 「처음 핀 꽃.

〔落英〕 luòyīng 명 〈文〉 〈比〉 ①시들어서 진 꽃. ②

〔落英缤纷〕 luò yīng bīn fēn 〈成〉 꽃잎이 팔랑팔랑 떨어지는 모양.

〔落营〕 luòyíng 동 진을 치다.

〔落月〕 luòyuè 동 ①달이 지다. ②출산하다. ¶女儿～了, 我去料理了两天; 딸이 해산을 해서, 나는 가서 이틀 동안 산후 바라지를 해 주었다.

〔落葬〕 luòzàng 동 매장하다.

〔落栈〕 luò,zhàn 동 ①화물을 창고에 넣다〔들이다〕. ②옛날, 여관에 들다.

〔落账〕 luò,zhàng 동 기장(記賬)하다. 치부(置簿)하다. =〔上账〕

〔落纸〕 luòzhǐ 동 문서로 하다. 문서로 만들다.

〔落着〕 luòzhuó 동 결정되다. 낙착하다.

〔落子无悔大丈夫〕 luò zǐ wúhuǐ dàzhàngfū 〈比〉 바둑돌을 둔 이상 후회하지 않는 것이 대장부다.

〔落座〕 luò,zuò 동 (자리에) 앉다. 착석하다. ¶等客人落了座, 用人上来献茶, 递烟; 손님이 자리에 앉으면, 하인이 나와서 차를 대접하고 담배를 권한다. =〔落坐〕

雒 luò (락)

①명 〈文〉 전신이 검고 갈기가 흰 말. ②지명용 자(字). ¶～南县; 뤄난 현(雒南縣)《산시 성(陝西省)에 있는 현 이름》. ③명 ⇨〔洛Luò ②〕 ④명 성(姓)의 하나.

〔雒诵〕 luòsòng 동 〈文〉 (소리를 내서) 읽다.

荦(犖) luò (락)

형 〈文〉 ①얼룩덜룩하다. ¶～牛; 얼룩소/驳bó～; 빛깔이 얼룩덜룩하게 뒤섞여 있다. ②분명하다. ¶卓～; 특별히 뛰어나다/以上所举, 都是～～大者; 이상 열거한 것은 모두 현저한 것이다/～～大端; 분명한 요점과 주요 항목. 「하다.

〔荦确〕 luòquè 형 〈文〉 (산길 따위가) 울퉁불퉁 험

漯 luò (루)

지명용 자(字). ¶～河市; 뤄허 시(漯河市)《허난 성(河南省)에 있는 도시 이름》. ⇒Tà

摞 luò (라)

①동 (같은 물건을) 포개어 쌓다. ¶把书～起来; 책을 쌓아 놓다/桌子上～着一层尘土; 탁자에는 먼지가 한꺼풀 쌓여 있다. ②명 쌓아 놓은 것. 무더기. ¶砖～; 벽돌을 쌓은 무더기. ③양 무더기. 더미《쌓아 놓은 것을 세는 데 쓰임》. ¶一～书; 한 무더기의 책/一～碗; 한 무더기의 그릇/一～筐; 한 무더기의 바구니.

啰(囉) luo (라)

조 문말의 어기사(語氣詞)《경시(輕視)·속단·낙관을 나타냄》. ¶你去就成～! 네가 가면 그것으로 되는 거야!/你放心好～; 너는 안심해도 된다. ⇒luō luó

M

M ㄇ

呒(嘸) ḿ (무)
①감 의문을 나타내는 단순한 양순 비음(兩脣鼻音). ¶～什么? 음, 뭐라고? =〔嗯ḿ〕 ②형〈方〉없다. ¶～啥 =〔没有什么〕; 아무것도 없다. =〔没有〕

呣 ḿ (모)
감 의문을 나타내는 말. ¶～, 什么? 음, 뭐라고? =〔呒①〕 ⇒m̀

呣 m̀ (모)
감 대답을 나타내는 말. ¶～, 我知道了! 응, 알았다! ⇒ḿ

唔 m̀ (오)
부 …하지 않다. ¶～系 =〔不是〕; …이 아니다 / ～该! =〔不敢当〕;〈廣〉정말이지 고맙습니다. =〔不bù〕 ⇒ńg wú

MA ㄇㄚ

妈(媽) mā (마)
명 ①〈俗〉모친. 어머니. ¶我的～! 어머나! 사람 살려! =〔妈妈〕 ↔〔爹diē〕〔爸bà〕 ②성(姓)에 붙여 중년·노년의 고용인을 부르는 말. ¶老～子; 늙은 식모 / 张～; 장씨 아줌마(ˈ장ˈ이라는 식모). ③친척 되는 손위 부인의 호칭. 아주머니. ¶大～; 백모. (일반적으로) 아주머니 / 姑～ =〔姑姆〕; 고모 / 姨～ =〔姨姆〕; 이모.

〔妈的〕 māde〈罵〉제기랄! ¶他～! 제미 붙을!

〔妈港〕 Māgǎng 명《地》마카오(Macao)의 별칭. =〔澳门〕

〔妈虎子〕 māhǔzi 명 ⇨〔麻má虎子〕

〔妈拉(个)巴子〕 māla(gè)bāzi〈罵〉바보. 개새끼. 빌어먹을. =〔他妈拉(个)巴子〕 注 ˈ拉ˈ는 ˈ啦ˈ로도 씀.

〔妈雷子〕 māléizi 명 ⇨〔麻má雷子〕

〔妈妈〕 māma 명〈俗〉①어머님. 엄마. ↔〔爸爸〕 ②손위의 부인에 대한 호칭. ③〈轉〉(남편이 자식 앞에서 아내를 이를 때에 흔히 쓰임) 엄마. 어머니. ④욕말의 일종. ¶你的～的! 이 우라질 자식! ⑤ (～儿) (어머니의) 젖. ¶吃～; 젖을 먹다. ⑥《劇》할멈!(노처(老妻)에 대한 호칭). ⑦→〔嬷嬷〕

〔妈妈大全〕 māma dàquán 명 ①관습이나 미신 따위를 적은 것. ②어머니가 자식에게 뇌고 뇌는 말. 잔소리. ¶老李最不喜欢布尔乔亚的～; 이씨는 부르주아의 틀에 박힌 문구를 가장 싫어한다. =〔老lǎo妈妈大全〕〔妈妈论儿〕

〔妈妈的〕 māmade 명〈罵〉제기랄. 바보자식. ¶他坐起身, 一面说道 "～!"《魯迅 阿Q正傳》; 그는 일어나면서 "제기랄!"이라고 말했다. =〔他妈的〕

〔妈妈虎虎〕 māmahūhū 형 ⇨〔马mǎ马虎虎②〕

〔妈妈论儿〕 māmalùnr 명 (어머니가 흔히 하는) 얼토당토않은 푸념. 틀에 박힌 문구. 되뇌이는 말. 잔소리. ¶又是一大套～的, 我真不爱听; 또 잔소리야, 나는 정말 듣고 싶지 않다. =〔老lǎo妈妈论儿〕〔老婆论儿〕→〔妈妈大全〕

〔妈咪〕 māmi 명〈音〉마미(mammy)(어린이말. 주로 외국인 또는 서양풍 가정에서 쓰임). =〔妈妈〕

〔妈儿妈儿〕 mārmar 명〈俗〉유방.

〔妈祖〕 māzǔ 명《宗》하늘의 성모(聖母).

蚂(螞) mā (마)
→〔蚂螂lang〕 ⇒mǎ mà

〔蚂螂〕 mālang 명《蟲》〈方〉잠자리. =〔蜻qīng蜓〕

孖 mā (자)
①동〈方〉짝을 이루고 있다. ②→〔孖髻山〕 ⇒zī

〔孖髻山〕 Mājìshān 명《地》마지 산(孖髻山)(광둥성(廣東省)에 있는 산 이름).

〔孖仔〕 māzǎi 명〈方〉쌍둥이.

抹〈摵〉② mā (말)〈마〉
동 ①닦다. ¶～桌子; 탁자를 닦다 / ～干净; 깨끗이 닦다 / ～掉; 닦아 없애다 / 他那个校长的头衔早让人～了; 그의 교장의 직함은 벌써 발탁되어 있었다. ②〈方〉내리다. ¶把帽子～下来; 모자를 내려쓰다 / 把脸一～;〈比〉갑자기 굳은 표정을 하다. ⇒mǒ mò

〔抹布〕 mābù 명 걸레. 행주. =〔抹巾〕

〔抹搭〕 māda 동〈方〉(눈꺼풀이) 내려오다. =〔抹搭着眼皮〕

〔抹巾〕 mājīn 명 ⇨〔抹布〕

〔抹脸〕 mā,liǎn 동 ①〈俗〉표정을 굳히다. ¶抹不下脸来; (정에 끌려) 엄한 표정을 할 수 없다. 언짢은 얼굴을 할 수 없다. ②얼굴을 닦다.

麻 mā (마)
→〔麻麻黑〕〔麻麻亮〕 ⇒má

〔麻麻黑〕 māmahēi 형〈方〉황혼이 다가와 어둑어둑한 모양.

〔麻麻亮〕 māmaliàng 형〈方〉동이 트는 모양. =〔蒙蒙亮〕

摩 mā (마)
→〔摩布〕〔摩挲〕 ⇒mó

〔摩布〕 mābù 명 걸레. 행주. ¶拿～摩; 걸레로 훔치다.

〔摩挲〕 māsa 동〈京〉①(손바닥으로 누르듯 하여) 주름을 펴다. 반반히 하다. ¶～衣裳; 옷의 주름을 펴다 / 要没有熨yùn斗, 半干的时候儿用手～～就成了; 만약 다리미가 없으면 반쯤 말랐을 때 손으로 판판하게 매만져서 펴 놓으면 된다. ②문지르다. ¶～胸口; (고통이 덜 하도록) 명치를 가볍게 문지르다 / ～～肚儿, 开小铺儿! 내 손은 약손!(아이가 배가 아플 때나 보챌 때 배를 문질러 주면서 하는 말). ③달래다. ‖ =〔摩挱〕 ⇒mósuō

濊 **mā** (말)
→〔濊挲〕⇒ mǒ

〔濊挲〕 māsa 동 ①손바닥으로 의복을 쓸어 가다듬어 판판하게 만들다. 손으로 문지르다. ②위에서 아래로 내리 쓰다듬다. ③적당하게 구슬리다. 달래어 어르다. ‖＝〔摩挲māsa〕

么(麼) **má** (마)
대〈俗〉무엇. 어떤. ¶干gàn～? 무엇을 하는 거야. 어쩌자는 거냐?／～事? 무슨 일이야?／先吃点儿～儿再说; 먼저 무얼 먹고 나서 다시 말하자. ＝〔什么〕〔吗má〕〔嘛má〕 ⇒ me, '吗' ma, '嘛' ma, '麽' mó, '幺' yāo

〔么事〕 máshì 대 무슨 일. 무엇. ＝〔什么事〕

吗(嗎) **má** (마)
대〈方〉무엇. ¶干～? 왜?／～事? 무슨 일입니까?／要～有～; 필요한 것은 무엇이든지 있다. ＝〔什么〕〔嘛〕〔么má〕
注 베이징 어(北京語)에서는 '干吗gànmá' 라는 꼴만 씀. ⇒ mǎ ma

麻〈蔴〉 A) **má** (마)
A) 명 ①《植》삼. 대마. 또, 그 섬유. ¶亚～; 아마／苎～; 저마 모시풀／大～; 대마. 삼／黄～; 황마／蕉～; 마닐라 삼／～绳(儿); 삼노끈. ②참깨. ¶～油; 참기름. ＝〔芝麻〕 ③인견(人絹) 직물. ¶～绸chóu子; 인조견 직물〔천〕. B) ① 명 곰보. ¶～脸＝〔～子脸(儿)〕; 얽은 얼굴. 곰보딱지 얼굴. ② 동 마비되다. 감각이 없어지다. ¶～木; 마비되다. ＝〔痳〕 ③ 동 오싹해지다. ¶听了让人脊jí梁发～; 이야기를 들으니 등골이 오싹한다／听着怪肉～的; 듣고 있으려니 아무래도 이상한 느낌이 든다. ④ 형 표면이 껄끄럽고 광택이 없다. ¶这张纸一面光一面～; 이 종이는 한쪽은 반들반들하지만 다른 쪽은 까칠까칠하다. ⑤ 형 얼얼한(겨자 따위). ⑥ 동 저리다. ¶腿～了; 발이 저리다／手发～; 손이 저리다／发～＝〔发木〕; 저려 오다. ＝〔痳〕 ⑦ 형 작은 반점이 있는. ⑧ 명 성(姓)의 하나. ⇒ mā

〔麻包〕 mábāo 명 ⇨〔麻袋〕

〔麻痹〕 mábì 동 ①마비되다〔시키다〕. 둔감하게 하다. ¶～人们的斗志; 사람들의 투지를 마비시키다. ②경계를 늦추다. ¶别～大意! 방심하지 마라! 명《醫》마비. ¶小儿～; 소아 마비. 폴리오(polio)／面部神经～; 안면 신경 마비. ‖＝〔痳痹〕

〔麻饼〕 mábǐng 명 ① '烧shāo饼' 의 일종(단맛을 내고 표면에 깨를 묻혀서 구운 작은 떡). ②팥소를 넣고 양면에 깨를 뿌리고 구운 과자. ＝〔芝zhī麻饼ⓑ〕

〔麻布〕 mábù 명《紡》①삼베. 모시. ②리넨. ＝〔亚麻布〕

〔麻槎黑儿〕 mácháhēir 명〈俗〉저녁 무렵.

〔麻嚓〕 mácha 동〈方〉졸린 듯 눈을 감다. ＝〔麻嚓眼〕

〔麻缠〕 máchán 형 번거롭다.

〔麻翅儿〕 máchìr 명 말 꼬리로 만든 새를 잡는 올가미.

〔麻抽抽儿〕 máchōuchour 형 얽은 얼굴의 형용. ¶～的脸liǎn; 얽박고석(몹시 얽은 얼굴).

〔麻绸子〕 máchóuzi 명《紡》인견(人絹) 직물. ＝〔唾tuò沫绸〕〔麻丝葛〕

〔麻搭〕 mádā 동〈俗〉늘어지다. 처지다. 형〈方〉번거롭다.

〔麻搭搭〕 mádādā 형 기분이 가라앉지 않은 모양. ¶上前不是, 不上前也不是, 心上～的《梁斌 紅旗譜》; 앞으로 나아가기도 거북하고, 나아가지 않기도 거북해, 마음이 아무래도 가라앉지 않는다.

〔麻袋〕 mádài 명 마대. ¶黄～; 황마 마대／火～; 삼베 부대／～装; 마대 포장(의). ＝〔麻包〕〔麻练包〕

〔麻刀〕 mádao 명 ①여물(벽 재료로 진흙에 섞는 짚·삼 부스러기 따위의 섬유질). ＝〔麻筋〕 ②〈方〉보답을 바라지 않고 남을 돕는 일. 헛수고. 수고한 보람이 없음. ¶这件事我倒闹了一脖子～; 이 일에서는 부질없이 헛수고만 했다. ‖＝〔麻捣〕

〔麻点〕 mádiǎn 명 ①곰보 자국. 점점이. 많은 작은 점이나 구멍. ¶黑门上生出许多～; 검은 문짝에 많은 작은 구멍이 나 있다. ②《工》(도금(鍍金)의) 무광 처리한 표면. (주물의) 샌드홀.

〔麻豆苍蝇〕 mádòu cāngying 명《蟲》파리 가운데 가장 큰 종류. 왕파리. 쉬파리. ＝〔麻豆蝇〕

〔麻豆腐〕 mádòufu 명 ①(녹두에서) 전분(澱粉)을 채취한 나머지의 찌끼. ②녹두묵.

〔麻烦〕 máfan 형 귀찮다. 번거롭다. ¶手续很～; 수속이 매우 번거롭다／那件事变得～起来了; 그 일이 성가시게 되었다. 동 ①폐를 끼치다. 귀찮게 하다. ¶～你跑一趟吧; 수고스럽지만 한번 갔다 오시오. ②고민하다. 명 번거롭고 성가심. ¶添～; 폐를 끼치다.

〔麻纺〕 máfǎng 명 마방적. ¶～厂; 마방적 공장.

〔麻啡〕 máfēi 명《藥》모르핀(morphine).

〔麻风〕 máfēng 명 ⇨〔痳风〕

〔麻秆儿〕 mágǎnr 명 ⇨〔麻秸(秆儿)〕

〔麻姑〕 Mágū 명 ①신선전(神仙傳)에 나오는 선녀의 이름. ②《地》마구 산(麻姑山)(장시 성(江西省) 난청 현(南城縣)의 서남쪽에 있는 산의 이름).

〔麻姑莲〕 mágūlián 명 ①《植》제비꽃. ②《色》보랏빛의 일종. ¶盐基～; 《染》메틸 바이올렛(methyl violet)의 일종.

〔麻胡〕 máhú 명 ①⇨〔麻虎子〕 ②곰보에 수염이 많은 얼굴(을 한 사람). ¶我女如生菩萨, 乃嫁一～!《徐慥漫笑錄》딸은 살아 있는 보살님처럼 아름다운데, 곰보에다 수염이 텁수룩한 남자에게 시집을 가게 되다니!

〔麻虎子〕 máhǔzi 명〈俗〉도깨비. 망태 할아버지(어린아이를 으르는 말). ¶别闹了, ～要来了; 떠들지 마라, '麻虎子' 가 온다. ＝〔马虎子〕〔麻胡子〕〔麻胡①〕〔妈虎子〕

〔麻糊〕 máhu 동 부주의하다. 어물어물 넘기다. 적당히 해치우다. ¶～敷衍; 적당히 해 두다. ＝〔马虎〕

〔麻花(儿)〕 máhuā(r) 명 꽈배기 과자.

〔麻花(儿)〕 máhua(r) 동〈方〉(천에) 보풀이 일다. ¶袖子都～了; 소매가 해어져 보풀이 일다.

〔麻花被〕 máhuābèi 명 질이 나쁜 솜을 둔 이불.

〔麻花钻〕 máhuāzuàn 명《機》도래 송곳. 트위스트 드릴(twist drill). ＝〔〈俗〉油条钻头〕

〔麻黄〕 máhuáng 명《植》마황과의 풀('草cǎo～'·'木mù贼' 등의 종류가 있음. 에페드린(천식약)을 포함하여, 진해 발한약으로 씀). ¶～碱jiǎn＝〔～素sù〕; 에페드린／盐yán酸～碱; 염산 에페드린.

〔麻货〕 máhuò 명 벽돌·석회(石灰)·삼·새끼 등을 파는 가게. ¶～店; 위를 취급하는 가게.

〔麻集〕 májí 동 밀집하다.

〔麻将〕 májiàng 명 마작(麻雀). ¶打～; 마작을

하다. =〔麻雀②〕〔八圈消食〕〔雀战〕〔十三张〕〔竹城之战〕〔竹林之战〕〔竹战〕
〔麻酱〕 májiàng 명 깨소금(볶은 깨를 으깨서 만든 조미료). =〔芝麻酱〕
〔麻酱面〕 májiàngmiàn 명 ⇨〔芝zhī麻酱面〕
〔麻胶〕 májiāo 명 《化》 리놀륨(linoleum).
〔麻秸(秆儿)〕 májie(gǎnr) 명 겨릅대. 껍질 벗긴 삼대. ¶～打狼; 〈歇〉 겨릅대를 들고 늑대를 때리다의 뜻으로, 때리는 쪽이나 맞는 쪽이나 벌벌 떤다. =〔麻秆儿〕〔麻秸棍儿〕
〔麻秸棍儿〕 májiegùnr 명 ⇨〔麻秸(秆儿)〕
〔麻筋〕 májīn 명 ⇨〔麻刀①〕
〔麻筋儿〕 májīnr 명 인체의 팔꿈치 안쪽에 있는, 조금만 부딪혀도 감각이 마비되는 근육. 〈轉〉 약점. 아픈 곳. ¶敲qiāo～; 약점을 찌르다. 아픈 곳을 찌르다.
〔麻茎〕 májīng 명 ⇨〔麻经(儿)〕
〔麻经(儿)〕 májīng(r) 명 물건을 묶는 가는 삼의 섬유. 가는 삼끈. =〔麻荆(儿,子)〕〔麻茎〕〔麻精(儿)〕
〔麻荆(儿, 子)〕 májīng(r, zi) 명 ⇨〔麻经(儿)〕
〔麻精(儿)〕 májīng(r) 명 ⇨〔麻经(儿)〕
〔麻口铁〕 mákǒutiě 명 《工》 반선철(斑銑鐵)(mottled pig iron)(단면에 회색 반점이 있는 백색의 주철). =〔杂zá晶铸铁〕
〔麻口鱼〕 mákǒuyú 명 ⇨〔黄huáng鲫〕
〔麻剌甲树胶〕 málàjiǎ shùjiāo 명 폰티아나크(Pontianak) 고무(경질 수지인 코팔(copal)의 일종).
〔麻辣辣(的)〕 málàlà(de) 형 혀가 얼얼한 모양(겨자를 입에 넣었을 때의 느낌).
〔麻缆〕 málǎn 명 삼밧줄.
〔麻雷子〕 máléizi 명 특히 큰 소리를 내는 폭죽의 일종. =〔妈mā雷子〕
〔麻栎〕 málì 명 《植》 상수리나무.
〔麻栗树〕 málìshù 명 《植》 티크나무.
〔麻力〕 máli 형부 ⇨〔麻利〕
〔麻利〕 máli 형 재빠르다. 민첩하다. ¶手脚～; 동작이 날래다 / 他做事挺～; 그는 일솜씨가 매우 빠르다 / 又～又仔细; 재빠르고 꼼꼼함 / 跑得怪～的; 달리는 것이 매우 빠르다. 부 ①〈方〉 급히. 신속히. ¶妈叫你～回去; 어머님이 당신 빨리 돌아오라고 하셨어요. ②일도 양단으로 척척. ‖ =〔麻溜(儿)〕〔麻力〕
〔麻莲布〕 máliánbù 명 탁자 따위를 닦는 데 쓰이는 굵은 실로 짠 천.
〔麻练包〕 máliànbāo 명 삼으로 만든 부대〔자루〕.
〔麻溜(儿)〕 máliu(r) 형부 ⇨〔麻利〕
〔麻麻呼呼〕 mámahūhū 형 ⇨〔马mǎ马虎虎②〕
〔麻麻胡胡〕 mámahúhú 형 ⇨〔马mǎ马虎虎②〕
〔麻麻糊糊〕 mámahúhú 형 ⇨〔马马虎虎②〕
〔麻麻木木〕 mámamùmù 형 완전히 감각이 마비된 모양.
〔麻麻酥酥〕 mámasūsū 형 녹초가 되어 힘이 빠진 모양. ¶身上～; 몸이 녹초가 되어 힘이 빠지다.
〔麻密丛生〕 mámì cóngshēng 빽빽이 밀생하다. ¶～的胡子; 빽빽이 자란 수염.
〔麻冕〕 mámiǎn 명 옛날, 상중에 쓰던 삼베의 건(巾).
〔麻木〕 mámù 동 저리다. 마비되다. ¶脚～了不听使唤了; 다리가 마비되어 움직이지 않게 되었다. 형 둔하고 동작이 느리다. 감각이 무디다. 모자라다. ¶～不仁; ⓐ완전히 마비되어 감각이 없어지다. 무감각. ⓑ감각이 둔한 사람의 형용. ⓒ(사상적으로) 무감동 무감각이다. ⓓ무관심한 모양. ⓔ경계심이 없는 모양 / 发生～的现象; 무감각 현상을 일으키다.
〔麻婆豆腐〕 mápó dòufu 명 마파 두부(잘게 썬 돼지고기 또는 간 고기와 두부를 기름에 볶고 고추와 산초 따위의 조미료로 맛을 낸 요리. 본디 쓰촨(四川)의 시골 요리).
〔麻钱〕 máqián 명 잘못 만들어진 엽전. 가치 없는 엽전. ¶～当dàng个命 =〔一个～看得磨mò盘大〕; 몇 푼 안 되는 돈을 목숨처럼 여기다(지독한 구두쇠의 형용).
〔麻雀儿〕 máqiǎor 명 ⇨〔麻雀què①〕
〔麻雀〕 máquè 명 ①《鳥》참새. ¶打～; 참새 잡기 / ～战; 각개 격파 전투 / 打～战; 각개 격파 전투를 하다. =〔家雀儿〕〔〈方〉 老家贼〕〔老家子〕〔老雀子〕〔王母使者〕〔麻雀儿〕 ②⇨〔麻将〕
〔麻雀虽小, 五脏俱全〕 máquè suī xiǎo, wǔzàng jù quán 〈諺〉 참새가 비록 작아도 오장육부는 다 갖추고 있다(①지렁이도 밟으면 꿈틀한다. ②작은 일도 연구 분석하면 거기에서 교훈을 얻을 수 있다). =〔麻雀虽小, 肝胆俱全〕
〔麻人〕 márén 동 불쾌하게 느끼다. 오싹하다. 신물이 나다. 형 불쾌하다. 까닭없이 싫다.
〔麻仁(儿)〕 márén(r) 명 삼씨(약용함).
〔麻蓉(馅儿)〕 máróng(xiànr) 명 깨로 만든 소(깨를 찧어 설탕 등을 섞은 것).
〔麻撒〕 másа 형 (동작이) 재빠르다. 민첩하다.
〔麻沙本〕 máshāběn 명 〈文〉 옛 각본(刻本)의 인쇄가 선명하지 않은 것〔책〕.
〔麻纱〕 máshā 명 ①모시·아마 등의 실. ②《紡》 캠브릭(cambric)(얇고 흰 삼베 또는 무명).
〔麻绳(儿)〕 máshéng(r) 명 삼으로 꼰 끈. 삼으로 꼰 로프(rope). ¶～捎shào水, 越捎越紧; 〈諺〉 삼노끈에 물을 축이면 더욱더 조여진다(더욱더 핍박해 오다).
〔麻绳菜〕 máshéngcài 명 ⇨〔马mǎ齿苋〕
〔麻石〕 máshí 명 경석(輕石). 속돌.
〔麻石青〕 máshíqīng 명 《鳥》 바다지빠귀.
〔麻刷子〕 máshuāzi 명 삼솔. 페인트칠하는 솔.
〔麻丝〕 másī 명 ①⇨〔人rén造丝〕 ②삼실.
〔麻丝葛〕 másīgé 명 ⇨〔麻绸子〕
〔麻丝丝(儿)〕 másīsī(r) 형 (박하를 먹을 때처럼) 화하다. 짜릿하다.
〔麻酥酥(的)〕 másūsū(de) 형 조금 저린 모양. 맥이 풀린 모양. ¶天气越来越冷了, 脚放到水里去, 冰得～的; 날씨가 갈수록 추워져서, 발을 물에 넣으면 시려서 저린 것 같다 / 两腿～地站不起来; 양다리에 맥이 풀려 일어서지 못하다. =〔麻丝丝(儿)的〕〔麻苏苏(儿)的〕
〔麻觫觫〕 másùsù 형 맥이 풀려 꼼짝 못 하는 모양. 오금이 저린 모양.
〔麻索〕 másuǒ 명 삼노끈.
〔麻糖〕 mátáng 명 깨엿. =〔芝zhī麻糖〕
〔麻天牛〕 mátiānniú 명 《蟲》 삼하늘소.
〔麻铁〕 mátiě 명 ⇨〔韧rèn性铸铁〕
〔麻痛〕 mátòng 형 저리고 아프다. ¶她两脚～, 蹲在地上好久好久站不直身子; 그녀는 두 발이 저려서 땅 위에 웅크린 채 오랫동안 똑바로 설 수 없었다.
〔麻头蝇〕 mátóuyíng 명 ⇨〔大dà麻蝇〕
〔麻团〕 mátuán 명 깨고물을 묻힌 단자를 기름에 튀긴 음식. =〔粉fěn团〕
〔麻尾雀〕 máwěiqiǎo 명 《鳥》 〈方〉 까치.
〔麻线(儿)〕 máxiàn(r) 명 ①삼실. ②스테이플 파이버(staple fiber). =〔麻丝sī〕

〔麻鞋〕 máxié 명 삼신. 미투리.
〔麻鸭〕 máyā 명 《鳥》 광둥(廣東) 오리《중국에서 가장 많이 기르고 있음》.
〔麻燕儿〕 máyànr 명 《鳥》 갈색제비.
〔麻药〕 máyào 명 마취약.
〔麻叶〕 máyè 명 《植》 해시시(hashish). 대마초. 삼잎.
〔麻衣〕 máyī 명 삼베옷《상복》.
〔麻衣神相〕 máyī shénxiàng 명 마의 상법《송(宋)나라 때, 마의(麻衣)라는 사람이 창시한 관상술》. =〔麻衣相法〕
〔麻衣相法〕 máyī xiàngfǎ 명 ⇨〔麻衣神相〕
〔麻因〕 máyīn 명 《化》 아미노 안식향산 에틸. =〔氨ān基苯甲酸乙酯〕
〔麻蝇〕 máyíng 명 《蟲》 쉬파리. =〔麻头苍蝇〕
〔麻油〕 máyóu 명 참기름. =〔香油〕〔芝zhī麻油〕
〔麻鹬〕 máyù 명 《鳥》 마도요.
〔麻渣〕 mázhā 명 깻묵.
〔麻着木着〕 mázhe mùzhe 〈京〉 ①남을 깜짝 놀라게 하다. 으르다. 위협하다. ¶你甭～我, 我才不吃你这一套呢; 나를 위협하지 마라, 나는 그 수에 안 넘어간다. ②내버려 두다. 상관하지 않다.
〔麻砧饼〕 mázhēnbǐng 명 원반형(圓盤形)의 깻묵.
〔麻疹〕 mázhěn 명 《醫》 마진. 홍역. =〔痲疹〕〔麸fū疮〕〔糠kāng疮〕〔〈方〉痧shā子〕〔疫yì疹〕〔疹子〕
〔麻织品〕 mázhīpǐn 명 마직물.
〔麻纸〕 mázhǐ 명 삼을 원료로 하여 만든 종이. 마지.
〔麻住〕 mázhù 동 꼼짝 못 하게 하다. (말로) 윽박지르다.
〔麻爪〕 mázhuǎ 동 당황하다. 허둥대다. 어찌할 줄 모르다. ¶等八路军来了他们就～了; 팔로군이 오자 그들은 몹시 당황하였다.
〔麻子〕 mázǐ 명 삼씨. ¶～油; 삼씨 기름. =〔麻子儿〕
〔麻子〕 mázi 명 곰보. ¶～脸(儿) =〔麻脸〕; 얽은 얼굴(을 한 사람) / ～热症; 홍역 / 俏qiào皮～; 애교 곰보 / 一脸的砢kē碜～; 얼굴 전체가 보기 싫은 마맛자국 / 大～; 박박 얽은 사람. 지독한 곰보. =〔白麻子〕
〔麻醉〕 mázuì 명동 《醫》 마취(하다). ¶～剂jì =〔麻药〕〔〈俗〉蒙méng(汗)药〕; 마취제 / 全身～; 전신 마취 / 针刺～; 침 마취 / 打dǎ～针zhēn; 마취 주사를 놓다. 동 현혹〔미혹〕시키다. ¶用海淫海盗的电影～青年人; 섹스나 폭력 영화로 젊은이를 못된 풍습에 물들게 하다.
〔麻醉氯仿〕 mázuì lǜfǎng 명 《藥》 마취용 클로로포름(chloroform).
〔麻醉醚〕 mázuìmí 명 《藥》 마취용 에테르.

痳 má (마)
동 마비되다. 저리다. 쥐가 나다. =〔麻má B〕②⑥

〔痳痹〕 mábì 명동 ⇨〔麻痹〕
〔痳风〕 máfēng 명 《醫》 한센(Hansen)병. =〔麻风〕〔大dà麻风〕〔大风③〕〔痳风病bìng〕〔痳风疮chuāng〕〔〈文〉癞lài①〕〔〈文〉癞病〕〔〈文〉疠lì风〕
〔痳疹〕 mázhěn 명 《醫》 홍역. =〔麻疹〕

嘛 má (마)
대 〈俗〉 무엇. ¶干～ =〔做～〕; 왜. 무엇 때문에. 무엇을 하는가 / 能听见点儿～儿; 뭔가 조금 들린다. =〔什么〕〔吗má〕〔么má〕 ⇒ma

〔嘛劲儿〕 májìnr 명 무슨 재미. ¶这是小孩子的玩意儿嘛, 有～? 이것은 애들 장난(감) 아냐, 무슨 재미가 있어?
〔嘛儿〕 már 명 〈俗〉 어떤 것. 얼마간의 물건. ¶今天～也没预备, 怎么招待客人呢? 오늘은 아무 준비도 하지 않았는데, 어떻게 손님을 초대하지?

蟆〈蟇〉 má (마)
→〔蛤há蟆〕

马(馬) mǎ (마)
① 명 《動》 말. ¶一匹～; 한 필의 말 / 公～ =〔〈北方〉儿～〕; 수말 / 母～ =〔〈北方〉骒～〕〔〈方〉草～〕; 암말 / 驿yì～; 옛날의 역마. ② 명 《貨》 마르크《독일 화폐》. =〔马克〕 ③ 형 크다. ④ 명 장기의 말의 이름. ⑤ 명 성(姓)의 하나.

〔马鞍(子)〕 mǎ'ān(zi) 명 말안장. ¶～铺pù; 마구점.
〔马鞍形〕 mǎ'ānxíng ①U자형. 말안장 모양. ②중간이 느슨한 모양. ¶合作化二十多年来没有什么大的～; 합작화 후 20몇 년 이렇다 할 큰 감소는 없었다.
〔马把式〕 mǎbǎshi 명 말을 돌보는 사람. 마부.
〔马绊绳〕 mǎbànshéng 명 ⇨〔马绊子〕
〔马绊子〕 mǎbànzi 명 말고삐. =〔马绊绳〕
〔马帮〕 mǎbāng 명 짐말로 이루어진 수송대. 캐러밴(caravan). 대상(隊商).
〔马棒〕 mǎbàng 명 ①말채찍으로 쓰는 막대기. ②옛날, 여행자가 호신용으로 들고 다닌 지팡이.
〔马宝〕 mǎbǎo 명 《漢醫》 병든 말의 뱃속에서 꺼낸 결석《약용됨》.
〔马保儿〕 mǎbǎor 명 말을 매매하는 사람. 마도위.
〔马刨子〕 mǎbàozi 명 말의 몸을 긁어 주는 빗.
〔马报〕 mǎbào 명 (말을 달려 알리는) 급보.
〔马背〕 mǎbèi 명 말의 등.
〔马被〕 mǎbèi 명 말등에 입히는 옷.
〔马鼻疽〕 mǎbíjū 명 《醫》 마비저《말의 만성 전염병, 인간에게도 전염함》. =〔鼻疽〕〔吊diào鼻子〕
〔马币〕 mǎbì 명 말의 모양을 새긴 경화(硬貨).
〔马鞭(子)〕 mǎbiān(zi) 명 말채찍. 극(劇)에서 기마(騎馬)를 뜻함. ¶抽～; 말에 채찍질하다.
〔马鞭草〕 mǎbiāncǎo 명 《植》 마편초《약용함》.
〔马弁〕 mǎbiàn 명 옛날의 호위병.
〔马镳〕 mǎbiāo 명 말의 재갈.
〔马表〕 mǎbiǎo 명 ⇨〔停tíng表①〕
〔马鳖(子)〕 mǎbiē(zi) 명 ⇨〔蚂蟥〕
〔马兵〕 mǎbīng 명 기마병. 기병. =〔马军〕〔骑qí兵〕
〔马拨子〕 mǎbōzi 명 파발마《파발마로 보내는 공문서를 넣는 주머니를 '马封fēng'이라고 함》. =〔马递〕
〔马泊六〕 mǎbóliù 명 〈古白〉 뚜쟁이. 여관의 호객꾼.
〔马勃〕 mǎbó 명 《植》 말불버섯. =〔马粪包〕
〔马不得夜草不肥〕 mǎ bùdé yècǎo bùféi 〈諺〉 말은 밤에 풀을 먹지 않으면 살찌지 않는다《사람에게는 특히 좋은 벌이가 없으면 부자가 될 수 없다》.
〔马不停蹄〕 mǎ bù tíng tí 〈成〉 ①여행길을 서두르다. ②걸음을 멈추지 않다. 조금도 쉬지 않다. ¶～地来回跑; 쉴새없이 뛰어서 왔다갔다하다 / 她须～地给他缝补, 给他制作; 그녀는 쉴새없이 일하며 그에게 옷을 기워 주고 옷을 만들어 주어야만 한다.
〔马步〕 mǎbù 명 오른발을 앞으로 내밀고 허리를 낮추어 버티어 선 자세《권법의 기본형의 하나》.
〔马步箭〕 mǎbùjiàn 명동 말을 달리면서 활쏘기

〔쏘다〕.
〔马槽〕 mǎcáo 명 구유.
〔马叉〕 mǎchā 명 옛 병기의 일종《창 끝이 양쪽으로 날이 갈라져 있음》.
〔马查霍主义〕 mǎcháhuòzhǔyì 명 《醫》 매저키즘(masochism). =〔色情受虐狂〕
〔马差〕 mǎchāi 명 말탄 심부름꾼〔사자〕.
〔马蝉〕 mǎchán 명 《蟲》 말매미. =〔蚱zhà蝉〕
〔马厂〕 mǎchǎng 명 ①말목장. ②(Mǎchǎng) 《地》 마창(馬廠)《허베이 성(河北省) 칭 현(青縣)의 북쪽에 있는 지명》.
〔马车〕 mǎchē 명 ①마차. ②노새가 끄는 짐수레.
〔马扯手〕 mǎchěshǒu 명 (말의) 고삐.
〔马齿〕 mǎchǐ 명 ①〈文〉 말의 나이《말은 이가 난 모양으로 나이를 알 수 있음》. ②〈謙〉 자신의 나이. ¶～徒tú增; 헛되이 나이를 더하다. 〈比〉 쓸데없이 나이만 먹다《겸손의 말》. ‖=〔马龄〕
〔马齿苋〕 mǎchǐxiàn 명 《植》 쇠비름. =〔长cháng命菜〕〔长寿菜〕〔麻绳菜〕
〔马刺〕 mǎcì 명 (승마화의 뒤꿈치에 단) 박차(拍車).
〔马褡子〕 mǎdāzi 명 마바리《말등에 양쪽으로 갈라서 싣는 짐》.
〔马达〕 mǎdá 명 《電》 모터. ¶～车 =〔～卡〕〔摩托车〕; 모터카 / ～货车; 트럭 / ～船 =〔机动船〕; 모터 보트. =〔摩托〕〔电动机〕〔磨打〕〔摩打〕〔摩多〕
〔马达加斯加〕 mǎdájiāsījiā 명 《地》〈音〉 마다가스카르(Madagascar)《'～共和国'는 정식 명칭. '马尔加什'(말라가시: Malagash))는 구칭. 수도는 '塔那那利佛'(안타나나리보: Antananarivo).
〔马大哈〕 mǎdàhā 형 〈俗〉 ①흘게 늦다. 일을 되는 대로 하다. ②모자라다. 명 흘게 늦은 사람. 일을 되는 대로 하는 사람. 모자란 사람.
〔马大头〕 mǎdàtóu 명 《蟲》 장수잠자리.
〔马丹〕 mǎdān 명 '마담'의 옛 음역.
〔马刀〕 mǎdāo 명 ①《軍》 (기병(騎兵)들이 갖는) 서양식 긴 칼〔사벨〕. ② ⇨〔马蛤〕
〔马到成功〕 mǎ dào chéng gōng 〈成〉 ①조속한 전승(戰勝)을 기원하는 말. ②일·활동이 즉시 성공함. ¶你一办不是～吗? 네가 하기만 하면 어렵지 않게 할 수 있지 않느냐?
〔马道〕 mǎdào 명 옛날의, 연병장이나 성벽 위의 말을 달리게 할 수 있는 길.
〔马德堡半球〕 Mǎdébǎo bànqiú 명 《物》 마그데부르크(Magdeburg)의 반구(半球).
〔马德里〕 Mǎdélǐ 명 《地》〈音〉 마드리드(Madrid)《'西班牙'(스페인: Spain)의 수도》.
〔马灯〕 mǎdēng 명 (방풍 장치가 달린 대형의) 휴대용 램프.
〔马镫〕 mǎdèng 명 (마구의) 등자(鐙子).
〔马递〕 mǎdì 명 ⇨〔马拨子〕
〔马店〕 mǎdiàn 명 옛날, 마바리나 마부용의 숙박 시설. =〔骡luó马店〕
〔马吊(牌)〕 mǎdiào(pái) 명 명(明)나라 때의 도박(기구)의 일종. '纸zhǐ牌'나 '麻má将牌'는 이것으로부터 변화해서 생긴 것이라 함.
〔马丁钢〕 mǎdīnggāng 명 ⇨〔平píng炉钢〕
〔马丁炉〕 mǎdīnglú 명 ⇨〔平píng炉〕
〔马兜铃〕 mǎdōulíng 명 《植》 쥐방울.
〔马肚带〕 mǎdùdài 명 말의 배띠.
〔马队〕 mǎduì 명 ①기마대. 기병대. ②물건을 나르는 포장 마차. 대상(隊商).
〔马驮子〕 mǎduòzi 명 말에 실은 짐.
〔马恩列斯〕 Mǎ Ēn Liè Sī 명 마르크스·엥겔스·레닌·스탈린.
〔马尔代夫〕 mǎ'ěrdàifū 명 《地》〈音〉 몰디브(Maldives)《수도는 '马累'(말레: Malé)》.
〔马尔加什〕 Mǎ'ěrjiāshí →〔马达加斯加〕
〔马尔丕基氏体〕 Mǎ'ěrpījīshìtǐ 명 《生》 말피기 소체(malpighi 小體). =〔肾小体〕〔马氏细胞〕
〔马尔萨斯主义〕 Mǎ'ěrsàsī zhǔyì 명 《經》 맬서스주의.
〔马耳〕 mǎ'ěr 명 ①말의 귀. ②〈轉〉 귀담아 들으려 하지 않다. ¶～东风; 마이동풍 / 世人闻此皆掉头, 有如东风吹～《李白詩》; 세상 사람은 이것을 듣고 얼굴을 돌려 마이동풍으로 여기는 형편. ③(요리에서) 난도질.
〔马耳他〕 Mǎ'ěrtā 명 《地》 몰타(Malta)《지중해의 섬나라로 공화국. 수도는 '瓦利塔'(발레타: Valleta)》.
〔马法尼〕 mǎfǎní 명 《藥》 호모스루파민. =〔后hòu莫磺胺〕
〔马法胂〕 mǎfǎshèn 명 ⇨〔盐yán酸氧苯胂〕
〔马法生〕 mǎfǎshēng 명 ⇨〔盐yán酸氧苯胂〕
〔马翻人仰〕 mǎ fān rén yǎng 〈成〉 왁자지껄 떠들어 대는 모양. 수습이 되지 않는 대혼란의 모양.
〔马贩(子)〕 mǎfàn(zi) 명 마도위. 소·말의 거간꾼.
〔马房〕 mǎfáng 명 마구간. =〔马棚〕〔马号②〕〔马圈〕〔马厩jiù〕
〔马放南山〕 mǎ fàng nán shān 〈成〉 남쪽에 있는 산에 군마를 방목하다《교전 상태가 끝나고 평화로운 시기가 되는 일》.
〔马匪〕 mǎfěi 명 마적(馬賊).
〔马粪包〕 mǎfènbāo 명 ⇨〔马勃〕
〔马粪纸〕 mǎfènzhǐ 명 마분지.
〔马封〕 mǎfēng →〔马拨子〕
〔马蜂〕 mǎfēng 명 ①《蟲》 장수말벌. =〔胡蜂〕〔蚂蜂〕 ②벌 종류의 통칭. ¶～窝; ⓐ벌집. ⓑ아파트식 주택의 별칭 / ～犊dá儿; 벌의 새끼 / ～腰yāo; 〈比〉 세요. 가는 허리.
〔马夫〕 mǎfū 명 마부. 말구종.
〔马夫鱼〕 mǎfūyú 명 《魚》 두동가리돔.
〔马弗炉〕 mǎfúlú 명 《工》 머플로(爐)(muffle furnace). =〔罐guàn炉〕
〔马肝儿铺〕 mǎgānrpù 명 말고기를 파는 가게.
〔马竿(儿)〕 mǎgān(r) 명 맹인용의 지팡이.
〔马钢〕 mǎgāng 명 ⇨〔韧rèn性铸铁〕
〔马革裹尸〕 mǎ gé guǒ shī 〈成〉 말가죽으로 시체를 싸다《(군인이) 전장(戰場)에서 죽음을 이름》.
〔马格那咤达〕 Mǎgénàzhàdá 명 《史》 마그나 카르타(라 Magna Charta)《대헌장》.
〔马蛤〕 mǎgé 명 《貝》 긴맛. =〔马刀②〕
〔马公〕 mǎgōng 명 《動》 수말. =〔公马〕
〔马褂(儿)〕 mǎguà(r) 명 윗옷의 일종《소매 있는 조끼 비슷하며 예복으로 입음》. 마고자.
〔马关条约〕 mǎguān tiáoyuē 명 《史》 마관 조약《청일 전쟁 후, 마관 곧 시모노세키(下關)에서 맺은 강화 조약》.
〔马锅头〕 mǎguōtóu 명 마바리꾼의 두목.
〔马好不在鞍, 人美不在衫〕 mǎ hǎo bùzài ān, rén měi bùzài shān 〈諺〉 안장보다 말, 의상보다 얼굴.
〔马号〕 mǎhào 명 ①기병용의 나팔. ②마구간. =〔马棚〕〔马房〕 ③역(驛)말을 기르던 곳.
〔马赫〕 mǎhè 명 《物》〈音〉 마하(독 mach). =〔马赫数〕
〔马赫主义〕 Mǎhè zhǔyì 명 《哲》 마하주의(독

Machism)《마하가 주장한 주관적 관념론》. =〔经验批判主义〕

〔马猴帽〕 mǎhóumào 명 머리로부터 뒤집어쓰고 눈만 나오게 된 모자.

〔马后〕 mǎhòu 동 〈比〉 늦다. 때늦다. ¶这都是马前的事儿, 一～就全叫人买去了; 이것은 일찌감치 해야 되는 일이며, 조금이라도 늦으면 전부 남들이 사 버리고 만다. 명 《劇》 경극(京劇)에서 노래를 천천히 불러 시간을 끄는 일. ¶你关照场上的戏～点儿唱, 我看今天这出戏扮起来相当费时间; 무대 쪽에다 조금 천천히 부르도록 전해 주게, 오늘의 이 연극은 분장에 상당히 시간이 걸릴 것으로 생각되니.

〔马后课〕 mǎhòukè ⇨〔马后炮②〕

〔马后炮〕 mǎhòupào 〈比〉 ①장기에서 '马'의 뒤에 '炮'가 기다리고 있는 절대 우세한 수. ②이미 때가 늦음을 이르는 말《행차 후의 나팔》. ¶会都开完了才来, 这不是闹个～吗? 모임이 끝난 뒤에 오다니, 정말 행차 후 나팔이 아니냐? =〔马后课〕〔马后屁③〕

〔马后屁〕 mǎhòupì ①냄새만 풍길 뿐 모습은 보이지 않다. ②따라갈 수 없다. 포착할 수 없음. ③⇨〔马后炮②〕

〔马虎〕 mǎhu 형 소홀하다. 제멋대로다. ¶～了事 liǎoshì; 되는 대로 일을 끝내다. 아무렇게나 적당히 얼버무리다 / ～过去; 적당히 넘기다 / ～敷fū衍; 적당히 얼버무리다 / 这是我～了; 이것은 내가 소홀했다 / ～人 =〔哈哈儿人〕; 무책임한 사람. =〔麻糊〕〔马糊〕〔吗呼〕〔麻呼〕 →〔马马虎虎〕〔模mó糊〕

〔马虎子〕 mǎhǔzi 명 귀신. 도깨비《어린애를 무섭게 하는 말》. ¶别闹了, ～来了! 조용히 해라. 도깨비 나온다! =〔麻虎子〕

〔马糊〕 mǎhu 형 ⇨〔马虎〕

〔马蟥〕 mǎhuáng 명 ①《動》 말거머리. ②(기루(妓樓)의) 유객(誘客)꾼. ‖ =〔蚂蟥〕

〔马火印〕 mǎhuǒyìn 명 말의 낙인(烙印).

〔马机〕 mǎjī 명 《機》 윈치(winch). 권양기(卷揚機).

〔马棘〕 mǎjí 명 《植》 낭아초(狼牙草).

〔马甲〕 mǎjiǎ 명 ①말에 입히는 갑옷. ②살조개의 조개 관자. =〔江瑶柱〕〔江珧柱〕 ③〈方〉 중국 옷의 조끼. =〔砍肩儿〕〔背心〕

〔马甲子〕 mǎjiǎzi 명 《植》 갯대추나무.

〔马架(子)〕 mǎjià(zi) 명 ①말 매는 곳. ②움막. 판잣집. ③지게.

〔马箭〕 mǎjiàn 명 말 타고 활 쏘는 법.

〔马鲛〕 mǎjiāo 명 《魚》 삼치. =〔马鲛鱼〕

〔马嚼子〕 mǎjiáozi 명 재갈. =〔马口钳〕〔嚼子〕

〔马嚼子疮〕 mǎjiáozichuāng 명 《醫》 입술의 양쪽이 헐고 부르트는 병.

〔马脚〕 mǎjiǎo 명 ①마각. 말의 다리. ②〈比〉 가면. 결점. 꼬리. ¶露lòu出～来了; 마각을 드러냈다 / 看出～; 가면을 벗기다.

〔马警〕 mǎjǐng 명 기마 경찰.

〔马厩〕 mǎjiù 명 ⇨〔马棚〕

〔马驹(儿, 子)〕 mǎjū(r, zi) 명 〈俗〉 망아지.

〔马圈〕 mǎjuàn 명 ⇨〔马棚〕

〔马军〕 mǎjūn 명 ⇨〔马兵〕

〔马珂〕 mǎkē 명 《貝》 동죽조개. =〔蛤gé蜊④〕

〔马可波罗〕 mǎkě bōluó 명 《人》 마르코 폴로(Marco Polo)《이탈리아의 여행가. 원(元)나라의 '忽必烈'(쿠빌라이)의 신임을 얻어 중국 국내를 여행. 귀로에 옥중에서 구술(口述)한 것이 '～行记'(동방 견문록)으로 후세에 큰 영향을 주었음, 1254～1324》. =〔马哥孛罗〕

〔马克〕 mǎkè 명 《貨》 마르크(Mark)《독일의 화폐》. =〔马②〕

〔马克斯〕 Mǎkèsī 명 《人》 마르크스(Karl Marx)《독일의 경제학자 · 정치학자, 1818～1883》. ¶～主义; 마르크스주의 / ～列宁主义; 마르크스 레닌주의. =〔马克思〕

〔马口料〕 mǎkǒuliào 명 거푸집에 부어 만든 얇은 철판. =〔黑hēi铁皮〕

〔马口钳〕 mǎkǒuqián 명 ⇨〔马嚼子〕

〔马口钱〕 mǎkǒuqián 명 옛날의, 마두세(馬頭稅). 마세(馬稅).

〔马口铁〕 mǎkǒutiě 명 생철. ¶～桶; 생철(물)통 / ～片; 생철판 / ～盆; 생철 세숫대야 / 花～; 가공한 생철판 / 素～; 보통의 생철판. =〔〈俗〉 洋铁〕〔镀锡铁〕

〔马裤〕 mǎkù 명 승마 바지. ¶～呢ní; 《紡》 휩코드(whipcord)《사문직(斜文織)의 두꺼운 모직물로 승마 바지용》.

〔马快〕 mǎkuài 명 기마(騎馬)의 포리(捕吏). ¶～班要抓捕反割头税的人们; 포졸이 돼지 도살세에 반대하는 사람들을 붙잡다. =〔快班〕 형 (동작이) 굉장히 빠르다.

〔马拉博〕 Mǎlābó 명 《地》 〈音〉 말라보(Malabo)《'赤道几内亚共和国'(적도 기니)의 수도》.

〔马拉介尼亚〕 mǎlājièníyà 명 《樂》 〈音〉 말라게냐(스 malagueña).

〔马拉硫磷〕 mǎlāliúlín 명 《藥》 말라티온(malathion)《농약 · 유기 인산의 하나》.

〔马拉松〕 mǎlāsōng 명 ①《體》 〈音〉 마라톤(스 marathon) 경기. =〔马拉松赛跑〕〔马拉敦〕〔马来逊〕 ②시간이 긴 것을 비유하는 말. ¶～演说; 마라톤 연설. 장광설(長廣舌) / ～战术; 마라톤 전술《(토론 등에서) 시간을 억지로 끄는 방식》.

〔马拉维〕 Mǎlāwéi 명 《地》 〈音〉 말라위(Malawi) 공화국《수도는 '利隆圭'(릴롱궤: Lilongwe)》.

〔马来树脂〕 mǎlái shùzhī 명 《化》 말레산(酸)(maleic acid) 수지(樹脂). 「acid).

〔马来酸〕 mǎláisuān 명 《化》 말레인산(maleic

〔马来西亚〕 mǎláixīyà 명 《地》 〈音〉 말레이시아(Malaysia)《수도는 '吉jí隆坡'(콸라룸푸르: Kuala Lumpur)》.

〔马来语〕 mǎláiyǔ 명 말레이어(語).

〔马兰〕 mǎlán 명 ①《植》 가는 쑥부쟁이. 그 어린 잎을 '～头' · '马菜' · '鱼yú鳅菜' · '鸡jī儿肠'이라 하여 식용됨. ②⇨〔马蔺〕

〔马兰花儿〕 mǎlánhuār 명 《鳥》 ①백할미새. ②할미새.

〔马栏〕 mǎlán 명 (경마의) 장애물.

〔马蓝〕 mǎlán 명 《植》 마람《열대산으로, 쪽의 원료가 됨》.

〔马郎〕 mǎláng 명 먀오족의 미혼 남자의 일컬음.

〔马勒〕 mǎlè 명 말머리의 장식끈.

〔马累〕 Mǎlěi 명 《地》 〈音〉 말레(Malé). '马尔代夫'(몰디브 공화국: Maldives)의 수도.

〔马里〕 Mǎlǐ 명 《地》 〈音〉 말리(Mali)《수도는 '巴bā马科'(바마코: Bamako)》.

〔马力〕 mǎlì 명 《物》 마력. 일률(率)의 단위. ¶各义～ =〔标称～〕; 공칭(公稱) 마력 / 制动～; 제동 마력 / 有效～; 유효 마력 / 指示～; 지시 마력 / 开足～; 풀 스피드로 하다 / ～小时; 시(時)마력.

〔马立克派〕 mǎlìkè pài →〔逊xùn尼派〕

〔马利亚纳群岛〕 Mǎlìyànà qúndǎo 명 《地》 〈音〉

마리아나(Mariana) 제도.
〔马里快〕 mǎlikuài 굉장히 빠른. =〔马撒〕
〔马莲〕 mǎlián 명 ⇨〔马蔺〕
〔马料〕 mǎliào 명 마료(馬料). 말먹이. ¶～豆dòu; 마료콩.
〔马蓼〕 mǎliào 명《植》 마료. 말여뀌. 개여뀌. =〔大dà蓼②〕
〔马列主义〕 mǎliè zhǔyì 명 마르크스 레닌주의.
〔马埒〕 mǎliè 명 〈文〉 양쪽에 낮은 담이 있는 마장(馬場).
〔马鬣〕 mǎliè 명 ⇨〔马鬃〕
〔马林巴琴〕 mǎlínbāqín 명《樂》 마림바(marimba). =〔马陵巴木琴〕
〔马蔺〕 mǎlìn 명《植》 타래붓꽃. =〔马兰②〕〔马莲〕〔马扫〕〔马帚〕〔旱蒲〕〔蠡实〕〔荔实〕〔豕首②〕
〔马铃瓜〕 mǎlíngguā 명《植》 수박의 일종《다소 작고 타원형의 것》.
〔马铃薯〕 mǎlíngshǔ 명《植》 감자. =〔〈方〉 地dì蛋〕〔〈方〉 地豆(蛋)〕〔〈廣〉 荷hé兰薯〕〔〈俗〉 山shān药蛋〕〔〈俗〉 山药豆儿〕〔〈北方〉 土tǔ豆(儿)〕〔〈北方〉 土豆子①〕〔〈南方〉 洋yáng山芋〕〔〈南方〉 洋芋〕
〔马铃薯饼〕 mǎlíngshǔbǐng 명 크로켓(프 croquette).
〔马龄〕 mǎlíng 명 ⇨〔马齿〕
〔马溜〕 mǎliū 부 ⇨〔马上①〕
〔马流〕 Mǎliú 명 ⇨〔马留〕
〔马留〕 mǎliú 명 말레이 족(族)의 별칭《한(漢)나라의 마원(馬援)이 남정(南征)했을 때 남겨 놓은 장졸(將卒)의 자손이라고 함》. =〔马流〕
〔马骝〕 mǎliú 명 〈廣〉 원숭이. ¶～戏xì; 원숭이 재주놀이. =〔猴hóu①〕
〔马六甲海峡〕 Mǎliùjiǎ hǎixiá 명《地》〈音〉 말라카(Malacca) 해협.
〔马龙车水〕 mǎ lóng chē shuǐ 〈成〉 차마(車馬)의 왕래가 심함. =〔车水马龙〕
〔马龙头〕 mǎlóngtóu 명 말의 재갈.
〔马陆〕 mǎlù 명《動》 노래기《통칭 '百bǎi足'》. =〔马蚰〕〔马蚿〕〔蚿〕
〔马鹿〕 mǎlù 명《動》 고라니.
〔马路〕 mǎlù 명 대로. 가로(街路). 한길.
〔马骡〕 mǎluó 명《動》 노새. =〔马驴lǘ〕
〔马马虎虎〕 mǎmahúhú〔māmahūhū〕 형 ①무책임하다. 엉터리다. 되는 대로이다. 얼렁뚱땅하다. ¶他办事老是～; 그가 하는 일은 늘 엉터리다 / 他是很规矩的人, 一点儿事情也不肯～地叫它过去; 그는 매우 성실한 사람이라, 사소한 일도 적당히 보아 넘기는 것은 하지 않는다. ②그저 그렇다. 그리 나쁘지는 않다. 썩 좋지는 않다. ¶这种牌子的香烟怎么样? ～, 你来一支试试; 이 담배의 맛은 어떤가? 그리 나쁘진 않아. 한 대 피워 보게나. =〔妈妈虎虎〕〔麻麻糊糊〕〔麻麻胡胡〕〔麻麻呼呼〕
〔马门〕 mǎmén 명 배의 객실의 입구. ¶～多少; 객실은 몇 개냐《그 많고 적음에 따라 배의 크기를 알 수 있음》.
〔马迷〕 mǎmí 명 경마광(競馬狂). 경마팬.
〔马面鲀〕 mǎmiàntún 명《魚》 말쥐치. =〔面包鱼〕〔猪鱼〕〔皮匠刀〕
〔马母〕 mǎmǔ 명 ⇨〔母马〕
〔马那瓜〕 Mǎnàguā 명《地》〈音〉 마나과(Managua)《'尼Ní加拉瓜'(니카라과: Nicaragua) 공화국의 수도》.
〔马纳式自动排浇机〕 mǎnàshì zìdòng páijiāojī 명《印》 모노타이프(monotype). =〔莫纳铸排机〕
〔马奶〕 mǎnǎi 명 마유. 말젖. ¶～葡pú萄 =〔马乳rǔ葡萄〕; 투루판(吐魯番)산의 포도.
〔马脑〕 mǎnǎo 명 ⇨〔玛瑙〕
〔马尼拉〕 Mǎnílā 명《地》〈音〉 마닐라(Manila). '菲fēi律宾'(필리핀: The Philipines)의 수도. =〔小Xiǎo吕宋〕〔马尼剌là〕
〔马尼拉麻〕 mǎnílā má 명《植》 마닐라 삼.
〔马尼拉树胶〕 mǎnílā shùjiāo 명 마닐라 고무.
〔马娘鱼〕 mǎniángyú 명《魚》 눈불개《잉어과(科)의 물고기》.
〔马尿花〕 mǎniàohuā 명《植》 ①자라풀. 자라마름. =〔水鳖〕 ②말똥비름.
〔马牛〕 mǎniú 명 ①마소. 말과 소. ②〈轉〉 마소처럼 고생하는 것. ¶为儿孙做～; 자손을 위해서 고생하다.
〔马趴〕 mǎpā 명 몸이 앞으로 엎드러지는 자세. ¶摔了个大～; 앞으로 고꾸라져서 땅바닥에 엎어지다.
〔马匏瓜〕 mǎpáoguā 명《植》 왕과. 쥐참외. =〔王wáng瓜②〕
〔马棚〕 mǎpéng 명 마구간. =〔马房〕〔马号②〕〔马厩〕〔马圈〕
〔马脾风〕 mǎpífēng 명《醫》 디프테리아. =〔白喉(痧)〕
〔马匹〕 mǎpǐ 명 마필. 말.
〔马癖〕 mǎpǐ 명 애마벽(愛馬癖). 말을 좋아하는 취미.
〔马屁鬼〕 mǎpìguǐ 명 아첨꾼. 아부를 잘하는 놈.
〔马票〕 mǎpiào 명 마권(馬券).
〔马普托〕 Mǎpǔtuō 명《地》〈音〉 마푸토(Maputo). '莫Mò桑比克人民共和国'(모잠비크 공화국: Mozambique)의 수도.
〔马齐〕 mǎqí 명《魚》 웅어.
〔马其顿共和国〕 Mǎqídùn gònghéguó 명《地》〈音〉 마케도니아(Macedonia) 공화국.
〔马其诺防线〕 Mǎqínuò fángxiàn 명《史》〈音〉 마지노선(프 Majinot線). =〔马奇诺防线〕
〔马蕲〕 mǎqí 명《植》 개회향《미나리과의 초본》.
〔马前〕 mǎqián 동 서둘러 하다. 미리 손을 쓰다. ¶这件事总要～才好, 一因循就坏了; 이 일은 아무래도 빨리 하지 않으면 안 된다. 조금이라도 꾸물거리면 안 된다 / 咱们可～啊; 서두르지 않으면 안 된다! 명《劇》 경극(京劇)에서, 노래를 보통 속도보다 빠르게 부르는 일.
〔马前刀儿〕 mǎqián dāor ①남의 앞에서 마음에 들려고 하는 행동. 여봐란 듯한 행동. ②남보다 먼저 그리고 또 훌륭하게 해내는 솜씨. ¶他有个～, 人一看他做事总说不错; 그는 늘 남보다 먼저 솜씨 있게 해낸다. 그러니까 그의 일하는 것을 본 사람은 반드시 칭찬한다.
〔马前课〕 mǎqiánkè 명 산가지 대신 손가락을 쓰는 점《길흉을 즉각 알 수 있다고 함》. =〔马前数〕
〔马前数〕 mǎqiánshù 명 ⇨〔马前课〕
〔马前卒〕 mǎqiánzú 명 ①선봉. 선도자. ②〈比〉 앞잡이. 졸개. 심부름꾼. ¶更不愿意被人拉作战争的～; 남한테 밀리어 전쟁의 앞잡이가 되는 따위의 일은 더더욱 하고 싶지 않다. ③경마잡이.
〔马钱〕 mǎqian 명 ①왕진료. ¶这位先生本事还好, 就是～大一点儿; 이 의사는 의술은 괜찮은 편이지만, 왕진료가 좀 비싸다. ②점치는 값. 복채. ¶王瞎子算得很灵, 可是～真高; (점쟁이) 장님 왕씨는 점은 아주 용하지만, 복채가 정말 비싸다. ③ ⇨〔马钱子②〕 ④ ⇨〔番fān木鳖〕

〔马钱子〕 mǎqiánzǐ 명 《植》 ① ⇨〔番fān木鳖〕 ② 영주치자《마전과(馬錢科)의 등본(藤本) 식물》. =〔马钱③〕
〔马枪〕 mǎqiāng 명 기병총(騎兵銃). =〔骑qí枪〕
〔马球〕 mǎqiú 명 《體》 ①폴로(polo). 격구(擊毬). ②폴로에 사용하는 공.
〔马儿〕 mǎr 명 ①〈俗〉 신상(神像)을 인쇄한 종이. ¶财神～; '财神'의 화상 / 月光～; 추석 때 장식하는 신상 / 灶zào王～; 조왕신(竈王神)의 상을 종이에 인쇄한 화상. ②《動》 말.
〔马肉脯儿〕 mǎròufǔr 명 말고기 등을 작게 썰어 삶은 것《길거리에서 팔고, 하층 계급이 먹었음. 가난한 사람은 육식(肉食)이라면 눈빛이 달라져서 먹는다고 하여 '瞪dèng眼食'이라고도 하였음》.
〔马乳〕 mǎrǔ 명 말젖을 발효시켜서 만든 음료.
〔马乳葡萄〕 mǎrǔ pútao 명 ⇨〔马奶葡萄〕
〔马褥(子)〕 mǎrù(zi) 명 말안장에 까는 방석.
〔马撒〕 mǎsā 형 매우 빠르다. =〔快里马撒〕
〔马撒欢儿〕 mǎ sāhuānr ①말이 펄쩍 뛰며 좋아하다. ②〈轉〉 펄쩍 뛰며 기뻐하다.
〔马赛〕 Mǎsài 명 《地》〈音〉 마르세유(Marseilles).
〔马赛克〕 mǎsàikè 명 〈音〉 ①《建》 모자이크 타일. =〔马赛克砖〕 ②《美》 모자이크. =〔玛赛克〕 ③모자이크 무늬.
〔马赛曲〕 Mǎsàiqǔ 명 《樂》 프랑스 국가 마르세예즈(프 Marseillaise).
〔马上〕 mǎshàng 부 ①곧. 바로. 즉각. ¶～就去; 곧 간다 / 我～就回来; 나는 곧 돌아옵니다 / ～一点儿生意都没有; 곧 조금도 장사를 못 하게 될 것입니다. 注 흔히, '就'를 뒤에 수반하여 시간적인 접근을 한층 확실히 함. =〔〈俗〉 马溜〕〔立刻〕 ②무력(武力)으로. ¶～得天下; 무력으로 천하를 얻다 / ～驮驴; 〈成〉 헛된〔쓸데없는〕 짓을 하다. 명부 말의 위(에서). ¶～找马; ⓐ말을 타고 앉아 말을 찾다《당황하는 모양》. ⓑ임시로 할 일을 찾다.
〔马蛸〕 mǎshāo 명 《動》 낙지.
〔马勺〕 mǎsháo 명 ①죽·밥을 푸는 주걱〔국자〕. ¶～坏了一小锅; 〈諺〉 큰 국자가 작은 냄비를 망그러뜨렸다. 작은 일로 모두에게 폐를 끼쳤다. ②빈랑나무로 만들고 대나무로 자루를 단 국자. ③〈方〉 음식을 볶고 지질 때 쓰는 자루 달린 주걱.
〔马哨〕 mǎshào 명 기마 보초.
〔马蛇子〕 mǎshézi 명 《動》 도마뱀.
〔马生角〕 mǎshēngjiǎo 〈比〉 (말에 뿔이 나는 것처럼) 있을 수 없는 일. 어려운 일.
〔马圣人〕 Mǎshèngrén 명 〈敬〉 마호메트에 대한 존칭.
〔马虱〕 mǎshī 명 《蟲》 말이.
〔马虱蝇〕 mǎshīyíng 명 《蟲》 말이파리《단지 '이파리'라고도 함》. =〔虱蝇〕
〔马史〕 Mǎshǐ 명 사기(史記)《사마천(司馬遷)이 지은 사서》.
〔马矢〕 mǎshǐ 명 〈文〉 말똥. 마분. =〔马通〕
〔马屎坭瓦坑〕 mǎshǐní wǎkēng 명 ⇨〔坑型石棉瓦〕
〔马氏体〕 mǎshìtǐ 명 《物》 마텐자이트(martensite).
〔马氏文通〕 Mǎshì wéntōng 명 《書》 마씨문통《청(淸)나라 광서(光緖) 24년(1898) 마건충(馬建忠)이 지은 문법책. 뒤에 큰 영향을 끼쳤음》.
〔马市〕 mǎshì 명 마시(馬市). 말시장. =〔马肆〕
〔马首是瞻〕 mǎ shǒu shì zhān 〈成〉 옛날에, 싸움터에서 병사는 대장의 말의 목을 보고 진퇴를 정한 데서 오로지 남의 행동에 따름의 비유.
〔马瘦毛长, 人贫志短〕 mǎ shòu máo cháng, rén pín zhì duǎn 〈諺〉 말은 마르면 털이 길어지고, 사람은 가난해지면 뜻이 작아진다.
〔马术〕 mǎshù 명 마술. 기마술.
〔马刷子〕 mǎshuāzi 명 말솔.
〔马斯喀特〕 Mǎsīkātè 명 《地》〈音〉 무스카트(Muscat)《'阿ā曼'(오만: Oman)의 수도》. =〔马斯开特〕〔马斯加〕
〔马斯克〕 mǎsīkè 명 〈音〉 마스크(mask).
〔马嘶〕 mǎsī 명 말이 큰 소리로 욺. 동 말이 큰 소리로 울다. ¶人喊～; 사람의 고함 소리와 말의 울음소리《심상치 않은 모양》.
〔马嘶声〕 mǎsīshēng 명 말 울음소리.
〔马肆〕 mǎsì 명 ⇨〔马市〕
〔马台石〕 mǎtáishí 명 〈文〉 말 탈 때 딛는 디딤돌《옛날, 대문 바로 밖의 양쪽에 놓았음》.
〔马探〕 mǎtàn 명 기마 척후(騎馬斥候).
〔马特尔〕 mǎtè'ěr 명 매터(matter). =〔物质〕〔马太〕
〔马提尼鸡尾酒〕 mǎtíní jīwěijiǔ 명 마티니 칵테일(Martini cocktail).
〔马蹄〕 mǎtí 명 ①《植》 올방개의 별칭. =〔荸bí荠〕 ②말굽. ¶～表; 말굽 모양의 탁상 시계《주로 자명종》 / ～草; 《植》 순채의 별명 / ～决明 =〔决明〕; 《植》 결명차 / ～铁; ⓐ〈方〉 제철. 편자. =〔马掌〕 ⓑ말굽 모양의 자석(磁石) / ～香 =〔细辛〕; 《植》 족두리풀 / ～形; 말굽형. 마제형. U자형 / ～莲; 《植》 칼라(calla).
〔马蹄盖(儿)〕 mǎtígài(r) 명 ⇨〔马子盖(儿)〕
〔马蹄糕〕 mǎtígāo 명 〈廣〉 '荸bí荠'(올방개)의 열매를 으깨어 설탕 등을 섞어서 쪄서 만든 과자.
〔马蹄金〕 mǎtíjīn 명 ①말굽 모양으로 주조한 금. ②《植》 쓰촨 성(四川省)에서 나는 여주의 일종.
〔马蹄儿烧饼〕 mǎtír shāobǐng 명 아주 얇은 '烧饼'의 일종《발효시킨 밀가루 반죽을 얇고 둥글게 밀어 깨를 뿌려 불에 구워 만듦. 아침 식사 때 '油yóu条'를 싸서 먹음》.
〔马蹄袖(儿)〕 mǎtíxiù(r) 명 옛날 예복 소매의 별칭《낙낙하게 긴 소매로, 입을 때에는 약간 접는데, 그 모양에서 이렇게 말함》.
〔马蹄银〕 mǎtíyín 명 말굽은《옛날, 말굽 모양으로 주조한 은》. =〔宝bǎo银〕
〔马蹄钟〕 mǎtízhōng 명 (둥근 모양에 발이 달린 극히 보통의) 탁상 시계.
〔马苕子〕 mǎtiáozi 명 《植》 자운영.
〔马铁〕 mǎtiě 명 가단철(可鍛鐵). =〔韧rèn性铸铁〕
〔马通〕 mǎtōng 명 ⇨〔马矢〕
〔马童(儿)〕 mǎtóng(r) 명 말을 돌보는 젊은이.
〔马桶〕 mǎtǒng 명 변기(便器). ¶～间; 〈方〉 변소 / ～刷子; 변기 소제용의 대나무로 만든 솔. =〔马子①〕〔便桶〕〔恭桶〕〔净桶〕〔〈文〉 圊qīng桶〕
〔马头〕 mǎtou 명 부두. =〔码头〕
〔马头琴〕 mǎtóuqín 명 《樂》 마두금《호궁 비슷한 몽고족의 현악기. 줄·활 모두 말총이 쓰이고, 말머리 장식이 붙어 있음》.
〔马尾(儿)〕 mǎwěi(r) 명 ①말꼬리. ¶～装的头发; (여자의) 긴 머리 모양 / ～松; 《植》 전나무 / ～藻; 《植》 모자반 / ～鹊què; 《鳥》 물까치 / ～罗(儿); 말총으로 만든 체. ⇒mǎyǐ(r) ② ⇨〔商陆〕 ③푸저우(福州) 근처에 있는 마독강(馬瀆江)의 별칭.
〔马尾蜂〕 mǎwěifēng 명 ⇨〔小xiǎo茧蜂〕
〔马尾香〕 mǎwěixiāng 명 ⇨〔乳rǔ香〕
〔马位〕 mǎwèi 명 마신(馬身). 말의 몸. ¶输赢只

是半个或四分之三～; 승부는 반 마신 또는 4분의 3 마신에 지나지 않는다.
〔马戏〕 mǎxì 명 《演》 서커스. ¶～团; 곡마단(曲馬團).
〔马瞎子〕 mǎxiāzi 명 〈俗〉 문맹(文盲).
〔马蚿〕 mǎxián 명 ⇨〔马陆〕 「이름.
〔马衔〕 mǎxián 명 ①말의 재갈. ②해신(海神)의
〔马熊〕 mǎxióng 명 ⇨〔棕zōng熊〕
〔马靴〕 mǎxuē 명 승마화. 부츠(boots).
〔马牙扣〕 mǎyákòu 명 단면이 사다리꼴인 나사산(螺絲山). =〔梯tī形螺纹〕
〔马眼〕 mǎyǎn 명 ①음경 끝의 오줌 구멍의 별칭. ②바둑판의 눈.
〔马仰人翻〕 mǎ yǎng rén fān 〈成〉 말도 쓰러지고 사람도 쓰러지다《야단법석(이 벌어지다)》. ¶今天这个会议叫他给闹得～的; 오늘의 회의는 그가 제멋대로 휘둘러서 엉망이 되었다. =〔人仰马翻〕
〔马衣〕 mǎyī 명 ①말에 덮어씌우는 천. ②'袍páo'(옛날 중국 옷에서, 맨 겉에 입는 도포 비슷한 긴 옷)의 별칭.
〔马医〕 mǎyī 명 (말을 돌보는) 수의사.
〔马尾(儿)〕 mǎyǐ(r) 명 말총. ¶～拴shuān豆腐; 〈歇〉 말총으로 두부를 묶다《얼토당토않음》. ⇒ mǎwěi(r)
〔马蚁〕 mǎyǐ 명 ⇨〔蚂蚁〕
〔马缨丹〕 mǎyīngdān 명 《植》 란타나(lantana). =〔臭草〕〔广叶美人缨〕〔七变化〕〔五色梅〕〔五色绣球〕
〔马缨花〕 mǎyīnghuā 명 ⇨〔合hé欢〕
〔马蝇〕 mǎyíng 명 《蟲》 말파리.
〔马勇〕 mǎyǒng 명 기마 민병(民兵)〔의용대〕.
〔马蚰〕 mǎyóu 명 ⇨〔马陆〕
〔马仔〕 mǎzǎi 명 〈廣〉 앞잡이. ¶走私集团的～; 밀수단의 앞잡이.
〔马贼〕 mǎzéi 명 마적. =〔马子③〕
〔马扎〕 mǎzhá 명 접는 식의 휴대용 걸상〔의자〕.
〔马掌〕 mǎzhǎng 명 ①말굽. ②⇨〔马蹄铁〕 ③'纸zhǐ牌'의 일종. 108매의 종이 쪽지에 수호전(水滸傳) 속의 인물을 인쇄한 것.
〔马磔〕 mǎzhé 명 마켓(market). =〔〈方〉 市场〕
〔马蛭〕 mǎzhì 명 ⇨〔蚂蟥〕
〔马帚〕 mǎzhǒu 명 ⇨〔马蔺〕
〔马朱罗〕 mǎzhūluó 명 《地》 〈音〉 마주로(Majuro)《'马绍尔群岛(共和国)'(마셜 제도(공화국): Marshall)의 수도》.
〔马桩〕 mǎzhuāng 명 말을 매는 말뚝.
〔马子〕 mǎzi 명 〈方〉 ①⇨〔马桶〕 ②(도박에 쓰이는) 산(算)가지. ¶我的～有多少? (물주를 향하여) 내가 빌린 산가지가 얼마였지? =〔筹chóu码(儿)〕〔吗子〕 ③⇨〔马贼〕
〔马子盖(儿)〕 mǎzigài(r) 명 어린아이의 머리의 중앙 부분만을 타원형으로 남기고 나머지를 전부 밀어 버린 머리 모양. =〔马蹄盖(儿)〕〔码子盖(儿)〕
〔马鬃〕 mǎzōng 명 말갈기. =〔马鬣〕〔〈文〉 鬐qí〕
〔马鬃衬〕 mǎzōngchèn 명 양복의 겉감과 안감 사이에 넣는 말총으로 짠 심.

吗(嗎)
mǎ (마)
→〔吗啡〕〔吗呼〕〔吗哪〕 ⇒má ma

〔吗啡〕 mǎfēi 명 《藥》 모르핀(morphine). ¶～针; 모르핀 주사.
〔吗呼〕 mǎhu 형 멍하니 있다. 적당(히 하다). 되는 대로 (하다). =〔马虎〕
〔吗哪〕 mǎnǎ 명 《宗》 만나(manna). =〔吗拿〕

犸(獁)
mǎ (마)
→〔猛měng犸〕

玛(瑪)
mǎ (마)
표제어 참조.

〔玛瑙〕 mǎnǎo 명 《鑛》 마노. =〔玛瑙石shí〕〔码碯〕〔马脑〕〔〈文〉 文石①〕
〔玛赛克〕 mǎsàikè 명 《美·建》 〈音〉 모자이크(mosaic). =〔马赛克〕〔嵌qiàn镶细工〕
〔玛雅人〕 mǎyǎrén 명 마야 족(Maya族).
〔玛雅文明〕 Mǎyǎ wénmíng 명 《史》 마야(Maya) 문명. =〔马亚文明〕
〔玛祖卡〕 mǎzǔkǎ 명 《樂》 〈音〉 마주르카(mazurka). =〔玛组卡〕〔马兹卡〕〔马祖卡〕

码(碼)
mǎ (마)
①(～儿, ～子) 명 숫자. 수를 나타내는 기호. ¶号～; 번호 / 价～; 정찰(正札) / 电～; 전보(電報) 부호 / 明～儿售货; 정찰을 붙여 판매하다 / 阿拉伯数～; 아라비아 숫자 / 起～得十元; 최저 10 원은 든다 / 比他高一个～儿; 그 사람보다는 한 수 위이다. ②양 《度》 야드. 마. ③같은 종류의 물건이나 사항을 가리키는 말. ¶这是两～事; 이것은 별개의 것이다 / 你说的跟他说的是一～事; 네가 말하는 것과 그가 말하는 것은 같은 일이다. ④동 〈方〉 쌓아올리다. 포개어 쌓다. ¶把这些砖～齐了; 이들 벽돌을 반듯이 쌓아올리다. ⑤(～子) 명 수를 계산하는 도구. ¶砝～ =〔法～〕; 분동(分銅) / 筹～; 마작의 점수 계산에 쓰는 점봉(點棒). ⑥명 면사(綿絲)의 번수(番手). ¶四十～; 40번수.
〔码草〕 mǎcǎo 동 보리나 볏단을 쌓아올리다.
〔码尺〕 mǎchǐ 명 《度》 야드 단위로 된 자.
〔码单〕 mǎdān 명 순분(純分)·중량·수량 등에 관한 증명서. =〔批码①〕
〔码垛〕 mǎduò 동 엄폐물(掩蔽物)을 만들다. (보리 따위를 베어) 산처럼 쌓아올리다.
〔码号〕 mǎhào 명 숫자.
〔码碯〕 mǎnǎo 명 ⇨〔玛瑙〕
〔码齐〕 mǎqí 동 가지런히 쌓아올리다.
〔码钱〕 mǎqián 명 수를 세는 데 쓰는 동전(으로 돈을 세다). 동 도박에서, 돈을 쌓아 놓고 걸다.
〔码头〕 mǎtou 명 ①부두. 선창. ¶～费; 부두 사용료 / ～税; 부두세 / ～工人; 항만 노동자 / ～调diào儿; 부두의 노래 / ～交货; 부두 인도(引渡) / ～桥qiáo; 기슭에서 직각으로 수면에 내민 잔교(棧橋). =〔水码头〕〔船埠〕 ②〈方〉 교통편이 좋은 상업 도시. ¶大～; 대도회지 / 跑～; 도시로 돌아다니며 장사하다 / 撞～; 도회지로 놀러 가다 / 水陆～ =〔水旱～〕; 수륙 교통이 편리한 도시.
〔码字〕 mǎzì 명 ⇨〔码子①②〕
〔码子〕 mǎzi 명 ①숫자(數字). ¶洋～; 아라비아 숫자. =〔码字〕〔码儿〕 ②상업용으로 쑤저우(蘇州) 사람이 쓰던 숫자《〡〢〣〤〥〦〧〨〩〸》. =〔苏州码子〕〔码字〕 ③계수(計數)에 쓰이는 도구《분동(分銅) 따위》. ④거문고 줄 굄목. ⑤은행의 현금. ⑥쌓아올린 것. ¶麦～; 보릿단을 쌓아올린 더미 / 高粱～; 수수깡 가리. ⑦사람. 놈. ¶他堂客也是一个厉害～; 그의 아내 또한 지독한 인간이야. ⑧상연 작품. =〔戏xì码(儿)〕

钨(鎢)
mǎ (마)
명 《化》 '锝de'(테크네튬, Te: technetium)의 고칭(古稱).

蚂(螞) **mǎ** (마) ①→〔蚂蚁yǐ〕 ②→〔蚂蟥〕 ⇒mā mà

〔蚂蜂〕 mǎfēng 명《蟲》장수말벌. =〔马mǎ蜂〕
〔蚂蟥〕 mǎhuáng 명 ①《動》거머리(총칭). =〔水蛭〕 ②《動》말거머리. ‖=〔〈俗〉马鳖(子)〕〔〈俗〉马蛭〕〔马蟥〕
〔蚂蟥钉〕 mǎhuángdīng 명 거멀못. 경(冂) 모양의 못.
〔蚂蚁〕 mǎyǐ 명《蟲》개미. ¶飞～; 우의(羽蟻). 날개 돋친 개미 / 白～; ⓐ흰개미. ⓑ번들번들 놀고 먹는 사람 / ～盘窝; 개미의 행렬 / ～拉车, 拽不动; 〈歇〉 힘이 적음. 쓸모없음. =〔马蚁〕〔马蟥〕
〔蚂蚁搬泰山〕 mǎyǐ bān tàishān 〈諺〉 개미가 태산을 나르다(힘을 합치면 무슨일이고 할 수 있다).
〔蚂蚁啃骨头〕 mǎyǐ kěn gǔtou 개미가 뼈를 갉다. 〈比〉 작은 힘을 모아 큰 일을 완성시키는 일. ¶我们厂里有很多机器, 是用～的办法搞出来的; 이 공장의 많은 기계는, 작은 힘을 모으는 방법으로 만들어 낸 것입니다.

祃(禡) **mà** (마) 명〈文〉군대가 주둔지에서 지내는 제사(祭祀).

杩(榪) **mà** (마) →〔杩头〕

〔杩头〕 màtou 명 침대나 문의 가로나무.

骂(罵〈駡, 傌〉) **mà** (매) 동 ①욕하다. 욕설을 퍼붓다. 입길 사납게 험구하다. ¶挨～; 욕 먹다. 트집을 잡다 / 挨打受～; 얻어맞고 욕을 먹다 / 破口大～起来; 악을 쓰며〔심한 말로〕 야단치고 욕하기 시작하다 / 不要～人! 남을 욕하지 마라! ②〈方〉 꾸짖다. 나무라다. ¶他爹～他不长进; 그는 아버지로부터 진보(進步)가 없다고 야단을 맞았다.

〔骂不绝口〕 màbujuékǒu ⇒〔骂不住口〕
〔骂不住口〕 màbuzhùkǒu 계속 욕하다〔고함치다〕. =〔骂不绝口〕
〔骂大街〕 mà dàjiē ⇒〔骂街〕
〔骂挡子〕 mādǎngzi 명 욕 먹는 사람. 매도(罵倒) 당하는 사람. 욕가마리.
〔骂化〕 màhuà 동 ①저주를 담아서 욕지거리하다. ②계속하여 욕하다.
〔骂唧唧〕 màjījī 이것저것 투덜투덜 잔소리를 하다.
〔骂架〕 mà.jià 동 서로 욕을 퍼부으며 싸우다.
〔骂街〕 mà.jiē 동 〈北方〉 ①집 앞에서 고함치다. 여러 사람 앞에서 욕하다. ¶两口子打架, 男的最怕女的～; 부부 싸움에서는 남편은 마누라가 길거리에 뛰쳐나가서 고래고래 소리를 지르는 것이 제일 두렵다. ②공공연하게 나쁘게 말하다. 대중 앞에서 서로 욕하다. ‖=〔骂大街〕〔打街骂巷〕
〔骂绝〕 màjué 동 갖은 말을 다하며 욕하다.
〔骂咧子〕 màliézi 동 (뒤에서) 욕하다. 험담하다. ¶别在这儿～; 이런 데서 욕을 하는 것이 아니다. =〔拽zhuāi咧子〕
〔骂骂咧咧〕 màmaliēliē 형 〈北方〉 입정 사납게 욕하는 모양. 자꾸 욕설을 퍼붓는 모양. ¶心里不痛快, 整天价～的; 마음이 편치 못해 하루 종일 시끄럽게 잔소리를 지껄여 댄다.
〔骂名〕 màmíng 명 악평. 악명. 오명(汚名). ¶留下了千古的～; 후세까지의 악명을 남겼다.
〔骂人〕 mà.rén 동 남에게 욕하다. ¶～的不高, 挨骂的不低; 〈諺〉 남을 욕하는 자가 잘난 것도 아니고, 욕 먹는 자가 반드시 변변찮은 것도 아니다.
〔骂人别揭短〕 màrén bié jiēduǎn →〔打dǎ人别打脸〕
〔骂山门〕 mà shānmén 〈南方〉 큰 소리를 지르면서 남에게 들려 주다〔호소하다〕. ¶他们满胸郁闷, 不是发牢骚就是～; 그들은 불만이 가득해, 불평을 하지 않으면 큰 소리로 하소연한다.
〔骂世〕 màshì 동 ⇨〔骂事〕
〔骂事〕 màshì 동 욕설을 퍼붓다. =〔骂世〕
〔骂誓〕 màshì 동 (화가 나서 …하겠다고, …한다고) 욕하며 벼르다.
〔骂题〕 màtí 동 ①글의 내용과 제목이 일치하지 않다. ②행동과 말이 일치하지 않다. ③신분에 맞지 않는 일을 하다.
〔骂座〕 màzuò 동 좌중의 사람을 욕하다.

蚂(螞) **mà** (마) →〔蚂蚱〕 ⇒mā mǎ

〔蚂蚱〕 màzha 명《蟲》〈方〉 메뚜기. ¶打～; 메뚜기를 잡다 / ～腿; ⓐ메뚜기 다리. ⓑ〈俗〉 안경다리 / 一嘴子的～; 시골뜨기 / 秋后的～; 〈歇〉 가을이 지난 메뚜기(오래 가지 않음). =〔蝗虫〕〔〈方〉刮打扁儿〕→〔蝈蝈儿guōguor〕〔蛐蛐儿qūqur〕
〔蚂蚱鹰〕 màzhayīng 명《鳥》새호리기.

唛(嘜) **mà** (마) →〔唛头〕

〔唛头〕 màtóu 명 〈音〉 마크(mark).

吗(嗎〈么〉) **ma** (마) 조 ①의문 조사. …이냐. ¶你去～; 자네는 가(겠)는가 / 他是中国人～? 그는 중국인인가? / 你有什么事～? 무슨 용무가〔일이〕 있습니까? 注 의문 대명사와 함께 문장에 쓰일 때는 그 의문 대명사는 부정(不定)의 의미를 지님. ②반어(反語) 형식을 구성하고 긍정을 나타냄. ¶这不就成了～? 이것으로 이제 괜찮지 않은가? / 你说的象话～; 네가 하는 말은 말이 안 돼. ③정돈(停頓)의 어기(語氣)를 나타내며, 전후 관계를 확실히 함. ¶都好好地玩～! 别骂啦! 모두 잘 놀고 있지 않은가! 나무라서는 안 돼! / 他自己那么说～, 不会有假; 그 자신이 그렇게 말하는 것이니, 거짓일 리는 없다. =〔嘛ma〕〔嚜me〕 ④확실한 긍정을 나타냄. …이란다. …말이다. ¶是～! 그렇고말고! / 有～! 있고말고! / 我就不信～; 나는 믿지 않는다 / 你本来有错～! 네가 원래 틀렸어〔잘못한 거야〕. ⑤〈南方〉 …이 아닌가. ¶对～; 그렇지 않을까요. ⇒má mǎ, '么 me '幺 yāo

嘛〈么〉 **ma** (마) 조 ①도리로 보아 당연히 그래야 한다라는 어기(語氣)를 나타내는 조사. '…이 아니냐' 라고 제시하는 뜻을 지닐 때도 있음. ¶有意见就提～! 의견이 있거든 말해 보아라! ②〈方〉 의문문에서 다짐하는 어기(語氣)를 나타내는 조사. =〔呢ne〕 ③인정(認定)하려는 어기(語氣)를 나타냄. ¶何必受这个罪～? 그런 고생은 안 해도 될 텐데? =〔呢〕 ④동작·상태가 존속하고 그 시점에서 변화하지 않은 어기(語氣)를 나타냄. ¶我还病着～; 나는 아직 병중이란다. =〔呢〕 ⑤가벼운 승낙의 어기(語氣)를 나타냄. ¶那我们今晚就去一次～! 자, 그럼 오늘 밤에라도 우리가 한번 가 보기로 하자! =〔吧〕 ⑥반문·추측의 어기(語氣). ¶你知道~! 너 알고 있지! =〔吧〕 ⑦명령·청구의 어기(語氣). ¶有话快说~! 할 말이 있으면 빨리 해! =〔吧〕 注 모두가 기탄없는 어기(語氣)임. ⇒má, '么' me, '幺' yāo

MAI ㄇㄞ

埋 **mái** (매)
동 ①묻다. 묻히다. ¶掩yǎn~; 묻다. 묻히다 / ~地雷; 지뢰를 묻다. ②숨기다. ¶隐姓~名; 이름을 숨기다. ③장사지내다. ④잠기어 숨다. ¶他们则早已~在不知哪里的地下了; 그들은 벌써 어딘가 지하에 숨어 버렸다. ⇒mán

〔埋藏〕 máicáng 동 ①묻어 두다. 매장하다. 묻혀 있다. 〈轉〉 숨기어 감추다. ¶他是个真爽人, 从来不把自己想说的话, ~在心里; 그는 솔직한 사람이라 하고 싶은 말을 가슴 속에 묻어 두지 못한다. ②《漢醫》 매장하다. 넣어 두다. ¶~疗法 =〔埋植疗法〕; 매장〔매몰〕의 요법《양의 창자·약·링 따위를 묻어 두는 요법으로, '埋线疗法'·'埋药疗法'·'埋针疗法' 등이 있음》.

〔埋伏〕 máifu 명 매복. ¶中了~; 매복을 당하다 / 打~; 복병을 두다. 동 ①매복하다. ¶~兵马; 병마를 매복시켜 놓다 / ~着危机; 위기가 잠재하고 있다. ②잠복하다. ¶必有~; 필시 잠복해 있는 병력이 있을 것이다. ③숨겨 두다. ¶~水雷; 수뢰를 매설하다.

〔埋根〕 máigēn 동 미리 손을 써 두다. ¶事情是还早着呢, 这么说一声是先埋个根; 일은 아직 이르지만 이렇게 한 마디 말해두는 것은 미리 손을 써 두는 셈이다.

〔埋骨〕 máigǔ 동 뼈를 묻다. 〈轉〉 장례를 치르다.

〔埋蛊〕 máigǔ 동 증거를 날조하여 함정에 빠뜨리다.

〔埋锅造饭〕 máiguō zàofàn (야영(野營)에서) 땅에 구멍을 파고 냄비를 걸어 밥을 짓다.

〔埋敛〕 máiliǎn 명동 매장(하다).

〔埋名〕 mái.míng 동 이름을 숨기다. 세상을 피하다.

〔埋没〕 máimò 동 ①매몰하다〔되다〕. ②숨기어 밖으로 드러내지〔드러나지〕 않다. 재능을 발휘하지 못하게 하다. ¶~了多少人材; 많은 인재를 묻히게 하고 말았다.

〔埋蛇〕 mái shé 〈成〉 뱀을 묻어 버리다. 남을 위하여 후환이 없도록 힘쓰다《초(楚)나라의 손숙오(孫叔敖)가 어릴 적에, 머리 둘 달린 뱀을 보면 죽는다는 이야기를 듣고, 어느 날 이것을 발견하자 남이 보지 못하게 때려 죽였다는 고사》.

〔埋身陇亩〕 mái shēn lǒng mǔ 〈成〉 (공직에서 물러나서) 평민으로 돌아가다. =〔埋身垄亩〕

〔埋手〕 máishǒu 동 손을 대다. ¶教师生活很清苦, 然而仍成为枪匪~的对象; 교사의 생활은 매우 청빈하지만, 그래도 권총 강도가 노리는 대상이 되고 있다.

〔埋书〕 máishū 명 맹약(盟約)의 문서를 땅에 묻어 서로 맹세함.

〔埋汰〕 máitai 형 〈北方〉 ①더럽다. ¶看你那股~劲, 不许你进屋; 네 그 더러운 꼴은 뭐냐, 집안으로 들어오면 안 된다. ②면목이 없다. ③단정치 못하다. 동 비방하다. 욕하다. ‖=〔埋苔〕〔埋太〕〔埋态〕〔不干净〕

〔埋汰货〕 máitàihuò 명 추접스러운 놈. 더러운 자식. 낙오자. 출세 못 하는 사람. ¶真是没骨气的~; 정말 무기력한〔패기도 없는〕 더러운 놈이다.

〔埋头〕 mái.tóu 동 ①몰두하다. 전심 전력을 기울이다. ¶~苦干; 일에 몰두하다. 열심히 하다 / ~读书; 독서〔면학〕에 몰두하다 / 他肯~用功; 그는 공부에 몰두한다 / ~于自己的工作; 자기 일에 몰두하다. ②나사못 대가리를 박다. ¶~铆钉; 묻힘머리 리벳. 성크 리벳(sunk rivet)《머리가 주위의 물건과 같은 평면으로 되게 박은 리벳》. ‖=〔埋首shǒu〕

〔埋头埋脑〕 mái tóu mái nǎo 〈成〉 ①모르는 체하다. 상관하지 않다. ②일에 몰두하다. ③명해지다.

〔埋忧〕 máiyōu 동 〈文〉 시름〔울적함〕을 풀다.

〔埋幽〕 máiyōu 동 매장하다.

〔埋葬〕 máizàng 명동 매장(하다). ¶~帝国主义; 제국주의를 매장하다.

〔埋针疗法〕 máizhēn liáofǎ 명 《漢醫》 매침 요법《침구 요법의 하나. 일반적으로 특제의 침을 '经穴'에 일정 시간 묻어 둔 채로 두고 치료 효과를 높이는 방법》.

霾 **mái** (매)
명 큰바람이 모래·먼지를 몰아쳐 내리는 상태. 황사(黃沙) 현상. 연무(煙霧). ¶拨bō~见天; 흙먼지가 걷혀서 하늘이 보이다. =〔霾晦〕〔阴霾〕〔阴霾暗淡〕

买(買) **mǎi** (매)
①동 사다. ¶~戏票; 연극 입장권을 사다 / 我~了一本书; 나는 책을 한 권 샀다. ②동 매수하다. ③동 (부당하게) 구(求)하다. ④동 자초(自招)하다. ⑤동 고용하다. 세내다. ¶~车而返; 차를 세내어 (타고) 돌아오다〔가다〕. ⑥명 성(姓)의 하나.

〔买办〕 mǎibàn 명 ①매판. 외인 상사에서 일하는 중국인 지배인. 외상(外商)의 앞잡이. 매국노. ¶~资本; 매판 자본. =〔〈音〉刚白渡〕〔〈音〉康白度〕 ②물품 구입 담당(자).

〔买办(资产)阶级〕 mǎibàn (zīchǎn) jiējí 명 매판 자본가 계급.

〔买不到〕 mǎibudào 살 수 없다. 손에 넣을 수 없다. ¶这个价钱你到哪儿去都~; 그 값으로는 어디에 가서도 못 산다. =〔买不着〕↔〔买得到〕

〔买不得〕 mǎibude 살 수 없다. 사서는 안 된다.

〔买不来〕 mǎibulái ⇨〔买不了①〕

〔买不了〕 mǎibuliǎo ①몽땅 살 수 없다. ¶这个价钱~; 이 값으로는 살 수 없다. =〔买不来〕 ②(돈이 없어서) 살 수 없다. ¶我这穷教书的~; 나 같은 가난한 교사로서는 살 수 없다. =〔买不起〕 ‖↔〔买得了〕

〔买不起〕 mǎibuqǐ (돈이 없거나 너무 비싸서) 못 사다. ¶一尺几千元的戒指我~; 한 개에 몇천 원씩 하는 반지를 나는 살 수 없다. =〔买不了②〕

〔买不上〕 mǎibushàng (살 사람이 많아서) 살 수 없다. ¶要买的人太多, ~; 사려는 사람이 많아서 살 수 없다. ↔〔买得上〕

〔买不下〕 mǎibuxià (값이 달라) 못 사다. ¶这个价钱~; 이 값으로는 살 수 없다.

〔买不着〕 mǎibuzháo (사려고 해도 없어서) 살 수 없다. ¶荔枝在韩国~吗? 한국에서는 여지를 살 수 없나요? ↔〔买得着〕

〔买菜求添〕 mǎi cài qiú tiān 〈成〉 ⇨〔买菜求益〕

〔买菜求益〕 mǎi cài qiú yì 〈成〉 많고 적음을 따지다. =〔买菜求添〕
〔买春〕 mǎichūn 동 〈文〉 술을 사다. 명 봄 소풍.
〔买蹿儿卖蹿儿〕 mǎicuānr màicuānr 〈俗〉 싸게 사서 비싸게 팔다. ¶他没有正当职业, 就指着～赚俩钱儿; 그는 어엿한 직업은 없고, 물건을 싸게 사서는 비싸게 파는 것으로 겨우 얼마간을 벌고 있다.
〔买打眼〕 mǎidǎ·yǎn 동 (물건을 잘못 보아) 잘못 사다. ¶买打了眼了; 잘못 샀다.
〔买到〕 mǎidào 동 사서 입수(入手)하다. ¶人们可以在这里～各式各样的玩具; 사람들은 이 곳에서 각종 장난감을 살 수 있다.
〔买得到〕 mǎidedào →〔买不到〕
〔买得过儿〕 mǎideguòr ①사기에 적당하다. ¶这件衣裳, 我～; 이 옷은 내가 살 만하다. ②살 값어치가 없다.
〔买得了〕 mǎideliǎo →〔买不了〕
〔买得起〕 mǎideqǐ (값이 적당하여 돈이 있어서) 살 수 있다.
〔买得上〕 mǎideshàng →〔买不上〕
〔买得着〕 mǎidezháo →〔买不着〕
〔买掉里头〕 mǎidiào lǐtóu (속아서) 잘못 사다. ¶这个东西你～了; 이 물건은 네가 잘못 샀다.
〔买定〕 mǎidìng 동 ①사기로 결정하다. ¶这东西我～了; 이 물건은 내가 사기로 정했다. ②사서 갖추다.
〔买动〕 mǎidòng 동 매수(買收)하다.
〔买椟还珠〕 mǎi dú huán zhū 〈成〉 구슬 상자를 사고 주옥을 되돌려 주다. 안목이 없어 취사(取捨)가 적절치 않음《사물의 진가를 모름》.
〔买方〕 mǎifāng 명 매주(買主). 사는 사람. ¶～关机交货价; 《商》 보세 창고 인도 가격 / ～当地交货价; 현장 인도 가격 / ～码头交货价; 《商》 부두 인도 가격.
〔买服〕 mǎifú 동 매수하다. 인심을 수람(收攬)하다. ¶他已经～下属的心了; 그는 벌써 부하들의 환심을 사고 있다〔부하들을 손아귀에 쥐고 있다〕.
〔买骨〕 mǎi gǔ 〈成〉 좋은 말의 뼈를 사 버리다《인재를 간절히 구함을 이름》.
〔买关节〕 mǎi guānjié 매수하다. 뇌물을 주다. (금품으로) 연줄을 맺다.
〔买官〕 mǎiguān 동 매관하다《옛날, 돈으로 관직을 샀던 일》.
〔买贵〕 mǎiguì 동 비싸게 사다. 비싼 값으로 사다.
〔买贵的〕 mǎi guìde 〈俗〉 ①수지가 맞지 않는 일을 하다. ②대들다. 강한 자에 반항하다. ③사서 고생하다.
〔买好(儿)〕 mǎi·hǎo(r) 동 비위를 맞추다. 사람의 환심을 사다. ¶向人～; 아부하다. 비위를 맞추다 / 他会买人的好儿; 그는 남의 비위를 잘 맞춘다 / 为要买太太的好, 买些礼物回去; 마님의 비위를 맞추기 위해 약간의 선물을 사 가지고 돌아갔다. =〔讨好〕
〔买户〕 mǎihù 명 ⇨〔买主(儿)〕
〔买回〕 mǎihuí 동 되사다.
〔买贿〕 mǎihuì 동 뇌물을 쓰다〔써서 매수하다〕.
〔买货〕 mǎihuò 동 상품을 사다.
〔买货单〕 mǎihuòdān 명 발주서(發注書). 주문서(注文書).
〔买祸〕 mǎi·huò 동 재앙을 부르다. 화를 불러들이다.
〔买家〕 mǎijiā 명 ⇨〔买主(儿)〕
〔买价(儿)〕 mǎijià(r) 명 산 값. 매입 가격.
〔买贱〕 mǎijiàn 동 싸게 사다. 싼 값에 사다.
〔买金的遇见卖金的〕 mǎi jīn de yùjiàn mài jīn de 〈諺〉 금 사는 사람이 금 파는 사람을 만난다. 살 사람과 팔 사람이 잘 만남.
〔买进〕 mǎijìn 동 사들이다. 매입(買入)하다. ¶投tóu机～; 시세가 오를 것을 예상하고 사다. =〔买入〕
〔买客〕 mǎikè 명 ⇨〔买主(儿)〕
〔买空〕 mǎikōng 동 (거래소 등에서) 공매(空買)하다. ¶～卖空; ⓐ(거래소 등에서) 공거래(空去來)하다. ⓑ정치상 기만적인 투기 활동을 하다.
〔买空仓〕 mǎi kōngcāng ⇨〔放fàng青苗〕
〔买空卖空〕 mǎi kōng mài kōng 〈成〉 ①공매매〔투기 거래〕를 하다. 등귀를〔하락을〕 예상하고 투기를 하다. ②〈比〉 정치상의 사기성이 있는 흥정. ‖ =〔空买空卖〕〔卖空买空〕〔空kòng盘①〕
〔买乐儿〕 mǎi·lèr 동 돈을 쓰며 즐기다. 즐거움을 찾다. =〔拿钱买乐儿〕
〔买理卖理不说理〕 mǎilǐ màilǐ bùshuōlǐ 터무니없는 억지를 부리다. 〈轉〉 남에게 대해서는 엄격하고 자기 자신에 대해서는 관대하다.
〔买脸〕 mǎi·liǎn 동 ①돈으로 평판을 얻으려 하다. ¶耗hào财～; 돈을 써서 명예를 얻으려 하다. ②명예를 얻으려 하다.
〔买脸面〕 mǎi liǎnmiàn 동 면목을 세우다. ¶在应当～的时候, 他会狠心的拿出钱来; 체면을 차려야 할 때면 그는 선뜻 돈을 내기도 한다.
〔买邻〕 mǎilín 동 이웃을 알아본 다음 주거를 정하다.
〔买路财〕 mǎilùcái 명 ⇨〔买路钱①〕
〔买路钱〕 mǎilùqián 명 ①(강도(強盜)가) 통행인한테서 빼앗는 금전《일종의 통행세》. =〔买路财〕 ②장의(葬儀) 행렬이 도중에서 뿌리는 종이돈.
〔买马看母〕 mǎimǎ kànmǔ 〈諺〉 말을 살 때에는 어미말을 본다《자식을 알려면 부모를 본다》.
〔买卖〕 mǎimài 동 사고 팔다. 매매하다. ¶～人口; 인신을 매매하다 / ～证书; 매매 계약서.
〔买卖〕 mǎimai 명 ①장사. ¶～人; 상인 / ～铺儿; 점포. 상가(商家) / 做～; 장사를 하다 / 甜～; 수지맞는 장사 / 没本钱的～; 도둑질 / ～道儿; 장사판 / 人了～道儿 =〔人了～地儿〕; 장삿길로 들어섰다 / 一注～上门; 한 건의 주문이 오다 / ～地儿出身; 장사꾼 출신 / ～场中; 장사꾼 동료(사이에서). 업계(에서) / ～客人; 행상인. 도붓장수 / ～官; 옛날의 악덕 관리 / ～不成仁义在; 〈諺〉 매매는 성립이 안 되어도 인의는 저버리지 않는다 / ～成局; 매매가 성립되다 / ～争毫厘; 장사는 한 푼을 다툰다 / ～好做, 伙计难搭; 〈諺〉 장사는 어렵지 않지만, 점원 다루기가 어렵다. ②상업. 기업(企業).
〔买卖地儿〕 mǎimaidìr 명 ①가게. ②장사꾼. ¶～最好是言不二价; 장사꾼은 에누리를 하지 않는 것이 제일 좋다.
〔买卖婚姻〕 mǎimai hūnyīn 명 매매 결혼. ¶把婚女当成商品, 追求金钱物质, 搞～; 결혼한 여자를 상품으로 돈이나 물품을 요구하고 매매 결혼을 하다.
〔买名〕 mǎimíng 동 명예를 사다. 유명해지려고 하다. =〔买誉〕
〔买盘〕 mǎipán 명 《商》 매가. 사는 값. 산 값.
〔买便宜〕 mǎi piányi 남을 이용해서 이득을 얻다. 득(得)을 보려 하다. 이(利)를 얻으려 하다.
〔买破烂儿的〕 mǎipòlànrde 명 ⇨〔打dǎ(小)鼓儿的〕

〔买起〕 mǎiqǐ 동 ⇨〔买搧〕
〔买前脸儿〕 mǎi qiánliǎnr 사전에 매수하여〔뇌물을 써서〕 부탁하다.
〔买青卖青〕 mǎiqīng màiqīng 입도선매(하다).
〔买青苗〕 mǎi qīngmiáo 옛날, 입도 선매하다.
〔买人〕 mǎirén 동 ①몸값을 치르고 사람을 빼내다. 인질을 인수하다. ¶花钱～; 돈을 써서 사람을 빼내다. ②첩을 사다.
〔买入〕 mǎirù 동 ⇨〔买进〕
〔买三卖二〕 mǎi sān mài'èr 산 쪽은 값의 3/100, 판 쪽은 2/100를 지불함《매매 중개인에 대한 사례에 관한 말》.
〔买山〕 mǎishān 동 〈文〉 은둔하다. 시골에 틀어박히다.
〔买搧〕 mǎishān 동 시세를 올리기 위해 마구 사다. 매점(買占)하다. =〔买起〕
〔买上当〕 mǎi shàngdàng 비싸게 사다. 바가지 쓰다. ¶你不识货, 别～了! 넌 물건을 볼 줄 모르니, 바가지 쓰지 않도록 해라!
〔买上告下〕 mǎi shàng gào xià 〈成〉 윗사람에게나 아랫사람한테나 뇌물을 쓰고 청탁하다.
〔买树梢〕 mǎi shùshāo 명 옛날, 쑤이위안(綏遠) 지방에서, 해마다 7, 8월에 가을 수확의 매입 예약을 하고 대금을 치르는 일.
〔买死(儿)卖死(儿)〕 mǎisǐ(r) màisǐ(r) 〈文〉 옛날, 인신 매매를 할 때, 죽이든 살리든 맘대로라는 조건.
〔买通〕 mǎitōng 동 뇌물 따위로 매수하다. ¶买(通)关节; 매수하여 은밀히 뜻을 통해 두다.
〔买妥〕 mǎituǒ 동 사는 수속이 끝나 거래가 이루어지다.
〔买下〕 mǎixià 동 매입하다. 사 두다. ¶你先把东西～; 너는 우선 그 물건을 사 둬라.
〔买笑〕 mǎixiào 동 여자를 사다.
〔买一送一〕 mǎi yī sòng yī 하나 사면 하나를 더 드림《광고문》.
〔买誉〕 mǎiyù 동 ⇨〔买名〕
〔买冤〕 mǎiyuān 동 사서 손해를 보다. 나쁜 물건을 사다. 바가지 쓰다.
〔买账〕 mǎi·zhàng 동 (상대방을) 인정하다. 평가하다. 상대에게 은혜를 입히다. (상대를 인정하여) 경복(敬服) 또는 복종하다. ¶我不买你的账; 나는 너를 높이 평가하지 않는다 / 架子很大, 群众就会不买你的账也不跟你讲心里话; 잘난 체하고 있으면, 대중은 심복하지도 않을 것이고 마음을 털어놓고 이야기하지도 않을 것이다 / 先打个电话看他～不～再说; 우선 전화를 걸어서 그가 체면을 세워 줄지 여부를 알아보고 난 다음에 다시 이야기하자.
〔买着〕 mǎizháo 동 (물건이 있었기 때문에) 사서 손에 넣다.
〔买棹〕 mǎizhào 동 ⇨〔买舟〕
〔买着是钱, 卖着不是钱〕 mǎizhe shì qián, màizhe bùshì qián 〈諺〉 살 때는 비싼 값을 치르지만, 팔려고 들면 좀처럼 제 값을 못 받는다《장사가 안 됨》.
〔买舟〕 mǎizhōu 동 〈文〉 배를 세내다. =〔买棹〕
〔买主(儿)〕 mǎizhǔ(r) 명 매주. ¶～市场; 매주 시장. 매입 시세 / ～资力的保证; 매주의 지불 능력에 대한 보증. =〔买家〕〔买户〕〔买客〕 ↔〔卖主(儿)〕
〔买嘱〕 mǎizhǔ 동 매수하여〔뇌물을 써서〕 부탁하다.
〔买嘴吃〕 mǎizuǐchī 동 〈俗〉 매식(買食)을 하다. 군것질하다. =〔买零líng食吃〕
〔买醉〕 mǎizuì 동 ①술을 사서 마시다. ②술에 취하기를 원하다.

荬(蕒) mǎi (매)
①→〔苦kǔ荬菜〕 ②→〔苣qǔ荬菜〕

劢(勱) mài (매)
①동 힘쓰다. ②인명용 자(字).

迈(邁) mài (매)
①동 발을 내딛다. 걸어서 나아가다. 가랑이를 벌려 넘다. ¶～步bù(儿); ⇩ / ～过去; 가랑이를 벌리고 넘어가다 / 一～出门就把人忘了; 한 발자국 문을 나서기만 하면 곧 남을 잊어버린다. ②동 강행하다. ③동 먼 곳으로 가다. ④동 각지를 두루 돌다. ⑤동 앞지르다. 능가하다. 추월하다. ¶～不过理; 도리는 거스르지 못한다. ⑥형 노쇠(老衰)해지다. =〔老迈〕〔年迈〕 ⑦동 세월이 지나다. ⑧명 《度》 〈音〉 마일(mile). =〔英yīng里〕
〔迈步(儿)〕 mài·bù(r) 동 걸음을 내딛다. 전진하다. ¶迈方步(儿); 침착한 걸음걸이로 천천히 걷다《흔히, 점잔 빼는 걸음걸이》 / 迈大步走; 활보하다 / 迈不开步(儿); (발이 말을 안 들어) 걷지 못하다. =〔迈腿(儿)〕
〔迈尔〕 mài'ěr 명 마일(mile). =〔埋尔〕〔迈路〕〔英里〕
〔迈方步放四棱屁〕 mài fāngbù fàng sìléngpì 〈比〉 형식에 얽매여 잔소리를 하다. 실속 없는 형식만 차리다.
〔迈格表〕 màigébiǎo 명 ⇨〔高gāo阻表〕
〔迈过〕 màiguò 동 ①가랑이를 벌리고 넘다. ¶一大步～沟儿去; 가랑이를 크게 벌리고 도랑을 넘었다. ②넘다. 앞지르다. ¶你的成绩～他去了; 네 성적은 그를 앞질렀다.
〔迈迹〕 màijì 동 ⇨〔发fā迹〕
〔迈进〕 màijìn 동 매진하다. 돌진하다. ¶～一大步; 매진하다. =〔迈往〕
〔迈开〕 màikāi 동 (발을) 내디디다. ¶～脚步; 걷다. 발걸음을 내디디다 / 迈不开步(儿); (발이 말을 안 들어) 걷지 못하다 / ～大步走 =〔迈大步〕; 성큼성큼 큰 걸음으로 걷다.
〔迈门子儿〕 màiménzǐr 명 결혼 초야에 임신하여 낳은 아이.
〔迈腿儿〕 mài·tuǐr 동 발을 높이 쳐들고 성큼성큼 걷다.
〔迈往〕 màiwǎng 동 ⇨〔迈进〕
〔迈众超群〕 mài zhòng chāo qún 〈成〉 여럿 속에서 훨씬 뛰어나다. 발군(拔群)하다.

麦(麥) mài (맥)
명 ①(～子) 《植》 보리. ¶大～; 보리 / 裸luǒ～; 쌀보리 / 小～; 밀 / 燕～; 귀리. ②《植》 밀. =〔麦子〕 ③성(姓)의 하나.
〔麦堡半球〕 Màibǎo bànqiú 명 《物》 〈音〉 마그데부르크(Magdeburg)의 반구.
〔麦饼〕 màibǐng 명 밀떡《밀가루를 반죽하여, 적당한 크기로 동글납작하게 밀어 불에 구운 식품》.
〔麦茬(儿)〕 màichá(r) 명 《農》 ①보리를 벤 그루터기. ②보리의 그루갈이. ¶～地; 보리의 그루갈이를 하는 밭 / ～白薯; 보리의 그루갈이로 심은 고구마《갸름하고 닮》. ‖ =〔麦碴儿〕〔麦楂儿〕
〔麦楂儿〕 màichár 명 ⇨〔麦茬儿〕
〔麦碴儿〕 màichár 명 ⇨〔麦茬儿〕

〔麦柴〕 màichái 명 (땔감으로서의) 보릿짚.
〔麦当劳〕 Màidāngláo 명〈音〉 맥도날드.
〔麦灯〕 màidēng 명 ⇨〔麦子灯〕
〔麦地〕 màidì 명 보리밭.
〔麦地那〕 Màidìnà 명《地》〈音〉 메디나(Medina)《사우디아라비아의 도시. 마호메트의 무덤이 있어 성지(聖地)로 침》.
〔麦冬〕 màidōng 명《植》 맥문동. =〔麦门冬〕
〔麦囤〕 màidùn 명 보리〔밀〕 통가리.
〔麦垛〕 màiduò 명 보릿짚〔밀짚〕가리. ¶码mǎ成～; 보릿짚〔밀짚〕가리를 쌓다. =〔麦码子〕
〔麦蛾〕 mài'é 명《蟲》 곡식나방.
〔麦尔登呢〕 mài'ěrdēngní 명《紡》 멜톤(melton)《양복감》.
〔麦粉〕 màifěn 명 밀〔보릿〕가루.
〔麦麸(子)〕 màifū(zi) 명 밀기울. =〔麦皮〕〔麦余子yúzi〕〔麦鱼子〕
〔麦秆〕 màigǎn 명 밀대. 보릿대. ¶～虫;《動》 밀짚털날개갯지네.
〔麦管儿〕 màiguǎnr 명 빨대. 스트로. ¶用～抽汽水; 빨대로 사이다를 마시다.
〔麦黄雀〕 màihuángquè 명《鳥》〈方〉 검은머리노랑멧새.
〔麦黄色〕 màihuángsè 명 밀·보리의 누른빛.
〔麦加〕 Màijiā 명 ①《地》 메카(Mecca)《사우디아라비아 서부의 도시. 옛날에 헤자즈(Hejaz) 왕국의 서울로, 마호메트의 탄생지로서 이슬람교의 성지》. ②(màijiā)〈比〉 동경(憧憬)의 대상〔목표〕.
〔麦角〕 màijiǎo 명《化》 맥각《맥각균의 균사(菌絲)를 말린 것》. ¶～毒素; 에르고 독신(ergodoxine) / ～甾醇; 에르고스테롤(ergosterol).
〔麦角酸二乙基酰胺〕 màijiǎosuān èryǐjīxiān'àn 명《藥》 엘에스디(LSD). 마약의 일종.
〔麦秸〕 màijiē 명 밀짚. 보릿짚.
〔麦金塔〕 Màijīntǎ 명《電》〈音〉 매킨토시(Macintosh)《개인용 컴퓨터의 상품명》.
〔麦精〕 màijīng 명 맥아 엑스.
〔麦精糖〕 màijīngtáng 명 맥아당.
〔麦酒〕 màijiǔ 명 ⇨〔啤pí酒〕
〔麦糠〕 màikāng 명 ⇨〔麦麸fū(子)〕
〔麦克阿瑟〕 Màikè'āsè 명《人》 맥아더(Douglas MacArthur)《미국 육군 원수, 1880～1964》.
〔麦克风〕 màikèfēng 명〈音〉 마이크로폰(microphone). =〔话筒〕〔传声器〕〔扩音器〕〔微wēi音器〕〔麦克〕
〔麦克斯韦〕 màikèsīwéi 명《電》 맥스웰(maxwell)《자속(磁束)의 CGS 전자 단위(電磁單位). 기호는 MX》.
〔麦口(儿)〕 màikǒu(r) 명〈方〉 보리가 여무는 시기. 맥추(麥秋).
〔麦浪〕 màilàng 명 맥랑. 보리 이삭의 물결.
〔麦粒〕 màilì 명 보리의 낟알. ¶～肿;《醫》 다래끼.
〔麦粒子〕 màilìzi 명《植》 보리수나무. =〔牛奶子〕
〔麦垄(儿)〕 màilǒng(r) 명 보리밭 이랑. =〔麦陇〕
〔麦码子〕 màimǎzi 명 (보릿짚〔밀짚〕의) 가리. =〔麦垛〕
〔麦芒(儿)〕 màimáng(r) 명 보리·밀 이삭의 까끄라기.
〔麦(门)冬〕 mài(mén)dōng 명《植》 ①소엽맥문동《보폐(補肺) 건위약으로 씀》. =〔爱韭àijiǔ〕〔不bù死草〕〔忍rěn冬②〕〔忍凌〕〔书shū带草〕〔乌wū韭②〕〔小xiǎo叶麦门冬〕〔沿yán阶草〕〔羊yáng韭〕〔禹yǔ韭〕 ②맥문동《뿌리를 대엽맥문동(大葉麥門冬)이라 하며 최유약(催乳藥) 등으로 씀》. =〔阔kuò叶麦冬〕
〔麦面(子)〕 màimiàn(zi) 명 밀〔보릿〕가루《'面'은 '粉fěn' 보다 고운 가루를 이름》.
〔麦苗〕 màimiáo 명 밀〔보리〕의 모종.
〔麦奴〕 màinú 명《農》 보리의 흑수병(黑穗病). 보리깜부기.
〔麦皮〕 màipí 명 ⇨〔麦麸fū(子)〕
〔麦片(儿)〕 màipiàn(r) 명 정백(精白)한 귀리. 압맥(壓麥). ¶～粥; 오트밀.
〔麦铺〕 màipū 명 (베어서 말리기 위해) 밭에 널려 있는 보릿단.
〔麦淇琳〕 màiqílín 명 마가린(margarin). =〔人造黄油〕〔代黄油〕
〔麦秋〕 màiqiū 명 맥추. 보리 수확기.
〔麦曲〕 màiqū 명 누룩.
〔麦如蓝儿〕 màirúlánr 명《鳥》 홍뚱새.
〔麦乳〕 màirǔ 명 몰트(malt)가 들어 있는 밀크.
〔麦乳精〕 màirǔjīng 명 맥아유(麥芽乳) 농축액.
〔麦收〕 màishōu 동 밀〔보리〕 타작. 보리를〔밀을〕 베다.
〔麦斯林纱〕 màisīlínshā 명 ⇨〔稀xī洋纱〕
〔麦穗〕 màisuì 명《魚》 보리멸.
〔麦穗(儿, 子)〕 màisuì(r,zi) 명 ①보리〔밀〕 이삭. ②양털의 더부룩하고 긴 것의 별칭.
〔麦莛(儿)〕 màitíng(r) 명 ⇨〔麦梃(儿)〕
〔麦梃(儿)〕 màitǐng(r) 명 밀〔보릿〕대. ¶～辫biàn子 =〔草帽辫〕; 밀〔보릿〕대로 엮은 끈. =〔麦莛(儿)〕
〔麦头子〕 màitóuzi 명〈俗〉 보리〔밀〕 이삭.
〔麦脱直斯特〕 Màituōzhísītè 명《宗》 메소디스트(Methodist). =〔美以美会教徒〕〔卫理公会教徒〕
〔麦芒(儿)〕 màiwáng(r) 명 보리 이삭의 까끄라기. =〔麦毛〕〔〈方〉 麦鱼子〕 注 màimáng(r)로 발음하지 않음.
〔麦仙翁〕 màixiānwēng 명《植》 선옹초.
〔麦歇〕 màixiē 명〈音〉 무슈(프 monsieur). =〔先生〕
〔麦屑〕 màixiè 명 밀·보리의 싸라기.
〔麦信风〕 màixìnfēng 명〈文〉 음력 5월의 동북풍.
〔麦秀三月雨〕 màixiù sānyuèyǔ〈諺〉 3월에 비가 오면 보리는 풍작이다.
〔麦秀之叹〕 mài xiù zhī tàn〈成〉 맥수지탄《나라의 황폐를 한탄하는 일》.
〔麦蕈〕 màixùn 명 ⇨〔松sōng露〕
〔麦鸦〕 màiyā 명《鳥》 갈가마귀.
〔麦芽〕 màiyá 명 맥아. 엿기름. =〔大麦芽〕
〔麦芽灯〕 màiyádēng 명 ⇨〔麦子灯〕
〔麦芽糖〕 màiyátáng 명 맥아당. ¶～酶;《化》 말타아제(maltase).
〔麦蚜〕 màiyá 명《蟲》 보리진딧물. =〔麦蚜虫〕
〔麦叶蜂〕 màiyèfēng 명《蟲》 애등빨간잎벌.
〔麦叶蟎〕 màiyèmǎn 명《蟲》 (흔히 밀〔보리〕에 붙는) 진드기《학명》. =〔麦蜘蛛〕〔〈方〉 红hóng蜘蛛②〕
〔麦颖〕 màiyǐng 명 보리 이삭의 까끄라기.
〔麦余子〕 màiyúzi 명 ⇨〔麦麸(子)〕
〔麦蜘蛛〕 màizhīzhū 명《蟲》 보리를 해치는 거미〔진드기〕의 일종. =〔麦叶蟎〕〔〈方〉 红蜘蛛〕〔〈方〉 火龙〕
〔麦粥〕 màizhōu 명 ①보리죽. ②오트밀.
〔麦子〕 màizi 명《植》 ①밀. 보리. ¶～地(里) =〔～地儿〕; 밀밭. 보리밭. ②밀의 통칭.
〔麦子灯〕 màizidēng 명 옛날, 음력 정월 대보름의

'元宵节' 날에, 북방의 추운 지방의 민간에서 만든 등의 일종(솜이나 그 밖의 것으로 사람이나 물고기·용 등의 모양으로 만든 등롱에, 물에 불린 밀〔보리〕알을 전면에 박은 것을 따뜻한 곳에서 발아시켰다가, 그것을 옥외의 찬 기운으로 얼린 것). =〔麦芽灯〕〔麦灯〕
〔麦租〕 màizū 명 옛날, 보리로 납부하는 소작료.
卖(賣) mài (매) ① 동 팔다. ¶ ~完了 =〔~光了〕; 다 팔렸다 / 贱jiàn ~; 염가 판매(하다) / 甩shuǎi~; 옛날, 투매(投賣)(하다) / 赊shē~; 외상 매출(하다). ② 동 남을 함정에 빠뜨리고 자기가 덕 보다. 배반하다. ¶ ~友求荣; 〈成〉 자신의 출세를 위해서 친구를 팔다. ③ 동 남에게 자랑하다. 자화자찬하다. ④ 동 힘을 다하다. ¶ ~劲(儿); 힘쓰다. 힘껏 일하다. ⑤ 동 의도적으로〔일부러〕 하다. ⑥ 동 돈을 받고 대신 희생이 되다. ⑦ 동 술이나 차를 따라 주다. ⑧ 양 식당·요릿집에서 …인분(人分)의 뜻으로 쓰는 말. 한 접시. ¶ 一~; 요리 한 접시 / 他那份足有别家的三~菜; 그의 저 1인분은 다른 집의 3인분은 넉넉히 된다.
〔卖报的〕 màibàode 명 신문팔이.
〔卖本事〕 mài běnshi ①솜씨를 자랑하다. ②수완을 부려 돈을 벌다. 재주를 팔다.
〔卖脖子力气〕 mài bózi lìqi 등짐 장사를 하다. 등짐 장사를 해서 생활하다.
〔卖卜〕 mài.bǔ 동 점을 봐 주고 생계를 유지하다.
〔卖不出去〕 màibuchū.qù (판로·수요가 없어서) 팔리지 않다. ↔〔卖得出去〕
〔卖不动〕 màibudòng (공급 과다로) 팔리지 않다. (거래상의) 화물 이동이 없다. ↔〔卖得动〕
〔卖不了〕 màibuliǎo ①많아서 팔 수 없다. ②매상이 (어떤 액수에) 이르지 않다. ③(어떤 액수 이상으로는) 팔릴 전망이 없다. ‖ ↔〔卖得了〕
〔卖不上〕 màibushàng (매상 목표액까지) 팔리지 않다. 팔아도 어떤 액수까지 이르지 않다. ¶ 这种货~那么些钱; 이런 종류의 물건은 그렇게 비싸게 팔 수 없다. ↔〔卖得上〕
〔卖不着〕 màibuzháo (값이 싸서 이득이 없으므로) 팔 수 없다. ↔〔卖得着〕
〔卖才〕 màicái 동 재능을 뽐내다.
〔卖菜的〕 màicàide 명 채소 장수.
〔卖唱〕 mài.chàng 동 거리나 공공장소에서 노래를 불러 돈을 벌다.
〔卖唱(儿)的〕 màichàng(r)de 명 길거리에서 노래를 불러 생계를 유지하는 사람.
〔卖痴〕 màichī 동 (하는 일 없이) 물끄러미 바라보다.
〔卖出〕 màichū 동 매출하다. 팔아 버리다.
〔卖撺儿〕 màicuānr 동 (손해 보지 않도록) 서둘러 팔다.
〔卖打〕 màidǎ 동 (돈을 벌기 위해) 매맞기를 자청하여 나서다. (어떤 이유로) 자진해서 얻어맞다.
〔卖大炕的〕 màidàkàngde 명 〈北方〉 하등의 창녀.
〔卖呆(儿)〕 màidāi(r) 동 〈方〉 ①(문 앞에 서서) 멍하니 바라보다. (멍청하게) 구경하다(흔히 여성이). ¶ 他一点正经事不干, 天天吃饱了就在门口儿~; 그는 정상적인 일은 조금도 하지 않고, 매일 배불리 먹고 문간에 나와서 수다나 떨고 있다 / ~的人都笑着, 喝采, 拍手; 구경꾼들은 모두 웃고, 갈채하며 박수를 쳤다. ②멍하니 있다. ‖ =〔发愣②〕
〔卖单〕 màidān 명 옛날, 선하 증권을 은행에 파는 일. =〔出chū口汇〕
〔卖刀买犊〕 mài dāo mǎi dú 〈成〉 ⇨〔卖剑买牛〕
〔卖得〕 màidé 동 팔아서 손에 넣다. ¶ 他拿这个东西~了八块钱; 그는 이 물건을 팔아서 8원을 손에 쥐었다.
〔卖底〕 mài.dǐ 동 〈方〉 비밀을 팔다. 고의로 속사정을 알리다. 누설하다. ¶ ~的; 배신자 / 这必是有人~的; 이것은 필시 누군가가 비밀을 누설한 것이다.
〔卖地契〕 màidìqì 명 《法》 옛날, 토지 매도 증서.
〔卖掉〕 màidiào 동 팔아 버리다. 팔아서 없어지다. 팔고 도망치다. ¶ 有些女工把纪念性的首饰~, 捐给大会堂做建筑费; 어떤 여공은 기념품인 머리 장식품을 팔아서 대회당 건축비로 기부하였다.
〔卖冻儿〕 màidòngr 동 ①얇은 옷을 입고 동정심을 사다〔관심을 끌다〕. ¶ 那个~的老花子一天要不少钱呢; 얇은 옷을 입고 떨면서 동정심을 사고 있는 저 거지는 하루에 적잖은 돈을 번단다. ②멋으로 얇은 옷을 입고 있다. ¶ 别竟图好看就~, 回头着了凉不是玩的; 보기 좋은 것만 생각하고 멋으로 얇은 옷을 입고 떨지 마라. 그러다가 감기들면 큰일이다.
〔卖短〕 màiduǎn 동 《商》 〈北方〉 (팔려서) 품절이 되다.
〔卖恶〕 mài'è 동 못된 일을 남에게 덮어씌우다.
〔卖恩〕 mài'ēn 동 은혜를 입히다. 생색내다.
〔卖方〕 màifāng 명 《商》 매주(賣主).
〔卖房契〕 màifángqì 명 옛날의, 가옥 매매 계약서.
〔卖放〕 màifàng 동 뇌물을 받고 범인을 석방하다.
〔卖风流〕 mài fēngliú 동 ⇨〔卖俏①〕
〔卖富〕 màifù 동 돈 있는 체하다.
〔卖膏药〕 mài gāoyào ①허위 선전을 하다. 자화자찬을 늘어놓다. ②고약을 팔다.
〔卖胳臂〕 mài gēbei ①(남에게 고용되어) 노동을 하다. ¶ 我就凭~挣饭吃; 난 다만 힘든 노동일로 벌어 먹고 있다. ②(완력으로) 강탈하다. ③완력(腕力)에 호소하다. ④일종의 주먹치기를 하고 있는 사람에게 편을 들다〔훈수하다〕.
〔卖工夫〕 mài gōngfu ① ⇨〔卖好(儿)〕 ②옛날, 남에게 고용되어 힘든 노동일을 하다.
〔卖功〕 mài.gōng 동 공치사하다.
〔卖狗皮膏药〕 mài gǒupí gāoyào 엉터리약을 팔다(입에 발린 소리를 해서 사람을 속이다).
〔卖瓜的说瓜甜〕 mài guā de shuō guā tián 〈諺〉 참외 장수는 참외가 달다고 말한다(아전인수(我田引水)).
〔卖乖〕 mài.guāi 동 자기의 재주를 입 밖에 내어 자랑하다. 똑똑한 체하다. ¶ 得(了)便宜(还)~; 제 잇속만 차리고 아무렇지도 않은 체하다.
〔卖关节〕 màiguānjié ⇨〔卖关子〕
〔卖关子〕 mài guānzi 점잔 빼다. 재다(야담가가 긴 이야기를 할 때 절정에 이르면 잠시 사이를 두고 듣는 사람이 조바심이 나도록 함). ¶ 别故意~了, 快说下去吧; 그렇게 재지 말고 빨리 계속 말해 줘 / 有话痛痛快快地说出来, 卖什么关子呢! 할 이야기가 있거든 시원스럽게 얘기해라. 뭘 그렇게 변죽만 울리느냐! =〔卖了个关子〕〔卖关节〕
〔卖官鬻爵〕 mài guān yù jué 〈成〉 옛날, 관직이나 작위를 팔다.
〔卖光〕 màiguāng 동 다 팔리다. 전부 팔아 버리다. 깨끗이 팔아 치우다.

〔卖贵〕 màiguì 동 비싸게 팔다.
〔卖国〕 mài‧guó 동명 조국을 배반하다〔하는 일〕. ¶～求荣; 조국을 배반하여 영달을 꾀하다/～奴nú =〔～贼zéi〕; 매국노.
〔卖好(儿)〕 mài‧hǎo(r) 동 남에게 잘 보이려고 애쓰다. 빌붙다. 아첨하다. ¶～行善; 남에게 인정을 베풀고 생색을 내다/～讨俏; 아첨하다. 비위를 맞추다. =〔卖工夫①〕
〔卖户〕 màihù 명 매주. =〔卖家〕〔卖主(儿)〕
〔卖花婆〕 màihuāpó 명 꽃 파는 여자.
〔卖货清单〕 màihuò qīngdān 명 《商》 송장(送狀).
〔卖家〕 màijiā 명 ⇨〔卖主(儿)〕
〔卖价(儿)〕 màijià(r) 명 매가. 파는 값.
〔卖剑买牛〕 mài jiàn mǎi niú 〈成〉 칼을 팔아 소를 사다《악인(惡人)이 개심(改心)하다》. =〔卖刀买犊〕
〔卖贱〕 màijiàn 동 싸게 팔다.
〔卖交〕 mài‧jiāo 동 ⇨〔卖友〕
〔卖劲(儿)〕 mài‧jìn(r) 동 ①몸을 아끼지 않고 하다. 힘껏 일하다. ②(자기의 돈·소유물을 내놓고) 희생(犧牲)을 참다.
〔卖据〕 màijù 명 ⇨〔卖契〕
〔卖绝〕 màijué 동 깨끗이 팔아 버리다. 깨끗이 다 팔리다.
〔卖客〕 màikè 명 ⇨〔卖主(儿)〕
〔卖空〕 màikōng 동 공매(空賣)하다.
〔卖空买空〕 mài kōng mǎi kōng 〈成〉 ⇨〔买空卖空〕
〔卖苦力气〕 mài kǔlìqì ①힘든 노동일을 하다. ②힘든 일을 하다.
〔卖块(儿)〕 màikuài(r) 동 〈俗〉 힘내다. 힘써 일하다.
〔卖狂〕 màikuáng 동 미친 시늉을 하다.
〔卖老〕 mài‧lǎo 동 연장(年長)이고 경험이 있는 것을 자랑하다. ¶倚yǐ老～; 늙은이 행세를 단단히 하다/～牌子; 일이 능숙함을 자랑하다. 노련함을 과시하다/刚满四十岁, 就卖起老来了; 겨우 만 40세인데 벌써 늙은 티를 내게 되었다.
〔卖落〕 màilào 동명 싸게 팔아 시세를 떨어뜨리다〔떨어뜨리기〕.
〔卖了〕 màile 〈北方〉 도자기 따위를 잘못 떨어뜨려 망가뜨림《'碎suì了'라는 말을 꺼리어 하는 말》. ¶呦, 这个细瓷盘子怎么～? 이런, 이 자기 쟁반을 어쩌다 깨뜨렸지?
〔卖力〕 mài‧lì ①노동하여 생활하다. ¶他以～过日子; 그는 노동으로 생계를 유지하고 있다. ②몸을 아끼지 않다. ¶这孩子可卖了力; 이 아이는 정말 있는 힘을 다해 일한다. ‖ =〔卖力气〕
〔卖力气〕 mài lìqi ①부지런히 일하다. 몸을 아끼지 않고 일하다. ¶他做事很～; 그는 매우 열심히 일한다. ②노동력을 팔아 생계를 세우다.
〔卖脸〕 mài‧liǎn 동 ①태연한 얼굴로 남에게 조르다. 안면을 이용하여 일을 부탁하다. ②(기녀(妓女)가) 몸을 팔지 않고 접대만 하다. ¶～不卖身; 얼굴은 팔지만 몸은 팔지 않는다.
〔卖良为娼〕 mài liáng wéi chāng 〈成〉 양가 집 자녀를 팔아 창부를 만들다.
〔卖两手(儿)〕 màiliǎngshǒu(r) ⇨〔卖两下子〕
〔卖两下子〕 màiliǎngxiàzi 솜씨를 보이다. =〔卖两手(儿)〕
〔卖漏〕 màilòu 동 장사꾼이 잘못하여 너무 싸게 팔다.
〔卖马不卖缰〕 màimǎ bùmàijiāng 〈諺〉 ①말은 팔아도 말고삐는 안 팔다《다음에 형편이 좋아지면 말을 되사겠다는 뜻을 담은 말》. ②남을 위해 힘을 쓰면서도, 뒤에 자기가 곤란받지 않도록은 해 놓다.
〔卖满(儿)〕 màimǎn(r) 동 만원으로 표가 매진(賣盡)되다. ¶戏～了; 연극은 표가 매진되었다.
〔卖门市〕 màiménshì 동 점두 판매〔소매〕를 하다.
〔卖面子〕 màimiànzi 동 의리상 거절할 수 없어 승낙하다. 체면을 세우다.
〔卖名〕 màimíng 동 (물건은 좋지 않은데) 이름으로 팔다. =〔卖声〕
〔卖命〕 mài‧mìng 동 (남에게 이용당하여 또는 생활을 위해) 목숨 걸고 일하다.
〔卖弄〕 màinong 동 솜씨를 자랑하다. 과시하다. 득의양양해하다. ¶～小聪明; 약은 체하다/～学识; 학식을 자랑해 보이다/～殷yīn勤; 친절을 가장하다/～风情; 교태를 부리다/我将尽量地选用普通的词汇, 不故意～土语; 나는 되도록 보통의 어휘를 골라서 쓰고, 우쭐해서 일부러 사투리를 과시하지는 않는다. =〔卖派〕
〔卖派〕 màipai 동 …처럼 보이게 하다. …을 자랑거리로 삼다. =〔卖弄〕→〔卖乖〕
〔卖盘〕 màipán 명 파는 시세.
〔卖票〕 mài‧piào 동 ①(부탁이나 초대를) 받아들이다. ②(남의 호의를) 감사하다.
〔卖票的〕 màipiàode 명 표 파는 사람. 매표원.
〔卖票洞〕 màipiàodòng 명 매표구. 표 파는 창구(窓口).
〔卖婆〕 màipó 명 남의 부탁을 받고 물건을 팔고 사는 여자.
〔卖破烂(儿)的〕 mài pòlàn(r)de 명 넝마장수.
〔卖破绽〕 mài pòzhàn 일부러 틈탈 기회를 만들다. ¶不是我疏神, 我这是故意卖个破绽给他; 내가 부주의했던 것이 아니다. 일부러 그에게 기회를 준 것이다.
〔卖契〕 màiqì 명 매도(賣渡) 증서. =〔卖据〕
〔卖钱〕 mài‧qián ①동 팔아서 돈을 장만하다. 환금(換金)하다. ¶我的表还能～; 내 시계는 아직은 돈이 될 수 있다/不用想卖我的钱; 내 돈을 빨아먹으려고 생각하지 마라/对不起, 今天还没～呢; 미안합니다. 오늘은 아직 장사가 안 되어 돈을 장만하지 못했습니다. ②(màiqián) 형 장사가 잘되다. 매상이 좋다. ¶他的买卖很～; 그의 장사는 매상이 꽤 된다. ③명 매상(금). ¶现在合作社的营业一天比一天发展, ～也一天比一天增多; 현재 합작사의 영업은 나날이 발전하여, 매상도 나날이 증가하고 있다.
〔卖巧〕 màiqiǎo 동 훌륭한 솜씨를 보이다.
〔卖俏〕 mài‧qiào 동 ①교태를 짓다. 애교부리다. =〔卖风流〕 ②공치사하다. ③우쭐하여 자랑하다. ④미모(美貌)를 밑천 삼다.
〔卖青〕 màiqīng 동 곡식이 익기 전에 미리팔다. =〔卖青苗〕
〔卖青苗〕 mài qīngmiáo ⇨〔卖青〕
〔卖清〕 màiqīng 동 모두 팔다. =〔卖光〕〔〈文〉 卖罄〕
〔卖情〕 màiqíng ⇨〔卖人情(儿)〕
〔卖情面〕 mài qíngmiàn ⇨〔卖人情(儿)〕
〔卖罄〕 màiqìng 동 〈文〉 다 팔다. =〔卖清〕
〔卖缺〕 màiquē 동 〈文〉 관직을 팔다.
〔卖缺儿〕 màiquēr 동 물건이 부족할〔달릴〕 때 팔다.
〔卖嚷嚷儿〕 mài rāngrangr ①들으라는 듯이 큰 소리로 말하다. ②시끄럽게 떠들 뿐 실행하지 않는다. ‖ =〔卖山嚷嚷儿〕〔〈方〉 卖山音〕

〔卖人情(儿)〕 mài rénqíng(r) 공치사하다. (일부러) 선심을 쓰다. 은혜를 입히다. ¶今天他答应的这么痛快是故意～; 오늘 그가 이렇게 선뜻 승낙해 준 것은 일부러 은혜를 입히려는 속셈이다/卖你的人情; 너에게 은혜를 입힌다〔생색을 낸다〕. =〔卖情〕〔卖情面〕
〔卖傻〕 màishǎ 동 ①일부러 바보인 체하다. ②(자기가) 바보임을 내세워 이용하다.
〔卖山嚷嚷儿〕 mài shānrāngrangr ⇨〔卖山音〕
〔卖山音〕 mài shānyīn 큰 소리로 떠들어서 퍼뜨리다. 들으란 듯이 큰 소리로 말하다. 입으로만 요란하게 말하고 실행하지 않다. ¶有理, 当面找他说去, 何必在这儿～; 할 말이 있으면 맞대놓고 그에게 말하지 무엇 때문에 이런 데서 떠들어 대는 것이냐/清洁工作我并不是不重视呀! 刚才我不过弹了一点烟灰儿, 你卖什么山音? 청결 운동을 내가 중시하지 않는 것은 아니다! 방금 담뱃재를 좀 떨어뜨렸을 뿐인데, 그렇게 큰 소리로 떠들어 댈 것까지 없지 않으냐? =〔卖嚷(嚷)儿〕〔卖山嚷嚷儿〕
〔卖赊〕 màishē 동 외상 매출하다. 외상으로 팔리다.
〔卖舌〕 màishé 동 입으로만 잘난 체하다. 입만 까다. 말만 번지르르하게 잘하다.
〔卖身〕 mài·shēn 동 ①몸을 팔다. ¶～投靠; 〈成〉 재산이나 세력이 있는 사람에게 몸을 팔다《매국노·배반자의 비열한 행위》/～契; 몸을 판 증서. ②〈俗〉 매춘(賣春)하다.
〔卖声〕 màishēng 동 ⇨〔卖名〕
〔卖剩〕 màishèng 동 팔고 남다.
〔卖食〕 màishí 동 음식물을 팔다.
〔卖要货儿的〕 mài shuǎhuòrde 명 옛날, 어린아이의 장난감이나 엿 따위를 파는 노점 상인.
〔卖头卖脚〕 màitóu màijiǎo ⇨〔卖头卖脸〕
〔卖头卖脸〕 màitóu màiliǎn 멋대로 날뛰다. 주제넘게 나서다. =〔卖头卖脚〕
〔卖头儿〕 màitour 명 팔림새. 팔아서 생긴 이익.
〔卖脱〕 màituō 동 팔아 넘기다.
〔卖完〕 màiwán 동 매진되다.
〔卖味儿〕 màiwèir 동 ①허세 부리다. 재다. ¶他们铺子竟～, 不用买他们的货; 저 가게는 거드름만 피우고 있으니, 물건을 팔아 줄 필요가 없다. ②넌지시 말하다〔비추다〕. ¶他这样是～呢, 你还不明白吗? 그가 이러는 것은 넌지시 비추는 것인데, 아직도 모르겠느냐?
〔卖文〕 màiwén 동 〈比〉 문필로 생계를 꾸리다.
〔卖武的〕 màiwǔde 명 옛날, 무예로 생활하는 사람.
〔卖席睡炕〕 mài xí shuì kàng 〈諺〉 돗자리 장사를 하면서도 온돌방에서 자다《대장장이 집에 식칼이 놀다》. =〔卖油娘子水梳头〕
〔卖项〕 màixiàng 명 ①매상고. ¶～少; 매상이 적다. ②판로. ¶～广; 판로가 넓다.
〔卖相〕 màixiàng 명 〈方〉 용모. 풍채.
〔卖笑〕 mài·xiào 동 (옛날, 기생이나 연예인이) 웃음을 팔다.
〔卖眼〕 màiyǎn 동 (눈으로) 교태를 부리다.
〔卖眼前俏〕 mài yǎnqiánqiào 겉만 꾸미다. 그 자리를 얼버무리다.
〔卖药〕 mài yào ①약을 팔다. ②〈轉〉 꾀하다. 의도를 품다. ¶到底他是卖的什么药呢? 도대체 그는 무슨 일을 꾸미고 있는 것일까?
〔卖野人头〕 mài yěréntóu 〈南方〉 일부러 과시하다. 과장해서 사람을 현혹시키다.
〔卖艺〕 mài·yì 동 옛날, 기예를 팔아 생활하다. ¶～的 =〔艺人〕; 예(능)인.
〔卖淫〕 mài·yín 명동 매춘(하다).
〔卖油娘子水梳头〕 màiyóuniángzi shuǐ shūtóu 〈諺〉 머릿기름 파는 여자가 기름도 바르지 않고 나무빗으로 머리를 빗다. 〈諺〉 대장장이 집에 식칼이 논다. =〔匠jiàng人屋下没凳坐〕
〔卖友〕 mài·yǒu 동 친구를 팔다. 자기의 이익을 위해서 친구를 희생하다. =〔卖交〕
〔卖账〕 màizhàng 동 잘못을 인정하다. ¶我当时不～, 用种种理由辩护; 나는 그 때 잘못을 인정하지 않고 여러 가지 이유를 대어 변명했다.
〔卖阵之计〕 màizhèn zhī jì 일부러 지는 계략.
〔卖主(儿)〕 màizhǔ(r) 명 매주. ¶～市场; 매주시장. =〔卖户〕〔卖客〕〔卖家〕↔〔买主(儿)〕
〔卖字〕 màizì 동 옛날, 글씨를 써서 팔다.
〔卖字号〕 mài zìhào 간판을 팔다《상점 따위가 좋은 평판을 얻어서 물건이 잘 팔리다》.
〔卖嘴〕 mài·zuǐ 동 입으로 자기를 선전하다. ¶革命的人不可光～; 혁명을 하는 사람은 입으로만 큰소리쳐서는 안 된다.
〔卖嘴乖〕 mài zuǐguāi 말재주를 뽐내다.
〔卖嘴皮子〕 mài zuǐpízi (득의양양하여) 마구 지껄여 대다. 지지 않으려고 억지부리다.
〔卖座〕 màizuò 명 (극장·음식점·다방 등의) 손님이 드는 형편. 형 손님이 많다. ¶那出戏可～啦! 그 연극은 관객이 매우 많다!/～不佳jiā; 손님이 드는 것이 시원치 않다.

脉〈脈, 衇〉 mài (맥)

명 ①〖生〗 맥. 혈관. ¶动～; 동맥/～管; 혈관/静～; 정맥. ②맥박. ¶诊～; 진맥하다/号～; 맥을 짚다. 진맥하다/～跳得旺; 맥이 뛰는 것이 힘차다/～沉; 맥이 약하다/吓得没有～了; 깜짝 놀라서 움츠러들고 말았다/他的病不上～; 그의 병은 맥박에는 나타나지 않는다. ③식물의 잎·곤충의 날개 혈관 같은 조직. ¶叶～; 엽맥. ④혈관처럼 분포되어 있는 것. ¶矿～; 광맥/土～好, 出产多; 토지의 맥이 좋아 산물이 많다/一～相承; 같은 뜻이나 기풍을 이어 가다. ⇒mò
〔脉案〕 mài'àn 명 〖漢醫〗 병의 진단.
〔脉搏〕 màibó 명 〖醫〗 맥박. ¶～不定; 맥이 부정맥이다. =〔脉道〕〔脉息〕
〔脉冲〕 màichōng 명 〖電〗 펄스(pulse).
〔脉道〕 màidao 명 ⇨〔脉搏〕
〔脉动〕 màidòng 명 〖生〗 맥동. ¶～电流 =〔脉冲电流〕; 〖電〗 펄스(pulse) 전류/～星; 〖天〗 항성(恆星) 중의 변광성(變光星).
〔脉管〕 màiguǎn 명 ①〖生〗 혈관. ¶～谈; 혈관염. ②〖植〗 엽맥(葉脈). ③간선 도로.
〔脉肓〕 màihuāng 명 〈文〉 위독(危篤).
〔脉礼〕 màilǐ 명 〈文〉 진찰료(料). =〔脉钱〕〔脉资〕
〔脉理〕 màilǐ 명 ①(목재의) 무늬. ②의학 학식의 깊이. ¶他的～很好; 그의 의학 지식은 매우 깊다. ③의사의 솜씨. 진단.
〔脉络〕 màiluò 명 ①〖漢醫〗 맥락《경맥(經脈)과 낙맥(絡脈)》. ②맥락. 조리. ¶～贯guàn通; 조리가 일관되다.
〔脉门〕 màimén 명 〖生〗 맥을 짚는 곳.
〔脉气〕 màiqì 명 〖醫〗 ①맥. 병의 상태. ¶今天～不大好; 오늘은 병세가 그다지 좋지 않다. ②진찰. 진찰 방식〔태도〕. ¶他的～高明; 그의 진찰은 뛰어나다.
〔脉气儿〕 màiqìr 명 맥. ¶他的～微; 그는 맥이 약하다.

〔脉钱〕 màiqián 명 진찰료. =〔脉礼〕
〔脉石〕 màishí 명《鑛》맥석《광맥 중에 존재하며 광석으로서의 가치가 없는 암석》.
〔脉息〕 màixī 명《醫》맥박. ¶～无定; 맥이 고르지 못하다/～微弱; 맥박이 약하다/搭～; ⓐ상황을 염탐하다. ⓑ뱃속을 살피다. =〔脉搏〕
〔脉象〕 màixiàng 명《漢醫》맥상《맥박의 지속(遲速)·강약·심천(深淺) 따위》. ¶危险～; 위험한 병세.
〔脉泽〕 màizé 명《物》〈音〉메이저(maser)《①마이크로파 증폭·발진(發振) 장치. ②전기 충격 증폭기의 마이크로파(波)》.
〔脉诊〕 màizhěn 명《漢醫》진맥. =〔切qiè脉〕
〔脉资〕 màizī 명 ⇨〔脉礼〕

霡〈霢〉 mài (맥)
→〔霡霂〕
〔霡霂〕 màimù 명〈文〉가랑비.

MAN ㄇㄢ

嫚 mān (만)
(～儿, ～子) 명〈方〉여자 아이. 계집애. ⇒màn

颟(顢) mān (만)
→〔颟顸〕
〔颟顸〕 mānhan 명 커다란 얼굴. 동 꾸물거리다. 멍청하니 있다. ¶颟颟顸顸=〔颟里颟顸〕; 멍한 모양. 얼이 빠져 아무지지 못한 모양/～性儿 =〔～劲儿〕; 어리숙하고 멍청한 정도. 형 ①단정치 못하다. 매조지가 없다. ②분명치 않다. 확실치 않다. 애매하다. ¶～人; 멍청하니 있는 사람/那人太～, 什么事都做不好; 저 사람은 멍청해서 무엇 하나 제대로 하지 못한다.

姏 mán (담)
명〈文〉늙은 여자. ¶老～; 구식 결혼에서 신부 곁에서 시중드는 늙은 여자. 수모(手母).

埋 mán (매)
→〔埋怨〕 ⇒mái
〔埋怨〕 mányuàn 동 원망을 입 밖에 내다. 사람을 탓하다. 원망하다. 불평하다. ¶～懊悔àohuǐ; 원망하고 후회하다/～运命; 운명을 탓하다/你自己不小心, 还～别人干什么; 네 자신의 부주의였는데 남을 원망해서 뭐해/现在～政府的工人还不少; 현재 정부를 원망하고 있는 노동자는 아직도 적지 않다. =〔瞒怨〕

蛮(蠻) mán (만)
①명 야만인. 미개(未開) 민족. ②형 야만스럽다. 무턱대고 하는 모양. ¶～经不少; 엉뚱한 데가 많다. 당치않을 때가 많다/只是～干; 덮어놓고 할 따름이다/犯～; 흉포한 행위를 하다/胡搅～缠; 마구 휘저어 방해를 하다. ③(～子) 명 미개의 남방 민족. ④명 외국을 천하게 부르는 말. ⑤부〈方〉대단히. ¶～好; 대단히 좋다/～高兴; 매우 즐겁다/～象个样子; 아주 제격이다. 아주 잘 어울리다. =〔满⑤〕 ⑥부 반드시. 꼭. ¶试验多次, ～成功; 여러 번 시험했으니까 성공은 틀림없다.
〔蛮不讲理〕 mán bù jiǎng lǐ〈成〉도리를 분별 못하다. ¶太不像话了, 这真～! 말도 안 돼. 도무지 사리 분별을 못 하는군! =〔满不讲理〕
〔蛮缠〕 mánchán 동 남을 성가시게 하다. 남에게 무턱대고 매달리다. 떼를 쓰다.
〔蛮触之争〕 mán chù zhī zhēng〈成〉하찮은 일로 다투는 것.
〔蛮法三千, 道理一个〕 mánfǎ sānqiān, dàolǐ yīge〈諺〉마구 되는 대로 한다면 방법은 얼마든지 있지만, 도리에 맞는 방법은 한 가지밖에 없다.
〔蛮干〕 mángàn 동 (객관적인 조건이나 현실을 무시하고) 억지로 하다. 무턱대고 하다. ¶～不行, 得动脑筋找窍qiào门! 일을 무턱대고 해서는 안 되며 머리를 써서 요점을 파악해야 한다!
〔蛮悍〕 mánhàn 형 사납다. 강포(強暴)하다.
〔蛮横〕 mánhèng 형 마구 횡포를 부리다. 함부로 행동하다. ¶～劲儿; 횡포한 정도/～无理; 성질이 거칠고 도리를 분별치 못하다. 억지가 세며 무리하다/这个问题, 不是依靠～所能解决的; 이 문제는 무지막지하고 무리한 방법으로 해결되는 것이 아니다. 注 '横'은 'héng'으로 발음하지 않음.
〔蛮笺〕 mánjiān 명 ①쓰촨 성(四川省)산(産)의 편지지. ②한국산의 편지지.
〔蛮来〕 mánlái 동 터무니없는 것을 하다. 무턱대고 하다. 사납게 하다. 도리에 맞지 않는 일을 억지로 하다.
〔蛮赖〕 mánlài 형 거칠어서 인정과 도리를 모르다. 동 ①함부로 트집을 잡다. ②무리하게 발뺌하다.
〔蛮蛮〕 mánmán〈擬〉〈文〉새의 울음소리. ¶鸟声～; 새가 연해 지저귀다. 명《鳥》비익조.
〔蛮夷戎狄〕 mán yí róng dí 명 옛날에, 중국의 입장에서 보아, 주위의 미개 민족에 대한 총칭.
〔蛮装〕 mánzhuang 명 전족(纏足)의 여성에 대한 별칭. ¶要是个～, 粗活儿可干不了啊; 전족을 한 사람이면 힘든 노동을 할 수 없지.
〔蛮子〕 mánzi 명 ①남방인(南方人). 야만인. ②옛날, 전족(纏足)한 여성의 별칭. ¶～脚; 전족을 한 발.

谩(謾) mán (만)
동 ①기만하다. ¶～天～地; 하늘을 속이고 땅을 속이다. ②게을리하다. ③더럽히다. ⇒màn

蔓 mán (만)
→〔蔓菁〕 ⇒màn wàn
〔蔓菁〕 mánjing 명《植》순무. =〔芜wú菁〕

馒(饅) mán (만)
→〔馒顶〕〔馒头〕
〔馒顶〕 mándǐng 명 흙무더기. 흙 둔덕.
〔馒头〕 mántou 명 ①(껍질이 두꺼운) 찐빵. ¶白～; 속 없는 찐빵/糖～; 설탕 넣은 찐빵/蒸～; 찐빵을 찌다/肉～; 고기만두. =〔〈文〉馒首〕〔笼饼〕〔〈方〉馍馍mómo〕〔〈方〉蒸馍〕 ②→〔〈南方〉包子bāozi①〕 ③〈俗〉유방(乳房).

鳗(鰻) mán (만)
명《魚》뱀장어. =〔鳗鱼yú〕〔河鳗〕〔鳗鲡〕〔白鳗〕〔白鳝〕
〔鳗鲫〕 mánjì 명《魚》붕장어.
〔鳗鲡〕 mánlí 명《魚》뱀장어.
〔鳗线〕 mánxiàn 명 뱀장어 새끼.

鬘 **mán** (만)
①형 머리카락이 아름다운 모양. ②→〔华鬘〕

〔鬘华〕 mánhuá 명《植》만화. '茉莉'(재스민)의 별칭.

瞒(瞞) **mán** (만)
동 ①눈이 잘 안 보이다. ②기만하다. 속이다. 숨기다. ¶隐yǐn～; 숨기다. 속이다 / 欺～ =〔欺骗〕; 기만하다 / ～着这个背着那个; 이것저것 감추어 두고. 몰래 / 不～你说; 사실을 말하자면 / 打算～过海关查验; 세관 검사를 속이려 하다.

〔瞒不过〕 mánbuguò 속여 낼 수 없다. 계속 숨길 수 없다. ↔〔瞒得过〕

〔瞒不了〕 mánbuliǎo 속일 수 없다.

〔瞒藏〕 máncáng 동 속여 숨기다. ¶～脊掖; 속여 서 제 것으로 만들다.

〔瞒产〕 mán.chǎn 동 실제 생산량을 숨기다. 생산량을 낮게 신고하다.

〔瞒得过〕 mándeguò 계속 속여 넘기다.

〔瞒得了〕 mándeliǎo 동 숨겨 넘길 수 있다. 속여 낼 수 있다. ¶这是桌面儿上的事, 怎么～人呢? 이것은 공공연한 일이다, 어떻게 속여 넘길 수 있겠는가? ↔〔瞒不了〕

〔瞒得住人, 瞒不过天〕 mándezhù rén, mánbuguò tiān 〈諺〉 사람은 속일 수 있어도 하늘은 속일 수 없다.

〔瞒哄〕 mánhǒng 동 속이다. 속여 넘기다. =〔瞒骗〕

〔瞒混〕 mánhùn 동 남의 눈을 속이다. 속이다. ¶事情～不住了; 일을 속여 넘길 수 없게 되었다. =〔瞒昧〕

〔瞒昧〕 mánmèi 동 속여 넘기다. 속이고 숨기다. ¶～不住; 속여 넘기지 못하다. =〔瞒混〕

〔瞒骗〕 mánpiàn 동 ⇨〔瞒哄〕

〔瞒三昧四〕 mán sān mèi sì (사실을 알리지 않고) 남을 마구 속이다.

〔瞒上不瞒下〕 mánshàng bùmánxià 〈諺〉 윗사람은 속여 넘길 수 있어도 아랫사람은 속여 넘기지 못한다. →〔上和不如下睦〕

〔瞒上欺下〕 mán shàng qī xià 〈諺〉 윗사람을 속이고 아랫사람을 멸시하다.

〔瞒税〕 mánshuì 동 세금을 속이다. 탈세하다.

〔瞒天过海〕 mán tiān guò hǎi 〈成〉 뒤에서 기만 행위를 하다.

〔瞒心昧己〕 mán xīn mèi jǐ 〈成〉 양심을 속이고 자기 자신을 속이다.

〔瞒怨〕 mányuàn 동 ⇨〔埋怨〕

〔瞒着〕 mánzhe 동 속이다. 속여 넘기다. 거짓말을 하다. 숨기(어 놓)다. ¶做事～人; (뭔가) 못된 짓을 저지르고 숨기다.

鞔 **mán** (만)
동 ①북을 메우다. ②'布鞋'를 만들 때 발등 부분의 천을 대다. =〔鞔鞋〕

满(滿) **mǎn** (만)
①형 차다. 가득하다. ¶装～了一车; 차에 가득 실었다 / 会场里人都～了; 회장은 사람으로 가득 찼다 / 人都坐～了; 사람이 모두 자리에 앉았다 / 倒dào～; (액체를) 가득 따르다. ②형 만족하다. ¶不～; 불만이다. ③동 만기가 되다. ¶假期已～; 휴가는 벌써 끝났다 / ～了一年; 만 1년이 되었다 / 届jiè～ =〔期满〕; 기한이 차다 / 没～日子就搬了; 기한이 차지 않았는데 벌써 이사 갔다. ④동 거만 피우다. ¶自～; 거만 피우다. 자만하다 / 话说得太～; 너무나도 자신 있는 말을 하다. ⑤부 〈方〉 충분히. 대단히. 굉장히. =〔很〕〔蛮⑤〕 ⑥부 전혀. 도무지. ¶～不在乎; 전혀 개의치 않다 / ～不是那么回事; 전혀 그런 일은 없다. 전혀 돼먹지 않다. =〔满不介意〕 ⑦형 모두. 온통. 전부. …가득. ¶～口答应; 쾌히 승낙하다 / ～身的油泥也不顾; 온몸의 때도 개의치 않다 / ～给清了; 모두 청산했다 / ～张罗; 극진하게〔빈틈없이〕 돌보다. ⑧동 〈方〉 완성하다. ¶我任务～了便回来; 나는 일을 다 끝내면 곧 돌아온다. ⑨명 만주(滿洲). ⑩명 만주족(滿洲族). ⑪명 성(姓)의 하나.

〔满把抓〕 mǎnbǎ zhuā ①(모두) 자기 혼자 도맡아 하다. 독점하다. ②무엇이든 손을 내밀다〔대다〕. 한 손 가득히 쥐다.

〔满不讲理〕 mǎn bù jiǎng lǐ 〈成〉 ⇨〔蛮mán不讲理〕

〔满不听提〕 mǎn bù tīngtí 조금도 들어 주지〔듣지〕 않다. ¶无论怎么说, 他老是～; 아무리 말해도 그는 언제나 귀를 기울이려 하지 않는다. =〔满没听提〕

〔满不在乎〕 mǎn bù zài hu 〈成〉 전혀 개의치 않다. 조금도 걱정하지 않다. ¶作～的样子; 태연한 얼굴을 하다 / 在钱上～; 돈에 대해서는 조금도 걱정하지 않는다 / 别人怎么说都～; 다른 사람이 뭐라 하든 개의치 않는다.

〔满漕水〕 mǎncáoshuǐ 명 강에 가득히 찰랑찰랑한 물(의 수위). 최고 수위.

〔满场飞〕 mǎnchǎngfēi 〈比〉 크게 활약하다. ¶回复当年～的姿态; 왕년에 크게 활약하던 모습을 회복하다.

〔满称〕 mǎnchēng 동 충분히 갖추어져 있다. 구비되어 있다. 조건이 완비되어 있다. ¶从面貌、举止、文化来说, 人家的条件是～了, 你还嫌什么呢? 용모나 행동거지나, 교양이나, 저쪽의 조건은 완전한데 너는 그런데도 무엇이 마음에 안 든다는 건가?

〔满城风雨〕 mǎn chéng fēng yǔ 〈成〉 도처에 소문이 퍼지고 도처에서 논의의 대상이 됨(흔히, 좋지 않은 일에 쓰임). ¶各种的谣言搅得～, 人心惶惶; 여러 가지 소문이 온 동네에 퍼져서 인심이 흉흉하다 / 他们闹恋爱弄得～; 그들은 연애 문제를 일으켜서 소문이 자자하다.

〔满处(儿)〕 mǎnchù(r) 부 도처에. 여기저기에서. ¶～大骂mà; 가는 곳마다 큰 소리로 떠들어 대다.

〔满打满包〕 mǎn dǎ mǎn bāo 〈成〉 모두 계산에 넣다. 무엇이고 모두 포함시키다. ¶～也不过这几个钱; 전부 넣어도 돈은 몇 푼에 불과하다. =〔满打满算〕

〔满打满算〕 mǎn dǎ mǎn suàn 〈成〉 ⇨〔满打满包〕

〔满打算〕 mǎndǎsuan 동접 ⇨〔满打着〕

〔满打着〕 mǎndǎzhe 동 모두 계산에 넣다. 그렇게 할 마음이 되다. ¶～去一趟, 竟不能如愿; 한 번 가 보려고 마음먹고 있었으나 결국 생각대로 되지 않았다. =〔满打满算〕〔满拟〕 접 설령 …한다 한들. ¶～跟羊肉一价儿吧…; 설사 양고기와 같은 값이라도 …. =〔满让〕〔就满打着〕 ‖ =〔满打算〕

〔满登登〕 mǎndēngdēng 형 가득 차 있는 모양. =〔满满登登〕

〔满地〕 mǎndì 명 지면 가득함. ¶～是花儿; 지면 가득히 꽃이다 / ～是水; 어디고 간에 물뿐.

〔满地里〕 mǎndìli 명 일대. 온통 모두. 여기저기. ¶扔的~是纸; 여기저기 휴지투성이 / ~黄花; 온통 일대에 있는 노란 꽃. =〔满地(下)〕
〔满肚子〕 mǎndùzi 형 뱃속 가득하다. ¶~的委曲说不出来; 뱃속 가득한 불평을 털어놓을 수 없다.
〔满额〕 mǎn'é 동 ①만원이 되다. ②정액(定額)에 차다. 정원에 차다. ‖ =〔额满〕
〔满而不溢〕 mǎn ér bù yì 〈成〉 ①가득 차기는 해도 넘치지 않는다. ②부자이면서도 뽐내지 않다. ③재능이 뛰어나지만 자랑하지 않다.
〔满发〕 mǎnfā 명동 전력(電力)을 최대 한도로 발전(發電)함〔하다〕.
〔满帆〕 mǎnfān 동 돛을 활짝 펴다.
〔满分(儿)〕 mǎnfēn(r) 명 만점. ¶给~; 만점을 주다 / 拿~; 만점을 받다.
〔满服〕 mǎn.fú 동 상복 입는 기간이 차다. 탈상이 되다. =〔满孝〕〔服竟〕〔服满〕〔孝xiào满〕
〔满腹〕 mǎnfù 형 〈文〉 뱃속 가득하다. ¶群疑~; 여러 사람이 모두 의심을 품다.
〔满腹经纶〕 mǎn fù jīng lún 〈成〉 정책이나 식견을 풍부하게 가지고 있다.
〔满腹牢骚〕 mǎn fù láo sāo 〈成〉 가슴에 가득 찬 불평 불만. 누를 길 없는 불평 불만.
〔满贯〕 mǎnguàn 동 ①옛날, 돈꿰미에 돈이 가득 꿰어 있다. ②〈轉〉 극한이 되다. 최고가 되다. ③(마작 등에서) 점수가 최대 한도가 되다.
〔满汉〕 MǎnHàn 명 만인(滿人)과 한인(漢人). 만주와 중국. ¶~全席; 만주 요리와 중국 요리가 갖춰진 호화로운 연회석 (요리).
〔满话〕 mǎnhuà 명 자신 있는 말.
〔满怀〕 mǎnhuái 동 ①마음에 차다. 가슴 가득하다. ¶~信心; 자신 만만하다 / ~喜悦; 큰 기쁨. ②(가축이) 새끼를 배다. ③만월(滿月)이 되다. 명 앞가슴 쪽. ¶跟他撞了一个~; 그에게 쾅 하고 정면으로 부딪쳤다.
〔满货〕 mǎnhuò 명 유질(流質)된 물건. ¶变卖~; 유질된 물건을 팔다.
〔满假〕 mǎnjiǎ 동 자만해서 거만해지다.
〔满假〕 mǎnjià 동 휴가 기간이 끝나다.
〔满江红〕 mǎnjiānghóng 명 《植》 물개구리밥.
〔满街〕 mǎnjiē 명 거리 가운데. 온 거리.
〔满坑满谷〕 mǎn kēng mǎn gǔ 어디에나 가득함〔가득히 있음〕. =〔满谷满坑〕
〔满口〕 mǎnkǒu 부 ①입에 가득. 말하는 것 모두가…. ¶~胡说; 말하는 것이 모두 엉터리다 / ~春风; 대단히 능변임 / ~称赞; 극구 칭찬하다. ②자신 있게. 쾌히. ¶~答应 =〔~应许〕; 쾌히 승낙하다. 명 아이가 출생한 지 만 1개월 될 때 축하로 '馒头'를 선사하여 두 개를 산부에게 물리는 일. 산부를 배가 부르게 한다는 뜻.
〔满库〕 mǎnkù 동 ①곳간에 차다. ②댐이 만수(滿水)가 되다.
〔满眶〕 mǎnkuàng 동 눈에 가득하다. 눈에서 넘쳐 흐를 듯하다. ¶被感动得热泪~; 감동해서 뜨거운 눈물이 눈에 가득하다.
〔满脸〕 mǎnliǎn 명 얼굴 가득. ¶~飞红; 얼굴이 온통 붉어지다 / ~春风 =〔满面春风〕; 아주 부드러운 표정. 얼굴에 웃음을 띠다. 얼굴에 기쁨이 넘치다 / ~陪笑; 온통 얼굴에 애교 웃음을 짓다 / ~跑眉毛; 흉악한 인상의 형용.
〔满脸花〕 mǎnliǎnhuā 명 손바닥으로 얼굴을 때림. ¶抡着巴掌'叭'的一声, 就给他一个~; 손을 들어 그의 얼굴을 찰싹 때렸다.
〔满流〕 mǎnliú 동 유형(流刑)의 형기가 차다〔끝나다〕.
〔满留头〕 mǎnliútóu 명 머리카락 전부를 기른 머리《일부분만 기른 머리에 상대하여 말함》.
〔满满当当〕 mǎnmandāngdāng 형 〈俗〉 차서 넘치는 모양. 가득한 모양. ¶挑着~的两桶水; 물이 가득 찬 통을 두 개 메고 있다. 부 가득히. 잔뜩. ¶~地摆了一桌子菜; 테이블에 잔뜩 요리를 늘어 놓다〔요리가 놓여 있다〕.
〔满满尖尖〕 mǎnmanjiānjiān 형 가득하여 끝이 솟아오른 모양. ¶黄土装得~地; 황토가 높이 쌓여 있다.
〔满满实实〕 mǎnmanshíshí 형 가득 찬 모양. 빈틈없이 차 있는 모양. ¶筐kuāng装得~的; 바구니는 가득 차 있다.
〔满没听提〕 mǎn méi tīngtí 조금도 눈치채지 못하다.
〔满门〕 mǎnmén 명 온 집안. 일가족. ¶~抄斩; 일가족 몰살 / ~连累; 온 가족이 연루되다.
〔满面〕 mǎnmiàn 명 만면. 얼굴에 온통. ¶~笑容 =〔笑容~〕; 얼굴에 기쁨이 넘치다. →〔满面春风〕
〔满面春风〕 mǎn miàn chūn fēng 〈成〉 만면에 웃음을 띠다. 얼굴에 온통 기쁨이 넘치다. =〔满脸春风〕〔满面生春〕〔满面笑容〕〔春风满面〕〔笑容满面〕
〔满面生春〕 mǎn miàn shēng chūn 〈成〉 ⇨〔满面春风〕
〔满面笑容〕 mǎn miàn xiào róng 〈成〉 ⇨〔满面春风〕
〔满目〕 mǎnmù 명 〈文〉 눈에 보이는 것 모두. 눈이 미치는 한. ¶~凄凉; 〈成〉 눈에 보이는 곳이 모두 처량한 모양.
〔满目疮痍〕 mǎn mù chuāng yí 〈成〉 눈에 보이는 것은 모두 상처를 입고 있다. 〈轉〉 백성이 몹시 고통을 받고 있다. =〔疮痍满目〕
〔满脑子〕 mǎnnǎozi 명 머리에 가득함. ¶~封建思想; 봉건 사상이 가득하다.
〔满拟〕 mǎnnǐ 동 ⇨〔满打着〕
〔满拧〕 mǎnnǐng 동 〈京〉 완전히 빗나가다. 전혀 틀리다. ¶他传错一句话不要紧, 事儿~了; 그가 한 마디 말을 잘못 한 것은 하는 수 없더라도, 일은 완전히 빗나가 버렸다.
〔满盘皆输〕 mǎnpán jiēshū 모든 경기에 졌다. 완패(完敗)했다. 영패(零敗)했다.
〔满盘子满碗〕 mǎnpánzi mǎn wǎn 〈比〉 절대 확실(하다고 장담하다). ¶我和他说了一个~; 나는 그에게 절대 확실하다고 장담했다 / 他托我的那件事, 总算~办到了没丢人洒脸; 그가 나에게 부탁한 그 건은 대체로 잘 끝내어 체면이 섰다.
〔满瓶不响, 半瓶叮当〕 mǎnpíng bùxiǎng, bàn píng dīngdāng ⇨〔整瓶子不动, 半瓶子摇〕
〔满期〕 mǎn.qī 동 ①만기가 되다. 기한이 다 차다. ②→〔做zuò七〕
〔满钱〕 mǎnqián 명 ①작은 동전 한 닢을 1문(文)으로 하고, 1천 개를 1조문(吊文)으로 하는 계산법《화남(華南) 일대에서 시행되었음》. ②베이징(北京)에서 '制钱' 50개를 1조문(吊文)으로 하는 계산법. ‖ =〔老lǎo钱①〕
〔满腔〕 mǎnqiāng 명 가슴에 가득함. ¶~同情; 가슴 가득한 공감(共感) / ~怒火; 누를 길 없는 가슴 속의 노여움 / ~热情地接待我们; 진심으로 친절하게 우리를 접대해 주었다.
〔满勤〕 mǎnqín 명동 개근(하다). ¶没歇过一班, 一直~; 한 번도 쉬지 않고 개근하다. 형 매우

근면하다.
〔满清〕 MǎnQīng 명 청조(清朝). =〔前清〕
〔满缺〕 mǎnquē 명 만주인(滿洲人)을 등용하는 관직의 빈 자리.
〔满让〕 mǎnràng 접 ⇨〔满打着〕
〔满人〕 Mǎnrén 명 만주인《옛날, '满族'을 이름》.
〔满任〕 mǎnrèn 동 임기가 차다.
〔满山遍野〕 mǎn shān biàn yě 〈成〉 산야에 가득히 덮혀있다.
〔满山红〕 mǎnshānhóng 명 《植》 진달래.
〔满上〕 mǎnshàng 동 (한계까지) 채우다. 차다. ¶～一杯; 잔 가득히 따르다.
〔满身〕 mǎnshēn 명 전신. 온몸. ¶～债zhài; 빚투성이.
〔满身伤疤〕 mǎnshēn shāngbā 〈成〉 만신창이.
〔满师〕 mǎnshī 동 도제(徒弟)의 기간이 끝나다. ¶学徒三年～; 견습공은 3년으로 견습 기간이 끝난다. =〔出师〕
〔满世界〕 mǎnshìjie 명부 도처에. 여기저기. ¶小孩儿～瞎跑; 어린아이가 여기저기 함부로 뛰어 돌아다닌다 / 怎么搞得～都是烂纸, 也不打扫打扫; 어째서 여기저기 온통 휴지투성이를 만들어 놓고 청소도 하지 않는 것이냐. =〔各处gèchù〕〔到dào处〕〔满市街shìjiē〕〔饶ráo市街〕
〔满数〕 mǎnshù 동 정수(定數)에 차다.
〔满堂〕 mǎntáng 동 만당하다. 만원이 되다. ¶上座儿极好, 卖～了; 손님이 많이 들어 만원이 되었다.
〔满堂灌〕 mǎntángguàn 명 〈貶〉 학생에게 오로지 지식을 주입시키는 교육.
〔满堂红〕 mǎntánghóng 명 ①경사 때에 방 앞에 꾸며 놓는 색색의 비단 장막·등·큰 촛대 따위. ②하늘에 가득히 박힌 별. ③《植》 백일홍. =〔紫薇〕 동 ①만사가 잘 되다. ¶第一天就创了个～; 첫날에 대성황을 이루었다. ②완전한 승리를 얻다. 대성황을 이루다. ¶今年我们厂是～, 样样指标都提前完成了; 금년에 우리 공장은 승리를 거두었는데 여러 목표는 모두 예정보다 빨리 달성되었다 / 这一仗不能卖个～; 이 (스포츠의) 일전에서는 만원이 될 만큼 표가 팔리지는 않는다.
〔满膛满馅儿〕 mǎn táng mǎn xiànr ①가득하다. ②충분히. 몽땅. ¶我跟他说得～的; 나는 그와 남김없이 이야기했다.
〔满天〕 mǎntiān 명 온 하늘. ¶～的星星; 하늘에 가득한 별 / ～阴霾mái; 〈成〉 하늘이 온통 흐리다 / ～飞; 여기저기 날아다니다.
〔满天红〕 mǎntiānhóng ①하늘이 온통 붉다. ②〈比〉 매우 소란스러운 모양. ¶吵chǎo得～; 소란스럽게 떠들어 대다.
〔满天刷报子〕 mǎntiān shuābàozi 가는 곳마다 터무니없는 말을 하고 다니다. ¶他那张嘴靠不住, ～; 그의 말은 믿을 수가 없다. 가는 곳마다 터무니없는 말을 하고 다니니.
〔满天星〕 mǎntiānxīng 명 ①온 하늘에 가득한 별. ¶～, 明天晴; 〈諺〉 별이 나오면 내일은 갬. ②구식 결혼에서, 신부가 타는 가마 꼭대기에 장식으로 붙이는 많은 주석(朱錫)의 알. ③《植》 피막이풀. ④《植》 중대가리풀. ⑤《植》 왕고들빼기. ⑥《植》 괭이밥('醋浆草'의 별칭). ⑦《植》 다시마일엽초('瓦韦'의 별칭). ⑧《植》 두메별꽃. ⑨《植》 철쭉과의 낙엽 관목.
〔满头大汗〕 mǎn tóu dà hàn 얼굴 가득히 땀을 흘리고 있는 모양《열심히 일하는 모양》.
〔满徒〕 mǎntú 동 ⇨〔学xué满〕
〔满文〕 Mǎnwén 명 만주어. 만주글.
〔满屋里拿蛤蟆〕 mǎnwūli ná háma 〈比〉 집 안에서 개구리 잡겠다《집 전체가 물에 잠긴 모양》.
〔满席〕 mǎnxí 명 만주식의 회식(會食) 요리('汉席'(한족의 회식 요리)에 상대하여 말함).
〔满限〕 mǎnxiàn 동 기한이 되다.
〔满像〕 mǎnxiàng 동 대단히 비슷하다. ¶～样子; 단정하다. 정말 보기에 좋다.
〔满孝〕 mǎnxiào 동 탈상하다. =〔满服〕〔孝满〕〔服竟〕〔服满〕
〔满心〕 mǎnxīn 부 전심으로. 열심히. 진심으로. ¶他倒是～愿意(的); 그는 실은 진심으로 원하고 있는 편이다 / ～想去又不好意思说; 가고 싶은 생각은 굴뚝 같지만 좀처럼 말할 수가 없다. 동 마음에 가득하다. ¶～欢喜; 가슴에 넘치는 기쁨 / ～挂虑; 충분히 염려하고 있다.
〔满行〕 mǎnxíng 형 모두 괜찮다〔좋다〕. 전혀 지장이 없다.
〔满眼〕 mǎnyǎn 형 ①눈(안에) 가득하다. ¶他一连两夜没有睡, ～都是红丝; 그는 꼬박 이틀 동안이나 잠을 자지 못해 눈에 핏발이 가득 서 있다. ②눈이 미치는 한. ¶走到山腰, 看见～的山花; 산중턱까지 갔더니 눈에 들어오는 것은 온통 꽃이었다. ③전부 차 있다. 꽉 차 있다.
〔满意〕 mǎnyì 형 만족하다. ¶这个条件你就～吗? 이 조건이면 자네는 만족한가? / ～的价格; 만족스러운 가격 / 他说的话不满我的意; 그가 말하는 것이 나는 마음에 들지 않는다. 동 결의(決意)하다. ¶君～杀之乎; 당신은 죽일 결심이 되었느냐.
〔满饮〕 mǎnyǐn 동 쭉 마시다. ¶请诸位～一杯; 여러분 어서 한 잔 쭉 드시기 바랍니다.
〔满应满许〕 mǎn yìng mǎn xǔ 쾌히 승낙하다.
〔满员〕 mǎn.yuán 동 만원이 되다. ¶二号车厢已经～了; 2호차는 벌써 만원입니다. (mǎnyuán) 명 ①전원(全員) 모두. 전원이 모임. ¶保证主力部队经常～; 주력부대는 늘 결원(缺員)이 없도록 확보하다. ②만주 사람 관리(官吏).
〔满月〕 mǎnyuè 명 ①음력 보름달. ②아이가 출생한 지 30일째를 일컬음.
〔满载〕 mǎnzài 동 만재하다. 가득 싣다. ¶～而归guī; 〈成〉 가득 싣고 돌아오다. 큰 수확을 올리다.
〔满杖〕 mǎnzhàng 명 옛날, 100대를 때리는 태형(笞刑).
〔满招损, 谦受益〕 mǎn zhāo sǔn, qiān shòu yì 〈諺〉 교만함은 손해를 초래하고 겸손함은 이득(利得)이 된다《차면 넘친다》.
〔满纸空〕 mǎnzhǐkōng 〈比〉 모든 것이 무용지물이 되다.
〔满秩〕 mǎnzhì 동 〈文〉 질록(秩祿)이 차다. 최고 관직에 오르다.
〔满洲〕 Mǎnzhōu 명 《史》 만주. ①1635년 청태종(清太宗)에 의해서 개칭된 '女nǚ真'의 자칭《현재의 '满族'》. ②신해 혁명 후는 보통 '东dōng北' '东三省'이라 일컬어지고 있음.
〔满装〕 mǎnzhuāng 명 만주 사람의 복장.
〔满子〕 mǎnzǐ 명 〈南方〉 막내아이.
〔满足〕 mǎnzú 형 ①만족하다〔시키다〕. ¶～愿望; 소원을 만족시키다. ②족하다. 충분하다. ¶不～于已经取得的成绩; 이미 거둔 성적에는 만족하고 있지 않다 / ～于现状; 현상에 만족하고 있다. 동 만족시키다. 채우다. …에 응하다. ¶不能～儿童的需要; 아동의 요구를 만족시키지 못하다 / 我们将尽可能地～你们的要求; 되도록 당신의 요망에 (부)응하겠다.

〔满族〕 Mǎnzú 명 만주족. 만족.
〔满嘴〕 mǎnzuǐ 부 말하는 것 모두. 입에서 나오는 대로. ¶～里胡说 =〔～里跑舌头〕; 입에서 나오는 대로 아무렇게나 말하다 / ～的之乎者也; 말하는 것이 모두 문어(文語)이다 / ～(的)仁义道德, 一肚子(的)男盗女娼; 〈諺〉 입으로는 마치 인의 도덕을 존중하는 듯이 말하지만, 뱃속은 마치 도둑이나 창녀처럼 파렴치하다.
〔满座(儿)〕 mǎnzuò(r) 명 만좌. 자리에 있는 사람 모두. (mǎn.zuò(r)) 동 자리가 꽉 차다. 만원이 되다.
〔满座牌〕 mǎnzuòpái 명 만원(滿員)이라고 쓰여져 있는 표찰. ¶数小时后已高挂～; 몇 시간 후에는 벌써 만원패를 내걸었다.

螨(蟎) mǎn (만)
명 《蟲》 진드기.

曼 màn (만)
①동 길게 끌다. ¶～声而歌; 목소리를 길게 끌며 노래하다 / ～～; 〈文〉 길게 뻗어 이어져 있는 모양. ②형 아리땁다. ③형 가볍고 부드럽다. 유연하다. ¶～舞; 우아하게 춤추다.
〔曼波〕 mànbō 명 ⇨〔漫波〕
〔曼彻斯特导报〕 Mànchèsītè dǎobào 명 맨체스터 가디언지(Manchester Gardian紙)《영국의 신문 이름》.
〔曼词〕 màncí 명 〈文〉 미사 여구(美辭麗句). 아름다운 말.
〔曼大〕 màndà 형 〈文〉 매우 크다.
〔曼德勒〕 Màndélè 명 《地》 〈音〉 만달레이(Mandalay)《미얀마 중앙부의 도시》.
〔曼德林〕 màndélín 명 《樂》 〈音〉 (현악기의) 만돌린. =〔曼陀铃〕〔曼多林(琴)〕〔〈俗〉 瓢琴〕〔〈俗〉 洋琵琶〕〔曼特林(琴)〕
〔曼谷〕 Màngǔ 명 《地》 방콕(Bangkok)《'泰国'(타일랜드: Thailand)의 수도》. =〔盘pán谷①㉡〕
〔曼丽〕 mànlì 형 〈文〉 곱고 아름답다.
〔曼靡〕 mànmí 형 목소리가 가늘고 아름답다.
〔曼妙〕 mànmiào 형 〈文〉 (춤추는 모습이) 유연하다.
〔曼暖〕 mànnuǎn 형 〈文〉 다사롭다.
〔曼声〕 mànshēng 동 ①목소리를 길게 뽑다. ¶～而歌gē; 목소리를 길게 뽑아 노래하다. ②부드러운〔온화한〕 목소리를 내다. ¶婉小姐改换了口气, ～说, "是不是还赌账?"《茅盾 霜葉紅似二月花》 완양(婉孃)은 말투를 바꾸어 온화한 목소리로 "노름빚을 갚는 게 아니어요?"라고 말했다.
〔曼寿〕 mànshòu 명동 장수(하다).
〔曼荼罗〕 màntúluó 명 《佛》 만다라.
〔曼陀罗〕 màntuóluó 명 《植》 자주괴불주머니《진해(鎭咳)·진통 약용》.
〔曼舞婆娑〕 mànwǔ pósuō 가볍게 춤추는 모습이 대단히 우아하고 아름답다.
〔曼延〕 mànyán 동 ①길게 이어져 그치지 않다. ¶～曲折的羊肠小道; 양의 창자처럼 꼬불꼬불 이어지는 길. ②흩어지다. 만연하다. 퍼지다. ‖=〔曼衍〕〔漫延〕〔漫衍〕〔衍曼〕
〔曼衍〕 mànyǎn 동 ⇨〔曼延〕
〔曼泽〕 mànzé 형 아름답게 광택이 있다.

谩(謾) màn (만)
①동 깔보다. 업신여기다. ¶～语yǔ; 깔보는 말. ②부 함부로. 마구. ¶～骂; 업신여기어 욕하다. 비웃으며 욕하다. ⇒mán
〔谩骂〕 mànmà 동 깔보고 욕하다. ¶破口～; 마구 욕설을 퍼붓다.

漫 màn (만)
①동 물이 넘치다. ¶河水～出来了; 강물이 넘쳤다. ②동 물에 잠기다. ¶水不深, 只～到脚面; 물은 얕아, 발등까지 잠길 뿐이다 / 雨太大, 把庄稼苗都～过去了; 비가 많이 와서 작물의 모종이 물에 잠기고 말았다. ③형 무질서하다. 제한이나 구속이 없다. ¶～无纪律; 멋대로 하여 규율이 없다 / ～无目的; 만연히 목적이 없다. ④형 온통 꽉 차다. 가득하다. 도처에 만연하다. ¶大雾～天; 온 하늘에 안개가 자욱이 끼다.
〔漫笔〕 mànbǐ 명 만필. 일정한 형식에 따르지 않고 생각나는 대로 쓰는 문장《문장의 제명(題名)으로 쓰임》. ¶灯下～; 등하 만필《루쉰(魯迅)의 글의 제목》.
〔漫波〕 màn bō 명 《舞》 〈音〉 맘보(스 mambo). =〔曼波〕
〔漫不经心〕 màn bù jīng xīn 전혀 마음에 두지 않다. 전혀 염려하지 않다. ¶对子女的品行～; 자녀의 품행에 대해서 전혀 마음을 쓰지 않다.
〔漫步〕 mànbù 동 만보하다. 한가롭게 걷다.
〔漫长〕 màncháng 형 ①(시간·길 등이) 길고 끝이 없다. ¶～的河流; 끝이 없는 강의 흐름 / ～的封建社会; 오랫동안 계속된 봉건 사회 / 经过～的改进过程; 오랜 개량 진보의 과정을 겪다. ②마음이 늘쩡하다. ¶日苏之间～的谈判; 일·소간의 늘쩡늘쩡한 긴 교섭.
〔漫成〕 mànchéng 동 〈文〉 (시를) 적당히 짓다.
〔漫出来〕 mànchulai 넘쳐서 흘러나오다. ¶河水～了; 강물이 넘쳤다.
〔漫道〕 màndào 접 ⇨〔慢说〕
〔漫反射〕 mànfǎnshè 명 《物》 난(亂)반사. ¶～光; 산란광(散亂光). 난반사광. =〔漫射〕
〔漫灌〕 mànguàn 명 《農》 논 사이에 물을 자연히 흘러들어가게 하는 관개법. 동 (홍수가) 흘러들어가다.
〔漫汗〕 mànhàn 형 〈文〉 광대하다.
〔漫画〕 mànhuà 명 만화. ¶～家; 만화가. 만화작가. =〔〈音〉 卡kǎ通〕
〔漫漶〕 mànhuàn 형 (글자나 그림이 마멸되어, 또는 침수 때문에) 희미하다. ¶字迹～; 필적이 희미하다.
〔漫荒野地〕 mànhuāng yědì 황폐한 땅.
〔漫卷〕 mànjuǎn 동 (깃발 따위가) 바람에 펄럭이다.
〔漫浪〕 mànlàng 형 (생활·언동에) 맺힌 데가 없다. 절도(節度)가 없다. 방종하다.
〔漫流〕 mànliú 동 넘쳐 흐르다.
〔漫录〕 mànlù 명 만록. 동 붓 가는 대로 적다.
〔漫骂〕 mànmà 동 무턱대고 호통치다. =〔谩骂〕〔乱骂〕
〔漫漫〕 mànmàn 형 ①큰물이 흐르는 모양. ②(시간·장소가) 끝이 없다. ¶～长夜chángyè; 기나긴 밤 / ～的大草原; 아득한 대초원 / 四野都是～白雪; 사방은 온통 흰눈이다.
〔漫评〕 mànpíng 명 만평. 동 자유롭게 비평하다.
〔漫坡儿〕 mànpōr 명 완만한 비탈.
〔漫儿〕 mànr 명 동화(銅貨)의 글자가 새겨져 있지 않은 쪽. =〔闷mèn儿〕
〔漫热〕 mànrè 형 매우 덥다.
〔漫山遍野〕 màn shān biàn yě 〈成〉 들과 산에 넘치다. 매우 많다. ¶我们的羊群～, 到处都是;

우리 염소 떼는 들과 산에 넘쳐서 도처에 온통 염소들이다.
〔漫射〕 mànshè 명 ⇨〔漫反射〕
〔漫水〕 mànshuǐ 동 물이 넘치다.
〔漫说〕 mànshuō 접 ⇨〔慢说〕
〔漫谈〕 màntán 동 자유롭게 이야기하다〔토론하다〕. 방담(放談)하다. ¶～会; 자유 토론회. 프리 토킹(free talking)하는 모임. 명 자유 토론. 프리 토킹.
〔漫天〕 màntiān 형 ①하늘에 가득하다. ¶尘chén土～; 흙먼지가 하늘을 뒤덮다 / 乌云～; 검은 구름이 하늘을 덮다 / ～雪; 온통 은세계. ②끝이 없는 모양. 터무니없는 모양. ¶～大谎; 끝없는 거짓말. 새빨간 거짓말.
〔漫天讨价〕 màn tiān tǎo jià 〈成〉 터무니없이 높은〔비싼〕 값을 부르다. =〔漫天要价〕〔满mǎn天要价〕〔瞒天要价〕
〔漫头〕 màntou 명《劇》 중국 전통극에서, 두 사람의 배우가 한쪽은 쫓고 다른 한쪽은 달아나는 싸움 장면의 일종.
〔漫无边际〕 màn wú biān jì 〈成〉 ①끝도 한(限)도 없이 넓다. ②(이야기·글 따위가) 본제(本題)와 터무니없이 동떨어지다.
〔漫无纪律〕 màn wú jì lǜ 〈成〉 문란해서 규율이 없다. 질서가 조금도 없다. 매우 칠칠치 못하다.
〔漫无人烟〕 màn wú rén yān 〈成〉 눈에 보이는 먼 곳까지에도 인가(人家)가 없다. ¶～的陌生地方; 부근 일대에 인가도 없는 낯선 고장.
〔漫无止境〕 màn wú zhǐ jìng 〈成〉 만연(漫然)히 한없이 계속되다. 끝이 없다. ¶～地横行起来; 한없이 설치다.
〔漫行〕 mànxíng 동 〈文〉 산책하다. 어슬렁어슬렁 걷다.
〔漫兴〕 mànxìng 명 〈文〉 즉흥(시).
〔漫延〕 mànyán 동 ⇨〔曼延〕
〔漫言〕 mànyán 명동 ⇨〔漫语〕
〔漫衍〕 mànyǎn 동 ⇨〔曼延〕
〔漫溢〕 mànyì 동 물이 넘치다. ¶洪流～; 홍수가 넘치다.
〔漫游〕 mànyóu 동 ①어슬렁어슬렁 걸으며 구경하다. ②회유(回游)하다. ¶～生物; 회유 생물.
〔漫语〕 mànyǔ 명동 종잡을 수 없는 말(을 지껄이다). =〔漫言〕

慢 **màn** (만)
①형 천천히 하다. 동작이 완만하다. 느리다. ¶快～; 속도 / ～地走; 천천히 걷다 / 我的表～五分钟; 내 시계는 5분 늦다 / 性子～; 성질이 느리다. ↔〔快〕 ②형 소홀하다. ③동 기다리다. 삼가다《상대의 행동을 가로막고 말리는 말》. ¶且～! 잠깐 기다려! / 请你～夸口; 허풍 좀 치지 마시오. ④동 멋대로 하다. 게을리하다. ⑤동 늦추다. ¶～着步儿走! 걸음을 늦추어라! ⑥형 태도가 쌀쌀하다. 매정하다. 소홀히 대하다. ¶怠～; 태만하다 / 轻～; 얕보고 업신여기다 / 侮wǔ～; 깔보고 업신여기다 / 傲ào～; 거만하다. 오만하다.
〔慢板〕 mànbǎn 명 ①템포 느린 중국 연극. ↔〔快板〕 →〔板眼〕 ②(노래·음악의) 느린 가락. 슬로 템포.
〔慢步〕 mànbù 명 (교련이나 마술의) 상보(常步). 보통 걸음. ¶拔bá～; 보통 걸음으로 걷다.
〔慢藏诲盗〕 màn cáng huì dào 〈成〉 물건의 간수가 허술해서 다른 사람으로 하여금 훔치고 싶은 마음을 일으키게 하다〔하는 짓을 하다〕.
〔慢车〕 mànchē 명 (급행 열차에 대하여)보통 열차. 완행. ↔〔快kuài车〕
〔慢车道〕 mànchēdào 명 ①저속 주행 차선(低速走行車線). ②자전거·오토바이의 주행선(走行線).
〔慢词〕 màncí 명《劇》 곡의 가락의 일종으로 가락이 길고 느린 사(詞), 예컨대, '沁园春' 따위.
〔慢打法器〕 màn dǎ fǎqì 〈比〉 잠시 외부에 알리지 않다. 덮어 두다. ¶这件事还要斟酌, 暂且～吧; 이 일은 조금 더 생각하지 않으면 안 되니 잠시 덮어 두자.
〔慢待〕 màndài 동 ①소홀히 대접하다. ②대접을 못 해 드려 죄송합니다《손님에 대한 겸사말》. ¶～～! =〔简jiǎn慢简慢!〕; 대접이 변변치 못했습니다! ‖ =〔待慢〕〔简慢〕
〔慢道〕 màndào 접 ⇨〔慢说〕
〔慢地〕 màndì 부 천천히. ¶这么～走, 一定不能按时到了; 이렇게 천천히 걷다가는 틀림없이 시간 안에 도착할 수 없다.
〔慢动作〕 màndòngzuò 명《撮》 슬로모션. 느린 동작《한 필름을 보통의 빠르기로 영사한 것》.
〔慢工〕 màngōng 형 일이 더디다. ¶～钱高; 〈諺〉 더딘 일은 품삯이 많이 치이게 된다 / ～出巧匠 =〔～出细活〕; 〈諺〉 시간을 많이 들여서 한 일에서 좋은 물건이 나온다.
〔慢化剂〕 mànhuàjì 명 ⇨〔减jiǎn速剂〕
〔慢回〕 mànhuí 갑자기 뒤돌아보지 않도록 경고하는 말《요리나 깨지는 물건을 들고 올 때에 함》.
〔慢火(儿)〕 mànhuǒ(r) 명 뭉근한 불. =〔文wén火〕
〔慢讲〕 mànjiǎng 접 ⇨〔慢说〕
〔慢劲儿〕 mànjìnr 명 느린 정도. ¶你瞧这个～, 快一点儿不行吗? 너의 꾸물거리는 꼴이라니, 좀 빨리 할 수 없겠니?
〔慢惊(风)〕 mànjīng(fēng) 명《漢醫》 만경풍(慢驚風)《어린이 경기의 일종》.
〔慢镜头〕 màn jìngtóu 명 (영화 따위의 고속도 촬영에 의한) 슬로모션. =〔慢动作〕
〔慢里咕咭〕 mànli gūjī 〈俗〉 느릿느릿하다. 꾸물거리다.
〔慢轮〕 mànlún 명《機》 백기어(back gear). =〔背bèi轮〕
〔慢慢(的)〕 mànmàn(de) 부 ①느릿느릿. 천천히. ②차차. 점점. ¶～就好了; 차차 나아지다〔나아졌다〕. ③얼마 안 가서. 이윽고. 注 '慢慢儿'의 경우는 mànmānr. ¶慢慢儿走; 천천히 걷다.
〔慢慢腾腾〕 mànmantēngtēng 형 느릿느릿하다. ¶车子在道上晃晃悠悠, ～地走着; 자동차는 길 위를 흔들거리며 천천히 움직이고 있다. =〔慢腾腾(的)〕
〔慢慢吞吞〕 mànmantūntūn 형 느릿느릿하다. ¶他朝这边看一眼, 又疑疑惑惑, ～地走过来了; 그는 이쪽을 흘끔 보고는 의심쩍은 듯이 느릿느릿 걸어왔다. =〔慢腾腾(的)〕
〔慢盘牙(齿)〕 mànpányá(chǐ) 명《機》 백기어(back gear). =〔背bèi轮〕
〔慢坡(儿)〕 mànpō(r) 명 경사가 완만한 비탈.
〔慢球〕 mànqiú 명《體》(야구 따위의) 슬로 볼.
〔慢声〕 mànshēng 명 (얘기할 때의) 느린 말투. ¶他沉吟了片刻, ～地说; 그는 잠깐 무엇인가 중얼거리고 있다가, 느린 말투로 말했다.
〔慢世〕 mànshì 동 세상을 얕보다.
〔慢手慢脚〕 màn shǒu màn jiǎo 〈成〉 동작·일이 느리다.
〔慢手儿〕 mànshǒur 명 손이 느린 사람.

〔慢说〕 mànshuō 접 …은커녕. …은 말할 나위 없이. ¶这种动物, ～国内少有, 在全世界也不多; 이 동물은 국내에는 거의 없을뿐더러 세계에도 많지 않다 / ～十万就是百万千万, 他也不会见钱动心; 그는 십만은 고사하고, 백만, 천만금이라도 돈을 보고 마음이 동하는 일은 있을 수 없다. =〔慢道〕〔慢讲〕〔漫说〕〔漫道〕〔别说〕

〔慢速齿轮〕 mànsù chǐlún 명 《機》 감속(減速) 기어.

〔慢腾斯礼〕 mànténg sīlǐ 형 ⇨〔慢条斯理(儿)〕

〔慢腾腾(的)〕 màntēngtēng(de) 형 느린 모양. 꾸물거리는 모양. ¶这样～地走, 什么时候才能走到呢? 이렇게 꾸물대고 걷다가는 언제 도착하지? =〔慢吞吞(的)〕

〔慢条斯理(儿)〕 màntiáosīlǐ(r) 형 침착하다. 여유만만하다. ¶～的神情; 여유만만한 기분〔태도〕/ 他说话举止总是～的; 그의 언동은 언제나 침착하다 / 他们却制造了许多借口, 许多条件, 要～地举行准备; 그들은 갖가지 구실과 조건을 만들어서 천천히 준비를 진행하려 하고 있다. =〔慢腾斯礼〕

〔慢吞吞(的)〕 màntūntūn(de) 형 느린 모양. 꾸물거리는 모양. ¶他是一个～的人; 그는 굼뜬 사내다. =〔慢腾腾(的)〕

〔慢下垂球〕 mànxiàchuíqiú 명 《體》 포크볼(fork ball)《야구에서 변화구의 하나》.

〔慢行〕 mànxíng 동 ①서행(徐行)하다. ¶施工地段, 汽车～! 공사 구간이므로 자동차는 서행할 것! / 叉路～! 교차로에서 속도를 늦추어라! / ～路; 서행 차선(車線). ②천천히 걷다.

〔慢性〕 mànxìng 형 ①만성의. ¶～病; 만성병. ②(약의) 효력이 느리다. 형명 ⇨〔慢性子〕

〔慢性鼻道炎〕 mànxìng bídàoyán 명 《醫》 축농증. =〔上颌窦蓄脓症〕〔鼻痈〕〔鼻渊〕〔〈俗〉 脑漏〕

〔慢性子〕 mànxìngzi 형 굼뜨다. 명 느리광이. 성질이 유한 사람. ‖ =〔慢性〕〔慢性儿〕↔〔急jí性子〕

〔慢用〕 mànyòng 〈套〉 천천히 드십시오《식사할 때》. ¶～～! 천천히 드십시오!

〔慢悠悠(的)〕 mànyōuyōu(de) 형 (동작이) 느긋한 모양. ¶他不慌不忙, ～地说; 그는 서둘지도 당황하지도 않고 침착하게 말했다.

〔慢着〕 mànzhe 그만 해라. 멈춰라. 서둘지 마라. ¶～点儿走! 좀 천천히 걸어라!

〔慢中子〕 mànzhōngzǐ 명 《物》 느린 저속 중성자(‘热中子’(열중성자(熱中性子))는 대표적인 것임).

〔慢走〕 mànzǒu 동 ①천천히 걷다. ②〈套〉 살펴 가십시오《떠나는 사람에 대한 인사말》.

墁 màn (만)

①명 진흙을 바름. ②동 바르다. ③동 (벽돌이나 자갈 따위를) 깔다. ¶～地; 땅바닥에 (돌이나 벽돌을) 깔다 / ～瓦wǎ; 기와를 깔다 / 花砖～地; 미장 타일(美粧 tile)을 바닥에 깔다 / ～甬路 =〔～甬yǒng道〕; 양쪽 지면보다 한층 높은 통로를 만들다.

〔墁墙〕 mànqiáng 동 벽을 바르다.

〔墁砖〕 mànzhuān 동 벽돌을 깔다.

蔓 màn (만)

① ‘蔓wàn’ 의 문어음《연어(連語)를 만들 때 쓰임》. ¶～草; 덩굴풀. ②형 만연하다. ③ ‘不～不支’ 지장이 없다. ⇒mán wàn

〔蔓缠〕 mànchán 동 덩굴로 달라붙어 감기다.

〔蔓荆〕 mànjīng 명 《植》 순비기나무. 또, 그 근연종(近緣種)《열매는 ‘～子zǐ’ 라고 하며 약용함》.

〔蔓器〕 mànqì 명 덩굴 제품.

〔蔓生〕 mànshēng 동 덩굴을 벋어나다. 만생하다. ¶～植物; 덩굴 식물. 만생 식물.

〔蔓说〕 mànshuō 명동 잡담(하다).

〔蔓藤花纹〕 mànténg huāwén 명 《美》 아라베스크(프 arabesque).

〔蔓延〕 mànyán 동 만연하다. 널리 퍼지다. ¶火势～; 불길이 널리 번지다. =〔蔓衍〕

〔蔓衍〕 mànyǎn 동 ⇨〔蔓延〕

〔蔓于〕 mànyú 명 《植》 바랭이의 근연종(近緣種)《벼과의 잡초》. =〔羊yáng麻〕〔马mǎ唐〕

幔 màn (만)

(～子) 명 만막(幔幕). 방에 치는 커튼〔칸막이〕. ¶窗～; 커튼 / 撩liāo起～帐 =〔掀起～帐〕; 막을 (걷어)올리다/ 放下～帐; 막을 내리다. =〔幔帐zhàng〕

〔幔室〕 mànshì 명 〈文〉 장막을 둘러쳐서 만든 방.

〔幔亭〕 màntíng 명 〈文〉 텐트. 천막.

嫚 màn (만)

동 깔보다. 창피를 주다. ¶～戏xì; 깔보고 조롱하다 / ～骂; 깔보고 욕하다. ⇒mān

缦(縵) màn (만)

①명 무늬 없는 비단. ¶～布; 허술한 천. ②명 두둑이 없는 논밭. ③형 태연하다. ④형 관대하다. ⑤형 꾸밈이 없음. ⑥형 완만한 모양. ⑦인명용 자(字).

〔缦裆裤〕 màndāngkù 명 밑을 트지 않은 보통의 바지.

〔缦立〕 mànlì 동 가만히 멈춰 서다. →〔倚yǐ栏缦立〕

〔缦缦〕 mànmàn 형 ①완만한 모양. ②구름이 천천히 걷히는 모양.

熳 màn (만)

→〔烂làn熳〕

镘(鏝〈槾〉) màn (만)

명 ①흙손. =〔镘刀〕〔泥镘〕〔抹mǒ子〕 ②미륵창《고대의 병기, ‘戟jǐ 의 별칭》.

〔镘刀〕 màndāo 명 흙손. =〔泥ní镘刀〕

MANG ㄇㄤ

牤〈犛〉 māng (망)

→〔牤牛〕

〔牤牛〕 māngniú 명 《動》 〈方〉 황소. =〔牤子〕〔公牛①〕

邙 máng (망)

지명용 자(字). ¶北Běi～山; 베이망 산(北邙山)《허난 성(河南省) 뤄양(洛陽)에 있는 산 이름》.

忙 máng (망)

①형 바쁘다. ¶繁fán～; 분주하다. 바쁘다 / ～上了; 바빠지기 시작했다 / 白天黑夜工作～; 낮이나 밤이나 일 때문에 바쁘다 / 您请～您的吧! 그대로 일을 계속 하십시오《작별하고 떠날 때 주인에게 하는 인사말》. ↔〔闲A)①〕 ②동 서두르다. ¶你别～! 그리 서두르지 마! 좀 기다려! / 正～活呢; 마침 일을 급히 하고 있는 중입니다 / ～着订增产节约的计划; 서둘러 증산과 절약의 계획을 세우다 / 你～你的去! 너는 네 할 일

을 하러 가거라! ③ 동 허둥지둥하다. 초조하게 굴다. ¶～着说; 허둥지둥 말하다 / 心里一阵发～; 마음이 갑자기 초조한 기분이 되다 / 着～; 황급하게 굴다. 허둥거리다. ④ 형 어수선하다. ⑤ 동 (시간·시기에 맞추어) 준비하다. ¶～年; 과세(過歲) 준비를 하다 / ～节; (단오나 추석 등의) 명절 준비를 하다.

〔忙不迭〕 mángbudié 매우 당황하다. 注 '忙得迭'·'忙迭' 라고는 하지 않음.

〔忙不过来〕 mángbuguòlái 손님 접대에 쉴 틈이 없다. (바빠서) 손이 못 미치다. ↔〔忙得过来〕

〔忙冲冲〕 mángchōngchōng 형 황급하게 왔다갔다 하는 모양.

〔忙猝〕 mángcù 형 분주하다. 다급하다.

〔忙当儿〕 mángdangr 명 바쁠 때.

〔忙叨〕 mángdao 형 분주하다. 허둥지둥하다. 매우 바쁘다. 서두르다. ¶您这么～地是上哪儿去呀; 그렇게 황급히 어디로 가십니까.

〔忙得团团转〕 mángde tuántuánzhuàn 바빠서 쩔쩔매다. 벅찬 일로 뛰어 돌아다니다.

〔忙法儿〕 mángfǎr 명 바쁨. 바쁜 정도.

〔忙饭〕 mángfàn 동 식사 준비에 바쁘다. ¶帮母亲～; 어머니의 부엌일을 돕다.

〔忙工〕 mánggōng 명 농번기에 고용하는 노동자. 임시 고용인.

〔忙合〕 mánghe 동 〈方〉 ①도와 주다. ②허둥지둥 일하다. 바삐 하다. ¶他们俩已经～了一早上了; 그들 두 사람은 아침 내내 몹시 분주했다. ‖＝〔忙和②〕〔忙乎〕〔忙活mánghuo〕

〔忙和〕 mánghe 명 조력. 동 ①도와 주다. ＝〔帮忙〕 ② ⇨〔忙合〕

〔忙坏〕 mánghuài 형 몹시 바쁘다. 바빠서 녹초가 되다. ¶这几天我～了; 요 며칠 동안 나는 몹시 바빴다.

〔忙活(儿)〕 máng.huó(r) 동 바삐 움직이다. ¶她～一早上了; 그녀는 오전 내내 바빠서 분주하게 뛰어 돌아다녔다 / 你忙什么活? 넌 뭣 때문에 분주하게 돌아치고 있느냐? (mánghuó(r)) 명 급한 용무. ¶这是件～, 要先做; 이 일은 급한 일이므로 먼저 하지 않으면 안 된다.

〔忙活〕 mánghuo 동 ⇨〔忙合〕

〔忙季(儿)〕 mángjì(r) 명 바쁜 때. ¶农～; 농번기.

〔忙劲儿〕 mángjìnr 명 ①바쁜 모습. ②바쁜 정도. ③당황하는 태도〔모양〕. 초조.

〔忙来忙去〕 mánglái mángqù 무턱대고 바쁘게 서두르다. 침착하지 못하고 분주하다.

〔忙累〕 mánglèi 동 바빠서 지치다. 바빠서 지치게 하다. ¶儿女结婚父母～; 자식의 혼인 때문에 부모는 바빠서 지친다.

〔忙里偷闲〕 máng li tōu xián 〈成〉 망중한(忙中閒)을 찾다. 바쁜 중에 짬을 내다. ¶～地去一趟; 바쁜 중에 짬을 내어 한 번 가다.

〔忙碌〕 mánglù 형 (몹시) 바쁘다. ¶忙忙碌碌地做工; 허덕지덕 일하다 / 终日～; 종일 바쁘다.

〔忙乱〕 mángluàn 형 ①허둥지둥하다. ②바쁘다. ¶年末总觉得～; 연말이 되면 왜 그런지 몹시 바쁘다 / 这几天～极了; 요 며칠 바빠서 허둥거렸다.

〔忙忙〕 mángmáng 형 다급한 모양. 부 서둘러. 급히.

〔忙忙猝猝〕 mángmangcùcù 형 총망(悤忙)하다. 황망히. →〔忙猝〕

〔忙忙叨叨〕 mángmangdāodāo 형 대단히 바쁘다. 허둥대다. ¶～地; 허둥지둥. 황망히. →〔忙叨〕

〔忙忙碌碌〕 mángmanglùlù →〔忙碌〕

〔忙迫〕 mángpò 형 꼼짝 할 수 없이 바쁘다.

〔忙人(儿)〕 mángrén(r) 명 바쁜 사람. ¶大～; 매우 바쁜 사람.

〔忙三火四〕 máng sān huǒ sì 〈俗〉 허둥지둥하는 모양. ¶他～地扒拉了两碗饭; 그는 밥 두 그릇을 허둥지둥 퍼 넣었다.

〔忙杀〕 mángshā 형 일에 쫓기다. 매우 분주하다.

〔忙上忙下〕 máng shàng máng xià ①웃어른을 섬기고 아랫사람을 보살피느라 매우 바쁜 모양. ②일이 많아서 매우 바쁜 모양.

〔忙头〕 mángtóu 명 ('～上' 으로) 한창 바쁜 가운데. ¶想趁这个～上挣几个钱; 이 바쁜 때를 이용하여 얼마간의 돈을 벌려고 생각했다.

〔忙行无好步〕 mángxíng wú hǎo bù ⇨〔宁nìng走一步远, 不走一步险〕

〔忙音〕 mángyīn 명 (전화의) 통화중 소리.

〔忙银〕 mángyín 명 지조(地租)의 별칭.

〔忙于〕 mángyú 형 …로 바쁜. …을 서두르는. ¶～招待客人; 손님 접대에 바쁘다 / ～预备考试; 시험 준비에 바쁘다.

〔忙月〕 mángyuè 명 ①바쁜 달. 농번기《입하(立夏)에서 약 120일 동안》. ②〈南方〉 농번기의 임시 고용인.

〔忙着〕 mángzhe 부 서둘러. 당황하여. ¶先别～下结论! 우선 서둘러 결론을 내리지 마라!

〔忙针儿〕 mángzhēnr 명 (시계의) 초침.

〔忙中有错〕 máng zhōng yǒu cuò 〈成〉 서두르면 일을 그르친다.

芒 máng (망)

명 ①벼·보리의 까끄라기. ¶麦mài～(儿); 보리의 까끄라기. ②가시. ③《植》 억새. 억새꽃. ④(억새 따위의) 잎끝. ＝〔颖yǐng①〕 ⑤창(槍) 따위의 끝. ¶锋fēng～; 칼끝. ⑥광선의 방사. ¶光～; 광망. ⇒wáng

〔芒刺〕 mángcì 명 ①까끄라기와 가시. ¶～在背; 등에 까끄라기와 가시가 박혀 있다《바늘방석에 앉은 것 같음》. ②〈轉〉 방해. 장애(물). ¶守住了城市, 成为后方的～; 도시를 굳게 지켜, 후방의 장애물이 되게 하다.

〔芒旦蜡〕 mángdànlà 명 《鑛》 광랍(鑛臘). 갈탄납. ＝〔蒙méng丹蜡〕

〔芒果〕 mángguǒ 명 《植》 〈音〉 망고(mango). ＝〔杧果〕

〔芒角〕 mángjiǎo 명 뾰족한 끝.

〔芒屩〕 mángjuē 명 ⇨〔芒鞋〕

〔芒芒〕 mángmáng 형 ①큰 모양. 많은 모양. ②먼 모양. ③지친 모양. ④희미해 서 분간 못 하는 모양.

〔芒萁〕 mángqí 명 《植》 발풀고사리.

〔芒刃〕 mángrèn 명 칼끝.

〔芒硝〕 mángxiāo 명 ⇨〔硭硝〕

〔芒鞋〕 mángxié 명 〈文〉 짚신. ＝〔芒屩〕

〔芒种〕 mángzhòng 명 망종《24절기의 하나. 양력 6월 6일 전후》.

杧 máng (망)

→〔杧果〕

〔杧果〕 mángguǒ 명 《植》 〈音〉 망고(mango). 망고의 열매. ＝〔檬mǎng果〕〔芒果〕〔檬果〕

盲 máng (맹)

① 형 소경(의). 장님. 눈이 보이지 않는. ¶色～; 색맹 / 夜yè～症; 야맹증. ② 명 문맹.

¶扫～运动; 문맹 퇴치 운동. ③ 부 맹목적으로. 무비판적으로. ④ 형 사물에 대한 인식 능력이 없다. ¶图～; 설계도를 볼 줄 모르는 사람.
〔盲斑〕 mángbān 명 ⇨〔盲点〕
〔盲肠炎〕 mángchángyán 명 〈俗〉 맹장염. =〔阑lán尾炎〕
〔盲椿象〕 mángchūnxiàng 명 《蟲》 장님노린재.
〔盲从〕 mángcóng 동 맹종하다.
〔盲点〕 mángdiǎn 명 《生》(안구의) 맹점. =〔盲斑〕
〔盲动〕 mángdòng 명동 맹동(하다). ¶～主义; 맹동주의.
〔盲风〕 mángfēng 명 〈文〉 질풍(疾風).
〔盲干〕 mánggàn 동 계획도 없이 무턱대고 하다.
〔盲流〕 mángliú 동명 (주로 농촌으로부터 도시로) 인구가 유입되다. 또, 그 인구.
〔盲鳗〕 mángmán 명 《魚》 먹장어(과(科)의 총칭).
〔盲猫〕 mángmāo 명 ⇨〔蟹xiè獴〕
〔盲目〕 mángmù 형 소경의. 눈이 먼. 맹목적인. ¶～发展; 맹목적 발전 / ～不盲心; 눈은 멀었어도 마음은 확실하다〔멀지 않았다〕. 명 〈轉〉 잘못된 인식.
〔盲目竞争〕 mángmù jìngzhēng 명 자유주의 경제에 있어서의 통제 없는 경쟁.
〔盲棋〕 mángqí 명 ①장기판〔바둑판〕을 보지 않고 위치를 말하여 두는 장기〔바둑〕. ②엉터리 장기.
〔盲区〕 mángqū 명 레이더가 포착하지 못하는 지대.
〔盲人〕 mángrén 명 맹인. =〔瞎xiā子①〕
〔盲人摸象〕 máng rén mō xiàng 〈成〉 여러 소경이 코끼리를 만지다《모든 사물을 자기 주장대로 그릇 판단함》.
〔盲人瞎马〕 máng rén xiā mǎ 〈諺〉 소경이 눈먼 말을 타다《무모한 짓을 함》. =〔盲人骑瞎马〕
〔盲蛇〕 mángshé 명 《動》 소경뱀.
〔盲鼠〕 mángshǔ 명 ⇨〔鼢fén鼠〕
〔盲文〕 mángwén 명 점자문(點字文). 점자책.
〔盲哑学校〕 mángyǎ xuéxiào 명 맹아 학교.
〔盲炸〕 mángzhà 명동 맹폭(盲爆)(하다).
〔盲蜘蛛〕 mángzhīzhu 명 《蟲》 소경거미. =〔长cháng脚蜘蛛〕
〔盲字〕 mángzì 명 점자(點字). =〔盲文〕〔盲字符号〕

氓
máng (맹)
→〔流liú氓〕 ⇒ méng

茫
máng (망)
형 ①아득하다. 끝없이 광대하다. 망망하다. ¶渺～; 광대(廣大)하고 끝이 없다 / 雾气～～; 안개가 망망히 끝도 없이 끼여 있다 / ～无头绪; 막연하여 실마리를 잡을 수 없다. ②막연하다. 분명치 않다. 무지〔무식〕하다. 흐리멍텅한〔멍한〕 모양.
〔茫茫〕 mángmáng 형 망망하다. 끝이 없어 똑똑히 보이지 않다. ¶～大海; 망망 대해 / 在旧社会他感到前途～; 구사회(舊社會)에서는 그는 전도에 희망을 가질 수 없었다 / ～一片白雾; 천지를 뒤덮는 끝없는 안개에 휩싸였다.
〔茫昧〕 mángmèi 형 확실하지 않다. 막연하다.
〔茫然〕 mángrán 형 ①정신을 잃고 멍하니 있는 모양. 어찌할 바를 모르는 모양. 막연한 모양. ¶～若失; 방심(放心)하다 / ～自失; 망연자실하다 / 学校是毕了业了, 可是想到前途竟～得很; 학교는 졸업했지만 미래를 생각하면 사뭇 막막하다. ②마음이 들떠서. 흐지부지. ③도무지 모르다. ¶～无知 =〔～不知〕; 전혀 모른다.
〔茫无头绪〕 máng wú tóu xù 〈成〉 전혀 짐작이 가지 않다. 전혀 단서를 잡을 수 없다.
〔茫无涯岸〕 máng wú yá àn 〈成〉 ①묘연하여 앞을 알 수 없다. ②도무지 알 길이 없다.

硭
máng (망)
→〔硭硝〕
〔硭硝〕 mángxiāo 명 《化》 황산나트륨. =〔芒硝〕

铓(鋩)
máng (망)
①명 칼 따위의 끝. =〔芒máng⑤〕
②→〔铓锣〕
〔铓锣〕 mángluó 명 《樂》 윈난 성(雲南省)와족(佤族)의 타악기《3개의 정(鉦)을 나란히 매단 것》.

尨
máng (방)
①명 《動》 삽살개. ②동 털이 섞이다. ③형 잡털의. 잡색의. ¶～眉皓发; 잡색의 눈썹과 하얀 머리칼《노인의 형용》. ⇒méng

牻
máng (방)
명 흑백(黑白)의 얼룩소.
〔牻牛儿苗〕 mángniúrmiáo 명 《植》 국화쥐손이.

莽
mǎng (망)
①명 밀생(密生)한 풀. ¶草～; ⓐ풀숲. ⓑ〈轉〉 민간(의). 재야(의) / 林～; 우거진 숲. ②형 거칠고 막되다. 덜렁거리다. ¶卤lǔ～; 경솔하다. 거칠다 / 这人太～; 이 사람은 매우 경망스럽다. ③형 아득하다. 멀다. 유원(幽遠)하다. ④형 넓다. 크다. ⑤명 성(姓)의 하나.
〔莽苍〕 mǎngcāng 〈文〉 명 벌판. 형 (벌판의) 경치가 끝없이 넓다.
〔莽草〕 mǎngcǎo 명 《植》 붓순나무.
〔莽荡〕 mǎngdàng 형 〈文〉 광막하고 황폐한 모양.
〔莽汉〕 mǎnghàn 명 경망한 자. =〔莽夫〕
〔莽莽〕 mǎngmǎng 형 ①풀이 우거진 모양. ②벌판이 넓고 끝이 없는 모양.
〔莽莽撞撞〕 mǎngmangzhuàngzhuàng =〔莽撞〕
〔莽原〕 mǎngyuán 명 풀이 우거진 들〔벌판〕.
〔莽张飞〕 mǎng Zhāngfēi 명 경망스러운 장비(張飛)(와 같은 사람).
〔莽撞〕 mǎngzhuàng 형 거칠고 경망스럽다. 무모하다. ¶～仗; 무모한 싸움 / 这样做法太～了; 이런 방식은 너무나 무분별하다〔저돌적이다〕 / 请您恕我～! 아무쪼록 저의 경솔을 용서해 주십시오! =〔莽莽撞撞〕
〔莽戆〕 mǎngzhuàng 형 경망하고 우둔하다. =〔戆莽〕

漭
mǎng (망)
→〔漭漭〕
〔漭漭〕 mǎngmǎng 형 넓고 끝이 없는 모양. =〔漭沆hàng〕〔漭瀁yǎng〕

檬
mǎng (망)
→〔檬果〕
〔檬果〕 mǎngguǒ 명 ⇨〔杧果〕

蟒
mǎng (망)
명 ①《動》 이무기. ② '蟒袍' 의 약칭.
〔蟒鞭〕 mǎngbiān 명 긴 가죽으로 된 채찍. 옛날

의 형구(刑具)의 하나.
〔蟒服〕 mǎngfú 명 명청(明清) 시대의 관복(용의 모양을 수놓았음). =〔蟒衣〕
〔蟒袍〕 mǎngpáo 명 명청(明清) 시대에 황금빛 이무기 무늬를 수놓은 대신의 예복(禮服). 망포. =〔蟒服〕〔蟒衣〕〔花袍子〕〔花衣②〕
〔蟒蛇〕 mǎngshé 명 《動》 ①이무기. ②보아(boa)(열대산의 무독(無毒)의 큰 뱀). ‖=〔蟒虫〕〔蚺rán蛇〕
〔蟒衣〕 mǎngyī 명 ⇨〔蟒袍〕

MAO ㄇㄠ

猫〈貓〉 māo (묘)
①명 《動》 고양이. ¶一只～; 한 마리의 고양이 / 小～儿; 고양이 새끼. =〔狸奴〕〔猫儿〕 ②동 〈方〉 도망쳐 숨다. ¶他～在那儿了; 그는 저 곳에 숨었다. ⇒máo
〔猫叼耗子〕 māo diāo hàozi 고양이가 쥐를 물다. 〈轉〉 아기가 아기를 안다(끌어당기면서 힘겹게 안고 있는 모양에서 이렇게 말함).
〔猫蝶图〕 māodiétú 명 고양이가 나비를 희롱하고 있는 그림('耄耋màodié' 와 음이 비슷하므로, 사람의 장수를 축수하는 것으로서 즐겨 그려짐).
〔猫洞儿〕 māodòngr 명 고양이가 드나드는 작은 구멍.
〔猫耳朵〕 māo'ěrduo 명 ①고양이 귀. ②《植》 조개풀. ③〈北方〉 밀가루를 반죽하여 고양이 귀 모양으로 떼어 끓인 음식.
〔猫狗传〕 māogǒuzhuàn 명 유치한 아동용 책을 멋부려 일컫는 말.
〔猫睛石〕 māojīngshí 명 ⇨〔猫眼石〕
〔猫哭耗子〕 māo kū hàozi 〈歇〉 고양이가 쥐를 생각해서 울다(형식뿐인 자비(慈悲)를 이름). =〔猫哭老鼠〕
〔猫狸〕 māolí 명 《動》 〈俗〉 ①산토끼. ②살쾡이의 일종(一種)(다람쥐를 닮음).
〔猫念藏经〕 māo niàn zàngjīng 〈比〉 우물우물 말하다. 장황하게 말을 늘어놓다.
〔猫儿刺〕 māorcì 명 《植》 호랑가시나무. =〔枸gǒu骨〕
〔猫儿哭(药)〕 māorkū(yào) 명 쥐약.
〔猫儿溺〕 māornì 명 〈俗〉 (좋지 않은) 이유. 내막. 은밀한 일. 남몰래 하는 일. ¶你们又搞些什么～? 너희들은 무엇을 또 몰래 하고 있는 것이냐? / 识破了敌人的～; 적의 내막을 간파했다. 형 귀찮다. 성가시다. ¶这事儿可真～; 이 일은 정말 귀찮다 / 我一生还没碰见过这么～的事儿哪; 나는 평생에 이런 귀찮은 일은 당해 본 적이 없다. ‖=〔猫儿腻〕〔麻儿逆〕
〔猫儿腻〕 māornì 명 ⇨〔猫儿溺〕
〔猫(儿)尿〕 māo(r)niào 명 ①술을 일컬음. ¶把钱都喝了～; 돈은 모두 술을 사 마셔서 없앴다 / 两盅zhōng～一人肚就支使得他无所不为了; 술이 조금 뱃속에 들어가면, 그는 무슨 짓이라도 한다. ②고양이 오줌.
〔猫儿食〕 māorshí 명 〈京〉 ①고양이 먹이. ②음식을 먹다 말다 함. 쪽잘거림. ③〈轉〉 하찮은 것. 보잘것 없는 것.
〔猫儿头〕 māortóu 명 《鳥》 올빼미.
〔猫儿眼〕 māoryǎn 명 ①〈俗〉 ⇨〔猫眼石〕 ②고양이눈처럼 변함. 또, 그 사람.
〔猫儿嘴〕 māorzuǐ 명 말을 천박하게 하는 사람.
〔猫乳〕 māorǔ 명 《植》 까마귀베개.
〔猫鼠同眠〕 māo shǔ tóng mián 〈比〉 (상사와 부하가) 공모하여 나쁜 짓을 하다.
〔猫头儿瓦〕 māotóurwǎ 명 귀와(鬼瓦).
〔猫头鹰〕 māotóuyīng 명 ① 《鳥》 〈俗〉 올빼미. =〔鸱chī鸺〕〔〈北方〉 夜猫子〕〔〈方〉 猫王鸟〕 ②밤늦게까지 안 자는 사람.
〔猫王鸟〕 māowángniǎo 명 ⇨〔猫头鹰①〕
〔猫洗脸〕 māo xǐliǎn (어린아이를 어르기 위해) 고양이가 세수하는 시늉을 함. ¶做～给孩子看; 어린아이에게 고양이 세수 흉내를 내 보이다.
〔猫下的〕 māoxiàde 명 ⇨〔猫养的〕
〔猫熊〕 māoxióng 명 《動》 팬더(panda). =〔熊猫〕〔大猫熊〕〔〈方〉 山门蹲〕〔〈方〉 竹熊〕
〔猫眼〕 māoyǎn 명 뜻이 있는 눈길.
〔猫眼草〕 māoyǎncǎo 명 《植》 대극(大戟).
〔猫眼石〕 māoyǎnshí 명 《鑛》 캣츠 아이(cat's eye). 묘안석(猫眼石). =〔猫睛石〕〔〈俗〉 猫儿眼〕
〔猫养的〕 māoyǎng de 명 〈罵〉 고양이가 나은 놈. 바보 자식. 개새끼. =〔猫下的〕
〔猫腰〕 māoyāo 동 허리를 굽히다.
〔猫咬尿脬〕 māo yǎo suīpāo 〈歇〉 고양이가 방광(膀胱)으로 만든 얼음 주머니를 물다(알맹이가 없다는 데서, 헛되이 기뻐하다의 뜻).
〔猫鱼子〕 māoyúzi 명 고양이 먹이로 쓰는 잔생선. =〔猫鱼(儿)〕
〔猫月子〕 māoyuèzi ⇨〔坐zuò月子〕
〔猫炸刺〕 māo zhà cì 〈俗〉 고양이가 잔 가시에 화를 내다(하찮은 일에 화를 냄).
〔猫枕大头鱼〕 māo zhěn dàtóuyú 〈歇〉 고양이가 도미를 베고 자다. 먹지는 않을망정 한두 번은 뒤집어 보다(뒤에 '不吃也蹈dāo两把' 가 이어지기도 함). ¶守着那么漂亮的, ～! 저런 예쁜 계집을 곁에 두고 전연 아무짓도 하지 않는다는 법은 없겠지.
〔猫爪〕 māozhuǎ 명 ①(～儿, ～子) 고양이 발톱. ②〈俗〉 희생물이 됨(흔히, '儿化' 함). ¶作～儿; 남의 희생물이 되다.

毛 máo (모)
①명 털(과 같은 것). ¶羽～ =〔～羽〕; 깃털 / 羊～; 양모. ②명 모발. 머리털. ¶～发; 모발 / 一～不拔; 〈比〉 노랑이가 되어서 한 푼을 아낀다 / 二～; 반백의 머리. ③명 곰팡이. ¶长～; ⓐ곰팡이가 나다. ⓑ털이 자라다 / 馒头放久了, 长了～了; 만두가 오래 되어 곰팡이가 생겼다. ④동 (무섭거나 당황하여) 어찌할 바를 모르다. ¶发～; 놀라 당황하다 / 把他吓～了; 그를 놀라게 하여 부들부들 떨게 하였다 / 他听了这个消息就～了; 그는 이 소식을 듣고 무서워졌다. ⑤명 곡물이나 풀. ¶不～之地; 불모의 땅. ⑥명 가늘고 작은 것의 일컬음. ⑦형 작다. 잘다. ¶～～雨; 이슬비. 보슬비 / ～丫头; 계집애. ⑧형 가공(加工)하지 않은. 거슬거슬한 그대로의. 거칠거칠한. ¶一面光, 一面～; 한 면은 번들번들하고, 한 면은 껄쭉껄쭉하다 / ～玻璃; 젖빛 유리. ⑨형 몰아 때린. 몰아쳐서. 대략적인. 한데 포함한. ¶～重十斤; 포장을 포함한 중량 10근 / 生产～额; 대략적인 생산액. ⑩형 나쁜. 낮은. ¶～的蝎虎; 굉장히 나쁜. ⑪사람을 욕하는 말. ¶～孩子; 요 새끼야. ⑫동 〈方〉 성내다. ¶这一次他可～了; 이번만은 그도 화가 났다. ⑬형 빠져 있다. ¶这个盘子～了边儿了; 이 접시는 이가 빠졌

다. ⑭[동] 구부리다. ¶～着腰儿; 허리를 구부리다. =〔猫máo腰〕〔弯wān②〕 ⑮[동] 보풀이 일다. 표면이 벗겨지다. ¶桃～; 복숭아의 털/一洗就～了; 한 번 빨았더니 벌써 보풀이 일기 시작했다/把书掀～了; 책을 많이 들춰서 보풀이 일었다/把鞋尖儿碰～了两块; 구두코를 부딪쳐서 두 군데가 까졌다. ⑯[형] 경박〔경솔〕하다. 침착하지 않다. ¶那个人办事很～; 저 사나이는 하는 짓이 경솔하다. ⑰[동] 화폐 가치가 떨어지다. ¶美元～了; 미국 달러가 내렸다. ⑱[양] 화폐 단위《10전과 같음, 1'圆〔元〕'의 1/10》. ¶两～钱; 20전. =〔角⑫〕 ⑲[부] 〈方〉 (수량사(數量詞) 앞에서) 약. 대개. ¶～三十个人; 약 30명. ⑳[명] 성(姓)의 하나.

〔毛把钱〕 máobǎqián [명] 10여 전(錢)(의 양(量)).

〔毛白杨〕 máobáiyáng [명] 《植》 털사시나무. =〔大dà叶杨〕〔响xiǎng杨〕〔白杨〕

〔毛板儿〕 máobǎnr [명] 털가죽. 모피(毛皮).

〔毛包〕 máobāo [명] 덜렁쇠. 망나니. ¶他那个人简直地是～, 叫他安安稳稳地说话哪儿成! 저 사람은 정말 덜렁대는 망나니야, 그에게 온화하게 이야기를 시키려 해도 그게 될 법이나 한가!

〔毛笔〕 máobǐ [명] 모필. 붓. ¶～画huà; 모필화.

〔毛哔叽〕 máobìjī [명] 《紡》 울 서지(wool serge).

〔毛边儿〕 máo,biānr [동] 가장자리〔모서리〕가 닳아서 떨어지다.

〔毛边纸〕 máobiānzhǐ [명] 대나무 섬유로 만든 빛이 누르며 모필 서사(毛筆書寫)용 또는 목판 인쇄용으로 쓰이는 종이. 당지(唐紙).

〔毛病〕 máobìng [명] ①나쁜 버릇〔습관〕. ¶偷东西的～; 도벽/这匹马有～; 이 말은 나쁜 버릇이 있다. ②고장. 흠. ¶这个东西有～; 이 물건에는 흠이 있다. ③결점. ④〈方〉 병. ¶孩子有～, 不要让他受凉了! 아이는 병이 있으니, 그 애를 차게 해서는 안 된다! ⑤고장. (일의) 실패. ¶这个表有了～了; 이 시계는 고장이 나 있다.

〔毛玻璃〕 máobōlí [명] 젖빛 유리. 불투명 유리. =〔〈俗〉 糙cāo玻璃〕〔车过的玻璃〕〔磨砂玻璃〕

〔毛布〕 máobù [명] 《紡》 굵은 면사(綿絲)로 짠 천. 기모도(起毛度)가 높은 것. 면플란넬(綿flannel). ¶～衫; 타월지(towel地)의 폴로 셔츠(polo shirts).

〔毛草〕 máocǎo [형] 조잡(粗雜)하다. 홑게 늦다. 부주의하다. [명] 높이 2척 가량이고 봄에 꽃이 피는 마초용의 풀. ¶～地; 공터. 잡초가 우거진 땅.

〔毛糙〕 máocao [형] ①짜임새가 성기다. 거칠거칠하다. ②거칠다. 조잡하다. 되는대로이다. ¶你做事怎么这么～; 너는 하는 일이 왜 이렇게 거치냐.

〔毛茶〕 máochá [명] (제품이 되기 전의) 원료 차. ¶红hóng～; 가공하지 않은 홍차/绿lǜ～; 가공하지 않은 녹차.

〔毛茬儿〕 máochár [명] 목재의 자른 면이 거칠거칠한 부분. 또, 천을 벤 면의 실이 풀려서 괴깔이 인 부분. =〔毛碴儿〕

〔毛柴〕 máochái [명] 땔감으로 쓰는 말린 새〔억새풀〕.

〔毛产〕 máochǎn [명] 총생산.

〔毛虫〕 máochóng [명] ①가축. =〔牲口〕 ②《蟲》 (송충이 따위의) 모충. =〔毛毛虫〕

〔毛绸〕 máochóu [명] 《紡》 캐시미어.

〔毛刺(儿)〕 máocì(r) [명] ⇨〔毛头tou①〕

〔毛呆呆〕 máodāidāi [형] 멍청하다. 얼빠

〔毛掸(儿, 子)〕 máodǎn(r, zi) [명] 새털로 먼지떨이. ¶鸡jī～; 닭털로 만든 먼지떨이.

〔毛当归〕 máodāngguī [명] 《植》 멧두릅.

〔毛刀〕 máodāo [명] ⇨〔粗cū削〕

〔毛道儿〕 máodàor [명] (동물의) 털의 결. 가지런히 난 털.

〔毛地黄〕 máodìhuáng [명] 《植》 디기탈리스(digitalis).

〔毛店〕 máodiàn [명] 양모(羊毛) 도매상.

〔毛豆(子)〕 máodòu(zi) [명] ①(깍지째의) 풋콩. =〔毛豆角(儿)〕 ②대두(大豆). ③《植》 강낭콩.

〔毛豆角(儿)〕 máodòujiǎo(r) [명] ⇨〔毛豆(子)①〕

〔毛吨数〕 máodūnshù [명] 〈俗〉 총 톤수.

〔毛发〕 máofà [명] 모발. (사람의) 털과 머리털.

〔毛发悚然〕 máo fà sǒng rán 〈成〉 ⇨〔毛骨悚然〕

〔毛房〕 máofáng [명] 변소. =〔厕cè所①〕

〔毛纺〕 máofǎng [명] 《紡》 모직물 방적. ¶～厂; 모방적 공장/～织zhī厂; 모방직 공장.

〔毛缝眼〕 máofèngyǎn [명] 〈比〉 털구멍만한 틈〔구멍〕.

〔毛葛〕 máogé [명] ①《紡》 포플린(poplin). ②세루·서지(serge)와 비슷한 모직물.

〔毛茛〕 máogèn [명] 《植》 미나리아재비.

〔毛估〕 máogū [동] 대충 어림잡다. 어림셈하다. ¶心里～了一下, 至少也得三四亿; 속으로 어림잡아 보니 적어도 3, 4억은 든다.

〔毛骨悚然〕 máo gǔ sǒng rán 〈成〉 머리카락이 곤두서다. 소름이 끼치다. =〔毛发悚然〕

〔毛咕〕 máogu [동] 〈方〉 무서워하다. 흠칫흠칫하다. ¶半夜里说鬼故事, 说得大家都～了; 밤중에 귀신 얘기를 하니 모두 무서워했다/你怎么～起来? 莫非你是做贼的心虚吧; 너는 무엇을 겁먹고 있는 거냐? 무언가 나쁜 짓을 해서 도둑이 제 발 저린 것이 아니냐. =〔毛蛊〕

〔毛冠鹿〕 máoguānlù [명] 《動》 털볏사슴.

〔毛管〕 máoguǎn [명] ⇨〔毛细管〕

〔毛孩儿〕 máoháir [명] 젊은이. 애송이. =〔毛孩子②〕〔毛毛〕〔毛头②〕〔小xiǎo毛毛〕〔小毛头〕

〔毛孩子〕 máoháizi [명] ①솜털이 남아 있는 아이. ②애송이. 꼬마. ¶你们～懂个啥? 너희 같은 꼬마가 뭘 알아? =〔毛孩儿〕 ③쓸모없는 아이. 장래성이 없는 아이.

〔毛蚶〕 máohān [명] 《貝》 국자가리비.

〔毛烘烘〕 máohōnghōng [형] 털복숭이의《털이 많은 모양》.

〔毛猴儿〕 máohóur [명] ①작은 원숭이. ②조무래기. 꼬마.

〔毛胡枝子〕 máohúzhīzi [명] 《植》 개싸리.

〔毛花鱼〕 máohuāyú [명] 《魚》 웅어.

〔毛荒〕 máohuāng [동] 시세가 떨어지다〔내리다〕. ¶现在发行国币, 必得děi有三成以上的金银准备才能发行, 所以绝没有～的危险; 현재 국정의 화폐를 발행하는 데는, 3할 이상의 금과 은의 준비가 있어야 비로소 발행할 수 있으므로, 절대로 시세가 내릴 위험은 없다.

〔毛火虫〕 máohuǒchóng [명] 《蟲》 〈方〉 송충이.

〔毛伙〕 máohuǒ [명] 점원(店員) 아이. 계시. 상노.

〔毛货〕 máohuò [명] 정선(精選)하지 않은 제품.

〔毛际〕 máojì [명] 털이 난 언저리.

〔毛价〕 máojià [명] (터무니없는) 에누리.

〔毛茧〕 máojiǎn [명] (실을 뽑지 않은) 누에고치.

〔毛剪绒〕 máojiǎnróng [명] 《紡》 모직 벨벳지(地).

〔毛姜〕 máojiāng 명 덜렁거리는 사람. 덜렁이. =〔毛脚刺〕〔毛脚鸡〕
〔毛脚刺〕 máojiǎocì 명 ⇨〔毛姜〕
〔毛脚鸡〕 máojiǎojī 명 ⇨〔毛姜〕
〔毛脚女婿〕 máojiǎo nǚxù 약혼해서, 결혼 전에 신부 집에 자주 드나드는 출랑이 신랑.
〔毛巾〕 máojīn 명 ①타월. ¶～被 =〔～毯〕; 타월지(地)의 모포/～厂; 타월 공장/～衫; 타월지의 셔츠. =〔面巾〕〔面布〕 ②모직의 머플러. ③〈方〉 수건. =〔手巾〕
〔毛劲儿〕 máojìnr 명 덜렁거림. 침착하지 못함.
〔毛举〕 máojǔ 명 극히 사소한 일.
〔毛举细故〕 máo jǔ xì gù 〈成〉 사소한 일로 왈가왈부하다. 자잘한 일에까지 간섭하다.
〔毛蕨〕 máojué 명 《植》 섬봉의 꼬리.
〔毛卡几〕 máokǎjī 명 《紡》 서지(serge).
〔毛坑〕 máokēng 명 ⇨〔茅坑〕
〔毛孔〕 máokǒng 명 ①털구멍. =〔汗hàn孔〕 ②〈比〉 매우 작은 것. 사소한 것. ¶～那么小的事情; 〈比〉 극히 사소한 일.
〔毛口〕 máokǒu 명 ①(제품의) 거스러미. ②거칠게 벤 자리.
〔毛口袋〕 máokǒudài 명 삼·무명으로 만든 식량 주머니.
〔毛口鱼〕 máokǒuyú 명 ⇨〔黄huáng鲫〕
〔毛裤〕 máokù 명 털바지. 털실로 짠 속바지.
〔毛拉〕 máolā 명 《宗》 (이슬람교의) 승려.
〔毛梾〕 máolái 명 《植》 층층나무의 근연종(近緣種). =〔车chē梁木〕〔油yóu种子树〕
〔毛蓝〕 máolán 명 《色》 거무스름한 쪽빛.
〔毛勒咕咕〕 máolegūjī 형 ⇨〔毛儿咕咕〕
〔毛冷〕 máolěng 명 ⇨〔毛纶〕
〔毛愣〕 máolèng 형 경솔하다. 서투르다. ¶他有点儿～, 我不放心; 저 사람은 좀 경솔해서 걱정이다.
〔毛里求斯〕 Máolǐqiúsī 명 《地》 〈音〉 모리셔스(Mauritius)《수도는 '路易港'(포트루이스: Port Louis)》.
〔毛里塔尼亚〕 Máolǐtǎníyà 명 《地》 〈音〉 모리타니(Mauritania)《정식으로는 '～伊斯兰共和国'(모리타니 회교 공화국). 아프리카 서부에 있는 나라. 수도는 '努Nǔ瓦克肖特'(누악쇼트: Nouakchott)》.
〔毛利〕 máolì 명 매상금에서 매입금만을 뺀 이익. 총이익(總利益)《순익에 상대하여 말함》. =〔毛息〕 ↔〔净利〕
〔毛脸姑娘〕 máoliǎn gūniang 명 얼굴의 솜털도 가시지 않은 처녀.
〔毛量级〕 máoliàngjí 명 《體》 (권투 따위에서) 플라이급.
〔毛料〕 máoliào 명 ①모직물. ②조재(粗材).
〔毛驴(儿)〕 máolǘ(r) 명 《動》 ①작은 당나귀. ②〈俗〉 당나귀.
〔毛纶〕 máolún 명 《紡》 네 가닥으로 꼰 고급 털실. =〔毛冷〕〔光guāng绒②〕
〔毛落皮单〕 máo luò pí dān 〈成〉 털이 빠져 가죽 한 꺼풀뿐《보호하는 것을 잃어 위험한 상태의 형용》.
〔毛毛〕 máomao 명 〈方〉 ①갓난아기. ②모발(毛髮). 형 꾸물거리다.
〔毛毛虫〕 máomaochóng 명 ①모충(毛蟲). ②굼뜬 사람.
〔毛毛狗儿〕 máomaogǒur 명 《植》 갯버들의 이삭.
〔毛毛咕咕〕 máomaogūgū 형 벌벌 떨고 있는 모양.
〔毛毛咕唧〕 máomaogūjī 형 〈俗〉 경솔하다.
〔毛毛汗〕 máomaohàn 명 미세(微細)한 땀.
〔毛毛匠〕 máomaojiàng 명 모피 옷 직공. (옷 안에 대는 모피를) 만드는 직공.
〔毛毛愣愣〕 máomaolèngléng 형 ①경솔한 모양. ②매우 당황하는 모양.
〔毛毛腾腾〕 máomaotēngtēng 형 〈方〉 침착하지 않은 모양. 허둥지둥하는 모양.
〔毛毛雨〕 máomaoyǔ 명 가랑비. 안개비. =〔〈俗〉 毛毛细雨〕
〔毛面呢〕 máomiànní 명 보풀이 인 나사(羅紗).
〔毛木〕 máomù 명 제재(製材)하지 않은 목재.
〔毛南族〕 Máonánzú 명 마오난 족(毛南族)《중국 소수 민족의 하나. 광시좡 족 자치구(廣西壯zhuàng族自治區) 환장(環江)·난단(南丹)·허츠(河池) 따위의 현(縣)에 삶》.
〔毛囊〕 máonáng 명 《生》 모낭(毛囊). 털주머니.
〔毛呢〕 máoní 명 모직물.
〔毛牛〕 máoniú 명 《動》 송아지.
〔毛女儿〕 máonǚr 명 계집애.
〔毛胚〕 máopēi 명 ⇨〔毛坯①〕
〔毛胚印本〕 máopēi yìn běn 명 최초의 프린트(물). 시험 인쇄(물).
〔毛坯〕 máopī 명 ①반제품(半製品). =〔〈南方〉 毛胚〕 ②가공하기 전의 조재(粗材). ③연마하지 않은 주물(鑄物). ‖ =〔毛料②〕
〔毛坯刀〕 máopīdāo ⇨〔粗cū削刀具〕
〔毛皮〕 máopí 명 ①모피. ②외면. 피상(皮相). ¶要以～而论; 피상적으로 논한다면.
〔毛皮纸〕 máopízhǐ 명 표면이 거칠거칠하고 부드러우며 튼튼한 종이《귀중품이나 중요 문서 등을 싸는 데 씀》.
〔毛票(儿)〕 máopiào(r) 명 〈俗〉 10전·20전·50전 따위의 지폐. =〔角票〕〔毛钱票(儿)〕
〔毛钱(儿)〕 máoqián(r) 명 옛날, 10전(錢)·20전짜리 은화.
〔毛钱票(儿)〕 máoqiánpiào(r) 명 ⇨〔毛票(儿)〕
〔毛渠〕 máoqú 명 '斗渠'로부터 밭으로 물을 끌어들이는 작은 수로.
〔毛儿八七〕 máorbāqī 명 〈俗〉 10전이 채 안 되는 돈. 얼마 안 되는 돈. ¶～的算什么? 얼마 되지 않는 돈인데 무슨 계산이야?
〔毛儿跟头〕 máorgēntou 명 뒤로 향해 공중제비를 함. ¶打个～; 뒤로 향해 공중제비를 하다.
〔毛儿咕咕(的)〕 máorgūjī(de) 형 〈俗〉 당황하는 모양. 벌벌 떠는 모양. =〔毛勒咕咕(的)〕
〔毛儿窝〕 máorwō 명 방한용의 솜을 둔 헝겊신. =〔毛窝〕
〔毛人〕 máorén 명 온몸에 털이 많이 난 사람. 털북숭이.
〔毛茸〕 máoróng 명 초목의 잎에 나는 융모(絨毛). 형 덥수룩하다.
〔毛茸茸(的)〕 máoróngróng(de)〔máorōngrōng(de)〕 형 가는 털이 군생(群生)한 모양. ¶一双～的手; 털북숭이의 두 손.
〔毛绒〕 máoróng 명 《紡》 헤어 코드(hair cord)《면직물의 하나로 여성복·셔츠 등에 쓰임》.
〔毛绒线〕 máoróngxiàn 명 방모사(紡毛絲). 털실. =〔毛线〕
〔毛毵毵(的)〕 máosānsān(de) 형 ①털이 덥수룩한 모양. ②(털·가지 따위가) 가늘고 빽빽한 모양.
〔毛瑟枪〕 máosèqiāng 명 《軍》 모제르총(銃).

〔毛纱〕 máoshā 명《紡》방모사(紡毛絲).
〔毛山楂〕 máoshānzhā 명《植》아광나무.
〔毛衫〕 máoshān 명 스웨터.
〔毛衫儿〕 máoshānr 명 배내옷(옷단을 사뜨지 않았으므로).
〔毛扇〕 máoshàn 명 새털부채.
〔毛梢(儿)〕 máoshāo(r) 명 털끝.
〔毛绳儿〕 máoshéngr 명 털실로 엮은 끈.
〔毛虱〕 máoshī 명《蟲》사면발이. =〔阴yīn虱〕
〔毛石〕 máoshí 명《建》막돌. 쪼개서 일정한 돌. 또, 위로 쌓기.
〔毛屎坑〕 máoshǐkēng 명 ⇨〔茅厕坑〕
〔毛手巾〕 máoshǒujīn 명 타월. =〔毛巾〕
〔毛手毛脚〕 máo shǒu máo jiǎo〈成〉경망하게 호들갑을 떨다. 경망스러워 실패하다. ¶你为什么总是～的? 너는 어째서 항상 덜렁거리느냐?/他起初因为没有经验, 做起事来～的; 그는 처음에는 경험이 없어서, 일을 하면 덜렁대서 실수를 했다.
〔毛数儿钱〕 máoshùrqián 명 옛날, 10전(錢) 내외의 돈.
〔毛刷〕 máoshuā 명 솔. 귀얄. 브러시.
〔毛水〕 máoshuǐ 명 옛날, '小洋钱'을 '大洋钱'으로 바꿀 때의 수수료[할증금]. =〔耗hào水〕
〔毛丝纶〕 máosīlún 명《紡》〈音〉모슬린(프 mousseline). =〔毛斯纶〕
〔毛遂自荐〕 Máo Suì zì jiàn〈成〉모수(毛遂)가 자천하다. 다른 사람의 추천이나 소개(紹介) 없이 스스로 임무를 떠맡고 나서다(모수(毛遂)는 조(趙)나라 평원군(平原君)의 식객(食客)).
〔毛损〕 máo sǔn 명 손실 총액.
〔毛笋〕 máosǔn 명《植》(죽순대의) 순. 맹종죽(孟宗竹)의 순.
〔毛索〕 máosuǒ 명 털로 꼰 밧줄.
〔毛太纸〕 máotàizhǐ 명 '毛边纸'와 비슷하고 약간 얇고 거무스름한 종이(주로, 푸젠 성(福建省)에서 만들어짐).
〔毛毯〕 máotǎn 명 담요. =〔毯子tǎnzi〕
〔毛桃(子)〕 máotáo(zi) 명《植》야생(野生)의 복숭아. =〔毛桃(儿)〕
〔毛腾厮火〕 máoténg sīhuǒ〈俗〉성급한 모양. 초조한 모양. 덜렁대는 모양. ¶你稳重一点儿, 别这么～! 좀 침착해라. 그렇게 조급하게 굴지 말고! / 他～, 没人看见他站住不动; 그는 조급해서 아무도 그가 진득히 서 있는 것을 본 적이 없다. =〔毛腾似火〕
〔毛头〕 máotóu 명 창끝. =〔矛头〕
〔毛头〕 máotou 명 ①(단조물·주조물·연마물 등의) 거스러미. 껄끄러운 표면. 또, 금속 제품의 표면의 요철(凹凸). =〔毛边〕〔毛刺(儿)〕〔毛口〕〔〈北方〉飞fēi刺〕〔劈pī锋〕〔凸tū珠〕 ②⇨〔毛孩儿〕
〔毛头姑娘〕 máotóu gūniang 명〈俗〉젊은 아가씨.
〔毛头儿〕 máotour 명 (모피(毛皮)의) 털이 가지런히 난 모양. ¶这皮袄～不错; 이 가죽으로 안을 댄 저고리는 질이 좋다.
〔毛头小伙子〕 máotóu xiǎohuǒzi 명 애송이. 젊은 애.
〔毛头纸〕 máotóuzhǐ 명 섬유가 굵고 질이 부드러운 백지(창호지 등으로 쓰임). =〔东dōng昌纸〕
〔毛兔子〕 máotùzi 명〈罵〉촐랑이. 덜렁쇠.
〔毛腿沙鸡〕 máotuǐshājī 명《鳥》사막꿩.
〔毛娃娃〕 máowáwa 명〈方〉갓난아기.
〔毛袜〕 máowà 명 털양말. =〔绒róng袜〕
〔毛窝〕 máowō 명〈方〉겨울용의 나사(羅紗) 또는 모피 구두. ¶隔墙儿扔～, 撇鞋(邪); 빈정대거나 빗대어 말하다. =〔毛(儿)窝〕
〔毛物〕 máowù 명〈文〉짐승.
〔毛息〕 máoxī 명 ⇨〔毛利〕
〔毛犀〕 máoxī 명 ⇨〔披pī毛犀〕
〔毛席〕 máoxí 명 모직 깔개.
〔毛细管〕 máoxìguǎn 명 ①《生》모세관. 모세혈관. 가는 핏줄. 모관. =〔毛细血管〕 ②《物》모세관. ¶～现象; 모세관 현상. ‖ =〔〈簡〉毛管〕
〔毛虾〕 máoxiā 명《魚》젓새우. 보리새우.
〔毛线〕 máoxiàn 명 털실. ¶～活; 털실의 편물 / ～背心; 털실 조끼. =〔毛绒róng线〕
〔毛线衫〕 máoxiànshān 명 ⇨〔毛衣〕
〔毛线衣〕 máoxiànyī 명 ⇨〔毛衣〕
〔毛线针〕 máoxiànzhēn 명 ⇨〔织zhī毛线针〕
〔毛象〕 máoxiàng 명《動》매머드. =〔猛犸〕
〔毛象儿〕 máoxiàngr 형〈俗〉경솔하다. 덤벙거리다.
〔毛心〕 máoxīn 명 들뜬 마음.
〔毛芯里布〕 máoxìn lǐbù 명 털로 된 심.
〔毛丫头〕 máoyātou 명 계집아이. 꼬마 아가씨(호칭).
〔毛烟儿〕 máo.yānr 동〈俗〉①놀라서 허둥거리다. 매우 당황하다. ¶毛了烟儿了; 놀라 당황했다 / 他听见有人叫着火了, 他就～了; 그는 누군가의 불이야 하는 소리를 듣자 그냥 허둥댔다. ②일을 실수하다.
〔毛眼〕 máoyǎn 명 속눈썹이 긴 눈.
〔毛燕〕 máoyàn 명 제비집 요리에 쓰이는 '金丝燕'의 집 가운데, 품질이 나쁘고 털이 섞여 지저분한 빛깔을 한 것.
〔毛样〕 máoyàng 명《印》교정쇄(校正刷).
〔毛腰〕 máo.yāo 동〈方〉허리를 구부리다. 注 '猫腰'로도 쓰는데, 발음은 같음.
〔毛衣〕 máoyī 명 스웨터. ¶开襟～ =〔开身～〕; 카디건(cardigan) / 套tào头(儿)的～; 자라목〔터틀넥〕 스웨터. =〔毛线衣〕〔〈南方〉毛线衫〕
〔毛樱桃〕 máoyīngtáo 명《植》앵두나무(통칭은 '山樱桃').
〔毛颖〕 máoyǐng 명 ⇨〔毛锥(子)〕
〔毛油〕 máoyóu 명 정제(精製)하지 않은 기름.
〔毛蚴〕 máoyòu 명《蟲》털이 난 유충의 총칭.
〔毛躁〕 máozao 형 ①성질이 급하다. ②침착하지 못하다. 덜렁거리다.
〔毛泽东〕 Máo Zédōng 명《人》마오 쩌둥(중국 공산당 중앙 위원회 주석, 인민 정협(人民政協) 전국 위원회 명예 주석. 후난 성(湖南省) 출신. 창사(長沙) 사범 졸업. 중국 공산당의 지도자. 1949년 10월 중화 인민 공화국을 설립하여 그 주석이 됨). (1893～1976).
〔毛泽东思想〕 Máo Zédōng Sīxiǎng 명 모택동 사상(마르크스 레닌주의 이론과 중국 혁명을 위한 실천적인 통일 사상).
〔毛楂楂(的)〕 máozhāzhā(de) 형 (머리카락·수염이) 빳빳한 모양.
〔毛毡〕 máozhān 명 ⇨〔毡子〕
〔毛榛〕 máozhēn 명《植》개암나무. =〔榛①〕
〔毛织〕 máozhī 명《紡》모직. ¶～品pǐn =〔～物wù〕; ⓐ모직물. ⓑ털실로 짠 것.
〔毛重〕 máozhòng 명 ①그릇이나 봉지 따위를 포함한 무게. 총중량. =〔共重〕〔总量〕〔总重〕 ②식육(食肉)의 산 채로의 중량. ¶肉类(～)从240万吨增加到500万吨; (산 채로 재어서) 육류는 240만 톤에서 500만 톤으로 증가했다. ‖↔〔净重〕

〔毛猪〕 máozhū 명《商》(상품으로서의) 살아 있는 돼지.
〔毛竹〕 máozhú 명《植》 죽순대. =〔南竹〕
〔毛装〕 máozhuāng 명 (책의) 가장자리를 가지런히 하지 않은 장정. 프랑스식 장정.
〔毛锥(子)〕 máozhuī(zi) 명 〈文〉 붓의 별칭. =〔毛颖〕
〔毛子〕 máozi 명 ①양코배기. 홍모인(紅毛人). 서양 사람에 대한 멸칭(蔑稱). ¶老~; 러시아놈《옛날, 러시아 사람에 대한 멸칭》. ②어린아이의 머리 꼭대기에 기른 머리털. ③〈方〉보풀이 인 것이나 솜털 모양의 것. ¶桃~; 복숭아 껍질의 솜털. ④〈方〉토비(土匪).
〔毛子壳〕 máozikė 명 〈俗〉 해바라기 씨. =〔葵kuí花子zǐ〕

牦〈氂〉 máo (모)
→〔牦牛〕

〔牦牛〕 máoniú 명《動》 야크(yak)《소의 일종으로 눈 많은 산간 지대에서 사역에 쓰이며, 고기는 식용함》. =〔毛牛〕〔犛牛〕〔犁牛〕

旄 máo (모)
명 ①옛날, 야크의 꼬리털을 장식으로 붙인 기(旗). ②〈文〉 노령. 8,90세의 연령.

酕 máo (모)
→〔酕醄〕

〔酕醄〕 máotáo 형 많이 취한 모양.

髦 máo (모)
①명 어린아이의 이마에 내려뜨린 머리. ②명 긴 털. ③명 뛰어난 사람. ¶~士shì =〔~俊jùn〕; 걸출한 사람. 준재(俊才). ④명 말의 갈기. ⑤→〔时髦〕
〔髦儿戏〕 máorxì 명《劇》 여자애들이 공연하는 어린이 연극.

矛 máo (모)
명 창. ¶~盾; ⇩ / ~头; ⇩

〔矛盾〕 máodùn 명 ①창과 방패. 〈轉〉(언어·행동 등이) 서로 저촉하다. 모순되다. ¶自相~ =〔互相~〕; 서로 모순되다 / ~百出; 모순이 백출하다. 모순이 차 있다 / ~上交; 문제를 해결하지 않고 상급기관에 미루다. ②《哲》 모순. ¶~律; 모순율 / ~的普遍性; 모순의 보편성 / 主要〔次要〕~; 주요한〔주요하지 않은〕 모순 / 敌我(之间的)~ =〔对抗性~〕; 절대적 모순. ③(의견·생각의) 차이〔충돌〕. 모순. ¶闹~; 의견이 충돌하다. 동 대립하는 사물이 서로 배척하다.
〔矛盾草〕 máodùncǎo 명《植》 나도고사리삼.
〔矛头〕 máotóu 명 ①창끝. ②(~儿) 한자 부수(漢字部首)의 하나(「マ」의 이름). =〔矛字头(儿)〕〔倒dào三角(儿)〕

茅 máo (모)
명 ①《植》 풀 이름. 띠 따위의 총칭. ¶白~; 《植》띠 / ~针; 삘기《띠의 어린 순》. =〔茆①〕 ②(Máo) 《地》 마오 산(茅山)《장쑤 성(江蘇省)에 있는 산 이름》. ③성(姓)의 하나.
〔茅草〕 máocǎo 명 ①《植》 띠. ¶~棚; 띠〔새〕로 지붕을 인 오두막 / ~瘟; 《農》 백엽고병(白葉枯病). ②재야(在野)의 사람. =〔草茅〕
〔茅草〕 máocao 형 지저분하고 더럽다. ¶俺这家, 着zhuó实~啊! 우리 집은 정말 좁고 지저분해서 말이야!
〔茅厕〕 máocè 명 ⇨〔厕所〕
〔茅茨土阶〕 máo cí tǔ jiē 〈比〉 검소한 주거(住居).
〔茅店〕 máodiàn 명 띠로 지붕을 인 시골의 작은 여인숙.
〔茅房〕 máofáng 명 변소. ¶上~; 변소에 가다. =〔茅厕〕〔厕所〕
〔茅膏菜〕 máogāocài 명《植》 끈끈이귀개.
〔茅坑〕 máokēng 명 ①〈俗〉 변소의 분뇨통. ②〈方〉 변소. ‖ =〔毛坑〕→〔坑子〕〔厕cè所〕
〔茅栗〕 máolì 명《植》 중국 중남부에서 나는 밤의 일종.
〔茅庐〕 máolú 명 띠 따위로 이은 집. ¶初出~; 신출내기.
〔茅莓〕 máoméi 명《植》 멍석딸기.
〔茅棚〕 máopéng 명 띠로 지붕을 인 오두막.
〔茅蒲〕 máopú 명 농부가 쓰는 삿갓.
〔茅塞〕 máosè 동 기분이 탁 트이지 않다. ¶~顿开dùnkāi; 마음이 '띠' 따위로 막혔던 것 같았는데 갑자기 열렸다. 문뜩 깨닫다. 갑자기 핵심을 찌름 / 承您指教, 我~顿开了; 당신의 가르침을 받자와 모르던 것을 크게 깨우쳤습니다. 명 (자기의) 무지(無知). 불명(不明). ¶开我~; 하교(下教) 있으시기를 바랍니다.
〔茅舍〕 máoshè 명 모사. 모옥(茅屋). 누추한 집. 〈轉〉 저의 집. =〔茅屋〕〔茅轩〕
〔茅鼠〕 máoshǔ 명 ⇨〔巢cháo鼠〕
〔茅司〕 máosi 명 ⇨〔厕cè所〕
〔茅厕〕 máosi 명 ⇨〔厕cè所〕
〔茅厕坑〕 máosikēng 명 변소의 똥통. =〔毛屎坑〕
〔茅台酒〕 máotáijiǔ 명 구이저우 성(貴州省) 런화이 현(仁懷縣) 마오타이 진(茅臺鎭)산의 유명한 소주《고량(高粱)과 밀로 만든 것으로 특유의 향이 남》.
〔茅屋〕 máowū 명 ①허술한 집. ②자기 집의 겸칭.
〔茅香〕 máoxiāng 명《植》 향모《벼과(科)의 다년생 초본》. =〔香茅〕
〔茅轩〕 máoxuān 명 ⇨〔茅舍〕

蝥 máo (모)
→〔蝥贼〕

〔蝥贼〕 máozéi 명 ①《蟲》 모의 뿌리와 모의 마디를 갉아먹는 해충. ②양민(良民)을 해치는 악인. ‖ =〔蟊贼〕

鄮 Máo (무)
명 주대(周代)의 나라 이름《산시 성(山西省) 남부》.

蟊 máo (모)
명 ①《蟲》 묘근을 갉아먹는 해충. ¶斑bān~; 《蟲》 반묘(斑猫). 가뢰. ② =〔蝥〕

茆 máo (모)
명 ①⇨〔茅①〕 ②성(姓)의 하나.

猫〈貓〉 máo (묘)
→〔猫腰〕⇒ māo

〔猫腰〕 máoyāo 동 구부러지다. 〈方〉 허리를 굽히다. =〔毛腰〕〔弯wān腰〕

锚(錨) máo (묘)
명 닻. ¶下xià~; 닻을 내리다 / 抛pāo~; ⓐ닻을 내리다. ⓑ〈比〉(사물이) 중도에서 정지하다〔정지되다〕. →〔碇dìng〕
〔锚车〕 máochē 명 ⇨〔起qǐ锚机〕

〔锚地〕 máodì 명 투묘지(投錨地). 계류지(繫留地).
〔锚缆〕 máolǎn 명 닻줄. =〔锚绳shéng〕〔锚索suǒ〕
〔锚雷〕 máoléi 명 《軍》 계류 기뢰(繫留機雷).
〔锚链〕 máoliàn 명 체인 케이블(chain cable). 닻줄. 닻의 쇠사슬. ¶～库; 체인 로커(locker). 닻(줄)을 넣어 두는 곳. =〔链索〕
〔锚绳〕 máoshéng 명 ⇨〔锚缆〕
〔锚索〕 máosuǒ 명 ⇨〔锚缆〕
〔锚形螺栓〕 máoxíng luóshuān 명 《機》 앵커 볼트(anchor bolt). 기초 볼트《기계를 설치하고 고정하기 위해 토대에 묻어 두는 볼트》.
〔锚爪〕 máozhuǎ 명 닻가지. 닻혀.

冇 mǎo (묘)
동 〈廣〉 보통화(普通話)의 '没有'에 해당됨《이를테면, '冇冇?'는 '有没有?'에 해당함》.

卯〈夘〉 mǎo (묘)
명 ①12지(支)의 넷째. 토끼. →〔干支〕 ②오전 5시부터 7시까지. ¶交～ =〔～时〕〔～刻〕; 오전 다섯 시(가 되다). 묘시(가 되다) / 正～; 오전 여섯 시 / 点～; 옛날, 관청의 (오전 여섯 시의) 집무 시작의 점호 / 画～; 옛날, 출근부에 도장을 찍던 일. ③(～儿, ～子) 장붓구멍. ¶凿个～儿; 장붓구멍을 뚫다 / ～眼 =〔榫sǔn眼〕; 장붓구멍 / ～榫 =〔榫～〕; 장붓구멍과 장부촉. ④옛날, 방위에서 동쪽을 이름.
〔卯簿〕 mǎobù 명 출근부. =〔卯册〕
〔卯册〕 mǎocè 명 ⇨〔卯簿〕
〔卯饭〕 mǎofàn 명 〈文〉 아침밥. 조반.
〔卯金(刀)〕 mǎojīn(dāo) 명 묘금도유《'刘'자를 파자(破字)로 일컫는 말》.
〔卯劲(儿)〕 mǎojìn(r) 동 〈口〉 긴장하다. 힘이 넘치다. ¶杨小楼今天可～啦; 양소루(楊小樓)는 오늘은 무척 힘이 넘쳐 있었다. =〔卯上〕
〔卯酒〕 mǎojiǔ 명 〈文〉 아침 술.
〔卯期〕 mǎoqī 명 점호(點呼) 기일.
〔卯窍〕 mǎoqiào 명 바라던 바. ¶合他的～; 그가 바라던 대로 되다.
〔卯上〕 mǎoshàng 동 ⇨〔卯劲(儿)〕
〔卯时〕 mǎoshí →〔字解②〕
〔卯睡〕 mǎoshuì 명동 늦잠(자다). 아침잠(자다).
〔卯榫〕 mǎosǔn →〔榫〕
〔卯眼(儿)〕 mǎoyǎn(r) 명 《建》 장붓구멍. ¶对～; 장붓구멍을 맞추다. =〔榫sǔn眼〕
〔卯饮〕 mǎoyǐn 동 해장술을 마시다.
〔卯月〕 mǎoyuè 명 묘월. 음력 2월의 별칭.
〔卯子工〕 mǎozigōng 명 날품팔이꾼.
〔卯子活〕 mǎozihuó 명 날품을 파는 일. 날품팔이 일.

泖 mǎo (묘)
① 명 작은 호수. ②지명용 자(字). ¶三～; 싼마오(三泖)《장쑤 성(江蘇省)에 있던 호수 이름. 현재는 평지가 되어 있음》.

峁 mǎo (묘)
명 중국 북서 지방에 있는, 꼭대기가 둥글고 경사가 진 황토 구릉《흔히, 지명용 자(字)》. ¶三星～; 싼싱(三星)《산시 성(陝西省)에 있는 땅 이름》.

昴 mǎo (묘)
명 《天》 묘성(昴星). 성수(星宿)의 이름. 묘성《28수(宿)의 하나》. =〔昴宿〕

铆(鉚) mǎo (묘)
① 동 금속판을 리벳으로 연결하다. 리벳을 박다. ¶～眼(儿); 리벳을 박는 구멍 / 把钉～在钢板; 강판에 리벳을 박다. ② 명 《工》 리벳(rivet) 연결. 리베팅(riveting). =〔铆接〕 ③ 동 힘을 들이다.
〔铆冲器〕 mǎochōngqì 명 리벳 펀치. 리베터(riveter).
〔铆钉〕 mǎodīng 명 《機》 리벳(rivet). ¶～枪 =〔铆机〕〔〈南方〉 风铆锤〕; 리베터(riveter). =〔锅guō钉〕〔帽钉〕
〔铆钉克(子)〕 mǎodīngkè(zi) 명 ⇨〔铆钉窝模〕
〔铆钉孔绞刀〕 mǎodīngkǒng jiǎodāo 명 ⇨〔桥qiáo工绞刀〕
〔铆钉头〕 mǎodīngtóu 명 리벳 머리(rivet head).
〔铆钉窝模〕 mǎodīng wōmó 명 〈北方〉 리벳 스냅(snap). 코킹(caulking). =〔〈方〉 铆钉克(子)〕
〔铆工〕 mǎogōng 명 《機》 리벳을 박는 일〔사람〕.
〔铆焊〕 mǎohàn 동 《機》 리벳 용접을 하다. ¶～工; 리벳공.
〔铆合〕 mǎohé 동명 리벳으로 죄다〔죔〕.
〔铆机〕 mǎojī 명 《機》 ①리베터(riveter). ② ⇨〔铆(钉)枪〕
〔铆接〕 mǎojiē 동명 《機》 리벳으로 연결하다〔연결하기〕.
〔铆劲儿〕 mǎojìnr 동 힘들여 일하다. ¶几个人一～, 就把这大石头也可以推动; 몇 사람이 힘을 모아 한번에 쓰면 이 큰 돌도 밀어서 움직일 수 있다.
〔铆枪〕 mǎoqiāng 명 《機》 리베터(riveter). =〔铆机〕
〔铆上〕 mǎoshang 동 ①마주치다. ¶刚一出门儿就～了那个人; 문을 나서자마자 그 사람과 마주쳤다. ②잘 맞다.
〔铆眼〕 mǎoyǎn 명 리벳 구멍(rivet hole).

芼 mào (모)
동 (풀·야채를) 뽑다.

眊 mào (모)
①(나이 먹어) 눈이 잘 보이지 않다. 눈이 침침하다. ¶～聩kuì; 눈이 멀고 귀가 먹다. ② ⇨〔耄mào〕

耄 mào (모)
① 명 나이를 먹어 늙어 빠진 사람. ② 명 팔구십 세의 사람《여기에서 8,90세를 '耄'라 함》. ¶～耋dié之年; 칠팔십 세의 연령. 노령 / ～龄; 고령. ③ 형 늙어 빠지다. ‖ =〔眊②〕

毷 mào (모)
→〔毷氉〕
〔毷氉〕 màosào 동 번민하다.

茂 mào (무)
① 형 무성하다. ¶根深叶～; 뿌리가 깊게 뻗고 잎이 무성하다. ② 형 우수하다. 훌륭하다. ¶图文并～; 삽화도 문장도 내용이 풍부하고 훌륭하다. ③ 형 많고 풍성하다. 〈比〉 번영하다. ④ 명 《植》 시클로펜타디엔(cyclopentadiene).
〔茂才〕 màocái 명 ①우수한 인재. ②후한(後漢) 무렵에 '秀才'의 별칭《광무제(光武帝)의 휘(諱)가 '秀'이었기 때문임》.
〔茂典〕 màodiǎn 명 〈文〉 성대한 식전(式典).
〔茂林〕 màolín 명 무성한 숲.
〔茂茂腾腾〕 màomaoténgténg 형 온통 무성한 모양.

〔茂密〕 màomì 형 밀생하다. 무성하다. 우거지다. ¶森林～; 삼림이 우거져 있다.
〔茂年〕 màonián 명 〈文〉 청장년 시절.
〔茂盛〕 màoshèng 형 ①무성하다. ¶庄稼长得很～; 작물의 작황이 아주 좋다. ②번영〔번창〕하다. ¶营业～; 영업이 번창하다.
〔茂堂堂〕 màotángtáng 형 가족의 성원이 늘고 번영하다. ¶儿孙长得～; 자손이 번성하다.
〔茂腾腾〕 màoténgténg 형 번창하다.
〔茂行〕 màoxíng 명 〈文〉 훌륭한 행위.
〔茂勋〕 màoxūn 명 위훈(偉勳). 위대한 공훈.

冒 **mào** (모)
①동 용기를 내어 하다. 무릅쓰고 하다. ¶～着大雨跑来了; 큰비를 무릅쓰고 뛰어왔다/～寒; 추위를 무릅쓰다〔아랑곳하지 않다〕/～着敌人的炮火前进; 적의 포화를 무릅쓰고 전진하다. ②동 범(犯)하다. ③동 뿜어 내다. 위로 오르다. ¶～出蒸气来; 김이 오르다/～芽儿; 싹이 돋다/阵地上到处～烟; 진지에서는 여기저기서 연기가 오르다/水里～泡儿; 물에서〔물이 끓어〕 거품이 끓어오른다/眼睛～金星儿; 눈에서 불꽃이 튀다. ④동 어기다. 고집 부리다. =〔抬杠〕 ⑤동 속이다. 사칭하다. ¶～领; 이름을 사칭하여 받다. ⑥형 주의하지 않다. 무모(無謀)하다. ¶那个计划是～了; 그 계획은 무모하다. ⑦동 잠깐 얼굴을 내밀다. ¶老爷儿～了一～儿; 해님이 잠깐 얼굴을 내밀었다. ⑧부 불쑥. 갑자기. 느닷없이. ¶着了急走出东屋门, ～向南屋叫了声'南屋嫂'; 허둥지둥 동쪽 집의 문간을 나오자, 느닷없이 남쪽 집을 향해 '누나'라고 불렀다. ⑨부 대강. 대략. ¶～两个月了; 대략 2개월이 된다. ⑩명 성(姓)의 하나. ⇒mò
〔冒不通〕 màobutōng 부 갑자기. 느닷없이. ¶～地说了这么一句, 摸不清他真意到底怎样; 갑자기 그런 이야기를 한 마디 했을 뿐이어서, 그의 진의가 어떤지는 분명히 짐작할 수 없다.
〔冒不韪〕 mào bùwěi 〈文〉 나쁜 일을 저지르다.
〔冒糙子〕 màocāozi 명 ①덜렁이. 난폭한 사람. 버릇없는 사람. ②주제넘게 나서는 사람.
〔冒称〕 màochēng 동 사칭하다. 거짓으로 말하다.
〔冒充〕 màochōng 동 거짓으로 …이 되다. …인 양 행세하다. 사칭하다. ¶用假的～真的; 가짜를 진짜로 꾸미다/～警察; 경관이라고 사칭하다/～好人; 착한 사람으로 행세하다. =〔假托②〕
〔冒顶〕 màodǐng 동 ①(탄갱(炭坑)에서) 낙반(落盤)하다. ②⇨〔冒名顶替〕
〔冒渎〕 màodú 명동 모독(하다).
〔冒犯〕 màofàn 동 ①실례를 하여 상대방을 화나게 하다. ¶～尊zūn威 =〔～尊严〕; 〈翰〉 당신의 노여움을 사다. ②범하다. 어기다. ¶～规矩; 규칙을 어기다.
〔冒风险〕 mào fēngxiǎn 위험에 맞서다. 결단해서 (홍하든 망하든) 해 보다.
〔冒功〕 mào,gōng 동 ①남의 공적을 제 것으로 만들다. ②주제넘게 나서다.
〔冒汗〕 mào hàn 동 땀이 나다. 땀이 배어나오다.
〔冒号〕 màohào 명 문장의 구두점(句讀點)으로 쓰이는 콜론(:).
〔冒话〕 mào huà 말을 내뱉다. ¶往外冒糊涂话; 밖을 향하여 되잖은 말을 내뱉다.
〔冒坏〕 màohuài 동 〈北方〉 (농담으로 말할 경우) 나쁜 생각을 해내다(《'冒坏主意'의 뜻》). ¶大家玩得好好的, 你又冒什么坏? 모두 재미있게 놀고 있는데, 너는 또 무슨 (못된) 수작을 꾸미고 있는 거지? =〔冒坏水儿〕
〔冒坏水儿〕 mào huàishuǐr 동 ⇨〔冒坏〕
〔冒火(儿)〕 mào huǒ(r) 동 ①조바심 나다. 마음이 급해지다. ②화내다. ③불을 뿜다.
〔冒籍〕 màojí 동 호적을 속이다.
〔冒尖儿〕 màojiānr 동 ①(그릇에) 수북하다. 넘쳐나다. ¶筐里的菜已经～了; 바구니 속의 야채는 이젠 수북하다. ②일정한 수량을 (조금) 초과하다. ¶弟弟十岁刚～; 동생은 열 살을 조금 넘었다/一石dàn还～; 한 섬보다 조금 많다. ③빼어나다. 두드러지다. ¶小小心心地往上～; 조심스럽게 두각을 나타내다/她就爱～; 그녀는 남의 주목의 대상이 되고 싶어한다〔나서기를 좋아한다〕/鼓励学生～; 학생이 뛰어난 성적을 올리도록 격려하다. ④징조가 나타나다. 노출하다. ¶问题一～, 就要及时地研究解决; 문제가 생기면 때를 놓치지 말고 연구하여 해결해야 한다.
〔冒金星儿〕 mào jīnxīngr ①눈에서 불꽃이 튀다. ②눈이 어질어질하다. ¶瞧得我两眼～; 눈이 어찔어찔하도록 바라보다. ‖ =〔冒金花儿〕→〔眼花缭乱〕
〔冒进〕 màojìn 동 무턱대고〔덮어놓고〕 나아가다. 저돌하다. ¶既要反对～, 也要反对保守; 급진(急進)에도 반대하고, 또 보수에도 반대하다.
〔冒禁〕 màojìn 동 금령을 범하다〔어기다〕.
〔冒口〕 màokǒu 명 ①〖機〗 라이저(riser)(《쇳물을 거푸집에 부을 때, 공기나 불순물을 띄워 내보내고, 또 쇳물이 냉각 수축하면 이를 보충해 줄 쇳물의 저장 장소로서 거푸집 상부에 설치한 부속물》). ②주조 후라이저 안에 응고한 금속 부분(《제품에 붙어 있으므로 가공 과정에서 제거함》). ‖ =〔水口〕
〔冒滥〕 màolàn 동 (권리·직분 따위를) 남용하다.
〔冒了〕 màole 형 무모하다. 지나치다(《'冒失了'·'过度了'의 뜻》). ¶这次的增产计划是～; 이번의 증산 계획은 무모했다.
〔冒亮〕 màoliàng 동 날이 새다. ¶天刚～, 他就起来了; 날이 새자 그는 일어났다. 명 새벽.
〔冒领〕 màolǐng 동 남의 이름을 사칭하고 받다. 본인이라고 거짓말하고 수령하다. =〔冒取〕
〔冒冒儿〕 màomāor 부 대략. 그럭저럭. ¶那个人～地有五十多岁了; 저 사람은 대략 50여 세는 되었다.
〔冒冒失失〕 màomaoshīshī 부 경망스럽게. 경솔하게. ¶～地率领少数积极分子前进; 경솔하게 소수 적극 분자를 거느리고 전진하다/他～地闯了进来; 그는 기세 좋게 뛰어들어왔다. →〔冒失〕
〔冒昧〕 màomèi 형 〈謙〉 당돌하다. 실례되다. 외람되다. ¶我来得～; 실례를 무릅쓰고 뵈러 왔습니다/～奉恳; 실례이옵니다만 간청하옵니다/不揣～; 실례인 줄은 알지만/～陈辞; 외람되게 한 마디 말씀드리다.
〔冒猛(子)〕 màoměng(zi) 부 〈俗〉 돌연히. 느닷없이. ¶你～干什么来了? 너는 느닷없이 뭘 하러 왔느냐?/～他一嚷, 他们都站起来了; 갑자기 그가 고함을 지르자, 그들은 모두 일어섰다.
〔冒名〕 mào,míng 동 남의 이름을 사칭하다. ¶那笔钱被人～领去了; 그 돈은 다른 사람이 이름을 도용하여 받아 갔다. =〔顶名(儿)〕〔枪名〕
〔冒名顶替〕 mào míng dǐng tì 〈成〉 남의 이름을 사칭하여 바꿔치기하다. ¶考试的时候～事件常常发生; 시험 때는 대리 시험 사건이 늘 일어난다. =〔枪冒顶替〕〔枪名顶替〕〔冒顶②〕〔冒替〕
〔冒沫子〕 mào mòzi 〈俗〉 불평하다. 투덜거리다.

〔冒捏〕 màoniē 동 날조하다. 위조하다.
〔冒牌(儿)〕 màopái(r) 동 남의 상표를 위용(僞用)하다. ¶～货; 가짜.
〔冒泡〕 mào.pào ①동 〈俗〉 입에서 나오는 대로 지껄이다. ②(mào pào) 거품이 나오다. (물이) 끓다.
〔冒骗〕 màopiàn 동 편취하다. 사취하다.
〔冒汽〕 màoqì 동 증기를 뿜어 내다. ¶保安阀开始～了, 他们很害怕; 안전 밸브가 증기를 내뿜기 때문에 그들은 크게 놀랐다.
〔冒签〕 màoqiān 동 가짜 서명을 하다. ¶伙计偷主人的支票先后三度～; 점원이 주인의 수표를 훔쳐 전후 세 번에 걸쳐 가짜 서명을 하였다.
〔冒取〕 màoqǔ 동 ⇨〔冒领〕
〔冒儿咕冬〕 màorgūdōng 부 〈俗〉 느닷없이. 매우 난폭하게. 갑자기. 불쑥. 경솔하게. ¶～跑进一个人来; 느닷없이 한 사람이 뛰어들어왔다 / 他不肯～地随着别人的主意走; 그는 경솔하게 남의 말을 따르려고 하지 않는다 / 这个会上, 情况复杂, 别～地什么都说; 이 자리는 사정이 복잡하니까 경솔하게 아무 말이나 하면 안 된다.
〔冒然〕 màorán 형 경솔하다.
〔冒热气〕 mào rèqì ①의협심을 발휘하다. ②(처음에만) 힘을 내다. 힘을 내서 일하다. ③몹시 화를 내다. ④김이 나오다.
〔冒认诓赚〕 màorèn kuāngzuàn 이름을 사칭하여 남의 것을 속여 빼앗다.
〔冒色〕 màosè 동 여색을 찾아다니다.
〔冒傻气〕 màoshǎqi 〈方〉 어리석은 짓·얼빠진 짓을 저지르다.
〔冒失〕 màoshi 형 ①건방지다. 경망스럽다. ②경망하다. 경솔하다. ¶～话; 멋모르고 한 말. 방정맞은 말 / 回答得有些～; 대답이 좀 경솔하다 / 坏了, 这事做～了; 아뿔싸, 이거 경솔한 짓을 해 버렸군.
〔冒失鬼〕 màoshiguǐ 명 오지랖이 넓은 사람. 경망스러운 사람. 방정꾸러기.
〔冒死〕 màosǐ 동 ①죽음을 무릅쓰다. ②실례(失禮)되는 정도가 죽을 죄에 해당한다.
〔冒替〕 màotì ⇨〔冒名顶替〕
〔冒天下之大不韪〕 mào tiān xià zhī dà bù wěi 〈成〉 천하의 대악을 범하다.
〔冒头(儿)〕 mào.tóu(r) 동 머리를 들다. 대두하다. 발생하다.
〔冒退〕 màotuì 동 지나치게 후퇴하다.
〔冒妄〕 màowàng 형 건방지다. 주제넘다.
〔冒险〕 mào.xiǎn 동 위험을 무릅쓰다. ¶～的行为; 모험적 행위 / ～主义; 모험주의 / ～家; 모험가. =〔担dān险〕
〔冒饷〕 màoxiǎng 동 사병의 급료를 착복하다(옛날, 부대장이 사병의 수를 정원보다 적게 하여 남는 급료를 후무리던 일).
〔冒姓〕 màoxìng 동 ①(양자가 되거나 어머니가 재혼하거나 하여) 다른 사람의 성을 따르다. ②남의 성을 사칭하다.
〔冒烟〕 màoyān 동 ①연기가 나다. 연기를 뿜다. ¶这个木炭还没烧透哪, 爱～; 이 숯은 아직 덜 구워졌군요. 자꾸 연기가 납니다. ②…의 극한에 달하다. 매우 …이다. ¶嗓子眼儿～; 대단히 목이 마르다 / 最缺德带～的; 가장 부도덕한 것〔일〕.
〔冒雨〕 màoyǔ 동 비를 무릅쓰다. 비가 오는데 …하다. ¶他～回去了; 그는 비를 무릅쓰고 돌아왔다.
〔冒赈〕 màozhèn 동 (옛날, 관리가) 빈민 구제금을 가로채다.
〔冒支〕 màozhī 동 공용이라 속여〔구실을 붙여〕 지출하다.
〔冒撞〕 màozhuàng 동 실례가 되는 짓을 하다. 남의 마음을 상하게 하다.
〔冒嘴〕 mào.zuǐ 동 ①(새싹 등이) 살짝 모습을 드러내다. ¶太阳～了; 태양이 살짝 얼굴을 내밀었다 / 骨朵儿才～; 꽃봉오리가 겨우 벌어지기 시작했다. ②(사물이) 흘끗 내비치다.
〔冒作〕 màozuò 동 속여서 …이라 하다.

帽 mào (모)
명 ①(～子) 모자. ¶一顶～子; 모자 하나 / 戴dài～子; ⓐ모자를 쓰다. ⓑ〈轉〉 레테르〔딱지〕를 붙이다. ⓒ〈轉〉 실제보다 크게〔좋게〕 보이게 하다 / 摘zhāi ～子; ⓐ모자를 벗다. ⓑ〈轉〉 레테르〔딱지〕를 떼다. 오명(汚名)을 벗다. ⓒ전달할 돈〔물건〕의 일부를 떼어 먹다 / 爱戴高～子; 남의 아첨에 우쭐해지다 / 草～(儿); 밀짚모자 / 呢～; 나사(羅紗) 중절모 / 鸭舌～; 헌팅모. 캡 / 凉～; 여름모자 / 风～; ⓐ방한모. ⓑ외투 따위의 후드. ②(～儿) 물건에 씌우는 것의 일컬음. ¶笔～儿; 붓 뚜껑 / 螺丝～; 나사못의 대가리 / 钉子～; 못대가리 / 笼屉～; 찜통〔시루〕 뚜껑. ③(～儿) 최고의 것. 최상의 것. ④모두(冒頭). 첫 부분. 필두(筆頭). ¶文章的～; 문장의 서두.
〔帽辫子〕 màobiànzi 명 밀짚으로 조붓하게 띠 모양으로 결은 것(밀짚모자의 재료).
〔帽翅儿〕 màochìr 명 ①중국 모자에 다는 비녀 비슷한 장식. ②모자에 달아서 늘어 뜨린 물건.
〔帽带〕 màodài 명 ①(모자의) 리본. =〔帽箍(儿)〕〔帽条儿①〕 ②모자의 턱끈.
〔帽店〕 màodiàn 명 ⇨〔帽铺〕
〔帽钉〕 màodīng 명 ⇨〔铆mǎo钉〕
〔帽顶〕 màodǐng 명 ①모자 꼭대기. ②모자 꼭대기의 쥐게 된 부분.
〔帽耳〕 mào'ěr 명 모자에 붙어 있는 귀가리개(방한용).
〔帽纥紶〕 màogēda 명 ⇨〔帽结〕
〔帽疙瘩〕 màogēda 명 ⇨〔帽结〕
〔帽箍儿〕 màogūr 명 모자에 감은 리본.
〔帽盒儿〕 màohér 명 모자 상자.
〔帽花(儿)〕 màohuā(r) 명 ①모자 앞에 다는 장식. ②〈俗〉 모자 휘장. =〔帽星〕〔帽徽〕
〔帽徽〕 màohuī 명 모자 휘장. =〔帽花(儿)〕
〔帽架(子)〕 màojià(zi) 명 모자 걸이.
〔帽匠〕 màojiàng 명 모자 만드는 직인(職人)〔장인〕.
〔帽结(儿, 子)〕 màojié(r, zi) 명 '瓜guā皮帽子'의 꼭대기에 다는, 끈으로 엮어 만든 꼭지. =〔帽顶②〕〔帽疙gē瘩〕〔帽纥gē紶〕
〔帽镜〕 màojìng 명 (모자를 쓰거나 넥타이를 맬 때 보는) 탁자 등의 위에 놓는 거울.
〔帽盔儿〕 màokuīr 명 ①헬멧. ②제모용(製帽用)의 목형(木型). ③모자의 테를 떼어 버린 부분(곧, 머리에 접하는 부분).
〔帽笼〕 màolóng 명 모자 상자.
〔帽襻儿〕 màopànr 명 모자의 끈.
〔帽坯〕 màopī 명 모자의 몸통. ¶毡zhān呢～; 펠트 모자의 몸통.
〔帽铺〕 màopù 명 모자 가게. =〔帽店〕
〔帽腔〕 màoqiāng 명 모자의 머리가 들어가는 부분.
〔帽圈〕 màoquān 명 ①꼭대기가 없이 둘레만 있는

모자. ②모자 둘레의 치수.
〔帽儿〕 màor 명 매매에서 떨어지는 이문.
〔帽儿戏〕 màorxì 명 연극에서, 당일의 상연 레퍼토리 가운데 처음의 몇 작품을 말함.
〔帽舌〕 màoshé 명 모자의 챙. ¶鸭舌帽的～; 헌팅모의 챙. =〔帽舌头〕
〔帽刷〕 màoshuā 명 모자솔.
〔帽条儿〕 màotiáor 명 ①⇨〔帽带①〕 ②(집회장 등에서) 모자 보관표.
〔帽筒〕 màotǒng 명 모자를 놓는 오지로 만든 원통형의 대(臺).
〔帽头儿〕 màotóur 명 수박을 반으로 자른 모양의 중국식 모자.
〔帽星〕 màoxīng 명 모자의 휘장. =〔帽章zhāng〕〔冒花(儿)〕
〔帽沿(儿)〕 màoyán(r) 명 ⇨〔帽檐(儿)〕
〔帽檐(儿)〕 màoyán(r) 명 모자챙. =〔帽沿(儿)〕
〔帽缨(子)〕 màoyīng(zi) 명 옛날, 모자의 턱끈.
〔帽章〕 màozhāng 명 모표.
〔帽罩(儿)〕 màozhào(r) 명 모자 커버.
〔帽珠〕 màozhū 명 모자 꼭대기에 다는 작은 방울.
〔帽子〕 màozi 명 ①모자. ¶戴～; 모자를 쓰다/摘～; 모자를 벗다. ②상대방의 활동을 봉쇄하기 위하여 여러 가지로 평가하는 말. 죄명. 악평. ¶扣～ =〔戴～〕; ⓐ벙거지를 씌우다. ⓑ악평을 하거나 죄명을 붙이다. 딱지를 붙이다/扣上保守思想的～; 보수 사상이라는 레테르를 붙이다. ③허식적인 글귀. 선전문구. ④해방 후, 토지 개혁 때에 농민들이 지주를 개별적으로 재판하여 과한 일종의 배상금. ⑤덤으로 챙기는 돈. 웃돈. ¶我净擎三千, ～随你去戴; 나는 3천 원만 챙기면 된다, 구전은 네 맘대로 떼라/我不给你佣金, 你戴上～好了; 수수료는 안 치를테니, 너는 그만큼 웃돈을 얹어 받으면 되지 않느냐.

媢
mào (모)
동 시새우다. 질투하다. ¶～嫉=〔～忌〕; 시기하다.

瑁
mào (모)
→〔玳dài瑁〕

贸(貿)
mào (무)
①동 교역하다. ¶以货易货 =〔易货～易〕〔易货文易〕; 바터 무역/记账～易; 에스크로(escrow) 〔제3자 기탁〕 방식에 의한 무역. ②동 교환하다. ③동 사들이다. ④형 경솔하다. 경망스럽다. ¶未便～然实行; 경솔하게 실행할 수는 없다. =〔冒⑥〕
〔贸贸(然)〕 màomào(rán) 형 ①경솔하다. 무턱대고 …하다. ¶这个问题还需要进一步研究, 不要～做结论; 이 문제는 한층 접근해서 연구해야지 경솔하게 결론을 지어서는 안된다. =〔贸然〕 ②멍청하다. ③눈이 흐릿하다.
〔贸名〕 màomíng 동 이름을 팔려고 하다.
〔贸然〕 màorán 형 경솔하다. ¶不～下结论; 결론을 경솔하게 내리지 않다. =〔贸贸(然)①〕
〔贸首〕 màoshǒu 명 〈文〉 불구대천(不俱戴天)《그 목을 자르고 싶도록 미워함》. ¶～之仇; 불구대천의 원수.
〔贸易〕 màoyì 명 무역. 교역. 상업 (활동). 거래. ¶国内～; 국내 무역〔거래〕/对外～; 대외 무역/集市～; 농촌 또는 작은 도시에서 정기적으로 열리는 '集'이나 '市(시장)'에서의 매매 거래.
〔贸易呆账〕 màoyì dāizhàng 명 ⇨〔贸易欠款〕
〔贸易单位粮〕 màoyì dānwèiliáng 명 ⇨〔去qù壳粮〕
〔贸易风〕 màoyìfēng 명 《氣》 무역풍. =〔恒héng信风〕〔信xìn风①〕
〔贸易联销制〕 màoyì liánxiāozhì 명 《商》 에스크로 바터(escrow barter)제(制)《무역상이 취득한 외화환으로 수입하거나 또는 이를 다른 수입상에게 양도함을 규정한 방식》.
〔贸易逆差〕 màoyì nìchā 명 《商》 입초(入超). =〔贸易缺口〕↔〔贸易顺差〕
〔贸易欠款〕 màoyì qiànkuǎn 명 회수 불능의 무역 결손액. ¶有些国家所欠的～; 약간의 국가가 빚지고 있는 무역 결손액의 회수 불능/已取消了～一亿七千万元; 회수 불능의 무역 결손액 1억 7000만 원을 삭쳤다〔탕감해 주었다〕. =〔贸易呆账〕
〔贸易缺口〕 màoyì quēkǒu 명 ⇨〔贸易逆差〕
〔贸易顺差〕 màoyì shùnchā 명 《商》 출초(出超). ↔〔贸易逆差〕

袤
mào (무)
명 남북의 길이. ¶广～; ⓐ가로폭과 세로. 내림과 안길이. ⓑ〈轉〉 (토지의) 넓이/广～数千里; 넓이가 수천 리나 된다.

鄚
mào (막)
지명용 자(字). ¶～州Màozhōu; 마오저우(鄚州)《허베이 성(河北省)에 있는 땅 이름》.

瞀
mào (무)
형 ①눈이 보이지 않다. ②정신이 착란하다. =〔瞀乱〕 ③어리석다. ¶昏～; 무식하고 어리석다/～儒; 어리석은 학자.

貌〈皃〉
mào (모)
①명 용모. 모습. 외관. ¶面～ =〔相～〕; 인상 용모/全～; 전모/礼～; 예의바른 모습〔태도〕/以～取人; 외양만으로 사람을 판단하다. ②명 모습. 모양. ¶工厂的全～; 공장의 전모. ③형 〈文〉 겉으로만. 허울만의. ¶～从; 겉으로만 복종하다/～言; 겉치레의〔실속 없는〕 말.
〔貌不惊人〕 mào bù jīng rén 〈成〉 용모·풍채가 좋지 않아서 남에게 경시(輕視)당하다. 용모가 사람의 관심을 끌지 않다.
〔貌丑〕 màochǒu 형 ①(용모가) 보기 흉하다. 못생기다. (행위가) 추악하다. ②꼴사납다.
〔貌合神离〕 mào hé shén lí 〈成〉 겉으로는 친한 척하고, 실제는 딴 마음을 갖고 있다《겉 다르고 속 다르다》.
〔貌敬〕 màojìng 동 〈文〉 겉으로만 존경하다.
〔貌似〕 màosì 동 겉은 흡사 …하다. 보건대, 마치 …하다. ¶～有理; 보아하니, 일리(一理) 있는 듯하다/～公正; 겉으로는 공정한 것처럼 보이다/～强大; 겉으로는 강한 것 같다.
〔貌为〕 màowéi 동 (…인) 척하다. 가장하다. ¶现在证明了某国～和平; 모국이 평화를 가장하고 있음이 이제 밝혀졌다.
〔貌相〕 màoxiàng 동 용모로 판단하다. ¶人不可～; 〈諺〉 사람은 겉모습으로 판단할 수 없다.
〔貌形〕 màoxíng 명 모습. 형태.
〔貌执〕 màozhí 동 예절바르게 접대하다.

懋
mào (무)
①동 노력하다. 근면하다. 힘내어 일하다. ②형 무성하다. 성대하다. 대단하다. ¶～功 =〔～勋〕〔～绩〕; 큰 공/～典; 성대한 식전/～赏; 후하게 상을 주다〔내리다〕. ③형 훌륭하다. ④인명용 자(字).

ME ㄇㄜ

么(麽〈末〉①)

me (마) 〈말〉 ① 접미 접미사의 하나. ¶怎~; 왜/这~; 이렇게/什~; 무엇/…什~的; …등. …따위/那~; ⓐ저렇게. ⓑ그러면. 그렇다면/哪~; 어떻게/多~; ⓐ얼마나. ⓑ어쩌면 그렇게. 오죽. =〔嚒〕 ② 조 전반(前半)의 글의 말미(末尾)에 쓰여 어기에 함축을 지니게 함. ¶不让你去~, 你又要去; 너한테 가지 말라고 했는데, 너는 또 가려고 한다. ③가사(歌詞) 속의 간투 조사(間投助詞). ¶五月的花儿红呀~红似火; 5월의 꽃은 붉구나, 불과 같이. 注 '吗ma'의 대용을 하는 일도 있으나 흔히 구별하여 씀. ⇒má, '吗' ma, '嘛' ma, '麽' mó, '末' mò, '幺' yāo

嚒

me (마) 접미 ⇨〔么me①〕

嚜

me (묵) 조 …이란다. …이라니까《어조를 고르는 어기사》. =〔嘛①〕〔吗ma③④〕 ⇒mò

MEI ㄇㄟ

没〈沒〉

méi (몰) ① 동 없다. 존재하지 않다《영유(領有)·소유·존재의 부정》. ¶他~哥哥; 그에게는 형이 없다/屋里~人; 방에 사람이 없다. 注 '没有'는 '有'라는 사실《존재·소유》이 없음을, '没来'는 왔다는 사실이 없음을 나타냄. '有'는 객관적인 존재를 가리키며 그 부정은 시제에 관계 없이 언제나 '没有'임. =〔没有〕〔无〕 ② 동 모자라다. 미치지 못하다. ¶汽车~飞机快; 자동차는 비행기보다 빠르지 않다. =〔不如〕〔不够〕 ③ 부 (아직 하고) 있지 않다. (아직) 하지 않았다. ¶他们~做完; 그들은 아직 다 끝내지 못하고 있다/天还~黑呢; 날이 아직 어두워지지 않았다. ④ 부 경험·완료의 부정(否定). …하지 않았다. …한 일이 없다《의문문에서는 문말(文末)에 놓을 때는 흔히 '没有'를 쓰지만, '没'만을 쓸 때도 있음》. ¶老张那天~回来过; 장(張)씨는 그날 돌아오지 않았다/你去过上海~有? 자네는 상하이(上海)에 간 일이 있는가? 注$_1$ 긍정+부정의 의문문일 때는 '他来没来?' 처럼 '有'를 생략할 때가 많음. 注$_2$ 부정(否定)의 대답일 때는 '没有'라고 하는 것이 보통인데, 때로는 '没'만으로도 사용함. 注$_3$ '不'는 주관적인 부정(否定)으로서 의지의 작용을 나타냄. 이를테면, '不来'는 올 뜻이 없는 것이며 안 오는 것을 나타내므로 보통 시제적으로는 미래임. '没来'는 왔다는 사실이 없다는 것으로 올 의사가 있었는지 여부는 따지지 않음. 따라서 보통 시제적으로는 과거임. ¶前天请他, 他~来; 그제 그를 초청했는데 오지 않았다《객관적 사실의 부정(否定)》/昨天请他, 他不来, 现在不请他, 他更不来了; 어제 그를 초청하였는데 오려고도 하지 않았어, 지금 초청도 안 하는데 더욱 올 리가 없지《주관적인 부정(否定)》. 注$_4$ '没'는 '能(够), 要, 肯, 敢' 등 앞에만 놓을 수 있지만, '不'는 모든 조동사 앞에 놓아도 됨. ⇒mò

〔没熬过来〕 méi áoguòlai 〈比〉 참을 수 없었다. 견뎌 내지 못했다. 끝내 세상을 떠났다《죽은 사람의 가족에 대하여 애도의 뜻을 담아서 하는 말》. ¶唉! 叔叔到底~啊! 유감스럽게도 아저씨께서는 끝내 가셨군요!

〔没把鼻〕 méi bǎbí ①근거가 없다. 자신이 없다. ②까닭이 없다. 당돌하다. ③⇨〔没把握〕

〔没把柄(儿)〕 méi bǎbing(r) ⇨〔没把握〕

〔没把握〕 méi bǎwo 확신〔자신〕이 없다. =〔没把鼻③〕〔没把柄(儿)〕 「방법이 없다.

〔没摆布〕 méi bǎibù 수습할〔처리하고 손을 쓸〕

〔没包弹〕 méi bāotán 이러쿵저러쿵 말을 들을 점이 없다. 결함이 없다.

〔没鼻子没脸地〕 méibízi méiliǎnde 수치도 체면도 상관 없이. ¶这小子~冲自己撒气; 이 꼬마놈은 부끄럼도 체면도 아랑곳없이 짜증을 낸다.

〔没边(儿)〕 méi.biān(r) 동 ①전망이 없다. 장래성이 없다. ②한(限)이 없다. ③(행동에) 절도(節度)가 없다.

〔没边没岸〕 méi biān méi àn 〈成〉 무의미하다. 종잡을 수 없다. 끝이 없다.

〔没病找病〕 méi bìng zhǎo bìng 〈成〉 생으로 고생하다. ¶偏要猛闯, 这简直是~; 그만두어도 좋을 것을 무모한 일을 하려고 하는 것은 쓸데없이 고생만 하는 일이다.

〔没材料儿〕 méicáiliaor 명 〈貶〉 변변치 못한 자(者). 아둔패기.

〔没常性〕 méi chángxìng 싫증을 잘 내다. ¶~就不能成大事; 싫증을 잘 내면 큰 일은 못 한다.

〔没成想〕 méi chéngxiǎng 부 의외(意外)로. ¶~遇见他; 우연히 그를 만났다/咱寻思来晚了呢, ~还早得很; 난 속으로 늦었다고 생각했었지, 이렇게 빠를 줄은 뜻밖이었다.

〔没吃没穿〕 méi chī méi chuān 〈成〉 먹을 것 입을 것이 없다.

〔没尺寸〕 méi chǐcun 경솔하다《언어·동작에 절도가 없다》.

〔没翅而飞〕 méichì ér fēi 날개가 없는데 날아가 버리다《젊은 것이 분수를 모르는 일을 하다》.

〔没出豁〕 méi chūhuō 어찌할 도리가 없다. ¶那人急了, 正好~; 그 사나이는 분통이 터져서 어쩔 도리가 없는 참이었다.

〔没出息〕 méi chūxi ①병신 같은 놈. 건달패. ②가망 없다. 장래성이 없다. 기개가 없다. ¶别这么~; 이렇게 끙끙거릴 것 없어. ③진지하게 하지 않다.

〔没词儿〕 méi.cír 동 대답에 궁하다. 말이 막히다.

〔没错儿〕 méi cuòr ①〈套〉 틀림없다. 그와 같다《인사말》. ¶听说他失败了, 是真的吗? ~, 他完全失败了; 듣기에 그는 실패한 모양인데 정말인가요? 네 그렇습니다. 그는 완전히 실패했습니다. ②틀림없다. 잘못을 저지르는 일이 없다. 그르침이 없다.

〔没答飒〕 méidāsa 형 활기가 없다. 신통치〔시원치〕 않다.

〔没大没细〕 méi dà méi xì 〈成〉 ⇨〔没大没小〕

〔没大没小〕 méi dà méi xiǎo 〈成〉 상하·노소의 구별이 없다《지위가 평등하다》. ¶我们之间应该是~的; 우리들 사이에는 당연히 상하의 구별이 없다. =〔没大没细〕

〔没得〕 méidé 동 ①…되어 있지 않다. …하고 있지 않다. ¶所以还~和他商量; 그 때문에 아직 그

사람과는 상의가 되어 있지 않다. ②〈南方〉 없다 《표준어의 '没有'에 상당함》. ¶～香味; 향기로운 맛이 없다 / 一个酒客～; 한 사람의 주객도 없다. ③〈南方〉 …할 필요〔값어치〕는 없다. ¶～找zhǎo打; 얻어맞을 짓을 할 필요는 없다.

〔没得〕 méide 동 〈方〉 ①없다. ¶我～米, 拿什么卖? 나는 쌀이 없는데, 무엇을 파느냐? =〔没有〕 ②⇨〔没的②〕 부 ⇨〔没的〕

〔没得说〕 méideshuō 말할 것이 없다. 말할 자격은 없다. ¶大队没有钱, ～; 대대에 돈이 없으면 그만이다 (…또 무슨 할 말이 있겠는가).

〔没德行〕 méidéxing 〈罵〉 명 사람 같지 않은 놈! 못된 놈! 형 덜 돼먹다.

〔没的〕 méide 동 ①(동사가 뒤에 놓여) …할 일〔것〕이 없다. ¶～吃～穿; 먹을 것 입을 것이 없다 / 走吧, 我也～说了; 가자, 나도(이제 더 이상) 할 말이 없다 / ～事; 그런 일은 없다 / ～主儿; 돈 없는 사람들. 가난뱅이들 / 连衣服也～半片; 옷 반 조각도 없다. ②〈方〉(동사가 뒤에 놓여) …하지 마라. ¶你去惹他干什么? ～找打! 자네가 가서 그에게 대들어서 어쩌자는 건가? 맞지 않도록 하게나! / ～叫他笑话; 그에게 비웃음을 사지 않도록 해라 / 出去的时候多穿点衣裳, ～回头着凉; 외출할 때에는 옷을 두껍게 입고 나가거라, 감기들지 않게. =〔没得de②〕〔莫得〕 注 '没有的'이라고는 하지 않음. 부 까닭 없이. =〔没得de〕

〔没的话〕 méide huà 〈套〉 당치도 않다. 천만의 말씀《강한 부정의 말》.

〔没的事〕 méide shì 〈套〉 ①그런 일은 없다. 당치도 않다. ②상관할 게 뭐야.

〔没底〕 méi.dǐ 동 ①한이 없다. ②짐작이 안 가다. ③기초가 없다. 기반이 없다. ④자신이 없다. ¶心里～; 마음에 자신이 없다. ⑤더없이〔대단히〕 …하다. ¶好得～; 더없이 좋다.

〔没地儿〕 méidìr ①동 입장이 난처하다. ¶您这话说得叫我实在～了; 그렇게 말씀하시면 저로서는 정말 입장이 난처합니다. ②(méi dìr) 자리가 없다.

〔没第二份儿〕 méi dì'èrfènr 필적할 만한 것이 없다. 이에 버금 가는 것이 없다.

〔没颠没倒〕 méi diān méi dǎo 〈成〉 이해력이 부족하다. 분별력이 없다. ¶你怎么这么～? 너는 어째서 그렇게 철이 없느냐?

〔没短(地)〕 méiduǎn(de) 부 ⇨〔没断(地)〕

〔没断(地)〕 méiduàn(de) 부 끊임없이. 자주. ¶这程子～下雨; 요즘은 끊임없이 비가 온다 / 他～来; 그는 늘 온다. =〔没短(地)〕

〔没对儿〕 méi.duìr 동 필적하는 것이〔상대가〕 없다. 비할 바 없이 뛰어나다. ¶他淘táo起气来简直地～; 그가 장난을 쳤다 하면 당할 자가 없다 / 他的口音～; 그의 발음은 당할 자가 없을 정도로 훌륭하다 / 长得～; 비할 데 없는 미모이다.

〔没多少〕 méi duōshǎo 얼마 없다.

〔没多时〕 méi duōshí 오래지 않아. 이윽고. ¶他～的就出来了; 얼마 안 있어 그는 나왔다.

〔没二话〕 méièrhuà 〈比〉 말을 하면 반드시 실행하다.

〔没法(儿, 子)〕 méi fǎ(r, zi) ①방법이 없다. ¶～办; 할〔처리할〕 방법이 없다. 어쩔 도리가 없다 / 我～去说; 나는 가서 말할 수가 없다 / 这件事我可～; 이 일은 아무래도 할 수가 없다. ②이 이상은 없다《정도가 극단적임을 나타내는 말》. ¶今天这场戏, ～那么好的了; 오늘의 이 연극은 최고다. 注 '没法儿'은 '没有法儿'라고는 하지 않으며, '没有法子'로는 쓰임.

〔没法的事〕 méifǎdeshì 무법한 짓. 당치 않은 짓. 난폭한 짓. ¶他自己年轻的时候, 什么～也干过《老舍 駱駝祥子》; 그 자신 젊은 시절에는 어지간히 난폭한 짓도 했었다.

〔没肺〕 méifèi 형 심보가 나쁘다. 양심이 없다.

〔没分晓〕 méi fēnxiǎo ①분별이 없다. ¶为何如此～; 어째서 이렇게 분별이 없는가. ②(일이) 결말이 안 나다.

〔没缝儿〕 méi fèngr (빈)틈이 없다.

〔没缝儿不下蛆〕 méifèngr bùxiàqū 〈諺〉 빈틈이 없는 곳에 구더기는 생기지 않는다. 안에 결함이 없으면 밖으로부터 침해당하는 일은 없다. ¶没缝儿下蛆; 〈比〉 까닭 모를 이변〔곤란한 일〕이 생기다.

〔没赶上〕 méigǎnshàng ①제때에 대지 못했다. ②따라붙지 못했다. ③만나지 못했다.

〔没稿子〕 méi.gǎozi 동 계획이 없다. 근거가 없다. 정견(定見)이 없다. ¶这事究竟怎么样, 我还～呢; 이것은 결국 어떨지, 나는 아직 정하지 않았다 / 吃什么都行, 我～; 무엇을 먹어도 좋다. 나는 먹으려고 작정한 것이 없다. =〔没谱儿〕

〔没个头〕 méigetóu 형 끝이 없다. 한이 없다. ¶忧忧愁愁～; 한없이 슬프다.

〔没根基〕 méi gēnji 〈京〉 (품행이) 경박하고 조심성이 없다. 제 잇속을 차리려 하다. 쩨쩨하다. (품행이) 경박하고 조심성이 없다. ¶这个人好～了, 总是跟人要纸烟抽; 이 남자는 정말 치사하다. 언제나 남한테서 담배를 얻어 피운다.

〔没骨气〕 méi gǔqi 근성〔기골〕이 없다. 줏대가 서 있지 않다. =〔没骨头〕

〔没骨头〕 méi gǔtou ⇨〔没骨气〕

〔没关系〕 méi guānxi 상관 없다. 걱정없다. 문제없다. ¶这事跟我～; 이 일은 나와 상관 없다. =〔不要紧〕〔不碍事〕

〔没规矩〕 méi guījū ①규칙이 없다. ②규칙을 지키지 않다. 버릇이 없다.

〔没涵养〕 méi hányǎng 교양이 없다.

〔没行市〕 méi hángshi 일정한 시가가 없다. 매우 비싸다.

〔没好气〕 méi hǎoqì ①불유쾌함·초조함이 얼굴이나 말에 나타나 있다. ¶～地回答"你管不着"; "너는 상관없는 일"이라고 불쾌하게 대답했다. ②시시하다. 재미없다. ¶她回家来～; 그녀는 집에 돌아오니 재미가 없었다. 注 '有好气'로는 쓰지 않음.

〔没好意思〕 méi hǎoyìsi 미안하게 생각하다.

〔没黑儿没面儿〕 méihēir méimiànr 체면을 존중하지 않다. 뻔뻔스럽다.

〔没黑下带白日地〕 méi hēixia dài báiride 밤낮 없이. 밤이나 낮이나.

〔没话提话儿〕 méi huà tí huàr 이야기가 끊겨 새 화제를 꺼내다. ¶我因～曾向他说过; 내가 이야기가 끊겨 화제를 꺼내서 그에게 이야기한 적이 있다.

〔没价钱〕 méi jiàqián 값을 칠 수 없다. 매우 비싸다.

〔没架的人〕 méijiàde rén ①기골이 없는 사람. ②게으름뱅이.

〔没见过世面〕 méi jiànguo shìmian 세상을 잘 보지 못한《경험이 부족한》. ¶～的人; 세상 물정을 모르는 사람.

〔没见识〕 méi jiànshi 식견이 없다.

〔没见天日〕 méi jiàn tiānrì 아직 세상에 나오지 않다. 햇빛을 보지 못하다. ¶这件衣服～就不能穿了; 이 옷은 입고 나가기도 전에 못 입게 되었다.
〔没讲究(儿)〕 méi jiǎngjiu(r) ①고려하지 않다. 천착하지 않다. ②까다롭게 굴 필요는 없다. 딱딱하게 굴 것까지는 없다.
〔没讲儿〕 méijiǎngr ①할 말은 없다. ②그런 뜻은 없다. 그렇게는 말할 수 없다.
〔没脚后跟〕 méi jiǎohòugēn 〈北方〉 외출하고는 좀처럼 돌아오지 않다. ¶你不用等他了, 他向来～, 不知道什么时候才能回来呢; 그를 기다리지 않는 것이 좋아. 그는 한번 나갔다 하면 좀처럼 돌아오지 않으니까, 언제 돌아올지 모른다.
〔没脚蟹〕 méijiǎoxiè 명 발 없는 게(어찌할 수 없는 상태). ¶乍到生地方, 就像～一样; 낯선 고장에 막 왔으니 발 없는 게나 마찬가지로 어쩔 도리가 없다 / 到了人生地疏的地方就成～了; 생소한 곳에 가면 어쩔 도리가 없게 된다.
〔没结没完〕 méi jié méi wán 〈成〉 끝이 없다. 한이 없다.
〔没紧没慢〕 méi jǐn méi màn 〈成〉〈北方〉 융통성이 없다. 척척 해내지 못하다. ¶等着用的东西他不赶出来, 倒去忙那不当紧的事, 真是～, 怎不叫人着急; 그는 급히 소용되는 것은 급히 마무리지으려 하지 않고, 오히려 급하지 않은 것을 서두르고 있으니, 정말 융통성이 없어 애가 탄다 / 你别～的, 大家这儿等着你呢; 제꺽제꺽 좀 해라. 모두들 여기서 너를 기다리고 있으니.
〔没劲儿〕 méi.jìnr 동 ①힘이 없다. 기운이 없다. ②잘 안 되다. ③흥미가 일지 않다. ④정신이 없다.
〔没进退〕 méi jìntuì ⇨〔没禁子〕
〔没禁子〕 méi jìnzi (기호나 즐기는 것에) 끝이 없다. 한이 없다. 자제력이 없다. ¶他～, 别叫他喝酒了; 저 사람은 자제력이 없으니 술을 먹이면 안 돼. =〔没进退〕〔没杀手〕
〔没精打采〕 méi jīng dǎ cǎi 〈成〉 활기가 없다. 낙담한 모양. 풀없이 맥 떨어진 모양. ¶他～地坐在地下, 低着头, 不吱声; 그는 맥없이 땅바닥에 앉아 묵묵히 고개를 숙이고 있다. =〔无精打采〕
〔没酒三分醉〕 méi jiǔ sān fēn zuì 술을 마시지 않았는데도 거나한 기분이다(일을 진지하게 하지 않음. 평소부터 멍청함). ¶他干什么事都靠不住, 他～嘛! 그는 무슨 일을 하나 도무지 믿을 수가 없다. 그는 저렇게 멍청하니까!
〔没救儿〕 méijiùr 구제할 길이 없다. ¶事情已然到这个份儿上了, 也就～了; 일이 이에 이르러서는 이미 구제할 길이 없다.
〔没开交〕 méi kāijiāo (옥신각신하여) 수습이 되지 않다. ¶三人正～; 세 사람은 한창 옥신각신하고 있는 참이었다. =〔不可开交〕
〔没吭声〕 méi kēngshēng 소리를 내지 않다. 말을 하지 않고 있다. ¶他低头笑了笑, ～; 그는 머리를 숙이고 웃었으나, 소리를 내지 않았다.
〔没口〕 méikǒu 동 말대꾸를 하지 않다. 이의(異議) 없다. ¶～地答应了; 두말 없이 승낙했다.
〔没口(子)〕 méikǒu(zi) 동 (말을) 끊임없이 하다. ¶～地叫道; 연달아 큰 소리로 말하다.
〔没拉干儿〕 méi lāganr 〈京〉 브레이크가 없다. 〈轉〉 길게 잡담을 하다. 지껄여 대다. ¶这人真～, 人家都听腻烦了, 他还说个没完; 이 사람은 수다쟁이야. 모두 듣기 지긋지긋해 하는데, 언제까지고 지껄이며 끝이 없다.
〔没来历〕 méi láili ⇨〔没来由〕
〔没来头〕 méi láitou 모처럼 온 보람이 없다. 올 가치가 없다.
〔没来由〕 méi láiyóu 까닭이 없다. =〔没来历〕
〔没老没少〕 méi lǎo méi shào 〈成〉 윗사람에 대한 예의가 없다. 위아래가 없다.
〔没落儿〕 méi làor ⇨〔没落子〕
〔没落子〕 méi làozi 〈方〉 친척이 없다. 생계가 막연하다. 몸을 의탁할 데가 없다. ¶老了, ～真可怜; 나이 먹어 의탁할 데가 없으니 참으로 불쌍하다. =〔没落儿〕
〔没了〕 méile ①없어졌다. 끝났다. ②죽었다.
〔没棱缝儿〕 méi léngfèngr ①틈이 없다. ②〈轉〉 기회가 없다.
〔没棱没角〕 méiléng méijiǎo 가장자리가 없고 모서리도 없다. 모가 없다.
〔没里儿没面儿〕 méi lǐr méi miànr 뻔뻔스럽다. 체면을 생각지 않다. 철면피이다.
〔没理〕 méi lǐ 도리에 맞지 않다〔어긋나다〕. ¶～人家; 억지를 부리는 사람.
〔没理矫理〕 méi lǐ jiǎo lǐ 〈成〉 억지를 쓰다. 그럴싸하게 당치않은 이유를 내세우다. =〔没理搅理〕〔没理赖三分〕
〔没脸〕 méiliǎn 형 면목이 없다.
〔没脸皮〕 méi liǎnpí 염치없다. 염치 없는 자.
〔没良心〕 méi liángxin 양심이 없다.
〔没两样〕 méi liǎngyàng 같다. 틀리지 않다. ¶跟我～; 나하고 같다.
〔没撩没乱〕 méi liáo méi luàn 〈成〉 가까이 가지도 않고 건드리지도 않다. 조심조심하다. ¶见衙内心焦, ～众人散sàn了《水浒傳》; 도령이 초조해하고 있는 것을 보고, 모두들 조심조심 흩어져 버렸다.
〔没了期〕 méiliǎoqī (고통 따위가) 끝이 없다. =〔没头(儿)①〕
〔没料到〕 méiliàodào ①부 뜻밖에도. ¶～一进门就给你添了麻烦; 집에 들어가자마자 뜻하지 않게 당신에게 폐를 끼치고 말았습니다. ②(méi liàodào) 생각지 못하다. 예상치 못하다.
〔没零(儿)不成账〕 méi líng(r) bù chéng zhàng 우수리가 없으면 계산을 끝냈다고 할 수 없다(계산에는 으레 우수리가 있는 법이다).
〔没零没整〕 méi líng méi zhěng 〈成〉 (우수리 없이) 꼭. ¶～有五十个人; 꼭 50명 있다.
〔没流儿〕 méiliúr 형 천하다. 품위가 없다. ¶看着挺体面的人怎么说话这么～; 보기에는 아주 단정한 사람인데 어찌하여 말은 이렇게 천할까.
〔没六儿〕 méiliùr 형 ⇨〔没溜儿〕
〔没溜儿〕 méiliùr 형 흘게 늦다. 야무지지 못하다. 점잖지 못하다. ¶你看他越～了; 그는 나이를 먹을수록 칠칠지 못해졌다 / 这孩子真～; 이 아이는 정말 흘게가 늦다〔칠칠치 못하다〕 / 跟小孩子说这个话, 不是～吗? 아이에게 이런 얘기를 하는 것은 점잖지 못한 것이 아니냐? =〔没六儿〕
〔没笼头的马〕 méi lóngtoude mǎ 굴레 없는〔벗은〕 말. 〈比〉 방임(하고 있는 것). 구속받지 않는 사람.
〔没路(儿)〕 méi lù(r) 길이 막히다. 궁지에 빠지다.
〔没…没…〕 méi…méi… …도 없고 …도 없다. ①두 개의 유의(類義) 명사·동사 또는 형용사 앞에 놓여 '没有'를 강조하는 말. ¶～家～业; 집도 재산도 없다 / ～头～脑地; 느닷없이. 아닌 밤중에 홍두깨격으로 / 说起话来～完～了liǎo; 지껄이기 시작하면 끝이 없다. ②두 개의 반의(反義)의 형용사 앞에 놓여 구별되어야 할 것이 구별이 안 됨을 나타내는 말. ¶～老～少; 노소의 구별이

없다(윗사람에 대한 예의가 없다)/~深~浅 =〔~轻~重〕; 일의 경중을 모르다. 무분별하다.
〔没门儿〕 méi.ménr 동〈方〉①가망이 없다. 방법이 없다. ②소용 없다. 헛일이다(가벼운 느낌으로 말함). ¶他想拉拢我, ~; 나를 끌어들이려 해봤자 소용 없다.
〔没明没夜〕 méi míng méi yè〈成〉〈北方〉밤낮없다.
〔没命〕 méimìng 동 ①죽다(흔히, 부사적 수식어로서 '~地'의 형으로 씀). ②불운하다. 복(福)이 없다.
〔没命地〕 méimìngde 부 열심히. 결사적으로. ¶~跑pǎo; 열심히 달리다〔도망치다〕.
〔没拿手〕 méi náshou 자신 있는 것이 없다. 자신 없다. 미숙하다.
〔没奈何〕 méinàihé ⇒mònàihé
〔没脑袋苍蝇〕 méi nǎodai cāngying 머리 없는 파리.〈比〉목적 없이 쏘다니는 사람. 마구 떠들어 대는 사람.
〔没能〕 méinéng …하지 못했다. ¶这儿天太忙, ~来; 요 며칠 너무 바빠서 오지 못했다.
〔没跑儿〕 méi.pǎor 동〈京〉장담하다. 틀림없다. ¶这准是他干的, ~! 이것은 필시 그가 했어, 틀림없어!
〔没皮赖脸〕 méi pí lài liǎn〈成〉뻔뻔스럽게 매달리는 모양. 철면피하게 행동하는 모양. ¶冠先生不傻, 他是~; 관선생은 바보가 아니라 뻔뻔스럽다. =〔没皮没脸〕
〔没皮没脸〕 méi pí méi liǎn〈成〉⇨〔没皮赖脸〕
〔没谱儿〕 méi.pǔr 동 ⇨〔没稿子〕
〔没气没囊〕 méiqì méináng 패기가 없다. 무기력하다. 굼뜨다. ¶~的东西; 무기력한 사람. 굼뜬 사람.
〔没轻没重〕 méi qīng méi zhòng〈成〉일의 경중을 모르다. 무분별하다. =〔没深没浅〕
〔没趣(儿)〕 méi.qù(r) 형 ①재미없다. 흥미 없다. ¶~一齐来; 설상가상. ②(결과가) 좋지 않다. 체면이 서지 않다. 참을 수 없다. ¶挨骂了一顿, 讨了一个~; 한바탕 심한 욕을 먹고 우스운 꼴을 당했다/可怜张李二家~, 真是人财两空; 가엾게도 장(張)·이(李) 두 집안은 불행한 결과가 되어, 정말로 사람도 재물도 모두 없어지고 말았다. 注 '没有趣(儿)'로는 쓰지 않음.
〔没人〕 méirén 사람이 없다.
〔没人味儿〕 méi rénwèir〈京〉인간미가 없다. 악랄하다. 밉살스럽다. ¶人要是一点人味儿都没有了, 还有谁理他? 만일 정말 밉살스런 놈이었다면, 누가 상대해 주겠는가?/想不到他居然做出这么~的事; 그가 이렇게 악랄한 짓을 하리라고는 생각지도 못했다.
〔没日子〕 méi rìzi ①기일이 정해 있지 않다. ②날이 멀지 않다. ¶学校~开学呢; 학교는 머지않아 개교합니다.
〔没容〕 méiróng 동 …을 기다리지 않다. ¶~我说话, 他欠着身子, 笑眯眯地问; 내가 말을 하기도 전에, 그는 몸을 숙이고 싱글벙글하며 물었다.
〔没杀手〕 méi shāshǒu ⇨〔没禁子〕
〔没商量(儿)〕 méi shāngliang(r) 상의〔의논〕의 여지가 없다.
〔没深没浅〕 méi shēn méi qiǎn〈成〉⇨〔没轻没重〕
〔没什么〕 méi shénme ①아무것도 아니다. 별것 아니다. ¶不要紧, 那~; 괜찮습니다. 그건 아무것도 아닙니다. ②천만의 말씀입니다. 상관없습니다. ¶~, 请进来吧! 염려 마시고 들어오십시오! ③아무것도 없다. ¶~可说的; 아무 할 말도 없다.
〔没事儿〕 méi.shìr 동 ①일이 없다. 용무가 없다. ¶~的时候; 한가한 때. ②아무것도 아니다. ¶杀了人都~; 사람을 죽였댔자 대수로운 일은 없다. ③천하 태평이다. 문제 없다. 注 '没有事儿'이라고는 하지 않음.
〔没事人(儿)〕 méishìrén(r) 명 ①국외자(局外者). ②관계 없는 사람. ¶~似地; 나 몰라라 하고/有了坏事推到别人身上, 自己装作~似的; 좋지 않은 일이 있으면 남에게 떠넘기고, 자기는 관계 없는 사람인 체하다.
〔没事找事〕 méi shì zhǎo shì ①새삼스레 흠을 찾다. ②재난을 초래할 짓을 하다. 공연한 짓을 하여 애먹다. 긁어 부스럼 내다.
〔没死活(地)〕 méisǐhuó(de) ①열심히. 필사적으로. ¶~用功; 열심히 공부하다. ②함부로. ¶见这里的花好, 你就没死活戴了一头《紅樓夢》; 이 곳의 꽃이 좋다 싶으면 너는 마구 머리에 꽂는다. ‖=〔没死赖活地〕
〔没死赖活地〕 méisǐlàihuóde ⇨〔没死活(地)〕
〔没探〕 méitàn 동 상관 않다. 상대하지 않다. ¶你们搞吧, 我~了; 너희들이 하여라. 나는 상관 않는다.
〔没天理〕 méi tiānlǐ 이치에 맞지 않다. 도리가 아니다. ¶做~的事; 도리에 맞지 않는 일을 하다.
〔没挑没捡儿〕 méitiāo méijiǎnr〈比〉이렇다 하게 찾아 낼 결점이 없다.
〔没听提〕 méi tīngtí 개의치 않다.
〔没头(儿)〕 méi.tóu(r) ①동 한이 없다. 끝이 없다. =〔没了期〕 ②→〔没头没脑〕〔没头没尾〕 ③(méi tóu(r)) 윗사람이 없다.
〔没头案子〕 méitóuànzi 명 미궁으로 들어간 사건.
〔没头没脑〕 méi tóu méi nǎo〈成〉①꽁지도 머리도 없다. 끝도 시작도 없다. ②아닌 밤중에 홍두깨 내밀 듯. 닥치는 대로 마구 하는 모양. ¶~地抽打; 분별 없이 마구 때리다/是谁来的, ~地! 누가 온 거냐. 갑자기!
〔没头没尾〕 méi tóu méi wěi〈成〉이유가 없다. 단서가 없다.
〔没头脑〕 méi tóunǎo〈比〉①산만해서 조리가 서지 않다. 난잡하다. ②사물의 이치를 모르다. 일을 분별 못 하다. ③머리가 나쁘다. 사물의 이해력이 나쁘다.
〔没头帖(子)〕 méitóu tiě(zi) 명 익명(匿名)의 편지.
〔没透光儿〕 méi tòuguāngr〈成〉감정적으로 맞지 않다. 의사 소통이 결여(缺如)되다.
〔没完〕 méiwán 동 ①끝까지 하다. ¶我跟他~; 나는 그에게 끝까지 해 보겠다. ②끝나지 않다. ¶说个~; 계속해서 지껄이다. ③끝이 없다. ¶~没了liǎo;〈成〉끝이 없다. 한이 없다.
〔没尾羊(儿)〕 méiwěiyáng(r) 명 한자 부수(部首)의 '⺶', 양머리. =〔羊字头(儿)〕
〔没味道〕 méi wèidao 맛이 없다.
〔没味儿〕 méi.wèir 동 ①맛이 없다. ②재미 없다.
〔没戏了〕 méixìle 형〈俗〉소용 없게 되다. 허사가 되다. 희망〔가망〕이 없다. ¶去桂林旅行的事~; 계림행(桂林行)은 허사가 되고 말았다.
〔没下场〕 méi xiàchǎng 좋은 결과가 나오지 않다. 결과가 잘 되지 않다. =〔没下梢〕
〔没下梢〕 méi xiàshāo ⇨〔没下场〕

〔没想到〕 méi xiǎngdào 생각지도 않았다. 뜻밖이다. ¶～考试却非常容易; 뜻밖에도 시험은 오히려 아주 쉬웠다 / 这是我所～的; 이것은 내가 전혀 생각지도 못했던 일이다.

〔没想儿〕 méi.xiǎngr 동 가망〔희망〕이 없다.

〔没心〕 méi.xīn 동 …할 마음이 없다. (méixīn) 명 인비인(人非人). 몰인정한 사람.

〔没心肠(儿)〕 méi xīnchang(r) (…할) 생각이 없다. ¶～干gàn事; 일 할 마음이 없다.

〔没心肝〕 méi xīngān 〈俗〉 양심이 없다. 인간다운 데가 없다. ¶那你是要个～的老婆, 不管你死活么? 그렇다면 너는 사람 같지도 않은 마누라를 두고, 자기의 생명은 어찌 되건 상관 없다는 거냐?

〔没心没肺〕 méi xīn méi fèi 〈成〉 생각이 부족하다. 머리를 쓰지 못한다. ¶这个人～怎么办得成事? 이 자는 사려 없는 인간인데 어떻게 일을 이룰 수 있겠는가? / 他们都是十四五岁左右的人, 不能～! 그들은 모두 14,5세 가량의 사람들인데, 전연 생각이 없다는 것은 있을 수 없다. =〔没心少肺〕

〔没心胸〕 méi xīnxiōng 기백이 없다. 패기가 없다.

〔没心眼儿〕 méi xīnyǎnr ①생각이 세심한 데까지 미치지 못하다. 한 가지밖에 생각 못 하다. 눈치가 없다. ②(마음에) 사람다운 데가 없다. 양심이 없다.

〔没行止〕 méi xíngzhǐ 행동이 경망스럽다.

〔没兴〕 méixìng 형 불유쾌하다. 재수없다. 어처구니없다. ¶这怪我没眼色儿自找～; 이것은 내가 안목이 없었기 때문에 스스로 어처구니없는 꼴을 당한 것이다.

〔没羞没臊〕 méi xiū méi sào 〈成〉 염치를 모르다. 뻔뻔스럽다.

〔没眼色儿〕 méi yǎnser 눈치가 없다. ¶你怎么这样儿～, 看不出他这两天心里不高兴吗? 왜 그렇게 눈치가 없는 거냐. 그에게 요 2,3일 마음이 언짢은 일이 있는 것을 알지 못했느냐?

〔没样儿〕 méi.yàngr 동 ①돼먹지 않다. ②체면이 말이 아니다. ③모양이 정돈되지 않다.

〔没药医〕 méi yàoyī 고칠 약이 없다《구제될 수 없다. 손쓸 방도가 없다. 형편없다》. ¶我想不到他那样不长进～; 그가 저렇게 진보가 없고 형편 없으리라고는 생각지 못했다.

〔没意思〕 méi yìsi ①재미없다. ↔〔有意思〕 ②싫증나다. 지루하다. ‖ =〔没有意思〕

〔没影儿〕 méi.yǐngr 동 ①보이지 않게 되다. 모습이〔자취가〕 없어지다. 자취를 감추다. ②근거가 없다. ¶～的瞎xiā话; 근거 없는 거짓말.

〔没用〕 méi.yòng 동 ①쓰지 않다. ②쓸모 없다. 소용 없다. ¶哭kū也～; 울어도 소용 없다. 注 일반적으로 '没有用'이라고는 하지 않음.

〔没由分说〕 méiyóu fēnshuō 변명을 불허하다. 변명의 여지를 주지 않다. ¶～地把人带了出去; 다짜고짜로 사람을 데리고 나갔다.

〔没油盐〕 méi yóuyán 〈比〉 하찮다. 흥미 없다. 시시하다. ¶少说这些～的话; 그런 시시한 소리는 그만해 두게.

〔没有〕 méiyǒu 동 ①없다. 가지고 있지 않다《소유의 부정》. ¶～的话 =〔～的事〕; 그럴 리가 없다. 천만의 말씀. 농담이시지요 / 没(有)票; 표가 없다 / 没(有)把握; 자신이 없다 / 没(有)意思; 의미가 없다. 재미없다 / 你的话太没(有)道理了; 네가 말하는 것은 너무 터무니가 없다 / ～依据; 근거가 없다. ②없다《존재의 부정을 나타냄. 문두(文頭)에 시간·장소를 나타내는 말을 놓고, 의미상의 주어는 보통 뒤에 둠》. ¶明天没(有)会; 내일 회의는 없습니다 / 教堂里～人; 교회에는 사람이 없다 / ～不透风的篱笆; 〈諺〉 바람이 통하지 않는 울타리는 없다《나쁜 일은 아무래도 드러나게 마련이다》 / 没(有)人会做这个; 이것을 할 줄 아는 사람은 없다. ③…않다《'谁'·'哪个' 등의 앞에 쓰이어, '全都不'를 나타냄》. ¶～谁会同意这样做; 아무도 이렇게 하는 일에는 찬성하지 않을 것이다 / 没(有)哪个说过这样儿的话; 이러한 것을 말한 사람은 없다. ④(비교하여) 미치지 못하다. 모자라다. 도달하지 못하다. ¶你～他高; 자네는 그보다 키가 작다 / 这里从来没(有)这么冷过; 이 곳은 이제까지 이렇게 추웠던 적은 없다 / 谁都没(有)他会说话; 누구도 그 사람처럼 말을 잘 하지 못한다. ⑤기한이 차지 않다. 시간이 그다지 지나지 않다. ¶来了～三天就走了; 와서 사흘도 안 되어 곧 가 버렸다 / 没(有)满期的定期存款, 也有方法提取; 기한이 되지 않은 정기 예금도 찾는 방법은 있다. ⑥〈方〉 죽다. 注 ①-⑤는 일반적으로 뒤에 목적어가 없을 때는 '没'만 쓸 수 없음.

〔没有〕 méiyou 부 ①'已然'의 부정·미연(未然)을 나타냄《종종 '还没(有)…呢'의 형식으로 이를 강조함》. ¶他还没(有)回来(呢); 그는 아직 돌아오지 않았다 / 天还～黑呢; 날은 아직 저물지 않았다 / 天气还～暖和; 날씨는 아직 따뜻해지지 않았다. ②…하지 않고 있다. …하지 않았다. …한 일이 없다《과거에 있어서의 완료·계속을 부정함》. ¶银行昨天没(有)开门; 은행은 어제 열지 않았다 / 你在大学里读过书～? 당신은 대학에서 공부한 일이 있습니까? / 老张昨天没(有)回来过; 장군은 어제 끝내 돌아오지 않았다 / 他从来没(有)跟朋友红过脸; 그는 여태까지 한 번도 친구에게 화낸 적은 없었다. ③(동사의 보어로서 쓰이어) …을 끝내다. 다 …하다. ¶把钱弄没(有)了; 돈을 써 버렸다 / 煤已经烧没(有)了; 석탄은 타서 없어졌습니다. 注$_1$ 의문문인 경우 '…了没有'로 하는 것이 보통이나, 단 '有没有…'라고 하는 식도 보임. ¶他有没有瞒你, 你倒弄清了没有? 그가 당신에게 숨기고 있었는지 어떠했는지를 당신은 똑똑히 알았습니까? 注$_2$ 동사를 '没有'로 부정함은 원래 남방어였고 북방어는 '没'를 썼음.

〔没有的话〕 méiyǒude huà ⇨〔没有的事(儿)〕

〔没有的事(儿)〕 méiyǒude shì(r) 그런 일은 없다. 당치도 않다. =〔没有的话〕

〔没有功劳, 也有苦劳〕 méiyǒu gōnglao, yěyǒu kǔlao 비록 공로는 세우지 못했어도, 고생을 해왔다. ¶没有功劳, 没有苦劳, 也有疲劳; 비록 공로는 세우지 못하고 고생을 맛본 적이 없다 하더라도, 심신이 모두 지쳤다《일 따위에 진력했음의 변명》.

〔没有过不去的河〕 méiyǒu guòbuqùde hé 〈諺〉 건너지 못할 강은 없다《하면 된다》. =〔没有过不去的火huǒ焰山〕

〔没有卖后悔药儿的〕 méiyǒu mài hòuhuǐyàorde 〈諺〉 후회에 쓰는 약을 파는 사람은 없다《후회 막급》.

〔没有什么了不起〕 méiyou shénme liǎobuqǐ ① 대수로운 것〔일〕은 아니다. ②아주 훌륭하다고는 할 수 없다.

〔没有十里地碰不见秃子的〕 méiyou shílǐdì pèngbujiàn tūzide 〈諺〉 십리 길을 가노라면 대머리를 만나게 된다《무슨 일이든 시간을 들여서 찾으면 찾을 수 있다》.

〔没有说的〕 méiyǒu shuōde ①지적할만한 결점

이 없다. 나무랄 데가 없다. ②의논의 여지가 없다. 당연하다. ③문제가 되지 않다.

〔没有意思〕 méiyǒu yìsi ⇨〔没意思〕

〔没缘〕 méiyuán 동 인연이 없다. 〈比〉 전혀 못한다. ¶我跟酒是~; 나는 술을 전혀 못 한다.

〔没早到晚〕 méi zǎo dào wǎn 〈成〉 아침 일찍부터 밤까지 힘쓰다.

〔没造化〕 méi zàohua 운이 나쁘다. 불행하다.

〔没站住脚儿〕 méi zhànzhu jiǎor 발을 멈추지 않다(쉬지 않다).

〔没章程〕 méi zhāngcheng ①표준삼을 것이 없다. ②처리할 방도가 없다.

〔没招待〕 méi zhāodai (말하는 것이) 엉터리다. ¶这人真~, 有的说说, 没的也说说; 이놈은 정말 엉터리여서, 있는 말 없는 말 다 말한다.

〔没辙(儿)〕 méi.zhé(r) 동 〈口〉 ①궤도에 올라 있지 않다. 방법이 없다. 희망이 없다. 준비가 되어 있지 않다. ¶被大伙儿这么一问, 他可就~了, 连一句话也没得说的了; 모든 사람에게 이렇게 추궁당하자, 그는 정말 어쩔 도리가 없어져 한 마디도 할 말이 없게 되었다. ②돈이 없다. 돈 변통이 제대로 안 되다.

〔没正形儿〕 méi zhèngxíngr (아기가) 까불다. 응석을 부리다. ¶这孩子一天到晚就是~; 이 애는 종일 응석만 부리고 있다.

〔没指望(儿)〕 méi zhǐwang(r) ①희망이 없다. ¶入学考试交了白卷, 他已经~了; 입학 시험에 백지답안을 냈으니, 그는 이제 희망이 없다. ②(생명이) 없다. 가망이 없다. ¶得的是癌症, 他已经~了; 암에 걸렸으니 그는 이제 가망이 없다.

〔没志气〕 méi zhìqi 밸〔자존심〕이 없다.

〔没治(儿)〕 méi.zhì(r) 동 ①나을 가망이 없다. 손쓸 길이 없다. 어쩔 수가 없다. ¶没个治(儿)了; 나을 가망이 없어졌다 / 他净讨厌人, 也~; 그는 남이 싫어하는 일만 하는데, 그렇다고 어쩔 수도 없다. 注 '没有~'라고 하지 않음. ②〈比〉 아주 좋다.

〔没种〕 méizhǒng 형 (사람이) 건실하지 못하다. 무기력하다(욕으로 쓰임). ¶~就滚回你的老家去! 할 마음이 없으면 고향으로 썩 돌아가 버려라!

〔没咒儿念〕 méi zhòurniàn 도리가 없다. 손을 쓸 수가 없다.

〔没主意〕 méi zhǔyi (자기의) 생각이 없다. 주견이 없다. 어쩌겠다는 생각이 없다.

〔没抓挠儿〕 méi zhuānáor 어찌해야 좋을지 모르다. 손 쓸 방도가 없다. ¶这件事简直~; 이 일은 어찌해야 좋을지 도무지 모르겠다.

〔没准(儿)〕 méizhǔn(r) 형 불분명하다. 확실하지 않다. ¶他来不来~; 그는 올지 안 올지 분명치 않다. 부 〈轉〉 아마. 다분히.

〔没准稿子〕 méi zhǔngǎozi 원칙이 정해져 있지 않다. 뚜렷한 생각이 없다. ¶做事~还行? 일을 할 때에 확고한 생각이 없어서야 되겠는가?

〔没准舌头〕 méi zhǔnshétou 말하는 것이 미덥지 않다. 분명한 말을 하지 않다.

〔没准头〕 méi zhǔntou 표준〔기준〕이 없다. 근거가 없다.

〔没字碑〕 méizìbēi 명 무식쟁이(문맹(文盲)을 풍자하는 말).

玫

méi (매)
표제어 참조.

〔玫瑰〕 méigui 명 ①미옥(美玉)의 이름. ②《植》 장미. 해당화. 때찔레. 매괴. ③술의 이름.

〔玫瑰饼〕 méiguibǐng 명 밀가루를 '香油'(참기름)으로 개어, 설탕과 '玫瑰②'의 꽃잎을 잘 찧어서 섞은 것을 속에 넣고 싸서, 프라이팬에 구운 과자.

〔玫瑰酱〕 méiguijiàng 명 장미꽃으로 만든 잼.

〔玫瑰精〕 méiguijīng 명 장미 엣센스.

〔玫瑰酒〕 méiguijiǔ 명 ⇨〔玫瑰露〕

〔玫瑰露〕 méiguilù 명 소주에 '玫瑰②'의 꽃을 넣어 우리고 설탕을 넣은 향긋한 술. =〔玫瑰酒〕

〔玫瑰色〕 méiguisè 명 ①장밋빛. ②〈轉〉 안일. ¶在中国并不是一切都是~的; 중국에서는 결코 모든 것이 안일하다고는 할 수 없다.

〔玫瑰油〕 méiguiyóu 명 장미유(油). 로즈 오일(rose oil).

〔玫瑰紫〕 méiguizǐ 명 《色》 자홍색.

〔玫红精〕 méihóngjīng 명 《染》 홍색 염료의 일종. ¶盐yán基~; 《染》 염기성 홍색 염료 로다민(Rhodamin)의 일종.

枚

méi (매)
①양 작고 둥근 것을 세는 양사(量詞). ¶一~铜子儿; 동전 한 닢 / 一~炸弹; 폭탄 한 알 / 一~奖章; 포상(褒賞)하나 / 李子一~; 자두 한 개 / 取得了十五~金牌; 금메달을 15개 땄다. ②명 하무(행군할 때 소리내지 못하게 입에 물리는 막대기). ③부 일일이. 세세히. ¶~~; 세밀하게 / ~举jǔ; 일일이 헤어보다. ④명 성(姓)의 하나.

眉

méi (미)
명 ①눈썹. ¶浓~大眼; 짙은 눈썹에 큰 눈(남자의 형용) / 柳叶~; 가늘고 긴 눈썹. 〈比〉 미인 / 吊角~; 치켜올라간 눈썹 / 卧蚕~; 고운 초생달 모양의 눈썹 / 扫帚~; 빗자루 같은(숱이 많은) 눈썹. ②책의 본문 상단의 여백(餘白). =〔书眉〕 ③성(姓)의 하나.

〔眉笔〕 méibǐ 명 (연필 모양의) 눈썹먹.

〔眉黛〕 méidài 명 〈比〉 부녀(婦女).

〔眉疔〕 méidīng 명 눈썹 사이에 생기는 종기.

〔眉豆〕 méidòu 명 《植》 광저기.

〔眉额〕 méi'é 명 편지지 따위의 괘선 위의 공백.

〔眉飞色舞〕 méi fēi sè wǔ 〈比〉 득의만면한 모양. 희색(喜色)이 만연한 모양. ¶他可来劲儿了, 马上~地说; 그는 힘을 내어 곧 득의양양한 표정으로 말했다.

〔眉高眼低〕 méigāo yǎndī 〈比〉 눈빛. 표정. ¶在外边做事要看人家的~; 밖에서 일하려면 남의 눈빛을 살펴야 한다.

〔眉花眼笑〕 méi huā yǎn xiào 〈成〉 기쁜 표정. =〔眉开眼笑〕

〔眉急〕 méijí 〈比〉 일의 급박한 모양. ¶事在~; 일이 급박하다. =〔焦jiāo眉之急〕〔燃眉之急〕

〔眉茧〕 méijiǎn 명 〈文〉 깊은 시름.

〔眉睫〕 méijié 명 눈썹과 속눈썹. 〈比〉 목전(目前). ¶事情迫于~; 일이 목전에 다가오다 / ~之间; 매우 가까운 곳.

〔眉开眼笑〕 méi kāi yǎn xiào 〈成〉 ⇨〔眉花眼笑〕

〔眉来眼去〕 méi lái yǎn qù 〈成〉 ①힐끔힐끔 사람을 보다. ②서로 눈으로 정을 주고 받다. =〔眉目传情②〕

〔眉棱〕 méiléng 명 눈두덩.

〔眉棱骨〕 méiléngǔ 명 《生》 미릉골. 눈썹 있는 곳의 뼈.

〔眉毛〕 méimao 명 눈썹. ¶皱zhòu着~; 눈썹을 찌푸리다 / 拧着~; 눈썹을 찡그리고 / 斗着~; 눈썹을 모으고 / ~胡子一把抓; 눈썹과 수염을 한목에 잡다(작은 일 큰 일을 한번에 처리해 버리다).

=〔〈方〉眼眉〕
〔眉目〕 méimù 명 ①눈썹과 눈. 〈轉〉 용모. ¶～清秀; 미목 수려 / ～如画; 미인의 형용. ②〈比〉 아주 가까움. =〔千里眉目〕 ③(문장의) 문맥. 줄거리. 조리. ¶此文～不清; 이 문장은 문맥이 통하지 않는다.
〔眉目〕 méimu 명 실마리. 단서. ¶搞出个～; 싹수가 보이다 / 有了～了; 두서가 섰다. =〔头绪①〕
〔眉目传情〕 méi mù chuán qíng 〈成〉 ①추파를 던지다. 윙크하다. ②⇨〔眉来眼去〕
〔眉批〕 méipī 명 책의 본문 상단에 기입한 평어(評語)나 메모.
〔眉前〕 méiqián 명 목전. 눈앞. ¶～危机; 목전의 위기.
〔眉清目秀〕 méi qīng mù xiù 〈成〉(남자가) 미목 수려한 모양. =〔眉目清秀〕
〔眉泉〕 méiquán 명 미간(眉間).
〔眉梢(儿)〕 méishāo(r) 명 눈썹 꼬리. ¶挑了一下～; 눈썹 꼬리를 추켜세우다 / 喜上～; 기쁨으로 눈을 빛내다. 희색이 만연하다.
〔眉寿〕 méishòu 명 〈文〉 장수.
〔眉题〕 méití 명 (신문 등의) 표제.
〔眉听目语〕 méi tīng mù yǔ 눈과 눈으로 말하다. 눈짓하다.
〔眉头(子)〕 méitóu(zi) 명 ①눈썹 언저리. 미간. ¶光皱～; 다만 오만상을 하고 있다 / 皱着～说; 눈썹을 찡그리고〔눈살을 찌푸리고〕 이야기하다 / ～一皱, 计上心来; 눈살을 찌푸리고 잠깐 생각하자 생각이 떠올랐다 / ～不展; 〈成〉 근심스런 표정. =〔眉心〕 ②눈썹. =〔眉毛〕
〔眉心〕 méixīn 명 미간. =〔眉头(子)①〕
〔眉眼(儿)〕 méiyǎn(r) 명 ①눈썹과 눈. ②용모. ¶～长得俊; 용모가 아름답다. ③안색. 표정. ¶做～; 눈짓하다 / ～弄情; 눈으로 정을 통하다. ④〈比〉 사정. ¶分不清～高低; 일의 도리·이치를 분간치 않다. 안색을 읽을 수 없다.
〔眉眼舒展〕 méi yǎn shū zhǎn 〈成〉 근심을 덜어 생기가 넘치다.
〔眉宇〕 méiyǔ 명 ①눈썹 언저리. ¶～间流露出一种焦灼不安的情绪; 미간에는 어떤 불안하고 초조한 감정이 나타나 있다. ②표정. ¶喜溢～; 기쁨이 얼굴에 넘쳐 있다.
〔眉语〕 méiyǔ 명 눈썹을 움직여 의사를 전함.
〔眉月〕 méiyuè 명 눈썹같이 가는 초생달.

郿 méi (미)
①(Méi) 명 《地》 메이 현(郿縣)《산시 성(陝西省)에 있는 현 이름》. ②→〔郿鄠〕
〔郿鄠〕 méihù 명 《劇》 산시(陝西)·산시(山西)·간쑤(甘肅) 일대의 지방극.

湄 méi (미)
명 물가. 강가.
〔湄公河〕 Méigōnghé 명 《地》 메콩 강(Mekong 江).
〔湄南河〕 Méinánhé 명 《地》 메남 강(Menam 江).

嵋 méi (미)
지명용 자(字). ¶峨É～; 어메이(峨嵋)《쓰촨 성(四川省)에 있는 산 이름》.

猸 méi (미)
→〔猸子〕
〔猸子〕 méizi 명 《動》 게잡이몽구스(mongoose). =〔蟹獴〕

楣 méi (미)
명 《建》 문미(門楣)《문 위의 가로나무》. =〔横楣子〕

镅(鎇) méi (미)
명 《化》 아메리슘(Am : americium).

鹛(鶥) méi (미)
명 《鳥》 멧새의 일종.

莓〈苺〉 méi (매)
명 《植》 딸기. ¶草～; 장딸기《가장 보통으로 재배되는 딸기》 / 山～; 산딸기 / 蛇～; 뱀딸기. =〔洋莓果〕

梅〈楳, 槑〉 méi (매)
명 ①《植》 매화. ¶～树; 매화나무. ②(Méi) 《地》 메이 현(梅縣)《광둥 성(廣東省)에 있는 현 이름》. ③성(姓)의 하나.
〔梅饼〕 méibǐng 명 매실을 소금·설탕에 절여 씨를 제거한 것을 말린 다음, 설탕이나 '桂guì花'(물푸레나무꽃)를 섞고 으깨어 밀어서 둥글고 얇은 조각을 만든 과자.
〔梅豆〕 méidòu 명 《植》 강낭콩.
〔梅毒〕 méidú 명 《醫》 매독. =〔霉毒〕
〔梅尔顿呢〕 méi'ěrdùnní 명 《紡》 멜턴(melton)《외투용 직물》.
〔梅脯〕 méifǔ 명 매실의 씨를 발라 내고 꿀에 절여 건조시킨 단 식품.
〔梅干儿〕 méigānr 명 말린 매실. =〔干gān梅子〕
〔梅膏〕 méigāo 명 매실 과육(果肉)의 페이스트(paste)《껍질·섬유를 빼고 설탕·갈분을 넣고 약한 불에 끓인 것》.
〔梅红〕 méihóng 명동 담홍색(을 띠고 있다).
〔梅花(儿)〕 méihuā(r) 명 ①매화꽃. ②《植》 〈方〉 납매(臘梅). ③카드놀이의 클럽. =〔黑梅花〕
〔梅花扳头〕 méihuā bāntou 명 《機》 박스 렌치(box wrench).
〔梅花疔〕 méihuādīng 명 《漢醫》 가래톳.
〔梅花坑〕 méihuākēng 명 살찐 사람, 특히 여자가 손가락을 폈을 때, 손등의 손가락 뿌리 부위에 생기는 보조개같이 움푹한 곳.
〔梅花鹿〕 méihuālù 명 《動》 꽃사슴《여름에 흰 반점이 생김》.
〔梅花雀〕 méihuāquè 명 ⇨〔红hóng雀〕
〔梅花三弄〕 méihuā sānnòng 명 《樂》 ①4세기경에 생긴 장적(長笛)의 악곡《뒤에 금곡(琴曲)으로 편곡되어 오늘에 이르렀다 함. 별칭은 '梅花曲' '梅花引'》. ②비파곡의 이름으로 민간의 악곡《별칭은 '三六' '三落'》.
〔梅花桩〕 méihuāzhuāng 명 숙영지(宿營地)의 주위에 대나 나무를 세워 만든 방어 시설《'鹿lù寨'처럼 쓰임》.
〔梅酱〕 méijiàng 명 매실 잼(jam).
〔梅苏丸〕 méisūwán 명 매실·소엽(蘇葉)·맥문동·인삼·감초 등으로 만든 매실 엑스 비슷한 여름 상비약.
〔梅汤〕 méitāng 명 ⇨〔酸suān梅汤〕
〔梅天〕 méitiān 명 장마철. →〔黄huáng梅天〕
〔梅童鱼〕 méitóngyú 명 《魚》 민어과의 물고기.
〔梅香〕 méixiāng 명 하녀나 시녀의 별칭《사용인의 이름으로 흔히 쓰였으므로, 뒤에 보통 명사가 되었음》.
〔梅友仁〕 méiyǒurén 명 ⇨〔梅有仁〕
〔梅有仁〕 méiyǒurén 명 있지도 않은〔가공〕 인물.

=〔梅友仁〕
〔梅雨〕 méiyǔ 명 장마. ¶黄～; 장마 / ～天 =〔黄梅天〕; 장마철. =〔霉雨〕
〔梅月〕 méiyuè 명 음력 10월의 별칭.
〔梅子〕 méizi 명《植》①〈方〉 매화나무. ②매실(梅實).

脢〈朘〉 méi (매)
→〔脢子肉〕
〔脢子肉〕 méiziròu 명〈方〉(돼지·소의) 등뼈 양쪽의 고기. 로스.

酶 méi (매)
명《化》효소. ¶淀diàn粉(糖化)～ =〔淀粉酵素〕〔糖化酵素〕; 디아스타아제. 아밀라아제(amylase) / 阮ruǎn～; 프로테아제(protease) / 胃wèi蛋白～ =〔胃阮ruǎn～〕〔(胃)蛋白酵素〕〔胃液yè素〕〔百bǎi布圣〕; 펩신(pepsin) / 胰yí～ =〔胰酵素〕; 판크레아틴(pankreatin) / 胰阮～; 트립신(trypsin) / 脂肪zhīfáng～ =〔解jiě脂～〕; 리파아제(lipase) / 麦mài芽糖～; 말타아제(maltase) / 过guò氧化氢～ =〔触chù媒～〕; 카탈라아제(katalase) / 自zì解～; 자가(自家) 효소 / 番fān瓜～; 파파인(papain) / ～原; 치모겐(zymogen). 효소원(原) / 唾tuò液～; 프티알린(ptyalin) / 酒化～ =〔酒化酵素〕; 치마아제(zymase). =〔酶素〕〔酵jiào素〕→〔干gān酵母〕

霉(黴) méi (미)
①동 곰팡이가 나서 색이 변하다. 곰팡이 피다. ¶～烂; ⇓ ②명 곰팡이. ¶发～ =〔长～〕; 곰팡이가 피다 / 防～剂; 곰팡이 방지제 / 青～素 =〔〈音〉盘尼西林〕〔〈音〉配尼西林〕; 페니실린. ③명〈俗〉불운. ¶倒～; 불운을 당하다. 재수없다.
〔霉病〕 méibìng 명《農》식물의 잎·줄기가 하얗게 되는 병(곰팡이에 의해서 생김).
〔霉臭〕 méichòu 명동 곰팡내(나다).
〔霉毒〕 méidú 명 ⇨〔梅毒〕
〔霉干菜〕 méigāncài 명 갓의 소금절이를 항아리에 넣어 발효시킨 후 말린 식품. =〔干菜②〕
〔霉坏〕 méihuài 동 곰팡이가 나서 못 쓰게 되다. ¶堆放的米都～了; 쌓아 둔 쌀에 온통 곰팡이가 슬어 못 쓰게 되었다.
〔霉菌〕 méijūn 명 세균.
〔霉菌病〕 méijūnbìng 명 진균증(眞菌症).
〔霉烂〕 méilàn 동 곰팡이가 피어 썩다. ¶垫diàn一层薄薄的～稻草; 얇은 썩은 볏짚을 깔다 / 发生不同程度的～, 变质或生虫; 여러 가지 정도의 곰팡이, 변질 또는 벌레의 발생도 일어난다.
〔霉气〕 méiqì 명 습기. 곰팡내. 형〈轉〉운수 나쁘다. 불운하다. 기운이 없어 초라하다. ¶～事; 경기가 나쁨. 불운하여 우스운 꼴을 당하다.
〔霉天(儿)〕 méitiān(r) 명 매우(梅雨)의 계절. 장마철. =〔黄梅天〕
〔霉头〕 méitou →〔触chù霉头〕
〔霉味儿〕 méiwèir 명 곰팡내.
〔霉污〕 méiwū 형 곰팡이가 피어 더럽다. 명 곰팡이로 인한 더러움.
〔霉雨〕 méiyǔ 명 ⇨〔梅雨〕

媒 méi (매)
①명 중매인. ②명 매개물. ¶风～花; 풍매화 / 溶～; 《化》용매. ③동 중매하다. ¶做～; 중매 서다. ④동 매개하다. ⑤동 여자를 알선하다(화류계 용어).
〔媒妇〕 méifù 명 여자 중매인. 중신어미.
〔媒介〕 méijiè 동 ①중매 서다. ②매개하다. ¶～物; 매개물.
〔媒婆(儿, 子)〕 méipó(r, zi) 명 중매를 직업적으로 하는 여자. ¶～纤手少有不瞒哄人的; 혼인 중매를 서거나 거간꾼으로 남을 속이지 않는 사람은 적다.
〔媒染〕 méirǎn 명동《染》매염(하다). ¶～剂; 매염제.
〔媒人〕 méirén 명 중매인(中媒人). ¶～口 =〔～嘴(儿)〕; 중매쟁이의 말솜씨. =〔媒宾〕〔媒妁〕〔〈俗〉大宾〕
〔媒妁〕 méishuò 명 중매인. ¶父母之命, ～之言; (혼인을 정할 때) 부모의 명(命)에 따르고 중매인의 말을 듣다.
〔媒体〕 méitǐ 명 매체. 매스미디어.
〔媒怨〕 méi yuàn 〈文〉원한을 초래하다.
〔媒质〕 méizhì 명 ⇨〔介jiè体〕
〔媒子〕 méizi 명 사람이나 동물을 꾀기 위한 미끼.

煤 méi (매)
명 ①《鑛》석탄(산시(山西)·산시(陝西)에서는 괴탄을 '炭', 분탄을 '煤', '炭面子'라 함). ¶烟～; 유연탄 / 无烟～ =〔〈俗〉白～〕〔〈方〉红～〕〔〈方〉硬～〕; 무연탄 / 褐～; 갈탄 / 泥～ =〔泥炭〕; 이탄 / 块(儿)～ =〔〈文〉明～〕; 괴탄 / 粘性～; 점결탄 / 烧～; 석탄을 때다〔피우다〕/ 碎～; 분탄 / ～末 =〔末～〕; 석탄 찌끼 / 肥～; 열량이 높은 석탄 / 蜂窝～; 구멍탄. =〔煤炭〕〔〈文〉黑丹〕〔〈文〉黑金〕〔石墨②〕〔石炭〕〔〈文〉石涅〕 ②〈方〉(～子) 그을음.
〔煤柏油〕 méibǎiyóu 명《化》콜타르(coal tar).
〔煤仓〕 méicāng 명 석탄 창고.
〔煤舱〕 méicāng 명 배의 석탄 창고.
〔煤藏量〕 méicángliàng 명 석탄 매장량.
〔煤槽〕 méicáo 명 콜 포켓(coal pocket)(석탄을 저장했다가 차에 나누어 실을 수 있는 장치가 된 설비).
〔煤层〕 méicéng 명 탄층. ¶～厚度; 탄층의 두께 / 薄báo～; 얇은 탄층(1.3미터 이하의 탄층) / 中厚～; 중후 탄층(1.3～3.5미터 두께의 탄층) / 厚～; 두꺼운 탄층(3.5～6미터 두께의 탄층) / 特厚～; 특후 탄층(6미터 이상 두께의 탄층).
〔煤铲(子)〕 méichǎn(zi) 명 석탄용의 부삽. =〔煤掘子〕
〔煤厂子〕 méichǎngzi 명 석탄 판매점.
〔煤场〕 méichǎng 명 저탄장(貯炭場).
〔煤尘〕 méichén 명 탄진(炭塵).
〔煤斗车〕 méidǒuchē 명 호퍼차(hopper車)(바닥을 열어 짐을 부리는 화차).
〔煤斗(子)〕 méidǒu(zi) 명 석탄을 나르는 통. =〔煤桶(子)〕
〔煤都〕 méidū 명 대탄광 도시.
〔煤毒〕 méidú 명 석탄 가스의 독. 일산화 탄소의 유독 가스. ¶受～; 탄내를 맡다. 석탄 가스에 중독되다. =〔煤气②〕
〔煤垛〕 méiduò 명 석탄 쌓기.
〔煤房〕 méifáng 명 석탄 창고. =〔煤屋子〕
〔煤酚〕 méifēn 명《化》크레졸(cresol). =〔甲苯酚〕
〔煤酚皂溶液〕 méifēnzào róngyè 명《化》크레졸(cresol) 비눗물. 리졸(lysol). =〔〈音〉来苏儿〕
〔煤粉〕 méifěn 명 석탄 가루. 탄가루.
〔煤矸石〕 méigānshí 명《鑛》버력(석탄 채굴 때, 함께 캐낸 다른 암석. 또는 선탄(選炭) 후의 찌꺼기 탄).

〔煤柜〕 méiguì 명 석탄 상자.
〔煤耗〕 méihào 명 석탄 소비량《발전소에서 '一度'(킬로와트시(時))의 전력을 발전시키기 위해 소비하는 석탄의 양. 보통 킬로그램으로 계산함》. =〔燃rán煤率〕
〔煤黑〕 méihēi 명 석탄의 검댕. 형 새까맣다.
〔煤黑油〕 méihēiyóu 명〈俗〉콜타르. =〔煤焦油〕
〔煤黑子〕 méihēizi 명 ①탄광 노동자를 낮추어 이르는 말. ¶瞧他一脸的泥像个～; 진흙투성이의 얼굴이 마치 연탄 장수 같다. ②석탄 가게의 점원.
〔煤核儿〕 méihúr 명 (다 타지 않은) 석탄 재.
〔煤化〕 méihuà 명동 ⇨〔炭tàn化〕
〔煤荒〕 méihuāng 명형 석탄 부족(하다).
〔煤灰〕 méihuī 명 석탄재.
〔煤火〕 méihuǒ 명 석탄불. 탄불.
〔煤茧儿〕 méijiǎnr 명 석탄 가루에 진흙을 섞어 둥글게 굳힌 것. (특히 소형의) 조개탄. 알탄.
〔煤焦〕 méijiāo 명 코크스(cokes).
〔煤焦油〕 méijiāoyóu 명《化》콜타르(coal tar). 석탄 타르《'炭油'는 전의 속칭》. ¶煤溚碱; 타르염기(tar塩基). =〔煤黑油〕〔煤熘油〕〔〈音義〉煤溚〕〔〈俗〉臭油〕
〔煤焦油精〕 méijiāoyóujīng 명 크레오소트(creosote). =〔木mù馏油(酚)〕
〔煤焦油气〕 méijiāoyóuqì 명 배기(排氣) 가스.
〔煤斤〕 méijīn 명 석탄《'斤'은 '煤'(석탄)에 대한 양사(量詞)에서 전화(轉化)한것》.
〔煤精〕 méijīng 명《化》카본 블랙(carbonblack).
〔煤精刷〕 méijīngshuā 명 ⇨〔电diàn刷〕
〔煤井〕 méijǐng 명 탄광의 수갱(竪坑).
〔煤掘子〕 méijuézi 명 ⇨〔煤铲(子)〕
〔煤坑〕 méikēng 명 탄갱.
〔煤库〕 méikù 명 ⇨〔炭tàn库〕
〔煤矿〕 méikuàng 명 탄광. =〔炭坑〕
〔煤沥青〕 méilìqīng 명《化》피치(pitch). 역청(瀝青). =〔柏bǎi油渣〕〔〈俗〉臭chòu油②〕
〔煤熘油〕 méiliūyóu 명 ⇨〔煤焦油〕
〔煤炉(子)〕 méilú(zi) 명 석탄을 때는 난로. ¶烧shāo～; 석탄 난로를 때다.
〔煤米〕 méimǐ 명 석탄과 쌀(따위의 일용 물품). ¶～柴盐; 석탄·쌀·장작·소금 등의 일용 물자.
〔煤末(儿, 子)〕 méimò(r, zi) 명 석탄 가루. 분탄. =〔末煤〕
〔煤模(儿, 子)〕 méimú(r, zi) 명 조개탄·연탄을 찍어 내는 틀.
〔煤泥〕 méiní 명 석탄 가루〔분탄〕 갠 것.
〔煤坯〕 méipī 명 손으로 뭉쳐 만든 알탄.
〔煤铺〕 méipù 명 석탄 가게(숯도 취급함).
〔煤气〕 méiqì 명 ①(석탄에서 채취한) 가스. ¶～表; 가스 미터 / ～化; 도시 가스화 / ～灯; 가스등 / ～机; 가스 엔진 / ～灯纱罩; 가스 맨틀(gas mantle) / ～本生灯; 가스 버너 / ～炉; 가스 난로. 가스 레인지 / ～灶; 가스 풍로 / 你们家烧～吗? 너희 집에서는 가스를 쓰고 있니? / 天然～; 천연 가스 / ～桶 =〔～贮藏槽〕〔贮气器〕; 가스 탱크 / ～管; 가스관. =〔〈方〉自来火①〕〔〈音〉瓦斯ⓐ〕 ②(일산화 탄소의) 유독 가스. =〔煤毒〕
〔煤气黑〕 méiqìhēi 명 ⇨〔碳tàn黑〕
〔煤气内燃机〕 méiqì nèiránjī 명 ⇨〔燃气发动机〕
〔煤气(汽)车〕 méiqì(qì)chē 명 석탄 가스 자동차《석탄 가스를 사용한 대체 연료 자동차》.
〔煤球(儿)〕 méiqiú(r) 명 조개탄. 알탄. ¶摇～; 알탄을 만들다 / 烧～; 알탄을 때다. →〔炭墼〕
〔煤区〕 méiqū 명 석탄 광구.
〔煤山〕 Méishān 명 ⇨〔景Jǐng山〕
〔煤师〕 méishī 명 알탄·연탄을 만드는 일꾼.
〔煤水泵〕 méishuǐbèng 명 탄광용 배수 펌프.
〔煤水车〕 méishuǐchē 명 탄수차(炭水車). 텐더(tender).
〔煤溚〕 méitǎ 명 ⇨〔煤焦油〕
〔煤炱〕 méitái 명 검댕. =〔煤(烟)子①〕〔烟yān炱〕〔百bǎi草霜〕→〔锅guō烟子〕
〔煤炭〕 méitàn 명 석탄. ¶～厂; 신탄상(薪炭商).
〔煤炭行〕 méitànháng 명 석탄·숯 판매점.
〔煤屉子〕 méitìzi 명 (난로 등의) 불판. 쇠살판.
〔煤田〕 méitián 명 탄전. =〔煤盘池pánchí〕
〔煤桶〕 méitǒng 명 석탄 버킷(bucket). =〔煤斗子〕
〔煤屋子〕 méiwūzi 명 ⇨〔煤房〕
〔煤屑〕 méixiè 명 ①석탄 부스러기. ②석탄재.
〔煤芯〕 méixìn 명 '煤核hú(儿)'(석탄이나 알탄재)의 중심의 덜 탄 부분.
〔煤(烟)子〕 méi(yān)zi 명 ①⇨〔煤炱〕 ②매연. 검댕과 연기. ‖=〔煤烟〕
〔煤窑〕 méiyáo 명 탄갱.
〔煤油〕 méiyóu 명 석유. ¶～炉子; 석유 풍로 / ～火炉; 석유 난로 / ～灯; 석유 램프 / ～桶; 석유 탱크. 석유 초롱 / ～源源不断地经过喷口喷出来; 석유가 분출구에서 끊임없이 분출하다. =〔〈方〉火油〕〔灯油〕〔〈廣〉火水〕〔〈文〉洋油①〕
〔煤油行〕 méiyóuháng 명 석유 가게.
〔煤源〕 méiyuán 명 석탄 공급원.
〔煤渣(儿)〕 méizhā(r) 명 ①석탄 타고 남은 찌꺼기. ②작은 석탄 덩이. =〔煤砟zhǎ子〕
〔煤砟子〕 méizhǎzi 명 작은 덩이의 석탄.
〔煤栈〕 méizhàn 명 ①석탄 창고. 저장소. ②옛날의 석탄 도매상.
〔煤砖〕 méizhuān 명 ①석탄 가루에 물과 적토(赤土)를 섞어 만든 고형 연료. ②연탄. =〔蜂窝煤〕
〔煤子〕 méizi →〔字解②〕

禖 méi (매)
명 옛날에, 자식 낳기를 바라는 제사. 또, 그 신(神). →〔娘娘庙〕

糜〈穈, 鏖〉 méi (미)
(～子) 명《植》메수수. ⇒mí
〔糜子〕 méizi 명《植》①메수수. ¶二道～; 2급품의 수수 / ～面; 메수수 가루. =〔穄jì子〕〔〈文〉稷jì①〕 ②갈대나 수수의 줄기.

每 měi (매)
① 대 매(每)…. 각(各)…. …마다《수사·양사(量詞) 또는 양사로 쓰이는 일부의 명사 앞에서만 쓰임》. ¶～天; 매일 / ～五天去一回; 닷새마다 한 번 가다 / ～回; 매번 / 关心～一个人; 한 사람 한 사람에 대해 관심을 가지다 / ～趟车都是拥挤不动; 각 열차 모두 꽉 차 있다 / ～天工作八小时; 매일 여덟 시간 일한다. ②…당(當). …에 대해서. ¶～瓶五元; 한 병당 5원. ③부 …에는 언제나. ¶～到星期日, 就出去玩玩; 일요일이 되면 언제나 밖에 나가서 논다. ④부 항상. 가끔. ¶无计划之工作, ～不能成功; 계획 없는 일은 항상 성공하지 못한다. ⑤접미〈古白〉사람을 나타내는 명사·대명사 뒤에 붙여 복수를 나타냄《송(宋)·원(元)·명대(明代)의 소설에 흔히 쓰임》. ¶母子～; 어머니와 자식들 / 你～; 너희들. =〔们〕
〔每常〕 měicháng 부 평소. 일상. 늘. ¶我～见他; 나는 늘 그를 본다〔만난다〕.

〔每次〕 měicì 매회. 그 때마다. ¶～都是这样; 늘 이 모양이다 / 这个问题已经申请过几次, 不过～都被上头驳回; 이 문제는 이미 몇 차례 신청한 일이 있으나, 늘 상사의 허가가 나오지 않았다.
〔每当〕 měidāng …할 때마다. …할 적엔 늘. ¶～我沉默时, 我觉得充实; 침묵할 때는 나는 늘 충실함을 느낀다. 㴰 뒤에 '时'·'时候'를 놓지만 생략하는 경향이 있음.
〔每到〕 měidào …할 때마다. …도착할 때마다. ¶～年底结一次账; 연말마다 한 번 정산(精算)한다.
〔每度〕 měidù 부 ⇨〔每每〕
〔每方〕 měifāng 명 양쪽. 쌍방
〔每逢〕 měiféng 언제나 …이 될 때마다. ¶～三七开庙; 매월 3일과 7일날이 공양(供養)날입니다 / ～星期日, 休息一天; 일요일마다 하루 쉰다 / ～佳节倍思亲; 명절 때면 멀리 있는 가족〔친족〕이 한결 생각난다.
〔每个(儿)〕 měigè(r) 하나하나. 어느 것이나(모두).
〔每回〕 měihuí 매번. 늘.
〔每届〕 měijiè ①…의 때가 되면 언제나. ¶～祖国革命成功的纪念日…; 조국의 혁명이 성공한 기념일이 되면 언제나. =〔每值〕 ② 부 매번. 매회.
〔每况愈下〕 měi kuàng yù xià 〈成〉 상황이 점점 나빠지다. 점차 악화되다. ¶大英帝国的权威战后十年来～; 대영 제국의 권위는 전후 10년래 저하 일도를 더듬고 있다. =〔每下愈况②〕
〔每礼拜〕 měilǐbài 명부 ⇨〔每星期〕
〔每每〕 měiměi 부 언제나. 늘. ¶他们常在一起, ～一谈就是半天; 그들은 늘 함께 있는데도 언제나 이야기를 시작하면 반나절이 걸린다 / 头一节课, 你～迟到, 这像话吗; 첫 시간째는 너는 언제나 지각을 하니, 말도 안 된다. =〔往往〕〔每度〕
〔每年〕 měinián 명부 매년. 해마다. 명 〈方〉 왕년. 옛날.
〔每儿包堆〕 měirbāoduī 부 모두. 모조리. ¶家传的宝贝～往外卖; 집안에 내려오는 보물은 모조리 내다 팔아 버리다.
〔每人〕 měirén 명 한사람 한사람. 한사람마다. 각자. ¶～各拿一份儿; 각자 한 부씩〔몫을〕 받다 / 粮食～给十五斤; 식량은 한 사람 앞에 15근씩 지급한다.
〔每日〕 měirì 명부 〈文〉 매일. 날마다.
〔每日电讯报〕 Měirì diànxùnbào 명 데일리 텔레그래프(Daily Telegraph)《영국의 신문 이름》.
〔每日镜报〕 Měirì jìngbào 명 데일리 미러(Daily Mirror)《영국의 신문 이름》.
〔每日快报〕 Měirì kuàibào 명 데일리 익스프레스《영국의 신문》.
〔每日每时〕 měi rì měi shí 〈成〉 언제나.
〔每日先驱报〕 Měirì xiānqūbào 명 데일리 헤럴드(Daily Herald)《영국 노동당 기관지》.
〔每日邮报〕 Měirì yóubào 명 데일리 메일(Daily Mail)《영국의 신문 이름》.
〔每天〕 měitiān 명부 매일. =〔天天〕〔见天〕
〔每下愈况〕 měi xià yù kuàng 〈成〉 ①하등한 것, 또는 미소한 것에서 진상을 볼 수 있다의 뜻《《莊子 知北游》에서 나온 말》. ② ⇨〔每况愈下〕
〔每星期〕 měixīngqī 명부 매주. =〔每礼拜〕
〔每有所得〕 měi yǒu suǒ dé 〈成〉 그 때마다 얻는 바가 있다.
〔每值〕 měizhí ⇨〔每届①〕
〔每周〕 měizhōu 명 〈文〉 매주.

美 měi (미)

①형 아름답다. ¶风景很～; 풍경이 매우 아름답다 / ～景; 아름다운 경치 / ～人(儿); 미인. ↔〔丑chǒuB〕① ②동 곱게 하다. ¶～容; 얼굴을 아름답게 하다. ③형 좋다. ¶价廉物～; 〈成〉 값은 싸고 물건은 좋다. ④형 맛이 있다. ¶这菜很～; 이 요리는 대단히 맛이 있다 / ～味; 맛있다. 맛있는 것 / ～酒; 미주. 맛있는 술. ⑤형 즐겁다. ¶日子过得很～; 아주 즐겁게 지낸다. ⑥형 〈方〉 만족하다. 근사하다. 굉장하다. ¶她笑得很～; 그녀는 매우 만족한 듯 웃었다 / ～得太; 참 멋지다. 근사하다. ⑦형 기분 좋다. 황홀하다. ⑧형 〈方〉 신이 나다. 의기양양하다. ¶他真～起来了; 그는 아주 신바람이 났다 / 他～着哪! 그는 기뻐서 어쩔 줄 모르고 있다! / 你不用～, 绝对好死不了liǎo; 좋아할 필요 없다. 너 같은 것은 절대로 곱게 죽지 않을 거다. ⑨형 뻐기다. 득의양양하다. ⑩명 〈文〉 훌륭한 점. 공로. ¶掠lüè人之～; 〈成〉 남의 공로를〔업적을〕 가로채다 / 成人之～; 〈成〉 남의 일이 잘 되도록 도와 주다. ⑪명 미(美). 선(善). ⑫동 칭찬하다. ¶诗中有～有刺; 시 속에는 칭찬도 있고 풍자도 있다. ⑬명 잘함. ⑭(Měi) 《地》 '美国'(미국)·'美洲'(아메리카주)의 약칭. ¶～侨; 미국 거류민 / ～领; ⓐ미국령. ⓑ미국 영사.
〔美阿〕 měi'ā 명 〈音〉 메이어(mayor). =〔市长〕
〔美备〕 měibèi 형 훌륭하고도 완전하다.
〔美币〕 měibì 명 미국 통화(通貨). →〔美元〕
〔美不侈儿〕 měibuchǐr 형 ⇨〔美儿侈儿的〕
〔美不美故乡水〕 měibuměi gùxiāngshuǐ 〈諺〉 아름답든 더럽든 고향의 물《술》은 좋은 것. =〔美不美乡中酒〕 →〔亲不亲, 故乡人〕
〔美不胜收〕 měi bù shèng shōu 〈成〉 훌륭한 것이 너무 많아 한번에 다 감상할 수 없다. ¶真是琳琅满目, ～; 정말로 모두가 훌륭한 것이어서 한 번에 감상할 수 없다.
〔美才〕 měicái 명 훌륭한 재능(을 가진 자).
〔美差〕 měichāi 명 괜찮은 관직. 좋은 지위.
〔美钞〕 měichāo 명 《貨》 ①달러 지폐. ②미국 달러. →〔美元〕
〔美称〕 měichēng 명 미칭. (좋은) 평판. 세평. 영명(令名). 명망. ¶四川向有天府之国的～; 쓰촨성(四川省)은 옛날부터 천부지토(天府之土)로 알려져 있다.
〔美除〕 měichú 동 〈文〉 좋은 관직에 임명되다.
〔美辞〕 měicí 명 아름다운 문구. 찬사. ¶～丽lì句; 미사 여구.
〔美刺〕 měicì 명 좋은 점을 칭찬하고 좋지 않은 점을 암시〔풍자〕하는 일.
〔美德〕 měidé 명 ①미덕. ②(Měi Dé) 미국과 독일.
〔美的你呢〕 měidenǐne 〈罵〉 그렇게 우쭐대지 마라. 기고 만장하여 꼴사납다. →〔浪làng的你呢〕〔野yě的你呢〕
〔美地〕 měidì 명 〈文〉 비옥한 밭. 좋은 땅.
〔美帝〕 měidì 명 〈簡〉 미제국주의('美帝国主义'의 준말).
〔美吨〕 měidūn 명 《度》 미국 톤. 쇼트 톤《2,000 파운드(약 907킬로그램)를 1톤으로 하는 미국의 중량 단위》. =〔短duǎn吨〕〔轻qīng吨〕
〔美多娇〕 měiduōjiāo 명 미녀.
〔美恶〕 měi'è 명 〈文〉 선악.
〔美耳中听〕 měi'ěr zhòngtīng (음악이) 기분 좋게 들리다.

〔美发膏〕 měifàgāo 명 ⇨〔发蜡〕
〔美感〕 měigǎn 명 미감. 좋은 느낌. 쾌감. ¶听他说的话不由得就生一种～; 그의 이야기를 듣고 있으면 자기도 모르게 일종의 쾌감이 생긴다.
〔美高梅影片公司〕 Měigāoméi yǐngpiàn gōngsī 명 (미국의) 엠지엠(MGM) 영화 회사.
〔美工〕 měigōng 명 영화의 미술 관계 일(세트나 의상 등의 디자이너를 포함).
〔美观〕 měiguān 명 미관. 형 아름답다. 훌륭하다. ¶房屋布置得很～; 집 안은 아름답게 꾸며져 있다.
〔美规〕 měiguī 명 ⇨〔美国线规①〕
〔美国〕 Měiguó 명《地》미국(The United States)(‘美利坚合众国’(아메리카 합중국)의 약칭. 수도는 ‘华盛顿’(워싱턴: Washington)). ¶～新闻处; 미국 문화원 / ～之音; VOA 방송(미국의 소리 방송).
〔美国佬〕 Měiguólǎo 명 양키(Yankee). =〔扬基〕
〔美国名人院〕 měiguó míngrényuàn 명 미국 위인 기념관(뉴욕 대학 구내에 있음). =〔名人院〕
〔美国线规〕 měiguó xiànguī 명《工》①미국식 와이어 게이지(AWG). =〔〈俗〉美规〕 ②금속편의 두께를 재는 게이지.
〔美好〕 měihǎo 형 좋다. 훌륭하다(흔히, 추상적인 일에 쓰임). ¶～的愿望; 훌륭한 소원.
〔美化〕 měihuà 명동 ①미화(하다). ②미국식(으로 되다).
〔美汇〕 měihuì 명 미국환(換). ¶～挂牌; 미국환의 공정 시세.
〔美脊鲸〕 měijǐjīng 명 ⇨〔露lù脊鲸〕
〔美娇娥〕 měijiāo'é 명〈文〉미녀. 미인.
〔美金〕 měijīn 명 ⇨〔美元〕
〔美劲儿〕 měijìnr 형 기뻐하는 모양. 만족스러운 모양. ¶孩子那个～就甭béng说! 아이의 즐거워하는 저 모습이라니!
〔美酒〕 měijiǔ 명 미주. 맛있는 술. =〔好hǎo酒〕〔嘉jiā酿〕〔佳酿〕
〔美就〕 měijiù 명〈文〉좋은 일. 좋은 일〔취직〕자리.
〔美举〕 měijǔ 명 미거. 장한 행동. 기특한 일.
〔美款〕 měikuǎn 명 미국(으로부터의) 차관.
〔美拉尼西亚〕 Měilānníxīyà 명《地》〈音〉멜라네시아(Melanesia)(‘흑인’의 뜻으로 서태평양 지구의 크고 작은 수많은 섬을 이름).
〔美利〕 měilì 명 이윤이 좋은 이익.
〔美利坚合众国〕 Měilìjiān hézhòngguó 명《地》아메리카 합중국(보통 ‘美国’라 함. 수도는 ‘华huá盛顿’(워싱턴: Washington)).
〔美利奴〕 měilìnú 명《動》메리노양(merino). =〔螺角羊〕
〔美丽〕 měilì 형 미려하다. 곱다. 아름답다. ¶～的花朵; 고운 꽃 / 祖国的山河是多么庄严～! 조국의 산하는 얼마나 웅장하고 아름다운가!
〔美联社〕 Měiliánshè 명 에이피(AP) 통신(미국의 통신사). =〔联合社〕
〔美满〕 měimǎn 형 ①훌륭하다. 나무랄 데 없다. ②원만하다. ¶得到～的结论; 원만한 결론을 얻다 / 结婚生活很～; 결혼 생활은 원만하다.
〔美貌〕 měimào 명형 미모(이다). ¶～女子; 미모의 여성.
〔美美地〕 měiměide 부 충분히. 푹. 실컷. 한껏. ¶再～睡上一觉; 또 한잠 푹 잘래요 / 咱先～吃上一顿; 우선 한번 실컷 먹어 보자.
〔美眄〕 měimiǎn 형〈文〉눈길이 요염하다. =〔美盼〕
〔美妙〕 měimiào 형 멋지다. 훌륭하다. ¶～的青春; 멋진 청춘.
〔美名〕 měimíng 명 미명. 명성. 호평. ¶英雄～, 流芳百世; 영웅이란 미명은 길이 후세에 남는다.
〔美男子〕 měinánzǐ 명〈文〉미남자.
〔美粘土〕 měiniántǔ 명《鑛》벤토나이트(bentonite).
〔美浓果〕 měinóngguǒ 명 ⇨〔蜜mì瓜〕
〔美女〕 měinǚ 명〈文〉미녀.
〔美盼〕 měipàn 형 ⇨〔美眄〕
〔美品〕 měipǐn 명 일품(逸品).
〔美其名〕 měiqímíng 동 그 이름을 아름답게 하다. 말을 꾸미다.
〔美气〕 měiqì 형〈方〉즐겁다. 멋지다. ¶真是～! 참으로 즐겁다!
〔美器〕 měiqì 명〈文〉훌륭한 기물〔인재〕.
〔美迁〕 měiqiān 명동 영전(榮轉)(하다).
〔美缺〕 měiquē 명〈文〉괜찮은〔훌륭한〕관직. 수입이 많은 직무. =〔肥féi缺〕
〔美儿侈儿的〕 měirchǐrde 형〈京〉스스로 우쭐대는 모양. ¶让人抬举才好, 自己～有什么意思! 남이 치켜세워 주어야 좋지. 혼자서 잘난 체해 보아야 무슨 소용이냐! =〔美不侈儿〕
〔美髯公〕 měirángōng 명 ①아름다운 수염을 기른 사람. ②(Měirángōng)《三國(志)演義》에 나오는 촉한(蜀漢)의 무장 관우(關羽)에 대한 애칭.
〔美人〕 Měirén 명 ①미국 사람. ②옛날, ‘妃’·‘嫔’의 칭호.
〔美人(儿)〕 měirén(r) 명 미인.
〔美人关〕 měirénguān 명 미인의 관문. ¶英雄难过～; 〈比〉영웅도 미인에게 맥을 못 춘다. =〔燕yān脂关〕
〔美人计〕 měirénjì 명 미인계. ¶中zhòng～; 미인계에 걸리다. =〔美人局〕〔翻fān戏〕〔放fàng白鸽〕〔仙xiān人跳〕〔捉zhuō黄脚鸡〕
〔美人蕉〕 měirénjiāo 명《植》① 홍초(紅蕉). =〔红hóng蕉〕〔大花美人蕉〕 ②칸나(canna). =〔昙tán华①〕
〔美人胎子〕 měirén tāizi 명 (화장한 미인이 아닌) 타고난 미인.
〔美人窝〕 měirénwō 명 미인이 많은 고장. 미인이 나는 땅.
〔美容〕 měiróng 동 (용모를) 아름답게 하다. ¶～院; 미용원. 미장원.
〔美容术〕 měiróngshù 명 ①미용술. ②미용 체조.
〔美色〕 měisè 명 ①미색. 미모. ②미녀.
〔美沙酮〕 měishātóng 명《藥》〈音〉메타돈(methadone)(마취제의 일종).
〔美食文化〕 měishí wénhuà 명 음식 문화의 아칭(雅稱). ¶说粗一点吃的文化, 说雅一点～; 좀 촌스럽게 말하면 먹는 문화이고, 좀 고상하게 말하면 미식 문화이다.
〔美事〕 měishì 명 ①좋은 일. 훌륭한 일. ②만족할 만한 일. 즐거운 일.
〔美术〕 měishù 명 ①미술. ¶～片儿 =〔～片〕; 미술 영화. 애니메이션 영화 / ～印图纸 =〔～印刷纸〕〔～纸〕; 아트지 / ～字; 도안 문자. 장식 문자. ②조형(造型) 예술. ③회화(繪畫). ¶～明信片 =〔花信片〕; 그림 엽서.
〔美术家〕 měishùjiā 명 미술가(흔히, 조형 미술품의 작가를 이름). ¶手工艺品还需要请～鉴定一下; 수공예품을 미술가에게 심사·평정을 받을 필요가 있다.

〔美俗〕 měisú 명 미풍 양속. 좋은 풍속. 선량한 풍속.
〔美索波达米亚〕 Měisuǒbōdámǐyà 명 《地》〈音〉 메소포타미아(Mesopotamia).
〔美谈〕 měitán 명 미담. ¶传为～; 미담으로 전해지다.
〔美味〕 měiwèi 명 맛있는 음식. ¶珍馐～; 산해의 진미. 형 맛있다. 맛이 좋다. ¶～可口; (음식이) 맛깔스럽다.
〔美祥〕 měixiáng 명 길조(吉兆).
〔美秀〕 měixiù 형 〈文〉 용모가 아름답고 재주가 뛰어나다.
〔美学〕 měixué 명 미학.
〔美言〕 měiyán 명 (남을 위한) 격려의 말. 칭찬하는 말. 듣기 좋은 말. ¶谢您的～; 좋은 말씀을 해 주셔서 감사합니다 / ～不信, 信言不美; 〈諺〉 듣기 좋은 말은 믿을 수 없고, 믿을 수 있는 말은 듣기 좋은 것이 아니다. 동 남을 위해 좋게〔잘〕 말하다. ¶您回去, 请多替～吧; 돌아가시면 아무쪼록 말씀 잘 드려 주십시오 / 帮帮忙, 给～两句! 부탁합니다. 말씀 좀 잘 해 주십시오.
〔美艳〕 měiyàn 형 아름답고 요염하다.
〔美以美教派〕 Měiyǐměi jiàopài 명 감리 교회(영어 M.T.M.(Methodist Episcopal Mission)의 역어).
〔美意〕 měiyì 명 후의. 친절. ¶亏负～; 후의를 배반하다 / 谢谢您的～; 호의에 감사드립니다. 동 마음을 즐겁게 하다.
〔美玉〕 měiyù 명 미옥. 아름다운 옥.
〔美育〕 měiyù 명 정서 교육.
〔美元〕 měiyuán 명 《貨》 미국 달러. ¶～外汇; 달러 환(換). =〔美钞②〕〔美圆〕〔美金〕
〔美元荒〕 měiyuánhuāng 명 달러 부족. ¶造成所谓～, 倒真是还账为难; 종종 이른바 달러 부족이 되어, 빚의 변제가 정말 어렵다.
〔美元集团〕 měiyuánjítuán 명 달러 권(圈).
〔美元区〕 měiyuánqū 명 달러 지역.
〔美援〕 měiyuán 명 미국의 대외 원조.
〔美展〕 měizhǎn 명 미술 전람회.
〔美丈夫〕 měizhàngfu 명 미장부. 미남자. →〔伟wěi丈夫〕
〔美征〕 měizhēng 명 서조(瑞兆). 길조.
〔美质〕 měizhì 명 양질(良質).
〔美中不足〕 měi zhōng bù zú 〈成〉 훌륭하기는 하나 결함이 있다. 옥에 티. ¶这样岂不是有点～吗? 이래서는 아무래도 좀 옥의 티가 아닐까요?
〔美洲〕 Měizhōu 명 《地》 아메리카 대륙. ¶北～; 북아메리카주 / 拉丁～; 라틴아메리카주 / ～国家组织; 미주 기구(機構).
〔美洲虎〕 měizhōuhǔ 명 《動》 재규어(jaguar).
〔美洲狮〕 měizhōushī 명 《動》 퓨마.
〔美馔〕 měizhuàn 명 진수성찬. ¶～佳jiā肴; 진수성찬.
〔美滋滋(的)〕 měizīzī(de) 형 (마음이) 들뜬 모양. 즐거워 가만히 있지 못하는 모양. ¶我心里～地想, 剩下的全都是好日子了; 나는 들뜬 마음으로 앞으로 남은 날은 모두 다 즐거운 생활이라고 생각했다 / ～赞美; 감탄하여 칭찬하다. =〔美恣恣〕

渼 měi (미)
명 파문(波紋).

镁(鎂) měi (미)
명 《化》 마그네슘(Mg: magnesium).
〔镁粉〕 měifěn 명 마그네슘 가루(철봉 따위에 쓰는 미끄럼 방지용).
〔镁光〕 měiguāng 명 마그네슘 섬광. 플래시(촬영용).
〔镁砂〕 měishā 명 마그네시아 클링커(magnesia clinker).
〔镁石〕 měishí 명 《鑛》 마그네사이트(magnesite).
〔镁盐〕 měiyán 명 《化》 나트륨염.
〔镁砖〕 měizhuān 명 마그네시아 벽돌.

浼 měi (매)
동 ①더럽히다. ②수고를 끼치다. 부탁하다. ¶以此事相～; 이 일을 부탁드립니다 / ～托; 청탁하다.

沬 mèi (매)
①→〔沬血〕 ② 형 어둑어둑하다. ③ 명 춘추시대(春秋時代) 위(衛)의 도읍 이름(은대(殷代)에는 '朝Zhāo歌' 라고 했음. 지금의 허난 성(河南省) 치 현(淇縣)).
〔沬血〕 mèixuè 동 얼굴에 피가 흐르다.

妹 mèi (매)
명 ①(～子) 누이동생. ¶姐～; 자매 / 舍shè～; 저의 누이동생. →〔娣〕 ②동연배의 젊은 여자가 연하의 여자를 친근하게 부르는 말. ¶表biǎo～; 사촌 동생 / 表～夫; 이종〔외종〕 사촌 매부. ③젊은 남자가 연인 또는 아내에 대한 호칭.
〔妹夫〕 mèifu 명 누이동생의 남편. 매제. ¶～家; 누이동생의 시집. =〔妹丈〕〔〈文〉 妹倩〕〔〈文〉 妹婿〕
〔妹妹〕 mèimei 명 ①누이동생(호칭으로도 씀). ②동족(同族) 중에서 같은 연대(年代)로, 자기보다 나이가 적은 여자. ¶叔伯～; 사촌 누이동생. 종매(從妹) / 远房～; (아버지 쪽의) 먼촌 누이동생.
〔妹倩〕 mèiqiàn 명 ⇨〔妹夫〕
〔妹婿〕 mèixù 명 ⇨〔妹夫〕
〔妹丈〕 mèizhàng 명 ⇨〔妹夫〕
〔妹子〕 mèizi 명 〈方〉 ①여동생. 누이동생. =〔妹妹〕 ②계집아이.

昧 mèi (매)
① 형 어둡다. ② 형 이치에 어둡다. ¶冒mào～; 촐싹이며 분별이 없다 / 愚yú～; 우매하다 / 暧～; 애매하다. 모호하다 / 良心不～; 〈成〉 양심은 어두워지지 않다. ③ 형 어리석다. ④ 형 분명히 보이지 않다. ⑤ 동 속여서 차지하다. ¶～起来 =〔～下〕; 감추고 속이다. 속이고 제 것으로 하다 / 他竟～别人的钱; 그는 남의 돈을 속여 먹고만 있다. ⑥ 동 숨다. 감추다. 숨기다. ¶拾金不～; 〈成〉 돈을 주워도 슬쩍하지 않는다. ⑦ 동 탐내다. ⑧ 명 새벽녘.
〔昧旦〕 mèidàn 명 〈文〉 미명. 날이 샐 무렵. =〔昧爽〕
〔昧己〕 mèijǐ 동 자신을 속이다. ¶瞒mán心～; 양심을 속이고 자신을 속이다.
〔昧良心〕 mèi liángxin 양심을 속이다. 양심을 어둡게 하다. ¶昧着良心做坏事; 양심을 속이고 나쁜 짓을 하다. =〔昧心〕
〔昧瞀〕 mèimào 형 어리석다. 우둔하다.
〔昧起来〕 mèiqilái ①속이다. ②후무리어 자기 것을 만들다.
〔昧人家〕 mèi rénjia 남을 속이다.
〔昧爽〕 mèishuǎng 명 ⇨〔昧旦〕
〔昧死〕 mèisǐ 〈翰〉 경솔하게도〔어리석게도〕 죽을

죄를 저지르다(정말 죄송합니다).

〔昧心〕 mèixīn 동 떳떳하지 않다. 켕기다. ¶～事; 부정한 일 / ～钱; 불의(不義)의 재물.

寐 **mèi** (매)
동 잠자다. ¶夙sù兴夜～ =〔早起晚睡〕; 일찍 일어나고 늦게 자다 / 假～; 선잠(자다) / 梦～以求; 꿈에서까지 보다 / ～息; 자고 있을때의 숨소리 / ～语; 잠꼬대. 〈轉〉 허튼 소리. →〔睡shuì①〕

魅 **mèi** (매)
① 명 도깨비. ¶魑chī～; 이매. ② 동 현혹시키다. 유혹하다. ¶富有～力; 매력이 넘치다.

袂 **mèi** (메)
명 소매. ¶分～; 헤어지다 / 把～; 마주 앉아 이야기하다 / 联～赴津; 함께 톈진(天津)에 가다.

谜(謎) **mèi** (미)
(～儿) 명 〈俗〉 수수께끼. ¶破～儿; 수수께끼를 풀다 / 猜～儿; 수수께끼를 맞히다. =〔谜语míyǔ〕 ⇒ mí

媚 **mèi** (미)
① 형 요염하다. ¶娇～; 요염하다. ② 동 교태부리다. ¶谄chǎn～ =〔奉承〕; 아첨 떨다. ③ 형 아름답다. 사랑스럽다. ¶春光明～; 봄 경치가 아름답다.

〔媚奥〕 mèi'ào 동 〈文〉 군주에게 아첨하다. ¶与其媚于奥, 宁媚于灶《論語 八佾》; (주(周)나라 때의 속담에) 안방의 신에게 아첨하기보다는 자기에게 먹을 것을 주는 부뚜막의 신에게 아첨하는 것이 낫다. 군주에게 아첨하기보다는 권신(權臣)의 비위를 맞추는 것이 낫다.

〔媚骨〕 mèigǔ 명 아첨하는 근성. 미태(媚態). ¶奴颜～; 비굴한 미태.

〔媚好〕 mèihǎo 형 아름답다. 요염하다.

〔媚惑〕 mèihuò 동 ①아첨하여 유혹하다. ②황홀하게 만들다.

〔媚劲儿〕 mèijìnr 명 알랑거리는 모양〔태도〕. ¶看他那个～! 그의 저 알랑거리는 꼴 좀 보아라!

〔媚景〕 mèijǐng 명 봄 경치.

〔媚客〕 mèikè 명 《植》 장미의 별칭.

〔媚目〕 mèimù 명 추파.

〔媚气〕 mèiqi 명 요염. 성적 매력. ¶她的～可大了! 저 여자는 매우 요염하다! =〔媚态〕

〔媚趣〕 mèiqù 명 〈文〉 애교.

〔媚权〕 mèiquán 동 권력에 아부하다.

〔媚人〕 mèirén 동 남에게 아첨하다.

〔媚上压下〕 mèi shàng yā xià 〈成〉 윗사람에게는 알랑거리고 아랫사람은 억압하다.

〔媚世〕 mèishì 동 세상에 아부하다.

〔媚俗〕 mèisú 동 세속에 아첨하다.

〔媚态〕 mèitài 명 아양떠는 모습. 애교. ¶～柔róu情; 아양을 떨며 응석을 부리다. =〔媚气〕

〔媚外〕 mèiwài 동 외국에 알랑거리다.

〔媚妩〕 mèiwǔ 형 〈文〉 요염하다. 사랑스럽다. 귀엽다. =〔妩媚〕

〔媚笑〕 mèixiào 명동 아첨하는 웃음(을 웃다). ¶发出～; 요염한 웃음소리를 내다.

〔媚行〕 mèixíng 동 〈文〉 천천히 나아가다.

〔媚言媚语〕 mèiyán mèiyǔ 아첨하는 말.

〔媚眼〕 mèiyǎn 명 교태를 띤 눈초리.

〔媚眼儿〕 mèiyǎnr 명 요염한 눈매.

〔媚药〕 mèiyào 명 성욕을 증진시키는 약.

〔媚子〕 mèizǐ 명 〈文〉 ①사랑하는 자식. ②친애하는 사람.

痗 **mèi** (매)
동 걱정한 나머지 병들다.

MEN ㄇㄣ

闷(悶) **mēn** (민)
① 형 답답하다. 음울하다. ¶天气这样～, 许是要下雨; 날씨가 이렇게 찌무룩한 것을 보니 비가 올지도 모른다. ② 형 통풍이 나쁘다. ¶这屋子矮, 又没有窗子, 太～了; 이 방은 낮고 또, 창이 없어서 너무 답답하다 / 屋子～得难过, 开开窗户吧; 방 안이 답답하여 못 견디겠다. 창문을 열어라. ③ 동 뚜껑을 덮고 부풀리다. ④ 형 〈方〉 목소리가 잠겨 똑똑하지 않다. ¶他说话～声气; 그의 말하는 소리가 분명치 않다. ⑤ 형 〈方〉 잠자코 있다. 말을 꺼내고 싶으면서 가만히 있다. ¶怎么又～了? 왜 또 아무 말도 않고 잠자코 있는가? ⑥ 동 집에 틀어박히다. ¶他～在家里读书; 그는 집에 틀어박혀 책을 읽고 있다. ⑦ 동 (찻잎 따위를 뜨거운 물을 부어) 불리다〔우리다〕. ¶这个茶还没～到哪; 이 차는 아직 덜 우러났다. ⑧ 형 (소리가) 둔하다. ¶～板 =〔哑板〕; 소리가 둔한〔가짜〕 은화. ⇒ mèn

〔闷板〕 mēnbǎn 명 ⇨〔哑yǎ板〕

〔闷得慌〕 mēndehuang (날씨 · 실내가) 매우 갑갑하다. ⇒ mèndehuang

〔闷嘚儿密〕 mēndermì 〈京〉 남몰래. 살금살금. ¶你一个人～的在这儿弄什么呢? 너는 혼자서 남몰래 여기서 무얼 하고 있는거냐?

〔闷弓儿〕 mēngōngr 동 ①타격을 받고 잠잠하다. 꼼짝달싹 못 하는 모양. ¶打～; 끽소리도 못 하게 혼을 내다〔혼이 나다〕. ②침묵해 버리다. 명 장기에서 '马'에 의해 외통으로 몰림.

〔闷嗗咄儿〕 mēn guchūr 〈京〉〈俗〉 뚱하고 있다. 입이 무겁다. 남과 말하려 들지 않다. ¶和大家一块儿聊聊去吧, 别一个人～地在旁边坐着; 혼자서 뚱하고 한쪽에 앉아 있지만 말고, 여러 사람과 같이 어울려서 이야기 나누어라.

〔闷过去〕 mēnguoqu 기절하다. ¶打～; 얻어맞고 기절하다 / 摔shuāi～; 내동댕이쳐져서 기절하다.

〔闷了〕 mēnle 동 (큰 타격을 받고) 낙담하다.

〔闷气〕 mēnqì 명 ①공기의 유통이 나쁨. ②음울한 마음. ¶为这个我也生～; 이것 때문에 나도 마음이 답답해진다. ⇒ mènqì

〔闷腔儿〕 mēnqiāngr 명 말 없는 사람. 뚱한 사람. =〔闷人〕 동 ①잠자코 있다. 침묵하다. ②말을 더듬다.

〔闷热〕 mēnrè 형 무덥다. ¶～的夏天; 무더운 여름.

〔闷人〕 mēnrén 명 ⇨〔闷腔儿〕 ⇒ mènrén

〔闷三奶奶〕 mēn sān nǎinai 말수가 적은 여자.

〔闷声〕 mēnshēng 동 말문을 막다. ¶～不响; 잠자코 있다 / ～闷气; ⓐ말없이 찌무룩한 표정. ⓑ말을 우물거려 목소리가 똑똑하지 않다.

〔闷死〕 mēnsǐ 동 질식하다. 형 무덥다. 무더워 죽겠다. ¶今天天气～了; 오늘 날씨는 무더워 죽겠다. ⇒ mènsǐ

〔闷坛子〕 mēntánzi 명 〈北方〉 무뚝뚝한 사람. ¶这

个～，一句话不说，真叫人急死了；이 무뚝뚝한 사람은 한 마디도 지껄이지 않으니 정말 답답하다.

〔闷头(螺丝)〕 mēntóu(luósi) 명 〈南方〉 (수도관. 홈통. 기름통 등의) 출구를 막기 위해서 끼우는 나사못류(類).

〔闷头儿〕 mēn·tóur 동 ①재산이나 재능이 있으나 겉으로 드러내지 않다. ②이면에서 노력하나 겉에 나타내지 않다. 묵묵히 일하다. ¶～干; 한눈 팔지 않고 하다. 몰두하다/～匠; 완고한 사람. ③잠자코 있다. ¶闷着头儿想; 잠자코 생각하다. 명 재산·재능이 있으나 겉으로 드러내지 않는 사람. 말없이 실행하는 사람. ¶～财主; 부자처럼 안 보이는 부자. 알부자. ⇒mèn·tóur

〔闷头儿过〕 mēntóurguò 〈方〉 교제도 없이 혼자서 살다. ¶～日子; (세상사에 관계 없이) 조촐하게 살다/现在不是～的时代了，大家都要参加社会活动才对呢; 지금은 세상과는 관계 없이 조용하게 생활하고 있을 시대는 아니다. 모두가 사회 활동에 참가해야 한다.

〔闷眼〕 mēnyǎn 명 〈俗〉 막힌 구멍《기계 용어로는 '不通孔'이라고 함》. ↔〔透眼〕

〔闷着〕 mēnzhe 동 ①하고 싶은 말을 억제하고 말하지 않다. ②뜸을 들이다.

〔闷子〕 mēnzi 명 《工》 단조(鍛造)·프레스 등에 쓰이는 모형(模型)《보통 강철을 사용함》.

门(門) **mén** (문)
①(～儿) 명 문. 출입구. ¶太平～; 비상구(非常口)/城～; 성문/宫～; 궁문/辕～; 옛날, 관청의 정문/屏～; 문짝이 넉 장의 널로 되어 있는 문. 넌출문/仪～; (명·청 시대의) 관청의 넌출문/过堂～; 복도의 문/便～; 통용문/肛～; 《醫》 항문/关～(儿) =〔上～(儿)〕〔关上～(儿)〕; 문을 닫다/锁上～(儿); 문에 자물쇠를 채우다/开～ =〔下～〕〔下板儿〕; 문을 열다/出～(儿); 외출하다/出～子; 시집 가다. ②(～儿) 명 가구·도구의 문짝. ¶柜～儿; 장농 문짝. ③(～儿) 명 형상·기능이 문과 닮은 것. ¶电～ =〔开关〕; 스위치/水～; 수문/气～; 밸브/闸～; 갑문. ④(～儿) 명 방법. 비결. 요령. 미립. ¶摸不着～儿; 방법을 찾을 수 없다. ⑤명 사물의 분류 단위. 부문(部門). ¶分～别类; 부문으로 나누다/五花八～; 각양 각색. ⑥명 학술·사상 또는 종파의 당파. ¶孔～; 공자 학파/佛～; 불문/教～(儿); 이슬람교〔회교〕 교파/左道旁～; 사교(邪教). ⑦명 제자가 됨. 입문함. ¶同～; 동문/拜～; 입문하다/～生 =〔～徒〕〔～下(士)〕; 문하생. ⑧명 문(門)《생물 분류상 가장 큰 분류 단위. 강(綱)의 위, 계(界)의 아래》. ¶裸子植物～; 나자 식물문. ⑨명 일족(一族) 또는 분가(分家)를 가리키는 말《지금은 가정을 이름》. ¶满～; 일족 전체/一～老少; 일족 전원/长～长子; 종가의 장남/将～出将〔虎〕子; 〈諺〉 장군 집에서 (그에 어울리는) 훌륭한 자식이 난다/张～李氏; 장씨 가문에 시집 간 이씨 성(姓)의 부인. ⑩양 대포의 수를 세는 단위. ¶一～炮; 대포 1문. ⑪양 학문·기술 따위를 세는 단위. ¶有几～功课? 몇 과목의 학과가 있습니까?/这～学问; 이 부문의 학문/这(一)～技术我不会; 이 부문의 기술은 나는 잘 모른다. ⑫양 혼인 따위를 세는 단위. ¶找一～亲; (어디) 한 곳 혼처를 찾다. ⑬명 성(姓)의 하나.

〔门巴〕 ménbā 명 (티베트어(語)로) 의사. →〔医yī生〕

〔门巴族〕 Ménbāzú 명 먼바 족(門巴族)《중국 소수 민족의 하나. 티베트에 거주함》.

〔门把〕 ménbà 명 문손잡이. 문고리. 노브(knob). =〔门扉把手〕〔门拉手〕

〔门板〕 ménbǎn 명 ①문. 문짝. ②덧문짝《떼어서 물건을 올려놓는 데 씀》.

〔门榜〕 ménbǎng 명 (게시나 인사를 위해) 문에 거는 패.

〔门包(儿)〕 ménbāo(r) 명 전에, 방문자가 문지기에게 주던 팁. =〔门规〕〔门敬〕〔门礼〕〔门钱〕

〔门报〕 ménbào 명 공연장 등의 문에 붙이는 광고.

〔门鼻儿〕 ménbír 명 문·자물쇠를 거는 동(銅)·철제의 반원형의 걸쇠.

〔门庇〕 ménbì 명 ⇨〔门荫〕

〔门匾〕 ménbiǎn 명 ①문 위쪽에 걸어 놓는 편액(扁額). ②지폐 또는 어음의 위쪽에 발행 은행 또는 점포 이름을 가로 인쇄한 글자.

〔门宾〕 ménbīn 명 ⇨〔门客〕

〔门钹〕 ménbó 명 문 두드리는 고리쇠. 노커(knocker). =〔门环(子)〕

〔门簿〕 ménbù 명 방문자의 명부. =〔门册〕

〔门册〕 méncè 명 ⇨〔门簿〕

〔门插〕 ménchā 명 ⇨〔门插关儿〕

〔门插关儿〕 ménchāguanr 명 문빗장. =〔门插〕〔门划子〕〔门插管儿〕

〔门插管儿〕 ménchāguanr 명 ⇨〔门插关儿〕

〔门差〕 ménchāi 명 문지기. =〔门丁〕〔门公〕〔门上的〕〔看kān门的〕〔门人②〕

〔门齿〕 ménchǐ 명 《生》 문치. 앞니. ¶上～; 위쪽 앞니/下～; 아래쪽 앞니. =〔〈俗〉 门牙〕〔〈方〉 板bǎn牙①㉡〕〔〈俗〉 大dà门牙〕〔切qiè牙〕

〔门窗〕 ménchuāng 명 문과 창. 문이나 창. ¶～要关严了; 문이나 창은 꼭 닫아야 한다.

〔门窗格〕 ménchuānggé 명 창살. ¶金属～; 금속 창살.

〔门刺〕 méncì 명 ⇨〔名míng刺〕

〔门当户对〕 mén dāng hù duì 〈成〉 결혼하는 남녀의 가문·신분이 모두 걸맞다. =〔门第相当〕

〔门道〕 méndào 명 ⇨〔门洞儿①〕

〔门道〕 méndao 명 ①〈俗〉 비결. 방법. ¶摸出个～来; 비결을 찾아 내다/他的刀法很有～; 그의 칼 쓰는 법〔검법〕은 제법 법도에 맞는다/行háng家看～，力巴儿看热闹; 〈諺〉 전문가는 일의 급소를 잘 보고, 아마추어는 일의 외형만을 본다/生手用心作长了，也能摸出点儿～来; 미숙한 사람이라도 힘써서 오래 하면 얼마간의 요령을 익힐 수가 있다. =〔门路(儿)③〕 ②이야기의 줄거리. 이치. ¶你说这几句话倒有些～; 너의 이야기는 조리가 서 있다.

〔门地〕 méndì 명 ⇨〔门第〕

〔门第〕 méndì 명 ①저택. ②〈比〉 가문. ¶诗书～; 학자의 집안/～相当 =〔门当户对〕; 집안이 걸맞는다〔엇비슷하다〕. ‖ =〔门地〕

〔门吊〕 méndiào 명 《機》 갠트리(gantry) 기중기.

〔门丁〕 méndīng 명 ⇨〔门差〕

〔门钉(儿)〕 méndīng(r) 명 ①(성문 등 큰 문짝의) 장식용 큰 못. =〔浮fú沤钉〕 ②〈轉〉 작은 '糖táng(馅)包子' (설탕을 속에 넣은 찐빵)《그 모양이 '门钉(儿)①'과 비슷하므로》.

〔门冬〕 méndōng 명 《植》 ①'天tiān～' (천문동)의 약칭. ②'麦mài～' (맥문동)의 생략.

〔门洞儿〕 méndòngr 명 ①한 채의 건물에서 양편이 방이고 가운데가 통로로 되어 있는 곳. =〔门道dào〕 ②터널 따위의 출입구. ¶城～; 성문의 통로〔출입구〕.
〔门斗〕 méndǒu 명 ①문에 붙이는 '斗方(儿)'. ②학교의 사환. ③문미(門楣). =〔门楣〕 ④(～子) 문장부(문의 회전축의 부분). ⑤문 위에 있는 작은 창문.
〔门对(儿)〕 ménduì(r) 명 입구나 문에 붙인 '对联(儿)'. =〔门联(儿)〕〔门帖〕
〔门墩(儿, 子)〕 méndūn(r, zi) 명 문의 토대석. 문둔테. ¶～虎hǔ; 문의 토대석에 새겨 놓은 호랑이 조각.
〔门垛子〕 ménduǒzi 명 대문 양쪽에 있는 벽돌 또는 돌의 두 기둥.
〔门阀〕 ménfá 명〈文〉문벌. 권세 있는 집안.
〔门法〕 ménfǎ 명 가법. 가문의 규칙.
〔门房(儿)〕 ménfáng(r) 명 ①문지기의 방. 수위실. ②문지기. 수위.
〔门扉把手〕 ménfēi bǎshǒu 명 ⇨〔门把〕
〔门扉滑车〕 ménfēi huáchē 명 호차(戶車).
〔门风〕 ménfēng 명 ①가풍. 가문. ¶延续～; 가풍이 끊이지 않도록 하다 / 他们家辈辈出逆子, 这是他们家的～; 대대로 불효자가 나오는 것도 그들의 가풍이다. =〔家风〕 ②가문의 명예. ¶败坏～; 가문의 명예를 손상시키다.
〔门封〕 ménfēng 명 옛날, 관리의 저택의 문전에 '禁止喧哗, 勿许作践, 如敢故违, 定行送究'(소란을 피우거나 모욕해서는 안 된다. 감히 위반하면 반드시 재판에 회부한다)고 써 붙인 패.
〔门缝(儿, 子)〕 ménfèng(r, zi) 명 문틈. ¶～里看人;〈歇〉문틈으로 남을 보다. 아래 구절 '把人看扁了'에 연결되어 남을 업신여기다의 뜻.
〔门符〕 ménfú 명 문에 붙이는 부적.
〔门盖儿〕 méngàir 명 문문부(한자 부수의 하나. '闲·闭' 등의 '门'의 이름).
〔门岗〕 méngǎng 명 ①문지기. ②보초. 위병(衛兵).
〔门公〕 méngōng 명 ⇨〔门差〕
〔门功〕 méngōng 명 가문의 공적. 조상의 공훈.
〔门沽〕 méngū 명 회장 입구 판매. 당일 판매. ¶这三种门票都有～; 이 세 종류의 입장권은 모두 당일 판매하는 것이 있다.
〔门鼓〕 méngǔ 명 옛날, 상가의 문간에 놓는 북. ¶～账zhàng =〔幡fān杆账〕; 부모의 사후에 갚겠다는 약속으로 빌리는 빚.
〔门关〕 ménguān 명 ①문과 관문(關門). ②문빗장.
〔门官〕 ménguān 명 옛날, 성문을 지키는 벼슬아치.
〔门馆〕 ménguǎn 명 ①옛날, 식객 (가정교사를 겸하는 자가 많음)이 기거하는 방. ②가숙(家塾). ¶～先生; 가숙의 선생.
〔门规〕 ménguī 명 ⇨〔门包(儿)〕
〔门户〕 ménhù 명 ①집. ¶立～; 한 살림을 차리다. ②문호. 출입구. ¶开放～; 문호를 개방하다 / ～开放政策; 문호 개방 정책. ③파(派). 유파. 파벌. ¶～之见; ⓐ한 학파·한 파의 견해. ⓑ파벌에 사로잡힌 편견 / 各立～; 각각 파를 세우다 / 别开～; 따로 한 파를 열다. ④가문. 문벌. 가풍. ¶什么～儿出什么样儿的人;〈諺〉집안의 가풍에 따라 자라는 인간도 달라진다 / 小～儿; 문벌이 낮은 집 / 大～儿; 지체가 높은 집 / ～帖(儿) =〔册子〕; 옛날, 혼담이 오갈 때 서로 교환하는 것으로 선조 3대와 자기의 관직명을 적은 것. ⑤문단속. ¶小心～; 문단속에 주의하다.
〔门划子〕 ménhuázi 명 ⇨〔门插关儿〕
〔门环(子)〕 ménhuán(zi) 명 ⇨〔门钹〕
〔门将〕 ménjiàng 명 ⇨〔守shǒu门员〕
〔门禁〕 ménjìn 명 (성문 따위의) 문단속. 경비. ¶～森严; 문단속이 삼엄하다.
〔门警〕 ménjǐng 명 문을 지키는 경찰 또는 경비원.
〔门径〕 ménjìng 명 ①문으로 통한 길. ②방법. 수단. ¶终于找到了工作的～; 마침내 일의 요령을 찾아 냈다. =〔门路(儿)③〕 ③단서. 실마리. ¶摸mō到了一些～; 약간의 실마리를 잡았다. ④(학문·기예의) 초보. 입문.
〔门敬〕 ménjìng 명 ⇨〔门包(儿)〕
〔门静脉〕 ménjìngmài 명《生》문맥. =〔门脉〕
〔门臼〕 ménjiù 명 문둔테(문장부촉을 끼우는 구멍).
〔门军〕 ménjūn 명 문지기 군사. 수문군.
〔门坎(儿)〕 ménkǎn(r) 명 ⇨〔门槛kǎn (儿)〕
〔门槛(儿)〕 ménkǎn(r) 명 ①문이나 입구의 문지방. ¶踢破～; 문턱이 닳도록 찾아오다.〈比〉여러 사람이 (번번히) 찾아오다 / 有～; 이해성이 밝다 / 你怎么老不来啊? 我们这儿～高是怎么着? 너는 왜 죽 안 오는 거냐? 우리 집 문턱이 높기라도 하단 말이냐? ②〈方〉요령. 비결. 솜씨. ¶～紧的人; 조심성이 많은 사람 / 他～精, 不会上当; 그는 빈틈이 없으니까 속지 않는다. ③넘어야 할 난관. ‖ =〔门坎(儿)〕
〔门可罗雀〕 mén kě luó què〈成〉문 앞에 그물을 치고 참새를 잡을 수 있다(권세를 잃어 찾아오는 사람이 없음). =〔门可张罗〕
〔门可张罗〕 mén kě zhāng luó〈成〉⇨〔门可罗雀〕
〔门客〕 ménkè 명 식객. 문객. =〔食shí客〕〔门宾〕〔门人③〕〔门生②〕〔门下(客)①〕〔门下(士)②〕〔清qīng客②〕
〔门口(儿)〕 ménkǒu(r) 명 입구. ¶把客人送到～; 손님을 문 입구까지 배웅하다.
〔门口台阶〕 ménkǒu táijiē 명 문이나 방의 입구의 돌층계.
〔门扣子〕 ménkòuzi 명 ①문빗장. ②(총의) 놀이쇠. (방아쇠의) 자물쇠.
〔门框(儿)〕 ménkuàng(r) 명 문얼굴. 문틀.
〔门拉手〕 ménlāshou 명 ⇨〔门把〕
〔门廊〕 ménláng 명 ①포치. 입구. (문 바깥 부분의) 현관. ②(호텔·극장의) 로비. =〔门厅②〕
〔门了〕 ménle〈俗〉못 하게 되다. ¶这么点儿小事你就～吗? 이렇게 작은 일도 못 하게 되었는가?
〔门类〕 ménlèi 명 부문별. 분류.
〔门礼〕 ménlǐ 명 ⇨〔门包(儿)〕
〔门吏〕 ménlì 명 ①문지기. ②옛날, 지위 높은 관리가 집에서 부리는 집사·사용인.
〔门里出身〕 ménli chūshēn〈方〉①어떤 방면의 출신. 전문가. ¶说到变戏法, 他是～; 요술을 부리는 일이라면 그가 그 방면의 전문가이다. ②명문 집안의 출신.
〔门帘(儿, 子)〕 ménlián(r, zi) 명 방 입구에 치는 여름용의 발이나 겨울용의 문장(門帳). ¶棉～; 겨울용의 문장.
〔门联(儿)〕 ménlián(r) 명 문의 양 기둥, 또는 양 문짝에 붙이는 주련. =〔门对(儿)〕〔门帖〕
〔门脸儿〕 ménliǎnr 명〈方〉①성문에 가까운 곳. ¶～上常有警察站岗; 성문 출입구 부근에는 늘 경

관이 보초를 서 있다. ②가게의 정면 출입구. ③문의 언저리. 문간.
〔门铃(儿)〕ménlíng(r) 명 초인종. 문의 안쪽에 단 방울(밖에서 당겨서 울림).
〔门棂〕ménlíng 명 (문의) 창살.
〔门楼(儿)〕ménlóu(r) 명 ①성문 위의 누각. 문루. ②문의 지붕.
〔门路(儿)〕ménlu(r) 명 ①입구로 통한 길. ②희망. 싹수. ¶有～; 싹수가 있다. 희망이 있다. ③비결. 요령. 방법. =〔门道dao①〕〔门径②〕 ④연줄. ¶找～; 연줄을 찾다 / 没有～, 进不去; 연줄이 없어서 못 들어간다 / ～窄; 연줄이 〔교제가〕좁다 / 钻～; 연줄에 매달리다. =〔门子④〕
〔门罗主义〕Ménluó zhǔyì 명 《政》 먼로(Monroe)주의. =〔孟录主义〕
〔门脉〕ménmài 명 ⇨〔门静脉〕
〔门楣〕ménméi 명 ①상인방. 집의 꾸밈새. ¶～倒很威风; 집 규모가 아주 당당하다. ②가문. 집안. ¶壮～; 가문을 번성시키다 / 荣国府中, 可也不辱了老先生的～了; 영국부(榮國府)는 당신 집안에 욕이 되는 짓을 저지르지 않았습니까. =〔门第〕 ③(럭비 등의) 크로스 바. =〔横héng木〕
〔门门〕ménmén 무슨 일이든. 모든 일. ¶挑水, 砍柴, ～自己动手了; 물긷기·나무하기 등 그 모든 것을 스스로 하였다.
〔门面〕ménmian 명 ①내림(건물의 정면으로 보이는 칸수). ¶他们铺子有几间～? 그들의 가게는 앞면이 몇 칸입니까? ②〈比〉외관. 외양. ¶装～; 외면만을 꾸미다 / ～话; 실속 없는 이야기.
〔门面房〕ménmiànfáng 명 (길에 면한) 가게로 하기에 알맞은 집.
〔门钮〕ménniǔ 명 문의 손잡이.
〔门牌〕ménpái 명 ①문패. 표찰. ②〈轉〉번지. ¶～几号? 몇 번지입니까? / 十二号～ =〔～十二号〕; 12번지.
〔门票〕ménpiào 명 ①(공원·박물관 등의) 입장권. =〔门券〕 ②입장료.
〔门旗〕ménqí 명 옛날, 진영(陣營) 앞에 세운 가늘고 긴 기.
〔门钱〕ménqián 명 ⇨〔门包(儿)〕
〔门球〕ménqiú 명 《體》 게이트볼(gate ball).
〔门券〕ménquàn 명 ⇨〔门票①〕
〔门儿〕mēnr 〈擬〉 빽(기적 소리). ¶火车～～地拉鬠bì儿; 기차가 빽빽 기적을 울린다.
〔门儿〕ménr 명 ①문. 출입구. ②초(初). 처음. ¶六月～; 6월 초. ③일문(一門). 도당(徒黨). 일족(一族) 또는 그 한 갈래. ④(일의) 방법. 방도. 비결. 요령. ¶钻zuān研了几个月, 渐渐摸着～了; 몇 달을 연구한 결과, 차츰 방법을 익혀 갔다. ⑤요지. ⑥가망. 짐작. ¶事情办得有点儿～了; 일을 하고 있는 사이에 조금 가망이 보이게 되었다. ⑦연줄. 연고.
〔门人〕ménrén 명 ①문인. 제자. ②⇨〔门差〕 ③⇨〔门客〕
〔门塞子(儿)〕ménsāizi(r) 명 문에 지르는 빗장.
〔门扇(子)〕ménshàn(zi) 명 문짝.
〔门上的〕ménshàngde 명 ⇨〔门差〕
〔门神〕ménshén 명 구정에 사귀(邪鬼)를 물리치기 위하여 좌우 문짝에 붙이는 종이('神荼'와 '郁垒', 현대는 '秦琼'과 '尉迟敬德'의 두 신을 그린 상을 붙임. '尉迟敬德' 쪽을 '武门神' '黑脸儿', '秦琼' 쪽을 '文门神' '白脸儿'라 함. 저택 안의 작은 문이나 입구의 문, 또는 가난한 집의 문 등 문짝이 하나밖에 없는 경우에는 한 장짜리를 붙임. 이를 '正坐(儿)' '加官儿' '独坐儿'라 함). ¶正月十五贴～; 〈比〉 소 잃고 외양간 고치기 / ～打灶神; 문신이 조왕(부뚜막의 신)과 다투다(한 집안에서 서로 다투다).
〔门生〕ménshēng 명 ①문생. 제자(제자가 스승에게 대하여 자신을 말할 때도 씀. 또, '科kē举'에서 합격자의 시험관에 대한 자칭). ¶小～; 손제자. 제자의 제자 / ～故吏; 제자나 옛 부하. =〔门徒〕〔门下(士)①〕 ②⇨〔门客〕
〔门市〕ménshì 명 소매. ¶～部; 소매부 / ～价; 소매 가격 / 今天～很好; 오늘은 잘 팔린다 / 为本刊读者, 特设～部服务; 본지 독자를 위하여 특히 소매부를 설치하여 서비스합니다. =〔门售〕〔门庄〕
〔门市彩〕ménshìcǎi 명 ⇨〔挂guà钱儿〕
〔门首〕ménshǒu 명 문전. 문앞.
〔门售〕ménshòu 명 ⇨〔门市〕
〔门塾〕ménshú 명 ⇨〔家jiā塾〕
〔门闩〕ménshuān 명 문빗장. ¶上～; 빗장을 걸다〔지르다〕/ 下～; 빗장을 벗기다. =〔门栓〕〔门塞子〕
〔门栓〕ménshuān 명 ⇨〔门闩〕
〔门锁〕ménsuǒ 명 도어 록(door lock). 문의 자물쇠.
〔门堂〕méntáng 명 문간방.
〔门帖〕méntiě 명 ⇨〔门对(儿)〕
〔门厅〕méntīng 명 ①문간. 현관. ②⇨〔门廊②〕
〔门庭〕méntíng 명 〈文〉 ①문과 뜰. ¶～若ruò市; 〈成〉 문전 성시. 많은 사람이 찾아오다. ②〈轉〉 가문. 일가. ¶～衰shuāi落; 가문이 쇠퇴하다.
〔门头子〕méntóuzi 명 문. 문 앞.
〔门徒〕méntú 명 ⇨〔门生①〕
〔门外汉〕ménwàihàn 명 문외한. →〔外行háng〕
〔门网〕ménwǎng 명 《體》 (럭비·미식 축구 등의) 골 네트(goal net).
〔门望〕ménwàng 명 가문의 성망(聲望) 〔평판〕. ¶很有～; 대단히 성망이 있다.
〔门卫〕ménwèi 명 수위. 문지기.
〔门庑〕ménwǔ 명 문의 좌우에 있는 회랑(回廊).
〔门下(客)〕ménxià(kè) 명 ①⇨〔门客〕 ②제자. 문하생.
〔门下(士)〕ménxià(shì) 명 ①⇨〔门生①〕 ②⇨〔门客〕
〔门限〕ménxiàn 명 입구의 문지방. ¶～紧的人; 조심성 있는 사람. =〔门槛kǎn(儿)〕
〔门心〕ménxīn 명 문짝의 한가운데.
〔门婿〕ménxù 명 ⇨〔女nǚ婿〕
〔门牙〕ményá 명 ①〈俗〉 앞니. =〔门齿〕 ②진영(陣營). 장군(본디는 대장군의 문 앞에 세워 둔 기(旗)).
〔门业〕ményè 명 조상 전래의 가업. 동 사사(師事)하다. 제자가 되다. ¶他曾～于章太炎, 算是章门弟子了; 그는 장태염(章太炎)을 사사한 적이 있으므로, 장(章)의 문하생이라고 할 수 있다.
〔门荫〕ményìn 명 〈文〉 가문의 음덕(蔭德). =〔门庇〕
〔门闸〕ménzhá 명 내리닫이문.
〔门照〕ménzhào 명 옛날, 성문 출입증.
〔门诊〕ménzhěn 명 《醫》 택진(宅診). 외래(外來) 진찰. ¶～挂号证; 진찰권 / ～部; 외래 진찰부 / 看～; 외래 환자를 진료하다.
〔门枕〕ménzhěn 명 문기둥의 주춧돌.
〔门轴〕ménzhóu 명 ⇨〔门柱①〕
〔门柱〕ménzhù 명 ①문주. 문기둥. =〔门轴〕 ②

《體》(축구 등의) 골대. =〔直zhí木〕
〔门庄〕 ménzhuāng 명 ⇨〔门市〕
〔门庄货〕 ménzhuānghuò 명 재고 정리품.
〔门状〕 ménzhuàng 명 ⇨〔拜bài帖〕
〔门资〕 ménzī 명 집안의 격(格). 지체. 가품.
〔门子〕 ménzǐ 명 ①해결 방법·단서. 요령. 비결. ¶哪有这样多～可找? 어떻게 이런 많은 방법을 찾을 수 있습니까? ②관청 또는 귀족 현관(顯官) 집의 문지기. ③문. 〈比〉 집. ¶串chuàn～; 남의 집을 잡담이나 하며 돌아다니다/大～; 큰집/阔kuò～; 부잣집/出～; 시집 가다. ④〈轉〉 연줄. 후원자. ¶～货; ⓐ연줄로 취직한 사람. ⓑ빈틈없는 놈. =〔门路(儿)④〕 양 경멸의 뜻을 포함하여 다음과 같은 사항에 쓰임. ¶哪～话! 무슨 소리야!/哪～事! 무슨 일인가!/这是哪～酒, 简直是水呀! 이게 무슨 술이냐, 완전히 맹물이잖아!/他是哪～先生, 连这么点儿都不知道! 그가 무슨 놈의 선생이냐, 이런 것도 모르는데!
〔门祚〕 ménzuò 명 〈文〉 문조. 가운(家運).

们(們) mén (문) 지명용 자(字). ¶图Tú～江; 투먼강(圖們江). 두만강(豆滿江). ⇒men

扪(捫) mén (문) 동 ①손바닥을 얹다〔대다〕. 쓰다듬다. 문지르다. ¶～心; 가슴에 손을 얹다〔얹고 생각하다〕. ②손으로 더듬다. ¶～狲sūn;더듬어 찾다. ③쥐다.
〔扪舌〕 ménshé 동 말하지 못하게 하다.
〔扪虱〕 ménshī 동 이를 잡다. ¶～而谈;〈成〉 무심히 이를 잡으면서 말하다《무심하고 꾸미지 않는 모양》.
〔扪狲〕 ménsūn 동 손으로 더듬다.
〔扪心自问〕 mén xīn zì wèn 〈成〉 가슴에 손을 얹고 자문하다. 자기 반성하다. ¶如果每一个人都能～, 就没有这样坏事; 만약에 한 사람 한 사람이 스스로 반성한다면, 이 같은 나쁜 일은 일어나지 않을 것이다.
〔扪诊〕 ménzhěn 명 《醫》 촉진(觸診).

钔(鍆) mén (문) 명 《化》 멘델레븀(Md: mendelevium)《인공 방사성 원소의 하나》.

璊(璊) mén (문) 명 〈文〉 붉은 빛깔의 옥.

亹 mén (문) 지명용 자(字). ¶～源Ményuán; 먼위안(亹源)《칭하이 성(青海省)에 있는 회족 자치 현(回族自治縣) 이름. 현재는 '门源'으로 씀》. ⇒wěi

闷(悶) mèn (민) ① 형 마음이 우울하다. 침울하다. 울적하다. 답답하다. ¶解～儿 =〔遣～〕; 답답한 마음을 풀다/～得慌; 몹시 우울하다/烦～; 번민(하다). ② 동 봉하여 공기를 통하지 못하게 하다. 밀폐하다. ③ 동 뚜껑을 꼭 덮고 뭉근한 불에 삶다. =〔焖①〕 ④설마 …은 아니겠지. ¶～是来客? 설마 손님은 아니겠지? ⇒mēn
〔闷表〕 mènbiǎo 명 ⇨〔闷壳儿表〕
〔闷怅怅〕 mènchàngchàng 형 몹시 우울하다.
〔闷沉沉〕 mènchénchén 형 침울하다. 울적하다.
〔闷出病来〕 mènchubìnglai 침울에 빠져 병이 나다.
〔闷得慌〕 mèndehuang 심심해서 죽겠다. 몹시 우울〔따분〕하다. ⇒mēndehuang
〔闷灯〕 mèndēng 명 ①영전(靈前)에 바치는 등. ②간데라(네 kandelaar)의 일종.
〔闷饭〕 mèn,fàn 동 ①밥을 뜸들이다. ②밥을 짓다. ‖=〔焖饭〕
〔闷宫〕 mèngōng 명 《劇》 너무 수면을 취해서 오히려 목소리가 잠겨 맑지 못한 것《중국 전통극 배우들 사이의 전문어》.
〔闷罐〕 mènguàn 명 약간 키가 크고 뚜껑 있는 도자기 제품《곰거리를 넣어 시루 또는 끓는 물 속에 넣어 곰》.
〔闷棍〕 mèngùn 명 느닷없이 불쑥 하는 행위·말. ¶一进门就吃了她一～; 방에 들어서기가 무섭게 그녀한테 뜻밖의 일격을 당했다/打～; 불의의 습격을 가하다.
〔闷葫芦〕 mènhúlu 명 ①오리무중. 이상한 일. 풀기 어려운 수수께끼. ¶打～; 영문 모를 일을 생각하다/这件事的真相还是～; 이 일의 진상은 역시 여전히 오리무중이다/谁能打破这个～呢; 누가 이 수수께끼를 풀 것인가. ②말이 없는〔과묵한〕 사람. ¶因此大伙儿管他叫～; 그래서 모두들 그를 말이 없는 사람이라고 한다.
〔闷葫芦罐儿〕 mènhúluguànr 명 〈俗〉 ①벙어리 저금통. =〔扑满〕 ②〈比〉 뭐가 뭔지 모를 일. 도무지 갈피를 잡을 수 없는 이야기. ¶真是急人, 看这～多咱打破! 정말 속이 타는군. 이 수수께끼 같은 일은 언제나 풀릴는지! =〔闷在罐儿里〕〔闷在葫芦里〕
〔闷火〕 mènhuǒ 동 (꺼지지 않도록) 불을 재로 덮다. 명 재를 덮어 둔 불.
〔闷井〕 mènjǐng 명 공기가 통하지 않는 움. 밀폐된 움. ¶天然～不会坏红薯; 자연의 움을 만들어 공기가 통하지 않게 하면 고구마는 썩지 않는다.
〔闷酒〕 mènjiǔ 명 홧술. ¶喝点儿～; 홧술을 조금 마시다.
〔闷倦〕 mènjuàn 형 지루하다. 따분하다.
〔闷壳儿表〕 mènkérbiǎo 명 양면에 뚜껑이 있는 회중시계. =〔闷表〕
〔闷咳〕 mènké 동 소리를 죽여 기침을 하다. ¶～了两声; 두세 번 소리를 죽여 기침을 하다.
〔闷扣(儿)〕 mènkòu(r) 명 똑딱단추. 스냅 파스너.
〔闷雷〕 mènléi 명 ①멀리서 울리는 천둥 소리. 낮은 소리를 내는 우레. ¶脑袋里轰轰地像打～; 머릿속은 쾅 하고 천둥 소리가 울리는 듯하다. ②〈比〉 돌연한 타격. ¶他听了这话, 又是一个～; 그는 이야기를 듣고 또다시 큰 타격을 받았다.
〔闷炉(儿, 子)〕 mènlú(r, zi) 명 (군고구마 따위를 굽는) 구이솥〔가마〕. ¶～烧shāo饼; 구이솥에 구운 빵.
〔闷瞀〕 mènmào 형 번민하며 당혹하다.
〔闷闷〕 mènmèn 형 몸부림치며 괴로워하다. 번민하다. 울적하다.
〔闷闷不乐〕 mèn mèn bù lè 〈成〉 우울하여 견딜 수 없다. ¶你干吗～? 무얼 울적해 하는 거냐?
〔闷默〕 mènmò 동 침묵을 지키다.
〔闷气〕 mènqì 명 가슴 속에 쌓인 원한이나 노여움. 울분. 형 가슴이 답답하다. ⇒mēnqì
〔闷儿〕 mènr 명 주화(鑄貨)의 뒤쪽《무늬가 새겨져 있는 면》. =〔漫儿〕
〔闷人〕 mènrén 동 남을 질력나게〔우울하게〕 하다. ⇒mēnrén
〔闷死〕 mènsǐ 동 ①지루해 죽겠다. 우울해 죽겠

다. ②심심해서 죽을 지경이다. ③숨막혀 죽다. ⇒mēnsǐ
〔闷头儿〕 mèn·tóur 동 말없이 있다. ¶～想问题; 가만히 문제를 생각하다 / ～写文章; 부지런히 글을 쓰다 / 你在～想什么事; 너는 무얼 그렇게 골똘히 생각하고 있는 거냐. ⇒mēn·tóur
〔闷郁〕 mènyù 형 〈文〉 울적〔우울〕하다.
〔闷在鼓里〕 mènzài gǔli 따돌리다.
〔闷子车〕 mènzichē 명 유개(有蓋) 화차.
〔闷坐〕 mènzuò 동 시름없이 앉아 있다.

焖(燜) mèn (민)
① 동 뚜껑을 덮고 약한 불에 익히다. ¶～一锅肉; 고기 한 솥을 고다 / 把肉～得烂烂儿lànlānr的; 고기가 연해질 때까지 삶다 / 油～笋; 죽순 조림 / 红～肉; 고기를 얼음 사탕·술·간장으로 조린 것. =〔闷mèn③〕 ② 명 삶은 다음 양념하여 뭉긋한 불에 오래 끓이는 요리법.
〔焖肥〕 mènféi 명 《農》 '堆duīl肥' (퇴비)의 별칭.
〔焖火〕 mènhuǒ 동 가열했다가 서서히 식히다.
〔焖烂〕 mènlàn 동 뚜껑을 덮고 뭉긋한 불로 끓여 연하게 하다.
〔焖肉〕 mènròu ① 명 (뚜껑을 닫고) 푹 삶은 돼지고기. ②(mèn ròu) 고기를 오래 푹 삶다.

懑(懣) mèn (만, 문)
명동 번민(하다). 고민(하다). →〔愤懑〕〔忿fèn懑〕

们(們) men (문)
접미 ①사람의 복수를 나타내는 말. ¶我～; 우리들. ②친척 호칭에 붙여 복수로 성립되는 관계임을 나타냄. ¶哥儿～; 형제 / 姐儿～; 자매. ③사람을 나타내는 고유 명사에 붙였을 때는 그룹이나 그 쪽 사람임을 나타냄. ¶老王～; 왕씨네들. 왕씨 쪽 사람들. 注1 '三个孩子' 와 같이 명사 앞에 양사(量詞)가 놓이면 뒤에 '们' 을 붙이지 않음. 注2 '老师和学生～' 이 '老师们和学生们' (선생들과 학생들)이라는 뜻을 나타내는 경우는 조사로 간주함. 注3 인간 이외의 생물이나 사물을 나타내는 명사에 이어질 때는 의인법(擬人法)으로 씀. ⇒mén

MENG ㄇㄥ

蒙(矇) ①③ mēng (몽)
동 ①기만하다. 속이다. ¶别～人! 사람을 속이면 못써! / ～着卖; 속여서 팔다 / 说瞎话～人; 터무니없는 말을 하여 남을 속이다 / 你被人～了; 너는 속았다 / ～不动; 속일 수 없다. ②정신이 흐릿해지다. 아찔해지다. ¶心里就～了急说道; 정신이 어릿어릿해서 허겁지겁 말했다 / 他被球打～了; 그는 공에 맞아 멍해졌다. ③적당히 어림치다. 짐작으로 하다. ¶这下我可～对了; 이번에는 내 짐작이 맞았다. ⇒méng Měng
〔蒙报〕 mēngbào 동 허위 보고를 하다.
〔蒙背〕 mēngbèi 동 덮어 감추다.
〔蒙禀〕 mēngbǐng 동 허위로 제기〔주장〕하다.
〔蒙吃蒙喝〕 mēngchī mēnghē 남을 등쳐서 먹고 마시다.
〔蒙饭吃〕 mēngfànchī 남을 속여서 살아가다. ¶那个家伙没什么本事, 简直是到处～; 저놈은 아무런 수완도 없이, 그야말로 어디서나 남을 속여서 밥을 먹고 있다.
〔蒙哄〕 mēnghǒng 동 속이다. 기만하다. ¶～人; 남을 속이다 / 这事～不了liǎo行háng家; 이 일에 관해서는 전문가는〔내용을 잘 아는 사람은〕 속일 수 없다 / 一时打了眼叫他～过去了; 무심코 잘못 보아 그에게 속아 넘어갔다 / 说媒拉纤的少有不～人的; 중매를 하거나 거간 노릇을 하는 사람치고 남을 속이지 않는 사람은 적다. ⇒ménghǒng
〔蒙混〕 mēnghùn 동 속임수를 써서 기만하다. ¶做事情讲究的是干净俐落. 你竟想要shuǎ小聪明图个～, 那不是找挨ái搭吗? 일을 하는 데 중요한 것은 깨끗하고 산뜻하게 하는 것이다. 너는 잔재주만 부리고 속이려 하는데, 그것은 남에게 혼나는 것을 자청하는 것이 아니냐? / 你想～过去, 那还行吗? 넌 속여 넘기려 생각하고 있는 모양인데, 그래도 되느냐? ⇒ménghùn
〔蒙劲儿〕 mēngjìnr 명 ①(느닷없는 일이어서) 어안이벙벙해짐. ¶这发愣是一时的～; 멍하니 있었던 것은 일시적으로 어안이벙벙했던 것뿐이다. ②요행수. ¶考试不能凭～; 시험은 요행수로는 안된다.
〔蒙领〕 mēnglǐng 동 속여서 받아 내다〔가지다〕.
〔蒙蒙亮(儿)〕 mēngmēngliàng(r) 명 새벽녘. 형 (새벽 하늘이) 희붐하게 밝아지는 모양.
〔蒙弄〕 mēngnòng 동 속이다.
〔蒙骗〕 mēngpiàn 동 사기하다. 속이다. =〔欺骗〕
〔蒙人〕 mēng·rén 동 사람을 속이다. ¶吃烧饼没有不掉芝麻粒儿的, ～没有不露真相的; (겉에 붙어 있는) 깨알을 떨어뜨리지 않고 '烧饼' 을 먹을 수 없듯이, 남을 속여서 탄로나지 않는 일은 없다 / 这回叫我抓住毛病了, 你下回还～不蒙? 이번에 나한테 약점을 잡혔는데, 다음 번에도 남을 속이려는 거냐?
〔蒙事〕 mēngshì 동 〈方〉 거짓말을 하여 남을 속이다. ¶公文里满篇都是白字, 这哪儿叫办公啊, 简直是～嘛; 이 공문은 온통 오자투성이다. 이것이 어디 공무 처리인가. 그야말로 속임수다.
〔蒙事儿〕 mēngshìr 동 전문가연(然)하다. 아는 체하다. ¶别在这儿瞎～了! 여기서 함부로 아는 티를 내는 것은 그만두시오!
〔蒙松雨(儿)〕 mēngsongyǔ(r) 명 〈方〉 가랑비. 보슬비. =〔蒙丝雨(儿)〕〔小xiǎo乌拉雨〕
〔蒙头〕 mēngtóu 동 어찌할 바를 모르다. 영문을 모르다. ¶～转向; 〈成〉 사리가 분명하지 않다. 정견(定見)이 없다. 갈팡질팡하다.
〔蒙着〕 mēngzhe 〈俗〉 운이 좋다. 요행수로 얻다. ¶总算他～了; 그는 운이 좋은 셈이다.
〔蒙着锅儿〕 mēngzhe guōr 〈京〉 진상도 모르면서. 마구잡이로. 무턱대고. 어림짐작으로. ¶你别～胡说啦; 지레짐작으로 아무렇게나 지껄이지 마라 / 没打听打听根底, ～地干怎么不失败呢; 자세한 사정을 알아보지도 않고 무턱대고 해서는 실패를 면치 못한다.
〔蒙住〕 mēngzhù 동 ①속여서 믿게 하다. ¶我真把他～了; 나는 감쪽같이 그를 속였다. ②머릿속이 멍해지다. ¶～了想不起来; 깜박 잊어 생각이 나지 않다 / 他忽然这么哭起来, 大家～了; 그가 갑자기 울기 시작했으므로 모두들 얼떨떨해졌다. ⇒méngzhù

尨 méng (방)
→〔尨茸〕 ⇒máng
〔尨茸〕 méngróng 형 머리가 텁수룩하게 흐트러진

모양.

氓〈甿〉 **méng** (맹)
명 백성(특히, 외래의 백성을 이름). ¶～隶lì =〔萌藜〕; (외지에서 온) 백성. =〔萌⑥〕 ⇒máng

虻〈蝱〉 **méng** (맹)
명 《蟲》 등에. ¶～眼yǎn; 《植》 등에풀/牛～; 등에말파리.

萌 **méng** (맹)
①명 식물의 싹. ②명 징조. 전조. 조짐. ③동 싹트다. 발생하다. =〔萌芽〕 ④동 시작되다. 일어나다. ¶～了这种念头; 이 같은 생각이 일어났다/故态复～; 〈成〉 원래와 같은 상태가 다시 일어나다/见于未～; 일이 생기기 전에 예견하다. ⑤동 (논밭을) 갈다. ⑥명 ⇨〔氓méng〕

〔萌动〕 **méngdòng** 동 ①싹트다. ②(식물의) 싹이 나오다. ③시작되다. ¶春意～; 춘정이 싹트다. ④(생각이) 움직여 생겨나다. ¶曾经～过这样的认识; 이러한 인식이 싹튼 적이 있다.

〔萌豆〕 **méngdòu** 명 《植》 녹두.

〔萌发〕 **méngfā** 동 (씨 따위가) 싹을 내다. 움이 돋다. 싹트다.

〔萌念〕 **méngniàn** 동 ⇨〔萌想〕

〔萌蘖〕 **méngniè** 명 나무의 벤 자리 가까이에서 새로 나오는 싹. 움돋이.

〔萌生〕 **méngshēng** 동 (보통 추상적인 사항이) 발생하기 시작하다. 싹트다. ¶～林; 잡목림(雜木林). 명 새싹.

〔萌松〕 **méngsōng** 명 《植》 노간주나무.

〔萌想〕 **méngxiǎng** 동 〈文〉 생각해 내다. 생각을 일으키다. =〔萌念〕

〔萌芽〕 **méng.yá** 동 싹트다. 발생하다. (**méngyá**) 명 ①싹틈. 발생. ¶～时期; 맹아 시대. 발생 시기/～状态; 맹아 단계. 발달의 초기/～性质; ⓐ미발달·미숙한 성질. ⓑ초기의 성질. ②싹. ¶～破土而出; 흙을 뚫고 싹이 나오다. ‖ =〔萌牙〕

〔萌兆〕 **méngzhào** 명 ①조짐. 징후. ②동기.

〔萌茁〕 **méngzhuó** 명동 발아(하다).

盟 **méng** (맹)
①명 동맹. 연합. ¶结jié～; 결맹하다/同～; 동맹(하다). ②동 의형제의 약속을 맺다. ¶～兄弟; 의형제. ③명 몽고(蒙古)의 행정구획(중국의 성(省)에 해당).

〔盟邦〕 **méngbāng** 명 맹방. 동맹국. =〔盟国〕

〔盟册〕 **méngcè** 명 ⇨〔盟书〕

〔盟弟〕 **méngdì** 명 (의형제의 약속을 맺은) 동생. 의제(義弟). ¶～妇fù; 의제의 아내. =〔谱pǔ弟〕

〔盟国〕 **méngguó** 명 ⇨〔盟邦〕

〔盟军〕 **méngjūn** 명 동맹군.

〔盟嫂〕 **méngsǎo** 명 '盟兄' (의형(義兄))의 아내.

〔盟誓〕 **méngshì** 명동 맹약(盟約)(하다). =〔明誓〕

〔盟首〕 **méngshǒu** 명 ⇨〔盟主〕

〔盟书〕 **méngshū** 명 의형제의 서약서. =〔盟册〕

〔盟帖〕 **méngtiě** 명 의형제의 약속을 맺은 사람의 이름·나이·주소 등을 적은 목록.

〔盟心〕 **méngxīn** 명 거짓 없는 마음.

〔盟兄〕 **méngxiōng** 명 (의형제의 약속을 맺은) 형. ¶～盟弟 =〔～把bǎ弟〕; 결의 형제. =〔谱pǔ兄〕

〔盟兄弟〕 **méngxiōngdì** 명 의형제. =〔谱pǔ兄弟〕

〔盟友〕 **méngyǒu** 명 ①맹우. 맹약을 맺은 벗. ②동맹국. =〔盟邦〕

〔盟员〕 **méngyuán** 명 동맹원.

〔盟约〕 **méngyuē** 명 (동맹의) 의정서.

〔盟侄〕 **méngzhí** 명 의형제의 아들.

〔盟主〕 **méngzhǔ** 명 맹주. =〔盟首〕

〔盟主权〕 **méngzhǔquán** 명 ⇨〔霸bà权〕

蒙(矇[B)], 濛[C)], 懞[D)]) **méng** (몽)
A) ①동 받다. 입다. ¶多～您指正; 여러 가지로 가르침을 받자와 감사합니다/深～过爱; 과분한 애고(愛顧)를 입사와 감사하게 생각합니다/～殷勤招待, 无任感谢; 정중한 초대를 받자옵고 감사하기 이를 데 없습니다. ②동 덮어씌우다〔가리다〕. 싸다. ¶～往眼睛; 눈가리개를 하다/～头盖脸; 머리와 얼굴을 덮어 가리다/把头～在被窝里; 머리를 이불 속에 쑤셔박다/再～上一块皮子; 가죽을 한 장 더 씌우다. ③동 〈方〉 가죽이나 커버 따위를 씌우다. ¶剥bāo了皮～胡琴儿; 가죽을 벗겨 호궁(胡弓)을 메우다. ④명 무지. 무매. 어리석음. ¶启qǐ～; ⓐ계몽하다. 몽매함을 깨우치다. ⓑ학문·기예 따위의 초보를 가르치다. ⑤형 (어려서) 철이 없다. 분별이 없다. ¶～童tóng; 어린아이. ⑥동 속이다. ⑦명 성(姓)의 하나. **B)** 〈文〉 ①동 눈이 멀다. ②명 장님. ③형 불분명하다. ¶～眬; ⇓ **C)** ①형 가랑비가 내리는 모양. ②→〔空蒙〕〔溟蒙〕 **D)** 형 멍해지다. 흐리멍덩해지다. ¶他已经～了, 什么也不知道了; 그는 이미 머리가 멍해져서 아무것도 모른다/这场横祸, 把他打～了; 이 뜻밖의 재난이 그의 마음을 혼란케 했다/这一问, 把他问～了; 이 물음에 그는 멍해졌다. ⇒mēng Měng

〔蒙蔽〕 **méngbì** 동 (사실을 알리지 않고) 눈가림하다. 속이다. ¶花言巧语～不了人; 달콤한 말로 남을 속일 수는 없다/受了他的～; 그에게 속아 넘어갔다.

〔蒙尘〕 **méngchén** 동 〈文〉 몽진하다(천자가 도읍을 떠나 난을 피하는 일).

〔蒙冲〕 **méngchōng** 명 ⇨〔艨艟〕

〔蒙艟〕 **méngchōng** 명 ⇨〔艨艟〕

〔蒙丹蜡〕 **méngdānlà** 명 광랍(鑛蠟). 몬탠(montan)랍(蠟). =〔褐hè炭蜡〕〔芒máng旦蜡〕

〔蒙得维的亚〕 **Méngdéwéidìyà** 명 《地》 〈音〉 몬테비데오(Montevideo)('乌拉圭东岸共和国' (우루과이 동방 공화국)의 수도).

〔蒙顶〕 **méngdǐng** →〔蒙山茶〕

〔蒙钝〕 **méngdùn** 형 우둔하다.

〔蒙垢〕 **méngggòu** 동 수치〔창피〕를 돌아보지 않다〔개의치 않다〕. ¶～含羞地过这么些年了; 수치를 무릅쓰고 요 몇 해 동안을 지내 왔다.

〔蒙辜〕 **méngggū** 동 〈文〉 죄를 짓다. ¶他年幼无知, 一时失手～现已悔不及; 그는 어렸을 때 무지한 탓에 한때 실수로 죄를 지어, 지금은 후회 막급의 형편이다.

〔蒙顾〕 **méngggù** 동 애고(愛顧)를 입다.

〔蒙馆〕 **méngguǎn** 명 옛날, 한 집안의 어린이 교육을 위하여 설치된 서당식의 사숙(私塾).

〔蒙裹〕 **méngguǒ** 동 싸다. 싸서 가리다. ¶下了雨了, 您拿这块油布～着衣服回去吧; 비가 오고 있으니, 이 동유(桐油) 방수포(防水布)로 옷을 싸 가리고 돌아가거라.

〔蒙(汗)药〕 **méng(hàn)yào** 명 〈俗〉 몽혼약. 마취약(구소설 중에 자주 나옴). →〔麻má醉剂〕〔麻药〕

〔蒙哄〕 **ménghǒng** 동 (거짓 수단으로) 남을 속이

다. ¶我知道得很清楚, 你怎么说也~不了人的; 나는 잘 알고 있으니까, 어떤 말을 하든넌 나를 속일 수 없다. ⇒mēnghǒng
〔蒙混〕 ménghùn 동 (속임수로) 속이다. ¶~过关; 속이고 관문을 빠져 나가다. 거짓말로 일시 모면하다. =〔朦混〕⇒mēnghùn
〔蒙聩〕 méngkuì 명 ①장님과 귀머거리. ②〈轉〉 무지(無知).
〔蒙老瞎〕 ménglǎoxiā 명 술래잡기. =〔捉迷藏cáng〕
〔蒙茏〕 ménglóng 형 〈文〉 초목이 무성하다. =〔蒙笼〕
〔蒙眬〕 ménglóng 형 (잠이 덜 깨어) 눈이 몽롱하다. 눈이 흐리멍덩하다. 졸려서 깜빡깜빡 졸다. 꾸벅꾸벅 졸다. ¶睡眼~; 졸린 눈으로 몽롱해 있다. =〔矇眬〕
〔蒙笼〕 ménglóng 형 ⇨〔蒙茏〕
〔蒙罗维亚〕 Méngluówéiyà 명 《地》〈音〉 몬로비아(Monrovia). '利比利亚共和国'(라이베리아)의 수도.
〔蒙昧〕 méngmèi 형 ①몽매하다. 미개하다. ¶~时代; 미개 시대/处于~时期; 혼미하고 문화가 낮은 시기에 처해 있다. ②어리석다. ¶~无知; 무지몽매.
〔蒙蒙〕 méngméng 형 ①성(盛)한 모양. ②어둑어둑〔어두침침〕한 모양. ③보슬비가 보슬보슬 내리는 모양. ¶~细雨 =〔~雨(儿)〕; 보슬비. =〔濛濛〕
〔蒙面〕 méngmiàn 명동 복면(覆面)(하다). ¶持枪~大汉; 권총을 들고 복면을 한 큰 사나이.
〔蒙难〕 méng·nàn 동 ①(인위적인) 재난을 만나다. ②(지도자나 혁명 지사가) 수난을〔박해를〕 당하다.
〔蒙皮〕 méngpí 명 경기구·비행기 등의 기낭(氣囊)의 겉을 싼 천.
〔蒙欺盖景〕 méngqī gàijǐng 잘못을 감추고 분식(粉飾)하다. 속이다. ¶一件事要脚踏实地去干, ~是不行的; 한 가지 일을 착실히 해야 하며, 잘못을 속여서는 안 된다.
〔蒙气〕 méngqì 명 《氣》 대기(大氣)의 구칭.
〔蒙情〕 méngqíng 동 은혜를 입다.
〔蒙山茶〕 méngshānchá 명 쓰촨 성(四川省) 밍산현(名山縣) 멍산(蒙山)에서 나는 차. ¶蒙顶; 최고급품의 몽산차.
〔蒙上〕 méngshàng 동 덮다. 씌우다. ¶~一张纸; 종이를 한 장 덮다.
〔蒙神赚鬼〕 méngshén zuànguǐ 〈京〉 남을 속이다. 협잡을 하다. ¶我早知道这是~的事嘛! 이것이 협잡이라는 것을 이미 알고 있었다!
〔蒙士〕 méngshì 명 〈文〉 지위가 낮은 선비.
〔蒙示〕 méngshì 동 〈翰〉 가르침을 받다. 교시(敎示)를 받들다.
〔蒙受〕 méngshòu 동 받다. 입다. 당하다. ¶~耻辱; 치욕을 당하다/~恩惠; 은혜를 입다/~损失; 손실을 입다/像他那样清清白白的人竟~无辜, 真叫人觉着不平; 그와 같은 결백한 사람이 뜻밖에도 무고한 죄를 쓰다니, 정말 불평을 느끼지 않을 수 없다.
〔蒙瞍〕 méngsǒu 형 〈文〉 눈이 보이지 않다. 명 소경. 장님.
〔蒙太奇〕 méngtàiqí 명 〈音〉 몽타주(프 montage).
〔蒙特卡路〕 Méngtèkǎlù 명 《地》〈音〉 몬테카를로(Monte Carlo)(모나코 공국의 도시. 오락장·도박장 등이 있음).
〔蒙腾〕 méngténg 형 거나하게 취한 모양.
〔蒙童〕 méngtóng 명 아직 아무것도 모르는 (초학의) 어린아이. 철부지.
〔蒙头〕 méng·tóu 동 머리를 푹 뒤집어써서 가리다. ¶大家不是坐着闲谈, 便是~大睡; 모두는 앉아서 한담을 하든가 이불을 푹 뒤집어쓰고 자든가 하고 있다/~盖脸; 〈成〉 얼굴을 푹 뒤집어써 가리다(모르는 체하다. 시치미 떼다).
〔蒙头巾〕 méngtóujīn 명 스카프(scarf).
〔蒙头纱〕 méngtóushā 명 (북방에서 흙먼지를 막기 위하여 부인네들이 머리에 쓰는 얇은 비단)베일. ¶起风了, 您戴上~再出去吧; 바람이 부니 베일을 쓰고 나가시오.
〔蒙席盖井〕 méngxí gàijǐng 〈比〉 숨기어 속이다. ¶他办事竟是~; 그가 하는 짓은 속임수뿐이다/~鬼混hùn一时; 이것저것 모두 숨기고 어물어물 한때를 속여 넘기다.
〔蒙羞〕 méngxiū 동 수치를 당하다. ¶她~以后成天寻死赖活的; 그녀는 수치를 당하고 나서부터는 하루 종일 죽네 사네 하며 소동을 벌이고 있다.
〔蒙学〕 méngxué 명 옛날의, 초등 학교. ¶小二七岁了, 该入~了; 둘째 아이도 일곱살이 되어서 학교에 들어갈 나이가 되었다.
〔蒙养〕 méngyǎng 동 아이를 가르치다. 유아를 보육하다. ¶~院; (옛날의) 유치원. →〔幼儿园〕
〔蒙药〕 méngyào 명 《藥》 마취제의 통칭.
〔蒙幼〕 méngyòu 형 나이가 어리다. 철없다.
〔蒙冤〕 méngyuān 동 무고한 죄를 뒤집어쓰다. 누명을 쓰다.
〔蒙在鼓里〕 méng zài gǔli 〈比〉 은폐되어서 상황에 대해 아무것도 알 길이 없다. ¶这么大的事儿, 你还~, 这哪行啊! 이렇게 큰 일을 네가 아직도 모르고 있다니 이래도 되느냐!
〔蒙稚〕 méngzhì 형 유치하다. 어리다. ¶~之言, 焉能置信; 유치한 말을 어찌 믿을 수 있겠는가. 명 유아. 어린아이.
〔蒙住〕 méngzhù 명 덮어 감추다. ⇒mēngzhù
〔蒙子〕 méngzi 명 ①덮개. 커버. ¶表biǎo~; 시계의 유리. ②집의 내부가 밖에서 보이지 않게 가리는 담.
〔蒙子树〕 méngzishù 명 《植》 산유자나무.

幪 **méng** (몽)
→〔帡píng幪〕

檬 **méng** (몽)
명 《植》 레몬나무. ¶柠níng~; 레몬.
〔檬果〕 méngguǒ 명 ⇨〔杧果〕

曚 **méng** (몽)
→〔曚昽〕
〔曚昽〕 ménglóng 형 (동틀 무렵 또는 잔뜩 흐려서) 어둑한 모양. 흐릿한 모양.

朦 **méng** (몽)
형 ①희미하다. 어스레하다. ②어렴풋하다. 모호하다.
〔朦混〕 ménghùn 동 ⇨〔蒙混〕
〔朦胧〕 ménglóng 형 ①달빛이 어스레하여 좀 어둡다. ②몽롱한 모양. ¶朦朦胧胧地说; 분명치 않은 소리를 하다.

礞 **méng** (몽)
→〔礞石〕

〔礞石〕 méngshí 명《鑛》 몽석(광물의 일종으로 '青~'·'金~'이 있으며, 약용함).

鹲(鸏) méng (몽)
명《鳥》 열대조(열대 바다에 살고 꽁지깃이 두드러지게 가늘고 긺).

艨 méng (몽)
→〔艨艟〕

〔艨艟〕 méngchōng 명 (옛날의) 전함(戰艦). =〔艨冲〕〔蒙冲〕〔蒙艟〕

甍 méng (맹)
명《建》〈文〉 대마루. 용마루. ¶~瓦wǎ; 용마루 기와 / 比屋连~; 〈成〉 집이 연이어 있다. 집이 즐비하다 / 雕~绣槛; 〈成〉 화려하고 아름다운 건물.

瞢 méng (몽)
형 ①눈이 잘 보이지 않다. ②번민하다. ③부끄럽게 생각하다. ⇒mèng

勐 měng (맹)
① 형 용감하다. ② 명 다이족어(傣族語)로 '좁은 평지'를 이름(흔히, 땅 이름에 씀). ¶~河; 멍허(勐河)(윈난 성(雲南省)에 있는 강 이름).

猛 měng (맹)
①형 사납다. (기세가) 맹렬하다. ¶~狗gǒu; 맹견 / ~兽; 맹수 / ~寒hán; 엄한 / 火力很~; 화력이 세다 / 用力过~; 힘을 너무 쓰다 / 药力~; 약의 힘〔효력〕이 세다. ②형 용감〔용맹〕하다. ¶勇~; 용맹(하다). ③부 돌연(히). 느닷없이. ¶~然; ⇩ ④부 갑자기〔급히〕 …하다. ¶水喝~了, 呛qiàng出来; 물을 급히 마셨더니 사레가 들렸다 / ~涨; 급등(하다). ⑤명 성(姓)의 하나.

〔猛不防〕 měngbufáng 부 돌연. 갑자기. 뜻밖에도. ¶他正说得起劲, ~背后有人推了他一把; 그가 정신없이 이야기를 하고 있는데 누군가가 뒤에서 느닷없이 밀었다. =〔冷不防〕

〔猛打〕 měngdǎ 동 ①분전하다. ¶~猛冲chōng; 용감히 싸우다. ②맹렬히 치다.

〔猛地〕 měngde 부 느닷없이. 갑자기. ¶他睁开两眼, ~坐起身; 그는 두 눈을 뜨고는 갑자기 몸을 일으켰다 / ~站了起来; 벌떡 일어섰다. 注 일반적으로 '猛的'으로는 쓰지 않음.

〔猛地下〕 měngdexià 부〈簡〉 갑자기. 돌연. 느닷없이('猛地一下'의 생략). ¶他~睁开了眼; 그는 돌연 눈을 떴다.

〔猛跌〕 měngdiē 동 ①갑자기〔세차게〕 넘어지다. ②(값이) 급락〔폭락〕하다.

〔猛改〕 měnggǎi 동 두려움 없이 자기 개조(自己改造)를 하다.

〔猛个丁〕 měnggedīng 부〈俗〉 갑자기. 느닷없이. ¶~推了他一把; 느닷없이 그를 밀쳤다 / 他~地站住了; 그는 갑자기 멈춰 섰다. =〔猛孤丁〕〔猛不防〕

〔猛攻〕 měnggōng 동 맹공하다. 되게 혼내다. 명 맹공.

〔猛汞〕 měnggǒng 명 ⇨〔升shēng汞〕

〔猛喝〕 měnghè 동 느닷없이 호통 치다. 대갈(大喝)하다. ¶向他~一声, "同志, 赶快回头!" 그를 향해, "동지여, 빨리 뉘우치시오!"라고 크게 소리쳤다.

〔猛虎〕 měnghǔ 명 ①맹호. ②〈轉〉 용장(勇將). 용사.

〔猛火油〕 měnghuǒyóu 명 석유의 구칭.

〔猛剂〕 měngjì 명〈文〉 극약. =〔猛药〕

〔猛将〕 měngjiàng 명 용장. 맹장. ¶摔shuāi跤~; 씨름의 맹장.

〔猛进〕 měngjìn 동 무서운 기세로 나아가다. 맹진〔돌진〕하다. ¶突tū飞~; 〈成〉 맹진하다. 돌진하다.

〔猛劲(儿)〕 měngjìn(r) 명 맹렬한 힘. 집중된 힘. ¶把手中的手榴弹~甩了出去; 손에 쥐었던 수류탄을 힘껏 던졌다 / 这小伙子干活有股子~; 이 젊은이는 일을 할 때는 뚝심을 낸다. 동 갑자기〔단번에〕 힘을 모아 내다. ¶一~, 就超过前边的人; 한번 힘을 내자, 앞에 달리던 사람을 금세 제쳤다.

〔猛酒〕 měngjiǔ 명 독한 술. =〔烈酒〕

〔猛决〕 měngjué 명형〈文〉 용맹 과감(하다).

〔猛可〕 měngkě 부 갑자기. 느닷없이. ¶~里地; 갑자기. 느닷없이 / 只是~里想不出是谁; 다만, 갑자기 누군지는 생각이 안 난다.

〔猛浪〕 měnglàng 형 갑작스럽다. 맹랑하다. ¶他来得~; 그는 불쑥 찾아왔다.

〔猛力〕 měnglì 부 맹렬한 기세로. 맹렬하게. 힘차게. ¶~进攻; 맹렬한 기세로 진격하다.

〔猛戾〕 měnglì 형 흉악무도하다.

〔猛亮〕 měngliàng 동 자기의 마음속에 있는 것을 두려움 없이 속속들이 대중 앞에 드러내 보이다.

〔猛烈〕 měngliè 형 맹렬하다. 세차다. ¶风势~; 바람의 기세가 사납다. 바람이 세차다 / ~的炮火; 맹렬한 포화.

〔猛犸〕 měngmǎ 명《動》 매머드(mammoth). =〔长毛象〕〔毛象〕

〔猛跑〕 měngpǎo 동 ①갑자기 달리다. ②대시(dash)하다. 돌진하다.

〔猛扑〕 měngpū 동 갑자기 덮치다. 세차게 상대 몸에 부딪다.

〔猛禽〕 měngqín 동《動》 맹금.

〔猛然〕 měngrán 부 불시에. 돌연. 갑자기. ¶~回头; 갑자기 뒤돌아보다 / ~一惊; 깜짝 놀라다 / 这时~看见赵太爷向他奔来; 이 때, 그는 조영감이 그를 향해 뛰어오는 것을 보았다. =〔猛然间〕

〔猛人〕 měngrén 명〈方〉 유명한 사람. 부자.

〔猛上〕 měngshàng 동 ①약진하다. ②열심히 하다. ③급증하다.

〔猛生地〕 měngshēngde 부 갑자기. 느닷없이. ¶婉小姐瞅着恂如的脸~投过来这么一句; 완양은 순여의 얼굴을 보면서 별안간 쏘아붙이듯이 말했다.

〔猛士〕 měngshì 명〈文〉 용사.

〔猛兽〕 měngshòu 명 맹수.

〔猛树〕 měngshù 명《植》 사람주나무.

〔猛省〕 měngxǐng 동 ①맹성하다. 스스로 깊이 반성하다. ②문득 깨닫다. ‖ =〔猛醒〕

〔猛醒〕 měngxǐng 동 ⇨〔猛省〕

〔猛药〕 měngyào 명 ⇨〔猛剂jì〕

〔猛一下〕 měngyīxià 부 느닷없이. 갑자기. 급히. ¶~拔腿跑了; 느닷없이 뛰어 도망쳤다.

〔猛增〕 měngzēng 명동 급증(하다). 격증(하다). ¶产量~; 생산량이 급증했다.

〔猛张飞〕 měng Zhāngfēi 무모하다. ¶不要拿出~的劲儿! 무모한 짓은 하지 마라!

〔猛涨〕 měngzhǎng 동 ①(값이) 급등〔폭등〕하다. ¶物价~; 물가가 급등하다. ②(조수·수위(水位)가) 급격히 오르다.

〔猛掌〕 měngzhǎng 명 맹렬히 손바닥으로 치기. ¶击一~; 맹렬히 손바닥으로 치다.

〔猛住〕 měngzhù 동 깜빡 잊다. 갑작스런 일에 어리둥절해지다. ¶他一时~了; 그는 순간적으로 어

안이병병했다.
〔猛追穷寇〕 měngzhuī qióngkòu 흩어지는 적을 맹렬히 추격하다.
〔猛子〕 měngzi 명 자맥질. ¶在水里扎zhā了一个～; 물 속으로 풍덩 자맥질했다.
〔猛子仁〕 měngzirén 명 《植》 연(蓮). =〔巴豆〕

锰(錳) měng (맹)
명 《化》 망간(Mn: Mangan). ¶～铁tiě; 망간철. 페로망간(ferromangane) / ～钢gāng; 망간강(鋼) / ～砂; 망간광(鑛) / 二氧化～ =〔～粉〕; 이산화 망간.

蜢 měng (맹)
→〔蚱zhà蜢〕

艋 měng (맹)
→〔舴zé艋〕

蒙 Měng (몽)
명 몽고족(蒙古族). ¶～文wén; 몽골문(文). 몽골어 / ～古族 =〔～族〕; 몽골(민)족. ⇒ mēng méng
〔蒙哥〕 měnggē 명 ⇨〔獴〕
〔蒙古〕 Měnggǔ 명 《地》 몽골(Mongolia)《수도는 '乌兰巴托'(울란바토르: Ulan Bator)》. ¶～包; 몽골족이 사는 파오《몽골 사람의 이동식 텐트 모양의 집》 / ～人种; 황색 인종. 몽골로이드.
〔蒙古百灵〕 měnggǔbǎilíng 명 《鳥》 몽고 종다리. '百灵①'의 별칭.
〔蒙古大夫〕 měnggǔ dàifu 명 〈俗〉 돌팔이 의사. =〔狗大夫〕〔野大夫〕
〔蒙古国〕 Měnggǔguó 명 《地》 몽골(Mongolia) 《수도는 '乌wū兰巴托'(울란바토르: Ulan Bator)》.
〔蒙贵〕 měngguì 명 ⇨〔獴〕
〔蒙栎〕 měnglì 명 《植》 신갈나무《참나무과의 교목. 단단하고 내수성(耐水性)이 있으므로, 가구·선체(船體) 등에 쓰며, 용도가 넓음》.
〔蒙鲨〕 měngshā 명 《魚》 돌묵상어.
〔蒙藏〕 Měng Zàng 명 《地》 몽골과 서장(西藏) 곧 티베트. ¶～院; 민국 초년에 설치된 몽골·티베트 방면 관할 관청.

獴 měng (몽)
명 《動》 몽구스(mongoose). =〔蒙哥〕〔蒙贵〕

蠓 měng (몽)
명 《蟲》 눈에놀이. =〔蠓虫(儿)〕〔蠛miè蠓〕

懵〈懞〉 měng (몽)
형 사리에 어둡다. 어리석다. 멍하다. 흐리멍덩하다. ¶～懂dǒng; 희미하다. 멍하니 분별을 못 차리다. 우매하다 / ～然不知; 멍해서 아무것도 모르다 / 聪明一世, ～懂一时; 〈諺〉 총명이 일세를 풍미하는 사람도 때로 멍청해진다 / ～～懂懂不知走到哪里来了; 어디에 왔는지 도무지 모른다.

孟 mèng (맹)
① 명 사계(四季)의 첫 달. ¶～春; ⇩ ② 명 형제 자매의 순서에서 첫째('孟'·'仲'·'叔'·'季'의 순). ¶～兄; 장남. ③ 동 부지런히 노력하다. ④ 명 성(姓)의 하나.
〔孟春〕 mèngchūn 명 봄의 첫 달. 음력 정월. =〔孟阳〕〔孟陬zōu〕〔发fā春〕〔首shǒu春〕〔首岁〕〔首月〕〔献xiàn春〕
〔孟德尔主义〕 Mèngdé'ěr zhǔyì 《生》 멘델의 법칙.
〔孟冬〕 mèngdōng 명 음력 10월《겨울의 첫 달》. =〔上冬〕
〔孟夫子〕 Mèngfūzǐ 명 《人》 맹자에 대한 존칭.
〔孟加拉〕 Mèngjiālā 명 《地》 〈音〉 ①방글라데시(Bangladesh)《정식으로는 '孟加拉人民共和国'. 수도는 '达卡'(다카: Dacca)》. ②벵골(Bengal) 《구동부 파키스탄 지방의 칭호》. ¶～湾; 벵골만 / ～豹bào猫; 벵골 고양이.
〔孟姜女〕 Mèngjiāngnǚ 명 《人》 맹강녀《진시황 시대에, 제(齊)나라의 기량(杞梁)의 아내의 이름. 남편이 만리 장성 축조에 사역 나가 죽었을 적에 슬피 통곡하여 우니, 만리 장성이 무너졌다고 함》.
〔孟晋〕 mèngjìn 동 〈文〉 노력하여 진보하다.
〔孟浪〕 mènglàng 형 ①조잡하다. ②덜렁대다. 경솔하다. ③소홀하다. ¶待他不敢过于～; 그를 너무 소홀하게 대접할 수는 없다.
〔孟买〕 Mèngmǎi 명 《地》 〈音〉 봄베이《인도 중부의 항구 도시》.
〔孟摩利〕 mèngmólì 명 〈音〉 메모리(memory). =〔记忆〕〔记忆力〕
〔孟母断机〕 mèng mǔ duǎn jī 〈成〉 맹모단기《맹자의 어머니가 베틀에서 짜던 베를 칼로 끊어, 중도에 학문을 포기하려던 맹자를 경계한 고사》.
〔孟母三迁〕 mèng mǔ sān qiān 〈成〉 맹모 삼천(지교)《맹자의 어머니가 자식의 교육을 위하여 환경이 좋은 곳을 찾아 세 번이나 이사한 고사》.
〔孟婆〕 mèngpó 명 바람의 신(神)의 이름.
〔孟婆神〕 mèngpóshén 명 《佛》 전생의 일을 잊게 하는 탕약을 망자(亡者)로 하여금 마시게 한다는 신의 이름.
〔孟秋〕 mèngqiū 명 음력 7월《가을의 첫달》. =〔首秋〕
〔孟什维克〕 Mèngshíwéikè 명 《史》 〈音〉 멘셰비키(러 Mensheviki). =〔门塞维克〕
〔孟特尔逊〕 Mèngtè'ěrxùn 명 《人》 〈音〉 멘델스존(Mendelssohn)《독일의 작곡가, 1809～47》.
〔孟夏〕 mèngxià 명 음력 4월《여름의 첫달》. =〔首夏〕
〔孟阳〕 mèngyáng 명 ⇨〔孟春〕
〔孟月〕 mèngyuè 명 맹월《봄·여름·가을·겨울의 각각 첫 달로, 음력 1월, 4월, 7월, 10월》.
〔孟子〕 Mèngzǐ 명 《人·書》 맹자《①전국 시대의 사상가로 중국 고대의 성인의 한 사람. ②책 이름》.
〔孟宗竹〕 mèngzōngzhú 명 《植》 죽순대. =〔南竹〕〔毛竹〕
〔孟陬〕 mèngzōu 명 ⇨〔孟春〕

莔 mèng (맹)
→〔莔烷〕

〔莔烷〕 mèngwán 명 《化》 멘탄(menthane).

梦(夢) mèng (몽)
① 명 꿈. 〈轉〉 헛된 생각. 공상. ¶一场～; 일장춘몽 / 做恶è～; 악몽을 꾸다 / 做～也想不到; 꿈에도 생각 못 하다 / 我如何敢做那个～呢? 제가 어찌 그런 일을 생각하겠습니까? ② 동 꿈꾸다. ¶净～好事; 좋은 일만 꿈꾸고 있다. ③ 형 몽롱한 모양. ④ 명 성(姓)의 하나.
〔梦卜〕 mèngbǔ 명동 해몽(解夢)(하다).
〔梦场〕 mèngchǎng 명 《佛》 꿈 같은 세상. 속세(俗世).
〔梦花〕 mènghuā 명 《植》 삼지닥나무.

〔梦话〕 mènghuà 명 ①잠꼬대. =〔梦呓〕 ②〈比〉 헛소리. 얼토당토 않는 말. ¶大白天说～; 대낮부터 헛소리하다.
〔梦幻〕 mènghuàn 명 환각. 몽환. 몽상. ¶～般的境界; 꿈나라. 몽상의 세계.
〔梦幻泡影〕 mèng huàn pào yǐng 〈成〉 몽환. 꿈과 환상. 물거품. =〔幻泡〕
〔梦魂〕 mènghún 명 꿈 속에 나타나는 영혼. ¶～飞越在你身旁; 꿈 속의 혼이 네 신변에 날아간다.
〔梦魂颠倒〕 mèng hún diān dǎo 〈成〉 마음이 불안하고 산란한 모양.
〔梦见〕 mèngjiàn 동 꿈꾸다. 꿈에 보다. ¶他～自己坐上火车回到家乡; 그는 자신이 기차를 타고 고향에 돌아가는 꿈을 꾸었다.
〔梦景(儿)〕 mèngjǐng(r) 명 꿈 속의 모습〔광경〕.
〔梦境〕 mèngjìng 명 꿈 속의 세계. 꿈결.
〔梦寐〕 mèngmèi 명 몽매. 꿈. ¶～难忘; 〈成〉 몽매에도 잊을 수가 없다 / ～以求; 〈成〉 꿈 속에서도 그리고 바라다. 자나깨나 바라다.
〔梦梦〕 mèngmèng 형 〈文〉 ①멍한 모양. ②어렴풋한 모양.
〔梦魔〕 mèngmó 명 ①악몽. 악몽과 같은 일. ②불쾌한 인간. 귀찮은 놈.
〔梦乡〕 mèngxiāng 명 꿈나라. ¶入～; 꿈나라로 가다. 잠들다.
〔梦想〕 mèngxiǎng 명동 ①몽상〔망상〕(하다). 꿈 같은 생각을 하다. ¶～不到; 꿈에도 생각 못하다. ②갈망(하다).
〔梦泄〕 mèngxiè 명동 ⇨〔梦遗〕
〔梦行症〕 mèngxíngzhèng 명 《醫》 몽유병. =〔梦游症〕
〔梦魇〕 mèngyǎn 동 《醫》 가위눌리다.
〔梦遗〕 mèngyí 명동 《醫》 몽정(夢精)(하다). =〔梦泄xiè〕→〔刻戳子②〕
〔梦呓〕 mèngyì 명 잠꼬대. ¶白日～; 대낮의 잠꼬대. =〔梦话①〕
〔梦游症〕 mèngyóuzhèng 명 몽유병. =〔梦行症〕
〔梦兆〕 mèngzhào 명 몽조. 꿈자리. =〔梦征〕
〔梦征〕 mèngzhēng 명 ⇨〔梦兆〕
〔梦中惊醒〕 mèng zhōng jīng xǐng 〈成〉 꿈 속에서 놀라 깨다. 퍼뜩 제 정신이 들다.
〔梦中梦〕 mèngzhōngmèng 명 ①몽중몽. 꿈 속의 꿈. ②몽환의 경지.

瞢 mèng (몽)
명 〈文〉 호수(湖水) 이름. ⇒méng

MI ㄇ丨

咪 mī (미)
①→〔咪咪〕 ②명 우리들. =〔我们〕 ③음역용 자(音譯用字)《옛날에 '米', '米突'(미터) 등의 뜻으로 쓰인 일이 있음》.
〔咪立〕 mīlì 명 ⇨〔密mì理〕
〔咪咪〕 mīmī 〈擬〉 ①고양이의 울음소리. 또, 고양이를 부르는 말. ¶小猫～叫; 새끼고양이가 야옹야옹 울다. ②미소짓는 모양. ¶笑xiào～; 생긋 웃다. ③미세(微細)한 모양. ¶小～; 아주 작다.
〔咪唏〕 mīxi 〈擬〉 방긋방긋 웃다. ¶这小妹妹～的真爱人儿; 이 아가씨는 방긋방긋 웃고 있어 정말 귀엽다.
〔咪纸〕 mīzhǐ 명 ⇨〔晒shài相纸〕
〔咪唑〕 mīzuò 명 《化》 이미다졸(imidazole).

眯〈瞇〉 mī (미)
동 ①눈을 가늘게 뜨다〔뜨고 보다〕. ¶～细了两眼; 두 눈을 가늘게 떴다 / ～一会儿眼; 잠깐 눈을 가늘게 뜨고 보았다 / 眼睛～成一条缝儿; 눈이 가늘어져 한 줄기 실낱같이 되다. ②〈方〉 선잠 자다. 잠시 졸다. ¶～一会儿; 잠시 선잠을 자다. ⇒mí
〔眯登儿〕 mīdēngr 동 ⇨〔眯盹儿〕
〔眯盹儿〕 mīdǔnr 동 〈方〉 선잠 자다. 졸다. =〔眯登儿〕〔打盹儿〕
〔眯缝〕 mīfeng 동 (눈을) 가늘게 뜨다. ¶他只是～着眼睛笑; 그는 다만 눈을 가늘게 뜨고 웃을 뿐이다 / ～眼儿; 실눈.
〔眯蒙〕 mīméng 동 눈을 살짝〔게슴츠레〕 뜨다. ¶醉眼～; 술 취한 눈을 게슴츠레 뜨다.
〔眯眯儿〕 mīmīr 명동 〈方〉 선잠(자다). 겉잠(들다). 한잠(자다). ¶天热, 吃了午饭总想～才好; 날씨가 더워서 점심 후엔 아무래도 한숨 자고 나야 좋을 것 같다 / 大家累了一天, 连眯一眯儿也不准吗? 다들 하루 종일 일을 해서 지쳐 있는데, 한숨 자는 것조차 허용되지 않는 거냐?
〔眯唏〕 mīxī 동 (웃으며) 눈을 가늘게 뜨다. =〔眯嘻〕
〔眯翕〕 mīxi 동 눈을 가늘게 뜨다. ¶笑得两眼～成两条缝儿; 웃으면 두 눈이 가늘어져 두 개의 선으로 된다.
〔眯眼〕 mī.yǎn 동 눈을 가늘게 뜨다. ¶～看; 실눈을 뜨고 보다.

弥(彌) mí (미)
①동 널리 퍼지다. ②동 가득 차다. ¶～月; 만월 / 小儿～月; 아기가 (태어나서) 만 1개월이 되다. ③부 하나 가득히. ④부 더욱더. 점점 더. ¶老而～勇; 〈成〉 나이를 먹고 더욱더 용감해지다 / 欲盖～彰; 감추려 하면 점점 나타난다 / 来者～众; 오는 사람이 점점 많아진다. ⑤동 메우다. 벌충하다. 깁다. ¶～补亏kuī空; 손실〔구멍〕을 메우다. ⑥동 …에 걸치다. ¶～旬; 열흘에 걸치다. ⑦동 물이 넘치다. =〔瀰〕 ⑧명 성(姓)의 하나.
〔弥补〕 míbǔ 동 (결점이나 부족을) 메우다. 벌충하다. ¶～缺陷; 결함을 메우다 / ～赤字; 적자를 메우다 / ～浪费掉的时间; 낭비한 시간의 벌충을 하다 / 遭到了不少困难和不可～的损失; 적지 않은 곤란과 벌충할 수 없는 손실을 당하였다.
〔弥封〕 mífēng 동 (부정을 방지하기 위해) 답안지의 이름을 종이로 붙여 가리고 그 자리에 번호를 기입하다.
〔弥缝〕 míféng 동 미봉하다. 고치다. 벌충하다. ¶这许多亏空不知多咱才能～上; 이 크나큰 손실은 언제가 되면 메워질 것인지!
〔弥缝儿〕 mí.fèngr 동 갈라진 데나 틈을 메우다.
〔弥合〕 míhé 동 메우다. 벌충하다. ¶～裂痕; 갈라진 데를 메우다.
〔弥敬〕 míjìng 명 어린아이가 생후 만 한 달이 된 것을 축하하는 선물. →〔弥月〕
〔弥久〕 míjiǔ 동 장시간에 걸치다. 오래 끌다.
〔弥勒〕 Mílè 명 ①《佛》 미륵 보살. ②《地》 미러 현(彌勒縣)《윈난 성(雲南省)에 있는 현(縣)의 이름》.
〔弥楞满沿〕 míléng mǎnyán 액체가 철철 넘치게 담겨진 모양.
〔弥留〕 míliú 동 오래 남다〔남기다〕. ¶～旧历; 음

력을 오래 남기다. 명동 임종(하다). ¶他老人家在～时, 犹念念不忘国家大事; 그 노인은 임종시에도 여전히 국가의 대사를 잊지 않았다.

〔弥纶〕 mílún 동 〈文〉 일괄해서 다루다.

〔弥满〕 mímǎn 형 가득하다. 넘치다. ¶精力～; 정력이 넘치다.

〔弥漫〕 mímàn 동 (연기·안개·물 따위가) 충만〔미만〕하다. 널리 그득하다〔퍼지다〕. ¶晨雾～; 아침 안개가 자욱이 끼다. =〔瀰漫〕

〔弥年〕 míníán 동명 ⇨〔经jīng年〕

〔弥日〕 mírì 동 날수를 거듭하다. 명 종일.

〔弥撒〕 mísā 명 《宗》 〈音〉 미사(라 missa). =〔圣shèng餐礼〕

〔弥赛亚〕 Mísàiyà 명 《宗》 〈音〉 메시아(Messiah). =〔球世主〕〔膏沐者〕〔默西亚〕

〔弥散〕 mísàn 명동 ⇨〔扩kuò散〕

〔弥甥〕 míshēng 명 자매(姊妹)의 손자.

〔弥天〕 mítiān 동 하늘에 널리 퍼지다. 형 〈轉〉 매우 크다. 어마어마하다. ¶～大罪; 〈成〉 극악무도한 대죄 / 撒了～大谎; 새빨간 거짓말을 퍼뜨리다.

〔弥陀〕 mítuó 명 ⇨〔阿ē弥陀佛〕

〔弥望〕 míwàng 동 눈이 미치는 한 온통 그득하다. ¶春色～; 눈에 들어오는 것이 온통 봄 경치로 가득하다 / 沃wò野～; 눈에 들어오는 것은 모두 기름진 들판이다.

〔弥旬〕 míxún 동 〈文〉 열흘 걸리다. 명 열흘 동안.

〔弥月〕 míyuè 동 1개월에 걸치다. ¶～不雨; 한 달 동안이나 비가 오지 않는다. 명 아기가 출생한 지 만 1개월. ¶～之喜; 탄생 1개월째의 잔치. =〔满月〕

祢(禰)

Mí (녜)
명 성(姓)의 하나. ⇒nǐ

猕(獼)

mí (미)
→〔猕猴〕

〔猕猴〕 míhóu 명 《動》 원숭이(특히, 붉은털원숭이를 이름). =〔猢狲〕〔恒河猴〕

〔猕猴桃〕 míhóutáo 명 《植》 소귀나무. 또 그 열매. =〔〈方〉 羊桃〕〔杨桃〕

筛(籭)

mí (미)
(～儿) 명 〈方〉 가늘게 쪼갠 대쪽. 대오리. ¶席～儿; 대자리. =〔竹篾〕

迷

mí (미)
①동 (미)혹하다. ㉠갈피를 못 잡다. (판별·판단력을 잃고) 갈팡질팡 헤매다. ¶～了路; 길을 잃었다 / ～了方向; 방향을 잃었다 / ～了门儿了; 갈피를 잡지 못하다. ㉡정신을 못 차리다. 마음의 평정을 잃다. ¶他～上女人就不学习; 그는 여자에 혹해서 공부를 하지 않는다 / 心里发～; 마음이 어수선하다. ㉢빠지다. (미치다시피) 열중하다. ¶近来他～着照相; 최근 그는 사진에 열중해 있다. ②동 혹하게 하다. 눈이 어두워지게 하다. ¶金钱～住心窍; 금전은 마음을 현혹시킨다. ③동 잠자코 있다. ¶你～着罢; 잠자코 있어라. ④동 쉬다. 자다. ¶我困了, ～一会儿; 나는 졸려서 한숨 잤다. ⑤명 어떤 일에 (미치다시피) 열중하는 사람. 마니아. 팬. 광(狂). ¶棋～; 바둑〔장기〕광 / 色～ =〔色鬼〕; (남자의) 색광 / 足球～; 축구광 / 球～; 야구(따위 구기(球技)의) 팬 / 电影～ =〔影～〕; 영화광. 영화팬 / 戏～; 연극광 / 运动～; 스포츠광 / 书～; 장서(藏書)광 / 跳舞～; 댄스광 / 入rù～; …팬〔광〕이 되다 / 看电影入了～; 영화광이 되었다.

〔迷岸〕 mí'àn 명 《佛》 미혹(迷惑)의 길.

〔迷彩〕 mícǎi 명 《軍》 미채. 카무플라주. ¶三色～; 녹색·갈색·황색의 세 빛깔로 여러 가지 구름 모양으로 칠하는 카무플라주(camouflage).

〔迷瞪〕 mídeng 동 〈方〉 (한 가지 일에) 탐닉하다. 골몰하다. 심취하다. 정신을 빼앗기다. ¶～鬼; 놀이에 정신을 빼앗긴 사람 / 迷迷瞪瞪; 탐닉하는〔골몰하는〕 모양 / 做事有点儿～; 일을 하는 데 골몰하는 구석이 있다.

〔迷地裙〕 mídìqún 명 〈音義〉 미디스커트(middy skirt).

〔迷地装〕 mídìzhuāng 명 미디(midi).

〔迷宫〕 mígōng 명 미궁. ¶这个案件入了～了; 이 사건은 미궁에 빠졌다.

〔迷宫盘根〕 mígōng pángēn 명 《機》 래버린스 패킹(labyrinth packing). =〔汽qì(轴)封〕〔汽封〕

〔迷拐〕 míguǎi 동 유괴하다. ¶～人口; 사람을 유괴하다.

〔迷航〕 mí.háng 동 ①(배나 비행기가) 항로를 잃다. ¶～转向; 항행을 잘못하여 방향을 모르게 되다. ②바른 방향을 잃다.

〔迷忽忽(的)〕 míhūhū(de) 형 (머리가) 멍한〔흐리멍덩한〕 모양. 아직 덜 깬 모양.

〔迷糊〕 míhu 형 멍하다. 흐리멍덩〔몽롱〕하다. ¶睡～了; (갓 깨어나서) 잠에 취해 있다 / 这程子都把我忙～了; 요즘은 바빠서 머리가 완전히 멍해져 버렸다 / 你这个人怎么这么～啊! 너라는 인간은 어째서 그렇게 멍청하냐! 동 ①아찔해지다. 까무러치다. ¶疼得～过去了; 아파서 까무러쳤다. ②(잠이 와서) 꾸벅꾸벅 졸다. ¶直到天快蒙蒙亮, 才～了一小觉; 새벽이 되어서야 겨우 풋잠이 들었다. ‖ =〔迷惚〕

〔迷魂〕 míhún 동 사람의 마음을 현혹시키다.

〔迷魂汤〕 míhúntāng 명 ⇨〔迷魂药(儿)〕

〔迷魂药(儿)〕 míhúnyào(r) 명 ①혼을 미혹하는 말. 또, 그 방법(불교에서 사람이 죽어 저승에 가면 혼을 미혹시키는 탕약을 먹여서 생전의 일을 모두 잊게 한다고 흔히 말함). ¶吃了～; (달콤한 말 따위로) 혼을 미혹당했다. ②남녀간의 달콤한 유혹의 말. ‖ =〔迷魂汤〕

〔迷魂阵〕 míhúnzhèn 명 ①남을 현혹시키는 책략·올가미. ②미궁(迷宮). ¶简直把人掉进～里了; 마치 미로(迷路)에 떨어진 것 같다.

〔迷惑〕 míhuo 동 ①넋을 잃게 하다. 정신 못 차리게 하다. ¶～他; ⓐ그의 넋을 잃게 하다. ⓑ그를 거기에 골몰하도록 만들다 / ～人心; 사람의 마음을 어지럽히다 / ～无主; 현혹되어 판단을 잃다 / ～过去; 제 정신을 잃어버리다. 인사불성이 되다 / 花言巧语～不了人; 감언이설에도 현혹되지 않다. ②어찌할 바를 모르다. 미혹되다. ③기만하다.

〔迷津〕 míjīn 명 《佛》 삼계 육도 인간 속세에서 잘못 든 길. 틀린 방향. 〈轉〉 길을 잃다. ¶指破～; 길을 잘못 들지 않도록 바로잡아 주다.

〔迷劲〕 míjìn 명 열광적인 기세. ¶他对电影的～可大啦; 그는 확실히 영화광이야.

〔迷了门儿〕 míle ménr 실마리가 잡히지 않다.

〔迷离〕 mílí 형 모호해서 분명하지 않다. 멍해서 확실하지 않다. ¶～恍惚 =〔～惝恍〕; 흐릿해서 구별을 지을 수가 없다〔진상을 파악 못 하다〕 / 睡眼～; 졸려서 눈이 몽롱하다 / 令人～难解; 사람으로 하여금 진상을 파악지 못하고 이해하기 어렵게 만들다.

〔迷力〕 **mílì** 명 매력. 혹하는 힘.
〔迷恋〕 **míliàn** 동 열중하다. 연연해하다. (열중해서) 제정신을 잃다. ¶～不舍shě; 미련을 버리지 못하다.
〔迷恋骸骨〕 **mí liàn hái gǔ** 〈成〉 가망 없는 것에 미련을 남기다.
〔迷留没乱〕 **míliú méiluàn** 〈古白〉 멍청하다. 분명하지 않다.
〔迷路〕 **mílù** 명 ①미로. 미궁. ②⇨〔内nèi耳〕 (mí.lù) 동 길을 잃다. ¶走迷了路; 길을 잘못 들다 / ～儿童招领处; 미아 보호소.
〔迷漫〕 **mímàn** 형 자욱하다. ¶～着呛人的硝烟; 숨이 막히는 화약 연기가 자욱했다 / 烟雾～; 안개가 자욱하다 / 屋子里～着一种令人窒息的紧张气氛; 방 안에는 사람을 질식시킬 것 같은 긴장된 분위기가 감돌고 있다.
〔迷茫〕 **mímáng** 형 ①넓고 끝이 없다. ¶大雪铺天盖地, 原野一片～; 큰 눈이 천지를 뒤덮어 들판은 넓고 아득하다. ②(표정이) 넋을 잃고 멍하다.
〔迷闷〕 **mímèn** 동 갈피를 못 잡고 고민하다.
〔迷蒙〕 **míméng** 형 분명치〔확실치, 똑똑하지〕 않다. 동 정신을 잃게 하다. 미혹시키다. ¶～药; 정신을 잃게 하는 약.
〔迷梦〕 **mímèng** 명 미몽. 꿈과 같은 희망〔계획〕.
〔迷迷〕 **mímí** 형 분명치 않다. 모호하다.
〔迷迷糊糊〕 **mímihūhū** 형 흐릿하여 분명하지 않은 모양.
〔迷你〕 **mínǐ** 명 〈音〉 미니(mini).
〔迷你巴士〕 **mínǐbāshì** 명 〈音〉 미니 버스(minibus). =〔小型公共汽车〕
〔迷你裙〕 **mínǐqún** 명 〈音義〉 미니 스커트(miniskirt). =〔超chāo短裙〕
〔迷窍〕 **mí.qiào** 동 (열중해서) 분별을 잃게 하다. 사람의 마음을 미혹시키다〔빼앗다〕.
〔迷人〕 **mí.rén** 동 사람을 미혹〔도취〕시키다. ¶酒不醉人人自醉, 色不～人自迷; 〈諺〉 술이 취하게 만드는 것이 아니라 사람이 스스로 취하는 것이며, 색이 사람을 현혹시키는 것이 아니라 사람이 스스로 현혹되는 것이다. (**mírén**) 형 매력적이다. ¶南国的风景的dí确是～的; 남국의 풍경은 확실히 매력적이다.
〔迷色〕 **mísè** 명 카무플라주(camouflage). 미채(迷彩). 동 색정에 사로잡히다.
〔迷失〕 **míshī** 동 분실하다. (방향·길 따위를) 잃다. ¶～儿童; 미아(迷兒) / ～方向; 방향을 잃다 / ～物件; 물건을 잃어버리다 / ～的行李; 잃어버린 짐 / ～道路; 길을 잃다.
〔迷水〕 **míshuǐ** 명 《氣》 지경(地鏡). '海hǎi市蜃楼'(신기루)의 일종. =〔水镜〕〔地dì镜〕
〔迷头〕 **mí.tóu** 동 갈피를 못 잡다〔못 잡게 하다〕. 멍해지다〔지게 하다〕. 판단력을 잃다〔잃게 하다〕. ¶事情把人挤得迷了头了; 일이 한꺼번에 생겨서 사람을 멍하게 해 버렸다 / 很～的事; 몹시 헛갈리는〔까다로운〕 일 / 谁也保不住～ =〔谁也保不住不～〕; 누구도 현혹되지 않는다고는 보장할 수 없다.
〔迷途〕 **mítú** 동 길을 잃다. 명 ①미로. ¶陷人～; 미로에 빠지다. ②잘못된 방향〔경향〕. ¶～知返 =〔～知反〕; 잘못된 길에서 헤매다가 바른 길로 돌아오다 / 走人～; 그릇된 방향으로 들어서다.
〔迷网〕 **míwǎng** 명 (그물눈처럼) 현혹되어 어지러운 것. ¶陷xiàn～; 미혹에 빠져들다.
〔迷惘〕 **míwǎng** 동 혼수 상태에 있다. 머릿속이 멍해서 옳은 판단을 할 수 없다.
〔迷雾〕 **míwù** 명 ①짙은 안개. 농무(濃霧). ¶在～中看不清航道; 짙은 안개 속에서는 항로가 확실치 않다. ②〈比〉 사람을 미혹시키는 사물. ¶妖风～; 사악한 기풍과 독기《사람의 마음을 현혹시키는 것》.
〔迷信〕 **míxìn** 명 미신. 맹목적 숭배. ¶你太～了; 정말 미신이다 / 破除～; 맹신을 타파하다. 동 맹신하다. ¶不能～外国的东西; 외국 것은 무엇이나 좋다고 생각하지 마라 / 对孔子～; 공자를 맹목적으로 숭배하다 / ～教条; 교조적(教條的)으로 맹신하다.
〔迷药〕 **míyào** 명 마취약.
〔迷住〕 **mízhù** 동 갈피를 못 잡다. 미혹시키다. ¶被话～; 이야기에 끌려들다. 이야기에 혹하다.
〔迷走神经〕 **mízǒu shénjīng** 명 《生》 미주 신경.

谜(謎〈詸〉)

mí (미) 명 수수께끼. ¶这个问题到现在还是一个～; 이 문제는 지금까지 하나의 수수께끼다 / ～语; 수수께끼 / 字～; 퍼즐 / 填字～; 십자말풀이 / 这个事件的结果如何, 简真是个～; 이 사건의 결과가 어찌 될지는 그야말로 수수께끼다. ⇒mèi
〔谜打〕 **mídǎ** 동 〈方〉 속이다. 농락하다.
〔谜底〕 **mídǐ** 명 ①수수께끼의 답. ②〈比〉 일의 진상.
〔谜疙瘩〕 **mígēda** 명 수수께끼《불가사의한 일》. ¶解开～; 수수께끼를 풀다. 의혹을 풀다.
〔谜画〕 **míhuà** 명 그림 수수께끼.
〔谜面〕 **mímiàn** 명 수수께끼의 문제.
〔谜隐〕 **míyǐn** 명 수수께끼. ¶请勿宣布暂为～; 공개하지 말고 수수께끼로 남겨 두시오.
〔谜语〕 **míyǔ** 명 수수께끼.
〔谜子〕 **mízi** 명 수수께끼. ¶猜cāi～; 수수께끼를 풀다.

眯〈瞇〉

mí (미) 동 눈에 먼지가 들어가 (일시적으로) 안 보이게 되다. ¶沙子～了眼睛; 눈에 모래가 들어가 눈을 뜰 수 없다. ⇒mī

醚

mí (미) 명 《化》 순정(純精) 알코올. 에테르. ¶乙～; 에틸에테르. =〔醇chún精〕

糜

mí (미) ①명 죽. =〔粥〕 ②동 문드러지다. ③동 낭비하다. =〔靡〕 ④명 성(姓)의 하나. ⇒méi
〔糜费〕 **mífèi** 명동 〈文〉 낭비(하다). ¶～巨jù款; 거액의 비용을 낭비하다. =〔靡费〕
〔糜烂〕 **mílàn** 동 형태를 몰라보게 무너지다. 문드러지다. 극도로 부패하다. ¶～不堪; 심하게 문드러지다 / 没落阶级的～生活; 몰락하는 계급의 부패한 생활 / 敌人的好hào战分子不惜～其民; 적의 전쟁을 좋아하는 분자들은 자기 백성을 엉망으로 만드는 것을 애석하다고 여기지 않는다 / ～的生活; 육체적 쾌락에 젖은 생활. 명 《醫》 (살이) 짓무름. ¶～性毒剂; 《軍》 미란성 독가스.
〔糜散〕 **mísàn** 동 뿔뿔이〔산산이〕 흩어지다.
〔糜粥〕 **mízhōu** 명 걸쭉한 죽.

醾〈醿, 醣〉

mí (미) →〔酴tú醾〕

縻

mí (미) ①명 소를 매는 고삐. ②동 (밧줄로) 매다. 묶다. ¶羁jī～; 견제하다. 농락하다.

靡 **mí** (미)
→〔荼tú靡〕

靡 **mí** (미)
동 낭비하다. ¶～费公共财物; 공공 재산을 낭비하다. =〔糜③〕⇒mǐ

〔靡敝〕 mǐbì 동〈文〉쇠미(衰微)하다. 쇠약해지다. ¶国家～; 나라가 쇠퇴하다.
〔靡费〕 mǐfèi 명동 ⇨〔糜费〕
〔靡丽〕 mǐlì 형〈文〉호사(豪奢)하다. 화려하다.
〔靡曼〕 mǐmàn 형〈文〉색이 아름답다. 미려(美麗)하다. =〔靡嫚〕
〔靡靡〕 mǐmǐ 형 ①천천히 걷는 모양. ②순종하는 모양. ③퇴폐적이다. ¶～之音 =〔～之乐yuè〕;〈成〉퇴폐적인 음악.
〔靡颜腻理〕 mǐ yán nì lǐ〈成〉용모가 아름답고 피부가 곱다.
〔靡衣偷食〕 mǐ yī tōu shí〈成〉좋은 옷과 음식을 탐하여 안일하게 지내다.

蘼 **mí** (미)
→〔蘼芜〕

〔蘼芜〕 míwú 명〖植〗천궁이의 싹. =〔蕲茝qíchǎi〕

麋 **mí** (미)
명 ①〖動〗큰사슴《백두산 사슴》. 엘크(elk). 고라니. ¶～茸 =〔马鹿茸〕; 엘크〔큰사슴〕의 뿔《약용됨》. ②→〔麋沸〕〔麋羚〕〔麋鹿〕

〔麋沸〕 mífèi 동〈文〉혼란하다. 북적거리다.
〔麋羚〕 mílíng 명〖動〗큰영양.
〔麋鹿〕 mílù 명〖動〗〈俗〉사불상.

瀰 **mí** (미)
①동 물이 넘치다. ②→〔瀰漫〕

〔瀰漫〕 mímàn 동 ⇨〔弥漫〕

米 **mǐ** (미)
①명 쌀《좁쌀을 '小～'라고 함. 탈곡 또는 정백한 것을 가리킴. 탈곡하지 않은 것을 '稻谷', 정백하지 않은 쌀을 '糙米'·'粗米'라고 함》. ¶糯nuò～ =〔江～〕; 찹쌀 / 粳～; 멥쌀 / ～店 =〔～行〕〔～铺〕〔～庄〕; 싸전. 쌀가게 / 碾niǎn～; 정미하다 / 打～; ⓐ쌀을 사다. ⓑ쌀을 찧다. ⓒ쌀을 되다 / 叫～; 쌀을 주문하다. =〔大米〕 ②명 탈곡한 낟알. ¶花生～; 껍질을 깐 땅콩 / 菱角～; 마름 열매의 하얀 속 / 玉～ =〔包～〕; 옥수수 / 芡实(～) =〔鸡(头)～〕; 가시연밥의 알갱이 / 这腊八粥里头有十几种～; 이 '腊八粥' 속에는 10여 종의 곡물이 들어 있다. ③명 양〖度〗미터. ¶一～八零; 1미터 80(센티) / 百～赛跑; 100미터 경주 / 千～ =〔公里〕; 킬로미터 / 分～ =〔公寸〕; 데시미터 / 厘～ =〔公分〕; 센티미터 / 毫～ =〔公厘〕; 밀리미터 / (平)方～; 평방〔제곱〕미터 / 平方公里; 평방 킬로미터 / (平)方厘～; 평방 센티미터 / 平方毫～; 평방〔제곱〕밀리미터 / 立方厘～; 입방〔세제곱〕센티미터. =〔公尺〕〔米达〕〔米突〕 ④명 성(姓)의 하나.

〔米波〕 mǐbō 명〖電〗(초단파의) 미터파(波).
〔米布袋〕 mǐbùdài 명〖植〗자운영.
〔米仓〕 mǐcāng 명 쌀창고.
〔米厂〕 mǐchǎng 명 정미소.
〔米潮〕 mǐcháo 명 쌀 파동. ¶～未平糖潮又起; 쌀 파동이 가시기 전에 또 설탕 파동이 일어났다.
〔米尺〕 mǐchǐ 명 미터 자.
〔米点〕 mǐdiǎn 명〖美〗미점《수묵(水墨)의 점으로 산을 그리는 법. 미불(米芾)이 시작한 방법이므로 이렇게 부름》. ¶～山水; 미점 기법으로 그린 산수화.
〔米店〕 mǐdiàn 명 쌀집. 쌀가게.
〔米斗〕 mǐdǒu 명 쌀을 되는 말. =〔米升〕
〔米蠹〕 mǐdù 명 ①쌀벌레. ②〈轉〉쌀 투기(投機) 상인.
〔米囤〕 mǐdùn 명 쌀뒤주.
〔米饭〕 mǐfàn 명 쌀밥.
〔米饭官司〕 mǐfàn guānsi 명 흔히 있는 소송. ¶～一月数宗;〈文〉흔히 일어나는 소송이 한 달에 몇 건 있다.
〔米粉〕 mǐfěn 명 ①쌀가루. ②(쌀가루로 만든) 가는 국수. =〔粉条儿tiáor〕〔米面③〕
〔米粉肉〕 mǐfěnròu 명 두껍게 썬 돼지고기를 양념 간장에 담근 후 쌀가루를 묻혀 찐 음식. =〔粉蒸肉〕〔鲊肉〕
〔米麸〕 mǐfū 명 ⇨〔米糠〕
〔米泔水〕 mǐgānshuǐ 명 쌀뜨물.
〔米缸〕 mǐgāng 명 쌀독. 쌀항아리.
〔米糕〕 mǐgāo 명 쌀가루를 주재료로 하여 만든 과자.
〔米格式〕 mǐgéshì 명〈音〉미그(MIG)《소련 전투기》.
〔米谷〕 mǐgǔ 명 미곡. =〔谷米〕
〔米行〕 mǐháng 명 미곡상.
〔米黄(色)〕 mǐhuáng(sè) 명 ⇨〔米色〕
〔米机〕 mǐjī 명 정미기.
〔米加周波〕 mǐjiā zhōubō 명 메가사이클(megacycle).
〔米价〕 mǐjià 명 쌀값.
〔米禁〕 mǐjìn 명 쌀 수출〔반출〕금지령.
〔米酒〕 mǐjiǔ 명 찹쌀이나 차조로 빚은 술.
〔米局子〕 mǐjúzi 명 옛날의 쌀가게. 싸전.
〔米凯鼠〕 mǐkǎishǔ 명 ⇨〔米老鼠〕
〔米糠〕 mǐkāng 명 쌀겨. =〔米麸〕〔玉yù糠〕
〔米澜〕 mǐlán ⇨〔泔gān水①〕
〔米老鼠〕 mǐlǎoshǔ 명 미키 마우스(Mickey Mouse). ¶～和唐老鸭; 미키 마우스와 도날드 덕. =〔米凯鼠〕〔米奇老鼠〕
〔米粒(儿)〕 mǐlì(r) 명 낟알. 쌀알.
〔米粮〕 mǐliáng 명 양미(糧米). 미곡. ¶～店; 미곡 상점.
〔米粮川〕 mǐliángchuān 명 곡창 지대. ¶昔日穷山沟, 今日～; 전의 불모의 골짜기는 이제 곡창 지대로 변모했다.
〔米廪〕 mǐlǐn 명〈文〉미창. 쌀창고.
〔米砻商〕 mǐlóngshāng 명 정미상(精米商).
〔米面〕 mǐmiàn 명 ①쌀과 밀가루. ②쌀가루. ③⇨〔米粉②〕
〔米囊〕 mǐnáng 명〖植〗'罂yīng粟'(앵속·양귀비)의 별칭.
〔米牛〕 mǐniú 명 ⇨〔米象〕
〔米奇老鼠〕 mǐqí lǎoshǔ 명 ⇨〔米老鼠〕
〔米棋〕 mǐqí 명 풋장기. 서투른 장기《실은 '屎棋'인데, '屎'자를 피하여 '米'자를 썼음》.
〔米丘林学说〕 Mǐqiūlín xuéshuō 명〖生〗〈音〉소련의 유전학자 미출린(Michulin)이 주장한 야로비(Yarobi) 농법(農法)에 관한 학설.
〔米糁〕 mǐsǎn 명〈方〉밥알.
〔米色〕 mǐsè 명〖色〗엷은 황색. 미색. =〔米黄(色)〕
〔米筛〕 mǐshāi 명 쌀 체《쌀을 치거나 거르는 체》.
〔米升〕 mǐshēng 명 ⇨〔米斗〕
〔米市〕 mǐshì 명 ①미곡 시장. ②쌀 시세.

〔米碎〕 mǐsuì 명 싸라기.
〔米索不达米亚〕 Mǐsuǒbùdámǐyà 명 《地》〈音〉 메소포타미아.
〔米太宝灵〕 mǐtàibǎolíng 명 《藥》〈音〉 메타보린(metaborine).
〔米汤〕 mǐtang 명 ①묽은 죽. =〔稀饭〕 ②미음. =〔〈方〉 饮汤〕 ③〈比〉 아첨. 감언(甘言). ¶灌guàn～; 아첨하다.
〔米贴〕 mǐtiē 명 미가(米價) 수당.
〔米突〕 mǐtū 명양 《度》〈音〉 미터(meter). =〔米达〕
〔米突吨〕 mǐtudūn 양 ⇨〔公gōng吨〕
〔米突制〕 mǐtuzhì 명 ⇨〔国guó际公制〕
〔米虾〕 mǐxiā 명 《魚》 생이. =〔草cǎo虾〕
〔米象〕 mǐxiàng 명 《蟲》 바구미. =〔米牛〕
〔米辛〕 mǐxīn 명 《藥》〈音〉 마이신(mycine).
〔米盐〕 mǐyán 명 ①미염. 쌀과 소금. ②〈比〉 자질구레한 일. 영세한 일.
〔米眼〕 mǐyǎn 명 《蟲》 배속애기잎말이나방.
〔米渣子〕 mǐzhāzi 명 ①(미음을 쑬 때) 미음 속에 남은 밥알 찌꺼기. ②싸라기.
〔米纸〕 mǐzhǐ 명 오블라토(포 oblato). =〔包bāo药糯米纸〕〔糊hú纸〕〔江jiāng米纸〕〔糯nuò米纸〕〔〈廣〉 威wēi化纸②〕
〔米制〕 mǐzhì 명 《度》 미터법(法). =〔国际公制〕
〔米粥〕 mǐzhōu 명 쌀죽.
〔米珠薪桂〕 mǐ zhū xīn guì 〈成〉 쌀은 진주처럼 비싸고, 장작은 계수나무처럼 비싸다《물가가 비싸서 생활하기 어려움》.
〔米烛光〕 mǐzhúguāng 명양 《電》 럭스(lux). =〔勒lè(克斯)〕
〔米蛀虫〕 mǐzhùchóng 명 《蟲》 쌀벌레《바구미 따위》. 〈轉〉 쌀값을 부당하게 올리는 부정 상인.
〔米字格〕 mǐzìgé 명 정간지(井間紙)《습자용의 받침 종이. 한 장의 종이에 큰 글씨면 9자, 작은 글자라면 36자 쓸 수 있도록 구획이 돼 있고, 각 구획마다 '米' 모양의 선을 인쇄해 놓았음》.
〔米字旗〕 mǐzìqí 명 〈俗〉 영국 국기.

洣 Mǐ (미)
명 《地》 미수이(洣水)《후난 성(湖南省)에 있는 내(川) 이름》.

敉 mǐ (미)
동 평정하다. 안정시키다. 가라앉다. ¶～平叛乱; 반란을 평정하다 / 乱事～平; 소동이 진정되다 / 这次叛变迅速被政府军～平; 이번의 반란은 신속히 정부군에 의해서 평정되었다.

脒 mǐ (미)
명 《化》 아미딘(amidine).

铼(鉌) mǐ (미)
명 《化》 '锇é' (Os, 오스뮴)의 구칭.

芈 mǐ (미)
①〈擬〉 양의 울음소리. ②명 성(姓)의 하나. ⇒miē

沵(瀰) mǐ (미)
동 물이 그득 차다. 넓게 퍼지다. ¶～迤yǐ; 넓고 평탄하다.

弭 mǐ (미)
①명 활의 끝. 활고자. ②동 그치다. 멈추다. 그만두다. ¶～兵bīng =〔～战zhàn〕; 전쟁을 그치다. ③동 제거하다. 없이하다. 없어지다. ¶消～祸患; 재해를 없애다 / 水患从此就消～; 수해는 이로부터 없어졌다. ④동 복종하다.

〔弭谤〕 mǐbàng 동 비방을 그치다.
〔弭患〕 mǐhuàn 동 재해를 없애다.
〔弭皮〕 mǐpí 명 활고자에 대는 가죽.
〔弭战运动〕 mǐzhàn yùndòng 명 전쟁 방지 운동. 평화 운동.

靡 mǐ (미)
동 ①없다. ¶～日不思; 하루도 생각 않는 날이 없다 / 至死～他; 죽더라도 변심은 없다 / 天命～常; 천명은 무상하다 / ～不有初, 鲜克有终; 시작이 없는 것은 없지만, 마무리를 잘 하는 것은 적다 / 请事～不注意; 모든 일을 주의하지 않음이 없다. ②(바람 따위로) 쏠리다. 쓰러지다. 〈轉〉 쇠(衰)하다. ¶从风而～; 바람부는 대로 쓰러지다 / 望风披～; 〈成〉 초목이 바람에 불려 쓰러지다《적군의 위세에 눌려서 싸우지도 못하고 패주함》 / 风～一时; 〈成〉 일세를 풍미하다 / 委～不振; 〈成〉 쇠하여 부진하다. ⇒mí

汨 mì (멱)
①→〔汨汨〕 ②지명용 자(字). ¶～罗luó江; 미뤄 강(汨羅江)《장시 성(江西省)에서 발원하여 후난 성(湖南省)으로 흐르는 강》.
〔汨汨〕 mìmì 〈擬〉 물이 흐르는 소리.

泌 mì (비, 필)
동 분비하다. 배어나오다. ¶分～; 분비(하다) / ～尿; 소변. 방뇨하다 / ～尿管; 비뇨관 / ～尿器; 비뇨기 / ～乳量; 유량. ⇒bì

宓 mì (밀, 복)
①형 편안하다. 고요하다. ②명 성(姓)의 하나.

秘〈祕〉 mì (비)
①동 비밀로 하다. 비밀을 지키다. ¶～而不宣; 숨기고 세상에 말하지 않다. ②형 비밀의. ¶～方; 비방 / ～计; ⇓ / ～诀; ⇓ / ～室; 밀실 / 独得之～; 혼자만 알고 있는 비밀. ③명 〈簡〉 '大使馆秘书' (대사관부 비서관)의 약칭. ¶一～; 일등 비서관. ④명 성(姓)의 하나. ⇒bì
〔秘宝〕 mìbǎo 명 비보. 비밀히 간직한 보배.
〔秘本〕 mìběn 명 비장(祕藏)의 희귀본.
〔秘方〕 mìfāng 명 비방. ¶祖传～; 조상 전래의 비방.
〔秘府〕 mìfǔ 명 〈文〉 ①궁중에서, 중요한 문서나 물건을 보관하는 건물. ②옛날의 '秘书省' (중요 문서를 보관하는 관청)의 별칭.
〔秘籍〕 mìjí 명 소중히 간직해둔 서적. =〔秘文〕
〔秘计〕 mìjì 명 비밀 계략〔계획〕.
〔秘诀〕 mìjué 명 비결.
〔秘密〕 mìmì 형 비밀하다. ¶～文件; 비밀 문서 / ～会议; 비밀 회의 / ～地策动; 몰래 책동하다 / ～结社; 비밀 결사 / ～政治资金; 《政》 비자금. 명 비밀. ¶揭穿～; 비밀을 폭로하다 / 守～; 비밀을 지키다.
〔秘色〕 mìsè 명 《色》 비색《옛날, 궁중의 도자기에만 사용이 허가된 빛깔》.
〔秘史〕 mìshǐ 명 비사. ¶宫廷～; 궁정 비사.
〔秘书〕 mìshū 명 ①비서. ¶担任～工作; 비서의 직무를 담당하다 / 部长～; 장관 비서 / 一等～ =〔一秘〕; (대사관의) 1등 서기관. ②비서의 직무. ¶～处; 비서국. ③비밀서(書).

密 mì (밀)
①형 틈이 없다. 빽빽〔촘촘〕하다. ¶地里的麦子长zhǎng得很～; 밭의 보리가 빽빽이 나 있다 / ～不透风; 빽빽해서 바람도 통하지 않다 / 枪qiāng声很～; 총성이 매우 심하다〔끊임없다〕 /

气～室; 기밀실. ↔〔稀②〕〔疏〕 ② 형 주도하다. 면밀하다. 치밀하다. ¶精～; 정밀하다 / 心思细～; 생각이 자상하다. ③ 형 (관계가) 친밀하다. 가깝다. ¶亲～; 친밀하다. ④ 명형 비밀(의). ¶机～; 기밀 / 保～; 비밀을 지키다 / 告～ =〔～告〕; 밀고(하다) / 那笔款子叫他给～起来; 그 돈은 그에 의해서 몰래 숨겨지고 말았다. ⑤ 명 《紡》 비중. 밀도. ¶经～; 날실의 비중〔밀도〕 / 纬～; 씨실의 비중〔밀도〕. ⑥(～子) 명 퍼티(putty). 떡밥. ⑦ 명 성(姓)의 하나. ⑧지명용 자(字). ¶～县; 미 현(密縣)《허난 성(河南省)에 있는 현 이름》.

〔密保〕 mìbǎo 명 은밀히 하는 추천. 동 은밀히 추천하다.

〔密报〕 mìbào 동 밀고하다.

〔密闭〕 mìbì 형 밀폐〔밀봉〕한. ¶～门; 차단한〔밀폐한〕 문. 동 밀봉〔밀폐〕하다.

〔密不透风〕 mì bù tòu fēng 〈成〉 꽉 차서 바람 샐 틈도 없다. =〔密不通风〕

〔密布〕 mìbù 동 짙게 덮이다. 빈틈없이 배치하다. ¶浓云～着; 짙은 구름이 온통 뒤덮이다 / 乌wū云～; 검은 구름이 짙게 깔리다.

〔密查〕 mìchá 명동 비밀 조사(하다). =〔密察〕

〔密察〕 mìchá 명동 ⇨〔密查〕

〔密陈〕 mìchén 명동 비밀 진술(을 하다).

〔密呈〕 mìchéng 동명 은밀히 보고 등을 제출하다〔하는 일〕.

〔密饬〕 mìchì 명동 ⇨〔密令〕

〔密传〕 mìchuán 명 가전(家傳)의 비결. ¶他们把世代的～向大家公开了; 그들은 조상 전래의 비전(秘傳)을 모두에게 공개했다. =〔密诀〕〔诀jué法〕

〔密达〕 mìdá 명 〈音〉 미터(meter). =〔公尺〕

〔密达斐辑格斯〕 mìdáfěijígésī 명 《哲》 〈音〉 메타피직스(metaphysics). =〔形而上学〕〔玄学〕

〔密电〕 mìdiàn 명 ①암호 전보. ¶～码; 암호 전보 부호(서). =〔密码电报〕 ②비밀 전보.

〔密度〕 mìdù 명 ①밀도. ¶人口～; 인구 밀도. =〔密率〕 ②《物》 밀도. ¶～计; 밀도계.

〔密尔〕 mì'ěr 명 《度》 〈音〉 밀(mil)《인치의 천분의 1》.

〔密迩〕 mì'ěr 형 〈文〉 밀접하다. 가깝다.

〔密发〕 mìfà 명 숱이 많은 머리털.

〔密访〕 mìfǎng 명동 비밀 방문(하다).

〔密封〕 mìfēng 동 ①엄중히 봉쇄하다. ②밀봉하다. ¶用白蜡～瓶口; 백랍으로 병아가리를 밀봉하다. ③시험을 시행할 때, 채점의 공평을 기하기 위하여 답안의 수험자 이름에 종이를 붙여 봉하다.

〔密盖〕 mìgài 동(새지 않게) 덮어씌우다. 꽉 덮다.

〔密告〕 mìgào 명동 밀고(하다). ¶～者; 밀고자.

〔密函〕 mìhán 명 비밀 편지. 밀서. =〔密信〕

〔密航〕 mìháng 명동 밀항(하다).

〔密号〕 mìhào 명 암호.

〔密烘铸铁〕 mìhōng zhùtiě 명 《工》 거의 강철에 가까운 금상(金相) 조직을 갖고 있는 고급 주철.

〔密厚〕 mìhòu 형 교분〔우정〕이 두텁다.

〔密会〕 mìhuì 동 밀회하다.

〔密集〕 mìjí 동 ①밀집하다. ¶人口～; 인구가 밀집하다. ②잔뜩〔빽빽이〕 모여 있다.

〔密计〕 mìjì 명 비밀 계략〔계획〕. 밀책.

〔密件〕 mìjiàn 명 밀서. 비밀 문서. ¶巴格达搜出十四个～; 바그다드에서 14통의 밀서를 찾아 내었다.

〔密教〕 mìjiào 명 《佛》 밀교. =〔密宗〕

〔密接〕 mìjiē 형 밀접하다. 동 바싹 다가붙다.

〔密褐色〕 mìjiésè 명 《色》 달걀색. 담황색.

〔密诀〕 mìjué 명 ⇨〔密传〕

〔密克罗尼西亚〕 Mìkèluóníxīyà 명 《地》 〈音〉 미크로네시아(Micronesia)《중부 태평양상의 군도로 된 지역. 수도는 '帕pà利基亚'(팔리키르: Palikir)》.

〔密理〕 mìlǐ 명 《度》 〈音〉 밀리(milli). ¶～克兰姆; 밀리그램(mg) / ～立脱尔; 밀리리터(ml) / ～米突; 밀리미터(mm). =〔咪mī立〕

〔密令〕 mìlìng 명동 밀령(을 내리다). 비밀 명령(을 내리다). =〔密饬〕

〔密率〕 mìlǜ 명 밀도(密度). =〔密度①〕

〔密锣紧鼓〕 mì luó jǐn gǔ 〈成〉 북 소리·징소리가 잦게 울리다《세상에 널리 알려 여론을 일으키는 일》. =〔紧鼓密锣〕

〔密麻麻(的)〕 mìmámá(de) 형 가득〔빽빽이〕 찬 모양. =〔密密麻麻〕

〔密码〕 mìmǎ 명 암호. 비밀 전보 코드. ¶～电报; 암호 전보 / ～电报本(子); 암호 전보 부호서. 코드 북(code book). ↔〔明码(儿)①〕

〔密密层层〕 mìmicéngcéng 형 빈틈없이 가득하다. 꽉 차 있는 모양. ¶山坡上有～的酸枣树, 很难走上去; 산의 경사면에는 멧대추나무가 빽빽이 들어차서 오르기가 매우 어렵다.

〔密密丛丛〕 mìmicóngcóng 형 (초목이) 빈틈없이 우거져 있다. 밀생하고 있다.

〔密密麻麻〕 mìmimámá 형 〈口〉 꽉 찬 모양. 빈틈없이 가득한 모양《작은 것을 가리킬 때가 많음》. ¶～的枪声; 끊임없는 총성.

〔密密实实〕 mìmishíshí 형 단단하다. 꽉 차 있다. ¶那扇大门却～, 怎么推也推不动; 그 대문은 꽉 닫혀 있어 아무리 밀어도 끄떡도 하지 않는다.

〔密密匝匝〕 mìmizāzā 형 빽빽하다. 촘촘하다. ¶稻子全成熟了, ～地垂着穗子; 벼가 다 익어서, 빽빽하게 이삭을 늘어뜨리고 있다. =〔密匝匝〕

〔密密杂杂〕 mìmizázá 형 빽빽하다. 촘촘하다.

〔密谋〕 mìmóu 명 ①비밀의 계획. ②음모. 밀모. ¶参与～; 음모에 참여〔가담〕하다. 동 가만히〔몰래〕 획책하다.

〔密拿〕 mìná 동 비밀리에 체포하다.

〔密配合〕 mìpèihé 명 《機》 푸시핏(push fit). 밀어맞춤. =〔推tuī合座〕〔推人配合〕

〔密切〕 mìqiè 형 ①(관계가) 밀접하다. ¶关系很～; 관계가 매우 밀접하다 / 并不是十分～的关系; 극히 밀접한 사이는 아니다. ②정성스럽다. 섬세하다. 세심하다. ¶～注意; 세심하게 주의하다 / ～关注; ⓐ치밀한 배려를 하다. ⓑ주의 깊게 지켜 보다. 동 밀접하게 하다. ¶～两国间的经济联系; 양국간의 경제적 연계를 밀접히 하다.

〔密亲〕 mìqīn 명 아주 친한〔가까운〕 친척.

〔密色〕 mìsè 명 《色》 레몬 옐로우.

〔密商〕 mìshāng 동 〈文〉 비밀히 의론〔상담〕하다.

〔密实大衣〕 mìshídàyī 명 맥시코트(maxicoat). =〔长大衣〕

〔密使〕 mìshǐ 명 밀사.

〔密室〕 mìshì 명 밀실.

〔密实〕 mìshi 형 튼튼하다. 옹골차다. (천 따위) 톱톱하고 질기다. ¶这是走远路穿的衣服, 要缝得～一点儿; 이것은 먼길을 가는 데 입을 옷이니까, 좀 꼼꼼히 꿰매야 한다 / 密密实实; '密实'의 중첩형(重疊形).

〔密司脱〕 mìsītuō 명 〈音〉 미스터(Mister, Mr.). ¶～王; 왕군(君). =〔密斯特〕〔密斯忒tè〕

〔密斯〕 mìsī 명 〈音〉 미스(Miss). ¶～王; 미스

왕. =〔小姐〕〔密丝〕〔蜜司〕〔密司〕
〔密谈〕 mìtán 명동 밀담(하다).
〔密探〕 mìtàn 명 간첩. 밀정. 스파이.
〔密特朗〕 Mìtèlǎng 명 《人》 미테랑(Francois Maurice Mitterrand)《프랑스의 정치가, 1916~1996》.
〔密通〕 mìtōng 명동 밀통(하다).
〔密陀僧〕 mìtuósēng 명 《化》 리다지(litharge). 일산화납. =〔蜜陀僧〕〔黄铅丹〕〔黄铅粉〕〔氧化铅〕〔一氧化铅〕
〔密网〕 mìwǎng 명 〈比〉 가혹한 법률〔법망〕.
〔密旺〕 mìwàng 형 무성하다. ¶树叶子很~; 나뭇잎이 무성하다.
〔密纹唱片〕 mìwén chàngpiàn 엘피 레코드. =〔密纹慣转唱片〕
〔密勿〕 mìwù 동 힘써 노력하다. 명 기밀(機密).
〔密西西比河〕 Mìxīxībǐ hé 명 《地》 〈音〉 미시시피강.
〔密昔斯〕 mìxīsī 명 〈音〉 미시즈(Mrs.). =〔夫人〕〔太太〕
〔密写情报〕 mìxiě qíngbào 명 은현(隱現) 잉크로 쓰여진 정보.
〔密信〕 mìxìn 명 비밀 편지. =〔密函〕
〔密言〕 mìyán 명동 비밀 이야기(를 하다).
〔密议〕 mìyì 명동 밀의(하다).
〔密友〕 mìyǒu 명 극히 친한 친구.
〔密语通信〕 mìyǔ tōngxìn 암호문의 통신.
〔密谕〕 mìyù 명 ⇨〔密旨〕
〔密约〕 mìyuē 명 밀약. 비밀 약속〔조건〕.
〔密云不雨〕 mì yún bù yǔ 〈成〉 하늘 가득히 구름이 깔려 있는데도 비는 오지 않는다《①일이 곧 발생할 것 같은데 아직 일어나지 않고 있음. ②눈물을 흘리지 않고 우는 모양》.
〔密云色〕 mìyúnsè 명 《色》 옥수수 빛깔.
〔密匝匝〕 mìzāzā 형 ⇨〔密密匝匝〕
〔密札〕 mìzhá 명 〈文〉 밀서. 비밀 편지.
〔密章〕 mìzhāng 명 〈文〉 비밀의 상주문(上奏文).
〔密诏〕 mìzhào 명 〈文〉 옛날, 왕의 비밀 명령. 비밀 조칙.
〔密斟〕 mìzhēn 동 밀의하다. ¶他派代表团同总统~; 그는 대표단을 파견하여 대통령과 비밀리에 의논하도록 했다. 「식용 파종기.
〔密植〕 mìzhí 명동 《農》 밀식(하다). ¶~耧lóu; 밀
〔密旨〕 mìzhǐ 명 밀칙(密勅). 밀지. =〔密谕〕
〔密致〕 mìzhì 형 튼튼하고 치밀하다.
〔密咒〕 mìzhòu 명 비법의 주문(呪文).
〔密宗〕 mìzōng 명 ⇨〔密教〕

蓉 mì (밀)
→〔缩sù砂(蓉)〕

嘧 mì (미)
→〔嘧啶〕

〔嘧啶〕 mìdìng 명 《化》 피리미딘(pyrimidine).

谧(謐) mì (밀)
형 조용〔고요〕하다. =〔安谧〕〔静谧〕

蜜 mì (밀)
①명 벌꿀. =〔蜂蜜〕 ②명 벌꿀 같은 것. ¶糖~; 당밀. ③형 (꿀처럼) 달다. 달콤하다. ¶甜~; ⓐ감미롭다. 달고 맛있다. ⓑ기분 좋다. 즐겁다/甜言~语; 달콤한 말.
〔蜜虫〕 mìchóng 명 《蟲》 진디.
〔蜜房〕 mìfáng 명 꿀벌집. =〔蜜窝〕
〔蜜蜂(儿)〕 mìfēng(r) 명 《蟲》 꿀벌. ¶~窝wō; 벌집. =〔蜡là蜂〕
〔蜜柑〕 mìgān 명 《植》 '三宝柑' 비슷한 대형의 귤.
〔蜜供〕 mìgòng 명 〈京〉 연말의 제수용(祭需用) 과자《밀가루 반죽을 가늘고 길게 잘라 기름에 튀긴 것에 꿀을 발라, 탑 모양으로 포개어 쌓은 것》. ¶敬神的~已经请来了; 신에게 올리는 '蜜供'은 벌써 사 왔다《신불에 대한 제물은 '买来'라 하지 않고, '请来'라 하는 것이 옛 관습임》.
〔蜜瓜〕 mìguā 명 멜론. 참외. =〔甜tián瓜〕〔美浓果〕
〔蜜罐〕 mìguàn 명 꿀을 넣는 통. ¶在~里长大的孩子; 응석받이로 자란 아이. 어해 키운 아이.
〔蜜果〕 mìguǒ 명 설탕〔꿀〕에 절인 과일.
〔蜜户〕 mìhù 명 양봉업자.
〔蜜煎〕 mìjiān 명동 ⇨〔蜜饯〕
〔蜜饯〕 mìjiàn 명동 설탕 조림(하다). ¶~果脯; 과육(果肉)의 설탕절이/~的吃食; 설탕에 잰 식품/~石比霜; 〈比〉 설탕에 잰 비상《달콤한 말로 포장한 악의(惡意)》/~石头子儿; 설탕 조림한 돌. 보기에는 그럴 듯하나 아무 쓸모 없는 것. =〔蜜煎jiān〕
〔蜜浆〕 mìjiāng 명 ⇨〔糖táng浆〕
〔蜜浸砒霜〕 mìjìn pīshuāng 〈比〉 꿀에 담근 비상《음험한 간계》.
〔蜜酒〕 mìjiǔ 명 밀주. 달콤한 술.
〔蜜橘〕 mìjú 명 《植》 ①귤. ¶无核~; 씨없는 귤. ②뽕깡.
〔蜜口蛇心〕 mìkǒu shéxīn 〈比〉 말은 달콤하게 하나 속은 시커멓다.
〔蜜蜡〕 mìlà 명 ①밀랍. 봉랍. =〔蜂fēng蜡〕 ②왁스(wax). 밀랍. =〔蜡〕
〔蜜里调油〕 mì lǐ tiáo yóu 〈成〉 매우 친밀한 모양. ¶假朋友~; 겉으로만 친한 친구는 자못 친하게 보이는 법이다/年轻轻的公母俩老是~; 나이 젊은 부부 두 사람은 언제나 달라붙어 한시도 떨어지지를 못한다.
〔蜜人〕 mìrén 명 미라.
〔蜜色〕 mìsè 명 《色》 벌꿀색. 담황색.
〔蜜司〕 mìsī 명 ⇨〔密斯〕
〔蜜糖〕 mìtáng 명 ①벌꿀. ②당밀(糖蜜).
〔蜜桃〕 mìtáo 명 《植》 수밀도(水蜜桃).
〔蜜筒〕 mìtǒng 명 '甜tián瓜'(참외)의 별칭.
〔蜜丸子〕 mìwánzi 명 《藥》 한약에 벌꿀을 넣어 빚은 환약.
〔蜜窝〕 mìwō 명 꿀벌집. =〔蜜房fáng〕
〔蜜腺〕 mìxiàn 명 《植》 밀선. 꿀샘.
〔蜜香〕 mìxiāng 명 《植》 ①침향. ②목향(木香)《중국 남부산(産)의 다년생 풀로 뿌리에 향기가 있음》.
〔蜜语〕 mìyǔ 명 밀어. 달콤한 말. ¶甜tián言~; 밀어.
〔蜜源〕 mìyuán 명 밀원《벌이 꿀을 빨아 오는 원천》. ¶~植物; 밀원 식물.
〔蜜月〕 mìyuè 명 〈義〉 밀월. 하니문. ¶~旅lǚ行=〔~旅游〕; 밀월〔신혼〕 여행.
〔蜜枣(儿)〕 mìzǎo(r) 명 설탕에 절인 대추.
〔蜜渍〕 mìzì 명 설탕에 잰 식품.
〔蜜嘴〕 mìzuǐ 명 달콤한 말. 감언.

觅(覓〈覔〉) mì (멱)
동 찾다. 구하다. ¶寻xún~; 찾다/~路; 길을 찾다/寻亲~友; 친척이나 친구를 찾아다니다/

踏破铁鞋无～处，得来全不费工夫；〈諺〉쇠짚신을 신고 찾아도 찾아 낼 수 없다. 찾아 내기만 하면 헛수고는 안 된다.
〔觅保〕mìbǎo 동〈文〉보증인을 구하다.
〔觅得〕mìdé 동 찾아 내다.
〔觅房〕mì.fáng 동 집을 구하다.
〔觅访〕mìfǎng 동〈文〉찾아가다. 방문하다.
〔觅缝儿〕mìfèngr 어떻게 해서라도, …하려고 벼르고 있다. ¶他～地看电影去；그는 어떻게 해서든지 영화 구경을 가려고 한다 / 这孩子～地找糖吃；이 아이는 어떻게 해서든지 엿을 찾아서 먹으려 한다.
〔觅汉〕mìhàn 명 ⇨〔觅活〕
〔觅活〕mìhuó 명〈方〉머슴. =〔觅汉〕
〔觅伙〕mìhuǒ 동〈文〉점원을 고용하다.
〔觅举〕mìjǔ 동〈文〉천거를 바라다. 써 주기를 바라다.
〔觅句〕mìjù 동〈文〉이것저것 적당한 어구(語句)를 찾다.
〔觅据〕mì.jù 동〈文〉증거를 찾아 구하다.
〔觅路〕mì.lù 동 길을 찾다《바른 길을 구하다》.
〔觅人〕mìrén 동 사람을 찾다. 사람을 방문하다.
〔觅食〕mì.shí 동 먹을 것을 찾다.
〔觅索〕mìsuǒ 동 찾아서 구하다. 탐구하다. ¶～线索；실마리를 찾다.
〔觅知音〕mì zhīyīn 마음이 통하는 벗을 찾다.

幂〈冪〉 **mì** (멱)
① 동명 천 따위로 덮다. 또, 그 천. ② 명《數》어떤 수의 승수(乘數). 제곱. 멱(승). ¶乘～ =〔乘方〕; 제곱 / ～积；면적 / ～方；멱승법 / ～次；누승. 멱승 / ～数；멱지수 / ～级数；멱급수 / a^3是 a的 3乘～；a^3는 a의 세제곱멱이다.

MIAN ㄇㄧㄢ

眠 **mián** (면)
① 동 자다. ㉠(사람이) 잠자다. ¶长～；영면하다. 죽다 / 失shī～；수면 부족(이 되다) / 不～不休；불면 불휴 / 夜不成～；밤에 잠을 못 자다. ㉡(누에가) 잠자다. (동물이) 동면(冬眠)하다. ②누에의 잠자는 횟수를 세는 말. ¶蚕三～了；누에가 석 잠에 들어갔다.
〔眠床〕miánchuáng 명 침대. 침상.
〔眠花宿柳〕miánhuā sùliǔ〈比〉화류항(花柳巷)에 묵다.
〔眠思梦想〕miánsī mèngxiǎng 꿈에도 잊지 못하다. 애타게 그리다.

绵(綿〈緜〉) **mián** (면)
①(～子) 명 풀솜. 솜. ② 형 부드럽다. 박약하다. 연약하다. ¶～薄；미력(微力) / ～弱；연약하다 / 秤得～一点儿；저울이 좀 약하다《분량이 모자라다》. ③ 형 오래 계속되어 끊어지지 않다. 면면하다. ¶连～ =〔～联〕〔～亘〕; 연면하다. ④ 형 (유리·수정 따위가) 흐려 있다. ¶没～的眼镜；흐림이 없는 안경. ⑤ 형 질기다. ⑥ 명 성(姓)의 하나.
〔绵白(糖)〕miánbái(táng) 명〈轉〉최상품의 백설탕. =〔细xì砂(糖)〕
〔绵薄〕miánbó 명〈謙〉미력. 부족한 재주〔재능〕. ¶愿在文化工作方面，稍尽～；문화 활동의 면에서 미력을 다하고자 합니다.
〔绵长〕miáncháng 형 면면하다. 끊임없다. ¶福寿～；수복이 면면하옵소서《노인에 대한 축수의 말》.
〔绵长人儿〕miánchángrénr 명 마음이 늘쩡한 사람. 마음이 넓은 사람. 여간해서 골을 내지 않는 사람.
〔绵绸〕miánchóu 명《紡》지스러기 고치·지스러기 실을 원료로 하여 짠 견직물. =〔棉绸〕
〔绵笃〕miándǔ 형〈文〉위독〔위중〕하다.
〔绵顿〕miándùn 형〈文〉병세가 호전되지 않다.
〔绵亘〕miángèn 형 ⇨〔绵延〕
〔绵胶〕miánjiāo 명 ⇨〔胶绵〕
〔绵里藏针〕mián lǐ cáng zhēn〈成〉솜 속에 바늘이 들어 있다《①외유내강. 겉보기는 부드러우나 속은 야무지다. =〔绵里铁〕②말의 겉은 부드러우나 속에는 가시가 돋쳐 있다》.
〔绵力〕miánlì 명 박약한 힘. 미력(微力). ¶我愿尽～去达成它；나는 미력을 다하여 그것을 달성하리라.
〔绵联〕miánlián 형 끊임없다. 면면하다. =〔连绵〕
〔绵马〕miánmǎ 명《植》'蕨jué类植物'(양치 식물)의 총칭. 특히, '羊yáng齿'(면마)를 말함.
〔绵蛮〕miánmán〈擬〉새가 지저귀는 소리.
〔绵密〕miánmì 형 (언행·생각이) 면밀〔치밀〕하다.
〔绵绵〕miánmián 형 오래 계속되는 모양. ¶秋雨～；가을비가 오래도록 내리다 / ～瓜瓞；〈比〉오이나 북치가 계속 열려 끊이지 않다《자손이 불어 번성하다》.
〔绵邈〕miánmiǎo 형 유원(悠遠)하다. 유구(悠久)하다.
〔绵柔〕miánróu 형 폭신폭신하고 부드럽다.
〔绵软〕miánruǎn 형 ①(모발·의복·이불·종이 따위가) 부드럽다. ¶～的羊毛；포근한 양털. ② 나른하다. 무력하다. ¶～无力；나른하여 힘이 없다 / 他觉得浑身～，脑袋昏沉；그는 전신의 힘이 빠져 머릿속이 혼미해지는 느낌이 들었다.
〔绵延〕miányán 형 (끝없이) 길게 이어져 있다. 길게 뻗어 있다. ¶～千里的山脉；장장 천 리나 뻗어 있는 산맥 / ～不绝；길게 이어져 끊이지 않다 / 游行行列～好几里；시위의 대열이 장장 몇 리(里)에 미치다. =〔绵亘〕
〔绵羊〕miányáng 명 ①《動》면양(緬羊). ¶～毛；양털. =〔〈方〉胡羊〕〔〈俗〉大尾巴羊〕〔昊羊〕②〈比〉유순한 성질. 또, 그런 사람.
〔绵羊绒〕miányángróng 명《紡》모슬린. 메린스.
〔绵远〕miányuǎn 형〈文〉영원하다. 장구하다.
〔绵纸〕miánzhǐ 명 티슈 페이퍼. 화장지. =〔棉纸〕
〔绵子〕miánzi →〔字解①〕

棉 **mián** (면)
명 ①《植》목화. ¶草～；초면 / 木～；목면《열대에서 나는 상록 교목으로 씨에 붙은 솜 같은 것을 대용으로 씀》. ②솜(으로 만든 것·이든 것). ¶脱脂～；탈지면 / 火～ =〔～花火药〕; 면화약 / 一场秋雨一场寒，十场秋雨要穿～；(가을비가) 한 번 비 올 때마다 추워지고 열 번 비 오면 겨울옷을 입는다《베이징 속담》.
〔棉袄〕mián'ǎo 명 솜저고리.
〔棉棒儿〕miánbàngr 명 ⇨〔棉花签〕
〔棉包〕miánbāo 명《紡》면화를 포장한 화물.
〔棉背心〕miánbèixīn 명 솜을 둔 조끼.
〔棉被〕miánbèi 명 솜이불.
〔棉薄〕miánbó 형〈比〉재기(才氣)가 부족하다.

〔棉布〕 miánbù 명 면포. =〔棉花布〕
〔棉车篷子〕 miánchēpéngzi 명 솜을 넣어 만든 수레의 포장(겨울철에 북방에서 쓰임).
〔棉绸〕 miánchóu 명 ⇨〔绵绸〕
〔棉大衣〕 miándàyī 명 솜을 둔 외투.
〔棉法兰绒〕 miánfǎlánróng 명 ⇨〔棉花绒②〕
〔棉帆布〕 miánfānbù 명 《美》 캔버스(canvas).
〔棉纺〕 miánfǎng 명 《紡》 면방. 면사 방적. ¶～厂; 면사 방적 공장.
〔棉缝线〕 miánféngxiàn 명 (재봉용) 무명실.
〔棉棍儿〕 miángùnr 명 ⇨〔棉花签〕
〔棉汗裤〕 miánhànkù 명 면 내의 바지.
〔棉红铃虫〕 miánhónglíngchóng 명 《蟲》 붉은목화씨벌레. =〔棉花虫〕
〔棉红叶螨〕 miánhóngyèmǎn 명 《蟲》 목화붉은진드기(목화·콩과·가지과 식물 등에 붙는 해충). =〔棉红蜘蛛〕〔〈方〉 红蜘蛛①〕〔〈方〉 火huǒ龙③〕〔〈方〉 火蜘蛛〕
〔棉红蜘蛛〕 miánhóngzhīzhū 명 ⇨〔棉红叶螨〕
〔棉猴儿〕 miánhóur 명 〈俗〉 후드(hood)가 달린 솜을 둔 외투.
〔棉花〕 miánhua 명 ①'草cǎo棉'의 통칭. ②솜. ¶碎suì～; 솜지스러기/～弓gōng; 솜채/～团; 솜뭉치/～子; 목화씨/～疮; 매독 종기/～绵; 면사. 무명실/～药; 니트로글리세린/～堆里打拳; 〈比〉 힘을 작용해도 아무 반응이 없음. ③목화 송이의 섬유.
〔棉花签〕 miánhuāqiān 명 면봉. 솜방망이. =〔棉棒儿〕〔棉棍儿〕〔拭子〕〔药棉棒〕〔药棉棍〕〔药签〕
〔棉花蛆〕 miánhuaqū 명 ⇨〔红hóng铃虫〕
〔棉花绒〕 miánhuaróng 명 《紡》 ①(방적 중에 생기는) 솜 지스러기. ②면(綿)플란넬(flannel). =〔棉回绒〕〔棉法兰绒〕〔棉绒布〕
〔棉花胎〕 miánhuatāi 명 ⇨〔棉絮②〕
〔棉花糖〕 miánhuatáng 명 ①솜사탕. ②마시멜로(marshmallow).
〔棉花桃儿〕 miánhuatáor 명 ⇨〔棉花团儿②〕
〔棉花套(子)〕 miánhuatào(zi) 명 ⇨〔棉絮②〕
〔棉花团儿〕 miánhuatuánr 명 ①《醫》 탈지면의 (작은) 뭉치. ②〈比〉 태도가 아주 얌전〔온순〕함. ¶现在的女孩子可不兴～脾气了; 요즘 여자로 (솜처럼) 온순하기만 한 성질은 별로 환영을 못 받는다. =〔棉花桃儿〕
〔棉花嘴〕 miánhuāzuǐ 명 입가에 수염이 없음. 또, 그 사람.
〔棉货〕 miánhuò 명 면제품.
〔棉剪绒〕 miánjiǎnróng 명 ⇨〔棉天鹅绒〕
〔棉卷〕 miánjuǎn 명 《紡》 랩(wrap). 솜 감은 것.
〔棉裤〕 miánkù 명 솜바지.
〔棉冷〕 miánlěng 명 ⇨〔棉纶〕
〔棉帘(子)〕 miánlián(zi) 명 ⇨〔暖nuǎn帘〕
〔棉铃〕 miánlíng 명 목화의 다래(열개(裂開)하기 전의). ¶～虫; 《蟲》 밤나방과의 벌레(유충이 목화 등에 해를 끼침).
〔棉纶〕 miánlún 명 부드럽고 굵게 꼰 무명실. =〔棉冷〕〔龙lóng尾线〕
〔棉毛裤〕 miánmáokù 명 메리야스 내의 바지.
〔棉毛衫〕 miánmáoshān 명 메리야스 셔츠〔내의〕.
〔棉毛衫裤〕 miánmáo shānkù 메리야스 상하의(上下衣).
〔棉毛衣〕 miánmáoyī 명 메리야스 스웨터.
〔棉帽〕 miánmào 명 솜을 둔 모자.
〔棉农〕 miánnóng 명 면작(棉作) 농민〔농가〕.
〔棉袍子〕 miánpáozi 명 솜을 둔 중국식 웃옷('棉袄' 보다 김).
〔棉球〕 miánqiú 명 공 모양으로 감은 무명실.
〔棉绒〕 miánróng 명 《紡》 무명 린터(linter).
〔棉绒布〕 miánróngbù 명 ⇨〔棉花绒②〕
〔棉纱〕 miánshā 명 《紡》 면사. 무명실. ¶～厂; 방적 공장.
〔棉纱头〕 miánshātou 명 실보무라지. =〔回huí丝①〕
〔棉绳〕 miánshéng 명 무명실 노끈. =〔棉线绳儿〕
〔棉丝〕 miánsī 명 ⇨〔回huí丝①〕
〔棉索〕 miánsuǒ 명 무명 끈. 밧줄 재료.
〔棉胎〕 miántāi 명 ①이불솜. ②틈새에 틀어 넣어 메우는 솜.
〔棉毯〕 miántǎn 명 면모포.
〔棉套〕 miántào 명 (찻주전자나 밥통 등의 보온용) 솜을 둔 커버.
〔棉天鹅绒〕 miántiān'éróng 명 《紡》 면(綿)비로드. =〔棉剪绒〕〔假jiǎ天鹅绒〕
〔棉田〕 miántián 명 목화밭.
〔棉条〕 miántiáo 명 《紡》 면(綿)슬라이버(sliver).
〔棉桃〕 miántiáo 명 목화의 열매(껍질이 터진 후의 것). =〔蕾lěi铃〕
〔棉袜〕 miánwà 명 면양말.
〔棉线〕 miánxiàn 명 면사. 무명실. ¶～绳儿 =〔棉绳〕; 무명끈.
〔棉销〕 miánxiāo 명 《機》 코튼 핀(cotton pin).
〔棉鞋〕 miánxié 명 솜 둔 방한화(防寒靴).
〔棉絮〕 miánxù 명 ①면화의 섬유. ¶这种棉花的～长; 이런 종류의 면화의 섬유는 길다. ②(이불 속에 넣기 위해 만들어 놓은) 이불솜. =〔〈方〉 棉花胎〕〔〈方〉 棉花套(子)〕
〔棉蚜〕 miányá 명 《蟲》 목화진딧물.
〔棉衣(裳)〕 miányī(shang) 명 무명 옷. 솜옷.
〔棉针织〕 miánzhēnzhī 명 면(棉)메리야스. ¶～长袜; 면메리야스 스타킹.
〔棉织物〕 miánzhīwù 명 면직물. =〔棉织品pǐn〕
〔棉纸〕 miánzhǐ 명 ⇨〔绵纸〕
〔棉质〕 miánzhì 명형 《紡》 목면(의). ¶～哔bì叽; 면(綿)서지(serge)/～府fǔ绸; 면(綿)포플린(poplin).
〔棉子〕 miánzǐ 명 목화씨. 면실. ¶～饼; 면실에서 기름을 빼고 남은 찌끼(비료용)/～团儿; 목화씨를 넣어 만든 단자/～油; 면실유. =〔棉籽〕
〔棉子衣〕 miánziyī 명 무명 린터(linter).
〔棉籽〕 miánzǐ 명 ⇨〔棉子〕

丏 miǎn (면)
동 〈文〉 덮어 가리다. 보이지 않다.

沔 miǎn (면)
지명용 자(字). ¶～水Miǎnshuǐ; 몐수이(沔水)(산시 성(陝西省)에 있는 강 이름)/～县; 몐 현(沔縣)(산 시 성(陝西省)에 있는 현 이름. 현재의 '勉县').

眄 miǎn (면)
'眄miàn'의 우음(又音).

免 miǎn (면)
동 ①면하다. ㉠면제하다〔되다〕. 아니해도 되다. ¶酌zhuó量减～损税; 사정을 참작해서 세금을 감액 또는 면제하다/未～太麻烦; 너무나 번거로움은 면할 수 없다/不～去一次; 한 번 가지 않을 수 없다. ㉡해직(解職)하다. 해직되다. ¶～职zhí; 면직하다. 면직되다/任rèn～; 임명과 면직. ㉢용서하다. ¶～罪zuì; 죄를 면하다. ㉣피하다. 모면하다. ¶～疫性; 면역성 / 事前做好准备, 以～临时忙乱; 일을 당하고 허둥대지 않도록 미리 준비해 두다 / 难～人说话; 남이 이러쿵저러쿵 말하는 것은 면하기가 어렵다. ②…하지 말아야 한다. …을 금하다. ¶闲人～进! 일 없는 사람은 출입하지 마시오! / ～赐cì花红; 축의 금품은 사양합니다.

〔免不得〕 miǎnbude 동 ⇨〔免不了〕

〔免不了〕 miǎnbuliǎo 동 면할〔피할〕 수 없다. 아무래도 …하지 않으면 안 되다. 어쩔 수 없다. ¶那是～的; 그건 면할 수 없는 일이다 / 刚会走的孩子～要摔交; 걸음마를 시작한 어린애는 아무래도 잘 넘어진다 / 我早知道你们～要有这场口舌的; 나는 너희들의 이런 말다툼이 일어나는 것이 면할 수 없음을 벌써부터 알고 있었다. =〔免不得〕

〔免册〕 miǎncè 명 사숙(私塾)에서 쓰는 선행 기록부.

〔免除〕 miǎnchú 동 ①면제하다. ②막다. 피하다. ¶兴修水利, ～水旱灾害; 가뭄이나 홍수를 막기 위하여 관개 공사를 하시오 / 参加集体生产劳动, 可以帮助干部～官僚主义; 집단 생산 노동에 참가하는 것은, 간부가 관료주의로 되는 것을 방지한다.

〔免黜〕 miǎnchù 동 〈文〉 면직하다. 면직되다.

〔免得〕 miǎnde 동 면하다. 피하다. ¶～失败; 실패를 면하다. 접 …하지 않도록. ¶多穿衣服, ～伤风; 감기 들지 않도록 옷을 많이 껴입다 / 我再说明一下, ～引起误会; 오해가 일어나지 않도록 다시 한 번 설명해 두죠 / 一气儿办好, ～又费一回事; 다시 한 번 수고를 하지 않아도 되도록 단번에 해 버리는 편이 좋다.

〔免掉〕 miǎndiào 동 면제하다. 해제하다. 제거하다. ¶他工作太忙, 得给他～几项; 그는 일이 많으므로 담당을 조금 줄여야 한다.

〔免丁〕 miǎndīng 동 옛날, 부역을 면제하다〔받다〕.

〔免费〕 miǎn‚fèi 동 무료로 하다. 공짜로 하다. ¶～代办; 무료로 취급하다 / ～治疗; 무료로 치료하다 / 参观～; 견학은 무료 / 儿童～入场; 어린이는 입장 무료 / 行李可以～带十五公斤; 수하물은 15킬로까지 무료로 휴대할 수 있습니다.

〔免付〕 miǎnfù 명동 지불 면제(받다). ¶～关税; 관세 지불을 면제하다.

〔免官〕 miǎn‚guān 동 면관하다〔되다〕. 면직하다.

〔免冠〕 miǎnguān 동 모자를 벗다《옛날에는 사죄의 뜻으로, 뒤에는 경의를 나타냄》. 명형 탈모(脫帽)(의). ¶～相片; 탈모 사진 / 交二寸半身～相片两张; 상반신에 모자를 벗은 명함판 사진 두 장을 건네다.

〔免跪〕 miǎnguì 〈套〉 꿇어앉지 마시오《옛날, 귀인이나 윗사람을 뵐 때 무릎 꿇고 하던 절을, 그럴 필요 없다고 말리는 말》.

〔免贺〕 miǎnhè 동 다른 사람이 자기를 위해 축하의 뜻으로, 여러 가지 일을 하는 것을 사양하다.

〔免祸〕 miǎnhuò 동 화를 면하다.

〔免检〕 miǎnjiǎn 동 검사를 면제하다.

〔免见〕 miǎnjiàn 동 면회를 피하다〔사절하다〕. ¶～客人; 면회 사절을 하다.

〔免缴〕 miǎnjiǎo 동 납부를 면제하다. ¶经济困难的人可以～费用; 경제적으로 어려운 사람은 비용을 면제받을 수 있다.

〔免进〕 miǎnjìn 동 안에 들어가는 것을 금하다. ¶闲人～! 무용자 출입 금지《게시 용어》/ 无门票者～; 입장권이 없는 자는 입장 금지.

〔免捐〕 miǎnjuān 동 세(稅)를 면제하다〔받다〕.

〔免开尊口〕 miǎnkāi zūnkǒu ①말씀하지 않아도 좋습니다. ②요구는 거절할 테니 신청하지 마십시오. ③〈比〉 외상 사절.

〔免考〕 miǎnkǎo 동 시험을 면제하다〔받다〕.

〔免科田〕 miǎnkētián 명 《史》 면세전(免稅田).

〔免劳〕 miǎnláo 동 수고를 덜다.

〔免礼〕 miǎn‚lǐ 동 약식으로 하다. 예를 생략하다.

〔免票〕 miǎnpiào 명 무임 패스. 무임 승차〔승선〕권. 동 입장권·승차표 따위가 필요 없다. ¶儿童身长不满一米的坐公共汽车～; 키 1미터 미만의 아동이 버스에 탈 때는 승차권이 필요 없다.

〔免去〕 miǎnqù 동 ①면제하다. ②없애다. ¶～客气; 스스러워하지 않기로 하다 / ～战争; 전쟁을 없애다. ③면직하다. 해직(解職)하다. ¶～他的职务; 그의 직무를 해임하다.

〔免三去四〕 miǎnsān qùsì '홀짝!'《도박할 때 지르는 소리》.

〔免丧〕 miǎnsāng 동 탈상하다. 상복을 벗다.

〔免生不测〕 miǎnshēng bùcè 예측못한 재앙이 일어남을 면하다.

〔免税〕 miǎn‚shuì 동 면세하다〔되다〕. ¶～单; 면세증(證) / ～进口品; 면세 수입품 / ～口岸; 자유항.

〔免送〕 miǎnsòng 〈套〉 손님이 배웅하는 것을 사양하다. ¶～～! 부디 배웅 나오지 마십시오!《흔히, '别送! 别送!' 이라 함》.

〔免俗〕 miǎnsú 동 약식으로 치르다〔하다〕.

〔免诉〕 miǎnsù 동 《法》 불기소하다〔되다〕.

〔免跳〕 miǎntiào 명 (높이뛰기. 장대높이뛰기의) 패스(pass).

〔免谢〕 miǎnxiè 동 사례를 사양하다.

〔免刑〕 miǎnxíng 동 《法》 형사 처분을 면제하다.

〔免验〕 miǎnyàn 동 시험을〔검사를〕 면제하다. ¶代表团的行李可以～; 대표단의 짐은 검사를 면제해도 좋다.

〔免议〕 miǎnyì 동 의논하는 것을 그만두다.

〔免役〕 miǎnyì 동 병역·부역 등을 면제하다〔되다〕.

〔免疫〕 miǎnyì 명 《醫》 면역. ¶～力; 면역력.

〔免宥〕 miǎnyòu 동 사면하다. 용서하여 주다.

〔免于〕 miǎnyu 동 …을 면하다. …을 모면하다. ¶～失业; 실업을 면하다 / ～彻底崩溃; 철저한 붕괴를 면하다.

〔免责〕 miǎnzé 명 《法》 면책. 동 책임을 면하다.

〔免战〕 miǎnzhàn 동 전쟁을 거부하다. 정전(停戰)·휴전하다. ¶～牌; 옛날에 싸움을 거절하는 것을 나타내는 표시 / 挂～牌; 전투를 거절하다.

〔免征〕 miǎnzhēng 동 징수를 면제하다〔되다〕. ¶向政府要求～体育娱乐税; 정부에 체육 오락세의 징수를 면제하도록 요구하다.

〔免职〕 miǎn‚zhí 동 면직하다〔되다〕.

〔免租〕 miǎnzū 동 조세를 면제하다〔받다〕.

〔免罪〕 miǎn‚zuì 동 죄를 용서하다〔받다〕.

俛 miǎn (면)

동 힘쓰다. ¶僶mǐn～ =〔黾勉〕; 노력하다. ⇒fǔ

勉 miǎn (면)

①동 힘쓰다. 노력하다. ¶～为其难; 노력하여 어려운 일에 대처하다 / 奋～; 분발하여 힘쓰다 / 黾～ =〔僶俛〕; 힘쓰다. ②동 격려하다. ¶互～; 서로 격려하다 / 以效忠于祖国相～; 조국에 충성을 다할 것을 서로 격려하다. ③부 억지로.

〔勉策〕 miǎncè 동 ⇨〔勉励〕
〔勉力〕 miǎnlì 동 노력하다. 힘쓰다.
〔勉励〕 miǎnlì 동 면려(勉勵)하다. 힘쓰다. 격려하다. ¶～灰心丧气的朋友; 낙담하고 있는 친구를 격려하다 / ～念书; 공부에 힘쓰다. =〔勉策〕
〔勉勉〕 miǎnmiǎn 형 힘써 노력하는 모양.
〔勉勉强强〕 miǎnmianqiāngqiāng 부 억지로. 이럭저럭. 겨우겨우.
〔勉强〕 miǎnqiǎng 부 무리하게. 억지로. 그런대로. 그럭저럭. 간신히《마지못해서 하는 경우에 쓰임》. ¶～答dā应; 마지못해 승낙하다 / ～支持下去; 그럭저럭 지탱해 가다 / 草料～够牲口吃一天; 사료는 겨우 가축의 하루 치밖엔 안 된다 / ～的维持生活; 간신히 생활을 유지하다 / ～赶上火车; 그럭저럭 기차 시간에 대다. 동 ①무리를 (하게) 하다. 강제하다. ¶既是他不肯来就不必～了; 그가 오기를 원치 않는다면 억지로 강요할 것까지는 없다 / ～不了liǎo =〔强不过〕; 무리가 통하지 않다. ②불충분하다. 무리이다. ¶我认为这个理由很～; 이런 이유는 매우 불충분하다고 생각한다 / 这种说法太～; 이러한 이야기 방식은 너무나도 억지이다. ③부지런히 노력하다.
〔勉为其难〕 miǎn wéi qí nán 〈成〉 어려움을 무릅쓰고 해 나가다. 힘써 어려운 일과 맞닥뜨리다. 어려운 일을 마지못해 하다.

娩〈挽〉 miǎn (만) 〈면〉
명동 분만(하다). ¶分fēn～; 분만하다. 아이를 낳다. ⇒wǎn
〔娩出〕 miǎnchū 동 (아이를) 낳다. 몸을 풀다.
〔娩生〕 miǎnshēng 동 분만하다.

冕 miǎn (면)
명 관《대부(大夫) 이상이 착용하던 예모(禮帽), 후에는 제왕의 예모》. ¶加～; 대관(戴冠)하다.
〔冕旒〕 miǎnliú 명 면류《임금의 관 앞뒤에 구슬을 꿰어 늘어뜨린 것》.
〔冕牌玻璃〕 miǎnpái bōli 명 ⇨〔皇冠玻璃〕
〔冕状轮〕 miǎnzhuànglún 명 왕관 모양의 고리.

鮸(鮸) miǎn (면)
명 《魚》 동갈민어. 민어. =〔鮸鱼〕

黾(黽) miǎn (면)
지명용 자(字). ¶～池Miǎnchí; 멘츠(黽池)《허난 성(河南省)에 있는 현 이름》. =〔渑〕 ⇒mǐn

渑(澠) miǎn (민, 면)
지명용 자(字). ¶～河; 멘허(澠河)《허난 성(河南省)에 있는 강 이름》/ ～池Miǎnchí; 멘츠(澠池)《허난 성(河南省)에 있는 현(縣) 이름》. =〔黾〕 ⇒Shéng

偭 miǎn (면)
동 〈文〉 위배하다. ¶～规越矩; 규칙에 위배하다.

勔 miǎn (면)
형 〈文〉 근면하다. 부지런하다.

湎 miǎn (면)
동 〈文〉 ①술에 빠지다. ②〈轉〉 탐닉하다. ¶～于酒; 술에 빠지다 / ～～; 탐닉하여 빠지다〔빠지는 모양〕. =〔沉chén湎〕

愐 miǎn (면)
①동 생각하다. ②형 〈文〉 근면하다. ③→〔愐悀〕
〔愐悀〕 miǎntian 동 ⇨〔腼腆〕

缅(緬) miǎn (면)
①부 아득하게. ②동 생각하다. ③지명용 자(字).
〔缅甸〕 Miǎndiàn 명 《地》 미얀마(Myanmar)《구칭은 버마(Burma). 수도는 '仰光'(양곤: Yangon)》.
〔缅怀〕 miǎnhuái 명동 〈翰〉 회고(하다). 추억(하다). =〔缅思〕〔缅维〕〔缅想〕
〔缅邈〕 miǎnmiǎo 형 아득히 멀다.
〔缅茄〕 miǎnqié 명 《植》 콩과의 낙엽 교목《열매를 약용함》.
〔缅思〕 miǎnsī 명동 ⇨〔缅怀〕
〔缅靦〕 miǎntian 동 ⇨〔腼腆〕
〔缅维〕 miǎnwéi 명동 ⇨〔缅怀〕
〔缅想〕 miǎnxiǎng 명동 ⇨〔缅怀〕
〔缅元〕 miǎnyuán 명양 치아트(kyat)《미얀마의 통화 단위》.

觍(靦) miǎn (전)
→〔靦覥〕 ⇒tiǎn
〔靦覥〕 miǎntian 동 ⇨〔腼腆〕

腼 miǎn (면)
→〔腼腆〕
〔腼腆〕 miǎntian 동 ①수줍어하다. 머뭇거리다. ¶小孩儿见了生人有点～; 어린애는 모르는 사람을 보면 조금 낯을 가린다 / ～得对人连话都不能讲; 수줍어서 남에게 말도 못 한다 / 他虽～却脾气拐孤, 不大随和儿; 저 애는 수줍음을 타는 아이지만, 그러면서 고집이 센 데가 있어서, 남과 잘 사귀지 못합니다. ②(여자가) 얌전하다. ¶她生得～, 没见过大阵仗儿; 그녀는 얌전하니까, 중대한 국면을 만난 적이 없었다. ‖ =〔腼靦〕〔愐悀〕〔靦覥〕〔缅靦〕

面〈靣〉A)(麵〈麪〉)B) miàn (면)
A) ①명 얼굴. ¶～带笑容; 얼굴에 웃음을 띠고 있다 / 白～人; 〈俗〉 호남자. 미남자 / 照～(儿); 얼굴을 내밀다. 방문하다. =〔脸〕 ②동 면하다. 마주 보다〔대하다〕. ¶背山～水; 산을 뒤로 하고 앞엔 물에 면해 있다 / 这所房子～南坐北; 이 집은 남향인데 (부지의) 북쪽에 서 있다. ③동 마주 대하다. 직접 만나다. ¶～议; 직접 만나 상의하다. ④동 얼굴을 그쪽으로 돌리다. ⑤(～子) 명 (추상적인) 얼굴. ⑥(～儿, ～子) 명 물체의 표면. 겉(면). ¶水～(儿); 수면 / 棉袄～; 솜옷의 겉감 / 鞋～; 신의 울〔등〕 / 被～儿; 이불의 거죽 / ～儿磨得很光; 표면을 닦아서 번쩍번쩍 빛나고 있다. ↔〔里〕 ⑦명 《數》 면. ¶平～; 평면 / ～积; 면적 / 敌人占据的是'点', 我们用'～'来包围他们; 적이 점령하고 있는 것은 점이며, 우리는 면을 가지고 그들을 포위하는 것이다. ⑧명 방면. 쪽. ¶正～; 정면 / 全～; 전면 / 片～; 한쪽 / 纸有一～光的, 也有两～光的; 종이는 한 면만 광택이 있는 것도 있고, 양면 모두 광택이 있는 것도 있다 / 一～之词; 한쪽만의 주장. ⑨명 사물의 일면. 한쪽. ¶旁páng～; 측면 / 暴露着旧社会的黑暗～; 구사회의 암흑면을 폭로하고 있다. ⑩접미 방위사(方位詞)에 붙음. ¶上～; 위 / 前～; 앞(쪽) / 外～; 바깥 / 左～; 왼쪽. 좌측 / 西～; 서쪽. ⑪양 주로 납작한 것을 세는 말. ¶一～旗; 한 장의 기 / 一～镜子; 거울 한 개. ⑫양 면회한 횟수를 세는 말. ¶见过一～; 한 번 만난 일이 있

다. B) ① 명 밀가루. ¶～粉; 밀가루/买一斤～; 밀가루를 한 근 사다/白～儿; ⓐ고급 밀가루. ⓑ헤로인(heroine)의 속칭. =〔白面〕 ② 명 밀가루로 만든 음식물의 총칭. 가루붙이. ¶吃一碗～; 국수를 한 그릇 먹다/汤～; 가락 국수〔메밀 국수〕 장국/炒～; 볶은 국수/切～; 칼국수. ③ (～儿, ～子) 명 가루. ¶粉笔～儿; 분필 가루/豆～; 콩가루/绿豆～; 녹두 가루/玉米～ =〔棒子～〕; 옥수수 가루. ④ 형 〈方〉 (전분·당분을 함유하고 있는 음식이 섬유가 적고) 연하다. 허벅허벅하다. ¶这白薯很～; 이 고구마는 매우 연하다/这个苹果太～了, 不好吃; 이 사과는 너무 허벅허벅해서 맛이없다.

〔面案(儿)〕 miàn'àn(r) 명 밀반죽할 때 사용하는 판. =〔面板〕

〔面粑粑〕 miànbāba 명 후베이(湖北) 지방의 음식의 하나로, 밀가루를 둥글게 또는 떡 모양으로 만든 것.

〔面板〕 miànbǎn 명 ⇨〔面案(儿)〕

〔面包〕 miànbāo 명 빵. 식빵. ¶烤～; ⓐ토스트. ⓑ빵을 굽다/～圈; 도너츠/烘～器; 토스터/～机; 제빵기/～店; 빵집/～车; 마이크로 버스. 미니 버스《겉 모양으로 보아 지은 이름》.

〔面包果〕 miànbāoguǒ 명 《植》 빵나무. 또, 그 과실.

〔面包线〕 miànbāoxiàn 명 〈比〉 생명선. 사활선(死活線). ¶你也没有法子让人相信～上的失业工人都能自得其乐; 너에게도 최저 생명선 위에 놓인 실업 노동자가 나름대로 모두 각자 즐기고 있다는 것을 남들에게 믿게 할 방법이 없다.

〔面包鱼〕 miànbāoyú 명 ⇨〔马mǎ面鲀〕

〔面壁〕 miànbì 동 〈文〉 면벽하다. 벽을 향하다. 벽을 향해 좌선(坐禪)하다. ¶～虚构; 벽을 향해 공상적 계획을 짜다《실제적인 일에서 떠나 잘못된 생각을 생각해 내는 일을 가리킴》. 명 《佛》 면벽. 좌선.

〔面别〕 miànbié 동 〈文〉 헤어지다. 작별하다.

〔面饼〕 miànbǐng 명 밀가루를 반죽하여 둥글넓적하게 구운 식품.

〔面禀〕 miànbǐng 동 〈文〉 직접 말씀드리다.

〔面不改色〕 miàn bù gǎi sè 〈成〉 안색 하나 바꾸지 않다《태연자약한 모양》.

〔面布〕 miànbù 명 〈方〉 수건.

〔面部〕 miànbù 명 안면.

〔面层〕 miàncéng 명 표층(表層). (플라스틱 등의) 덧칠. 마무리칠한 면.

〔面茶〕 miànchá 명 메기장 가루를 볶고 끓는 물을 부어 만든 죽《설탕·깨소금·산초 열매를 볶아 간 가루 등을 쳐서 먹음》.

〔面陈〕 miànchén 동 〈文〉 직접 만나서 말하다.

〔面称〕 miànchēng 동 직접 말하다.

〔面呈〕 miànchéng 동 〈文〉 직접 건네다〔전하다〕.

〔面疮〕 miànchuāng 명 ⇨〔面疱〕

〔面床〕 miànchuáng 명 밀가루 반죽할 때 쓰는 대(臺).

〔面辞〕 miàncí 동 직접 만나서 작별 인사를 하다.

〔面从〕 miàncóng 동 〈文〉 겉으로만 복종하다. ¶～后言; 〈成〉 그 사람 앞에서는 복종하고, 뒤에서는 욕을 하다.

〔面从心违〕 miàn cóng xīn wéi 〈成〉 겉으로는 승낙하나 내심 반대〔배반〕하다. =〔面从腹背〕

〔面袋子〕 miàndàizi 명 밀가루 부대.

〔面淡〕 miàndàn 형 (과육이) 연하고 맛이 산뜻하다.

〔面蛋〕 miàndàn 명 굳어진 가루 덩어리.

〔面点〕 miàndiǎn 명 밀가루를 주재료로 한(우동·'饺子' 따위의) '点心'(간식품).

〔面订〕 miàndìng 동 〈文〉 만나 보고 결정〔약속〕하다.

〔面对〕 miànduì 동 대면하다. 직면하다. ¶～着这种形势, 自由国家必须保持道义的压力; 이런 형세에 직면하여, 자유 국가는 모름지기 도의적 압력을 유지할 필요가 있다/～危wēi机; 위기에 직면하다/～现xiàn实; 현실에 직면하다. =〔面向①〕

〔面对面〕 miàn duì miàn 서로 마주 보고. 마주 앉아. 상대하여. 맨투맨. ¶～坐着; 얼굴을 맞대고 앉다/实行～的领导; 맨투맨의 지도를 하다.

〔面额〕 miàn'é 명 《經》 액면(금액).

〔面饭〕 miànfàn 명 면류와 밥.

〔面饭〕 miànfan 명 국수류의 식사. 밀가루 음식.

〔面坊〕 miànfáng 명 (구식의) 제분소. 방앗간.

〔面肥〕 miànféi 명 ① ⇨〔发fā面头〕 ②(제빵용의) 이스트. 형 〈方〉 얼굴이 통통하다.

〔面粉〕 miànfěn 명 밀가루. ¶～厂; 제분소.

〔面付〕 miànfù 동 〈文〉 직접 건네 주다.

〔面干〕 miàngān 명 마른 국수. 건면(乾麪). 괘면(掛麪).

〔面膏〕 miàngāo 명 화장 크림.

〔面疙瘩〕 miàngēda 명 수제비.

〔面和心不和〕 miàn hé xīn bù hé 〈成〉 겉으로는 웃고 있으나 마음은 평온치가 않다.

〔面红耳赤〕 miàn hóng ěr chì 〈成〉 ①(기침을 하거나 수줍어) 얼굴이 붉어지는 모양. ¶羞得～了; 수줍어서 얼굴이 달아올랐다. ②흥분하는 모양. 흥분해서 화내는 모양.

〔面糊〕 miànhù 명 ①밀가루를 묽게 반죽한 것《'煎饼'(철판에 넓게 펴서 아주 얇게 지진 식품)이나 '拨鱼儿'(수제비의 일종)을 만드는 재료》. ¶～刀; '面糊'를 필요한 만큼 떼어 내는 주걱. ②〈方〉 (묽게 쑨) 풀. =〔糨jiàng糊〕

〔面糊〕 miànhu 형 〈方〉 음식이 섬유가 적어서 연하다. ¶白薯蒸熟了, 很～; 고구마를 잘 삶아서 무척 연하다.

〔面糊团〕 miànhùtuán 명 ①밀개떡. ②〈罵〉〈轉〉 멍청이. 미련퉁이. 바보.

〔面黄肌瘦〕 miàn huáng jī shòu 〈成〉 (병이 들어) 안색이 나쁘고 수척한 모양.

〔面幌子〕 miànhuǎngzi 명 옛날, 국수 가게의 간판《국수를 뜨는 소쿠리를 처마 끝에 매어단 것》.

〔面会〕 miànhuì 명동 면회(하다).

〔面积〕 miànjī 명 면적. ¶～仪; 불규칙한 도형의 면적을 재는 기계.

〔面剂(子)〕 miànjì(zi) 명 밀가루를 반죽하여 떼어 놓은 작은 덩이. ⓐ교자(餃子)나 만두를 빚을 때에, 반죽한 밀가루를 미리 적당한 크기로 많이 떼어 놓고 빚는데, 그 덩이를 말함. ⓑ '填tián鸭(子)' 할 때, 수수와 '黑hēi面②'를 반반으로 섞어, 끓는 물에 개어서 만드는 먹이. =〔面剂(子)〕〔剂子〕

〔面颊〕 miànjiá 명 볼. 뺨.

〔面价〕 miànjià 명 ⇨〔面值〕

〔面碱〕 miànjiǎn 명 정제된 흰색의 소다.

〔面见〕 miànjiàn 동 ①눈앞에서 보다. 직접 보다. ②면회하다. 직접 만나다. ¶去到了是礼, 不必～; 가기만 하면 예가 되니까 만날 것까지는 없다.

〔面荐〕 miànjiàn 동 〈文〉 친히 추천하다.

〔面酱〕 miànjiàng 명 ⇨〔甜tián面酱〕

〔面交〕 miànjiāo 동 직접 넘겨〔건네〕 주다. =〔面缴〕 명 일면식(一面識). 겉으로만의 교제. ¶～(之

友) =〔～的朋友〕〔面朋〕; 면교. 면우. 얼굴이나 알고 지내는 벗.
〔面角〕 miànjiǎo 명 ①《數》 면각. ②《生》 안면각.
〔面缴〕 miànjiǎo 동 ⇨〔面交〕
〔面酵〕 miànjiào 명 ⇨〔发fā面头〕
〔面诘〕 miànjié 동 〈文〉 맞대 놓고 나무라다.
〔面巾〕 miànjīn 명 ①〈方〉 타월. 수건. ¶～纸; 얼굴 화장지. =〔手巾〕〔毛巾〕 ②죽은 사람의 안면을 덮는 헝겊.
〔面劲儿似地〕 miànjìnrshìde 부 〈北方〉 트릿하고 칠칠치 못하게. 줏대없이. ¶他～听人摆布, 一点儿斗争性都没有; 그는 줏대없이 남이 하라는 대로 하여, 조금도 투쟁심이 없다.
〔面筋〕 miànjin 명 ①《化》 글루텐《단백질의 일종》. =〔麸fū素〕〔麸质〕〔〈音〉 哥gē路登〕 ②밀가루에서 녹말을 뺀 나머지의 아직 마르지 않은 기울.
〔面镜〕 miànjìng 명 거울. 면경.
〔面具〕 miànjù 명 ①가면. 탈. =〔假jiǎ面具〕 ②마스크. ¶防毒～; 방독 마스크. =〔代面〕 ③〈比〉 가면. ¶揭下～; 가면을 벗다.
〔面卷子〕 miànjuǎnzi 명 ⇨〔花huā卷儿〕
〔面考〕 miànkǎo 명동 ⇨〔面试〕
〔面恳〕 miànkěn 동 〈文〉 만나서 부탁하다.
〔面孔〕 miànkǒng 명 ①〈方〉 얼굴. 용모. 낯. ②표정. ¶和蔼的～; 온화한 표정 / 板着～; 무뚝뚝한 얼굴을 하다 / 装出一付积极的～; 적극적인 표정을 가장하다 / 打肿～充胖子; 오기로 버티다.
〔面苦语辣〕 miàn kǔ yǔ là 〈成〉 뚱한 얼굴에 말 또한 무뚝뚝하다.
〔面宽〕 miànkuan 명 ①가옥의 내림의 넓이. 정면 폭의 넓이. →〔间架①〕 ②(천 따위의) 폭(幅). 너비. ¶布的～; 직물의 폭.
〔面狂语辣〕 miàn kuáng yǔ là 〈成〉 노기를 띠고 조심성 없이 함부로 말하다.
〔面阔口方〕 miànkuò kǒufāng 얼굴이 크고 입이 네모지다《남자다운 훌륭한 용모》.
〔面料〕 miànliào 명 ①(재료로서의) 밀가루. ②(밀가루 요리의) 조미료·첨가 재료 따위. ③옷감《의복의 겉감》.
〔面临〕 miànlín 동 직면하다. 당면하다. ¶～着银根奇紧; 금융 핍박에 직면해 있다 / 会～艰难的局面; 어려운 국면에 직면할 게다 / ～灭亡; 멸망에 직면하다.
〔面聆〕 miànlíng 동 〈翰〉 직접 말씀을 듣다. ¶～大教; 직접 교시(教示)를 받다.
〔面领〕 miànlǐng 동 직접 받다〔수취하다〕.
〔面罗〕 miànluó 명 ⇨〔面纱〕
〔面罗(儿)〕 miànluó(r) 명 가루 체.
〔面码儿〕 miànmǎr 명 국수에 넣는 야채 등의 고명.
〔面貌〕 miànmào 명 ①용모. 생김새. ②〈轉〉 모습. 양상. 면모. 상황. ¶各国人民的生活～; 각국 국민의 생활 양상.
〔面门〕 miànmén 명 얼굴. 표정.
〔面面〕 miànmiàn 명 ①각 방면. ¶～兼顾; 〈成〉 여러 가지 면을 함께 배려하다. ②얼굴과 얼굴《상호(相互)》. ③〈俗〉 표면. 겉. ¶～上好了, 可是里边…; 겉은 좋지만 속은 …. ④〈方〉 분말(粉末). 형 제각각의. ¶～观; 각자의 견해.
〔面面俱到〕 miàn miàn jù dào 〈成〉 ①모든 점에 배려가 두루 미치다. ¶照顾得～; 구석구석까지 잘 보살피다. ②모든 면에 빈틈이 없으나 표면뿐이다.
〔面面相觑〕 miàn miàn xiāng qù 〈成〉 서로 얼굴만 쳐다보다〔쳐다볼 뿐 어찌할바를 모르다〕. =〔面面相视〕
〔面面相视〕 miàn miàn xiāng shì 〈成〉 ⇨〔面面相觑〕
〔面命〕 miànmìng 동 〈文〉 직접 명령하다.
〔面模儿〕 miànmúr 명 ⇨〔脸liǎn模儿〕
〔面目〕 miànmù 명 ①낯. ㉠얼굴. 용모. 몰골. ¶～狰狞; 얼굴이 흉악하다 / ～可憎zēng; 얼굴이 밉살스럽다《뒤에 '语言无味'로 이어짐》. ㉡면목. 낯. ¶有何～见他呢; 무슨 낯으로 그를 볼 수 있으랴. ②본분. 본래의 모습. ¶守自己的～; 자신의 본분을 지키다 / 真zhēn～; 진면목. 정체 / 不识庐山真～; 〈諺〉 루산(廬山)의 참모습을 모르다《사물의 진상을 알 수 없다》. ③(표면에 드러난) 상황. 상태. 모양. ¶精神～; 정신 상태.
〔面目全非〕 miàn mù quán fēi 〈成〉 사물의 모습이 철저히 바뀌다. 일변하다《좋지 않은 뜻으로 쓰임》. ¶经过一场大地震, 这个城市变得～了; 대지진 후, 이 도시는 옛 자취를 찾아볼 수 없게 변했다.
〔面目一新〕 miàn mù yī xīn 〈成〉 면목이 일신하다. 모양이 아주 새롭게 되다《좋은 뜻으로 쓰임》. ¶这篇文章经过他大加修改以后, 已经～了; 이 문장은 그가 대대적으로 수정한 후, 몰라보게 달라졌다.
〔面嫩〕 miànnèn 동 (세상에 익숙지 않아) 주뼛주뼛하다. 곧잘 얼굴을 붉히다.
〔面帕〕 miànpà 명 ⇨〔面纱〕
〔面盘子〕 miànpánzi 명 〈方〉 ⇨〔脸liǎn盘儿〕
〔面庞〕 miànpáng 명 얼굴. (얼굴의) 윤곽.
〔面疱〕 miànpào 명 여드름. ¶长～; 여드름이 생기다. =〔粉刺fěncì〕〔面疮〕〔皰〕〔痤疮〕〔酒刺〕
〔面盆〕 miànpén 명 ①〈方〉 세면기. =〔脸盆〕 ②밀가루를 반죽할 때 쓰는 쟁반.
〔面朋〕 miànpéng 명 〈文〉 면붕. 안면이나 있을 정도의 벗. =〔面友〕
〔面坯儿〕 miànpīr 명 ①(양념을 하지 않은) 맨국수. ②국수 사리. ¶～有什么吃头; 맨국수〔국수사리〕가 무슨 맛이 있겠는가. ‖=〔面纰儿〕
〔面皮〕 miànpí 명 ①낯가죽. ¶～厚; 낯가죽이 두껍다. ②정실. 의리. 인정.
〔面片儿〕 miànpiānr 명 칼싹두기《밀가루를 반죽하여 얇게 밀어 폭넓게 썬 것을 삶아서 만듦》.
〔面票〕 miànpiào 명 밀가루 구입권.
〔面谱(儿)〕 miànpǔ(r) 명 ⇨〔脸liǎn谱〕
〔面起饼〕 miànqǐbǐng 명 ⇨〔发fā面饼〕
〔面起子〕 miànqǐzi 명 ⇨〔发fā面头〕
〔面洽〕 miànqià 동 〈文〉 직접 만나 면담하다. ¶详情请和来人～; 자세한 점은 손님과 면담하십시오.
〔面前〕 miànqián 명 (마주 대했을 때의) 앞. 면전. 마주 대해 있는 곳. ¶～顾到; 각 방면을 충분히 고려하다.
〔面墙〕 miànqiáng 동 담장〔벽〕을 향하다. 형 〈轉〉 학문이 진보하지 않다. 견문이 좁다.
〔面请〕 miànqǐng 동 직접 만나서 부탁하다.
〔面罄〕 miànqìng 동 〈翰〉 직접 만나 자세히 말씀드리다.
〔面人儿〕 miànrénr 명 가루를 이겨 만든 인형.
〔面容〕 miànróng 명 (표정으로서의) 얼굴. 모습. ¶他～有些憔悴; 그는 얼굴이 여위어 있었다 / ～消瘦; 얼굴이 수척하다.
〔面柔〕 miànróu 형 ⇨〔面软〕
〔面如傅土, 身似筛糠〕 miàn rú fù tǔ, shēn sì shāi kāng 〈成〉 얼굴빛은 흙을 바른 것 같

고, 몸은 체로 겨를 치는 것처럼 떨고 있다(공포가 심한 모양).
〔面如土色〕 miàn rú tǔ sè 〈成〉 ①안색이 흙빛〔사색〕이다. ¶吓得~; 놀라서 얼굴에 핏기가 없다. ②(병으로) 얼굴이 누렇게 뜨다.
〔面软〕 miànruǎn 형 마음이 여리다. 마음씨가 곱다. 사람이 좋다. ¶心慈cí~ =〔~心慈〕; 마음씨가 곱고 사람이 좋다. =〔面柔〕
〔面色〕 miànsè 명 ⇨〔脸liǎn色〕
〔面纱〕 miànshā 명 너울. 베일. 면사포. ¶蒙~; 면사포를 쓰다 / 摘~; 면사포를 벗다. =〔面帕〕〔面罗〕〔面罩②〕〔面衣①〕
〔面善〕 miànshàn 형 ①⇨〔面熟〕 ②얼굴〔표정〕이 온화하다. ¶~心狼; 〈成〉 얼굴은 온화하지만 마음은 흉악하다.
〔面商〕 miànshāng 동 〈文〉 만나서 의논하다. 면담하다.
〔面上〕 miànshang 명 표면. ¶~朋友, 台下踢脚; 겉으로는 친구고, 뒷구멍으로는 발길질한다.
〔面糁儿〕 miànshēnr 명 밀가루의 찌꺼기.
〔面神经〕 miànshénjīng 명 《生》 안면 신경.
〔面生〕 miànshēng 형 면식이 없다. 낯설다. 생면부지이다. ↔〔面熟〕
〔面世〕 miànshì 동 세상에 나타나다. ¶世界上还没有一种治疗流行性感冒的特效药~; 세상엔 유행성 감기를 치료하는 특효약이 아직 나오지 않았다.
〔面试〕 miànshì 명동 면접 시험(하다). =〔面考〕
〔面食〕 miànshi 명 밀가루로 만든 식품의 총칭. 분식(粉食).
〔面首〕 miànshǒu 명 옛날, 귀부인이 가지고 놀던 미남자.
〔面授〕 miànshòu 동 직접 얼굴을 맞대고 가르치다. ¶~机宜; 비밀한 행동 지시를 직접 내리다.
〔面熟〕 miànshú 형 안면이 있다(낯은 익지만 누구인지 기억이 안 나는 경우). ¶这人看着~, 像在哪儿见过; 이 사람은 낯이 익다, 어딘가에서 만난 적이 있는 것 같다. =〔面善①〕 ↔〔面生〕
〔面数〕 miànshǔ 동 맞대 놓고 나무라다.
〔面塑〕 miànsù 명 채색한 찹쌀 가루를 반죽하여 여러 가지 형상을 빚는 중국 민간 공예.
〔面谈〕 miàntán 동 면담하다. 얼굴을 맞대고 이야기하다. 명 면담.
〔面汤〕 miàntāng 명 ①〈方〉 (더운) 세숫물. ②국수를 삶은 국물. ‖ =〔面汤水〕
〔面汤〕 miàntang 명 〈方〉 탕면(湯麪).
〔面条(儿)〕 miàntiáo(r) 명 ①국수. ¶下~; 국수를 삶다. ②〈轉〉 국수 가락같이 흘러내린 콧물. ¶从鼻子眼儿里搭拉着两根~; 콧구멍에서 두 줄기의 콧물을 흘리고 있다.
〔面条鱼〕 miàntiáoyú 명 ① ⇨〔银yín鱼①〕 ② ⇨〔大dà银鱼〕 ③《魚》 '玉yù筋鱼'의 유어(幼魚).
〔面廷巴〕 miàntíngbā 명 《魚》 복어.
〔面艇鲅〕 miàntǐngbà 명 《魚》 매리복. =〔虫chóng纹圆鲀〕
〔面头〕 miàntóu 명 〈方〉 ⇨〔发fā面头〕
〔面团〕 miàntuán 명 밀가루 반죽 덩이.
〔面团儿〕 miàntuánr 명 〈比〉 묵사발. ¶把个尤氏揉搓成个~《紅樓夢》; 우(尤)부인을 묵사발을 만들어 혼내 주었다.
〔面团团〕 miàntuántuán 형 (얼굴이) 통통하다.
〔面托〕 miàntuō 동 친히 위탁하다. 직접 부탁하다. ¶他曾~代邀韩国物理学者访问中国; 그는 일찍이 직접 (그를) 만나 한국의 물리학자를 중국에 초대하도록 부탁했다.
〔面无人色〕 miàn wú rén sè 〈成〉 (공포로) 얼굴에 핏기가 없다.
〔面晤〕 miànwù 동 〈文〉 면회하다. 대면하다.
〔面鲜(儿)〕 miànxiān(r) 명 제사용으로 과일 모양으로 만든 찐 만두.
〔面向〕 miànxiàng 동 ①⇨〔面对〕 ②…쪽을 향하다. 얼굴을 …로 향하다. ¶~阳光站着; 햇빛 쪽을 향하여 서 있다. ③(요구 등을) 만족시키다. …에 이바지하게 하다. ¶~工农兵; 노동자·농민·병사의 요구를 만족시키다.
〔面相〕 miànxiàng 명 〈方〉 용모. 얼굴.
〔面象〕 miànxiàng 명 얼굴(생김새).
〔面屑〕 miànxiè 명 (쓰다 남은) 밀가루 찌끼.
〔面谢〕 miànxiè 동 직접 만나서 사례를 하다.
〔面叙〕 miànxù 동 〈文〉 면담하다.
〔面邀〕 miànyāo 동 직접 만나서 초청하다.
〔面药〕 miànyào 명 ①동상 방지용의 연고〔크림〕. ②가루약.
〔面衣〕 miànyī 명 ①⇨〔面纱〕 ②튀김옷.
〔面议〕 miànyì 동 직접 만나서 의논〔상의〕하다.
〔面引子〕 miànyǐnzi 명 ⇨〔发fā面头〕
〔面友〕 miànyǒu 명 ⇨〔面朋〕
〔面有菜色〕 miàn yǒu cài sè 〈成〉 (병이나 굶주려서) 창백한 얼굴.
〔面鱼〕 miànyú 명 ①《魚》 버들치. ②수제비 비슷한 음식.
〔面谀〕 miànyú 동 〈文〉 면전에서 아첨하다.
〔面誉背毁〕 miàn yù bèi huǐ 〈成〉 면전에서는 칭찬하고 돌아서서는 헐뜯다.
〔面约〕 miànyuē 동 직접 만나서 약속하다〔초대의 약속을 하다〕.
〔面杖〕 miànzhàng 명 밀방망이. =〔擀gǎn面杖〕
〔面赵〕 miànzhào 동 만나서 직접 돌려 주다. →〔完wán璧归赵〕
〔面罩〕 miànzhào 명 ①(수술할 때 의사·간호사가 쓰는) 얼굴 마스크. ¶戴~; 얼굴 마스크를 하다. ②⇨〔面纱〕
〔面折〕 miànzhé 동 맞대 놓고 몰아붙이다〔꾸짖다〕.
〔面值〕 miànzhí 명 《經》 (어음·증권 따위의) 액면 가격. 액면. ¶新邮票的~是一角; 새 우표의 액면은 1각(角)이다. =〔面价〕〔额é面价格〕〔票piào面价格〕
〔面嘱〕 miànzhǔ 동 만나서 당부하다〔부탁하다〕.
〔面酌〕 miànzhuó 동 만나서 상의하다.
〔面子〕 miànzi 명 ①체면. 낯. 명예. ¶~事儿; 체면에 관계되는 일 / 看~ =〔给~〕; (…의) 낯을 보다. 체면을 위하다〔생각하다〕 / 丢~; 체면을 잃다. 낯이 깎이다 / 讲jiǎng ~; 체면을 세우다〔세워 주다〕 / 爱~ =〔要~〕; 체면을 존중하다 / 碍~; 체면에 구애되다 / 给他留点儿~; 그의 체면을 조금 세워 주다 / 给他一个~, 让他一点; 그의 체면을 보아서 조금 양보해 주다 / 没有~ =〔不是~〕; 면목이 없다 / ~推住了 =〔推到那儿〕; 체면〔교제〕상 어쩔 수 없는 상태에 이르다. ②정의(情誼). 의리(관계). ¶顾gù全~; 정분을 충분히 고려에 넣다. ③얼굴. ④표면. 겉(보기). 외양. ¶~情儿; 겉으로만의 교분 / ~货huò; 허울만 좋은 물건. 굴퉁이 / 盖gài~; 표면을 겉바르다〔호도하다〕 / 做~活; 겉으로만 일하는 체하다 / 别竟做~活, 犄里旮旯儿的事情也要顾到; 겉만을 꾸미는 일을 해서는 안 되며, 구석구석까지 마음을 써야 한다. ⑤폭. 나비. ¶~有多宽? 폭은 얼마나 되느냐? ⑥(옷·모자·헝겊신 따위의) 겉에 대는 천. ↔〔里lǐ子〕 ⑦〈俗〉 분말. 가루. ¶~

药; 가루약 / ~煤 =〔粉煤〕; 미분탄. ⑧옥수수를 빻은 것.
〔面奏〕 miànzòu 동 〈文〉 직접 상주하다.

眄 **miàn** 〔miǎn〕(면)
동 〈文〉 곁눈질하다. ¶按剑相~; 칼을 잡고 서로 상대를 힐끗 쏘아보다. =〔眄视shì〕
〔眄睐〕 miànlài 동 〈文〉 흘겨보다. 노려보다.
〔眄眄〕 miànmiàn 형 ①힐끗힐끗 흘겨보다〔보는 모양〕. ②슬기가 없는 모양.
〔眄睨〕 miànnì 동 〈文〉 곁눈질하다. 흘겨보다.
〔眄视〕 miànshì 동 〈文〉 곁눈질하다. 흘겨보다.

MIAO ㄇㄧㄠ

喵 **miāo** (묘)
〈擬〉 야옹《고양이의 우는 소리》.

苗 **miáo** (묘)
①(~儿) 명 모종. 새싹. ¶树~; 나무의 모종 / 麦~儿; 밀·보리싹 / 青~; 벼가 푸른 논. ② 명 혈통. ③(~儿) 명 자손. 후예. ④ 명 묘족(苗族). ⑤ 명 갓 태어난 것. 막 싹터 나온 것. ¶鱼~; 새끼 물고기. ⑥ 명 야채의 줄거리. ¶韭菜~; 부추 줄기 / 蒜~; 마늘종. ⑦(~儿) 명 모양이 새싹 비슷한 것. ¶火~儿; 불길 / 灯~; 등불의 불꽃 / 矿~; 노두(露頭). ⑧(~儿) 명 일의 발단. 단서. 기미. 징후. ¶这事好容易有点~儿了; 이 일은 간신히 조금 단서가 잡혔다. ⑨ 명 《醫》 백신. ¶卡介~; 비시지(B.C.G.) / 牛痘(~) =〔痘~〕; 종묘(種苗). =〔疫苗〕 ⑩ 양 묘목을 세는 말. ¶一~红薯; 고구마의 모종 한 그루. ⑪ 형 〈俗〉 어린이가 말을 듣지 않다〔유순하지 않다〕. ¶~子; 응석꾸러기. 떼쟁이. ⑫ 명 성(姓)의 하나.
〔苗床〕 miáochuáng 명 《農》 모종판. 못자리.
〔苗而不秀〕 miáo ér bù xiù 〈成〉 벼가 키만 자라고 이삭이 영글지 않는다《소질은 있으나 대성(大成)하지 못함. 겉보기뿐이고 알맹이가 없음》.
〔苗户〕 miáohù 명 ⇨〔苗民〕
〔苗疆〕 miáojiāng 명 먀오 족(苗族)의 거주 지역.
〔苗苗〕 miáomiao 명 〈方〉 모. ¶好~; ⓐ좋은 모. ⓑ육성 대상이 되는 좋은 후계자.
〔苗民〕 miáomín 명 〈貶〉 먀오 족의 옛 멸칭. =〔苗户〕〔苗子⑤〕
〔苗末〕 miáomò 명 ⇨〔苗裔〕
〔苗木〕 miáomù 명 묘목.
〔苗圃〕 miáopǔ 명 《農》 묘포. 모밭.
〔苗期〕 miáoqī 명 《農》 모〔苗〕의 성장 단계.
〔苗儿〕 miáor 명 〈方〉 징후. 조짐. 단서. 실마리. =〔苗头(儿)①〕
〔苗条〕 miáotiao 형 (여자의 몸매가) 날씬하다. 몸의 선이 아름답다. =〔条苗〕
〔苗头(儿)〕 miáotou(r) 명 ①징조. 단서. 징후. 일의 발단. ¶这事情有点~了; 이 일은 약간의 윤곽이 잡혔다 / 那件事还有~吗? 그 일은 아직 희망이 있느냐? / 这都是要起风暴的~; 이것은 모두 폭풍이 몰아칠 전조다. =〔苗儿〕 ②(일의 발전하는) 방향. 형세. ¶~不对; 형세가 나쁘다. ③내정(內情). 내막.
〔苗绪〕 miáoxù 명 ⇨〔苗裔〕
〔苗裔〕 miáoyì 명 〈文〉 후예. 먼 자손. =〔苗末〕〔苗绪〕〔苗胤〕
〔苗胤〕 miáoyìn 명 ⇨〔苗裔〕
〔苗子〕 miáozi 명 ①〈方〉 모. 새싹. ②〈比〉 젊은 후계자. ③〈方〉 희망. 실마리. ④응석꾸러기. 장난꾸러기. ¶这孩子简直是个~; 이 아이는 정말 개구쟁이다. ⑤ ⇨〔苗民〕
〔苗族〕 Miáozú 명 《民》 먀오 족《중국 소수 민족의 하나. 대부분 구이저우 성(貴州省) 동남부 및 후이난 성(湖南省) 서부에 살며, 또 윈난(雲南)·광시(廣西)·쓰촨(四川)·광둥(廣東) 성 등에도 널리 삶》.

描 **miáo** (묘)
동 ①모사(模寫)하다. 대고 베끼다. 본뜨다. ¶~图案; 도안을 모사하다 / 画不好, 总得~一~; 잘 그릴 수 없으니, 종이를 대고 본떠서 그려야겠다. ②덧그리다. 덧쓰다. ¶~红; (습자의) 본을 따라 덧쓰다 / 写字不要~; 글씨를 쓸때에는 덧쓰면 안 된다. ③그리다. 묘사하다. ¶~写着农民的生活; 농민의 생활을 그려 내다 / ~眉; 눈썹을 그리다.
〔描波器〕 miáobōqì 명 《物》 오실로 그래프(oscillograph). 진동의 모양을 가시(可視) 곡선으로 나타내는 기계. =〔计jì波器〕〔记jì波器〕〔示shì波器〕〔写xiě波器〕
〔描补〕 miáobu 동 〈北方〉 ①반복해서 말하다. 재술(再述)하다. ¶劳驾, 您再~一遍, 我没听清楚; 수고스럽지만 한 번 더 말해 주십시오, 확실히 듣지 못했습니다. ②보충 설명을 하다. 방증(傍證)하다. ¶这件事, 恐怕大家忘了, 你得~~; 이 일은 모두들 잊어버렸는지도 모르니까, 네가 보충 설명을 해야겠다.
〔描红(格)〕 miáo hóng(gé) (습자 연습에서) 붉은 글씨로 인쇄된 본을 대고 쓰다. =〔描红模子〕
〔描红模子〕 miáo hóngmúzi ⇨〔描红(格)〕
〔描红纸〕 miáohóngzhǐ 명 덮어쓰기용(用)의 붉은 글씨가 있는 아이들의 습자용의 종이.
〔描花儿〕 miáohūar 꽃무늬를 밑에 깔고 복사하다.
〔描画〕 miáohuà 동 그리다. 묘사하다.
〔描绘〕 miáohuì 동 (생생하게) 그리다. (그림처럼) 묘사하다. ¶~变化的过程; 변화의 과정을 생생하게 그리다. 명 트레이싱(tracing). 투사(透寫).
〔描金〕 miáojīn 명동 《美》 칠기에 금·은 가루로 무늬를 놓다〔놓은 것〕. ¶~匠; 금박〔은박〕 무늬 공예 장인 / ~柜; 금박〔은박〕 무늬를 놓은 궤.
〔描眉打鬓〕 miáo méi dǎ bìn 〈成〉 얼굴·머리를 다듬다. 화장하여 모양을 내다.
〔描摹〕 miáomó 동 ①모사(模寫)하다. ②〈轉〉 언어·문자로 형상·특징 등을 표현하다. ¶用对话~一个人的性格; 대화로 한 사람의 성격을 그려 내다 / 喜怒哀乐~得逼真; 희로애락의 표현이 생생하다. 명 모사(模寫). 모사 상형(象形). ‖=〔摹状〕
〔描情〕 miáoqíng 동 감정을 그리다〔표현하다〕.
〔描述〕 miáoshù 명동 묘사(하다). 기술(하다). ¶难以用文字来~; 문자로는〔문장으로는〕 묘사하기가 어렵다. =〔描叙〕
〔描图〕 miáotú 명동 모사(模寫)(하다). (원그림을) 트레이싱(하다).
〔描图纸〕 miáotúzhǐ 명 제도 용지. 트레이싱 페이퍼.
〔描写〕 miáoxiě 명동 묘사(하다). ¶这篇小说是~爱情的; 이 소설은 애정을 묘사한 것이다. 동 본떠 그리다. 모사하다.

〔描叙〕 miáoxù [명][동] ⇨〔描述〕
〔描着模儿〕 miáozhemúr 〈京〉 어렴풋이. 아련히. ¶这个人～在哪里见过似的; 이 사람은 어디선가 만난 적이 있는 것 같다 / 等我想想, 这个问题, 我～还能记得; 글쎄요, 이 문제는 아직 어렴풋이 기억하고 있습니다.

瞄 miáo (묘)
[동] ①겨누다. 주시하다. ¶～中红心; (과녁의 한가운데인) 붉은 곳에 적중하다 / ～准(儿); ⇓ / ～着靶子放枪; 표적을 겨누어 발포하다. ② 넌지시 말하다. 암시하다.
〔瞄靶〕 miáobǎ [동] 조준하다.
〔瞄歪〕 miáowāi [동] 겨냥이 빗나가다.
〔瞄准(儿)〕 miáo.zhǔn(r) [동] 겨냥〔조준〕하다. ¶瞄不准(儿); 겨냥이 잘 안 되어진다 / ～雷达; 사격용 레이더.

鹋(鶓) miáo (묘)
→〔鸸ér鹋〕

杪 miǎo (초)
[명] ①나무 끝. 우죽. ②끄트머리. ③〈轉〉 말단. 말(末). ¶月～; 월말 / 秋～; 만추(晩秋) / ～末mò; 종말 끝 / 岁～ =〔岁底〕; 연말. 세모.

眇 miǎo (묘)
[명] ①애꾸눈. 〈轉〉 맹인. ¶左目～; 왼쪽눈이 애꾸이다. ②극히 작은 것. ¶～小; 미소(微小)하다 / ～乎其小; 희미하고 작다.
〔眇风〕 miǎofēng [명] 〈文〉 폐풍(弊風).
〔眇公〕 miǎogōng [명] 애꾸눈(의 남자).
〔眇乎〕 miǎohū [형] 〈文〉 극히 작은 모양.
〔眇见寡闻〕 miǎo jiàn guǎ wén 〈成〉 견문이 좁다.
〔眇眇〕 miǎomiǎo [형] 〈文〉 ①극히 작은 모양. ¶～小小; 극히 작은 모양 / ～忽hū忽; 극히 작아 분간하기 어렵다. ②아득히 먼 모양.
〔眇目〕 miǎomù [명] 〈文〉 애꾸(눈). [동] 눈을 가늘게 뜨고 보다《멸시하는 눈초리》.
〔眇身〕 miǎoshēn [명] 〈文〉 ①작은 몸. ②〈轉〉〈謙〉 자신(自身).
〔眇微〕 miǎowēi [형] 〈文〉 극히 미세하다.
〔眇眼〕 miǎoyǎn [명] 〈文〉 애꾸눈.

秒 miǎo (묘, 초)
①[명] 벼 이삭의 수염. ②[양] 《度》 초《시간과 각도·경위도의 단위. 1분의 60분의 1》. ¶分～必争; 분초를 다투다. ③[명] 극히 작은 것.
〔秒表〕 miǎobiǎo [명] 스톱워치(stop watch).
〔秒差距〕 miǎochājù [양] 《天》 파섹(pc:parsec)《항성의 거리를 재는 단위》.
〔秒忽〕 miǎohū [형] 〈比〉 매우 적다. 극히 적다.
〔秒立方米〕 miǎolìfāngmǐ [양] 《度》 초입방미터 (m^3/s)《1초간에 흐르는 수량(水量)》.
〔秒针〕 miǎozhēn [명] 초침.

渺〈淼〉 miǎo (묘)
①[형] 멀고 아득하다. 까마득하다. 막연하다. ¶烟波浩～; 넓은 수면에는 자욱한 연기처럼 파도가 펴져 있다 / ～若烟云; 묘망하여 (끝없이 넓어) 구름과 연기가 낀 것 같다 / ～无人迹; 아주 외진 곳이라 사람이 살고 있지 않다. ②[형] 미미하다. 미소하다. ③인명용자(字).
〔渺不可见〕 miǎo bù kě jiàn 〈成〉 멀고 희미하여 보이지 않다. 막연하여 확실히 보이지 않다.
〔渺不足道〕 miǎo bù zú dào 사소하여 하잘것없다.
〔渺漫〕 miǎomàn [형] 〈文〉 (산이나 수면이) 끝없이 아득하다.
〔渺茫〕 miǎománg [형] ①멀고 아득하다. ②막연하다. 모호하다. ¶前途～; 전도가 막연하여 전망이 서지 않다 / 迷梦日益～; 미몽〔망상〕은 날로 끝없이 막막하다 / ～无凭的事; 근거 없는 막연한 일.
〔渺弥〕 miǎomí [형] ⇨〔渺渺〕
〔渺沔〕 miǎomiǎn [형] ⇨〔渺渺〕
〔渺渺〕 miǎomiǎo [형] 〈文〉 ①수면〔해면〕이 넓고 아득하다. ②아득히 끝이 없다. ‖ =〔渺弥〕〔渺沔〕
〔渺视〕 miǎoshì [동] 경시하다. 가볍게 보다. ¶然而非常～他; 그러나 그를 아주 경시하고 있다.
〔渺小〕 miǎoxiǎo [형] 하잘것없다. 하찮다. ¶～的人物; 하잘것없는 인물.
〔渺远〕 miǎoyuǎn [형] 까마득하다. 아득히 멀다.

缈(緲) miǎo (묘)
→〔缥piāo缈〕

邈 miǎo (막)
[형] 멀다. 아득하다. ¶～远; 멀다. 아득하다 / ～然 =〔～～〕; 멀고 아득한 모양 / ～不可闻; (목)소리가 멀어서 잘 들리지 않다.

藐 miǎo (묘)
①[형] 작다. ②[동] 경시하다. ③[형] 멀다. 아득하다.
〔藐法〕 miǎofǎ [동] 〈文〉 법률을 무시〔경시〕하다.
〔藐孤〕 miǎogū [명] 〈文〉 나이 어린 고아.
〔藐藐〕 miǎomiǎo [형] ①광대하다. 요원하다. ¶～昊hào天; 넓고 넓은 하늘. ②아름답다. ③도외시하는 모양. 귀담아 듣지 않는 모양. ¶言者谆谆, 听者～; 말하는 쪽은 입이 닳도록 말하지만, 듣는 쪽이 귀담아 들으려 하지 않는다.
〔藐视〕 miǎoshì [동] 경시하다. 업신여기다. 깔보다.
〔藐小〕 miǎoxiǎo [형] 아주 작다. 미미하다.

妙 miào (묘)
[형] ①아름답다. 훌륭하다. 뛰어나다. ¶这个法子真～; 이 방법은 참으로 훌륭하다 / 说得真～; 말을 절묘하게 잘 한다 / 见事不～就跑了; 형세가 나쁘다 싶자 달아났다. ②교묘하다. 기발하다. ¶～想; 기발한 생각. ③현묘하다. 미묘하다. ¶奥～; 오묘하다 / ～理; 현묘한 이론 / 莫名其～; 〈成〉 그 현묘한 점〔깊은 사정〕을 알 수 없다《뭐가 뭔지 모르다》. ④편리하다. 계제가 좋다.
〔妙案〕 miào'àn [명] 묘안.
〔妙笔〕 miàobǐ [명] 뛰어난 서화〔문장〕.
〔妙笔生花〕 miào bǐ shēng huā 〈成〉 좋은 붓은 달필(達筆)인 사람이 쓰면 절묘한 글자가 된다.
〔妙不可酱油〕 miào bù kě jiàng yóu 〈成〉 절묘하다. 이루 말할 수 없이 좋다《'妙不可言'을 멋부려 일컫는 말. '言yán'이 '盐yán'과 음(音)이 같은 데서 '盐'과 같은 조미료인 '酱油'를 '言'과 바꾸어 놓았음》. =〔妙不可言〕
〔妙不可言〕 miào bù kě yán 〈成〉 ⇨〔妙不可酱油〕
〔妙才〕 miàocái [명] 걸출한 인물〔재능〕.
〔妙处〕 miàochù [명] 묘한 곳. 신기한 곳. 색다른 곳. 특징 있는 곳. ¶它的～在哪里; 그것의 재미있는 점은 어디에 있느냐.
〔妙到毫端〕 miào dào háo duān 〈成〉 그림 따위가 세부까지 정교하게 그려져 있다.
〔妙谛〕 miàodì [명] 뛰어난 진리. 오의(奧義).
〔妙法〕 miàofǎ [명] 매우 좋은 방법〔생각〕. 묘안. ¶有什么～? 무슨 좋은 방법이 있느냐?

〔妙工〕 miàogōng 명 훌륭한 기술, 또는 그 사람.
〔妙极〕 miàojí 형 극히 기이하다. =〔奇qí绝〕
〔妙计〕 miàojì 명 묘한 계략. 묘책. =〔妙略〕
〔妙境〕 miàojìng 명 ①매우 묘미가 있는 곳. 묘경. ②유쾌하고 아름다운 경지.
〔妙句〕 miàojù 명 묘구. 절묘한 문구. 캐치 프레이즈.
〔妙诀〕 miàojué 명 비결.
〔妙绝〕 miàojué 형 〈文〉 절묘하다.
〔妙绝千古〕 miào jué qiān gǔ 〈成〉 절묘하기 그지 없다.
〔妙龄〕 miàolíng 명 묘령(여자의 청춘기). ¶有一个～的女孩子; 한 묘령의 처녀가 있다. =〔妙年〕
〔妙伶〕 miàoling 형 절묘하다. 훌륭하다. 아름답다. ¶这可是个～事儿; 이것은 제법 훌륭한 일이다.
〔妙论〕 miàolùn 명 교묘한 이론.
〔妙略〕 miàolüè 명 ⇨〔妙计〕
〔妙年〕 miàonián 명 ⇨〔妙龄〕
〔妙品〕 miàopǐn 명 ①묘품. 절품. 기능이 뛰어나고 말로 다 칭찬할 수 없는 품격을 갖춘 것(예술품에 씀). ②〈轉〉 명저(名著).
〔妙趣〕 miàoqù 명 묘미. 묘취. 운치. ¶她的表演有难以形容的～; 그녀의 연기에는 무엇이라 형용할 수 없는 묘미가 있다 / ～横生; 〈成〉 절묘한 운치가 넘치다.
〔妙人〕 miàorén 명 뛰어난 사람. 미인.
〔妙舌〕 miàoshé 명 〈比〉 뛰어난 언변.
〔妙手〕 miàoshǒu 명 훌륭한 기능을 가진 사람. 달인(達人). 묘수. 명수. ¶～回春; 〈成〉 (의사가) 훌륭한 기술로 건강을 되찾아 주다 / ～空空; 맨손으로 하다. 아무것도 가진 것 없이 하다. 〈轉〉 ⓐ소매치기. ⓑ두름성을 발휘하다.
〔妙速〕 miàosù 형 〈文〉 신속하다.
〔妙算〕 miàosuàn 명 묘책(妙策). 명안(名案).
〔妙悟〕 miàowù 명 각오. 통 잘〔깊이〕 깨닫다. 도리를 깨닫다.
〔妙想〕 miàoxiǎng 명묘한 생각. 기발한 착상.
〔妙想天开〕 miào xiǎng tiān kāi 〈成〉 기상천외하다. 기발하다. =〔异yì想天开〕
〔妙药〕 miàoyào 명 묘약.
〔妙用〕 miàoyòng 명 불가사의한 작용〔효능〕.
〔妙在言外〕 miào zài yán wài 말 밖에 절묘함이 있다. 말로 다할 수 없는 좋은 점이 있다.

庙(廟) miào (묘)
명 ①종묘·문묘·사찰의 총칭. ¶和尚～; 불사(佛寺). 절 / 开～; ⓐ감실(龕室)을 열어 불상에 재를 올리는 일. ⓑ잿날 / 一个～里排出来的; 〈比〉 한 굴 속의 너구리(한패) / ～还是那个～, 神儿不是那个神儿了; 〈比〉 외형은 변함이 없지만, 내용은 본디 것과 다르다 / 竟剩了～了, 没神儿了; 〈歇〉 형체뿐이고 정신〔기운〕이 없다. ②조상의 신주를 모시는 곳. 사당. ¶土地～; 토지신을 모신 사당 / 关(帝)～ =〔武帝～〕; 관우(關羽)를 모신 사당 / 文～ =〔孔(子)～〕; 공자묘 / 宗～; 종묘(천자나 제후의 집안의 사당). ③공양(供養)날. ¶逛～; 재 올리는 날에 묘당에 나들이 가다 / 赶～ =〔赶会〕; 잿날에 절에 재를 올리러 가다.
〔庙董〕 miàodǒng 명 절의 사무와 운영을 보는 사람. 총무.
〔庙号〕 miàohào 명 황제가 사망한 후에 붙이는 시호(諡號)(…祖, …完 따위). =〔庙讳〕
〔庙会〕 miàohuì 명 공양날 묘(廟) 주변에 임시로 설치하던 장(場).
〔庙讳〕 miàohuì 명 묘휘. 묘호. 임금의 시호(諡號). ¶～太宗; 묘휘가 태종이다. =〔庙号〕
〔庙货〕 miàohuò 명 ①'庙会' 날에 파는 물건. ¶～靠不住; '庙会' 장날의 물건은 신용 못 한다. ②신용 못 할 사람, 또는 물건의 뜻.
〔庙季(儿)〕 miàojì(r) 명 사당의 개장(開帳) 기간.
〔庙见〕 miàojiàn 통 조상의 묘를 참배하다.
〔庙廊〕 miàoláng 명 ⇨〔庙堂①〕
〔庙略〕 miàolüè 명 조정(朝廷)의 방침. =〔庙谟〕〔庙算〕〔庙谋〕
〔庙门〕 miàomén 명 사당의 문. 사찰의 문.
〔庙谟〕 miàomó 명 ⇨〔庙略〕
〔庙谋〕 miàomóu 명 ⇨〔庙略〕
〔庙寝〕 miàoqǐn 명 ⇨〔庙堂②〕
〔庙食〕 miàoshí 명 〈文〉 공로가 있는 사람을 사당에 모시는 일.
〔庙算〕 miàosuàn 명 ⇨〔庙略〕
〔庙堂〕 miàotáng 명 ①〈文〉 조정. ¶～文学; 왕조 문학. 궁정(宮廷) 문학. =〔庙廊〕 ②조상의 사당. =〔庙寝〕
〔庙戏〕 miàoxì 명《劇》 '庙会' 날에 천막을 치고 '庙' 근방에서 하는 연극.
〔庙议〕 miàoyì 명 〈文〉 묘의. 조정의 결정.
〔庙役〕 miàoyì 명 ⇨〔香xiāng公〕
〔庙宇〕 miàoyǔ 명 묘우. 사당.
〔庙主〕 miàozhǔ 명 (종)묘를 관리하는 중이나 도사(道士).
〔庙祝〕 miàozhù 명 사당의 향화(香火)를 돌보는 사람. =〔祠祝〕〔香火②〕〔香火道〕

缪(繆) Miào (묘)
명 성(姓)의 하나. ⇒miù móu

MIE ㄇㄧㄝ

乜 miē (먀)
①→〔乜斜〕 ② 대 〈廣〉 광동어에서는 'mat' 또는 'met' 로 발음하며, 표준어의 '什么' 의 뜻으로 쓰임. '乜野ye' 는 '什么' 의 뜻, '乜野事干xigon' 은 '什么事情' 의 뜻. ⇒Niè
〔乜呆呆(的)〕 miēdāidāi(de) 형 눈을 반쯤 뜨고 멍청하게 있는 모양.
〔乜乜斜斜〕 miēmiēxiéxié〔miēmiexiéxiē〕 통 비틀비틀 걷다. ¶醉得～地两脚直绊蒜; 취해서 비틀비틀 두 다리가 자꾸 꼬이다.
〔乜斜〕 miēxie 통 ①졸린 듯이 눈을 가늘게 뜨다. ¶～倦眼; 잠이 덜 깨어 게슴츠레한 눈을 하다. ②눈을 가늘게 뜨고 보다. 곁눈질하다. 흘겨보다. ¶正经人决不～着眼睛看人; 성실한 사람은 절대로 곁눈질로 사람을 보거나 하지 않는다. ③비틀비틀 걷다. 명 사시. 사팔뜨기.

芈 miē (미)
〈擬〉 ⇨〔咩miē〕 ⇒mǐ

咩〈哶〉 miē (미)
〈擬〉 매(염소 우는 소리). =〔芈〕

灭(滅) miè (멸)
통 ①불이 꺼지다〔끄다〕. ¶火～了; 불이 꺼졌다 / 把灯吹～; 등불을 불어 끄다. ②소멸하다. ¶磨～; 마멸하다/消～; 소멸하다〔시키다〕. ③멸망시키다. 멸망하다. 없애다. 없어지다. ¶～蚊; 모기를 퇴치하다. ④물에 잠기다. 침수하다.
〔灭茬〕 miè·chá 동 《農》 그루터기를 제거하다.
〔灭虫〕 miè·chóng 동 해충을 퇴치하다.
〔灭此朝食〕 miè cǐ zhāo shí 〈成〉 적을 해치우고서 조반을 먹다《적을 미워하는 나머지 한시라도 빨리 멸망시키려고 생각함》.
〔灭错〕 mièsave 동 잘못을 없애다《흔히, 인쇄·출판 관계에 씀》. ¶他的校对工作很小心, 三校就全部～; 그의 교정은 매우 꼼꼼해서, 3교면 틀린 것을 완전히 고친다.
〔灭掉〕 mièdiào 동 완전히 쳐부수어 멸망시키다.
〔灭顶〕 miè·dǐng 동 침몰하다. 익사하다. ¶～之灾zāi; 〈成〉 익사하는 재해《치명적 재난》.
〔灭户〕 mièhù 동 한 집안이 전멸하다. 한 집안을 전멸시키다.
〔灭荒〕 mièhuāng 동 흉작(凶作)을 없애다.
〔灭火〕 miè·huǒ 동 불을 끄다. ¶～弹dàn; 소화탄/～喉; 〈俗〉 소화 호스. =〔熄xī火〕
〔灭火机〕 mièhuǒjī 명 ⇨〔灭火器〕
〔灭火器〕 mièhuǒqì 명 소화기(消火器). ¶四氯化碳～; 사염화탄소 소화기/二氧化碳～; 탄산가스 소화기. =〔灭火机〕〔灭火筒〕〔熄xī火器〕
〔灭火沙〕 mièhuǒshā 명 소화용〔방화용〕 모래.
〔灭火筒〕 mièhuǒtǒng 명 ⇨〔灭火器〕
〔灭迹〕 mièjì 동 ①자취를 감추다. ②(나쁜 일의) 흔적을 없애다. ¶杀人～; 사람을 죽이고 증거를 인멸하다. ③⇨〔灭绝〕
〔灭绝〕 mièjué 동 ①멸절하다. 완전히 제거하다. ¶～性病; 성병을 멸절시키다. ②완전히 잃다. ¶～人性的暴行; 인간성을 완전히 잃은 폭행/～天良; 한 조각의 양심도 없다. ‖ =〔灭迹③〕
〔灭口〕 miè·kǒu 동 입막음하다. 비밀을 지키기 위해 내정(內情)을 아는 사람을 죽이다. ¶以～为威胁; (누설하면) 죽인다고 협박하다/他们这么办是为了～, 免得将来出毛病; 그들이 이렇게 처리하는 것은 입을 막아서 장래에 지장이 생기지 않게 하기 위해서다.
〔灭雷艇〕 mièléitǐng 명 소해정. =〔扫sǎo雷艇〕
〔灭良心〕 miè liángxīn 양심을 없애다〔잃다〕. =〔灭心〕
〔灭门〕 mièmén 동 멸문시키다. 멸문되다. ¶～之祸; 〈成〉 한 집안을 멸문시키는 재난/～绝户; 〈成〉 한 집안을 멸문시키다. 한 집안이 멸문되다/～的知县; 〈成〉 관직은 낮지만, 한 집안을 멸문시킬 정도의 권력이 있는 지현.
〔灭名〕 miè·míng 동 명예를 잃다.
〔灭没〕 mièmò 동 ① 없애다. 없어지다. ②〈轉〉 죽다.
〔灭色的〕 mièsède 형 빛이 바랜. 퇴색한.
〔灭坦〕 miètǎn 명 《化》 메탄(methane). =〔沼气〕
〔灭亡〕 mièwáng 명동 멸망(하다〔시키다〕).
〔灭息〕 mièxī 동 없어지다. 소멸하다. =〔灭熄〕
〔灭熄〕 mièxī 동 ⇨〔灭息〕
〔灭心〕 miè·xīn 동 ⇨〔灭良心〕
〔灭性〕 mièxìng 동 ①생명을 잃다. ②인간성을 잃다.
〔灭种〕 miè·zhǒng 동 멸종시키다〔되다〕. 자손이 끊어지다. ¶断嗣～; 자손이 끊어지다.
〔灭资兴无〕 miè zī xīng wú 〈成〉 부르주아 의식을 타파하고 프롤레타리아의 의식을 높이다. =〔兴无灭资〕
〔灭族〕 miè·zú 동 멸족시키다〔되다〕.

蔑〈衊〉[B)]

miè (멸)
A) ①동 깔보다. 경멸하다. ¶～视shì; 멸시하다/轻～; 경멸(하다)/～伦; 인륜을 어기다. ②동 버리다. ③동 기만하다. ④동 망하다. ⑤동 멸망시키다. ⑥부 (그 이상) 없다. ¶～以复加; 그 이상 보탤 것이 없다/有死而已, 吾～从之; 죽음이 있을 뿐, 나는 그것에는 복종하지 않는다《죽어도 복종하지 않는다》. ⑦형 작다. B) ①동 헐뜯다. 중상하다. 더럽히다. ¶污～=〔诬～〕; 남의 명예를 더럽히다. ②명 코피.
〔蔑称〕 mièchēng 명동 멸칭(하다).
〔蔑尔〕 miè'ěr 형 〈文〉 대단히 작다.
〔蔑弃〕 mièqì 동 〈文〉 버리(고 가 버리)다.
〔蔑如〕 mièrú 동 〈文〉 업신여기다. 경멸하다.
〔蔑视〕 mièshì 동 경시하다. 멸시하다.

篾

miè (멸)
명 ①(～儿, ～子) 대오리《세공용의 가늘게 쪼갠 댓개비》. ②(～儿) 갈대·수숫대의 줄기를 쪼갠 것.
〔篾尺〕 mièchǐ 명 재목의 둘레를 재는 얇은 대자.
〔篾黄〕 mièhuáng 명 죽피(竹皮)의 안쪽 부분. =〔〈方〉篾白〕
〔篾货铺〕 mièhuòpù 명 죽공예품점.
〔篾匠〕 mièjiàng 명 죽공예의 장인.
〔篾篓〕 mièlǒu 명 대로 엮어 만든 그릇. 바구니.
〔篾片〕 mièpiàn 명 ①얇게 쪼갠 댓조각. ②부호집에 빌붙어 사는 식객(食客).
〔篾青〕 mièqīng 명 대나무의 녹색 외피(外皮).
〔篾扇〕 mièshàn 명 대부채.
〔篾索〕 mièsuǒ 명 대오리로 꼰 줄. 대밧줄.
〔篾条〕 miètiáo 명 (대바구니 따위의 재료가 되는) 대오리.
〔篾席〕 mièxí 명 대나무로 엮은 자리. 대자리.
〔篾箱子〕 mièxiāngzi 명 대고리짝.
〔篾子箍〕 mièzigū 명 대테.

蠛

miè (멸)
→〔蠛蠓〕
〔蠛蠓〕 mièměng 명 《蟲》 눈에놀이. =〔蠓〕〔蠓虫(儿)〕

MIN ㄇㄧㄣ

民

mín (민)
①명 백성. 민중. 인민. 국민. ¶～不聊生; ⇩/国计～生; 나라의 경제와 민생/～愤; 인민의 분노. ②명 비군사적인 것. 민간. ¶～航公司; 민간 항공 회사. ③명 (만주(滿洲)인과 대조적으로 일컫는) 한인(漢人)《청선(淸鮮)》. ④명 대중의 것. ¶～文学; 민간 문학. ⑤명 어떤 한 민족의 사람. ¶藏～; 티베트 족의 사람. ⑥명 어떤 직업에 종사하는 사람. ¶农～; 농민. ⑦형 ⇨〔苠〕
〔民办〕 mínbàn 명동 민영(하다). ¶～公助; 국민의 자변(自辨)과 정부의 보조. ↔〔官办〕
〔民变〕 mínbiàn 명 민중 봉기. 민간의 폭동. 민란.
〔民兵〕 mínbīng 명 민병대《생산(生産)과 분리할

수 없는 인민의 무장력. 항일전 시기부터 정규군을 돕는 것으로서 발전해 왔음. 기간(基幹) 민병과 일반 민병으로 나뉘며, 전자는 그 중심이 됨》.
〔民不堪命〕 mín bù kān mìng 〈成〉 인민은 분명(奔命), 곧 징세 · 부역 등의 괴로움을 견뎌 내지 못하다.
〔民不聊生〕 mín bù liáo shēng 〈成〉 백성이 안심하고 생활할 수 없다.
〔民不畏死, 奈何以死惧之〕 mín bù wèi sǐ, nài hé yǐ sǐ jù zhī 〈成〉 정의를 위해서 죽음도 두려워하지 않는 백성은 위협할 수가 없다.
〔民船〕 mínchuán 명 (목조의) 여객선 또는 화물선.
〔民粹派〕 Míncuìpài 명 〈義〉 나로드니키(러 narodniki). 인민주의자.
〔民粹主义〕 Míncuì zhǔyì 명 《史》 나로드니키(러 Narodniki)주의《1860～90년경의 러시아에서, 일부의 인텔리겐차가 창도한 농본주의적 급진 혁명 운동》.
〔民法〕 mínfǎ 명 《法》 민법. =〔民律〕
〔民防〕 mínfáng 명 민간 방위.
〔民房〕 mínfáng 명 민가. 개인 소유의 가옥.
〔民愤〕 mínfèn 명 대중의 원한〔분노〕.
〔民风〕 mínfēng 명 민간의 풍속〔기풍〕.
〔民夫〕 mínfū 명 옛날, 부역에 동원된 사람.
〔民膏〕 míngāo 명 〈文〉 백성의 고혈〔세금 · 재물〕.
〔民歌〕 míngē 명 민간에 유행되는 노래. 민요. ¶新～; 뉴 포크송.
〔民革〕 míngé 명 〈簡〉 중국 국민당 혁명 위원회《中zhōng国国民党革命委员会》.
〔民工〕 míngōng 명 농민의 임시 취로자(就勞者)《정부의 부름에 응하여 도로 · 댐 · 수구(水溝) · 교량 따위의 수축(修築)에 참가하는 사람들로 농민이 많음》.
〔民公〕 míngōng 명 《史》 청대(清代)에, 황실 이외의 일반인이 승진되어 공작에 봉해진 사람.
〔民股〕 míngǔ 명 민간 소유 주식.
〔民国〕 mínguó 명 ①민주 국가. ②〈簡〉 '中zhōng华民国'의 약칭.
〔民航〕 mínháng 명 〈簡〉 '民用航空'의 약칭.
〔民户〕 mínhù 명 ①토착민. 정주민(定住民). ②(청대(清代)의) 한인(漢人)《만주인 이외의 백성》.
〔民籍〕 mínjí 명 민적. 일반 국민의 호적.
〔民家(族)〕 Mínjiā(zú) 명 《民》 바이 족. =〔白Bái族〕
〔民间〕 mínjiān 명 민간. ¶～故事; 민화(民話) / ～文学; 민간 문학.
〔民建〕 mínjiàn 명 ⇨〔中zhōng国民主建国会〕
〔民教〕 mínjiào 명 〈簡〉 국민 교육.
〔民进〕 mínjìn 명 ⇨〔中zhōng国民主促进会〕
〔民警〕 mínjǐng 명 〈簡〉 경관. 순경《'人rén民警察'의 약칭》. ¶～岗楼; 교차로 등에 있는 교통 정리용 망대(望臺).
〔民居〕 mínjū 명 민가. 일반 대중의 주거. 동 〈文〉 (관직을 사직하고) 하야하다.
〔民局〕 mínjú 명 ⇨〔民(信)局〕
〔民军〕 mínjūn 명 《軍》 ①민병으로 조직된 군대. ②(관군에 대하여) 혁명군.
〔民刊〕 mínkān 명 〈簡〉 비공식의 정기 간행물《'民间刊物'의 약칭》.
〔民困〕 mínkùn 명 ⇨〔民瘼〕
〔民力〕 mínlì 명 민력. 백성의 재력.
〔民窿〕 mínlóng 명 (원시적인 채굴 방법을 취하고 있는) 민간 광산.
〔民律〕 mínlǜ 명 ⇨〔民法〕
〔民盟〕 mínméng 명 ⇨〔中zhōng国民主同盟〕
〔民瘼〕 mínmò 명 〈文〉 백성의 괴로움〔고통〕. =〔民困〕
〔民牧〕 mínmù 명 목민관(牧民官)《흔히, 직접 백성을 대하는 현지사(縣知事)》.
〔民埝〕 mínniàn 명 민간에서 쌓은 제방.
〔民气〕 mínqì 명 (국가 · 민족의 안위 존망 등에 관한 중대한 시국에 대해 나타나는) 국민의 의지. 기개(氣槪). 의기. ¶～旺盛; 민중의 기세가 왕성하다.
〔民情〕 mínqíng 명 민정. 국민의 실정〔심정〕.
〔民穷财尽〕 mín qióng cái jìn 〈成〉 국민이 빈궁해지고, 재원은 고갈되다.
〔民权〕 mínquán 명 ①〈文〉 민권. 국민의 권리. ②(Mínquán) 《地》 민취안 현(民權縣)《허난 성(河南省)에 있는 현(縣) 이름》.
〔民权主义〕 mínquán zhǔyì 명 《政》 민권주의《삼민주의의 하나》. →〔三民主义〕
〔民社〕 mínshè 명 〈文〉 국민과 사직〔국가〕.
〔民生〕 mínshēng 명 민생. 국민의 생계. ¶～凋diāo敝; 국민의 생활이 피폐하다.
〔民生主义〕 mínshēng zhǔyì 명 《政》 민생주의《삼민주의의 하나》. →〔三民主义〕
〔民声〕 mínshēng 명 민성. 백성의 목소리.
〔民师〕 mínshī 명 〈文〉 백성의 사표.
〔民时〕 mínshí 명 〈文〉 농시(農時). 농사철.
〔民食〕 mínshí 명 국민의 식량이나 음식.
〔民事〕 mínshì 명 ①《法》 민사. ¶～诉讼; 민사 소송. ②〈文〉 정사(政事). ③농사. ④부역(賦役).
〔民庶〕 mínshù 명 〈文〉 서민. 국민.
〔民俗〕 mínsú 명 민속. 국민의 풍속 · 습관. ¶～学; 민속학.
〔民天〕 míntiān 명 식량. ¶民以食为天; 백성은 먹을 것을 하늘로 친다.
〔民田〕 míntián 명 민전. 백성 사유의 전지.
〔民庭〕 míntíng 명 《法》 민사(民事)의 법정.
〔民团〕 míntuán 명 (지주(地主) 등이 조직한) 민간의 자위 단체(自衛團體).
〔民望〕 mínwàng 명 국민이 희망을 거는 사람이나 일.
〔民无噍类〕 mín wú jiào lèi 〈成〉 흉작 · 전란으로 사람이 전멸하다.
〔民先(队)〕 mínxiān(duì) 명 〈簡〉 중화 민족 해방 선봉대《中zhōng华民族解放先锋队》.
〔民献〕 mínxiàn 명 〈文〉 민간의 현자(賢者).
〔民校〕 mínxiào 명 ①농민에게 문자나 기본적인 보통 과목을 가르치는 학교《현(縣) 또는 인민 공사 등에서 설치함》. ②성인에 대한 보습(補習) 학교. =〔业yè余学校〕 ③전에, 민간에서 설립한 '业余学校'.
〔民心〕 mínxīn 명 민심. ¶～向背; 민심의 향배.
〔民(信)局〕 mín(xìn)jú 명 옛날, 사설 우체국. =〔信局〕〔民局〕
〔民选〕 mínxuǎn 명동 민선(하다). 국민이 선출(하다).
〔民窑〕 mínyáo 명 민요《민간의 자기 가마. 또, 거기에서 구워진 도자기》.
〔民谣〕 mínyáo 명 민요《흔히, 시사나 정치 등에 관한 것을 이름》.
〔民彝〕 mínyí 명 〈文〉 국민의 변하지 않는 떳떳한 성질.
〔民以食为天〕 mín yǐ shí wéi tiān 〈成〉 백성은

먹는 것에 의지하여 살므로, 먹는 것을 가장 중요한 것으로 친다.
〔民意〕 mínyì 명 민의. 여론. ¶～测验; 여론 조사. 앙케이트/～机构; 민의를 대표하는 기구.
〔民隐〕 mínyǐn 명 〈文〉 백성의 숨겨진〔겉으로 드러나지 않는〕 고통.
〔民勇〕 mínyǒng 명 의용대.
〔民用〕 mínyòng 명 ①민용. 국민의 사용〔이용〕. ②민간. ¶～航háng空 =〔民航〕; 민간 항공.
〔民有〕 mínyǒu 명형 민유(의). 민간 소유(의).
〔民怨〕 mínyuàn 명 민원. 국민이 품고 있는 원한.
〔民约说〕 mínyuēshuō 명 민약설. 사회 계약설.
〔民乐〕 mínyuè 명 《樂》 민간 음악.
〔民运〕 mínyùn 명 ①일반 국민의 생활 물자의 운수. ②옛날, 사영(私營) 운수업. ③해방 전쟁·항일 전쟁·국내 혁명 전쟁 시기의 중국 공산당의 국민에 대한 선전 조직 활동.
〔民贼〕 mínzéi 명 〈文〉 국가·국민을 해치는 적. 국적(國賊).
〔民政〕 mínzhèng 명 민정.
〔民脂民膏〕 mín zhī mín gāo 〈成〉 백성의 고혈. ¶搜刮～; 백성의 고혈을 짜다. =〔民膏民脂〕
〔民智〕 mínzhì 명 ①옛날, 인민의 교육 수준. ②민지. 백성의 지혜.
〔民众〕 mínzhòng 명 민중. ¶～运动; 민중 운동/～版bǎn; 보급판.
〔民众茶园〕 mínzhòng cháyuán 명 대중 찻집〔휴게소〕《옛날, 공원 등의 찻집과 비슷한 것》.
〔民众学校〕 mínzhòng xuéxiào 명 민중 학교. 옛날, 성인 학교.
〔民主〕 mínzhǔ 명 민주주의. =〔〈音〉 德谟克拉西〕 형 민주적이다.
〔民主办社〕 mínzhǔ bànshè 민주적으로 인민 공사를 운영하다. ¶～的方针贯彻得很好; 민주적으로 인민 공사를 운영하는 방침이 매우 철저하다.
〔民主党派〕 Mínzhǔ Dǎngpài 명 민주당파《신중국에서 공산당을 제외한 각 파의 정치 결사 단체. 주된 것으로 민주 동맹·국민당 혁명 위원회·민주 건국회·농공 민주당·삼민주의 동지회 등의 아홉 단체가 있음》.
〔民主改革〕 mínzhǔ gǎigé 명 민주주의적개혁.
〔民主革命〕 mínzhǔ gémìng 명 민주주의 혁명.
〔民主国〕 mínzhǔguó 명 공화국(共和國).
〔民主集中制〕 mínzhǔ jízhōngzhì 명 민주 집중제. 민주를 기초로 한 집중. 집중적 지도하의 민주.
〔民主人士〕 mínzhǔ rénshì 명 민주 인사《주로, 신민주주의 시기에 '民主各党各派'에 속하는 사람들》.
〔民主主义〕 mínzhǔ zhǔyì 명 《政》 민주주의.
〔民主作风〕 mínzhǔ zuòfēng 명 민주적인 기풍·수법(手法).
〔民壮〕 mínzhuàng 명 옛날, 주(州)·현(縣)의 위병(衛兵).
〔民族〕 mínzú 명 민족. ¶～的愿yuàn望和利益; 민족의 소망과 이익/～融合; 민족 융합/～隔阂; 민족간의 격차/～自决; 민족 자결/～英雄; 민족의 영웅.
〔民族工商业〕 mínzú gōngshāngyè 명 자국의 민간 자본으로 경영하는 상공업.
〔民族共同语〕 mínzú gòngtóngyǔ 명 민족 공통어《베이징(北京) 어음(語音)을 표준어로 하고, 북방어를 기초 방언으로 하며, 전형적 현대 구어문에 의한 작품을 어법의 규범으로 삼는 한민족의 공통어. 즉, '普pǔ通话'를 말함》.
〔民族魂〕 mínzúhún 명 민족혼.
〔民族民主联合政府〕 mínzú mínzhǔ liánhé zhèngfǔ 명 민족 민주 연합 정부《동일 지방 또는 지구에 몇 개의 민족이 있을 경우, 그 지방에서의 소수 민족의 평등 권리가 보장되어 하나의 '～'가 만들어짐. '新疆维吾尔自治区人民政府'는 그 전형적인 것》.
〔民族融合〕 mínzú rónghé 명 민족 융합《여러 민족이 각각 자기 민족의 특성을 잃고 자연히 하나가 되는 현상》.
〔民族同化〕 mínzú tónghuà 명 민족의 동화.
〔民族乡〕 mínzúxiāng 명 소수 민족의 거주 지역.
〔民族形式〕 mínzú xíngshì 명 자기 민족의 특색을 보존한 예술·문화 형식. ¶京剧是个具有～的传统艺术; 경극은 민족적 형식을 지니고 있는 전통 예술이다.
〔民族主义〕 mínzú zhǔyì 명 ①민족주의. 내셔널리즘. ②삼민주의의 하나. →〔三民主义〕
〔民族资本〕 mínzú zīběn 명 《經》 민족 자본.
〔民族资产阶级〕 mínzú zīchǎn jiējí 명 민족 자산 계급. 민족 부르주아지.
〔民族自治〕 mínzú zìzhì 명 민족 자치.

苠 mín (민)
형 (농작물이) 늦되다. ¶～高粱; 늦되는 수수. 늦수수/～棒子; 늦옥수수/黄谷子比白谷子～; 누런 조는 흰조보다 늦게 여문다. =〔民⑦〕

岷 mín (민)
지명용 자(字). ¶～山; 민산 산(岷山)《쓰촨 성(四川省)에 있는 산 이름》/～江; 민장 강(岷江)《쓰촨 성(四川省)에 있는 강 이름》/～县; 민 현(岷縣)《간쑤 성(甘肅省)에 있는 현 이름》.

珉〈瑉, 碈〉 mín (민)
명 구슬처럼 생긴 돌.

缗(緡) mín (민)
①명 옛날에, 동전을 꿰는 끈. ②양 관(貫)《끈에 꿴 1,000문(文)의 동전 꾸러미를 셀 때 쓰임》. ¶钱三百～; 3백 관(貫).

忞 mín (민)
동 〈文〉 노력하다. 애쓰다.

旻 mín (민)
①명 가을 (하늘). ¶～天 =〔苍～〕〔苍天〕; ⓐ가을 하늘. ⓑ하늘/～序; 가을. ②인명용 자(字).

皿 mǐn (명)
명 접시. ¶器～; 접시·주발 따위의 그릇/玻璃器～; 유리 그릇.
〔皿墩儿〕 mǐndūnr 명 《言》 그릇명밑《한자부수의 하나, '益'·'盟' 등의 '皿'의 이름》. =〔皿堆(儿)〕〔坐墩儿〕

闵(閔) mǐn (민)
①명 근심. 걱정. ②동 슬퍼하다. 가엾이 여기다. ¶～痛; 몹시 슬퍼하다. ③동 〈文〉 힘쓰다. ¶～勉; 열심히 노력하다. ④명 성(姓)의 하나.

悯(憫) mǐn (민)
①동 불쌍히 여기다. ¶其情可～; 사정이 가련하다/怜～ =〔～念〕〔～恻〕; 가엾게 여기다/～恤; 민휼. 불쌍히 여

기어 도와 주다 / ～悼; 애도하다 / ～惜; 아끼고 사랑하다. 애석하다. ②명 동정. 연민. ③동 우려하다. 걱정하다. =〔愍〕

泯 **mǐn** (민)
동 소멸하다. 없어지다. ¶良心未～; 양심이 아직 남아 있다 / ～除成见; 고정 관념을 없애다.

〔泯绝〕 mǐnjué 동 멸망하다.

〔泯灭〕 mǐnmiè 동 모습을 감추다. 사라지다. 소멸하다. ¶难以～的印象; 지울 수 없는 인상. =〔泯没〕

〔泯泯〕 mǐnmǐn 형 ①광대한 모양. ②물이 맑디맑은 모양. ③어지러운 모양.

〔泯没〕 mǐnmò 동 ⇨〔泯灭〕

抿 **mǐn** (민)
①동 (입술·날개·귀 등을) 다물다. 오므리다. ¶～着嘴笑; 입을 다물고 미소짓다 / 他～着耳朵听; 그는 귀를 기울이고 듣는다 / 水鸟儿一～翅膀, 钻人水中; 물새는 날개를 접더니 물속으로 들어가 버렸다. ②동 입술을 가볍게 술잔에 대다. ¶～一～; 입술을 가볍게 대어 핥듯이 조금씩 마시다 / 他真不喝酒, 连～都不～; 그는 정말 술을 한 모금도 마시지 않는다. ③동 쓰다듬다. 머리를 매만지다. ¶～头 =〔～发〕; 머리를 매만지다 / 用～子蘸水～头发很好使; '抿子'에 물을 묻혀서 빗으면 머리가 잘 빗어진다. ④(～子) 명 머리를 매만지는 브러시.

〔抿缸儿〕 mǐngāngr 명 여자의 머릿기름을 담는 뚜껑이 달린 주발 모양의 용기.

〔抿摸〕 mǐnmō 동 쓰다듬어 붙이다. (머리를) 빗질하여 매만지다.

〔抿笑〕 mǐnxiào 동 입을 다물고 웃다.

〔抿子〕 mǐnzi 명 머리를 빗는 작은 솔.

〔抿嘴〕 mǐn zuǐ ①입을 살짝 다물다. ②살짝 미소짓다.

筤 **mǐn** (민)
명 ①대쪽. =〔竹篾〕 ②(～子) 머릿솔. =〔抿子〕

湣 **mǐn** (민)
명 시호(諡號)로 쓰던 자.

愍 **mǐn** (민)
동 걱정하다. 우려하다. =〔悯③〕

暋〈敃〉 **mǐn** (민)
형 억지가 세다. ¶～不畏死; 억지가 세서 죽음을 두려워하지 않다.

黾(黽) **mǐn** (민)
①동 근면하게 노력하다. ②형 근면한. ‖ =〔僶〕 ⇒miǎn

〔黾勉〕 mǐnmiǎn 동 부지런히 노력하다. =〔僶俛〕

僶(僶) **mǐn** (민)
동형 ⇨〔黾〕

闽(閩) **Mǐn** (민)
명 ①푸젠 성(福建省)의 별칭. ¶～粤两省; 푸젠(福建)·광둥(廣東)의 두 성(省) / ～越yuè; 옛날 푸젠 성(福建省)에 있던 종족 이름. ②《地》민장 강(閩江)《푸젠 성(福建省)에 있는 강 이름》. ③왕조 이름. 오대 십국(五大十國)의 하나.

〔闽北话〕 Mǐnběihuà 명 《言》 푸젠 성(福建省) 북부 및 타이완(臺灣)의 일부에 분포하고 있는 방언(方言).

〔闽姜〕 Mǐnjiāng 명 ①옛날에, 지금의 푸젠 성 땅에 있던 종족의 이름. ②오대 십국(五代十國)의 하나. ③푸젠(福建)산(産)의 생강.

〔闽剧〕 mǐnjù 명 《劇》 푸젠(福建) 지방의 전통극. =〔福州戏〕

〔闽南话〕 Mǐnnánhuà 명 《言》 푸젠 성(福建省) 남부·광둥 성(廣東省) 동부의 차오저우(潮州). 산터우(汕頭) 일대·하이난 섬(海南島) 일부·타이완의 대부분에 분포하고 있는 방언.

〔闽语〕 mǐnyǔ 명 푸젠 어(福建語).

敏 **mǐn** (민)
①형 빠르다. 민첩하다. ¶神经过～; 신경이 과민하다 / ～捷jié; 민첩하다 / ～于事慎于言; 〈成〉 말은 신중하고 일을 하는 것은 민첩하다. ②형 총명하다. ③동 노력하다. ¶勤～; 부지런히 힘쓰다.

〔敏感〕 mǐngǎn 형 민감하다.

〔敏慧〕 mǐnhuì 형 민혜하다. 민첩하고 지혜롭다.

〔敏捷〕 mǐnjié 형 민첩하다. 재빠르다. 날렵하다. ¶动作～; 동작이 민첩하다.

〔敏锐〕 mǐnruì 형 예민하다. ¶神经～; 신경이 예민하다 / ～的观察; 날카로운 관찰.

〔敏黠〕 mǐnxiá 형 〈文〉 재빠르고 약삭빠르다.

慜 **mǐn** (민)
형 총명하다.

鳘(鰵) **mǐn** (민)
명 《魚》 ①민어. =〔鳘鱼〕〔鮸鱼〕 ②대구. =〔鳕鱼〕

〔鳘鱼肝油〕 mǐnyú gānyóu 명 간유. =〔鳕肝油〕

MING ㄇㄧㄥ

名 **míng** (명)
①(～儿, ～子) 명 이름. 명칭. ¶改～; 개명(하다) / 点～; (호명하여) 출석을 부르다. 점호하다 / 签～; 서명하다 / 命～; 명명하다. ②명 명분. 명목. 구실. ¶～为…实则…; 명목은 …이지만, 실은 …이다 / 以援助为～; 원조를 명목으로 하다. ③명 명예. 명성. ¶不为～不为利; 명성을 위한 것도 이익을 위해서도 아니다 / 出～; 이름〔평판〕이 나다. ④동 이름 짓다. 표현하다. 형용하다. ¶莫～其妙; 뭐가 뭔지 도무지 모르다 / 感激莫～; 〈成〉 감격을 말로 형용할 수 없다《감격을 표현할 수 없을 정도로 크다》 / 不可～状; 형용할 수 없다. ⑤형 명성이 있다. 유명하다. ¶～医; 명의. ⑥양 인수(人數)를 나타내는 말. ⑦양 사람의 순위를 나타내는 말. ¶第三～; 제3위. ⑧동 이름을 …라고 하다. ¶她姓刘～胡兰; 그녀의 성은 유(劉)씨고 이름은 호란(胡蘭)이라고 한다. ⑨명 성(姓)의 하나.

〔名辈〕 míngbèi 명 〈文〉 명망과 연배(年輩). ¶豫州刺史祖约自以～不后郗卞《通鑑 晉成帝咸和元年》; 예주의 자사 조약은 명망으로나 연배로나 치변만 못지않다고 스스로 생각하고 있었다.

〔名笔〕 míngbǐ 명 〈文〉 ①좋은 붓. ②〈轉〉 명문장. 명작(名作).

〔名不符实〕 míng bù fú shí 〈成〉 ⇨〔名不副实〕

〔名不副实〕 míng bù fù shí 〈成〉 이름이 실제에 맞지 않다. 유명무실하다. =〔名实不符〕〔名不符实〕

〔名不虚传〕 míng bù xū chuán 〈成〉 명불허전. 명실상부. ¶果然～; 과연 명실상부하다. =〔名不虚称〕〔名下无虚〕→〔名过其实〕
〔名不正, 言不顺〕 míng bù zhèng, yán bù shùn 〈成〉 명분이 옳지 않으면 말도 조리가 서지 않는다.
〔名簿〕 míngbù 명 명부. =〔名册〕〔名籍〕
〔名菜〕 míngcài 명 유명한 요리.
〔名册〕 míngcè 명 명부. =〔名簿〕
〔名产〕 míngchǎn 명 명산.
〔名场〕 míngchǎng 명 명예를 겨루는 장소《옛날, 과거 시험장》.
〔名称〕 míngchēng 명 ①이름. 명칭. ②영예. 명예.
〔名厨〕 míngchú 명 유명한 요리사.
〔名词〕 míngcí 명 ①《言》 명사. ¶新～; 새로 생긴 명사. 처음 듣는 명사. ②《言》(～儿) 술어(術語) 또는 술어에 가까운 말. ¶化学～; 화학 술어. ③(논리학의) 전제(前提).
〔名次〕 míngcì 명 이름의 순서. 서열(序列). 석차. ¶～列得高; 상석을 차지하다. 석차가 높다 / 争～; 서열을 다투다 / 我的～正排在他的后头; 내 차례는 바로 그의 다음에 짜여져 있다.
〔名刺〕 míngcì 명 '名帖'·'门刺'(명함)의 구칭.
〔名存实亡〕 míng cún shí wáng 〈成〉 이름만 남고 실상은 없어지다. 유명무실하게 되다.
〔名单(儿)〕 míngdān(r) 명 ①명부. ¶开～; 인명부를 작성하다 / 新阁～; 신각료 명부. ②명찰. ③성명표.
〔名额〕 míng'é 명 정원. 정수(定數). ¶不限～; 정원을 제한하지 않다 / 招生～; 학생 모집 정원.
〔名阀〕 míngfá 명 〈文〉명벌. 명문. 명가.
〔名法〕 Míng Fǎ 명 《哲》〈文〉 명가(名家)와 법가(法家)의 두 학파.
〔名分〕 míngfèn 명 명분《그 사람의 이름·신분·지위 따위》.
〔名符其实〕 míng fú qí shí 〈成〉 명실상부하다. =〔名副其实〕〔名实相符〕
〔名副其实〕 míng fù qí shí 〈成〉 ⇨〔名符其实〕
〔名工〕 mínggōng 명 명공. 이름난 공예가.
〔名贯〕 míngguàn 명 성명과 본관.
〔名闺〕 míngguī 명 〈文〉 명문의 규수.
〔名贵〕 míngguì 형 ①유명하다. 훌륭하다. 귀중하다. 값어치 있다. ¶～的药材; 귀중한 약재 / 这样做好了的茶叶非常～; 이와 같이 해서 만들어진 찻잎은 매우 귀중하다. ②명망이 있다.
〔名过其实〕 míng guò qí shí 〈成〉 평판이 실제 이상이다. →〔名不虚传〕
〔名号〕 mínghào 명 ①명호. 이름과 호. ¶～一致 zhì; 이름과 호가 같다. ②보통 부르는 이름. 통칭. ③명예.
〔名号牌〕 mínghàopái 명 ⇨〔名牌③〕
〔名花〕 mínghuā 명 ①아름다워 이름난 꽃. 명화. ②미녀. ③장중주(掌中珠).
〔名宦〕 mínghuàn 명 옛날, 유명한 관리. 훌륭한 관리.
〔名讳〕 mínghuì 명 〈文〉 ①시호(諡號). ②존함《존경해서 말할 때에 씀》.
〔名籍〕 míngjí 명 ⇨〔名簿〕
〔名妓〕 míngjì 명 명기.
〔名家〕 míngjiā 명 ①명망 있는 가문. ②유명한 사람. ¶小～; 이름이 조금 알려진 사람. ③궤변론자. 명가《옛날 중국의 논리학파. 이름과 실체(實體)와의 관계를 밝히는 것을 주장으로 삼음》.
〔名缰利锁〕 míng jiāng lì suǒ 〈成〉 명예와 이익에 사로잡히다.
〔名将〕 míngjiàng 명 명장. ¶足球～; 축구의 히어로(hero).
〔名教〕 míngjiào 명 〈文〉 ①명교. 명분과 교화(教化). ②명분(名分)을 바탕으로 하는 교화.
〔名节〕 míngjié 명 명예와 절조. 명절(名節). ¶丧失～; 명절을 잃다.
〔名角大会串〕 míngjué dàhuìchuàn 명 《劇》 올스타 캐스트(all star cast). 인기 배우 총출연.
〔名角儿〕 míngjuér 명 ⇨〔明星①〕
〔名利〕 mínglì 명 명예와 이익. ¶～兼收; 명예와 이익을 둘 다 거두다 / ～双全; 명예와 재물을 함께 얻다 / ～之客; 명리를 탐하는 사람 / ～思想; 명리를 중시하는 사상.
〔名列前茅〕 míng liè qián máo 〈成〉 석차(席次)가 상위(上位)에 있다.
〔名伶〕 mínglíng 명 명배우.
〔名流〕 míngliú 명 명사(名士). 명류. ¶～俊jùn士; 명사나 수재들.
〔名论〕 mínglùn 명 ①명론. 훌륭한 논의. ②〈文〉 명예.
〔名论不刊〕 míng lùn bù kān 〈成〉 소멸되지 않는 명론.
〔名落孙山〕 míng luò Sūn Shān 〈比〉 낙제하다. 낙선하다. ¶大选中～; 총선거에서 낙선하다.
〔名满天下〕 míng mǎn tiān xià 〈成〉 명성이 천하에 널리 알려지다.
〔名门〕 míngmén 명 명문.
〔名目〕 míngmù 명 ①명칭. 이름. ¶～繁多; 명칭이 복잡 다양하다. ②명목. 구실. ¶建立～; 명목을 세우다.
〔名牌〕 míngpái 명 ①이름이 알려진 상표. 유명상표. ¶～货; 일류 상품. 메이커 상품. ②명찰(名札). 명패. 네임 플레이트(name plate). ③기계에 그 명칭·제조자·성능 따위를 표시해서 붙여 놓은 동판(銅版). =〔名号牌〕〔铭牌〕
〔名片(儿)〕 míngpiàn(r) 명 명함. ¶～盒; 명함갑. =〔卡片②〕
〔名气〕 míngqi 명 〈俗〉 평판. 명성. ¶～很大; 명성이 높다. =〔名声〕〔〈方〉名头〕
〔名诠自性〕 míng quán zì xìng 〈成〉 이름은 그 자체의 성질을 나타낸다. =〔名诠自称〕
〔名儿〕 míngr 명 ⇨〔名子〕
〔名儿姓儿〕 míngrxìngr 명 명예. 명성. (세속적인) 이름. ¶有名儿有姓儿的人物; 명성이 높은 인물 / 无名儿少姓儿的人; 이름도 없는 사람.
〔名人〕 míngrén 명 유명한 사람. 저명 인사.
〔名荣责重〕 míng róng zé zhòng 〈成〉 이름이나 지위가 높아 책임이 무겁다.
〔名色〕 míngsè 명 ①사물의 명칭. 명목. ②이름 있는 미인. ③소문난 기녀(妓女).
〔名山大川〕 míng shān dà chuān 〈成〉 명산대천. 유명한 산과 강.
〔名山事业〕 míng shān shì yè 〈成〉 영구히 가치 있는 저작.
〔名声(儿)〕 míngshēng(r) 명 ①명성. ¶～在外; 명성이 밖에 전해지다. ②평판. ¶～很坏; 평판이 나쁘다. ③소문. 注 '名气'와는 달리 좋을 때나 나쁠 때나 함께 쓰임.
〔名胜〕 míngshèng 명 명승. 명소. ¶～古迹jì; 명승 고적.
〔名师〕 míngshī 명 저명한 스승. ¶～出高徒; 〈諺〉 좋은 스승에게서 훌륭한 제자가 나온다.

〔名实相符〕 míng shí xiāng fú 〈成〉 ⇨〔名符其实〕
〔名士〕 míngshì 명 〈文〉 ①명사. 저명한 문인. ②유명한 재야 인사. ¶～派; 옛날, 작은 일에 얽매이지 않고 자유 분방하게 산 지식인의 한 유파를 가리킴.
〔名氏〕 míngshì 명 성명.
〔名世〕 míngshì 동 세상에 알려지다〔알려져 있다〕. ¶有名于一世; 세상에 알려지다. 명 그 시대에서 가장 유명한 사람. 그 시대의 유명인. ‖=〔命mìng世〕
〔名手〕 míngshǒu 명 (예술상의) 명수.
〔名姝〕 míngshū 명 〈文〉 미녀.
〔名数〕 míngshù 명 《數》 명수《단위(單位)의 이름과 수치를 붙인 수》.
〔名宿〕 míngsù 명 유명한 대학자(大學者).
〔名堂〕 míngtang 명 ①사물의 명칭. 명목. ¶详细分别起来～是很多的; 세분하면 명목은 매우 많다. ②성과. 결과. ¶我就不相信我搞不出～来; 내가 무엇 하나 할 수 있는 것이 없다니 믿을 수 없는 일이다 / 这两天刚搞得有点～了; 요 2,3일 겨우 윤곽이 잡히게 되었다. ③이유. 내용. ¶里头有个～; 안에는 까닭이 있다. ④여러 가지 수법. 농간. ¶那家伙～可多了; 저놈의 농간은 얼마든지 있다 / 我想这里边有～; 여기에는 무슨 꿍꿍이속이 있는 것이 아닐까.
〔名帖〕 míngtiě 명 ⇨〔名刺〕
〔名头〕 míngtóu 명 ⇨〔名气〕
〔名网〕 míngwǎng 명 〈文〉 명예와 이익의 얽매임. ¶系xì身～, 终日碌lù碌; 명리의 굴레에 얽매여, 종일 하는 일 없이 지내다.
〔名望〕 míngwàng 명 명망. 명성과 인망. ¶～夙sù孚; 〈成〉 일찍이 명망이 높다 / 那人很有～; 저 사람은 매우 명망이 있다.
〔名位〕 míngwèi 명 〈文〉 ①명성과 지위. ②관등(官等).
〔名物〕 míngwù 명 물건의 이름과 형상.
〔名下〕 míngxià 명 명의상(名義上). 어떤 사람의 명의. ¶这事怎么搞到我～来了? 이 사건이 어떻게 나의 명의로 되어 있는가?
〔名下无虚(士)〕 míng xià wú xū(shì) 〈成〉 명성이 있는 사람은 반드시 그만한 실상〔실력〕이 있다. =〔名不虚传〕
〔名相〕 míngxiàng 명 〈文〉 명상. 이름난 재상.
〔名星〕 míngxīng 명 ⇨〔明星①〕
〔名学〕 míngxué 명 〈文〉 논리학의 구칭.
〔名勋〕 míngxūn 명 〈文〉 수훈(殊勳).
〔名言〕 míngyán 명 명언.
〔名扬四海〕 míng yáng sì hǎi 〈成〉 명성이 온 천하에 떨치다.
〔名义〕 míngyì 명 ①명의. 명목. ②명의상. 형식상《흔히, '～上'으로 쓰임》. ¶～上是援助, 实际上是侵略; 명목상은 원조이지만, 실제는 침략이다.
〔名义尺寸〕 míngyì chǐcun 명 개략적인 정수(整數)로 나타내는 치수. =〔公gōng称尺寸〕
〔名义工资〕 míngyì gōngzī 명 《經》 명목 임금. ↔〔实shí际工资〕
〔名誉〕 míngyù 명 ①명예. 명성. 좋은 평판. ¶没有～没人请; 소문이 나지 않으면 청하는 사람이 없다. ②공적을 기념하여 준 칭호. ¶～会长; 명예 회장 / ～教授; 명예 교수 / ～会员; 명예 회원.
〔名誉票〕 míngyùpiào 명 ⇨〔荣róng誉券〕
〔名媛〕 míngyuàn 명 〈文〉 이름난 규수.
〔名噪一时〕 míng zào yī shí 〈成〉 한때 이름이 세상에 알려지다.
〔名正言顺〕 míng zhèng yán shùn 〈成〉 명분이 올바르고, 주장도 타당하다. 말하는 것이 이치에 맞는다. ¶说起来倒很～; 말하는 것이 제법 사리에 맞는다. →〔名不正, 言不顺〕
〔名胄〕 míngzhòu 명 〈文〉 명문의 자손.
〔名主〕 míngzhǔ 명 〈文〉 명군(名君).
〔名著〕 míngzhù 명 명저. ¶文学～; 문학 명저.
〔名字〕 míngzì 명 이름과 자(字).
〔名字〕 míngzi 명 ⇨〔名子〕
〔名子〕 míngzi 명 ①(사람의) 이름. ¶起～; 이름을 짓다. ②물건의 이름. ¶～叫什么? 이름은 무엇이라고 하는가? ‖=〔名字〕〔名儿〕
〔名族〕 míngzú 명 명족. 이름난 집안. 명문.
〔名作〕 míngzuò 명 명작.

洺

Míng (명)
명 《地》 밍허 강(洺河)《허베이 성(河北省)에 있는 강 이름》.

茗

míng (명)
명 ①차(茶)의 싹. ②차. ¶香～; 향기가 좋은 차. 고급차 / 品～; 차를 상미(賞味)하다.
〔茗茶〕 míngchá 명 〈文〉 차.
〔茗点〕 míngdiǎn 명 〈文〉 차와 과자. 다과(茶菓).
〔茗具〕 míngjù 명 〈文〉 다기(茶器).

铭(銘)

míng (명)
① 동 문자를 그릇에 새기다. ¶～其丰功于碑碣; 그 큰 공적을 비석에 새기다. ② 명 명정(銘旌). ⓐ기물 위에 사실·공덕 등을 새긴 문자. ¶墓志～; 묘지명. ⓑ교훈으로 삼는 문구. ¶座右～; 좌우명. ③ 동 명심하여 잊지 않다. ¶～诸肺腑 =〔～之于心〕〔～心〕; 명심하다.
〔铭肝〕 mínggān 동 명심하다《마음에 새겨 잊지 않다》.
〔铭感〕 mínggǎn 동 감명하다. 마음에 깊이 새기다. ¶～五内 =〔～五衷zhōng〕; 〈比〉 마음 속 깊이 은혜에 감동하다. 충심으로 고맙다고 여기다.
〔铭功〕 mínggōng 동 〈文〉 공적을 (금석에) 새기다. 공적을 적다.
〔铭肌镂骨〕 míng jī lòu gǔ 〈成〉 ⇨〔铭心刻骨〕
〔铭记〕 míngjì 동 명기하다. 마음속 깊이 새겨 두다. ¶～在心; 마음속에 명기하다.
〔铭金〕 míngjīn 동 〈文〉 금속 기구에 새기다.
〔铭旌〕 míngjīng 명 명정. 전에 죽은 사람의 관직·성명을 적어 장례 행렬의 앞에 세운 기. =〔铭旗〕〔明旌〕
〔铭刻〕 míngkè 동 ①글씨를 금석에 새기다. ②〈轉〉 마음속 깊이 새겨 두다. ¶～在心; 마음에 깊이 새겨 두다. 명 각명(刻銘). 금석(金石)에 새긴 글. ‖=〔铭泐〕
〔铭泐〕 mínglè 명동 ⇨〔铭刻〕
〔铭牌〕 míngpái 명 ⇨〔名牌③〕
〔铭佩〕 míngpèi 동 〈文〉 마음 깊이 새겨 두고 감사하다.
〔铭旗〕 míngqí 명 ⇨〔铭旌〕
〔铭文〕 míngwén 명 명(銘). 명문.
〔铭心〕 míngxīn 명동 명심(하다).
〔铭心刻骨〕 míng xīn kè gǔ 〈成〉 명심하여 잊지 않다. =〔铭肌镂骨〕〔刻骨铭心〕
〔铭志〕 míngzhì 동명 〈文〉 묘석에 새기다. 또, 새기는 문장.
〔铭篆〕 míngzhuàn 동 감격하여 잊지 않다.

鸣(鳴) **míng** (명)
동 ①(새·짐승·벌레가) 울다. ¶鸡～; 닭이 울다/驴～; 당나귀가 울다. ②소리 나다. ③(감정·의견·주장을) 나타내다. 말하다. ¶～不平; 투덜거리다/～谢; 사의(謝意)를 표하다. ④울리다. ¶～鼓; 북을 울리다/钟～; 종이 울리다/汽笛长～; 기적이 길게 울리다.

〔鸣鞭〕 míngbiān 동 채찍을 울리다. 명 ⇨〔静jìng鞭〕

〔鸣捕〕 míngbǔ 동 ⇨〔鸣警〕

〔鸣蝉〕 míngchán 명 《蟲》 참매미(총칭).

〔鸣笛〕 míng.dí 동 ①사이렌을 울리다. ②호각을 불다. ③경적을 울리다.

〔鸣镝〕 míngdí 명 우는 화살(옛날, 중국에서 개전(開戰)의 신호로 우는 화살을 적진에 쏘았음).

〔鸣放〕 míngfàng 동 ①솔직하게 자신의 의견을 말하다. 의견을 내어 토론하다('百花齐放, 百家争鸣'(1956年, 교조주의와 관료주의에 반대하는 정치상의 새로운 진로를 표시한 표어)의 생략). ¶～辩论; 솔직하게 자신의 의견을 나타내고 토의하는 토론/去～～, 管保行! 충분히 토론〔주장〕해 보아라. 꼭 될 것이다! ②폭죽을 터뜨리다.

〔鸣凤〕 míngfèng 명 〈比〉 귀중하고 아름다운 것.

〔鸣鼓〕 mínggǔ 동 북을 울리다.

〔鸣鼓而攻之〕 míng gǔ ér gōng zhī 〈成〉 공공연하게 죄상·과실을 들어 탄핵하다. 용서 없이 잘못을 공격하다.

〔鸣管〕 míngguǎn 명 《鳥》 명관(새의 발성 기관).

〔鸣号〕 mínghǎo 동 〈文〉 울부짖다.

〔鸣金〕 míngjīn 동 〈文〉 징을 울리다.

〔鸣金收兵〕 míng jīn shōu bīng 〈成〉 징을 울리고 전쟁을 중지하다(휴전하다).

〔鸣警〕 míngjǐng 동 경적을〔호루라기를〕 불어 순경을 부르다. =〔鸣捕〕

〔鸣鸠〕 míngjiū 명 ⇨〔斑bān鸠〕

〔鸣榔〕 mínglάng 명 어선의 고물에 달아놓은 가로나무를 두드려서 물고기를 그물 방향으로 몰아서 잡는 일.

〔鸣銮〕 míng.luán 명 〈比〉 천자의 거둥.

〔鸣锣〕 míng luó 동 징을 치다〔울리다〕. ¶～开道 =〔～喝道〕; 〈成〉 ⓐ징을 쳐서 길을 가게 하다. ⓑ(미래의 일을 위해) 선도(先導)하다/～击鼓; 징과 북을 울리다.

〔鸣炮〕 míng.pào 동 폭죽을 터뜨리다. ¶～致敬; 예포를 쏘다.

〔鸣其不平〕 míng qí bùpíng 불평을 말하다. ¶对于和约～之爱国至诚化为暴动; 평화 조약에 대하여 불평을 품은 우국지성(憂國至誠)이 폭동으로 변했다.

〔鸣砌〕 míngqì 명 《動》 〈文〉 '蚯qiū蚓'(지렁이)의 별칭.

〔鸣枪〕 míng.qiāng 동 (총을) 발포하다. ¶～射击; 위협 사격.

〔鸣禽〕 míngqín 명 《動》 명금.

〔鸣琴而治〕 míng qín ér zhì 〈成〉 거문고를 울리면서 세상을 다스리다〔세상이 다스려지다〕(도의로 백성을 교화하면 힘들이지 않고 다스려진다).

〔鸣天鼓〕 míngtiāngǔ 명 귀의 건강법의 하나로, 양손으로 두 귀를 가리고 집게손가락과 가운뎃손가락으로 머리 뒤를 두드리는 방식.

〔鸣蜩〕 míngtiáo 명 《蟲》 유지매미(총칭).

〔鸣谢〕 míngxiè 동 사례말을 하다. 사의(謝意)를 표하다. ¶～启事; 감사의 광고.

〔鸣冤〕 míngyuān 동 억울함을 호소하다. ¶～叫屈; 자신의 억울함을 큰 소리로 호소하다. 불평이나 불만을 호소하다.

〔鸣赞官〕 míngzànguān 명 〈文〉 의식 때, 제문을 읽는 관리.

〔鸣指〕 míngzhǐ 동 두 손가락을 튀기어 소리를 내다.

〔鸣钟〕 míngzhōng 동 종을 치다. 명 자명종.

明 **míng** (명)
①형 분명하다. 명백하다. 확실하다. 밝히다. 분명히 하다. ¶事情弄～了; 사정은 조사해서 밝혀졌다/我得合盘托出来也得～～我的心; 나로서는 모든 것을 털어놓아 내 마음을 밝히지 않으면 안 된다/这事最好揭～了; 이 일은 분명하게 겉으로 드러내는 것이 제일 좋다/已～真相; 이미 진상이 밝혀졌다/～心迹; 심경을 밝히다. ②형 밝다. 밝아지다. ¶～月; 명월/天～; 새벽(녘)/山～水秀; 〈成〉 산수의 풍경이 빼어나다. ↔〔暗àn①〕 ③형 정직하다. 공명정대하다. ¶～人; ⇩/心～眼亮; 숨김이 없고 공명정대한 일. ④형 표면에 나타나다. 숨김없다. 공공연하다. ¶有话～说; 할 말이 있으면 분명하게 말하다/～争暗斗; 음으로 양으로 투쟁하다. ⑤동 잘 알다. 이해하고 있다. ¶深～大义; 대의를 깊이 이해하다. ⑥형 눈이 빠르다. 감식하는 눈이 있다. 통찰력이 있다. ¶眼～手快 =〔眼尖手快〕; 〈成〉 눈도 빠르고 손도 빠르다(민첩하다). ⑦형 총명하다. ⑧명 세상. 이승. ¶幽～隔世; 저승과 이승을 서로 떨어져 있다. ⑨명 광명. ⑩명 다음(날짜·햇수에 씀). ¶～年; 내년. ⑪명 새벽. ⑫명 시각. 시력. ¶失～; 실명하다. ⑬명 중국 왕조의 이름. ⑭명 성(姓)의 하나.

〔明暗〕 míng'àn 명 명암. ¶～对照法; 《美》 명암법. 음영법.

〔明暗锁〕 míng'ànsuǒ 명 특수한 장치가 된 자물쇠. ¶这种防盗首饰箱的特点是～俱全, 另有防盗自动警钟; 이 액세서리 도난 방지 상자의 특징은 특장 자물쇠가 모두 완전하고, 도난 방지 벨도 붙어 있다는 점이다.

〔明摆明〕 míngbǎimíng 형 극히 명백하다. ¶这是～的事情, 怕什么人误会; 이것은 너무나 잘 알고 있는 일인데, 누가 오해할 염려가 있겠는가.

〔明摆(着)〕 míngbǎi(zhe) 형 명백하다. 분명하다. 뚜렷하다. ¶这么～的事情, 你还说不知道吗? 이렇게 명백한 일을 아직 모른다는 것이냐?

〔明白〕 míngbai 형 ①명백하다. ¶最～不过了; 더할 나위 없이 명백하다/～了当liǎodāng; 극히 명백하다. ②도리를 분간하다. ¶～人; 이해력이 밝은 사람. ③총명하다. 분별 있다. ④공공연하다. 솔직하다. 공개적이다. ¶他还是跟他讲～了好; 그에게 솔직하게 말하는 것이 가장 좋을 것입니다/他～表示不同意这个提议; 그는 분명하게 그 의견에 반대임을 나타냈다. 동 분명해지다. 알다. 이해하다. ¶他不～这个道理; 그는 이 이치를 모른다. =〔知道〕

〔明版〕 míngbǎn 명 명나라 때에 간행된 책. =〔明板〕〔明版书shū〕〔明本〕〔明刻〕〔明槧〕

〔明辨〕 míngbiàn 동 분명히 구별하다. ¶～是非; 시비를 가리다.

〔明察〕 míngchá 동 〈文〉 명찰하다. 똑똑히 살펴서 조사하다. ¶～如神; 〈成〉 귀신처럼 통찰하다.

〔明察暗访〕 míng chá àn fǎng 〈成〉 여러 가지로 은근히 속을 떠 보다. 음으로 양으로 조사하다.

〔明察秋毫之末, 而不见舆薪〕 míng chá qiū

háo zhī mò, ér bù jiàn yú xīn〈成〉한 개의 털끝도 볼 수 있는 힘이 있으면서, 한 차(車)의 장작을 못 보다(작은 일은 밝히면서 큰 일은 보지 못하고 빠뜨림).
〔明蟾〕 míngchán 명〈文〉달의 별칭.
〔明娼〕 míngchāng 명 공인을 받은 기녀(妓女).
〔明朝〕 Míngcháo 명《史》명조. 명나라. ⇒ míngzhāo
〔明澈〕 míngchè 형 밝고 맑다. ¶一双～的眼睛; 맑고 맑은 두 눈. ↔〔混浊〕
〔明晨〕 míngchén 명〈文〉내일 아침. =〔明旦〕
〔明处〕 míngchù 명 ①명백한 곳. 공개적인 장소. 떳떳한 장소. ¶钱要花在～; 돈은 조리 있게 써야만 한다. ②밝은 곳.
〔明达〕 míngdá 형 사리에 밝다. 통달하다. ¶～公正; 사리에 밝고 공정하다.
〔明打明〕 míngdǎmíng 형 숨기지 않다. 분명하다. 명백하다. ¶不能～地告诉她; 있는 그대로 그 여자에게 말할 수는 없다.
〔明袋〕 míngdài 명 아웃 포켓. 바깥 주머니.
〔明旦〕 míngdàn 명 ⇨〔明晨〕
〔明珰〕 míngdāng 명〈文〉명주(明珠) 귀걸이.
〔明道儿〕 míngdàor 명〈比〉정식의 부부 관계. =〔明路儿〕
〔明灯〕 míngdēng 명 ①밝은 등. ②대중을 바르게 인도하는 사람이나 사물(事物).
〔明灯火仗〕 míng dēng huǒ zhàng〈成〉⇨〔明火执仗〕
〔明电〕 míngdiàn 명 보통 전보(암호 전보가 아닌). ↔〔密电〕→〔密码mìmǎ〕
〔明碉〕 míngdiāo 명《軍》노출된 토치카.
〔明断〕 míngduàn 명동 명단(하다). 명확한 판단(을 하다).
〔明矾〕 míngfán 명《化》명반. 백반. ¶～石; 명반석. =〔白矾〕〔钾(明)矾〕
〔明分〕 míngfèn 명 당연한 직분. ¶～正取; 당연한 권리로서 취득하다. 당연히 받을 몫, 또는 당연히 누릴 권리는 당당하게 받는다.
〔明玕〕 mínggān 명〈文〉대(나무)의 별칭. →〔竹zhú①〕
〔明干〕 mínggàn 형 총명하고 재능이 있다.
〔明公〕 mínggōng 명〈文〉〈敬〉현명한 당신〔여러분〕.
〔明沟〕 mínggōu 명 ⇨〔阳yáng沟〕
〔明骨〕 mínggǔ 명《生》정강이뼈.
〔明河〕 mínghé 명 ⇨〔天河〕
〔明后天〕 mínghòutiān 명 내일이나 모레. ¶我～就走; 나는 내일이나 모레 안에 간다.
〔明黄〕 mínghuáng 명《色》황색.
〔明晃晃(的)〕 mínghuǎnghuǎng(de) 형 빤짝빤짝하다. ¶～的太阳; 반짝반짝 빛나는 태양 / ～的刺刀; 빤짝거리는 총검.
〔明慧〕 mínghuì 형〈文〉영리하다. 총명하다.
〔明婚正娶〕 míng hūn zhèng qǔ〈成〉⇨〔明媒正娶〕
〔明火〕 mínghuǒ 명동 강도짓(을 하다). ¶～打劫jié; 날강도짓을 하다 / 在斗争中, 有的同志被封建势力当dàng作砸zá～的土匪逮捕; 투쟁중에 어떤 동지는 강도짓을 하는 비적으로 지목되어 봉건세력에 붙잡히는 사람도 있었다. =〔明伙〕 동 불을 붙이다. (렌즈로) 불을 댕기다.
〔明火机关〕 mínghuǒ jīguān 명《機》점화 장치.
〔明火执仗〕 míng huǒ zhí zhàng〈成〉횃불을 밝히고 무기를 들고 약탈하다(공공연히 못된 짓을 하다). =〔明灯火仗〕
〔明间儿〕 míngjiānr 명 밖으로 직접 통할 수 있는 방. ↔〔暗间儿〕
〔明减暗不减〕 míng jiǎn àn bù jiǎn〈成〉표면적으로만 인하하고 실제로는 인하하지 않다(예를 들면, 소작료나 이자의 인하 따위).
〔明见万里〕 míng jiàn wàn lǐ〈成〉탁월한 식견을 갖고 있다. 선견지명이 있다.
〔明鉴〕 míngjiàn 명 ①〈敬〉고매한 식견. ②본보기. 귀감.
〔明胶〕 míngjiāo 명《化》젤라틴(gelatine). =〔动物胶〕〔亚胶〕
〔明角灯〕 míngjiǎodēng 명 쇠뿔의 통 모양의 부분으로 만든 등.
〔明角罩〕 míngjiǎozhào 명 ⇨〔角膜〕
〔明教〕 míngjiào 명〈敬〉밝은〔현명한〕 가르침.
〔明经〕 míngjīng 형 ①〈文〉경서에 밝다. 명 ①당대(唐代) 경의(經義)에 밝은 선비를 채용하는 일. 또, 그 선비. ②청대(清代) '贡gòng生'의 별칭.
〔明旌〕 míngjīng 명 ⇨〔铭旌〕
〔明净〕 míngjìng 형 밝고 깨끗하다. 맑다. 명정하다. ¶～的橱窗; 밝고 깨끗한 쇼 윈도〔진열장〕.
〔明镜(儿)〕 míngjìng(r) 명 명경. 〈比〉사물을 대단히 잘 알고 있다. ¶湖水清澈, 犹如～; 호수가 맑고 깨끗하여 마치 명경과 같다 / 别看他外面不言语, 心里却是～似的; 그는 입 밖에 내어 말은 하지 않지만, 마음 속으로는 잘 알고 있다.
〔明镜高悬〕 míng jìng gāo xuán〈成〉재판관의 판결이 공정하다(진시황제(秦始皇帝)가 사람의 마음 속의 선악을 비추는 거울을 갖고 있었다는 고사에서). ¶本县官是～; 본관의 재판은 공정하다.
〔明局〕 míngjú 명 ①명백한 속임수. ②공개된 도박장. ↔〔暗局〕
〔明据〕 míngjù 명 명백한 증거.
〔明扣〕 míngkòu 명 공식적인 수수료〔할인료〕. 통상적인 할인.
〔明快〕 míngkuài 형 ①(말·문장이) 명쾌하다. ¶语言～; 문장이 명쾌하다. ②명랑하고 시원시원하다. 결단력이 풍부하다.
〔明贶〕 míngkuàng 명〈敬〉윗사람에게서 받은 물건.
〔明来暗去〕 míng lái àn qù〈成〉공공연히 또는 은밀하게 왕래하다(흔히, 헐뜯는 뜻으로 씀). =〔明来暗往〕
〔明朗〕 mínglǎng 형 ①밝게 빛나다. 밝다. ②명랑하다. ③분명하다. ¶态度～; 태도가 분명하다.
〔明里〕 mínglǐ 명 표면. 사람들의 앞. ¶～说好话, 暗里搞阴谋; 겉으로는 아부하는 말을 하고 뒤에서는 음모를 꾸미다. ↔〔暗里〕
〔明里暗里〕 mínglǐ ànlǐ 음으로 양으로. ¶双方便～不断勾结; 쌍방은 음으로 양으로 시종 결탁하고 있다.
〔明理〕 mínglǐ 형 도리를 잘 알다. 사리에 밝다. ¶～人; 사리에 밝은 사람.
〔明丽〕 mínglì 형 밝고 아름답다. 산뜻하고 깨끗하다〔곱다〕.
〔明亮〕 míngliàng 형 ①밝다. ¶灯光～; 불빛이 밝다. ②빛나다. ¶～儿眼睛; 빛나는 눈. ③분명하다.
〔明亮亮(的)〕 míngliàngliàng(de) 형 환하게 밝은 모양. ¶窗户是新糊的纸, 办公室里～的; 창에 새 종이를 발라 사무실은 환하게 밝다.
〔明了〕 míngliǎo 동 분명해지다. 알다. ¶你的意思我～, 就这样办吧! 당신의 생각을 알았으니 그렇

게 합시다! 형 명백하다. 명료하다. ¶发音～; 발음이 명료하다 / 语言要～、准确、又要活泼、生动; 말은 명확하지 않으면 안 되고, 또한 생기가 있어야 한다.
〔明令〕 mínglìng 명 (명문화하여) 공포된 법령·규정. ¶～禁jìn止; 공포하여 금지하다.
〔明路儿〕 mínglùr 명 ⇨〔明道儿〕
〔明轮叶〕 mínglúnyè 명 ⇨〔桨jiǎng叶〕
〔明螺丝〕 míngluósi 명 《機》 고정 나사.
〔明码(儿)〕 míngmǎ(r) 명 ①통상의 전보 약호《네 자리의 숫자로 한자(漢字) 한 자를 나타냄》. ¶～电报; 평문(平文) 전보 / ～电报本子; 전보 약호부(簿). =〔明电diàn〕 ↔〔密码〕 ②명시(明示) 가격. 동가격을 명시하다. ¶～售货; 가격을 표시하고 물건을 팔다.
〔明骂冷箭〕 míng mà lěng jiàn 〈成〉 노골적인 욕설과 뒤에서 하는 중상(中傷).
〔明媒正娶〕 míng méi zhèng qǔ 〈成〉 중매를 세운 정식의 결혼(을 하다). ¶我也不是～的, 人家看不起; 나는 정식으로 시집간 것이 아니어서, 남들에게 멸시를 받고 있다. =〔明婚正娶〕
〔明煤〕 míngméi 명 〈文〉 큰 석탄 덩이.
〔明媚〕 míngmèi 형 ①풍광 명미하다. (경치가) 맑고 아름답다. 화창하다. ¶风光～; 풍광 명미하다 / 春光～; 봄빛이 화창하다. ②(눈이) 빛나고 매력적이다.
〔明明〕 míngmíng 부 분명히. ¶这～是他的不是; 이것은 분명히 그가 옳지 않다 / ～是你的错, 怎么不承认; 분명히 네 잘못인데, 왜 인정하려 하지 않느냐.
〔明明白白〕 míngmingbáibái 형 명백하다. 뻔하다. ¶这不是～的吗? 그것은 뻔한 일이 아니냐?
〔明眸皓齿〕 míng móu hào chǐ 〈成〉 명모호치. 맑은 눈에 흰 이《미인의 형용》.
〔明目张胆〕 míng mù zhāng dǎn 〈成〉 엄청난 일을 태연히 하는 모양. 공공연히 대담하게. 노골적으로.
〔明年〕 míngnian 명 내년. 명년. =〔〈北方〉过年guònian〕〔〈南方〉开kāi年②〕
〔明牌〕 míngpái 명 ①유명 상표. ②분명한 것. ¶～货; ⓐ정품(正品). ⓑ유명품. ⓒ신원이 분명한 사람.
〔明牌的〕 míngpáide 명 공표한 것. 공공연하게 드러나 있는 것.
〔明盘(儿)〕 míngpán(r) 명 시장의 공개 협정 가격. ↔〔暗盘〕
〔明七暗七〕 míngqī ànqī 명 '酒令'의 일종《좌중이 차례로 숫자를 외어 '暗七'에 해당하는 숫자에 걸린 사람은 탁자를 치며 이를 잘못하면 벌을 주는 게임으로, '明七'는 7. 17. 27 등의 수, '暗七'는 14. 21. 28 등 7의 배수임》.
〔明欺暗骗〕 míng qī àn piàn 〈成〉 수단을 가리지 않고 온갖 방법으로 속이다.
〔明弃暗取〕 míng qì àn qǔ 〈成〉 겉으로는 생각이 없는 체 가장하고, 속으로는 제 것으로 하려 하다.
〔明器〕 míngqì 명 ⇨〔冥器〕
〔明前〕 míngqián 명 청명절(淸明節) 전에 딴 차.
〔明椠〕 míngqiàn 명 ⇨〔明版〕
〔明枪暗箭〕 míng qiāng àn jiàn 〈成〉 공공연한 적〔공격〕과 겉으로 드러나지 않은 적〔공격〕. ¶明枪易躲, 暗箭难防; 〈諺〉 정면에서의 공격은 대처하기 쉽지만, 암암리에 덮치는 적의 간계(奸計)는 피하기가 어렵다.
〔明抢暗劫〕 míng qiǎng àn jié 〈成〉 온갖 수단을 써서 강도짓을 하다.
〔明擒暗纵〕 míng qín àn zòng 〈成〉 공개적으로 체포하고 몰래 놓아 주다.
〔明情〕 míngqíng 형 분명하다. 확실하다. ¶这件事～他是没有理, 你别管他; 이 일은 그가 도리에 어긋난 것이 분명하니, 그와 상대하지 마라.
〔明渠〕 míngqú 명 ⇨〔阳yáng沟〕
〔明确〕 míngquè 형 분명하다. 확실하다. 동 명확히 하다. 분명하게 하다. ¶这篇社论进一步～了当前的中心任务; 이 사설은 한 걸음 더 나아가 현대의 과제의 요점을 명확히 밝혔다 / ～了学习的目的, 我们的学习劲头就会更大; 학습의 목적을 명확하게 하면, 우리의 학습 의욕은 더욱 높아질 것이다 / ～规定; 명확하게 규정하다.
〔明儿〕 míngr 명 〈口〉 ①내일. =〔明天〕〔〈方〉明儿个〕 ②〈俗〉 면(面). 방향. ¶这所房子四～都是窗户; 이 집은 사방이 모두 창문이 나 있다 / 北京城一～十里; 베이징 성은 한 변(邊)이 10 중국리(中國里)이다.
〔明儿(个)〕 míngr(ge) 명 ⇨〔明天〕
〔明儿狗咬不了日头〕 míngr gǒu yǎobuliǎo rìtou 〈諺〉 내일도 개가 해를 깨물어 먹는 일은 없다. 내일이란 오기 마련이다.
〔明人〕 míngrén 명 ①명대(明代)의 사람. ②이해력이 좋은 사람. 사리에 밝은 사람. ③공명정대한 사람. ¶～不做暗事; 공명정대한 사람은 뒤가 켕기는 일은 하지 않는다. ④(장님에 대하여) 눈이 보이는 사람.
〔明日〕 míngrì 명 ⇨〔明天〕
〔明日黄花〕 míng rì huáng huā 〈成〉 시기를 놓쳐 쓸모 없는 일〔것〕. ¶不过这已经是～; 이것은 이미 지나간 일이다.
〔明若观火〕 míng ruò guān huǒ 〈成〉 ⇨〔洞dòng若观火〕
〔明色〕 míngsè 명 명색《정색(正色)에 비해 엷거나 밝은 빛깔》. ↔〔暗àn色〕
〔明升暗降〕 míng shēng àn jiàng 〈成〉 겉으로는 영전한 것 같지만, 실제로는 좌천당하다.
〔明声大卖〕 míng shēng dà mài 〈成〉 드러내놓다. 공공연하다. ¶～地干gàn; 터놓고 하다 / ～地卖; 공공연히 팔다.
〔明圣湖〕 Míngshènghú 명 ⇨〔西Xī湖〕
〔明示〕 míngshì 동 명시하다.
〔明是〕 míngshì 부 ①분명히《아래 글에서 뜻이 역접(逆接)됨》. ¶～你的错, 怎么不承认? 분명히 네 잘못인데도 왜 인정하지 않느냐? ②겉으로《뒤에 '暗里'·'暗中' 따위 말이 옴》. ¶～赞同, 暗中却反对; 겉으로는 찬성하고 뒤에서는 반대한다.
〔明誓〕 míng.shì 명동 ⇨〔盟méng誓〕
〔明说〕 míngshuō 동 분명하게 말하다. 사실대로 말하다. ¶至于这层他也没～; 이 점에 관해서는 그도 분명한 말을 하지 않았다.
〔明锁〕 míngsuǒ 명 자물쇠. ↔〔暗àn锁〕
〔明抬头〕 míngtáitóu 명 〈翰〉 상대의 일을 쓸 때에, 줄을 바꾸어 쓰는 편지 서식(書式).
〔明太鱼〕 míngtàiyú 명 《魚》 명태.
〔明唐〕 míngtáng 명 ⇨〔明堂④⑤〕
〔明堂〕 míngtáng 명 ①불평. 트집. 시비. ¶他～太多了, 说话得留神; 그는 불평이 아주 많으니까 말을 조심해서 해요. ②임금이 큰 의식(儀式)을 거행하던 장소《주대(周代)에는 천자가 제후를 접견하던 장소를 말함》. ③지관(地官)이 말하는 묘지 앞의 물줄기가 모이는 곳. ④〈方〉 (곡물의)

건조장. =〔明唐〕 ⑤〈方〉 마당. 뜰. =〔明唐〕
〔明天〕 **míngtiān** 명 ①내일. ¶～见! 안녕히 계십시오. 내일 또 뵙겠습니다! / ～再说; 내일 다시 얘기합시다 / ～再说～的话; 내일 얘기는 내일 하자. →〔今天〕〔昨天〕 ②가까운 장래. 머지않아. ¶光辉灿烂的～; 빛나는 미래. ‖ =〔〈京〉 明儿(个)〕〔〈方〉 明日〕〔〈南方〉 明朝zhāo〕
〔明条〕 **míngtiáo** 명 명문(明文).
〔明推暗就〕 **mín tuī àn jiù** 〈成〉 싫은 척하면서 응낙하다.
〔明驼〕 **míngtuó** 명 ⇨〔小xiǎo蹄骆驼〕
〔明瓦〕 **míngwǎ** 명 ①번쩍번쩍하는 좋은 기와. ②지붕의 천창(天窓). =〔天tiān窗〕
〔明汪汪〕 **míngwāngwāng** 형 불길이 활활 타오르는 모양.
〔明文〕 **míngwén** 명 명문. ¶以～规定; 명문으로 규정하다.
〔明晰〕 **míngxī** 형 명석하다. 명백하다. 또렷하다. ¶雷达荧光屏上出现了～的图像; 레이더의 스크린에 뚜렷한 영상이 나타났다.
〔明系〕 **míngxì** 〈文〉 명백히 …이다.
〔明虾〕 **míngxiā** 명 ⇨〔对duì虾〕
〔明显〕 **míngxiǎn** 형 뚜렷하다. 현저하다. ¶愈加～地感觉; 점점 뚜렷이 느끼다.
〔明线〕 **míngxiàn** 명《電》 표면에 드러나 있는 전선(電線).
〔明线光谱〕 **míngxiàn guāngpǔ** 명《物》 휘선(輝線)〔선〕 스펙트럼.
〔明效大验〕 **míng xiào dà yàn** 〈成〉 뚜렷한 효험(效驗).
〔明心榜〕 **míngxīnbǎng** 명 기부자(寄附者)의 성명을 나열해서 써 놓은 게시.
〔明心见性〕 **míngxīn jiànxìng**《佛》 심경을 맑고 깨끗하게 하여 자기의 본성 곧 불성을 찾아 내다.
〔明信画片〕 **míngxìn huàpiàn** 명 그림 엽서.
〔明信片(儿)〕 **míngxìnpiàn(r)** 명 〈俗〉 우편 엽서. ¶双～; 왕복 엽서 / 美术～ =〔〈俗〉 花信片〕; 그림 엽서. =〔信片(儿)〕〔邮片〕
〔明星〕 **míngxīng** 명 ①스타. 배우. ¶电影～; 영화 배우 / 文际～; 사교계의 스타. =〔名脚(儿)〕〔名角儿〕〔名星〕〔影星〕 ②《天》 금성(金星)의 별칭.
〔明修栈道〕 **míng xiū zhàn dào** 〈成〉 겉과 속이 다른 행동을 하다. 표면을 위장하다《한고조(漢高祖)가 잔도(棧道)를 수리하는 체하고, 실상은 진창(陳倉)에 군사를 보내어 기습했다는 고사에서》. =〔明修栈道, 暗渡陈仓〕
〔明言〕 **míngyán** 동 분명히 말하다. 명언하다. ¶～推却; 명확한 말로 거절하다.
〔明眼人〕 **míngyǎnrén** 명 감식하는 눈이 높은 사람. 눈썰미가 있는 사람.
〔明验〕 **míngyàn** 명 눈에 보이는 효과.
〔明颖〕 **míngyǐng** 명형 〈文〉 총명(하다). 명민(하다).
〔明幽〕 **míngyōu** 명 이승과 저승. 현세와 내세.
〔明油〕 **míngyóu** 명 (요리에서) 윤기를 내는 기름.
〔明有王法, 暗有神〕 **míng yǒu wángfǎ, àn yǒu shén** 〈諺〉 사람의 눈에 보이는 곳에는 법률이 있고, 어두운 곳에는 신이 있어 못된 사람을 벌 준다.
〔明于知己, 暗于知彼〕 **míng yú zhī jǐ, àn yú zhī bǐ** 〈成〉 자기 편에 대해서는 환하지만 적에 대해서는 잘 모르다.
〔明喻〕 **míngyù** 명《言》 직유(直喻)《수사법의 하나》. =〔直zhí喻法〕
〔明早〕 **míngzǎo** 명 〈方〉 ①명조. 내일 아침. ②내일.
〔明杖〕 **míngzhàng** 명 맹인용 지팡이.
〔明朝〕 **míngzhāo** 명 〈南方〉 ①내일. ②가까운 장래. =〔明天〕 ⇒ **Míngcháo**
〔明哲保身〕 **míng zhé bǎo shēn** 〈成〉 명철보신. ①약게 처신하여 보신을 꾀하다. ②자신의 안전을 위하여 다투는 일을 피하다. ¶～但求无过; 일신의 안전을 생각하여, 오직 잘못이 없기를 바라다. ③원칙을 바꾸어 일신의 안전을 꾀함.
〔明着〕 **míngzhe** 부 드러나게. 분명하게. 공공연히. ¶他还敢～跟我作对吗? 그가 감히 드러나게 내게 대들겠느냐?
〔明争〕 **míngzhēng** 동 당당히 싸우다. ¶～暗斗 àndòu; 공공연한 싸움과 은밀한 싸움. 음양으로 각축하다.
〔明征〕 **míngzhēng** 명 분명한〔명백한〕 증거.
〔明正〕 **míngzhèng** 동 〈文〉 흑백을 가리다〔분명히 하다〕. ¶待吾破了曹操, ～其罪; 조조를 친 다음에, 흑백을 가려 주겠다.
〔明正典刑〕 **míng zhèng diǎn xíng** 〈成〉 법에 따라서 극형에 처하다.
〔明证〕 **míngzhèng** 명 명증. 확실한 증거. 확증. =〔确què据〕〔确证〕〔铁tiě证〕〔硬yìng证〕
〔明支暗反〕 **míngzhī ànfǎn** 겉으로는 지지하고, 뒤에서 배반하다.
〔明知〕 **míngzhī** 동 사정을 환히 알고 있다. ¶～故问; 〈成〉 알고 있으면서 일부러 물어 보다 / ～山有虎, 偏向虎山行; 산 속에 호랑이가 있다는 것을 잘 알고 있으면서, 단호히 그 곳에 가기로 결심하다《앞에 어떤 위험이 있더라도 계속 전진하다》. =〔情qíng知〕
〔明知故犯〕 **míng zhī gù fàn** 〈成〉 잘 알면서 고의로 죄를 범하다.
〔明智〕 **míngzhì** 형 현명하다. 사리를 알다. ¶他这样决定是～的; 그가 이와 같이 결정한 것은 현명하다. 명 총명한 지혜.
〔明珠〕 **míngzhū** 명 ①야광옥. ¶～弹雀; 〈成〉 새를 잡는 데에 보옥의 총알을 쏘다《빤히 알면서 손해 보는 일을 함》. ②훌륭한 인물. 총애하는 사람. 또는 훌륭한 일. ¶～暗投 =〔～投暗〕; ⓐ재능 있는 사람이 중용되지 않는 일. ⓑ귀한 물건이 가치를 모르는 사람 손에 들어가는 일 / 掌上～; 소중한 딸. 지극히 사랑하는 딸.
〔明主〕 **míngzhǔ** 명 〈文〉 명주. 영명(英明)한 군주.
〔明柱〕 **míngzhù** 명 주위에 벽이 없는 기둥.
〔明桼〕 **míngzī** 명《植》 기장의 별칭.
〔明子〕 **míngzi** 명 ①횃불. =〔松明〕〔火把〕〔火炬〕 ②관솔《옛날에, 불을 붙여 조명으로 썼음》. ¶劈pǐ～; 관솔을 쪼개다.

冥 míng (명)

①형 어둡다. ¶晦huì～; 어둡다. =〔暝③〕 ②형 사리에 어둡다. 어리석다. ¶～顽不灵; 완미하고 어리석다. ③형 멀다. ④형 깊다. ¶～想; 명상하다 / ～思; 깊이 생각하다 / ～思苦索 =〔～思苦想〕; 심사숙고하다. 곰곰이 생각하다. ⑤명 저승. ¶～府; 명부. 염라 대왕의 법정. =〔阴间〕 ⑥명 천공(天空). 하늘. ⑦명 밤.
〔冥宝〕 **míngbǎo** 명 죽은 사람을 위해 태우는 종이돈이나 석박(錫箔) 따위. =〔冥币〕〔冥财〕〔冥钞〕〔冥钱〕〔冥镪〕
〔冥报〕 **míngbào** 명 ①남모르게 하는 보은(報恩). ②사후의 보답.

〔冥币〕 míngbì 명 ⇨〔冥宝〕
〔冥财〕 míngcái 명 ⇨〔冥宝〕
〔冥曹〕 míngcáo 명 《佛》 명부(冥府)의 관리.
〔冥钞〕 míngchāo 명 ⇨〔冥宝〕
〔冥福〕 míngfú 명 명복. 사후의 행복. ¶敬祈～; 명복을 빌다.
〔冥府〕 míngfǔ 명 저승. 황천.
〔冥河〕 mínghé 명 (미신의) 삼도(三途)내.
〔冥晦〕 mínghuì 명 〈文〉 어둠. 형 컴컴하다.
〔冥婚〕 mínghūn 명동 〈文〉 사후의〔저승에서의〕 결혼(을 하다·시키다).
〔冥昧〕 míngmèi 형 〈文〉 완미(頑迷)하다. 우매하다.
〔冥蒙〕 míngméng 형 〈文〉 모호하여 분명치 않다.
〔冥契〕 míngqì 명 묵계(默契). 동 무언중에 마음속에서 의기 투합하다.
〔冥器〕 míngqì 명 장례 행렬에 쓰는 여러가지 물건《종이를 발라 만든 수레·말·인형·돈·돈궤 등 무덤 앞에서 태워 저승에서 죽은 사람이 사용하게 하는 여러 가지 기구》. =〔明器〕
〔冥钱〕 míngqián 명 ⇨〔冥宝〕
〔冥镪〕 míngqiǎng 명 ⇨〔冥宝〕
〔冥寿〕 míngshòu 명 죽은 사람의 생일.
〔冥思苦索〕 míng sī kǔ suǒ 〈成〉 여러 가지로 궁리〔생각〕하다. 깊이 사색하다. =〔冥思苦想〕
〔冥搜〕 míngsōu 동 〈文〉 은밀히 수색하다.
〔冥土〕 míngtǔ 명 《佛》 명토. 저승의 세계.
〔冥顽〕 míngwán 형 우매하여 융통성이 없다. ¶～不灵; 〈成〉 완미하여 융통성이 없다.
〔冥王〕 míngwáng 명 《佛》 명왕. 염라 대왕.
〔冥王星〕 míngwángxīng 명 《天》 명왕성. =〔勇yǒng士星〕
〔冥屋〕 míngwū 명 명복을 빌기 위하여 영전에서 태우는 종이로 만든 작은 집.
〔冥想〕 míngxiǎng 명동 명상(에 잠기다).
〔冥心〕 míngxīn 동 〈文〉 깊이 생각하다.
〔冥行〕 míngxíng 명 암암리의 행동. 남모르게 하는 행동. 동 어둠 속을 가다. 사리를 깨닫지 못하고 무턱대고 하다.
〔冥衣〕 míngyī 명 죽은 사람을 위해 불에 태우는 종이옷. =〔鬼衣〕
〔冥衣铺〕 míngyīpù 명 '明衣' 나 종이로 만든 장례 용품을 파는 가게. =〔寿衣铺〕
〔冥佑〕 míngyòu 명 귀신의 비호. 신불의 가호.

溟 míng (명)
①명 바다. ¶北～; 북쪽 바다. ② →〔溟蒙〕

〔溟漭〕 míngmǎng 형 〈文〉 광대 무변한 모양.
〔溟蒙〕 míngméng 형 〈文〉 연무(煙霧)가 자욱하여 경치가 희미한 모양. =〔溟濛〕
〔溟溟〕 míngmíng 형 ①부슬비가 내리는 모양. ②그윽하고 어두운 모양. ③심오하여 알기 어렵다. 헤아릴 수 없다.
〔溟沐〕 míngmù 명 〈文〉 보슬비. 동 축축하게 젖다.

蓂 míng (명)
→〔蓂荚〕

〔蓂荚〕 míngjiá 명 전설상의 서초(瑞草) 이름. =〔历荚〕

暝 míng (명)
①동 날이 저물다. ¶日将～; 날이 저물려고 하다 / 天已～; 이제〔벌써〕 해가 졌다. ②명 황혼. ③형 ⇨〔冥①〕

瞑 míng (명)
동 ①눈을 감다. ②죽다. ¶死不～目; 죽어도 눈을 감지 못하다 / ～目; 편안히 눈을 감다 / ～眩; 《漢醫》 현기증(이 나다). 구역질(이 나다).

螟 míng (명)
명 《蟲》 마디충《'三化螟' · '二化螟' · '大螟' 의 3종이 있으며, 벼의 대해충》.

〔螟虫〕 míngchóng 명 《蟲》 마디충. ¶稻～; 명충. 마디충 / 玉米～; (옥수수에 붙는) 명충 / ～害; 명충에 의한 재해.
〔螟蛾〕 míng'é 명 《蟲》 명충나방의 성충.
〔螟蛉子〕 mínglíngzǐ 명 ①《蟲》 명령《배추·담배·콩·아마 따위에 붙는 빛깔이 푸른 애벌레의 총칭》. ¶螟蛉蛾; 명령의 나방. ②〈比〉 양자(養子)《'蜾蠃'(나나니벌)이 '螟蛉'(배추흰나비 등의 애벌레)의 몸 속에 산란하여 부화한 유충은 '螟蛉'을 먹이로 해서 기생하게 되는데, 이것을 나나니벌이 '螟蛉'을 키우는 것으로 옛 사람이 오인한 데서 온 말》.

酩 mǐng (명)
→〔酩酊〕

〔酩酊〕 mǐngdǐng 동 정신을 가눌 수 없을 정도로 취하다. ¶喝了个～大醉; 곤드레만드레(의 상태)가 될 때까지 마셨다.

命〈㒿〉 mìng (명)
①명동 명령(하다). 명(하다). ¶奉～; 명령을 받들다 / 遵～; 명령에 따르다 / ～他往上海调查一件事去; 그에게 한 가지 일을 조사하러 상하이로 가도록 명하다. ②명 생명. ¶人～有关; 인명에 관계되다 / 救～! 살려 다오! / 拼～; 열심(히 하다) / 疼得要～; 아파서 죽을 지경이다 / 差点儿把～送了; 하마터면 목숨을 잃을 뻔했다. ③명 운명. 천명. ¶认～; 운명으로 알고 단념하다 / 算～的; 점쟁이 / 万般皆由～; 만사는 모두 운명에 따른다 / ～定的; 운명으로서 정해져 있는 것. 숙명적인 것 / 他这场病是～里带来的; 그의 이번 병은 타고난 운명이다 / ～不由人; 〈成〉 운명은 사람의 뜻대로 되지 않는다. ④동 이름을 짓다. ¶～名; 명명하다 / 自～不凡; 스스로 자기는 잘났다고 믿다 / ～之为哺bǔ乳类; 이것에 포유류라 이름을 붙이다. ⑤동 임명하다.

〔命案〕 mìng'àn 명 살인 사건.
〔命薄〕 mìngbáo 형 운명이 기박하다.
〔命笔〕 mìngbǐ 동 ①〈文〉 붓을 들다. 집필하다. ¶欣然～; 기꺼이 집필하다. ②쓸 것을 명령 받다. ¶家父～致候; 〈翰〉 가친께서도 안부 전하라고 말씀하셨습니다.
〔命不该绝〕 mìng bù gāi jué 〈成〉 (죽지 않고) 살아날 운명에 있다.
〔命俦啸侣〕 mìng chóu xiào lǚ 〈成〉 지인(知人)·친구를 불러모으다.
〔命蒂〕 mìngdì 명 ①《生》 탯줄. ②⇨〔命门①〕
〔命定〕 mìngdìng 동 운명적으로 정해지다.
〔命犯孤鸾〕 mìng fàn gū luán 일생을 고독한 운명에 처함《관상가의 용어》.
〔命分〕 mìngfēn 명 《數》 분수 계산.
〔命分〕 mìngfèn 명 (타고난) 운명.
〔命妇〕 mìngfù 명 〈文〉 옛날, 천자로부터 칭호를 받은 부인. ¶贵族～; 고귀한 부인.
〔命该如此〕 mìng gāi rú cǐ 〈成〉 이렇게 되는 것도 운명이다. 당연한 운명이다.

〔命根(子)〕 mìnggēn(zi) 명 ①초목 뿌리의 중심 부분. 주근(主根). 원뿌리. ②생명의 의지처. 생명의 근본. ¶～子地; 목숨이 걸려 있는 논밭/触到了～; 가장 중요한 점〔급소〕을 건드리다. ③생명처럼 믿는 인물이나 물건. 가장 사랑하는 사람이나 물건. ¶这姑娘是将军的～; 이 딸은 장군의 목숨 다음으로 소중한 것이다/这块砚台是他的～; 이 벼루는 그의 목숨보다 소중한 것이다.
〔命宫〕 mìnggōng 명 ①(점성술사가 말하는) 사람의 운명. ¶～磨mó蝎; 운명이 좋지 않다. ②(관상장이의 용어로) 미간(眉間).
〔命官〕 mìngguān 명동 〈文〉 관리(를 임명하다).
〔命馆〕 mìngguǎn 명 점쟁이 집.
〔命价〕 mìngjià 명 ①부르는 값. 호가(呼價). ②목숨의 값어치.
〔命驾〕 mìngjià 동 〈文〉 ①거마 준비를 시키다. ②〈轉〉 외출하다.
〔命理〕 mìnglǐ 명 명리(하늘에서 주어진 명과 자연의 법칙).
〔命里〕 mìngli 명 운명 속에. 운명으로서. ¶～只有八合米, 走遍天下不满升; 〈諺〉 8홉의 쌀은 하늘이 정한 운명, 아무리 바둥거려도 한 되가 되지 않는다. 수확(收穫)은 하늘의 뜻이다/～无有, 不必强求; 〈諺〉 팔자에 없는 것은 억지로 요구하지 마라. 모든 것은 운명이니, 바둥거려도 소용없다.
〔命令〕 mìnglìng 명동 명령(하다). 명(하다). ¶我说我留下, 他～我回来; 나는 남겠다고 말했지만, 그는 나더러 돌아가도록 명했다/快下～叫同志们上来; 모두에게 빨리 올라오도록 명령을 내려 주시오/我接到～要我马上赶回部队去; 나는 곧 부대로 돌아오라는 명령을 받았다.
〔命脉〕 mìngmài 명 생명과 혈맥((생사에 관계되는) 중요한 곳). ¶经济～; 경제상 가장 중요한 곳/水利是农业的～; 수리는 농업에 있어서 가장 중요한 것이다.
〔命门〕 mìngmén 명 ①《漢醫》 침구(針灸) 경혈(經穴)의 하나(제2 요추와 제3 요추의 중간). =〔命蒂②〕 ②관자놀이 부분(관상가의 용어).
〔命名〕 mìng‧míng 동 명명하다. 이름짓다. =〔取qǔ名①〕
〔命棚(儿)〕 mìngpéng(r) 명 점쟁이〔복술가〕의 집.
〔命否〕 mìngpǐ 형 〈文〉 운이 나쁘다. 불행하다.
〔命如纸〕 mìng rú zhǐ 〈比〉 박명(薄命)하다.
〔命丧黄泉〕 mìng sàng huáng quán 〈成〉 저세상으로 가다. 목숨을 잃다.
〔命世〕 mìngshì 명동 ⇨〔名míng世〕
〔命数〕 mìngshù 명 ⇨〔命运①〕
〔命题〕 mìng‧tí 동 테마를 내다. 문제·논제를 내다. ¶～作文; 과제(課題) 작문/在考试大钢的范围内～; 시험 대강 중에서 출제하다/拿它出题考学生; 저것을 출제하여 학생을 시험하다. =〔出题〕 (mìngtí) 명 《論》 명제.
〔命途〕 mìngtú 명 ⇨〔命运①〕
〔命途多舛〕 mìng tú duō chuǎn 〈成〉 전도가 다사다난하다. 전도는 가시밭길이다.
〔命相〕 mìngxiàng 명 궁합. ¶～不对配不成; 궁합이 나빠서 결혼할 수 없다.
〔命星儿〕 mìngxīngr 명 운명. 운세.
〔命休〕 mìngxiū 동 〈文〉 운명이 다하다(죽다).
〔命意〕 mìngyì 동 (글짓기·그림 따위의) 주제를 확정하다. 명 함의(含意). 품은 뜻. 취지. ¶大家不了解他这句话的～所在; 모두들 그의 이 말에 숨은 뜻이 있는 것을 이해하지 못한다.
〔命硬〕 mìngyìng 형 운명이 거세다. 팔자가 사납다.
〔命运〕 mìngyùn 명 ①운명. ¶～两济; 천명과 시운이 함께 찾아들다/～多舛; 한 평생 동안 많은 좌절을 경험했다. =〔命数〕〔命途〕 ②발전 변화의 방향. 장래의 형편. 명운. ¶～论; 숙명론.
〔命中有儿, 何在早晚〕 mìng zhōng yǒu'ér, hézài zǎowǎn 〈諺〉 운명에 자식복이 있으면, 이르든 더디든 상관 없다.
〔命中有五升, 不用起五更〕 mìngzhōng yǒu wǔ shēng, bùyòng qǐ wǔ gēng 〈諺〉 닷 되를 수확하는 것은 하늘의 뜻이니, 일찍 일어나 보았자 헛된 일이다.
〔命中〕 mìngzhòng 동 명중하다.
〔命中率〕 mìngzhònglǜ 명 명중률.

MIU ㄇㄧㄡ

谬(謬) miù (류)
① 형 틀리다. 잘못되다. 이치가 닿지 않다. ¶～蒙夸奖; 잘못하고 칭찬을 받다/～负重任; 뜻밖에 중임을 떠맡다. ② 동 속이다. ③ 명 잘못. ¶失之毫厘, ～以千里; 〈諺〉 처음의 아주 작은 잘못이 나중에는 큰 잘못이 된다.
〔谬传〕 miùchuán 명동 유전〔와전〕(되다).
〔谬见〕 miùjiàn 명 잘못된 생각〔견해〕.
〔谬奖〕 miùjiǎng 동 〈謙〉 과분하게 칭찬하다. ¶～～! 칭찬해 주시어 황송합니다! 과찬이십니다!
〔谬戾〕 miùlì 명 잘못. 틀림. 형 반(反)하다. 사리에 어긋나다. 그릇되다.
〔谬论〕 miùlùn 명 그릇된 의론.
〔谬说〕 miùshuō 명 〈文〉 유설. 잘못된 말.
〔谬妄〕 miùwàng 형 황당무계하다. ¶审断～; 판결이 황당하다.
〔谬误〕 miùwù 명 〈文〉 오류. 잘못.
〔谬言〕 miùyán 명 〈文〉 허언. 잘못된 말.
〔谬悠〕 miùyōu 형 터무니없다. 황당무계하다.
〔谬赞〕 miùzàn 동 농으로〔애교로〕 칭찬하다. ¶我实在不敢～他们; 나는 농으로라도 그들을 칭찬할 수는 없다.
〔谬种〕 miùzhǒng 명 ①잘못의 근원. ¶～流传; 〈成〉 잘못된 것이 자꾸 전해지다. ②잘못된 언론이나 학파. ③〈罵〉 액병(厄病)을 가져오는 신(神). ¶你简直是～; 너는 참으로 나쁜 놈이다.

缪(繆) miù (무)
→〔纰pī缪〕 ⇒ Miào móu

MO ㄇㄛ

摸 mō (모)
동 ①손으로 만지다. 손을 대다. ¶～着钱就花; 손에 돈이 들어오면 이내 써 버린다/不要用湿手～电门; 젖은 손으로 스위치를 만지면 안 된다/这块布～着真粗糙; 이 천은 촉감이 정말 까칠까칠하다/～出一张钞票来; 지폐 한 장을 끄집어 내다. ②가볍게 쓰다듬다. ¶～小孩儿的

头; 아이의 머리를 쓰다듬다 / ～～脑袋算一个; 머리를 만지고 머릿수를 세다. 〈比〉 이것저것 모두 인원수에 넣다. ③손으로 더듬다. 모색하다. ¶逐渐～出一套种水稻的经验来; 점차 수도작(水稻作)의 경험을 모색해 내었다. ④더듬다.〈轉〉 미루어 헤아리다. ¶～了一年多, 才找着窍门儿; 1년 남짓 해 보고 겨우 요령을 알았다 / ～熟了他的习惯; 그의 습관을 알게 되었다. ⑤몰래 습격하다〔훔치다〕. ¶武工队～过几次敌人的碉堡; 무장공작대는 적의 보루를 몇 차례 기습했다. ⑥마작에서, '壁bì牌' 에서 패(牌)를 가져오다.

〔摸边儿〕 mōbiānr 부 대개. 대체로. 약. ¶许有～一百了吧; 대충 100 정도는 있을 것이다.

〔摸不清〕 mōbuqīng 살펴보아도 확실하지 않다. 확실히 모르다. ¶～他是什么意思; 그가 어떤 생각을 하는지 확실히 알 수 없다. ↔〔摸得清〕

〔摸不透〕 mōbutòu 남의 의향 또는 상황 따위를 완전히 살필 수가 없다. …의 진상을 철저히 알아낼 수가 없다(어찌할 바를 모르다, 난처하다의 뜻).

〔摸不着〕 mōbuzháo ①찾아 낼 수 없다. 눈에 띄지 않다. 종잡을 수 없다. ¶～门儿; ⓐ영문을 모르겠다. ⓑ방법을 파악하지 못하다 / ～头绪 =〔～头儿〕〔～头脑〕; 단서가 잡히지 않는다. 영문을 모르겠다. ②자칫하면. =〔动不动〕

〔摸彩〕 mōcǎi 동 ⇨〔抓zhuā彩〕

〔摸出〕 mōchu 동 알아 내다. 캐내다. 〈轉〉 염출(捻出)하다.

〔摸底〕 mō,dǐ 동 내정(內情)을 이해하다. 내막을 살피다. ¶摸清农村的底; 농촌의 내정을 확실히 파악하다 / 不～ =〔不知道底细〕; 상세한 것은 모른다 / 村子里的人谁好谁赖, 他都～; 마을 사람 중에 누가 좋고 누가 나쁜지 그는 모두 알고 있다.

〔摸抚〕 mōfǔ 동 ⇨〔抚摸〕

〔摸骨〕 mōgǔ 동 골상(骨相)을 보다. =〔揣chuǎi骨〕

〔摸锅〕 mōguō 형 가망 없다. 불가능하다.('海hǎi底～'의 약칭). ¶这是～的事, 不能寄托太大的希望; 이것은 가망 없는 일이니, 너무 큰 기대를 걸어서는 안 된다.

〔摸黑儿〕 mō,hēir 동 어둠 속을 더듬다. 암중 모색하다. ¶摸着黑儿说话; 어둠 속에서 이야기하다 / 摸着黑儿找东西; 어둠 속에서 손으로 더듬어 물건을 찾다 / 摸着黑儿走; 어두운 곳을 더듬어 가다 (이른 아침 어두울 때 출발하다) / ～下地, 抢着收割; 어두울 때 들에 나가 수확을 서두르다.

〔摸棱〕 mōléng 형 ⇨〔模棱〕

〔摸盲鸡〕 mōmángjī 동 〈比〉 어둠 속을 더듬다.

〔摸门儿〕 mō,ménr 동 〈口〉 요령을 익히다. 이해가 되다. ¶这几天刚摸着点门儿; 요즘 겨우 요령을 알게 되었다.

〔摸明儿〕 mōmíngr 명 〈方〉 동이 틀 무렵. 새벽녘. =〔摸亮儿〕

〔摸摸索索〕 mōmosuōsuo 동 우물쭈물하다. 꾸물거리다. ¶别这么～的; 그렇게 꾸물거리지 마라.

〔摸摸着〕 mōmozhe 부 대충. 대체로.

〔摸弄〕 mōnòng 동 ①쓰다듬다. 어루만지다. ¶～小孩的下颏kē; 어린아이의 턱을 어루만지다. ②만지작거리다. ¶不要～电灯开关; 전등의 스위치를 만지작거리면 안된다.

〔摸牌〕 mōpái 동 ①화투〔카드〕놀이를 하다. ②(마작에서) 패를 집다. 패를 손끝으로 더듬다. ¶该你～了; 네가 집을 차례다.

〔摸清〕 mōqīng 동 확실하게 살피다. 살펴서 확실하게 하다. ¶～了情况; 상황을 살펴 확실히 하다 / ～底细; 상세한 내용을 알아 내다.

〔摸虱子〕 mōshīzi 동 이를 잡다.

〔摸水〕 mōshuǐ 동 물 속을 손으로 더듬다.

〔摸水杆〕 mōshuǐgān 명 수심(水深)을 재는 장대.

〔摸索〕 mōsuo 동 ①꾸물거리다. 우물쭈물하다. ¶～了半天好容易才拾掇完了; 오랫동안 질질 끌다가 간신히 다 처리했다 / 手底下～; 하는 것이 느리다. ②더듬질하다. 무턱대고 …하다. ¶在星夜里～前行; 별이 떠 있는 밤에 덮어놓고 전진하다 / 暗àn中～; 암중모색하다 / 在工作中～经验; 일을 하는 가운데 모색하면서 경험을 쌓다. ③몰래 훔치다. ¶叫他～走了; 그가 몰래 훔쳐 가 버렸다 / 他好hào～东西, 你得留点儿神; 그는 곧잘 물건을 훔치니 조금 조심해야 한다. =〔摸挲②〕

〔摸挲〕 mōsuo 동 ①쓰다듬다. 어루만지다. ②⇨〔摸索③〕

〔摸头(儿)〕 mōtóu(r) 동 단서(端緖)를 잡다. 사정을 알게 되다. ¶这事我不～; 나는 그 속사정을 모른다.

〔摸透〕 mōtòu 동 속마음까지 살피다. (마음 따위를) 알아차리다. ¶～对方的心里; 상대의 마음을 알았다.

〔摸瞎〕 mōxiā 동 ①어두운 곳에 있다. ¶不能点灯, ～呆着吧! 불을 켤 수 없으니, 어둠 속에 가만히 있어! ②무턱대고 더듬다.

〔摸营〕 mōyíng 동 기습하다. 적에게 불의의 습격을 가하다. ¶…他只摸过两次营, 一次在曚曚亮的时候, 打胜了, 一次是在一个雾的白天, 他们也胜《丁玲 八伍》; 그는 두 차례 적에게 기습을 가해, 한 번은 새벽녘에 성공했고, 또 한 차례는 안개가 자욱한 대낮이었는데, 이것도 성공했다.

〔摸鱼〕 mō,yú 동 물고기를 손으로 더듬어 잡다. 〈比〉 손쉽게 이익을 얻다.

〔摸早贪黑〕 mōzǎo tānhēi 동이 트기 전에 암중모색으로 나가고 해질녘의 어둠을 아까워하다(새벽부터 해질 때까지 일하다, 일에 전념하는 것의 비유).

〔摸着兜兜儿〕 mōzhe dōudour 일을 신중하게 하는 모양. ¶～地干; 착실히 하다.

无(無) mó (무)

→〔南nā无阿弥陀佛〕 ⇒ wú

谟(謨) mó (모)

① 명 책략. 계획. ¶宏～; 방대한 계획 / 远～; 원대한 계획. ② 명 허위. ③ 동 책략을 정하다. ④ 형 없다.

馍(饃〈饝〉) mó (마)

명 ①찐빵. ¶蒸～; 찐 '馒头'. =〔馒头〕 ②조그마한 '锅饼'. =〔烩馍〕

〔馍馍〕 mómo 명 ⇨〔馒头①〕

嫫 mó (모)

인명용 자(字). ¶～母Mómǔ; 전설상의 추녀(醜女)(황제(黃帝)의 넷째 비로서 현명했으나 추녀).

模 mó (모)

① 명 모범. ¶～范; 모범 / 劳～ =〔劳动～范〕; 노동 모범 인물. ② 명 표준. 본보기. 규범. ¶～楷 =〔楷～〕; 본. 표준. ③ 동 본뜨다. 흉내내다. ¶～仿; 모방(하다). ⇒ mú

〔模本〕 móběn 명 모본. 본보기. 저본(底本).

〔模表〕 móbiǎo 명 〈文〉 모범.

〔模范〕 mófàn 명 모범. ¶劳láo动～ =〔劳模〕; 생산 증강에 공적이 있는 노동자에 대하여 특히 국가에서 수여하는 영예 칭호 / ～事迹; 모범적 행위〔사실〕.
〔模范小组〕 mófàn xiǎozǔ 명 모범 그룹. 모범반. ¶培养～和劳动模范; 모범 그룹과 모범 노동자를 양성하다.
〔模仿〕 mófǎng 동 모방하다. ¶～别人的作品; 남의 작품을 모방하다 / 各有各的文化, 谁也不能～谁; 각자 독자적인 문화를 갖고 있으며, 아무도 남의 흉내를 낼 수는 없다. =〔摹仿〕
〔模糊〕 móhu 형 분명치 않다. 희미하다. 모호하다. ¶字迹～; 필적이 분명치 않다 / 神志～; 의식이 몽롱하다 / 这张照片很～; 이 사진은 매우 흐릿하다. 동 애매하게 하다. 혼동시키다. ¶泪水～了他的双眼; 눈물이 그의 두 눈을 흐리게 만들었다. ‖ =〔模胡〕〔糢糊〕
〔模具〕 mójù 명 주형용(鑄型用) 공구. ⇒ mújù
〔模楷〕 mókǎi 명 본보기. 모범. 표준.
〔模块〕 mókuài 명 《電算》(컴퓨터의) 모듈(module)《기능 단위로서의 부품 집합》.
〔模棱〕 móléng 형 (태도·의견 따위가) 이도저도 아니다〔애매하다〕. 요령 부득이다. ¶他所派来的特使也是一样～; 그가 파견한 특사의 태도도 또한 모호하다. =〔摸棱〕
〔模棱两可〕 mó léng liǎng kě 〈成〉 애매하다. 이도저도 아니다. ¶他说些～的话, 叫我何适从呢? 그는 애매하게 말하는데, 나는 어느 쪽을 따라야 좋을까?
〔模模糊糊〕 mómohúhú〔mómohūhū〕 형 분명하지 않은〔애매모호한〕 모양.
〔模拟〕 mónǐ 동 모방하다. 본뜨다. ¶～人型; 모조(模造) 인형 / 电子～计算机; 아날로그형(型) 전자 계산기. =〔模仿〕〔摹拟〕
〔模诺〕 mónuò 명 모노타이프(Monotype).
〔模式〕 móshì 명 패턴. 유형(類型). ¶～化; 패턴화〔유형화〕하다 / ～图; 모식도.
〔模数〕 móshù 명 《物》 율(率). ¶断duàn面～; 단면율 / 弹tán性～; 탄성률 / 刚gāng性～; 강성률. =〔模量〕
〔模特儿〕 mótèr 명 〈音〉 모델(model).
〔模形〕 móxing 명 ⇨〔模型〕
〔模型〕 móxíng 명 ①모형. 모델. ②목형(木型). 원형. 패턴. ③ ⇨〔模mú子〕 ‖ =〔模形〕
〔模造纸〕 mózàozhǐ 명 모조지.

摹 mó (모)

동 ①본뜨다. 모방하다. ¶把这几个字～下来; 이 몇 글자를 본떠서 쓰다 / 临～; 본을 보고 쓰다. ②모사(模寫)하다.
〔摹本〕 móběn 명 ①번각본(翻刻本). 모사본. ②《紡》 무늬 있는 견직물의 일종.
〔摹仿〕 mófǎng 동 ⇨〔模仿〕
〔摹古〕 mógǔ 동 〈文〉 옛것을 모방하다.
〔摹刻〕 mókè 동 번각(飜刻)하다. 명 ① 번각물. ②번각.
〔摹拟〕 mónǐ 동 ⇨〔模拟〕
〔摹声词〕 móshēngcí 명 《言》 의성어(擬聲語).
〔摹图纸〕 mótúzhǐ 명 트레이싱 페이퍼.
〔摹写〕 móxiě 동 ①모사하다. ②묘사하다. ¶～人物情状; 인물의 표정이나 모양을 묘사하다. 명 모사. 묘사.
〔摹印〕 móyìn 명 인새(印璽)용 자체(字體)의 하나《진대(秦代) 한자 팔서체(八書體)의 하나》. 명동 모사(模寫) 인쇄(하다).
〔摹状〕 mózhuàng 명동 ⇨〔描miáo摹〕 명 의태(擬態).

膜 mó (막)

명 ①(～儿) 《生》 막(膜). ¶腹～; 복막 / 脑～; 뇌막 / 肋～; 늑막. ②(～儿) 얇은 껍질. ¶笛～; 피리청. 피리청 / 橡皮～; 고무막 / 纸浆表面结成薄～; 펄프 표면에 얇은 막이 생기다. ③〈文〉 가로막는 것. ¶隔～; 격차·차이(가 생기다).
〔膜拜〕 móbài 동 부복하여 절하다. ¶顶礼～; 엎드려 공손히 절을 하다. (일에 대해) 무조건 복종하다.
〔膜翅类〕 móchìlèi 명 《蟲》 막시목. 벌목(目).
〔膜法〕 mófǎ 명 피막법(皮膜法)《공해물을 억제하는 방법》.
〔膜片〕 mópiàn 명 ①《生》 격막(隔膜). ②(광학 기구의) 조리개. ③얇은 막 조각. ¶阀～; 밸브용의 막 조각.
〔膜外〕 mówài 명 도외(度外). 생각 밖. ¶置zhì之～; 도외시하다. 문제삼지 않다.

糢 mó (모)

→〔糢糊〕
〔糢糊〕 móhu 형동 ⇨〔模糊〕

麽 mó (마)

형 작다. ¶幺yāo～; 미소(微小)하다. 극히 작다 / ～小丑chǒu; 〈比〉 아무짝에도 쓸모없는 놈. ⇒ '么' má me

摩 mó (마)

동 ①비비다. 마찰하다. ¶按～; 안마(하다). ②갈다. ③쓰다듬다. ¶抚fǔ～ =〔抚摸〕; 쓰다듬다. ④닦다. ⑤추량(推量)하다. 비교(연구)하다. 절차탁마(切磋琢磨)하다. ¶观～; 서로 견학하여 학습하다 / 观～会; 경연 대회. 콩쿠르(concours). ⑥닿다. 만지다. ¶～天楼 =〔～天大厦〕; 마천루. ⇒ mā
〔摩博士〕 móbóshì 명 안마사의 별칭.
〔摩擦〕 mócā 명동 ①마찰(하다). ②《物》 마찰(하다). ¶～力 =〔〈俗〉摩阻力〕; 마찰력. 명 (이해나 모순에 의해서 생기는) 충돌. ‖ =〔磨擦〕
〔摩擦音〕 mócāyīn 명 《言》 마찰음《'普通话' 에서는 무성(無聲)의 f, h, sh, x와 유성(有聲)의 r》. =〔擦音〕〔擦声〕〔摩擦声〕 →〔浊音〕
〔摩登〕 módēng 명 〈音〉 모던(modern). 신식. =〔摩丹〕
〔摩电(灯)〕 módiàn(dēng) 명 발전기로 켜는 전등《자전거 따위에 쓰임》. =〔磨电(灯)〕
〔摩顶〕 módǐng 명동 《佛》 머리에 면도를 대는 체발식(剃髮式)(을 행하다).
〔摩顶放踵〕 mó dǐng fàng zhǒng 〈成〉 머리끝에서 발끝까지 찰상(擦傷)을 입다《몸을 돌보지 않고 고생함》.
〔摩(尔)〕 mó(ěr) 명 《物》 몰(mol)《분자량을 그램으로 나타낼 때의 단위》.
〔摩尔达维亚〕 Mó'ěrdáwéiyà 명 《地》 몰다비아(Moldavia)《몰도바(Moldova)의 구칭》.
〔摩抚〕 mófǔ 동 쓰다듬다. 어루만지다. ¶～脸; 얼굴을 어루만지다.
〔摩诃〕 móhē 명 〈音〉 마하(범 mahā)《'大' '多' '胜' 의 뜻》.
〔摩合〕 móhé 동 조사하다.
〔摩戛〕 mójiá 동 〈文〉 부딪쳐 스치다. ¶窗chuāng间竹数十竿相～, 声切切不已; 창가의 대나무 수십 그루가 서로 부딪쳐 계속 바스락거리고 있다.

〔摩肩〕 mójiān 동 (혼잡해서) 어깨가 서로 부딪치다.
〔摩肩擦背〕 mó jiān cā bèi 〈成〉 서로 어깨가 스칠 정도로 혼잡한 모양. =〔摩肩接踵〕
〔摩肩击毂〕 mó jiān jī gǔ 〈成〉 ⇨〔肩摩毂击〕
〔摩卡咖啡〕 mókǎ kāfēi 명 〈音〉 모카(mocha) 커피.
〔摩厉以须〕 mó lì yǐ xū 〈成〉 칼을 갈고 기다리다. 싸울 준비를 하고 기다리다.
〔摩练〕 móliàn 명동 ⇨〔磨练〕
〔摩灭〕 mómiè 동 마멸하다. 닳아서 떨어지다.
〔摩洛哥〕 Móluògē 명 《地》 〈音〉 모로코(Morocco)《수도는 '拉巴特' (라바트:Rabat)》.
〔摩门教〕 Móménjiào 명 《宗》 〈音〉 모르몬교(Mormon教).
〔摩拿法典〕 Móná Fǎdiǎn 명 마누(Manu) 법전《기원전 2세기경에 성립된 인도의 법전》.
〔摩纳哥〕 Mónàgē 명 《地》 〈音〉 모나코(Monaco)《유럽의 작은 나라 및 그 수도》.
〔摩尼教〕 Móníjiào 명 《宗》 마니교. =〔明教〕
〔摩涅尔合金〕 móniè'ěr héjīn 명 모넬 메탈(monel metal)《니켈(67%)·동의 합금》.
〔摩弄〕 mónòng 동 ①애무(愛撫)하다. ②농락하다. 우롱하다.
〔摩平〕 mópíng 동 문질러 평평하게 하다. 닳아서 평평하게 되다.
〔摩拳擦掌〕 mó quán cā zhǎng 〈成〉 주먹을 문지르고 손바닥을 비비다. 만반의 준비를 하고 기다리다. =〔擦掌摩拳〕〔磨拳擦掌〕
〔摩手〕 móshǒu 동 (추워서) 손을 비비다.
〔摩挲〕 mósuō 동 손으로 가볍게 쓰다듬다. ⇒ māsa
〔摩天〕 mótiān 형 하늘을 찌르다. 〈比〉 대단히 높다. ¶～楼lóu =〔～大厦shà〕; 마천루.
〔摩托〕 mótuō 명 《機》 모터. ¶～卡 =〔汽车〕〔马达卡〕; 자동차 / ～艇tǐng; 쾌속정. =〔马达mǎdá〕
〔摩托步兵〕 mótuō bùbīng 명 《軍》 오토바이병(兵).
〔摩托车〕 mótuōchē 명 〈音〉 모터사이클. 오토바이. =〔机器脚踏车〕〔摩托脚踏车〕
〔摩托船〕 mótuōchuán 명 〈音〉 모터 보트. =〔汽艇〕
〔摩托化部队〕 mótuōhuà bùduì 명 《軍》 오토바이 부대.
〔摩托脚踏车〕 mótuō jiǎotàchē 명 ⇨〔摩托车〕
〔摩驼子〕 mótuózi 명 동작이 느린 사람. 굼벵이. ¶你怎么这么～; 너는 어째서 이렇게 굼뜨냐.
〔摩西〕 Móxī 명 《人》 〈音〉 모세. ¶～五经; (구약의) 모세의 오경.
〔摩崖〕 móyá 명 마애《천연의 암석이나 낭떠러지 따위에 비문이나 경문·불상·시 따위를 새긴 것》.

磨 mó (마)

동 ①갈다. 문지르다. 광나게 하다. ¶～光; 문질러서 광이 나다 / 铁杵～成针; 쇠몽둥이를 갈아서 바늘을 만들다《참을성이 많음의 비유》. ②잘게 타다. ¶～成细面; 갈아서 고운 가루로 만들다. →〔磨mò②〕 ③마찰하다. 비비다. 닳다. 쓸리다. ¶走得脚上～出泡来; 걸어서 발에 물집이 잡히다 / 衣服～了一个窟窿; 의복이 닳아서 구멍이 하나 생겼다. ④소멸하다. (닳아서) 없어지다. ¶百世不～; 영원히 없어지지 않다. ⑤시간을 허비하다. 게으름 피우며 시간을 보내다. ¶～工夫; 시간을 보내다. ⑥볶아 대다. 귀찮게 굴다. 졸라대다. ¶这孩子真～人; 이 애는 못 살게도 졸라댄다 / 小孩子闹～; 아이가 보챈다. ⑦괴롭히다. 못 살게 굴다. ¶病～得心急; 병에 시달려서 성급해지다. =〔折磨〕 ⑧무덤의 뚜껑을 움직이다. ¶～开; 무덤의 뚜껑을 열다. ⇒mò

〔磨剥〕 móbāo 동 마찰로 벗겨지다.
〔磨边〕 móbiān 명동 《機》 에칭(etching)(을 하다).
〔磨擦〕 mócā 명동 ⇨〔摩擦〕
〔磨蹭〕 móceng 동 〈京〉 ①(살살) 마찰하다. 비비다. ¶右脚轻轻地在地上～; 오른발을 가볍게 땅에 비비다. ②꾸물대며 가다. 천천히 움직이다. ¶快点吧, 再～就赶不上了; 좀더 빨리 해라. 이 이상 꾸물거리면 시간에 대지 못하게 된다. ③투덜거리다. 휘감기다. 조르다. ¶我跟爸爸～了半天, 他才答应明天带咱们到动物园玩去; 아버지에게 반나절을 졸랐더니, 겨우 내일 동물원에 데려가 주기로 승낙을 받았다.
〔磨齿床〕 móchǐchuáng 명 《機》 톱니바퀴 연마기.
〔磨杵成针〕 mó chǔ chéng zhēn 〈成〉 절굿공이를 갈아 바늘을 만들다《어려운 일도 참고 하면 성취할 수 있다》.
〔磨穿铁砚〕 mó chuān tiě yàn 〈成〉 쇠로 만든 벼루에 구멍이 뚫리다《꾸준히 면학에 힘씀》.
〔磨床〕 móchuáng〔mòchuáng〕 명 《機》 연삭반(研削盤). 그라인더(grinder). ¶工具～; 공구 연삭반 / 钻头～; 드릴 연삭기.
〔磨唇费舌〕 mó chún fèi shé 〈成〉 (설득하느라) 말을 허비하다. 입이 닳도록 말하다.
〔磨裆儿〕 módāngr 명 양의 뒷다리 안쪽의 고기《대단히 맛있음》.
〔磨刀〕 mó dāo 칼〔식칼·나이프 등〕을 갈다. ¶～石shí; 숫돌 / ～布; 가죽 숫돌. 혁지(革砥) / ～的 =〔磨剪的〕; 칼 가는 사람 / ～霍霍; 칼을 잘 들게 갈다《전쟁 준비를 하다》.
〔磨刀背〕 mó dāobèi 〈比〉 칼등을 갈다《헛수고 하다》.
〔磨刀雨〕 módaōyǔ 명 음력 5월 13일에 오는 비《관우(關羽)가 칼을 갈고 오(吳)나라로 간 5월 13일에 비가 왔다는 전설에서》.
〔磨电〕 módiàn 명 《物》 마찰 전기.
〔磨电厂〕 módiànchǎng 명 ⇨〔发fā电厂〕
〔磨电(灯)〕 módiàn(dēng) 명 ⇨〔摩电(灯)〕
〔磨对〕 móduì 동 홍정하다. 교섭하다. 가격 인하에 대한 상담을 하다. ¶你再～～, 价钱许还能少点儿; 네가 홍정을 더 하면, 좀더 깎을 수 있을 것이다 / ～了半天省了五毛钱; 한참 동안 홍정을 하여 50 원을 깎았다. =〔磨兑〕
〔磨兑〕 módui 동 ⇨〔磨对〕
〔磨钝〕 módùn 동 (바늘끝 따위가) 닳다. 닳아서 둥글게 되다.
〔磨锋〕 mófēng 동 ⇨〔磨快口〕
〔磨革〕 mógé 명 (금속을 가는) 가죽 숫돌. ¶～机; 연마 바퀴.
〔磨工〕 mógōng 명 《機》 ①연삭(研削)〔연마〕 작업. ②연마공. 연마 작업자. ¶～车间; 연마 작업장.
〔磨光〕 móguāng 동 갈아서 번쩍번쩍하게 하다. ¶～皮pí; 광택 있는 피혁 / ～用砂; 연마용 모래.
〔磨光导杆〕 móguāng dǎogǎn 명 《機》 연마 지시기.
〔磨害〕 móhài 동 귀찮게 하다. 짓궂게 굴다. 곤란

하게 하다. ¶每天跟哥哥要钱～他; 날마다 형에게 돈을 달라고 졸라 애먹인다. =〔魔害〕

〔磨耗〕 móhào 명동 ⇨〔磨损〕

〔磨蝎〕 móhé →〔命mìng宫①〕

〔磨滑〕 móhuá 동 갈아서 매끄럽게 하다.

〔磨坏〕 móhuài 동 문질러〔비벼〕 빠개다〔파손하다〕. 무지러지다.

〔磨剪的〕 mójiǎnde 명 ⇨〔磨刀的〕

〔磨脚石〕 mójiǎoshí 명 목욕할 때 발을 문지르는 속돌. =〔擦cā石〕

〔磨搅〕 mójiǎo 동 ①조르다. ¶孩子要买玩具～了半天, 妈妈才给买了; 어린아이가 장난감을 사 달라고 한동안 졸라대어 어머니는 하는 수 없이 사 주었다. ②꾸물거리며 방해하다.

〔磨劲(儿)〕 mójìn(r) 명 끈기. 억지가 센 정도.

〔磨究〕 mójiū 동〈文〉연구하다.

〔磨勘〕 mókān 동〈文〉①성적을 고사(考査)하다. ②답안을 재심사하다.

〔磨口〕 mókǒu 동 ⇨〔磨快口〕

〔磨快〕 mókuài 동 갈아서 날카롭게 하다. =〔磨利〕

〔磨快口〕 mókuàikǒu 동 칼을 갈다. =〔磨锋〕〔磨口〕

〔磨棱子〕 mó·léngzi 동 귀찮게 따라다니다. 애먹이다. ¶你别～了! 귀찮게 애먹이지 마라.

〔磨利〕 mólì 동 ⇨〔磨快〕

〔磨砺〕 mólì 동 날카롭게 갈다. 〈轉〉단련하다. 연마하다. =〔摩厉〕〔砻砺〕〔砻厉〕

〔磨练〕 móliàn 명동 단련(하다). 연마(하다). ¶更加刻苦地～自己; 더욱 노력하여 자신을 연마하다 / 在艰苦斗争中～自己; 괴로운 투쟁 속에서 스스로를 단련하다. =〔磨炼〕〔摩练〕

〔磨料〕 móliào 명 (금강사, 탄화 규소, 산화 알루미늄 등) 연마 재료.

〔磨轮〕 mólún 명 ⇨〔砂shā轮〕

〔磨没〕 móméi 동 닳아서 없어지다.

〔磨面〕 mómiàn 동 갈아서 가루를 만들다.

〔磨面革〕 mómiàngé 명 버프(buff). 렌즈 닦는 가죽.

〔磨灭〕 mómiè 동 ①소멸하다. 없어지다. ¶不可～的罪名; 지울 수 없는 죄명. ②마멸하다.

〔磨墨〕 mó mò 먹을 갈다. ¶墨磨浓nóng了; 먹이 진하게 갈아졌다.

〔磨磨蹭蹭〕 mómocèngcèng 형 꾸물거리는 모양. ¶～地; 꾸물꾸물.

〔磨难〕 mónàn 명 고생. 고난. 시달림. ¶他母子在那段日子里是很受了一点～; 그들 모자는 그 당시는 매우 고생하였다 / 不受～不成佛; 〈諺〉어려움을 겪지 않으면 성불할〔뛰어난 인물이 될〕 수 없다. =〔磨折〕〔魔难〕

〔磨泡〕 mó·pào 동 물집이 생기다. ¶脚上磨了个大泡; 발에 큰 물집이 생겼다.

〔磨平〕 mópíng 동 ①평평해지도록 갈다. ②닳게 하다. 써서 닳게 하다. ¶鞋跟～了; 구두 뒤축이 닳았다.

〔磨破〕 mópò 동 닳아서 해지다. ¶～了嘴; 입이 닳도록 지껄이다 / 袖口已全～; 소맷부리는 이미 완전히 해졌다 / 袜子～了一个窟窿; 양말에 구멍이 하나 났다. =〔咬破②〕

〔磨破嘴唇〕 mópò zuǐchún 입에서 신물이 나도록 지껄이다. ¶磨破了嘴唇, 他还是不听; 입에서 신물이 나도록〔입이 닳도록〕 얘기해도 그는 승낙하지 않는다.

〔磨漆画〕 móqīhuà 명〖美〗불투명 수채화.

〔磨拳擦掌〕 mó quán cā zhǎng〈成〉만반의 준비를 끝내고 기다리다. 단단히 벼르고 있다.

〔磨人〕 mó·rén 동 사람에 휘감기다. 남을 못 살게 굴다. (mórén) 형 (휘감겨) 귀찮다.

〔磨伤〕 móshāng 명동 생채기(가 나다). ¶你小心～了桌子; 탁자에 흠집이 나지 않도록 조심해라.

〔磨蚀〕 móshí 명〖地〗마모. 삭마(削摩). 침식. 해식(海蝕).

〔磨损〕 mósǔn 명동 마모(되다). 마손(되다). =〔磨耗〕

〔磨拖〕 mótuō 동 질질 끌다. 지연시키다. ¶～战术; 지연 작전.

〔磨佗子〕 mótuózi 동 꾸물대며 말을 듣지 않다. 애태우다. 성가시게 하다. 생떼를 쓰다. ¶别闹～! 고만 애태워라! / 等我和他们～, 磨到哪儿是哪儿; 내가 그들에게 떼를 써 볼 테니, 그 다음은 어떻게 되든 그 때 가서 봅시다. 명 집요한 사람.

〔磨削〕 móxiāo 명동 그라인더(를 깎다). 연마(하다).

〔磨牙〕 mó·yá ①동 잡담하다. 잔소리하다. ②동 쓸데없는 언쟁을 하다. 말다툼하다. ‖ =〔摩牙〕 ③ ⇨〔磨牙齿〕 ④명 ⇨〔臼jiù齿〕

〔磨牙齿〕 mó yáchǐ 이를 갈다. =〔磨牙③〕

〔磨颜色〕 mó yánshai (고체) 그림물감을 갈다.

〔磨洋工〕 mó yánggōng〈俗〉(일을) 게으름 피우며 하다. 사보타주하다. ¶以后在工作上, 不准～; 앞으로는 작업중에 게으름 피우는 것은 용서하지 않는다. =〔磨羊工〕

〔磨折〕 mózhé 동 괴롭히다. 못 살게 굴다. =〔折磨〕〔磨难〕

〔磨着〕 mózhe 졸라서. 귀찮게 말해서. ¶他新近才～母亲给他做了件薄棉袄儿; 그는 최근에야 간신히 어머니를 졸라서 얇은 무명 웃도리를 지어 입게 되었다.

〔磨砖对缝〕 mózhuān duìfèng ①〖建〗벽돌을 서로 비벼 짬을 잘 맞추다. ¶大门两旁是～的院墙; 대문 양편은 벽돌을 다듬어 이에짬이 꼭 맞게 공들여 마무리한 담으로 되어 있다. ②〈轉〉서로 양보하여 타협하다.

〔磨嘴皮子〕 mó·zuǐpízi 동〈方〉조잘조잘 이야기하다. 쓸데없는 말을 지껄이다. ¶成天～不干活; 하루 종일 조잘대기만 하고 일을 하지 않는다 / 这可是～的事; 그건 쓸데없는 말이다. =〔磨牙①②〕

蘑 mó (마)

명〖植〗버섯 종류. 균류.

〔蘑菇〕 mógu 명 ①〖植〗버섯. 균류. ¶口外～; 몽골(蒙古) 지방에서 나는 버섯. ②까다로운 사람. 잔소리꾼. ¶别惹他, 他是有名的～; 그의 기분을 상하게 하지 마라. 그 사람은 유명한 잔소리꾼이다. ③소동. ¶出～ =〔出乱子〕; 소동이 일어나다. 동 ①치근거리다. 귀찮게 달라붙다. 짜증부리다. ¶泡～; 추근추근하다. 짜증 내다 / 跟他～; 그에게 트집을 잡다. ②꾸물거리다. 뒤범벅을 만들다. 복잡하게 만들다. ¶～战术 =〔磨盘战术〕; 지연 전술 / 你再这么～下去, 非误了火车不可! 이렇게 꾸물거리다가는 틀림없이 기차를 놓치고 만다! / 心里想得要命, 偏～着不说; 마음으로는 애타게 생각하고 있으면서 좀처럼 입밖에 내지 않는다. =〔捣乱〕〔捣蘑〕 ③귀찮다. 성가시게 휘감기다. ¶你别跟我～, 我还有要紧事儿! 나를 성가시게 하지 마라, 아직 중요한 일이 있으니까! / 这事相当～; 이것은 상당히 까다롭다. =〔麻烦〕

〔蘑芋〕 móyù 명 ⇨〔蒟jǔ蒻〕

嬷 mó〔〈舊〉 mā〕(마) →〔嬷嬷〕

〔嬷嬷〕 mómó 명 ①유모에 대한 존칭. ¶~爹=〔奶公〕; 유모의 남편. ②〈方〉 노부인에 대한 호칭. ③시스터(가톨릭교의 수녀).

魔 mó (마)
①명 귀신. 마귀. 악마. ¶着~; 귀신이 들리다/恶~; ⓐ악마. ⓑ악마 같은 사람/病~; 병마. ②형 기이하다. 이상하다. ¶~力; 이상한 힘. 마력. ③명 마술. ④명 장애. ⑤명 …마니아(mania). …광. ¶入了~了; 고질이 되었다/酒~; 술꾼.

〔魔媪〕 mó'ǎo 명 마귀할멈.
〔魔道〕 módào 명 사도(邪道).
〔魔法〕 mófǎ 명 마법. 사법(邪法).
〔魔方〕 mófāng 명 루빅 큐브(Rubik's Cube). =〔卢lú比克魔方〕
〔魔高一尺, 道高一丈〕 mó gāo yī chǐ, dào gāo yī zhàng 〈諺〉 사기(邪氣)는 1척(尺)의 높이, 정기(正氣)는 1장(丈)의 높이(바르지 못한 것은 바른 것에 이길 수 없음).
〔魔怪〕 móguài 명 ①도깨비. ②정체를 알 수 없는 자(者). ③백성을 해치는 자. 인비인(人非人).
〔魔鬼〕 móguǐ 명 ①악마. 악귀. ¶~横行; 악마가 설치다. ②〈比〉 사악한 세력.
〔魔棍〕 mógùn 명 스네이크 큐브(snake cube)(장난감의 일종).
〔魔害〕 móhài 동 ⇨〔磨害〕
〔魔窟〕 mókū 명 괴물의 소굴.
〔魔魔怔怔〕 mómozhēngzhēng 형 홀린 모양. ¶他这会儿让对象弄得~, 魂不附体; 그는 지금 결혼 상대에게 완전히 얼이 빠져 있다.
〔魔难〕 mónàn 명 ⇨〔磨难〕
〔魔术〕 móshù 명 마술. 기술. ¶变biàn ~; 마술을 부리다/~演员; 마술사. =〔幻huàn术〕〔戏xì法(儿)〕
〔魔王〕 mówáng 명 ①마왕. ②〈比〉 폭군. 악마.
〔魔星〕 móxīng 명 해를 끼치는 악마(악인).
〔魔芋〕 móyù 명《植》 구약나물. 구약나물의 지하경(地下莖).
〔魔掌〕 mózhǎng 명 마수(魔手). ¶逃出~; 마수에서 벗어나다.
〔魔杖〕 mózhàng 명 마법의 지팡이. 요술쟁이가 사용하는 지팡이.
〔魔障〕 mózhàng 명《佛》 마장(수양의 방해가 되는 것). =〔魔星〕
〔魔爪〕 mózhǎo 명 마수(魔手). ¶伸出~来了; 마수를 뻗쳐 왔다.
〔魔症〕 mózhèng 명 귀신이 들린 병.
〔魔怔〕 mózheng 형 〈口〉 미친 것 같다.
〔魔住〕 mózhù 동 매혹되다. 마력에 걸리다. 마력을 걸다. ¶他完全给金钱~了; 그는 완전히 돈의 포로가 되고 말았다.

劘 mó (마)
동 깎다. (칼로) 베다. ¶毂gǔ文蹄~; 〈比〉 마차의 왕래가 잦다(빈번하다).

抹 mǒ (말)
①동 닦아 내다. ¶~眼泪; 눈물을 닦다. ②동 제거하다. 잘라 버리다. ¶把尾零~了去; 우수리를 끊어 버리다/把黑板上的字~了去; 칠판의 글씨를 (문질러서) 지우다. ③동 바르다. 문질러 바르다. ¶~胭脂; 연지를 바르다/伤口上~上点药; 상처에 약을 바르다/皮鞋~上靴油刷刷; 구두는 구두약을 바르고 솔질을 해라/~上黄油吃; 버터를 발라 먹다/油手别往衣裳上~; 기름 묻은 손을 옷에 문지르지 마라. ④(~子) 명 흙손. ⇒mā mò

〔抹鼻子〕 mǒ bízi ①울상을 짓다. ②울먹거리며 목멘 소리를 하다. ¶干吗擦眼睛~的, 有什么委屈啊? 왜 훌쩍거리고 있는 거냐, 무슨 분한〔억울한〕 일이라도 있느냐?
〔抹脖子〕 mǒ bózi 칼로 목을 베다(자살하다).
〔抹布〕 mǒbù〔mābù〕 명 걸레. 행주. →〔搌zhǎn布〕
〔抹掉〕 mǒdiào 동 삭제하다. ¶从名册上~; 명부에서 삭제하다.
〔抹对〕 mǒduì 동 ⇨〔抹兑〕
〔抹兑〕 mǒduì 동 공제하다. 할인하다. =〔抹对〕
〔抹粉〕 mǒ.fěn 동 (분을) 바르다. 칠하다. ¶~画huà眉; 분을 바르고 눈썹을 그리다(화장하다).
〔抹咕丢〕 mǒgudiū 형 〈俗〉 ①벌레 같다. 하찮다. ¶这种~的坏小子也值得一理吗? 이런 벌레 같은 애송이를 상대할 값어치가 있느냐? ②서먹서먹하다. 시시하다. ¶上次错怪他了, 昨儿见了他真怪~的; 전에 그를 나쁘게 생각하고 있었으므로, 어제 그를 만나 정말 쑥스러웠다.
〔抹黑〕 mǒhēi 동 ①칠해서 검게 하다. ②〈比〉 남을 중상하다. 죄를 덮어씌우다. 면목을 잃게 하다. ¶这不是给我们脸上~吗? 이것은 우리 얼굴에 먹칠을 하는 것이 아니냐?
〔抹黑儿〕 mǒhēir 명 해질 무렵. 땅거미.
〔抹灰〕 mǒhuī 동 ①석회를 바르다. ②체면을 잃게 하다. ¶要不挣气, 不是给自己脸上~吗? 고집을 관철하여 분발하지 않는다면, 제 얼굴에 먹칠을 하는 꼴이 되는 것 아니냐? =〔抹黑②〕
〔抹颈〕 mǒjǐng 동 〈文〉 목을 베(어 자살하)다.
〔抹泪〕 mǒlèi 동 눈물을 닦다.
〔抹零(儿)〕 mǒlíng(r) 명 (돈의) 우수리.
〔抹零儿〕 mǒ.língr 동 우수리를 떼어 버리다. ¶那四分的零儿抹了去吧! 그 4전(錢)의 우수리는 떼어 버립시다.
〔抹面无情〕 mǒmiàn wúqíng 〈比〉 얼굴을 돌려 모른 체하다.
〔抹面子〕 mǒ miànzi 사람의 체면을 손상시키다. 창피를 주다.
〔抹抹嘴〕 mǒmozuǐ 동 ①입씻다. 시치미 떼다. 음식 대접을 받고도 부탁받은 일을 모른 체해 버리다. ¶哪儿有吃完喝完, ~不算了的; 먹고 마시고 한 다음에 나몰라라 할 수는 없지 않은가. ②(친한 사이여서) 음식 대접을 받고도 인사치레를 않다. ¶你吃完了, ~走你的, 这儿全不用管了; 너는 다 먹었거든 지체없이 돌아가거라. 이 곳 일은 상관할 필요가 없다.
〔抹腻〕 mǒni 형 ①과부족 없이 갖춰지다. 볼품이 있다. 스마트(smart)하다. 세련되어 있다. ¶他做事挺~; 그가 하는 일은 깔끔하다. ②섬세하다. ¶活做得~点儿; 물건이 섬세하게 만들어져 있다. ③알맞다. 편리하다. ¶开关要安在个~地方儿; 스위치는 어디 편리한 곳에 설치해야 한다.
〔抹平〕 mǒpíng 동 평평하게 하다. ¶~的沙土地; 평탄한 모래땅.
〔抹去〕 mǒqù 동 뽑아 버리다. 폐기(廢棄)하다. 말살하다.
〔抹杀〕 mǒshā 동 말살하다. 지우다. 없애다. ¶一笔~; 단번에 말소하다. 일거에 말살하다/这个事实谁也~不了; 이 사실은 아무도 말살할 수 없다. =〔抹煞〕

〔抹煞〕 mǒshā 동 ⇨〔抹杀〕
〔抹水器〕 mǒshuǐqì 명 (자동차 따위의) 와이퍼(wiper).
〔抹死〕 mǒsǐ 동 목을 베어 자살하다. =〔抹脖子〕
〔抹稀泥〕 mǒ xīní 〈俗〉 ①적당히 끝내다. 겉을 꾸미다. 어물거리다. ¶要是是非分明, 就不能~; 옳고 그른 것이 분명하다면 어물쩍 시치미를 뗄 수는 없는 일이다/做什么事决不能~; 무슨 일을 하든지 어물거리면 안 된다. ②부드럽게 이야기를 꺼내다. ¶刚用大帽子压我, 这会儿又直冲我~; 방금 전에 무조건 강제로 떠맡기더니 이번에는 부드럽게 달래고 나온다.
〔抹下脸来〕 mǒxia liǎnlai 뿌루퉁한〔시무룩한〕 얼굴이 되다.
〔抹香鲸〕 mǒxiāngjīng 명 《動》 향유고래.
〔抹销〕 mǒxiāo 동 칠해서 지우다. 말살하다.
〔抹药〕 mǒyào 동 약을 바르다.
〔抹一鼻子灰〕 mǒ yī bízi huī ①흥을 깨다. 머쓱해지다. ②기대가 어긋나서 실망하다. 면목을 잃다. ¶大清早晨就~, 这一天还高兴得了liǎo吗? 이른 아침부터 실망하고, 이 하루가 즐거울 수 있겠느냐? =〔碰一鼻子灰〕
〔抹油〕 mǒ yóu ①기름을 바르다. ②(시계 따위를) 분해 소제(掃除)하다. ③원만하게 관계를 맺어 두다.
〔抹油嘴儿〕 mǒ yóuzuǐr 배불리 음식을 먹다.
〔抹字〕 mǒ·zì 동 글자를 지우다.
〔抹子〕 mǒzi 명 흙손.
〔抹子眉〕 mǒziméi 명 가지런한 눈썹.

濊 mǒ (말)
동 쓰다듬다. ¶~布; 걸레·행주 따위. ⇒mā

万 mò (묵)
→〔万俟〕 ⇒wàn

〔万俟〕 Mòqí 명 복성(複姓)의 하나.

末 mò (말)
①명 끝. 최후. ¶周zhōu~; 주말/篇~; 편말. 한편의 끝 부분/~批货; 최후의 화물/~趟车 =〔~班车〕; (열차·버스 등의) 막차. ②명 끄트머리. 선단(先端). ¶秋毫之~; 매우 미세한 것/~梢; 말초. ③(~儿, ~子) 명 가루. 찌꺼기. ¶煤~; 분탄/茶叶~; 가루차. ④명 첨단(尖端). ⑤명 만년(晩年). 말년. ⑥명 근본적이 아닌〔중요하지 않은〕 것. 지엽적인 것. ¶本~倒置; 본말이 전도되었다/不要舍本逐~; 근본을 버리고 지엽적인 것을 추구해서는 안 된다. ⑦명 연극에서 시녀나 하인 따위로 분장하는 배우. ¶~角jué(儿) =〔~脚(儿)〕; 단역 배우. ⑧형 천한. ⑨명 '元曲'의 사내역. ⑩(~儿) 양 〈京〉 횟수. 도수를 세는 말. ¶有那么一~; 그런 일도 있다〔있었다〕. ⑪부 없다. 하지 않다. 아니다《부정·금지를 나타냄》. ¶吾~如之何; 나는 이것을 어떻게 할 수가 없다. ⑫명 (요리에서) 잘게 썬 것. ⑬'么me' 대신 쓰던 말. ¶那~; 그러면/怎~? 어째서?
〔末班车〕 mòbānchē 명 막차. =〔末趟车〕〔末次车〕↔〔首(班)车〕
〔末次〕 mòcì 명 최종회. ¶末一次 =〔最zuì末一次〕; 최종회. =〔末回〕
〔末代〕 mòdài 명 말대. 시대의 끝. ¶~孙sūn; 먼 자손.
〔末端〕 mòduān 명 말단. 꼬리. 끝. 가.
〔末伏〕 mòfú →〔三sān伏天〕
〔末伏天气〕 mòfú tiānqi 명 여름의 가장 더운 무렵. →〔三sān伏天〕
〔末富〕 mòfù 동 〈文〉 (상인이) 부를 축적하다. 치부하다.
〔末官〕 mòguān 명 〈文〉 하급 관리. 말관. 말직. =〔末宦〕〔末秩〕
〔末光〕 mòguāng 명 〈文〉 ①희미한 빛. ②여광(餘光). 해나 달이 진 뒤에 남은 은은한 빛.
〔末毫〕 mòháo 명 저울의 마지막 눈금.
〔末后〕 mòhòu 명 최후(에). 마침내《최후의 단계·시기》.
〔末宦〕 mòhuàn 명 ⇨〔末官〕
〔末回〕 mòhuí 명 최종회. =〔末次〕
〔末疾〕 mòjí 명 《漢醫》 수족(手足)의 병.
〔末技〕 mòjì 명 말기. 하찮은〔변변치 않은〕 재주. =〔末艺〕
〔末减〕 mòjiǎn 동 《法》 가볍게 양형(量刑)하다.
〔末将〕 mòjiàng 명 〈謙〉 전에, 장군이 자신을 낮추어 이르던 말.
〔末脚年〕 mòjiǎonián 명 ①말세. ②흉년.
〔末节〕 mòjié 명 말절. 중요하지 않은 일. ¶细枝~; 지엽 말절.
〔末角(儿)〕 mòjué(r)〔mòjiǎo(r)〕 명 중국 전통극의 배우의 하나《하인·하녀·마부 등의 단역》. =〔末脚(儿)〕→〔副fù末〕
〔末利〕 mòlì 명 상공업의 수익. 상공업. ¶事~; 상공업에 종사하다. =〔末作〕
〔末僚〕 mòliáo 명 〈文〉 말료. 하급 관리.
〔末了(儿)〕 mòliǎo(r) 부 마침내. 종말에는. 명 ①최후. ¶第五行~的那个字我不认识; 다섯째 줄의 마지막 글자를 나는 모른다. ②최종. 결말. 마지막. ¶临到~; 최종 단계에 이르다. =〔末末了(儿)〕
〔末流〕 mòliú 명 ①말류. 혈통·유파의 끝. ②⇨〔末俗〕
〔末路〕 mòlù 명 ①여행길의 끝 단계. 말로. ②〈轉〉 생애의 끝. 영락한 몰골.
〔末煤〕 mòméi 명 ⇨〔煤末(儿, 子)〕
〔末民〕 mòmín 명 〈文〉 상공업자.
〔末命〕 mòmìng 명 임종의 유언.
〔末末拉(了)〕 mòmolā(liǎo) 명부 ⇨〔末末了(儿)〕
〔末末了(儿)〕 mòmòliǎo(r) 명 ①최후. 마지막. ②마지막으로 어미 배에서 나온 새·짐승의 새끼. 부 결국. 마침내. 끝으로. 드디어. ‖=〔末了(儿)〕〔末末拉(了)〕
〔末末儿〕 mòmor 명 자잘한 찌꺼기.
〔末耐何〕 mònàihé 부 ⇨〔没mò奈何〕
〔末年〕 mònián 명 말년. 만년.
〔末戚〕 mòqī 명 〈文〉 먼 친척.
〔末期〕 mòqī 명 말기.
〔末契〕 mòqì 명 〈文〉〈謙〉 변변치 못한 친구.
〔末儿〕 mòr 명 ①분말. 가루. ②찌꺼기.
〔末日〕 mòrì 명 〈文〉 ①마지막날. 말일. ②〈比〉 최후의 날. ¶~审判; (그리스도교의) 최후의 심판(날).
〔末梢〕 mòshāo 명 말초. 끝. 마지막. ¶五月~; 5월말/~神经; 《生》 말초 신경.
〔末生〕 mòshēng 명 〈文〉 상인이나 장인(匠人)의 삶.
〔末世〕 mòshì 명 〈文〉 말세《풍속이나 도의가 쇠퇴한 시대》. =〔末造〕〔季jì世〕
〔末俗〕 mòsú 명 〈文〉 말속. 근년(近年)의 풍속. =〔末流②〕
〔末趟〕 mòtàng 명 최종회. 마지막회.

〔末趟车〕 mòtàngchē 명 막차. =〔末班车〕〔〈俗〉尾wěi车〕↔〔头趟车〕
〔末尾〕 mòwěi 명 ①말미. ¶信的～; 편지의 말미/排在～; 줄의 말미에 서다. ②《樂》(악곡의) 종지(終止). 끝.
〔末位〕 mòwèi 명 ⇨〔末座〕
〔末席〕 mòxí 명 ⇨〔末座〕
〔末学〕 mòxué 명 〈文〉 ①말학. 지엽적인 학문. ②〈謙〉 미숙한 사람. 나.
〔末学肤受〕 mò xué fū shòu 〈成〉 피상적인 것만 조금 알고 착실한 학문이 없다.
〔末学陋识〕 mò xué lòu shí 〈成〉 학문은 얕고 식견(識見) 또한 변변찮다.
〔末盐〕 mòyán 명 가루 소금.
〔末药〕 mòyào 명 ①⇨〔末子药〕 ②⇨〔没mò药〕
〔末叶〕 mòyè 명 〈文〉 ①말손(末孫). ②말기. ¶唐朝cháo～; 당조 말기.
〔末业〕 mòyè 명 〈文〉 상공업(‘本běn业③’ 농업에 대하여 말함).
〔末艺〕 mòyì 명 ⇨〔末技〕
〔末议〕 mòyì 명 〈文〉 하찮은 논의.
〔末由〕 mòyóu 명 〈文〉 하찮은 이유.
〔末造〕 mòzào 명 말세(末世). =〔末世〕
〔末站〕 mòzhàn 명 종착역.
〔末着(儿)〕 mòzhāo(r) 명 마지막 수단·계략.
〔末枝〕 mòzhī 명 〈文〉 나무의 끝 가지.
〔末秩〕 mòzhì 명 ⇨〔末官〕
〔末轴子〕 mòzhòuzi 명 연극의 마지막 한 막(幕).
〔末子〕 mòzi 명 찌꺼기. 가루. ¶煤méi～; 분탄. 석탄 가루.
〔末子药〕 mòziyào 명 《藥》 말약. 가루약. =〔面子药〕〔末药①〕
〔末作〕 mòzuò 명 ⇨〔末利〕
〔末座〕 mòzuò 명 ①말좌. 말석. ②최하위. 꼴찌. ③말단. ‖=〔末位〕〔末席〕

沫 mò (말)

명 ①(～子, ～儿) 거품. ¶泡～; 거품. 포말/口吐白～; 입에서 흰 게거품을 뿜다/撇去～; 거품을 떠내다/肥皂～; 비누 거품. ②침. ¶吐～tùmò; 침을 뱉다(베이징(北京)에서는 tùmì). =〔唾沫〕 ③입가에 흘러내린 침.
〔沫沫丢丢〕 mòmodiūdiū 형 끈적끈적하게 매우 더러운 모양. ¶厨房里弄得～的简直进不去人了; 부엌은 지저분하게 더럽혀져 있어서 그야말로 사람이 들어갈 수 없다.
〔沫雨〕 mòyǔ 명 큰비가 넘쳐 흘러서 흙탕물에 거품이 잔뜩 떠 있는 일.
〔沫子〕 mòzi 명 거품. ¶肥皂～儿; 비누 거품.

茉 mò (말)

→〔茉莉〕〔茉莉花〕
〔茉莉〕 mòlì 명 《植》 말리(재스민의 일종). ¶～花茶; 재스민차/～双熏xūn; 상등품의 재스민차(갓 핀 말리꽃을 여러 차례 찻잎에 섞어서 향이 배게 한 것). =〔萼è绿君〕〔柰花〕〔鬘华〕〔小南强〕
〔茉莉花〕 mòlihuā 명 《植》 재스민. 소형(素馨).

抹 mò (말)

동 ①발라서 표면을 고르게 하다. ¶～上洋灰; 시멘트를 바르다/～上一层白灰; 석회를 한 겹 바르다/拿抹子～; 흙손으로 반반하게 바르다. ②모퉁이를 돌다. 빙 돌다. 방향을 바꾸다. ¶～角(儿); 모퉁이를 돌다/～过一座林子; 숲의 가장자리를 빙 돌아서 가다/～头就走; 홱 방향을 바꾸어 가 버리다/～过头来; 머리를 홱 돌리다. ⇒mā mǒ
〔抹不开〕 mòbukāi ①(차를) 돌릴 수 없다. ②쑥스럽다. 창피하다. =〔磨mò不开〕
〔抹车〕 mò,chē 동 차의 방향을 역으로 전환시키다. 차를 전향하다.
〔抹额〕 mò'é 명 머리띠 모양의 장신구(옛날, 나이 많은 여성이 착용한 장식 및 방한용의 머리띠. 폭은 5센티 정도이며, 앞면에는 비취나 구슬 따위가 장식되어 있음). =〔额子②〕
〔抹合〕 mòhe 동 잘 다루다. 적당히 대접하다. ¶能刚能柔才是本事, 她得～他一把儿; 강유자재(剛柔自在)가 바로 능력이라 할 수 있는 것이니, 그녀는 그를 잘 조종해야만 한다.
〔抹角儿〕 mòjiǎor 동 모퉁이를 돌다.
〔抹面〕 mòmiàn 동 《建》 겉에 진흙·석회·시멘트 따위를 덧바르다.
〔抹撒〕 mòsā 동 ①쓰다듬다. ②머리 따위를 쓰다듬어 매만지다.
〔抹身〕 mò,shēn 동 몸의 방향을 바꾸다.
〔抹头〕 mò,tóu 동 얼굴을 돌리다. 홱 방향을 돌리다. 발길을 돌리다. ¶～就跑; 발길을 돌려 도망치다.
〔抹胸〕 mòxiōng 명 ⇨〔兜dōu肚〕
〔抹转〕 mòzhuǎn 동 몸을 돌리다. ¶～身影就要走; 돌아서자 가려고 하다.

妹 mò (말)

인명용 자(字). ¶～喜; 말희(하(夏) 나라 걸왕(桀王)의 아내 이름).

袜 mò (말)

명 배에 두르는 띠. =〔袜肚〕〔袜胸〕〔袜腹〕〔抹肚〕 ⇒wà

秣 mò (말)

①명 가축의 먹이. 꼴. ¶粮～; 양말. 식량과 마초. ②동 가축을 기르다. 먹이를 주다. ¶～马厉兵mǎlìbīng; ⇩
〔秣槽〕 mòcáo 명 구유. (마소의) 먹이 통.
〔秣草割刀〕 mòcǎo gēdāo ⇨〔割草机〕
〔秣马厉兵〕 mò mǎ lì bīng 〈成〉 말에게 충분한 먹이를 주고 병기를 잘 손질하다. 작전 준비를 하다(소홀함이 없이 준비하다). =〔厉兵秣马〕

靺 mò (말)

→〔靺鞨〕
〔靺鞨〕 Mòhé 명 《民》 말갈(당대(唐代)에 중국 북동부에 살던 민족).

没〈沒〉 mò (몰)

동 ①물 속에 가라앉다. 침몰하다. 가라앉다. ¶路被雪盖～了; 길은 눈에 파묻혀 버렸다/太阳将～不～的时候; 태양이 막 지려고 할 즈음/大水把庄稼淹yān～了; 큰물이 작물을 침수시켰다. ②가득 차서 넘치다. ¶水～了膝盖; 물이 무릎까지 찼다/雪深～膝; 〈成〉 무릎까지 묻히는 큰눈. ③소멸하다〔시키다〕. ¶泯～; 없어지다. 소멸시키다. ④안 보이게 되다. 숨다. ¶出～; 출몰하다. ⑤죽다. =〔殁mò〕 ⑥몰수하다. ¶抄～违禁品; 금제품(禁製品)을 적발하여 몰수하다/吞tūn～公款; 공금을 착복하다. ⑦끝나다. 다하다. ¶～齿; 생애(生涯). 평생/～世; 종신(終身). ⇒méi
〔没齿〕 mòchǐ 명 〈文〉 평생. 종신. ¶他们的暴bào行～不忘; 그들의 폭행은 평생 잊을 수 없다.
〔没齿不忘〕 mò chǐ bù wàng 〈成〉 평생을 두고 잊지 않다.
〔没地〕 mòdì 동 〈文〉 (죽어서) 땅 속에 들어가다

〔문히다〕. 명 없어진〔몰수된〕 토지.
〔没膈儿〕 mògér 동 (가득 차서) 넘치다. ¶吃了八碗饭, 简直地要~了; 밥을 여덟 공기나 먹어 밥이 올라올 것 같다.
〔没骨画〕 mògǔhuà 명《美》몰골화(윤곽을 그리지 않고 그린 부드러운 느낌의 그림).
〔没骨山水〕 mògǔ shānshuǐ 명《美》몰골법으로 그린 산수화.
〔没官〕 mòguān 동 관청에서 몰수하다.
〔没落〕 mòluò 명동 ①함락(하다). ②몰락(하다). 타락(하다).
〔没没无闻〕 mò mò wú wén 〈成〉 이름이 세상에 알려지지 않다. 이름이 묻혀 버리고 말다. ¶这么有才能的人竟然~不得发展太可惜了; 이렇게 재능 있는 사람이 뜻밖에 묻혀 버려서 뻗어나지 못한다는 것은 너무 애석하다.
〔没奈何〕 mònàihé 부 〈文〉 할 수 없이. 부득이. ¶他等了很久不见她来, ~只好一个人去了; 그는 매우 오랫동안 기다렸으나 그녀가 오지 않아, 할 수 없이 혼자서 갔다/我~于他; 나는 그를 어쩔 수도 없다/我~, 只得走了; 나는 부득이 갈 수 밖에 없었다. 注 '没有奈何'로는 쓰지 않음. =〔莫奈何〕〔末耐何〕⇒ méinàihé
〔没入〕 mòrù 동 〈文〉 몰수하다.
〔没食子〕 mòshízǐ 명《藥》오배자(五倍子).
〔没世〕 mòshì 명 종신. 평생. ¶~不忘; 평생 잊지 못하다. 동 세상을 떠나다.
〔没收〕 mòshōu 동 몰수하다. 빼앗다. ¶~财产; 재산을 몰수하다.
〔没水〕 mòshuǐ 명 '潜qiān水夫'(잠수부)의 별칭.
〔没腰〕 mò yāo (물이) 허리까지 차다. ¶浅地方~, 深地方够不着底儿; 얕은 곳은 허리까지 차고, 깊은 곳은 발이 밑에 닿지 않는다.
〔没药〕 mòyào 명 몰약(미라속(myrrha屬) 등의 식물에서 채취한 고무 수지. 주로, 약용·화장용 향료 등으로 쓰임). =〔末药②〕
〔没饮〕 mòyǐn 동 〈文〉 술을 몹시 즐기다.

殁〈歿, 歾〉 mò (몰)
동 죽다. ¶~了大; 아버지를 여의었다/病~; 병사하다/~于阵上; 전쟁터에서 죽다. =〔没mò⑤〕

帕 mò (말)
→〔帕首〕〔帕头〕⇒ pà
〔帕首〕 mòshǒu 명 ⇨〔帕头〕
〔帕头〕 mòtóu 명 옛날, 남자가 머리를 묶던 두건. =〔帕首〕〔陌头②〕〔幞头〕

陌 mò (맥)
명 ①논두렁 길. ¶阡~; 논두렁 길. 밭길. ②시가지의 거리.
〔陌路〕 mòlù 명 생면부지의 남. 길 가는 행인. ¶视同~; 타인 취급을 하다/成了~了; (이제까지는 친숙했지만) 지금은 남처럼 되어 버렸다/毫不相干的~; 아무런 관계도 없는 생판 모르는 남. =〔陌路人〕
〔陌生〕 mòshēng 형 생소하다. 낯설다. ¶这个地方我~得很; 나는 이 곳 사정은 통 모른다/不要盲目地去搞~的事情; 함부로 생소한 일에 손을 대서는 안 된다/我们虽然是第一次见面, 并不感到~; 우리는 처음 만났는데도 불구하고, 낯선 느낌이 들지 않았다. =〔驀生〕 명 생면 부지의 사람. =〔陌路人〕
〔陌头〕 mòtóu 명 ①길가. ②옛날의 남자용 두건(頭巾). =〔帕头〕

貊〈貉〉 Mò (맥)
명 맥(중국 고대 동북쪽에 살던 민족). ⇒'貉' háo hé

冒 mò (묵)
→〔冒顿〕⇒ mào
〔冒顿〕 Mòdú 명《人》묵돌(한(漢)나라 초기의 흉노족의 군주 이름).

脉〈脈〉 mò (맥)
→〔脉脉〕⇒ mài
〔脉脉〕 mòmò 형 눈으로 마음을 전하는 모양. ¶~含情; 눈에 뭐라 말할 수 없는 애정이 담겨 있다. =〔脈mò脈〕

莫 mò (막, 모)
①부 〈方〉 …해서는 안 된다. ¶请~见怪; 책망하지 말아 주십시오. 아무쪼록 양해하여 주십시오/常将有日思无日, ~到无时盼有时; 넉넉할 때는 궁할 때를 생각하되, 가난할 때는 있을 때의 일을 생각 말라. =〔不要〕 ②(…하는 사람이) 없다. 아무도 없다. ¶~不欣喜; 기뻐하지 않는 사람은 없다. ③부 …않다. …못하다. ¶~善于…; …보다 나을 것은 없다/一筹~展; 이러지도 저러지도 못하다. 속수무책이다/变化~测; 변화는 예측할 수 없다/爱~能助; 〈成〉 도와 주고자 하는 마음이 있어도 힘이 미치지 않다. =〔不〕 ④억측이나 반문을 나타냄. →〔莫非〕 ⑤옛날, '暮'와 통용. ⑥ 명 성(姓)의 하나.
〔莫泊桑〕 Mòbósāng 명《人》〈音〉 모파상(Guy de Maupassant)(프랑스의 소설가, 1850~93).
〔莫不〕 mòbù 〈文〉 …하지 않는 것이 없다. 모두 …하다. ¶~如此; 모두 이러하다. 그렇지 않은 것은 없다/~大笑; 모두 크게 웃었다/~应有尽有; 있어야 할 것으로 없는 것이 없다. 무엇이든지 다 있다.
〔莫不成〕 mòbùchéng 부 ⇨〔莫非〕
〔莫不是〕 mòbùshì 부 ⇨〔莫非〕
〔莫不要〕 mòbùyào (…처럼 되는) 것은 아닐까. ¶现世报~落在我自己身上? 이승에서의 업보가 내 몸에 덮쳐 오는 것이 아닐까?
〔莫测〕 mòcè 측정할 수 없다. 헤아릴 수 없다. ¶居jū心~ =〔居心叵pǒ测〕; 〈成〉 어떤 마음인지 헤아릴 수가 없다. 속마음을 알 수 없다.
〔莫测高深〕 mò cè gāo shēn 〈成〉 높이·깊이를 추측할 수 없다. 심오(深奧) 난해하여 (진실을) 파악할 수 없다(풍자적인 어감(語感)). ¶~的术语; 난해한 술어.
〔莫差特〕 Mòchàtè 명《人》〈音〉 모차르트(Wolfgang Amadeus Mozart)(오스트리아의 작곡가, 1756~1791).
〔莫此为甚〕 mò cǐ wéi shèn 〈成〉 이 이상에 심한 것은 없다.
〔莫大〕 mòdà 형 막대하다. 매우 크다. 많다. ¶~幸福; 매우 큰 행복/关系~; 관계가 매우 많다/~的光荣; 더할 나위 없는 영광.
〔莫道〕 mòdào ⇨〔莫说〕
〔莫定〕 mòdìng 형 〈文〉 불확실하다.
〔莫多娄〕 Mòduōlóu 명 복성(複姓)의 하나.
〔莫尔斯〕 Mò'ěrsī 명《人》〈音〉 모스(Samuel Finley Breese Morse, 1791~1872)(미국의 전신기 발명가). ¶~电码; 모스 부호.
〔莫非〕 mòfēi 부 ①모두 …이다. 아마 …일 것이다. 반드시 …일 것이다(추측을 나타냄). ¶~是这样吧! 아마 이럴 것이다. ②설마 …는 아니겠

지. …이 아닐까《반문(反問)을 나타내며, 종종 '不成'과 호응》. ¶今天她没来, ～又生了病不成? 오늘 그녀가 오지 않았는데, 설마 아픈 것은 아니겠지? / 你～有什么牢骚? 너 무슨 불평이 있는 것은 아니겠지? ‖ =〔莫不成〕〔莫不是〕

〔莫非说〕mòfēishuō ⇨〔难nán道说〕

〔莫干山〕Mògānshān 명《地》막간산. 저장 성(浙江省) 북부의 캉우 현(康武縣) 서북에 있는 톈무 산(天目山)의 한 지봉(支峰).

〔莫怪〕mòguài ①나쁘게 생각지 마라. 이해하여 주기 바란다. ¶～! ～! 부디 양해하여 주십시오! ②이상할 것 없다《과연 그러함》. ¶～他生大气; 그가 화를 내는 것은 당연한 일이다 / 这就～他这么说; 이것은 그가 그렇게 말하는 것도 무리가 아니다.

〔莫管〕mòguǎn 〈文〉상관하지 마라. 간섭하지 마라. ¶各人自扫门前雪, ～他人瓦上霜; 〈諺〉남의 일은 상관 말고, 자기 일이나 제대로 하면 된다.

〔莫管闲事〕mò guǎn xián shì 쓸데없는 참견을 하지 마라.

〔莫过(于)〕mòguò(yú) 〈文〉…이상의 것은 없다. …이 제일이다. ¶乐事～读书; 독서 이상의 즐거운 일은 없다 / 解决问题的最好办法～撤退军队; 문제를 해결하는 가장 좋은 방법은 군대를 철수하는 일 이상의 것은 없다.

〔莫霍界面〕Mòhuò jièmiàn 명《地質》〈音〉모호로비치치(Mohorovičič) 불연속면《지구의 지각과 그 밑의 맨틀(mantle)과의 경계면》.

〔莫解〕mòjiě 〈文〉이해할 수 없다. ¶令人～; 남을 이해하기 어렵게 만들다.

〔莫可〕mòkě 〈文〉…할 수 없다. ¶～言说 =〔～名言〕〔～言状〕〔～言喻〕〔莫能言喻〕; 뭐라고 말할 수 없다.

〔莫名〕mòmíng 〈文〉형언할 수 없다. 지극히 …이다. ¶感激～; 그 감격은 형언할 수 없을 정도이다.

〔莫名其妙〕mò míng qí miào 〈成〉①기기묘묘하다. ②그 이유를 알 수 없다. 영문을 모르다. ¶大家都～; 모두들 뭐가 뭔지 모르고 있다/这种批评, 我是～; 이 종류의 비평은 나는 도무지 모르겠다. ‖ =〔莫明其妙〕

〔莫名其土地堂〕mò míng qí tǔdìtáng 영문을 모르다. '莫名其妙miào'를 멋부려서 하는 말《'土地堂'은 '土地庙'(토지신의 사당)의 뜻으로, '庙'와 '妙'가 같은 음인 데서》.

〔莫奈何〕mònàihé 어찌 수 없이. 부득이. ¶～地苦笑了一下; 하는 수 없이 조금 쓴웃음을 지어 보였다. =〔没奈何〕

〔莫能〕mònéng 〈文〉…할 수가 없다.

〔莫逆(之交)〕mò nì (zhī jiāo) 〈成〉막역지교. 막역지우.

〔莫诺铸排机〕mònuò zhùpáijī 명 모노타이프(Monotype)《자동 주식기(鑄植機)》.

〔莫如〕mòrú …하는 것이 제일이다. …보다 더 좋은 일은 없다. …하는 편이 낫다. ¶与其你去, ～他来; 네가 가는 것보다 그가 오는 편이 낫다 / ～趁早和他说了倒好; 일찌감치 그에게 이야기해 버리느니만 못하다. =〔莫若〕

〔莫若〕mòruò ⇨〔莫如〕

〔莫桑比克〕Mòsāngbǐkè 명《地》(아프리카의) 모잠비크(Mozambique)《수도는 '马Mǎ普托'(마푸토:Maputo)》. =〔莫三鼻给〕

〔莫氏硬度表〕Mòshì yìngdùbiǎo 명《鑛》모스의 경도계(硬度計)《독일 광물학자 F. Mohs가 고안한 광물의 경도(硬度)를 측정하는 기구》.

〔莫视〕mòshì 동〈文〉멸시하다. 얕보다. 업신여기다.

〔莫说〕mòshuō 〈文〉…는 말할 필요가 없다. …은 물론. =〔莫道〕〔休说〕

〔莫斯科〕Mòsīkē 명《地》모스크바(Moskva)《'俄罗斯'(러시아:Russia)의 수도》.

〔莫斯连〕Mòsīlián 명〈音〉모슬렘(Moslem). =〔穆斯林〕

〔莫谈国事〕mò tán guóshì 〈文〉국사를 함부로 논하지 마라《전에, 찻집 등에 걸어 놓았던, 손님에 대한 주의 사항 문구의 일종》.

〔莫为已甚〕mò wéi yǐ shèn 〈成〉극단적인 일을 하지 않다. 지나친 일을 하지 않다.

〔莫须有〕mòxūyǒu 〈比〉황당무계하다. 터무니없다. ¶～的罪名; 날조된 죄명 / 岳飞被～的罪名所处死; 악비는 날조된 죄명을 뒤집어쓰고 처형되었다.

〔莫邪〕mòyé 명 막야. 옛날 명검의 이름. =〔镆铘〕

〔莫予毒也〕mò yú dú yě 〈成〉자신에게 위해(危害)를 가하는 자는 없다. ¶以为天下～; 이 세상에는 자신을 위태롭게 하는 자는 없다고 생각한다.

〔莫与等伦〕mò yǔ děng lún 〈成〉동등한 지위의 사람이 없다. 비교할 만한 것이 없다.

〔莫知〕mòzhī 〈文〉모르다. ¶～所云yún; 〈成〉어떻게 말해야 좋을지 모르다.

〔莫知所措〕mò zhī suǒ cuò 〈成〉어찌할 바를 몰라 망연자실하다.

〔莫衷一是〕mò zhōng yī shì 〈成〉일치된 결론을 얻기 어렵다. ¶对于这个问题, 大家意见纷纷～; 이 문제에 대해서는 여러 사람의 의견이 분분하여 일치된 결론을 얻기 힘들다.

漠 mò (막)

①형 조용하다. 평온하다. ②형 광막하다. ¶广～ =〔广莫〕; 광막하다. ③형 냉담하다. 무관심하다. ¶～视; 경시하다. 백안시(白眼視)하다 / ～不关心; ⇩ ④명 사막. ¶大～; 대사막《'戈gē壁'(고비 사막)을 가리킴》/ ～北; 고비 사막의 북방《외몽고의 땅》.

〔漠不关心〕mò bù guān xīn 〈成〉조금도 관심을 두지 않다. =〔漠不相关〕

〔漠漠〕mòmò 형 ①연기·구름이 짙은 모양. ¶湖面升起一层～的烟雾; 호면에는 짙은 연무가 오르기 시작했다. ②광막하다. ¶远处是～的平原; 먼 곳은 광막한 평원이다.

〔漠然〕mòrán 형 냉담한[무관심한] 모양. ¶处之～; 모르는 척하고 내버려 두다 / 侵犯领土, 人家决不～置之; 영토를 침범하면 관계자는 결코 가만히 보고 있지 않는다.

〔漠视〕mòshì 동 냉담하게 대하다. 경시하다. ¶～群众的根本利益; 대중의 근본 이익을 경시하다.

寞 mò (막)

형 적막하다. 고요하다. ¶寂～ =〔落～〕; 적막하고 쓸쓸하다 / ～～; 〈文〉적막한 모양 / ～落; 고요하고 쓸쓸하다.

〔寞然〕mòrán 형 고요한 모양.

蓦(驀) mò (맥)

①동 넘다. ②동 말을 타다. ③부 돌연. 불의에. ¶～地 =〔～地里〕〔～忽〕; 느닷없이. 돌연 / ～然想起; 갑자기[문득] 생각나다 / 他～地站起来; 그는 갑자기 일어섰다. ④부 곧장.

〔蓦生〕 mòshēng 형 ⇨〔陌生〕

瘼 **mò** (막)
①명 병. 고통. ¶民～; 백성의 고통 / 关心民～; 백성의 고통에 관심을 보이다. ②동 앓다.

镆(鏌) **mò** (막)
→〔镆铘〕

〔镆铘〕 mòyé 명 막야《옛날 명검(名劍)의 이름》. =〔莫邪〕

貘〈獏〉 **mò** (맥)
명 《動》 ①맥. ②흰표범.

眽 **mò** (맥)
→〔眽眽〕

〔眽眽〕 mòmò 형 꼼짝 않고 바라보는 모양. 말없이 은근한 정을 나타내는 모양. =〔脉mò脉〕

墨 **mò** (묵)
①명 먹. 먹물. ¶研～ =〔磨mó～〕; 먹을 갈다. ②명 널리 서화에 쓰는 안료(顔料). ¶红～; 주묵(朱墨) / 油～ =〔印(刷)～〕〔印刷油～〕; 인쇄용 잉크. ③명 서화. ¶～宝; 남의 필적(筆跡)에 대한 경칭 / 鲁迅遗～; 노신의 유필 / 请您赏～! 휘호(揮毫)를 부탁합니다. ④명 교양이나 학문. ¶胸无点～; 전혀 교양이 없다. ⑤명 검은색 또는 검은색에 가까운 것. ¶～晶; 흑수정. ⑥동 (직권을 이용하여) 불법으로 재물을 탐하다. ¶～吏; 탐관 오리. ⑦명 옛날, 형벌의 하나《얼굴에 문신을 함》. ⑧명 묵자(墨子). 묵자(墨子) 학파. →〔墨家〕 ⑨(Mò) 명 '～西哥Mòxīgē' 멕시코(Mexico)의 약칭. =〔墨国〕 ⑩명 성(姓)의 하나.

〔墨板〕 mòbǎn 명 판목(版木) 인쇄.

〔墨宝〕 mòbǎo 명 남의 필적에 대한 경칭. ¶兄弟想求您赏我一张～, 好使蓬荜生辉; 당신의 글씨를 한 장 받아서, 저희 집에 광채를 더하고자 생각합니다. =〔宝墨〕

〔墨场〕 mòchǎng 명 〈文〉 문인·서화가의 사회.

〔墨痴〕 mòchī 명 〈文〉 서투른 서화가.

〔墨池〕 Mòchí 명 ①《地》 서성(書聖)으로 일컬어지는 왕희지(王羲之)가 글씨를 배운 곳《현재의 저장성(浙江省) 융자 현(永嘉縣)에 있음》. ②(mòchí) 연지(硯池)《벼루의 먹물이 괴는 곳》. =〔翰hàn池〕

〔墨尺〕 mòchǐ 명 ⇨〔墨线①〕

〔墨床儿〕 mòchuángr 명 먹을 넣는 그릇.

〔墨带〕 mòdài 명 타자기용 리본. =〔色带〕

〔墨绖〕 mòdié 명 검은 상복《옛날에, 상을 당한 사람이 종군(從軍)할 경우의 상복》.

〔墨斗(子)〕 mòdǒu(zi) 명 (목수의) 먹통. ¶～鱼; 《動》〈俗〉 오징어. =〔墨线斗子〕

〔墨尔本〕 Mò'ěrběn 명 《地》〈音〉 멜버른(Melbourne)《오스트레일리아의 도시》. =〔墨尔钵恩〕〔梅méi尔门〕〔新金山〕

〔墨滚〕 mògǔn 명 인쇄 기계의 잉크 롤러(roller). =〔墨棍〕〔墨轴〕

〔墨棍〕 mògùn 명 ⇨〔墨滚〕

〔墨海〕 mòhǎi 명 쟁반 모양의 큰 벼루.

〔墨盒(儿, 子)〕 mòhé(r, zi) 명 놋쇠로 만든 휴대용 먹통. =〔墨水盒儿〕

〔墨黑〕 mòhēi 형 ①새카맣다. ②먹물을 끼얹은 듯 어둡다. ¶天～了; 날이 저물었다.

〔墨黑黑(的)〕 mòhēihēi(de) 형 ①새카만 모양. ②어두운 모양.

〔墨痕〕 mòhén 명 묵흔. 먹물 흔적. 필적.

〔墨花〕 mòhuā 명 ①묵화. ②오래 사용한 벼루에 생긴 먹의 무늬.

〔墨灰色〕 mòhuīsè 명 《色》 거무스름한 잿빛.

〔墨迹〕 mòjì 명 ①필적. 먹물 자국. ¶～化开了; 먹물 자국이 번지다 / ～淋漓; 달필(達筆)임 / ～未干; 먹이 마르기 전에《곧. 이윽고 (시간적으로 짧음을 나타냄)》. ②손수 쓴 글씨나 그림. ¶李渔的～; 이어(李漁)의 필적.

〔墨家〕 Mòjiā 명 《哲》 묵가《묵자(墨子) 학파의 사상가》. =〔墨者〕

〔墨晶〕 mòjīng 명 《鑛》 흑수정.

〔墨镜〕 mòjìng 명 검은 색안경. 선글라스. ¶戴～; 선글라스를 끼다. =〔太阳(眼)镜〕

〔墨菊〕 mòjú 명 《植》 암자색의 국화(菊花).

〔墨卷〕 mòjuàn 명 묵권《전에, 과거 시험의 향시(鄕試)·회시(會試)의 답안지《먹으로 썼으므로 이렇게 말함》》.

〔墨客〕 mòkè 명 〈文〉 묵객. 문인.

〔墨礼〕 mòlǐ 명 휘호(揮毫)에 대한 사례.

〔墨吏〕 mòlì 명 〈文〉 묵리. 탐관오리.

〔墨绿〕 mòlǜ 명 《色》 철색(鐵色). 녹흑색(綠黑色).

〔墨妙〕 mòmiào 형 〈文〉 글이나 서화가 훌륭하다.

〔墨囊〕 mònáng 명 (오징어·낙지의) 먹물 주머니.

〔墨色〕 mòsè 명 먹빛. 흑색. ¶他后悔忘了把～的眼镜带来; 그는 검은 안경을 가져오지 않은 것을 후회했다.

〔墨沈〕 mòshěn 명 〈文〉 묵즙. 먹물. 〈轉〉 필적. ¶～未干, 言犹在耳; 필적도 아직 마르지 않고, 말씀이 쟁쟁하게 귀에 남아 있는 것 같다.

〔墨守〕 mòshǒu 동 묵수하다. (자기 의견을) 굳게 지키다. ¶～成规 =〔～陈规〕; 〈成〉 이미 정해진 결정을 굳게 지키고 바꾸려 들지 않는다.

〔墨水(儿)〕 mòshuǐ(r) 명 ①먹물. ②잉크. ¶洋～; 잉크 / 蓝～; 파란색 잉크 / ～瓶; 잉크병 / ～垫; 스탬프 패드. ③학문. ¶～有限; 학문은 별로 대단치 않다 / 他喝过几年～; 그는 몇 년 먹물을 먹었다 / 肚里一点儿～没有; 뱃속에 배운 것이 아무것도 없다.

〔墨水规〕 mòshuǐguī 명 (제도용의) 가막부리. 오구(烏口).

〔墨丝儿〕 mòsīr 명 먹통 안의 풀솜. ¶笔尖上挂了一条～; 붓끝에 먹통 속의 솜 한 가닥이 걸렸다.

〔墨索里尼〕 Mòsuǒlǐní 명 《人》〈音〉 무솔리니(Benito Mussolini)《이탈리아의 독재 정치가, 1883～1945》.

〔墨胎〕 Mòtāi 명 복성(複姓)의 하나.

〔墨填〕 mòtián 동 붓으로 더 써 넣다〔첨서(添書)하다〕.

〔墨帖〕 mòtiè 명 ⇨〔法fǎ帖〕

〔墨西哥〕 Mòxīgē 명 《地》〈音〉 멕시코《수도는 '墨西哥城chéng' (멕시코시티: Mexico City)》. =〔墨国〕

〔墨戏〕 mòxì 명 묵화의 취미.

〔墨线〕 mòxiàn 명 ①먹실. =〔墨尺〕 ②먹실로 그은 직선. ¶～斗子; 먹통.

〔墨刑〕 mòxíng 명 묵형. 옛날에, 얼굴이나 팔에 자자(刺字)하는 형벌.

〔墨选〕 mòxuǎn 명 〈文〉 과거 시험의 우수 답안집《전에, '墨卷' 중의 뛰어난 것을 골라 인쇄·판매한 것》.

〔墨鸦〕 mòyā 명 ①악필(惡筆)인 사람. ②⇨〔鸬lú鹚〕
〔墨鸭〕 mòyā 명 《鳥》 가마우지.
〔墨砚〕 mòyàn 명 먹과 벼루.
〔墨洋〕 mòyáng 명 ⇨〔墨银〕
〔墨银〕 mòyín 명 《貨》 멕시코 달러《옛날, 중국에 다량 유입되어 유통되었던 멕시코 1달러 은화》. =〔墨洋〕〔墨元〕
〔墨油〕 mòyóu 명 《印》 인쇄용 잉크.
〔墨鱼〕 mòyú 명 ①《動》〈俗〉 오징어. ¶～干 =〔～脯〕; 말린 오징어. =〔乌wū贼〕→〔鱿鱼〕 ②아편 장수끼리의 변말로 아편의 일컬음. 검은 약.
〔墨鱼豆腐〕 mòyú dòufǔ 명 〈四川〉 곤약(崑蒻). 구약나물로 만든 두부 모양의 식품.
〔墨元〕 mòyuán 명 ⇨〔墨银〕
〔墨诏〕 mòzhào 명 묵서한〔친서(親書)의〕 조서.
〔墨者〕 Mòzhě 명 ⇨〔墨家〕
〔墨汁(儿)〕 mòzhī(r) 명 묵즙. 먹물. ¶～未干; 〈成〉 먹물이 아직 마르지 않다《갓 체결한 협정이나 성명(聲明)을 금방 위반하는 일》.
〔墨旨〕 mòzhǐ 명 친서의 칙명(勅命).
〔墨轴〕 mòzhóu 명 ⇨〔墨滚〕
〔墨猪〕 mòzhū 명 〈比〉 획이 굵기만 한 서투른 글씨.
〔墨竹〕 mòzhú 명 ①⇨〔紫zǐ竹〕 ②묵죽. 묵화의 대나무.
〔墨粧〕 mòzhuāng 명 〈文〉 화장하지 않음. 맨얼굴.
〔墨子〕 Mòzǐ 명 ①《人》 묵자. 춘추 시대의 사상가. 이름은 적(翟). 노(魯)나라 사람. ②《書》 묵자.

嘿 mò (묵)
형동 ⇨〔默〕 ⇒hēi

默 mò (묵)
①형 잠자코〔말없이〕 있다. 조용하다. ¶～读; 묵독하다 / 沉～; 침묵(하다). ②동 암기(暗記)한 글을 원본을 보지 않고 쓰다. ¶这样儿的文章, 他们大概能～得上来; 이러한 문장은 그들은 대개 외워 쓸 수 있을 것이다. ‖ =〔嘿〕
〔默哀〕 mò'āi 명동 애도를 위한 묵념(을 하다). ¶群众起立～三分钟; 군중은 기립하여 3분 동안 묵념을 했다.
〔默不作声〕 mò bù zuò shēng 〈成〉 잠자코 있다. 전연 대꾸가 없다. 입을 열지 않다. 말하기를 거부하다.
〔默存〕 mòcún 동 마음에 기억해 두다.
〔默祷〕 mòdǎo 명동 묵도(하다).
〔默读〕 mòdú 명동 묵독(하다). =〔默诵①〕
〔默尔〕 mò'ěr 형 〈文〉 묵묵하다. 잠잠하다.
〔默稿〕 mògǎo ⇨〔腹fù稿〕
〔默会〕 mòhuì 동 직감적으로 이해하다.
〔默记〕 mòjì 동 암기하다. 외다.
〔默静合伙〕 mòjìng héhuǒ 익명(匿名) 출자(出資).
〔默剧〕 mòjù 명 무언극. 팬터마임(pantomime). =〔哑剧〕
〔默默〕 mòmò 형 ①묵묵하다. ¶～无言; 묵묵히 말을 하지 않다 / ～无闻; 〈成〉 명성이 없고 남에게 알려지지 않다. 세상에 알려지지 않다. ②〈文〉 뜻을 얻지 못한 모양.
〔默念〕 mòniàn 동 묵고하다. 묵묵히 생각에 잠기다.
〔默片〕 mòpiàn 명 《撮》 무성 영화. =〔无声影片〕
〔默契〕 mòqì 명동 암묵의 양해(를 하다). 묵인(하다). 명 ①밀약. ②비밀 조약 또는 구두로 한 협정.
〔默然〕 mòrán 형 잠자코 있는 모양. ¶二人～相对; 두 사람은 말없이 마주 앉아 있다.
〔默认〕 mòrèn 명동 묵인(하다).
〔默声不语〕 mò shēng bù yǔ 〈成〉 잠자코 있는 모양. ¶他坐在一旁～地看着; 그는 곁에 앉아 아무 말 없이 보고 있었다.
〔默示〕 mòshì 명동 묵시(하다). 암시(하다).
〔默书〕 mòshū 명동 외어 쓰기(하다). ¶今天做一次～; 오늘은 외어 쓰기를 한번 해 보자.
〔默诵〕 mòsòng 동 ①⇨〔默读〕 ②묵송하다. 암송하다.
〔默想〕 mòxiǎng 동 묵상하다. 잠자코 생각에 잠기다.
〔默写〕 mòxiě 동 ①받아 쓰다. ②마음 속으로 화고(畫稿)를 그리다. ③읽은 글을 기억을 더듬어 쓰다.
〔默许〕 mòxǔ 동 묵허하다. 묵인하다. 보아 넘기다.
〔默佑〕 mòyòu 동 〈文〉 남몰래 돕다.
〔默志〕 mòzhì 동 〈文〉 외다. 암기하다.
〔默祝〕 mòzhù 동 묵도하다. ¶～他老人家万寿无疆; 저분의 만수무강을 마음 속으로 기도했다.

嚜 mò (묵)
①형 잠자코 있다. =〔默①〕 ②명 〈音〉 마크(mark). =〔牌子〕〔商标〕 ⇒me

缧(纆) mò (묵)
명 새끼. 노《삼·종이 따위의 섬유로 가늘게 비비거나 꼰 줄》.

磨 mò (마)
①명 맷돌. ¶家有一眼～; 집에 맷돌이 하나 있다 / 电～; 전동 제분(기). ②동 맷돌질하다. 갈다. 빻다. ¶用～～面; 맷돌로 밀가루를 빻다. ③동 차를 (방향 전환시켜서) 돌리다. ¶小胡同不能～车; 좁은 골목길에서는 차를 돌릴 수 없다. ④동 돈을 바꾸다. 환전(換錢)하다. ¶～票子; 큰돈을 잔돈으로 바꾸다〔헐다〕. ⑤동 잡아당기다. 휘감기다. 달라붙다. 매달리다. ¶～到这儿来; 이리로 끌고 오다. =〔拉①〕 ⑥동 마음을 바꾸다. ⑦양 한 바퀴 도는 것을 세는 말. ¶转了一～; 한 바퀴 돌았다. ⑧(～儿) 양 〈俗〉 횟수. ¶一～买卖; 한 번의 거래 / 好儿～你都没来; 너는 여러 차례 오지 않았다. ⇒mó
〔磨不开〕 mòbukāi ①미안하다. 면목 없다. 볼낯이 없다. 거북하다. 주눅이 들다. ¶脸上～; 무안하다. 멋쩍다. 쑥스럽다 / 给爹妈赔不是有什么～(脸)的? 부모님께 사과하는 것이 무엇이 부끄러운 일이 있느냐? / 他向来脸软, 一点儿事就～(脸); 그는 원래 심약해서 조그만 일에도 쑥스러워한다 / 他跟我这么一说, 我当时～(脸), 就答应他了; 그가 이렇게 말하자 나는 그 자리에서는 차마 거절하지 못하고 승낙해 버렸다. ②〈方〉 잘되지 않다. 납득이 안 가다. ¶我有了～的事, 就找他去商量; 나는 곤란한 일이 생기면 곧 그에게 상의하러 간다. ‖ =〔抹不开〕
〔磨不开车〕 mòbukāichē 차를 돌릴 수 없다. ¶这条胡同太窄zhǎi～; 이 길은 너무 좁아서 U턴시킬 수가 없다.
〔磨车〕 mòchē 동 차의 방향을 거꾸로 되돌리다.
〔磨齿〕 mòchǐ 명 맷돌의 이.
〔磨叨〕 mòdao 동 〈口〉 한 말을 되뇌다. ¶你别～了; 자꾸 같은 말을 되뇌지 마라.

〔磨得开〕 mòdekāi 변통하다. 형편에 맞추다. ¶只要～也就是了, 何苦认真呢! 형편에 맞추기만 하면 되지, 뭐 애써 꼼꼼히 하려고 하지 않아도 된다.
〔磨豆腐〕 mò dòufu ①되풀이해서 말하다. 말을 오래 끌다. ¶你磨什么豆腐呢? 不快快地干活儿! 뭘 꾸물거리고 있어? 빨리 일 안 해! / 跟这种人办事还不够～的呢; 이런 인간과 같이 일을 하면, 꾸물대어 불쾌하기 짝이 없다. ②두부를 갈아서 만들다.
〔磨烦〕 mòfan〔mófan〕 동 〈方〉 ①괴롭히다. 못살게 굴다. ¶这孩子常常～大娘给他讲故事; 이 아이는 늘 아주머니한테 이야기를 해 달라고 조른다. ②우물쭈물 시간을 허비하다. ¶快说! 别～! 빨리 말해! 우물쭈물하지 말고! / ～了半天才收拾停当; 오랜 시간 질질 끌다가 겨우 수습했다. 형 귀찮은. 번거로운. =〔麻烦〕
〔磨坊〕 mòfáng 명 구식 제분소〔방앗간〕. =〔磨房〕
〔磨房〕 mòfáng 명 제분소. 방앗간. =〔磨坊〕
〔磨倌(儿)〕 mòguān(r) 명 전에, 제분소 직공. 방아꾼.
〔磨棍〕 mògùn 명 (확 따위의) 나무 공이.
〔磨化不开〕 mòhuabukāi 〈北方〉 완고하다. 고집불통이다.
〔磨黄〕 mòhuáng 동 꾸물대다가 못 쓰게 만들다. ¶咱们这个实验非叫小李给～了不可; 우리의 이 실험은 이군 때문에 망쳐질 게 뻔하다.
〔磨回来〕 mòhuilái (차의) 방향을 바꾸어 되돌아오다. ¶把车～; 차를 유턴(U-turn)시키다. =〔抹回来〕
〔磨面〕 mòmiàn 명동 제분(하다). ¶～机jī; 제분기계.
〔磨磨儿〕 mòmòr 부 〈俗〉 그 때마다. 매번.
〔磨盘〕 mòpán 명 ①맷돌의 아래짝. ②〈方〉 맷돌.
〔磨盘战术〕 mòpán zhànshù 명 찰거머리 전술. =〔蘑菇战术〕
〔磨脐〕 mòqí 명 맷돌 위짝 한가운데의 구멍. 매암쇠.
〔磨钱〕 mòqián 동 돈을 헐다. 잔돈으로 바꾸다.
〔磨扇〕 mòshàn 명 맷돌(의 위짝).
〔磨身〕 mòshēn 동 방향을 바꾸다. ¶她～大步地跑去了; 그녀는 방향을 바꾸더니 성큼성큼 뛰어갔다.
〔磨台〕 mòtái 명 《機》 연마반(研磨盤). 그라인더대(臺).
〔磨游〕 mòyóu 동 (목적 없이) 어슬렁어슬렁 걷다. 여기저기 쏘다니다.
〔磨轴〕 mòzhóu 명 맷돌의 수쇠.
〔磨转〕 mòzhuàn 동 왔다갔다하다. 빙빙 돌다.

礳 **mò** (말) 지명용 자(字). ¶～石渠Mòshíqú; 모스취(礳石渠)《산시 성(山西省)에 있는 땅 이름》.

耱 **mò** (마) 명 중국 서남 지방에서 쓰이는 농구의 하나《갈아 엎은 흙을 반반하게 고르는 데 쓰임. 나뭇가지를 쓴 '树条耱', 널판지로 쓴 '木板耱' 등이 있음》. =〔耢lào①〕

MOU ㄇㄡ

哞 **mōu** (모) 〈擬〉 음매《소의 울음소리》.

牟 **móu** (모) ①동 손에 넣다. 얻다. ¶～利lì =〔谋利〕; 이를 얻다. ②동 빼앗다. ③〈擬〉 소의 울음소리. ¶～然而鸣; 소가 음메 하고 울다. =〔哞〕 ④명 보리. ⑤형 큰. ⑥명 성(姓)의 하나. ⇒ mù
〔牟取〕 móuqǔ 동 탐을 내어 빼앗다.

侔 **móu** (모) 형 같다. 비등(比等)하다. ¶攻效相～; 효과가 서로 비등하다. =〔相侔〕

眸 **móu** (모) 명 (～子) 눈동자. ¶明～皓齿; 〈成〉 맑고 시원스런 눈동자와 흰 이《미인의 형용》/ 凝～远望; 먼 곳을 응시하다.

蛑 **móu** (모) →〔蝤yóu蛑〕

麰(麰) **móu** (모) 명 《植》 보리. 대맥(大麥).

谋(謀) **móu** (모) ①명 계략. 지략. ¶有勇无～; 용기는 있으나 지략이 없다. ②동 꾸미다. 꾀하다. 도모하다. 기도하다. ¶为人民～幸福; 국민을 위하여 행복을 도모하다 / ～功名; 영달을 꾀하다 / 谁料这小子竟～了他的饭碗去; 이 녀석이 그의 밥통을 가로채리라고 누가 생각했겠는가 말이야. ③동 상의하다. ¶不～而合; 뜻밖에 의견이 일치되다 / 各不相～; 서로 의논하지 않고 제 마음대로 하다. ④동 탐색하다. 찾다. ¶另～出路; 다른 방도를 찾다 / ～官差; 관리의 직을 얻으려고 운동하다.
〔谋财害命〕 móu cái hài mìng 〈成〉 남의 재물을 빼앗으려는 생각으로 살해하다.
〔谋臣〕 móuchén 명 〈文〉 ①(나라의) 모의(謀議)에 참여하는 신하. 모신. =〔计jì臣〕 ②지모가 뛰어난 신하.
〔谋刺〕 móucì 동 〈文〉 암살을 꾀하다.
〔谋定〕 móudìng 동 〈文〉 의논해서 정하다.
〔谋反〕 móufǎn 동 모반하다. 반역을 꾀하다. =〔谋叛〕
〔谋饭碗儿〕 móu fànwǎnr ①일을 찾다. 생활 방도를 찾다. ②책략을 써서 일자리를 얻다.
〔谋府〕 móufǔ 명 〈文〉 주모자. 모의의 출처.
〔谋害〕 móuhài 동 살해할 것을 계획하다. 모살(謀殺)하다. =〔谋杀〕
〔谋合〕 móuhé 동 함께 모의(謀議)하다.
〔谋划〕 móuhuà 동 계획하다. 꾀하다.
〔谋利〕 móulì 동 모리하다. 이익을 도모하다. =〔牟利〕
〔谋略〕 móulüè 명동 모략(하다).
〔谋面〕 móumiàn 동 만나다. 안면이 있다. ¶素未～; 본래 안면이 없다 / 我们并未～; 우리는 별로 안면이 있는 것도 아니다.
〔谋叛〕 móupàn 동 모반하다. 반역을 도모하다. =〔谋反〕
〔谋骗〕 móupiàn 동 책략을 써서 (남을) 기만하다. ¶他竟想～人; 그는 어떻게 해서든지 남을 속이려고 한다.
〔谋求〕 móuqiú 동 강구(講究)하다. 꾀하다. ¶～两国关系正常化; 양국 관계의 정상화를 꾀하다 / ～自立; 자립을 꾀하다 / ～改善; 개선을 강구하다 / ～和平解决; 평화적 해결을 꾀하다.
〔谋取〕 móuqǔ 동 (손에 넣으려고) 꾀하다. 계획

하다. ¶～利益; 이익을 얻으려하다〔탐하다〕.
〔谋杀〕 móushā 동 모살하다. 계획적으로 사람을 죽이다. ¶～案; 모살 사건. =〔谋害〕
〔谋生〕 móushēng 동 생계의 방도를 연구하다. ¶～之道dào; 생계의 길. 생활의 방도.
〔谋食〕 móushí 동 생활 방도를 꾸미다. 생계를 세우다.
〔谋士〕 móushì 명 〈文〉 ①모의(謀議)에 참여하는 사람. ②모사. 책사(策士).
〔谋事〕 móu·shì 동 ①일을 찾다. ②사업을 계획하다. ¶～在人, 成事在天; 〈諺〉 일을 계획하는 것은 인간이나, 성공시키는 것은 하늘의 소관이다.
〔谋算〕 móusuàn 동 ①계획하다. ②견적하다. 명 계략.
〔谋图〕 móutú 동 도모하다.
〔谋主〕 móuzhǔ 명 주모자.
〔谋子〕 móuzi 명 주형. 거푸집. 틀. ¶一个～磕kē出来的; 〈比〉 꼭 닮다. 흡사하다. =〔模mó型③〕

缪(繆) **móu** (무)
→〔绸chóu缪〕 ⇒ Miào miù

鍪 **móu** (무)
명 옛날의 냄비. ¶兜～; 옛날에 전쟁 때 쓰던 투구.

厶 **mǒu** (모)
'某'의 이체자(異體字)로 사용되는 경우가 있음. ⇒ sī

某 **mǒu** (모)
대 ①어느 사람. 어느 것. 아무. 모. ¶～天; 모일(某日) / 张～; 장아무개 / ～同志曾为此大闹情绪; 어떤 동지가 전에 이 일로 크게 불끈한 적이 있다 / 我军～部; 아군의 모부대 / 东北～厂; 동북 지방의 어느 공장 / ～种线索; 모종의 실마리. ②자기의 겸칭. ③때로 중첩해서 쓰는 경우가 있음. ¶～～; 모모 / ～～人; 모모라는 사람 / ～～学校; 모모 학교.
〔某个〕 mǒuge 대 어떤 (하나의). ¶～人; 어떤 사람.
〔某人〕 mǒurén 명 ①아무개. 어떤 사람(이름을 밝히지 않으려는 경우 자주 쓰임). ②(인칭에 성과 함께 써서) …아무개. ¶张～; 장 아무개.
〔某些〕 mǒuxiē 대 어떤 몇 개(의). 일부(一部)(의). ¶～材料; 어떤 몇 개의 자료 / ～人; 어느 몇몇 사람 / ～问题; 어떤 몇 갠가의 문제.
〔某种〕 mǒuzhǒng 대 어떤 종류(의). ¶～人; 어떤 종류의 사람 / 在～程度上; 어느 정도 / 在～意义上; 어느 의미에서.

MU ㄇㄨ

毪 **mú** (모)
(～子) 명 티베트 산의 두터운 모직물의 일종.

模 **mú** (모)
명 ①(～儿) 형(型). ¶字～儿; 자형(字型). ②(～子) 주형(鑄型). =〔模mó形〕〔模型〕 ⇒ mó
〔模板〕 múbǎn 명 ①《建》 콘크리트용의 나무로 된 형틀판(板). ②《工》 형판(型板).
〔模具〕 mújù 명 형(型)(주조용 또는 다이스(dice)용 따위의). ¶标枪管的～; 투창용의 창(槍)대의 형. ⇒ mójù
〔模压〕 múyā 명 《工》 모형(模型)으로 찍어내기. 몰딩(molding). ¶～法; 성형 가공법.
〔模样(儿)〕 múyàng(r) 명 ①대략. 대체. 대강(대강의 상황을 나타내는 말. 시간·연령에만 씀). ¶这个人有三十岁～; 이 사람은 대강 30세쯤 된다 / 等了大概有半个小时～; 30분쯤 기다렸다. ②인물. 용모. ¶有～; 미모이다 / ～长得很好; 용모가 아주 뛰어나게 자랐다 / 人品很好, 可惜～不济; 인품은 아주 훌륭한데, 애석하게도 용모가 좀 떨어지는구나. ③모양. 스타일. ¶干部～的人; 간부 같은 사람.

母 **mǔ** (모)
①명 모친(호칭으로는 '妈mā'를 씀). ②명 물건을 생기게 하는 모체. 사물 발생의 근본. 기본〔근본〕이 되는 것. ¶埋～; 씨감자 따위를 심다 / ～校; 모교 / 工作～机; 공작 기계 / 酵～(菌); 효모(균). 이스트(균) / 失败为成功之～; 실패는 성공의 어머니 / ～音 =〔元音〕; 모음 / ～法; 모법. ③명형 암컷(의). ¶～鸡; 암탉 / ～牛; 암소. ↔〔公〕 →〔雌cí①〕〔牝〕 ④명 자기보다 항렬이 위인 여자에 대한 호칭. ¶姑～; 고모 / 姨～; 이모 / 婶～; 숙모/舅～; 외숙모/～兄; 친형(같은 어머니의) / ～弟; 친동생. ⑤명 근거로서〔의탁하여〕 의지로 삼는 것. ¶航空～舰; 항공 모함. ⑥명 요철(凹凸) 한 쌍으로 된 것의 요(凹)의 부분. ¶子～扣; 스냅(snap) / 螺丝～; 암나사. 너트(nut). ⑦명 성(姓)의 하나.
〔母本〕 mǔběn 명 ①밑천. 자본금. →〔本钱①〕 ②《植》 어미그루(식물이 번식하는 과정에서 최초의 암그루). =〔母株〕
〔母财〕 mǔcái 명 ⇨〔母钱〕
〔母厂〕 mǔchǎng 명 (하청 공장에 상대되는) 주(主)공장. 모(母)공장. ↔〔子厂〕
〔母尺〕 mǔchǐ 명 《機》 마스터 게이지(master gauge).
〔母畜〕 mǔchù 명 가축의 암컷.
〔母慈〕 mǔcí 명 어머니의 자애.
〔母党〕 mǔdǎng 명 모당(어머니 편의 친족).
〔母的〕 mǔde 명 암컷. ¶是公的～? 수컷이냐 암컷이냐? ↔〔公gōng的〕
〔母弟〕 mǔdì 명 모제. 동모제. 친동생.
〔母舵〕 mǔduò 명 뱃머리를 왼쪽으로 돌리려 할 때의 키잡이. =〔拉lā舵〕
〔母法〕 mǔfǎ 명 모법(법의 계승이 이루어질 때, 그 모범·근원이 되는 다른 나라 또는 다른 민족의 법).
〔母范〕 mǔfàn 명 〈文〉 어머니의 본보기.
〔母蜂〕 mǔfēng 명 《蟲》 여왕벌. =〔蜂王〕〔雌蜂〕
〔母公司〕 mǔgōngsī 명 《經》 모회사. =〔持株会社〕〔控股公司〕
〔母狗〕 mǔgǒu 명 ①암캐. ¶～眼; 작고 둥근 눈. =〔〈方〉 狗母〕〔〈方〉 雌狗〕 ↔〔公狗〕 ②〈罵〉 여자를 욕하는 말(이년, 저년 따위).
〔母国〕 mǔguó 명 모국.
〔母后〕 mǔhòu 명 ①황후. ②황태후.
〔母会〕 mǔhuì 명 자기가 소속하는 모임.
〔母机〕 mǔjī 명 ①공작 기계. =〔工作母机〕 ②(편대의) 대장기(隊長機).
〔母鸡〕 mǔjī 명 암탉. =〔〈方〉 草鸡①〕〔〈方〉 雌鸡〕〔〈俗〉 婆鸡〕 ↔〔公gōng鸡〕
〔母家〕 mǔjiā 명 (아내의 입장에서) 친정. →〔娘niáng家〕
〔母教〕 mǔjiào 명 어머님의 가르침.

〔母金〕 mǔjīn 명 원금(元金).
〔母舅〕 mǔjiù 명 어머니의 오빠 또는 남동생. 외삼촌. =〔娘舅〕
〔母狼〕 mǔláng 명 암늑대〔이리〕.
〔母老虎〕 mǔlǎohǔ 명 ①암범. ②닳고 닳은 여자. 사나운〔드센〕 여자. ¶她是有名的～, 没理赖三分, 你千万别惹她; 그녀는 유명한 말괄량이고, 당치않은 억지만 늘어놓으니까 절대로 상대하지 마라.
〔母利〕 mǔlì 명 원금과 이자. =〔母子②〕
〔母螺钉〕 mǔluódīng 명 ⇨〔螺钉帽〕
〔母马〕 mǔmǎ 명 암말. ¶～上不去阵, 女人掌不了印; 〈諺〉 암말은 전쟁터에 나갈 수 없고, 여성은 권력을 장악할 수 없다. =〔〈方〉马母〕〔〈方〉草马〕〔〈方〉雌马〕〔〈北方〉骒马〕↔〔公马〕
〔母猫〕 mǔmāo 명 암고양이. =〔女nǚ猫〕
〔母妹〕 mǔmèi 명 친여동생.
〔母母〕 mǔmǔ 명 ⇨〔姆mǔ姆〕
〔母奶〕 mǔnǎi 명 모유(母乳).
〔母难日〕 mǔnànrì 명 (자기의) 생일.
〔母牛〕 mǔniú 명 암소. =〔〈方〉牛母〕〔〈方〉雌牛〕〔〈方〉沙牛〕↔〔公牛①〕
〔母女〕 mǔnǚ 명 어머니와 딸. 모녀. ¶～俩; 모녀 두 사람.
〔母钱〕 mǔqián 명 원금. =〔母财〕〔母金〕↔〔子zǐ金〕
〔母亲〕 mǔqin 명 어머니. ¶～节; 어머니날《5월의 제2 일요일》/祖国, 我的～; 조국, 우리의 어머니.
〔母乳〕 mǔrǔ 명 모유.
〔母氏〕 mǔshì 명 어머니 되는 사람.
〔母堂〕 mǔtáng 명 어머니 쪽의 친척.
〔母系〕 mǔxì 명 모계.
〔母校〕 mǔxiào 명 모교.
〔母兄〕 mǔxiōng 명 친형.
〔母夜叉〕 mǔyèchā 명 사나운〔무서운〕 여자.
〔母液〕 mǔyè 명 《化》 모액.
〔母音〕 mǔyīn 명 모음. =〔元yuán音〕↔〔子zǐ音〕
〔母油〕 mǔyóu 명 쑤저우(蘇州) 특산의 간장.
〔母语〕 mǔyǔ 명 ①모국어. ②어떤 언어가 발전 변화하여 하나의 독립된 언어가 발생한 경우, 전자를 후자의 모어라 함.
〔母砧〕 mǔzhēn 명 대목(臺木)《접목에서 그 바탕이 되는 나무》.
〔母株〕 mǔzhū 명 《植》 자주(雌株). 모수(母樹).
〔母猪〕 mǔzhū 명 암돼지. ¶老～; ⓐ늙은 암돼지. ⓑ〈比〉〈貶〉 뚱뚱한 노부인.
〔母猪章〕 mǔzhūzhāng 명 《動》 낙지.
〔母子〕 mǔzǐ 명 ①어머니와 아들. 모자. ②원금과 이자. ¶～相生; 이자가 이자를 낳다. =〔母利〕

坶 mǔ (목)
→〔垆lú坶〕

拇 mǔ (무)
명 손발의 엄지가락. =〔拇指〕〔大(拇)指〕〔大(拇)指头〕〔〈方〉大拇哥〕
〔拇印〕 mǔyìn 명 무인. 손도장. 지문. ¶按～ =〔打～〕; 손도장을 찍다/签了名, 还按上了个～; 서명을 하고 다시 손도장을 찍었다. =〔手模〕〔手印①〕
〔拇战〕 mǔzhàn 명 술자리의 놀이의 하나《일종의 가위바위보를 하여 술을 권함》. 손가락 씨름《네 손가락을 마주 끼고 서로 엄지손가락을 잡는 장난》. =〔划拳〕

峔 mǔ (모)
지명용 자(字). ¶～矶角Mǔjījiǎo; 무지자오(峔磯角)《산둥 성(山東省)에 있는 갑(岬) 이름》.

姆 mǔ (모)
①명 보모. ¶保～ =〔保育员〕; 보모. ②→〔姆姆〕 ③음역자.
〔姆夫蒂〕 mǔfūdì 명 《宗》 〈音〉 무프티(mufti)《이슬람교의 종교 관계 최고 권위자》. 「행본》.
〔姆克〕 mǔkè 명 〈音〉 무크(mook)《잡지 같은 단
〔姆姆〕 mǔmǔ 명 남편의 형수. 형님. =〔母母〕
〔姆欧〕 mǔ'ōu 명 《電》 모(mho)《전기 전도율의 단위》.

钅母(鉧) mǔ (무)
→〔钴gǔ钅母〕

亩(畝) mǔ (묘)
①양 논밭 면적의 단위《사방 5척(尺)을 1'方步'로 하고, 240'方步'를 1'亩'로 함. 한국의 170평 정도 지금은 60평방장(丈), 즉 6,000평방 척(尺)을 1'亩'로 하고 있음. 1'亩'는 6.667아르(a)임》. ¶～捐juān; 토지 부가세. ②명 논의 두둑. →〔方步〕〔分⑧〕〔顷qǐng⑤〕
〔亩产(量)〕 mǔchǎn(liàng) 명 1묘당 수확량.
〔亩级〕 mǔjí 명 농지의 등급.

畂 mǔ〔yīngmǔ〕 (모)
양 《度》 에이커의 고칭(古稱). =〔英亩yīngmǔ〕

牡 mǔ (모)
①명 수컷. ¶～鸡 =〔公鸡〕; 수탉. ②명 자물쇠. ③→〔牡丹〕 ④명 식물의 웅주(雄株). ¶～麻; 삼의 웅주.
〔牡齿〕 mǔchǐ 명 ⇨〔下xià齿〕
〔牡丹〕 mǔdan 명 《植》 모란.
〔牡丹茶〕 mǔdānchá 명 모란꽃 향을 넣은 차.
〔牡丹(花)〕 mǔdān(huā) 명 《植》 모란(꽃). ¶～虽好, 还得绿叶儿扶持; 〈諺〉 모란꽃은 곱지만, 그래도 초록색 잎이 받쳐 줘야 한다《누구나 자기 혼자의 힘만으로는 아무것도 할 수 없다》. =〔富fù贵花〕〔贵guì客③〕〔国色天香〕〔天香国色〕〔花王〕〔木mù芍药〕〔鼠shǔ姑②〕
〔牡桂〕 mǔguì 명 《植》 계수나무. =〔肉ròu桂〕
〔牡蒿〕 mǔhāo 명 《植》 제비쑥.
〔牡荆〕 mǔjīng 명 《植》 모형. 인삼목《형장(刑杖)으로 쓰였음》. =〔〈文〉楛hù〕〔楚chǔ(木)〕
〔牡蛎〕 mǔlì 명 《貝》 굴. ¶蛎房 =〔蛎壳〕; 굴껍질/蛎黄 =〔蛎蟥〕; 굴(의 살). =〔蚝háo〕〔海hǎi蛤蛎〕〔海蛎子〕
〔牡敛〕 mǔlin 〈擬〉 이 없는 사람이 음식을 먹을 때 입을 오물오물하는 모양. ¶没了牙哪能吃铁蚕豆, 含着瞎～呢; 이가 없는데 어떻게 딱딱한 누에콩을 먹을 수 있겠나, 다만 입 속에서 우물거리고 있을 뿐이다.
〔牡麻〕 mǔmá 명 《植》 대마의 수그루. =〔枲xǐ麻〕
〔牡物〕 mǔwù 명 수컷〔남자〕의 생식기. =〔阳yáng物〕〔阴yīn茎〕

姥 mǔ (모)
①명 여교사. ②명 노부인. ③지명용 자(字). ¶天～山; 톈무 산(天姥山)《저장 성(浙江省)에 있는 산 이름》. ⇒lǎo

木 mù (목)
①명 수목. 나무. ¶树～; 수목/满院花～; 뜰에 가득한 꽃이나 나무/果～树; 과수.

②(～头) 명 목재. ¶～制品; 목제품. ③《樂》 명 5음(音)의 하나. ④동 마비되다. ¶他猛地～在那里; 그는 딱 그 자리에 선 채 움직이지 못했다/他～在那儿, 没法儿下台; 그는 거기에 우뚝 선 채 단상에서 내려오지 못했다〔몸을 뺄 수 없게 되었다〕. =〔麻má〕 ⑤형 무감각하다. 흐리멍덩하다. 저리다. ¶坐得两腿发～; 앉아 있어 두 다리가 저려 온다/手都冻～了; 손이 꽁꽁 얼어서 곱다. ⑥명 관(棺). ¶行将就～; 여생이 얼마 남지 않다. ⑦형 소박·질박하다. ¶～讷; 순직하고 말이 없다. ⑧명 성(姓)의 하나.

〔木把势〕 mùbǎshi 명 목수〔목공〕(의 우두머리).

〔木板〕 mùbǎn 명 나무 판자. ¶薄～; 얇은 판자/～房; 판잣집/～棚; 판자 울타리를 친 집.

〔木板帘〕 mùbǎnlián 명 나무로 만든 발.

〔木板鞋〕 mùbǎnxié 명 나막신. →〔木屐(子)〕

〔木版〕 mùbǎn 명 《印》 목판. ¶～书shū; 목판 인쇄의 책/～印花; 《紡》 목판 날염(捺染)(법).

〔木版画〕 mùbǎnhuà 명 ⇨〔木刻(画)〕

〔木半夏〕 mùbànxià 명 《植》 보리수나무.

〔木宝〕 mùbǎo 명 ⇨〔宝盒儿〕

〔木本〕 mùběn 명 《植》 목본.

〔木本水源〕 mù běn shuǐ yuán 〈成〉 나무에는 뿌리가 있고, 물에는 근원이 있다《근본. 출처. 근원》.

〔木笔〕 mùbǐ 명 ⇨〔辛xīn夷〕

〔木变石〕 mùbiànshí 명 목화석(木化石).

〔木鳖〕 mùbiē 명 《植》 목별. ¶～子zǐ; 목별자. 목별의 씨.

〔木冰〕 mùbīng 명 수빙(樹氷). =〔木稼〕〔木介〕

〔木饽饽〕 mùbōbo 명 나무로 만든 과자. 〈比〉 쓸모없는 물건.

〔木菠萝〕 mùbōluó 명 《植》 빵나무 비슷한 뽕나무과(科)의 교목《인도 원산》. =〔菠萝蜜①〕

〔木材〕 mùcái 명 목재. ¶～厂; (건축 용재 등의) 제재소

〔木槽〕 mùcáo 명 목제 사료통. 나무 구유.

〔木柴〕 mùchái 명 장작. =〔柴火huo〕

〔木厂(子)〕 mùchǎng(zi) 명 재목점. 제재소.

〔木尺〕 mùchǐ 명 나무 자.

〔木齿轮〕 mùchǐlún 명 목제 톱니바퀴. =〔钝dùn齿轮〕

〔木船〕 mùchuán 명 목선. 나무배.

〔木床〕 mùchuáng 명 나무 침대.

〔木锤〕 mùchuí 명 나무망치. 나무메.

〔木醇〕 mùchún 명 《化》 메탄올(methanol). =〔甲jiǎ醇〕

〔木醋〕 mùcù 명 《化》 목초산. ¶～酸 =〔焦木酸〕; 목초산《목재를 건류시켜 뽑은 초산》.

〔木呆呆(的)〕 mùdāidāi(de) 형 멍하니 서 있는 모양. ¶他～地站在门口; 그는 멍하니 입구에 서 있다.

〔木凳(儿, 子)〕 mùdèng(r, zi) 명 나무 걸상.

〔木雕泥塑〕 mù diāo ní sù 〈成〉 나무·진흙으로 만든 인형《무표정한 모양》. ¶他狼狈得～似地傻了眼, 一句话也说不出来; 그는 매우 낭패해서 등신처럼 멍하니 한 마디의 말도 못했다.

〔木钉〕 mùdīng 명 나무못. 목정.

〔木豆〕 mùdòu 명 《植》 ①완두. ②완두콩. =〔〈方〉豆蓉〕

〔木蠹〕 mùdù 명 《蟲》 목두충. 나무굼벵이. =〔小xiǎo蠹虫〕

〔木铎〕 mùduó 명 목탁. 〈轉〉 지도자. 스승. =〔金口木舌〕

〔木耳〕 mù'ěr 명 《植》 목이버섯. ¶黑～; 검은 목이버섯/白～; 흰 목이버섯/～蓿子; 목이버섯 재배장. =〔木菌〕

〔木筏(子)〕 mùfá(zi) 명 뗏목.

〔木贩〕 mùfàn 명 재목상(商).

〔木房〕 mùfáng 명 목조 가옥.

〔木芙蓉〕 mùfúróng 명 《植》 ①부용. ②부용꽃. =〔芙蓉〕〔木莲〕

〔木杆〕 mùgǎn 명 (재목으로서의) 통나무. 원목.

〔木杠〕 mùgàng 명 굵은 나무 몽둥이.

〔木工〕 mùgōng 명 ①목수. ②목수일. 목공. ¶～车床; 목공 선반(旋盤). ③건구상(建具商). 소목장이. =〔都料匠〕

〔木工锯条〕 mùgōng jùtiáo 명 손으로 켜는 톱.

〔木狗子〕 mùgǒuzi 명 구식의 수갑. 쇠고랑.

〔木榾柮〕 mùgǔduò 명 (나무의) 그루터기.

〔木瓜〕 mùguā 명 ①모과. ②《植》 모과나무. ③《植》 마르멜로(포 marmelo). ④〈俗〉 파파야. ⑤돌대가리. 바보. ¶眼看着好机会错过了, 真是～; 뻔히 보고 좋은 기회를 놓쳐 버리다니, 정말 멍청하구나.

〔木瓜海棠〕 mùguā hǎitáng 명 《植》 명자나무의 한 변종《열매는 식용함》.

〔木桂〕 mùguì 명 ⇨〔肉ròu桂〕

〔木棍〕 mùgùn 명 나무 몽둥이. 곤봉. =〔梃tǐng〕

〔木行〕 mùháng 명 목재상.

〔木黑油〕 mùhēiyóu 명 ⇨〔木焦油〕

〔木斛〕 mùhú 명 ①⇨〔石shí斛〕 ②⇨〔厚hòu皮香〕

〔木花〕 mùhuā 명 대팻밥. =〔木丝sī〕

〔木货〕 mùhuò 명 (상품으로서의) 목재〔재목〕.

〔木机〕 mùjī 명 목제의 구식 기계.

〔木肌〕 mùjī 명 ⇨〔木理〕

〔木鸡〕 mùjī 명 나무로 새긴 닭《멍하니 있는 모양》. ¶呆若～; 나무로 만든 닭처럼 멍청하다.

〔木屐(子)〕 mùjī(zi) 명 나막신. 네모난 나무나 대토막에 끈을 단 신. =〔木履 lǚ〕

〔木架(儿)〕 mùjià(r) 명 ①나무로 된 얼개〔골조〕. ②나무를 짜서 높게 만든 대(臺).

〔木稼〕 mùjià 명 ⇨〔木冰〕

〔木简〕 mùjiǎn 명 목간《옛날, 종이 대용으로 글자를 쓰는 데 쓰인 나무쪽》. =〔简版①〕

〔木姜子〕 mùjiāngzi 명 ⇨〔山shān鸡椒①〕

〔木浆〕 mùjiāng 명 펄프. ¶化学～; 화학펄프/机械～; 기계 펄프/制丝～; 레이온 펄프.

〔木桨〕 mùjiǎng 명 나무로 만든 노〔오어(oar)〕.

〔木强〕 mùjiàng 형 ①강직하고 씩씩하다. ②콧대가 세다. 고집이 세고 융통성이 없다. ¶～人; 융통성이 없는 사람/～不灵; 비뚤어지고 융통성이 없다. ③순진하고 느리며 말이 적다.

〔木匠〕 mùjiang 명 목수. ¶小～; 소목장이/大～; 건축 목수. 대목/～枉枷; 자승자박(自縄自縛). 자업자득/～多了盖歪了房; 〈諺〉 목수가 많으면 집을 비뚤게 짓는다. =〔木作②〕

〔木焦油〕 mùjiāoyóu 명 《化》 목타르. 나무타르《연료 및 도료로 쓰임》. =〔木黑油〕〔木溚〕→〔焦油〕

〔木阶〕 mùjiē 명 사다리의 별칭.

〔木介〕 mùjiè 명 ⇨〔木冰〕

〔木槿〕 mùjǐn 명 《植》 무궁화나무. 무궁화. ¶～花; 무궁화꽃. =〔朝生〕〔日及①〕

〔木精〕 mùjīng 명 《化》 메틸알코올.

〔木居士〕 mùjūshì 명 신불(神佛)의 목상(木像). 목제(木製) 인형.

〔木橛子〕 mùjuézi 명 나무 말뚝.

〔木菌〕 **mùjùn** 명 ⇨〔木耳〕
〔木糠〕 **mùkāng** 명 ⇨〔木屑〕
〔木炕〕 **mùkàng** 명 판자로 만든 온돌.
〔木刻版〕 **mùkèbǎn** 명 목각판.
〔木刻(画)〕 **mùkè(huà)** 명 《美》 목판화. 목각화. ¶木刻水印 =〔木版水印〕〔水印木刻〕〔〈文〉 饾dòu版〕; 중국의 전통적인 목판화 인쇄. =〔木版画〕
〔木客〕 **mùkè** 명 ①나무꾼. ②목재 상인. ③산에 사는 일종의 요괴(妖怪).
〔木块〕 **mùkuài** 명 나무 조각〔토막〕.
〔木蜡〕 **mùlà** 명 목랍. ¶～树 =〔乌桕〕; 《植》 오구목.
〔木兰〕 **mùlán** 명 《植》 ①목련. =〔杜兰〕〔玉兰〕〔望春花〕〔迎春花〕〔应春花〕 ②목련꽃. ③백목련. ④(Mùlán) 《人》 옛날, 남장하고 아버지 대신 종군(從軍)했다는 효녀의 이름. ⑤(Mùlán) 《地》 헤이룽장 성(黑龍江省)에 있는 현 이름.
〔木栏〕 **mùlán** 명 나무 우리.
〔木蓝〕 **mùlán** 명 《植》 목람. 쪽(남색 물감을 채취함).
〔木耢子〕 **mùlàozi** 명 《農》 써래.
〔木理〕 **mùlǐ** 명 나뭇결. =〔木肌〕〔木纹〕
〔木立〕 **mùlì** 동 〈文〉 우뚝 서다. 막대 모양으로 곧추 서다. ¶～若偶; 목석처럼 우뚝 서다.
〔木莲〕 **mùlián** 명 ①《植》 목련(목련과의 교목). ②《植》 부용. =〔芙fú蓉〕 ③왕모람. 줄사철나무. =〔薜bì荔〕
〔木料〕 **mùliào** 명 재목. 목재. ¶～行; 재목상.
〔木棂〕 **mùlíng** 명 창(窓)살.
〔木馏油(酚)〕 **mùliúyóu(fēn)** 명 《藥》 크레오소트. ¶木馏油丸wán; 크레오소트환(丸). =〔木油〕〔几jī阿素〕〔煤méi焦油精〕〔杂zá酚油〕〔蒸zhēng木油〕
〔木鹨〕 **mùliù** 명 《鳥》 홍뚱새.
〔木笼子〕 **mùlóngzi** 명 우리.
〔木驴〕 **mùlǘ** 명 ①옛날에, 성을 공격할 때에 쓴 말 모양의 도구(다리가 여섯 있고, 겉은 쇠가죽으로 덮고 안에 여섯 사람이 들어가게 되어 있음). ②옛날, 바람을 피운 아내를 벌하는 데 쓴 형구.
〔木履〕 **mùlǚ** 명 ⇨〔木屐(子)〕
〔木栾树〕 **mùluánshù** 명 《植》 모감주나무. =〔栾树〕
〔木螺〕 **mùluó** 명 《蟲》 도롱이벌레.
〔木螺钉〕 **mùluódīng** 명 ⇨〔木螺丝〕
〔木螺丝〕 **mùluósi** 명 나무 나사. =〔木螺钉〕
〔木螺丝钻〕 **mùluósizuàn** 명 《機》 목질(木質) 재료에 구멍을 뚫는 나사 송곳. =〔木螺锥〕
〔木螺锥〕 **mùluózhuī** 명 ⇨〔木螺丝钻〕
〔木麻黄〕 **mùmáhuáng** 명 《植》 상록 위성류(渭城柳).
〔木马〕 **mùmǎ** 명 ①《體》 안마(鞍馬). ②(어린이용의) 목마. 목제(木製)의 말. ¶～计; 적의 내부를 교란시키는 책략('特洛伊木马'(트로이 목마)의 전설에서).
〔木猫〕 **mùmāo** 명 나무고양이(전에, 농가 등에서 쥐를 겁주기 위해 쥐가 드나드는 장소에 놓아 둔 나무로 만든 고양이).
〔木煤〕 **mùméi** 명 ⇨〔褐hè煤〕
〔木棉〕 **mùmián** 명 ①케이폭(kapok). 목면. ¶～蜡; 케이폭 왁스 / ～子油; 케이폭 오일. =〔红棉〕 ②솜.
〔木磨〕 **mùmò** 명 나무 절구.
〔木默〕 **mùmò** 명 ⇨〔木乃伊〕
〔木模〕 **mùmú** 명 목형(木型)(주조용). =〔木样〕
〔木乃伊〕 **mùnǎiyī** 명 〈音〉 미라. =〔木默〕〔干尸〕
〔木讷〕 **mùnè** 형 〈文〉 목눌하다. 소박하고 말주변이 없다. ¶～寡言; 목눌하고 말이 없다.
〔木碾子〕 **mùniǎnzi** 명 《農》 밭이랑을 고르는 목제 농구.
〔木牛〕 **mùniú** 명 ①〈文〉 일륜차. ②《農》 나무로 만든 밭 가는 기계의 별칭. ③〈文〉 공성용(攻城用)의 나무 병기.
〔木牛流马〕 **mùniú liúmǎ** 《史》 제갈 공명이 발명했다는 우마를 본떠 만든 군량 운반 수레.
〔木偶〕 **mù'ǒu** 명 ①(나무) 인형. 망석중이. ¶杖头～; 막대 인형 / 提线～; 꼭두각시 / 指头～; 손가락을 넣어 조종하는 작은 인형 / …都苦得他像一个～人了; …등이 그를 괴롭혀 허수아비를 만들어 버렸다 / ～片(儿); 인형극 영화 / ～奇遇记; 《書》 피노키오. ②〈罵〉 멍청이. 등신. 머저리.
〔木偶戏〕 **mù'ǒuxì** 명 《劇》 인형극. ①손가락〔指〕 인형극. 각지의 거리에서 연출되는 '扁担戏', 베이징의 '耍苟利子', 푸젠(福建)의 '布袋戏', 난창(南昌)의 '被窝戏' 등이 있음. =〔布袋木偶戏〕〔手托傀儡戏〕 ②줄〔絲〕 인형극. 마리오네트(marionette). =〔提线木偶戏〕〔悬丝傀儡戏〕 ③막대 인형극. 베이징의 '托偶戏', 쓰촨(四川)의 '木脑壳戏', 광둥(廣東)의 '托戏' 등이 있음. =〔杖头木偶戏〕〔杖头傀儡戏〕 ‖ =〔木人戏〕〔傀儡戏〕〔偶戏〕〔牵丝戏〕
〔木耙〕 **mùpá** 명 《農》 나무 갈퀴. 써레.
〔木排〕 **mùpái** 명 뗏목. ¶这些木材将扎成长约一百公尺的～, 用船拖到北海; 이들 목재는 길이 약 100미터의 뗏목으로 엮어서, 배로 북해까지 끌고 간다. =〔木筏(子)〕〔木牌①〕〔木簰〕
〔木牌〕 **mùpái** 명 ①⇨〔木排〕 ②⇨〔木牌(子)〕
〔木牌(子)〕 **mùpái(zi)** 명 나무패. 목찰(木札). =〔木牌②〕
〔木簰〕 **mùpái** 명 ⇨〔木排〕
〔木盘〕 **mùpán** 명 나무 접시〔쟁반〕.
〔木盆〕 **mùpén** 명 함지박. 「무).
〔木片〕 **mùpiàn** 명 무늬목(종이처럼 얇게 깎은 나
〔木器〕 **mùqì** 명 목기. 목제 가구. ¶～厂; 가구 제작소.
〔木枪〕 **mùqiāng** 명 목총.
〔木锹〕 **mùqiāo** 명 《農》 나무 가래.
〔木琴〕 **mùqín** 명 《樂》 목금. 실로폰.
〔木球〕 **mùqiú** 명 《體》 크리켓.
〔木然〕 **mùrán** 형 멍청하니 움직이지 않는 모양. 우두커니 있는 모양. ¶～呆立; 멍하니 서 있다 / 他总离不开那种～而又顽固的表情; 그는 늘 저렇게 무표정하고 완고한 표정을 하고 있다.
〔木人(儿)〕 **mùrén(r)** 명 〈轉〉 융통성이 없는 사람. 어리석은 사람. ¶～石心; 〈比〉 유혹에 빠지지 않는 마음이 굳은 사람.
〔木人戏〕 **mùrénxì** 명 ⇨〔木偶戏〕
〔木塞〕 **mùsāi** 명 코르크 마개. =〔软ruǎn木塞〕
〔木塞槠〕 **mùsāizhū** 명 《植》 코르크 나무. =〔木栓槠〕
〔木纱〕 **mùshā** 명 무명실.
〔木勺〕 **mùsháo** 명 나무 국자.
〔木生儿〕 **mùshengr** 명 ⇨〔暮生儿〕
〔木虱〕 **mùshī** 명 《蟲》 빈대.
〔木石〕 **mùshí** 명 ①나무와 돌. ②〈比〉 목석 같은 사람. 무감각한 사람. 매우 냉담한 사람. ¶人非～谁能无情? 사람이 목석이 아닌 이상 누가 무감정할 수 있는가?
〔木薯〕 **mùshǔ** 명 《植》 카사바(cassava). 또는,

그 괴근(塊根).
〔木薯淀粉〕 mùshǔ diànfěn 명 타피오카(tapioca).
〔木梳〕 mùshu 명 나무로 만든 얼레빗. =〔梳子〕
〔木栓〕 mùshuān 명 코르크 마개. ¶～槠; 코르크나무/～层; 《植》 목질층.
〔木丝〕 mùsī 명 대팻밥.
〔木斯〕 mùsī 명 〈音〉 무스(프 mousse)《거품을 일게 한 크림 과자》.
〔木素〕 mùsù 명 《植》 리그닌(lignin). =〔木质(素)〕
〔木素粉〕 mùsùfěn 명 ⇨〔木屑xiè〕
〔木粟〕 mùsù 명 《植》 '偶mù蓿'(거여목)의 고칭(古稱).
〔木燧〕 mùsuì 명 (옛날, 불을 일으키는 데 쓰였던) 나무 막대.
〔木溚〕 mùtǎ 명 ⇨〔木焦油〕
〔木炭〕 mùtàn 명 목탄. 숯. ¶～窑yáo; 숯가마/～汽车; 목탄 자동차. =〔炭①〕
〔木炭画〕 mùtànhuà 명 《美》 목탄화.
〔木糖〕 mùtáng 명 ⇨〔木质醛醣〕
〔木桃〕 mùtáo 명 《植》 ①큰 복숭아. 목도. ②⇨〔楂zhā〕
〔木天〕 mùtiān 명 ①⇨〔天棚②〕 ②옛날의 '翰hàn林院'의 별칭.
〔木天蓼〕 mùtiānliǎo 명 《植》 개다래나무.
〔木梃〕 mùtǐng 명 나무 지렛대.
〔木通〕 mùtōng 명 《植》 으름덩굴.
〔木桶〕 mùtǒng 명 ①나무통. ②(유아용의) 보행 연습기.
〔木头〕 mùtou 명 ①〈口〉 나무. 재목. ¶做～; 나무를 베다/用～做; 나무로 만들다/～架子; 나무틀. ②나뭇조각.
〔木头木脑〕 mù tóu mù nǎo 〈成〉 무표정하게 멍청히 있는 모양.
〔木头(人儿)〕 mùtou(rénr) 명 〈比〉 어리보기. 우둔한 사람. ¶他是个～, 眼里一点活儿都没有, 你不支使他不动; 그는 멍청이라 도무지 눈치가 없으니까 네가 지시하지 않으면 움직이지 않을 거다.
〔木拖鞋〕 mùtuōxié 명 목제(木製) 샌들.
〔木挽子〕 mùwǎnzi 명 《植》 무환자나무.
〔木碗儿〕 mùwǎnr 명 (어린아이의) 나무 공기. ¶小孩子们使的～; 어린아이가 쓰는 나무 공기.
〔木威子〕 mùwēizǐ 명 ⇨〔乌wū榄〕
〔木纹〕 mùwén 명 ⇨〔木理〕
〔木屋〕 mùwū 명 통나무집. 목조 오두막.
〔木樨〕 mùxi 명 ①《植》 물푸레나무. =〔〈俗〉 桂花〕〔桂guì③〕〔岩桂〕 ②물푸레나무의 꽃. ¶～枣; 대추를 달게 쪄서 물푸레나무 향기를 가미한 안주. =〔木犀〕 ③요리에 쓰인 달걀을 가리키는 말. ¶～饭; 달걀을 풀어 볶은 밥/～汤; 달걀이 들어 있는 국/～肉; 달걀과 목이버섯·원추리·고기를 함께 볶은 요리.
〔木纤维素〕 mùxiānwéisù 명 《化》 목재 셀룰로오스(cellulose)《섬유소》.
〔木锨〕 mùxiān 명 나무삽.
〔木香〕 mùxiāng 명 《植》 목향. =〔蜜mì香②〕
〔木香花〕 mùxiānghuā 명 《植》 목향화. =〔锦jǐn棚儿〕
〔木屑〕 mùxiè 명 톱밥. =〔木糠〕〔木素粉〕〔锯末〕
〔木屑板〕 mùxièbǎn 명 《化》 텍스(tex)《건축 재료》.
〔木屑竹头〕 mù xiè zhú tóu 〈成〉 ⇨〔竹头木屑〕
〔木星〕 mùxīng 명 《天》 목성. =〔福fú星②〕
〔木腥〕 mùxīng 명 풋내.
〔木样〕 mùyàng 명 ⇨〔木模〕
〔木叶蝶〕 mùyèdié 명 《蟲》 가랑잎나비.
〔木叶鲽〕 mùyèdié 명 《魚》 도다리.
〔木叶石〕 mùyèshí 명 《鑛》 목엽석.
〔木已成舟〕 mù yǐ chéng zhōu 〈成〉 나무는 이미 배로 만들어졌다《만회할 수 없음. 행차 후의 나팔》.
〔木俑〕 mùyǒng 명 목용. 나무 인형. 목우(木偶).
〔木油〕 mùyóu 명 《藥》 크레오소트(creosote). ¶～树; 《植》 오구목.
〔木鱼〕 mùyú 명 ①《佛》 목어. 중의 목탁. ¶～改梆子; 〈歇〉 어차피 두들겨 맞을 신세《둘러치나 메어치나 일반. 뒤에 '挨打的命'이 이어지기도 함》. =〔鱼鼓②〕 ②가다랭이를 쪼개 발리어 쪄서 말린 포.
〔木葬〕 mùzàng 명 관에 넣어서 매장함《입관 매장법의 하나》.
〔木贼〕 mùzéi 명 《植》 속새.
〔木札〕 mùzhá 명 목찰. 나무패. 목패(木牌).
〔木纸〕 mùzhǐ 명 나무로 만든 종이.
〔木制棉〕 mùzhìmián 명 《紡》 레이온 스테이플.
〔木制纱〕 mùzhìshā 명 《紡》 인조 무명실.
〔木质部〕 mùzhìbù 명 《植》 목질부.
〔木质醛醣〕 mùzhì quántáng 명 《化》 크실로오스(xylose)《목재나 짚을 분해하여 얻어지는 일종의 당류(糖類)》. =〔木糖〕
〔木质(素)〕 mùzhì(sù) 명 ⇨〔木素〕
〔木钟〕 mùzhōng 명 나무로 만든 종. →〔撞zhuàng木钟〕
〔木主〕 mùzhǔ 명 위패(位牌). 신주.
〔木桩〕 mùzhuāng 명 나무 말뚝.
〔木字旁〕 mùzìpáng 명 나무목변《한자 부수의 하나. '东·梅' 등의 '木'의 이름》.
〔木作〕 mùzuō 명 ①나무 제품을 파는 작은 가게. 소목장이의 목공소. ②⇨〔木匠〕

沐 mù (목)
①동 (머리를) 감다. 씻다. ¶～发; 머리를 감다/～浴; ⇩/栉风～雨; 〈成〉 즐풍목우《쉴새없이 갖은 고생을 하는 모양》. ②동 〈轉〉 (휴일에) 쉬다. ¶～日; 휴일. ③동 〈文〉 입다. 받다. ¶～恩; 은혜를 입다. ④명 성(姓)의 하나.
〔沐恩〕 mù'ēn 동 〈文〉 은혜를 입다. 명 저《옛날, 무관(武官)이 장관(長官)에 대하여 쓴 자칭》.
〔沐汗〕 mùhàn 동 〈文〉 땀이 비 오듯 흐르다.
〔沐猴〕 mùhóu 명 《動》 〈文〉 원숭이.
〔沐猴而冠〕 mù hóu ér guàn 〈成〉 원숭이가 관을 쓰고 사람 흉내를 내다《쓸데없이 남의 흉내를 냄. 외관만 훌륭하고 내용은 전혀 그렇지 않은 것을 말함》.
〔沐手〕 mùshǒu 동 손을 씻다. ¶～拜读; (받은 편지를) 공손히 읽다.
〔沐洗〕 mùxǐ 동 ⇨〔沐浴①〕
〔沐雨栉风〕 mù yǔ zhì fēng 〈成〉 비바람을 무릅쓰고 갖은 고생을 하다. 모든 고초를 겪다.
〔沐浴〕 mùyù 동 ①목욕하다. =〔沐洗〕 ②혜택〔이익〕을 보다. 은혜를 입다. ¶每朵花、每棵树、每根草都～在阳光里; 꽃·수목·풀 모두가 태양의 빛 속에서 싱그러움을 발하고 있다. ③〈比〉 (어떤 환경 속에) 푹 빠지다. ¶他们～在青春的欢乐里; 그들은 청춘의 기쁨에 푹 젖어 있다.

霂 mù (목)
→〔霡mài霂〕

仫 mù (목)

→〔仫佬〕

〔仫佬〕 Mùlǎo 명 《民》 무라오 족(仫佬族)《중국 소수 민족의 하나》.

目 mù (목)

①명 눈. ¶闭~; 눈을 감다 / 有~共睹; 〈成〉 모두가 보고 있다. 많은 눈이 주시하고 있다 / 避人眼~; 남의 눈을 피하다. ②동 보다. 간주하다. ¶~为奇迹; 기적으로 간주하다. ③동 주시하다. 지켜 보다. 눈으로 좇다. ¶返首~之; 뒤돌아서 가는 것을 지켜 보다. ④동 눈짓하다. ¶~语; ⇓ ⑤명 대항목(大項目) 중의 재분(再分)된 소분류(小分類). ¶大纲细~; 대강과 세목 / 项~; 항목. ⑥명 생물학 분류상의 한 계급《'纲'의 아래, '科'의 위에 해당함》. ⑦명 목록. 목차. 종목(種目). ¶剧~; 프로그램 / 书~; 도서목록 / ~次 =〔~录〕; 목차 / 节~; 프로그램. ⑧명 금액. ¶价~; 가격 / 账~; 장부끝. ⑨명 성(姓)의 하나.

〔目标〕 mùbiāo 명 ①목표. 목적. 안표. ¶达dá到~; 목표를 달성하다 / 奋斗~; 분투해야 할 목표. ②표적. 목적물.

〔目波〕 mùbō 명 〈文〉 맑고 깨끗한 눈길.

〔目不见睫〕 mù bù jiàn jié 〈成〉 자신의 눈썹은 보이지 않는다《자기 자신의 일은 모르는 법이다. 등잔 밑이 어둡다》.

〔目不交睫〕 mù bù jiāo jié 〈成〉 잠을 한잠도 자지 않다.

〔目不窥园〕 mù bù kuī yuán 〈成〉 한눈 하나 팔지 않고 공부에 힘쓰다《한(漢)나라의 동중서(董仲舒)는 3년간 자기 집 뜰의 경치도 보지 않고 면학하였다 함》.

〔目不忍睹〕 mù bù rěn dǔ 〈成〉 목불인견(目不忍見). 차마 볼 수 없다.

〔目不识丁〕 mù bù shí dīng 〈成〉 낫 놓고 'ㄱ'자도 모른다. =〔不识一丁〕〔瞎字不识〕

〔目不暇给〕 mù bù xiá jǐ 〈成〉 ⇨〔目不暇接〕

〔目不暇接〕 mù bù xiá jiē 〈成〉 많아서 다 볼 수 없다. 접대하기에 틈이 없다. ¶展览会上展出的新产品丰富多采, 令人~; 전람회에 출품되어 있는 신제품은 풍부하고 다채로워 이루 다 볼 수 없다 / 好象进入万花丛中, ~; 꽃밭에 뛰어든 것처럼, 눈을 두리번거릴 뿐이다. =〔目不暇及〕〔目不暇给jǐ〕

〔目不邪视〕 mù bù xié shì 〈成〉 곁눈을 팔지 않다. 한눈 팔지 않다.

〔目不转睛〕 mù bù zhuǎn jīng 〈成〉 눈동자를 움직이지 않다. 지그시 응시하다. 주시하다.

〔目测〕 mùcè 명동 ①목측(하다). ②시력(視力) 검사(를 하다).

〔目成〕 mùchéng 동 ⇨〔目为〕

〔目次〕 mùcì 명 목차. =〔目录③〕

〔目瞪口呆〕 mù dèng kǒu dāi 〈成〉 (놀라거나 어이가 없어) 눈을 크게 뜨고 입을 딱 벌리다. ¶吓得~, 不知道怎么着好; 놀라서 눈을 크게 뜨고 입을 딱 벌린채 어찌해야 할지 모르다.

〔目瞪口哑〕 mù dèng kǒu yǎ 〈成〉 (흥분한 나머지) 눈을 크게 뜨고 아무 말도 못하다.

〔目瞪脑昏〕 mù dèng nǎo hūn 〈成〉 눈이 휘둥그래지고 기절할 정도로 놀라다.

〔目的〕 mùdì 명 목적. ¶~地; 목적지 / 达dá到~; 목적을 달성하다.

〔目睹〕 mùdǔ 동 목격하다. ¶耳闻~; 〈成〉 직접 보고 듣다 / 这是我~眼见的事; 이것은 내가 이 눈으로 직접 본 일이다. =〔目击〕

〔目耕〕 mùgēng 동 〈文〉 면학에 힘쓰다.

〔目瞽耳聩〕 mù gǔ ěr kuì 〈成〉 눈이 멀고 귀도 들리지 않다.

〔目光〕 mùguāng 명 ①눈빛. 눈길. ¶~无神; 눈에 정기가 없다 / ~炯jiǒng炯; 〈成〉 안광이 형형하여 기력이 넘치는 모양 / 用好意的~看; 호의적인 눈빛으로 보다. ②견식. ¶~远大; 선견지명이 있다 / ~如豆; 〈成〉 견식이 얕다 / ~如炬; 〈成〉 견식이 넓다 / ~如鼠; 앞을 내다보지 못하다.

〔目昏〕 mùhūn 동 ①눈앞이 캄캄해지다. ②〈轉〉 이해하지 못하다. 모르다. ¶~不明; 이해하지 못하다. 모르다.

〔目击〕 mùjī 동 ⇨〔目睹〕

〔目击心伤〕 mù jī xīn shāng 〈成〉 비참한 모습을 목격하고 상심하다.

〔目疾〕 mùjí 명 《醫》 안질.

〔目见〕 mùjiàn 동 자기 눈으로 직접 보다. ¶耳闻不如~; 〈諺〉 백문이 불여일견.

〔目睫〕 mùjié 명 ①눈과 눈썹. ②〈轉〉 매우 가까움의 표현.

〔目今〕 mùjīn 명 지금. 현재. →〔目下〕

〔目禁〕 mùjìn 동 눈짓으로 남의 언동을 제지하다.

〔目镜〕 mùjìng 명 《物》 접안(接眼) 렌즈. =〔接目镜〕

〔目空一切〕 mù kōng yī qiè 〈成〉 아무것도 안중에 없다. 안하무인이다. ¶那个人架子大极了, 真是~谁也瞧不起; 저 사람은 아주 거만해서, 정말 안하무인이라 누구나 모두 바보로 보인다. =〔目空一世〕〔眼yǎn空四海〕

〔目力〕 mùlì 명 ①시력. ¶~表; 시력표. ②안력(眼力). 사물을 분별하는 힘.

〔目莲戏〕 mùliánxì 명 《劇》 중국 전통극에서, 목련(目蓮)이라는 신심이 두터운 사람이 지옥에 떨어져 있는 어머니를 부처에게 매달려서 구해 낸다는 줄거리의 연극. =〔目莲救母〕

〔目录〕 mùlù 명 ①목록. ¶图tú样~; 도록(圖錄). 카탈로그. ②('相xiàng声(儿)' 따위의) 제목. ③목차. =〔目次〕

〔目论〕 mùlùn 명 얕고 좁은 견해.

〔目迷五色〕 mù mí wǔ sè 〈成〉 빛깔이 잡다해서 분간할 수 없다. (사물이) 뒤섞여 확실하게 구별할 수 없다. ¶~, 无所适从; 마음이 어지러워 어떻게 해야 좋을지 모르겠다.

〔目逆〕 mùnì 동 〈文〉 눈으로 맞이하다.

〔目前〕 mùqián 명 목하. 현재. ¶到~为止; 현재까지. 지금까지.

〔目仁〕 mùrén 명 〈文〉 눈동자. =〔〈文〉 眸móu子〕〔〈口〉 瞳tóng人(儿)〕

〔目濡耳染〕 mù rú ěr rǎn 〈成〉 많이 보고 들어 자연히 깨치는 일. 서당 개 삼 년에 풍월한다.

〔目使颐令〕 mù shǐ yí lìng 〈成〉 눈짓이나 턱끝으로 사람을 부리다. =〔目指气使〕

〔目屎〕 mùshǐ 명 ⇨〔眼yǎn眵〕

〔目送〕 mùsòng 동 목송하다. 주시하여 전송하다. 눈으로 뒤쫓다.

〔目送手挥〕 mù sòng shǒu huī 〈成〉 ①눈으로 배웅하면서 악기를 타다. ②문장의 글귀가 서로 관련 있게 잘 대응하다. 사물의 이행 방법이 앞뒤가 잘 맞도록 되어 있다.

〔目所未经〕 mù suǒ wèi jīng 〈成〉 아직 본 적이 없다. ¶~的事情; 아직 본 일이 없는 일〔사건〕.

〔目挑心招〕 mù tiǎo xīn zhāo 〈成〉 이성에게 눈짓으로 정을 전하다. 추파를 보내다.
〔目为〕 mùwéi 동 간주하다. 보다. ¶被～坏人; 악인으로 간주되다/～奇迹; 기적으로 보고 있다/他把我～荒唐鬼儿; 그는 나를 엉터리 같은 인간으로 보고 있다. =〔目成〕
〔目无法纪〕 mù wú fǎ jì 〈成〉 규율이나 법률 등이 안중에 없다.
〔目无全牛〕 mù wú quán niú 〈成〉 기술이 숙련의 경지에 이르다(소 백정은 소의 전체의 모습을 보지 않아도 그 근육이나 살집을 잘 안다는 뜻에서).
〔目无余子〕 mù wú yú zǐ 〈成〉 ⇨〔目中无人〕
〔目无尊长〕 mù wú zūn zhǎng 〈成〉 손윗사람도 안중에 없다〔몰라보다〕.
〔目下〕 mùxià 명 목하. 지금. =〔刻kè下〕 →〔目今〕
〔目笑〕 mùxiào 동 〈文〉 눈웃음짓다.
〔目眩〕 mùxuàn 형 눈이 부시다. 눈이 어지럽다. ¶灯光强烈, 令人～; 등불이 강렬해서 눈이 어지럽다.
〔目语〕 mùyǔ 동 눈으로 말하다〔뜻을 전하다〕. 눈짓하다.
〔目指气使〕 mù zhǐ qì shǐ 〈成〉 ⇨〔目使颐令〕
〔目中无人〕 mù zhōng wú rén 〈成〉 안하무인이다. 거만하여 남을 얕보다. =〔目无余子〕〔目无下尘〕
〔目眦尽裂〕 mù zì jìn liè 〈成〉 얼굴에 노기를 띠며 격노하는 모양. 눈을 부릅뜨고 화내는 모양.

苜 mù (목)
→〔苜蓿〕
〔苜蓿〕 mùxu 명 《植》 거여목. 개자리. =〔紫苜蓿〕〔光风草〕〔连枝草〕〔〈文〉 木粟〕

钼(鉬) mù (목)
명 《化》 몰리브덴(Mo: 독 Molybdän).
〔钼钢〕 mùgāng 명 《化》 몰리브덴강.
〔钼磷酸〕 mùlínsuān 명 《化》 인(燐)몰리브덴산(酸).

睦 mù (목)
① 형 친목하다. ② 형 화목하다. ¶和～; 화목하다/婆媳不～; 고부 사이가 화목하지 않다. ③ 명 성(姓)의 하나.
〔睦邦〕 mùbāng 명 우호국(友好國). ¶～友好; 선린 우호.
〔睦剧〕 mùjù 명 《劇》 지방극의 이름(구칭 '三sān脚戏'. 저장 성(浙江省) 및 안후이 성(安徽省) 일대에서 유행하고 있음. 익살스러운 상연물이 많음).
〔睦邻〕 mùlín 명 선린(善隣). ¶建立～友好关系; 선린 우호 관계를 수립하다.
〔睦谊〕 mùyì 명 친목(국교 관계에서).

牟 mù (모)
지명용 자(字). ¶～平Mùpíng; 무핑(牟平)(산둥 성(山東省)에 있는 현(縣) 이름). ⇒ móu

牧 mù (목)
① 명 목축하는 사람. ② 명 교외(郊外). ③ 동 가축을 방목하다. ¶～马; 말을 방목하다/～业; 목축업. ④ 동 (백성을) 다스리다. ⑤ →〔牧皮〕
〔牧草〕 mùcǎo 명 목초.
〔牧厂〕 mùchǎng 명 ①(목장의) 축사. ②몽골인의 부락.
〔牧场〕 mùchǎng 명 목장.
〔牧笛〕 mùdí 명 목적. 목동이 부는 피리.
〔牧地〕 mùdì 명 방목장.
〔牧放〕 mùfàng 명동 방목(하다).
〔牧夫〕 mùfū 명 ①목부. 목장의 종업원. ②옛날의 지방관.
〔牧歌〕 mùgē 명 목가(①소몰이 노래·말몰이 노래 따위. ②농촌·산촌의 정취).
〔牧工〕 mùgōng 명 (어른) 목동.
〔牧民〕 mùmín 명 〈文〉 목축민. ¶～官; 목민관. 지방관. 동 백성을 다스리다.
〔牧奴〕 mùnú 명 〈文〉 목장의 노예.
〔牧皮〕 Mùpí 명 복성(複姓)의 하나.
〔牧区〕 mùqū 명 ①방목하는 장소. ②목축 지역.
〔牧人〕 mùrén 명 목자(牧者).
〔牧师〕 mùshī 명 옛날, 방목장을 관리하던 관리.
〔牧师〕 mùshi 명 《宗》 목사.
〔牧童(儿)〕 mùtóng(r) 명 〈文〉 목동.
〔牧畜〕 mùxù 명동 목축(하다).
〔牧养〕 mùyǎng 동 목양하다. 방목하여 기르다. ¶～地; 방목지. =〔放fàng牧〕
〔牧主〕 mùzhǔ 명 목장주(牧場主).

募 mù (모)
동 널리 모으다. 모집하다. ¶～款捐 =〔～捐〕; 자금을 모으다/招～; (사람을) 모으다/～工; 노동자를 모집하다.
〔募兵〕 mùbīng 동 모병하다. 지원병을 모집하다. ¶～制; 모병제. 명 모집된 병사.
〔募册〕 mùcè 명 기부금 장부. 기부자 명단.
〔募工〕 mùgōng 동 노동자를 모집하다. ¶～承chéng揽人; (옛날) 노동자 모집 청부업자.
〔募股〕 mùgǔ 동 ⇨〔招zhāo股〕
〔募化〕 mùhuà 동 보시(布施)를 구하다.
〔募集〕 mùjí 동 모집하다.
〔募建〕 mùjiàn 동 기부금을 모아서 세우다.
〔募捐〕 mù.juān 동 기부금을 모으다. 모금하다. ¶他们向妇女联谊会的会员们～一些钱作经费; 그들은 부인 연합회의 회원들에게서 얼마간의 돈을 기부받아 경비로 하고 있다. =〔募款〕
〔募款〕 mù.kuǎn 동 ⇨〔募捐〕
〔募修〕 mùxiū 동 기부금을 모아서 수리하다.
〔募役〕 mùyì 동 옛날, 사람을 모집하여 부역에 종사시키다.
〔募缘〕 mùyuán 동 ⇨〔化huà缘〕
〔募债〕 mùzhài 동 공채를 모집하다.
〔募足〕 mùzú 동 모집이 끝나다. 모집을 완료하다.

墓 mù (묘)
명 묘. 무덤. ¶坟～; 분묘/陵～; 왕후(王侯)나 열사 등의 묘/公gōng～; 공동 묘지.
〔墓碑〕 mùbēi 명 묘비. =〔墓表〕〔阡qiān表〕
〔墓表〕 mùbiǎo 명 묘비.
〔墓道〕 mùdào 명 묘나 묘실 앞의 참배길.
〔墓地〕 mùdì 명 묘지.
〔墓祭〕 mùjì 명 묘제.
〔墓碣〕 mùjié 명 묘갈('墓碑'의 일종. 가첨석을 얹지 않고 윗부분이 둥그스름한 것을 갈(碣)이라 하고, 네모진 직사각형의 것을 비(碑)라 함).
〔墓库运〕 mùkùyùn 명 모든 일이 뜻대로 되지 않는 운세.
〔墓庐〕 mùlú 명 ⇨〔庵ān舍〕
〔墓木〕 mùmù 명 〈文〉 묘목. 묘지에 심은 나무.
〔墓生孩〕 mùshenghái 명 유복자. =〔墓生儿〕

〔墓生儿〕 mùshengr 명 ⇨〔墓生孩〕
〔墓室〕 mùshì 명 묘실.
〔墓所〕 mùsuǒ 명 묘소.
〔墓穴〕 mùxué 명 묘혈. 무덤 구덩이.
〔墓葬〕 mùzàng 명 (고고학상의) 분묘.
〔墓志〕 mùzhì 명 묘지. 묘비의 비문.
〔墓志铭〕 mùzhìmíng 명 묘지명.

幕 **mù** (막)
①명 막. ¶帐～ =〔帐篷〕; 천막. ②명 관문서(官文書)를 관장하는 사람. ③명 옛날, 장수가 정무(政務)를 보던 곳. 전쟁 때의 본영(本營). ④명 비밀. 내막. ¶黑～; 흑막. 내막. ⑤명 영화의 은막. ¶影～ =〔银 ～〕; 은막. 스크린 / ～上出现了我们的英雄; 스크린에 우리의 영웅이 나타났다 / 开～; 개막하다 / 闭～; 폐막하다. ⑥양 ㉠극의 1막. ¶独～剧; 단막극 / 三～九场; 3막 9장. ㉡정경(情景)에 쓰임. ¶一～动人的景象; 감동적 한 장면.
〔幕宾〕 mùbīn 명 ①⇨〔幕友〕 ②⇨〔幕僚〕
〔幕布〕 mùbù 명 (무대의) 막. ¶拉开～; 막을 열다.
〔幕府〕 mùfǔ 명 ①옛날에, 전시의 본부. 군사령부. ②⇨〔幕僚〕
〔幕后〕 mùhòu 명 막후. 무대 뒤. ¶～人 =〔～主持者〕; 막후 인물 / ～策动; 막후에서 책동하다.
〔幕后活动〕 mùhòu huódòng 명 막후 활동. ¶他的～特别活跃, 企图作两国之间的桥梁; 그의 막후 활동은 특히 활발하여, 양국간의 교량 역할을 하려 하고 있다.
〔幕间〕 mùjiān 명 (연극의) 막간.
〔幕客〕 mùkè 명 ⇨〔幕友〕
〔幕僚〕 mùliáo 명 막료. 장군을 보좌하는 참모관. =〔幕宾②〕〔幕府②〕
〔幕启〕 mùqǐ 명 개막. 동 막을 올리다.
〔幕天席地〕 mù tiān xí dì 〈成〉 하늘을 지붕삼고 땅을 거적으로 하다《마음이 매우 넓음. 또, 광야의 생활에서 고생을 두려워하지 않는 심정》.
〔幕帏〕 mùwéi 명 막. 커튼.
〔幕燕〕 mùyàn 명 막 위에 집을 만들고 있는 제비《있는 장소가 매우 위험함》
〔幕友〕 mùyǒu 명 명청(明淸) 시대, 군(軍)·관서(官署)의 고급 관리가 사적으로 고용하던 학식 있는 사람. ¶绍兴～; 사오싱(紹興) 출신의 막료. =〔师爷〕〔幕宾①〕〔幕客〕
〔幕职〕 mùzhí 명 '幕僚' 또는 '幕友'의 지위.

慕 **mù** (모)
①동 사모하다. ¶思～; 사모하다 / 仰～; 앙모하다. ②동 부러워하다. ¶景 ～; 경모(敬慕)하다 / ～名; 명성을 쫓다 / 羡～; 부러워하다. ③명 성(姓)의 하나.
〔慕爱〕 mù'ài 동 그리어 사랑하다. 애모하다.
〔慕光〕 mùguāng 명《蟲》 나방. =〔飞fēi蛾〕
〔慕光性〕 mùguāngxìng 명《生》 추광성(趨光性).
〔慕蔺〕 mùlìn 동 남을 경모하다《한(漢)의 사마상여(司馬相如)가 인상여(藺相如)를 경모하여 이름까지 바꿨다는 고사에서 유래》.
〔慕名〕 mùmíng 동 ①아름다운 이름〔명성〕을 흠모하다. ¶～来拜; 명성을 흠모하여 찾아와 면회하다〔뵙다〕. ②명예를 좋아하다.
〔慕尼黑〕 Mùníhēi 명《地》〈音〉 뮌헨(München)《독일의 도시 중 하나》. =〔占门〕
〔慕容〕 Mùróng 명 복성(複姓)의 하나.
〔慕势〕 mùshì 동 세력가를 따르다. 세력에 아부하다.
〔慕效〕 mùxiào 동 〈文〉 선망〔흠모〕하여 모방하다.
〔慕义〕 mùyì 동 정도(正道)를 좇다.

暮 **mù** (모)
①명 저녁때. 땅거미. ¶朝～; 조석. ②동 날이 저물다. ¶旦～; 단석(旦夕) / 日～途穷; 일모도궁. 해가 지고 갈 길은 막혀 버리다《이러지도 저러지도 못하다》. ③형 늦다. 끝이 가깝다. ¶～年; 만년(晚年) / ～秋; 만추(晚秋).
〔暮霭〕 mù'ǎi 명 저녁 안개. ¶～沉沉; 저녁 안개가 짙게 끼다.
〔暮齿〕 mùchǐ 명 ⇨〔暮年〕
〔暮春〕 mùchūn 명 모춘. 만춘.
〔暮冬〕 mùdōng 명 모동. 늦은 겨울.
〔暮改〕 mùgǎi 〈成〉 ⇨〔朝zhāo令暮改〕
〔暮鼓晨钟〕 mù gǔ chén zhōng 〈成〉 ①절에서 저녁에 치는 북 소리와 아침에 울리는 종 소리. ②경성(警醒)의 말. ③승니(僧尼)가 쓸쓸하게 생활하는 모양. ‖ =〔晨钟暮鼓〕
〔暮节〕 mùjié 명 ①중양절. =〔重chóng阳〕 ②음력 12월.
〔暮景〕 mùjǐng 명 ⇨〔暮年〕
〔暮龄〕 mùlíng 명 ⇨〔暮年〕
〔暮年〕 mùnián 명 모년. 만년. 노년. =〔暮齿〕〔暮景〕〔暮龄〕〔暮岁②〕
〔暮气〕 mùqì 형 노쇠하다. 무기력하다. 활기가 없다. ¶～沉沉; 활기가 없다. 의기 소침하다. ↔〔朝气〕 명 ①날이 저물려고 하는 기미. ②늙은 티.
〔暮秋〕 mùqiū 명 〈文〉 모추. 만추.
〔暮色〕 mùsè 명 모색. 황혼. 저물어 가는 어스레한 빛. ¶～苍然; 모색 창연. 어스레한 저녁 빛이 자욱한 모양.
〔暮生儿〕 mùshengr 명 〈方〉 유복자(遺腹子). =〔墓生儿〕〔木生儿〕〔背父生〕〔背生儿〕〔遗腹(子)〕
〔暮世〕 mùshì 명 〈文〉 근세(近世).
〔暮岁〕 mùsuì 명 ①〈文〉 세모. 연말. ②⇨〔暮年〕
〔暮途〕 mùtú 명 〈文〉 밤길. 해가 진 후의 길.
〔暮霞〕 mùxiá 명 〈文〉 저녁놀.
〔暮夏〕 mùxià 명 모하. 늦은 여름.
〔暮夜〕 mùyè 명 〈文〉 밤. 밤중.
〔暮夜金〕 mùyèjīn 명 뇌물. 수회. =〔收贿〕
〔暮云春树〕 mù yún chūn shù 〈成〉 멀리 여행길에 있는 친구를 생각함《두보(杜甫)의 《春日懷李白詩》의 '渭北春天树, 江东日暮云…'에서 나온 말로, 두보가 위수(渭水)가의 낙양(洛陽)에서, 강동에 있는 이백(李白)을 그리워한 일》. =〔春树暮云〕
〔暮钟〕 mùzhōng 명 〈文〉 만종. 저녁 종.
〔暮子〕 mùzǐ 명 만년에 태어난 자식.

穆 **mù** (목)
①형 온화하다. ②형 공손하다. 삼가다. ¶肃sù～; 조심성이 많고 온화하다. ③형 기쁘다. 화목하다. ④형 아름답다. ⑤형 조용하다. 고요하다. ⑥명 성(姓)의 하나. ¶～桂英; 《人》 중국 전통극에서, '杨家将'의 여걸(女傑).
〔穆罕默德〕 Mùhǎnmòdé 명《人》〈音〉 마호메트(Mahomet)《이슬람교의 시조. 570～632》.
〔穆和〕 mùhé 형 〈文〉 화목하다. 사이가 좋다.
〔穆民〕 mùmín 명 ⇨〔穆斯林〕
〔穆穆〕 mùmù 형 〈文〉 ①심원(深遠)한 모양. ②위엄이 있다《삼가 공경하는 모양》. ③아름다운〔고운〕 모양.
〔穆然〕 mùrán 〈文〉 형 온화하고 얌전한 모양. 동 조용히 생각하다.
〔穆士林〕 mùshìlín 명 ⇨〔穆斯林〕
〔穆斯林〕 mùsīlín 명《宗》〈音〉 이슬람교도. =〔穆士林〕〔穆民〕

N

N ㄋ

嗯〈唔〉 ń (은)〈오〉'嗯ńg' 의 우음(又音).

嗯〈呣〉 ň (은) '嗯ňg' 의 우음(又音).

嗯〈呒〉 ǹ (은) '嗯ǹg' 의 우음(又音).

NA ㄋㄚ

那 Nā (나) ①명 성(姓)의 하나. ②고유 명사의 음역(音譯). ¶～落迦luòjiā;〈梵〉나락《지옥명》. ⇒nà nè nèi, '哪' nǎ nǎi něi

南 nā (남) →〔南无〕⇒nán

〔南无〕nāmó 명《佛》〈梵〉합장 배례의 뜻. ¶～阿弥陀佛; 나무아미타불.

拿〈拏〉 ná (나) ①동 손에 가지다. ②동 손으로 잡다. 쥐다. ¶～笔; 붓을 쥐다 / ～张纸来; 종이를 가지고 오다 / ～茶来! 차를 가져와라! / 手里～着一本书; 손에 책을 한 권 갖고 있다 ③동 손〔으로〕에 받다. 얻다. 받다. ¶～十斤小米一天; 하루에 좁쌀 10근을 탄다 / ～生活费; 생활비를 받다 / 这是人家的好意, 你～着吧! 모처럼의 호의이니 받아 두어라! ④동 강한 힘으로 제압하다. 빼앗다. 붙잡다. ¶～了贼了; 도둑을 잡았다 / ～向; 체포하여 심문하다 / ～下敌人的碉diāo楼; 적의 토치카를 빼앗다. ⑤동 남의 약점을 이용하다. ¶借着这件事～他一把; 이 일을 미끼삼아 그를 협박하다 / 因为别人都不会, 所以他～起来了; 다른 사람은 아무도 할 수 없으므로, 그는 그 점을 이용하고 있는 것이다 / 他知道你为难, 所以～你一把; 그는 네가 어려운 것을 알고 그 약점을 이용하고 있다. ⑥동 침범하다. 해치다. 괴롭히다. ¶何苦故意～人呢? 왜 일부러 남을 괴롭히느냐? / 他被病～的; 그는 병에 걸려 있다 / 这块木头让药水～白了; 이 나뭇조각은 약물의 작용으로 하얘졌다 / 碱搁得太多, 把馒头～死了; 소다를 너무 넣어서 만두 맛을 망쳐 버렸다. ⑦동 곯려 주다. 혼내 주다. ¶这分明是轻慢我的意思, 倒得先～他一～; 분명히 나를 우습게 본 모양이니, 우선 한번 혼내 줘야겠다. ⑧동 제압하다. 지배하다. ¶～权; 권력을 잡다 / ～主义; 의사를 확실히 결정하다 / ～事的; 권력을 쥐고 있는 자 / 这事儿你～得稳吗? 너 이 일은 자신을 가질 수 있겠느냐? ⑨동 …의 취급을 하다. ¶～老赶; 촌뜨기 취급을 하다. ⑩동 부담하다. ¶一切费用我～; 일체의 비용은 내가 부담한다 / 学生不用～钱; 학생은 돈을 내지 않아도 된다 / 一人～一百块钱就够了; 한 사람이 100원씩 내면 충분하다. ⑪동 받아 내다. 거두어들이다. ⑫개 …으로. …을 가지고. ¶这是～什么做的? 이것은 무엇으로 만든 것이냐? / ～钢笔写字; 펜으로 글씨를 쓰다 / ～事实证明; 사실로써 증명하다. ⑬개〈方〉…을〔를〕. ¶～他埋mán怨; 그를 원망하다 / 你别～我当小孩; 나를 어린아이 취급하지 마라 / 别～他开玩笑; 그를 웃음거리로 만들지 마라. ⑭동 …에게 …시키다. ¶你～我做吧; 너, 내게 시켜 다오.

〔拿案〕ná'àn 동 체포하여 조사하다.

〔拿把〕nábǎ 동 ⇨〔拿乔〕

〔拿班儿〕nábānr 동 ①모양을 내다. ¶咱们弟妹一要出门儿就～; 우리 계수씨는 잠깐 외출하는 데도 모양을 낸다. ②허세를 부리다.

〔拿班做势〕ná bān zuò shì〈成〉거드름 피우다. 허세 부리다.

〔拿办〕nábàn 동 (범죄자를) 붙잡아 처벌하다. ¶革gè职～;〈文〉관리를 파면하고 체포해서 처벌하다.

〔拿拌〕nábàn 동 남을 괴롭히다. 트집을 잡다.

〔拿绊〕nábàn 동 심술을 부리다. 고의로 남을 괴롭히다. =〔拿拌〕

〔拿病〕nábìng 명동〈俗〉안마(按摩) 치료(를 하다).

〔拿不出手(去)〕nábuchū shǒu(qu) 남 앞에 내놓을 수 없다. 공공연하게 할 수 없다. ¶我这笔字可真～啊; 나의 이 서툰 글씨는 남 앞에 내놓을 수 없다.

〔拿不到〕nábudào 손에 넣을 수 없다. ¶～手; 손에 넣을 수 없다.

〔拿不定〕nábudìng 손에 넣을 수 없다. ¶～主意; 생각을 확고하게 정할 수 없다. →〔拿主意〕

〔拿不动〕nábudòng (무거워) 들 수 없다. ¶这个太沉, 我～; 이것은 너무 무거워서 나는 못 든다. ↔〔拿得动〕

〔拿不惯〕nábuguàn 가지는 것에 습관되지 않다. 가지는 것이 서투르다. ¶贪赃舞弊的钱我～; 독직이나 부정한 돈은 받는 데 익숙지 않다.

〔拿不尽〕nábujìn 다 붙잡을 수 없다. 다 가질 수 없다.

〔拿不了〕nábuliǎo ①다 가질 수 없다. ¶这么些个东西, 我一个人～; 이렇게 많은 것은 나 혼자서는 다 가질〔들〕수 없다. ②(무거워서, 많아서) 들어 올릴 수 없다. ③부담할 힘이 없다. 돈을 낼 능력이 없다.

〔拿不起〕nábuqǐ ①(돈 따위를 낼) 힘이 없다. ¶会费要是这么大, 学生们恐怕～; 회비가 이렇게 비싸면 학생으로서는 내지 못할 것이다. ②받을 만한 자격이 없다. ③잘 사용해 내지 못하다. 해내지 못하다. ‖↔〔拿得起〕

〔拿不起来〕nábuqǐlái ①들어 올릴 수 없다. ②감당할 만한 힘이 없다. ¶写算, 他都～; 장부 기록이나 계산하는 일을 그는 모두 감당하지 못한다. ③꾸려 나가지 못하다. ¶他虽为家长, 但一切事都～; 그는 가장이기는 하지만, 집안일은 조금도

꾸려 나가지 못한다. ‖↔〔拿得起来〕
〔拿不上〕 nábushàng 합격 못 하다. 입수하지 못하다.
〔拿不完〕 nábuwán (많아서) 다 들지 못하다. 모두 가질 수 없다.
〔拿不着〕 nábuzháo 잡을 수 없다. (잘 맞닥뜨리지 못하여) 붙잡을 수 없다. ¶那样大的薪水, 我～; 그런 대단한 봉급을 나는 받을 수 없습니다.
〔拿不住〕 nábuzhù ①(떨구지 않게) 꼭 가지고 있을 수 없다. ②이해할 수 없다. ¶他的脾气, 我～; 그의 성미를 이해할 수 없다. ③(도망 못 가게) 꼭 붙잡아 둘 수 없다. ¶这么多的军警, 竟自～一个小贼; 이렇게 많은 군경이 좀도둑 하나를 잡지 못한다. ④장악할 수 없다. 단속할 수 없다. 통솔할 수 없다. ¶那个浪子, 连他父亲都～他; 저 빈둥대는 아들은 그의 부친도 어찌할 도리가 없다 / ～人, 当不了头目; 사람을 휘어잡지 못하면 두목이 될 수 없다. ⑤참을 수 없다. ‖↔〔拿得住〕
〔拿不准〕 nábuzhǔn 확정할 수 없다. ¶～砣; 생각을 확실하게 결정하지 못하다.
〔拿蹭儿〕 nácèngr 동 연극이나 흥행물을 공짜로 보다. =〔蹭儿戏〕
〔拿茶〕 náchá 명 장례식 때, 벗과 친지가 관이 통과하는 길가에 차를 준비하여 초상집 유족에게 대접하는 일.
〔拿车〕 náchē 동 차량을 징발(徵發)하다.
〔拿大〕 ná·dà 동 〈方〉 잘난 체하다. 거드름피우다. ¶这位首长很随和, 一点不～; 이 장관은 매우 온화하고 고집스럽지 않은 성격이라 조금도 잘난 체하지 않는다. =〔摆架子〕
〔拿大顶〕 ná·dàdǐng 동 《體》 물구나무서다. ¶拿不起大顶来; 물구나무서기를 못 하다. (nádàdǐng) 명 물구나무서기. ‖=〔拿顶〕〔〈方〉竖shù蜻蜓〕〔竖直立〕
〔拿大轿子抬〕 ná dàjiàozi tái 큰 가마에 태우다. 추켜세우다. ¶别～了! 추켜세우지 마라!
〔拿大头〕 ná·dàtóu 동 〈俗〉 봉을 잡다. ¶那个商店的老板很猾, 你可别让人家拿了大头; 저 가게의 주인은 교활하니까, 봉 잡히지 않도록 해라.
〔拿刀动杖〕 ná dāo dòng zhàng 〈成〉 무력으로 해결하다. 무력에 호소하다. ¶动不动儿就要～; 걸핏하면 무력으로 해결하려 하다 / 他们到底为了什么事, 要这么～的; 그들은 도대체 무엇 때문에 이렇게 무력을 행사하려 하는가.
〔拿倒〕 nádǎo 동 완전히 압도하다. ⇒nádào
〔拿到〕 ná·dào 동 입수하다. 손에 넣다. 받다.
〔拿倒〕 nádào 동 거꾸로 들다. 위 아래를 거꾸로 해서 집다. ¶筷子～了; 젓가락을 반대로 잡았다. ⇒nádǎo
〔拿得〕 náde 동 해를 입다. 해침 받다. …때문이다. ¶他那么没精神是病～; 그가 저렇게 맥이 없는 것은 병 때문이다 / 叶子被虫子～都黄了; 잎이 벌레 때문에 누래지다 / 他被病～一点儿精神都没有; 그는 병이 나서 도무지 기운이 없다.
〔拿得出去〕 nádechū·qù 남 앞에 내놓을 수 있다. 훌륭하다. ¶他的学问很～; 그의 학문은 남 앞에 내놓을 수 있는 훌륭한 것이다. ↔〔拿不出去〕
〔拿得动〕 nádedòng 가질 수 있다. 들어 올릴 수 있다. ↔〔拿不动〕
〔拿得了〕 nádeliǎo 가질 수 있다. ↔〔拿不了〕
〔拿得起〕 nádeqǐ ①가질 수 있다. 살 수 있다. 부담할 수 있다. ②해내다. ‖↔〔拿不起〕
〔拿得起来〕 nádeqǐ·lái ①들어 올릴 수 있다. ②일을 할 수 있다. 마음대로 할 수 있다. ¶炕上地下的什么都～了; 집안일은 무엇이든 할 수 있게 되었다. ‖↔〔拿不起来〕
〔拿得稳〕 nádewěn ①꽉 쥐고 있을 수 있다. ②자신을 가질 수 있다. ‖↔〔拿不稳〕
〔拿得着〕 nádezháo 잘 잡을 수 있다. ↔〔拿不着〕
〔拿得住〕 nádezhù 단단히〔꼭〕 잡아 둘 수 있다. 영향력이 있다. 통솔하다. ¶他对于手底下的人很～; 그는 수하 사람들을 잘 다스린다. ↔〔拿不住〕
〔拿顶〕 nádǐng 동 《體》 물구나무를 서다. 명 물구나무서기. ‖=〔拿大顶〕
〔拿定〕 nádìng 동 작정하다. 견지(堅持)하다. ¶～主意; 결심하다.
〔拿东补西〕 ná dōng bǔ xī 〈成〉 갑에게서 빌려 을에게 갚다. 임시 변통하다. ¶～对付着过日子; 변통해서 이럭저럭 지내고 있다.
〔拿东拿西〕 ná dōng ná xī 〈成〉 차례차례로 갖다. 여기저기에서 모으다.
〔拿东忘西〕 ná dōng wàng xī 〈成〉 잘 잊어버리다. 건망증이 심하다. ¶你看我, 总是～的, 真是上了年纪了; 이봐, 늘 건망증이 심한 걸 보니, 정말 나이를 먹었다.
〔拿舵〕 ná·duò 동 ①키를 잡다. ②(일을) 잘 지휘하다. ③마음을 정하다. ¶拿不准舵; 마음이 정해지지 않다. 결심이 안 서다.
〔拿讹头〕 ná étou 남의 약점을 잡아 금품을 우려내는〔갈취하는〕 일.
〔拿耳朵沾一沾〕 ná ěrduo zhānyīzhān 〈方〉 들으면서〔들으려고〕 돌아다니다. ¶你去～开庆祝大会的事儿有信儿没有; 축하 모임을 여는 일은 어떻게 되었는지 알아보고 오너라.
〔拿犯〕 náfàn 동 협박하다. 범인을 체포하다.
〔拿放〕 náfàng 동 번거롭게 하다. ¶这么点儿小病, 还～得了人; 이만한 잔병 때문에 남을 번거롭게 할 수 있느냐.
〔拿匪〕 náfěi 동 비적을 포박(捕縛)하다.
〔拿胳臂钱〕 ná gēbeiqián 건달들이 폭력으로 상인들에게서 돈을 뜯어 내다.
〔拿锅调灶〕 náguō diàozào 취사(炊事)하다. ¶像你一个好汉子天天儿自己来～, 最好快成家; 너 같은 호남아가 매일 자취를 하다니, 빨리 가정을 가질 일이다.
〔拿过来〕 náguòlai 가지고 오다.
〔拿行市〕 ná hángshì 약점을 이용하다. 기회를 보다. ¶那个人一求他就～; 저 친구는 무엇을 부탁을 하면 곧 그 약점을 노린다.
〔拿滑〕 náhuá 동 ⇨〔把bǎ滑〕
〔拿获〕 náhuò 동 포획하다. 붙잡다.
〔拿假当真〕 ná jiǎ dàng zhēn 〈成〉 가짜를 진짜로 보다. 거짓말에 속다.
〔拿架式〕 ná jiàshì ①자세를 취하다. ②건방진 태도를 보이다. 젠체하다.
〔拿架子〕 ná jiàzi ①체하다. 대단한 양 허풍을 떨다. ②우쭐하여 기어오르다.
〔拿脚〕 nájiǎo 동 ①발이 도로면에 달라붙다. 발에 달라붙어 걷기 거북하다. ¶雪虽不厚, 但是～; 눈은 적은데 발에 달라붙어 걷기 거북하다. ②발을 조이다. ¶新鞋～; 새 신은 발을 조인다.
〔拿解〕 nájiè 동 붙잡아서 호송하다.
〔拿劲儿〕 nájìnr 동 ①힘을 주다. ②⇨〔摆bǎi架子〕
〔拿究〕 nájiū 동 붙잡아서 죄를 규명하고 처벌하다.
〔拿开〕 nákāi 동 치우다. 들어 옮기다. ¶把这件东西～吧! 이 물건을 옮겨 놓아라!

〔拿空子〕 nákòngzi 동 틈타다.
〔拿款(儿)〕 ná‧kuǎn(r) 동 젠체하다.
〔拿来〕 nálai 동 가져오다.
〔拿…来说〕 ná…láishuō …에 대해 말하다. …을 들어 말해 보다.
〔拿来主义〕 nálai zhǔyì 전대(前代)로부터의 문화 유산을 그대로 계승하지 않고 마음대로 고치려는 생각《루 쉰(鲁迅)의 글의 제명(題名)》.
〔拿篮的〕 nálánde 명 〈南方〉 거지.
〔拿毛〕 ná‧máo 동 ①남의 과실을 들추어 떠들어 대다. ②드잡이하며 싸우다. ③불화하다. 사이가 나빠지다.
〔拿摩温〕 námówēn 명 〈音〉 넘버 원(number one). =〔乃木温〕〔那莫温〕
〔拿脑袋〕 nánǎodai 동 (술을 마셔) 머리가 아파지다. ¶这种酒不好, 喝了～; 이런 술은 좋지 않아서, 마시면 머리가 아프다.
〔拿捏〕 nánie 동 〈方〉 ①약점을 잡고 협박하거나 애먹이다. ¶他明知这事只有他办得了, 故意～呢; 그는 이 일을 자기 외에는 다른 사람은 할 수 없다는 것을 알고 있으므로, 일부러 애를 먹이고 있는 것이다. =〔拿把〕〔拿款〕 ②우쭐하여 기어오르다. ③근엄(謹嚴)스러운 표정을 하다. ④망설이다. 우물쭈물하다. ¶有话快说, ～个什么劲儿? 할 말이 있으면 빨리 해라. 무엇을 망설이느냐? =〔扭捏〕
〔拿跑〕 ná‧pǎo 동 (말없이) 갖고 가 버리다.
〔拿破仑〕 Nápòlún 명 《人》〈音〉 나폴레옹(Napoleon Bonaparte)《프랑스의 황제, 1769～1821》. ¶～法典; 나폴레옹 법전.
〔拿起〕 náqi 동 쥐다. 들다. ¶～听筒; 수화기를 들다.
〔拿起腿来〕 náqǐ tuǐ lái 걷거나 뛰거나 할 때 동작의 개시가 빠름을 이르는 말. ¶～就走了; 부리나케 가 버렸다.
〔拿钱〕 ná‧qián 동 ①(은행에서) 돈을 인출하다. ②비용 등을 부담하다. ¶我一个人拿不了这么些个钱; 이렇게 많은 돈은 나 혼자서 낼 수 없다.
〔拿腔〕 ná‧qiāng 동 허세 부리다. ¶今天这小子拿起腔来了, 说话是那么闪闪; 오늘은 이놈이 허세를 부리는구나. 말하는 게 무척 요란하다.
〔拿腔拿调〕 ná qiāng ná diào 〈成〉 ①말의 가락을 잘 구분하여 쓰다. ②거드름 부린 어조로 말하는 모양. 허세 부리는 모양.
〔拿腔做势〕 ná qiāng zuò shì 〈成〉 허장 성세하다. 허세 부리다. 야단스러운 언동을 하다.
〔拿乔〕 ná‧qiáo 동 〈方〉 ①체하다. 대단한 양 허풍을 떨다. ②우쭐하여 기어오르다. ‖ =〔拿把〕〔拿架子〕〔拿糖〕
〔拿情〕 náqíng 동 ⇨〔调情〕
〔拿取〕 náqǔ 동 받다. ¶你把衣服放在这里, 过两天来～吧! 옷을 이 곳에 두었다가 이틀 후에 가지러 오십시오!
〔拿去〕 náqu 동 ①가지고 가다. ②가지러 가다.
〔拿缺〕 ná‧quē 동 ①⇨〔拿缺缺儿〕 ②결원된 지위를 얻다.
〔拿缺缺儿〕 ná‧quēquer 동 〈方〉 남의 약점을 노리다〔이용하다〕. =〔拿缺①〕
〔拿人〕 ná‧rén 동 ①사람을 체포하다. ②남을 괴롭히다. 남을 협박하다.
〔拿人的错〕 ná réndecuò 남의 결점을 잡다. 남의 약점을 붙들고 늘어지다.
〔拿三搬四〕 násān bānsì 반항하다. 명령을 따르지 않다. ¶你倒别和我～的呀; 너는 나한테 대들면 안 된다.
〔拿上〕 náshang 동 입수하다. 손에 넣다.
〔拿舌头压人〕 ná shétou yā rén 말로 남을 위압하여 복종시키다. 윽박지르다.
〔拿身草〕 náshēncǎo 명 《植》 된장풀.
〔拿事〕 ná‧shì 동 책임지고 사무를 관리하다. 실권을 쥐다. ¶偏巧父母都出门了, 家里连个～的人也没有; 공교롭게도 부모님은 외출중이어서 집에는 가사를 돌볼 사람이 한 사람도 없다 / ～人; 실력 있는 사람. 실권을 잡고 있는 사람. 꾸려 나가는 사람.
〔拿手〕 náshǒu 형 ①장기(長技)이다. 자신 있다. ¶～菜; 자신 있는 요리 / 包饺子, 蒸馒头是大嫂子的～戏; 교자나 만두를 빚는 것은 형수님의 장기이다. ②노련(老鍊)하다. ¶那位先生针法上很～; 저 선생은 침술에는 상당히 노련하다 / 关于经济理论方面的研究, 他倒是很～; 경제 이론 방면의 연구라면, 그는 자신이 있다. 명 ①가망. 희망. ¶有了～了; 가망성이 있다 / 心里有了～了; 심중에 자신이 생기기 시작했다. ②실마리. ¶您刚才不该放他, 这是一个极好的～; 당신은 저 남자를 놓아주지 않았더라면 좋았을 텐데. 이것은 가장 좋은 단서였으니까요.
〔拿手好戏〕 ná shǒu hǎo xì 〈成〉 자신 있는 연극. 〈比〉 가장 잘하는 재주. =〔拿手戏〕
〔拿私〕 násī 동 밀수출 업자를 체포하다. 밀수품을 압류하다.
〔拿送〕 násòng 동 (붙잡아서) 호송하다.
〔拿酸捏糖〕 násuān niētáng ⇨〔拿糖作醋〕
〔拿糖〕 ná‧táng 동 〈方〉 ①(솜씨를 자랑하고) 득의양양해지다. (비싸게 굴어) 상대방을 애태우다. ¶你不用～, 没你, 我们也能干得成! 너 잘난 체하지 마라, 네가 없어도 우리끼리 해낼 수 있단 말이야! ②웅석 부리다. 우쭐하여 기어오르다.
〔拿糖作醋〕 nátáng zuòcù 거드름 피우며 자랑하다. 젠체하며 도도히 굴다. =〔拿酸捏糖〕
〔拿头〕 ná‧tóu 동 수위(首位)를 차지하다. 첫째가 되다. ¶他拿了头; 그가 첫째이다.
〔拿稳〕 náwěn 동 ①단정하다. 자신이 있다. ②단단히 잡다. ③마음을 가라앉히다.
〔拿问〕 náwèn 동 포박해서 심문하다.
〔拿下〕 náxià 동 ①(밥상 따위를) 물리다. ②내려놓다. ¶把架子上的东西～来吧! 선반 위의 물건을 내려놓으시오! / ～马来; 남을 굴복시키다. ③탈취하다. 수중에 넣다. 점령하다. ¶把张家口～来; 장자커우(張家口)가 함락되다.
〔拿下马来〕 náxià mǎ lái 남을 굴복시키다. ¶找个真凭实据给他看, 就把他～了; 확실한 증거를 들이대어 그를 굴복시켰다.
〔拿小软儿〕 ná xiǎoruǎnr 〈俗〉 생트집을 잡다. ¶这不明明拿咱们的小软儿? 이것은 분명히 우리에게 생트집을 잡고 있는 것 아닌가?
〔拿邪〕 ná‧xié 동 결점을 찾다. ¶竟想拿人家的邪, 还不如来个自我批评好了; 남의 결점만 찾고 있기보다는 스스로를 나무라는 편이 낫다.
〔拿押〕 náyā 동 구류하다. 잡아서 구금하다.
〔拿鸭子〕 ná yāzi 〈方〉 (도망치기 위해) 발을 재빨리 내딛다. ¶～上架; 〈諺〉 남을 궁지에 몰아넣다.
〔拿样板〕 ná yàngbǎn 〈比〉 자기가 모르는〔할 수 없는〕 일을 남에게 배우다.
〔拿腰〕 náyāo 동 허리를 낮추고 힘을 주다. ¶他一～, 一气跑到了家; 그는 허리에 힘을 주고 단숨에 집까지 달려왔다.

〔拿印把儿〕 ná yìnbàr ①공인(公印)을 쥐다. ②권력·실권을 잡다.
〔拿约会儿〕 ná yuēhuìr〔ná yuéhuìr〕 만날 약속을 하다(흔히, 남녀의 밀회를 말함).
〔拿贼〕 názéi 동 도둑을 포박하다.
〔拿着〕 názhe 동 ①가지고 있다. ②…을 가지고서. …인 주제에. …이면서. ¶～一个虫儿还有这一股刚勇之气; 한 마리의 벌레에 지나지 않을지라도 이 정도의 용기는 가지고 있다.
〔拿着鸡毛当令箭〕 názhe jīmáo dàng lìngjiàn 〈諺〉 닭털을 군령(軍令)을 전하는 화살로 삼다(사물을 침소봉대하다. 잘난 체하고 야단스럽게 굴다).
〔拿主意〕 ná zhǔyì (일을 처리할) 방법·생각을 마음에 지니다. 마음을 정하다. ¶究竟去不去, 你自己～吧! 도대체 갈 것인지 가지 않을 것인지 너 스스로 생각을 결정해라! / 拿好了主意, 再来吧! 좋은 생각을 확정해서 다시 오겠습니다!
〔拿住〕 ná,zhù 동 ①꼭 쥐다. ¶我～这个不放; 나는 이것을 꼭 잡고 놓지 않겠다. ②붙잡다. ¶贼被～; 도둑은 잡혔다. ③속박하다.
〔拿准〕 ná,zhǔn 동 확실히 (결)정하다. ¶～舵; 마음이 정해지다. 결심이 서다 / ～了时候去; 꼭 그 시간에 간다.
〔拿总(儿)〕 názǒng(r) 동 총괄하다.
〔拿走〕 ná,zǒu 동 가지고 가다. ¶没有借条你拿不走; 차용증 없이는 갖고 가지 못한다.

镎(鎿)
ná (나)
명 《化》 넵투늄(Np: neptunium)(방사성 원소의하나).

挐
ná (나)
① 동 잡아 끌다. 흐트러지다. ② '拿ná'와 통용. ⇒ráo rú

𫠫
nǎ (나)
명 〈方〉 암컷. ¶～鸡jī; 암탉. →〔母mǔ③〕

哪〈那〉
nǎ (나)
① 대 어느. 어디. 언제. 누구(시간·장소·사람·물건에 관한 의문대사(疑問代詞). 보통 뒤에 양사(量詞) 또는 수사(數詞)+양사(量詞)를 수반함. 이 때 구어에서는 něi 또는 nǎi로 발음됨. 또, 단독으로 쓰일 때는 '什么'의 뜻이 됨. 또, '什么'와 서로 대응하여 쓰이는 일도 있는데, 이 때는 반드시 nǎ로 발음함). ¶您住在～个地方儿? 당신은 어디에 사십니까? / 你找～个? 자네 무얼 찾고 있는가? / 什么叫吃亏, ～叫上算, 全都谈不到; 무엇이 손해고 무엇이 득인지, 전혀 문제가 되지 않는다. ② 부 어째서. 어찌(부정(否定) 또는 일부러 반문하는 어기(語氣)). ¶～能…; 어찌 …괜찮겠는가 / 国家财富～能随意, 浪费! 국가의 재산을 어떻게 낭비할 수 있는가! / ～止认识; 서로 아는 정도가 아니라. =〔怎〕〔岂〕 ③상상도 못함을 나타내는 말. ¶～想到…; … 따위는 아무리 하여도 생각조차 못할 일이다. ⇒nǎi na né něi, '那' Nā nà nè nèi
〔哪边(儿)〕 nǎbian(r) 대 어디. 어디쯤.
〔哪不〕 nǎbu 접 ①설사. 설혹. ¶～打一辈子光棍儿, 也不讨这样的老婆; 설사 평생을 독신으로 지낼지언정 이런 아내는 얻지 않는다 / ～给他一块钱呢, 也比送他这筐烂果子好; 설사 그에게 1원을 줄망정, 이 썩은 과일 한 바구니를 보내기보다는 낫다. =〔哪不得〕 ②⇒〔哪不是〕
〔哪不是〕 nǎ bùshì …이 아닌가. …에 틀림없을 것이다(힐문의 어기(語氣)가 있음). ¶这事～你弄出来的? 이 일은 네가 저지른 것이 틀림없겠지? =〔哪不②〕
〔哪处〕 nǎchù 대 어디. 어느 곳.
〔哪搭(儿)〕 nǎdā(r) 대 어디. =〔哪搭儿里〕〔哪搭里〕
〔哪道〕 nǎ dào 〈貶〉 어찌 된. 어쩌면(비난의 어기(語氣)). ¶～先生! 무슨 선생이 이럴까! / ～摆bǎi; 〈俗〉 분수를 모르다 / ～肺; 〈俗〉 의리도 인정도 전혀 모르는 놈.
〔哪的〕 nǎde 대 〈方〉 ①어느 곳의. 어느 곳의 사람. ¶这司机是～? 이 운전사는 어느 곳 사람이냐? ②누구의. ¶这是～筷子? 이 젓가락은 누구 것이냐?
〔哪个〕 nǎge〔něige〕 대 ①어느. 어떤(단수). ¶你要～? 너는 어느 것을 갖고 싶으냐? / 你们是～连的? 자네들은 어느 중대 사람이냐? →〔哪些xīe个〕 ②〈方〉 누구. ¶～敲门? 누가 문을 두드리느냐? =〔谁〕
〔哪更〕 nǎgèng ⇨〔哪堪〕
〔哪更堪〕 nǎgèngkān ⇨〔哪堪〕
〔哪国〕 nǎguó 명 어느 나라. ¶贵国是～? 어느 나라이십니까?
〔哪行〕 nǎháng 명 어느 직업. 어떤 직업. ¶学～就吃～; 그 직업을 배우면 그 직업으로 밥을 먹는다.
〔哪号〕 nǎhào 대 어떤. 어떠한. ¶你算～群众? 너는어떤 사람이냐?
〔哪会儿〕 nǎhuìr 대 ①언제쯤. 언제(과거나 미래의 시간을 물음). ¶这篇文章～才能脱稿? 이 글은 언제쯤 탈고할 수 있습니까? ②널리 시간을 가리키는 말. 언제. ¶说不定～天气要变; 언제 날씨가 변할지 모른다. ③언제든('哪会子'라고도 함). ¶你要～来就～来; 언제든 좋을 때에 오너라.
〔哪堪〕 nǎkān 〈古白〉 어찌 …견딜 수 있으라. ¶～回首忆当年; 돌이켜 당시를 생각하면 견디기 어렵다. =〔哪更〕〔哪更堪〕
〔哪可〕 nǎkě 어찌 …할 수 있으랴.
〔哪块儿〕 nǎkuàir 대 〈方〉 어디. 어느 쪽. ¶打～下手? 어디서부터 착수합니까?
〔哪里〕 nǎli A) 대 ①어디. ¶你住在～? 당신은 어디에 사십니까? / 这话你是从～听来的? 그 말을 너는 어디서 들었느냐? ②어디. 어느 곳(널리 장소를 가리킴). ③어찌하여(부정(否定) 또는 의외의 기분). B) ①연용(連用)하여 그 장소에 대해 조건이 없음을 나타냄. ¶你到～我到～; 네가 가는 곳에 나도 간다 / 说到～办到～; 말한 바는 반드시 실행한다. ②천만의 말씀을. ¶你辛苦啦. "～～"; 수고하셨습니다. "천만에요."
〔哪溜儿〕 nǎliùr 대 〈方〉 어디. 어느 쪽.
〔哪么〕 nǎme 대 ①어떻게. 어떠한 모양으로. ¶到火车站去, 往～走好啊; 역으로 가려면 어떻게 가면 좋습니까. ②어느 쪽. 어느 방향. ¶往～走好呢? 어느 쪽으로 가면 좋은가? ③얼마나. ¶给我～多, 我就要～多; 주는 대로 받는다.
〔哪门子〕 nǎ ménzi 〈方〉 왜. 어찌하여. 무얼. ¶生～气; 무얼 화내고 있느냐 / 你说～话? 대체 어떻게 되었다는 거야? / 你哭～; 넌 왜 울고 있느냐 / 发～脾气; 어째서 짜증을 부리고 있나.
〔哪能〕 nǎnéng 어찌 …할 수 있으랴. 도저히 못한다. ¶～一下子办完呢? 어찌 한번에 끝낼 수 있으랴? / 一个人～干三个人的事情呢? 혼자서 세 사람의 일을 어떻게 할 수 있겠느냐? / ～比得上他? 어떻게 그와 비교할 수 있겠는가?

〔哪怕〕 nǎpà 접 설사 …일지라도. 설령 …이라도. ¶我一定要把这个工作完, ～一夜不睡觉呢! 비록 하룻밤을 자지 않는 한이 있어도, 나는 이 일을 완성시켜 놓지 않으면 안 된다 / ～为你赴汤蹈火, 我也情愿; 당신을 위해서라면 비록 불 속 물 속이라도 기꺼히 뛰어들겠습니다 / ～只见面, 看一眼呢; 다만 한 번만이라도 꼭 만나고 싶다.

〔哪儿〕 nǎr 대 ①어디. ¶差chà～去了; 어디까지 틀려 버렸는지, 대단한 차이다. ②어딘가에서. 어디서나(부정(不定)한 장소나 임의의 장소를 가리킴). ¶我好像在～看见过这张画儿; 이 그림은 어딘가에서 본 적이 있다 / 干工作～都一样; 일을 하는 것은 어디서나 다 마찬가지다. ③어찌. 뭘. …이냐(반어를 나타냄). ¶这是从～说起呢? 그것은 대관절 무슨 얘기입니까? / ～有这么个理呢? 어찌 이런 도리가 있을 수 있느냐, 이런 법이 어디 있느냐?

〔哪儿(的)话〕 nǎr(de)huà 천만의 말씀입니다. ¶～, 我不过帮点儿忙罢了! 천만의 말씀입니다, 나는 조금 거들었을 뿐인 걸요!

〔哪儿来的〕 nǎrláide 어디서 왔느냐. 어찌된 셈이냐. ¶你要吃馒头, ～麦子; 만두를 먹고 싶다면, 밀은 어디서 나오느냐 / 咦, 床上～苹果! 아니, 침대 위에 무슨 사과야!

〔哪如〕 nǎrú 어찌 …만 하랴. 차라리 …쪽이 낫겠다.

〔哪事〕 nǎshì 대 무슨 일. 어떤 일. ¶男儿～不可为; 사나이가 무슨 일인들 못 하랴.

〔哪天〕 nǎtiān 대 ①어느 날. ②언젠가. ¶～要和你研究研究; 언젠가 너와 함께 연구하자.

〔哪位〕 nǎwèi 대 ①어떤 분. ②존경을 나타낼 때 '谁' 대신으로 쓰임.

〔哪想到〕 nǎxiǎngdào 생각지도 않게. ¶～会下雨! 비가 오리라고는 생각 못 했는데!

〔哪晓得〕 nǎxiǎode ⇨〔哪知〕

〔哪些〕 nǎxiē 대 어떤 것들. 어느. ¶这次会议都有～人参加? 이번 회의에는 어떤 분들이 참가하시나요? =〔哪一些〕

〔哪些个〕 nǎxiēge 대 어느 것들. 어느 것들의. →〔哪个〕

〔哪样(儿)〕 nǎyàng(r) 대 ①성질·상태 등을 물음. ¶你要～儿颜色的毛线? 당신은 어떤 색깔의 털실이 필요한가요? / ～可您的心? 어떤 것이 마음에 드십니까? ②성질·상태 등을 가리킴. ¶这儿的毛线颜色齐全, 你要～的就有～的; 여기에 있는 털실은 빛깔이 모두 갖추어져 있어서, 필요한 것은 무엇이고 있습니다.

〔哪咱〕 nǎzan 대 〈方〉 언제.

〔哪知〕 nǎzhī 뜻밖에도. …이리라고는 생각지도 않았다. ¶～他早跑去了; 뜻밖에도 그는 이미 달아나 버리고 말았다. =〔谁shuí知〕〔岂知〕〔哪晓得〕

那 nà (나)

① 대 저것. 그것. 저. 그(지시 대사(指示代詞)(원칭(遠稱)·중칭(中稱))이며, 또 기지(旣知)의 것을 일반적으로 가리킴). ¶～个; 그것. 저것 / ～是谁? 저것은 누구입니까? 注$_1$ 목적어(目的語)의 '～个'가 '那'가 되는 것은 주로 '这'와 대응하여 쓰일 경우인데, 이 때에 사물은 가리키지만 사람은 가리키지 않음. ¶看看这, 看看～, 真有说不出的高兴; 저쪽을 보거나 이쪽을 보거나 하며, 참으로 말로 할 수 없을 만큼 기뻐하였다. 注$_2$ 스스럼 없는 일상 회화에서 단용(單用)되는데, 이때에는 '～个', '～么', '～里' 중의 어느 뜻이 됨. 注$_3$ 구어에서는 '那'는 단용(單用) 또는 직접 명사에 결부되었을 때 nà 또는 nè로 발음됨. 뒤에 조수사(助數詞)·양사(量詞)가 붙으면 흔히 nèi 또는 nè로 발음함. 注$_4$ 대화에서 기지(旣知)인 명사는 양사(量詞)를 개재시키지 않고 '那'로 지시할 수 있음. 注$_5$ 반드시 하나의 간단한 명사만을 가리키는 것은 아님. ¶你来看我, ～才怪! 네가 나를 찾아오다니 참 이상한데! ② 접 그러면. 그렇다면. ¶～就好好儿干吧! 그러면 잘 해 주십시오! =〔那么〕 ③그 사람. 그 여자. ⇒Nā nè nèi, '哪' nǎ nǎi něi

〔那般〕 nàbān 대 그와 같이. 저와 같이. =〔那样(儿)〕

〔那壁(厢)〕 nàbì(xiāng) 대 ⇨〔那厢〕

〔那边(儿)〕 nàbian(r)〔nèibian(r)〕 대 ①그쪽. 저쪽. 저기. ¶放在～吧! 그쪽에 놓아라! / 铁路的～; 철로의 저쪽 편 / ～儿一点儿; 조금 앞쪽. ②상대방. ¶～不答应; 상대방이 승낙하지 않는다.

〔那拨子〕 nàbōzi〔nèibōzi〕 명 그 때. 그 당시. 그것들. ¶瘪三趁他不留神～, 抢了面包就跑了; 그가 방심하고 있는 틈에, 거지는 빵을 채어 가지고 달아났다.

〔那层〕 nàcéng〔nèicéng〕 대 그 건(件). 그 일. ¶卖房子的事我已经办好了, 顺契～劳您驾给办一办吧; 가옥 양도의 건을 제가 벌써 교섭을 끝냈으니, 증서의 건을 수고스럽지만 당신이 맡아서 해 주십시오.

〔那程子〕 nàchéngzi〔nèchéngzi〕〔nèichéngzi〕 대 〈方〉 그 무렵. ¶～我很忙, 没有工夫来看你; 나는 그 무렵 대단히 바빠서 당신을 만나러 갈 틈이 없었습니다. =〔那些日子〕

〔那次〕 nàcì〔nèicì〕 명 지난번. 전번. 그 때. →〔那趟〕

〔那搭儿〕 nàdār 대 ⇨〔那儿①〕

〔那达慕〕 nàdámù 명 내몽골 지구의 전통적 대중 집회.

〔那当儿〕 nàdāngr 명 그 때. ¶我吃饭～, 他打电话来了; 내가 밥을 먹고 있을 때, 그가 전화를 걸어 왔다.

〔那等样〕 nàděngyàng 대 ⇨〔那样(儿)〕

〔那点儿〕 nàdiǎnr 저것뿐. 저것밖에 안 되는.

〔那夫塔林〕 nàfūtǎlín 명 〈音〉 나프탈린. →〔萘nài〕

〔那个〕 nàge〔nège〕〔nèige〕 대 ①그것. 저것. 그. 저. ¶～铺子; 저 가게. ②동사·형용사 앞에 쓰이어 극한·과장을 나타냄. ¶他干得～欢啊, 就甭提了! 그는 매우 즐겁게 일하고 있으니, 거론할 필요가 없다! / 瞧他们干得～欢哪; 자, 그들의 일하는 꼴을 보라구. ③〈口〉 솔직하게 말하기가 거북할 때에 쓰이는 말. ¶你刚才的脾气也太～了! 너의 조금 전의 신경질은 좀 무엇하잖니! / 他这人做事, 真有点儿～; 그 사람은 일하는 것이 정말 좀 그래 / 孙焕君这人对他很～; 손환군이라는 이 사람은 그에 대해서 무척 거북해해. ④아내. 집사람. 안사람. ¶你瞧我们家～; 우리 집사람 좀 보게나.

〔那哼〕 nàhēng 부 〈南方〉 어떻게. 어떤 식으로(표준어의 '怎么样'과 같음). ¶随便～末哉; 마음대로 하게. 멋대로 해라 / ～做法? 어떻게 하는 건가?

〔那话(儿)〕 nàhuà(r) 대 ①그 이야기. 그 일(무슨 일·무엇인지를 분명히 하지 않고 어떤 것을 가리키는 은어). ②물건(남성의 생식기를 가리킴).

〔那回〕 nàhuí〔nèihuí〕 대 그 때. 지난번. 전번.

〔那会儿〕 nàhuìr〔nèhuìr〕〔nèihuìr〕 대 〈俗〉 그

때. 그 시절. ¶记得～他还是个不懂事的孩子; 기억건대, 그 시절 그는 아직 철이 들기 전의 아이였었다 / ～亏您, 关照了; 그 때는 신세 많았습니다.

〔那就〕 nàjiù 그러면. 그렇게 되면. ¶～很好了; 그렇게 되면 아주 좋다 / ～是了; 그렇다면 좋다.

〔那可汀〕 nàkěting 명 《化》 나르코틴(narcotine).

〔那里〕 nàli 대 저기. 저쪽. 저편(비교적 먼 곳을 가리킴). ¶他在～吗? 그는 그 곳에 있는가?

〔那么〕 nàme〔nème〕 대 ①그만큼. 저렇게. 그와 같이(성질·상태·방법 따위를 나타내는 부사·동사·형용사 앞에 놓아 그것을 수식함). ¶来了～多的人; 저렇게 많은 사람이 왔다 / ～说, 他一定就明白; 그렇게 말하면, 그는 꼭 압니다 / 他学中国话, 有吃饭～热心; 그는 중국어를 공부하는 것이, 밥 먹는 것만큼이나 열심이다. ②양사(量詞) 앞에 놓여 대중 잡아서의 뜻을 나타냄. …쯤. 정도. ¶借～二三十个麻袋就够了; 2, 30개 가량의 마대를 빌리면 충분하다 / 芝麻～大; 깨알만한 크기 / 世上还有～个人吗? 세상에는 저런 사람도 있나요? / ～件事, 谁不会办呢; 저런 일쯤 못 할 사람은 없다. 접 ①(앞의 글을 받아) 그러면. 그럼. …이면. ¶～咱们走吧; 그럼 가십시다. ②그러므로. ¶他已经表示不愿意了, ～, 我们就不要强迫了; 그는 이미 원하지 않음을 분명히 하였다. 그러므로 우리는 그에게 강요해서는 안 된다. ‖ =〔那末〕

〔那么的吧〕 nàmedeba 그렇게 하지. 그렇게 정하자.

〔那么点儿〕 nàme diǎnr〔nèime diǎnr〕 겨우 그 정도의(수량이 적음을 나타내는 말). ¶～东西, 一个箱子就装下了; 그 정도는 한 상자에 들어갈 수 있다.

〔那么些〕 nàme xiē〔nème xiē〕 그렇게 많은. 저렇게 많은. ¶～书, 一个星期哪看得完? 저렇게 많은 책을 1주일 동안에 어떻게 읽을 수 있나요? / 你说～个钱他一个人会花光了吗? 뭐라구요, 그렇게 많은 돈을 그가 혼자서 다 날렸다고요? →〔那些〕

〔那么样〕 nàmeyàng 대 저렇게. 저런 식으로. ¶你应该别～; 넌 그런 식으로 해선 안 될 텐데.

〔那么着〕 nàmezhe〔nèmezhe〕 ①그렇게 하다. 그러하다(행동·상태·방식을 나타냄). ¶就～吧! 그럼 그렇게 합시다! / 你既对他们说了, 只好就～吧; 네가 벌써 그들에게 말해 버렸다면 할 수 없지. 그렇게 하자. ②그렇다면. ¶要是～, 我们也很省事了; 만일 그렇다면, 우리도 훨씬 손을 덜게 된다.

〔那末〕 nàmo 대접 ⇨〔那么〕

〔那摩温〕 nàmówēn 명 ①〈音〉 넘버 원. ②직공장. 직장(職長). 십장. ‖ =〔拿ná摩温〕

〔那其间〕 nàqíjiān 대 그 때. 저 때.

〔那其斯〕 nàqísī 명 ⇨〔纳粹〕

〔那儿〕 nàr 대 ①거기. 저쪽. 저편. ¶在他～; 그 사람 집에서 / ～有一座山; 저 곳에 산이 있다 / 那么, 我明天到您～去; 그러면 내일 댁으로 가겠습니다. =〔那里〕〔那搭儿〕 ②상대방. ¶～也答应了; 상대방에서도 승낙했다. ③그 때. ¶打～起, 他就每天早晨用半小时来锻炼身体; 그 때부터 그는 매일 아침 반 시간 동안 몸을 단련하고 있다. ‖ ↔〔这儿〕

〔那时〕 nàshí 대 그 때.

〔那时候(儿)〕 nàshíhou(r) 대 저 때. 그 때.

〔那是〕 nàshì 부 당연히. 물론. ¶～他能成, 要不然还不派他呢! 물론, 그가 해낼 것입니다. 만일 그렇지 않다면, 그를 파견하지 않지요!

〔那厮〕 nàsī 대 그놈. 저놈.

〔那趟〕 nàtàng〔nèitàng〕 대 그 때. 전 번.

〔那套〕 nàtào 명 예의 그 수법.

〔那天〕 nàtiān〔nèitiān〕 대 ①그 날. 전날. ②그 시각. ¶～已经十二点了; 그 시각은 벌써 12시였다.

〔那晚儿〕 nàwǎnr 대 〈方〉 그 때. 그 무렵. =〔那会儿〕

〔那厢〕 nàxiāng 대 저쪽. =〔那壁(厢)〕

〔那些〕 nàxiē〔nèxiē〕〔nèixiē〕 대 ①저만큼. 그만큼. ②그쯤. 그것들. 저것들. ¶～都不坏, 我看你就买了吧! 저것들은 나쁘지 않으니, 사는 것이 좋겠다! / ～日子; 그 나날들 / ～东西都是他的; 저 물건들은 모두 그의 것이다.

〔那样(儿)〕 nàyàng(r)〔nèyàng(r)〕〔nèiyàng(r)〕 대 그와 같다. 저와 같다(성질·상태·방식·정도 등을 나타냄). ¶～的材料; 그와 같은 재료 / 他不像你～拘谨; 그는 너처럼 딱딱한 사람은 아니다. =〔那般〕〔那等样〕〔那样子〕

〔那样子〕 nàyàngzi 〔nèyàngzi, nèiyàngzi〕 대 ⇨〔那样(儿)〕

〔那一〕 nàyī 대 저 (하나의). 그 (하나의).

〔那咱〕 nàzan 대 그 때.

〔那阵子〕 nàzhènzi〔nèzhènzi〕〔nèizhènzi〕 대 그 때. 그 무렵. ¶～我还在学校念书呢; 그 무렵, 나는 아직 학생이었다.

娜

nà (나) 인명용 자(字). ¶安～; 안나(Anna). ⇒ nuó

郍〈那〉

Nà (나) 명 《史》 주대(周代)의 나라 이름(지금의 후베이 성(湖北省) 싱먼 현(荊門縣) 동남쪽에 있었음).

捺

nà (납) 동 ①물건을 물 속에서 누르다. ②쥐다. 잡다. ③실땀을 촘촘하게 꿰매다. ¶～鞋帮; 신의 울을 누비다 / ～鞋底; 신바닥을 누비다. =〔捺④〕〔纳⑦〕

〔捺底子〕 nàdǐzi 동 신창을 촘촘히 박다. =〔纳底子〕〔衲底子〕〔捺底子〕

呐

nà (납) ①→〔呐喊〕 ②→〔呐呐〕 ⇒ na nè ne

〔呐吃〕 nàchī 동 말을 더듬다.

〔呐喊〕 nàhǎn 동 함성을 지르다. ¶～妇女解放; 여성 해방을 외치다 / ～助威; 큰 소리로 외치고 응원하다. =〔纳喊〕

〔呐摸劲儿〕 nāmojìnr 동 〈方〉 헤아리다. 짐작하다. ¶这件事我～是可以搞成的; 이 일은 대체로 잘 되리라 짐작한다.

〔呐摸滋味儿〕 nāmo zīwèir 동 〈方〉 맛(을)보다. 정황을 관찰해 보다. …이라고 생각하다. ¶他办的这事, 我～有点儿不对头; 그가 한 일은 좀 앞뒤가 맞지 않는 점이 있는 것 같다.

〔呐呐〕 nànà 형 입속말로 중얼거리는 모양.

〔呐言〕 nàyán 형 〈文〉 말수가 적다.

纳(納)

nà (납) ①동 납입하다. 납부하다. ¶～税; 납세하다. ②동 (받아)들이다. 용납하다. ¶～人之意; 남의 의견을 채용하다 / 闭门不～; 문을 닫고 손님을 받지 않다 / ～凉; 시원한 바람을 쐬다. ③동 헌납하다. ④동 받다. 거두다. ¶收～; 수납하다. ⑤동 챙겨 넣다. ¶把衣

服～人箱里; 옷을 상자에 넣어 두다. ⑥ 동 견디다. 참다. 내리누르다. ¶～着气儿; 격한 마음을 누르다 / 他勉强把怒气～下去; 그는 애써 화가 나는 것을 참았다. ⑦ 동 ⇨〔抐③〕 ⑧ 명 성(姓)의 하나.

〔纳币〕 nà·bì 명동 ⇨〔纳彩〕

〔纳步〕 nàbù ⇨〔留liú步〕

〔纳彩〕 nà·cǎi 동 〈文〉 납채를 보내다. (nàcǎi) 명 납채. ¶～礼物; 납채 예물. ‖＝〔纳币〕〔纳征〕

〔纳谗〕 nàchán 동 〈文〉 참언을 받아들이다.

〔纳宠〕 nàchǒng 동 ⇨〔纳妾〕

〔纳粹〕 Nàcuì 명 〈音〉 나치(Nazi). ¶～主义; 나치즘. 나치주의 / ～分子; 나치스트. 나치 당원 / ～战犯; 나치 전범. ＝〔那齐(党)〕〔那其斯〕〔拉兹(党)〕

〔纳底子〕 nàdǐzi 동 ⇨〔抐底子〕

〔纳夫妥〕 nàfūtuǒ 명 ⇨〔萘nài酚〕

〔纳福〕 nàfú 동 안락하게 지내다. 행복하다. 생활을 즐기다. ¶他儿子也大了又有房子有地的, 尽可以在家～了; 그는 아이도 컸고, 집과 땅도 있어 마음껏 집 안에서 편히 행복하게 살 수 있다.

〔纳富妥〕 nàfùtuǒ 명 ⇨〔萘nài酚〕

〔纳贡〕 nàgòng 동 옛날, 공물을 바치다.

〔纳罕〕 nàhǎn 동 납득이 안 가다. 이상하게 생각하다. 놀라다. ¶教我～; 내게는 뭐가 뭔지 모르겠다 / 家里一个人也没有, 他心里很～; 집에는 한 사람도 없었으므로 그는 내심 의아하게 생각했다 / 这件事很奇怪, 我很～儿; 이것은 정말 이상하다. 아무래도 납득이 안 된다. ＝〔纳闷〕

〔纳户〕 nàhù 명 납세자.

〔纳贿〕 nà·huì 동 ①뇌물을 받다. 수뢰하다. ＝〔受贿〕 ②뇌물을 보내다. 증회(贈賄)하다. ＝〔行贿〕

〔纳霍德卡〕 Nàhuòdékǎ 명 《地》 〈音〉 나홋카(Nakhodka)《러시아 연해주의 항구》.

〔纳吉〕 nàjí 명 납길《납채 후에 점이나 사당에서 길일을 정하여 신부 집에 알리는 일》.

〔纳谏〕 nàjiàn 동 간언을 채택하다.

〔纳交〕 nàjiāo 동 〈文〉 교제를 맺다.

〔纳捐〕 nà·juān 동 ⇨〔纳税〕

〔纳款〕 nàkuǎn 동 ①납금하다. ②〈文〉 성심으로 복종하여 항복하다. 내통하다.

〔纳凉〕 nàliáng 동 더위를 피하여 시원한 바람을 쐬다. ＝〔乘chéng凉〕

〔纳闷〕 nà·mèn 동 ①마음이 울적하고 우울하다. 갑갑하다. ②이상해졌다.

〔纳闷儿〕 nà·mènr 동 〈口〉 이상하게 생각하다. 수상쩍게 여기다. ¶他听说有人找他, 一时想不出是谁, 心里有些～; 그는 누가 자기를 찾는다기에 잠시 누군지 생각나지 않아 좀 의아해했다.

〔纳米比亚〕 Nàmǐbǐyà 명 《音》 〈音〉 나미비아(Namibia)(공화국)《수도는 '温得和克'(빈트후크; Windhoek)》.

〔纳气〕 nà·qì 동 화를 참다. 마음을 가라앉히다. ¶瑞宣纳住了气, 惨笑着说…《老舍 四世同堂》; 서선(瑞宣)은 마음을 가라앉히고 쓴웃음을 지으면서 …라고 말했다 / 我实在纳不下这口气; 나는 이 답답한 심정을 아무래도 참을 수 없다.

〔纳气(儿)〕 nà·qì(r) 동 분노를 누르다. 분노를 참다.

〔纳妾〕 nà·qiè 동 첩을 두다. ＝〔纳宠〕

〔纳清〕 nàqīng 동 납입필하다. 모두 납부하다.

〔纳日〕 nàrì 동 〈文〉 일몰(日沒)하다. 해가 지다.

〔纳入〕 nàrù 동 납입하다. 거두어들이다. (궤도에) 올리다. ¶～国家资本主义的轨道; 국가 자본주의의 궤도에 올리다 / 工作～正轨; 일이 정상적인 궤도에 들어서다.

〔纳水〕 nàshuǐ 명 풍수가가 지상(地相)을 볼 때, 물이 흐르는 방향에 따라 길흉을 정하는 일.

〔纳税〕 nà·shuì 동 납세하다. ＝〔缴jiǎo税〕〔纳捐〕

〔纳头〕 nàtóu 동 〈文〉 머리를〔고개를〕 숙이다. ¶～便拜; 머리〔고개〕를 숙여 절하다.

〔纳胃〕 nàwèi 동 《經》 사들이다. 명 매기(買氣).

〔纳西族〕 Nàxīzú 명 나시 족(納西族)《중국 소수민족의 하나, 윈난 성(雲南省) 내에 분포함》.

〔纳闲〕 nàxián 동 한가하게 지내다. ¶现下～在家的人多的是; 요즘은 직업이 없어 빈둥거리는 사람이 많다.

〔纳降〕 nàxiáng 동 납항하다. 항복을 받아들이다.

〔纳新〕 nàxīn 동 ①새로운 것을 받아들이다. ②신당원을 받아들이다. ¶～对象; 입당 대상자.

〔纳性子〕 nà·xìngzi 동 (나쁜) 성질을 누르다.

肭 **nà** (눌)
①→〔腽wà肭〕 ②→〔腽wà肭兽〕

衲 **nà** (납)
① 동 기워 꿰매다. ② 명 〈比〉 가사(袈裟). ③ 명 〈比〉 중. 승려. ¶老～; 노승 / 贫～; 빈승《승려의 자칭》.

〔衲袄〕 nà'ǎo 명 승려가 입는 큰 소매의 윗옷. ＝〔衲衣〕

〔衲底子〕 nàdǐzi 동 ⇨〔抐底子〕

〔衲脸儿〕 nàliǎnr 명 〈古白〉 실로 누빈 구두코.

〔衲头〕 nàtóu 명 ①꿰매 맞추어 지은 옷. 누덕누덕 기운 옷. 가사(袈裟). ②승(려)복.

〔衲衣〕 nàyī 명 ⇨〔衲袄〕

〔衲子〕 nàzi 명 승려가 자기를 낮추어 이르는 말.

钠(鈉) **nà** (납)
명 《化》 나트륨(Na: natrium). ¶氯lǜ化～; 염화나트륨 / 氢qīng氧化～ ＝〔苛性～〕; 수산화나트륨 / 水杨酸～ ＝〔柳酸～〕; 실리실산 나트륨 / 碳tàn酸～; 탄산나트륨. (탄산)소다 / 枸jǔ橼酸～; 구연산나트륨.

〔钠玻璃〕 nàbōlí 명 소다 석회 유리.

〔钠长石〕 nàchángshí 명 《鑛》 나트륨 장석(長石). 조장석(曹長石).

〔钠矾〕 nàfán 명 《化》 나트륨 명반.

〔钠钙玻璃〕 nàgài bōli 명 소다 석회 유리. ＝〔钠玻璃〕〔软ruǎn玻璃〕

〔钠硷〕 nàjiǎn 명 《化》 소다.

〔钠硝石〕 nàxiāoshí 명 《鑛》 칠레 초석.

〔钠盐〕 nàyán 명 《化》 나트륨염.

捺 **nà** (날)
① 명 한자의 삐침《오른쪽으로 삐친 획》. ② 동 〈俗〉 손으로 꽉 내리누르다. ③ 동 참다. (감정을) 누르다. ¶～住性子; 기분을 억누르다 / ～得住; 억누를 수 있다. 참을 수 있다. ④ 동 바늘을 촘촘하게 위아래로 찔러 꿰매다. ¶～鞋底; 구두창을 달다. 구두창을 꿰매다. ＝〔抐nà③〕

〔捺不住〕 nàbuzhù (감정을) 억누를 수 없다. 참을 수 없다. ↔〔捺得住〕

〔捺底子〕 nàdǐzi 동 ⇨〔抐底子〕

〔捺搁〕 nàgē 동 버려 두다. ¶别人托你办的事你不要～着, 这样太不像话了! 남에게 부탁받은 일을 버려 두다니 너무 심하지 않은가! / 我刚吩咐你的事, 你别这么～着好不好; 아까 분부한 일은 이렇게 팽개쳐 놓지 말았으면 좋겠다.

〔捺取〕 nàqǔ 동 본을 뜨다. ¶使用特种物质～模样; 특수한 물질을 밀어넣고 형(型)을 뜨다.

〔捺瑟〕 nàsè 명《樂》 옛날, 캐스터네츠 구실을 하는 타악기의 일종.
〔捺印〕 nàyìn 동 손도장을 찍다.
〔捺着气儿〕 nàzheqìr 마음을 가라앉히다. 노여움을 억제하다. ¶他跟我吵, 我～不理他; 그는 나를 보고 소리를 질렀지만, 나는 마음을 진정시키고 상대하지 않았다.

呐 **na** (납)
조 ⇨〔哪na〕 ⇒ nà nè ne

哪 **na** (나)
조 어기 조사(語氣助詞)《문말(文末)의 조사(助詞)로 '呢' 보다 더 강한 어기(語氣). 앞의 한자가 n으로 끝날 때 '啊a' 가 '～'로 변함》. ¶谢谢您～; 고맙습니다. ＝〔呐na〕 ⇒ nǎ nǎi né něi

NAI ㄋㄞ

乃〈迺, 廼〉 **nǎi** (내)
〈文〉 ① 대 너. 너의. ¶～父; 너의 아버지. ＝〔你〕〔你的〕 ② 부 그래서. 비로소. ¶吾求之久矣, 今～得之; 나는 오랫동안 찾고 있었는데, 지금에야 비로소 손에 넣었다/人智既进～有科学; 인지가 진보하자 비로소 과학이 태어났다/闻之～知其一二; 이것을 듣고 겨우 조금 알았다. ＝〔才〕〔于是〕 ③ 부 마침내. ¶～至如此; 마침내 이렇게 되고 말았다. ＝〔竟jìng〕 ④ 동 …이다. 그러하다. ¶失败～(是)成功之母; 실패는 성공의 어머니이다. ＝〔是〕〔就(是)〕 ⑤ 부 오히려. ¶不见甲, ～见乙; 갑을 만나지 않고 오히려 을을 만났다/工人～是新社会的主人; 노동자는 새로운 사회의 주인공이다/水浒～一代奇书; 수호지는 정말로 일대의 기서이다. ⑥발어사(發語辭)로서 뜻이 없음. ¶～文～武; 문이면서 무.
〔乃尔〕 nǎi'ěr 부〈文〉 그와 같이. ¶何其相似～; 어쩌면 이렇게도 닮았을까.
〔乃父〕 nǎifù 명〈文〉 ①너의 아버지. ②아버지의 자칭. 네 아비. ‖＝〔乃公〕〔乃翁〕
〔乃公〕 nǎigōng 명〈文〉 ①너의 아버지. ②내공《상사 또는 선배가 부하·후배 등을 향하여 으스대는 자칭》.
〔乃龙〕 nǎilóng 명 ⇨〔尼ní龙〕
〔乃麻子〕 nǎimázǐ 명 이슬람교의 예배.
〔乃是〕 nǎishì 동〈文〉 …이다. 그러하다.
〔乃翁〕 nǎiwēng 명 ⇨〔乃父〕
〔乃者〕 nǎizhe 명〈文〉 먼젓번. 지난번.
〔乃至〕 nǎizhì 접 그 위에. …까지도. ¶引起了全中国～全世界人民的同情; 전중국, 더 나아가서는 전세계 국민의 동정을 불러일으켰다. ＝〔乃至于〕
〔乃祖乃宗〕 nǎi zǔ nǎi zōng〈成〉 조상님.

艿 **nǎi** (내)
→〔芋yù艿〕

奶〈嬭〉 **nǎi** (내)
① 명 유방. ②(～子) 명 젖. ¶喂～; 젖을 먹이다. ③ 동 젖을 먹이다. ¶把他～大了; 그에게 젖을 먹여 키웠다.
〔奶饼〕 nǎibǐng 명 치즈. ＝〔干黄油〕
〔奶饽饽〕 nǎibōbo 명 우유 표면에 엉기는 함유질, 곧 유피만을 써서 만드는 식품. 크림.
〔奶茶〕 nǎichá 명 ①우유를 (또는 양젖을) 탄 차. ②끓인 우유에 녹말 가루를 풀어 걸쭉하게 한 뒤 설탕을 탄 음료.
〔奶茶馆〕 nǎicháguǎn 명 밀크홀. ＝〔奶茶铺〕〔牛niú奶铺〕
〔奶疮〕 nǎichuāng 명 젖유종.
〔奶大〕 nǎidà 동 젖을 먹여 키우다. ¶把孩子～了; 어린이를 젖을 먹여 키웠다.
〔奶豆腐〕 nǎidòufu 명 소·양 등의 젖으로 두부처럼 응고시켜 만든 식품.
〔奶房〕 nǎifáng 명 아기에게 젖을 먹이는 방. 수유실(授乳室).
〔奶粉〕 nǎifěn 명 분유. 가루 우유. ＝〔乳rǔ粉〕
〔奶糕〕 nǎigāo 명 우유가 들어간 카스텔라류(類).
〔奶公〕 nǎigōng 명 유모의 남편. ＝〈俗〉 嬷mó嬷爹〕
〔奶臌子〕 nǎigǔzi 명 ⇨〔奶罩〕
〔奶罐子〕 nǎiguànzi 명 우유통.
〔奶孩儿〕 nǎiháir 명 젖먹이.
〔奶核子〕 nǎihúzi 젖꼭지.
〔奶糊子〕 nǎihúzi 명 젖먹이의 입 주위에 말라붙은 젖. ¶～还没退, 别跟我说嘴啦; 아직 입 언저리에 젖내도 가시지 않은 주제에 내게 말대꾸를 하는 거냐.
〔奶花〕 nǎihuā 명 ①우유 따위의 위에 생기는 유피(乳皮). ②유두에 생기는 종기.
〔奶积〕 nǎijī 명《漢醫》 소아의 소화 불량.
〔奶酒〕 nǎijiǔ 명 마유주(馬乳酒). ＝〔奶子酒〕
〔奶卷儿〕 nǎijuǎnr 명 (산사 열매로 만든 양갱 같은 것) 속에 크림을 넣은 롤(roll) 과자. ＝〔山shān查糕〕
〔奶酪(儿)〕 nǎilào(r) 명 소·말·양젖을 발효시켜 응고시킨 식품.
〔奶瘤〕 nǎiliú 명《醫》 유방암.
〔奶妈(儿)〕 nǎimā(r) 명 유모. ¶～抱孩子; 〈歇〉 유모가 아이를 안다. 〈比〉 남의 것. ＝〔奶婆〕〔奶娘〕
〔奶毛(儿)〕 nǎimáo(r) 명 솜털. ＝〔胎tāi毛〕
〔奶名(儿)〕 nǎimíng(r) 명 아명(兒名). ¶～叫三毛; 어린 시절의 이름을 싼마오(三毛)라 부른다.
〔奶母〕 nǎimǔ 명 유모. ＝〔奶妈mā(儿)〕
〔奶奶〕 nǎinai 명 ①〈口〉 할머니. 조모. ②〈敬〉 부인(婦人)《현재는 젊은 부인에 대해 쓰임》. ¶大～; 맏형의 부인/二～; 차형의 부인/小～; 첩/少～; 며느리 또는 젊은 부인. 새댁. ③ '旗人'이 어머니를 부르는 말. ④할머니, 조모와 같은 항렬 또는 같은 연배의 여자를 부르는 말.
〔奶奶庙〕 nǎinaimiào 명 ⇨〔娘niáng娘庙〕
〔奶奶婆〕 nǎinaipó 명 시할머니. 남편의 할머니.
〔奶娘〕 nǎiniáng 명 ⇨〔奶妈(儿)〕
〔奶牛〕 nǎiniú 명 젖소.
〔奶胖子〕 nǎipāngzi 명 유방. 젖통.
〔奶膀子〕 nǎipāngzi 명〈俗〉 젖. 유방. ＝〔奶胖子〕
〔奶皮(儿)〕 nǎipí(r) 명 ①우유 위에 엉긴 지방. ②크림. ¶挂guà～; 버터 크림을 씌우다. ＝〔乳酪〕
〔奶品〕 nǎipǐn 명 유제품.
〔奶瓶〕 nǎipíng 명 젖병.
〔奶婆〕 nǎipó 명 ⇨〔奶妈(儿)〕
〔奶脯〕 nǎipú 명 돼지의 옆구리 아래쪽 부분의 살.
〔奶声奶气〕 nǎi shēng nǎi qì〈成〉 어린애 티가 가시지 않은 모양.
〔奶水〕 nǎishuǐ 명〈口〉 젖.

〔奶酥〕 nǎisū 명 치즈.
〔奶汤白菜〕 nǎitāng báicài 명 배추에 우유를 넣은 수프.
〔奶糖〕 nǎitáng 명 ⇨〔乳rǔ糖〕
〔奶头(儿)〕 nǎitóu(r) 명〈口〉①젖꼭지. =〔奶头嘴儿〕 ②수유병(授乳瓶)의 젖꼭지. =〔奶嘴(儿)〕
〔奶乌他〕 nǎiwūtā 명 베이징(北京)의 겨울 식품으로 버터에 설탕을 섞어서 만드는 크림 모양의 과자.
〔奶牙〕 nǎiyá 명 젖니. ¶～还没掉呢; 젖니를 아직 갈지 않았다《아직 젖비린내가 나다》.
〔奶羊〕 nǎiyáng 명 젖양.
〔奶油〕 nǎiyóu 명 ①〈方〉버터. ¶假～; 마가린/～花生; 피넛 버터. =〔黄huáng油①〕 ②(식용의) 크림. =〔乳rǔ油〕
〔奶油菜心〕 nǎiyóu càixīn 명 버터 및 우유로 배추를 끓인 요리.
〔奶油巧克力〕 nǎiyóu qiǎokèlì 명 밀크 초콜릿.
〔奶罩〕 nǎizhào 명 브래지어(brassiere). =〔乳罩〕〔奶臌子〕
〔奶汁子〕 nǎizhīzi 명 젖. 모유.
〔奶子〕 nǎizi 명 ①〈口〉우유·양젖 등 유즙(乳汁)의 총칭. ¶还很小, 还在吃～; 아직 어려서 젖을 먹고 있습니다. ②〈方〉유방. ③〈方〉유모. =〔奶妈(儿)〕
〔奶子酒〕 nǎizijiǔ 명 ⇨〔奶酒〕
〔奶嘴〕 nǎizuǐ 명 ①(젖병의) 젖꼭지. ②(젖먹이의) 모조(模造) 젖꼭지.
〔奶嘬子〕 nǎizuōzi 명 갓난아이에게 빨리는 장난감.

氖 nǎi (내)
명《化》네온(Ne: neon). =〔年红〕

〔氖管〕 nǎiguǎn 명 네온 램프관(管).
〔氖光灯〕 nǎiguāngdēng 명 네온 사인(neon sign). =〔霓虹níhóng灯〕

哪〈那〉 nǎi (나)
nǎ의 구어음(口語音). ⇒nǎ na né něi, '那' Nā nà nè nèi

迺 nǎi (내)
① '乃nǎi' 의 이체자(異體字). ② 명 성(姓)의 하나.

倷 nǎi (니)
대〈方〉당신. 너. 자네. 注 같은 연배 또는 손아랫사람을 부르는 친밀감이 든 말투. 주로, 남자가 씀. =〔你〕

佴 Nài (내)
명 성(姓)의 하나. ⇒èr

奈 nài (내)
〈文〉①→〔奈何〕 ② 부 어찌. ¶无wú可～何 =〔无～何〕〔无～〕〔无可如何〕; 어찌할 수 없다《'无～'를 생략하여 단지 '～'라고도 함》/无～日子太近了, 怎么赶也来不及; 어찌하랴, 날짜가 너무 촉박하여 아무리 박차를 가하여도 제때에 댈 수 없다/出于无～何; 부득이 했다. 할 수 없이 이렇게 했다. ③ 동 견디다. 참다《'耐①'의 뜻으로 쓰임》. ¶也亏你～烦; 네가 귀찮아하지 않고 해 준 덕분이다.

〔奈端〕 Nàiduān 명 ⇨〔牛Niú顿〕
〔奈何〕 nài hé A) ①(이를) 어쩌랴. 어찌할꼬. ¶徒唤～; 어찌할까라고 외쳐댈 뿐이다. ②…을 어찌할 수가 없다. ¶～他不得; 그를 어찌할 수가 없다/凭你怎么说, 他就是不答应, 你又奈他何? 네가 아무리 말했자 그는 응낙하지 않으니, 그를 어찌 하겠느냐?/无可～; 어쩔 도리가 없다/～不得; 어쩔 도리가 없다/出于～; 마지못하여 하다. B) (nàihé) 동 혼내 주다. 처벌하다. 대처하다. ¶莫不去教高俅做什么～洒家; 설마 고구(高俅)로 하여금 나를 해치우려는 것은 아니겠지.
〔奈何木〕 nàihémù 명 옛날, 성을 지키는 시설《성벽 밖에 가로질러 놓는 것》.
〔奈何桥〕 Nàihéqiáo 명 ①나이허차오《산둥 성(山東省) 태산(泰山)에 있는 다리》. ②〈轉〉저승으로 가는 다리.
〔奈花〕 nàihuā 명《植》재스민.
〔奈克式导弹〕 nàikèshì dǎodàn 명《軍》나이키 미사일.
〔奈斯勒试剂〕 Nàisīlè shìjì 명《化》네슬러(Nessler) 시약(試藥).
〔奈脱〕 nàituō 명《史》〈音〉나이트(knight). =〔骑士〕〔奈德〕
〔奈因〕 nàiyīn 〈文〉어찌하랴 …때문에. ¶～环境的关系, 所以我不能离开她; 어찌하랴, 주위의 관계 때문에 그녀와 헤어질 수 없으니.

柰 nài (내)
①(～子) 명《植》사과의 일종. →〔苹píng果〕 ②→〔柰花〕

〔柰花〕 nàihuā 명《植》'茉莉'의 별칭.
〔柰园〕 nàiyuán 명 절의 별칭. =〔柰苑〕
〔柰苑〕 nàiyuàn 명 ⇨〔柰园〕

萘 nài (내)
명《化》나프탈렌(naphthalene). =〔臭樟脑〕〔骈苯〕

〔萘酚〕 nàifēn 명《化》나프톨. =〔纳nà夫妥〕〔纳富妥〕
〔萘硫脲〕 nàiliúniào 명《藥》안투(antu)《쥐약의 일종》.
〔萘球〕 nàiqiú 명《化》나프탈렌 알. =〔卫wèi生球(儿)〕
〔萘乙酸〕 nàiyǐsuān 명《化》나프틸 초산. 나프탈렌 초산.

耐 nài (내)
① 동 참고 견디다. ¶吃苦～劳; 〈成〉괴로움을 참고 견디다. ② 동 오래가다. 견뎌 내다. ¶～火; 불에 강하다/～水性; 물에 강한 성질. ③ 명 재능. 재간. ¶能néng～; 재능. 재간. ④ 대〈方〉자네. 당신. ⑤ 명〈廣〉시간. ¶好～; 아주 오랫동안/咁～; 이렇게 긴 시간.

〔耐饱〕 nàibǎo 형 (음식물로 인해) 배가 오래 든든하다.
〔耐不住〕 nàibuzhù 참을 수 없다. ¶我真～了, 非马上找他去问个底细不成; 정말 참을 수 없다. 당장 그한테 가서 진상을 물어 보지 않으면 안 되겠다.
〔耐藏〕 nàicáng 동 오래 저장할 수 있다. 오래 간수할 수 있다. 오래가다.
〔耐长〕 nàicháng 형 오래가다. =〔耐久〕
〔耐穿〕 nàichuān 형 (의복·신발 따위가) 오래가다. ¶这双鞋～; 이 신발은 오래 신을 수 있다.
〔耐笃〕 nàidǔ 명〈方〉너희들. 자네들.
〔耐烦〕 nài.fán 동 참다. 서두르지 않다. ¶～不住; 참을 도리가 없다/请你耐着烦儿做下去; 아무쪼록 귀찮더라도 계속해 주십시오/需要长期的～的教育与锻炼工作; 장기간에 걸치는 인내 교육과 단련 작업을 필요로 한다.
〔耐寒〕 nàihán 동 내한하다. 추위에 견디다. ¶～作物; 내한 작물. 형 추위에 강하다.

〔耐航力〕 nàihánglì 명 체공(滯空) 시간. 항속력.
〔耐火〕 nàihuǒ 동 내화하다. 화력에 견디다. 형 불에 강하다. 내화성이 있다. ¶～材料; 내화재 / 这种砖不～, 不能造炉子; 이런 벽돌은 내화성이 없어서, 노(爐)는 만들지 못한다.
〔耐火泥〕 nàihuǒní 명 내화점토(耐火粘土). =〔耐火(粘)土〕〔火泥〕
〔耐火纸〕 nàihuǒzhǐ 명 내화지(내화성이 있는 종이).
〔耐火砖〕 nàihuǒzhuān 명 내화 벽돌. =〔粘nián土火砖〕
〔耐碱〕 nàijiǎn 동 알칼리에 견디다〔강하다〕. 형 내알칼리성이 있다.
〔耐嚼〕 nàijiáo 형 씹을 만하다. ¶这种橡皮糖很～; 이런 종류의 껌은 꽤 씹을 만하다.
〔耐久〕 nàijiǔ 형 오래가다. ¶～力; 내구력 / 这种笔又～又好用; 이런 종류의 붓은 오래가고 또 쓰기가 쉽다.
〔耐久朋〕 nàijiǔpéng 명 평생 우정이 변하지 않는 친구.
〔耐可〕 nàikě ①차라리. 오히려. ②어찌 …할 수 있겠는가?
〔耐口〕 nàikǒu 형 먹을 만하다. ¶这种饼干吃着很～, 可以买点儿给小孩们吃; 이런 종류의 비스킷은 먹을 만하니까, 아이들에게 좀 사서 먹이는 게 좋다.
〔耐拉力〕 nàilālì 명 《物》 견인(牽引)에 견디는 힘.
〔耐劳〕 nàiláo 동 고생을 참고 견디다.
〔耐涝〕 nàilào 동 ①(곡물 등이) 침수(浸水)·습지에 견디다. ②침수·습지에 강하다.
〔耐冷〕 nàilěng 동 추위에 견디다. ¶俄国人都很能～; 러시아 사람은 모두 추위에 강하다. 형 추위에 강하다.
〔耐力〕 nàilì 명 ①내구력. ②인내력.
〔耐铝〕 nàilǚ 명 《化》 듀랄루민(duralumin).
〔耐纶〕 nàilún 명 〈音〉 나일론(nylon). ¶～管; 나일론 튜브. =〔尼龙〕〔耐罗〕
〔耐磨〕 nàimó 명 내마모(耐磨耗). 동 닳지 않다. ¶～合金; 감마(減摩) 합금. 형 내마모성이 있다.
〔耐气〕 nài.qì 동 노여움을 참다. ¶只可耐着气儿说话; 화가 나는 것을 참고 이야기하는 수밖에 없다.
〔耐热合金〕 nàirè héjīn 명 내열 합금.
〔耐人寻味〕 nài rén xún wèi 〈成〉 흥미진진한 맛이 있다. 음미할 만한 값어치가 있다.
〔耐忍〕 nàirěn 동 참다. 인내하다.
〔耐时〕 nàishí 동 인내하여 시기를 기다리다. =〔耐守时候〕
〔耐蚀〕 nàishí 동 부식에 견디다〔견디는 일〕. 형 내식성이 있다. ¶～合金; 내식 합금 / ～金属; 내식성 금속.
〔耐守时候〕 nàishǒu shíhou 동 인내하고 때를 기다리다. =〔耐时〕
〔耐水砂纸〕 nàishuǐ shāzhǐ 명 방수 사포(防水砂布).
〔耐水作物〕 nàishuǐ zuòwù 명 《植》 내수 작물(저온이나 관수(冠水)에 강한 농작물).
〔耐酸〕 nàisuān 동 산에 견디다. 형 산에 강하다.
〔耐酸铝〕 nàisuānlǚ 명 《化》 알루마이트(Alumite). =〔防fáng蚀铝〕
〔耐心〕 nàixīn 형 참을성이 있다. ¶～说服; 참을성 있게 설득하다 / 进行～的解释; 끈기 있게 설명하다 / 你不要着急, 得～细致地教育他; 조급해 해서는 안 된다. 참을성 있게 그를 설득해야 한다. 명 참을성. 인내성.
〔耐心烦(儿)〕 nài.xīnfán(r) 동 인내하다. 잘 참다. ¶没有～; 참을성이 없다 / 我实在不～; 나는 정말 귀찮아 죽겠다.
〔耐性〕 nàixìng 명 참을성. ¶有～的人; 참을성이 강한 사람.
〔耐性儿〕 nài.xìngr 동 참다(흔히, '耐着性儿'로서 부사성(副詞性) 수식어가 됨). ¶～等待着; 참고 기다리다 / 他真好～, 怎么说也不生气; 그는 정말 인내심이 강해서, 어떻게 얘기해도 화를 내지 않는다. (nàixìngr) 명 인내성.
〔耐压瓶〕 nàiyāpíng 명 《機》 가압(加壓)병.
〔耐用〕 nàiyòng 동 견디다. 내구력 있다. 형 오래가다. ¶经洗～; 세탁을 해도 천이 상하지 않고 오래간다.
〔耐脏〕 nàizāng 형 더러움을 타지 않다. ¶黑的衣服～; 검정 옷은 더러움을 덜 탄다.
〔耐战〕 nàizhàn 형 지구전(持久戰)〔장기전〕에 강하다. 명 지구전.

鼐 nài (내)
명 〈文〉 큰 정(鼎)(큰 세발솥).

褦 nài (내)
〈文〉 ①형 옷이 몸에 맞지 않고 촌스럽다(사리에 어둡다). ②명 패랭이(대갓에 파란 비단으로 선을 두른 것).
〔褦襶〕 nàidài 명 ①여름 모자. ②쑥맥. 맹추. 아무것도 모르는 사람. 형 사리에 어둡다.
〔褦襶子〕 nàidàizi 명 어리석은 사람. 바보.

NAN ㄋㄢ

囡〈囝〉 nān (닌) 〈건〉
명 〈南方〉 아이. 어린이. ¶男小～; 사내아이 / 女小～; 계집아이. =〔小孩子〕 ⇒ '囝' jiǎn
〔囡囡〕 nānnān 명 〈方〉 귀염둥이(어린이에 대한 친근한 호칭).

男 nán (남)
명 ①남자(의). 남성(의). ¶～声合唱; 남성 합창. ②〈文〉 부친에 대한 아들의 자칭. ③아들. ¶长zhǎng～; 장남. ④작위(爵位)의 제5위. ⑤성(姓)의 하나.
〔男扮女装〕 nán bàn nǚzhuāng 남자가 여장을 하다.
〔男傧相〕 nánbīnxiàng 명 (구식 결혼식에서) 신랑의 들러리. =〔伴bàn郎〕
〔男不拜月〕 nán bù bài yuè 중국의 옛 민속에서, 남자는 양(陽)이므로, 음(陰)인 달에 절하지 않는다. ¶～, 女不祭灶; 〈諺〉 남자는 달에 절하지 않고, 여자는 부뚜막의 신을 제사 지내지 않는다.
〔男部〕 nánbù 명 남자용(변소·목욕탕·탈의장 등의 구분). =〔男界〕 ↔〔女部〕
〔男才女貌〕 nán cái nǚ mào 〈成〉 ⇨〔郎láng才女貌〕
〔男厕〕 náncè 명 남자 변소.
〔男车〕 nánchē 명 남자용 자전거.
〔男大当娶, 女大当聘〕 nán dà dāng qǔ, nǚ dà dāng pìn 〈諺〉 나이가 차면 남자는 아내를 맞이하고, 여자는 시집 가는 것이 당연지사이다.
〔男盗女娼〕 nán dào nǚ chāng 〈成〉 남자는 도

적질하고, 여자는 창녀가 되다(남자나 여자나 변변한 인간이 없다. 엉큼한 놈들뿐이다). ¶满嘴仁义道德, 一肚子～;〈諺〉입으로는 인의도덕을 주절대지만, 뱃속은 교활하고 야비하다.

〔男的〕 nánde 명 남자. ¶是～, 还是女的? 남자냐 아니면 여자냐? ↔〔女nǚ的〕

〔男低音〕 nándīyīn 명〖樂〗베이스(bass).

〔男儿〕 nán'ér 명 ①대장부. ¶～志在四方;〈諺〉남아라면 천하에 뜻이 있다. =〔男子汉〕 ②남자아이.

〔男方〕 nánfāng 명 (결혼 당사자인) 남자 쪽. 신랑 쪽. ↔〔女nǚ方〕

〔男风〕 nánfēng 명 남색(男色).

〔男妇〕 nánfù 명 남녀. 부부.

〔男高音〕 nángāoyīn 명〖樂〗〈義〉테너(tenor).

〔男工〕 nángōng 명 ①남자 직공. ②남자 고용인.

〔男孩儿〕 nánháir 명 사내아이('男孩子' 보다 친근감이 있음). =〔男孩子〕〔男花(儿)〕

〔男婚女嫁〕 nán hūn nǚ jià〈成〉남자는 아내를 얻고, 여자는 시집을 간다(남녀의 자연의 구별을 말함).

〔男家(儿)〕 nánjiā(r) 명 결혼 당사자 가운데, 신랑의 집. =〔〈文〉乾qián宅〕

〔男界〕 nánjiè 명 ⇨〔男部〕

〔男角〕 nánjué 명 남우(男優)(여우(女優)는 '坤kūn脚' '女nǚ伶'). =〔男伶〕

〔男篮〕 nánlán 명〖體〗〈簡〉남자 농구. ↔〔女篮〕

〔男伶〕 nánlíng 명 ⇨〔男角〕

〔男媒〕 nánméi 명 ①신랑 쪽의 중매인. =〔男家(儿)〕 ②남자 중매인.

〔男男女女〕 nánnán nǚnǚ 남녀가 뒤섞인 많은 사람. ¶游行队伍里, ～个个都兴高采烈; 시위 행렬에는 남녀가 뒤섞여 누구나 모두 신이 나 있다.

〔男女〕 nánnǚ 명 ①〈方〉자녀(子女). ②남자(아이)와 여자(아이). ¶～同工同酬; 성별을 불문하고 같은 일에 대하여 같은 보수를 받다 / ～混合双打;〖體〗남녀 혼합 복식. ③천한 자(소설·희곡 등에서, 하인의 칭호). ¶官人但请放心, ～自伏侍; 나리 안심하십시오. 저희들이 잘 모시겠습니다.

〔男女老少〕 nánnǚ lǎoshào 명 남녀 노소.

〔男女平等〕 nánnǚ píngděng 명 남녀 평등.

〔男女同校〕 nánnǚ tóngxiào 명 남녀 공학. ¶实行～; 남녀 공학을 실시하다. =〔男女同学〕

〔男排〕 nánpái 명〖體〗〈簡〉남자 배구. ↔〔女排〕

〔男朋友〕 nánpéngyou 명 연인. (남성의) 약혼자.

〔男姘头〕 nánpīntóu 명 정부(情夫).

〔男人〕 nánrén 명 성년의 남자. 남자. ¶～气; 남자다움.

〔男人〕 nánren 명〈俗〉남편(흔히, 3인칭으로 쓰이며, 약간 멸시하는 기분이 있음). =〔丈夫zhàngfu〕

〔男生〕 nánshēng 명 남학생.

〔男同学〕 nántóngxué 명 남자 학우. 보이 프렌드.

〔男同志〕 nántóngzhì 명 남자(성인 남성).

〔男系〕 nánxì 명 남계. 남자의 혈통.

〔男小囡〕 nánxiǎonān 명〈方〉사내아이.

〔男星〕 nánxīng 명 남자 배우. 남우.

〔男性〕 nánxìng 명 ①남성. ②사나이. 남자.

〔男阴〕 nányīn 명 남근(男根). =〔阴茎〕

〔男中音〕 nánzhōngyīn 명〖樂〗바리톤(baritone).

〔男装〕 nánzhuāng 명 사나이. 남자의 분장. ¶女扮～; 여자가 남장하다.

〔男子〕 nánzǐ 명 남자. ¶～单打;〖體〗남자 단식.

〔男子汉〕 nánzǐhàn 명 남자. 사나이. ¶不像～; 남자답지 않다〔못하다〕.

〔男尊女卑〕 nán zūn nǚ bēi〈成〉남존 여비.

〔男左女右〕 nánzuǒ nǚyòu 남좌 여우(남자는 왼쪽. 여자는 오른쪽. 손금·방위 등을 보는 방식).

〔男座儿〕 nánzuòr 명 남자석(席).

南 nán (남)

①명 남쪽. ¶～半球; 남반구 / ～美洲; 남아메리카주. ②동 남쪽을 향해 가다. ③명 옛 음악의 이름. 남방의 음악. ④명 성(姓)의 하나. ⇒nā

〔南梆子〕 nánbāngzi 명 경극(京劇)의 곡조의 일종.

〔南北〕 nánběi 명 ①남북. 남과 북. ②남쪽 끝에서 북쪽 끝까지(거리를 가리킴). ¶这个水库～有五公里; 이 저수지는 남쪽 끝에서 북쪽 끝까지 5 킬로이다.

〔南北朝〕 Nánběicháo 명〖史〗남북조(동진(東晉) 이후, 남북의 땅에 할거한 '南朝'와, 북방에 할거한 후위(後魏)·북주(北周) 등 선비(鮮卑)의 '北朝'를 가리킴. 뒤에 수(隋)나라에 통일됨).

〔南北曲〕 nánběiqǔ 명 남북곡(북곡(北曲)은 잡극(雜劇), 남곡(南曲)은 희문(戲文)이라고도 함).

〔南北学〕 nánběixué 명 남북학(진(晉)나라에서 수(隋)나라에 이르는 남북조의 경학(經學)의 두 파).

〔南北洋〕 nánběiyáng 명 남북양.

〔南北宗〕 nánběizōng 명 남북종(선종(禪宗)·도가(道家)·회화(繪畫) 등의 남북의 두 파).

〔南边(儿)〕 nánbian(r) 명 ①남쪽. ②중국의 남부 지방.

〔南菜〕 náncài 명 중국 요리에서 화이허 강(淮河)·양쯔 강(揚子江) 유역의 양저우 요리, 상하이 요리 등.

〔南漕〕 náncáo 명 연공(年貢)으로 바치는 쌀·콩 등의 남쪽에서 운반해 오는 것.

〔南柴胡〕 náncháihú 명〖植〗가는잎시호(뿌리는 약용함).

〔南车〕 nánchē 명 ⇨〔指zhǐ南车〕

〔南船北马〕 nán chuán běi mǎ〈成〉각 지방을 여행하다(남북의 풍물이 크게 다르다).

〔南斗〕 nándǒu 명〖天〗(여섯 별로 된) 남두성(南斗星).

〔南豆〕 nándòu 명〖植〗잠두. =〔蚕豆〕

〔南豆腐〕 nándòufu 명 ①연한 두부. ②두부를 작은 주사위 모양으로 썰어 만든 황백색의 식품.

〔南渡〕 nándù 동 ①바다를 건너 남쪽으로 가다. ②〖史〗남쪽으로 수도를 옮기다(난을 피하여 양쯔 강(揚子江) 남쪽으로 도읍을 옮긴 것을 말함).

〔南方〕 nánfāng 명 ①남. 남쪽. ②중국 남부 지역(창장 강(長江) 유역 및 창장 강(長江) 이남 지역). ¶～人; (중국) 남부 사람 / ～话; 남방 방언. =〔南边②〕

〔南非共和国〕 Nánfēi gònghéguó 명〖地〗남아프리카 공화국(South Africa, Republic of)(수도는 '比勒陀利亚'(프리토리아: Pretoria)).

〔南风不竞〕 nán fēng bù jìng〈成〉남방의 시는 음조에 활기가 없다(남쪽 나라들은 위세를 떨치지 못한다. 운세를 떨치지 못함).

〔南风之熏〕 nán fēng zhī xūn〈成〉천하가 잘

다스려져 백성이 기뻐하고 부유하게 지냄.
〔南服〕 nánfú 명 〈文〉 남방 판도(版圖) 안의 땅.
〔南格印纸〕 nángéyìnzhǐ 명 빛깔을 쓰지 않고, 눌러서 줄을 친 편지지.
〔南宫〕 Nángōng 명 복성(複姓)의 하나.
〔南瓜〕 nánguā 명 《植》 ①호박. ¶ ~子zǐ儿; 호박씨. ②서양 호박.
〔南国〕 nánguó 명 〈文〉 남국(중국의 남부일대를 가리킴).
〔南馃〕 nánguǒ 명 남방풍의 구식의 간식.
〔南海〕 Nánhǎi 명 ①남해(남중국해). ②《地》 광둥성(廣東省)에 있는 현(縣)의 이름. ③베이징(北京)의 옛 황성 안에 있는 호수의 남쪽 부분. ④(nánhǎi) 전에, 남방의 외진 땅의 일컬음.
〔南海观音〕 nánhǎi guānyīn 명 《佛》 관음(관음은 흔히 남해의 저우산 열도(舟山列島)의 푸퉈산(普陀山)에 있다고 함).
〔南寒带〕 nánhándài 명 《地》 남한대.
〔南胡〕 nánhú 명 《樂》 호궁(胡弓)의 하나. =〔二èr胡〕
〔南货〕 nánhuò 명 남방에서 나는 물품·식품.
〔南货店〕 nánhuòdiàn 명 중국의 남방 특산의 식품을 파는 상점. =〔南杂行〕
〔南极〕 nánjí 명 ①《地》 남극. ¶ ~圈; 남극권. ②《地》 (자석의) S극.
〔南极老人星〕 nánjí lǎorénxīng 명 ⇨〔老人星〕
〔南笺〕 nánjiān 명 화난(華南)산의 편지지.
〔南煎丸子〕 nánjiānwánzi 명 난젠완쯔(돼지고기 완자를 기름에 튀긴 남방식의 요리).
〔南金〕 nánjīn 명 옛날, 형주(荊州)·양저우(揚州)에서 나는 금. ¶ ~东箭; 〈比〉 고상한 사람. 우수한 인재.
〔南京椴〕 nánjīngduàn 명 《植》 보리수.
〔南九宫谱〕 nánjiǔgōngpǔ 명 남곡보(南曲譜).
〔南酒〕 nánjiǔ 명 화난 산(華南産)의 술. 즉, 소흥주(紹興酒).
〔南橘北枳〕 nán jú běi zhǐ 〈成〉 남귤 북지(강남의 귤은 강북에서는 탱자가 된다). 〈比〉 사람은 환경의 지배를 받아 악하게도 되고 착하게도 된다.
〔南柯一梦〕 Nán kē yī mèng 〈成〉 꿈과 같이 헛된 한때의 부귀영화.
〔南凉〕 Nánliáng 명 《史》 왕조 이름. 진(晉)나라 시대의 오호 십륙국(五胡十六國)의 하나.
〔南粮北调〕 nán liáng běi diào 〈成〉 화남의 식량을 화북으로 수송하다(후난(湖南)·후베이(湖北)가 풍년이 들면 천하가 굶주리지 않는다고 하였음).
〔南路白干〕 nánlù báigān 명 고량주(베이징 남부에서 양조되는 술).
〔南蛮〕 nánmán 명 남만. 옛날에, 남방의 여러 민족을 일컫던 말.
〔南蛮鴂舌〕 nán mán jué shé 〈成〉 남만 격설(남만인의 알아들을 수 없는 말).
〔南满洲〕 Nánmǎnzhōu 명 《地》 남만주(옛날, 둥산 성(東三省)의 창춘(長春) 이남을 가리키던 말).
〔南门〕 Nánmén 명 복성(複姓)의 하나.
〔南面〕 nánmiàn 명 ①(~儿) 남측. 남쪽. ②〈比〉 장서(藏書)가 많은 일. 통 〈文〉 남면하다. 군주가 되다(옛날, 군주는 남면하였음). ¶ ~王; 황제.
〔南面百城〕 nán miàn bǎi chéng 〈成〉 고위 고관(高位高官)이 많은 땅을 지배함. 지배자가 더없는 영화(榮華)를 누림.
〔南明〕 Nánmíng 명 《史》 남명. 왕조 이름. 명(明)나라가 멸망한 뒤, 그 잔존 세력이 남쪽에 세운 정권.
〔南泥湾精神〕 Nánníwān jīngshen 명 《史》 남니만 정신(항일 전쟁 중 불모의 땅을 개간하여 자급자족할 수 있게 만든 각고 분투의 정신).
〔南齐〕 Nánqí 명 《史》 남제. 왕조 이름(남북조 시대에 남조(南朝)의 둘째 왕조, 479~502).
〔南其辕而北其辙〕 nán qí yuán ér běi qí zhé 〈成〉 남쪽으로 가려는데 수레를 북쪽으로 달리게 하다(목적·목표와 행동·방향이 반대임. 일이 뜻과는 달리 반대의 결과를 가져옴). =〔南辕北辙〕
〔南腔北调〕 nán qiāng běi diào 〈成〉 남북의 방언이 섞인 말. 사투리가 있는 말.
〔南曲〕 nánqǔ 명 '北曲'에 대하여 명대(明代)에 성행하던 희곡.
〔南沙群岛〕 Nánshā Qúndǎo 명 《地》 남사 군도. 스프래틀리 제도(Spratly諸島).
〔南沙参〕 nánshāshēn 명 《植》 잔대.
〔南山北村〕 nán shān běi cūn 〈成〉 이 마을 저 마을. 마을들.
〔南山查〕 nánshānzhā 명 《植》 산사나무.
〔南蛇风〕 nánshéfēng 명 《植》 노박덩굴. =〔南蛇藤〕
〔南式〕 nánshì 명 남방식. ¶ ~糕点; 남방식 과자 / ~盆桶; 남방식의 함지박과 통.
〔南斯拉夫〕 Nánsīlāfū 명 《地》 유고슬라비아(Yugoslavia). (수도는 '贝Bèi尔格莱德'(베오그라드: Beograd)). =〔巨哥斯拉夫〕
〔南宋〕 Nánsòng 명 《史》 남송(왕조 이름(1128~1276년)).
〔南唐〕 Nántáng 명 ⇨〔后Hòu唐〕
〔南糖〕 nántáng 명 ⇨〔什shí锦南糖〕
〔南甜, 北咸, 东辣, 西酸〕 nántián, běixián, dōnglà, xīsuān 〈成〉 '中国菜'의 맛의 특징을 이르는 말. 즉, '南菜'(남쪽 요리)는 흔히 달며, '北菜'는 짜고, 동부(山東 등)는 매우며, 서부(山西 등)는 신맛이 짙음.
〔南腿〕 nántuǐ 명 중국 남방산의 햄(ham).
〔南闱〕 nánwéi 명 과거 시험 가운데 난징(南京)에서 거행된 '会试'를 일컬음.
〔南味〕 nánwèi 명 남방 풍미(南方風味). ¶ ~糕点; 남방 맛의 과자.
〔南席〕 nánxí 명 (푸젠(福建)·광둥(廣東) 등지의) 남방식 요리.
〔南戏〕 nánxì 명 고전(古典) 지방극의 하나(남송(南宋) 초기 저장 성(浙江省) 원저우(溫州) 일대에서 시작됨).
〔南鲜〕 nánxiān 명 남방산(産)의 귤·유자 등의 과일.
〔南学〕 nánxué 명 ①→〔南北学〕 ②구식 서당의 일컬음.
〔南浔铁路〕 nánxún tiělù 명 장시 성(江西省) 난창(南昌)에서 주장(九江)까지의 철도.
〔南亚次大陆〕 Nányà Cìdàlù 명 남아시아 아대륙(亞大陸)(스리랑카·몰디브·인도·방글라데시·부탄·네팔을 포함함).
〔南洋〕 Nányáng 명 《地》 ①옛날, 장쑤(江蘇) 이남 및 양쯔 강(揚子江) 일대의 바다에 연한 각 성(省). ②남양 군도. →〔北洋〕
〔南洋商报〕 Nányáng shāngbào 명 말레이시아·싱가포르의 화교 신문 이름.
〔南也门〕 Nányěmén 명 ⇨〔也门共和国〕
〔南音〕 nányīn 명 ①남방의 음악. ②남중국의 방

언 또는 발음.

〔南辕北辙〕 nán yuán běi zhé 〈成〉 (수레의) 채는 남쪽 방향으로, 수레바퀴는 북쪽 방향으로, 즉 남쪽으로 가려고 하는데 북쪽으로 가 버리고 마는 일(일이 모순되는 일. 일이 뜻과 달리 반대 결과가 되어 버리는 일). ¶唯心主义世界观与走社会主义道路是～; 유심주의 세계관과 사회주의의 길은 반대 방향이다.

〔南岳〕 Nányuè 명 〖地〗 '五岳'(오악) 중의 하나. =〔衡héng山〕

〔南越〕 Nányuè 명 〖史〗 남월(옛 나라 이름. 지금의 광둥(廣東)·광시(廣西)의 땅).

〔南杂行〕 nánzáháng 명 ⇨〔南货店〕

〔南针〕 nánzhēn 명 ①나침반. 자석. ②지도(指導). ③가르침. 교훈. ¶他说的这几句话, 可以作一生事业的～; 그의 말은 평생 사업의 지침으로 삼을 만하다.

〔南征北战〕 nán zhēng běi zhàn 〈成〉 남쪽과 북쪽으로 전전(轉戰)하다. 각지를 전전하다.

〔南枝北枝〕 nán zhī běi zhī 〈成〉 사람의 경우(처지)는 가지각색이다.

〔南纸〕 nánzhǐ 명 중국 남부에서 나는 종이. ¶～铺; 지물포.

〔南中〕 nánzhōng 명 〈文〉 남쪽의 땅.

〔南竹〕 nánzhú 명 ⇨〔毛máo竹〕

〔南宗〕 nánzōng 명 ①〖佛〗〈文〉 남종. ②〖美〗(불교·도교·산수화 등의) 남방파. ↔〔北běi宗〕

諵(諵)

nán (남) 동 〈文〉 말을 많이 하다.

〔諵諵〕 nánnán 형 말이 많은 모양.

喃

nán (남) →〔喃喃〕〔喃藏经〕

〔喃喃〕 nánnán 〈擬〉 작은 소리로 속삭이다. ¶～自语; 속삭이듯 혼자말을 하다 / ～笃笃; 작은 목소리로 중얼거리다.

〔喃藏经〕 nánzàngjīng 명 두서없는 긴 말.

楠〈柟〉

nán (남) 명 〖植〗 녹나무.

〔楠柴〕 nánchái 명 〖植〗 후박나무. =〔红楠〕

〔楠胡〕 nánhú 명 〖樂〗 이호(二胡).

〔楠木〕 nánmù 명 ①〖植〗 녹나무. ②녹나무 목재.

〔楠木作〕 nánmùzuō 명 녹나무 가구를 만드는 소목장이.

难(難)

nán (난) ① 형 어렵다. 곤란하다. ¶说着容易做着～; 말하기는 쉬우나 행하기는 어렵다 / 这个字～写; 이 글자는 쓰기 어렵다 / 学好外国话是一件很～的事; 외국어를 마스터하는 것은 어려운 일이다 / ～者不会, 会者不～; 어려운 일은 할 수 없고, 할 수 있는 일은 어렵지 않다. ↔〔容易〕 ② 형 〈婉〉 …하기 힘들다〔어렵다〕('할 수 없다'는 것을 말한 것). ¶～保; ⇓ ③ 동 난처하게 만들다. 두 손 들게 하다. ¶～不住他; 그를 찍소리 못하게 할 수가 없다 / 我明知道你不能做, 故意地～; 네가 할 수 없다는 것은 잘 알고 있지만, 일부러 괴롭힌 것이다 / 把她～住了; 그 여자를 난처하게 만들었다. ④ 형 …하기가 괴롭다〔거북하다〕. ¶～看; ⇓ / ～听; ⇓ ⇒ nàn nuó

〔难熬〕 nán'áo 동 (고통·고난 등을) 견디기〔참기〕 어렵다.

〔难白之诬〕 nán bái zhī wū 〈成〉 변명이 안 되는 사실 무근의 험담. ¶～休辩; 〈諺〉 말도 안 되는 변명은 마라.

〔难办〕 nánbàn 형 하기 힘들다. 취급하기 곤란하다. ¶这一下可～了! 이거 곤란하게 되었는 걸!

〔难保〕 nánbǎo 형 보증하기 어렵다. …라고는 말할 수 없다. …인지도 모른다. ¶自身～; 자기 몸을 지탱 못 하다 / 性命～; 목숨을 보전하기 어렵다 / 今天～不下雨; 오늘은 비가 올지도 모른다 / ～他准来; 그가 꼭 오리라고는 보증할 수 없다.

〔难比〕 nánbǐ 형 비교가 되지 않는다. ¶亲兄弟～别人; 한 핏줄의 형제는 남과 다르다.

〔难不住〕 nánbuzhù (난처하게 만들려 해도) 난처하게 할 수 없다. ↔〔难得住〕

〔难缠〕 nánchán 형 귀찮다. 까다롭다. ¶这孩子动不动就发脾气, 怪～的! 이 아이는 걸핏하면 신경질을 내서 정말 애먹인다! / 这人真～, 跟他说了半天, 他就是不走; 저 사람은 정말 다루기가 어려워, 한참이나 지껄였는데도 도무지 갈 생각을 안 한다.

〔难产〕 nánchǎn 형 ①〖醫〗 난산이다. ②〈比〉 저작·계획 등이 좀처럼 완성되지 않는다. ¶那件事一再延期恐怕是～了; 그 일은 여러 번 연기했는데, 아무래도 실현이 어려울 것이다.

〔难吃〕 nánchī 형 맛이 없다. ¶没有比这样的菜～的; 이것보다 맛없는 음식은 없다.

〔难筹〕 nánchóu 형 마련하기 어렵다. ¶这笔钱～得很; 이 돈을 마련하기는 아주 어렵다.

〔难处〕 nánchǔ 형 사귀기 어렵다. 같이 있기〔지내기〕 거북하다. ¶他只是脾气暴躁些, 并不算～; 그는 성질이 좀 급한 것 뿐이지 사귀기 힘든 편은 아니다. ⇒nànchù

〔难处〕 nánchu 명 어려운 점. 난점. ¶这工作没有什么～; 이 일은 아무런 어려움도 없다 / 体谅他们的～; 그들의 고충을 헤아리다 / 大家都在～; 모두가 재난 속에 있다.

〔难打交道〕 nán dǎ jiāodào 사귀기 어렵다. ¶他有怪皮气～; 그는 이상한 성격이어서 사귀기 어렵다. =〔难打交待〕

〔难当〕 nándāng 형 못 당하다. 대적하기 어렵다. 〈轉〉 견딜 수가 없다. ¶旗鼓～; (병력이 적어) 대적할 수 없다. 벅차다 / 痛苦～; 고통을 견디기 어렵다.

〔难倒〕 nándǎo 동 괴롭히다. 질리게 만들다. 주춤하게 만들다. ¶这个问题可把我～了; 이 문제는 확실히 나를 난처하게 만들었다 / 这可～他了; 이것에는 그도 질렸다.

〔难道〕 nándào 부 설마 …일 리 없다(문장의 끝에서 '吗'·'不成'이 호응하는데, '吗'·'不成'이 결여되면 어세(語勢)는 강해짐). ¶你～不知道吗? 설마 네가 모를 리 없다 / 这个电影已经演过好几次了, 你～没有看过吗? 이 영화는 벌써 여러 번 상영되었는데, 너도 설마 안 보지는 않았겠지? / ～他不来; 그가 설마 오지 않는 일은 없겠지 / 今夜酒肠～窄? 오늘 밤은 술이 들어간 창자가 좁아진 것도 아닐 텐데.

〔难道说〕 nándàoshuō 설마 …라고 할 순 없겠지. =〔〈文〉莫mò非说〕

〔难得〕 nándé 형 구하기 힘들다. 하는 것이 힘들다. ¶灵芝是非常～的药草; 영지는 매우 구하기 힘든 약초이다 / 这样的机会～; 이런 기회는 좀처럼 없다. 부 좀처럼 …하지 않다. 전혀 생각 밖이다. ¶我母亲年纪大了, ～出门; 어머니는 연세가

많기 때문에 좀처럼 외출을 하지 않는다 / ~他小孩子会有这么大的见识; 이런 아이가 이렇듯 대견식을 지니고 있을 줄은 생각도 못 하였다 / 他~到外头去吃回饭去; 그는 좀처럼 밖에서 식사하는 일은 없다. 注 뜻밖의 일이 실현되었을 때 감탄의 어기(語氣)를 담아 쓰임. ¶~你来了! 정말 잘 와 주었다!

〔难点〕 **nándiǎn** 명 난점. 고충.

〔难懂〕 **nándǒng** 형 알기 힘들다. 이해하기 힘들다. ¶~的话; 알기 힘든 말.

〔难度〕 **nándù** 명 (기술·기예 등의) 난이도. 어려운 정도.

〔难分难解〕 **nán fēn nán jiě** 〈成〉 ①나누려 해도 나눌 수 없다. 중재시킬 수 없다. ②친밀하여 떨어질 수 없다. ③좀처럼 승부가 안 나다. ¶打得~; (전쟁·싸움·승부 등) 여간해서 승부가 안 나다.

〔难甘〕 **nángān** 형 좋아하지 않다. 싫다. ¶父亲叫我给他赔不是, 我可是心里~得很; 아버지는 나더러 그에게 사과하라고 그러시지만, 내 마음은 아주 편치 않다.

〔难搞〕 **nángǎo** 형 하기 어렵다. 해결이 어렵다.

〔难割难舍〕 **nán gē nán shě** 〈成〉 아깝기 그지없다. 미련이 남아 어쩔 수 없다.

〔难怪〕 **nánguài** 형 ①이상할 것 없다. …도 무리가 아니다. ¶也~孩子们爱他; 아이들이 그를 좋아하는 것도 무리가 아니다 / 这也~, 一个七十岁的人, 怎能看得清这么小的字呢! 그것은 무리가 아니다. 70세 된 사람이 어떻게 이렇게 작은 글씨를 읽을 수 있겠는가! ②…의 탓이 아니다. …을 책할 수 없다. ¶也~她; 그녀가 나쁜 것은 아니다. 부 과연. 어쩐지. ¶~他今天这么高兴, 原来新机器试验成功了! 어쩐지 그가 오늘 기분이 좋다 했더니, 새 기계의 실험에 성공했었구나! =〔怪不得〕

〔难过〕 **nánguò** 형 ①슬프다. 마음 아프다. ¶他听到老师逝世的消息, 心里非常~; 그는 선생님이 돌아가셨다는 소식을 듣고 매우 슬펐다 / 我替他~; 그에게 동정하다. ②생활이 고생스럽다. ¶穷人的日子真~; 가난한 사람의 생활은 정말 고생스럽다. ③(감정적으로) 잘 되지 않다. 맺힌 감정이 있다. ¶我同他~; 그와 사이가 좋지 않다. ④부끄럽다. ¶给他一个~; 그를 창피하게 하다.

〔难乎〕 **nánhū** 형 곤란하다.

〔难坏〕 **nánhuài** 동 매우 난처하게 되다. 매우 곤란하게 되다. ¶那个事可把我~了; 그 일이 나를 매우 난처하게 만들었다.

〔难活〕 **nánhuó** 형 〈方〉 ①생활이 어렵다. ②몸이 불편하다. ③성장하기 힘들다. ¶这棵树看样子很~; 이 나무는 모양을 보니 자라기가 힘들 것 같다.

〔难局〕 **nánjú** 명 난국. 곤란한 사태. 정돈(停頓) 상태.

〔难堪〕 **nánkān** 형 ①참기 어렵다. 견디기 힘들다. ¶天气闷热~; 더워서 못 견디겠다. ②곤혹스럽다. ¶他感到有点~, 微微涨红了脸; 그는 약간의 곤혹스러움을 느끼며 얼굴이 좀 붉어졌다 / 他脸上有一种~的样子; 그의 얼굴에 한 가닥 난감한 빛이 보였다 / 给他一个~; 그를 창피하게 하다 / 予人~; 혼내 주다.

〔难看〕 **nánkàn** 형 ①볼썽 사납다. 보기 싫다〔흉하다〕. 더럽다. ¶他的脸色很~; 그의 안색은 매우 나쁘다 / 他做了那种丢脸的事, 叫同事的面子上都怪~的; 그가 그런 창피한 일을 해서 동료들도 체면을 크게 잃었다. =〔丑陋〕〔不好看〕 ↔〔好看〕 ②난처하다. 난감하다. ¶给他好多~; 남의 앞에서 그를 난처하게 하다.

〔难买难卖〕 **nánmǎi nánmài** 〈比〉 버티고 양보 않다. 해결이 어렵다. ¶我还能~吗? 내가 계속 우길 수는 없다 / 您既然赏脸, 我还能~吗? 당신이 양보해 주었는데, 내가 끝내 버틸 수 있습니까?

〔难免〕 **nánmiǎn** 형 면하기 어렵다. …하기 쉽다. ¶~失败; 실패는 면할 수 없다 / 他这憨hān厚人, 到了香港这五洋杂处chǔ的地方, ~要上当的; 그 사람같이 정직한 사람이 홍콩 같은 세계 각국 사람이 모여 사는 고장에 왔으니, 아무래도 속임수에 걸리기 쉽다.

〔难耐〕 **nánnài** 형 참기 어렵다, 견딜 수 없다. ¶实在是这口气太~了; 정말 이런 말투는 견딜 수 없다.

〔难难〕 **nánnán** 형 매우 어렵다. ↔〔易yì易〕

〔难能〕 **nánnéng** 형 어렵다. 하기 힘들다. 될 수 없다. ¶~尽同; 전부가 같을 수는 없다 / 他平日的俭省也是人所~的; 그의 평소의 검약은 아무나 할 수 있는 일이 아니다.

〔难能可贵〕 **nán néng kě guì** 〈成〉 갸륵한 일이다. 보기 드물게 귀하다. 기특하다. ¶过去草都不长的盐碱地, 今天能收这么多粮食, 的确~; 옛날에는 풀도 나지 않던 알칼리성 땅에, 오늘날 이렇게 많은 곡물을 수확하다니 정말 갸륵한 일이다 / 他们都能够互相帮助, 这倒是~的了; 그들처럼 서로 도울 수 있는 것은 정말 기특한 일이다.

〔难念〕 **nánniàn** 형 (소리내어) 읽기 어렵다.

〔难念的经〕 **nánniànde jīng** 명 ①어려운 경문(經文)《어려운 일》. ②말 못 할 곤란한 일. ¶家家都有一本~; 〈諺〉 (남보기는 좋으나) 어느 집이고 말 못할 걱정은 있다.

〔难劈的柴〕 **nánpīdechái** 쪼개기 어려운 장작《완고한 인간》.

〔难凭〕 **nánpíng** 형 의심스럽다. 믿기 어렵다.

〔难人〕 **nánrén** 동 ①남을 난처하게 만들다. ②쉽지 않다. ¶这种~的事, 不好办; 이렇게 어려운 일은 하기 힘들다. 명 까다로운 일을 담당하는 사람. 미움 받는 역할. ¶有麻烦事我们帮助你, 决不叫你做~; 성가신 일이 생기면 우리는 자네를 도와서 결코 자네만 비난의 대상이 되게 하지는 않겠네 / 我家和赵家又没仇没冤, 何苦出头作~; 우리 집과 조씨 집안은 아무런 원한도 없는데, 무엇 때문에 애써 미움을 사는 노릇을 하겠는가. ⇒ nànrén

〔难忍〕 **nánrěn** 형 참기 어렵다.

〔难容〕 **nánróng** 형 용서할 수 없다. 버려둘 수 없다. 서로 맞지 않다. 일이 잘 되지 않다. ¶情理~; 정리로서〔인정상〕 용서할 수 없다〔그냥 내버려 둘 수 없다〕 / 他干了那种丧sàng廉无耻的勾当, 就是他的亲老子也~他; 그는 그런 파렴치한 짓을 했으므로 친아버지조차도 화가 나 있다 / 他住在我家, 我家的人~他; 그는 우리 집에 살고 있지만, 가족과 잘 통하지 않는다.

〔难色〕 **nánsè** 명 난색. 난처한 표정. ¶面有~; 난색을 나타내다.

〔难上加难〕 **nán shàng jiā nán** 〈成〉 더욱 곤란이 가중되다. 거듭되는 재난. =〔难上难〕

〔难舍〕 **nánshě** 형 버리기 어렵다. 떨어지기 어렵다. 아쉽다.

〔难舍难分〕 **nán shě nán fēn** 〈成〉 헤어지기 어렵다. ¶成了~的关系; 헤어지기 어려운 관계가 되었다. =〔难分难舍〕〔难离难舍〕

〔难受〕 nánshòu 형 견디기 어렵다. 고되다. 괴롭다. 슬프다. ¶浑身疼得～; 온몸이 아파 견딜 수 없다/不要～, 也不抵事; 괴로워하지 마. 그래봤자 소용없으니까/我不能说, 我真～, 我明天告诉你吧; 나는 정말 괴로워서 말할 수 없으니, 내일 당신에게 말하겠습니다.

〔难说〕 nánshuō 형 ①말하기가 힘들다. ¶这句话我很～; 나는 이 말을 하기가 아주 힘들다/因为我和他没大交情, 这样话很～; 나는 그와 별로 교제도 없어서, 그런 이야기는 하기가 거북하다. ②잘라 말할 수 없다. …라고 말하기 어렵다. ¶他什么时候回来还很～; 그가 언제 돌아올지 아직 무어라고 말할 수 없다/他今天能不能到上海, 很～; 그가 오늘 상해에 도착할지는 뭐라 말하기 어렵다.

〔难说话(儿)〕 nánshuōhuà(r) (성격이) 말 걸기가 어렵다《몰상식·몰인정하여 말을 걸어도 무뚝뚝하거나 건방져서 상대가 안 되는 상태》. ¶他那个人很～; 저 사람은 꽤나 말 붙이기 어려운 사람이다.

〔难逃〕 nántáo 형 ①(…에서) 도망가기 어렵다. ¶～法网; 법망으로부터 빠져 나가기 어렵다. ②피하기 어렵다. ¶他做的事, 伤天害理, 真是～公道; 그가 한 짓은 천리에 어긋나는 일이므로, 정말 인과응보를 피할 수가 없다.

〔难题〕 nántí 명 난제. 곤란한 문제. ¶拿～问人; 어려운 문제를 제기하다/他常给人一种～做; 그는 언제나 사람에게 어려운 문제를 들고 나온다. =〔难题目〕

〔难听〕 nántīng 형 ①말 따위가 듣기 거북하다. ¶开口骂人, 多～! 입만 열었다 하면 남의 욕이니 정말 듣기 거북하다! ②(음성 등이) 듣기 거북하다. ¶这个曲子怪声怪调的, 真～; 이 노래는 이상한 곡조라 정말 듣기 거북하다. ③(일이 남에게 알려져) 꼴이 사납다. 보기 흉하다. ¶这种事情说出去多～! 이런 일이 소문이 나면 얼마나 꼴불견일까!

〔难忘〕 nánwàng 형 잊기 어렵다. ¶～的印象; 잊을 수 없는 인상.

〔难为〕 nánwéi 형 하기 힘들다. 쉽지 않다. 곤란하다. ¶这件事, 我很～; 이 일로 나는 매우 곤경에 처해 있다/～久计; 장기 계획으로 하는 일이 어렵다.

〔难为〕 nánwei 동 ①(남을 치하하거나 위로할 때) 수고하셨습니다. 고맙습니다. 참 잘하셨습니다. ¶～你来了! 당신, 오시느라고 수고하셨습니다!/～您想开了; 잘 단념하셨습니다/～你给我提一桶水来; 정말 친절도 하셔라, 나를 위해 물 한 통을 길어 오시다니요/～您惦记我; 저의 일을 염려해 주셔서 고맙습니다. ②남을 곤란하게 하다. 괴롭히다. ¶她不会唱歌, 就别再～她了! 그녀는 노래를 못 하니까 이 이상 괴롭혀서는 안 된다/～不着你们; 너희들에게 폐를 끼치지 않는다/别～别人; 남을 곤란하게 만들지 마라. ③고생을 시키다. ¶一个人带七八个孩子, 真～了她; 혼자서 7, 8명의 자녀를 돌보다니 정말 그녀도 고생이 많겠다. ④〈方〉 (소중한 돈을) 써 버리다. ¶又要～大钱了; 또, 목돈을 써야 한다.

〔难为情〕 nánwéiqíng 형 ①가엽게 생각하다. 마음 언짢다. ¶答应吧, 办不到, 不答应吧, 又有点～; 승낙할 수는 없고, 거절하자니 또 마음에 좀 안됐다. ②입장 거북하다. 겸연쩍다. ¶别人都学会了, 就是我没有学会, 多～啊! 다른 사람들은 모두 배웠는데, 나만 못 배우고 있으니 정말 부끄럽다!/请他办这件事, 也～的; 그에게 이 일을 해 달라는 것도 미안한 일이다.

〔难闻〕 nánwén 형 ①냄새가 불쾌하다. 냄새가 고약하다. ¶屋子里有点儿～; 방에서 이상한 냄새가 난다/这个味儿还算不～; 이 냄새는 그리 고약하지는 않다. ②구리다.

〔难心〕 nánxīn 형 슬프다. 괴롭다. 가슴아프다. ¶他这样求我, 我不能不给他办, 可是又办不到, 真叫人～; 그가 이렇게 남에게 부탁을 하는데, 아무래도 해 주어야겠고, 그렇다고 나로선 해낼 수 있을 것 같지 않아 정말 괴롭다.

〔难兄难弟〕 nán xiōng nán dì 〈成〉 누구를 형이라 아우라 하기 어렵다. ¶他们的力量是～; 그들의 역량은 난형난제이다〔백중하다〕. 注 현재는 흔히 반대로 나쁜 점에서는 양자가 모두 같다는 뜻. ⇒nàn xiōng nàn dì

〔难言之隐〕 nán yán zhī yǐn 〈成〉 남에게 말 못할 비밀.

〔难以〕 nányǐ 형 …하는 것이 힘들다《뒤에 2음절의 동사가 옴》. ¶～忘怀; 잊기 어렵다/～想像; 상상할 수 없다/～估计; 판단하기 어렵다/～置信; 믿어지지 않는다/这件事情, 障碍很多, 恐怕～成功; 이 문제는 장애가 많으므로, 아마도 성공하기는 어려울 것이다.

〔难以为情〕 nán yǐ wéi qíng 〈成〉 염치없다. 미안하다. 부끄럽다.

〔难易〕 nányì 명 난이. 어려움과 쉬움. ¶～倒不问; 난이는 별로 문제가 아니다.

〔难意〕 nányì 부 무리하게. 억지로. ¶我只好～地接受吧! 나는 도리가 없으니 억지로라도 떠맡지요!

〔难于〕 nányú 형 …하는 것이 어렵다. ¶～普遍推行; 널리 보급시키는 것이 어렵다/～收效; 효과를 올리기 어렵다.

〔难月〕 nányuè 명 임월(臨月). 산월(産月).

〔难找〕 nánzhǎo 형 찾기 힘들다. ¶工作很～; 일자리 찾기가 아주 어렵다/那里很～; 그 곳은 찾기 힘들다〔힘든 곳이다〕.

〔难治〕 nánzhì 형 (병 등) 낫기가 어렵다. 고치기 어렵다. ¶这个病没什么～; 이 병은 별로 낫기 어려운 것은 아니다.

〔难住〕 nánzhù 동 난처해지다. (곤란한 일로) 궁지에 몰리다. 성가시게 하다〔되다〕. ¶这件事倒把我～了, 我直不会做; 이 문제로 나는 정말 난처하게 되었다. 나로서는 도저히 할 수 없다.

〔难字〕 nánzì 명 이해하기 어려운 글자. 난자.

〔难走〕 nánzǒu 형 걷기 힘들다. 길이 걷기 나쁘다. ¶下了雨, 道儿就～了; 비가 오면 길이 걷기 나빠진다.

〔难做〕 nánzuò 형 ①만들기 힘들다. (만드는 것이) 어렵다. ②하기 힘들다. (하는 것이) 쉽지 않다.

赧〈赧〉 nǎn (난)

동 부끄러워 얼굴을 붉히다.

〔赧颊〕 nǎnjiá 동 〈文〉 부끄러워서 얼굴을 붉히다.

〔赧愧〕 nǎnkuì 동 〈文〉 얼굴을 붉히며 부끄러워하다.

〔赧然〕 nǎnrán 형 〈文〉 얼굴을 붉히고 부끄러워하는 모양. ¶～不语; 부끄러워 얼굴이 붉어지며 말을 못 하다.

〔赧颜〕 nǎnyán 동 〈文〉 부끄러워 얼굴을 붉히다. ¶～相对; 부끄러워 얼굴이 붉어지며 서로 마주 보다.

腩 **nǎn** (남)
명 〈廣〉 소의 상복부(上腹部)에서 늑골에 이르는 부위에 있는 연한 상등육(上等肉).

蝻 **nǎn** (남)
(~儿, ~子) 명 《蟲》 메뚜기의 유충. =〔蝗huáng蝻〕

难(難) **nàn** (난)
①명 재난. 위난. 환난. ¶大~临头; 큰 재난이 덮치다. ②동 조난(遭難)당하다. ③명 이재민. ¶~民; 난민. 이재자. ④명 어려운 문제. ⑤동 힐책하다. 나무라다. ¶非~; 비난하다 / 责zé~; 나무라다 / 问wèn~; 추궁하다. ⑥동 거절하다. ⇒nán nuó

〔难胞〕 nànbāo 명 자기 나라의 난민(국외에서 박해를 받는 동포).

〔难处〕 nànchù 명 ①재화(災禍). 재난. 어려움. ¶大家都在~; 모두가 환난 가운데 있다. ②악운(惡運). ⇒nánchǔ

〔难倒〕 nàndǎo 동 (힐문당해서) 궁지에 몰리다. (비난해서) 찍소리 못 하게 하다('难住' 보다 강한 뜻임).

〔难诘〕 nànjié 동 비난하고 힐문하다.

〔难民〕 nànmín 명 난민. 이재민. 피난민.

〔难侨〕 nànqiáo 명 외국에서 박해를 받는 재외 동포〔교포〕.

〔难人〕 nànrén 동 남을 책망하다. 비난하다. ⇒nánrén

〔难兄难弟〕 nàn xiōng nàn dì 〈成〉 ①서로 고난을 함께 한 사람. ②서로 똑같이 곤란한 상태에 놓여 있는 사람. ⇒nán xiōng nán dì

〔难荫〕 nànyìn 명 옛날, 관리가 국사를 위해서 사망한 경우, 그의 대를 이을 아들에게 벼슬을 내리는 일.

〔难友〕 nànyǒu 명 ①고난을 함께 한 친구. ②곤경에 처해 있는 친구.

〔难月〕 nànyuè 명 임월(臨月). 해산달.

〔难住〕 nànzhù (힐문당하여) 매우 난처해지다. ¶被他的话~了; 그에게 힐문당하여 진퇴유곡이다.

NANG ㄋㄤ

囊 **nāng** (낭)
→〔囊揣〕〔囊膪〕 ⇒náng

〔囊揣〕 nāngchuài 형 ①(흐물흐물 · 포동포동) 부드럽다. 연하다. ¶俺如鬓发苍白, 身体~; 나는 이젠 머리도 희어졌고, 몸도 쇠약해졌다. ②연약하다. ③기개가 없다. 쓸모가 없다. 명 ⇨〔囊膪①〕

〔囊膪〕 nāngchuài 명 ①돼지의 흉복부의 연한 살코기. =〔囊揣〕 ②뒤룩뒤룩 살찐 사람. ¶他胖得简直成了~了; 그의 살찐 꼴은 그야말로 물컹살이다.

囔 **nāng** (낭)
→〔囔囔〕〔嘟dū囔〕

〔囔囔〕 nāngnang 동 속삭이다. 중얼거리다.

囊 **náng** (낭)
①명 주머니. 전대. ¶探~取物; 〈成〉 주머니 속에서 물건을 꺼내다. 아주 쉽다 / ~底羞涩; 〈比〉 주머니가 비어 있다 / 肾shèn~; 《漢醫》 음낭(陰囊). ②명 돈주머니. ③동 주머니에 넣다. 싸다. 포괄하다. ¶~括kuò; ↓ ④(~子) 명 기물의 용기 · 틀 비슷한 것(도기 · 인재(印材) · 귀금속 따위를 잘 보관하기 위해 상자 속에 그것들 물품의 형태에 맞추어 쏙 들어가 맞을 수 있도록 만든 것). ¶这个木匣是带~的; 이 작은 나무 상자에는 '囊子'(속집)이 마련되어 있다. ⑤명 성(姓)의 하나. ⇒nāng

〔囊包〕 nángbāo 명 얼간이. 쓸모없는 인간. =〔脓nóng包〕

〔囊虫〕 nángchóng 명 《蟲》 양 따위의 기생충.

〔囊底智〕 nángdǐzhì 명 〈文〉 마음 속의 깊은 지모(智謀).

〔囊家〕 nángjiā 명 도박판을 벌이고 판돈을 버는 사람.

〔囊劲儿〕 nángjìnr 명 〈方〉 끈기. 버티는 힘. 기력. ¶这小子没~, 一点儿打击也受不住; 이 젊은이는 끈기가 없어, 약간의 타격에도 못 견디거든 / 打起精神来, 别这么没~的; 기운을 내라. 그렇게 기력이 없어선 안 된다.

〔囊空如洗〕 náng kōng rú xǐ 〈成〉 주머니 속이 비어 씻은 듯하다. (지갑이) 텅텅 비어 있는 모양. 씻은 듯이 가난하다.

〔囊括〕 nángkuò 동 ①모든 것을 안에 쌓아 넣다. ¶~四海 =〔~大海〕; 군주가 온 나라를 통일하다. ②포괄〔망라〕하다.

〔囊生〕 nángshēng 명 〈音〉 (티베트어로) 노예. 농노(農奴). =〔郎láng生〕〔朗生〕

〔囊头〕 nángtóu 명 ①기물의 머리 부분을 덮는 물건. ②머리에 물건을 씌우는 형(刑).

〔囊橐〕 nángtuó 명 자루. 곡식 부대.

〔囊萤映雪〕 náng yíng yìng xuě 〈成〉 형설지공(螢雪之功)(진(晋)나라 차윤(車胤)이 반딧불로, 또 손강(孫康)이 눈빛으로 글을 읽었다는 고사에서 유래). =〔囊萤照书〕

〔囊中物〕 nángzhōngwù 명 낭중물(아주 쉽게 손에 넣을 수 있는 것).

〔囊中颖〕 nángzhōngyǐng 명 〈比〉 재능이 있으면서 발휘할 수 없는 불우한 사람. 불우한 인재.

〔囊中之锥〕 náng zhōng zhī zhuī 〈成〉 낭중지추(주머니 속의 송곳처럼 반드시 언젠가는 재능이 드러나는 사람).

馕(饢) **náng** (낭)
명 밀가루를 반죽하여 구워 만든 음식(위구르족 · 코작족의 주식(主食)). ⇒nǎng

曩 **nǎng** (낭)
명 〈文〉 옛적. 예. ¶~者zhě; 이전 / ~日; 지난번. 지난날 / ~年; 지난해. 일찍이 / ~时; 옛날.

灢 **nǎng** (낭)
동 ①물이 탁해지다. ②진창이 되다. ¶道儿~不好走; 길이 질어서 걷기 힘들다. →〔泞nìng〕 ⇒ráng ràng

攮 **nǎng** (낭)
①동 칼로 찌르다. 박아 넣다. 꿰찌르다. ¶一锥子~不动的人; 송곳으로 찔러도 꿈쩍하지 않을 굼뜬 사람 / 一刺刀~死了敌人; 총검으로 단숨에 적을 찔러 죽였다. ②동 밀다. ¶推来~去; 마구 밀다. ③(~子) 명 단검. 비수. ④명 사람을 욕하는 말. ¶糊hú涂~的; 얼간이 같으니.

〔攮窟窿〕 nǎngkūlong 동 찔러서 구멍을 뚫다.

𢶍(𢷮) **nǎng** (낭)
동 마구 음식을 입에 틀어 넣다. ⇒ náng

齉 **nàng** (낭)
동 ①콧소리로 말하다. ②코가 막히다. ¶受了凉, 鼻子发~; 감기로 코가 막혔다.

〔齉鼻子〕 nàngbízi 명 코맹맹이. 동 콧소리로 말하다. ‖ =〔齉鼻儿〕

NAO ㄋㄠ

孬 **nāo** (뇌)
형 〈方〉 ①나쁘다. 좋지 못하다. ¶谁知第二年又赶上个~年景; 그 이듬해도 역시 흉작이었을 줄을 누가 알았으랴 / 从前农民吃的~, 穿的~; 이전에 농민은 먹는 것도 형편 없고 입는 옷도 허술했다. =〔不好〕〔坏〕 ②겁쟁이다. 패기가 없다. ¶这人太~; 이 사람은 대단한 겁쟁이다 / 敌人是~种; 적은 겁쟁이다 / 反动派的军队真~; 반동파의 군대는 정말로 약하다. ⇒huài

〔孬包〕 nāobāo 명 겁쟁이. 무기력한〔패기 없는〕 사람. =〔孬种〕

〔孬土〕 nāotǔ 명 메마른 땅.

〔孬种〕 nāozhǒng 명 ⇨〔孬包〕

哓(譊) **náo** (뇨)
동 〈文〉 욕지거리하다. 소란스럽다. 시끄럽다.

〔哓哓〕 náonáo 〈擬〉 언쟁(言爭)하는 소리.

挠(撓) **náo** (뇨)
①동 긁다. 세게 긁다. ¶~痒痒; 가려운 데를 긁다 / 心痒难~; 〈成〉 답답해서 못 견디겠다 / 后背痒, 自己~不着; 등이 가렵지만 스스로는 긁을 수 없다 / 这事真~头; 이 일은 참으로 어렵다(해결하기 곤란하다). ②동 어지럽히다. 방해하다. 괴롭히다. ¶阻~; 저해하다 / ~心的事; 근심거리. 걱정. ③동 휘다. 굴하다. 굴복하다. ¶百折不~; 〈成〉 백절불굴이다 / 不屈不~; 〈成〉 굽히지도 않고 휘어지지도 않다 / ~大拇指头; 엄지손가락을 구부리다. ④동 논의 풀을 뽑다. ⑤동 쥐다. 집어먹다. ¶~着zhao什么吃什么; 닥치는 대로 먹다 / ~着酒就喝; 술이 손에 들어오면 곧 마셔 버린다. ⑥동 달아나다. ¶大家都不许他走, 他趁人不见就~了; 모든 사람은 그를 가지 못하게 하려 했으나, 그는 사람이 안 보는 사이에 도망쳐 버렸다. ⑦(~儿) 아기가 죄암질을 함. ¶~儿一个! 쥐엄쥐엄!

〔挠败〕 náobài 동 서로 마구 할퀴다. ¶老猫把小狗儿~了; 어미 고양이가 강아지를 마구 할퀴었다.

〔挠度〕 náodù 명 〈建〉 휨. 굽음. 그 정도.

〔挠勾〕 náogōu 동 비틀 듯이 굽히다. ¶~脖子; (화가 났을 때) 목을 구부리다.

〔挠钩〕 náogōu 명 ①옛날, 갈퀴 같은 무기. ②제초용 갈퀴.

〔挠搅〕 náojiǎo 동 휘저어 어지럽히다. 교란시키다.

〔挠节〕 náojié 동 〈文〉 절개를 굽히다. 절조를 굽히어 남에게 복종하다.

〔挠乱〕 náoluàn 동 휘젓다. 교란시키다. ¶母鸡把鸡窝给~了; 암탉이 닭장을 휘저어 놓았다.

〔挠破〕 náopò 동 (손톱으로) 할퀴어 상처를 내다. ¶把胳臂~了; 팔을 손톱으로 할퀴어 생채기를 냈다.

〔挠破〕 náopò 동 쥐어뜯다.

〔挠情〕 náoqíng 동 마음을 어지럽히다. 괴로워하다. ¶哪怕你有多大~, 我叫你干, 你也得干; 아무리 네가 괴롭더라도, 나는 네게 시킬 것이고, 너는 또한 해야만 한다.

〔挠扰〕 náorǎo 동 어지럽히다. 시끄럽게 하다. =〔挠乱〕

〔挠搔〕 náosāo 동 가려운 데를 긁다.

〔挠头〕 náo·tóu 동 ①머리를 긁적이다. ¶他一说错了话, 就爱~; 그는 잘못 말하면 금세 머리를 긁는 버릇이 있다. ②(náotóu) 골머리를 앓다. 애먹다. ¶遇上了~的事; 골치 아프게 됐다. ③머리카락을 헝클어뜨리다. ¶我挠着头怎么去见客; 머리가 헝클어진 채로 어떻게 손님 앞에 나갈 수 있습니까. 형 (náotóu) 성가시다. ¶这事真~; 이 일은 정말 귀찮다.

〔挠心〕 náoxīn 동 마음을 어지럽히다〔괴롭히다〕.

〔挠性〕 náoxìng 명 《物》 가요성(可撓性). 휘어지되 부러지지 않는 성능. ¶~汽管; 가요성 증기 파이프 / ~翼; 가요성 날개.

〔挠性轴〕 náoxìngzhóu 명 《機》 가요성 축(可撓性軸).

〔挠丫子〕 náo yāzi 〈方〉 내빼다. 뺑소니치다. ¶闯chuǎng了祸就~了, 上哪儿找他去; 큰일을 저질러 놓고 내뺐는데, 어딜 가서 그를 찾지? / 小偷儿一看见巡警, 就~了; 도둑은 순경을 보자 곧 도망쳐 버렸다. =〔挠鸭子〕

〔挠鸭子〕 náo yāzi 〈俗〉 뺑소니치다. 도망치다. ¶他偷了以后就~了; 그는 훔치고는 바로 도망쳤다.

〔挠秧〕 náo·yāng 동 논의 김매기를 하다.

〔挠痒〕 náo·yǎng 동 가려운 데를 긁다. ¶要打, 你就使点劲, 别跟~似的; 두드리려면 마구 때려라. 두드리는 시늉만 내지 말고.

〔挠痒痒儿〕 náo yǎngyangr ①가려운 데를 긁다. ②어중간하게 비판하다. 가볍게 때리다.

〔挠折〕 náozhé 동 휘어져 꺾어지다〔부러지다〕. 명 곤란. 어려움.

铙(鐃) **náo** (뇨)
명 ①《樂》 징(작은 징 모양의 옛날 군악기의 하나). ②성(姓)의 하나.

〔铙钹〕 náobó 명 《樂》 요발(구리로 만든 심벌즈(cymbals) 모양의 타악기).

〔铙歌〕 náogē 명 《樂》 〈文〉 옛날의 군악.

蛲(蟯) **náo** (요)
→〔蛲虫〕

〔蛲虫〕 náochóng 명 《動》 요충(장내의 작은 벌레).

呶 **náo** (노)
동 시끄럽게 떠들다.

〔呶呶〕 náonáo 형 언제까지나 귀찮게 지껄이는 모양. ¶~不休; 시끄럽게 쉬지 않고 떠들어 대다.

侬(憹) **náo** (뇌)
→〔懊ào侬〕

猱〈峱〉 **Náo** (노)
명 《地》 〈文〉 산 이름(지금의 산둥성(山東省) 린쯔 현(臨淄縣) 일대). =〔峱①〕

硇〈硵, 磠〉 **náo** (뇨) 〈노〉
→〔硇砂〕〔硇洲〕

〔硇砂〕 náoshā 명《鑛》천연의 염화 암모늄. =〔卤砂〕
〔硇洲〕 Náozhōu 명《地》광둥 성(廣東省) 잔장 시(湛江市) 근해의 섬의 이름.

猱 **náo** (노)
명《動》〈文〉고서(古書)에서 볼 수 있는 원숭이의 일종.
〔猱升〕 náoshēng 동〈文〉(원숭이처럼) 쭈르르 나무에 올라가다.
〔猱狮狗〕 náoshīgǒu 명《動》삽사리의 일종. =〔哈hǎ吧狗〕
〔猱杂〕 náozá 동〈文〉농지거리하며 떠들다.

巎 **náo** (노)
① 명 ⇨〔猱Náo〕 ②인명용 자(字).
〔巎巎〕 Náonáo 명《人》원대(元代)의 서법가(書法家). 자는 자산(子山).

恼(惱) **nǎo** (뇌)
동 ①성내다. 원망하다. ¶把他招～; 그를 화나게 하다 / 你别～我! 나를 원망하지 마라! / ～了老爷子, 不是玩儿的; 노인의 기분을 상하게 했다간 큰일이다 / ～在心上, 笑在面上;〈成〉마음 속으로는 화를 내고 있어도, 얼굴은 웃는다 / 开玩笑, 闹～了; 농담을 해서 화나게 만들었다. ②번민하다. ¶烦fán～; 번민하다 / 苦～; 고민하다.
〔恼巴巴〕 nǎobābā 형 화내고 있는 모양. ¶素姐～不曾吃饭; 소(素) 누나는 잔뜩 골을 내고 밥도 먹지 않았다.
〔恼犯〕 nǎofàn 동 (남을) 화나게 하다.
〔恼忿忿地〕 nǎofènfènde 형 몹시 화를 내는 모양.
〔恼害〕 nǎohài 동 괴롭히다. 고통을 주다. ¶这种～人家的话, 还是少说为妙; 남을 괴롭히는 이런 이야기는 되도록 하지 않는 편이 상책이다.
〔恼恨〕 nǎohèn 동 화내며 원망하다. ¶我说了你不愿意听的话, 心里可别～我! 자네한테 언짢은 말을 했는데 아무쪼록 마음 상하지 말게나!
〔恼火〕 nǎohuǒ 명 분노. 노여움. ¶表面上默不作声, 内心里却感到～; 겉으로는 잠자코 있으나 내심 분노를 느꼈다. 동 골내다. ¶看你这脾气, 动不动就～! 걸핏하면 발끈하는 것이 네 나쁜 버릇이다! =〔生气〕〔闹火〕
〔恼苦〕 nǎokǔ 명동 고뇌(하다).
〔恼怒〕 nǎonù 동 화내다. ¶他的反对使父亲有些～了; 그의 반대로 부친은 좀 화가 났다.
〔恼气〕 nǎoqì 명 노기(怒氣). ¶一股～; 가슴에 가득 찬 노기.
〔恼人〕 nǎo,rén 동 ①남을 난처하게 만들다. 남을 괴롭히다. ¶～的热气; 사람을 괴롭히는 더위. ②남을 원망하다. 형 (nǎorén) 원망하다. 울화통이 터진다.
〔恼杀〕 nǎoshā 동〈文〉진절머리가 나 버리다. 마음이 우울해지다.
〔恼悻悻(的)〕 nǎoxìngxìng(de) 형 화가 나서 부루퉁한 모양. 화가 잔뜩 난 모양.
〔恼羞〕 nǎoxiū 동 창피를 당해 기분을 상하다. ¶婉姑为所许非人, 至今犹～不止; 완(婉)양은 결혼하기로 한 상대가 나빠서, 지금까지도 부끄러워서 화를 내고 있다.
〔恼羞成怒〕 nǎo xiū chéng nù〈成〉창피를 당하고 부끄러운 나머지 화를 발끈 내다. =〔老羞成怒〕
〔恼厌〕 nǎoyàn 동 싫어하다. ¶我～那个人; 나는 저놈이 싫다 / 这块地方很脏, 招人～; 이 곳은 정말 불결해서 싫다.
〔恼意〕 nǎoyì 명동 화(내다). 분노(하다). ¶我瞧他今天微有～; 보아하니, 그는 오늘 좀 기분이 안 좋은 것 같다.
〔恼撞〕 nǎozhuang 동〈俗〉불쾌하여 퉁명스럽다. 불쾌해서 다른 사람에게 화를 내다. ¶什么事这么～? 왜 그렇게 퉁명을 부리는 것이냐?

垴(堖) **nǎo** (뇌)
명〈方〉약간 높은 언덕《흔히, 지명용 자(字)로 쓰임》.

脑(腦) **nǎo** (뇌)
명 ①《生》뇌. 뇌수. 두부. ¶大～; 대뇌. ②〈比〉지력(知力). 두뇌. ¶电～; 컴퓨터 / 他～筋不清楚; 그는 머리가 명석하지 않다. ③〈比〉두목. 우두머리. ¶首shǒu～; 수뇌. 지도자. ④〈比〉정수(精粹). ¶薄bò荷～(儿); 박하정. ⑤(～儿) 모양 또는 색깔이 뇌와 비슷한 것.
〔脑包儿〕 nǎobāor 명〈罵〉얼간이. 쓸모없는 인간. =〔囊包〕〔脓包〕〔乏货〕〔态货〕
〔脑充血〕 nǎochōngxuè 명《醫》뇌충혈. ¶患～; 뇌충혈을 일으키다.
〔脑出血〕 nǎochūxuè 명 ⇨〔脑溢血〕
〔脑垂体〕 nǎochuítǐ 명 ⇨〔垂体〕
〔脑袋〕 nǎodai 명〈口〉①머리. ¶大～;〈比〉촌스럽고 우둔한 사람 / ～搬家; 목이 달아나다 / 搁在～后头去了; 깡그리 잊어버리다 / 拍拍～算一个; 머릿수를 겨우 채우다. ②〈俗〉우두머리. 두목.
〔脑袋大了〕 nǎodai dàle ①현기증이 나서 머리가 아찔해지다. ②(자극이 심해서) 머리가 띵해지다
〔脑袋夹在胳肢窝里〕 nǎodai jiāzài gēzhiwōli〈比〉얼굴을 들 수 없다. ¶他失败以后的日子, 真是～过的; 그는 실패 이후에는 얼굴을 들고 다닐 수 없었다. =〔脑袋钻进裤裆里〕
〔脑袋瓜(子)〕 nǎodai guā(zi) 명〈方〉머리통.
〔脑袋疼〕 nǎodaiténg 동 머리가 아프다. 형 기분이 나쁘다. 아주 불쾌하다. ¶看见他的媳妇儿就～; 저 사람의 마누라를 보면 기분이 나빠진다.
〔脑电波〕 nǎodiànbō 명《生》뇌파(腦波).
〔脑顶〕 nǎodǐng 명 정수리. 머리꼭지.
〔脑盖子〕 nǎogàizi 명 머리의 상부. 두개(頭蓋). =〔天tiān灵盖〕〔仙xiān人盖〕
〔脑箍〕 nǎogū 명 옛날, 머리에 테를 씌우는 형(刑).
〔脑瓜〕 nǎoguā 명〈口〉머리. ¶你的～是比我好使, 想得深; 네 머리는 나보다 회전이 잘 되고 생각이 깊다 / ～顶儿; 정수리.
〔脑瓜儿〔子〕〕 nǎoguār〔zi〕 명 머리. ¶不是什么圣人, 天才的～想出来的; 성인(聖人)이나 천재의 머리로 생각해 낸 것은 아니다.
〔脑海〕 nǎohǎi 명 머릿속. 뇌리(腦裡). ¶十五年前的旧事, 重又浮上他的～; 15년 전의 옛일이 또다시 그의 뇌리에 떠오른다 / 我的～中浮现他的影子; 나의 머릿속에 그의 모습이 떠오른다.
〔脑后疮〕 nǎohòuchuāng 명 ⇨〔对duì口疮〕
〔脑后音(儿)〕 nǎohòuyīn(r) 명《劇》경극(京劇)에서, 노래 가운데 가장 높고 가장 쩌렁쩌렁한 음을 이름.
〔脑后摘筋儿〕 nǎohòu zhāi jīnr〈方〉불의의 습격을 하다《원래는 무술의 수의 하나》. ¶要不是～的这一下子他打不倒那个胖子; 만약 이런 기습이라도 가하지 않고서는, 그는 저 뚱뚱이를 쓰러뜨릴 수 없다 / 刚下了种, ～一场大雨全把种子冲跑了;

씨를 막 뿌렸는데, 별안간 내린 큰비로 모조리 씻겨 내려가 버렸다.
〔脑积水〕 nǎojīshuǐ 명 《醫》 뇌수종.
〔脑脊液〕 nǎojǐyè 명 《生》 뇌척수액.
〔脑际〕 nǎojì 명 뇌리(腦裡). 머릿속.
〔脑浆〕 nǎojiāng 명 《生》 뇌수. 머릿골. ¶这个人吵得我～子都疼了; 이 사람이 시끄럽게 떠들어서 내 머릿속까지 아프다.
〔脑筋(儿)〕 nǎojīn(r) 명 ①(기능으로서의) 머리. ¶老～; 케케묵은 머리 / 他～很好; 그는 머리가 매우 좋다 / 开动～; 머리를 쓰다 / 学理科的人～都得特别好才行呢; 이과(理科)를 공부하는 사람은 머리가 특별히 좋지 않으면 안 된다. ②의식. 머리. ¶～开了窍qiào; 머리가 상쾌해졌다 / 旧～总要改造一下; 낡은 사상은 반드시 개조해야 한다.
〔脑壳〕 nǎoké 명 〈方〉 두개골. 머리통. ¶打破了～; 골통을 깨다 / 放在～背后; 잊어버리다 / 乡下～; 촌스러운 머리. =〔脑颏〕
〔脑力〕 nǎolì 명 지력(知力). 지능. 사유력(思惟力). 기억력. ¶我的～及不上你的; 내 머리는 너를 따라갈 수 없다.
〔脑力劳动〕 nǎolì láodòng 명 정신 노동. ↔〔体tǐ力劳动〕
〔脑漏〕 nǎolòu 명 《醫》 축농증.
〔脑颅〕 nǎolú 명 《生》 두개(頭蓋).
〔脑满肠肥〕 nǎo mǎn cháng féi 〈成〉 ①윤택한 식생활로 뚱뚱하게 살이 찐 모양. ②그렇게 살이 찌고서 지식면에서는 허약한 모양. ¶这班～的人哪儿能有思想呢; 저런 무지한 녀석들한테 사상 같은 게 있을 게 뭐냐.
〔脑门儿〕 nǎoménr 명 ①이마. ②《劇》 배우 전속의 악사·분장사 등. 또, 그 외의 시중드는 사람. ¶～(钱); 배우가 전속 고용인에게 지급하는 돈.
〔脑门心〕 nǎoménxīn 명 머리끝.
〔脑门子〕 nǎoménzi 명 〈方〉 이마. ¶看他一～气, 顶好别招惹他; 이마에 핏대를 올리고 화를 내고 있는 것 좀 봐라. 그를 건드리지 않는 것이 좋다. =〔天庭〕
〔脑膜〕 nǎomó 명 《生》 뇌막.
〔脑膜炎〕 nǎomóyán 명 《醫》 뇌막염. =〔〈俗〉转脑疯〕
〔脑瓢儿〕 nǎopiáor 명 〈俗〉 후두부. ¶亮～ =〔秃～〕; 뒤통수가 벗겨진 머리.
〔脑贫血〕 nǎopínxuè 명 《醫》 뇌빈혈.
〔脑桥〕 nǎoqiáo 명 《生》 뇌교. =〔桥脑〕
〔脑儿〕 nǎor 명 ①뇌와 비슷한 것. ¶豆腐～; 간수가 들어 있지 않은 연한 두부. ②(식품으로서의) 가축의 머릿골. ¶鸭yā～; 오리의 머릿골 / 猪zhū～; 돼지의 머릿골.
〔脑仁儿〕 nǎorénr 명 〈俗〉 ①뇌수. 머릿골. ②머릿속. ¶招人～疼; 두통을 일으키게 하다. 머리가 아프다. ‖ =〔脑人儿〕
〔脑上体〕 nǎoshàngtǐ 명 《生》 송과체(松果體). =〔松sōng果体〕
〔脑勺子〔儿〕〕 nǎosháozi〔r〕 명 〈方〉 후두부. 뒤통수.
〔脑髓〕 nǎosuǐ 명 《生》 뇌수. 머릿골.
〔脑弹儿〕 nǎotánr 명 엄지와 인지로 머리를 튀기는 일《사랑스럽게 경계하는 행위》. ¶弹tán～; 엄지와 인지로 머리를 튀기다.
〔脑下垂体〕 nǎoxià chuítǐ 명 ⇨〔垂体〕
〔脑性〕 nǎoxìng 명 기억력. ¶说过多少次了也记不住, 怎么那么没～啊; 몇 번 말해도 외지 못하고 있으니, 어떻게 저렇게 기억력이 나쁠까.
〔脑炎〕 nǎoyán 명 《醫》 뇌염.
〔脑眼儿青乖乖肿〕 nǎoyǎnr qīng guāiguai zhǒng 〈方〉 얼굴이 부어오르다. ¶看你淘气, 叫人打得这么～的; 그렇게 장난을 치니까, 이렇게 얼굴이 부어오르도록 얻어맞는 거다.
〔脑溢血〕 nǎoyìxuè 명 《醫》 뇌일혈. 뇌출혈. 중풍. =〔脑出血〕
〔脑凿子〕 nǎozáozi 명 꿀밤을 때림. ¶让我打你几个～; 꿀밤을 먹일 테다.
〔脑震荡〕 nǎozhèndàng 명 《醫》 뇌진탕.
〔脑汁〕 nǎozhī 명 머리. 사고력. ¶绞尽～也想不出来; 머리를 짜내도 생각이 나지 않는다.
〔脑子〕 nǎozi 명 〈口〉 ①뇌. ②머리. 두치. ¶他～很好; 그는 머리가 매우 좋다 / 这个酒拿～; 이 술은 머리가 멍해진다.

瑙 nǎo (노)
→〔玛mǎ瑙〕〔瑙鲁lǔ〕

〔瑙鲁〕 Nǎolǔ 명 《地》 〈音〉 나우루(Nauru)《수도는 '瑙鲁'(나우루: Nauru)》.

闹(鬧〈閙〉) nào (뇨)
동 ①떠들다. 소란을 피우다. 시끄럽다. 아우성치다. ¶～了个天翻地覆; 천지가 뒤집힐 듯한 대소동을 피우다 / 不要～了! 떠들지 마라! / 孙行者大～天官; 손오공이 천궁을 떠들썩하게 만든다 / ～吵吵; 시끄럽게 말다툼하다 / 又哭又～; 울어대고 외친다. ②장난이 심하다. 떼를 쓰다. ¶这孩子真～; 이 아이는 정말 장난꾸러기다 / 小孩儿～; 아이가 떼를 쓰다 / ～吃～喝; 먹고 싶다거니 마시고 싶다거니 하며 떼를 쓰다. ③발생하다. 일으키다. ¶家里～了个乱七八糟; 집안은 엉망이 되어 버렸다 / ～矛盾; ⇩ / ～水灾; ⇩ / ～了一身油泥; 온몸이 기름투성이가 되었다. ④한 가지 일에 몰두하다. ¶～革命; 혁명에 투신하다 / ～生产; 생산에 전력을 집중하다. ⑤(감정을) 격하게 드러내다. 부리다. ¶～脾气; ⇩ / ～情绪; ⇩ ⑥희롱하다. 까불다. 놀리다. ¶别跟他～了; 그를 놀리면 못 쓴다 / ～着玩儿; 농담을 하다 / 爱说爱～; 말하기 좋아하고 농담도 잘 한다. ⑦하다. 저지르다《일반적으로 동작을 가리키는 말》. ¶我还～不清这件事情; 나는 이 일을 아직 확실하게 모릅니다 / 把数目～错了; 수를 잘못 세었다 / ～名誉地位; 명예욕이나 지위욕에 사로잡히다.
〔闹别扭〕 nào bièniu 서로 의견이 맞지 않다. 사이가 틀어지다. ¶我挺纳闷, 没～, 怎么你们两个不像过去那样, 常到一块儿说话呢? 나는 참 이상하게 생각한다. 사이가 틀어진 것도 아닌데, 왜 너희들은 전처럼 말을 하지 않고 지내는 것이냐? / 他们两口子～了; 그들 내외간은 틀어졌다 / 三言两语不合, 就～了; 두세 마디 의견이 맞지 않자, 곧 사이가 틀어졌다. =〔闹拧(儿)〕
〔闹病〕 nào.bìng 동 병에 걸리다. 앓다. ¶闹流行病; 유행병에 걸리다. =〔生病〕
〔闹不清〕 nàobuqīng ①말썽이 끊이지 않다. 소동이 깨끗이 해결되지 않다. ¶那件事情还～; 그 문제는 아직 해결되지 않았다. ②구별을 할 수 없다. 확실히 모르다. ¶～他是谁; 그가 누군지 모르다 / 我也～是怎么回子事儿了; 무슨 영문인지 나도 모릅니다.
〔闹财〕 nào.cái 동 (보물을 캐거나 해서) 돈을 벌다. ¶我这两天天天儿梦见一个白胡子老头儿背着个包袱上咱们家来, 别是要～吧; 나는 요 며칠 매일

밤 수염이 흰 할아버지가 보퉁이를 등에 지고 집에 오는 꿈을 꾸는데, 보물이라도 찾아 내어 돈을 벌게 되지 않을까.

〔闹吵吵〕 nàochǎochǎo〔nàochāochāo〕 [동] 시끄럽게 떠들다. ¶那边儿～的是什么事? 저기서 시끄럽게 떠들고 있는 것은 무슨 일입니까?

〔闹吵子〕 nàochǎozi [동] 말다툼하다. 언쟁하다. ¶年青的夫妻～是常有的事; 젊은 부부가 다투는 것은 늘 있는 일이다.

〔闹出事来〕 nàochushìlai 사건〔말썽〕을 일으키다. ¶你要是不听话, ～我可不管; 말을 듣지 않는다면, 문제가 일어나도 나는 모른다.

〔闹穿〕 nàochuān [동] 소동〔싸움〕이 표면화되다. ¶～了叫人笑话; 분쟁이 공공연히 알려진다면 남의 웃음거리가 된다. =〔闹明〕

〔闹错〕 nào.cuò [동] 실수하다. 잘못을 저지르다. ¶您放心好了, 这事交给我绝不会～; 제발 안심하십시오. 이 일을 제게 맡겨 주신다면 결코 실수하지 않겠습니다.

〔闹大〕 nàodà [동] 소동이 크게 번지다.

〔闹大发〕 nào dàfa 수습할 수 없게 되다.

〔闹得〕 nàode [동] …라는 나쁜 결과가 되다. 결과로서 …로 되다. ¶～他也笑了; 그 결과 그도 웃고 말았다 / ～一贫如洗; 아주 빈털터리가 되었다 / ～人人不满意; 따라서 모두가 불만이다 / 只因这一段罗曼史, ～满家风雨; 단지 이 로맨스 바람에 온 집안이 발칵 뒤집혔다.

〔闹得慌〕 nàodehuang ①몹시 떠들다. ②마음이 가라앉지 않다. 기분이 몹시 나쁘다. ¶觉得胃疼, 心口直～; 위가 아파서 명치가 거북하다 / 他是钱多了～; 그는 돈이 있으면 마음이 들떠 버린다.

〔闹地位〕 nào dìwèi 지위를 얻으려고 야단이다.

〔闹洞房〕 nào dòngfáng [동] ⇨〔闹房〕

〔闹独立性〕 nào dúlìxìng 자기 주장을 고집하다. 억지쓰다. ¶向党～; 당의 지도에 따르지 않다.

〔闹肚子〕 nào dùzi 〈口〉 배탈나다. 설사하다. =〔腹泻〕

〔闹翻〕 nàofān [동] ①떠들어 대다. 난폭해지다. 몹시 떼를 쓰다〔조르다〕. ¶小孩儿和母亲～了; 아이가 어머니에게 몹시 떼를 쓰다. ②사이가 틀어지다. ¶她此时已与他～了; 그녀는 이 때 이미 그와 틀어져 있었다.

〔闹翻身〕 nào fānshēn 자유 해방을 위하여 싸우다.

〔闹饭〕 nào.fàn [동] 〈方〉 밥을 짓다.

〔闹房〕 nào.fáng [동] 신혼 첫날 밤에 친구들이 신혼 부부의 방에서 농담을 주고받고 놀리다. =〔闹新房〕〔闹洞房〕

〔闹分歧〕 nào fēnqí 의견이 엇갈리다.

〔闹粪〕 nào.fèn [동] 〈方〉 비료를〔거름을〕 나르다.

〔闹风潮〕 nào fēngcháo 소동이 일어나다.

〔闹革命〕 nào gémìng 혁명이 일어나다.

〔闹个不休〕 nàoge bùxiū 쉴 새 없이 소란을 피우다. 줄곧 떠들다. ¶这丫头在家里成天～, 趁早儿把她嫁出去吧; 이 계집애는 집에서 늘 소란만 피우고 있으니, 일찌감치 시집을 보내자.

〔闹狗〕 nào.gǒu [동] 개가 교미하다.

〔闹鬼(儿)〕 nào.guǐ(r) [동] ①유령이 나오다. ¶那块坟地～, 人家都绕着走; 저 묘지에는 유령이 나오므로, 모두 멀리 돌아서 간다. ②속이다. 음모를 꾸미다. 우물쭈물 잔재주를 부리다. ¶账上～; 장부를 속이다 / 他很老实, 不会暗中～; 그는 아주 성실해서 몰래 못된 짓을 하지는 않는다. ③뒤에서 남을 우롱하다.

〔闹号〕 nàohào [동] 어지럽히다. 시끄럽게 하다. [명] 말썽을 일으키는 사람. 말썽꾼.

〔闹耗子〕 nào hàozi 쥐가 날뛰다. 쥐가 나돌다.

〔闹哄〕 nàohong [동] ①떠들어 대다. ¶别瞧我跟你～了半天, 还不是为了把工作搞好; 내가 오랫동안 당신과 언쟁을 했지만, 이것도 일을 잘 하기 위해서랍니다 / ～了好几天才消停了; 오랫동안 떠들썩했으나 겨우 가라앉았다. =〔闹閧〕 ②여러 사람이 함께 바삐 일을 하다. ¶大家～了好一阵子, 才算把那堆土给平了; 여럿이 한동안 바쁘게 일을 하고서야 그 흙더미를 판판하게 만들었다.

〔闹哄哄(的)〕 nàohōnghōng(de) [형] 사람 떠드는 소리가 시끄러운 모양.

〔闹轰轰〕 nàohōnghōng [형] 와글와글 떠들다《요란한 모양. 시끄러운 모양》. =〔闹哄哄〕〔闹烘烘〕

〔闹狐仙〕 nào húxiān 둔갑한 여우가 나타나다.

〔闹胡子〕 nào húzi 마적(馬賊)이 날뛰다.

〔闹坏〕 nàohuài [동] ①마구 떠들다. ②마구 주물러 부수다. ¶这件事情叫他给～了; 그 일은 그에 의해서 깨지고 말았다.

〔闹荒〕 nàohuāng [명] 흉년 소동. (nào.huāng) [동] 흉년에 농민들이 폭동을 일으키다.

〔闹活儿〕 nàohuór [동] 시끄럽게 떠들다. 들떠서 까불다.

〔闹火〕 nàohuǒ [동] 화내다. =〔生气〕〔恼火〕

〔闹饥荒〕 nào jīhuang ①흉년이 들다. 기근이 일어나다. ②다투다. ③〈方〉 경제적 위기가 발생하다. 먹는 데 쪼들리다. ¶闹起饥荒来, 可够人受的; 먹고 살기가 어렵다는 것은 괴로운 일이다.

〔闹家包子〕 nào jiābāozi 집안에 분란이 생기다.

〔闹家务〕 nào jiāwu 가정 불화가 일어나다.

〔闹架〕 nào.jià [동] 〈方〉 말다툼하다. =〔吵架〕

〔闹架子〕 nào jiàzi 거드름 피우다. 젠체하다. 대담하게 나오다. ¶竟顾了～把事情全耽误了; 겉치레만 신경을 써서 일에 몹시 지장이 생겼다.

〔闹僵〕 nàojiāng [동] (하다 보니) 어쩔 수 없게 되다.

〔闹将〕 nàojiàng [명] 장난꾸러기. 골목 대장.

〔闹酒〕 nào.jiǔ [동] 술에 취해 떠들다〔행패부리다〕. ¶新生活运动规定不许～; 신생활 운동은 술에 취해 떠드는 것을 금한다고 규정하고 있다.

〔闹剧〕 nàojù [명] ①수선을 떨며 웃기는 저속한 희극. ②〈比〉 우스꽝스러운 일.

〔闹开〕 nàokāi [동] ①떠들기 시작하다. ②소동이 번지다.

〔闹客套〕 nào kètào 체면 차리다. 서름하게 대하다.

〔闹空头〕 nào kōngtóu 죽은 자를〔가공의 인물을〕 있는 것처럼 꾸며 부당 이익을 취하다. ¶领户口米什么的, 他都爱～, 难道上头真不知道吗? 배급미의 수령 등 그는 곧잘 속임수를 쓰고 있는데, 설마 상부에서 전혀 모를 리야 없겠지?

〔闹口(舌)〕 nào kǒu(she) 말다툼하다. 말싸움하다. ¶大家庭中难免有～的事; 대가족 집안에서는 말다툼 따위는 있게 마련이다 / 一家～, 四邻都不安宁; 한 집에서 싸우면, 이웃까지 불안을 느낀다.

〔闹了半天〕 nàole bàntiān 오랫동안 이래저래 해 보다. 여러 가지로 해 보다. 끝내는. 결국은. ¶～才作成一半儿; 법석을 떨고서야 겨우 반을 끝냈다 / ～他不懂新中国呢; 결국 그는 새로운 중국을 몰랐던 것이다.

〔闹了归齐〕 nàoleguīqí [부] 〈俗〉 요컨대. 결국. ¶～是你写的呀! 역시 네가 쓴 것이었구먼! / ～敢情他也是想家了; 결국에는 그도 역시 향수병에 걸렸

다.
〔闹连阴雨〕 nào liányīnyǔ 장마가 지다. 장마에 시달리다.
〔闹流口辙〕 nào liúkǒuzhé 적당히〔당장치기로〕 말하다. ¶他见人说人话, 见鬼说鬼话, 顶会~了; 그는 그때 그때 상황에 맞추어 능청스런 말을 아주 잘한다.
〔闹楼子〕 nàolóuzi 동〈俗〉소동을 일으키다. ¶小孩子不懂事, 满街~, 您可别生气; 어린아이가 철없이 온 거리를 소란케 합니다만, 제발 화내지 마십시오.
〔闹乱〕 nàoluàn 형 지방(地方)이 불온〔어수선〕하다. ¶乡间常有土匪~, 只好搬进城去; 시골은 늘 토비(土匪)가 나와 평온하지 않으므로, 성 안으로 이사하지 않을 수 없다.
〔闹乱子〕 nào luànzi 사건을 일으키다.
〔闹矛盾〕 nào máodun ①모순이 일어나다. ②불화·의견 충돌이 일어나다.
〔闹名誉〕 nào míngyù 명예를 얻으려고 법석을 떨다.
〔闹明〕 nàomíng 동 ⇨〔闹穷〕
〔闹魔〕 nàomó 동 (아이가) 칭얼거리다. 보채다. ¶这孩子怎么整天~, 别是有了食了呢; 이 아이는 어째서 하루 종일 보채는 건지, 아마도 먹은 것이 체했는지. =〔闹磨〕
〔闹年成〕 nào niáncheng 흉작(이 되다). 흉년이 들다. ¶赶上~大家只能吃生树叶子; 흉년을 만나면 모든 사람은 그저 생나무의 잎을 먹을 수밖에 없다.
〔闹拧(儿)〕 nàonǐng(r) 동 ①일이 이리도 저리도 안 되게 되다. ②의견이 엇갈리다. ③사이가 벌어지다. ④실수하다. 注 흔히, '不是~的'의 꼴로 남의 언동을 전면적으로 부정하면서 주의를 주는 경우에 쓰임.
〔闹排场〕 nào páichǎng 외관을 꾸미다. 허세를 부리다. ¶别瞧他们家排场不小, 其实全是~, 一点儿家当都没有; 그의 집은 몹시 격식을 차리지만, 실은 허세를 부리고 있을 뿐, 재산은 아무것도 없다.
〔闹排子〕 nào·páizi 동 외양을 꾸미다. 치장을 하다. 체하다.
〔闹棚〕 nàopéng 명〖劇〗배우가 무대 뒤에서 노래하면서 등장하는 일.
〔闹脾气〕 nào píqi ①화내다. 골을 내다. 짜증내다. ¶他这几天见人也总不说话, 恐怕又~了; 그는 요 며칠 사람을 만나도 말을 하지 않는데, 아마 또 화가 난 모양이지. ②성급한 기질. ¶你别理他, 他是有名的爱~的; 그 사람을 건드리지 마시오. 그 사람은 화를 잘 내기로 유명한 사람이오. ③토라져서 말을 안 듣다. ‖=〔闹皮气〕
〔闹气(儿)〕 nào·qì(r) 동〈方〉①골을 내다. 기분을 상하다. ¶闹了两天气; 이틀 동안이나 화를 내고 있었다. ②화를 내고 싸우다.
〔闹起来〕 nàoqilai ①떠들기 시작하다.¶那一家又~了; 저 집은 또 소란을 일으키기 시작했다. ②유행하기 시작하다. ¶霍乱又~了; 콜레라가 또 돌기 시작했다. ③좋지 않은 일이 발생하다. ¶闹起水灾来了; 수해가 발생했다.
〔闹钱〕 nàoqián 동 (정당하지 않은 방법으로) 돈벌이를 하다.
〔闹清〕 nàoqīng 동 분명하게 하다〔해결하다〕. ¶总得先~才好; 아무래도 먼저 분명하게 하는 것이 좋겠다.
〔闹情绪〕 nào qíngxù (뜻대로 되지 않아) 불만을 호소하다. 마음이 우울하다. 신경질을 내다. ¶打起精神干活儿, 老~还行! 기운을 내서 일을 해야지, 늘 불만을 품고 있으면 되느냐!
〔闹穷〕 nàoqióng 동 가난으로 고생하다. 궁상을 떨다. ¶每到发薪水的前几天, 总是要~的; 언제나 월급날 며칠 전에는 쪼들린다.
〔闹区〕 nàoqū 명 번화가. 번화 구역. ¶身居~, 一尘不染; 번화한 도회지에 있어도 조금도 속악(俗惡)에 물들지 않는다.
〔闹儿赛〕 nàorsài〈俗〉좋다. 우수하다. ¶这出戏真叫~; 이 연극은 정말 잘됐다.
〔闹嚷嚷(的)〕 nàorāngrāng(de) 형 시끄러운 모양. ¶窗外~的, 发生了什么事情? 창 밖이 시끄러운데 무슨 일이냐?
〔闹热〕 nàorè 형 북적거리다. 번화하다.
〔闹腮胡子〕 nàosāi húzi 명 ⇨〔络luò腮胡子〕
〔闹丧鼓(儿)〕 nàosānggǔ(r) ① 명 옛날, 장례 행렬에 울리던 종이나 북《출상(出喪) 때 종과 북을 울리어 알리는 일》. ②(nào sānggǔ(r)) 상종을 울리다. ‖=〔闹丧鼓子〕
〔闹嗓子〕 nào sǎngzi 목구멍을 앓다. ¶这几天我~, 水米没打牙, 真要命; 요 며칠 동안 목이 아파서 아무것도 먹지 못했는데, 정말 죽을 지경이다.
〔闹神闹鬼〕 nàoshén nàoguǐ 도깨비가 나오다. 괴상하다. ¶那座大楼年久失修, 听说经常~的, 也不知是真是假; 저 빌딩은 오랫동안 수리를 하지 않아, 항상 도깨비가 나온다던데 정말인지 아닌지 모르겠다.
〔闹声〕 nàoshēng 명 소음(騷音). 시끄러운 소리.
〔闹时令〕 nào shílìng 전염병이 유행하다. ¶这两天又~了, 饭食起居都得小心; 요즘 전염병이 돌고 있다는데, 음식이며 기거를 조심해야 한다.
〔闹市〕 nàoshì 명 번화한 거리. ¶前门外的~可真有得玩的; 앞문 밖의 번화가에는 정말 놀 만한 것이 있다.
〔闹事(儿)〕 nào·shì(r) 동 소동을 일으키다. 문제를 야기시키다. ¶那人竟爱~; 저 사람은 말썽만 일으킨다.
〔闹事情〕 nào shìqing 문제를 일으키다. 소란을 조성하다. ¶小三儿那个好闯chuǎng祸的魔星, 转眼不见的工夫儿又~了; 셋째 놈은 정말 말썽을 잘 일으키는 불씨라, 잠깐 한눈을 파는 사이에 또 소란을 피웠다.
〔闹手〕 nàoshǒu 형 (말 따위가) 날뛰어 다루기 어렵다. 벅차다. 명 망나니. 장난꾸러기. ¶他做学生的时候, 就是有名的~; 그는 학생 시절에는 유명한 망나니였다.
〔闹水〕 nàoshuǐ 동 ①홍수가 지다〔나다〕. ②물 부족으로 고생하다.
〔闹水灾〕 nào shuǐzāi 홍수가 나다.
〔闹死闹活〕 nào sǐ nào huó〈成〉죽네 사네 하며 법석을 떨다.
〔闹台〕 nàotái 명〖劇〗경극(京劇)에서, 공연 전에 징이나 북을 울려 기세를 올리는 일.
〔闹特殊〕 nào tèshū 자기만 특별하다고 주장하다. 엘리트 기질을 발휘하다.
〔闹腾〕 nàoteng 동 ①적극적으로 하다. 무턱대고 하다. ②고되게 일하다. 바쁘게 활약하다. ¶~一年, 不是白干吗? 1년 동안 바쁘게 지냈는데 헛수고는 아니었겠지? ③(왁자지껄) 떠들어 대다. 소란을 피우다. ¶大家~了一宿没睡; 모두들 밤새도록 떠들고 자지 않았다. ④농담을 하며 놀리다. ¶屋里嘻嘻哈哈的~得挺欢; 방 안에서는 농담을 하며 아주 즐거운 듯 떠들고 있다.

〔闹天气〕 nào tiānqì ①날씨가 고르지 않다. 날씨가 거칠어지다. ②(nàotiānqì) 명 폭풍우. 악천우. ‖ =〔〈方〉闹天儿〕
〔闹天儿〕 nào.tiānr 동〈方〉날씨가 궂다. ¶一连好几天都～, 好容易才遇见这么一个晴天儿; 여러 날 동안 날씨가 궂었는데, 이제서야 겨우 좋은 날씨가 되었다.
〔闹头(儿)〕 nàotou(r) 명 ①떠들 만한 가치. ¶没什么～; 조금도 떠들 거리가 못 된다 / 一点小事有什么～; 사소한 일인데, 법석떨 것 없다. ②소동. 소란.
〔闹席〕 nàoxí 동명 안내도 없이 연석(宴席)에 들어가다〔들어감〕. =〔闹宴〕〔闯chuǎng席〕
〔闹喜〕 nàoxǐ 동 ①입덧을 하다. =〔害hài喜〕 ②⇨〔吵chǎo喜〕
〔闹戏(儿)〕 nàoxì(r) 명《劇》익살을 주로 한 연극《희극성을 내포시켜 사회의 어두운 면을 풍자함》.
〔闹笑话(儿)〕 nào xiàohuà(r) (무심코 또는 경험 부족으로) 웃음거리가 될 짓을 하다. ¶我刚到广州的时候, 因为不懂广东话, 常常～; 내가 처음 광저우(廣州)에 왔을 때는 광둥(廣東)말을 몰라서 늘 우스운 일이 생겼다.
〔闹心〕 nàoxīn 동 괴로워하다. 고민하다. ¶我觉着有点儿～; 나는 좀 괴롭다 / 您想, 他拿我当畜生看待, 能叫我不～吗? 생각해 보세요. 그는 나를 짐승처럼 취급하니, 나라고 괴롭지 않겠습니까?
〔闹心眼儿〕 nào xīnyǎnr 나쁘게 해석하다. ¶跟女人说话, 要一说溜了嘴, 她们就会～; 여성들과의 대화에서는 조금만 입을 잘못 놀려도, 그녀들은 나쁘게 추측한다.
〔闹新房〕 nào xīnfáng ⇨〔闹房〕
〔闹醒〕 nàoxǐng 동 시끄럽게 떠들어 잠을 깨게 하다.
〔闹性子〕 nào.xìngzi 동 ①화내다. 짜증을 내다. ¶办事是办事, 光会～有什么用; 일은 일이다. 제 좋을 대로만 말한다면 아무 것도 안 된다. ②(말 따위가) 거칠게 날뛰다.
〔闹虚〕 nàoxū 동 ①사양하다. ¶实在是有事, 不然还～吗? 정말 일이 있습니다. 그렇지 않고서 어찌 사양하겠습니까? ②거짓말하다. ¶我说的的dí确是实话, 决不～; 내 말은 확실히 사실입니다. 결코 거짓말은 안 합니다. ③쓸데없는 짓을 하다.
〔闹玄虚〕 nào xuánxū 농간을 부려 남을 현혹시키다. 이해할 수 없는 말을 지껄이다. ¶过去投机商人们常在市场上～, 造谣言抬高物价; 옛날 투기꾼들은 시장에서 속임수를 쓰거나, 루머를 퍼뜨려 물가를 올렸다.
〔闹眼〕 nào.yǎn 동 눈병이 나다.
〔闹宴〕 nàoyàn 명동 ⇨〔闹席〕
〔闹羊花〕 nàoyánghuā 명 ⇨〔羊踯躅〕
〔闹妖怪〕 nào yāoguài 도깨비가 나오다.
〔闹妖精〕 nào yāojīng 도깨비가 나오다.
〔闹夜魔〕 nào yèmó 아이가 밤중에 보채며 울다.
〔闹一气〕 nào yīqì 〈方〉눈치가 빠르다.
〔闹意见〕 nào yìjiàn 다투다. 사이가 나빠지다. 의견이 충돌하다.
〔闹意气〕 nào yìqì 흥분시키다. 고집을 부리다.
〔闹油(儿)〕 nào.yóu(r) 동 ①(밥 걱정이 없어) 게으름 피우다. (돈이 생기자) 건방지게 굴다. ¶你别当他是～呢, 其实他不过打肿了脸充胖子罢了; 그는 돈이 생겨서 뽐내는 것이 아니고, 사실은 벼락 부자인 체하고 있다 / 他吃肥了就闹起油来了; 먹는 걱정이 없어지니까, 곧 또 투덜거리기 시작했다. ②멋대로 하다. 속으로 못된 일을 꾸미다. ③떼를 쓰다. 어리광부리다. ¶小孩儿一大就～; 아이도 크면 떼를 쓴다.
〔闹鱼花〕 nàoyúhuā 명《植》팥꽃나무.
〔闹灾〕 nàozāi 동 재해가 발생하다.
〔闹糟〕 nàozāo 동 실패하다. 파괴하다. 못 쓰게 되다.
〔闹糟糕〕 nào zāogāo 말썽을 일으키다. 일을 망치다. ¶叫你谨慎着办, 你偏不听到底～了不是? 신중히 하라고 말했는데 아무리 해도 듣지 않더니, 결국 일을 망친 것이 아닌가?
〔闹贼〕 nàozéi 동 도둑이 들다. 도둑맞다. ¶昨天我们家～把大衣手表都偷跑了; 어제 집에 도둑이 들어, 외투·손목시계 등을 다 훔쳐 가 버렸다.
〔闹着玩儿〕 nàozhe wánr 동 ①언어 행동으로 남을 농락하다. 놀리다. ¶我这是～呢; 이것은 농담이야 / ～得有个分寸, 要是闹急了, 就没意思了; 농담에도 분수가 있지, 지나치면 재미 없다. ②불성실하게 대처하다. ¶你要是不会游泳, 就别到深的地方去游, 这可不是～的! 자네 헤엄칠 줄 모르거든 깊은 곳으로 들어가지 말게. 이건 농담이 아닐세! ‖ =〔打着玩儿〕
〔闹钟〕 nàozhōng 명 자명종. 사발시계《방울이 울리는》. =〔醒xǐng钟〕

淖 **nào** (뇨)
① 명〈文〉흙탕(물). 진창. ¶陷入泥～; 수렁에 빠지다 / 雨后泥～难行; 비가 온 뒤의 진흙탕길은 걷기가 어렵다. ② 형〈文〉젖다. 축축해지다. ③ 명 성(姓)의 하나.
〔淖尔〕 nào'ěr 명〈音〉호수(몽 nagur)《흔히, 지명으로 쓰임》. ¶达里～; 다리 호(達里湖)《내몽골(內蒙古) 자치구(自治區)에 있는 호수 이름》/ 库库～; 쿠쿠나오(庫庫淖)《칭하이(青海)의 별칭》/ 罗布～; 뤄부 호(羅布湖)《신장(新疆)에 있는 호수 이름》. =〔诺尔〕

臑 **nào** (노)
명 ①《漢醫》팔꿈치《상박부(上膊部)의 안쪽을 말함》. ②〈文〉가축의 앞발.

NE ㄋㄜ

哪 **né** (나)
→〔哪吒〕⇒nǎ na nǎi něi
〔哪吒〕 Nézhā 명 신화 속의 신(神)의 이름.

讷(訥) **nè** (눌)
동〈文〉입이 무겁다. 말을 더듬다. 어눌하다. ¶～～不出于口; 더듬거리느라 입에서 말이 나오지 않다 / ～于言而敏于行; 말은 잘 못하지만, 실행은 민첩하다 / 木～; 순박하고 말을 더듬다. =〔呐〕
〔讷涩〕 nèsè 형〈文〉입이 무겁다. 말이 술술 나오지 않다.

呐 **nè** (눌)
동 ⇨〔讷nè〕⇒nà na ne

那 **nè** (나)
'那nà'의 구어음(口語音). ⇒Nā nà nèi, '哪'nǎ nǎi něi

呐 **ne** (눌)
조 ⇨〔呢ne〕⇒nà na nè

呢 **ne** (니)
조 ①사태·상황의 단정을 나타냄. ¶那不行～; 그것은 안 됩니다 / 我还不知道～; 나는 아직 모릅니다 / 他还要回来～, 你不要着急; 그는 또 돌아올테니, 조급해하지 마십시오 / 他正忙着～, 顾不了别的事; 그는 지금 바빠서 다른 일 따위는 도저히 할 수 없습니다. ②의문문의 문말에 붙여 어기를 조정함. ¶什么事～? 무슨 일이오? / 为什么不早来～? 왜 빨리 오지 않았느냐? / 去好～, 还是不去好～? 가는 것이 좋을지, 아니면 가지 않는 것이 좋을지? / 谁知道～? 누가 알겠는가? ③의문 조사와 결합하여 쓰임. ¶你带着表～吗? 당신은 시계를 가지고 있나요? / 你去的时候, 拿着这个～没有? 당신이 가실 때, 이것을 가지고 계셨습니까? ④진행을 나타내는 구(句)의 끝에 붙임(‘正’·‘正在’·‘在’·‘着’ 등과 호응하여 쓰임). ¶他们都在干活儿～; 모두 일하고 있다 / 我听着～; 나는 듣고 있다 / 他们在那儿说着话～; 저 사람들은 저기서 지금 이야기를 하고 있는 중입니다. ⑤뜻을 강조하기 위해 말을 멈출 때에 쓰임. ¶如今～, 可不比往年了; 지금은 말이지요, 이전과는 비교도 안 됩니다 / 喜欢～, 留下, 不喜欢～, 我拿走; 마음에 드시면 가지십시오. 마음에 안 드시면 제가 가지고 가겠습니다. ⑥추측을 나타내는 조사와 결합하여 쓰임. ¶在那儿来来回回的是找我们这儿～吧; 저기서 왔다 갔다 하는 것은 이 곳을 찾는 것이 아닐까요. ⑦명령을 나타내는 구의 끝에 붙임. ¶看～! 보아라! ⑧앞뒤의 글에 관계 없이 쓰일 때(흔히, 장소를 물어 보는 뜻을 가짐). ¶他～? 그는 (어디에 있지)? / 你的练习本～? 너의 노트는 어디에 있으냐? ‖ =〔呐ne〕 ⇒ ní

NEI ㄋㄟ

哪〈那〉 **něi** (나)
대 ①지시 대사(指示代詞)의 하나. ‘哪一nǎyī’가 줄어든 것. ¶～棵树是他种的; 어느 나무가 그가 심은 것인가. 注 다음에 ‘一’를 수반하지 않고 ‘两’ ‘三’ 따위로 이어질 때에도 něi라고도 읽음. ②→‘哪nǎ①’ ⇒ nǎ na nǎi né ‘那’ Nā nà nè nèi

馁(餒) **něi** (뇌)
동 ①굶주리다. ②〈文〉 썩다. 문드러지다. ¶～鱼; 썩은 생선 / ～怯qiè; 비겁하다. ③녹초가 되다. 기가 죽다. 낙담하다. ¶不要自～! 낙심치 마라! / 人们毫不气～; 사람들은 조금도 낙심하지 않다.

内 **nèi** (내)
명 ①안. 속. 안쪽. 내부. ¶～情; 내부의 사정. ②국내. 자국(自國). ¶～外交流; 내외국간의 교류. ③아내 또는 아내 쪽의 친척. ¶～侄zhí; ⇩ / 贱jiàn～; 우리집 사람 / 惧jù～; 〈文〉 공처(恐妻) / 尊zūn～; 당신의 부인. ④마음 속. ⑤〈文〉 장부(臟腑). ¶五～; 오장. =〔五中〕 ⑥〈文〉 궁중. ⑦《劇》 분장실. ⑧〈文〉 ‘纳nà’와 통용.

〔内八字脚〕 nèibāzìjiǎo 명 안짱다리의 걸음걸이.
〔内白〕 nèibái 명 《劇》 무대 뒤에서 말하는 대사.
〔内班〕 nèibān 명 옛날, 궁중의 관직.
〔内版〕 nèibǎn 명 옛날, 궁내판(宮内版) 서적.
〔内逼〕 nèibī 명 《漢醫》 갑자기 변이 마려움. 형 변소〔화장실〕에 가고 싶다.
〔内嬖〕 nèibì 명 〈文〉 첩.
〔内变〕 nèibiàn 명 《物》 내부 변화(물체에 외력을 가했을 때 생기는 부피와 형상의 변화).
〔内宾〕 nèibīn 명 〈文〉 안손님. 여자 손님.
〔内病〕 nèibìng 명 《醫》 내과(內科)(에 속하는) 병.
〔内部〕 nèibù 명 내부. ¶～刊物; 내부 간행물.
〔内才〕 nèicái 명 〈文〉 학문. 재능.
〔内仓〕 nèicāng 명 옛날, 궁중의 창고. 부고(府庫).
〔内差〕 nèichai 명 옛날, 궁중의 심부름꾼.
〔内场〕 nèichǎng 명 ①〈南方〉 내부의 일. 집안의 일. ¶他只能张罗外场, ～要陈妈一人招呼; 그는 바깥 일만 처리할 수 있었고, 내부적인 일은 진(陳) 할멈이 혼자서 처리해야만 했다. ②(야구의) 내야. ¶～腾空球; 내야 플라이. 인필드 플라이. ↔〔外场〕
〔内车胎〕 nèichētāi 명 자전거·자동차 등의 튜브. =〔内带〕〔内胎〕
〔内臣〕 nèichén 명 〈文〉 ①국내의 정치를 관장하는 신하. ②궁중에서 황제를 측근에서 받들어 섬기는 신하. 환관(宦官).
〔内称〕 nèichēng 동 ⇨〔内开〕
〔内城〕 nèichéng 명 내외의 두 부분으로 되어 있는 베이징(北京)의 성벽의 안쪽의 것(옛날, 황궁 기타 중요한 기관은 이 안에 있으며, 외성은 주로 상가 지대와 유락 지대를 이룸).
〔内宠〕 nèichǒng 명 〈文〉 ①첩. 소실. ②임금의 총애를 받아 권력을 가진 내시·환관 등.
〔内出血〕 nèichūxuè 명 《醫》 내출혈.
〔内带〕 nèidài 명 (차의) 튜브.
〔内丹〕 nèidān 명 도가(道家)가 단전(丹田) 내의 정기(精氣)를 수련하는 일.
〔内当家〕 nèidāngjiā 명 여주인. 안주인.
〔内德〕 nèidé 명 〈文〉 ①속마음의 덕. ②부덕(婦德).
〔内地〕 nèidì 명 ①〈文〉 변경의 땅에 대하여 국내 지방의 일컬음. ②오지(奧地)(개항장에 대하여 내륙 지방의 일컬음). ¶～湖; 내륙에 있는 호수 / ～交易; 오지 거래 / 每天从～开来的火车; 매일 오지에서 오는 기차.
〔内地会〕 nèidìhuì 명 《宗》 내지회(옛날, 그리스도교 신교의 일파로, 중국 내지에서 전도하는 것을 임무로 하고 있었기 때문에 이 이름이 있음).
〔内弟〕 nèidì 명 아내의 동생. ¶～妇; 처남의 처. 처남댁.
〔内典〕 nèidiǎn 명 《佛》 내전. 불교의 학설.
〔内定〕 nèidìng 동 ①(인사(人事) 등을) 내정하다. ②내밀(內密)히 판정하다. ¶成了～的罪犯; 범인이〔일 것이라는〕 혐의를 받다.
〔内东〕 nèidōng 명 주인 아주머니.
〔内耳〕 nèi'ěr 명 《生》 내이. =〔迷路②〕
〔内房〕 nèifáng 명 안방.
〔内分泌〕 nèifēnmì 명 《生》 내분비.
〔内锋〕 nèifēng 명 《體》 (축구의) 이너(inner)〔인사이드 포워드〕.
〔内稃〕 nèifū 명 《植》 내화영(內花穎).
〔内服〕 nèifú 동 내복하다. 형 내복하는. ¶～药yào; 내복약(藥).
〔内府〕 nèifǔ 명 ①고장(庫藏). ②고장을 관장하는 벼슬. ③궁중의 물품.
〔内辅〕 nèifǔ 명 (럭비의) 이너(inner). ¶右～; 라이트 이너(right inner)(축구 등).

〔内港〕 nèigǎng 명 내항. ¶～章程; 옛날의, 내지(內地) 수로 기선 항행 규칙.
〔内公〕 nèigōng 명 예전의 내시(內侍). 환관(宦官).
〔内功〕 nèigōng 명 (무술(武術) 등에서) 주로 인간 체내의 여러 기관을 단련하는 법.
〔内攻〕 nèigōng 명《醫》 내공(병이 밖에 나타나지 않고, 체내에서 병변을 일으키는 일).
〔内骨子〕 nèigǔzi 명 내용. ¶～是依旧的; 내용은 구태의연하다.
〔内顾〕 nèigù 동〈文〉 ①뒤돌아보다. ②집안일에 마음을 쓰다. ¶～之忧; 집안 걱정. ③처자를 생각하다.
〔内官〕 nèiguān 명 ①옛날, 궁중에서 봉사하는 여관(女官)·비(妃)·빈(嬪) 등. ②환관. 내시.
〔内罐〕 nèiguàn 명 (습기를 방지하기 위해) 나무상자 안쪽에 댄 양철 깡통 따위.
〔内鬼〕 nèiguǐ 명 내부의 범인.
〔内柜〕 nèiguì 명 ①상점 안의 카운터. ②큰 가게 안쪽에 있는 손님 접대하는 곳. ③상점 내부의 사무원.
〔内果皮〕 nèiguǒpí 명《植》 내과피(內果皮).
〔内海〕 nèihǎi 명《地》 내해.
〔内涵〕 nèihán 명 (논리학상의) 내포(內包).
〔内行〕 nèiháng 형 그 방면에 밝다. 전문가다. 정통하다. 명 전문가. 그 방면의 익수. ⇒nèixíng
〔内耗〕 nèihào 명 ①내감(內減). 자체적으로 소모되는 것. =〔内折〕 ②《數》 백분법에서 분자를 분모로 나눈 수. ③《物》 내부 마찰.
〔内河〕 nèihé 명 국내의 통항 하천의 총칭. 운하. 크리크(creek). ¶～轮船; 하천 기선 / ～航权; (국제법의) 내수 항행권.
〔内踝〕 nèihuái 명 ①〈文〉 내과. 발 안쪽 복사뼈.
〔内患〕 nèihuàn 명〈文〉 내환. 국내의 우환. 명동 ⇨〔内艰〕
〔内汇〕 nèihuì 명《經》〈簡〉 내국환.
〔内慧〕 nèihuì 형 ⇨〔内秀〕
〔内急〕 nèijí 명 갑자기 변이 마려움. =〔《漢醫》 内逼〕
〔内奸〕 nèijiān 명 단체 속의 나쁜 놈. 내부의 스파이.
〔内艰〕 nèijiān 명동 모친상(을 당하다). ¶丁～; 모친상을 당하다. 어머니를 잃다. =〔内患〕〔内忧〕
〔内监〕 nèijiān 명 중죄인을 수용하는 감옥.
〔内间〕 nèijiàn 명 (손자병법의) 내부에 있는 간첩. 내간.
〔内监〕 nèijiàn 명 환관(宦官). 내시.
〔内江〕 nèijiāng 명 ①(해양에 대하여) 내륙의 하천. ¶～轮lún船; 내수(內水) 기선. ②《地》 쓰촨성(四川省)에 있는 현.
〔内角〕 nèijiǎo 명 ①《數》 내각. ②(야구의) 내각〔인코너〕. ¶～好球; 내각〔인코너〕 스트라이크.
〔内教〕 nèijiào 명 ①부녀자의 가르침. 규방내의 행실. ②《佛》 불교(불교 이외의 종교를 '外教'라고 함). ③도교(道教)의 경문에 있는 내교 10권을 말함. ④그 일에 통달해 있음. →〔内行〕
〔内接圆〕 nèijiēyuán 명《數》 내접원. ↔〔外wài接圆〕
〔内经〕 nèijīng 명《書》 옛날의 의학 서적.
〔内景〕 nèijǐng 명 (스튜디오의) 세트. 실내를 나타낸 무대 장치.
〔内疚〕 nèijiù 동 양심의 가책을 느끼다. ¶～于心; 마음에 걸리다. 명 양심의 가책. ¶他为自己没有尽到责任而感到～; 그는 자신이 책임을 완수하지 못하였으므로 양심의 가책을 느꼈다.
〔内举〕 nèijǔ 명동〈文〉 일가 친척을 추천(하다).
〔内聚力〕 nèijùlì 명《物》 같은 분자간의 흡인력. 응집력(凝集力).
〔内眷〕 nèijuàn 명 (가족 중의) 부녀자. 안식구.
〔内卡〕 nèikǎ 명 ⇨〔内卡钳〕
〔内卡钳〕 nèikǎqián 명 내측 측경기(測徑器). =〔内卡〕〔里lǐ卡〕
〔内开〕 nèikāi 동〈公〉 …에 의하면 …라고 지적되어 있다(받은 글을 인용할 때). ¶窃奉钧府第○号训令～案准△委员会函称…; 귀부(貴府)의 제○호 훈령을 잘 받았습니다. 그에 따르면 본건(本件)은 △위원회로부터 …라는 취지의 내신(來信)이 있었다고 지적되어 있다. =〔内称〕
〔内科〕 nèikē 명《醫》 내과. ¶～医生; 내과 의사.
〔内客〕 nèikè 명〈文〉 안손님. 여자 손님.
〔内口袋〕 nèikǒudài 명 안주머니. =〔里lǐ袋〕
〔内裤〕 nèikù 명 팬티.
〔内窥镜〕 nèikuījìng 명《醫》 내시경(內視鏡).
〔内溃〕 nèikuì 명 내부적 붕괴.
〔内愧〕 nèikuì 동 내심 부끄러워하다. 양심에 가책을 느끼다. 명 마음에 부끄러운 일. 양심에 가책을 느낄 만한 일.
〔内涝〕 nèilào 명 전답에 물이 참. 전답의 관수해(冠水害).
〔内力〕 nèilì 명《物》 내력.
〔内帘〕 nèilián 명 옛날, 과거 시험에서 '主zhǔ考'(주임 시험관)·'同tóng考'(시험관)을 이르던 말.
〔内陆国家〕 nèilù guójiā 명 내륙국.
〔内乱〕 nèiluàn 명 내란.
〔内罗毕〕 Nèiluóbì 명《地》〈音〉 나이로비(Nairobi)('肯kěn尼亚'(케냐: Kenya)의 수도).
〔内螺丝〕 nèiluósī 명 ⇨〔管guǎn箍〕
〔内螺纹〕 nèiluówén 명 (암나사·너트의) 나사골.
〔内酶〕 nèiméi 명《化》 내효소(內酵素).
〔内美〕 nèiměi 명〈文〉 숨은 미덕.
〔内妹〕 nèimèi 명 처제(妻弟).
〔内膜〕 nèimó 명《生》 내막(심장벽·혈관벽 등의 안쪽의 막).
〔内幕〕 nèimù 명 ①〈貶〉 내막. 속사정. ②막료(幕僚).
〔内拿儿〕 nèinár 명〈方〉 은밀히 모은 돈. 사천.
〔内难〕 nèinàn 명〈文〉 국내의 곤란.
〔内囊儿〕 nèinángr 명 ①안주머니. 지갑. 금전. 〈轉〉(경제적인) 내막. 이면. ¶外面架子虽然没有倒, ～却也尽上来了; 외관은 비록 유지되고 있었으나, 실은 어려워지고 있었다. ②신부의 혼수 중 의류 및 장신구류. ¶现有的妆奁, 别的我不知道, ～舅母都给张罗齐了; 지금 있는 혼수품들은, 다른 것은 몰라도 의류·장신구 등은 외숙모가 다 장만해 주었다.
〔内皮〕 nèipí 명《生》 내피(세포).
〔内篇〕 nèipiān 명 내편(서적 분류상의 명칭).
〔内亲〕 nèiqīn 명 외가 쪽의 친척. 인척. =〔裙qún带亲〕
〔内勤〕 nèiqín 명 ①내근. ¶～记者; 내근 기자 / ～警察; 내근 경찰관. ②내근하는 사람. ‖↔〔外wài勤〕
〔内寝〕 nèiqǐn 명〈文〉 ①일상 거주하는 방. ②부인의 거실. 안방. ¶寿终～; 부인이 사망했습니다.
〔内情〕 nèiqíng 명 내정. 속사정.
〔内曲线球〕 nèiqūxiànqiú 명《體》 (야구의) 슈트볼(shoot ball).
〔内燃机〕 nèiránjī 명《機》 내연 기관.

〔内燃机车〕 nèiránjīchē 명 디젤 기관차.
〔内瓤儿〕 nèirángr 명〈俗〉내막. 사정. 내용. ¶把他～明白了不少; 그의 내막이 조금 밝혀졌다.
〔内热〕 nèirè 명《醫》내열(잠재적 병 때문에 내장에 있는 열). 명동〈文〉열중(하다).
〔内荏〕 nèirěn 형〈文〉유약(柔弱)하고 음험하다. ¶色厉而～; 낯빛은〔겉으로는〕엄한 듯하지만, 마음은 부드럽다.
〔内人〕 nèiren 명 ①집사람. 자기 처를 일컫는 말. ②〈女〉궁녀(宮女).
〔内容〕 nèiróng 명 내용. ¶具体的～; 구체적인 내용.
〔内三关〕 Nèisānguān 명 명나라 때의 거용(居庸)·도마(倒馬)·자형(紫荊)의 삼관(三關)을 말하며, 수도의 방어 장벽으로 삼았음.
〔内嫂〕 nèisǎo 명 처남댁.
〔内伤〕 nèishāng 명《漢醫》내상(內傷).
〔内肾〕 nèishèn 명 ⇨〔肾脏〕
〔内事〕 nèishì 명〈文〉①궁중내의 일. ②종묘(宗廟)의 제사.
〔内侍〕 nèishì 명 ①궁중에서 시중드는 사람. ②환관. 내시.
〔内视〕 nèishì 동〈文〉내성(內省)하다. 반성하다.
〔内室〕 nèishì 명 내실. 안방.
〔内书房〕 nèishūfáng 명 안쪽의 서재.
〔内胎〕 nèitāi 명 튜브.
〔内帑〕 nèitǎng 명〈文〉내탕금(內帑金). 내탕고(庫).
〔内厅〕 nèitīng 명 안방.
〔内庭〕 nèitíng 명 내리(內裏)(고궁(故宮) 중, 황제가 일상 생활을 하는 곳). =〔内中②〕
〔内外〕 nèiwài 명 ①안과 밖. ②국내와 국외. ③개략적인 수. ¶五十岁～; 50세 내외〔쯤〕.
〔内外城〕 nèiwàichéng 명 옛날, 베이징(北京)의 내성과 외성.
〔内外夹攻〕 nèiwài jiāgōng 명 내외로부터의 협공.
〔内外交困〕 nèi wài jiāo kùn〈成〉내외 정치·경제가 모두 곤란한 일. 안팎으로 곤경에 빠진 일.
〔内外贸易〕 nèiwài màoyì 명 국내 상업과 외국무역.
〔内帏〕 nèiwéi 명 ⇨〔内宅〕
〔内屋〕 nèiwū 명 ⇨〔里lǐ间(儿)〕
〔内务〕 nèiwù 명 ①국내의 사무. ②집단 내부의 일상 생활에 관한 실내의 일. ③〈文〉궁중내의 사무.
〔内线〕 nèixiàn 명 ①내부에 있는 밀정. =〔内间〕 ②도적 등을 잡을 때 안내하는 자. ③내측(內側). ¶～作战; 포위되었을 때 이쪽에서 밖의 적을 향해 작전하는 일. ④(전화의) 내선. ¶～电话机; 인터폰. ⑤내부 계통. ⑥처 또는 일반적으로 여성 쪽을 이르는 말. ¶又知道运动官职地位是须走～的; 또, 관직의 승진 운동에는 아무래도 부인에게 잘 보여야 한다는 것을 알고 있기 때문이다.
〔内线工作〕 nèixiàn gōngzuò 명 ①지하 활동. ②내부 공작.
〔内陷〕 nèixiàn 동 (병이) 내공(內攻)하다.
〔内详〕 nèixiáng〈翰〉편지 속에 자세히 썼음(봉투에 '内详' 또는 '名内详'이라 써서 발신인의 주소·성명에 대신함).
〔内向〕 nèixiàng 동 내향하다. 명 내향. 내성(內省). ¶～性; 내향성.
〔内销〕 nèixiāo 동 (자기 나라 제품을) 국내 시장에서 팔다. 명 국내 판매. ¶～也好, 外销也好, 必需的商品, 都应该适当节约国内的消费, 保证出口; 국내 판매. 국외 판매 어느 것이나 다 필요한 상품은 적당히 국내 소비를 절약하여, 수출을 확보해야 한다.
〔内斜视〕 nèixiéshì 명《醫》내사시.
〔内心〕 nèixīn 명 ①속마음. ②《數》내접원의 원심(圓心).
〔内行〕 nèixíng 명〈文〉내행(규중(閨中)에서의 품행). ⇒nèiháng
〔内行星〕 nèixíngxīng 명《天》내행성. (9대 행성 중의) 수성과 금성.
〔内省〕 nèixǐng 명동 내성(하다). 자기 반성(을 하다).
〔内兄〕 nèixiōng 명 처의 오빠.
〔内兄弟〕 nèixiōngdì 명〈文〉①아내의 형제. 처남들. ②(옛날) 외사촌.
〔内秀〕 nèixiù 형 겉보기와는 달리 훌륭하다. 총명함을 안에 감추고 있다. ¶他知道这是个有～的人; 그는 이 사람이 겉보기와는 달리 똑똑한 사람이라는 것을 알았다. =〔内慧〕
〔内学〕 nèixué 명〈文〉①참위학(讖緯學). 참위설(說). ②불학(佛學).
〔内训〕 nèixùn 명〈文〉내훈. 규중(閨中)의 가르침.
〔内言〕 nèiyán 명〈文〉집안의 일. ¶～不出, 外言不入; 가정내의 일은 외부에 나가지 않게 하고, 또 외부의 시시한 평판 같은 것은 가정내에 가지고 들어오지 않는다.
〔内衣〕 nèiyī 명 내의. 속옷. =〔里lǐ衣〕
〔内衣裤〕 nèiyīkù 명 셔츠와 양복 바지 안에 있는 속옷.
〔内因〕 nèiyīn 명《哲》내인. 내부의 원인. 내적 요인. ↔〔外wài因〕
〔内应〕 nèiyìng 명동 ①적과 내통(하다). ②내응(하다). 명 내통하는 자.
〔内忧〕 nèiyōu 명 내우(內憂). 나라의 근심거리. ¶～外患; 내우 외환. 명동 ⇨〔内艰〕 동〈文〉마음 속으로 근심하다.
〔内圆角〕 nèiyuánjiǎo 명 가장자리. 테두리. =〔圆根②〕
〔内圆磨床〕 nèiyuán móchuáng 명《機》내면 연마기.
〔内院〕 nèiyuàn 명 안마당.
〔内载〕 nèizǎi〈翰〉…에 이르기를. …에 기재한 바에 따르면(왕복 문서나 서신에 기재되어 있는 것을 인용할 때에 사용함).
〔内在〕 nèizài 명동《哲》내재(하다). ¶～规律; 내재 법칙. 형 내재적인
〔内脏〕 nèizàng 명 ①《生》내장. ②(요리의 재료로서의) 내장.
〔内宅〕 nèizhái 명 안채. 안방. =〔内帏〕
〔内宅墙〕 nèizháiqiáng 명 '客kè厅'과 '内宅' 사이에 있는 담장.
〔内债〕 nèizhài 명 내채. 내국채.
〔内栈〕 nèizhàn 명 ①자가 창고(自家倉庫). ②자가 창고에 있는 상품. ¶～单; 공장·상사 등이 발행한 자기 창고의 창하(倉荷) 증권.
〔内战〕 nèizhàn 명 ①내전. 내란. ②내분. 집안 싸움.
〔内掌柜的〕 nèizhǎngguìde 명 상점의 안주인.
〔内障〕 nèizhàng 명《醫》내장안(內障眼). ¶白～; 백내장.
〔内折〕 nèizhé 명 ⇨〔内耗①〕
〔内政〕 nèizhèng 명 내정(①국내의 정치 문제. ②집안 살림살이).

〔内症〕 nèizhèng 명 내과 질환.
〔内侄〕 nèizhí 명 내질. 처조카. ¶～媳妇(儿); 처조카의 아내. =〔妻qī侄〕
〔内侄女(儿)〕 nèizhínǚ(r) 명 내질녀. 처조카딸. ¶～婿; 처조카딸의 남편. =〔妻qī侄女〕
〔内酯〕 nèizhǐ 명 《化》 락톤(lactone).
〔内治〕 nèizhì 명 〈文〉 ①내정(内政). ②가정의 일. 부녀자의 일.
〔内痔〕 nèizhì 명 《醫》 암치질.
〔内中〕 nèizhōng 명 ①속. 내부. 가운데. ¶～有你吗? 그 가운데 너도 있느냐? =〔数shù中〕 ② ⇨〔内庭〕
〔内衷〕 nèizhōng 명 심중(心中). 내심.
〔内重外轻〕 nèi zhòng wài qīng 〈成〉 안을 중히, 겉을 가볍게 보다(중앙 관리의 세력이 크고, 지방 관리가 경시당하는 것).
〔内籀〕 nèizhòu 명 〈文〉 (논리학 용어로) 귀납(歸納)의 별칭. ¶～法; 귀납법(歸納法).
〔内助〕 nèizhù 명 〈文〉 아내. 처. ¶贤xián～; 당신의 부인.
〔内传〕 nèizhuàn 명 ①경전(經典)을 해석한 글. ②신선(神仙) 또는 신선과의 관계를 쓴 전기(傳記).
〔内子〕 nèizǐ 명 〈文〉 자기의 처. =〔内人〕

那 nèi (나)
대 ①'那一nàyī'의 합체음(合體音)(양사(量詞) 앞의 '那'는 대개 이 음으로 발음됨). ¶～个人; 저 (한 사람의) 사람 / ～件事; 그 (하나의) 일. ②'那nà'의 구어음(口語音). ⇒Nā nà nè, '哪' nǎ nǎi něi

NEN ㄋㄣ

恁 nèn (임)
〈方〉〈古白〉 ① 대 저. 그. ¶～时节; 그 시절. =〔那nà〕〔这zhè〕 ② 부 이같이. 이렇게. 그토록. 그처럼. ¶何须～怕怯? 왜 이렇게 겁내지? / ～般bān和美; 이렇게 의가 좋다. =〔那么〕〔这么〕 ③ 대 무엇. 어째서. ¶～样; 어떠한 / ～人; 누구 / 有～事如此烦恼; 무슨 일이 있길래 그렇게 상심해 있는가. ④ 동 생각하다. ⑤ 대 〈方〉〈古白〉 당신네(들). ¶～两个旧友; 옛 친구인 당신네 두 사람 / 母亲, ～孩儿知道; 어머니, 저는 알고 있어요. ⇒nín
〔恁般〕 nènbān 부 〈古白〉 이〔그〕 같은. 이〔그〕같이. ¶这老儿～可恶wù; 이 늙다리, 정말 가증스럽군 / ～情性; 이런 기질. =〔这般〕〔那般〕
〔恁地〕 nèndì 부 〈方〉 ①이〔그〕 같은. 이〔그〕같이. ¶既然～; 그렇다면 / ～个后生; 이러한 젊은이. =〔这么〕〔那么〕 ②어째서. ¶～道他不是人? 왜 그를 사람도 아니라고 하는가? ‖ =〔恁的〕
〔恁的〕 nèndì 부 ⇨〔恁地〕
〔恁来〕 nènlái 부 〈古白〉 이만큼. ¶身材～大; 키는 이만큼 크다.
〔恁么〕 nènme 〈古白〉 부 이렇게. 그렇게. ¶打死也只是～招供; 맞아 죽더라도 이렇게 진술(陳述)할 따름이다. 대 어떠한. ¶济得～事来? 무슨 소용에 닿는단 말인가?

嫩 nèn (눈)
형 ①부드럽다. 어리다. 연하다. 여리다. ¶别看人长得～, 到底是拿枪杆出身; 온화해 보이지만 아무래도 군인 출신이란 말이야 / 小孩儿肉皮～; 어린아이의 피부는 부드럽다. ↔〔老lǎo〕 ②내성적이다. 서툴다. ¶她脸皮～, 不肯在大家面前唱; 그녀는 수줍음을 타서, 여러 사람들 앞에서 노래하려 하지 않는다. ③경험이 얕다. 유치하다. 미숙하다. ¶刚参加工作的～手; 일에 막 참가한 미숙자 / 脸皮儿～, 不敢和人争; 순진해서 남과 싸울 줄을 모른다. ④(음식을 잠시 가열하거나 삶아서) 연하다. ¶鸡蛋煮得～; 계란을 반숙하다 / 肉炒得很～; 고기는 연하게 삶았다. ⑤빛깔이 엷다. ¶～黄; 엷은 갈색 / ～绿; ⇩ ⑥과일이나 싹이 아주 연하다. ¶～南瓜; 애호박 / ～芽; ⇩ ↔〔老lǎo⑪〕
〔嫩菜〕 nèncài 명 ①어린 채소. ②연한 반찬.
〔嫩潮〕 nèncháo 형 어리고 연약하다〔가냘프다〕. 동 ①(야채 따위의 요리가) 설익다. ②부끄러워하다.
〔嫩豆腐〕 nèndòufu 명 두유(豆乳)를 연하게 굳힌 것.
〔嫩风〕 nènfēng 명 미풍(微風).
〔嫩夫嫩妻〕 nènfū nènqī 명 신혼 부부.
〔嫩骨头〕 nèngǔtou 명 ①《生》 연골(軟骨). ②〈貶〉 여려서 시련을 극복할 수 없는 사람.
〔嫩海带〕 nènhǎidài 명 《植》 미역. =〔裙qún带菜〕
〔嫩寒〕 nènhán 명 〈文〉 으스스한 초겨울의 추위.
〔嫩红〕 nènhóng 명 《色》 엷은 홍색.
〔嫩黄〕 nènhuáng 명 《色》 엷은 황색. ¶直接～; 다이렉트 옐로(direct yellow) 따위. 형 누르스름하다.
〔嫩鸡〕 nènjī 명 영계. =〔童tóng子鸡〕
〔嫩脸〕 nènliǎn 명 연약하고 부드러운 얼굴.
〔嫩凉〕 nènliáng 명 〈文〉 초가을의 서늘한 기운〔날씨〕.
〔嫩绿〕 nènlǜ 명 《色》 엷은 녹색. 황록색. ¶～壮旺; (초목 따위의 순이) 황록색으로 싱싱하다. 형 파르스름하다.
〔嫩苗〕 nènmiáo 명 어린 모종. 새순.
〔嫩嫩(儿)〕 nènnèn(r) 형 아주 연하다〔부드럽다〕.
〔嫩皮(儿)〕 nènpí(r) 명 부드러운 피부.
〔嫩俏俏〕 nènqiàoqiào 형 ①신선하다. 팔팔하다. ②부드럽고 아름답다.
〔嫩晴〕 nènqíng 명 〈文〉 비가 온 후에 차츰차츰 개는 것.
〔嫩肉〕 nènròu 명 ①연한 고기. ②〈比〉 부드러운 살결.
〔嫩蕊〕 nènruǐ 명 〈文〉 부드러운 꽃봉오리.
〔嫩色〕 nènsè 명 부드러운 빛깔. 라이트 칼라. 산뜻한 색조.
〔嫩生生(的)〕 nènshēngshēng(de) 형 (식물 따위가) 싱싱한 모양.
〔嫩石〕 nènshí 명 《鑛》 활석(滑石).
〔嫩手〕 nènshǒu 명 신참. 풋내기. 미숙자. =〔生shēng手(儿)〕〔新xīn手(儿)〕
〔嫩蛙〕 nènwā 명 작은〔어린〕 청개구리.
〔嫩巍巍〕 nènwēiwēi 형 가냘픈〔허약한〕 모양.
〔嫩细〕 nènxì 형 섬세하고 아름답다.
〔嫩芽〕 nènyá 명 새싹.
〔嫩叶〕 nènyè 명 새잎.
〔嫩圆〕 nènyuán 형 싱싱하고 포동포동하다. ¶～的下巴颏; 포동포동한 턱.
〔嫩竹子做扁担〕 nèn zhúzi zuò biǎndan 〈歇〉 어린 대나무로 멜대를 만들다(무거운 것을 멜 수 없음. 중대한 일·임무를 감당할 수 없음).

NENG ㄋㄥ

能 **néng** (능)
① 명 재능. 수완. 능력. ¶无～的人; 재능이 없는 사람 / 逞chěng～; 재능·기능을 자랑하다. ② 형 재능이 있다. 유능하다. ¶～人; 재능이 있는 사람 / 他可真～; 그는 정말 여간내기가 아니다 / 选贤与～; 현자와 재능 있는 사람을 뽑다 / ～者多劳, 庸人自扰; 〈成〉 재능이 있는 사람은 자연히 일이 많아 수고를 하지만, 범용(凡庸)한 사람은 스스로 문제를 일으킨다. ③ 형 〈方〉 솜씨를 보이다. =〔显能〕 ④ 동 사이가 좋다. ¶二人素不相～; 두 사람은 원래 사이가 좋지 못하다. ⑤ 명 《物》 에너지. ¶原子～; 원자 에너지. 원자력 / 热～; 열력 / 动～; 동력 / 潜qián～; 잠재 에너지. 잠재적 능력 / 太阳～灶; 태양열 발전 장치. ⑥ 조동 …할 수 있다. …할 능력이 있다. ¶他病了不～走; 그는 병이 나서 걷지 못한다 / 他很～团结同志; 그는 친구와 더불어 잘 해 나갈 수 있다. ⑦ 조동 …할 것이다《가능성을 나타냄》. ¶你～不知道? 네가 모를 리가 있느냐? / 他不～这么就回来; 그가 이렇게 빨리 돌아올 리가 없다. ⑧ 조동 …하지 않으면 안 된다. …해야 한다《정리나 환경상 허용됨을 나타냄. 흔히, 의문·부정 꼴을 취함》. ¶你不～这样不负责任; 너는 이처럼 무책임해서는 안 된다. 注$_1$ '～'과 '会'의 차이는, '～'은 선천적인 능력이 있는 것 또는 능력이 어느 단계에 도달했음을 나타내지만, '会'는 후천적으로 연습을 통하여 얻은 능력을 나타냄. ¶小弟弟会走路了; 막내 동생이 걸을 수 있게 되었다 / 他病好了, ～下床了; 그는 병이 나아서 일어나 다닐 수 있다. 注$_2$ 명사에 직접 붙일 때 문어에서는 '～'을 쓸 수 있으나, 구어에서는 '会'만을 씀. ¶～诗善画; 시와 그림을 잘 한다 / 会象棋; 장기를 잘 둔다. 注$_3$ '～'·'会' 모두 장래의 가능성을 나타내는데 '不…不'로써 이중 부정을 하면, '不～不'는 당연을, '不会不'는 장래의 가능성을 나타냄. ¶你不～不来啊! 너는 오지 않으면 안 된다 / 他不会不来的; 그가 오지 않는다는 것은 있을 수 없다.

〔能办事的〕 **néngbànshìde** 명 민완가(敏腕家). 수완가.

〔能不〕 **néngbù** 조동 …하지 않을 수 없다. 어떻게 …하지 않을 수 있느냐? ¶那个铺子那么亏空～关门吗? 저 상점은 저렇게 손해를 보고도 폐점하지 않고 배길 수 있을까요?

〔能臣〕 **néngchén** 명 능신. 재능 있는 신하.

〔能吃能喝〕 **néngchī nénghē** 잘 먹고 잘 마시다.

〔能处〕 **néngchù** 명 장점.

〔能大能小〕 **néngdà néngxiǎo** 신축자재(伸縮自在)하다. 임기 응변이 능란하다.

〔能带〕 **néngdài** 명 《物》 에너지대(帶). =〔能域〕

〔能道〕 **néngdào** 형 말을 잘하다. 말솜씨가 좋다. →〔能说会道〕

〔能动〕 **néngdòng** 형 능동적이다. 자주적이다. ¶发挥～作用; 주동적 역할을 발휘하다 / 主观～性; 주관적 능동성.

〔能峰〕 **néngfēng** 명 《物》 에너지 장벽(障壁).

〔能否〕 **néngfǒu** 〈文〉 …할 수 있을는지 어떨는지. ¶～完成任务? 임무를 완수할 수 있을는지 어떨는지?

〔能干〕 **nénggàn** 형 ①유능하다. 재능이 뛰어나다. ¶他很～, 什么都做得起; 그는 유능해서 무엇이고 할 수 있다. ②수완가이다. 솜씨가 뛰어나다. ¶那位太太非常～; 그 부인은 대단한 수완가다 / ～的人; 민완가. 명 민완가. 수완가.

〔能歌善舞〕 **nénggē shànwǔ** 노래도 잘하고 춤도 잘 추다.

〔能个儿〕 **nénggèr** 〈方〉 재치가 있다.

〔能工巧匠〕 **néng gōng qiǎo jiàng** 〈成〉 유능하고 독창성이 풍부한 사람.

〔能够〕 **nénggòu** 조동 …할 수 있다. ¶人类～创造工具; 인류는 도구를 창조할 수 있다 / 下游～行驶轮船; 하류(下流)에서는 기선이 항행할 수 있다 / 那不～; 그것은 못 합니다. =〔能彀〕〔能勾〕

〔能官〕 **néngguān** 명 ⇨〔能吏〕

〔能级〕 **néngjí** 명 《物》 에너지 준위(準位).

〔能见度〕 **néngjiàndù** 명 《物》 시감도(視感度).

〔能近取譬〕 **néng jìn qǔ pì** 〈成〉 자신을 남과 비교하다.

〔能力〕 **nénglì** 명 능력. 수완. 역량. 힘. ¶什么都靠宣传的～; 모두 선전의 힘에 의거한다.

〔能吏〕 **nénglì** 명 능리. 유능한 관리. =〔能官〕

〔能量〕 **néngliàng** 명 《物》 ①에너지. ¶～守恒定律; 에너지 보존의 법칙. ②수용력. 용량. 능률. ¶牵引～; 견인력 / 上升～; 상승력.

〔能量不灭定律〕 **néngliàngbùmiè dìnglǜ** 명 《物》 에너지 불멸의 법칙. =〔能量恒存定律〕

〔能耐〕 **néngnài** 동 인내하다. ¶～劳苦; 고생을 참고 견디다.

〔能耐〕 **néngnai** 명 〈口〉 능력. 기능. 수완. ¶他的～真不小, 一个人能管这么多机器! 혼자서 이렇게 많은 기계를 다룰 수 있다니, 그의 솜씨는 대단하구나! / 有～走遍天下; 능력이 있으면 어디에 가도 걱정 없다. 형 능력이 있다. 솜씨가 있다.

〔能品〕 **néngpǐn** 명 기능의 품격. 서화(書畫) 등의 기능이 뛰어나고 품위가 있는 것. →〔妙miào品〕〔神shén品〕

〔能掐会算〕 **néngqiā huìsuàn** ①점을 잘 치다. ②정확히 예측하다.

〔能屈能伸〕 **néng qū néng shēn** 〈成〉 ①잘 굽는 것은 또 잘 뻗는다. 불우(不遇)할수록 비약(飛躍)도 잘 한다. ②신축(伸縮)이 자재(自在)하다. ③악에 굴복한 무기력한 사람을 비꼬아서 일컬음.

〔能人〕 **néngrén** 명 재능 있는 사람. ¶～背后有～; 〈諺〉 뛰는 놈 위에 나는 놈 있다.

〔能人所不能〕 **néng rén suǒ bù néng** 〈成〉 보통 사람이 할 수 없는 일을 해내다.

〔能上能下〕 **néng shàng néng xià** 〈成〉 지도자도 될 수 있고 평직원도 될 수 있다.

〔能舌利齿〕 **néngshé lìchǐ** 능변(能辯)이다. 말을 잘하다.

〔能士〕 **néngshì** 명 능사. 재능이 있는 사람.

〔能事〕 **néngshì** 명 ①숙련된 일. 잘 하는 일. ¶各种调查工作是他的～; 각종 조사를 하는 일은 그의 장기〔아주 잘하는 일〕이다. ②뛰어난 능력. 수완. ¶尽其～, 但是丝毫没有效果; 능력을 다했으나 조금도 효과가 없었다 / 极污蔑的～; 있는 힘을 다해 남의 명예를 손상시키다.

〔能手〕 **néngshǒu** 명 재능 있는 사람. 명수(名手). ¶现在, 全村的人都已成为种田的～; 지금은 온 마을의 사람들은 모두 이미 농사일에 이력이 났습니다 / 请个～来帮忙; 능력 있는 사람을 한 사람 불러 와 거들게 하다. =〔硬yìng手〕

〔能说会道〕 néng shuō huì dào 〈成〉 구변이 좋다. =〔能说善道〕〔能言惯道〕
〔能说会写〕 néng shuō huì xiě 〈成〉 언변도 좋고 글도 잘 쓴다.
〔能算〕 néngsuàn 동 ①…에 넣을 수 있다. …의 쪽이다. ¶他～个能手; 그는 역시 재주꾼이라 할 수 있다. ②산술에 능하다.
〔能谈〕 néngtán 명형 능변(이다).
〔能为〕 néngwéi 명 〈方〉 솜씨. 수완. 재능. ¶尽听他说嘴, 今儿倒看看他有多大～; 항상 그가 허풍 떠는 것을 들었지만, 오늘은 그가 어느 정도 솜씨가 있는지 보아야겠다.
〔能文能武〕 néng wén néng wǔ 〈成〉 ①문무 양쪽에 뛰어나다. ②학문도 있고 실천력도 있다. ③정신 노동이나 육체 노동의 양쪽을 모두 할 수 있다. ‖ =〔能文会武〕
〔能无〕 néngwú …이 아닐 수 있겠는가. ¶巨海～钓; 큰 바다에서 물고기가 낚이지 않을 수 있겠는가.
〔能武〕 néngwǔ 형 무예에 뛰어나다. →〔能文能武〕
〔能言惯道〕 néng yán guàn dào 〈成〉 ⇒〔能说会道〕
〔能言鸟〕 néngyánniǎo 명 《鳥》 말을 하는 새. 즉 앵무새·잉꼬 등.
〔能以〕 néngyǐ …할 수 있다. ¶你去了以后, 机器要是出毛病, 谁～修呢; 네가 가고 나서 기계가 고장이 나면, 누가 수리할 수 있겠는가.
〔能域〕 néngyù 명 ⇒〔能带〕
〔能员〕 néngyuán 명 민완가. 수완가.
〔能源〕 néngyuán 명 《物》 에너지원(源).
〔能愿动词〕 néngyuàn dòngcí 명 《言》 능원 동사(「'能'·'可kěyǐ'·'会huì'·'要yào'·'想xiǎng' 등 가능·희망·요구·의지 등을 나타내는 동사」).
〔能折不弯〕 néngzhé bùwān 꺾일지언정 굽히지 않는다. 죽을지언정 굴복하지 않는다.
〔能者〕 néngzhě 명 재능 있는 사람. ¶～多劳; 〈諺〉 재능·솜씨 있는 사람은 남보다 많이 일한다(「일복이 많음」).
〔能者多劳〕 néng zhě duō láo 〈成〉 재능·솜씨 있는 사람은 남보다 많이 일한다(「바쁜 사람을 칭찬할 때, 또 가난 때문에 먹고살기에 바쁜 사람에 대해 쓰는 말」). =〔贤xián者多劳〕
〔能者为师〕 néng zhě wéi shī 〈成〉 능력 있는 사람을 스승으로 받들다.
〔能征惯战〕 néng zhēng guàn zhàn 〈成〉 싸움에 강하고 익숙하다.

NG ㄫ

嗯〈唔〉 ńg〔ń〕 (은) 〈오〉
감 의문을 나타내는 말. ¶～? 你说什么? 응? 뭐라고? ⇒ ng ǹg. '唔' ḿ wú

嗯〈呒〉 ňg〔ň〕 (은)
① 감 응! 어!(「의외의 뜻을 나타내는 말」). ¶～! 我看不一定是那么回事; 응! 꼭 그렇다고는 생각하지 않네 / ～! 你怎么还没去? 어, 너 왜 아직 가지 않았니? ②〈方〉 어떠하다. ¶你不能也不～的; 자네가 못한다 해도 뭐 어떻게 된다는 것은 아닐세. ⇒ńg ǹg

嗯〈叽〉 ǹg〔ǹ〕 (은)
감 승낙을 나타내는 어기(語氣). ¶～, 好罢; 응, 괜찮겠지 / ～哪; 응 그렇단 말이야 / ～! 就这么办吧! 응! 그러면 이렇게 하자! ⇒ ńg ng
〔嗯吞〕 ǹgtūn 〈擬〉 으응(「승낙·대답하는 소리」). ¶连～都不让他打一个; 찍소리도 못 하게 하다.

NI ㄋㄧ

妮 nī (니)
명 ①식모. 하녀. ②(～儿, ～子) 〈方〉 소녀.

尼 ní (니)
① 명 《佛》 신중. 여승. ②음역용 자(字).
〔尼庵〕 ní'ān 명 비구니 절. =〔尼庙〕〔尼寺〕〔姑gū子庙〕
〔尼安得特人〕 Ní' āndétè rén 명 〈音〉 네안데르탈(Neanderthal)인.
〔尼泊尔〕 Níbó'ěr 명 《地》 〈音〉 네팔(Nepal)(「수도는 '加jiā德满都'(카트만두: Kathmandu)」).
〔尼泊尔蓼〕 níbó'ěrliǎo 명 《植》 산여뀌.
〔尼布楚〕 Níbùchǔ 명 《地》 네르친스크(Nerchinsk)(「시베리아 남부 치타(Chita) 주의 도시」).
〔尼采〕 Nícǎi 명 《人》 〈音〉 니체(Friedrich Wilhelm Nietzsche)(「독일의 철학자, 1844～1900」).
〔尼德兰〕 Nídélán 명 《地》 〈音〉 네덜란드(Netherlands)(「수도는 '阿姆斯特丹'(암스테르담: Amsterdam)」). =〔荷兰〕
〔尼父〕 Nífǔ 명 《人》 공자(孔子)를 말함.
〔尼格罗种〕 Nígéluó zhǒng 명 니그로(negro). 흑색 인종.
〔尼姑〕 nígū 명 〈口〉 여승. ¶～庙; 신중절. 승방 / ～买木梳; ⓐ쓸데없는 것. ⓑ여승도 목석은 아니다. =〔比丘尼〕〔姑子〕
〔尼古丁〕 nígǔdīng 명 《化》 〈音〉 니코틴(nicotine). =〔烟碱〕〔连草素〕〔尼可丁〕〔尼枯汀〕
〔尼赫鲁〕 Níhèlǔ 명 《人》 〈音〉 네루(Nehru)(「인도의 정치가. 독립 운동 지도자. 국민 회의 의장·수상을 역임. (1889～1964)」).
〔尼加拉瓜〕 Níjiālāguā 명 《地》 〈音〉 니카라과(Nicaragua)(「수도는 '马Mǎ那瓜'(마나과: Managua)」).
〔尼拘陀〕 níjūtuó 명 〈梵〉 용수(龍樹).
〔尼科尔棱镜〕 Níkē'ěr léngjìng 명 《物》 〈音〉 니콜 프리즘(Nicol prism). =〔尼科耳棱镜〕〔尼高耳柱〕
〔尼科西亚〕 Níkēxīyà 명 《地》 〈音〉 니코시아(Nicosia)(「'塞浦路斯'(키프로스: Kypros)의 수도임」).
〔尼克森〕 Níkèsēn 명 《人》 〈音〉 닉슨(Richard Milhous Nixon)(「미국의 제37대 대통령, 1913～1994」).
〔尼克酸〕 níkè suān 명 《化》 〈音〉 니코틴산. =〔烟酸〕
〔尼龙〕 nílóng 명 〈音〉 나일론(nylon). =〔尼隆〕〔尼纶〕〔乃龙〕〔耐纶〕〔锦纶〕
〔尼龙(女)袜〕 nílóng (nǚ)wà 명 여성용 나일론 양말. 팬티 스타킹. =〔玻璃(丝)袜〕
〔尼鹭〕 nílù 명 《鳥》 황로.

〔尼庙〕 nímiào 명 ⇨〔尼庵〕
〔尼日尔〕 Nírì'ěr 명 《地》〈音〉 니제르(Niger)《수도는 '尼亚美'(니아메: Niamey)》.
〔尼日利亚〕 Nírìlìyà 명 《地》〈音〉 나이지리아(Nigeria)《수도는 '阿布贾'(아부자: Abuja)》.
〔尼僧〕 nísēng 명 여승. 비구니. =〔师shī姑〕
〔尼斯〕 nísī 명 《化》〈音〉 니스(varnish).
〔尼寺〕 nísì 명 ⇨〔尼庵〕
〔尼童子〕 nítóngzǐ 명 어린 여승.
〔尼亚美〕 Níyàměi 명 《地》〈音〉 니아메(Niamey)《'尼日尔'(니제르: Niger)의 수도임》.
〔尼亚萨兰〕 Níyàsàlán 명 《地》〈音〉 니아살랜드(Nyasaland).

泥 ní (니)
① 명 진흙. ② 명 진흙같이 생긴 것. 과일 따위를 으깬 것. ¶印～; 인주 / 水～; 시멘트 / 萝卜～; 무를 강판에 간 즙 / 胶～; 점토(粘土). ③ 동 (진흙이나 먼지가 묻어) 더러워지다. ④ 명 흙으로 만든 것. ¶～孩儿 =〔～娃娃wáwa〕; 흙으로 만든 인형. ⑤ 동 진흙처럼 되다. 본디의 성질이 없어지다. ¶～醉; 이취(泥醉)(하다). ⑥ 명 때. ¶油yóu～; 기름때. ⇒nì
〔泥巴〕 níbā 명 〈方〉 진흙. ¶～人儿; 진흙으로 만든 인형 / 满是～的大手; 진흙투성이의 커다란 손.
〔泥巴子〕 níbāzi 명 ⇨〔泥腿(子)②〕
〔泥板〕 níbǎn 명 (미장이가 사용하는) 진흙손.
〔泥泵〕 níbèng 명 드레지 펌프(dredge pump). =〔泥浆jiāng泵〕
〔泥饼子〕 níbǐngzi 명 ①작은 진흙 덩어리. ②옷에 튄 진흙.
〔泥饽饽〕 níbōbo 명 진흙을 장난감 틀에 넣어 찍어 낸 것. 흙으로 빚은 떡. =〔泥泥脖脖儿〕
〔泥醭就儿〕 níbújiùr 명 ⇨〔泥拘拘儿〕
〔泥车瓦狗〕 níchē wǎgǒu 명 아이들의 장난감.
〔泥船渡河〕 ní chuán dù hé 〈成〉 흙으로 된 배로 강을 건너다《세상살이에 위험이 많은 일》.
〔泥刀〕 nídāo 명 흙손. =〔泥掌〕〔瓦wǎ刀〕
〔泥点(儿, 子)〕 nídiǎn(r, zi) 명 진흙 더버기. ¶溅了一身～; 온몸에 진흙이 튀었다. =〔泥点(子)〕
〔泥多佛大〕 ní duō fó dà 〈成〉 진흙이 많으면 불상(佛像)도 커진다《사람이 많으면 일도 많이 할 수 있다》.
〔泥饭碗〕 nífànwǎn 명 ①진흙으로 만든 밥그릇. ②〈轉〉 막연한 생활 수단.
〔泥肥〕 níféi 명 《農》 (강·못 등의) 이토(비료).
〔泥封〕 nífēng 명 봉랍(封蠟)하여 그 위에 인장을 찍어 봉함.
〔泥嘎巴儿〕 nígābār 명 진흙이 달라붙어 굳은 것.
〔泥垢〕 nígòu 명 때. 오물.
〔泥沽〕 nígu 동 뒤바르다. 매대기치다. ¶把一桶油漆都～完了; 한 통의 페인트를 처덕처덕 다 발랐다.
〔泥孩儿〕 níháir 명 흙인형. 진흙 인형. =〔泥娃娃①〕
〔泥猴〕 níhóu 명 ⇨〔弹tán涂鱼〕
〔泥糊〕 níhū 형 진흙으로 뒤범벅이 되다. ¶衣服都～了; 옷이 온통 흙투성이가 되었다.
〔泥糊糊〕 níhūhū 형 진흙투성이가 된 모양.
〔泥花〕 níhuā 명 쟁기로 갈 때 사방에 튀는 진흙.
〔泥滑滑〕 níhuáhua 명 ⇨〔竹zhú鸡〕
〔泥灰岩〕 níhuīyán 명 《鑛》 이회암.
〔泥浆〕 níjiāng 명 흙탕. ¶～水; 흙탕물 / ～腿; ⓐ진흙 묻은 발. ⓑ거리의 불량배들.
〔泥浆泵〕 níjiāngbèng 명 ⇨〔泥泵〕
〔泥匠〕 níjiàng 명 ⇨〔泥水匠〕
〔泥脚〕 níjiǎo 명 ①흙으로 만든 발. 〈比〉 약한 토대·기초. ②〈比〉 농민. ③경작토가 얕은 것. ¶他那块干田子, ～很浅; 그 밭은 경토(耕土)가 얕다.
〔泥金〕 níjīn 명 금분. 금가루.
〔泥金色〕 níjīnsè 명 《色》 백다색(白茶色).
〔泥金帖〕 níjīntiě 명 금가루로 장식한 편지지.
〔泥拘拘儿〕 níjūjur 명 ①옷에 튄 (진)흙. ②(몸을 밀어 나온) 때꼽재기. ¶好几天没洗澡一搓净是～; 오랫동안 목욕을 안 했더니 조금만 문질러도 때가 덕지덕지 떨어진다. ‖=〔泥醭bú就儿〕
〔泥坑〕 níkēng 명 진흙 웅덩이. 진창. 진흙탕.
〔泥坑泥沼〕 ní kēng ní zhǎo 〈成〉 수렁.
〔泥叩〕 níkòu 동 ⇨〔泥首〕
〔泥潦〕 nílǎo 명 ①진창. ②진창 구덩이.
〔泥犁〕 nílí 명 《佛》〈梵〉 지옥.
〔泥疗〕 níliáo 명 《漢醫》 진흙을 가열하여 국부에 찜질하는 중국의 민간 요법.
〔泥龙〕 nílóng 명 옛날, 기우(祈雨) 때 사용한 흙으로 된 용(龍)《쓸데없는 물건》.
〔泥路〕 nílù 명 진창길.
〔泥螺〕 níluó 명 《貝》 다슬기의 일종. =〔吐tǔ铁〕
〔泥镘〕 nímàn 명 (벽을 바르는) 흙손.
〔泥煤〕 níméi 명 ⇨〔泥炭〕
〔泥母猪〕 nímǔzhū 명 〈比〉 불결한 인간.
〔泥淖〕 nínào 명 ①진흙. 진창. ②이소(泥沼). 소지(沼地).
〔泥泥脖脖儿〕 nínībóbor 명 ⇨〔泥饽饽〕
〔泥泞〕 nínìng 형 진흙 때문에 질퍽거려 걷기 힘들다. ¶雨后道路～; 비가 온 후에 길이 질퍽거리다. 명 진창. ¶陷入～; 진창에 빠지다.
〔泥牛〕 nínιú 명 ⇨〔春chūn牛〕
〔泥牛入海〕 ní niú rù hǎi 〈成〉 흙으로 된 소가 바다에 들어가다《다시는 돌아오지 않음. 함흥차사》.
〔泥偶〕 ní'ǒu 명 ⇨〔泥人(儿)〕
〔泥炮〕 nípào 명 용강로(鎔鋼爐)의 쇳물 나오는 구멍을, 점토와 코크스의 혼합물로 막기 위한 도구《전기로 작동하는 것을 '电diàn气～'라 하고, 압축 공기에 의한 것을 '气qì动～'라고 함》.
〔泥盆纪〕 Nípénjì 명 《地質》 데번기(Devon紀).
〔泥坯〕 nípī 명 진흙으로 만든 벽돌《북쪽에서는 이것으로 집을 짓고 담을 쌓음》.
〔泥菩萨〕 nípúsà 명 진흙으로 만든 보살. 흙인형. ¶～不开口; 흙인형처럼 침묵하다.
〔泥菩萨过河〕 nípúsà guòhé ①〈歇〉 진흙으로 만든 보살이 강을 건너다《녹아서 자기 자신이 없어지다》. ¶～, 自身难保; 본존(本尊) 자신이 부서져 중생을 구제할 수 없다《자기 자신도 보전하기 어렵다》. ②자신의 몸이 위태롭게 되다.
〔泥钱〕 níqián 명 적토(赤土)로 돈 모양으로 만든 것《아이들의 놀이 도구》.
〔泥墙〕 níqiáng 명 흙담. ⇒nì qiáng
〔泥青〕 níqīng 명 자연산의 쪽〔藍〕.
〔泥鳅〕 níqiū 명 《魚》 미꾸라지. =〔泥鳝〕
〔泥鳅猫〕 níqiūmāo 명 ⇨〔蟹xiè獴〕
〔泥儿包着〕 nírbāozhe 흙투성이다.
〔泥人(儿)〕 nírén(r) 명 흙인형. 토우(土偶). ¶～请雨; 흙으로 인형을 만들어 기우제를 지내다 / ～还有土性儿; 〈諺〉 지렁이도 밟으면 꿈틀거린다. =〔泥偶〕
〔泥沙〕 níshā 명 ①진흙과 모래. ②〈比〉 하찮은 것.
〔泥沙俱下, 鱼龙混杂〕 ní shā jù xià, yú lóng

hùn zá 〈成〉 진흙과 모래가 함께 물에 떠내려가고, 물고기와 용(龍)이 뒤섞여 있다(좋은 것과 나쁜 것이 한데 섞여 있는 모양).
〔泥石流〕 níshíliú 명 토석류(土石流).
〔泥首〕 níshǒu 동 머리를 땅에 대고 절하다. ¶～拜谢; 깊이 사의를 표하다. =〔泥叩〕〔泥头〕〔泥谢〕
〔泥水活〕 níshuǐhuó 명 미장이 일.
〔泥水匠〕 níshuǐjiàng 명 미장이. =〔泥匠〕〔泥瓦匠〕〔瓦作〕
〔泥水选种〕 níshuǐ xuǎnzhǒng 명 《農》 흙탕물에 종자를 넣고 휘저어 좋은 씨를 고르는 방법.
〔泥塑〕 nísù 동 (공예(工藝)에서) 진흙으로 인형을 만들다. 명 토우(土偶).
〔泥塑木雕〕 nísù mùdiāo 명 토우(土偶)와 나무 인형(멍텅구리. 표정 없는 사람). =〔木雕泥塑〕
〔泥胎〕 nítāi 명 토우(土偶). 진흙으로 만든 신상(神像). ¶塑造了～; 흙으로 인형을 만들었다.
〔泥胎儿〕 nítāir 명 아직 굽지 않은 도기(陶器).
〔泥潭〕 nítán 명 〈比〉 진구렁. 수렁. ¶陷入～; 수렁에 빠지다.
〔泥炭〕 nítàn 명 《鑛》 이탄. =〔泥煤〕〔草煤〕
〔泥塘〕 nítáng 명 흙탕 못. 수렁.
〔泥藤〕 níténg 명 《植》 등나무의 일종(단단하여 서까래 등에 쓰임).
〔泥头〕 nítóu 동 ⇨〔泥首〕
〔泥涂〕 nítú 명 ①질퍽질퍽한 길. ②〈比〉 비천(卑賤)한 지위. 형 〈比〉 더럽다. 천하다.
〔泥土〕 nítǔ 명 ①흙탕. ②진흙. ③토양. 흙.
〔泥兔儿爷〕 nítùryé 명 중추절 때, 달에게 제사 지낼 때 올리는 진흙으로 만든 토끼.
〔泥腿(子)〕 nítuǐ(zi) 명 ①흙투성이인 발. ②〈貶〉 농사꾼. 촌놈. ¶穷得叮当响的～; 아주 가난한 촌사람. =〔泥巴子〕
〔泥坨子〕 nítuózi 명 진흙 덩어리.
〔泥洼儿〕 níwār 명 진흙 웅덩이.
〔泥娃娃〕 níwáwa 명 ①⇨〔泥孩儿〕 ②불사(佛寺)의 '娘娘殿'에 비치해 놓은 진흙 인형. =〔灵líng娃娃〕
〔泥瓦匠〕 níwǎjiàng 명 기와장이. 미장이.
〔泥丸〕 níwán 명 흙경단. 작은 진흙알.
〔泥碗〕 níwǎn 명 옹기 사발.
〔泥窝子〕 níwōzi 명 물 웅덩이.
〔泥像〕 níxiàng 명 진흙으로 만든 불상.
〔泥谢〕 níxiè 동 ⇨〔泥首〕
〔泥心〕 níxīn 명 《機》 심형(心型)(공동(空洞)의 주물(鑄物)을 만들 때 공동이 되는 부분에 넣는 주형(鑄型)). =〔坭心〕
〔泥心撑〕 níxīnchēng 명 주형(鑄型)의 내형(內型)이 쇳물을 부어 넣었을 때 부동(浮動)하지 않도록 받쳐 주는 물건.
〔泥心盒〕 níxīnhé 명 주형(鑄型)의 목형(木型)〔금속성의 틀〕. =〔〈南方〉 泥心壳〕〔〈北方〉 砂shā心盒〕
〔泥心冒口〕 níxīn màokǒu 명 주형〔거푸집〕의 코어(core) 상부의 구멍.
〔泥罨〕 níyǎn 명 《藥》 파프(pap). ¶～剂jì; 파프제(劑) / 白陶táo土～; 백도토(白陶土) 파프.
〔泥银〕 níyín 명동 (서화 따위를) 은니(銀泥)로 장식한 것〔하다〕.
〔泥印子〔儿〕〕 níyìnzi〔r〕 명 ①흙 발자국. ¶留下～; 흙 발자국을 남기다. ②흙이 묻은 자국.
〔泥俑〕 níyǒng 명 토용(土俑)(옛날, 순사자(殉死者)의 대신 쓰임).
〔泥掌〕 nízhǎng 명 ⇨〔泥刀〕
〔泥砖〕 nízhuān 명 기와. 흙벽돌.
〔泥滓〕 nízǐ 명 ①진흙의 앙금. ②더러운 것. ③하찮은 것. 동 먼지로 더러워지다.
〔泥足巨人〕 nízú jùrén 진흙 발의 거인(그럴 듯하게 보이나 겉만 번드르르한 것).

怩 ní (니)
동 〈文〉 (자신의 죄 · 잘못 · 미숙함 · 결점을) 부끄러워하다.
〔怩色〕 nísè 명 〈文〉 부끄러운 기색(氣色).

坭 ní (니)
① 명 〈方〉 진흙. 진흙 같은 것. ¶红毛～; 시멘트. =〔泥ní①②〕 ②지명용 자(字). ¶白～Báiní; 바이니(白坭)(광둥 성(廣東省)에 있는 땅 이름).
〔坭心〕 níxīn 명 《機》 코어(core). 심형(心型). =〔泥心〕

呢 ní (니)
(～子) 명 《紡》 모직물의 하나. ¶毛～; 두꺼운 모직물. ⇒ne
〔呢料(儿)〕 níliào(r) 명 나사천. 모직물. ¶工业用～; 공업용 모직물.
〔呢帽〕 nímào 명 펠트 모자. 소프트 모자.
〔呢喃〕 nínán 동 작은 소리로 재잘거리다. 〈擬〉 지지배배(제비의 울음소리).
〔呢绒〕 níróng 명 《紡》 울(wool). 모직물. =〔绒呢〕
〔呢绒线〕 níróngxìan 명 털실. =〔毛máo线〕

铌(鈮) ní (니)
명 《化》 니오브(Nb; 독 Niob)(금속 원소의 하나. '钶kē'는 옛 이름).

兒〈郳〉A) Ní (예)
A) 명 《史》 주대(周代)의 나라 이름(산둥 성(山東省) 텅 현(騰縣) 동남쪽에 있었음). B) 명 성(姓)의 하나. ⇒'儿' ér

倪 ní (예)
① 명 〈文〉 가장자리. 가. ¶端duān～; 실마리. 단서 / 俟有端～再办吧; 단서가 잡히면 실행하자. ② 대 〈吳〉 나. 우리들. ③ 명 성(姓)의 하나.
〔倪搭〕 nídā 명 〈南方〉 여기. 이 곳.
〔倪兀〕 níwù 형 ⇨〔臬niè兀〕
〔倪子〕 nízǐ 명 〈南方〉 아들. =〔儿子〕

猊 ní (예)
→〔狻suān猊〕〔猊糖〕〔猊座〕
〔猊糖〕 nítáng 명 사자 모양의 사탕과자.
〔猊座〕 nízuò 명 ①《天》 사자자리. ②부처가 앉는 자리. ‖ =〔狮shī子座〕

輗(輗) ní (예)
명 〈文〉 수레의 채 끝에 있으며 멍에를 받치는 쐐기.

蜺 ní (예)
명 ①《蟲》 애매미. ②《氣》 무지개. =〔霓〕

霓〈蜺〉 ní (예)
명 《氣》 무지개.
〔霓虹〕 níhóng 명 〈音〉 네온.
〔霓虹灯〕 níhóngdēng 명 〈音義〉 네온 라이트. =〔年红灯〕
〔霓虹光管〕 níhóng guāngguǎn 명 네온 사인.
〔霓虹广告〕 níhóng guǎnggào 명 네온 사인 광고.

鲵(鯢) ní (예)
명 《動》 ①암코래. ②도롱뇽. 산초어(山椒魚). ¶鲸jīng～; 〈比〉 악인 또는 죄인.

〔鲵鳅〕 níqiu 명 ⇨〔泥ní鳅〕

麑 ní (예)
명 《動》 새끼사슴.

〔麑鹿〕 nílù 명 (고서에 나오는) 작은 사람.
〔麑裘〕 níqiú 명 새끼 사슴 가죽으로 만든 가죽옷.

你〈妳〉 nǐ (니)
대 ①당신. 댁. 너. 注 때로 복수를 나타냄. ¶～校; 귀교(貴校). ②당신의. 너의. ¶～报; 귀사의 신문. ③누구누구 할 것 없이(부정(不定)의 사람을 가리킴). ¶～让我, 我让～; 서로 양보하다 / ～看我, 我看～; 서로 얼굴을 마주 보다 / ～一句我一句地议论; 사람들이 이러니저러니 논의하다 / ～有钱就好办了; 누구든 돈이 있으면 문제는 없다.

〔你处〕 nǐchù 명 ①네가 있는 곳. ②〈翰〉 귀하(공문·서한 용어).
〔你的我的〕 nǐde wǒde 네것 내것.
〔你笃〕 nǐdǔ 대 〈方〉 자네들. 당신들.
〔你各人〕 nǐgéren 대 〈方〉 너 자신.
〔你家〕 nǐjiā 대 〈敬〉 ①당신 집. ②〈方〉 당신. 귀하.
〔你敬我爱〕 nǐjìng wǒ'ài 서로 경애하다.
〔你看〕 nǐkàn ①보시오. ¶～这个; 자네 이것을 보게. 너 이것을 보아라. ②생각하다. ¶～怎么样, 行吗? 어떻게 생각하느냐, 괜찮다고 생각하니? ③정말 …하지 않는가. ¶～多么好啊! 얼마나 좋소!
〔你来我往〕 nǐ lái wǒ wǎng 〈成〉 서로 오가며 교제하다.
〔你老〕 nǐlǎo 대 ①〈敬〉 선생님(나이 많은 사람을 호칭할 때 쓰임). ¶大概～早就听说过我国煤矿的富藏吧; 아마 선생님도 우리 나라의 석탄 매장량이 아주 풍부하다는 것을 이미 들으셨겠죠. =〔你老人家〕 ②당신. 너. ¶～撒谎; 너는 늘 거짓말만 한다.
〔你们〕 nǐmen 대 당신들. 선생님들. ¶～弟兄中间谁是老大? 당신들 형제 중에서 누가 제일 위인가요? / ～二位; 당신네 두 분 / ～诸位; 여러분.
〔你们俩〕 nǐmenliǎ 대 너희 두 사람.
〔你情我愿〕 nǐqíng wǒyuàn 너도 나도 다 같이 희망하다. 어느 쪽이나 다 같이 원하다.
〔你去你的〕 nǐqùnǐde ①당신 갈 데로 가시오. ②당신 좋을 대로 하시오.
〔你死我活〕 nǐ sǐ wǒ huó 〈成〉 죽느냐 사느냐의 결판. ¶乍一看是生意, 其实是～的斗争; 언뜻 보기에는 장사이지만, 실은 사활이 걸린 투쟁이다.
〔你我〕 nǐwǒ 너와 나. 서로. ¶不分～; 서로 흉허물 없다. 너나 할 것 없이 / 不是～的造化吗? 서로간의 행복이 아닌가?
〔你我他仨〕 nǐwǒtāsā 대 너·나·그의 세사람.
〔你言我语〕 nǐ yán wǒ yǔ 〈成〉 모두가 저마다 이야기를 주고받다.
〔你一言我一语〕 nǐyīyán wǒyīyǔ 여기저기서 한 마디씩 하다. 양쪽이 말을 주고 받다. ¶大家伙儿～让他下不来台了; 모두가 여기저기서 한 마디씩 하니, 그는 어찌할 바를 몰랐다.
〔你有我有就是朋友〕 nǐ yǒu wǒ yǒu jiù shì péngyou 〈諺〉 서로 돈만 있으면 친구가 될 수 있다.
〔你这个人〕 nǐzhègerén 명 이놈. 이 녀석.
〔你争我夺〕 nǐzhēng wǒduó 서로 빼앗다. =〔你抢我夺〕
〔你追我赶〕 nǐ zhuī wǒ gǎn 〈成〉 쫓고 쫓기며 겨루다. ¶～提前一个半月完成了造田的任务; 쫓고 쫓기면서 한 달 반이나 앞당겨 밭을 일구는 일을 완성시켰다.

祢(禰) nǐ (녜)
명 옛날에, 아버지가 사망한 후 종묘(宗廟)에 위패를 모시고 나서 부르는 이름. ⇒Mí

拟(擬) nǐ (의)
동 ①추측하다. ②본뜨다. 모방하다. ¶～作; ⇩ ③예정하다. ④초고(草稿)를 만들다. ⑤…할 예정이다. …하려고 생각하다. ¶～于月之五日起程; 이 달 5일에 출발할 예정이다. ⑥비기다. 비유하다. 비교하다. ¶比～; 비기다 / ～于不伦; ⇩

〔拟待〕 nǐdài 동 …하기를 원하다. …하려고 하다.
〔拟抵〕 nǐdǐ 동 〈文〉 죄에 상응하는 벌을 결정하다.
〔拟订〕 nǐdìng 동 초안을 만들다. 기초(起草)하여 정하다. ¶～计划; 계획·안(案)을 기초하여 정하다.
〔拟定〕 nǐdìng 동 생각하여 결정하다.
〔拟度〕 nǐduó 동 〈文〉 추측하다.
〔拟稿(儿)〕 nǐ.gǎo(r) 동 초고(草稿)를 쓰기 시작하다(공문서의 경우). ¶拟了一个稿儿; 초고를 하나 썼다.
〔拟古〕 nǐgǔ 동 의고(擬古)하다(고인(古人)의 작품을 모방하는 일).
〔拟规画圆〕 nǐ guī huà yuán 〈成〉 콤파스로 그림을〔동그라미를〕 그리다(관습을 그대로 답습하고 변통(變通)할 줄을 모르다).
〔拟就〕 nǐjiù 동 다 만들다. 작성을 끝내다. ¶草案已经～了; 초안은 이미 완성되었다.
〔拟南芥〕 nǐnánjiè 명 《植》 애기장대.
〔拟判〕 nǐpàn 동 〈文〉 추정(推定)하다.
〔拟人法〕 nǐrénfǎ 명 의인법.
〔拟声词〕 nǐshēngcí 명 ⇨〔象xiàng声词〕
〔拟态〕 nǐtài 명 《生》 의태(擬態).
〔拟题〕 nǐtí 동 시험 문제를 만들다. ¶～看卷子也是教员的责任; 시험 문제를 만들고, 답안을 보는 것도 교원의 책임이다.
〔拟妥〕 nǐtuǒ 동 초안(草案)이 만들어지다. ¶已经～了议案了; 의안은 이미 완성되었다.
〔拟议〕 nǐyì 동 ①추론(推論)하다. 상의하다. ②제의하다. ③기초(起草)하다. 명 계획. 의향.
〔拟于不伦〕 nǐ yú bù lún 〈成〉 비교 대상이 되지 않는 사람. 비교·비유가 타당치 않다.
〔拟欲〕 nǐyù 동 〈文〉 …하려고 작정하다. ¶～晋京; 상경할 작정이다.
〔拟脂质〕 nǐzhīzhì 명 《化》 유지질(類脂質). 리포이드(lipoid).
〔拟制〕 nǐzhì 동 ①모방하여 제정하다. ②계획하다. 입안(立案)하다.
〔拟罪〕 nǐzuì 동 죄를 심의하여 결정하다.
〔拟作〕 nǐzuò 명동 모작(模作)(하다).

苨 nǐ (니)
→〔荠jì苨〕

旎 nǐ (니)
→〔旖yǐ旎〕

嶷 nǐ (의)
→〔嶷嶷〕

〔嶷嶷〕 nǐnǐ 형〈文〉(초목이) 무성한 모양.

伲 nì (니)
대〈方〉우리들. =〔我们〕

泥 nì (니)
①동 고집하다. ②동 진흙을 바르다. ¶稀泥～不上墙; 묽은 진흙으로는 벽을 못 바른다/～瓦缝儿; 기와와 기와 사이에 진흙을 바르다. ③동 정체하다. 술술 나가지 못하다. 머무적거리다. ¶翠环仍～着不肯走; 취환(翠環)은 아직도 어물어물하며 그 곳을 떠나려 하지 않는다. ④동 탐닉하다. 빠지다. ¶～酒; ⇓ ⑤(～子) 명 퍼티(putty). 떡밥. =〔腻子〕 ⇒ní

〔泥古〕 nìgǔ 동 낡은 습관에 구애되어 융통성이 없다. 시대에 뒤진 것을 모르다. ¶～不化;〈成〉옛것에 구애되어 고치려 하지 않다.

〔泥酒〕 nìjiǔ 동 술에 탐닉하다〔빠지다〕.

〔泥抹〕 nìmǒ 동 (진흙 따위를) 바르다. ¶把房子都修理, ～一遍, 里里外外一堂新; 집을 죄다 수리하고 칠도 다시 하고 안팎을 모두 새롭게 만들다.

〔泥墙〕 nì qiáng 벽을 바르다. ⇒níqiáng

〔泥于〕 nìyú …에 구애되다. …를 고집하다. ¶～风水; 풍수에 얽매이다.

〔泥滞〕 nìzhì 동 어떤 일에 구애되어 순조롭게 나가지 않다. 정체되다.

昵〈暱〉 nì (닐)
①형 친하다. ¶亲qīn～; 허물없이 굴다. ②동 친해지다. ③동 가까워지다.

〔昵爱〕 nì'ài 동〈文〉친애하다. =〔爱昵〕

〔昵称〕 nìchēng 명 애칭.

〔昵交〕 nìjiāo 명 ①절친한 교제. ②친한 친구.

〔昵友〕 nìyǒu 명 아주 친한 친구. =〔腻友〕

逆 nì (역)
①동 거스르다. ¶～水行舟;〈成〉흐름을 거슬러서 배를 몰다/倒行～施;〈成〉무리를 고집하다. 흐름에 역행하다. ②동 어기다. 반역하다. ¶～臣; 역신. 반역한 신하. ③명 배반자. ¶叛～; 배반자. ④부 거꾸로. ⑤부 미리 (…하다). 사전에 (…하다). ⑥동〈文〉맞이하다. 받다. ¶～命; 명령을 받다.

〔逆差〕 nìchā 명〖貿〗무역 수지의 적자. 수입 초과. ¶对外贸易的～和外汇收支的赤字大大增加; 대외 무역의 역조(逆潮)와 외국환 수지 적자가 증가한다.

〔逆产〕 nìchǎn 명동〖醫〗도산(倒産)(하다)(해산할 때 아이의 발이 먼저 나오는 일). =〔倒产〕〔倒生〕 명 반역자의 재산. 역산.

〔逆党〕 nìdǎng 명 ①반역의 당. ②반역의 무리. 모반자.

〔逆定理〕 nìdìnglǐ 명〖數〗역정리.

〔逆睹〕 nìdǔ 동〈文〉미리 예상하다〔알다〕. ¶将来变化难以～; 장래의 변화는 예측하기 어렵다. =〔逆料〕

〔逆耳〕 nì'ěr 동〈文〉귀에 거슬리다. ¶忠言～;〈成〉충언은 귀에 거슬린다.

〔逆匪〕 nìfěi 동 반도(反徒). 역도(逆徒).

〔逆风〕 nìfēng 명동 ⇨〔顶dǐng风〕

〔逆风开船〕 nì fēng kāi chuán〈成〉①바람을 거슬러 배를 내다. ②완고하다.

〔逆光〕 nìguāng 명 (사진의) 역광.

〔逆函数〕 nìhánshù 명〖數〗역함수.

〔逆汇〕 nìhuì 명〖經〗역환(逆換).

〔逆火〕 nìhuǒ 명〖機〗(내연 기관의) 역화. 백파이어(backfire). ¶～式轰炸机; 백파이어형(型) 초음속 폭격기.

〔逆计〕 nìjì 동〈文〉미리 계산하다.

〔逆迹〕 nìjì 명 모반. 반란 행위.

〔逆境〕 nìjìng 명 역경.

〔逆魁〕 nìkuí 명 반역의 괴수.

〔逆来顺受〕 nì lái shùn shòu〈成〉억압이나 불법·불합리한 취급을 당해도 꾹 참고 감수(甘受)하다.

〔逆例〕 nìlì 동〈文〉법을 어기다.

〔逆料〕 nìliào 동 예측〔예상〕하다. ¶事态的发展不难～; 사태의 발전은 예상하기에 어렵지 않다. =〔逆睹〕

〔逆鳞〕 nìlín 명〈比〉천자(天子)의 노여움.

〔逆流〕 nìliú 명동 역류(하다). 명 반동적 조류. ¶一股反社会主义的～; 한 줄기의 반사회주의적인 조류(潮流).

〔逆旅〕 nìlǚ 명〈文〉여관. 동 손님을 맞이하다.

〔逆伦〕 nìlún 명〈文〉역륜(逆倫). 동 인륜(人倫)에 어그러지다. 역륜하다.

〔逆命〕 nìmìng 동 명령을 거역하다.

〔逆叛〕 nìpàn 동 배반하다. 반역하다.

〔逆取顺守〕 nì qǔ shùn shǒu〈成〉천하를 취할 때는 도리에 거스르는 방법을 쓰고, 이를 지킬 때는 도리를 따른다.

〔逆事〕 nìshì 명 불길한 일. ¶住着不顺当, 竟出～; 불길한 일만 일어나 살기 어렵다.

〔逆首〕 nìshǒu 명 반역자의 두목.

〔逆数〕 nìshù 명 ①한서(寒暑)가 비정상인 일. ②〖數〗역수.

〔逆水〕 nì.shuǐ 동 흐르는 물에 거스르다. ¶学如～行舟, 不进则退; 학문은 물의 흐름을 거슬러 배를 젓는 것과 같아서, 무슨 일이든 계속 노력하지 않으면 퇴보한다. ↔〔顺shùn水〕

〔逆说〕 nìshuō 명 ①역설. 패러독스. ②이론(異論). 이설(異說).

〔逆天〕 nìtiān 동 하늘〔자연〕에 거역하다.

〔逆温层〕 nìwēncéng 명〖氣〗역전층(逆轉層).

〔逆行〕 nìxíng 동 ①역행하다. ¶单行线, 车辆不得～; 일방 통행이므로 차량은 진입할 수 없다. ②역류하다.

〔逆性〕 nìxìng 명 저항력. ¶这种作物～很大; 이런 종류의 작물은 저항력이 매우 강하다.

〔逆修〕 nìxiū 명 ①사후의 명복을 위해 생전 불사(佛事)를 함. ②젊은 사람이 먼저 죽어 살아 남은 노인이 그 불사를 치르는 일.

〔逆缘〕 nìyuán 명 자식이 부모보다 먼저 가고〔죽고〕, 젊은이가 노인보다 먼저 가는 인연.

〔逆运算〕 nìyùnsuàn 명〖數〗역연산(逆演算).

〔逆贼〕 nìzéi 명 역적.

〔逆诈〕 nìzhà 형〈文〉폭려(暴戾)하고 간사하다.

〔逆证〕 nìzhèng 명〖漢醫〗치료법이 잘못되어 일어나는 증상.

〔逆知〕 nìzhī 동〈文〉미리〔사전에〕 알다.

〔逆种〕 nìzhǒng 명 불효자식.

〔逆众〕 nìzhòng 명 역도(逆徒). 역적의 무리.

〔逆转〕 nìzhuǎn 명동 역전(하다). 동 (정세가) 악화되다.

〔逆子〕 nìzǐ 명 불효 자식.

匿 nì (닉)
동 ①감추다. 숨기다. ¶隐yǐn～; 은닉하다. ②숨다.

〔匿案〕 nì'àn 동 관리가 사건을 은폐하다.

〔匿避〕 nìbì 동 은둔(隱遁)하다.

〔匿藏〕 nìcáng 동 은닉하다. 잠복하다. =〔伏fú藏〕
〔匿窜〕 nìcuàn 동 도망가 숨다. 몰래 도망치다.
〔匿单少报〕 nìdān shǎobào 문서를 감추고 적게 신고하다.
〔匿伏〕 nìfú 동 숨다. 잠복하다.
〔匿拐〕 nìguǎi 동 사람을 유괴하여 숨기다.
〔匿恨在心〕 nìhèn zài xīn 원한을 마음 속에 숨기고 참다.
〔匿户〕 nìhù 명 신고를 하지 않고 숨기는 집. 사람이나 물건을 은닉하고 있는 사람.
〔匿迹〕 nìjì 동 〈文〉 행방을 감추다. 자취를 감추다.
〔匿迹销声〕 nì jì xiāo shēng 〈成〉 소리 없이 자취를 감추다.
〔匿名〕 nìmíng 동 이름을 숨기다. ¶～柬帖; 익명서. 이름을 숨기고 쓴 글/～揭帖; 남의 비행(非行)을 공격하기 위한 익명의 게시(揭示)/～投票; 무기명 투표.
〔匿名信〕 nìmíngxìn 명 익명의 편지. =〔白báit头信〕
〔匿情〕 nìqíng 동 실정을 은폐하다.
〔匿笑〕 nìxiào 동 웃음을 감추다. 웃음을 참다.
〔匿影藏形〕 nì yǐng cáng xíng 〈成〉 모습을 감추고, 진상을 숨기다.
〔匿怨〕 nìyuàn 동 원한을 숨기다〔품다〕.

埤 nì (예)
→〔埤pì埤〕

睨 nì (예)
동 〈文〉 힐끗 흘겨보다. 쏘아보다. 노려보다. ¶注zhù目～之; 눈을 주시하며 쏘아보다. =〔睨视shì〕

惄 nì (녁)
동 〈文〉 근심하다.

溺 nì (닉)
동 ①물에 빠지다. 익사(켸)하다. =〔溺毙bì〕 ②탐닉하다. 도를 넘다. 골몰하다. 미혹되다. ¶～于酒; 술에 빠지다/～信; 맹신(盲信)하다. ⇒niào
〔溺爱〕 nì'ài 명 익애하다. 지나치게 귀여워하다.
〔溺鬼〕 nìguǐ 명 ①익사한 사람. ②물에 빠져 죽은 사람의 귀신.
〔溺女〕 nìnǚ 명 익녀(옛날, 가난한 집에 계집아이가 태어나면 물 속에 담가 죽이던 일).
〔溺水〕 nìshuǐ 동 물에 빠지다.
〔溺死〕 nìsǐ 동 ⇨〔淹yān死〕
〔溺婴〕 nìyīng 명 (옛날 중국에서 양육이 어려워) 갓난아기를 익사시키던 관습.
〔溺职〕 nìzhí 동 직무를 태만히 하다.

腻(膩) nì (니)
①형 기름지다. 느끼하다. ¶油～; 기름지다. 기름이 많다/这个菜太～人; 이 요리는 느끼하다. =〔油腻〕 ②명 때. ¶尘chén～; 먼지나 때. ③형 미끄럽다. 미끈거리다. ¶～不留手; 미끈거려서 잡지 못하다. ④형 진득거리다. ¶油搌布沾手很～; 기름 걸레는 진득진득하여 손에 들러붙는다. ⑤동 퍼티(putty) 따위로 물건의 틈새를 메우다. ⑥형 〈比〉 각별히 친하다. 절친하다. ¶～友; 친우. ⑦동 싫증나다. 물리다. 진절머리 나다. ¶看～了; 싫증나도록 보았다/～很慌; 싫증이 나서 기분이 우울해지다/吃～了; 실컷 먹어 물리다/～烦了; 번거로워서 싫어졌다/他有点儿～来了; 그는 좀 싫증이 난 것 같다. ⑧명 물건의 틈새. ⑨명 너무 오래 있어 남에게 미움 받는 사람. ¶茶～子; 다관(茶館)에 오래 앉아 있는 사람. ⑩동 귀찮게 따라다니다. 끈질기다. ¶小孩子～人; 아이가 귀찮게 따라붙다/他的行为太～人; 그의 행위는 아주 집요하다. ⑪동 들러붙다. ¶那个小妖精跟他～上了; 저 요부(妖婦)가 그에게 착 달라 붙었다.
〔腻爱〕 nì'ài 동 (자식을) 지나치게 사랑하다.
〔腻碴儿〕 nìchár 동 (사람이) 밑질기다. 한번 앉으면 일어날 줄 모르다. 끈덕지게 버티다.
〔腻虫〕 nìchóng 명 《蟲》 진딧물.
〔腻得得〕 nìdādā 형 끈적끈적하여 기분 나쁘다. ¶这种粉扑pū在身上～的, 一点也不爽滑; 이 분을 바르면 끈적끈적하여 조금도 매끈하지 않다.
〔腻得慌〕 nìdehuang 아주 싫증이 나다.
〔腻烦〕 nìfan 동 〈口〉 ①귀찮다. 지긋지긋하다. ¶每天出去真～! 매일 나가는 것이 정말 지겹다!/听着～; 듣고 있노라면 질린다/左一趟, 右一趟地老去, 也不嫌～; 몇 번씩이나 갔었는데, 용케도 싫증을 내지 않는다. ②싫어지다. 싫증나다. ¶我真～他! 나는 정말 그가 싫어졌다! ③싫증나게 하다. 진절머리 나게 만들다. =〔腻腻烦烦〕
〔腻粉〕 nìfěn 명 지분(脂粉)(연지와 백분).
〔腻糊〕 nìhu 형 끈적끈적하다. 동 들러붙게 하다. 풀로 붙이다.
〔腻滑〕 nìhuá 형 결이 곱고 반들반들하다.
〔腻抹〕 nìmo 동 ①더러워지다. ②문질러 바르다. 처바르다.
〔腻抹儿〕 nìmǒr 명 (미장이의) 흙손.
〔腻儿〕 nìr 명 싫증이 남. 싫증나는 일. ¶我跟你一唠就没个～; 너하고 얘기하면 싫증이 나지 않는다.
〔腻人〕 nì.rén 동 싫증나게 하다. 진절머리 나게 만들다. ¶肥肉特别～; 비계는 특히 질린다. (nì-rén) 형 ①지긋지긋하다. 성가시다. 싫증난다. ¶这天气热得～! 이런 날씨는 더워서 지긋지긋하다! ②집요하다. 끈질기다.
〔腻头〕 nìtóu 동 우울〔울적〕해지다. 기분이 상하다. ¶这个事真～; 이건 정말 미치겠다.
〔腻透了〕 nìtòule 정말 질려 버렸다. 아주 싫어졌다.
〔腻歪〕 nìwai 동 ①싫다. 번거롭다. 싫증나다. 따분하다. ¶觉得待在家里～; 집에 있는 것은 따분하다. ②혐오하다.
〔腻味〕 nìwei 형 〈方〉 성가시다. 싫어지다. 싫증나다. ¶见天老吃一样的菜, 不～吗? 날마다 같은 음식을 먹는데도 싫증이 나지 않습니까?/吃～了; 물리도록 먹었다/看～了; 물리도록 보았다/要走的人是挺快乐的, 老在一个屯子里待着, 待～了; 떠나는 사람은 무척 즐겁겠지만, 언제까지나 마을 안에서 기다리는 것은 따분해진다. 동 질리다. ‖=〔腻外〕〔腻胃〕
〔腻畏〕 nìwei 동 〈方〉 (일이) 진척이 잘 안 되다. 형 〈文〉 싫다. 번거롭다. 답답하다. 곤란하다. 지긋지긋하다.
〔腻胃〕 nìwei 형동 ⇨〔腻味〕
〔腻细〕 nìxì 형 매끈하고, 결이 곱고, 아름답다.
〔腻友〕 nìyǒu 명 ⇨〔昵友〕
〔腻滞〕 nìzhì 동 정체(停滯)되다.
〔腻拽〕 nìzhuài 형 〈方〉 불쾌하다. 우울하다. ¶试验又失败了, 心里真～; 시험에 또 실패하다니, 정말 불쾌하다.
〔腻子〕 nìzi 명 ①퍼티(putty). 떡밥. ¶抹～; 퍼티를 칠하다. ②메밀을 가축의 피로 개어 만든 틈새를 메우는 재료. ③궁둥이가 무거운 사람.

NIAN ㄋㄧㄢ

拈 **niān** (념)
동 (손끝으로) 비틀다. (무엇을) 집다. ¶～出一块糖; 엿 한 가락을 집어 내다 / ～过香了; 향(香)을 집어 피웠다 / ～阄jiū(儿); ⇓ / ～花; ⇓

〔拈笔〕 niānbǐ 동 붓을 잡다.

〔拈掇〕 niānduō 동 제기하다. 말을 꺼내다.

〔拈花〕 niānhuā 동 꽃을 따다. =〔掐qiā花〕

〔拈花惹草〕 niān huā rě cǎo 〈成〉 엽색(獵色)하다. 화류계에서 놀다. =〔惹草招风〕〔惹草拈花〕

〔拈花微笑〕 niān huā wēi xiào 〈成〉 꽃을 쥐고 미소짓다《무언(無言) 중에 이해하다》.

〔拈阄(儿)〕 niān.jiū(r) 동 제비를 뽑다.

〔拈弄〕 niānnòng 동 가지고 놀다. 농락하다.

〔拈轻怕重〕 niān qīng pà zhòng 〈成〉 가벼운 것을 취하고 무거운 것을 기피하다《어려운 일은 피하고 쉬운 일을 택하다》.

〔拈纱环〕 niānshāhuán 명 《紡》 연사기(撚絲機)에 쓰이는 실패.

〔拈升官图〕 niān shēngguāntú (옛날, 쌍륙 따위로) 승관(昇官) 놀이를 하다.

〔拈酸〕 niānsuān 동 ⇨〔拈酸吃醋〕

〔拈酸吃醋〕 niānsuān chīcù 질투〔투기〕하다. 샘내다. =〔拈酸〕

〔拈题〕 niāntí 동 제목을 생각하다〔고르다〕.

〔拈线〕 niānxiàn 명 《紡》 연사(撚絲). ¶～机jī; 연사기(機).

〔拈香〕 niān.xiāng 동 향을 쥐다. 향을 사르다《절에 참배하다》.

〔拈须〕 niān.xū 동 수염을 꼬다〔만지다〕.

〔拈一把汗〕 niān yībǎ hàn 손에 땀을 쥐다. =〔捏niē一把汗〕

〔拈指间〕 niānzhǐjiān 명 〈比〉 일순(一瞬). 일순간. 잠깐 동안.

蔫 **niān** (언)
①동 (식물이) 시들다. 이울다. 말라 비틀어지다. ¶花～了; 꽃이 시들었다 / 常浇jiāo水, 不要让花儿～了; 늘 물을 주어 꽃이 시들지 않도록 하시오. ②형 기운이 없다. 맥이 풀리다. 활발치 않다. ¶他这几天很～; 그는 요 며칠 도무지 기운을 못 차린다 / 他不像刚来的时候那么～了; 그는 이제 처음 왔을 때처럼 풀이 죽어 있지는 않게 되었다 / 买卖亏kuī本, 所以他～了; 장사에 손해를 보았기 때문에, 그는 풀이 죽었다 / 被父亲申斥chì了一顿, ～了; 아버지한테 꾸지람을 듣고 기가 죽었다. ③형 휘청휘청하다. ④형 무기력하다. ⑤형 온화하다. (태도가) 분명치 않다. ⑥형 말이 없다. 소극적이다.

〔蔫巴〕 niānba 동 시들다. 이울다. ¶庄稼给霜打～了; 농작물이 서리를 맞고 시들어 버렸다 / 黄瓜秧yāng儿～了; 오이 모종이 시들었다. 형 시들시들하다.

〔蔫巴劲儿〕 niānbājìnr 형 동작이 느리고 활기가 없다. ¶他说话做事都～的; 그는 말을 하거나 일을 할 때 꾸물거리고 활력이 없다.

〔蔫巴脾气〕 niānbā píqi 명 굼뜬 사람. 꾸물거리는 성질.

〔蔫不出溜儿〕 niānbuchūliūr 동 ⇨〔蔫出溜儿〕

〔蔫不登的〕 niānbudēngde 형 의기소침한 모양. 기운 없이 풀이 죽어 있는 모양.

〔蔫不唧儿(的)〕 niānbujīr(de) 형 〈方〉 ①기운이 없다《우울한 모양》. ¶他这两天老那么～, 是不是哪儿不舒服了? 그는 요 2～3일 동안 죽 기운이 없는데, 어디가 불편한 곳이라도 있는 게 아닌가? ②일언반구도 없다《말을 하기 싫어하는 모양》. ¶我还想跟他说话, 没想到他～地走了; 나는 그와 이야기 좀 하려고 했는데, 뜻밖에 잠자코 가 버렸다 / 他老是那么～; 그는 언제나 저렇게 침묵하고 좀처럼 말을 하지 않는다.

〔蔫出溜儿〕 niānchūliūr 동 몰래 빠져 나가다. ¶他怎么～地赶不肖zhàobùxiào了呢; 그는 왜 몰래 빠져 나갔을까 / 两个人～地走了; 두 사람은 몰래 달아나 버렸다. =〔蔫不出溜儿〕

〔蔫甘〕 niāngan 형 ①(느리고 무뎌서) 놀라지 않다. 느끼지 않다. 둔감하다. ②태도가 고요하고 침착하다. ③똑똑하지〔분명하지〕 않다. ④말수가 적다. ‖ =〔蔫干〕〔蔫蔫甘甘儿〕

〔蔫拱儿〕 niāngǒngr 동 뒤에서 남을 꼬드기다〔부추기다〕.

〔蔫孤丢〕 niāngūdiū 몰래. 가만히. 슬그머니. ¶～地拿过来了; 몰래 가져왔다.

〔蔫呼呼〕 niānhūhū 형 꾸물꾸물하다. 시원스럽지 못하다. ¶他做事总是～的; 그는 무슨 일을 해도 시원시원하지 못하다.

〔蔫冷〕 niānlěng 형 추위가 매섭다. 날씨가 맵다. ¶这天这么～倒不如下场雪好; 이렇게 매서운 추위라면 차라리 눈이 오는 것이 낫겠다.

〔蔫溜儿〕 niānliūr 동 잠자코 떠나다. 가만히 자취를 감추다. 도망치다. ¶你别～跑了; 너는 몰래 달아나면 안 된다.

〔蔫蔫甘甘儿〕 niānniangāngānr 형 ⇨〔蔫甘〕

〔蔫蔫乎乎〕 niānnianhūhū 형 (성격 따위가) 꾸물거리는 모양. ¶那个人～的, 做什么事都不干脆; 저 사람은 성격이 느려서 무슨 일을 해도 시원스럽게 해내지 못한다.

〔蔫蔫儿(的)〕 niānniānr(de) 형 ①몰래. 살짝. ¶～走了; 살짝 나갔다. ②굼뜨다. 시원스럽지 못하다. ③의기소침하다.

〔蔫皮〕 niānpí 명 늘어진 피부. ¶～搭拉; 피부·근육이 늘어진 모양 / ～了呼扇; 무디고 굼뜬 모양. =〔鲇nián皮〕

〔蔫脾气〕 niānpíqi 명 과묵한 성질.

〔蔫儿〕 niānr 형 기운이 없다. 축 늘어져 있다. ¶昨天一宿没睡觉, 今天就～啦! 어제는 밤새도록 한잠도 못 자서 오늘은 기운이 없단 말야!

〔蔫人〕 niānren 명 무기력한 사람. 내향적인 사람. ¶～出豹bào子; 시원시원하지 못한 사람 중에도 견실한 사람은 있다.

〔蔫损〕 niānsǔn 동 짐짓 점잖은 태도로 남을 놀리다. 태연한 얼굴이나 말로 남을 혼내 주다.

〔蔫淘气〕 niāntáoqi 명 겉보기엔 얌전하나 뒤에서 장난이 심한 장난꾸러기.

〔蔫头蔫脑〕 niāntóu niānnǎo ①몹시 의기소침한 모양. ②굼뜬 모양.

〔蔫土匪〕 niāntǔfěi 명 남들 앞에서는 성실한 사람인 것처럼 행동하고, 기실 마음속은 매우 음험한 사람. =〔蔫头匪类〕

〔蔫性子〕 niānxìngzi 명 꾸물꾸물하고 분명하지 못한 사람. 굼뜬 사람. ¶他是个～的人, 没一样事办得好; 그는 느려 빠져서 무엇 하나 잘 해내는 일이 없다.

〔蔫枣〕 niānzǎo 명 말라서 쭈글쭈글한 대추.

年〈秊〉 **nián** (년)
명 ①년. 해. ¶今～; 금년. 올해/三～五载; 4·5년/我学过两～中文; 나는 2년간 중국어를 배웠다/一～半载; 1년 반. 짧은 세월. ②살. 세(歲). 나이. ¶～老; 연로하다/～轻; 나이가 젊다/～方十八; 나이는 바야흐로 18세/～过六十; 나이가 60을 넘었다. ③생애 중 어떤 연령의 기간. ¶青～; 청년. ④설. 새해. ¶拜～; 세배하다/过～; 새해를 맞이하다/你～都拜完了吗? 너는 세배 다 끝냈니? ⑤한 해의 결실(結實). 수확. ¶丰～; 풍년/歉～; 흉년. ⑥시대. 시기. ¶近～; 근년/光绪～间; 광서(光緒) 연간. ⑦성(姓)의 하나.

〔年报〕 niánbào 명 (학회 등의) 연보.
〔年辈〕 niánbèi 명 연령과 세대.
〔年表〕 niánbiǎo 명 연표.
〔年鬓〕 niánbìn 명 〈文〉 연로하여 백발이 성성함.
〔年伯〕 niánbó 자기와 같은 해에 과거에 급제한 사람의 아버지. →〔年谊〕
〔年菜〕 niáncài 명 정월〔설날〕용의 요리.
〔年产〕 niánchǎn 명 연간 생산량. ¶～量; 연간 생산량.
〔年成〕 niáncheng 명 수확. 작황. ¶好～; 풍년/今年～很好; 올해는 작황이 좋다. =〔年头(儿)⑥〕
〔年齿〕 niánchǐ 명 〈文〉 연령. 나이.
〔年初〕 niánchū 명 연초. 연시(年始). ¶工业战线～频传捷报; 공업 전선은 연초에는 빈번히 승보(勝報)를 했다.
〔年代〕 niándài 명 ①시대. 시기. ②1세기 중의 10년. ¶九十～; 1990년대.
〔年德〕 niándé 명 〈文〉 연령과 덕망.
〔年登花甲〕 niándēng huājiǎ 〈文〉 60세가〔회갑이〕 되다.
〔年底(下)〕 niándǐ(xia) 명 연말. 세밑. =〔〈方〉年根(儿)〕〔〈文〉年尾〕〔〈文〉岁杪〕
〔年弟〕 niándì 명 〈謙〉 옛날, 동년배에 대해 자신을 가리켜 말하는 겸칭(謙稱).
〔年冬〕 niándōng 명 〈南方〉 작황(作況).
〔年度〕 niándù 명 연도.
〔年度计划〕 niándù jìhuà 명 연간 계획. 당면 계획.
〔年多日久〕 nián duō rì jiǔ 〈成〉 ⇨〔年深日久〕
〔年饭〕 niánfàn 명 음력 섣달 그믐날 밤에 가족이 함께 먹는 식사.
〔年方二八〕 nián fāng èrbā 나이는 바야흐로 이팔 청춘이다《딱 좋은 나이. 특히, 여자의 혼기》.
〔年分〕 niánfèn 명 ⇨〔年份〕
〔年份〕 niánfèn 명 ①연(年). 해. 연도. ¶这两笔开支不在一个～; 이 두 개의 지출은 같은 연도의 것은 아니다. ②연대(年代)의 장단(長短). 연한. ¶这件瓷器的～比那件久; 이 자기의 연대는 저것보다 오래다/～深的薪水高, ～浅的薪水低; 근속 연한이 긴 사람은 월급이 많고, 짧은 사람은 월급이 적다. ③나이. 연령. ④정월의 상여금. 정월의 선물. 세찬. =〔年份子〕 ⑤수확의 풍흉(豊凶). ‖=〔年分〕
〔年抚金〕 niánfǔjīn 명 유족 연금.
〔年富〕 niánfù 명 ⇨〔富年〕
〔年富力强〕 nián fù lì qiáng 〈成〉 나이가 젊고 원기가 있다.
〔年高〕 niángāo 형 고령(高齡)이다. ¶～德劭; 〈成〉 고령이고 덕이 높다/～望重; 고령이고 인망도 두텁다/证婚人总是拣～有德的, 由男女两家公请; 결혼 증인은 나이가 들고 덕망 있는 인사를 골라서, 신랑·신부 양가에서 공동으로 부탁한다.
〔年糕〕 niángāo 명 (중국식) 설떡.
〔年根(儿)〕 niángēn(r) 명 ⇨〔年底(下)〕
〔年庚〕 niángēng 명 ①사주(四柱). ②연령.
〔年工〕 niángōng 명 연기(年期). 연한(年限). ¶～满期; 연기가 끝나다.
〔年功〕 niángōng 명 연공. ¶～加俸; 연공 가봉.
〔年谷〕 niángǔ 명 매년 수확하는 곡물. ¶～不登; 수확이 좋지 않다.
〔年关〕 niánguān 명 연말. 세밑. ¶过～; 해를 넘기다/～佳节; 연말이나 축일《중국에서는 연말에 송년 행사가 계속됨》/～将近, 债主登门; 연말도 가까워져 빚쟁이가 찾아온다.
〔年光〕 niánguāng 명 ①〈文〉 광음(光陰). 세월. 연령. ¶大好～蹉cuō跎过; 귀중한 세월이 보람없이 지나간다/～易逝; 세월은 쉬이 지나간다/虚xū度～; 세월을 하는 일 없이 보내다/她～二十三, 比姐姐小三岁; 그녀는 방년 23세로, 언니보다 세 살 아래다. =〔年华〕 ②농작물의 작황.
〔年过活儿〕 niánguòhuór 명 ①정월용의 식품. ②연말의 비용.
〔年号〕 niánhào 명 연호.
〔年红〕 niánhóng 명 〈音〉 ⇨〔氖nǎi〕
〔年红灯〕 niánhóngdēng 명 ⇨〔霓ní虹灯〕
〔年候〕 niánhòu 명 연수(年數). 햇수.
〔年华〕 niánhuá 명 때. 연령. 세월. ¶虚度～; 세월을 헛되이 보내다. =〔年光①〕
〔年画〕 niánhuà 명 정월에 방 안에 붙이는 그림.
〔年会〕 niánhuì 명 연차 총회. 연례 대회.
〔年货〕 niánhuò 명 정월〔설〕에 쓰이는 음식·기구·장식품 따위 일체의 것. ¶送完了灶, 家家都忙着办～了; 음력 12월 23일에 조왕신(竈王神)을 내보내면, 집집마다 정월 명절용 물건을 사는데 바빠진다.
〔年级〕 niánjí 명 학년. ¶三～; 3학년/高～; 고학년/低～; 저학년.
〔年集〕 niánjí 명 세밑〔연말〕의 시장〔市場〕.
〔年纪〕 niánjì 명 ①나이. 연령. ¶～青; 나이가 젊다/～大; 나이가 많다/上～的人; 노인/你多大～? 몇 살인가요?/好大～的人; 지긋한 나이의 사람. ②연수. 햇수. ③작황. 수확.
〔年忌〕 niánjì 명 ①재액(災厄)이 있는 해. 액년. ②회기(回忌). 기일(忌日).
〔年家〕 niánjiā 명 과거에 같은 해에 급제한 사람들이 서로를 부르는 호칭. →〔年谊〕
〔年家子〕 niánjiāzi 명 같은 해에 과거에 급제한 사람 중 나이가 어린 사람이나 그 자제(子弟). →〔年谊〕
〔年假〕 niánjià 명 ①연말연시의 휴가. ¶放～; 정월 휴가가 되다. =〔年节假期〕 ②겨울 방학. =〔寒假〕
〔年间〕 niánjiān 명 연간. 어떤 연대(의 사이). ¶洪武～; 명(明)나라의 홍무(洪武) 연간.
〔年鉴〕 niánjiàn 명 연감(年鑑).
〔年奖〕 niánjiǎng 명 연말 상여〔보너스〕.
〔年节〕 niánjié 명 ①정월. 설 및 그 전후의 며칠. ¶～食品; 정월용 식품. =〔年节假期〕 ②정월과 명절날. ¶年也过了, 节也过了, 该干什么的干什么, 从新打鼓另开张; 설도 지나고, 연말도 지났으니, 각기 일을 시작하게 된다.
〔年节假期〕 niánjié jiàqī 명 ⇨〔年假①〕
〔年结〕 niánjié 명 연도(年度) 결산. =〔红账〕〔年总〕
〔年金〕 niánjīn 명 연금.
〔年馑〕 niánjǐn 명 〈方〉 흉년(凶年). =〔荒年〕

〔年尽岁毕〕 niánjìn suìbì 1년이 다 지나가다. 한 해가 저물다. ¶～的时候还吵什么嘴呢? 叫人听了也不笑话吗? 연말이라는데 무슨 말다툼을 하느냐? 다른 사람이 들으면 웃음거리가 되지 않겠느냐?
〔年景〕 niánjǐng 명 ①연말 연시의 풍경. ②그 해 1년간의 경기. ¶这～谁肯帮谁的忙呢; 이런 경기에 누가 누구를 돕겠는가. ③작황. 수확의 상황. ¶跌了一回～; 한번 흉작을 겪었다 / 今年～可以说是丰收吧; 금년 작황은 풍작이라 할 수 있겠다. =〔年成〕
〔年久〕 niánjiǔ 명 오랜 세월. 오랫동안. ¶～失修; 오랫동안 수리를 하지 않았다.
〔年酒〕 niánjiǔ 명 새해의 축하 술.
〔年考〕 niánkǎo 명 학년말 시험.
〔年腊〕 niánlà 명 《佛》 법랍(法臘).
〔年来〕 niánlái 명 ①근년 이래. ②1년 이래.
〔年劳〕 niánláo 명 〈文〉 재직 연한과 공적.
〔年老病弱〕 nián lǎo bìng ruò 〈成〉 ①늙고 몸이 병약하다. ②노인과 병약자.
〔年老告退〕 nián lǎo gào tùi 〈成〉 늙어서 사직하다.
〔年老身残〕 nián lǎo shēn cán 〈成〉 나이를 먹어 몸이 말을 듣지 않다. 늙어 쇠잔한 몸.
〔年礼〕 niánlǐ 명 연말의 선물.
〔年力〕 niánlì 명 연령과 정력. ¶年富力强; 〈成〉 나이도 젊고 힘도 세다.
〔年力精壮〕 nián lì jīng zhuàng 〈成〉 젊고 기운이 왕성하다.
〔年力就衰〕 nián lì jiù shuāi 〈成〉 나이도 정력도 쇠약하기 시작하다.
〔年历〕 niánlì 명 ①(1년분을 한 장에 인쇄한) 캘린더. ②〈比〉 캘린더. 달력.
〔年历卡〕 niánlìkǎ 명 캘린더 카드.
〔年利〕 niánlì 명 《經》 연리. =〔年息〕
〔年例〕 niánlì 명 연례.
〔年龄〕 niánlíng 명 연령. ¶～未满十八; 연령이 18세 미만이다.
〔年轮〕 niánlún 명 《植》 연륜. 나무의 나이테.
〔年迈〕 niánmài 형 나이를 먹다. 고령이다. ¶～腿休; 고령으로 퇴직하다 / ～力衰; 나이를 먹어서 쇠약해지다.
〔年满〕 niánmǎn 동 연기(年期)가 차다.
〔年貌〕 niánmào 명 ①연령과 용모. 나이에 어울리는 모습. ¶这个人的～和服装, 我记得很清楚; 그 사람의 나이와 옷차림을 나는 아주 똑똑하게 기억하고 있다 / ～相当, 倒不妨给他们说合说合; 나이도 용모도 어울리니까 중매해 주어도 되겠다. ②짐작 나이.
〔年杪〕 niánmiǎo 명 〈文〉 연말(年末).
〔年命〕 niánmìng 명 수명.
〔年内〕 niánnèi 명 연내. ¶说不定在～出趟门儿; 연내에 한 번 여행을 할지도 모르겠습니다.
〔年年(儿)〕 niánnián(r) 명 매년. ¶～怎么办就怎么办; 매년 하는 대로 합시다 / ～防歉qiàn夜夜防贼; 매년 흉작을 막고, 매일 밤 도적을 지키다. 〈比〉 한시도 방심할 수 없다.
〔年年转儿〕 niánnianzhuànr 명 ⇨〔捻niǎn捻转儿〕
〔年票〕 niánpiào 명 (차표 따위의) 1년 정기권.
〔年谱〕 niánpǔ 명 연보.
〔年前〕 niánqián 명 작년. 정월 전. ¶～我还去过一趟呢; 작년에도 역시 한 번 갔습니다.
〔年歉〕 niánqiàn 형 작황(作況)이 나쁘다. 수확이 나쁘다.
〔年轻〕 niánqīng 형 나이가 젊다. ¶～的人; 청년 / 他还～; 그는 아직 젊다 / ～的一代; 젊은 세대. =〔年青〕
〔年轻力壮〕 nián qīng lì zhuàng 〈成〉 나이가 젊고 체력이 강하다. 혈기 왕성하다.
〔年轻轻(的)〕 niánqīnqīng(de) 형 ⇨〔年轻轻(儿)〕
〔年轻轻(儿)〕 niánqīngqīng(r) 형 나이가 매우 젊은 모양. =〔年轻轻(的)〕
〔年儿把月〕 niánrbǎyuè 명 약 일년. 채 못 된 일년.
〔年赏〕 niánshǎng 명 연말 상여금〔보너스〕.
〔年少力强〕 nián shào lì qiáng 〈成〉 젊고 정력이 왕성하다. 한창 때. =〔年富力强〕
〔年深日久〕 nián shēn rì jiǔ 〈成〉 연월〔세월〕이 길다. 오랜 세월이 지나다. ¶这种病～了, 就不大容易治; 이런 종류의 병은 오랫동안 방치하면 잘 낫지 않는다. =〔年多日久〕
〔年剩余价值率〕 niánshèngyú jiàzhílǜ 명 《經》 연간 잉여 가치율. ¶一年以内生产的剩余价值量和预付的可变资本的比例叫做～; 1년간에 생산된 잉여 가치량과 선불(先拂)된 가변(可變) 자본과의 비율을 연간 잉여 가치율이라 한다.
〔年时〕 niánshí 명 ①〈方〉 여러 해. 오랜 세월. =〔年头(儿)④〕 ②왕년(往年). 옛날.
〔年市〕 niánshì 명 연말 시장. 세밑장.
〔年事〕 niánshì 명 〈文〉 ①연령. 나이. ②연령과 이력.
〔年时〕 niánshi 명 〈方〉 작년. ¶他们是～才结婚的; 그들은 지난 해에야 결혼했다. =〔去年〕
〔年首〕 niánshǒu 명 연초의 달. 신년.
〔年寿〕 niánshòu 명 수명.
〔年岁〕 niánsuì 명 ①연령. ¶上了～的人; 나이든 사람 / ～大; 연령이 많다. ②시대. ¶因为～久远, 当时的具体情况已记不清了; 꽤 오래된 시절의 일이기 때문에 당시의 자세한 정황은 분명히 기억이 나지 않는다.
〔年所〕 niánsuǒ 명 〈文〉 연월(年月). 햇수. 세월. ¶历有～; 오랜 세월이 지났다.
〔年头(儿)〕 niántóu(r) 명 ①시대. 세상. ¶～改了; 세상이 바뀌었다 / ～变了; 시대가 변했다 / 在这个～, 规矩的人是吃亏的; 요즘 세상에서는 정직한 사람은 손해를 본다. ②해. 연운(年運). ¶今年是闹流行感冒的～; 올해는 유행성 감기가 유행할 해다. ③햇수. ¶我到北京有三个～了; 나는 베이징(北京)에 온 지 햇수로 3년이 된다 / 看看三个～, 大儿子已是十岁了; 어느덧 3년이 지나, 장남은 벌써 열 살이 되었다. ④여러 해. 오랜 세월. ¶他干这一行, 有～了; 그는 이 일을 여러 해 동안 해 왔다 / 事后有～了, 详情不好查明; 꽤 오랜 세월이 지났으므로 자세한 것은 조사할 도리가 없다. =〔年时①〕 ⑤연초(年初). ¶～腊月; 연말연시. ⑥(농작물의) 수확. 작황. ¶今年～好; 올해의 작황은 좋다. =〔年成〕
〔年尾〕 niánwěi 명 ⇨〔年底〕
〔年息〕 niánxī 명 ⇨〔年利〕
〔年禧〕 niánxǐ 명 새해의 기쁨. 새해의 행운.
〔年下〕 niánxià 명 〈口〉 새해. 연말연시《흔히, 정초를 이름》. ¶～一定来玩儿! 새해에는 꼭 놀러 오십시오! / 大～的, 别做活了; 명절 때인데, 일 같은 건 그만 두어라.
〔年限〕 niánxiàn 명 연한.
〔年宵〕 niánxiāo 명 선달 그믐날 밤. ¶～市场; 연말의 대목장.
〔年薪〕 niánxīn 명 연봉(年俸).

〔年兄〕 niánxiōng 명 같은 해에 과거 급제한 사람들 중 연장자를 부르는 호칭. →〔年谊〕
〔年夜〕 niányè 명 음력 섣달 그믐날 밤. ¶～饭; 섣달 그믐날 밤에 함께 모여서 먹는 식사/小～; 섣달 그믐날의 전날 밤.
〔年谊〕 niányì 명 옛날, 같은 해에 과거 시험에 합격한 사람(중 교의(交誼)가 있는 사람).
〔年幼〕 niányòu 형 연소(年少)하다. 나이 어리다.
〔年鱼〕 niányú 명 ①한해살이 물고기. ②《魚》 은어의 별칭.
〔年逾大衍〕 nián yú dà yǎn 〈成〉 나이 50을 넘다. =〔年逾半百〕
〔年逾六旬〕 niányú liùxún 〈文〉 나이 60을 넘다.
〔年月〕 niányuè 명 ①연월. ②세상. ¶什么～! 얼마나 좋은 세상이냐! ③〈口〉 시대.
〔年长〕 niánzhǎng 명형 연장(이다). 연상(年上)(이다). 손위(이다). 동 나이를 먹다.
〔年账主〕 niánzhàngzhǔ 명 연말에 오는 빚쟁이.
〔年纸〕 niánzhǐ 명 정월에 써 붙이는 '门神'이나 '春联' 따위.
〔年祉〕 niánzhǐ 〈翰〉 새해 복 많이 받으세요《연하장의 말미(末尾)에 상대방의 행복을 축하하는 데 쓰는 말》. ¶顺候～; 〈翰〉 아울러 신년 축하의 말씀을 드리는 바입니다. =〔喜xǐ祉〕
〔年中〕 niánzhōng 명 ①1년간. 연중. ②매년. ③한 해의 중간.
〔年终〕 niánzhōng 명 연말(年末). 세모. ¶～结账; 연말 결산/～奖; 연말 상여. 연말 보너스.
〔年终津贴〕 niánzhōng jīntiē 명 연말 수당.
〔年终双薪〕 niánzhōng shuāngxīn 명 연말 가봉(加俸). =〔年终双俸〕
〔年壮〕 niánzhuàng 명 장년(壯年).
〔年资〕 niánzī 명 연령 자격.
〔年资工资制〕 niánzī gōngzīzhì 명 연령급(年齡給) 제도.
〔年总〕 niánzǒng 명 연말의 대결산. =〔年结〕
〔年租〕 niánzū 명 연조《1년분의 임차료(賃借料)·연공(年貢)·조세 등》.
〔年尊〕 niánzūn 형 나이가 많다. 연로(年老)하다. ¶～辈长zhǎng; 연장(자).
〔年祚〕 niánzuò 명 〈文〉 ①입국(立國) 후의 연수(年數). 재위(在位) 연수. ②수명.

鲇(鮎〈鯰〉)

nián (점) 〈년〉
명 《魚》 메기.

〔鲇巴郎〕 niánbāláng 명 ⇨〔鲇鱼〕
〔鲇皮〕 niánpí 명 늘어져 거칠어진 피부. ¶眼下的皮袋成了些～; 아래 눈꺼풀은 좀 처져서 늘어졌다. =〔蔫niān皮〕
〔鲇鱼〕 niányú 명 《魚》 메기. =〔鲇巴郎〕
〔鲇鱼须〕 niányúxū 명 메기 수염.

粘

nián (점)
① 형 ⇨〔黏〕 ② 명 성(姓)의 하나. ⇒zhān

黏

nián (점)
형 끈적끈적하다. 진기(津氣)가 있다. 차지다. ¶这江米很～; 이 찹쌀은 매우 차지다/胶水很～; 고무풀은 끈적끈적하다. =〔粘①〕

〔黏巴〕 niánba 동 끈적거리다. =〔黏巴巴的〕
〔黏稗子〕 niánbàizi 명 《植》 찰피. ¶～米; 찰피를 찧어서 껍질을 벗긴 알맹이.
〔黏板〕 niánbǎn 명 합판(合板).
〔黏补〕 niánbǔ 동 종이를 바르다. ¶这书破得不成样子了, 有功夫你把它～好了; 이 책은 너덜너덜 찢어졌으니, 틈이 있을 때 종이를 붙여 놓아라.
〔黏缠〕 niánchan 동 (달라)붙어 떨어지지 않다. 휘감기다. ¶你别老这么～不清的; 늘 이렇게 성가시게 매달리지 마라. 형 끈질기다. 끈덕지다. 오래 끌다. ¶糖尿病就是这么～人, 一时好不了; 당뇨병은 아주 오래 끌어, 좀처럼 낫지 않는다/～在榻tà; 〈文〉 오랫동안 병상에 있다. ‖=〔淹yān缠〕〔淹沉chen〕〔延yán缠〕
〔黏虫〕 niánchóng 명 《蟲》 거염벌레류(類)의 유충(幼蟲). =〔剃tì枝虫〕〔行xíng军虫〕
〔黏叨叨, 絮叨叨〕 niándāodāo, xùdāodāo 끈덕지게 말하는 모양. 투덜거리는 모양.
〔黏得儿笨得儿〕 niánder bènder 〈俗〉 ①입이 걸다. ②불결하다. 칠칠치 못하다.
〔黏度〕 niándù 명 《物》 점도(粘度). ¶～计; 점도계(計).
〔黏附〕 niánfù 동 들러붙다. 점착하다.
〔黏竿子〕 niángānzi 명 끈끈이를 칠한 장대. ¶用～粘鸟儿; 끈끈이를 칠한 장대로 새를 잡다.
〔黏高粱〕 niángāoliáng 명 《植》 찰수수.
〔黏糕〕 niángāo〔zhāngāo〕 명 차진 떡. 형 추근추근하다. 귀찮다.
〔黏谷子〕 niángǔzi 명 《植》 차조.
〔黏汗〕 niánhàn 명 진땀. 비지땀. ¶出～; 진땀이 나다.
〔黏合〕 niánhé 동 점착하다. 붙이다.
〔黏合剂〕 niánhéjì 명 점착제(粘着劑). 접착제.
〔黏乎乎(儿)〕 niánhūhū(r) 형 ⇨〔黏糊糊(儿的)〕
〔黏糊〕 niánhu 형 ①(사물이) 끈끈하다. 차지다. ¶大米粥里头加点儿白薯又～又好吃; 쌀죽 속에 고구마를 넣으면 차지고도 맛이 있다/今儿的小米粥熬aó得真～; 오늘 쑨 조죽은 아주 차지다. ②행동이 느려서 기력이 없다. 꾸물거리다. 결단을 못 내리다. ¶别看他平时很～, 有事的时候比谁都利索; 그는 평소에는 느린 것 같지만 유사시에는 누구보다도 재빠르다. 동 (풀 따위를) 묻히다. ¶这孩子把糨jiàng子～得哪儿哪儿都是; 글쎄 이 아이는 여기저기 풀을 묻혀 온통 풀투성이를 만들어 버렸다.
〔黏糊糊(儿的)〕 niánhúhú(rde) 형 (사람이) 끈덕진 모양. (무엇이) 끈끈하게 들러붙어 있는 모양. ¶外面～像个浑人, 里面的胆子却大了! 외관은 바보스럽지만 내부에 숨은 담력은 대단하다! =〔黏乎乎(儿)〕
〔黏件〕 niánjiàn 명 첨부된 서류.
〔黏胶〕 niánjiāo 명 《化》 비스코스(viscose). ¶～丝; 비스코스사(絲)/～纤维; 비스코스 섬유.
〔黏结〕 niánjié 동 접착하다. ¶～力; 접착력/～煤; 점결탄(炭)/富于～性; 접착성이 강하다/～舌; (종이를 이어 붙일 때) 풀칠하기 위해 남겨 두는 부분.
〔黏菌〕 niánjūn 명 《生》 (생물학의) 점균. 변형균(變形菌).
〔黏牢〕 niánláo 동 단단히 고정시키다.
〔黏了爪儿〕 niánle zhǎor ①(물건이) 달라붙어 떨어지지 않다. ②인연을 끊으려 해도 끊어지지 않다.
〔黏力〕 niánlì 명 점착력.
〔黏连〕 niánlián 동 달라붙다. ¶两块糖～在一块儿; 엿 두 가락이 들러붙었다.
〔黏米〕 niánmǐ 명 ①찹쌀. ②차조. =〔黏小米〕
〔黏膜〕 niánmó 명 《生》 점막.
〔黏鸟胶〕 niánniǎojiāo 명 (새 따위를 잡는) 끈

끈이.
〔黏皮带骨〕 niánpí dàigǔ 〈比〉 ①성가시게 붙어 다니다. ②장황하고 분명치 않은 모양.
〔黏儿〕 niánr 명 〈方〉 ①풀 따위와 같은 반유동체. ②끈기. 찰기. ¶起了～了; 끈기가 생겼다. ③진. ¶松树出～了; 소나무에 진이 나왔다.
〔黏儿涎儿的〕 niánrxiánrde 〈方〉 ①말이 분명치 않다. ②말이 장황하다. ¶听他这份～; 그의 저 장황한 말 좀 들어봐라.
〔黏热〕 niánrè 형 무덥다. ¶这两天～; 요 이삼일은 무덥다.
〔黏朊〕 niánruǎn 명 《化》 뮤신(mucin). 점소(黏素).
〔黏湿〕 niánshī 형 끈(적)끈(적)하다.
〔黏手〕 niánshǒu 동 손을 대다. 간섭하다. 형 하기(에) 어렵다. 애먹다. ¶～货; 팔기 힘든 물건 / ～粘脚; 〈成〉 ⓐ(어린아이가) 매달려 떨어지지 않는 모양. ⓑ(노인이) 일을 꾸물거리는 모양. 동 손에 (무엇이) 들러붙다.
〔黏蜀黍〕 niánshǔshǔ 명 《植》 찰옥수수.
〔黏土〕 niántǔ 명 점토. ¶～细工; 점토 세공〔공예〕. =〔韧rèn泥〕
〔黏涎〕 niánxian 형 〈方〉 (말투·동작·연기 등이) 지루하고 집요하다. 시원시원하지 못하다. ¶他这人真～, 别理他了; 저사람은 정말 끈덕지니, 상대하지 마라 / 他醉得说话透着～; 그는 취해서 말이 몹시 장황하다.
〔黏涎子〕 niánxiánzi 명 ⇨〔哈hā喇子〕
〔黏性〕 niánxìng 명 ①점성(粘性). 찰기. ¶～很强 =〔～很大〕; 점착성이 있다. 찰기〔끈기〕가 많다. ②점토질(黏土質). ¶～土壤; 점토질 토양.
〔黏性煤〕 niánxìngméi 명 점결탄(粘結炭).
〔黏牙儿〕 niányár 동 끈질기게 불평을 말하다.
〔黏液〕 niányè 명 점액. ¶～质; 점액질.
〔黏液性水肿〕 niányèxìng shuǐzhǒng 명 《醫》 점액성 수종(水腫).
〔黏油〕 niányóu 명 ①중유(重油). ¶～罐车; 오일 탱크차. ②진한 기름.
〔黏滞〕 niánzhì 동 우물쭈물〔꾸물꾸물〕하다. ¶你怎么今儿这么～起来了; 너는 오늘 왜 이렇게 꾸물거리고 있느냐.
〔黏赘〕 niánzhuì 형 ①손버릇이 나쁘다. ¶手儿～; 손버릇이 나쁘다. ②(달라)붙어 떨어지지 않다. 집요하다. 집념이 강하다. 끈덕지다.
〔黏着〕 niánzhuó 동 (풀 따위로) 접착시키다. 점착(粘着)하다. 풀로 붙이다. ¶～剂; 접착제 / ～力; 《物》 점착력. 부착력.
〔黏着语〕 niánzhuóyǔ 명 《言》 교착어《언어의 형태적 유형의 하나. 한국어·일본어 등》.
〔黏渍渍(的)〕 niánzìzì(de) 형 끈적끈적한 모양. 끈끈하게 달라붙는 모양. ¶出了汗, 身上～的; 땀이 나서 몸이 끈적거리다.
〔黏子〕 niánzi 명 늘 따라다니고 있는 귀찮은 녀석. 치근치근한 녀석.

涊 niǎn (년)
형 〈文〉 땀 흘리는 모양.

捻〈撚〉 niǎn (념) 〈년〉
① 동 손끝으로 비틀다. 비비다. 꼬다. ¶～线; 실을 꼬다 / ～胡子; 수염을 비틀어 꼬다 / ～成纸～儿; 종이를 꼬아 지노를 만들다. ②(～儿, ～子) 명 꼬아서 만든 물건. 손가락으로 비튼 것. ¶纸～儿; 종이로 만든 노끈 / 麻～儿; 삼으로 꼰 지노 / 油纸～儿; 유지를 꼬아 만든 지노. ③ 명 비틀어서 사용하는 물건. ¶灯～儿; 전등의 스위치.
〔捻把儿〕 niǎnbàr 명 시계의 태엽 꼭지. 용두(龍頭).
〔捻不动〕 niǎnbudòng 딱딱해서 꼴 수 없다.
〔捻不下去〕 niǎnbuxiàqù (소요되는 길이만큼) 꼴 수 없다.
〔捻度〕 niǎndù 명 《紡》 꼰 횟수《단위 길이의 직물에서 섬유가 꼬인 횟수》.
〔捻匪〕 niǎnfěi 명 옛날, '捻军'의 멸칭(蔑稱).
〔捻缝〕 niǎnfèng 명 ⇨〔敛liǎn缝〕
〔捻干〕 niǎngān 동 짜다. 쥐어 짜서 물기를 빼다. ¶把撤布～了再擦呀; 자루 걸레를 짜고 닦아라!
〔捻回〕 niǎnhuí 명 꼼. 꼰것. 동 꼬다.
〔捻军〕 Niǎnjūn 명 《史》 염군《청나라 가경(嘉慶) 연간(1852～1868년)에 일어난 안후이(安徽) 북부·허난(河南) 일대의 농민 봉기군을 말함》.
〔捻绵〕 niǎn,mián 동 솜을 자아 실을 만들다〔뽑다〕.
〔捻捻转儿〕 niǎnnianzhuànr 명 손으로 돌리는 팽이. =〔拈拈卷儿〕〔年nián年转儿〕
〔捻钱〕 niǎnqián 명 동전을 굴리며 노는 놀이.
〔捻儿〕 niǎnr 명 ①꼰 것. ¶纸～; 종이 노끈. 지노 / 油纸～; 유지로 꼰 노끈. 지촉(紙燭). ②꽃불의 점화하는 끄트머리. ¶药～; 꽃불의 도화선 / 灯～; 등잔 심지.
〔捻纱机〕 niǎnshājī 명 《機》 연사기(撚絲機).
〔捻绳〕 niǎn,shéng 동 새끼·끈을 꼬다. =〔捻绳子〕〔搓绳子〕
〔捻丝〕 niǎn,sī 동 실을 꼬다.
〔捻线〕 niǎn,xiàn 동 실을 꼬다. ¶～机; 연사기(撚絲機) / ～绸; 꼰 실로 짠 오글 비단의 하나.
〔捻针〕 niǎnzhēn 동 《漢醫》 (침요법에서) 특정 부위에 침을 꽂고 비틀다.
〔捻转儿〕 niǎnzhuànr ①손으로 비틀어〔비벼〕 돌림. ②음력 4월 보리가 막 익으려 할 때, 그 껍데기를 벗기고 절구에 찧어 국수로 만들어 먹는 것.
〔捻子〕 niǎnzi 명 ①등심(燈心). 심지. ②지노 모양의 물건. ③화약의 도화선.

辇(輦) niǎn (련)
① 명 사람이 끄는 수레. ② 명 천자(天子)의 탈것. ¶凤～; 황제가 타는 수레. ③ 명 천자의 수레가 지나는 길. ④ 동 수레를 끌다.
〔辇毂下〕 niǎngǔxià 명 ⇨〔辇下〕
〔辇下〕 niǎnxià 명 〈文〉 서울. 황성(皇城). 수도. =〔辇毂下〕

撵(攆) niǎn (련)
동 ①쫓다. 몰아 내다. ¶把坏蛋～出去! 못된 놈을 쫓아내라! / 把他～走; 그를 쫓아 내다 / ～下台; 퇴진(退進)하도록 압력을 넣다. ②〈方〉 뒤쫓아가다. 따라잡다. ¶他～不上我; 그는 나를 따라붙지 못한다 / 干活没有一个妇女～上她, 炕上的剪子, 地下的镰刀, 都是利落手; 일로는 아무도 그녀만한 여자가 없다. 바느질이든 밭일이든 훌륭하게 해낸다. ③힘을 모으다. ¶～劲儿; 힘을 쏟다. 열심히 하다.
〔撵不动〕 niǎnbudòng 쫓아 낼 수 없다. ¶你瞧这人山人海的, 谁也～呀! 인산인해를 이루는 사람들 좀 봐요. 누구도 쫓아 낼 수 없지요!
〔撵不开〕 niǎnbukāi 쫓아 버릴 수 없다. ¶看热闹的人太多, 都～; 구경꾼이 너무 많아서, 도저히 쫓아 버릴 수 없다.

〔撵出去〕 niǎn.chu.qu 쫓아 내다. ¶那个化子要是再来, 你就给我～; 그 거지가 다시 오면 곧 내쫓아라.
〔撵跑〕 niǎnpǎo 동 ⇨〔撵走〕
〔撵上〕 niǎnshang 동 따라가다. 따라잡다. 비할 수 있다. =〔比得上〕〔赶gǎn上〕
〔撵逐〕 niǎnzhú 동 ⇨〔撵走〕
〔撵走〕 niǎnzǒu 동 내쫓다. 쫓아 내다. ¶被房主～; 집 주인에게 쫓겨나다 / 没事情, 净看热闹的都给～; 일없이 그냥 구경만 하고 있는 사람들은 다 쫓아 내라 / 那些流氓叫警察给～了; 그 부랑자들은 모두 경찰에게 쫓겨났다. =〔撵跑〕〔撵逐〕

碾 niǎn (년)
①(～子) 명 매. 연자매. ②(～子) 명 롤러. ¶汽～(子); (도로 포장용 등의) 증기〔스팀〕 롤러. ③ 동 매로 곡식을 타다. ④ 동 돌절구로 가루를 빻다. ¶～面; 밀가루를 빻다 / ～米; 정미하다 / ～米厂; 정미 공장. ⑤ 동 롤러로 지면을 고르다. ‖ =〔辗〕
〔碾毙〕 niǎnbì 동 치어 죽이다. ¶昨天报纸上也还登着, 有汽车～人的新闻; 어제 신문에도 또 자동차가 사람을 치어 죽였다는 기사가 나와 있었다.
〔碾茶〕 niǎnchá 명 분말차. 가루차.
〔碾场〕 niǎn.cháng 동 〈方〉 곡류를 롤러로 갈아 가루로 만들다.
〔碾车床〕 niǎnchēchuáng 명 《機》 롤 선반(旋盤).
〔碾船〕 niǎnchuán 명 《漢醫》 약연(藥碾). 유발(乳鉢). =〔药碾子〕
〔碾底〕 niǎndǐ 명 ⇨〔碾盘〕
〔碾坊〕 niǎnfáng 명 정미소(精米所). 방앗간. =〔碾房〕
〔碾谷子〕 niǎngǔzi 동 조를 절구로 찧다.
〔碾磙子〕 niǎngǔnzi 명 (탈곡용·제분용의) 롤러. =〔碾砣〕
〔碾胶机〕 niǎnjiāojī 명 《機》 고무 제조 가공용 밴버리 믹서(banbury mixer).
〔碾米〕 niǎn.mǐ 동 쌀을 찧다. 정미하다. ¶～机 =〔擦cā米机〕; 정미기 / ～厂; 정미 공장.
〔碾磨〕 niǎnmó 동 타다〔갈다〕. 갈아서 가루로 만들다.
〔碾盘〕 niǎnpán 명 연자 방아의 받침돌. =〔碾底〕
〔碾棚〕 niǎnpéng 명 방앗간.
〔碾平〕 niǎnpíng 동 롤러로 판판히 고르다. ¶汽碾子把石子路都～了; 스팀 롤러가 자갈길을 완전히 골라 판판하게 했다.
〔碾伤〕 niǎnshāng 동 차에 치여 부상당하다.
〔碾碎〕 niǎnsuì 동 ①으깨다. ¶～饭粒儿; 밥알을 으깨다. ②가루로 만들다. 바수다. ¶把石子～; 잔돌을 빻아 부수다 / ～机; 분쇄기.
〔碾砣〕 niǎntuó 명 ⇨〔碾磙子〕
〔碾轧〕 niǎnyà 동 차(車)에 치이다.
〔碾研〕 niǎnyà 동 절구로 찧다.
〔碾子〕 niǎnzi 명 ①도로 수리용의 롤러. ②연자매. 연자방아.

辗(輾) niǎn (년)
명동 ⇨〔碾niǎn〕 ⇒ zhǎn

蹍 niǎn (전)
동 〈方〉 밟다. 짓밟다. ¶～碎suì; 밟아 으깨다. =〔踩〕

廿〈卄〉 niàn (입)
수 20. ¶～日; 20일. →〔念A)③〕

念〈唸〉B) niàn (념)
A) ① 명동 생각(하다). 염두(에 두다). ¶杂～; 잡념 / 怀～故人; 옛 친구를 그리워하다 / 永远～你的好处; 호의(好意)는 영원히 잊지 않겠습니다 / 姑～平日工作尚肯努力, 免予处分; 〈公〉 평소 일에 노력하던 것을 생각해서 처벌을 면제하다. ② 동 걱정하다. 염려하다. ¶释～; 안심하다 / 你回来得正好, 娘正～着你呢! 마침 잘 돌아왔군요. 어머니가 당신 때문에 걱정하고 계셨어요! ③ '廿'의 갖은자. ④ 명 성(姓)의 하나. **B)** 동 ①소리내어 읽다. ¶把指示～给大家听; 지시를 모두에게 읽어 들려 주다 / 他每天早上～中国话; 그는 매일 아침 중국어를 읽는다 / 和尚～经; 스님이 독경하다. ②공부하다. ¶我～过私塾; 나는 서당에서 공부한 일이 있다 / 他在大学里～书; 그는 대학에서 공부하고 있다 / 我～文科; 나는 문과를 전공하고 있다.
〔念八卦〕 niànbāguà 동 ①주문(呪文)을 외다. ② 〈比〉 터무니없는〔엉터리〕 말을 하다. ¶你这儿胡～到底是为什么? 그렇게 터무니없는 말을 하는 것은 대체 무엇 때문인가?
〔念白〕 niàn.bái 동 ①극의 대사를 말하다. =〔道白〕 ②자음(字音)을 잘못 읽다. ¶他～了几个字儿; 그는 몇 자를 잘못 읽었다. (niànbái) 명 《劇》 대사.
〔念不上来〕 niànbushànglái 읽지 못하다.
〔念叨〕 niàndao 동 ①입 속에서 중얼거리다. ② 〈方〉 말하다. 토의하다. ¶刚～您, 您就来了; 지금 막 당신 이야기를 하고 있었는데, 당신이 오셨습니다. ③생각하다. 그리다. 걱정하다. ¶他溜溜儿～了一夜; 그는 하룻밤을 내내 여러 가지를 생각했다. ④뇌고 뇌다. ¶常常～你; 자네 말을 늘 하고 있다 / 他直～着您说您老没露面; 그는 당신이 오랫동안 얼굴을 내밀지 않는다고 투덜대고 있었다. ‖ =〔念到〕〔念道②〕
〔念道〕 niàndao 동 ①소리내어 읽다. ¶把刚听来的词儿重复地学着～; 방금 들은 말을 되풀이해서 흉내내어 읽다. ②⇨〔念叨〕
〔念法〕 niànfǎ 명 독법. 읽는 법.
〔念佛〕 niàn.fó 동 《佛》 ①염불하다. ¶吃斋zhāi～; 정진(精進)하여 염불하다. ②독경(讀經)하다.
〔念挂〕 niànguà 동 걱정〔염려〕하다. 걱정되다.
〔念叽咕儿〕 niànjīgur 동 〈北方〉 ①비관적인 예언이나 저주의 말을 하다. ¶人家就够烦的了, 还支得住你～; 남들은 아주 바쁜데, 너까지 이러쿵저러쿵 귀찮게 잔소리를 하면 어디 견딜 수 있겠느냐. ②말참견을 하여 혼란시키다. ¶我打球, 旁边有人～, 所以我打不好; 내가 당구를 치고 있는데, 옆에서 이러쿵저러쿵 말참견을 하는 바람에 잘 칠 수가 없었다.
〔念紧箍儿咒〕 niàn jǐngūrzhòu 머리테를 죄어 혼내 주다.
〔念经〕 niàn.jīng 동 독경(讀經)하다. =〔唪fěng经〕〔拜忏②〕
〔念旧〕 niànjiù 동 옛 친구를〔우정을〕 잊지 않다. 옛 정을 생각하다. ¶他还不失是个君子, 尚有～之心; 그는 아직 군자로서의 품위를 잃지 않고 있군, 아직 옛 친구를 생각하는 마음이 있으니 / 您难道不～了吗? 당신은 설마 옛 친구를 잊어버린 것은 아니겠지요?
〔念念不忘〕 niàn niàn bù wàng 〈成〉 한시도 잊지 않다. 항상 마음 속에 간직하고 잊지 않다. →〔念兹在兹〕
〔念念有词〕 niàn niàn yǒu cí 〈成〉 ①무엇을 중

얼거리다. ②주문을 외다.
〔念曲叫曲〕 niànqǔ jiàoqǔ 노래를 잘 부르지 못함을 형용하는 말.
〔念三道四〕 niàn sān dào sì 〈成〉 중얼〔옹잘〕거리다. 자꾸만 투덜거리다. ¶你有什么不对心思, 嘴里这么~的; 너는 무엇이 마음에 안 들어서 이렇게 투덜거리는 거냐.
〔念诗〕 niàn.shī 동 시를 낭송하다〔읊다〕. →〔吟yín诗〕
〔念书〕 niàn.shū 동 소리내어 책을 읽다. 독서하다. 공부하다. ¶~的; 독서인(讀書人). 학생/他们都在学校~; 그들은 모두 학교에서 공부하고 있다.
〔念书的〕 niànshūde 명 학생의 별칭.
〔念熟〕 niànshú 동 숙독하다. 잘 읽고 외다.
〔念四史〕 niànsìshǐ 명 '二èr十四史'의 별칭.
〔念诵〕 niànsòng 동 ①소리내어 읽다. 낭송(朗誦)하다. ②〈轉〉 걱정하다. 마음에 두다. 마음 속에 생각하다. ¶刚才老太太还~呢, 可巧就来了; 지금 노마님이 걱정을 하고 계시던 참인데, 마침 잘 오셨습니다.
〔念头〕 niàntou 명 의사. 생각. ¶转~; 생각을 바꾸다. (어떤) 기분이 되다/卑劣的~; 비열한 속셈/你别错了~; 너 잘못 생각해서는 안 된다/动一下~; 문득 생각하다. 생각나다. 잠시 생각해 보다/绝了~了; 단념했다/起坏的~; 나쁜 마음을 일으키다/一个~浮现了出来; 한 가지 생각이 떠올랐다.
〔念完了经打和尚〕 niànwánle jīng dǎ héshang 〈諺〉 독경을 끝내고서 스님을 치다(볼일을 보고서는 소홀하게 대함. 배은망덕함).
〔念喜歌儿〕 niàn.xǐgēr 동 다른 사람에게 예언적으로 축하할〔경사스러운〕 일을 말하다. ¶~的; 경사가 있는 집의 문전에서 축하의 노래를 부르고 돈을 받는 거지.
〔念想儿〕 niànxiangr 명 ①기념품. ②유품. ¶留个~; 기념품〔유품〕을 남기다. ‖ =〔念心儿〕
〔念相儿〕 niànxiangr 명 ⇨〔念心儿〕
〔念心儿〕 niànxinr 명 〈方〉 ①기념품. ¶把这支钢笔送给你, 做个~吧! 이 만년필을 당신한테 보내니, 기념으로 하십시오!/这个给你作个~; 이것은 기념품으로 너에게 주겠다. ②유품. ¶我这病怕不能好了, 你拿着这个作个~吧; 내 병은 좋아지지 않을 것 같으니, 이것을 유품으로 가지고 있거라. ‖ =〔念信儿〕〔念相儿〕〔念想儿〕
〔念信儿〕 niànxinr 명 ⇨〔念心儿〕
〔念央儿〕 niànyāngr 동 〈方〉 ①넌지시 부탁하다. (이쪽의 뜻을 상대에게) 넌지시 비추다. ¶你要有意见就直接提, 别~; 자네 의견이 있으면 솔직히 말하게나, 둘러서 말하지 말고. ②돈벌이를 미끼로 계략에 옭아 넣다. ¶他跟我~来着, 幸亏我没上当; 그는 나에게 돈벌이를 미끼로 계략을 썼지만, 나는 다행히 속아 넘어가지 않았다. ‖ =〔念秧儿①〕
〔念秧儿〕 niànyāngr 동 ①⇨〔念央儿〕 ②속임수를 쓰다. 야바위치다.
〔念咒〕 niànzhòu 동 주문(呪文)을 외다. 기도하다. ¶~治鬼; 주문을 외어 귀신을 쫓아 내다.
〔念咒作法〕 niànzhòu zuòfǎ 주문을 외고 법술(法術)을 행하다.
〔念珠(儿)〕 niànzhū(r) 명 ⇨〔数shù珠(儿)〕
〔念兹在兹〕 niàn zī zài zī 〈成〉 생각하는 것은 이것이다. 늘 이것을 생각하고 있다. ¶开始编辞典以来, ~脑子里想的就是这个事; 사전 편찬을 시작하고 나서부터는, 머릿속은 언제나 그 일로 꽉 차 있다. →〔念念不忘〕

埝 niàn (념)
명 제방. 둑. ¶打~; 둑을 쌓다/堤~; 제방.

NIANG ㄋㄧㄤ

娘〈孃〉 niáng (낭)〈양〉
명 ①〈方〉 모친. 어머니. ¶我~; 나의 어머니/后~ =〔后妈〕; 계모/爹diē~; 아버지와 어머니. 부모. ↔〔爹〕 ②처녀. 소녀. ¶姑gū~; 아가씨/新~; 신부. ③존수가 한 대 위이거나 또는 나이 많은 기혼 여성. ¶大~; 아주머니/老大~; 할머니. ④〈文〉 유부녀.
〔娘家〕 niángjia 명 친정. ¶回~; 친정에 돌아오다. ↔〔婆家〕
〔娘舅〕 niángjiù 명 〈方〉 외삼촌. ¶~家; 〈方〉 전당포. =〔母舅〕〔舅父〕
〔娘们儿〕 niángmenr 명 여자(들). 부인(들).
〔娘们儿家〕 niángmenrjia 명 부인. 여자. 부녀자(포괄적으로 말할 때).
〔娘(儿)母子〕 niáng(r)mǔzi 명 〈古白〉 어머니.
〔娘娘〕 niángniang 명 ①여신. ¶子孙~; 삼신 할머니. 자식을 점지해 주는 신/斑bān疹~ =〔痘dòu疹~〕; 천연두를 막아 주는 여신. ②〈吳〉 할머니. 조모(祖母). ③〈俗〉 황후(皇后). 귀비(貴妃). ¶正宫~; 황후마마/老~; 황태후. ④〈方〉 어머니. ⑤〈方〉 선녀(仙女). ⑥〈南方〉 고모.
〔娘娘庙〕 niángniangmiào 명 삼신 할머니를 모신 사당. =〔〈方〉奶nǎi奶庙〕
〔娘娘腔〕 niángniangqiāng 명 ①(말씨가) 여자 같음. ②사내답지 못한 사람. 여성다움.
〔娘亲〕 niángqīn 명 ①모친. ②어머니 쪽의 친척.
〔娘儿〕 niángr 명 〈口〉 ①어머니와 자식. ②나이 많은 여성과 그 아래 세대의 남녀를 합쳐 부르는 말(예컨대, 어머니와 그 아들〔딸〕. 고모와 조카딸. 뒤에 반드시 수사와 조동사가 옴). ¶~俩; ⓐ모자 두 사람. ⓑ부인과 손아래의 두 사람/~三个合计了半天, 才想出一个好主意来; 모자 세 사람이 오랫동안 의논해서, 겨우 좋은 아이디어를 생각해 냈다.
〔娘儿们〕 niángrmen 명 ①〈方〉〈貶〉 여자. 여인네. ¶刚才来的那个~是谁? 방금 온 저 여자는 누군가? ②〈口〉 어머니와 자식(아들 또는 딸). ¶他把我们~扔下了; ⓐ그는 우리들 모자를 남겨 두고 세상을 떠났다. ⓑ그는 우리들 모자를 버리고 갔다. ③〈方〉 아내. ④나이가 다른 복수(複數)의 여성을 일괄해서 하는 말.
〔娘杀〕 niángshā 명 〈罵〉 바보 자식. 몹쓸 놈.
〔娘生九种〕 niáng shēng jiǔ zhǒng ⇨〔十shí个指头没有一般儿齐〕
〔娘胎〕 niángtāi 명 모태(母胎). 어머니의 뱃속(태어나기 전을 '在~里', 태어나는 것을 '出了~'라고 함). ¶一出了~就是财主; 태어날 때부터 부자이다.
〔娘姨〕 niángyí 명 ①보모(保姆). ②〈南方〉 (기혼의) 하녀. 가정부.
〔娘子〕 niángzi 명 ①〈南方〉 아내. 처. ②소녀. ③나이 어린, 또는 중년 부인에 대한 존칭. ④어

머니.
〔娘子军〕 niángzijūn 명 ①여성 부대. ②《史》 당 고조(唐高祖)의 딸 평양(平陽) 공주가 이끌고, 고조(高祖)의 천하 평정을 도운 군대.

酿(釀) niáng (양)
→〔酒jiǔ酿〕 ⇒ niàng

酿(釀) niàng (양)
① 동 (술·간장 따위를) 양조하다. ¶～酒; 술을 양조하다. ② 동 (꿀벌이) 꿀을 만들다. =〔蜜蜂酿蜜〕 ③ 동 자아내다. 점차적으로 만들어 내다(흔히, 여러 원인 때문에 점차 일이 생기다). ¶层层的官僚主义～成这次的灾祸; 많은 관료주의가 이번의 재화(災禍)를 빚어 냈다. ④ 명 술. ¶佳jiā～; 〈文〉 좋은 술. ⇒ niáng
〔酿成〕 niàngchéng 동 자아내다. 빚어내다. 서서히 형성하다. ¶～火灾zāi; 화재의 불씨가 되다 / ～事端; 사단을 빚어 내다.
〔酿出来〕 niàngchulai 빚어 내다. 저지르다.
〔酿祸〕 niàng.huò 동 화를 부르다.
〔酿酒〕 niàng.jiǔ 동 술을 빚다〔양조하다〕. ¶～厂; 술도가 / ～业yè; 양조업.
〔酿酶〕 niàngméi 명 ⇨〔酒jiǔ化酶〕
〔酿蜜〕 niàng.mì 동 (꿀벌이) 꿀을 만들다.
〔酿母〕 niàngmǔ 명 《化》 효모.
〔酿母菌〕 niàngmǔjūn 명 ⇨〔酵jiào母菌〕
〔酿脓〕 niàngnóng 동 화농하다. =〔化huà脓〕
〔酿热物〕 niàngrèwù 명 《農》 유기물의 발효로 열을 발생하는 것.
〔酿事〕 niàngshì 동 사건을 저지르다.
〔酿造〕 niàngzào 동(술·간장 따위를) 양조하다.

NIAO ㄋㄧㄠ

鸟(鳥) niǎo (조)
(～儿) 명 새. ¶小～; 작은 새 / ～类lèi; 조류. ⇒ diǎo
〔鸟不宿〕 niǎobùsù 명 《植》 호랑가시나무.
〔鸟巢〕 niǎocháo 명 ⇨〔鸟窝〕
〔鸟黐〕 niǎochī 명 ⇨〔粘zhān鸟胶〕
〔鸟虫书〕 niǎochóngshū 명 ①조충서(기원전 14～11세기에 생긴 동기 명문(銅器銘文)). =〔虫书〕 ②벌레가 좀먹은 자국(전서(篆書)와 비슷하기 때문에 이렇게 말함).
〔鸟铳〕 niǎochòng 명 ⇨〔鸟枪①〕
〔鸟蛋〕 niǎodàn 명 작은 새의 알.
〔鸟道〕 niǎodào 명 〈文〉 험한 산길.
〔鸟豆〕 niǎodòu 명 《植》 돌콩. =〔大野豆〕
〔鸟粪〕 niǎofèn 명 새똥.
〔鸟革翚飞〕 niǎo gé huī fēi 〈成〉 궁전의 장려함(새가 날개를 펴고 높이 날 듯이 건물이 너르고 장대함).
〔鸟害〕 niǎohài 명 새로 인한 피해.
〔鸟喙〕 niǎohuì 명 새의 부리처럼 튀어나온 것. ¶越王长颈～可与共患难, 不可以共处chǔ乐; 월왕(越王)은 목이 길고, 입이 새처럼 튀어나와 있는데, 환난을 같이할 수는 있어도 낙(樂)을 같이할 수는 없다.
〔鸟集鳞萃〕 niǎo jí lín cuì 〈成〉 새가 모이고 물고기가 모이다(많이 모임).
〔鸟尽弓藏〕 niǎo jìn gōng cáng 〈成〉 새를 다 잡고 나면 활은 챙겨 두게 된다(천하가 평정되면 공신(功臣)은 버림받게 됨).
〔鸟举〕 niǎojǔ 형 행동이 민첩하다.
〔鸟瞰〕 niǎokàn 동 ①조감하다. ②사물을 개괄적으로 묘사하다. ¶世界大势之～; 세계 대세의 조감 / ～图; 조감도 / ～照象; 조감 사진.
〔鸟里〕 niǎolǐ 명 직선 거리로 측정한 이수(里數)(지도 작성 때 씀).
〔鸟蓼〕 niǎoliǎo 명 《植》 마디풀. =〔萹蓄〕
〔鸟笼(子)〕 niǎolóng(zi) 명 새장. 조롱.
〔鸟媒〕 niǎoméi 명 후림새. 미끼 새. 〈轉〉 미끼.
〔鸟面鹄形〕 niǎo miàn hú xíng 〈成〉 굶주려 여윈 모양. =〔鸠jiū形鹄面〕
〔鸟枪〕 niǎoqiāng 명 ①엽총. =〔鸟铳〕 ②공기총.
〔鸟枪换炮〕 niǎo qiāng huàn pào 〈成〉 엽총을 대포로 바꾸다(일이 뒤에 와서 점차 좋은 쪽으로 바뀜. 일이나 소동을 점점 크게 만듦).
〔鸟雀〕 niǎoquè 명 작은 새(일반적으로 조류). =〔小鸟雀〕
〔鸟儿〕 niǎor 명 〈口〉 작은 새. ¶～食; 새의 먹이 / ～笼子; 새장 / ～嘴; 작은 새의 주둥이.
〔鸟哨〕 niǎoshào 동 새가 지저귀다.
〔鸟兽〕 niǎoshòu 명 조수(鳥獸). ¶做～散; 뿔뿔이 흩어져 무질서하게 궤주(潰走)하다.
〔鸟兽行〕 niǎoshòuxíng 명 조수와 같은 행위. 윤리〔인륜〕를 어지럽히는 행위.
〔鸟啼〕 niǎotí 명 (새의) 지저귐. 울음소리.
〔鸟庭〕 niǎotíng 명 이마의 양 모서리가 튀어나온 부분.
〔鸟王〕 niǎowáng 명 봉황(鳳凰).
〔鸟窝〕 niǎowō 명 새 집. 새둥지. =〔鸟巢〕
〔鸟彝〕 niǎoyí 명 새 모양이 새겨져 있는 제사용 술이나 종 따위의 청동기.
〔鸟羽〕 niǎoyǔ 명 새의 깃.
〔鸟语〕 niǎoyǔ 명 ①새의 지저귐. 새 소리. ②미개 민족의 언어.
〔鸟语花香〕 niǎo yǔ huā xiāng 〈成〉 새는 지저귀고 꽃은 향기롭다(봄의 화창함을 이르는 말).
〔鸟葬〕 niǎozàng 명 조장(시체를 나무 위에 걸거나 들판에 두어 새가 파먹게 하는 장사. 티베트 등지의 풍속임). =〔天tiān葬〕
〔鸟爪〕 niǎozhǎo 명 〈比〉 손이나 손톱의 섬세함. ¶玉貌～; 얼굴이 옥같이 수려하고 손이나 손톱이 섬세하고 예쁘다.
〔鸟籀〕 niǎozhòu 명 고전체(古篆體). 전서(篆書)의 고체(古體).
〔鸟篆〕 niǎozhuàn 명 ①전서체(篆書體)의 글자. ②전서 같은 모양의 새 발자국.
〔鸟嘴〕 niǎozuǐ 명 새의 부리.
〔鸟嘴铳〕 niǎozuǐchòng 명 명대(明代)의 화기(화약을 재고 납탄알을 넣어 씀).

茑(蔦) niǎo (조)
명 《植》 담쟁이덩굴. =〔桑sāng寄生〕
〔茑萝〕 niǎoluó 명 ①《植》 담쟁이덩굴. 누홍초. ②〈比〉 친척.

袅(裊〈嫋〉) niǎo (뇨)
① →〔袅袅〕 ② →〔袅娜〕
〔袅袅〕 niǎoniǎo 형 ①가냘픈 모양. ¶～兮秋风; 가을 바람이 살랑살랑 불다. ②연무가 피어 오르는 모양. ¶炊烟～; 밥 짓는 연기가 피어 오르다. ③가늘고 부드러운 것이 바람 따라 움직이는 모

양. ¶垂杨～; 수양버들이 하느작하느작 흔들리고 있다/～婷婷tíngtíng; 여성이 간들간들 걷는 모양. ④(목)소리가 나긋나긋하고 부드러운 모양.
〔袅娜〕 niǎonuó 형 ①초목이 부드럽고 가늘다. ¶春风吹着～的柳丝; 봄바람이 하늘거리는 버들가지에 불고 있다. ②여성의 자태가 아름다운 모양.

嬲 **niǎo** (뇨)
동 ①놀리다. 희롱하다. ②얽히다. 휘감기다. 붙어 떨어지지 않다. ③억지로 시키다.
〔嬲恼〕 niǎonǎo 동 농락하여 괴롭히다. 지분거리다.
〔嬲谑〕 niǎoxuè 동 집적거리며 희롱하다. 노리개처럼 가지고 놀다.
〔嬲着斗蟋蟀〕 niǎozhe dòuxīshuai 〈比〉 강제로 시키다. 억지로 끌어당기다.

尿 **niào** (뇨)
①명 소변. ¶撒～; 소변 보다/撒了一泡～; 쏴 하고 오줌을 누었다/小孩子～裤子; 어린이가 바지에 오줌을 싸다. =〔溺〕 ②동 소변보다. ③명 〈罵〉 개똥 같은 놈. ¶我～你; 네까짓 게 도대체 뭐냐/～你也没有空; 네까짓 놈 같은 걸 상대할 틈 없다. ⇒suī
〔尿崩症〕 niàobēngzhèng 명 《醫》 요붕증.
〔尿闭〕 niàobì 명 《醫》 무뇨(無尿)(증).
〔尿别子〕 niàobiēzi 명 ⇨〔夜yè壶〕
〔尿鳖子〕 niàobiēzi 명 ⇨〔夜yè壶〕
〔尿布〕 niàobù 명 기저귀. ¶拿～垫起来; 기저귀를 채우다. =〔〈方〉 褯子jièzi〕〔衬chèn尿布〕〔垫diàn尿布〕〔尿片(子)〕
〔尿池〕 niàochí 명 요강.
〔尿床〕 niào,chuáng 동 잠자리에〔자다가〕 오줌을 싸다. ¶有的孩子有经常～的习惯; 늘 자면서 오줌을 싸는 버릇이 있는 아이도 있다. =〔尿炕〕〔溺床〕〔溺炕〕
〔尿胆素〕 niàodǎnsù 명 《醫》 우로빌린(urobilin).
〔尿道〕 niàodào 명 《生》 요도.
〔尿道栓〕 niàodàoshuān 명 《藥》 요도 좌약(坐藥).
〔尿道炎〕 niàodàoyán 명 《醫》 요도염.
〔尿毒症〕 niàodúzhèng 명 《醫》 요독증.
〔尿肥〕 niàoféi 명 오줌 거름.
〔尿缸〕 niàogāng 명 요강.
〔尿管〕 niàoguǎn 명 《生》 수뇨관(輸尿管). 요도.
〔尿壶〕 niàohú 명 요강. =〔溺器〕
〔尿碱〕 niàojiǎn 명 (변기 등에 달라붙는) 소변이 건조한 소다성(性) 물질.
〔尿结〕 niàojié 명 요로 결석. 소변이 막히는 병.
〔尿炕〕 niào,kàng 동 ⇨〔尿床〕
〔尿坑〕 niàokēng 명 소변용 구덩이.
〔尿流屁滚〕 niào liú pì gǔn〔suī liú pì gǔn〕 〈成〉 놀라고 당황하여 실금(失禁)하다. 몹시 놀라는 모양.
〔尿盆(子)〕 niàopén(zi) 명 요강《여자용》. →〔夜壶〕
〔尿片(子)〕 niàopiàn(zi) 명 ⇨〔尿布〕
〔尿频〕 niàopín 명 《醫》 빈뇨(頻尿).
〔尿器〕 niàoqì 명 소변기. 요강.
〔尿失禁〕 niàoshījìn 명 《醫》 요실금.
〔尿湿〕 niàoshī 동 (자다가) 오줌을 싸서 적시다.
〔尿水〕 niàoshuǐ 명 소변. 오줌.
〔尿素〕 niàosù 명 《化》 요소. ¶～树脂; 요소 수지/～酶méi; 요소 분해 효소(酵素). =〔尿质〕
〔尿酸〕 niàosuān 명 《化》 요산. =〔脲酸〕
〔尿酸性关节炎〕 niàosuānxìng guānjiéyán 명 《醫》 요산성 관절염. 통풍(痛風). =〔脲酸〕
〔尿桶〕 niàotǒng 명 소변통. 오줌통. =〔溺桶〕
〔尿血〕 niàoxiě 명 《醫》 요혈. 혈뇨.
〔尿质〕 niàozhì 명 ⇨〔尿素〕
〔尿潴留〕 niàozhūliú 명 《醫》 배뇨(排尿) 곤란증.

溺 **niào** (닉)
명 소변. ¶撒～; 소변 보다. 오줌 싸다. =〔尿①〕 ⇒nì
〔溺床〕 niàochuáng 동 ⇨〔尿床〕
〔溺炕〕 niào kàng 동 ⇨〔尿床〕
〔溺器〕 niàoqì 명 요기(尿器). 요강.
〔溺尿〕 niàosuī 동 오줌을 누다.
〔溺尿窝子〕 niàosuīwōzi 명 ①자면서 오줌을 싸는 아이. ②공동의 소변 보는 곳. ¶那煤堆旁边是个～; 저 저탄장(貯炭場) 옆에 있는 것이 소변 보는 곳입니다.
〔溺桶〕 niàotǒng 명 간편한 오줌통《집 뒤편 등에 놓음》.
〔溺窝子〕 niàowōzi 명 ①(요의) 오줌 싼 자국. ②(흙을 판) 오줌 구덩이.

脲 **niào** (뇨)
명 《化》 요소(尿素).
〔脲树〕 niàoshù 명 《化》 요소 수지.
〔脲酸〕 niàosuān 명 《化》 요산.
〔脲酯〕 niàozhǐ 명 《化》 우레탄(urethane).

NIE ㄋㄧㄝ

捏〈揑〉 **niē** (날)
동 ①손끝으로 집다. ¶把米里的虫子～出来; 쌀 속의 벌레를 집어 내다/～一块糖; 엿을 하나 집다. ②이겨서 빚다. 이겨서 만들다. ¶～饺子; 만두를 빚다/～江米人儿; 쌀가루를 쪄서 만든 떡으로 세공물을 만들다. ③쥐다. 잡다. ¶～一把汗; 손에 땀을 쥐다/～紧拳头; 꽉 주먹을 쥐다/使劲儿～住她的胳膊; 그녀의 팔을 힘껏 꽉 잡았다. ④누르다. ¶～眼儿; (피리 따위의) 구멍을 누르다. ⑤조작하다. 날조하다. ¶～造; 날조하다/～造谣言; 풍설을 날조하다/～报案情; 사건의 내용을 날조하여 보고하다. ⑥일을 꾸미다. ¶～好了窝wō窝儿 =〔～好活局子〕; 감쪽같이 계략을 꾸미다.
〔捏百晬〕 niēbǎizuì →〔百晬〕
〔捏报〕 niēbào 동 허위로〔거짓〕 보고하다. =〔捏禀〕
〔捏称〕 niēchēng 동 거짓 진술하다. 거짓주장하다.
〔捏嗤〕 niēchi 동 ①쥐다. 집다. ②비틀다.
〔捏出去〕 niēchuqu 집어 내다. ¶再不听话一定～; 더 이상 말을 안 들으면 끄집어 낼 테다.
〔捏词〕 niēcí 동 거짓말하다. 말을 날조하다.
〔捏词告人〕 niēcí gàorén 남을 무고하다.
〔捏词妄控〕 niēcí wàngkòng 무고하다.
〔捏搭〕 niēda 동 주무르다. 안마(按摩)하다.
〔捏复〕 niēfù 동 날조하여 복명(復命)하다.
〔捏告〕 niēgào 동 무근한 고소를 하다. 무고(誣告)하다.
〔捏骨缝儿〕 niēgǔfèngr 명 산후 12일째에, 친정에서 돼지고기나 양고기가 든 '饺子'를 만들어 산모에게 먹게 하던 풍속.
〔捏咕〕 niēgu 동 ①긁어모으다. =〔捏弄④〕 ②중개

하다. 중간에서 일을 성립시키다.
〔捏汗〕 niē hàn 동 손에 땀을 쥐다. 조마조마하다. ¶对这件事, 我老捏把汗, 怕出岔儿; 이 일에 관해서는, 무언가 잘못되지 않을까 하는 생각이 들어 내내 조마조마하였다/看热闹儿的人都捏了一把汗; 구경하는 사람들은 모두 손에 땀을 쥐었다/捏着一把汗, 直害怕; 손에 땀을 쥐고 내내 두려워하다.
〔捏合〕 niēhé 동 ①들러붙다. 사통(私通)하다. ②긁어모으다. ¶把这些零碎~到一块儿也不少呢; 이런 자질구레한 것을 한데 그러모으면 적지도 않다. ③마련하다. 융통하다. ¶他给我~了别人家的牲口; 그는 내게 남의 집 가축 돌보는 자리를 마련해 주었다. ④(중간에 서서) 조정하다. ⑤반죽하다.
〔捏合机〕 niēhejī 명 반죽기.
〔捏蝴蝶〕 niē húdié 앉아 있는 나비를 잡다.
〔捏活局子〕 niē huójúzi (속이기 위해) 함정을 파다. 계략을 꾸미다.
〔捏积〕 niējī 명《漢醫》 손으로 어린아이의 등을 안마하여 체를 내리게 하는 일. =〔捏肌〕〔捏脊〕
〔捏紧〕 niē jǐn 동 단단히 쥐다. 꽉 잡다.
〔捏控〕 niēkòng 동 무고(誣告)하다.
〔捏款儿〕 niē kuǎnr 동 허세를 부리다.
〔捏两把汗〕 niē liǎng bǎ hàn 〈成〉 ⇨〔捏一把汗〕
〔捏弄〕 niēnong 동 ①날조하다. ②(못된 짓을) 꾸미다. 덫을 놓다. ¶要不是他们~到一块儿, 事情不至于这么糟; 만약 그들이 함께 꾀하지 않았다면, 일이 이 지경은 되지 않았을 것이다. ③수단을 부려 괴롭히다. ¶借着党的牌子故意~我; 당이라는 간판을 내세워 고의로 나를 괴롭힌다. ④긁어모으다. =〔撮合cuòhé〕〔捏咕gu①〕
〔捏神捏鬼〕 niē shén niē guǐ 〈成〉 (못된 짓 등을) 몰래 꾸미다.
〔捏手〕 niēshǒu 명《機》 손잡이. 노브(knob). ¶调整~; 조정 손잡이/回行~; 역동 손잡이. =〔柄bǐng头〕
〔捏手捏脚〕 niē shǒu niē jiǎo 〈成〉 ⇨〔蹑niè手蹑脚〕
〔捏塑〕 niēsù 동 진흙 인형을 빚다.
〔捏酸〕 niēsuān 동 짐짓 젠체하다. 잘난 체하다.
〔捏酸假醋〕 niē suān jiǎ cù 〈成〉 젠체하다. 점잔 빼다. 변죽 울리다. ¶你吃不吃呢, 干什么这么~的? 먹으려면 먹어라. 뭐 그렇게 점잔을 빼느냐?/随随便便, 大大方方的好, ~的多肉麻呀; 자유롭고 대범한 것이 좋지, 점잔 빼거나 하면 얼마나 아니꼽겠느냐.
〔捏贴〕 niētiē 형 안태(安泰)하다. 안온(安穩)하다.
〔捏铁〕 niētiě 동 경화(硬化)하다. 굳어지다. 애먹다. ¶党一说话, 群众一起来, 他不就~了嘛! 당이 한 마디 하고, 민중이 들고 일어난다면 그가 애를 먹지 않겠니!
〔捏窝窝儿〕 niē wōwor 꾸며 내다. 조작하다. 꾀하다. ¶他们两下里就这么~, 不定弄成什么样儿的东西; 그들 양쪽이 이런 꾀를 짜고 있는데, 일을 조작해 낼지 알 수 없는 일이다/咱们~骗他们; 우리 한번 계략을 써서 그들을 속여 보지 않겠나.
〔捏陷〕 niēxiàn 동 무함(誣陷)하다.
〔捏一把汗〕 niē yī bǎ hàn 〈成〉 손에 땀을 쥐다. 우려하다. 걱정하다. ¶观众看到演员走钢丝, 都替他~; 관중들은 연기자가 줄타는 것을 보고, 모두 (조마조마해서) 손에 땀을 쥐었다. =〔捏着把汗〕〔捏两把汗〕
〔捏造〕 niēzào 동 날조〔조작〕하다. ¶这是他~出来的假话; 이 이야기는 그가 꾸며낸 이야기다. =〔涅niè造〕
〔捏闸〕 niēzhá 동 핸드 브레이크를 걸다. 손으로 (잡고) 브레이크를 걸다.
〔捏着把汗〕 niē zhe bǎ hàn 〈成〉 ⇨〔捏一把汗〕
〔捏着鼻子〕 niēzhe bízi 〈比〉 마지못해 하다. 참다. ¶~给他办吧! 싫지만 참고 그에게 해 주자!/心里不愿意, 也得~吃; 싫더라도 억지로 먹어야 한다. =〔捏着头皮〕
〔捏住〕 niēzhù 동 꽉 쥐다. 단단히 잡다. ¶阿Q两只手都~了自己的辫根《鲁迅 阿Q正傳》; 아큐는 양손으로 자기의 변발 밑을 꽉 붙잡았다.

苶 nié (날)
형 ①뚱하게 있다. 아무 말도 않고 있다. ②〈方〉 지치다. 기운이 없다. ¶发fā~; 녹초가 되다.
〔苶呆呆(的)〕 niédāidāi(de) 형 지쳐서 녹초가 된 모양. ¶他今天有点儿~; 그는 오늘 기운이 좀 없다. =〔苶滞〕〔苶呆〕
〔苶滞〕 niézhì 형 ⇨〔苶呆呆(的)〕

乜 Niè (마)
명 성(姓)의 하나. ⇒miē

陧〈隉〉 niè (얼)
〈文〉 ① 형 위험하다. ② 명 ⇨〔臬niè②〕 ③→〔杌wù陧〕

涅〈湼〉 niè (녈)
① 동 〈文〉 검게 물들이다. ¶~白; 유백색(乳白色)/~齿; 이빨을 검게 물들이다. ② 명 〈文〉 검정색 물감이 되는 명반석(明礬石). ③ 형 〈文〉 불투명하다. ④(Niè) 명《地》涅水(녜수이)《산시 성(山西省), 허난 성(河南省)에 있는 강 이름》.
〔涅白〕 nièbái 명 불투명한 백색.
〔涅齿〕 nièchǐ 동 이빨을 검게 물들이다.
〔涅而不缁〕 niè ér bù zī 〈成〉 나쁜 영향을 받지 않다.
〔涅蓝〕 nièlán 명 거무스름한 남색.
〔涅面〕 nièmiàn 동 〈文〉 (얼굴에) 먹실을 넣다. 문신하다.
〔涅槃〕 nièpán 명동《佛》〈音〉 열반(하다).
〔涅石〕 nièshí 동《鑛》 명반석(明礬石).
〔涅造〕 nièzào 동 ⇨〔捏niē造〕
〔涅字〕 nièzì 동 먹실 넣을 때 먹을 칠하다. 명 먹물로 새겨 넣은 글자.

聂(聶) niè (섭)
① 동 〈文〉 속삭이다. ② 명 성(姓)의 하나.

嗫(囁) niè (섭)
〈文〉 동 ①속삭이다. 소곤거리다. ②입을 다물다. 우물거리다.
〔嗫嚅〕 nièrú 형 〈文〉 말을 우물거리는 모양. 중얼거리는 모양.
〔嗫嚅低语〕 nièrú dīyǔ 말을 하다 말고 입을 다물다〔어물어물하다〕.

镊(鑷) niè (섭)
①(~子) 명 족집게. 핀셋. 못뽑이. ② 동 족집게로 털을 뽑다. ③ 명 머리 핀.
〔镊毛〕 nièmáo 동 털을 뽑다.
〔镊子〕 nièzi 명 족집게. 핀셋.

颞(顳) niè (섭)
→〔颞颥〕〔颞骨〕

〔颞骨〕 niègǔ 명 《生》 측두골(側頭骨).
〔颞颥〕 nièrú 명 《生》 관자놀이.

蹑(躡) niè (섭)

동 ①〈文〉 힘주어 밟다. 발을 들여 놓다. ¶～足其间; 발을 들여 놓다. 관계하게 되다. ②뒤따르다. 뒤쫓다. ¶～踪; ⇩ ③신다. ④발소리를 죽이다. 살금살금 걷다. ¶他轻轻地站起来, ～着脚走过去; 그는 사뿐히 일어나서는, 발소리를 죽이고 걸어갔다/偷偷～到他身边; 살금살금 그의 곁으로 갔다.
〔蹑步〕 nièbù 동 〈文〉 ①발을 들여 놓다. ②가만히〔살금살금〕 걷다.
〔蹑跟〕 niègēn 형 신발이 발에 맞지 않다.
〔蹑后〕 nièhòu 동 ⇨〔蹑踪〕
〔蹑机〕 nièjī 명 《機》 발로 밟으면서 실을 고르게 하는 기구.
〔蹑脚步〕 nièjiǎobù 발소리를 죽이어. 살금살금.
〔蹑景〕 nièjǐng 동 햇살을 좇다《극히 빠름의 비유》.
〔蹑蹑儿〕 nièniēr 부 살금살금. 사뿐사뿐. 몰래.
〔蹑手蹑脚〕 niè shǒu niè jiǎo 〈成〉 발소리가 안 나게 살금살금 걷는 모양. =〔蹑足潜踪②〕〔捏niē手捏脚〕
〔蹑踪〕 nièzōng 동 〈文〉 미행하다. 뒤를 밟다. =〔蹑后〕
〔蹑足〕 nièzú 동 〈文〉 ①남의 뒤를 밟다. 미행하다. ②발을 들여 놓다. 참여〔관계〕하다.
〔蹑足潜踪〕 niè zú qián zōng 〈成〉 ①몰래 자취를 감추다. ②⇨〔蹑手蹑脚〕

臬 niè (얼)

명 〈文〉 ①표적(標的). 과녁. ¶所发无～; 쏜 것이 전부 과녁에 맞다. =〔靶子〕 ②표준. 법령. ¶圭～; 규정. 규칙/奉为圭～; 국례로서 받들어 좇다. =〔陧niè②〕 ③문지방. ④극한. 한도. ¶其深不测, 其广无～; 그 깊이는 측량할 수 없고, 그 높이는 끝이 없다. ⑤청대(清代) 안찰사(按察使)의 별칭.
〔臬法〕 nièfǎ 명 〈文〉 법규(法規).
〔臬各姆〕 niègèmù 명 《化》 〈音〉 니크롬(nichrome). =〔尼赫罗姆〕
〔臬司〕 nièsī 명 청대(清代) 안찰사(按察使)〔지방관〕의 별칭. =〔臬台〕
〔臬台〕 niètái 명 ⇨〔臬司〕
〔臬兀〕 nièwù 형 〈文〉 불안정한 모양. =〔隉兀〕
〔臬限〕 nièxiàn 명 〈文〉 범위. 극한. 한도.

嵲 niè (얼)

→〔嵽dié嵲〕

镍(鎳) niè (얼)

명 《化》 니켈(Ni: nickel).
〔镍币〕 nièbì 명 니켈 화폐. 백통화. =〔钢gāng镚(儿)〕
〔镍箔〕 nièbó 명 니켈 박.
〔镍锭〕 nièdīng 명 니켈 덩이.
〔镍钢〕 niègāng 명 《化》 니켈강. ¶～卷尺; 니켈강 줄자.
〔镍铬〕 niègè 명 《化》 니크롬.
〔镍铬钢〕 niègègāng 명 《化》 니켈 크롬 스틸. 니크롬. =〔铬镍钢〕
〔镍铬合金〕 niègè héjīn 명 《化》 니켈 합금.
〔镍铬丝〕 niègèsī 명 니크롬선(線).
〔镍片〕 niè piàn 명 니켈 판.
〔镍丝〕 nièsī 명 니켈선(線).

鯢 niè (얼)

→〔鯢卼〕
〔鯢卼〕 nièwù 형 〈文〉 불안정한 모양. 침착하지 못한 모양.

啮(嚙〈齧, 囓〉) niè (교) 〈설〉

동 〈文〉 ①깨물다. 물다. 〈轉〉 먹다. ¶虫咬鼠～; 벌레가 먹고 쥐가 갉죽거리다/他吃饱了, 还要强qiǎng～; 그는 잔뜩 먹었는데, 무리하게 또 먹으려 한다/穷鼠～猫; 〈諺〉 쥐도 궁지에 몰리면 도리어 고양이를 문다. ②침식(侵蝕)하다. ③(칼날 따위) 이가 빠지다.
〔啮臂〕 nièbì 동 〈文〉 (자기가) 자기 팔을 물다《결심을 나타내는 일》.
〔啮臂盟〕 nièbìméng 명 팔을 물어 하는 맹약《흔히, 남녀가 은밀히 결혼 약속을 하는 일》.
〔啮齿动物〕 nièchǐ dòngwù 명 《動》 설치류 동물.
〔啮齿目〕 nièchǐmù 명 《動》 설치목.
〔啮合〕 nièhé 동 맞물리게 하다. ¶两个齿轮～在一起; 두 개의 톱니바퀴가 맞물고 있다.
〔啮合子〕 nièhézi 명 《機》 클러치(clutch).
〔啮噬〕 nièshì 동 〈文〉 물다. 씹다. 쏠다.
〔啮牙〕 nièyá 동 이를 갈다.

笍(籋) niè (섭)

명 〈文〉 족집게. 핀셋. →〔镊niè①〕

槷 niè (얼)

명 〈文〉 ①과녁의 중심. ②옛날에, 땅 위에 세워 해의 그림자를 잰 기둥.

孽〈孼〉 niè (얼)

명 ①서자(庶子). ②요괴. 도깨비. ③악인(惡因). 화근. 죄의 응보. ¶天作～, 犹可违, 自作～, 不可逭; 하늘이 이른 재난은 피할 수도 있으나, 자신이 만든 재난은 피할 수 없다/父母造的～, 儿孙遭报; 부모가 지은 죄업(罪業)으로 자손이 응보를 받다. ④저. ¶～房; 저 방.
〔孽出〕 nièchū 명 〈文〉 서출(庶出). 첩의 소생.
〔孽畜〕 nièchù 명 〈罵〉 재앙을 가져오는 빌어먹을 놈. 망할 자식. 몹쓸 놈.
〔孽党〕 nièdǎng 명 〈罵〉 나쁜 놈. 악당.
〔孽根〕 niègēn 명 ①화근. 죄악의 씨. ¶～未除; 화근이 역시 제거되어 있지 않다. ②졸렬한 본성.
〔孽根祸胎〕 niè gēn huò tāi 〈成〉 재앙의 근원〔징조〕.
〔孽鬼〕 nièguǐ 명 ①악인. 흉악한 놈. ②전생에 지은 죄로 현세에 고생하는 사람.
〔孽海〕 nièhǎi 명 죄 많은 세상. 많은 죄업(罪業). ¶～无边; 죄악이 끝이 없다.
〔孽妾〕 nièqiè 명 〈方〉 첩.
〔孽生〕 nièshēng 동 쌍둥이가 태어나다.
〔孽孙〕 nièsūn 명 〈方〉 첩의 손자. 서손(庶孫).
〔孽胎〕 niètāi 명 생각. 책략《나쁜 의미로 쓰임》. ¶他没安着好～; 그는 좋은 생각은 하지 않는다.
〔孽缘〕 nièyuán 명 나쁜〔더러운〕 인연.
〔孽账〕 nièzhàng 명 죄악의 응보.
〔孽障〕 nièzhàng 명 《佛》 과보(果報). 지벌. ¶出这样的败家子儿真是～; 이런 방탕아가 생기다니 참으로 벌을 받은 것이다. =〔业障〕
〔孽种〕 nièzhǒng 명 ①사생아. 서자. ②사회에 해를 끼치는 악인. 악덕자. ③〈罵〉 천벌을 받을 놈.

蘖〈櫱〉 **niè** (얼)
명 ①그루터기. ②움(돋이). ¶萌méng～; 새싹을 내다/分～; 벼·보리 따위의 떡잎에서 다음으로 나오는 가지/～枝zhī; 새로 나온 곁가지.

糵〈糱〉 **niè** (얼)
명〈文〉술을 빚는 누룩. ¶媒méi～;〈文〉매개물(媒介物).

NIN ㄋㄧㄣ

恁 **nín** (임)
대 ①〈古白〉당신. 선생님. ②'您nín'과 통용. ⇒nèn

您 **nín** (닌)
대〈敬〉선생. 당신. ¶老师, ～早! 선생님 안녕하십니까! 注 베이징(北京)에서는 '你'의 경칭으로 쓰임. 복수의 경우는 '～二位'의 형식으로 씀. 문장에서는 '～们'으로 쓰기도 하나, 구어(口語)로는 통용하지 않음.

〔您们〕 nínmen 대〈文〉〈敬〉당신들. ¶～诸位; 여러분들/～二位; 당신들 두 분.

〔您纳〕 nínna 대〈敬〉귀하('您'보다 더 정중한 2인칭 단수의 인칭 대명사. 요즘은 쓰이지 않음).

NING ㄋㄧㄥ

宁(寧〈甯〉) **níng** (녕)
①형 편안[평온]하다. 무사하다. ¶～日; 평온한 날. ②동 (시집간 여자가) 친정에 가다. =〔归guī宁〕 ③→〔丁dīng宁〕 ④형〈古白〉이[그]와 같다. ¶～馨; ⇓ ⑤(Níng) 명《地》'南nán京'의 별칭. ⑥(Níng) 명《地》〈簡〉'宁夏回族自治区'의 약칭. ⑦명 성(姓)의 하나. ⇒nìng

〔宁帮〕 níngbāng 명 닝보(寧波) 상인(商人).

〔宁绸〕 níngchóu 명 난징(南京)·전장(鎭江)·항저우(杭州)에서 나는 주단.

〔宁处〕 níngchǔ 동〈文〉조용히 살다. ¶不遑huáng～; 조용히 살아갈 틈이 없다. 편안할 틈이 없다.

〔宁底〕 níngdǐ 이처럼. 이와 같이.

〔宁家〕 níngjiā 동〈文〉①가정을 갖다. ②집에 돌아가다(소설·희곡 용어).

〔宁靖〕 níngjìng 동〈文〉(질서가) 안정되다. 평정되다.

〔宁静〕 níngjìng 형 (환경·마음이) 평온하다. 조용하다. 안정되다. ¶心里渐渐～下来; 마음이 차차 안정되다/街道显得格外～; 거리는 매우 조용하다.

〔宁静致远〕 níng jìng zhì yuǎn〈成〉편안한 태도로 오의(奧義)를 끝까지 밝히는 일.

〔宁居〕 níngjū 동〈文〉편안히 살다.

〔宁康〕 níngkāng 명형〈文〉안녕(하다). 평온(平穩)(하다).

〔宁乐〕 nínglè 형〈文〉편안하고 즐겁다.

〔宁谧〕 níngmì 명형〈文〉안온(하다). 평안(하다).

〔宁奈〕 níngnài 동 화를 참고 마음을 평정시키다. 인내하다. =〔宁耐〕

〔宁耐〕 níngnài 동 ⇨〔宁奈〕

〔宁亲〕 níngqīn 동〈文〉부모를 안심시키다.

〔宁神〕 níngshén 동 (긴장을 풀고) 마음을 편안하게 하다. 머리를 식히다.

〔宁肃〕 níngsù 형〈文〉편안하고 조용하다.

〔宁岁〕 níngsuì 명〈文〉평화로운 해[세월].

〔宁帖〕 níngtiē 형 (심경이) 고요하다. 편안하다.

〔宁贴〕 níngtiē 형 편안하다. 평온하다. =〔宁帖〕

〔宁王〕 níngwáng 명〈文〉천하를 편안하게 다스리는 왕.

〔宁息〕 níngxī 명동〈文〉편안(해지다). 평온(해지다).

〔宁夏〕 Níngxià 명《地》닝샤(옛날 성(省)의 이름. 지금의 간쑤 성(甘肅省)에 있었음).

〔宁心〕 níngxīn 동 안심하다. ¶～定气; 마음을 가라앉히다.

〔宁馨〕 níngxīn 이와 같은. 그와 같은.

〔宁馨儿〕 níngxīn'ér 명 ①이와 같은 아이. ②〈轉〉귀염둥이.

〔宁垣〕 Níngyuán 명《地》〈文〉난징(南京)의 별칭.

苧(薴) **níng** (녕)
①명《化》리모넨(limonene). =〔苧烯xī〕〔柠檬烯〕 ②→〔荠jì苧〕 ③동 어지러이 흩어지다.

拧(擰) **níng** (녕)
동 ①비틀다. 비틀어 짜다. ¶～把手巾来; 수건을 꼭 짜서 가지고 와라. →〔扭niǔ〕 ②꼬집다. ¶～了他一把; 그를 한 번 꼬집다/你还不～他的嘴? 너 아직 그의 주둥이를 꼬집어 주지 않았니? ③꼬다. ¶～成绳子; 새끼를 꼬다/～成一股绳; 한 가닥 새끼로 꼬아 내다. 단결하다. =〔捻niǎn〕 ⇒nǐng nìng

〔拧鼻子〕 níng bízi ①코를 싸잡다(싫다는 몸짓). ¶他见了算盘～; 그는 주판만 보면 코를 쥔다. ②코를 비틀다.

〔拧干〕 nínggān〔nǐnggān〕 동 (물기 없이) 꼭 짜다. 짜서 물기를 없애다. ¶～了再擦呀, 撤布不要这么水淋淋的; 물을 짜고 나서 닦아라. 걸레가 이렇게 물기가 축축하면 안 된다.

〔拧眉瞪眼〕 níng méi dèng yǎn〈成〉눈썹을 찡그리고 눈을 부라리다(노해서 흉악한 형상). =〔拧眉立目〕

〔拧手巾〕 níng shǒujīn ①수건을 짜다. ②물수건을 가져와(음식점에서 쓰는 말).

〔拧着眉, 苦着脸〕 níngzhe méi, kǔzhe liǎn 눈썹을 찡그리고 근심스러운 얼굴을 하다.

〔拧着疼〕 níngzheténg 쥐기듯이 아프다. ¶肠子～; 창자가 쥐어짜듯이 아프다.

咛(嚀) **níng** (녕)
형 친절하다. ¶叮dīng～; 재삼 말하다. 정중하게 부탁하다.

狞(獰) **níng** (녕)
형 흉물스럽다. 가증스럽다. ¶狰zhēng～; 흉악하다/暴露了帝国主义的狰～面目; 제국주의의 흉포(凶暴)한 본성을 폭로했다.

〔狞丑〕 níngchǒu 형〈文〉용모가 흉악하다. 꼴사납다.

〔狞眉貅面〕 níngméi xiūmiàn 명〈文〉흉포한 얼굴.

〔狞笑〕 níngxiào 명 소름끼치는 웃음. 동 흉악한 웃음을 웃다.

柠(檸) **níng** (녕)
표제어 참조.

〔柠檬〕 níngméng 명 《植》〈音〉 ①레몬. ¶ ~茶; 레몬차 / ~汁; 레몬 주스 / ~水; 레몬 스쿼시(squash). 레몬수(水) / ~糖; 레몬 드롭스. =〔洋yáng柠檬〕 ② ⇨〔黎lí檬〕
〔柠檬桉〕 níngméng'ān 명 《植》 레몬 유칼리나무.
〔柠檬黄〕 níngménghuáng 명 《色》 레몬옐로(그림에 쓰이는 고운 노랑).
〔柠檬酸〕 níngméngsuān 명 ⇨〔枸jǔ橼酸〕
〔柠檬烯〕 níngméngxī 명 ⇨〔苧①〕
〔柠头〕 níngtóu 명 〈俗〉 나무의 장부. →〔榫sǔn头〕

聍(聹) **níng** (녕)
→〔耵dīng聍〕

蛀(蠟) **níng** (녕)
→〔蛀虾〕

〔蛀虾〕 níngxiā 명 《魚》 참새우. =〔对duì虾〕

鬇(鬡) **níng** (녕)
→〔鬇zhēng鬡〕

凝 **níng** (응)
동 ①골몰하다. 집중하다. ¶ ~思; ⇩ / ~妆; 곱게 단장하다. ②응결하다. 응축(凝縮)하다. 엉기다. ¶ 油还没有~住; 기름이 아직 엉기지 않았다 / 河水~成冰了; 강물이 얼어붙었다 / 阻zǔ~剂; 응고(凝固) 방지제. ③정(定)하다. ④되다. 이루어지다.

〔凝睇〕 níngdì 동 〈文〉 응시하다. 주시하다.
〔凝点〕 níngdiǎn 명 《數》 응집점(凝集點).
〔凝冻〕 níngdòng 동 〈文〉 응결하다. 엉기다.
〔凝冻儿〕 níngdòngr 명 응고체. 액체물이 단단히 응결한 것.
〔凝固〕 nínggù 동 응고하다. 굳어지다.
〔凝寒〕 nínghán 형 〈文〉 지독하게 춥다.
〔凝和〕 nínghé 동 굳어지다.
〔凝华〕 nínghuá 명동 《物》 승화(하다).
〔凝集〕 níngjí 동 《物》 (액체나 기체가) 응집하다.
〔凝胶〕 níngjiāo 명 《化》 젤라틴.
〔凝结〕 níngjié 동 응결하다. ¶ ~不开; 응결하여 녹지〔풀리지〕 않다.
〔凝聚〕 níngjù 동 《物》 응집(凝集)하다. ¶ ~力; 《物》 응집력.
〔凝练〕 níngliàn 형 (문장이) 간결하다.
〔凝眄〕 níngmiǎn 동 〈文〉 주시하다.
〔凝眸〕 níngmóu 동 〈文〉 뚫어지게 바라보다. 응시하다. ¶ ~远望; 먼 곳을 응시하다.
〔凝念〕 níngniàn 동 〈文〉 골똘히 생각하다.
〔凝浓〕 níngnóng 동 엉겨 굳어져 진해지다. ¶ ~牛奶; 콘덴스트(condensed) 밀크. 가당(加糖) 연유.
〔凝汽柜〕 níngqìguì 명 《機》 응축기.
〔凝汽器〕 níngqìqì 명 콘덴서. 응축기. =〔凝结器〕〔凝聚器〕〔凝缩器〕
〔凝上〕 níngshang 동 차츰 엉겨 굳어지다. 응고(凝固)되다.
〔凝神〕 níngshén 동 정신을 집중시키다. ¶ ~远瞩; 정신을 집중시켜 멀리 보다.
〔凝神一志〕 níng shén yī zhì 〈成〉 일의전심(一意專心).
〔凝视〕 níngshì 동 〈文〉 응시하다. 주목하다.
〔凝思〕 níngsī 동 골몰히 생각하다.
〔凝缩〕 níngsuō 명동 응축(하다).
〔凝缩器〕 níngsuōqì 명 ⇨〔凝汽器〕
〔凝网〕 níngwǎng 동 ①그물을 작게 하다. ②〈比〉 법을 엄하게 하다.
〔凝望〕 níngwàng 동 (눈 한 번 깜박이지 않고) 응시하다. 눈여겨보다.
〔凝析〕 níngxī 명 《化》 응석(凝析). ¶ ~剂; 응결제(凝結劑) / ~油; 액화유(液化油).
〔凝想〕 níngxiǎng 동 〈文〉 골똘히 생각하다. 생각에 잠기다.
〔凝庥〕 níngxiū 동 (행)복이 모여들다. ¶ 履lǚ祉~; 〈翰〉 행복이 함께 하시기를 바랍니다.
〔凝血酶〕 níngxuèméi 명 《化》 응혈 효소. 트롬빈(독 Thrombin).
〔凝咽〕 níngyè 동 〈文〉 흐느껴 울다. 목메어 울다.
〔凝脂〕 níngzhī 명 〈文〉 기름이 올라 매끄러운 모습(희고 매끄러운 피부의 형용). ¶ 肤如~; 살결이 백옥 같다.
〔凝滞〕 níngzhì 동 흐름·움직임이 멈추다. 정체하다. ¶ 两颗~的眼珠出神地望着窗外; 고정된 눈으로 물끄러미 창 밖을 내다보고 있다 / ~不通; 막히어 통하지 않다.
〔凝重〕 níngzhòng 명형 〈文〉 단정(端正)(하다). 엄숙(하다).
〔凝伫〕 níngzhù 동 〈文〉 붙박인 듯이 서 있다. 꼼짝 않고 멈춰 서다.
〔凝妆〕 níngzhuāng 동 〈文〉 곱게 단장하다. 모양을 내다.

拧(擰) **nǐng** (녕)
동 ①(비)틀다. ¶ ~断; 비틀어 끊다 / ~螺丝钉; 나사못을 틀어 박다 / ~墨水瓶盖儿; 잉크병 마개를 비틀어 열다 / ~开电门; 스위치를 틀다 / 哪能胳膊肘儿往外~呢? 어떻게 팔꿈치를 밖으로 비틀 수 있단 말인가?(집안 식구를 소홀히 하고 관계가 먼 자를 우대한다는 것은 있을 수 없는 일이다). ②낫다. 이길 수 있다. ¶ 胳臂~不过大腿; 팔은 넓적다리엔 이길 수 없다(힘센 자에게는 잠자코 따르는 법) / 看你有本事, 能~过咱们; 네가 우리를 이길 수 있는 재간이 있는지 보자. ③틀리다. 실수하다. ¶ 把话说~了; 잘못 말했다 / 走~了路了; 길을 잘못 들었다 / 事情办~了; 일을 잘못 했다. ④거꾸로〔반대로〕 하다. 어긋나다. 엇갈리다. 뒤죽박죽이 되다. ¶ 他把两只鞋穿~了; 그는 신을 바꿔 신었다 / 他们俩有点儿~儿; 그들 두 사람 사이에는 의견의 불일치가 있다 / 昨天我和他说了会子话, 说来说去差点儿闹~了; 어제 그와 한참 이야기를 했는데, 이러쿵저러쿵 하다가 하마터면 싸울 뻔했다. ⑤빳빳해지다. 경직되다. =〔僵jiāng〕 ⑥추근추근하다. ⑦고치다. ⇒ níng nìng
〔拧脖子〕 nǐng bózi 얼굴을 돌리다(상대하지 않음).
〔拧葱〕 nǐng.cōng 동 〈方〉 ①의견이 충돌하다. ¶ 他们俩一说话就~; 그들은 이야기를 하면 곧 충돌한다. ②착오가 생기다. ¶ 这事可真拧了葱了; 이 일은 완전히 착오였다. ‖ =〔拧簧〕
〔拧断〕 nǐngduàn 동 비틀어 끊다.
〔拧坏〕 nǐnghuài 동 비틀어 부수다〔파손하다〕. ¶ ~了电门了; 전등의 스위치를 비틀어 망가뜨렸다.
〔拧簧〕 nǐng.huáng 동 ⇨〔拧葱〕
〔拧脚〕 nǐngjiǎo 동 발을 삐다.

〔拧紧〕 nǐngjǐn 동 단단히 비틀다. 꽉 죄다.
〔拧劲儿〕 nǐng.jìnr 동 〈方〉 의견이 엇갈리다. 행동이 엇갈리다. 견해 차이를 보이다. 엇나가다. 반대로 나가다. ¶他老跟大伙儿拧着劲儿; 그는 늘 모두와 엇갈리게 나간다. ⇒nìng.jìnr
〔拧开〕 nǐngkāi 동 비틀어 열다. ¶～电门; 스위치를 틀다 / ～锁进去; 자물쇠를 비집어 열고 안으로 들어가다 / 把水龙头～了; 수도꼭지를 틀었다.
〔拧了勺子〕 nǐngle sháozi 반대 방향으로 가 버리다. 착오가 생겨 뒤바뀌다.
〔拧儿〕 nǐngr 명 ①꼬임. 비틀림. ②의견이 엇갈림. ¶闹nào～; 두 사람 사이가 틀어지다 / 他们俩有点儿～; 그들 두 사람은 약간의 의견 차이가 있다. =〔拧子〕
〔拧折〕 nǐngshé 동 비틀어 꺾다. ¶把锁子～了; 자물쇠를 비틀어 꺾었다.
〔拧腿〕 nǐngtuǐ 동 다리를 삐어 다치다.
〔拧弯〕 nǐngwān 동 비틀어 구부리다.
〔拧子〕 nǐngzi 명 〈俗〉 잘못. 사이가 틀어짐. 불화. 의견 충돌. ¶闹了个～; (좋으리라 여겨 한 일이 결과적으로) 잘못 되다. 사이가 틀어지다 / 说～; 이야기가 어긋나 재미없게 되다. =〔拧儿②〕

宁(寧〈甯〉) nìng (녕)

①차라리 …하는 것이 낫다. ¶礼与其奢也～俭; 예는 사치스러운 것보다 오히려 겸손하게 하는 것이 좋다 / 与其…～可…; …하느니 오히려 …의 편이 낫다. ② 부 〈文〉 어찌 …이겠는가. ¶～不知乎; 어찌 모르겠는가 / 居马上得之, ～可以马上治之乎; 무력으로 빼앗았다 해서 어떻게 무력으로 다스릴 수 있겠는가 / 事之可怪, ～有逾此? 일이 어찌 이보다 더 하리요? ⇒níng
〔宁拆十座庙, 不破一头婚〕 nìng chāi shízuò miào, bù pò yītóu hūn 〈諺〉 차라리 열 채의 절을 헐지언정, 한 사람의 혼인을 깨뜨리지 않는다《결혼을 방해하는 것은 큰 죄다》.
〔宁隔千山, 不隔一水〕 nìng gé qiānshān, bù gé yī shuǐ 〈成〉 설령, 천산을 사이에 두고 있을지라도 육지로 이어져 있으면 갈 수가 있지만, 물을 사이에 두고 있으면 갈 수 없다.
〔宁减不赊〕 nìng jiǎn bù shē 〈諺〉 에누리해서 팔지언정, 외상으로 파는 것은 안 하는 것이 좋다.
〔宁可〕 nìngkě 접 오히려. 차라리. ¶你与其坐在家里发闷, ～到公园里去走动走动; 자네는 집 안에서 고민하고 있으니, 차라리 공원에 가는 것이 좋겠다 / 我～走路, 不愿坐这辆破车; 이런 고물차를 타느니 차라리 걷는 게 낫다. =〔尽可〕
〔宁可清贫, 不可浊富〕 nìngkě qīngpín, bù kě zhuófù 〈諺〉 더럽게 벌어서 부자로 사는 것이 청빈하게 사는 것보다 못하다. =〔浊富不如清贫〕
〔宁可全不管, 不可管不全〕 nìngkě quánbùguǎn, bùkě guǎnbùquán 〈諺〉 만일 철저히 보살펴 줄 수 없다면, 애초부터 하지 않는 것이 낫다.
〔宁可无当有, 不可有当无〕 nìngkě wú dàng yǒu, bù kě yǒu dàng wú 〈諺〉 일이 없을 때에도 일이 있는 것같이 조심할지언정, 일이 있을 때에 일이 없는 것처럼 부주의해서는 안 된다.
〔宁可玉碎, 不能瓦全〕 nìngkě yùsuì, bùnéng wǎquán ⇨〔宁为玉碎, 不为瓦全〕
〔宁肯〕 nìngkěn …할지언정, 차라리…. 오히려 선선히 …하다. 설혹 …일지라도. ¶～少些, 但要好些; 양은 적어도 질이 좋은 것을 / ～枪毙也不肯屈服; 총살당할지언정 굴복하지는 않는다.
〔宁买迎头涨, 不买迎头落〕 nìng mǎi yíngtóuzhǎng, bù mǎi yíngtóuluò 〈諺〉 시세가 오르기 시작할 때 상품을 살지라도, 내리기 시작할 때에는 사지 마라.
〔宁欺老, 莫欺小〕 nìng qī lǎo, mò qī xiǎo 〈諺〉 속이려거든 노인을 속여라. 젊은 사람을 속이면 곧 보복을 당한다.
〔宁缺毋滥〕 nìng quē wú làn 〈成〉 많은 것보다는 오히려 부족한 듯한 것이 낫다. ¶我们要严格挑选稿子, 掌握～的原则, 保证一定的质量; 우리는 엄격하게 원고를 선택하고, 차라리 좀 부족한 듯한 정도로 억제하여 일정한 질을 확보해야 한다.
〔宁折不弯〕 nìng shé bù wān 〈成〉 죽어도 굴복하지 않는다. 일을 흐리터분하게 하지는 않는다.
〔宁食开眉粥, 莫食愁眉饭〕 nìngshí kāiméizhōu, mòshí chóuméifàn 〈諺〉 차라리 기쁨의 죽을 먹을지언정, 근심의 밥을 먹지 마라. 밥 먹고 언짢을 바에야 죽 먹고 마음 편하겠다.
〔宁死〕 nìngsǐ 죽어도. 무슨 일이 있어도.
〔宁死不屈〕 nìng sǐ bù qū 〈成〉 설사 죽더라도 적에게 굴복하지 않는다.
〔宁为鸡口, 毋为牛后〕 nìng wéi jī kǒu, wú wéi niú hòu 〈成〉 닭 벼슬이 될 망정 쇠꼬리는 되지 마라《큰 데서 남의 지배를 받는 것보다 작은 곳에서 자유로운 편이 낫다》.
〔宁为玉碎, 不为瓦全〕 nìng wéi yùsuì, bù wéi wǎquán 〈諺〉 옥이 되어 부서져도 와전(瓦全)이 되지 않는다《절개를 지켜 죽는 한이 있어도 절개를 굽혀 살고자 하지 않다》. =〔宁可玉碎, 不能瓦全〕
〔宁与千人好, 不与一人仇〕 nìng yǔ qiānrén hǎo, bù yǔ yīrén chóu 〈諺〉 천 사람과 사이좋게 지내는 것보다, 한 사람의 적을 만들지 않는 것이 좋다.
〔宁愿〕 nìngyuàn 부 차라리 …하고 싶다. ¶～牺牲, 也不退却; 차라리 희생되더라도, 퇴각하지는 않겠다 / ～多花些钱买这个; 더 많은 돈이 들더라도 이것을 사고 싶다 / 与其屈为奴隶, ～甘受逆徒之名; 굴복하여 노예가 되느니보다 차라리 달게 역도의 이름을 받겠다. =〔宁可〕
〔宁自〕 nìngzì 접 설사 …라도. ¶他～答理她, 她也不答理他; 그가 설사 그녀를 상대해 준다 하더라도, 그녀는 그를 상대하지 않는다.
〔宁走一步远, 不走一步险〕 nìng zǒu yībù yuǎn, bùzǒu yībù xiǎn 〈諺〉 멀리 돌아가는 한이 있어도 위험한 길은 가지 않는다. 질러가는 길이 먼 길이다. =〔忙行无好步〕
〔宁左勿右〕 nìngzuǒ wùyòu 좌(左)가 될지언정 우(右)는 되지 마라.
〔宁作太平犬, 不作乱离民〕 nìngzuò tàipíngquǎn, bùzuò luànlímín 〈諺〉 태평할 때의 개가 될지언정, 난리 때의 백성이 되지 마라.

泞(濘) nìng (녕)

① 명 진창. ¶泥ní～; 진창. ② 형 (땅이) 질퍽거리다. ③ 명 도랑.
〔泞糊(儿)〕 nìnghu(r) 명 진흙탕. 형 질척질척하다. ¶烂làn疮～了; 습진이 짓물렀다.
〔泞滑〕 nìnghuá 형 질퍽거려 미끄럽다.
〔泞路〕 nìnglù 명 진창길.
〔泞泥〕 nìngní 명 진창.
〔泞水〕 nìngshuǐ 명 흙탕물.

〔泞滞〕 nìngzhì 형 〈文〉 질척거려 걷기 어렵다.

拧(擰) **nìng** (녕) 형 〈方〉 완강하다. (성질이) 비꼬이다. 고집스럽다. ¶我跟他～上了; 나는 그에게 끝까지 고집을 부렸다 / 这孩子～着呢, 哭起来没有完; 이 아이는 고집이 세어 울기 시작하면 그칠 줄을 모른다. ⇒níng nǐng

〔拧劲儿〕 nìng.jìnr 동 거스르다. 토라져서 말을 안 듣다. ¶你可不能跟上级拧着劲儿; 너는 상사에게 거역해서는 안 된다. (nìngjìnr) 형 ①고집이 세다. ②비뚤어진 모양. ⇒nǐngjìnr

〔拧脾气〕 nìngpíqi 명 고집 센 성질. 비뚤어진 성질. 편협한 성격.

〔拧性〕 nìngxìng 명 비꼬인 성질. 엇나가는 성질. ¶他就这么～, 叫他往东, 他偏往西; 저 녀석은 정말 비뚤어져서, 동으로 가라 하면 반대로 서쪽으로 간다. =〔佞性〕

〔拧种〕 nìngzhǒng 명 〈罵〉 비뚤어진 사람. 심통꾸러기. 고집쟁이. =〔佞种〕

佞 **nìng** (녕) ①동 아첨하다. 발라 맞추다. ¶奸～; 간사하고 남에게 아첨하다. ②형 재지(才智)가 있다. ¶不～; 〈謙〉 저. 나. ③형 구변이 좋다.

〔佞辩〕 nìngbiàn 동 〈文〉 (마음에도 없는) 말을 교묘하게 둘러대다.

〔佞党〕 nìngdǎng 명 〈文〉 간사한〔부정(不正)한〕 도당.

〔佞猾〕 nìnghuá 형 〈文〉 구변이 좋고 교활하다.

〔佞慧〕 nìnghuì 형 〈文〉 말솜씨가 좋고 교활하다.

〔佞惑〕 nìnghuò 동 〈文〉 교묘한 말로 남을 미혹〔유혹〕하다.

〔佞口〕 nìngkǒu 형 구변이 좋다. 말을 잘하다. 명 ①아첨하는 말재주. ②말주변이 좋은 사람.

〔佞巧〕 nìngqiǎo 동 〈文〉 교묘한 말로 아첨하다.

〔佞人〕 nìngrén 명 구변이 좋은 아첨꾼. 사특(邪慝)한 사람.

〔佞史〕 nìngshǐ 명 〈文〉 세상에 아첨하는 역사가〔역사서〕.

〔佞性〕 nìngxìng 명 ⇨〔拧性〕

〔佞种〕 nìngzhǒng 명 ⇨〔拧种〕

NIU ㄋㄧㄡ

妞 **niū** (뉴) (～儿, ～子) 명 〈方〉 〈口〉 계집아이. ¶小xiǎo～儿; 여자아이. 계집애.

〔妞妞〕 niūniū 명 〈方〉 계집아이.

〔妞妞〕 niūniu 명 ⇨〔妞儿〕

〔妞儿〕 niūr 명 계집아이. 처녀애. =〔妞妞〕〔妞子〕

〔妞儿(的)脾气〕 niūr(de) píqì 계집애 같은 소갈머리. ¶为点儿不要紧的事变脸, 真是～! 별것도 아닌 것을 가지고 안색을 바꾸다니, 정말 소갈머리가 좁기도 하다!

〔妞子〕 niūzi 명 ⇨〔妞儿〕

牛 **niú** (우) ①명 《動》 소. ¶黄～; 황소 / 公gōng～; 수소 / 母mǔ～; 암소 / 他是属～的; 그는 소띠다. ②동 〈俗〉 허풍을 떨다. ¶他又～起来了; 저 녀석 또 허풍을 떨기 시작했다 / 吹chuī～; 허풍을 떨다. ③형 거만한 모양. ¶你～个什么; 뭘 거드럭거리는 거야 / 他自从当了会长以后, 就～了; 그는 회장이 되고 나서 거만해졌다. ④동 언쟁을 하다. ¶这两口子～上了; 이 부부는 또 언쟁을 하고 있다. ⑤명 별 이름. ⑥명 성(姓)의 하나.

〔牛百叶〕 niúbǎiyè 명 소의 처녑《요리에 쓰임》.

〔牛蒡〕 niúbàng 명 《植》 우엉. =〔恶è实〕

〔牛蒡子〕 niúbàngzǐ 명 우엉의 열매.

〔牛背鹭〕 niúbèilù 명 《鳥》 황로. =〔黄huáng毛鹭〕〔黄头鹭〕

〔牛鼻缰〕 niúbíjiāng 명 소 고삐.

〔牛鼻子〕 niúbízi 명 ①소의 코. 〈比〉 핵심. ¶牵牛要牵～; 〈比〉 일을 하려면 핵심을 찔러야 한다. ②도사(道士)를 비웃는 말.

〔牛鼻子老道〕 niúbízi lǎodào 〈比〉 낯가죽이 두꺼운 자식. 산전수전 다 겪은 노회(老獪)한 사람. →〔老lǎo奸巨猾〕

〔牛鞭〕 niúbiān 명 ①소의 음경. ¶～汤tāng; 소의 음경을 장시간 곤 요리. ②소를 모는 채찍.

〔牛扁〕 niúbiǎn 명 《植》 영인초(伶人草)의 근연종(近緣種). =〔扁毒〕〔扁特〕

〔牛鳖〕 niúbiē 명 《動》 거머리.

〔牛脖子〕 niúbózi 명 〈方〉 고집불통. 완고함. ¶你别犯这～; 그렇게 고집 부리지 마라 / 他是～的人; 그는 비뚤어진 사람이다. =〔牛脾气〕

〔牛不喝水, 强摁头〕 niú bù hē shuǐ, qiǎng èn tóu 〈諺〉 소가 물을 먹지 않으려고 하는데 머리를 누르다《남에게 억지로 강요하다》.

〔牛步〕 niúbù 명 황소 걸음. 소처럼 느린 걸음.

〔牛步战术〕 niúbù zhànshù 명 지연 전술. 시간 벌기 전술. ¶某党拿手的～; 모당이 즐겨 쓰는 지연 전술.

〔牛车〕 niúchē 명 달구지.

〔牛吃稻草鸭吃谷〕 niú chī dàocǎo yā chī gǔ 〈諺〉 소는 볏짚을 먹고 오리는 곡식을 먹고 산다《사람의 평생의 운과 불운은 타고 나는 것》.

〔牛打滚〕 niúdǎgǔn 소가 땅에 구르다《적은 자금을 자꾸 흡수해서 증가해 감. 눈덩이식 상법(商法)》.

〔牛胆碱〕 niúdǎnjiǎn 명 《藥》 해독·해열·진통·소염 등에 쓰는 약. =〔氨ān基乙磺酸〕

〔牛蛋〕 niú.dàn 동 〈俗〉 엉터리이다. 허풍 떨다. ¶简直是～; 전적으로 엉터리다.

〔牛蛋子〕 niúdànzi 명 〈方〉 쇠똥.

〔牛刀〕 niúdāo 명 ①우도. 소를 잡는 데 사용하는 큰 칼. ¶割鸡焉用～; 〈諺〉 닭을 잡는 데 어찌 우도를 쓰랴. ②〈比〉 큰 인재. 큰 재능. →〔牛鼎烹鸡〕

〔牛刀小试〕 niú dāo xiǎo shì 〈成〉 훌륭한 솜씨가 있으면 작은 일에도 곧 나타남.

〔牛迭肚〕 niúdiédù 명 《植》 산딸기나무.

〔牛鼎烹鸡〕 niú dǐng pēng jī 〈成〉 소를 삶는 솥에 닭을 삶다《큰 인재를 작은 일에 쓰다》.

〔牛斗〕 niúdǒu 명 ①《天》 두성(斗星)과 우성(牛星)《별자리 이름》. ②〈轉〉 높은 것〔곳〕. ¶气冲～; 〈成〉 기(氣)가 하늘을 찌르다《의기 충천하다》.

〔牛痘〕 niúdòu 명 《醫》 ①두묘(痘苗). =〔牛痘浆〕〔牛痘苗〕 ②우두. 종두. ¶接种～; 우두 접종을 하다.

〔牛痘浆〕 niúdòujiāng 명 ⇨〔牛痘①〕

〔牛犊(子)〕 niúdú(zi) 명 송아지. 새끼 소. ¶～皮; 송아지 가죽. =〔〈文〉 童tóng牛〕

〔牛顿〕 Niúdùn 명 《人》 뉴턴(Isaac Newton)《영국의 과학자, 1643～1727》. ¶～抵抗律; 뉴턴의

저항 법칙 / ～冷却定律; 《物》 뉴턴의 냉각 법칙. =〔奈端〕 ⑲ (niúdùn) 《物》 뉴턴(newton)《힘의 단위》.
〔牛耳〕 niú'ěr 명 쇠귀. ¶执zhí～; 우이를 잡다. 맹주(盟主)가 되다.
〔牛耳尖刀〕 niú'ěrjiāndāo 명 단도(短刀). 비수(匕首).
〔牛繁缕〕 niúfánlǚ 명 《植》 쇠별꽃. =〔鹅é儿肠〕
〔牛贩〕 niúfàn 명 소의 중개인. 소장수. =〔牛侩〕
〔牛房〕 niúfáng 명 외양간. =〔牛圈〕
〔牛肺疫〕 niúfèiyì 명 우폐역. 흉막 폐렴《가축의 전염병》.
〔牛粪〕 niúfèn 명 쇠똥.
〔牛蜂〕 niúfēng 명 《蟲》 호박벌.
〔牛革〕 niúgé 명 쇠가죽.
〔牛根糖〕 niúgēntáng 명 누가(nougat). =〔奶油花生糖〕〔牛轧(糖)〕
〔牛公〕 niúgōng 명 〈方〉 수소. 황소. =〔公牛〕
〔牛狗〕 niúgǒu 명 《動》 불독.
〔牛倌(儿)〕 niúguān(r) 명 소몰이꾼. 소를 먹이는 사람.
〔牛鬼蛇神〕 niú guǐ shé shén 〈成〉 소 귀신과 뱀귀신. 온갖 잡귀(雜鬼)《정체를 알 수 없는 잡배(雜輩). 온갖 악인(惡人)》.
〔牛后〕 niúhòu 명 〈比〉 남의 뒤. ¶宁nìng为鸡口不为～; 〈諺〉 차라리 닭의 입이 될지언정 소의 꼬리는 되지 마라.
〔牛黄〕 niúhuáng 명 《漢醫》 우황. =〔丑chǒu宝〕
〔牛黄狗宝〕 niúhuáng gǒubǎo 명 ①(약용으로 쓰는) '牛黄'(우황)과 '狗宝'(구보). ②〈比〉 진귀한 것.
〔牛犄角〕 niújījiǎo 명 쇠뿔. ¶～胡同; 막다른 상태·국면.
〔牛骥共牢〕 niú jì gòng láo 〈成〉 ⇨〔牛骥同皂〕
〔牛骥同皂〕 niú jì tóng zào 〈成〉 소와 준마(駿馬)를 같은 구유에 먹여 기르다《우둔한 사람과 현명한 사람을 같이 취급하다》. =〔牛骥共牢〕〔牛骥一皂〕
〔牛骥一皂〕 niú jì yī zào 〈成〉 ⇨〔牛骥同皂〕
〔牛胶〕 niújiāo 명 갖풀. 아교.
〔牛角〕 niújiǎo 명 소나 물소의 뿔. ¶～花; 《植》 벌노랑이. =〔牛犄角〕
〔牛角灯〕 niújiǎodēng 명 우각등.
〔牛角尖(儿)〕 niújiǎojiān(r) 명 〈比〉 해결 방법이 없는 문제. 또는 연구할 만한 가치가 없는 하찮은 문제. ¶钻zuān～; 하찮은 문제로 골치를 썩이다.
〔牛角螺〕 niújiǎoluó 명 ⇨〔角贝〕
〔牛津〕 Niújīn 명 《地》 〈義〉 옥스퍼드(Oxford). →〔剑桥〕
〔牛津大学〕 Niújīn dàxué 명 (영국의) 옥스퍼드 대학.
〔牛筋〕 niújīn 명 ①소·물소의 힘줄. ②옛날, 활을 만드는 데 쓰인 나무의 이름.
〔牛筋草〕 niújīncǎo 명 ⇨〔蟋xī蟀草〕
〔牛劲(儿)〕 niújìn(r) 명 ①〈比〉 굉장한 힘. 뚝심. ¶使～拉; 뚝심을 내어 잡아당기다 / 你真有一股子～; 너는 굉장히 힘이 세구나. ②고집통이. 옹고집. 외고집. ¶犯～; 외고집을 부리다. →〔牛脖子〕〔牛脾气〕
〔牛精〕 niújīng 명 고집 센 사람. 옹고집. =〔牛颈〕
〔牛颈〕 niújǐng 형 고집불통이다. 고집이 세다. 명 ⇨〔牛精〕
〔牛圈〕 niújuàn 명 외양간. =〔牛房〕
〔牛侩〕 niúkuài 명 ⇨〔牛贩〕
〔牛栏〕 niúlán 명 소를 기르는 울타리. 외양간.
〔牛郎〕 niúláng 명 ①목동. ②《天》 견우성의 별칭. ¶～织女; ⓐ견우성과 직녀성. ⓑ〈比〉 부부가 각각 다른 곳에서 생활하는 일.
〔牛郎星〕 niúlángxīng 명 《天》 견우성의 통칭.
〔牛驴骡马〕 niú lǘ luó mǎ 소·당나귀·노새·말《가축의 총칭》.
〔牛马〕 niúmǎ 명 마소《남을 위해 노고를 제공하는 것〔일〕》. ¶不如～; 소나 말보다도 못한 사람 / 给儿女做～; 자녀를 위해 부모가 소나 말처럼 일하며 고생하다 / ～风尘; 마소처럼 분주한 고된 생활.
〔牛马走〕 niúmǎzǒu 명 소나 말을 다루는 하인. 〈轉〉〈謙〉 자신에 대한 겸칭.
〔牛毛〕 niúmáo 명 쇠털. 〈比〉 매우 많은〔가는〕 것. ¶～细雨; 안개비 / 九牛之一毛; 〈比〉 무수히 많은 것 중의 하나.
〔牛毛草〕 niúmáocǎo 명 《植》 수크령.
〔牛虻〕 niúméng 명 《蟲》 (소에 붙는) 등에.
〔牛母〕 niúmǔ 명 〈方〉 ⇨〔母牛〕
〔牛奶〕 niúnǎi 명 ①우유. ¶干～; 분유. 가루 우유 / 挤～; 우유를 짜다. =〔牛乳〕 ②허베이(河北) 쉬안화(宣化)의 포도. =〔牛奶葡萄〕
〔牛奶布丁〕 niúnǎi bùdīng 명 푸딩. =〔布丁〕
〔牛奶粉〕 niúnǎifěn 명 분유. 가루 우유.
〔牛奶糕〕 niúnǎigāo 명 유과(乳菓).
〔牛奶麦粥〕 niúnǎi màizhōu 명 ⇨〔燕yàn麦片粥〕
〔牛奶棚〕 niúnǎipéng 명 우유를 짜는 우리. 우유집.
〔牛奶铺〕 niúnǎipù 명 ⇨〔奶茶馆〕
〔牛奶酥〕 niúnǎisū 명 치즈. =〔牛饼〕
〔牛奶糖〕 niúnǎitáng 명 밀크 캐러멜.
〔牛奶油〕 niúnǎiyóu 명 버터.
〔牛奶子〕 niúnǎizi 명 《植》 보리수나무.
〔牛腩〕 niúnǎn 명 〈廣〉 소의 안심살. 또, 그것으로 만든 요리.
〔牛牛〕 niúniú 명 작은 달팽이. →〔蜗wō牛〕
〔牛排〕 niúpái 명 소의 로스트(roast). 또, 그 고기로 만든 요리. =〔铁tiě扒牛肉〕
〔牛攀颈〕 niúpānjǐng 명 소 멍에.
〔牛棚〕 niúpéng 명 ①외양간. ②유치장.
〔牛皮〕 niúpí 명 ①쇠가죽. ②〈比〉 부드러우면서 질긴 것. ③허풍. ④시세 변동이 없음《금융 용어》.
〔牛皮菜〕 niúpícài 명 ⇨〔叶yè用蒸菜〕
〔牛皮筋儿〕 niúpíjīnr 명 ⇨〔橡xiàng皮圈(儿)〕
〔牛皮脸〕 niúpíliǎn 명 철면피(鐵面皮).
〔牛皮糖〕 niúpítáng 명 설탕에 전분을 넣어 만든 엿. =〔皮糖〕
〔牛皮癣〕 niúpíxuǎn 명 《醫》 건선(乾癬). 마른버짐.
〔牛皮纸〕 niúpízhǐ 명 크라프트지(kraft 紙).
〔牛脾气〕 niúpíqi 명 고집 불통. 완고한 성미. ¶犯～=〔发～〕; 고집부리다 / 耍起～来了; 옹고집을 부리기 시작했다. =〔牛脖子〕〔牛皮气〕〔牛性〕
〔牛气〕 niúqi 명 〈方〉 건방지고 거만한 태도. 과장된 느낌. ¶好大～! 되게 거만스럽다! / 我看他说话有点儿～; 내가 보기에 그의 말은 건방지다. 형 완고하다. 고집이 세다. 동 허풍을 떨다.
〔牛拳〕 niúquán 명 쇠 코뚜레.
〔牛肉〕 niúròu 명 쇠고기. ¶～干儿; 간을 해 익힌 쇠고기를 말린 것. 육포(肉脯) / ～汤; 쇠고기국.
〔牛肉饼〕 niúròubǐng 명 햄버거.

〔牛肉扒〕 niúròupá 명 비프스테이크.
〔牛乳〕 niúrǔ 명 ⇨〔牛奶①〕
〔牛乳饼〕 niúrǔbǐng 명 치즈.
〔牛山濯濯〕 niúshān zhuózhuó ①산에 나무가 없다. ②〈轉〉 머리털이 없다. 머리가 벗겨지다. ¶～的售货员; 대머리 외판원.
〔牛舌〕 niúshé 명 ①《魚》 참서대. ②소의 혓살.
〔牛舌菜〕 niúshécài 명 ⇨〔羊yáng蹄〕
〔牛舌头〕 niúshétou 명 (요리에 쓰는) 소의 혀.
〔牛舌鱼〕 niúshéyú 명 ⇨〔鞋xié底鱼〕
〔牛舍〕 niúshè 명 우사. 외양간.
〔牛虱〕 niúshī 명 《蟲》 소이.
〔牛屎鸫〕 niúshǐmiè 명 《鳥》 노랑할미새.
〔牛首阿旁〕 niúshǒu ēpáng 명 《佛》 지옥 귀졸(鬼卒)의 이름.
〔牛瘦角不瘦〕 niú shòu jiǎo bùshòu 〈諺〉 ⇨〔瘦死的骆驼比马大〕
〔牛溲马勃〕 niú sōu mǎ bó 〈成〉 하찮은 것이지만 가치가 있는 것.
〔牛蹄子〕 niútízi 명 ①소의 발굽. ②사이가 틀어짐. ¶你们俩～, 两半儿; 너의 두 사람 사이는 소 발굽처럼 둘로 갈라졌다.
〔牛蹄子两半子〕 niútízi liǎngbànzi (소의 발굽이 둘로 갈라져 있듯이) 두 사람의 의견이 일치하지 않다. ¶人家都说热, 你说冷, 你怎么总是～呀; 남들이 덥다고 하면 너는 춥다고 하니, 어째면 그렇게도 의견이 맞지 않느냐.
〔牛头〕 niútóu 명 《機》 램(ram)《셰이퍼(shaper)의 절삭구(切削具)가 장착되어 왕복 운동하는 부분》.
〔牛头刨(床)〕 niútóubào(chuáng) 명 《機》 형삭반(形削盤). 셰이퍼(shaper).
〔牛头不对马脸〕 niútóu bùduì mǎliǎn 〈諺〉 ⇨〔牛头不对马嘴〕
〔牛头不对马嘴〕 niútóu bùduì mǎzuǐ 〈諺〉 쌍방의 의견·말이 맞지 않다. 말이 조리에 닿지 않다. 동문서답하다. ¶他回答得～; 그는 핵심에서 벗어난 대답을 했다 / 他说的话简直是～; 그가 하는 말은 전혀 조리에 닿지 않는다. =〔牛头不对马脸〕
〔牛头马面〕 niútóu mǎmiàn ①용모가 흉악하고 추악함《지옥의 두 사람의 문지기로 한 사람은 소의 머리를 하고 다른 한 사람은 말의 머리를 함》. ②〈比〉 인비인(人非人). 사람이 아닌 사람. 사악한 인간.
〔牛蛙〕 niúwā 명 《動》 식용 개구리.
〔牛尾〕 niúwěi 명 쇠꼬리. ¶～汤tāng; 쇠꼬리곰탕.
〔牛尾鱼〕 niúwěiyú 명 《魚》 우미어. 양태. =〔鲬yǒng〕
〔牛瘟〕 niúwēn 명 우역(牛疫)《소의 돌림병》. =〔〈方〉 胆dǎn胀瘟〕〔烂làn肠瘟〕〔牛疫〕
〔牛膝〕 niúxī 명 《植》 쇠무릎지기. =〔山shān苋菜〕
〔牛闲〕 niúxián 명 소 목장의 울타리.
〔牛心〕 niúxīn 명 ①소의 염통. ②고집 센 사람. 비꼬인 사람. ¶～左性; 비뚤어진 사람.
〔牛性〕 niúxìng 명 ⇨〔牛脾气〕
〔牛眼罩〕 niúyǎnzhào 명 소의 눈가리개.
〔牛鞅〕 niúyàng 명 (소의) 멍에.
〔牛疫〕 niúyì 명 ⇨〔牛瘟〕
〔牛饮〕 niúyǐn 동 (술이나 물을) 소처럼 마시다. 우음하다.
〔牛蝇〕 niúyíng 명 《蟲》 쇠파리.
〔牛油〕 niúyóu 명 ①우지(牛脂). 쇠기름. ②버터. ¶～面包; 버터 바른 빵. ③〈方〉 그리스(grease).
〔牛油杯〕 niúyóubēi 명 그리스(grease)컵. =〔滑huá脂杯〕
〔牛油戟〕 niúyóujǐ 명 〈方〉 버터 케이크(butter cake).
〔牛油枪〕 niúyóuqiāng 명 그리스 주입기. =〔滑huá脂枪〕
〔牛油纸〕 niúyóuzhǐ 명 식물성 양피지(羊皮紙).
〔牛仔裤〕 niúzǎikù 명 〈義〉 진스(jeans). 청바지.
〔牛仔片〕 niúzǎipiàn 명 〈義〉 서부〔카우보이〕 영화. ¶他很喜欢看美国的西部～; 그는 미국의 서부극 영화를 매우 좋아한다.
〔牛崽(子)〕 niúzǎi(zi) 명 송아지.
〔牛庄皮〕 niúzhuāngpí 명 ⇨〔东dōng昌纸〕
〔牛子眼(儿)〕 niúziyǎn(r) 명 《漢醫》 안구(眼球)에 사마귀 모양의 것이 생겨 시력 장애가 있는 눈.

忸 **niǔ** (뉴)
①형 쑥스러워하다. 멋쩍어하다. 부끄러워하다. ②동 ⇨〔狃niǔ①〕
〔忸别〕 niǔbiè 동 ①비뚤어지다. 앵돌아지다. 토라지다. ②거북한〔답답한〕 생각이 들다.
〔忸怩〕 niǔní 형 ①부끄러워하는 모양. ¶他自己也奇怪, 为什么忽然间～起来了; 왜 갑자기 부끄러워졌는지 그 스스로도 이상했다. ②(태도가) 머뭇거리는 모양. 자연스럽지 못한 모양.
〔忸忸怩怩〕 niǔniǔ níní 형 부끄러워 쭈뼛쭈뼛하다. =〔扭扭捏niē捏②〕

扭 **niǔ** (뉴)
동 ①(비)틀다. 비틀어 자르다〔잘리다〕. ¶把树枝～断; 나뭇가지를 비틀어 꺾다 / ～折shé; ⇩ ②(얼굴 따위를) 돌리다. ¶～过脸来; 얼굴을 이쪽으로 돌리다. 돌아다보다 / ～转zhuǎn身; 몸을 돌리다. ③맞잡고 겨루다. ④삐다. 접질리다. ¶～了腰; 허리를 삐다 / ～了脚; 발목을 삐다. ⑤몸을 흔들며 걷다. 간드러진 걸음걸이로 걷다. ¶快点儿走吧, 别～啦; 빨리 걸어라. 흐느적거리지 말고 / 那个女人走路～得很不好看; 저 여인이 흐느적거리며 걷는 모습이 매우 보기 좋지 않다. ⑥춤추다《'秧歌舞'(모내기 춤) 따위》. ¶不～一回哪? 한번 추지 않으련? ⑦정세를 전환하다. ¶～转局面; 정세를 바꾸다. ⑧〈俗〉 잡다. 끌고 가다. ¶把他～去了; 그를 끌고 갔다 / ～牛; 소를 억지로 잡아 끌다.
〔扭摆舞〕 niǔbǎiwǔ 명 《舞》 (댄스의) 트위스트. ¶跳tiào～; 트위스트를 추다. =〔扭扭舞〕
〔扭憋〕 niǔbiē 형 외고집이다. 고집이 세다.
〔扭脖子歪了脸〕 niǔbózi wāileliǎn 싫어하다. 얼굴을 돌리다.
〔扭不过〕 niǔbuguò 비틀어 완전히 구부릴 수 없다《끝까지 거역〔반대〕할 수 없다》. ¶～理去; 도리를 거역할 수 없다 / 小腿～大腿去; 〈諺〉 힘 앞에는 굴복하기 마련이다.
〔扭成一团〕 niǔchéng yītuán 서로 뒤엉켜 한 덩어리가 되다.
〔扭秤〕 niǔchèng 명 《物》 토션 밸런스(torsion balance). 비틀림 저울.
〔扭打〕 niǔdǎ 동 맞붙어 때리다. 부둥키고 싸우다. ¶两人～开了; 두 사람은 맞붙어 싸우기 시작했다.
〔扭大腿〕 niǔ dàtuǐ 반대하다. 대들다.
〔扭搭〕 niǔda 동 〈口〉 (걸을 때) 몸을 좌우로 흔들다. 어깨를 흔들다. ¶她～着走了; 그녀는 몸을 흔들면서 걸어갔다 / 扭扭搭搭地回屋里去了; 어깨를 들썩이면서 방으로 돌아갔다.

〔扭刀〕 niǔdāo 명 드라이버. 마개뽑이. 렌치(wrench).
〔扭断〕 niǔduàn 동 비틀어 자르다. ¶贼～锁开的门; 도둑은 자물쇠를 비틀어 끊고 문을 열었다.
〔扭股儿糖〕 niǔgǔrtáng 명 ①꼬아 만든 엿. 꽈배기 과자. ②〈比〉 일이 뒤얽혀 해결하기 어려운 것. ③〈比〉 비꼬인 사람. ④〈比〉 성가시게 달라붙는 사람.
〔扭获〕 niǔhuò 동 포박(捕縛)하다. 구속하다.
〔扭交〕 niǔjiāo 동 붙잡아 넘겨 주다.
〔扭角羚〕 niǔjiǎolíng 명 《動》 타킨(takin)《티베트 산의 영양》.
〔扭脚〕 niǔjiǎo 동 발을 삐다. 발을 접질리다.
〔扭结〕 niǔjié 동 ①맞잡고 서로 때리다. 비틀다. =〔揪jiū打〕〔拗niù结〕 ②(실 따위가) 엉키다. 엉클어지다.
〔扭解〕 niǔjiè 동 구인(拘引)하다.
〔扭筋〕 niǔ.jīn 동 삐다. 접질리다.
〔扭劲〕 niǔjìn 명 비꼬인 성질. (nǐu.jìn) 동 ①세력을 꺾다. 저지(沮止)시키다. ②(성질이) 비꼬이다.
〔扭开〕 niǔkāi 동 비틀어 열다. ¶把自来水龙头～; 수도 꼭지를 비틀어 열다.
〔扭控〕 niǔkòng 동 붙잡아서 고소(告訴)하다.
〔扭亏增盈〕 niǔkuī zēngyíng 경영상의 손실을 보전(補塡)하고, 수입을 증가시키다.
〔扭力〕 niǔlì 명 《物》 비틀림(을 일으키는 힘). ¶～天平; 비틀림 저울.
〔扭脸〕 niǔ.liǎn 동 얼굴을 돌리다《거절·분노를 나타냄》. ¶扭过脸去; 외면하다. =〔转脸〕
〔扭脸儿〕 niǔliǎnr 부 〈方〉 깜빡. 잠깐 부주의하여. 무심결에. ¶刚才我要做什么来着, ～就忘了; 지금 내가 뭘 하려고 했는지, 깜빡 잊어버리고 말았다.
〔扭捏〕 niǔnie 동 ①비틀다. 틀다. ②멈칫거리다. 망설이다. ¶她～了大半天, 才说出一句话来; 그녀는 오랫동안 망설이더니, 겨우 한 마디 했다 / 只得～着慢慢地退出; 머뭇머뭇하며 천천히 물러날 수밖에 없었다. ③(몸을) 흔들며 걷다. ¶那位太太穿着漂亮的衣裳～着出去了; 그 부인은 고운 옷을 입고 한들거리며 나갔다.
〔扭扭扒扒〕 niǔniǔbābā 형 ⇨〔扭扭捏捏①〕
〔扭扭摆摆〕 niǔniubǎibǎi 형 몸을 뒤트는 모양. 간들간들 움직이는 모양.
〔扭扭别别〕 niǔniǔ biēbiē 형 옹색하다. ¶～过日子; 옹색하게 살아가다.
〔扭扭扯扯〕 niǔniǔ chěchě 형 붙들어 끌고 다니는 모양.
〔扭扭捏捏〕 niǔniǔ niēniē 형 ①몸을 꼬며 살랑살랑 교태를 부리는 모양. =〔扭扭扒扒〕 ②부끄러워 쭈뼛쭈뼛하는 모양. =〔忸忸怩怩〕
〔扭扭舞〕 niǔniǔwǔ 명 ⇨〔扭摆舞〕
〔扭殴〕 niǔ'ōu 동 붙들고 때리다.
〔扭曲〕 niǔqū 동 ①뒤틀리다. 비비 꼬이다. ¶铁轨～; 철로가 뒤틀리다. ②〈比〉 (사실·이미지 등을) 왜곡하다.
〔扭曲作直〕 niǔ qū zuò zhí 〈成〉 굽은 것을 억지로 곧다고 하다. 시비곡직(是非曲直)을 전도(顚倒)하다.
〔扭伤〕 niǔshāng 동 접질리다. 삐다. ¶～了脚; 발을 삐다.
〔扭折〕 niǔshé 동 비틀어 꺾다.
〔扭手〕 niǔ.shǒu 동 손목을 삐다. (niǔshǒu) 형 〈轉〉 애먹다.
〔扭摔〕 niǔshuāi 동 (서로 붙들고) 엎치락뒤치락하다. (서로) 붙잡아 메치다.
〔扭送〕 niǔsòng 동 (범인을) 붙잡아 치안기관에 넘기다.
〔扭头〕 niǔ.tóu 동 얼굴을 돌리다. ¶～就走了; 얼굴을 외면하고 휑하니 가 버렸다 / ～别脚bièjiǎo =〔～别膀bièbǎng〕; 〈成〉 머리를 가로젓는 일. 사사건건 반대함.
〔扭熄〕 niǔxī 동 (스위치를) 비틀어 끄다. ¶～电灯; 전등을 끄다.
〔扭秧歌〕 niǔ yāngge 모내기 노래를 부르며 춤추다.
〔扭腰〕 niǔ.yāo 동 ①허리를 삐다. ②허리를 흔들다.
〔扭枕〕 niǔ.zhěn 동 잠을 잘못 자서 목이나 어깨가 결리다.
〔扭住〕 niǔzhù 동 팔을 비틀어 엎어 누르다. 옴짝달싹 못 하게 꽉 내리누르다.
〔扭转〕 niǔzhuǎn 동 ①비틀어 돌리다. 방향을 바꾸다. ¶他～身子, 向车间走去; 그는 몸을 돌려 작업장 쪽으로 갔다 / ～形变; 《物》 비틀림 변형. ②(발전의) 방향을 바로잡다. 바꾸다. ¶～局面; 국면을 바꾸다 / 必须～理论脱离实际的现象; 이론이 실제에서 이탈하는 현상을 바꾸어야 한다 / 事实～了我的错误认识; 사실이 나의 그릇된 인식을 바꾸어 놓았다 / 往往能够～选举的形势; 왕왕 선거의 형세를 전환시킬 수가 있다.
〔扭转簧〕 niǔzhuǎnhuáng 명 《機》 비틀림스프링. 토션 스프링(torsion spring).
〔扭子〕 niǔzi 명 마개뽑이.

狃 niǔ (뉴)
동 ①익숙해지다. 습관이 되다. ¶～于习俗; 습속에 익숙해지다 / ～于成见; 선입관에 구애되다. =〔忸②〕 ②〈文〉 익숙해져서 경시하다. ¶一夫不可～, 况国乎; 한낱 필부라도 경시해서는 안 되거든, 하물며 한나라임에랴.

纽(紐) niǔ (뉴)
①명 기물의 손잡이. ②명 노끈. 코드. ¶印yìn～; 인끈. 도장끈. ③명 단추. ¶衣～; 의복의 단추 / 脖bó～; 목단추. =〔钮①〕 ④명 단추 모양의 것. ¶电diàn～; 전기의 누름단추〔스위치〕. ⑤→〔枢shū纽〕
〔纽贝〕 niǔbèi 명 《貝》 (단추 만드는) 씹조개.
〔纽带〕 niǔdài 명 연결하는 것. 유대. ¶～作用; 연결하는 작용 / 合作社是联结工农生产有力的～; 협동 조합은 공업 생산과 농업 생산을 연결하는 유력한 조직이다.
〔纽耳〕 niǔ'ěr 명 단춧구멍.
〔纽钩〕 niǔgōu 명 훅(hook). 호크(네 hock).
〔纽孔〕 niǔkǒng 명 ⇨〔纽口〕
〔纽口〕 niǔkǒu 명 단춧구멍. =〔纽孔kǒng〕
〔纽扣(儿)〕 niǔkòu(r) 명 (양복·셔츠·중국 옷 따위의) 단추류의 총칭. ¶散着～; 단추를 끄르다 / 扣上～; 단추를 끼우다. =〔纽子①〕
〔纽门儿〕 niǔménr 명 〈方〉 단춧구멍. ¶敞chǎng着～; 단추가 끼어 있지 않다.
〔纽袢(儿)〕 niǔpàn(r) 명 단춧고리. =〔扣kòu襻儿〕
〔纽约〕 Niǔyuē 명 《地》〈音〉 뉴욕(New York). ¶～先驱论坛报; 뉴욕 헤럴드 트리뷴《미국의 신문》. =〔纽育〕
〔纽约时报〕 Niǔyuēshíbào 명 뉴욕 타임즈《미국의 신문》.
〔纽子〕 niǔzi 명 ①⇨〔纽扣(儿)〕 ②도구에 딸린 끈. ¶秤chèng～; 대저울의 잡는 끈.

杻

niǔ (뉴)
명 〈文〉 고서(古書)에 보이는 나무 이름. ⇒ chǒu

钮(鈕)

niǔ (뉴)
명 ①(～子) 단추. =〔纽③〕 ②그릇의 손잡이. ③전기 스위치. =〔电钮〕 ④성(姓)의 하나.

〔钮扣(子)〕 niǔkòu(zi) 명 단추.

〔钮子〕 niǔzi 명 단추. ¶扣上～; 단추를 채우다 / ～眼儿; 단춧구멍.

拗〈抝〉

niù (요)
형 ①고집불통이다. 옹고집을 부리다. ¶～着非去不行; 무슨 일이 있어도 간다고 외고집을 부리다. ②성질이 비꼬이다. ¶脾pí气很～; 성질이 빙퉁그러져 있다 / 人～损财, 牛～损力; 〈諺〉 사람이 비꼬이면 재물을 손해 보고, 소가 비꼬이면 힘을 손해 본다. ⇒ǎo ào

〔拗别〕 niùbiè 형 비뚤어져 있다. 딱딱하다. 어긋나다.

〔拗不过〕 niùbuguò 거역할 수 없다. (남의 뜻을) 바꿀 방법이 없다. ¶他～老大娘, 只好勉强收下了礼物; 그는 할머니한테 거역할 수 없어, 하는 수 없이 선물을 받았다 / 这个风俗～; 이 풍속은 타파할 수 없다.

〔拗结〕 niùjié 동 ⇨〔扭niǔ结①〕

〔拗筋〕 niù.jīn 동 근육이 틀어지다. 힘줄을 삐다.

〔拗劲(儿)〕 niùjìn(r) 명 비뚤어진 성격. 고집 센 성질. ¶一股子～; 비뚤어진 성질. (niù.jìn(r)) 동 성질이 비뚤어지다. ¶你拗什么劲呢? 너는 왜 틀어졌느냐?

〔拗强〕 niùqiáng〔niùjiàng〕 형 비꼬이고 고집이 세다. 옹고집이다. 심사가 비뚤어져 있다.

〔拗头别膀〕 niùtóu bièbǎng 비뚤어지다. 앵돌아지다.

〔拗性〕 niùxìng 명 비뚤어진 성질. =〔拗气〕 동 비뚤어지다.

〔拗子〕 niùzi 명 심술쟁이. 비꼬인 사람.

NONG ㄋㄨㄥ

农(農〈辳〉)

nóng (농)
①명 경작. 농작. 농업. ¶务wù～; 농사를 업으로 하다. ②명 농민. 농군. ¶中～; 중농 / 棉mián～; 면작 농가 / 菜～; 야채 농가 / 贫pín～; 빈농 / 富fù～; 부농 / 工～联盟; 노농(勞農) 동맹. ③동 힘쓰다. ④명 성(姓)의 하나.

〔农本〕 nóngběn 명 농업 자금.

〔农产品〕 nóngchǎnpǐn 명 농산물. =〔农产物〕

〔农场〕 nóngchǎng 명 농장. ¶集体～; 집단 농장 / 国营～; 국영 농장.

〔农村〕 nóngcūn 명 농촌. 시골.

〔农村公社〕 nóngcūn gōngshè 명 ⇨〔村社〕

〔农村红医〕 nóngcūn hóngyi 명 ⇨〔赤chì脚医生〕

〔农村集市贸易〕 nóngcūn jíshìmàoyì 명 농촌에서 정기적으로 서는 시장에서의 거래.

〔农村人民公社〕 nóngcūn rénmín gōngshè →〔人民公社〕

〔农贷〕 nóngdài 명 농업 대출금.

〔农读〕 nóngdú 동 농사를 지으면서 공부하다.

〔农夫〕 nóngfū 명 〈文〉 농부. 농군. =〔农人〕

〔农妇〕 nóngfù 명 농업에 종사하는 부녀자.

〔农副产品〕 nóng fùchǎnpǐn 명 ①농산물과 부산물. ②농업의 부산물.

〔农副业〕 nóngfùyè 명 ①농업과 부업. ②농촌의 부업.

〔农工〕 nónggōng 명 ①농업과 공업. ②농민과 노동자. ③국영 농장의 농업 노동자. ④한때 타관에 벌이하러 나간 농민.

〔农功〕 nónggōng 명 〈文〉 농사. 밭일.

〔农户〕 nónghù 명 농가.

〔农会〕 nónghuì 명 〈簡〉 ⇨〔农民协会〕

〔农活〕 nónghuó 명 농사일(경작·수확·김매기 등의 일). ¶～粗糙; 농사일 하는 것이 거칠다.

〔农机〕 nóngjī 명 농업 기계. 농기구. ¶～厂; 농업 기계 공장 / ～修造厂; 농업 기계 수리 제조 공장. =〔农业机器〕

〔农机站〕 nóngjīzhàn 명 농업 기계·트랙터 보급 수리점. =〔农业机器(拖拉机)站〕〔拖tuō拉机站〕

〔农家〕 nóngjiā 명 ①농가. 농부. ②(Nóngjiā) 구학파(舊學派)의 하나.

〔农家肥(料)〕 nóngjiāféi(liào) 명 〘農〙 농가 자급 비료〔거름〕(분뇨·퇴비·초목회(草木灰) 따위).

〔农家子〕 nóngjiāzi 명 농경에 종사하는 사람. 농사꾼.

〔农具〕 nóngjù 명 농구. 농업 용구.

〔农具手〕 nóngjùshǒu 명 농기구를 사용할 수 있는 사람.

〔农具院〕 nóngjùyuàn 명 농구(農具) 진열관.

〔农历〕 nónglì 명 ①구력. 음력. =〔夏历〕 ②농사력.

〔农林〕 nónglín 명 농림. 농업과 임업. ¶～口; 농림 정책의 최고 결정 기구의 속칭. 정부 행정 기구보다 격(格)이 높음.

〔农忙〕 nóngmáng 명 농번기. →〔农闲〕

〔农民〕 nóngmín 명 농민. ¶～起义; 농민 폭동.

〔农民协会〕 nóngmín xiéhuì 명 농민 조합. =〔〈簡〉 农会〕〔〈簡〉 农协〕

〔农末〕 nóngmò 명 〈文〉 농민과 상인(商人)('末'은 '末利'(이윤)를 좇는 자, 곧 상인의 뜻).

〔农奴〕 nóngnú 명 농노. ¶～主; 농노주.

〔农轻重〕 nóng qīng zhòng 명 〈簡〉 농업·경공업·중공업의 약칭.

〔农渠〕 nóngqú 명 농업용 수로(水路).

〔农人〕 nóngrén 명 ⇨〔农夫〕

〔农桑〕 nóngsāng 명 농업과 양잠(養蠶).

〔农穑〕 nóngsè 명 〈文〉 농업('农'은 경작하는 일, '穑'는 수확하는 일).

〔农时〕 nóngshí 명 농사 때. 농기(農期). 농작물 재배의 시기. ¶不误～; 농사 때를 놓치지 않다 / ～不等人, 人误地一时, 地误人一年哪; 농사일의 시기는 사람을 기다리지 않는다. 사람이 그 때를 놓치면 농지(農地)는 사람에게 1년의 손실을 안겨준다.

〔农事〕 nóngshì 명 농사(일).

〔农田〕 nóngtián 명 농작물을 재배하는 전답. 농경지. 농토.

〔农隙〕 nóngxì 명 〈文〉 농한기. ¶趁～举办训练班; 농한기를 이용하여 훈련반을 실시하다.

〔农闲〕 nóngxián 명 농한(기). ¶～时节; 농한기 / 利用～学习普通话; 농한기를 이용하여 표준어를 공부하다.

〔农协〕 nóngxié 명 〈簡〉 ⇨〔农民协会〕

〔农械〕 nóngxiè 명 ①농기계(農機械). ②농약을 뿌리는 기계《분무기 따위》.
〔农谚〕 nóngyàn 명 ①농업 생산에 관한 속담. ②농민들 사이에 전해지는 속담.
〔农药〕 nóngyào 명 농약(農藥).
〔农业〕 nóngyè 명 농업. ¶～用地; 농업 용지.
〔农业工人〕 nóngyè gōngrén 명 농업 노동자.
〔农业技术推广站〕 nóngyè jìshu tuīguǎngzhàn 명 농업 기술 보급 센터.
〔农业生产合作社〕 nóngyè shēngchǎn hézuòshè 명 농업 생산 합작사〔협동 조합〕. =〔集jí团农场〕〔土tǔ地合作社〕
〔农业生产责任制〕 nóngyè shēngchǎn zérènzhì 명 농업 생산 책임제.
〔农业四化〕 nóngyè sìhuà 명 농업의 기계화·전화(電化)·수리화(水利化)·화학화를 일컬음.
〔农业学大寨〕 nóngyè xué dàzhài 농업은 대채(大寨)에서 배운다《1964년 이래 전개된 대채를 모델로 하는 농업의 생산성 향상의 운동》.
〔农业专家〕 nóngyè zhuānjiā 명 농업 기술 지도자.
〔农艺〕 nóngyì 명 농예. ¶～师; 농예가. 농예 기사(技師).
〔农用柴油机〕 nóngyòng cháiyóujī 명 농업용 디젤 엔진.
〔农用拖拉机〕 nóngyòng tuōlājī 명 농업용 트랙터.
〔农用引擎〕 nóngyòng yǐnqíng 명 농업용 엔진.
〔农月〕 nóngyuè 명 (입하(立夏) 후의) 농사일의 바쁜 달.
〔农乐〕 nóngyuè 명 농악.
〔农运〕 nóngyùn 명 〈簡〉 농민 운동.
〔农庄〕 nóngzhuāng 명 농장. ¶集jí团～; 집단 농장. 콜호스(러 kolkhoz).
〔农作物〕 nóngzuòwù 명 농작물.

侬(儂) nóng (농) ① 대 나. 저《시문(詩文)에 보이는 옛 방언》. ② 대 〈南方〉 그대. 당신. =〔你〕 ③ 명 성(姓)의 하나.
〔侬族〕 Nóngzú 명 《民》 '壮zhuàng族'의 한 지파《중국 소수 민족의 하나》.

浓(濃) nóng (농) 형 ①짙다. 진하다. 농후하다. ¶～烟; 짙은 연기/酒味～; 술이 감칠맛이 있다/～淡; ⇩/～妆; ⇩ ↔〔淡〕 ②(정도가) 깊다〔심하다〕. ¶兴xìng趣正～; 흥취가 한창 무르익다.
〔浓茶〕 nóngchá 명 진한 차.
〔浓差电池〕 nóngchà diànchí 명 농도차 전지.
〔浓愁〕 nóngchóu 명 〈文〉 농수. 깊은 시름.
〔浓淡〕 nóngdàn 명 농담. 짙음과 옅음.
〔浓度〕 nóngdù 명 농도.
〔浓厚〕 nónghòu 형 ①(안개나 구름 등이) 농후하다. 짙다. ¶～的黑烟; 짙은 검은 연기. ②(빛깔·색채·의식·분위기가) 짙다. 무겁다. ¶政治空气～; 정치적인 분위기가 짙다. ③(흥미의 정도가) 크다. ¶孩子们对打乒乓球兴趣都很～; 아이들은 탁구에 대단히 흥미가 강하다. ‖↔〔稀xī薄〕
〔浓糊〕 nónghú 형 (죽이나 풀 따위가) 걸쭉하다. 되다.
〔浓积云〕 nóngjīyún 명 《氣》 층적운(層積雲).
〔浓浆〕 nóngjiāng 명 진한 즙(汁).
〔浓醪〕 nóngláo 명 탁주(濁酒).
〔浓烈〕 nóngliè 형 ①(냄새 따위가) 심하다. 강렬하다. ¶充满了～的烟酒气味; 심한 술과 담배의 냄새가 가득 차 있다. ②(감정적인 것이) 짙다. 강렬하다. ¶大家喜悦的心情更～了; 여러 사람의 기쁜 마음이 한층 강렬해졌다.
〔浓眉〕 nóngméi 명 짙은 검은 눈썹. ¶～大眼; 〈成〉 짙은 눈썹과 부리부리한 눈《늠름한 용모》.
〔浓密〕 nóngmì 형 농밀하다. 밀생(密生)하다. ¶一头～的黑发; 탐스러운 검은 머리.
〔浓抹〕 nóngmǒ 명동 짙은 화장(을 하다).
〔浓泥〕 nóngní 명 깊은 진흙탕.
〔浓气机〕 nóngqìjī 명 《機》 압기통《공기를 압축하는 기계》.
〔浓情〕 nóngqíng 명 두터운 애정.
〔浓睡〕 nóngshuì 동 숙면(熟眠)하다.
〔浓缩〕 nóngsuō 명동 농축(濃縮)(하다).
〔浓汤〕 nóngtāng 명 ①진한 수프. ②포타주(프 potage).
〔浓艳〕 nóngyàn 형 (색채가) 짙고 화려하다. 농염(濃艶)하다.
〔浓郁〕 nóngyù 형 (향기가) 짙다.
〔浓云〕 nóngyún 명 짙은 구름. 검은 구름.
〔浓重〕 nóngzhòng 형 (안개·맛·냄새·빛깔 따위가) 짙다. ¶眉毛～; 눈썹이 짙다/雾越发～了; 안개가 점점 짙어지다/设色十分～; 채색이 매우 짙다/桂花发出～的香味; 목서(木犀)가 짙은 향기를 풍기고 있다.
〔浓妆〕 nóngzhuāng 명동 짙은 화장(을 하다). ¶～艳抹; 야하고 짙은 화장(을 하다).

哝(噥) nóng (농) 동 작은 소리로 말하다. ¶嘟dū～ =〔嘟囔nang〕; 혼잣말을 하다. 중얼거리다/唧jī～; ⓐ소곤거리다. ⓑ〈擬〉 조록조록《액체가 새는 소리》.
〔哝哝〕 nóngnóng 동 ①작은 소리로 중얼거리다. ¶～的说; 중얼중얼 불평을 말하다/你～什么? 뭘 중얼거리느냐? ②〈南方〉 참다. 마지못해 승낙하다.

脓(膿) nóng (농) 명 고름. ¶化huà～ =〔灌guàn～〕〔酿～〕; 화농하다/挤jǐ～; 고름을 짜(내)다.
〔脓包〕 nóngbāo 명 ①《醫》 농포. ②〈比〉 쓸개 빠진 놈. 얼뜨기. 무지렁이. =〔囊包〕〔乏货〕〔熊货〕
〔脓疮〕 nóngchuāng 명 《醫》 농창(膿瘡). 심농가진(深膿痂疹).
〔脓冻子〕 nóngdòngzi 명 진하고 끈적끈적한 고름.
〔脓疙瘩〕 nónggēda 명 종기. 부스럼. ¶长zhǎng～; 종기가 나다.
〔脓疖子〕 nóngjiēzi 명 뾰루지.
〔脓漏眼〕 nónglòuyǎn 명 《醫》 농루안. 임균성의 결막염.
〔脓尿〕 nóngniào 명 《醫》 농뇨. 고름이 섞인 오줌.
〔脓疱病〕 nóngpàobìng 명 《醫》 농포진(膿疱疹).
〔脓塞子〕 nóngsāizi 명 〈罵〉 아는 체하는 사람. 유능한 체하는 사람. 겉똑똑이.
〔脓水〕 nóngshuǐ 명 고름.
〔脓胸〕 nóngxiōng 명 《醫》 농흉.
〔脓血〕 nóngxuè 명 피고름.
〔脓血债〕 nóngxuèzhài 명 〈比〉 채찍 맞는 고통. ¶挨ái了些～; 매를 맞는 고통도 조금은 당했다.
〔脓汁〕 nóngzhī 명 고름. 농액(膿液). =〔脓水〕
〔脓肿〕 nóngzhǒng 명 《醫》 농양(膿瘍). ¶结jié核

性～; 결핵성 농양.

秾(穠) nóng (농) 형 〈文〉(초목이) 무성하다. ¶天yāo桃～李; 우거진 복숭아 나무와 자두나무.

〔秾绿〕 nónglǜ 형 〈文〉 초목이 푸르게 무성하다.

〔秾艳〕 nóngyàn 명형 〈文〉 농염(하다). 미려(하다).

酞(醲) nóng (농) 형 술맛이 짙다. ¶醇chún～好吃; 진한 술은 (감칠맛이 있어) 맛있다.

〔酞郁〕 nóngyù 형 (맛이) 짙다. 감칠맛이 있다.

弄〈挵〉 nòng (롱) 동 ①하다. 행하다. ¶～饭; 밥을 짓다 / ～坏了; 못 쓰게 만들었다(주물러서) 부수다 / ～搬走一堆垃圾; 쓰레기를 한 무더기 실어 갔다. →〔做〕〔搞〕 ②…이 되게 하다. 처리하다. ¶～干净; 깨끗이 하다. ③가지고 놀다. 만지작거리다. ¶爱～沙土; 모래 장난을 좋아한다 / ～小猫儿; 새끼고양이를 가지고 놀다 / 小心点儿～它; 그것을 조심해서 다루어라 / ～玩艺儿; 장난감을 만지작거리다. ④속이다. ⑤…의 수단을 취하다. ¶～手段; 악랄한 수단을 쓰다. ⑥('～得'의 형태로) …의 결과를 가져오다(대개 바람직하지 못한 경우). ¶～得家破人亡; 집은 파산하고 사람이 죽는 지경에 이르다 / 上头没把他的成绩看准了, ～得他情绪不高; 상사(上司)가 그의 성적을 정확하게 보아 주지 않았기 때문에, 그는 일할 의욕이 나지 않았다. ⑦만들다. 장만하다. ¶给他～点吃的什么的; 그에게 먹을 것을 무엇 좀 만들어 줘라. ⑧(이럭저럭) 손에 넣다. 얻어 내다. ¶到区上～个证明; 구청에 가서 증명서를 얻어 내다 / 总要～出一个结果来; 어떻게 해서라도 결론을 이끌어 내야 한다. ⑨널리 동작을 나타내는 동사에 대용하는 말. ¶把弟弟～到庙里; 동생을 절로 끌고 왔다. ⑩소동을 일으키다. ⇒lòng

〔弄白相〕 nòngbáixiàng 동 〈方〉 놀리다. 희롱거리다.

〔弄笔〕 nòng,bǐ 동 ①글재주를 부려 사실을 왜곡하여 쓰다. 곡필(曲筆)하다. ②(멋을 부리며) 마음대로 쓰다.

〔弄不动〕 nòngbudòng (능력이 없어서) 손을 대지 못하다. 하지 못하다. 힘에 겹다.

〔弄不好〕 nòngbuhǎo ①잘하지 못하다. ②(대개 좋지 않은 일을 예상하여) 어쩌면.

〔弄不弄〕 nòngbunòng 부 자칫하면. 쉽게. 툭하면. ¶这个表～就坏了; 이 시계는 툭하면 고장이 난다.

〔弄不清〕 nòngbuqīng 분명히 할 수가 없다. 분간이 안 되다. 구별할 수 없다. ¶～谁是谁非; 누가 옳고 그른지 분간할 수 없다. ↔〔弄得清〕

〔弄不转〕 nòngbuzhuàn ①돌릴 수 없다. ②어찌할 도리가 없다. 아무리 해도 잘 되지 않다. ↔〔弄得转〕

〔弄菜〕 nòng,cài 동 요리를 만들다.

〔弄潮〕 nòng,cháo 동 ①〈廣〉 해수욕을 하다. ②물을 무서워하지 않다. 명 파도타기.

〔弄潮儿〕 nòngcháo'ér 명 ①파도에 뛰어들어 장난치고 노는 젊은이. ②나무배를 모는 사람. ③〈比〉 용감하게 위험에 맞서는 사람.

〔弄出来〕 nòngchulai 저지르다. 만들어 내다. 일으키다. ¶弄出事来; 사건을 일으키다 / 弄出笑话来; 웃음거리가 되다.

〔弄错〕 nòngcuò 동 실수하다. 잘못하다.

〔弄淡〕 nòngdàn 동 엷게 하다. ¶把味道～; 맛을 엷게 하다.

〔弄倒〕 nòngdǎo 동 뒤(집어)엎다. ¶把墨水瓶～; 잉크병을 뒤집어엎다.

〔弄到〕 nòngdao 동 ①…에까지 이르다. ¶愈过愈穷～将要讨饭了; 날이 지날수록 살림이 궁해져서 비럭질을 해야만 될 형편에까지 영락했다. =〔弄得〕 ②손에 넣다. ¶～了一百块钱了; 백 원을 손에 넣었다.

〔弄得〕 nòngde 동 …하게 하다〔되다〕. ¶～越发不可收拾; 더욱 손을 댈 수 없게 되다.

〔弄得成〕 nòngdechéng 성취할 수 있다. 이루어 낼 수 있다.

〔弄得惯〕 nòngdeguàn (자주 해서) 익숙하다.

〔弄丢〕 nòngdiū 동 분실하다. 잃어버리다. ¶我把钱包～了; 돈지갑을 잃어버렸다. =〔打dǎ丢〕

〔弄断〕 nòngduàn 동 끊다. 단절하다.

〔弄法〕 nòng,fǎ 동 법률을 멋대로 악용하다. 법률을 남용하다.

〔弄翻〕 nòngfān 동 뒤엎다. 전도시키다.

〔弄饭〕 nòng,fàn 동 ①밥을 짓다. ②밥을 먹을 수 있게 되다. 생활의 방도를 세우다.

〔弄个套儿〕 nòng ge tàor 올가미를〔덫을〕 놓다. 함정을 파다.

〔弄鬼〕 nòng,guǐ 동 〈方〉 ①속임수를 쓰다. 부정한 짓으로 속이다. 간계〔흉계〕를 쓰다. ②이상한 짓을 하다. =〔弄神〕

〔弄鬼弄神〕 nòng guǐ nòng shén 〈成〉 몰래 계책을 쓰다. 농간을 부리다.

〔弄好〕 nòng,hǎo 동 ①잘 하다. 잘 해내다. ②잘 수리하다.

〔弄黑〕 nòng,hēi 동 더럽게 하다. 더럽히다. ¶弄了两手黑; 양손을 더럽혔다.

〔弄糊〕 nònghú 동 속이다. 놀리다.

〔弄花〕 nònghuā 동 ①꽃을 가꾸다. ②꽃을 보고 즐기다.

〔弄坏〕 nònghuài 동 망가뜨리다. 깨뜨리다. 파괴하다. ¶这样就容易把革命～; 이렇게 하여 쉽게 혁명을 파괴하다.

〔弄昏〕 nòng,hūn 동 이성을 잃게 하다. ¶被偏见～了头脑; 편견 때문에 머리가 혼미해졌다.

〔弄浑〕 nòng,hún 동 흐리게〔탁하게〕 하다. ¶把河水～了, 不让他喝水; 강물을 흐려 놓아서, 그가 물을 마시지 못하게 하다.

〔弄火〕 nòng,huǒ 동 불을 일으키다. =〔舭lóng火〕

〔弄假成真〕 nòng jiǎ chéng zhēn 〈成〉 거짓말이 사실이 되다(농담이 진담되다).

〔弄僵〕 nòngjiāng 동 악화시키다. 건드려서 손을 쓸 수 없게 하다. ¶这件事现在～了; 이 사건은 이젠 손을 쓸 수 없게 되었다.

〔弄局〕 nòng,jú 동 도박판을 벌이다.

〔弄媚〕 nòngmèi 동 아양 떨다. 아첨하다.

〔弄扭〕 nòngniǔ 동 사이가 틀어지다. ¶说来说去差点儿～了; 설왕설래하다가 하마터면 사이가 틀어질 뻔했다.

〔弄钱〕 nòng,qián 동 ①돈을 마련하다. 돈을 손에 넣다. ¶我再不弄点钱来吃什么呢? 내가 이제라도 돈을 마련해 오지 않으면 무엇을 먹고 살겠느냐? ②내기를 하다. 도박을 하다.

〔弄巧〕 nòngqiǎo 동 기교를 부리다. 잔 재주를 피우다.

〔弄巧成拙〕 nòng qiǎo chéng zhuō 〈成〉 잘하려다 도리어 서투른 결과가 되다. 제 꾀에 넘어가다. =〔搬砖砸脚〕

〔弄清〕 nòngqīng 동 확실하게 하다. 분명히 하다. ¶～思想; 생각을 분명히 하다 / ～是非; 시비를 분명히 하다.
〔弄清楚〕 nòng.qīngchu 동 확실하게 하다. ¶弄不清楚; 확실하게 할 수가 없다. =〔弄清〕
〔弄权〕 nòng.quán 동 권력을 휘두르다. ¶奸jiān人～; 악인이 권력을 휘두르다.
〔弄伤〕 nòngshāng 동 (육체적·정신적으로) 상처를 주다.
〔弄舌〕 nòngshé 동 말을 함부로 하다.
〔弄蛇〕 nòngshé 명〈南方〉뱀 부리는 사람.
〔弄神〕 nòngshén 동 ⇨〔弄鬼〕
〔弄神弄鬼〕 nòng shén nòng guǐ〈成〉①귀신을 들먹이다. ②속임수를 쓰다. 음모를 꾸미다.
〔弄势〕 nòngshì 동 허세 부리다.
〔弄熟〕 nòngshú 동 ①충분한 정도로 하다. ②익숙해지다. ③잘 익히다. ¶拼音法还没～吗? 표음법(表音法)은 아직 익히지 않았나요?
〔弄死〕 nòngsǐ 동 죽이다. 죽게 하다.
〔弄松〕 nòngsong 동〈俗〉만지다. 만지작거리다. ¶～坏huài; 만지작거리다. 망가뜨리다.
〔弄通〕 nòngtōng 동 통하게 되다〔하다〕. 이해하다. (정)통하다. ¶要下苦工夫, 才能～一种外语; 애써 노력을 함으로써 비로소 하나의 외국어에 정통할 수가 있다.
〔弄瓦〕 nòngwǎ 동〈文〉〈比〉딸을 낳다. ¶～之喜xǐ; 득녀(得女)의 기쁨.
〔弄戏〕 nòngxì 동 ①놀리다. 장난치다. ②연극하다.
〔弄小〕 nòng.xiǎo 동 첩을 얻다.
〔弄醒〕 nòngxǐng 동 잠을 깨우다. ¶火车的警笛响彻四周, 时常～他; 기차의 경적이 사방에 울려 퍼져 늘 그의 잠을 깨운다.
〔弄性尚气〕 nòng xìng shàng qì〈成〉제멋대로 구는 성미에 화를 잘 내다.
〔弄虚作假〕 nòng xū zuò jiǎ〈成〉허위로 날조하다. 속임수를 써서 사기치다.
〔弄玄虚〕 nòng xuánxū ①농간을 부리다. 속임수를 쓰다. ②허세 부리다. ③어리둥절케 하다.
〔弄眼〕 nòng.yǎn 동 눈짓으로 알리다. =〔挤jǐ眼〕
〔弄月〕 nòng.yuè 동 달을 감상하며 즐기다.
〔弄脏〕 nòngzāng 동 더럽히다. ¶～衣服; 옷을 더럽히다.
〔弄糟〕 nòngzāo 동 실패하다. 잘못하다. 못 쓰게 만들다. ¶他一插手, 就把事情全都～了; 그가 끼어들면 일이 전부 엉망이 된다.
〔弄璋〕 nòngzhāng 동〈文〉사내아이를 낳다《옛날, 사내아이를 낳으면 장난감으로 '璋'(옥(玉)으로 만든 반쪽 홀)을 준 데서 나온 말》.
〔弄璋之喜〕 nòng zhāng zhī xǐ〈成〉득남(得男)의 기쁨.
〔弄皱〕 nòngzhòu 동 구기다. ¶别把纸～了! 종이를 구기지 마라!
〔弄嘴〕 nòngzuǐ 동 지껄이다. →〔弄嘴弄舌〕
〔弄嘴弄舌〕 nòng zuǐ nòng shé〈成〉지껄여 대다. 수다를 떨다.

NOU ㄋㄡ

耨〈鎒〉 **nòu** (누) 〈文〉①명 제초기(除草機). ②동 논을 갈다. ③동 제초하다. 김매다. ¶深耕易～; 깊게 갈면 김매기가 쉽다 / 耕gēng～; 농작물을 보살피다. =〔锄草〕

NU ㄋㄨ

伖 **nú** (모) 인명용 자(字).

奴 **nú** (노) ①명 노비(奴婢). 종. ¶农nóng～; 농노. ↔〔主〕 ②접미〈罵〉사람을 천대하여 부르는 말. ¶守钱～; 수전노 / 卖国～; 매국노 / 亡国～; 망국의 백성. ③명〈古白〉〈謙〉젊은 여성의 자칭(自稱). ④동 노예처럼 부려먹다.
〔奴辈〕 núbèi 명〈罵〉놈. 놈들.
〔奴婢〕 núbì 명 ①노비. 하인. 하녀. ②옛날에, 포로 또는 죄인을 노예로서 부리어진 남녀. ¶官guān～; 관노.
〔奴才〕 núcai 명 ①노복(奴僕). 종. ㉠명대(明代)·청대(清代)의 환관(宦官). 만주인(滿洲人) 및 무관의 황제에 대한 자칭. ㉡청대(清代)의 만주인 가정 노복의 주인에 대한 자칭. ②기꺼이 남의 부림을 받아 못된 짓을 돕는 앞잡이. ¶～哲学; 노예 철학. 복종을 좋다고 하는 생각.
〔奴才相〕 núcáixiàng 명 ①노예의 상(相). ②노예 근성을 드러낸 얼굴.
〔奴才爷〕 núcaiyé 명 도련님《옛날, 하인이 주인의 아들에 대한 대칭(對稱)》.
〔奴产子〕 núchǎnzǐ 명 한대(漢代)에, 노비의 자식.
〔奴唇婢舌〕 nú chún bì shé〈成〉노비(奴婢)처럼 흠칫흠칫하는 비굴한 말씨.
〔奴佛卡因〕 núfókǎyīn 명《藥》〈音〉노보카인(독 Nobocain). =〔鲁普卡因〕〔奴弗卡因〕〔诺服卡因〕.
〔奴工〕 núgōng 명 노예 노동(자).
〔奴化〕 núhuà 명동 노예화(하다). ¶～教育; 노예화 교육.
〔奴家〕 nújiā 명 젊은 여자의 자칭. =〔奴〕〔奴奴〕
〔奴隶〕 núlì 명 노예. ¶～社会; 노예 사회.
〔奴隶制〕 núlìzhì 명 노예 제도.
〔奴戮〕 núlù 동〈文〉피(被)정복자를 노예처럼 부리거나 살육하다.
〔奴奴唧唧〕 núnujījī 형 말을 요령 없이 하는 모양. 말을 띄엄띄엄하는 모양. =〔呶náo呶唧唧〕
〔奴仆〕 númpú 명 (옛날) 하인. 종. 노복.
〔奴使〕 núshǐ 명동 ⇨〔奴役〕
〔奴视〕 núshì 동〈文〉노예시하다. 노예 취급을 하다.
〔奴书〕 núshū 명〈文〉남의 글씨를 본떠서 쓸 뿐 개성이 없는 글씨를 비방하여 하는 말.
〔奴胎〕 nútāi 명〈罵〉이 자식. 이 새끼. ¶不是这～是谁? 이놈이 아니면 누구일까?
〔奴相〕 núxiàng 명〈比〉비굴한 태도. 노예 근성. ¶他今天却～十足地说, "我也没有办法, 不能多说什么话"; 그는 오늘 비굴하기 짝이 없는 태도로, "저로서는 아무런 방법이 없어 쓸데없는 말참견은 할 수 없다"고 말했다. →〔奴才相〕
〔奴性〕 núxìng 명 노예 근성. ¶～十足; 노예 근성이 모든 부문에 걸쳐 노골적으로 드러나 있다.
〔奴颜〕 núyán 명 노예의 상통. 노예 근성.
〔奴颜婢膝〕 nú yán bì xī〈成〉창피한 줄도 모

르고 아첨하는 모양. 비굴한 태도. ¶他再一次～地称赞总统在联合国大会上提出的新计划; 그는 또 다시 아첨하듯 대통령이 UN총회에 제출한 새로운 계획을 칭찬했다.

〔奴颜媚骨〕 nú yán mèi gǔ 〈成〉 노예 근성. 비굴한 태도. ¶鲁迅的骨头是最硬的, 他没有丝毫的奴颜和媚骨; 노신의 줏대는 가장 강해, 그에게는 노예 근성이나 아첨하는 태도가 추호도 없었다.

〔奴役〕 núyì 동 종처럼 부리다. 노예화하다. ¶叫他们～; 그들에게 노예처럼 부림을 당했다 / ～他国; 남의 나라를 노예처럼 부리다. 명 노예의 일. 노역. ‖ =〔奴使〕

〔奴役性〕 núyìxìng 명 노예 근성. ¶～的经济援助; 굴종적인〔조건이 붙어 있는〕 경제 원조.

孥 nú (노) 명 〈文〉 자식. 처자. ¶妻qī～; 처자.

〔孥戮〕 núlù 동 〈文〉 죄를 자손에게까지 연좌시켜 죽이다.

驽(駑) nú (노) 〈文〉 ① 명 둔한 말. 굼뜬 말. ② 형 〈轉〉 재주가 둔하다. 미련하다. 무디다. ¶～钝; ⇩

〔驽才〕 núcái 명 〈文〉 범용한 인간.

〔驽钝〕 núdùn 형 〈文〉 둔하다.

〔驽骥〕 nújì 명 〈文〉 노마(駑馬)와 준마(駿馬).

〔驽劣〕 núliè 형 〈文〉 우둔(愚鈍)하다.

〔驽马〕 númǎ 명 〈文〉 노마. 걸음이 느린 말. 둔한 말. ¶～自受鞭策; 〈比〉 재능이 모자라는 자는 남에게 혹사당하게 마련이다 / ～恋栈豆; 둔한 말은 마구간이나 말먹이 콩에 연연한다《용렬한 자는 그 지위에 연연한다》.

〔驽铅〕 núqiān 명 〈文〉 노마와 납칼. 〈比〉 쓸모없는 물건. 재능없는 사람.

〔驽骀〕 nútái 명 〈文〉 노마. 짐말. ¶～竭jié力; 〈謙〉 노마처럼 평범하고 용렬하지만 최선을 다하다.

〔驽下〕 núxià 명 〈文〉 ①재지(才智)가 무디어 남만 못함. ②〈謙〉 자신을 낮추어 이르는 말.

〔驽庸〕 núyōng 형 〈文〉 우둔하고 용렬하다.

努〈拟〉② nǔ (노) 동 ①노력하다. 힘껏 하다. ¶～劲儿; ⇩ / ～力用功; 열심히 공부하다 / ～着力向前跑; 열심히 전진하다 / 这回是强～劲; 이번에는 무리를 해서 애썼다. ②내밀다. 돌출하다. ¶～嘴; ⇩ / 眼睛～着; 눈이 튀어나와 있다 / 这段墙往外～了, 注意危险; 담이 이 부분에서 바깥으로 볼록하게 나와 있으니 조심하시오. ③(너무 무리해서) 몸을 상하다. ¶箱子太重, 你别扛, 看～着! 트렁크가 너무 무거우니 짊어지지 마라. 다칠라! / 搬石头～着了, 直吐血tùxiě; 돌 나르는데 너무 무리를 해서, 자꾸 피를 토한다.

〔努劲儿〕 nǔ.jìnr 동 온몸의 힘을 내다. 기쓰다. ¶这一石dàn米, 我努着劲儿才扛káng起来; 한 섬 쌀은 나는 기를 써야 겨우 짊어진다.

〔努库阿洛法〕 Nǔkùaluòfǎ 명 《地》 〈音〉 누쿠알로파(Nukualofa)《'汤tang加'(통가: Tonga)의 수도》.

〔努力〕 nǔ.lì 동 애쓰다. 노력하다. ¶对于工作他很～; 그는 일에 노력한다 / ～地学习; 열심히 학습하다 / 大家再努一把力! 모두들 좀더 분발합시다! / 白白～了, 事情没有成功; 애쓴 보람도 없이 일은 실패했다 / ～生产; 생산에 힘쓰다 / ～协助; 열심히 협력하다 / ～不懈; 꾸준히 노력하다. (nǔlì) 명 ①노력. ¶付很大的～; 대단한 노력을 하다 / 作出最大的～; 최대의 노력을 하다. ②노력하는 모습.

〔努目〕 nǔmù 동 〈文〉 (화가 나서) 눈을 부릅뜨다. =〔努眼睛②〕

〔努儿〕 nǔr 명 노력. ¶强～; 힘껏 노력하다.

〔努肉攀睛〕 nǔròu pānjīng 명 《漢醫》 눈의 흰자위에 염증이 생겨 검은자위가 가려지는 병.

〔努伤〕 nǔshāng 동 ⇨〔努着〕

〔努瓦克肖特〕 Nǔwǎkèxiàotè 명 《地》 〈音〉 누악쇼트(Nouakchott)《'毛Máo里塔尼亚'(모리타니: Mauritanie)의 수도임》.

〔努眼睛〕 nǔyǎnjing ① 명 툭 불거진 눈. ②(nǔ yǎnjing) ⇨〔努目〕

〔努责〕 nǔzé 동 《醫》 (대변 또는 분만시에) 배에 힘을 주다.

〔努着〕 nǔzhuó 동 무리해서 내상(內傷)을 일으키다. ¶这桌子太重, 你别一个人扛, 看～了; 이 테이블은 너무 무겁다. 혼자서는 지지 마라. 너무 힘을 써서 몸을 상한다. =〔努伤〕

〔努嘴(儿)〕 nǔ.zuǐ(r) 동 ①화가 나서 입을 삐죽 내밀다. ②입짓으로 알려 주다.

弩 nǔ (노) 명 크고 센 활. 쇠뇌. ¶强qiáng～; 강한 쇠뇌 / 万～齐发; 수많은 쇠뇌가 일제히 화살을 쏘다. =〔眷quān〕

〔弩弹〕 nǔdàn 명 옛날에, 쇠뇌에 쓰던 탄알.

〔弩箙〕 nǔfú 명 전동(箭筒). 화살통.

〔弩弓〕 nǔgōng 명 돌을 쏘게 만든 쇠뇌.

〔弩箭〕 nǔjiàn 명 쇠뇌의 화살.

〔弩箭离弦〕 nǔ jiàn lí xián 〈成〉 화살이 활 시위를 떠나다《매우 빠름》. ¶像～地跑了; 총알같이 뛰었다.

〔弩末〕 nǔmò 명 화살이 바야흐로 땅에 떨어지려 함《힘이 다하려 함》.

〔弩末之势〕 nǔ mò zhī shì 〈成〉 한때의 영웅도 쇠(衰)하면 어쩔 수 없다.

〔弩炮〕 nǔpào 명 노포. 쇠뇌의 포(砲).

〔弩手〕 nǔshǒu 명 쇠뇌의 사수.

〔弩牙〕 nǔyá 명 〈文〉 쇠뇌의 발사 장치《활시위를 거는 곳》. =〔铁hóng〕

砮 nǔ (노) 명 〈文〉 화살촉을 만드는 돌.

胬 nǔ (노) →〔胬肉〕

〔胬肉〕 nǔròu 명 《漢醫》 눈알의 결막(結膜)에 생기는 육질부(肉質部)《각막까지 덮이는 것은 '～攀pān睛'(각막 익상 췌편증(翼狀贅片症))이라고 함》.

怒 nù (노) ① 동 성내다. 분개하다. ¶发fā～; 노하다 / 恼nǎo～; (궁지에 몰리거나 초조해서) 성을 내다 / 老羞成～; 〈成〉 부끄러움을 못 참아서 화를 내다 / 忿fèn～; 분노하다. 화내다. ② 명 분노. ③ 형 화난 듯하다. 거칠다. ④ 형 〈比〉 기운이 왕성한 모양. ¶草木～生; 초목이 무성하다 / 百花～放; 백화가 어우러져 피다. ⑤ 명 (Nù) 《民》 누 족(怒族)《중국의 소수 민족의 하나》.

〔怒臂〕 nùbì 동 〈文〉 팔을 걷어붙이고 화를 내다.

〔怒不可遏〕 nù bù kě è 〈成〉 노염을 누를 수 없다.

〔怒潮〕 nùcháo 명 무섭게 밀려오는 파도의 기세.

노도. 〈比〉 세찬 기세.
〔怒斥〕 nùchì 동 성내어 꾸짖다. 몹시 노해서 비난하다.
〔怒冲冲〕 nùchōngchōng 형 노기등등〔노발대발〕한 모양.
〔怒发冲冠〕 nù fà chōng guān 〈成〉 노발 충관하다. 화가 머리끝까지 오르다. =〔怒冠〕〔冲冠〕
〔怒放〕 nùfàng 동 (꽃이) 일제히 피다. ¶山花~; 산에는 꽃이 한창이다.
〔怒忿忿〕 nùfènfèn 형 잔뜩 성을 내는 모양.
〔怒冠〕 nùguān ⇒〔怒发冲冠〕
〔怒号〕 nùháo 동 노호하다. 고함치다. 울부짖다 (주로 바람을 형용함). ¶狂风~; 광풍이 노호하다. 미친 듯이 설치다.
〔怒狠狠(的)〕 nùhěnhěn(de) 형 몹시 화를 내는 모양. 잔뜩 성이 난 모양.
〔怒恨〕 nùhèn 동 〈文〉 노하여 원망하다. 분개하다.
〔怒哄哄(的)〕 nùhōnghōng(de) 형 불같이 노한 모양. =〔怒烘烘(的)〕〔怒轰轰(的)〕
〔怒吼〕 nùhǒu 동 맹수가 성내어 짖다. ¶狂风大作, 海水~; 큰 바람이 일고 바닷물이 사납게 놀치다. 명 〈比〉 웅장한 소리.
〔怒火〕 nùhuǒ 명 〈比〉 노염의 불길(격심한 노염을 나타냄). ¶压住心里的~; 가슴 속 노염의 불길을 누르다.
〔怒火中烧〕 nù huǒ zhōng shāo 〈成〉 마음 속에 노염의 불길이 활활 타오르다. 노기 충천하다.
〔怒马〕 nùmǎ 명 〈文〉 살이 쪄 원기 왕성한 말. 준마.
〔怒骂〕 nùmà 동 맹렬히 저주하다. 격노하여 욕을 퍼붓다.
〔怒眉立目〕 nù méi lì mù 〈成〉 눈썹을 곤두세우고 눈을 치켜올리다(노한 모양).
〔怒目〕 nùmù 동 눈을 부라리다. 노한 눈으로 노려보다.
〔怒目瞪眼〕 nù mù dèng yǎn 〈成〉 화를 내고 노려보는 모양.
〔怒目而视〕 nù mù ér shì 〈成〉 눈을 부라리고 보다.
〔怒目横眉〕 nù mù héng méi 〈成〉 눈을 부라리고 눈썹을 치켜올리다. =〔怒目张眉〕
〔怒恼〕 nùnǎo 동 성내다. 노하다.
〔怒气〕 nùqì 명 노기. ¶~冲chōng冠 =〔~冲天〕; 노기 충천하다(몹시 화가 난 모양).
〔怒容〕 nùróng 명 성난 얼굴〔표정〕. ¶~满面; 얼굴이 시뻘개져 노염을 얼굴에 나타내고 있는 모양. =〔怒色〕
〔怒色〕 nùsè 명 성난〔노한〕 빛〔기색, 표정〕. ¶面带~; 얼굴에 노기가 드러나 있다. =〔怒容〕
〔怒生〕 nùshēng 동 〈文〉 초목이 봄비를 맞아 싱싱하게 싹트다.
〔怒视〕 nùshì 동 노시하다. 성난 눈으로 보다.
〔怒涛〕 nùtāo 명 노도. ¶~澎pēng湃; 노도가 소용돌이치다 / ~般的拍pāi掌声; 노도와 같은 박수 소리.
〔怒蛙〕 nùwā 명 ①《動》 두꺼비. →〔蛙〕 ②〈比〉 기세가 왕성한 모습.
〔怒形于色〕 nù xíng yú sè 〈成〉 분노가 얼굴에 드러나다. 얼굴에 노기를 띠다.
〔怒逐〕 nùzhú 동 ①화가 나서 해고하다. ②화가 나서 사람을 내쫓다.

傉 nù (욕)
인명용 자(字).

NÜ ㄋㄩ

女 nǚ (녀)
명 ①(~子) 여자. 여성. ¶妇fù~; 부녀. 부인(婦人) / 男~平等; 남녀 평등 / ~演员; ⇩ ②딸. ¶儿~; 자녀. 아들과 딸 / 小~; 제 딸(남에게 대한 비칭(卑稱)) / 长zhǎng~; 맏딸. 장녀 / 次~; 차녀. ③미혼 여자. ↔〔妇〕 ④작은 것을 가리켜 말함. ¶~(儿)墙; 낮은 울타리 / ~桑; 작은 뽕나무. ⑤(일부 짐승의) 암컷. ¶~猫māo; ⇩ ⑥'二èr十八宿'의 하나. ⇒nǜ, '汝' rǔ
〔女伴〕 nǚbàn 명 ①동행(하는 여성). ②아내.
〔女扮男装〕 nǚ bàn nán zhuāng 〈成〉 여자가 남장하다. ↔〔男扮女装〕
〔女婢〕 nǚbì 명 하녀. 계집종.
〔女傧相〕 nǚbīnxiàng 명 (구식 결혼식에서) 신부 들러리. =〔伴姑〕〔伴娘〕
〔女部〕 nǚbù 명 여자용. 여자만의 곳(변소·공동목욕탕·탈의장 따위의 구분). ↔〔男部〕
〔女厕〕 nǚcè 명 여자 변소〔화장실〕(남녀별 표시에 쓰임).
〔女长袜〕 nǚchángwà 명 여성용 스타킹.
〔女车〕 nǚchē 명 여자용 자전거.
〔女衬衣〕 nǚchènyī 명 블라우스.
〔女丑〕 nǚchǒu 명 《劇》 (중국 정통극에서) 여성 익살꾼 또는 악역. =〔彩cǎi旦〕
〔女闯将〕 nǚchuǎngjiàng 명 여성 투사. 여장부.
〔女大三, 抱金砖〕 nǚ dà sān, bào jīnzhuān 〈諺〉 혼인에서 여자가 세 살 위이면 운이 좋다고 하는 미신.
〔女大十八变〕 nǚ dà shíbā biàn 〈諺〉 여자는 성장할 때까지 여러 번 모습이 변한다.
〔女档子〕 nǚdàngzi 명 여자 연예인.
〔女道士〕 nǚdàoshi 명 도교의 여자 도사. =〔女官②〕〔女冠guān〕〔女黄冠〕
〔女德〕 nǚdé 명 여덕. 부덕(옛날, 여자의 덕성). ¶女子无才便是德; 여자는 학식과 재주가 없는 것이 덕이다.
〔女的〕 nǚde 명 ①여자('女人'보다 공손한 말). ②여자의 것.
〔女低音〕 nǚdīyīn 명 《樂》 알토.
〔女弟〕 nǚdì 명 〈文〉 여제. 누이동생.
〔女儿〕 nǚ'ér 명 ①딸. ¶嫁~; 딸을 시집 보내다 / 大~; 장녀 / 二~; 둘째딸. ②미혼의 처녀.
〔女儿寡〕 nǚ'érguǎ 명 정혼 중에 남자가 죽어서 시집도 못 가 본 처녀 과부. 망문과부(望門寡婦). 까막과부.
〔女儿家〕 nǚ'érjia 명 여자〔계집〕아이. 여자라는 것. ¶~是火钳命; 〈諺〉 계집애는 부집게 인생(여자란 평생 부엌에서 떠날 수 없다는 옛날 생각).
〔女儿节〕 nǚ'érjié 명 ①옛날 풍속으로, 5월 1일부터 4일까지를 말함. ②음력 7월 7일의 칠석날.
〔女儿经〕 Nǚ'érjīng 명 《書》 여아경(옛날, 여자를 훈계하고 부덕을 가르치던 책).
〔女儿酒〕 nǚ'érjiǔ 명 저장 성(浙江省) 사오싱(紹興)산의 술. =〔女贞酒②〕
〔女儿痨〕 nǚ'érláo 명 〈俗〉 흔히, 혼기에 이른 처녀의 폐병.
〔女儿态〕 nǚ'értài 명 여자다움. 여성다운 태도.
〔女犯〕 nǚfàn 명 여죄수. 여자 범죄자.

〔女方〕 nǚfāng 명 여자측. 신부 쪽. ↔〔男nán方〕
〔女夫〕 nǚfū 명 ⇨〔女婿①〕
〔女服务员〕 nǚfúwùyuán 명 웨이트리스나 스튜어디스 등 여자 복무원의 총칭. 여자 종업원.
〔女高音〕 nǚgāoyīn 명 《樂》 소프라노. ¶～歌唱家; 소프라노 가수.
〔女工〕 nǚgōng 명 ①여성 근로자. ②⇨〔女红gōng〕
〔女公子〕 nǚgōngzǐ 명 따님. 영양(令孃). 아가씨《현재는 외국인의 딸을 이를 때에 쓰임》.
〔女功〕 nǚgōng 명 여자가 하는 일《바느질·자수 등》. =〔女工②〕〔女红〕
〔女红〕 nǚgōng 명 여자 일《바느질·자수 따위》. ¶～用品; 여자 일의 용품 / 做～; 여자 일을 하다. =〔女工②〕〔女功〕
〔女宫〕 nǚgōng 명 옛날, 궁중의 여관(女官). 궁녀.
〔女雇员〕 nǚgùyuán 명 옛날, 여자 종업원.
〔女官〕 nǚguān 명 ①옛날, 궁중의 여관. 궁녀. ②⇨〔女道士〕
〔女冠〕 nǚguān 명 ⇨〔女道士〕
〔女观〕 nǚguàn 명 도교의 신중절.
〔女光棍(儿)〕 nǚguānggùn(r) 명 ①여자 깡패. ②〈貶〉 독신 여성.
〔女孩儿〕 nǚháir 명 ①계집〔여자〕아이. 소녀《'女孩子'보다 친근감이 있음》. ②딸. ‖=〔女孩子〕
〔女孩子〕 nǚháizi 명 ⇨〔女孩儿〕
〔女豪〕 nǚháo 명 여장부.
〔女户〕 nǚhù 명 여자들만 사는 가정.
〔女护士〕 nǚhùshì 명 (여자) 간호사. =〔女看护〕
〔女花(儿)〕 nǚhuā(r) 명 〈京〉 여자아이《'花'는 '孩'의 사투리》.
〔女皇〕 nǚhuáng 명 여제. 여황.
〔女黄冠〕 nǚhuángguān 명 ⇨〔女道士〕
〔女祸〕 nǚhuò 명 여화. 여자의 일로 야기된 재앙.
〔女及第〕 nǚjídì 명 옛날에, 누에를 무사히 치고 나서 사당에 감사의 참배를 하던 일.
〔女家〕 nǚjiā 명 (혼인에서) 신부측(側). =〔〈文〉坤kūn宅〕
〔女将〕 nǚjiàng 명 여걸. 여장부. ¶排球～; 여자 배구의 명선수.
〔女校书〕 nǚjiàoshū 명 기녀(妓女)의 딴이름.
〔女教师〕 nǚjiàoshī 명 여교사. 여선생.
〔女杰〕 nǚjié 명 여걸.
〔女诫〕 Nǚjiè 명 《書》 후한(後漢)의 반소(班昭)가 지은 것으로, 여자에 대한 가르침을 적은 책.
〔女界〕 nǚjiè 명 ①부녀자의 총칭. ¶电影院的座位, 现在不分男界～; 영화관의 좌석은 현재 남녀석을 구분치 않고 있다. ②여성계.
〔女斤斗〕 nǚjīndǒu 명 옛날, 여자 곡예사.
〔女眷〕 nǚjuàn 명 가족 중의 부녀자. 여자 권속.
〔女角〕 nǚjué 명 《劇》 ①여우(女優). ②여자역을 하는 남자 배우.
〔女看护〕 nǚkānhù 명 ⇨〔女护士〕
〔女科〕 nǚkē 명 《醫》 부인과. ¶～医生; 부인과 의사.
〔女客〕 nǚkè 명 여자 손님.
〔女口〕 nǚkǒu 명 ①여자. ②여자의 말.
〔女宽口裤〕 nǚkuānkǒukù 명 판탈롱(프 pantalon).
〔女喇嘛〕 nǚlǎma 명 라마교의 여승.
〔女篮〕 nǚlán 명 《體》〈簡〉 '女子篮球'(여자 농구)의 약칭. ↔〔男篮〕
〔女郎〕 nǚláng 명 〈文〉 ①남자와 같은 재치를 갖춘 여자. ②소녀. 처녀. ③젊은 여성. ¶摩登～; 현대 여성.
〔女郎花〕 nǚlánghuā 명 ⇨〔辛xīn夷〕
〔女牢〕 nǚláo 명 여자 감옥(監獄).
〔女伶〕 nǚlíng 명 《劇》 여배우. =〔女演员〕
〔女灵〕 nǚlíng 명 ⇨〔女神〕
〔女流〕 nǚliú 명 〈貶〉 여자. 아녀자《다소 경멸적인 말씨》.
〔女猫〕 nǚmāo 명 ⇨〔母mǔ猫〕
〔女媒〕 nǚméi 명 신부측의 중매인.
〔女模女样儿〕 nǚ mú nǚ yàngr 〈成〉 계집애 같은 성격. 여자처럼 간들거리는 태도.
〔女排〕 nǚpái 명 《體》〈簡〉 '女子排球'(여자 배구)의 약칭.
〔女朋友〕 nǚpéngyou 명 여자 친구. 연인. (여성) 약혼자.
〔女仆〕 nǚpú 명 하녀. 여자종.
〔女气〕 nǚqì 형 (태도·성질·행위가) 계집애〔여자〕 같다. 여성적이다.
〔女倩〕 nǚqiàn 명 ⇨〔女婿①〕
〔女强人〕 nǚqiángrén 명 여걸.
〔女青〕 nǚqīng 명 《植》 ①좀박주가리. ②여청. 계뇨등(鷄尿藤).
〔女青年〕 nǚqīngnián 명 젊은 여성. 아가씨.
〔女权〕 nǚquán 명 여권(女權).
〔女人〕 nǚrén 명 (성년의) 여자. ¶～家; 여성들. (성년의) 여자《'여자인 주제에…' 따위처럼 경멸의 말투》.
〔女人〕 nǚren 명 〈口〉 아내. 마누라. 여편네. ¶应该有一个～; 아내가 있어야 한다. =〔〈俗〉老lǎo婆〕
〔女色〕 nǚsè 명 여색.
〔女僧〕 nǚsēng 명 여승. 비구니.
〔女膳务员〕 nǚshànwùyuán 명 ①여자 요리사. ②스튜어디스.
〔女神〕 nǚshén 명 여신. =〔女灵〕
〔女生〕 nǚshēng 명 여학생. ¶～宿舍; 여학생 기숙사 / 兼收～; 여학생도 입학을 허가한다.
〔女生外向〕 nǚ shēng wài xiàng 〈成〉 ①여자는 시집가면 시집 쪽에 마음을 쏟게 마련이다. ②여자는 시집가기 마련이다.
〔女声〕 nǚshēng 명 《樂》 (성악의) 여성. ¶～独唱; 여성 독창 / ～合唱; 여성 합창. 여성 코러스.
〔女石〕 nǚshí 명 질투. ¶她就存着一个～; 그녀는 질투심이 강하다.
〔女史〕 nǚshǐ 명 〈文〉 ①본래는 고대 여관(女官)의 명칭. ②〈敬〉 인텔리 여성에 대한 존칭.
〔女使唤人〕 nǚ shǐhuànrén 명 여사환. 여자 심부름꾼.
〔女士〕 nǚshì 명 ①학식이 있는 여자. ②〈敬〉 여자에 대한 존칭. 여사《특히, 외국인에 대해 쓰임》. ¶～第一; 레이디 퍼스트 / ～们和先生们; 신사 숙녀 여러분.
〔女四书〕 Nǚsìshū 명 《書》 여사서《여훈(女訓)으로서 유명한 여계(女誡)·내훈(內訓)·여논어(女論語)·여범(女範) 등 네 가지 책을 모은 것》.
〔女孙〕 nǚsūn 명 〈文〉 손녀.
〔女胎〕 nǚtāi 명 갓난 계집아이. 여자 태아. ¶投～; 여자로 태어나다.
〔女同胞〕 nǚtóngbāo 명 여성 동포. 동포 자매.
〔女同学〕 nǚtóngxué 명 여성 학우.
〔女同志〕 nǚtóngzhì 명 여성 동지. 여자분. ¶男同志能办到的事情, ～也能办得到; 남자가 할 수

있는 일은 여자도 할 수 있다.
〔女徒〕 nǚtú 명 여자 죄수. 여수(女囚).
〔女娲〕 Nǚwā 명《人》여와(신화 중의 여제(女帝)의 이름).
〔女娃娃〕 nǚwáwa 명 ①갓난 계집아이. 여자 아기. ②아가씨. ¶二十几岁的～能拿得起吗? 스물 남짓한 여자가 맡아서 할 수가 있을까?
〔女袜〕 nǚwà 명 여자용 양말. ¶尼龙～; 나일론 스타킹.
〔女菀〕 nǚwǎn 명《植》옹긋나물(국화과의 숙근초. 뿌리를 약용함). =〔白báì菀〕
〔女王〕 nǚwáng 명 여왕.
〔女萎〕 nǚwěi 명《植》사위질빵.
〔女巫〕 nǚwū 명 여무. 여자 무당. =〔巫婆〕〔神shén婆(子)〕
〔女戏〕 nǚxì 명《劇》여인극.
〔女戏子〕 nǚxìzi 명 ⇨〔坤kūn角儿〕
〔女先(儿)〕 nǚxiān(r) 명 ⇨〔女先生②〕
〔女先生〕 nǚxiānsheng 명 ①옛날, 여교사. 여선생. ②여자 장님으로, 점 또는 노래 부르기를 업으로 하는 사람. =〔女先(儿)〕
〔女小囡〕 nǚxiǎonān 명〈方〉여자아이. 계집아이.
〔女鞋〕 nǚxié 명 여자 구두.
〔女性〕 nǚxìng 명 ①여성. ②부인. 여자. ¶新～; 신여성. 현대적인 여성.
〔女秀才〕 nǚxiùcái 명〈比〉학식이 있는 여자.
〔女虚子〕 nǚxūzi 명 여자 깡패. 여자 부랑자.
〔女婿〕 nǚxu 명 ①사위. ¶～家; 사위의 집. =〔女夫〕〔女倩〕 ②〈口〉남편. ‖ =〔门婿〕
〔女演员〕 nǚyǎnyuán 명 여우(女優). 여자 배우.
〔女谒〕 nǚyè 명〈文〉정권을 장악하여 정치를 어지럽히는 비빈(妃嬪).
〔女医生〕 nǚyīshēng 명 여자 의사. 여의(女醫).
〔女夷〕 Nǚyí 명 바람신(神)의 이름.
〔女阴〕 nǚyīn 명 여음. 여성 생식기.
〔女英雄〕 nǚyīngxióng 명 히로인. 여자 영웅.
〔女佣〕 nǚyōng 명 하녀. 계집종.
〔女优〕 nǚyōu 명 ⇨〔坤kūn角儿〕
〔女乐〕 nǚyuè 명 여가수(女歌手). 가희(歌姬).
〔女运动员〕 nǚ yùndòngyúan 명 여자 운동 선수.
〔女丈夫〕 nǚzhàngfū 명 ⇨〔女中丈夫〕
〔女招待〕 nǚzhāodài 명 웨이트리스. 호스티스. 여급(女給).
〔女贞〕 nǚzhēn 명《植》당광나무. =〔冬青②〕〔蜡树③〕
〔女贞酒〕 nǚzhēnjiǔ 명 ①'如贞'(당광나무)을 넣어 빚은 약술. ②⇨〔女儿酒〕
〔女真族〕 Nǚzhēnzú 명《史·民》여진족(쑹화 강(松化江)과 압록강 사이에 거주한 퉁구스계의 민족).
〔女中〕 nǚzhōng 명 여중. 여자 중학교.
〔女中音〕 nǚzhōngyīn 명《樂》메조 소프라노.
〔女中丈夫〕 nǚzhōng zhàngfū 명 여장부. 여걸. =〔女丈夫〕〔巾jīn帼英雄〕
〔女主〕 nǚzhǔ 명 ①황후. ②여왕(女王). ③안주인. ④《天》여주(별이름).
〔女主角〕 nǚzhǔjué 명《劇》주연 여배우. 히로인.
〔女主人〕 nǚzhǔren 명〈敬〉여주인. 안주인.
〔女装〕 nǚzhuāng 명 여성복(服). ¶～短衫; 블라우스.
〔女子子〕 nǚzǐzǐ 명 옛날, 성인 여자의 일컬음.
〔女宗〕 nǚzōng 명〈文〉여자의 모범으로 삼을 만한 사람.
〔女作家〕 nǚzuòjiā 명 여류 작가.

钕(釹) nǚ (녀) 명《化》네오디뮴(Nd: neodymium).

籹 nǚ (여) →〔粔jù籹〕

女 nǜ (여) 동〈文〉시집 보내다. 짝지어 주다. ⇒nǚ rǔ

恧 nǜ (뉵) 동〈文〉부끄러워하다. ¶愧kuì～; 부끄러워하다.
〔恧缩〕 nǜsuō 형〈文〉부끄럽고 죄송스럽다.

朒 nǜ (뉵) 형〈文〉모자라다. 부족하다. ¶盈yíng～; (수의) 초과와 부족.

衄〈衂, 䶊〉 nǜ (뉵) ①명 코피. =〔鼻bí衄〕 ②동 코피가 나오다.〈轉〉출혈하다. =〔衄血〕 ③동〈文〉꺾이다. 싸움에 패하다. =〔败衄〕

NUAN ㄋㄨㄢ

暖〈煖, 㬉, 㬊〉 nuǎn (난) ①형 따뜻하다. 온화하다. ¶风和日～;〈成〉바람은 부드럽고 날씨는 온화하다 / 天～了, 不用生炉子了; 따뜻해져서 난로를 피울 필요가 없게 되었다 / 春～花开;〈成〉봄 날씨는 따뜻하고 꽃이 피어 아름답다. ②동 따뜻하게 하다. 덥게 하다. ¶～酒; 술을 데우다 / 喝杯酒～～肚子; 술이라도 마셔서 뱃속을 따뜻하게 하다 / 党的关怀～人心; 당의 배려는 인심을 훈훈하게 한다. ⇒'煖' xuān
〔暖饱〕 nuǎnbǎo 동〈文〉따뜻하게 입고 배불리 먹다. 호의호식하다.
〔暖窗儿〕 nuǎnchuāngr 명 종이나 헝겊을 바른 창.
〔暖翠〕 nuǎncuì 명〈文〉봄 산의 청록색.
〔暖调〕 nuǎndiào 명《美》따뜻한 색조.
〔暖洞子〕 nuǎndòngzi 명〈方〉온실. =〔温室〕
〔暖耳〕 nuǎn'ěr 명 ⇨〔耳朵帽(儿)〕
〔暖房〕 nuǎn,fáng 동 ①친구가 결혼하기 전날 찾아와서 축하의 말을 하다. ②이사를 축하하다. =〔温居〕 ③방을 덥게 하다. 난방하다. ¶～设备; 난방 설비. (nuǎnfáng) 명〈方〉따뜻한 방. 온실. ‖ =〔暖屋〕
〔暖房子〕 nuǎnfángzi 명 옛날, 자선 단체가 겨울철에 집이 없는 빈민을 수용하여 따뜻하게 해 준 곳.
〔暖风幕〕 nuǎnfēngmù 명 에어 커튼(air curtain).
〔暖风扇〕 nuǎnfēngshàn 명 (건조용) 열풍을 보내는 선풍기. 대형 드라이어.
〔暖锋〕 nuǎnfēng 명《氣》온난 전선(溫暖前線). =〔暖锋面〕〔暖空气前锋〕
〔暖阁〕 nuǎngé 명 ①난로를 때고, '暖帘' 등을 쳐서 따뜻하게 한 방. 또는 방 전체를 온돌로 만들어 놓은 곳. ②옛날, 관청 등에서, 큰 탁자나 책

상 등을 갖추어 안건의 심리나 하급 관리들과의 접견 등에 썼던 방.
〔暖管〕 nuǎnguǎn 명 난방 방열관(放熱管). 방열기.
〔暖锅〕 nuǎnguō 명 ⇨〔火huǒ锅(儿,子)①〕
〔暖烘烘(的)〕 nuǎnhōnghōng(de) 형 따스한 모양. 따끈따끈한 모양. =〔暖乎乎(的)〕
〔暖乎乎(的)〕 nuǎnhūhū(de) 형 ⇨〔暖烘烘(的)〕
〔暖壶〕 nuǎnhú 명 ①보온병. ¶给我灌了～; 보온병에 넣어 나에게 주었다. =〔热水瓶〕 ②보온 커버에 넣어 둔 물통. ③수프를 넣어 두는 것.
〔暖和〕 nuǎnhuo 형 따뜻하다. ¶这屋子向阳, 很～; 이 방은 해가 비치어 매우 따뜻하다. 동 불을 쬐다. 따뜻하게 하다. ¶～屋里; 방 안을 따뜻하게 하다 / 屋里有火, 快进来～～吧! 실내에는 불이 있으니 빨리 들어와 쬐어라! ‖ =〔暖活〕
〔暖和和儿〕 nuǎnhuōhuōr 형 〈方〉 훈훈하고 따뜻하다.
〔暖活〕 nuǎnhuo 형동 ⇨〔暖和〕
〔暖轿〕 nuǎnjiào 명 옛날, 겨울철용의 따뜻하게 만든 가마.
〔暖炕〕 nuǎnkàng 명 온돌. (nuǎn,kàng) 동 온돌을 따뜻하게 하다.
〔暖空气前锋〕 nuǎnkōngqì qiánfēng 명 ⇨〔暖锋〕
〔暖力〕 nuǎnlì 명 보온력.
〔暖帘〕 nuǎnlián 명 겨울에 치는 솜을 둔 커튼(보온을 위해 출입구에 침). =〔棉mián帘(子)〕
〔暖寮〕 nuǎnliáo 명 《佛》 불교계에서, 새로 들어온 중이 다과를 내어 이미 들어와 있는 중을 대접하는 일. =〔暖寺〕〔暖席②〕
〔暖流〕 nuǎnliú 명 ①《地質》 난류. ②따뜻한 맛. 이해심. ¶有一段幸福的～; 행복한 기분. ↔〔寒hán流〕
〔暖炉〕 nuǎnlú 명 난로. 난방기. 스토브. ¶煤气～; 가스 난로.
〔暖帽〕 nuǎnmào 명 겨울 모자. =〔冬dōng帽〕
〔暖棚〕 nuǎnpéng 명 ①겨울철에 뜰에 치는 추위막이 덮개. ②〈俗〉 비닐 하우스.
〔暖瓶〕 nuǎnpíng 명 〈方〉 ⇨〔暖水瓶〕
〔暖气〕 nuǎnqì 명 ①스팀. ¶打开～; 스팀을 넣다. ②따뜻한 기운. 난기(暖氣). ③난방 설비.
〔暖气团〕 nuǎnqìtuán 명 《氣》 난기단.
〔暖汽〕 nuǎnqì 명 스팀. ¶～片 =〔～包〕; 〈北方〉 라디에이터(radiator) / ～管子; 스팀 파이프.
〔暖汽炉〕 nuǎnqìlú 명 스팀 보일러.
〔暖溶溶(的)〕 nuǎnróngróng(de) 형 ⇨〔暖融融(的)〕
〔暖融〕 nuǎnróng 형 따스하다. ¶太阳是暖暖融融的, 春风是柔柔和和的; 햇빛은 따스하고, 봄바람은 부드럽다.
〔暖融融(的)〕 nuǎnróngróng(de) 형 〈文〉 따스한 모양. ¶阳光～地照着里院; 햇빛이 따스하게 안마당을 비추고 있다. =〔暖溶溶(的)〕
〔暖丧〕 nuǎnsāng 명 ⇨〔暖孝〕
〔暖色〕 nuǎnsè 명 《美》 난색.
〔暖手〕 nuǎnshǒu 동 손을 따뜻하게 하다. 손을 녹이다.
〔暖手筒〕 nuǎnshǒutǒng 명 토시. 머프(muff).
〔暖寿〕 nuǎnshòu 명동 생일 전날에 잔치를 차려 축하함〔축하하다〕.
〔暖水袋〕 nuǎnshuǐdài 명 보온 주머니(끓는 물을 담아 손이나 배를 따뜻하게 하는 고무 주머니).
〔暖水管子〕 nuǎnshuǐguǎnzi 명 (스팀 · 샤워 등의) 온수관〔파이프〕.
〔暖水壶〕 nuǎnshuǐhú 명 ⇨〔暖水瓶〕
〔暖水炉〕 nuǎnshuǐlú 명 (온수) 난방 설비.
〔暖水瓶〕 nuǎnshuǐpíng 명 보온병. =〔暖瓶〕〔暖壶①〕〔热水瓶〕〔暖水壶〕
〔暖寺〕 nuǎnsì 명 ⇨〔暖寮〕
〔暖酥〕 nuǎnsū 명 〈文〉 여자의 부드러운 앞가슴.
〔暖疼〕 nuǎnténg 동 (얻어맞거나 한 사람을) 맛있는 음식을 대접하여 위로하다.
〔暖碗〕 nuǎnwǎn 명 음식이 식지 않도록 끓는 물을 넣어 두는 장치가 있는 연회용의 큰 그릇.
〔暖屋〕 nuǎnwū 명동 ⇨〔暖房〕
〔暖席〕 nuǎnxí 명 ①갈대를 가늘게 쪼개어 엮은 돗자리. ②⇨〔暖寮〕
〔暖孝〕 nuǎnxiào 명 출관(出棺) 전날 밤, 초상 집에서 손님을 청하여 북을 치며 노는 일. =〔暖丧〕
〔暖鞋〕 nuǎnxié 명 속에 플란넬 따위를 댄 방한(防寒) 즈크 신발.
〔暖心〕 nuǎn,xīn 동 몸 속을 덥게 하다〔녹이다〕. ¶做点可口的汤面吧, 放点姜, 暖暖心, 发发汗! 몸을 덥게 해서 땀을 내게 생강을 넣고 맛있는 국수를 만들어라!
〔暖袖〕 nuǎnxiù 명 토시. 추위를 막기 위해 솜옷의 소맷부리에 덧붙인 솜을 둔 소매(자유롭게 떼었다 붙였다 할 수 있음).
〔暖眼〕 nuǎnyǎn 명 따뜻한 눈길. 친근미 있는 눈매.
〔暖洋洋(的)〕 nuǎnyángyáng(de) 형 따뜻해서 마음이 누그러져 있는 모양. 따뜻하고 훈훈한 모양.
〔暖种〕 nuǎnzhǒng 동 온도를 올려 누에의 부화를 촉진시키다.

NÜE ㄋㄩㄝ

疟(瘧) nüè (학)
명 《漢醫》 말라리아. 학질. ¶劳～; 만성 쇠약성 말라리아 / 瘴zhàng～; 열대성 말라리아 / 食shí～; 말라리아 합병 급성 위(胃)카타르(독 katarrh). ⇒yào
〔疟虫〕 nüèchóng 명 ⇨〔疟原虫〕
〔疟涤平〕 nüèdípíng 명 ⇨〔阿ā的平〕
〔疟疾蚊〕 nüèjíwén 명 ⇨〔疟蚊〕
〔疟媒蚊〕 nüèméiwén 명 ⇨〔疟蚊〕
〔疟母〕 nüèmǔ 명 《醫》 학모(학질로 인한 만성 비장 종대증(脾臟腫大症)). =〔热rè饼〕
〔疟蚊〕 nüèwén 명 《蟲》 학질 모기. 아노펠레스. =〔疟疾蚊〕〔疟媒蚊〕
〔疟原虫〕 nüèyuánchóng 명 《動》 말라리아 원충. =〔疟虫〕

虐 nüè (학)
①동 학대하다. 괴롭히다. ¶凌líng～; 폭력으로 압박하여 괴롭히다. ②형 잔인〔잔혹〕하다. 무자비하다. ¶暴bào～; 난폭하고 잔인하다 / 苛kē～; 가혹하고 무자비하다 / ～杀shā; ⇩ ③명 학대. ④명 〈文〉 재화. 재앙.
〔虐打〕 nüèdǎ 동 끔찍〔참혹〕하게 패다.
〔虐待〕 nüèdài 명동 학대(하다). ¶自从颁布了婚姻法, 儿媳妇不再受～了; 혼인법이 공포되고 나서, 며느리도 더 이상 학대를 받지 않게 되었다.
〔虐待狂〕 nüèdàikuáng 명 사디즘(sadism). =〔虐淫yín症〕 ↔〔受shòu虐狂〕
〔虐官〕 nüèguān 명 〈文〉 가혹한 관리.

〔虐民〕 nüèmín 동 〈文〉 백성을 학대하다.
〔虐派〕 nüèpài 동 세금을 가혹하게 거두어 들이다.
〔虐杀〕 nüèshā 명동 학살(하다).
〔虐王〕 nüèwáng 명 〈文〉 폭군(暴君).
〔虐蚊〕 nüèwén 명 《蟲》 아노펠레스(anopheles). =〔按蚊〕〔疟蚊〕
〔虐行〕 nüèxíng 명 잔학한 행위.
〔虐淫症〕 nüèyínzhèng 명 ⇨〔虐待狂〕
〔虐政〕 nüèzhèng 명 〈文〉 학정. 가혹한 정치.

NUN ㄋㄨㄣ

黁 **nún** (눈)
형 〈文〉 향기롭다. ¶温wēn~; 〈文〉 따스하고 향기롭다.

NUO ㄋㄨㄛ

挪 **nuó** (나)
동 ①움직이다. 옮기다. ¶把桌子~一~! 테이블을 옮겨라! / 人~活, 树~死; 인간은 움직여도 살지만, 나무는 옮기면 죽어 버린다 / 星期三整天学习~到星期六, 并改为半天; 수요일의 전일(全日) 학습을 토요일로 옮기고, 또한 반공일로 한다 / ~运; 화물을 다른 곳으로 운반하다. ②(돈을) 융통하다. 유용하다.
〔挪拨〕 nuóbō 동 돈을 융통하다. 유용 지출하다.
〔挪补〕 nuóbǔ 동 유용하고 나서 메우다. 구멍을 메우다.
〔挪步〕 nuó.bù 동 걸음을 옮기다. ¶还没等他~, 一个姑娘冲门闯了进来; 그가 걸음을 내딛기 전에, 한 여자가 문에서 갑자기 뛰어들어왔다.
〔挪不动〕 nuóbudòng (무거워서) 이동할 수 없다.
〔挪不开〕 nuóbukāi 없앨 수 없다. 치울 수 없다.
〔挪蹭〕 nuócèng 동 〈口〉 느릿느릿 걷다. ¶一步步地往家里~; 한 걸음 한 걸음 집을 향해 걸어가다.
〔挪到…〕 nuódào… …으로 이동하다〔옮기다〕. ¶~哪儿去了; 어디로 이사했나.
〔挪动〕 nuódong 동 ①옮(기)다. 움직이다. ¶往前~了几步; 앞으로 몇 발짝 옮겼다. ②꾸다. 융통하다. ¶月底我得请你~点款子; 월말에 당신에게서 돈을 약간 빌려야 하겠습니다. ③유용하다.
〔挪借〕 nuójiè 동 ①꾸다. 융통하다. ¶~不动; 융통이 안 된다. ②(남의 돈을) 잠시 차용〔유용〕하다.
〔挪近〕 nuójìn 동 (장소를 옮겨) 옆에 가까이 대다. ¶他把椅子~我的身旁; 그는 내 곁으로 의자를 옮겼다.
〔挪开〕 nuókāi 동 ①치우다. 없애다. (한쪽으로) 비키다. 비켜 놓다. ¶快把石头~吧! 빨리 돌을 치워라. ②유용하다. ¶~账款; 돈을 유용하다.
〔挪款〕 nuókuǎn 동 돈을 융통하다.
〔挪挪窝儿〕 nuónuowōr 동 〈俗〉 장소를 옮기다. ¶快~吧, 人家本主要这块地方呢; 빨리 비켜 줘. 이 곳은 임자가 있다.
〔挪骚窝儿〕 nuósāowōr 명 ⇨〔挪臊窝子〕
〔挪臊窝子〕 nuósāowōzi 명 갓난아기가 생후 처음으로 외가에 가는 일. =〔挪骚窝儿〕
〔挪威〕 Nuówēi 명 《地》 〈音〉 노르웨이(Norway) 《수도는 '奥Aò斯陆'(오슬로: Oslo)》.
〔挪窝(儿,子)〕 nuó.wō(r, zi) 동 〈方〉 이사하다. 보금자리를 옮기다. ¶这屋子是我的, 说什么我也不~; 이 집은 나의 집이니, 뭐라 해도 옮길 수 없다 / 一赌起来连一天一夜也不~; 노름을 시작하면 하루 낮 하루 밤을 자리를 뜨지 않는다.
〔挪屋子〕 nuówūzi 동 방을 옮기다.
〔挪亚方舟〕 nuóyà fāngzhōu 명 ⇨〔诺nuò亚方舟〕
〔挪移〕 nuóyí 동 ①〈方〉 (돈을) 유용하다. ¶~款项; 돈을 차용하다. 돈을 잠시 유용·전용하다. ②옮기다. 이전하다.
〔挪用〕 nuóyòng 동 ①유용하다. 전용(轉用)하다. 융통하다. ¶专款专用, 不得~; 전용(專用)의 비목은 그것에만 쓸 수 있을 뿐으로, 유용은 할 수 없다 / 禁止预算的~; 예산의 전용을 허용하지 않다 / 您, ~我俩钱儿行不行? 제게 돈을 좀 입체해 주시지 않겠습니까? ②(공금을) 사용(私用)에 쓰다. ¶~公款; 공금을 유용하다.

娜 **nuó** (나)
①→〔袅niǎo娜〕 ②→〔婀ē娜〕 ⇒nà

难(難) **nuó** (난)
① 형 왕성한 모양. ② 명 구나(驅儺)《신을 맞고 액을 쫓는 옛날의 습속》. =〔傩〕 ⇒nán nàn

傩(儺) **nuó** (나)
명 구나(驅儺). 잡귀를 쫓는 제사.
〔傩神〕 nuóshén 명 액을 쫓는 신.
〔傩戏〕 nuóxì 명 《劇》 신무극(神舞劇).

诺(諾) **nuò** (낙)
동 ①승낙하다. 허락하다. ¶慨~; 쾌히 승낙하다 / 金~; 〈翰〉 쾌락해 주심 / 重zhòng然~; 무책임한 승낙을 하지 않다 / 许xǔ~ =〔允yǔn~〕; 승낙(하다). ②대답하다. ¶一呼百~; 〈成〉 한 마디 부르면 많은 사람이 일제히 대답한다《많은 사람이 따르는 모양》.
〔诺贝尔奖金〕 Nuòbèi'ěr jiǎngjīn 명 노벨상. ¶~受领人; 노벨상 수상자.
〔诺尔〕 nuò'ěr 명 ⇨〔淖nào尔〕
〔诺浩〕 nuòhào 명 〈音〉 노하우.
〔诺曼底〕 Nuòmàndǐ 명 《地》 〈音〉 노르망디(Normandie).
〔诺模图〕 nuòmótú 명 《數》 노모그램(nomogram).
〔诺诺〕 nuònuò 감 〈文〉 네네. 예예. 그래그래《응답하는 소리. 또, 승낙의 뜻을 나타냄》. ¶唯wéi唯~; 〈成〉 유유낙낙하다.
〔诺脱〕 nuòtuō 명 〈音〉 노트(knot). =〔海里〕
〔诺沃西比尔斯克〕 Nuòwòxībǐ'ěrsīkè 명 ⇨〔新Xīn西伯利亚〕
〔诺亚方舟〕 nuòyà fāngzhōu 명 노아의 방주. =〔挪亚方舟〕
〔诺言〕 nuòyán 명 승낙하는 말. 공약(公約). ¶履行~; 공약을 실행하다 / 违背~; 공약을 어기다.

搙 **nuò** (낙)
동 ⇨〔搦nuò〕

喏 **nuò** (야)
① 감 사물을 가리키며 주의를 끌 때 쓰이는 말. ¶~, 这不就是你的那把伞? 이봐, 이것

이 바로 네 우산이 아니냐? / ～! 这不就是邮局吗; 이봐! 이게 우체국 아닌가! ② 동 승낙하다. ¶ ～～连声; 네네 하며 대답하다. ⇒ rě

锘(鍩) **nuò** (낙) 명 《化》 노벨륨(No: nobelium).

搦 **nuò** (닉) 동 ①붙잡다. ¶ ～管; 붓을 잡다. 집필하다. ②쥐다. 가지다. ③도발하다. 일으키다. ④비비다. 문지르다. ¶ ～下; 손으로 훑어 내리다. ‖ =〔搙〕

懦 **nuò** (유, 나) 형 겁이 많다. 나약하고 무능하다. ¶ 怯qiè～; 겁을 먹어 무기력하다 / ～夫立志; 〈成〉 무기력한 인간이 분발하다.

〔懦钝〕 nuòdùn 형 〈文〉 유약하고 시원스럽지 못하다. 나약하고 둔하다.

〔懦夫〕 nuòfū 명 연약하고 무능한 사람. 겁쟁이. ¶ ～懒汉; 무기력한 사람 / ～思想; 무기력하고 게으른 (사람의) 생각. =〔怯qiè夫〕

〔懦懦〕 nuònuò 형 〈文〉 나약하다. 무기력하다.

〔懦怯〕 nuòqiè 형 겁이 많다. 나약하고 무능하다. ¶ 不要说～的话! 나약한 말은 하지도 말게!

〔懦弱〕 nuòruò 형 무기력하다. 나약하고 무능하다. ¶ 临到紧要关头表现～; 결정적인 순간에 나약함을 드러낸다.

糯〈稬, 穤〉 **nuò** (나) ① 명 《植》 찰벼. ② 형 찰기가 있다. ¶ 新米煮饭又～又香; 햅쌀로 밥을 지으면 찰기가 있고 맛있다.

〔糯稻〕 nuòdào 명 《植》 찰벼.

〔糯谷〕 nuògǔ 명 《植》 차조.

〔糯碌〕 nuòlù 명 (찹쌀의) 싸라기.

〔糯米〕 nuòmǐ 명 찹쌀. ¶ ～团; 찹쌀 경단. =〔〈北方〉 江jiāng米〕

〔糯米肠〕 nuòmǐcháng 명 양이나 돼지의 '肠衣'에 간을 한 찹쌀을 채워서 찐 순대 비슷한 부식품.

〔糯米酒〕 nuòmǐjiǔ 명 ①감주(甘酒). =〔酒娘〕 ②찹쌀술.

〔糯米年糕〕 nuòmǐ niángāo 명 설에 쓰는 찹쌀로 만든 떡.

〔糯米人〕 nuòmǐrén 명 풍류객.

〔糯米纸〕 nuòmǐzhǐ 명 ⇨〔米纸〕

O

O ㄛ

喔 ō (악)
감 ①아! 오!《이해하였음을 나타냄》. ¶～, 就是他! 아, 바로 그 사람이군! / ～, 我懂了! 아, 알았습니다! ②아이쿠! 아니!《놀람·고통을 나타냄》. ¶～嚄huò! 糟zāo了; 아뿔싸! 큰일났다 / ～! 你说什么? 뭣이! 뭐라고? / ～, 好痛! 아이구, 아파라! ⇒wō, '哦' ò
〔喔立夫过滤器〕 ōlìfū guòlǜqì 명 〈音〉 올리버 필터(oliver filter). 올리버 거르개.
〔喔唷〕 ōyō 감 와! 아이구! 아니!《놀람·고통을 나타냄》. ¶～! 这么大的西瓜! 와! 이렇게 큰 수박! / ～! 好疼! 아이구! 아프다 아파!

噢 ō (욱)
감 어! 오!《요해(了解)·납득의 뜻을 나타냄》. ¶～, 是了! 어, 그렇다! / ～, 原来是这么安装; 오! 이렇게 설치하는 것이었지. →〔喔wō①〕

哦 ó (아)
감 어! 어머!《의문이나 반신반의·놀람·찬탄을 나타냄》. ¶～, 是这样的吗? 어, 그렇던가요? / ～, 是那么一回事! 아, 그랬었군요! ⇒ é ò
〔哦哟〕 óyō 감 어머!《경탄의 말》.

嚄 ǒ (획)
감 허! 아니!《의아한 어기(語氣)를 나타냄》. ¶～! 这道题怎么还算不对? 허! 이 계산 문제가 어째서 아직도 틀렸단 말인가? ⇒huō huò

哦〈喔〉 ò (아) 〈악〉
감 아! 오!《납득·이해 등을 나타냄》. ¶～, 我明白了! 아, 알았다! / ～, 我想起来了; 아, 생각났다. ⇒é ó, '喔' ō wō

OU ㄡ

区(區) Ōu (우)
명 성(姓)의 하나. ⇒qū

讴(謳) ōu (구)
① 동 노래하다. ¶有善～者; (어느 곳에) 노래를 잘 부르는 사람이 있었다. ② 명 노래. 민요. ¶吴～; 쑤저우(蘇州) 지방의 민요 / 采菱～; 마름 열매를 딸 때 부르는 노래.
〔讴歌〕 ōugē 동 〈文〉 구가하다. 여럿이서 찬탄하여 노래 부르다.
〔讴颂〕 ōusòng 동 〈文〉 칭찬하다. 찬탄하다.
〔讴鸦〕 ōuyā 〈擬〉 꽥꽥. 끽끽《①갓난아기의 목소리. ②새의 우는 소리. ③삐걱거리는 소리》. →〔呕ǒu哑〕

沤(漚) ōu (구)
명 수포. 물거품. ⇒òu

呕(嘔) ōu (구)
① →〔呕哾〕〔呕嘎〕〔呕呕〕 ② '讴' 와 통용됨. ⇒ǒu, '怄' òu
〔呕哾〕 ōu'ér 〈擬〉〈文〉 새가 우는 소리.
〔呕嘎〕 ōugā 〈擬〉〈文〉 제비가 우는 소리.
〔呕呕〕 ōuōu 〈擬〉 삐걱거리는 소리.

瓯(甌) ōu (구)
명 ①작은 병. ②(～子) 작은 대접. ¶金～; 금속제의 술그릇. 〈轉〉 영토의 방위가 완전하고 견고한 것. ③(～子) 〈方〉 운두가 높은 공기. ¶茶～; 운두가 높은 찻잔. ④(Ōu) 《地》 저장 성(浙江省) 원저우(溫州)의 별칭.
〔瓯柑〕 ōugān 명 《植》 저장 성(浙江省) 원저우(溫州) 산(産)의 귤. =〔春chūn橘〕
〔瓯眍〕 ōukōu 형 움푹하다. ¶生得眼睛～; 태어날 때부터 눈이 움폭하다.
〔瓯穴〕 ōuxué 명 《地質》 산악 지방에서 강바닥과 강가 사이의 암석면에 난 냄비 모양의 구멍.
〔瓯越〕 Ōuyuè 명 《地》 ①저장 성(浙江省) 융자현(永嘉縣) 일대의 구칭(舊稱). ②하이난 섬(海南島)의 구칭(舊稱).

欧(歐) ōu (구)
A) ① (Ōu) 명 구주. 유럽. ¶～风; 유럽풍(의). ②(～子) 명 〈方〉 술잔. ③ 명 성(姓)의 하나. ④음역자. ¶～达; 오더(order). B) 〈文〉 '呕'·'殴'·'讴' 와 통용.
〔欧安会〕 Ōu'ānhuì 〈簡〉 유럽 안보 협력 회의.
〔欧波〕 ōubō 명 《樂》 〈音〉 오보에(oboe). =〔双簧管〕〔欧巴〕〔欧伯〕〔奥波〕〔奥博〕〔奥播哀〕〔呜蒲管〕
〔欧刀〕 ōudāo 명 처형용(處刑用)의 칼.
〔欧尔〕 ōu'ěr 양 《貨》 〈音〉 외레(öre). 덴마크·노르웨이·스웨덴의 통화 단위《1 외레는 100분의 1 크로네(krone)》.
〔欧化〕 ōuhuà 명동 유럽화(하다).
〔欧几里得〕 Ōujīlǐdé 명 《人》 〈音〉 유클리드(Euclid)《옛날 그리스 수학자. B.C. 323?～285》.
〔欧拉定理〕 ōulā dìnglǐ 명 《數》 〈音〉 오일러(Euler)의 정리.
〔欧梨〕 ōulí 명 ⇨〔欧李〕
〔欧李〕 ōulǐ 명 《植》 헤이룽장(黑龍江) 지방에서 나는 산앵두나무의 열매 이름. =〔欧梨〕
〔欧椋鸟〕 ōuliángniǎo 명 《鳥》 별찌르레기.
〔欧林比克〕 ōulínbǐkè 명 ⇨〔奥ào林匹克运动会〕
〔欧罗巴〕 Ōuluóbā 명 《地》 〈音〉 유럽. 구라파. ¶～人种; 유럽 인종. =〔欧洲〕
〔欧美〕 Ōu Měi 명 《地》 구미. 유럽과 아메리카.
〔欧姆〕 ōumǔ 명 《電》 〈音〉 옴《전기 저항의 단위》. ¶～计; 옴미터 / 兆～; 메그옴(megohm).
〔欧欧〕 ōu'ōu 〈擬〉 꼬꼬《닭 우는 소리》. =〔喔wō喔〕
〔欧佩克〕 Ōupèikè 명 〈音〉 OPEC《석유 수출국 기구》.
〔欧普艺术〕 ōupǔ yìshù 명 〈音義〉 옵아트(op art).

〔欧鸲〕 ōuqú 명《鳥》유럽울새(지빠귀과의 작은 새).
〔欧氏管〕 ōushìguǎn 명《生》에우스타키오관(Eustachio管). 구씨관. =〔耳ěr咽管〕
〔欧式〕 ōushì 명형 (서)양식(洋式)(의). 유럽식(의).
〔欧体〕 ōutǐ →〔欧虞体〕
〔欧西〕 Ōuxī 명 유럽. ¶～各国; 유럽 각국. =〔欧洲〕
〔欧亚大陆〕 Ōu Yà dàlù 명《地》〈音〉 유라시아 대륙. =〔欧雷西亚〕
〔欧阳〕 Ōuyáng 명 복성(複姓)의 하나.
〔欧虞体〕 Ōu yú tǐ 명 구우체(구양순(歐陽詢)과 우세남(虞世南)의 서체).
〔欧战〕 Ōuzhàn 명〈簡〉'欧洲大战'의 약칭.
〔欧洲〕 Ōuzhōu 명〈音〉 구주. 유럽. ¶～大战; 구주〔유럽〕 대전. =〔欧罗巴〕
〔欧洲共同体〕 Ōuzhōu gòngtóngtǐ 명 구주〔유럽〕 공동체. EC. ¶欧洲经济共同体; ECC(유럽〔구주〕 경제 공동체).
〔欧洲联盟〕 Ōuzhōu liánméng 명 EU(유럽 연맹).
〔欧字帖〕 Ōuzìtiè 명 구양순체(歐陽詢體)의 습자책.

殴(毆)

ōu (구)
동 두들기다. 패다. ¶斗～; 서로 때리며 싸우다 / ～打 =〔～击〕; 구타(하다) / 凶～ =〔痛～〕; 심한 구타(를 하다) / 群～; 몰매(를 안기다). 뭇매질(하다).
〔殴毙〕 ōubì 동 때려 죽이다.
〔殴杀〕 ōushā 동 때려 죽이다. =〔殴死〕
〔殴伤〕 ōushāng 동 때려서 상처를 내다.
〔殴死〕 ōusǐ 동 ⇨〔殴杀〕

鸥(鷗)

ōu (구)
명《鳥》 갈매기. ¶海～; (바다의) 갈매기. =〔鸥鸟niǎo〕

呕(嘔)

ǒu (구)
동 ①토하다. 구토하다. ¶～吐; 구토(하다) / ～血; 피를 토하다. ② 토로(吐露)하다. ⇒ōu, '怄'òu
〔呕出心血〕 ǒu chū xīn xuè〈成〉⇨〔呕尽心血〕
〔呕火〕 ǒu·huǒ 동 화를 발끈 내다. 격분하다.
〔呕尽心血〕 ǒu jìn xīn xuè〈比〉아주 고심(苦心)하다(흔히, 문예 창작에 대하여 일컬음). =〔呕出心血〕〔呕心沥lì血〕〔呕心〕
〔呕气〕 ǒuqì 명동 구역질(나다).
〔呕吐〕 ǒutù 명동 구토(하다).
〔呕泄〕 ǒuxiè 명동 토사(하다). 구토 설사(하다).
〔呕心〕 ǒu·xīn 동 ①진심을 토로하다. ②(문예 창작에 있어서) 몹시 애를 쓰다.
〔呕哑〕 ǒuyā〔ōuyā〕〈擬〉①갓난아이의 말 소리. 〈轉〉갓난아이. ②새 소리. ③관현악 등의 혼성(混聲). ④차 소리. =〔呕轧〕 ⑤노 젓는 소리. ‖=〔呕鸦〕

偶

ǒu (우)
①명 우수. 짝수. ¶无独有～;〈成〉하나〔한 번〕가 아니고 두 개〔두 차례〕 짝지어 있는 일(대개 나쁜 일에 쓰임) / 奇～; 기수와 우수. 홀수와 짝수. ②명 쌍. 짝(두 개가 한 짝으로 된 것). ¶与之为～; 그것과 짝이 되다. ③명 배필. 배우자. ¶选择良～; 좋은 배우자를 고르다 / 配～; 배우자 / 佳～; 좋은 배필. ‖=〔耦②〕 ④명 우상. 인형. 꼭두각시. ¶土～; 흙인형. 토우 / 木～; 목우. 목상 / 泥胎～像; 바탕이 흙으로 만들어진 상. ⑤부 우연히. 공교롭게. ¶中途～遇; 도중에서 우연히 만나다 / ～一为之; ⇩ ⑥형 동류(同類)의. ⑦부 서로 마주 대하여. ¶～视; 마주 대하여 서로 보다. ⑧명 성(姓)의 하나.
〔偶笔〕 ǒubǐ 동명〈文〉생각나는 대로 쓰다〔쓴 글〕.
〔偶氮苯〕 ǒudànběn 명《化》아조벤젠(azobenzene).
〔偶氮基〕 ǒudànjī 명《化》아조(azo)기(基).
〔偶氮染料〕 ǒudàn rǎnliào 명《化》아조(azo) 염료.
〔偶尔〕 ǒu'ěr 부 때때로. 가끔. ¶他常常写小说, ～也写写诗; 그는 자주 소설을 쓰지만, 가끔 시를 쓸 때도 있다 / ～去玩儿; 가끔 가서 놀다. 注 '偶然'과는 달리 완전한 부사이므로 술어(述語)·관형어로 되지 않음. ↔〔经常〕 형 우발적인. ¶～事件; 우발 사건.
〔偶发〕 ǒufā 동 우발하다. 우연히 일어나다.
〔偶方〕 ǒufāng 명《漢醫》①두 종류의 약을 배합한 처방. ②약의 수(數)가 짝수가 되는 처방.
〔偶合〕 ǒuhé 동 우연히 일치하다. 명 우연의 일치. ¶我们两人的见解一致这完全是一种～; 우리 두 사람의 견해가 일치된 것은 완전히 우연의 일치다.
〔偶或〕 ǒuhuò 부〈文〉어쩌면. 혹은. 혹시.
〔偶极〕 ǒují 명《電》쌍극자(雙極子).
〔偶价原质〕 ǒujià yuánzhì 명《物》원자가가 짝수인 원자.
〔偶儡子〕 ǒulěizi 명 괴뢰. 꼭두각시.
〔偶力〕 ǒulì 명《物》짝힘. 우력.
〔偶联〕 ǒulián 명《機》커플링(coupling). ¶～池; 커플링 탱크.
〔偶鳍〕 ǒuqí 명《魚》짝지느러미. 우기.
〔偶然(间)〕 ǒurán(jiān) 부 우연히. ¶～在报纸上看见了他的新闻; 우연히 신문에서 그의 소식을 보았다 / ～性; 우연성. 형 우연하다.
〔偶人〕 ǒurén 명 흙이나 나무로 만든 인형.
〔偶日〕 ǒurì 명 우수일. 짝수날.
〔偶数〕 ǒushù 명《數》우수. 짝수. =〔双shuāng数〕
〔偶谈〕 ǒután 동 기분 내키는〔생각나는〕 대로 이야기하다.
〔偶蹄动物〕 ǒutí dòngwù 명《動》우제 동물.
〔偶戏〕 ǒuxì 명 인형극. 꼭두각시 놀음. =〔傀kuǐ儡戏〕
〔偶像〕 ǒuxiàng 명 우상. ①흙·나무·금속 등으로 만든 신불의 상. ②〈比〉미신에 의해서 만들어진 대상. ¶～崇chóng拜; 우상 숭배.
〔偶性〕 ǒuxìng 명 ①우연성. ②발생 원인이 불분명한 성질. ③예측할 수 없는 성질.
〔偶一为之〕 ǒu yī wéi zhī〈成〉가끔 한번 해 볼 뿐이다. 우연히 한 번 해 보다.
〔偶影〕 ǒuyǐng〈文〉동 자신의 그림자와 벗삼다〔짝이 되다〕. ¶～独游; 혼자서 거닐다. 형〈比〉고독하다.
〔偶语〕 ǒuyǔ 동 ①대화하다. ②불평을 말하다. 명 대구(對句)로 되어 있는 어구(語句).

耦

ǒu (우)
①동〈文〉두 사람이 나란히 밭을 갈다. =〔耦耕〕 ②명 ⇨〔偶①②③〕

藕〈蕅〉

ǒu (우)
명《植》연근. ¶菜～; 삶아서 먹는 연근 / 果～; 생식용의 연근. →〔荷①〕〔莲①〕

〔藕棒儿〕 ǒubàngr 명 ①연근의 마디와 마디 사이의 굵은 부분. ②〈比〉 어린아이·소녀의 희고 포동포동한 팔.

〔藕断丝连〕 ǒu duàn sī lián 〈成〉 연뿌리는 잘라졌어도 실은 붙어 있다《관계가 끊이지 않고 남아 있음》. ¶该果断的时候也得果断, 不能总是～; 결단을 내려야 할 때에는 과감히 결단을 내려야지, 언제까지나 우물쭈물하면 안 된다 / 老这么～的办不完; 언제까지나 미련이 남아 있어선 끝이 나지 않는다. =〔藕断丝不断〕〔莲断丝牵〕

〔藕粉〕 ǒufěn 명 ①연근으로 만든 전분. ¶冲～吃; (끓는 물을 부어서) 연근죽을 만들어 먹다. ②갈분(葛粉).

〔藕合〕 ǒuhé 명 ①《電》 결합. 커플링(coupling). ② ⇨〔藕合色〕

〔藕合色〕 ǒuhe(sè) 명 ⇨〔藕荷(色)〕

〔藕荷(色)〕 ǒuhe(sè) 명《色》 연한 붉은빛을 띤 회색. =〔藕合(色)〕

〔藕花〕 ǒuhuā 명 연꽃. =〔〈方〉荷hé花〕

〔藕灰〕 ǒuhuī 명 ⇨〔藕色〕

〔藕节(儿,子)〕 ǒujié(r,zi) 명 연근의 마디《지혈약으로 씀》.

〔藕零儿〕 ǒulíngr 명 얇게 썬 연근이나 고구마를 기름에 튀겨 엿을 묻힌 간식. =〔茶chá菜〕〔糖táng菜〕

〔藕实〕 ǒushí 명 〈文〉 연실. 연밥.

〔藕色〕 ǒusè 명《色》 불그스름한 회색. =〔藕灰〕

〔藕丝〕 ǒusī 명 연사(連絲)《연근 줄기에 있는 섬유》.

〔藕芽儿〕 ǒuyár 명 ①연뿌리의 싹. ②〈比〉 어린이·부녀자의 손 등의 부드러운 것의 형용.

沤(漚) òu (구)

동 ①오랜 시간 물에 담가 두다〔담가서 변하다〕. ¶～坏了; 오래 물에 담가 두어 나빠졌다〔썩었다〕. ②흠뻑 젖다〔적시다〕. ¶～透; 흠뻑 젖다 / ～得慌吧, 快换下湿衣服; 흠뻑 젖어서 기분이 언짢겠지, 젖은 옷을 빨리 갈아 입어라 / 汗～得难受; 땀이 끈적끈적하여 견디기 힘들다. ③푹 썩이다. ¶～绿lǜ肥; 녹비를(퇴비로 하여) 만들다. ④시간을 질질 끌다. 늦추다. ¶～两天不要紧; 이삼일 늦어도 괜찮습니다. ⇒ōu

〔沤变〕 òubiàn 동 물에 오래 잠겨 변색〔변질〕되다.

〔沤靛〕 òudiàn 동 쪽을 물에 담그다.

〔沤肥〕 òu,féi 동 퇴비(堆肥)를 만들다. (òuféi) 명 퇴비(堆肥). =〔窖肥〕

〔沤粪〕 òufèn 동 분뇨(糞尿)를 거름 구덩이에서 푹 썩이다.

〔沤烂〕 òulàn 동 물에 잠겨 썩다. 물에 불어서 썩다.

〔沤麻〕 òu má (섬유를 벗기기 위해) 삼을 물에 담그다.

〔沤郁〕 òuyù 형 〈文〉 향기가 짙다. 매우 향기롭다. ¶芬fēn芳～; 향기가 그윽하다.

〔沤糟〕 òuzāo 동 (물에) 너무 담가 검게 되다〔변질되다〕.

怄(慪〈呕〉) òu (우)

동 ①화내다. ¶～气; ⇩/ ～一肚子气; 잔뜩 화를 내다. ②놀리다. 놀려서 골내게 하다. ¶别～他了; 그를 놀리지 마라 / 脸皮儿薄, 禁不住～; 낯가죽이 두껍지 못해서 놀림을 받으면 참지 못한다 / ～得他直冒火; 놀림을 받고 그는 팩 화가 났다. ⇒'呕' ōu ǒu

〔怄急〕 òují 동 남의 마음을 건드려 안달하게 만들다. 화나게 만들다. ¶他把我～了; 그는 내 속을 태웠다.

〔怄气〕 òu,qì 동 ①(버럭버럭) 화를 내다. 언짢아하다. ¶不要～! 공연히 화내지 마라 / 母亲说他不得, ～死了; 어머니는 그를 야단을 칠 수도 없어, 몹시 속이 상했다. ②고의로 다투다. ③화나게 하다. ¶怄他的气; 그를 화나게 하다 / 你看, 他又跟妈妈～了; 봐, 그가 또 어머니를 화나게 하고 있다.

〔怄死〕 òusǐ 동 ①(이것저것) 뒤엉켜서 귀찮아 죽겠다. ¶可把我～了! 정말 귀찮아 못 살겠다! ②울화통이 터져 죽겠다.

〔怄作〕 òuzuò 동 마음을 불쾌하게 하다. 마음을 언짢게 하다. 괴롭히다. ¶痛痛快快地说吧, 别～人了! 속시원히 말해라, 남 애태우지 말고!

P

PA ㄆㄚ

砇 **pā** (팔)
지명용 자(字). ¶石Shí～头; 스파터우《후베이 성(湖北省) 통청 현(痛城縣)의 북쪽에 있는 땅 이름》.

趴 **pā** (파)
동 ①(배를 대고) 엎드리다. 앞으로 뻗다. ¶～在地下; 땅에 엎드리다. ②몸을 앞으로 향해 기대다. ¶～在桌子上写字; 책상에 엎드려 글씨를 쓰다 / 墙垛头儿上还～着一个人呢; 담 위에도 한 사람이 엎드려 있다.

〔趴蛋〕 pādàn 동 〈俗〉 뻗다. 못 쓰게 되다. 죽다. ¶换个人早就累～了; 다른 사람 같으면 벌써 지쳐서 뻗었을 것이다.

〔趴伏(儿)〕 pāfú(r) 동 엎드리다.

〔趴虎(儿)〕 pāhǔ(r) 명 고꾸라짐. ¶闹(摔)一个～; 고꾸라지다. 동 고꾸라지다.

〔趴架〕 pā.jià 동 〈俗〉 ①붕괴되다. 쓰러지다. ②〈轉〉 일이 와해(瓦解)되다[엉망으로 되다]. ¶咱村庄差点趴了架; 우리 마을은 하마터면 결딴날 뻔했다 / 你别把身子累～; 너무 일해서 몸을 망치지 않도록 해라.

〔趴炕〕 pā.kàng 동 (병이 나서) 몸져눕다. ¶你怎么又趴了炕了? 너는 왜 또 몸져누운 거냐?

〔趴窝儿〕 pā.wōr 동 암탉이 둥지(를) 치다《집 안에 틀어박혀 나오지 않다》.

〔趴下〕 pāxia 동 ①몸을 엎치다. ②고꾸라지다. 앞으로 쓰러지다.

咱 **pā** (파)
⇨〔啪pā〕

啪 **pā** (파)
〈擬〉 땅땅. 짝짝. 딱딱《총 소리·박수 치는 소리·물건이 부딪는 소리 따위》. ¶～～儿声枪响; 땅땅 하고 몇 발의 총성이 울리다 / ～的一声拍桌子; 탕 하고 탁자를 두드리다. =〔咱〕

〔啪嚓〕 pāchā 〈擬〉 쨍그랑. 탁《무엇이 떨어지거나 부딪치고 깨지는 소리》. ¶～一声, 碗掉在地上碎了; 쨍그랑 하고 공기가 바닥에 떨어져 깨졌다.

〔啪嗒〕 pādā 〈擬〉 탁. 찰카닥. 딱딱《무엇이 떨어지거나 부딪는 소리》. ¶打字机～～地响着; 타이프라이터가 딱딱 소리를 내고 있다 / ～一下儿掉下来了; 찰카닥 소리가 나며 떨어졌다.

〔啪啦〕 pālā 〈擬〉 툭툭. 철그럭《그릇에 금이 가서 나는 탁한 소리》. ¶破瓷碗一敲～～地响; 금이 간 사기그릇을 두들기면 철그럭 소리가 난다 / 这个坛子怎么～～的, 许有裂璺wèn了; 이 항아리는 왜 툭툭 소리가 날까, 금이 간 게 아닐까.

〔啪喇〕 pālā 〈擬〉 콰당《판판한 물건이 넘어지는 소리》.

葩 **pā** (파)
명 〈文〉 꽃. ¶奇～异草; 진기한 화초.

〔葩经〕 Pājīng 명 〈文〉 시경(詩經)의 별칭.

派 **pā** (파)
→〔派司〕 ⇒pài

〔派司〕 pāsi 명 〈方〉〈音〉 ①트럼프. ②패스. 통행증. 허가증. ⇒pàisi

扒 **pá** (배)
동 ①기다. 기어오르다. ②뭉근한 불로 푹 끓이다. ¶～猪头; 돼지 머리를 뭉근한 불에 오래 삶다. ③긁어 넣듯이 먹다. ④(손이나 갈퀴로) 그러모으다. ¶～草; 풀을 그러모으다. ⑤소매치기하다. ⑥〈方〉 긁다. ¶～痒yǎng; 가려운 데를 긁다 / ～人的短处; 남의 결점을 들춰[후벼] 내다. ⇒bā

〔扒船〕 páchuán 명 〈方〉 작은 배.

〔扒钉〕 pádīng 명 꺾쇠. 물림쇠. ¶把断裂的圆木用～抓住; 갈라진 통나무를 꺾쇠로 죄어 두다. =〔两liǎng脚钉〕 →〔锔jū子〕

〔扒饭〕 pá fàn 밥을 마구 퍼먹다. =〔扒拉饭〕

〔扒糕〕 págāo 명 메밀 가루와 밀가루를 반죽해서 찐 후 그것을 얼음으로 식혀 잘게 썬 식품《간장·초·참깨를 섞은 된장, 겨자즙·부추 절인 것 등을 섞어서 먹음》.

〔扒灰〕 pá.huī 동 〈俗〉 시아버지가 며느리를 범하다《재(灰) 위를 기면 무릎이 더러워진다는 뜻에서 나옴. '膝xī' 와 '媳xí' 는 동음(同音)》. =〔爬灰〕

〔扒进〕 pájìn 동 대량으로 사들이다. 많이 매입하다. ¶～粮食; 곡물을 대량으로 사들이다.

〔扒拉〕 pála 동 〈方〉 수저로 음식을 마구 퍼먹다. ¶他～了两口饭就跑出去了; 그는 급히 밥을 두세 번 퍼먹더니 뛰어나가 버렸다. =〔扒搂〕〔爬拉〕 ⇒bāla

〔扒烂鱼翅〕 pálàn yúchì 명 상어 지느러미를 여러 가지 재료를 넣고 끓인 음식《닭고기 국물·간장·설탕·술을 넣고 약한 불에 오래 끓임》.

〔扒犁〕 páli 명 ⇨〔爬犁〕

〔扒搂〕 pálou 동 ⇨〔扒拉〕

〔扒罗〕 páluó 동 그러[긁어]모으다. (챙길 수 있는 것은 모두) 거두어들이다. 싹 채다.

〔扒墙虎〕 páqiánghǔ 명 ⇨〔扒山虎(儿)②〕

〔扒窃案〕 páqiè'àn 명 《法》 소매치기 사건.

〔扒人〕 párén 동 (안 보는 데서) 남의 험담을 하다.

〔扒山虎(儿)〕 páshānhǔ(r) 명 ①〈方〉 등산용 가마. =〔巴bā山虎(儿)〕〔便biàn轿〕 →〔轿jiào子〕 ②《植》 담쟁이덩굴. =〔扒墙虎〕〔巴壁虎〕〔爬墙虎〕 →〔地dì锦①〕 ‖ =〔爬山虎(儿)〕

〔扒手〕 páshǒu 명 소매치기. ¶叫～给扒了去了; 소매치기에게 당했다 / 谨防～; 소매치기 조심. =〔掱pá手〕〔〈方〉 小绺xiǎoliǔ〕

〔扒手儿〕 páshǒur 명 ⇨〔痒yǎng痒挠(儿)〕

〔扒梳〕 páshū 동 ①긁거나 빗거나 하다. ②정리하다.

杷 **pá** (파)
① 명 갈퀴. ② →〔枇pí杷〕

爬 **pá** (파)
동 ①배를 깔고 엎드리다. ¶在床上～; 침대 위에 엎드리다. ②기어가다. ¶螃蟹横着～; 게는 옆으로 긴다. ③기어오르다. ¶～山;

산에 오르다 / 墙上～满了藤蔓; 벽에 등나무 덩굴이 잔뜩 뻗었다 / 向上～; ⓐ위로 기어오르다. ⓑ〈比〉 출세하려고 하다. ④긁다. 후비다. ¶拿耳挖子～耳塞; 귀이개로 귀지를 후벼 내다. ⑤쓰러져서 납작하게 짜부라지다.

〔爬虫〕 páchóng 명 《動》 파충류. '爬行动物'의 구칭.

〔爬得高, 跌得重〕 pá de gāo, diē de zhòng 〈諺〉 높이 오르면 떨어질 땐 그만큼 더 아프다《높은 지위는 위험이 크다. 크게 벌이면 실패했을 때의 타격도 크다. '爬'는 '攀pān'이라고도 함》. ¶你别不知足了, ～; 너무 욕심을 부리지 마라, 크게 벌이면 타격도 크다.

〔爬动〕 pádòng 동 기어서 움직이다. 기어다니다.

〔爬饭〕 páfàn 동 밥을 그러넣다.

〔爬房〕 páfáng 동 ⇨〔爬墙〕

〔爬竿〕 págān 명 장대오르기《곡예》. (pá.gān) 동 장대오르기를 하다.

〔爬高(儿)〕 pá.gāo(r) 동 높은 곳에 기어오르다. ¶～留神摔着; 높은 곳에 오를 때에는 떨어지지 않도록 조심해라.

〔爬高枝儿〕 pá gāozhīr 〈比〉 ⇨〔巴bā高枝儿〕

〔爬虎(儿)〕 páhǔ(r) 명 앞으로 납죽 고꾸라짐. ¶他摔了一个大～; 그는 된통 고꾸라져서 넘어졌다.

〔爬灰〕 páhuī 동 ⇨〔扒灰〕

〔爬架〕 pájià 동 (덩굴이나 담쟁이덩굴이) 시렁으로 뻗어 오르다.

〔爬拉〕 pála 동 ⇨〔扒拉〕

〔爬犁〕 páli 명 〈北方〉 썰매. =〔扒犁〕

〔爬罗〕 páluó 동 닥치는 대로 거두어들이다. ¶～剔tī抉; 닥치는 대로 긁어모으다.

〔爬爬着〕 pápazhe 형 납작하다. ¶鼻子有点～; 코가 좀 납작하다.

〔爬坡能力〕 pápō nénglì 명 (자동차 따위의) 등반력(登攀力). =〔爬坡性能〕

〔爬墙〕 páqiáng 동 〈俗〉 ①책임을 회피하다. 도망치다. ¶要干大家干, 谁也不许～; 하려면 모두가 해야지, 아무도 도망치는 것은 허용되지 않는다. ②약속을 깨뜨리다. ¶昨天你说请客, 怎么今天又～了? 어제는 한턱 낸다고 말하고는, 왜 오늘 또 약속을 깨는 거냐? ③《商》 계약을 파기하다. ¶他说卖了, 回头又说不够本儿, 这岂不是～吗? 그는 판다고 해 놓고, 나중에 손해를 보니까 팔지 않겠다고 하니, 이거야말로 계약 파기가 아니냐? ‖ =〔爬房〕

〔爬墙虎〕 páqiánghǔ 명 《植》 담쟁이덩굴. =〔扒山虎(儿)②〕

〔爬沙〕 páshā 동 (게처럼) 옆으로 기다.

〔爬山〕 pá shān ①등산하다. ¶～队; 등산대. ②(páshān) 명 등산.

〔爬山虎(儿)〕 páshānhǔ(r) 명 ①《植》 담쟁이덩굴. ②〈方〉 등산에 쓰이는 가마. ‖ =〔扒山虎(儿)〕

〔爬山鼠〕 páshānshǔ 명 ⇨〔野yě鼠〕

〔爬山越岭〕 pá shān yuè lǐng 〈成〉 산을 오르고 봉우리를 넘다. 험한 길을 가다. =〔爬山过岭〕〔翻fān山越岭〕〔登dēng山爬岭〕〔登山陟岭〕

〔爬上〕 páshang 동 기어오르다. ¶藤萝～了屋顶; 등나무덩굴이 지붕 위로 뻗어 올라갔다 / ～高枝儿 =〔攀高pāngāo附势〕; 권세(權勢)에 아부하다.

〔爬绳〕 páshéng 명 《體》 로프 클라이밍(rope climbing). 줄타기. (pá.shéng) 동 줄타기를 하다.

〔爬梳〕 páshū 동 〈比〉 정리하다. =〔爬栉〕

〔爬树〕 pá shù 나무에 오르다.

〔爬头〕 pátóu 동 앞지르다. 추월하다. 선두에 서다. ¶汽车～; 자동차가 (앞 차를) 추월하다. →〔开kāi过去〕

〔爬蔓儿〕 páwànr 동 덩굴이 뻗다. ¶勤娘子～了; 나팔꽃은 덩굴이 뻗어 나갔다.

〔爬下〕 páxia 동 ①납죽 엎드러지다. ②무너지다. 맥을 못 추게 되다. 주저앉다. ¶那破旧房子到了雨水季儿就有危险, 恐怕～了; 저 낡은 집은 우기(雨期)가 되면 위험하여, 무너질지도 모른다 / 怎么才开张就～了? 어째서 가게를 열자마자 벌써 망해 버렸을까? / 多么棒的小伙也得děi～; 아무리 튼튼한 젊은이라도 반드시 굴복하고 말 것이다.

〔爬行〕 páxíng 동 ①기어가다. ②뒤에서 따라가다. 추종하다. ¶～主义; 추종주의. 명 파행. ¶～动物; 파충류.

〔爬泳〕 páyǒng 명 《體》 크롤(crawl). (수영의) 자유형.

〔爬栉〕 pázhì 동 ⇨〔爬梳〕

耙〈钯〉 pá (파)
①명 갈퀴. 쇠스랑. ¶铁～; 철제(鐵製)의 갈퀴 / 竹～; 죽제(竹製)의 갈퀴. =〔钉dīng耙〕 ②동 (갈퀴로) 긁어모으다. 써레질하다. ¶～草; 풀을 그러모으다 / ～地; 땅을 고르다 / 把谷子～开晒晒; 갈퀴로 곡식 낟알을 펼쳐서 볕에 말리다. ③명 실마리. 단서. ⇒ bà, '钯' bǎ

〔耙犁〕 pálí 명 썰매《사람이나 가축이 끄는 것》.

〔耙子〕 pázi 명 ①《農》 갈퀴. 쇠스랑. 써래. →〔筢子〕 ②〈俗〉 실마리. 단서. ¶找不着～; 실마리가 안 잡힌다. 손을 댈 수가 없다.

琶 pá (파)
→〔琵pí琶〕〔琶音〕

〔琶音〕 páyīn 명 《樂》 아르페지오(이 arpeggio).

筢 pá (파)
→〔筢子〕

〔筢子〕 pázi 명 갈퀴. ¶他扔下～就是扫帚, 人可勤快了; 그는 갈퀴를 내려놓으면 곧 빗질을 한다든지 하는 정말 부지런한 사람이다.

潖 pá (파)
지명용 자(字). ¶～江; 파장 강(潖江)《광둥성(廣東省)에 있는 강 이름》.

掱 pá (수)
→〔掱手〕

〔掱手〕 páshǒu 명 소매치기. ¶小心～; 소매치기를 조심하다.

帊 pà (파)
〈文〉 ⇨〔帕pà〕

怕 pà (파)
①동 두려워하다. 무서워하다. ¶老鼠～猫; 쥐는 고양이를 무서워한다 / 我～他; 나는 그가 무섭다 / 不～死, 不～苦; 죽음도 고생도 두려워하지 않다 / 不～脏, 不～累; 더러움도 피로도 두렵지 않다. ②동 …이 아닐까 걱정하다〔염려하다〕. ¶～他搞错, 我怎么也放不下心; 그가 잘못을 저지르는 것이 아닌가 하고 걱정이 되어 아무래도 안심하고 있을 수가 없다 / 不～慢, 就～站; 느린 것은 괜찮지만, 걱정되는 것은 멈춰 서는 것이다 ('就'는 '只'라고도 함). ③부 아마 …일 것이다 《의문이나 추측을 나타냄》. ¶～不行; 아마 잘 안

될 것이다 / ～要下雨了; 아마 비가 올지 모르겠다. ④[동] …에는 질색이다. …에 걸리면 끝장이다. (…에) 약하다. ¶我最～冷; 나는 추위는 딱 질색이다 / 这块表不～水; 이 시계는 방수다. ⑤[동] …이 제일이다. …에는 당할 수 없다. ¶什么事就～留心; 무슨 일이나 세심한 것이 제일이다 / 天下无难事, 只～有心人; 〈諺〉 강한 의지만 있으면 천하에 어려운 일은 없다. ⑥[동] 중히 여기다. ¶～认真两个字; 진지(眞摯)함을 중히 여기다.

〔怕宾〕 pàbīn [동] (정중하게 대접받고) 타협적으로 나가다. ¶他那个人挖苦他不行, 得客客气气儿地, 他就～; 저 사람은 들볶아서는 안 된다. 정중하게 대하면 꺾이고 들어온다.

〔怕不〕 pàbu [명] 어쩌면. 아마도. ¶～也还要三四十天功夫; 아마 아직도 삼사십 일 더 걸릴 것이다.

〔怕潮〕 pà,cháo [동] 습한 것을 싫어하다. (pàcháo) [형] 습기에 약하다.

〔怕丑〕 pà,chǒu [동] 부끄러워하다. 수줍어하다. ¶见了生人老～; 낯선 사람을 만나면 언제나 수줍음을 탄다 / ～草; 《植》 함수초(含羞草).

〔怕妇〕 pàfù ⇨〔怕老婆〕

〔怕好儿〕 pàhǎor [동] 상대를 두려워하여 겉으로 사이좋게 지내다. ¶人家跟他来往, 并不是因为对劲儿, 不过是～就是了; 사람들이 그와 사귀고 있는 것은 사이가 좋아서가 아니라, 비위를 맞추고 있을 뿐이다 / 虽有熟脸儿无非是～; 알고 지내는 사람은 있지만, 비위를 맞추느라 사귀고있는 사람들뿐이다 / 彼此～; 서로 비위를 맞추고 있다 / 他跟我好, 也不过是～; 그가 내게 친하게 구는 것도 표면상 그런 것일 뿐이다.

〔怕惧〕 pàjù [동] 무서워하다. 두려워하다. ＝〔惧怕〕

〔怕惧儿〕 pàjùr [명] 두려워하는 일. 무서운 것. 무서움. ¶更没有个～了; 더 이상 무서운 것은 없어졌다.

〔怕苦〕 pà,kǔ [동] 고생을 무서워하다. 고생을 견뎌내지 못하다. ¶～怕累; 고통과 피곤함을 두려워하다.

〔怕拉多客思的〕 pàlāduōkèsīde [명] 〈音〉 패러독시컬(paradoxical). ＝〔自相矛盾的〕

〔怕老婆〕 pà lǎopo 아내를 무서워하다. 〈轉〉 공처가이다. ¶别看他在外边这么神气, 回到家里就得～; 그는 밖에서는 저렇게 위세가 당당하지만, 집에 돌아가면 마누라에게 쩔쩔매야만 한다 / ～有饭吃, 当王八有酒儿喝; 엄처시하에서는 밥을 먹을 수 있고, 오쟁이진 남편에게는 먹을 술이 있다. ＝〔怕妇〕〔怕婆儿〕 →〔惧内〕〔〈俗〉 气管炎〕〔妻管严〕

〔怕冷〕 pà,lěng [동] 추위를 싫어하다. (pàlěng) [형] 추위에 약하다. 몹시 추위를 타다.

〔怕怕非林〕 pàpàfēilín [명] ⇨〔罂yīng粟碱〕

〔怕婆儿〕 pàpór ⇨〔怕老婆〕

〔怕前怕后〕 pàqián pàhòu 무서워서 이러지도 저러지도 못하다. ¶你～干什么; 넌 뭘 벌벌 떨고 있느냐. ＝〔怕三怕四〕

〔怕情〕 pàqíng [동] 무서워하다. 두려워하다. 무서워 벌벌 떨다.

〔怕热〕 pà,rè [동] 더위를 싫어하다. (pàrè) [형] 더위에 약하다. 더위를 타다.

〔怕人〕 pà,rén [동] ①남이나 자신을 두려워하다. ②남이나 자신에게 무서운 생각을 하게 하다. (pàrén) [형] 무섭다. 두렵다. ¶洞里黑得～; 굴속은 어두워서 무섭다 / 他那凶狠的样子真～; 그의 저 흉악한 모습은 참으로 무섭다.

〔怕三怕四〕 pàsān pàsì 이것저것 걱정하여 결단을 못 내리다. ＝〔怕前怕后〕

〔怕臊〕 pà,sào [동] 〈口〉 부끄러워하다. 수줍어하다.

〔怕晒〕 pà,shài [동] 햇빛을 싫어하다. 햇빛에 견디지 못하다. (pàshài) [형] 햇빛에 약하다.

〔怕生〕 pàshēng [동] (아이가) 낯을 가리다.

〔怕事〕 pà,shì [동] 귀찮게 되는 것을 무서워하다. (pàshì) [형] 겁이 많다. 무사안일주의다. ¶胆小～; 소심하고 겁이 많다 / ～鬼guǐ; 무사안일주의자 / 他竟～, 不敢积极地干工作; 그는 무사안일주의라 적극적으로 일을 하려고 하지 않는다.

〔怕是〕 pàshi [부] 아마. 어쩌면. 혹시. ¶～不成吧; 아마 안 될 것이다.

〔怕死〕 pàsǐ [동] ①몹시 두려워하다. 무서워 견딜 수 없다. ¶真～人了; 정말 무섭다. ②(pà,sǐ) 죽음을 두려워하다. 죽기 싫다.

〔怕死鬼〕 pàsǐguǐ [명] 겁쟁이.

〔怕未必〕 pàwèibì [부] 아마 …(라고만) 할 수는 없을 것이다. ¶～是他做的吧! 아마 그가 했다고만은 볼 수 없을 것이다!

〔怕险〕 pà,xiǎn [명] 위험을 두려워하다. 위태롭게 여기다.

〔怕羞〕 pà,xiū [동] 부끄러워하다. 수줍어하다. ¶女人们忽然都怕了羞; 여자들은 갑자기 모두 수줍어했다. (pàxiū) [형] 수줍다. 부끄럽다.

〔怕羞草〕 pàxiūcǎo [동] 《植》 함수초. 미모사(mimosa). ＝〔含羞草〕

〔怕痒花〕 pàyǎnghuā [명] 《植》 백일홍. ＝〔百日红〕

〔怕脏〕 pà,zāng [동] 더러워지는 것을 두려워하다. (pàzāng) [형] 쉽게 더러워지다. 더러움을 잘 타다.

帕 pà (파)

①[명] (옛날, 비단으로 만든) 머리띠·배두렁이 따위. ②[명] 손수건. ¶手～. ＝〔手绢(儿)〕; 손수건. ③음역용 자. ¶～米尔高原; 파미르 고원 / ～金森氏病; 파킨슨(Parkinson)병(病). ‖＝〔帕pà〕

〔帕拉〕 pàlā [명] 〈音〉 파라(para)《유고슬라비아의 보조 화폐 단위의 이름. 100'～'가 1'第dì纳你'(디나르)》.

〔帕拉胶〕 pàlājiāo [명] 〈音〉 파라(para) 고무. ＝〔帕腊胶〕〔巴拉胶〕〔白拉胶〕

〔帕马奎宁〕 pàmǎkuíníng [명] ⇨〔扑pū疟喹林〕

〔帕司〕 pàsī [명] 《體》 〈音〉 패스(pass). ＝〔传球〕〔递球〕

〔帕斯卡〕 pàsīkǎ [양] 《物》 〈音〉 파스칼. Pa《압력의 국제 단위》. ¶～定律; 파스칼의 법칙.

〔帕吞昔尔〕 pàtūnxī'ěr [명] 《物》 〈音〉 포텐셜(potential). ＝〔势〕〔位〕〔电位〕〔帕的写尔〕

〔帕子〕 pàzi [명] 〈方〉 ①손수건. ②스카프. 네커치프.

PAI ㄆㄞ

拍 pāi (박)

①[동] (손바닥이나 납작한 것으로) 치다. 때리다. ¶～苍蝇; 파리채로 파리를 잡다 / 把身上的土～一～; 몸의 먼지를 탁탁 털다 / ～～脑袋算一个; 〈諺〉 탁 머리를 치고 한 사람으로 헤아리다《머리수만큼 채워 아무렇게나 채용하다〔통과

시키다]). →〔敲①〕 ② 동 유괴하다. ¶小孩子给拍花子～了去了; 어린아이가 유괴범에게 유괴되어 갔다. ③ 동 촬영(撮影)하다. ¶～照片; 사진을 찍다. ④ 동 전보를 치다. =〔打⑨〕 ⑤(～儿, ～子) 명 채. 치는 물건. ¶球～子; 라켓(racket) / 苍蝇～; 파리채. ⑥(～子) 명 《樂》 박자. 장단. ⑦ 동 〈口〉 알랑거리다. 간살을 부리다. 아첨하다. =〔吹拍〕 ⑧ 동 (말로) 협박하다. ¶他要是不听, 可以～他一顿; 만약에 말을 듣지 않거든 한 번 위협해도 좋다. ⑨ 동 〈轉〉 (경매에서 가격이 결정될 때 탁자를) 두드리다. ¶～定; 낙찰시키다 / ～定人; 낙찰인. ⑩ 동 날개치다. ¶～翅膀; 날갯짓하다. ⇒pò

〔拍岸〕 pāi'àn 동 (파도가) 물가·제방을 세차게 덮치다. ¶～浪; 물가·제방을 덮치는 파도.

〔拍案〕 pāi'àn 동 탁자를 두드리다(놀람·분노·칭찬의 기분을 나타냄). ¶～而起; 〈成〉 탁자를 치며 일어나다 / ～叫绝; 탁자를 두드리며 절찬하다 / ～大骂; 탁자를 치며 욕하다 / ～惊奇; ⓐ〈成〉 기발함을 보고 탁자를 치며 놀라다. ⓑ《書》 명말(明末)의 구어체 소설집. 편자(編者)는 능몽초(凌濛初).

〔拍巴掌(儿)〕 pāi bāzhang(r) 동 ⇨〔鼓gǔ掌〕

〔拍板〕 pāi'bǎn 동 ①박자를 맞추다. ¶你唱, 我来～! 너는 노래를 불러라. 내가 박자를 맞출 테니! ②대(臺) 위의 판자를 딱딱 두드리다(경매에서 거래 성립의 표시). ¶～成交; 〈成〉 ⓐ거래가 성립되다. ⓑ정치 협상이 타결되다. ③〈比〉 책임자가 최후의 결정을 내리다. ¶这事儿得由党委书记来～; 이 일은 당 서기에 의해서 결정되지 않으면 안 된다. (pāibǎn) 명 《樂》 딱딱이(두 개의 나무토막을 포개어 놓고 또 하나의 나무토막으로 침). 캐스터네츠류(類)의 악기. =〔鼓板〕〔简版〕

〔拍柄〕 pāibǐng 명 (탁구의) 핸들 그립(handle grip).

〔拍柄胶套〕 pāibǐng jiāotào 명 라켓용(用)의 고무 손잡이.

〔拍喳〕 pāichā 〈擬〉 찍(물건이 갈라지는 소리). ¶就听见～一声, 木箱子被踹chuài成碎片了; 찍 소리가 들리더니 나무 상자는 밟혀 산산이 부서지고 말았다.

〔拍成〕 pāichéng 명 《撮》 촬영 완료. 크랭크 업(crank up).

〔拍出去〕 pāichuqu 돈을 지불하다. ¶现在不用给, 到了时候儿～; 지금은 주지 않아도 되지, 때가 되면 줄게.

〔拍打〕 pāida 동 가볍게 두드리다. 털다. ¶～身上的雪; 몸의 눈을 털다 / ～鞋; 신을 마주 쳐서 먼지를 털다 / ～门; 문을 두드리다.

〔拍袋〕 pāidài 명 (테니스·배드민턴 따위의) 라켓 케이스.

〔拍电〕 pāi'diàn 동 전보를 치다. ¶～通知; 전보로 통지하다 / 一俟获复, 即当函告, 或～奉闻; 〈翰〉 답장을 받는 즉시 편지 또는 전보로 알려 드리겠습니다.

〔拍电影〕 pāi diànyǐng 영화를 촬영하다.

〔拍东儿〕 pāi dōngr 내기를 해서 지고 한턱내다. 한턱 내는 내기를 하다. =〔赌东(儿)〕

〔拍发〕 pāifā 동 (전보를) 치다. ¶～急电; 지급 전보를 치다 / ～国际电报; 국제 전보를 치다.

〔拍坟〕 pāifén 명 옛날, 청명날에 산소를 청소할 때, 무너진 봉분의 흙을 가토(加土)하고 다지는 일.

〔拍呱儿〕 pāiguār 동 박수치다. 칭찬하다. ¶又跳蹦又笑又～; 뛰고 웃고 박수치다.

〔拍号〕 pāihào 명 《樂》 박자 기호.

〔拍合〕 pāihé 동 합의하다. ¶经纪人从中拉拢, 使双方～; 중매인이 중간에 서서 알선하여 쌍방을 합의시키다.

〔拍花〕 pāihuā 동 어린애를 유괴하다.

〔拍花巴掌儿〕 pāihuābāzhangr 명 아이들이 손뼉을 치며 노래를 부르는 놀이.

〔拍花子〕 pāihuāzi 명 유괴범. 납치범.

〔拍毽子〕 pāi jiànzi ⇨〔踢tī毽子〕

〔拍节器〕 pāijiéqì 명 《樂》 메트로놈(metronome). 박절기(帕節器).

〔拍拉息昂〕 pāilāxī'áng 명 《農》 〈音〉 파라티온(parathion). =〔帕拉汤〕

〔拍老腔(儿)〕 pāi lǎoqiāng(r) ①선배 티·노인 티를 내다. ②경험이 있는 것을 자랑하다. ¶甭跟我们～! 경험이 있다고 우리들에게 자랑할 건 없다!

〔拍笠〕 pāilì 명 (테니스 따위의) 라켓 커버.

〔拍良心〕 pāi liángxīn 양심에 호소하다.

〔拍马〕 pāimǎ 동 ①알랑거리다. 아첨하다. ②말의 목을 가볍게 두드리다.

〔拍马挨踢〕 pāi mǎ ái tī 〈成〉 아첨하다가 오히려 상대의 기분을 상하게 하다.

〔拍马屁〕 pāi mǎpì 〈口〉 아첨하다. 알랑거리다. ¶拍上司的马屁; 상사에게 아첨하다. =〔捧屁〕〔〈广〉托大脚〕

〔拍卖〕 pāimài 명동 ①경매(競賣)(하다). ¶～行; 경매하는 가게. ②투매(投賣)(하다). 바겐 세일(하다). ¶大～; 염가 대매출.

〔拍门〕 pāi mén (손으로) 문을 두드리다.

〔拍哪〕 pāinǎ 명 〈方〉〈音〉 파트너(partner). =〔舞伴〕

〔拍脑袋〕 pāi nǎodai 〈俗〉 ①머리를 쓰다. 지혜를 짜다. ②머리〔골치〕를 썩이다.

〔拍屁股〕 pāi pìgu 궁둥이를 두들기다(아무 일〔할 말〕도 없다는 뜻을 나타내는 동작).

〔拍铺的〕 pāipùde 명 길바닥에 앉아, 땅을 치거나 하여 지나가는 사람에게 고통을 호소하여 구걸하는 거지.

〔拍曲〕 pāi'qǔ 동 작곡하다.

〔拍曲子〕 pāi qǔzi 《劇》 '昆kūn曲'를 부르다(곤곡(昆曲)에서는 '板bǎn③'의 박자에 맞추어서 노래를 부름). ¶随时替我～、吹笛子; 수시로 나를 위하여 곤곡(昆曲)을 불러 주거나 피리를 불어 준다.

〔拍摄〕 pāishè 동 촬영하다. ¶外景～; 로케이션(location).

〔拍手〕 pāi'shǒu 동 ①박수 치다. ¶～跺脚; 손뼉을 치며 발을 구르다 / ～称快; 〈成〉 손뼉 치며 쾌재(快哉)를 부르다. ②박수치며 통쾌해하다. ③손뼉을 쳐서 박자를 맞추다.

〔拍水板〕 pāishuǐbǎn 명 ①(자동차의) 흙받이. ②(작은 배의) 물보라 막이.

〔拍外景〕 pāiwàijǐng 동 로케이션하다. 야외 촬영하다. ¶找zhǎo～的地方; 로케이션에 적당한 장소를 탐사하다.

〔拍网子〕 pāi wǎngzi 〈俗〉 재력·권세를 휘둘러 사기를 치다.

〔拍弦线〕 pāixiánxiàn 명 (라켓의) 거트(gut). 줄.

〔拍像〕 pāi'xiàng 동 ⇨〔拍照〕

〔拍燕儿窝〕 pāiyànrwō 명 굴 파기(베이징(北京)의 어린이 놀이의 일종).

〔拍音〕 pāiyīn 명《物》진동수(振動數)가 거의 같은 음파(音波)가 서로 간섭(干涉)하여 생기는 맥놀이(beat).
〔拍友〕 pāiyǒu 명 카메라 애호가(愛好家).
〔拍掌〕 pāi//zhǎng 동 박수 치다. =〔鼓gǔ掌〕
〔拍照〕 pāi//zhào 동 촬영(撮影)하다. 사진을 찍다. =〔照相〕〔拍像〕
〔拍纸簿〕 pāizhǐbù 명 루스리프(looseleaf)식의 노트. (떼어 내게 된) 편지지.
〔拍制〕 pāizhì 동 촬영 제작하다. ¶～电影; 영화를 제작하다.
〔拍子〕 pāizi 명 ①《樂》박자. 리듬. ¶四～; 4박자/打～; 박자를 맞추다/不合～; 박자가 맞지 않다. ②물건을 치는 도구. ¶苍蝇～; 파리채/球～; 라켓.
〔拍嘴〕 pāi//zuǐ 동 ①큰소리치다. ②억지를 쓰다. 아는 체하다.

俳 pái (배) 명〈文〉①해학. 재담. 익살. ¶～谐; ⇩ ②배우. ③잡극(雜劇).
〔俳儿〕 pái'ér 명 (당대(唐代)의) 어릿광대.
〔俳佪〕 páihuái 동 ⇨〔徘徊〕
〔俳句〕 páijù 명 (일본의) 하이쿠(俳句).
〔俳体〕 páitǐ 명〈文〉유희적인 시문(詩文).
〔俳笑〕 páixiào 동〈文〉실없이 희롱거리며 웃다. 히히거리다.
〔俳谐〕 páixié 명〈文〉농담. 재담. 익살스런 말. =〔俳谑〕
〔俳谑〕 páixuè 명 ⇨〔俳谐〕
〔俳优〕 páiyōu 명 옛날, 어릿광대. ¶～侏儒; 어릿광대와 난쟁이《우스꽝스러운 짓거리로 사람을 웃기는 광대》.

排 pái (배) ①동 줄서다. (일렬로) 늘어놓다. 열(列)을 만들다. ¶把椅子～成一行; 의자를 일렬로 나란히 놓다/～在前边; 앞에 나란히 서다/～在队伍里; 줄에 끼다/～(着)队走; 줄을 지어 가다. 나란히 걷다. ②명 열(列). 줄. ¶前～; 앞줄. 앞자리/里～; 안쪽의 줄/后～还有很多空座; 뒤쪽 줄에는 아직 빈 자리가 많다. ③명《軍》소대(小隊). ¶第一～; 제1소대/～长; 소대장. ④명 순서. ⑤명 형제·친척의 서열의 차례. ⑥양 줄. 열《한 줄로 된 것을 세는 데 쓰임》. ¶上下两～牙齿; 상하 두 줄의 이/一～樱花树; 한 줄로 늘어선 벗나무. ⑦동 밀어제치다. 배척하다. 배제하다. ¶把水～出去; 물을 배출하다/～闼直入; 문을 밀치고 쑥쑥 들어가다. ⑧동《劇》극(劇)의 연습을 하다. ¶这是一出新～的京戏; 이것은 새로 연습한 경극이다. ⑨명 뗏목. =〔簰①〕 ⑩동 (잘못을) 나무라다. ⑪(～子) 명 허례(虛禮). 허식. ⑫명〈音〉파이(pie). ¶苹果～; 애플 파이. ⑬명 두껍고 큰 고깃점. ¶牛～; 비프 스테이크/炸猪～; 포크 커틀릿. 돈까스. ⇒pǎi
〔排奡〕 pái'ào 형〈文〉시문의 격조가 힘차고 굳세다.
〔排班〕 pái//bān 동 ①(순서대로) 배열하다. 순서를 정하다. ②학년·학급을 나누다.
〔排板〕 pái//bǎn 명동 ⇨〔排版〕
〔排版〕 pái//bǎn《印》동 ①조판하다. 식자하다. ¶～机; 식자기(植字機). ②(인쇄물의) 편집 배정을 하다. (páibǎn) 명 ①편집 배정. 레이아웃(layout). ②조판. ‖=〔排板〕〔整版②〕
〔排辈〕 páibèi 명 (형제·직장 등의) 서열(序列). (pái//bèi) 동 (형제·직장 등의) 서열을 매기다.
〔排比〕 páibǐ《言》동 대구법(對句法)을 쓰다. 명 대구법.
〔排笔〕 páibǐ 명 페인트 칠할 때, 또는 화가가 채색할 때 쓰는 붓《여러 개의 붓을 한데 묶은 것》.
〔排便〕 páibiàn 명동 배변(하다).
〔排摈〕 páibìn 동〈文〉자기에게 불리한 사람이나 사항을 배척하다.
〔排兵布阵〕 páibīng bùzhèn 군대를 배치하고 진을 치다.
〔排布〕 páibù 동 (각기 부서(部署)를 정하고) 배치하다. 배열하다.
〔排草〕 páicǎo 명《植》고추나물. =〔小连翘〕
〔排杈儿〕 páichàr 명 ①방을 칸막이한 벽과 같은 것. ②'排骨'를 기름으로 튀긴 짭짤한 식품. ‖=〔排插儿〕
〔排插儿〕 páichàr 명 ⇨〔排杈儿〕
〔排场〕 páichǎng 명 겉모양. 꾸밈〔차림〕새. 규모. ¶那家铺子的～大; 저 상점은 규모가 어마어마하다/没有钱还要学阔人的～; 돈도 없는 주제에 부자티를 내려 한다/不讲～; 허세를 부리지 않다. 외관에 신경을 쓰지 않다. 동 외양을 꾸미다. 겉치레를 하다. ¶闹～; 몸차림을 호화롭게 꾸미다. 형 화려하다. ¶讲～; 면치레하다. 화려하게 꾸미다/穿得很～; 화려하게 차려 입다/那日用～又不能将就省俭; 평소의 살림이 호사스러워 절약할 수도 없다.
〔排斥〕 páichì 동 배척하다. 거부하여 물리치다. ¶互相～; 서로 배척하다/我们只有同他们合作的义务, 绝无～他们的权利; 우리에게는 오직 그들과 협력해 갈 의무가 있을 뿐이며, 절대로 그들을 배척할 권리는 없다.
〔排翅〕 páichì 명 상어 지느러미를 말린 것《흐트러지지 않은 것은 흐트러진 것보다 상등품으로 침》.
〔排冲孔机〕 páichòngkǒngjī 명《機》복식(複式) 펀치(punch).
〔排除〕 páichú 동 ①배제하다. 밀어 내다. ¶～异己 =〔排斥异己〕;〈成〉자기가 용납할 수 없는 자를 배제하다/～万难, 大兴水利; 만난을 배제하여 수리 사업을 크게 일으키다/这样, 我个人的悲痛便被～了; 이렇게 해서 나 개인의 슬픔은 배제되었다. ②배출하다. 배설하다.
〔排闼〕 páidá 동 (문 따위를 거칠게) 열어젖히다. ¶～直入; 문을 열어젖히고 난입(亂入)하다. =〔排阏〕
〔排大〕 páidà 명 장남, 또는 장녀. =〔行háng大〕 →〔排行〕
〔排单〕 páidān 명 ⇨〔信xìn牌①〕
〔排挡〕 páidǎng 명《機》기어(gear). =〔挡④〕
〔排灯〕 páidēng 명《電》보더 라이트(border light)《무대 위에 길게 줄지어 장치하는 조명등(燈)》.
〔排定〕 páidìng 동 순서를 정하다. 진도 계획을 세우다. ¶～工程进度计划; 공사의 진도 계획을 세우다.
〔排队〕 pái//duì 동 정렬하다. 줄을 이루다. ¶～游行; 대오를 정돈하여 행진하다/乘客～上车; 승객은 줄을 서서 차에 탄다/排着队买票; 줄을 서서 표를 사다/队排得可长了; 굉장한 행렬이다. =〔摆队〕
〔排二〕 pái'èr 명 차남(次男), 또는 차녀. =〔行háng二〕
〔排筏〕 páifá 명 뗏목.
〔排饭〕 páifàn 동 ⇨〔摆bǎi饭〕

〔排工〕 pái.gōng 동 일을 안배하다.
〔排骨〕 páigǔ 명 ①소·돼지의 갈빗대에 붙은 살. 갈비. ②〈俗〉 마른 사람〔것〕. ¶～牛; 말라 빠진 소.
〔排卦〕 páiguà 동 팔괘(八卦)로 점을 치다.
〔排灌〕 páiguàn 명 배수(排水)와 관개(灌漑). ¶～站; 배수 관개소(所) / ～发动机; 배수·관개용 모터 / ～设备; 배수 관개의 설비.
〔排行〕 páiháng 명 형제의 순서. ¶您～第几? 형제 중 몇 번째인가? / 你排几? =〔你行几?〕; 너는 몇 째냐? / 我～第一 =〔我在大〕〔我排大〕〔我行大〕; 나는 맏이입니다 / 他～第三, 下面还有两个弟弟; 그는 형제 가운데 세 번째이고, 밑에 동생이 둘 있다.
〔排号〕 páihào 동명 순서대로 번호를 붙이다〔붙이는 일〕(《'二驸fú马'(둘째 부마), '皇六子'(여섯째 황자) 따위》). ¶排不上号的选手; 출전 등록을 못하는 선수. 동 〈方〉 줄을 만들다.
〔排花酒〕 pái huājiǔ 옛날, 유곽에서 술잔치를 벌이다.
〔排货〕 páihuò 명동 상품 배척(을 하다). 불매 운동(을 하다).
〔排击〕 páijī 동 배격하다.
〔排挤〕 páijǐ 동 밀어 내다. 내쫓다. 배척하다. ¶企图借此～他国; 이것으로써 다른 나라를 밀어 내려고 꾸미다 / 不应该～外来的干部; 외부에서 들어온 간부를 배척해서는 안 된다 / 几千种合成染料已经早就把天然染料～出去了; 몇 천 가지나 되는 합성 염료는 이미 천연 염료를 밀어 내었다.
〔排忌〕 páijì 동 배척하다. 제거하다.
〔排解〕 páijiě 동 ①조정하다. 중재하다. ¶～纠纷; 분쟁을 조정하다 / 可以达观～得来; 달관에 의해서 해결할 수 있다. ②⇨〔排遣①〕
〔排句〕 páijù 명 대구(對句)(《수사법(修辭法)의 하나. 서로 비슷하거나 상반된 여러 구(句)를 대비적(對比的)으로 늘어놓고, 어법이 같은 몇 개 구(句)로 만든 것. 예를 들면, '道德仁义, 非礼不成', '教训正俗, 非礼不备'》).
〔排开〕 páikāi 동 벌려 늘어놓다. 진열(陳列)하다.
〔排涝〕 pái.lào 동 논밭에 괸 많은 물을 빼다.
〔排雷〕 pái.léi 동 《軍》 지뢰·어뢰를 제거하다.
〔排练〕 páiliàn 동 리허설(rehearsal)을 하다. 시연(試演)하다. 훈련하다. ¶～场; 연습장. 명 리허설.
〔排列〕 páiliè 동 배열하다. 정렬하다. 명 ①《數》 순열(順列). ②정렬. 배열.
〔排律〕 páilǜ 명 배율(《'律诗'의 일종으로 '长律'이라고도 함. 그 시체는 대개 5언이며, 구법(句法)은 6운(韻) 12구(句)를 정식으로 하지만, 짧은 것은 10구, 긴 것은 100운 이상 되는 것도 있음》).
〔排卵期〕 páiluǎnqī 명 《生》 배란기.
〔排马〕 pái mǎ 말을 길들이다. ¶这匹马野得很, 还得排一排; 이 말은 무척 사나우니까, 더 길을 들이지 않으면 안 된다 / 马排熟了; 말은 충분히 길들여져 있다.
〔排门(儿)〕 páimén(r) 부 집집마다. ¶～送到; 호별(戶別)로 보내다. (pái.mén) 동 안내를 청하지 않고 문을 밀고 들어가다.
〔排闷〕 pái.mèn 동 다른 일에 기분을 돌려 우울함을 풀다. 기분 전환을 하다.
〔排名〕 páimíng 동 이름을 순서대로 올리다. ¶男子团体赛结果, 韩匈分居冠亚军, 中国～第四; 남자 단체 시합의 결과, 한국과 헝가리가 각각 1위와 2위를 차지하고, 중국은 4위에 이름이 올랐다.
〔排难解纷〕 pái nàn jiě fēn 〈成〉 분쟁을 조정하다. 화해시키다.
〔排尿〕 páiniào 명 배뇨. (pái.niào) 동 배뇨하다. 소변을 보다. ¶～困难; 《醫》 배뇨 곤란.
〔排偶〕 pái'ǒu 동 문구의 대구를 만들다(《'排比'와 '对duì偶②'를 겸한 수사법(修辭法)》).
〔排炮〕 páipào 명 ①일제 포격. ¶放fàng～; 일제 포격을 하다. ②일제 폭파. 동 불발의 원인을 제거하다.
〔排期〕 páiqī 명 공연 일정. ¶～表; 공연 일정표 / 按照在报上刊登的～, 选出自己心爱的剧目; 신문 지상에 발표된 공연 일정에 따라 자기가 좋아하는 공연 목록을 고르다.
〔排气〕 páiqì 명 배기. ¶～阀; 배기판(瓣) / ～泵; 배기 펌프. =〔〈方〉乏气〕〔〈方〉乏汽〕〔废气〕〔〈南方〉回气〕 (pái.qì) 동 배기하다.
〔排气机〕 páiqìjī 명 배기 펌프.
〔排气扇〕 páiqìshàn 명 환기팬(fan). 환풍기. =〔通tōng风箱〕
〔排气通路〕 páiqì tōnglù 명 《機》 배출로.
〔排遣〕 páiqiǎn 동 ①기분 전환을 하다. 시름을 풀다. ¶听听音乐, ～一下心中的烦闷! 음악을 듣고 시름을 풀자! =〔排解②〕〔消遣〕 ②(일을) 처리하다. 해결하다. ¶～各事; 여러 가지 일을 처리하다.
〔排枪〕 páiqiāng 명동 일제 사격(하다). ¶放～; 일제 사격하다.
〔排球〕 páiqiú 명 《體》 ①배구. ¶持球; 홀딩 / 扣球; 스파이크 / 碰网; 네트 터치 / 出界; 아웃사이드 / 过网; 오버 네트 / 打～ =〔排～〕; 배구를 하다. =〔队球〕 ②배구공.
〔排沙简金〕 pái shā jiǎn jīn 〈成〉 모래를 제거하고 금(金)을 채취하다(《정선(精選)하다》). =〔披沙拣金〕
〔排山倒海〕 pái shān dǎo hǎi 〈成〉 산을 밀어 붙이고 바다를 뒤엎다(《기세가 왕성하여 막을 수 없음》). ¶全国人民正以～之势, 向自然进军, 要改造自然; 전국 인민은 지금 바야흐로 대단한 기세로 자연에 맞서 자연을 개조하려 하고 있다.
〔排山柱〕 páishānzhù 명 벽이 넘어가지 않게 벽 속에 어긋매껴 세운 기둥.
〔排笙〕 páishēng 명 《樂》 팬파이프(panpipe)(《관악기의 하나》).
〔排水〕 pái.shuǐ 동 배수하다. ¶～不畅; 배수 상태가 나쁘다. (páishuǐ) 명 배수. ¶～圳zhèn =〔～沟渠〕; 배수구(溝) / ～管; 배수관 / ～防涝; 《農》 배수에 의한 침수 방지.
〔排水量〕 páishuǐliàng 명 ①(배 따위의) 배수량. ②(강 따위의) 유수량.
〔排他性〕 páitāxìng 명 배타적인 성질. ¶～集团; 배타적 집단〔그룹〕.
〔排调〕 páitiáo 동 〈文〉 조소하고 희롱하다.
〔排头〕 páitóu 명 ①대열〔조직〕의 선두에 서는 사람. ¶站～; 줄의 선두에 서다 / 向～看齐 =〔向右看齐〕; 우로 나란히!(《구령》) / ～是小队长; 선두는 소대장이다. ②⇨〔牌头〕
〔排外〕 páiwài 동 (외국이나 외국인을) 배척하다. ¶～运yùn动; 배외 운동.
〔排尾〕 páiwěi 명 대열(隊列)의 맨 뒤에 선 사람.
〔排戏〕 pái.xì 동 연극 연습을 하다. 리허설을 하다. ¶这出戏排了两个月; 이 연극은 두 달이나 연습했다. (páixì) 명 리허설. 무대 연습.

〔排箫〕 páixiāo 명《樂》 길이가 다른 16 또는 23 개의 피리를 음률순으로 배열한 옛날 악기.
〔排泄〕 páixiè 동 ①(빗물·하수 등을) 흘려 보내다. ②《生》 배설하다. 생물 체내의 노폐물을 몸 밖으로 배출하다. ¶～器qì官; 배설 기관/～物; 배설물.
〔排泄阀〕 páixièfá 명《機》 액조스트 밸브(exhaust valve). 배출 밸브.
〔排揎〕 páixuan 동〈方〉 꾸짖다. 나무라다. ¶他已经认错了, 你别再～他了! 그는 이미 잘못을 인정하고 있으니까, 자네는 이 이상 그를 나무라지 말게!/叫人好好儿地～了一顿, 才老实了; 남에게 한 번 호되게 야단을 맞더니 겨우 얌전해졌다.
〔排演〕 páiyǎn 명동 무대 연습(을 하다). ¶剧本编写和～; 각본의 작성과 리허설.
〔排印〕 páiyìn 동 식자(植字)하여 인쇄하다. 명 조판(組版)과 인쇄. ¶～机; 모노타이프.
〔排鱿〕 páiyóu 명 말린 오징어. ¶～头; 말린 오징어의 발/～翼; 말린 오징어의 귀.
〔排月(儿)〕 páiyuè(r) 명 ⇨〔肉ròu月儿〕
〔排长〕 páizhǎng 명《軍》 소대장.
〔排障器〕 páizhàngqì 명 (기관차 앞에 있는) 장애물 제거기.
〔排中律〕 páizhōnglǜ 명 (논리학) 배중률.
〔排钟〕 páizhōng 명《樂》 차임(chime).
〔排装〕 páizhuāng 명 셧아웃(shutout). 동 적재를 거부하다. ¶由于船舱满载而被～也是有可能的; 선실이 화물로 가득 찼기 때문에 셧아웃되는 수도 있을 수 있다.
〔排字〕 pái·zì 동 식자(植字)하다. ¶排错cuò的字; 오식(誤植)된 글자/～工人gōngrén; 식자공. =〔拣字〕
〔排字机〕 páizìjī 명 식자기(植字機).
〔排字架〕 páizìjià 명 식자대(臺).
〔排子〕 páizi 명《軍》(소대의) 병사. ¶你把～放在你的炮楼里; 너는 사병을 각자의 포탑에 배치해 놓아라.
〔排子枪〕 páiziqiāng 명《軍》 일제 사격. ¶打～; ⓐ일제 사격하다. ⓑ〈轉〉 윤간하다.

徘 **pái** (배)
→〔徘徊〕

〔徘徊〕 páihuái 동 ①배회하다. ¶他在那里～了很久; 그는 그 곳에서 오랫동안 배회했다. ②〈轉〉 망설이다. 주저하다. ¶左右～ =〔～瞻顾〕〔～观望〕; 이것저것 망설여 결정을 못 하다/～歧路; 〈成〉 갈림길에서 우물쭈물하다《거취를 정하지 못하고 주저하다》. =〔俳佪〕

棑 **pái** (패, 배)
명 ⇨〔簰②〕

牌 **pái** (패)
명 ①(～儿, ～子) 간판. 표지(標識). ¶门～; ⓐ문패. 표찰. ⓑ번지/路～; 도로 표지판/招～; 간판/广告～; 광고 간판. ②(～儿, ～子) 상표. 마크. ¶老～; 유명 상표/名～货; 유명 상품/冒～; 상표를 도용하다. 가명을 쓰다/中华～香烟; 중화표 담배/这个～子兴开有小三十年了; 이 상표는 이름이 널리 알려진 지 벌써 30년 가까이 된다/葡萄酒有什么～的? 포도주는 어떤 상표가 있느냐? ③옛날에 병사(兵士)가 쓰던 방패. ¶挡箭～; 화살을 막는 방패. ④화투·골패·마작 따위. ¶纸～; 카드·화투 등에 쓰이는 놀이딱지/麻将～; 마작의 패/扑克～; 트럼프/打～; 마작이나 카드놀이(를 하다). ⑤〈轉〉 얼굴. 체면. ¶摘你的～子 =〔摔你的～子〕; 네 체면을 꺾어 놓겠다. ⑥표창을 위한 메달. ⑦옛날, 공문서의 일종. ¶信～; ⓐ옛날, 군에서 비밀 명령을 전하기 위한 문서. ⓑ옛날, 관리가 지방을 순시할 때 휴대하던 신분 증명서. ⑧시각. 시《옛날, 관청에서 일정한 시각에 패를 내걸어 표시한 데서》. ¶未～时分; 미시(未時)경《지금의 오후 4시 무렵》. ⑨감찰. ⑩위패(位牌). ⑪(～子) '词cí'·'曲qǔ'의 가락.
〔牌榜〕 páibǎng 명 게시판. =〔牌示〕
〔牌匾〕 páibiǎn 명 ①가로된 편액. ②가게의 간판. ¶～行; 간판장이. 편액상(扁額商).
〔牌匾儿〕 páibiǎnr 명〈俗〉 명예. ¶要是弄得不好, 砸zá了～才不合算呢; 만일 제대로 하지 못해 명예가 손상된다면, 그야말로 보람이 없게 된다.
〔牌底〕 páidǐ 명 손에 남아 있는 패·카드. ¶亮出～; 가지고 있는 카드를 여러 사람 앞에 내보이다.
〔牌赌〕 páidǔ 명 패 따위를 갖고 하는 도박.
〔牌额〕 pái'é 명 ① ⇨〔匾biǎn额〕 ② ⇨〔牌价①〕
〔牌坊〕 páifāng 명 효자(孝子)·절부(節婦)를 표창하기 위하여 세운 정문(旌門).
〔牌购〕 páigòu 동 표시〔정찰〕 가격으로 구매하다.
〔牌号(儿)〕 páihào(r) 명 ①상표. ¶什么～的都有; 어떤 상표의 상품이나 다 있습니다/～不同, 货色一样; 상표는 다르지만, 상품의 품질은 같다《형식은 달라도 본질은 같다》. ②상호. 점포명.
〔牌记〕 páijì 명 표기(標記). 표시(標示).
〔牌价〕 páijià 명 ①정부 기관 발표의 가격. 정찰 가격. 공정 가격. =〔牌额②〕 ②시세. ¶收兑金银～; 금은 매상(買上) 공정 시세/外汇～; 외환 시세. 환율.
〔牌九〕 páijiǔ 명 화투의 일종. 또, 그것으로 하는 도박.
〔牌局〕 páijú 명 ①카드를 사용하는 도박장. ②옛날, 기생집에서 벌이는 도박.
〔牌军〕 páijūn 명 당(唐)나라·송(宋)나라 때의 병사《모두 '腰牌'를 지니고 있었음》.
〔牌楼〕 páilou 명 ①현판(懸板)을 단 장식용의 건축물《옛날, 큰 거리에 가로질러 세운 문짝이 없는 기둥문》. ②현재는 축하용의 임시로 만든 아치를 이름.
〔牌名〕 páimíng 명 ①상표. ②'词cí'·'曲qǔ'의 명칭.
〔牌牌〕 páipai 명〈方〉 팻말. 간판. ¶'闲人免进'的～; '무용자(無用者) 출입 금지'라는 팻말.
〔牌票〕 páipiào 명 옛날, 상급 기관에서 하급 기관에 보내는 공문의 일종. ¶上司行来～甚紧《儒林外史》; 상사로부터 연해 훈령이 내려오다.
〔牌示〕 páishì 명 옛날에, 게시판에 붙인 게시. 고시(告示). ¶标立～; 게시 팻말을 세우다. 게시하다/挂出～一面; 게시를 하나 내걸다. =〔牌榜〕
〔牌手〕 páishǒu 명 마작 따위의 참가자. 멤버.
〔牌头〕 páitóu 명〈方〉 야단. 꾸지람. 꾸중. ¶吃～; 꾸중 듣다. 야단 맞다. =〔排头②〕
〔牌位〕 páiwèi 명 ①위패. ②〈比〉 간판.
〔牌油子〕 páiyóuzi 명 마작의 명수(名手).
〔牌运〕 páiyùn 명 ⇨〔手shǒu气〕
〔牌长〕 páizhǎng →〔保bǎo长〕
〔牌照〕 páizhào 명 ①〈俗〉 감찰(鑑札). 면장(免狀). 영업 허가증. ②운전 면허증.
〔牌子〕 páizi 명 ①상표. 마크. ②패. 감찰. ③'词cí'·'曲qǔ'의 가락.

〔牌子钱〕 páiziqián 명 옛날, 진료받을 때의 접수비. =〔号hào金〕
〔牌子曲〕 páiziqǔ 명 속곡(俗曲). 속요(俗謠).
〔牌子响〕 páizixiǎng 동 가게 이름이 나다. 신용이 알려지다. 명〈轉〉이름난〔유명한〕 가게. ‖=〔牌子硬〕
〔牌子硬〕 páiziyìng 동명 ⇨〔牌子响〕

箄〈簰〉 pái (패)
명 ①뗏목. →〔筏fá子〕 ②뗏목에 쓰이는 목재나 대나무. =〔排pái ⑨〕

迫〈廹〉 pǎi (박)
→〔迫击炮〕 ⇒pò

〔迫击炮〕 pǎijīpào 명〘軍〙박격포.

排 pǎi (배)
동〈方〉(신발에 골을 넣어서) 크게 하다. 모양을 바로잡다. ¶得拿楦子再~一~; 신발을 골로 좀더 넓혀야 한다. ⇒pái
〔排子〕 pǎizi 명 (널빤지·대나무 등으로 엮어, 창이나 처마에 댄) 차양. (노점 등에서 햇볕이나 비를 가리기 위한 간단한) 지붕. 발. ¶~脸儿;〈比〉네모나고 넓적한 얼굴.
〔排子车〕 pǎizichē 명〈方〉대형의 짐수레. =〔大板车〕

派 pài (파)
①명 하천의 지류(支流). ②명 파(派). 파별(派別). 유파(流派). ¶拉帮结~;〈成〉파벌을 만들다/右~; 우파/学~; 학파/画~; 그림의 유파/各党各~; 각당 각파. ③명 기풍(氣風). 타입. ¶正~; 품행이 방정하다/气~; 기풍. 기개. 태도/官(僚)~; 관료풍. ④동 지정하다. 간주해 버리다. ¶~咱们是个地主; 우리들을 지주로 몰다. ⑤동 임명하다. 명령하다. 파견하다. ¶~人取去; 가지러 가게 하다/公司~我到这儿来视察; 회사가 나를 이 곳에 시찰차 파견하였다. ⑥동 (이익이나 물건을) 분배하다. 나누어주다. (몫 따위를) 도르다. 할당하다. ¶先给大家~烙饼; 우선 모두에게 '烙饼'을 나누어 주다/~定工作; 일거리를 할당하다/他竟~我累活儿; 그는 내게 힘든 일만 시킨다/摊~; 고르게 할당하다/~出数目来; 숫자를 산출하다/自己不喜欢的事, 他都~在人家身上; 그는 자기가 하기 싫은 일은 모두 남에게 떠맡긴다. ⑦명 세금을 징수하다. ¶多收多~的空头钱; 부당하게 징수한 가공(架空)의 금전. ⑧동 책(責)하다. 꾸짖다. ¶~他的不是; 그의 잘못을 나무라다. ⑨동 흐트러지다. ¶这屋子很~了; 이 방은 몹시 흐트러져 있다. ⑩양 ㉠유파(流派)를 세는 말. ¶三~学者; 3개 파의 학자. ㉡경치·목소리·모양 등에 사용함. ¶一~; 일면(一面)의. 온통/好一~春景; 온 천지를 뒤덮은 꽃다운 봄 경치/听得一~乐声; 일대에 온통 음악소리가 들려 왔다〔일어났다〕. ⑪형〈方〉세련되다. 신식이다. 훌륭하다. ¶真~; 멋지다. ⇒pā
〔派别〕 pàibié 명 파벌. 당파. 유파. ¶政治~; 정치 당파/反革命~; 반혁명적인 당파.
〔派兵〕 pàibīng 동 파병하다. 군대를 파견하다.
〔派拨〕 pàibō 동 ①일부를 파견하다. ②일부만 지출하다. ③분담시키다.
〔派不是〕 pài bùshi 남의 잘못을 지적하다. ¶自己不认错, 还派别人的不是; 자신의 잘못은 인정하지 않으면서, 남의 잘못을 논하다.
〔派彩〕 pàicǎi 명 (복권(福券)의) 환불(還拂)(받은 금액의 일부를 돌려 줌).
〔派菜〕 pàicài 동 요리를〔식단을〕 정하다. ¶他家里太太~; 그의 집에서는 부인이 식단을 정한다.
〔派差〕 pài.chāi 동 ①일을 할당하다. 역할을 할당하다. ②관리를 파견하다. ¶出~; 공무로 출장가다.
〔派充〕 pàichōng 동 임명하여 충당하다.
〔派筹〕 pàichóu 동 번호패를 건네다.
〔派出〕 pàichū 동 파견하다. 명 출장지. ¶~机构; 출장 기관. 파출 기관.
〔派出所〕 pàichūsuǒ 명〈簡〉파출소('公安局派出所'의 약칭).
〔派调〕 pàidiào 동 파견하다. 이동시키다.
〔派定〕 pàidìng 동 ①임명하다. ¶正式~和谈代表; 정식으로 평화 교섭의 대표를 임명하다. ②(~了) 할당되다. 배당되다. ¶捐款~了; 기부금의 배당이 정해졌다.
「=〔交际舞会〕
〔派对〕 pàiduì 명〈方〉〈音〉(댄스) 파티(party).
〔派饭〕 pàifàn 명 할당된 식사(일시적으로 농촌에 머무르는 간부·학생 등이 배당된 농가에서 식사를 하는 일). ¶大家都吃~; 모두가 배당된 농가에서 식사를 하다.
〔派分〕 pàifēn 동 분배하다.
〔派赴〕 pàifù 동 파견하여 보내다.
〔派工〕 pài.gōng 동 일을 할당하다.
〔派购任务〕 pàigòu rènwù 명 생산품의 할당액을 구입하는 임무(상업 기관이 메이커로부터 국가에서 할당된 액수를 구입함).
〔派官〕 pàiguān 동 관리를 파견〔임명〕하다.
〔派活〕 pài huó 작업〔일〕을 할당하다.
〔派货〕 pài huò ①물건을 분배하다. ②물건을 억지로 떠맡기다.
〔派克(大衣)〕 pàikè(dàyī) 명〈音〉파카(parka)(후드가 달린 웃옷). =〔皮猴〕
〔派款〕 pài.kuǎn 동 분담금을 할당하다.
〔派拉蒙〕 Pàilāměng 명〈音〉파라마운트(Paramount)(미국의 영화 회사).
〔派力司〕 pàilìsī 명〘紡〙〈音〉팰리스 크레이프(palace crepe)(잔주름이 있는 부드러운 천의 일종). =〔派力斯呢〕
「다.
〔派牌〕 pài pái (카드 놀이에서) 카드를 나누어 주
〔派遣〕 pàiqiǎn 명동 파견(하다). ¶~代表团; 대표단을 파견하다/受~; 파견되다.
〔派缺〕 pàiquē 동 후임을 임명하다.
〔派儿〕 pàir 명 ⇨〔派头(儿)〕
〔派热克斯玻璃〕 pàirèkèsī bōli 명〈音〉파이렉스(pyrex) 유리. =〔硼硅酸玻璃〕〔派拉斯玻璃〕〔比莱克斯玻璃〕〔派采克司〕
〔派人〕 pàirén 동 사람을 파견하다. 심부름꾼을 보내다. ¶~送去; 사람을 시켜서 보내다.
〔派生〕 pàishēng 동 파생하다. ¶~主义; 종파주의/由此~出各种意义; 이로부터 여러 가지 의미가 파생되어 나온다.
〔派生词〕 pàishēngcí 명〘言〙파생어(ⓐ다른 말을 기초로 해서 생긴 말('天下'는 '天'과 '下'로부터 생긴 파생어). ⓑ어간에 부가성분이 붙어서 생긴 말('瓜子' 따위)).
〔派司〕 pàisī 명〘藥〙파스(PAS). =〔对氨基水杨酸〕〔巴斯〕 ⇒pāsī
〔派头(儿)〕 pàitóu(r) 명〈貶〉태도. 모양. 위엄. 위신. 허세(虛勢). ¶有个阔~; 유복한 체하다/耍shuǎ~; 뽐내다/弄得像个~; 그럴싸한 모양으로 꾸며 내다/不够~; 무게가 없다. 위엄이 없다/~很大; 기세등등하다/不能不露出买主

的～; 물건을 살 사람이라는 태도가 아무래도 겉으로 드러나지 않을 수 없다. =〔派儿〕
〔派息〕 pàixī 동 이자를 치르다. ¶不少中等公司已宣布停止～; 많은 이류 회사에서는 이식의 지불 정지를 발표했다.
〔派系〕 pàixì 명 파벌. ¶～纠纷; 파벌 싸움/不讲～; 파벌을 문제삼지 않다.
〔派下去〕 pàixiàqù (위에서) 파견하다. ¶由上面～的干部; 상부에서 파견된 간부.
〔派销〕 pàixiāo 동 강매하다.
〔派信〕 pàixìn 동 우편을 배달하다. ¶本月十九日乃公众假期, 邮政局宣布, 是日不～; 이 달 19일은 공휴일이어서, 이 날은 우편물을 배달하지 않는다고 우체국에서는 말하고 있다.
〔派性〕 pàixìng 명 파벌성. 당파심(黨派心). ¶他的～很厉害; 그의 파벌 의식은 매우 강하다.
〔派用〕 pài.yòng 동 쓸모가 있다. 도움이 되다. ¶这种考试派什么用呢? 이런 시험이 무슨 소용이 있느냐?
〔派用场〕 pài yòngchǎng 〈吳〉 쓸모가 있다. 도움이 되다. ¶派不上大用场; 별로 도움이 안 된다/这个东西派上用场了; 이것은 유용했다〔쓸모가 있었다〕.
〔派员〕 pàiyuán 동 계원(係員)을 파견하다. ¶～取回; 사람을 보내 회수해 오다.
〔派债〕 pàizhài 동 빚을 독촉하다.
〔派征〕 pàizhēng 동 징세하다.
〔派驻〕 pàizhù 동 ①진주(進駐)하다. ②(대사 등을) 파견하다.
〔派装〕 pàizhuāng 동 나누어 싣다.
〔派坐探〕 pài zuòtàn 조직 내부에 스파이를 잠입시키다.

哌 **pài** (파)
→〔哌啶〕〔哌嗪〕

〔哌啶〕 pàidìng 명 《化》 피페리딘(piperidine). =〔氮杂环己烷〕〔氮己环〕
〔哌嗪〕 pàiqín 명 《化》 피페라진(piperazine). =〔对二氮己环〕

蒎 **pài** (파)
명 《化》 피난(pinane). ¶～烯xī; 《化》 피넨(pinene).

湃 **pài** (배)
→〔湃澎〕

〔湃澎〕 pàipēng 형 ①바다의 큰 파도가 밀려와 부딪치는 모양. ②풍조(風調)·기풍(氣風)이 성한 모양.

PAN ㄆㄢ

扳 **pān** (반)
동 ⇨〔攀〕 ⇒bān

番 **pān** (번)
①지명용 자(字). ¶～禺Pānyú; 판위(番禺)《광둥 성(廣東省)에 있는 현(縣) 이름》. ② 명 성(姓)의 하나. ⇒fān

潘 **pān** (번, 반)
명 ①쌀뜨물. ②성(姓)의 하나.

〔潘多拉盒子〕 Pānduōlā hézi 명 〈音〉 판도라의 상자.
〔潘朵拉宝盒〕 Pānduǒlā bǎohé 명 〈音〉 판도라(Pandora)의 궤(櫃).
〔潘趣酒〕 pānqùjiǔ 명 〈音義〉 펀치(punch)《음료》. =〔潘治酒〕
〔潘杨之好〕 Pān Yáng zhī hǎo 〈成〉 진(晉)의 반악(潘岳)과 그의 아내 양경(楊經)의 두 집안이 대대로 혼인을 하다《대대로 친족 결혼을 하다》.

攀 **pān** (반)
동 ①(무엇인가를 잡고) 기어오르다. ¶登～; 등반하다. 기어오르다/～着绳子往上爬; 줄에 매달려 기어올라가다/他一把～住我的肩膀; 그는 꼭 내 어깨에 매달렸다. ②밑에서 위에 있는 것을 잡아당기다. ③끌어 넣다. 연좌(連坐)시키다. ¶贼～一口, 入骨三分; 〈諺〉 나쁜 놈에게 걸리면 뼛속까지 골병이 든다/这事要是经了官, 只要三记屁股, 他们就会张三李四地乱～起来; 이 일이 혹 관아로 넘어가서 볼기라도 석 대만 맞게 되면, 그들은 장삼이사니 뭐니 하며 마구 남을 끌고 들어갈 것이다. ④아첨하여 호감을 사다. 지위가 높은 사람과 관계를 맺다. ¶～不起; (지위 따위가 크게 차이가 나서) 가까워지지 못하다/高～; 윗사람의 비위를 맞추어 환심을 사다/～亲道故; (지위가 높은 사람과) 친척이나 연고 관계를 맺다. ‖ =〔扳pān〕
〔攀伴〕 pānbàn 동 윗사람과 함께 지내다〔친분을 맺다〕.
〔攀不上〕 pānbushàng ①(신분이 높은 사람과) 가까워질 수 없다. ②…까지 오를 수 없다. ‖ ↔〔攀得上〕
〔攀缠〕 pānchán 동 ①서로 얽히다. ②감정적으로 갈등이 생기다.
〔攀扯〕 pānchě 동 ①끌어당기다. 의뢰하다. 부탁하다. ¶我们不便去～; 우리들이 부탁하러 가는 것은 좀 거북하다. ②끌어 넣다. 연좌(連坐)시키다. ¶那个人很讲义气, 不会随便～人; 저 사람은 의리를 중시하는 사람이니까, 함부로 남을 끌어넣는 일은 없을 것이다.
〔攀出来〕 pānchulai 동 ⇨〔攀供〕
〔攀大〕 pān.dà 동 연장(年長)·선배연(然)하다. 노티내다. ¶也不是我～, 你还小呢! 나이 많은 것을 내세우는 것은 아니지만, 자네는 아직 어린애야!/～说, 总比诸位年长几岁; 늙은이 티를 내어 말한다면, 어쨌든 제군들보다는 얼마간 나이를 먹었으니까. =〔攀个大〕
〔攀得高, 跌得重〕 pān de gāo, diē de zhòng 〈諺〉 높이 오르면 오를수록 심하게 떨어진다《지위가 오를수록 실각(失脚)할 때는 비참하다》. =〔爬得愈高, 跌得愈重〕
〔攀登〕 pāndēng 동 기어오르다. 등반하다. ¶～世界最高峰; 세계의 최고봉에 오르다.
〔攀地龙〕 pāndìlóng 명 《植》 땅바닥을 기듯이 뻗는 잔디류의 잡초.
〔攀附〕 pānfù 동 ①(담쟁이덩굴 따위가) 엉켜서 기어오르다. ②권세에 아부하여 영달(榮達)을 꾀하다.
〔攀高〕 pāngāo 동 높은 지위를 바라다. 높은 지위에 오르려 하다. ¶～结贵; 〈成〉 높은 사람한테 빌붙다. =〔攀高枝(儿)〕
〔攀高亲〕 pān gāoqīn 동 ⇨〔攀亲①〕
〔攀高枝(儿)〕 pān gāozhī(r) 동 ⇨〔攀高〕
〔攀弓〕 pāngōng 동 〈文〉 활을 당기다.
〔攀供〕 pāngòng 동 자백을 시켜 공범자로 꾸미

다. 남을 무고하여 죄에 빠뜨리다. =〔攀出来〕

〔攀桂之喜〕 pān guì zhī xǐ 〈成〉 옛날, 과거 급제의 기쁨.

〔攀话〕 pānhuà 동 가까이하려고 말을 걸다. 친근하게 대화하다. ¶两人～起来很相投; 두 사람의 이야기는 서로 잘 맞는다. =〔攀谈〕

〔攀交情〕 pān jiāoqing 어떻게 해서든지 교분을 맺다〔맺으려고 애쓰다〕.

〔攀接〕 pānjiē 동 접근하여 빌붙다. ¶～有权势的人; 권세 있는 사람에게 빌붙다.

〔攀连〕 pānlián 동 연루시키다. 말려들게 하다.

〔攀恋〕 pānliàn ⇨〔攀辕卧辙〕

〔攀鳞〕 pānlín ⇨〔攀龙附凤〕

〔攀留〕 pānliú 동 손님을 붙들다〔만류하다〕.

〔攀龙附凤〕 pān lóng fù fèng 〈成〉 ①권세 있는 사람한테 아첨하여 입신 출세하다. ¶他们满脑子的都是如何去寻找～之路; 그들의 머릿속은 어떻게 하면 출세의 줄을 잡을 수 있을까 하는 생각으로 꽉 차 있다. ②뛰어난 군주를 따라 공을 세우다. ‖=〔攀龙鳞〕〔攀鳞〕

〔攀龙鳞〕 pānlónglín ⇨〔攀龙附凤〕

〔攀陪〕 pānpéi 동 윗사람을 가까이 모시다.

〔攀亲〕 pān,qīn 동 ①빈천한 사람이 부귀한 사람의 환심을 사서 혼인 관계를 맺다. =〔攀高亲〕 ②(혈족의) 친한 사이임을 자처하다《상대와 친척 또는 친밀한 관계가 있다고 말하여 한층 더 친밀해지려고 하는 일》. ¶因为甲的情况好起来了, 乙极力地想跟甲～; 갑의 형편이 좋아졌으므로, 을도 극력 갑과 친해지려 하고 있다.

〔攀亲道故〕 pān qīn dào gù 〈成〉 ①친분이 있는 것처럼 가깝게 하는 모양. ¶他们俩初见面, 就～地谈起来了; 그들은 첫대면인데도 오랜 지기처럼 이야기하기 시작했다. ②(지위가 높은 사람과) 친척이나 연고 관계를 맺다. ③연줄을 삼기 위해 많은 사람과 관계를 맺다. ¶他就是爱～; 그는 친척·친구로서의 관계를 맺는 것을 좋아한다《연줄을 삼기 위해 무턱대고 관계를 맺고 싶어하는 것을 가리킴》.

〔攀亲叙友〕 pān qīn xù yǒu 〈成〉 ①친척·친구로서 교제하다. ②친척·친구의 관계를 맺다.

〔攀上〕 pānshang 동 ①기어오르다. ②(값이) 뛰어오르다.

〔攀索〕 pānsuǒ 동 줄을 당기다.

〔攀塔隆〕 pāntǎlóng 명 〈音〉 판탈롱(프pantalon).

〔攀谈〕 pāntán 동 ⇨〔攀话〕

〔攀网〕 pān wǎng 뜰망을 건져 올리다.

〔攀舆〕 pānyú ⇨〔攀辕卧辙〕

〔攀援〕 pānyuán 동 ①기어오르다. ¶～茎, 性耐寒, 善～; 덩굴은 추위에 강하고 잘 기어오르는 성질이 있다. ②〈比〉 상호부조하다. ③〈比〉 남을 의지하여 높은 지위에 오르려 하다. ‖=〔攀缘〕

〔攀缘〕 pānyuán 동 ⇨〔攀援〕

〔攀缘茎〕 pānyuánjīng 명 (포도·담쟁이덩굴 따위처럼) 덩굴로 기어 올라가는 줄기.

〔攀辕扣马〕 pān yuán kòu mǎ 〈成〉 ⇨〔攀辕卧辙〕

〔攀辕卧辙〕 pān yuán wò zhé 〈成〉 옛날, 훌륭한 지방 장관이 전임할 때, 부하들이나 주민이 수레채에 매달리고 수레바퀴 앞에 드러누워서 (말을 붙잡고) 유임하기를 애원한 일. =〔攀辕扣马〕〔攀恋〕〔攀舆〕

〔攀云〕 pānyún 동 〈文〉 높은 사람에게 빌붙어 높은 지위에 오르(려고 하)다.

〔攀折〕 pānzhé 동 나무나 꽃의 가지를 꺾다. ¶请勿～花木! 꽃과 나무를 꺾지 마시오.

爿 pán (장)

①명 (나무·대나무의) 쪼갠 한 조각. ¶柴～; 장작. ②양 ㉠분할한 한 조각을 세는 말. ¶两～烧饼; 두 조각의 '烧饼'. ㉡상점·공장을 세는 말. ¶一～水果店; 한 집의 과일 가게 / 那～厂; 저 공장. ㉢전답의 한 구획을 세는 말. ¶一～田; 밭 한 뙈기.

胖 pán (반)

형 〈文〉 편하고 안락하다. 태연하다. ¶心广体～; 〈成〉 심신이 편하다《걱정이 없고 편안하다》. ⇒pàng

般 pán (반)

〈文〉 ①형 즐겁다. 기쁘다. ②동 유흥에 빠져 집에 들어오지 않다. ¶～乐; 연일 외박을 하며 유흥에 빠지다. ⇒bān bō

盘(盤) pán (반)

①(～儿, ～子) 명 쟁반. ¶托～; 쟁반 / 茶～; 차반. 다반 / 油～; ⓐ요리나 식기를 나르는 큰쟁반. ⓑ《機》 기름받이 / 和～托出; 쟁반째 내밀다《모든 것을 털어놓다. 완전히 맡기다》 / 通～打算; 전면적으로 계획하다. →〔碟dié①〕 ②명 옛날, 목욕용 대야. ‖=〔槃①〕 ③(～儿) 명 납작하고 둥근 모양의 것의 일컬음. ¶脸～儿; 얼굴 / 棋～; 바둑판 / 倒～; 테이프를 되감다 / 罗～; 나침반 / 磨～; 맷돌 / 字～; ⓐ(인쇄소의) 활자 상자. ⓑ시계의 문자판. ④명 양푼·빨래통 따위. ⑤(～儿, ～子) 명 《商》 시세. ¶平～儿; 보합(保合) 시세 / 开～儿; 시초의 매매 거래 시세 / 暗～; 암시세 / 前～=〔前市〕; 전장 시세 / 后～ =〔后市〕; 후장 시세 / 收～; 폐장 시세. 종필(終畢) / 卖～; 매주〔팔자〕 시세 / 放～ =〔削～〕; ⓐ값을 깎아 주다. ⓑ《商》 비싸게 사다 / 放～出售; 할인 매출(을 하다). =〔市盘〕 ⑥명 빙글빙글 원형을 이룬 모습. 꾸불꾸불 구부러진 길. ¶鸽子在天空打着～儿; 비둘기가 원을 그리며 하늘을 날고 있다. ⑦양 기계·접시에 담은 것. 둥글게 사린〔감은〕 물건, 또는 장기나 바둑의 판을 세는 말. ¶一～机器; 1대의 기계 / 一～炒面; 볶은 국수 한 접시 / 一～电线; 둘둘 감은 전선 한 통 / 一～胶带; 테이프 한 개 / 下一～棋qí; 바둑을 한 판 두다 / 再来一～; 자 한 판 더 하자 / 男子乒乓球单打, 每一～都打满了五局; 남자 탁구 단식은 각 시합 모두 풀 게임(full game)이었다. ⑧형 원형의. 구부러진. ⑨동 구부리다. 빙 돌다. 둥글게 사리다. ¶～着两腿; 두 다리를 포개어 책상다리하고 있다 / ～上山去; 산을 빙빙 돌아 올라가다 / 把绳子～起来; 새끼를 둥글게 사리다 / 把头发～起来; 머리를 틀어올리다. ⑩명 구획된 지역. ¶营～; 병영 / 地～; 지반. ⑪동 (온돌·부뚜막 따위를) 튼실하게 만들다. 쌓아올리다. ¶～炕; 온돌을 만들다 / ～了个小灶; 한 개의 작은 부뚜막을 만들었다. ⑫동 (자세히) 조사하다〔검사하다〕. ¶～查; (자세히) 조사하다〔검사하다〕 / ～～底细 =〔～底〕; 자세한 사정을 잘 조사하다. ⑬동 가게를〔기업을〕 양도하다. ¶受～ =〔接～〕; 가게를 넘겨 받다. ⑭동 나르다. 운반하다. ¶由仓库往外～东西; 창고에서 물건을 운반해 내다 / 衣裳从衣柜里～出来了; 옷을 옷장에서 꺼냈다 / 蚂蚁～窝; 개미가 집을 옮기다. ⑮명 성(姓)의 하나.

〔盘本算利〕 pánběn suànlì 원금과 이자를 계산하다.

〔盘剥〕 pánbō 동 가혹하게 착취하다. 수탈(收奪)하다. ¶重利～; 고리(高利)로 착취하다. 명 착취. 수탈.
〔盘驳〕 pánbó 동 이것저것 따져 물어 추궁하다.
〔盘礴〕 pánbó 형동 ⇨〔磅礴〕
〔盘菜〕 páncài 명 요리의 재료 세트(시장에서 큰 접시에 담아서 팖). =〔盘儿菜〕
〔盘餐〕 páncān 명 ⇨〔盘馔〕
〔盘查〕 pánchá 동 찬찬히 검사하다. 상세히 조사하다. 취조하다. ¶～奸宄guǐ; 나쁜 놈을 취조하다. 명 조사. 검사 신문(訊問). ‖ =〔盘察〕
〔盘察〕 pánchá 명동 ⇨〔盘查〕
〔盘缠〕 pánchán 동 ⇨〔盘绕〕
〔盘缠〕 pánchan 명 〈口〉 여비(旅費). =〔〈方〉盘川〕〔盘费〕〔盘脚〕〔盘资〕〔川费〕〔川资〕
〔盘肠大战〕 pán cháng dà zhàn 〈成〉 중상을 무릅쓰고 벌이는 분투(격렬한 전투).
〔盘秤〕 pánchèng 명 접시저울.
〔盘川〕 pánchuan ⇨〔盘缠chan〕
〔盘存〕 páncún 명동 《商》 재고 조사(를 하다). ¶～数额; 재고 조사 수량/永续～制度; 항구(恒久) 재고 조사 제도.
〔盘错〕 páncuò 동 〈文〉 ①(나무 뿌리나 가지가) 복잡하게 뒤얽히다. ②〈轉〉 일이 얽혀서 해결이 어렵다. ‖ =〔盘根错节〕
〔盘大鲍〕 pándàbào 명 《貝》 전복.
〔盘道〕 pándào 명 ⇨〔盘路〕
〔盘底〕 pándǐ 동 자세한 사정을 캐묻다.
〔盘点〕 pándiǎn 동 (재고품을) 조사하다. ¶～库存实物; 《商》 재고 조사를 하다.
〔盘店〕 pándiàn 동명 옛날, 가게(의 상품·가구 등 일체)를 고스란히 남에게 양도하다〔양도하는 일〕.
〔盘顶松〕 pándǐngsōng 명 《植》 우산 모양의 소나무.
〔盘东盘西〕 pándōng pánxī ①이곳저곳으로 이동하다. ②이것저것 묻다.
〔盘放〕 pánfàng 동 돈놀이하다. 대금업(貸金業)을 하다.
〔盘费〕 pánfei 명 ⇨〔盘缠chan〕
〔盘杠子〕 pán gàngzi 〈口〉 철봉을 하다. →〔杠子①〕
〔盘根〕 pángēn 명 〈音〉 패킹(packing). =〔填料〕〔衬料〕〔垫料〕〔配更〕〔巴金〕
〔盘根错节〕 pán gēn cuò jié 〈成〉 굽은 뿌리가 뒤얽힌 마디(일이 복잡하게 뒤얽힘). ¶不遇～, 无以别利器; 〈諺〉 곤란한 일에 부닥치지 않으면, 사람의 훌륭한 점을 알지 못한다.
〔盘根究底〕 pán gēn jiū dǐ 〈成〉 ⇨〔追zhuī根究底〕
〔盘亘〕 pángèn 동 〈文〉 (산이) 서로 연이어 있다. ¶山岭～交错; 봉우리가 연이어 교착되다.
〔盘古〕 Pángǔ 명 《人》 반고(중국 신화에서 천지를 개벽한 사람).
〔盘谷〕 Pángǔ 명 ①《地》 ㉠허난 성(河南省) 지위안 현(濟源縣) 북쪽에 있음. ㉡⇨〔曼Màn谷〕 ②(pángǔ) 바퀴 모양으로 구불텅구불텅한 골짜기.
〔盘管〕 pánguǎn 명 무선용 코일.
〔盘桓〕 pánhuán 동 ①〈文〉 체재하다. 머무르다. ¶在杭州～了几天, 游览了各处名胜; 항저우(杭州)에서 수일간 머무르면서 각지의 명승을 유람했다. ②걸어다니다. 방황하다. 배회하다. ¶～终日; 하루 종일 걸어다니다/在门口～的人, 可要小心他, 怕是贼的引线; 문 앞에서 배회하는 사람은 도둑의 끄나풀일지도 모르니 조심해야 한다. ③구불거리다. 돌다. ¶～髻; 뒤로 잡아당겨 틀어얹은 머리.
〔盘簧〕 pánhuáng 명 《機》 나선형 스프링(spiral spring).
〔盘货〕 pán.huò 동 화물을 검사하다. 재고 조사하다. ¶～日; 재고 조사일.
〔盘获〕 pánhuò 동 조사하여 체포하다.
〔盘价〕 pánjià 명 (거래소의) 매매 가격. 시세.
〔盘脚〕 pánjiǎo 명 ⇨〔盘缠chan〕
〔盘诘〕 pánjié 동 캐묻다. 신문하다. =〔盘问〕
〔盘结〕 pánjié 동 얽히다. 감기다. ¶粗藤～在树干上; 굵은 등나무가 나무 줄기에 뒤얽혀 있다.
〔盘究〕 pánjiū 동 추궁하다. 따지다.
〔盘据〕 pánjù 동 ⇨〔盘踞〕
〔盘踞〕 pánjù 동 불법 점거하다. (장소·지위를) 점령〔탈취〕하다. ¶敌人仍旧～在一些城市里; 적은 여전히 일부의 도시를 점거하고 있다/～在心头的悲观的心情; 마음 속에 도사린 비관적인 심정. =〔盘据〕〔蟠据〕〔蟠踞〕
〔盘炕〕 pánkàng 동 온돌을 놓다.
〔盘空〕 pánkōng 동 ①허공을 날다. ②겉〔헛〕돌다. 공전(空轉)하다. 애매하다. ¶如果对文言的句子, 一定要逐字直译为白话, 就会弄成一句～生硬的白话; 문언의 문장을 한 자 한 자 백화로 직역해야 한다면, 결국은 애매하고 생경한 백화가 되어 버리고 만다.
〔盘库〕 pán.kù 동 ①회계 검사를 하다. ②재고 조사를 하다.
〔盘礼〕 pánlǐ 명 쟁반에 담은 선물〔예물〕.
〔盘龙癖〕 pán lóng pǐ 〈成〉 도박벽(癖)(진(晉)의 유의(劉毅)는 자(字)를 반룡(盤龍)이라 하였는데, 젊은 시절에 도박을 무척 즐겼으므로, 훗날 도박을 좋아하는 사람을 '有盘龙癖'라 함).
〔盘路〕 pánlù 명 구불구불한 산길. =〔盘道〕
〔盘马弯弓〕 pán mǎ wān gōng 〈成〉 말에 올라타고 활을 당겨 태세를 취하다. ①일부러 남을 놀라게 하는 자세를 취하고는 바로 행동하지 않다. ②일부러. 고의로. 비꼬아. ¶～地兜了半天圈子, 到这儿才言归正传; 일부러 빙빙 돌려서 다른 이야기를 하다가 이제야 겨우 본론으로 들어갔다.
〔盘铭〕 pánmíng 명 은(殷)나라 탕왕(湯王)이 만든 목욕통에 주조하여 새긴 명(銘)(그 글귀에 '苟日新, 日日新, 又日新'이라 씌어 있음).
〔盘尼西林〕 pánníxīlín 명 《藥》 〈音〉 페니실린(penicillin). =〔青霉素〕〔配尼西林〕〔配尼西灵〕〔潘尼西林〕〔西林〕
〔盘钮〕 pánniǔ 명 (여자용) 중국 옷의 장식끈 단추.
〔盘弄〕 pánnòng 동 ①만지작거리다. ¶他在那里边说话边～算盘子儿; 그는 저쪽에서 이야기를 하면서 주판알을 만지작거리고 있다. ②난처하게 만들다. 놀리다. 괴롭히다. ③부추기다. 구슬리다. 꾀다.
〔盘球〕 pánqiú 명 《體》 (미식 축구 등의) 드리블(dribble).
〔盘曲〕 pánqū 동 빙빙 감돌다. 사리다. 형 꾸불꾸불하다. ‖ =〔蟠曲〕〔盘屈〕
〔盘屈〕 pánqū 명형 ⇨〔盘曲〕
〔盘儿〕 pánr 명 ①큰 접시. ¶～菜; 음식의 재료를 접시에 담아 놓은 것. ②〈俗〉 얼굴. ¶～美; 얼굴이 예쁘다/他烧～了; 그는 얼굴을 붉혔다. ③시세(時勢).
〔盘绕〕 pánrào 동 감돌다. 둘러싸다. 사리다. ¶长

长的藤葛～在树身上; 긴 등나무덩굴이 나무 줄기에 감겨 있다. =〔盘缠chán〕〔蟠绕〕
〔盘山路〕 pánshānlù 명 꼬불꼬불한 산길.
〔盘山越岭〕 pánshān yuèlǐng 빙빙 돌아서 산을 오르고 고개를 넘다. =〔盘山过岭〕
〔盘跚〕 pánshān 형 ⇨〔蹒跚〕
〔盘石〕 pánshí 명 ⇨〔磐石〕
〔盘手〕 pánshǒu 명 (자동차 따위의 둥근) 핸들.
〔盘受〕 pánshòu 동 양도받다.
〔盘诵珠儿〕 pánsòngzhūr 명 염주.
〔盘算〕 pánsuan 동 ①주판을 놓다. 계산하다. ¶～得很周到; 빈틈없이 주판을 튀기다〔계산하다〕. ②생각해 보다. 여러 가지로 궁리하다. ¶胡～; 공연히 이것저것 생각만 하다. 노심초사하다 / ～一下再干事; 생각해 본 다음 일을 하다 / 您心里怎样～呢? 당신의 생각으로는 어쩔 작정이십니까? 명 생각. 계획. 속셈. 예상. ¶～落空了; 예상이 빗나갔다 / 华盛顿的～; 워싱턴의 속셈.
〔盘飧〕 pánsūn 명 ⇨〔盘馔〕
〔盘梯〕 pántī 명 나선(螺旋)〔나사〕 계단.
〔盘条〕 pántiáo 명《機》와이어 로드(wire rod). =〔〈方〉盘元〕
〔盘头〕 pántóu 동 머리를 빙빙 틀어 얹다.
〔盘腿〕 pán▹tuǐ 동 책상다리하다. 다리를 포개다. ¶盘着腿坐; 책상다리하고 앉다. =〔〈文〉盘膝xī〕 (pántuǐ) 명 아이들의 앙감질(놀이의 일종).
〔盘陀〕 pántuó 형〈文〉①돌이 울퉁불퉁한 모양. ②꼬불꼬불 구부러진 모양. ¶～路; 구불구불한 길. ‖=〔盘陁〕
〔盘陁〕 pán tuó 형 ⇨〔盘陀〕
〔盘问〕 pánwèn 동 추궁하다. 캐묻다. 심문하다. ¶～举动可疑的人; 거동이 수상한 사람을 심문하다 / ～口令; 수하(誰何)의 구령. =〔盘询xún〕〔盘诘〕
〔盘涡〕 pánwō 명 (물의) 소용돌이.
〔盘膝〕 pánxī 동〈文〉책상다리를 하다. ¶～而坐; 책상다리하고 앉다. =〔盘腿〕
〔盘现〕 pánxiàn 명 옛날, 지폐를 사 모아 두었다가, 은행에서 현금으로 태환(兌換)하여 차액을 얻는 행위.
〔盘香〕 pánxiāng 명 타래향.
〔盘香扣〕 pánxiāngkòu 명 ⇨〔平píng面螺丝〕
〔盘香牙〕 pánxiāngyá 명 ⇨〔平píng面螺丝〕
〔盘想〕 pánxiǎng 동 이것저것 곰곰이 생각하다.
〔盘相〕 pánxiàng 동 확인하여 보다. 잘 살펴보다. ¶你一～就认得了; 잘 살펴보면 알 수 있다.
〔盘旋〕 pánxuán 동 ①빙빙 돌다. 선회하다. ¶～无定; 쉴 새 없이 동요하다 / 飞机在天空～; 비행기가 하늘을 선회하고 있다 / ～路; 꼬불꼬불하게 굽은 길. ②서성거리다. 방황하다. 배회하다. ¶他在花房里～了半天才离开; 그는 온실 안을 한동안 배회하고서야 겨우 그 곳을 떠났다.
〔盘询〕 pánxún 동 ⇨〔盘问〕
〔盘鸦〕 pányā 명 여자의 쪽찐 머리. 「jiù齿〕
〔盘牙〕 pányá 명《生》구치(臼齒). 어금니. =〔臼
〔盘验〕 pányàn 동 검사하다. 조사하다.
〔盘羊〕 pányáng 명《動》반양. 아르갈리(argali)《뿔이 크고 굽어 있는 몽골·시베리아에 사는 야생의 양》. =〔大dà角羊〕
〔盘腰龙〕 pányāolóng 명 허리에 차는 돈주머니.
〔盘纡〕 pányū 명〈文〉우여곡절. 형 꾸불꾸불 구부러져 있는 모양.
〔盘盂〕 pányú 명 접시와 사발.
〔盘元〕 pányuán 명〈方〉⇨〔盘条〕
〔盘运〕 pányùn 동 운반하다.
〔盘灶〕 pán zào 부뚜막을 만들다〔쌓다〕.
〔盘账〕 pán▹zhàng 동 장부를 계산〔조사〕하다. 회계 계산을 따져 보다.
〔盘枝〕 pánzhī 명 뒤얽힌 나뭇가지.
〔盘馔〕 pánzhuàn 명 접시에 담은 요리. =〔盘餐〕〔〈文〉盘飧〕
〔盘子〕 pánzi 명 ①큰 접시. 쟁반. ②양푼·빨래통 따위. ③기생집에서 지불하는 유흥 금액. 팁. ¶开～ =〔打茶围〕; 기생집에서 기생과 차 마시며 유흥하다. ④시장 가격. 시세.
〔盘子地〕 pánzidì 명 ⇨〔方fāng盘地〕
〔盘资〕 pánzi 명 ⇨〔盘缠chan〕
〔盘坐〕 pánzuò 동 책상다리를 하고 앉다.

槃 pán (반)
①명 ⇨〔盘①②〕 ②형〈文〉크다. ¶～才; 큰 재능 / 大才～～; 재능이 매우 뛰어나다.

磐 pán (반)
명 큰 돌〔바위〕. 반석. ¶安如～石; 반석과 같이 편안하다〔안정되다〕.
〔磐安〕 pán'ān 형〈文〉반석처럼 안정되어 있다.
〔磐礴〕 pánbó 형동 ⇨〔磅páng礴〕
〔磐石〕 pánshí 명 반석. 큰 돌. 〈比〉아주 튼튼함. ¶～之安; 〈成〉반석처럼 미동도 하지 않고 안정되어 있는 모양 / ～之固; 〈成〉반석과 같이 견고하다. =〔盘石〕

蹩 pán (반)
동 다리를 포개다. ¶～着腿坐; 다리를 포개고 앉다. 책상다리하고 앉다.

鞶〈縏〉② pán (반)
명 ①(남자의 허리를 매는 가죽으로 만든) 큰띠. ②작은 주머니.

磻 pán (반)
→〔磻溪〕
〔磻溪〕 Pánxī 명《地》판시(磻溪)《저장 성(浙江省)에 있는 강 이름. 주(周)나라 태공망 여상(呂尙)이 낚싯줄을 드리우고 있다가 문왕을 만난 곳으로 전해짐》.

蟠 pán (반)
①동 사리다. 서리다. 똬리를 틀다. ¶一～绳; 한 사리의 새끼. ②동 쌓다. ③명《蟲》짚신벌레.
〔蟠据〕 pánjù 동 ⇨〔盘踞〕
〔蟠踞〕 pánjù 동 ⇨〔盘踞〕
〔蟠龙〕 pánlóng 명 ①지상에 서리고 있으면서 아직 승천하지 아니한 용. ②서리고 있는 용(의 조각).
〔蟠木〕 pánmù 명 꾸부정하게 키가 작게 자란 노목(老木).
〔蟠曲〕 pánqū 동형 ⇨〔盘曲〕
〔蟠绕〕 pánrào 동 ⇨〔盘绕〕
〔蟠桃〕 pántáo 명 ①《植》수밀도(水蜜桃)의 하나. =〔〈方〉扁桃〕〔扁缸儿桃〕 ②동해(東海)의 도삭산(度索山)에 있다는 전설상의 큰 복숭아나무. ¶～会; 음력 3월 3일의 '西王母'의 제사.

蹒(蹣) pán (반)
→〔蹒跚〕
〔蹒跚〕 pánshān 형 비틀거리는 모양. ¶脚步～; 발걸음이 휘청거리다. =〔盘跚〕

判 pàn (판)
①동 판단하다. 분별하다. ②동 구별하다. 분명히 하다. ¶～明是非 =〔～别是非〕; 시

비를 분명히 가리다 / ～定真假; 진위를 분명히 구별하다. ③ 동 판결하다. 평정(評定)하다. ¶审～; 심의하여 판결하다 / 裁～; ⓐ재판. ⓑ《體》심판(하다) / 案子已经～了; 사건은 이미 판결이 났다 / ～了他五年徒刑, 缓期三年; 그에게 징역 5년 집행 유예 3년의 판결을 내렸다 / ～卷子; 답안을 채점하다. ④ 동 분리하다. 가르다. 헤어지다. ¶～袂以来, 倏shū忽一年矣; 〈翰〉 작별한 지 벌써 1년이 되었습니다. ⑤ 형 분명하다. ¶～若两人; 아주 딴 사람 같다 / 两个世界～然不同; 두 세계는 확실하게 다르다.

〔判案〕 pàn⸤àn 동 재판하다. 판결하다.

〔判别〕 pànbié 동 ①작별하다. 헤어지다. =〔判袂mèi〕 ②구별〔판별〕하다. ¶～真假; 진위(眞僞)를 판별하다.

〔判处〕 pànchǔ 동 판결을 내리다. ¶～死刑; 사형 판결을 내리다 / 由法庭～; 법정이 판결을 내려 처분하다.

〔判词〕 pàncí 명 《法》 판결문. =〔判语yǔ①〕〔判决书〕

〔判定〕 pàndìng 동 판별하다. 판정하다. 판단을 내리다. ¶～认识或理论是否正确; 인식이나 이론이 옳은지 그른지를 판별하다.

〔判断〕 pànduàn 명동 ①판단(하다). ¶下～; 판단을 내리다 / ～词 =〔系xì词〕; (중국어 문법에서) 판단사(判斷詞). 판단 동사(判斷動詞)('…이다. …다'라는 뜻의 동사 '是shì'를 일컬음). ②《法》 재판(하다).

〔判官〕 pànguān 명 ①절도사·관찰사 등의 속료(屬僚)(뒤에 각 왕조에서 모두 이 관직을 두었음). ②염라 대왕 밑에서 재판을 관장하는 귀신.

〔判官头儿〕 pànguāntóur 명 〈俗〉 안장의 뼈대. =〔鞍ān桥〕

〔判涣〕 pànhuàn 동 ⇨〔泮涣〕

〔判据〕 pànjù 명 (판결 따위의) 기준. 표준.

〔判卷子〕 pàn juànzi 답안을 채점하다.

〔判决〕 pànjué 명동 《法》 판결(을 내리다). ¶～书; 판결문 / ～主文; 판결문 주문.

〔判例〕 pànlì 명 《法》 판례.

〔判令〕 pànlìng 동 판결하여 명령하다.

〔判袂〕 pànmèi 동 〈文〉 이별하다. 헤어지다. =〔判别①〕〔分fēn袂〕

〔判明〕 pànmíng 동 (사실 여부를) 밝히다. 판명하다. ¶～真相; 진상을 밝히다 / ～是非; 시비를 분명히 가리다.

〔判儿〕 pànr 명 종이에 인쇄한〔그린〕 종규(鍾馗)의 상(像). ¶朱zhū砂～; 주사로 붉게 그린 종규의 상.

〔判然〕 pànrán 부 판연히. 확실하게. ¶～有别; 확실히 구별되다.

〔判若鸿沟〕 pàn ruò hóng gōu 〈成〉 경계가 분명하다.

〔判若两人〕 pàn ruò liǎng rén 〈成〉 전혀 딴 사람 같다.

〔判若云泥〕 pàn ruò yún ní 〈成〉 하늘과 땅의 차가 있다. 천양지차(天壤之差)이다. =〔判若天渊〕〔判若霄壤〕

〔判司〕 pànsī 명 옛날의, 관청의 문서 담당관.

〔判索里〕 pànsuǒlǐ 명 《樂》 〈音〉 판소리(한국어).

〔判刑〕 pàn⸤xíng 동 형벌의 판결을 내리다. 형벌을 과하다.

〔判押〕 pànyā 동 ①서명하다. 수결 두다. ②수감(收監) 선고를 내리다.

〔判语〕 pànyǔ 명 ①⇨〔判词〕 ②〈文〉 비평.

〔判正〕 pànzhèng 동 〈文〉 시비 곡직을 판정하다.

〔判罪〕 pàn⸤zuì 동 죄를 심판하다. 판결을 내리다.

泮 pàn (반)

①동 〈文〉 흩어지다. ¶～涣; ⇩ ②동 녹다. ¶冰～; 얼음이 녹다. ③명 공자묘(孔子廟) 앞의 못. ④명 성(姓)의 하나.

〔泮宫〕 pàn'gōng 명 옛날, 학교(청대(淸代)에 과거에서 '秀才'로 합격하는 것을 '入泮'이라 했음).

〔泮涣〕 pànhuàn 동 〈文〉 흩어지다. =〔判涣〕

叛 pàn (반)

동 ①배반하다. ¶背～; 배반하다 / 招降纳～; 〈成〉 항복을 권하고, 반역자의 귀순을 받아들이다. ②반항하다.

〔叛变〕 pànbiàn 명동 배신(하다). 배반(하다). 명 반란(사건).

〔叛党〕 pàn⸤dǎng 동 당을 배반하다. 탈당하다. 적에게 당(원)을 팔다. ¶～分子fènzǐ; 반당 분자. (pàndǎng) 명 반역 도당. 반도(叛徒).

〔叛匪〕 pànfěi 명 반역한 악인들.

〔叛国〕 pàn⸤guó 동 조국을 배반하다. (기밀을 통보하거나) 적에게 나라를 팔다. ¶～分子; 국적·반역 분자 / ～罪; 반역죄. 대역.

〔叛军〕 pànjūn 명 모반군. 반란군. 반군.

〔叛离〕 pànlí 동 배반하다. 이반(離反)하다. ¶他决心～他的家庭; 그는 가정을 떠나기로 결심했다.

〔叛乱〕 pànluàn 명동 반란(을 일으키다).

〔叛卖〕 pànmài 동 (조국을) 배반하여 팔다. 명 배반. 반역. ¶～行为; 배반〔반역〕 행위.

〔叛逆〕 pànnì 명 반역자. 역적. 동 반역하다.

〔叛首〕 pànshǒu 명 반도(叛徒)의 우두머리.

〔叛逃〕 pàntáo 동 모반(謀反)하여 도망하다.

〔叛徒〕 pàntú 명 반도. 역적. ¶从自己人里面出了～; 자기 편에서 반역자가 나오다. =〔叛贼〕

〔叛贼〕 pànzéi 명 ⇨〔叛徒〕

袢 pàn (번)

① 명동 ⇨〔襻pàn〕 ② →〔袷qiā袢〕

畔 pàn (반)

①명 논두렁(길). ②명 (강·호수·도로 등의) 경계. 가. 부근. 옆. ¶河～; 강가 / ～拉 =〔旁拉〕; 가. 곁 / 身～ =〔身旁〕; 신변 / 岸～; 〈文〉 물가. 〈轉〉 끝. 제한 / 枕～; 베갯머리. ③동 〈文〉 거역〔배반〕하다.

拚 pàn (반)

동 서슴없이 버리다. (목숨 등을) 돌보지 않다. ¶～财; 재산을 내던지다. ⇒ '拚' pīn

〔拚箕〕 pànjī 명 쓰레받기.

〔拚命〕 pàn⸤mìng 동 〈方〉 필사적으로 하다. 목숨 걸고 하다. ¶～死战; 목숨을 걸고 싸우다. =〔拼命〕

〔拚杀〕 pànshā 동 〈文〉 목숨을 걸고 돌격하다.

盼 pàn (반)

①동 희망하다. 원하다. 기다리다. ¶我正～他呢, 可巧他来了; 내가 바로 그를 기다리고 있는데, 마침 그가 왔다 / 新学年才开始了没多少日子, 他们就～暑假呢; 새 학년이 시작된 지 며칠도 안 되었는데, 그들은 벌써 여름 방학을 기다리고 있다 / ～雨; 비를 기다리다 / …为～; …하시기 바랍니다. ②동 보다. ¶左顾右～; 좌고우면하다(정견(定見)이 없는 모양). ③명 가망. 전망. 가능성. ¶有了～儿了 =〔有了～头(儿)了〕; 가망이 있다.

〔盼不得〕 pànbude 애타게 기다리다. 이제나 저제나 하고 기다리다.
〔盼祷〕 pàndǎo 동 〈文〉 바라다. 희망하다. 소원하다. ¶不胜shèng～之至; 〈翰〉 바라 마지않다. =〔企祷〕
〔盼到〕 pàndào 동 기다리고 바라던 대로 되다. ¶好容易才～了国庆节这一天; 기다리고 기다리던 국경일이 왔다.
〔盼更〕 pànjīng 명 ⇨〔填tián料①〕
〔盼年盼节〕 pàn nián pàn jié 설·명절을 기다리다. 〈比〉 애타게 기다리다. ¶他像～一样盼着快点儿到河北; 그는 설이나 명절을 기다리듯 '河北'에 빨리 도착하기를 바라고 있었다.
〔盼念〕 pànniàn 동 바라고 바라다.
〔盼倩〕 pànqiàn 형 〈文〉 눈매와 입가가 곱다(《'盼'은 눈동자와 흰자위가 뚜렷하여 눈이 고운 모양. '倩'은 입가에 애교가 있는 모양》).
〔盼切〕 pànqiè 동 〈文〉 ⇨〔盼甚〕
〔盼儿〕 pànr 명 희망. 가망. ¶这个事情没～了; 이 일은 가망이 없어졌다. 注 '有～'·'没有～'로 쓰임. =〔盼头(儿)〕
〔盼甚〕 pànshèn 동 〈文〉 바라는 바 간절하다. ¶务祈示下～; 〈翰〉 알려 주시기를 간절히 바랍니다. =〔盼切qiè〕
〔盼头(儿)〕 pàntou(r) 명 ⇨〔盼儿〕
〔盼望〕 pànwàng 동 ①희망하다. 간절히 바라다. ¶大概你家里人～得了不得了; 아마도 댁에서는 대단히 기다리고 계시겠지요/我也～那么着; 저도 그랬으면 좋겠다고 생각하고 있습니다/～你早日回家; 하루 속히 돌아오기를 바란다. ②걱정하다. ¶怕母亲要～了; 어머님께서 걱정하실까 염려되다.
〔盼想〕 pànxiǎng 동 희망하다. 기다리다. 바라다.
〔盼星星盼月亮〕 pàn xīngxing pàn yuèliang 〈比〉 간절히 기다리다. 간절히 바라다. 오늘내일 하면서 기다리다. 학수고대하다. ¶大家都～那样地等着您, 您怎么没去呀? 모두들 오늘내일하면서 당신을 기다렸는데, 당신은 어째서 가지 않았습니까?

鋬 pàn (판)
명 기물(器物)의 손잡이.

襻 pàn (반)
①(～儿) 명 (헝겊으로 고리를 지어 만든) 암단추. ¶纽～; 중국 옷의 헝겊 단추를 꿰는 헝겊 고리. ②(～儿) 명 기능·모양이 단추고리 비슷한 것. ¶鞋～儿; 헝겊신의 끈을 거는 고리/帽～; 모자의 턱끈/篮子～; 바구니의 손잡이끈. ③ 동 (끈·밧줄·실 등으로) 잠그다. 사뜨다. 걸다. ¶～上几针; 몇 바늘 감치다/用绳子～上; 밧줄로 동여매다. ‖ =〔袢pàn①〕

PANG ㄆㄤ

乓 pāng (팡)
①〈擬〉 탕. 꽝. 쾅(《총 소리·문 닫는 소리·무엇이 깨지는 소리 따위》). ② 명 《體》 탁구. ¶乒pīng～球 =〔桌球〕; 핑퐁. 탁구.

雱〈霶, 滂〉 pāng (방)
① 동 〈文〉 눈이 펑펑 내리다. ② 형 ⇨〔滂〕

滂 pāng (방)
형 〈文〉 물이 솟구치는 모양. =〔雱②〕

〔滂湃〕 pāngpài 형 물의 힘이 맹렬한 모양.
〔滂沱〕 pāngtuó 형 ①비가 억수같이 내리는 모양. ¶大雨～ =〔～大雨〕; 폭포수처럼 비가 오다. 비가 억수로 쏟아지다. ②〈轉〉 눈물을 하염없이 흘리는 모양. ¶涕泗～; 〈成〉 (울어서) 눈물이 비 오듯 흘러내리는 모양.

膀〈胮〉 pāng (방)
① 동 붓다. ¶他病得脸都～了; 그는 병으로 얼굴이 온통 부었다. ② 명 부종(浮腫). ⇒bǎng bàng páng

彷〈徬〉 páng (방)
→〔彷徨〕〔彷徉〕 ⇒fǎng

〔彷徨〕 pánghuáng 동 ①헤매다. 방황하다. ¶～岐途; 기로에서 헤매다. 방황하다. ②망설이다. ‖ =〔旁皇〕
〔彷徉〕 pángyáng 동 배회하다. 일없이 돌아다니다.

庞(龐〈厐〉A)) páng (방)
A) 형 ①방대하다. ②난잡하다. B) 명 ①(～儿, ～子) 얼굴. 용모. ¶脸～像他母亲; 얼굴 생김새가 그의 어머니를 닮았다/面～消瘦; 얼굴이 핼쑥하다. ②성(姓)의 하나.

〔庞错〕 pángcuò 형 ⇨〔庞杂〕
〔庞大〕 pángdà 형 방대하다. 거대하다. ¶开支～; 지출이 방대하다/～的建筑; 거대한 건축물/机构～, 层次多; 기구가 방대해서 단계가 너무 많다/修盖～而又合乎要求的校舍; 거대하고 요구에 맞는 교사를 짓다.
〔庞洪〕 pánghóng 형 〈文〉 크다. 거대하다.
〔庞眉皓发〕 páng méi hào fà 〈成〉 흰 눈썹과 백발(《노인의 얼굴을 형용하는 말》).
〔庞然〕 pángrán 형 〈文〉 거대한 모양.
〔庞然大物〕 páng rán dà wù 〈成〉 아주 거대한 것(《흔히, 덩치는 큰데 실속이 없음을 가리킴》).
〔庞杂〕 pángzá 형 복잡하게 얽히다. 뒤죽박죽 헝클어지다. 난잡하다. ¶机构～; 기구가 지나치게 복잡하다. =〔庞错cuò〕

逄 Páng (방)
명 성(姓)의 하나.

旁 páng (방)
① 명 옆. 곁. ¶道～ =〔路～〕; 길가. 도방. 노방/桌～; 책상〔테이블〕의 곁/从～帮忙; 곁에서 가세하다〔도와 주다〕/两～; 양측. 양쪽. ② 형 별개의. 다른. 무관계의. ¶～的事情; 관계없는 일. 다른 일/～的还好办; 다른 일은 그런대로 하기 쉽다/有～的意见吗? 달리 의견은 없습니까? ③(～儿) 명 한자(漢字)의 변(邊). ¶竖心～儿; 심방변/提手～; 손수변/木字～一个土字; 나무목변에 흙토자.

〔旁白〕 pángbái 명 《劇》 ①방백. ②내레이션.
〔旁半喇儿〕 pángbànlǎr 명 〈方〉 옆. 곁. 근처.
〔旁边(儿)〕 pángbiān(r) 명 곁. 옆. 근처. ¶马路～停着许多小汽车; 큰 길가에 많은 승용차가 서 있다/站在～笑; 곁에 서서 웃고 있다/两～; 양측.
〔旁不相干〕 páng bù xiāng gān 〈成〉 무관하다. 아무런 상관이 없다. ¶他并没说出个正经理来, 竟说了些～的话; 그는 이치에 맞는 말을 하지 않고, 당치도 않는 말만 했다.

〔旁采〕 pángcǎi 동 〈文〉 널리〔넓은 범위에서〕 채용하다.
〔旁侧〕 pángcè 명 〈文〉 곁. 옆.
〔旁插花〕 pángchāhuā 명 〈比〉 아무래도 상관없는 일. 사소한 일. ¶他正经事不干专好干～的事; 그는 정당한 일은 하지 않고, 시시한 일만 하기 좋아한다.
〔旁插话〕 pángchāhuà 명 주제에서 벗어난〔지엽적인〕 이야기.
〔旁岔话〕 pángchàhuà 명 〈方〉 주제에서 벗어난 이야기. 김새는 말. ¶别来这些～; 그런 김새는 말은 하지 마라. 그 같은 빗나간 소리는 하지 마라.
〔旁岔儿〕 pángchàr 명 〈方〉 ①옆길. 곁가지. ②〈比〉 본제를 벗어난 말이나 일. ¶话说到～去了; 이야기가 옆길로 새었다.
〔旁唱〕 pángchàng 명 《樂》 무대 뒤에서 부르는 코러스. 백코러스.
〔旁出〕 pángchū 동 파생하다. ¶这事一着手就问题～, 真难办; 이 일은 착수하자마자 문제가 파생하여 처리하기 매우 어렵다. 명 방계(傍系) 출신.
〔旁处〕 pángchù 명 근방. 근처.
〔旁贷〕 pángdài 동 책임을 남에게 전가(轉嫁)하다.
〔旁的〕 pángde 명 다른 것. 별개의 것. 관계 없는 것. 무관한 것.
〔旁费〕 pángfèi 명 불필요한 지출.
〔旁观〕 pángguān 동 방관하다. ¶～者清, 当局者迷; 〈成〉 곁에서 보는 사람이 당사자보다 더 환히 본다 / 袖手～; 〈成〉 수수방관하다. 팔짱끼고 구경만 하다.
〔旁皇〕 pánghuáng 동 ⇨〔彷徨〕
〔旁及〕 pángjí 동 ①아울러 하다〔다루다〕. ¶他学习中文, ～中国现代文学; 그는 중국어를 배우고 있는데, 중국의 현대 문학에까지 미치고 있다. ②연좌(連坐)시키다. 끌어 넣다. ¶这次事件～者达十人之多; 이 사건에 말려든 사람이 10여 명이나 된다.
〔旁近〕 pángjìn 명 근방. 그리 멀지 않은 곳.
〔旁径〕 pángjìng 명 〈文〉 옆의 샛길.
〔旁跨〕 pángkuà 동 (말 따위에) 옆으로 앉아서 타다.
〔旁拉〕 pánglā 명 〈方〉 옆. 곁. =〔畔pàn拉〕
〔旁里〕 pánglǐ 명 가까운 마을. 도시에 가까운 시골.
〔旁立〕 pánglì 동 〈文〉 곁에 서다. 시립(侍立)하다. 웃어른을 모시고 서다.
〔旁脸(儿)〕 pángliǎn(r) 명 옆얼굴. 프로필(profile). ¶～相片; 얼굴을 옆에서 찍은 사진.
〔旁落〕 pángluò 동 〈文〉 남의 손에 들어가다. 잃다. ¶主权～; 주권이 남의 손에 넘어가다.
〔旁门(儿)〕 pángmén(r) 명 옆문. 쪽문. =〔便biàn门〕
〔旁门左道〕 páng mén zuǒ dào 〈成〉 (종교·학술 따위의) 정통이 아닌 길. 사도(邪道). 이단(異端)의 길.
〔旁孽〕 pángniè 명 〈文〉 방계의 서자.
〔旁纽〕 pángniǔ 명 중국 음운학에서, '纽'는 자음(字音)에서의 자음(子音)이며, 같은 자음(子音)을 지닌 음은 '同纽'(쌍성(雙聲))이라 하고, '同纽'은 아니나 발음 기관이 같은 위치에서 같은 '阻'에 의해 발생하는 음을 '～'이라 함. 예를 들면, k·ng·nl의 자음(子音)은 각기 '～'임.
〔旁牌〕 pángpái 명 방패.
〔旁批〕 pángpī 명 본문 옆에 쓴 비평문.
〔旁妻〕 pángqī 명 첩.
〔旁敲侧击〕 páng qiāo cè jī 〈成〉 ①넌지시 에둘러 말하다. ②시치미를 떼고 상대방을 함정에 빠뜨리려 하다.
〔旁切圆〕 pángqiēyuán 명 《數》 방접원.
〔旁亲〕 pángqīn 명 ⇨〔旁系亲属〕
〔旁求〕 pángqiú 동 〈文〉 각 방면에서 널리 찾아 구하다. ¶～俊jùn彦; 〈成〉 널리 인재를 찾다.
〔旁人〕 pángrén 명 남. 다른 사람. 무관한 사람. 제3자. ¶这件事由我负责, 跟～不相干; 이 일은 내 책임이다. 다른 사람과는 관계가 없다 / ～不得而知; 관계없는 사람은 〔제3자는〕 알 수 없다.
〔旁若无人〕 páng ruò wú rén 〈成〉 방약 무인이다. 태도가 오만해서 남의 이목을 걱정하지 않다. ¶他们高谈阔论～; 저 사람들은 이야기에 빠져서 다른 사람은 안중에도 없다 / 他～地吃起饭来; 그는 거리낌없이 밥을 먹기 시작했다.
〔旁听〕 pángtīng 동 ①방청하다. ¶～证zhèng; 방청권 / 法庭以公开准人～为原则; 법정은 공개하여 방청을 허용하는 것을 원칙으로 한다. ②청강하다. ¶他在北大～过课; 그는 베이징(北京) 대학에 청강한 적이 있다 / ～生; 청강생.
〔旁通管〕 pángtōngguǎn 명 《機》 바이패스관(bypass管).
〔旁骛〕 pángwù 동 〈文〉 본직 이외의 일에 마음을 빼앗기다〔힘쓰다〕.
〔旁系〕 pángxì 명 방계. =〔旁支(儿)〕
〔旁系亲属〕 pángxì qīnshǔ 명 방계 친족. =〔旁亲〕
〔旁线〕 pángxiàn 명 방선. 밑줄. →〔横héng线〕
〔旁心〕 pángxīn 명 《數》 방심('旁切圆'의 중심).
〔旁行〕 pángxíng 동 횡행(橫行)하다. ¶～天下; 천하를 횡행하다. 세상에서 제멋대로 설치다. 명 횡서(橫書).
〔旁训〕 pángxùn 명 방훈. 주석.
〔旁压力〕 pángyālì 명 ⇨〔侧cè压力②〕
〔旁影儿〕 pángyǐngr 명 프로필. 옆모습. ¶他的～真有点儿像他父亲; 그의 옆모습은 정말 제 아버지와 많이 닮은 데가 있다.
〔旁帐儿〕 pángzhàngr 명 〈比〉 지엽적인 문제. 관계가 없는 일.
〔旁征博引〕 páng zhēng bó yǐn 〈成〉 박인 방증(널리 예를 끌어 내어 설명하는 일).
〔旁证〕 pángzhèng 명 방증.
〔旁支(儿)〕 pángzhī(r) 명 ⇨〔旁系〕
〔旁枝〕 pángzhī 명 가지. 곁가지. 〈轉〉 방계. ¶～公司; 방계 회사.
〔旁枝旁叶〕 páng zhī páng yè 〈成〉 지엽말절(枝葉末節)(주류(主流)·중심·주제를 벗어난 하찮은 일).
〔旁注〕 pángzhù 명 방주.
〔旁尊〕 pángzūn 명 백숙부(伯叔父) 등 방계의 웃어른들.
〔旁坐〕 pángzuò 동 연좌(連坐)하다.

膀 **páng** (방)
→〔膀胱〕 ⇒ bǎng bàng pāng

〔膀胱〕 pángguāng 명 《生》 방광. =〔〈方〉 尿脬〕

磅 **páng** (방)
→〔磅礴〕 ⇒ bàng

〔磅礴〕 pángbó 동 퍼지다. 흩어지다. (소문 따위가) 퍼지다. (향기를) 발산하다. ¶～于全世界;

전세계에 퍼지다. 형 기력이 넘치다. 충만하다. ¶～气势; 기세가 왕성하다. 기력이 충만하다. ‖=〔盘pán礴〕〔磐pán礴〕

螃 páng (방)
명《動》게.

〔螃尖儿〕 pángjiānr 명《動》수게.
〔螃蜞〕 pángqí 명《動》모말게.
〔螃团儿〕 pángtuánr 명《動》암게.
〔螃蟹〕 pángxiè〔pángxie〕 명《動》게. ¶我是个小～; 나는 술을 못 합니다(술에 담근 작은 게처럼 새빨갛게 된다) / ～骂同类横行;〈比〉똥 묻은 개가 겨 묻은 개를 나무란다 / ～盖儿; 게 딱지. →〔海量hǎiliàng②〕

鳑(鰟) páng (방)
→〔鳑鲏〕

〔鳑鲏〕 pángpí 명《魚》납자루의 일종(담수어). =〔鳑鱼〕

嗙 pǎng (방)
동〈方〉터무니없는 거짓말을 마구 지껄이다. 허풍을 떨다. ¶你别听他瞎～! 그가 함부로 허풍 떠는 말을 듣지 마라! / 他竟爱～; 그는 허풍만 떨고 있다 / 胡吹乱～;〈成〉입에서 나오는 대로 허풍을 떨다 / 也不是我～, 我和部长是好朋友; 허풍을 떠는 게 아니라, 나는 장관과 친한 친구다.

耪 pǎng (방)
동 논밭을 갈다. 땅을 일구다.

〔耪地〕 pǎngdì 동 논밭을 갈다. 김을 매다. ¶庄稼要想长得好总得～汉儿手勤; 농작물을 잘 키우려면 아무래도 밭가는 사람이 부지런해야 한다.

髈 pǎng (방)
명〈吳〉허벅다리. 넓적다리. =〔大腿〕 ⇒ bǎng

胖 pàng (반)
형 뚱뚱하다. 살지다. ¶肥～; 살이 쪄서 뚱뚱하다 / 越说～越喘 =〔说你～你就喘〕; 살졌다고 칭찬했더니 점점 더 헐떡인다.〈比〉칭찬하면 할수록 우쭐대다. ↔〔瘦shòu①〕 ⇒ pán

〔胖袄〕 pàng'ǎo 명《劇》'净jìng角儿'(악역)이 속에 입는 두꺼운 소매 없는 무명 웃도리.
〔胖病〕 pàngbìng 명 비만증.
〔胖大〕 pàngdà 형 ①뚱뚱하다. ②육체가 풍만하다.
〔胖大海〕 pàngdàhǎi 명《植》벽오동과(科)의 고목(高木). 또, 그 열매(열매는 한방약으로 쓰이며, 씨를 물에 담그면 스펀지처럼 됨). =〔安ān南子〕〔大洞果〕〔膨péng大海〕
〔胖登登(的)〕 pàngdēngdēng(de) 형 포동포동 살찐 모양.
〔胖嘟嘟(的)〕 pàngdūdū(de) 형 뒤룩뒤룩 살찐 모양. 살이 쪄서 늘어진 모양.
〔胖墩墩〕 pàngdūndūn 형 딱 바라진 모양.
〔胖墩儿〕 pàngdūnr 명〈口〉작지만 통통한 사람(흔히, 아이에 대하여 이름).
〔胖汉〕 pànghàn 명 뚱뚱한 남자.
〔胖乎乎〕 pànghūhū 형 뚱뚱하다. 통통하다(흔히, 아이에 대하여 말함). =〔胖呼呼〕
〔胖胖瘦瘦〕 pàngpangshòushòu 명 여러 명의 살찐 사람과 여윈 사람.
〔胖瘦〕 pàngshòu 명 뚱뚱한 정도. ¶～比我怎么样? 살찐 정도가 나와 비교해서 어떻습니까?
〔胖听〕 pàngtīng 명 통조림 식품이 부패하여 깡통이 부풀어 있는 것. ¶一张大字报揭发了罐头～方面的损失; 한 대자보가 통조림의 부패에 따른 손실을 폭로했다.
〔胖头鱼〕 pàngtóuyú 명《魚》①문절망둑. ②화련어. =〔鳙鱼〕
〔胖娃娃〕 pàngwáwa 명〈俗〉갓난아기.
〔胖子〕 pàngzi 명 살찐 사람. 뚱뚱이. ¶～不是一口吃的;〈諺〉일이란 일조일석(一朝一夕)에 되는 것이 아니다. 로마는 하루에 이루어진 것이 아니다 / 打肿面孔充～;〈歇〉억지로 버티다 / ～裤带, 不打累;〈歇〉뚱뚱이의 허리띠처럼 대단한 것이 아니다(큰 문제는 없다) / ～裤带, 稀松二五眼;〈歇〉뚱뚱이의 허리띠처럼 허술하다.

PAO ㄆㄠ

抛〈拋〉 pāo (포)
동 ①(공 따위를) 던지다. ¶把球～来～去; 공을 던졌다 받았다 하다 / ～高; 높이 던져 올리다. ②버리다. 내던지다. 포기하다. ¶～弃; ⇩ / ～妻别子; ⇩ / 把小孩子～在家里不管; 아이를 집에 내팽개쳐 두고 돌보지 않다. ③투매하다. 헐값에 팔다.

〔抛车〕 pāochē 명 ①기계 장치로 돌을 쏘아 대는 옛날 무기의 하나. ② ⇨〔抛光机〕
〔抛出〕 pāochū 동 ①〈貶〉공개하다. 공표하다. 제출하다. 넉살 좋게 제기하다. ¶～了国民文学的口号; 국민 문학이라는 표어를 넉살 좋게 들고 나오다. ②투매(投賣)하다. ¶赔本～; (상품을) 밑지고 막 팔다.
〔抛顶宫〕 pāodǐnggōng 명〈南方〉옛날, 남이 쓰고 있는 모자를 (지나가다가, 또는 전차에 타고 있는 사람의 것을 창 밖에서 손을 뻗어) 훔쳐 달아나는 일, 또 그 날치기.
〔抛躲〕 pāoduǒ 동 던져 버리다. 내버리다.
〔抛费〕 pāofèi 동〈方〉낭비하다. ¶保证不～一粒谷物; 한 톨의 곡식도 헛되이 낭비하지 않을 것을 보증하다.
〔抛光〕 pāoguāng 동《工》닦아서 마무리 윤을 내다. 폴리싱(polishing)하다. =〔擦cā光②〕
〔抛光机〕 pāoguāngjī 명《機》금속 표면의 마무리 윤을 내는 기계. =〔抛车②〕
〔抛海〕 pāohai 형〈京〉①사물이 많이 있다. 쓸어버릴 정도로 많다. ¶因为东西～, 所以吃着放心; 많이 있어서 먹어도 안심이 된다. ②너그럽다. 씀씀이가 크다. 인색하지 않다. ¶这个人花钱可～了; 이 사람은 돈 씀씀이가 헤프다.
〔抛荒〕 pāo·huāng 동 ①소홀히〔게을리〕 하다. ¶～了学业; 학업을 등한시하다. ②(경지를) 황폐하게 내버려 두다.
〔抛价〕 pāojià 명 투매 가격. 헐값.
〔抛开〕 pāokāi 동 내던져 버리다. 내버리다. 내팽개치다. ¶～话头; 이야기를 중단하다 / 把功课～不顾; 공부를 내팽개치고 돌보지 않다 / ～了妻子儿女, 一个人去修行; 처자를 내팽개치고 혼자 수행하러 가다.
〔抛空〕 pāokōng 명동《經》공매매(空賣買)(하다). =〔买mǎi空卖空〕〔〈方〉轧gá空〕
〔抛离〕 pāolí 동 멀리 떼어 놓다. ¶他一马当先, 以捷泳推进, 已～别人; 그는 크롤로 헤엄쳐서 선두

로 나아가, 벌써 다른 사람을 멀리 떼어 놓았다.
〔抛脸〕 pāo,liǎn 동 〈方〉 ⇨〔丢diū人〕
〔抛锚〕 pāo,máo 동 ①닻을 내리다. =〔撇piē锚〕〔下锚〕 ②〈轉〉(기차·자동차가) 고장으로 멈추다. 고장으로 더 못 가다. ¶汽车没到车站就～了; 자동차가 역에 도착도 하기 전에 고장이 났다. ③〈方〉〈比〉(일이 사고(事故)로) 중지되다. 중지하다. ¶工程搞了半截儿就～了; 공사는 도중에 중단되었다. ④생각이 멈추다. ¶他的思想～了; 그의 사고(思考)는 멈추고 말았다.
〔抛盘(儿)〕 pāopán(r) 명동 《經》 선물(先物) 거래(를 하다).
〔抛撇〕 pāopiē 동 떨쳐 버리다. 버리다. ¶他因为吃了大亏, ～了家跑了; 그는 크게 손해를 보았으므로, 가족을 버리고 도망쳤다 / 儿子～父母死了; 자식이 부모를 남겨 놓고 죽었다.
〔抛妻别子〕 pāoqī biézǐ 처자식을 버리(고 떠나)다.
〔抛弃〕 pāoqì 동 ①버리고 돌보지 않다. ②《法》(권리를) 포기하다.
〔抛钱购物〕 pāoqián gòuwù 동 앞다투어 사들이다. ¶～, 储物保值; 사재기하다.
〔抛却〕 pāoquè 동 내던져 버리다. ¶～旧包袱; 낡은 보따리를 던져 버리다(낡은 사상이나 폐습 따위를 던져 버리다).
〔抛撒〕 pāosǎ 동 흩뿌리다. ¶发现一路～着白花花的米饭; 길에 하얀 쌀밥이 흩어져 있는 것을 보았습니다.
〔抛散〕 pāosàn 동 다 써 버리다. 탕진하다. ¶把家产全～了; 재산을 몽땅 탕진했다.
〔抛闪〕 pāoshǎn 동 (미련 없이) 버리다. 내던지다. ¶～下一大片家业; 많은 재산을 내던지다.
〔抛舍〕 pāoshě 동 내던지다. 방치하다.
〔抛射〕 pāoshè 동 투척하다. 발사하다. ¶～筒; ⓐ척탄통(擲彈筒). ⓑ미사일 발사탑.
〔抛石船〕 pāoshíchuán 명 자갈 운반선.
〔抛售〕 pāoshòu 동 ①투매하다. 헐값으로 팔다. ¶～美元, 抢购黄金; 달러를 헐값으로 팔고 다투어 금을 사다 / 购进货物来向英镑区～; 상품을 매입하여 파운드 지역에 투매하다. ②방매하다. 상품을 방출하다. ¶直接由国外输入货物, 然后将货物随时在国内市场～; 직접 외국으로부터 물건을 수입하고, 그런 연후에 그것을 수시로 국내 시장에 방출한다.
〔抛梭机〕 pāosuōjī 명 《紡》 직기(織機)의 북을 움직이는 기계.
〔抛梭引线〕 pāo suō yǐn xiàn 〈成〉 북을 던지고 실을 잡아당기다(중간에 서서 주선함).
〔抛头颅〕 pāo tóulú 목숨을 내던지다. (자기) 한 몸을 희생하다. ¶～洒热血; 〈成〉 머리를 내둘러 뜨거운 피를 뿌리다(정의를 위해 목숨을 바치다).
〔抛头露面〕 pāo tóu lù miàn 〈成〉 ①부녀자(婦女子)가 남 앞에 얼굴을 내어놓다. ②공공연하게 모습을 드러내다. 남 앞에 주제넘게 나서다. ③염치 불구하다. ¶～地和您借钱来了; 부끄러움을 무릅쓰고 돈을 꾸러 왔습니다.
〔抛堶〕 pāotuó 명 기와와 돌을 던지며 노는 옛날 유희.
〔抛网〕 pāo,wǎng 동 그물을 치다. 투망하다.
〔抛物线〕 pāowùxiàn 명 《物·數》 포물선. =〔撇piē物线〕
〔抛在脑后〕 pāozai nǎohòu 완전히 잊어버리다. 버리고 전혀 돌아보지 않다. ¶一心贪玩把学习～; 노는 데 열중해서 공부를 전혀 하지 않다.
〔抛针引线〕 pāo zhēn yǐn xiàn 〈成〉 절대 불가능하다.
〔抛掷〕 pāozhì 동 〈文〉 ①투척하다. 던지다. ¶～炸弹; 폭탄을 던지다. ②방치하다.
〔抛砖引玉〕 pāo zhuān yǐn yù 〈成〉 벽돌을 던져서 구슬을 얻다(미천한 자기 의견을 말하고, 남의 귀한 의견을 끌어 내다). =〔撇砖引玉〕

泡 pāo (포)

①(～儿) 명 부풀어서 부드러운 것. 말랑말랑한 것. ¶眼～儿; 눈꺼풀 / 豆腐～儿; 기름에 튀긴 두부. ②형 푸하고 연하다. (속이 비고 부드러워) 말랑말랑하다. 푸석푸석하다. ¶这个面包很～; 이 빵은 아주 말랑말랑하다 / ～线; 끊어지기 쉬운 실 / 这块木料发～了; 이 제목은 가볍고 푸석푸석해졌다. ③명 〈俗〉 남성 생식기. ④(～子) 명 〈方〉 작은 호수(주로 지명에 쓰임). ¶月亮Yuèliang～; 웨량파오(月亮泡)(지린 성(吉林省)에 있는 땅 이름). ⑤양 대·소변을 세는 데 쓰임. ¶撒sā了两～尿; 소변을 두 번 누었다. =〔脬②〕 ⇒pào
〔泡红〕 pāohóng 명 ⇨〔泡枣(儿)〕
〔泡货〕 pāohuò 명 ①크기만 하고 내용이 없는 것. 알맹이가 없는 것. ②쓸모없는 것. 하찮은 것. ¶你花钱买馒头吃, 那才是～呢, 不如烙点饼吃好了; 돈을 주고 만두를 사 먹다니, 정말 쓸데없는 짓이다. '烙饼' 만들어 먹느니만 못하다.
〔泡泡〕 pāopāo ①동 물이 흐르다. 샘솟다. ②〈擬〉 퐁퐁. 콸콸(물이 흐르거나 샘솟는 소리).
〔泡泡囔囔〕 pāopaonāngnāng 형 보드라운 모양.
〔泡泡纱〕 pāopāoshā 명 《紡》 크레이프 조젯(crepe georgette). 바탕을 오글쪼글하게 만든 조젯.
〔泡桐〕 pāotóng 명 《植》 참오동나무.
〔泡枣(儿)〕 pāozǎo(r) 명 씨를 뺀 풋대추에 끓는 물을 부어서 붉게 만든 것(보기엔 좋으나 맛은 없음). =〔泡红〕
〔泡子〕 pāozi →〔字解④〕 ⇒pàozi

脬 pāo (포)

①명 《生》 방광(膀胱). ¶尿～ =〔尿泡〕; 방광. ¶猫咬尿～, 瞎喜欢; 〈歇〉 고양이가 고기인 줄 알고 물었더니 방광이었다(헛된 기쁨). ②양 대소변의 횟수를 세는 말. ¶一～屎; 1회의 대변. =〔泡pāo⑤〕

刨 páo (포)

동 ①파다. 파내다. ¶～土; 흙을 파다 / ～煤; 석탄을 캐다 / ～了一个坑儿; 구덩이를 하나 팠다. ②〈口〉 제거(除去)하다. 빼내다. 공제하다. ¶～去税金, 只收到一万块钱; 세금을 빼고 1만 원만 받았다 / ～去零儿; 우수리를 잘라 버리다 / 一百五十～去五十, 不整是一百吗? 150에서 50을 빼면 딱 100이 아니냐? ③피땀 흘려 벌어서 남겨 놓다. ¶给孩子～下几亩地; 피땀 흘려 벌어서 자식에게 몇 '亩'의 밭을 남겨 놓다. ④(흙이나 물 따위를) 젓다. 긁어모으다. 밀어 내다〔젓히다〕. ¶用手～水; 손으로 물을 젓다 / 狗gǒu～(儿); 개헤엄. ⇒bào
〔刨垵〕 páo,ǎn 동 (씨를 뿌리기 위해) 구멍을 파다.
〔刨槽〕 páo,cáo 동 (토대용의) 도랑을 파다.
〔刨槎机〕 páochájī 명 《機》 발근기(拔根機)(로프나 체인(chain)을 감아 낚아 강력한 힘으로 땅속의 그루터기를 뽑아 내는 기계).
〔刨哧〕 páochi 동 파다. 일구다.
〔刨夫〕 páofū 명 심마니.

〔刨个坑儿把人埋了〕 páogekēngr bǎ rén máile →〔坑人①〕

〔刨根(儿)〕 páo.gēn(r) 동〈轉〉꼬치꼬치 캐묻다. 철저하게 추궁하다. ¶刨上根儿没完; 끝도 없이 꼬치꼬치 캐묻다 / 我一～才知道有毛病; 나는 철저하게 조사하고 겨우 결함이 있는 것을 찾아 내었다.

〔刨根儿问底儿〕 páogēnr wèndǐr 〈比〉꼬치꼬치 캐묻다. 철저하게 따지다. ¶你不要这么～, 他已经很难为情啊; 그렇게 꼬치꼬치 캐묻지 마라. 그는 이미 몹시 괴로움에 시달렸을 테니까. =〔扒bā根儿问底儿〕〔打dǎ破砂锅问到底〕〔抠kōu根(儿)问底(儿)〕〔说shuō话带镘头〕

〔刨棺〕 páoguān 동 무덤을 파헤치다.

〔刨开〕 páokāi 동 파헤치다.

〔刨皮〕 páopí 명 (포장을 뺀) 알맹이. 순량. ¶～二十斤重; 정미(正味) 20'斤'의 무게 / 这篓白菜, ～足有八十斤; 이 광주리의 배추는 순량 80근은 충분히 된다. =〔刨软子〕 동 (과일 등의) 껍질을 벗기다.

〔刨去〕 páoqù 동 감(減)하다. 빼다. 제거하다.

〔刨软子〕 páoruǎnzi 명 ⇨〔刨皮〕

〔刨头〕 páotou 명 할인(割引)(할 여지). ¶我们给你开的这个价儿, 可一点儿～没有; 저희들이 써낸 이 값에는 할인의 여지가 조금도 없습니다.

〔刨土机〕 páotǔjī 명《機》스크레이퍼(scraper)《토목 기계의 일종》.

〔刨挖〕 páowā 동 캐어내다. 파내다. 채굴하다.

〔刨坐印儿〕 páo zuòyìnr (옛날, 고리대금업자가) 미리 이자를 공제하다. 선이자를 떼다.

庖 páo (포)
〈文〉① 명 주방. 부엌. =〔厨房〕 ② 명 요리사. ¶越俎代～; 〈成〉주제넘은 짓을 하다. 월권 행위를 하다. =〔厨师〕 ③ 동 요리하다. 처리하다. ¶～代 =〔代～〕; 일을 대신 해서 처리·담당하다.

〔庖厨〕 páochú 명〈文〉①부엌. 주방. =〔厨房〕 ②요리사.

〔庖代〕 páodài 동〈文〉다른 사람을 대신하여 일을 하다. =〔代庖〕

〔庖丁〕 páodīng 명〈文〉요리사. =〔庖人〕

〔庖鼎〕 páodǐng 명〈文〉현신. 어진 신하.

咆 páo (포)
→〔咆哮〕

〔咆哮〕 páoxiào 동 ①맹수가 울다〔포효하다〕. ②〈轉〉사람이 노호(怒號)하다. 물이 콸콸 흐르다.

狍〈麅〉 páo (포)
→〔狍子〕

〔狍子〕 páozi 명《動》노루.

炮 páo (포)
동 ①태우다. 굽다. ¶～干; 불에 쬐어 말리다. ②《漢醫》싸서 태우다〔굽다〕《한약 제조법의 하나》. ⇒bāo pào

〔炮格〕 páogé 명 옛날의 형벌《구리 기둥을 뜨겁게 달구어 그 위를 걷게 함》. =〔炮烙〕

〔炮炼〕 páoliàn 동《漢醫》한약을 가열하여 수분이나 잡물(雜物)을 제거하다.

〔炮烙〕 páoluò〔〈舊〉páogé〕 명 ⇨〔炮格〕

〔炮制〕 páozhì 동 ①약초로 한방약을 조제하다. ¶如法～; 〈成〉ⓐ일정한 방법으로 한약을 조제하다. ⓑ격식대로 만들다. 본뜨다. ⓒ〈轉〉(악인 등) 앞의 사람이 한 대로 하다. =〔修治②〕 ②〈貶〉날조하다. 꾸며 내다. ¶～反动理论; 반동적인 이론을 꾸며 내다.

袍 páo (포)
명 ①(～儿, ～子) 겉에 입는 중국식의 긴 옷. ¶夹～; 긴 겹옷 / 棉～; 솜을 둔 긴 옷 / 睡～; 나이트 가운 / 旗～; 부녀자들의 긴 옷. ②옛날에 입던 헐렁헐렁한 긴 옷. ¶道～; 도포《도사가 입는 긴 웃옷》.

〔袍带戏〕 páodàixì 명 ⇨〔古gǔ装戏〕

〔袍哥〕 páogē 명 옛날, 쓰촨(四川) 지방 등에 있었던 민간 비밀 결사 조직(의 가맹자). →〔在zài理会〕

〔袍褂〕 páoguà 명 포괘《청대(清代)의 예장(禮裝). '袍'는 밖에서 입는 긴 옷으로, 화려하게 자수를 놓았음. '褂'는 '袍' 위에 입는 것으로 무릎 정도까지 옴. 앞에 단추가 있는데, 가슴 앞뒤에는 문무(文武)와 위계(位階)의 구별을 나타내는 약 1자 평방의 미려(美麗)하게 수(繡)를 놓은 '品pǐn级补子'를 붙였음》.

〔袍笏登场〕 páo hù dēng chǎng 〈成〉의관 속대(衣冠束帶)하고 무대에 오르다《권력자·고관이 정치 무대에 등장함》.

〔袍筒〕 páotóng 명 중국 옷의 저고리 안에 대는 모피. =〔皮筒〕

〔袍泽〕 páozé 명〈文〉〈轉〉(군대의) 동료. 전우. ¶～之谊; 전우의 정의.

〔袍罩儿〕 páozhàor 명 '袍子' 위에 걸치는 옷.

〔袍子〕 páozi 명 겨울 또는 춘추의 중국 옷《발까지 닿는 것》.

匏〈瓟〉 páo (포)
명《植》호리병박. =〔〈俗〉瓢葫芦〕〔匏瓠hù〕〔匏瓜guā〕

〔匏系〕 páoxì 명〈文〉무용지물(無用之物).

〔匏尊〕 páozūn 명〈文〉박으로 만든 술 용기(容器).

跑 páo (포)
① 동 (동물이) 발로 땅을 파다. ¶～槽; 가축이 구유 밑을 발로 후비다. ②지명용 자(字). ¶虎Hǔ～泉quán; 후파오 천(虎跑泉)《저장 성(浙江省) 항저우 시(杭州市)에 있는 샘 이름》. ⇒pǎo

鞄 páo〔bào〕 (포)
명〈文〉무두질 직공.

跑 pǎo (포)
동 ①달리다. 뛰다. ¶他～得很快; 그는 달리는 것이 빠르다 / 拼命～; 필사적으로 달리다 / ～得满头大汗; 뛰었더니 얼굴이 온통 땀투성이다 / 黑云往东～, 要下雨了; 검은 구름이 동쪽으로 몰려가니 비가 올 것 같다 / 这次百米赛～, 他～了第一; 이번 100미터 경주에서 그는 1등이었다. ②달아나다. 도망하다. ¶别让他～了; 그가 도망가지 못하게 해라 / 他想～可是没～成; 그는 달아나려고 생각했지만 도망치지 못했다 / 把他们赶～; 그들을 몰아 내다 / 帽子叫风刮～了; 모자가 바람에 날아갔다. ③〈方〉걷다. ¶～路; ⇩ ④새다. 빠져 나가다. ¶～油; 기름이 새다 / ～电; ⇩ / ～气; ⇩ / 这句的用法～这儿来了; 이 말의 용법이 이런 쪽으로 변해 왔다. ⑤(어떤 일을 위해) 뛰어 돌아다니다. ¶～了几趟买卖; 장사일로 몇 번인가 뛰어다녔다 / 叫你白～了一趟; 헛걸음을 하시게 했군요 / ～零件; 부품을 구하러 뛰어다니다 / 你～哪儿去了? 너는 어디를 돌아다니다 왔느냐? ⑥액체가 증발하다. ¶汽油～了不

少；가솔린이 적지 않게 날아갔다. ⇒páo
〔跑报的〕 pǎobàode 명 말을 타고 소식을 알리는 사람.
〔跑表〕 pǎobiǎo 명《體》스톱워치(stop watch).
〔跑冰〕 pǎo.bīng 동 스케이트를 타다. (pǎobīng) 명 스케이트. ‖＝〔滑冰〕
〔跑步〕 pǎobù 명 ①구보(驅步). ¶～走；뛰어가《구령》. ②《體》(승마 경기의) 구보. (pǎo.bù) 동 달려가다. 구보를 하다. ¶～也来不及了；달려가도 제 시간에 대지 못한다. ¶他们～赶到现场；그들은 뛰어서 현장에 급히 도착했다.
〔跑不动〕 pǎobudòng 피로해서 걸을 수가 없다.
〔跑不了〕 pǎobuliǎo ①달아날 수 없다. ②떨어질래야 떨어질 수 없다. 없어서는 안 된다. ③꼭. 틀림없이. ¶～要上当；틀림없이 속을 것이다.
〔跑差〕 pǎochāi 명 심부름하는 일〔사람〕.
〔跑车〕 pǎochē 명 ①경주용 자전거〔자동차〕《'平车'(보통 자전거〔자동차〕)에 상대하여 이름》. ＝〔赛车〕 ②목재를 나르는 삭도(索道)에 다는 운반기. (pǎo.chē) 동 ①차를 달리다. ②열차 승무원이 차 안에서 일을 보다. ③사갱(斜坑)에서 윈치(winch)가 끊어져서 광차(鑛車)가 떨어지는 사고가 발생하다.
〔跑驰〕 pǎochi 동〈北方〉(분주하게) 뛰어다니다. ¶年纪大了，做点研究工作吧，在外面～可不行了；나이를 먹었으니 연구 작업이나 해야지, 밖을 뛰어다니는 일은 못 하겠다 / 您有什么忙不过来的，我替你～～；바빠서 손길이 모자라시면, 제가 대신 뛰어다니겠습니다.
〔跑跶〕 pǎoda 동 질주(疾走)하다.
〔跑单帮〕 pǎo dānbāng 행상을 하다. 봇짐 장사하다. ¶他找不到职业只好去～；그는 일자리를 찾지 못해 할 수 없이 보따리 장수를 하고 있다.
〔跑道〕 pǎodào 명 ①경주용으로 특별히 만든 트랙(track). 경주로. ②활주로.
〔跑道儿〕 pǎo.dàor 동 ①분주하게 돌아다니다. ②여기저기 뛰어다니며 심부름하다. ¶跑趟道儿；잠깐 심부름 다녀오다. ‖＝〔跑腿儿〕
〔跑敌情〕 pǎodíqíng 동 적의 정세가 전달되어 주민이 피난하다. ＝〔跑情况〕
〔跑电〕 pǎo.diàn 동 누전(漏電)하다. ＝〔走zǒu电〕
〔跑动〕 pǎodòng 동 뛰어다니다.
〔跑肚(子)〕 pǎo.dù(zi) 동〈俗〉설사를 하다. ¶～拉稀；설사를 하다.
〔跑队〕 pǎoduì 동 조련(操鍊)을 하다. ＝〔跑阵〕
〔跑而触击〕 pǎo ér chùjī 명《體》(야구에서) 번트 앤드 런(bunt and run).
〔跑而打〕 pǎo'érdǎ 명《體》(야구에서) 히트 앤드 런(hit and run).
〔跑反〕 pǎo.fǎn 동〈方〉피난하다. ¶如今解放了，不用～；이젠 해방이 되었으니 피난할 필요가 없다.
〔跑风漏气〕 pǎofēng lòuqì (타이어 따위가) 펑크나다.〈轉〉기밀(機密)을 누설하다. ¶锅炉、自行车～，需要认真修一修，党内生活中的～也需要认真地修补修补；보일러나 자전거 타이어가 펑크나면 착실하게 수리하지 않으면 안 되며, 당내 생활 중의 기밀 누설도 착실히 구멍을 메워야만 한다.
〔跑封的〕 pǎofēngde 명 옛날, 도박장의 사용인(使用人)〔심부름꾼〕.
〔跑狗场〕 pǎogǒuchǎng 명 개 경주장. ¶解放前，上海是有～的；해방 전에 상하이에는 개 경기장이 있었다.
〔跑光〕 pǎoguāng 동 ①모조리 달아나다. 달아나고 (아무도) 없다. ②(필름이) 흐려지다.
〔跑海〕 pǎohǎi 동〈俗〉(일거리를 찾아) 떠돌아다니다. ¶～的车；탈 손님을 찾아 돌아다니는 차. 택시 / ～的哥儿们；뜨내기 일꾼들.
〔跑旱船〕 pǎohànchuán 명 민간 무용의 일종《배 모양을 만들어 두 사람이 거리를 누비고 다님》. ＝〔采cǎi莲船〕
〔跑行市的〕 pǎohángshide 명 옛날, 미두꾼. 투기꾼.
〔跑合儿〕 pǎo.hér 동 매매 중개(仲介)를 하다. ¶这笔生意全是靠他～成的；이 장사는 오로지 그가 주선해서 이루어진 것이다 / ～的；중개인 / ～的要成三破二；브로커는 거래가 성립된 경우에는 3부, 성립되지 않았을 때는 2부의 구전을 먹는다.
〔跑欢〕 pǎohuān 동 아주 빨리 달리다. ¶车～了，收不住了；차가 스피드를 너무 내서, 멈출 수가 없다.
〔跑江湖〕 pǎo jiānghú 걸립(乞粒)꾼·떠돌이 연예인·점쟁이 따위가 각지를 떠돌아다니다.
〔跑将〕 pǎojiàng 명《體》러너. 주자. ¶他们三个～，破马拉松全国记录；저 세 명의 주자가 마라톤의 전국 기록을 깨었다.
〔跑脚〕 pǎo.jiǎo 동 바쁘게 돌아다니다.
〔跑街〕 pǎojiē 동 외근하다. 명 ⇨〔跑外的〕
〔跑经纪〕 pǎo jīngjì 브로커 노릇을 하다.
〔跑警报〕 pǎo jǐngbào 공습 경보를 듣고 대피하다.
〔跑开〕 pǎokāi 동 ①뛰어서 그 곳을 떠나다. ②달아나다.
〔跑口(外的)〕 pǎokǒu(wàide) 명 내몽고 일대로 나가는 상인.
〔跑篮〕 pǎolán 명《體》(농구에서) 러닝슛(running shoot).
〔跑了和尚跑不了庙〕 pǎole héshang pǎobuliǎo miào〈諺〉스님은 도망쳐 자취를 감출 수 있지만, 절은 달아날 수 없다《사람은 도망쳐도 집과 재산은 도망칠 수 없다. 사람은 달아나도 증거는 남는다》. ＝〔走了和尚走不了庙〕
〔跑垒员〕 pǎolěiyuán 명《體》주자(走者). 러너(runner). ¶～指导区；러너 코치 박스(runner coach box).
〔跑龙套〕 pǎo lóngtào ①연극에서 기(旗)를 든 의장병(儀仗兵)의 역. ＝〔打旗儿的〕 ②연극에서 단역(端役)을 하다. ¶他连～登上舞台的机会都没有；그는 단역으로서 무대에 나오는 기회조차 없었다. ③남의 부하가 되어 잡일을 하다.
〔跑路〕 pǎolù 동 ①〈方〉길을 걷다. ¶夜深没有电车只好～了；밤이 깊어 전차가 끊어져서, 할 수 없이 걸었다. ②여행을 하다. 명 심부름꾼. 사자(使者).
〔跑马〕 pǎomǎ 명 ①경마. ¶～厂；옛날, '上海'에 있었던 경마장. ②유정(遺精). (pǎo.mǎ) 동 ①말을 달리게 하다. ②말에 타고 서두르다. ③말을 교미시키다. ④유정하다.
〔跑马观花〕 pǎo mǎ guān huā〈成〉⇨〔走zǒu马看花〕
〔跑马路〕 pǎo mǎlù〈南方〉불량배가 상점이나 민가 등을 돌아다니며 금품을 강요하는 일.
〔跑码头〕 pǎo mǎtou 바다·하천에 연(沿)한 대도시를 왕래하며 장사하다. 장사하느라고 떠돌아다니다.
〔跑买卖〕 pǎo mǎimai 장사 때문에 바빠 뛰어다니다. ＝〔跑生意〕
〔跑冒滴漏〕 pǎo mào dī lòu 국가 재정 수입에서의 탈세·누세(漏稅)나 재산의 절도(竊盜)·낭

비 등 비정상적인 현상의 일컬음.
〔跑眉毛〕 pǎoméimáo 동 과장된 표정을 지으며 사람에게 영합(迎合)하다. 아양을 떨다. ¶两位小姐…既会修饰, 又会满脸上～《老舍 四世同堂》; 두 아가씨는 …멋도 잘 부리고, 아양도 잘 떤다.
〔跑面〕 pǎomiàn 동 간부가 어떤 지구의 실정을 알기 위하여, 일시적으로 말단으로 들어가서 노동을 하다.
〔跑跑颠颠(的)〕 pǎopǎodiāndiān(de) 형 바쁘게 이곳 저곳 뛰어다니는 모양. ¶一天到晚～; 하루 종일 여기저기 바쁘게 뛰어다니다. =〔东跑西颠〕
〔跑跑跳跳〕 pǎopaotiàotiào 형 이리저리 뛰어다니는 활발한 모양.
〔跑气〕 pǎo qì 공기가 빠지다. 펑크나다. ¶这辆车骑了一会儿就～了; 이 자전거는 조금 탔는데 펑크가 났다.
〔跑前跑后〕 pǎoqián pǎohòu (이것저것) 여러 가지로 바쁘게 돌봐 주다〔시중들다〕.
〔跑纤儿的〕 pǎoqiànrde 명 (결혼·매매의) 중매인. 중개인.
〔跑情况〕 pǎoqíngkuàng 동 ⇨〔跑敌情〕
〔跑圈〕 pǎoquān 동《體》 트랙(track)을 달리다.
〔跑儿〕 pǎor 명 틀림. 착오. ¶准是他, 没有～; 분명히 그 사람이다. 틀림없다.
〔跑墒〕 pǎo,shāng 동《農》 논밭의 수분이 증발하여 건조해지다. =〔走墒〕
〔跑上房的〕 pǎoshàngfángde 명 살림살이에 관한 일을 하는 하인〔하녀〕.
〔跑舌头〕 pǎoshétou 동 아무렇게나 되는대로 말하다. 거짓말하다. ¶他竟满嘴～, 别信他的; 저 놈은 말 나오는 대로 함부로 지껄이니까, 믿어서는 안 된다.
〔跑生意〕 pǎo shēngyi 장사하러 뛰어다니다. =〔跑买卖〕
〔跑市〕 pǎoshì 동 시장에 가서 장사하다. ¶做买卖的早晨～; 장사꾼은 아침 일찍 시장에 간다. 명 ⇨〔跑外的〕
〔跑水〕 pǎo shuǐ (논밭의) 물이 새다.
〔跑馊腿〕 pǎosōutuǐ 동 ①(남을 위해) 분주히 다니며 고생하다. ②〈京〉 헛걸음하다. ¶去了也看不见, 这不是～吗! 가기는 갔지만 만날 수 없었으니, 괜히 헛걸음만 한 거 아닌가!
〔跑踏〕 pǎota 동 (침착하지 못하고) 팔딱팔딱 뛰어다니다. ¶胡乱～什么? 공연히 뭘 그렇게 어지럽게 뛰어다니고 있느냐? / 不, 咱有两条腿能～, 有两只手能做活!《梁斌 紅旗譜》; 아니야, 우리에게는 두 다리가 있어서 어디에나 뛰어갈 수 있고, 두 손이 있어서 어떻게든 먹고 살 수 있어!
〔跑堂儿的〕 pǎotángrde 명 음식점의 사환〔보이〕.
〔跑趟趟儿〕 pǎotàngtangr 동 왔다갔다 어정거리다. ¶别来回的～; 왔다갔다 어정거리지 마라.
〔跑头子货〕 pǎotóuzihuò 명 ⇨〔跑途子货〕
〔跑途子货〕 pǎotúzihuò 명 (쉽게 남과 관계를 맺는) 음란한 여자. 화냥년. =〔跑头子货〕
〔跑土〕 pǎo tǔ (논밭 등의) 흙이 유실(流失)되다.
〔跑腿〕 pǎo,tuǐ 동 뛰어다니다. 뛰어 돌아다니다. ¶～的; 심부름꾼.
〔跑腿儿〕 pǎo,tuǐr 동 〈口〉 ①심부름 하느라고 여기저기 뛰어다니다. ¶您办喜事我给您～; 당신의 결혼식 때에는 제가 심부름을 해 드리죠 / 还得跑一～; 더 뛰어다녀야 한다. ②분주히 일하다. ‖ =〔跑道儿〕
〔跑腿子〕 pǎotuǐzi 명 ①앞잡이. 부하. ②〈方〉 남자 독신자. ¶我屋里的早入土了, 到如今还是～; 나는 집사람이 벌써 죽었는데도, 이제까지 아직 독신입니다. =〔跑腿儿的〕 동〈方〉 독신으로 지내다.
〔跑脱〕 pǎotuō 동 탈주(脫走)하다. (그 자리를) 도망쳐 나오다.
〔跑外〕 pǎowài 동 ①(상점 등의 점원이) 밖에서 업무를 보다. ②밖의 일로 여기저기 뛰어다니다. 외근하다.
〔跑外的〕 pǎowàide 명 외근 사원. 외무원. 주문 받으러 다니는 점원. =〔跑市〕〔跑街〕
〔跑外台的〕 pǎowàitáide 명 순회 공연 배우. 지방을 순회하는 광대.
〔跑瞎道儿〕 pǎoxiādàor 동 마구 뛰어다니며 놀다.
〔跑鞋〕 pǎoxié 명《體》 스파이크 슈즈(spike shoes)《구기용의 운동화는 '球鞋'라 함》.
〔跑泻〕 pǎoxiè 명동 심한 설사(를 하다).
〔跑信〕 pǎo,xìn 동 편지를 배달하러 다니다.
〔跑野〕 pǎoyě 동 외출만 하다. 밖으로만 돌다. ¶在外头～安不下心来做事; 외출만 하고 다녀서, 차분히 일을 할 수가 없다.
〔跑圆场〕 pǎo yuánchǎng《劇》 중국 전통극에서, 무대 위를 잰걸음으로 빙빙 도는 것《먼 길을 바삐 가는 것을 나타내는 동작》. =〔走zǒu圆场〕
〔跑贼〕 pǎozéi 동 옛날, 비적(匪賊)을 피해서 피난하다.
〔跑账〕 pǎozhàng 동 (외상값을) 수금하다. ¶～的; 수금원.
〔跑辙〕 pǎo,zhé 동 〈方〉〈比〉 이야기가 주제를 벗어나다. ¶他说话老～; 그는 이야기가 늘 주제를 벗어나다.
〔跑针〕 pǎozhēn 동 바느질하다.
〔跑阵〕 pǎozhèn 동 ⇨〔跑队〕

泡 pào (포)

①(～儿) 명 거품. ¶水～; ⓐ물거품. 수포(水泡). ⓑ물집 / 胰子～; 〈方〉 비누 거품 / 水里冒～; 물 속에서 거품이 일다. ②(～儿) 명 물집. 수포(水疱). ¶走起两脚～; 걸어서 두 발에 물집이 생겼다 / 挑～; 물집을 터뜨리다 / 水～; 물집 / 燎(浆)～ =〔烫～〕; 화상으로 인한 물집. =〔疱②〕 ③(～儿) 명 거품 모양과 비슷한 것. ¶(电)灯～; 전구(電球) / 烟～; 구워서 환을 지은 아편알. ④동 (비교적 오래) 물에 담그다. ¶教水～着; 물에 잠겨 있다 / ～茶 =〔沏茶〕; 차를 우리다 / 要洗的衣服, 先用水～着它吧; 세탁물은 우선 물에 담가 놓아라. ⑤동 물에 불리다. ¶两手在水里～得发白; 손이 물에 불어서 하얗게 되다 / 因常在水里工作, 脚全被～烂了; 늘 물 속에서 일을 하니까 발이 온통 불었다 / ～湿; 물에 푹 담가 불리다 / ～透; 물에 담가 충분히 불리다. ⑥동 틀어박히다. 오랫동안 머물다. 죽치다. ¶在茶馆儿里～了一天; 찻집에 하루 종일 틀어박혀 있었다 / 不要把干部长时间地～在会场里; 간부를 몇 시간이나 회의장에 가둬 놔서는 안 된다. ⑦동 (고의적으로 시간을) 낭비하다. (시간을) 허비하다. ¶别瞎～了, 快把工作做完; 허투루 시간을 낭비하지 말고 빨리 일을 끝내라. ⑧동 트집을 잡다. 말썽을 일으키다. 옥신각신하다. ¶他跟我～上了; 그는 내게 트집을 잡았다 / 跟他～了半天, 结果没解决; 그와 한참 동안 옥신각신했지만, 결국 해결되지 않았다. ⑨동 처리하다. 결말을 짓다. ¶我跟他～去; 나는 그에게 결말지으러 간다 / 这件事～不开; 이 일은 해결하기가 어렵다. ⑩동 지내다. 생활하다. ¶在买卖行里～了半

辈子; 장사를 하며 반평생을 지냈다 / 在苦水里～大; 고초를 겪으면서 자라다 / 你是在甜水里～大的; 당신은 온실에서 곱게 자란 사람이다. ⑪ 동 더운 물을 사다. ¶～了两个铜元开水; 동전 2닢으로 더운 물을 샀다. ⑫〈方〉'一阵(儿)'(1회), '一起'(한 벌)의 뜻으로 쓰임. ¶童子良经他这一～恭维, …《官場現形記》; 동자량은 그로부터 이 한 차례의 찬사를 듣고…. ⑬ 양 옛날, 은전 72원을 '一泡'라 하였음. ⇒pāo

〔泡病号(儿)〕 pào bìnghào(r) 꾀병으로〔병을 구실로〕 일을 쉬다. 꾀병을 앓다.

〔泡菜〕 pàocài 명 (양배추·무 따위를 소금·술·고추 등을 넣어 냉수를 붓고 발효시킨) 김치. ¶朝鲜～; 조선 김치.

〔泡茶〕 pào chá 차를 끓이다. 차를 우리다. =〔沏qī茶〕

〔泡打粉〕 pàodǎfěn 명〈音義〉 베이킹 파우더. =〔酦酵粉〕〔起子〕

〔泡饭〕 pào‚fàn 동 ①더운 물이나 국에 밥을 말다. ②〈方〉 밥에 물을 부어 다시 끓이다. (pàofàn) 명 ①더운 물에 만 밥. ②찐 밥.

〔泡沸石〕 pàofèishí 명《鑛》 제올라이트(zeolite). 비석(沸石). =〔泡滚石〕〔沸石〕

〔泡滚石〕 pàogǔnshí 명 ⇨〔泡沸石〕

〔泡花碱〕 pàohuājiǎn 명 물유리. =〔水玻璃〕

〔泡花儿〕 pàohuār 동 꽃을 물에 담궈 살리다.

〔泡化碱〕 pàohuàjiǎn 명 ⇨〔水shuǐ玻璃〕

〔泡幻〕 pàohuàn 명 물거품 같은 환상. 허황된 망상.

〔泡劲〕 pàojìn 명 시간을 끄는 정도. 끈기.

〔泡立水〕 pàolìshuǐ 명 ⇨〔洋yáng漆〕

〔泡立司〕 pàolìsī 명 ⇨〔洋yáng漆〕

〔泡米花〕 pàomǐhuā 명《植》 팥꽃나무.

〔泡面〕 pàomiàn 명 라면.

〔泡蘑菇〕 pào mógu ①떼쓰다. 억지를 부리다. 귀찮게 굴다. ¶就是他不答应, 你也跟他～吧! 그 사람이 대답을 않더라도 너는 끝까지 버텨라! ②못된 장난을 하다. 치근덕거리다. ③토라지다. 앵돌아지다. ④잡담을 하다. 한담을 하다. ⑤〈轉〉 성교(性交)하다.

〔泡沫〕 pàomò 명 ①포말. 거품. ¶～玻璃; 거품〔기포〕 유리 / ～剂; 기포제(起泡劑) / ～灭火机; 포말 소화기 / ～水泥 =〔～混〕; AE 콘크리트 / ～塑料; 해면상(海綿狀) 플라스틱. 폼 플라스틱 (foam plastic) / ～橡xiàng胶; 폼 러버(foam rubber). 기포(氣泡) 고무. ②〈俗〉 스티로폼.

〔泡沫经济〕 pàomò jīngjì 명 거품 경제. 버블 경제.

〔泡泡纱〕 pàopaoshā 명 ⇨〔绉zhòu纱〕

〔泡泡糖〕 pàopaotáng 명 ①불어서 푸하게 부풀린 엿. ②풍선껌.

〔泡儿〕 pàor 명 ①수포. 거품. ②물집. ③어린아이. 귀여운 소년.

〔泡水〕 pàoshuǐ 동 (끓인 물을 파는 가게에서) 끓인 물을 사다.

〔泡汤〕 pào‚tāng 동 ①물거품이 되다. 허사가 되다. ¶万一人不在呢, 两天就～了; 만일 부재중이라면 이틀 동안이 허사가 되고 만다 / 奖金也泡了汤了; 상금도 수포로 돌아갔다. ②(밥 따위에) 국물을 붓다.

〔泡透〕 pàotòu 동 ①물에 푹 담그다. ②물에 붇다. 푹 붇다.

〔泡漩〕 pàoxuán 명 (거품을 내며) 소용돌이치는 물결.

〔泡烟水〕 pàoyānshuǐ 명 담배를 물에 우린 살충액.

〔泡影〕 pàoyǐng 명〈比〉 허무한 것. 물거품. 덧없는 것. ¶归于～; 물거품이 되다 / 这件事又成了～了; 이 일은 또 물거품이 되었다 / 希望都成了～, 叫他怎么不伤心呢? 희망이 물거품이 되었는데, 그가 어찌 슬퍼하지 않을 수 있으랴? / 梦幻～; 〈比〉 허황된 일.

〔泡鱼〕 pàoyú 명 ⇨〔鰶jì〕

〔泡罩塔〕 pàozhàotǎ 명《化》 버블캡 탑(bubble cap塔). =〔泡罩蒸zhēng馏塔〕

〔泡制〕 pàozhì 동 제재를 가하다. 혼내 주다. ¶找出一个法了～他们; 어떻게 해서든지 그들을 혼내 주다.

〔泡种〕 pàozhǒng 동《農》 (파종 전에) 씨를 물에 담가 두다.

〔泡子〕 pàozi 명 ①거품. ②한번 사용한 아편을 다시 구워서 둥글게 뭉친 것. ③〈口〉 전구. ④〈方〉 못. ⇒pāozi

〔泡子眼〕 pàoziyǎn 명 ⇨〔暴bào子眼儿〕

炮〈砲, 礮〉 pào (포)

① 명《軍》 대포. ¶放～; 발포하다 / 快～; 속사포 / 过山～; 산포 / 飞轮～; 야포 / 高射～; 고사포 / 迫击～; 박격포 / 火箭～; 로켓포. ② 명 폭죽(爆竹). ③ 명 화약. 폭약. ¶打眼放～; 구멍을 뚫어 발파 장치를 하다. ④ 명 장기의 말의 하나《말 하나를 뛰어넘어서 감》. ⑤ 동 저울로 달다. ¶～一～煤; 석탄을 저울로 달다. ⇒bāo páo

〔炮兵〕 pàobīng 명《軍》 포병.

〔炮车〕 pàochē 명《軍》 포차.

〔炮铳〕 pàochong 명〈方〉 ①폭죽. ②〈比〉 격하기 쉬운 사람. 화를 잘 내는 사람.

〔炮打灯(儿)〕 pàodǎdēng(r) 명〈方〉 폭죽의 일종《지름 3, 4센티의 마분지 통에 화약을 채운 것》. =〔爆bào打灯(儿)〕

〔炮弹〕 pàodàn 명《軍》 포탄. ¶～壳ké; 포탄의 약협(藥莢). =〔炮子儿①〕

〔炮队〕 pàoduì 명《軍》 포병대.

〔炮工〕 pàogōng 명 (광산 따위의) 폭파 작업.

〔炮轰〕 pàohōng 명동 포격(砲擊)(하다). 동 (비판 대상을) 공격하다.

〔炮灰〕 pàohuī 명 ①대포의 재. ②〈比〉 포화(砲火)의 희생물. 총알받이. ¶充当～; 총알받이가 되다.

〔炮火〕 pàohuǒ 명 포화. ¶冒着敌人的～; 적의 포화를 무릅쓰고 / ～连天; 하늘에 충만한 포화.

〔炮击〕 pàojī 명동 포격(하다).

〔炮架〕 pàojià 명《軍》 포가(砲架).

〔炮舰〕 pàojiàn 명《軍》 포함. ¶～政策 =〔～外交〕; 포함 외교〔정책〕《무력을 배경으로 한 외교 정책》.

〔炮口〕 pàokǒu 명 포구. 포문.

〔炮楼〕 pàolóu 명 ①포루. 포탑(砲塔). ②방비를 겸한 망루.

〔炮钎〕 pàoqiān 명 ⇨〔钎子①〕

〔炮腔〕 pàoqiāng 명 포강. 포신의 내부.

〔炮身〕 pàoshēn 명 포신. =〔〈俗〉 炮筒〕

〔炮声〕 pàoshēng 명 포성.

〔炮手〕 pàoshǒu ① 명《軍》 포를 쏘는 병사. ② →〔六liù色①〕

〔炮栓〕 pàoshuān 명《軍》 대포의 폐쇄기.

〔炮塔〕 pàotǎ 명《軍》 (전차·군함 따위의) 포탑.

〔炮台〕 pàotái 명《軍》 포대.

〔炮膛〕 pàotáng 명 《軍》 포신의 내강(內腔).
〔炮艇〕 pàotǐng 명 《軍》 연안 경비정.
〔炮筒〕 pàotǒng 명 《軍》〈俗〉 포신(砲身). =〔炮身〕
〔炮筒子〕 pàotǒngzi 명 ①포신(砲身). ②〈比〉 불 같은 성미. 분별이 없음. ¶不能再犯你那～脾气了! 너의 그 분별 없이 내는 성질을 다시는 부려서는 안 된다! ③〈比〉 가세자(加勢者). 기세를 올리는 사람. ¶让许多人出场做为他的～; 많은 사람을 그의 가세자로서 출장시키다. ④〈比〉 제멋대로 지껄이는 사람.
〔炮尾〕 pàowěi 명 《軍》 포미.
〔炮位〕 pàowèi 명 《軍》 포좌(砲座).
〔炮眼〕 pàoyǎn 명 《軍》 ①포안(砲眼). ②발파할 때 다이너마이트를 채우는 구멍.
〔炮衣〕 pàoyī 명 대포에 씌우는 덮개.
〔炮战〕 pàozhàn 명 포격전.
〔炮仗〕 pàozhang 명 꽃불. 폭죽. =〔爆竹〕〔炮竹〕
〔炮竹〕 pàozhú 명 ⇨〔爆竹〕
〔炮子儿〕 pàozǐr 명 〈口〉 ①작은 포탄. =〔炮弹〕 ②총탄.
〔炮座〕 pàozuò 명 포좌.

疱〈皰〉 pào (포)
명 ①여드름. ②물집. 수포. ¶只留给他青一块紫一块的一身伤和满脚的～《老舍 駱駝祥子》; 온몸 여기저기에 거무스름하고 자줏빛 도는 상처와 발에 온통 부푼 물집이 남겨졌을 뿐이다. =〔泡pào②〕
〔疱疮〕 pàochuāng 명 《醫》 천연두. =〔痘dòu疮〕
〔疱疹〕 pàozhěn 명 《醫》 포진. 헤르페스(herpes).

奅 pào (포)
〈文〉 ① 형 크다. ② 동 허장 성세하다.

PEI ㄆㄟ

呸 pēi (비)
감 체! 흥! 제기랄!《노여움이나 혐오를 나타내는 감탄사(感歎詞)》. ¶～! 胡说八道! 체, 허튼 소리 하고 있네!

胚〈肧〉 pēi (배)
① 명 《生》 동식물 종자의 배자(胚子)와 배아(胚芽). ②(～子) 명 미완성의 것. 반제품. ¶果～; 반제품의 건조 과일. ③ 동 〈文〉 임신하다.
〔胚层〕 pēicéng 명 《生》 배엽(胚葉). =〔胚叶〕
〔胚根〕 pēigēn 명 《植》 유근(幼根). 어린뿌리.
〔胚料〕 pēiliào 명 가공(加工)하기 전의 재료. =〔坯pī料〕
〔胚囊〕 pēináng 명 《植》 배낭.
〔胚盘〕 pēipán 명 《動》 배반.
〔胚乳〕 pēirǔ 명 《植》 배젖. 배유.
〔胚胎〕 pēitāi 명동 《生》 잉태(하다). 배태(하다). 〈轉〉 (일이) 시작되다. 싹트다. 명 ①일의 시초. 조짐. 맹아(萌芽). 발단. ¶～学; 발생학. ②갓 잉태한 태아. ¶把～取下来; 태아를 떼다〔낙태시키다〕.
〔胚芽〕 pēiyá 명 ①《生》 배아. 배(胚). ②〈比〉 사물의 시작. 맹아(萌芽). 발단.
〔胚叶〕 pēiyè 명 ⇨〔胚层〕
〔胚油〕 pēiyóu 명 원유(原油).
〔胚轴〕 pēizhóu 명 《植》 배축.
〔胚珠〕 pēizhū 명 《植》 밑씨. 배주.
〔胚子〕 pēizi 명 ①바탕. 소지(素地). 종자. ②가공이 덜된 것. 반제품. ③〈轉〉〈罵〉 종자. ¶坏～; 못된 종자. 나쁜 놈.

衃 pēi (배)
명 〈文〉 응혈(凝血). 멍.

醅 pēi (배)
〈文〉 ① 명 거르지 않은 술. 탁주. ② 동 술을 빚다.

陪 péi (배)
동 ①동반하다. 모시다. 수행하다. ¶～他吃饭; 그를 모시고 식사하다 / 你先～他说话吧, 我一会儿就来; 네가 우선 그를 모시고 얘기하고 있거라, 나는 곧 올 테니까 / 失～! (도중에 자리를 뜰 때나 사람과 헤어질 때) 먼저 실례하겠습니다! / 敬～ =〔敬知〕; 출석하겠습니다《초대의 화답 편지에 써 넣는 '출석'의 뜻의 말. 출석할 수 없을 때에는 '敬谢', '心领'라고 씀》/ 我认得路, ～您一块儿去吧; 제가 길을 아니 함께 모시고 가겠습니다. ②곁에서 협력하다. 시중들다. ③ ⇨〔赔④〕
〔陪伴〕 péibàn 동 곁에 따르다. 동행〔수행〕하다. 모시고 가다. ¶～同行; 동행하다.
〔陪伴词〕 péibàncí 명 '个'·'张'·'条'·'只'·'块'·'辆' 따위와 같이 수사에 붙여 쓰이는 말. 양사. =〔量词〕
〔陪绑〕 péibǎng 동 ①(본보기·징계를 위해) 범인을 사형수와 함께 형장(刑場)에 보내다. ②잡혔을 때 동반자로 삼다. ③〈轉〉 함께 고통을 받다. ¶拉个教员来～; 교사를 끌어들여 고통을 당하게 하다 / 你跑就跑你的得了, 为什么偏偏要我老二～呢?《老舍 四世同堂》; 달아나려면 너만 달아나면 되지, 왜 굳이 우리 둘째 아들까지 끌어들이려 하느냐?
〔陪不是〕 péibùshi ⇨〔赔不是〕
〔陪臣〕 péichén 명 배신. 가신(家臣).
〔陪衬〕 péichèn 명 돋보이도록 곁들인 것. 덧붙이기. 안받침. ¶他不是主角, 只是个～; 그는 주역은 아니고 그냥 주역을 돋보이게 하는 역할일 뿐이다. 동 ①안받침하다. 곁들여 돋보이게 하다. ¶雕梁画栋～着壁画, 使大殿显得格外华丽; 대들보와 용마루의 조각·회화가 벽화를 돋보이게 하여 대전이 더 한층 화려해 보인다. =〔配衬〕 ②동반하다. 상대하다.
〔陪乘〕 péichéng 동 (접대자로서) 동승하다. 함께 차를 타다.
〔陪持〕 péichi 동 ⇨〔赔礼〕
〔陪地〕 péidì 명 옛날, 신부(新婦)의 지참금으로서의 논밭.
〔陪吊〕 péidiào 동명 상주를 대신하여 조문객을 접대하다〔하는 사람〕.
〔陪都〕 péidū 명 제2의 수도. =〔陪京〕
〔陪读〕 péidú 동 친구가 되어 함께 공부를 하다. ¶～生; 학우. 명〈俗〉 해외에 공용으로 출장가는 사람의 동행자가 편승해서 함께 유학하는 일.
〔陪房〕 péifang 명 신부(新婦)를 따라가는 몸종《신부를 따라가 1개월 정도 온갖 신변의 시중을 들어 줌. 계속 머물러 있으면 '陪房丫头'라고 함》.
〔陪话〕 péihuà 동 ⇨〔赔话〕
〔陪嫁〕 péijià 명 〈方〉 혼수(婚需). ¶～的妆奁; 시집 갈 때 가지고 가는 혼수 도구 / ～丫头; 신부

에 딸려 보내는 하녀. 통 시집갈 때 몸종이나 혼수품을 딸려 보내다. ‖ =〔赔嫁〕
〔陪嫁费〕 péijiàfèi 명 혼수 비용.
〔陪京〕 péijīng 명 ⇨〔陪都〕
〔陪酒〕 péi.jiǔ 통 술자리에 동반하다.
〔陪客〕 péi.kè 통 손님 접대를 하다.
〔陪客〕 péike 명 자리를 함께 한 손님. 배빈(陪賓).
〔陪哭〕 péikū 통 ①(동정하여) 덩달아 울다. ②영전에서 상주가 조문객과 같이 울어 조문객에 사의를 표하다.
〔陪拉格〕 péilāgé 명《醫》〈音〉 펠라그라(pellagra).
〔陪礼〕 péilǐ 통 ⇨〔赔礼〕
〔陪隶〕 péilì 명〈文〉종. 하인. =〔陪台〕
〔陪奁〕 péilián 명〈文〉혼수품. =〔嫁妆〕
〔陪聊〕 péiliáo 통 (손님 등을) 모시고 이야기 나누다. 상담해 주다. ¶我们老人聊天站里有二十多名～员，这些也是老人; 우리 노인 상담소에는 20여 명의 상담원이 있는데 이들 역시 노인들이다.
〔陪灵〕 péilíng 통 (죽은 사람의 자녀가) 영구(靈柩)의 뒤를 따르다.
〔陪情〕 péi.qíng 통 ①사과하다. 사죄하다. ②비위를 맞추다. ¶～说好话; 비위를 맞추려고 아부해서 말하다.
〔陪审〕 péishěn《法》명통 배심(하다). ¶～员; 배심원/～制; 배심 제도/～官; 옛날의 배석 판사. 통 배심원이 재판에 참석하다.
〔陪侍〕 péishì 통 옛날, 곁에서 시중들다. 모시다.
〔陪送〕 péisong〈口〉통 친정에서 혼수나 몸종을 딸려 보내다. ¶～了她一对箱子; 그녀에게 한 쌍의 (혼수) 궤〔함〕를 딸려 시집을 보냈다. 명 혼수.
〔陪台〕 péitái 명 ⇨〔陪隶〕
〔陪太子读书〕 péi tài zǐ dú shū〈成〉남이 좋아하는 것을 같이하여 비위를 맞추다. ¶我哪儿爱看戏呀，局长好hào，我也不得不～了; 나는 연극 같은 건 좋아하지 않지만, 국장이 좋아하니까 비위를 맞추는 수밖에 없지.
〔陪谈〕 péitán 통 이야기 상대를 해주다.
〔陪堂〕 péitáng 명 ①옛날, 재상의 보좌관(재상을 '中zhōng堂'과 '协xié办'(협판, 차관)을 '～'이라 했음). ②〈比〉반식 대관(伴食大官). 부관. 실권 없는 대신.
〔陪同〕 péitóng 통 수행하다. 동반하다. ¶～前往参观; 수행하고 참관하다/他们是由翻译～去的; 그들은 통역이 수행하여 갔다.
〔陪小心〕 péi xiǎoxīn ⇨〔赔小心〕
〔陪小意儿〕 péixiǎoyìr 통 (세심하게 신경을 써서) 남의 환심을 사다.
〔陪笑(儿)〕 péixiào(r) 통 ①웃는 낯을 보이다. ②웃으며 아첨하다. ¶他对美国满脸～; 그는 미국에 만면에 웃음을 띠어 아첨하다.
〔陪宴〕 péiyàn 통 배식(陪食)하다.
〔陪音〕 péiyīn 명《物》상음(上音)(음은 기본음과 상음으로 구성되고, 그 강도에 따라 각 음색이 정해짐). =〔泛fàn音〕
〔陪饮〕 péiyǐn 통 윗사람을 모시고 술을 마시다.
〔陪葬〕 péizàng 통 순장하다. 순사자나 부장품을 함께 묻다. 명 옛날, 신하나 처첩을 황제 또는 남편의 무덤 가까이에 묻는 일. ¶～品; 부장품.
〔陪住生〕 péizhùshēng 명 외국인 유학생과 같은 방을 쓰는 자국(自國) 학생.
〔陪罪〕 péi.zuì 통 ⇨〔赔罪〕
〔陪坐〕 péizuò 통 곁에 앉아 모시다.

培 péi (배)

통 ①(초목을) 북주다. 배토하다. 배토하여 가꾸다. ¶种zhòng了花儿，拿土～上; 꽃을 심었으면 흙을 덮어라/火太旺了，～上点儿灰吧; 불이 너무 세니, 재를 좀 덮어라. ②배양하다. 교육시키다. 인재를 기르다. ¶新～的疫苗; 새로 배양한 백신/～干部; 간부를 양성하다.
〔培堤〕 péidī 통 둑에 흙을 쌓아 올리다.
〔培根〕 Péigēn 명〈音〉①베이컨(bacon). =〔咸肉〕〔腌猪肉〕 ②《人》베이컨(Francis Bacon)(영국의 정치가·철학자, 1561～1626).
〔培林〕 péilín 명《機》베어링(bearing). =〔轴承〕〔培令〕〔倍林〕〔脾令〕
〔培令〕 péilìng 명 ⇨〔培林〕
〔培司〕 péisī 명《樂》〈音〉베이스(base).
〔培土〕 péi.tǔ 통《農》배토하다. 북주다. ¶培上粪土; 밑거름을 주고 흙을 북돋아 주다.
〔培修〕 péixiū 통 (제방 등을) 흙으로 굳혀 보강하다.
〔培训〕 péixùn 명통 육성(하다). 훈련(하다). 양성(하다). ¶～出一大批中学师资; 대량의 중학 교사를 훈련 양성하다/～班; 양성 훈련반.
〔培养〕 péiyǎng 통 ①《生》배양하다. ¶～细菌; 세균을 배양하다/～优良品种; 우수한 품종을 배양하다. ②육성하다. 양성하다. ¶～接班人; 후계자를 육성하다/～干部; 간부를 양성하다/～责任感; 책임감을 키우다. ③유지하다. ¶～费; 유지비. ④(좋은 습관 따위를) 들이다. ¶～早起早睡的习惯; 일찍 자고 일찍 일어나는 습관을 들이다.
〔培养基〕 péiyǎngjī 명《物》배양기. 배지(培地).
〔培育〕 péiyù 통 ①배양하여 기르다. 재배하다. ¶～树苗; 나무 모종을 기르다/～新品种; 새 품종을 키우다. ②(인재를) 기르다. ¶在什么样的家庭里～起来的? 어떤 가정에서 자랐는가?/～一代新人; 새 세대를 키우다.
〔培植〕 péizhí 통 ①인재를 양성하다. ¶～亲信; 측근을 만들다. ②흙을 북돋아 심다. 재배하다. ¶～果木; 과수를 재배하다/～草药; 약초를 키우다/许多草药已开始用人工～; 많은 약초가 인공 재배되기 시작했다. ③세력을 증대시키다. ¶～势力; 세력을 키우다. 명 재배. 육성.

赔(賠) péi (배)

통 ①배상하다. 변상하다. ¶我来～; 내가 변상하겠소/买一个碗～上; (깬 보상으로) 밥 공기를 사서 변상하다/弄坏了别人的东西要～上; 남의 물건을 망가뜨렸으면 변상해야 한다. ②보충하다. ③손해 보다. 밑지다. ¶～钱的生意; 밑지는 장사/～本(儿); ⇩/～掉 =〔～光〕〔～净〕; 몽땅 손해를 보다/哪儿有～面的厨子呢? 밀가루를 손해 보는 요리사가 있겠는가(남을 위해 제 호주머니를 털어서 해주는 사람은 없다). ④사죄하다. 사과하다. 용서를 빌다. =〔陪③〕
〔赔本(儿)〕 péi.běn(r) 통 본전을 잃다. 손해를 보다. 밑지다. =〔亏本(儿)〕
〔赔补〕 péibǔ 통 변상하다. 손실을 보충하다.
〔赔不起〕 péibuqǐ 배상할 능력이 없다. ↔〔赔得起〕
〔赔不是〕 péi bùshi 사죄〔사과〕하다. ¶给他赔个不是; 그에게 잘못을 빌다. =〔赔罪〕〔陪不是〕
〔赔产〕 péi.chǎn 통 재산을 축내다〔탕진하다〕.
〔赔偿〕 péicháng 명통 배상(하다). 변상(하다). ¶～损失; 손해를 배상하다/照价～; 실비로 배

상하다.
〔赔持〕 péichi 동 ⇨〔赔礼〕
〔赔错〕 péicuò 동 잘못을 사과하다.
〔赔的姥姥家去了〕 péide lǎolaojiā qùle〈比〉막대한 손해를 보다. ¶今天这号买卖～; 오늘의 이 장사는 크게 손해를 보았다.
〔赔垫〕 péidiàn 동 ①대신 변상하다〔벌충하다〕. ¶钱数太大, 我可～不起; 금액이 너무 많아서 나는 대신 변상해 줄 만한 능력이 없다. ②이익을 얻기 위해 우선 돈을 치르다.
〔赔话〕 péi,huà 동 사과의 말을 하다. ¶他叫我吃这么大的亏, 连一句话也没有赔; 그는 내게 이렇게 큰 손해를 입혀 놓고도, 한 마디 사과도 하지 않는다. =〔陪话〕
〔赔还〕 péihuán 동 변상하다. 상환하다.
〔赔嫁〕 péijià 명동 ⇨〔陪嫁〕
〔赔缴〕 péijiǎo 동 배상금을 내다.
〔赔款〕 péi,kuǎn 동 배상〔변상〕하다. ¶损坏公物, 以～处分; 공공 기물을 훼손하면, 배상 처분한다. (péikuǎn) 명 배상금.
〔赔亏〕 péikuī 동 손해를 보다. 결손을 보다. 밑지다.
〔赔了夫人又折兵〕 péile fūren yòu zhé bīng〈諺〉부인을 잃고 게다가 병사까지 잃다. 이중(二重)으로 손실을 입다. 설상가상《삼국지에서 손권(孫權)은 여동생을 유비(劉備)와 결혼시켜 주겠다고 오(吳)나라로 유인하여 죽이려 했으나, 유비는 제갈량의 묘책으로 무사히 부인을 얻고 촉(蜀)나라로 돌아가자, 이를 추격한 손권의 군사는 제갈량의 복병에 의해 격파되었음》.
〔赔累〕 péilěi 동 적자에 빚까지 지다. 본전을 잃고 그 위에 빚까지 지다. ¶营业清淡, ～不堪; 영업이 잘 안 되어 손실이 막심하다.
〔赔礼〕 péi,lǐ 동 사과〔사죄〕하다. ¶向他赔了个礼; 그에게 사죄를 했다. =〔赔持〕〔赔情〕〔赔释〕〔赔罪〕〔陪持〕〔陪礼〕〔伏礼〕
〔赔钱〕 péi qián 손해 보다. 밑지다. ¶～赚辛苦; 헛수고 /～的满月;〈諺〉1개월째 생일 잔치는 반드시 결손이 난다《성대히 하기 때문》.
〔赔钱货〕 péiqiánhuò 명 ①손해가 나는 상품. ②〈轉〉계집아이. 딸《혼례 비용 등 돈이 많이 드는 데서 이름》. ③밥벌레. 식충이.
〔赔情〕 péi,qíng 동 ⇨〔赔礼〕
〔赔身下气〕 péi shēn xià qì〈成〉(남에 대하여) 자기를 누르고 저자세를 취하다.
〔赔释〕 péishì 동 ⇨〔赔礼〕
〔赔小心〕 péi xiǎoxīn ①(호감을 얻기 위해 또는 상대방의 화를 달래기 위해) 마음을 쓰다. ¶怯生生的, 向什么人都～; 겁을 먹고 누구한테나 조심스럽게 행동하다. ②사과의 말을 하다. ¶你总得去～, 不然恐怕他要怪下来; 너는 꼭 사과하러 가야 한다. 그렇지 않으면, 그는 기분 나빠 할지도 모른다. ‖ =〔陪小心〕
〔赔笑〕 péi,xiào 동 웃는 얼굴로 대하다. 아첨하는 웃음을 짓다. =〔赔笑脸〕
〔赔笑脸〕 péixiàoliǎn 동 ⇨〔赔笑〕
〔赔赠〕 péizèng 명 (신부의) 지참금. ¶贪图方家～, 娶了他家女儿; 방씨댁의 지참금에 눈이 어두워 그 집 딸과 결혼했다.
〔赔债〕 péizhài 동 ⇨〔还huán债①〕
〔赔账〕 péi,zhàng 동 ①(금전상의) 손실을 변상하다. ②(실수·과실을) 보상하다. 돌이켜 회복하다. ③〈方〉결손을 내다.
〔赔赚〕 péizhuàn 명 손득(損得). 손익(損益). ¶顾不了～; 손익을 돌볼 겨를이 없다.
〔赔赚辛苦〕 péizhuàn xīnkǔ 헛수고만 하다.
〔赔罪〕 péi,zuì 동 사죄하다. 빌다. ¶赔他的罪; 그 사람한테 빌다. =〔陪罪〕

毰 péi (배)
→〔毰毸〕

〔毰毸〕 péisāi 형〈文〉(새가) 날개를 펴는 모양.

锫(錇) péi (부)
명《化》버클륨(Bk:berkelium)《인공 방사선 원소》.

裴 péi (배)
명 ①〈文〉긴 옷. ②성(姓)의 하나.

沛 pèi (패)
①형 성한〔왕성한〕 모양. 세찬 모양. ¶～然下雨; 비가 억수같이 내리다 /语言充～; 어기가 충실하고 힘차다. ②형 빠른 모양. ③명 (가운데에 풀이 나 있는) 늪.
〔沛艾〕 pèi'ài 형〈文〉모습이 훌륭한 모양.
〔沛迟〕 pèichí 명〈音〉페이지(page). =〔页〕
〔沛沛〕 pèipèi 형〈文〉물이 줄기차게 흐르는 모양.
〔沛儿上〕 pèirshang 명 한창 시절. 제철. 가장 맛드는 철. ¶正在～的时候儿, 当然贱了; 지금이 바로 제철이니까 당연히 싸졌지.
〔沛然〕 pèirán 형〈文〉①비가 세차게 내리는 모양. ②성대한〔왕성한〕 모양.
〔沛泽〕 pèizé 명〈文〉①물 속의 초목이 무성한 곳. ②패택. 큰 혜택.

旆〈斾〉 pèi (패)
명 ①기(旗)의 둘레 장식. ②기(旗) 따위의 총칭. ③옛날에, 대장(大將)이 세운 기《비단으로 테두리를 하고 끝이 제비 꼬리 모양으로 갈라짐》.

霈 pèi (패)
①명〈文〉큰 비. ¶甘gān～ =〔甘霖〕; 단비. 자우(慈雨). ②형〈文〉비가 퍼붓는 모양. ¶云油雨～; 구름이 넓게 퍼져 비가 좍좍 내리다. ③명〈轉〉은택. ④인명용 자(字).

佩〈珮〉② pèi (패)
①동 지니다. 띠다. 달다. 차다. ¶腰间～着一支手枪; 허리에 권총을 한 자루 차고 있다 /～勋章; 훈장을 가슴에 달다. ②명 옛날, 허리띠에 달던 장식품. ③동 감복하다. 경탄하다. ¶这种精神十分可～; 이 정신은 정말로 경복할 만하다.
〔佩带〕 pèidài 동 (기장(記章)을) 가슴·어깨·팔에 달다. (무기를) 허리 따위에 차다. ¶出人校门必须～校徽; 교문을 출입할 때는 반드시 교장(校章)을 달아야 한다.
〔佩带(儿)〕 pèidài(r) 명 장식물. 액세서리.〈比〉장식뿐이고 쓸모없는 것. ¶她不过是个～, 干不了什么; 그녀는 장식물일 뿐, 일은 할 줄 모른다 /你在这儿干什么来着, 你怎么不管他, 你是～吗? 너는 여기서 뭘 하고 있었느냐, 왜 그를 그냥 내버려 두었느냐, 너는 장식물이냐?
〔佩刀〕 pèidāo ①명 패도. ②(pèi dāo) 칼을 차다.
〔佩服〕 pèifú 동 감복하다. 감탄하다. 경복(敬服)하다. ¶他的毅力我算～了; 나는 그의 의지가 강한 데 감탄했습니다 /他那份儿热心真可～; 그의 저와 같은 열정은 참으로 감탄할 만하다. =〔拜服〕

〔佩挂〕 pèiguà 동 띠에 걸어 허리에 차다. 몸에 지니다. ¶～刀劍; 칼을 차다.
〔佩剑〕 pèijiàn 명 ①《體》 사브르(프 sabre)《펜싱의 한 종목, 또는 펜싱 검의 한 종류》. ②몸에 지닌 긴 칼.
〔佩兰〕 pèilán 명 《植》 ①등골나물. =〔兰草①〕〔兰香〕〔水香〕 ②쉽싸리. =〔地瓜儿苗〕
〔佩用〕 pèiyòng 동 패용하다.
〔佩玉〕 pèiyù 명 패옥. 띠의 장식 구술. 동 구슬을 차다.

帔 pèi (피)
명 옛날에, 여자가 어깨에 걸치던 복식품(服飾品)《여러 가지 무늬를 수놓았음》. ¶～裙; 주름이 달린 스커트 / 风冠霞～; 봉황의 관에 수놓은 숄《여인의 예장》. =〔帔肩〕

配 pèi (배)
A) ① 동 부부가 되다. 짝지우다. ¶婚～; 배우자가 되다. 결혼하다 / 许～ =〔许嫁〕; 혼인을 허락하다〔받다〕 / 继～; 후처(가 되다). ② 동 (부족을) 보충하다. 붙여 놓다. 덧붙여서 가지런하게 하다. ¶～上里儿; 의복의 안을 대다 / ～零件; 부품을 붙이다 / ～着松柏树种桃杏; 송백에 맞추어 복숭아나 살구를 심다 / 再～上一个齿轮, 就省力多; 톱니바퀴를 하나 더 달면 힘이 훨씬 덜 든다 / 鞋帮儿～底子; 신의 울에 창을 대다 / 好牲口～好鞍韂; 〈諺〉 좋은 말에 좋은 안장을 얹다 / ～一副眼镜; 도수를 맞춰 안경을 하나 맞추다 / ～一块玻璃; 유리를 (맞춰서) 끼우다 / ～着样子做; 견본에 맞춰서 만들다. ③ 동 배급하다. (계획적으로) 분배 · 배치하다. ¶～备人力; 인력을 배비(配備)하다 / 搭着～; 섞어서 배급하다. ④ 동 해당하다. 맞먹다. ⑤ 동 갖추어 놓다. ⑥ 동 적당히 짝 맞추다. 조합(調合)하다. 배합하다. 편성하다. ¶～几个菜; 몇 가지 요리를 적당히 갖춰서 차려 놓다 / ～颜色; 색을 배합하다 / ～药; ⓐ약을 조제하다. ⓑ처방전을 가지고 약을 사러 가다 / 这是五种材料～成的; 이것은 다섯 종류의 원료를 배합하여 만든 것이다. ⑦ 동 흘레 붙이다. 교미(交尾)시키다. ¶～种; 교배시키다 / ～猪; 돼지를 교배시키다 / 公驴～母马, 生下骡子; 수나귀와 암말이 교미하면 노새가 난다. ⑧ 동 녹음하다. 취입하다. ⑨ 동 곁들여 주다. 덧붙여 돋보이게 하다. 받쳐 주다. ¶～角; 단역(端役) / 红花～绿叶; 붉은 꽃을 초록색 잎이 돋보이게 하다. ⑩ 동 유형(流刑)에 처하다. ¶～所; 유배지. ⑪ 명 배우자. 짝. 상대. B) 조동 …할 자격이 있다. …의 가치가 있다. …에 어울리다. ¶不～; 주제넘다. 당치않다 / 你那里～姓赵《鲁迅 阿Q正傳》; 네놈이 '赵' 가라니 당치도 않은 말이지 / 他不～做组长; 그는 조장이 될 자격이 없다.

〔配备〕 pèibèi 동 ①(군대의) 장비를 갖추다. ②(병력 · 사람을) 배치하다. ¶按地形～火力; 지형에 따라 화력을 배치하다. ③(수요에 따라) 분배하다. 명 세트로 된〔잘 갖추어진〕 설비 따위. ¶现代化的～; 현대화된 설비.
〔配不起〕 pèibuqǐ ①(능력 · 자격이 없어) 채용〔설치〕할 수 없다. ¶这个厂, ～现代化设备; 이 공장은 근대적인 새로운 설비를 설치할 수 없다. ②배합할 수 없다. 달〔장치할〕 수 없다. ③(배합한 것이나 약품 등을) 살 수 없다. ¶没有钱, ～药; 돈이 없어 약을 살 수 없다.
〔配不上〕 pèibushàng ①어울리지 않다. 어색하다. 맞지 않다. ¶她总～我这么一个男人; 저 여자는 나 같은 남자와 도저히 어울리지 않는다. ②자격 · 능력이 없다. ③맞추어지지 않다. 붙일 수 없다. ‖↔〔配得上〕
〔配菜〕 pèicài 명 요리에 곁들이는 것. 동 요리를 배합하다〔갖추다〕.
〔配衬〕 pèichèn 동 ⇒〔陪péi衬①〕
〔配称〕 pèichèn 동 잘 맞다. 어울리다. ¶这一对夫妇真是～; 이 한 쌍의 부부는 정말 잘 어울린다.
〔配成〕 pèichéng 동 조립하다. 짜맞추어 …로 만들다. 첨가하여 …로 하다. ¶～一套; 짜맞추어서 한 세트로 만들다.
〔配船〕 pèi chuán 배선하다.
〔配搭〕 pèidā 동 적당히 배합하다. 곁들여 배치하다. ¶不但主角儿好, 就是其余的角儿, 都～的很整齐; 주역이 좋을 뿐만 아니라, 그 밖의 배우도 콤비가 딱 맞는다.
〔配搭儿〕 pèidar 명 부속물. 종속물. 장식품. 액세서리적 존재. 보조적인 것. ¶没什么用, 就是～; 쓸모는 없고, 단지 장식물이다. =〔配搭物〕
〔配电〕 pèi.diàn 《電》 동 배전하다. (pèidiàn) 명 배전.
〔配电板〕 pèidiànbǎn 명 ⇒〔开kāi关板〕
〔配电盘〕 pèidiànpán 명 ⇒〔开kāi关板〕
〔配殿〕 pèidiàn 명 정전(正殿)의 좌우에 세워진 전각. =〔偏piān殿〕
〔配对儿〕 pèi.duìr 동 ①한 쌍을 만들다. 짝짓다. ②〈口〉 교미하다. (pèiduìr) 명 쌍을 이룬 것. 두 짝이 하나를 이룬 것.
〔配对子〕 pèi duìzi 대구(對句)를 만들다. =〔〈文〉属shǔ对〕
〔配额〕 pèi'é 명 할당액. ¶今年第三季进口外汇～, 与二季数额相同不预削减; 올해 제3 사분기의 수입 외화 할당액은 제2 사분기와 같은 액수로 삭감하지 않는다.
〔配贰〕 pèi'èr 〈文〉 동 보좌하다. 명 보좌관. 차관.
〔配发〕 pèifā 동 분배하여 지급하다.
〔配方〕 pèi.fāng A) 동 ①《數》 불완전 제곱식을 완전 제곱식으로 바꾸다. ②《藥》 처방에 따라 약을 조합(調合)하다. B) (pèifāng) 명 ①약품의 처방. =〔〈口〉 方子〕 ②화학 제품의 조합법.
〔配房〕 pèifáng 명 ⇒〔厢xiāng房〕
〔配分法〕 pèifēnfǎ 명 《數》 배분법.
〔配购〕 pèigòu 동 ①(적당한 물건을) 골라서 사다. ②배급으로 사다. ③잘 팔리지 않는 물건을 끼워서 사다. 세트로 사다.
〔配购证(儿)〕 pèigòuzhèng(r) 명 배급 물자 구입권.
〔配合〕 pèihé 동 ①몇 개의 사물을 짝지어 놓다. 배합하다. ¶～颜色; 색깔을 배합하다. ②협동하다. 협력하다. 호응하다. ¶～作战; 공동 작전 / 咱们一块儿共事几年, ～得满好; 우리는 여러 해를 같이 일을 했기 때문에, 호흡이 잘 맞는다. ③적응하다. 보조를 맞추다. 균형을 잡다. ¶～世界的形势; 세계 정세에 보조를 맞추다 / ～船期备货; 선적기에 맞추어 화물을 준비하다 / 商业同其他经济部门的～; 상업과 기타 경제 부문과의 조합. 명 ①《機》 (맞)물림. 감합(嵌合). ¶间隙～ =〔动座～〕; 유동(遊動) 감합 / 过盈～ =〔静座～〕; 정지 감합. ②배합. 협동. 협력. 조화. ¶取得了他们的支持和～; 그들의 지지와 협력을 얻었다.
〔配合〕 pèihe 형 조화되다. 균형을 잡다. 어울리다. ¶这一对夫妻很～; 이 한 쌍의 부부는 대단히 잘 어울린다. 명 ①조화. ②《劇》 앙상블(ensemble).

〔配婚〕 pèihūn 동 배우자를 정하다. 결혼시키다. ¶给女儿配了婚; 딸에게 짝을 정해 주었다.
〔配活〕 pèihuó 명 ①부속물. ②(본래의 것이 아닌) 부착시킨 것. 첨가된 것.
〔配火〕 pèihuǒ 동 ⇨〔回huí火〕
〔配货〕 pèihuò ①주문품을 고객에게 보내다. (메이커나 도매상 등에서) 상품을 내다〔출고하다〕. ¶厂方～还没有到呢, 请您再等两天; 공장에서 아직 물건을 보내 오지 않았으니, 이틀 더 기다려 주십시오. ②상품의 구색을 고루 갖추다.
〔配基〕 pèijī 명《化》아글루콘(aglucon). 아글리콘(aglycon).
〔配给〕 pèijǐ 명동 배급(하다).
〔配给票(儿)〕 pèijǐpiào(r) 명 배급표. 배급권.
〔配价〕 pèijià 명 배급 가격.
〔配嫁〕 pèijià 동 시집 보내다.
〔配件〕 pèijiàn 명 (기계의) 부품. 부속품. ¶专门～很难买到; 특수 기계의 부품은 매우 입수하기가 어렵다 / ～儿; 새로 바꾼〔간〕 부품. →〔部件〕〔零件(儿)〕
〔配角(儿)〕 pèi·jué(r)《劇》동 공연(共演)하다. 콤비가 되다. ¶他们俩老是～, 合演过'白毛女'; 그들 두 사람은 언제나 콤비로 '白毛女'를 공연했었다. (pèijué(r)) 명 ①조연(자). 단역(端役). ②〈比〉보좌역. 보조적인 인물.
〔配角戏〕 pèijuéxì 명 (배우의 입장에서) 자기가 단역으로 나가는 연극.
〔配军〕 pèijūn 명 옛날에, 유배지에서 군무에 종사하던 군인. (pèi·jūn) 동 귀양살이를 보내 군무에 종사시키다.
〔配克〕 pèikè 명《度》〈音〉팩(pack)《영국의 도량형 단위 '一～'는 약 9.092리터》.
〔配口〕 pèikǒu 형 입에 맞다. 맛있다. ¶～的菜饭; 맛있는 식사.
〔配隶〕 pèilì 동 배속하다. 분속(分屬)하다.
〔配俪〕 pèilì 명 ⇨〔配偶〕
〔配粮〕 pèiliáng 명 배급 식량. ¶～限每人每日一斤; 배급 식량은 한 사람당 하루에 한 근으로 한다.
〔配料〕 pèi·liào 동 원료를 배합하다. (pèiliào) 명 ①배합한 원료. ②(요리에서, 주재료가 아닌) 배합〔섞는〕 재료, 또는 조미료.
〔配流〕 pèiliú 동 유배하다. 유형에 처하다.
〔配楼〕 pèilóu 명 '配房' 곧 '厢xiāng房'을 이층으로 지은 것.
〔配尼西林〕 pèiníxīlín 명《化》〈音〉페니실린(penicillin). =〔青霉素〕
〔配偶〕 pèi'ǒu 명《法》배우자. 남편 또는 아내. =〔〈文〉配俪〕〔〈文〉配匹〕〔〈文〉媲pì偶〕
〔配偶人〕 pèi'ǒurén 명 배우자. 배필《부부간에 서로 상대를 가리켜 말함》.
〔配匹〕 pèipǐ 명 ⇨〔配偶〕
〔配齐〕 pèiqí 동 ①(주문대로) 모두 갖추다. 완전히 갖추어지다. 완비하다. ②처방전(處方箋)으로 약을 사다. ¶～室; 조제실.
〔配人〕 pèirén 동 사람에게 배우자를 짝지워 주다.
〔配色〕 pèi·sè 동 색을 배합하다. 배색하다. (pèisè) 명 배색.
〔配生忒〕 pèishēngtè 명 〈音〉퍼센트(percent). =〔百分率〕
〔配手〕 pèishǒu 명 조수. 보조원.
〔配售〕 pèishòu 동 ①배급〔할당〕 판매하다《파는 편의 말》. ¶～商店; 배급점. ②잘 팔리는 물건에 팔리지 않는 물건을 끼워서 팔다. →〔配购gòu③〕
〔配属〕 pèishǔ 명동《軍》배속(하다).
〔配司登〕 pèisīdēng 명 〈方〉〈音〉피스톤(piston). =〔活huó塞〕
〔配司登令〕 pèisīdēnglìng 명 ⇨〔活huó塞胀圈〕
〔配司登销子〕 pèisīdēng xiāozi 명 피스톤 핀(piston pin). =〔活huó塞销〕
〔配所〕 pèisuǒ 명 배소. 유배지.
〔配糖物〕 pèitángwù 명 ⇨〔甙dài〕
〔配套(儿)〕 pèi·tào(r) 동 ①보조적인 것을 부착시켜 완성품을 만들다. 짜 맞추다. 세트로 만들다. ¶～供应; 세트 판매(를 하다). ②부설하다. ¶～设备; 부대 설비 / ～农具; 부속 농구. ③커버를 붙이다.
〔配套成龙〕 pèitào chéng lóng ⇨〔成龙配套〕
〔配套儿〕 pèitàor 동 커버〔덮개〕를 덮다.
〔配天〕 pèitiān 〈文〉형 덕이 하늘만큼이나 광대하다. 동 하늘을 제사 지내고 아울러 조상을 제사 지내다.
〔配伍〕 pèiwǔ 명동《藥》배합(하다). 배제(配劑)(하다).
〔配戏〕 pèi·xì 동 조역(助役)으로 출연(出演)하다.
〔配享〕 pèixiǎng 명동 〈文〉배향(하다)《현인 또는 공신을 공자묘 혹은 제왕의 묘에 함께 모시는 일》. ¶～殿diàn; 배향전《공자 묘 안의 합사된 사람을 모시는 곳》.
〔配谢金〕 pèixièjīn 명 사례금.
〔配形〕 pèixíng 명 대칭형.
〔配研〕 pèiyán 동 갈아 맞추다.
〔配药〕 pèi·yào 동 약을 조제하다〔짓다〕. ¶到药房～去; 약방에 약을 지으러 가다. (pèiyào) 명 병원 안의 약국.
〔配页〕 pèiyè《印》명 (제본에서) 인쇄된 종이를 페이지순으로 접은 것. 접장(摺帳). (pèi·yè) 동 (제본에서) 인쇄된 종이를 페이지순으로 접다.
〔配音〕 pèiyīn 명 애프터 리코딩(after recording). 사후 녹음. 더빙(dubbing). ¶～员; 성우 / 影片～公司; 영화 녹음 회사 / ～工作; 녹음 작업 / ～复制; (영화나 테이프 등의) 더빙. →〔录lù音〕 (pèi·yīn) 동 녹음하다. 애프터 리코딩하다. 더빙하다.
〔配用〕 pèiyòng 동 부속품으로 쓰다. 부속품을 달다.
〔配有〕 pèiyǒu 동 배치되어 있다. 부속되어 있다. 딸려 있다. ¶食堂里～卫生员; 식당에는 위생원이 배치되어 있다.
〔配乐〕 pèi·yuè 동 음악을 깔다. 배경 음악을 넣다.
〔配载〕 pèizài 동 (배·차 따위에) 짐을 싣는 계획을 세우다.
〔配制〕 pèizhì 동 배합해서 만들다. 조제하다. ¶～各种疫苗; 각종 백신을 배합하다.
〔配置〕 pèizhì 동 배치하다.
〔配种〕 pèi·zhǒng 동 교미시키다. 접붙이다. ¶人工～; 인공 수정.
〔配装〕 pèizhuāng 동 ①상품〔화물〕을 배나 차에 싣다. ②(잘 맞도록) 부착시키다.
〔配子〕 pèizǐ 명《生》생식 세포. 배우자. ¶～体;《植》배우체(配偶體).

辔(轡) pèi (비)

명 ①말고삐. ¶按～徐行; 고삐를 잡고 천천히 가다. ②재갈. ③말. ¶征～; 먼 길을 가는 말 / 归～; (말을 타고서의) 귀로 / 并～; 말 머리를 나란히 하다.

PEN ㄆㄣ

喷(噴) pēn (분) 동 (액체·기체를) 내뿜다. 분출하다. ¶～火; 불을 내뿜다/把饭～出来了; (우스워서 먹고 있던) 밥을 푹 내뿜었다/拿喷壶～水; 물뿌리개로 물을 뿌리다/～衣裳; 옷에 물을 뿌리다. ⇒pèn
〔喷勃〕 pēnbó 형 〈文〉 의기양양하다(기세가 오르는 모양).
〔喷薄〕 pēnbó 형 〈文〉 물이 용출(湧出)하는 모양. 태양이 떠오르는 모양. ¶～欲出; ⓐ(물이 곧) 솟아 나오려고 하는 모양. ⓑ(태양이) 지평선 위로 막 떠오르려는 모양/～欲出的一轮红日; 기운차게 솟아오르는 붉은 태양.
〔喷布〕 pēnbù 동 (다리미질을 하기 위해) 천에 물을 뿜다. ¶喷衣裳; (다리미질하려고) 옷에 물을 뿜다.
〔喷出岩〕 pēnchūyán 명 《鑛》 화산암. 분출암. =〔火huǒ山岩〕
〔喷灯〕 pēndēng 명 토치 램프(torch lamp). =〔吹灯④〕
〔喷镀〕 pēndù 명동 ⇨〔喷金〕
〔喷发〕 pēnfā 동 분화(噴火) 폭발하다. ¶火山～; 화산이 분화 폭발하다.
〔喷饭〕 pēnfàn 동 (저도 모르게 웃음이 터져 나와) 입 안의 밥을 내뿜다. ¶不觉失笑, ～满案; 〈文〉 저도 모르게 실소하여 식탁에 온통 밥알을 내뿜었다/令人～; 실소를 금할 수 없다. 대단히 우습다.
〔喷粉器〕 pēnfěnqì 명 산분기(散粉器). ¶手shǒu摇～; 핸드 더스터(hand duster). 인력(人力) 산분기.
〔喷粪〕 pēnfèn 동 입에서 나오는 대로 아무렇게나 지껄이다. ¶喝了这么点儿酒, 别满嘴里～; 이 정도의 술을 마시고 함부로 말하지 마라.
〔喷管〕 pēnguǎn 명 노즐(nozzle). 관·통(筒) 등의 분출구. ¶喷气管; 에어(air) 노즐/阻气～; 초크(choke) 노즐/出水～; 배수(排水) 노즐.
〔喷灌〕 pēnguàn 명 스프링클러 관수(sprinkler灌水). 동 (농약을) 살포하고 관개하다.
〔喷吼〕 pēnhǒu 동 기세 높이 소리치다.
〔喷壶〕 pēnhú 명 물뿌리개. 조로(포 jorro). ¶～的儿子; 물뿌리개의 주둥이. =〔〈方〉喷桶〕
〔喷话〕 pēnhuà 명 (어린아이의) 서투른 말. 혀가 잘 돌아가지 않는 말.
〔喷火〕 pēnhuǒ 동 분화하다. 불을 뿜다. ¶～山; 분화산.
〔喷火器〕 pēnhuǒqì 명 화염 방사기. =〔火焰喷射器〕
〔喷溅〕 pēnjiàn 동 흩날리다. 흩뿌려지다.
〔喷金〕 pēnjīn 명동 《工》 금속의 분무 도금(을 하다). =〔喷镀〕
〔喷口〕 pēnkǒu 명 분화구.
〔喷喷〕 pēnpēn 형 ①향기가 짙게 풍기는 모양. ¶香xiāng～; 향기가 매우 짙다. ②얼굴에 빛이 드러나는 모양. ¶脸色红～地; 얼굴이 벌게져서. ③〈文〉 말하는 것이 몹시 빠른 모양.
〔喷漆〕 pēnqī 명 뿜어서 칠하는 래커(lacquer). (pēn.qī) 동 뿜어서 도장(塗裝)을 하다. ¶～枪; 스프레이건(spray gun).
〔喷漆胶〕 pēnqījiāo 명 래커 고무(lacquer gomme).
〔喷气〕 pēnqì 동 ①숨을 내쉬다. ②가스를 내뿜다.
〔喷气飞机〕 pēnqì fēijī 명 제트기.
〔喷气轰炸机〕 pēnqì hōngzhàjī 명 제트 폭격기.
〔喷气式〕 pēnqìshì 명 ①제트식(式). ¶～发动机; 제트 엔진. ②〈俗〉 제트기(문화 대혁명 당시 비판 대상자의 상반신을 구부리게 하고 두 사람이 옆에서 손으로 목덜미를 누르고 팔을 뒤로 들어 올리게 하는 규탄 방식).
〔喷枪〕 pēnqiāng 명 분무기.
〔喷蛆〕 pēnqū 동 〈比〉 아무렇게나 되는대로 지껄이다. ¶～口知他怎生发落; 저렇게 아무렇게나 내뱉은 말을 그는 어떻게 앞뒤를 맞출 셈일까.
〔喷泉〕 pēnquán 명 분천(물을 내뿜는 샘). =〔飞fēi泉②〕
〔喷洒〕 pēnsǎ 동 분무상(噴霧狀)으로 뿌리다. (분무기로) 살포하다.
〔喷砂〕 pēnshā 명 샌드블라스팅(sandblasting). (pēn.shā) 동 모래를 분사하다.
〔喷射〕 pēnshè 동 분사하다.
〔喷射机〕 pēnshèjī 명 제트기. =〔喷气(式)飞机〕
〔喷水〕 pēn.shuǐ 동 (물뿌리개 따위로) 물을 뿜다. 물을 분사하다. (pēnshuǐ) 명 분수. ¶～池chí; 분수지.
〔喷丝头〕 pēnsītóu 명 《紡》 방사 노즐(紡絲nozzle). 스피너렛(spinneret).
〔喷嚏〕 pēntì 명 ⇨〔嚏喷〕
〔喷桶〕 pēntǒng 명 〈文〉 ⇨〔喷壶〕
〔喷筒〕 pēntǒng 명 (소방 펌프 또는 수도의) 호스.
〔喷头〕 pēntóu 명 스프링클러(sprinkler)(샤워 또는 살수 관개 장치). =〔莲蓬头〕
〔喷吐〕 pēntǔ 동 (기체·화염 등을) 내뿜다.
〔喷雾〕 pēnwù 동 분무하다.
〔喷雾器〕 pēnwùqì 명 분무기. =〔喷射器〕
〔喷牙〕 pēnyá 동 (갓난아기가 이가 날 무렵) 질질 침을 흘리다.
〔喷油枪〕 pēnyóuqiāng 명 (휘발유 등의) 연료 주입기. 오일 건.
〔喷油燃烧器〕 pēnyóu ránshāoqì 명 《機》 분사 버너(burner).
〔喷油嘴〕 pēnyóuzuǐ 명 내연 기관의 연료 노즐(nozzle). =〔〈南方〉油尖头〕
〔喷云虎儿〕 pēnyúnhǔr 명 〈比〉 애연가. 골초.
〔喷云吐雾〕 pēn yún tǔ wù 〈成〉 담배·아편을 계속해서〔많이〕 피우다.
〔喷子〕 pēnzi 명 분사기. 분무기.
〔喷嘴〕 pēnzuǐ 명 《機》 점화구(點火口). 노즐(nozzle).

盆 pén (분) ①(～儿) 명 대접·사발·대야 따위. ¶花～; 화분/火～; 화로/脸～ =〔洗脸～〕; 세숫대야. ②명 술 또는 음료를 담는 그릇. ③동 〈京〉 귀뚜라미를 그릇에 넣어 기르다. ¶这个蟋蟀还得～些日子; 이 귀뚜라미는 며칠 더 길러야 한다.
〔盆菜〕 péncài 명 ①큰 접시에 가득 담은 요리. ②〈方〉 반찬 세트(요리 재료를 여러 가지 섞어서 담은 것으로, 끓이기만 하면 먹을 수 있는 즉석 식품).
〔盆地〕 péndì 명 《地質》 분지.
〔盆糕〕 péngāo 명 ⇨〔盆儿糕〕
〔盆骨〕 péngǔ 명 ⇨〔骨盆〕
〔盆花〕 pénhuā 명 화분에 심은 꽃.
〔盆架子〕 pénjiàzi 명 화분·세면기 등을 올려놓

는 대.

〔盆景(儿)〕 pénjǐng(r) 명 ①분재(盆栽). 분경. ②조화나 주옥(珠玉)으로 만든 나무·꽃을 화분에 심은 것《옛날에는, '些xiē子景'이라 했음》.

〔盆口儿〕 pénkǒur 명 ①접시·화분·대야 등의 아가리. ②접시·화분·대야 등의 아가리의 지름.

〔盆起来〕 pénqilai 〈俗〉 집 안에 틀어박히다. ¶你怎么又～了, 老不出门儿啊? 너는 어째서 또 집 안에 틀어박혀 밖에 나가지 않느냐?

〔盆腔〕 pénqiāng 명 《生》 골반강(骨盤腔)《골반 중의 공동(空洞) 부위》.

〔盆儿朝天, 碗儿朝地〕 pénr cháotiān, wǎnr cháodì 〈比〉 집 안이 어질러져 있는 모양. =〔翻fān盆倒罐儿〕〔〈北方〉 瓢piáo盆儿似的〕〔瓢儿朝天, 碗儿朝地〕

〔盆儿糕〕 pénrgāo 명 차조 또는 찹쌀 가루 반죽에 설탕·대추의 열매 따위를 넣은 것을 그릇에 담아 쪄서 만든 과자《잘라서 먹음. 작은 것을 '碗(儿)糕'라 함》. =〔盆糕〕

〔盆儿铺〕 pénrpù 명 옹기전.

〔盆儿碗儿不碰〕 pénr wǎnr bù pèng 〈比〉 전혀 다투지 않다. (부부간에) 풍파 하나 일으키지 않다. ¶哪儿有～的; 옥신각신이 전혀 없을 수 있느냐.

〔盆儿窑〕 pénryáo 명 옹기 가마.

〔盆汤〕 péntāng 명 매번 뜨거운 물을 가는 식의 욕실. 1인용의 욕실. =〔盆堂〕〔盆塘〕

〔盆堂〕 péntáng 명 (1인용의) 양식(洋式) 욕실. =〔盆汤〕

〔盆塘〕 péntáng 명 ⇨〔盆汤〕

〔盆糖〕 péntáng 명 백설탕. 정당(精糖).

〔盆溢〕 pényì 동 〈文〉 ⇨〔湓溢〕

〔盆浴〕 pényù 동 (목욕통에 들어가) 목욕하다. 명 1인용의 서양식 욕조.

〔盆栽〕 pénzāi 명 분재.

〔盆子牙〕 pénziyá 명 《機》 베벨 기어(bevel gear). 「=〔伞sǎn齿轮〕

湓 pén (분)
①동 (물이) 솟아 나오다. 솟구치다. ¶～溢yì; ⇓/～涌; 물이 용솟음쳐 흐르다. ②(Pén) 명 《地》 편수이(湓水)《장시 성(江西省)에 있는 강 이름》.

〔湓溢〕 pényì 동 〈文〉 (물이) 범람하다. =〔盆溢〕

喷(噴) pèn (분)
①동 (향기가) 코를 찌르다. 향기를 풍기다. ¶～香; ⇓/～鼻(儿); 향기가 코를 찌르다. ②(～儿) 명 야채·과일 따위의 한창 나올 철. 출회기(出廻期). ¶西瓜～儿; 수박 철/对虾正在～儿上; 새우는 지금이 바야흐로 한물이다. ③(～儿) 양 개화(開花) 결실 또는 성숙 수확의 횟수를 세는 데 쓰임. ¶麦子开头～花儿了; 보리가 첫 번째 꽃을 맺었다/绿豆结二～角了; 녹두가 두 번째 열매를 맺었다. ⇒pēn

〔喷香〕 pènxiāng 동 향기가 진동하다. 명 진한 향기.

PENG ㄆㄥ

匉 pēng (평)
〈擬〉〈文〉 ⇨〔砰pēng〕

怦 pēng (평)
〈擬〉 두근두근. 쿵쿵《가슴이 뛰는 모양》. ¶心里～地跳着; 가슴이 두근두근 뛰고 있다/～然心动 =〔心～然〕; 마음이 설레다. 가슴이 두근두근하다.

〔怦怦〕 pēngpēng 〈擬〉 가슴이 두근거리는 모양.

抨 pēng (평)
동 탄핵(彈劾)하다. 비난하다.

〔抨击〕 pēngjī 동 (평론의 형식으로 남의 말이나 행동을) 규탄하다. 비난하다. 논란(論難)하다. ¶加以～; 규탄〔논란〕하다/着zhuó重地～; 힘을 주어 논평을 가하다/一再提出～表示强烈不满; 거듭 탄핵을 제기하여 강한 불만을 표시했다.

〔抨掊〕 pēngpǒu 동 〈文〉 치다. 규탄하다.

〔抨弹〕 pēngtán 명 탄핵하다.

砰 pēng (팽)
〈擬〉 콰당. 쿵《부딪치거나 무거운 것이 떨어지는 소리》. ¶～～两声枪响, 人倒dǎo在了地下; 탕탕하는 두 발의 총성이 울리고 사람은 땅위에 쓰러졌다/～的一声, 木板倒下来了; 콰당 소리를 내고 판자가 넘어졌다/～的一声, 门打开了; 쾅 하고 큰 소리가 나며 문이 열렸다/～然爆炸; 뻥 하고 폭발하다. =〔匉〕

〔砰訇〕 pēnghōng 〈擬〉 쾅. 쿵쾅《큰 소리의 형용》.

〔砰磅〕 pēngpāng 〈擬〉 ①와르르르《돌이 무너져 떨어지는 소리》. ②철썩《격류가 바위에 부딪치는 소리》.

〔砰砰〕 pēngpēng 〈擬〉 탕탕. 꽝꽝. 똑똑《총의 발사음. 나무를 두드리는 소리. 문을 노크하는 소리. 문을 두드리는 소리 따위》.

〔砰砰啪〕 pēngpēngpā 〈擬〉 빵빵빵. 탕탕탕《리드미컬한 타격음》.

〔砰砰啪啪〕 pēngpēngpāpā 〈擬〉 빵빵. 쾅쾅《총의 발사음. 망치 소리》.

烹 pēng (팽)
동 ①삶다. 조리하다. ②(요리 방법의 하나로) 끓는 기름에 살짝 데친 다음 양념을 치고 익혀 내다. ¶醋～豆芽菜; 콩나물을 센 불에 볶은 다음, 간장이나 초를 치고 빨리 조리한 요리. ③으르다. 위협하다. ¶把他～走了; 그를 위협해서 쫓아 버렸다.

〔烹茶〕 pēng·chá 동 차를 우리다. 차를 끓이다. =〔烹茗〕

〔烹肥〕 pēngféi 동 공금을 착복〔횡령〕하다.

〔烹醢〕 pēnghǎi 명 옛날, 가혹한 형벌의 일종《'烹'은 '삶다', '醢'는 살을 도려 내어 젓을 담그다의 뜻》.

〔烹劲儿〕 pēngjìnr 명 협박하는 기세. 무시무시한 태도. ¶方才是个～, 居然把他烹回去了; 이번에는 엄포였는데, 뜻밖에도 그는 놀라서 가 버렸다.

〔烹灭〕 pēngmiè 동 〈文〉 박멸하다. 평정하다. ¶～强暴; 강포한 악당을 토벌하다.

〔烹茗〕 pēngmíng 동 ⇨〔烹茶〕

〔烹饪〕 pēngrèn 명동 요리(하다). 조리(하다). ¶煤气～器; 가스 요리기/擅长～; 음식 만드는 데 자신이 있다/她可以～美味而不会使人发胖的食物; 그녀는 맛이 있고 살이 찌지 않는 음식을 요리할 줄 안다. =〔烹调〕

〔烹事〕 pēngshì 동 시험삼아 해 보다. 짐작으로 말해 보다.

〔烹调〕 pēngtiáo 명동 ⇨〔烹饪〕

〔烹鲜〕 pēng·xiān 동 작은 물고기를 삶다. 〈比〉 나라를 다스리다. ¶治大国若烹小鲜《老子》; 큰 나

라를 다스리는 데는 작은 생선을 삶는 요령으로 하는 것이 필요하다.

嘭 pēng (팽) 〈擬〉둥둥. 쿵쿵. 꽝꽝《대포·북 따위가 잇달아 울리는 소리》. 탕탕《가볍게 두드리는〔치는〕소리》.

芃 péng (봉) →〔芃芃〕

〔芃芃〕péngpéng 형〈文〉식물(植物)이 무성한 모양.

朋 péng (붕) ①명 친구. 벗. 동무. ¶良～ =〔良友〕; 좋은 친구/宾～满座; 자리에 가득 모인 손님과 친구. ②명 동류. 한패. ③명 동문(同門)의 제자. ④동〈文〉비교하다. 필적하다. ⑤동 도당(徒黨)을 만들다. 결탁하다. ¶～比; ⇩ ⑥양 옛날의 화폐 단위. ⑦명 옛날의 지방 행정 조직의 하나.

〔朋比〕péngbǐ 동〈文〉도당(徒黨)을 만들다. ¶～为奸;〈成〉결탁하여 나쁜 짓을 하다.

〔朋侪〕péngchái 명〈文〉친구. 동년배.

〔朋俦〕péngchóu 명〈文〉동료. 친구.

〔朋党〕péngdǎng 명 붕당. 당파. 한패.

〔朋分〕péngfēn 동 다 같이 나누다.

〔朋劫〕péngjié 동〈文〉작당을 하고 못된 짓을 저지르다.

〔朋僚〕péngliáo 명〈文〉벗과 동료.

〔朋情(儿)〕péngqíng(r) 명 우정. 우의(友誼). ¶泛fàn泛的～; 형식적인 교제.

〔朋友〕péngyou 명 ①동무. 친구. ¶好～; 친한 친구/老～; 옛 친구. 오랜 동무/小～(们); 어린 친구(들)/酒肉～; 술친구/知心～; 속속들이 아는 친구. 마음이 통하는 벗/不分彼此的老～; 네 것 내 것 가리지 않는 오랜 친구/狐朋狗友; 나쁜 친구/～门槛七品官;〈諺〉친구네 집 문에도 관원이 있다고 여기어 단단히 명심해야 한다《친한 친구 사이에도 예의를 지켜야 한다》/不够～; 친구답지 못하다/交～; 친구로서 사귀다. ②연인(戀人). ¶男～; 남자 친구. 보이 프렌드. ③자기편 사람. ¶敌人和～; 적과 우리 편.

堋 péng (붕) 명 ①'都江'의 물을 '外江'과 '内江'으로 분류한 둑《춘추 전국 시대(春秋戰國時代) 이빙(李冰)이 창안함》. ②살받이터. ¶～的; 과녁.

弸 péng (붕, 팽) 〈文〉①명 강궁(強弓). 센 활. ②동 가득 차다. ¶～中彪外;〈成〉속에 재덕이 가득 차 있으면 자연히 겉으로 흘러 넘친다. ③(～子) 명 코르셋(corset).

〔弸弓〕pénggōng 명 ①강궁. 센 활. ②⇨〔绷bēng弓子〕동 활시위를 당기다.

棚 péng (붕) ①(～儿, ～子) 명 선반. 차일. 천막. ¶搭～; 차양을 걸쳐 만들다/彩～ =〔喜～〕; 잔치 때 가설하는 가건물〔천막〕/白～; 장례식 때 치는 천막/天～ =〔凉～〕; 여름철의 차일/帐～ =〔帐篷〕; 텐트. 천막. ②명 천장(天障). ③(～子) 명 바라크(baraque). 판잣집. 가건물. ¶牲口～; 가축의 우리/马～ =〔马圈juàn〕; 마구간/碾～; 연자 방앗간. ④동 (탄광에서) 지주(支柱)를 세우다. ¶～窑; 광도(鑛道)에 기둥을 세우다. ⑤명 (병사 14명으로 된) 분대(分隊)《청대(清代)》. ⑥동 서부렁하게 덮다. 가볍게 걸치다. ⑦동 (암페라(ampera)·갈대발 따위로) 지붕을 이다. 덮다. ⑧양 경사(慶事)나 상사(喪事) 등의 횟수를 나타내는 데 쓰임. ¶两～白事; 장례식 두 번/念了一～儿经; 한 차례 독경을 했다.

〔棚厂〕péngchǎng 명 (많은 사람이나 물건을 수용하는) 가건물. ¶飞机～; 비행기 격납고.

〔棚车〕péngchē 명 ⇨〔篷车〕

〔棚顶〕péng.dǐng 동 (암페라(ampera) 따위로) 지붕을 덮다. (péngdǐng) 명 천장(天障).

〔棚盖〕pénggài 명 삿자리로 덮은 지붕.

〔棚杆(子)铺〕pénggān(zi)pù 명 (길흉사가 있을 때 식장으로 쓰이는) 차양이나 가건물을 짓는 것을 맡는 가게. =〔棚铺〕

〔棚户〕pénghù 명〈文〉①바라크. 판잣집. ②바라크·판잣집에서 사는 사람.

〔棚架子〕péngjiàzi 명 ①천장의 반자틀. ②차양·판잣집 따위의 얼거리.

〔棚匠〕péngjiàng 명 가건물을 짓거나 천막을 치는 것을 업으로 하는 사람. 또, 그 직업.

〔棚圈〕péngjuàn 명 가축의 우리.

〔棚铺〕péngpù 명 ⇨〔棚杆(子)铺〕

〔棚上〕péngshang 동 살짝 덮다. ¶花草～一层炉灰, 就不至于冻死; 화초 위에 난로의 재를 살짝 덮어 주면 추위에 얼어 죽는 일은 없다.

〔棚长〕péngzhǎng 명《軍》〈文〉옛날, 분대장. =〔班长〕

〔棚蜘蛛〕péngzhīzhu 명《蟲》거미의 일종《몸은 엷은 흑색. 나무 사이에 집을 짓고 벌레를 잡아먹음》.

〔棚子〕péngzi 명 ①우리. 헛간. 막. 판잣집. ¶撑起～来落不下; 한번 틀거지를 크게 잡으면 격(格)을 낮추기가 매우 힘들다. ②바라크집의 가게.

硼 péng (붕) 명《化》붕소(硼素)(B: boron)《금속원소》.

〔硼玻璃〕péngbōli 명 보론 글라스(boron glass). 붕소 유리.

〔硼钢〕pénggāng 명 붕소강(硼素綱).

〔硼砂〕péngshā 명《化》붕사. ¶净jìng～; 정제(精製) 붕사. =〔蓬砂〕〔四sì硼酸二钠〕〔月yuè石②〕

〔硼酸〕péngsuān 명《化》붕산. ¶～软ruǎn膏; 붕산 연고.

鹏(鵬) péng (붕) 명 전설상의 최대(最大)의 새. 붕새.

〔鹏程〕péngchéng 명〈比〉양양한 전도(前途). ¶～万里;〈成〉붕정 만리. 전도가 양양한 모양.

〔鹏举〕péngjǔ 명동〈文〉장거(壯擧)(를 일으키다). 거사(하다).

〔鹏鲲〕péngkūn 명 ①붕조와 곤어(鯤魚)《상상의 큰 새와 큰 물고기》. ②〈比〉가장 큰 물건. 영웅호걸.

〔鹏图〕péngtú 명 ①붕도《붕새가 남쪽을 향해 낢》. ②〈比〉장도(壯圖). 대망.

〔鹏抟〕péngtuán 동 ①붕새가 날아오르다. ②〈比〉분기하다. 분발하다.

〔鹏鷃〕péngyàn 명〈文〉①아주 큰 새와 작은 새. ②〈比〉대소〔관점〕의 차가 매우 심함.

髼 péng (봉) 형 머리가 흐트러지다. ¶～着头发; 머리를 풀어 헤치고 (있다)/她的头发松～～的, 还没有梳; 그녀의 머리는 부수수하고 아직 빗질도 하지 않았다.

〔鬅鬙〕 péngsēng 형 ⇨〔鬅松〕

〔鬅松〕 péngsōng 형 ①두발이 흐트러진 모양. ②숲이 덤불을 이룬 모양. ＝〔鬅鬙sēng〕〔蓬松〕

彭 Péng (팽)
명 ①옛 나라 이름. ②《地》 펑 현(彭縣)《쓰촨 성(四川省)에 있는 현 이름》. ③성(姓)의 하나.

〔彭聃〕 Péng Dān 명 《人》 팽조(彭祖)와 노담(老聃)《옛날의 장수한 사람》.

〔彭铿〕 Péngkēng 명 ①《人》 팽조(彭祖)《옛날의 장수한 사람. 이름을 갱(鏗)이라 하며, 700여 살까지 살았다고 함》. ② (péngkēng) 〈擬〉 징징. 둥둥《징과 북 소리의 형용》.

〔彭蜞〕 péngqí 명 ⇨〔蟛蜞〕

〔彭殇〕 péngshāng 명 〈文〉 장수(長壽)와 요절(夭折).

〔彭支〕 péngzhī 명 〈音〉 벤치(bench). ＝〔长凳〕

澎 péng (팽)
①동 물이 튀다. ¶～了一身水; 온몸에 물이 튀었다. ②형 〈文〉 물소리의 형용. ③지명용 자(字). ¶～湖岛Pénghúdǎo; 펑후 도(澎湖島)《타이완(臺灣)과 푸젠 성(福建省) 사이에 있는 섬 이름》.

〔澎湃〕 péngpài 형 〈文〉 ①파도가 부딪치는 모양. ¶～的波涛; 맞부딪쳐 솟구치는 파도. ②〈比〉 기세가 왕성한 모양. ¶热情～的诗篇; 열정이 넘치는 시 / 要求禁使原子式器的运, 动日益～; 원자무기의 사용 금지를 요구하는 운동은 날로 팽배해지고 있다.

膨 péng (팽)
동 부풀다. 팽창하다.

〔膨大〕 péngdà 동 (부피가) 팽창하다.

〔膨大海〕 péngdàhǎi 명 ⇨〔胖pàng大海〕

〔膨脝〕 pénghēng 형 ①〈文〉 배가 팽팽하다. 배가 불룩하다. ②〈方〉 덩치만 크고 움직임이 둔하다. ③〈方〉 커서 편리하지 않다. ‖ ＝〔彭亨〕

〔膨闷〕 péngmèn 형 《漢醫》 배가 불룩하여 호흡이 곤란하다. ＝〔膨闷胀饱〕〔膨闷发胀〕

〔膨润土〕 péngrùntǔ 명 《地質》 벤토나이트(bentonite).

〔膨闪〕 péngshǎn 동 (벽 따위가 습기 때문에) 불룩 나오다. 부풀다.

〔膨体纱〕 péngtǐshā 명 《紡》 벌지 얀(bulgy yarn)《실의 섬유 형상을 변화시켜 부풀고 틈새를 많이 나게 만든 것》.

〔膨胀〕 péngzhàng 동 ①《物》 팽창하다. ¶～系数; 팽창 계수. 팽창률. ②(규모가) 커지다. 부풀어 오르다. ¶通货～; 인플레이션(이 되다) / 军事～; 군사적 팽창.

蟛 péng (팽)
→〔蟛蜞〕〔蟛蚏〕

〔蟛蜞〕 péngqí 명 《動》 방게. ＝〔彭蜞〕〔螃蜞〕

〔蟛蚏〕 péngyuè 명 《動》〈文〉 게의 일종《'蟛蜞' 보다 더 작음》.

蓬 péng (봉)
①명 《植》 쑥. ②형 〈轉〉 흐트러지다. 어지럽다. ¶～头散发; 머리를 산발한 모양 / 乱～～的茅草; 더부룩하게 나 있는 새. ③형 정처없이 헤매는 모양. ④양 무성한 화초를 세는 데 쓰임. ¶一～竹子; 한 무더기의 대나무 숲. ⑤명 《植》 명아주과 식물의 하나.

〔蓬葆〕 péngbǎo 형 〈比〉 머리털이 헝클어져 있는 모양.

〔蓬荜〕 péngbì 명 ①〈簡〉 가난한 사람의 집. 한호(寒戶). ＝〔蓬门荜户〕 ②〈謙〉 자기 집에 대한 겸칭.

〔蓬荜增辉〕 péng bì zēng huī 〈成〉 초가집에 빛이 비치다《자기 집을 방문하거나 서화(書畫)를 보내 준 데 대한 감사의 말》. ¶只要得着您的墨宝就～了; 당신의 서화를 얻을 수 있다면 영광입니다 / 今天蒙您光临, ～了; 오늘 왕림해 주셔서 정말 영광입니다. ＝〔蓬荜生辉〕

〔蓬勃〕 péngbó 형 세력이 왕성하다. 활기가 넘치다. ¶朝zhāo气～; 생기발랄하다 / 他们对祖国各地建设事业的～发展都极感振奋; 그들은 조국 각지의 건설 사업이 힘차게 발전하고 있는 것을 보고 몹시 흥분했다 / ～复兴; 왕성하게 부흥하다.

〔蓬车〕 péngchē 명 오픈 카. ＝〔棚车〕

〔蓬尘〕 péngchén 명 〈方〉 바람에 흩날리는 먼지.

〔蓬莪术〕 péng'ézhú 명 《植》 봉아술.

〔蓬蒿〕 pénghāo 명 ①《植》 쑥갓. ＝〔茼蒿〕 ②쑥 무리의 총칭. ③〈轉〉 원야(原野). 초원. 황야. 들.

〔蓬壶〕 Pénghú 명 봉호《옛날 전설에서, 봉래산을 가리킴》. ＝〔蓬莱①〕

〔蓬户〕 pénghù 명 〈文〉 봉호. 초가집. 빈가(貧家). ¶～瓮wèng牖; 쑥으로 만든 문과 깨어진 독으로 만든 창《가난한 집》. ＝〔蓬舍〕

〔蓬莱〕 Pénglái 명 ①중국 신화에 나오는 보하이(渤海)에 있으며 선인(仙人)이 산다고 하는 산. ＝〔蓬壶〕 ②《地》 펑라이 현(蓬萊縣)《산둥 성(山東省)에 있는 현 이름》. ③(pénglái) 〈簡〉 '蓬蒿草莱'의 약칭. 쑥·명아주 등의 약초.

〔蓬莱米〕 péngláimǐ 명 봉래미《대만의 개량종의 쌀》.

〔蓬虆〕 pénglěi 명 《植》 장딸기.

〔蓬乱〕 péngluàn 형 (풀이나 머리털 따위가) 어지러이 텁수룩하게〔더부룩하게〕 되다.

〔蓬门荜户〕 péng mén bì hù 〈成〉 가난한 사람이 사는 누추한 집. ＝〔蓬荜①〕

〔蓬蓬〕 péngpéng 형 ① (초목·머리털 따위가) 더부룩〔텁수룩〕하게 헝클어져 있는 모양. ②기세가 왕성한 모양. ③바람이 이는 모양.

〔蓬蓬勃勃〕 péngpengbóbó '蓬勃'의 중첩형(重疊形).

〔蓬飘萍转〕 péng piāo píng zhuǎn 〈成〉 쑥이 바람에 날리고, 부평초가 흘러 내려가다《변전 무쌍한 모양》. ＝〔蓬转〕

〔蓬茸〕 péngróng 형 〈文〉 풀이 무성한 모양. ¶绿草～; 녹초가 무성하다 / 蓬蓬茸茸的杂草, 长满了整个的林间空地; 숲 속의 공터에 잡초가 더부룩이 무성하게 자라 있다.

〔蓬砂〕 péngshā 명 ⇨〔硼砂〕

〔蓬舍〕 péngshè 명 ⇨〔蓬户〕

〔蓬生麻中不扶自直〕 péng shēng má zhōng bùfú zìzhí 삼밭의 쑥은 받침대를 대주지 않아도 곧게 자란다《늘 선(善)과 접하고 좋은 환경에 있으면 선으로 변해 간다》. ＝〔蓬生麻中不扶而直〕

〔蓬室〕 péngshì 명 〈文〉 가난한 집.

〔蓬首〕 péngshǒu 명 ⇨〔蓬头①〕

〔蓬松〕 péngsōng 형 (두발·풀잎·나뭇잎·융모 따위가) 무질서하게 흐트러져 있는 모양.

〔蓬头〕 péngtóu 명 ①산발한 머리. 흐트러진 머리카락. ¶～赤足; 더부룩한 머리에 맨발이다 / ～垢面; 〈成〉 더부룩한 머리와 때투성이의 지저분한 얼굴 / ～历齿; 〈成〉 머리털이 덥수룩하고 이가

성글다(노인의 늙어 빠진 모양). =〔蓬首〕 ②옛날, 여자가 머리털을 풍성하게 보이기 위하여 머리를 부풀리고 뒤꼭지에서 작게 묶은 머리형.

〔蓬鹀〕 péngwú 명 《鳥》 촉새.

〔蓬瀛〕 Péng yíng 명 ①'蓬莱①'와 '瀛洲'(둘 다 전설 속의 발해(渤海)에 있는 신선이 사는 곳). ②〈比〉 선경(仙境).

〔蓬牖茅椽〕 péng yǒu máo chuán 〈成〉 쑥으로 된 창에 띠로 된 서까래(허술하고 가난한 집).

〔蓬转〕 péngzhuǎn ⇨〔蓬飘萍转〕

〔蓬子菜〕 péngzicài 명 《植》 솔나물(꼭두서니과에 속하며, 식물성 물감으로 쓰임).

篷 **péng** (봉)

명 ①대나무로 만든 배의 뜸〔덮개〕(대로 엮고 속에 대나무 껍질을 끼워 넣은 것. 또, 임페라, 범퍼(帆布) 등으로 비나 햇빛을 가리기 위하여 반원형으로 만들어 배나 수레를 덮는 것). ¶乌～船; 콜타르로 검게 칠한 뜸으로 위를 가린 작은 배/～船; 범선. 돛단배. ②돛. ¶扯～ =〔拉～〕; 돛을 올리다. ③수레의 포장. ¶把～撑起来; 포장을 치다/敞～车; 무개 자동차. 오픈카. ④〈文〉 배.

〔篷布〕 péngbù 명 타르를 칠한 방수포.

〔篷拆〕 péngchāi 〈擬〉 쿵짝쿵짝(무도곡의 음을 형용하는 말). ¶夜间舞场～不停; 나이트 클럽에서는 끊임없이 쿵짝거린다.

〔篷车〕 péngchē 명 ①유개 화차(有蓋貨車). ②포장을 친 자동차. ③포장 마차.

〔篷窗〕 péngchuāng 명 뜸으로 위를 가린 배의 창.

〔篷风〕 péngfēng 명 돛에 부는 바람. ¶半～; 돛에 비스듬히 부는 바람/整zhěng～; 돛에 정면으로 부는 바람.

〔篷绳〕 péngshéng 명 용총줄. 돛대줄.

〔篷桅〕 péngwéi 명 돛대. 마스트(mast).

〔篷子〕 péngzi 명 포장. 덮개. ¶车～; 수레의 포장.

搒 **péng** (방)

동 〈文〉 막대기 따위로 때리다. ⇒bàng

捧 **pěng** (봉)

①동 두 손으로 받쳐 들다. →〔端〕〔拿〕〔托〕〔提〕〔挎kuà〕 ②양 움큼(두 손바닥으로 떠낸 만큼의 것을 세는 데 쓰임). ¶一～花生; 한 움큼의 땅콩. ③동 두 손바닥으로 움켜 들다. ¶用手～水喝; 손으로 물을 떠서 마시다/双手～住孩子的脸; 양손으로 아이의 얼굴을 감싸 쥐었다/～着肚子大笑; 배를 움켜쥐고 크게 웃다. ④동 두둔하다. 후원하다. 치켜세우다. ¶用好话～他; 달콤한 말로 그를 치켜세우다/～到天上; 한껏 치켜세우다. 극구 칭찬하다/多亏诸位～我; 여러분의 성원 덕분입니다/求诸位～我; 부디 여러분의 성원을 부탁합니다/～那个明星的不少; 저 스타의 팬은 적지 않다. ⑤동 아첨하다.

〔捧场〕 pěng.chǎng 동 ①배우에게 박수 갈채를 보내다. ②〈轉〉 두둔하다. 치켜세우다. 추어 주다. ¶～架势; 치켜세워 힘을 돋우다/要不是你～架弄事, 他不至于上当; 네가 치켜세우지 않았더라면, 그는 속임수에 넘어가지 않았을 것이다. ③갈채하다. 성원하다. 원조하다. ¶你的事我能不～吗? 너의 일에 어찌 내가 원조하지 않을 수 있겠는가?/请您给我～; 제발 저를 밀어 주십시오.

〔捧臭脚〕 pěng chòujiǎo 〈比〉 아첨하다. 알랑거리다. ¶～, 抱粗腿; 〈比〉 세력 있는 사람을 떠받들다. 권세와 재력이 있는 자에게 아첨하고 빌붙다.

〔捧刺蝟〕 pěng cìwei 고슴도치를 두 손에 들다. 〈比〉 버리기에는 아깝고 들고 있자니 찔린다.

〔捧粗腿〕 pěng cūtuǐ 〈比〉 권세 있는 사람에게 아첨하다. ¶哪头儿站上风, 就爬到哪头儿去架势, 这不是有点～吗? 경기가 좋은 쪽〔세력이 있는 쪽〕에 빌붙어서 비위를 맞추려는 것은, 좀 권세에 아첨하는 것이 아닌가?

〔捧到云眼儿里去〕 pěng dào yúnyǎnrliqù 〈比〉 하늘 끝까지 치켜세우다. 몹시 추어올리다.

〔捧读〕 pěngdú 동 〈翰〉 배독(拜讀)하다. ¶～华翰; 귀함(貴函)은 잘 받아 보았습니다.

〔捧肚〕 pěngdù 동 배를 움켜잡고 웃다. ¶笑得捧着肚; 배꼽이 빠질 정도로 웃다. 포복절도하다. ¶令人～; 포복절도케 하다. =〔捧腹fù〕

〔捧腹〕 pěngfù 동 ⇨〔捧肚〕

〔捧哏(儿)〕 pěng.gén(r) 동 만담에서 맞장구를 치는 쪽에서 상대 역(役)을 돋보이게 하여 웃기다. (pěnggén(r)) 명 (만담에서) 맞장구로 응수하는 역(役).

〔捧好儿〕 pěng.hǎor 동 (대단치도 않은데) 알랑거리며 칭찬하다. 치켜세우다.

〔捧盒〕 pěnghé 명 과일이나 과자를 담아 손님에게 내는 합(盒).

〔捧哄〕 pěnghǒng 동 추어 주고 치켜세우다. ¶他净～人, 不是为赚几个钱吗? 그가 사람을 치켜세우기만 하는 것은 몇 푼이라도 벌자고 하는 것이 아닌가?

〔捧架〕 pěngjià 동 알랑알랑 치켜세우다. ¶让群臣～; 많은 신하들한테 치켜세워지다.

〔捧角儿的〕 pěngjuérde 명 연극 배우의 단골 손님. 갈채를 보내는 극성 관객.

〔捧你碗, 由你管〕 pěng nǐ wǎn, yóu nǐ guǎn 〈諺〉 남의 밥을 얻어먹으려면, 남의 말도 들어야 한다.

〔捧怕〕 pěngpà 동 〈俗〉 걱정하다. 두려워하다.

〔捧屁〕 pěngpì 동 ⇨〔拍pāi马(屁)〕

〔捧上天〕 pěngshàngtiān 높이 치켜올리다.

〔捧势〕 pěngshì 동 권세 있는 사람을 떠받들다. ¶你别～架秧子了; 권세 있는 사람에게 붙어서 세상 물정 모르는 사람을 이용해 먹어서는 안 된다.

〔捧诵〕 pěngsòng 동 배독(拜讀)하다. 삼가 읽다.

〔捧送〕 pěngsòng 동 두 손으로 받들어 주다. 증정하다.

〔捧托〕 pěngtuō 동 두 손으로 받쳐 들다.

〔捧心效西子〕 pěng xīn xiào xīzǐ 〈成〉 남의 결점을 장점으로 알고 본뜨다. =〔东dōng施效颦〕

〔捧着饭锅〕 pěngzhe fànguō 자기의 직업을 지켜나가다.

〔捧着坛坛碰罐罐〕 pěngzhe tántan pèng guànguan 〈俗〉 될 대로 되라 하다.

〔捧之上天〕 pěng zhī shàng tiān 〈成〉 높이 치켜세우다.

椪 **pèng** (병)

→〔椪柑〕

〔椪柑〕 pènggān 명 《植》 뽕깡. 또, 그 열매.

碰〈掽, 踫〉 **pèng** (병)

①동 충돌하다. 부딪치다. ¶把椅子～倒了; 의자(에 부딪쳐서 의자)를 쓰러뜨렸다/这块玻璃是我～破的; 이 유리는 제가 부딪쳐서 깬 것입니다/～伤; 타박상(을 입다)/～了个大口子; 부딪쳐서 크게

다쳤다/用胳膊～了他一下; 팔로 그를 툭 쳤다. ②동 (우연히) 만나다. 맞닥뜨리다. ¶～到困难; 곤란에 부닥치다/～上了好机会; 좋은 찬스를 만났다/在路上～见了; 길에서 (우연히) 만났다. ③동 필적하다. 미치다. ¶不～马文玉; '马文玉'과는 비교도 안 된다. ④동 부딪쳐 보다. 시험해 보다. ¶～一～机会; 기회를 시험해 보다/我去～一～; 제가 부딪쳐 보지요. ⑤동 손을 대다. 건드리다. 집적거리다. ¶谁敢～他一根毛? 누가 감히 그 사람의 털끝 하나라도 건드리려 하겠는가?/～不起他; 저놈에게는 집적거릴 수가 없다. ⑥명 마작(麻雀) 용어. 펑《남이 내놓은 패를 가져다가 같은 종류의 패 3개와 한 벌을 이루는 일》. ⑦동 연극에서 노래나 동작 따위를 틀리게 하다.

〔碰板球〕 pèngbǎnqiú 명 《體》 (농구의) 뱅크슛(bankshot)《백보드에 닿게 해서 넣는 슛》.

〔碰杯〕 pèng·bēi 동 (축배할 때) 잔을 부딪치다.

〔碰鼻灰〕 pèng bí huī 〈俗〉 거절당하다. ¶他碰了一鼻子灰, 但他并不灰心; 그는 거절을 당했으나, 별로 실망하지 않았다. =〔碰一鼻子灰〕

〔碰鼻子〕 pèng bízi ①코를 부딪치다. ②대면하다. ¶要是在别的地方遇上, 就是碰了鼻子, 我也不敢认你呀! 만일 다른 곳에서 만났더라면, 얼굴을 마주쳤더라도 나는 너를 알아보지 못했을 거야! ③거절당하다. 꾸중 듣다.

〔碰鼻子拐弯儿〕 pèng bízi guǎi wānr 코를 부딪치면 비뚤어진다《눈치가 빠르지 못하다. 앞을 내다볼 줄 모르다》.

〔碰壁〕 pèng·bì 동 지장이 생기다. 벽에 부딪치다. 퇴짜를 맞다. ¶到处～; 도처에서 벽에 부딪치다/他的野心, 已经碰了壁; 그의 야심은 이미 벽에 부딪쳤다.

〔碰采(儿)〕 pèngcǎi(r) 동 좋은 운을 만나다. 〈轉〉 계제(階梯) 좋게. 운 좋게.

〔碰彩气儿〕 pèngcǎiqìr 행운을 만나다. 행운이 찾아오다. 운이 트이다.

〔碰茬儿〕 pèngchár 동 마음에 짚이다. 생각이 떠오르다. ¶我这～一想…; 내가 지금 문득 생각해 보니….

〔碰沉〕 pèngchén 동 충돌하여 침몰하다〔시키다〕.

〔碰瓷儿〕 pèngcír 명동 ①사기그릇, 그 밖에 부서지기 쉬운 것을 들고 고의로 사람과 부딪쳐서, 일부러 떨어뜨려 부서뜨린 다음, 비싼 대상을 청구하는 범죄 행위(를 하다). 자해 공갈 행위(를 하다). ②〈轉〉 남에게 트집을 잡아 돈을 갈취하는 일〔갈취하다〕. ¶你别～, 我不怕; 트집을 잡아 봤자 나는 무섭지 않다.

〔碰点儿〕 pèng·diǎnr 동 ①행운을 만나다. 재수가 있다. ¶做事也是～, 谁敢说一定之规呀; 무슨 일을 할 때나 운이라는 게 있는 법이다. 누가 감히 이렇게 되리라는 이치를 말할 수 있는가. ②장애를 만나다. 난관에 직면하다. ¶我今儿又碰到点儿上了, 真倒dǎo霉; 나는 오늘 또 난관에 부딪쳤다. 정말 운이 나쁘다.

〔碰钉子〕 pèng dīngzi 〈比〉 ①거부〔거절〕당하다. 퇴짜맞다. ¶碰了硬钉子; 냉혹하게 거절당했다/碰了她的钉子了; 그녀에게 퇴짜를 맞았다. ②꼼짝 못 하게 해 놓다. ③지장이 생기다. 차질이 오다. ¶碰了大钉子; 커다란 장애에 부닥쳤다. ④훈계를 받다. 닦달을 받다. ‖=〔撞钉子〕

〔碰顶〕 pèngdǐng 동 (위엄을 유지하기 위해) 물리치다. 거절하다. ¶～思想; 상사임을 과시하기 위해 부하의 의견을 받아들이지 않으려는 생각.

〔碰对〕 pèngduì 동 요행수로 맞히다〔들어맞다〕. 어쩌다 우연히 맞다.

〔碰翻〕 pèngfān 동 부딪쳐서 뒤엎다. 부딪쳐서 뒤엎어지다.

〔碰和〕 pènghé 동 〈方〉 마작이나 트럼프를 하다. ¶～台子; 도박용(賭博用) 탁자/～牌; 명(明)·청(淸) 때에 유행한 마작 비슷한 노름 기구〔도박〕.

〔碰簧锁〕 pènghuángsuǒ 명 스프링 로크(spring lock). 나이트 래치(night latch). 호텔 로크《자동 자물쇠의 일종》. =〔碰锁〕〔弹tán簧锁〕

〔碰灰〕 pèng·huī 동 면목을 잃다. 창피를 당하다.

〔碰伙〕 pènghuǒ 동 한 패를 만들다. 친구가 되다.

〔碰见〕 pèng·jian 동 우연히 만나다. 맞닥뜨리다. ¶两个人在路上～了; 두 사람은 길에서 딱 마주쳤다/在路上～了一宗奇事; 도중에 이상한 일을 만났다.

〔碰礁〕 pèng·jiāo 동 암초에 부딪치다. =〔触chù礁〕

〔碰劲儿〕 pèng·jìnr 동 〈方〉 우연히 들어맞다. 〈轉〉 요행수로. 우연히. ¶～打中了一枪; 요행수로 한 발 맞았다. (pèngjìnr) 명 요행(수). ¶～也许有; 요행수란 있을 수 있다. ‖=〔碰巧劲儿〕

〔碰磕〕 pèngkē 동 (쾅 하고) 부딪치다. ¶出门时不小心摔了一跤, ～脑袋了; 외출할 때 잘못하여 발이 걸려 넘어져, 머리를 부딪치고 말았다.

〔碰了〕 pèngle ①거절당하다. →〔碰钉子①〕 ②(배우가 무대에서 대사나 동작을) 실수하다.

〔碰了个端〕 pèngle ge duān 좋은 때를 만나다.

〔碰门〕 pèngmén 동 〈比〉 헛다리 짚다. =〔碰门钉〕

〔碰面〕 pèng·miàn 동 (사람을) 만나다.

〔碰命儿〕 pèng·mìngr 동 ①운에 맡기다. 일단 부딪쳐〔해〕 보다. ¶要实在分不均匀, 只可抓zhuā阄凭他们各人的运气～; 만약 실제로 공평하게 나눌 수 없다면, 각자의 운에 맡겨서 제비를 뽑는 수밖에 없다. ②모험하다.

〔碰碰〕 pèngpeng 동 속을 떠보다. 넌지시 알아보다. ¶拿话～他看; 이야기를 걸어서 그의 속을 떠보아라.

〔碰破〕 pèngpò 동 ①부딪쳐서 부서지다. ②부딪쳐서 상처가 나다. ¶～了皮; 부딪쳐서 살갗이 까지다.

〔碰巧(儿)〕 pèngqiǎo(r) 부 계제(階梯) 좋게. 공교롭게. 운수 좋게. 때마침. ¶我正想找你, ～你来了; 내가 지금 자네를 찾으려던 참인데 때마침 자네가 왔다/我～也在那儿; 저도 마침 그 곳에 있었습니다/～他不在; 공교롭게 그는 없었다. 동 뜻밖에 행운을 만나다. ¶真～了; 참 운이 좋았다/～了还许把命饶上; 잘못하면 목숨까지 잃을 수 있다.

〔碰情况〕 pèng qíngkuàng 상황을 살펴보다. 적정(敵情)을 살피다.

〔碰软〕 pèngruǎn 동 ①완곡하게 거절당하다. =〔碰软钉子〕〔碰橡皮钉子〕 ②다짐을 받다.

〔碰上〕 pèngshang 동 ①부딪치다. ②(우연히) 만나다. 마주치다. 맞닥뜨리다. ③잘 되어 가다. ¶那是～的; 그것은 잘 되어 가는 것이다.

〔碰时气〕 pèng shíqì ⇨〔碰运气②〕

〔碰死〕 pèngsǐ 동 ①충돌하여 죽다. ②(슬픔이나 분노가 극도에 달했을 때) 기둥이나 벽에 머리를 부딪쳐서 죽다.

〔碰锁〕 pèngsuǒ 동 공교롭게 집을 비운 사이에 방

문하다. 명 자동 자물쇠. 나이트 래치(night latch). =〔碰簧锁〕‖=〔撞锁〕
〔碰头〕 pèng⸱tóu 동 ①충돌하다. ¶火车～; 기차가 충돌하다. ②머리를 부딪치다. ¶碰了四五个响头; 너댓 번 쿵쿵 소리를 내어 머리를 부딪치다. ③만나다. ¶他们没有一天不～; 그들은 하루도 만나지 않는 날이 없다 / 不论跟长辈还是晚辈走～, 从不打招呼; 손윗사람을 만나건 손아랫사람을 만나건 좀체로 인사를 안 한다. ④타합(打合)하다. (pèngtóu) 명 ①온돌방에서 몸을 기대는 데 쓰는 큰 베개. 사방침(四方枕) 따위. =〔靠枕(儿)〕 ②《機》 훅(hook)《공작물을 고정시키거나 회전시키기 위한 갈고리》. =〔挡头〕〔〈南方〉靠山〕〔停制〕
〔碰头国〕 pèngtóuguó 명 완충국. =〔靠包国〕
〔碰头好儿〕 pèngtóuhǎor 명 ①《劇》 배우가 무대에 나타났을 때에 받는 갈채. ②〈轉〉 일을 시작할 때 받는 칭찬.
〔碰头会〕 pèngtóuhuì 명 협의회. (간단한) 예비회담.
〔碰头撒野〕 pèngtóu sāyě 품위 없는 무례한 행동을 하다.
〔碰网〕 pèngwǎng 명동 《體》 (배구의) 네트터치(net touch)(하다). =〔触网〕
〔碰响头〕 pèng xiǎngtóu 머리를 벽이나 바닥 등에 쿵쿵 짓찧다《체벌의 한 방법》.
〔碰心坎儿〕 pèng xīnkǎnr 바로 원하고 있던 바이다.
〔碰心气儿〕 pèng xīnqìr 기분을 살피다. 마음을 떠보다.
〔碰心眼儿〕 pèng xīnyǎnr ①예상했던〔바라던〕 대로 되다. ②자기 생각을 남이 알아맞히다.
〔碰一鼻子灰〕 pèng yībízihuī 〈俗〉 ⇨〔碰鼻灰〕
〔碰引火〕 pèng yǐnhuǒ 명 ⇨〔铜tóng帽②〕
〔碰运气〕 pèng yùnqi ①운수에 맡기다. 운수를 시험하다. ②좋은 운수를 만나다. =〔碰时气〕 ③운수 나름이다. ¶赚钱不赚钱, 那就碰他运气了; 돈을 벌고 못 벌고는 그 사람의 운수 나름이다.
〔碰在气头儿上〕 pèngzai qìtóurshang 공교롭게 심기가 불편할 때에 만나다.
〔碰钟〕 pèngzhōng 명 ⇨〔星xīng⑥〕
〔碰撞〕 pèngzhuàng 동 충돌하다. ¶在浓雾中货轮～了渔船; 짙은 안개 속에서 화물선이 어선에 충돌했다. 명 《物》 충돌. ¶核～; 핵충돌.
〔碰组〕 pèng⸱zǔ 동 조(組)를 짜다〔편성하다〕.
〔碰嘴〕 pèng⸱zuǐ 동 ①말다툼하다. 말대답하다. ②우스꽝스러운 말을 지껄이다.

PI ㄆㄧ

丕 pī (비)
〈文〉 ①형 크다. ②동 받들다. 따르다. ¶～天之大律; 우주의 대법칙을 따르다. ③인명용 자(字).
〔丕变〕 pībiàn 〈文〉 명 큰 변화. 동 크게 변화하다. ¶风气～; 기풍이 크게 바뀌다.
〔丕基〕 pījī 명 〈文〉 기초가 되는 대업(大業). 비기《제위(帝位)》.
〔丕绩〕 pījì 명 〈文〉 큰 공적.
〔丕图〕 pītú 명 〈文〉 웅대한 계획. 비도.
〔丕绪〕 pīxù 명 〈文〉 대업(大業).
〔丕训〕 pīxùn 명 〈文〉 위대한 교훈. 비훈.
〔丕业〕 pīyè 명 〈文〉 대업(大業).
〔丕祚〕 pīzuò 명 〈文〉 제위(帝位).

伾 pī (비)
→〔伾伾〕
〔伾伾〕 pīpī 형 〈文〉 힘차다. 힘있다.

邳 Pī (비)
명 ①《地》 피 현(邳縣)《장쑤 성(江蘇省)에 있는 현 이름》. ②성(姓)의 하나.

坯〈坏〉 pī (배)
명 ①(～子) 아직 굽지 않은 기와나 옹기그릇. ¶瓷cí～; 아직 굽지 않은 오지그릇 / 砖～; 아직 굽지 않은 벽돌 / 脱～; 굽지 않은 벽돌을 틀에서 꺼내다 / 土～; 흙벽돌 / 土～墙; 흙벽돌 벽〔담〕. ②(～儿, ～子) 〈方〉 가공하기 전의 소재(素材). 반제품. ¶酱～子; 날된장 / 线～; 꼬기 전의 면사 / 铸～; 거푸집에서 꺼낸 미가공품 / 钢～; 용광로에서 꺼낸 채로의 빌릿(billet) / 刀～; 아직 날을 세우지 않은 칼붙이 / 钢扁～; 시트 바(sheet bar). 소형 판재강(板材鋼) / 面～儿; ⓐ조미하지 않은 국수. ⓑ국수의 사리 / ～布; ⇩ ③벽돌집의 벽면(壁面). ¶外～儿; 벽의 바깥면. 밭벽 / 里～儿; 벽의 안면. 안벽. ④(미가공된) 강철 덩이. ⇒'坏' huài
〔坯布〕 pībù 명 조포(粗布). 가공하지 않은 천.
〔坯场〕 pīchǎng 명 굽기 전에 기와나 벽돌을 늘어놓는 장소.
〔坯件〕 pījiàn 명 《機》 미가공 부품.
〔坯块〕 pīkuài 명 아직 굽지 않은 벽돌.
〔坯料〕 pīliào 명 가공 전의 소재. 미가공품《인것 블랭크(ingot blank) 등을 말함》. =〔〈北方〉荒huāng料〕〔毛máo坯〕〔胚pēi料〕
〔坯模(子)〕 pīmú(zi) 명 (기와·벽돌·토기·주물 등의) 틀. 거푸집.
〔坯窝窝房〕 pīwōwofáng 명 흙벽돌로 지은 허술한 집.
〔坯屋〕 pīwū 명 흙덩이로 지은 집.
〔坯子〕 pīzi ①→〔字解①〕 ②→〔字解②〕
〔坯座草顶〕 pīzuò cǎodǐng 바닥은 흙을 바르고 지붕은 짚으로 이은 집.

狉 pī (비)
→〔狉狉〕〔狉獉〕
〔狉狉〕 pīpī 형 〈文〉 들짐승이 떼지어 달리는 모양. 들짐승이 출몰하는 모양.
〔狉獉〕 pīzhēn 형 〈文〉 초목이 우거지고 동물이 출몰하다. =〔獉狉〕

批 pī (비)
①동 손으로 치다. ¶～颊; ⇩ / ～(逆)鳞; 임금〔윗사람〕의 노여움을 사다. ②동 비판하다. 비평하다. ¶～语; ⓐ비평의 말. 코멘트(comment). ⓑ청원에 대한 지시문 / ～作文; 작문을 첨삭하다 / 眉～; 문장 또는 책의 위쪽 난외에 적어 넣는 의견·주의·비평 따위 / 狠狠～他一顿; 저놈을 단단히 혼내 주다 / 在会上挨～了; 회의석상에서 비판을 받았다 / ～修; 수정주의를 비판하다. ③동 〈公〉 민간의 상신(上申)에 대하여 가부를 대답하다〔결재하다〕. ¶～公事; 공문서를 결재하다 / 补助金～下来了; 보조금은 결재가 떨어졌다. ④동 나누다. 분할하다. ¶把房子～开卖; 가옥을 분할해서 팔다. ⑤양 전체를 몇 개로 나눈 그 일부분을 세는 데 쓰임. ¶把这～人放出去; 이들 한패를 석방했다 / 收买了一～货;

한 무더기의 물건을 샀다 / 大～; 대량의 / 一大～军火; 대량의 무기 / 这次的货分四～收到; 이번의 상품은 네 차례로 나누어서 받았다. ⑥명 상급 관청의 하급 관청에 대한 답신. ⑦명 모개로 하는 매매. 도거리로 흥정하는 매매. 도매. ¶～购; 모개로 사다 / ～发; 도매하다 / 您～的货到了; 당신이 주문하신 상품이 도착했습니다. ⑧(～儿) 명〈口〉면화·삼 따위의 잣기 전의 섬유. ¶麻～儿; 마섬유.

〔批八字〕 pī bāzì 사주를 보다. ¶～的; 사주를 봐 주는 사람.

〔批驳〕 pībó 동〈公〉민간〔하급 기관〕의 신청〔청원〕을 각하(却下)하다. =〔批斥〕〔驳批〕 명동 비판 논박(하다). 반박(하다). 반론(하다). ¶愚公～了智叟的错误思想; 우공은 지수의 잘못된 생각에 반박했다 / 做具体的～; 구체적으로 반박하다.

〔批呈子〕 pī chéngzi 상신서·소송장 등에 비판을 가하여 돌려 보내다.

〔批斥〕 pīchì 동 ⇨〔批驳〕

〔批饬〕 pīchì 동〈公〉지시를 내리어 명령하다.

〔批臭〕 pīchòu 동 (부정적인 면을 모두 폭로하여) 철저하게 비판하다. 무참하게 비판하다. →〔批倒〕

〔批答〕 pīdá 동 (신청에 대하여 이유를 붙여서) 허가 여부를 회답하다.

〔批单〕 pīdān 명 ①물품 청구서. 발주(發注) 전표. 주문 전표. 납품 전표. ②약정서. 계약서. ¶立～; 계약서를 작성하다.

〔批倒〕 pīdǎo 동 철저하게 비판하다. 호되게 혼내주다〔훌닦다〕. ¶必须把反动的东西～, 批深, 批臭; 반동적인 사물은 철저히 비판하고 청산하지 않으면 안 된다. →〔批臭〕

〔批点〕 pīdiǎn 동 ①문장을 첨삭(添削)하다. ②(시문(詩文) 따위를 비평하고) 권점(圈點)을 찍다. ③결점 따위를 지적하다. 명 권점《시문 따위의 묘소(妙所)·요처를 나타내 보이기 위하여 문자 옆에 찍은 점》.

〔批定〕 pīdìng 동 ①주문하다. 매매 계약을 하다. ②결재하다.

〔批斗〕 pīdòu 명동 비판 투쟁(하다). 공공연히 비난(하다).

〔批发〕 pīfā 명동 도매(하다). ¶～处; 도매점 / ～站; 도매로 파는 곳 / ～价(格); 도매 가격. =〔批卖〕 동 지령을 내리다. 발송을 비준하다.

〔批复〕 pīfù 명동〈公〉(하급 기관으로부터의 보고에 대하여 의견을 첨부시켜) 회답(하다). ¶仍未获当局～; 아직 당국으로부터의 회답을 접하지 못했다.

〔批改〕 pīgǎi 동 (문장·숙제 따위를) 바로잡아 주고 비평을 가하다. 비평 첨삭(添削)하다. ¶～作文; 작문을 비평 첨삭하다 / ～卷子; 답안을 채점하다. 명 비평 첨삭.

〔批购〕 pīgòu 명동 대량 구입(하다). 동 상품을 주문하다.

〔批号〕 pīhào 명 제품 번호. 품목 번호. 로트 번호.

〔批红判白〕 pī hóng pàn bái〈成〉분별하다. 분간하다.

〔批回〕 pīhuí 동명〈公〉지시를 내려 각하하다〔각하하는 일〕.

〔批货〕 pī·huò 동 ①상품을 몰아서 주문하다〔매매하다〕. 상품을 대량으로 사들이다. ¶上城～去了; 시내로 상품을 구입하러 갔다 / 批了一批货; 한 무더기의 상품을 사들였다. ②주문하다. ③도매하다.

〔批颊〕 pījiá 동〈文〉따귀를 때리다. 빰을 갈기다.

〔批价〕 pījià 명 도매 가격. 동 가격을 결정하다.

〔批件〕 pījiàn 명 승인·허가 신청에 관한 문서.

〔批交〕 pījiāo 동명 지시를 내려 교부하다〔교부하는 일〕.

〔批解〕 pījiè 동명 지시를 내려 문서를 보내다〔보내는 일〕.

〔批开〕 pīkāi 동 ①〈公〉다음과 같이 지시한다. ②나누다. 분할하다. ¶～卖; 분할 판매하다.

〔批亢捣虚〕 pī kàng dǎo xū〈成〉적의 요충지나 허를 찌르다.

〔批垮〕 pīkuǎ 동 비판하고 훌닦다.

〔批量〕 pīliàng 명 ①구입량. 주문량. ②대량. ¶～生产; 대량 생산.

〔批鳞〕 pīlín ⇨〔批逆鳞〕

〔批码〕 pīmǎ 명 ①⇨〔码单〕 ②매입 가격.

〔批买〕 pīmǎi 동 대량으로 사들이다.

〔批买卖〕 pīmǎimai 명 선물(先物) 약정.

〔批卖〕 pīmài 동 대량으로 팔다. 명동 ⇨〔批发〕

〔批明〕 pīmíng 동 명시하다. ¶～价目; 가격을 명시하다.

〔批命〕 pī·mìng 동 운세(運勢)를〔운명을〕 판단하다.

〔批逆鳞〕 pī nìlín〈文〉임금 또는 권세〔힘〕있는 자의 노여움을 사다. =〔批鳞〕

〔批判〕 pīpàn 명동 비판(하다). ¶受到～; 비판받다 / 这种错误思想必须彻底～; 이와 같은 그릇된 사상은 반드시 철저히 비판해야 한다 / 揭发～他们的罪行; 그들이 저지른 죄를 파헤치고 비판하다 / ～地吸收; 비판적으로 흡수하다.

〔批判现实主义〕 pīpàn xiànshí zhǔyì 명 비판적 리얼리즘. 비판적 사실주의.

〔批评〕 pīpíng 동 ①비판하다. 비평하다. ¶他～的话就听不进去; 그는 남의 비판을 듣지 않는다 / 有错处就～, 有好处就表扬; 잘못이 있으면 비판하고, 좋은 점이 있으면 칭찬한다. ②결점·과오에 대해 의견을 제시하다. 꾸짖다. ¶吃了冤枉～; 억울하게 야단을 맞았다. ③〈文〉평가하다. 칭찬하다. 명 비판. 비평. 꾸중. ¶受到严厉的～; 엄한 비판을 받다.

〔批肉〕 pī·ròu 동 고기를 얄팍하게 썰다.

〔批深批透〕 pī shēn pī tòu〈成〉깊이 파고들어 철저하게 비판하다.

〔批示〕 pīshì 동명 민간의 청원〔하급기관의 공문서〕에 대해 지시를 내리다〔내리는 것〕. ¶计划已经呈报上级了, 等～下来就动手; 계획은 이미 위에 보고를 했으니까 지시가 오는 것을 기다려 착수하자.

〔批首〕 pīshǒu 명동 옛날, 장원 급제(하다).

〔批条〕 pītiáo 명 (～儿, ～子) 명령·지시를 메모한 종이 쪽지. 부전. ¶企业领取和交出产品, 只凭～, 不付款也不收款; 기업의 제품 수령이나 인도 때에는, 단지 명령서에 의하는 것이며, 금전의 수수는 없다. 동 쪽지·부전에 명령·지시를 적다.

〔批透〕 pītòu 동 철저히 비판하다.

〔批头〕 pītou 명 비판할 만한 가치. ¶没什么～; 비판할 만한 아무런 가치도 없다. 注 주로 '有～', '没(有)～'로 씀.

〔批郤导窾〕 pī xì dǎo kuǎn〈成〉뼈가 있는 부분을 절개하고, 뼈가 없는 데는 용도에 따라 잘라 가른다《일의 요점을 파악하여 처리하다. '郤'는 뼈와 살의 사이, '窾'은 비어 있다는 뜻으로 뼈가 없는 곳》.

〔批限〕 pīxiàn 동 약정 기일〔기한〕을 정하다.
〔批修〕 pīxiū 동 수정주의를 비판하다.
〔批削〕 pīxuē 동 교정하다.
〔批语〕 pīyǔ 명 ①평어. =〔评píng语〕 ②(공문으로) 지시를 내리는 말.
〔批约〕 pīyuē 명 약정(서). 계약(서).
〔批月抹风〕 pī yuè mǒ fēng 〈成〉 ⇨〔吟yín风弄月〕
〔批阅〕 pīyuè 동 (원고·문서 따위를) 훑어 읽고 비평·정정·지시를 하다. ¶～电报、公文; 전보·공문서를 읽고 지시를 하다 / ～作文; 작문을 훑어보고 첨삭하다.
〔批允〕 pīyǔn 동 인가하다.
〔批注〕 pīzhù 명 평어(評語)와 주해. 평주(評注). 동 비평의 말과 주석을 기입하다.
〔批转〕 pīzhuǎn 동명 〈公〉 하급 기관으로부터의 보고에 대하여 회답을 주는 동시에, 그 보고를 해당 기관에서 다시 다른 기관으로 전달시키다〔전달시키는 일〕. 동 공문서의 전송(轉送) 또는 회람하는 것을 인가하다.
〔批状〕 pīzhuàng 명 관청의 판결 또는 결정서.
〔批准〕 pī·zhǔn 명동 허가(하다). 승인(하다). 결재(하다). ¶这个同学最近已经被～退学了; 이 학우는 최근 이미 퇴학이 허가되었다 / 得到～; 허가를 얻다 / ～权; 허가 여부의 권한.
〔批字〕 pīzì 동 비준하다.
〔批嘴巴子〕 pī zuǐbāzi 따귀를 때리다. =〔抽嘴巴子〕

纰(紕)

pī (비)
동 (천·끈 등이) 해어지다〔너덜너덜해지다〕. ¶线～了; 실이 너덜너덜해졌다.
〔纰漏〕 pīlòu 명 실패. 잘못. 과실. 실수. ¶照他的路子演出, 并没有出什么～; 그의 방식대로 연출하여, 이렇다 할 실패는 하지 않았다. =〔披漏〕
〔纰缪〕 pīmiù 명 〈文〉 착오. 오류. ¶正其～; 그 오류를〔잘못을〕 바로잡다.

砒

pī (비)
① 명 《化》 비소(砒素)의 구칭. =〔砷shēn〕 ② →〔砒霜〕
〔砒苯胺〕 pīběn'àn 명 《藥》 아르스페나민. =〔胂shèn凡纳明〕
〔砒末〕 pīmò 명 아비산 분말.
〔砒石〕 pīshí 명 《化》 비화(砒華)(천연으로 얻어지는 불순한 (무수) 아비산). =〔砒信〕〔〈文〉 人rén言〕〔信xìn⑨〕〔信石〕
〔砒霜〕 pīshuāng 명 《化》 아비산(亞砒酸). =〔白砒〕〔〈方〉 红矾〕〔红砒〕
〔砒信〕 pīxìn 명 ⇨〔砒石〕

铍(鈚〈錍〉)

pī (비)
명 〈文〉 화살의 하나(화살촉이 얇고 넓으며 화살대가 길).

悂

pī (비)
명 〈文〉 착오. 오류. 과오. 실수.

披

pī (피)
동 ①흐트러뜨리다. 헤쳐 놓다. ¶～着头发; 머리를 흩뜨리고. ②(마음을) 열다. ¶～襟; 흉금을 터놓다. ③(책을) 펴다. ④(대나무 등이) 쪼개지다. 갈라지다. ¶指甲～了; 손톱이 갈라졌다 / 这根竹竿～了; 이 대나무 장대가 쪼개졌다. ⑤(어깨에) 걸치다. 걸쳐 입다. ¶～着大衣; 외투를 입고 있다 / ～斗蓬; 망토를 걸치다 / ～在身上; 몸에 걸치다 / ～蓑衣; 도롱이를 걸치다 / ～着羊皮的狼; 양의 탈을 쓴 늑대 / ～着合法的外衣, 干非法的勾当; 합법이라는 탈을 쓰고 불법적인 못된 짓을 하다 / 群山～银装; 산들이 하얀 베일을 쓰다. =〔被pī〕
〔披大旗作虎皮〕 pī dàqí zuò hǔpí 어떤 것을 빌려 남을 위협하는 수단으로 삼는 일. =〔狐hú假虎威〕
〔披读〕 pīdú 동 〈文〉 펼쳐서 읽다. =〔披览〕〔披阅〕
〔披发〕 pī·fà 동 머리를 풀어 헤치다. 산발하다. ¶～左衽rèn; 〈成〉 머리를 풀어 헤치고 옷깃을 왼쪽으로 여미다(문화가 뒤진 야만인의 모습). =〔披头散发〕
〔披风〕 pīfēng 명 (옛날, 여성용의) 망토. →〔斗篷①〕
〔披拂〕 pīfú 동 〈文〉 ①바람에 흔들거리다. 바람에 나부끼다. ¶枝叶～; 나무의 가지와 잎이 바람에 나부끼다. ②선동하다. 부추기다.
〔披肝沥胆〕 pī gān lì dǎn 〈成〉 마음 속을 피력하다. 흉금을 털어놓다. =〔披肝露胆〕
〔披挂〕 pīguà 동 ①〈古白〉 갑옷과 투구를 착용하다. 군장(軍裝)을 하다. ¶全身～; 완전 무장하다. ②(일반적으로) 몸에 걸치다. 착용하다. 붙이다. 꾸미다. 명 〈古白〉 착용한 갑옷과 투구.
〔披红〕 pī·hóng 동 붉은 비단을 옷에 걸치다(위로, 또는 축하의 뜻을 나타냄). ¶～戴花; 붉은 비단을 몸에 두르고 꽃을 꽂다.
〔披怀〕 pīhuái 동 〈文〉 진심을 펴 보이다. 흉금을 털어놓다.
〔披豁〕 pīhuò 동 〈文〉 진심을 보이다.
〔披枷带锁〕 pī jiā dài suǒ 〈成〉 죄인에게 칼을 씌우고 쇠사슬로 묶다.
〔披甲〕 pī·jiǎ 동 갑옷을 입다. ¶～持枪; 〈成〉 갑옷을 입고 무기를 지니다.
〔披坚执锐〕 pī jiān zhí ruì 〈成〉 갑옷을 입고 무기를 들다(무장하여 적진에 임할 태세를 갖추다. '披'는 '被'로도 씀).
〔披肩〕 pījiān 명 ①어깨에 걸치는 복식물(服飾物). ②여성이 어깨에 걸치는 케이프(cape). ③여자용 조끼.
〔披肩发〕 pījiānfà 명 (어깨까지 내려오는 여성의) 긴 머리.
〔披巾〕 pījīn 명 숄(shawl). ¶披～; 숄을 걸치다.
〔披襟〕 pījīn 동 〈文〉 ①흉금을 털어놓다. 진심을 보이다. ②정성껏 대하다.
〔披荆斩棘〕 pī jīng zhǎn jí 〈成〉 ①곤란을 극복하고 장애를 뛰어넘다. ②곤란을 제거하고 창업하다.
〔披卷〕 pījuàn 동 〈文〉 책을 펴다.
〔披来米东〕 pīláimǐdōng 명 ⇨〔氨ān基比林〕
〔披览〕 pīlǎn 동 〈文〉 ⇨〔披读〕
〔披沥〕 pīlì 동 〈文〉 피력하다.
〔披里怕啦地〕 pīlipàladi 〈擬〉 척척. 제꺽제꺽. 와짝와짝.
〔披漏〕 pīlòu 동 잘못을 저지르다. 명 실수. 실패. 과실(過失). =〔纰pī漏〕
〔披露〕 pīlù 동 ①발표하다. 공표하다. 공포(公布)하다. ¶这消息还没有～; 이 소식은 아직 공표되지 않았다. ②(심중을) 토로하다. 나타내다. ¶用朴素的语言～了真情; 소박한 말로 진심을 토로하였다.
〔披麻〕 pīmá 동 상복을 입다. ¶～带孝; 〈成〉 상복을 입고 부모의 복중에 있다 / 他最近丧父～在

身; 그는 최근에 부친을 여의고, 지금 복중에 있다. =〔披孝〕
〔披麻包的〕 pīmábāode 명 삼베 자루를 걸치고 있는 사람. 거지.
〔披麻皴〕 pīmácūn 명〈美〉 중국 산수화에서, 화가가 주름을 그리는 방법(돌의 주름 모양을 삼잎처럼 그림).
〔披毛犀〕 pīmáoxī 명〈動〉 털코뿔소(옛날의 포유동물의 이름). =〔毛犀〕
〔披靡〕 pīmǐ 동〈文〉 ①(초목(草木)이) 바람에 따라 쓸리다. ②〈轉〉 풍미(風靡)하다. ¶～华下; 중국(中國)을 풍미하다. ③〈比〉 (군대가) 패하여 흩어져 달아나다. ¶望风～;〈成〉 멀리서 위세(威勢)를 바라보고 전의(戰意)를 상실하여 달아나다/所向～; 가는 곳마다 적이 궤주(潰走)하다.
〔披片儿〕 pīˌpiànr 동 누더기를 걸치다(영락하여 거지가 되다). ¶～的; 거지.
〔披散〕 pīsan 동 (머리를) 풀어 헤치다. ¶～着头(的); 머리를 풀어 헤치고. 산발을 하고.
〔披沙拣金〕 pī shā jiǎn jīn〈成〉 정선(精選)하다. =〔排pái沙简金〕
〔披纱〕 pīshā 명 베일. 면사포. (pīˌshā) 동 면사포를 쓰다.
〔披上〕 pīshang 동 걸치다. 몸에 두르다. ¶他站起来～衣服; 그는 일어서서 옷을 몸에 걸쳤다.
〔披书〕 pīˌshū 동 책을 보다. 책을 펴다.
〔披索〕 pīsù 명 ⇨〔比bǐ索〕
〔披剃〕 pītì 동〈文〉 승복을 입고 머리를 깎다(중이 되다).
〔披头散发〕 pī tóu sàn fà〈成〉 ⇨〔披发〕
〔披头士〕 Pītóushì 명〈音〉 비틀즈(Beetles)(영국의 록 그룹). =〔披头四〕〔硬壳虫乐队〕〔四重奏爵士乐队〕
〔披头佯狂〕 pītóu yángkuáng 머리를 풀어 헤치고 미친 체하다.
〔披孝〕 pīxiào 동 ⇨〔披麻〕
〔披心〕 pīxīn 동〈文〉 ①진심을 피력하다. ②대단히 마음 쓰다.
〔披星戴月〕 pī xīng dài yuè〈成〉 ①아침 일찍부터 밤 늦도록 일을 하다. ②밤길을 서두르다. =〔戴月披星〕
〔披雪戴霜〕 pī xuě dài shuāng〈成〉 차가운 날씨에 일을 하다(혹한 속에서 신산(辛酸)을 겪음).
〔披亚诺〕 pīyànuò 명〈樂〉〈音〉 피아노. =〔钢琴〕〔披霞娜〕〔披霞拉〕〔披阿娜〕〔披耶拿〕
〔披衣〕 pīˌyī 동 옷을 걸쳐 입다.
〔披阅〕 pīyuè 동〈文〉 ⇨〔披读〕
〔披展〕 pīzhǎn 동〈翰〉 (책·편지를) 펼치다. 펼쳐 읽다.
〔披针形叶〕 pīzhēnxíng yè 명〈植〉 피침형의 잎. =〔铍针形叶〕
〔披缁〕 pīzī 동〈文〉 검은 옷을 걸치다(중이 되다).

被 pī (피)
동〈文〉 (띠를 두르지 않고 겉옷을) 걸치다. =〔披⑤〕 ⇒bèi
〔被布〕 pībù 명 옷 위에 덧입어 앞을 여미는 옷.
〔被发〕 pīˌfà 동〈文〉 머리를 산발(散髮)하다. ¶～缨冠;〈成〉 머리털이 흐트러진 채 관을 쓰다(급히 사람을 구조하다).
〔被甲〕 pījiǎ 동 갑옷을 입다.

铍(鈹) pī (피)
명〈文〉 ①(침술에서 쓰는) 긴침. ②창 비슷한 칼. ⇒pí

劈 pī (벽)
①동 (칼·도끼 따위로) 베어 가르다. 쪼개다. 빠개다. ¶～成两半; 절반으로 가르다/～木柴; 장작을 패다/把木头～成碎片; 나무를 작은 조각으로 쪼개다/～开; ⇩ ②동 갈라지다. 터지다. ¶指甲～了; 손톱이 갈라졌다. ③동 정면으로 맞이하다. ¶大雨～头浇下来; 큰비가 머리 위에서 퍼붓다. ④동 벼락치다. ¶大树让雷～了; 큰 나무가 벼락을 맞았다. ⑤명 쐐기. 도끼 등 절단면이 삼각형인 날붙이. ⑥형〈北方〉 (정도가) 심하다. ¶把他喜欢～了; 그를 대단히 기쁘게 했다. ⑦명〈體〉 (펜싱의) 자르기. ⑧〈擬〉 펑. 팍(폭발음 등을 나타내는 말). ¶～的一声, 又不及王胡响; 팩 하는 소리, 이 역시 왕호의 소리에는 미치지 못한다. ⇒pǐ
〔劈刺〕 pīcì〈軍〉 동 총검으로 찌르다. 명 총검술.
〔劈嗒吧嗒〕 pīdabādā〈擬〉 줄줄(땀이나 눈물이 계속 흘러내리는 모양). ¶汗珠子～地往下掉; 땀이 뚝뚝 떨어지다.
〔劈刀〕 pīdāo 명 ①날이 넓은 손도끼. ②〈軍〉 군도술(軍刀術).
〔劈倒〕 pīdǎo 동 낙뢰(落雷)로 쪼개져 쓰러지다. ¶一棵老树被雷～了; 한 그루의 노목(老木)이 벼락으로 쪼개져 쓰러졌다.
〔劈风斩浪〕 pī fēng zhǎn làng〈成〉 풍파(風波)와 맞서 대항하다.
〔劈锋〕 pīfēng 명 ⇨〔毛máo头①〕
〔劈开〕 pīkāi 동 ①쪼개다. 짜개다. 빠개다. ②쪼개지다. 쪼개져 갈라지다. ¶～面; 광물의 결에 따라 쪼개진 면.
〔劈口〕 pīˌkǒu 동 (갑자기) 입을 열다.〈轉〉 갑자기. 돌연. ¶见茶房进来, ～就说; 종업원이 들어오는 것을 보자마자 말했다.
〔劈雷〕 pīléi 명 ⇨〔霹雳〕
〔劈理〕 pīlǐ 명〈鑛〉 벽개(성)(劈開(性)).
〔劈利啪啦〕 pīlipālā〈擬〉 ⇨〔劈里啪啦〕
〔劈里啪啦〕 pīlipālā〈擬〉 ①뚝뚝. 탁탁. 팡팡. 짝짝(폭죽·비·권총·박수 등의 연속음). ¶鞭炮～地响; 폭죽이 탁탁 소리를 내다/掌声～响起来; 박수 소리가 짝짝짝 나기 시작했다. ②부쩍부쩍(기세가 왕성한 모양). ③재깍재깍. 착착(재빨리 하는〔진행되는〕 모양). ‖ =〔劈利啪啦〕〔噼利啪啦〕
〔劈脸〕 pīˌliǎn 동 얼굴을 향하다.〈轉〉 정면으로. 맞바로. 느닷없이. ¶～就是一巴掌; 느닷없이 얼굴을 후려쳤다/～撞zhuàng着了他; 그와 딱 마주쳤다. =〔劈面〕
〔劈面〕 pīˌmiàn 동 ⇨〔劈脸〕
〔劈啪〕 pīpā〈擬〉 빵. 철썩. 짝짝. 탁(총·박수·채찍·폭죽 등의 갑작스럽게 나는 소리). ¶把鞭子抽得～响; 채찍을 휘둘러 탁 소리를 냈다. =〔噼啪〕
〔劈劈啪啪〕 pīpipāpā〈擬〉 탁탁. 팍팍. 파지직(화재나 폭죽 소리). =〔劈劈拍拍〕〔劈劈叭叭〕〔劈劈哨哨〕〔必bì必剥剥〕
〔劈山〕 pīˌshān 동 산을 깎다〔허물다〕. ¶～造田; 산을 깎아 밭을 만들다/～引水; 산을 깎아 물을 끌다/～治水; 산을 깎아서 치수를 하다.
〔劈生数〕 pī shēngshù ⇨〔劈因数〕
〔劈手〕 pīshǒu 동 손을 날쌔게 움직이다.〈轉〉 재빨리. 갑자기. 날쌔게. ¶～夺过他的球拍; 느닷없이 그의 라켓을 빼앗다.
〔劈死〕 pīsǐ 동 ①대나무 쪼개듯 도끼로 쳐 죽이다. ②벼락맞아 죽다.
〔劈头〕 pīˌtóu 동 머리를 향하다.〈轉〉 정면으로부

터. ¶～便见到了他; 딱 그를 만났다. (pītóu) 명 ①처음. 최초. 맨 먼저. ¶他一见我, ～一句就是借钱; 그는 나를 보자마자 다짜고짜 돈을 꾸어 달라는 것이었다. ②따귀. 빰때리기. ¶挨～; 따귀를 맞다. ③속임. 사기. ¶打～; 속이다.

〔劈头盖脸〕 pī tóu gài liǎn 〈成〉 머리·얼굴을 향해서 정면으로부터 동작을 하는 모양. ¶～地批评了一顿; 정면으로 비평했다 / 大雨～地浇下来; 큰비가 머리 위로 내리퍼붓다.

〔劈头劈脸〕 pī tóu pī liǎn 〈成〉 (바로) 정면에서. ¶～地打过来; 정면으로 치고 들어오다.

〔劈脱〕 pītuō 동 〈方〉 편한 대로 하다. 어려워하지 않다.

〔劈胸〕 pīxiōng 동 가슴을 향하다. 〈轉〉 가슴을 향해. ¶～揪jiū住; 가슴팍을 향해 덤벼들다 / ～挨ái了一刀; 가슴에 칼을 맞았다.

〔劈因数〕 pī yīnshù 《數》 인수 분해하다(현재는 '分解因式'라고 함). =〔劈生数〕

噼 pī (비)
〈擬〉 쿵. 펑. 탁. 탕(부딪치거나 폭발하는 소리). ¶～～叭bā叭; 탁탁. 탕탕(화재나 폭죽 따위가 터지는 소리).

霹 pī (벽)
→〔霹雳〕

〔霹雷〕 pīléi 명 ⇨〔霹雳〕

〔霹雳〕 pīlì 명 ①갑자기 나는 천둥 소리. ②벼락. 천둥. 벽력. ¶～闪电; ⓐ천둥과 번개. ⓑ성급한. ③〈比〉 갑작스러운 이변(異變)〔사건〕. ¶青天～ =〔晴天～〕; 〈成〉 청천 벽력 / 接到父亲死去的消息, 犹如晴天～, 她不觉痛哭起来; 부친이 세상을 떠났다는 소식을 듣고 마치 마른 하늘에 날벼락을 맞은 것과도 같아 그녀는 자기도 모르게 통곡하기 시작했다. ‖ =〔霹雷〕〔劈雷〕

〔霹雳车〕 pīlìchē 명 우레와 같은 소리와 함께 돌을 발사하는 옛날의 무기.

〔霹雳火〕 pīlìhuǒ 명 성급한 사람. 안달뱅이.

〔霹雳手〕 pīlìshǒu 명 〈比〉 민완가(敏腕家).

〔霹雳舞〕 pīlìwǔ 명 《舞》 〈義〉 브레이크 댄싱(break dancing).

〔霹雳一声〕 pīlì yīshēng 갑작스런 우레의 우르릉쾅 하는 소리. 〈比〉 허를 찌르는 뜻밖의 일.

皮 pí (피)
①명 피부. 외피(外皮). 껍질. ¶橘～; 귤껍질 / 香蕉～; 바나나 껍질 / 稻～(子) =〔稻糠〕; 겉겨. 왕겨 / 剥～; 껍질을 벗기다 / 树～; 나무 껍질. ②명 가죽. ¶一张～; 가죽 한 장 / 熟～; 다룬〔무두질한〕 가죽 / 牛～; 쇠가죽. 우피 / ～箱; 트렁크 / ～鞋; 가죽 구두. ③명 털가죽. 모피. ¶～衣裳; 모피옷. ④(～儿) 명 얇고 반반한 것. ¶豆腐～; 두부 껍질을 말린 식품 / 铅～ =〔镀锌铁(～)〕; 함석판. ⑤(～儿) 명 표면. ¶地～; 지면 / 水～儿; 수면. ⑥명 (～儿) 포장(包裝). ¶包～; 포장지 / 书～(儿); 책표지. 북커버 / 这是连～算的; 이것은 포장 무게까지 포함해서 계산한 것이다 / 刨～二十斤重; 포장 무게를 뺀 (정미) 20근의 무게. ⑦동 우물쭈물하다. ¶他太～; 그는 여간 꾸물거리지 않는다. ⑧형 (음식물이) 눅눅하다. ¶花生～了嚼不动; 땅콩이 눅눅해져서 잘 씹히지 않는다 / 饼～了; 쿠키가 눅눅해졌다. ⑨동 누져서 팽팽한 기가 없어지다. ¶鼓都～了, 打不响了; (습기로) 북가죽이 늘어져서 좋은 소리가 나지 않다. ⑩형 장난이 심하다. 버릇없다. ¶那个孩子～得很; 저 아이는 여간 장난꾸러기가 아니다. ⑪형 단단하다. 튼튼하다. ¶锻炼得～多了; 단련해서 아주 튼튼한 몸이 되었다 / 病～了; 고질병이 되었다. ⑫형 너무 자극이 지나쳐 감각이 둔해지다. 대수로워하지 않다. 뻔뻔스럽다. ¶说～了反倒没效果; 너무 뇌고 뇌어서 오히려 효과가 없다 / ～着脸说; 뻔뻔스럽게 말하다. ⑬명 새끼 꼬는 방식의 이름. ¶双～儿绳子; 2겹 새끼. ⑭명 고무. ¶橡～; 고무 / ～球; 고무공 / ～筋(儿); 고무 밴드〔줄〕 / ～线; 피복 전선. ⑮명 성(姓)의 하나.

〔皮阿斯特〕 pí'āsītè 명 《貨》 〈音〉 피아스터(piaster)(이집트 등지의 보조 화폐 단위명. 100'～'가 1'埃及镑(이집트 파운드)'임).

〔皮袄〕 pí'ǎo 명 모피로 안을 댄 중국식 웃도리. 갖저고리.

〔皮板丝弦(儿)〕 pí bǎn sī xián(r) (중국 고유의) 악기의 총칭.

〔皮板子〕 píbǎnzi 명 ①(의복을 짓는 재료로서의) 모피(毛皮). ②털이 닳아 없어진 모피. ¶毛儿都掉了, 竟剩了～了; 털은 모두 닳아 버리고, 가죽만 남았다. ‖ =〔皮板儿〕

〔皮包(儿)〕 píbāo(r) 명 가죽 가방·지갑 따위.

〔皮包公司〕 píbāo gōngsī 명 〈音義〉 유령 회사.

〔皮包骨(头)〕 píbāogǔ(tou) 여위어 뼈와 가죽만 남은 모양. ¶瘦得～; 여위어 뼈만 앙상하다 / 病得～的; 병이 들어 피골이 상접하다.

〔皮币〕 píbì 명 ①가죽 화폐(한무제 때에 흰 사슴의 가죽으로 만들었다고 함). ②〈文〉 가죽과 비단. 예물. ¶事之以～《孟子》; 여우·오소리의 가죽이나 비단을 증답(贈答)의 예물로 했다.

〔皮鞭子〕 píbiānzi 명 가죽 채찍.

〔皮弁〕 píbiàn 명 피변(흰 사슴의 가죽으로 만든 고대의 관).

〔皮病〕 píbìng 명 《醫》 피부병. =〔皮肤病〕

〔皮布袋〕 píbùdài 명 여위어 뼈와 가죽만 남은 사람.

〔皮层〕 pícéng 명 《生》 ①외피(外皮). 피질(皮質). (식물의) 피층. ¶肾脏～; 신장 표피. ②〈簡〉 '大脑皮层'(대뇌 피질)의 약칭.

〔皮缠〕 píchán 동 귀찮게 달라붙다.

〔皮车〕 píchē 명 인력거. =〔胶jiāo皮车〕

〔皮尺〕 píchǐ 명 줄자. =〔卷juǎn尺〕

〔皮船〕 píchuán 명 견고한 나뭇가지를 뼈대로 하고 쇠가죽을 씌운 배.

〔皮凑〕 pícòu 명 피부와 근육의 경계를 이루는 곳.

〔皮粗肉厚〕 pí cū ròu hòu 〈成〉 ①몸이 튼튼한 모양. ②뻔뻔스러운 모양.

〔皮大衣〕 pídàyī 명 모피 외투.

〔皮带〕 pídài 명 ①가죽 띠. 혁대. ¶～皮; 벨트용의 피혁 / ～尺; 줄자. ②《機》 (기계의) 벨트. ¶～运输机; 벨트 컨베이어(belt conveyer) / 三角～; V벨트 / ～锯 =〔捆锯〕; 띠톱. =〔传动(皮)带〕 ③타이어의 통칭.

〔皮带车床〕 pídài chēchuáng 명 《機》 라인 샤프트(line shaft).

〔皮带打孔机〕 pídài dǎkǒngjī 명 벨트 펀치(belt punch).

〔皮带管〕 pídàiguǎn 명 호스. =〔水shuǐ龙皮带〕

〔皮带扣〕 pídàikòu 명 ①《機》 벨트 이음쇠(피대의 양끝을 고정시키는 쇠). =〔皮带卡子〕 ②(혁대의) 버클. ‖ =〔带扣〕

〔皮带轮〕 pídàilún 명 《機》 피대 바퀴. 벨트 풀리(belt pulley)

〔皮带盘〕 pídàipán 명 ⇨〔滑huá车〕

〔皮带卡子〕 pídàiqiǎzi 명 ⇨〔皮带扣①〕
〔皮带(式)运输机〕 pídài(shì) yùnshūjī 명 《機》 벨트 컨베이어. =〔皮带流子zi〕〔皮带(式)运送机〕〔传chuán送带②〕〔带式输送机〕〔运送机②〕
〔皮袋〕 pídài 명 ①가죽 주머니. ②〈貶〉 인축(人畜)의 신체. ¶臭～; ⓐ언젠가는 썩어 없어질 사람의 몸(몸 안에 눈물·가래·분뇨 등의 불결한 것을 간직하고 있는 데서 이름). ⓑ시체. ‖ =〔皮囊〕
〔皮蛋〕 pídàn 명 ①오리알을 재·찰흙·소금·왕겨·물 따위를 섞은 걸쭉한 액체 속에 밀봉하여 만든 식품. =〔松花(蛋)〕〔变蛋〕〔彩蛋②〕 ②개구쟁이. 장난꾸러기. ③〈罵〉 뻔뻔스러운〔파렴치한〕 놈.
〔皮刀布〕 pídāobù 명 가죽숫돌.
〔皮店〕 pídiàn 명 모피 상인이 묵는 여관.
〔皮垫圈〕 pídiànquān 명 《機》 가죽 패킹 칼라(packing collar). 가죽 똬리쇠. =〔皮钱儿〕
〔皮尔当〕 Pí'ěrdāng 명 《史》 〈音〉 필트다운인(Piltdown人)(홍적기(洪積紀) 최고(最古)의 인류).
〔皮筏(子)〕 pífá(zi) 명 양가죽이나 쇠가죽의 부낭(浮囊) 등을 엮어 만든 뗏목(황허(黃河) 상류에서 씀).
〔皮坊〕 pífáng 명 가죽을 무두질하는 집.
〔皮风箱〕 pífēngxiāng 명 주물공(鑄物工)이 모래흙을 불어 털기 위하여 쓰는 풀무(몸통 부위는 쇠가죽으로 됨). =〔〈南方〉皮老虎〕
〔皮傅〕 pífù 동 〈文〉 천박한 지식·견식으로 억지를 쓰다. 견강부회하다.
〔皮肤〕 pífū 명 《生》 피부. ¶～病 =〔皮病〕; 피부병 / ～晒shài黑了; 볕에 타서 살갗이 거메졌다 / ～科; 피부과 / ～真菌病; 피부 진균증.
〔皮肤针〕 pífūzhēn 명 《漢醫》 일곱 개의 작은 침을 특제(特製)의 틀에 끼운 것. =〔七qī星针〕〔小xiǎo儿针〕
〔皮干肌缩〕 pígān jīsuō 야위어 피골이 상접하다.
〔皮杠〕 pígàng 명 〈廣〉 트렁크.
〔皮革〕 pígé 명 (짐승의) 가죽. 피혁.
〔皮轱辘车〕 pígū luchē 명 고무 바퀴의 수레.
〔皮骨空存〕 pígǔ kōngcún 피골이 상접하다(몹시 야윈 모양).
〔皮辊花〕 pígǔnhuā 명 ⇨〔白báí花②〕
〔皮果〕 píguǒ 명 《植》 건조과(乾燥果) 가운데 열과(裂果)의 일종(오동나무 열매처럼 씨방의 내봉선(內縫線)에서 갈라지는 것).
〔皮裹腿〕 píguǒtui 명 가죽 각반.
〔皮憨肉厚〕 píhàn ròuhòu 살이 두껍고 감각이 둔하다. ¶打小孩儿总得打～的地方儿; 아이를 때릴 때에는 반드시 살이 두껍고 감각이 둔한 데를 때려야 한다.
〔皮行〕 píháng 명 피혁 가게.
〔皮猴儿〕 píhóur 명 두건(頭巾)〔후드(hood)〕 달린 외투.
〔皮花〕 píhuā 명 ⇨〔皮棉〕
〔皮黄〕 píhuáng 명 극곡(劇曲)의 곡조로 '西皮'와 '二黄'의 합칭(合稱). =〔皮簧〕
〔皮簧〕 píhuáng 명 ⇨〔皮黄〕
〔皮货〕 píhuò 명 모피. 피혁 제품. 피혁 상품. ¶～店 =〔～庄〕〔皮行háng〕〔皮局〕; 모피를 파는 가게.
〔皮夹克〕 píjiākè 명 〈音〉 가죽 점퍼.
〔皮夹儿〕 píjiār 명 가죽으로 만든 지갑. =〔皮夹子〕
〔皮件〕 píjiàn 명 가죽 제품.
〔皮匠〕 píjiang 명 ①가죽 제품 제조공. ②구두 수선공. 신기료 장수.
〔皮匠刀〕 píjiangdāo 명 《魚》 ①〈俗〉 은비늘치. =〔三刺(河)鲀〕 ②말쥐치. =〔马面鲀〕 ③무두장이.
〔皮胶〕 píjiāo 명 (수피(獸皮)로 만든) 아교.
〔皮筋〕 píjīn 명 고무줄. ¶跳～; 고무줄 넘기 놀이를 하다.
〔皮酒〕 píjiǔ 명 맥주. =〔啤pí酒〕
〔皮开肉绽〕 pí kāi ròu zhàn 〈成〉 피부가 찢어지고 살이 터져 나오다(심한 고문으로 상처를 입은 모양). ¶被打得～; 맞아서 피부가 찢어지고 터지다.
〔皮科儿〕 píkēr 명 남을 웃기는 말·몸짓·농담·잡담. ¶～笑话儿; 우스운 이야기.
〔皮可罗〕 píkěluó 명 《樂》 〈音〉 피콜로(piccolo). =〔皮口洛〕〔匹科罗〕
〔皮挎包〕 píkuàbāo 명 《軍》 (지도 따위를 넣는) 허리에 차는 가죽 가방.
〔皮拉〕 píla 형 ①완고하다. 고집이 세다. ②〈方〉 단단하다. 튼튼하다. ¶小孩儿皮皮拉拉; 아이는 매우 튼튼하다 / ～东西搁在这儿, 娇嫩东西搁楼上; 튼튼한 것은 여기에 놓고, 망가지기 쉬운 것은 2층에 놓는다. ③(남의 말에) 좌우되지 않다. 뿌리가 깊다. ¶这个病真～, 老去不了根儿; 이 병은 참으로 끈질겨서 좀처럼 근치되지 않는다. ④뻔뻔스럽다. 낯가죽이 두껍다. ¶他挺～的, 谁说他两句他也不在乎; 그는 무척 뻔뻔스러워서 누가 몇 마디 해도 신경도 쓰지 않는다. ⑤이골이 나다. 익숙하다. ¶我病了这么些日子, ～下去了; 나는 이렇게 오래 앓고 있으므로 이골이 났다. ‖ =〔皮辣〕
〔皮赖〕 pílài 명형 철면피(이다). 파렴치(하다). 후안 무치(하다). ¶他是有名的～人, 不要理他; 그는 유명한 철면피이니, 상대하지 마라 / 孙三是这一乡的～; 손삼은 이 마을의 철면피이다. 동 생떼를 쓰다. ¶耍shuǎ钱输了不许～; 노름을 해서 돈을 잃더라도 생떼를 써서는 안 된다
〔皮老虎〕 píláohǔ 명 〈南方〉 ⇨〔皮风箱〕
〔皮郎鼓〕 pílánggǔ 명 《魚》 목탁가오리.
〔皮里抽肉〕 pílǐ chōuròu 〈比〉 몹시 여위어 가죽만 남은 모양.
〔皮里阳秋〕 pí lǐ yáng qiū 〈成〉 마음 속에 넣어 두고 밖으로 나타내지 않는 비평. =〔皮里春秋〕
〔皮脸〕 píliǎn 〈方〉 명 몰염치. 철면피. ¶拉了个～说; 뻔뻔스럽게 말하다 / 没皮没脸! 철면피야! / ～皮痴; 〈成〉 ⓐ뻔뻔스럽고 염치 없다. ⓑ(어린이 등이) 응석부리다. 형 ①장난이 심하다. ②뻔뻔스럽다. (pí,liǎn) 동 ('皮着脸'의 형식으로) 뻔뻔스런 모습을 하다.
〔皮脸皮腮〕 pí liǎn pí sāi 〈成〉 뻔뻔스럽다. 파렴치하다.
〔皮脸儿〕 píliǎnr 명 중국 신 앞쪽의 꿰맨 줄에 대는 조붓한 가죽. ¶这鞋要包上～就结实多了; 이 신은 코에 가죽을 대면 훨씬 튼튼해진다.
〔皮领子〕 pílǐngzi 명 모피로 된 옷깃.
〔皮漏〕 pílòu 명 결점. 흠. 고장. ¶出了～了; 흠이 생겼다.
〔皮轮〕 pílún 명 타이어. =〔轮胎〕
〔皮毛〕 pímáo 명 ①가죽과 털. 모피. ¶貂皮、狐皮都是极贵重的～; 담비와 여우 가죽은 모두 매우 귀중한 모피이다. ②〈比〉 겉. 외모. 모양. ¶变了～了; 모양이 변했다. ③〈比〉 피상적인 것. ¶我

只学了一点儿～, 究竟还是门外汉; 저는 다만 피상적인 것만 조금 배웠을 뿐, 결국은 역시 문외한입니다 / ～的见解; 피상적 견해.
〔皮帽〕 pímào 명 털모자. ¶三块瓦～; 앞과 양옆에 모피가 달려 있는 털모자.
〔皮棉〕 pímián 명 조면(繰綿). =〔皮花〕
〔皮面〕 pímiàn 명 ①표피. 표면. ②얼굴. 외모.
〔皮囊〕 pínáng 명 ⇨〔皮袋dài〕
〔皮内针〕 pínèizhēn 명 《漢醫》 피내침《(침요법) 피하에 꽂을 침》.
〔皮袍(儿,子)〕 pípáo(r,zi) 명 모피로 안을 댄 중국의 긴 옷.
〔皮破血流〕 pí pò xuè liú 〈成〉 피부가 찢어져 피가 흐르는 모양《심하게 부상한 모양. 또는 몹시 맞아서 상처를 입은 모양》.
〔皮气〕 píqi 명 ⇨〔脾气〕
〔皮钱袋〕 píqiándài 명 가죽 지갑.
〔皮钱儿〕 píqiánr 명 ⇨〔皮垫圈〕
〔皮箧〕 píqiè 명 〈文〉 가죽 가방.
〔皮球〕 píqiú 명 고무공. 가죽공. ¶拍(皮)球(儿); 공치기(를 하다) / 踢(皮)球; 공차기(를 하다) / 扔(皮)球 =〔〈方〉拽(皮)球〕; 피구(를 하다) / ～的性子; 고무공 같은 성질. 〈轉〉 침착성이 없는 사람.
〔皮儿〕 pír 명 ①가죽. 외피. ¶剥～; 가죽을 벗기다. ②표면. ¶外面～; 외면. 거죽. ③물건을 싸는 것. ¶连～多少斤? 포장(包裝)까지 합쳐서 몇 근인가?
〔皮儿两张〕 pír liǎngzhāng 〈俗〉 죽다. ¶他病得这么重, 快要～了; 그의 병이 이런 상태라면, 이제 곧 죽을 것이다 / 他早就～了; 그는 벌써 죽었다.
〔皮肉〕 píròu 명 ①가죽과 살. 신체. 육체. ¶～之苦; 육체의 고통《체벌(體罰)을 이름》. ②〈比〉 매춘(賣春). ¶～生涯; 매춘 생활 / 出卖～; 매춘하다.
〔皮褥子〕 pírùzi 명 모피 깔개〔방석〕.
〔皮湿〕 píshī 명 《醫》 습진.
〔皮实〕 píshi 형 ①(몸이) 튼튼하다. ¶这孩子真～, 从来没闹过病; 이 아이는 아주 튼튼해서 이때까지 앓은 일이 없다. ② (기물(器物)이) 견고하다. 튼튼하다. ¶这个东西做得很～; 이 물건은 매우 튼튼하게 만들어져 있다. ③뻔뻔스럽다.
〔皮手笼〕 píshǒulóng 명 ⇨〔皮手筒〕
〔皮手套〕 píshǒutào 명 ①가죽 장갑. ②가죽 글로브(glove).
〔皮手筒〕 píshǒutǒng 명 모피로 된 머프(muff)《여성이 양손을 넣고 녹이기 위한 일종의 토시》. =〔皮手笼〕〔抄chāo手(儿)①〕
〔皮率〕 píshuai 형 참을성 있고 침착하다. ¶挺～的人, 什么苦都受得了liǎo; 아주 참을성 있고 침착한 사람은 어떤 고통이라도 견딜 수 있다.
〔皮丝(烟)〕 písī(yān) 명 (푸젠 성(福建省)산의) 살담배《'水shuǐ烟袋'(물파이프)에 씀》.
〔皮松肉紧〕 pí sōng ròu jǐn 〈成〉 ①적당히 어물어물하는 모양. ¶你这么～地做事, 我真不痛快; 네가 이렇게 꾸물꾸물 일을 하고 있으면, 나는 정말 불쾌하기 짝이 없다. ②체구가 실팍지다. ③아무렇지도 않게 여기는 모양. 태만하고 결단력이 없는 모양. ¶这孩子是～的; 이 아이는 좀 덜 떨어졌다 / 和他～地说了会子闲话; 그와 잠시 느럭느럭 잡담을 했다.
〔皮索〕 písuǒ 명 생가죽 끈.
〔皮毯〕 pítǎn 명 모피 깔개. 털담요.
〔皮糖〕 pítáng 명 누가(프 nougat) 종류의 사탕과자.
〔皮条〕 pítiáo 명 가늘고 긴 가죽끈. 형 〈方〉 (고기 따위가) 질겨 씹기 힘들다.
〔皮条客〕 pítiáokè 명 야바위꾼. 등쳐먹는 사람.
〔皮条纤〕 pítiáoqiàn 명 남녀의 밀회나 매춘을 중매하는 일. ¶拉～; 남녀의 밀회나 매춘을 중매하다.
〔皮艇〕 pítǐng 명 《體》 카약(kayak).
〔皮统子〕 pítǒngzi 명 ⇨〔皮桶子〕
〔皮桶子〕 pítǒngzi 명 중국 옷의 안에 대어 입도록 만든 모피. ¶光是～做不成衣裳呀, 还得买面子; 모피만으로는 옷이 되지 않으니, 겉에 댈 천을 사야 한다 / 口外的劳动人民光穿～的不少; 장성의 북쪽 지구(주로 장자커우(張家口)의 북쪽)의 노동자는 (겉을 대지 않은) 털가죽만을 입고 있는 사람도 적지 않다. =〔皮筒子〕〔皮统子〕〔皮筒儿〕
〔皮下注射〕 píxià zhùshè 명동 《醫》 피하 주사(를 놓다).
〔皮下组织〕 píxià zǔzhī 명 《生》 피하 조직.
〔皮线〕 píxiàn 명 《電》 피복(被覆) 전선.
〔皮箱〕 píxiāng 명 ①트렁크. ②〈罵〉 쓸모없는 인간.
〔皮相〕 píxiàng 명 사물의 외면. 피상. ¶～之谈; 〈成〉 피상적인 의견 / 你的这个话是～的观察, 真相还在里面哪; 네가 말하는 것은 피상적인 관찰이고, 진상은 그 속에 있는 것이다.
〔皮硝〕 píxiāo 명 《化》 〈俗〉 황산나트륨. =〔芒硝〕
〔皮笑肉不笑〕 píxiào ròu bùxiào ①겉으로는 웃고 있으나, 속은 웃고 있지 않다《억지 웃음을 웃는 모양》. ②〈轉〉 음험하다.
〔皮鞋〕 píxié 명 가죽 구두《흔히 단화》. ¶～油; 구두약.
〔皮袖〕 píxiù 명 털가죽 소맷부리.
〔皮轩〕 píxuān 명 호피로 장식한 수레《옛날에, 천자의 거둥 때에 썼음》.
〔皮靴〕 píxuē 명 가죽 장화.
〔皮沿条〕 píyántiáo 명 가죽끈《'棉mián鞋'의 앞에 꿰매어 붙인 가는 가죽》.
〔皮炎〕 píyán 명 《醫》 피부염.
〔皮耶罗〕 píyēluó 명 《劇》 〈音〉 피에로(프 pierrot).
〔皮衣〕 píyī 명 ①모피로 만든, 또는 모피를 댄 의류. ②가죽 코트.
〔皮椅〕 píyǐ 명 가죽 의자.
〔皮影戏〕 píyǐngxì 명 《劇》 양가죽으로 만든 인형이나 도구를 사용하는 그림자 연극《허베이 성(河北省) 롼 현(灤縣)의 '驴皮影(儿)'는 '滦州戏'라고도 하며, 서북의 '牛皮影'과 함께 유명함》. =〔影戏〕〔〈方〉驴皮影〕
〔皮油〕 píyóu 명 ①⇨〔桕jiù油〕 ②닭·오리 등의 피하 조직.
〔皮渣〕 pízhā 명 가죽 지스러기.
〔皮张〕 pízhāng 명 (피혁 제품의 원료가 되는) 모피류.
〔皮掌(儿)〕 pízhǎng(r) 명 신바닥의 앞뒤에 대는 가죽창. ¶钉dìng前掌(儿); 신바닥의 앞창을 대다.
〔皮着脸〕 pízheliǎn 낯가죽을 두껍게 하여. 뻔뻔스럽게. 파렴치하게.
〔皮疹〕 pízhěn 명 《醫》 피진. 발진.
〔皮症〕 pízhèng 명 피부에 나타나는 증상.
〔皮之不存, 毛将焉附〕 pí zhī bù cún, máo jiāng yān fù 〈成〉 가죽이 없어졌는데 털이 어

찌 붙을 수 있느냐(본체(本體)가 없어지면 부수된 것은 소멸된다. 하부 구조가 바뀌면 그에 적응이 안 되는 상부 구조는 소멸된다).

〔皮脂〕 **pízhī** 명〖生〗피지. ¶～腺; 피지선.

〔皮脂酸〕 **pízhīsuān** 명 ⇨〔癸guǐ二酸〕

〔皮纸〕 **pízhǐ** 명 ①벨럼(vellum)(송아지·양 새끼·산양 새끼 등의 가죽으로 만든 제본용의 피지). ¶充chōng～; 모조 피지. 벨럼 페이퍼. ②피딱지(뽕나무·닥나무·삼지닥나무 등의 수피나 죽순 껍질 등을 원료로 하여 만든 종이). ‖＝〔犊dú皮纸〕

〔皮质〕 **pízhì** 명〖生〗①피질. ②〈簡〉대뇌피질.

〔皮重〕 **pízhòng** 명 포장의 무게.

〔皮住〕 **pízhù** 동 습관성이 되어 두려워하지 않게 되다. 뻔뻔해지다. ＝〔脾住〕

〔皮庄〕 **pízhuāng** 명 모피 가게.

〔皮子〕 **pízi** 명 ①가죽. ②표지. 표피. ¶书～; 책의 표지. ③과일의 껍질.

陂

pí (피)
지명용 자(字). ¶黄～Huángpí; 황피(黃陂)(후베이 성(湖北省)에 있는 현(縣) 이름). ⇒bēi pō

狓

pí (피)
→〔獾huò狮狓〕

疲

pí (피)
①형 피로하다. 지치다. ¶筋jīn～力尽; 지쳐서 녹초가 되다. ＝〔〈文〉罢pí〕 ②동〖商〗시세가 떨어지다. ¶行háng市～了; 시세가 떨어지다.

〔疲惫〕 **píbèi** 동 ①극도로 지쳐 버리다. ¶～不堪; 피로가 극도에 달하다. ②피로하게〔지치게〕 하다. ¶～敌军; 적군을 지치게 만들다.

〔疲弊〕 **píbì** 형 궁핍하다. 고생스럽고 피로하다. ¶～不堪; 가난의 구렁텅이에 이르다. ＝〔疲敝〕

〔疲钝〕 **pídùn** 형〈文〉지쳐 빠지다. 매우 피로하다. ＝〔疲顿〕

〔疲乏〕 **pífá** 명형 피곤(하다). 피로(하다).

〔疲缓〕 **píhuǎn** 형 지쳐서 해이해지다〔늘어지다〕.

〔疲竭〕 **píjié** 동〈文〉(정력이) 모두 소모되다.

〔疲倦〕 **píjuàn** 동 ①지치다. ②(몸이) 나른해지다. ¶因为天热身子～; 더위로 몸이 나른해지다.

〔疲困〕 **píkùn** 형 피곤하다. 노곤하다.

〔疲拉拉的〕 **pílālāde** 형 지쳐서 축 처져 있는 모양.

〔疲劳〕 **píláo** 동 지치다. 피로해지다. ¶身体过度～; 몸이 과도하게 지쳐 있다. 명 ①〖生〗피로. ¶肌肉～; 근육 피로. ②〖物〗피로. ¶～极限; 내구(耐久) 한계 / 弹性～; 탄성 피로 / ～强度; 피로 강도 / ～试验; 피로 시험.

〔疲劳轰炸〕 **píláo hōngzhà** ①반복해서 적의 신경을 피로하게 만드는 폭격. 파상 공격. ②〈轉〉사람을 피로하게 만드는 장황한 얘기나 설교.

〔疲痨〕 **píláo** 명〖醫〗과로로 인한 폐결핵.

〔疲累〕 **pílèi** 형 지치다. 피로하다. 쇠약하다.

〔疲癃〕 **pílóng** 형〈文〉늙고 병이 많다. 늙고 쇠약하다. ＝〔〈文〉罢癃〕

〔疲马〕 **pímǎ** 명 지친 말. 쓸모없는 말.

〔疲民〕 **pímín** 명〈文〉피폐한 백성. ＝〔罢民〕

〔疲难〕 **pínán** 형 힘들고 어렵다.

〔疲疲塌塌〕 **pípitātā** 형 ①(마음이) 느즈러진 모양. 미적지근한 모양. 애매 모호한 모양. ¶他就是那么个～的人, 对什么也是不冷不热的; 그는 원래 저런 애매 모호한 인간이라, 무슨 일에 있어서나 분명하지가 못하다. ②(병이나 비가) 오래 끄는 모양.

〔疲软〕 **píruǎn** 형 몸이 노곤하다. 피로하여 기운이 없다. 동 시세가 떨어지다.

〔疲弱〕 **píruò** 형 ①허약하다. 나약하다. ②시세가 약세를 보이다.

〔疲神〕 **píshén** 형 신경이 피로하다.

〔疲塌〕 **píta** 동 ①해이(解弛)해지다. 느즈러지다. 녹초가 되다. 지루해지다. ¶做到半途就～起来了; 중간까지 하니까 싫증이 나기 시작했다. ②느슨하게 질질 끌다. ‖＝〔疲沓〕

〔疲玩〕 **píwán** 동〈文〉태만하여 일을 소홀히 하다.

〔疲于奔命〕 **pí yú bēn mìng**〈成〉(명령·독촉을 받아) 분주하게 돌아다녀 지치다.

〔疲滞〕 **pízhì** 동 침체되다. ¶出口贸易～不振; 수출 무역이 침체되어 부진하다.

铍(鈹)

pí (피)
명〖化〗베릴륨(Be: beryllium). ¶～铝lǚ合金; 베릴륨 구리. ⇒pī

舭

pí (피)
월남(越南)의 지명용 자(字). ¶丐Gài～; 월남의 땅 이름.

鲏(鮍)

pí (피)
→〔鳑páng鲏〕

芘

pí (비)
→〔芘芣〕 ⇒bì

〔芘芣〕 **pífú** 명〖植〗당아욱의 고칭(古稱). ＝〔锦葵〕

枇

pí (비)
→〔枇杷〕

〔枇杷〕 **pípá**〔pípa〕 명〖植〗비파(나무). ¶～菊; 국화의 일종.

〔枇杷门巷〕 **pípá ménxiàng** 명〈文〉옛날, 기생집의 별칭.

毗〈毘〉

pí (비)
동〈文〉①돕다. 보조하다. ②(장소·토지가) 연속하다. 인접하다.

〔毗补〕 **píbǔ** 동〈文〉도와서 보충하다.

〔毗近〕 **píjìn** 동 접근하다.

〔毗连〕 **pílián** 동 계속되다. 연달다. 인접하다. ¶～之国; 인접국 / 该建筑物和四川大学～; 그 건물은 쓰촨(四川) 대학과 인접해 있다 / ～的港口; 인접한 항구. ＝〔毗邻lín〕

〔毗陵茄子〕 **pílíng qiézi** 명〖植〗필징가. ＝〔荜bì澄茄〕

〔毗卢〕 **pílú** 명〖佛〗〈簡〉부처의 이름('毗卢舍那' '毗卢遮那'의 약칭).

〔毗舍〕 **píshě** 명〈音〉⇨〔吠fèi舍〕

〔毗陀〕 **pítuó** 명〈音〉〈梵〉베다(Veda). ＝〔吠fèi陀〕

〔毗倚〕 **píyǐ** 동〈文〉의지하다. 기대다.

〔毗益〕 **píyì** 동〈文〉유익하고 도움이 되다.

蚍

pí (비)
→〔蚍蜉〕

〔蚍蜉〕 **pífú** 명〖蟲〗큰날개미. 왕개미. ¶～撼大树;〈成〉큰개미가 큰 나무를 흔들려고 하다(제 분수를 모르고 무모한 짓을 하다).

笓

pí (비)
→〔笓篱〕

〔芘莉〕 pílǐ 명 족대《대나무로 만든 새우 잡는 도구》.

琵 pí (비)
표제어 참조.

〔琵阿斐〕 pí'āfěi 명 〈音〉 피아페(프 piaffer)《마술(馬術)에서 제자리에서 뛰는 단축 속보(速步)》.
〔琵琶〕 pípa〔pípá〕 명 《樂》 비파. ¶～鲨; 《魚》 전자리상어 / ～鱼; 《魚》 아귀.
〔琵琶虫〕 pípachóng 명 《蟲》 이. =〔虱〕
〔琵琶骨〕 pípagǔ 명 《生》 〈方〉 ①쇄골. ②견갑골.
〔琵琶记〕 Pípájì 명 《書》 비파기《원말(元末)·명초(明初)의 고명(高明)의 작품》.
〔琵琶襟(儿)〕 pípajīn(r) 명 단추를 오른쪽 가슴 위에서 채우는 중국의 여성복.
〔琵琶桶〕 pípatǒng 양 《度》 배럴(barrel)《석유나 맥주 따위의 한 통의 양》. →〔桶〕
〔琵嘴鸭〕 pízuǐyā 명 《鳥》 넓적부리.

膍 pí (비)
명 ①(소·양 따위의) 처녑. 백엽. ¶～胵; ⇩ =〔百叶〕 ②훌륭한 하사품.

〔膍胵〕 píchī 명 〈方〉 조류의 내장〔위〕.

貔 pí (비)
명 ①전설에 나오는 곰처럼 생긴 짐승. ②(～子) 《動》 〈方〉 족제비.

〔貔虎〕 píhǔ 명 〈比〉 용맹한 군대나 장사.
〔貔貅〕 píxiū 명 ①고서(古書)에서 표범에 비유하는 맹수의 일종. ②〈比〉 용맹한 군대. ③'猫熊(판다(panda))'의 고칭(古稱).

罢(罷) pí (파)
형 ⇨〔疲pí①〕 ⇒bà ba

罴(羆) pí (비)
명 《動》 큰곰. =〔马熊〕〔人熊〕〔棕zōng熊〕

陴 pí (비)
명 〈文〉 성가퀴《성 위에 낮게 쌓은 담. 여장(女墻). 또는 성첩(城堞)》. =〔女墙〕

郫 Pí (비)
명 《地》 피 현(郫縣)《쓰촨 성(四川省)에 있는 현(縣) 이름》.

埤 pí (비)
동 〈文〉 증가하다. 늘다. ¶～益; 비익하다. ⇒pì

啤 pí (비)
표제어 참조.

〔啤酒〕 píjiǔ 명 〈音義〉 맥주. ¶鲜～; 생맥주 / ～花; 《植》 홉(hop). =〔皮酒〕〔比酒〕〔啤儿〕〔麦酒〕
〔啤啤〕 pípí 명 〈方〉 〈音〉 베이비(baby). =〔婴孩〕〔啤仔〕
〔啤崽〕 pízǎi 명 〈廣〉 갓난아이.

椑 pí (비)
명 옛날의 타원형 주기(酒器). ⇒bēi

脾 pí (비)
명 《生》 비장(脾臟). 지라.

〔脾疳〕 pígān 명 《醫》 (백혈병에 의한) 비장의 비대증.
〔脾寒〕 píhán 명 《醫》 〈方〉 말라리아. =〔疟nüè疾〕
〔脾气〕 píqi 명 ①성벽(性癖). 성질. 기질. 성격. ¶她的～很好, 从来不急躁; 그녀는 성격이 좋아서 지금까지 조급하게 구는 일이 없었다 / 坏～; 나쁜 버릇 / 各人有各人的～; 사람마다 각자의 성질과 버릇이 있다 / 左～; 비꼬인 기질 / ～好; 성격이 좋다 / 直筒子～; 대쪽 같은 성격 / ～坏; 성질이 나쁘다 / 吃东西没有～; 음식을 가리지 않다 / 他是啬刻的～; 그는 인색한 성격이다 / 合～; 마음이 맞다. 사이가 좋다. ②화증(火症). 성깔. ¶闹～ =〔发～〕; 버럭 화를〔짜증을〕 내다 / 有～ =〔大～〕; 화를 잘 내다. 성깔이 있다 / 好大的～, 一天没说话; 굉장히 화가 나서, 하루 종일 말을 하지 않았다. ‖ =〔脾性〕〔皮气〕〔气性〕〔气质〕
〔脾肾〕 pí shèn 명 《生》 비장과 신장. 지라와 콩팥.
〔脾胃〕 píwèi 명 ①《生》 비장(脾臟)과 위. ¶～虚弱 =〔脾虚〕; 《漢醫》 위약(胃弱)·빈혈·복부 팽대(腹部膨大)·설사 등의 증상. ②〈比〉 입맛. 비위. 사물에 대한 싫고 좋음의 습성. ¶两人～相投; 두 사람은 기호가 맞다 / 不合他的～; 그의 비위에 맞지 않다 / 谁也不爱干不合～的事; 누구라도 비위에 맞지 않는 일을 하고 싶어하지 않는다. =〔脾味〕 ③화증(火症). ¶～太坏; 너무 화증이 심하다.
〔脾性〕 píxìng 명 ⇨〔脾气〕
〔脾虚〕 píxū 명 〈簡〉 '脾胃虚弱'의 준말.
〔脾脏〕 pízàng 명 《生》 비장. 지라.
〔脾肿〕 pízhǒng 명 ⇨〔痞块②〕
〔脾住〕 pízhù 동 ⇨〔皮住〕

裨 pí (비)
〈文〉 ①형 작다. ¶～海hǎi; 작은 바다. ②형 부차적이다. 보조적이다. ¶～将; ⇩ ③명 성(姓)의 하나. ⇒bì

〔裨贩〕 pífàn 명 〈文〉 ①소상인. ②소규모 장사.
〔裨将〕 píjiàng 명 〈文〉 ①비장. 부장(副將). =〔偏将〕〔偏裨〕 ②어느 한 방면의 일을 전담한 장수.
〔裨王〕 píwáng 명 〈文〉 소왕(小王). 작은 나라의 왕.

蜱 pí (비)
명 《蟲》 진드기. =〔壁虱〕

鼙 pí (비)
명 옛날에, 기병이 말을 타고 두드리던 군고(軍鼓)의 일종. =〔鼙鼓〕

匹〈疋〉② pǐ (필)
①양 필《말 따위를 세는 데 쓰임》. ¶三～马; 3필의 말. ②양 필《필목을 세는 데 쓰임》. ¶一～红布; 붉은 피륙 1필 / 一～绸子; 견직물 한 필. ③명 혼자. 단독. ④동 필적하다. 비슷하다. 어울리다. ¶世罕其～; 세상에 그 유(類)가 드물다. ⑤형 평범하다. 하찮다.

〔匹俦〕 pǐchóu 명 〈文〉 ①(좋은) 짝. 반려. 배우자. ②동류. 동아리.
〔匹敌〕 pǐdí 동 필적하다. 대등하다. 맞먹다. 명 호적수. 맞수.
〔匹夫〕 pǐfū 명 ①한 사람의 남자. 필부. 보통 사람. ¶国家兴亡, ～有责; 국가의 흥망에는 일반의 평범한 사람한테도 책임이 있다. ②〈古白〉 학식·지모(智謀)가 없는 사람. ¶老～; 늙정이. 늙다리《자칭(自稱)에도 씀》 / ～之辈; 무지몽매한 무리 / ～之勇; 〈成〉 무모하고 혈기에만 의지하는 작은 용기.
〔匹拉米洞〕 pǐlāmǐdòng 명 《藥》 〈音〉 아미노피린(aminopyrine). 피라미돈(독 pyramidon). =〔氨ān基比林〕〔匹拉米董〕

〔匹练〕 pǐliàn 명 ①한 필의 흰 명주. ¶金刚九龙瀑布如同～倒悬, 万马奔腾; 금강산의 구룡 폭포는 흰 명주가 거꾸로 걸려 있고 천군 만마가 내달리는 것과 같다. ②〈轉〉 폭포의 아칭(雅稱).
〔匹马单枪〕 pǐ mǎ dān qiāng 〈成〉 ⇨〔单dān枪匹马〕
〔匹鸟〕 pǐniǎo 명 《鳥》 원앙.
〔匹偶〕 pǐǒu 명 배필. 부부. 동 부부가 되다. 짝지우다.
〔匹配〕 pǐpèi 동 〈文〉 짝짓다. (혼인이) 맺어지다. 결혼하다. ¶他在那儿～良缘了; 그는 그 곳에서 결혼했다. 명동 《電》 정합(整合)(하다). ¶阻抗～; 임피던스 정합(impedance 整合)/～变压器; 정합 변압기.
〔匹取〕 pǐqǔ 명 ⇨〔径jìng节〕
〔匹如〕 pǐrú 동 비유하면〔예컨대〕 …과 같은 것이다. =〔比如〕
〔匹庶〕 pǐshù 명 〈文〉 서민(庶民). 일반인.
〔匹头〕 pǐtou 명 ①피륙. ②〈方〉 재단한 천.

苉 pǐ (필)
명 《化》 피센(picene)《콜타르에 섞여 있는 유기 화합물》.

庀 pǐ (비)
동 〈文〉 ①갖추다. 준비하다. ¶鸠工～材; 직공을 모으고 재료를 준비하다. ②다스리다.

仳 pǐ (비)
동 〈文〉 갈라서다. 이별하다. ¶～离lí; 이혼(하다)《특히, 아내가 이혼당하는 것을 이름》.

吡 pǐ (비)
동 〈文〉 ①비방하다. 헐뜯다. ②질책하다. ⇒bǐ

圮 pǐ (비)
동 〈文〉 무너지다. 쓰러지다. ¶～绝jué; 두절〔단절〕되다. =〔圮毁huǐ〕〔倾qīng圮〕〔倒dǎo坍〕

否 pǐ (비)
① 명 비괘(否卦). 64괘의 하나. ② 형 곤경에 빠지다. 막히다. ¶～极泰来; ⇩ ③ 형 좋지 않다. 나쁘다. ④ 동 헐뜯다. 비난하다. ¶臧zāng～; 좋고 나쁨을 비평하다. ⇒fǒu
〔否隔〕 pǐgé 동 〈文〉 막혀서 통하지 않다.
〔否极反泰〕 pǐ jí fǎn tài 〈成〉 ⇨〔否极泰来〕
〔否极泰来〕 pǐ jí tài lái 〈成〉 불운이 극에 달하면 행운이 돌아온다《고생 끝에 낙이 온다》. =〔否极反泰〕 ↔〔乐lè极生悲〕
〔否泰〕 pǐtài ①궁(窮)하면 통(通)한다《'否'는 막히다 '泰'는 통하다》. →〔否极泰来〕 ②불운과 행운.
〔否运〕 pǐyùn 명 불운(不運).

痞 pǐ (비)
명 ①《漢醫》 가슴이 메는 것 같은 자각(自覺) 증세나 심장 밑부분의 팽만(膨滿). ②(～子) 무뢰한. 건달. 불량배. ¶地～; (한 고장에 자리잡고 있는) 깡패/流～; (떠돌이) 건달/大～; 저질 문인.
〔痞棍〕 pǐgùn 명 부랑자. 건달. 깡패. =〔痞子〕
〔痞块〕 pǐkuài 명 《漢醫》 ①뱃속에 생기는 딱딱한 덩어리. ②비장 비대(脾臟肥大)증. =〔大肚子痞〕〔脾pí肿〕 ‖ =〔痞积〕

嚭〈噽〉 pǐ (비)
형 크다《인명용으로 쓰임》.

劈 pǐ (벽)
동 ①(껍 등을) 벗기다. 비틀어 떼다. ¶～麻; 삼 껍질을 벗기다/～青菜的叶子; 야채의 잎을 뜯다/白菜帮子得～下来扔掉; 배추의 겉대는 벗겨서 버려야 한다. ②나누다. 분할하다. 쪼개다. ¶一份资金～成三股; 1의 자본을 3으로 쪼개다/一～两半; 하나를 둘로 가르다. ③작성하다. 작정하다. ¶～合同; 계약을 체결하다. ④발을 옆으로 벌리다. ⑤발가락·손가락을 너무 벌려 근육이나 뼈를 다치다. ⇒pī
〔劈柈子〕 pǐ bànzi 〈北方〉 장작을 쪼개다.
〔劈叉〕 pǐchà 명 (체조·무술에서) 양다리를 '一'자 모양으로 쭉 뻗고 땅에 붙이는 동작. =〔劈岔〕
〔劈岔〕 pǐchà 명 ⇨〔劈叉〕
〔劈柴〕 pǐchai〔pǐchái〕 명 장작. 땔나무. ¶劈pī～; 장작을 패다/劈硬柴; 각추렴하다. =〔木柴〕
〔劈开〕 pǐkai 동 ①(손으로) 쪼개다. 나누다. 찢다. 벗기다. ②(가랑이를) 벌리다. ¶～腿; 가랑이를 벌리다.
〔劈兰〕 pǐlán 동 〈俗〉 공집기하다. 제비를 뽑다. =〔撇piě兰〕

擗 pǐ (벽)
동 ①꺾다. 따다. ¶～棒子; 옥수수를 꺾어 따다/把干树枝～下来; 마른 가지를 꺾다. ②〈文〉 (손으로) 가슴을 치다〔두드리다〕. ¶～摽; (깜짝 놀라서) 가슴을 치다. 놀라다.
〔擗踊〕 pǐyǒng 동 〈文〉 (슬픔에 겨워) 가슴을 치고 발을 동동 구르다.

癖 pǐ (벽)
명 ①《漢醫》 적취(積聚). ②버릇. 나쁜 기호(嗜好). 중독. 벽(癖). ¶烟～; 니코틴 중독/酒～; 알코올 중독/嗜酒成～; 술을 즐겨 (알코올) 중독이 되다.
〔癖爱〕 pǐài 동 〈文〉 편애(偏愛)하다. 지나치게 귀여워하다.
〔癖病〕 pǐbìng 명 오래된 못된 버릇. 고질. =〔〈俗〉癖根子〕
〔癖痼〕 pǐgù 명 〈文〉 지병(持病). 고질.
〔癖好〕 pǐhào 명 취향. 특별한 취미. 기호. ¶他对于书画有很深的～; 그는 서화에 대해 매우 깊은 취미를 가지고 있다. =〔癖嗜〕
〔癖嗜〕 pǐshì 명 ⇨〔癖好〕
〔癖性〕 pǐxìng 명 ①(개인의) 취향. (좋지 않은) 기호. ②좋지 않은 성벽〔버릇〕. 변태성.

屁 pì (비)
① 명 방귀. ¶放fàng～; ⓐ방귀를 뀌다. ⓑ어이없다. 어처구니없다. 기가 차다/放溜liū～ =〔放呆～〕; 소리 없는 방귀를 뀌다/给人家～闻; 사람에게 방귀를 먹이다. ② 형 〈轉〉 하찮다. 시시하다. ¶～事 =〔～大点儿的事〕; 하찮은 일/你懂得个～; 네까짓 것이 무얼 안다고/别人说了有～用; 다른 사람이 말해도 아무 소용이 없다/～也不懂; 아무것도 모르다/～驴子; 〈俗〉 경찰차.
〔屁巴子〕 pìbāzi 명 《蟲》 벼를 해치는 노린재류(類).
〔屁大〕 pìdà 형 〈比〉 대수롭지 않다. 하찮다. ¶～的事; 하찮은 일/他好hào把～的事弄得有声有色; 그는 하찮은 일을 과장해서 조작하기를 좋아한다.
〔屁股〕 pìgu 명 ①〈口〉 궁둥이. ¶闹个～坐 =〔闹个～蹲儿〕〔摔了个～蹲(儿)〕; 엉덩방아를 찧다/撅～ =〔蹶～〕; 엉거주춤 궁둥이를 들고 일어서다/移yí～; ⓐ궁둥이를 옮기다. ⓑ이제까지의

생활 태도를 바꾸다. 입장을 바꾸다 / ～眼儿; 항문(肛門) / 没～眼儿; 매조지가 없다 / ～蛋儿; 엉덩판 / 一～的债; 산더미 같은 빚 / ～坐下; 털썩 주저앉은 채 꼼짝 않다 / 另一个工作已经盯在～后头; 다른 일로 해서 벌써 발등에 불이 떨어졌다 / ～还没挨座儿就走了; 채 앉지도 않고 가 버렸다. ②(동물의) 둔부(臀部). 꽁무니. ¶胡蜂的～上有刺; 말벌의 꽁무니에는 침이 있다 / 跟着人家～后头走; ⓐ남의 꽁무니를 따라가다. ⓑ덩덜아 하다 / 满～都是账; 빚투성이. ③물체의 끝 부분. ¶香烟～; (피우다 만) 담배 꽁초 / 这班无聊文人的笔名, 常常在报～上发现; 이들 시시한 문인들의 필명이 늘 신문 한 귀퉁이에 나타난다.

〔屁股沉〕 pìgu chén 엉덩이가 무겁다. 한 군데 눌어붙다 / 他的～, 永远讨厌而不自觉; 그는 궁둥이가 무거워 언제나 미움을 받고 있지만, 스스로는 깨닫지 못하고 있다.

〔屁股蹲儿〕 pìgudūnr 명 〈方〉 ⇨〔屁股座子①〕

〔屁股帘〕 pìgulián 명 ⇨〔屁帘儿〕

〔屁股座子〕 pìguzuòzi 명 ①엉덩방아. ¶闹nào了个～; 엉덩방아를 찧었다 / 一个～就坐在地毯上了; 털썩 융단 위에 엉덩방아를 찧었다. =〔〈方〉屁股蹲儿〕〔屁股坐子〕 ②엉덩이. 히프(hip). ¶女人～大的养小子; 엉덩이가 큰 여자는 사내아이를 낳는다.

〔屁滚尿流〕 pì gǔn niào liú 〈成〉 방귀가 나오고 오줌을 싸다(무서워 벌벌 떨고 실금(失禁)하는 모양). =〔尿流屁滚〕

〔屁话〕 pìhuà 명 시시한 이야기. 쓸데없는 소리.

〔屁帘儿〕 pìliánr 명 겨울철에 어린아이에게 입히는 개구멍바지의 뒤꽁무니에 달아 늘어뜨리는 솜 둔가리개. =〔屁股帘〕〔屁帘子〕

〔屁帘子〕 pìliánzi 명 ⇨〔屁帘儿〕

〔屁屁扯扯的〕 pìpichěchěde 되는대로 넘기다. 진실성이 없다.

〔屁也不懂〕 pì yě bùdǒng 아무것〔쥐뿔〕도 모르다.

钘(鈲〈鎃〉) pì (벽)
동 〈文〉 찢다. 재단하다. 분할하다.

淠 Pì (비)
명 《地》 피허(淠河)《안후이 성(安徽省)에 있는 강 이름》.

埤 pì (비)
→〔埤堄〕 ⇒pí

〔埤堄〕 pìnì 명 〈文〉 성벽(城壁) 위의 낮은 담. 성가퀴.

睥 pì (비)
→〔睥睨〕

〔睥睨〕 pìnì 동 〈文〉 ①눈을 흘기다. 흘겨보다. ②업신여기다. 깔보다. 얕보다. 멸시하다. ¶～一切; 모든 것을 얕보다. ‖ =〔僻倪〕〔俾倪〕〔辟倪〕 명 성벽(城壁) 위에서 적의 동태를 살피는 곳.

媲 pì (비)
동 ①시집 보내다. 짝지어 주다. ②비견(比肩)하다. 어깨를 나란히 하여 겨루다.

〔媲美〕 pìměi 동 아름다움을 겨루다. 비견하다. 필적하다. ¶货质～西方各国制品; 상품의 품질은 서방 각국의 제품과 맞먹는다 / 这张画很可以与世界名画; 이 그림은 세계의 명화와 충분히 어깨를 겨룰 만하다. =〔比美〕

〔媲偶〕 pì'ǒu 명 〈文〉 배우자. 베필. =〔配偶〕

辟(闢)B) pì (벽)
A) 명 형(刑). ¶大～; (옛날의) 극형. B) ①동 열다. 개척하다. 개간하다. ¶开～; 열다. 개척하다. ②동 물리치다. 배제하다. 배척하다. ¶～邪说; 사설을 물리치다. ③형 투철하다. ¶透～; 투철하다. ⇒bì

〔辟克涅克〕 pìkènièkè 명 〈音〉 피크닉(picnic). =〔野餐〕〔辟克匿克〕

〔辟门访落〕 pì mén fǎng luò 〈成〉 문호를 개방하여, 야(野)에 묻혀 있는 유능한 선비를 등용하다.

〔辟门户〕 pì ménhù 독자적(獨自的)으로 문호를 개방하다. 독자의 파(派)를 만들다.

〔辟门路〕 pì ménlù ①윗사람에게 아첨할〔출세의〕 길을 열다. ②비결을 알아내다. ③살아갈 길을 개척하다.

〔辟面〕 pìmiàn 명 정면(正面). ¶～而来; 바로 정면에서 오다.

〔辟谣〕 pì.yáo 동 (진상을 밝혀) 헛소문을 없애다. 소문을 부인〔반박〕하다.

僻 pì (벽)
①형 외지다. 벽지다. ¶穷乡～壤; 황폐하고 궁벽한 땅 / 偏～; 외지다. ②형 보기 드물다. 희귀하다《길·장소·글자 따위》. ¶生～; 생소하다 / ～字; 벽자. 별로 쓰이지 않는 글자 / 冷lěng～; ⓐ인적이 드물고 쓸쓸하다. ⓑ(글자가) 그다지 쓰이지 않다. ③형 멀다. ④명 벽촌. ⑤형 (성질이) 편벽하다. 괴벽하다. 별나다. ¶孤～; 성격이 남다른 데가 있다.

〔僻处一隅〕 pì chǔ yīyú 외진〔후미진〕 곳에 있다. ¶那里风景实在好, 可惜～不为人注意; 그 곳의 경치는 정말로 좋으나, 애석하게도 외진 곳에 있어서 사람의 주의를 끌지 못한다.

〔僻处〕 pìchù 명 후미진〔외진, 궁벽한〕 곳.

〔僻道〕 pìdào 명 외진 도로. 쓸쓸한 길.

〔僻地〕 pìdì 명 벽지. 한적한 곳. 사람의 왕래가 적은 곳.

〔僻典〕 pìdiǎn 명 〈文〉 평소에 별로 쓰이지 않는 고사(故事)나 출전(出典).

〔僻旮旯儿〕 pìgālar〔bèigālar〕 명 구석. ¶这东西不能搁在大面儿上, 总得找个～才行; 이것은 사람의 눈에 띄는 곳에는 둘 수 없으니, 아무래도 구석에 놓아야겠다.

〔僻胡同儿〕 pìhútòngr〔bèihútòngr〕 명 으슥한 골목길. 외진 골목길.

〔僻见〕 pìjiàn 명 ⇨〔偏piān见〕

〔僻径〕 pìjìng 명 〈文〉 외진 작은 길. ¶诱她上车载到～逞暴; 그녀를 꾀어 차에 태우고, 으슥한 골목길로 데려가서 폭행했다.

〔僻静〕 pìjìng〔bèijìng〕 형 궁벽하고 쓸쓸하다. 외지고 조용하다.

〔僻陋〕 pìlòu 형 궁벽해서 개화가 안 되다. 외떨어지고 황량하다. 명 궁벽한 두메 구석.

〔僻倪〕 pìní 동 ⇨〔睥睨〕

〔僻壤〕 pìrǎng 명 〈文〉 궁벽한 곳. 외진 곳. 벽촌. =〔僻乡〕

〔僻儒〕 pìrú 명 〈文〉 편견을 가진 고루한 유학자.

〔僻事〕 pìshì 명 생전 듣지도 보지도 못한 일.

〔僻乡〕 pìxiāng 명 ⇨〔僻壤〕

〔僻巷〕 pìxiàng 명 쓸쓸한〔외진〕 골목길.

澼 pì (벽)
→〔洴píng澼〕

甓 pì (벽)
명〈文〉 지면에 까는 단단하게 구운 기와〔벽돌〕. ¶陶侃kǎn运～; 진(晉)나라의 도간(陶侃)이 매일 아침 기와 100장을 집 밖으로, 저녁에는 그것을 집 안으로 날라서 몸이 둔해지는 것을 막았다는 고사(故事).

䴙(鸊) pì (벽)
→〔䴙䴘〕

〔䴙䴘〕 pìtī 명《鳥》 농병아리.

譬 pì (비)
①명 비유. 실례. ¶设～; 비유하다. ②동 비유하다. ③동 깨닫다. 깨우치다. 이해하다.

〔譬如〕 pìrú 동 비유해서 말하다. 예를 들다. ¶日常用品, ～牙刷、香皂、毛巾等都包括在其内; 일상 용품이란 예컨대 칫솔·비누·타월 따위가 모두 그 속에 포함된다. =〔比bǐ如〕 접 만약. 만일. 가령.

〔譬若〕 pìruò 접〈文〉 예를 들면. 예컨대.

〔譬喻〕 pìyù 명동 비유(하다). 예(를 들다). =〔比喻〕

PIAN ㄆㄧㄢ

片 piān (편)
→〔片簧〕〔片儿〕〔片子〕 ⇒piàn

〔片簧〕 piānhuáng 명《機》 박판(薄板) 스프링. 리프 스프링(leaf spring).

〔片儿〕 piānr 명 얇고 납작한 것. ¶唱～; 레코드/画～; 그림 카드. 그림 엽서/相～; 사진/电影～; 영화 필름. ⇒ piànr

〔片子〕 piānzi 명 ①영화용 필름. ②영화. ¶美国～; 미국영화/换～; 영화가 바뀌다. ③레코드. ⇒piànzi

扁 piān (편)
형 작다. ⇒biǎn

〔扁钢〕 piāngāng 명《機》 평형강(平型鋼). 평강(平鋼).

〔扁蒲〕 piānpú 명《植》 박.

〔扁舟〕 piānzhōu 명〈文〉 편주. 조각배. ¶一叶～; 일엽 편주.

偏 piān (편)
①형 치우치다. ㉠편(역)들다. 불공평하다. ¶我没～没向; 나는 치우치지도 않고 편을 들지도 않는다/～疼第二个女孩子; 둘째 딸만 귀여워한다/这件事办得有点～了; 이 일의 처리는 좀 공평성을 잃고 있다/叫您～劳! 당신한테만 수고를 끼치는군요! ㉡한쪽으로 기울다. 쏠리다. ¶太阳～西了; 태양은 서쪽으로 기울었다/～北一点儿站; 약간 북쪽 편으로 서다/桌子～左安放; 탁자를 왼쪽으로 비켜 놓다/东北～东; 동북동/不要把镜子挂～了; 거울을 (비뚤어지지 않도록) 바로 걸어라/这个地方太～; 이 곳은 너무 외지다. ②형 정당하지 않은. 비정규의. 비정식의. ③부 때마침. 공교롭게. 뜻밖에. ¶～～不凑巧; 공교롭게 형편이 좋지 않다/有活做的时候～发虐子; 일이 있을 때면 꼭 학질에 걸린다/我找他去, ～凑巧他出去了; 내가 그를 찾아갔더니 마침 그는 외출하고 없었다. ④부 좀처럼. ¶他～不信; 그는 (그런데도) 좀처럼 믿지 않는다. ⑤개〈俗〉 …까지도. …조차. ¶～这也不答应; 이것조차도 승낙하지 않는다. →〔连lián⑧〕 ⑥부 무슨 일이 있어도. 꼭. 기어코. ¶不让我去, 我～去; 못 가게 한다면, 나는 억지로라도 가겠다/我说白, 他～要说黑, 老是说不到一块儿; 내가 희다고 하면 그는 반대로 검다고 말하려 드니, 늘 이야기가 합치하지 않는다. ⑦형 측면(側面)의. 한쪽면의. ¶这个相片是～脸儿; 이 사진은 옆모습이다/～肩膀儿穿衣裳不好看; 한쪽 어깨에만 옷을 걸치고 입으면 보기 흉하다. ⑧형 보좌(補佐)의. ⑨동〈套〉 먼저 실례하다《어떤 것을 상대편보다 먼저 하겠다, 또는 먼저 하였다는 것을 예의상 하는 말로, 뒤에 '了'를 붙여 쓰는 일이 많음》. ¶～(过)了; 차(茶)·식사를 먼저 끝내다/我已经～了, 您请自己吃吧! 먼저 실례했습니다. 혼자서 드십시오!/我要～您的觉了; 먼저 자겠습니다/我要先～您两步儿; 몇 걸음 먼저 실례하겠습니다.

〔偏爱〕 piān'ài 명동 편애(하다). →〔偏疼〕

〔偏北〕 piānběi 동 북쪽으로 치우치다. ¶请你～一点站! 조금만 더 북쪽으로 다가서 주십시오!

〔偏倍尔〕 piānbèi'ěr 명《紡》〈音〉 벰베르크(독 Bemberg)《보드랍고 얇은 인조견. 상표명》.

〔偏笔〕 piānbǐ 명 운필(運筆)의 일종《붓을 눕히는 필법으로, 필력이 없고 붓끝이 흐트러져 있음. 운필에서 가장 꺼리는 것》.

〔偏不凑巧〕 piānbucòuqiǎo 부 공교롭게. 계제가 나쁘게. 뜻밖에. ¶～碰见了那家伙; 계제 사납게 그놈과 마주쳤다.

〔偏不偏〕 piānbupiān 부〈北方〉 공교롭게(도).

〔偏才〕 piāncái 명 ①작은 재주(가 있는 사람). 잔재주(꾼). ②전문 이외의 일에 능한 재능(을 가진 사람).

〔偏财儿〕 piāncáir 명 수월하게 번 돈. 부정하게 생긴 돈. 노름에서 딴 돈. 부정(不淨)한 재산.

〔偏彩儿〕 piāncǎir 명 복권 따위에서 생긴 돈.

〔偏差〕 piānchā 형 약간 차이가 있다. 한쪽 편만 들다. 명 ①편차. 오차. ¶纠正了～; 오차를 고쳤다/他的想法～太厉害; 그의 생각은 너무나도 편파적이다. ②(일하는 데) 부족하거나 지나침. 착오. 오류. 편향. ¶工作上出了些～; 일하는 데 몇 가지 착오가 생겼다/要防止在政治运动中出现～; 정치 운동 중의 편향을 방지하다. ③트러블. 말썽. ¶闹出～; 말썽을 일으키다.

〔偏厂儿〕 piānchǎngr 명 엄호밑《한자 부수의 하나. '店'의 '广' 이름》.

〔偏沉〕 piānchén 형 (무게가) 한쪽으로 치우쳐〔쏠려〕 있다. ¶驮tuó子绑得～; 짐바리가 한쪽으로 쏠리게 묶여 있다.

〔偏陈〕 piānchén 명《化》〈音〉 벤진(benzine).

〔偏辞〕 piāncí 명〈文〉 ①치우친 말. 불공평한 말. ②교언(巧言). 아첨하는 말.

〔偏凑巧〕 piāncòuqiǎo 부 ⇨〔偏巧〕

〔偏宕〕 piāndàng 형〈文〉 부정하고 도리에 어긋나다.

〔偏低〕 piāndī 형 지나치게 낮다.

〔偏殿〕 piāndiàn 명 ⇨〔配pèi殿〕

〔偏阿〕 piān'ē 동 편벽되게 돌봐 주다. 사정(私情)에 사로잡히다. ¶遇事当秉公处理, 不可循私～; 일에 임해서는 공평하게 처리해야지, 사사로운 감정에 얽매여서 편을 들거나 해서는 안 된다.

〔偏方〕 piānfāng 명 ①〈文〉 외딴 곳. 궁벽한 땅.

②(～儿)〖漢醫〗(중국 의서(醫書)에 없는) 민간 처방.
〔偏房〕 piānfáng 명 첩.
〔偏废〕 piānfèi 동 한쪽만을 폐하다〔그만두다〕. 한쪽만 버리다. 한쪽에 치우치다. ¶工作与学习, 二者不可～; 일과 공부는 양자 어느 쪽도 소홀히 해서는 안 된다. 형 불구이다. 병신이다.
〔偏分〕 piānfēn 명동 옆가르마(를 타다).
〔偏风〕 piānfēng 명 ①〖氣〗수평 방향의 바람. ②〖漢醫〗반신 불수. =〔偏枯〕 ③편파적인 방법. 정당하지 않은 방식. ¶他的手腕使的是～儿; 그의 수완은 정당하지 못한 방식이다.
〔偏锋〕 piānfēng 명 ①서예에서 붓끝을 비스듬하게 뉘어서 쓰기. ¶他的楷书常用～, 別具一格; 그는 해서를 쓸 때 늘 붓을 뉘어서 쓰는 독특한 스타일이 있다. ②문장·담화 등을 측면으로부터 설명하는 방법. ¶～话; 빈정대는 말. 에두르는 말/他总是从正面发言, 不喜欢～话; 그는 언제나 정면으로 발언하고, 에두르는 말은 좋아하지 않는다.
〔偏锋文章〕 piānfēng wénzhang 명 ①에두른 문장. ②기발한 문장. 〈轉〉색다른 방법.
〔偏缝〕 piānfèng 명 언챙이. =〔唇chún裂〕
〔偏赶〕 piāngǎn 부 때마침. 마침 그 때.
〔偏高〕 piāngāo 형 지나치게〔일방적으로〕 높다.
〔偏光〕 piānguāng 명〖物〗편광. ¶～镜; 편광경/～显微镜; 편광 현미경. =〔偏振光〕
〔偏过〕 piānguò 〈套〉(식사를) 먼저 마쳤다(당신을 청하지 않고 저 혼자만 먼저 먹었다는 겸손의 말). ¶你吃饭了吗?～! 식사를 하셨습니까? 네 먼저 먹었습니다! =〔吃偏〕〔先偏〕
〔偏航〕 piānháng 명 동 오프 코스(off course)(하다). 항로 이탈(하다).
〔偏好〕 piānhào 동 (지나치게) 열중하다. 특별히 좋아하다.
〔偏护〕 piānhù 동 (한쪽만을) 두둔〔지지〕하다. 편들다. ¶法律不能～贵族; 법률은 귀족만을 두둔할 수는 없다.
〔偏花绉纱〕 piānhuā zhòushā 명〖紡〗벰패니 크레이프(bemfanny crape).
〔偏讳〕 piānhuì 명 두 자 이름 가운데, 한 자만을 기휘(忌諱)하는 것.
〔偏激〕 piānjī 형 (의견·주장 등이) 한쪽으로 치우쳐 과격하다. ¶～的思想; 편파적이고 과격한 사상/态tài度～; 태도가 편파적이고 과격하다.
〔偏见〕 piānjiàn 명 편견. 선입견. =〔〈文〉僻pì见〕
〔偏将〕 piānjiàng 명 ⇨〔裨pí将①〕
〔偏角〕 piānjiǎo 명 ①⇨〔磁cí偏角〕 ②⇨〔刃rèn口角〕
〔偏紧〕 piānjǐn 동 지나치게 죄다. 너무 긴장하다.
〔偏口〕 piānkǒu 명〖魚〗넙치. =〔偏口鱼〕
〔偏枯〕 piānkū 명〖漢醫〗반신불수. =〔偏风②〕 형 치우치다. 한쪽은 왕성하고 다른 한쪽은 쇠퇴하다. 한쪽으로 쏠려 발달의 균형이 잡히지 않다. ¶有的地方供应得很好, 另外的地方供应得不好, 这种～的情况必须纠正; 어떤 지방은 공급이 잘 되고, 다른 지방은 잘 되지 않으니, 이와 같은 편파적인 상태는 시정되어야 한다.
〔偏狂〕 piānkuáng 명 편집광(偏執狂).
〔偏劳〕 piānláo ①〈套〉수고〔폐〕를 끼치다. ¶～你了! 수고하셨습니다!/～～! 당신한테만 수고를 끼쳤군요! ②수고하다. ¶这事只好～你们两位了; 이 일은 자네들 두 사람이 수고하는 수밖에 없게 되었네.
〔偏离〕 piānlí 동 일탈(逸脫)하다. 배리(背離)하다. 떨어지다. (그릇된 방향으로) 기울다.
〔偏脸〕 piānliǎn 명 옆얼굴. 옆모습.
〔偏流〕 piānliú 명〖電〗바이어스(bias) 전류.
〔偏漏〕 piānlòu 명〖醫〗치루. =〔痔zhì漏〕
〔偏盲〕 piānmáng 명 〈文〉애꾸. 외눈. =〔眇miǎo公〕
〔偏门儿〕 piānménr 명 부정한 수단〔루트〕. ¶耍shuǎ～; 부정한 수단을 부리다.
〔偏脑疼〕 piānnǎoténg 명 ⇨〔偏头痛〕
〔偏拗〕 piānniù 명형 옹고집(이다). 편벽(하다).
〔偏旁(儿)〕 piānpáng(r) 명 한자의 변(邊)과 방(旁).
〔偏裨〕 piānpí 명 ⇨〔裨将①〕
〔偏僻〕 piānpì 형 ①외지다. 후미지다. 궁벽하다. ¶地点～; 장소가 외지다/～穷苦的村庄; 궁벽하고 가난한 마을/住在～的乡间; 벽진 시골에 살다. ②(성격이) 괴벽스럽다. 별스럽다. ¶其余音'Quei'的～字样; 그 밖에 'Quei'라는 좀 별스런 문자/人心不可～; 사람은 너무 편벽된 성격이어서는 안 된다.
〔偏僻字〕 piānpìzì 명 벽자. 별로 쓰이지 않는 글자. =〔僻字〕
〔偏偏〕 piānpiān 부 ①⇨〔偏生〕 ②하필. 유달리. ¶别的组都完成了任务, 为什么～咱们没完成? 다른 반은 모두 임무를 완수했는데, 어째서 우리 반만 완수하지 못하는가?/怎么你～在山上扎营? 너는 어째서 하필 산꼭대기에 진을 쳤느냐?
〔偏陂〕 piānpō 형 〈文〉평평〔평탄〕하지 않다.
〔偏颇〕 piānpō 형 〈文〉한쪽으로 치우치다. 불공평하다. ¶这篇文章的立论失之～; 이 문장의 이론전개는 한쪽으로 치우쳐 있다.
〔偏栖〕 piānqī 명동 〈文〉독신 생활(을 하다).
〔偏巧〕 piānqiǎo 부 ①때마침. ¶我正在找他, ～他来了; 내가 그를 찾고 있는데 때마침 그가 왔다. ②하필이면. 공교롭게. 뜻밖에. ¶我找他两次, ～都不在家; 나는 그를 두 번씩이나 방문했지만, 공교롭게 모두 부재중이었다. ‖=〔偏凑巧〕
〔偏顷〕 piānqǐng 명 ⇨〔偏转〕
〔偏三偏四〕 piān sān piān sì 〈成〉계속해서 상궤(常軌)를 벗어나다. 편향(偏向)을 되풀이하다.
〔偏厦儿〕 piānshàr 명 ⇨〔秃tū偏厂儿〕
〔偏衫〕 piānshan 명 가사(袈裟)의 속칭.
〔偏生〕 piānshēng 부 ①일부러. 끝까지. 기어코. ¶我叫他去, 他～不去; 그를 가게 하려는데, 그는 도무지 가지 않는다. ②마침. 공교롭게도. ¶事情正等他主持呢, ～他病倒了; 일이 바로 그의 지시를 기다리고 있는 판에, 공교롭게 그가 병으로 쓰러지고 말았다. ‖=〔偏偏①〕
〔偏师〕 piānshī 명 옛날, 군대의 좌익(또는 우익)을 맡은 부대.
〔偏食〕 piānshí 명동 편식(하다). 동 한쪽만을 중시하다. 한 가지 일만 하다. 명〖天〗해·달의 부분식(部分蝕). =〔半蚀〕
〔偏势〕 piānshì 명 경향(傾向).
〔偏视〕 piānshì 명 ⇨〔斜xié视〕
〔偏室〕 piānshì 명 ⇨〔妾qiè①〕
〔偏私〕 piānsī 동 한쪽에 기울다. 사정(私情)에 치우치다. 편벽되게 두둔〔지지〕하다.
〔偏松〕 piānsōng 형 너무 느슨하다. 너무 해이(解弛)하다.
〔偏苏里〕 piānsūlǐ 명〖化〗〈音〉벤졸(benzol). =〔苯〕〔偏西里〕
〔偏苏油〕 piānsūyóu 명〖化〗〈音〉벤졸유(benzol

油〕
〔偏瘫〕 piāntān 명동 《醫》 반신 불수(가 되다).
〔偏袒〕 piāntǎn 동 ①(힘을 내기 위해) 한쪽 어깨를 드러내다. ②〈轉〉 편애하다. 한쪽을 두둔〔지지〕하다. 명 편애. ¶那是～; 그건 편애다.
〔偏疼〕 piānténg 동 〈口〉 (어린아이나 손아랫사람을) 편애하다. ¶也难怪大人都～他, 他实在是个可爱的孩子; 어른이 모두 그를 편애하는 것도 당연한 것이, 그는 정말로 귀여운 아이이다. →〔偏爱〕
〔偏提〕 piāntí 명 '酒jiǔ壶'의 별칭.
〔偏题〕 piāntí 명 생소한 시험 문제.
〔偏听〕 piāntīng 동 한쪽 말만 듣다. ¶～左右亲近的人的话; 측근의 친한 사람의 말만을 듣다 / ～偏信; 〈成〉 한쪽 말만 듣고 한쪽만을 신용하다. 한쪽만 중용(重用)하다.
〔偏头痛〕 piāntóutòng 명 《醫》 편두통. =〔偏脑疼〕〔〈俗〉 边biān头风〕
〔偏外〕 piānwài 부 각별히. 몹시. 특히.
〔偏西〕 piānxī 동 ①(태양이) 서쪽으로 기울다. ¶太阳～了; 태양이 서쪽으로 기울었다. ②서쪽에 치우치다. ¶西北～; 서북서.
〔偏析〕 piānxī 명 《工》 편석. =〔离lí析②〕
〔偏狭〕 piānxiá 형 편협하다.
〔偏线〕 piānxiàn 명 ⇨〔斜xié线〕
〔偏乡僻壤〕 piān xiāng pì rǎng 〈成〉 궁벽한 땅. 벽지. 벽촌.
〔偏向〕 piānxiàng 명동 두둔(하다). 역성(들다). ¶没偏没向; 어느 쪽에도 치우치지 않다. 공평무사 / 偏一个向一个; 한쪽만을 두둔하다. 명 옳지 못한 경향. 편향. ¶只注意民主, 不注意集中, 也是～; 민주적이라는 데만 주의를 기울이고, 집중화라는 데에 주의하지 않는 것도 편향적이다.
〔偏斜〕 piānxié 동 (한쪽으로) 비뚤어〔일그러〕지다. 기울다. 명 《物》 편차. 굴절. 디플렉션(deflection).
〔偏心〕 piānxīn 명 ①치우친 마음. 편견. ②편애. 형 한쪽에 치우치다. 공정치 않다. 편파적이다. ¶照料人家的孩子和自己的孩子完全一样, 丝毫不～; 남의 자식을 내 자식과 똑같이 취급하고 조금도 편애하지 않는다 / ～眼; 편견.
〔偏心度〕 piānxīndù 명 편심도(편심륜(偏心輪)의 축과 그 중심과의 사이의 거리).
〔偏心轮〕 piānxīnlún 명 《機》 편심륜. 하트캠(heart cam).
〔偏心眼儿〕 piānxīnyǎnr 명 편파적인 생각. 편견.
〔偏心轴〕 piānxīnzhóu 명 《機》 편심축.
〔偏压〕 piānyā 명 《電》 바이어스(bias) 전압(電壓).
〔偏要〕 piānyào 동 ①일부러〔굳이〕 …하려 하다. ¶你为什么～当着矮子说短话呢? 너는 왜 키가 작은 사람 앞에서 일부러 짧다는 애기〔남이 부끄러워할 얘기〕를 하는 것이냐? ②무슨 일이 있어도〔기어코〕 …하고자 하다. ¶你不和他好, 他～和你好; 자넨 그와 친하지도 않은데, 그는 꼭 자네와 가까워지고 싶어한다.
〔偏倚〕 piānyǐ 동 〈文〉 치우치다. 편중하다.
〔偏于〕 piānyú 〈文〉 …의 쪽에 기울다〔치우치다〕. ¶～保守的意见; 보수 쪽으로 기울어진 의견.
〔偏远〕 piānyuǎn 형 멀리 떨어져 있다. 외지다. ¶～地区; 벽지 / ～的山沟; 마을에서 멀리 떨어진〔외진〕 산간.
〔偏院〕 piānyuàn 명 옆뜰.
〔偏灾〕 piānzāi 명 홍수·가뭄의 재해.
〔偏振光〕 piānzhènguāng 명 《物》 편광. =〔偏光〕
〔偏振光镜〕 piān zhèn guāng jìng 명 편광경. 편광자(偏光子).
〔偏正〕 piānzhèng 명 편파와 중정(中正). ¶～结构; (문법용어) 정어(定語) →중심사(中心詞)(피수식어), 상어(狀語) → 중심사, 중심사 ← 보어 등의 수식 관계. 예컨대, '红花', '慢走', '洗干净' 따위와 같은 구조를 말함 / ～词组; 《言》 수식어와 피수식어로 이루어진 연어(連語).
〔偏执〕 piānzhí 형 편집스럽다. 한쪽만 고집하다.
〔偏值〕 piānzhí 공교롭게 …에 해당하다. 마침 …이다.
〔偏重〕 piānzhòng 동 한쪽만을 중히 여기다. 편중하다. ¶读书只～记忆而忽略理解是不行的; 독서에서 기억만을 중시하고 이해를 소홀히 해서는 안 된다.
〔偏转〕 piānzhuǎn 명 《物》 편향(偏向)(방사선·자침(磁針) 등의 바늘 따위가 외력(外力)의 영향으로 방향이나 위치를 바꿈). 흔들림. =〔偏倾〕
〔偏坠〕 piānzhuì 명 《漢醫》 토산불알. 만성 고환염.
〔偏左〕 piānzuǒ 동 ①왼쪽으로 다그치다. ¶这张桌子～安放; 이 탁자는 왼쪽으로 다가 놓다. ②(사상이) 좌경하다.
〔偏佐〕 piānzuǒ 동 〈文〉 보좌하다.

犏 piān (편)
→〔犏牛niú〕
〔犏牛〕 piānniú 명 《動》 황소와 야크의 암놈과의 제1대 잡종.

煸 piān (편)
명 《化》 메타프로테인(metaprotein).

篇 piān (편)
① 명 완결된 문장. ¶写长～小说; 장편 소설을 쓰다/论文还没有完～; 논문은 아직 다 쓰지 못했다. ② 명 여러 권으로 이루어진 책의 낱개. ¶前～; 전편 / 第一～; 제1편 / 初级～; 초급편 / 全～大意; 전편의 줄거리 / 上册共分七～; 상책은 일곱 편으로 나누어져 있다. ③ 양 ㉠시문(詩文)의 수를 세는 말. ¶一～论文; 한 편의 논문 / 一～文章; 한 편의 문장 / 写几～通讯; 몇 편의 기사를 쓰다 / 李白斗酒诗百～; 이백은 주호로, 술 한 말을 마시면 시 백 편은 읊었다. ㉡인쇄된 종이 한 장을 나타내는 말. ¶三～儿纸; 종이 3장 / 这本书缺了一～儿; 이 책은 한 장이 낙장돼 있다. ④(～儿, ～子) 명 낱장으로 되어 있는 인쇄물. ¶歌～儿; 한 장의 악보 / 单～儿讲义; 한 장의 강의용 프린트 / 一～儿信; 한 장의 편지.
〔篇幅〕 piānfú〔piānfu〕 명 ①지폭(紙幅). 지면. ¶～有限, 未能详述; 지면에 제한이 있어 자세히 기술할 수 없다 / 各杂志的新年号都增加了～; 각 잡지의 신년호는 모두 지면을 늘렸다. ②문장의 길이. ¶这篇评论的～只有一千来字; 이 평론은 문장의 길이가 1천여 자밖에 안 된다. ‖ =〔编幅〕
〔篇籍〕 piānjí 명 시서(詩書). 서적(書籍).
〔篇目〕 piānmù 명 ①책이나 시의 편의 이름. ②서적의 목차〔차례〕.
〔篇什〕 piānshí 명 시편(詩篇)('什'는 '十'과 같음. 고시(古詩)는 10편으로 묶은 것이 많았기 때문). 〈轉〉 시가(詩歌).
〔篇页〕 piānyè 명 (추상적인) 페이지. 장. ¶打开了光辉的～; 빛나는 한 페이지를 열었다.

〔篇章〕 piānzhāng 명 ①편과 장. 문장. 〈轉〉 시(詩). 책. ¶ ~结构; 문장의 구조 / 写下新的~; 새로 문장을 써 넣다. ②(추상적인) 장(章). ¶韩中关系史的新~; 한중 관계사의 새로운 장.

〔篇子〕 piānzi 명 〈口〉 (책 또는 두루마리 같은 것과 달리) 한 장의 종이에 인쇄한 것. 예컨대, 악보라든가 파일식(file式)의 문서 같은 것. 양 말에 대한 양사. ¶一大~话; 장황한 이야기.

翩 piān (편)
동 〈文〉 빨리 날다.

〔翩翻〕 piānfān 형 ⇨〔翩翩①〕

〔翩翩〕 piānpiān 형 ①가볍게 나는 모양. 동작이 경쾌한 모양. ¶花丛cóng中蝴蝶~飞舞; 나비가 꽃밭을 팔랑팔랑 날다. =〔翩翻〕 ②(행동거지가) 소탈하다. 멋스럽다. 시원스럽다. ¶风度~; 풍채가 멋지다 / ~莅临; 경쾌하게 (파티 따위에) 임하다. ③싱글벙글 기뻐하는 모양. ¶ ~自喜; 흡족해서 싱글벙글 기뻐하다. ④민첩하다. 재빠르다.

〔翩然〕 piānrán 형 〈文〉 (동작이) 민첩하다. 경쾌하다. 재빠르다. ¶ ~飞舞; 훨훨 날다. 경쾌하게 춤추다 / ~而至; 훌쩍 오다.

〔翩跹〕 piānxiān 형 경쾌하게 나는〔춤추는〕 모양. ¶ ~起舞; 팔랑팔랑 나는 모양.

便 pián (편)
표제어 참조. ⇒biàn

〔便佞〕 piánnìng 형 〈文〉 말주변은 좋으나 마음이 사악하다.

〔便辟〕 piánpì 명 〈文〉 남의 비위를 맞추기를 잘함. 또는 그런 사람.

〔便便〕 piánpián 형 ①피둥피둥하다. 뚱뚱하다. ¶大腹~; 뚱뚱한 올챙이 배. ②의론이 명백 유창하다. 말주변이 좋다.

〔便宜〕 piányi 형 ①값싸다. ¶又好又~; 좋고 싸다 / ~无好货; 〈諺〉 싼 것이 비지떡. ②달콤하다. 적절하다. ¶太~的事; 너무나도 괘가 맞는 일 / ~话; 믿지 못할 달콤한 얘기. ③깨끗하다. ¶让他死的~; 욕 안 보고 죽게 하다. 명 이익. 공짜. ¶占~; 재미를〔이익을〕 보다 / 得~; 잘되어 가다 / 贪小~吃大亏; 작은 이익을 탐하다가 크게 손해 보다. 동 ①힘 안 들이고 벌이를 하다. ¶不能叫~了他们爷们; 저 사나이들이 재미를 보게 놓아 둘 수는 없다. ②이롭게 해 주다. 좋게 해 주다. ¶那么~你, 画一个圆圈; 그러면 눈감아 줄 테니 동그라미를 하나 그려라. ③싸게 하다. 값을 깎다. ¶ ~些, 算一百元吧! 조금 에누리해서 100원에 합시다! ⇒biànyí

缏(緶) pián (편)
동 〈方〉 바늘로 꿰매다. ⇒biàn

楩 pián (편)
명 《植》 고서(古書)에 나오는 나무 이름(녹나무 비슷한 교목(喬木)).

骈(駢) pián (변)
동 ①두 필의 말을 나란히 하다. ②짝을 맞추다. 대(對)를 이루다. ¶ ~句; 대구(對句) / ~俪; ⇩ ③반을 편성하다.

〔骈苯〕 piánběn 명 ⇨〔萘nài〕

〔骈比〕 piánbǐ 형 〈文〉 즐비하다. 많다.

〔骈复〕 piánfù 형 〈文〉 부수적이다. 가외의 것이다. 한산하다. ¶ ~机关; 불필요한 관청.

〔骈肩〕 piánjiān 동 〈文〉 어깨와 어깨가 서로 닿다. 어깨와 어깨가 스치다. 〈比〉 사람이 많아 붐비다.

〔骈句〕 piánjù 명 〈文〉 대구(對句).

〔骈俪〕 piánlì 명 ①문장의 대우구법(對偶句法). ②변려(騈儷).

〔骈邻〕 piánlín 명 ①〈文〉 근린. 이웃. ②(가마대의) 양쪽 날개.

〔骈拇〕 piánmǔ 명 ①엄지발가락과 두 번째의 발가락이 붙은 것. ②군더더기.

〔骈拇枝指〕 pián mǔ qí zhǐ〔pián mǔ zhī zhǐ〕 〈成〉 군것. 불필요한 것. =〔〈簡〉 骈枝〕

〔骈四俪六〕 piánsì lìliù 명 ⇨〔四六文〕

〔骈体文〕 piántǐwén 명 대구(對句)를 써서 만든 글. 사륙 변려문(四六騈儷文).

〔骈阗〕 piántián 〈文〉 동 그러모으다. 나열하다. 형 수가 많다. ‖ =〔骈填〕〔骈田〕

〔骈胁〕 piánxié 명 〈文〉 통갈비. 변협.

〔骈衍〕 piányǎn 동 〈文〉 연속하다. 죽 이어지다.

〔骈臻〕 piánzhēn 동 〈文〉 함께 이르다.

胼 pián (변)
명 《生》 (손발의) 못.

〔胼手胝足〕 pián shǒu zhī zú 〈成〉 손발에 못이 박이도록 일을 하다. ¶终日~得dé来的仍是贫困; 하루 종일 손발에 못이 박이도록 일을 해도 얻는 것은 여전히 가난이다.

〔胼胝〕 piánzhī 명 (손발에 생기는) 못. 굳은살. =〔跰胝〕

〔胼胝体〕 piánzhītǐ 명 《生》 뇌량(腦梁).

跰 pián (변)
→〔跰胝〕

〔跰胝〕 piánzhī 명 손발의 못. =〔胼胝〕

蹁 pián (편)
동 〈文〉 비틀거리다.

〔蹁跹〕 piánxiān 형 ①빙글빙글 돌며 춤추는 모양. 팔랑팔랑 나는 모양. ②비틀거리는 모양.

谝(諞) piǎn (편)
〈方〉 ① 동 과시하다. 뽐내다. 우쭐해하다. ¶ ~能 =〔逞能〕〔显能〕; 재능을 뽐내다. 우쭐해하다 / 你不用~了, 谁不知道那两下子; 자랑하지 마. 그 정도의 것을 모르는 놈이 어디 있어. ② 명 교묘한 말솜씨.

〔谝阔〕 piǎnkuò 동 부자임을 자랑〔과시〕하다.

〔谝拉〕 piǎnlā 동 허풍 떨다.

〔谝能〕 piǎnnéng 동 재능을 자랑하다.

〔谝示〕 piǎnshì 동 자만하다. 과시하다.

〔谝子〕 piǎnzi 명 허풍쟁이.

〔谝嘴〕 piǎnzuǐ 동 허풍 떨다.

片 piàn (편)
①(~儿, ~子) 명 얇고 작은 것. 납작하고 얇게 자른 것. ¶瓦~儿; 기와 조각 / 纸~; 종이 조각 / 切成薄~; 얇게 자르다〔썰다〕 / 铁~; 철편. 쇳조각 / 汆cuān鸡~; 닭고기를 토막내어 끓인 국. ② 동 〈京〉 얇게 베다. 벗기다. 저미다. ¶ ~柿子皮; 감 껍질을 벗기다 / ~肉; 고기를 얇게 저미다 / 把豆腐干儿~一~; 건두부를 얇게 자르다. ③ 형 단편적이다. 부분적이다. ¶ ~言; 몇 마디 말 / ~纸只字; 〈成〉 약간의 자구(字句). ④ 양 ㉠얇은 조각 따위를 세는 말. ¶两~儿药; 약 2정(錠) / 一~树叶; 나뭇잎 한 장 / 三~面包; 빵 세 조각. ㉡면적·범위를 가리키는 말(항상 '一~'으로 쓰임). ¶一~荷花;

온통 연꽃 / 一~广阔的草原; 일면의 광활한 초원 / 一~汪洋大海; 일면의 망망대해 / 杀一大~; 그 자리의 많은 무리를 죽이다 / 一大~绿油油的庄稼; 온통 푸릇푸릇한 농작물 / 那一~房子都是战后不久就盖的, 讲究的很少; 저 일대의 집은 모두 전후 얼마 안 돼서 지은 집이라 멋진 집은 아주 적다 / 一~人; 새까맣게 모인 사람들. ㉢경치·분위기·소리·말·기분 따위에 쓰이는 말(항상 '一~'으로 쓰임). ¶一~新气象; 충만한 새 기풍 / 一~胡言; 한바탕의 허튼소리 / 一~欢乐的歌声; 일대의 즐거운 노랫소리 / 一~壮大的景色; 장대한 경치 / 一~好心; 모처럼의 친절심. ⑤ 명 카드·명함 등 얇은 조각의 것. ¶名~(儿) =〔~子〕; 명함 / 卡kǎ~; ⓐ카드. ⓑ명함 / 明信~(儿); 엽서. ⑥ 명 필름·레코드 등 얇은 판형(板形)의 것('儿化'할 때, piār로 발음됨). ¶感光~; 감광 재료 / 胶~ =〔软~〕〔胶卷(儿)〕〔赛璐珑~〕〔〈音〉非林〕; 필름 / 红外线~; 적외선 필름 / 唱~(儿); 레코드 / 新闻~; 뉴스 영화. ⑦ 명 큰 지구(地區)를 나눈 작은 지구. ¶分~包干; 작게 구분하여 각기 책임지고 행하다. ⑧ 명 ⇨〔便biàn士〕⇒piān

〔片帮〕 piànbāng 명 《鑛》 갱도의 양쪽 벽이 무너져 내리는 것.

〔片长〕 piàncháng 명 약간의 장점. 변변찮은 재능.

〔片楮〕 piànchǔ 명 〈翰〉〈謙〉 간단한 저의 편지. =〔片函〕〔片柬〕

〔片刀〕 piàndāo 명 날이 얇은 칼.

〔片锭〕 piàndìng 명 청조(淸朝) 말기까지 통화로 사용된 '银yín锭'(은괴)를 잘라서 지불하는 경우에 생기는 은 조각.

〔片段〕 piànduàn 명 (전체 속의) 단락. 부분. 토막(문장·소설·연극·생활·경력 따위). ¶生活的一~; 생활의 한 토막 / ~的经验; 불완전한 경험. 사소한 경험. 注 양사(量詞)로도 쓰임. =〔片断〕

〔片断〕 piànduàn 형 단편적이다. 불완전하다. ¶~话; 단편적인 이야기 / ~情况; 단편적인 상황. 명 ⇨〔片段〕

〔片鼓〕 piàngǔ 명 신장(新疆) 위구르 자치구 등의 소수 민족이 쓰는, 부채꼴 테에 가죽을 한 장 메운 북.

〔片函〕 piànhán 명 ⇨〔片楮〕

〔片簧〕 piànhuáng 명 《機》 리프 스프링(leaf spring). 판(板) 스프링.

〔片剂〕 piànjì 명 《藥》 정제(錠制).

〔片甲不存〕 piàn jiǎ bù cún 〈成〉 병사(兵士) 한 사람 남아 있지 않다(전군이 전멸함). ¶把侵略兵杀个~; 침략해 온 군사를 몰살시키다. =〔片甲不留〕〔片甲不回〕

〔片柬〕 piànjiǎn 명 ⇨〔片楮〕

〔片碱〕 piànjiǎn 명 정제된 천연 탄산소다.

〔片姜黄〕 piànjiānghuáng 명 《植》 강황(薑黃).

〔片刻〕 piànkè 명부 잠시. 잠깐. ¶人们呆了~; 사람들은 잠시 멍멍해 있었다 / ~间; 눈 깜짝할 사이(에). 잠깐 사이(에). =〔片晌〕〔片时〕

〔片流〕 piànliú 명 《物》 층류(層流). 층흐름.

〔片麻岩〕 piànmáyán 명 《地質》 편마암.

〔片面〕 piànmiàn 명 ①한쪽. 일방. ¶~之词; 일방적인 주장 / 轻信~之词; 경솔하게 한쪽 말만을 믿다 / 你这样~的说法是不正确的; 너의 그런 일방적인 논조는 옳지 않다. ②일면(적). 단편(적). ¶~观点; 일면적 관점 / ~真理; 일면의 진리. 형 일방적이다. 치우쳐 있다. ¶~地看问题; 일방적으로 치우쳐서 문제를 보다 / ~强调; …에 관하여 부당하게 역설하다 / 你的看法太~了! 자네는 (문제를) 보는 것이 너무 일방적이다 / ~撕毁协定; 일방적으로 협정을 파기하다. ‖↔〔全面〕

〔片面性〕 piànmiànxìng 명 일방성(一方性). ¶里面渗shèn进了~, 只想到经济, 没有想到政治; 내부에 일방성이 침투되어, 오직 경제면만을 생각할 뿐 정치면까지 생각하지 않는다 / 避bì免有害的~; 유해한 일방성을 제거하다.

〔片目〕 piànmù 명 (두꺼운 종이로 된) 목록 카드. 도서 카드.

〔片片〕 piànpiàn 부 한 조각 한 조각. 조각마다. 편편이. 형 극히〔아주〕 적다〔작다〕.

〔片片段段〕 piànpian duànduàn 형 단편적이다. ¶这情形还没有详细的报道, 大多是~, 而且充满了一厢情愿的想象; 이 정황은 아직 상세한 보도가 없고, 그 대부분이 단편적인데다 일방적인 희망적 관측으로 가득 차 있다.

〔片儿〕 piànr 명 ①얇고 납작한 것. 조각. ¶切成~; 얇고 납작하게 자르다 / 纸~; 종잇조각. ②명함. ⇒piānr

〔片儿饽饽〕 piànrbōbo 명 오리 통구이를 싸서 먹기 위하여, 밀가루 반죽을 얇게 부친 것. →〔烤kǎo鸭〕

〔片儿会〕 piànrhuì 명 ①지구(地區)마다 여는 임시 회의. ②실제로 회합하는 대신에, 서면을 제출하여 행하는 협의 형식.

〔片儿汤〕 piànrtāng 명 밀가루를 반죽하고 얇게 밀어 잘게 뜯어 넣어 끓인 수제비. ¶别费事! 给我作碗~就行了! 수고로운 일은 하지 마시고, 수제비나 한 그릇 만들어 주시면 됩니다.

〔片肉〕 piànròu 명 편육. 동 고기를 얇게 썰다〔저미다〕.

〔片霎〕 piànshà 명 〈文〉 잠깐 동안.

〔片善〕 piànshàn 명 〈文〉 조그만 선행.

〔片晌〕 piànshǎng 명부 ⇨〔片时〕

〔片石〕 piànshí 명 부서진 돌조각. 석편(石片).

〔片时〕 piànshí 명부 〈文〉 잠시. 잠깐. ¶稍shāo候~; 잠시 기다리다. =〔片刻〕〔片晌〕〔些xiē时〕

〔片糖〕 piàntáng 명 중국 남부산의, 판상(板狀)으로 만든 붉은 설탕.

〔片瓦无存〕 piàn wǎ wú cún 〈成〉 기왓장 하나 온전한 것이 없다(집이 완전히 붕괴된 모양).

〔片务契约〕 piànwù qìyuē 명 《法》 편무 계약.

〔片言〕 piànyán 명 〈文〉 편언. 몇 마디 간단한 말. ¶~居要; 〈成〉 몇 마디로 요점을 파악하다 / ~可决; 간단한 몇 마디로 해결할 수 있다 / ~只语; 〈成〉 한 두 마디의 간단한 말.

〔片言折狱〕 piàn yán zhé yù 〈成〉 몇 마디 들기만 해도 판가름할 수 있다. ¶片言可以折狱者, 其由也与《論語 顔淵》; 일언 반구의 호소만 듣고도 판결을 내릴 수 있는 것은 자로(子路)일 것이다.

〔片岩〕 piànyán 명 《地質》 편암.

〔片艳纸〕 piànyànzhǐ 명 편면 광택지.

〔片云〕 piànyún 명 〈文〉 편운. 조각 구름.

〔片张儿〕 piànzhāngr 명 (전답 등의) 면적. 넓이. ¶~多大啊? 면적은 얼마나 되는가?

〔片纸只字〕 piàn zhǐ zhī zì 〈成〉 일언반구. 단편적인 말.

〔片子〕 piànzi 명 ①조각. 얇고 납작하게 자른 것. ¶铁~; 철편 / ~地; 미개간의 작은 땅. ②명함.

=〔名片〕 ③아주 얇은 것. ¶赤脚~; 맨발 / 丫头~; ⓐ여자에 대한 욕말. ⓑ여자에 대한 애칭. ④돼지 반 마리의 고기. ⇒piānzi

骗(騙〈騗〉③) **piàn** (편) 동 ①속이다. ¶~人; ⇩ / 受~; 속다. ②속여 빼앗다. 편취하다. 사취하다. ¶~人财物; 남의 재물을 편취하다 / 被他~去十万块钱; 그에게 10만 원을 편취당했다. ③옆으로 훌쩍 뛰다. 한 발을 들어 뛰어오르다. ¶过道儿上摆满了东西, 你从板凳上~过来吧; 통로에 물건을 잔뜩 놓아 두었으니, 걸상을 뛰어넘어 오너라.

〔骗案〕 piàn'àn 명 사기 사건.

〔骗不了〕 piànbuliǎo ①우롱되지 않다. 속일 수 없다. ¶这种花招~人; 이런 속임수로는 사람을 속일 수 없다. ②속아 빼앗기지 않다.

〔骗财〕 piàn·cái 동 재물을 사취하다.

〔骗韂〕 piànchàn 명 웅크리고 있는 낙타 등을 비스듬이 옆으로 뛰어넘어 도약력을 단련하는 일.

〔骗赌〕 piàndǔ 명 사기 도박.

〔骗讹〕 piàn'é 동 속이다. 기만하다.

〔骗过去〕 piànguoqù 가로질러 뛰어넘다. ¶从椅子上~; 의자 위를 뛰어넘다.

〔骗哄〕 piànhǒng 동 (거짓말로) 속이다. 기만하다. =〔哄骗〕

〔骗婚〕 piànhūn 명동 사기 결혼(을 하다).

〔骗江过海〕 piàn jiāng guò hǎi 〈成〉 가는 곳마다 사기 행각을 벌이다.

〔骗局〕 piànjú 명 사람을 속이는 수단〔계략〕. 속임수. 트릭. 올가미. ¶拆穿~; 속임수를 폭로하다.

〔骗款〕 piàn kuǎn 금전을 사취하다.

〔骗赖〕 piànlài 동 속이다. 기만하다.

〔骗马〕 piàn·mǎ 동 날쌔게 말에 올라타다.

〔骗瞒〕 piànmán 동 기만하다. 사기치다.

〔骗钱〕 piàn qián 돈을 편취하다.

〔骗取〕 piànqǔ 동 사취하다. 편취하다. 속여 빼앗다. ¶~信任; 속임수를 써서 남의 신임을 얻다 / ~财物; 남의 재물을 사취하다 / ~支持; 속임수로 지지를 받아내다.

〔骗人〕 piàn rén 사람을 속이다〔기만하다〕. ¶~鬼话; 사람을 속이는 허튼 소리. 전적인 거짓말 / 那是~的幌子; 그건 사람을 속이는 연막이다.

〔骗上高楼拔短梯〕 piàn shàng gāo lóu bá duǎn tī 〈成〉 남을 부추겨서 일을 시키고, 일의 윤곽이 잡혀 갈 무렵에, 또 계략을 꾸며서 진퇴양난에 빠지게 하다《나무에 오르라 하고 밑에서 흔들다》.

〔骗赊〕 piànshē 명동 (의도적으로) 돈을 치르지 않고 상품을 먹어 치우는 속임수(를 쓰다).

〔骗术〕 piànshù 명 사술(詐術). 기만책. ¶施行~; 기만책을 쓰다.

〔骗腿儿〕 piàn·tuǐr 동 몸을 옆으로 기울여 한 발을 들고 훌쩍 뛰어오르다. ¶他一~跳上自行车就走了; 그는 잽싸게 자전거에 올라타고는 가버렸다 / ~亮相; 한쪽 다리를 들고 유다른 태도를 보이다《배우의 행동》.

〔骗贼〕 piànzéi 명 사기꾼. 협잡꾼.

〔骗子(手)〕 piànzi(shǒu) 명 사기꾼. 협잡꾼. ¶他觉得这个人是个不折不扣的~; 그는 이 인간이 영락없는 사기꾼이라는 것을 깨달았다.

〔骗嘴〕 piàn·zuǐ 동 ①음식물을 편취(騙取)하다. ②입맛을 속이다. ¶用糖精做的点心是~的; 사카린으로 만든 과자는 입맛을 속이는 것이다.

PIAO ㄆㄧㄠ

剽 **piāo** (표) ①동 빼앗다. 훔치다. ¶~掠; ⇩ ②형 동작 따위가 경쾌 · 민첩하다. =〔慓〕

〔剽剥〕 piāobō 동 〈文〉 (글 또는 말로) 남을 공격하다.

〔剽悍〕 piāohàn 형 〈文〉 표한(剽悍)하다. 날렵하고 용맹하다. 「=〔剽劫〕

〔剽劫〕 piāojié 동 ⇨〔剽掠〕

〔剽掠〕 piāolüè 동 〈文〉 협박해 빼앗다. 약탈하다.

〔剽窃〕 piāoqiè 명동 표절(하다). (남의 저작을) 도용(盜用)(하다). ¶~者; 표절자. 도작자(盜作者). 명《電算》 해킹(hacking). ‖ =〔剽取〕

〔剽取〕 piāoqu 명동 ⇨〔剽窃〕

〔剽贼〕 piāozéi 명 ①(남의 시문(詩文)의) 표절. ②표절자.

漂 **piāo** (표) ①동 떠돌다. 떠다니다. 표류하다. ¶树叶在水上~着; 나뭇잎이 물 위에 떠돌고 있다 / 河里~着许多花瓣儿; 강물에 꽃잎이 많이 떠 있다. ②동 유랑하다. ¶~泊; ⇩ ③형 경박하다. 경망스럽다. ¶她走得~; 그녀는 경망스럽게 걷는다. ⇒piǎo piào

〔漂泊〕 piāobó 동 유랑하다. 떠돌(아다니)다. ¶~不定; 정처없이 떠돌아다니다 / ~异乡; 타관을 떠돌다 / 老子晚年~江湖, 不知道怎么死的; 노자는 말년에 세상을 유랑하고 다녀서 어떻게 죽었는지는 알려져 있지 않다. =〔飘泊〕

〔漂荡〕 piāodàng 동 ⇨〔飘荡〕

〔漂泛〕 piāofàn 동 〈文〉 배를 타고 가다.

〔漂浮〕 piāofú 동 ①물 위에 둥둥 뜨다. 물 위를 떠돌다. ②〈比〉 (일하는 것이) 미덥지 못하다. 빈둥거리다. ‖ =〔飘浮〕

〔漂海〕 piāo·hǎi 동 ①바다에 표류하다. ②바다를 건너다. 해외로 멀리 여행하다. ¶漂洋过海卖杂货; 바다를 오가며 잡화를 팔다. ‖ =〔漂洋〕〔飘洋〕

〔漂金〕 piāojīn 명《鑛》 금광의 위쪽 또는 부근에 쌓인 사금.

〔漂来漂去〕 piāolái piāoqù 여기저기 표류하다.

〔漂砾〕 piāolì 명 표력. 큰 알돌.

〔漂零〕 piāolíng 동 ⇨〔飘零〕

〔漂流〕 piāoliú 동 ①표류하다. ②방황하다. 유랑하다. 떠돌아다니다. ¶游手好hào闲各处~; 일정한 직업 없이 빈둥빈둥 각지를 떠돌아다니다. ‖ =〔飘流〕

〔漂沦〕 piāolún 동 ⇨〔飘零〕

〔漂没〕 piāomò 동 떴다 가라앉았다 하다. 물에 잠기다. 부침(浮沈)하다.

〔漂鸟〕 piāoniǎo 명 먹이를 찾아 각지를 표류하는 조류. 철새.

〔漂漂儿的〕 piāopiāorde ①따로따로 떨어져 있는. 흐트러진. 난잡한. =〔皮儿pír片儿的〕 ②떠 있는.

〔漂瓶〕 piāopíng 명 바다에 표류시켜 해류의 방향과 속도를 측정하는 데 쓰는 병. ¶~图; 표병도《표병에 의한 해류 추정을 기초로 하여 만든 해류도》. =〔漂坛〕

〔漂萍无定〕 piāo píng wú dìng 〈成〉 부평초처럼 정처없이 떠돌다.

〔漂轻〕 piāoqīng 형 푹신푹신하고 가볍다. ¶丝绵

的衣裳，穿在身上～；풀솜을 둔 옷은 입으면 푹신푹신하고 가볍다.
〔漂儿〕 piāor 명〈方〉①낚시찌. =〔鱼漂(儿)〕〔浮子〕②물고기의 부레.
〔漂然〕 piāorán 형 ⇨〔飘然〕
〔漂坛〕 piāotán 형 ⇨〔漂瓶〕
〔漂眼〕 piāoyǎn 동 곁눈질로 보다. 흘겨보다. ¶～这么一看；슬쩍 이렇게 흘겨보다.
〔漂洋〕 piāo,yáng 동 ⇨〔漂海〕
〔漂摇〕 piāoyáo 동 ①둥실둥실 떠다니다. ②나부끼다. 펄럭이다. ③마음이 흔들리다.
〔漂移〕 piāoyí 동 ①표류하다. ¶大陆～；《地質》대륙 이동. ②《電》편이(偏移)하다.
〔漂游四海〕 piāo yóu sì hǎi〈成〉정처없이 온 세상을 방랑하다.

慓
piāo (표)
형〈文〉날래다. 재빠르다. =〔剽②〕

缥(縹)
piāo (표)
→〔缥缈〕〔缥缥〕⇒ piǎo

〔缥缈〕 piāomiǎo 형〈文〉①아련하여 분명히 보이지 않는 모양. ¶云烟～；〈成〉경치가 어렴풋하여 똑똑히 보이지 않다 / 虚无～；애매모호하여 막연하다. ②맑고 길게 끄는 (목)소리의 형용. ‖ =〔飘渺〕〔飘邈〕〔瞟眇〕
〔缥缥〕 piāopiāo 형〈文〉가볍게 날아오르는 모양.

飘(飄〈飃〉)
piāo (표)
①명 회오리바람. ②동 (바람에) 나부끼다. 펄럭이다. (연기·냄새 따위가) 떠오르다. 감돌다. 〈轉〉훌쩍 오다〔가다〕. ¶太极旗迎风～扬；태극기가 바람에 펄럭이다 / ～来～去；훌쩍 왔다 훌쩍 떠나다 / ～起了炊烟；밥 짓는 연기가 모락모락 피어 오르다. ③동 (눈이나 나뭇잎 따위가) 하늘에서 흩날려 오다. ¶～雪花；눈송이가 펄펄 날리다 / ～在天空；하늘에 흩날리고 있다. ④동 방황하다. ⑤동 방심하다. 소홀히 하다. ⑥형 의기양양하다. ⑦형 경박하다. 침착하지 못하다.

〔飘泊〕 piāobó 동 ⇨〔漂泊〕
〔飘薄〕 piāobó 동 ⇨〔飘零〕
〔飘布〕 piāobù 명 옛날, 비밀 결사가 가입자에게 주는 헝겊 배지. ¶起义时党人都带上～以资辨识；혁명을 결행했을 때 당원은 모두 헝겊 표지를 달아 안표를 삼았다. =〔票piào布〕
〔飘带(儿)〕 piāodai(r) 명 (깃발·옷·모자 따위의 장식) 리본. 띠. ¶挂上了～；리본을 달았다 / 大旗上有两根～；큰 깃발 위에 두 가닥의 리본이 붙어 있다.
〔飘荡〕 piāodàng 동 ①유랑(流浪)하다. ②물 위를 떠돌다. ¶任凭小船随水流～；작은 배에 몸을 의지하고 물 흐름에 따라 떠돌다. ③공중에 펄럭이다. ‖ =〔漂荡〕
〔飘倒〕 piāo dǎo《劇》배우가 대사를 틀리게 읽는 일《자음의 음양음(陰陽音)의 구별을 틀리는 것을 '飘'라 하고, 첨단음(尖團音)을 구별하지 못하는 것을 '倒'라 함》.
〔飘动〕 piāodòng 동 펄럭이다. 너풀거리다.
〔飘风〕 piāofēng 명 갑자기 부는 바람. 표풍. 선풍. ¶～不终朝，骤zhòu雨不终日《老子 23章》；선풍은 아침나절에는 그치며, 소낙비는 종일 내리지 않는다《갑자기 세력을 얻은 자는 갑자기 몰락한다》.
〔飘拂〕 piāofú 동 가볍게 휘날리다. 길게 뻗치다. ¶薄云～；엷은 구름이 길게 드리워 있다.
〔飘浮〕 piāofú 동 ⇨〔漂浮〕
〔飘高(儿)〕 piāogāo(r) 명 직인(職人)이 높은 곳에서 떨어짐. 직위의 강등.
〔飘忽〕 piāohū 동 ①자욱이 끼다. 감돌다. ¶海面上～着一团水雾；해면에는 안개가 끼어 있다. ②흔들려 움직이다. 요동하다. ¶～不定；흔들흔들 떠돌다. ③(구름·바람이) 빠르게 흐르다. 형〈轉〉종잡을 수 없다. 변덕스럽다. ¶或恨阿Q太～；혹은 아Q가 너무 변덕스럽다고 원망했다. ‖ =〔暴忽〕
〔飘花〕 piāohuā 명동 찰과상(擦過傷)(을 입다). ¶"不要紧，～" 队长忙说；"대수롭지 않다. 찰과상이야."라고 대장은 급히 말했다.
〔飘疾〕 piāojí 형〈文〉빠르다.
〔飘举〕 piāojǔ 형 ⇨〔飘逸〕
〔飘零〕 piāolíng 동 ①(꽃이나 나뭇잎이) 우수수 떨어지다. ¶黄叶～；마른잎이 떨어지다. ②〈比〉(의지하는 것을 잃고) 생활이 불안정해지다. 영락(零落)하다. 떠돌다. 표박(漂泊)하다. ‖ =〔飘沦〕〔飘薄〕〔飘蓬〕〔漂沦〕〔漂零〕
〔飘流〕 piāoliú 동 ⇨〔漂流〕
〔飘沦〕 piāolún 동 ⇨〔飘零〕
〔飘落〕 piāoluò 동 흩날리다. 날리어 떨어지다. ¶花瓣bàn随风～；꽃잎이 바람에 흩날리다.
〔飘渺〕 piāomiǎo 형 ⇨〔缥缈〕
〔飘蓬〕 piāopéng 동 ⇨〔飘零〕
〔飘飘〕 piāopiāo 형 ①둥실둥실 떠도는 모양. 바람에 나부끼는 모양. 팔랑팔랑 떠도는 모양. 살랑살랑 부는 모양. ¶～欲yù仙；표표히 세속과 떨어져 있다 / 春风～地吹；봄바람이 산들산들 분다. ②〈轉〉(마음이) 경쾌하다. ‖ =〔漂漂〕
〔飘飘荡荡〕 piāopiāodàngdàng 형 정처없이 방황하는 모양.
〔飘飘然〕 piāopiāorán 형〈貶〉(기뻐서) 우쭐하는 모양. 득의 양양한 모양. ¶夸kuā了他几句，他就～了；몇 마디 칭찬 좀 해 주었더니, 그는 곧 기뻐서 우쭐해했다.
〔飘球〕 piāoqiú 명《體》(배구 등에서) 크게 원을 그리고 회전이 없는 플로터 서브(floater serve).
〔飘然〕 piāorán 형 ①나풀거리는 모양. 둥실둥실 떠가는 모양. ②표연히 떠도는 모양. 거처가 정해져 있지 않은 모양. 속세의 일에 초연히 움직이는 모양. ‖ =〔漂然〕
〔飘洒〕 piāosǎ 동 나부끼다. 흩날리다. ¶天空～着雪花；하늘에는 눈이 흩날리고 있다.
〔飘洒〕 piāosa 형 (자태가) 자연스럽다. 활달하고 깨끗하다. 선드러지다. ¶他写的字很～；그의 글씨는 대단히 세련돼 있다.
〔飘散〕 piāosàn 동 ①바람에 흩날리다. ②(향기 따위가) 감돌다.
〔飘散〕 piāosan 동 (머리를) 흩뜨리다. 풀어 헤치다.
〔飘飕〕 piāosou 형〈北〉경쾌하다. 가볍다. ¶在天空中～着一面旗；하늘에 깃발이 가볍게 떠 있다 / 你看，这些跳舞的人的脚步多么～！봐라! 이 춤추고 있는 사람들의 스텝이 어쩌면 이렇게 가벼운지.
〔飘瓦〕 piāo wǎ〈成〉천재(天災). 예기치 못한 재앙. ¶虽有忮心者，不怨～《莊子 達生》；마음이 비뚤어진 사람이라도 지붕에서 떨어진 기와에 맞는 경우에는 원망하지는 않는다.
〔飘舞〕 piāowǔ 동 (바람에) 나부끼다. 춤추듯 펄럭이다. ¶柳枝迎风～；버드나무 가지가 바람에 나부끼다.
〔飘萧〕 piāoxiāo 형〈文〉영락해서 쓸쓸하다.
〔飘扬〕 piāoyáng 동 나부끼다. 펄럭이다. 휘날리

다. ¶太极旗迎风～; 태극기가 바람에 펄럭이다.
〔飘洋〕 piāoyáng 동 ⇨〔漂海〕
〔飘摇〕 piāoyáo 동 바람에 나부끼다. 펄럭이다. ¶烟云缭绕, ～上升; 연기가 맴돌며 하늘하늘 피어오르다.
〔飘逸〕 piāoyì 형 〈文〉 뛰어나다. 표일하다. ¶神采～; 풍채가 뛰어나다. =〔飘举〕
〔飘溢〕 piāoyì 동 자욱하다. 가득 풍기다. ¶屋里～着鲜花的芳香; 방 안은 신선한 꽃 향기가 가득하다.
〔飘音〕 piāoyīn 명 《劇》 경극(京劇)의 노래나 대사에서, 음평성(陰平聲)과 양(陽)평성을 잘못해서 서로 뒤바꾸는 일(예를 들면, '昨夜晩一梦大不祥 xiáng'의 '祥'은 다음 구(句)의 억양과의 관련으로 특히 음평성 xiāng으로 불러야 할 것을 양평성으로 노래하는 것 같은 실수를 말함). =〔飘字(儿)〕
〔飘悠〕 piāoyou 동 공중·물 위에서 천천히 부동(浮動)하다. 유유히 떠돌다. ¶小船在水里慢慢地～着; 작은 배가 수면에서 천천히 떠돌고 있다 / 几片树叶飘飘悠悠地落下来; 나뭇잎이 몇 잎 팔랑팔랑 떨어지고 있다. =〔飘游〕
〔飘寓〕 piāoyù 동 〈文〉 타향에 머무르다.
〔飘展〕 piāozhǎn 동 펄럭거리다. ¶国旗在天空中～; 국기가 하늘에서 펄럭거린다.
〔飘字(儿)〕 piāozì(r) 명 ⇨〔飘音〕

螵 piāo (표)
→〔螵蛸〕
〔螵蛸〕 piāoxiāo 명 《蟲》 버마재비 알의 뭉치(빵 모양으로 되어 있음).

朴 Piáo (박)
명 성(姓)의 하나. ⇒pō pò pǔ

嫖〈闞〉 piáo (표)
① 명 계집질. ¶吃、喝、～、赌是丧身之祸; 먹고 마시는 일, 계집질, 노름은 몸을 망치는 화근이다. ② 명 창기(娼妓). ③ 동 계집질하다. 창기와 놀다. ¶～妓女; 갈봇집 출입을 하다.
〔嫖娼〕 piáochāng 동 창녀〔창기〕와 놀다. ¶～宿sù妓; 오입질에 빠지다.
〔嫖荡子〕 piáodàngzi 명 방탕아. 난봉꾼.
〔嫖赌〕 piáodǔ 명동 오입질과 노름(을 하다). ¶吃、喝、～无所不为; 먹고 마시고 오입질에 노름, 어느 하나 하지 않은 일이 없다.
〔嫖价〕 piáojià 명 옛날, 기생의 화대.
〔嫖客〕 piáokè 명 창루(娼樓)의 유객(遊客). =〔嫖徒〕
〔嫖徒〕 piáotú 명 ⇨〔嫖客〕
〔嫖窑子〕 piáo yáozi 옛날, 유곽에 놀러다니다. 오입질하다.
〔嫖瘾〕 piáoyǐn 명 방탕벽(癖). 동 오입질에 인이 박히다.
〔嫖友(儿)〕 piáoyǒu(r) 명 오입질 친구.
〔嫖致〕 piáozhì 형 아름답다.
〔嫖子〕 piáozi 명 창기(娼妓). =〔婊biǎo子〕

瓢 piáo (표)
(～儿) 명 ①호리병박·박 따위의 총칭. ②(호리병박으로 만든) 바가지. 국자. 주걱. ¶水～; 표주박 / 饭～; 밥주걱 / 大海架不住～舀; 〈諺〉 큰 바다라도 표주박으로 계속 퍼내면 견뎌내지 못한다(조금씩 줄어도 언젠가는 없어져 버릴 때가 있다) / 他一声没出, 喝了～水, 走了出去《老舍 駱駝祥子》; 그는 한 마디도 하지 않고, 물을 한 바가지 마시고는 나갔다 / 一箪食, 一～饮, 在陋巷, 人不堪其忧, 回也不改其乐, 贤哉回也《論語 雍也》; 한 소쿠리의 밥과 한 바가지의 물밖에 없고 누추한 거리에 살고 있다면, 보통 사람이라면 견뎌 내지 못하겠지만, 안회는 그래도 여전히 즐겁게 살고 있다. 과연 안회는 현인이다. ③〈比〉 사람의 머리. ¶开了～; 머리가 깨지다 / ～儿菜; 난징(南京)산(産) 배추 이름.
〔瓢把子〕 piáobázi 명 〈俗〉 ①〈北方〉 도둑의 두목. ②밥주걱. 국자.
〔瓢岔儿似的〕 piáochàrshìde 〈比〉 ⇨〔盆pén儿朝天, 碗儿朝地〕
〔瓢虫〕 piáochóng 명 《蟲》 무당벌레. =〔艾ài瓢儿〕
〔瓢倒似的〕 piáodàoshìde 바가지로 물을 뿌리듯 하다. ¶下了～大雨; 바가지로 물을 퍼붓듯 큰비가 내렸다.
〔瓢葫芦〕 piáohúlu 명 ①《植》 호리병박. 호로. ②호리병박 바가지.
〔瓢泼〕 piáopō 형 물을 바가지로 퍼붓다(비가 억수 같이 오다).
〔瓢泼(的)大雨〕 piáopō(de)dàyǔ 〈比〉 억수 같은 비.
〔瓢泼瓦灌〕 piáopō wǎguàn 〈北方〉 줄기차게 억수 같은 비가 내리다. ¶这么～的大雨, 庄稼受不了; 이렇게 큰비가 내리면, 농작물이 성할 수 없다.
〔瓢儿〕 piáor →〔字解〕
〔瓢儿菜〕 piáorcài 명 ⇨〔塌tā棵菜〕
〔瓢儿朝天, 碗儿朝地〕 piáor cháotiān, wǎnr cháodì 〈比〉 ⇨〔盆pén儿朝天, 碗儿朝地〕

薸 piáo (표)
명 《植》 〈方〉 ①개구리밥. 부평초. =〔浮萍〕 ②워터 레티스(water lettuce)(열대산 부유 수초의 일종). =〔大薸〕

莩 piǎo (표)
동명 ⇨〔殍〕 ⇒fú

殍 piǎo (표)
① 동 굶어 죽다. =〔饿è殍〕 ② 명 아사자(餓死者). ¶民有饥色, 野有饿～; 백성에게는 기아의 빛이 보이고, 들에는 아사자가 있다. ‖ =〔莩piǎo〕

漂 piǎo (표)
동 ①표백하다. 마전하다. ¶～过的布; 표백한 면포(綿布) / ～白; ⇓ ②물로 씻어 불순물을 제거하다. 일다. ¶～朱砂; 주사를 물로 선별하다. ③머금다. ¶～着泪花; 눈물을 눈에 머금다. ⇒piāo piào
〔漂白〕 piǎobái 명동 표백(하다). ¶～粉; 표백분 / ～素; 표백한 무지의 생견.
〔漂(白)粉〕 piǎo(bái)fěn 명 표백분.
〔漂布〕 piǎobù 동 천을 표백하다. 표포하다. 명 ①표포. 표백한 천. ②표백한 옥양목.
〔漂布匠〕 piǎobùjiàng 명 표포장. 마전장이.
〔漂掉〕 piǎodiào 동 헹구어서 없애다. ¶把附在衣服上的皂水完全～才能拿去晒; 옷에 묻은 비눗물을 완전히 헹궈 낸 다음에야 겨우 말릴 수 있다.
〔漂(粉)精〕 piǎo(fěn)jīng 명 고도(高度) 표백분.
〔漂母〕 piǎomǔ 명 〈文〉 표모. 빨래하는 노파(한신(韓信)이 가난한 시절, 회음(淮陰)에서 낚시를 하고 있을 때, 빨래하는 노파에게 밥을 얻어먹은 적이 있는데, 한신이 뒤에 초(楚)나라 왕이 되자, 천금을 주어 이에 보답한 고사에 의함).

〔漂去〕 piǎoqù 동 물에 헹구어 (더러움이나 잡물(雜物)을) 제거하다.
〔漂染〕 piǎorǎn 동 표백과 염색을 하다. ¶~厂chǎng; 염색집.
〔漂晒〕 piǎoshài 동 표백하여 햇볕에 말리다.
〔漂洗〕 piǎoxǐ 동 표백하여 빨다.
〔漂孝儿〕 piǎoxiàor 명 올이 가늘고 흰 삼베로 지은 상복(가벼운 상(喪)에 입음).

缥(縹) piǎo (표)
명 〈文〉 ①담청색(淡青色). ②파르스름한 비단. ⇒piāo
〔缥囊〕 piǎonáng 명 ⇨〔缥帙〕
〔缥色〕 piǎosè 명 〖色〗 엷은 남색. 옥색. =〔漂色〕
〔缥瓦〕 piǎowǎ 명 〈文〉 엷은 남색〔옥색〕의 유리기와(유약을 칠한 기와).
〔缥湘〕 piǎoxiāng 명 '缥色'이나 '湘色'(연두색)의 천으로 만든 책갑. 〈轉〉 서적.
〔缥帙〕 piǎozhì 명 옥색 천을 마분지에 발라 만든 한문책의 책갑. 〈轉〉 서적. =〔缥囊〕

瞟 piǎo (표)
동 ①흘긋 스쳐보다. 곁눈질하여 보다. ¶~了他一眼; 그를 흘긋 곁눈질하여 보았다/她吃不消那些下等人用白眼~她; 그녀는 그런 하등배들이 냉대하는 눈초리로 자신을 흘끗 곁눈질하는 것을 참을 수 없었다. ②주시하다. 감시하다. ③경쟁(競爭)하다.
〔瞟眇〕 piǎomiǎo 형 ⇨〔缥piāo缈〕
〔瞟视〕 piǎoshì 동 〈文〉 곁눈질하다.

票 piào (표)
①명 표. ㉠(타거나 입장하는) 티켓. 권(券). ¶车~; 차표. 승차권/门~; 입장권/戏~; 연극표/月台~; (역의) 입장권/邮~ =〔〈俗〉信~〕; 우표/投~; 투표(하다)/当~(儿); 전당표. ㉡(주식·어음 따위) 유가 증권. 권(券). ¶股~; 주권(株券)/期qī~; 약속 어음/汇~; 환어음. 송금 어음/支zhī ~; 수표/凭píng~即付~据 =〔见~即付~(据)〕; 일람불 약속 어음/发~; ⓐ영수증. ⓑ송장(送狀)/认~不认人; 지참인불(持參人拂). ㉢구입권. ¶粮~; 식량 배급표/烟~; (고급) 담배 구입권/油~; 식용유 구입권/凭~供应; 구입권과 상환으로 제공하다. ②(~儿, ~子) 명 지폐. ¶零~儿; 소액 지폐/钞~; 지폐/五分小~; 5전짜리 소액 지폐/钱~; 지전. 지폐/毛~ =〔毛钱~〕; 10전 단위의 소액 지폐. ③양 〈方〉 (상(商)행위 등에서의) 한 건(件). ¶今天做成一~儿买卖; 오늘은 거래 한 건이 성립되었다/一~货; 한 몫의 상품/当了一~(儿)当; 한 가지를 전당잡혔다. ④명 소인극(素人劇). 아마추어 연극. ¶玩~; 아마추어 연극을 하다. ⑤명 인질(人質). ¶撕~(儿); (몸값을 못 받아) 인질을 죽이다/赎~; 몸값을 주고 인질을 빼내다/绑~(儿)的 =〔绑匪〕〔~匪〕; 유괴범. 납치범. ⑥명 소환장(狀). ⑦동 헛걸음하다. =〔白走〕
〔票背签字〕 piàobèi qiānzì 동 ⇨〔背书②〕
〔票布〕 piàobù 명 ⇨〔飘piāo布〕
〔票传〕 piàochuán 동 소환장을 발부하(여 소환하)다.
〔票窗〕 piàochuāng 명 ①(극장·역 따위의) 매표구. ②(은행 따위의) 창구(窓口).
〔票存〕 piàocún 명 ①유가 증권의 부본(副本). ②'钱庄'(개인 금융 기관)이 '庄票'(일종의 채권 또는 어음)를 발행했을 때, 그에 대한 지불 준비금.
〔票底(子)〕 piàodǐ(zi) 명 ⇨〔票根〕
〔票额〕 piào'é 명 ①표수(票數). ¶全部~只剩下八张; 표의 전체 매수에서 불과 8매만 남았다. ②어음 따위의 액면 금액.
〔票房(儿,子)〕 piàofáng(r, zi) 명 ①〈口〉 출찰구. 매표구. ¶~价值; 흥행 성적. ②역(驛). 정거장. ¶上~去; 역에 가다. ③옛날, 아마추어 배우의 연습장.
〔票匪〕 piàofěi 명 유괴범. =〔绑bǎng票(儿)的〕
〔票根〕 piàogēn 명 ①(어음·증권 따위의) 부본. ②(입장권의) 한 쪽을 떼어 주고 남은 반쪽. ¶国泰观众可凭~向该院购买特价唱片; 국태 극장의 관객께서는 이 입장권의 나머지 반쪽으로 당 극장의 특가 레코드를 사실 수 있습니다. ‖ =〔票底(子)〕
〔票匦〕 piàoguǐ 명 투표함. =〔票箱〕〔投tóu票匦〕
〔票号〕 piàohào 명 옛날, 산시(山西)의 상인이 경영한 금융 기관(환 업무를 주로 하였으며 청대(清代) 말에는 전국의 금융을 좌우했음). =〔票庄〕
〔票汇〕 piàohuì 명동 보통 환(으로 송금하다).
〔票活〕 piàohuó 명 돈벌이가 안 되는 일. 무보수의 일.
〔票夹子〕 piàojiāzi 명 ①지갑. ②정기권(定期券)·명함을 넣는 지갑.
〔票价〕 piàojià 명 ①(인질의) 몸값. ②티켓 요금.
〔票据〕 piàojù 명 ①〖商〗 어음·증권류(類). ¶~商; 증권 매매업자/贴现~ =〔托收~〕; 어음을 할인하다/~交换; 어음 교환/~交易所; 어음 교환소/~法; 어음법/外汇~; 외국환 어음/见票即付~ =〔即票〕; 일람불 어음/见票后定期付~; 일람후 정기불 어음/清洁~; 신용 어음/全贴~; 완전 어음/应付~; 지급 어음/应收~; 수취 어음/拒jù付~; 부도 어음/空头~; 공수표/~经纪人; 증권 중개인. ②금전·물품 수수(授受)의 증거가 되는 서류(전표·영수증 따위). →〔收条(儿)〕
〔票据贴现〕 piàojù tiēxiàn 명 어음 할인.
〔票决〕 piàojué 명동 표결(하다).
〔票款〕 piàokuǎn 명 표〔티켓〕의 값.
〔票捆〕 piàokǔn 명 돈다발. 지폐 묶음.
〔票力〕 piàolì 명 옛날, '钱庄'이 지불 청구자로부터 징수한 송금 수수료.
〔票利丹〕 piàolìdān 명 〖宗〗 〈音〉 퓨리턴(Puritan). =〔清教徒〕
〔票面〕 piàomiàn 명 〖商〗 액면. 권면(券面). 어음면. ¶~价格 =〔~金额〕〔~值〕〔面值〕; 액면가격/500圆~的股票只值到280圆; 500원 액면의 주권이 겨우 280원이 되었다.
〔票票〕 piàopiao 명 〈俗〉 지폐. 현찰. 돈.
〔票签〕 piàoqiān 명 부전(附箋).
〔票钱〕 piàoqián 명 표〔티켓〕의 가격.
〔票券〕 piàoquàn 명 입장권. 티켓.
〔票贴〕 piàotiē 명 옛날, 어음 발행 수수료('票庄'이 거래선의 요구에 응하여 '庄票'를 발행할 때 징수하는 수수료).
〔票务员〕 piàowùyuán 명 옛날, 차장(車掌).
〔票现〕 piào xiàn 명 어음과 현금.
〔票箱〕 piàoxiāng 명 ⇨〔票匦〕
〔票选〕 piàoxuǎn 명 투표에 의한 선거. 동 투표로 뽑다.
〔票友(儿)〕 piàoyǒu(r) 명 아마추어 배우. ¶~出身; 아마추어 배우에서 직업 배우가 된 사람/~彩排; 아마추어 배우가 하는 리허설. =〔玩(儿)票的〕

〔票证〕 piàozhèng 명 ①배급표. ②각종 유가 증권. 신용〔크레디트〕 카드. 여행자 수표 따위.
〔票庄〕 piàozhuāng 명 ⇨〔票号〕
〔票子〕 piàozi 명 ①어음. ②티켓. 표. ③지폐. ¶点~; 지폐 따위를 한 장 한 장 세다. ④우표. =〔邮yóu票〕

慓 piào (표)
형〈文〉①재빠르다. 잽싸다. ②경박하다.

漂 piào (표)
①동〈方〉(일 따위가) 허사가 되다. 허탕치다. (예정을) 그만두게 되다. ¶昨天说的事情~了; 어제 이야기한 것은 허사가 되었다 / 今天早上~了一顿; 오늘은 조반을 안 먹었다 / 我临时有事, 我把您~了, 真对不起; 급한 볼일이 생겨서 당신을 바람 맞게 해 대단히 미안합니다 / 那事没有指望, ~了; 그 일은 가망이 없다〔틀렸다〕. =〔落空〕 ②동 (빌려 준 돈을) 떼이다. ¶~账; ⇩ ③→〔漂亮〕 ⇒piāo piǎo
〔漂亮〕 piàoliang 형 ①(용모·복장·색채 따위가) 아름답다. 예쁘다. 세련되다. ¶这个姑娘长得~; 이 아가씨는 예쁘게 생겼다 / 这花色太~, 对于中年人不合适; 이 빛깔은 너무 화려해서 중년의 사람에게는 맞지 않는다 / 这件衣服很~; 이 옷은 매우 깨끗하고 예쁘다. ②(말·하는 일 따위가) 시원시원하다. 세련되다. 유창〔훌륭〕하다. ¶~人; 사리를 잘 아는 사람 / 事情办得真~; 일을 매우 잘 처리하다 / 不~的事, 千万不要做; 좋지 않은 일은 하지 않는 게 좋다 / 他说一口~的普通话; 그는 깨끗한 보통화를 말한다 / 打了一次~仗; 멋진 일전을 치뤄 냈다. (큰 일을 하는 데) 훌륭한 성과를 거뒀다.
〔漂亮话〕 piàolianghuà 명 (실행이 따르지 않는) 겉치레만의 말. (입으로만의) 말치레. ¶单是说~没有用, 做出来才算; 겉만 번지르르한 말을 해서는 소용 없고, 실행하지 않으면 안 된다.
〔漂账〕 piào‚zhàng 동 빚을 갚지 않다. 꾸어 준 돈을 떼어먹다.

嘌 piào (표)
①형〈文〉빠르다. ②→〔嘌呤〕
〔嘌呤〕 piàolìng 명《化》푸린(purin). ¶三羟基~; 트리히드록시(trihydroxy) 푸린. 요산. =〔脲酸〕

骠(驃) piào (표)
형〈文〉①용맹하다. =〔骠勇yǒng〕 ②말이 빨리 달리는 모양. ⇒biāo
〔骠骑〕 piàoqí 명 옛날, 장군의 칭호.

PIE ㄆㄧㄝ

氕 piē (별)
명《化》프로튬(H^1: protium). 경수소(輕水素).

撇 piē (별)
동 ①버리다. 내팽개치다. ¶把老一套都~了; 케케묵은 것을 모두 버렸다. ②내버려 두다. 뒤에 남기다. ¶~了他一天了; 그를 하루 종일 내버려 두었다 / 死后~下一儿一女; 사후에 1남 1녀를 남겼다. ③어떤 어조로 말하다〔지껄이다〕. ¶~京腔; ⇩ / 听他的口吻像是一位南方人, ~的可是京腔; 그의 말투를 들어보면 남방 사람 같은데, 지껄이는 말은 베이징어(北京語)이다. ④(거품·기름 따위를) 떠내다. 건져 내다. ¶~沫mò子; ⓐ거품을 걷어 내다. ⓑ줄 돈의 일부를 가로채다. ⇒piě
〔撇掉〕 piē‚diào 동 버리다. 내던지다. ¶他撇不掉妻子, 怎么能出家? 그는 처자식을 버리지 못하는데, 어떻게 출가할 수 있겠나?
〔撇断〕 piēduàn 동 (사이·관계를) 끊다.
〔撇荒〕 piēhuāng 동 (오래 방치하거나 또는 멀리했기 때문에 기능·솜씨가) 못 쓰게 되다. 거칠어지다. 떨어지다.
〔撇回〕 piēhuí 동 되던지다.
〔撇火〕 piē‚huǒ 동 부싯돌로 불을 일으키다. =〔打dǎ火〕
〔撇家失业〕 piē jiā shī yè〈成〉집을 버리고 생업을 잃다.
〔撇京腔〕 piē jīngqiāng 베이징(北京) 말을 자랑삼아 하다《다소 경멸하는 말씨》. ¶孩子们回到家里说普通话, 有些家长认为是~; 아이들이 집에 돌아와서 표준어를 지껄이면, 일부 가장은 베이징어를 자랑삼아 하는 것으로 생각한다.
〔撇开〕 piē‚kāi 동 ①내던지다. 버려 두다. 내버려 두고 돌아보지 않다. ¶对小事~不管; 사소한 일은 버려 두고 무시하다 / 先~次要问题不谈, 只谈主要的两点吧! 2차적인 문제는 잠시 젖혀 두고, 주요한 두 점에 관해서 이야기하죠! ②옆에 놓아 두다.
〔撇拉〕 piēla 동 발장다리로〔팔자걸음으로〕 뒤뚱거리며 걷다. ¶两只八字脚~~地真难看; 발장다리의 이상한 모양으로 뒤뚱뒤뚱 걸어서 정말이지 보기 싫다. ⇒piěla
〔撇老腔儿〕 piē lǎoqiāngr 케케묵은〔낡은〕 얘기를 하다. ¶你不用~, 没人听你的教训; 케케묵은 소리를 하지 마라. 아무도 네 설교를 듣는 사람은 없다.
〔撇老套〕 piē lǎotào 낡은 관습을 버리다. 지금까지의 방식을 버리다. 옛날 양식을 버리다.
〔撇锚〕 piēmáo 동 ⇨〔抛pāo锚①〕
〔撇妻撂子〕 piēqī liàozǐ 처자식을 버리다〔버려 두다〕.
〔撇弃〕 piēqì 동 던져 버리다. 방치하다. ¶~家小; 가족을 버리다 / 主张~原来的做法; 원래 하던 방식을 버리도록 주장하다.
〔撇腔〕 piē‚qiāng 동 ①사투리를 섞어 말하다. ¶他撇的是哪儿的腔? 저 사람이 지껄이고 있는 것은 어디 사투리이냐? ②쓸데없는 소리를 하다. 우는 소리를 하다.
〔撇清(儿)〕 piēqīng(r) 동 ①깨끗이 떠서 치우다. ②상관없다는 표정으로 결백한 척하다. ¶他在上司面前假意~; 그는 상사 앞에서는 그럴 듯하게 결백한 체한다 / 他又~呢, 谁还不知谁的底; 그는 또 결백한 체하고 있지만(피차 속셈을 알고 있는데) 누가 그 속을 모르겠는가 / 又吃鱼又嫌腥, 又养汉又~; 〈諺〉생선은 먹지만 비린 것은 싫고, 샛서방을 두고 있는 주제에 깨끗한 체한다.
〔撇汤〕 piētāng 동 국 따위의 표면에 뜬 거품을 떠내다.
〔撇脱〕 piētuō 형〈方〉①시원스럽다. ㉠명쾌하다. 분명하다. ¶办事要办得~; 일은 시원스럽게 처리해야 한다 / 这个人很~, 答应办马上就办; 이 사람은 아주 시원스러워서 한다고 떠맡으면 곧 한다. ㉡소탈〔담박〕하다. 깔끔하다. 시원스럽다. 구애받지 않다. ¶那个人很~, 小事总不放在心上;

그 사람은 소탈해서 작은 일에 구애되지 않는다. ㉢(그림에서) 필세가 거침이 없다. ②(손)쉽다. 간단하다. ¶说起来倒~, 办起来可不简单; 입으로 말하기는 쉽지만, 해보면 좀처럼 수월치가 않다.

〔撇下〕 piēxia 동 ①(내)버리다. 내던지다. 내버려 두다. 방치하다. ¶~不管; 내버려 두어 돌보지 않다. ②〈轉〉 (뒤에) 남기다. 유류(遺留)하다. ¶死后~一女; 사후에 딸 하나가 남다.

〔撇斜〕 piēxie 동 〈俗〉 ①짐짓 싫은 체하다. 시치미 떼다. 딴전을 부리다. ¶他饶拿着走, 还直~好像不指着似的; 그는 받아 놓고서도 전혀 모른 체하고 아무렇지도 않게 여기고 있는〔조금도 고마워하지 않는〕 눈치다. ②(여봐란 듯이) 자랑해 보이다. 과시하다. 허세를 부리다. ¶净说些个~话; 과시하는 이야기만 하다.

〔撇漾〕 piēyàng 동 〈古白〉 마구 흩뿌리다.

〔撇油(儿)〕 piē,yóu(r) 동 ①기름의 웃물을 걷어내다. ②〈轉〉 중간에서 단물을 빨아먹다. 중간에서 이익을 얻다.

〔撇砖引玉〕 piē zhuān yǐn yù 〈成〉 ⇨〔抛pāo砖引玉〕

〔撇子〕 piēzi 명 〈俗〉 따귀. 귀싸대기. ¶打他一~; 그의 따귀를 한 대 갈기다.

瞥 piē (별)
동 흘끗 보다. 얼핏 보다. ¶只是~了一眼; 언뜻 보았을 뿐이다.

〔瞥地〕 piēdì 부 ⇨〔瞥然〕

〔瞥见〕 piējiàn 동 흘끗 보다. 언뜻 보다. ¶在街上, 无意间~了多年不见的老朋友; 오랫동안 만나지 못했던 친구를 뜻밖에 거리에서 언뜻 보았다.

〔瞥然〕 piērán 부 〈文〉 ①돌연. 별안간. ②얼핏. 언뜻. ‖ =〔瞥地〕

〔瞥眼〕 piē,yǎn 〈文〉 동 언뜻 보다. (piēyǎn) 명 눈 깜짝할 사이. ‖ =〔转眼〕

苤 piě (비)
→〔苤蓝〕

〔苤蓝〕 piělan 명 《植》 ①콜라비(Kohlrabi). 구경(球莖) 양배추. ②구경 양배추의 줄기. ‖ =〔撇piě拉〕

撇 piě (별)
①동 내던지다. 던지다. ¶~球(儿); 공을 던지다 / 大家~了他一身鲜花; 모두들 그의 온몸에 생화를 던졌다 / 把手榴弹向敌人~出去; 수류탄을 적에게 던지다. ②(~儿) 명 한자의 필획인 '丿'(삐침)을 일컬음. ¶横~; '丿' / 我姓朱, 是'~, 未' 朱; 저의 성은 주입니다. 삐침 곧 '丿'과 아닐 미'未'의 주입니다. ③명 대시(dash)《′》. ④동 입을 다물고 비쭉하다. ¶把嘴一~; ⓐ입을 다물고 비쭉하다. ⓑ아이가 입을 비쭉하고 용용하다. ⑤동 꺾자 모양으로 구부리다. ¶脚~着走; 밭장다리로 걷다. ⑥동 멸시하다. 바보 취급하다. ¶别人都~他; 모두들 그를 바보 취급하다. ⑦양 (~儿) 수염이나 눈썹을 세는 데 쓰임. ¶两~儿黑胡子; 2가닥의 검은 수염 / 他有两~儿漆黑的眉毛; 그의 두 눈썹은 매우 짙다. ⑧동 잊어먹다. 내팽개치다. ⇒piē

〔撇齿拉嘴〕 piě chǐ lā zuǐ 〈成〉 ①우쭐해하는 태도를 보이다. 오만불손한 얼굴을 하다. 사람을 깔보는 표정을 하다. ¶瞧他~的这股子劲儿! 그의 우쭐해하는 저 꼴을 좀 봐라! ②(피곤하거나 힘을 쓸 때) 얼굴을 찡그리는 모양.

〔撇耻〕 piěchi 동 〈京〉 경멸하다. 멸시하다. ¶你不必~我, 久后轮到你, 也是如此; 그렇게 경멸하는 게 아니다. 언젠가 네 차례가 되면 너도 마찬가지다.

〔撇刀头(儿)〕 piědāotóu(r) 명 한자 부수의 하나로 '危'의 '⺈'.

〔撇高儿〕 piěgāor 동 (돌 따위를) 아래에서 위로 높이 던져 올리다. =〔抛pāo高儿〕

〔撇拐子〕 piěguǎizi 형 ⇨〔乍gǎ古〕

〔撇脚〕 piějiǎo 명 밭장다리. 팔자걸음.

〔撇拉〕 piěla 명 ⇨〔苤蓝〕 ⇒piēla

〔撇兰〕 piělán 동 공집기 제비를 하다《난초 잎을 그려서 그 잎으로 제비를 뽑아 부담액을 정하여 음식을 사 먹음》. ¶大家~~吧; 모두 제비를 뽑자. =〔劈兰〕

〔撇捺〕 piěnà 명 한자 획의 '丿' '㇏'.

〔撇球〕 piě,qiú 동 (직선으로) 공을 던지다.

〔撇酥〕 piěsū 동 (어린애가) 울상을 짓다. ¶小孩儿~要哭; 어린애가 울상을 지으며 울려고 한다.

〔撇外股子〕 piěwàigǔzi 동 〈北方〉 ①남의 편을 들다. 남을 두둔하다. ¶这个人太不对, 事事不向着自己人, 老~; 이 사람은 틀려 먹었어. 무슨 일에나 자기편 사람에게 잘하지 않고 다른 사람 편만 든다. ②남의 환심을 사다.

〔撇子〕 piězi 명 〈方〉 따귀. 뺨. ¶打他一~; 그의 따귀를 한 대 때리다. =〔耳ěr光(子)〕 注 속어(俗語)에서는 piēzi로도 읽음.

〔撇嘴〕 piě,zuǐ 동 ①아랫입술을 삐쭉하다《경멸·불신·불쾌함을 나타냄》. ¶~摇头; 입을 삐쭉하며 머리를 흔들다 / 说到可笑的地方, 他也撇撇嘴; 재미있는 이야기로 접어들자, 그도 입을 조금 삐쭉거리(어 웃는 얼굴이 되)었다 / 你甭~, 给你一手儿看看就佩服了; 너 삐쭉거리지 마, 한번 내 솜씨를 보면 너도 탄복할 거야. ②입을 삐쭉 내밀며 울상을 짓다. ¶你受了什么委屈, 言不得, 语不得, 直~呀; 넌 억울한 일을 당한 거냐, 도무지 말도 못 하고 울상을 짓고 있으니.

锹(鐝) piě (별)
①명 〈方〉 제염용(製鹽用)의 큰 솥. ②지명용 자(字). ¶潘家Pānjiā~; 판자폐(潘家鐝)《장쑤 성(江蘇省) 둥타이 현(東臺縣) 동쪽에 있는 땅 이름》.

嫳 piè (별)
→〔嫳屑〕

〔嫳屑〕 pièxiè 형 〈文〉 옷이 펄럭이는 모양.

PIN ㄆㄧㄣ

拼〈拚〉 pīn (병)
동 ①하나로 합치다〔이어 대다〕. 맞붙이다. ¶把两块板子~起来; 판자 2장을 맞붙이다 / 由六张~成一大张; 여섯 장을 이어붙여서 넓은 것 한 장을 만들다. ②그러모으다. ¶七~八凑còu; 이것저것 그러모으다 / 东~西凑; 여기저기서 그러모으다. ③목숨을 내던지다. 필사적이 되다. ¶火~; 정면으로 부딪치다 / ~出死命来干; 목숨을 내걸고 하다 / 跟敌人~命; 적과 목숨을 걸고 맞붙다 / 我要不跟他~了我改姓; 내가 끝까지 그놈을 해치우지 않는다면 성을 갈겠다. ④견디다. 버티다. 참다. ¶哪里~得这般挥霍! 이와 같이 낭비를 해서야 어찌 견딜 수 있을 것인가! / 身子~不起这样的累活儿; 이렇게 힘이 드는 일이면 몸이 견뎌나지 못한다 / 这样没日没夜的紧张劲儿, 谁也～不起! 이렇게 밤낮 긴장해야 한다면 누구라도 버티지 못한다! ⑤상관 않다. 마다 않다. ¶我～着她一场责备, 好减除我些痛苦; 고통이 얼마쯤이라도 가벼워진다면, 그녀에게 야단맞는 것도 상관 않는다. ⑥딱 들러붙다. ⇒'拚' pàn

〔拼版〕 pīn,bǎn 《印》 통 (식자한 것을) 조판하다. 판면(版面)을 배정하다. (pīnbǎn) 명 (신문 따위의) 대판 조판.

〔拼搏〕 pīnbó 통 필사적으로 〔열심히〕 노력하다.

〔拼刺〕 pīncì 통 총검으로 백병전〔육박전〕을 하다. (양쪽이) 총검을 잡고 맞서다. ¶～刀; 총검.

〔拼凑〕 pīncòu 통 긁어〔그러〕모으다. ¶～的论文; 그러모아 맞춘 논문 / 她把零碎的花布～起来给孩子做了件漂亮衣服; 그녀는 무늬가 있는 천 조각을 모아서 아이에게 예쁜 옷을 만들어 주었다 / 卖国贼～了最高委员会; 매국노가(사람을 그러모아) 최고 위원회를 만들었다 / 东拼西凑才凑满了额了; 여기저기서 긁어모아 겨우 액수가 채워졌다.

〔拼粗〕 pīncū 명 《紡》 조방(粗紡).

〔拼到底〕 pīndàodǐ 통 끝까지 투쟁하다〔다투다〕.

〔拼对〕 pīnduì 통 ①급한 대로 그러모으다. ②(임시 변통으로) 돈을 마련하다.

〔拼法〕 pīnfǎ 명 ⇨〔拼写法〕

〔拼合〕 pīnhé 통 모아서 합치다.

〔拼拢〕 pīnlǒng 통 이어 붙이다.

〔拼命〕 pīn,mìng 통 ①목숨을 내던지다. ¶～主义; 기를 쓰고 덤비는 주의. ②〈比〉 필사적으로 하다. ¶一人～万夫莫当; 한 사람이 필사적으로 나오면 만 명이라도 당해 내지 못한다 / ～用功; 열심히 공부하다 / ～也拼不过他; 필사적으로 해도 그를 당해 내지 못한다 / 和爸爸拼了命; 아버지와 단단히 싸웠다 / 解放前我拼了命干也养活不了自己; 해방 전에 나는 필사적으로 일했지만, 나 자신의 생활도 꾸려 나갈 수 없었다. ③(인체 기관·기계 등이) 왕성하게 움직이다. ¶唾液腺～活动了起来; 타액선이 왕성하게 활동하기 시작했다. ‖ =〔并命〕〔对命〕〔豁命〕

〔拼命对车〕 pīnmìng duìjū '象xiàng棋'에서 승부가 절박해져 차대하다(필사적이 되다).

〔拼盘(儿)〕 pīnpán(r) 명 여러 가지를 곁들인 전채(前菜). 오르되브르의 곁들임. =〔冷盘〕

〔拼设备〕 pīn shèbèi 설비의 이용 능력을 최대 한도로 내다.

〔拼死〕 pīnsǐ 통 목숨을 걸다. 목숨을 내던지다. ¶～拼活; 〈成〉 목숨을 걸고 하다. 필사적으로 몸부림치다 / 为人格的尊严, 这件事总得～去争; 인격의 존엄을 위하여 이 일은 목숨을 걸고서라도 싸워야 한다 / ～吃河豚; 〈諺〉 생사의 갈림길에 처하게 되면 어떤 위험한 일이라도 마다하지 않는다.

〔拼头〕 pīntou 명 ⇨〔姘头〕

〔拼图玩具〕 pīntú wánjù 명 조각 그림 맞추기 장난감. 지그소 퍼즐(jigsaw puzzle).

〔拼消耗〕 pīn xiāohào 소모전을 하다.

〔拼写〕 pīnxiě 통 ①중국어를 로마자를 사용해서 규칙대로 표기하다. ②철자(綴字)하다. 명 로마자·문자로의 철자.

〔拼写法〕 pīnxiěfǎ 명 철자법(표음 문자를 써서 어음(語音)을 나타내기 위한 자모의 맞춤법). =〔拼法〕

〔拼一拼〕 pīnyipīn 필사적으로 하다.

〔拼音〕 pīnyīn 통 《言》 ①음소(音素)를 맞추어 한 음절을 만들다. ②표음 문자로 표기하다. ¶～化; 표음화하다 / ～文字; 표음 문자 / ～字母; 《言》 ⓐ표음 문자. ⓑ'汉语拼音方案'이 채용한 26자의 로마자(字).

〔拼战〕 pīnzhàn 명 격렬〔치열〕한 싸움. 결사전.

〔拼缀〕 pīnzhuì 통 ①잇다. 연결하다. ②결합하다. 조합하다.

〔拼字〕 pīnzì 통 표음 문자를 맞추어 쓰다.

姘 pīn (병)
통 남녀가 밀통〔야합〕하다.

〔姘度〕 pīndù 통 남녀가 야합(野合)하여 살림을 차리다.

〔姘夫〕 pīnfū 명 정부(情夫). 내연의 남편.

〔姘妇〕 pīnfù 명 정부(情婦). 내연의 처.

〔姘居〕 pīnjū 통 (정식 결혼이 아닌) 동거 생활을 하다.

〔姘识〕 pīnshí 통 〈文〉 사통(私通)하다. 야합하다. 간통하다.

〔姘头〕 pīntou 명 야합하여 부부가 된 남녀. 내연 관계의 부부. 또, 그와 같은 남녀의 한쪽. ¶搭～ =〔〈南方〉 轧～〕; 야합하다. 사통하다 / 他有一个～; 그에겐 정부가 하나 있다. =〔拼头〕

贫(貧) pín (빈)
형 ①가난하다. 빈곤하다. ¶～家子; 가난한 집안에 태어난 사람 / ～穷qióng; ⇩ ↔〔富fù②〕 ②모자라다. 부족하다. 빈약하다. ¶～瘠; ⇩ / 经验～乏; 경험이 부족하다. ③인색하다. 다랍다. ¶～话; 쩨쩨한 이야기 / 大家公摊的街灯费, 他都不肯拿出来, 真～; 모두가 부담하는 가로등 비용조차 그는 내려고 하지 않으니, 정말 인색하다. ④〈方〉 상스럽다. 야비〔비속〕하다. ¶嘴～; ⓐ말하는 것이 상스럽다. ⓑ말이 장황하다 / 耍shuǎ～嘴; 상스러운 말을 하다. ⑤장황하여 번거롭다. 말이 많다. ¶他的嘴太～; 그는 대단히 잔소리가 심하다 / 做事太～; 하는 짓이 너무 번거롭다(같은 일을 자주 되풀이하다). =〔频pín③〕

〔贫病〕 pínbìng 명 가난과 병.

〔贫病交加〕 pín bìng jiāo jiā 〈成〉 가난과 병이 겹치다. 가난과 병고에 시달리다. =〔贫病交迫〕

〔贫齿类〕 pínchǐlèi 명 《動》 빈치류. 빈치목.

〔贫道〕 píndào 명 〈謙〉 빈도(도사의 자칭).

〔贫儿〕 pín'ér 명 가난뱅이의 자식.

〔贫乏〕 pínfá 명형 ①가난(하다). 빈궁(하다). ②부족(하다). 빈약(하다). 단조(롭다). ¶语言～; 말〔이야기가〕이 단조롭다 / 生活经验～; 생활 경험이 부족하다 / 头脑～; 머리가 빈약하다 / 这一带的铜矿都是～的, 没有富矿; 이 일대의 동광은 모두 빈광이고, 부광은 없다.

〔贫骨头〕 píngǔtou 명 〈方〉 ①노랑이. 구두쇠. 다라운〔쩨쩨한〕 사람. ②속된 사람. ③(말이 많아) 넌더리나는 사람. 수다쟁이. ④천격스러운 사람.

〔贫鬼〕 pínguǐ 명 구두쇠. 노랑이.

〔贫寒〕 pínhán 명형 빈궁(하다). 빈한(하다). 가난(하다). ¶他是个～人; 그는 가난한 사람이다.

〔贫户〕 pínhù 명 가난뱅이. 빈호.

〔贫话〕 pínhuà 명 인색한 이야기. 쩨쩨한 이야기.

〔贫瘠〕 pínjí 형 〈文〉 (땅이) 척박하다. ¶把～的土地变成良田; 척박한 땅을 좋은 전지로 바꾸었다.

〔贫家〕 pínjiā 명 ⇨〔穷qióng人家(儿)〕

〔贫家子〕 pínjiāzǐ 명 가난한 집안에서 태어난 사람. 가난뱅이.

〔贫贱〕 pínjiàn 형 빈천하다. 가난하고 천하다. ¶～

之交; 〈成〉 빈천지교. 가난했던 무렵의 교유(交遊) / ～不移; 〈成〉 빈천불이. 가난해도 뜻을 바꾸지 않다.

〔贫劲儿〕 pínjìnr 명 ①잔소리가 많은 모양. ②속된 모양. 속됨. ③인색한 모양. 인색함.

〔贫居闹市无人问〕 pínjū nàoshì wú rén wèn 〈謙〉 가난하면 번화한 거리에 살고 있어도 찾아오는 사람이 없다. ¶～, 富在深山有远亲; 〈諺〉 가난하면 번화한 거리에 살아도 찾아오는 이가 없고, 부귀하면 깊은 산 속에 살아도 먼 친척이 찾아온다.

〔贫窭〕 pínjù 형 〈文〉 가난하다.

〔贫苦〕 pínkǔ 명형 ⇨〔贫困〕

〔贫矿〕 pínkuàng 명 《鑛》 저품위광(低品位鑛). 빈광.

〔贫困〕 pínkùn 명형 빈곤(하다). 빈궁(하다). =〔贫苦〕〔贫穷〕

〔贫困区〕 pínkùnqū 명 빈민지구. 빈민가. =〔贫区〕

〔贫里呱叽〕 pínliguājī 형 ⇨〔贫气〕

〔贫民〕 pínmín 명 빈민. ¶～窟kū; 빈민굴. 슬럼가(slum街) / 在大城市有豪华的摩天楼, 也有龌wò龊不堪的～窟; 대도시에는 호화로운 고층 빌딩도 있고, 아주 지저분한 빈민굴도 있다.

〔贫衲〕 pínnà 명 ⇨〔贫僧〕

〔贫农〕 pínnóng 명 빈농.

〔贫贫哧哧〕 pínpinchīchī 형 초라한 모양. 궁상스러운 모양.

〔贫婆〕 pínpó 명 ①가난한 노파. ②수다스럽고 참견 잘 하는 노파.

〔贫气〕 pínqi 형 ①(말을 자꾸 되뇌어) 넌더리나다. 질리다. ¶一句话说了八遍, 真～! 같은 말을 뇌고 또 뇌어 정말 지긋지긋하다! ②(행동·태도가) 곰상스럽다. 인색하다. 다랍다. 쩨쩨하다. ¶人家是爱惜物力, 并不是～; 저 사람은 물건을 소중히 아끼는 것이지 쩨쩨한 것은 아니다. ‖=〔贫相xiàng〕〔贫厌〕〔贫里呱叽〕

〔贫穷〕 pínqióng 명형 가난(하다). 빈곤(하다). 빈궁(하다). =〔贫困〕

〔贫弱〕 pínruò 형 (국가나 민족이) 빈약하다.

〔贫僧〕 pínsēng 형 〈謙〉 빈승(중의 자칭). =〔贫衲〕

〔贫俗〕 pínsú 형 비속하다. ¶～客套; 비속한 상투어.

〔贫无立锥之地〕 pín wú lì zhuī zhī dì 〈成〉 가난하여 몸 둘 곳이 없다.

〔贫下中农〕 pínxiàzhōngnóng 명 빈농 및 하층 중농.

〔贫相〕 pínxiàng 형 ⇨〔贫气〕 명 궁상. 궁하게 생긴 몰골.

〔贫协〕 pínxié 명 〈簡〉 빈농·하층 중농 협회.

〔贫血〕 pínxuè 명 빈혈. ¶～症zhèng; 빈혈증.

〔贫油〕 pínyóu 명동 석유 자원(이) 부족(하다). ¶～国; 석유 자원이 없는 나라.

〔贫字与贪字一样写〕 pínzì yǔ tānzì yīyàng xiě 〈諺〉 '贫'이라는 자와 '贪'이라는 자를 같이 쓰다(가난해지면 머리나 품성도 무디어진다).

〔贫嘴〕 pínzuǐ 명 (지기 싫어서 말하는) 억지. 당치않은 말을 자꾸함. 형 수다스럽다. 말이 많다. ¶～恶舌 =〔～饿舌〕; 〈成〉 수다스럽고 경박한 모양. 입이 걸어 험담을 좋아하는 모양.

玭〈蠙〉 pín (빈) 명 〈文〉 담수(淡水)에서 나는 진주. =〔蚌bàng珠〕

嫔(嬪) pín (빈) ① 동 출가(出嫁)하다. ② 명 (옛날, 천자를 모시던 높은) 궁녀. 빈. 후궁. ¶妃～; (황후 이외의) 비나 궁녀. ③ 명 〈敬〉 부인.

〔嫔嫱〕 pínqiáng 명 옛날, 궁중(宮中) 여관(女官)의 명칭.

频(頻) pín (빈) ① 부 자꾸. 자주. 누차. ¶～～点头; 자꾸 머리를 끄덕거리다 / 捷报～传; 〈成〉 승리의 소식이 계속해서 전해지다 / ～来询问; 자주 문의하러 오다. ② 형 〈文〉 절박하다. 급박하다. ¶国步斯～; 국운이 급박하다. ③ 형 (말이) 장황하고 지루하다. 수다스럽다. ¶好话说～了, 也就不大起作用了; 좋은 말이라도 너무 지루하게 늘어놓으면 효과는 없어진다 / 他那份儿～, 真不耐烦; 그가 저렇게 수다스런 것은 정말 못 견디겠다. =〔贫⑤〕 ④ 명 《物》 주파수. ⑤ 동 ⇨〔颦pín〕

〔频蹙〕 píncù 동 〈文〉 눈살을 찌푸리다. 얼굴을 찡그리다. =〔颦蹙〕

〔频带〕 píndài 명 《物》 주파수대(帶).

〔频道〕 píndào 명 《電》 주파수 채널(channel). ¶一～; (TV의) 제1채널.

〔频烦〕 pínfán 형 ⇨〔频繁〕

〔频繁〕 pínfán 형 빈번하다. 잦다. =〔频烦〕

〔频率〕 pínlǜ 명 《物》 ①주파수(단위는 헤르츠(Hz)). =〔周zhōu率〕 ②빈도(頻度).

〔频年〕 pínnián 명 〈文〉 해마다. 매년.

〔频频〕 pínpín 부 〈文〉 빈번히. 자주. ¶他们各怀鬼胎, ～活动; 그들은 각기 나쁜 마음을 품고 빈번히 활동하고 있다. =〔频数shuò〕

〔频婆〕 pínpó 명 ⇨〔苹píng婆〕

〔频谱〕 pínpǔ 명 《電》 주파수 스펙트럼.

〔频伽〕 pínqié ⇨〔迦jiā陵频伽〕

〔频群〕 pínqún 명 《物》 주파수.

〔频仍〕 pínréng 동 〈文〉 빈발하다. 자주 일어나다. 빈번히 일어나다. ¶盗dào匪～; 도둑이 자주 나타나다. 부 빈번히. 자주.

〔频数〕 pínshù 명 (통계의) 도수(度數). ⇒pínshuò

〔频数〕 pínshuò 형 〈文〉 횟수가 많고 연속되다. ¶腹泻～; 자주 설사를 하다. 부 빈번히. 자주. =〔频频〕 ⇒pínshù

〔频速〕 pínsù 부 〈文〉 시급히. 빨리.

蘋(蘋) pín (빈) 명 《植》 괭이밥(일종의 수초). 네가래. =〔〈俗〉破铜钱〕〔田字草〕 ⇒'苹' píng

嚬(嚬) pín (빈) 동 ⇨〔颦〕

颦(顰) pín (빈) 동 〈文〉 눈살을 찌푸리다. ¶一～一笑; 눈살을 찌푸리다가 웃다가 하다 / 东施效～; 〈成〉 덮어놓고 남의 흉내를 내다가 오히려 더 추해지다(월(越)나라의 미인 서시(西施)가 속병이 있어 얼굴을 찡그린 것이 더할 수 없이 멋이 있어서, 동시(東施)라는 추녀가 이를 흉내냈으나 매우 추했다는 고사에서 옴). =〔频⑤〕〔嚬〕

〔颦蹙〕 píncù 동 〈文〉 얼굴을 찡그리다. 눈살을 찌푸리다. =〔频蹙〕

〔颦眉〕 pínméi 동 〈文〉 눈살을 찌푸리다.

〔颦笑〕 pínxiào 동 미인이 화를 내다.

品 **pǐn** (품)
①명 물품. 물건. ¶非卖～; 비매품/货～; 상품/制～; 제품/成～; 제품. 완제품. ②명 작품. ¶妙～; 묘품. 절묘한 작품/神～; 신품《신기에 가까운 작품》. ③명 등급. 종류. ¶上～; 상등품/～种; ⓐ품종. ⓑ제품의 종류. ④명 품위. 인품. ¶这个人太没～了; 이 사람은 인품이 매우 좋지 못하다. ⑤명 관의 계급. 품계. ⑥동 품평(品評)하다. 평가하다. ¶我～出他的为人来了; 나는 그의 인품에 대해 평가를 하였다/～人是非; 사람을 이러쿵저러쿵 비평하다. ⑦동 맛보다. ¶你～～这个滋味; 자네 이 맛 좀 보아 주게/～茶; ⇩ ⑧명 하늘빛. 새파란 빛. ⑨동 (관악기, 특히 소(簫)를) 불다. ¶～竹弹丝; 악기를 탄주하다. ⑩명 바늘. 핀(pin). ⑪명 성(姓)의 하나.

〔品茶〕 pǐn·chá 동 차의 맛·향기를 보다. 차를 상미(賞味)하다. =〔品茗〕
〔品察〕 pǐnchá 동 〈文〉 분간하다. 품평(品評)하다.
〔品尝〕 pǐncháng 동 〈文〉 맛보다. 시식하다. ¶～滋味; 맛을 보다/～鉴定; 시식하여 감정하다.
〔品出来〕 pǐnchūlái 품평하여 알다. ¶他为人怎么样, 慢慢就～了; 그의 사람 됨됨이가 어떤지는 차차 알게 될 것입니다.
〔品川萩〕 pǐnchuānqiū 명 《植》 전동싸리.
〔品词〕 pǐncí 명 《言》 품사. =〔词品〕
〔品德〕 pǐndé 명 인품과 덕성.
〔品第〕 pǐndì 동 〈文〉 우열 등급을 매기다. 명 ①〈文〉 등급. 지위. ②⇨〔品脱〕
〔品定〕 pǐndìng 동 품평하다. 평가하다.
〔品端学美〕 pǐn duān xué měi 〈成〉 품행이 방정하고 학업이 우수하다.
〔品服〕 pǐnfú 명 옛날, 위계 품등을 나타낸 관복.
〔品格〕 pǐngé 명 ①품격. 기품. 품위. ②(문학·예술 작품의) 풍격.
〔品官〕 pǐnguān 명 품관《옛날, 품계를 가진 관리》.
〔品红〕 pǐnhóng 명 ⇨〔一yī品红①〕
〔品画〕 pǐnhuà 동 그림을 비평하다.
〔品级〕 pǐnjí 명 ①품급. 옛날의 관리의 등급. =〔品秩〕 ②제품이나 상품 따위의 등급.
〔品级补子〕 pǐnjí bǔzi 명 흉배(胸背).
〔品鉴〕 pǐnjiàn 동 감별 평정하다.
〔品节〕 pǐnjié 명 인품과 절조(節操).
〔品酒〕 pǐn·jiǔ 동 ①술맛을 보다. ②술을 홀짝홀짝 마시다. ¶以把盏～为乐; 술 마시기를 낙으로 삼고 있다.
〔品蓝〕 pǐnlán 명 《色》 남자색(藍紫色). 군청색(群青色). ¶盐基～; 로열 블루(royal blue). 선명한 보라색《물감》.
〔品类〕 pǐnlèi 명 〈文〉 품종. 종류.
〔品流〕 pǐnliú 명 〈文〉 관리의 품급(品級).
〔品绿〕 pǐnlǜ 명 《色》 진초록.
〔品貌〕 pǐnmào 명 ①인품과 용모. ¶～端方; 인품과 풍모가 단정하다/～双全; 기품과 용모가 다 갖추어져 있다. ②용모. ¶～俊俏; 용모가 아름답다.
〔品茗〕 pǐnmíng 동 ⇨〔品茶〕
〔品目〕 pǐnmù 명 품목. 품명. ¶～数量; 품목과 수량.
〔品评〕 pǐnpíng 명동 품평(하다).
〔品齐〕 pǐnqí 동 잘 정돈되다. 가지런하다. ¶～着走; 나란히 걷다.
〔品三苯〕 pǐnsānběn 명 ⇨〔菲fēi④〕
〔品胎〕 pǐntāi 명 〈俗〉 세쌍둥이.
〔品题〕 pǐntí 동 〈文〉 (인물·작품 등을) 논평하다.
〔品头论足〕 pǐn tóu lùn zú 〈成〉 ①여성(의 용모나 외모 등)을 멋대로 품평하다. ②사소한 일에 트집을 잡다. ‖ =〔品头品足〕〔评头论足〕
〔品脱〕 pǐntuō 명 《度》 〈音〉 파인트(pint)《액량(液量)의 단위》. =〔品第②〕〔派恩脱〕
〔品望〕 pǐnwàng 명 〈文〉 인품과 명망.
〔品位〕 pǐnwèi 명 ①《鑛》 품위. ②품격과 지위. 품위.
〔品味〕 pǐnwèi 동 맛을 보다. ¶他～了一杯, 连连称赞好酒; 그는 한 잔 맛보고 연해 좋은 술이라고 칭찬했다.
〔品物〕 pǐnwù 명 〈文〉 물품. 물건.
〔品箫〕 pǐnxiāo 동 퉁소를 불다.
〔品行〕 pǐnxíng 명 품행. ¶～端方; 품행이 방정하다/～坏; 품행이 나쁘다/～也有不太好的地方; 품행이 그다지 좋지 않은 점도 있다.
〔品性〕 pǐnxìng 명 품성.
〔品学〕 pǐnxué 명 품행과 학문. ¶～兼优; 학문과 품행이 모두 뛰어나다.
〔品月〕 pǐnyuè 명 ⇨〔浅qiǎn蓝色〕
〔品藻〕 pǐnzǎo 동 〈文〉 (남을) 품평하다.
〔品质〕 pǐnzhì 명 ①품성. 인품과 성질. ¶道德～; 도덕적 품성/～恶劣; 품성이 용렬(庸劣)하다. ②물품의 질. 상품의 질. 품질. ¶～均匀; 품질이 균일하다/江西瓷～优良; 장시(江西)의 자기는 품질이 뛰어나다.
〔品秩〕 pǐnzhì 명 ⇨〔品级①〕
〔品种〕 pǐnzhǒng 명 ①《生》 품종. ②제품의 종류.

榀 **pǐn** (품)
양 《建》 가옥의 뼈대를 세는 데 쓰는 말.

牝 **pìn** (빈)
명 새·짐승의 암컷. (일부 식물의) 암포기. 자주(雌株). ¶～马mǎ; 암말/～鸡 =〔母鸡〕; 암탉/～牡; 빈모. 암수/～螺旋luóxuán; 너트(nut). 암나사. ↔〔牡mǔ〕

〔牝朝〕 pìncháo 명 〈文〉 여성이 지배한 조정《특히 측천 무후(則天武后)의 치세를 말함》.
〔牝户〕 pìnhù 명 ⇨〔阴yīn户〕
〔牝鸡司晨〕 pìn jī sī chén 〈成〉 암탉이 새벽을 알리다《여성이 권력을 장악함. 여성 상위》. =〔雌cí鸡报晓〕
〔牝牡骊黄〕 pìn mǔ lí huáng 〈成〉 (암컷이냐 수컷이냐, 검정말이냐 절따말이냐 하는) 외모. 외관《사물을 인식하는 데에는 실질을 포착하지 않으면 안 된다》. ¶赏识于～之外; 사물을 보는 데 외관을 문제삼지 않는다.

聘 **pìn** (빙)
동 ①초빙하다. ¶～了一个外语老师; 외국어 선생님을 한 분 초빙했다/被～为名誉会长; 초빙되어 명예 회장이 되다. ②시집가다. 시집 보내다. ¶～姑gū娘; 딸을 시집 보내다/问～; 신랑 집에서 신부 집으로 혼인을 청하다. ③심부름꾼을〔사자(使者)를〕 보내다. ¶～使往来; 국사(國史)가 왕래하다.

〔聘出去〕 pìn·chu·qu 시집 보내다〔가다〕. ¶她定了婚了, 眼前快～了; 저 아가씨는 혼담이 성사되어, 머지않아 시집을 간다.
〔聘定〕 pìndìng 동 ①초빙이 결정되다. 초청하기

로 되다. ②혼약(婚約)이 정해지다.
〔聘姑娘〕 pìn gūniang 딸을 시집 보내다.
〔聘金〕 pìnjīn 명 약혼의 증표로 신랑·신부네 두 집안 사이에 주고받는 금품. =〔聘银〕
〔聘礼〕 pìnlǐ 명 ①초청할 때의 선물. ②신랑 집에서 신부 집에 보내는 예물. 납채(納采). ‖=〔聘物〕
〔聘请〕 pìnqǐng 동 초빙하다. ¶～专家指导; 전문가를 초청해서 지도를 받다. =〔延yán请〕
〔聘娶〕 pìnqǔ 명 시집 보내는 일과 아내를 맞는 일. 동 시집가고 장가들다.
〔聘任〕 pìnrèn 동 ①(직무를) 맡아 달라고 초빙하다. ②초빙하여 임명하다. ‖=〔聘用〕
〔聘书〕 pìnshū 명 ①고용 계약서. ②초청장. 초빙장.
〔聘问〕 pìnwèn 동 〈文〉 사자(使者)를 보내어 소식을 묻다. 정부를 대표하여 우방을 방문하다.
〔聘物〕 pìnwù 명 ⇨〔聘礼〕
〔聘下〕 pìnxià 동 〈文〉 납채(納采)〔납폐(納幣)〕하다.
〔聘贤〕 pìnxián 동 〈文〉 현인을 초빙하다.
〔聘银〕 pìnyín 명 ⇨〔聘金〕
〔聘用〕 pìnyòng 동 ⇨〔聘任〕

PING ㄆㄧㄥ

乒 pīng (핑)
①〈擬〉 뻥. 탕. 땅《단단한 것이 부딪치는 소리》. 불꽃이 터지거나 튀는 소리. ¶～的一声枪响; 탕 하고 총 소리가 났다. ② 명 탁구. =〔乒乓球①〕
〔乒当乓当〕 pīngdāng pāngdāng 〈擬〉 탕탕《금속·돌 등을 난타하는 소리》.
〔乒令乓啷〕 pīnglìng pānglāng 〈擬〉 후두둑후두둑.
〔乒乓〕 pīngpāng ①〈擬〉 평평. 탕탕. ¶雹子打在屋顶上～乱响; 우박이 지붕에 후두둑후두둑 소리를 내며 떨어지다 / 鞭炮乒乒乓乓地响; 폭죽이 빵빵 하고 터지다. ② 명 ⇨〔乒乓球①〕
〔乒乓球〕 pīngpāngqiú 명 ①탁구. 핑퐁. ¶～队; 탁구팀 / ～台; 탁구대 / 打～; 탁구를 치다 / ～比赛; 탁구 경기 / ～具; 탁구 용구 / ～拍 =〔乒乓板〕; 탁구 라켓. =〔乒②〕〔乒乓②〕 ②탁구공.
〔乒坛〕 pīngtán 명 탁구계. ¶～老将; 탁구계의 노장.

俜 pīng (빙)
→〔伶líng俜〕

娉 pīng (병)
→〔娉婷〕
〔娉婷〕 pīngtíng 형 〈文〉 (여성의) 용자(容姿)가 곱다.

平 píng (평)
① 형 평평〔평탄〕하다. 반반하다. ¶～坦tǎn的路; 평탄한 길 / 铺pū～; 평평하게 깔다 / 马路很～; 한길이 평탄하다 / 像水面一样地～; 수면처럼 평평하다 / ～原; ⇩ ② 형 (다른 것과) 높이가 같다. 같은 정도이다. ¶雨下得～了河槽了; 비가 와서 강물이 둔덕까지 찼다 / 打个～手儿; 백중한 승부를 하다. 무승부가 되다 / 放～槽水; 잔에 찰 정도로 물을 채우다 / 我今年～五十, 过年五十一; 난 금년에 딱 쉰이고, 내년에는 쉰하나다. ③ 형 균등하다. 공평하다. ¶持～之论; 공평한 의론 / ～分土地; 토지를 공평하게 나누다 / 抱bào不～; (불공평하다는) 불만을 품다 / 物不得其～则鸣; 〈諺〉 사물은 공평한 취급을 받지 못하면 으레 불평이 일어난다 / ～起～坐; ⇩ ④ 형 평온〔고요〕하다. ¶风～浪静; 바람이 자고 물결이 고요하다《평온하여 아무 일도 없음》. ⑤ 형 평평하다. 고르다. ¶熨yùn～; 다림질하여 반반하게 하다 / 把地～一～; 논밭을 고르다 / 用汽碾压～路面; 스팀 롤러로 노면을 평평하게 다지다 / 把贾家店～了; 가가점을 (때려 부수어서) 납작하게 만들었다. ⑥ 동 가라앉히다. ㉠평정(平定)하다. 진정하다. ¶～心而论; 마음을 가라앉히고 논하다 / ～心静气; 마음을 진정시키다. ㉡(노여움을) 억누르다. ¶你先把气～下去再说吧! 우선 노여움을 가라앉히고 얘기해라! ⑦ 형 보통이다. 평범하다. 일반적이다. ¶～日 =〔～常〕; 평소. 평상시 / ～～无奇; 평범해서 기이한 데가 없다. ⑧ 동 진압하다. 평정하다. ¶～匪; 비적(匪賊)을 평정하다 / ～乱; 난을 진압하다. ⑨ 형 〈廣〉 값이 싸다. ¶靓烟～沽; 좋은 담배를 싸게 판다. ⑩ 형 쉽다. ⑪ 형 …에 가깝다. ¶～四十的人; 40 가까운 연배의 사람. ⑫ 명 평화. ⑬ 명 평탄. ⑭ 명 평균. ⑮ 명 저울. ¶过～; 저울로 달다. ⑯ 명 《言》 평성《'上平'과 '下平'》. ⑰ 동 저울로 달다. ⑱ 명 성(姓)의 하나.
〔平安〕 píng'ān 형 무고〔무사〕하다. 평안하다. ¶一路～; 도중에 안녕하시기를 빕니다 / ～地结束了旅行; 무사히 여행을 마쳤다 / ～即是福; 〈諺〉 평온 무사가 제일의 행복 / 路上都～? 여행 중 무사하셨습니까? / ～的长夜; 고요하고 긴 밤.
〔平安险〕 píng'ānxiǎn 명 손해 보험. ¶保了～; 손해 보험을 들다.
〔平白〕 píngbái 부 공연히. 까닭 없이. 헛되이. ¶～无故; 아무런 까닭도 없이 / ～花了好些车钱, 也没跑出结果; 많은 교통비만 헛되이 써 버리고, 뛰어다닌 보람은 없었다 / 曹操～地折了十五六万箭, 心中气闷《三國志演義》; 조조는 헛되이 화살 15,6만 개를 잃고 우울해졌다. =〔凭白〕
〔平白铁〕 píngbáitiě 명 얇은 철판.
〔平班〕 píngbān 명 같은 지위의 직무(職務). 동료.
〔平板〕 píngbǎn 형 평범하다. 단조롭다. ¶～无奇; 평범하여 신기할 것도 없다. 명 ①용해한 '铁tiě水'를 부어 무쇠덩이를 만드는 거푸집. ②《機》 조형대(造型臺) 정반(定盤:surface plate).
〔平(板)玻璃〕 píng(bǎn)bōli 명 (무늬나 요철 등이 없는 투명한) 판유리.
〔平板车〕 píngbǎnchē 명 ①(짐 운반용) 3륜 손수레. =〔平板三轮〕 ②무측화차(無側貨車). =〔平车③〕 ③트레일러(trailer).
〔平板磨轮〕 píngbǎn mólún 명 《機》 평면 그라인더. =〔平(板)砂轮〕
〔平板三轮〕 píngbǎn sānlún 명 ⇨〔平板车①〕
〔平(板)砂轮〕 píng(bǎn) shālún 명 ⇨〔平板磨轮〕
〔平板仪〕 píngbǎnyí 명 평판 측량의(測量儀).
〔平版〕 píngbǎn 명 《印》 평판《오프셋 인쇄, 석판 인쇄 따위》. ¶～印刷; 평판 인쇄 / ～新闻纸; 평판 신문 용지.
〔平半分赃〕 píngbàn fēnzāng 장물을 고르게 나누다.

〔平辈(儿)〕 píngbèi(r) 명 (친척 · 선후배 관계에서의) 동배.
〔平本买卖〕 píngběn mǎimai 수매 가격으로 매매하다. ¶国家卖疏菜是～, 不赚zhuàn钱; 국가가 채소를 파는 것은 원가 매매라, 이문이 없다.
〔平笔〕 píngbǐ 명 한자의 필획에서 곧게 그은 것(「一」이나 「丨」 따위).
〔平布〕 píngbù 명 〖紡〗 평직(平織)이고 무늬가 없는 무명천.
〔平步登天〕 píng bù dēng tiān 〈成〉 ①힘 안 들이고 높은 지위에 오르다. ②쉽게 높은 수준에 도달하다. ¶凡事要有一定的条件和一定的过程, 决不能～; 모든 일은 일정한 조건을 갖추고, 일정한 과정을 거쳐야지, 단번에 해낼 수는 없다/物价～地涨起来了; 물가가 급격히 오르기 시작했다. ‖ =〔平步青云〕〔平步登云〕〔平地登天〕
〔平步登云〕 píng bù dēng yún 〈成〉 ⇨〔平步登天〕
〔平步青云〕 píng bù qīng yún 〈成〉 ⇨〔平步登天〕
〔平舱费〕 píngcāngfèi 명 〖商〗 짐을 다시 싣는 비용. 하역비.
〔平槽〕 píng·cáo 동 ①물이 그릇의 전에 닿을 정도로 찰랑하다. ¶放～水; 물을 찰랑찰랑하게 가득 채우다. ②하천의 수위가 둑의 높이까지 이르다. ¶雨下得平了槽; 비가 와서 둑에 찰 정도로 물이 불었다.
〔平产〕 píngchǎn 명 ①평년작. ¶能保个～; 평년작을 유지할 수가 있다. ②순산(順産). 안산(安産).
〔平常〕 píngcháng 명 평상시. 평소. =〔平素〕〔平日②〕 형 보통이다. 평범하다. 〈轉〉 시원치 않다. ¶成绩～; 성적은 보통이다/声名～; (관리 따위의) 명성이 대단치 않다.
〔平常雇佣〕 píngcháng gùyòng 명 상용(常用).
〔平常信(件)〕 píngchángxìn(jiàn) 명 ⇨〔平信〕
〔平潮〕 píng·cháo 동 파도가 잔잔해지다. (píngcháo) 명 잔잔한 조수. 파도가 멎음.
〔平车〕 píngchē 명 ①(기계를 분해 검사하는) 검사 수리. ¶大～; 대규모의 검사 수리. ②자전거(「跑车」(경주용 자전거)에 대한 말). ③ ⇨〔平板车②〕
〔平畴〕 píngchóu 명 〈文〉 평지. 평평한 논밭. ¶～千里; 너른 평지.
〔平出阙字〕 píngchū quēzì 명 옛날, 문장 속에서 천자 등 높여야 할 사람의 이름을 적을 때, 행을 바꾸어 앞줄과 같은 높이의 위치에서 쓰기 시작하는 것을 「平出」이라 하고, 한두 자 내려서 쓰기 시작하는 것을 「阙字」라 하였음.
〔平川〕 píngchuān 명 평탄한 땅. 평야. ¶～大路; 평야를 가로지르고 있는 넓은 길/这是一路～的地方儿; 이 곳은 평야가 죽 이어지고 있는 곳이다/调查的地区中间包括山区和～; 조사할 지구에는 산지와 평지가 포함되어 있다.
〔平锤〕 píngchuí 명 대장장이가 평면을 두드리는 데 쓰는 망치(타격면이 넓고 네모나 있음).
〔平锉〕 píngcuò 명 평줄.
〔平旦〕 píngdàn 명 〈文〉 새벽. 동틀녘.
〔平淡〕 píngdàn 형 (사물 · 문장이) 평범하다. 무미건조하다. ¶～无奇; 평범해서 색다른 것이 없다/～无味; 무미건조하다.
〔平道儿〕 píngdàor 동 길을 고르다. 〈轉〉 일을 하기 쉽게 해 놓다. 정지 작업〔사전 공작〕을 해 놓다. ¶把他买成～; 그를 매수하여 일하는 데 지장이 없도록 하다.
〔平等〕 píngděng 명형 평등(하다). 대등(하다). ¶～互利, 有无相通; 평등 호혜, 유무 상통하다.
〔平籴〕 píngdí 동 옛날, 관청이 풍년에 곡물을 싼 값에 사들여 흉년에 방출하다.
〔平底船〕 píngdǐchuán 명 평저선.
〔平底煎锅〕 píngdǐ jiānguō 명 프라이팬(fry pan). =〔长柄平锅〕〔烤kǎo盘子〕
〔平底烧瓶〕 píngdǐ shāopíng 명 밑이 평평한 플라스크. =〔长柄平锅〕〔烤盘子〕
〔平底鞋〕 píngdǐxié 명 굽이 낮은 구두. =〔低dī跟鞋〕〔平跟鞋〕
〔平地〕 píng·dì 동 땅을 반반하게 고르다. 정지(整地)하다. ¶～机; ⓐ그레이더(grader). ⓑ(손으로 미는 것이 아닌) 롤러. (píngdì) 명 ①평지. ¶～风波; 〈成〉 뜻하지 않게 생긴 재난. 평지풍파/～起风波; 평지풍파를 일으키다. ②아무것도 없는 곳. ¶～一声雷; 〈成〉 ⓐ지위나 명성이 갑자기 오름. ⓑ느닷없이 사건이 생김(흔히, 좋은 뜻으로 씀).
〔平地登天〕 píng dì dēng tiān 〈成〉 ⇨〔平步登天〕
〔平地抠饼〕 píng dì kōu bǐng 〈成〉 아무것도 없는 곳에서 「饼」을 후벼 내다(난폭하게 남의 것을 빼앗다. 밑천을 들이지 않고 이익을 얻으려 하다). ¶凭本事吃饭, 不～! 능력으로 밥을 먹는 것이지, 거저 먹으려는 것은 아니다!
〔平地楼台〕 píng dì lóu tái 〈成〉 아무런 기초도 없는데 성공하다. 맨손으로 사업을 일으키다.
〔平地起孤丁〕 píng dì qǐ gū dīng 〈成〉 까닭없이 문제를 일으키다. 공연히 문제가 생기다. =〔平地起孤堆〕
〔平地摔跟头〕 píngdì shuāi gēntou 〈比〉 대수롭지 않은 일로 실패하다. 뜻밖에 실패하다.
〔平地致富〕 píng dì zhì fù 〈成〉 맨주먹으로 부자가 되다. 자수 성가하다.
〔平调〕 píngdiào 명 ①중간의 가락. ②(운동 등의 고조(高調) 따위에서) 보통의 정도〔상태〕. ③〖劇〗 허베이 성(河北省) 특유의 지방극(허난 성(河南省)의 「怀调」「越调」 등도 이에 가까운 성질의 연극임. 서정적이고 아름다우며, 반주에 쓰이는 「轨琴」은 이 극 특유의 악기임).
〔平顶〕 píngdǐng 명 ①평지붕. ②사람의 키와 비슷한 높이. ¶～高的书架子; 사람 키 높이의 서가.
〔平顶头〕 píngdǐngtóu 명 ⇨〔平头〕
〔平定〕 píngdìng 형 평온하다. 안온하다. ¶他的情绪逐渐～下来; 그의 기분은 점점 평온해졌다. 동 평정하다. 진압하다.
〔平峒〕 píngdòng 명 횡갱(橫坑). 횡혈(橫穴). 수평갱. ¶矿kuàng井的～; 광갱의 수평갱.
〔平凡〕 píngfán 형 평범하다. =〔平平凡凡〕
〔平反〕 píngfǎn 동 ①잘못을 고치다. 정정(訂正)하다. ¶错了就要～; 틀렸으면 바로 정정해야 한다. ②원심 · 원판결을 뒤집고 공평하게 재결하다. 명예를 회복시키다. 억울한 죄를 벗겨 주다. ¶～昭雪 =〔昭雪～〕; 누명을 벗겨 주다/～判词; 앞서의 판결을 기각하다/～委员会; 재심사 위원회/他们早已～了; 그들은 진작에 명예 회복이 되었다. ③반란을 평정하다.
〔平方〕 píngfāng 명 〖度 · 數〗 평방. 제곱. ¶～米; 평방〔제곱〕미터/～公里 =〔一万～米〕; 평방〔제곱〕킬로미터/～分米; 평방〔제곱〕 데시미터/～毫米; 평방〔제곱〕 밀리미터/～厘米 =〔〈俗〉方

厘米〕; 평방〔제곱〕 센티미터 / ～根; 평방근. 제곱근.
〔平房〕 píngfáng 명 ①단층집. ↔〔楼房〕 ②〈方〉 평지붕의 집.
〔平分〕 píngfēn 동 ①평등하게 나누다. 균분하다. ¶～兵力; 병력을 균분하다 / ～秋色; 〈成〉 각자가 똑같이 차지함. 양자(兩者)가 절반씩 나눔. ②머리를 한가운데서 가르다. 명 ①한가운데서 가른 머리 모양. ②《體》 듀스(deuce). ¶经过几次～之后, 他赢得一局; 몇 차례 듀스를 거듭한 뒤에, 그는 한 세트를 따냈다.
〔平风〕 píngfēng 명 미풍. 산들바람.
〔平凫〕 píngfú 《體》〈俗〉 명 평영(平泳). 동 평영을 하다.
〔平服〕 píngfú 동 (마음이) 안정되다. (노여움 따위가) 가라앉다. 납득하다. ¶我这口气可～了; 나의 노여움이 간신히 가라앉았다 / 听了你的劝告, 我心里就～了; 당신의 충고를 듣고 나는 납득이 되었다.
〔平阜〕 píngfù 명 언덕 위의 평지.
〔平复〕 píngfu 동 ①평온해지다. 평정(平靜)을 되찾다. 난리가 가라앉다. ¶群众情绪逐渐～了; 대중의 마음은 차차 평정을 찾았다 / 这个乱事多咱～哇? 이 소란은 언제나 가라앉을까? ②(질병이나 상처가) 회복되다.
〔平高球〕 pínggāoqiú 명 《體》 (배드민턴의) 드리븐 클리어(driven clear).
〔平跟鞋〕 pínggēnxié 명 ⇨〔平底鞋〕
〔平刮刀〕 píngguādāo 명 《機》 평면 절삭용의 칼.
〔平光〕 píngguāng 형 ①매끄럽다. 반들반들하다. ¶锉得平平光光的; 줄질이 매끄럽게 되어 있다 / ～呢; 《紡》 우스티드(worsted)《모직물》 / ～清漆; 연마(硏磨) 와니스(varnish). ②(렌즈가) 도수가 없다.
〔平光镜〕 píngguāngjìng 명 도수 없는 안경〔렌즈〕.
〔平锅〕 píngguō 명 (바닥이 얕은) 냄비. ¶长柄～ =〔平底煎锅〕; 프라이팬.
〔平海〕 pínghǎi 명 넓은 바다. 창해(滄海).
〔平巷〕 pínghàng 명 《鑛》 수평 갱도.
〔平和〕 pínghé 명 ①무고. 무병. 평온. ②평화. 형 ①(성격·언행이) 온화하다. 평온하다. ¶语气～地说; 온화한 말투로 이야기하다 / 他的态度又诚恳又～; 그의 태도는 성실하고 온화하다. ②(약물의 작용이) 순하다. ¶药性～; 약의 효과가 서서히 나타나다. 동 〈方〉 (분쟁이) 그치다. 가라앉다. 수습되다.
〔平衡〕 pínghéng 명 평형. 균형. 밸런스. ¶保持～; 평형〔균형〕을 유지하다 / 全身失去了～; 온몸이 평형〔균형〕을 잃었다 / 各地经济作物发展不够～; 각지의 경제 작물의 발전은 균형을 잃고 있다 / ～木; 《體》 (체조의) 평균대. 동 평형〔균형〕을 이루게 하다. ¶～收支; 수지가 균형을 이루게 하다 / ～预算; 균형 예산. 형 균형이 잡히다. 평형하다. ¶产销～; 생산과 판매의 균형이 잡히다.
〔平衡表〕 pínghéngbiǎo 명 《經》 대차 대조표《'收支平衡表' '资产平衡表' 의 약칭》.
〔平衡锤〕 pínghéngchuí 명 《機》 평형추.
〔平衡觉〕 pínghéngjué 명 《生》 평형 감각.
〔平衡轮〕 pínghénglún 명 《機》 밸런스 휠(balance wheel)《시계 따위의 평형 바퀴》.
〔平衡贸易〕 pínghéng màoyì 명 균형 무역《쌍방의 수출입의 균형이 잡힌 무역》. ¶我们主张发展各国间的～; 우리는 수출입의 균형이 잡힌 무역을 발전시킬 것을 주장한다.
〔平厚呢〕 pínghòuní 명 《紡》 멜턴(melton)《옷감의 일종》.
〔平滑〕 pínghuá 형 (살결이) 매끈매끈하다. (길·바닥 따위가) 미끄럽다. 미끄러지기 쉽다.
〔平滑肌〕 pínghuájī 명 《生》 평활근. =〔不随意肌〕
〔平话〕 pínghuà 명 ⇨〔评话②〕
〔平缓〕 pínghuǎn 형 ①평탄하다. 평평하다. ¶地势～; 지세가 평탄하다. ②(기분이) 가라앉다. (말씨가) 온화하다.
〔平毁〕 pínghuǐ 동 ①철거하다. 모조리 치우다. 분쇄하다. ¶～封锁线; 봉쇄선을 철거하다. ②허물어 평평하게 하다.
〔平价〕 píngjià 동 가격〔물가 상승〕을 억제하다. 명 ①적정 가격. 공정(公定) 가격. ¶～米; 적정 가격의 쌀 / ～出售; 공정 가격의 판매. ②〈廣〉 싼 값. ③(한 나라의 본위 화폐에 대한) 평가〔비교 가치〕.
〔平肩〕 píngjiān 동 ⇨〔并bìng肩〕
〔平交道〕 píngjiāodào 명 교차점. 교차로.
〔平交儿〕 píngjiāor 명 ①평교. 대등한 지위의 교제. ②백중한 기량.
〔平结〕 píngjié 명 ⇨〔并bìng联〕
〔平金〕 píngjīn 명 ①금박(金箔). ②견직물에 금실로 수를 놓은 자수. 또는, 그 기술. ¶～缎; 금실로 수놓은 견직물. =〔并金〕〔压金线〕〔平金绣花〕
〔平靖〕 píngjìng 형 평온하다. ¶那时候, 地方上很不～; 그 무렵, 세상은 평온하지 않았다. 동 소란을 진압하다. 평정하다.
〔平静〕 píngjìng 형 ①(환경·상황이) 평온하다. ¶家庭～; 가정이 평화롭다 / 海面很～; 해면이 매우 조용하다 / 情势恢复～; 사태가 평온을 되찾다 / 湖水总是那么～; 호수는 언제나 저렇게 잔잔하다. ②(태도·감정이) 차분하다. 침착〔조용〕하다. ¶态度很～; 태도가 매우 차분하다 / 他～地说; 그는 침착하게 말했다 / 病人恢复了～; 병자가 평정을 되찾았다.
〔平居〕 píngjū 명 〈文〉 평소. 평상(平常).
〔平局〕 píngjú 명 무승부. 동점. ¶三比三, 打成～; 3대 3으로 비겼다.
〔平剧〕 píngjù 명 '京jīng剧' (경극)의 다른 이름.
〔平均〕 píngjūn 명형 평균(의). 균등(한). 동 균등히 하다. ‖ =〔均平〕
〔平均地权〕 píngjūn dìquán 명 평균 지권《손문의 민주주의를 실시하는 방법의 하나로 토지 소유 균등화 제도》.
〔平均分配〕 píngjūn fēnpèi 《經》 평균〔평등〕 분배(하다). ¶～的习惯在原始人中是根深蒂固的; 평등하게 분배하는 습관은, 원시인 사이에 깊이 뿌리를 내리고 있었다.
〔平均工资〕 píngjūn gōngzī 명 평균 임금.
〔平均主义〕 píngjūn zhǔyì 명 평균주의. 악평등(惡平等)주의.
〔平康〕 píngkāng 명형 평안(하다). 편안(하다).
〔平康(里)〕 píngkāng(lǐ) 명 〈文〉 유곽《당나라 때 장안(長安)에 있었던 유곽 거리의 이름》. =〔北běi里〕
〔平磕头〕 píng kētóu 옛날, 대등하게 서로 머리를 조아리어 절을 하다. 맞절하다.
〔平空〕 píngkōng 부 ⇨〔凭空〕 명 중공(中空)《건물이나 지상에서 떨어져 있는 상태》. 허공. ¶是一个很大的院子, ～架上了一架紫藤花; 그것은 매

우 큰 뜰로 허공에 자줏빛 꽃이 피는 등나무의 시렁이 매어 있다.
〔平口钳〕 píngkǒuqián 명《機》 평형집게(flat bit tongs).
〔平快〕 píngkuài 명 보통 속달 우편.
〔平拉开扣球〕 pínglākāi kòuqiú 명《體》(배구에서) 오픈 스파이크.
〔平廉〕 píngliàn 명형 저렴(하다).
〔平列〕 pínglìè 동 병렬하다. 한 줄로 늘어서다. 명 동급.
〔平流层〕 píngliúcéng 명《氣》 성층권(成層圈). =〔同tóng温层〕
〔平炉〕 pínglú 명《工》 평로(선철(銑鐵)을 강(鋼)으로 정련하는 노(爐)). =〔开炉〕〔马丁炉〕〔西门子马丁炉〕
〔平炉钢〕 pínglúgāng 명《工》 평로강(평로법으로 정련한 강철). =〔马mǎ丁钢〕
〔平路机〕 pínglùjī 명《機》 땅바닥을 반반하게 고르는 데 쓰는 기기(機器).
〔平落〕 píngluò 동 (물가가) 떨어지다.
〔平买〕 píngmǎi 동 싼값으로 구입하다.
〔平脉〕 píngmài 명《漢醫》 평맥. 평상시의 맥박.
〔平面(儿)〕 píngmiàn(r) 명 ①평면. ¶～玻璃; 판유리/～几何; 《數》 평면 기하/～三角法; 《數》 평면 삼각법. ②수평면.
〔平面表〕 píngmiànbiǎo 명《機》 다이얼 게이지(dial guage).
〔平面车床〕 píngmiàn chēchuáng 명《機》 평면 선반(旋盤). 평삭(平削) 선반. =〔落地车床〕
〔平面厚薄规〕 píngmiàn hòubóguī 명《機》 다이얼 시크니스(thickness) 게이지.
〔平面几何〕 píngmiàn jǐhé 명《數》 평면 기하(학).
〔平面螺丝〕 píngmiàn luósi 명《機》 스크롤(scroll). 와형 절단(渦形切斷) 선반. =〔〈南方〉平面牙〕〔〈北方〉盘pán香扣〕〔〈南方〉盘香牙〕
〔平面磨床〕 píngmiàn móchuáng 명《機》 평면 연삭반(硏削盤).
〔平面图〕 píngmiàntú 명《工》 평면도.
〔平面拖板〕 píngmiàn tuōbǎn 명 크로스 슬라이드(cross slide). =〔横héng刀架〕
〔平面铣刀〕 píngmiàn xǐdāo 명 ⇨〔圆yuán柱平面铣刀〕
〔平面牙〕 píngmiànyá 명 ⇨〔平面螺丝〕
〔平民〕 píngmín 명 ①서민. 보통 사람. 민간인. 일반인. ¶～教育; 교육을 받지 못한 사람 또는 일반 사람에 대한 사회 교육/～学校; 성인 교육을 위한 학교. =〔平人④〕 ②(Píngmín)《地》 핑민(平民)(산시 성(陝西省)에 있는 현(縣) 이름).
〔平明〕 píngmíng 명〈文〉 ①새벽. ②공명정대.
〔平年〕 píngnián 명 ①평년. ↔〔闰rùn年〕 ②평년작의 해.
〔平平〕 píngpíng 형 ①보통이다. 평범하다. ¶～无奇; →〔字解 ⑦〕/成绩～; 성적이 보통이다/程度～; 정도가 보통이다. ②평평하다. ③가지런하다. ④평온하다. 태평하다. ¶王道～; 왕도는 안태(安泰)하다. 동 가라앉히다. ¶～气儿; 숨을 가라앉히다/～口气儿; 말씨를 누그러뜨리다.
〔平平安安〕 píngpíng ān'ān 형 평온 무사하다. ¶～地过日子; 평온하게 날을 보내다.
〔平平当当〕 píngpíng dāngdāng 형 (일이) 순조롭게 진행되는 모양. 잘 진척되는 모양.
〔平平(儿)的〕 píngpíng(r)de 형 (많지도 않고 적지도 않고) 꼭 알맞다. ¶～一斤; 꼭 한 근.
〔平平凡凡〕 píngpíng fánfán 형 ⇨〔平凡〕
〔平平稳稳〕 píngpíng wěnwěn 형 평온하다. 무사태평하다.
〔平平正正〕 píngpíng zhèngzhèng 형 단정하고 바르다〔반듯하다〕. ¶迭dié得～; 반듯하게 개키다/用熨斗熨得～; 다리미로 반듯하게 다리다.
〔平铺〕 píngpū 동 평평하게 깔아 놓다. ¶～直叙; 〈成〉 ⓐ(문장·말이) 기복 없이 단조롭다. ⓑ(문장·말이) 아무런 수식도 없이 진술하다.
〔平棋〕 píngqí 동 바둑·장기에서 비기다. 명 승부 없이 끝난 바둑·장기.
〔平起平坐〕 píng qǐ píng zuò 〈成〉 대등하게 대하다〔굴다〕. 지위나 권력이 동등하다. ¶周朝被迫同诸侯～; 주(周)나라 조정은 제후와 대등한 입장에 놓이게 되었다.
〔平情〕 píngqíng 형 감정에 치우치지 않다. 냉정하다. ¶～而论; 냉정히 논하다.
〔平权〕 píngquán 명 평등의 권리. 평등권. ¶男女～; 남녀 평등권. 동 권리를 평등하게 하다.
〔平人〕 píngrén 명 ①병도 재난도 없는 사람. ②죄가 없는 사람. ③건강한 사람. ④⇨〔平民①〕
〔平日〕 píngrì 명 ①평일. 보통의 날. ②⇨〔平常〕
〔平绒〕 píngróng 명《紡》 면직 비로드.
〔平三连〕 píngsānlián 명 한시의 근체시(近體詩)에서 뒤의 세 글자에 평자(平字)가 이어지는 일(변칙이어서 가장 꺼리는 것이지만, 당나라 사람의 시구에는 이를 지키지 않은 것이 있음).
〔平色〕 píngsè 명 은(銀)의 품질(은의 중량과 순도).
〔平上去入〕 píng shǎng qù rù 명 평성·상성·거성·입성의 사성(四聲).
〔平射炮〕 píngshèpào 명《軍》 평사포.
〔平身〕 píngshēn 동 무릎 꿇고 절한 뒤에 몸을 일으켜 서다. ¶别跪着，～吧; 무릎 꿇고 있지 말고 일어서시오.
〔平生〕 píngshēng 명 ①일상시. 평소. ②(한)평생. 일생.
〔平声〕 píngshēng 명《言》 평성(사성의 하나. 시(詩)에서 '仄声'과 대응되며 성조(聲調)로서는 '阴yīn平'(제1성)과 '阳yáng平'(제2성)으로 나뉨).
〔平时〕 píngshí 명 평소. 평상시. 보통때. ¶～不烧香，急时抱佛脚; 평소에는 불공을 드리지 않고, 아쉬우니까 부처님에 매달린다.
〔平实〕 píngshí 형 ⇨〔朴pǔ质〕
〔平世〕 píngshì 명〈文〉 태평한 세상.
〔平视〕 píngshì 동 (눈높이에서) 정시(正視)하다. 똑바로 앞을 보다. ¶立正时两眼要～; 차렷 자세를 할 때는 두 눈은 수평으로 앞쪽을 보아야 한다.
〔平手(儿)〕 píngshǒu(r) 명 무승부. 비김. ¶甲乙两队打了个～儿; 갑을 양팀은 무승부로 끝났다.
〔平水〕 píngshuǐ 명 평상시의 강·바다 등의 수위(水位). 평수위. ¶～期qī; 수위가 정상인 시기.
〔平顺〕 píngshùn 형 순조롭다. 평온하고 순탄하다. ¶没想到工作进展得这么～! 일이 이렇게 순조롭게 진전될 줄은 생각지도 못했다!
〔平速度〕 píngsùdù 명 평상 속력〔속도〕.
〔平素〕 píngsù 명 ⇨〔平常〕
〔平他〕 píngtā 명 평성(平聲)과 '他声'('上'·'去'·'入'의 삼성(三聲)).
〔平台〕 píngtái 명 ①기와를 얹지 않고 석회만 바른 평평한 지붕의 가옥. ②단(壇) 모양의 건조물. ③《體》 도약(跳躍)에 쓰이는 평평한 대. ④평지.

층계참. ⑤〖機〗 플랫폼(기계를 설치하거나 작업하는 대). ⑥베이징(北京)의 옛 황성(皇城) 안에 있는 고대(高臺)의 이름(명나라 때, 황제가 여러 신하를 접견한 곳).
〔平太阳〕 píngtàiyáng 명 〖天〗 평균 태양. ¶～日; 평균 태양일 / ～时; 평균 태양시.
〔平坦坦(的)〕 píngtǎntǎn(de) 형 (지형이) 평탄하다. ¶～的耕地; 평탄한 경지.
〔平天冠〕 píngtiānguān 명 면류관(옛날의 천자의 관의 일컬음).
〔平天转〕 píngtiānzhuàn 명 ⇨〔凭天转〕
〔平殄〕 píngtiǎn 동 〈文〉 진압하다. 평정하다.
〔平粜〕 píngtiào 동 쌀값이 비쌀 때, 정부가 보유미를 싸게 팔다.
〔平头〕 píngtóu 명 상고머리. ¶推～; 상고머리로 깎다. =〔平顶头〕 형 ①우수리가 없는. ¶～数; 〈方〉 우수리가 없는 정수(整數)(十·百·千·萬 등). ②보통의. ¶～百姓; 보통 평민. ③머리가 평평한. ¶～小钉; 압정. 납작못. (píng,tóu) 동 ①머리를 꼿꼿이 하다. ②우열(優劣)이 없다. ¶他们平了头了; 그들은 어깨를 나란히 하게 되었다.
〔平头甲子〕 píngtóu jiǎzǐ 명 만 60세. 환갑. ¶我明年就到～; 나는 내년에는 만 60세가〔환갑이〕 된다. =〔花huā甲〕
〔平头正脸(儿的)〕 píng tóu zhèng liǎn(rde) 〈成〉 ①단정한 용모. 잘 다듬어진 얼굴. ②얼굴을 정면으로 향한 모양.
〔平头钻〕 píngtóuzuàn 명 〖機〗 천공기(이미 뚫려 있는 구멍을 넓히는 데 쓰는 절삭 공구).
〔平土机〕 píngtǔjī 명 ⇨〔推tuī土机〕
〔平妥〕 píngtuǒ 형 타당〔적정(適正)〕하다. ¶这篇文章措词～; 이 문장은 언어 구사가 타당하다.
〔平萎〕 píngwěi 동 (거래가) 위축되다. 쇠퇴하다. ¶目前市面～, 前途能否进展要看环境的变化; 지금 시장이 위축되고 있는데, 앞으로 나아질지 여부는 환경의 변화에 달려 있다.
〔平文〕 píngwén 명 ⇨〔散sǎn文①〕
〔平纹〕 píngwén 명 〖紡〗 평직. ¶～布bù; 평직물.
〔平稳〕 píngwěn 형 평온하다. 안정되어 있다. ¶物价～; 물가가 안정되다.
〔平西〕 píngxī 동 해가 서쪽에 기울다. ¶晒shài在外头的被bèi窝儿, 等到太阳～的时候, 可想着收进来; 밖에 널은 이불은 저녁이 되면 잊지 말고 걷어 들이시오.
〔平昔〕 píngxī 명 〈文〉 본디. 지난날. 원래. 평소. ¶今日因为有事, 所以比～回来得晚; 오늘은 볼일 때문에 여느 때보다 귀가가 늦었다 / 我～对语法问题很少研究, 现在开始感到一点兴趣了; 나는 전에 어법 문제는 거의 연구하지 않았으나, 지금은 약간의 흥미를 느끼기 시작했다.
〔平息〕 píngxī 동 ①평정〔진압〕하다. ¶～叛pàn乱; 반란을 평정하다. ②평온해지다. 가라앉다. 종식되다. ¶由1932年起爆bào发全面战争至1935年才～下来; 1932년부터 전면 전쟁이 터져 1935년에 이르러 겨우 종식되었다.
〔平晓〕 píngxiǎo 명 새벽. 동틀녘
〔平心〕 píng,xīn 동 마음을 가라앉히다. 냉정하고 공평하여 감정에 사로잡히지 않게 하다. ¶～而论; 〈成〉 공평한 마음으로 논하다. 침착하고 냉정하게 논하다 / ～静气jìngqì; 〈成〉 마음을 가라앉히고 냉정하게 하다. 마음은 온화하고 태도는 냉정하다. (píngxīn) 명 공평·냉정·침착한 마음.
〔平信〕 píngxìn 명 〈簡〉 보통 우편. ¶是～, 是快信? 보통이냐, 속달이냐? →〔快信〕〔挂号guàhào信〕 =〔平常信(件)〕
〔平行〕 píngxíng 명 〖數〗 평행. ¶～方形 =〔平行四边形〕; 평행 사변형. 형 ①평행하다. ¶～地走着; 평행하여 걷다 / ～杆; 〖體〗 평행봉. ②등급이〔지위가〕 동등하다. 동격이다. ¶～机关; 대등한〔동급의〕 기관. 동 병행하다. 동시에 진행하다. ¶～作业; 병행 작업.
〔平行(垫)铁〕 píngxíng (diàn)tiě 명 〖工〗 작업할 때, 재료의 밑에 놓고 받침으로 쓰는 직사각형의 쇳덩이.
〔平行(公)文〕 píngxíng gōngwén 명 동급(同級) 기관 상호간에 주고받는 공문.
〔平行界尺〕 píngxíng jièchǐ 명 평행자(제도용구).
〔平行线〕 píngxíngxiàn 명 평행선. =〔并bìng行线〕
〔平牙(牙齿)〕 píngyá (yáchǐ) 명 ⇨〔正zhèng齿轮〕
〔平衍〕 píngyǎn 형 〈文〉 (토지 따위가) 평평하고 넓다.
〔平野〕 píngyě 명 평야. 벌판.
〔平一〕 píngyī 동 〈文〉 난을 평정하여 통일하다. ¶～宇内; 천하를 통일하다.
〔平议〕 píngyì 명동 〈文〉 공평한 논의(를 하다). 명 절충론.
〔平抑〕 píngyì 동 (가격 등을) 안정시키다. ¶～物价; 물가를 안정시키다 / 商议～米价的办法; 쌀값의 안정책을 상의하다.
〔平易〕 píngyì 형 ①(성격·태도가) 겸손하고 온화하다. ¶～可亲; 겸손하고 온화해서 사귀기 쉽다 / ～近民; 온화하게 백성을 친근하게 대하다. ②(문장이) 평이하다. ¶～近人; 〈成〉 ⓐ(문장이) 평이하여 알기 쉽다. ⓑ(인품이) 겸손하고 온화해서 사귀기 쉽다.
〔平银〕 píngyín 명 견직물에 은실로 무늬를 수놓는 공예.
〔平英团〕 píngyīngtuán 명 아편 전쟁 중에, 광둥(廣東) 산위안리(三元里) 주민의 반영(反英) 투쟁 조직.
〔平庸〕 píngyōng 명형 평범(하다). 범용(하다). ¶～无奇; 평범〔범용〕하여 특이한 데가 없다.
〔平邮〕 píngyóu 명 통상 우편. 보통 우편.
〔平余〕 píngyú 명 (저울로 무게를 달 때의) 여분의 무게. ¶贪tān图～; 여분의 무게를 달아서 속이다.
〔平鱼〕 píngyú 명 〖魚〗 병어.
〔平原〕 píngyuán 명 평원. ¶大～; 대평원.
〔平月〕 píngyuè 명 평년의 2월(28일인 달을 일컬음). ↔〔闰rùn月〕
〔平允〕 píngyǔn 형 〈文〉 공평하고 온당하다. ¶分配得很～; 분배가 공평하고 적절하다.
〔平韵〕 píngyùn 명 평운. '平声'에 속하는 운자(韻字).
〔平凿〕 píngzáo 명 평형(平形)정. 넓적끌.
〔平则门〕 píngzémén 명 〈俗〉 베이징(北京) 부성문(阜城門).
〔平仄〕 píngzè 명 〖言〗 평운(平韻)과 측운(仄韻)('上平'·'下平'을 '平', '上声'·'去声'·'入声'을 '仄'이라 함). ¶这句诗～不调; 이 시는 평측이 맞지 않는다. =〔平侧〕
〔平展〕 píngzhǎn 형 지세(地勢)가 평탄하고 넓다. 넓게 펼쳐 있다.

〔平展展(的)〕 píngzhǎnzhǎn(de) 형 평평하고 넓게 펼쳐진 모양. ¶～的田地; 평탄하고 넓다란 논밭.
〔平榛〕 píngzhēn 명 《植》 개암나무.
〔平整〕 píngzhěng 동 ①(도로가) 평평하게 정비되어 있다. (물건이) 매끈하다. ②(물건·장소를) 평평하게 고르다. ¶土地～了; 땅은 정지(整地)가 끝났다. ③토지 정리를 하다.
〔平正〕 píngzheng 형 ①단정하다. 공평 무사하다. ②반듯하다. 반반하다. 가지런하다. 잘 정돈돼 있다. ¶被bèi褥叠得很～; 요가 잘 개켜져 있다 / 拿熨yùn斗熨～了; 다리미질을 하여 반반하게 했다 / 他墁的砖又～又密合; 그가 쌓은 벽돌은 반듯하고 또 빈틈없이 꼭 맞는다.
〔平直球〕 píngzhíqiú 명 《體》 (야구의) 라이너. 직구.
〔平治〕 píngzhì 명형 태평(하다). (Píngzhì) 명 《地》 핑즈(平治)《광시(廣西) 치완족(族) 자치구에 있는 현(縣) 이름》. 동 ①평정하여 다스리다. ②수리하다. ¶～马路; 도로를 수리하다.
〔平装〕 píngzhuāng 명 (책의) 보통 장정(裝幀). ¶～本; 보통 장정의 서적.
〔平准〕 píngzhǔn 동 〈文〉 세금을 같게 하다.
〔平足〕 píngzú 명 평발. =〔扁biǎn平足〕

评(評)

píng (평)
명동 ①평가(하다). 논평(하다). 비평(하다). ¶批pī～; 비평(하다) / 得了好～; 호평을 얻었다 / 他是一个剧～家; 그는 극평론가이다 / 曾经发表过一个短～; 전에 단평(短評)을 한 편 발표한 적이 있다. ②판정〔심사〕(하다). ¶请干部～～; 간부에게 판정해 주도록 청하다 / ～薪; 심사하여 급료의 격(格)을 매기다 / 被～上了先进生产者; (심사의 결과) 선진 생산자로 평정되었다.
〔评比〕 píngbǐ 동 비교하여 평가하다.
〔评产〕 píng·chǎn 동 재산을 평가하다. (píngchǎn) 명 재산의 평가.
〔评定〕 píngdìng 명동 평정(하다). 감정(하다). ¶考试成绩已经～完毕; 시험 성적은 이미 평정을 끝냈다. =〔评骘zhì〕
〔评断〕 píngduàn 명동 논단(하다)《평의에 의해서 판단을 내리다》.
〔评发〕 píngfā 동 심사하여 수여하다. ¶～奖品; 심사하여 상을 주다.
〔评分〕 píng·fēn 동 ①평점을 매기다. ②일의 능률을 판정하여 보수를 정하다. ¶各生产队在给社员～中有松有紧; 사원에 대하여 보수를 정할 때에 각 생산대에 따라 후한 곳도 있고 박한 데도 있다. (píngfen) 명 점수 평가.
〔评工〕 píng·gōng 동 (특히, 인민 공사의 생산대(生産隊)에서) 일의 경중이나 성적의 우열 따위를 평정하다. ¶～记分; 성적을 평정하여 점수를 매기다 / 为wèi～, 一干就是半夜; 근무 평정을 위해서 논의를 한 번 하면 늘 한밤중까지 간다.
〔评功〕 píng·gōng 동 공적을 평가하다. 공과(功過)를 평정하다. ¶～摆好; 공적과 장점을 열거하다.
〔评估〕 pínggū 동 〈文〉 평가하다.
〔评话〕 pínghuà 명 ①평화《민간 예능의 하나로서, 그 지방의 방언으로 한 사람이 '唱' 없이 이야기함》. =〔〈北方〉 评书〕 ②송대(宋代)의 야담 형식의 소설. =〔平píng话〕
〔评级〕 píng·jí 동 ①(간부나 직원의) 등급을 평정하다. ②(생산품의 품질에 따라) 등급을 평정하다.
〔评价〕 píngjià 명동 평가(하다). 동 값을 매기다.
〔评价人〕 píngjiàrén 명 감정인. =〔鉴jiàn定人〕
〔评奖〕 píng·jiǎng 동 심사 평가하여 표창하다. ¶健全劳动检查和～的制度; 노동의 점검과 표창 제도를 건전한 것으로 하다.
〔评介〕 píngjiè 명동 논평 소개(하다). 비평 소개(하다). ¶伦敦时报刊载一篇～这次国际会晤的通讯; 런던 타임즈는 이번 국제 회의를 비평 소개하는 기사를 싣고 있다.
〔评剧〕 píngjù 동 극평을 하다. 연극을 평하다. 명 《劇》 평극《화베이(華北)·둥베이(東北) 지방에 널리 행하여지는 연극의 하나로 초기에는 '落lào子②' 또는 '蹦蹦儿戏' 라 불리었음》. =〔评戏〕
〔评卷〕 píngjuàn 동 답안을 채점하다. ¶由地(市)招生委员会组织～; 지구〔시〕의 학생 모집 위원회가 답안의 채점을 일괄 실시한다.
〔评决〕 píngjué 동 심의 결정하다.
〔评理(儿)〕 píng·lǐ(r) 동 시비 곡직을 심의하다〔가리다〕. ¶谁是谁非, 由大家～; 누가 옳고 그른지 여러 사람의 결정에 따르자 / 请您评评这个理(儿); 부디 이 일의 판가름을 해 주십시오.
〔评论〕 pínglùn 동 ①평론하다. 논평하다. ¶～好坏; 좋고 나쁨을 평론하다. ②평판(評判)하다. 이러쿵저러쿵 말하다. ¶群众～说…; 군중들이 …라고 이러쿵저러쿵 말하다. 명 평론. 논설. 논평. ¶～员; (뉴스 등의) 해설자. 논설 위원.
〔评脉〕 píng·mài 동 〈方〉 진맥하다. =〔诊脉〕
〔评模〕 píngmó 동 모범으로 할 만한 것〔사람〕을 평정하다.
〔评判〕 píngpàn 명동 ①판단(하다). 판정(하다). ¶～公允; 판정이 공평하다. ②심사(하다). 심판(하다). ¶～员; 심사원. 심판원 / ～展览品; 전시품을 심사·판정하다.
〔评品〕 píngpǐn 동 품평하다.
〔评书〕 píngshū 명 〈北方〉 ⇨〔评话①〕
〔评说〕 píngshuō 명동 평론(하다). 평가(하다).
〔评弹〕 píngtán 명 ①민간 연예의 하나《장쑤 성(江蘇省)·저장 성(浙江省) 일대에 널리 행하여졌으며 이야기와 '唱'이 있음》. ②'评话'와 '弹词'의 합칭(合稱).
〔评头论足〕 píng tóu lùn zú 〈成〉 ⇨〔评头品足〕
〔评头品足〕 píng tóu pǐn zú 〈成〉 ①여성의 머리나 발의 모양 등을 비평하다. ②〈轉〉 이러쿵저러쿵 함부로 비평하다. ‖ =〔评头论足〕〔品头论足〕
〔评戏〕 píngxì 명 ⇨〔评剧〕
〔评薪〕 píng·xīn 동 중의(衆議)에 의해서 급료를 평정하다.
〔评选〕 píngxuǎn 동 심사하여 뽑다. 선정하다. ¶经过了～委员会最后评定; 선정 위원회의 최후 평정을 거쳤다 / 影片～; 영화 콩쿠르.
〔评选会〕 píngxuǎnhuì 명 품평회. ¶进行第七次～; 제7회 품평회를 열다.
〔评议〕 píngyì 동 논의하여 가려 내다. 평의하다.
〔评语〕 píngyǔ 명 평어. =〔批pīyǔ①〕
〔评阅〕 píngyuè 동 ①(답안·보고서 등을) 심사하다. 채점하다. ¶～试卷; 시험 답안을 채점하다. ②감상하다.
〔评注〕 píngzhù 동 비평과 주석을 달다. 표주(標註)하다. ¶～法家著作; 법가(法家)의 저작에 비평과 주석을 달다. 명 비평과 주석. 평론과 주해.
〔评传〕 píngzhuàn 명 평전.

坪 **píng** (평)
①(～子) 명〈方〉평탄한 땅. 평지(지명으로도 쓰임). ¶草cǎo～; 잔디밭/武家～; 《地》우자핑(武家坪)(산시 성(山西省) 시양 현(昔陽縣)에 있는 땅 이름). ②양 평(면적 단위).
〔坪坝(子)〕píngbà(zi) 명 평탄한 공지(空地).

苹(蘋) **píng** (평, 빈) ①→〔苹果〕②→〔苹婆〕③명《植》부평초. 개구리밥. =〔萍〕⇒'蘋' pín
〔苹果〕píngguǒ 명《植》사과. ¶～脸(儿); 사과처럼 통통하고 붉은 얼굴/～排pái =〔～酥sū〕; 애플 파이.
〔苹果脯〕píngguǒfǔ 명 말린 사과.
〔苹果核儿〕píngguǒhúr 명 ①사과의 속. ②⇨〔喉hóu结〕
〔苹果酱〕píngguǒjiàng 명 사과 잼(jam).
〔苹果绿〕píngguǒlǜ 명 ①엷은 녹색. ②옛 자기(瓷器)의 일종으로, 푸른 사과의 빛이 나는 진귀한 것.
〔苹果酸〕píngguǒsuān 명《化》능금산. =〔羟qiǎng基丁二酸〕
〔苹婆〕píngpó 명《植》벽오동과의 상록 교목. =〔频婆〕〔罗望子〕〔七姐果〕

枰 **píng** (평)
명〈文〉①바둑〔장기〕판. =〔棋枰〕②바둑. 장기.

萍〈蓱〉 **píng** (평)
명《植》개구리밥. 〈比〉정착할 곳을 찾지 못함. ¶紫～ =〔〈俗〉水～〕; 개구리밥. 부평초/浮～ =〔青～〕; 좀개구리밥. ¶～寄无定; 정처없이 여기저기 떠돌아다니다.
〔萍泊〕píngbó 동〈文〉부평초처럼 정처없이 방랑하다. =〔萍漂〕
〔萍蓬〕píngpéng 동〈比〉거처를 전전하다. 부평초 같은 생활을 하다.
〔萍蓬草〕píngpéngcǎo 명《植》왜개연꽃.
〔萍漂〕píngpiāo 동〈文〉부평초처럼 떠돌다. =〔萍泊〕
〔萍水相逢〕píng shuǐ xiāng féng〈成〉뜻하지 않게 우연히 만나 알게 되다.
〔萍水之人〕píngshuǐ zhī rén 명〈比〉우연히 만나서 알게 된 사람.
〔萍踪〕píngzōng〈文〉부평초처럼 정처없음. ¶～浪迹 =〔～靡定〕;〈成〉정착을 못하고 전전하다.

鲆(鮃) **píng** (평)
명《魚》넙치과의 어류(아평(牙鮃)·반평(斑鮃)·편구어(偏口魚)·비목어(比目魚) 따위).

冯(馮) **píng** (빙)
A) 동〈文〉①말이 빨리 달리다. 질주하다. ②도섭(徒涉)하다. →〔暴bào虎冯河〕B)〈文〉'凭píng'과 통용됨. ⇒Féng

凭(憑〈凴〉) **píng** (빙)
①동 의지하다. 의존하다. 믿다. ¶光～武器不能打胜仗; 무기에만 의존해서는 전쟁에서 이길 수 없다/工人～着两只手创造世界; 노동자는 두 손으로 세계를 창조한다/我不懂得学理, 不过～经验办事就是了; 나는 학문적 이론은 모르고 다만 경험에 의지해서 해결할 뿐이다/他走南闯北就是～那胆量大; 그가 여기저기 뛰어 돌아다닐 수 있는 것은 그 담이 크기 때문이다/～着私人之间的感情和关系来解决问题; 사적인 감정과 관계를 등에 업고 문제를 해결한다. 注 (흔히, '就～'로) '능력·자격 등이 부족해서 도움이 안 됨'을 나타냄. ¶就～你! 자네 따위론! ②동 (…에 몸을) 기대다. 의지하여 기대다. ¶～栏; 난간에 기대다. ③동 …에 맡기다. …에 따르다. ¶～你去办怎么着都行; 자네 하는 대로 맡기고 어떻게 되든 상관 않는다/～良心做事; 양심에 따라서 일을 하다. ④동 (…에) 의거〔근거〕하다. ¶～大家的意见作出决定; 여러 사람의 뜻에 따라서 결정하다/～我两年多的经验来说…; 나의 2년 남짓한 경험으로 말하면…/～正义而行动; 정의에 입각하여 행동하다/你～什么要钱? 너는 어떤 이유로 돈을 요구하는 거냐? ⑤명 증거. ¶文～; 증거 문서. 증서/有～有据; 분명한〔확실한〕 증거가 있다/空口无～; 말로만 해서는 증거가 될 수 없다/不足为～; 증거로 삼기에 부족하다/毕业文～; 졸업 증서. ⑥접 설령〔비록〕…이라도. 아무리 …하여도(항상 '总'·'也'·'都' 등과 대응하여 쓰임). ¶～你跑多快, 我也赶得上; 네가 아무리 빨리 뛴다 해도 나는 따라붙을 수 있다/～他来多少次, 也不许他进来; 설사 그가 몇 번씩 와도 들어오는 것을 허용하지 않겠다/～这个, 咱们也得上卫生捐! 이런 꼴인데도 우리는 위생세를 내야 하느냐! ⑦접 …을 위해서도. …을 걸고서라도. 적어도 …이라는 사람이. ¶你太傻了! ～我作侦探的, 肯把你放了走? 멍청한 놈아, 내가 적어도 탐정인데, 너를 놓아 줄 것 같으냐?/我～着这些听戏的面子, 也不能误卯; 이 관객들의 얼굴을 봐서라도 난 지각할 수 없다.
〔凭白〕píngbái 부 ⇨〔平白〕
〔凭本〕píngběn 동 원가(原價)에 의하다. ¶～计算; 원가로 계산하다.
〔凭册〕píngcè 명 증거 서류. 증빙 서류.
〔凭产地买卖〕píngchǎndì mǎimài 명《經》산지근거 매매.
〔凭单〕píngdān 명 ①선하(船荷) 증권. 화물 상환증(B/L). =〔提单〕②보증서. 증명서. ¶存款kuǎn～; 예금 증서. ③외국 수출 때 발급하는 면세 증서(국내의 것은 '运单'이라 함). (píng·dān) 동 증명서에 의거하다. ¶～代付; 증서에 의해 주다/～提款; 증명서를 증거로 현금을 찾다.
〔凭吊〕píngdiào 동 유적·분묘 앞에서 (옛 사람이나 지난날을) 생각하다. 위령제를 거행하다. ¶～亡难同胞; 조난한 동포의 영령을 애도하다.
〔凭高〕pínggāo 동 높은 곳에 오르다. ¶～俯视, 了如指掌; 높은 곳에서 내려다보니, 손바닥 보듯이 똑똑하게 보인다.
〔凭盒〕pínghé 케이스와 상환하다. ¶举办～赠送; 케이스 상환에 의한 경품 증정을 실시하다.
〔凭几托腮〕píngjī tuōsāi 책상에 기대어 손으로 턱을 괴다. 사색하다. 깊은 사색에 잠기다.
〔凭借〕píngjiè 동 …에 의지하다. …을 근거로 하다. …을 방패삼다〔빙자하다〕. ¶无所～; 의지처가 없다/～势力; 세력에 의지하다. 세력을 믿다/人类的思惟是～语言来进行的; 사람의 사유는 언어에 의하여 행해지는 것이다.
〔凭据〕píngjù 명 ①증거. 증거가 되는 사물. ¶有什么～吗? 무슨 증거가 있는가? ②증서.
〔凭空〕píngkōng 부 ①근거 없이. 터무니없이. ¶～捏造; 날조하다/～杜撰;〈成〉근거 없이 글

을 쓰다 / ～想出来; 아무 근거도 없이 생각해 내다 / ～臆度; 근거 없는 억측을 하다 / ～设想; 터무니없는 일을 생각하다 / 无中生有, ～造谣; 있지도 않은 일을 꾸며내어, 사실 무근한 말을 퍼뜨리다. ②매나니로. 맨주먹으로. ¶ ～发行支票; 공수표를 발행하다. ‖ =〔平空〕
〔凭口说〕 píngkǒushuō 되는대로〔입에서 나오는 대로〕 지껄이다.
〔凭栏〕 píng∙lán 동 난간에 기대다.
〔凭理〕 pínglǐ 동 도리에 의하다. 이치를 내세우다.
〔凭陵〕 píng líng 동 〈文〉 세력을 믿고 남을 괴롭히다.
〔凭命〕 píng∙mìng 동 ①목숨을 걸고 하다. ¶ ～算了吧; 될 대로 되라. ②운에 맡기다. =〔凭命由天〕
〔凭票〕 píng∙piào 동 《商》 수표·증권 등을 근거로 삼다. 증권과 상환(相換)하다. ¶ ～即付银币bì五元; 증서를 근거로 은화(銀貨) 5원(元)을 지불합니다 / ～即付票据 =〔即票〕; 일람불 약속 어음 / ～人场; ⓐ표를 사서 들어오는 입장. ⓑ초대권 등을 내고 하는 입장.
〔凭券〕 píngquàn 명 증거가 되는 문서. 동 표〔증서〕와 상환(相換)하다. 증권(證券)에 의거하다.
〔凭什么〕 píngshénme 무엇을 믿고. 무엇에 의거해서. 무슨 이유로. ¶ 你～逞强? 너 무엇을 믿고 으스대는 거냐? / 咱们～交卫生捐呢? 우리는 무엇 때문에 위생세를 낸단 말이오? / ～乱骂人? 무엇 때문에 함부로 욕하느냐?
〔凭恃〕 píngshì 동 〈文〉 (세력·능력 따위를) 믿다. 의지하다. ¶ ～三寸舌; 능변(能辯)에 의지하다.
〔凭天〕 píngtiān 동 하늘에 맹세하다. ¶ ～赌咒zhòu; 하늘을 두고 맹세하다.
〔凭天掉〕 píngtiāndiào 〈俗〉 뜻밖에도. 의외로. 운좋게. ¶ 他这回～地得了一笔财产; 그는 이번에 뜻밖에도 재산이 굴러 들어왔다.
〔凭天转〕 píngtiānzhuàn ① 명 폭죽의 하나. ② 명 룰레트(프 roulette)《도박 용구》. =〔平天转〕 ③ (píngtiān zhuàn) 부평초 같은 생활을 하다.
〔凭条(儿)〕 píngtiáo(r) 명 증거 문서. (píng∙tiáo(r)) 동 문서를 증거 삼다. ¶ ～付款; 계산서대로 돈을 지불하다.
〔凭眺〕 píngtiào 동 〈文〉 높은 곳에서 멀리 바라보다.
〔凭文〕 píngwén 명 증서.
〔凭险〕 píngxiǎn 동 〈文〉 험한 곳에 의거하다.
〔凭险抵抗〕 píng xiǎn dǐ kàng 〈成〉 요해(要害)에 웅거하여 저항하다.
〔凭心〕 píng∙xīn 동 양심에 따르다. =〔凭良liáng心〕
〔凭信〕 píngxìn 동 신뢰하다. 믿다. ¶ 怎么能～那种人的话呢? 저런 놈의 하는 말을 어떻게 믿을 수 있단 말인가?
〔凭虚公子〕 píngxū gōngzǐ 명 있지도 않은〔가공의〕 귀공자《'무명씨' 처럼 쓰이는 말》. =〔吴wú是公〕〔吴其仁〕〔吴有仁〕〔梅méi友仁〕
〔凭样品品质买卖〕 píngyàngpǐnpǐnzhì mǎimài 명 《經》 견본 매매.
〔凭依〕 píngyī 명 근거. 의지처. 동 의지〔의거〕하다. ¶ 无所～; 의지할 곳이 없다.
〔凭臆之说〕 píng yì zhī shuō 〈成〉 억측에 의한 설.
〔凭印〕 píngyìn 명 증인(證印).
〔凭仗〕 píngzhàng 동 의지하다. 믿다. 기대다. ¶ ～着顽强不屈的精神克服了重重困难; 불굴의 완강한 정신으로 거듭되는 곤란을 극복했다.
〔凭照〕 píngzhào 명 증명서. 면허증. 자격증. ¶ 领取～; 증명서를 받다.
〔凭折〕 píngzhé 명 통장. (píng∙zhé) 동 통장을 증거로 하다.
〔凭证〕 píngzhèng 명 ①증명서. 증서. ②증거.
〔凭中〕 píngzhōng 동 중개인을 보증으로 하다. 중개인을 세우다. ¶ ～交涉; 사람을 중간에 세워서 교섭하다.
〔凭准〕 píngzhǔn 명 의거해야 할 표준.

洴 **píng** (병)

→〔洴澼〕

〔洴澼〕 píngpì 동 〈文〉 (솜이나 비단실을) 헹구어 빨다.

帡 **píng** (병)

→〔帡幪〕

〔帡幪〕 píngméng 〈文〉 명 ①덮어 가리는 역할을 하는 것《가옥·천막 따위를 이르는 말》. ②〈轉〉 막사. 가옥. 동 비호하다.

屏 **píng** (병)

① 명 병풍. ② 명 몇 개의 족자로 짝을 이루는 서화(書畫). ¶ 四扇～; 4 폭짜리 족자 / 寿～; 장수를 축수하는 족자. =〔屏条(儿)〕 ③ 명 문 안에 세우는 가리개〔스크린〕. (텔레비전의) 화면. ¶ ～海拾贝; 텔레비전의 명장면 모음. ④ 동 덮어서 가리다. 막아 가리다. ‖ =〔屛〕 ⇒ bǐng
〔屏蔽〕 píngbì 동 (병풍처럼 사물을) 가로막다. 둘러막다. ¶ ～一方; 한쪽을 가로막다. 명 ① ⇒〔屏障〕 ②《電》 실드(shield). 차폐(遮蔽)《전기 장치 또는 회로 주변에 놓이어 외부의 전자장의 영향을 막는 것. 보통, 금속제의 가리개》.
〔屏藩〕 píngfān 명 〈文〉 ①병풍과 울타리. 〈比〉 영토. 나라의 울타리가 되는 변경 지대. ②〈比〉 주위의 속령(屬領). ③국가의 중신《황실을 수호하는 사람》. =〔屏翰〕
〔屏风〕 píngfēng 명 병풍. ¶ 围～; 병풍을 두르다.
〔屏风门〕 píngfēngmén 명 ⇒〔屏门〕
〔屏翰〕 pínghàn 명 ⇒〔屏藩③〕
〔屏极〕 píngjí 명 《電》 플레이트(plate). 양극판(陽極板).
〔屏门〕 píngmén 명 '大dà门' (대문)을 들어선 곳에 있는 둘째 문. 중문 또는 한 '院yuàn子①' (정원)에서 다른 '院子①' 로 가는 입구 등에 세워진 널문. =〔屏风门〕
〔屏面〕 píngmiàn 동 얼굴을 가리다. 명 〈轉〉 부채.
〔屏幕〕 píngmù 명 《電》 영상 스크린. 형광면(螢光面). ¶ 电视～; 텔레비전의 영상 스크린.
〔屏石〕 píngshí 명 가리개나 의자의 등받이에 붙이는 장식용 대리석.
〔屏条(儿)〕 píngtiáo(r) →〔字解②〕
〔屏卫〕 píngwèi 동 〈文〉 호위〔보위〕하다.
〔屏障〕 píngzhàng 명 ①병풍처럼 가로막는 것. 칸막이. 가리개. ②장벽(障壁). 보호벽. ¶ 燕山山地和西山山地是北京天然的～; 옌산(燕山)과 시산(西山)의 산들은 베이징(北京)의 천연의 장벽이다 / 中国人民解放军是我们祖国安全的可靠～; 중국 인민 해방군은 우리 조국의 안전하고 확실한 보호벽

이다. ‖ =〔屏蔽①〕 통 가리어 지키다.

瓶〈缾〉 píng (병)
①명 두레박. ②명 독. ③(～儿, ～子) 명 병. ¶花～; 꽃병/酒～; 술병/热rè(水)～; 보온병/玻璃～; 유리병/细口～ =〔小口～〕; 아가리가 좁은 병/大口～ =〔广口～〕; 아가리가 넓은 병. ④양 (병에) 채워진 것·채우는 것을 세는 데 쓰임. ¶一～药; 약 한 병/一～酒; 술 한 병. ⑤명 성(姓)의 하나.

〔瓶钵〕 píngbō 명 바리때.
〔瓶胆(儿)〕 píngdǎn(r) 명 보온병의 속병.
〔瓶尔小草〕 píng'ěrxiǎocǎo 명 《植》 고사리삼.
〔瓶盖(儿)〕 pínggài(r) 명 ①병마개. 병뚜껑. ②왕관(王冠).
〔瓶颈〕 píngjǐng 명 ①병목. ②〈比〉 비좁거나 취약해서 장애가 형성되는 부위·부분《교통·산업·사회 현상 등 여러 곳에 광범위하게 쓰임》. ¶交通的～地带; 교통의 병목 지대/基础产业和基础设施发展不快, 处于～状态; 기초 산업과 기초 설비의 발전이 빠르지 못해 병목 상태에 처하다.
〔瓶颈建筑〕 píngjǐng jiànzhù 명 확장된 도로에 헐리지 않고 남아 있어 길을 좁게 하고 있는 건축물.
〔瓶瓶〕 píngping 명 〈方〉 병. =〔瓶儿〕
〔瓶签〕 píngqiān 명 ⇨〔标biāo签(儿)〕
〔瓶塞(儿, 子)〕 píngsāi(r, zi) 명 병마개.
〔瓶笙〕 píngshēng 형 〈文〉 솔바람 소리〔주전자의 물이 끓는 소리〕의 형용.
〔瓶装〕 píngzhuāng 명 병조림. 동 병조림하다. 병에 담다. ¶我要～的; 병에 담은 것을 원한다.
〔瓶嘴(儿)〕 píngzuǐ(r) 명 병의 아가리.
〔瓶座儿〕 píngzuòr 명 병의 밑바닥.

帡 píng (병)
명동 ⇨〔屏píng〕

泙 píng (빙)
지명용 자(字). ¶普～Pǔpíng; 푸핑(普泙)《윈난 성(雲南省)에 있는 땅 이름》.

PO ㄆㄛ

朴 pō (박)
→〔朴刀〕 ⇒ Piáo pò pǔ

〔朴刀〕 pōdāo 명 가늘고 길며, 짧은 자루가 달린 칼《양손으로 사용함》.

钋(釙) pō (박)
명 《化》 폴로늄(Po: polonium)《방사성 금속 원소》.

陂 pō (파)
→〔陂陀〕 ⇒ bēi pí

〔陂陀〕 pōtuó 형 〈文〉 울퉁불퉁하다. 순조롭지 않다. 험하다. ¶命途～令人惋叹; 운이 나쁜 것이 원망스럽다.

坡 pō (파)
①(～儿, ～子) 명 비탈. 언덕. ¶高～ =〔陡～〕; 가파른 언덕/土～; 비탈/山～; 산비탈/平～; 가파르지 않은 언덕/下～容易, 上～难; 〈諺〉 비탈을 내려가기는 쉽지만, 올라가기는 어렵다. ②명 지붕의 경사면《'房脊'(지붕의 용마루)로 구분된 한쪽 면을 가리킴》. ¶前～; 지붕의 앞쪽. =〔房坡〕 ③명 산. ¶去～里割把柴火; 산에 나무하러 간다. ④형 비스듬하다. 경사지다. ¶板子～着放; 판자가 비스듬히 놓여 있다/这一段道路是～的; 이 길은 경사를 이루고 있다/～～儿的道路; 조금 비탈진 길/这楼梯不很～, 好上; 이 계단은 경사가 별로 급하지 않아 올라가기 좋다/这山道不～, 不费力; 이 산길은 가파르지 않아 힘이 들지 않는다.

〔坡茬儿〕 pōchár 명 비탈지고 울퉁불퉁한 곳. ¶走到～地方儿可得小心; 울퉁불퉁한 경사지에서는 조심해야 한다.
〔坡道〕 pōdào 명 비탈길. 고갯길. ¶走～; 비탈길을 걷다.
〔坡地〕 pōdì 명 ①비탈진 땅〔논밭〕. ②산허리의 계단 밭. ‖ =〔坡田〕
〔坡顶〕 pōdǐng 명 비탈진 곳의 꼭대기. ¶登上～; 비탈을 다 오르다.
〔坡度〕 pōdù 명 경사도(傾斜度). 물매.
〔坡降〕 pōjiàng 명 강 바닥의 경사.
〔坡脚〕 pōjiǎo 명 다리후리기. 안걸이. ¶给～ =〔使～〕; 다리를 걸다《남을 계략을 써서 실패하게 하다》. =〔泼脚〕
〔坡坎〕 pōkǎn 형 비탈지거나 울퉁불퉁하다. 명 길의 경사나 움푹한 곳. ¶一路上～很多; 도중에 경사지거나 움푹 팬 곳이 많다.
〔坡岭〕 pōlǐng 명 ①산. ②산지.
〔坡路〕 pōlù 명 비탈길. ¶上～; 오르막길/下～; 내리막길/走下～; 비탈길을 내려가다《내리막길을 걷다》.
〔坡田〕 pōtián 명 ⇨〔坡地〕
〔坡仙〕 Pōxiān 명 《人》 송(宋)나라 시인, 소동파(蘇東坡)에 대한 경칭.
〔坡圳〕 pōzhèn 명 경사지의 논밭의 도랑.
〔坡纸〕 pōzhǐ 명 싱가포르 지폐《'坡'는 '新xīn加坡'(싱가포르)의 약칭》. ¶三千～; 3,000 싱가포르 지폐.
〔坡子〕 pōzi 명 비탈. =〔坡儿〕

颇(頗) pō (파)
①부 〈文〉 꽤. 상당히. 몹시. 대단히. 매우. ¶～好; 상당히 좋다/～有区别; 상당히 구별이 있다/～感兴趣; 꽤 흥미를 느끼다/～为费解; 대단히 이해하기 힘들다/～欲往而视之; 몹시 가 보고 싶어하다. ②형 〈文〉 치우치다. 불공평하다. ¶偏～; 편파적이다. ③명 성(姓)의 하나.

〔颇多〕 pōduō 형 꽤 많다.
〔颇佳〕 pōjiā 형 꽤 좋다.
〔颇久〕 pōjiǔ 형 상당한 시간(동안)이다. 꽤 오래다.
〔颇可〕 pōkě 〈文〉 상당히 …할 가치가 있다.
〔颇梨〕 pōlí 명 유리.
〔颇黎〕 pōlí 명 유리.
〔颇耐〕 pōnài 동 ⇨〔叵pǒ耐〕
〔颇为〕 pōwéi 부 〈文〉 상당히. 꽤. 매우. 제법. ¶～别致; 꽤 특이하다/～可观; 꽤 볼 만하다.
〔颇有〕 pōyǒu 동 〈文〉 흔히 있다. 곧잘 있다.

泊〈濼〉 pō (박)
명 호수《주로 호수 이름에 쓰임》. ¶湖～; 호수/血～; 피바다/梁山～; 량산포(梁山泊)《산둥 성(山東省)에 있는 땅 이름》/罗布～; 뤄부포(羅布泊)《신장웨이우얼(新疆維吾爾) 자치구에 있는 호수 이름》. ⇒ bó,

'泺' Luò

泼(潑) pō (발) ①동 물을 (좍) 뿌리다. ¶～水; 물을 좍 뿌리다 / ～街; 길에 물을 뿌리다. ②형 〈方〉 몸을 아끼지 않다. 기백이 있다. 억척스럽다. ¶他做事很～; 그는 의욕적으로 일을 한다 / 你瞧他干得这个～; 그가 저렇게 일을 척척 해내고 있는 것을 보아라. ③형 야만스럽다. 도리를 분간 못하다. 상궤를 벗어나다. 분별이 없다. ¶撒sā～; ⓐ무모한 짓을 하다. ⓑ뻔뻔하게 굴다 / ～才; ⇩ ④형 〈方〉 생생하다. 활발하다. ¶活～～地; 활발하게. 발랄하게 / 他们的行动立刻就激起～剌剌的波浪; 그들의 행동은 즉시 활발한 파문을 불러일으켰다. ⑤명 횡포하다. 무지막지하다. ⑥…하고 싶지는 않다. …은 딱 질색이다.

〔泼才〕 pōcái 명 무뢰한(無賴漢). 무모한 사람. 건달.

〔泼出去〕 pōchūqu ①(물을) 뿌리다. 끼얹다. ②목숨을 내던지다〔내던지고 …하다〕.

〔泼出去的水〕 pōchūqu de shuǐ 〈諺〉 엎지른 물.

〔泼醋〕 pōcù 동 질투하다.

〔泼风点雨〕 pō fēng diǎn yǔ 〈成〉 풍파를 일으키다. 좋지 않은 소문을 퍼뜨리다. 헛소문을 내다. ¶这班小人到处～; 이 소인배들이 도처에 헛소문을 퍼뜨렸다.

〔泼妇〕 pōfù 명 닳고 닳은 여자. 기승스러운 여자. 무지막지한 여자. ¶～骂街; 〈成〉 무지막지한 여자가 거리에서 떠들어 대다(공공연히 입걸게 욕지거리를 함).

〔泼悍〕 pōhàn 형 흉포하다. 사납다.

〔泼贱贼〕 pōjiànzéi 명 〈罵〉 발칙한 놈.

〔泼脚〕 pōjiǎo 명 ⇨〔坡脚〕

〔泼街〕 pōjiē 동 거리에 물을 뿌리다. ¶～的; 살수부. 물 뿌리는 사람.

〔泼救〕 pōjiù 동 물을 뿌려 소화(消火)하다. ¶打水的打水, ～的～; 물을 긷는 자는 물을 긷고, 불을 끄는 자는 불을 끄다.

〔泼开〕 pōkai 동 물을 멀리 던지듯이 뿌리다. ¶不要这么倒dào, ～! 이렇게 쏟지 말고 멀리 내뿌려라!

〔泼剌〕 pōlà 〈擬〉 펄떡. 팔딱(물고기가 물에서 뛰는 소리). =〔拨剌〕〔跋剌〕 형 ①발랄하다. 생기있다. ¶精悍～的文章; 세련되고 발랄한 문장. ②⇨〔泼辣〕

〔泼剌剌(的)〕 pōlàlà(de) 형 발랄한 모양. 생기가 넘치는 모양. ¶～波浪; 약동하는 물결.

〔泼辣〕 pōla 형 ①악랄〔무지막지〕하다. 악착같다. 뻔뻔하다. ¶～货huò; 악랄한 놈. 무지막지한 놈 / ～手段; 악랄한 수단. =〔泼赖〕 ②시원시원하다. 결단력 있다. 기백이 있다. 생기가 있다. 대담하다. ¶说话干脆, 工作～; 말이 또깡또깡하고 일처리가 시원시원하다 / 她工作很～; 그녀는 일솜씨가 대담하고 활발하다 / 比男工还～能干; 남자 직공보다도 일하는 것이 박력 있고 유능하다 / 干起活儿来真～; 일을 하기 시작하면 정말 억척스럽다 / 这张报纸文章写得很～; 이 신문은 문장에 생기가 있다. ③신랄하다. 힘차다. ¶文章写得很～; 이 문장은 매우 신랄하다. ④부지런하다. 괴로움에 견디다. ⑤능력이 있다. ‖=〔泼剌②〕 注 현대어에서는 주로 ①②의 뜻.

〔泼赖〕 pōlài 형 ⇨〔泼辣①〕

〔泼冷水〕 pō lěngshuǐ 물을 끼얹다. 〈比〉 흥을 깨다. ¶给他～; (비유의 뜻으로) 그에게 찬물을 끼얹다. =〔浇冷水〕

〔泼墨〕 pōmò 명 《美》 발묵(산수화 기법의 하나. 붓에 먹물을 듬뿍 묻혀서 튀겨 흩뜨리듯 그리는 그림).

〔泼醅〕 pō,pēi 동 술을 빚다. =〔酦醅〕

〔泼皮〕 pōpí 형 횡포하다. 무뢰하다. 명 무뢰한. 불량배. ¶～撒起泼来; 무뢰한이 날뛰다.

〔泼泼〕 pōpō 〈擬〉 물고기가 꼬리를 힘차게 흔드는 모양.

〔泼实〕 pōshi 형 ①힘이 있고 활기차다. ¶干起活来泼泼实实, 非常高兴; 일을 하면 힘이 솟고 아주 유쾌하다. ②몸도 마음도 강하다. ¶那孩子还算～; 저 아이는 몸도 마음도 강한 편이다.

〔泼手辣脚地〕 pōshǒu làjiǎode 잽싸게. 후다닥. ¶～一会儿就干完了; 후딱후딱 잠깐 사이에 끝냈다.

〔泼水〕 pō,shuǐ 동 물을 뿌리다. ¶～难收; 엎지른 물은 주워 담기 어렵다.

〔泼水节〕 pōshuǐjié 명 다이족(傣族) 등의 설에 해당하는 명절(청명절 후의 열흘 가량 서로 물을 끼얹고 축복함).

〔泼摊〕 pōtān 형 〈方〉 많다.

〔泼天〕 pōtiān 형 〈古白〉 극히 크다. 굉장하다. 터무니없다. 엄청나다. ¶～谎话; 터무니없는 거짓말 / ～大祸; 엄청난 재난.

〔泼头盖脸〕 pō tóu gài liǎn 〈成〉 정면으로부터. =〔劈pī头盖脸〕

〔泼野〕 pōyě 형 (주로 여자가) 말괄량이다. (남자처럼) 거칠다.

〔泼院子〕 pō yuànzi 마당에 물을 뿌리다.

鏺(鏺) pō (발) 〈方〉 ①동 '镰'(낫) 따위로 풀·곡물을 베다. ②명 낫의 하나.

酦(醱) pō (발) 동 〈文〉 (술을) 양조하다. ⇒fā

〔酦醅〕 pō,pēi 동 〈文〉 술을 양조하다. =〔泼醅〕

婆 pó (파) 명 ①노부인. 할머니. 노파. ¶老～儿; ⓐ노부인. ⓑ마누라 / 王～; 왕씨 할멈 / 老太～ =〔老～～〕; 〈敬〉 할머니. 노부인. ②시어머니. ¶公～ =〔公公～～〕; 시부모 / ～媳; 시어머니와 며느리. 고부(姑婦). ③조모(나 동년배의 부인). ¶外～ =〔外祖母〕; 외할머니 / 姑gū～; 고모(할머니). ④(～儿) 여자의 직업에 붙이는 말. ¶收生～; 조산원. 산파 / 媒～儿; 중매쟁이. 매파.

〔婆鸡〕 pójī 명 《鳥》 암탉. =〔母鸡〕

〔婆家〕 pójiā 명 시집. 시댁. ¶找个～推出门去; 시집 갈 데를 찾아서 집에서 내보내다 / 我妈妈要给她说～; 내 어머니는 그녀의 혼처를 알선하려고 한다. =〔婆婆家〕 ↔〔娘家〕

〔婆角(儿)〕 pójué(r) 명 《劇》 노파역(의 배우). =〔婆脚jué(儿)〕

〔婆理〕 pólǐ 명 제멋대로의 구실〔이치〕.

〔婆罗门教〕 Póluóménjiào 명 《宗》〈音〉 바라문교. 브라만(Brahman)교.

〔婆罗树〕 póluóshù 명 《植》 ①⇨〔天tiān门冬〕 ②황갈수(黃葛樹)(용(榕)나무 비슷한데, 쓰촨(四川)·허베이(湖北)에 많은 뽕나무과의 교목).

〔婆罗洲〕 Póluózhōu 명 《地》〈音〉 보르네오(Borneo).

〔婆妈〕 pómā 명 ⇨〔婆母〕

〔婆母〕 pómǔ 명 시어머니. =〔婆婆①〕〔婆妈〕
〔婆娘〕 póniáng 명 〈方〉 ①기혼의 젊은 여성. ②아내. ③〈罵〉 년. ‖=〔婆姨yí〕
〔婆婆〕 pópo 명 ①시어머니. =〔婆妈〕〔婆母mǔ〕〔阿婆①〕 ↔〔公公〕 ②〈方〉 할머니. 외할머니.
〔婆婆车〕 pópochē 명 〈貶〉 느림보차.
〔婆婆家〕 pópojiā 명 시가. 시댁. =〔婆家〕
〔婆婆妈妈(儿)〕 pópomāmā(r) 형 ①(남자가) 계집애 같다. 얌전하다. 사내답지 못하다. ¶你也太～; 너는 너무 계집애 같구나/这么大一个男子汉何必～的呢; 이렇게 다 큰 사내 대장부가 계집애같이 굴 필요가 있느냐/军人想家太～的了; 군인이 집안일을 걱정하다니, 정말 사내답지 못하다/他就是这么～的, 动不动就掉眼泪; 그는 계집애 같아서 걸핏하면 금방 눈물을 흘린다. ②행동이 느리고 말이 장황한 모양. ¶你快一点吧, 别这么～的了! 좀 서둘러 주시오, 그렇게 꾸물거리지 말고!/～真够啰嗦的! 말을 뇌고 뇌어서 정말 귀찮다. ③(여자가) 쓸데없는 말을 이러쿵저러쿵 지껄이는 모양. ¶正经事都忙不完, 没工夫和人～聊liáo家长里短; 중요한 일도 바빠서 다 못 하는데, 동네 소문을 이러쿵저러쿵 얘기할 틈이 없다. ④ 쓸데없이 걱정을 하는 모양. ¶宝玉, 你忒tuī婆婆妈妈的了《紅樓夢》; 보옥아, 너는 너무 쓸데없는 걱정을 하고 있다. ‖=〔婆婆慢慢(儿)〕〔婆婆娘娘〕
〔婆婆慢慢(儿)〕 pópomànmān(r)〔pópomànmàn(r)〕 형 ⇨〔婆婆妈妈(儿)〕
〔婆婆忙忙(的)〕 pópomángmáng(de) 형 행동이 어물어물 확실하지 않은 모양. 느릿느릿하는 모양. ¶虽然心里着急, 他的动作还是那么～的; 마음은 급하지만, 그의 동작은 여전히 저렇게 느리다.
〔婆婆娘娘〕 póponiángniáng 형 ⇨〔婆婆妈妈(儿)〕
〔婆婆英〕 pópoyīng 명 《植》 민들레. =〔婆婆丁〕
〔婆婆子〕 pópozi 명 〈方〉 할머니. 할멈. ¶你这个～也变坏huài了; 당신이라는 할망구도 나쁘게 변했군.
〔婆婆嘴〕 pópozuǐ 한 말을 뇌고 뇌다. 또, 그런 사람.
〔婆司〕 pósī 명 ⇨〔衬chèn套〕
〔婆娑〕 pósuō 형 〈文〉 ①(천천히) 도는 모양. 흔들리는 모양. 빙빙 도는 모양. ¶～起舞; 빙글빙글 돌며 춤추다/树影～; 나무 그림자가 흔들리다. ②어지럽게 흩어져 있는 모양.
〔婆媳〕 póxí 명 시어머니와 며느리. 고부. ¶～之间感情很好; 고부간의 사이가 매우 좋다.
〔婆心〕 póxīn 명 ①노파심. ¶～话; 노파심에서 하는 말/他说的是一片～; 그가 말하는 것은 노파심에서이다/苦口～; 〈成〉 입에 침이 마르도록 노파심으로 충고〔당부〕하다. ②자비심. 위로하는 마음. 동정심. ¶发了一片～; 자비로운 마음을 일으켰다/狼心变成～; 흉악한 마음이 고운 마음씨로 변하다.
〔婆姨〕 póyí 명 ⇨〔婆娘〕
〔婆子〕 pózi 명 ①부녀자. 여자(약간 멸시하는 듯한 말). ¶老～; 노파. 늙은 여자. ②여자 하인. 할멈.

鄱 pó (파)
지명용 자(字). ¶～阳湖; 포양 호(鄱陽湖)(장시 성(江西省)에 있는 중국 최대의 담수호)/～阳县; 포양 현(鄱陽縣)(중국 장시 성(江西省)에 있는 현 이름).

皤 pó (파)
〈文〉 ①명 흰색. ¶白发～然; 백발이 서리를 인 듯하다/～然一叟; 백발이 성성한 노인. ②형 (배가) 크다. 쑥 나오다. ¶～其腹; 숨을 들이마시고 배를 크게 하다/～然大腹; 불룩하게 큰 배.

繁 Pó (파)
명 성(姓)의 하나. ⇒fán

叵 pǒ (파)
〈文〉 …할 수 없다. …하기 어렵다. ¶居心～测; 음험해서 속셈을 알 수 없다.
〔叵测〕 pǒcè 형 〈文〉〈貶〉 헤아리기 어렵다. ¶人心～; 사람의 마음은 헤아리기 어렵다/心怀～; 〈成〉 마음 속〔속마음〕을 헤아릴수 없다.
〔叵耐〕 pǒnài 동 〈古白〉 견딜 수 없다. 참을 수 없다. ¶～这和尚要打我们; 이 중이 우리를 때리려 하니 참을 수가 없다. =〔可奈〕〔颇耐〕 →〔无奈〕
〔叵信〕 pǒxìn 형 〈文〉 믿을 수 없다. 믿기 어렵다.

钷(鉕) pǒ (파)
명 《化》 프로메튬(Pm: promethium).

笸 pǒ (포)
→〔笸篮〕〔笸箩〕
〔笸篮〕 pǒlán 명 버드나무 가지나 대로 엮어 만든 바구니.
〔笸箩〕 pǒluo 명 버드나무 가지나 댓가지로 엮어 만든 바구니. ¶～浅儿; 얄은 소쿠리/针线～; 반짇고리/打下来的豆子大一～, 小一～的往家搬; 타작한 콩은 크고 작은 소쿠리를 동원해서 집에 나른다.

朴 pò (박)
명 《植》 푸조나무. 풍개나무. ¶厚～; 후박나무. ⇒Piáo pō pǔ
〔朴硝〕 pòxiāo 명 《化·漢醫》 박초(순도가 낮은 망초(芒硝)). =〔皮pí硝〕

迫〈廹〉 pò (박)
동 ①닥치다. ㉠육박하다. 접근하다. ¶先锋队已～城郊; 선봉대는 이미 시(市) 근교까지 육박해 있다. ㉡(사태 등이) 절박〔박두〕하다. ¶时机已～; 시기는 이미 닥치어 있다/已～最后关头; 이미 마지막 고비에 닥쳤다/饥寒交～; 〈成〉 굶주림과 추위가 번갈아 닥치다. ②강박·핍박하다. 강제하다. 여지없이 하게 하다. ¶被～逃走; 도망을 강요당하다/～于形势; 정세에 밀리다/压～; 압박하다. ③서두르다. ¶从容不～; 〈成〉 침착하여 덤비지 않다/～不及待; 〈成〉 절박하여 지체할 수 없다. 발등에 불똥이 떨어지다. ⇒pǎi
〔迫不得已〕 pò bù dé yǐ 〈成〉 부득이한 상태에 쫓기다. 할 수 없이. 부득이. ¶～撒了谎; 어쩔 수 없이 거짓말을 했다.
〔迫不及待〕 pò bù jí dài 〈成〉 사태(事態)가 절박하여 유예할 수가 없다. 한시도 지체할 수 없다.
〔迫仓〕 pòcāng 형 창고가 꽉 차서 여유가 없다.
〔迫从〕 pòcóng 동 〈文〉 복종을 강요하다.
〔迫促〕 pòcù 동 〈文〉 심하게 재촉하다. 형 촉박하다. 절박하다.
〔迫服〕 pòfú 동 〈文〉 (강제로) 복종시키다. 굴복시키다.
〔迫害〕 pòhài 명동 박해(하다). ¶受人～; 남한테

서 박해를 받다.
〔迫合座〕 pòhézuò 명 ⇒〔牢láo配合〕
〔迫急〕 pòjí 형 급박하다. ¶国际风云～中; 국제간의 정세가 급박해 가고 있다.
〔迫降〕 pòjiàng 동 ①(비행기를) 불시착시키다. ②(비행기를) 강제 착륙시키다. ⇒pòxiáng
〔迫近〕 pòjìn 동 임박하다. 근접하다. 목전에 다가오다. ¶期限～; 기한이 박두하다 / 约定的日期～了; 약속의 날짜가 다가왔다 / ～韩国的领空; 한국의 영공에 접근하다.
〔迫临〕 pòlín 동 〈文〉 접근하다. 육박하다. 덮치다. ¶灾难～的感觉越来越强了; 재난이 덮쳐 올 것 같은 느낌이 점점 강해졌다.
〔迫令〕 pòlìng 동 ⇒〔迫使〕
〔迫迁〕 pòqiān 명동 강제 이전(시키다). ¶屋主～; 집주인이 퇴거를 강요하다 / 受到～的处分; 강제 이전 처분을 받다 / 下～令; 퇴거 명령을 내리다.
〔迫切〕 pòqiè 형 절박하다. 절실하다. ¶～的需要; 절박한 필요 / ～的要求; 절실한 요구 / ～的心情; 절실한 마음 / 裁军已成为和平运动的～任务之一; 군축은 이미 평화 운동의 절실한 임무의 하나가 되었다.
〔迫人〕 pòrén 동 〈文〉 남을 강박하다. …에 시달리다. ¶生活～; 생활에 쪼들리다.
〔迫使〕 pòshǐ 동 억지〔강제〕로 …시키다. 강제하다. (그 결과) 어쩔 수 없이 …하게 하다. …하도록 몰아넣다. ¶～他放下工作; 그에게 일을 포기하도록 만들다 / ～他们进行了严格自我批评; (그 결과) 그들로 하여금 어쩔 수 없이 엄한 자기 비판을 강요하게 되었다. =〔迫令〕
〔迫退〕 pòtuì 동 〈文〉 물러가지 않을 수 없게 만들다.
〔迫降〕 pòxiáng 동 (적을) 강제로 투항시키다. ⇒ pòjiàng
〔迫胁〕 pòxié 동 ⇒〔迫挟〕 형 비좁고 초라하다.
〔迫挟〕 pòxié 동 협박하다. 강요하다. =〔迫胁〕
〔迫于〕 pòyú 〈文〉 …에 쫓기어. …에 강요되어. ¶～形势, 表面上改变过去一直坚持的反对态度; 부득이한 정세에 몰려 과거에 계속해서 견지해 오던 반대적인 태도를 표면상 바꾸다.
〔迫在眉睫〕 pò zài méi jié 〈成〉 목전에 다가오다. 매우 위급〔긴박〕하다.

拍 pò (박)
→〔促cù拍〕 ⇒pāi

珀 pò (박)
→〔琥hǔ珀〕

粕 pò (박)
명 ①재강. 찌끼. ¶大豆～; 콩깻묵. ②쌀겨. ③쓸모없는 산물(産物). ¶糟～; 쓸데없는 찌끼. ‖ =〔魄④〕

魄 pò (백)
명 ①혼(백). 넋. ¶魂～; 혼백 / 丢魂落～; 놀라움·공포 따위로 넋이 빠지다 / ～散九霄; 깜짝 놀라다. 기절 초풍하다. ②정신. 기력. 기백. ¶气～; 기백 / 体～健全; 심신이 아울러 건전하다. ③〈文〉 달의 어두운 면《상현이나 하현일 때》. ④⇒〔粕〕 ⇒bó tuò
〔魄力〕 pòlì 명 정신력. 박력. 근기(根氣). 패기.

破 pò (파)
①동 깨지다. 찢어지다. 부서지다. ¶碗打～了; 공기가 깨졌다 / 衣服～了; 옷이 찢어졌다 / 纸～了; 종이가 찢어졌다 / 云～月出; 구름이 흩어지고 달이 나오다. ②형 〈轉〉 시시하다. 하찮다. ¶谁看那个～戏? 누가 저 따위 시시한 연극을 보겠는가? / 我并没意思做这个～事情; 나는 이런 시시한 일을 할 생각은 결코 없다. ③동 쪼개다. 가르다. 자르다. ¶势如～竹; 〈成〉 파죽지세이다 / 一～两半; 반으로 쪼개다. ④동 〈轉〉 (큰돈을 헐어) 잔돈으로 바꾸다. ¶～零(碎)的; 잔돈으로 바꾸다 / 把这张票子～成零票子; 이 지전을 소액 지폐로 헐다 / 五元票子能～开吗? 5원짜리 지폐를 잔돈으로 바꿀 수 있습니까? ⑤동 부수다. 깨다. 찢다. ¶～门而人; 문을 부수고 들어가다. ⑥동 분석하다. 분석해서 밝히다. ⑦동 〈轉〉 상처 입다. 다치다. ¶手～了; 손에 상처를 입었다. ⑧동 돈을 다 쓰다. 소비하다. ¶～钱买电视机; 있는 돈을 털어 텔레비전을 사다. ⑨동 버리다. 돌보지 않다. 아끼지 않다. ¶～工夫; ⇓ / ～着性命去救人; 목숨을 걸고 사람을 구하러 가다. ⑩동 폭로하다. 진상을 밝히다. 분석하다. ¶说～; 폭로하다 / 这正是把他的心事一语道～了; 이것은 바로 그의 걱정을 한 마디로 표현한 것이다. ⑪동 깨뜨리다. ㉠무찌르다. 패배시키다. ¶大～敌军; 적군을 대파하다. ㉡(규칙·습관·사상 따위를) 지키지 않다. 깨다. ¶～约 =〔失约〕; 약속을 깨다 / 打～了全国记录; 국내 기록을 깼다 / ～例; 전례를 깨다.
〔破案〕 pò∥àn 동 ①범죄가 탄로나다. 발각되다. ②형사 사건을 해결하다. ¶限期～; 기한을 정하고 사건을 해결하다 / 抢案就是十几件, 全不～; 강도 사건은 벌써 십여 건이나 일어나고 있지만, 전혀 해결되지 않고 있다.
〔破败〕 pòbài 동 ①부서지다. 무너지다. 몹시 황폐해지다. ¶山上的小庙已经～不堪; 산 위의 작은 묘는 황폐해서 이미 옛모습을 찾아볼 수 없을 정도로 초라하다. ②파탄하다. 실패하다.
〔破壁飞去〕 pò bì fēi qù 〈成〉 평범하고 비천한 자가 갑자기 출세하다.
〔破表〕 pòbiǎo 명 부서진〔고장난〕 시계. 〈轉〉 불확실한 일〔것〕. ¶明天我还有点儿事, 来不来是～, 没准儿; 나는 내일 할 일이 또 있으므로 오게 될지 못 올 지는 불확실하다.
〔破冰船〕 pòbīngchuán 명 쇄빙선(碎冰船). ¶原子～; 원자력 쇄빙선.
〔破布〕 pòbù 명 《紡》 누더기 조각.
〔破不开〕 pòbukāi 큰돈을 헐 수 없다. 잔돈으로 바꿀 수 없다. ↔〔破得开〕
〔破财〕 pò∥cái 동 ①(뜻밖의 일로) 재산을 손해보다. ¶今天有点～, 刚才在电车上叫扒手把钱包摸了去了; 오늘은 한 재산 날리고 말았다. 방금 전차 안에서 지갑을 소매치기 당했다. ②남에게 금전적으로 폐를 끼치다. =〔破钞②〕
〔破碴儿〕 pòchár 명 ①갈라진 금〔틈〕. ②〈轉〉 파탄. ③〈轉〉 불화(不和).
〔破产〕 pò∥chǎn 동 ①《法》 파산〔도산〕하다. ②전 재산을 잃다. ③실패하다. 파탄하다. 탄로나다. ¶威信已经～了; 위신은 이미 땅에 떨어졌다 / 谎言～了; 거짓말이 탄로났다 / 他的计划完全～了; 그의 계획은 완전히 실패했다. (pòchǎn) 명 파산. 파탄. ¶～地主; 몰락 지주.
〔破钞〕 pò∥chāo 동 ①(초대·선물·원조·헌금 따위에) 돈을 쓰다. 한턱 내다. ②남에게 금전적인 손해를 끼치다. ¶叫您～了! 돈을 쓰게 해서 미안합니다! =〔破财②〕
〔破出〕 pòchū 동 ①내던지다. ¶～性命得来的; 목숨을 걸고 손에 넣은 것 / 为几个铜子儿得～一条

命去; 동전 몇 닢 때문에 목숨을 내던져야만 한다. ②빌려 주다. 돈을 내다. 지불하다. ¶～一百块钱去就买下来了; 백 원(元) 내고 샀다.
〔破除〕pòchú 동 (바람직하지 않은 사물을) 타파하다. 없애다. 제거하다. 버리다. ¶～情面; 정실(情實)을 타파하다 / ～迷信; 미신을 깨뜨리다 / ～特权思想; 특권 의식을 버리다 / ～形而上学的思想影响; 형이상학 사상의 영향을 불식하다. =〔除破〕
〔破船还有三千钉〕pòchuán hái yǒu sān qiān dīng 〈諺〉 배는 부서졌어도 아직 3천 개의 못이 있다《물어도 준치, 썩어도 생치》.
〔破船偏遇打头风〕pòchuán piān yù dǎtóufēng 〈諺〉 파선된 배가 역풍을 만나다《엎친 데 덮치다》. =〔破船偏遇顶头风〕
〔破胆〕pò,dǎn 동 깜짝〔몹시〕 놀라다.
〔破荡〕pòdàng 동 돈을 낭비하다.
〔破得开〕pòdekāi 큰돈으로 헐 수 있다. 잔돈으로 바꿀 수 있다. ↔〔破不开〕
〔破的〕pòdì 동 ①과녁을 맞히다. 예정대로 들어맞다. ②〈轉〉 말이 요점을 찌르다.
〔破洞〕pòdòng ①명 터진〔뚫린〕 구멍. ②(pò dòng) 구멍이 나다.
〔破读〕pòdú 명 동일 문자에 2개 이상의 음이 있을 때, 습관적으로 널리 쓰는 음 이외의 것.
〔破肚〕pòdù 동 ⇨〔泻xiè肚(子)①〕
〔破帆遇顺风〕pòfān yù shùnfēng 〈比〉 재능이 모자라는 사람이 행운을 만나다.
〔破房(儿, 子)〕pòfáng(r, zi) 명 낡아 빠진 집.
〔破费〕pòfèi 동 ①돈을 쓰다. 비용 드는 일을 하다. ¶要～好几千块钱; 몇 천 원이나 돈을 써야 한다 / 不要多～, 吃顿便饭就行了! 과용하지 마십시오, 간단하게 먹으면 되니까요! ②(남에게) 돈을 쓰게 하다. 산재(散財)시키다. ¶叫你～了; 과용하시게 하여 죄송합니다.
〔破风水〕pò fēngshuǐ 정해진 운수를 타파하다. 운명을 개의치 않다.
〔破风筝〕pòfēngzheng 〈歇〉 찢어진 연《기가 꺾이다. 풀이 죽다》.
〔破釜沉舟〕pò fǔ chén zhōu 〈成〉 최후의 결전에 나아가다. 배수진을 치다.
〔破腹〕pòfù 동 〈古白〉 설사하다. 배탈나다. ¶却见宋江～泻倒在床《水滸傳》; 보니, 송강이 설사를 하고 침상에 쓰러져 있었다.
〔破格〕pò,gé 동 규정이나 선례를 깨다. (pògé) 형 파격적이다. ¶～优yōu待; 파격적인 우대(를 하다) / ～录lù用 =〔～任用〕; 파격적인 채용〔임용〕 / ～晋jìn升; 파격적인 승진.
〔破工夫〕pò gōngfu 시간을 소비하다.
〔破觚为圆〕pò gū wéi yuán 〈成〉 가혹한 형벌을 없애고 법을 간단하게 하다《(이미 있는 일을) 고집하지 않음. 융통성 있게 함》.
〔破鼓乱人捶〕pògǔ luàn rén chuí 〈比〉 ①세력이 없어지면 사람들이 모두 업신여겨 괴롭힌다. ②자포자기하여 제멋대로 하다. ‖ =〔墙倒众人推〕
〔破故纸〕pògùzhǐ 명 ⇨〔补bǔ骨脂〕
〔破瓜〕pò,guā 동 〈比〉 처녀성을 잃다. (pòguā) 명 ①(여자의) 16세. 파과《'과(瓜)' 字는 '팔팔(八八)'로 파자할 수 있으므로》. ②(남자의) 64세. ¶功成当在～年; 성공을 거두는 것은 64세 무렵이겠다.
〔破关〕pòguān 동 시세가 하락하여 한 자리 아래로 떨어지다《주식 용어》.
〔破罐破摔〕pò guàn pò shuāi 〈成〉 잘못을 고치지 않고 내버려 두어 오히려 더 안 좋은 쪽으로 발전하다. 자포자기하다. ¶事到如今, 也只好～了; 일이 여기에 이르러서는 자포자기할 뿐이다.
〔破罐子〕pòguànzi 명 ①깨진 독. ②〈比〉 몸가짐이 헤픈 여자. 부정(不貞)한 여자. ③〈比〉 병든 몸.
〔破鬼〕pò,guǐ 동 악령(惡靈)을 물리치다.
〔破话儿〕pòhuàr 명 좋지 않은 이야기. 재수없는 이야기. ¶～先说在头里; 좋지 않은 이야기는 먼저 말해 둔다.
〔破坏〕pòhuài 동 ①파괴하다. 훼손하다. 손상하다. ¶～桥梁; 교량을 파괴하다 / ～名誉; 명예를 손상하다 / ～利益; 이익을 손해보다. ②(사회 제도·풍속·습관 등을) 타파하다. ③(규칙·규약·조약 따위에) 어긋나다. 위반하다. ④(물체의 조직이나 구조를) 파괴하다. ¶维生素C因受热而～; 비타민 C는 열을 받으면 파괴된다.
〔破货〕pòhuò 명 ①흠이 있는 물건. ②〈罵〉 걸레 같은 년. ‖ =〔破大碗〕
〔破获〕pòhuò 동 사건 수사가 끝나서 체포되다. 범인이 잡혀 사건이 낙착되다. ¶昨天～了一个印刷伪钞的机关; 어제 위폐 제조 조직을 적발 체포했다.
〔破计〕pòjì 동 계략을 깨뜨리다.
〔破家〕pò,jiā 동 ①(집안의) 재산을 탕진하다. 영락하다. ¶～子弟; 방탕아. ②가계(家系)를 단절(斷絶)시키다. (pòjiā) 명 낡아 빠진 집. ¶～值万贯; 〈諺〉 (자기 집은) 낡은 집이라도 만관의 가치가 있다《내 집보다 좋은 곳은 없음》.
〔破解〕pòjiě 동 조목조목 설명하다. (모르는 사람에게) 잘 알아듣게 말하다.
〔破戒〕pò,jiè 동 ①파계하다. 계율을 깨뜨리다. ②(금주·금연 등을 깨뜨리고) 다시 시작하다. (pòjiè) 명 파계.
〔破镜〕pòjìng 명동 〈比〉 파경(이 되다). 이혼(하다).
〔破镜重圆〕pò jìng chóng yuán 〈成〉 부부가 이산(離散)·이별 후 재회 또는 재결합하다.
〔破旧〕pòjiù 형 낡다. 고물(古物)이다. ¶～的房子; 낡은 집 / 衣服很～了; 옷이 누더기가 되었다〔낡았다〕. (pò,jiù) 동 낡은 것을 버리다. ¶～立新; 〈成〉 낡은 사상·문화·습관을 버리고 새로운 것을 세우다.
〔破开〕pò,kāi 동 잔돈으로 바꾸다. 큰돈을 헐다. ¶这么大的票子破不开; 이렇게 큰 지폐는 잔돈으로 바꿀 수 없다. =〔打dǎ破(儿)〕
〔破空〕pòkōng 동 〈文〉 하늘〔공중〕에서 떨어지다.
〔破口〕pòkǒu 명 터진 자리. 동 ①(둑 따위가) 터지다. ②몹시 욕을 하다. ¶他想～大骂, 而没敢骂出来; 그는 심하게 욕을 해 주고 싶었지만, 감히 그렇게 하지는 못했다. =〔破口谩骂〕〔破口大骂〕
〔破口话〕pòkǒuhuà 명 말하기를 꺼리는 불길한 말.
〔破块〕pòkuài 동 (큰비로) 농지를 망치다. 농지가 패어 나가다.
〔破烂〕pòlàn 형 해지다. 낡아서 너덜너덜하다. ¶～不堪; 심하게 너덜너덜 찢어지다〔해지다〕. 명 〈方〉 넝마장수.
〔破烂儿〕pòlànr 명 〈口〉 잡동사니. 폐품. 넝마. 〈轉〉 (추상적으로) 가치가 없는 것. ¶卖～的; 넝마주이 / 捡～; 넝마를 줍다 / 收～; 폐품을 회수하다 / 拼命兜售这种一钱不值的～; 이 따위 한 푼의 가치도 없는 잡동사니를 팔려고 기를 쓰고 있다.
〔破浪〕pòlàng 동 〈文〉 파도를 헤치다.

〔破例〕 pò∙lì 동 전례를 깨뜨리다. ¶～的措施; 이례〔예외〕적인 조치 / 为了圆满结束, 我公司～担负这项费用, 下不为例; 원만히 해결하기 위해, 폐사(弊社)는 전례를 깨고 이 비용을 부담하겠으나, 이것은 이번에 한(限)합니다.
〔破脸〕 pò∙liǎn 동 ①(체면이나 정실에 이끌리지 않고) 맞대 놓고 말다툼하다. 노여움을 얼굴에 나타내다. ②사이가 나빠지다. ③체면을 팽개치다. 염치 불구하다. ¶破着脸向你再请求一次; 염치 불구하고 당신한테 한 번 더 부탁드립니다.
〔破裂〕 pòliè 동 ①파열하다. 터지다. ②결렬하다. 틀어지다. ¶感情～; 감정이 틀어지다.
〔破裂摩擦音〕 pòliè mócāyīn 명 ⇨〔塞sè擦音〕
〔破裂音〕 pòlièyīn 명 ⇨〔塞sè音〕
〔破罗〕 pòluó 형 엉망진창의. 뒤죽박죽인.
〔破落〕 pòluò 동 영락(零落)하다. 몰락하다. ¶出生在一个～的地主家庭; 몰락한 지주 집에 태어났다.
〔破落户〕 pòluòhù 명 ①몰락한 집안. ②몰락한 집안의 불량 자제. 파락호. ¶谁家姑娘肯给我这～! 어느 집 딸을 나 같은 파락호에게 주려고 하겠습니까! ③불량배. 무뢰한.
〔破落局面〕 pòluò júmiàn 명 파탄 국면.
〔破门〕 pòmén 동 ①문을 부수다. ¶～而人; 문을 부수고 들어가다. ②《宗》 파문하다. ③《體》 골인이 되다.
〔破闷儿〕 pò∙mènr 동 ①⇨〔解jiě闷(儿)〕 ②수수께끼를 풀다.
〔破蒙〕 pòméng 동 ⇨〔启qǐ蒙〕
〔破谜儿〕 pò∙mèir〔pò∙mír〕 동 ①〈口〉 수수께끼를 풀다. =〔猜谜儿〕 ②〈方〉 수수께끼를 내다. ¶我破个谜儿您猜一猜; 제가 수수께끼를 낼 테니 맞혀 보십시오.
〔破米糟糠〕 pòmǐ zāokāng 〈比〉 이런저런 옛날 일. 지난날의 갖가지 일. ¶～的提起来了; 이런저런 옛일을 화제로 꺼냈다.
〔破庙〕 pòmiào 명 파사(破寺).
〔破灭〕 pòmiè 동 파멸하다. ¶希望～了; 희망이 물거품으로 돌아갔다.
〔破命〕 pò∙mìng 동 목숨을 걸다〔내던지다〕. ¶～也是为粮食; 목숨을 거는 것도 식량을 위해서다.
〔破磨配瘸驴〕 pòmò pèi quélǘ 〈諺〉 깨진 맷돌이 절름발이 나귀에겐 제격이다《헌 짚신에도 제 짝이 있다》.
〔破衲〕 pònà 명 〈文〉 해진 옷.
〔破盘〕 pòpán 동 일이 드러나다. 비밀이 탄로나다. 명동 파산(하다). 대실패(하다).
〔破琵琶〕 pò pípa 〈歇〉 부서진 비파. 〈轉〉 말할 수 없다《'弹不得'(탈 수 없다) 또는 '谈不得'(말할 수 없다)가 이어지기도 하는데, '弹'과 '谈'이 같은 음이기 때문》.
〔破钱〕 pòqián 동 돈을 쓰다.
〔破情面〕 pò qíngmiàn 정실(情實)을 타파하다. 인정에 얽매이지 않다.
〔破伤〕 pòshāng 동 ①파손하다〔되다〕. 파손시키다. ②상처를 입(히)다.
〔破伤风〕 pòshāngfēng 명 《醫》 파상풍.
〔破上〕 pòshang 동 ①(버리기 아까운 것을) 눈 딱 감고 버리다〔포기하다〕. 큰마음 먹고 제공하다. ②과감하게 하다.
〔破身〕 pò∙shēn 동 몸을 더럽히다. 동정〔처녀성〕을 잃다.
〔破声〕 pòshēng 동 큰 소리를 지르다.
〔破说〕 pòshuō 동 〈方〉 ①상세하게 설명하다. ¶掰开揉碎地给他～了; 알아듣도록 그에게 자세히 설명했다. ②분명히〔노골적으로〕 말하다.
〔破私立公〕 pò sī lì gōng 〈成〉 사사로움을 버리고 공익을 내세우다《'文化大革命' 때 강조된 구호》.
〔破死忘生〕 pò sǐ wàng shēng 〈成〉 목숨을 내던지다. 생사를 돌보지 않다. 목숨을 걸다. ‖=〔破死忘魂〕
〔破碎〕 pòsuì 동 파쇄하다. 깨다. 깨지다. 산산이 부서지다〔부서뜨리다〕. 너덜너덜해지다. ¶支离～; 지리멸렬하다.
〔破碎机〕 pòsuìjī 명 ⇨〔轧yà碎机〕
〔破损〕 pòsǔn 명동 파손(하다〔되다〕).
〔破题〕 pòtí 명 ①옛날에 팔고문(八股文)의 기수(起首)의 2구(句)를 이르던 말. ②시·문의 제의(題意)를 분해·설명하는 기수의 1단(段).
〔破题儿〕 pòtír 명 ①일의 개시. 첫 번째. 맨 처음. 최초. ¶～第一遭; 〈比〉 (어떤 일을) 처음으로 하다 / 登台演戏我还是～; 무대에 올라 연극을 하는 것은 나로서는 그야말로 처음이다. ②(소설의) 첫 회(回). 첫머리. 형 파격적이다.
〔破体字〕 pòtǐzì 명 정서체(正書體)가 아닌 속자(俗字).
〔破涕为笑〕 pò tì wéi xiào 〈成〉 ①슬픔을 기쁨으로 바꾸다. ②울다가 갑자기 웃다.
〔破天荒〕 pòtiānhuāng 명 〈比〉 파천황. 전대 미문《당나라 때, 형주(荊州)는 해마다 거인(擧人)을 보내어 진사 시험을 치게 했지만, 모두 합격하지 못하여, 당시 이것을 '天荒'(개척하지 않은 황무지)라 하였음. 뒤에 유세(劉蛻)가 급제하자, 이를 '～'(황무지를 개간했다)고 일렀음》. ¶这可是～头一遭的事, 我以前从来没听说过; 이것은 정말 파천황으로 처음 있는 일이고, 전에는 들어 본 적이 없다.
〔破铜钱〕 pòtóngqián 명 ⇨〔蘋pín〕
〔破头流血〕 pòtóu liúxiě 〈比〉 혼(쫄)나다. ¶非～才能知道自己的军队并不是不可战胜的; 혼이 나봐야 자기의 군대가 싸우면 반드시 이기는 군대가 아니라는 것을 알 수 있다.
〔破头楔〕 pòtóuxiē 명 쐐기.
〔破土〕 pò∙tǔ 동 ①(매장·건축 따위를 위해) 첫 삽질을 하다. ¶～式; 기공식(起工式) / ～动工; 토목 공사를 착공하다 / 择吉～; 길일을 택하여 첫 삽질을 하다 / 这个电视塔已经～动工了; 이 텔레비전탑은 이미 첫 삽질을 하고 공사를 시작했다. ②봄에 경작(耕作)을 시작하다.
〔破瓦寒窑〕 pòwǎ hányáo 빈궁한 모양.
〔破五(儿)〕 pòwǔ(r) 명 〈俗〉 음력 정월 5일《옛날, 이 날까지는 부녀자는 '忌jì门'(남의 집을 방문하는 것을 삼가는 일)해야 하는 것으로 되어 있었으며, 또 가게도 이 날이 지난 다음에야 영업을 시작했음》.
〔破戏〕 pòxì 명 시시한 연극. 서투른 연극.
〔破相〕 pò∙xiàng 동 (부상 또는 다른 원인으로) 얼굴 모습이 바뀌다. ¶还好, 碰的地方稍微凸起来, 还没～; 그래도 다행이다. 부딪친 데가 조금 부었을 뿐 모습이 변할 정도는 아니다.
〔破晓〕 pòxiǎo 명 새벽녘. 동틀 무렵. 동 ①날이 새다. 동이 트다. ¶天色～; 날이 새다 / 希望不久即将～; 곧 날이 새기를 바라다. ②(의문이나 잘 모르는 것을 설명해서) 분명히 하다. ¶～不开; 납득이 안 가다. ③어떤 시기가 도래하다. ¶春～; 봄이 오다.
〔破孝〕 pò∙xiào 동 탈상(脫喪)하다.

〔破鞋〕 pòxié 명 ①헌〔해진〕 신발. ②〈比〉 몸가짐이 헤픈 여자. 음란한 여자. ¶搞~; (남녀가) 불륜의 행위를 하다. ③〈比〉 쓸모없는 놈. ¶那个孩子没出息, 简直是~, 提不上; 저 아이는 장래성이 없어서 정말로 어떻게 뒷배를 보아 줄 수 없다.
〔破絮〕 pòxù 명 지스러기 솜.
〔破颜〕 pòyán 동 파안하다. 활짝 웃다.
〔破衣服〕 pòyīfu 명 누더기옷. =〔烂làn衣〕
〔破音〕 pòyīn 명《言》(중국어학에서) 본래의 성조나 자음을 바꾸어 파생된 뜻을 구별하는 현상. =〔破读〕
〔破音字〕 pòyīnzì 명《言》'破读'를 지닌 글자.
〔破月儿〕 pò·yuèr 동 다음 달로 접어들다. ¶破了月儿订报; 다음 달에 신문을 예약하다.
〔破站〕 pò·zhàn 동 일정(日程)을 늘이거나 줄이거나 하다. 여행 일정을 바꾸다. ¶破正站走, 赶尖站住; 보통의 여관을 놓치고 작은 여인숙을 잡다.
〔破绽〕 pòzhàn 명 ①의복의 터진 자리. ②〈比〉 결점. 결함. 실패. ¶要是有~就不容易卖了; 흠이 있으면 팔기가 어렵다 / 等有了~你再钉问他! 결점이 드러났을 때 그를 추궁하시오! / ~百出; 〈成〉 도처에 결점이 나타남 / 叫别人看出~来了; 남에게 약점이 잡혔다. ③틈. 허점. ¶露个~; 틈을 보이다. 허점이 드러나다 / 卖个~; 일부러 허점을 보이다 / 给他一个~; 상대에게 틈을 보이다. 동 ①(솔기가) 터지다. ②결점이 나타나다.
〔破折号〕 pòzhéhào 명《言》부호의 하나. 대시(《'—'》).
〔破着〕 pòzhe 동 상관하지 않다. 아무렇지도 않게 여기다. ¶我所以~没脸, 人家才不敢欺qī负《紅樓夢》; 나는 부끄럼 따위는 상관 않으므로 남들이 감히 업신여기려고 하지 않는 것이다.
〔破着死命地〕 pòzhe sǐmìngde 열심히. 필사적으로.
〔破贞〕 pòzhēn 동〈文〉 정조를 깨뜨리다.
〔破阵〕 pòzhèn 동〈文〉 적진을 무찌르다.
〔破正题〕 pò zhèngtí 본디 이야기로 들어가다. 본제(本題)로 들어가다.
〔破竹〕 pòzhú 형 ①〈比〉 세력이〔기세가〕 세차고 빠른 모양. ¶势shì如~ =〔~之势〕; 파죽지세. ②용이하다. 순조롭다.
〔破字当头, 立在其中〕 pòzì dāngtóu, lìzài qízhōng 낡은 것을 타파하면 자연히 새로운 것이 생겨난다.
〔破子草〕 pòzicǎo 명《植》뱀도랏.
〔破嘴〕 pòzuǐ 동 입을 잘못 놀리다. 무심코 말을 하다.
〔破嘴片子〕 pòzuǐpiànzi 명 터무니없는 언행(을 하는 사람). ¶谁信她的~! 누가 저 여자의 엉터리 말을 믿겠는가!

桲

po (발)
→〔榅wēn桲〕

POU ㄆㄡ

剖

pōu (부)
동 ①절개하다. 째다. ¶解~; 해부하다 / ~腹自杀; 할복 자살 / 把甜瓜~开; 참외를 쪼개다. ②분해하다. 분석하다. ③재결(裁決)하다.

〔剖白〕 pōubái 동 변명하다. 사유를 말하다. ¶~心迹, 表明行径; 속마음을 밝히고 행동을 분명히 하다.
〔剖辨〕 pōubiàn 동〈文〉 변별하다. 판명하다.
〔剖别〕 pōubié 동 구별하다. 판별하다.
〔剖阵〕 pōuchén 동〈文〉 하나하나 진술하다.
〔剖断〕 pōuduàn 동〈文〉 분석 판단하다. =〔剖判〕
〔剖分〕 pōufēn 동〈文〉 분할하다. 양분하다.
〔剖腹〕 pōu·fù 동 배를 째다. 할복하다. ¶恨不得~明心; 배를 갈라 결백을 밝히고 싶은 심정이다 / 日本战犯在战败后, 有~自杀的; 일본 전범 중에는 패전 후에 할복 자살한 자도 있다.
〔剖腹藏珠〕 pōu fù cáng zhū 〈成〉 배를 째고 그 속에 구슬을 숨기다(목숨보다 재보(財寶)를 아끼다).
〔剖腹产〕 pōufùchǎn 명《醫》제왕 절개(帝王切開).
〔剖割〕 pōugē 동 베어〔쪼개어〕 가르다. 절개하다.
〔剖解〕 pōujiě 동 하나하나 풀어 밝히다. 분석하여 해명하다. ¶这就有向他~的必要了; 이건 정말이지 그에게 하나하나 자세히 설명할 필요가 있다.
〔剖决〕 pōujué 동〈文〉 판결을 내리다.
〔剖开〕 pōukāi 동 ①절개하다. 째어 가르다. ¶~腹部; 배를 절개하다 / 这个西瓜能不能~看一看? 이 수박을 쪼개 보아도 괜찮습니까? ②해명하다.
〔剖面〕 pōumiàn 명 절단면. 단면. ¶横~; 횡단면 / ~图; 단면도. =〔截面〕〔断面〕
〔剖明〕 pōumíng 동 일의 형편·사리를 밝히다. 해명하다. ¶~事理, 说服对方; 사리를 밝히고 상대를 설득하다.
〔剖判〕 pōupàn 동 ⇨〔剖断〕
〔剖尸〕 pōushī 동 시체를 해부하다. ¶~验yàn看; 해부하여 검시하다.
〔剖视〕 pōushì 명 종단면(縱斷面). ¶~图; 단면도. 동 해부〔분해〕하여 관찰하다.
〔剖诉〕 pōusù 동〈文〉 낱낱이 진술하다.
〔剖析〕 pōuxī 명동 분석(하다). 구분(하다). ¶~了斗争情况; 투쟁의 상황을 분석했다 / 这篇文章~事理十分透彻; 이 문장은 사리 분석이 매우 철저하다.
〔剖心〕 pōuxīn 동 ①심장을 째다. ¶~剜wān眼; 심장을 째고 눈알을 후비다. ②〈比〉 성의를 나타내다. ¶~沥lì胆; 〈成〉 마음 속을 피력하다.
〔剖心术〕 pōuxīnshù 명《醫》심장 절개 수술.
〔剖胸〕 pōuxiōng 명동《醫》흉부 수술(을 하다). ¶万一临床症状怀疑为肺癌, 医生还可以进行~探查; 만일 임상 증상에 폐암의 의심이 있다면, 의사는 흉부 수술을 해서 조사할 수 있다.

抔

póu (부)
〈文〉 ①동 손으로 뜨다. ¶~饮yǐn; 손으로 떠 마시다. ②동 두 손으로 받들 듯이 쥐다. ③양 움큼. ¶一~土tǔ =〔~土〕; 한 움큼의 흙. 〈比〉 얼마 안 되는 것. 약간.

掊

póu (부)
동〈文〉 ①많은 세금을 거두어들이다. 착취하다. ②파다. ⇒pǒu

〔掊克〕 póukè 〈文〉 동 세금을 착취하다. 가렴주구하다. 명 악한 사람.

裒

póu (부)
동〈文〉 ①(한데) 모이다. 모으다. ¶~然成集; 모여서 1권의 책을 이루다. ②덜어 내다. 줄이다.

〔裒多益寡〕 **póuduōyìguǎ** 〈成〉 많은 것을 덜어 내어 모자람을 보태다.
〔裒辑〕 **póují** 동 〈文〉 (자료를 모아) 수록하다. 편집하다.
〔裒敛〕 **póuliǎn** 동 〈文〉 ⇨〔聚敛〕

掊 **pǒu** (부)
동 〈文〉 ①치다. 공격하다. ②쪼개다. ⇒ póu
〔掊击〕 **pǒujī** 동 공격하다. 규탄하다. 배격하다. =〔抨pēng掊〕

PU ㄆㄨ

仆 **pū** (부)
동 쓰러지다. ¶前～后继; 〈成〉 앞사람이 넘어지면 뒷사람이 이어서 나아가다. 시체를 넘어 전진하다. ⇒pú
〔仆毙〕 **pūbì** 동 〈文〉 쓰러지다.
〔仆倒〕 **pūdǎo** 동 ①엎드려 절하다. ②엎어지다. ③(뒤로) 몸을 젖히다.
〔仆卧〕 **pūwò** 동 엎어지다. 거꾸러지다.
〔仆偃〕 **pūyǎn** 동 〈文〉 쓰러지다. 넘어지다.

扑(撲) **pū** (박, 복)
동 ①쿵 부딪치다. ②(냄새·향기가 코를) 찌르다. (바람 따위가 얼굴에) 닿다. ¶异yì香～鼻; 특이한 향기가 코를 찌르다/清风～面; 신선한 바람이 얼굴에 불어오다. ③덤벼들다. 돌진하다. ¶～过去; 덤벼들다. 달려들다/孩子高兴得一下～到我怀里来; 아이는 기뻐하면서 내 품으로 뛰어들어왔다/灯蛾～火 =〔飞蛾投火〕; 〈成〉 불나방이 등불에 뛰어들다《스스로 재앙 속에 뛰어드는 어리석은 짓》. ④때려잡다. 치다. ¶～灭; 박멸하다/～蝇; 파리를 잡다/～蚂蚱; 메뚜기를 잡다/打退敌人的反～; 적의 반격을 물리치다/向敌人猛～; 적에게 맹공을 퍼붓다. =〔拍pāi①〕 ⑤톡톡 가볍게 두드리다. 털다. ¶～打～打衣服上的土; 옷의 먼지를 털다. ⑥홰치다. ¶鹦鹉在架上～着翅膀; 앵무새가 홰에 앉아 날개를 푸드덕거리고 있다. ⑦(톡톡 쳐서) 분을 바르다. ¶粉～儿; 퍼프(puff). 분첩/～粉; 분을 바르다. ⑧〈方〉 기대다. 엎드리다. ¶～在桌上看地图; 책상에 기대어 지도를 보다. ⑨〈方〉 완전히 의지하다. (마음이) 완전히 빠져들다. 기울어지다. ¶这个美人倒是一心一意地～上我了; 이 미인은 나에게 홀딱 빠져 있다/我打算～了他去, 他必然有些帮助; 나는 그를 의지할 작정인데, 그는 반드시 좀 도와 줄 것이다. ⑩(일·사업 등에) 몰두〔열중〕하다.
〔扑奔〕 **pūbèn** 동 (목표를 향하여) 돌진하다.
〔扑鼻(儿)〕 **pūbí(r)** 동 향기〔냄새〕가 코를 찌르다. ¶～儿香; 코를 찌르는 향기.
〔扑哧(儿)〕 **pūchī(r)** 〈擬〉 ①픽《물이나 공기가 새는 소리》. ¶～一声, 皮球撒了气; 픽 하고 고무공의 공기가 빠졌다. ②푹《찔리는 소리》. ③키드득《웃음소리》. ④쫙《물이 뿜어져 나오거나 넘치는 소리》. ‖ =〔扑嗤(儿)〕〔噗嗤(儿)〕〔噗哧(儿)〕
〔扑打〕 **pūdǎ** 동 ①(납작한 것으로) 탁 치다. ¶～蝗虫; 메뚜기를 치다. ②가볍게 치다. 털다. ¶～身上的雪花; 몸 위의 눈을 털다. ③서로 주먹다짐을 하다.
〔扑打扑打〕 **pūdǎ pūdǎ** 〈擬〉 뚝뚝. 톡톡. ¶眼泪从眼角～往下掉; 눈물이 눈가에서 뚝뚝 떨어지다.
〔扑地〕 **pūde** ⇨〔扑的〕
〔扑的〕 **pūde** 〈擬〉 툭. 턱. 털썩《부딪치거나 떨어지는 소리》. 부 돌연. 별안간. ‖ =〔扑地de〕
〔扑灯蛾子〕 **pūdēng'ézi** 명 ①불에 날아드는 여름철의 벌레《제 발로 죽을 데에 찾아듦》. ②《蟲》〈口〉 불나방. ‖ =〔扑灯蛾儿〕
〔扑蹬〕 **pūdeng** 동 ①파닥거리다. 허우적거리다. ¶那只鸡在地上～了几下就不动了; 그 닭은 땅바닥에서 몇 번 퍼덕거리더니 이내 움직이지 않았다. ②〈轉〉 무턱대고 하다. 허둥지둥하다. ¶～了半天一点结果也没有; 무턱대고 한참 동안 해 보았지만 아무런 결과도 얻지 못했다.
〔扑地〕 **pūdì** 동 땅바닥에 내팽개치다. 땅 위에 넘어지다. 명 〈轉〉 온 사방. 도처.
〔扑跌〕 **pūdiē** 명 무술(武術)로서의 중국식 유도·씨름. 동 푹 고꾸라지다. 넘어지다. ¶他脚下一绊, ～在地上; 그는 발이 걸리더니 땅에 푹 고꾸라졌다.
〔扑蝶舞〕 **pūdiéwǔ** 명 《舞》 나비를 잡는 여러 가지 자세를 형상화한 무용의 이름.
〔扑尔敏〕 **pū'ěrmǐn** 명 《藥》 클로로페닐아민(chlorophenylamine)《알레르기 치료제》.
〔扑罚〕 **pūfá** 명 태형(笞刑). 매질.
〔扑粉〕 **pūfěn** 명 ①가루분. ②탤컴 파우더(talcum powder). (pū,fěn) 동 분을 톡톡 때려 바르다. ¶扑上点儿(扑)粉; 분을 조금 바르다.
〔扑过来〕 **pūguolai** 돌진해 오다.
〔扑虎儿〕 **pūhǔr** 명 〈方〉 엎어지면서 손을 땅에 짚는 동작. ¶摔了个～; 두 손으로 땅을 짚으며 앞으로 고꾸라지다.
〔扑火〕 **pū,huǒ** 동 ①불에 뛰어들다. ¶飞蛾～; 불나방이 불에 뛰어들다. ②불을 두드려서 끄다.
〔扑交〕 **pūjiāo** 동 씨름하다. =〔扑跤〕
〔扑救〕 **pūjiù** 동 불을 꺼 인명과 재산을 구하다. =〔扑灭①〕
〔扑克〕 **pūkè** 명 〈音〉 ①트럼프. 카드. ¶打～; 카드놀이를 하다. =〔扑克牌〕 ②포커(poker). =〔普克〕〔蒲克〕
〔扑克胜〕 **pūkèshèng** 명 《體》〈音〉 복싱(boxing). =〔拳击〕〔卜成〕
〔扑空〕 **pū,kōng** 동 허탕치다. 바람맞다. 헛걸음치다. ¶早晨起来, 我找他去了, 可扑了个空; 아침에 일어나서 나는 그를 방문했으나 헛걸음을 쳤다/你先打电话去, 免得扑个空; 먼저 전화를 걸어 보아라. 없을 때 찾아가서 허탕치지 않도록.
〔扑空逐影〕 **pūkōng zhúyǐng** 〈比〉 허탕치다.
〔扑拉〕 **pūla** 동 ①흩어지다. ②가볍게 치다. ③날개를 치다. ④(수단을 강구하여) 찾다. 구하다. ¶～个事儿; 뭔가 일을 찾다/赶快给他～一个事; 서둘러서 그에게 일을 한 가지 찾아 주다.
〔扑拉拉〕 **pūlālā** 〈擬〉 푸드덕푸드덕. ¶鸡群～飞起; 닭의 떼가 푸드덕푸드덕 날아올랐다.
〔扑拉扑拉〕 **pūlapūla** 〈擬〉 ⇨〔扑簌簌〕
〔扑簌簌〕 **pūlàilài** 〈擬〉 줄줄. 뚝뚝《눈물을 흘리는 모양》. ¶～掉下眼泪来了; 뚝뚝 눈물을 흘렸다. =〔扑拉扑拉〕
〔扑棱〕 **pūlēng** 〈擬〉 파닥파닥. 푸드덕. ¶鸡～一声跑了; 닭이 파닥거리며 도망쳤다. =〔扑愣〕
〔扑棱〕 **pūleng** 동 ①날개치다. 푸드덕거리다. ¶～翅膀; 날개치다. ②벌리다. 활짝 피다〔패다〕. ¶穗子～开, 像一把小伞; 이삭이 벌어져 마치 작은 우산 같다. ③흩어지다.

〔扑愣〕 pūlèng 〈擬〉 ⇨〔扑棱〕
〔扑脸(儿)〕 pū↓liǎn(r) 동 〈口〉 (열기나 바람이) 얼굴에 닿다〔끼치다〕. =〔扑面〕
〔扑鹿〕 pūlù 〈擬〉 푸드덕. 푸르르《새가 날아가는 소리》. =〔扑漉〕
〔扑落〕 pūluo〔pūluò〕 동 ①(재·먼지 따위를) 털어 내다. ②(나쁜 평판을) 없애다. ③흩어지다. 명 ①《電》 플러그(plug). =〔插头〕 ② ⇨〔火花塞〕
〔扑满〕 pūmǎn 명 벙어리저금통. ¶把钱攒在～里; 돈을 벙어리저금통에 모으고 있다. =〔闷葫芦mènhúlu罐〕
〔扑忙(子)〕 pū↓máng(zi) 동 허둥지둥 덤비다. 분주하게 뛰어다니다. ¶什么也别～了《梁斌 紅旗譜》; 무슨 일이 있어도 허둥대면 안 된다.
〔扑面〕 pū↓miàn 동 (열기나 바람이) 얼굴에 닿다. ¶清风～; 산들바람이 정면에서 불어 오다. =〔扑脸(儿)〕
〔扑灭〕 pū↓miè 동 ①⇨〔扑救〕 ②박멸하다.
〔扑明儿〕 pūmíngr 명 〈方〉 새벽. ¶第二天一～, 严志和到南关雇了一辆骡车来; 이튿날 동틀 무렵, 엄지화는 남관에 가서 노새가 끄는 마차를 세내어 왔다.
〔扑摸〕 pūmo 동 ①넉살 좋게 나서다. 쓸데없이 나서다. ¶咱什么也别～, 低着脑袋过日子吧! 나는 무슨 일에나 주제넘게 나서지 않고, 머리 숙이고 살아갈 뿐이야! ②〈方〉 (어떻게 해서든) 손에 넣다.
〔扑疟喹林〕 pūnüèkuílín 명 《藥》 〈音〉 플라스모힌(독 Plasmochin)《말라리아 치료제의 하나》. =〔扑疟母星〕〔帕pà马奎宁〕
〔扑疟母星〕 pūnüèmǔxīng 명 ⇨〔扑疟喹林〕
〔扑疟特灵〕 pūnüètèlíng 명 ⇨〔氯lǜ苯胍〕
〔扑扑〕 pūpū 〈擬〉 두근두근. 툭툭. 탁탁. ¶～地心头跳; 가슴이 두근거리다 / ～拉拉; 불이 탁탁 소리내며 타오르는 모양 / ～噔儿; 불면 딱딱 소리가 나는 장난감.
〔扑球〕 pūqiú 명 《體》 (축구에서 골키퍼의) 세이빙(saving)《슛한 공을 막을 때의 동작》. ¶鱼跃～; 옆으로 뛰어오르며 공을 막는 일. 다이빙(diving). 동 공을 치다.
〔扑儿〕 pūr 명 가볍게 톡톡 칠 때 쓰는 물건.
〔扑闪〕 pūshan 동 깜박거리다. 깜박깜박하다. ¶她～着一双美丽的大眼睛; 그녀는 크고 아름다운 두 눈을 깜박거리고 있다.
〔扑扇〕 pūshan 동 〈方〉 날개를 푸드덕거리다. ¶～翅chì膀; 푸드덕 날갯짓하다.
〔扑生〕 pūshēng 동 산채로 잡다. 생포하다.
〔扑食〕 pūshí 동 먹이를 잡다.
〔扑朔〕 pūshuò 형 발이 걸려 넘어지는 모양. 명 토끼의 별칭.
〔扑朔迷离〕 pū shuò mí lí 〈成〉 사물이 뒤섞여 분간이 안 되는 모양.
〔扑簌簌(的)〕 pūsùsù(de) 형 (눈물 따위가) 뚝뚝 떨어지는 모양. ¶眼泪～地掉下来了; 눈물이 뚝뚝 떨어지다.
〔扑腾〕 pūtēng 〈擬〉 쿵. 쾅당《사물이 땅에 떨어지는 소리》. ¶小猫～一声, 从墙上跳下来; 새끼고양이가 담 위에서 쿵 하고 뛰어내렸다.
〔扑腾〕 pūteng 동 ①(새·물고기 등이) 푸드득 튀어오르다. ②(돈을) 낭비하다. ¶把钱全～完了; 돈을 몽땅 써 버렸다. ③(물 속에서) 다리를 풍덩거리다. ④두근두근하다. ¶心里直～; 가슴이 계속 두근거리다. =〔噗腾〕 ⑤〈方〉 활동하다. 활기차게 돌아다니다.
〔扑腾儿〕 pūténgr 〈擬〉 첨벙. 퐁당《무엇인가가 물에 떨어지는 소리. '扑腾' 보다 느낌이 약함》.
〔扑殄〕 pūtiǎn 동 〈文〉 쳐서 멸망시키다.
〔扑通〕 pūtōng 〈擬〉 쾅당. 풍덩《무거운 물건이 땅이나 물에 떨어지는 소리》. ¶～一声, 掉进水里了; 풍덩 하고 물에 빠졌다. =〔噗通〕
〔扑通〕 pūtong 동 헛되이 떠들어 대다.
〔扑翼〕 pūyì 동 〈文〉 날갯짓하다.
〔扑着〕 pūzhe 몰려가서 …하다. 무슨 일이 있어도 …하려고 하다. ¶～去买; 몰려가서 사다 / 赶着、～地交; 어떻게 해서든 교제를 트려고 하다.

痡

pū (부)
동 〈文〉 병들다.

铺(鋪)

pū (포)
①동 깔다. 펼치다. ¶～席xí子; 돗자리를 깔다 / ～毯tǎn子; 담요를 깔다 / ～台布; 탁자보를 덮다 / ～石子zǐ; 자갈을 깔다 / 平～直叙; 있는 그대로를 솔직히 서술하다 / 为世界和平～平道路; 세계 평화를 위하여 길을 평탄하게 놓다 / ～满了一天的云彩; 온 하늘에 구름이 퍼졌다. ②동 진열하다. ③명 '门环'(문고리)의 바닥쇠. ④양 〈方〉 온돌을 세는 데 쓰는 말. ¶一～炕; 온돌 하나 / 一～床; 침대 하나. ⇒ pù
〔铺摆〕 pūbǎi 동 ⇨〔铺陈①〕
〔铺不到头〕 pūbudàotóu (깔개가) 끝까지 다 깔기에는 부족하다.
〔铺草〕 pū↓cǎo 동 풀이나 짚 등을 깔다. (pūcǎo) 명 침상에 까는 풀이나 짚.
〔铺草皮〕 pū cǎopí 〈俗〉 (경마에서) 돈을 모조리 잃다. ¶拿了存款～输光了; 예금을 찾아 경마에서 몽땅 잃어 빈털터리가 되었다.
〔铺陈〕 pūchén 동 ①늘어놓다. 진열하다. 배열하다. =〔铺摆〕〔铺排③〕 ②상술(詳述)하다. 설명하다. 명 〈方〉 이부자리·베개 따위의 침구.
〔铺陈〕 pūchen 명 헝겊 조각. 조각천《중국 신의 밑창 등에 쓰임》. ¶找点～垫鞋底; 헝겊 조각으로 신바닥을 만들다 / ～精; 완전히 누더기가 된 옷. =〔铺衬〕
〔铺床〕 pū↓chuáng 동 ①자리를 펴다. 침구를 깔다. ②⇨〔铺房〕
〔铺床叠被〕 pūchuáng diébèi 이부자리를 펴고 개키다〔펴거나 개키는 일〕.
〔铺瞪眼儿〕 pūdèngyǎnr 동 ⇨〔巴bā瞪眼儿③〕
〔铺地〕 pū↓dì 동 땅을 뒤덮다.
〔铺地(瓷)砖〕 pūdì (cí)zhuān 명 바닥 타일(tile).
〔铺地锦〕 pūdìjǐn 명 《數》 옛날, 곱셈의 일종.
〔铺垫〕 pūdiàn 동 ①(펴서) 깔다. ¶褥子下面～一层稻草; 요 밑에 짚을 한 층 깔다. ②(이야기 따위에) 복선(伏線)을 깔다. (～儿) 명 ①침대 위에 끼는 침구《매트리스 따위》. ②서론(序論). 밑바탕. 복선. ¶这故事～部分太多, 应该砍掉一半; 이 이야기는 서론 부분이 너무 많아서 반쯤 삭제해야 한다. ⇒ pùdiàn
〔铺房〕 pū↓fáng 동 신방을 꾸미다《결혼 전날 또는 당일에 신부 집에서 사람을 보내어 이부자리를 깔거나 실내 세간을 꾸며주거나 하는 일》. =〔铺床②〕
〔铺房纸〕 pūfángzhǐ 명 루핑(roofing)《방수지》.
〔铺盖〕 pūgài 동 (전체를) 평평하게 덮다. 판판하게 씌우다. ¶把草木灰～在苗床上; 짚이나 나무의

재를 못자리 위에 펴서 덮다.
〔铺盖〕 pūgai 명〈俗〉이부자리. 요와 이불. ¶～卷儿; 이부자리를 돌돌 만 것/赁～; 이부자리〔침구〕를 임대하다/卷～ =〔打铺盖〕; 이부자리를 말다. 〈轉〉야반 도주하다. 해고당하여 주인집을 떠나다. 몰래 도망치다.
〔铺轨〕 pū.guǐ 동 레일을 깔다.
〔铺街〕 pū.jiē 동 도로를 포장하다.
〔铺开〕 pūkāi 동 펴서 깔다. ¶把毯子～; 담요를 넓게 깔다.
〔铺炕〕 pū.kàng 동 온돌방에 자리를 깔다.
〔铺路〕 pū.lù 동 ①길을 포장하다. ¶～机; 로드피니셔(road-finisher). ②〈轉〉(어떤 일을 성사시키기 위해) 길을 만들다. 길을 트다〔내다〕. ¶他希望为进一步谈判～; 그는 진일보한 담판을 위해 길이 트이길 희망하고 있다.
〔铺满〕 pūmǎn 동 전면에 (가득히) 깔다.
〔铺排〕 pūpái 동 ①배치하다. 안배하다. ¶大小事都～得停停当当; 크고 작은 일들을 모두 적절히 안배하다. ②〈方〉〈比〉화려하게〔크게〕 하다. ③ ⇨〔铺陈①〕
〔铺排〕 pūpai 명 중의 수행자(隨行者).
〔铺派〕 pūpài 동 ①파견하다. ②(…하라고) 이르다. 지시하다. ¶这件事～谁去办好呢? 이 일은 누구에게 지시하여 시키는 게 좋을까? ③배치하다. ¶这里可以～个小客厅; 여기에는 작은 객실을 배치하면 좋다. ④떠벌려 놓고 하다. 야단스럽게 하다. 겉치레하다. 화려하게 하다. ¶他老是喜欢把场面～得很大; 그는 언제나 겉모양을 아주 화려하게 꾸미는 것을 좋아한다.
〔铺平〕 pūpíng 동 ①반반하게 펴서 깔다. 평평하게 깔다. ¶～道路; 도로를 포장하다. 길을 내다. ②길을 열다.
〔铺砌〕 pūqì 동 《土》 판판하게 (쫙) 깔다. ¶～石道; 돌을 깔아 돌길을 만들다.
〔铺褥子〕 pū.rùzi 동〈比〉⇨〔垫diàn铺儿〕
〔铺上〕 pūshang 동 깔다. ¶～稻dào草; 짚을 깔다.
〔铺设〕 pūshè 동 부설(敷設)하다. ¶～地下水管; 하수관을 부설하다.
〔铺石道〕 pūshídào 명 돌을 깐 길.
〔铺首〕 pūshǒu 명 '门mén环(子)'(문고리)의 배목.
〔铺摊〕 pūtan 동〈方〉평평하게 펴다〔펼치다〕. ¶他～开纸, 准备写字; 그는 종이를 반반하게 펴고 글씨 쓸 준비를 하고 있다.
〔铺天盖地〕 pū tiān gài dì〈成〉천지를 덮다. ¶暴风雪～而来; 폭풍설이 천지를 뒤덮어 휘몰아쳐 오다.
〔铺叙〕 pūxù 동〈文〉상세히 서술하다. ¶～事实; 사실을 상세히 서술하다.
〔铺于…〕 pūyú〈文〉…에 분포하다.
〔铺展〕 pūzhǎn 동 ①펼쳐 깔다. 넓게 깔다. ¶～不开; (장소가 비좁아) 넓게 깔 수가 없다/～大地毯; 큰 융단을 깔다/荷叶～在水面上; 연잎이 수면 위에 덮여 있다/蔚蓝的天空～着一片片的白云; 쪽빛 하늘에 흰 조각 구름이 여기저기 펼쳐져 있다. ②일을 벌이다〔준비하다〕.
〔铺张〕 pūzhāng 동 ①떠벌리다. 화려〔요란〕하게 하다. 허세부리다. ¶～庆祝绝不可行; 요란한 축하 행사는 절대 해서는 안 된다/～浪费; 일을 떠벌려 낭비하다/小生日不必～吧; 해마다 있는 생일은 꼭 화려하게 할 필요는 없겠지. ②상세히 설명하다. 부연하다. ③벌려 놓다. 잡아 늘이다. 명 허세. 과장.
〔铺张扬厉〕 pū zhāng yáng lì〈成〉떠벌리고 허세 부리다.
〔铺砖〕 pū.zhuān 명 벽돌을 길에 깔다. ¶～道; 벽돌을 깐 도로.
〔铺装壁瓦〕 pūzhuāng bìwǎ 타일을 붙이다. 타일 공사를 하다.

潽 pū (보)
동〈口〉(더운 물 따위가) 끓어 넘치다.

噗 pū (복)
〈擬〉①푸. 후. 훅《액체나 기체를 내뿜는 소리》. ¶～, 一口气吹灭了灯; 훅 하고 단숨에 등불을 껐다. ②홱. 펄쩍. 훌쩍. ¶小猫～地跳上床来; 새끼고양이가 침대에 팔딱 뛰어올라왔다.
〔噗吥凳儿〕 pūbudèngr 명〈京〉옛날, 설 때 갖고 놀던 장난감의 일종《플라스크의 아가리를 가늘고 길게 만든 것 같은 유리 제품으로, 바닥이 특별히 얇음》.
〔噗哧(儿)〕 pūchī(r)〈擬〉⇨〔扑哧(儿)〕
〔噗咚〕 pūdōng〈擬〉탁탁. 쿵닥. ¶把床捶chuí得～～直响; 침대를 탁탁 두드리는 소리가 자꾸 들린다/～地闹什么? 퉁탕퉁탕하며 뭐가 그리 시끄럽지?
〔噗唧〕 pūjī〈擬〉①픽. 찍《액체나 기체가 뿜어 나오는 소리》. ②키드득《웃는 소리》.
〔噗啦〕 pūlā〈擬〉①콰당. 쿵. 털썩. ¶那位胖太太～地坐在椅子上; 저 뚱뚱한 부인은 의자에 털썩 주저앉았다. ②푸드덕푸드덕. ¶一只天鹅～地拍着翅膀; 백조 한 마리가 푸드덕푸드덕 날개치고 있다.
〔噗噜〕 pūlu〈擬〉파르르《종이 따위가 떨려서 나는 소리》.
〔噗噗〕 pūpū〈擬〉칙칙폭폭. ¶火车～地放气; 기차가 칙칙폭폭 증기를 내뿜는다.
〔噗腾〕 pūténg 동 ⇨〔扑腾pūteng④〕
〔噗通〕 pūtōng〈擬〉⇨〔扑通tōng〕

仆(僕) pú (복)
명 ①종. 하인. ¶男～; 남자 종/女～; 여자 종. ②〈謙〉자기의 비칭(卑稱). ⇒pū
〔仆婢〕 púbì 명 하인〔남자 종 여자 종〕의 총칭. =〔仆使〕
〔仆臣〕 púchén 명〈文〉가신(家臣).
〔仆从〕 púcóng 동 종복이 되다. ¶～国家; 속국. 명 종복(從僕). 사내종.
〔仆夫〕 púfū 명〈文〉①마부. ②말구종. 마정(馬丁).
〔仆妇〕 púfù 명 (중년 이상의) 하녀.
〔仆固〕 Púgù 명 복성(複姓)의 하나.
〔仆隶〕 púlì 명〈文〉관아의 사환.
〔仆赁〕 púlìn〈文〉동 하인이 되어 품삯을 받다. 명 하인의 품삯.
〔仆欧〕 pú'ōu 명 심부름하는 사내아이. 보이(boy). =〔侍者〕〔仆人〕
〔仆仆〕 púpú 형 ①〈文〉여행길에서 지쳐 버린 모양. ¶风尘～ =〔～道途〕; 〈成〉긴 여행이나 세상사로 고생하여 지치다. ②번거롭고 너저분하다.
〔仆人〕 púrén 명 고용인. 하인.
〔仆使〕 púshǐ 명 ⇨〔仆婢〕
〔仆射〕 púyè 명 (당나라·송나라 때의) 대신(大臣).
〔仆役〕 púyì 명 하인. 고용인.

匍 pú (포)
→〔匍匐〕

〔匍匐〕 púfú 동 ①엎드려 기어가다. 포복하다. ¶～前进; 포복 전진하다 / ～奔丧; 허둥지둥 장례에 달려오다. ②땅바닥으로 뻗다. ¶有些植物的茎～在地面上; 어떤 식물의 줄기는 땅바닥으로 뻗는다. ‖ =〔匍伏〕〔蒲pú伏〕〔蒲服fú〕

〔匍匐茎〕 púfújīng 명 《植》 포복경. 기는줄기. 뛰엄줄기.

莆 pú (포)
①지명용 자(字). ¶～田Pútián; 푸톈(莆田)《푸젠 성(福建省)에 있는 현(縣) 이름》. ② 명 성(姓)의 하나.

〔莆仙戏〕 Púxiānxì 명 《劇》 푸젠 성(福建省)의 지방극의 하나.

脯 pú (포)
명 ①(～子) 가슴팍 고기. ¶鸡～; 닭의 가슴 고기. ②(～儿, ～子) 가슴. 흉부. ¶挺tǐng着～子; 가슴을 펴다〔펴고〕. ⇒fǔ

〔脯氨酸〕 pú'ānsuān 명 《化》 프롤린(proline).

〔脯子〕 púzi 명 (닭·오리 등의) 가슴 부분의 살(코기).

葡 pú (포)
표제어 참조.

〔葡币〕 púbì 명 《貨》 마카오의 화폐.

〔葡国〕 Púguó 명 ⇨〔葡萄牙〕

〔葡蟠〕 púpán 명 《植》 닥나무. =〔小构树〕

〔葡糖〕 pútáng 명 〈簡〉 포도당. =〔葡萄糖〕

〔葡萄〕 pútao 명 《植》 포도. ¶一嘟噜～; 포도 한 송이 / ～蔓子; 포도 덩굴 / 一架～; 포도나무 시렁 하나 / ～藤; 포도 덩굴 / ～酸; 《化》 글루콘산 / ～弹; 포구(砲口)를 나오면 곧 파열하는 포탄 / ～拌豆腐; 포도로 두부를 무치다《말을 장황하게 늘어놓다》. =〔蒲萄〕〔蒲陶〕〔蒲桃②〕

〔葡萄干(儿)〕 pútaogān(r) 명 건포도. ¶出核～; 씨 없는 건포도.

〔葡萄灰〕 pútaohuī 명 《色》 포돗빛. 자흑색.

〔葡萄架〕 pútaojià 명 포도나무 시렁.

〔葡萄酒〕 pútaojiǔ 명 포도주. ¶红～; 적포도주. 포트 와인(port wine).

〔葡萄脎〕 pútaosà 명 《化》 글루코사존(glucosazone).

〔葡萄色〕 pútaosè 명 《色》 포도색.

〔葡萄胎〕 pútaotāi 명 《醫》 포도상 기태(葡萄狀奇胎). 귀태(鬼胎).

〔葡萄糖〕 pútaotáng 명 《化》 포도당. ¶～酸钙gài; 글로콘산 칼슘. =〔〈簡〉葡糖〕〔萄糖〕

〔葡萄牙〕 Pútaoyá 명 《地》 〈音〉 포르투갈(Portugal)《수도는 '里Lǐ斯本' (리스본: Lisbon)》. =〔葡国〕

〔葡萄紫〕 pútaozǐ 명 《色》 포도색. 적자색.

蒲 pú (포)
명 ①《植》 향포. 부들. ②《植》 냇버들. ③《植》 창포. ④(Pú) 《地》 푸저우(蒲州)《산시 성(山西省) 잉지 현(永濟縣)에 있는 옛날 부(府)의 이름》. ⑤성(姓)의 하나.

〔蒲棒(儿)〕 púbàng(r) 명 〈口〉 부들 이삭.

〔蒲包(儿, 子)〕 púbāo(r, zi) 명 ①부들로 엮어 만든 꾸러미. 멱서리. ②선사품이 들어 있는 꾸러미. ¶点心～; 과자 꾸러미 / 隔墙扔～, 飞礼; 〈歇〉 담 너머로 선물을 던져 넣다《날아가는 선물. 즉, 실례(失禮)이다》. ‖ =〔蒲草包〕

〔蒲鞭〕 púbiān 명 〈文〉 부들 채찍《관대한〔너그러운〕 처벌》.

〔蒲菜〕 púcài 명 부들의 어린 싹《식용으로 함》.

〔蒲草〕 púcǎo 명 《植》 ①부들(의 줄기와 잎). ②〈方〉 소엽맥문동.

〔蒲草包〕 púcǎobāo 명 ⇨〔蒲包(儿, 子)〕

〔蒲草席〕 púcǎoxí 명 ⇨〔蒲席〕

〔蒲草鞋〕 púcǎoxié 명 부들로 만든 신.

〔蒲车〕 púchē 명 부들로 수레바퀴를 감싼 수레《옛날에, 고무 타이어가 없을 때 사용되었음》. =〔蒲轮〕

〔蒲垫(儿, 子)〕 púdiàn(r, zi) 명 부들자리《신불을 예배할 때 무릎을 꿇는 데 씀》.

〔蒲墩儿〕 púdūnr 명 부들잎·보릿짚 등으로 엮은 둥글고 두꺼운 자리《농촌에서는 방석으로 씀》.

〔蒲帆〕 púfān 명 부들로 만든 돛.

〔蒲伏〕 púfú 동 ⇨〔匍匐〕

〔蒲服〕 púfú 동 ⇨〔匍匐〕

〔蒲公英〕 púgōngyīng 명 《植》 민들레. =〔鬼公英〕

〔蒲磙〕 púgǔn 명 무논을 가는 농기구《흙덩이를 부수고 녹비(綠肥)를 묻으며 벼의 그루터기를 뽑음》.

〔蒲花褥〕 púhuārù 명 부들꽃을 둔 요.

〔蒲黄〕 púhuáng 명 《藥》 부들꽃가루《담황색이며, 여러 가지 약효가 있음》.

〔蒲黄草〕 púhuángcǎo 명 《植》 부들의 별칭.

〔蒲剑〕 pújiàn 명 창포 잎《단옷날 문간에 걸어 액막이로 쓰임》. =〔菖蒲叶〕

〔蒲节〕 Pújié 명 ⇨〔端Duān午(节)〕

〔蒲剧〕 pújù 명 《劇》 산시 성(山西省)의 주요 연극의 하나《산시 성의 남부에 유행》. =〔蒲州梆子〕

〔蒲葵〕 púkuí 명 《植》 빈랑나무.

〔蒲葵扇〕 púkuíshàn 명 ⇨〔芭bā蕉扇〕

〔蒲兰地〕 púlándì 명 브랜디(brandy). =〔白bái兰地〕

〔蒲柳〕 púliǔ 명 ①《植》 냇버들. =〔蒲杨〕 ②〈比〉〈謙〉 자기의 체질이 잔약함의 겸칭. 포류지질(蒲柳之質). ¶～之姿; 가냘픈 모습.

〔蒲龙〕 púlóng 명 (단오절의) 창포 칼. =〔艾ài虎〕

〔蒲芦〕 púlú 명 《植》 호리병박.

〔蒲轮〕 púlún 명 ⇨〔蒲车〕

〔蒲棉包〕 púmiánbāo 명 포장 면화의 일종《암페라를 나무의 안쪽에 깔고 면화를 채워 넣은 다음 발로 밟아 다져서, 암페라의 양끝을 여미어 포장하고 새끼줄로 열십자로 동여맴》.

〔蒲荠〕 púqi 명 《植》 올방개의 별칭.

〔蒲绒〕 púróng 명 《植》 부들 이삭(의 흰 털)《베갯속으로 씀》. =〔蒲茸〕

〔蒲扇(儿)〕 púshàn(r) 명 ①부들부채. ②종려(棕櫚) 부채.

〔蒲觞〕 púshāng 명 〈文〉 단오절에 마시는 술.

〔蒲式耳〕 púshì'ěr 양 《度》 〈音〉 부셸(bushel)《곡량 단위》.

〔蒲笋〕 púsǔn 명 부들순《부들의 새싹 줄기의 희고 연하여 식용이 되는 부분》.

〔蒲陶〕 pútáo 명 ⇨〔葡萄〕

〔蒲桃〕 pútáo 명 ①《植》 들레나무《사과 비슷한 남방에서 나는 과일의 일종》. ②⇨〔葡萄〕

〔蒲桃公〕 pútáogōng 명 〈廣〉〈俗〉 ①씨 없는 '蒲桃'《씨가 있는 것을 '蒲桃奶nǎi' 라 함》. ②〈轉〉 자식이 없는 사람.

〔蒲桃酸〕 pútáosuān 명 《化》 피멜린 산. =〔庚

gēng二酸〕
〔蒲萄〕 pútao 명 ⇨〔葡萄〕
〔蒲团〕 pútuán 명 부들 방석(중이 참선(參禪)할 때나 무릎 꿇을 때에 씀).
〔蒲屋〕 púwū 명〈文〉부들로 지붕을 인 집.
〔蒲席〕 púxí 명 부들자리. =〔蒲草席〕
〔蒲杨〕 púyáng 명 ⇨〔蒲柳①〕
〔蒲月〕 púyuè 명 음력 5월의 별칭.
〔蒲州梆子〕 púzhōu bāngzi 명 ⇨〔蒲剧〕

蒱 **pú** (포)
→〔蒱戏〕
〔蒱戏〕 púxì 명 주사위로 하는 노름. =〔樗chū蒱〕〔摴蒱〕

酺 **pú** (포)
동〈文〉모여서 술을 마시다. =〔酺饮〕〔酺宴〕

菩 **pú** (보)
→〔菩萨〕〔菩提〕
〔菩萨〕 púsa 명《佛》①보살. ¶泥～过江, 自身难保;〈歇〉진흙 보살의 나루 건너기(사람을 구하기는커녕 제 몸도 위태롭다)/～低眉; ⓐ인정이 깊은 모양. ⓑ가냘픈〔의지가 약한〕모양/多一位～, 多一把炉香; 관리가 늘면 세금이 그만큼 는다. ②널리 부처나 신(神)을 가리키는 말. ③〈轉〉(보살처럼) 자비로운 사람.
〔菩提〕 pútí 명《佛》보리(범 bodhi). 정각(正覺). 깨달음의 경지. ¶～心; 보리심(불과(佛果)를 얻을 수 있도록 비는 마음).
〔菩提树〕 pútíshù 명《植》①보리수. =〔毕bì钵罗〕〔宾bīn钵罗〕〔道dào树〕〔思sī维树〕 ②보리수나무.
〔菩提子〕 pútízǐ 명《植》①'无患子'(무환자나무)의 별칭. ②'川chuān谷'(염주)의 별칭.

璞 **pú** (박)
명 ①아직 갈지〔다듬지〕 않은 옥. ②〈比〉소박. 질박.
〔璞玉浑金〕 pú yù hún jīn〈成〉가공하지 않은 옥과 정련되지 않은 금(사람이 솔직하고 세상의 악(惡)에 물들지 않음. 자연 그대로의 아름다움). =〔浑金璞玉〕

濮 **pú** (복)
①지명용 자(字). ¶～阳; 푸양 현(濮陽縣)(허난 성(河南省)에 있는 현(縣) 이름). ② 명 성(姓)의 하나.

镤(鏷) **pú** (복)
명 ①《化》프로탁티늄(Pa: protactinium)(방사성 원소의 하나). ②〈文〉철. 무쇠.

朴(樸) **pǔ** (박)
형 ①소박하다. ¶俭～; 검소하고 소박하다. ②꾸밈이 없다. ¶诚～; 성실하고 질박하다. ③거짓이 없다. ⇒Piáo pō pò
〔朴伯〕 pǔbó 명〈音〉교황. 포프(pope). =〔教皇〕
〔朴钝〕 pǔdùn 형 ①둔하다. 무디다. ②성질이 너글너글하고 까다롭지 않다.
〔朴厚〕 pǔhòu 형 소박하고 정이 두텁다.
〔朴蝴蝶鱼〕 pǔhúdiéyú 명《魚》세동가리돔.
〔朴陋〕 pǔlòu 형〈文〉(생활이) 검소하다.
〔朴鲁〕 pǔlǔ 형〈文〉우둔하고 고지식하다.
〔朴马〕 pǔmǎ 명〈文〉길들이지 않은 말.
〔朴朴实实(儿)〕 pǔpushíshí(r) 형 검소하고 성실한 모양. →〔朴实〕
〔朴实〕 pǔshí 형 ①검소하다. ¶生活～; 생활이 검소하다. ②꾸밈이 없고 성실하다. ¶心眼儿～; 성질이 꾸밈 없고 성실하다.
〔朴树〕 pǔshù 명《植》푸조나무.
〔朴素〕 pǔsù 형 ①소박하다. 꾸밈이 없다. 수수하다. ¶房子～洁净; 집이 검소하고 청결하다/他穿得～大方; 그가 입고 있는 것은 수수하고 점잖다/作风～; 일을 하는 것이 꾸밈이 없고 자연스럽다. ②(생활이) 검소하다. ¶他的日常生活很～; 그의 일상 생활은 아주 검소하다.
〔朴樕〕 pǔsù 명〈文〉잡목. 작은 나무.
〔朴学〕 pǔxué 명 ⇨〔汉hàn学①〕
〔朴野〕 pǔyě 형 꾸밈이 없고 조야(粗野)하다. 촌스럽다.
〔朴直〕 pǔzhí 형 꾸밈없고 솔직하다. ¶语言～; 말이 꾸밈이 없고 솔직하다.
〔朴质〕 pǔzhì 형〈文〉꾸밈이 없다. 소박하다. 질박하다. ¶～不华; 꾸밈이 없고 화려하지 않다. =〔平píng实〕
〔朴忠〕 pǔzhōng 형〈文〉질박하고 충실하다.
〔朴拙〕 pǔzhuō 형 고지식하고 처세가 서투르다.

浦 **pǔ** (포)
명 ①강·내에 조수가 드나드는 곳. 물가의 땅. ②큰 강(江)의 분기점(지명용 자(字)로 쓰임). ¶霞Xiá～; 샤푸(霞浦)(푸젠 성(福建省)에 있는 땅 이름). ③성(姓)의 하나.
〔浦边丝〕 pǔbiānsī 명《鳥》〈南方〉쇠솔새.
〔浦东鸡〕 pǔdōngjī 명 상하이(上海) 황푸 강(黃浦江) 동쪽 지방에서 나는 닭(우량품종의 하나).

埔 **pǔ** (포)
지명용 자(字). ¶黄Huáng～; 황푸(黄埔)(광둥 성(廣東省)에 있는 땅 이름). ⇒bù

圃 **pǔ** (포)
명 밭. 채마밭. 화원. ¶花～; 꽃밭/菜～; 채소밭/苗～; 못자리. 묘포/～畦; 밭둑.

溥 **pǔ** (부)
① 형〈文〉크다. 넓다. ¶为利甚～; 얻는 이익이 매우 크다. ② 부〈文〉널리. 두루. 보편적으로. ¶～被; 널리 은전(恩典)을 입다/～满; 널리 가득 차다/～博; 두루 미치어 넓다. ③ 명 성(姓)의 하나.

普 **pǔ** (보)
① 형 두루 미치는. 일반의. 보통의. ¶～降雪雨; 광범위하게 비나 눈이 오다/～请; 널리〔광범위하게〕 초대하다. ② 부 일반적으로. 보편적으로. ③(Pǔ) 명《地》'～鲁西'(프러시아)의 약칭. ④ 명 성(姓)의 하나.
〔普遍〕 pǔbiàn 형 보편적이다. 널리 퍼져 있다. ¶～化; 보편화/～真理; 보편적 진리/～现象; 보편적 현상/～流行; 널리 유행하다/～于全国; 전국적으로 보편화되다/这种反应～吗? 모두 이런 의견인가?/这种反映不是～的, 但是也不是个别的; 이러한 상황은 보편적이지도 않지만, 그렇다고 일부에 한한 것도 아니다/～天下; 온 천하에 미치다/～行háng市; 일반적으로 통용되는 시세/～性; 보편성.
〔普查〕 pǔchá 명동 일제 조사(하다). 전면 조사(하다). ¶～工作; ⓐ전면적 조사 작업. ⓑ(기계)의 제너럴 오버홀(general overhaul)/今年煤田～的面积比去年扩大了一倍多; 금년의 탄전 일제 조사의 면적은 지난해에 비해 배 이상 확대되었다/～人口; 인구를 전국적으로 조사하다.
〔普度〕 pǔdù 동《佛》중생을 제도(濟度)하다. ¶～

众zhòng生; 중생을 제도하다.
〔普恩〕 pǔ'ēn 명 〈文〉 큰 은혜.
〔普洱茶〕 pǔ'ěrchá 명 푸얼차(『'紧jǐn压茶' 의 이름』).
〔普告〕 pǔgào 동 〈文〉 공표하다. 널리 알리다.
〔普及〕 pǔjí 동 ①보급되다. 널리 퍼지다. ¶这本小册子已经～全国了; 이 소책자는 이미 전국에 보급되어 있다/～本; 보급판. ②보편화〔대중화〕시키다. ¶～卫wèi生常识; 위생 상식을 보급시키다/在～的基础上提高; 보급의 기초 위에서 향상시키다.
〔普济〕 pǔjì 동 〈文〉 널리〔빠짐없이〕 구제하다. ¶～穷qióng黎; 널리 빈민을 구제하다/～(善)堂; 옛날, 노인·병자·빈민에 대하여 자선 사업(특히, 관(棺)의 급부(給付) 등)을 시행하기 위하여 각지에 설치한 자선 조직의 이름.
〔普加因〕 pǔjiāyīn 명 ⇨〔普鲁卡因〕
〔普拉亚〕 pǔlāyà 명 《地》〈音〉 프라이아(Praia) ('佛得角'(카보베르데: Cabo Verde) 공화국의 수도). =〔普腊亚〕
〔普蓝〕 pǔlán 명 《色》 감청색(紺青色). 프러시언 블루(Prussian blue). =〔普鲁士蓝〕
〔普里普儿的〕 pǔlipǔrde 명 널리. 두루. 전부. 모두.
〔普鲁本辛〕 pǔlǔ běnxīn 명 《化》〈音〉 브로마이드(bromide) 인화지.
〔普鲁卡因〕 pǔlǔkǎyīn 명 《藥》〈音〉 프로카인(procaine). =〔普加因〕〔奴佛卡因〕
〔普鲁士蓝〕 pǔlǔshìlán 명 ⇨〔普蓝〕
〔普律〕 pǔlǜ 부 널리. 일반적으로.
〔普罗〕 pǔluó 명 〈音〉〈簡〉 프로(『'普罗列塔利亚'(프롤레타리아)의 약칭』). ¶～文学; 프로 문학/～作家; 프롤레타리아 작가.
〔普罗克〕 pǔluókè 명 〈音〉 블록(bloc).
〔普罗列塔利亚〕 pǔluóliètǎlìyà 명 〈音〉 프롤레타리아(프 prolétariat). =〔无产阶级〕〔劳动人民〕〔普罗列太利亚〕〔普罗列太利亚特〕〔普罗〕
〔普米族〕 Pǔmǐzú 명 《民》 푸미 족(普米族)(『중국 소수 민족의 하나. 주로 윈난 성(雲南省) 일대에 거주함』).
〔普那卡〕 Pǔnàkǎ 명 《地》〈音〉 푸나카(Punakha). =〔巴Bā那克〕
〔普普艺术〕 pǔpǔ yìshù 명 〈音義〉 팝 아트(pop art).
〔普请〕 pǔqǐng 동 널리 초대하다.
〔普世〕 pǔshì 명 〈文〉 세상.
〔普式庚〕 Pǔshìgēng 명 ⇨〔普希金〕
〔普碳盘条〕 pǔtàn pántiáo 명 보통 탄소 와이어 로드(wire rod).
〔普特〕 pǔtè 양 《度》 푸드(러 pud)(『소련의 중량 단위. 1푸드는 16.38kg』).
〔普天〕 pǔtiān 명 〈文〉 하늘.
〔普天同庆〕 pǔ tiān tóng qìng 〈成〉 만천하가 함께 축하하다.
〔普天之下〕 pǔ tiān zhī xià 〈成〉 전세계. 온 천하.
〔普通〕 pǔtōng 형 보통이다. 일반적이다. ¶～(的)人; 보통 사람. 일반인. 평범한 사람/～教育; 보통 교육/～电报; 보통 전보/～照会; (외교상의) 구상서(口上書)/～鸨bǎo; 《鳥》 동고비/他的作风很不～; 그의 방식은 매우 다르다.
〔普通舱〕 pǔtōngcāng 명 (비행기의) 이코노미 클래스. ¶～票; 이코노미 클래스의 탑승권.
〔普通话〕 pǔtōnghuà 명 (현대 중국어의) 표준어(『베이징어음(北京語音)을 표준으로 하고 베이징어(北方語)를 기초 어휘로 하며 전형적인 현대 백화문(白話文)에 의한 작품을 어법 규범으로 삼는 한어(漢語) 공통어』).
〔普通名词〕 pǔtōng míngcí 명 《言》 보통 명사. =〔通名〕〔公名〕
〔普通水泥〕 pǔtōng shuǐní 명 ⇨〔卜bǔ特兰水泥〕
〔普通轴承〕 pǔtōng zhóuchéng 명 ⇨〔滑huá动轴承〕
〔普西〕 pǔxī 명 〈音〉 (그리스 문자) 프시(psi).
〔普希金〕 Pǔxījīn 명 《人》〈音〉 푸슈킨(Aleksandr Sergeevich Pushkin)(『러시아의 시인·소설가, 1799～1837』). =〔普式庚〕
〔普先生〕 pǔxiānsheng 명 견식·지식이 풍부한 사람. 살아 있는 사전.
〔普选〕 pǔxuǎn 명 ①보통 선거. ¶举jǔ行～; 보통 선거를 실시하다. ②총선거.
〔普照〕 pǔzhào 동 〈文〉 널리 비추다. ¶佛光～; 부처의 은혜가 널리 미치다.
〔普众〕 pǔzhòng 명 〈文〉 많은 사람. 모든 사람.

谱(譜) pǔ (보)

①명 같은 계통의 사람·사물을 차례로 기재한 목록〔표〕. ¶宗～; 동족〔동성〕의 계통을 배열·기재한 것/家～; 가보/年～; 연보/食～; 식단표. 요리책/画～; 화보/钱～; 화폐 목록. ②(～子) 명 악보나 기보(棋譜). ¶歌～; 가보/乐～; 악보/棋～; 기보. ③명 순서를 따라 기록한 것을 일컬음. ¶光～(带); 스펙트럼. ④명 수. ¶已达一百万之～; 그 수는 이미 100만에 달했다. ⑤동 가사에 곡을 붙이다. 작곡하다. ⑥(～儿) 명 기준. 목표. 성산(成算). ¶他做事有～; 그는 일을 하는데 확실한 생각을 갖고 있다/他简直没～; 그는 전혀 엉터리다〔기준이 없다〕/说书有～; 강담〔야담〕에는 여러 가지 기준이 있다. ⑦(～儿) 명 상태. 모양. 일정한 형(型). ¶一个～; 같은 장단〔상태〕/这种收音机的价钱大约在五千元上下的～了; 이 종류의 라디오의 값은 대체로 5천 원 정도입니다. ⑧(～儿, ～子) 명 〈方〉 계획. ¶心里有个～; 마음 속에 계획이 정해져 있다.
〔谱表〕 pǔbiǎo 명 《樂》 보표. 오선지. ¶五线～; 오선보.
〔谱弟〕 pǔdì 명 ⇨〔盟méng弟〕
〔谱第〕 pǔdì 명 ⇨〔谱系〕
〔谱牒〕 pǔdié 명 ⇨〔谱系〕
〔谱号〕 pǔhào 명 《樂》 음부(音部) 기호. 음자리표.
〔谱籍〕 pǔjí 명 ⇨〔谱系〕
〔谱录〕 pǔlù 명 ①한적(漢籍)의 자부(子部)에 속하는 도보(圖譜)의 책. ②⇨〔谱系〕
〔谱气〕 pǔqi 명 태도. ¶～大; 태도가 건방지다.
〔谱曲〕 pǔqǔ 동 가사에 곡을 붙이다. 작곡하다.
〔谱儿〕 pǔr 명 ①기준. 목표. 계획. ¶没有准～; 확실한 계획이 없다. ②모양. ¶够～; 모양을 갖추다.
〔谱式〕 pǔshì 명 〈文〉 양식. 일정한 형식.
〔谱系〕 pǔxì 명 계도(系圖). 가계도. 가보(家譜). =〔谱第〕〔谱牒〕〔谱籍〕〔谱录②〕
〔谱写〕 pǔxiě 동 ①작곡하다. 곡을 창작하다. ¶这支曲子是他～的; 이 곡은 그의 작곡이다. ②(문장 등을) 짓다. 창작하다. ③〈轉〉 새로운 장을 열다. 아로새기다.
〔谱兄〕 pǔxiōng 명 ⇨〔盟méng兄〕

〔谱兄弟〕 pǔxiōngdì 명 ⇨〔盟méng兄弟〕
〔谱学〕 pǔxué 명 보학.
〔谱仪〕 pǔyí 명 《物》 스펙트럼 분광기(分光器).
〔谱子〕 pǔzi 명 ①《樂》 악보. ②대체적인 표준.

氆 **pǔ** (보)
→〔氆氇〕

〔氆氇〕 pǔlu 명 티베트에서 나는 두꺼운 모직물의 일종.

镨(鐠) **pǔ** (보)
명 《化》 프라세오디뮴(Pr: praseodymium)(금속 원소의 하나).

蹼 **pǔ** (복)
명 (오리 따위의) 물갈퀴.

〔蹼板〕 pǔbǎn 명 (보트용 노의) 물갈퀴판.

堡 **pù** (보)
지명용 자(字)(‘五里铺’ ‘十里铺’ 따위의 ‘铺’를 일부 지역에서는 ‘堡’로도 씀). ⇒bǎo bǔ

铺(鋪〈舖〉①) **pù** (포)
명 ①(～儿, ～子) 가게. 상점(현재는 ‘…店diàn’ ‘…商shāng店’이라고 함). ¶肉～; 푸줏간. 정육점 / 杂货～; 잡화점. ②침대. ¶床～; 침대. 침상 / 卧～; (차 · 배의) 침대 / 临时支个～睡觉; 임시로 침대를 만들어 자다. ③옛날, 역참(지금은 지명용 자로 씀). ¶山口Shānkǒu～; 산커우푸(山口鋪)(후난 성(湖南省)에 있는 땅 이름). ⇒pū

〔铺板〕 pùbǎn 명 ①침대용의 널빤지. ②널빤지 두 개를 걸쳐 놓은 급조(急造) 침대. ③상점 입구의 널문.
〔铺保〕 pùbǎo 명 상점 명의의 보증(인). 동 상점 명의로 보증을 서다.
〔铺车捐〕 pùchējuān 명 옛날, 영업세와 차세(車稅).
〔铺底〕 pùdǐ 명 ①가게나 일터 따위에서 영업상의 필요한 도구류(道具類)의 총칭. ②(집세 이외의) 점포나 일터 따위의 임대권. 점포의 권리금.
〔铺递〕 pùdì 명 역참(驛站)을 이용한 체송(遞送).
〔铺垫〕 pùdiàn 명 점포용(用)의 집기(什器) 따위.
〔铺东〕 pùdōng 명 상점의 주인〔자본주〕. =〔铺主〕
〔铺规〕 pùguī 명 옛날, 상점 규칙. 가게의 관례.
〔铺户〕 pùhù 명 상점. 가게. =〔铺家〕
〔铺伙〕 pùhuǒ 명 ⇨〔店diàn员〕
〔铺家〕 pùjiā 명 〈方〉 ⇨〔铺户〕
〔铺捐〕 pùjuān 명 사업세. 영업세.
〔铺面〕 pùmiàn 명 점두(店頭). 가게 앞. ¶～房; 도로를 향해 있는 가겟집. 길을 마주해 가게에 적합한 집 / 两边的～房很多; 양 옆에는 점포가 많다.
〔铺位〕 pùwèi 명 ①침대가 있는 장소 · 위치. ②(기선 · 기차 · 호텔 따위의) 침대.
〔铺眼儿〕 pùyǎnr 명 상점(규모를 말하는 경우).
〔铺主〕 pùzhǔ 명 ⇨〔铺东〕
〔铺子〕 pùzi 명 점포. 상점. 가게. ¶倒～; 점포의 권리 양도 / 要借钱得找个～给打个保; 돈을 꾸려면 어딘가 가게를 하나 찾아 보증을 서 달래야 한다. =〔铺眼儿〕

瀑 **pù** (포)
→〔瀑布〕 ⇒bào

〔瀑布〕 pùbù 명 폭포. =〔飞瀑〕

曝〈暴〉 **pù** (폭)
동 〈文〉 햇볕을 쬐다. ¶一～十寒; 〈成〉 일폭 십한. 하루 볕이 쬐어 따뜻한가 했더니, 열흘이 춥다(공부나 일을 하는데 끈기가 없다). ⇒bào, ‘暴’ bào

〔曝背〕 pùbèi 동 〈文〉 ①(양지에서) 볕을 쬐다. ② ⇨〔曝日〕
〔曝露〕 pùlù 동 〈文〉 한데에 내놓다. 노출시키다. ¶～试验; 노출 시험. →〔暴bào露〕
〔曝气池〕 pùqìchí 명 폭기조(曝氣槽). 에어레이션 탱크(aeration tank).
〔曝热〕 pùrè 동 ⇨〔曝日〕
〔曝日〕 pùrì 동 〈文〉 염천에서 일하다. 따가운 햇볕을 쬐다. =〔曝背②〕〔曝热〕
〔曝晒〕 pùshài 동 햇볕에 쬐다. ¶烈日～; 강한 햇볕에 쬐다 / 在骄阳的～下…; 뙤약볕에 쬐여….
〔曝书〕 pùshū 동 폭서하다. 책을 볕에 쬐다. =〔晒shài书〕
〔曝献〕 pùxiàn 명동 〈文〉 작지만 정성이 깃든 선물(을 하다).
〔曝衣〕 pùyī 동 〈文〉 옷을 볕에 쬐고 바람에 쐬다.

Q

QI ㄑㄧ

七 **qī** (칠)
①㊄ 7. 일곱. ¶开门～件事; 생활에 필요한 일곱 가지, 곧 '柴'(나무)·'米'(쌀)·'油'(기름)·'盐'(소금)·'酱'(된장)·'醋'(초)·'茶'(차)를 일컬음. ②명 칠재(七齋). 죽은 후 매 이레째《제(祭)를 올리며 49일까지 계속됨》. ¶做～; 첫 이레의 불공을 드리다. ③명 옛날, 도박에서 기적이 일어남. 注 뒤에 제4성(第四聲)이 오면 제2성으로 발음됨.

〔七八成(儿)〕 qībāchéng(r) 명 십중 칠팔. 7, 8할(割).

〔七八上十〕 qībā shàng shí 일곱 여덟이나 열 가량.

〔七百六十遍〕 qībǎiliùshibiàn 명 여러 번《횟수가 많음을 형용함》. ¶一句话说了～也不嫌烦; 같은 말을 몇 번씩이나 귀찮게 뇌고 뇌다.

〔七百五〕 qībǎiwǔ 명〈廣〉머저리. 바보.

〔七包〕 qībāo 명 일곱 항목의 보증《인민 공사가 공사원 전체의 식사·의복·주거·출산·교육·간병·결혼식과 장례식의 일곱 가지를 모두 돌봐 주는 일》.

〔七宝〕 qībǎo 명 ①일곱 가지 보물《금·은·유리·거거·마노·호박·산호를 이름》. ②일곱 개의 보물이 세트로 되어 있는 것.

〔七宝粥〕 qībǎozhōu 명 '腊八(儿)'에 먹는 일종의 죽. =〔腊là八(儿)粥〕

〔七笔勾〕 qībǐgōu 명 일체의 속된 생각을 끊는 일.

〔七步成诗〕 qī bù chéng shī〈成〉시를 짓는 재능이 뛰어남. 생각이 민첩하다.

〔七彩色影片〕 qīcǎisè yǐngpiàn 명 천연색 영화 필름.

〔七扠八扠〕 qī chā bā chā ⇨〔七扠八股〕

〔七扠八股〕 qī chā bā gǔ 뒤엉켜 어지러운 모양. ¶～的叫人难插手; 복잡하게 얽혀 있어 손을 대기 어렵다. =〔七扠八扠〕〔七股八扠〕〔七头八扠〕

〔七长八短〕 qī cháng bā duǎn〈成〉①장단(長短)이 고르지 않은 모양. ¶头发剪得～的; 머리를 서투르게 깎아 층이 지다. ②어디가 좋다느니 나쁘다느니 왈가 왈부하는 모양.

〔七成〕 qīchéng 명 7할. →〔七折〕

〔七尺躯〕 qīchǐqū 명〈文〉칠 척의 몸. 자신의 신명(身命). ¶倾方寸以奉国, 忘七尺以事君; 마음을 다 기울여서 나라를 받들고, 신명을 잊고 임금을 섬긴다. =〔七尺〕

〔七吃喀叉〕 qīchi kāchā〈擬〉절그렁절그렁. 철커덩철커덩. 〈比〉아주 쉽게 할 수 있는 일. ¶这么点儿活儿, 算得了什么, ～一下手就完了; 이만한 일이 뭐 대수냐, 후닥닥 손을 대면 곧 끝난다. =〔七吃咔嚓〕

〔七出〕 qīchū 명 칠거지악《옛 도덕에서 아내를 내쫓을 수 있는 일곱 가지 경우》. =〔七出之条〕〔七去〕

〔七出之条〕 qīchū zhī tiáo 명 ⇨〔七出〕

〔七穿八洞〕 qī chuān bā dòng 구멍투성이다. (옷 따위) 여기저기 해지다. ¶穿着一件～的衣裳; 구멍투성이의 남루한 옷을 입고 있다. =〔七穿八口〕

〔七穿八口〕 qī chuān bā kǒu ⇨〔七穿八洞〕

〔七凑八凑〕 qī còu bā còu 그러모으다. ¶在焦土上～地盖了一间小房住着; 불탄 자리에 긁어모아서 작은 오두막집을 짓고 살고 있다.

〔七大八小〕 qī dà bā xiǎo〈成〉①대소가 고르지 않다. 대소가 각기 다르다. ¶有几张树根的坐具, 却是～的不匀; 나무 뿌리로 만든 걸상이 몇 개 있었지만, 그것조차 크기가 고르지 않다. ②옛날에, 처첩이 많은 모양. ¶如今～的就剩了这几个; 많았던 처첩도 지금은 겨우 이 몇 사람만 남게 되었다.

〔七颠八倒〕 qī diān bā dǎo〈成〉갈피를 못 잡고 법석이는 모양. ¶他怎么了? 这几天说话总是那么～的; 그는 도대체 어떻게 된 걸까? 요즘 말하는 것이 뒤죽박죽이다.

〔七东八西〕 qī dōng bā xī 물건이 난잡하게 되어 있는 모양. 너저분한 모양. 어지럽게 뒤섞여 있는 모양.

〔七洞八穿〕 qī dòng bā chuān〈成〉⇨〔七孔八洞〕

〔七断八续〕 qī duàn bā xù〈成〉끊겼다 이어졌다 하여 한결같지 않은 모양.

〔七分家伙, 三分手艺〕 qīfēn jiāhuo, sānfēn shǒuyi〈諺〉7할은 연장, 3할은 기량《솜씨도 중요하지만, 도구가 좋은 것이 더더욱 중요하다》.

〔七高八矮〕 qī gāo bā ǎi〈成〉요철이 심한 모양. 매우 울퉁불퉁한 모양.

〔七个八个〕 qīge bāge 말다툼하고 싸우는 모양. 억지를 부리는 모양. ¶我怎好同他～的; 어째서 내가 그 친구 따위와 옥신각신할 수 있느냐/说起来～的没结没完; 이야기하기 시작하면 이러쿵저러쿵 억지를 늘어놓아 끝이 없다.

〔七个不依, 八个不饶〕 qīge bùyī, bāge bùráo〈比〉서로 다투어 물러서지 않음. =〔七个不依, 八个不答dā应〕

〔七公八婆〕 qī gōng bā pó〈諺〉칠월에 낳은 사내아이와 팔월에 낳은 여자아이는 잘 큰다.

〔七垢〕 qīgòu 명〈佛〉일곱 가지 부정(不淨)한 마음.

〔七姑八老姨〕 qīgū bālǎoyí ⇨〔七姨儿八姥姥〕

〔七姑姑八姨儿〕 qīgūgu bāyír ⇨〔七姨儿八姥姥〕

〔七股八扠〕 qī gǔ bā chā 흐트러지다. 얽히다. 착잡하다. =〔七头八扠〕〔七扠八股〕

〔七股子八挠〕 qīgǔzi bānáo〈北方〉뒤죽박죽이다. ¶怎么弄nòng得这么～的? 왜 이렇게 뒤죽박죽을 만들었느냐?/这事闹nào得我～的, 安不下心去; 이 일 때문에 심란해서 마음이 불안하다.

〔七国〕 qīguó 명 ⇨〔七雄〕

〔七国集团〕 Qīguó Jítuán 명 G7《미국·일본·독일·영국·프랑스·이탈리아·캐나다의 7개국》.

〔七横八竖〕 qī héng bā shù〈成〉가로로 된 것 세로로 된 것이 뒤섞여 어수선한 모양. 가로 세로 겹친 모양. 정연치 않은 모양.

〔七级浮屠〕 qījí fútú 명《佛》칠층탑.

〔七尖八团〕 qī jiān bā tuán〈諺〉게의 제철을

설명한 성어(成語)로, 수게는 음력 7월, 암게는 음력 8월이 맛이 있다는 뜻.

〔七件事〕 qī jiàn shì →〔字解①〕

〔七浆八蜡九回头〕 qījiāng bālà jiǔhuítóu 7일째에 곪고, 8일째에는 딱지가 앉고, 9일째에는 회복기에 듦《천연두의 증상의 형용》.

〔七焦痘〕 qījiāodòu 명《醫》 발병 후 7일이면 치료되는 두창의 일종.

〔七教〕 qījiào 명 칠교《부자·형제·부부·군신·장유·붕우·빈객에 대한 도리》.

〔七姐果〕 qījiěguǒ 명 ⇨〔苹píng婆〕

〔七九河开〕 qī jiǔ hé kāi 〈諺〉 동지로부터 63일째에는 강의 얼음이 녹는다《계절의 변동을 '冬至'와 결부시켜 표현하는 말의 하나. '冬至'로부터 9일째를 '一九' 또는 '属九', 18일째를 '二九'라 하는 식으로 외움》.

〔七绝〕 qījué 명 〈簡〉 '七言绝句'의 준말로 '近jìn体诗'의 일종.

〔七开〕 qīkāi ⇨〔七开八得〕

〔七开八得〕 qī kāi bā dé 〈成〉 ①몇 번이고 되풀이하는 모양. (계속해서) 몇 번이고. ¶他们为那件事争了个～, 到如今还是相持不下; 그들은 그 일로 몇 번이나 다퉜지만, 아직도 서로 양보하지 않고 있다. ②혼란한 모양. 닥치는 대로 하다. 수습이 안 되다. ‖ =〔七开〕

〔七孔〕 qīkǒng 명 ⇨〔七窍〕

〔七孔八洞〕 qī kǒng bā dòng 〈成〉 ①구멍투성이이다. ¶这件衣裳已经～, 不能再穿了; 이 옷은 구멍이 많이 나서 더 이상 입을 수 없다. ②결점·잘못·약점투성이임. ‖ =〔七洞八穿〕

〔七孔流血〕 qīkǒng liúxuè (눈·귀·코·입의) 일곱 구멍에서 피를 흘리다《독사(毒死)한 경우의 형용》.

〔七孔冒烟〕 qī kǒng mào yān 〈成〉 불같이 노하는 모양.

〔七扣〕 qīkòu 명 ⇨〔七折〕

〔七拉八不拽〕 qī lā bā bù zhuài 〈成〉 협력하지 않는 모양. 생각이 제각기 다름.

〔七老八十〕 qīlǎo bāshí 7·80세의 노인.

〔七老八小〕 qīlǎo bāxiǎo 어린이나 노인. ¶我又不是～的; 나는 애나 노인이 아니다.

〔七棱八瓣〕 qī léng bā bàn 〈成〉 ①장단(長短)·높낮이가 고르지 못한 모양. ②울퉁불퉁하여 평평하지 않은 모양. ¶～的脸; 울퉁불퉁한 얼굴. ‖ =〔七楞八瓣〕

〔七里香〕 qīlǐxiāng 명《植》 서향과(瑞香科)의 상록관목《정원수》.

〔七林林〕 qīlinlin 부 〈古白〉 살그머니. 천천히. ¶我这里～转过庭槐, 慢腾腾行过厅阶; 나는 지금 살그머니 마당의 회화나무를 돌아서 천천히 객실의 계단을 지나간다. =〔七林侵〕〔缉林林〕

〔七零八落〕 qī líng bā luò 〈成〉 ①뿔뿔이 흩어진 모양. ¶这个军队吃了败仗, 叫人家打得～的; 그 군대는 패전을 당해 상대방에 의해 뿔뿔이 흩어지고 말았다. ②영락〔몰락〕한 모양. ¶墙上油漆经不起风雨剥蚀, 剥得～; 벽의 페인트는 비바람을 견디지 못하고, 벗겨져서 엉망이 되었다.

〔七零八散〕 qī líng bā sàn 〈成〉 뿔뿔이 흩어지다. ¶敌人被我们打得～狼狈而逃; 적은 우리 군의 공격을 받고 뿔뿔이 흩어져 허둥지둥 도주했다.

〔七零八碎〕 qī líng bā suì 〈成〉 영세(零細)한 모양. 산산 조각으로 부서지는 모양. ¶～的装在里头; 난잡하게 안에 넣었다.

〔七乱八糟〕 qī luàn bā zāo 〈成〉 엉망진창으로 난잡한 모양. =〔乱七八糟〕

〔七箩糠, 八箩米〕 qī luókāng, bā luómǐ 〈比〉 아무래도 상관없는 쓸데없는 물건이나 일이 많다.

〔七拧八歪〕 qī nǐng bā wāi 물건이 똑바르지 않은 모양. 반듯하지 않은 모양. ¶他衣裳穿得～的, 向来不整齐; 그는 옷 입는 것이 깔끔하지 않아, 언제나 단정치 못하다.

〔七扭八歪〕 qī niǔ bā wāi 〈成〉 꾸부러지고 비뚤어진 모양. 꾸불꾸불한 모양. ¶有一座牌楼, 可是～的拿棍子支巴着; 그 곳에는 아치가 하나 있었는데, 기울어져서 통나무로 받쳐 놓았다.

〔七拼八凑〕 qī pīn bā còu 〈成〉 그러모으다. (돈 따위를) 여기저기서 그러모아 마련하다. ¶～地各处去借钱; 여기저기 뛰어다녀 돈을 마련하다 / 他的话都是～的; 그의 이야기는 모두 주워 모은 이야기다.

〔七七〕 qīqī 명 ①사후 7일째에 제사를 지내고, 그것을 7일마다 49일까지 계속함. =〔七七之期〕〔尽jìn七〕 ② ⇨〔七七事变〕

〔七七八八〕 qīqi bābā 너저분하게 뒤엉키다. ¶～的这些事情, 真麻烦死啦! 복잡하게 뒤얽힌 이와 같은 일들은 정말 귀찮아 죽겠어!

〔七七事变〕 qīqī shìbiàn 명《史》 1937년 7월 7일 루거우차오(盧溝橋)에서 발발한 일본군과 중국군의 충돌 사건. 이것이 중일 전쟁의 도화선이 됨. =〔卢lú沟桥事件〕〔七七②〕

〔七巧〕 qīqiǎo 명 칠석(七夕).

〔七巧板〕 qīqiǎobǎn 명 칠교도(七巧圖). 칠교판《일곱 개의 널조각을 맞추어서 여러 가지 물건의 형상을 만드는 장난감》. =〔七巧图〕〔智zhì慧板〕

〔七巧楼〕 qīqiǎolóu 명 칠석날에 부귀한 집에서 비단 장식을 붙여 만든 누각.

〔七巧图〕 qīqiǎotú 명 ⇨〔七巧板〕

〔七窍〕 qīqiào 명 얼굴의 일곱 개의 구멍《두 눈·두 귀·콧구멍·입을 일컬음》. =〔七孔〕〔上shàng窍〕

〔七窍生烟〕 qī qiào shēng yān 〈成〉 불같이 노한 모양. 화가 머리끝까지 난 모양.

〔七擒七纵〕 qī qín qī zòng 〈成〉 병법에 능해서, 적을 마음대로 갖고 놂《제갈량(諸葛亮)이 맹획(孟獲)을 일곱 번 잡았다 일곱 번 놓아 준 고사에서》. =〔七纵七擒〕

〔七情六欲〕 qīqíng liùyù 명 칠정육욕. 갖가지 욕정.

〔七去〕 qīqù 명 ⇨〔七出〕

〔七日风〕 qīrìfēng 명 ⇨〔脐qí风〕

〔七鳃鳗〕 qīsāimán 명《魚》 칠성장어.

〔七色板〕 qīsèbǎn 명《物》 프리즘.

〔七煞〕 qīshà 명 〈文〉 흉신(凶神)의 이름. =〔金jīn神〕

〔七上八落〕 qī shàng bā luò 〈成〉 ⇨〔七上八下〕

〔七上八下〕 qī shàng bā xià 〈成〉 마음이 혼란한 모양. 안정되지 않고 불안한 모양. ¶胡思乱想～; 이것저것 생각이 갈피를 못 잡아 마음이 혼란하다 / 头一次登台表演, 总有点怯场, 心里～; 처음으로 무대에 오를 때에는, 아무래도 얼어 버리니까 심장이 두근두근한다. =〔七上八落〕

〔七十二变〕 qīshí'èr biàn ①(《西遊記》의) 손오공의 마법에 의한 72종류의 변신. ②무수한 전술.

〔七十二行〕 qīshí'èr háng 온갖 직업. ¶～, 行行出状元; 〈諺〉 온갖 업종의 어떤 업(業)에서도 우수한 인물은 나오는 법이다.

〔七十二疑冢〕 qīshí'èr yízhǒng 명 72개의 가짜

무덤《위(魏)나라의 조조(曹操)가 사후에 무덤이 도굴될 것을 두려워하여 만든 것》.
〔七十子〕 Qīshízǐ 명 공자의 제자들《공자의 제자로 육예(六藝)에 능통한 사람이 72인 있었다고 하는데, 그것을 대략적인 숫자로 '七十子'라 함》.
〔七手八脚〕 qī shǒu bā jiǎo 〈成〉 ①무슨 일에든지 손을 대다. ②(여럿이) 거리낌없이 손발을 마구 움직이는 모양. ¶～打一阵; 여럿이 '우' 달려들어 때리다 / 大家～地一会儿就办完了; 모두가 달려들어 잠깐 사이에 해치웠다 / 许多人～地忙乱着; 많은 사람이 분주하게 일하느라 북적거리고 있다.
〔七死八活〕 qī sǐ bā huó 〈成〉 곧 죽게 된 모양. 숨이 막 끊어질 듯한 모양. ¶打得～; 초주검이 되도록 두들겨 패다〔맞다〕.
〔七岁八岁讨狗嫌〕 qīsuì bāsuì tǎo gǒuxián 〈諺〉 7·8세 때는 장난이 심해서 개도 싫어한다. 미운 일곱 살.
〔七条〕 qītiáo 명 ⇨〔七条袈裟〕
〔七条袈裟〕 qītiáo jiāshā 명 《佛》 중이 입는 가사. =〔七条〕〔七条衣〕
〔七条衣〕 qītiáoyī 명 ⇨〔七条袈裟〕
〔七通八达〕 qī tōng bā dá 〈成〉 잘 알고 있는 모양. 모든 일에 잘 통달하고 있는 일.
〔七头八扠〕 qī tóu bā chā ⇨〔七扠八股〕
〔七推八搬的〕 qī tuī bā cuōde 옥신각신〔법석〕 끝에. 가까스로.
〔七歪八扭〕 qī wāi bā niǔ 〈成〉 구불구불 구부러져 있는 모양. ¶这块木头～的不成材料; 이 나무는 구부러져서 재료가 될 수 없다.
〔七五成金〕 qīwǔchéngjīn 명 7할 5푼 금. 곧, 18금.
〔七五折〕 qīwǔzhé 명 정가의 7할 5푼. 25% 할인.
〔七夕〕 qīxī 명 칠석. =〔气巧节〕
〔七香〕 qīxiāng 명 칠향. 많은 향료를 혼합한 것.
〔七星〕 qīxīng 명 《天》 북두 칠성.
〔七星板〕 qīxīngbǎn 명 칠성판《죽은 사람을 관에 넣을 때에 쓰는 널》.
〔七星草〕 qīxīngcǎo 명 《植》 다시마일엽초.
〔七星罐儿〕 qīxīngguànr 명 양념통.
〔七星儿肘子〕 qīxīngrzhǒuzi 명 별과 같은 무늬가 일곱 개나 있는 돼지 다리《모유를 잘 나오게 하는 좋은 약으로 알려짐》.
〔七星鱼〕 qīxīngyú 명 ⇨〔月yuè鳢〕
〔七雄〕 Qīxióng 명 《史》 칠웅《전국 시대의 일곱 나라. 곧, 진(秦)나라, 초(楚)나라, 연(燕)나라, 조(趙)나라, 한(韓)나라, 위(魏)나라, 제(齊)나라》. =〔七国〕
〔七言八语〕 qī yán bā yǔ 〈成〉 사람이 많고 말이 많은 모양. 모두가 멋대로 지껄이는 모양.
〔七言诗〕 qīyánshī 명 칠언시. 일곱 자를 한 구로 하는 시. =〔七言〕
〔七曜日〕 qīyàorì 명 칠요일. 1주일의 7일《곧, 일요일·월요일·화요일·수요일·목요일·금요일·토요일》.
〔七叶树〕 qīyèshù 명 《植》 칠엽수. ¶欧洲～; 마로니에. =〔娑suō罗子〕
〔七叶衍祥〕 qīyè yǎnxiáng 명 〈文〉 옛날, 조부모로부터 현손(玄孫)에 이르기까지 7대가 생존하고 있는 사람에게 천자가 이 넉 자를 하사하여 표창하였음.
〔七姨儿八姥姥〕 qīyír bālǎolao 아주머니와 할머니들. 친척이 많이 모이는 것을 형용. ¶我们明儿个办喜事, ～都来了; 우리 집에는 내일 잔치가 있어 여러 친척들이 모두 온다. =〔七姑八老姨〕〔七姑姑八姨儿〕
〔七月十五〕 qīyuè shíwǔ 명 ⇨〔中zhōng元(节)〕
〔七摘八借〕 qī zhāi bā jiè 〈成〉 여기저기 빚을 짐. 빚으로 이럭저럭 꾸려 나감.
〔七张八嘴〕 qī zhāng bā zuǐ 〈成〉 ①여러 사람이 와글와글 지껄이는 모양. ②수다스럽다. 말이 많다. ¶～地说; 조잘조잘 잘 지껄이다. ‖ =〔七嘴八舌〕
〔七折〕 qīzhé 명 3할 할인. 정가의 7할. ¶打～; 30% 할인하다 / ～计算; 정가의 7할로 계산하다. 3할 할인으로 셈하다. =〔七扣〕
〔七折八扣〕 qī zhé bā kòu 〈成〉 ①여러 가지 명목으로 지급액을 공제하다. 돈의 일부를 마구 떼다. ¶～的能剩shèng几个钱呢; 이것저것 빼니 얼마 남지 않는다. ②값을 너무 많이 깎다. 에누리에 에누리를 하다. ¶别看表面上价码儿不小, 实际上～的并卖不上几个钱; 표면상의 값이 싸지 않다고 생각하시면 곤란합니다. 실제로는 깎고 또 깎아서 몇 푼 안 됩니다.
〔七政仪〕 qīzhèngyí 명 《天》 태양계의(太陽系儀).
〔七支八搭〕 qīzhī bādā 화제를 이것저것 바꾸어 가며 쉴새없이 지껄이는 모양. ¶你跟他说话～的, 一辈子也弄不明白; 저 사람하고 이야기해 봤자 이것저것 끝도 없이 지껄일 뿐이다 / 这个人说话, 永远是～; 이 사람의 얘기는 언제까지나 끝이 없다.
〔七秩〕 qīzhì 명 〈文〉 70세.
〔七中〕 qīzhōng 명 사람의 사후 49일 이내.
〔七洲洋〕 Qīzhōuyáng 명 《地》 남중국해.
〔七抓八拿〕 qī zhuā bā ná 〈成〉 닥치는 대로 (움켜)잡음. 무턱대고 붙잡음. ¶你别这么～的, 全弄乱了; 그렇게 닥치는 대로 집어서 온통 뒤섞지 마라.
〔七子八婿〕 qī zǐ bā xù 〈成〉 아들 일곱에 사위 여덟《자식이 많은 집안이 번영하는 일》.
〔七姊妹星团〕 qīzǐmèi xīngtuán 명 칠요성. 곧, 해와 달 및 금성·목성·수성·화성·토성.
〔七纵七擒〕 qī zòng qī qín 〈成〉 ⇨〔七擒七纵〕
〔七嘴八舌〕 qī zuǐ bā shé 〈成〉 사람이 많아 말이 많음. 제각기 떠들다. =〔七张八嘴〕

沏

qī (절)
동 뜨거운 물을 붓다. (차 따위를) 타다. ¶用开水把糖～开; 더운 물을 부어 설탕을 녹이다 / ～壶hú茶来; 차를 타서 가지고 오너라. →〔点diǎn茶〕 ⇒ qū
〔沏茶〕 qīchá 동 찻잎에 뜨거운 물을 부어 우려 내다. =〔泡pào茶〕

柒

qī (칠)
수 '七'의 갖은자(字)《증서 따위에 금액을 기재할 때 씀》.

妻

qī (처)
(～子) 명 처. 아내《정식으로 결혼한 경우》. ¶未婚～; 약혼녀(女) / 夫～; 부처. 부부. =〔大妇②〕 ⇒ qì
〔妻财〕 qīcái 명 아내가 시집 올 때 가지고 온 살림살이. 아내의 물건.
〔妻党〕 qīdǎng 명 처족(妻族).
〔妻弟〕 qīdì 명 ⇨〔小xiǎo舅子①〕
〔妻儿老小〕 qī ér lǎo xiǎo 〈成〉 가족 전부. 온 식구가 모두. ¶我一家子～都到这儿来了; 우리 집안이 모두 이 곳에 왔습니다.
〔妻房〕 qīfáng 명 처. 아내.

〔妻父〕 qīfù 명 ⇨〔岳yuè父〕
〔妻奸子不孝〕 qījiān zǐbùxiào 아내는 음탕하고 자식은 불효이다《남자로서 불행한 일면을 형용한 말》.
〔妻舅〕 qījiù 명 아내의 형제. 처남.
〔妻离子散〕 qī lí zǐ sàn 〈成〉 일가(一家)가 뿔뿔이 흩어지다.
〔妻母〕 qīmǔ 명 ⇨〔丈zhàng母娘〕
〔妻孥〕 qīnú 명 〈文〉 아내와 자식. 처자식.
〔妻女〕 qīnǚ 명 아내와 딸.
〔妻妾〕 qīqiè 명 아내와 첩. ¶娇妻美妾; 아름다운 처첩 / ～同居; 처첩 동거.
〔妻亲〕 qīqīn 명 처가 쪽의 친척.
〔妻小〕 qīxiǎo 명 〈古白〉 아내와 자식.
〔妻兄〕 qīxiōng 명 ⇨〔大dà舅子①〕
〔妻侄〕 qīzhí 명 ⇨〔内nèi侄〕
〔妻侄女〕 qīzhínǚ 명 ⇨〔内nèi侄女(儿)〕
〔妻子〕 qīzǐ 명 처자. 아내와 자식.
〔妻子〕 qīzi 명 아내.
〔妻子不避〕 qī zǐ bù bì 〈成〉 아내와 자식에게도 만나게 할 만큼 친한 사이라는 뜻.
〔妻子儿女〕 qīzi érnǚ 명 처자식. 아내와 자식.
〔妻子老婆孩儿〕 qīzi lǎopo háir 명 가족 전부.

凄〈淒①②, 悽③〉 qī (처)
형 ①춥다. 썰렁하다. ¶～风苦雨; ⇩ ②쓸쓸하다. 처량하다. ¶～凉; ⇩ / ～清; ⇩ ③슬프다. 처참하다. ¶～惨; ⇩ / ～切; ⇩ / ～然; ⇩
〔凄悲〕 qībēi 형 〈文〉 슬퍼하다. 비참하다.
〔凄惨〕 qīcǎn 형 ①슬프다. 애처롭다. ②쓸쓸하다. 비참하다. ¶～的故事; 애처로운 이야기 / 看来有些～; 쓸쓸해 보이다 / 老人和穷人的处境更加～; 노인과 가난한 사람의 처지는 더욱 비참하다. ‖ =〔〈文〉 凄楚〕
〔凄沧〕 qīcāng 형 〈文〉 썰렁하다. 싸늘하다. 차다.
〔凄恻〕 qīcè 형 〈文〉 슬프다. 비통하다.
〔凄楚〕 qīchǔ 형 ①애처롭다. 비통하다. ②비참하다. 고뇌하다.
〔凄怆〕 qīchuàng 형 〈文〉 비통하다.
〔凄风苦雨〕 qī fēng kǔ yǔ 〈成〉 추운 바람과 장마《비참한 모양》. =〔苦雨凄风〕
〔凄惶〕 qīhuáng 형 참혹하다. 애처롭다. ¶日子过得很～; 생활이 매우 비참하다.
〔凄厉〕 qīlì 형 (목소리·소리가) 굉장하다. 처절하고 새되다. ¶～的喊hǎn叫声; 새된 고함 소리 / 风声～; 무서운 바람 소리.
〔凄凉〕 qīliáng 형 ①처량하다. 쓸쓸하다. 비참하다. ¶过～的日子; 비참한 생활을 하다 / 前景～暗淡; 전도는 비참하고 암담하다. ②(얼굴·모양이) 슬퍼 보이다. 애처롭다.
〔凄迷〕 qīmí 형 〈文〉 ①(경치 등이) 쓸쓸하거나 아련하다. ②→〔凄凉〕 ③슬퍼하다. 실의(失意)에 빠져 멍하다.
〔凄切〕 qīqiè 형 처절하다. 슬픔이 사무치다.
〔凄清〕 qīqīng 형 ①쓸쓸하다. ¶度过～岁月; 쓸쓸한 세월을 보내다. ②으스스 차다. ¶～的月光; 으스스한 달빛.
〔凄然〕 qīrán 형 〈文〉 처연하다. 비통하다. 슬프다. ¶～泪lèi下; 애처롭게 눈물을 흘리다.
〔凄婉〕 qīwǎn 형 (소리가) 은은하고 슬프다. ¶～的笛声; 구슬픈 피리 소리.
〔凄心〕 qīxīn 동 속이 쓰리다. ¶今天我有点儿～, 真难受; 오늘은 속이 쓰려서 정말 참기 힘들다. 명 가슴앓이.
〔凄壮〕 qīzhuàng 형 〈文〉 처량하고 비장하다.

郪 Qī (처)
명 《地》 치장 강(郪江)《쓰촨 성(四川省)에 있는 강 이름》.

萋 qī (처)
→〔萋萋〕
〔萋萋〕 qīqī 형 〈文〉 풀이 무성한 모양. ¶芳草～; 향기 좋은 풀이 무성하게 우거져 있다.

栖〈棲〉 qī (서)
① 동 (새가) 나무에 앉다. ② 동 살다. 머물다. ㉠(동물이) 서식하다. ¶麻雀què～在檐下; 참새는 처마 밑에 산다 / 水陆两～动物; 수륙 양서 동물 / ～息; ⇩ ㉡(사람이) 머물다. 거주하다. ¶～身之处; 몸을 의지할 곳. ③ 동 접근하다. 바싹 다가붙다. ¶～在他身旁坐下; 그의 곁에 바싹 붙어 앉아 있다. ④ 명 사는 곳. (새의) 보금자리. ⇒xī
〔栖凤之鸣〕 qī fèng zhī míng 〈成〉 천하가 태평하다.
〔栖伏〕 qīfú 동 뜻을 얻지 못하다. 재주를 펼 기회가 없다.
〔栖木〕 qīmù 명 새장·닭장 속에 새나 닭이 앉도록 가로지른 나무막대.
〔栖身〕 qīshēn 동 몸을 의탁하다. 살다.
〔栖宿〕 qīsù 동 〈文〉 거주하다. 기우(寄寓)하다. 기숙하다.
〔栖息〕 qīxī 동 ①서식하다. ②(새가) 나무에 앉다. 휴식하다.
〔栖止〕 qīzhǐ 동 쉬다. 머무르다.

桤(榿) qī (기)
명 《植》 오리나무《자작나무과(科)의 낙엽 교목》.

桼 qī (칠)
〈文〉 '漆qī' 와 통용.

漆 qī (칠)
① 명 《植》 옻나무. ② 명 (옻)칠. 페인트. ¶清～; 니스 / 油～; 페인트 / 真zhēn～; 래커. ③(Qī) 명 《地》 치장 강(漆江)《산시 성(陕西省)에 있는 옛 강 이름. 현재는 '漆水河' 라고 함》. ④ 명 성(姓)의 하나. ⑤ 동 (옻)칠을 하다. ¶拿～～; 옻칠을 하다 / 把大门～成红色的; 대문을 옻으로 붉게 칠하다 / 用洋漆～一～; 니스칠을 하다. ⑥ 형 검다. 어둡다. ¶～黑的头发; 새까만 머리 / 黑～的, 不知是日是夜; 캄캄해서 낮인지 밤인지 모른다.
〔漆包线〕 qībāoxiàn 명 《電》 에나멜선. =〔漆皮线〕
〔漆布〕 qībù 명 ①리놀륨(linoleum). ②유포(油布). ③인공 피혁. ④동유포(桐油布). ‖ =〔油yóu漆布〕
〔漆草〕 qīcǎo 명 《植》 등대풀.
〔漆车〕 qīchē 명 검정색 칠을 한 마차.
〔漆绸〕 qīchóu 명 ⇨〔拷kǎo绸〕
〔漆疮〕 qīchuāng 명 《醫》 칠창. 옻이 오름.
〔漆店〕 qīdiàn 명 칠가게. 페인트점.
〔漆雕〕 qīdiāo 명 ①⇨〔雕漆〕 ②(Qīdiāo) 복성(複姓)의 하나.
〔漆毒疹〕 qīdúzhěn 명 칠독으로 생기는 발진(發疹).
〔漆酚〕 qīfēn 명 《化》 우루시올(urushiol)《옻의 주성분》.

〔漆革〕 qīgé 명 칠피(漆皮).
〔漆工〕 qīgōng 명 ①칠하는〔페인트〕 일. ②칠장이.
〔漆姑草〕 qīgūcǎo 명《植》 개미자리.
〔漆盒子〕 qīhézi 명 칠기합. 옻칠을 한 작은 상자.
〔漆黑〕 qīhēi 형 ①새까맣다. ②캄캄하다. 칠흑 같다. ¶电灯灭了, 屋子里一片～; 전등이 꺼지고 방 안은 온통 칠흑 같은 어둠이다 / ～儿乌黑; 캄캄한 모양.
〔漆黑一团〕 qī hēi yī tuán 〈成〉 ①깜깜하다. ②불분명하여 아무것도 모르다. 깜깜하게 모르다. ¶这个问题, 在他心中还是～; 이 문제에 대해서 그는 아직 깜깜하다. ‖ =〔一团漆黑〕
〔漆花绉纱〕 qīhuā zhòushā 명《紡》 옻으로 무늬를 날염(捺染)한 크레이프(crape).
〔漆货〕 qīhuò 명 ⇨〔漆器〕
〔漆绿〕 qīlǜ 명《色》 거무스름한 녹색.
〔漆墨(儿)乌黑〕 qīmò(r) wūhēi 형 캄캄한 모양. 새까만 모양. ¶这屋子～, 什么也瞧不见; 이 방은 캄캄해서 아무것도 보이지 않는다.
〔漆皮(儿)〕 qīpí(r) 명 ①칠피. 에나멜 가죽. ¶～鞋; 칠피 구두. ②칠기(漆器)의 거죽. ③모조 가죽 천. ④건성(乾性) 니스.
〔漆皮线〕 qīpíxiàn 명 ⇨〔漆包线〕
〔漆片〕 qīpiàn 명 ⇨〔虫chóng胶(片)〕
〔漆器〕 qīqì 명 칠기. =〔漆货〕
〔漆墙粉〕 qīqiángfěn 명 물과 달걀 노른자 또는 아교로 녹인 그림 물감.
〔漆屎〕 qīshǐ 명 ⇨〔脐qí屎〕
〔漆柿〕 qīshì 명 떫은 감. 땡감.
〔漆书〕 qīshū 명 칠서(종이가 발명되기 전 죽간(竹簡)에 옻칠로 적은 글씨).
〔漆树〕 qīshù 명《植》 옻나무.
〔漆髹〕 qīxiū 동 옻칠하다. ¶门窗～一新; 문과 창문의 옻칠을 다시 하다.
〔漆油〕 qīyóu 명 래커(lacquer). 페인트.
〔漆油儿黑〕 qīyóur hēi 검고 윤이 나다. 새까맣다. ¶～的头发; 새까만 머리.

戚〈慼B), 慽B), 鏚C)〉 qī (척)

A) 명 ①혼인으로 맺어진 관계. 친척. ¶～友; 친척 관계가 있는 친구. ②성(姓)의 하나. B) 형 우울하다. 슬프다. ¶心～; 슬퍼하다 / 休xiū～相关; 기쁨도 슬픔도 함께 하다. 관계가 밀접해서 이해(利害)가 일치함. C) 명 (무기로서의) 큰 도끼.
〔戚恻〕 qīcè 동 측은하게 여기다.
〔戚串〕 qīchuàn 명 인척(姻戚).
〔戚旧〕 qījiù 명 친척과 오랜 친구.
〔戚戚〕 qīqī 형 ①서로 친한 모양. ②우려하는 모양. ③마음이 움직이는 모양. ¶于我心有～焉yān; 내 마음은 크게 동하는 바가 있었다.
〔戚然〕 qīrán 형 우울한 모양.
〔戚属〕 qīshǔ 명 척속. 외가 쪽의 친족. =〔戚族〕
〔戚谊〕 qīyì 명 친척간의 정의.
〔戚族〕 qīzú 명 ⇨〔戚属〕

嘁 qī (잡)

〈擬〉 작은 목소리로 소곤소곤 말하는 소리.
〔嘁哩喀喳〕 qīlikāchā 형 (하는 말·하는 일이) 분명하고 틀림없다.
〔嘁嘁〕 qīqī 〈擬〉 소곤소곤. ¶有话大点儿声说, 不要老～喳喳的; 그렇게 수군거리지 말고 할 말이 있으면 좀더 큰소리로 하시오. =〔嘁嘁喳喳chāchā〕
〔嘁嘁喳喳〕 qīqichāchā 〈擬〉 소곤소곤. 조잘조잘. ¶～地说私话; 소곤소곤 비밀 이야기를 하다 / 大家都～地在那里说闲话; 모두들 재잘재잘 거기에서 한가하게 이야기를 하고 있었다.

缉(緝) qī (즙)

동 바늘땀을 촘촘하게 꿰매다. 박음질하다. ¶～一个白纸本儿; 실로 꿰매어 백지 공책을 만들다 / ～鞋口; 신목 둘레를 박음질로 박아 두다 / 袖口也～上吧; 소맷부리도 박음질해라. ⇒jī
〔缉边〕 qībiān 동 옷의 가장자리를 촘촘하게 박음질하다.

攲 qī (기)

동 〈文〉 기울다. 경사지다. 쏠리다. ¶日影半～; 햇살이 반쯤 기울다.
〔攲侧〕 qīcè 동 〈文〉 기울다. 쏠리다. 치우치다.

期 qī (기)

①명 기한. 기일. 미리 정한 날. ¶如～完成; (예정) 기일대로 완성하다 / 欠债到～; 빚 갚을 날이 되었다 / 借书过～; 빌린 책의 (반환) 기일이 지나다. ②명 기간. 동안. ¶一学～; 1학기 / 无～; 무기한(의) / 假～; 휴가 / 暂定三个月为一～; 잠정적으로 3개월을 1기(期)로 정하다 / 潜qián伏～; 잠복기 / 初～; 초기. ③동 기다리다. (일·시를) 약속하다. 기대〔예기〕하다. 바라다. ¶不～而遇; 예기치 않게 만나다 / 不～然而然; 이렇게 되리라고는 예기치 않았다 / …, 以～发展; 좀더 발전을 기하다. 발전시키기 위해 …하다 / ～待; ⇩ / ～望; ⇩ ④양 기(정기 간행물·학년 등 일정 기간을 구분짓는 사물에 쓰이는 말). ¶第二卷第一～; 제2권 제1호 / 咱们是同一～毕业的; 우리는 동기 졸업생이다. ⇒jī
〔期成〕 qīchéng 동 사물의 성공을 기대하다.
〔期待〕 qīdài 동 (남에게) 기대하다. ¶他～地说, "你帮助我解决这个问题吧!"; "내가 이 문제를 해결하는데, 도와 줄 수 없겠니!"하고 그는 기대를 걸며 말했다. 명 기대. ¶～落空了; 기대가 어긋났다. ‖ =〔期盼〕〔期切〕
〔期单〕 qīdān 명 ⇨〔期票〕
〔期服〕 qīfú 동 일 년 동안 복을 입다. 기복하다.
〔期会〕 qīhuì 동 날을 정하여 모이다. 명 정기적인 모임.
〔期货〕 qīhuò 명《經》 선물(先物) 거래의 상품. ¶美钞～; 미화(美貨)의 선물 / ～价格; 선물 가격 / 下月付船的～; 내달 선적의 선물. =〔长cháng货〕↔〔现xiàn货〕
〔期间〕 qījiān 명 기간. 동안. ¶农nóng忙～; 농번기 / 在这～; 이 동안에.
〔期结〕 qījié 명 ①총결산. 기말 결산. 연말의 결산. ②단오절. 추석.
〔期刊〕 qīkān 명 (일간을 제외한) 정기 간행물. ¶中文～折扣20%; 중국 글의 정기간행물은 20% 할인한다.
〔期考〕 qīkǎo 명 학기말 시험.
〔期满〕 qīmǎn 동 기한이〔임기가〕 만료되다. 만기가 되다. =〔届jiè满〕
〔期内〕 qīnèi 명 기한중. 기간내.
〔期年〕 qīnián 명 기년. 1주년. =〔基年〕
〔期盼〕 qīpàn 명동 ⇨〔期待〕
〔期票〕 qīpiào 명《商》 약속 어음. ¶～贴tiē现; 어음의 할인 / 承兑～; 인수 어음. =〔期单〕
〔期票承兑行〕 qīpiào chéngduì háng 명《商》 어음 인수 은행. 어음 인수업자.
〔期票贴换〕 qīpiào tiēhuàn 명《商》 약속 어음의

교환.
〔期期艾艾〕 qī qī ài ài 〈成〉 말을 더듬다. ¶他走向汤tāng氏面前, ～说不出话来; 그는 탕씨 앞에 나서면 더듬어서 말이 나오지 않았다.
〔期切〕 qīqiè 명동 ⇨〔期待〕
〔期求〕 qīqiú 동 청하다. 바라다. ¶我们～你们公司的协助; 우리는 귀사의 협력을 바라고 있습니다.
〔期日〕 qīrì 명 기일. 정해진 날짜.
〔期望〕 qīwàng 동 (남에 대해서) 바라다. 기대하다. ¶～成功; 성공을 기대하다 / 对于他不能～过高; 그에게 일정 이상의 것은 바랄 수 없다 / 不要～别人的援助! 남의 원조를 기대하지 마라! 명 기대. 희망. ¶那孩子是他父母晚年唯一的～; 그 아이는 부모의 만년(晚年)을 위한 유일의 희망이다.
〔期望值〕 qīwàngzhí 명 ①《數》 기대값. 기대치. ②기대치. ¶～过高; 기대치가 지나치게 높다. ‖ =〔期待值〕
〔期效〕 qīxiào 명 유효 기한.
〔期许〕 qīxǔ 동 후배에 기대를 걸다. 촉망하다. ¶你对他不要～过重; 너는 그에 대해서 너무 기대하지 마라.
〔期颐〕 qīyí 명 〈文〉 100세(의 사람). 백 살 먹은 노인.
〔期银〕 qīyín 명 약속 기한 내에 지불하는 돈. 지불 기한을 정한 매매. ¶两个月～; 2개월 안에 지불 약정의 대금〔매매〕.
〔期于〕 qīyú …에 기대하다. …에 목적이 있다. ¶大家都动手, ～早日完成任务; 모두가 손을 써서 임무를 빨리 완성하도록 기대하다.
〔期远欠〕 qīyuǎnqiàn 명 장기 차입금〔차용금〕.
〔期月〕 qīyuè 명 ①1개년. ②1개월. ‖ =〔基月〕
〔期中考试〕 qīzhōng kǎoshì 명 중간 시험.
〔期终考试〕 qīzhōng kǎoshì 명 기말 고사.

欺

qī (기)
동 ①속이다. 기만하다. ¶自～～人; 〈成〉 자기를 기만하고 남도 속이다 / 不敢～老弟, …; 사실을 말하자면 … / 童tóng叟无～; 어린이나 노인일지라도 절대로 속이지 않는다. ②모욕하다. 박해하다. 우습게 보다. ¶仗势～人; 〈成〉 힘을 믿고 남을 괴롭히다 / 连他也～我了; 저놈마저 나를 얕본단 말이야.
〔欺蔽〕 qībì 동 잘못을 은폐하여 남을 속이다.
〔欺负〕 qīfu 동 ①속이다. ②얕보다. 우습게 보다. ¶～男人; 남편을 우습게 보다 / 不要以为年轻就～! 어리다고 얕보지 마라! / 就是穷人, 也不该～他; 가난한 사람이라고 해서 깔봐서는 안 된다. ③괴롭히다. 지분대다. 학대하다. ¶受～; 시달리다 / 被人～; 남한테 시달림을 당하다 / 捡jiǎn老实的～; 온순한 사람을 (골라) 괴롭히다. ‖ =〔欺凌〕〔凌藉〕
〔欺孤灭寡〕 qīgū mièguǎ 고아·과부 같은 약자를 속이고 괴롭히는 일.
〔欺哄〕 qīhǒng 동 속이다. ¶你别～我了, 你怎么说我都不去! 뭐라고 하던 나는 가지 않을 테니까 속여도 소용 없어! =〔欺诳〕
〔欺糊〕 qīhu 동 〈俗〉 (적당한 거리·간격으로 배열되어 있어야 할 것이) 한데 모이다. 엉기다. (눈과 코 따위가) 한데 붙어있다. ¶鼻子、眼睛～到一块儿了; 코와 눈이 한데 딱 붙었다. =〔欺和〕
〔欺和〕 qīhuo 동 ⇨〔欺糊〕
〔欺诳〕 qīkuáng 동 ⇨〔欺哄〕
〔欺凌〕 qīlíng 동 ⇨〔欺负〕 명 학대. 모욕. ¶受了头目的～; 두목에게 학대를 당했다.
〔欺瞒〕 qīmán 동 ⇨〔欺骗〕
〔欺蒙〕 qīméng 동 ⇨〔欺骗〕
〔欺弄〕 qīnòng 동 업신여기고 조롱하다.
〔欺骗〕 qīpiàn 동 (거짓말로) 속이다. 기만하다. ¶～民众; 민중을 속이다 / ～宣传; 기만적 선전 / ～性; 기만성. 기만적. =〔欺瞒〕〔欺蒙〕〔〈文〉 欺罔〕
〔欺魄〕 qīpò 명 기괴한 형태를 한 흙으로 만든 인형.
〔欺人〕 qī.rén 동 남을 속이다. ¶～之谈; 〈成〉 남을 속이는 말 / ～太甚; 〈成〉 사람을 너무 우롱하다. 사람을 업신여겨도 분수가 있다.
〔欺软怕硬〕 qī ruǎn pà yìng 〈成〉 약자를 괴롭히고 강한 자에게는 굽실굽실하다. =〔欺善怕恶〕
〔欺弱怕强〕 qī ruò pà qiáng 〈成〉 약자를 괴롭히고 강한 자를 두려워하다.
〔欺善怕恶〕 qī shàn pà è 〈成〉 ⇨〔欺软怕硬〕
〔欺上瞒下〕 qī shàng mán xià 〈成〉 위아래 모두 속이다. 상급 기관도 속이고 대중도 속이다.
〔欺神灭道〕 qī shén miè dào 〈成〉 신을 속이고 의를 저버리다. 하늘을 두려워하지 않고 부도덕한 일을 하다.
〔欺生〕 qīshēng 동 ①새로 오거나 사정에 어두운 사람을 괴롭히거나 속이다. 텃세 부리다. ¶你初次买东西, 留点儿神, 这地方的人, 可～; 네가 처음으로 물건을 사는 거라면 조심해라. 이 지방 사람은 타지에서 온 사람을 우습게 여기고 속일지도 모른다. ②(당나귀·말 등이) 다루는 데 익숙지 않은 사람의 말을 듣지 않다.
〔欺世盗名〕 qī shì dào míng 〈成〉 대중을 속이고 명예를 훔치다. 명예를 얻기 위해 세상을 속이다.
〔欺世惑众〕 qī shì huò zhòng 〈成〉 세상을 속이고 사람을 미혹시키다.
〔欺饰〕 qīshì 동 속이다. 꾸며 대다.
〔欺死瞒生〕 qī sǐ mán shēng 〈成〉 아무나 가리지 않고 속이다(중국에는 죽은 사람을 속이지 않는다는 도덕이 있음).
〔欺天〕 qītiān 동 하늘을 속이다. ¶～大罪; 하늘까지도 속이는 큰 죄.
〔欺天罔上〕 qī tiān wǎng shàng 〈成〉 하늘이나 윗사람을 우습게 보다.
〔欺罔〕 qīwǎng 동 ⇨〔欺骗〕
〔欺诬〕 qīwū 동 속이다. 기망하다.
〔欺侮〕 qīwǔ 동 (약자를) 괴롭히다. 업신여기다. 난폭하게 다루다.
〔欺笑〕 qīxiào 동 조소하다.
〔欺心〕 qīxīn 동 스스로를 기만하다. 양심을 속이다. ¶～有天知; 자신을 속여도 하늘이 알고 있다.
〔欺压〕 qīyā 동 (권력·권세를 등에 업고) 학대하다. 괴롭히다. 억압하다. ¶～良善; 세력을 믿고 선량한 사람을 압박하다. =〔欺负压迫〕
〔欺隐〕 qīyǐn 동 속이고 은폐하다.
〔欺诈〕 qīzhà 동 거짓말로 속이다. 사기치다. ¶～取胜; 속임수로 이기다.

魌(䫏〈魌〉)

qī (기)
① 명 옛날, 역병(疫病)을 물리치는 의식에 썼던 귀신의 탈. ② 형 〈文〉 추하다.

踦

qī (기)
명 〈文〉 절름발이. ⇒yǐ

蹊

qī (혜)
→〔蹊跷〕 ⇒xī

〔蹊跷〕 qīqiāo 명 〈方〉 기괴(奇怪). 사정. 수상쩍은 일. ¶那里头一定有～; 거기에는 반드시 까닭이 있다 / 这件事有些～; 이 사건에는 좀 수상한 점이 있다 / 这总该有些～在里面; 여기에는 필시 무슨 곡절이 있음이 틀림없다. =〔奇怪〕〔跷蹊〕

曝 qī (급)
동 〈方〉 ①(젖은 것이) 마르기 시작하다. ¶雨过了, 太阳出来一晒shài, 路上就渐渐～了; 비가 개고 햇빛이 내리쬐자, 길은 점차 말랐다. ②모래 따위로 수분을 흡수하다. ¶地上有水, 铺pū上点儿沙子～一～; 땅에 물이 괴어 있어서 모래를 깔고 빨아들이게 하다.

亓 Qí (기)
명 성(姓)의 하나.

〔亓官〕 Qíguān 명 복성(複姓)의 하나.

齐(齊) qí (제)
①형 (높이·나비·길이 따위가) 가지런하다. 고르다. ¶纸叠得很～; 종이가 차곡차곡 겹쳐 있다 / 长短不～; 장단이 같지 않다 / 十个手指头不一般～; 열 개의 손가락은 각기 길이가 다르다 / 衣服穿得很～整; 옷을 단정하게 입고 있다 / 蒿hāo子都～了房檐yán了; 쑥이 처마 높이까지 자랐다. ②형 같다. ¶心～; 마음이 같다 / 这两个英雄～名; 이 두 영웅은 명성이 같다 / 等量liàng～观; 동등하게 보다 / 河水～腰深; 강물은 허리까지 닿는다. ③동 가지런히 하다. 정돈하다. 갖추다. ¶～稿; 원고를 갖추다 / 一概～全; 전부 갖추어 있다. ④동 갖춰지다. 한데 모이다. ¶客人都来～了; 손님은 모두 오셨습니다 / 东西都预备～了; 물건이 모두 갖춰졌다. ⑤동 접근하다. 바짝 붙(이)다. ¶～着边划一道线; 가장자리에 바짝 붙여 선을 긋다 / ～着根剪断; 밑동에서 자르다. ⑥부 다 같이. 일제히. ¶一～走; 일제히 나가다 / 百花～放; 백화가 일제히 피다 / 大家～说好; 모두가 이구 동성으로 좋다고 하다 / 并驾～驱; 우열이 없다. ⑦명 전보(電報) 일부(日附)의 8일. ⑧명 합금(合金). ¶汞gǒng～ =〔汞合金〕; 아말감. ⑨명 《史》 제(齊)나라《주대(周代)의 나라 이름. 지금의 산둥 성(山東省) 북부와 허베이 성(河北省)동남부》. ⑩명 성(姓)의 하나. ⇒jì zhāi zī

〔齐百家衣〕 qíbǎijiāyī 명 ⇨〔百家衣(儿)〕

〔齐备〕 qíbèi 동 ①완전히 갖춰지다. ¶货色～; 물건이 갖춰져 있다 / 行装～, 马上出发; 여행 채비가 끝나면 곧 출발이다 / 一切都～了; 모두 갖추었다. =〔齐全〕 ②갖추다. 완비하다. ¶～家具; 가구를 갖추다.

〔齐步〕 qí.bù 동 걸음을 맞추다. ¶～走! 보조를 맞추고 앞으로 가! 《구령》.

〔齐碴儿〕 qíchár 동 (가위 따위로) 가장자리를 가지런히 자르다.

〔齐唱〕 qíchàng 명동 《樂》 제창(하다).

〔齐齿〕 qíchǐ 명 ①〈文〉 나이가 같음. 동갑. ②→〔四sì呼〕

〔齐齿呼〕 qíchǐhū 명 《言》 '이(i)' 음을 운두(韻頭) 모음으로 하는 음.

〔齐楚〕 qíchǔ 형 가지런하다. 정연하다. 단정하다. ¶衣冠guān～; 의관이 단정하다. 명 옛날, 제(齊)나라와 초(楚)나라.

〔齐打夯儿〕 qídǎhāngr 부 〈北方〉 모두 한 목소리로. 모두가 일제히. ¶观guān众～喝彩; 관중이 일제히 갈채했다.

〔齐打伙儿〕 qídǎhuǒr 부 일제히 모두. 모두 함께. ¶明儿我们～告别去; 내일 우리는 함께 작별 인사를 하러 갑니다.

〔齐大非耦〕 qí dà fēi ǒu 〈成〉 상대가 너무 강해 평등한 관계를 유지할 수 없다.

〔齐东野语〕 qí dōng yě yǔ 〈成〉 신뢰할 수 없는 말. 하찮은 말.

〔齐动手〕 qídòngshǒu 모두 함께 일에 손을 대다.

〔齐都〕 qídōu 부 일제히 모두. 모두 함께. ¶～苦苦相劝; 모두 함께 입이 닳도록 권고하다.

〔齐队〕 qí duì 정렬하다.

〔齐墩果〕 qídūnguǒ 명 《植》 올리브(열매). =〔洋yáng橄榄〕〔油yóu橄榄〕

〔齐耳短发〕 qí'ěr duǎnfà (계집아이의) 단발머리 《귀밑에서 가지런히 자른 머리》.

〔齐放〕 qífàng 동 ①한꺼번에 쏘다. 일제 사격하다. →〔齐射〕 ②일제히 피다. →〔百bǎi花齐放, 百家争鸣〕

〔齐分〕 qí.fēn 명동 ⇨〔通tōng分〕

〔齐观〕 qíguān 〈成〉 동등하게 보다. =〔等děng量齐观〕

〔齐行〕 qí háng ①일제히 행하다. ¶～罢bà工; 동맹 파업 / ～涨zhǎng工钱; 동업자가 일제히 임금을 올렸다. ②행(行)을 가지런히 하다.

〔齐集〕 qíjí 동 모이다. 집합하다. 그러모으다.

〔齐家〕 qíjiā 동 〈文〉 집안을 잘 다스리다. 집안의 살림이나 질서를 정비하다. =〔治zhì家〕

〔齐家文化〕 qíjiā wénhuà 명 《史》 중국의 동기(銅器)와 석기(石器)가 동시에 쓰인 때의 문화.

〔齐结〕 qíjié 형 ⇨〔齐截〕

〔齐截〕 qíjie 형 〈方〉 ①가지런하다. 정리되다. ¶这儿亩高粱长得真～; 이 몇 이랑의 수수는 성장 상태가 매우 고르다 / 您的行李都归着～了没有? 당신의 수하물은 모두 말끔히 정리되었습니까? ②완전하다. 빠짐없다. ¶今天到会的人很～; 오늘은 회의 참석자가 모두 모였다 / 东西都预备～了; 물건은 모두 잘 준비했습니다. ‖ =〔齐结〕

〔齐进〕 qíjìn 동 함께 나아가다. 보조를 맞추어 나아가다.

〔齐口〕 qíkǒu 동 입을 모으다. 일제히 말하다.

〔齐理〕 qíli 동 정리하다. 정돈하다. 치우다. ¶再把箱子～一下; 상자를 다시 한 번 정리해라.

〔齐鲁〕 Qí Lǔ 명 《地》 산둥 성(山東省)의 별칭.

〔齐麦穗儿〕 qímàisuìr 명 ⇨〔齐眉(穗儿)〕

〔齐眉〕 qíméi 명 ①아내가 남편을 존경하고 예의바르게 대하는 일. =〔举jǔ案齐眉〕 ②⇨〔齐眉(穗儿)〕

〔齐眉棍〕 qíméigùn 명 무인이 쓰는 나무 몽둥이. =〔少shào林棍〕

〔齐眉(穗儿)〕 qíméi(suìr) 명 늘어뜨린 머리《눈썹 언저리까지 늘어뜨린 앞머리》. =〔齐麦穗儿〕〔齐眉②〕

〔齐名〕 qímíng 동 똑같이 유명하다. ¶唐代诗人中, 李白与杜甫～; 당대(唐代)의 시인 중 이백(李白)과 두보(杜甫)는 똑같이 유명하다.

〔齐鸣〕 qímíng 동 일제히 울다. (기적이나 사이렌이) 일제히 울리다.

〔齐齐结结儿〕 qíqijiéjiér 형 ⇨〔齐齐截截〕

〔齐齐截截〕 qíqijiéjié 형 가지런히 갖추다. ¶～的都预备好了; 모두 준비가 되었다 / 书籍、文具都要放得～的; 책이나 문방구는 모두 깨끗이 정돈해 두어야 한다 / 一家子都打扮得～的这是上哪儿去呀; 온 식구가 모두 단장을 하고 대관절 어디에 가십니까. =〔齐齐结结儿〕〔齐头(儿)齐脑(儿)〕

〔齐巧〕 qíqiǎo 부 〈吳〉 마침 그 때. 때마침. 공교

롭게. ¶我正要找你去, 你～就来了; 너를 찾아가려고 했는데, 네가 마침 왔구나.

〔齐驱〕 qíqū 형 〈文〉 재능·역량이 엇비슷하다. ¶～并bìng驾; 어깨를 나란히 하여 나아가다. 남에게 뒤지지 않다.

〔齐全〕 qíquán 동 갖추어지다. 완비되어 있다. ¶四角～; 정사각(正四角). 고지식하고 꼼꼼함 / 再有一册就～了; 1권만 더 있으면 모두 갖추게 된다.

〔齐射〕 qíshè 명 《軍》 일제 발사〔사격〕.

〔齐声〕 qíˌshēng 동 목소리를 한 가지로 내다. ¶～高唱; 소리를 맞춰 드높이 노래부르다.

〔齐双双的〕 qíshuāngshuāngde 쌍쌍이 잘 정돈되어 있다.

〔齐肃〕 qísù 형 〈文〉 잘 정돈되고 엄숙하다.

〔齐天大圣〕 Qítiān dàshèng 명 ⇨〔孙sūn悟空〕

〔齐头〕 qítóu 부 〈南方〉 꼭. ¶老太太～六十岁; 노마님은 꼭 예순입니다.

〔齐头(儿)〕 qítóu(r) 동 가지런하게 하다. ¶～齐脑; 가지런한 모양. 부 〈南方〉 꼭. 바로.

〔齐头并进〕 qí tóu bìng jìn 머리를 나란히 하여 나아가다. 호각(互角)이다. 우열(優劣)이 없다.

〔齐头虫〕 qítóuchóng 명 《蟲》 애등빨간잎벌.

〔齐头鳗〕 qítóumán 명 《魚》 꾀붕장어.

〔齐头(儿)齐脑(儿)〕 qítóu(r) qínǎo(r) 형 ⇨〔齐齐截截〕

〔齐头数〕 qítóushù 명 (우수리가 없는) 일정 단위의 수.

〔齐心〕 qíˌxīn 동 마음을 합하다. ¶～合劲; 마음과 힘을 합하다 / ～一致 =〔～一志〕; 마음을 하나로 하다 / ～合意地做; 합심해서 하다. =〔齐心合意〕

〔齐心合意〕 qí xīn hé yì ⇨〔齐心〕

〔齐心协力〕 qí xīn xié lì 〈成〉 협력하다. 일체가 되어 노력하다.

〔齐一〕 qíyī 동 똑같이 가지런하다. 잘 맞다. ¶唱得非常～; 노래가 잘 맞는다.

〔齐崭崭(的)〕 qízhǎnzhǎn(de) 형 가지런한 모양. 정연(整然)한 모양. ¶～地放着五枝枪; 5자루의 총이 가지런히 놓여 있다.

〔齐账〕 qízhàng 동 장부를 마감하다. 결산하다. →〔结jié账〕

〔齐臻臻〕 qízhēnzhēn 형 〈古白〉 가지런한 모양. 잘 갖추어져 있는 모양.

〔齐整〕 qízhěng 형 ①잘 정돈〔정리〕되어 있다. 깔끔하다. ¶公路两旁的柳树长得很～; 길 양쪽의 버드나무는 매우 정연하게 심어져 있다 / 这屋子收拾得多么～呢; 이 방은 대단히 잘 정돈되어 있구나. ②용모가 단정하다. ¶这个人生得很～; 이 사람은 용모가 단정하게 생겼다.

〔齐奏〕 qízòu 명동 《樂》 합주(하다).

荠(薺)

qí (제)
→〔荸bí荠〕 ⇒jì

脐(臍)

qí (제)
명 ①《生》 배꼽. ¶肚dù～儿; 배꼽. ②《魚》 게(蟹)의 복부. ¶尖jiān～; 게의 수놈의 뾰족한 복부. 게의 수놈 / 团tuán～; 게의 암놈의 둥근 복부. 게의 암놈. ③《植》 식물의 배주(胚珠). ④우렁이 각구(殼口)의 얇은 딱지.

〔脐带〕 qídài 명 탯줄. ¶剪jiǎn～; 탯줄을 자르다.

〔脐风〕 qífēng 명 《漢醫》 신생아 파상풍. =〔四六风〕〔七qī日风〕

〔脐屎〕 qíshǐ 명 배내똥. 태변(胎便). =〔漆qī屎〕

蛴(蠐)

qí (제)
→〔蛴螬〕

〔蛴螬〕 qícáo 명 《蟲》 지충《뿌리를 잘라 먹는 해충. 풍뎅이의 유충인 근절충(根節蟲)》. =〔〈方〉地蚕③〕〔核桃虫〕〔切根虫①〕〔土蚕〕

祁

qí (기)
① 형 〈文〉 성대하다. 맹렬하다. 요란하다. ¶～寒hán; 굉장히 춥다. ②(Qí) 명 《地》 치먼 현《안후이 성(安徽省)에 있는 현》. ③(Qí) 명 《地》 치양 현《후난 성(湖南省)에 있는 현 이름》. ④ 명 성(姓)의 하나.

〔祁红〕 qíhóng 명 안후이 성(安徽省) 치먼 현(祁門縣)에서 나는 고급 홍차(‘祁门红茶’의 준말).

〔祁剧〕 qíjù 명 《劇》 후난 성(湖南省) 치양 현(祁陽縣) 등지에 유행하고 있는 지방 연극.

〔祁连〕 Qílián 명 《地》 ①칭하이 성(青海省)에 있는 현(縣)의 이름. ②간쑤 성(甘肅省) 서부와 칭하이 성(青海省) 동북부의 경계에 있는 산맥. 또는 그 주봉.

〔祁祁〕 qíqí 형 〈文〉 ①비가 부슬부슬 내리는 모양. ¶其来～然, 而不暴疾; 조용하게 또한 천천히 오다. =〔祈祈〕 ②인원수가 많은 모양.

圻

qí (기)
명 〈文〉 땅의 경계. 한계. ¶疆～; 국경. ⇒yín

祈

qí (기)
① 동 기도하다. 빌다. ¶～福; ⇩ ② 동 원하다. 바라다. 희구하다. ¶务～指示; 〈翰〉 지시를 바랍니다 / 敬～照准; 부디 청원대로 허가해 주시기 바랍니다 / ～求; ⇩ / ～望; ⇩ ③ 명 성(姓)의 하나.

〔祈报〕 qíbào 명 〈簡〉 ‘春祈秋报’의 준말《옛날, 봄에는 비가 많이 내리도록 빌고, 가을에는 그것을 감사하는 제사를 지내던 일》.

〔祈赐〕 qícì 〈翰〉 …을 내려〔하여〕 주시기를 바랍니다. ¶～哂shěn纳是幸; 기쁘게 받아 주시기 바랍니다 / ～回音; 답장해 주시기 바랍니다.

〔祈祷〕 qídǎo 동 기도하다. 빌다. =〔祈念〕

〔祈福〕 qífú 동 행복을 빌다.

〔祈谷坛〕 Qígǔtán 명 ‘祈年殿’의 처음 명칭.

〔祈年殿〕 Qíniándiàn 명 베이징(北京)의 ‘天坛’ 안에 있는 건물의 이름.

〔祈念〕 qíniàn 동 ⇨〔祈祷〕

〔祈祈〕 qíqí 형 ⇨〔祁祁①〕

〔祈请〕 qíqǐng 동 청하다. 바라다. 부탁하다.

〔祈求〕 qíqiú 동 빌다. 청하다. ¶～上帝; 하느님에게 빌다.

〔祈禳〕 qíráng 동 ⇨〔禳解〕

〔祈赛〕 qísài 명 신의 가호에 감사드리는 제사.

〔祈使句〕 qíshǐjù 명 《言》 명령문. 원망문(願望文).

〔祈示旁〕 qíshìpáng 명 보일시변《한자 부수의 하나. ‘礼·禧’ 등의 ‘示·礻’의 이름》.

〔祈天永命〕 qítiān yǒngmìng 장수를 하늘에 빌다.

〔祈望〕 qíwàng 동 희망하다. 기대하다.

〔祈向〕 qíxiàng 명 〈文〉 강한 염원. 신념.

〔祈雨〕 qíyǔ 동 비가 오기를 빌다. =〔请qǐng雨〕〔求qiú雨〕

颀(頎)

qí (기)
형 〈文〉 키가 크다. 늘씬하다. ¶～长; ⇩ / 身～; 키가 후리후리하다.

〔颀长〕 qícháng 형 키가 크다. 훤칠하다.

蕲(蘄) qí (기)
①동 구하다. ②(Qí) 명《地》 치저우(蘄州)《후베이 성(湖北省) 치춘현(蘄春縣) 남부 지방의 옛 주(州) 이름》. ③ 명 성(姓)의 하나.
〔蕲艾〕 qí'ài 명《植》 쑥. ＝〔艾〕
〔蕲茝〕 qíchǎi 명 ⇨〔蘼mí芜〕
〔蕲求〕 qíqiú 동〈文〉 기구(祈求)하다. 청원하다.
〔蕲蛇〕 qíshé 명 ⇨〔白bái花蛇〕
〔蕲竹〕 qízhú 명 후베이 성(湖北省) 치춘 현(蘄春縣)에서 나는 대나무《깔개·피리·지팡이 등을 만드는 데 알맞음》.

芪 qí (기)
→〔黄huáng芪〕

祇 qí (기)
①명 토지(土地)의 신(神). ¶天神地～; 천지의 신들. ②형 크다. ③형 평온하다. ⇒'只'zhǐ
〔祇示旁(儿)〕 qíshìpáng(r) 명 보일시변《한자 부수의 하나. '礼·禧' 등의 '示·礻'의 이름》.

疧 qí (기)
명〈文〉 병.

岐 qí (기)
A) ①→〔岐山〕〔岐周〕 ②명 성(姓)의 하나.
B) ⇨〔歧〕
〔岐山〕 Qíshān 명《地》 치산 산(岐山)《산시 성(陕西省) 치산 현(岐山縣)에 있는 산 이름》.
〔岐周〕 Qízhōu 명《史》 서주(西周)의 별칭.

枝 qí (기)
동〈文〉 갈라지다. ¶～指; 육손이 / 骈pián～; 중복된 쓸데없는 것. ⇒zhī

歧 qí (기)
①명 갈림길. 샛길. ②동 갈리다. 다르다. ¶话分两～; 이야기가 두 가지로 갈리다. 이야기가 어긋나다 / 心无他～; 〈文〉 마음에 딴 뜻이 없다. ③명 이별(離別). ¶临～; 이별에 즈음하여 / 临～之酒; 〈文〉 송별연. 이별의 술. ④형 높다. 험준하다. ‖＝〔岐B)〕
〔歧伯〕 Qíbó →〔歧黄〕
〔歧出〕 qíchū 동 일치하지 않다. 어긋나다《문장 속의 전후의 문자. 흔히, 술어(述語)가 일치하지 않음》.
〔歧化〕 qíhuà 동 불균등화(化)하다.
〔歧黄〕 Qí Huáng 명《人》 기백(歧伯)과 황제(黃帝)《의술의 원조(元祖)로 일컬어짐》. ¶精于～; 〈文〉 의술에 정통하다. ＝〔歧轩〕
〔歧笄〕 qíjī 명 비녀. ＝〔钗chāi〕
〔歧路〕 qílù 명 ①기로. 갈림길. ②잘못된 길. ¶误wù入～; 잘못 부정한 길로 들어서다. ‖＝〔歧途〕〔歧旁〕
〔歧路亡羊〕 qí lù wáng yáng〈成〉 정황이 복잡하여 방향을 잃음. ＝〔多duō歧亡羊〕
〔歧念〕 qíniàn 명 사특한 생각. 사념(邪念). 두 마음.
〔歧旁〕 qípáng 명 ⇨〔歧路〕
〔歧视〕 qíshì 동 편파적(偏頗的)이다. 이상한 눈으로 보다. 차별시하다. 명 차별시(差別視). ¶～情绪; 차별 감정 / 取消～待遇; 차별 대우를 취소하다 / ～政策; 차별 정책.
〔歧途〕 qítú 명 ⇨〔歧路〕
〔歧误〕 qíwù 명 잘못. 그릇됨.
〔歧轩〕 Qí Xuān 명 ⇨〔歧黄〕
〔歧义〕 qíyì 명 (말·글자의) 2개 이상의 뜻.
〔歧异〕 qíyì 동 일치하지〔같지〕 아니하다.
〔歧意〕 qíyì 동 뜻이 다르다〔달라지다〕. 명 다른 의견.
〔歧指〕 qízhǐ 명〈文〉 육발이. ＝〔跂指〕

跂 qí (기)
①명〈文〉 육발이《발가락이 여섯 개 달린 사람》. ＝〔跂指〕〔歧指〕 ②〈擬〉 꿈틀꿈틀《벌레의 기는 모양》. ＝〔跂行xíng〕 ⇒qì

奇 qí (기)
①형 이상하다. 기괴하다. ②형 진기하다. 드물다. ¶好hào～心; 호기심 / 新～; 신기하다 / ～怪; ⇓ / ～事; ⇓ / ～勋; ⇓ / ～志; ⇓ ③형 뜻밖이다. 느닷없다. 엉뚱하다. ¶～兵; ⇓ / ～袭; ⇓ / 忽发～想; 갑자기 엉뚱한 일을 생각해 내다. ④동 이상하게 여기다. 놀라다. ¶不足为～; 족히 놀랄 것도 없다 / 闻而～之; 듣고 이상하게 여기다. ⑤부 매우. 몹시. ¶～痒难忍; 가려워 못 견디다. 몹시 가려워하다. ⑥명 성(姓)의 하나. ⇒jī
〔奇昂〕 qí'āng 동 ⇨〔奇涨〕
〔奇变〕 qíbiàn 명 대변화.
〔奇兵〕 qíbīng 명 기병. 적의 의표를 찔러 기습하는 병사·부대. ¶贼众我寡, 必出～, 方可取胜; 도적은 수가 많고 우리는 적으니, 기습으로 나가야지만 반드시 승리를 거둘 수 있다.
〔奇不过〕 qíbuguò 매우 기괴하다.
〔奇才〕 qícái 명 기재《재주와 지혜가 남달리 뛰어난 사람》. ＝〔奇材〕
〔奇材〕 qícái 명 ⇨〔奇才〕
〔奇耻〕 qíchǐ 명 대단한 치욕. ¶受了～大辱; 대단한 치욕을 당했다. ＝〔奇耻大辱〕
〔奇出意外〕 qí chū yì wài〈成〉 예상 밖의. 의표를 찌르는. ＝〔出乎意外〕
〔奇绌〕 qíchù 형〈文〉 궁핍하다. 재정이 곤궁하다.
〔奇服〕 qífú 명 기묘한 복장.
〔奇功〕 qígōng 명 수훈(殊勳).
〔奇古简奥〕 qígǔ jiǎn'ào 예스럽고 그윽하다.
〔奇骨〕 qígǔ 명 기골. 뛰어난 기질. 색다른 기질.
〔奇怪〕 qíguài 형 기괴하다. 이상하다. ¶可真～; 정말 이상하다 / 说也～; 이야기 하는 것도 이상한 일이지만 / 他没考上真～! 그가 낙방한 것은 이상해! / 咦yí, ～呀; 어, 이상하다. 동 기괴하게 여기다. 이상하게 생각하다. 터무니없다. ¶便宜的～; 터무니없이 싸다 / 看你～的; 뭐야, 그렇게 이상해하다니.
〔奇观〕 qíguān 명 기관. 기이한 광경. 기이한 현상.
〔奇诡〕 qíguǐ 명형 기궤(하다). 기괴(하다). ¶这种～难测的事件, 不必管它了; 이런 기괴 망측한 일은 상관할 필요가 없다.
〔奇寒〕 qíhán 명 드문 추위. 대단한 추위. ＝〔奇冷〕
〔奇花异木〕 qíhuā yìmù 명 기화 이목. 기이한〔진귀한〕 꽃과 나무.
〔奇花异葩〕 qíhuā yìpā 명 진귀한 꽃. ¶～, 争妍斗艳; 진귀한 꽃이 아름다움을 겨루어 피다.
〔奇货〕 qíhuò 명 품귀해서 값이 오를 것으로 예상되는 상품.
〔奇货可居〕 qí huò kě jū〈成〉 ①품귀한 것을 팔기가 아까워 값을 올리려고 함. ②얼씨구나 하고 자신의 유리한 입장을 이용하려고 함.
〔奇祸〕 qíhuò 명 기화. 뜻밖에 당하는 재앙.

〔奇计〕 qíjì 명 ⇨〔奇谋〕
〔奇技异能〕 qíjì yìnéng 명 특수한 기능.
〔奇迹〕 qíjì 명 기적.
〔奇景〕 qíjǐng 명 기묘한 경치. 뛰어난 경치.
〔奇窘〕 qíjiǒng 형 몹시 궁박하다〔난처하다〕.
〔奇崛〕 qíjué 형 〈文〉 ①기발하고 뛰어나다. ¶文笔～; 문필이 기발하고 뛰어나다. ②산이 험하고 변화가 많다.
〔奇俊〕 qíjùn 명 〈文〉 준재(俊才). 준걸. 걸물.
〔奇宽特大〕 qí kuān tè dà 〈成〉 엄청나게 넓고 크다.
〔奇冷〕 qílěng 명 ⇨〔奇寒〕
〔奇门〕 qímén 명 ⇨〔遁dùn甲〕
〔奇妙〕 qímiào 형 기묘하다. 이상하다. 신기해서 흥미가 있다.
〔奇谋〕 qímóu 명 기모. 기이한 꾀. 신묘한 계획. =〔奇计〕
〔奇南(香)〕 qínán(xiāng) 명 〖植〗 가라(伽羅)《침향(沈香) 가운데 향기가 특히 뛰어난 것》. =〔奇楠(香)〕〔伽qié罗〕
〔奇男子〕 qínánzǐ 명 영걸. 호걸. 쾌남. ¶顶天立地的～; 영웅적 기개를 가진 호남아.
〔奇奇怪怪〕 qíqíguàiguài 형 기기괴괴하다. ¶世界上什么～的事都有; 세상에는 기기묘묘한 일이 얼마든지 있다.
〔奇巧〕 qíqiǎo 형 ①(미술품·공예품이) 아주 교묘하다. 정교하다. ¶做得很～; 교묘하게 만들었다. ②기묘하다. 이상하리 만큼 운이 좋다. ¶我不敢相信会有这么～的事情; 이러한 기묘한 일이 있으리라고는 나는 믿기 어렵다. ③품질에 비해 값이 싸다. ¶价钱～; 가격이 저렴하다.
〔奇缺〕 qíquē 형 몹시 결핍하다. ¶学校的设备极差, 教师～; 학교의 시설은 극히 나쁘고 교사가 몹시 부족하다.
〔奇人〕 qírén 명 기인. 괴짜.
〔奇事〕 qíshì 명 이상한 일.
〔奇说〕 qíshuō 명 기설. 남을 속이는 묘한 말.
〔奇思妙想〕 qísī miàoxiǎng 명 좋은 생각. 명안(名案).
〔奇谈〕 qítán 명 기담. 기이한 이야기.
〔奇谈怪论〕 qí tán guài lùn 〈成〉 기담괴론. 기괴한 논조. 괴상한 이론.
〔奇特〕 qítè 형 ①기이〔기괴〕하다. 이상하다. 야릇하다. ¶沙漠地区的～景象; 사막지대의 기괴한 현상/他的性情很～; 그의 성격은 매우 이상하다. ②기괴하고 특수하다. ¶～的印象; 특히 두드러진 인상. ③자기보다 나은 것으로 인정하여 경의를 표하다.
〔奇童〕 qítóng 명 기동. 뛰어난 아이.
〔奇突〕 qítū 형 갑작스럽다. 전혀 뜻밖이다.
〔奇伟〕 qíwěi 형 기위하다. 과대(誇大)하다. 과장하다. =〔琦玮〕
〔奇文共赏〕 qí wén gòng shǎng 〈成〉 진귀한 문장을 함께 감상하다《현재는 흔히 대중으로 하여금 분별 비판하게 하기 위하여 그릇된 문장을 공표하는 일》.
〔奇闻〕 qíwén 명 기문. 이상한 소문. 신기한 이야기. ¶千古～; 전대 미문의 신기한 이야기.
〔奇习〕 qíxí 명 기이한 풍습 또는 습관.
〔奇袭〕 qíxí 명동 기습(하다).
〔奇邪〕 qíxié 형 매우 옳지 않다.
〔奇行〕 qíxíng 명 기행. 기이한 행동.
〔奇形怪状〕 qí xíng guài zhuàng 〈成〉 기형 괴상. 기묘한 모습. 그로테스크한 형상. ¶～的钟乳石; 이상야릇한 모양의 종유석.
〔奇勋〕 qíxūn 명 〈文〉 큰 공로. ¶屡lǚ建～; 자주 공훈을 세우다.
〔奇验〕 qíyàn 명 뚜렷한 효험. 신기한 효능.
〔奇样〕 qíyàng 명 진기한 무늬. 기발한 무늬.
〔奇异〕 qíyì 형 기이하다. 색다르다. ¶海底是一个～的世界; 바다 밑은 신기한 세계다. 동 이상해하다. ¶他们都用～的眼光看着我; 그들은 모두 이상해하는 눈초리로 나를 보고 있다.
〔奇异果〕 qíyìguǒ 명 〖植〗 〈音〉 키위.
〔奇遇〕 qíyù 명 기우. 뜻하지 않은 만남. 뜻밖에 만남. =〔巧qiǎo遇〕
〔奇缘〕 qíyuán 명 기연. 기이한 인연.
〔奇灾〕 qízāi 명 뜻밖의 재난.
〔奇涨〕 qízhǎng 동 폭등하다. =〔奇昂〕
〔奇珍〕 qízhēn 명 〈文〉 진귀한 보물. =〔奇珍异宝〕
〔奇志〕 qízhì 명 비범한 뜻. 위대한 뜻. 고상한 포부. ¶少年多～; 소년은 웅지(雄志)를 품고 있다.
〔奇重〕 qízhòng 형 (무게·증상·죄 따위가) 매우 무겁다. ¶灾情～; 재난 피해 상황이 매우 심하다.
〔奇装异服〕 qí zhuāng yì fú 〈成〉 색다른 차림. 기묘한 복장.

埼〈碕〉 qí (기)
명 〈文〉 꼬불꼬불한 해안〔강기슭〕. 갑(岬).

崎 qí (기)
→〔崎岖〕

〔崎岖〕 qíqū 형 ①산길이 울퉁불퉁 험준하다. ¶～的道; 험한 도로. ②곤란하다. 험난하다. ¶前途～; 앞날이 험난하다.

骑(騎) qí (기)
① 동 (동물이나 자전거 위에) 걸터 타다. 걸터앉다. ¶～自行车; 자전거를 타다/～马; ⇩ ② 동 양편에 걸쳐 있다. 양다리 걸치다. ¶～墙派; 기회주의자/～缝盖章; 계인(契印)을 찍다/～墙; ⇩ ③ 명 기병. 널리 말탄 사람. ¶车～; 수레와 기마/铁～; 〈比〉 용맹한 기병/轻～; 경기병(輕騎兵). ④ 명 승마. 널리 사람이 타는 동물. ¶坐～; 승마. ⑤ 명 책 또는 신문을 펼쳤을 때 페이지와 페이지 사이의 경계선.
〔骑兵〕 qíbīng 명 기병. =〔马mǎ兵〕
〔骑车〕 qí.chē 동 자전거를 타다. ¶～带人; 자전거를 둘이서〔둘 이상이〕 타는 일. 자전거를 타고 다른 사람을 태우는 일.
〔骑吹〕 qíchuī 명 〈文〉 옛날의 군악《군대를 진군시킬 때 말을 타고 연주했음》. =〔铙náo歌〕
〔骑从〕 qícóng 명 말구종.
〔骑缝(儿)〕 qífèng(r) 명 계약서 등의 계인(契印)을 찍고 떼어 내는 부분. 절취선(切取線).
〔骑缝广告〕 qífèng guǎnggào 명 타블로이드(tabloid)판(版) 신문의 접이 부분의 공백을 이용한 광고.
〔骑缝(图)章〕 qífèng (tú)zhāng 명 ⇨〔骑缝印〕
〔骑缝印〕 qífèngyìn 명 계인. 간인(間印). ¶盖上～; 계인을 찍다. =〔骑缝(图)章〕〔契qì印〕
〔骑搁〕 qígē 동 〈方〉 의견이 갈리어 결말을 못 내고 있다. (일을) 보류시켜 놓고 있다. ¶这件事到如今还～着呢; 이 일은 지금까지 아직 결말이 나지 않고 있습니다.
〔骑河楼〕 qíhélóu 명 다리 위에 세워진 건물.
〔骑鹤上扬州〕 qí hè shàng yáng zhōu 〈成〉

불가능한 일을 망상하는 일. ¶腰缠十万贯, ～; 10만 관을 허리에 차고, 학을 타고 양주로 가서 호화롭게 놀다.

〔骑虎难下〕 qí hǔ nán xià 〈成〉 기호지세(騎虎之勢). 이리지도 저러지도 못하는 딱한 처지. =〔骑虎之势〕〔骑上老虎〕

〔骑虎之势〕 qí hǔ zhī shì 〈成〉 ⇨〔骑虎难下〕

〔骑劫〕 qíjié 동 자동차 강도를 하다. 비행기를 납치하다. ¶～的dì士; 택시 강도를 하다 / 在半空～一架客机, 迫使机师在某地降陆; 공중에서 민간기를 납치하고, 조종사를 협박하여 모지에 착륙시켰다.

〔骑两头马〕 qí liǎng tóu mǎ 양다리를 걸치다. 기회주의적인 태도를 취하다.

〔骑楼〕 qílóu 명 빌딩의 각층에 있는 밖으로 내민 모양의 베란다.

〔骑路〕 qílù 동 정강말타다《걸어가는 것을 농담으로 하는 말》. ¶人家骑驴骑马, 我～; 사람들은 나귀를 타거나 말을 타거나 하지만 나는 정강말을 타고 간다.

〔骑驴〕 qílǘ ① 동 매매 차익금을 벌다. ②(qí lǘ) 당나귀를 타다. ¶～觅驴 =〔～找驴〕; ⓐ본체를 망각하고 다른 것을 구하다. ⓑ일을 임시적으로 하다.

〔骑驴扛口袋〕 qílǘ káng kǒudài 〈歇〉 (나귀를 타고 짐을 등에 지고 있는) 어리석은 짓을 하다.

〔骑驴找驴〕 qí lǘ zhǎo lǘ 〈成〉 ⇨〔骑马找马〕

〔骑马〕 qí mǎ 말을 타다. ¶～坐轿修来的福; 〈諺〉 말에 타고 가마에 타는 것도 전생으로부터의 운명《행불행은 전생으로부터의 숙명이다》.

〔骑马布〕 qímǎbù 명 〈俗〉 월경대(月經帶). =〔骑马带子〕

〔骑马裆〕 qímǎdāng 명 바짓가랑이에 바대를 대지 않고, 처음부터 두껍게 마른 것. =〔人rén字裆〕

〔骑马钉〕 qímǎdīng 명 걸쇠《'匚'자 모양의 쇠》.

〔骑马蹲裆〕 qímǎ dūndāng 〈比〉 엉거주춤하다.

〔骑马战〕 qímǎzhàn 명 기마전《놀이의 일종》. ¶打～; 기마전을 하다.

〔骑马找马〕 qí mǎ zhǎo mǎ 〈成〉 ①말을 타고 있으면서 말을 찾다. ②〈比〉 ㉠현상을 유지하면서 더욱 나은 일을 찾음. ㉡제게 고유한 것을 잊고 헛되이 다른 것에서 찾음. ‖ =〔马上找马〕〔骑驴找驴〕

〔骑毛驴(儿)念唱本〕 qímáolǘ(r) niàn chàngběn ⇨〔走zǒu着瞧〕

〔骑门两不绝〕 qímén liǎngbujué ⇨〔骑墙〕

〔骑枪〕 qíqiāng 명 기병총. 기총. =〔马mǎ枪〕

〔骑墙〕 qíqiáng 동 양다리를 걸치다. 형세를 관망하다. ¶～汉; 기회주의자 / ～态tài度; 기회주의적 태도 / ～是不行的, 第三条道路是没有的; 양다리 걸쳐서는 안돼, 제3의 길은 없는 것이다. =〔骑两头马〕〔骑门两不绝〕

〔骑人的马, 架人的鹰〕 qí rén de mǎ, jià rén de yīng 〈成〉 남의 잠방이 입고 춤춘다. 남의 떡에 설 쇤다. 남의 칼로 공을 세우다.

〔骑上老虎〕 qí shàng lǎo hǔ 〈成〉 ⇨〔骑虎难下〕

〔骑射〕 qíshè 명 ①말을 타고 쏘는 일. ②마술(馬術)과 궁술(弓術).

〔骑牲口〕 qí shēngkǒu 말·나귀 따위의 가축을 타다.

〔骑师〕 qíshī 명 기수. ¶冠军～; 우승한 기수. =〔骑手〕

〔骑士〕 qíshì 명 기사. 나이트《유럽 중세의 무사》.

〔骑手〕 qíshǒu 명 ⇨〔骑师〕

〔骑术比赛〕 qíshù bǐsài 명 《體》 승마 경기. ¶奥ào林匹克大会～; 올림픽 대회 승마 경기.

〔骑行〕 qíxíng 동 (말이나 자전거를) 타고 가다. ¶长途～; 사이클링.

〔骑月〕 qíyuè 동 2개월에 걸치다. ¶～雨; 두 달에 걸쳐 계속되는 비.

〔骑在头上〕 qí zài tóushang 남의 등에 타다《압제하다. 압박하다》. ¶骑在人民头上拉屎拉尿; 지도자 또는 간부가 국민을 압박한다.

〔骑着脖子拉屎〕 qízhe bózi lā shǐ 〈俗〉 약한 자에게 횡포한 짓을 하다. 남을 몹시 업신여기다. ¶这个恶霸这么～, 咱们得想法子治治他; 이 악당이 사람을 너무나도 업신여기고 있으니, 어떻게든 그를 혼내 줘야만 한다.

〔骑着长城骂鞑子〕 qízhe chángchéng mà dázi 〈歇〉 만리 장성 위에서 몽골 사람을 욕하다. 양다리 걸치다. 기회주의적 태도를 취하다. ¶～, 不站南来不站北; 남쪽에도 북쪽에도 치우치지 않다.

琦 qí (기)

〈文〉 ① 명 아름다운 옥. ② 형 진기하다. 아름답다.

〔琦玮〕 qíwěi 형 〈文〉 과대(誇大)하다. 과장하다. =〔奇伟〕

〔琦行〕 qíxíng 명 〈文〉 과장된 언동.

锜(錡) qí (기)

명 ①옛날의 취사 도구《밑에 세 개의 발이 달려 있음》. ②옛날의 끌〔정(鼎)〕의 하나.

其 qí (기)

① 대 그(의). 그들(의). ¶不能任～自流; 그가 멋대로 하게 맡겨 둘 수는 없다 / 劝～努力学习; 그에게 학습에 힘쓰도록 권하다 / 人尽～才, 物尽～用; 사람도 물건도 그 역할을 충분히 다하다 / 不任～捣dǎo乱; 그들이 일을 뒤흔들어 어지럽히는 대로 내버려 둘 수는 없다. ② 대 그것(의). 그것들(의). ¶本无～事; 본래 그 일은 없었다 / ～中有个原因; 그 가운데에 원인이 있다 / ～中有个缘yuán故; 그 (일) 속에는 까닭이 있다 / ～快无比; 그 빠르기가 비길 데 없다. ③ 조 유달리. 매우. 더욱이《특정의 부사에 접사(接辭)함》. ¶极～快乐; 매우 즐겁다 / 尤～伟大; 특히 위대하다 / 更gèng～光彩; 한층 광채가 있다. ④ 조 문언(文言)의 조사. ㉠어찌《추측·반어(反語)를 나타냄》. ¶岂～然乎? 어찌 그런 일이 있을 것인가? ㉡(마땅히) …해야 한다《명령·격려를 나타냄》. ¶子～勉之! 모쪼록 노력하도록! / 汝rǔ～速往; 너는 곧 가야 한다. →〔应当〕 ⑤ 조 〈文〉 …하려(고) 하다. …하게 될 것이다. ¶将～如何? 앞으로 어찌하려는가? / 百废fèi～兴xīng; 여러 가지 쇠하여 없어졌던 일이 이제부터 부흥하려 하고 있다. ⑥ 조 〈文〉 혹시. 아마. 어쩌면. ¶浓nóng云密布, ～将雨乎! 짙은 구름이 두껍게 깔려 있다, 아마 비가 올지도 모른다! / 君～忘之乎? 어쩌면 당신은 그것을 잊으셨나요? / 知我者～天乎; 나를 아는 자는 아마도 하늘인저. ⑦ 조 〈文〉 (도)대체. ¶～奈nài我何? 대체 나를 어쩌자는 건가? ⇒jī

〔其蠢如牛〕 qí chǔn rú niú 〈成〉 소같이 느리다. 동작이나 머리가 둔하다.

〔其次〕 qícì 명 ①그 다음. ¶他第一个发言, ～就轮到了我; 그가 제일 처음에 발언하고 다음에 내 차례가 되었다. ②부차적인 위치. ¶内容是主要的, 形式还在～; 내용이 주요하고 형식은 역시 부차

적인 위치에 있다.
〔其或〕 qíhuò 부 혹은. 어쩌면. 어떤 자는. ¶～有高雅之士便觉没有趣味了; 고상한 사람이 있거나 하면 (그 사람은) 재미없다고 느낀다.
〔其间〕 qíjiān 명 ①그 사이. 그 안. ②어떤 일정한 기간. ¶离开学校只有三年, 这～, 他做了很多工作; 학교를 떠난 지 불과 3년이지만, 그는 그간 많은 일을 했다.
〔其拉夫〕 qílāfū 명《動》〈音〉 기린. 지라프(giraffe). =〔长颈鹿〕〔奇拉夫〕
〔其乐无穷〕 qí lè wú qióng 〈成〉 그 즐거움이 무궁하다.
〔其貌不扬〕 qí mào bù yáng 〈成〉 ①용모가 반짝 띄지 않다. ②(기물 등이) 볼품이 없다.
〔其内〕 qínèi 명 그 속. 그 안. ¶只知其外不知～; 표면만을 알고 깊은 데를 모른다 / 饭钱也在～吗? 식사대도 그 안에 포함되어 있느냐? =〔其中〕
〔其内中〕 qínèizhōng 명 그 가운데에서. 그 중에서.
〔其如〕 qírú 접 〈文〉 혹시. 만일. 예컨대. …과 같다. ¶～不愿者…; 혹시 원하지 않는 사람은… / ～…, 皆属例外; …와 같은 것은 모두 예외에 속한다.
〔其实〕 qíshí 부 기실. 실은. 실제는(역접(逆接)에 사용). ¶看他的样子, 像一个普通的农民, ～他是一个有名的农业科学家; 그는 일견 보통 농민 같지만, 실은 유명한 농업 과학자이다 / 你不要看今天的风这么大, ～一点儿也不冷; 오늘 바람이 세다고 하지 마라. 실제는 조금도 춥지 않은 거야.
〔其事已寝〕 qí shì yǐ qǐn 〈成〉 소동이 가라앉다〔수습되다〕.
〔其势汹汹〕 qí shì xiōng xiōng 〈成〉 위압적인 기세이다. 기세가 맹렬하다.
〔其说不一〕 qíshuō bùyī 〈比〉 견해가 갈리다. 갖가지 관점이 있다.
〔其所以如此〕 qí suǒyǐ rúcǐ 그러한 이유. 이러한 까닭.
〔其他〕 qítā 명 기타. 그 밖(목적어가 되는 일은 드묾). ¶去的只有三个, ～的人者留在那里; 간 사람은 셋뿐이고, 그 밖의 사람은 그 곳에 남았다.
〔其它〕 qítā 명 기타(其他). 그 밖(일반적으로 사물에 쓰이며, 목적어가 되는 일은 드묾). ¶～一概不论; 기타는 모두 문제삼지 않는다.
〔其味无穷〕 qí wèi wú qióng 〈成〉 헤아릴 수 없는 깊은 뜻이 있다. 끝없는 운치가 있다.
〔其一〕 qíyī 명 그 중 하나. 그 일부분. ¶只知～不知其二; 그 하나를 알고 그 둘을 모른다.
〔其余〕 qíyú 명 그 나머지(목적어가 되는 일은 드묾). ¶十五个学生当中, 除了五个女生以外, ～全是男生; 15명의 학생 중 5명의 여학생을 빼고 나머지는 모두 남학생이다 / ～的东西, 可以明天来取; 나머지 것은 내일 가지러 와도 된다. 注 '其他'·'其余'와의 구별. '其余'는 어떤 명확한 범위·총량(總量)에서 일부를 뺀 나머지를 나타내고, 범위가 분명함. 이에 대해 '其他'는 어떤 것을 뺀 이외의 것을 나타내며 범위가 넓음. 문장의 앞뒤에서 범위·수량(數量)을 나타낼 때는 '其他'도 되고 '其余'도 같은 범위를 나타냄.
〔其中〕 qízhōng 명 ⇨〔其内〕

淇 Qí (기)
명《地》 ①치허 강(淇河)(허난 성(河南省) 린현(林縣)에서 발원하여 웨이 허(衛河)로 흘러드는 강 이름). ②치 현(淇縣)(허난 성(河南省)에 있는 현 이름).

萁 qí (기)
명 〈文〉 콩가지. 콩깍지. ¶豆dòu～; 콩대.

骐(騏) qí (기)
명 〈文〉 ①검푸른 털말. 털총이. ¶～驥; ⇩ ②준마(駿馬). 천리마. ③《色》검푸른색.
〔骐骥〕 qíjì 명 〈文〉 준마. 명마. 천리마. ¶～一跃, 不能千里; 〈比〉 아무리 현명한 사람이라도 학문은 순서를 밟아서 닦아야 한다.
〔骐骥〕 qílín 명 ①⇨〔麒qí麟〕 ②〈文〉 등이 검은 백마.

祺 qí (기)
① 형 행복하다. 편안하다. ② 명 〈翰〉 편지의 말미에 상대의 행복을 경하한다는 뜻으로 쓰는 말(스승에 대해서는 '教祺', 상인에 대해서는 '财祺', 학자나 문인에 대해서는 '撰祺', 황제나 왕에게는 '并颂台祺', '并候安祺', 여자에 대해서는 '并问佳祺', 길을 떠나는 사람에게는 '便询旅祺'라고 썼음). ¶并颂台～; 아울러 귀하의 행복을 경축드립니다.
〔祺祥〕 qíxiáng ① 형 〈文〉 경사스럽다. ② 명《史》 길상(吉祥)(청조(淸朝)의 목종(穆宗)이 갓 황제에 등극했을 때, 임시로 정했던 연호로, 후에 동치(同治)로 바꿈).
〔祺新集祜〕 qí xīn jí hù 〈成〉 해가 바뀌어 경사스러운 일이 몰려오다(신년을 축하하는 말).

琪 qí (기)
① 명 〈文〉 옥(玉)의 일종. ② 형 진귀하다. ¶～花; 진기한 꽃.
〔琪花瑶草〕 qí huā yáo cǎo 〈成〉 기화 요초(선경(仙境)의 진귀하고 아름다운 꽃과 풀).
〔琪树〕 qíshù 명 산호나 옥으로 만든 장식 나무.

棋〈棊, 碁〉 qí (기)
명 ①장기·바둑. ¶下围～ =〔下棋〕〔着棋〕〔走棋〕; 바둑을 두다 / 下象～; 장기를 두다 / 国际象～; 체스(chess). ②(장기나 바둑의) 수. ¶一着zhāo～ =〔一步～〕; (바둑·장기의) 한 수 / 这步～走得好; 이 수는 잘 두었다 / 这步～走错了; 이 수는 잘못 썼다.
〔棋卜〕 qíbǔ 동 장기나 바둑의 승부로 그 해의 화복을 점치다. 명 바둑 돌이나 장기 말을 써서 점치는 일.
〔棋布〕 qíbù 형 〈文〉 빽빽이 늘어서 있다. ¶星罗～; 빽빽이 늘어선 모양. =〔棋列〕〔棋置〕
〔棋差一着〕 qí chà yīzhāo 한 수 차이다.
〔棋逢对手〕 qí féng duì shǒu 〈成〉 호적수(好敵手)〔맞수〕를 만나다. =〔棋逢敌dí手〕
〔棋高一着〕 qí gāo yī zhāo 〈成〉 한 수 위이다(장기·바둑 이외에도 말함). ¶张老比他～; 장씨 할아버지가 그보다 한 수 위이다.
〔棋格〕 qígé 명 ⇨〔棋品〕
〔棋格纸〕 qígézhǐ 명 모눈 종이. 방안지.
〔棋馆〕 qíguǎn 명 옛날, 차를 마시면서 바둑 장기를 둘 수 있는 찻집.
〔棋盒〕 qíhé 명 바둑알 통.
〔棋家〕 qíjiā 명 바둑 두는 사람. 기사. =〔棋客〕
〔棋局〕 qíjú 명 ①⇨〔棋盘〕 ②바둑 한 판.
〔棋客〕 qíkè 명 ⇨〔棋家〕
〔棋列〕 qíliè 형 ⇨〔棋布〕
〔棋迷〕 qímí 명 바둑광. 장기광.
〔棋盘〕 qípán 명 바둑판. =〔〈文〉 棋局①〕〔〈文〉 棋枰〕

〔棋品〕 qípǐn 명 바둑 실력의 서열·급(級)·단(段). =〔棋格〕
〔棋枰〕 qípíng 명 ⇨〔棋盘〕
〔棋谱〕 qípǔ 명 ①바둑 두는 법을 기술한 책. ②기보(바둑 대국의 경과를 기록한 것).
〔棋圣〕 qíshèng 명 기성. 바둑의 명인.
〔棋师〕 qíshī 명 〈文〉 프로 기사.
〔棋势〕 qíshì 명 기세(바둑 또는 장기의 승패의 형세).
〔棋手〕 qíshǒu 명 바둑·장기의 명수.
〔棋战〕 qízhàn 명 기전. 바둑의 대국. 동 바둑을〔장기를〕 두다.
〔棋峙〕 qízhì 동 〈文〉 바둑돌·장기의 말이 대치하는 것처럼 군웅(群雄)이 할거하다. ¶方今英雄~; 바야흐로 영웅이 할거하다.
〔棋置〕 qízhì 형 ⇨〔棋布〕
〔棋子(儿)〕 qízǐ(r) 명 ①바둑돌 또는 장기의 말. ②과자의 일종.
〔棋走一着错, 满盘皆是失〕 qí zǒu yī zhāo cuò, mǎn pán jiē shì shī 〈諺〉 바둑은 한 수를 그르치면, 모든 국면(局面)을 그르친다(한 가지 실책은 전체에 영향을 끼친다).

旗〈旂〉① qí (기)
명 ①(~子) 기. ¶挂~; 기를 걸다/挂半~; 조기를 달다/降jiàng~; 기를 내리다. ②팔기(八旗)(청조(清朝) 창업(創業)에 공로가 있는 민족으로, 나중에는 특히 만주인(滿洲人)을 뜻하게 됨). ¶~人; ⇓/~袍; ⇓ ③표. 표지(標識). 인(印). ④내몽골(內蒙古) 자치구의 행정 구역 이름('县xiàn'에 해당됨). ⑤'八旗'의 주둔지(현재는 지명으로 쓰임).
〔旗标〕 qíbiāo 명 기로 나타낸 표지(標識).
〔旗兵〕 qíbīng 명 청대(清代), 기병(팔기(八旗)에 속하는 병사).
〔旗杆(子)〕 qígān(zi) 명 ①깃대. ¶~刁斗diāodǒu; 깃봉. =〔旗竿〕 ②대장(大將)인 양 하고 있는 인간. 지배자(支配者). 보스. =〔旗杆人物〕
〔旗竿〕 qígān 명 ⇨〔旗杆①〕
〔旗鼓〕 qígǔ 명 ①기(旗)와 북. ②진용(陣容). ¶重chóng整~; 진용을 재정비하다.
〔旗鼓相当〕 qí gǔ xiāng dāng 〈成〉 호각(互角)의 형세이다. 대등한 형세이다. ¶这两个足球队~, 一定有一场精采的比赛; 이 두 축구 팀은 실력이 호각지세여서 틀림없이 볼 만한 시합일 게다.
〔旗号〕 qíhào 명 ①깃발. ②〈比〉 명목. 명의(名義). ¶你别打着我的~去; 내 명의를 사용하면 안 된다.
〔旗花〕 qíhua 명 ⇨〔起花qǐhua〕
〔旗舰〕 qíjiàn 명 기함(함대 사령관이 타고 있는 군함).
〔旗开得胜〕 qí kāi dé shèng 〈成〉 ①서전(緒戰)에서 승리를 거두다(파죽지세로 이겨 나가다). ②일사천리로 일이 진행되다. ③(일 따위에서) 처음부터 좋은 성적을 거두다. ¶~, 马到成功; 〈比〉 손을 대기가 무섭게 곧 성공한다.
〔旗块〕 qíkuài 명 〈俗〉 마름모꼴. 능형. →〔菱líng形〕
〔旗门儿〕 qíménr 명 만 족(滿族)의 가정.
〔旗牌〕 qípái 명 ①옛날, 진중에 명령을 전달하는 데 쓴 깃발. ②옛날, 명령 전달을 맡은 무관. =〔旗牌官〕
〔旗牌官〕 qípáiguān 명 ⇨〔旗牌②〕
〔旗袍(儿)〕 qípáo(r) 명 원래 만주 기인(旗人)의 원피스식 여성 의복(지금은 한인(漢人)의 복장으로 되어 있음). ¶~裙; (옆구리가 터진) 타이트 스커트.
〔旗枪〕 qíqiāng 명 최상등의 차(茶)를 일컬음(찻잎이 더운 물 속에서 퍼지는 모양이 줄기를 창(槍)으로 하고 잎을 기(旗)로 한 것 같은 데서 나온 말). =〔枪旗〕
〔旗人〕 Qírén 명 청(清) 시대에 팔기(八旗)에 속하던 사람. 보통 만주족(滿洲族)을 가리킴(옛날, 한인이 일반적으로 만주인을 '旗人'이라 불렀음). =〔旗下〕〔旗下人〕
〔旗绳〕 qíshéng 명 기 따위를 오르내리는 줄.
〔旗手〕 qíshǒu 명 기수(지도적 인물에 비유함). ¶鲁迅先生是新文化运动的~; 노신 선생은 신문화 운동의 기수이다.
〔旗亭〕 qítíng 명 〈文〉 요정. 요릿집.
〔旗头〕 qítóu 명 ①기수(旗手). ②만주족 부녀자의 틀어올린 머리 모양.
〔旗望〕 qíwàng 명 목로 술집에 내거는 기. →〔酒jiǔ望(子)〕
〔旗下〕 qíxià 명 ⇨〔旗人〕
〔旗下人〕 qíxiàrén 명 ⇨〔旗人〕
〔旗鱼〕 qíyú 명 《魚》 황새치.
〔旗语〕 qíyǔ 명 수기(手旗) 신호. ¶打~; 수기 신호를 하다/以~互相道贺; 수기 신호로 서로 축하 인사를 하다.
〔旗章〕 qízhāng 명 ⇨〔旗帜〕
〔旗志〕 qízhì 명 ⇨〔旗帜〕
〔旗帜〕 qízhì 명 ①깃발. =〔旗子〕 ②본보기. 모범. ③기치. ¶~鲜明; 기치가 선명하다. ‖=〔旗章〕〔旗志〕
〔旗装〕 qízhuāng 명 만족 여인의 복장.
〔旗子〕 qízi 명 ①기. 깃발. ¶挂一面~; 깃발 하나를 올리다. ②플래카드. ③(갸름한 삼각형의) 우승기. 페넌트.

蜞 qí (기)
→〔蟛péng蜞〕

綦 qí (기)
①부 〈文〉 매우. 극히. 대단히. ¶~难nán; 극히 어렵다/希望~切; 절실히 희망하다/~切; ⇓ ②명 《色》 청흑색(青黑色). ¶~巾; ⇓ ③(Qí) 명 《地》 치장 강(綦江)(쓰촨 성(四川省)에 있는 강 이름). ④명 성(姓)의 하나.
〔綦巾〕 qíjīn 명 옛날, 처녀가 허리에 두르던 검푸른 수건.
〔綦连〕 qílián 명 복성(複姓)의 하나.
〔綦母〕 qímǔ 명 복성(複姓)의 하나.
〔綦切〕 qíqiè 형 〈文〉 절박하다. 절실하다.
〔綦严〕 qíyán 형 매우 엄격하다.

鲯(鯕) qí (기)
→〔鲯鳅〕
〔鲯鳅〕 qíqiū 명 《魚》 만새기.

麒 qí (기)
①→〔麒麟〕 ②명 성(姓)의 하나.
〔麒鸠〕 qíjiū 명 《鳥》〈方〉 산비둘기.
〔麒麟〕 qílín 명 기린(전설상의 동물. 수컷을 '麒', 암컷을 '麟'이라 함). ¶~皮下露出了马脚; 기린의 살가죽 밑에서 말의 다리가 나타나다(마각〔결점〕이 드러나다). =〔骐骥①〕
〔麒麟菜〕 qílíncài 명 《植》 기린채(암자색의 해조. 원주상(圓柱狀)이며 가지가 많이 갈라짐).

〔麒麟儿〕 qílín'ér 명 기린아. 매우 뛰어난 아이. 신동.
〔麒麟竭〕 qílínjié 명 ⇨〔血xuè竭〕
〔麒麟送子〕 qílín sòngzǐ 명 기린이 어린이를 태우고 있는 그림으로, 아기 출생을 축하하는 뜻을 나타냄.
〔麒麟座〕 qílínzuò 명 《天》 기린자리. 외뿔소 자리.

俟 qí (기)
→〔万Mò俟〕 ⇒ sì

耆 qí (기)
① 명 60세(이상의 사람). ¶～年; ⇩ / ～绅; ⇩ / ～老; ⇩ ② 명 연로하고 경험이 많은 사람. ¶～宿; ⇩ ③ 명 성(姓)의 하나. ④ 형 강하다. ⑤〈文〉 '嗜shì' 와 통용.
〔耆艾〕 qí'ài 명 ⇨〔耆老〕
〔耆旧〕 qíjiù 명 ⇨〔耆老〕
〔耆腊〕 qílà 명 〈文〉 고령의 승려. 노승.
〔耆老〕 qílǎo 명 〈文〉 기로. 노인. =〔耆艾〕〔耆旧〕〔耆年〕
〔耆那教〕 Qínàjiào 명 《宗》 자이나 교(Jaina教) 《인도의 종파의 하나》.
〔耆年〕 qínián 명 〈文〉 기년. 노인. =〔耆老〕
〔耆儒〕 qírú 명 〈文〉 기유. 고령의 대유학자(大儒學者).
〔耆绅〕 qíshēn 명 〈文〉 노신사.
〔耆硕〕 qíshuò 명 〈文〉 나이 많고 덕망 있는 사람.
〔耆宿〕 qísù 명 〈文〉 고령의 명망 있는 사람.

鳍(鰭) qí (기)
명 《魚》 (물고기의) 지느러미. ¶胸xiōng～; 가슴지느러미 / 尾wěi～; 꼬리지느러미 / ～脚动物; 기각 동물 / 脊jǐ～; 등지느러미.
〔鳍刺〕 qící 명 지느러미 속에 있는 가시 모양의 뼈.
〔鳍叶〕 qíyè 명 ⇨〔羽yǔ状复叶〕
〔鳍柱骨〕 qízhùgǔ 명 '鳍刺'를 지탱하는 뼈.
〔鳍足目〕 qízúmù 명 《動》 기각 아목(鰭脚亞目) 《(바다표범 · 바다코끼리 등) 기각 동물의 총칭》.

鬐 qí (기)
명 〈文〉 말의 갈기. =〔马鬣liè〕〔马鬃zōng〕

畦 qí (휴)
① 명 두둑. 논두렁. ② 명 논밭을 작게 구획(區劃)한 부분. ¶菜～; 채소밭 / 住了辘轳干了～; 관개용의 활차가 멈추면 밭은 말라 버린다 《소중한 것이 못 쓰게 된다》 / ～田; ⇩ ③ 양 이랑《논밭의 구획을 세는 데 쓰임》. ¶种一～菜; 채소밭 한 이랑을 갈다.
〔畦灌〕 qíguàn 명 《農》 관개(灌漑) 방법의 하나 《땅을 몇 개의 두렁으로 구획하고 차례로 관개해 나가는 방법》.
〔畦天绒〕 qítiānróng 명 《紡》 코르덴《직물》.
〔畦田〕 qítián 명 《農》 둘레를 두렁으로 둘러 쌓은 밭.
〔畦畛〕 qízhěn 명 〈文〉 ①경계. ¶出于～之外; 〈比〉 정법(定法)을 이탈하고 있다. ②(감정 · 의견의) 격차. 상위(相違). 차이. ¶无～; 서로 견해가 같다.

乞 qǐ (걸)
① 동 구걸하다. 빌어먹다. ¶～食; ⇩ / ～求; ⇩ / ～讨; ⇩ ② 동 원하다. 바라다. ¶敬～指教; 〈翰〉 삼가 가르침을 청하다 / 摇yáo尾～怜; 꼬리를 치고 동정을 구하다. ③ 명 성(姓)의 하나.
〔乞哀告怜〕 qǐ āi gào lián 〈成〉 남에게 동정을 바라다. ¶向亲友～; 친척이나 친구에게 동정을 애원하다.
〔乞贷〕 qǐdài 동 〈文〉 돈을 꾸어 달라고 청하다. 돈을 빌려 달라고 부탁하다.
〔乞恩〕 qǐ'ēn 동 동정을 구하다. 은혜를 베풀어 달라고 청하다.
〔乞儿马医〕 qǐ ér mǎ yī 〈成〉 거지와 말 의사《옛날, 극히 천한 자의 비유》.
〔乞丐〕 qǐgài 명 거지. =〔告花子〕〔花子〕〔乞食〕〔乞子〕 동 애걸하다.
〔乞骸骨〕 qǐ háigǔ 〈文〉 사직(辭職)을 청하다. 고관 대작이 사직하다.
〔乞假〕 qǐjià 동 〈文〉 휴가를 신청하다. =〔请假〕〔乞休〕〔取qǔ告〕
〔乞浆得酒〕 qǐ jiāng dé jiǔ 〈成〉 목이 말라 물을 구하다 술을 얻음《구하던 것 이상의 것을 얻음》.
〔乞克〕 qǐkè 명 체크(check). =〔支票〕〔赤〕〔银则〕〔则〕〔则纸〕
〔乞克乳脂〕 qǐkèrǔzhī 명 《植》 치클(chicle) 《껌의 원료》. =〔糖胶树胶〕〔糖地树胶〕
〔乞怜〕 qǐlián 동 동정을 애걸하다.
〔乞灵〕 qǐlíng 동 〈文〉 신불(神佛)에 의지하다. (가망이 없는) 조력을 구하다. ¶企图～于它在安理会的否决权; 그 안전 보장 이사회에서의 거부권에 의지하려고 기도하다.
〔乞盟〕 qǐméng 동 〈文〉 ①적에게 화평(和平)을 구하다. ②동맹을 맺고 신에게 그것을 고(告)하다.
〔乞免〕 qǐmiǎn 동 〈文〉 ①용서를 빌다. 사죄하다. ②사직원을 내다. =〔乞身〕〔乞休〕
〔乞命〕 qǐmìng 동 살려 달라고 애원하다. 목숨을 빌다.
〔乞巧〕 qǐqiǎo 명 ①칠석(七夕). ¶～日; 7월 7일. ②민간 풍습의 하나《칠석날 밤에 여자가 안마당에 과일을 올리고 바느질을 잘 하도록 직녀성에 비는 일》.
〔乞巧节〕 qǐqiǎojié 명 ⇨〔七qī夕〕
〔乞巧棚〕 qǐqiǎopéng 명 옛날, 칠석날에 비단이나 색명주 끈으로 집집마다 만드는 선반 장식.
〔乞请〕 qǐqǐng 동 〈文〉 간절히 바라다. 애걸하다.
〔乞求〕 qǐqiú 동 (구원을) 청하다. (도움을) 바라다. 매달리다.
〔乞儿〕 qǐr 명 〈文〉 걸인. =〔乞人〕
〔乞人〕 qǐrén 명 ⇨〔乞儿〕
〔乞身〕 qǐshēn 동 ⇨〔乞免②〕
〔乞师〕 qǐshī 동 〈文〉 지원군을 청하다.
〔乞食〕 qǐshí 동 음식을 구걸하다. 명 ⇨〔乞丐〕
〔乞司〕 qǐsī 명 치즈. =〔干gān酪〕
〔乞讨〕 qǐtǎo 동 구걸하다. ¶沿街～; 거리를 걸식하며 다니다 / ～度日; 구걸로 살아가다. =〔讨乞〕
〔乞头〕 qǐtóu 명 노름판의 개평.
〔乞降〕 qǐxiáng 동 항복을 받아 줄 것을 요청하다.
〔乞休〕 qǐxiū 동 ⇨〔乞免②〕
〔乞养子〕 qǐ yǎngzǐ 양자를 들이다.
〔乞援〕 qǐyuán 동 구원을 청하다〔바라다〕.
〔乞子〕 qǐzi 명 ⇨〔乞丐〕

芑 qǐ (기)
명 ①《植》 '地黄'의 별칭. ②백량미(白粱米)의 열매. ③《植》 상추. ④《化》 시클로헥사디엔(cyclohexadien). =〔环huán己间二烯〕

岂(豈) qǐ (기)
①부 〈文〉 반문(反問)을 나타냄. ㉠설마 …한 일은 아니겠지. ¶～有意乎? 설마 그런 생각을 하고 있지는 않겠지? ㉡

어찌 …한 일이 있겠는가. ¶～能不管; 어떻게 내버려 둘 수 있겠는가/～可相比; 어떻게 비교가 되겠는가. ② 동 원(願)하다. ⇒kǎi

〔岂不〕 qǐbù (…이) 아니냐《흔히, 문장 끝에 '吗'를 동반하여, 반어(反語)로 쓰임》. ¶果真这样的话, 我～就此了liǎo吗? 만일 정말로 그렇다면, 나는 이대로 끝장이 나는 것은 아닌가?

〔岂不是〕 qǐbùshi 설마 …은 아니겠지요《반어(反語)》. …그렇지요. ¶这件事这么一办, ～坏了? 일을 이렇게 하는데 설마 망치는 건 아니겠지?

〔岂不知〕 qǐbùzhī 〈文〉 ①의외로. 생각밖에. ¶～他是往南去的; 의외로 그는 남쪽으로 간다. ②어찌 모르겠는가. ¶我～你的本事比他好得多; 네 솜씨가 그보다 훨씬 낫다는 것을 모를 리가 있는가.

〔岂待〕 qǐdài 〈文〉 어찌 …을 기다리겠는가. …할 필요가 어찌 있겠는가? ¶～将来; 어찌 장래를 기다리랴(그럴 필요는 없다).

〔岂但〕 qǐdàn 〈文〉 비단 …뿐만 아니라. ¶～他一个人不愿意, 连我们都不赞成; 그 한 사람이 원하지 않을 뿐만 아니라, 우리도 찬성하지 않는다/他～好hào打球, 而且还爱游泳; 그는 공치기도 좋아하고, 수영도 좋아한다. =〔岂只〕

〔岂非〕 qǐfēi 〈文〉 어찌 …이 아니겠는가《반문의 뜻을 나타냄》. ¶这样解释～自相矛盾; 이러한 해석은 자기 모순이 아닌가.

〔岂敢〕 qǐgǎn ①어찌 (…을) 감히 할 수 있겠는가. 도저히 (용기가 없어) 못 한다. ¶～怠慢? 어찌 게을리할 수 있겠는가? ②죄송합니다. ¶～～! 황공합니다!

〔岂可〕 qǐkě 〈文〉 어찌 …해도 좋단 말인가.

〔岂奈〕 qǐnài 어찌할 것인가. 어찌하리요. ¶我虽然愿意帮你忙, ～我现在没有钱; 나는 자네를 돕고 싶지만, 지금 돈이 없으니 어찌하랴.

〔岂能〕 qǐnéng 어찌 …할 수 있겠는가. ¶我～跟小孩子一般见识; 내가 어찌 어린아이와 생각이 같을 수 있겠는가.

〔岂若〕 qǐruò 〈文〉 어찌 …만 하랴. 어찌 같을 수 있겠는가.

〔岂有〕 qǐyǒu 어찌 …이 있겠는가《그럴리가 없다》.

〔岂有不可〕 qǐ yǒu bùkě 어찌 불가하겠는가. 어찌 좋지 않을 수 있겠는가.

〔岂有此理〕 qǐ yǒu cǐ lǐ 〈成〉 당치도 않다. 부당하다. 어찌 그럴 리가 있겠는가. 어처구니없는 이야기다《이치에 맞지 않는 이야기나 사물에 대하여 분개하고 불만을 나타내는 말》. ¶这真是～的事; 이것은 정말 당치도 않은 일이다/～的冷; 가당찮은 추위.

〔岂有他哉〕 qǐ yǒu tā zāi 〈成〉 달리 할 수가 있을까. ¶如此而已, ～; 이렇게 할 뿐이다, 달리 어쩔 수가 없다.

〔岂知〕 qǐzhī 〈文〉 어찌 알았으랴. 뜻밖에도. ¶我昨天还瞧见他, ～他今天会死了; 나는 어제도 그를 만났는데, 그가 오늘 죽으리라고는 생각지도 않았다.

〔岂止〕 qǐzhǐ ①어찌 (…에) 그칠까. ¶反对的～一百人; 반대하는 자가 족히 100인은 된다/～他一个人不赞成; 찬성 않는 사람이 어찌 그 한 사람뿐이겠는가. ②→〔岂只〕

〔岂只〕 qǐzhǐ 어찌 …일 뿐이겠는가. …일 뿐만 아니라. ¶～没生气, 还着实心疼他; 화를 내지 않았을 뿐 아니라, 오히려 그를 친절히 위로했다.

屺 qǐ (기)
명 〈文〉 민둥산. 벌거숭이산.

杞 qǐ (기)
명 ①〖植〗 갯버들. ¶～柳; ⇩ ②〖植〗 소태나무. ③〖植〗 구기자나무. =〔枸gǒu杞〕 ④(Qǐ) 〖史〗 주대(周代)의 나라 이름《지금의 허난성(河南省) 치 현(杞縣)에 해당함》. ⑤성(姓)의 하나.

〔杞柳〕 qǐliǔ 명 〖植〗 ①갯버들. ②고리버들류(類).

〔杞人忧天〕 Qǐ rén yōu tiān 〈成〉 기우. 쓸데없는 걱정《기(杞)나라 사람이 하늘이 내려앉으면 어떻게 될까를 걱정하였다는 고사에서 유래》. =〔〈簡〉 杞忧〕

〔杞忧〕 qǐyōu ⇨〔杞人忧天〕

〔杞梓〕 qǐzǐ 명 소태나무나 가래나무와 같은 좋은 재목. 〈比〉 걸출한 인재.

起 qǐ (기)
A) 동 ①일어나다. 몸을 일으키다. 기상하다. (몸이 나아서) 좋아지다. ¶几点钟～来; 몇 시에 일어나느냐/早～早睡; 일찍 자고, 일찍 일어난다/～立致敬; 일어서서 경의를 표하다/～来吧; 분기해라. ②들어 올리다. 올라가다. ¶举～手来; 손을 들다/～重机; ⇩/飞机～到半空; 비행기가 하늘로 올라가다/行市又～了一点儿了; 시세가 또 조금 올라갔다/这个风筝不爱～; 이 연은 잘 올라가지 않는다/用铁锹～上; 괭이로 땅을 파 일구다. ③후벼 내다. 파 일으키다. 끄집어 내다. 벗기다. ¶把墙上贴的画～下来; 벽에 붙어 있는 그림을 떼어 내다/这件衣服得～油; 이 옷은 기름 얼룩을 빼야만 한다/把地下的银子～出来; 지하의 은을 캐내다/把货物打船上～下来; 짐을 배에서 끄집어 내다/～赃zāng; ⇩ ④(부스럼이나 땀띠가) 생기다. 돋다. 부어오르다. ¶～泡(儿); ⇩/～了一身鸡皮疙瘩gēda了; 온몸에 소름이 돋았다/～痱子; 땀띠가 나다/因为起子加得少, ～得不好; 베이킹 파우더를 조금 넣었기 때문에 잘 부풀지 않는다. ⑤발달하다. 상승하다. 경기가 좋아지다. ¶买卖有～色; 장사는 경기가 좋다/他的学问见识并没有～色; 그의 학문 견식은 전혀 진보가 없다/白手～家; 〈成〉 빈 손으로 집안을 일으켜 세우다. ⑥발생하다. 일으키다. 반동하다. ¶平地～风波; 평지에 풍파가 일어나다/～了疑心了; 의심을 일으켰다. 의심이 생겼다/～了不良之心了; 못된 마음을 일으켰다/见财～意; 〈成〉 돈을 보고 흑심을 일으켰다/～义; ⇩/～革命; 혁명을 일으키다. ⑦안(案)을 세우다. 구상하다. ¶～稿子; 원고를 기초하다. ⑧건축하다. 세우다. ¶～房子; 집을 세우다/ ～一座楼房; 고층 건물을 세우다. ⑨(표를) 사다. ¶～船票; 배표를 사다/～行李票; 수하물을 맡기다/你给我～两张门票呢; 입장권을 두 장만 주세요. **B)** 조 ①…부터. …에서. …경유로《시간·장소 등의 기점(起點)을 나타냄》. ¶～哪儿来; 어디서 오느냐/～旱(路)走; 육로로 가다. 육로를 가다/～小到大没见过; 어릴 적부터 죽 만난 일이 없다. ②…하기 시작하다《동작의 개시를 나타내는 말》. ¶他才说～话来了; 그는 비로소 말하기 시작했다/打～仗来了; 전쟁을 시작했다/说～来话长; 이야기하면 길어진다/提～来就生气; (이 일을) 끄집어 내면 곧 화를 낸다/大家唱～来了; 모두 노래하기 시작했다. ③…부터《'从'·'由' 등과 함께 쓰이어 기점(起點)을 나타냄》. ¶从头学～; 처음부터 배우기 시작하다/从今天～到后天为止; 오늘부터 모레까지/由现在～; 지금부터/从这里～; 여기서부터. ④동사의 뒤에서 흔히 '不～'·'得～'으로 쓰이어 금전·

능력 또는 자격의 유무에 의한 가능·불가능을 나타내는 말. ¶太贵, 我买不～来; 너무 비싸서 나는 못 사겠다/经得～考验; 시련을 견딜 수 있다/对不～; 대할 낯이 없다. 미안하다/当得～; 담당할 수 있다/冻dòng不～; 추위를 견뎌 내지 못하다/买不～; (돈이 없어) 사지 못하다. C) ①㊎ 무리. 조(組)(그룹을 세는 데 쓰이는 말). ¶一～人走了, 又来一～了; 한 무리가 떠나니까, 또 한 무리의 사람이 온다/放在一～; 한데 놓아두다/我和他不是一～的; 나는 그 사람과 한패가 아니다. ②㊎ 건수(件數)·횟수(回數)를 세는 데 쓰이는 말. ¶喜报一天有好几～; 기쁜 소식이 하루에 몇 번씩이나 있다/不是一～两～了; 한두 번이 아니다/三～案件; 세 가지 사건. ③㊔ 기원(起願). 최초(最初). ④㊔ 전방(前方). 앞쪽. ¶往～站; 앞쪽을 향하여 서다. ⑤㊔ 성(姓)의 하나.

〔起岸〕 qǐ'àn ㊍ 양륙(揚陸)하다. 짐을 부리다.

〔起霸〕 qǐ.bà ㊍ 《劇》 ①중국 전통극에서, 무장(武將)이 등장하여 출진(出陣)에 앞서 행하는 무용(舞踊) 동작을 하다. ②출진무(出陣舞)를 하다.

〔起爆〕 qǐbào ㊍ 기폭하다. ¶～药; 점화약. 기폭약/准时～; 정각에 폭파시키다.

〔起笔〕 qǐbǐ ㊔ 한자를 쓸 경우의 첫 한 획. (qǐ.bǐ) ㊍ 기필(起筆)하다.

〔起兵〕 qǐbīng ㊍ 기병하다. 군사를 일으키다.

〔起病〕 qǐbìng ㊍ 〈俗〉 완쾌 축하의 선물을 하다. ¶送一双鞋给他～; 그에게 완쾌 축하로 신발을 한 켤레 보내다.

〔起驳〕 qǐbó ㊍ 거룻배에서 짐을 부리다.

〔起步〕 qǐbù ㊍ 〈方〉 전진하기 시작하다. 앞으로 나아가다. 출발하다. ¶车子～了; 차가 움직이기 시작했다.

〔起不到〕 qǐbudào (작용을) 일으키지 못하다. (작용)하지 못하다. ¶他的研究～任何改善大家生活的作用; 그의 연구는 여러 사람의 생활을 개선하는 아무런 작용을 하지 못한다.

〔起不来〕 qǐbulái ①잠자리에서 일어날 수가 없다. ②일어설 수가 없다. ③출세할 수가 없다. ‖↔〔起得来〕

〔起槽刀〕 qǐcáodāo ㊔ 《機》 홈파기 바이트(grooving tool). =〔切qiē口刀〕

〔起草〕 qǐ.cǎo ㊍ 안(案)을 세우다. 구상하다. ¶～稿; 원고를 작성하다. =〔起稿〕

〔起场〕 qǐ.cháng ㊍ (농가 앞 광장에 말리고 있는 탈곡한 곡물을) 모으다.

〔起承转结〕 qǐ chéng zhuǎn jié ㊔ 기승전결(시의 작법상의 용어).

〔起程〕 qǐchéng ㊍ 〈文〉 출발하다. ¶～前往; 출발하여 가다. =〔起身shēn〕〔起行〕〔启行〕〔动身〕〔登dēng程〕

〔起翅〕 qǐchì ㊍ (새가) 날아오르다. (밖을) 나다니다. (밖을) 날아다니다. ¶你别这么早就～啊; 이렇게 아침 일찍부터 나돌아다니면 안 된다.

〔起出〕 qǐchū ㊍ ①(차·배에서) 짐을 부리다. =〔起卸〕 ②장물(臟物)을 압수하다.

〔起初〕 qǐchū ㊏ 처음. 최초. ¶～他一个字也不认识, 现在已经能看报写信了; 그는 처음에는 한 자도 몰랐으나, 지금은 신문을 읽고 편지도 쓸 수 있게 되었다. =〔当初〕〔起先〕〔起头(儿)〕

〔起床〕 qǐ.chuáng ㊍ 일어나다. ¶是～的时候了! 일어날 시간이야!/～号; 기상 나팔.

〔起词〕 qǐcí ㊔ 《言》 주어에 해당하는 옛 문법용어.

〔起刺〕 qǐcì ㊍ 〈方〉 온순하지 않다. 대들다. 반항하다. ¶他还敢乍毛～; 그가 이 이상 대들거나 반항할까.

〔起打〕 qǐdǎ ㊔ 《劇》 중국 전통극 중 '武wǔ戏'(무술극)에서 격투가 시작됨.

〔起单〕 qǐdān ㊔ 《商》 화물 인도 지시서.

〔起到〕 qǐdào ㊍ (역할을) 완수하다. 구실을 하다(부정은 '起不到'). ¶一定会～极大的作用; 반드시 매우 큰 역할을 완수할 수 있다.

〔起点〕 qǐdiǎn ㊔ ①기점. ¶～站; 시발역. ②《體》 스타트 지점. 스타트 라인.

〔起电〕 qǐdiàn ㊔㊍ 《電》 기전(하다). 충전(하다). 감전(하다). ¶～盘; 전기를 모으는 장치.

〔起吊〕 qǐdiào ㊍ 기중기로 달아 올리다.

〔起碇〕 qǐdìng ㊍ 발묘(拔錨)하다. 출범하다. =〔拔bá锚〕〔启碇〕

〔起动〕 qǐdòng ㊍ ①수고를 끼치다. 폐를 끼치다. ¶～您, 不敢当; 수고를 끼쳐서 죄송합니다. ②시동을 걸다. ¶～机; 《機》 시동기.

〔起端〕 qǐduān ㊔ 발단. 시초. 계기. ㊍ 시작되다. =〔开kāi端〕

〔起发〕 qǐfa ㊍ 돈을 벌기 시작하다. 이익을 끌어내다. ¶打算从这里头～钱可不容易; 이런 속에서 돈을 벌려 하다니 쉬운 일이 아니다.

〔起飞〕 qǐfēi ㊍ (비행기가) 이륙하다. 날아오르다. ¶飞机在十一点四十分～; 비행기는 11시 40분에 이륙한다.

〔起粪〕 qǐfèn ㊍ (외양간·마구간에서) 똥을 쳐내다.

〔起风〕 qǐfēng ㊍ 바람이 일다.

〔起伏〕 qǐfú ㊍ 높아졌다 낮아졌다하다. ㊔ 기복. ¶这一带全是连绵～的群山; 이 일대에는 기복이 심한 산이 이어지고 있다.

〔起服〕 qǐfú ㊍ 거상을 입다.

〔起浮财〕 qǐ fúcái ①부정한 돈을 벌다. ②(숨겨진) 부정한 재물을 찾아 내다.

〔起复〕 qǐfù ㊔ ①(옛날, 관리가) 상중에 기용되는 일. ②상이 끝난 다음에 기용되는 일. 다시 기용되는 일.

〔起盖〕 qǐgài ㊍ 건축을 시작하다.

〔起杠〕 qǐgàng ㊍ 출관(出棺)하다. 출상하다. ¶定早晨八点钟～; 아침 8시에 출관하기로 정했다. =〔出chū殡〕

〔起稿〕 qǐ.gǎo ㊍ ⇨〔打dǎ稿(子)〕

〔起根(儿)〕 qǐgēn(r) ㊏ 〈口〉 처음부터. 이때까지 내내. ¶我～就没有相信过他的话; 나는 처음부터 그의 말을 믿은 적이 없다. =〔从来〕〔一向〕

〔起根发脚〕 qǐgēn fājiǎo 〈比〉 애당초. =〔起根发苗〕

〔起根发苗〕 qǐgēn fāmiáo ⇨〔起根发脚〕

〔起更(天)〕 qǐgēng(tiān) ㊔ ⇨〔定dìng更(天)〕

〔起工〕 qǐ.gōng ㊍ 공사를 시작하다. =〔起造〕

〔起沟〕 qǐgōu ㊔㊎ ⇨〔坑kēng型〕

〔起沟机〕 qǐgōujī ㊔ 《機》 홈파기 커터(cutter).

〔起锅〕 qǐ.guō ㊍ ①냄비를 불에서 내려놓다. ②냄비에서 음식을 떠내다. ③(냄비로) 끓이기 시작하다. ¶用水～; 우선 물을 붓고 불에 올려놓다/用油～, 然后炒菜; (냄비를 불에 올려놓고) 우선 기름을 두른 다음 요리를 볶다.

〔起锅伙(儿)〕 qǐ.guōhuo(r) ㊍ 여러 사람이 공동으로 취사하는 사람을 고용하여 식사 시중을 들게 하다. (qǐguōhuō(r)) ㊔ 위와 같이 고용된 사람.

〔起旱〕 qǐ.hàn ㊍ 걸어서 육로(陸路)를 가다. ¶～三天; 육로를 3일간 가다/我们要～; 우리는 육로로 간다. =〔起旱走〕

〔起行〕 qǐ·háng 동 행을 바꾸다. ¶另起一行; 별행을 잡다. ⇒qǐxíng
〔起航〕 qǐháng 동 (기선 따위가) 출항하다.
〔起黑票〕 qǐhēipiào 동 〈俗〉 도망치다. 야반 도주하다. ¶他一声没言语, 第二天就～了; 그는 한 마디 말도 없이 다음 날 도망가 버렸다.
〔起哄〕 qǐ·hòng 동 ①떠들어 대다. ¶那群人在那儿起什么哄呢? 저 군중은 저기서 무얼 떠들고 있느냐? / 人家挺忙的, 咱们别在这儿～了; 그는 무척 바쁘니까 여기서 떠들지 말도록 하자 / 学生和学校～; 학생이 학교에 대하여 소동을 일으키다. =〔起閧〕 ②희롱하다. 놀리다. ¶咱们找他起起哄去; 우리 그 녀석을 찾아가서 놀려 주자.
〔起花〕 qǐ·huā 동 (무늬를) 돋을새김하다. 부조하다.
〔起花〕 qǐhua 명 폭죽의 일종(짚으로 된 꼬리가 달려 있고, 점화하면 불꽃을 내며 그 반동으로 하늘로 높이 올라감). =〔起火huǒ〕〔旗花〕 (qǐ·hua) 동 끓어 올라 거품이 일다.
〔起滑线〕 qǐhuáxiàn 명 (스키 등의) 스타트 라인.
〔起会〕 qǐhuì 동 계를 모으다. =〔打dǎ会〕
〔起火〕 qǐ·huǒ 동 ①밥을 짓다. ¶在食堂吃饭比自己～方便多了; 식당에서 식사하는 쪽이 자취하는 것보다 훨씬 편리하다. ②불이 타기 시작하다. 불이 나다. ③〈方〉 현기증 나다. 흥분하다. ④〈方〉 화내다. 골내다. ¶你别～, 听我慢慢地对你说! 화내지 말고, 내가 천천히 당신에게 지금부터 말하는 것을 들으시오!
〔起火〕 qǐhuo 명 폭죽의 일종. =〔起花qǐhua〕
〔起火(小)店〕 qǐhuǒ (xiǎo)diàn 명 〈方〉 허술한 여인숙. 싸구려 여인숙. =〔火铺子〕
〔起伙〕 qǐhuǒ 동 (부엌에서) 취사하다.
〔起货〕 qǐ·huò 동 짐을 부리다. 짐을 내리다. 짐을 인수하다. ¶～单; 화물 인도 증서〔지시서〕/ ～细单; 화물 인도 명세서 / ～报告; 양륙(揚陸) 보고 / ～费; 양륙비.
〔起获〕 qǐhuò 동 ①압수하다. →〔起赃〕 ②체포하다.
〔起急〕 qǐjí 동 〈方〉 조급히 굴다. 안달하다. ¶心里～; 마음 속으로 초조해하다.
〔起脊〕 qǐjǐ 명 기와를 높게 쌓은 지붕의 용마루. ¶正房～, 厢房平台; 안채는 용마루가 높고, 동서 양쪽에 있는 집은 평평한 지붕이다.
〔起家〕 qǐ·jiā 동 ①집안을 일으키다. ¶白手～; 자수 성가 / ～发财; 집안을 일으켜 부자가 되다 / 他一味苦干, 因此起了家了; 그는 대단히 노력했으므로 가세가 넉넉해졌다. ②부자(富者)가 되다. ③출세하다. (qǐjiā) 명 출신. ¶他湖南～; 그는 후난 성(湖南省) 출신이다.
〔起价〕 qǐ·jià 동 ⇨〔涨zhǎng价〕
〔起价米〕 qǐjiàmǐ 명 〈廣〉 어디를 가나 미움을 받는 사람.
〔…起见〕 qǐjiàn 조 〈文〉 …의 견지에서. …의 목적으로. …하기 위하여. 注 반드시 '为wèi'와 상응(相應)하여 쓰임. ¶为保卫世界和平～…; 세계 평화를 지키기 위하여… / 为国家前途～, 我们要团结起来; 국가의 전도를 위하여 우리는 단결해야 한다. =〔为…计〕
〔起讲〕 qǐjiǎng →〔八bā股〕
〔起轿〕 qǐjiào 동 가마가 나오다. 가마를 메고 출발하다. ¶什么时候～呢? 가마는 언제쯤 떠납니까? (시집갈 때 가마가 출발할 시간을 묻는 말). =〔发fā轿〕
〔起节〕 qǐjié 명 옛날, 관리의 임지로의 출발. ¶几时～呢? 언제 떠나십니까? =〔启节〕
〔起解〕 qǐjiè 동 ⇨〔押yā送〕
〔起劲(儿)〕 qǐjìn(r) 동 ①힘을 주다. 전심 전력하다. 열중하다. ¶读书要读得～; 공부는 힘을 들이지 않으면 안 된다 / 一听那话, 就～了; 그 애기를 듣자 곧 기운이 났다 / 走得不～; 걸음걸이에 맥이 없다. ②신명이 나다. 의기양양해지다. 흥이 나다. ¶喝得～; 주흥(酒興)이 솟는다 / 现在一点不～了; 지금은 조금도 흥미를 갖지 못하게 됐다 / 当放射卫星时他们可～了; 인공 위성을 발사했을 때 그들은 매우 신이 났다. 형 유쾌하다. 재미있다. =〔高兴gāoxìng〕
〔起敬〕 qǐjìng 동 존경심을 일으키다. ¶不由地叫人～; 사람으로 하여금 저도 모르게 존경심을 일으키게 한다 / 令人肃然～; 숙연히 존경하는 마음이 일게 한다.
〔起居〕 qǐjū 명 평소의 생활 상태. 기거. ¶～有恒; 일상 생활이 규칙적이다.
〔起居室〕 qǐjūshì 명 거실. 리빙룸.
〔起居万福〕 qǐjū wànfú 〈翰〉 ⇨〔万福金安〕
〔起句〕 qǐjù 명 기구. 시의 첫구.
〔起圈〕 qǐ·juàn 동 가축 우리의 배설물이나 깔깃 등을 그러내다.
〔起开〕 qǐkāi 동 〈方〉 비키다. 멀어지다. ¶请你～点, 让我过去! 좀 비켜서 나 좀 가게 해 주시오!
〔起炕〕 qǐ·kàng 동 〈北方〉 (온돌에서) 일어나다. 기상(起床)하다.
〔起科〕 qǐkē 명 옛날, 새로 개간한 땅에 대하여, 일정 연한이 지난 다음 정식으로 과세하기 시작하는 일. =〔升shēng赋〕〔升科〕
〔起课〕 qǐ·kè 동 ⇨〔占zhān课〕
〔起来〕 qǐ·lai 동 ①기상(起床)하다. ¶你早～了; 잘 주무셨습니까. ②일어서다. 분기하다. ¶大家～吧! 모두 일어서자! / ～! 不愿做奴隶的人们; 일어서라! 노예가 되고 싶지 않은 사람들이여.
〔-起来〕 -·qi·lai〔-·qǐ·lai〕 ①상하(上下)의 방향성(方向性)이 있는 동사 뒤에 놓여 동작이 아래에서 위로 행하여짐을 나타냄. ¶把孩子抱～; 어린애를 안다. ②동사 뒤에 쓰여 동작이 개시하여 잠시 계속됨을 나타냄. 또, 형용사의 뒤에 쓰여 그 성질·상태가 존재하기 시작하여 그것이 잠시 지속됨을 나타냄. ¶下起雨来了; 비가 오기 시작했다 / 吃～又甜又脆; 먹으니 달고도 사각거린다 / 一句话把屋子里的人都引得笑～; 한 마디가 방 안에 있는 사람을 모두 웃겼다. ③동사 뒤에 놓여 그 동작을 실제로 해 볼 것을 강조함. ¶这件事, 说～容易, 作～难; 이 일은 말로는 쉽지만 해 보면 어렵다 / 这个东西, 用～很方便; 이것은 사용해 보니 매우 편리하다. ④형용사 뒤에 놓여 그 성질·상태가 나타나고 실제로 존재함을 강조함. ¶天气热～的时候, 我们每天七点半就上课; 더워지면 우리들은 매일 7시 반에 수업을 시작한다. ⑤단결·조직·집중을 뜻하는 동사 뒤에 놓여 그 동작의 결과가 한데로 모아진 상태가 됨을 나타냄. ¶党员都组织～了; 당원은 모두 조직되었다. ⑥'想' 따위 말의 뒤에 놓여 기억이 새로워짐을 나타냄. ¶想～了, 这是鲁迅的话! 생각났다, 이것은 루 쉰(鲁迅)의 말이야!
〔起雷〕 qǐ·léi 동 《軍》 지뢰나 수뢰를 제거하다.
〔起楞布〕 qǐléngbù 명 《紡》 코르덴(corded velveteen).
〔起立〕 qǐlì 명동 기립(하다). ¶全体～! 전원 기립! / ～致敬; 기립하여 절하다. 기립하여 경의를 표하다.

〔起利〕 qǐ.lì 동 이자를 붙이기 시작하다. 이자 계산을 시작하다. (qǐlì) 명 이자를 붙이기 시작함. 이자가 붙기 시작함. ‖ =〔起息〕
〔起灵〕 qǐ.líng 동 (묘지로 운반하기 위하여) 관을 내가다. 출관하다.
〔起垄〕 qǐ.lǒng 동 《農》 (밭에) 이랑을 만들다.
〔起銮〕 qǐluán 동 〈文〉 천자의 수레나 가마가 출발하다.
〔起落〕 qǐluò 동 올랐다 내렸다 하다. ¶物价～不定; 물가가 오르락내리락하여 일정하지 않다 / ～架; (항공기의) 이착륙 장치. 명 상승과 하강.
〔起码〕 qǐmǎ 명부 최저(最低)(로). ¶～的生活条件; 최저의 생활 조건 / 价钱是五十元～; 값은 최저 50원부터 있다 / 最～的知识; 최소 한도의 지식 / 一双皮鞋～能穿一年; 가죽신 한 켤레는 적어도 1년은 신는다.
〔起满坐满〕 qǐmǎn zuòmǎn 〈比〉 초만원. 꽉 차다. ¶剧场里, ～地挤严了, 再插不下脚去了; 극장 안은 초만원이다. 이 이상은 발을 들여놓을 틈이 없다.
〔起毛〕 qǐmáo 동 ①보풀이 일다. 보풀이 일게 하다. ¶纸张～; 종이의 괴깔 / 这件衣料, 有点儿～头了; 이 옷감은 보풀이 좀 일어나 있다. ②공포로 오싹해지다. ¶我一个人在这屋子里坐着, 值～; 이 방에 혼자 있으면 무서워서 소름이 끼친다. ③곰팡이가 되다.
〔起锚〕 qǐ.máo 동 ⇨〔拔bá锚〕
〔起锚机〕 qǐmáojī 명 양묘기(揚錨機). 윈들러스(windlass). =〔锚车〕
〔起蒙〕 qǐméng 동 (눈이) 침침하다. 흐리다. ¶眼睛～; 눈이 침침하다.
〔起猛〕 qǐměng 동 ①벌떡 일어나다. ¶刚才头晕yūn是因为～了, 不要紧; 방금 어질어질했던 것은 갑자기 일어섰기 때문이지, 대수로운 일이 아니다. ②아침 일찍 일어나다. ¶今天～了, 天还没亮呢; 오늘은 너무 일찍 일어났다, 아직 날도 새지 않았는데.
〔起面〕 qǐ.miàn 동 ⇨〔发fā面〕
〔起名儿〕 qǐ.míngr 동 명명(命名)하다. ¶～叫琴童; 금동(琴童)이라고 이름짓다 / 给孩子起个名儿; 어린애에게 이름을 지어 주다. =〔起名字〕
〔起名字〕 qǐ.míngzi 동 ⇨〔起名儿〕
〔起模〕 qǐmó 동 모형을 뜨다. 본을 뜨다.
〔起腻〕 qǐnì 동 ①성가시게 굴다. 귀찮게 따라붙다. ¶他三天两日地到我这儿来～; 그는 사흘이 멀다 하고 나한테 와서 성가시게 군다 / 他明知道这件事不能办, 还来找我, 简直成心跟我～; 그는 이 일이 불가능하다는 것을 잘 알고 있으면서 나를 찾아오는데, 정말 일부러 날 성가시게 굴고 있는 것이다. ②와자지껄 모여서 하는 일 없이 지내다. ¶我们整天在一块儿～; 우리는 하루 종일 모여서 하는 일 없이 와글와글 떠들고만 있다 / 别～, 出去活动活动; 틀어박혀만 있지 말고, 좀 몸을 움직여라.
〔起牌〕 qǐpái 명 마작에서, 처음에 분배된 13개의 패.
〔起跑〕 qǐpǎo 명동 《體》 출발〔스타트〕(하다). ¶～线; 스타트 라인(‘终点线’(결승선)에 대함) / ～后疾跑; 스타트 대시(dash) / ～器; (경주의) 출발대(臺). 스타팅 블록(starting block).
〔起跑钟〕 qǐpǎozhōng 명 ⇨〔停tíng表①〕
〔起泡(儿)〕 qǐ.pào(r) 동 ①거품이 일다. ¶胰yí子水儿～; 비눗물이 거품을 만들다. ②물집이 생기다. ¶脚上～; 발에 물집이 생기다. =〔起疱〕
〔起皮〕 qǐ.pí 동 불끈 화를 내다.
〔起偏镜〕 qǐpiānjìng 명 《物》 편광자(偏光子).
〔起票〕 qǐ.piào 동 〈京〉 (차·배의) 표를 발행하다. 표를 팔다. 표를 사다. ¶起行李票; (수화물을 맡기고) 수화물 표를 사다.
〔起讫〕 qǐqì 명 처음과 끝. ¶～点; 기점과 종점 / 一阶段的～时期; 한 단계의 시작과 끝나는 시기 / ～年; 한 단락의 해. =〔起止〕〔起住〕
〔起去〕 qǐqù 동 인수(引受)하다. ¶将货物～; 화물을 인수하다.
〔起色〕 qǐsè 동 ①활기를 띠다. 경기가 좋아지다. 진전되다. ¶那个孩子没有～; 저 아이는 활기가 없다 / 他的学问见识并没～; 그의 학식은 도무지 향상되는 기색을 볼 수 없다. ②(중한 병이) 호전(好轉)되다. 세력을 만회하다. ¶吃了几服药, 病还是没～; 몇 첩의 약을 먹었지만 병은 아직 호전되지 않는다 / 脉有点儿～; 맥이 조금 좋아졌다. 명 호전의 기미. 활기. 병세의 호전. ¶生产上也有点儿～; 생산에서도 활기를 볼 수 있다 / 北平的任何生意都没有～; 베이징(北京)의 어떤 장사나 모두 활기가 없다.
〔起晌〕 qǐshǎng 명 정오가 되려 할 때. 동 점심 시간이 끝나고 오후의 일을 시작하다.
〔起身〕 qǐ.shēn 동 ①출발하다. ¶我决定在下月初～去; 나는 내달 초에 가기로 했다. =〔启程〕〔动身〕〔出发〕〔启身〕 ②일어나다. 기상하다. ¶每天几点钟～? 매일 몇 시에 일어나느냐?
〔起身炮〕 qǐshēnpào 명 옛날, 관리가 그만둘 때에 아랫사람 중에서 발탁하여 보충함으로써 아랫사람에게 은혜를 베푸는 동시에 외부의 엽관 운동자를 단념시키는 효과를 노린 인사를 실시하던 것을 말함.
〔起尸〕 qǐshī 동 (매장한 시체를) 재판을 위하여 파내어 검시(檢屍)하다.
〔起始〕 qǐshǐ 동 시작되다. =〔开kāi端〕
〔起事〕 qǐ.shì 동 ①소동을 일으키다. ②군사를 일으키다.
〔起誓〕 qǐ.shì 동 ①맹세를 하다. 서약하다. ¶这东西不是我偷的, 我敢～; 이 물건은 내가 훔친 것이 아닙니다. 나는 맹세합니다. =〔赌誓〕〔发誓〕〔宣誓〕 ②사과하다.
〔起手〕 qǐshǒu 동 시작하다. 착수하다. 명 ①소매치기. ②최초.
〔起首〕 qǐshǒu 명 발단. 시초. 동 시작되다. =〔开kāi端〕
〔起手儿〕 qǐshǒur 명부 ⇨〔起头(儿)〕
〔起水〕 qǐshuǐ 동 〈俗〉 돈을 벌다. ¶早些时我也起过好几回水呢; 전엔 나도 몇 번인가 돈을 벌었다.
〔起死回生〕 qǐ sǐ huí shēng 〈成〉 기사 회생. 죽은 사람을 되살아나게 하다(주로 의술이 뛰어난 모양에 씀).
〔起酥〕 qǐsū 동 밀가루 반죽을 ‘파이’처럼 겹겹으로 층이 지게 하다. ¶外边是～的皮, 里边包上各种的馅儿; 바깥쪽은 파이 모양의 피(皮)이고, 속에 여러 가지 소를 싸다.
〔起诉〕 qǐsù 동 ①《法》 기소하다. ¶～书; 기소장. ②법원에 호소하다.
〔起粟〕 qǐsù 명동 〈方〉 소름(이 돋다). ¶他觉得冷了, 皮肤有些～; 추워서 피부에 조금 소름이 돋았다.
〔起算〕 qǐsuàn 명동 기산(하다).
〔起跳〕 qǐtiào 명동 (넓이뛰기·높이뛰기 등의) 도약(하다). ¶～板; 구름판.
〔起头(儿)〕 qǐ.tóu(r) 동 선두에 서다. 시작하다.

의 통계표는 사람들에게 많은 계시를 주었다.

〔启事〕 qǐshì 동 무엇을 말하다. ¶专诚拜会, ～另柬; 주로 방문을 위하여 쓰며, 말씀드릴 것이 있는 경우에는 따로 편지를 올리겠습니다《명함이 악용되는 것을 방지하기 위하여, 그 뒷면에 인쇄하는 문구》. 명 ①성명(聲明). ②고시. 공시(公示). ¶征稿～; 원고 모집 공고. =〔启告〕

〔启信〕 qǐxìn 동 ⇨〔启封①〕

〔启衅〕 qǐxìn 동 도발하다. 문제를〔분쟁을〕 일으키다. 선동하다. =〔起衅〕

〔启行〕 qǐxíng 동 ⇨〔起程〕

〔启颜〕 qǐyán 동 〈文〉 웃다. 웃음을 짓다. =〔开kāi颜〕

〔启用〕 qǐyòng 동 (관청의 인장 등을) 사용하기 시작하다. 사용 개시하다.

〔启运〕 qǐyùn 동 ⇨〔起运〕

〔启蛰〕 qǐzhé 명 경칩. =〔惊jīng蛰〕

〔启者〕 qǐzhě 명 〈翰〉 서두에 곧잘 쓰이는 용어로 '배계(拜啓)'의 뜻《손아랫사람에 대하여 쓰며, 윗사람에 대해서는 '敬启者'라 씀》.

〔启奏〕 qǐzòu 동 〈文〉 상주(上奏)하다.

棨 qǐ (계)
①명 목제(木製)의 부절(符節)《옛날, 통행증의 일종으로 방패 모양의 것》. ②→〔棨戟〕

〔棨戟〕 qǐjǐ 명 옛날, 고관(高官) 행렬의 벽제(辟除) 때 선도자가 받들던 나무 창《비단 덮개를 씌웠음》.

腎 qǐ (계)
명 《生》 〈文〉 장딴지 근육. 비복근(腓腹筋).

綮 qǐ (계)
'棨qǐ'와 통용. ⇒qìng

绮(綺) qǐ (기)
①명 능견(綾絹). 무늬 있는 비단. ¶～罗luó; 능견과 얇은 명주. ②명 채색(彩色). ③명 성(姓)의 하나. ④형 생각·언어가 아름답고 훌륭하다. ¶～思; 훌륭한 생각／～语; 미사여구를 사용한 말／～丽; ⇓／～情; ⇓

〔绮井〕 qǐjǐng 명 〈文〉 아름다운 단청(丹青)으로 채색한 천장널.

〔绮丽〕 qǐlì 형 기려하다. (풍경 등이) 아름답다.

〔绮媚〕 qǐmèi 형 〈文〉 아름답고 고운 모양. 요염한 아름다움.

〔绮靡〕 qǐmǐ 형 〈文〉 기미하다. 아름답고 화려하다.

〔绮年蕙质〕 qǐ nián huì zhì 〈成〉 여자가 젊고 아름답다.

〔绮情〕 qǐqíng 명 〈文〉 아름다운 생각.

〔绮襦纨裤〕 qǐrú wánkù 〈比〉 부귀한 집안의 자제. =〔锦jǐn衣纨裤〕

〔绮艳〕 qǐyàn 형 〈文〉 아름답고 곱다. 염려(艷麗)하다.

〔绮语〕 qǐyǔ 명 〈文〉 ①교묘하게 잘 꾸며 대는 말. ②염정적(艷情的)인 문구.

〔绮注〕 qǐzhù 명 〈翰〉 (당신의) 걱정. 배려. =〔锦jǐn注〕

稽 qǐ (계)
→〔稽颡〕〔稽首〕 ⇒jī

〔稽颡〕 qǐsǎng 명 〈文〉 ①옛날, 상중(喪中)에 있는 사람의 '稽首'의 예(禮). ②옛날, 사망 통지에서 상주(喪主)의 서명 밑에 쓰는 말.

〔稽首〕 qǐshǒu 명 〈文〉 머리를 땅에 대고 절을 함.

气(氣) qì (기)
①(～儿) 명 숨. 호흡. ¶吸一口～; 후유 하고 한숨 쉬다／没～儿了; 숨을 거두다／上～不接下～; 숨이 차다. 헐떡거리다／叹tàn～; 탄식하다／一股～儿做; 단숨에 하다／～喘; ⇓ ②명 기체. 가스. 공기. ¶氢～; 수소(水素)／给自行车打～; 자전거에 공기를 넣다／毒dú～; 유독 가스／氧yǎng～; 산소(가스)／氨ān～; 암모니아／潮cháo～; 습기／～压; ⇓ ③명 계절(季節)《1년을 24로 나눔》. ④명 《漢醫》 원기(元氣)《인체 기관의 기능을 정상적으로 발휘시키는 힘》. 기백. ¶正～; 올바른 기개／有生～; 생기가 있다／朝zhāo～; 생동감이 넘치는 기분／优柔寡断, 没有丈夫～; 우유부단하고 사내다운 데가 없다／呆dāi～; 무기력한 태도. ⑤명 기후. 자연계의 현상. ¶天～; 날씨. 일기／秋高～爽shuǎng; 〈成〉 하늘은 높고 공기는 상쾌하다／～候; ⇓ ⑥(～儿) 명 냄새. ¶香～; 좋은 냄새／臭chòu～; 악취／土腥xīng(子)～; 흙냄새. ⑦명 기풍. 기질. 태도. ¶官僚～; 관료 기질／少shào爷～; 철부지티. 도련님티／满脸书～; 얼굴에 서생티가 배어 있다／孩子～; 애티. ⑧명 노기(怒氣). ⑨명 학대. 심술궂음. ¶受他的～; 그에게 학대당하다／新社会的妇女再也不受～了; 새로운 사회의 부녀자는 더 이상 학대를 받지 않는다. ⑩명 《漢醫》 어떤 종류의 증상을 이르는 말. ¶湿shī～; 습기에서 오는 병／脚～; 각기／心～亏弱; 체질이 허약한 것. ⑪동 성내다. 화내다. ¶～得要打他; 성이 나서 그를 때리려 한다／肺都～炸了; 불같이 노하다／动真～; 진짜로 화내다／不～不愁能活白头; 성내거나 슬퍼하지 않으면 장수할 수 있다. ⑫동 미치광이가 되다. ¶他～了; ⓐ그는 성냈다. ⓑ그는 미쳐 버렸다. ⑬동 울화통이 터지다. 억울해하다. ¶～得跳脚; 발을 동동 구르며 분해하다. ⑭동 골나게 하다. ¶～人; 사람을 골나게 하다／故意～他一下; 일부러 화나게 해 주었다／拿话～人; 말로 약을 올리다／他说的话真～人; 그가 하는 말은 정말 화가 난다. ⑮양 〈方〉 차례. 바탕. ¶打了一～; 한 번 때렸다／胡说一～; 한바탕 헛소리를 하다／足吃一～; 실컷 먹었다／抡lūn铁锤打了一～; 쇠망치를 흔들며 한바탕 날뛰었다. =〔阵zhèn〕

〔气昂昂(的)〕 qì'áng'áng(de) 형 의기 양양한 모양. 정신이 크게 떨쳐 일어나는 모양.

〔气包子〕 qìbāozi 명 〈口〉 〈比〉 화를 잘 내는 사람.

〔气胞〕 qìbāo 명 ①기포. ②⇨〔鱼yú鳔〕 ③《生》 폐포(肺胞).

〔气饱〕 qìbǎo 동 몹시 화가 나다. ¶～了; 화가 치밀었다.

〔气泵〕 qìbèng 명 《機》 공기 펌프. =〔风泵〕

〔气表〕 qìbiǎo 명 가스 미터.

〔气禀〕 qìbǐng 명 ⇨〔禀性〕

〔气不喘〕 qìbuchuǎn 숨도 쉬지 않고.

〔气不忿儿〕 qìbùfènr 〈方〉 ①곧잘 화를 낸다. 화가 치밀다. ②샘이 나다. 마음이 편치 않다. ¶他瞧你得了便宜, 他有点儿～; 그는 자네가 이득을 본 것을 좀 샘을 내고 있다.

〔气不公儿〕 qìbugōngr 〈方〉 승복할 수 없다. ¶他这么处理问题, 我就是～; 그가 문제를 이런 식으로 취급한다면 도저히 승복할 수가 없다.

〔气不过〕 qìbuguò 화가 나서 견딜 수 없다.

〔气不过来〕 qìbuguolái ⇨〔气不来〕

〔气不来〕 qìbulai 일일이 화를 내고 있다가는 끝이 없다. 화가 나도 어찌할 수가 없다. =〔气不过来〕
〔气不平〕 qìbupíng (공평하지 않은 일에 대하여) 화내다. ¶我看见他对你这样无礼, 真有点儿～; 그가 너에게 이와 같이 무례한 꼴을 보니 정말 화가 난다.
〔气不是好生的〕 qìbùshi hǎoshēngde 〈諺〉 성질이 급하면 자기만 손해 본다.
〔气层〕 qìcéng 명 ⇨〔气圈〕
〔气冲冲(的)〕 qìchōngchōng(de) 형 매우 화가 난 모양. =〔气忿忿地〕〔气狠hěn狠地〕〔气哼hēng哼地〕
〔气冲牛斗〕 qì chōng niú dǒu 〈成〉 노기 충천하는 모양. 매우 분노하는 모양. =〔气冲斗牛〕
〔气冲霄汉〕 qì chōng xiāo hàn 〈成〉 ①기개가 하늘을 찌름(기개가 왕성하여 아무것도 겁내지 않는 정신과 용기). ②혁명 정신에 불타 기력이 왕성함.
〔气喘〕 qìchuǎn 동 허덕이다. ¶～吁吁; 숨을 헉헉 헐떡이는 모양/～不接; 헐레벌떡거리다/～喘地跑来了; 숨을 헐떡이며 달려왔다. 명《醫》 천식. =〔〈俗〉 痰火病〕
〔气窗〕 qìchuāng 명 환기구. 환기창.
〔气锤〕 qìchuí 명 ⇨〔空kōng气锤〕
〔气粗〕 qìcū 형 ①기질이 거칠다. ②거칠다. 조야(粗野)하다. ③기세가 등등하다. ¶财大～; 재력이 있어서 기세가 당당하다. =〔气粗势壮〕 ④화를 잘 내는 성질이다.
〔气挫丧胆〕 qì cuò sàng dǎn 〈成〉 의기 소침하다. ¶你看他那～的样子; 그의 의기 소침한 저 꼴을 보십시오. =〔气挫神垂〕
〔气挫神垂〕 qì cuò shén chuí 〈成〉 ⇨〔气挫丧胆〕
〔气道〕 qìdào 명《生》 기도.
〔气灯〕 qìdēng 명 가스등. =〔汽灯〕
〔气垫(子)〕 qìdiàn(zi) 명 공기 방석.
〔气垫船〕 qìdiànchuán 명 호버크라프트(hovercraft).
〔气动〕 qìdòng 명형 공기압(空氣壓)으로 작동하는 (일). 공기 구동(驅動). ¶～钻; 공기 착암기. 에어 드릴(air drill)/～千斤顶; 에어 잭(air jack).
〔气肚儿〕 qìdùr 동 화가 나다〔치밀다〕. ¶他正在～; 그는 한창 화를 내고 있는 판이다.
〔气度〕 qìdù 명 ⇨〔气宇〕
〔气短〕 qìduǎn 동 ①숨이 가쁘다. ¶爬到半山, 感到有点～; 산의 중턱까지 오르니, 조금 숨이 찬 것을 느꼈다. ②의기 소침하다. 실망하다. ¶失败并没有使他～; 실패가 결코 그를 의기 소침하게 만들지는 않았다/儿女情长, 英雄～; 〈諺〉 남녀의 애정이 강하면, 영웅으로서는 무기력해진다.
〔气阀〕 qìfá 명《機》 에어 밸브(air valve). ¶～弹tán簧; 에어 밸브 스프링.
〔气蕃〕 qìfán 명 ⇨〔行xíng夜〕
〔气氛〕 qìfēn 명 기분. 분위기. ¶会场上充满了团结友好的～; 회의장에는 단결과 우호의 분위기가 충만되어 있었다/战争～; 전쟁 분위기. 전쟁열/紧张的～; 긴장된 공기.
〔气忿〕 qìfèn 명동 분노(하다). 분개(하다). =〔气愤〕〔气恼〕
〔气忿忿〕 qìfènfèn 형 잔뜩 화를 내는 모양. 노기 등등한 모양. ¶她这两天～地不张罗吃, 也不张罗喝; 그녀는 요 2,3일 잔뜩 골이 나서 먹지도 않고 마시지도 않는다. =〔气冲chōng冲〕〔气狠hěn狠〕〔气哼hēng哼〕
〔气愤〕 qìfèn 동 분개하다. 화내다. ¶他听了这种不三不四的话, 非常～; 그는 이와 같은 별것도 아닌 말을 듣고 굉장히 화를 냈다. =〔气忿〕 명 분개. 역정을 냄. ¶对不公平的处置感到～; 불공평한 처사에 분개를 느끼다.
〔气分〕 qìfen 명 체질. ¶这个小孩子～虚弱, 容易受病; 이 아이는 몸이 약해서, 곧잘 병에 걸린다.
〔气疯〕 qìfēng 동 성이 나서 미치다. 미칠 정도로 화나게 만들다.
〔气腹〕 qìfù 명《醫》 ①위장의 천공(穿孔) 등에 의해 배에 가스가 차는 증상. ②〈簡〉 기복('人rén工气腹'의 준말).
〔气概〕 qìgài 명 ⇨〔气宇〕
〔气缸〕 qìgāng 명 ⇨〔汽缸〕
〔气割〕 qìgē 명《工》 가스 절단. 동 가스 용접법으로 금속 재료를 절단하다.
〔气格〕 qìgé 명 〈文〉 기격. 인물·시·문장 등의 기품이나 품격. ¶～不凡; 기품이 뛰어나다. =〔气骨〕
〔气根〕 qìgēn 명《植》 기근.
〔气功〕 qìgōng 명 ①정좌(靜座)·정와(靜臥)하여 특수한 호흡법에 의해 횡경막의 운동을 강화하고 순환기·소화기의 기능을 촉진시키는 방법. ¶～疗法; 《漢醫》 기공(氣功)에 의한 치료 방법. 호흡요법. ②(무술 수련의) 호흡법.
〔气骨〕 qìgǔ 명 ⇨〔气格〕
〔气鼓〕 qìgǔ 명 파르페(parfait)(과자).
〔气鼓鼓〕 qìgǔgǔ 형 뾰로통하다(잔뜩 화를 내는 모양).
〔气臌〕 qìgǔ 명 ⇨〔臌胀〕
〔气关夹片〕 qìguān jiāpiàn 명《機》 밸브 요크(valve yoke).
〔气管〕 qìguǎn 명 ①《生》 기관. ¶(支)～炎; ⓐ기관지염. ⓑ〈俗〉 공처. 내주장. =〔〈方〉 气嗓〕 ②에어 튜브.
〔气管支〕 qìguǎnzhī 명 ⇨〔支气管〕
〔气贯长虹〕 qì guàn cháng hóng 〈成〉 의기(意氣)가 왕성한 모양. 하늘을 흔들듯한 기세.
〔气海〕 qìhǎi 명《漢醫》 제하 단전(臍下丹田)(경혈(經穴)의 이름에도 쓰임).
〔气焊〕 qìhàn 명 가스 용접.
〔气焊(接)〕 qìhàn(jiē) 명 가스 풍로 등의 점화구. =〔气接〕
〔气狠狠〕 qìhěnhěn 형 ⇨〔气忿忿〕
〔气恨〕 qìhèn 동 시기하고 원망하다. =〔嫉jí恨〕
〔气哼哼〕 qìhēnghēng 형 ⇨〔气忿忿〕
〔气候〕 qìhòu 명 ①기후. ②동향. 정세. 양상. ¶政治～; 정치 정세/从对话中已经感到～不对; 이야기하고 있는 사이에 아무래도 상황이 이상하다는 것이 느껴졌다. ③성과. 성공. ¶半路出家, 暗中摸索, 没～; 중도에 다른 길로 뜻을 돌린 탓에, 암중 모색일 뿐 성과는 없다. ④연공을 쌓아 얻어진 역량·솜씨. ¶你们能有多大～, 动不动就显排; 너희들은 얼마나 대단한 역량을 갖고 있길래 걸핏하면 뽐내려 하느냐.
〔气呼呼(的)〕 qìhūhū(de) 형 화가 나서 목소리를 떠는 모양. 화가 치밀어 숨결이 거친 모양. ¶不要那么～! 그렇게 화내지 말게!
〔气糊涂〕 qìhútu 동 화가 나서 앞뒤를 분간하지 못하다.
〔气化〕 qìhuà 명《物》 기화. ¶～器; 기화기. 카뷰레터(carburetor). 동 기화하다. ‖ =〔汽化〕
〔气话〕 qìhuà 명 ①성나서 하는 말. ②남을 화나

게 하는 말. ¶说一篇～让他生气; 장황하게 약이 오르를 말을 해서 그를 화나게 만들었다.
〔气怀〕 qìhuái 동 어린아이가 샘내다《자기 어머니가 남의 아이를 안거나 하였을 때》.
〔气坏〕 qìhuài 동 대단히 화를 내다. ¶这句话把他～了; 이 말은 그를 매우 화나게 만들었다.
〔气机〕 qìjī 명 ⇨〔蒸zhēng汽机〕
〔气积〕 qìjī 명 《漢醫》 우울증.
〔气急〕 qìjí 동 ①성내다. ②안절부절못하다. ③숨차다.
〔气急败坏〕 qì jí bài huài 〈成〉 허둥거리다. 당황하여 어쩔 줄을 모르다.
〔气接〕 qìjiē 명 ⇨〔气焊(接)〕
〔气节〕 qìjié 명 ①의기와 절조(節操). ②기개. 기골. ¶民族～; 민족의 기개. ③시절. 기후.
〔气结〕 qìjié 동 ①마음이 우울해지다. ¶忧思过度则～; 걱정이 지나치면 마음이 울적해진다. ②화가 나서 기가 막히다. 명 우울증.
〔气界〕 qìjiè 명 ⇨〔气圈〕
〔气尽〕 qìjìn 동 〈文〉 ①숨이 끊어지다. 절식(絶息)하다. ②기진맥진하다. 생기가 없다.
〔气劲〕 qìjìn 명 기분. 도량(度量). 형 ①대단히 춥다. ②몹시 화가 나다.
〔气井〕 qìjǐng 명 천연 가스정(井).
〔气静神恬〕 qì jìng shén tián 〈成〉 기분이 누긋하고 안정되어 있다《편안한 모양》.
〔气炬焊接〕 qìjù hànjiē 명 발염(發焰) 용접.
〔气绝〕 qìjué 동 숨이 끊어지다. 절명하다. 죽다. ¶～身亡; 숨이 끊어지고 죽다.
〔气孔〕 qìkǒng 명 ①《植》 기공. ②기공. 주조물의 기포(氣泡). 블로홀(blowhole). =〔气眼①〕 ③(가옥이나 모자 따위의) 통풍구멍. 공기구멍. =〔气眼②〕 ④《蟲》 기공. 숨문. 숨구멍. 기문. =〔气门①〕
〔气浪〕 qìlàng 명 (폭발에 의한) 폭풍.
〔气垒(脖儿)〕 qìlěi(bór) 명 ⇨〔气瘰〕
〔气累脖儿〕 qìlěibór 명 《醫》〈俗〉 바제도(Basedow)병.
〔气类〕 qìlèi 명 〈文〉 의기 투합한 동료. 뜻이 잘 맞는 사람.
〔气冷〕 qìlěng 명 《工》 공랭(空冷). 공기 냉각. ¶～发动机; 공랭 기관 / ～汽缸; 공랭 실린더(cylinder).
〔气力〕 qìlì 명 ①체력. 힘. ¶用尽～; 힘을 다 써버리다. ②속력. ③정력(精力). ④〈方〉 숨이 계속되는 힘.
〔气量〕 qìliàng 명 ⇨〔器量〕
〔气流〕 qìliú 명 ①기질. ¶工人～; 노동자 기질. ②기류. ③숨·목소리를 내는 힘.
〔气笼〕 qìlóng 명 대나무 또는 버들가지로 엮은 원통형의 것으로, 곡물을 저장할 때 이것을 곡물 속에 새워서 통기(通氣)가 되게 하고 변질 부패를 막음. =〔柳制通气筒〕
〔气楼〕 qìlóu 명 지붕 꼭대기에 낸 지붕 있는 통풍창《쌀창고 등에 흔히 볼 수 있음》.
〔气轮〕 qìlún 명 《機》 터빈(turbine). ¶～机; 가스 터빈.
〔气瘰〕 qìluǒ 명 《漢醫》 기력(氣癧)《나력(瘰癧)의 일종. 목의 양쪽에 나며 성내면 더 붓는 성질의 것》. =〔气垒(脖儿)〕
〔气脉〕 qìmài 명 ①기맥. 호흡과 맥박. ¶老材料得到新的～; 묵은 재료가 새로운 호흡과 혈액을 얻는다. ②낌새. 분위기.
〔气貌〕 qìmào 명 〈文〉 기모. 풍채. 용모.
〔气煤〕 qìméi 명 가스용 석탄《유연탄의 일종. 코크스를 만드는 데 쓰임》.
〔气门〕 qìmén 명 ①《動》 기문. =〔气孔④〕 ②(타이어 등의) 공기 밸브. 바람꼭지. =〔气门心〕 ③배기공(排氣孔). 통기공(通氣孔). ④《漢醫》 땀구멍.
〔气门(防尘)帽〕 qìmén (fángchén)mào 명 타이어의 공기 넣는 밸브의 뚜껑.
〔气门心(儿)〕 qìménxīn(r) 명 ①타이어의 고무밸브. =〔气门嘴〕 ②타이어의 공기 넣는 밸브의 고무관. 지렁이고무.
〔气闷闷(的)〕 qìmènmèn(de) 형 골내서 잔뜩 찌푸리고 있는 모양. 화가 나서 불쾌한 모양.
〔气迷心〕 qìmíxīn 화가 나서 초조해지다. 화가 나서 제 정신이 아니다.
〔气密〕 qìmì 명 기밀. 가스가 새지 않음. ¶～室; 기밀실. 공기가 통하지 않는 방.
〔气囊〕 qìnáng 명 ①(새의 몸 안의) 기낭. ②(비행선·경기구(輕氣球) 등의) 기낭.
〔气囊囊(的)〕 qìnángnáng(de) 형 화가 머리끝까지 오른 모양. 화가 나서 부어 있는 모양.
〔气恼〕 qìnǎo 동 성내다. 명 분노. ‖ =〔气忿〕〔气愤〕
〔气馁〕 qìněi 동 낙담하다. 정신적으로 녹초가 되다. 의욕을 잃다. ¶因失败而～; 실패하여 낙담하다 / 不～的勤苦; 꾸준히 근로하다.
〔气逆〕 qìnì 명 《漢醫》 기역《뱃속의 기운이 위로 치밀어올라 생기는 증상》.
〔气派〕 qìpài 형 ①배포가 좋다. 기개(氣概)가 있다. ¶有个大干的～; 해 보려는 기개가 있다 / 恢复了他那年青时的～; 청년 시절의 그 기개를 되찾았다. ②풍채(風彩)가 좋다. 화려하다. ¶长得很～; (모습이) 멋지다. 풍채가 좋다. ③격식이 있다. 관록이 있다. ¶他家里很有～; 그의 집안은 아주 훌륭한 가문이다. 명 기풍. 기개.
〔气泡〕 qìpào 명 ①거품. 기포. ¶～子; 《魚》 전어. ②(주물(鑄物) 등의) 기공(氣孔).
〔气泡鱼〕 qìpàoyú 명 《魚》 복어.
〔气泡阻塞〕 qìpàozǔsè 명 《機》 기갑(氣閘). 에어로크(air lock).
〔气喷〕 qìpēn 명 유정(油井)의 물·가스·석유 등의 분출.
〔气魄〕 qìpò 명 기백. 기개(氣概). 기세. ¶人要有～, 才做得成事; 사람에게는 기개가 있어야, 비로소 일을 성취할 수 있다.
〔气脐子〕 qìqízi 명 불쑥 나온 배꼽.
〔气枪〕 qìqiāng 명 ①공기총. =〔风fēng枪〕〔鸟niǎo枪〕 ②에어 드릴.
〔气球〕 qìqiú 명 ①기구. ¶广告～; 애드 벌룬(adballoon). =〔轻气球〕 ②고무풍선. ¶放～; 고무풍선을 띄우다. =〔气球儿〕
〔气球儿〕 qìqiúr 명 고무 풍선. =〔气球②〕
〔气圈〕 qìquān 명 《氣》 대기권. =〔气层〕〔气界〕
〔气炔焊接〕 qìquē hànjiē 명 《工》 산소 아세틸렌 용접.
〔气人〕 qì.rén 동 화나게 하다. (qìrén) 형 아니꼽다. 괘씸하다. ¶多么～哪! 정말 아니꼽다!
〔气褥子〕 qìrùzi 명 장병(長病)을 앓는 사람의 욕창 방지용의 바람 넣은 깔개·방석 따위. =〔气垫(子)〕
〔气嗓〕 qìsǎng 명 ⇨〔气管①〕
〔气色〕 qìsè 명 안색. 혈색. 생기. ¶～很好; 안색이 좋다 / 脸上～还没复元; 얼굴 혈색이 아직 원래대로 돌아오지 않았다.
〔气生生〕 qìshēngshēng 형 크게 화내다. 노발 대

발하다.
〔气盛〕 qìshèng 형 성미가 급하다. ¶嘴慢～; 말은 느리지만 성미가 급하다.
〔气湿〕 qìshī 명 공기 중의 수증기. 습도.
〔气势〕 qìshì 명 원기. 기세. ¶～雄伟; 기세가 웅장하다 / ～磅礴; 〈成〉 기세가 당당하다.
〔气势汹汹〕 qì shì xiōng xiōng 〈成〉 단단히 벼르고 있는 모양. 기세가 당당한 모양. ¶你有意见可以好好地说, ～是不能解决问题的; 의견이 있으면 잘 설명해라. 노기가 등등한 것만 가지고는 문제는 해결되지 않는다.
〔气手枪〕 qìshǒuqiāng 명 에어 피스톤.
〔气数〕 qìshu 명 ①운명. =〔命运〕 ②운수. =〔气运〕
〔气斯〕 qìsī 명 ⇨〔干gān酪〕
〔气死〕 qì.sǐ 동 ①분사(憤死)하다. ¶情愿气个死, 不愿打官司; 분에 못 이겨 죽을지언정 소송하는 것을 원치 않는다. ②울화통이 터져 견딜 수 없다. ¶真～人; 정말 분하다 / ～人不偿命; 울화통이 터져 견딜 수 없다.
〔气死猫〕 qìsimāo 명 〈俗〉 망찬장. 그물 찬장《고양이가 찬장에 음식이 들어 있는 것을 보고도 침입할 수 없게 되어 있으므로 이렇게 말함》.
〔气索〕 qìsuǒ 형 재미없다. 따분하다.
〔气态〕 qìtài 명 《物》 가스 상태. 기체 상태.
〔气体〕 qìtǐ 명 ①《物》 기체. 가스. ¶有yǒu毒～; 유독 가스 / ～燃料; 기체 연료. ②심신(心身). 기력. ¶他虽然年逾花甲, 但～充足; 그는 환갑을 넘겼지만 기력은 정정하다.
〔气体定律〕 qìtǐ dìnglǜ 명 《物》 기체 반응의 법칙. 기체 용적의 법칙.
〔气田〕 qìtián 명 천연 가스갱(坑)《분출구》.
〔气筒〕 qìtǒng 명 ①공기 펌프《자전거 따위의》. ②⇨〔汽缸〕
〔气头上〕 qìtóushang 홧김이다. ¶他正在～; 그는 지금 한창 노발 대발하고 있는 참이다 / 看仔细碰在老爷～; 나으리의 기분이 언짢을 때에 부딪히지 않도록 조심해라. =〔气头儿〕
〔气团〕 qìtuán 명 《氣》 기단. 기괴. ¶冷～; 찬 기단.
〔气吞山河〕 qì tūn shān hé 〈成〉 기개가 대단히 크다. ¶'要让高山低头、河水让路' 这种气魄和雄心真可谓～; '높은 산으로 하여금 고개를 숙이게 하고, 강물도 길을 양보하게 한다' 는 이런 기백과 웅장한 마음은 그야말로 기백이 산하를 삼킬 만하다고 말할 수 있다.
〔气味(儿)〕 qìwèi(r) 명 ①냄새. 방향(芳香) 또는 악취(惡臭). ¶～好闻; 냄새가 좋다 / ～芬芳; 좋은 향내 / 有点儿腐败了的～; 썩은 내가 난다. ②취미. 기분. ¶～相投; 〈成〉 서로 마음이 맞다. ③느낌. 성질.
〔气温〕 qìwēn 명 기온.
〔气息〕 qìxī 명 ①문자(文字)의 뜻. ②기미. 낌새. 분위기. 정신. 기백. ¶带着一种乡土～; 일종의 시골티가 난다 / 城市里洋溢着青春的～; 도시에는 청춘의 숨결이 넘쳐 있다. ③호흡. 숨. ¶～奄yān奄; 기식 엄엄. ④냄새. ¶周围发散着泥土～; 주위에 진흙 냄새를 풍기고 있다.
〔气象〕 qìxiàng 명 ①《天》 기상. ¶～火箭; 기상 로켓 / ～哨; 정점 관측소 / ～雷达; 기상 레이더. ②모양. 분위기. 기분. ¶另是一番～; 또 다른 공기. ③기상학. ④경관(景觀). 양상(樣相). ¶一片新～; (일면(一面)의) 새로운 양상. ⑤기개. ¶他有那么大的～吗? 그 사람한테 그런 큰 기개가 있을까?
〔气象台〕 qìxiàngtái 명 기상대. =〔气象站〕
〔气象万千〕 qì xiàng wàn qiān 〈成〉 생동감이 넘치다. 갖가지 뛰어난 경치 또는 상황이 장관을 나타내고 있다. ¶从飞机向窗外看去, 看到大地上的山河、田野、城郭、村落以及半空中往来飘荡的云气, 真是～, 爽人心目; 비행기에서 창 밖을 내다보면, 대지의 산하 · 논밭, 성벽 · 마을, 그리고 공중을 오락가락하고 있는 구름이 보이니, 정말 갖가지 뛰어난 경치가 펼쳐져, 참으로 상쾌하다.
〔气心疯〕 qìxīnfēng 명 화를 잘 내는 성벽(性癖).
〔气性〕 qìxing 명 ⇨〔脾pí气〕
〔气胸〕 qìxiōng 명 《醫》 ①기흉. ②인공 기흉술.
〔气咻咻(的)〕 qìxiūxiū(de) 형 숨을 헐떡거리는 모양. ¶他急急忙忙地跑进屋子, ～地报告了这个消息; 그는 급히 방에 뛰어들어와서는 숨을 헐떡거리며, 이 소식을 보고했다.
〔气吁吁〕 qìxūxū 형 숨을 씩씩거리는 모양. 숨을 헐떡거리는 모양. =〔气咻xiū咻〕
〔气虚〕 qìxū 형 몸이 허약하다. 쇠약해 있다. ¶他现在变得～了, 连爬楼梯都喘气; 그는 지금 몸이 쇠약해져서 계단을 오르는 데도 숨을 헐떡인다. 명 《漢醫》 신체 허약.
〔气旋〕 qìxuán 명 《氣》 회오리바람. 선풍.
〔气血〕 qìxuè 명 ①체질. ②기질. 혈기. 원기. ¶～方刚; 원기가 왕성하다.
〔气血辨证〕 qìxuè biànzhèng 《漢醫》 기(氣)와 혈(血)을 보고 병을 진단하는 방법.
〔气压〕 qìyā 명 기압. ¶低～; 저기압 / ～表; 기압계.
〔气眼〕 qìyǎn 명 ①⇨〔气孔②〕 ②⇨〔气孔③〕
〔气焰〕 qìyàn 명 기염. 위세. ¶～嚣张; 거만하게 굴다. 잘난 체하다 / 看他～万丈的, 要不压一压往后还了得liǎode; 어때, 그의 기고 만장한 기염은, 그냥 내버려 두었다간 나중에 손을 쓸 수 없게 된다.
〔气椅〕 qìyǐ 명 《劇》 격분해서 기절하여 벌렁 의자에 자빠지는 연기.
〔气谊〕 qìyì 명 동지의 정의(情誼).
〔气油〕 qìyóu 명 휘발유. 가솔린. ¶～泵; (급유용의) 가솔린 펌프.
〔气宇〕 qìyǔ 명 기개. 기상. 인품. 품격. ¶～非凡; 기우가 비범하다. =〔气度〕〔气概〕〔墙qiáng宇〕
〔气郁〕 qìyù 명 《漢醫》 체내의 기의 운행이 막히는 병리(病理). 형 가슴이 답답하다. 기분이 우울하다.
〔气运〕 qìyùn 명 운수. ¶他们的～正旺呢; 그들은 마침 운이 트이고 있다. =〔气数〕
〔气韵〕 qìyùn 명 (글 · 글씨 · 그림 등의) 기품. ¶～生动; 기품이 있고 생기가 넘쳐 있다.
〔气闸〕 qìzhá 명 ⇨〔风fēng轫〕
〔气枕(头)〕 qìzhěn(tou) 명 공기 베개. =〔胶jiāo皮枕头〕〔汽枕〕
〔气质〕 qìzhì 명 ①성격. 기질. ②풍격(風格). ③의기(意氣).
〔气滞〕 qìzhì 명 《漢醫》 기체. 체내의 기의 운행이 정체되는 일.
〔气壮〕 qìzhuàng 형 ①기세가 웅장하다. 용기가 있다. ¶理直～; 〈成〉 이야기가 이치에 맞아 기세가 웅장하다. ②기력이 있다.
〔气壮如牛〕 qì zhuàng rú niú 〈成〉 ①소와 같이 힘차다. ②맹렬한 기세.
〔气壮山河〕 qì zhuàng shān hé 〈成〉 ①조국을 아름답게 하려는 기개에 차 있다. ②고산(高山) ·

대하(大河)처럼 의기왕성한 모양.
〔气嘴〕 qìzuǐ 명 ⇨〔空kōng气塞门〕

汽 qì (기)
명 ①수증기. ¶～机; ⇓ / ～船; ⇓ ②기체(氣體). '气qì②'와 통용.
〔汽表〕 qìbiǎo 명 (보일러의) 증기 압력계.
〔汽车〕 qìchē 명 자동차. ¶私人～; 자가용 차 / 公共～; 버스 / 小～; 승용차 / ～行; 자동차부(部) / 长途～; 장거리 버스 / 载重～ =〔卡车〕; 트럭.
〔汽车城〕 qìchēchéng 명 자동차의 거리. 자동차 공장 지역.
〔汽车底盘〕 qìchēdǐpán 명 자동차의 새시(sash).
〔汽车方向盘〕 qìchē fāngxiàngpán 명 자동차 핸들.
〔汽车(工)厂〕 qìchē (gōng)chǎng 명 ⇨〔汽车制造厂〕
〔汽车号牌〕 qìchēhàopái 명 자동차 번호판. =〔汽车牌号〕
〔汽车库〕 qìchēkù 명 차고. =〔汽间〕〔汽房〕
〔汽车连〕 qìchēlián 명《軍》자동차 중대.
〔汽车旅馆〕 qìchē lǚguǎn 명 모텔.
〔汽车内胎〕 qìchēnèitāi 명 자동차 튜브.
〔汽车屁〕 qìchēpì 명 자동차의 배기 가스.
〔汽车司机〕 qìchēsījī 명 자동차의 운전사.
〔汽车外胎〕 qìchēwàitāi 명 자동차 타이어.
〔汽车钥匙〕 qìchē yàoshi 명 자동차의 키(key).
〔汽车站〕 qìchēzhàn 명 버스 정류장.
〔汽车制造厂〕 qìchē zhìzàochǎng 명 자동차 공장. =〔汽车(工)厂〕
〔汽船〕 qìchuán 명 ①발동기선. 증기선. ②모터 보트. =〔汽艇〕 ‖ =〔〈方〉电diàn船〕
〔汽锤〕 qìchuí 명《機》스팀 해머(steam hammer). =〔蒸zhēng汽锤〕
〔汽灯〕 qìdēng 명 석유 램프. 가스등.
〔汽笛〕 qìdí 명 (기차·기선의) 기적.
〔汽吊〕 qìdiào 명 증기 크레인(crane).
〔汽房〕 qìfáng 명 기관실. 보일러실. =〔锅guō炉房〕
〔汽封〕 qìfēng 명 ⇨〔迷mí宫盘根〕
〔汽缸〕 qìgāng 명《機》①발동기. ¶～油; 발동기 기름. ②실린더. ¶～床; 실린더 개스킷(gasket) / ～出chū水口; 실린더 밸브. ‖ =〔气缸〕〔气筒②〕〔汽筒〕
〔汽缸饼子〕 qìgāng bǐngzi 명 ⇨〔活huó塞(儿)〕
〔汽缸塞销杯〕 qìgāngsāi xiāobēi 명《機》피스톤 핀캡.
〔汽缸油〕 qìgāngyóu 명 터빈(turbine) 유. =〔化油器〕
〔汽鼓子〕 qìgǔzi 명《魚》복어.
〔汽管(子)〕 qìguǎn(zi) 명 스팀 파이프.
〔汽锅〕 qìguō 명 ①기관(汽罐). 보일러. ¶～套; 보일러 프로텍터(protector) / ～板; 보일러 플레이트(plate) / ～室; 보일러실 / ～管; 보일러관. =〔缶〕 ②윈난(雲南) 요리에 쓰이는 자기제(磁器製)의 냄비《가운데에 수증기가 통하는 통이 세워져 있음》.
〔汽化〕 qìhuà 명동 ⇨〔气化〕
〔汽化器〕 qìhuàqì 명《機》기화기. =〔〈南方〉化油器〕〔〈北方〉油yóu壶子〕
〔汽化热〕 qìhuàrè 명《物》기화열.
〔汽机〕 qìjī 명 ①증기 기관. =〔蒸汽机〕 ②증기 터빈. =〔汽轮机〕
〔汽机发动机〕 qìjī fādòngjī 명《機》스팀 엔진. 증기 기관.
〔汽机唧筒〕 qìjī jītǒng 명《機》증기 펌프.
〔汽酒〕 qìjiǔ 명 탄산주《과일이 원료》. ¶葡萄～; 발포성 포도주.
〔汽量表〕 qìliàngbiǎo 명 스팀 미터.
〔汽路〕 qìlù 명 자동차 도로. =〔公路〕
〔汽轮发电机〕 qìlún fādiànjī 명 증기 터빈(식) 발전기. ¶装设在厂内的最近式～; 공장 내에 설치된 최신식 증기 터빈 발전기.
〔汽轮机〕 qìlúnjī 명 증기 터빈. =〔蒸汽涡轮机〕
〔汽门〕 qìmén 명 밸브. 판(瓣). =〔舌shé门〕
〔汽门导管〕 qìmén dǎoguǎn 명 ⇨〔阀fá导〕
〔汽门盖〕 qìméngài 명 밸브 캡.
〔汽门心子〕 qìmén xīnzi 명 밸브 코어(core).
〔汽碾(子)〕 qìniǎn(zi) 명 (노면(路面)을 고르는) 증기 롤러. =〔压yā路机〕
〔汽泡子〕 qìpàozi 명《魚》전어.
〔汽水(儿)〕 qìshuǐ(r) 명 ①탄산수. 청량(清涼) 음료. 사이다. ¶柠檬～; 레모네이드(lemonade) / 桔子～; 오렌지 에이드 / 姜～; 진저 비어(ginger beer). ②증류수.
〔汽水共腾〕 qìshuǐ gòngténg 명《工》프라이밍(priming)《보일러의 수분 유출(水分誘出)》.
〔汽汀〕 qìtīng 명 난방용 스팀.
〔汽艇〕 qìtǐng 명 모터 보트. =〔汽船②〕〔快kuài艇〕〔摩mó托船〕
〔汽筒〕 qìtǒng 명 ⇨〔汽缸〕
〔汽油〕 qìyóu 명 가솔린. 휘발유. ¶～泵; 가솔린 펌프《급유용》/ ～船; 가솔린 발동선 / ～精; 에틸액(ethyl液) / ～机车; 가솔린 기관차 / ～灯; 아세틸렌 가스등 / 扁阵～; 석유 벤진(benzine). =〔气油〕〔〈俗〉电水〕〔〈方〉电油〕〔戥司林〕〔挥发油〕
〔汽油弹〕 qìyóudàn 명《軍》〈俗〉네이팜(napalm)탄.
〔汽油发动机〕 qìyóu fādòngjī 명 ⇨〔汽油机〕
〔汽油机〕 qìyóujī 명 가솔린 엔진. =〔汽油发动机〕〔汽油引擎〕〔〈廣〉电diàn油机〕
〔汽油库〕 qìyóukù 명 가솔린 탱크.
〔汽油桶〕 qìyóutǒng 명 드럼통. =〔泗sì水桶〕
〔汽油引擎〕 qìyóu yǐnqíng 명 ⇨〔汽油机〕
〔汽油站〕 qìyóuzhàn 명 가솔린 스탠드.
〔汽枕〕 qìzhěn 명 ⇨〔气枕(头)〕
〔汽(轴)封〕 qì(zhóu)fēng 명 ⇨〔迷mí宫盘根〕

讫(訖) qì (글)
① 동 끝나다. 완료하다. ¶查～; 조사필(畢) / 付～ =〔付清〕; 지불필 / 收～; 수납필. 인수필. ②동 이르다. 그치다. 다하다. ¶～今; 지금에 이르기까지. ③ 명 끝. 마감. ¶起～; 시작과 끝.
〔讫今〕 qìjīn 부 지금에 이르기까지. =〔至今〕
〔讫了〕 qìliǎo 동 끝나다. 완결되다.

汔 qì (흘)
① 동 〈文〉(물이) 마르다. 말라붙다. ② 부 대체로. 거의.

迄 qì (흘)
① 동 …에 이르다. ¶将～五年; 바야흐로 5년이 되려 한다 / ～今未至; 지금까지 아직 오지 않다. =〔到〕 ② 부 마침내. 결국. 줄곧 《'未' '无'가 뒤에 쓰임》. ¶～无音; 소식이 없다.
〔迄今〕 qìjīn 부 지금에 이르기까지. ¶～尚无效验; 지금에 이르기까지 아무런 효과가 나타나지 않는다.
〔迄未〕 qìwèi 아직까지는 …하지 않고 있다. ¶～成功; 아직까지 성공을 못 하다.

〔迄至〕 qìzhì 부 …에 이르기까지. ¶ ～今天; 오늘에 이르기까지.

弃〈棄〉 **qì** (기)
동 ①버리다. 던져 버리다. 폐(廢)하다. ¶ ～之可惜; 버리기에는 아깝다 / 抛pāo～; 내던져 버리다 / 舍shě～; 버리다 / 遗～; 유기하다. 버려 두고 돌보지 않다 / 如不见～, 请来一谈; 만일 버리시지 않는다면, 부디 오셔서 말씀해 주십시오. ②잊어버리다.

〔弃暗投明〕 qì àn tóu míng 〈成〉 (암흑에서 광명으로 향한다는 뜻으로) 악인이 전향하다. 반란군이 투항하다.

〔弃笔〕 qìbǐ 동 〈文〉 붓을 버리다. 문필에 종사하는 일을 그만두다.

〔弃除〕 qìchú 동 폐기하다. ¶ ～限制; 제한을 폐기하다. =〔弃废〕

〔弃道〕 qìdào 동 〈文〉 타락하다.

〔弃地〕 qìdì 명 개척되지 않고 버려진 땅.

〔弃掉〕 qìdiào 동 내버리다. 팽개쳐 버리다.

〔弃短取长〕 qì duǎn qǔ cháng 〈成〉 ⇨〔采cǎi长补短〕

〔弃儿〕 qì'ér 명 〈文〉 기아. 버려진 아이. =〔弃孩〕

〔弃废〕 qìfèi 동 ⇨〔弃除〕

〔弃妇〕 qìfù 〈文〉 동 아내를 버리다. 명 이혼당한 아내. ‖ =〔弃妻〕

〔弃觚〕 qìgū 동 〈文〉 붓을 내던지다. 문필 생활을 그만두다. =〔投tóu笔〕

〔弃官〕 qìguān 동 관리 생활을 그만두다.

〔弃孩〕 qìhái 명 ⇨〔弃儿〕

〔弃家〕 qìjiā 동 출가하다. 중이 되다.

〔弃甲〕 qìjiǎ 동 갑옷을 버리다《싸움에 패하다》.

〔弃甲曳兵〕 qì jiǎ yè bīng 〈成〉 갑옷을 버리고, 무기를 질질 끌고 패주하다. ¶敌人一同我军接触, 就～, 狼狈逃走; 적은 아군과 접촉하자마자, 갑옷을 버리고 무기를 질질 끌며 허둥지둥 달아났다.

〔弃假归真〕 qì jiǎ guī zhēn 〈成〉 허위를 버리고 진실로 돌아가다.

〔弃井〕 qìjǐng 동 ⇨〔前qián功尽弃〕

〔弃旧换新〕 qì jiù huàn xīn 〈成〉 낡은 것을 버리고 새로운 것으로 바꾸다.

〔弃旧怜新〕 qì jiù lián xīn 〈成〉 오랜 것을 버려두고 새것을 사랑하다.

〔弃旧图新〕 qì jiù tú xīn 〈成〉 낡은 것을 버리고 새롭게 출발하다. 잘못된 길을 바꾸어 올바른 방향으로 나아가다.

〔弃旧迎新〕 qì jiù yíng xīn 〈成〉 낡은 것을 버리고 새로운 것을 맞아들이다.

〔弃捐〕 qìjuān 동 〈文〉 버림받다《문인(文人)이 그 때를 얻지 못하거나, 여자가 남편에게 버림받음》.

〔弃绝〕 qìjué 동 ①포기하다. 버리다. ②교제를 끊다. ¶ ～朋友; 친구와 절교하다.

〔弃绝武力〕 qìjué wǔlì 명동 무력 절대 포기(하다). ¶这种行动违反了～的原则; 이런 행동은 '무력 절대 포기'의 원칙에 위반하고 있다.

〔弃卖〕 qìmài 동 ⇨〔弃业〕

〔弃农经商〕 qìnóng jīngshāng 농사를 포기하고 상업에 종사하다.

〔弃妻〕 qìqī 명동 ⇨〔弃妇〕

〔弃取〕 qìqǔ 명 포기와 취득. 동 취사(取捨)하다.

〔弃去〕 qìqù 동 버리고 돌아보지 않다. 기각하다.

〔弃权〕 qì,quán 동 권리를 포기하다. 기권하다. (qìquán) 명 기권.

〔弃让〕 qìràng 동 ⇨〔放fàng弃〕

〔弃人〕 qìrén 동 사람을 버려두고 돌보지 않다. ¶ ～于危难中; 위난 속에 있는 사람을 돌보지 않다.

〔弃如敝屣〕 qì rú bì xǐ 〈成〉 해진 신발처럼 버리다. 아낌없이 버리다.

〔弃市〕 qìshì 동 옛날, 사형에 처하여 그 시체를 거리에 내버려 두다.

〔弃世〕 qìshì 동 〈文〉 ①〈敬〉 죽다. 서거(逝去)하다. =〔倾qīng世〕 ②세상을 버리다. 세속으로부터 떠나다. ¶ ～则无累lèi; 세속을 버리면 번거로움이 없다.

〔弃守〕 qìshǒu 동 수비를 포기하다. 함락되다.

〔弃售〕 qìshòu 동 ⇨〔弃业〕

〔弃物〕 qìwù 명 쓸모없는 물건. 버리는 물건.

〔弃嫌〕 qìxián 동 원한을 버리다. 오해를 풀다. ¶ ～为和; 오해를 풀고 화해하다.

〔弃邪归正〕 qì xié guī zhèng 〈成〉 악에서 발을 빼고 참되게 되다. =〔改gǎi邪归正〕

〔弃言〕 qìyán 〈文〉 동 식언하다. 말한 대로 실천하지 않다. 명 취소한 말.

〔弃养〕 qìyǎng 동 〈文〉〈婉〉 부모를 여의다. 부모가 돌아가다. (부모와) 사별하다.

〔弃业〕 qìyè 동 (집 · 토지 등의 부동산을) 팔아 버리다〔처분하다〕. =〔弃卖〕〔弃售〕

〔弃婴〕 qìyīng 동 아이를 버리다. 명 버린 아이. 기아(棄兒).

〔弃之如敝屣〕 qì zhī rú bì xǐ 〈成〉 해진 신발처럼 버리다. 쓰레기처럼 버리다.

〔弃置〕 qìzhì 동 버려 두다. 방치하다.

〔弃置不顾〕 qì zhì bù gù 〈成〉 버려 두고 돌보지 않다.

〔弃逐〕 qìzhú 동 〈文〉 방축(放逐)하다. 쫓아 버리다.

〔弃主〕 qìzhǔ 명 부동산 매도인.

亟 **qì** (기)
①부 〈文〉 자주. 여러 번. 종종. ¶ ～来问讯; 누차 와서 묻다 / ～来请教; 종종 찾아와서 가르침을 청하다. ②형 빈번하다. 잦다. ¶往来频～; 접촉〔교섭〕이 빈번하다. ⇒jí

泣 **qì** (읍)
① 동 작은 소리로 울다. 흐느껴 울다. ¶暗～; 소리를 죽이고 울다 / 涕tì～; 눈물을 흘리며 울다. 체읍하다 / ～不成声; ⇩ →〔哭kū〕 ② 명 눈물. ¶饮～; 눈물을 삼키다 / ～下如雨; 눈물이 비 오듯 하다.

〔泣哀告怜〕 qì āi gào lián 〈成〉 울고 매달리며 동정을 바라다.

〔泣不成声〕 qì bù chéng shēng 〈成〉 ①(슬픈 나머지) 소리 없이 울다. ¶悲哀过度, ～; 슬픈 나머지 소리 없이 울다. ②흐느껴 울어 목소리가 나오지 않다.

〔泣鬼神〕 qì guǐshén 귀신도 울리다.

〔泣泪稽首〕 qì lèi qǐ shǒu 〈成〉 눈물을 흘리며 머리를 땅에 조아려 아뢥니다.

〔泣诉〕 qìsù 동 〈文〉 읍소하다. 울며 하소연하다.

〔泣涕〕 qìtì 동 〈文〉 콧물을 흘리며 흐느껴 울다. 읍체하다.

〔泣下如雨〕 qì xià rú yǔ 〈成〉 눈물을 줄줄 흘리면서 울다.

〔泣血〕 qìxuè 동 피눈물을 흘리며 울다《옛날에, 친상(親喪)으로 3년 동안 복을 입다》.

〔泣血稽颡〕 qì xuè qǐ sǎng 〈成〉 피눈물로 아뢰옵니다《부모가 세상을 떠났을 때의 '讣fù闻'의 끝에 첨가하는 관례적인 문구. '稽颡'은 '머리를 땅에 조아려 절하다'의 뜻》. →〔泣泪稽首〕

〔泣血椎心〕 qì xuè zhuī xīn 〈成〉 비통하여 피

눈물을 흘리며 가슴을 치다(몹시 비통함의 형용).

妻 qì (처)
동 〈文〉 시집 보내다. 짝지우다. ⇒qī

契〈栔〉 qì (계)
①명 증서(證書)·어음 따위. ②명 계약. 계약서. ¶地～; 토지 매매 계약서/房～; 집문서/典～; 저당권 설정 인정 증서/卖～; 매도 증서. ③동 계약하다. ④동 서로 약속하다. 마음이 통하다. ¶相～; 사이가 좋다/投～; 의기 투합하다/默～; 묵계(하다). 암묵리에 자연히 통하다/～友; ⇩ ⑤동 〈文〉 조각(彫刻)하다. 새기다. ¶书～; 옛날에, 나무·대나무에 새긴 글자. ⇒Xiè

〔契苾〕 Qìbì 명 《民》 치비 족(契苾族)《중국의 종족의 하나. 신장(新疆) 위구르 자치구(自治區)에 거주함》.
〔契臂〕 qìbì 동 〈文〉 팔에 피를 내어 맹약하다.
〔契丹〕 Qìdān 명 《史》 거란.
〔契刀〕 qìdāo 명 계도《왕망(王莽)이 만들게 한 화폐의 일종》.
〔契弟〕 qìdì 명 ①⇨〔义yì弟〕 ②〈廣〉 바보자식. 멍청이.
〔契符〕 qìfú 명 부절(符節).
〔契父〕 qìfù 명 ⇨〔义yì父〕
〔契合〕 qìhé 동 ①친밀(親密)하다. 의기 상통하다. ②부합되다. 일치하다. ¶又与老子lǎozǐ的学说～; 또, 노자의 학설과도 합치한다.
〔契机〕 qìjī 명 ①계기. 동인(動因). ¶以中东战争为～, 发生了石油问题; 중동 전쟁이 계기가 되어 석유 문제가 발생했다. ②《哲》 계기.
〔契交〕 qìjiāo 명 〈文〉 친밀한 교제.
〔契据〕 qìjù 명 계약서. 약정서. 증거 서류. 차용증. =〔契券〕〔契书〕〔契纸〕〔契文①〕
〔契绝〕 qìjué 동 오래 떨어져 있다.
〔契口〕 qìkǒu 명 ①《工》 2개의 것을 고정하는 요철(凹凸)의 돌기된 삽입부(揷入部). =〔企口②〕〔〈俗〉子zǐ口〕 ②삽입부와 삽입구(口).
〔契阔〕 qìkuò 동 고생을 참고 노력하다. 격조(隔阻)하다. =〔久jiǔ阔〕 명 먼 곳에 있는 친구.
〔契母〕 qìmǔ 명 ⇨〔义yì母〕
〔契契〕 qìqì 형 〈文〉 걱정하고 괴로워하다.
〔契券〕 qìquàn 명 ⇨〔契据〕
〔契书〕 qìshū 명 ⇨〔契据〕
〔契税〕 qìshuì 명 옛날의, 부동산 등록세〔취득세〕.
〔契尾(子)〕 qìwěi(zi) 명 부동산 등록세를 납입하면 발급하는 증서 끝에 다는 종이《소유주·부동산 목록이 기입된 것》.
〔契文〕 qìwén 명 ①⇨〔契据〕 ②⇨〔甲jiǎ骨文〕
〔契兄〕 qìxiōng 명 ⇨〔义yì兄〕
〔契印〕 qìyìn 명 ⇨〔骑qí缝印〕
〔契友〕 qìyǒu 명 의기 투합된 친구.
〔契约〕 qìyuē 명 계약. 계약서. 동 계약하다.
〔契纸〕 qìzhǐ 명 ⇨〔契据〕
〔契舟求剑〕 qì zhōu qiú jiàn 〈成〉 ⇨〔刻kè舟求剑〕
〔契字〕 qìzì 명 ⇨〔合hé同〕

碶 qì (계)
지명용 자(字). ¶大～头; 다치터우(大碶頭)《저장 성(浙江省)에 있는 지명》.

砌 qì (체)
①동 잘 반죽한 진흙이나 모르타르 따위로 쌓다《집·담·돌층계 따위》. ¶～不直; 똑바르게 쌓지 못했다/～了一堵dǔ墙; 담을 하나 쌓았다/～烟囱; (벽돌을 쌓아) 굴뚝을 세우다. ②동 차츰차츰 쌓아올리다. ③동 돌 따위를 깔다. 포장(鋪裝)하다. ④명 〈文〉 돌층계. 섬돌. ¶雕栏玉～; 조각을 한 난간과 옥층계《현란한 저택》. ⇒qiè

〔砌井〕 qìjǐng 동 우물을 파다《우물을 파서 돌을 쌓는 데서 온 말》.
〔砌炕〕 qìkàng 동 온돌을 놓다.
〔砌墙〕 qìqiáng 동 (돌 또는 진흙의) 담을 쌓다. =〔累lěi墙〕
〔砌石〕 qìshí 동 돌을 쌓다. ¶～工程; 석축 공사.
〔砌砖〕 qìzhuān 동 벽돌을 쌓다. ¶～工人; 벽돌공(工).

跂 qì (기)
동 〈文〉 발꿈치를 들다. 발돋움하다. ¶～而望wàng之; 발돋음하여 바라보다. →〔企qǐ②〕 ⇒qí

〔跂望〕 qìwàng 동 발꿈치를 들고 먼 데를 쳐다보다. =〔企qǐ望〕
〔跂想〕 qìxiǎng 동 〈文〉 애타게 기다리다. 고대하다.
〔跂訾〕 qìzī 형 〈文〉 세속에 따르지 않고 스스로 도도하게 구는 모양.

葺 qì (즙)
동 〈文〉 ①지붕을 이다. ②가옥을 보수하다. =〔修葺〕 ③겹치다. 모이다. 거듭되다.

〔葺补〕 qìbǔ 동 〈文〉 (가옥을) 수리하다.
〔葺覆〕 qìfù 동 〈文〉 (지붕을) 이다.
〔葺屋〕 qìwū 동 〈文〉 이엉으로 지붕을 이다. 명 초가집. 초옥.

碛(磧) qì (적)
명 〈文〉 ①모래땅. ¶沙～; 사막. ②돌맹이가 많은 물가. 강가의 자갈밭.

〔碛卤〕 qìlǔ 명 자갈이 많은 곳과 알칼리 토양의 뜻으로, 오곡(五穀)이 나지 않는 불모의 땅.

槭 qì (척)
명 《植》 단풍나무의 하나. ¶～叶草yècǎo; 돌단풍.

〔槭树〕 qìshù 명 《植》 ①단풍나무(총칭). ②단풍과(科) 단풍속(屬) 식물(총칭).

器〈噐〉 qì (기)
①명 용기. 용구. 기구. ¶武～; 무기/瓷～; 자기/乐yuè～; 악기/变压～; 변압기. ②명 도량. 재능. ¶大～晚成; 대기 만성/小～; 도량이 좁다. ③명 인재. ¶不成～的人; 인재가 못 되는 인간. 하찮은 인간/成不了liǎo大～; 큰 인물이 될 수 없다. ④명 신체의 기관. ¶消化～; 소화 기관/呼吸～; 호흡기/生殖～; 생식기. ⑤동 중용(重用)하다. 존중하다. ¶人皆～之; 사람들이 모두 이를 중요시하다.

〔器材〕 qìcái 명 ①〈文〉 인재(人材). ②기구와 재료. 기재.
〔器观〕 qìguān 명 〈文〉 사람의 외관(外觀). 용모. 풍채. =〔器宇〕
〔器化〕 qìhuà 명 간단한 기계에 의한 기계화.
〔器件〕 qìjiàn 명 기구의 부품. ¶电子～; 전자 소자(素子).
〔器局〕 qìjú 명 〈文〉 기국. 기량. 재능.
〔器具〕 qìjù 명 ⇨〔器物〕
〔器量〕 qìliàng 명 기량. 도량. ¶没～的人, 对人刻薄; 도량이 없는 사람은 다른 사람에 대하여 냉혹하다/～大; 도량이 크다/～狭小; 도량이 좁

다. =〔气量〕〔度dù量(儿)〕
〔器皿〕 qìmǐn 명 식기. 그릇.
〔器任〕 qìrèn 동〈文〉재능에 따라 적재 적소에 임명하다.
〔器识〕 qìshí 명〈文〉인물과 식견.
〔器使〕 qìshǐ 동〈文〉재능에 따라 사람을 쓰다.
〔器物〕 qìwù 명 기물. 집기. 용구. =〔器具〕
〔器械〕 qìxiè 명 ①기구. 기계. ¶体育～; 체육 기구 / ～体操; 기계 체조. ②무기.
〔器用〕 qìyòng 명〈文〉①쓰임. 쓰임새. ②유용한 인물. ¶国家之～; 국가에 유용한 인물.
〔器宇〕 qìyǔ 명 풍채. ¶～不凡; 풍채가 비범하다 / ～轩昂; 풍채가 당당하다.
〔器乐〕 qìyuè 명《樂》기악.
〔器质性疾病〕 qìzhìxìng jíbìng 명《醫》기질성 질환.
〔器重〕 qìzhòng 동 중히 여기다. 중용(重用)하다. 명 중시(重視). 존중. ¶他颇受局长的～; 그는 국장의 신임이 매우 두텁다.

憩〈憇〉 qì (게)
동〈文〉휴식하다. 쉬다. ¶小～; 잠시 휴식하다 / 同做同～; 함께 일하고 함께 쉬다 / 游yóu～; 놀이와 휴식(을 취하다).
〔憩室〕 qìshì 명《醫》발육 이상으로 기관에 생기는 주머니 모양이나 띠 모양의 돌기(突起).

碛 qì (체)
지명용 자(字). ¶小Xiǎo～; 샤오치(小碛)《장시성(江西省)에 있는 땅 이름》.

螧 qì (계)
→〔螧螽〕
〔螧螽〕 qìzhōng 명《蟲》〈文〉고서(古書)에서 방아깨비를 가리킴.

QIA ㄑㄧㄚ

掐 qiā (겹)
①동 꼬집다. 비틀다. ¶～人; 사람을 꼬집다 / 谁在苹果上～了这几个指zhǐ甲印子? 누가 사과에 손톱 자국을 몇 개씩 냈느냐? ②동 (손끝으로) 집다. ③동 (손가락을) 꼽다. ¶～指算了一下; 손을 꼽아서 한 번 계산하다. ④동 꼬집어 꺾다. 끊다. ¶把豆芽菜的须子～一～! 콩나물 꼬리를 따 주십시오! / ～头去尾wěi; 불필요한 부분을 뽑아 없애 버리다. ⑤동 움켜쥐다. 잡다. ¶手里～着一把青菜; 손에 한 줌의 야채를 쥐고 있다. ⑥동〈方〉안다. ¶～孩子; 어린애를 안다. →〔抱〕 ⑦명 물건의 미소(微小)함을 나타내는 말. ¶不曾亏你半～; 눈곱만큼이라도 너에게 폐는 안 끼친다. ⑧(～儿, ～子) 양〈方〉한 줌. 한 움큼《손으로 집은 분량》. ¶一小～韭菜; 한 줌의 부추.
〔掐巴〕 qiāba 동 ①〈方〉(단단히) 조르다. 꽉 움켜쥐다. 꼬집다. ②〈比〉속박하다. 억압하다. 학대하다. 억누르다.
〔掐不动冠儿, 掐花儿〕 qiābudòng guānr, qiāhuār 관을 벗겨 낼 수 없으니 꽃을 따다《윗사람에 대한 불만을 아랫사람에게 화풀이하다》.
〔掐不齐〕 qiābùqí 명《植》둥근매듭풀. =〔鸡眼草〕
〔掐不齐〕 qiābuqí 가지런히 따지〔자르지〕 못하다.
〔掐菜〕 qiācài 명〈方〉숙주나물.
〔掐草帽子〕 qiā cǎomàozi 밀짚모자를 엮다.
〔掐筹〕 qiāchóu 동 산가지를 놓다. 수를 세다.
〔掐倒〕 qiādǎo 동 (목덜미를 잡고) 꽉 눌러 넘어뜨리다.
〔掐灯花儿〕 qiādēnghuār 명 해질녘을 틈타서 인가에 잠입하는 도둑. 저녁때의 좀도둑.
〔掐断〕 qiāduàn 동 (전기, 물의 흐름 따위를) 끊다. 차단하다. 중단하다. ¶电话给～了; 전화가 끊기고 말았다.
〔掐花〕 qiāhuā 동 ⇨〔拈niān花〕
〔掐尖出色〕 qiājiān chūsè 발군(拔群)의. 출중하다. 우수하다.
〔掐尖儿〕 qiā.jiānr 동 ①(화초가 잘 자라도록) 적심(摘心)하다. ②남을 앞질러서 득을 보다. 수확의 일부를 빼앗다. 남의 이익의 일부를 가로채다. ¶你可别～了; 남을 앞질러서 이익을 가로채면 안 된다.
〔掐诀〕 qiājué 동 (중·도사(道士)가) 염불할 때 손가락을 굴신(屈伸)하다. ¶～念咒; 도사의 일종의 법술(法術)《손가락을 굴신하며 주문(呪文)을 욈》.
〔掐灭〕 qiāmiè 동 비틀어 끄다. 두 손가락으로 비벼 끄다.
〔掐念珠〕 qiā niànzhū 염주알을 세어 넘기다.
〔掐弄〕 qiānòng 동 ⇨〔掐算〕
〔掐弄着〕 qiānongzhe 동 절약하다. ¶～用; 아껴 쓰다.
〔掐盘〕 qiāpán 명 ⇨〔卡qiǎ盘〕
〔掐嗓子眼儿〕 qiāsǎngziyǎnr ①목을 조르다. 강요하다. ¶你给他的钱, 让他不够开销, 这不是～吗? 그에게 돈을 주면서 쓰기에 부족하게 주다니, 목을 조르는 것과 같지 않은가? ②새된 소리를 내다. ¶～说; 새된 목소리로 지껄이다.
〔掐虱子养虮子〕 qiā shīzi yǎng jǐzi 이는 눌러 죽이고, 서캐는 기르다. 〈比〉하는 일이 철저하지 못하다.
〔掐丝〕 qiāsī 명《美》(금실·은실 따위의) 입사(入絲) 세공. 상감(象嵌). ¶景泰蓝花瓶上的～; 칠보 화병에 상감된 금은 실.
〔掐死〕 qiāsǐ 동 목을 눌러〔졸라〕 죽이다. 교살하다. ¶猫被～了; 고양이가 목이 졸려 죽었다.
〔掐算〕 qiāsuàn 동 손꼽아 세다. =〔掐弄〕 명 점(占).
〔掐头去尾〕 qiā tóu qù wěi〈成〉①대가리를 떼고 꼬리를 자르다. ②중요치 않거나 불필요한 부분을 버리다. ¶～简明地说; 불필요한 부분을 생략하고 간결하게 말하다.
〔掐心〕 qiāxīn 동 (원예·농업에서) 모종의 싹을 자르다. 싹을 잘라 생육을 조절하다.
〔掐指算来〕 qiāzhǐ suànlái 손꼽아 헤아리다.
〔掐指头〕 qiāzhǐtou 명 손가락으로 수를 헤아리는 방법의 하나《엄지손가락으로 집게손가락·가운뎃손가락·무명지·새끼손가락의 각 안쪽 관절을 위에서 차례로 1, 2, 3으로 세어 모두 12까지 셀 수 있음》.
〔掐指一算〕 qiāzhǐ yīsuàn ①손꼽아 세어 보다. ②〈轉〉예측하다. 예상하다.
〔掐住脖子〕 qiāzhù bózi 목덜미를 누르다.
〔掐子〕 qiāzi 양 움큼. 다발. 묶음. ¶一～草; 한 움큼의 풀.

袷 qiā (겹)
→〔袷袢〕 ⇒ '夹' jiá

〔袷袢〕 qiāpàn 명 민족 의상《위구르·타지크 족이 입는 앞단추식의 긴 옷》.

葜 qiā (갈)
→〔菝bá葜〕

齣(齣) qiā (가)
동 깨물다. 물어뜯다. ⇒'嗑' kè

拤 qiá (흡)
동 (힘을 주어) 붙잡다. (두 손으로) 조르다. ¶一手把他的脖bó子～住; 한 손으로 그의 목을 꽉 잡다.

卡 qiǎ (잡)
①명 옛날의, 관문(關門). 징세소(徵稅所). ②명 클립(clip). 핀. ¶发～; 헤어핀. 머리핀/～子; ⇩ ③동〈口〉걸리다. 걸려서 통하지 않다. ¶鱼刺cì～在嗓子里; 생선 가시가 목에 걸리다/我被枣核儿～住了; 나는 대추씨가 목에 걸렸다/头上～上一朵花; 머리에 꽃을 한 송이 꽂고 있다. ④동 끼(우)다. 물건을 집어서 쥐다. ¶把茶几儿～在两把椅子中间; 차 탁자를 의자 사이에 끼우다/～上眼镜; 안경을 쓰다. ⇒kǎ

〔卡脖旱〕 qiǎbóhàn〈北方〉옥수수 이삭이 팰 무렵의 가뭄.

〔卡脖子〕 qiǎ bózi 목을 조르다.〈轉〉생사(를 좌우하는 급소)를 손아귀에 쥐다. 치명상을 가하다.

〔卡尺〕 qiǎchǐ 명《機》슬라이드 캘리퍼스(slide calipers). 노기스(Nonius). ⇒kǎchǐ

〔卡箍〕 qiǎgū 명 클립(clip).

〔卡具〕 qiǎjù 명 척. 지퍼. =〔夹jiā具〕

〔卡壳〕 qiǎ·ké 동 ①불발이 되다. ¶子弹～了; 불발이 되다. 탄약이 걸려서 나오지 않다. ②〈比〉막히다. 정돈 상태에 빠지다. 어려움으로 인해 중지되다. ¶他尽管进行改进机器, 因为缺乏理论的知识, 终于半路上卡了壳了; 그는 기계의 개량을 진행하고 있었는데, 이론적 지식의 부족 때문에 결국 중도에서 벽에 부딪치고 말았다.

〔卡口灯泡〕 qiǎkǒu dēngpào 명 (소켓용) 전구. →〔灯泡(儿,子)〕

〔卡口灯头〕 qiǎkǒu dēngtóu 명 (전구의) 삽입 소켓.

〔卡轮〕 qiǎlún 명《機》이스케이프먼트 휠(escapement wheel).

〔卡盘〕 qiǎpán 명《機》척(chuck)《선반(旋盤) 따위에 부착되는 공구, 또는 가공물(加工物)을 물어서 고정시키는 일종의 회전 바이스》. =〔夹jiā盘〕〔夹头(盘)〕〔掐qiā盘〕〔〈南方〉轧yà头盘〕

〔卡钳〕 qiǎqián 명 펜치. ⇒kǎqián

〔卡头〕 qiǎtou 명 ⇨〔钻zuàn头夹头〕

〔卡住〕 qiǎzhù 동 ①막히다. 걸리다. ¶这个抽屉～了, 拉不开; 이 서랍은 걸려서 열리지 않는다/他开枪时, 因为子弹～, 第一枪没有打响; 그가 발포했을 때 총알이 끼였기 때문에 제1 발은 불발로 끝났다. ②(떨어지지 않도록) 고정시키다. (좌우상하 어느 쪽에도) 움직이지 않도록 누르다. ③꼼짝달싹 못 하게 하다. ⇒kǎzhù

〔卡子〕 qiǎzi 명 ①종이 끼우개 따위. 클립. ②여자의 머리핀. =〔发fà卡子〕〔头发卡子〕 ③징세소(徵稅所). =〔厘lí卡〕 ④(시계의) 탈진기(脫進器). ⑤거푸집의 내형(內型)이 쇳물을 흘려 넣었을 때 부동(浮動)하지 않도록 받치는 쇠장식. =〔泥心撑〕 ⑥초소(哨所).

〔卡钻〕 qiǎzuàn 동《機》드릴이 움직이지 않게 되다. 공구(工具)가 걸려 버리다.

洽 qià (흡)
①동 화합(和合)하다. 온화해지다. 융합하다. ¶感情融～; 마음이 융합하다/宾主欢～; 손님과 주인이 허물 없이 어울리다/不～于心; 뜻에 맞지 않다/意有未～; 뜻에 맞지 않는 점이 있다. ②동 연락하다. 상담하다. 교섭하다. ¶接～; 상담하다/亲自往～; 몸소 가서 교섭하다. ③부 두루. 널리 광범위하게. ¶博学～闻;〈成〉박학 다문(多聞). 박학 다식.

〔洽办〕 qiàbàn 동〈文〉교섭하다. 교섭하여 처리하다.

〔洽博〕 qiàbó 명동〈文〉흡박(하다). 형 두루 넓다. ¶经学～; 경학에 널리 통하고 있다.

〔洽当〕 qiàdàng 형 적당하다. =〔恰当〕

〔洽订〕 qiàdìng 동 협의(協議)해서 결정하다.

〔洽购〕 qiàgòu 동〈文〉의논〔상담〕하여 구입하다.

〔洽合〕 qiàhé 형 적합하다. 꼭 맞다.

〔洽和〕 qiàhé 형〈文〉화목하다. 사이가 좋다. ¶亲属～; 친족 사이가 화목하다.

〔洽欢〕 qiàhuān 동〈文〉화목하게 기뻐하다. ¶四夷皆～; 사방의 이민족도 모두 화목하고 기뻐했다.

〔洽然〕 qiàrán 부〈文〉두루.

〔洽商〕 qiàshāng 동 절충하다. 상담하다. 협의하다. ¶今派我处王科长到你处～; 여기 폐사에서 귀사와 상담하기 위해 왕 과장을 파견합니다.

〔洽谈〕 qiàtán 명동 (직접) 교섭(하다). 상담(하다). 절충(하다). ¶～业务; 업무에 관하여 서로 이야기하다.

〔洽询〕 qiàxún 동〈翰〉문의하다. 의논하다.

恰 qià (흡)
①부 알맞게. 마침. 바로. ¶～到好处; 마침 잘 되어 가다. 뜻대로 되다/我看到的, ～如你所说的; 내가 본 것은 바로 네가 말한 것과 같은 것이다/跑到那里～～是八点钟; 그 곳에 도착했을 때는 딱 여덟 시였다/～合时宜; 시의에 꼭 알맞다. ②형 알맞다. 타당하다. 적당하다. ¶在这句里, 这个词用得不～; 이 센텐스 중에서 이 말의 쓰임새는 부적당하다/我去的真～, 正赶上车要开; 정말 알맞게 잘 갔다. 마침 차가 막 떠나려는 참이었다/～如其分; ⇩

〔恰便似〕 qiàbiànsì ⇨〔恰如〕

〔恰不道〕 qiàbudào〈古白〉뜻밖에도〔오히려〕 모른다고 하다. ¶既是你聪明伶俐, ～长嫂为母; 너는 총명하고 영리하면서 맏형수를 어머니처럼 모실 줄을 모르다니.

〔恰才〕 qiàcái 부〈古白〉방금. 바로. =〔却què才〕

〔恰待〕 qiàdài 부〈古白〉마침 …하려는데. ¶到寺中烧香了, ～出山门, 遇见老师了; 절에 불공을 드리러 갔다가 산문을 막 나서려는데 선생님을 만났다.

〔恰当〕 qiàdàng 형 계제가 좋다. 적당하다. 안성맞춤이다. 어울리다. ¶给以～的评价; 적당한 평가를 하다/那对他说来并不～; 그것은 그에게는 적당하지 않다/说不～; 잘 표현할 수 없다. =〔切洽〕

〔恰当其可〕 qià dàng qí kě〈成〉매우 적절하다. =〔适shì当其可〕

〔恰到好处〕 qià dào hǎo chù〈成〉딱 알맞다. 꼭 들어 맞다. 알맞은 때에 이야기가 나오다. 적당한 점에 달했다. ¶他把大大小小的事情, 都处chǔ理得那么公允、妥当、～; 그는 크고 작은 일을 모두 공평하고 타당하고 알맞게 잘 처리하고 있다.

〔恰好〕 qiàhǎo 형 꼭 알맞다. 적당하다. ¶你要看的那本书～我这里有; 네가 보고 싶어한 그 책이

마침 내게 있다. 부 마침. 꼭 알맞게. 딱. ¶~遇到他了; 때마침 그를 만났다 / 距离~(是)五十米; 거리는 딱 50미터 / 我正要出去~老王来找我; 마침 떠나려고 하는데 왕군이 찾아왔다.

〔恰好说〕 qiàhǎoshuō (속담 등에서) 마침 잘 말하고 있다. 딱 들어맞게 말하고 있다.

〔恰恁待〕 qiànèndài 〈古白〉 마침. 마침 그때. ¶~才合眼, 忽闻人语; 막 눈을 감으려는데, 문득 사람의 이야기 소리가 들렸다.

〔恰恰〕 qiàqià A) 부 ①마침. 바로 그럴 무렵. ¶我跑到那里~十二点; 내가 그 곳에 당도하니 마침 열두 시였다. =〔恰恰当〕 ②틀림없이. 확실히. 분명히. ¶这不是什么根据, ~是捏造的; 이것은 근거할 것이 아니고, 분명히 날조이다 / ~是相反; 바로 그 반대이다. B) 〈擬〉 짹짹《새 울음 소리》.

〔恰恰舞〕 qiàqiàwǔ 명 《舞》 차차차(cha-cha-cha) 춤.

〔恰巧〕 qiàqiǎo 부 때마침. 공교롭게. ¶我去找他, ~他刚出去; 내가 그를 찾아갔더니, 공교롭게도 그는 막 나갔다. =〔刚gāng巧〕〔巧值①〕

〔恰如〕 qiàrú 〈古白〉 흡사 …과 같다. ¶晚霞~一幅图画; 저녁놀이 마치 한 폭의 그림 같다. =〔恰像〕〔恰便似〕〔恰似〕

〔恰如其分〕 qià rú qí fèn 〈成〉 (일의 진행이나 말이) 그 정도에 적합하다. 그것에 상응하다. ¶~的批评; 그것에 합당한 비평.

〔恰赛〕 qiàsài 동 딱 필적(匹敵)하다.

〔恰似〕 qiàsì ⇨〔恰如〕

〔恰要〕 qiàyào 바야흐로〔바로〕 …하려 하다. ¶~开始; 바야흐로 막 시작하려 하(고 있)다.

〔恰正〕 qiàzhèng 부 마침. 바로. ¶~心头闷mèn, 忽闻远处钟声响; 마침 마음 속에 무료함을 느끼고 있을 때 문득 멀리서 종 소리가 들렸다.

〔恰值〕 qiàzhí 부 때마침 …에 즈음하여. 바로 …의 때를 당하여. ¶~中秋月圆, 邀请好友痛饮几杯; 마침 중추절 보름달을 맞아, 친한 벗을 초대하여 마음껏 통음한다.

〔恰中下怀〕 qià zhòng xià huái 〈成〉〈翰〉 꼭 내 생각과 같다. 마음에 쏙 들다. =〔恰中心意〕

髂 qià (가)
→〔髂骨〕

〔髂骨〕 qiàgǔ 명 《生》 장골(腸骨). =〔肠骨〕

QIAN ㄑㄧㄢ

千 qiān (천)
① 수 천(千). ¶五~年的历史; 반만년의 역사. →〔仟①〕 ② 형 〈比〉 매우 많다. ¶春宵一刻值~金; 〈成〉 봄밤 잠깐 동안의 경치는 천금에 해당한다 / ~方百计; ⇩ / ~军万马; ⇩ / ~言万语; ⇩ / ~篇一律; ⇩ ③ 부 기필코. 반드시. 꼭. ¶~祈勿却; 꼭 승낙하여 주시기 바랍니다. ④ 부 결코. 제발. ¶~…不…; 결코 …해서는 안 된다 / ~万别客气; 제발 사양하지 마십시오 / ~不该万不该; ⇩ ⑤ 명 성(姓)의 하나.

〔千百年〕 qiānbǎinián 명 천백 년. 몇천 몇백 년. 오랜 세월.

〔千般易学, 一窍难通〕 qiānbān yìxué, yīqiào nántōng 〈諺〉 무슨 일을 배우는 데 시작은 쉽지만 깊은 뜻을 궁구하기는 어렵다.

〔千变万化〕 qiān biàn wàn huà 〈成〉 천변 만화하다. 변화 무쌍하다. ¶世界上事物的发展虽然~, 但是都有它自己的客观规律; 세상의 사물의 발전은 천변 만화이지만, 그러나 모두 저마다의 객관적 법칙이 있다.

〔千兵易得, 一将难求〕 qiānbīng yìdé, yījiàng nánqiú 〈諺〉 병졸은 얼마든지 얻을 수 있지만, 장수감을 얻기는 좀처럼 어렵다. =〔千军易得, 一将难求〕

〔千补百缀〕 qiān bǔ bǎi zhuì 〈成〉 누덕누덕 기운 해진 옷. ¶~的破衣裳; 누덕누덕 기운 해진 옷. =〔千补万衲〕

〔千补万衲〕 qiān bǔ wàn nà 〈成〉 ⇨〔千补百缀〕

〔千不该万不该〕 qiān bù gāi wàn bù gāi 〈成〉 절대로 그래서는 안 된다.

〔千不落〕 qiānbùluò 명 ⇨〔链liàn转滑车〕

〔千层底(儿)〕 qiāncéngdǐ(r) 명 '布bù鞋'의 일종.

〔千差万别〕 qiān chā wàn bié 〈成〉 천차 만별.

〔千疮百孔〕 qiān chuāng bǎi kǒng 〈成〉 만신창이가 된 모양. ¶把经济搞得~; 경제를 엉망으로 만들다.

〔千锤百炼〕 qiān chuí bǎi liàn 〈成〉 ①많은 투쟁과 시련을 겪다. 단련을 거치다. ②(시(詩)·산문을) 퇴고(推敲)를 거듭하다.

〔千刀万剐〕 qiān dāo wàn guǎ 〈成〉 토막치듯 마구 베다. 갈기갈기 찢어 죽이다. ¶~把他弄死了; 그를 갈기갈기 찢어 죽였다.

〔千电子伏〕 qiāndiànzǐfú 양 《電》 킬로 전자〔일렉트론〕 볼트.

〔千叮咛万吩咐〕 qiāndīngníng wànfēnfu 거듭거듭 당부하다. ¶临走的时候儿他还把一切家事~地都交代清楚了; 떠날 때에 그는 또한 일체의 집안일을 거듭거듭 자세하게 일러 놓았다.

〔千端万绪〕 qiān duān wàn xù 〈成〉 ⇨〔千头万绪〕

〔千朵桃花一树生〕 qiānduǒ táohuā yīshù shēng 〈諺〉 무수한 복숭아꽃도 근본을 캐 보면 한 그루의 나무에서 나온 것이다.

〔千恩万谢〕 qiān ēn wàn xiè 〈成〉 자꾸 감사하다는 말을 하다. 천만 번 감사하다. ¶~地致谢; 천만 번 사례하다.

〔千乏〕 qiānfá 양 《電》 킬로 바(bar).

〔千方百计〕 qiān fāng bǎi jì 〈成〉 모든 방법. 온갖 계략. ¶用尽了~也是白搭; 온갖 방법을 써 보았지만 허사였다 / 为了增产节约, 他~地去找窍门想办法; 증산과 절약을 위해서, 그는 온갖 수단을 다 써서 요점을 찾고 방법을 생각했다. =〔百计(千方)〕〔多方百计〕

〔千方易得, 一效难求〕 qiānfāng yìdé yīxiào nánqiú 〈諺〉 처방은 수없이 많지만, 진짜로 효과를 얻기란 좀처럼 어렵다.

〔千分表〕 qiānfēnbiǎo 명 《機》 다이얼 게이지(dial-gauge). 다이얼 인디케이터(dial indicator). =〔丝表〕〔〈南方〉 校jiào表〕

〔千分尺〕 qiānfēnchǐ 명 《機》 마이크로미터. ¶螺丝~; 나사 마이크로미터 / 管厚用~; 관 두께용 마이크로미터 / 齿轮~; 톱니바퀴용 마이크로미터. =〔千分仪〕〔百分尺〕〔测微表〕〔测微计〕

〔千分仪〕 qiānfēnyí 명 ⇨〔千分尺〕

〔千峰翠色〕 qiānfēng cuìsè 명 《色》 청자색. 코발트 그린.

〔千夫〕 qiānfū 명 〈文〉 ①천 명. ②많은 사람. ¶ ～所指; 〈成〉 여러 사람의 지탄의 대상.
〔千伏特〕 qiānfútè 양 킬로볼트(kV). ¶ ～安培 = 〔千伏安〕; 킬로볼트암페어.
〔千个师傅千个法〕 qiānge shīfu qiānge fǎ 〈諺〉 스승이 천 사람이면 가르치는 법도 천 가지《사람에 따라 하는 방식이 다름》.
〔千公升〕 qiāngōngshēng 양 킬로리터(kl).
〔千古〕 qiāngǔ 명 ①천고. 아주 오랜 옛날. ②죽음을 애도하는 말. ¶一朝zhāo成～; 하루 아침에 영원한 이별을 하게 되다. 부 영원히. ¶～不朽 xiǔ; 영원히 변하지 않는. 천고 불후의 / ～绝伦 lún; 천고에 절륜하다.
〔千关万隘自己闯〕 qiānguān wàn'ài zìjǐ chuǎng 허다한 난관을 스스로 돌파하다.
〔千赫〕 qiānhè 양 《物》 킬로헤르츠(kHz). →〔千周〕
〔千呼万唤〕 qiān hū wàn huàn 〈成〉 ①자꾸 재촉하다. ¶～, 他才答应了; 여러 번 재촉하자 겨우 승낙해 주었다. ②일이 좀처럼 성사되지 않다. ‖ =〔千叫万唤〕
〔千回百折〕 qiān huí bǎi zhé 〈成〉 우여곡절이 많다. ¶～才实现了; 우여곡절 끝에 겨우 실현되었다. =〔千回百转〕
〔千回百转〕 qiān huí bǎi zhuǎn 〈成〉 ⇨〔千回百折〕
〔千家饭〕 qiānjiāfàn 명 천 집의 밥. 집집에서 얻어 오는 밥. ¶他小的时候吃的是～, 穿的是麻袋; 그가 어렸을 때 먹은 것은 각 집에서 얻어 온 것이었고, 입은 것은 마대였다.
〔千家万户〕 qiānjiā wànhù 많은 집들.
〔千桨万篙比不得破篷撑腰〕 qiānjiǎng wàngāo bǐbude pòpéng chēngyāo 천 개의 노, 만 개의 삿대도 찢어진 돛대는 못 당한다. 〈比〉 무리하게 노력하기보다는 자연에 순응하는 편이 낫다.
〔千娇百媚〕 qiān jiāo bǎi mèi 〈成〉 갖가지 교태와 미태《여자의 교태의 형용》. ¶那个女人～, 多迷人啊! 저 여인은 성적 매력이 뚝뚝 흘러 정말 사람을 홀린다! =〔百媚千娇〕
〔千叫万唤〕 qiān jiào wàn huàn 〈成〉 ⇨〔千呼万唤〕
〔千斤〕 qiānjīn 명 천근. 〈比〉 무거운 책임. ¶～重担; 무거운 책임·임무 / 我怎么能担得起这～担儿呢? 제가 어찌 이렇게 무거운 부담을 질 수 있겠습니까? 형 매우 무겁다.
〔千斤〕 qiānjin 명 ①⇨〔千斤顶〕 ②톱니바퀴의 역회전 방지 장치.
〔千斤扳子〕 qiānjīn bānzi 명 ⇨〔千斤顶〕
〔千斤担〕 qiānjīndàn 명 들돌. 힘을 시험하려고 들어 보는 돌.
〔千斤吊〕 qiānjīndiào 명 기중기.
〔千斤顶〕 qiānjīndǐng 명 《機》 잭(jack)《공구》. =〔千斤①〕〔千斤扳子〕
〔千斤杠〕 qiānjīngàng 명 지렛대. ¶用～撬起来; 지렛대로 들어 올리다. =〔撬qiào棍〕
〔千斤关〕 qiānjīnguān 명 1묘(畝)당 수확 1천 근의 목표선. ¶突破了～; 천근대(臺)를 돌파했다.
〔千斤索〕 qiānjīnsuǒ 명 《機》 토핑 리프트(topping lift). =〔上shàng张索〕
〔千斤闸〕 qiānjīnzhá 명 수문(水門) 위에서 닫게 되어 있는 무거운 문.
〔千金〕 qiānjīn 명 ①큰 돈. ¶～难买; 아무리 많은 돈으로도 살 수 없다 / ～白口儿, 四两唱; 연극에서 가장 중요한 것은 대사를 잘 하는 것이며, '唱'은 대수로운 것이 아니다. ②〈敬〉 옛날, 따님. 영양(令孃).
〔千金菜〕 qiānjīncài 명 《植》 양상추의 별칭.
〔千金买骨〕 qiān jīn mǎi gǔ 〈成〉 애타게 인재를 구하다.
〔千金难买心头愿〕 qiānjīn nánmǎi xīntóu yuàn 〈諺〉 천금으로 남의 마음을 사기는 어렵다. 사람의 진심은 귀한 것이다.
〔千金难买一片心〕 qiānjīn nánmǎi yīpiànxīn 〈諺〉 사람의 결심이란 움직이기 어려운 것이다.
〔千金躯〕 qiānjīnqū 명 〈文〉 귀한 몸.
〔千金藤〕 qiānjīnténg 명 《植》 함바기.
〔千金一诺〕 qiān jīn yī nuò 〈成〉 확실한 승낙. 믿을 수 있는 귀중한 승낙.
〔千金一笑〕 qiān jīn yī xiào 〈成〉 천금의 값어치가 있는 (미인의) 웃는 얼굴.
〔千金一掷〕 qiān jīn yī zhì 〈成〉 천금을 던지다. 천금을 던져 노름을 하다.
〔千金榆〕 qiānjīnyú 명 《植》 까치박달.
〔千金子〕 qiānjīnzǐ 명 ①부자. ②부자의 자제(子弟). ¶～不死于盗贼; 부호의 자식은 몸을 아끼어 도둑 따위의 손에 걸려 죽는 일은 없다. 대망을 품은 자는 자중(自重)한다.
〔千筋树〕 qiānjīnshù 명 《植》 팥배나무.
〔千经万典〕 qiānjīng wàndiǎn 명 성현이 저술한 수많은 경전. 온갖 경전. ¶～孝义为先; 어떤 성현의 경전에나 효와 의는 가장 소중한 것으로 치고 있다.
〔千句并一句〕 qiānjù bìng yījù 이것을 줄여서 말하면. 요컨대. →〔总zǒng而言之〕
〔千军万马〕 qiān jūn wàn mǎ 〈成〉 천군만마. 대오(隊伍)가 웅장하고 기세가 충천한 모양. ¶全国人民正在以～之势, 勇猛前进; 전국 인민은 지금 바로 천군만마의 기세로 용감히 전진하고 있다 / ～之中丧sàng命了; 격전 중에 목숨을 잃었다.
〔千军易得, 一将难求〕 qiānjūn yìdé, yījiàng nánqiú 〈諺〉 ⇨〔千兵易得, 一将难求〕
〔千钧〕 qiānjūn 명 매우 무거움. 형 매우 무겁다. ¶～棒; 무거운 몽둥이 / ～重负; 〈成〉 몹시 무거운 부담.
〔千钧一发〕 qiān jūn yī fà 〈成〉 ⇨〔一发千钧〕
〔千卡〕 qiānkǎ 양 킬로칼로리(kcal). =〔大卡〕
〔千克〕 qiānkè 양 킬로그램(kg). =〔公gōng斤〕
〔千孔百洞〕 qiān kǒng bǎi dòng 〈成〉 실패 속출. 구멍〔허점〕투성이. ¶一般说来在防守方面仍是～; 일반적으로 보아 수비 방면에서는 허점투성이다.
〔千里〕 qiānlǐ 명 천 리. 〈比〉 아주 먼 거리. ¶百里不同风, ～不同俗; 〈諺〉 백 리 떨어지고 천리 떨어지면 풍속도 다르기 마련이다.
〔千里百担一亩苗〕 qiānlǐ bǎidàn yīmǔmiáo 〈諺〉 한 이랑의 작물을 위해 머나 먼 곳에서 백 짐의 물을 길어 오다.
〔千里搭长棚, 没有不散的筵席〕 qiānlǐ dā chángpéng, méiyǒu bùsànde yánxí 〈諺〉 끝나지 않는 술자리는 없다《사물은 흥성하고 쇠퇴할 때가 있다》.
〔千里光〕 qiānlǐguāng 명 《植》 유기노초(劉寄奴草).
〔千里镜〕 qiānlǐjìng 명 ⇨〔望wàng远镜〕
〔千里驹〕 qiānlǐjū 명 ⇨〔千里马〕
〔千里马〕 qiānlǐmǎ 명 ①천리마. 하루에 천 리를 가는 말. ¶～还得děi(有)千里人(骑); 〈諺〉 천리마도 그것을 다룰 줄 아는 사람이 있어야 한다.

보물도 그것을 알아보는 사람을 제대로 만나야 빛이 난다. ②〈比〉재능이 뛰어난 인물. 영특한 인물. ‖=〔〈文〉千里驹〕〔千里足〕
〔千里(送)鹅毛〕 qiān lǐ (sòng) é máo〈成〉멀고 먼 곳에서 보내 온 거위털(보잘 것 없는 선물이지만 그 뜻은 두텁다).
〔千里挑一〕 qiānlǐ tiāoyī 천에 하나. 아주 적음. ¶像他这么思想清楚, 意志又坚定, 又肯用功的学生真是～, 太难得; 그 사람처럼 사상이 분명하고, 의지가 강하고, 공부도 잘 하는 학생은 천 명에 한 사람으로, 정말 얻기 어렵다.
〔千里迢迢〕 qiān lǐ tiáo tiáo〈成〉멀리 떨어져 있다. 길이 아득히 먼 모양. ¶～从新疆到北京了; 머나먼 신장(新疆)에서 베이징(北京)까지 왔다.
〔千里眼〕 qiānlǐyǎn 명 ①천리안.〈比〉앞일을 잘 내다보는 사람. ②망원경.
〔千里姻缘一线牵〕 qiānlǐ yīnyuán yīxiàn qiān〈諺〉멀리 떨어져 있는 사람끼리의 인연이 하찮은 것으로 이어진다(인연은 기이(奇異)한 것이다).
〔千里之堤, 溃于蚁穴〕 qiān lǐ zhī dī, kuì yú yǐ xué〈成〉천 리 크기의 제방이 개미 구멍에 의해 무너진다(작은 일이라도 주의를 기울이지 않으면, 큰 재앙을 부르게 된다).
〔千里之行, 始于足下〕 qiān lǐ zhī xíng, shǐ yú zú xià〈成〉천리길도 한 걸음부터.
〔千里烛〕 qiānlǐzhú 명〈文〉달의 별칭.
〔千里足〕 qiānlǐzú 명 ⇨〔千里马〕
〔千粒重〕 qiānlìzhòng 명《農》종자 천 알의 무게(이로써 농작물의 품질과 생산량을 판단함).
〔千了百当〕 qiān liǎo bǎi dàng〈成〉빠짐없이 다 제대로. ¶一切qiè都预备得～了; 모든 것이 다 제대로 준비되었다.
〔千虑一得〕 qiān lǜ yī dé〈成〉①어리석은 자의 많은 생각 중에는 하나쯤은 올바른 것이 있다. ¶我的意见虽然很肤浅, 但～, 也许对你们今后的工作会有点帮助吧; 나의 의견은 아주 천박한 것이지만, 그러나 천에 하나쯤은 여러분의 금후의 일에 도움이 되는 것이 있을지도 모른다. ②천 번을 생각하면 한 번의 성공은 있다.
〔千虑一失〕 qiān lǜ yī shī〈成〉①지자(智者)에게도 천려의 일실이 있다. 원숭이도 나무에서 떨어진다. ②여러 가지로 생각해도 생각이 미치지 못하는 것이 있다.
〔千门〕 qiānmén 명 궁성의 문. =〔宫门〕
〔千门万户〕 qiān mén wàn hù〈成〉①많은 집들. ②궁전(宮殿)이 넓고 건물이 많은 모양. ③인가(人家)가 조밀한 모양. 기와집이 늘어서 있는 모양. ¶不须更向东郊去, 春在～中; 동쪽 교외까지 가지 않아도, 봄은 인가의 처마에 와 있다.
〔千米〕 qiānmǐ 양《度》킬로미터(km). ¶～赛跑; 천 미터 달리기 경주.
〔千眠〕 qiānmián 형 ⇨〔芊绵〕
〔千难万难〕 qiān nán wàn nán〈成〉매우 어렵다. 대단히 곤란하다. ¶说着容易, 做起来～了; 말하기는 쉬우나, 해 보니 꽤 어렵다.
〔千难万难〕 qiān nàn wàn nàn〈成〉⇨〔千辛万苦〕
〔千难万险〕 qiān nàn wàn xiǎn〈成〉천난 만고. 모든 곤란과 위험.
〔千年〕 qiānnián 명 천 년. 오랜 세월.
〔千年矮〕 qiānnián'ǎi 명《植》좀회양목.
〔千年艾〕 qiānnián'ài 명《植》①들국화의 일종(잎을 말린 것은 보혈제로 쓰임). ②천년 쑥.
〔千年柏〕 qiānniánbǎi 명 ⇨〔玉yù柏〕
〔千年房屋换百主〕 qiānnián fángwū huànbǎizhǔ 천 년 동안에는 집 주인이 백 사람이나 바뀐다.
〔千年放债必有一赖〕 qiānnián fàngzhài bìyǒu yīlài〈諺〉오랫동안 돈을 빌려 주고 있으면 반드시 떼어 먹히는 일이 생긴다.
〔千年红〕 qiānniánhóng 명《植》만병초. =〔石shí楠〕
〔千年田八百主〕 qiānniántián bābǎizhǔ 논도 천년이 지나면 임자가 800명이나 바뀐다.〈比〉재산을 오래도록 간직하기가 어려움. →〔千年房屋换百主〕
〔千年字儿会说话〕 qiānniánzìr huì shuōhuà〈諺〉천 년이 지나도 적힌 것은 말한다. 증서가 효력을 나타낸다.
〔千欧〕 qiān'ōu 양 킬로옴(kΩ). =〔千欧姆〕
〔千篇一律〕 qiān piān yī lǜ〈成〉천편일률. ¶老是～没什么变换; 늘 천편일률적이어서 아무런 변한 데가 없다.
〔千奇百怪〕 qiān qí bǎi guài〈成〉매우 이상하다. 기기괴괴(奇奇怪怪)하다. ¶提起这件事来, 真是～; 이 일에 대해서 말한다면, 정말 괴이하기 짝이 없다. =〔千奇万怪〕
〔千奇万怪〕 qiān qí wàn guài〈成〉⇨〔千奇百怪〕
〔千千〕 qiānqiān 형 수가 매우 많다. 무수하다. ¶～万万人民; 무수한 백성 / ～万万的灾民无家可归; 몇천 몇만의 이재민은 살 집이 없어지고 말았다.
〔千顷陂〕 qiānqǐngpí 형명〈文〉〈比〉기개와 도량이 크고 넓은 (사람).
〔千请〕 qiānqǐng〈文〉⇨〔万wàn请〕
〔千秋〕 qiānqiū 명 ①천 년. 오랜 세월. ¶～功罪; 오랜 세월의 공적과 죄. =〔千岁①〕 ②〈敬〉생신. ¶～永永; 만수 무강하시기를 빕니다 / 老伯大人的～; 백부님〔춘부장〕의 생신.
〔千秋万代〕 qiān qiū wàn dài〈成〉천년 만년. 천추 만대. 오랜 세월. =〔千秋万世〕
〔千秋万岁〕 qiān qiū wàn suì〈成〉①천년 만년. 영구히. ②군주(君主)의 죽음을 완곡하게 이르던 말. =〔万岁千秋〕
〔千求万告〕 qiānqiú wàngào 자꾸 부탁하다. 천만 번 간청하다. ¶～也没求下来; 거듭거듭 부탁을 해도 아직 소원이 이루어지지 않고 있다.
〔千屈菜〕 qiānqūcài 명《植》부처꽃.
〔千儿八百〕 qiānr bābǎi〈口〉천에서 800 가량. 일천 내외.
〔千人〕 qiānrén 명 천 명.〈比〉많은 사람.
〔千人糕〕 qiānréngāo 명 대추가 들어 있는 떡의 일종.
〔千人所指, 无病而死〕 qiānrén suǒ zhǐ, wúbìng ér sǐ 여러 사람에게 손가락질을 받으면 병이 없어도 죽는다.
〔千人一面〕 qiān rén yī miàn〈成〉어슷비슷하다. 만인의 생각이나 행동은 서로 비슷하다. ¶虽然有种种名称, 可都是～, 没什么差别; 여러 가지 명칭이 있으나, 모두 비슷비슷해서 별로 다를 것이 없다. →〔千篇一律〕
〔千日打柴一日烧〕 qiānrì dǎ chái yīrì shāo〈諺〉여러 해 동안 장만해 놓은 장작을 하루에 다 때 버리다(여러 해 동안 저축한 것을 잠깐 동안에 다 써 버리다).
〔千日红〕 qiānrìhóng 명《植》천일초. 「岳」
〔千山万壑〕 qiān shān wàn hè〈成〉⇨〔千山万

〔千山万水〕 qiān shān wàn shuǐ〈成〉①수없이 많은 산과 강.〈比〉멀고 험한 길〔노정〕. ¶跋涉～才回到故乡; 수많은 산을 넘고 강을 건너서 가까스로 고향에 돌아왔다. ②산수(山水)의 빼어난 경치가 많은 모양. ¶～的锦绣山河; 산수의 빼어난 경치가 많은 아름다운 산하〔금수강산〕. ‖=〔万水千山〕

〔千山万岳〕 qiān shān wàn yuè〈成〉①많은 산들. ②중첩된〔겹겹이 이어진〕산들. =〔千山万壑〕

〔千赊不如八百现〕 qiānshē bùrú bābǎi xiàn〈諺〉외상으로 천 원에 파는 것보다 현금 800원이 낫다.

〔千升〕 qiānshēng 양〘度〙킬로리터(kl).

〔千生万死〕 qiān shēng wàn sǐ〈成〉목숨을 걸다.

〔千乘〕 qiānshèng 명〈文〉제후(諸侯)《봉건 시대 열국(列國)의 군주의 별칭》.

〔千世〕 qiānshì 명 ⇨〔千叶②〕

〔千说万说〕 qiānshuō wànshuō 자꾸 되풀이해서 말하다.

〔千丝万缕〕 qiān sī wàn lǚ〈成〉관계가 대단히 복잡하게 뒤얽인 모양. ¶有着～的联系; 복잡하게 뒤얽힌 관계가 있다. =〔千索万绪〕

〔千思万想〕 qiān sī wàn xiǎng〈成〉이것저것 골똘히 생각하다. 여러 모로 생각하다. ¶～到底搞不出好办法来; 이것 저것 골똘히 생각했지만, 도무지 좋은 생각이 떠오르지 않는다.

〔千算万算〕 qiān suàn wàn suàn〈成〉이것저것 많이 생각하다.

〔千算万算不及老天爷一算〕 qiān suàn wàn suàn bù jí lǎotiānyé yī suàn〈諺〉사람이 제아무리 배려를 해도 하늘에서 하는 한 번의 배려에도 미치지 못한다《인지(人智)는 하늘에 이길 수 없다》.

〔千算万算，当头一钻〕 qiānsuàn wànsuàn, dāngtóu yīzuān 여러가지 계획을 세워 보기보다, 우선 먼저 과감하게 실행에 옮기는 것이 중요하다.

〔千岁〕 qiānsuì 명 ①천 년.〈比〉오랜 세월. =〔千秋①〕 ②임금·제후(諸侯)에 대한 존칭《흔히, 희곡(戲曲)에서 쓰임》. =〔千岁爷〕

〔千索万绪〕 qiān suǒ wàn xù〈成〉⇨〔千丝万缕〕

〔千条万绪〕 qiān tiáo wàn xù〈成〉⇨〔千头万绪〕

〔千头万绪〕 qiān tóu wàn xù〈成〉일〔사정〕이 얽혀서 문제가 많다. ¶真是～的难以下手; 정말 복잡하게 뒤얽혀 있어 손을 대기가 어렵다. =〔千端万绪〕〔千条万绪〕

〔千托万托〕 qiāntuō wàntuō 긴히 부탁하다. 간절히 바라다. ¶～他才答应替我办; 여러 가지로 부탁하고 나서야, 그는 겨우 내 대신 해 주겠다고 승낙했다.

〔千妥万当〕 qiān tuǒ wàn dàng〈成〉극히 타당하다. 절대로 틀림이 없다. ¶叫他担任会kuài计是～的; 그에게 회계를 맡기면 절대로 틀림이 없다. =〔千妥万妥〕

〔千妥万妥〕 qiān tuǒ wàn tuǒ〈成〉⇨〔千妥万当〕

〔千瓦〕 qiānwǎ 양 킬로와트(kW). ¶～小时 =〔电diàn度〕; 킬로와트시(時)(kWh).

〔千万〕 qiānwàn 부 결코. 부디. 절대. 아무쪼록. ¶～不可; 결코 안 된다 / 届时务祈赏光，～～;〈翰〉그 때에는 부디 왕림해 주시기 바랍니다 / 请您～不要说; 제발 말하지 말아 주십시오. 수 천 가지 만 가지. 여러 가지. ¶～百计; 여러 가지로 생각을 해 보다. 형〈比〉수가 많다.

〔千…万…〕 qiān…wàn… ①매우 많은 모양. ¶千军万马; 천군 만마 / 千差万别; 천차 만별《여러 가지로 많은 차별·종류가 있는 일》. ②뜻을 강조함. ¶千真万真; 확실하게.

〔千闻不如一见〕 qiānwén bùrú yījiàn〈諺〉⇨〔百bǎi闻不如一见〕

〔千祥〕 qiānxiáng 명〈文〉다행한 일. =〔千羊①〕

〔千辛万苦〕 qiān xīn wàn kǔ〈成〉온갖 고생. 천신 만고. =〔千难nàn万难〕

〔千言万语〕 qiān yán wàn yǔ〈成〉천언 만어. 매우 많은 말. ¶说了～也没表达出它的意思来; 많은 말을 동원해도 그 의미를 표현해 내지 못하였다.

〔千羊〕 qiānyáng 명 ①다행한 일. =〔千祥〕 ②천 마리의 양. ¶～不能捍独虎;〈諺〉천 마리의 양도 한 마리의 호랑이를 막을 수 없다《약자의 무력함》/ ～皮不如一狐之腋;〈諺〉많은 우자(愚者)가 덤벼도 한 사람의 현자(賢者)를 당하지 못한다.

〔千叶〕 qiānyè 명 ①겹꽃잎. (꽃의) 천엽. ¶～牡丹; 천엽 모란 / ～莲; 천엽 연꽃. ②〈文〉갖가지 세상. 오랜 세월. =〔千世〕

〔千依百顺〕 qiānyī bǎishùn 잘 순종하다. 무엇이든 말하는 대로 되다.

〔千亿〕 qiānyì 명 천억. 형 대단히 수가 많다.

〔千载〕 qiānzǎi 명〈文〉천재. 천 년이라는 긴 세월.

〔千载难逢〕 qiān zǎi nán féng〈成〉천재일우(千載一遇). 좀처럼 얻기 힘든 좋은 기회. ¶～的绝好条件; 천재일우의 절호의 조건. =〔千载一时〕〔千载一遇〕

〔千载一时〕 qiān zǎi yī shí〈成〉⇨〔千载难逢〕

〔千针底〕 qiānzhēndǐ 명 삼실을 촘촘하게 꿰매서 만든 중국식 헝겊신.

〔千真万确〕 qiān zhēn wàn què〈成〉지극히 확실하다. ¶这是～的，我可以保证; 이것은 아주 확실한 일로, 내가 보증한다.

〔千中拣一〕 qiānzhōng jiǎnyī 쉽게 얻을 수 없다. 진귀하다.

〔千周〕 qiānzhōu 양〘電〙킬로사이클(kilocycle). ¶频pín率6210～; 주파수 6210킬로사이클. →〔千赫〕

〔千嘱万托〕 qiān zhǔ wàn tuō〈成〉간절히 부탁하다.

〔千紫万红〕 qiān zǐ wàn hóng〈成〉⇨〔万紫千红〕

〔千字文〕 Qiānzìwén 명〘書〙천자문《양(梁)나라의 주흥사(周興嗣)가 찬(撰)함》.

〔千总〕 qiānzǒng 명 천총《청대(淸代), 무관의 이름. 6품관으로 육군 소위에 상당함》. =〔哨shào官〕

仟 qiān (천)

①수 '千①'의 갖은자《증서 따위의 금액 기재에 주로 쓰임》. ②명〈文〉두목. 천인(千人)의 장(長). ③형〈文〉초목이 무성한 모양. =〔芊〕

〔仟伯〕 qiānbó 명〈文〉①천백. 천이나 백. 천 푼이나 백 푼의 돈. =〔千百〕 ②⇨〔阡陌〕

〔仟眠〕 qiānmián 형 ⇨〔芊绵〕

〔仟仟〕 qiānqiān 형 ⇨〔芊芊〕

阡 qiān (천)

①명〈文〉논밭 사이의 두둑길. ②명〈文〉묘도(墓道). 묘지로 통하는 길. ③수 '千①'의 갖은자. ④형 초목이 무성하다. =〔芊〕

〔阡表〕 qiānbiǎo 명 ⇨〔墓mù碑〕
〔阡眠〕 qiānmián 형 ⇨〔芊绵〕
〔阡陌〕 qiānmò 명 〈文〉 논밭 사이의 두둑길《동서(東西)를 '阡', 남북(南北)을 '陌'라 함》. ¶～纵zòng横; 밭두렁길이 종횡으로 나 있다. =〔仟佰②〕
〔阡阡〕 qiānqiān 형 ⇨〔芊芊〕

迁(遷) qiān (천) 동 ①옮기다. 이전하다. 이사하다. ¶您打算乔qiáo～吗? 당신은 이사할 작정이십니까?/～都dū; ⇩/从城里～到城外; 성 안에서 성 밖으로 이전하다/～居; ⇩/～葬; ⇩ ②변천하다. 변화하다. ¶事过境～; 〈成〉 사정이나 환경이 바뀌다/变～; 변천(하다). ③〈文〉 직위가 변하다. 관직이 오르거나 내리다. ¶左～; 좌천시키다/超chāo～; 등급을 뛰어넘어 진급시키다.
〔迁爱〕 qiān'ài 동 ⇨〔移yí宠〕
〔迁出〕 qiānchū 동 전출하다. ↔〔迁入〕
〔迁除〕 qiānchú 명 관리의 이동. 임명(任命).
〔迁调〕 qiāndiào 동 전임(轉任)하다. 직장이 바뀌다. 명 인사 이동.
〔迁鼎〕 qiāndǐng 동 옛날, 왕조가 바뀌다.
〔迁都〕 qiān.dū 동 천도하다.
〔迁兑〕 qiāndui 동 ①서로 절충하다. 서로 융통하다. ¶不够分配, 大家～着用吧; 나누기에는 부족하니, 모두 서로 융통하여 쓰도록 하여라. ②합친 것을 잘게 하다. 잔돈으로 바꾸다. ¶这十块钱, 你给～些零的吧! 이 10원을 잔돈으로 주십시오!
〔迁附〕 qiānfù 동 얽매이다. 구애되다. ¶～旧礼; 옛날 예법에 구애되다.
〔迁棺扫材〕 qiānguān sǎocái 장례식에 관한 말로, '出chū殡'의 전날에 관을 옮기고 청소하는 일.
〔迁化〕 qiānhuà 동 〈文〉 ①《佛》 사망하다. ②변화하다.
〔迁换〕 qiānhuàn 동 교환하다. 바꾸다. ¶这张钞票, 你给～吧; 이 지폐를 바꾸어 주시오.
〔迁家〕 qiān.jiā 동 〈文〉 이사하다.
〔迁就〕 qiānjiù 동 ①(원칙 없이) 타협하다. 영합(迎合)하다. 순응(順應)하다. 너그러이 봐 주다. ¶坚持原则, 不能～! 원칙을 끝까지 관철해야지, 타협해서는 안 된다!/～态度; 타협적인 태도/～主义; 영합주의/公事不宜～; 공사를 허술하게 할 수 없다. ②벗어나다. 빗나가다. ¶作文章, 要竟顾文字整齐了, 意思就不能不～了; 문장을 짓는데, 만일 문장을 가다듬는 데에만 정신이 쏠려 있으면, 뜻은 벗어날 수밖에 없다. ③끌리다. 얽매이다. 보조·기분을 맞추다. ¶先进～落后; 앞에 간 사람이 뒤진 사람의 보조를 맞추다/耳朵软, 就～人家的意思; 가볍게 남의 말을 믿으면, 다른 사람의 의견에 질질 끌리고 만다. ‖ =〔牵就〕
〔迁居〕 qiānjū 동 〈文〉 옮겨 살다. 이사하다. =〔迁屋〕〔移yí居〕
〔迁流〕 qiānliú 동 〈文〉 때가 바뀌다. 세월이 흐르다. ¶岁月～; 세월이 흐르다.
〔迁怒〕 qiānnù 동 좌충우돌하다. (남에게) 분풀이하다. ¶～于人; 남에게 분풀이하다.
〔迁乔〕 qiānqiáo 동 ⇨〔乔迁〕
〔迁逡〕 qiānqūn 동 ⇨〔逡qūn巡〕
〔迁染〕 qiānrǎn 동 (관습·풍습에) 차츰 물들다. ¶为恶wèi'è习所～; 악습에 물들다.
〔迁让〕 qiānràng 동 (이사하여) 집을 넘겨 주다.
〔迁入〕 qiānrù 동 전입하다. ¶～新居; 새 집으로 이사하다. ↔〔迁出〕
〔迁善〕 qiānshàn 동 잘못을 고치고 선을 따르다.
〔迁屋〕 qiānwū 동 ⇨〔迁居〕
〔迁徙〕 qiānxǐ 동 이전하다. ¶人口～; 인구가 이동하다.
〔迁项〕 qiānxiàng 명동 ⇨〔移yí项〕
〔迁延〕 qiānyán 동 ①물러서서 나아가지 않다. ②(시간을) 질질 끌다. ¶～时日; 날짜를 질질 끌다/～不决; 꾸물거리고 결정되지 않다.
〔迁移〕 qiānyí 동 ①옮기다. 이전하다. ¶～左开地址; 좌기(左記)의 곳으로 이사했습니다/～户口; 호적을 옮기다/～费; 퇴거비. 이사 비용. ②시대가 변천하다. 명 ①이전 수속. ¶办理～; 이전 수속을 하다. ②이전. 이동.
〔迁葬〕 qiānzàng 동 이장(移葬)하다. 천장하다.
〔迁谪〕 qiānzhé 동 옛날, 관리를 먼 곳으로 좌천하다. =〔左zuǒ迁〕

芊 qiān (천) 형 〈文〉 초목이 무성하다. =〔仟③〕〔阡④〕
〔芊眠〕 qiānmián 형 ⇨〔芊绵〕
〔芊绵〕 qiānmián 형 〈文〉 초목이 무성한 모양. =〔芊眠〕〔千眠〕〔仟眠〕〔阡眠〕
〔芊芊〕 qiānqiān 형 〈文〉 초목이 기운차게 우거져 있는 모양. =〔芊蔚〕〔仟仟〕〔阡阡〕
〔芊蔚〕 qiānwèi 형 ⇨〔芊芊〕

扦 qiān (천) ①(～儿, ～子) 명 꼬챙이《금속 또는 대나무·나무로 만든 끝이 뾰족한 도구》. ¶铁～; 쇠꼬챙이/牙～儿; 이쑤시개/蜡～儿; 촛대/竹～子; 대꼬챙이. ②→〔扦手〕 ③동 〈方〉 꽂다. 박다. ¶把花～在花瓶里; 꽃을 화병에 꽂다/～蜡烛; 초를 (촛대의 못에 꽂아서) 세우다/把～门儿～上; 문빗장을 지르다. ④동 찌르다. ¶用针～住; 핀으로 찔러 놓다. ⑤동 (모이를) 쪼다. ¶鸟儿用嘴～东西; 새는 부리로 물건을 쫀다. ⑥동 꺾꽂이하다. 접목하다.
〔扦插〕 qiānchā 명동 《農》 꺾꽂이(하다). ¶最适宜～的季节是初冬; 꺾꽂이에 가장 알맞은 계절은 초겨울이다.
〔扦关儿〕 qiānguānr 명 문(門)빗장. =〔插chā关(儿)〕
〔扦脚〕 qiānjiǎo 동 ⇨〔修xiū脚〕
〔扦门〕 qiān.mén 동 빗장을 걸다.
〔扦儿〕 qiānr 명 꼬챙이. =〔扦子①〕
〔扦手〕 qiānshǒu 명 세관 검사원의 구칭. =〔扦子手〕
〔扦树〕 qiānshù 동 나무를 접붙이다. 접목하다.
〔扦子〕 qiānzi 명 ①(금속·나무·대쪽 따위로 만든) 꼬챙이. ¶铁～; 쇠꼬챙이/竹～; 대꼬챙이. =〔扦儿〕 ②색대《쌀가마니 따위에 찔러서 빼 보아 검사하는 도구》.

钎(釬) qiān (천) →〔钎头〕〔钎子〕
〔钎头〕 qiāntóu 명 비트(bit)《드릴〔정〕의 날 부분》.
〔钎子〕 qiānzi 명 ①《鑛》 착암기(鑿巖機) 등 바위를 뚫는 강철봉(棒). =〔炮钎〕 ②(금속제의) 구이 꼬치.

佥(僉) qiān (첨) ① 부 〈文〉 전부. 죄다. ¶～作是想; 모두 이렇게 생각한다/～无异议; 일동 모두 이의 없음. ② 동 ⇨〔签A)〕

〔佥谋〕 qiānmóu 동 〈文〉 여럿이서 협의하다. ¶～已定; 중의는 이미 정해졌다. =〔佥议〕
〔佥事〕 qiānshì 명 중앙 각 부국(部局)의 사무관.
〔佥署〕 qiānshǔ 명동 ⇨〔签字〕
〔佥押〕 qiānyā 동 ⇨〔签押〕
〔佥议〕 qiānyì 동 ⇨〔佥谋〕

签(簽A),籤B)〈籖〉) qiān (첨) A) 동 ①서명(署名)하다. ¶请你～个字! 서명하여 주십시오! ②간단히 적어 놓다. ¶～注意见; 의견을 몇 자 써 넣다. ‖=〔佥②〕 B) ①(～儿, ～子) 명 기호·문자 등을 써 넣은 대오리·나뭇조각·종이쪽지 따위《점(占)이나 도박용》. ¶抽～儿; 제비 뽑다/求～问卜; 길흉을 점치는 제비를 뽑다. ②(～儿) 명 표지(標識)로 사용하는 좁은 종이쪽지. ¶书～(儿); 서표(書標)/标～; (상품에 붙이는) 카드. 라벨/浮～; 부전(附箋). ③(～儿, ～子) 명 나무나 대나무로 가늘고 납작하게 깎은 물건. ¶牙～(儿); 이쑤시개/竹～儿; 가느다란 대오리. ④동 시침질하다. 성기게 꿰매다. ¶把衣领先～上; 옷깃을 먼저 가봉(假縫)하다.
〔签保〕 qiānbǎo 동 서명하여 보증하다.
〔签报〕 qiānbào 명 〈公〉 공문의 일종《중요 사항을 신속히 처리하기 위하여 해당 기관의 장(長)의 친서(親書)를 상급 기관의 장에게 직접 보내어 결재를 받는 경우에 씀》.
〔签呈〕 qiānchéng 명 〈公〉 관청의 상급자에 대한 간단한 문서.
〔签传〕 qiānchuán 동 영장을 발부하여 구인(拘引)하다.
〔签到〕 qiān⸱dào 동 출근부에 도장을 찍다. ¶～簿bù; 출근부/～处; 접수처《출석·출근의 서명을 하는 곳》. =〔画huà到〕
〔签订〕 qiāndìng 명동 조인(하다). 체결(하다). ¶～合同; 계약서에 조인하다/～贸mào易协定; 무역 협정을 체결하다/～条tiáo约; 조약에 서명하다. =〔签定〕
〔签定〕 qiāndìng 명동 ⇨〔签订〕
〔签发〕 qiānfā 동 서명하여 발행〔발급〕하다《공문서·증명서·비자 등의 경우》. ¶～护照; 패스포트를 발행하다.
〔签封〕 qiānfēng 동 날인하여 봉하다.
〔签揭〕 qiānjiē 동 표〔쪽지〕를 붙여서 표시하다.
〔签具〕 qiānjù 동 서명하다.
〔签连〕 qiānlián 동 영향(影響)이 미치다. =〔牵连〕
〔签名〕 qiān⸱míng 동 서명하다. 사인하다. (qiānmíng) 명 서명. ¶～盖印; 서명 날인/～簿 =〔签到簿〕; 출근부/～运动; 서명 운동.
〔签明认付〕 qiānmíng rènfù 지급 인수(引受)의 서명을 하다.
〔签票〕 qiān⸱piào 동 ①어음에 서명하다. ②차표에 갈아타기 또는 도중 하차의 사인·표시를 하다.
〔签票〕 qiānpiào 명 구속 영장.
〔签儿〕 qiānr 명 ⇨〔签子〕
〔签日后定期付款票据〕 qiānrìhòu dìngqīfùkuǎn piàojù 명 《商》 서명 후 정기 지불 어음.
〔签诗〕 qiānshī 명 길흉을 점치는 제비의 문구. =〔签语〕
〔签收〕 qiānshōu 동 (공문서·편지 등을) 받았다는 서명을 하다. ¶挂号信须由收件人～; 등기 우편은 수취인이 사인을 하지 않으면 안 된다.
〔签手〕 qiānshǒu 명 주선인(周旋人).
〔签署〕 qiānshǔ 명동 서명(하다). 조인(하다). ¶～了联合声明; 공동 성명에 조인했다. =〔签字〕〔佥署〕 동 ⇨〔签证①〕
〔签题〕 qiāntí 동 〈文〉 기명하다. 패에 이름을 적다.
〔签条〕 qiāntiáo 명 ①패. 쪽지. 길흉을 점치는 제비 따위. ②구속 영장. 소환장.
〔签押〕 qiānyā 동 서명하다. 注 '签名'은 일반적으로 서명하는 뜻으로 쓰이나, '签押'는 서명한 뒤에 '老押' 곧 수결(手决)을 하는 것. =〔佥押〕
〔签语〕 qiānyǔ 명 ⇨〔签诗〕
〔签约〕 qiānyuē 동 조약 또는 계약서에 조인하다.
〔签允〕 qiānyǔn 동 ⇨〔签准〕
〔签证〕 qiānzhèng 명 비자. ¶入国～; 입국 비자/过境～; 통과 비자. 동 ①여권 따위의 사증(査證)을 하다. 비자를 내어주다. =〔签署〕 ②계약서 등에 서명하다. 어음 등에 배서(背書)하다.
〔签助〕 qiānzhù 동 〈文〉 의연금(義捐金)이나 헌금 신청서에 서명하다.
〔签注〕 qiānzhù 동 ①(의견 등을) 부전(附箋)에 써 넣다. 주기(注記)하다. ②발행자가 증명서 등에 관계 사항을 써 넣다. ¶～收到的时间; 받은 시간을 기입하다.
〔签准〕 qiānzhǔn 동 인가하다. 허가하다. =〔签允〕
〔签字〕 qiān⸱zì 명동 서명(하다). 사인(하다). 조인(調印)(하다). ¶～国; 서명국. 조인국/分别代表双方在协xié定上～; 각각 쌍방을 대표하여 협정에 조인한다. =〔签署〕〔佥署〕
〔签字盖章〕 qiānzì gàizhāng 서명 날인하다.
〔签字支票〕 qiānzì zhīpiào 명 ⇨〔盖gài印支票〕
〔签子〕 qiānzi 명 ①선장본(線裝本)의 표지에 붙인 책명을 쓴 것. ②봉투의 중앙에 붙인 가늘고 긴 빨간 종이. ③서표(書標). ④선장본에 끼어 밖으로 드리운 책명을 쓴 종이 조각. ‖=〔签儿〕
〔签子手〕 qiānzishǒu 명 ①계수원(計數員)《부두나 창고 등에서 하역(荷役)할 때 수를 세는 사람》. =〔搭dā力〕 ②세관의 관리. =〔扦手〕〔扦子手〕 →〔扦②〕

汧 qiān (견) 지명용 자(字). ¶～阳yáng; 첸양(汧陽) 현《산시 성(陝西省)에 있는 현 이름. 현재는 '千阳'으로 씀》.

岍 Qiān (견) 명 《地》 첸산(岍山)《산시 성(陝西省)에 있는 산 이름》.

牵(牽) qiān (견) ①동 당기다. 잡아 끌다. ¶～着一头牛; 한 마리의 소를 끌고 있다/～牛下地; 소를 끌고 밭에 나가다/～一发而动全身; 사소한 일이 크게 영향을 미치다/～引; ⇩ ②동 연루(連累)시키다. 덩달아 걸려들다. 누(累)를 끼치다. ¶～连; ⇩/～制; ⇩/～累lěi; ⇩ ③동 의복의 소맷부리나 단 등을 접어 넣고 감치다. ④명 성(姓)의 하나.
〔牵碍〕 qiān'ài 명 지장(支障). ¶这么说并无～; 그렇게 말해도 별로 지장은 없다.
〔牵缠〕 qiānchán 동 항상 붙어 다니다. 관련되다. ¶他老～我无法脱身; 그는 항상 나를 따라다녀서 몸을 피할 수가 없다.
〔牵肠割肚〕 qiān cháng gē dù 〈成〉 ⇨〔牵肠挂肚〕
〔牵肠挂肚〕 qiān cháng guà dù 〈成〉 마음에 걸려 어찌할 수가 없다. 대단히 마음에 걸리다.

=〔牵肠割肚〕〔牵肠挂肺〕
〔牵肠挂肺〕 qiān cháng guà fèi 〈成〉 ⇨〔牵肠挂肚〕
〔牵扯〕 qiānchě 동 ①귀찮게〔복잡하게〕 만들다. ¶ 不使自己被～到无原则的头争中去; 자기가 무원칙하게 쓸데없는 투쟁에 끌려들지 않도록 하다. ②누(累)를 남에게 미치게 하다. 남에게 폐를 끼치다. ③연관되다. 연루되다. 명 ①골칫거리. ¶ 又多了一番～; 또 골칫거리 하나가 늘었다. ②연대사건(連帶事件).
〔牵掣〕 qiānchè 동 ① ⇨〔牵制〕 ②관계하다. 영향을 미치다. 영향을 주다. ¶ 互相～; 서로 사물의 진전을 방해하다. 서로 당기다 / 计划不周到, 常常～到别的部门; 주도하지 않은 계획은 왕왕 다른 부분에까지 영향을 미친다.
〔牵钉〕 qiāndīng 명 《機》 기중기의 와이어(wire)를 지탱하는 고리.
〔牵动〕 qiāndòng 동 ①다른 데에 영향(影響)이 미치다. ¶ ～全局; 전체의 국면에 영향이 미치다. ②영향을 받다. 동요하다.
〔牵动磁铁〕 qiāndòng cítiě 명 텐션 마그넷(tension magnet).
〔牵挂〕 qiānguà 명동 근심(하다). 걱정(하다). 염려(하다). ¶ 家里的事不用～! 집안일은 걱정하지 마라! =〔挂念〕〔牵念〕
〔牵关儿〕 qiānguānr 명 문빗장.
〔牵合〕 qiānhé 동 〈文〉 무리하게 맞추다. 억지로 맞게 하다. 타협하다.
〔牵记〕 qiānjì 동 〈文〉 마음에 두다. 괘념하다. ¶ ～在心上; 걱정하다. 괘념하다.
〔牵角钣〕 qiānjiǎobǎn 명 《工》 거싯판(gusset板). 이음판.
〔牵近〕 qiānjìn 동 가까이하다. 가까이 당기다. 접근시키다.
〔牵就〕 qiānjiù 동 ⇨〔迁就〕
〔牵缆〕 qiānlǎn 동 배를 물에서 밧줄로 끌고 가다.
〔牵累〕 qiānlěi 동 ①매이어 고생하다. 얽매이다. ¶ 家务～; 가사(家事)에 매이다. ②누(累)를 끼치다. 연루시키다. ¶ 好汉做事好汉当, 何必～别人呢; 사내 대장부가 일을 하려면 저 혼자서 해내야지, 하필 남에게까지 폐를 끼치랴.
〔牵力器〕 qiānlìqì 명 《機》 텐션(tension). 인장(引張) 장치. 장력기(張力器). =〔拉lā紧器〕
〔牵力弹簧〕 qiānlì tánhuáng 명 《機》 인장 스프링(tension spring).
〔牵连〕 qiānlián 동 ①다른 데에 누(累)가 미치다. ②관련되다. 말려들다. ¶ 被麻烦事～上了; 귀찮은 일에 말려들었다 / ～之案件; 관련된 사건. ‖ =〔纤连〕 ③〈方〉 돌보다. 시중들다. ¶ 请你多～吧! 잘 좀 보살펴 주십시오!
〔牵怜〕 qiānlian 동 돌봐 주다. 보살피다《상인(商人) 용어》. ¶ 久仰, 您多～点儿; 처음 뵙겠습니다, 잘 부탁합니다.
〔牵萝补屋〕 qiān luó bǔ wū 〈成〉 살림이 어려워 이리저리 둘러댐《고육지책(苦肉之策)을 씀》.
〔牵念〕 qiānniàn 명동 ⇨〔牵挂〕
〔牵牛〕 qiānniú 명 ①《天》 견우성. =〔〈俗〉 牛郎星〕 ②《植》 나팔꽃. =〔牵牛花〕〔牵牛子〕〔〈俗〉 喇叭花lǎbahuā〕〔狗耳草〕〔勤qín娘子〕
〔牵牛织女〕 qiānniú zhīnǚ 명 ①견우성과 직녀성. ②〈比〉 떨어져 생활하는 부부. ¶ ～的问题需要合理解决; 부부가 다른 고장에서 일을 하여 동거할 수 없는 문제는 합법적으로 해결하지 않으면 안 된다.
〔牵牛子〕 qiānniúzǐ 명 《藥》 견우자〔나팔꽃씨〕. ¶ ～脂zhī; 견우자 기름.
〔牵强〕 qiānqiǎng 동 억지로 끌어대다. 억지 쓰다. ¶ 这条理由有些～; 이 이유는 좀 억지로 끌어댄 데가 있다. 형 억지스럽다.
〔牵强附会〕 qiān qiǎng fù huì 〈成〉 견강부회하다. 억지로 갖다 붙이다. ¶ 他的主张有点儿～; 그의 주장은 좀 억지가 있다.
〔牵染〕 qiānrǎn 동 〈文〉 파급되다. 관련되다.
〔牵涉〕 qiānshè 동 관련되다. 파급되다. ¶ 有桩案件～到你们; 너희들에게 관련되는 사건이 있다.
〔牵丝戏〕 qiānsīxì 명 ⇨〔木mù偶戏②〕
〔牵条螺栓〕 qiāntiáo luóshuān 명 《機》 스테이 볼트(stay bolt). 지주(支柱) 볼트. =〔撑chēng柱螺栓〕〔螺撑〕〔丝对〕
〔牵挺〕 qiāntǐng 명 (베틀의) 발판.
〔牵头老婆〕 qiāntóu lǎopó 명 ⇨〔鸨bǎo母①〕
〔牵五挂四〕 qiān wǔ guà sì 〈成〉 (병이나 화재 등 불상사가) 차례로 일어나다.
〔牵线〕 qiān·xiàn 동 〈比〉 ①뒤에서 조종하다. ¶ 这个集团的幕后～人是他; 이 집단의 배후에서 조종하고 있는 것은 그 사람이다. ②다리를 놓다. 교섭하다. ¶ 他不好直接跟你开口, 托我来牵个线; 그는 너한테 직접 말하는 것이 난처해서, 나에게 교섭하도록 부탁한 것이다. (qiānxiàn) 명 ①인도함. 주선함. ¶ ～人; 뒤에서 조정하는 자. ②계삭(繫索). 매어 놓은 밧줄.
〔牵曳〕 qiānyè 동 〈文〉 끌다. 당기다.
〔牵一发而动全身〕 qiān yī fà ér dòng quán shēn 〈成〉 사소한 일이 전체에 영향을 끼치다.
〔牵引〕 qiānyǐn 동 끌어당기다. 견인하다.
〔牵引车〕 qiānyǐnchē 명 ⇨〔拖tuō拉机〕
〔牵引杆〕 qiānyǐngǎn 명 《工》 텐션 바(tension bar).
〔牵引棍子〕 qiānyǐngùnzi 명 《機》 견인봉(棒). ¶ 撒粉机用～; 살분기용(撒粉機用) 견인봉.
〔牵引机〕 qiānyǐnjī 명 ⇨〔拖tuō拉机〕
〔牵引力〕 qiānyǐnlì 명 《物》 견인력. →〔拉lā力〕〔张zhāng力〕
〔牵引汽车〕 qiānyǐn qìchē 명 트레일러 버스.
〔牵着鼻子走〕 qiānzhe bízi zǒu 코를 잡아 끌어 돌아다니다. 끌고 다니다. 휘두르다. ¶ 不要给人家～啊! 남에게 끌려 다니지 마라!
〔牵着不走, 打着倒退〕 qiānzhe bùzǒu, dǎzhe dàotuì 〈諺〉 잡아당겨도 움직이려 하지 않고, 때리면 뒷걸음질친다. 〈比〉 도저히 어찌할 도리가 없다.
〔牵制〕 qiānzhì 동 견제하다. 자유 행동을 방해하다. 붙들어 두다. =〔牵掣①〕

悭(慳) qiān (간)

형 ①아끼다. 인색하다. ②부족하다. 결여(缺如)되어 있다. ¶ 缘～一面; 전혀 인연이 없다. 일면식(一面識)도 없다.
〔悭吝〕 qiānlìn 형 인색하다. =〔吝啬sè〕
〔悭囊〕 qiānnáng 명 〈罵〉 노랑이. 구두쇠.

铅(鉛〈鈆〉) qiān (연)

명 ①《化》 납(Pb:plumbum). ②흑연(黑鉛). 석묵(石墨). 연필의 심(芯). ⇒yán
〔铅白〕 qiānbái 명 《化》 연백《염기성 탄산연의 통칭으로, 유독 물질의 하나》. =〔铅粉①〕〔铅华〕〔白铅粉〕
〔铅板〕 qiānbǎn 명 ① ⇨〔镀dù锌铁(皮)〕 ② ⇨

〔铅版〕
〔铅版〕 qiānbǎn 명 《印》 연판. =〔铅板②〕
〔铅包线〕 qiānbāoxiàn 명 《電》 연피선(鉛被線). 연피 전선(電線).
〔铅笔〕 qiānbǐ 명 연필. ¶一枝~; 한 자루의 연필/削~ =〔修~〕; 연필을 깎다/活动~ =〔活心~〕; 샤프 펜슬/带橡皮的~; 지우개가 달린 연필/~套; 연필 뚜껑.
〔铅笔刨〕 qiānbǐbào 명 ⇨〔铅笔旋子〕
〔铅笔刀〕 qiānbǐdāo 명 ①연필깎이(용의 칼). ②⇨〔铅笔旋子〕
〔铅笔粉〕 qiānbǐfěn 명 ⇨〔石shí墨①〕
〔铅笔盒〕 qiānbǐhé 명 필통.
〔铅笔画〕 qiānbǐhuà 명 《美》 연필화.
〔铅笔柠子〕 qiānbǐníngzi 명 ⇨〔铅笔旋子〕
〔铅笔心(儿)〕 qiānbǐxīn(r) 명 (샤프펜슬의) 연필심.
〔铅笔旋子〕 qiānbǐ xuànzi 명 연필깎이. =〔铅笔刨〕〔铅笔刀②〕〔铅笔柠子〕
〔铅玻璃〕 qiānbōli 명 《化》 납유리. 플린트(flint) 유리. =〔火huǒ石玻璃〕「용」.
〔铅锤〕 qiānchuí 명 《建》 연추. 측연(测鉛)《측량
〔铅垂线〕 qiānchuíxiàn 명 《數》 수직선.
〔铅戳子〕 qiānchuōzi 명 ⇨〔铅字〕
〔铅黛〕 qiāndài 명 ⇨〔粉fěn黛②〕
〔铅丹〕 qiāndān 명 《化》 연단. 광명단. 사산화 삼납. =〔铅红〕〔铅黄②〕〔红丹(粉)〕〔红铅粉〕〔黄丹〕
〔铅刀〕 qiāndāo 명 무딘 칼. ¶~一割; ⓐ무딘 칼로 베다. ⓑ〈謙〉 미력(微力)이나마 소임을 맡음. ⓒ우연한 공명(功名).
〔铅刀驽马〕 qiān dāo nú mǎ 〈成〉 납으로 만든 칼이나 짐말처럼 별로 쓸모없는 것. =〔铅驽〕
〔铅毒〕 qiāndú 명 연독. ¶中zhòng~; 연독에 중독되다.
〔铅钝〕 qiāndùn 형 (납으로 만든 칼처럼) 무디다.
〔铅粉〕 qiānfěn 명 ①연백(鉛白). =〔铅白〕 ②(옛날에 사용하던) 연백분. ③석묵(石墨).
〔铅汞〕 qiāngǒng 명 도가(道家)에서 납과 수은을 개어 얻었다고 하는 선단(仙丹). 동 선단을 만들다. =〔炼丹〕
〔铅红〕 qiānhóng 명 ⇨〔铅丹〕
〔铅华〕 qiānhuá 명 ⇨〔铅白〕
〔铅黄〕 qiānhuáng 명 ①〈文〉〈比〉 교정(校正). ②⇨〔铅丹〕
〔铅块〕 qiānkuài 명 《工》 레드 잉곳(red ingot).
〔铅矿〕 qiānkuàng 명 《鑛》 연광《납을 함유하고 있는 광석》.
〔铅泪〕 qiānlèi 명 녹은 납과 같은 눈물.
〔铅煤板〕 qiānméibǎn 명 《電》 전극판. =〔电diàn极板〕
〔铅驽〕 qiānnú ⇨〔铅刀驽马〕
〔铅皮〕 qiānpí 명 함석. ¶~顶; 함석 지붕.
〔铅球〕 qiānqiú 명 《體》 포환(砲丸). ¶推~; 포환 던지기. =〔铁tiě球〕
〔铅沙子〕 qiānshāzi 명 (엽총의) 산탄.
〔铅纱〕 qiānshā 명 철망. =〔铁tiě纱〕
〔铅丝〕 qiānsī 명 철사《아연을 입힌 것》.
〔铅糖〕 qiāntáng 명 '醋酸铅'의 별칭.
〔铅条〕 qiāntiáo 명 ①《印》 인테르(inter). ②샤프 펜슬의 심(芯). =〔铅芯〕 ③납봉(棒). ④약간 굵은 납선(線).
〔铅铁〕 qiāntiě 명 ①아연(亞鉛). ②〈口〉 함석.
〔铅桶〕 qiāntǒng 명 양동이.
〔铅丸子〕 qiānwánzi 명 ⇨〔铅子儿〕
〔铅线〕 qiānxiàn 명 아연 철사. 철사.
〔铅印〕 qiānyìn 명동 활자 인쇄(하다). ¶这看着好像是~的样子, 其实是石印的; 이것은 보기에는 활자판 같지만 실제로는 석판 인쇄이다.
〔铅浴炉〕 qiānyùlú 명 《工》 연욕로(lead bath furnace).
〔铅症〕 qiānzhèng 명 《醫》 연독증(鉛毒症).
〔铅直〕 qiānzhí 명 수직. ¶~线; 연직선. 수직선.
〔铅子儿〕 qiānzǐr 명 (옛날의) 탄환. =〔铅丸子〕
〔铅字〕 qiānzì 명 《印》 활자. ¶~盒; 활자 케이스/~铜模mú; 활자 모형(母型). =〔铅戮字〕
〔铅字合金〕 qiānzì héjīn 명 《印》 활자 합금.
〔铅字油墨〕 qiānzì yóumò 명 《印》 활자 인쇄용 잉크.

谦(謙) qiān (겸)
①형 겸손하다. 겸허하다. ¶自~; 겸손하다/您太~; 지나친 겸손이십니다/满招损, ~受益; 〈諺〉 자만하면 손해를 초래하고, 겸손하면 이익을 받는다/~恭; ⇩/~让; ⇩ ②동 아양 떨다. ③명 역(易)의 괘(卦)의 이름.
〔谦蔼〕 qiān'ǎi 형 겸허하고 얌전하다. 조심스럽고 온화하다. =〔谦和〕
〔谦卑〕 qiānbēi 동 겸양하다. 자기를 낮추다《손아랫사람이 손윗사람에게 씀》.
〔谦卑退让〕 qiān bēi tuì ràng 〈成〉 자기를 낮추고 사양하다.
〔谦冲〕 qiānchōng 형 〈文〉 겸허하다. 자기를 낮추다.
〔谦辞〕 qiāncí 명 〈文〉 겸손한 말. 동 ⇨〔谦谢〕
〔谦德〕 qiāndé 명 겸손의 미덕.
〔谦恭〕 qiāngōng 형 겸허하고 예의바르다. ¶他, 人很~; 그는 사람됨이 매우 겸허하다.
〔谦恭和气〕 qiāngōng héqì 겸허하고 온화하다. ¶语气老是~; 말씨가 언제나 겸허하고 온화하다.
〔谦恭退让〕 qiān gōng tuì ràng 〈成〉 남에게 자기를 낮추고 조심스럽게 하다.
〔谦光〕 qiānguāng 군자는 겸손해도 그 덕은 저절로 빛난다. 겸손하고 조심스럽다.
〔谦和〕 qiānhé 형 겸허하고 온화하다. 조심스럽고 온화하다. =〔谦蔼〕
〔谦克〕 qiānkè 형 〈文〉 겸허하고 잘 자제하다.
〔谦谦〕 qiānqiān 형 겸손한 모양.
〔谦谦君子〕 qiān qiān jūn zǐ 〈成〉 ①뽐내지 않고 자제(自制)하는 사람. ②위군자(僞君子).
〔谦让〕 qiānràng 동 겸양하다. ¶咱们公摊tān吧, 省得彼此~; 각추렴으로 하자, 서로 양보하지 않아도 될 테니까/别~了! 唐同志年长就请上吧; 사양하지 맙시다. 당 동지는 연상이시니까 상좌에 앉으십시오.
〔谦慎〕 qiānshèn 형 겸허하고 조심스럽다.
〔谦退〕 qiāntuì 동 자기를 낮추고 삼가다《'谦恭退让'의 약칭》. →〔谦光〕
〔谦谢〕 qiānxiè 동 겸손하게 사퇴하다. =〔谦辞〕
〔谦虚〕 qiānxū 형 겸허하다. 자신을 비우고 사람들에게 스스로를 낮추다. 동 겸손의 말을 하다. 사양하다. ¶他~了一番, 终于答应了我的请求; 그는 잠시 겸손의 말을 하다가 마침내 나의 간청을 받아들였다.
〔谦虚谨慎〕 qiān xū jǐn shèn 〈成〉 겸허하고 조심스럽다.
〔谦逊〕 qiānxùn 명형 겸손(하다). =〔谦巽〕 동 남에게 양보하다.
〔谦巽〕 qiānxùn 명형 ⇨〔谦逊〕

磏 **qiān** (렴) 지명용 자(字). ¶大Dà～; 다첸(大磏)《구이저우 성(貴州省)에 있는 땅이름》. ⇒lián

骞(騫) **qiān** (건) ① 동 〈文〉높이 오르다. ¶～腾; ⇩ ② 동 손해보다. ③ 동 ⇨〔搴①〕 ④인명용 자(字). ¶张Zhāng～; 전한(前漢) 사람《무제(武帝) 때의 사신(使臣)》.

〔骞骞〕 qiānqiān 형 ①비상(飛翔)하는 모양. ②경솔한 모양.

〔骞腾〕 qiānténg 동 높이 뛰어오르다. 약진하다《출세하다》.

搴 **qiān** (건) 동 〈文〉①빼내다. 빼앗다. ¶～旗qí; 기를 빼앗다. =〔骞③〕 ②⇨〔褰〕

褰 **qiān** (건) 동 〈文〉(옷을) 걷어올리다. (모기장 · 막을) 올리다. ¶～裳涉水; 옷을 걷어올리고 물을 건너다. =〔搴②〕

愆〈諐〉 **qiān** (건) 〈文〉 ① 명 과실. 허물. ¶罪zuì～; 허물 / 以赎前～; 이전의 잘못을 속죄하다 / ～尤; ⇩ ② 동 (기일을) 어기다. (때를) 놓치다. ¶～期; ⇩

〔愆痾〕 qiān'ē 명 〈文〉못된 질병이나 불길한 일.

〔愆伏〕 qiānfú 〈文〉날씨의 변화가 비정상임. 일기가 불순함. =〔愆序〕

〔愆过〕 qiānguò 명 ⇨〔愆尤〕

〔愆面〕 qiānmiàn 동 〈翰〉한동안 격조(隔阻)하다.

〔愆期〕 qiānqī 동 〈文〉기일을 어기다.

〔愆忒〕 qiāntè 명 ⇨〔愆尤〕

〔愆序〕 qiānxù ⇨〔愆伏〕

〔愆义〕 qiānyì 동 정도(正道)를 벗어나다. 길을 잘못 들다.

〔愆尤〕 qiānyóu 명 〈文〉과실. 허물. 잘못. =〔愆过〕〔愆忒〕

〔愆滞〕 qiānzhì 동 〈文〉잘못이 있어 지체하다.

鹐(鵮) **qiān** (감) 동 새가 쪼다. 쪼아먹다. ¶乌wū鸦把黄瓜～了; 까마귀가 오이를 쪼았다 / 成年打雁, 反被雁～了眼; 〈諺〉 원숭이도 나무에서 떨어진다.

韆 **qiān** (천) →〔鞦qiū韆〕

前 **qián** (전) ① 명 앞. 전(前). ㉠공간을 가리킴. ¶门～; 문 앞 / 向～走; 앞으로 걷다 / ～有大河; 앞에 큰 강이 있다 / ～院; ⇩ ㉡시간을 가리킴. ¶日～; 일전. 요전 / 五年～; 5년 전 / 两天～; 이틀 전. ㉢미래를 가리킴. ¶往～看, 不要往后看! 과거를 돌아보지 말고 앞을 보자! / ～程; ⇩ / ～景; ⇩ ㉣순서를 가리킴. ¶～三名; 상위(上位)의 세 사람 / ～五名; 앞의 다섯 사람 / ～排; ⇩ ② 동 앞으로 나아가다. ¶勇往直～; 용감하게 돌진하다 / 畏缩不～; 위축되어 앞으로 나아가려 하지 않다 / 踌躇chóuchu不～; 머뭇거리고 나아가지 않다.

〔前案〕 qián'àn 명 전과(前科).

〔前半辈子〕 qiánbànbèizi 명 ⇨〔前半生〕

〔前半场〕 qiánbànchǎng 명 (축구 따위의) 전반전. ↔〔后hòu半场〕

〔前半年〕 qiánbànnián 명 앞의 반 년. 상반기.

〔前半晌(儿)〕 qiánbànshǎng(r) 명 ⇨〔前半天(儿)〕

〔前半生〕 qiánbànshēng 명 인생의 전반부. 전반생. =〔前半辈子〕

〔前半天(儿)〕 qiánbàntiān(r) 명 오전. ¶今儿～我在家看书来着; 오늘 오전 중에는 집에서 독서를 하고 있었다. =〔〈方〉 前半晌(儿)〕〔〈方〉 前晌(儿)〕〔上午〕〔上半天〕

〔前半宿(儿)〕 qiánbànxiǔ(r) 명 ⇨〔前半夜(儿)〕

〔前半夜(儿)〕 qiánbànyè(r) 명 일몰에서 한밤중까지. =〔上shàng半夜〕〔前半宿(儿)〕

〔前半月〕 qiánbànyuè 명 한 달의 전반부. 선보름.

〔前辈〕 qiánbèi 명 선배. 연장자. ¶老～; 대선배 / 文艺界的～; 문예계의 선배. ↔〔晚wǎn辈〕

〔前臂〕 qiánbì 명 《生》 전완(前腕). 전박《팔꿈치에서 손목까지의 부분》. =〔前膊〕〔下xià膊〕

〔前边(儿)〕 qiánbian(r) 명 ①전방. 앞쪽. ¶站在～的朋友, 请坐下! 앞쪽에 서 있는 친구 좀 앉으시오! ②전. 먼저. ¶这个问题, ～已经讲得很详细, 这里不再谈了; 이 문제에 대해서는 앞에서 이미 자세하게 말을 했으므로, 여기서는 다시 이야기하지 않겠다.

〔前膊〕 qiánbó 명 ⇨〔前臂〕

〔前不巴村, 后不着店〕 qián bù bā cūn, hòu bù zháo diàn 〈成〉앞에는 마을도 없고, 뒤쪽에는 묵고 갈 여관도 없다《동네에서 멀리 떨어진 곳을 이름》. =〔前不着村, 后不着店〕

〔前不大〕 qiánbùdà 부 조금 전(에). 아까. ¶～走了; 조금 전에 (나)갔다.

〔前不见古人, 后不见来者〕 qián bù jiàn gǔ rén, hòu bù jiàn lái zhě 〈成〉 ①앞에 옛 성인도 없고, 뒤에 미래의 현인도 없다《우주와 내가 하나가 된 느낌을 나타냄》. ②공전절후(空前絶後)하다. 전무후무(前無後無)하다.

〔前不久〕 qiánbùjiǔ 부 일전에. 요전에. ¶那是～他妈从故国寄来的; 그것은 일전에 그의 어머니가 고국에서 보내 온 것이다.

〔前部〕 qiánbù 명 전부. 앞부분.

〔前菜〕 qiáncài 명 오르 되 브르. 전채.

〔前叉〕 qiánchā 명 (자전거의) 앞 포크(fork).

〔前场〕 qiánchǎng 명 ①⇨〔前台①〕 ②〈文〉 지난번. 전번. ¶～多承您关照; 지난번에는 당신께 대단히 신세를 졌습니다. ③《體》 센터라인을 경계로 하여, 상대 골 쪽의 코트.

〔前朝〕 qiáncháo 명 〈文〉 ①전조. 바로 앞의 왕조. =〔前代〕〔前世〕 ↔〔后hòu朝〕 ②과거의 왕조. ③궁전의 바깥채 거실.

〔前车〕 qiánchē 명 앞수레. 전철. 〈比〉 앞사람의 실패. ¶～覆, 后车戒; 〈諺〉 앞 수레가 뒤집히는 것을 보고 뒤의 수레가 넘어지지 않도록 조심한다.

〔前车可鉴〕 qián chē kě jiàn 〈成〉 ⇨〔前车之鉴〕

〔前车之鉴〕 qián chē zhī jiàn 〈成〉 앞 수레의 실패는 뒷사람의 경계. =〔前车可鉴〕〔覆fù车之戒〕〔车鉴〕

〔前尘〕 qiánchén 명 〈文〉 ①《佛》 속세(俗世)의 일. ②지나간 일. ¶回首～; 과거사를 되돌아보다.

〔前程〕 qiánchéng 명 ①전도. 장래. ¶锦绣～; 〈成〉 유망한 전도. 아름다운 미래. ②(관리나 지식인이 바라던) 공명(功名). 관직(官職).

〔前程远大〕 qián chéng yuán dà 〈成〉 전도가 양양하다.

〔前冲弧圈球〕 qiánchōng húquānqiú 명 《體》 (탁구의) 드라이브 롱.

〔前仇〕 qiánchóu 명 〈文〉 지난날의 원한.
〔前出廊子, 后出厦〕 qián chū lángzi, hòu chū shà 앞에 복도가 나와 있고, 뒤에는 차양이 나와 있다. 〈比〉 대저택. ¶他新盖的房子很大, ～的; 그가 새로 지은 집은 무척 크다.
〔前此〕 qiáncǐ 〈文〉 이보다 먼저. 이에 앞서.
〔前次〕 qiáncì 명 전번. 지난번. =〔前番〕
〔前代〕 qiándài 명 ⇨〔前朝①〕
〔前导〕 qiándǎo 동 선도(先導)하다. 길 안내하다. 명 ①선도자. 길 안내하는 사람. ②선도. 안내.
〔前灯〕 qiándēng 명 ⇨〔大dà灯〕
〔前敌〕 qiándí 명 ①⇨〔前锋①〕 ②《軍》 전선(前線). ¶～委员会; 전선 위원회. =〔前方②〕〔前线〕
〔前殿〕 qiándiàn 명 임금이 공식 행사로 출석하거나 집무하는 궁전.
〔前定〕 qiándìng 명 ①숙명. ②예정.
〔前堵后追〕 qián dǔ hòu zhuī 〈成〉 앞에서 막고 뒤에서는 추격하다. 독 안에 든 쥐를 만들다.
〔前度刘郎〕 qián dù liú láng 〈成〉 한번 떠난 사람이 복직(復職)함. 재근무. 복귀(復歸).
〔前额〕 qián'é 명 이마. 전두부(前頭部). =〔额头〕 ↔〔后hòu脑勺儿〕
〔前发〕 qiánfà 명 (아이의) 앞머리. ¶～齐眉后发盖颈的多么好看呢; 앞머리는 눈썹까지 내려오고, 뒷머리는 목덜미까지 덮고 있어 얼마나 귀여운지.
〔前番〕 qiánfān 명 ⇨〔前次〕
〔前方〕 qiánfāng 명 ①전방. 앞쪽. ¶左～; 좌전방. ②《軍》 전선. 제1선. ¶身临～; 제1선에 서다 / ～指挥部; 전방 지휘소 / ～部队; 전방 부대. =〔前敌②〕〔前线〕 ↔〔后hòu方〕
〔前房〕 qiánfáng 명 정문을 들어서서, 뜰을 끼고 '正房'과 마주 보고 지어진 집채. =〔倒dào座(儿)〕
〔前非〕 qiánfēi 명 전에 저지른 죄.
〔前锋〕 qiánfēng 명 ①선봉 부대. =〔前敌①〕〔先头部队〕 ②(구기의) 전위. 포워드.
〔前夫〕 qiánfū 명 전 남편.
〔前赴〕 qiánfù 동 ⇨〔前往〕
〔前赴后继〕 qián fù hòu jì 〈成〉 앞사람에 이어서 뒷사람이 차례차례 돌진해 나아가다.
〔前赶后错〕 qiángǎn hòucuò 앞당기거나 연기하거나 하다. ¶他的日子没有准, 老是～; 그의 (약속하는) 날짜는 일정하지 않아, 늘 빨라졌다 연기되었다 한다 / ～的好容易得到了两天休假; 억지로 조정해서 겨우 이틀 동안의 휴가를 얻었다.
〔前功〕 qiángōng 명 ①앞사람이 이뤄 낸 일. 앞사람의 공로. ②이전의 공로.
〔前功尽弃〕 qián gōng jìn qì 〈成〉 어제까지의 공〔고생〕이 물거품이 되다. 헛수고가 되다. ¶你如果半道而废, ～, 岂不太可惜; 네가 만일 중도에 그만두어 이제까지의 노력이 물거품이 된다면 얼마나 아까운 일이냐. =〔弃井〕
〔前恭后倨〕 qián gōng hòu jù 〈成〉 처음에 공손하다가 뒤에는 오만한 태도로 바뀌다. ↔〔前倨后恭〕
〔前勾后抹〕 qián gōu hòu mǒ 〈成〉 ①앞뒤를 잘라 버리다. ②우수리를 잘라 버리다.
〔前滚翻转身〕 qiángǔnfān zhuǎnshēn 명 《體》 (수영의) 퀵턴.
〔前函〕 qiánhán 명 전번(前番) 편지. =〔前书〕
〔前汉〕 Qiánhàn 명 ⇨〔西Xī汉〕
〔前后〕 qiánhòu 명 ①앞과 뒤. ¶～不符fú; 앞뒤가 맞지 않다 / ～共有三百零七张; 앞뒤 합쳐서 307장이 된다 / 村子的～各有一条公路; 마을 앞뒤에 각각 도로가 하나씩 나 있다. ②(어떤 시간의) 전후. 경. 쯤. ¶早上七点～下雨了; 아침 일곱 시쯤 비가 내렸다. ③(시간적으로) 처음부터 끝까지. ¶他从出国到回国, ～一共十年; 그가 출국해서 귀국할 때까지, 모두 10년이 된다 / ～因依; 일의 경위·경과. 앞뒤의 경위. ④전후해서. ¶两个孩子～都在小学念书; 두 아이는 앞서거니 뒤서거니 초등 학교에 들어가 있다. ⑤(공간의) 앞과 뒤. ¶学校的～各有一道大门; 학교 앞뒤에 각기 정문이 있다.
〔前…后…〕 qián…hòu… ①두 가지의 사물·행위가 공간 또는 시간적으로 전후하여 있음을 나타냄. ¶前街后巷; 근처. ②동작이 전후하는 모양. ¶前俯后仰; 몸을 앞뒤로 크게 흔드는 모양.
〔前后脚儿〕 qiánhòujiǎor 전후해서. 앞서거니 뒤서거니. 잇달아. 거의 같은 시각에. ¶你是八点钟到的, 我也～来了; 너는 8시에 도착했는데 나도 거의 같은 시각에 왔다.
〔前呼后拥〕 qián hū hòu yōng 〈成〉 앞 사람이 벽제(辟除)하고 뒷사람이 호위하다《귀인의 외출시 따르는 자들이 많음》. ¶～地出来进去; 많은 사람에 둘러싸여서 드나들다. =〔前护后拥〕
〔前胡〕 qiánhú 명 《植》 바디나물.
〔前护后拥〕 qián hù hòu yōng 〈成〉 ⇨〔前呼后拥〕
〔前滑〕 qiánhuá 명 《體》 (스케이트의) 전진.
〔前槐后柳〕 qiánhuái hòuliǔ 집대문 쪽에는 회화나무를 심고, 뒷문 쪽에는 버드나무를 심다《버드나무는 무덤을 의미함》.
〔前徽〕 qiánhuī 명 전인의 미덕.
〔前鸡胸, 后骆锅儿〕 qián jīxiōng, hòu luòguōr 가슴은 새가슴, 등은 꼽추《추한 몰골》.
〔前鉴〕 qiánjiàn 명 전감. 앞사람이 남긴 본보기.
〔前交款〕 qiánjiāokuǎn 《經》 명 전도금(前渡金). 동 돈을 전도하다.
〔前角推土机〕 qiánjiǎo tuītǔjī 명 ⇨〔三sān角推土机〕
〔前脚(儿)〕 qiánjiǎo(r) 명 ①앞발. ¶～一滑, 后脚也站不稳; 앞발이 쭈르륵 미끄러지니, 뒷발도 휘청거린다. ②한 발 먼저《'后脚(儿)'과 연용(連用)하여 전후하여의 뜻》. ¶我～进大门, 他后脚就赶到了; 내가 문에 들어서자, 그가 뒤따라 도착했다.
〔前襟〕 qiánjīn 명 옷의 앞길. 앞섶. =〔前身②〕 ↔〔后hòu襟〕
〔前紧后松〕 qiánjǐn hòusōng 처음에는 긴장하고, 나중에는 해이되다.
〔前进〕 qiánjìn 명동 전진(하다). ¶他思想～; 그는 사상이 진보적이다.
〔前经〕 qiánjīng 〈公〉 전에 …을 거쳤다. 앞서 이미 …했다. ¶文字改革方案～国务院审议通过; 문자 개혁 방안은 앞서 국무원에서 심의 채택되었다.
〔前景〕 qiánjǐng 명 ①전경. ②전망. 가망. 전도. 미래도(圖). ¶还看不到石油供应局面好转的～; 석유 공급의 국면이 호전될 전망이 없다 / 为治疗癌症开辟了新的～; 암치료를 위한 새 가능성을 열었다.
〔前臼齿〕 qiánjiùchǐ 명 《生》 앞어금니. 소구치(小臼齒).
〔前矩〕 qiánjǔ 명 〈文〉 전인이 남긴 규범.
〔前倨后恭〕 qián jù hòu gōng 〈成〉 처음에는 오만한 태도였다가 나중에는 공손해지다. ↔〔前恭后倨〕
〔前开口〕 qiánkāikǒu 동 (의복 등의) 앞을 트다. ¶上衣要～还是后开口? 상의는 앞을 틀까요, 뒤를

틀까요?

〔前来〕 qiánlái 동 ①다가오다. 이리로 오다. ¶～北京; 베이징(北京)에 오다 / 财政部派人～磋商; 재정부에서 담당을 파견하여 협의했다. →〔前往〕 ②…의 뜻을 전해 오다. ¶…等语～; …하라는 명령을 접수한 바.

〔前劳〕 qiánláo 명 〈文〉 이전의 공적(功績).

〔前例〕 qiánlì 명 전례. ¶有～可援; 전거로 삼을〔의거할〕 전례가 있다 / 史无～; 사상(史上) 전례가 없다.

〔前脸(儿)〕 qiánliǎn(r) 명 (건물·가구 등의) 앞의 부분. 정면. ¶铺子的～; 가게의 정면 / 大柜子的～; 장롱의 앞면 / 修理～; 앞면을 수리하다.

〔前凉〕 Qiánliáng 명 《史》 전량《진(晉)나라 때 오호 십육국(五胡十六國)의 하나. 301～376년》.

〔前列〕 qiánliè 명 맨 앞 열(列). 선두. 상석. ¶考在～的都有奖赏; 우수한 성적의 사람은 모두 포상을 받는다.

〔前列腺〕 qiánlièxiàn 명 《生》 전립선(前立腺).

〔前烈〕 qiánliè 명 ①선인(先人)의 공로. ②선열. 전대의 열사.

〔前邻家〕 qiánlínjiā 명 맞은쪽 집. 앞집.

〔前溜槽〕 qiánliūcáo 명 프런트 슈트(front chute).

〔前留海儿〕 qiánliúhǎir 명 ⇨〔刘liú海儿(发)〕

〔前虑〕 qiánlǜ 명 〈文〉 사전의 고려.

〔前马〕 qiánmǎ 명 〈文〉 임금의 말 앞에서 선도하고 호위하는 병사.

〔前茅〕 qiánmáo 명 ①시험에 우수한 성적으로 합격함. 또, 그 사람. ¶名列～; 〈成〉 석차가 상위에 있다. ②선봉 부대.

〔前门〕 qiánmén 명 ①앞문. 정문. ②베이징 정양문(北京正陽門)의 약칭.

〔前门拒虎, 后门进狼〕 qiánmén jù hǔ, hòumén jìn láng 〈諺〉 앞문에서 호랑이를 막고 있는 동안에, 뒷문으로 늑대가 들어온다. 한쪽에 마음을 빼앗기면 다른 데서 의외의 일이 일어남.

〔前面(儿)〕 qiánmian(r) 명 ①전면. 앞. ¶亭子～有一棵松树; 정자 앞에 소나무 한 그루가 있다 / ～有许多人来了; 앞에 많은 사람이 왔다. ②(시간·순서의) 앞(서). 먼저. ¶～所提到的; 앞서 말한〔논한〕 바의…. 상술(上述)한… / 这个道理, ～已经讲得很详细; 이 도리는 앞에서 이미 자세히 말했다. ‖ =〔前头〕

〔前母〕 qiánmǔ 명 전모. 전어머니《후처의 자식이 그 아버지의 전처를 말함》.

〔前年〕 qiánnián 명 재작년. 그러께. ¶大～; 그끄러께. =〔前岁〕 →〔去年〕〔明年〕〔后年〕

〔前怕狼, 后怕虎〕 qián pà láng, hòu pà hǔ 〈諺〉 앞에서는 이리를 두려워하고, 뒤에서는 범을 무서워한다《앞뒷 일을 이것저것 생각하고 망설임》. ¶要老是～的, 什么也干不了; 벌벌 떨고만 있으면 아무 일도 해낼 수 없다.

〔前排〕 qiánpái 명 ①(횡대의) 앞줄. 전열. ②극장 1층 정면의 앞줄. ¶～座; 앞쪽 좌석. ③《體》 (배구의) 전위(前衛).

〔前盘〕 qiánpán 명 《商》 (거래소의) 전장(前場). =〔前市〕

〔前碰〕 qiánpèng 명 《劇》 중국 전통극의 난투극에서, 앞으로 곤두박질치는 일.

〔前仆后继〕 qián pū hòu jì 〈成〉 먼저 나아간 사람의 시체를 넘어 잇따르다. =〔前仆后起〕

〔前妻〕 qiánqī 명 전처. 전마누라.

〔前期〕 qiánqī 명 ①전기. ¶～滚结账目; 《商》 전기 이월. ②사전(事前).

〔前愆〕 qiánqiān 명 〈文〉 ①이전에 범한 과실. ¶聊补～; 전에 지은 잘못을 약간 보상하다. ②조상이 범한 죄.

〔前欠〕 qiánqiàn 명 앞서의 빚. 이전의 채무. ¶请您把～拨还点儿; 이전의 빚을 조금 갚아 주시오.

〔前前后后〕 qiánqianhòuhòu 명부 앞뒤 모두《앞뒤를 둘러싸고 있는 사람 또는 물건이 많음의 형용》.

〔前秦〕 Qiánqín 명 《史》 전진《진(晉)나라 때의 오호 십육국(五胡十六國)의 하나》. =〔苻fú秦〕

〔前清〕 Qiánqīng 명 신해(辛亥) 혁명 이후에, 청조(淸朝)를 가리키던 말.

〔前情〕 qiánqíng 명 〈文〉 ①전의 사정·이유·경위. ②옛일. ③옛정.

〔前驱〕 qiánqū 명 ①선구. ②선구자. 동 말을 타고 선도하다.

〔前去〕 qiánqù 동 앞으로 가다. 나아가다.

〔前却〕 qiánquè 명 〈文〉 진퇴(進退). ¶～有节; 진퇴에 절도가 있다.

〔前儿(个)〕 qiánr(ge) 명 ⇨〔前天〕

〔前人〕 qiánrén 명 전인. 고인. 옛 사람. 선대의 사람. ¶～弄怕了后人; 앞사람이 뒷사람을 두려워하게 만들었다.

〔前人之失, 后人之鉴〕 qiánrén zhī shī, hòurén zhī jiàn 〈諺〉 앞사람의 실패는 뒷사람의 귀감이 된다.

〔前任〕 qiánrèn 명 전임(자). ¶～科长; 전임 과장. 전과장.

〔前日〕 qiánrì 명 ①⇨〔前天〕 ②수일 전(數日前). 며칠 전.

〔前三后四〕 qiánsān hòusì ①이것저것. 이 궁리저 궁리《생각이 결정되지 않는 모양》. ¶他～地想了半天也想不出好办法来; 그는 이것저것 생각했지만, 좋은 생각이 떠오르지 않았다. ②데리고 다니는 사람이나 호위하는 사람이 신변에 많이 붙어 있다. ③삼삼오오 대열이 흩어져 있다.

〔前三抢儿〕 qiánsānqiǎngr 명 ①시초. 개시. ¶～是我来吧; 개시는 제가 맡지요. ②최초의 응대〔접대〕. ¶见了人的～叫您不用提多喜欢了; 처음으로 사람을 만났을 때의 (그의) 접대는 남의 기분을 썩 잘 맞춥니다. ‖ =〔头tóu三抢儿〕

〔前晌(儿)〕 qiánshǎng(r) 명 〈方〉 ⇨〔前半天(儿)〕

〔前哨〕 qiánshào 명 《軍》 ①군의 최전선에서 경비 또는 정찰을 담당하는 자. ¶～战; 전초전. ②최전선.

〔前身〕 qiánshēn 명 ①전신. ¶本大学的～; 본 대학의 전신 / 人民解放军的～是工农红军; 인민 해방군의 전신은 공농 적군(赤軍)이었다. ②(～儿) (옷의) 앞길. =〔前襟〕 ③《佛》 전생(前生).

〔前生〕 qiánshēng 명 전생. 전세(前世). ¶～有缘; 전세로부터 인연이 있다《흔히, 뒤에 '今世结伴'(이승에서 맺어지다)로 이어짐》.

〔前失〕 qiánshī ①명 전실. 이전의 과실. ②→〔打dǎ前失〕

〔前市〕 qiánshì 명 ⇨〔前盘〕

〔前世冤家〕 qiánshì yuānjiā ①전생에서부터의 원수. ②(부부간의) 전생으로부터의 못된 인연.

〔前事〕 qiánshì 명 이전의 일. 지나간 일. ¶～不忘, 后事之师; 〈諺〉 전의 경험을 잊지 않고, 뒷날의 교훈으로 삼다.

〔前手〕 qiánshǒu 명 ①전임자. ②어음 지참인(持參人).

〔前书〕 qiánshū 명 ⇨〔前函〕

〔前蜀〕 Qiánshǔ 명《史》전촉(오대(五代)의 십국(十國)의 하나, 891～925년).
〔前束〕 qiánshù 명《機》토인(toe-in)(자동차 조종 성능을 향상시키기 위해 앞바퀴 끝을 안쪽으로 약간 휘게 해 두는 것).
〔前思后想〕 qián sī hòu xiǎng〈成〉앞뒤의 일을 생각하다. 이것 저것 심사숙고하다. ¶你总得～办才好; 어쨌든 앞뒤를 잘 재어서 해야 한다.
〔前岁〕 qiánsuì 명 ⇨〔前年〕
〔前所未料〕 qián suǒ wèi liào〈成〉미리 예상하지 못했던 일. ¶～的事故; 예상 밖의 사고.
〔前所未闻〕 qián suǒ wèi wén〈成〉전대 미문(前代未聞)임. 이제까지 들어 보지 못함. ¶出现了许多～的动人事迹; 일찍이 들어 본 적도 없는 많은 감동적인 일이 나타났다.
〔前所未有〕 qián suǒ wèi yǒu〈成〉이제까지 없었던. 미증유(未曾有)의. 공전의. ¶乡乡办中学, 这是～的事; 향리마다 중학교를 세우는 것은 이제까지 없었던 일이다.
〔前台〕 qiántái 명 ①무대(의 전면). ＝〔前场①〕 ②〈比〉〈貶〉공개된 장소. ③〈俗〉(호텔·여관의) 프런트. 카운터.
〔前提〕 qiántí 명 ①전제(조건). ¶以国民的幸福为～; 국민의 행복을 전제로 하다/学外国话先学好发音是第一～; 외국어를 배우는 데는 발음이 제일의 전제 조건이다. ②《哲》전제.
〔前天〕 qiántiān 명 그저께. ¶大～; 그끄저께. ＝〔前儿(个)〕〔前日①〕 →〔后天〕〔昨天〕〔明天〕
〔前天晚上〕 qiántiān wǎnshang 명 ⇨〔前晚〕
〔前天早上〕 qiántiān zǎoshang 명 ⇨〔前早〕
〔前厅〕 qiántīng 명 앞쪽에 있는 홀. 바깥 대청. 객실.
〔前庭〕 qiántíng 명 ①《生》전정(前庭). ②앞뜰.
〔前头〕 qiántou 명 ⇨〔前面(儿)〕
〔前(头)有车后(头)有辙〕 qián(tou) yǒu chē hòu(tou) yǒu zhé〈諺〉남이 하는 식을 답습하다. 전례(前例)대로 하다. ¶这事不难, ～照办就是了; 이것은 아무것도〔어려운 일이〕아니니, 전례대로 하면 된다/咱们不能再说～那句话了, 应该打破陈规另想新办法; 전례대로 한다는 따위의 말을 해서는 안 된다. 낡은 규칙 따위는 타파하고 새로운 방법을 생각해야 한다.
〔前途〕 qiántú 명 ①전도. 앞길. 전망. ¶～不可限量; 전도(前途)가 양양하다/～暗淡; 전도가 암담(暗澹)하다/有～的青年; 장래성이 있는 청년/～渺茫; 앞날을 헤아릴 수 없다. ②〈翰〉상대방. ¶请您直接跟～商量一下; 상대방과 직접 상담하시기 바랍니다. ＝〔前路〕
〔前晚〕 qiánwǎn 명〈文〉〈簡〉그저께 밤. ＝〔前天晚上〕
〔前往〕 qiánwǎng 동 향해 가다. 나아가다. ¶～上海; 상하이로 가다/启程～; 떠나가다. 여로(旅路)에 오르다/～参加的不下五万人; (그 곳에) 가서 참가한 사람은 5만 명을 밑돌지 않았다. ＝〔前赴〕→〔前去〕〔前来〕 명 이전(以前).
〔前卫〕 qiánwèi 명 ①《體》(럭비·축구 따위의) 하프백. ②《軍》전위.
〔前无古人〕 qián wú gǔ rén〈成〉공전(空前)의 것. 독창적인 정신. ¶～的壮举; 선인(先人)이 한 일이 없는 장거/鲁迅的杂文, 在中国文学史上是～的; 노신의 잡문은 중국 문학사상 전인 미답의 것이다.
〔前夕〕 qiánxī 명 ①전날 밤. ¶国庆节的～; 국경절의 전날 밤〔전야〕. ②〈比〉일이 일어나기 직전(直前). ¶革命～; 혁명의 전야. ‖＝〔前夜①〕
〔前贤〕 qiánxián 명〈文〉전현. 선현.
〔前嫌〕 qiánxián 명〈文〉과거의 맺힌 감정. 이전의 감정상의 응어리. 이전의 불쾌한 일. ¶挑tiǎo动～; 옛 원한을 들춰내다/～尽释; 옛 원한이 모조리 얼음 녹듯 풀리다.
〔前项〕 qiánxiàng 명 ①《法》전항. 앞에 든 조항. ②《數》전항.
〔前些日子〕 qián xiē rìzi 지난번. 며칠 전.
〔前胸〕 qiánxiōng 명 가슴. 흉부.
〔前修〕 qiánxiū 명 ⇨〔前哲〕
〔前绪〕 qiánxù 명〈文〉선인이 하다 만 일. 유업(遺業).
〔前言〕 qiányán 명 ①(저작의) 서언(序言). ②앞서 한 말. ¶～不搭后语; 말의 앞뒤가 맞지 않다. 말의 앞뒤가 모순돼 있다/～戏之而已矣; 앞엣말을 농담으로 한 것일 뿐. ③선철(先哲)의 말.
〔前沿〕 qiányán 명《軍》적전(敵前) 진지의 최전방. ¶最～; 최전방.
〔前彦〕 qiányàn 명 ⇨〔前哲〕
〔前仰后翻〕 qián yǎng hòu fān〈成〉①(몸을) 크게 앞뒤로 흔들다. ¶笑得～; 몸을 앞뒤로 흔들며 웃다/～地打盹儿; 꾸벅꾸벅 몸을 크게 흔들면서 졸다. ②앞뒤로 비틀거리다. 발걸음이 휘청거리다. ‖＝〔前仰后合〕
〔前业〕 qiányè 명《佛》전업. 전생의 업.
〔前夜〕 qiányè 명 ①⇨〔前夕〕 ②〈文〉어젯밤.
〔前一向〕 qiányīxiàng 명 이전(以前).
〔前阴〕 qiányīn 명 음부.
〔前因〕 qiányīn 명 ①(사물·사건의) 처음의 원인. ↔〔后hòu果〕 ②《佛》전생의 인연.
〔前因后果〕 qián yīn hòu guǒ〈成〉앞의 원인과 나중의 결과. 원인 결과. ¶先把事情的～原原本本地讲给我们大家听听; 우선 사건의 원인 결과를 처음부터 모두 우리에게 들려 주십시오.
〔前引〕 qiányǐn 동〈文〉앞에 서서 안내하다. 선도하다.
〔前由〕 qiányóu 명〈公〉머리말. 두서(頭書). ¶先把～写上; 우선 머리말을 쓰다.
〔前元音〕 qiányuányīn 명《言》혀 앞 부위를 올려서 경구개와의 사이에 발생시키는 모음.
〔前缘〕 qiányuán 명 전생의 인연. 처음부터 정해진 인연. ¶～注定的; 처음부터 운명으로 정해져 있는 일.
〔前院〕 qiányuàn 명 가옥의 정면 앞쪽의 마당.
〔前月〕 qiányuè 명〈文〉전 달. ＝〔上shàng月〕
〔前栽儿〕 qiánzāir 명 앞으로 푹 고꾸라짐. ¶摔了个大～了; 앞으로 푹 고꾸라졌다.
〔前早〕 qiánzǎo 명 그저께 아침. ＝〔前天早上〕
〔前瞻〕 qiánzhān 명동 전망(하다).
〔前站〕 qiánzhàn 명 ①본대(本隊)보다 먼저 가서 숙영·주둔 등의 준비를 하는 작은 부대. 선발대. ¶让我先去打个～, 搞妥当了再来接你; 내가 먼저 가서 선발대 노릇을 하고, 잘 된 뒤에 너를 마중하러 오겠다. ②이미 지나온 전 역. 전 숙박지.
〔前兆〕 qiánzhào 명 전조. 조짐. 징조.
〔前哲〕 qiánzhé 명〈文〉전철. 옛 현인. ＝〔前修〕〔前彦〕
〔前者〕 qiánzhě 명 ①전자. 앞의 것. ↔〔后hòu者〕 ②〈翰〉지난번. 과반. 일전. ¶～寄上一函, 谅已达台端; 일전에 편지를 올렸습니다만, 이미 받아 보셨으리라 생각합니다.
〔前肢〕 qiánzhī 명《動》전지. 앞다리.
〔前志〕 qiánzhì 명 ⇨〔宿sù愿〕

〔前缀〕 qiánzhuì 명 《言》 접두사(接頭辭).
〔前走后颠〕 qiánzǒu hòudiān 반동(反動)이 심한 모양. ¶～的马; 반동이 심해 타기 힘든 말.
〔前奏曲〕 qiánzòuqǔ 명 ① 《樂》 전주곡. 서곡. 프렐류드(prelude). ② 〈比〉 일의 시작. 시초. 전조. ‖ =〔序xù曲〕

荨(蕁〈蕣〉) **qián** (심) '荨xún'의 문어음(文語音). ⇒xún

钤(鈐) **qián** (검) ① 동 자물쇠를 채우다. ② 동 날인(捺印)하다. ¶～印; ⇓ ③ 명 자물쇠. ¶～锁; 자물쇠. ④ 명 도장. ⑤ 명 수레의 비녀장. ⑥(Qián) 명 《地》 첸 현(鈐縣)《산시 성(陝西省)에 있는 현 이름》.
〔钤记〕 qiánjì 명 옛날, 관공서에서 쓰던 도장《직사각형》. =〔条tiáo记〕
〔钤键〕 qiánjiàn 명 핵심. 사물의 가장 중요한 곳.
〔钤印〕 qiányìn 동 날인하다. =〔钤章〕
〔钤制〕 qiánzhì 〈文〉 요소를 눌러 지배하다. 요소를 장악하다.

黔 **qián** (검) ① 명 〈文〉 검은색. ②(Qián) 명 《地》 구이저우 성(貴州省)의 별칭. ③ 명 성(姓)의 하나. ④ 동 검어지다.
〔黔黎〕 qiánlí 명 〈文〉 백성.
〔黔娄〕 Qiánlóu 명 복성(複姓)의 하나.
〔黔驴技穷〕 qián lǘ jì qióng 〈成〉 솜씨가〔빈약한 대항책이〕 바닥나서 궁지에 빠지다.
〔黔驴之技〕 qián lǘ zhī jì 〈文〉 재능·솜씨를 과시하려다 오히려 그 졸렬함을 드러냄. 대단치 않은 재능·기량을 자랑하여 보임. →〔黔驴技穷〕
〔黔首〕 qiánshǒu 명 〈文〉 검수. 백성. 인민《옛날 사람은 검은 두건으로 머리를 싸매고 있었으므로 이렇게 일렀음》.

钱(錢) **qián** (전) ① 명 동전. 엽전. ¶一个～; 한 푼 / 铜～; 동전 / 制～; 엽전 / ～串(儿); ⇓ ② 명 화폐. 돈. ¶洋～; 은화 / 多少～? 얼마입니까? / 一块～; 1원 / 花～买东西; 돈으로 물건을 사다 / 一笔～; 한 몫의 돈 / 有～的人; 부자. ③ 명 비용. 대금. ¶房～; 집세 / 车～; 찻삯 / 饭～; 밥값. ④(～儿) 명 원형으로 동전 비슷한 것. ¶榆～; 느릅나무의 열매 / 纸～(儿); (장례식 때에 태우는) 지전. ⑤ 명 성(姓)의 하나. ⑥ 양 돈《1'两'의 10분의 1》.
〔钱板儿〕 qiánbǎnr 명 ①다량의 경화(硬貨)를 정리하는 데 쓰이는 홈 파인 나무 판자. ② =〔搓cuō板(儿)〕
〔钱包〕 qiánbāo 명 (잠금쇠가 달린) 돈지갑.
〔钱币〕 qiánbì 명 화폐. =〔货huò币〕
〔钱财〕 qiáncái 명 금전. 재화(財貨).
〔钱钞〕 qiánchāo 명 동전과 지폐.
〔钱出便家〕 qián chū biàn jiā 〈諺〉 돈은 있는 데서 나온다. 부자는 돈을 많이 쓴다.
〔钱出急家门〕 qián chū jíjiāmén 〈諺〉 급히 일을 하려면 돈이 든다.
〔钱串(儿)〕 qiánchuàn(r) 명 돈꿰미《옛날, 엽전을 꿰는 끈》. =〔钱贯〕
〔钱串子〕 qiánchuànzi 명 ①돈을 꿰는 끈. ②〈轉〉 수전노. 노랑이. ¶～脑袋; 수전노. ③《蟲》 그리마. =〔蚰yóu蜒〕 ④《魚》 실고기《한약제》.
〔钱褡拉儿〕 qiándālār 명 ⇨〔褡裢(儿)①〕
〔钱褡子〕 qiándāzi 명 커다란 동전 주머니.
〔钱袋〕 qiándài 명 ⇨〔钱口袋〕
〔钱刀〕 qiándāo 명 전도. 옛날 칼 모양의 돈.
〔钱到归赎〕 qián dào guī shú 돈을 갚으면 잡힌 물건〔저당물〕은 반환하다《차용증에 쓰는 문구》. =〔钱到回赎〕
〔钱到回赎〕 qián dào huí shú ⇨〔钱到归赎〕
〔钱兜儿〕 qiándōur 명 돈을 넣는 호주머니 (또는 주머니).
〔钱短〕 qiánduǎn 형 돈에 궁하다. 돈이 없어 곤경에 처해 있다.
〔钱谷〕 qiángǔ 명 ①전곡. 화폐와 곡물. ②옛날, 지방 관청에서 회계·세무를 맡는 사람을 '～师爷'라 하였음.
〔钱贯〕 qiánguàn 명 ⇨〔钱串(儿)〕
〔钱罐儿〕 qiánguànr 명 질그릇으로 된 저금통.
〔钱柜〕 qiánguì 명 ①금고. 돈궤. =〔银柜〕 ②계산대.
〔钱行〕 qiánháng 명 ①환전상(換錢商). ②돈의 시세.
〔钱荷包〕 qiánhébāo 명 ⇨〔钱口袋〕
〔钱狠子〕 qiánhěnzi 명 (지독한) 구두쇠. 노랑이. 수전노.
〔钱荒〕 qiánhuāng 명 〈文〉 통화(通貨)의 부족.
〔钱幌子〕 qiánhuǎngzi 명 옛날, 환전상의 간판《구리 또는 나무로 돈을 돈꿰미에 펜 모양으로 만든 것》.
〔钱货〕 qiánhuò 명 돈과 상품. ¶～两交清; 돈도 물건도 교환필(畢).
〔钱夹子〕 qiánjiāzi 명 (천이나 가죽으로 된) 돈지갑.
〔钱价〕 qiánjià 명 옛날, '制钱'을 은으로 환산한 경우의 가액.
〔钱可使鬼〕 qián kě shǐ guǐ 〈諺〉 돈만 있으면 귀신도 부릴 수 있다. =〔钱可通神〕〔钱能通神〕
〔钱口袋〕 qiánkǒudài 명 옛날의 돈지갑《흔히, 동전이나 은화 따위를 넣고, 아가리를 끈으로 죄게 만든 주머니 모양의 것》. =〔钱荷包〕〔钱袋〕
〔钱粮〕 qiánliáng 명 ①지조(地租). ¶纳～; 지조를 내다〔납부하다〕. ②봉록. 녹(祿). ¶关～; 녹을 받다 / 吃～的旗人, 到民国可就苦了; 녹을 받아 살고 있던 만주 기인(旗人)은 민국이 되자 매우 곤란해졌다.
〔钱零儿〕 qiánlíngr 명 우수리 돈. 쓰다 남은 돈.
〔钱虏〕 qiánlǔ 명 ⇨〔守shǒu财奴〕
〔钱落赌场, 人落战场〕 qián luò dǔ chǎng, rén luò zhànchǎng 돈은 도박판에 들어가면 더 이상 제것이라고 보장할 수 없으며, 사람은 전장으로 떠난 이상 목숨을 보장하기는 어렵다.
〔钱镘儿〕 qiánmànr 명 돈의 겉면《글자가 있는 뒷면을 '字zìr'라 함》.
〔钱能通神〕 qián néng tōng shén 〈諺〉 ⇨〔钱可通神〕
〔钱癖〕 qiánpǐ 명 〈文〉 수전노적인 성벽. ¶有～; 인색한 성벽이 있다.
〔钱票(儿)〕 qiánpiào(r) 명 〈俗〉 지폐. ¶一张～; 한 장의 지폐. =〔纸票〕〔钞票〕
〔钱票子〕 qiánpiàozi 명 소액 지폐.
〔钱铺(儿)〕 qiánpù(r) 명 환전상(換錢商).
〔钱亲人不亲〕 qián qīnrén bùqīn 돈만 알다.
〔钱儿癣〕 qiánrxuǎn 명 《醫》 〈俗〉 백선(白癬). =〔钱癣〕〔圈癣〕〔体癣〕
〔钱市〕 qiánshì 명 옛날, '钱庄' 등이 모여 화폐 등의 시세를 매긴 일종의 거래소. 또, 그 시세.
〔钱树子〕 qiánshùzi 명 ⇨〔摇yáo钱树①〕

〔钱摊儿〕 qiántānr 명 옛날, 거리의 환전상.
〔钱塘潮〕 Qiántángcháo 명 저장 성(浙江省)의 첸탕 강(錢塘江)에 나타나는 유명한 고조(高潮).
〔钱文〕 qiánwén 명 ①돈의 겉면에 있는 문자. ②옛날의 엽전.
〔钱物〕 qiánwù 명 돈. ¶零星的～; 얼마 안 되는 돈.
〔钱箱〕 qiánxiāng 명 휴대 금고(金庫).
〔钱癣〕 qiánxuǎn 명 《醫》 백선(白癬). =〔钱儿癣〕〔圈quān癣〕〔体癣〕
〔钱眼〕 qiányǎn 명 청동전(青銅錢)의 사각 구멍.
〔钱业〕 qiányè 명 옛날의 금융업. ¶～公所; 금융〔은행〕 업자 동업회.
〔钱油〕 qiányóu 명 옛날, 옥리가 죄수에게서 우려내는 돈.
〔钱债案〕 qiánzhài'àn 명 금전 대차에 관한 소송.
〔钱庄〕 qiánzhuāng 명 전장《옛날의 금융기관. 환전을 본업으로 하고 은행업을 겸한 것》.

钳(鉗〈箝, 拑④〉) qián (겸) ① 명 칼《옛날 형틀》. ②(～子) 명 못뽑이. 집게. ¶老虎～; ⓐ바이스. ⓑ펜치 / 克kè丝～子; 손잡이 부분이 절연된 펜치. ③(～子) 명 대장장이의 쇠집게. ④ 동 물건으로 집다. ⑤ 동 구속〔속박〕하다. 제한하다. ¶～制; ⇓
〔钳槽〕 qiáncáo 명 ⇨〔丁dīng字槽〕
〔钳床工(人)〕 qiánchuáng gōng(rén) 명 ⇨〔钳工②〕
〔钳耳〕 Qián'ěr 명 복성(複姓)의 하나.
〔钳工〕 qiángōng 명 《機》 ①기계 조립. 대(臺)에서 하는 일. ¶～台; 바이스대(臺). ②기계 조립공(工). 마무리공. =〔钳床工(人)〕
〔钳噤〕 qiánjìn 동 〈文〉 입을 다물고 말하지 않다.
〔钳口〕 qiánkǒu 동 ①입을 다물고 말하지 않다. ¶上下～莫有言者; 상하 모두 입을 다물고 의견을 말하는 자가 없다. ②말을 하지 못하게 하다.
〔钳口结舌〕 qián kǒu jié shé 〈成〉 입을 다물고 말을 하려고 하지 않다.
〔钳台〕 qiántái 명 〈南方〉 공작대. →〔〈北方〉 案àn子③〕
〔钳徒〕 qiántú 명 옛날, 칼을 씌운 죄수. 겸도.
〔钳形攻击〕 qiánxíng gōngjī 명 《軍》 협격〔양면〕 공격 작전.
〔钳语〕 qiányǔ 동 탄압하여 말을 못 하게 하다. ¶～烧书; 언론을 탄압하고 서책을 불태우다.
〔钳制〕 qiánzhì 동 ①견제하다. 제한하다. ¶～住敌人的兵力; 적의 병력을 견제해 두다. ②탄압하다. 누르다. ¶～言论自由; 언론의 자유를 억압하다 / ～舆论; 여론을 탄압〔봉쇄〕하다.
〔钳住〕 qiánzhù 동 (집게로) 단단히 끼워두다.
〔钳爪〕 qiánzhuǎ 명 (새우·게·전갈의) 집게발.
〔钳子〕 qiánzi 명 ①〈方〉 귀걸이. =〔耳环〕 ②집게. 족집게. ¶小～; 핀셋 / 竹～; 대나무로 만든 핀셋 / 螃páng蟹～; 게의 집게발 / 拿～夹; 집게로 잡다. ③《機》 바이스(vise).
〔钳子米〕 qiánzimǐ 명 약간 큰 새우를 껍질 벗겨 말린 것.

虔 qián (건) ① 형 경건하다. 공경스럽다. ¶信心甚～; 믿음이 극히 경건하다. 믿음이 깊다 / ～诚; ⇓ / ～心; 경건한 마음(을 갖다). ② 동 살해하다. 죽이다. ③ 동 〈文〉 강탈하다. ④ 명 성(姓)의 하나.
〔虔诚〕 qiánchéng 형 경건하다. ¶～的佛教信徒; 경건한 불교 신도.
〔虔婆〕 qiánpó 명 ①유곽에서 창녀를 감독하던 늙은 여자. ②〈轉〉〈罵〉 못된 할망구. =〔贼zéi婆〕 ③옛날에 향(香)의 연기를 보고 병(病)을 진단하거나 운명을 판단하거나 사자(死者)와 영교(靈交)하던 무당.
〔虔守〕 qiánshǒu 동 〈文〉 조심스럽게 지키다.

乾 qián (건) 명 ①건괘《팔괘(八卦)의 하나》. ②〈比〉 하늘. 임금. 아버지. 남자. ③성(姓)의 하나. ⇒'干' gān
〔乾道〕 qiándào 명 〈文〉 건도. 남자가 지켜야 할 길〔도리〕.
〔乾地〕 qiándì 명 건방(乾方). 서북의 방위.
〔乾断〕 qiánduàn 명 〈文〉 건단. 군주의 재단(裁斷).
〔乾坤〕 qiánkūn 명 ①천지(天地). 서북(西北)과 서남. ¶扭转～; 천하의 대세를 일변시키다. ②남자와 여자. ¶～女定; 정혼(定婚)되다. ③음양(陰陽). ④해와 달.
〔乾坤体义〕 Qiánkūn tǐyì 명 《書》 건곤체의《마테오리치가 저술한, 서구의 역수(曆數)의 학문을 처음으로 중국에 소개한 책》.
〔乾坤一掷〕 qián kūn yī zhì 〈成〉 건곤 일척. 흥망을 운(運)에 맡기고 일을 결정하다.
〔乾乾〕 qiánqián 형 〈文〉 자강 불식(自强不息)하는 모양. ¶君子终日～; 군자는 종일 조금도 쉬지 않고 부지런히 힘쓰다.
〔乾清宫〕 Qiánqīnggōng 명 《地》 '北京' 의 건청문(乾淸門) 안에 있는 궁전의 하나《청(淸)나라의 천자는 이 곳에서 백관을 만났음》.
〔乾图〕 qiántú 명 ⇨〔天tiān象①〕
〔乾元〕 qiányuán 명 건원. 하늘. ¶大哉～, 万物资始; 크도다 하늘이여, 만물이 이 곳에서 비롯되다.
〔乾造〕 qiánzào 명 남녀의 궁합을 점칠 경우의 남자의 생년월일.
〔乾宅〕 qiánzhái 명 신랑(新郎)의 집〔쪽〕.
〔乾竺〕 qiánzhú 명 ⇨〔天tiān竺〕

墘 qián 지명용 자(字). ¶车路～; 처루첸(車路墘)《타이완(臺灣)에 있는 땅 이름》.

掮 qián (견) 동 〈方〉 (어깨에) 메다. ¶～着行李到车站去; 수화물(手貨物)을 메고 역으로 가다 / ～包裹; 보따리를 메다.
〔掮谷〕 qián.gǔ 동 곡물이 든 큰 바구니를 어깨에 메다.
〔掮客〕 qiánkè 명 〈方〉 중매인(仲買人). 브로커(broker).
〔掮木梢〕 qián mùshāo 〈方〉 속임수에 걸리다. 남의 잘못을 뒤집어 쓰다. 사기당하다. ¶他也糊涂, 不打听明白就掮人家的水浸木梢; 그도 바보다. 잘 알아보지도 않고 남한테 속다니. =〔上当〕

犍 qián (건) 지명용 자(字). ¶～为Qiánwéi; 첸웨이(犍爲)《쓰촨 성(四川省)에 있는 현 이름》. ⇒ jiān

靬 qián (간) 지명용 자(字). ¶骊Lí～; 여간(驪靬)《한대(漢代)의 현 이름》.

潜〈潛〉 qián (잠) ① 동 잠수하다. ¶鱼～鸟飞; 물고기는 물 속에서 놀고, 새는 하늘을 난다. ②동 숨(기)다. 잠재하다. 잠복하다. ¶挖wā掘~在力量; 잠재력을 발굴하다 / ~人地下工作; 지하에 숨어서 공작하다. ③부 가만히. 몰래. ¶~逃; 몰래 도망치다 / 蹑niè足~踪; 몰래 잠적하다. ④명 성(姓)의 하나.
〔潜藏〕 qiáncáng 동 숨다. 감추다. 잠입하다. ¶~在地下; 지하로 잠입하다.
〔潜德〕 qiándé 명〈文〉숨겨져서 사람에게 알려지지 않은 미덕.
〔潜伏〕 qiánfú 동 잠복하다. 숨다. ¶~下来的特务; 잠복해 있는 간첩 / ~期; 〖醫〗 잠복기.
〔潜航〕 qiánháng 명동 (잠수함이 수중을) 잠항(하다).
〔潜晦〕 qiánhuì 동〈文〉자취를 감추다.
〔潜迹〕 qiánjì 동〈文〉잠적하다. 종적을 감추다.
〔潜居〕 qiánjū 동 숨어 살다. 세상을 피해서 지내다. =〔隐yǐn居〕
〔潜力〕 qiánlì 명 숨겨진 힘. 잠재(능)력. 저력. ¶充分发挥~; 잠재 능력을 충분히 발휘하다 / 我国出口的~正在日益增长zhǎng; 우리 나라 수출의 저력은 날로 증대되어 가고 있다.
〔潜流〕 qiánliú 명 ①복류(伏流). 저류(底流). 지하수의 흐름. ②〈比〉마음 속 깊이 감추어진 감정.
〔潜龙〕 qiánlóng 명〈文〉잠룡.〈比〉아직 세상에 알려지지 않은 뛰어난 사람.
〔潜能〕 qiánnéng 명 ①잠재 에너지. ②가능성. 잠재 능력.
〔潜匿〕 qiánnì 동〈文〉몰래 숨다. 잠복하다.
〔潜然〕 qiánrán 형 눈물을 흘리는 모양. ¶~泪下; 하염없이 울다.
〔潜热〕 qiánrè 명〖物〗 잠열.
〔潜入〕 qiánrù 동 ①잠입하다. ¶~敌境; 적지에 잠입하다. ②물속에 들어가다. ¶~水中; 물 속에 숨다.
〔潜师〕 qiánshī 동〈文〉몰래 군을 전진시키다. 비밀 행군을 하다. ¶这个地方不能不防, 留神敌人~而来呀; 이 곳은 방비를 단단히 하지 않으면 안된다. 적이 비밀 행동을 해 오면 안 되니까.
〔潜势〕 qiánshì 명〈文〉잠재 세력.
〔潜水〕 qiánshuǐ 명동 잠수(하다). ¶钟型~器; 종형 잠수기《사람이 속에 들어가 있는 형태의 것》. 명〖地質〗 지하수.
〔潜水夫〕 qiánshuǐfū 명 ⇨〔潜水员〕
〔潜水高压病〕 qiánshuǐ gāoyābìng 명〖醫〗 잠수병.
〔潜(水)艇〕 qián(shuǐ)tǐng 명 잠수함. ¶核~; 원자력 잠수함.
〔潜水衣〕 qiánshuǐyī 명 잠수복. 웨트 슈트(wet suit). =〔潜水服〕
〔潜水员〕 qiánshuǐyuán 명 잠수부. 다이버(diver). =〔潜水夫〕
〔潜水炸弹〕 qiánshuǐ zhàdàn 명 ⇨〔投tóu水炸弹〕
〔潜台词〕 qiántáicí 명 ①〖劇〗 무대 뒤에서 하는 대사. ②〈比〉언외(言外)의 뜻. 침묵 속의 말.
〔潜逃〕 qiántáo 동〈文〉몰래 달아나다.
〔潜望镜〕 qiánwàngjìng 명 잠망경.
〔潜心〕 qiánxīn 동 잠심하다. 정신을 쏟다〔집중시키다〕. ¶~研究; 마음을 쏟아서 연구하다.
〔潜心静气〕 qiánxīn jìngqì 마음을 가라앉히고 잠심하다. 전심전력하다. ¶我真得děi~地用一用功了, 不然这回考试不及格; 나는 정말 마음을 차분히 하고 열심히 공부하여야 한다, 그렇지 않으면 이번 시험에 합격할 수 없다.
〔潜行〕 qiánxíng 동 ①물 속에 잠기어 나아가다. ¶~水中; 물 속에 잠수하여 나아가다. ②잠행하다. 몰래 가다.
〔潜虚〕 qiánxū 동〈文〉속세를 떠나 조용히 수양하다. 은거하여 수양하다.
〔潜血〕 qiánxuè 명〖醫〗 잠혈. ¶~试验; 잠혈 반응.
〔潜移默化〕 qián yí mò huà〈成〉자신도 모르게〔부지불식간에〕 감화되다〔하다〕. ¶凡很高的文艺作品, 对读者能起~的作用; 매우 높은 문예 작품은 독자에 대하여 모르는 사이에 감화 작용을 일으킨다.
〔潜意识〕 qiányìshí 명 잠재 의식. =〔下xià意识〕
〔潜泳〕 qiányǒng 명〖體〗 잠영. 잠수 영법.
〔潜在〕 qiánzài 동 잠재하다. ¶~力量; 잠재력.
〔潜在意识复合体〕 qiánzài yìshí fùhétǐ 명 (정신 분석의) 컴플렉스.
〔潜滋暗长〕 qián zī àn zhǎng〈成〉부지불식간에 싹트다.
〔潜踪〕 qiánzōng 동 행방을 감추다. 잠적하다. ¶盗贼~了; 도둑이 행방을 감추었다. =〔潜迹〕

灊 **Qián** (첨)
명〖地〗 첨(灊)《춘추 시대(春秋時代)의 초(楚)나라의 지명. 현재는 안후이 성(安徽省) 휘산 현(霍山縣) 동북쪽》.

浅(淺) **qiǎn** (천)
①형 얕다. ¶水~; 물이 얕다 / 这条河很~; 이 강은 매우 얕다. ↔〔深shēn①〕 ②형 (집·장소 따위의 안길이가) 길지 않다. 짧다. ¶这个院子太~; 이 뜰은 안길이가 너무 좁다 / 屋子进深~; 방의 안길이가 짧다. ③형 일천(日淺)하다. (…한 지) 오래(되)지 않다. ¶相处的日子还~; 사귄 지 아직 얼마 되지 않다 / 相交日~; 교제한 기간이 짧다 / 工作的年~; 근무 연수가 짧다. ④형 정도가 높지 않다. ㉠적다. 가볍다. ¶自负不~; 상당한 자신을 갖고 있다 / 害人不~; 사람에게 해를 끼침이 가볍지 않다. ㉡알기 쉽다. 평이하다. ¶这篇文章很~; 이 문장은 매우 알기 쉽다 / 言~意深;〈成〉말은 간단하지만 뜻은 깊다 / ~近的文章; 알기 쉬운 문장. ㉢불충분하다. ¶资格~; 자격이 부족하다 / 阅历~; 경력이 짧다 / 功夫~; 공부가 모자라다. ㉣마음이 서로 충분히 통하지 않다. ¶交情~; 교분이 두텁지 않다. ⑤형 빛깔이 옅다〔엷다〕. ¶这幅画用~墨染云烟; 이 그림은 엷은 먹으로 구름과 연기를 바림 하였다. ⑥형 (털이나 풀의 길이가) 짧다. ¶~草; 키가 작은 풀숲 / 这块皮子毛茸róng~; 이 모피는 털이 짧다. ⑦동 배가 얕은 여울에 얹히다. 좌초하다. ¶船~住了 =〔船搁~了〕; 배가 여울에 얹혔다. ⑧(~子) 명 운두가 낮고 둥근 기구의 일컬음. ⇒jiān
〔浅白〕 qiǎnbái 형 평이하고 통속적이다. ¶古诗十九首就很~通俗; 고시 19수에서는 매우 평이하고 통속적이다.
〔浅薄〕 qiǎnbó 형 (내용이) 얕다. 천박하다.
〔浅尝〕 qiǎncháng 동 (지식·문제 등을) 깊이 연구하지 않다.
〔浅尝辄止〕 qiǎn cháng zhé zhǐ〈成〉조금 해 보고 그만두다《(학문 등을) 깊이 추구하지 않다》. ¶~, 不求甚解, 就得不到真正的学识; 조금 하다 말 뿐 깊이 추구하려 하지 않는다면 참된 학식을 얻을 수는 없다.
〔浅成岩〕 qiǎnchéngyán 명〖鑛〗 반심성암(半深成

巖).
〔浅碟(子)〕 qiǎndié(zi) 명 작은 접시. 운두가 낮은 접시. ¶～经济; 바탕이 얕은 경제.
〔浅豆绿〕 qiǎndòulǜ 명《色》 연옥색.
〔浅豆沙〕 qiǎndòushā 명《色》 연한 회색.
〔浅而易见〕 qiǎn ér yì jiàn 〈成〉 이해하기〔알기〕 쉽다. ¶～的道理; 이해하기 쉬운 도리.
〔浅粉〕 qiǎnfěn 명《色》 살색. =〔浅粉色〕
〔浅耕粗作〕 qiǎn gēng cū zuò 〈成〉 얕게 갈고 엉성하게 가꾸다. ↔〔深shēn耕细作〕
〔浅海〕 qiǎnhǎi 명 천해. 얕은 바다.
〔浅红〕 qiǎnhóng 명《色》 분홍빛. 담홍색. =〔淡dàn红〕
〔浅化〕 qiǎnhuà 동 통속화하다.
〔浅灰〕 qiǎnhuī 명《色》 회색(灰色). 엷은 쥐색.
〔浅见〕 qiǎnjiàn 명〈文〉 천견. 천박한 생각.
〔浅介〕 qiǎnjiè 명〈文〉〈謙〉 ①간단한 소개. ②간단하고 쉬운 설명.
〔浅近〕 qiǎnjìn 형 평이하다. 간단하다. 알기 쉽다. ¶举一个～的例子; 비근한 예를 들다 / 内容很～; 내용이 매우 평이하다 / ～的话; 쉬운 말 / ～易懂; 평이하여 알기 쉽다. =〔浅易〕〔浅明〕〔浅显〕
〔浅咖啡〕 qiǎnkāfēi 명 엷은 커피색.
〔浅口鞋〕 qiǎnkǒuxié 명 갑피의 운두가 낮은 신.
〔浅蓝色〕 qiǎnlánsè 명 연한 남빛. =〔月yuè白(色)〕〔品pǐn月〕〔茄qié灰色〕
〔浅蜊〕 qiǎnlì 명《貝》 모시조개.
〔浅陋〕 qiǎnlòu 형 견식이 얕고 좁다. 천박하고 비루하다. ¶学识～; 학식이 좁다.
〔浅露〕 qiǎnlù 형 천박하고 깊이가 없다. ¶词意～; 말이 천박하고 깊이가 없다.
〔浅绿〕 qiǎnlǜ 명《色》 연둣빛. 연두색.
〔浅毛〕 qiǎnmáo 명 털이 짧은 모피.
〔浅门浅户〕 qiǎn mén qiǎn hù 〈成〉 안이 깊지 않은 집. =〔矮ǎi墙浅屋〕 ↔〔深shēn宅大院〕
〔浅明〕 qiǎnmíng 형 ⇨〔浅显〕
〔浅浅水长长流〕 qiǎnqiǎnshuǐ chángchángliú 〈成〉 ⇨〔细xì水长流〕
〔浅人〕 qiǎnrén 명〈文〉 심모원려(深謨遠慮)가 없는 사람. 생각이 얕은 사람.
〔浅识〕 qiǎnshí 명 ⇨〔浅知〕
〔浅释〕 qiǎnshì 명〈文〉 간단한 해석.
〔浅说〕 qiǎnshuō 명〈文〉 평이한 설명《책 이름·제명(題名) 따위에 씀》. ¶农业～; 간이(簡易) 농업 개설.
〔浅滩〕 qiǎntān 명 얕은 여울. 모래톱.
〔浅驼〕 qiǎntuó 명《色》 황갈색. 고동색.
〔浅瓦灰〕 qiǎnwǎhuī 명《色》 희끄무레한 잿빛.
〔浅闻〕 qiǎnwén 형 ⇨〔寡guǎ闻〕
〔浅显〕 qiǎnxiǎn 형 간명(簡明)해서 알기 쉽다. 평이하다. ¶～而有趣的通俗科学读物; 알기 쉽고 재미있는, 일반을 위한 과학 읽을거리. =〔浅明〕〔浅近〕〔浅易〕
〔浅鲜〕 qiǎnxiǎn 형〈文〉 극히 적다. 경미하다. ¶报酬实为～; 보수가 아주 적다. =〔微薄〕
〔浅笑〕 qiǎnxiào 명동〈文〉 미소(짓다). =〔微wēi笑〕
〔浅学〕 qiǎnxué 형 학식이 얕다.
〔浅易〕 qiǎnyì 형 ⇨〔浅近〕
〔浅斟低唱〕 qiǎn zhēn dī chàng 〈成〉 가볍게 한 잔 마시고 노래를 읊조리다.
〔浅知〕 qiǎnzhī 명〈文〉 천박한 지식. =〔浅识〕
〔浅住〕 qiǎnzhù 동 (배가) 여울에 얹히다.
〔浅紫(色)〕 qiǎnzǐ(sè) 명《色》 연보라.
〔浅紫红〕 qiǎnzǐhóng 명《色》 모란빛.

肷〈膁〉

qiǎn (흠)〈겸〉
명 (짐승의) 허구리《몸 양쪽의 늑골과 허벅지 뼈와의 사이》.

遣

qiǎn (견)
동 ①(사람을) 보내다. 파견하다. ¶特～; 특파하다 / 派～; 파견하다 / 调兵～; 군대를 이동시키다 / ～送; ⇩ ②발산하다. 기분을 달래다〔풀다〕. ¶消xiāo～ =〔排～〕; 기분 전환하다 / ～闷; ⇩ ③〈文〉 쫓아 내다.
〔遣兵调将〕 qiǎn bīng diào jiàng 〈成〉 군대를 이동시켜 파견하다.
〔遣词造句〕 qiǎncí zàojù 말을 골라 문장을 만들다.
〔遣奠〕 qiǎndiàn 명〈文〉 발인 전에 영결을 고하는 제사. 견전제. 노제(路祭). =〔祖zǔ奠〕
〔遣丁〕 qiǎndīng 동 ⇨〔遣价〕
〔遣发〕 qiǎnfā 동 ①사람을 보내다. 파견하다. ②해산하다.
〔遣返〕 qiǎnfǎn 동 송환하다. 돌려 보내다. ¶～战俘; 포로를 송환하다 / ～还乡; 고향으로 돌려보내다. =〔遣归〕〔遣回〕
〔遣俘〕 qiǎnfú 동 포로를 돌려 보내다. 명 송환되는 포로. 「=〔遣返〕〔遣回〕
〔遣归〕 qiǎnguī 동〈文〉 송환하다. 돌려 보내다.
〔遣怀〕 qiǎnhuái 동 ⇨〔遣兴〕
〔遣回〕 qiǎnhuí 동 ⇨〔遣归〕
〔遣价〕 qiǎnjiè 동〈文〉 가노(家奴)를 보내다. 심부름꾼을 보내다. =〔遣丁〕
〔遣开〕 qiǎnkāi 동 ①풀다. 흩뜨리다. ②그 곳에서 떠나게 하다. ¶～了别人, 才跟他说起话来了; 사람을 멀리 하고서야, 그와 이야기를 시작했다. ③(사람을) 송환하다.
〔遣闷(儿)〕 qiǎn·mèn(r) 동 시름〔갑갑함〕을 풀다.
〔遣派〕 qiǎnpài 동 파견하다. =〔派遣〕
〔遣情〕 qiǎnqíng 동 ⇨〔解jiě闷(儿)〕
〔遣人〕 qiǎn·rén 동 사람을 파견하다. ¶～采购原料; 사람을 파견하여 원료를 구입하게 하다.
〔遣散〕 qiǎnsàn 동 해산하다. 해고하다. 퇴역시키다. ¶～费; 해산 수당. 해산 귀향 비용.
〔遣神驱鬼〕 qiǎnshén qūguǐ 귀신을 물리치다.
〔遣使〕 qiǎnshǐ 동 사자(使者)를 보내다. 명 사자.
〔遣戍〕 qiǎnshù 동 옛날, 형벌의 일종으로 변경 땅에 유배하여 수비를 맡기다.
〔遣送〕 qiǎnsòng 동 (거류 조건에 맞지 않는 외국인을) 송환하다. ¶～出境; 국외로 추방하다.
〔遣刑〕 qiǎnxíng 명동 유형(에 처하다).
〔遣兴〕 qiǎnxìng 동 (시가를 짓거나 하여) 시름을 풀다. =〔遣怀〕〔遣意〕
〔遣意〕 qiǎnyì 동 ⇨〔遣兴〕
〔遣员〕 qiǎnyuán 동〈文〉 관리를 파견하다.
〔遣逐〕 qiǎnzhú 동 ①쫓아 내다. 몰아 내다. ②해고시키다.

谴(譴)

qiǎn (견)
동 꾸짖다. 책망하다. 비난하다. ¶严～其过; 잘못을 엄중하게 견책하다 / ～责; ⇩
〔谴黜〕 qiǎnchù 동〈文〉 견책하여 관위(官位)를 낮추다.
〔谴罚〕 qiǎnfá 동〈文〉 허물을 꾸짖어 처벌하다.
〔谴告〕 qiǎngào 동〈文〉 책망하고 훈계하다.
〔谴呵〕 qiǎnhē 동〈文〉 질책하다. 책망하다. =〔谴何〕〔呵谴〕〔诮qiào呵〕〔谯qiào呵〕
〔谴何〕 qiǎnhé 동 ⇨〔谴呵〕

〔谴责〕 qiǎnzé 동 (견)책하다. 꾸짖다. 비난하다.
〔谴责小说〕 qiǎnzéxiǎoshuō 명 견책 소설《청말(清末)에 부패한 관리나 암울한 사회상을 풍자한 백화 소설(白話小說).

缱(繾) qiǎn (견) →〔缱绻〕

〔缱绻〕 qiǎnquǎn 형 〈文〉 애정에 끌리어 떨어지지 못하다. 떨어지기 아쉬워 연연하다.

嗛 qiǎn (겸) 명 협낭(頰囊)《원숭이가 입 속의 먹이를 잠깐 넣어 두는 볼주머니》. 형 〈文〉 근소하다. ¶～～; 미미한.

欠 qiàn (흠) ① 동 하품하다. ¶打呵～; 하품하다 / ～伸; ⇩ ② 동 빚지(고 갚지 못하)다. ¶我～他一万块钱; 나는 그에게 1만 원을 빚지고 있다 / 拖tuō～; 빚을 질질 끌고 갚지 않다 / ～情(儿); ⇩ ③〈俗〉 일부러 남이 싫어하는 짓이나 말을 하다. ¶手～; 일부러 기물(器物)을 파손하다 / 嘴～; 일부러 기분 상할 말을 하여 비위를 돋구다. ④ 동 몸을 위로 조금 뻗다. ¶～脚(儿); ⇩ / 你再～～脚儿, 就够得着zháo了; 조금만 더 발돋움하면 닿겠다. ⑤〈俗〉 당연히 …하여야 한다. …할 필요가 있다. ¶看这小孩儿, ～打; 이 꼬마 녀석, 좀 맞아야겠구나 / 这样儿的人, 就～不给他看; 이런 인간에게는 보여 주지 말아야 한다. ⑥ 형 부족하다. 모자라다. ¶说话～考虑; 이야기에 생각이 부족하다 / 一点钟～五分; 1시 5분 전 / 文章～通; 문장의 뜻이 통하지 않는다 / 这一屉tì馒头～火; 이 찜통의 만두는 덜 쪄졌다 / ～庄整; (복장 · 옷차림이) 단정치 못하다 / ～历练; 경험이 부족하다.

〔欠安〕 qiàn'ān 형 〈敬〉 몸이 편찮다. ¶听说您～了, 已经大好了吗? 편찮으시다고 들었는데, 이젠 아주 좋아지셨는지요?
〔欠不〕 qiànbu 부 거의. 그럭저럭. ¶他～花了两千块钱了; 그는 그럭저럭 2천 원쯤 썼다.
〔欠茬(儿)〕 qiànchár 명 ①회벽질한 것이 벗겨져서 말려 올라간 부분. ②결점. 단점.
〔欠产〕 qiàn‧chǎn 동 생산량이 미달하다. (qiànchǎn) 명 생산량이 밑도는 일.
〔欠发〕 qiànfā 명 〈文〉 공급 부족. 지급 부족.
〔欠费〕 qiànfèi 명 (우편료 따위의) 요금(料金) 부족. 형 요금이 부족하다.
〔欠好〕 qiànhǎo 형 결점이 있다. 좋지 않다.
〔欠候〕 qiànhòu 〈翰〉 오랫동안 격조하였습니다.
〔欠户〕 qiànhù 명 ⇨〔债zhài户〕
〔欠佳〕 qiànjiā 형 좋지 않다. 불량하다. ¶品质～; 품질이 좋지 않다.
〔欠检点〕 qiàn jiǎndiǎn 신중을 결(缺)하다. 조심스러움이 부족하다. 경솔하다. ¶他因为说话～, 常闹nào出是非来; 그는 경솔한 말을 함으로써 늘 문제를 일으킨다.
〔欠讲究〕 qiàn jiǎngjiu 부주의하다. 주의를 기울이지 않다. 중시하지 않다. ¶抓zhuā住人家那一点～; 다른 사람의 사소한 부주의를 들춰 내다 / 他穿得～; 그는 옷차림에 신경을 쓰지 않는다.
〔欠脚儿〕 qiàn‧jiǎor 동 발돋움하다. 등을 쭉 펴다. ¶欠着脚儿看; 발돋움하여 보다 / 他非常的得意, 说话的时候直往起～; 그는 매우 신이 나서, 이야기하는 동안 연해 발돋움한다.
〔欠缴〕 qiànjiǎo 동 미납하다. 체납하다.
〔欠教〕 qiànjiào 형 교양이 없다. 교육이 부족하다. 버릇이 없다. ¶这个青年人习惯不好, 这是幼年的时候儿～的缘yuán故; 이 청년은 습관이 좋지 않은데, 이것은 유년 시절에 교육이 부족했기 때문이다.
〔欠据〕 qiànjù 명 차금 증서. ＝〔欠单〕
〔欠款〕 qiàn‧kuǎn 동 빚을 지다. (qiǎnkuǎn) 명 빚. 채무.
〔欠粮户〕 qiànliánghù 명 빈곤 가정.
〔欠钱〕 qiàn‧qián 동 ①돈을 빚지다. ②돈이 모자라다.
〔欠情(儿)〕 qiànqíng(r) 동 신세〔은혜〕를 지다.
〔欠缺〕 qiànquē 명형 〈文〉 부족(하다). 결핍(하다). 결점〔결함〕(이 있다). ¶经验还～, 但是热情很高; 경험은 아직 부족하지만 의욕은 매우 높다 / 一些～都没有; 약간의 결점도 없다.
〔欠少〕 qiànshǎo 동 결핍되다. 모자라다. ＝〔缺quē少〕
〔欠赊〕 qiànshē 명 부채. 외상값.
〔欠伸〕 qiànshēn 동 하품하고 기지개를 켜다. ＝〔打呵欠〕
〔欠身(儿)〕 qiàn‧shēn(r) 동 ①(걸터앉거나 누워 있던 자가 일어나기 위해) 몸을 앞으로 구부리다. ¶～坐起; (누워 있다가) 몸을 구부리며 일어나다. ②상반신을 일으켜 경의를 표하다. ¶～打个招呼; 몸을 앞으로 구부려 인사하다.
〔欠收〕 qiànshōu 명형 흉작〔흉년〕(이다). ¶去年天旱, 稻子～; 작년에는 한발(旱魃)로 벼가 흉작이었다.
〔欠数〕 qiànshù 명 빚진 액수. 차용액(借用額). 부채액.
〔欠岁〕 qiànsuì 명 ⇨〔歉岁〕
〔欠条〕 qiàntiáo 명 ⇨〔借jiè单〕
〔欠通〕 qiàntōng 형 ①(글뜻 따위가 표현 부족으로) 통하지 않다. (의미가) 안 통하다. ②(사람이) 융통성이 없다.
〔欠妥〕 qiàntuǒ 형 타당하지 않다. 타당성이 없다. 적절하지 않다. ¶这事～; 이 일은 타당하지가 않다 / 有～之处; 타당치 않은 곳이 있다.
〔欠息〕 qiàn‧xī 동 이자가 빠지다. (qiànxī) 명 체불 이자.
〔欠饷〕 qiàn‧xiǎng 명동 ⇨〔欠薪〕
〔欠薪〕 qiàn‧xīn 동 급료를 지급하지 않다. (qiànxīn) 명 미불(未拂)의 급료. ‖ ＝〔欠饷〕
〔欠载〕 qiànzài 명 《商》 선화 증권(B/L)에 기재된 화물의 수량 부족.
〔欠债〕 qiànzhài 명 빚. 부채. ¶～的精穷就怕讨债的英雄, 讨债的英雄只怕～的精穷; 빚진 사람이 극빈이면 협기 있는 채권자의 온화한 빚 채근이 가장 마음 괴롭고, 빚쟁이가 협기 있는 사람이면 채무자가 몹시 가난한 것이 가장 괴롭다. ＝〔负债①〕 (qiàn‧zhài) 동 빚을 지다.
〔欠账〕 qiàn‧zhàng 동 빚지다. 외상하다. (qiànzhàng) 명 부채. 외상 매매 대금.
〔欠主〕 qiànzhǔ 명 차용주(借用主). ＝〔债zhài户〕〔欠户〕
〔欠资〕 qiànzī 명 (우편물의) 요금 부족. ¶～邮yóu件应按所欠之数向收件人索取; 요금 부족의 우편은 부족액에 따라 수취인으로부터 징수한다.
〔欠租〕 qiànzū 명 임대료〔집세〕 · 소작료 등의 미불(未拂). (qiàn‧zū) 동 집세 · 소작료 등을 물지 못하다.

芡 qiàn (감) 명 ①《植》 가시연. ＝〔鸡头〕〔〈方〉 老lǎo鸡头〕 ②녹말. 전분. ¶勾～; 전분을 풀어 넣

어 걸쭉하게 하다. ③녹말로 조리(調理)한 진한 수프. ¶汤里加点～; 수프에 녹말을 조금 넣다.
〔芡粉〕 qiànfěn 명 '芡实'로 만든 녹말.
〔芡实〕 qiànshí 명 가시연밥. 감실.

嵌 qiàn (감)
① 동 새겨 넣다. 박아 넣다. ¶镶xiāng～; 상감(象嵌)(하다) / ～花儿; 꽃무늬를 상감하다 / 门前双悬xuán国旗, 门上～一立额; 문전에는 국기가 양쪽에 걸려 있고, 문 위에는 세로 액자가 박혀 있다. ② 형 산(山)이 깊다. ③ 형 언덕이 우뚝 서 있다. ④ 명 모피(毛皮)를 이어 합친 것. ¶狐hú～; 여우 가죽을 한데 이은 것. ⇒kàn 「〔芘bì〕
〔嵌二萘〕 qiàn'èrnài 명 《化》 피렌(pyrene). =
〔嵌工〕 qiàngōng 명 〈簡〉 ⇨〔嵌镶细工〕
〔嵌花〕 qiànhuā 명 아플리케(프 appliqué).
〔嵌金〕 qiànjīn ① 명 금테. ②(qiàn jīn) 금을 박아 넣다. 금으로 상감하다.
〔嵌入〕 qiànrù 동 끼워 넣다〔박다〕. 상감하다.
〔嵌塞〕 qiànsāi 동 (틈에) 박히다. 끼이다. ¶牙齿长得不整齐, 纤xiān维性的食物很容易～在这些缝隙xì里面; 이가 고르게 나지 않으면 섬유성의 음식물이 이 틈새에 잘 낀다.
〔嵌石〕 qiànshí 명 옻칠 바탕에 여러 가지 빛깔의 돌이나 유리를 박아서 무늬를 나타내는 공예.
〔嵌镶细工〕 qiànxiāng xìgōng 명 《美》 모자이크. =〔嵌工〕
〔嵌银〕 qiànyín 명 은상감. ¶～匠; 은장(匠)이.

歉 qiàn (겸)
형 ①적다. 부족하다. ②미안하게 생각하다. 유감이다. ¶抱bào～; 유감으로 여기다 / 道dào～; 사과하다 / 甚以为～; 〈翰〉 참으로 미안합니다. 매우 죄송합니다. ③불만족하다. ④흉작이다. 작황이 좋지 않다. ¶以丰补～; 풍년 수확으로 흉작을 보충하다 / ～年; ⇩ / ～收; ⇩
〔歉产〕 qiànchǎn 명 〈文〉 감수(減收). 흉작.
〔歉忱〕 qiànchén 명 〈文〉 유감의 뜻. ¶谨jǐn布～; 〈翰〉 삼가 유감의 뜻을 표합니다.
〔歉咎〕 qiànjiù 형 ⇨〔歉仄〕
〔歉疚〕 qiànjiù 형 꺼림칙하다. 마음에 떳떳하지 못하다. 양심에 가책을 느끼다.
〔歉难〕 qiànnán 〈文〉 유감스럽지만 …할 수 없다. ¶～考虑lǜ; 유감스럽지만 고려할 수 없다.
〔歉年〕 qiànnián 명 흉년. =〔歉岁〕〔欠岁〕〔败岁〕〔俭岁〕〔大侵〕
〔歉歉〕 qiànqiàn 〈翰〉 실례를 사과하는 말. ¶日昨有失迎迓～; 〈翰〉 어제는 부재 중이어서 실례하였음을 사죄드립니다.
〔歉甚〕 qiànshèn 〈翰〉 매우 유감입니다. 대단히 죄송합니다. ¶因有要事不克kè赴约～; 중요한 일 때문에 약속을 지키지 못하여 대단히 죄송합니다.
〔歉收〕 qiànshōu 명 흉작. 기근. ¶灾zāi区或～的地区; 재해지 또는 흉작 지구. ↔〔丰fēng收〕
〔歉岁〕 qiànsuì 명 흉년. 기근의 해. =〔歉年〕〔欠岁〕〔败bài岁〕〔俭jiǎn岁〕
〔歉意〕 qiànyì 명 유감의 뜻. 사의(謝意). ¶深致～; 깊이 유감의 뜻을 나타내다 / 我要为我们昨天的迟到表示深深的～; 저는 저희들이 어제 늦게 도착한 데 대하여 심심한 사죄의 뜻을 표하고자 합니다.
〔歉仄〕 qiànzè 형 〈文〉 송구스럽다. 미안하다. 유감이다. ¶至今未能办理所托之事, 实感～; 아직껏 의뢰하신 일을 처리 못 하여 정말로 송구스럽습니다. =〔歉咎jiù〕

纤(縴) qiàn (견)
명 ①배를 끄는 밧줄. ¶用～拉; 밧줄로 (배를) 끌다 / ～绳; ⇩ =〔艌niàn〕 ②〈轉〉 알선. 주선. ¶～手; ⇩ / 拉～; 주선하다 / 拉～的; 주선인. 소개인 / 拉房～; 가옥 매매의 주선을 하다 / 拉官司～; 송사의 알선을 하다. ③얼레짓가루로 만든 수프. ⇒xiān
〔纤板〕 qiànbǎn 명 (어깨에 대고 끌기 위해) 밧줄 끝에 달린 가로나무.
〔纤夫〕 qiànfū 명 ①배를 끄는 인부. ②밧줄로 물건을 끄는 인부.
〔纤户〕 qiànhù 명 배끌기〔밧줄끌기〕를 직업으로 하는 주민.
〔纤连〕 qiànlián 동 ⇨〔牵qiān连①②〕
〔纤路〕 qiànlù 명 배 끄는 인부가 밟아 다져서 자연히 생긴 작은 길.
〔纤绳〕 qiànshéng 명 동아줄.
〔纤手〕 qiànshǒu 명 ①(토지·가옥 매매의) 중개인(仲介人). 브로커. ②배를 끄는 사람.

茜〈蒨〉 qiàn (천)
① 명 《植》 꼭두서니. ¶～草; ⇩ =〔染rǎn绯草〕 ② 명 《色》 붉은 빛. 빨강. ¶～纱; 붉은 실. ③ 형 풀이 우거진 모양. ④ 명 성(姓)의 하나. ⇒xī
〔茜草〕 qiàncǎo 명 《植》 꼭두서니.
〔茜红〕 qiànhóng 명 ⇨〔茜素〕
〔茜素〕 qiànsù 명 《化》 알리자린. =〔茜红〕〔阿ā里杀林〕

倩 qiàn (청, 천)
〈文〉 ① 형 아름답다. 수려하다. ¶～影; 아름다운 모습 / ～装; 아름다운 옷. ② 형 입가에 웃음을 머금은 모양. ¶巧笑～兮xī; 생긋 웃는 미소의 사랑스러움이여. ③ 동 남에게 부탁하다. 의뢰하다. ¶～代; 대리(代理)를 부탁하다. 교대시키다 / ～人代笔; 대필해 받다. ④ 명 사위. ¶妹～; 매부 / 侄～; 조카사위.
〔倩女离魂〕 qiàn nǚ lí hún 〈成〉 애젊은 처녀가 죽음. 젊은 여자가 이룰 수 없는 사랑 때문에 죽음.
〔倩倩〕 qiànqiàn 형 〈文〉 곱다. 수려하다.
〔倩妆〕 qiànzhuāng 명 〈文〉 아름다운 단장.

绮(綪) qiàn (천)
① 명 적색의 견직물. ②인명용 자(字).

堑(塹) qiàn (참)
① 명 성(城)의 해자(垓字). ¶长江天～; 창장 강(長江)은 천혜의 해자《요충지》이다. ② 명 참호. 방호용의 호(壕). ¶～壕; ⇩ ③ 명 〈比〉 좌절. 실패. ¶吃一～, 长zhǎng一智; 〈諺〉 한번 좌절하면 그만큼 견식이 넓어진다. ④ 동 해자를 파다. 호를 파다.
〔堑壕〕 qiànháo 명 《軍》 참호. ¶～战zhàn; 참호전.

椠(槧) qiàn (참)
명 〈文〉 ①판목용(版木用)의 큰 목찰(木札)《글자가 이미 새겨져 있는 것은 '牍'이라 함》. ②판본(版本). 판목으로 인쇄한 책. ¶宋～ =〔宋版bǎn〕; 송대(宋代)에 목판으로 인쇄된 책.
〔椠本〕 qiànběn 명 판본(板本).

慊 qiàn (겸)
형 〈文〉 불만이다. 한스럽다. ⇒qiè
〔慊慊〕 qiànqiàn 형 〈文〉 불만이다. 한스럽다.

QIANG ㄑㄧㄤ

抢(搶) qiāng (창) 동 ①충돌하다. 닿다. 부딪치다. ¶呼天～地 =〔～地吁yù天〕〔～地呼hū天〕; 〈成〉 하늘에다 소리치고 머리로 땅을 치다(몸부림치며 통곡함). ②거슬러서 가다. ¶～风走; 바람을 안고 가다. =〔戗①〕 ③동물이 털갈 때 모습이 더러워지다. ⇒qiǎng

呛(嗆) qiāng (창) 동 ①사레들리다. 물이나 음식이 기관(氣管)에 잘못 들어가 기침을 하다. ¶喝hē茶了喝～了; 차를 마시다 사레들렸다 / 吃饭吃～了; 밥을 먹다가 사레들렸다 / 喝酒喝～了, 差chà点儿没～出来; 술을 마셨더니 사레가 들려 하마터면 내뿜을 뻔했다. ②터져 나오다. 내뿜다. ¶由鼻子往外～血; 코에서 피가 쏟아지다. ③〈方〉 기침을 하다. =〔咳嗽〕 ⇒qiàng

〔呛不吃顺不吃〕 qiāng bù chī shùn bù chī 〈成〉 아무 수단도 방법도 통하지 않다. 어찌할 도리가 없다.

〔呛风冷气〕 qiāngfēng lěngqì 바람이나 추위로 몹시 차다. ¶你刚进屋, ～的, 歇一会儿再吃饭吧; 너는 방금 들어와서 몹시 추울 것이니 잠시 쉬었다가 밥 먹어라.

〔呛呛〕 qiāngqiāng 동 논의하다. 논쟁하다.

〔呛人〕 qiāng.rén 동 콜록거리다. 사레들리다. 숨이 막히다. ⇒qiàng.rén

玱(瑲) qiāng (창) 〈擬〉〈文〉 딸그락딸그락(옥기(玉器)가 스쳐서 나는 소리).

枪(槍〈鎗〉A)) qiāng (창) A) 명 ①창. ¶长～; 장창 / 一把～; 창 한 자루. ②총. ¶放～; 총을 쏘다 / 手～; 권총 / 一枝～; 총 한자루 / 机关～; 기관총. 무장 세력 / 快～; 연발총 / 气～; 공기총 / 骑qí～; 기병총. ③아편(阿片)을 빠는 담뱃대. ④길고 가는 도구의 일컬음. ¶滑脂～; 윤활유 주입기 / 电焊～; 전기용접기 / 铆mǎo(钉)～; 리베팅 기계. **B)** 동 대역(代役)이 되다. 대역을 쓰다. ¶打～; 대리 시험을 치다 / 他那个举人是～出来的; 그의 '거인(擧人)'이라는 직함은 남이 대리 시험을 보아서 딴 것이다.

〔枪笆〕 qiāngbā 명 대나무나 나무를 땅에 박아 만든 울타리. =〔枪篱〕

〔枪靶(子)〕 qiāngbǎ(zi) 명 (사격의) 표적. 과녁. →〔打靶〕

〔枪把(子)〕 qiāngbà(zi) 명 총목. 총자루. =〔枪脖〕

〔枪崩〕 qiāngbēng 명동 〈京〉 ⇨〔枪毙〕

〔枪毙〕 qiāngbì 명동 총살(하다·당하다). =〔〈京〉枪崩bēng〕

〔枪脖〕 qiāngbó 명 ⇨〔枪把(子)〕

〔枪刺〕 qiāngcì 명 총검. =〔枪刀〕〔刺刀〕

〔枪打出头鸟〕 qiāng dǎ chūtóu niǎo 〈諺〉 총으로 머리를 내민 새를 쏘다(모난 돌이 정 맞는다).

〔枪弹〕 qiāngdàn 명 ⇨〔枪子(儿)〕

〔枪刀〕 qiāngdāo 명 ①총과 검. ¶～入库; 〈比〉 세상이 평화로운 모양. ②총검. 착검한 총.

〔枪刀剑戟〕 qiāng dāo jiàn jǐ 무기의 총칭.

〔枪洞〕 qiāngdòng 명 총알 구멍.

〔枪法〕 qiāngfǎ 명 ①사격의 솜씨. ¶他～高明, 百发百中; 그는 사격 솜씨가 좋아 백발백중이다. ②창술(槍術). ¶～纯熟; 창술에 숙달되어 있다.

〔枪放下〕 qiāngfàngxià 세워총!(구령).

〔枪杆(儿)〕 qiānggǎn(r) 명 ⇨〔枪杆(子)①〕

〔枪杆(子)〕 qiānggǎn(zi) 명 ①창 자루. =〔枪杆(儿)〕 ②총신(銃身). 〈轉〉 무기. 무장력(武裝力). ¶拿起～儿上前线; 무기를 들고 전선으로 나가다.

〔枪管〕 qiāngguǎn 명 총열.

〔枪(后)膛〕 qiāng(hòu)táng 명 (총의) 탄창부(彈倉部).

〔枪护木〕 qiānghùmù 명 총신 덮개.

〔枪击〕 qiāngjī 동 총격〔저격〕하다. ¶～战; 총격전.

〔枪机(子)〕 qiāngjī(zi) 명 (총의) 방아쇠. ¶扳～; 방아쇠를 당기다 / 搂lōu一下～, 乓pāng的一声枪子儿就飞得好远; 방아쇠를 당기자 탕 소리가 나며 총알은 멀리 날아간다.

〔枪架子〕 qiāngjiàzi 명 총가.

〔枪尖(儿)〕 qiāngjiān(r) 명 창끝.

〔枪决〕 qiāngjué 명동 총살(하다). ¶就地～; 그 자리에서 총살하다. →〔枪毙〕

〔枪口〕 qiāngkǒu 명 총구. 총부리. ¶～对外; 총구를 국외로 돌리다(내전을 하지 않음) / ～帽mào; 총구멍 마개.

〔枪篱〕 qiānglí 명 ⇨〔枪笆〕

〔枪林弹雨〕 qiāng lín dàn yǔ 〈成〉 탄환이 비 오듯 쏟아지다. ¶他是个老战士, 在～中立过几次功; 그는 노전사로서 격전 속에서 몇 번인가 수훈을 세웠다. =〔枪林火网〕

〔枪榴弹〕 qiāngliúdàn 명 《軍》 총유탄(라이플총 등의 총구에 부착한 발사 장치에 의한 수류탄의 일종).

〔枪冒〕 qiāngmào 동 ⇨〔枪替〕

〔枪冒顶替〕 qiāng mào dǐng tì 〈成〉 ⇨〔冒名顶替〕

〔枪名〕 qiāngmíng 동 ⇨〔冒mào名〕

〔枪名顶替〕 qiāng míng dǐng tì 〈成〉 ⇨〔冒mào名顶替〕

〔枪炮〕 qiāngpào 명 총포. ¶～声; 총포성 / ～手; 총포의 사격수.

〔枪旗〕 qiāngqí 명 ⇨〔旗枪〕

〔枪杀〕 qiāngshā 동 총살하다. 사살하다.

〔枪伤〕 qiāngshāng 명 총상. 총알에 의한 부상.

〔枪上肩〕 qiāngshàngjiān 《軍》 어깨총!(구령).

〔枪身〕 qiāngshēn 명 총신(銃身). =〔枪筒(儿, 子)〕

〔枪声〕 qiāngshēng 명 총성.

〔枪手〕 qiāngshǒu 명 ①창의 명수(名手). 창을 가진 병사(兵士). ¶他的枪法精熟shú, 真是个好～; 그의 창법은 능숙하다, 정말 훌륭한 창의 명수이다. ②사격수. 총수(銃手).

〔枪手〕 qiāngshou 명 대리 시험을 치는 사람. ¶他替我做了一回～了; 그는 나의 대리 시험을 쳐준 일이 한 번 있다.

〔枪栓〕 qiāngshuān 명 총의 놀이쇠 뭉치. =〔枪闩〕

〔枪探子〕 qiāngtànzi 명 (총의) 꽂을대.

〔枪替〕 qiāngtì 동 대리 시험을 치게 하다. =〔打枪〕〔枪冒〕

〔枪筒(儿, 子)〕 qiāngtǒng(r, zi) 명 〈俗〉 총신(銃身). =〔枪身〕

〔枪头儿〕 qiāngtóur 명 ①총부리. ¶～刀铳剑; 착

검(着劍)한 총. ②창의 끝. =〔枪头子〕
〔枪托(儿,子)〕 qiāngtuō(r,zi) 명 총대. 총상(銃床).
〔枪尾底〕 qiāngwěidǐ 명 총의 개머리판.
〔枪乌贼〕 qiāngwūzéi 명《魚》섬꼴뚜기.
〔枪械〕 qiāngxiè 명 병기. 총기. ¶收缴～; 무기를 접수하다. 무장을 해제하다.
〔枪眼〕 qiāngyǎn 명 ①총안(銃眼). ②총탄이 관통한 구멍.
〔枪战〕 qiāngzhàn 명 총격전. ¶街jiē头～; 시가의 총격전.
〔枪支〕 qiāngzhī 명 총기(銃器)《총칭》. ¶～子弹; 총과 탄알 / ～弹药; 총기 탄약. =〔枪枝〕
〔枪子(儿)〕 qiāngzǐ(r) 명〈口〉총탄. 총알. =〔子弹zǐdàn〕〔枪弹〕〔枪子子〕
〔枪子子〕 qiāngzǐzi 명 ⇨〔枪子(儿)〕
〔枪钻〕 qiāngzuàn 명 창의 물미.
〔枪座子〕 qiāngzuòzi 명 총좌(銃座).

戗(戧) qiāng (창)
동 ①거스르다. ¶～辙儿走; 다른 사람과 역방향으로 가다 / ～风而行; 바람을 거슬러 나아가다 / 不好～着他的意思办; 그의 의사에 거슬러서 할 수도 없다 / ～着顺着? 반대냐 찬성이냐? / 你要～着他, 他要发脾气; 그를 거스르면 그는 분통을 터뜨릴 것이다 / ～着风跑; 바람을 뚫고 달음칠 치다. =〔抢②〕 ②(의견이) 충돌하다. 결렬(決裂)되다. ¶两人说～了; 두 사람의 이야기는 결렬되었다. ⇒qiàng
〔戗风〕 qiāngfēng 명 역풍. (qiāng.fēng) 동 바람을 거스르다.

酡(醅) qiāng (창)
명 티베트 족(族)이 '青稞'(쌀 보리의 일종)로 빚은 술.

跄(蹌) qiāng (창)
→〔跄跄〕 ⇒qiàng
〔跄跄〕 qiāngqiāng 형〈文〉보법(步法)에 맞춰 걷는 모양. =〔蹡蹡qiāngqiāng〕

戕 qiāng (장)
동〈文〉①죽이다. ¶自～; 자살하다 / 这群强qiáng盗抢劫以外, 还敢～官; 이 강도 일당은 약탈을 할 뿐만아니라, 관리를 살해하기까지도 한다. ②해치다. 상처 입히다.
〔戕暴〕 qiāngbào 명형〈文〉흉포(하다).
〔戕害〕 qiānghài 동 ①살해하다. ②해치다. 손상하다. ¶～身心的健康; 건강을 해치다.
〔戕杀〕 qiāngshā 동 살해하다.
〔戕身殒命〕 qiāngshēn yǔnmìng〈文〉건강을 해쳐서 목숨을 잃다. ¶吸食鸦yā片, 适足以～; 아편을 피우는 것은 건강을 해치고 목숨을 잃기에 딱 알맞다.
〔戕贼〕 qiāngzéi 동〈文〉해치다. 상하게 하다. ¶～身体; 몸을 망치다.

斨 qiāng (장)
명〈文〉자루를 박는 구멍이 사각형인 옛날의 도끼.

羌〈羗, 羗〉 Qiāng (강)
명 ①창 족(羌族)《중국 소수 민족의 하나》. ②옛날 중국의 서방(西方)의 부족(部族)《쓰촨 성(四川省) 서부에 거주했음. 384-417》. ③(qiāng) 탄식(嘆息).
〔羌勃来〕 qiāngbólái 명《紡》〈音〉샴브레(chambray)《평직 옷감의 일종》. ¶羊绒róng～; 캐시미어 샴브레 / ～布; 샴브레 광목〔면직목〕.
〔羌户〕 Qiānghù 명 옛날, 창 족(羌族)에 대한 멸칭. =〔羌民〕
〔羌活〕 qiānghuó 명《植》강활. 강호리.
〔羌鹫〕 qiāngjiù 명《鳥》흰죽지참수리.
〔羌民〕 Qiāngmín 명 ⇨〔羌户〕
〔羌桃〕 qiāngtáo 명《植》호도(나무). =〔胡桃〕
〔羌帖〕 qiāngtiě 명〈俗〉제정 러시아의 루블(rouble) 지폐. →〔卢lú布〕

蜣 qiāng (강)
→〔蜣螂〕〔金蜣螂〕
〔蜣螂〕 qiāngláng 명《蟲》쇠똥구리. 말똥구리. =〔蜣蜋〕〔粪爬牛〕〔〈俗〉屎壳ké郎〕〔蛣蜣〕

将(將) qiāng (장)
동〈文〉원하다. 청하다. ¶～伯之助; 장자(長者)에게 원조를 청하다. ⇒jiāng jiàng

锵(鏘) qiāng (장)
〈擬〉쨍쨍. 뎅뎅. 댕그랑댕그랑《금속성의 소리》. ¶锣luó声～～; 징이 뎅뎅 울린다 / 琴qín声～～; 거문고의 뚱땅 소리 / 铿kēng～悦耳; 소리가 듣기에 좋다 / ～，～令～～; 짤랑짤랑.

蹡(蹌) qiāng (장)
→〔蹡蹡〕 ⇒qiàng
〔蹡蹡〕 qiāngqiāng 형 ⇨〔跄qiāng跄〕

腔 qiāng (강)
①(～子) 명《生》가슴·배·입 따위의 공간의 부분. ¶胸～; 흉강 / 腹～; 복강 / 口～; 구강 / 开～破肚; 몸을 째다〔해부하다〕/ 有些人吸一～毛, 因而得了肺病; 몇 사람은 섬유 먼지를 가슴 가득히 들이 마셨으므로, 폐병에 걸렸다. ②(～子) 명 기물(器物)의 공간의 부분. ¶炉～儿; 스토브 따위의 공동(空洞)의 부분 / 炮pào～; 포신의 내부. ③(～儿) 명 노래의 가락. 노랫마디. ¶走～; 노래의 가락이 맞지 않다 / 巧～儿; 간드러지게 넘어가는 노랫마디. ④(～儿) 명 어조(語調). 사투리. 인토네이션(intonation). ¶京～; 베이징(北京) 사투리 / 山东～; 산둥 말씨 / 学生～; 학생 말씨. ⑤명 말. ¶搭dā～ =〔说话〕; 말을 하다 / 你搭什么～儿; 무어라고 지껄이는 거야《쓸데없는 소리 마라》/ 等了半天, 他才开了～; 오랫동안 기다려 겨우 입을 열었다. ⑥(～子) 명 목이 없는 동체(胴體). ⑦명 몸짓. 태도. ¶装zhuāng～作势; 몸짓을 하다 / 你不必作～了; 태를 부리지 않아도 된다 / 他改过～来了; 그는 말투를 바꾸었다. ⑧양 도살한 양(羊)을 세는 양사(量詞). ¶羊两～; 도살(屠殺)한 2 마리의 양.
〔腔肠动物〕 qiāngcháng dòngwù 명《動》강장동물.
〔腔调〕 qiāngdiào 명 ①어조(語調). 인토네이션. ¶听他说话的～是山东人; 어조로 보아 그는 산둥(山東) 사람이다 / 你的口音还不错, 就是～差一点儿; 네 발음은 그런대로 괜찮은데, 말투가 좀 나쁘다. ②《樂》음악의 가락. ¶不成～; 가락이 안 맞는다 / 这个歌儿的～很好听; 이 노래의 멜로디는 대단히 좋다.
〔腔口〕 qiāngkǒu 명 어조(語調). 말투.
〔腔子〕 qiāngzi 명 몸통. 동체.

锖(錆) qiāng (창)
→〔锖色〕

〔镪色〕 qiāngsè 명 《色》 녹이 슨 빛깔.

镪(鏹) qiāng (강)
→〔镪水〕 ⇒qiǎng

〔镪水〕 qiāngshuǐ 명 《化》〈俗〉 강산(強酸).

强〈強, 彊〉 qiáng (강)
①형 강하다. 세다. ¶身~力壮; 신체가 강하고 힘이 세다 / 好hào~的脾气; 지기 싫어하는 성질. 호승지벽 / 富~; 부강하다. ↔〔弱〕 ②형 우수하다. 낫다. ¶这个比那个~得多; 이것은 그것보다 훨씬 낫다 / 这两天~些儿; 이 2,3일 (병 또는 생활이) 조금 나아졌다 / 他写得字比你的~; 그의 글씨는 너보다 낫다 / 命不大~; 운이 별로 좋지 않다 / 饮食更~了; 입맛이 한결 좋아졌다 / 比空kōng着手还~些; 빈손으로 가기보다는 낫다. ③형〈吳〉 값이 싸다. →〔贱〕 ④동 발분(發奮)하다. 힘쓰다. 노력하다. ¶不要~的人; 향상심이 없는 사람. ⑤…여(餘). …남짓《분수나 소수의 뒤에 이어짐》. ¶五倍~; 5배강 / 百分之十二~; 12%강. ⑥동 강박〔강요〕하다. ¶~索财物; 금전 · 물품을 강요하다. ⑦형 의지가 강하다. 정도가 높다. ¶责任心很~; 책임감이 매우 강하다. ⑧동 《漢醫》 굳어지다. 빼근하다. ¶项xiàng~; 목과 어깨의 결림 / 舌~不能言; 혀가 굳어서 말을 잘 못한다. ⑨명 이익(利益). 더 좋은 일. ¶不见什么~; 아무 이익도 없다. ⑩명 40세. ⑪명 성(姓)의 하나. ⇒jiàng qiǎng

〔强半〕 qiángbàn 명 반 이상. 과반. =〔过guò半〕

〔强暴〕 qiángbào 형 흉포하다. 폭력적이다. ¶~的手段; 흉포한 수단. 명 흉포한 사람. 폭력단. ¶铲chǎn除~; 흉포한 사람을 제거하다.

〔强辩〕 qiángbiàn 명 유력한 변론. ⇒qiǎngbiàn

〔强不过〕 qiángbuguò …보다 낫지 않다. …보다 좋지 않다. …에는 당해 내지 못하다. ¶总~他; 아무래도 그에게는 당해 내지 못한다 / 这个牌子的货~那个牌子的货; 이 상표의 물건은 저 상표의 물건에 필적하지 못한다. ⇒qiǎngbuguò

〔强臣〕 qiángchén 명〈文〉 권력 있는 대신.

〔强打精神〕 qiángdǎ jīngshen 정신을 고무하다. 분발하다. ¶病得这么利害, 还~做事; 병이 이토록 심한데도 여전히 분발해서 일을 하고 있다.

〔强大〕 qiángdà 형 강대하다.

〔强蛋白银〕 qiáng dànbáiyín 명 《藥》 프로테인은(protein銀). 프로타르골(protargol).

〔强盗〕 qiángdào 명 강도. ¶~行为; 강도적 행위 / ~逻辑luójí; 강도의 억지 논리. =〔〈俗〉 打dǎ拢子的〕

〔强的松〕 qiángdísōng 명 《藥》 프레드니손(prednisone)《류머티즘 · 천식 치료제》.

〔强调〕 qiángdiào 동 강조하다. ¶~说; 강조해서 말하다.

〔强度〕 qiángdù 명 《物》 강도. 세기.

〔强渡〕 qiángdù 동 《軍》 적전 도하(渡河)하다. ¶~大渡河; 대도하를 강행하다.

〔强队〕 qiángduì 명 강한 팀. ¶这两个队都是~; 이 양 팀은 모두 강팀이다.

〔强而有力〕 qiáng ér yǒulì 강하고 힘이 있다.

〔强风〕 qiángfēng 명 《氣》 강풍. 초속 10.8~13.8미터, 풍력 6의 바람.

〔强干〕 qiánggàn 형 ①유능하다. 솜씨가 있다. 실행력이 있다. ¶~的人; 강건(強健)하고 유능한 사람 / 精明~; 머리가 좋고 실행력이 풍부하다. ②〈比〉 중심을 강하게 하다. ¶~弱枝; 중앙을 강화하고 지방을 약화시키다.

〔强梗〕 qiánggěng 형〈文〉 강경하다. 완강하다. ¶持论~; 지론이 강경하다.

〔强攻〕 qiánggōng 명동 강공(하다). 강습(하다). ¶~敌人阵地; 적군의 진지를 강공하여 점령하다 / ~硬yìng上; 강공하여 단호하게 추진하다. =〔强袭〕

〔强固〕 qiánggù 형 강고하다. 견고하다.

〔强国〕 qiángguó 명 강국. ¶中国是世界五大~之一; 중국은 세계 5개 강국의 하나이다.

〔强悍〕 qiánghàn 형 강하고 용감하다. 용맹스럽다. ¶~的骑兵; 날렵하고 용감한 기병.

〔强横〕 qiánghèng 형 난폭하다. 횡포하다. ¶态度~; 태도가 횡포하다 / 这个人生就~, 什么也不怕; 이 사람은 천성이 횡포해서 아무것도 두려워하지 않는다.

〔强横霸道〕 qiáng hèng bà dào 〈成〉 ⇨〔横héng行霸道〕

〔强化〕 qiánghuà 동 강화하다. 견고히 하다. ¶~国家机器; 국가 기구(機構)를 강화하다.

〔强化奶〕 qiánghuànǎi 명 (영양) 강화유(乳).

〔强记〕 qiángjì 형〈文〉 기억력이 뛰어나다. ¶博bó闻~; 박문강기. 지식이 넓고 기억력이 뛰어나다. =〔热rè记〕 ⇒qiǎngjì

〔强加〕 qiángjiā 동 강요하다. 강압하다. ¶~于人; 남에게 강요하다.

〔强奸〕 qiángjiān 동 ①강간하다. ②짓밟다. ¶~民意; 민의를 짓밟다.

〔强碱〕 qiángjiǎn 명 《化》 강염기(強鹽基). 강알칼리.

〔强谏〕 qiángjiàn 동〈文〉 강력히 간하다.

〔强健〕 qiángjiàn 형 ⇨〔强壮〕

〔强将〕 qiángjiàng 명〈文〉 강한 장수.

〔强将手下无弱兵〕 qiángjiàng shǒuxià wú ruòbīng 〈諺〉 강한 장수 밑에 약졸 없다.

〔强劲〕 qiángjìng 형 강력하다. 강인(強靭)하다. ¶~的军队; 강한 군대 / ~的海风; 강한 해풍 / ~东风; 강한 동풍《유리한 정세》.

〔强力霉素〕 qiánglì méisù 명 《藥》 독시사이클린(doxycycline)《테트라사이클린계 항생 물질》.

〔强梁〕 qiángliáng 형 난폭하다. 횡포하다. ¶~霸道; 힘으로 횡포를 다하다. =〔强横〕 명 전설 속의 신(神). 강포한 사람. ¶死后~; 죽어서 흉귀(凶鬼)가 되다.

〔强烈〕 qiángliè 형 ①강렬하다. 맹렬하다. ¶太阳光十分~; 태양(빛)이 강렬하다. ②선명하다. 뚜렷하다. 고도(高度)이다. ¶~的对比; 선명한 대조 / ~的阶级感情; 고도의 계급적 감정.

〔强邻〕 qiánglín 명〈文〉 강대한 이웃나라.

〔强龙不压地头蛇〕 qiánglóng bùyā dìtóu shé 〈諺〉 강한 용도 그 고장의 뱀한테는 못 당한다《유리한 위치를 차지한 사람에게는 당할 수 없다》.

〔强铝〕 qiánglǚ 명 《化》 듀랄루민(dural umin). =〔硬铝〕

〔强弩之末〕 qiáng nǔ zhī mò 〈成〉 세력이 번성했다가 쇠한 모양. 마지막 몸부림. ¶你也不必怕他, 这也不过是~; 너는 그를 두려워할 필요가 없다. 이것도 최후의 발악에 불과하다.

〔强拍〕 qiángpāi 명 《樂》 강박. 센박.

〔强普利〕 qiángpǔlì 명〈音〉 잼버리(jamboree)《국제 보이 스카우트 대회》. =〔万wàn国童子军大会〕

〔强抢〕 qiángqiǎng 동 강탈하다. ¶~硬夺; 〈成〉 강탈하다.

〔强取豪夺〕 qiáng qǔ háo duó 〈成〉 힘으로 송

두리째 탈취하다.
〔强权〕 qiángquán 명 힘. 권력. ¶民主战胜～; 민주는 강권에 이긴다 / ～政治; 권력 정치.
〔强人〕 qiángrén 명 ①센 사람. ¶～自有～收, 还有～在后头; 〈諺〉 센 사람에게는 확실히 그를 이겨 내는 센 사람이 있다. ②〈古白〉 강도.
〔强韧〕 qiángrèn 명형 강인(하다).
〔强如〕 qiángrú ⇨〔强于〕
〔强弱〕 qiángruò 명 강약. 강한 자와 약한 자. ¶～搭配; 강한 자가 약한 자와 결합하다.
〔强煞〕 qiángshà ⇨〔强于〕
〔强盛〕 qiángshèng 형 강성하다. 세력이 있다. 기세가 왕성하다.
〔强仕之年〕 qiángshì zhī nián 〈文〉 강사지년. 40세《예기(禮記)에, 40세 무렵에는 체력·지력이 모두 왕성하여 관도에 나아가기에 알맞은 나이라고 나와 있음》.
〔强势〕 qiángshì 명 강세. ¶美元汇率保持～; 미(美)달러 환율이 강세를 유지하다. ↔〔弱势〕
〔强手〕 qiángshǒu 명 ①강경한 수단. ②벅찬 상대. 당해 내지 못할 상대.
〔强死〕 qiángsǐ 동 〈文〉 횡사하다.
〔强似〕 qiángsì 〈文〉 …보다 낫다. ¶今年的秋收～去年; 금년 추수는 작년보다 낫다. =〔强于〕〔强如〕〔强煞〕
〔强袭〕 qiángxí 명동 ⇨〔强攻〕
〔强项〕 qiángxiàng 형 〈文〉 강직해서 남에게 굽히지 않다. 명《體》 장기인(경기) 종목.
〔强心剂〕 qiángxīnjì 명《藥》 강심제.
〔强行〕 qiángxíng 동 강행하다. ¶～登dēng陆; 《軍》 상륙을 강행하다〔하는 일〕 / ～通过一项议案; 무리하게 한 의안을 통과시키다 / ～军; 강행군.
〔强凶霸道〕 qiáng xiōng bà dào 〈成〉 ⇨〔横héng行霸道〕
〔强压〕 qiángyā 동 강압하다. 강제적으로 억압하다.
〔强硬〕 qiángyìng 형 ①강경하다. ¶～的对手; 힘겨운 상대 / ～的意见; 강한 의견 / ～的马克; 강한 마르크화(貨). ②견실한 마음을 가지고 있다. ③(힘이) 강대하다.
〔强有力(的)〕 qiángyǒulì(de) 형 강력하다. 유력하다. ¶～的人; 의지가 강한 사람. 불굴의 사람 / ～执行政策; 강력하게 정책을 집행하다.
〔强于〕 qiángyú 〈文〉 …보다 낫다. …보다 더 낫다〔좋다〕. ¶这么点儿虽不够, 可是～完全没有; 이 정도로는 충분치 않지만, 그러나 전혀 없는 것보다는 낫다 / 他虽然没念过书, ～念过书的人; 그는 공부를 하지 않았지만, 공부한 사람보다 낫다 / 只要你肯做一点儿事, ～不做呢; 네가 조금이라도 일을 하려고 한다면 하지 않는 것보다는 낫다 / 火棍儿虽短, ～手拨拉; 〈諺〉부지깽이는 짧지만, 손으로 (불을) 젓는 것보다는 낫다. =〔强如〕〔强煞〕〔强似〕
〔强占〕 qiángzhàn 동 ①횡령하다《부동산 따위를》. ②폭력으로 점유하다. ③무력으로 점령하다.
〔强战〕 qiángzhàn 동 〈文〉 역전(力戰) 고투하다.
〔强震〕 qiángzhèn 명《地質》 (지진의) 강진.
〔强争〕 qiángzhēng 동 〈文〉 심하게 다투다.
〔强直〕 qiángzhí 명《醫》 근강강(筋強剛)《운동 결핍 근경직 증후(症候)》.
〔强制〕 qiángzhì 명동 강제(하다). ¶～保险; 강제 보험 / ～是自愿的反面儿; 강제는 스스로 원하는 것의 반대이다 / ～执行; 강제 집행 / ～处chǔ分; 강제 처분 / ～劳动; 강제 노동.
〔强中自有强中手〕 qiángzhōng zì yǒu qiángzhōngshǒu 〈諺〉 위에는 위가 있다. 흉악한 인간도 더 흉악한 인간에게 얻어맞는다《하늘의 도리는 예상외로 공평한 것이다》. =〔一yī尺的蝎子碰见丈八的蜈蚣〕
〔强壮〕 qiángzhuàng 형 (신체가) 건장하다. 강건하다. ¶～的小伙子; 늠름한 젊은이 / ～剂; 《藥》 강장제. =〔强健〕
〔强宗〕 qiángzōng 명 〈文〉 세력 있는 집안. ¶～右族; 세력 있는 명문.

墙(墻〈牆〉) qiáng (장) 명 ①(～儿, ～子) (가옥의) 벽. 담. 울. ¶城～; 성벽 / 山～; 집 측면의 높은 담 / 一堵～; 담장 하나 / 泥～; 토담/ 砖～; 벽돌담 / 篱lí笆～; 생울타리 / 屋里～上挂着画片儿; 실내의 벽에 그림이 걸려 있다. ②(～子) 담 모양의 것. 칸막이 구실을 하는 것의 총칭. ¶风～; ⓐ《建》 바람막이 흙담. ⓑ(초목을 보호키 위한) 바람막이 / 核hé桃～子; 호도 껍질 속의 격피.
〔墙报〕 qiángbào 명 벽신문. =〔壁报〕
〔墙壁〕 qiángbì 명 ①담. ②벽.
〔墙倒屋塌〕 qiáng dǎo wū tā 〈成〉 담은 무너지고 집은 부서지다《집이 헌 모양》.
〔墙倒众人推〕 qiáng dǎo zhòngrén tuī 〈諺〉 담이 기울면 여럿이 밀어 넘어뜨린다《세력이 없어지면 여러 사람한테 업신 여김을 당한다》.
〔墙顶儿〕 qiángdǐngr 명 담의 정상부. 담의 꼭대기.
〔墙洞〕 qiángdòng 명 ⇨〔墙孔〕
〔墙垛子〕 qiángduǒzi 명 담의 밖으로 돌출된 부분.
〔墙缝儿〕 qiángfèngr 명 벽 또는 담의 틈새〔갈라진 금〕.
〔墙高万丈, 挡的是不来之客〕 qiáng gāo wànzhàng, dǎngdeshì bù lái zhī kè 〈諺〉 만 길이나 되는 높은 담을 쌓아도, 막을 수 있는 것은 올 생각이 없는 사람뿐이다《쳐들어올 생각이 있는 자는 아무리 해도 막을 수 없다》.
〔墙根(儿)〕 qiánggēn(r) 명 ①울타리 밑의 땅. ②벽·담의 토대. ¶挖～; 벽·담의 토대를 파다. 발 밑을 채다. ③성벽의 부근.
〔墙鼓〕 qiánggǔ 명 벽〔담〕이 오래 되어 밖으로 불룩해진 데.
〔墙花路柳〕 qiánghuā lùliǔ 명 〈比〉 (옛날의) 거리의 창녀. 노류장화(路柳墻花).
〔墙画〕 qiánghuà 명《美》 벽화.
〔墙豁子〕 qiánghuōzi 명 토담의 무너진 곳. ¶钻zuān进～走进自己屋去了; 담이 무너진 데로 기어들어가 자기 방으로 갔다.
〔墙机〕 qiángjī 명 벽걸이식 전화.
〔墙基〕 qiángjī 명 ⇨〔墙脚〕
〔墙犄角(儿)〕 qiángjījiǎo(r) 명 벽〔담〕의 모퉁이. =〔墙角(儿)〕
〔墙角(儿)〕 qiángjiǎo(r) 명 ⇨〔墙犄角(儿)〕
〔墙脚〕 qiángjiǎo 명 ①벽·담·성벽의 토대(土臺). ¶撬qiào～; 〈比〉 국면을 파괴하다. ②〈轉〉 발판. 기반. 토대. ¶互挖～; 서로 발판을 무너뜨리다. ‖ =〔墙基〕
〔墙街〕 qiángjiē 명 ⇨〔华huá尔街〕
〔墙孔〕 qiángkǒng 명 벽〔담〕에 뚫려 있는 (밖을 내다보는) 구멍. =〔墙洞〕
〔墙面〕 qiángmiàn 동 벽을 대하듯이 아는 바가

없다《무식꾼. 무식자》.
〔墙裙〕 qiángqún 명 《建》 실내(室內)의 바닥에서 1m 높이까지 벽면(壁面)의 장식이나 보호를 위해 붙인 판자 또는 벽돌·시멘트. =〔护hù壁〕
〔墙山〕 qiángshān 명 가옥 옆 쪽의 벽.
〔墙上挂帘子〕 qiángshàng guà liánzi 〈歇〉 벽에 커튼을 치다. ¶～, 不像画huà; 벽에 커튼을 쳐서 그림으로는 보이지 않다〔그림이 되지 않다〕.
〔墙上画饼〕 qiángshàng huà bǐng 〈歇〉 벽 위에 '饼'을 그리다《그림의 떡》.
〔墙上画的马, 不能骑〕 qiángshàng huàde mǎ, bùnéng qí 〈歇〉 그림의 떡.
〔墙上画马, 单镫〕 qiángshàng huà mǎ, dāndèng 〈歇〉 외눈《벽에 그려진 말의, 눈이 한쪽밖에 없음》.
〔墙头(儿)〕 qiángtóu(r) 명 ①담의 꼭대기. ¶～草; 담 위의 풀《기회주의적인 사람》/ ～诗 =〔街头诗〕; 가두(街頭)에 내붙인 시. ②〈方〉 벽. 담《'儿化' 안함》.
〔墙头草, 两边倒〕 qiángtóucǎo, liǎngbiān dǎo 〈諺〉 담 위의 풀이라 어느 쪽으로도 쏠린다. 기회주의. =〔墙头一棵草, 风吹两边倒〕
〔墙头上种白菜〕 qiángtóushàng zhòngbáicài 〈歇〉 교제하기 힘들다.
〔墙头诗〕 qiángtóushī 명 ⇨〔街jiē头诗〕
〔墙土〕 qiángtǔ 명 낡은 벽토《옛날, 거름으로 쓰이었음》.
〔墙外汉〕 qiángwàihàn 명 ⇨〔局jú外人〕
〔墙围子〕 qiángwéizi 명 벽의 아랫도리에 댄 판자, 또는 실내 벽면의 아래쪽에 바른 종이.
〔墙衣〕 qiángyī 명 담 위에 난 이끼.
〔墙有缝, 壁有耳〕 qiáng yǒu fèng, bì yǒu ěr 〈諺〉 담에는 틈이 있고, 벽에는 귀가 있다. 낮말은 새가 듣고, 밤말은 쥐가 듣는다.
〔墙宇〕 qiángyǔ 명 ⇨〔气qì宇〕
〔墙垣〕 qiángyuán 명 〈文〉 담.
〔墙院〕 qiángyuàn 명 토담으로 둘러싸인 안뜰.
〔墙纸〕 qiángzhǐ 명 벽지.
〔墙子〕 qiángzi 명 ①기물 속의 칸막이. ¶炉lú～; 난로·보일러 따위 안의 칸막이. ②씨 속의 격피(隔皮). ¶核hé桃～; 호두껍질 속의 격피.

蔷(薔) qiáng (장)
→〔蔷薇〕〔蔷石英〕
〔蔷石英〕 qiángshíyīng 명 《鑛》 홍수정(紅水晶).
〔蔷薇〕 qiángwēi 명 《植》 장미. ¶多duō花～; 《植》 찔레나무. =〔〈方〉离lí娘草〕〔〈文〉媚mèi客〕

嫱(嬙) qiáng (장)
명 옛날에 궁정(宮廷)의 여관(女官). ¶妃～; 여관. 궁녀.
〔嫱媛〕 qiángyuán 명 황제를 섬기는 고위(高位)의 여관(女官).

樯(檣〈艢〉) qiáng (장)
명 〈文〉 돛대. ¶帆～如林; 돛대가 수풀 같다. =〔桅wéi杆〕

抢(搶) qiǎng (창)
A) 동 ①빼앗다. 채다. 약탈하다. ¶他把我的信～去了; 그는 내 편지를 빼앗아 갔다 / 打～; 강탈하다 / 货都叫贼zéi～了去了; 상품은 모두 도둑에게 빼앗겼다 / 昨天有了一件～案; 어제는 강도 사건이 한 건 있었다 / 拦路～劫; 노상 강도짓을 하다. ②앞을 다투어 …하다. 다투다. ¶大家都～着种地; 모두 앞을 다투어 밭을 갈았다 / 大家都～着报名; 모두들 앞을 다투어 신청하다 / 下雨了, 往里～东西吧; 비가 온다. 빨리 물건을 들여 놓자 / ～到头里; 앞다투어 선두로 나서다. ③곁에서 말참견을 하다. ¶～过来说; 옆에서 말참견하다. B) 표면을 얇게 벗겨 내다. 깎아〔비벼〕 내다. ¶磨mó剪子～刀子; 가위나 칼을 갈다 / 跌了一跤, 把肉皮～去一块; 넘어져서 피부가 벗겨졌다 / 膝xī盖上～去了一块皮; 무르팍을 깠다 / 把锅底～一～; 냄비 바닥을 긁어 내다. ⇒qiāng
〔抢案〕 qiǎng'àn 명 강탈 사건. =〔抢劫jié案〕
〔抢白〕 qiǎngbái 동 말대꾸하다. 반박하다. 말을 되받다. 책망하다. 타박하다. ¶不但不服软认错, 而且用话～他; 잘못을 다소곳이 인정하지 않을뿐더러 그에게 반박했다 / 吃～; 상대방에게서 역습을 당하다 / 我好心劝你, 你倒～我; 나는 호의로 충고하고 있는데, 너는 오히려 내게 덤빈다.
〔抢班〕 qiǎng.bān 동 인계할 차례를 기다리지 않고 먼저 차지하다. ¶～夺权; 권력을 탈취하다.
〔抢背〕 qiǎngbèi 명 《劇》 중국 전통극의 난투극 장면에서 공중제비의 일종.
〔抢步〕 qiǎngbù 동 급히 앞으로 나가다. 걸음을 빨리 하다.
〔抢词夺理〕 qiǎng cí duó lǐ 〈成〉 ⇨〔强qiǎng词夺理〕
〔抢答〕 qiǎngdá 동 (문제에) 앞다투어 대답하다. ¶～比赛; (퀴즈에) 먼저 답하기 대회.
〔抢盗〕 qiǎngdào 명 노상(路上) 강도.
〔抢地〕 qiǎngdì 동 머리를 땅에 비비다. ¶～呼天; 〈成〉 머리를 땅에 부딪고 하늘에 고함치다《비탄에 잠긴 모양》. 注 이 경우 qiāng으로도 읽음.
〔抢点〕 qiǎngdiǎn 동 (스케줄에 맞추기 위하여) 시간을 때우다.
〔抢掉〕 qiǎngdiào 동 문질러 떼다. 스쳐서 껍질이 벗겨지다. ¶～了一块皮; 살갗이 벗겨졌다.
〔抢渡〕 qiǎngdù 동 《軍》 위험을 무릅쓰고 도하(渡河)를 하다.
〔抢夺〕 qiǎngduó 동 강탈하다. ¶～市场; 시장을 빼앗다.
〔抢犯〕 qiǎngfàn 명 약탈 범인.
〔抢匪〕 qiǎngfěi 명 강도. 비적. =〔老lǎo抢儿〕
〔抢分〕 qiǎngfēn ①서로 다투어 나누다. ②(qiǎng.fēn) 동 다투어 점수를 따다. ¶～触击; (야구의) 스퀴즈 번트(squeeze bunt).
〔抢风(儿)〕 qiǎngfēng(r) 명 바람이 잘 통하는 곳. ¶搁gē在～的地方吹吹一会就干; 바람이 잘 통하는 곳에 두면 곧 마른다. =〔抢风头〕
〔抢干〕 qiǎnggàn 동 ①몹시 서둘러〔급하게〕 하다. ¶～农nóng活; 농사를 몹시 서둘러 하다. ②응급적으로 하다.
〔抢割〕 qiǎnggē 동 서둘러 거둬〔베어〕들이다. ¶台风的消息一传, 农人们就～禾hé稻了; 태풍 소식이 전해지자, 농민들은 벼를 서둘러 베어들였다.
〔抢耕〕 qiǎnggēng 동 서둘러 갈다.
〔抢工〕 qiǎng.gōng 동 공사를 서둘러서 하다. ¶通宵xiāo～; 철야를 하며 공사를 서두르다.
〔抢购〕 qiǎnggòu 동 마구 사들이다. 다투어 사다. ¶～石油; 여기저기 돌아다니며 석유를 구해서 사다 / ～潮; 매점(買占) 소동. =〔扯chě购〕〔争买〕〔〈廣〉炒买〕
〔抢光〕 qiǎngguāng 동 깨끗이 빼앗다. 몽땅 빼앗다. ¶家里的东西都～了; 집에 있는 것을 몽땅 빼앗겼다.
〔抢跪〕 qiǎngguì 명 옛날의 절하는 방식의 하나

《왼쪽 무릎을 약간 꺾으면서 동시에 오른쪽 발을 뒤로 당겨 깊게 구부림》.
〔抢过去〕 qiǎngguòqù 앞지르다. 추월하다. ¶前面这辆liàng走得太慢, 咱们先～吧; 앞차가 몹시 느리게 달리고 있으니까 우리가 먼저 추월하면 된다.
〔抢行〕 qiǎngháng 동 남을 밀어 내고 그 지위나 차례를 차지하다. ¶～购买; 남을 밀어 내고 사다/～佔有; 사람을 밀어 내고 혼자 독차지하다.
〔抢红〕 qiǎnghóng 명 주사위 노름의 일종. 동 붉은 점을 많이 따서 이기다.
〔抢婚〕 qiǎnghūn 명동 약탈 결혼(하다).
〔抢火〕 qiǎnghuǒ 명동 ⇨〔抢火场〕
〔抢火场〕 qiǎnghuǒchǎng 명동 화재 현장에서의 도둑질(을 하다). 동 불이 났을 때 살림살이 등을 들고 나오다. ‖=〔抢火〕
〔抢劫〕 qiǎngjié 동 강탈하다. 탈취하다. ¶～案 = 〔抢案〕; 강도 사건/～罪; 강도죄. =〔抢掠〕
〔抢进去〕 qiǎngjìnqu 돌진하다. 뛰어들어가다.
〔抢镜头〕 qiǎng jìngtou 인기를 한몸에 모으다. 여러 카메라의 세례를 받다. ¶他果然是逸yì材, 在这部电影中尤其抢尽镜头; 그는 과연 훌륭한 인물이다. 이 영화에는 특히 인기를 한몸에 모았다.
〔抢救〕 qiǎngjiù 동 응급 구조를 하다. 응급 조치를 취하다. ¶～危险的堤防; 위험한 제방을 응급 조처하다/那艘sōu船立时开赴现场进行～; 그 배는 곧 현장으로 가서 긴급 구조 작업에 종사했다.
〔抢快〕 qiǎngkuài 동 일을 빨리 하다. 일을 빠르게 추진하다. 명 주사위 놀이의 하나. ¶在外面炕kàng上～; 위에서 주사위 놀이를 하고 있었다.
〔抢困难让方便〕 qiǎng kùnnan, ràng fāngbiàn 〈諺〉 어려운 일에는 남보다 앞장 서고 수월한 일은 남에게 양보한다.
〔抢冷海〕 qiǎng lěnghǎi 겨울철에 고기잡이를 하다.
〔抢脸〕 qiǎng.liǎn 동 ①얼굴을 깨다. ¶栽zāi跟头～; 넘어져서 얼굴이 까지다. ②창피를 당하다. 체면을 손상하다. ¶事情办的一点也不好, 真是～; 조금도 잘 하고 있지 않으니, 정말 창피하다/他说的话抢了我的脸了; 그가 그런 말을 했으므로, 내 체면은 엉망이 되어 버렸다.
〔抢路〕 qiǎnglù 동 다투어 길을 서두르다.
〔抢掠〕 qiǎnglüè 동 약탈하다. =〔暴bào掠〕
〔抢帽子〕 qiǎngmàozi 명 ①모자 도둑. =〔〈南方〉抛pāo顶官〕 ②주가(株價)가 올랐을 때 서둘러 삼.
〔抢能斗胜〕 qiǎng néng dòu shèng 〈成〉 오기로 하다. 능력을 겨루다. 자신의 장점을 과시하려 들다. ¶人不要太～; 사람은 너무 자기의 장점을 과시하려 해선 안 된다.
〔抢破〕 qiǎngpò 동 스쳐서 껍질이 벗겨지다. ¶他在大街上摔shuāi倒, 把脸给～了; 그는 길거리에서 넘어져서 얼굴이 까졌다.
〔抢前〕 qiǎngqián 동 ①앞당기기 위해 서두르다. ¶工期～了二十多天; 공사 기간이 20여 일이나 앞당겨졌다. ②급히 앞으로 나가다. 재빨리 앞으로 나가다. ¶他～一步, 一把抓住雪花; 그는 재빨리 한 걸음 앞으로 나가더니 설화(雪花)를 붙잡았다.
〔抢钱〕 qiǎng qián 금전을 우려먹다. 돈을 갈취하다. ¶他们本只忠于自己一为升官、为～而发动战争《老舍 四世同堂》; 그들은 본디 자기 자신에 충실할 뿐, 출세나 금전을 등쳐먹기 위해 전쟁을 일으킨다.
〔抢亲〕 qiǎng.qīn 동 토비(土匪)와 두목 등이 부녀를 강탈하여 아내로 삼다《약탈 결혼》.
〔抢球〕 qiǎngqiú 《體》 동 (구기(球技)에서) 공을 서로 빼앗다. 명 (농구의) 헬드볼(held ball).
〔抢去〕 qiǎngqù 동 빼앗아 가다. 강탈하다.
〔抢攘〕 qiǎngrǎng 형 혼란하다. 질서가 없다. ¶早上的菜市, ～得厉害; 아침 시장은 혼란스럽기 짝이 없다/兵火～中; 전화(戰火)의 혼란 중.
〔抢墒〕 qiǎngshāng 동 땅이 눅눅할 때 급히 서둘러 갈아 엎어 씨를 뿌리다〔뿌리는 일〕.
〔抢上〕 qiǎngshàng 동 빠른 걸음으로 나아가다. 서둘러 나아가다. ¶～一步; 급히 한 발짝 앞으로 나가다.
〔抢上风(儿)〕 qiǎng shàngfēng(r) 다투어 유리한 지위를 차지하다.
〔抢上风头〕 qiǎng shàng fēng tóu 〈成〉 다투어 선두에 서다. 다투어 유리한 지위를 차지하다.
〔抢时间〕 qiǎng shíjiān 시간을 서두르다. 시간이 걸리지 않도록 노력하다. ¶不～来不及啊; 서두르지 않으면 시간에 닿지 못한다.
〔抢食毛〕 qiǎngshímáo 명 입가의 사마귀에 난 털《이것이 나면 먹는 데에 걱정이 없다는 미신이 있음》.
〔抢收〕 qiǎngshōu 동 서둘러 수확하다. ¶～抢种; 그루갈이를 할 시기를 놓치지 않고 파종하기 위해 앞갈이 작물을 서둘러 수확하다.
〔抢手货〕 qiǎngshouhuò 명 인기 상품. 〈轉〉 인기 있는 사람. 잘 나가는 사람.
〔抢头〕 qiǎngtóu 동 ⇨〔抢先(儿)〕
〔抢学〕 qiǎngxué 동 앞을 다투어 학습하다.
〔抢先(儿)〕 qiǎng.xiān(r) 동 ①앞을 다투다. ¶什么事他都要～; 무슨 일이든지 그는 앞서려고 한다. ②선수(先手)를 쓰다. ¶又让他抢了先; 또 그에게 선수를 빼앗겼다. ③먼저 손을 대다. ‖= 〔抢头〕
〔抢险〕 qiǎngxiǎn 동 ①위험한 곳에서 긴급 구조하다. ¶～救人; 위험을 무릅쓰고 사람을 구조하다/～队duì; 응급 구조대. ②(제방·도로의 붕괴나 그 위험성이 있을 때) 응급 조치를 취하다.
〔抢修〕 qiǎngxiū 동 ①응급 치수(治水) 공사를 하다. 응급 수리를 하다. ¶～险工; 위험한 곳의 공사를 서둘러 하다/隧suì道漏水已～; 터널의 누수는 응급 처리를 하였다. ②서둘러 건설하다. ¶政府～铁路; 정부는 철도를 서둘러 건설한다.
〔抢眼〕 qiǎngyǎn 동 황홀케 하다. 아름다움에 눈이 홀리다. ¶打扮出来, 真～; 꾸미고 나오니 정말로 눈을 홀린다.
〔抢运〕 qiǎngyùn 동 《軍》 긴급 상태하에서 손실의 위험이 있는 물자를 서둘러 안전한 곳으로 이동시키다.
〔抢占〕 qiǎngzhàn 동 ①탈취 점거하다. ¶～了据点; 거점을 탈취했다. ②불법 점유하다. ¶～公房; 공공 건물을 불법 점유하다.
〔抢种〕 qiǎngzhòng 동 때를 놓치지 않고 서둘러 파종하다. 서둘러 심다. ¶～晚稻; 서둘러 늦벼의 모내기를 하다.
〔抢走〕 qiǎngzǒu 동 탈취해 가다. ¶是不是怕别人～她的小宝贝呀? 그녀의 보물을 다른 사람이 탈취해 갈까 봐 겁내고 있는 거냐?
〔抢嘴〕 qiǎngzuǐ 동 ①남의 말을 가로채다. ②앞을 다투어 먹다. ¶赶走这只～的鸡! 이 걸신들린 닭을 쫓아 버려라! ③〈方〉 앞을 다투어 발언하다. ¶按次序发言, 谁也别～! 순서대로 발언을 해야지 어느 누구도 앞을 다투어 발언해서는 안 된다!
〔抢嘴夺舌〕 qiǎng zuǐ duó shé 〈成〉 남의 말을 가로막고 자기 멋대로 지껄이다.

羟(羥) **qiǎng** (경) 명 《化》 수산기(水酸基)의 별칭. →〔氢qīng氧基〕

〔羟基〕 **qiǎngjī** 명 ⇨〔氢qīng氧基〕

〔羟基氨〕 **qiǎngjī'ān** 명 《化》 히드록실아민(hydroxylamine). =〔胲hǎi〕

〔羟甲吡啶二甲醇〕 **qiǎngjiǎ bǐdìng èrjiǎchún** 명 ⇨〔盐yán酸吡哆醇〕

强〈強, 彊〉 **qiǎng** (강) 동 무리(無理)하게 하다. 강제하다. 억지로 하다. ¶不能～人所难; 어려운 일을 남에게 강요해서는 안 된다 / ～辩; ⇩ ⇒jiàng qiáng

〔强办〕 **qiǎngbàn** 동 강행하다. 무리하게 결말짓다.

〔强逼〕 **qiǎngbī** 동 강요하다. 강제하다. 무리하게 강요하다. =〔强迫〕

〔强辩〕 **qiǎngbiàn** 동 억지를 쓰다. 고집부리다. ¶这也不过是～; 이것도 억지에 불과하다. ⇒qiángbiàn

〔强不过〕 **qiǎngbuguò** 억지로 할 수 없다. 무리가 통하지 않는다. ⇒qiángbuguò

〔强不知以为知〕 **qiǎng bù zhī yǐ wéi zhī** 〈成〉 모르면서 억지로 아는 체하다.

〔强词〕 **qiǎngcí** 명 억지말. ¶他还～夺理不承认失败; 그는 계속 억지를 쓰며 실패를 인정하려고 안 한다.

〔强词夺理〕 **qiǎng cí duó lǐ** 〈成〉 사리에 맞지 않는 말을 하여 억지를 쓰다. 강변하다. 억지로 갖다 붙이다. ¶你怎么这么～呢; 너는 어째서 이렇게 억지를 쓰지. =〔抢词夺理〕

〔强饭〕 **qiǎngfàn** 동 억지로 식사를 하다. ¶病了好些日子胃口不开, ～而已; 오랫동안 앓아서 식욕이 없어, 억지로 먹고 있을 뿐이다.

〔强聒不舍〕 **qiǎng guō bù shě** 〈成〉 장황하게 이야기하다.

〔强记〕 **qiǎngjì** 동 억지로 외우다〔기억하다〕. ¶～的东西是不牢靠的; 억지로 외운 것은 오래가지 못한다. ⇒qiángjì

〔强降〕 **qiǎngjiàng** 동 강제 착륙시키다.

〔强扣〕 **qiǎngkòu** 동 강제 구류하다. ¶他们违反停战协定的规定, ～战俘四千多人; 그들은 정전 협정의 규정을 위반하여, 포로 4천여 명을 강제 구류했다.

〔强拉硬拽〕 **qiǎng lā yìng zhuài** 〈成〉 무리하게 잡아당기다. 억지를 쓰다.

〔强令〕 **qiǎnglìng** 동 무리하게 …시키다. ¶～他退出国外; 그를 강제로 국외로 퇴거시켰다.

〔强留〕 **qiǎngliú** 동 억지로 머무르게 하다. ¶您既有事, 我也不能～您; 당신이 볼일이 있다면 나도 억지로 만류할 수는 없습니다.

〔强买〕 **qiǎngmǎi** 동 강매하다. 억지로 사다. ¶～强卖; 억지로 사거나 팔다.

〔强拿〕 **qiǎngná** 동 억지로 가져가다. ¶～不算偷tōu; 잘 아는 친구 사이에서는 억지로 가져가는 것은 훔친 것이 되지 않는다.

〔强扭〕 **qiǎngniǔ** 동 억지로 밀어 붙이다. 억지로 누르다.

〔强努儿〕 **qiǎngnǔr** 동 애써 노력하다. 무리하게 애쓰다. ¶别～啊, 怎么也办不了呢; 억지로 하지 마라. 아무리 해 봐야 되지 않는다 / 假如你办不了, 不要～来; 만약에 해내지 못하겠거든 무리해서 할 필요는 없다.

〔强派〕 **qiǎngpài** 동 ①강제로 시키다. ¶～工作; 일을 강제로 시키다 / ～他们担任这个职务; 그들로 하여금 무리하게 이 질문을 담당케 한다. ②무리하게 할당하다. ¶～公债; 공채를 무리하게 할당하다 / ～报纸; 신문을 강매(强賣)하다. ③무리하게 파견하다.

〔强迫〕 **qiǎngpò** 동 강박하다. 강요하다. ¶个人意见不要～别人接受! 개인의 의견을 남에게 강요하면 안 된다! / ～坦白; 자백을 강요하다 / ～命令; 강제적인 명령. =〔强逼〕

〔强求〕 **qiǎngqiú** 동 무리하게 요구(要求)하다. ¶写文章可以有各种风格, 不必～一律; 글을 쓰는 데는 여러 가지 풍격이 있으므로 억지로 획일화할 필요는 없다.

〔强人所难〕 **qiǎng rén suǒ nán** 〈成〉 어려운 일을 남에게 강요하다. ¶他不会唱戏, 你偏要他唱, 这不是～吗? 그가 연극을 못 하는데도, 네가 꼭 그를 시키려 하는 것은 어려운 일을 강요하는 것이 아니니?

〔强忍久耐〕 **qiǎngrěn jiǔnài** 애써 참다. 은인 자중하다.

〔强赊逼讨〕 **qiǎngshē bītǎo** 억지로 외상으로 팔거나 빌려 준 돈을 강압적으로 거둬들이거나 하는 일.

〔强使〕 **qiǎngshǐ** 동 강제하다. 강요하다. ¶～服从; 억지로 복종시키다.

〔强死赖活〕 **qiǎng sǐ lài huó** 〈成〉 강경하게 밀어 붙이다.

〔强文假醋〕 **qiǎng wén jiǎ cù** 〈成〉 학문이 있다는 것을 과시하다.

〔强笑〕 **qiǎngxiào** 동 억지로 웃다. 억지웃음을 짓다.

〔强压着头〕 **qiǎngyāzhe tóu** 무리하게 머리를 누르다. ¶小孩子不愿意吃药, ～让他吃; 아이가 약을 먹으려고 하지 않아서, 억지로 머리를 누르고 먹게 하였다.

〔强颜〕 **qiǎngyán** 동 억지로 웃음을 띠다. ¶～欢笑; 〈成〉 억지로 즐거운 듯이 웃다. ⇒jiàngyán

〔强颜为笑〕 **qiǎng yán wéi xiào** 〈成〉 억지로 웃음을 띠다.

〔强要〕 **qiǎngyào** 무리하게〔억지로〕 …하려고 하다. ¶～用功; 억지로 공부하려 하다 / ～做; 억지로 하려고 하다.

〔强扎挣着〕 **qiǎng zházhēngzhe** 억지로 참다. 꾹 참다. ¶他虽然病了, 可是还～做事; 그는 병을 앓고 있는데도 여전히 억지로 참고 일을 하고 있다.

〔强自〕 **qiǎngzì** 부 억지로. 무리하게. ¶～振作; 억지로 기운을 내다.

〔强作〕 **qiǎngzuò** 동 무리하게 꾸미다. 억지로 …인 체하다. ¶～笑脸; 억지로 웃음을 짓다. =〔强做〕

〔强作解人〕 **qiǎng zuò jiě rén** 〈成〉 억지로 아는 체하다. 모르면서 아는 체하다.

褓〈繈〉 **qiǎng** (강) 명 〈文〉 갓난아기를 업는 포대기.

〔褓褓〕 **qiǎngbǎo** 명 아기를 덮어 주는 포대기와 띠. ¶在～中; 아직 젖먹이다 / 把他从～中抚育成人; 그를 젖먹이에서 성인으로 키웠다.

〔褓负〕 **qiǎngfù** 동 〈文〉 포대기로 아이를 업다. ¶～其子而至矣; 그 아이를 업고 왔도다.

镪(鏹) **qiǎng** (강) 명 돈꿴으로 둥글게 꿴 돈. ⇒qiāng

呛(嗆) qiàng (창) 동 연기로 코나 목구멍이 자극 받아 매워지다. 코를 찌르다. (향신료 등이) 톡 쏘다. ¶烟~嗓子; 담배 연기로 목구멍이 매캐해지다/辣là椒味~得难过; 고추의 매운 내가 코를 찔러 고통스럽다/~得他真咳ké嗽; 연기로 숨이 막혀서 그는 줄곧 기침을 한다/~得慌; 숨이 콱콱 막히다/烧shāo辣椒的味儿顶~鼻子; 고추를 볶는 냄새는 몹시 코를 자극한다/~得出不来气儿; 숨이 막히어 숨을 쉴 수 없다. ⇒qiāng

〔呛面馒头〕 qiàngmiàn mántou 명 '馒头'의 일종으로, 발효시킨 뒤 다시 밀가루를 더 반죽하여 찐 질이 단단한 것.

〔呛人〕 qiàng.rén 동 (연기로) 매워지다. 숨이 막히다. ¶像辣椒粉那样~, 刺眼; 고춧가루처럼 코를 콕 찌르고 눈을 자극하다. ⇒qiāng.rén

〔呛实〕 qiàngshi 형 〈俗〉 튼튼하다. ¶看这麦子长zhǎng得~劲儿; 이 튼튼하게 자란 보리 좀 보아라.

炝(熗) qiàng (창) 동 ①데쳐서 무치다《야채·조개류(類)·새우 등을 뜨거운 물에 살짝 데친 다음 간장·식초·참기름·생강을 채친 것을 넣고 무치는 요리법》. ¶~芹菜; 미나리를 데쳐서 무치다. ②고기와 야채 따위를 기름에 살짝 볶은 다음 양념과 물을 넣고 끓이다. ¶~锅肉丝面; 채친 고기를 넣고 끓인 국수.

戗(戧) qiàng (창) ①동 〈方〉 받치다. 버팀목을 대다. ¶用一根棍子~上门; 통나무로 문을 버티다. ②동 참다. 견디다. 〈轉〉 심하다. ¶这个天气够它~的; 이 날씨는 더워서[추워서] 견딜 수 없다/我这样低的能力, 做这个工作真够~; 나의 이렇게 처지는 능력으로 이 일을 하는 것은 정말 벅차다/忙得够~; 몹시 바쁘다. ③명 지주(支柱). 버팀목. ④명 기구(器具) 따위에 도금(鍍金)하는 세공법(細工法)의 하나. ¶~金; ⇩ ⇒qiāng

〔戗棍儿〕 qiànggùnr 명 버팀목. 지주.
〔戗金〕 qiàngjīn 명동 금도금(하다).
〔戗面〕 qiàngmiàn 명 밀가루를 더운 물에 풀어 발효시킨 것.
〔戗木〕 qiàngmù 명 ⇨〔戗柱〕
〔戗银〕 qiàngyín 명동 은도금(하다).
〔戗柱〕 qiàngzhù 명 버팀목. =〔支柱〕〔戗木〕

跄(蹌) qiàng (창) →〔跄踉〕 ⇒qiāng

〔跄踉〕 qiàngliàng 동 〈文〉 비틀거리며 걷다. =〔蹡踉qiàngliàng〕〔踉跄〕

蹡(蹡) qiàng (창) →〔蹡踉〕 ⇒qiāng

〔蹡踉〕 qiàngliàng 동 ⇨〔跄qiàng踉〕

QIAO ㄑㄧㄠ

𫄨(繑) qiāo (교) ①동 ⇨〔缲qiāo〕 ②명 〈文〉 바지끈.

跻(蹻) qiāo (교) ⇨〔跷qiāo〕 ⇒'屩' juē

悄 qiāo (초) 형 조용하다. 소리가 낮다. ¶部队~~地出动; 부대가 조용히 출동하다. ⇒qiǎo

〔悄悄〕 qiāoqiāo 형 조용하다. 은밀하다. 소리가 낮다. ¶~儿地; 살짝/我生怕惊醒了他, ~儿地走了出去; 나는 그를 깨우지 않으려고 발소리를 죽이고 살짝 나갔다.

〔悄手悄脚〕 qiāo shǒu qiāo jiǎo 〈成〉 소리를 내지 않고 살짝 하는 모양. 발소리를 내지 않고 살그머니 걷는 모양. ¶他~地走到了门口; 그는 살금살금 입구까지 왔다.

硗(磽〈墝〉) qiāo (교) 형 땅이 척박하다. ¶地有肥~; 땅에는 비옥한 곳과 척박한 곳이 있다. ↔〔肥féi⑤〕

〔硗薄〕 qiāobó 형 ⇨〔硗瘠〕
〔硗瘠〕 qiāojí 형 〈文〉 땅이 척박하다. =〔硗薄〕
〔硗确〕 qiāoquè 형 〈文〉 토지가 메마르다.

趬(趬) qiāo (교) 형 〈文〉 발걸음이 가벼운 모양. ¶轻qīng~; 민첩하고 재빠르다.

跷(蹺) qiāo (교) ①동 발을 들다. ¶把腿~起来; 한쪽 발을 들다/~着腿坐; 책상다리하고 앉다. ②동 손가락을 세우다. ¶~起大拇指称chēng赞; 엄지손가락을 세우고 칭찬하다. ③동 발돋움하다. ¶~着脚走路; 발끝으로 걷다. ④→〔高gāo跷〕 ⑤→〔跷蹊〕 ⑥명 중국 전통극에서, 배우가 전족(纏足)한 여자로 분장할 때 발에 끼는 도구. ‖ =〔跻qiāo〕

〔跷工(儿)〕 qiāogong(r) 명 《劇》 중국 전통극에서, 특수한 굽 높은 신을 신고 연기하는 기술.
〔跷脚〕 qiāo.jiǎo 동 발끝으로 서다. 발돋움하다.
〔跷捷〕 qiāojié 형 몸이 가볍고 민첩하다. 「하다.
〔跷面孔〕 qiāo miànkǒng 〈南方〉 못마땅한 얼굴을
〔跷敧〕 qiāoqī 명형 ⇨〔跷蹊〕
〔跷蹊〕 qiāoqi 형 기괴하다. 불가사의하다. ¶这事情很~; 이 일은 매우 기괴하다. 명 까닭. 사정. 이해가 안 가는 일. ¶有~; 까닭이 있다/这人从来不和我吃酒, 今日这杯酒必有~; 이 사람은 여지껏 나와 술마신 적이 없는데, 여기에는 필시 다소의 사연이 있다. ‖ =〔跷敧〕
〔跷跷板〕 qiāoqiāobǎn 명 시소(seesaw)《놀이 기구》. =〔翘qiào翘板〕〔压yā板儿〕
〔跷腿〕 qiāo.tuǐ 동 두 발을 꼬다. =〔抬腿〕

雀 qiāo (작) →〔雀子〕 ⇒qiǎo què

〔雀子〕 qiāozi 명 주근깨. =〔雀què斑〕

劁 qiāo (초) 동 불까다. 가축을 거세하다. ¶~羊yáng; ⓐ양을 거세하다. ⓑ불깐 양.

敲 qiāo (고) ①동 치다. 두드리다. ¶~锣 =〔打dǎ锣〕; 징을 치다/~门; ⇩/心中~着小鼓; 가슴이 두근두근하다. ②동 〈口〉 속이다. 감언(甘言)으로 남의 재물을 우려먹다. ¶不敢想这个傻大个子是~人的; 이 멍청이가 사람을 속이리라고는 생각지도 못했다/以前有些个买卖~人, 现在好了; 전에는 사람을 속여 돈을 우려내는 장사가 꽤 많았지만, 지금은 없어졌다/~诈; ⇩/~竹杠;

⇩ ③ 동 사리를 연구하다. ¶此事非仔细推~不可; 이 일은 자세히 이치를 연구하지 않으면 안 된다. ④ 명 짧은 채찍.
〔敲梆〕 qiāobāng 동 딱딱이를 치다.
〔敲边〕 qiāobiān 동 ⇨〔缭liáo边儿〕
〔敲边鼓(儿)〕 qiāo biāngǔ(r) 옆에서 부추기다〔맞장구치다〕. ¶这件事你出马, 我给你~; 이 일에 당신이 나선다면 나는 옆에서 돕겠습니다 / 有人~, 他更生气了; 부추기는 사람이 있어, 그는 더욱 격분했다. =〔敲锣luó边儿〕〔打边鼓〕〔敲边儿〕
〔敲边儿〕 qiāobiānr ⇨〔敲边鼓〕
〔敲冰煮茗〕 qiāo bīng zhǔ míng 〈成〉 얼음을 깨고 차(茶)를 끓이다(겨울에 손님을 환대함).
〔敲打〕 qiāodǎ 동 ①두드리다. 징을 치며 북을 두드리다. ¶马路上秧歌队的锣鼓~得很热闹; 거리에서는 '秧歌'대의 징과 북소리가 떠들썩하다. ②〈方〉(말을 해서) 노하게 하다. 남의 기분을 건드리다. ¶冷言冷语~人; 빈정대어 남의 기분을 건드리다 / 我再如此用话一~, 事情更糟了; 내가 한 번 더 이런 식으로 화나게 한다면, 사태는 더욱 꼬이게 된다. ③〈京〉 타이르다. ¶我好容易~来~去, 才把这孩子调理出来; 나는 애써 알아듣게 타일렀으므로, 겨우 이 아이를 훈육할 수 있었다.
〔敲打〕 qiāoda 〈京〉 알아듣게 이야기하다. ¶二流子游手好hào闲惯了, 总得勤~才能改造过来; 농땡이들은 빈둥빈둥 노는 데 익숙해져 있어서, 부지런히 타이르지 않으면 고쳐지지 않는다 / 我好容易~来~去, 才把这孩子调理出来; 나는 애써 알아듣게 타일렀으므로 겨우 이 아이를 훈육할 수 있었다.
〔敲点〕 qiāodiǎn 동 〈文〉 지적하다. 지시하다. ¶想见当时圣shèng人亦须有言语~他; 생각하건데, 당시의 성인도 역시 그를 지적하고 바로잡는 말이 있었던 것일게다.
〔敲定〕 qiāodìng 동 (검토하여) 결론을 내다. 결정하다. ¶~著作权协定问题; 저작권 협정 문제의 결론을 내다.
〔敲更〕 qiāogēng 동 ⇨〔打dǎ更〕
〔敲骨吸髓〕 qiāo gǔ xī suǐ 〈成〉 뼛골까지 빨아먹다. 최후의 피 한 방울까지 짜내다.
〔敲鼓〕 qiāo.gǔ 동 ⇨〔打dǎ鼓①〕
〔敲击乐器〕 qiāojī yuèqì 명 《樂》 타악기. =〔打击乐器〕
〔敲开板壁说亮话〕 qiāokāi bǎnbì shuō liànghuà ⇨〔打dǎ开天窗说亮话〕
〔敲榔头〕 qiāo lángtou 무전기의 키(key)를 두드리다. 발신(發信)하다. ¶听说你~敲得不坏? 너는 키를 잘 두들긴다면서?
〔敲撩〕 qiāoliáo 동 이것저것 모진 말로 사람을 빈정대다. 비꼬다. ¶~骂人; 이것저것 모진 말로 쏘아붙이다. =〔敲着撩着〕
〔敲锣〕 qiāo.luó 동 징을 두드리다. =〔打dǎ锣〕
〔敲锣边儿〕 qiāo luóbiānr ⇨〔敲边鼓〕
〔敲锣打鼓〕 qiāoluó dǎgǔ 징이나 북을 치다. 떠들어 대다. 소란을 피우다. ¶这么点事用不着zháo~地惊动人; 요만한 일로 떠들어 대어 남을 놀라게 할 것은 없다. =〔敲锣击鼓〕
〔敲锣击鼓〕 qiāoluó jīgǔ ⇨〔敲锣打鼓〕
〔敲麻筋儿〕 qiāo májīnr 〈比〉 남의 약점을 이용하다.
〔敲门〕 qiāo mén ①문을 두드리다. 노크하다. ②방문하다. ‖ =〔打dǎ门〕〔拍pāi门〕
〔敲门砖〕 qiāoménzhuān 명 문을 두드리기 위한 벽돌. 〈比〉 출세를 위한 수단. ¶这个年月没有~, 是不用想找好门路; 지금 세상에서는 좋은 연줄이 없이도 좋은 자리를 얻을 수 있다고 생각해서는 안 된다.
〔敲木鱼〕 qiāo mùyú 목어를 두드리다.
〔敲(起)警钟〕 qiāo(qǐ) jǐngzhōng 경종을 울리다. 강렬한 어투로 사람들을 경계하다.
〔敲儿撩儿〕 qiāorliáor 〈京〉 심술궂게 빗대다. 빈정거리다. ¶~骂mà人; 심술궂게 빗대어 사람을 호통치다.
〔敲山震虎〕 qiāo shān zhèn hǔ 〈成〉 ①어떤 행동을 취하여 상대에게 경고하다. ②산을 두드려 범을 놀라게 하다.
〔敲诗〕 qiāoshī 명 ⇨〔诗谜〕
〔敲碎〕 qiāosuì 동 두드려 부수다.
〔敲铜牌子〕 qiāo tóngpáizi 동판을 두드리다(옛날, 베이징(北京)에서는 '磨mó刀的' '磨剪的'(칼을 가는 사람)이 연장을 메고 동판을 두드리며 거리를 돌아다녔음).
〔敲响〕 qiāoxiǎng 동 쳐서 소리 내다. ¶~丧sāng钟; (교회에서) 조종(弔鐘)을 울리다(사망 또는 멸망에 이르다).
〔敲小鼓儿的〕 qiāoxiǎogǔrde 명 ⇨〔打dǎ(小)鼓儿的〕
〔敲诈〕 qiāozhà 동 위협하여 빼앗다. 우려내다. =〔敲竹杠〕
〔敲诈拔螺杆〕 qiāozhàbáluógān 명 《機》 녹핀(knock pin)〔맞춤못〕 뽑는 볼트.
〔敲诈勒索〕 qiāo zhà lè suǒ 〈成〉 트집을 잡아 재물을 갈취하다. ¶~罪; 《法》 공갈죄.
〔敲着撩着〕 qiāo zhe liáo zhe 〈京〉 풍자하다. 빈정거리다. 듣기 거북한 말을 하다. ¶~的话谁也不爱听; 빈정대는 말은 누구든 들어서 유쾌한 일은 아니다 / 现在是有意见当面讲, 不兴那么~的说话了; 지금은 의견이 있으면 직접 말해야지, 빈정대어 말하는 것은 허용되지 않는다.
〔敲钟〕 qiāozhōng 동 종을 울리다.
〔敲竹杠〕 qiāo zhúgàng 감언이설로 남의 재물을 우려먹다. 약점을 이용하여 빼앗다. ¶光天化日之下, 竟敢来敲我的竹杠! 뭇 사람이 보고 있는데, 감히 내 재산을 우려내려고 오다니!

锹(鍬〈鍫〉)
qiāo (초)
명 삽. ¶铁tiě~; 삽(철제로 끝이 뾰족한 것) / 挖一~深; 한 삽 깊이만큼 파다. =〔铁tiě锹〕

幧
qiāo (조)
→〔幧头〕
〔幧头〕 qiāotóu 명 〈文〉 옛날에, 남자가 쓰던 두건(頭巾). =〔帩qiào头〕

缲(繰〈幓〉)
qiāo (소, 조)〈교〉
동 공그르다(실땀이 겉으로 나오지 않게 궤맴). ¶~边儿; 공그르다 / ~一根带子; 공글러서 띠를 만들다. =〔绣①〕 ⇒ '缫' sāo zǎo

橇
qiāo (교)
명 ①옛날에 흙탕길을 갈 때 쓰는 용구. ②썰매. ¶冰bīng~; 빙상 썰매 / 雪xuě~; 눈썰매.

乔(喬)
qiáo (교)
① 형 높다. ¶~木; ⇩ / ~岳yuè; 고산. 높은 산. ② 동 거만피우다. ③ 동 속이다. ④ 동 분장(扮裝)하다. 치장하다. ⑤ 형 못되다. 교활하다(원대(元代)·명대(明代)

의 소설 또는 희곡 등에 흔히 쓰임). ¶不晓事的～男女; 분수 없는 것들. ⑥ 명 성(姓)의 하나.
〔乔才〕 qiáocái 명 〈古白〉 ①교활한 놈. ¶无廉耻的～; 염치 없는 교활한 자식. ②교활함. 간지(奸智). ¶惯弄～; 간교한 지혜를 부리는 것이 버릇이 되다.
〔乔桀〕 qiáojié 명형 〈文〉 걸출(傑出)(하다). 우수(하다).
〔乔林〕 qiáolín 명 교림. 교목이 우거진 숲.
〔乔麦〕 qiáomài 명 ⇨〔荞麦〕
〔乔模乔样(儿)〕 qiáomú qiáoyàng(r) ⇨〔假jiǎ模假样(儿)〕
〔乔木〕 qiáomù 명 《植》 교목. 고목(高木). ↔〔灌guàn木〕
〔乔其纱〕 qiáoqíshā 명 《紡》 조젯(georgette). =〔乔其〕〔透tòu明绉纱〕
〔乔迁〕 qiáoqiān 동 〈敬〉 ①남이 좋은 곳으로 이사(移徙)하다. ¶～之喜; 이사하신 경사(慶事)(이사 축하의 선물 포장지 등에 씀) / 听说您要～了; 이사를 가신다지요. ②(남이) 승진하다. ‖ =〔迁乔〕
〔乔迁酒〕 qiáoqiānjiǔ 명 이사(移徙)를 축하하는 술.
〔乔扦〕 qiáoqiān 명 볏단 따위를 걸어서 말리게 된 삼각(三脚)틀.
〔乔文假醋〕 qiáo wén jiǎ cù 〈成〉 문인(文人)인 체하다. 학문이 있는 척하다. ¶～, 诗云子曰, 不知他读书也不曾; 아는 체하고, 시경(詩經)을 들먹이고 공자왈하지만, 저 친구 학문을 한 적이 있는지 모르겠다.
〔乔志〕 qiáozhì 명 〈文〉 뜻이 고원함. 원대한 뜻.
〔乔治〕 qiáozhì 명 〈音〉 조지(george). =〔佐zuǒ治〕
〔乔治敦〕 Qiáozhìdūn 명 《地》 〈音〉 조지타운(Georgetown)(「圭Guī亚那」(가이아나: Guyana)의 수도).
〔乔装〕 qiáozhuāng 동 가장하다. 변장하다. 명 치장. 변장. =〔乔妆〕
〔乔妆打扮〕 qiáo zhuāng dǎ bàn 〈成〉 본심을 숨기고 남을 속이다. =〔乔妆改扮〕
〔乔作衙〕 qiáozuòyá 동 〈古白〉 잘난 체하다. ¶不是俺ǎn一家儿～; 내가 잘난 체하고 있는 것은 아니다.

侨(僑) qiáo (교)

① 동 해외(海外) 또는 타관에 거류(居留)하다. ¶～居于韩国的中国人; 한국에 거주하는 중국인. ② 명 교민. 해외 거주자. ¶华～; 해외 거주 중국인 / 韩～; 한국인의 해외 거주자 / 外～; 재류 외국인. ③ 명 성(姓)의 하나.
〔侨胞〕 qiáobāo 명 해외 동포.
〔侨工〕 qiáogōng 명 해외에 벌이 나간 노동자. 해외 취업 노동자.
〔侨汇〕 qiáohuì 명 해외 화교의 국내 송금(送金). ¶～券quàn; 송금으로 특정한 일용품을 살 때의 우대 구매권.
〔侨居〕 qiáojū 동 거류하다. 타향에 거주하다. =〔侨寓〕
〔侨眷〕 qiáojuàn 명 재외 화교(華僑)의 국내에 있는 가족.
〔侨军〕 qiáojūn 명 ⇨〔客kè兵〕
〔侨民〕 qiáomín 명 ①해외 이주자. ②재외 거주의 본국인.
〔侨人〕 qiáorén 명 타향에 기우(寄寓)하는사람.
〔侨商〕 qiáoshāng 명 거류하고 있는 외국 상인.
〔侨生〕 qiáoshēng 명 재외 중국인과 그 나라 사람과의 사이에 태어난 혼혈아.
〔侨务〕 qiáowù 명 해외 거류민 관계의 사무. ¶～局jú; 거류민 사무국 / ～委wěi员会; 거류민 사무위원회.
〔侨寓〕 qiáoyù 동 ⇨〔侨居〕 명 임시 거처.
〔侨置〕 qiáozhì 동 지명을 옮기다(육조(六朝) 시대의 흥망 성쇠가 무상했던 시절, 한 도읍이 적에게 빼앗긴 경우에, 그 도읍을 아직 수중에 있는 다른 도읍의 이름으로 바꾸는 일. 이렇게 하여 표면적으로는 촌토도 적의 수중에 빠지지 않은 것처럼 가장하였음).
〔侨众大会〕 qiáozhòng dàhuì 명 거류민 대회.

荞(蕎) qiáo (교)

명 《植》 메밀. ¶～麦; ⇩ =〔荍qiáo②〕
〔荞巴〕 qiáobā 명 〈方〉 메밀 가루를 반죽하여 구운 음식.
〔荞葱〕 qiáocōng 명 《植》 염교.
〔荞麦〕 qiáomai 명 《植》 메밀. =〔乔麦〕〔花huā麦〕
〔荞麦皮里挤油〕 qiáomaipílǐ jǐyóu 〈比〉 백성을 착취하다.
〔荞面条〕 qiáomiàntiáo 명 메밀 국수.
〔荞头〕 qiáotóu 명 《植》 염교의 별칭.

峤(嶠) qiáo (교)

형 산이 뾰족하고 높다. ⇒jiào
〔峤屿〕 qiáoyǔ 명 바닷속의 작은 섬. =〔海峤〕

桥(橋) qiáo (교)

① 명 다리. 교량. ¶木～; 나무 다리 / 铁～; 철교 / 独dú木～; 외나무다리 / 浮fú～; 부교. 배다리 / 拱gǒng～; 아치 다리 / 搭dā～; 다리를 놓다. ② 명 《體》 (조립〔덤블링〕 체조의) 브리지. ③ 명 성(姓)의 하나. ④ 동 습기가 차서 판판한 바닥이 틀어지다. ¶桌子～了; 테이블 위가 뒤틀렸다.
〔桥边〕 qiáobiān 명 교변(橋邊). 다릿가. =〔桥津〕
〔桥翅(儿)〕 qiáochì(r) 명 다리 양끝의 폭이 넓은 부분의 양쪽 난간.
〔桥顶〕 qiáodǐng 명 다리의 가장 높은 부분.
〔桥洞(儿)〕 qiáodòng(r) 명 《建》 교각 사이를 아치형으로 만든 터널식 공동(空洞). =〔桥空kòng〕〔桥眼〕
〔桥墩〕 qiáodūn 명 다리의 지주(支柱). 교각(橋脚). ¶铁路大拱桥二号～已经完工; 철도의 대(大)아치 다리 2호 교각은 이미 공사를 끝냈다.
〔桥根(儿)〕 qiáogēn(r) 명 교각대(橋脚臺).
〔桥工绞刀〕 qiáogōng jiǎodāo 명 《機》 보일러·교량·조선(造船) 등의 대갈못 구멍을 뚫는 리머(reamer). =〔铆mǎo钉孔绞刀〕
〔桥拱〕 qiáogǒng 명 교각의 아치형(型) 부분.
〔桥涵〕 qiáohán 명 교가(橋架) 밑에 설치한 배수구(排水溝).
〔桥基〕 qiáojī 명 교각(橋脚).
〔桥架〕 qiáojià 명 《建》 다리의 도리.
〔桥脚〕 qiáojiǎo 명 교각.
〔桥津〕 qiáojīn 명 ⇨〔桥边〕
〔桥孔〕 qiáokǒng 명 교각(橋脚) 사이의 공동(空洞). =〔桥眼〕〔桥洞(儿)〕
〔桥空〕 qiáokòng 명 ⇨〔桥洞(儿)〕
〔桥口〕 qiáokǒu 명 다릿가. 다릿목.
〔桥栏〕 qiáolán 명 다리의 난간.
〔桥梁〕 qiáoliáng 명 다리. 교량. 〈比〉 중개. 매

개. ¶～工作; 중간에 서서 연락하는 일.
〔桥面(儿)〕 qiáomiàn(r) 명 교면. 다리 위〔바닥〕.
〔桥脑〕 qiáonǎo 명 ⇨〔脑桥〕
〔桥牌〕 qiáopái 명 카드놀이의 브리지(bridge). ¶打～; 브리지놀이를 하다.
〔桥畔〕 qiáopàn 명 ⇨〔桥堍〕
〔桥身〕 qiáoshēn 명 다리의 몸체〔본체〕.
〔桥石〕 qiáoshí 명 돌다리의 도리.
〔桥式吊车〕 qiáoshì diàochē 명 ⇨〔桥式起重机〕
〔桥式起重机〕 qiáoshì qǐzhòngjī 명 다리형 기중기. 천장 기중기. =〔桥式吊车〕
〔桥是桥路是路〕 qiáoshiqiáo lùshilù 〈諺〉그것은 그것이고, 이것은 이것이다.
〔桥首〕 qiáoshǒu 명 다릿목.
〔桥台〕 qiáotái 명 《建》 교대. =〔桥砧〕〔桥座〕
〔桥头堡〕 qiáotóubǎo 명 ①《軍》 교두보. ②《建》 교탑(橋塔). ③일을 성사할 때의 거점이 되는 곳. ④《軍》 적 쪽으로 돌출해 있는 전위 거점.
〔桥堍〕 qiáotù 명 다릿가. =〔桥畔〕
〔桥眼〕 qiáoyǎn 명 ⇨〔桥洞(儿)〕
〔桥砧〕 qiáozhēn 명 ⇨〔桥台〕
〔桥桩〕 qiáozhuāng 명 교각.
〔桥座〕 qiáozuò 명 ⇨〔桥台〕

硚(礄)
qiáo (교)
지명용 자(字). ¶～头Qiáotóu; 차오터우(礄頭)《쓰촨 성(四川省)에 있는 현 이름》.

盉(盦)
qiáo (교)
명 옛날의, 공기 비슷한 식기.

鞒(鞽)
qiáo (교)
명 말 안장의 봉우리처럼 높은 부분. ¶前～; 말 안장의 앞턱/后～; 말 안장의 뒤턱.

荍
qiáo (교)
명 ①고서(古書)에서 '锦jǐn葵'(당아욱)을 이르는 말. ②⇨〔荞qiáo〕

翘(翹)
qiáo (교)
① 동 세우다. 치켜들다. ¶猫～着尾巴; 고양이가 꼬리를 세우고 있다/～起小指; 새끼손가락을 세우다《틀렸거나 좋지 않음을 나타냄》/～起大姆指; 엄지 손가락을 세우다《무척 좋다. 굉장하다》. ②동 휘다. 건조하여 만곡(灣曲)되다. ¶木板子晒shài～了; 널이 볕을 쬐어 휘었다. ③명 인재. ¶～材; 인재. 훌륭한 인물. ④동 〈文〉 들다. 발돋움하다. ¶～首四望; 머리를 쳐들고 주위를 보다/～首瞻仰; 머리를 치켜들고 우러러보다/～足而观; 발돋움하고 보다. ⑤명 〈文〉 새의 깃털. 새 꽁지의 긴 것. ¶翠cuì～; 초록색의 새 깃털/凤fèng～; 옛날, 여자 머리의 장식품. ⇒qiào
〔翘鼻麻鸭〕 qiáobímáyā 명 《鳥》 혹부리 오리. =〔翘鼻鸭〕
〔翘才〕 qiáocái 명 훌륭한 인물. 걸물.
〔翘楚〕 qiáochǔ 명 〈文〉〈比〉 걸출한 인재. ¶医中～; 의사 중 우수한 자. =〔翘秀〕
〔翘待〕 qiáodài 동 〈文〉〈翰〉 학수 고대하다. 발돋음하여 기다리다.
〔翘关〕 qiáoguān 명 옛날에, '武wǔ举'(무예에 의한 과거 시험)의 한 과목(科目)으로 힘을 시험하는 방법《현재의 역도에 상당함》.
〔翘脚〕 qiáo jiǎo 발돋음하여 서다.
〔翘棱〕 qiáoleng 동 〈方〉 나무 따위가 휘다. ¶木板子晒shài得都～了; 판자가 햇볕에 쬐어 완전히 휘고 말았다.
〔翘盼〕 qiáopàn 동 ⇨〔翘望〕
〔翘企〕 qiáoqǐ 동 〈文〉〈翰〉 절실(切實)하다. 학수 고대하다. ¶不胜～; 간절히 기다리고 있습니다/久疏清海～良深; 오랫동안 가르침을 받을 기회를 얻지 못하여 뵙기를 간절히 바라고 있습니다.
〔翘翘〕 qiáoqiáo 형 〈文〉 높은 모양. 높이 솟아 있는 모양. 〈轉〉 위태로운 모양.
〔翘首〕 qiáoshǒu 동 학수 고대하다. 목을 길게 빼고 기다리다.
〔翘头〕 qiáotóu 동 머리를 들다. 우러러보다.
〔翘腿搁脚〕 qiáo tuǐ gē jiǎo 〈成〉 (드러누워) 발을 꼬고 있는 모양.
〔翘望〕 qiáowàng 동 〈文〉 고대하다. 간절히 기다리다. 간절히 바라다. ¶无任～之至; 교망해 마지않다. =〔翘盼〕
〔翘秀〕 qiáoxiù 명 ⇨〔翘楚〕
〔翘摇〕 qiáoyáo 명 ①⇨〔紫zǐ云英〕 ②⇨〔小xiǎo巢菜〕
〔翘趾〕 qiáozhǐ 동 〈文〉 발돋움하여 서다. 우러러보다. 앙망하다.
〔翘足〕 qiáozú 동 〈文〉 발돋움하다. ¶～而待; 〈成〉 일이 곧 발생하려하다《시간이 매우 짧음》.

谯(譙)
qiáo (초)
명 ①성문(城門) 위의 망루(望樓). ¶～门; 망루가 있는 성문. ②성(姓)의 하나. ⇒'诮' qiào

憔
qiáo (초)
→〔憔悴〕〔憔虑〕
〔憔悴〕 qiáocuì 형 여위다. 고생하다. (초목이) 시들다. ¶他面容有些～; 그의 얼굴은 좀 초췌하다/～于虐nüè政; 학정에 시달려 초췌해지다/刮了一夜的秋风, 花木都显得～了; 하룻밤 가을 바람으로 꽃과 나무가 모두 눈에 띄게 시들어 버렸다. =〔顦顇〕〔蕉萃〕
〔憔虑〕 qiáolǜ 동 〈文〉 애태우다. 노심초사하다. ¶毁huǐ身～; 뼈를 깎는 괴로움에 시달리다.

蕉
qiáo (초)
형 초췌한 모양. ⇒jiāo
〔蕉萃〕 qiáocuì 형 ⇨〔憔qiáo悴〕

樵
qiáo (초)
① 명 〈方〉 장작. 땔나무. ¶采～; 땔나무를 하다. →〔柴chái①〕〔柴火〕 ② 동 〈文〉 나무를 하다. ¶渔～; 어부와 나무꾼/～歌; 나무꾼의 노래/～夫; ⇩
〔樵夫〕 qiáofū 명 〈文〉 나무꾼. =〔樵户〕
〔樵户〕 qiáohù 명 ⇨〔樵夫〕
〔樵客〕 qiáokè 명 〈文〉 나무꾼.
〔樵苏〕 qiáosū 명 〈文〉 나무베기와 풀베기. 〈比〉 생계.
〔樵隐〕 qiáoyǐn 명 〈文〉 땔나무나 하며 속세를 떠나서 살고 있는 사람.
〔樵子〕 qiáozǐ 명 〈文〉 나무꾼.

瞧〈睄〉
qiáo (초)
동 ①〈口〉 엿보다. 보다. 구경하다. ¶你～! 좀 봐라! 그것 참…. 참말이지!《상대의 주의를 촉구하는 말》/～得起; 존경하다/什么也～不见; 아무것도 보이지 않다/让我～一～; 잠깐 보여 주십시오/够～的; 〈轉〉 어지간히. 상당히/～热rè闹(儿); 구경하다. ②방문(訪問)하다. 면회(面會)하다. ¶～他去; 그를 방문하다/～朋友去; 친구를 찾아가다. ③생각하다. 판단하다. ¶等着～吧! 두고 보자! 멋대로 해 봐라! / 你～着办吧; 네가 판단해서 해라. ④해 보다. 시험해 보다. ¶试试～; 해 보다 / 也只说着～罢了; 그냥 말해 보았을 뿐입니다. ⑤(병을) 진찰하다. 진찰받다. ¶请大夫dàifu～病; 의사를 불러 진찰받다. ⇒'睄' shào

〔瞧扁〕 qiáobiǎn 동 〈京〉 경멸하다. ¶你别把我～了; 날 우습게 보지 마라.

〔瞧病〕 qiáo.bìng 동 ⇨〔看kàn病〕

〔瞧不出来〕 qiáobuchū.lái 구별할 수가 없다. 찾아 내지 못하다. ↔〔瞧得出来〕

〔瞧不得〕 qiáobude ①보아서는 안 된다. ②(…라고) 생각하면 안 된다《뒤에 역접문(逆接文)이 올 때》. ¶～我们这儿不热闹, 乡间也有乡间的味儿; 우리 고장은 그야 번화하지는 않지요. 그러나 시골에는 시골 나름의 운치가 있는 것입니다.

〔瞧不惯〕 qiáobuguàn ⇨〔看kàn不惯〕

〔瞧不过〕 qiáobuguò ⇨〔看kàn不过〕

〔瞧不见〕 qiáobujiàn ⇨〔看kàn不见〕

〔瞧不起〕 qiáobuqǐ ⇨〔看不起〕 ↔〔瞧得起〕

〔瞧不上〕 qiáobushàng ⇨〔看不上〕 ↔〔瞧得上〕

〔瞧出个谱儿来〕 qiáochūge pǔr lái ⇨〔瞧出一个大概(其)〕

〔瞧出一个大概(其)〕 qiáochū yīge dàgài(qí) (일의) 대체를 헤아리다. 일의 줄거리를〔진상을〕 알아채다. ¶你们的眼睛都不成, 我早～了; 너희들 눈은 틀렸어. 난 벌써 대충 짐작했지. =〔瞧出个谱儿来〕

〔瞧大夫〕 qiáo dàifu ⇨〔看kàn大夫〕

〔瞧得过〕 qiáodeguò ⇨〔看kàn得过〕

〔瞧得见〕 qiáodejiàn ⇨〔看kàn得见〕

〔瞧得起〕 qiáodeqǐ ⇨〔看kàn得起〕

〔瞧得上〕 qiáodeshàng ⇨〔看kàn得上〕

〔瞧哈哈笑(儿)〕 qiáo hāhāxiào(r) 남의 곤란이나 재앙을 재미있어하며 방관하다. ¶我遭到这样的事, 你在一边儿～, 你够什么朋友; 내가 이렇게 어려운 처지에 있는데, 너는 옆에서 재미있어하고 있다니, 친구라 할 수 있겠느냐.

〔瞧见〕 qiáo.jian 동 〈俗〉 보이다. ¶他～光荣榜上有自己的名字; 그는 표창판(表彰板)에서 자기의 이름을 보았다 / 瞧得见; 보인다 / 瞧不见; 안 보인다. =〔看见〕

〔瞧科〕 qiáokē 동 〈古白〉 보고 그런 줄 깨닫다〔알아채다〕. ¶唐牛儿是个乖的人, 便～; 당우는 약은 사람이라 곧 알아차렸다.

〔瞧客〕 qiáokè 동 ⇨〔看kàn客〕

〔瞧门〕 qiáo.mén 동 손님이 왔을 때 문에 나가 누군가 알아보다. ¶三更半夜的, 谁敲门呢, 你～去吧; 한밤중에 누가 문을 두드릴까. 너 좀 나가 보아라.

〔瞧门脉〕 qiáo ménmài ⇨〔看kàn门诊〕

〔瞧门诊〕 qiáo ménzhěn ⇨〔看kàn门诊〕

〔瞧清楚〕 qiáoqīngchu 똑똑히 보다. =〔看kàn清(楚)〕

〔瞧热闹儿〕 qiáo rènaor ⇨〔看热闹〕

〔瞧上〕 qiáoshang 동 ⇨〔看上〕

〔瞧事不好〕 qiáoshì bùhǎo 이건 안 되겠다고 생각하다. 큰일났다고 깨닫다.

〔瞧头儿〕 qiáotóur 명 ⇨〔看kàn头儿〕

〔瞧透〕 qiáo.tòu 동 간파(看破)하다. ¶～了他的用意; 그의 저의(底意)를 간파했다. =〔瞧破〕〔看破〕

〔瞧香的〕 qiáoxiāngde 명 〈方〉 ①무당. =〔巫婆〕 ②주술사(呪術師). =〔巫师〕

〔瞧着〕 qiáozhe ①본 바로는. ②봐 가지고. ¶～给; 적당히 주십시오.

〔瞧主儿〕 qiáozhǔr 명 ①(책 등의) 독자. ②⇨〔看kàn客〕

〔瞧准〕 qiáozhǔn 동 ⇨〔看kàn准〕

顦(顦) qiáo (초)

→〔顦顇〕

〔顦顇〕 qiáocuì 형 ⇨〔憔悴〕

巧 qiǎo (교)

①형 교묘하다. 재주 있다. ¶手～; 손재주가 좋다 / 嘴～; 말주변이 있다 / 心灵手～; 영리해서 손재주가 있다. ↔〔拙〕 ②형 아름답다. 좋다. ③명 기교(技巧). 기술. 기능. ¶大～若拙; 〈成〉 극히 교묘한 것은 도리어 서툰 것처럼 보이는 법이다 / 枪qiāng打得很～, 正中zhòng敌人; 사격이 매우 뛰어나서, 적을 정통으로 명중시켰다 / ～夺天工; ⇩ ④부 마침. 마침 잘〔알맞게〕. ¶你来得正～; 너 마침 잘 왔다 / 这件事很～; 이 일은 참으로 우연한〔희한한〕 일이다 / 到了车站, 正～车还没开; 역에 도착해 보니, 마침 아직 차는 떠나지 않고 있었다 / 可～遇见他; 마침 잘 그를 만났다 / 可～; 공교롭게. 마침 좋게 / ～得很 =〔～极了〕; 마침 잘 되었다. ⑤동 (겉만 번지르르하게 꾸며) 말솜씨가 있다. ¶花言～语; 듣기 좋게 꾸민 교묘한 말 / ～言; ⇩

〔巧辩〕 qiǎobiàn 동 교묘한 말로 변명하다. 강변하다. 명 교묘한 변론.

〔巧不可阶〕 qiǎo bù kě jiē 〈成〉 아무도 따를 수 없을 정도로 훌륭하고 교묘하다.

〔巧迟〕 qiǎochí 형 교묘하지만 느리다. ¶～不如拙速zhuōsù; 교지(巧遲)보다는 졸속을 존중하다.

〔巧当儿〕 qiǎodāngr 명 마침 좋은 기회(機會). 좋은 계제.

〔巧诋〕 qiǎodǐ 동 〈文〉 교묘한 말로 남을 속이다.

〔巧夺〕 qiǎoduó 동 교묘하게 빼앗다. 기계(奇計)로써 탈취하다.

〔巧夺天工〕 qiǎo duó tiān gōng 〈成〉 인공(人工)의 것이 천연 자연의 것보다 훌륭하다. 신기(神技)도 미치지 못하다.

〔巧发奇中〕 qiǎo fā qí zhòng 〈成〉 발언을 잘 하고, 중요한 점을 잘 지적하다.

〔巧妇〕 qiǎofù 명 ①재치 있는 여자. 주변이 좋은 여자. ¶～难煮无米之饭 =〔巧媳妇(儿)做不出没米的粥来〕; 〈諺〉 두름성이 좋은 여자라도 쌀 없이는 밥을 지을 수 없다《없으면 어쩔 도리가 없다》. ②《鳥》 굴뚝새. =〔巧妇鸟〕

〔巧妇(鸟)〕 qiǎofù(niǎo) 명 《鳥》 굴뚝새. 교부조. =〔鷦jiāo鹩〕

〔巧干〕 qiǎogàn 동 ①잘 하다. ②머리를 써서 일을 하다. 창의력을 발휘하여 하다.

〔巧格力〕 qiǎogélì 명 ⇨〔巧克力〕

〔巧供谎供〕 qiǎogòng huǎnggòng 교묘하게 변명하여 발뺌하다.

〔巧合〕 qiǎohé 동 우연히 일치하다. ¶他们俩同年, 生日又是同一天, 这真是～! 그들 두 사람은 같은 나이에, 생일도 같다는 것은 참으로 우연의 일치야! / 偶ǒu然的～; 우연의 일치.

〔巧宦〕 qiǎohuàn 명 〈文〉 처세에 능한 관리. 상사에 아첨을 잘 하는 관리. =〔巧吏〕

〔巧活(儿)〕 qiǎohuó(r) 명 ①품이 많이 든 공예품. ②돈벌이가 되는 일.

〔巧货〕 qiǎohuò 명 ①정교한 물건. ②구하기 힘든 물건. ③싸고 품질이 좋은 것. ④돈벌이가 되는 물건.

〔巧机〕 qiǎojī 명 ⇨〔好hǎo机会〕
〔巧机会〕 qiǎojīhuì 명 ⇨〔好hǎo机会〕
〔巧计〕 qiǎojì 명 교묘한 계략. 묘안. 공교한 꾀.
〔巧技〕 qiǎojì 명 숙련된 기술.
〔巧匠〕 qiǎojiàng 명 솜씨가 뛰어난 장인. ¶慢màn工出～; 일이 느린 장인에게서 훌륭한 물건이 나온다.
〔巧劲儿〕 qiǎojìnr 명 〈方〉 ①좋은 방법. ¶常常练习, 慢慢就找着～了; 늘 연습을 하면 차차 좋은 방법을 찾을 수 있다 / 使～; 요령 있게 힘을 쓰다. ②〈比〉 계제가 좋음. ¶我正找他, 他就来了, 真是～! 내가 마침 그를 방문하려던 참에 그가 오다니 참으로 잘 되었다!
〔巧克力〕 qiǎokèlì 명 〈音〉 초콜릿. ¶淡dàn～; 단맛이 나지 않는 초콜릿 / 奶nǎi油～; 밀크 초콜릿 / ～花生米; 땅콩 초콜릿. =〔巧克力糖〕〔朱古力〕〔巧克利〕〔巧格力〕〔巧古力〕〔巧可力〕〔查古列〕〔查古律〕〔朱古律〕
〔巧了〕 qiǎole 부 혹은. 아마도. ¶～你还不知道; 아마 너는 아직 모를 거다 / ～再过几天就能定规吧; 아마도 며칠 뒤에는 결정이 될 것이다 / ～说过, 我不记得了; 말했는지는 모르지만, 기억이 나지 않는다.
〔巧立名目〕 qiǎo lì míng mù 〈成〉 교묘하게 명목을 붙이다. 핑계대다. 구실을 붙이다. ¶～, 搜sōu刮民财; 여러 가지 구실을 붙여서 사람들의 재산을 우려내다.
〔巧吏〕 qiǎolì 명 ⇨〔巧宦〕
〔巧炉儿匠〕 qiǎolúrjiàng 명 ⇨〔小xiǎo炉儿匠〕
〔巧妙〕 qiǎomiào 형 교묘하다. 솜씨 있다. 능숙하다. ¶～的方法; 교묘한 방법.
〔巧譬善导〕 qiǎo pì shàn dǎo 〈成〉 교묘하게 타일러서 잘 인도하다.
〔巧妻〕 qiǎoqī 명 현처(賢妻). 재주가 있는 아내. ¶～常伴拙zhuō夫眠; 〈諺〉 현처와 우부(愚夫)는 같이 사는 일이 많다.
〔巧腔〕 qiǎoqiāng 명 고운 목청.
〔巧取豪夺〕 qiǎo qǔ háo duó 〈成〉 속이거나 힘으로 빼앗다. 간지(奸智)로써 강탈하다. ¶他那些财产多半是～来的; 그의 저 많은 재산은 대부분 속이거나 힘으로 빼앗은 것이다.
〔巧人〕 qiǎorén 명 머리 회전이 빠른 사람. 요령이 좋은 사람. ¶～精; 구변도 좋고 수단도 좋은 사람.
〔巧日〕 qiǎorì 명 칠석(七夕).
〔巧上加巧〕 qiǎo shàng jiā qiǎo 〈成〉 ①뛰어난 것을 더욱 뛰어나게 하다. ②뜻밖의 행운.
〔巧舌〕 qiǎoshé 형 말주변이 있다. 구변이 좋다. 명 교묘하게 꾸민 말.
〔巧舌如簧〕 qiǎo shé rú huáng 〈成〉 구변이 좋아서 거짓말을 그럴 듯하게 하다. ¶事实胜于雄辩, 凭píng你～, 也不能把对的说成错的, 错的说成对的; 사실은 웅변보다 낫다. 네가 아무리 말솜씨가 있어도 옳은 것을 그르다고 말하거나 잘못을 옳다고 할 수는 없다.
〔巧手〕 qiǎoshǒu 명 ①훌륭한 솜씨. 재주가 있음. ②솜씨가 뛰어난 사람. 숙련자.
〔巧伪〕 qiǎowěi 형 교묘하게 속이다. ¶～不如拙诚; 교묘하게 속이기보다는 고지식한 편이 낫다.
〔巧笑〕 qiǎoxiào 명 〈文〉 애교 있는 웃음. 알랑거리는 웃음.
〔巧言〕 qiǎoyán 명 교언. 교묘한 말. 겉만 번지르르하고 실이 없는 말. ¶～令色; 〈成〉 교언 영색.
〔巧言不如直道〕 qiǎoyán bùrú zhídào 말주변이 좋은 것보다 솔직한 것이 좋다.
〔巧燕〕 qiǎoyàn 명 《鳥》 귀제비.
〔巧语〕 qiǎoyǔ 명 듣기 좋은 말. 알맹이가 없는 미사 여구(美辭麗句). ¶花言～; 교묘히 사람을 속이는 말.
〔巧遇〕 qiǎoyù 명 ①좋은 기회. ②우연한 기회. 우연한 만남. 동 우연히 만나다.
〔巧月〕 qiǎoyuè 명 음력 7월의 별칭. 교월.
〔巧诈〕 qiǎozhà 동 교묘하게 속이다. ¶～宁拙诚; 교묘한 말로 남을 속이는 것보다 고지식한 편이 낫다.
〔巧值〕 qiǎozhí ①⇨〔恰qià巧〕 ②마침 …의 날〔때〕이다. ¶那日～月圆; 그 날은 마침 만월이었다.
〔巧拙〕 qiǎozhuō ⇨〔拙巧〕
〔巧宗儿〕 qiǎozōngr 명 ①좋은 기회. 좀처럼 오지 않는 기회. ②이익을 얻을 수 있는 기회. 돈벌이가 되는 일.
〔巧嘴〕 qiǎozuǐ 형 말을 잘 하다. 구변이 좋다. ¶～的八哥儿说不过潼关去; 말솜씨가 좋은 구관조라도 말을 해서 동관의 관문을 통과할 수는 없다.

悄 qiǎo (초)

형 ①〈文〉 근심하다. 우울하다. ②고요하다. 조용하다. ¶～～! 조용히 해라! 쉿! / 低声～语; 작은 소리로 소근거리다 / ～默mò声儿地说话; 살그머니 이야기하다. ⇒qiāo
〔悄不声儿(的)〕 qiǎobushēngr(de) 형 ①작은 소리로 이야기하는 모양. ¶～, 别叫人听见; 남에게 들리지 않게 작은 목소리로 해라. ②소리를 조금도 내지 않는 모양. ¶车～地过去了; 차는 소리도 없이 지나갔다 / 你看, 他～地把事都办了; 봐라, 그는 아무 말도 안 하고 묵묵히 일을 다 해냈다. =〔〈方〉 悄没声儿(的)〕〔悄默声儿(的)〕
〔悄促促〕 qiǎocùcù 형 〈文〉 고요하다. ¶背bèi巷里～没个行人; 후미진 골목 안은 고요하여 길 가는 사람도 없다.
〔悄静〕 qiǎojìng 형 잠잠하다.
〔悄窥〕 qiǎokuī 동 〈文〉 살그머니 엿보다.
〔悄默声儿(的)〕 qiǎomoshēngr(de) 형 ⇨〔悄不声儿(的)〕
〔悄悄〕 qiǎoqiǎo 형 ①초연한 모양. 기운이 없는 모양. ¶忧yōu心～; 시름이 있어 기운이 없다. ②살그머니. 몰래(조용한 모양). ¶～地进入屋内; 몰래 집 안으로 들어가다.
〔悄然〕 qiǎorán 형 ①초연한 모양. ¶～落泪; 초연히 눈물을 흘리다. ②고요한 모양. ¶～死去了; 조용히 죽었다 / ～无声; 고요하여 소리 하나 없다.
〔悄声没迹〕 qiǎo shēng méi jì 〈成〉 살며시 소리내지 않고 자취를 감추다. =〔悄声没息〕
〔悄声没息〕 qiǎo shēng méi xī 〈成〉 ⇨〔悄声没迹〕
〔悄声细语〕 qiǎo shēng xì yǔ 〈成〉 목소리를 죽이고 소곤소곤 이야기하는 모양.
〔悄语〕 qiǎoyǔ 명 소곤소곤하는 말. 동 소곤소곤 말하다.
〔悄语低言〕 qiǎo yǔ dī yán 〈成〉 남몰래 살그머니 말하는 낮은 목소리. ¶～地谈着心; 낮은 목소리로 속을 터놓고 이야기하고 있다.

雀 qiǎo (작)

명 ① '雀què'의 속음(俗音). ②(～儿) 잠지(어린애 자지의 애칭). ⇒qiāo què
〔雀盲眼〕 qiǎomangyǎn 명 〈方〉 야맹증(夜盲症). 밤소경. =〔雀朦眼〕〔雀迷眼〕〔雀目障〕〔雀què盲〕
〔雀朦眼〕 qiǎomengyǎn 명 ⇨〔雀盲眼〕
〔雀迷眼〕 qiǎomiyǎn 명 ⇨〔雀盲眼〕

愀 qiǎo (초)
형〈文〉안색이 변하는 모양.
〔愀然〕 qiǎorán 형〈文〉①정색(正色)하는 모양. ②두려워하는 모양.
〔愀然作色〕 qiǎorán zuòsè 슬픔과 무서움으로 안색이 변하는 모양.

壳(殼) qiào (각)
(~儿, ~子) 명 ①동식물의 단단한 외피(外皮). 껍데기. ¶介jiè~; 조가비/躯qū~; 유형의 육체. 신체/甲~; 새우, 게, 거북 등의 갑각/金蝉chán脱~之计; 몰래 살그머니 도망치는 계책. ②물건의 겉껍데기. ¶地~; 《地》 지각. ⇒ké
〔壳菜〕 qiàocài 명〈俗〉홍합(紅蛤)의 살.
〔壳斗〕 qiàodǒu 명《植》각두. 깍정이(참나무과 식물의 열매의 밑받침).
〔壳套〕 qiàotào 명 시계의 딱지. ¶金~的怀表; 금딱지 회중시계.
〔壳物〕 qiàowù 명〈文〉패류. 조개류. =〔介jiè物〕

诮(誚〈譙〉) qiào (초)
동〈文〉책망하다. 비난하다. ¶当面~责; 맞대놓고 책망하다/背后讥~人是不对的; 뒤에서 남을 비방하는 것은 좋지 않다. =〔讥诮〕〔谯qiào〕 ⇒'谯' qiáo
〔诮呵〕 qiàohē 동 꾸짖다. 질책하다. =〔谴qiǎn呵〕
〔诮责〕 qiàozé 동〈文〉책망하다. 야단치다. =〔谯呵hē〕〔责诮〕

俏 qiào (초)
①형 모양·용모가 아름답다. 동작이 시원스럽다. ¶打扮得真~; 아주 멋있게 차려 입었다/老来~; 늙은이가 부리는 멋/这几句话说得真~; 이 문구는 꽤 멋있는 것을 말해 준다. ②형 상품이 잘 팔려 값이 오르다. ¶~的事; 쉽게 돈벌이가 되는 일/去路坚~市价挺~; 잘 팔려서 시가가 매우 높다. ③동〈方〉요리에서 맛·색상 등을 위해 부추·마늘잎·파슬리 따위를 양념으로 쓰다. ¶~点儿韭菜; 부추를 약간 집어넣다. ④동〈文〉닮다. 비슷하다. ¶~如; ⇓
〔俏案〕 qiào'àn 명 솜씨 좋게 처리한 사건.
〔俏八哥儿〕 qiàobāger 명 매득(買得). (우연히 얻은) 진귀한 물건. =〔八八儿〕
〔俏摆春风〕 qiào bǎi chūn fēng〈成〉(여자가) 요염하고 멋지게 걷는 모양. 간들간들 걷는 모양.
〔俏步儿〕 qiàobùr 명 맵시 있게 걷는 걸음걸이. 세련된 걸음걸이. ¶走~; 세련되고 멋진 걸음걸이로 걷다.
〔俏货〕 qiàohuò 명 ①썩 드문 물건. 얻기 힘든 물건. ②유난히 싼 물건. ③잘 팔리는 상품.
〔俏精〕 qiàojīng 형 정교(精巧)하다. 정미(精美)하다.
〔俏丽〕 qiàolì 형 아름답다. 두드러지게 예쁘다. ¶她长得~又聪cōng明; 그녀는 아름답고 총명하다.
〔俏利〕 qiàolì 형 장사의 이익이 많다.
〔俏俐〕 qiàolì 형 말쑥하고 아름답다.
〔俏媚〕 qiàomei 형〈틀〉차밍하다. 매력적이다.
〔俏皮〕 qiàopi 형 ①(자태가) 스마트하다. 멋지다. ¶长得模样儿很~; 용모가 멋지고 훌륭하다. ②재치가 있다. 위트가 풍부하다. ③경박하다. ④빈틈없다. ¶~的女人; 빈틈없는 여자. 동 비방하다. 애타게 하다. 비위를 돋구다. 비꼬다. ¶~他几句; 그를 비방하다/他本来就着急zháojí, 你又去~他, 岂不是火上加油吗; 그는 가뜩이나 쩔쩔매고 있는데, 네가 가서 또 그를 비꼬거나 하면 타는 불에 기름을 붓는 꼴이 아니냐/饶ráo您~了人, 还落lào个人家客气; 당신으로서는 사람을 비꼰 셈이지만, 다른 사람이 좋게 말해 준 걸로 안다.
〔俏皮话(儿)〕 qiàopihuà(r) 명 ①(재치 있는) 익살. 경묘한 비아냥. 우스갯소리. ②《言》헐후어. =〔歇xiē后语〕
〔俏俏俐俐〕 qiàoqiaolìlì 형 세련되고 스마트하다.
〔俏如〕 qiàorú 동〈文〉…와 비슷하다. 마치 …와 같다. ¶心头~千刀搅jiǎo; 마음속이 마치 천 자루의 칼로 휘젓는 것 같다. =〔俏似〕
〔俏生生的〕 qiàoshēngshēngde 형 수려하고 발랄하다. 빛나 보이다. ¶~眼; 생기가 넘치는 눈.
〔俏生意〕 qiàoshēngyì 명 수지맞는 일. 이익이 많은 장사. ¶昨天你可还弄到手一笔~; 하지만, 어제 너는 수지맞는 일을 한 건 손에 넣지 않았느냐.
〔俏时〕 qiàoshí 형 ⇨〔俏式〕
〔俏事〕 qiàoshì 명 이익을 얻을 좋은 기회. 뜻밖의 좋은 일. 재미를 볼 만한 일. ¶我今天碰pèng见了一件~; 난 오늘은 뜻밖의 좋은 일을 만났다.
〔俏式〕 qiàoshi 형〈方〉①(몸단장이) 세련되다. ¶打扮得挺~; 아주 세련된 몸단장을 하고 있다. ②용모가 아름답다. 자태가 요염하다. ¶挺tǐng~的小媳妇; 아주 맵시 있는 젊은 부인. ③(동작이) 스마트하다. 재치 있다. 시원스럽다. ‖ =〔俏时〕
〔俏似〕 qiàosì 동 ⇨〔俏如〕
〔俏头〕 qiàotou 명〈方〉①맛과 빛깔을 내기 위해 넣는 부추·미나리 따위의 양념. ②볼 만한 장면. ¶那出戏里面很有~, 也很能叫座; 그 연극에는 볼 만한 장면이 많아서 크게 인기를 끌 것이다/形诸笔墨, 谁都打算找~; 글로 나타내려 할 때, 누구나 재치 있는 것을 쓰려고 한다. ③야담(野談) 등의 클라이맥스.

帩 qiào (초)
→〔帩头〕
〔帩头〕 qiàotóu 명 ⇨〔幧qiāo头〕

峭〈陗〉 qiào (초)
①형 산이 험하다. 산비탈의 경사가 급하다. ¶山坡很~; 산비탈이 매우 가파르다. ②형〈比〉엄격하다. 엄하다. ¶执法~刻; 〈成〉법의 집행이 엄하다/性情~直; 〈成〉성격이 엄격하고 곧다/春寒料~; 〈成〉봄추위가 심하다. ③→〔峬bū峭〕
〔峭拔〕 qiàobá 형〈文〉①(산이) 높고 험하다. ¶山势~; 산세가 높고 험하다. ②문장이 힘차다. ¶笔锋~; 필력(筆力)이 웅건(雄健)하다.
〔峭壁〕 qiàobì 명 산의 절벽. ¶悬xuán崖~; 단애(斷崖). 절벽.
〔峭薄〕 qiàobó 형 ⇨〔刻kè薄〕
〔峭法〕 qiàofǎ 명〈文〉가혹한 법률.
〔峭急〕 qiàojí 형〈文〉성격이 엄격하고 급하다.
〔峭刻〕 qiàokè 형 ⇨〔刻薄〕
〔峭厉〕 qiàolì 형〈文〉엄하다. 조려하다.
〔峭立〕 qiàolì 동〈文〉우뚝 솟다.
〔峭丽〕 qiàolì 형〈文〉문장이 세련되고 아름답다.
〔峭直〕 qiàozhí 형 ①외곬이다. 성격이 강하고 융통성이 없다. ②엄격하다. 엄하다.

鞘 qiào (초)
명 칼집. ¶刀dāo~; 검〔칼〕의 집/弓上弦, 刀出~; 화살은 시위에 메기고 칼은 칼집에

서 뽑혔다 / 把刀插在～里; 칼을 칼집에 넣다. ⇒ shāo
〔鞘翅〕 qiàochì 명 《蟲》 시초(翅鞘). 겉날개.

窍(竅) qiào (규) (～儿, ～子) 명 ①구멍(몸에 있는 구멍). ¶七～; 귀·눈·코·입의 일곱 구멍 / 开～儿; 지혜가 늘다. 사물의 이치를 알게 되다. ②〈比〉(～儿) 일의 가장 중요한 부분. 묘방(妙方). 요령(要領). ¶一～不通; 도무지 요령을 모르다 / 一～通, 百～通; 하나가 통하면 만사를 깨친다 / 转zhuǎn过～儿来了; 요령을 알게 되었다 / 懂得诀jué～; 비결을 터득하다. =〔诀jué窍儿〕
〔窍菜〕 qiàocài 명 홍합(紅蛤)의 살.
〔窍门(儿)〕 qiàomén(r) 명 요결(要訣). 요처(要處). 급소(急所). ¶找～想办法; 비결을 찾아 방법을 궁리하다.
〔窍门四两拨千斤〕 qiàomén sìliǎng bō qiānjīn 〈諺〉 단서를 잡으면 다음엔 큰 일을 할 수 있다.
〔窍儿〕 qiàor 명 요령. 비결. ¶不得～; 요령을 못 얻다.

偢 qiào (초) 형 〈方〉 바보스럽다. =〔傻shǎ〕 ⇒ chǒu

翘(翹〈蹺〉) qiào (교) 동 (한쪽이) 들리다. 위쪽으로 올리다. ¶这条板凳dèng, 两头都～起来了; 이 긴 걸상은 양쪽 끝이 들려 있다 / 这头一坐人, 那头儿就往上～; 이쪽 끝에 사람이 앉았을 때, 저쪽 끝이 위로 들린다. ⇒ qiáo
〔翘辫子〕 qiào biànzi 〈南方〉〈俗〉 죽다(조소나 해학의 어감). ¶袁世凯刚刚登上皇帝的宝座就～了; 원세개(袁世凱)는 황제의 왕좌에 올랐다 했더니, 금방 저 세상 사람이 되었다.
〔翘胡子〕 qiàohúzi 명 ⇨〔两liǎng撇胡子〕
〔翘屁股〕 qiàopìgu 명 튀어나온 궁둥이. 동 엉덩이를 치켜들다.
〔翘翘板〕 qiàoqiàobǎn 명 ⇨〔跷qiāo跷板〕
〔翘舌音〕 qiàoshéyīn 명 《言》 권설음(捲舌音)(zh, ch, sh, r).
〔翘尾巴〕 qiào wěiba ①〈比〉 득의양양해지다. ¶有一点儿成绩就～, 那就完全错了; 성과가 조금 있다고 해서 우쭐해지면, 그건 잘못된 생각이다 / 尾巴翘到天上去了; 몹시 잘난 체한다. ②꼬리를 세우다.

撬 qiào (효) 동 ①물건을 떼어 내다. 쥐어뜯다. 비틀어 열다. ¶～起箱子盖; 상자 뚜껑을 비집어 열다 / 贼zéi用家伙把保险箱～开了; 도둑이 연장을 써서 금고를 비틀어 열었다. ②거세(去勢)하다. ¶～了一只狗; 개를 거세했다 / ～猪zhū; 돼지를 거세하다. ③〈俗〉 음식을 보기 좋게 맛있게 하기 위해 야채를 곁들이다. ¶汤里～上点儿青菜; 국에 푸성귀를 약간 곁들이다 / 净炒肉片也不好, 还是～上点笋片什么的才好; 고기만 볶으면 좋지 않으니, 역시 죽순 같은 것을 곁들이는 것이 좋다.
〔撬棒〕 qiàobàng 명 ⇨〔撬棍〕
〔撬杆〕 qiàogǎn 명 ⇨〔撬棍〕
〔撬杠〕 qiàogàng 명 쇠지렛대. 지레. =〔撬棍〕〔撬棒〕
〔撬沟〕 qiàogōu 동 도랑을 쳐내다.
〔撬棍〕 qiàogùn 명 《工》 지렛대. 쇠지렛대. 크로우바(crowbar). =〔撬棒〕〔撬杆〕〔撬杠〕
〔撬行〕 qiào.háng 동 남의 장사를 가로채다.
〔撬开〕 qiàokāi 동 비틀어 열다. ¶～门; 문을 비틀어 열다 / 把锁suǒ～; 자물쇠를 비틀어 열다 / 用匙chí～紧闭的牙关, 把药灌下去; 숟가락으로 꾹 악문 이를 비틀어 열어서 약을 부어 넣다.
〔撬开〕 qiàokāi 동 (자물쇠로 잠근 문을) 비틀어 열다.
〔撬门〕 qiàomén 동 문을 우격으로 비틀어 열다. ¶～进去; 문을 비틀어 열고 들어가다.
〔撬门缝儿〕 qiào ménfèngr 문틈을 비틀어 열다.
〔撬头儿〕 qiàotour 명 (요리의) 부재료(副材料). 곁들이는 것. ¶这个菜的～很新鲜; 이 요리에 곁들인 것은 아주 신선하다.

擞 qiào (교) 동 〈文〉 옆에서 치다. 두드리다.

踍 qiào (효) 명 〈文〉 (가축의) 항문. →〔肛gāng门〕

QIE ㄑㄧㄝ

切 qiē (절) 동 ①(날붙이로) 절단하다. 썰다. 자르다. ¶～成片; 얇게 썰다 / ～菜; 야채를 썰다 / ～开; ⇩ / ～碎; 잘게 자르다. 썰다. ②《數》 접하다(기하학에서 직선과 호선(弧線) 또는 두 개의 호선이 한 점에서 교차하는 것). ¶两圆相～; 두 개의 원이 접하다. ⇒ qiè
〔切报纸〕 qiēbàozhǐ 명 신문용 두루마리를 작게 자른 것.
〔切边〕 qiēbiān 명동 《機》 가장자리 절단(을 하다).
〔切不动〕 qiēbudòng (단단해서, 또는 날이 무디어) 잘라지지 않다.
〔切菜板〕 qiēcàibǎn 명 도마. =〔菜板〕〔砧zhēn板〕
〔切菜刀〕 qiēcàidāo 명 식칼. =〔菜刀〕
〔切成…〕 qiēchéng… 동 잘라서 …로 하다. ¶～两片; 두 조각으로 자르다. 잘라서 두 조각으로 내다 / ～细丝; 채 썰다. =〔切作…〕
〔切磋〕 qiēcuō 동 (학문 등을) 서로 닦다. 서로 토론하고 연구하다. ¶同学之间应该～; 동학끼리 서로 학문을 닦는 것은 당연하다. =〔磋切〕
〔切磋研磨〕 qiē cuō yán mó 〈成〉 ⇨〔切磋琢磨〕
〔切磋琢磨〕 qiē cuō zhuó mó 〈成〉 절차탁마하다. 서로 격려하여 학업〔연구〕에 힘쓰다. =〔切磋研磨〕
〔切刀〕 qiēdāo 명 《機》 ①바이트(bite). ②〈北方〉 평평한 공작물을 절단하기 위한 공구로, 날 부분이 넓은 것. =〔割断刀〕〔割刀〕
〔切点〕 qiēdiǎn 명 《數》 접점(接點). 절점.
〔切掉〕 qiēdiào 동 잘라 버리다. ¶把白菜根～; 배추 뿌리를 잘라 내다.
〔切钉〕 qiēdīng 명 금속판을 잘라서 만든 모가 난 못. =〔方fāng钉〕
〔切断〕 qiēduàn 동 절단하다.
〔切断砂轮〕 qiēduàn shālún 명 절단(회전) 숫돌.
〔切糕〕 qiēgāo 명 찹쌀·수숫가루에 대추나 팥을 넣어 찐 음식(썰어서 팖). ¶～改粽子; 이것저것

에 손을 댐.
〔切割〕 qiēgē 동 《工》 (기계나 아세틸렌 등으로) 절단하다. =〔割切〕
〔切根虫〕 qiēgēnchóng 명 ①⇨〔蛴qí螬〕 ②⇨〔地dì老虎〕
〔切毂节儿〕 qiē gūjiér ⇨〔切毂辘儿〕
〔切毂辘儿〕 qiē gūlùr 막대 모양의 것을 둥글게 썰다〔자르다〕. ¶这胡萝卜切成大约3公分长的毂辘儿; 이 당근을 3센티로 작게 자르다. =〔切毂节儿〕
〔切管刀〕 qiēguǎndāo 명 《機》 파이프 절단기.
〔切具〕 qiējù 명 절삭 공구의 총칭. =〔刀dāo具〕
〔切开〕 qiēkāi 동 베어 내다. 절개하다. ¶用刀~; 칼로 베어 내다.
〔切口〕 qiēkǒu 명 (책의) 여백(餘白). ⇒qièkǒu
〔切口刀〕 qiēkǒudāo 명 ⇨〔起qǐ槽刀〕
〔切煤机〕 qiēméijī 명 《機》 절탄기(截炭機).
〔切面〕 qiēmiàn 명 ①단면. =〔剖pōu面〕 ②좁게 썬 날 국수. ¶~机; 제면기(製麵機). →〔挂面〕 ③《數》 접평면(接平面). 구(球)의 반경과 수직으로 접촉하는 구면(球面).
〔切片〕 qiē.piàn 동 (물체를) 얇게 베다. 절편으로 만들다. (qiēpiàn) 명 절편.
〔切肉板〕 qiēròubǎn 명 고기 써는 도마. =〔剁duò肉板〕
〔切肉不离皮〕 qiēròu bùlípí 〈比〉 육친의 정은 끊을래야 끊을 수 없다는 뜻. ¶他们父子虽然闹翻了脸, 儿子搬出去另过日子, 可是~, 早晚还是得合在一块儿的; 그들 부자는 의가 상해 자식이 집을 나가 별거하게 되었지만, 육친의 정은 끊을 수 없는 것이라, 언젠가는 역시 합치지 않고는 못 배길 것이다.
〔切入〕 qiērù 명 (핸드볼 등에서) 수비측의 안쪽으로 파고드는 플레이. 커트인(cutin).
〔切条(儿)〕 qiētiáo(r) 명 썰어 놓은 국수. 생우동.
〔切线〕 qiēxiàn 명 《數》 탄젠트.
〔切削〕 qiēxiāo 명동 《工》 절삭(하다)《공작 재료를 베거나 깎거나 하는 공정》.
〔切(削工)具〕 qiē(xiāogōng)jù 명 ⇨〔刀dāo具〕
〔切削机床〕 qiēxiāo jīchuáng 명 《機》 선반(旋盤).
〔切削(冷却)剂〕 qiēxiāo(lěngquè)jì 명 ⇨〔切削液〕
〔切削性〕 qiēxiāoxìng 명 《工》 절삭성《자르거나 깎을 수 있는 성질》. =〔削割性〕
〔切削液〕 qiēxiāoyè 명 《工》 절삭제. =〔切削(冷却)剂〕
〔切屑〕 qiēxiè 명 절삭밥《절삭 때 공작 재료에서 깎여 떨어지는 금속》.
〔切展线〕 qiēzhǎnxiàn 명 ⇨〔渐jiàn开线〕
〔切纸〕 qiēzhǐ 명 재단한 종이. ¶~机; 재단기. (qiē zhǐ) 종이를 재단하다.
〔切轴〕 qiēzhóu 동 차축(車軸)이 부러지다.

伽 qié (가)
표제어 참조. ⇒gā jiā

〔伽蓝〕 qiélán 명 《佛》 사찰. 절.
〔伽蓝鸟〕 qiélánniǎo 명 《鳥》 펠리칸(pelican). 사다새. 가람조. =〔鹈tí鹕〕
〔伽罗〕 qiéluó 명 ⇨〔奇qí南(香)〕
〔伽南香〕 qiénánxiāng 명 《植》 침향나무.

茄 qié (가)
(~子) 명 《植》 가지. ¶番fān~ =〔西xī红柿〕; 토마토 / 紫zǐ~子; 가지. ⇒jiā

〔茄达干酪〕 qiédá gānlào 명 체다 치즈(Cheddar cheese). =〔赛达酪〕
〔茄袋〕 qiédài 명 옛날, 중국에서 화폐로 쓰였던 은괴 또는 은 알갱이를 넣는 데 쓴 돈주머니. ¶我~内达有一二两, 你拿去; 내 은주머니 속에 아직 한두 냥 있으니 가져가거라.
〔茄灰色〕 qiéhuīsè 명 ⇨〔浅qiǎn蓝色〕
〔茄汁〕 qiézhī 명 토마토 소스.
〔茄子〕 qiézi 명 ①《植》 가지. ¶喝! 你在哪儿喝的酒啊, 又像紫~似的; 아니, 너는 어디서 술을 마셨느냐, 또 새빨갛구나 / ~黄瓜一齐数shǔ; 가지나 오이나 하나로 친다《사물을 뒤범벅을 만들다》. =〔矮瓜〕 ②〈京〉 좆《농담으로 맹세할 때에 씀》. ¶我要是骗你, 我是~; 만일 내가 너를 속인다면, 나는 좆같은 놈이다.
〔茄子茸〕 qiézirónɡ 명 가지처럼 머리 부분이 둥글고 자갈색을 한 녹용.

且 qiě (차)
①접 …인데 하물며. …마저도. …조차. ¶此路本甚坎呵, ~当大雨之后, 必不可行矣; 이 길은 본시 걸어다니기 어려웠는데, 하물며 큰비가 온 뒤이니 필시 통행할 수 없을 것이다. =〔况kuàng且〕 ②접 그 위에. 게다가. 더욱이. ¶既高~大; 높고도 크다 / 勇~智; 용맹스럽고 또한 슬기롭다 / 不唯未改, ~加甚焉; 고쳐지지 않을 뿐 아니라, 또한 더 심해지다. =〔并bìng且〕〔而ér且〕 ③접 〈文〉 …인데도 불구하고. 그런데도 더욱. ¶他~如此, 你怎么倒不努力呢? 그 사람도 그런데, 너 같은 것이 어째 노력하지 않느냐? / 死~不辞; 죽음도 또한 불사하다. =〔尚shàng且〕 ④그저 이 점에 관해서는 그렇게까지 하지 않아도 …하다. ¶你~不用问; 무어 그런 것은 묻지 않아도 좋다. ⑤접 …하면서 …하다《'~…~…'의 형식으로 쓰임》. ¶~战~走; 싸우며 전진하다 / ~唱~舞; 노래하며 춤춘다 / ~说~笑; 이야기하면서 웃다. ⑥부 잠시. 잠깐 동안. ¶你~听着; 우선 잠깐만 내 말을 들어 보시오 / 我~不去呢; 나는 당분간 가지 않아요 / 肯不肯~由你; 승낙하고 승낙하지 않고는 잠시 너에게 맡긴다. =〔姑gū且〕〔暂zàn且〕 ⑦부 〈京〉 오랫동안. 오래. 그대로 죽. ¶买一双帆布鞋~穿呢; 운동화 한 켤레를 사서 오래 신고 있다 / 他一来就~不走呢; 그는 일단 찾아오면 좀처럼 가려 하지 않는다. ⑧부 〈京〉 아주. 대단히. ¶北京离上海~远着的呢; 베이징(北京)은 상하이(上海)에서 아주 멀다 / 您听吧, 他~有得聊呢; 어떻습니까, 그는 이야기가 얼마든지 있습니다 / 这顿dùn饭~吃不完呢; 이 밥은 아무래도 다 먹을 수 없습니다. ⑨부 바야흐로 …. 이제 막…. ¶日~人; 해가 지려 한다 / 城~拔矣; 성은 머지않아 함락될 것이다. ⑩부 〈文〉 대충. 대부분. 대략. ¶来者~千人; 온 사람이 약 천 명 / 江山~相见; 여행 중이라 총총히 만나 보았다 / 阁前阁后~山川; 건물 앞뒤에는 그럭저럭 산천이라 할 만한 것이 있다. ⑪명 객(客). ¶现在不行, 有~哪; 손님이 있어서, 지금 안 됩니다. ⑫명 성(姓)의 하나. ⇒jū
〔且不〕 qiě bù 오랫동안 …안 하다. ¶我~去哪; 나는 오랫동안 가지 않았습니다.
〔且等〕 qiěděng 잠시 기다리다. 우선 …을 기다려. ¶~他来再定规; 우선 그가 오기를 기다려 다시 정하자.
〔且夫〕 qiěfú 〈文〉 그런데 한편《문맥을 다른 것으로 옮길 때 쓰이는 발어사(發語詞)》.
〔且复〕 qiěfù 접 〈文〉 또. 게다가.

〔且顾眼前〕 qiě gù yǎn qián〈成〉우선 눈앞의 일만 생각하다. 일시적으로 우물쭈물 넘기다. =〔且顾一时〕
〔且顾一时〕 qiě gù yī shí〈成〉⇨〔且顾眼前〕
〔且兼〕 qiějiān 접〈文〉또한. 게다가.
〔且看〕 qiěkàn〈古白〉잠깐 …을 보다. (딴소리 말고) 우선 보시오! ¶～下回; 다음 회(回)를 보십시오. 다음 회를 기대하시라《장회 소설의 말미어(末尾語)》/要知端底, ～下回分解; 자세한 것을 알고자 하신다면, 다음 회(回)에서 말씀드리겠으니 보시기를 바랍니다.
〔且慢〕 qiě màn〈古白〉잠시 기다려. 자, 서둘지 말고《상대방의 행동을 제지할 때》. ¶～～; 글쎄, 기다리세요/这事～去做, 咱们再想一个痛快的法子吧; 이 일은 천천히 하기로 하고, 좀더 통쾌한 방법을 생각해 보시지 않겠습니까.
〔且莫〕 qiěmò〈文〉당분간 …하지 마라. ¶～轻举妄wàng动; 당분간 경거망동은 피하시도록.
〔且如〕 qiěrú 바로 …와 같다. =〔即jí如〕
〔且食蛤蜊〕 qiě shí gé li〈成〉많은 것을 모르다. 오로지 한정된 것밖에 모르다.
〔且是〕 qiěshì 접〈古白〉바로. 막. 그러나. ¶这墙qiáng是谁家的, ～造得高; 이 담은 누구의 집인지는 모르지만, 그러나 높게 만들었군.
〔且说〕 qiěshuō ①〈古白〉발어(發語) 또는 화제를 바꿀 때 쓰는 말. 각설. ¶～他住了两日便要回去; 그런데, 그는 2, 3일 머무르더니 곧 돌아가려 했다. =〔却què说〕 ②(qiě shuō) 우선 …의 일을 이야기합시다. ¶～一九七四年在北京发生的事情; 우선 1974년 베이징(北京)에서 발생한 일을 이야기해 봅시다.
〔且喜〕 qiěxǐ〈文〉무엇보다도 기쁜 것은. ¶～人财损伤不多; 우선 기쁜 것은 사람이나 가재나 손해가 많지 않았던 일이다.
〔且先〕 qiěxiān 부〈文〉잠시. 우선. ¶～不说; 우선 그 이야기는 그만두기로 하고.
〔且行且止〕 qiě xíng qiě zhǐ 가며 서며. 가다가 서고, 가다가 서곤 하다.
〔且则〕 qiězé ⇨〔且自〕
〔且战且走〕 qiě zhàn qiě zǒu 싸우면서 퇴각하다. 싸우며 또한 물러서다. =〔且战且退tuì〕
〔且住〕 qiězhù〈古白〉잠깐 기다려. 잠시 기다려요. ¶～为佳; 잠시 그치는 게 좋다/～, 我说与你; 잠깐 기다려라. 얘기해 줄께.
〔且自〕 qiězì 잠깐. 우선. ¶～访梅踏雪; 잠시 매화꽃을 찾고 눈이라도 밟아 볼까. =〔且则〕

切 qiè (절)

①부 결코. 제발《분부하거나 희망을 말할 때 쓰임》. ¶～不可…; 절대로 …해서는 안 된다/～勿自误; 그릇됨이 없도록 조심하시오/～不可放松警jǐng惕; 절대로 경계를 늦춰서는 안 된다/～勿挂念; 아무쪼록 걱정하시지 마십시오/你～记着; 꼭 외어 두어라. ②동 접하다. 밀접하다. 접근하다. 적합(適合)하다. ¶两圆相～; 두 원이 상접하다《기하학 용어》/不～实际; 실제에 적합지 않다/咬牙～齿; 이를 악물다. 이를 갈다/这篇作品不～题; 이 작품은 제목과 맞지 않는다. ③동 진맥(診脈)하다. ④형 간절하다. 확실하다. 진정이 담겨 있다. ¶言辞恳kěn～; 말에 진심이 담겨 있다/求学的心很～; 향학심이 간절하다/需要迫～; 수요가 절박하다. ⑤형 박두(迫頭)하다. 긴박하다. ¶急～里找不到了; 긴요한〔중요한〕때에 찾아 내지 못하였다. ⑥형 친근하다. 친근미가 있다. 중요하다. ¶态tài度亲～; 태도에 친근미가 있다/没有再～于专心; 열심히 하는 것처럼 중요한 것은 없다/恳kěn～; 친절하고 자상하다. ⑦명 소인(素人). ¶这个事他真～; 이 일에는 그는 전혀 문외한(門外漢)이다. ⑧명《言》절(切). 반절(反切)《옛날의 한자 표음법의 하나로, 윗글자의 성모(聲母)와 아랫글자의 운모(韻母)를 취해서 하나의 음절을 만듦. 예컨대, '同tóng'은 '徒tú'와 '红hóng'의 절(切)임》. =〔反切〕 ⑨명 일체. 전부. 모두. ¶一～事情都得自己办; 모든 일은 자신이 해야 한다. ⇒qiē
〔切病〕 qièbìng 동 맥을 짚어 진찰하다.
〔切齿〕 qièchǐ 동 이를 갈며 분(憤)해하다. =〔切齿痛恨〕〔切齿腐心〕 명《生》문치(門齒). =〔切牙〕
〔切齿腐心〕 qiè chǐ fǔ xīn〈成〉밤낮으로 이를 갈며 보복하기 위하여 속을 썩임. =〔切齿拊心〕
〔切齿痛恨〕 qiè chǐ tòng hèn〈成〉이를 갈며 화를 내다. ¶深受战争灾zāi难的人, 对侵qīn略者是～的; 심하게 전재를 입은 사람은 침략자에 대해서 이를 갈며 분노한다.
〔切齿之仇〕 qiè chǐ zhī chóu〈成〉매우 깊은 원한.
〔切当〕 qièdàng 형 적절(適切)하다. 알맞다. ¶用词～; 말을 적절하게 사용하다. =〔切合hé〕〔恰当〕
〔切肤〕 qièfū 형〈文〉자기와 밀접한 관계가 있다. 절실하다. ¶深刻而～的问题; 심각하고 절실한 문제.
〔切肤之痛〕 qiè fū zhī tòng〈成〉대단한 고통. 골수에 사무치는 괴로움. ¶在这次战乱之中, 他家破人亡了, 实在是～; 이번 전란으로 그는 집도 가정도 잃고 말았으니, 참으로 심한 타격이다.
〔切骨〕 qiègǔ 동 ①분노나 원한이 극에 달하다. ¶～之恨hèn; 골수에 사무치는 한. ②(추위가) 뼛속을 파고들다.
〔切合〕 qièhé 동 딱 맞다. 적합하다. ¶～时宜; 시의에 적합하다/～实际; 실제와 딱 맞다.
〔切货〕 qièhuò 명 ⇨〔怯八裔〕
〔切己〕 qièjǐ 형 (관계가) 매우 가깝다. 절실하다.
〔切记〕 qièjì 동〈京〉틀림없이 기억하다. 마음에 새기다. 명기(銘記)하다. ¶～不要相信! 아무쪼록 믿지 말도록!/你要～着; 잘 기억해 두어라.
〔切忌〕 qièjì 동 금물(禁物)로 하다. ¶～熬夜; 밤샘하는 것은 절대 금물이다/产后～生冷的东西; 산후에는 생것이나 찬 것이 가장 나쁘다.
〔切结〕 qièjié 동 (계약서 따위로) 단단히 약속하다. ¶这个合同虽然说好了, 可是还得让他们双方～; 이 계약은 이야기는 잘 됐지만, 또한 그들 쌍방이 서면으로 단단히 약속해야 한다.
〔切近〕 qièjìn 형 ①아주 가깝다. =〔贴tiē近〕〔靠kào近〕 ②(상황이) 비슷하다. (진실·실제에) 가깝다.
〔切口〕 qièkǒu 명 비밀 결사나 업계(業界) 안에서의 은어《업자간의 것을 '行háng话' 불량배·도적 사이의 것을 '黑hēi话'라고 함》. ¶打了一个～说; 은어를 써서 이야기했다. ⇒qiēkǒu
〔切邻〕 qièlín 명 이웃. 근린. ¶你是我的～; 너는 나의 이웃이다.
〔切脉〕 qiè.mài 동《漢醫》진맥하다. =〔指zhǐ脉〕
〔切莫…〕 qièmò…〈文〉절대로 …하지 마라. ¶～犹yóu予; 절대로 유예하지 마라. =〔切勿〕
〔切末〕 qièmo 명 중국 전통극의 배경이나 특제의 기물.
〔切盼〕 qièpàn 동 절망(切望)하다. 절실히 대망(待望)하다.
〔切洽〕 qièqià 형 ⇨〔恰当〕

〔切切〕 qièqiè 형 ①절실한 모양. 간절한 모양. ¶～此令; 간절히 이에 명령한다《공문서의 명령 말미에 쓰는 상투어》/～毋wú违; 단연코 위반(違反)하지 마라/～莫忘! 부디 잊지 말도록!/～故乡情; 고향을 생각하는 마음이 간절하다. ②애절한 모양. 슬픈 모양. ¶小弦～如私语; 작은 거문고 소리가 절절히 속삭이는 것 같다/～而哀; 절절히 슬퍼하다. =〔切切悲悲〕 ③소곤소곤《작은 소리의 형용》. =〔窃窃〕

〔切切悲悲〕 qièqiebēibēi 형 ⇨〔切切②〕

〔切切实实〕 qièqieshíshí〔qièqieshīshī〕 형 ①아주 절실하다. ②확실하다.

〔切身〕 qièshēn 형 절실하다. ¶危害发展中国家的～利益; 발전 도상국의 절실한 이익을 위태롭게 하다/恋爱是～的问题; 연애는 절실한 문제이다. 부 몸소. 스스로. ¶～经历; 스스로 경험하다/～体验; 몸소 겪은 체험/从自己的～经验中知道; 자신의 신변의 경험으로 알고 있다/～地了解; 친근하게 이해하다.

〔切实〕 qièshí 형 절실하다. 적절하다. 적확(的確)하다. ¶～可行的办法; 적절하고 실행 가능한 방법/借钱还得落lào个～的保; 돈을 빌리는 데는 또 확실한 보증을 세우지 않으면 안 된다/他所论的很～; 그가 논하는 바는 매우 적절하다.

〔切题〕 qiètí 동 (문장이) 제목에 적절하다. ¶话不～; 이야기가 본론에서 벗어났다/他做的这篇文章不大～; 그가 쓴 이 글은 그다지 제목에 맞지 않는다.

〔切贴〕 qiètiē 형 적절하다. 딱 맞다. ¶这个交易会不如改称展览会为～; 이 교역회는 전람회라고 고쳐 부르는 편이 딱 맞는다.

〔切头切脑〕 qiè tóu qiè nǎo 〈成〉 ⇨〔怯头怯脑〕

〔切望〕 qièwàng 동 간절히 바라다. 절망하다.

〔切牙〕 qièyá 명 ⇨〔切齿〕

〔切要〕 qièyào 형 매우 중요하다. 긴요하다. ¶～的知识; 긴요한 지식/十分～的问题; 매우 중요한 문제.

〔切音〕 qièyīn 명《言》반절(反切)로 표기 하는 것.

〔切应力〕 qièyīnglì 명《物》전단 내력(剪斷內力). 전단 응력. =〔剪jiǎn切应力〕

〔切韵〕 qièyùn 명 ①반절(反切)로 주음(注音)하는 일. 또 주음한 자음(字音). ¶～指掌图;《書》송(宋)나라의 사마광(司馬光)이 지었다는 음운서(音韻書). =〔切音〕 ②(Qièyùn)《書》수(隋)나라의 육법언(陸法言)이 지은 음운서.

〔切责〕 qièzé 동〈文〉엄하게 책망하다.

〔切中〕 qièzhòng 동 (말·방법이 좋지 않은 점에) 정통으로 맞다. ¶～要害; 정곡을 찌르다/这一次的改革～了它的弊bì病; 이번 개혁은 딱 그 결점에 적합하다.

〔切中时弊〕 qiè zhòng shí bì 〈成〉 비평이 그 시대의 병폐를 잘 지적하고 있는 일.

〔切嘱〕 qièzhǔ 동〈文〉아무쪼록 잘못이 없도록 분부하다. =〔切祝〕

〔切祝〕 qièzhù 동 ⇨〔切嘱〕

窃(竊) qiè (절)

① 동 훔치다. 절취하다. ¶～物而逃; 물건을 훔치어 도망가다/盗dào～国家财富; 나라의 재물을 훔치다. ② 부 은밀히. 남모르게. 슬그머니. ¶～看机密文件; 몰래 비밀 서류를 보다/～听消息; 소식을 남몰래 묻다/～笑; ⇩/～～私议; 비밀리에 의논하다. ③ 명 도둑. ¶鼠shǔ～; 좀도둑/鼠～狗偷, 何足置齿牙间; 좀도둑 따위를 어찌 문제삼을 필요가 있겠는가/草cǎo～;〈罵〉도둑놈. ④ 명〈文〉〈謙〉저(의 의견). ¶～谓; 곰곰이 생각건대. 우고(愚考)하건대/～为wèi足下不取;〈翰〉삼가 당신을 위해서 좋지 않다고 생각하고 있습니다/～以为wéi应再计虑; 다시 한 번 고려해야 한다고 삼가 생각한다.

〔窃案〕 qiè àn 명 도난 사건.

〔窃查〕 qièchá 동 은밀히 조사하다. 명〈公〉상급 관청에 대한 서류의 첫머릿말.

〔窃犯〕 qièfàn 명 절도범.

〔窃匪〕 qièfěi 명 도둑.

〔窃钩窃国〕 qiè gōu qiè guó 〈成〉 똑같이 나쁜 짓을 해도 거물은 벌받지 않는다《법의 허위와 불합리를 이르는 말》.

〔窃国〕 qièguó 동 국권(國權)을 빼앗다.

〔窃害〕 qièhài 동 은밀히 남을 모함하여 해치다.

〔窃号〕 qièhào 동〈文〉천자의 존호를 참칭하다.

〔窃据〕 qièjù 동〈文〉토지·지위를 불법 점거하다.

〔窃窥〕 qièkuī 동〈文〉몰래 엿보다.

〔窃料〕 qièliào 동〈文〉혼자서 가만히 생각하다. =〔窃念〕〔窃思〕〔窃惟〕

〔窃绺〕 qièliǔ 동〈文〉소매치기하다. =〔小绺〕〔扒手〕

〔窃命〕 qièmìng 동〈文〉정권을 가로채다.

〔窃念〕 qièniàn 동 ⇨〔窃料〕

〔窃抢〕 qièqiǎng 동〈文〉훔치거나 빼앗다.

〔窃窃(的)〕 qièqiè(de) 형〈文〉①작은 소리로 속삭이는 모양. ¶～私语; 소곤소곤 이야기하다. ②분명하다. 확실하다. ¶～然知之; 분명히 이를 알고 있다.

〔窃取〕 qièqǔ 동 절취하다. 남의 눈을 속여 훔치다《추상적인 것》. ¶～名誉; 명예를 훔치다.

〔窃入盗出〕 qiè rù dào chū 〈成〉 좀도둑이 현장을 들키자 강도로 변함. 사후(事後) 강도.

〔窃思〕 qièsī 동 ⇨〔窃料〕

〔窃听〕 qiètīng 동 도청하다. ¶～器qì; 도청기.

〔窃惟〕 qièwéi 동 ⇨〔窃料〕

〔窃位〕 qièwèi ①⇨〔尸shī位素餐〕 ②동 직위〔벼슬자리〕를 훔치다.

〔窃位素餐〕 qiè wèi sù cān 〈成〉 ⇨〔尸shī位素餐〕

〔窃闻〕 qièwén 동〈文〉몰래 듣다. 측문(仄聞)하다.

〔窃笑〕 qièxiào 동 킬킬 웃다. 남몰래 비웃다. ¶掩yǎn着嘴巴～; 입을 가리고 킬킬 웃다.

〔窃衣〕 qièyī 명《植》뱀도랒.

〔窃意〕 qièyì 동 혼자서 곰곰이 생각하다.

〔窃玉偷香〕 qiè yù tōu xiāng 〈成〉 여자를 몰래 유혹하다. 여자와 은밀히 정을 통하다. =〔偷香〕〔偷香窃玉〕

〔窃贼〕 qièzéi 명 절도. 도둑. =〔窃盗〕

砌 qiè (체)

→〔砌末〕 ⇒qì

〔砌末〕 qièmo 명《劇》중국 전통극의 배경(背景)에 쓰이는 배경 세트 및 일부의 특별한 기물(器物). =〔切末子〕〔切马mǎ(子)〕

郄 qiè (극)

① 명 성(姓)의 하나. ②〈文〉'郤xì' 와 통용.

怯 qiè (겁)

① 형 겁이 많다. 마음이 약하다. 담이 작다. ¶胆dǎn～; 겁쟁이다. 소심하다/发fā～;

무서워서 떨다. ②형 〈方〉 촌스럽다. 세련되지 못하다. 세상 물정을 모르다. ¶露lòu了～了; 촌티를 드러냈다. ③동 〈方〉 사투리를 쓰다. ¶他说话有点儿～; 그의 말은 사투리가 좀 있다. ④명 촌뜨기(도시 사람이 시골 사람을 홀하게 일컫는 말). ⑤(～子) 명 사투리를 심하게 쓰는 사람.

〔怯八邑〕 qièbāyì 명 ⇒〔怯八裔〕

〔怯八裔〕 qièbāyì 명 〈俗〉〈貶〉 시골뜨기. 어릿어릿하는 촌뜨기(촌스러운 모양을 얕잡아 이르는 말). ¶看他那个～, 见了生人就说不上话来; 저 촌놈을 봐라. 처음 만나는 사람과는 말도 못 한다 / 他真是～, 连电影儿都没看过; 그는 정말 촌놈이라 영화 한 번 본 적이 없다 / 本地人懂得什么, ～! 이 고장 사람이 뭘 알아. 촌놈이야! =〔怯八邑〕〔怯瓜〕〔怯货〕〔怯龛儿〕〔老帽(儿)〕〔怯八裔〕〔趄条子〕〔切qiè货〕〔老杆②〕〔老憨(儿)①〕

〔怯场〕 qiè.chǎng 동 기가 죽다. 주눅들다. ¶站在人前就～; 남의 앞에 서면 주눅이 든다 / 他预备得很充足, 可是临时～, 结结巴巴地说不上来了; 그는 충분히 준비하고 있었지만, 그 때가 되어서는 얼어 버려 횡설수설하고 말을 하지 못했다.

〔怯耻〕 qièchǐ 동 수줍어하다. 부끄러워하다. =〔怯羞〕

〔怯胆〕 qièdǎn 형 겁쟁이이다. 담이 작다. ¶～的人; 겁이 많은 사람. =〔怯志zhì〕

〔怯敌〕 qièdí 동 적을 두려워하다.

〔怯风〕 qièfēng 동 외풍을 싫어하다.

〔怯夫〕 qièfū 명 ⇒〔懦nuò夫〕

〔怯瓜〕 qièguā 명 ⇒〔怯八裔〕

〔怯官〕 qièguān 동 관리를 겁내다. ¶乡下人～; 시골 사람은 관리를 무서워한다.

〔怯寒〕 qièhán 동 추위 때문에 오그라들다.

〔怯话〕 qièhuà 명 시골 사투리가 있는 말. 종잡을 수 없는 말. ¶尽说～, 怪不得人家说你土包子; 종잡을 수 없는 말만 하고 있으니, 남들한테 촌뜨기란 말을 들어도 싸다.

〔怯货〕 qièhuò 명 ⇒〔怯八裔〕

〔怯惧〕 qièjù 동 〈文〉 부들부들 떨고 무서워하다.

〔怯龛儿〕 qièkānr 명 ⇒〔怯八裔〕

〔怯口〕 qièkǒu 명 시골 사투리. ¶他说话带着点儿～, 一听他说话就知道他不是在北京生长的; 그의 말에는 조금 사투리가 있어서, 이야기하는 것을 좀 들으면 그가 베이징(北京)에서 자란 사람이 아니란 것을 곧 알게 된다.

〔怯怜户〕 qièliánhù 명 〈文〉 천민. =〔惰duò民〕

〔怯木匠〕 qièmùjiang 명 하급 노동자.

〔怯尼亚〕 Qièníyà 명 ⇒〔肯Kěn尼亚〕

〔怯懦〕 qiènuò 형 〈文〉 겁이 많다. 나약하다. (용기가 없어) 쭈뼛대다. =〔怯弱①〕

〔怯怯地〕 qièqiède 형 쭈뼛쭈뼛하다. (겁에 질려) 조심조심하다.

〔怯怯乔乔〕 qièqieqiáoqiáo 형 겁먹고 움츠러드는 모양. ¶吓xià得他～; 깜짝 놀라 그는 움츠러들었다.

〔怯弱〕 qièruò 형 〈文〉 ①⇒〔怯懦〕 ②약하다. 허약하다.

〔怯上〕 qièshàng 동 윗사람에게 벌벌 떨다. 윗사람 만나기를 꺼리다. ¶想你是～, 我和周大娘送你去; 너는 윗사람 만나기가 싫은 것 같으니, 나하고 주 아줌마가 너를 배웅해 주겠다.

〔怯生〕 qièshēng 동 〈方〉 낯가림하다. ¶孩子还是～, 客人一抱他就哭; 어린애는 아직 낯을 가려서, 손님이 안으면 곧 운다. =〔怕生〕

〔怯生生(的)〕 qièshēngshēng(de) 형 ①소심한 모양. 겁이 많은 모양. 기가 꺾인 모양. ¶他～地看我一眼; 그는 머뭇거리며 나를 흘끗 쳐다보았다. ②몸이 허약한 모양. ¶抬头看见他妹子王氏面黄肌瘦, ～的; 고개를 쳐들고 보니 누이동생 왕씨가 창백한 얼굴에 피골이 상접해서 쭈뼛쭈뼛하고 있다.

〔怯事〕 qièshì 동 일을 싫어하다. 사물에 겁을 먹다. ¶他有点儿～的毛病; 그는 약간 사물에 겁을 먹는 결점이 있다.

〔怯头怯脑〕 qiè tóu qiè nǎo 〈成〉 ①세상(世上) 물정 모르는 모양. 세련되지 못한 모양. ¶他那个人真是～的; 저 사람은 정말 촌뜨기다. ②겁이 많아 주저주저하는 모양. 멍청한 모양. ‖=〔切头切脑〕

〔怯外〕 qièwài 동 사람 앞에서 주눅이 들다.

〔怯羞〕 qièxiū 동 ⇒〔怯耻〕

〔怯阵〕 qiè.zhèn 동 ①(싸움에 임하여) 기가 죽다〔겁에 질리다〕. ②(대중 앞에서) 당황하고 주눅들다.

〔怯症〕 qièzhèng 명 ①《醫》 폐결핵. =〔痨láo病〕 ②(남자의) 음위(陰萎).

朅 qiè (걸, 흘)
①동 〈文〉 떠나다. 가다. ¶贫贱弗～; 빈천을 마다하지 않다. ②대 언제. 언젠가. 어디. ¶～至; 언제 도착하는가 / ～去; 어디 가느냐. =〔曷hé②〕 ③대 어째서 …하지 않는가. ¶～来; 어째서 오지 않느냐. =〔曷hé①〕 ④형 용맹하다. 늠름하다.

妾 qiè (첩)
명 ①첩. 소실. 측실. ¶纳～; 첩을 들이다. =〔〈俗〉 小老婆xiǎolǎopo〕〔别室〕〔二房〕〔偏室〕〔别房②〕〔少房〕〔少妻〕 ②〈謙〉 소녀. 소첩(옛날, 여자가 자기 자신을 낮추어 일컫던 말).

唼 qiè (첩)
①→〔唼佞〕 ②명 촌뜨기. 시골내기. ¶～口; 시골 사투리 / ～乡下老儿; 시골 영감. ⇒ shà

〔唼佞〕 qiènìng 명동 〈文〉 참언(하다). 중상(하다).

踥 qiè (첩)
→〔踥蹀〕

〔踥蹀〕 qièdié 동 〈文〉 종종걸음을 걷다. 총총히 걷다. =〔躞xiè蹀〕〔蹀躞〕

挈 qiè (설)
동 ①손에 들다. 내걸다. 휴대하다. ¶提纲～领; 〈成〉 강령을 내걸다. 요점을 간추리다 / 各～工具前往参加劳动; 각자 작업용 연장을 손에 들고 (현장으로) 가서 노동에 참가하다. ②거느리다. 인솔하다. 이끌다. ¶扶fú老～幼; 〈成〉 노인을 부축하고 어린아이를 거느리고 함께 가다 / ～眷juàn; ⇩

〔挈带〕 qièdài 동 인솔하다. 동반하다.

〔挈贰〕 qiè'èr 명 ⇒〔雌cí虹〕

〔挈眷〕 qièjuàn 동 가족을 거느리다.

〔挈领〕 qièlǐng 동 ①강령을 내걸다. ②요령을 간추리다.

〔挈挈〕 qièqiè 형 〈文〉 허둥지둥하다(총망한〔분주한〕 모양). ¶炊不暇熟, ～而东; 밥이 익을 새도 없이 황급히 동쪽으로 향하다.

锲(鍥) qiè (계)
①명 〈文〉 낫. ②동 새기다. 자르다.

〔锲而不舍〕 qiè ér bù shě 〈成〉 조금도 소홀히 하지 않다. 손을 늦추지 않다. ¶～, 金石可镂;

정성이 지극하면, 돌 위에도 꽃이 핀다.

愜(恹〈㥦〉) qiè (협) 형〈文〉만족(滿足)하다. 기분 좋다. 유쾌하다. ¶深~人意; 사람의 마음을 흐뭇하게 하다 / ~意; ⇓

〔惬当〕 qièdàng 형〈文〉꼭 알맞다. 적당하다.

〔惬情〕 qièqíng 동〈文〉마음에 맞다. 흡족하다. =〔惬心〕〔惬怀〕

〔惬心适意〕 qièxīn shìyì〈文〉충심으로 만족하여 마음에 들다.

〔惬意〕 qièyì 동 만족하다. 마음에 흡족하다. ¶他~地点着头, 情不自禁地说; 그는 만족한 듯 고개를 끄덕이면서, 마음을 억제하지 못하고 말을 했다. =〔满意〕〔称心〕〔舒服〕

箧(篋) qiè (협) 명〈文〉조그만 상자. 상자 모양의 물건. ¶藤~; 등나무로 엮은 상자 / 行~; 고리짝 / ~衍yǎn; ⇓

〔箧衍〕 qièyǎn 명〈文〉대·갈대로 엮은 바구니.

趄 qiè (저) 동 비스듬하다. 기울어져 있다. 비뚤어져 있다. ¶~坡pō儿; ⇓ / ~着身子; 몸을 비스듬히 하다. ⇒jū

〔趄角儿〕 qièjiǎor 명〈京〉죽인 모서리(책상 따위의 비스듬히 훑는 가장자리. 감촉을 좋게 하기 위해 대패로 조금 훑는 부분).

〔趄坡儿〕 qièpōr 명〈京〉경사지. 비탈.

〔趄条子〕 qiètiáozi 명 ⇨〔怯八裔〕

慊 qiè (협) 형〈文〉만족하다. 흐뭇하다. ¶不~; 불만족하다. ⇒qiàn

QIN ㄑㄧㄣ

亲(親) qīn (친) ①명 부모. 어버이. ¶父~; 부친 / 双~; 양친. ②명 육친. 직계. ¶~兄弟; 친형제 / ~叔叔; 숙부. 작은아버지. 직계의 삼촌. ③명 친족. 인척. 일가. ¶~友; ⇓ / 远~不如近邻; 〈諺〉먼 친척보다 가까운 이웃 / 沾~带故; 〈成〉친척 또는 친교 관계가 있다. ④명 혼인. ¶成~; 결혼하다 / 提~; 혼담을 꺼내다 / 求~; (제삼자가 본인 대신에) 결혼을 신청하다 / 定~; 혼담을 정하다. 약혼하다. ⑤명 신부. 새색시. ¶娶qǔ~; 아내를 얻다 / 迎~; 새색시를 맞이하다. ⑥형 친하다. 친해지다. 사이 좋다. ¶兄弟相~; 형제간의 우애가 좋다 / 相~相爱; 서로 친하고 사랑하다 / ~別交财, 交财两不来; 〈諺〉가까운 사이에는 거래를 하지 마라. 사이가 나빠진다 / ~莫~于父子, 近莫近于夫妻; 부자간만큼 친한 사이는 없고, 부부만큼 가까운 것도 없다 / 疏不间jiàn~, 后不僭老; 〈諺〉관계가 먼 사람은 친한 사람을 방해해서는 안 되고, 후배는 노인을 제쳐놓고 나서면 안 된다 / ~近; ⇓ / ~密; ⇓ / ~爱; ⇓ ⑦동 좋아하다. 즐기다. ¶他对于烟酒, 都不~; 그는 담배·술 다 좋아하지 않는다. =〔喜欢〕〔嗜好〕 ⑧동 귀여워하다. ¶如今可~我哩; 지금은 나를 귀여워해 준다. ⑨동 접근하다. ⑩동 입맞추다. 볼을 대고 비비다. ¶他~了~孩子的小脸蛋; 그는 어린아이의 귀여운 볼에 입을 맞추었다 / ~一个; (어머니 등이 아기가 귀여워서) 볼을 비비다 / ~脸(蛋); 볼을 비비다. ⑪부 스스로. 친히. 몸소. ¶~笔信; 자필 편지 / ~自到火车站上迎接; 친히 정거장까지 나가서 마중하다. ⇒qìng

〔亲爱〕 qīn'ài 동 ①친애하다. ¶~的朋友们! 친애하는 친구 여러분! ②사랑하다.

〔亲傍〕 qīnbàng 동〈古白〉가까이하다. 친하게 지내다. ¶也不是俺便做下这一个冷脸儿难~; 나는 이렇게 무뚝뚝한 표정을 짓고, 친해지기 어렵게 하자는 것도 아니다.

〔亲笔〕 qīnbǐ 명 친필. 자필. 직필(直筆). ¶~签名; 자필로 서명하다 / ~信; 친필의 편지.

〔亲表姐妹〕 qīnbiǎo jiěmèi 명 외사촌 누이. =〔舅jiù表姐妹〕

〔亲表兄弟〕 qīnbiǎo xiōngdì 명 외사촌 형제. =〔舅jiù表兄弟〕

〔亲兵〕 qīnbīng 명 국가 원수의 신변을 지키는 호위병. 근위병. =〔亲军〕

〔亲不亲, 帮上分〕 qīnbùqīn, bāngshangfēn〈諺〉친하냐 친하지 않으냐 보다, 한패냐 아니냐가 문제다.

〔亲不亲, 故乡人〕 qīn bùqīn, gùxiāngrén〈諺〉친한 사람이건 그렇지 않은 사람이건, 고향 사람은 그리운 것이다.

〔亲拆〕 qīnchāi 명 친전(親展). 몸소 펴봄. =〔亲启〕〔亲阅〕〔亲展〕

〔亲大〕 qīndà 명 ①친아버지. ②〈方〉삼촌(백부·숙부).

〔亲代〕 qīndài 명 부모의 세대.

〔亲的〕 qīnde 명 육친. 아주 가까운 일가. ¶~肚子里没刺; 〈諺〉육친 사이에서는 비록 한때의 의견 차이 같은 것이 있더라도 언제까지 꽁하지 않는다.

〔亲的己的〕 qīnde jǐde 아주 가까운 친척. =〔亲的热的〕

〔亲的热的〕 qīnde rède ⇨〔亲的己的〕

〔亲等〕 qīnděng 명 친등. 촌수.

〔亲弟〕 qīndì 명 친남동생.

〔亲弟弟〕 qīndìdi 명 친동생. =〔胞bāo弟〕

〔亲弟兄〕 qīndìxiōng 명 친형제.

〔亲爹〕 qīndiē 명 친아버지. ⇒qìngdiē

〔亲爹热妈〕 qīndiē rèmā 명 친부모. =〔亲生父母〕〔亲爹热娘〕

〔亲爹热娘〕 qīndiē rèniáng 명 ⇨〔亲爹热妈〕

〔亲丁〕 qīndīng 명 ⇨〔亲属〕

〔亲睹〕 qīndǔ 동〈文〉목격하다.

〔亲儿(子)〕 qīn'ér(zi) 명 ⇨〔亲生儿子〕

〔亲耳〕 qīn'ěr 명부 자기의 귀(로). ¶~听; 자신의 귀로 (직접) 듣다.

〔亲房近支〕 qīnfáng jìnzhī 명 ⇨〔亲房亲支〕

〔亲房亲支〕 qīnfáng qīnzhī 명 근친. 가까운 친척. =〔亲房近支〕

〔亲夫〕 qīnfū 명 자기의 남편.

〔亲父母〕 qīnfùmǔ 명 친부모.

〔亲赴〕 qīnfù 동 친히 가다. ¶~前线; 친히 전선에 나가다.

〔亲告罪〕 qīngàozuì 명《法》친고죄.

〔亲哥哥〕 qīngēge 명 친형. =〔胞bāo兄〕〔同tóng胞哥哥〕

〔亲哥儿们〕 qīngērmen 명 ⇨〔亲兄弟〕

〔亲供〕 qīngòng 동《法》스스로 공술(供述)하다. 명 자공(自供). 주장.

〔亲骨肉〕 qīngǔròu 명 육친.

〔亲故〕 qīngù 명 ①⇨〔亲戚故旧〕 ②⇨〔亲信①〕
〔亲贵〕 qīnguì 명 〈文〉 제왕의 근친 및 측근.
〔亲函〕 qīnhán 명 〈文〉 친필 편지. 친서.
〔亲和力〕 qīnhélì 명 ⇨〔化huà合力〕
〔亲厚〕 qīnhòu 형 〈文〉 친교가 두텁다. 친하다.
〔亲家〕 qīnjiā 명 친척. ⇒qìngjia
〔亲颊〕 qīnjiá 동 볼을 비비다. =〔亲脸(蛋)〕
〔亲姐姐〕 qīnjiějie 명 친누이. 친언니. =〔胞bāo姐〕〔同tóng胞姐姐〕
〔亲姐妹〕 qīnjiěmèi 명 친자매. =〔胞bāo姐妹〕〔同tóng胞姐妹〕
〔亲近〕 qīnjìn 형 친하다. 친밀하다. ¶在外觉得同乡分外～; 타국에 있으면 동향 사람에게 더욱 친밀감을 느낀다. 동 친하게 하다. ¶大家都愿意～他; 모두 그와 친하고 싶어한다.
〔亲旧〕 qīnjiù 명 ⇨〔亲戚故旧〕
〔亲眷〕 qīnjuàn 명 ①⇨〔亲戚〕 ②가족. =〔眷属〕
〔亲军〕 qīnjūn 명 ⇨〔亲兵〕
〔亲口〕 qīnkǒu 명 자신의 입. 부 자기 입으로. 직접 그 사람 입으로. ¶他～告诉我说, 过几天要来看你; 그는 직접 나에게 며칠 후 당신을 방문하겠다고 말했다.
〔亲莅〕 qīnlì 동 ⇨〔亲临〕
〔亲脸(蛋)〕 qīnliǎn(dàn) 동 ⇨〔亲颊〕
〔亲邻〕 qīnlín 명 친척이나 이웃.
〔亲临〕 qīnlín 동 〈翰〉 친림하다. 친히 참석하다. =〔亲莅lì〕
〔亲聆〕 qīnlíng 동 〈文〉 삼가 듣다. ¶～雅教; 삼가 훌륭한 가르침을 듣다.
〔亲妹妹〕 qīnmèimei 명 친누이동생. =〔胞bāo妹〕
〔亲密〕 qīnmì 형 친밀하다. ¶～的战友; 친한 전우 / ～无间jiàn; 〈成〉 친밀하고 격의가 없다 / ～得像一家人; 가족처럼 친하다.
〔亲庙〕 qīnmiào 명 옛날, 천자의 조상 4대를 모신 사당.
〔亲民〕 qīnmín 동 〈文〉 ①백성들을 친애하다. ¶～之官; 옛날, 현지사(縣知事)의 별칭. ②백성들을 새롭게 하다.
〔亲母(亲)〕 qīnmǔ(qin) 명 ⇨〔亲娘〕
〔亲目〕 qīnmù 부 ⇨〔亲眼〕
〔亲睦〕 qīnmù 형 사이가 좋다. 친하다.
〔亲昵〕 qīnnì 형 ①매우 친하다. 화목하다. ②친압하다. 버릇없이 너무 친하다. =〔亲腻〕〔狎xiá近〕〔狎昵〕
〔亲腻〕 qīnnì 형 ⇨〔亲昵②〕
〔亲娘〕 qīnniáng 명 생모. 친어머니. =〔亲母(亲)〕〔亲生母亲〕 ⇒qìngniáng
〔亲娘舅〕 qīnniángjiù 명 ⇨〔舅父〕
〔亲女儿〕 qīnnǚr 명 친딸.
〔亲朋〕 qīnpéng 명 ⇨〔亲友〕
〔亲启〕 qīnqǐ 명 ⇨〔亲拆chāi〕
〔亲戚〕 qīnqi 명 친척(외가나 고모쪽 친척으로 이성(異姓). 현재는 아버지 쪽이든 어머니 쪽이든 가리지 않고 쓰기도 함). ¶～远来香; 〈諺〉 먼 데서 온 친척한테는 더욱 친밀감을 느낀다. =〔亲眷①〕 →〔本家〕
〔亲戚故旧〕 qīnqī gùjiù 명 친척과 친지. =〔亲故①〕〔亲旧〕
〔亲戚儿〕 qīnqir 명 친척처럼 친한 관계. ¶叫得这么亲热, 是哪门子的～; 이렇게 친숙하게 말을 걸고 있는데, 도대체 어떤 친척일까.
〔亲钱〕 qīnqián 명 자기 돈. 몸에 지니고 있는 돈. ¶拿出～来买的; 제돈 내고 산 것.
〔亲切〕 qīnqiè 형 ①정성어리다. 친근하다. 친근미가 느껴지다. 돈독하다. ¶老师的～教导; 선생님의 정성어린 가르침 / ～的慰问; 정성어린 위문 / ～地接待; 친절하게 접대하다 / ～交谈; 터놓고 이야기하다 / 像家乡一样～; 마치 고향처럼 친근함이 느껴진다. ②가깝다. 절실하다. 그립다. ¶工农间的～关系; 노농(勞農)간의 밀접한 관계 / 朴pǔ实～的诗句; 친근감을 느낄 수 있는 시구 / ～的声音; 그리운 목소리 / ～的眼光; 상냥한 눈길. 명 친근함. 가까움. 그리움. ¶生活方式很相似, 使我感到非常～; 생활 방식이 비슷해서 아주 친밀감을 느끼게 했다 / 这首诗, 更使我们感到～; 이 시는 한층 우리에게 친근감을 느끼게 한다.
〔亲热〕 qīnrè 형 지극히 친하다. 친밀하다. ¶大伙儿就像久别重逢的亲人一样, ～极了; 모두들 오랫동안 만나지 못했던 친척처럼 아주 친밀하다 / 他们俩很～; 저 두 사람은 아주 사이가 좋다. ↔〔冷淡〕 동 친(절)하게 하다.
〔亲人〕 qīnrén 명 가까운 친척. 육친. ¶他家里除母亲以外, 没有别的～; 그의 집에는 어머니 외에는 육친이 없다.
〔亲任〕 qīnrèn 동 ⇨〔亲信〕
〔亲善〕 qīnshàn 형 친하고 사이좋다. 우호적이다. 명 친선. ¶中韩～; 중한〔중국과 한국의〕 친선.
〔亲上加亲〕 qīn shàng jiā qīn 〈成〉 ⇨〔亲上做亲〕
〔亲上亲〕 qīnshàngqīn 겹사돈(을 맺다)(친척끼리의 혼인).
〔亲上做亲〕 qīn shàng zuò qīn 〈成〉 친척끼리 겹사돈을 맺다. =〔亲上加亲〕
〔亲身〕 qīnshēn 부 친히. 스스로. ¶～体验过; 친히 체험했다.
〔亲生〕 qīnshēng 동 자기가 낳다. ¶～自养; 자기가 낳아 자기가 기르다 / ～子女; 친자식(아들과 딸). 명 실제. 육친. ¶～父母 =〔亲爹热妈〕〔生身父母〕; 친부모 / ～母亲 =〔亲母(亲)〕〔亲娘〕; 친어머니.
〔亲生儿子〕 qīnshēng érzi 명 친아들. =〔亲儿(子)〕〔亲生子〕
〔亲是亲, 财是财〕 qīn shì qīn, cái shì cái 〈諺〉 부모는 부모고, 돈은 돈이다. 부모 자식 사이에도 금전상으로는 남이다.
〔亲事〕 qīnshi 명 혼인. ¶他的～快成了吧! 그의 혼사는 머지않아 이루어지겠지! =〔婚事〕
〔亲手〕 qīnshǒu 부 손수. ¶～交; 수교(手交)하다. 손수 건네다 / ～去做; 손수 하다. 자기의 손으로 하다 / ～自造; 손수 만들다 / ～签qiān名; 자서(自署)하다.
〔亲叔伯〕 qīnshūbǎi 명 ⇨〔叔伯弟兄〕
〔亲疏〕 qīnshū 명 친소. 친근함과 소원함. ¶那要看交情的～了; 그것은 교제가 친한가 어떤가에 달려 있습니다.
〔亲属〕 qīnshǔ 명 친족. 혈연 관계가 있는 친척. =〔亲丁〕〔亲族〕
〔亲率〕 qīnshuài 동 친히〔몸소〕 거느리다.
〔亲随〕 qīnsuí 명 옛날, 측근자. 수종(隨從).
〔亲痛仇快〕 qīn tòng chóu kuài 〈成〉 내 편을 상(傷)하게 하고, 적을 기쁘게 한다(적에게 유리하고 내 편에게 불리한 것을 서슴없이 하다. 자기 편끼리 다투어 적을 이롭게 하다).
〔亲王〕 qīnwáng 명 ①친왕. ②청(淸)나라 때에는 최상급의 작위(주로, 황자에게 내림).
〔亲吻〕 qīnwěn 동 입맞추다. =〔亲嘴(儿)(qīnzuǐ(r))〕

〔亲狎〕 qīnxiá 동〈文〉 친압하다. 지나치게 허물없이 굴다.
〔亲信〕 qīnxìn 동 친하게 지내고 믿다〔의지하다〕. ¶非常地～他; 그를 매우 믿고〔의지하고〕 있다. =〔亲任〕 명 ①측근자. ¶～人士; 측근 인사. =〔亲故②〕 ②심복. 부하《흔히, 부정적 인물을 가리킴》.
〔亲兄弟〕 qīnxiōngdì 명 친형제. ¶～明算账;〈諺〉 친형제라도 금전 관계는 분명히 해야 한다. =〔亲哥儿们〕〔胞bāo兄弟〕〔同tóng胞兄弟〕
〔亲眼〕 qīnyǎn 부 자기 눈으로. ¶～看到惨剧; 참사를 직접 보다 / ～看; 분명히 이 눈으로 보다 / ～得dé见, 非常感激; 친히 뵐 수 있어 몹시 감격하고 있습니다. =〔〈文〉亲目〕
〔亲眼见证〕 qīnyǎn jiànzhèng 명 실제로 목격한 증인.
〔亲迎〕 qīnyíng 명 친영《구식 결혼에서, 신랑의 대리로 신랑측의 친지의 부인이 신부의 집으로 마중하러 가는 일》. 동 친히 마중하다.
〔亲友〕 qīnyǒu 명 ①친척과 친구. ②친구. ‖=〔亲朋〕
〔亲鱼池〕 qīnyúchí 명 어미고기의 양어지(養魚池).
〔亲阅〕 qīnyuè 명 ⇨〔亲拆〕
〔亲展〕 qīnzhǎn 명 ⇨〔亲拆〕 동〈文〉 면담하다.
〔亲征〕 qīnzhēng 동〈文〉 친정하다. 천자가 친히 정벌하러 나가다.
〔亲政〕 qīnzhèng 동〈文〉 친정하다. 천자가 직접 정치를 하다.
〔亲支近派〕 qīnzhī jìnpài 명 가까운 친척이나 연고자.
〔亲知〕 qīnzhī 명 친척 지인. =〔亲戚故旧〕 동 스스로 알다. 이해하다. 뼈저리게 느끼다.
〔亲知灼见〕 qīn zhī zhuó jiàn〈成〉 친히 잘 보다. 자기가 똑똑히 보다. 자기가 잘 알고 있다. ¶这件事, 我是～; 이 일이라면 나는 잘 알고 있다.
〔亲炙〕 qīnzhì 동〈文〉 직접 가르침을 받다.
〔亲自〕 qīnzì 부 자신이. 친히. ¶～动手做; 손수 하다 / ～选择; 스스로 선택하다 / 我～拿去; 내가 직접 가져간다 / ～出马; 스스로 나서다. =〔亲身shēn〕
〔亲族〕 qīnzú 명 ⇨〔亲属〕
〔亲祖〕 qīnzǔ 명 친조부. 친할아버지.
〔亲嘴〕 qīnzuǐ 명부 자신의 입(으로). 본인의 입(으로). ¶～说; 스스로 말하다.
〔亲嘴(儿)〕 qīn·zuǐ(r) 동 키스하다. =〔接吻〕 (qīnzuǐ(r)) 명 키스.

侵 qīn (침)

① 동 침입하다. 침범하다. 약탈하다. ¶～害; ⇩ / ～人; ⇩ ② 동 새벽이 가까워지다. ¶～晓xiǎo =〔～早〕; ⇩ / ～晨; ⇩ ③ 명 흉년(凶年).
〔侵挨挪移〕 qīn ái nuó yí 공금을 착복하거나 지불을 지연시키거나 딴 데에 유용하다. ¶～无所不为; 착복 · 지불지연 · 유용 등 온갖 부정을 저질렀다.
〔侵残〕 qīncán 동 ⇨〔侵害〕
〔侵晨〕 qīnchén 명 ⇨〔侵早〕
〔侵夺〕 qīnduó 동 침탈하다. (권세 · 세력으로) 침노하여 빼앗다.
〔侵犯〕 qīnfàn 동 침범하다. ¶～我国的边境; 우리나라의 국경 지대를 침범했다.
〔侵分〕 qīnfēn 명 바둑 용어의 종반전.
〔侵攻〕 qīngōng 동 침공하다.
〔侵害〕 qīnhài 동 침해하다. =〔侵残〕
〔侵肌砭骨〕 qīn jī biān gǔ〈成〉 찬바람이 뼛속에 스며들다.
〔侵寇〕 qīnkòu 동 침구하다. 침략하다. 침입하여 노략하다.
〔侵凌〕 qīnlíng 동〈文〉 침릉하다. 세력을 믿고 남을 업신여기고 침노하다.
〔侵漏〕 qīnlòu 동〈文〉 공금을 속여 착복하다.
〔侵掠〕 qīnlüè 동〈文〉 침략하다. 침노하여 약탈하다.
〔侵略〕 qīnlüè 명동 침략(하다). ¶～军; 침략군 / ～政策; 침략 정책 / ～成性; 침략을 그 본성으로 하다.
〔侵冒〕 qīnmào 동 ⇨〔侵占〕
〔侵权行为〕 qīnquán xíngwéi 명 월권 행위.
〔侵扰〕 qīnrǎo 동 침략하다. 침입하여 소란을 피우다. ¶～边境; 국경 지대를 침노하여 소요를 일으키다.
〔侵人犯规〕 qīnrén fànguī 명《體》 퍼스널 파울.
〔侵入〕 qīnrù 동 침입하다.
〔侵食〕 qīnshí 동 ⇨〔侵蚀〕
〔侵蚀〕 qīnshí 동 ①(물질이 물질을) 침식하다. 좀먹다. 침범하다. ¶病菌～人体; 병원균이 인체를 좀먹다 / 防止坏思想的～; 나쁜 사상에 침식되지 않도록 하다. ②(다른 사람의 권리나 재물을) 개개다. 좀먹다. 써 버리다. ¶～公款; 공금을 써버리다. =〔侵削xuē〕 ③《地》 침식하다. ‖=〔侵食〕
〔侵吞〕 qīntūn 동 ①남의 재물을 완전히 제 것으로 만들다. ¶～公款; 공금 횡령 / ～账目; 장부를 속여서 돈을 써 버리다 / ～国帑tǎng; 국비를 횡령하다. ②(무력으로) 병탄(倂呑)하다.
〔侵袭〕 qīnxí 명동 (침입하여) 엄습(하다). 습격(하다).
〔侵晓〕 qīnxiǎo 명 ⇨〔侵早〕
〔侵削〕 qīnxuē 동 (영토 등을) 침범하여 빼앗다.
〔侵寻〕 qīnxún 동〈文〉 다다르다. 점차 …에 이르다. ¶是岁天子始巡郡县, ～于泰山矣; 이해에 천자는 군 · 현을 순시하고 태산(泰山)에 다다른다. =〔侵浔〕〔浸浔〕
〔侵浔〕 qīnxún 동 ⇨〔侵寻〕
〔侵渔〕 qīnyú 동〈文〉 착취하다. (백성으로부터) 짜내다. ¶～小民; 백성을 착취하다.
〔侵越〕 qīnyuè 동 권한을 침범하다. ¶～行为是应该谴责的; 권한을 침범하는 행위는 비난받아야 한다.
〔侵早〕 qīnzǎo 명 날이 새기 전. 새벽녘. =〔侵晨〕〔侵晓〕〔凌líng晨〕
〔侵占〕 qīnzhàn 동 횡령하다. 불법 점거하다. ¶～人的产业; 다른 사람의 부동산을 불법으로 점유하다. =〔侵冒〕

骎(駸) qīn (침)

→〔骎骎〕
〔骎骎〕 qīnqīn 형〈文〉 ①말이 빨리 달리는 모양. ¶骏足～; 준마의 발이 빠르다. ②〈轉〉 일의 진행이 빠른 모양. ¶国土建设～日上; 국토 건설은 나날이 진행되고 있다 / ～数年矣; 눈 깜짝할 사이에 몇 해가 경과했다.

钦(欽) qīn (흠)

① 동〈文〉 삼가다. 존경하다. ¶英勇可～; 영특하고 용맹함은 존경할 만한 것이다 / ～佩; ⇩ ② 명 옛날, 천자(天子)를 존경하는 말. ¶～工; 칙명(勅命)으로 영조(營造)되는 공사 / ～此; ⇩ / ～赐; ⇩ ③ 명 성(姓)의

하나.
〔钦差〕 qīnchāi 명 ①흠차(칙명(勅命)에 의해 파견되어 중대 사건을 처리하는 관리). ¶～大臣; 흠차 대신(중요한 국무를 처리하기 위해 칙명에 의해 사신을 특파하는 일). ②공사〔대사〕의 구칭(舊稱). 동 흠차하다.
〔钦迟〕 qīnchí 동〈翰〉존경하여 우러르다. =〔钦伫〕
〔钦此〕 qīncǐ〈文〉〈翰〉이를 준수하라(옛날, 조서(詔書)의 말미에 첨가된 결미어(結尾語)).
〔钦赐〕 qīncì 명동 은사(恩賜)(하다). =〔钦赏〕
〔钦点〕 qīndiǎn 동〈文〉칙명(勅命)으로 지명〔지정〕하다.
〔钦定〕 qīndìng 동 흠정하다(천자가 친히 또는 칙재(勅裁)를 거쳐 간행한 저술(著述)).
〔钦服〕 qīnfú 동 ⇨〔钦敬〕
〔钦敬〕 qīnjìng 동 경복(敬服)하다. ¶无任～; 경복하여 마지않다. =〔钦服〕〔钦挹〕
〔钦命〕 qīnmìng 명〈文〉칙명(勅命).
〔钦慕〕 qīnmù 동〈文〉흠모하다.
〔钦佩〕 qīnpèi 동 감복(感服)하다. 존경하다. ¶那种勇气令人～; 그 용기는 우러러볼 만한 것이다 / 不胜～之至; 지극히 감복하여 마지않다. =〔敬jìng佩〕
〔钦佩景仰〕 qīnpèi jǐngyǎng 동 ⇨〔钦仰〕
〔钦赏〕 qīnshǎng 명동 ⇨〔钦赐〕
〔钦天监〕 qīntiānjiàn 명《史》흠천감((명(明)·청(淸) 때의) 천문 역법에 관한 일을 맡은 관서의 이름).
〔钦仰〕 qīnyǎng 동〈文〉흠앙하다. 우러러 존경하다. =〔钦佩景仰〕
〔钦挹〕 qīnyì 동 ⇨〔钦敬〕
〔钦召〕 qīnzhào 명 황제(皇帝)의 부르심(현재는 풍자적으로 쓰임).
〔钦伫〕 qīnzhù 동 ⇨〔钦迟〕

嵚(嶔) qīn (금)
→〔嵚崟〕

〔嵚崟〕 qīnyín 형〈文〉산이 높은 모양.

衾 qīn (금)
명〈文〉①이불. ¶～枕; ⇩ / ～裯chóu; 이불. =〔被子〕 ②수의(壽衣). ¶衣～棺椁; 수의와 관 / ～单; 입관(入棺) 때 시체 위에 덮어 주는 이불.

〔衾被〕 qīnbèi 명〈文〉이불.
〔衾影无惭〕 qīn yǐng wú cán〈成〉표리가 없다. 양심에 부끄러울 것이 없다('独行不愧影, 独寝不愧衾'(홀로 가면서 자기 그림자에 대해 부끄럽지 않고, 홀로 자면서 이불에 대해서 부끄럽지 않다)에서 유래).
〔衾枕〕 qīnzhěn 명〈文〉침구. 이부자리와 베개.

芹 qín (근)
명 ①《植》미나리. ¶～菜; ⇩ ②〈謙〉변변치 않은 것.

〔芹菜〕 qíncài 명《植》①미나리. ②셀러리(celery). 양미나리. ¶～子油; 셀러리 종유(種油).
〔芹黄〕 qínhuáng 명《植》좋은 미나리(줄기에서 잎에 이르기까지 노랗고 연한 미나리).
〔芹敬〕 qínjìng〈謙〉남에게 물건을 선사할 때 겸양을 갖춰 하는 말. =〔芹献〕
〔芹献〕 qínxiàn ⇨〔芹敬〕
〔芹叶钩吻〕 qínyègōuwěn 명 ⇨〔毒dú芹〕
〔芹意〕 qínyì 명 ⇨〔芹衷〕
〔芹衷〕 qínzhōng 명〈文〉촌지(寸志). =〔芹意〕

芩 qín (금)
명《植》'芦lú苇'(갈대 총칭)의 고칭(古稱).

矜〈穫〉 qín (근)
명〈文〉(무기인) 모(矛)의 자루. ⇒guān jīn

琴〈栞〉 qín (금)
명 ①《樂》고금(古琴)(벽오동(碧梧桐) 따위로 만든 현악기의 일종으로, 5현(弦)이었으나 뒤에 7현이 됨). ②《樂》거문고·가야금 따위 악기의 총칭. ¶口～; 하모니카 / 钢～; 피아노 / 小提～; 바이올린 / 风～; 풍금 / 电子～; 전자 오르간 / 拉手风～; 아코디언을 연주하다 / 胡～(儿); 호궁 / 吹口～; 하모니카를 불다 / 弹tán钢～; 피아노를 치다. ③(Qín) 성(姓)의 하나.

〔琴拨〕 qínbō 명《樂》(현악기 연주용의) 채. 발목(撥木).
〔琴床〕 qínchuáng 명《樂》〈文〉거문고를 받쳐 놓는 도구.
〔琴凳〕 qíndèng 명《樂》(피아노용의) 걸상.
〔琴钢丝〕 qíngāngsī 명 ⇨〔白bái钢丝〕
〔琴钢线〕 qíngāngxiàn 명 ⇨〔白bái钢丝〕
〔琴歌〕 qíngē 명《樂》금곡. 거문고의 곡조. =〔琴曲〕 동〈文〉거문고를 타면서 노래하다.
〔琴剑飘零〕 qín jiàn piāo líng〈成〉문인이 영락하여 각지를 돌아다니다.
〔琴键〕 qínjiàn 명《樂》(피아노·오르간의) 건반.
〔琴马〕 qínmǎ 명 기러기발.
〔琴鸟〕 qínniǎo 명《鳥》금조. 라이어버드(lyrebird).
〔琴谱〕 qínpǔ 명 거문고의 악보.
〔琴棋书画〕 qín qí shū huà 거문고와 바둑, 서화 등의 고상한 취미.
〔琴曲〕 qínqǔ 명 ⇨〔琴歌〕
〔琴瑟〕 qínsè 명 ①거문고와 비파. ②금실. 〈比〉부부가 화합하는 모양. ¶～之乐; 금실지락 / ～不调; 부부 금실이 좋지 않다.
〔琴瑟调和〕 qín sè tiáo hé〈成〉부부 금실이 좋다.
〔琴瑟钟鼓〕 qín sè zhōng gǔ 명 악기류의 총칭.
〔琴声〕 qínshēng 명 ①거문고의 소리. ②악기의 소리.
〔琴师〕 qínshī 명《劇》현악기 반주자.
〔琴书〕 qínshū 명 민간 예능의 일종(고사(故事)를 강창(講唱)할 때 양금(洋琴)을 반주로 사용함).
〔琴童〕 qíntóng 명 금동. 옛날, 문인 곁에서 시중을 들던 어린아이.
〔琴弦〕 qínxián 명《樂》(악기의) 현.
〔琴心剑胆〕 qín xīn jiàn dǎn〈成〉마음에 여유가 있고 담력도 있다.
〔琴钟〕 qínzhōng 명 오르골 시계(時計).
〔琴柱〕 qínzhù 명 기러기발. =〔琴马〕
〔琴樽〕 qínzūn 명〈文〉금준. 거문고와 술통(옛날, 문인이 마음을 편안히 하고 시상을 높이기 위하여 즐겨 신변에 갖추어 놓던 물건).

秦 Qín (진)
명 ①《史》진(주(周)나라 때의 나라 이름. 현재의 산시(陝西) 중부, 간쑤(甘肅) 동부 근처에 있었음). ②《地》산시 성(陝西省)의 별칭. ③진(진시황이 세운 중국 최초의 통일 왕조, B.C. 221～206). ④성(姓)의 하나.

〔秦川〕 Qínchuān 명《地》산시(陝西)·간쑤(甘肅) 두 성의 별칭.

〔秦龟〕 qínguī 명 ⇨〔草cǎo龟〕
〔秦胡〕 qínhú 명 호궁의 일종《활로 켬》.
〔秦淮〕 Qínhuái 명 《地》 난징(南京) 성내를 흐르는 작은 내의 이름.
〔秦桧还有三个相好的〕 qínhuì háiyǒu sānge xiānghǎode 〈諺〉 극악 무도한 진회에게도 세 사람의 지기(知己)가 있다《송(宋)나라의 진회는 충신 악비(岳飛)를 살해한 간신》.
〔秦吉了〕 qínjíliǎo 명 《鳥》 구관조(九官鳥). =〔吉了鸟〕〔情qíng急了〕
〔秦艽〕 qínjiāo 명 《植》 오독도기.
〔秦椒〕 qínjiāo 명 《植》 ①산초나무. ¶～嘴; 《鳥》 자주호반새. ②〈方〉 (가늘고 긴) 고추.
〔秦晋之好〕 qín jìn zhī hǎo 〈成〉 대대(代代)로 혼인을 맺어 친밀하다.
〔秦镜〕 qínjìng 명 진나라 시황제가 갖고 있었던 보경(寶鏡)《이 거울은 사람의 내장이나 마음 속을 비춰 볼 수 있었다고 함》.
〔秦镜高悬〕 qín jìng gāo xuán 〈成〉 판결이 명쾌하다. 죄를 다스림이 공명하다.
〔秦楼〕 qínlóu 명 〈文〉 기루(妓樓). ¶～楚馆; 기루.
〔秦木那齐〕 qínmùnàqí 명 김나지움(독 Gymnasium)《구(舊)서독의 고등 학교》.
〔秦皮〕 qínpí 명 물푸레나무의 껍질《약용》.
〔秦腔〕 qínqiāng 명 《劇》 노래하며 이야기하는 극의 하나《'梆子'로 장단을 맞추고 '板胡'(호궁의 일종)나 피리로 반주함. '梆子腔'의 대표적인 것으로 '陕shǎn西梆子'라고도 함》.
〔秦琼〕 Qínqióng 명 《人》 당(唐)나라 때, 외적 토벌에 자주 공을 세운 대장군.
〔秦始皇〕 Qínshǐhuáng 명 ⇨〔始皇〕
〔秦庭〕 qíntíng 명 《史》 진(秦)나라의 조정《춘추 시대에 오(吳)나라 군사가 초(楚)나라에 침입했을 때, 신포서(申包胥)가 진(秦)나라로 가서 구원군 파견을 청하면서 7일 동안 계속 울었으므로, 마침내 진나라가 군사를 내었다는 고사에서, 구조를 청하는 일을 '做～之哭'이라 함》.
〔秦篆〕 qínzhuàn 명 소전(小篆). 진전(秦篆)《서체의 하나》.

捦 qín (금)
'擒qín'과 통용.

溱 qín (진)
지명용 자(字). ¶～潼Qíntóng; 친퉁(溱潼)《장쑤 성(江蘇省)에 있는 땅 이름》. ⇒zhēn

蓁 qín (진)
→〔蓁椒〕 ⇒zhēn

〔蓁椒〕 qínjiāo 명 《植》 ①산초(山椒)나무. ②고추. =〔辣椒〕‖=〔秦椒〕

嗪 qín (진)
명 《化》 환상(環狀) 질소 화합물 이름의 어미(語尾). ¶哌pài～; 《化》 피페라진(piperazine) / 吡bǐ～; 피라진(pyrazine) / 嗒dā～; 피리다진(pyridazine).

螓 qín (진)
명 《蟲》 고서(古書)에 나오는 곤충의 일종.

〔螓首〕 qínshǒu 명 〈比〉 (진(螓)매미처럼 네모지고 넓은) 미인의 이마.

禽 qín (금)
명 ①새〔조류〕의 총칭. ¶家～; 가금 / 飞～; 조류 / 仙～; 학의 다른 이름. ②〈文〉 조수(鳥獸)의 총칭. ¶～兽行为; 금수와 같은 행위 / 衣冠～兽; 짐승의 가죽을 쓴 인간. ③〈文〉 '擒qín'과 통용. ④성(姓)의 하나.

〔禽霍乱〕 qínhuòluàn 명 가금(家禽) 콜레라.
〔禽龙〕 qínlóng 명 《動》 금룡. 이구아노돈(iguanodon).
〔禽舍〕 qínshè 명 닭이나 오리 따위 가금의 우리.
〔禽兽〕 qínshòu 명 ①금수. 조수. ②〈比〉 행동이 비열함. ¶～行为; 금수 같은 행위.

擒 qín (금)
①동 붙잡다. 사로잡다. ¶～贼先～王; 〈諺〉 도적을 잡으려면 먼저 두목을 잡아라《악을 없애려면 그 근원을 끊어야 함. 일을 이루기 위해서는 그 급소를 파악하라》 / ～捉zhuō; 붙잡다. 사로잡다 / 把贼～住了; 도적을 붙잡았다. ②명 포로(捕虜).

〔擒虎〕 qínhǔ 동 호랑이를 잡다. ¶上山～易, 开口求人难; 〈諺〉 산에 올라가서 호랑이를 사로잡기는 쉽지만, 입을 열어 남에게 부탁하기는 어렵다.
〔擒获〕 qínhuò 동 붙잡다. 사로잡다. 체포하다. ¶～贼首; 도둑의 두목을 붙잡다. =〔擒拿〕
〔擒拿〕 qínná 동 붙잡다. 포로로 하다. =〔擒获〕
〔擒纵〕 qínzòng 동 〈文〉 ①사로잡았다 놓아 주었다 하다. ②〈比〉 일이 긴장되었다 완화되었다 하다. 엄해졌다 느슨해졌다 하다. ¶这件事情一擒一纵, 莫测高深; 이 일은 긴장되었다 싶으면 또 완화되기도 하여 도무지 갈피를 잡을 수가 없다.
〔擒纵轮〕 qínzònglún 명 《機》 방탈(防脫) 장치. =〔放fàng力轮〕

噙 qín (금)
동 머금다. 품다. ¶眼里～着眼泪; 눈에 눈물을 머금고 있다 / 嘴里～了一口水; 한 입 가득히 물을 머금었다 / 他坐在椅子上, ～着一杆短烟袋; 그는 의자에 앉아서, 짧은 담뱃대를 물고 있다.

檎 qín (금)
→〔林lín檎〕

覃 Qín (담)
명 성(姓)의 하나. ⇒tán

勤〈懃〉B) qín (근)
A) ①형 근면하다. 부지런하다. ¶～学; 학문에 힘쓰다 / ～做; 열심히 하다 / ～为无价之宝; 〈諺〉 근면은 가장 귀중한 보배. ↔〔惰duò〕〔懒lǎn①〕 ②동 자주 …하다. 잦다. ¶～提意见; 자주 의견을 말하다 / ～洗澡; 자주 목욕하다 / ～打听; 자주 문의하다 / 去～了反倒招人憎嫌; 자주 가면 도리어 사람들이 싫어한다 / 他到那里去得很～; 그는 그 곳에 부지런히 간다 / ～点儿搅jiǎo着, 别叫它煳hú了; 좀 부지런히 저어서 눌어붙지 않도록 해라 / 雨水～; 비가 잦다. ③명 〈簡〉 근무. ¶出～; 출근하다 / 战～; 전시 근무 / 后～; 후방 근무 / 考～; (근무나 학습을) 평정하다. =〔勤务wù〕 ④명 성(姓)의 하나. B) 형 친절하다. 정성스럽다. ¶殷yīn～; 친절하고 공손하다 / 献xiàn慇～; 알랑거리다. 비위를 맞추다 / 受到慇～接待; 정중한 대접을 받다.

〔勤饬〕 qínchì 형 〈文〉 근면하고 조신하다.
〔勤奋〕 qínfèn 형 부지런히 힘쓰다. 근면하다. =〔勤奋努力〕〔勤勉〕
〔勤工俭学〕 qín gōng jiǎn xué 〈成〉 일하면서 배우다.

〔勤行(儿)〕 qínháng(r) 명 옛날, 여관·요릿집 등의 시중드는 아이처럼 쉴새없이 뛰어다니는 일. ¶跑pǎo堂儿的说是～; 웨이터라는 것은 쉴새없이 부지런히 몸을 놀려야만 하는 직업이다.
〔勤俭〕 qínjiǎn 형 근검하다. 부지런하고 알뜰하다. ¶～建国～持家; 근검하여 나라를 세우고, 근검하여 집안 살림을 꾸리다 / ～办学; 검약하여 학교를 경영하다 / ～起家; 근검 절약해서 집안을 일으키다.
〔勤借勤还〕 qín jiè qín huán 〈成〉 부지런히 빌려 쓰고 꼬박꼬박 갚다.
〔勤谨〕 qínjin 형 〈方〉 조심성이 많다. 근면 겸손하다. ¶他那个人很～; 저 사람은 매우 근면하고 양순하다.
〔勤恳〕 qínkěn 형 근면 성실하다. ¶～地劳动; 꾸준히 일하다 / 勤勤恳恳地工作; 성실히 일하다 / 为wéi人～; 사람됨이 근면 성실하다.
〔勤苦〕 qínkǔ 형 근면하다. 고생을 참고 노력하다. 수고를 아끼지 않다.
〔勤快〕 qínkuai 형 〈口〉 부지런하다. 근면하다. ¶他们很～, 天一亮, 就下地干活; 그는 매우 부지런해서 날이 새면 곧 들일하러 나간다.
〔勤劳〕 qínláo 형 근면하다. ¶在～的韩国人面前, 没有克服不了的困难; 근면한 한국인 앞에는 극복하지 못할 곤란은 없다. ↔〔懒惰〕
〔勤练〕 qínliàn 동 열심히 연습하다.
〔勤勉〕 qínmiǎn 형 근면하다. 부지런하다. ¶人很～; 사람됨이 매우 근면하다. =〔勤恳〕
〔勤能补拙〕 qín néng bǔ zhuō 〈成〉 근면은 없는 재간을 보충한다.
〔勤娘子〕 qínniángzi 명 《植》 나팔꽃.
〔勤朴〕 qínpǔ 형 근면하고 소박하다. ¶～的农民; 부지런하고 소박한 농민.
〔勤勤快快〕 qínqínkuàikuài 형 부지런하다. 빠릿빠릿하다.
〔勤儿〕 qínr 명 〈古白〉 머슴. 하인.
〔勤王〕 qínwáng 동 〈文〉 왕실을 위해 힘쓰다. ¶发兵～; 군사를 일으켜 왕실을 구원하다.
〔勤务〕 qínwù 명동 근무(하다). ¶派～; 근무를 할당하다 / ～员yuán; 근무원. 용무원. 작업원. 명 (군대에서) 직접 전투에 관계 없는 잡역병(雜役兵). 당번병(當番兵). ¶当～; 당번병이 되다. =〔勤务兵〕
〔勤洗勤换〕 qín xǐ qín huàn 〈成〉 옷을 자주 빨고 부지런히 갈아 입다.
〔勤学〕 qínxué 동 부지런히 공부하다. ¶又聪明又～; 총명하고, 또 부지런히 공부도 한다.
〔勤于〕 qínyú 형 〈文〉 …에 근면하다. 잘 …하다. ¶～动脑筋; 머리를 잘 회전시키다.
〔勤杂〕 qínzá 명 잡무(雜務). ¶～的工作; 잡무.
〔勤杂工〕 qínzágōng 명 용무원. 허드레꾼.
〔勤杂人员〕 qínzá rényuán 명 단순 노동에 종사하는 자의 총칭.
〔勤做〕 qínzuò 동 부지런히 일하다. 근면하게 일하다.

锓(鋟)

qǐn (침, 침)
동 〈文〉 조각하다. 새기다. ¶～版bǎn; 판목을 새기다.

寝(寢〈寑〉)

qǐn (침)
① 동 자다. ¶昼～; 낮잠 / 废～忘食; 〈成〉 침식을 잊다 / ～食不安; 마음이 동요되어 생활이 안정되지 않다. ② 동 〈文〉 그치다. 그만두다. ¶此事已～; 이 일은 이미 중지되었다. =〔息〕 ③ 형 용모가 보기 흉하다. ¶貌mào～; 생김새가 험상궂다. ④ 명 침실. ¶就～ =〔入～〕; 취침하다. ⑤ 명 황제의 묘. ¶陵líng～; 능침. ⑥ 명 잠. ¶寿终正～; 영면(永眠)하다.
〔寝车〕 qǐnchē 명 ⇨〔卧wò车①〕
〔寝床〕 qǐnchuáng 명 침대.
〔寝宫〕 qǐngōng 명 ①궁전. ②능. 왕릉.
〔寝疾〕 qǐnjí 동 〈文〉 몸져눕다. 와병하다. ¶～七日而没mò; 몸져누운 지 7일 만에 세상을 떠났다.
〔寝荐〕 qǐnjiàn 명 일반 가정에서 지내는 조상의 제사. =〔家jiā祭〕
〔寝具〕 qǐnjù 명 침구. ¶准备家具、～; (결혼을 위해) 가구나 침구를 장만하다.
〔寝馈〕 qǐnkuì 명 ⇨〔寝食〕
〔寝陋〕 qǐnlòu 형 〈文〉 용모가 못생기다.
〔寝门〕 qǐnmén 명 안방문. ¶内nèi室～; 내실(內室)의 입구.
〔寝庙〕 qǐnmiào 명 ①종묘(宗廟). ②능침(능묘(陵墓) 옆에 설치하여 제전(祭典)을 행하는 곳).
〔寝苫枕块〕 qǐn shān zhěn kuài 〈成〉 ①부모의 거상을 입다. ②부모의 죽음.
〔寝食〕 qǐnshí 명 침식. ¶～俱jù废; 〈成〉 침식을 잊다. =〔寝馈〕
〔寝室〕 qǐnshì 명 침실.
〔寝衣〕 qǐnyī 명 〈文〉 침의. 잠옷.
〔寝园〕 qǐnyuán 명 능. 왕릉.

沁

qìn (심)
① 동 (냄새·액체 따위가) 스며들다. 스며 나오다. 삼투(滲透)하다. ¶额上～出了汗珠; 이마에 땀이 배어 나왔다. ② 동 〈方〉 물 속에 넣다. 담그다. ③ 동 〈方〉 머리를 숙이다. ¶～着头; 고개를 숙이고 있다. ④(Qín) 명 《地》 친수이(沁水)(산시 성(山西省) 친위안 현(沁源縣)에서 발원하여 황하로 흘러드는 강 이름). ⑤(Qín) 명 《地》 친 현(沁縣)(산시 성(山西省)에 있는 현 이름).
〔沁人肺腑〕 qìn rén fèi fǔ 〈成〉 ⇨〔沁人心脾〕
〔沁人心腑〕 qìn rén xīn fǔ 〈成〉 ⇨〔沁人心脾〕
〔沁人心脾〕 qìn rén xīn pí 〈成〉 사람 마음 속에 깊이 스며들다. =〔沁人肺腑〕〔沁人心腑〕

吣〈唚, 㕂〉

qìn (심)〈침〉
동 ①개나 고양이가 토하다. ¶猫吃完食就～了; 고양이가 밥을 다 먹자마자 곧 토했다. ②〈口〉 마구 욕질하다. 욕설을 퍼붓다. ¶别听他乱～; 저놈의 터무니없는 말을 듣지 말게 / 满口乱～; 상스러운 말을 마구 지껄이다 / 满嘴胡～; 욕지거리만 늘어놓다.

揿(撳〈搇〉)

qìn (근)〈금〉
동 〈方〉 ①손으로 내리누르다. 손가락 끝으로 누르다. ¶～住脖子; 목을 내리 누르다 / ～电铃; 벨을 누르다 / 拿摁èn钉儿～上; 압정으로 꽂다 / 一只手～住了敌人的脖子; 한쪽 손으로 적의 목을 꽉 눌렀다 / 人力手～帮浦消防车; 수동 소방 펌프차. ②고개를 숙이다. 아래를 보다. 낮게 수그리다. ¶～着头; 머리를 숙이다 / 身子往下～; 몸을 앞으로 굽히다 / 挂钟～头了, 往后推吧; 벽시계가 앞으로 기울어져 있으니 뒤로 밀어라 / 不枕枕头, ～着头睡, 脖子该疼了; 베개를 베지 않고, 머리를 낮게 하고 자면 목이 아프다.
〔揿钉儿〕 qìndīngr 명 ⇨〔图tú钉(儿)〕
〔揿门铃〕 qìn ménlíng 문의 벨〔초인종〕을 누르다.
〔揿钮〕 qìnniǔ 명 똑딱단추. 스냅. 호크. ¶把～儿揿上; 똑딱단추를 채우다.

〔揿坡(儿)〕 qìnpō(r) 명 가파른 언덕. =〔陡dǒu坡〕
〔揿坡子〕 qìnpōzi 명 가파른 언덕. =〔陡dǒu坡〕
〔揿头拍子〕 qìntóu páizi 〈京〉 ①〈比〉 내향적이고 이기적인 사람. ¶～头朝里; 〈比〉 언제나 안만 보고 있다. 자기 일만 생각하고 있다 / 一个人做事, 要看看环境, 只顾自己～办事是不行的; 사람이 일을 하는 데에는 주위 환경을 고려해야 하며, 자기 생각만 하고 이기적이어서는 안 된다. ②머뭇거리며 말을 잘 못하는 사람. ¶他向来是～, 哪会随机应变呢; 그는 전부터 숫기가 없어 남 앞에서 말을 잘 못하는 성질이니, 어떻게 임기 응변으로 할 수 있겠나.

QING ㄑㄧㄥ

青 qīng (청)
①형 푸르다. ②형 젊다. ③명 색채 이름. ㉠청색. ㉡녹색(흔히, 자연의 빛깔). ¶～山绿水; 푸른 산 푸른 바다. ㉢남빛. ¶雨过天～; 〈成〉 비가 개고 하늘은 파랗다(암흑 시대가 지나가고 광명이 찾아오다). ㉣검은빛. 흑색(흔히, 옷이나 두발). ¶～布; 검정 천 / ～线; 검은 실. ④명 밭의 농작물을 저당으로 한 빚. ¶刨去短王掌柜的～, 剩不下什么钱; 왕 영감의 빚을 빼내면 아무것도 남지 않는다. ⑤(～儿) 명 푸른 풀. (익기 전의) 푸른 작물. ¶放～; 봄에 가축에게 새 풀을 먹이려고 방목하다 / 踏tà～; 봄에 교외로 들놀이를 가다 / 看～; 작물을 지키다 / 逛了一趟～儿; 한 차례 들놀이를 했다 / 买～卖～; 입도 선매매. ⑥명 청년. ¶年～的; 젊은이. 청년 / 老中～相结合; 노년·중년·청년이 결합하다. ⑦명 성(姓)의 하나.
〔青白眼〕 Qīngbáiyǎn 명 기뻐서 똑바로 바라볼 때 눈동자가 분명히 나타나는데 이를 '青眼'이라 하고, 성내서 흘길 때는 흰자가 나타나 보여 이를 '白眼'이라 함. '青眼'은 중시(重視)의 뜻이며, '白眼'은 경시(輕視)의 뜻.
〔青帮〕 qīngbāng 명 《史》 청말(淸末)에, 조운업(漕運業) 노동자를 중심으로 조직된 비밀 결사. =〔清帮〕
〔青宝石〕 qīngbǎoshí 명 ⇨〔蓝lán宝石〕
〔青编〕 qīngbiān 명 ⇨〔青简〕
〔青饼子〕 qīngbǐngzi 명 불성실하고 건방진 인간.
〔青菜〕 qīngcài 명 ①야채. ¶～季儿; 야채의 출회기(出回期). =〔蔬shū菜〕 ②순무의 변종(變種). =〔小白菜〕
〔青蚕豆〕 qīngcándòu 명 익지 않은 연한 잠두〔누에콩〕.
〔青草羊〕 qīngcǎoyáng 명 놓아 기르는 양.
〔青茶〕 qīngchá 명 ⇨〔乌wū龙茶〕
〔青裳〕 qīngcháng 명 《植》 자귀나무. =〔合hé欢②〕
〔青出于蓝〕 qīng chū yú lán 〈成〉 청출어람. 제자의 학문이 스승보다 낫다. ¶他的学问后来远胜过老师, 这正是～了; 그의 학문은 뒤에 스승을 훨씬 능가하게 되었는데, 이것이야말로 청출어람이라는 것이다.
〔青春〕 qīngchūn 명 청춘. ¶～期; 청춘기. 사춘기 / ～朝zhāo气; 청춘의 원기.
〔青词〕 qīngcí 명 도교의 제사(祭詞)에 쓰이는 문체, 또는 그 문장(청등지(靑藤紙)라는 푸른 종이에 붉은 글씨로 쓰여짐).
〔青瓷〕 qīngcí 명 청자(철분을 함유한 청록색 또는 담황색의 유약을 칠한 자기).
〔青葱〕 qīngcōng 형 짙푸르다(식물의 경우). ¶～的树林; 짙푸른 숲.
〔青翠〕 qīngcuì 형 새파랗다. 동 신록이 우거지다. ¶～的西山; 신록이 우거진 서산.
〔青黛〕 qīngdài 명 쪽의 잎으로 만든 눈썹먹. =〔靛diàn花〕
〔青刀豆〕 qīngdāodòu 명 《植》 잠두. =〔蚕cán豆〕
〔青靛〕 qīngdiàn 명 ⇨〔蓝lán淀〕
〔青豆〕 qīngdòu 명 《植》 보통의 콩보다 약간 큰 콩의 일종. =〔青荳dòu〕
〔青缎(子)〕 qīngduàn(zi) 명 검은 수자(繻子).
〔青娥〕 qīng'é 명 〈文〉 눈썹의 별칭. 〈比〉 미모의 소녀. 젊은 여인.
〔青矾〕 qīngfán 명 ⇨〔硫liú酸亚铁〕
〔青蜂〕 qīngfēng 명 《蟲》 청봉. 청벌.
〔青蚨〕 qīngfú 명 ①《蟲》 파랑강충이. ②〈文〉〈比〉 동전(銅錢).
〔青蚨还钱〕 qīng fú huán qián 〈成〉 하루살이 모자(母子)의 피를 돈에 발라 놓으면, 서로 헤어졌다가도 돌아와서 만나게 된다는 고사.
〔青冈〕 qīnggāng 명 《植》 상수리나무. ¶～炭; 상수리나무로 구운 숯. =〔青棡〕〔青刚〕
〔青梗菜〕 qīnggěngcài 명 《植》 청경채(유채과의 야채).
〔青工〕 qīnggōng 명 청년 노동자. 근로 청소년.
〔青宫〕 qīnggōng 명 ⇨〔东dōng宫①〕
〔青光眼〕 qīngguāngyǎn 명 《醫》 녹내장(綠內障). =〔青盲③〕
〔青果〕 qīngguǒ 명 〈方〉 감람(橄欖). 올리브. =〔青榄〕
〔青海苔〕 qīnghǎitái 명 《植》 파래.
〔青红皂白〕 qīng hóng zào bái 〈成〉 흑백. 선악. 시비(是非). ¶不问～ =〔不分～〕; 사건의 시비곡직을 묻지 않다. 불문 곡직하고 / 三杯黄汤下了肚子, ～就搅不清楚; 술 석 잔이 뱃속에 들어가면 사물을 분명히 분간할 수 없게 된다.
〔青狐〕 qīnghú 명 《動》 청색의 여우(그 가죽이 매우 귀중함).
〔青花〕 qīnghuā 명 ①단계석(端溪石) 벼루의 가는 점을 이룬 무늬. ②자기의 흰 바탕에 쪽빛으로 무늬를 그린 것. ③《鳥》검은 무늬가 있는 백조.
〔青花瓷(器)〕 qīnghuā cí(qì) 명 청화 백자.
〔青花鱼〕 qīnghuāyú 명 ⇨〔鲐tái巴鱼〕
〔青淮调〕 qīnghuáidiào 명 ⇨〔黄huáng梅戏〕
〔青黄〕 qīnghuáng ①명 〈文〉 햇곡과 묵은 곡식. ②〈比〉 얼굴빛이 거무튀튀하고 윤기가 없다.
〔青黄不接〕 qīng huáng bù jiē 〈成〉 ①보릿고개. 단경기(端境期). ②재정(財政)이나 수지(收支)가 잘 융통되지 않고 꼭 막힘. 경색(梗塞). ¶技术力量是～, 技术工作也施展不开; 기술 능력의 숙련자와 신인의 연결이 잘 되지 않아, 기술 부문의 일이 잘 진전되지 않는다. ‖ =〔新陈不接〕
〔青灰〕 qīnghuī 명 검푸른 석회.
〔青肌〕 qīngjī 명 ⇨〔青皮①〕
〔青及〕 qīngjí ⇨〔清鉴〕
〔青记〕 qīngjì 명 ⇨〔青迹〕
〔青迹〕 qīngjì 명 ①(구타로 인한) 퍼런 멍. ②(피부의) 검은 점. ③몽고반(蒙古斑). ‖ =〔青记〕
〔青简〕 qīngjiǎn 명 〈文〉 서적. =〔青编〕
〔青鉴〕 qīngjiàn ⇨〔清鉴〕
〔青鳉〕 qīngjiāng 명 《魚》 송사리. =〔〈簡〉鳉〕〔〈方〉

小xiǎo鱼〕
〔青酱〕 qīngjiàng 명 ⇨〔清酱〕
〔青交嘴〕 qīngjiāozuǐ 명 《鳥》 솔잣새의 암컷.
〔青椒〕 qīngjiāo 명 《植》 (껍질이 연한) 고추.
〔青衿〕 qīngjīn 명 〈文〉〈比〉 학도(學徒). 학생. 수재(秀才)《전에 학생〔서생(書生)〕은 검정 깃의 옷을 입은 데서 유래》. =〔青襟〕
〔青筋〕 qīngjīn 명 (살갗 위로 비쳐 보이는) 핏대.
〔青筋暴露〕 qīngjīn bàolù ①몸이 여위어 힘줄이 드러나다. ¶那个人瘦得～; 저 사람은 여위어서 푸른 힘줄이 드러나 있다. ②성이 나서 핏대가 서다.
〔青襟〕 qīngjīn 명 ⇨〔青衿〕
〔青稞(麦)〕 qīngkē(mài) 명 《植》 쌀보리. 쌀보리의 낟알《중국 서부에 많이 남》. =〔稞麦〕〔元麦〕
〔青稞愣〕 qīngkēlèng 명 ①풋과실. ②고집쟁이. 완고한 사람.
〔青稞子〕 qīngkēzi 명 (쌀·보리 따위) 논밭에 있는 농작물. ¶～长zhǎng起来了; 농작물이 자랐다.
〔青剌戛唧〕 qīnglāgājī 〈方〉 푸르다. 푸른빛《익지 않은 과일처럼 칙칙한 청록색》.
〔青睐〕 qīnglài 명 ⇨〔青眼〕
〔青览〕 qīnglǎn ⇨〔清鉴〕
〔青榄〕 qīnglǎn 명 《植》 감람나무. =〔橄gǎn榄〕①
〔青琅玕〕 qīnglánggān 명 ⇨〔孔kǒng雀石〕
〔青帘〕 qīnglián 명 주점(酒店) 앞에 세우는 기(旗).
〔青莲〕 qīnglián 명 ①《色》 보라색의 일종. ②당(唐)나라의 시인 이백(李白)의 출생지(出生地). 또, 이백의 호(號). ③《佛》 부처의 눈에 비유함.
〔青莲色〕 qīngliánsè 명 《色》 담자색(淡紫色).
〔青鳞鱼〕 qīnglínyú 명 《魚》 ①청어. =〔青鱼②〕 ②밴댕이.
〔青蛉〕 qīnglíng 명 ⇨〔蜻蛉〕
〔青龙〕 qīnglóng 명 ①청룡. 창룡. 태세신을 상징한 짐승. =〔苍cāng龙①〕 ②거웃이 없는 남자. ③동쪽 하늘을 맡은 태세신(太歲神)의 별칭.
〔青龙背〕 qīnglóngbèi 명 냄비 뚜껑 거죽에 눌어붙은 국물이나 기름 따위의 점잖은 표현.
〔青龙刀〕 qīnglóngdāo 명 청룡도《폭이 넓은 칼》. =〔青龙偃yǎn月刀〕〔大dà马刀〕
〔青龙木〕 qīnglóngmù 명 《植》 자단(紫檀)의 일종.
〔青龙偃月刀〕 qīnglóng yǎnyuèdāo 명 ⇨〔青龙刀〕
〔青楼〕 qīnglóu 명 〈文〉 기루(妓樓). 청루.
〔青绿〕 qīnglǜ 명 《色》 진한 녹색. ¶～的松林; 짙푸른 솔숲. =〔深绿〕
〔青绿饲料〕 qīnglǜ sìliào 명 푸른 사료(飼料)《생풀·청건초 따위 거친 사축(飼畜) 사료》.
〔青萝卜〕 qīngluóbo 명 《植》 무의 일종《겉과 속이 모두 녹색이며 생식함》. =〔卫wèi青〕
〔青螺〕 qīngluó 명 《貝》 푸른고둥. 청색의 고둥.
〔青麻〕 qīngmá 명 ⇨〔苘qǐng麻〕
〔青盲〕 qīngmáng 명 ①녹색 색맹. ②청맹과니. =〔青睁眼〕〔清睁眼〕 ③ ⇨〔青光眼〕
〔青梅〕 qīngméi 명 《植》 청매. 푸른 매실. ¶～酒; 매실주.
〔青梅竹马〕 qīng méi zhú mǎ 〈成〉 어릴 적에 사이가 좋던 친구. 소꿉친구《어릴적》. ¶她早在～时期就认识小张; 그녀는 어릴 적부터 장씨를 알고 있었다.
〔青霉〕 qīngméi 명 《植》 푸른곰팡이. ¶发了～了; 푸른곰팡이가 피었다.
〔青霉素〕 qīngméisù 명 《藥》 페니실린. ¶油yóu制～; 오일 페니실린 / ～软ruǎn膏; 페니실린 연고. =〔〈音〉 盘pán尼西林〕〔〈音〉 配pèi尼西林〕〔西xī林〕
〔青面獠牙〕 qīng miàn liáo yá 〈成〉 ①푸른 얼굴에 이를 드러내다《무시무시한 형상(形相)의 형용》. ②푸른 귀신.
〔青苗〕 qīngmiáo 명 덜 익은 농작물. 풋곡식.
〔青苗法〕 Qīngmiáofǎ 명 청묘법《송(宋)나라 때 왕안석(王安石)이 정한 농사에 관한 새 법률》.
〔青目〕 qīngmù 명 ⇨〔青眼〕
〔青年〕 qīngnián 명 청년. 젊은이. ¶女～; 여자 청년 / ～人; 젊은 사람 / ～男女; 청춘 남녀.
〔青年点〕 qīngniándiǎn 명 농촌에 들어간 청년들의 거처를 보고 하는 말.
〔青年妇女〕 qīngnián fùnǚ 명 여자 청년. 젊은 여성. =〔女青年〕
〔青鸟〕 qīngniǎo 명 ①《書》 파랑새《동화극의 이름》. ②〈文〉 사자(使者).
〔青奴〕 qīngnú 명 ⇨〔竹zhú夫人〕
〔青女〕 qīngnǚ 명 청녀. 전설 중의 서리·눈을 맡은 신.
〔青盼〕 qīngpàn 명 ⇨〔青眼〕
〔青皮〕 qīngpí 명 ①《植》 대팻집나무. =〔青肌〕 ②덜 익은 귤의 과피(果皮) 또는 알맹이《약용으로 씀》. ③〈方〉 불량배. 건방진 녀석. ¶～后生子; 젊은이. ④《魚》밴댕이.
〔青皮子〕 qīngpízi 명 《魚》 고등어.
〔青啤〕 Qīngpí 명 칭다오(青島) 맥주《중국의 유명한 맥주 중 하나》.
〔青萍〕 qīngpíng 명 ⇨〔浮fú萍〕
〔青漆〕 qīngqī 명 《化》 니스. =〔洋yáng漆〕
〔青气〕 qīngqì 명 ⇨〔氰qíng〕
〔青铅铁〕 qīngqiāntiě 명 납과 주석의 합금을 도금한 함석판. =〔镀dù铅锡铁皮〕
〔青青(的)〕 qīngqīng(de) 형 ①푸르디 푸른 모양. ②나이가 젊은 모양. =〔年纪青青〕
〔青磬红鱼〕 qīngqìng hóngyú 〈文〉 석경이나 목어를 두드리며 생활하다. 출가(出家)하다. ¶觅一禅菴～, 了liǎo此残生; 선종(禪宗)의 암자 하나를 찾아 출가의 길로 들어가, 여생을 보내려고 하였다.
〔青雀〕 qīngquè 명 〈文〉 ①《鳥》 '桑sāng扈'(콩새)의 고칭(古稱). ②〈轉〉 배《옛날에, 선수에 콩새를 그렸음》.
〔青儿〕 qīngr 명 ①초원(草原). 들(판). 야외. ¶逛～; 야유(野遊)하다. ②농작물. ③달걀 흰자위.
〔青色〕 qīngsè 명 《色》 청색. 옅은 남빛.
〔青纱帐〕 qīngshāzhàng 명 푸른 장막《여름·가을의 우거진 수수밭·옥수수 밭을 일컬음》. =〔青纱障〕
〔青纱障〕 qīngshāzhàng 명 ⇨〔青纱帐〕
〔青山〕 qīngshān 명 ①수목이 우거진 산. ¶～易改; 〈諺〉 본성은 고치기 힘든 법이다《세 살 적 버릇 여든까지 간다. 뒤에 흔히 '本性难移'로 계속됨》. ②〈文〉 묘지.
〔青山遮不住, 毕竟东流去〕 qīng shān zhē bù zhù, bì jìng dōng liú qù 〈成〉 청산도 도도히 흐르는 물을 가로막을 수는 없으며, 결국 동쪽으로 흐른다.
〔青衫〕 qīngshān 명 ⇨〔青衣①②〕
〔青衫子〕 qīngshānzi 명 ⇨〔青衣②〕
〔青鳝〕 qīngshàn 명 《魚》 뱀장어.
〔青少年〕 qīngshàonián 명 청소년. 젊은이.
〔青石〕 qīngshí 명 청석《건축이나 비석에 쓰이는

석판(石板)).
〔青石英〕 qīngshíyīng 명 ①《鑛》 청석영. 자철광(磁鐵鑛)을 함유한 석영암(石英巖). ②《漢醫》 석영(약용됨).
〔青史〕 qīngshǐ 명 ①〈文〉 청사. 역사책. ¶名传chuán～ =〔永垂～〕〔～留名〕; 그 이름이 청사에 전해 내려오고 있다. ②복성(複姓)의 하나.
〔青屎〕 qīngshǐ 명 (유아의) 푸른 똥.
〔青鼠〕 qīngshǔ 명 청색으로 물들인 '黄huáng鼠'의 모피.
〔青水脸儿〕 qīngshuǐliǎnr 명 (화장하지 않은) 맨얼굴.
〔青水杏儿〕 qīngshuǐxìngr 명 아직 덜 익은 살구. 풋살구.
〔青丝〕 qīngsī 명 ①'青梅'를 실 모양으로 채썬 것. ②〈文〉 검은 머리. ¶～黑发; 검은 머리 / 一缕～; 한 가닥의 검은 머리카락.
〔青饲料〕 qīngsìliào 명 《農》 (들풀 등의) 푸른 사료.
〔青饲作物〕 qīngsì zuòwù 명 《農》 풋베기 작물(가축에 먹이로 쓰려고 성숙하기 전의 잎·줄기를 베는 작물).
〔青松〕 qīngsōng 명 ①⇨〔小xiǎo白菜(儿)〕 ②《植》 청송. 소나무의 별칭.
〔青酸〕 qīngsuān 명 《化》 청산. 시안화(cyan化)수소산. ¶～加里; 청산가리. 시안화 수소산 칼륨의 속칭. =〔衰shuāi酸〕
〔青蒜〕 qīngsuàn 명 풋마늘.
〔青苔〕 qīngtái 명 《植》 이끼.
〔青檀〕 qīngtán 명 《植》 청단(단목(檀木)의 일종).
〔青棠〕 qīngtáng 명 《植》 자귀 나무. =〔合hé欢〕
〔青藤〕 qīngténg 명 《植》 ①함바기. =〔千金藤〕 ②방기. ③새모래덩굴과의 식물.
〔青天〕 qīngtiān 명 ①푸른 하늘. ¶等出了～了; 〈諺〉 기다리면 좋은 날씨도 있는 법. 음지가 양지 될 날이 있다. ②〈比〉 청렴한 관리. ¶～大老爷; 청백 공정한 재판관·관리(호칭으로 쓰임).
〔青天白日〕 qīng tiān bái rì 〈成〉 ①활짝 개어 태양이 빛나다. 마음〔행동〕이 공명정대하다. ②중국 국민당의 상징. ¶～旗; 중국 국민당(中國國民黨)의 당기(黨旗) / ～满地红旗; 중화 민국(中華民國) 국기의 별칭. ③〈比〉 광명. ④대낮.
〔青天霹雳〕 qīng tiān pī lì 〈成〉 청천벽력. 마른 하늘의 날벼락(돌연한 변화. 돌발 사건. 아닌 밤중에 홍두깨). =〔晴qíng天霹雳〕
〔青田石〕 qīngtiánshí 명 《鑛》 청전석(저장 성(浙江省) 칭티엔 현(青田縣) 팡산 산(方山)에서 나는 납석(蠟石)의 일종).
〔青条鱼〕 qīngtiáoyú 명 《魚》 청어. =〔鲱fēi〕
〔青条子〕 qīngtiáozi 명 ⇨〔燕yàn隼〕
〔青亭〕 qīngtíng 명 ⇨〔蜻qīng蜓〕
〔青桐〕 qīngtóng 명 ⇨〔梧wú桐〕
〔青铜〕 qīngtóng 명 청동. ¶～片; 청동판(板) / ～像; 청동상(像).
〔青铜管〕 qīngtóngguǎn 명 《機》 청동관.
〔青铜汽门〕 qīngtóng qìmén 명 《機》 포금(砲金) 밸브.
〔青铜器时代〕 Qīngtóngqì shídài 명 《史》 청동기 시대.
〔青铜通〕 qīngtóngtōng 명 포금관(砲金管).
〔青铜枝〕 qīngtóngzhī 명 포금봉(砲金棒).
〔青头菌〕 qīngtóujùn 명 《植》 나팔버섯.
〔青头(儿)愣〕 qīngtóu(r)lèng 명 《動》 청색 전갈의 속칭.
〔青蛙〕 qīngwā 명 《動》 참개구리. =〔〈俗〉 田鸡〕
〔青豌豆〕 qīngwāndòu 명 《植》 청완두. 그린피스.
〔青鹟〕 qīngwēng 명 《鳥》 유리딱새.
〔青乌〕 Qīngwū 명 복성(複姓)의 하나.
〔青葙〕 qīngxiāng 명 《植》 개맨드라미. =〔野yě鸡冠〕
〔青须须(的)〕 qīngxūxū(de) 형 ⇨〔青虚虚(的)〕
〔青虚虚(的)〕 qīngxūxū(de) 형 흰 곳에 푸른빛을 띤 모양. 푸른빛이 바랜 모양. =〔青须须(的)〕
〔青盐〕 qīngyán 명 ①함수호에서 채취한 소금. =〔池chí盐〕 ②칭다오(青島)산의 소금.
〔青眼〕 qīngyǎn 명 검은 눈. 특별한〔애정어린〕 눈. 호의. 총애. ¶～相加; 총애하다 / ～看待daì; 친근감을 갖고 대하다. =〔青睐〕〔青目〕〔青盼〕 ↔〔白眼〕
〔青杨〕 qīngyáng 명 《植》 냇버들.
〔青猺〕 qīngyáo 명 ⇨〔果guǒ子狸〕
〔青衣〕 qīngyī 명 ①검정 옷. ¶～小帽; 평소의 몸차림. =〔青衫〕 ②(남자 배우의) 젊은 여자 역(役)의 배역(配役). =〔〈方〉 衫子〕〔青衫〕〔青衫子〕〔青衣旦〕 ③비녀(婢女). 계집종. ④《魚》 만새기.
〔青衣旦〕 qīngyīdàn 명 ⇨〔青衣②〕
〔青蝇〕 qīngyíng 명 ①《蟲》 금파리. 쉬파리. ②〈轉〉 남을 헐뜯는 소인배. 비열한 사람.
〔青油〕 qīngyóu 명 식물성 기름. 식물유.
〔青油饼〕 qīngyóubǐng 명 식물성 기름을 두른 철판 위에서 구운 '烙lào饼(儿)'의 일종.
〔青鼬〕 qīngyòu 명 《動》 노랑목도리담비. =〔黄huáng猺〕
〔青鱼〕 qīngyú 명 《魚》 ①고등어. =〔鲐tái巴鱼〕 ②청어. 비웃. =〔青鳞鱼①〕〔黑鲩〕
〔青鱼干〕 qīngyúgān 명 ①관목(청어를 말린 것). ②말린 고등어.
〔青鱼骨状〕 qīngyúgǔzhuàng 명 ⇨〔人rén字形〕
〔青榆〕 qīngyú 명 《植》 난티나무.
〔青玉〕 qīngyù 명 ⇨〔蓝lán宝石〕
〔青云〕 qīngyún 명 ①높은 하늘. ②덕망있는 사람. 고결한 인품. ¶～之士; 덕망 있는 인물. 은둔해 있는 사람. ③〈比〉 높은 지위. ¶平步～; 일거에 고위(高位)에 오르다 / 致身～; 영진(榮進)하여 고위 고관이 되다 / ～直上; 〈成〉 영달하다.
〔青睁眼〕 qīngzhēngyǎn 명 ①청맹과니. =〔青睁眼白瞎〕 ②내장안(內障眼).
〔青肿〕 qīngzhǒng 동 (피하 출혈한) 검은 멍이 들다.
〔青珠〕 qīngzhū 명 ⇨〔孔kǒng雀石〕
〔青竹蛇〕 qīngzhúshé 명 ⇨〔竹叶青ⓐ〕
〔青竹丝〕 qīngzhúsī 명 ⇨〔竹叶青ⓐ〕
〔青贮〕 qīngzhù 동 풋사료를 사일로에 넣어 발효 저장하다. ¶～窖; 사일로 / ～饲料; 엔실리지(ensilage). 매장(埋藏) 사료.
〔青贮室〕 qīngzhùshì 명 농업용 사일로. =〔筒tǒng仓〕
〔青砖〕 qīngzhuān 명 《建》 내화 벽돌.
〔青庄〕 qīngzhuāng 명 《鳥》 왜가리. =〔苍cāng鹭〕
〔青子〕 qīngzǐ 명 《植》 올리브의 열매.
〔青紫〕 qīngzǐ 명 〈文〉 ①《醫》 치아노제. 청색증. =〔发绀〕 ②포도빛. ¶浑身上下都～了; 전신이 온통 포도빛이 되었다. ③공경(公卿)의 칭호. 공경의 지위.
〔青紫(症)〕 qīngzǐ(zhèng) 명 《醫》 치아노제. 청색증. =〔发fā绀〕
〔青宗带〕 qīngzōngdài 명 《魚》 갈치.

清 qīng (청)
①형 맑다. 깨끗하다. ¶水～见底; 물이 맑아서 바닥이 보인다 / ～洁jié; 청결하다. ↔〔浊zhuó〕 ②형 맑고 상쾌하다. 시원하다. ¶天朗气～; 〈成〉 하늘이 맑고 공기가 깨끗하다. ③형 순수하다. 순일하다. 섞인 것이 없다. ¶～炒; 다른 것을 섞지 않고 한 가지만을 기름에 볶다 / ～汤; 건더기가 없는 국. ④형 조용하다. 고요하다. ¶～夜; ⇩ / ～静; ⇩ ⑤형 분명하다. 명백하다. ¶分～; 분명하게 가르다 / 问～底细; 시시콜콜히 캐묻다 / 头脑不～; 머리가 맑지 않다 / ～白易晓; 명백하고 알기 쉽다 / 说不～; 똑똑하게 말하지 못하다 / 划～界限; 경계를 분명하게 하다. ⑥동 청산하다. 결산하다. ¶把账还～了; 빚을 깨끗이 갚았다 / 存款都提～了; 저금은 깡그리 인출했다 / 账已经～了; 장부의 결산이 끝났다. ⑦동 청렴하다. 오점이 없다. ¶～官; 깨끗한〔청렴한〕 관리. ⑧형 물샐틈이 없다. 완전하다. ⑨동 청소하다. 깨끗이 하다. ¶把坏分子～出去; 불량 분자를 추방하다. ⑩동 점검하다. 음미하다. ¶～一～行李的件数; 짐의 수효를 점검해 보다. ⑪동 깨끗이 정리하다. …해내다. ¶吃不～的粮食; 다 먹을 수 없는 양식. ⑫(Qīng) 명 《史》 청《만주족(滿洲族) 누르하치가 세운 왕조. 1616~1911》. ⑬명 성(姓)의 하나.

〔清白〕 qīngbái 형 ①새하얗다. ②인품이 고결하다. ¶污人的～; 남의 고결한 인격을 손상시키다 / 清清白白的人; 인격상 아무런 흠도 없는 사람. ③청결하다. ¶～身体; 깨끗한 몸. ④〈方〉 결백하다. 명백하다. ¶证明自己的～; 자신의 결백함을 증명하다 / ～良民; 죄 없는 양민 / 他说了半天没把问题说～; 그는 한참 지껄였지만 문제를 명백히 밝히지는 못했다. =〔纯洁〕 ⑤집안이〔가계(家系)가〕 깨끗하다《천한 직업에 종사한 일이 없음》. =〔家世清白〕〔身家清白〕

〔清(白)吏〕 qīng(bái)lì 명 〈文〉 청백리. 청렴한 관리.

〔清班〕 qīngbān 명 청렴한 관리. =〔清选〕〔清秩〕

〔清帮〕 qīngbāng 명 ⇨〔青帮〕

〔清跸〕 qīngbì 동 벽제하다《옛날, 천자가 거둥할 때 길을 쓸고 사람의 통행을 금하는 일》. =〔清道②〕

〔清标〕 qīngbiāo 형 〈文〉 용모가 단정하다. 명 명월. ¶～照人寒; 밝은 달이 차갑게 사람을 비추다.

〔清飙〕 qīngbiāo 명 ⇨〔清风①〕

〔清仓〕 qīngcāng 동 창고 안의 물자를 정리〔조사〕하다. 재고 정리를 하다. ¶～查库; 재고 조사. 재고품 명세표를 만들다.

〔清操〕 qīngcāo 명 ⇨〔清节〕

〔清册〕 qīngcè 명 (등기) 대장(臺帳). 원부(原簿). ¶材料～; 자재 원부.

〔清茶〕 qīngchá 명 ①녹차(綠茶). ②〈謙〉 차 한 잔만. ¶～恭教; 〈翰〉 차 한 잔을 준비해 놓고 오시기를 기다리고 있습니다 / ～淡饭; 초라한 식사. ③설탕이나 우유를 넣지 않은 차.

〔清查〕 qīngchá 동 완전히〔빠짐없이〕 조사하다. ¶～户口; 호적을 자세히 조사하다.

〔清拆〕 qīngchāi 동 완전히〔깨끗이〕 헐다. ¶这地区的房屋将连遭～; 이 지역의 가옥은 잇달아 깨끗이 철거하게 되어 있다.

〔清产〕 qīngchǎn 동 재산을 정리하다. 재산 목록을 작성하다.

〔清场〕 qīng·cháng 동 곡식의 타작 마당을 청소하다. ⇒qīng·chǎng

〔清偿〕 qīngcháng 명동 전액 상환(하다). ¶～债zhài务; 빚을 모두 갚다.

〔清场〕 qīng·chǎng 동 강연 등을 할 때 청중이 떠드는 것을 진정시키다. 장내를 정숙하게 하다. ⇒qīng·cháng

〔清唱〕 qīngchàng 동명 경극(京劇) 따위에서, 연기는 안 하고 노래만 부르다. 또, 그 노래. ¶～剧; 《樂》 오라토리오(oratorio). ↔〔彩cǎi唱〕

〔清朝〕 Qīngcháo 명 《史》 청조. ⇒qīngzhāo

〔清炒〕 qīngchǎo 동 한 가지 재료를 기름에 볶다. ¶～虾仁儿; (다른 것은 넣지 않고) 새우 살만을 기름에 볶은 요리.

〔清澈〕 qīngchè 형 아주 맑다. ¶湖水～见底; 호수가 매우 맑아 바닥이 보이다.

〔清尘〕 qīngchén 〈文〉 동 먼지를 털다. 명 〈敬〉 윗사람. 존귀한 분. ¶自奉～于今五稔rěn; 받들어 모신 지 벌써 5년이 지났다.

〔清尘室〕 qīngchénshì 명 (청소기 따위의) 집진실(集塵室).

〔清晨〕 qīngchén 명 새벽. 동틀녘. =〔清晓〕〔清朝zhāo〕

〔清除〕 qīngchú 동 ①일소(一掃)하다. 청소하다. ¶～垃圾; 쓰레기를 치우다 / ～路上的积雪; 길에 쌓인 눈을 치우다. ②철저히 제거하다. ¶～名利思想; 명예 이익을 존중하는 생각을 일소하다 / ～封建残余; 철저하게 봉건적 잔재를 제거하다 / ～出党; 변절자 등을 당에서 추방하다.

〔清出去〕 qīngchuqu ①제거하다. 없애다. ②말끔히 내놓다. ¶把存货～; 재고품을 일소(一掃)하다.

〔清楚〕 qīngchu 형 ①명료하다. 명백하다. ¶字迹～; 필적이 또렷하다 / 把问题搞～; 문제를 밝히다 / 发音不大～; 발음이 그다지 분명치 않다. ↔〔糊涂〕 ②깨끗하다. 잘 정돈되다. ③명석하다. ¶头脑～; 두뇌가 명석하다. 동 잘 알고 있다. 구분을 짓다. ¶这个问题你～不～? 이 문제를 자넨 확실히 알고 있는가? / 你姑父那顽固, 你还不～吗? 네 아저씨의 그 고집 불통을 네가 설마 모르지는 않겠지? / 不～问题的界线; 문제의 한계선을 확실히 모르다.

〔清醇〕 qīngchún 형 (냄새 · 맛이) 청순하다. 맑고 그윽한 맛이 있다. (술이) 진하다.

〔清脆〕 qīngcuì 형 ①(발음 따위가) 시원스럽고 또렷〔분명〕하다. ¶～而洪亮的声音; 또렷하게 잘 들리는 소리 / 口音～; 발음이 뚜렷하여 분명하다. ②(소리가) 경쾌하다. ¶～的歌声; 경쾌한 노랫소리 / ～的枪声; 픙 하는 총 소리 / ～的声浪; 청아한 목소리.

〔清单儿〕 qīngdānr 명 명세서. 청산서. 목록. ¶工资～; 급여 명세서 / 装货～; 적하 명세서 / 旅客～; 여객 명부 / 船员～; 선원 명부 / 结算～; 결산 명세서 / 尊嘱另开折扣～, 特此一并附奉; 〈翰〉 할인 명세서를 따로 쓰라는 분부에 따라 특별히 첨부합니다.

〔清淡〕 qīngdàn 형 ①담백(淡白)하다. ¶一杯～的龙井茶; 담백한 용정(龍井)차 한 잔 / ～的菜; 담백한 요리 / ～的荷花香气; 상쾌한 연꽃 향기 / ～寡味; (맛이) 담백하다 / 颜色～; 색깔이 산뜻하다. ②불경기이다. 활기가 없다. ¶生意比较～; 장사가 꽤 불경기이다.

〔清党〕 qīngdǎng 명 청당. 당내 숙청. ¶～运动; 당내 불순 분자의 숙청 운동. (qīng·dǎng) 동 당내 불순 분자를 제거하다.

〔清道〕 qīng·dào 동 ①도로를 청소하다. ¶～夫;

도로 청소부. ②벽제(辟除)하다. ③선불하다.

〔清点〕 qīngdiǎn 동 정리 점검하다. 점검하다. ¶～物资; 물자를 점검하다. =〔清理查点〕

〔清炖〕 qīngdùn 동 (고기를) 물을 붓고 푹 삶다. ¶～鸡; 백숙(白熟)한 닭.

〔清发〕 qīngfā 동 전액 지급하다.

〔清匪〕 qīngfěi 동 비적을 소탕하다.

〔清风〕 qīngfēng 명 〈文〉 ①맑은〔시원한〕 바람. ¶～徐来; 맑은 바람이 산들산들 불다/～明月; 청풍 명월. =〔清飙〕 ②〈比〉 한 푼도 없는 신세. ¶两袖～; 주머니 속이 무일푼이다. 관리가 청렴결백하다.

〔清福〕 qīngfú 명 청복. 청한(清閑)한 복. ¶享xiǎng～; 유유자적하다.

〔清付〕 qīngfù 동 금액을 지불하다.

〔清高〕 qīnggāo 형 결백하다. 세속에 물들지 않다《현재는 '독선적이다'란 뜻도 됨》. ¶他是个～的人, 立刻辞职了; 그는 결백한 사람이었으므로 곧 사직해 버렸다/他非常的～, 而且没有看不起人的恶习气; 그는 인품이 매우 고결하여, 남을 우습게 보는 못된 버릇은 없다.

〔清稿〕 qīnggǎo 명 정서(淨書)한 원고. 동 원고를 정리하다.

〔清歌〕 qīnggē 명 반주 없이 부르는 노래. =〔清曲〕

〔清耿耿〕 qīnggěnggěng 형 〈文〉 청렴하고 딱딱하다. 고결하여 가까이하기 어렵다.

〔清鲠〕 qīnggěng 형 〈文〉 청렴하고 곧다〔정직하다〕. =〔清直〕

〔清工分〕 qīng gōngfēn (인민 공사에서 노동량을 계산할 때) 노동 점수를 청산하다.

〔清公〕 qīnggōng 형 ⇨〔清正〕

〔清官〕 qīngguān 명 ①판단〔재판〕이 확실한 관리. 청렴한 관리. ¶～难断家务事; 〈諺〉일을 잘 처리하는 관리도 집안일을 잘 처리하기는 어렵다/～无后清水无鱼; 〈諺〉 청렴한 관리는 자손이 고생하고, 맑은 물에는 물고기는 살지 않는다/～碑; 청렴한 관리를 기리는 송덕비. ②고위 고관이면서 별로 실권이 없는 관리. ③⇨〔清倌(儿)〕

〔清倌(儿)〕 qīngguān(r) 명 〈文〉 옛날의 동기(童妓). 어린 기생. =〔清官③〕〔清倌人〕〔小xiǎo先生(儿)③〕

〔清倌人〕 qīngguānrén 명 ⇨〔清倌(儿)〕

〔清规〕 qīngguī 명 불교도가 지켜야 할 규율. 종규(宗規).

〔清规戒律〕 qīng guī jiè lǜ 〈成〉 ①청규 계율. 불교도나 도교도(道教徒)가 지켜야 할 규칙이나 계율. ②사람을 속박하는 규칙이나 제도. =〔清规律例〕

〔清贵衙门〕 qīngguì yámén 명 옛날 '翰hàn林院'처럼 격은 매우 높지만, 실제 정치면에 별로 관여하지 않는 한가한 관청의 별칭.

〔清锅儿冷灶(儿)〕 qīngguōr lěngzào(r) ①영락(零落)하여 끼니를 이어 가기가 곤란한 모양. ②한적한 모양. ¶这院子里怎么这么～的呀; 이 정원은 어째서 이다지도 고요하나. ③쇠퇴한 모양. ¶点心铺, 因为缺乏面粉, 也～; 제과점은 밀가루가 부족하여 완전히 쇠퇴해 버렸다.

〔清寒〕 qīnghán 형 ①고결하고 가난하다. ②맑고 섬뜩하다. ¶月色～; 달이 아주 맑고 차게 비치고 있다.

〔清和〕 qīnghé 형 〈文〉 ①맑게 개고 화창하다. 날씨가 좋다. ¶天～而温润; 날씨가 화창하고 따뜻하다. ②태평하다. ¶海内～; 천하가〔나라 안이〕 태평하다. 명 음력 4월. ¶～节; 4월 1일의 청화절.

〔清花间〕 qīnghuājiān 명 (방적 공장의) 혼타면부(混打綿部).

〔清还〕 qīnghuán 동 (빚을) 완전히 갚다. 청산하다.

〔清诲〕 qīnghuì 명 〈翰〉 교시(教示). 가르치심. ¶久疏～; 오랫동안 격조하였습니다.

〔清烩竹笋〕 qīnghuì zhúsǔn 명 죽순의 연한 속을 살짝 데쳐 녹말 가루와 소금·설탕을 섞은 것을 얹은 요리.

〔清火败毒〕 qīnghuǒ bàidú 열을 없애고 독을 빼어 없애다. =〔清瘟解毒〕

〔清家〕 qīng,jiā 동 집 안에 있는 것을 몽땅 빼앗다〔털다〕.

〔清减〕 qīngjiǎn 형 ⇨〔清瘦〕

〔清健〕 qīngjiàn 형 정정〔건강〕하시다《노인이 건강한 것을 기리는 말》.

〔清鉴〕 qīngjiàn 〈翰〉 보십시오《모두에 수신인 이름 밑에 씀》. =〔清览〕〔清照〕〔青及〕〔青鉴〕〔青览〕〔澄chéng鉴〕〔澄照〕

〔清酱〕 qīngjiàng 명 날된장《아무 양념도 하지 않은 된장》. =〔青酱〕

〔清矫〕 qīngjiǎo 형 〈文〉 청렴하여 절개를 굽히지 않다. =〔清抗〕

〔清剿〕 qīngjiǎo 동 적을 완전히 소탕하다〔섬멸하다〕.

〔清缴〕 qīngjiǎo 동 전부 인도(引渡)하다. 인도를 마치다.

〔清校〕 qīngjiào 명 최종 교정. 교료(校了).

〔清节〕 qīngjié 명 청절. =〔清操〕

〔清洁〕 qīngjié 형 ①청결하다. ¶～箱xiāng; 쓰레기통/～工; 청소부. ②⇨〔廉lián洁〕

〔清洁剂〕 qīngjiéjì 명 세제(洗劑).

〔清洁票据〕 qīngjié piàojù 명 ⇨〔信xìn用票据②〕

〔清洁扫除〕 qīngjié sǎochú 명 대청소. ¶进行～; 대청소를 하다.

〔清洁提单〕 qīngjié tídān 명 《商》 무고장 선하증권. 클린 B/L.

〔清结〕 qīngjié 동 결산하다. 청산하여 결말을 짓다. 명 청산. 결산. =〔清算suàn〕

〔清介〕 qīngjiè 형 마음이 깨끗하여 남과 어울리지 않다. 청개하다.

〔清劲风〕 qīngjìnfēng 명 《氣》 ①상쾌한 바람. 시원한 산들바람. ②풍력 5의 바람.

〔清净〕 qīngjìng 형 ①정결하다. 결백하다. ¶心里～的人; 마음이 깨끗한 사람. ②평온하다. ¶我家不大～; 우리 집은 그다지 평온치가 못하다. ③마음이 고요하다. 번거로움을 당하지 않다. ¶耳根～; 신변에 번거로운 일이 없다. ④고요하다. ¶街上～得可怕; 거리는 무서우리만큼 고요하다.

〔清(净)豆油〕 qīng(jìng)dòuyóu 명 샐러드유. =〔色sè拉油〕〔沙拉油〕

〔清净缶〕 qīngjìngfǒu 명 《機》 클리너. ¶氧气呼吸器中有～; 산소 흡입기 속에는 클리너가 있다.

〔清静〕 qīngjìng 형 조용하다. 떠들썩하지 않다. ¶学校附近～极了; 학교 부근은 아주 조용하다/我们找个～的地方谈谈吧! 우리들 어디 조용한 곳에서 이야기하세!

〔清酒〕 qīngjiǔ 명 청주. 맑은 술. ¶～淡茶; 맑은 술과 담백한 차.

〔清君侧〕 qīng jūncè 〈文〉 임금 측근의 간신을 제거하다.

〔清俊〕 qīngjùn 형 ⇨〔清秀〕
〔清俊文雅〕 qīngjùn wényǎ 인품이 고상하고 아치(雅致)가 있음.
〔清抗〕 qīngkàng 형 ⇨〔清娇〕
〔清客〕 qīngkè 명 ①《植》 매화(梅花)의 별칭. ② ⇨〔门mén客〕 ③연극에 출현하는 아마추어 배우의 별칭. ¶～串戏; 아마추어 배우가 하는 연극.
〔清课〕 qīngkè 명 《佛》 (불교에서) 승려의 매일매일의 근행(勤行).
〔清科〕 qīngke 형 (사람의 그림자가 드물고) 조용하다. ¶找个～地方儿歇歇儿吧; 조용한 곳을 찾아서 쉽시다.
〔清苦〕 qīngkǔ 형 청빈(清貧)하다. 가난하다. ¶日子过得十分～; 매우 가난한 살림살이를 하다.
〔清览〕 qīnglǎn ⇨〔清鉴〕
〔清朗〕 qīnglǎng 형 ①청랑하다. 상쾌하다. ¶～的月夜; 맑은 달밤. ②(목소리가) 맑다. 또렷하다. ¶言语～; 말이 분명하고 쾌활하다.
〔清冷〕 qīnglěng 형 ①으스스 춥다. ¶～的秋夜; 으스스 추운 가을 밤. ②맑고 차갑다. ¶早晨的空气特别～; 새벽 공기는 특히 맑고 차다. ③죽은 듯이 고요하다. ¶旅客们都走了, 站台上十分～; 여행자가 모두 떠나가고 플랫폼은 쥐죽은 듯 고요하다. ‖ =〔冷清〕
〔清理〕 qīnglǐ 동 깨끗이 정리하다. ¶～积案; 현안(懸案)을 처리하다 / ～存货; 재고 정리하다 / 还没～完; 아직 정리가 안 되어 있다 / ～河道; 강바닥을 준설하다. ②청산하다. ¶～债务; 채무를 청산하다 / ～人; 청산인 / ～收盘; (회사를) 청산하여 해산하다. ③맑게 하다. 깨끗이 하다. ¶先～一下嗓子, 然后慢慢地说; 우선 목청을 가다듬고 천천히 말을 시작했다. 명 정리(整理). 구분.
〔清利〕 qīnglì 형 조용하다. 태평 무사하다.
〔清涟〕 qīnglián 형 〈文〉 맑은 수면에 잔 물결이 이는 모양.
〔清廉〕 qīnglián 명형 청렴(하다). ¶～的官吏; 청렴한 관리. ↔〔贪tān污〕
〔清凉〕 qīngliáng 형 상쾌하다. 시원하다. ¶～汽水; 시원한 사이다 / ～剂; 청량제 / ～饮料; 청량음료수.
〔清凉油〕 qīngliángyóu 명 ⇨〔万金油①〕
〔清亮〕 qīngliang 형 ①〈口〉 (기분이) 상쾌하다. ¶看看水, 眼也～; 물을 보면 눈이 시원해진다(기분도 상쾌해진다). ②(두뇌가) 명석하다. =〔清晰〕 ③(물이) 맑다.
〔清亮亮(的)〕 qīngliàngliang(de) 형 맑고 투명한 모양. ¶水～的能够见到底; 물이 맑고 투명해 바닥까지 보인다.
〔清冽〕 qīngliè 형 청렬하다. 맑고 서늘하다.
〔清凌凌〕 qīnglīnglīng 형 물이 아주 맑고 파문이 이는 모양. =〔清泠泠〕
〔清泠〕 qīnglíng 형 맑고 시원하다. ¶朝zhāo露～; 아침 이슬이 맑고 시원하다 / 天～而无霞; 하늘이 맑게 개어 안개도 없다.
〔清流〕 qīngliú 명 ①맑게 흐르는 물. ②〈文〉 고결한 사람.
〔清门〕 qīngmén 명 청빈에 만족하는 집안.
〔清门望族〕 qīngmén wàngzú 명 가문이 바르고 명망이 있는 일족.
〔清秘〕 qīngmì 명 맑고 웅숭깊은 곳《흔히, 궁중을 이름》.
〔清棉〕 qīngmián 동 《紡》 솜을 두드리어 섬유를 뽑아 내다. ¶～机; 타면기(打綿機).
〔清明〕 qīngmíng 명 청명. 음력 3월의 명절. =〔清明节〕 형 ①맑고 밝다. ¶～风; 동남(東南)풍 / 月色～; 달빛이 맑고 밝다 / ～的月亮; 청명하게 맑은 달. ②(정치가) 공명정대하다. ¶政治～; 정치가 공명정대하고 어두운 구석이 없다. ③머릿속이 차분하고 맑다. ¶神志～; 의식이 맑다.
〔清明菜〕 qīngmíngcài 명 《植》 떡쑥.
〔清目〕 qīngmù 동 ①눈에 띄다. 눈을 즐겁게 하다. ②눈이 환해지다. 눈이 좋아지다.
〔清盘〕 qīngpán 명 재고 정리. ¶货尾～; 재고품의 정리. 동 (회사를) 청산하고 해산하다.
〔清贫〕 qīngpín 형 청빈하다. =〔清苦〕
〔清平〕 qīngpíng 형 조용하고 평화롭다. ¶～世界; 태평한 세상.
〔清漆〕 qīngqī 명 ⇨〔洋yáng漆〕
〔清气〕 qīngqì 형 깨끗하다. 말쑥〔산뜻〕하다. ¶朴实～; 꾸밈이 없고 산뜻하다. 명 시원한 맛〔냄새〕.
〔清讫〕 qīngqì 동 〈文〉 청산하다. 결말짓다.
〔清欠〕 qīngqiàn 동 〈文〉 빚을 다 갚다. =〔还huán清〕
〔清清楚楚〕 qīngqīng chǔchǔ〔qīngqīng chūchū〕 형 매우 명백〔명료〕하다. ¶分别的～; 극히 명백하게 구별했다 / ～的事情; 뻔한 일.
〔清清静静(儿)〕 qīngqīng jìngjìng(r)〔qīngqīng jīngjīng(r)〕 형 고요하고 조용하다.
〔清清凉凉(儿)〕 qīngqīng liángliáng(r)〔qīngqīng liāngliāng(r)〕 형 시원하고 서늘하다.
〔清秋〕 qīngqiū 명 〈文〉 시원한 가을. 선선한 가을철.
〔清癯〕 qīngqú 형 〈文〉 수척하다. 여위다. ¶面容～; 얼굴이 핼쑥하다.
〔清曲〕 qīngqǔ 명 ⇨〔清歌〕
〔清儿〕 qīngr 명 ①달걀 흰자위. ¶这个鸡子儿～多; 이 달걀은 흰자위가 많다. ②맑은 웃물〔국물〕. ¶装在坛子里的老酒, 澄dèng一点儿～再舀yǎo出来才好; 독에 들어 있는 오래 묵은 술은, 좀 가라앉힌 다음에 퍼내는 것이 좋다.
〔清热〕 qīngrè 동 《漢醫》 내열(內熱) 증상을 누그러뜨리다. 해열하다. ¶～药; 해열제.
〔清扫〕 qīngsǎo 동 철저히 제거하다. 깨끗이 치우다. 일소하다.
〔清商〕 qīngshāng 명 ⇨〔清乐②〕
〔清尚〕 qīngshàng 형 ⇨〔高gāo尚〕
〔清神〕 qīngshén 명 〈翰〉 당신의 마음. ¶琐费～=〔劳动～〕〔有劳～〕〔有渎dú～〕; 심려를 끼치다.
〔清时〕 qīngshí 명 ⇨〔清世〕
〔清士〕 qīngshì 명 〈文〉 청렴한 선비〔사람〕.
〔清世〕 qīngshì 명 태평 세월. =〔清时〕
〔清瘦〕 qīngshòu 형 〈婉〉 ①여위다. 수척하다. ¶您～了; 당신, 여위셨네요. ②날씬하게 여위다. ‖ =〔清减〕
〔清爽〕 qīngshuǎng 형 ①상쾌하다. ¶雨后空气～; 비가 온 후 공기가 상쾌하다. ②마음이 상쾌하다. ¶心情不～; 기분이 울적하다 / 任务完成了, 心里很～; 임무가 끝나 기분이 시원하다. ③〈方〉 분명하다. 똑똑하게 구별이 되어 있다. ¶把话讲～; 분명하게 이야기하다.
〔清水〕 qīngshuǐ 명 ①맑은 물. ¶～明镜; 심경의 고결함. ②순수함. 깨끗함. 아무것도 섞이지 않음. ¶～公膏; 순수한 아편(阿片) / ～脸儿; 화장하지 않은 얼굴 / ～货; 《商》 잡물이 섞이지 않은 상품.
〔清水画〕 qīngshuǐhuà 명 《美》 수묵화.
〔清水货〕 qīngshuǐhuò 명 《商》 섞인 것이 없는 물품.

〔清水脊屋顶〕 qīngshuǐjǐ wūdǐng 명 용마루에 아무 장식도 없는 지붕.
〔清水脸儿〕 qīngshuǐliǎnr 명 ⇨〔净jìng脸儿〕
〔清水虾〕 qīngshuǐxiā 명 《動》 징거미.
〔清水衙门〕 qīngshuǐ yámén 명 수입 또는 경비가 적은 관청. ¶大队于今是一个～; 생산 대대는 지금은 가난한 관청이다.
〔清算〕 qīngsuàn 동 ①청산하다. ②반대파를 제거하다. 숙청하다.
〔清算斗争〕 qīngsuàn dòuzhēng 명 혁명 과정에서, 반동 분자의 죄상을 규명하고 이를 속죄케 했던 일.
〔清算运动〕 qīngsuàn yùndòng 명 (인민 해방군이 해방구에서) 매국노나 반동 분자·한간(漢奸)·특수 분자 등을 고발하여 처분했던 운동.
〔清谈〕 qīngtán 명 ①공리 공담(公理空談)《노장(老莊)의 도(道)를 조술(祖述)하고 세무(世務)를 버리며 공리(空理)를 이야기한 것에서 나온 말》. ②속세를 떠난 청아한 이야기. ③한담(閑談). 공리공론.
〔清汤〕 qīngtāng 명 ①맑은 국《간장을 쓰지 않은 것》. =〔高汤③〕 ②수프. 콩소메(프 consommé). ¶～鸡; 닭백숙.
〔清通〕 qīngtōng 형 (문장 등이) 간결하고 잘 다듬어져 있다. ¶文章要写得～, 必须下一番苦功; 글을 간결하고 알기 쉽게 쓰는 데는 수련을 쌓아야 한다.
〔清头〕 qīngtóu 형 〈南方〉 명료하다. 분명하다. ¶弄个～; 분명하게 하다. 동 이해하다. 알다.
〔清透〕 qīngtòu 동 똑똑히 알고 있다. ¶这件事他全～; 그는 이 일을 전부 똑똑히 꿰뚫고 있다.
〔清玩〕 qīngwán 명 청한(淸閑)을 즐기는 물건《고상한 골동품·서화(書畫) 따위》. ¶黄先生～; 〈翰〉 황선생님, 변변치 않은 소일거리지만 받아 주십시오. 동 완상(玩賞)하다. 즐기다.
〔清瘟解毒〕 qīngwēn jiědú ⇨〔清火败毒〕
〔清文〕 qīngwén 명 청(淸)나라 때의 문장.
〔清晰〕 qīngxī 형 분명하다. 명석하다. ¶炮声～; 대포 소리가 분명하게 들린다 / 发音～; 발음이 똑똑하다 / ～度; 명료도(明瞭度).
〔清洗〕 qīngxǐ 동 ①깨끗이 닦다. ¶婴儿每日要～口腔; 갓난애는 매일 입 안을 깨끗이 닦아 내야 한다. ②제거하다. 일소(一掃)하다. 숙청하다. ¶～出坏人去; 악인을 제거하다.
〔清闲〕 qīngxián 형 한정(閑靜)하다. 한가하다. ¶担任了～职务; 한직(閑職)을 맡다 / 过着～的日子; 조용한 나날을 보내고 있다.
〔清乡〕 qīng·xiāng 동 옛날, 지방의 치안 유지를 위하여 비적의 근거지를 토벌하다.
〔清香〕 qīngxiāng 명 상쾌한〔맑은〕 향기. ¶野花的～; 들꽃의 맑은 향기. 형 맑고 향기롭다. ¶～的松子; 향기로운 냄새의 잣.
〔清晓〕 qīngxiǎo 명 ⇨〔清晨〕
〔清心〕 qīngxīn 동 마음을 깨끗이 가지다. ¶～寡欲; 마음을 깨끗이 가지고 욕심을 버리다. 명 깨끗한 마음. 형 홀가분하다. 거뜬하다.
〔清新〕 qīngxīn 형 청신하다. 산뜻하고 신선하다. 시원스럽다. ¶刚下过雨, 空气～; 막 비가 온 뒤라 공기가 산뜻하다.
〔清馨〕 qīngxīn 명 〈文〉 방향(芳香).
〔清醒〕 qīngxǐng 형 ①(머리가) 맑고 깨끗하다. ¶早晨起来, 头脑特别～; 아침에 일어나면 머리가 더욱 맑고 깨끗하다. ②명쾌하다. ¶～了头脑了; 머리를 명쾌하게 했다. 동 의식을 되찾다. ¶病人已经～过来; 환자는 벌써 의식을 되찾았다.
〔清醒剂〕 qīngxǐngjì 명 《藥》 각성제(覺醒劑).
〔清兴〕 qīngxìng 명 고상한 재미. 청아한 홍취.
〔清秀〕 qīngxiù 형 아름답다. 수려하다. ¶面貌～; 용모가 미끈하게 잘생기다 / 山水～; 산수가 수려하다 / 长zhǎng得眉清目秀; 미목 수려하게 자라다. 용모가 미목 수려하다. =〔清俊〕〔清妍〕
〔清选〕 qīngxuǎn 명 ⇨〔清班〕
〔清选机〕 qīngxuǎnjī 명 정선기(精選機).
〔清雅〕 qīngyǎ 형 청아하다. 고상하고 우아하다.
〔清妍〕 qīngyán 형 ⇨〔清秀〕
〔清样〕 qīngyàng 명 ①청쇄(淸刷)《교정쇄를 수정하여 깨끗한 종이에 인쇄한 것》. ②최종 교정쇄. 교료지(校了紙).
〔清恙〕 qīngyàng 명 ⇨〔贵guì恙〕
〔清野〕 qīngyě 동 군대가 철퇴할 때, 곡식 따위를 적이 이용 못 하도록 초토화하다. 명 〈文〉 맑고 고요한 들판.
〔清夜〕 qīngyè 명 조용한 밤. ¶～扪mén心; 〈成〉 조용한 환경에서 양심에 물어 보다.
〔清一色〕 qīngyīsè 명 마작(麻雀)의 약(約)의 이름. 동 ①일색으로 통일하다. 다른 것이 조금도 섞이지 아니하다. 외인(外人)이 섞이지 않다. ¶～全是苹果树; 모두가 사과나무뿐이다 / 他们～都那么很横hèng; 그들은 모두가 모두 저런 식으로 횡포를 부린다. ②획일화하다. 일률적으로 갖추다.
〔清议〕 qīngyì 명 〈文〉 (명사의) 정치에 대한 논의 또는 정치 인물에 대한 평론.
〔清音〕 qīngyīn 명 ①결혼·장의(葬儀) 때에 취주(吹奏)하는 조용한 음악. ②쓰촨 성(四川省)에 유행하는 속요(俗謠)《호궁·비파로 반주함》. ③《言》 (중국 음운학(音韻學)의) 청음. =〔不带音〕〔无声音〕↔〔浊音〕
〔清尹〕 Qīngyǐn 명 복성(複姓)의 하나.
〔清幽〕 qīngyōu 형 맑고 그윽하다.
〔清幽幽〕 qīngyōuyōu 형 고요하고 조용한 모양.
〔清油〕 qīngyóu 명 ①〈方〉 (콩기름 등의) 식물성 식용유. =〔素sù油〕 ②종유(種油). 평지씨 기름. =〔菜cài油〕
〔清乐〕 qīngyuè 명 ①생황(笙簧)의 반주로 부르는 불교의 게송(偈頌)의 노래. ②악부 가곡(樂府歌曲)의 이름. =〔清商〕
〔清越〕 qīngyuè 형 ①목소리가 쩌렁쩌렁하다. 잘 들리다. ¶远方送来一阵～婉转的歌声; 멀리서 잘 울리는 아름다운 노랫소리가 들려 왔다. ②용모가 범속을 초월하여 뛰어나다. ¶风采～; 풍채가 말쑥하고 뛰어나다.
〔清早〕 qīngzǎo 명 〈口〉 이른 아침. ¶他们一～就干活去了; 그들은 새벽에 일찍 일을 하러 나갔다. =〔一清早〕〔清晨〕〔清早起〕
〔清早起〕 qīngzǎoqǐ 명 ⇨〔清早(儿)〕
〔清炸〕 qīngzhá 동 (튀김옷을 입히지 않고) 그냥 기름에 튀기다. ¶～里脊lǐji; 기름에 튀긴 돼지 등심.
〔清斋〕 qīngzhāi 동 〈文〉 (수행을 위해) 고기나 생선 따위를 먹지 않다. 명 맑은 하늘.
〔清湛〕 qīngzhàn 형 〈文〉 맑디 맑다. ¶～的蓝天; 맑고 푸른 하늘.
〔清丈〕 qīngzhàng 동 토지를 측량하다.
〔清账〕 qīng·zhàng 동 ①장부를 정리하다. 결산하다. ¶贸易～问题; 거래 결제의 문제. ②셈을 청산하여 지불하다. (qīngzhàng) 명 정리를 끝낸 계정장(計定賬). 명세서(明細書)

〔清朝〕 qīngzhāo 명 ⇨〔清晨〕
〔清照〕 qīngzhào ⇨〔清鉴〕
〔清真〕 qīngzhēn 명 ①이슬람교. ¶～寺; 이슬람 사원. 모스크/～人; 이슬람 교도. 회교도. ②〈文〉 질박하고 순결함.
〔清真教〕 qīngzhēnjiào 명《宗》 이슬람교. 회교. =〔〈音〉 伊yī斯兰教〕
〔清蒸〕 qīngzhēng 동 간장 따위를 사용 않고 찌다. ¶～甲jiǎ鱼; 자라찜 요리/～全鸭; 오리를 통째로 찐 요리. =〔蒸〕
〔清正〕 qīngzhèng 형〈文〉 청렴하고 공정하다. ¶～持公; 청렴 공정하게 처신하다. =〔清公〕
〔清直〕 qīngzhí 형 ⇨〔清鲠〕
〔清职〕 qīngzhí 명 청직. 한직(閑職).
〔清秩〕 qīngzhì 명 ⇨〔清班〕
〔清煮肉〕 qīngzhǔròu 명 삶은 고기.

圊 qīng (청)
명〈文〉 변소. 뒷간. =〔厕所〕

〔圊肥〕 qīngféi 명〈方〉 퇴비. 두엄.
〔圊桶〕 qīngtǒng 명 변기(便器).
〔圊土〕 qīngtǔ 명 퇴비.

蜻 qīng (청)
→〔蜻蛉〕〔蜻蜓〕〔蜻蜓点水〕〔蜻蜓咬尾巴〕

〔蜻蛉〕 qīnglíng 명《蟲》 물잠자리. =〔〈文〉 青蛉〕
〔蜻蜓〕 qīngtíng 명《蟲》 잠자리. =〔〈文〉 青亭〕〔〈俗〉 老lǎo流利〕〔〈俗〉 蚂螂mālang〕〔桑sāng根〕
〔蜻蜓点水〕 qīng tíng diǎn shuǐ 〈成〉 잠자리가 꽁지로 물을 치다《일을 진행함에 있어서 얕고 표면적이다》.
〔蜻蜓咬尾巴〕 qīngtíng yǎo wěiba 〈歇〉 잠자리가 꼬리를 물다. ¶～, 自吃自; 자기가 자기를 먹다. 자할(自割)하다.

鲭(鯖) qīng (청)
명《魚》 고등어. =〔鲭鱼〕〔鲐tái鱼〕 ⇒zhēng

〔鲭鳟〕 qīngzūn 명《魚》 고등어.

轻(輕) qīng (경)
① 형 (무게·정도가) 가볍다. 경미하다. ¶身～如燕; 제비처럼 몸이 가볍다/分fèn量比这个～; 무게가 이보다 가볍다/～分量的东西显数儿; 가벼운 것은 수효가 나간다/受的累也不～; 피로가 이만저만 아니다/他叫我骂得不～; 그는 나에게 호되게 야단맞았다. ② 형 나이가 어리다. ¶年纪很～; 나이가 아주 어리다. ③ 형 대수롭지 않다. 중요하지 않다. ¶责任～; 책임이 가볍다. ④ 형 신중치 않다. 경솔하다. ¶～不下论断; 경솔하게는 결론을 내리지 않는다/～信片面的说法; 한쪽 말을 경솔하게 믿다. ⑤ 형 손쉽다. ⑥ 형 간단하다. 간편하다. 경쾌하다. 가뿐하다. ¶～音乐; 경음악/无病一身～; 병이 없으면 온몸이 경쾌하다/口～; 맛이 싱겁다. ⑦ 형 값이 싸다. ¶这一批货来的底儿～; 이 종류의 상품은 매입 원가가 싸다. ⑧ 형 경시하다. 가벼이 보다. ¶～财重义; 재물을 경시하고 의를 중히 여기다. ⑨ 부 살그머니. 살짝. ¶脚步要～; 살살 걸으시오/～放; 살짝 놓다/～～推了他一下; 가볍게 그를 밀었다. ⑩ 명《化》 수소. =〔氢qīng〕

〔轻便〕 qīngbiàn 형 ①간편하다. 편리하다. ¶这种用玻璃钢做的船很～; 이러한 경질(硬質) 유리로 만든 배는 대단히 편리하다/～摩托车; 스쿠터(scooter). ②(하는 데) 수월하다. 용이하다. ¶～工作; 수월한 일/这么一点儿事做起来～得很! 이 정도의 일은 하기가 참 간단하다!
〔轻便活〕 qīngbiànhuó 명 간단한 일. 가벼운 일.
〔轻便式〕 qīngbiànshì 명 ⇨〔手shǒu提式〕
〔轻兵〕 qīngbīng 명 소수의 병력.
〔轻病〕 qīngbìng 명 가벼운 병.
〔轻薄〕 qīngbó 형 경박하다. 경솔하다. ¶态度～; 태도가 경박하다/这个人过于～; 저 사람은 너무나도 경망하다. ↔〔敦dūn厚〕 동 얕보다. 업신여기다. 욕보이다. ¶～他们的先生; 그들의 선생을 업신여기다/她被流氓～了一顿; 그녀는 불량배에게 희롱을 당했다. →〔轻贱jiàn〕〔轻慢〕
〔轻财好义〕 qīng cái hào yì 〈成〉 재물을 가볍게 여기고 의로움을 중시함《예로부터 '好汉'의 미덕으로 여겼음》.
〔轻车〕 qīngchē 명 ①옛날의 전차. ②경차. 가볍고 빠른 차.
〔轻车简从〕 qīng chē jiǎn cóng 〈成〉 (옛날, 지체 높은 사람이 나들이할 때) 수행원을 줄이다.
〔轻车熟路〕 qīng chē shú lù 〈成〉 익숙해서 쉽게 할 수 있다. ¶对于一个当过三十年会计的人来说, 算这笔账可真是～; 회계 업무를 30년이나 해온 사람에게는 이런 계산은 식은 죽 먹기다. =〔轻车熟道〕〔驾jià轻就熟〕
〔轻脆〕 qīngcuì 형 무르다. 부서지기 쉽다. 부박(浮薄)하다. ¶这个东西～, 拿着小心点儿; 이 물건은 부서지기 쉬우니까 들 때는 조심해라.
〔轻敌〕 qīngdí 동 적을 가볍게 보다. ¶～者必败; 적을 경시하는 자는 반드시 패한다.
〔轻读〕 qīngdú 동 가볍게 읽다〔발음하다〕. ¶这个字在这个地方儿, 应该～; 이 글자는 이 경우에는 가볍게 발음해야 한다. =〔轻念〕
〔轻吨〕 qīngdūn 명《度》 쇼트 톤《'1～'은 2000 파운드》.
〔轻而易举〕 qīng ér yì jǔ 〈成〉 아주 쉽게 할 수 있다. 거뜬히 할 수 있다. ¶～的事情; 손쉬운 일.
〔轻放〕 qīngfàng 동 가만히〔살살〕 놓다. ¶易碎物品, 小心～; 부서지기 쉬운 물건이니 조심해서 가만히 놓아라. 취급 주의.
〔轻肥〕 qīngféi ⇨〔轻裘肥马〕
〔轻风〕 qīngfēng 명 ①산들바람. ②《氣》 경풍. 남실바람《초속 1.6～3.3미터, 풍력 2의 바람》.
〔轻浮〕 qīngfú 형 (언행·거동이) 경박하다. 진지함이 없다. ¶～虚夸kuā; 마음이 들뜬 모양/举止～; 태도가 경망스럽다. =〔轻脱〕
〔轻歌曼舞〕 qīng gē màn wǔ 〈成〉 가볍게 노래하고 우아하게 춤추다.
〔轻工〕 qīnggōng 명 ①간단한〔가벼운, 쉬운〕 일. ②경공업.
〔轻工业〕 qīnggōngyè 명 경공업. ¶～部; 경공업부. ↔〔重zhòng工业〕
〔轻骨头〕 qīnggǔtou 명〈罵〉 경박한 놈. 저질의 인간. 상놈.
〔轻核〕 qīnghé 명《物》 경(輕)원자핵.
〔轻忽〕 qīnghū 형 ⇨〔轻率〕
〔轻混凝土〕 qīnghùnníngtǔ 명 경량 콘크리트.
〔轻活(儿)〕 qīnghuó(r) 명 편한〔수월한〕 일.
〔轻机关枪〕 qīngjīguānqiāng 명 경기관총.
〔轻贱〕 qīngjiàn 형 ⇨〔卑bēi贱〕 동 멸시하다. 깔보다. 업신여기다.
〔轻捷〕 qīngjié 형 민첩하다. 날렵하다. 경쾌하다. ¶她的平衡木动作～得很; 그녀의 평균대의 동작은 매우 경쾌하다.
〔轻金属〕 qīngjīnshǔ 명 경금속.

〔轻举妄动〕 qīng jǔ wàng dòng 〈成〉 경거 망동하다. ¶切qiè不可～; 결코 경거 망동해서는 안 된다.
〔轻看〕 qīngkàn 동 경시하다. 깔보다.
〔轻口薄舌〕 qīng kǒu bó shé 〈成〉 말이 경박하다. 말이 각박하다. 모질다.
〔轻快〕 qīngkuài 형 ①(값이) 싸다. ¶算～点儿吧! 좀 싸게 하십시오! ②경쾌하다. 다루기 쉽다. ¶学生少很～; 학생이 적어서 다루기 쉽다/脚步～; 걸음걸이가 가볍다. ③가볍고 편리하다.
〔轻狂〕 qīngkuáng 형 경솔하다. 경박하다. ¶看他～的简直不像话! 그는 말할 수 없이 경박해!
〔轻雷〕 qīngléi 명 멀리서 들려 오는 천둥 소리. 원뢰(遠雷).
〔轻量级〕 qīngliàngjí 명 《體》 라이트급.
〔轻灵〕 qīnglíng 형 홀가분하다. 후련하다.
〔轻慢〕 qīngmàn 동 가볍게 보다. 업신여기다. ¶谁敢～他呢? 그를 업신여길 자가 있을까요?/～不得; 깔볼 수 없다.
〔轻描淡写〕 qīng miáo dàn xiě 〈成〉 ①대강대강 쓰다〔말하다〕. 간단히 묘사하다. ②문제를 가볍게 취급하다. 슬그머니 넘어가다. ¶他～地说"行行", 但事情并不是那么简单的; 그는 선뜻 '좋아 좋아' 하지만, 그렇게 간단하지는 않다/他专会说些个～的话逃避责任; 그는 막연한 말로 책임 회피할 줄만 안다.
〔轻藐〕 qīngmiǎo 동 ⇨〔轻蔑〕
〔轻蔑〕 qīngmiè 동 경멸하다. 얕보다. ¶互相～; 서로 경멸하다. =〔〈文〉轻藐〕
〔轻拿轻放〕 qīng ná qīng fàng 〈成〉 취급주의. =〔搬bān运注意〕
〔轻年〕 qīngnián 명 청년. =〔青年〕
〔轻念〕 qīngniàn 동 ⇨〔轻读〕
〔轻袅袅〕 qīngniǎoniǎo 형 〈古白〉 가볍고 나긋나긋하다. 하늘거리다. ¶～花朵儿身; 가볍고 나긋나긋하여 꽃봉오리 같은 몸.
〔轻诺寡信〕 qīng nuò guǎ xìn 〈成〉 경솔하게 승낙하여 믿을 수 없다. 가벼이 승낙하고 신의를 지키지 않다. ¶你别听他的, 他还不是～, 向来说了不算吗? 놈이 하는 말을 곧이들어서는 안 된다. 놈은 가볍게 떠맡고 잘 지키지도 않으며, 전부터 한 말에 책임을 안 지지 않느냐?
〔轻炮〕 qīngpào 명 《軍》 소구경 포. ↔〔重炮〕
〔轻飘飘(的)〕 qīngpiāopiāo(de) 형 ①가벼운〔하늘거리는〕 모양. (마음·동작 등이) 경쾌한 모양. ¶垂柳～地摆动着; 수양버들이 가볍게 흔들리고 있다/她高兴地走着, 脚底下～的; 그녀는 들떠서 발걸음도 가볍게 걷고 있다. ②침착하지 못하다. 덜렁거리다. ¶他办事确是～的; 그의 일처리는 확실히 덜렁덜렁해. ③비틀비틀〔휘청휘청〕하다. ¶他病刚好, 走起路来～的; 그는 병이 나은 지 얼마 안 되어 걸으면 비틀비틀한다.
〔轻剽〕 qīngpiào 형 〈文〉 경박하다. ¶～之才; 경박한 인물. =〔轻僄〕
〔轻僄〕 qīngpiào 형 ⇨〔轻剽〕
〔轻骑〕 qīngqí 명 ①경기. 경장(輕裝)한 기병. ¶～兵; 경기병. ②〈俗〉 오토바이.
〔轻气〕 qīngqì 명 《化》 〈口〉 수소(水素). ¶～体; 부양(浮揚) 가스/～油; 석유 벤젠.
〔轻气球〕 qīngqìqiú 명 ⇨〔气球①〕
〔轻悄悄〕 qīngqiāoqiāo 형 가볍다. 경쾌하다.
〔轻趫〕 qīngqiāo 형 〈文〉 민첩하다. 날쌔다.
〔轻巧〕 qīngqiǎo 형 ①가볍고 정교(精巧)하다. 간편하게 잘 만들어져 있다. ¶这个小玩意儿做得可真～; 이 장난감은 아주 정교하게 만들어져 있다. ②수월하다. 경묘(輕妙)하다. 쉽다. ¶你倒说得～! 자네는 아무렇지도 않게 잘도 말하는군!/他真滑头, 专挑tiāo～活儿干; 놈은 정말 교활하다, 다루기 쉬운 일만 골라서 하고 있다/她的日子还是过得不～; 그녀의 생활은 여전히 수월치가 않다. ③(동작이) 경쾌하다. 민첩하다.
〔轻氢〕 qīngqīng 명 《化》 수소.
〔轻轻(儿)〕 qīngqīng(r) 부 가볍게. 살짝. 낮은 목소리로. ¶～地放下书包; 책보따리를 살짝 내려놓았다/～地说话; 낮은 목소리로 이야기하다/把大石头～地端起来了; 큰 돌을 가볍게 들어 올렸다.
〔轻轻巧巧〕 qīngqīng qiǎoqiǎo 형 간단하고 교묘하다. ¶～得到了解决; 간단히 해결했다.
〔轻裘〕 qīngqiú 명 경구. 가벼운 (비싼) 모피로 만든 옷.
〔轻裘肥马〕 qīng qiú féi mǎ 〈成〉 가벼운 가죽옷에 살찐 말(호사스런 차림의 지체 높은 사람). =〔轻肥〕〔裘马〕
〔轻裘缓带〕 qīng qiú huǎn dài 〈成〉 고급 갖옷을 입고 허리띠를 느슨히 매고 있다(누긋한 모양).
〔轻取〕 qīngqǔ 동 낙승(樂勝)〔압승〕하다.
〔轻饶〕 qīngráo 동 무겁게 벌하지 않고 가볍게 용서하다. 간단히 용서해 주다. ¶一个也～不了; 한 사람도 간단히 용서해 줄 수 있는 놈이 없다.
〔轻容易〕 qīngróngyì 형부 ⇨〔轻易〕
〔轻柔〕 qīngróu 형 가볍고 부드럽다. ¶～的枝条; 가볍고 부드러운 나뭇가지/声音～; 목소리가 경쾌하고 부드럽다.
〔轻软稀纱〕 qīngruǎn xīshā 명 《紡》 면직물의 일종(평직(平織)으로 엷고 부드러운 것).
〔轻锐〕 qīngruì 형 〈文〉 경쾌하고 날카롭다.
〔轻伤〕 qīngshāng 명 경상. 가벼운 상처. ¶～不下火线; 경상으로는 전선에서 물러나지 않다.
〔轻身〕 qīngshēn 명 단신. 홀몸. 독신. =〔单身〕 동 ⇨〔轻生〕
〔轻生〕 qīngshēng 동 생명을 가볍게 여기다(대부분 자살을 뜻함). ¶～自尽 =〔～短见〕; (생명을 가볍게 여겨) 자살하다. =〔轻身〕
〔轻声〕 qīngshēng 명 ①경성(사성(四聲)의 성조(聲調)가 없어진 음조(音調)로 문말(文末)의 '了' '么' 따위 혹은 '葡萄' '合同'의 둘째 자의 성조(聲調)들을 일컬음). ②낮은〔작은〕 목소리. ¶他拆开信, ～念起来; 그는 편지 봉투를 자르고 낮은 소리로 읽기 시작했다. (qīng.shēng) 동 소리를 낮추다. ¶轻点声吧! 소리를 낮추어라!
〔轻声儿〕 qīngshēngr 명 작고 가는 소리.
〔轻省〕 qīngsheng 형 〈方〉 ①홀가분하고 힘이 들지 않다. 개운하고 가볍다. ¶～活计; 쉬운 일. 간단한 일/这件生意倒还～; 이 장사는 상당히 수월한 편입니다/吃了一剂药之后就～多了; 약을 한 번 먹은 뒤에는 훨씬 개운하고 편해졌습니다. ②(무게가) 가볍다. ¶这个箱子挺～; 이 상자는 매우 가볍다/这个东西这么拿着就～些; 이 물건은 이런 식으로 들면 좀 가벼워집니다.
〔轻石〕 qīngshí 명 ⇨〔浮fú石①〕
〔轻时〕 qīngshí 부 평소(뒤에 부정사(否定詞)를 쓰는 일이 많음). ¶～不出来; 평소에는 좀처럼 나오지 않는다.
〔轻事重报〕 qīng shì zhòng bào 〈成〉 사소한 일에 후(厚)하게 보답하다.
〔轻视〕 qīngshì 동 경시하다.
〔轻手轻脚〕 qīng shǒu qīng jiǎo 〈成〉 ①소리를

내지 않도록 조용히 행동하는 모양. ¶他像灵巧的小猫, ～地爬上了树; 그는 날렵한 새끼고양이처럼 살금살금 나무에 올랐다. ②발소리를 죽이고 걷다. =〔蹑手蹑脚〕
〔轻率〕 qīngshuài 형 경솔하다. 경망하다. =〔轻忽〕↔〔谨jǐn慎〕
〔轻爽〕 qīngshuǎng 형 상쾌하다. 후련하다.
〔轻水〕 qīngshuǐ 명 경수. ¶～泡沫灭火机; 포말소화기. ↔〔重水〕
〔轻松〕 qīngsōng 형 ①가볍다. 가뿐하다. ¶心里面～了一点了; 마음이 얼마간 편해졌다 / 他的谈吐～有趣; 그의 말은 경쾌하고 재미있다. ②간편하다. 간단하다. 수월하다. ¶～活儿; 쉬운 일 / 我的工作～; 저의 일은 수월합니다.
〔轻瘫〕 qīngtān 명《醫》경도(輕度) 마비. 국부적인 운동 마비.
〔轻锑〕 qīngtī 명《化》알루미늄. =〔铝lǚ〕
〔轻体力劳动〕 qīng tǐlì láodòng 명 경노동.
〔轻佻〕 qīngtiāo 형 경박하다. 경망스럽다. ¶那个家伙是个～的人; 저녀석은 덜렁이다.
〔轻脱〕 qīngtuō 형 ⇨〔轻浮〕
〔轻微〕 qīngwēi 형 경미하다. 가볍고 적다.
〔轻尾儿〕 qīngwěir 명《鳥》유리딱새.
〔轻武器〕 qīngwǔqì 명 경화기(輕火器).
〔轻侮〕 qīngwǔ 동 경멸하다. ¶～人; 사람을 업신여기다.
〔轻下儿惹重下儿〕 qīngxiàr rě zhòngxiàr 호되게 되갚음을 받다. 되로 주고 말로 받다. ¶你别招他, 回头～划不来; 그의 기분을 상하게 하지 마라. 나중에 호되게 당하면 손해다.
〔轻闲〕 qīngxián 형 (일이 한 차례 끝나거나 하여) 편하다. 한가하다. ¶活儿倒～; 일은 오히려 편하다〔한가하다〕/ 这件事快达到目的, 往后就～了; 이 일은 곧 목적을 이룰 것이니까, 그 다음에는 한가하게 됩니다.
〔轻绡〕 qīngxiāo 명 얇은 비단. =〔薄báo绸〕〔薄纱〕
〔轻泻药〕 qīngxièyào 명 완하제(緩下劑). =〔轻泻剂〕↔〔剧jù泻药〕
〔轻信〕 qīngxìn 동 경신하다. 경솔하게 믿다. ¶～片面之词; 한쪽 말을 경솔하게 믿다 / ～谣言; 소문을 가볍게 믿다.
〔轻型〕 qīngxíng 명 경량형. ¶～载重车; 경량 운반차. 소형 화물 자동차.
〔轻言乱语〕 qīng yán luàn yǔ 〈成〉경솔하고 무책임한 말을 내뱉다.
〔轻飏〕 qīngyáng 형 가볍게 날아오르는 모양. =〔轻扬〕
〔轻易〕 qīngyì 형 간단하고 용이(容易)하다《깔보는 뜻을 포함함》. ¶把问题看得太～了; 문제를 지나치게 쉽게 보았다 / 不可～置信; 간단히 믿을 수가 없다. 부 쉽사리. 좀체. 가벼이《부정(否定)·금지문에 쓰임》. ¶决不可～放弃; 결코 쉽사리 포기해서는 안 된다 / 他～不来; 그는 좀체 오지 않는다 / 他不～动怒; 그는 좀처럼 화를 내지 않는다. ‖ =〔轻容易〕
〔轻盈〕 qīngyíng 형 경쾌하고 아름답다. 단아하고 얌전하다. ¶～的舞步; 경쾌한 춤의 스텝 / 体态～; 몸매가 나긋나긋하다 / ～的笑语; 가벼운 우스갯소리.
〔轻油〕 qīngyóu 명《化》경유. ¶～车; 경유를 운송하는 탱크 로리(tank lorry).
〔轻油精〕 qīngyóujīng 명 ⇨〔石shí油精〕
〔轻于〕 qīngyú 〈文〉①경솔하게 …하다. ¶～前进; 경솔하게 전진하다 / ～赞同; 경솔하게 찬성하다. ②…보다 가볍다.
〔轻于鸿毛〕 qīng yú hóng máo 〈成〉홍모보다 가볍다《가치 없는 죽음》. ¶死有重于泰山, 有～; 죽음에는 태산보다 무거운 것도 있으며 홍모보다 가벼운 것도 있다.
〔轻躁〕 qīngzào 형 〈文〉경조하다. 방정맞고 시끄럽다.
〔轻质氧化镁〕 qīngzhì yǎnghuàměi 명《化》산화(酸化) 마그네슘.
〔轻重〕 qīngzhòng 명 ①무게. ¶～怎么样? 무게는 얼마나 됩니까? ②(일·병 등의) 경중. 주종(主從). 일의 중대함. ¶根据病的～, 分别处理; 병의 경중에 따라 각각 처리하다 / 无足～; 중요하다고 할 수 없다. ③분별(分別).
〔轻重倒置〕 qīng zhòng dào zhì 〈成〉일의 경중을 뒤바꾸다. 본말(本末)을 전도하다.
〔轻重缓急〕 qīng zhòng huǎn jí 〈成〉경중. 작은 일과 큰 일. ¶工作应分～; 일의 경중을 따져야 한다.
〔轻重量级〕 qīngzhòngliàngjí 명《體》라이트 헤비급.
〔轻舟〕 qīngzhōu 명 〈文〉경주. 작은 배.
〔轻妆〕 qīngzhuāng 명 〈文〉옅은 화장.
〔轻装〕 qīngzhuāng 명 ①경장. ¶～就道; 간편한 차림으로 출발하다 / ～简从;〈成〉지체 높은 사람이 수행원도 적게 거느리고 간소하게 나들이하다. ②간단한 장비. ¶～上阵;〈成〉간단한 장비로 싸움에 임하다.
〔轻罪〕 qīngzuì 명《法》경(범)죄. 경미한 죄.

氢(氫) **qīng** (경)
명《化》수소(H: hydrogenium). ¶重zhòng～; 중수소 / ～武wǔ器; 수폭 병기. =〔〈俗〉氢气〕〔轻气〕
〔氢弹〕 qīngdàn 명《軍·化》수소 폭탄. ¶～弹头导弹; 수폭 탄두 미사일. =〔热核子武器〕
〔氢氟化钾〕 qīngfúhuàjiǎ 명《化》브롬(Brom)화(化) 수소 칼륨.
〔氢氟酸〕 qīngfúsuān 명《化》플루오르 수소산(水素酸). 불화 수소산.
〔氢化〕 qīnghuà 명《化》수소 첨가. ¶～物; 수소화물. =〔加jiā氢〕
〔氢离子〕 qīnglízi 명《化》수소 이온. ¶～计; 퍼하계(PH計).
〔氢硫基〕 qīngliújī 명 ⇨〔巯qiú基〕
〔氢氯酸〕 qīnglǜsuān 명 ⇨〔盐yán酸〕
〔氢溴酸后马托品〕 qīngxiùsuān hòumǎtuōpǐn 명《化》브롬화 수소산 호마트로핀. 취화수소산 호마트로핀.
〔氢氧〕 qīngyǎng 명《化》산수소(酸水素). ¶～吹管; 산수소 용접기 / ～焰; 산수소염.
〔氢氧根〕 qīngyǎnggēn 명 ⇨〔氢氧基〕
〔氢氧化铵〕 qīngyǎnghuà'ǎn 명 암모니아 수(水).
〔氢氧化钡〕 qīngyǎnghuàbèi 명《化》수산화 바륨.
〔氢氧化钙〕 qīngyǎnghuàgài 명《化》소석회.
〔氢氧化钾〕 qīngyǎnghuàjiǎ 명《化》수산화 칼륨. 가성 칼리. =〔苛kē性钾〕
〔氢氧化铝凝胶〕 qīngyǎnghuàlǚ níngjiāo 명《化》수산화 알루미늄 겔.
〔氢氧化钠〕 qīngyǎnghuànà 명《化》수산화 나트륨. 가성 소다. =〔苛kē性钠〕〔苛性苏达〕
〔氢氧化铁〕 qīngyǎnghuàtiě 명《化》수산화철《천

연산의 것은 '褐铁矿'》.
〔氢氧基〕 qīngyǎngjī 명 《化》 수산기(水酸基). =〔氢氧根〕〔羟基〕
〔氢氧酸〕 qīngyǎngsuān 명 《化》 히드록시산(酸) (hydroxy acid).
〔氢(炸)弹〕 qīng(zhà)dàn 명 《化》 수소 폭탄.

倾(傾) qīng (경) 동 ①기울다. 경사지다. ¶身体稍向前～; 몸이 약간 앞으로 기울다 / 向左微～; 약간 왼쪽으로 기울다 / ～着耳朵听; 귀 기울여 듣다. ②(사상 등이) 한쪽으로 쏠리다. 마음이 …에 치우치다. ¶左～; 좌경이다. 혁신적이다 / 多数意见～于彻底改革; 다수의 의견이 철저히 개혁하자는 쪽으로 기울다. ③(그릇을) 뒤집어엎거나 기울이거나 하여 속엣것을 쏟아 내다. ¶～盆大雨; 〈成〉 물동이를 뒤엎은 것 같은 큰비. 억수 같은 비 / ～箱倒箧; ⇩ ④쓰러지다. 무너지다. ¶大厦将～; 큰 건물이 무너지려고 하다. 〈比〉 나라가 망하려 하다 / ～颓; 기울어져 무너지다. ⑤경복(敬服)하다. ¶一坐尽～; 좌중이 모두 탄복하였다. ⑥(힘·주의(注意)를) 집중시키다. 기울이다. ¶～全力把工作做好; 전력을 기울여 일을 해내다.
〔倾绷〕 qīngbēng 동 사기(詐欺) 수단을 쓰다.
〔倾侧〕 qīngcè 명동 경사(지다).
〔倾巢而出〕 qīng cháo ér chū 〈成〉 전력을 투입하다. 총력을 펼치다. 전원 출격하다. ¶～来犯; 적이 총력을 기울여 공격해 오다.
〔倾城倾国〕 qīng chéng qīng guó 〈成〉 경국지색(傾國之色). 절세의 미인. ¶～之美人; 경국지색의 미인.
〔倾倒〕 qīngdǎo 동 ①기울어져 쓰러지다. 무너지다. ②심취(心醉)하다. 경도(傾倒)하다. 경복하다. ⇒qīngdào
〔倾倒〕 qīngdào 동 ①할 말을 다하다. ¶她把那一连串的苦难都～出来了; 그녀는 일련의 고난들을 몽땅 털어놓았다. ②기울여서 쏟아 내다. ¶～秽水; 더러운 물을 쏟아 내다 / ～秽土; 쓰레기를 쏟아 버리다. ⇒qīngdǎo
〔倾倒车〕 qīngdàochē 명 덤프카.
〔倾倒(卸货)车〕 qīngdào(xièhuò)chē 명 덤프카. =〔倾卸汽车〕〔自zì动倾斜汽车〕〔自卸卡车〕〔自卸汽车〕
〔倾跌〕 qīngdiē 명 시세의 하락(下落). 동 한쪽으로 기울며 무너지다.
〔倾动〕 qīngdòng 동 사람을 감동시키다.
〔倾斗车〕 qīngdǒuchē 명 ⇨〔倾卸汽车〕
〔倾耳〕 qīng'ěr 동 경청하다. 근청(謹聽)하다. ¶～静听; 귀를 기울이고 듣다.
〔倾覆〕 qīngfù 동 ①쓰러지다. 뒤집히다. ¶马车～; 마차가 뒤집혔다 / 轰的一声高大的建筑物～而倒; 꽝 소리와 함께 높은 건물이 쓰러졌다. ②실패시키다. 뒤집다. 전복시키다. ¶女色之害足以～邦家也; 여색에 빠지는 것은 족히 나라를 뒤집게 할 만큼 무서운 바가 있다 / ～陷溺nì; 사람을 위험에 빠지게 하다. 명 위난 멸망(危難滅亡).
〔倾国〕 qīngguó 명 ①온 나라. 전국. ¶～欢悦; 온 나라가 환희하다. ②→〔倾城倾国〕
〔倾害〕 qīnghài 동 학대하다. 괴롭히다. 해치다. =〔坑kēng害〕
〔倾家〕 qīng,jiā 동 〈文〉 집을 파산시키다. 가산(家産)을 기울어지게 하다. ¶这官司叫他～了; 이 소송으로 그는 파산했다 / ～荡产 =〔～竭产〕; 〈成〉 재산을 탕진하다.
〔倾角〕 qīngjiǎo 명 ①⇨〔磁cí倾角〕 ②내려본각. 부각(俯角). ③경각. =〔倾斜角〕 ④《地》 경사각. =〔倾斜角〕
〔倾角线〕 qīngjiǎoxiàn 명 《機》 경각선(좌우 번갈아 어긋매겨서 그은 선). =〔斜xié罩丝〕
〔倾筐倒箧〕 qīng kuāng dào qiè 〈成〉 ①가진 것을 깡그리 끌어 내다. ②뒤죽박죽 뒤엎어 놓고 물건을 찾다. 샅샅이 뒤져 내다. ‖ =〔倾箱倒箧〕
〔倾慕〕 qīngmù 동 경모하다. 마음 속으로부터 그리워하다.
〔倾囊〕 qīngnáng 동 〈文〉 있는 돈을 다 털다. ¶～相付; 돈을 전부 털어 지불하다.
〔倾佩〕 qīngpèi 동 마음으로부터 감복(感服)하다.
〔倾盆〕 qīngpén 형 억수 같다(큰비를 형용하는 말). ¶ ～似的下了一场大雨; 억수 같은 비가 한바탕 내렸다.
〔倾圮〕 qīngpǐ 동 ①(건물 등이) 넘어지다. ②상점이 파산하다. ‖ =〔倒dǎo坍〕
〔倾时〕 qīngshí 부 〈文〉 잠깐 사이. ¶有了雪, ～三五天不能化; 눈이 내리면, 사흘이나 닷새에는 쉽게 녹지 않는다.
〔倾世〕 qīngshì 동 이 세상을 뜨다. 죽다. ¶一命～; 한 목숨이 끝나다.
〔倾诉〕 qīngsù 동 (마음속에 있는 것을) 모조리 터놓고 이야기하다. ¶～自己的苦处; 자신의 고통을 모두 털어놓다 / ～衷情; 진정을 속속들이 드러내다.
〔倾谈〕 qīngtán 동 ①허물 없이 이야기하다. 마음을 터놓고 이야기하다. ②전부 이야기하다.
〔倾听〕 qīngtīng 동 경청하다. 귀를 기울이다. ¶事前不征求群众意见, 事后又不～群众呼声; 사전에 대중의 의견을 묻지 않고, 사후에는 또 대중의 부르짖음에 귀를 기울이지 않는다.
〔倾头排子〕 qīngtóu pāizi 명 집 앞에 있는 비나 볕을 가리는 차양(遮陽).
〔倾吐〕 qīngtǔ 동 ①토해 내다. ②숨김없이 전부 말하다. ¶请容我～; 제게 모든 것을 말하게 해 주십시오 / ～苦水; 쓴물을 토해 내다. 〈轉〉 괴로움을 털어놓다. ③과거에 받아 머릿속에 쌓인 고통을 속속들이 드러내다.
〔倾危〕 qīngwēi 형 〈文〉 ①험준하게 치솟아 있는 모양. ¶崖岩～; 기암 절벽이 우뚝 솟다. ②⇨〔险xiǎn诈〕
〔倾陷〕 qīngxiàn 동 〈文〉 남을 모함하다. →〔倾覆〕
〔倾箱倒箧〕 qīng xiāng dào qiè 〈成〉 ⇨〔倾筐倒箧〕
〔倾向〕 qīngxiàng 명 경향. 추세. 동 ①엎지르다. ②마음 속으로 기뻐하다. ③(대립된 것의 한쪽으로) 기울다. 한쪽을 지지하다〔편들다〕. ¶他～自己的儿子; 그는 자기 아들 편을 든다.
〔倾向性〕 qīngxiàngxìng 명 ①경향(성)(주로 사상적 또는 정치적 경향). ¶他的发言是有～的; 그의 발언에는 정치적 경향이 제시되고 있다. ②성향(性向).
〔倾销〕 qīngxiāo 《經》 동 ①투매(投賣)하다. 덤핑하다. ②대량으로 팔다. ¶高价～阵旧低劣的工业品; 비싼 값으로 낡고 조악한 공업 제품을 대량으로 팔아 넘기다. 명 덤핑. ¶～政zhèng策; 덤핑 정책.
〔倾斜角〕 qīngxiéjiǎo 명 ⇨〔倾角③④〕
〔倾斜(汽)车〕 qīngxié(qì)chē 명 ⇨〔倾卸汽车〕
〔倾斜指示器〕 qīngxié zhǐshìqì 명 ⇨〔滚gǔn偏仪〕
〔倾泄〕 qīngxiè 동 〈文〉 (생각·정열 따위를) 털어〔쏟아〕놓다. 숨김없이 드러내다.

〔倾泻〕 qīngxiè 동 흘러내리다. (많은 물이) 급속하게 흘러 떨어지다. ¶山水～下来, 汇成了奔腾的急流; 산에서 물이 한꺼번에 밀려와 합쳐져 높이 치솟는 급류가 되었다 / 大雨之后, 山水～下来; 큰비가 내린 후, 산의 물이 콸콸 쏟아져 내리다.
〔倾卸汽车〕 qīngxiè qìchē 명 덤프카. 덤프 트럭. =〔倾倒(卸货)车〕〔倾斜(汽)车〕〔翻fān底车〕〔倾斗车〕
〔倾卸运货车〕 qīngxiè yùnhuòchē 명 토사(土砂) 운반용 덤프 카.
〔倾心〕 qīngxīn 동 ①마음을 기울이다. 심취하다. 마음에 꼭 들다. ¶一见～; 한눈에 반하다. ②마음 속의 생각을 모조리 털어놓다. ¶～交谈; 흉금을 터놓고 서로 이야기하다 / ～吐胆tǔdǎn; 본심을 털어놓다 / 自己就是吃亏也倒～愿意; 설사 자신이 손해를 보더라도 충심으로 원합니다.
〔倾轧〕 qīngyà 동 서로 배척하다. 알력을 일으키다.
〔倾银罐〕 qīngyínguàn 명 도가니. =〔坩gān埚〕
〔倾注〕 qīngzhù 동 ①(위에서 아래로) 흘러들어가다. ¶一股泉水～到深潭里; 샘물은 깊은 못 속으로 흘러들어간다. ②(정력·마음 등을) 기울이다. 쏟다. ¶～全力; 전력을 쏟다.

卿 qīng (경)
명 ①대관(大官). ¶三公九～; 삼공 구경 / ～相xiàng; 대신. 재상 / 国务～; (미국의) 국무 장관. ②천자(天子)가 신하를 부르는 호칭(呼稱). ③부부가 서로 상대를 부르는 말. ④성(姓)의 하나.
〔卿卿〕 qīngqīng 형 남녀가 정담을 나누는 모양. ¶～我我的谈了半天; 우리는 오랫동안 다정하게 이야기를 했다. =〔卿卿我我〕
〔卿士〕 qīngshì 명 ①경대부(卿大夫). 사(士)의 총칭. ②집정자(執政者).
〔卿云〕 qīngyún 명 〈文〉 서운(瑞雲). 상서로운 구름. =〔庆qìng云〕
〔卿云歌〕 qīngyúngē 명 경운가《순(舜)임금이 군신과 더불어 태평 성대를 즐겼다는 노래》.
〔卿子〕 qīngzǐ 명 〈文〉 귀공자. 도련님.

勍 qíng (경)
형 〈文〉 강하다. 힘이 세다.
〔勍敌〕 qíngdí 명 〈文〉 강한 적수. 강적.

黥〈剠〉 qíng (경)
①〈文〉 명동 묵형(墨刑)(하다). =〔黥字〕 ② 명 자자(刺字).
〔黥面〕 qíngmiàn 동명 〈文〉 얼굴에 자자(刺字)하다. 또는 그 얼굴.
〔黥首〕 qíngshǒu 동명 〈文〉 이마에 입묵(入墨)하다. 또는 그 이마.
〔黥首系趾〕 qíng shǒu xì zhǐ 〈成〉 이마에 입묵(入墨)하고, 발에 족쇄를 채우던 형벌.

情 qíng (정)
명 ①(기쁨·노염·슬픔·두려움·사랑·미움·욕심 등의) 심리 상태. 감정. ¶热～; 열정 / 温～; 온정 / ～不得已; 인정상 부득이 / 闹～绪; 화를 내다 / 生产～绪高; 생산 의욕이 높다. ②인정. 정의(情誼). ¶说～; 인정에 호소하다 / 搭～; 정의로 봐서 승낙하다 / 求～; 애원하다. 통사정하다 / 领～; 두터운 온정을 입어 감사하다 / 答报他冒险救护之～才对; 그가 위험을 무릅쓰고 구해 준 호의에 보답하지 않으면 안 된다 / 托人办事, 还得搭一份～; 사람에게 일을 부탁했으면 은혜를 느껴야 한다. ③남녀의 정. 애정. ¶谈～; 정담을 나누다. 구애(求愛)하다 / 两个人有～了; 두 사람은 애정을 느끼게 되었다 / 夫妻～重; 부부 사이가 좋다. ④사정. 모양. 상황. ¶实～; 실정 / 军～; 전황(戰況) / 病～; 병세. 병상 / 不知内～; 속사정을 모르다 / ～急势迫; 정세가 급박하다. ⑤진정. 진심. ¶～心愿意; 진심으로 바라다 / ～恐; 진심으로 무서워하다. ⑥취미. ⑦정욕(情慾). 성욕(性慾). ¶春～; 정욕. 성욕 / 发～期; (생물의) 발정기.
〔情爱〕 qíng'ài 명 애정. ¶～甚笃; 〈文〉 서로 깊이 사랑하다.
〔情报〕 qíngbào 명 정보. ¶传送～; 정보를 보내다 / 盗去了～; 정보를 훔쳐 갔다 / 科技～工作; 과학 기술에 관한 정보 활동 / ～员; 정보원. 첩보원.
〔情弊〕 qíngbì 명 정실에 얽힌 부정(不正)〔거래〕. =〔情伪②〕
〔情不答, 义不答〕 qíng bùdá, yì bùdá 〈諺〉 남에 대한 인정과 의리를 보답하지 않음. 배은 망덕.
〔情不可却〕 qíng bù kě què 〈成〉 인정상 거절할 수 없다.
〔情不自禁〕 qíng bù zì jìn 〈成〉 감정을 누를 길 없다.
〔情操〕 qíngcāo 명 정조.
〔情长纸短〕 qíng cháng zhǐ duǎn 〈成〉〈翰〉 드릴 말씀은 많으나, 다 쓸 수 없다《상투적으로 씀》.
〔情肠〕 qíngcháng 명 애정.
〔情场〕 qíngchǎng 명 사랑의 세계. 연애의 세계.
〔情痴〕 qíngchī 명 사랑에 눈이 먼 사람. 정욕 때문에 이성을 잃는 일. =〔情鬼〕 형 정이 깊다. 사랑이 깊다.
〔情仇〕 qíngchóu 명 연적(戀敵). =〔情敌〕
〔情敌〕 qíngdí 명 ⇨〔情仇〕
〔情调〕 qíngdiào 명 정조. 정서. 분위기. 무드(mood). ¶异国～; 이국적인 정서.
〔情窦〕 qíngdòu 명 욕정〔성욕〕(이 생기는 곳). ¶～初开; 〈成〉 사춘기에 접어들다.
〔情分〕 qíngfen 명 정분. 애정. 의리와 인정. 호의. 정의. ¶两家素来～很好; 두 집은 평소부터 친하게 사귀고 있다 / 讨～; 인정을 구하다 / 他们彼此之间～极深; 그들 상호간의 정분은 매우 깊다 / 天大的～; 더할 나위 없는 호의 / 待dài人没一点儿～; 사람을 대하는 데 조금만치의 인정도 없다. =〔情份〕
〔情夫〕 qíngfū 명 정부. 샛서방.
〔情妇〕 qíngfù 명 정부. 숨겨 놓은 여자.
〔情甘〕 qínggān 동 〈文〉 ①간절히 원하다. ②(하는 수 없이) 달게 받다. ¶～吃一点亏; 작은 손해는 감수하다.
〔情感〕 qínggǎn 명 정감. 감정. 심정.
〔情歌〕 qínggē 명 연가. 사랑 노래.
〔情鬼〕 qíngguǐ 명 ⇨〔情痴〕
〔情海〕 qínghǎi 명 애욕의 세계. 깊은 애정.
〔情话〕 qínghuà 명 ①진심에서 나온 말. ②남녀간의 정담. ¶～绵绵; 정담이 끊이지 않다.
〔情怀〕 qínghuái 명 기분. 심사. 심경. 감정. ¶因～不宁, 无心出门; 기분이 가라앉지 않아 외출할 마음이 없다.
〔情急〕 qíngjí 형 ①격하다. 성내다. ¶～自杀; 격한 나머지 자살하다 / 他一听这个消息～就大骂起来了; 그는 이 소식을 듣더니 발끈하여 큰 소리로 나무라기 시작했다. ②사정이 급박해지다. 마음이 조급하다.

〔情急了〕 qíngjíliǎo 명《鳥》구관조.
〔情急生智〕 qíng jí shēng zhì ⇨〔情急智生〕
〔情急智生〕 qíng jí zhì shēng 〈成〉 다급해지면 좋은 생각이 떠오른다. 궁하면 통한다. =〔情急生智〕〔急中生智〕
〔情急自尽〕 qíng jí zì jìn 〈成〉 궁지에 몰려 자살하다.
〔情交〕 qíngjiāo 명 친교. 정다운 교제.
〔情节〕 qíngjié 명 ①사항(事項). 사정. 일의 내용. 정상(情狀). ¶按其～; 그 정황으로 봐서 / ～轻重; 사항의 경중. ②(작품의) 줄거리. ¶电影～; 영화의 스토리 / 剧的～很生动; 극의 줄거리는 무척 생동감이 있다.
〔情景〕 qíngjǐng 명 광경. 정경.
〔情境〕 qíngjìng 명 정경. 경지(境地). ¶悲惨的～; 비참한 정경.
〔情款〕 qíngkuǎn 명 〈文〉 허물없는 마음. 친근한 마음.
〔情况〕 qíngkuàng 명 ①상황. 정황. 형편. ¶有～; 상황에 변화가 있다 / 没有～; 정황에 변화가 없다 / 向他姐姐报告了家中的～; 누이에게 집안 형편을 보고했다 / 本厂大概的～我给诸位讲一下; 본 공장의 대체적인 정황을 여러분께 말씀드립니다 / ～紧张; 사태는 긴장되어 있다. =〔情形〕 ②(군사상의) 변화. 움직임. 동정. ¶这两天前线没有什么～; 요즘 2,3일 동안 전선은 아무런 움직임도 없다.
〔情亏〕 qíngkuī 형 ①사정·재해 따위가 경미(輕微)하다. ¶灾患～; 재해 경미. ②값이 에누리되어 있다. 값이 싸다. ¶卖的比别人～; 다른 사람보다 싸게 팔고 있다.
〔情郎〕 qíngláng 명 〈文〉 연인(남자를 가리킴).
〔情累〕 qínglèi 명 사랑으로 맺은 인연.
〔情理〕 qínglǐ 명 의리와 인정. 도리(道理). ¶不近～; 의리도 인정도 모르다 / 没有～; 정리(情理)가 안 서다. 터무니없다 / ～可原; 사정은 이해할 수 있다 / 你这说的不合乎～; 네 말은 도리에 맞지 않는다 / 尽情尽理; 정리를 다하다.
〔情理难容〕 qíng lǐ nán róng 〈成〉 인정으로 보나 천리로 보나 용납할 수 없다.
〔情侣〕 qínglǚ 명 애인. 사랑하는 사이. ¶～漫步; 연인끼리 한가로이 슬슬 거닐다 / 龙门山俯瞰伊水，～们在山边徐步行走，乐也融融; 용문산에서 이수를 내려다보니, 연인들은 산기슭을 한가로이 거닐며, 화기애애하게 즐기고 있다.
〔情满气盛〕 qíng mǎn qì shèng 〈成〉 의지가 왕성한 모양. 정서가 고양(高揚)된 모양.
〔情貌〕 qíngmào 명《言》(문법 용어의) 상(相). 애스펙트(aspect).
〔情面〕 qíngmiàn 명 정실(情實). 체면. 의리 인정. ¶讲～; 정실에 얽매이다 / 看他的～; 그의 체면을 세워 주다 / ～难却 =〔情不可却〕; 인정상 거절할 수 없다 / 摸不下～; 딱하다. 입장이 난처하다 / 破除～; 정실을 타파하다 / 亮出～来; 속사정을 드러내다 / 磨不开～; 정실을 떨쳐 버릴 수 없다 / 留～; 상대방의 체면을 살리도록 하다.
〔情苗〕 qíngmiáo 명 애정. 모정(慕情).
〔情屈命不屈〕 qíng qū mìng bù qū 〈成〉 정리로 본다면 안 되었지만, 운명적으로는 그렇게 되는 것이 당연하다.
〔情趣〕 qíngqù 명 ①정취. 운치. 풍치. 멋. 취향. ¶却有个～; 제법 풍치가 있다 / 二人～相投; 두 사람이 의기 투합하다. ②취미. 취향. ‖ =〔情致〕
〔情儿〕 qíngr 명 인정. 사정(私情). ¶托～; 정에 호소하여 부탁하다.
〔情人〕 qíngrén 명 ①연인. 애인. ②정부(情夫). 정부(情婦).
〔情人卡〕 qíngrénkǎ 명 좋아하는 이성 친구에게 보내는 축하 카드. ¶2月14日是'情人节'，男女互赠～诉衷肠; 2월 14일은 밸런타인데이로, 남녀가 서로에게 카드를 보내어 속마음을 털어놓는 날이다.
〔情人梦〕 qíngrénmèng 명 아이스크림 선디(ice-cream sundae). =〔冰bīng淇淋三德〕
〔情人眼里出西施〕 qíngrén yǎnli chū xīshī 〈諺〉 연인의 눈에는 서시(西施)가 보인다(반하게 되면 곰보도 예뻐 보인다).
〔情如手足〕 qíng rú shǒu zú 〈成〉 수족처럼 정이 통하고 있다. 형제처럼 친하다.
〔情商〕 qíngshāng 동 사정을 털어놓고 의논하다. 신신부탁하여 상의하다. ¶他去和上海的收账人～了; 그는 상하이의 수금원한테 가서 사정을 털어놓고 상의했다.
〔情深潭水〕 qíng shēn tán shuǐ 〈成〉〈翰〉 우정은 도화담(桃花潭)의 물보다도 깊다(서한문에 쓰이는 상투어).
〔情实〕 qíngshí 명 〈文〉 정실. 실정. 형 ⇨〔情真罪当〕
〔情史〕 qíngshǐ 명 애정 소설. 연애 소설. 로맨스.
〔情事〕 qíngshì 명《法》상황. 현상. 사건. 사례(事例)(흔히, 법령·문서에 쓰임). ¶发生短装～; 적하량(積荷量) 부족 사건이 생겼다 / 确有那种～; 확실히 그런 일이 있다.
〔情势〕 qíngshì 명 〈文〉 정세. 사태. 상황.
〔情书〕 qíngshū 명 연애편지. 연문(戀文). ¶写一封热烈的～; 열렬한 연애편지를 한 통 쓰다. =〔情信〕
〔情恕理遣〕 qíng shù lǐ qiǎn 〈成〉 사람이나 물건에 대하여 정이 두텁고 온후(溫厚)하다.
〔情思〕 qíngsī 명 정조(情操). 생각. 감정.
〔情死〕 qíngsǐ 동 정사하다.
〔情愫〕 qíngsù 명 〈文〉 ①본심. 진정(眞情). ②감정 우정. 정의(情誼). ‖ =〔情素〕
〔情随事迁〕 qíng suí shì qiān 〈成〉 사정이 변하면 감정도 그에 따라 변화한다.
〔情态〕 qíngtài 명 ①심경. 기분. ②표정과 태도. ¶那眼神、那～显出一种老练沉着的样子; 그 눈과 표정 태도에는 노련함과 침착함이 뚜렷이 나타난다.
〔情同手足〕 qíng tóng shǒu zú 〈成〉 정이 형제처럼 두텁다. 형제처럼 흉허물 없이 사이가 가깝다. ¶兄弟们本来是～; 형제란 것은 본디 그 정이 손과 발과 같은 것이다.
〔情同水火〕 qíng tóng shuǐ huǒ 〈成〉 ①물과 불처럼 성질이 서로 용납되지 않다. ②급박한 모양.
〔情投意合〕 qíng tóu yì hé 〈成〉 의기가 상통하다. 의기투합하다. 의기상투하다. ¶两个人～，越走动越近乎; 두 사람은 의기투합하여 왕래하면 할수록 친해졌다.
〔情网〕 qíngwǎng 명 애정의 덫. 사랑의 올가미. ¶坠入～; 사랑의 포로가 되다.
〔情伪〕 qíngwěi 명 ①진실과 허위. 진위. ② ⇨〔情弊〕
〔情味〕 qíngwèi 명 ①정서. 취의(趣意). 재미. 멋. ②의미. 뜻. 취지.
〔情文〕 qíngwén 명 〈文〉 정서와 문장. ¶～并茂; 정서가 풍부하고 문장 또한 뛰어나다.

〔情见乎辞〕 qíng xiàn hū cí 〈成〉 진심이 말 속에 나타나 있다.
〔情见力屈〕 qíng xiàn lì qū 〈成〉 내막〔속사정〕이 탄로나서 힘을 잃다. =〔情见势屈〕
〔情见势屈〕 qíng xiàn shì qū 〈成〉 ⇨〔情见力屈〕
〔情信〕 qíngxìn 명 ⇨〔情书〕
〔情形〕 qíngxing 명 (지속적인) 상황. 사정. 모양. ¶在这样的～下; 이런 상황하에 있다. 이런 상황하에서. =〔情况①〕
〔情绪〕 qíngxù〔qíngxu〕 명 ①기분. 정서. 의욕. ¶反战～; 반전 감정 / 增产～; 증산 의욕 / 工人的～很高; 노동자의 의욕이 매우 높다. ②(불유쾌한) 감정. 불쾌감. 우울. ¶他有点儿～; 그는 약간 우울하다 / 闹～; 기분을 잡치다. 감정을 상하다. 골을 내다. 토라지다.
〔情义〕 qíngyì 명 정의. 인정과 의리. 신의(信義). ¶有情有义的态度; 인정도 있고 의리도 있는 태도.
〔情谊〕 qíngyì 명 정의. 친한 정. 우정.
〔情意〕 qíngyì 명 정. 감정. 호의. 애정. ¶～深厚; 두터운 뜻 / 在～而不在东西; 정을 존중하는 것이지 물건 같은 것은 문제가 아니다 / 彼此～有隔膜; 서로의 감정에 격의가 있다〔서먹서먹하다〕.
〔情由〕 qíngyóu 명 사건의 내용과 원인. 사정. 일의 발단. ¶探讯～; 사정을 캐묻다 / ～颇为离奇; 사건의 내용은 자못 기괴하다.
〔情有可原〕 qíng yǒu kě yuán 〈成〉 용서할 만한 사정이 있다. 정상 참작의 여지가 있다.
〔情欲〕 qíngyù 명 ①욕망. ②성욕.
〔情愿〕 qíngyuàn 조동 〈文〉 ①간절히 바라다. ¶甘心～; 충심으로 바라다 / 两相～; 피차 납득하고 있다. ②달게 …하다. ¶～受罚; 벌을 달게 받다 / 我～把所有的力量献给国家; 저는 기꺼이 모든 힘을 국가에 바치고자 합니다. ③〈轉〉 차라리 …할지언정. ¶他～死, 也不在敌人面前屈服; 그는 차라리 죽을지언정, 적의 면전에서 굴복하려고는 하지 않는다.
〔情愿的想像〕 qíngyuànde xiǎngxiàng 명 희망적 관측. 주관적인 억측. ¶他们的报道大多是片片段段, 而且充满了一厢～; 그들의 보도는 대부분이 단편적이고, 또한 희망적인 관측으로 채워져 있다.
〔情真罪当〕 qíngzhēn zuìdāng 〈文〉 죄상이 명백하다. =〔情实〕
〔情知〕 qíngzhī 동 분명히 알고 있다. ¶他～我买不起, 还一个劲儿地劝我买; 내가 살 수 없다는 것을 분명히 알고 있으면서, 그는 나한테 자꾸 사라고 권한다. =〔明知〕
〔情至意尽〕 qíng zhì yì jìn 〈成〉 끝까지 성의를 다해 진력하다.
〔情致〕 qíngzhì 명 ⇨〔情趣〕
〔情致缠绵〕 qíngzhì chánmián 묘사가 심각하고 세밀하여 여운(餘韻)이 남는 일.
〔情种〕 qíngzhǒng 명 다정다감하게 태어난 사람.
〔情状〕 qíngzhuàng 명 상황. 사정. 정세.

晴 qíng (청)
① 동 개다. ¶天～了; 하늘이 개었다 / 雨过天～; 비가 그치고 하늘이 개다 / 放～; 비가 그치고 날씨가 개다. ② 형 맑다. 개어 있다. ¶～霄; 맑은 하늘. ③ 명 청천(晴天).
〔晴耕雨读〕 qíng gēng yǔ dú 〈成〉 청경 우독. 갠 날에는 논밭을 갈고, 비 오는 날에는 책을 읽다.
〔晴和〕 qínghé 형 맑고 따뜻하다. 화창하다. ¶天气～～; 날씨가 화창하다. ↔〔阴冷〕
〔晴寂〕 qíngjì 형 하늘이 개고 고요하다.
〔晴间多云〕 qíng jiàn duō yún 갠 후 때때로 흐림.
〔晴空〕 qíngkōng 명 갠 하늘. ¶～万里; 끝없이 맑게 갠 하늘.
〔晴朗〕 qínglǎng 형 활짝 개다. ¶天气～; 날씨가 맑게 개었다 / 晴天朗日; 맑게 갠 하늘과 화창한 햇빛. ↔〔阴暗〕
〔晴儿〕 qíngr 명 개임. ¶等天放了～再去; 하늘이 개고 나면 가자.
〔晴日〕 qíngrì 명 청천. 맑게 갠 날〔하늘〕.
〔晴天〕 qíngtiān 명 청천. 맑게 갠 날〔하늘〕. 푸른 하늘.
〔晴天不肯走, 直待雨淋头〕 qíngtiān bùkěnzǒu, zhídài yǔlíntóu ⇨〔敬jìng酒不吃, 吃罚酒〕
〔晴天霹雳〕 qíng tiān pī lì 〈成〉 마른 하늘에 날벼락. 청천 벽력.
〔晴雨表〕 qíngyǔbiǎo 명 청우계. 기압계. =〔风fēng雨表〕

赠(賸) qíng (정)
동 (재산 따위를) 상속하다. 상속 받다.
〔赠等〕 qíngděng 동 〈方〉 ①(비평·처벌 등을) 조용히 기다리다. ②아무것도 안 하고 앉아서 안락하게 지내다.
〔赠受〕 qíngshòu 동 재산을 상속하다. 상속 받다.

氰 qíng (청)
명 《化》 청산(青酸). 시안(독 cyan) 가스. ¶～胺; 시안 아미드 / 氢～酸; 시안화 수소산. =〔青气〕
〔氰钴素〕 qínggǔsù 명 비타민 B_{12}. =〔维生素B_{12}〕
〔氰化〕 qínghuà 명 《工》 시안화법(cyan化法)《제련 과정에서 쓰이는 용어》.
〔氰化汞〕 qínghuàgǒng 명 《化》 시안화 수은.
〔氰化钾〕 qínghuàjiǎ 명 《化》 시안화 칼륨. 청산가리. =〔〈俗〉 山奶钾〕〔〈俗〉 山奈钾〕
〔氰化钠〕 qínghuànà 명 《化》 시안화 나트륨. =〔〈俗〉 钠质白山埃〕〔〈俗〉 山奈〕
〔氰基〕 qíngjī 명 《化》 시안.
〔氰酸〕 qíngsuān 명 《化》 시안산(酸).
〔氰乙烯〕 qíngyǐxī 명 ⇨〔丙bǐng烯氰〕

檠〈橄〉 qíng (경)
명 〈文〉 ①촛대. 등꽂이. ②활이나 석궁(石弓)을 바로잡는 기구.

擎 qíng (경)
동 ①높이 쳐들다. 바치다. 받들어 올리다. ¶～起酒杯来祝成功; 술잔을 들어 성공을 기원하다 / 众～易举; 〈成〉 여럿이서 하면 쉽게 성공할 수 있다. ②꾹 참다. 받아들이다. …으로 때우다. ¶他真是个没骨气的人, 人家打他, 他宁可～着; 그는 정말 기개도 없는 사람이다. 남이 그를 때려도 그는 차라리 참는 편이다 / 他真懒, 就会～现成的; 그는 진짜 게으름뱅이라, 이미 다 되어 있는 것으로 때우려고만 한다.
〔擎杯〕 qíngbēi 동 술잔을 들다.
〔擎吃擎喝〕 qíng chī qíng hē 〈成〉 아무일도 하지 않고 밥만 먹다. 손 하나 까딱하지 않고 갖다 바치는 상을 받다.
〔擎起〕 qíngqǐ 동 들어 올리다. ¶～酒杯互祝健康; 서로 잔을 들어 건강을 축수하다.
〔擎手〕 qíngˌshǒu 동 ①손을 들다. ②중지하다. 그만두다.
〔擎受〕 qíngshòu 동 ①이어받다. 받아들이다. ②견디다. ③향수(享受)하다. 가만히 기다려 …을

얻게 되다. ¶竟等着～人家现成的; 가만히 기다리고 있다가 남이 이루어 놓은 것을 얻으려고 하다.
〔擎天巨柱〕 qíng tiān jù zhù 〈成〉 국면(局面)에 대처하는 가장 중요한 인물. 중책을 짊어진 위대한 인물. 나라의 초석. =〔擎天柱〕
〔擎天志〕 qíngtiānzhì 명 웅지(雄志). 장도(壯圖).

苘〈檾, 蘔〉 qǐng (경) 명 《植》 어저귀.

〔苘麻〕 qǐngmá 명 《植》 백마. 어저귀. =〔青麻〕

顷(頃) qǐng (경) ① 부 〈文〉 얼마 전. 방금. 아까. ¶～接来信; 방금 서한을 받았습니다/～闻; 요즘 듣는 바에 의하면. 요즘 듣자니. ②명 〈文〉 잠시. 아주 짧은 순간. ¶～刻之间; 잠시 동안/有～; 얼마 지나지 않아/俄～; 경각. ③ 명 …쯤. …경(頃). ¶光绪二十年～; 광서(光緒) 20년경. ④〈文〉 '倾qīng'과 통용. ⑤양 (논밭의) 100'亩'('市顷'의 약칭. '1顷'은 6.6667 헥타르. 약 1,800평). ¶碧波万～; 만경창파. 너른 바다 등의 모습.
〔顷步〕 qǐngbù 명 〈文〉 경보. 반 걸음. 반보(半步). 〈轉〉 잠깐 사이. 순식간. ¶君子～而弗敢忘孝也; 군자는 반 걸음 걷는 사이라 할지라도 효도를 잊지 않는다.
〔顷间〕 qǐngjiān 부 ⇨〔顷者〕
〔顷刻〕 qǐngkè 명 〈文〉 극히 짧은 시간. 잠깐 사이. 순식간에. ¶～全军覆没, 一败余地; 순식간에 전군은 여지없이 패했다/江面上～间起了巨浪; 강 수면에 금세 높은 물결이 일었다/～之间; 잠깐 사이에.
〔顷者〕 qǐngzhě 부 〈文〉 ①요즘. 최근. ②방금. 이제 금방. ‖ =〔顷间〕

庼(廎) qǐng (경) 명 〈文〉 작은 대청(大廳). 작은 마루방.

请(請) qǐng (청) ① 동 청하다. 원하다. 청구하다. 부탁하다. ¶声～; (사정을 말하여) 부탁하다/快～他进来; 얼른 그를 안으로 모셔라/我～他介绍介绍; 그에게 소개해 달라고 부탁했다. ② 동 초대하다. 한턱 내다. ¶那可不行! 我～你们; 그건 안 됩니다! 내가 여러분을 초대하지요/～帖; 초대장/口～; 구두로 초대하다/下～帖; 초대장을 내어 안내하다/今天～的有多少位呀? 오늘 초대한 사람은 몇 사람쯤 되느냐? ③ 동 초빙하다. ¶～大夫; 의사를 부르다/～了一位先生; 선생을 한 사람 초빙했다/新～了一位专家, 就要到厂里来; 새로 전문가를 한 사람 초빙했는데, 이제 곧 공장에 오기로 되어 있다. =〔聘请〕 ④ 동 묻다. 문안드리다. 뵙다. ¶顺～日安; 끝으로 편안하시길 문안드립니다〔뵙니다〕. ⑤ 동 (제사 지낼 불상(佛像)·선향(線香)·양초 따위를) 사다. ¶～一堂苹果; (신(神)에 공양하기 위해) 사과를 한 무더기〔바구니〕 사다/～香蜡; 향과 초를 사다/～佛龛kān; 불단을 사다. ⑥ 부 〈敬〉 제발. 아무쪼록. 청컨대. ¶你～喝茶; 차를 드십시오/～进来; 어서 들어오십시오/～坐; 앉으십시오/～不要客气; 아무쪼록 사양하지 마십시오/～里边坐; 안으로 들어오십시오/～回, ～回; 이제 그만 들어가십시오.
〔请安〕 qǐng,ān 동 ①문안 드리다. ¶我还没过去～; 아직 찾아뵙지도 못하고 있습니다. ②〈方〉 기거안태(起居安泰)를 묻다(본래 예(禮)의 하나로 왼발을 일보(一步) 앞으로 내밀고 오른발을 굽힘과 동시에 오른손을 주먹을 쥐고 무릎에 대고 아래까지 내림). =〔打dǎ千(儿)〕
〔请便〕 qǐng,biàn 〈套〉 마음대로 하십시오. ¶我不愿意去, 你要是想去, 那就～吧! 나는 가고 싶지 않습니다만, 혹시 당신이 가고 싶다면 마음대로 하십시오! =〔请便吧〕〔请随您的便吧〕
〔请不动〕 qǐngbudòng 초대해도 오지 않다〔응하지 않다〕. ¶还是你亲自去吧, 我们～他; 역시 네가 직접 가거라, 우리가 가서는 불러도 오지 않을 테니까. ↔〔请得动〕
〔请不起〕 qǐngbuqǐ 초청할 수 없다(비용이 부족하거나 초대·초빙할 만큼의 자력(資力)·자격이 없다). ¶～那么些客人; 그렇게 많은 손님은 부를 수 없다. ↔〔请得起〕
〔请春客〕 qǐng chūnkè 옛날, 구정(舊正)에 친척·친지·이웃 사람을 불러 연회를 베풀던 것.
〔请大夫〕 qǐng dàifu 의사를 부르다. =〔请医生〕
〔请到〕 qǐngdào 동 모시게〔오시게〕 되다. ¶～了一共有七十多位客人; 전부 70명 이상이나 되는 손님을 모시게 되었다/～为wéi止; 꼭 와 주십시오.
〔请分子〕 qǐngfènzi 명 경조사(慶弔事)를 알림. 손님을 초대하여 부조금을 받음.
〔请功〕 qǐnggōng 동 논공 행상을 주청(奏請)하다.
〔请购单〕 qǐnggòudān 명 구입 청구 목록.
〔请会〕 qǐnghuì 동 계(契)를 시작하다.
〔请假〕 qǐng,jià 동 휴가를 받다〔얻다〕. ¶请病假; 병가를 얻다/请三天假; 3일간의 휴가를 얻다/～人; 휴가 신청자/～条 =〔假条〕; 휴가원(願). 결석〔결근〕계. =〔告gào假〕
〔请假单〕 qǐngjiàdān 명 결근계. 결석계. ¶递dì～; 결근계를 내다. =〔假条〕
〔请柬〕 qǐngjiǎn 명 ⇨〔请帖〕
〔请见〕 qǐngjiàn 동 면회를 청하다. ¶门口来了一位客人～; 입구에 손님이 한 분 오셔서 면회를 청하고 있습니다.
〔请教〕 qǐngjiào 동 ①하교(下教)를 청하다. 지도를 바라다. ¶～, 这一句是什么意思? 가르쳐 주십시오. 이 구는 어떤 뜻입니까?/向群众～; 대중에게 가르침을 청하다/我～了有经验的老工人; 나는 경험이 있는 고참 노동자에게 가르침을 청했다. ②가르침을 받다. ¶跟他～; 그에게 가르침을 받다.
〔请进来〕 qǐngjìnlái 들어오십시오.
〔请酒〕 qǐng,jiǔ 동 ①술을 권하다. ②손님을 식사에 초대하다.
〔请君莫奏前朝曲〕 qǐng jūn mò zòu qián cháo qǔ 〈成〉 전대 왕조의 곡을 연주하는 것을 중지하라(옛 법도를 들고 나와 떠드는 것을 그쳐라).
〔请君入瓮〕 qǐng jūn rù wèng 〈成〉 ①자신이 정해 놓은 법에 스스로 걸려듦. ②상대방의 방법으로 상대방을 걸려들게 함〔혼내 줌〕.
〔请客〕 qǐng,kè 동 ①손님을 초대하다. ¶请几位客? 손님을 몇 사람이나 초대합니까?/～送礼; 손님을 초대하거나 선물을 보내거나 함/～片(儿); 초대장. ②한턱내다. ¶你请我客吗? 자네 나한테 한턱내려나? (qǐngkè) 명 손님 초대. 연회. ¶今天有～; 오늘 연회가 있다.
〔请客票〕 qǐngkèpiào 명 음식점에 비치되어 있는 초대장 용지.
〔请老〕 qǐnglǎo 동 ⇨〔告gào老〕
〔请灵〕 qǐnglíng 동 영구(靈柩)를 메다.
〔请领〕 qǐnglǐng 동 교부를 신청하다. ¶～执照; 허가증〔면허증〕의 교부를 신청하다.

〔请脉〕 qǐngmài 맥을 좀 봅시다《진맥할 때 의사가 환자에게 하는 말》.
〔请命〕 qǐng·mìng 동 ①살려 달라고 애원하다. 남을 위하여 구명이나 원조를 부탁하다. ②⇨〔请示〕
〔请期〕 qǐngqī 명 신랑 쪽에서 신부 쪽에 혼인날을 알리고 허락을 받음.
〔请求〕 qǐngqiú 동 부탁드리다. 청구하다. ¶我是为了～您一件事情来的; 저는 당신께 청이 하나 있어서 왔습니다 / 他这一来, 可能是有所～吧; 그가 온 것은 뭔가 부탁할 일이 있어서겠지요. 명 부탁. 의뢰. ¶有什么～尽管说吧; 무엇이든 부탁이 있으면 사양하지 말고 말해 주시오.
〔请儿〕 qǐngr 명 초대하는 일. 한턱내는 일. ¶咱们吃去, 我的～; 먹으러 가자. 내가 한턱낸다 / 今天是我的～; 오늘은 내가 한턱내는 것이다.
〔请示〕 qǐng·shì 동 허가를 구하다. 의견을 듣다. 지시를 바라다〔청하다〕. ¶到校长那儿～去; 교장선생에게 물으러 가다 / 事前～, 事后报告; 사전에 지시를 청하고, 사후에 보고하다 / ～主人, 这来晚了的怎么办呢? 주인 어른께서 지시를 내려 주십시오. 늦게 온 이 사람을 어떻게 할까요? / ～您, 下次我可以几时来? 다음 번에 저는 언제 오면 좋을까요? =〔请命②〕
〔请寿〕 qǐngshòu 동 건강이나 장수를 축하하여 축배를 들다.
〔请受〕 qǐngshòu 명 〈古白〉 봉급. ¶月支一分～; 한 달에 1 '分'의 봉급을 받다.
〔请帖〕 qǐngtiě 명 안내장. 초대장. ¶下～ =〔发出～〕; 초대장을 내다. =〔〈文〉 请柬jiǎn〕〔请客片(儿)〕
〔请托〕 qǐngtuō 동 청탁하다.
〔请问〕 qǐngwèn 〈套〉 여쭈어 보겠습니다. 말 좀 물어 봅시다. ¶～这里有位李小姐吗? 좀 여쭙겠습니다만, 이 곳에 이 양이 있습니까?
〔请勿〕 qǐngwù 〈套〉 …하지 마시오. ¶～吸烟; 금연 / ～动手; 손 대지 마시오《전시품 등에 대한 주의 문구》.
〔请降〕 qǐng·xiáng 동 항복을 청하다.
〔请谒〕 qǐngyè 동 청알하다. 손윗사람 또는 지체 높은 사람에게 뵙기를 청하다.
〔请医〕 qǐngyī 동 의사를 부르다.
〔请阴阳(生)〕 qǐng yīnyáng(shēng) 옛날 초상이 났을 때 음양가에게 출관(出棺)날을 받는 일.
〔请缨〕 qǐngyīng 동 〈文〉 자진해서 병역에 복무하다. 종군을 지원하다.
〔请雨〕 qǐngyǔ 동 ⇨〔祈qí雨〕
〔请原谅〕 qǐngyuánliàng 〈套〉 미안합니다. 죄송합니다. 용서해 주십시오.
〔请援〕 qǐngyuán 동 원조를 청하다.
〔请愿〕 qǐng·yuàn 동 청원하다. (qǐngyuàn) 명 청원. ¶～书; 청원서.
〔请战〕 qǐng·zhàn 동 싸움을 청하다. ¶～书; 전투 결의서. 도전장.
〔请旨〕 qǐngzhǐ 동 〈文〉 칙명(勅命)을 주청(奏請)하다.
〔请准豁免〕 qǐngzhǔn huòmiǎn 면제(免除)의 허가를 청하다.
〔请罪〕 qǐng·zuì 동 ①사과하다. ¶负荆～; 잘못을 인정하고 정중히 사과하다 / 你向他～吧; 저 사람에게 사죄해라. ②자수(自首)하여 처벌을 기다리다.
〔请坐〕 qǐngzuò 〈套〉 앉으십시오.

謦 qǐng (경)
→〔謦欬〕

〔謦欬〕 qǐngkài 명 〈文〉 ①기침. 헛기침. ②담소(談笑). 농. ¶亲承～; 〈文〉 친히 뵙고 담소를 나누다.

庆(慶) qìng (경)
① 동 기뻐하다. ② 동 축하하다. ¶～五十正寿; 50세의 생일을 축하하다 / ～丰收; 풍성한 수확을 축하하다. ③ 명 경사. 축하. 기쁨. 행복. ④ 명 경축할 만한 날. ¶国～节; 국경일 / 校～; 개교 기념일 / 大～; 큰 경사. ⑤ 명 성(姓)의 하나.

〔庆大霉素〕 qìngdà méisù 명 《藥》 젠타마이신(gentamycine).
〔庆典〕 qìngdiǎn 명 축전. 축하 의식.
〔庆吊〕 qìngdiào 명 경조. 경사와 흉사. =〔庆唁〕
〔庆父不死, 鲁难未已〕 Qìng fǔ bù sǐ, Lǔ nàn wèi yǐ 〈成〉 경부(慶父)가 죽지 않는 한 노국(魯國)의 난은 그칠 날이 없다《백성을 해치는 원흉이 있는 한 백성의 고통은 없앨 수 없다》.
〔庆功〕 qìng·gōng 동 (사업의) 성공을〔공로를〕 축하하다. ¶～(大)会; 완성 축하회. 낙성식. 공적 축하 대회.
〔庆贺〕 qìnghè 동 ⇨〔庆祝〕
〔庆九〕 qìngjiǔ 명동 59, 69, 79세의 생일 축하 잔치(를 하다).
〔庆赏〕 qìngshǎng 동 ①상주다. 행상(行賞)하다. ②관상(觀賞)〔구경〕하다. ¶～中秋; 추석의 달을 관상하다 / ～花灯; 음력 정월 대보름의 '花灯'을 감상하다.
〔庆寿〕 qìngshòu 동 탄생을 축하하다《60, 70, 80세에 하는 생일 잔치》.
〔庆幸〕 qìngxìng 동 경하하다. ¶为中国前途～; 중국의 장래를 위하여 경하하다 / 值得～的一件事情; 경사스러운 한 가지 일. 형 다행하다. 기쁘다. ¶欣闻贵体安康, 甚为～; 귀체 안강하시다는 소식에 대단히 기쁩니다.
〔庆唁〕 qìngyàn 명 ⇨〔庆吊〕
〔庆云〕 qìngyún 명 ⇨〔卿qīng云〕
〔庆祝〕 qìngzhù 동 경축하다. 축하하다. ¶～国庆; 국경일을 축하하다 / ～大会; 경축 대회 / ～活动; 경축 행사. =〔庆贺〕〔拜bài祝〕

亲(親) qìng (친)
표제어 참조. ⇒qīn

〔亲爹〕 qìngdiē 명 형제 자매의 배우자의 아버지. 사돈 어른. =〔姻yīn伯〕 ⇒qīndiē
〔亲家〕 qìngjia 명 〈北方〉 ①인척의 통칭. ¶认～; ⓐ친척 관계를 맺다. ⓑ친척을 방문하다. ②인척 사이에서, 며느리나 사위의 양친이 서로 부르는 호칭. 사돈댁. 사돈 어른. ③인척끼리 각기 상대방의 가족을 부르는 호칭. 사돈. ⇒qīnjiā
〔亲家爹〕 qìngjiadiē 명 ⇨〔亲家公〕
〔亲家儿子〕 qìngjia érzi 명 〈北方〉 자녀의 배우자의 형제.
〔亲家哥哥〕 qìngjia gēge 명 〈北方〉 부부 쌍방의 형제 상호간의 호칭《연장자에 대해서 쓰일 경우》.
〔亲家哥儿们〕 qìngjia gērmen 명 〈北方〉 사돈집 아들들이 서로 부르는 호칭. =〔姻yīn兄弟〕
〔亲家公〕 qìngjiagōng 명 바깥 사돈. 사돈 어른. =〔亲家爹〕〔亲家老儿〕〔亲家老爷〕〔亲翁〕
〔亲家姐妹〕 qìngjia jiěmèi 명 〈北方〉 부부 쌍방의 자매〔사돈집 딸들〕 상호간의 호칭.
〔亲家老儿〕 qìngjialǎor 명 ⇨〔亲家公〕
〔亲家老爷〕 qìngjia lǎoye 명 ⇨〔亲家公〕
〔亲家妈〕 qìngjiamā 명 ⇨〔亲家母〕

〔亲家母〕 qìngjiamǔ 명 안사돈. 사부인. =〔亲家妈〕〔亲家娘〕
〔亲家娘〕 qìngjianiáng 명 ⇨〔亲家母〕
〔亲家女儿〕 qìngjia nǚ'ér 명〈北方〉 자녀의 배우자의 자매.
〔亲家女婿〕 qìngjia nǚxù 명 '亲家女儿'의 남편. 사돈집 사위.
〔亲家儿〕 qìngjiār 명〈俗〉 연인(戀人). 정부(情夫). 정부(情婦). ¶靠kào～ =〔挨āi～〕;〈北方〉 남녀가 사통(私通)하다.
〔亲家太太〕 qìngjia tàitai 명〈北方〉 사부인. 안사돈(인척 관계가 되는 양가의 모친 상호간의 칭호). =〔亲太太〕
〔亲家媳妇〕 qìngjia xífù 명 '亲家儿子'의 아내.
〔亲家侄女〕 qìngjia zhínǚ 명〈北方〉 형제 자매의 배우자의 질녀. =〔姻yīn侄女①〕
〔亲家侄儿〕 qìngjiazhír 명〈北方〉 형제 자매의 배우자의 조카. =〔姻yīn侄〕
〔亲奶奶〕 qìngnǎinai 명〈北方〉 형제 자매의 배우자의 할머니. =〔太姻伯母〕
〔亲娘〕 qìngniáng 명 형제 자매의 배우자의 어머니. ⇒qīnniáng
〔亲太太〕 qìngtàitai 명 ⇨〔亲家太太〕
〔亲翁〕 qìngwēng 명 ⇨〔亲家公〕
〔亲爷爷〕 qìngyéye 명〈北方〉 형제 자매의 배우자의 할아버지. =〔太tài姻伯〕

清 qìng (정)
형〈文〉 서늘하다. 춥다. =〔凉liáng〕

箐 qìng (천)
①명〈方〉 산간(山間)의 큰 죽림(竹林).〈轉〉 나무가 우거진 골짜기. ②지명용 자(字). ¶梅子Méizǐ～;〖地〗 메이쯔칭(梅子箐)(윈난 성(雲南省)에 있는 땅 이름).

綮 qìng (계)
→〔肯kěn綮〕 ⇒qǐ

磬 qìng (경)
〈文〉 ①명〖樂〗 경(磬)쇠. ②명 동발(銅鉢). =〔浮石③〕 ③동 말을 질주시키다.

罄 qìng (경)
〈文〉 ①동 비우다. 다하다. ¶用～了; 다 써 버렸다. ②동 없어지다. ¶售shòu～; 매진(賣盡)되다/告～; 다 없어진 것을 고하다. 다 없어지다. ③부 모조리. ¶～空; 텅 빔. 전무(全無).
〔罄竭〕 qìngjié 동 ⇨〔罄尽〕
〔罄尽〕 qìngjìn 동 모두 써 버리다. 깡그리 없어지다. =〔罄竭〕〔罄净〕〔尽罄〕
〔罄净〕 qìngjìng 동 ⇨〔罄尽〕
〔罄囊〕 qìngnáng 동〈文〉 지갑을 비우다. 전 재산을 털다.
〔罄其所有〕 qìng qí suǒ yǒu〈成〉 있는 것을 몽땅 써 버리다. 전부를 내던지다.
〔罄情〕 qìngqíng 동 사정을 털어놓고 이야기하다.
〔罄身(儿)〕 qìngshēn(r)〈古白〉 입은 것밖에는 아무것도 없음. 무일푼으로. ¶又不许带一件衣服儿, 只叫他～出去; 또, 옷 한 벌 갖는 것도 허용하지 않고, 입은 채로 쫓아 냈다.
〔罄述〕 qìngshù 동〈文〉 모조리 말해 버리다.
〔罄竹难书〕 qìng zhú nán shū〈成〉 글로는 이루 다 표현할 수 없다(죄악이 헤아릴 수 없이 많음). ¶百余年来他们的罪行～; 백여 년간 그들이 저지른 죄는 필설로 다 표현할 수 없다.

QIONG ㄑㄩㄥ

䓖 qiōng (궁)
'䓖xiōng'의 우음(又音).

邛 qióng (공)
①지명용 자(字). ¶～崃Qiónglái =〔崃山〕;〖地〗 충라이(邛崃)(쓰촨 성(四川省)에 있는 산 이름). ②명 성(姓)의 하나.
〔邛巨〕 qióngjù 명〖植〗 대극(大戟).
〔邛杖〕 qióngzhàng 명 쓰촨(四川) 충라이(邛崃)에서 나는 대나무로 만든 지팡이.

筇 qióng (공)
명 쓰촨 성(四川省) 충라이 현(邛崃縣)에서 나는 대나무.
〔筇竹〕 qióngzhú 명〖植〗 공죽(지팡이 등을 만드는 대나무). =〔扶竹①〕

穷(窮) qióng (궁)
①형 가난하다. 빈한(貧寒)하다. 궁하다. ¶他很～; 그는 아주 가난하다/吃～了一家子; 집안을 다 털어먹었다/贫～; 빈궁하다/解放后不再过～日子了; 해방 후는 다시는 가난한 생활을 보내는 일이 없어졌다/～不了你; 너를 가난하게 지내게 하지는 않는다/～到骨头里去了; 가난이 극도에 달하다/～困; ⇓ ②동 극단〔극한〕에 이르다. 극점에 다다르다. 끝장나다. ¶～奢极欲;〈成〉 사치가 극에 달하다/～凶极恶;〈成〉 극악무도하다. ③동 진(盡)하다. 다하다. 막히다. ¶理屈辞～;〈成〉 이치에 막혀 말이 궁하다〔변명할 도리가 없다〕/日暮途～;〈成〉 날은 저물고 갈 길은 막히다/山～水尽;〈成〉 궁지에 몰리다/永世无～;〈成〉 영원히 무궁하다/～予应付; 손쓸 방법이 없다. ④형 아무짝에도 못쓰는. 인색한. 쓸모없는. ¶他有～精神; ⓐ놈은 아무짝에도 못 쓸 놈이다. ⓑ그는 빈틈없는 친구다/～事情; 하찮은 일. ⑤동 곤란을 겪다. 고생하다. ⑥동 끝까지 밝혀 내다. 추구하다. 열심히 하다. ¶～物之理; 사물의 이치를 강구하다/～追; 끝까지 캐다/～经; 경서를 연구하다/整天家～吃～喝; 하루 종일 실컷 먹고 마시다. ⑦부 기어이. 끝까지. ¶一个劲的～催; 자꾸만 악착같이 재촉하다. ⑧부 쓸데없이. 헛되이. ¶～跑了一天; 하루 종일 공연히 돌아다녔다/～聊; 쓸데없는 수다를 떨다. →〔白bái⑩〕
〔穷巴子〕 qióngbāzi 명 가난뱅이.
〔穷办苦干〕 qióng bàn kǔ gàn〈成〉 괴로움 속에서도 오로지 일에 힘쓰다. =〔穷干苦干〕
〔穷棒子〕 qióngbàngzi 명 ①몹시 가난함. 적빈(赤貧). ②가난하지만 기개가 있는 사람. ¶～精神; 가난뱅이의 꼭 일어서 보겠다는 근성.
〔穷北〕 qióngběi 명 궁북. 극북. 북쪽 끝.
〔穷兵黩武〕 qióng bīng dú wǔ〈成〉 병력(兵力)을 함부로 쓰다. 병력을 남김없이 쓰다(호전적임의 비유).
〔穷不跟富斗, 富不跟官斗〕 qióng bù gēn fù dòu, fù bù gēn guān dòu 가난뱅이는 부자와 싸우지 말 것이며, 부자는 관료와 싸우지 마라(봉건적 사회의 처세술).
〔穷不过他〕 qióngbuguò tā 그 사람보다 더 가난해질 수는 없다.

〔穷不离卦, 富不离医〕 qióng bù lí guà, fù bù lí yī 〈諺〉 가난뱅이는 점에만 의지하고, 부자는 의사 곁에서 떠나지 못한다. =〔穷算命富吃药〕
〔穷吃〕 qióngchī 동 실컷 먹다.
〔穷愁〕 qióngchóu 동 가난에 쪼들리다.
〔穷催〕 qióngcuī 동 (발등에 불이 떨어진 것처럼) 독촉하다. (성화같이) 재촉하다.
〔穷措大〕 qióngcuòdà 명 〈比〉 가난한 서생(書生). =〔穷醋大〕
〔穷达〕 qióngdá 명 궁달. 실패와 성공.
〔穷大队〕 qióngdàduì 명 농촌에서 생산이 불충분하여 풍족하지 못한 생산 대대.
〔穷大手〕 qióngdàshǒu 형명 궁한 주제에 돈 씀씀이가 헤프다. 또, 그런 사람. ¶又没能耐, 还是~; 능력도 없으면서 사치스럽게 굴다.
〔穷大院(儿)〕 qióngdàyuàn(r) 명 가난한 사람이 사는 공동 주택. 슬럼(slum).
〔穷当益坚〕 qióng dāng yì jiān 〈成〉 환경이 어려울수록 뜻을 굳게 가져야 한다.
〔穷到底〕 qióngdàodǐ ⇨〔穷到骨〕
〔穷到骨〕 qióngdàogǔ 가난이 극도에 달하다. 몹시 빈궁하다. ¶~头里去了; 가난이 극도에 달했다. =〔穷到底〕
〔穷滴滴〕 qióngdīdī 형 〈古白〉 가난한 모양.
〔穷冬〕 qióngdōng 명 〈文〉 궁동. 혹한의 겨울철.
〔穷队〕 qióngduì 명 (농촌의) 가난한 생산대(生産隊).
〔穷而后工〕 qióng ér hòu gōng 〈成〉 문인이나 예술가는 궁한 생활을 한 뒤에야 좋은 작품을 만들 수 있다.
〔穷乏〕 qióngfá 형 ⇨〔穷困〕
〔穷发之地〕 qióng fà zhī dì 〈文〉 극북(極北)의 불모의 땅.
〔穷疯〕 qióngfēng 형 가난 때문에 미치다.
〔穷干苦干〕 qióng gàn kǔ gàn 〈成〉 ⇨〔穷办苦干〕
〔穷哥们〕 qiónggēmen 명 가난한 무리들〔녀석들〕. =〔穷哥儿们〕
〔穷根〕 qiónggēn 명 궁핍의 근원. 가난의 원인. ¶挖~; 가난의 원인을 구명하다.
〔穷骨头〕 qiónggǔtou 명 〈罵〉 ①가난뱅이. ②구두쇠. 노랑이.
〔穷光蛋〕 qióngguāngdàn 명 〈罵〉 알거지. 빈털터리. =〔穷孙〕
〔穷光光〕 qióngguāngguāng 형 몹시 가난하다.
〔穷逛〕 qióngguàng 동 ①무전 여행(하다). ②돈을 안 쓰고 다니다.
〔穷鬼〕 qióngguǐ 명 ①가난의 신(神). ¶赶走~; 가난의 귀신을 쫓아 버리다. ②〈罵〉 가난뱅이.
〔穷哈拉子〕 qiónghālāzi 명 ①남의 돈을 노리는 놈. 단물을 빨아 먹는 놈. 남에게 빌붙어 사는 놈. ② ⇨〔穷汉〕
〔穷汉〕 qiónghàn 명 빈털터리. 가난뱅이 ¶~市; 빈민가의 노점 시장 / ~赶上闰年月; 〈諺〉 가난뱅이가 윤년을 만나다(가난뱅이가 돈 쓸 일이 많이 생기다) / ~暴富; 가난뱅이가 졸부가 되다. =〔穷儿〕〔穷哈拉子②〕〔穷小子〕
〔穷横〕 qiónghéng 형 도리를 전혀 분별하지 못하다. 몹시 횡포하다.
〔穷户〕 qiónghù 명 가난뱅이. 가난한 집.
〔穷花儿眼〕 qióng huāryǎn 가난 때문에 눈이 어두워지다(매우 가난하다. 또, 그 때문에 무분별하게 되어 못된 일을 생각하다).
〔穷欢乐〕 qiónghuānlè 명동 ⇨〔穷开心〕
〔穷货摊〕 qiónghuòtān 명 길거리의 고물상.
〔穷极〕 qióngjí 동 가난이 극에 달하다. 매우 가난하다. ¶~智生; 궁하면 통한다 / ~思旧债; 가난해지면 오래 전 빌려 준 돈을 생각해 낸다 / ~无赖; 〈成〉 극히 궁하게 되면 창피를 돌보지 않고 못된 짓을 한다. 부 매우. 극히. ¶~奢丽; 극히 호화롭다 / ~无聊; 〈成〉 ⓐ몹시 곤궁하여 의지할 데가 없다. ⓑ대단히 따분하다.
〔穷家〕 qióngjiā 명 ⇨〔穷人家(儿)〕
〔穷家富路〕 qióng jiā fù lù 〈成〉 집에서는 가난하게 살더라도 길을 떠날 때는 노자를 많이 가져야 한다.
〔穷架弄〕 qióngjiànong 동 사정없이 부추기다.
〔穷架子〕 qióngjiàzi 명 가난한 주제에 부리는 쓸데없는 허세. ¶摆~; 가난한 주제에 허세를 부리다. =〔穷皮气〕
〔穷讲究〕 qióngjiǎngjiu 동 ①시시한 이야기를 길게 늘어놓다. ②여유가 없으면서 (겉치레 등을) 잘 하려 하다.
〔穷竭〕 qióngjié 동 〈文〉 다하다. 다 써 버리다.
〔穷尽〕 qióngjìn 명 끝. 막다른 곳. ¶学问是没有~的; 학문이란 끝이 없는 것이다. =〔尽头〕 동 다하다. ¶永不~的福利; 영원 무궁한 복리.
〔穷井〕 qióngjǐng 명 ⇨〔枯kū井〕
〔穷竟〕 qióngjìng 동 ⇨〔穷究①〕
〔穷境〕 qióngjìng 명 궁극. 끝. 한도. ¶这样的事似乎有~; 이런 일에는 한도가 있는 것 같다.
〔穷究〕 qióngjiū 동 ①끝까지 궁구〔추구〕하다. =〔穷竟〕 ②〈古白〉 잡담하다. ¶和小姐闲~; 아가씨와 한가로이 잡담하다. =〔谈天tántiān(儿)〕
〔穷开心〕 qióngkāixīn 명 (고생스러운 가운데의) 자그마한 위안. ¶阔倒是说不上, 到这儿来逛也不过是~罢咧; 사치라고는 말할 수 없습니다. 이리로 여행 온 것도 조그마한 위안을 찾으려는 데 불과합니다. 동 ①자그마한 위안을 즐기다. ②자포자기의 유흥을 하다. ‖ =〔穷欢乐〕
〔穷坑难满〕 qióng kēng nán mǎn 〈成〉 탐욕에는 한(限)이 없다. =〔贪tān心不足〕
〔穷空〕 qióngkōng 형 〈文〉 가난하다. 빈궁하다. ¶丈夫~是其分; 남자가 가난한 것은 그의 분수〔운명〕이다.
〔穷寇〕 qióngkòu 명 궁한 도둑. 궁지에 몰린 적. ¶~勿追; 〈成〉 궁지에 몰린 적은 쫓지 마라.
〔穷苦〕 qióngkǔ 형 생활이 어렵다. 빈곤하다. ¶过~的日子; 가난한 생활을 하다. =〔贫穷困苦〕
〔穷匮〕 qióngkuì 형 〈文〉 빈곤하다. 모자라다.
〔穷困〕 qióngkùn 형 곤궁하다. 궁핍하다. =〔穷乏〕
〔穷拉拉〕 qiónglālā 형 가난한 모양.
〔穷理〕 qiónglǐ 동 궁리하다. 이치를 캐다.
〔穷闾〕 qiónglǘ 명 〈文〉 가난한 마을.
〔穷忙〕 qióngmáng 형 ①생활에 쫓겨 바쁘다. ¶只顾了~把他老人家忘了; 가난에 쪼들려 바쁘게 돌아다니느라고 그 노인의 일을 잊어버리고 있었다. ②쓸데없이 바쁘다. 번망(煩忙)하다. 동 생활에 쫓기어 바쁘게 하다. 정신 없이 바쁘게 만들다.
〔穷民〕 qióngmín 명 ①빈민. ②〈文〉 의지할 데 없는 사람.
〔穷命鬼〕 qióngmìngguǐ 명 가난뱅이 운수. 돈이 붙지 않는 사람. ¶刚把钱借到手里就丢了, 我真是~; 겨우 돈을 꾸었다 했더니 곧 잃어버리고 말았으니, 난 정말 타고난 궁상이다.
〔穷目〕 qióngmù 동 〈文〉 먼 곳을 응시하다.
〔穷年累世〕 qióng nián lěi shì 〈成〉 ①후세까

지. 언제언제까지나. ②〈比〉 시간을 들이다. ¶～花工夫去钻研; 꾸준히 시간을 들여서 연구하다. ‖＝〔穷年累月〕

〔穷鸟入怀〕 qióng niǎo rù huái 〈成〉 궁지에 몰린 새가 품 속으로 날아든다《곤궁한 사람이 구원의 손길을 바라다》.

〔穷皮气〕 qióngpíqì 명 ⇨〔穷架子〕

〔穷僻〕 qióngpì 형 〈文〉 궁벽하다. 후미져 으슥하다.

〔穷期〕 qióngqī 명 끝나는 때. ¶战斗正未有～; 전투는 한창이어서 끝날 때는 아니다.

〔穷气〕 qióngqì 명 궁기. 궁상.

〔穷泉〕 qióngquán 명 〈俗〉 황천. 저승.

〔穷儿暴富〕 qióngrbàofù 명 벼락 부자. 졸부.

〔穷人〕 qióngrén 명 궁한 사람. 가난뱅이. ¶～养娇子; 가난한 사람에게는 착한 자식이 생긴다 / ～心多; 가난한 사람은 여러 가지로 비뚤어지게 생각한다. ↔〔财cái主〕

〔穷人家(儿)〕 qióngrénjiā(r) 명 가난한 집. 가난한 집안. ＝〔穷户〕〔穷家〕〔贫pín户〕〔贫家〕

〔穷人美〕 qióngrénměi 명 〈比〉 겉만 번지르르한 싸구려 옷〔실속이 없는 것〕. ¶他弄了一身儿～穿; 그는 값싸고 야한 옷을 지어 입고 있다.

〔穷日子〕 qióngrìzi 명 가난한 살림〔생활〕. ¶过～; 가난한 생활을 하다.

〔穷撒谎〕 qióng sāhuǎng 궁한 나머지 거짓말을 하다.

〔穷山恶水〕 qióng shān è shuǐ 〈成〉 적적하고 황량한 경치. 척박한 땅.

〔穷烧〕 qióngshāo 동 가난뱅이가 돈이 있는 체하다. 돈도 없는데 낭비하다. ＝〔穷烧包〕

〔穷奢极侈〕 qióng shē jí chǐ 〈成〉 사치가 극에 달하다. ＝〔穷奢极欲〕

〔穷生〕 qióngshēng 명 《劇》 중국 전통극에서, 영락한 서생으로 분장한 배우.

〔穷时光〕 qióngshíguāng 명 가난한 시절. 가난한 처지.

〔穷书生〕 qióngshūshēng 명 가난한 서생〔학생〕.

〔穷鼠啮猫〕 qióng shǔ niè māo 〈諺〉 쥐도 궁지에 몰리면 고양이를 문다.

〔穷思极想〕 qióng sī jí xiǎng 〈成〉 지혜를 짜내고 구상을 가다듬다.

〔穷搜〕 qióngsōu 동 끝까지 찾다.

〔穷酸〕 qióngsuān 형 ①(학자·문인(文人)이) 궁상스럽다. 가난하고 진부하다. ②불쾌하다. 같잖다. ¶～气; ⓐ같잖음. 불쾌함. ⓑ초라함. 궁상맞은 꼴 / ～乱转zhuǎi; 같잖게 함부로 아는 체하다.

〔穷酸臭美〕 qióng suān chòu měi 〈成〉 초라한 주제에 잘난 체하다. 아니꼽다. ¶没什么别的不好, 就是他那个～, 讨厌得很; 별로 나쁜 것은 없지만, 다만 그의 저 아니꼬운 태도가 정말 밉살스럽다.

〔穷算命富吃药〕 qióng suàn mìng fù chī yào 〈諺〉 ⇨〔穷不离卦富不离医〕

〔穷孙〕 qióngsūn 명 ⇨〔穷光蛋〕

〔穷索〕 qióngsuǒ 동 끝까지 추구하다.

〔穷途〕 qióngtú 명 곤궁한 처지. 구렁텅이. ¶～人; 실의(失意)에 빠진 사람 / ～末路mòlù; 〈成〉 이러지도 저러지도 못하는 상태〔궁지〕에 빠지다 / ～潦倒; 궁지에 몰려 의기 소침하고 있는 모양. 동 갈길이 없어져〔막혀〕 의기 소침하다.

〔穷娃娃〕 qióngwáwa 명 〈方〉 거지.

〔穷窝子〕 qióngwōzi 명 가난에서 헤어나지 못하는 사람. 가난하여 기운이 없는 사람.

〔穷嫌, 富不要〕 qióng xián, fù bù yào 〈成〉 가난한 사람도 싫어하고 부자도 좋아하지 않는다《값만 비싸고 별로 가치가 없다》.

〔穷乡〕 qióngxiāng 명 궁벽한 외딴 시골. 궁향.

〔穷乡僻壤〕 qióng xiāng pì rǎng 〈成〉 궁벽한 시골. 산간 벽지.

〔穷巷〕 qióngxiàng 명 ⇨〔陋lòu巷〕

〔穷相〕 qióngxiàng 명 궁상. 빈상(貧相). ¶满面～; 얼굴이 궁상맞다.

〔穷小子〕 qióngxiǎozi 명 가난뱅이《흔히, 젊은이를 나쁘게 말할 때 쓰임》.

〔穷形尽相〕 qióng xíng jìn xiàng 〈成〉 ①묘사가 세밀하고 생동감 있다. ②남의 태도·언동을 잘 흉내내어 흡사하다. ③추태를 드러내다. 꼴〔몰골〕 사납다.

〔穷凶极恶〕 qióng xiōng jí è 〈成〉 극악 무도하다. 극악 무도한 사람.

〔穷秀才〕 qióng xiùcai 가난한 수재. 가난한 인텔리.

〔穷爷们〕 qióngyémen 명 가난뱅이《경멸의 뜻을 담은 말》.

〔穷义夫, 富节妇〕 qióng yìfū, fù jiéfù 〈諺〉 가난한 남편은 아내가 죽어도 재혼할 재력이 없어 의리를 지키고, 돈 많은 과부는 살림이 넉넉하여 정조를 지킨다.

〔穷阴〕 qióngyīn 명 늦겨울. 한 해가 다 저문 때. 세밑.

〔穷于〕 qióngyú 형 〈文〉 …에 궁하다. ¶～应付; 대응할 방책이 궁하다.

〔穷源竟委〕 qióng yuán jìng wěi 〈成〉 일의 전말(顚末)을 규명하다. 진상을 규명하다. ¶任何事物都有它发生和发展的过程, 我们应该～把它搞清楚; 어떠한 일도 그 발생과 발전의 과정이 있다. 우리는 그 근원을 궁구〔규명〕하여 그것을 똑똑히 이해해야 한다 / ～地利用这一批可靠的材料; 이 확실한 재료를 철저히 이용하다. ＝〔穷源溯流〕

〔穷源溯流〕 qióng yuán sù liú 〈成〉 ⇨〔穷源竟委〕

〔穷在债里, 冷在风里〕 qióng zài zhài li, lěng zài fēng li 〈比〉 끝내 역경에서 헤어나지 못하다.

〔穷则变, 变则通〕 qióng zé biàn, biàn zé tōng 〈成〉 사물이 궁극에 이르면 변화가 일어나고, 변화가 일어나면 길이 트인다.

〔穷则思变〕 qióng zé sī biàn 〈成〉 ①궁하면 생각이 바뀐다. ②막다른 곳에 이르면 꾀가 떠오른다.

〔穷账〕 qióngzhàng 명 하찮은 액수의 빚. 생활을 위하여 조금 빌리는 돈.

〔穷治〕 qióngzhì 동 〈文〉 ①근본적으로 처리하다. ②철저하게 다스리다. ③철저하게 누르다. ④철저하게 퇴치하다.

〔穷追〕 qióngzhuī 동 끝까지 좇아가다. 끝까지 캐다. ¶向我们～不舍shě; 끝까지 좇아와서 우리들의 이별을 아쉬워했다.

䓖(藭) qióng (궁)

→〔芎xiōng䓖〕

穹 qióng (궁)

〈文〉 ① 명 하늘. ¶苍cāng～; 창공. ② 명 아치형. ③ 형 높다. ④ 형 크다. ¶～石; 큰 바위. ⑤ 형 깊다. ¶～谷; 깊은 골짜기. ⑥ 명 성(姓)의 하나.

〔穹苍〕 qióngcāng 명 창공. 하늘. ＝〔苍穹〕〔穹冥〕

〔穹地〕 qióngdì 명 분지(盆地).

〔穹顶〕 qióngdǐng 명 둥근 지붕. 둥근 천장.
〔穹盖〕 qiónggài 명 ⇨〔穹圆〕
〔穹谷〕 qiónggǔ 명 〈文〉 깊은 골짜기.
〔穹灵〕 qiónglíng 명 〈文〉 하늘의 신.
〔穹窿〕 qiónglóng 명 〈文〉 ①하늘. ②둥근 천장. 돔(dome) ③둥근 천장의 돔상(dome狀). ‖ =〔穹隆〕
〔穹庐〕 qiónglú 명 천막집《몽골 사람의 집, 즉 반구형의 천막집인 파오(包)를 이름》. =〔百子帐〕
〔穹冥〕 qióngmíng 명 ⇨〔穹苍〕
〔穹穷〕 qióngqióng 명 ⇨〔芎xiōng䓖〕
〔穹形〕 qióngxíng 명 아치형. 궁륭형(穹窿形)
〔穹圆〕 qióngyuán 명 〈文〉 하늘. 창공. =〔穹盖〕

茕(煢) **qióng** (경)
① 형 형제가 없어 외롭다. 고독하다. ② 명 형제가 없는 사람. 홀몸인 사람. ‖ =〔惸〕
〔茕茕〕 qióngqióng 형 〈文〉 천애(天涯) 고독한 모양. ¶～孑立, 形影相吊; 의지할 곳 없이 혼자서 자신의 그림자와 서로 위로함《고립무원한 모양》.

惸 **qióng** (경)
형명 ⇨〔茕〕

琼(瓊) **qióng** (경)
〈文〉 ① 명 아름다운 구슬. ② 명 마노(瑪瑙). ③ 형 아름답다. 훌륭하다. 맛 좋다. ¶只见武松踏着那乱～碎玉《水滸傳》; 보니 무송은 어지럽게 내리퍼붓는 눈이랑 언 얼음을 밟아 다지고 있다. ‖ =〔璚〕
〔琼杯〕 qióngbēi 명 〈文〉 경배. 옥으로 만든 술잔.
〔琼瑰〕 qióngguī 명 〈文〉 아름다운 주옥.
〔琼华〕 qiónghuá 명 〈文〉 아름다운 옥.
〔琼浆〕 qióngjiāng 명 〈比〉 미주(美酒). ¶～玉液 =〔玉液～〕; 미주.
〔琼胶〕 qióngjiāo 명 ⇨〔琼脂〕
〔琼玖〕 qióngjiǔ 명 〈文〉 미옥(美玉).
〔琼剧〕 qióngjù 명 《劇》 하이난 섬(海南島)의 지방극. =〔海南戏〕
〔琼林〕 qiónglín 명 〈文〉 진귀(珍貴)한 것이 모인 것이라는 뜻으로, 책을 가리킬 때가 많음.
〔琼林宴〕 qiónglínyàn 명 옛날, 천자가 과거 시험에 급제한 사람에게 베푼 연회. =〔恩ēn荣宴〕
〔琼楼玉宇〕 qióng lóu yù yǔ 〈成〉 달 속의 궁전《호화로운 저택》.
〔琼雀〕 qióngquè 명 《鳥》 북방쇠박새.
〔琼筵〕 qióngyán 명 〈文〉 화려한 연석(宴席).
〔琼英〕 qióngyīng 명 ⇨〔琼莹〕
〔琼莹〕 qióngyíng 명 〈文〉 아름다운 돌. =〔琼英〕
〔琼枝玉叶〕 qióng zhī yù yè 〈成〉 천자의 자손. 황족.
〔琼脂〕 qióngzhī 명 한천(寒天). ¶～酸; 《化》 아가리신산(酸)(agaricinic acid). =〔石花胶〕〔琼胶〕〔洋菜〕
〔琼姿〕 qióngzī 명 〈文〉 고운 모습〔자태〕.

蛩 **qióng** (공)
명 《蟲》 〈文〉 ①귀뚜라미. =〔蟋xī蟀〕 ②메뚜기. =〔蝗huáng虫〕

跫 **qióng** (공)
〈擬〉 〈文〉 터벅터벅. 뚜벅뚜벅《발로 땅을 밟는 소리》. ¶足音～然; 발소리가 뚜벅뚜벅 울리다.

銎 **qióng** (공)
명 〈文〉 도끼의 자루를 박는 구멍.

璚 **qióng** (경)
명형 ⇨〔琼qióng〕

藑 **qióng** (경)
→〔藑茅〕
〔藑茅〕 qióngmáo 명 〈文〉 영초(靈草).

QIU ㄑㄧㄡ

丘〈坵〉[B] **qiū** (구)
A) ① 명 언덕. 구릉. ¶沙～; 사구(砂丘). 모래 언덕/土～; 흙언덕. ② 명 묘. 무덤. ¶坟～子; 봉분을 한 무덤. ③ 명 촌락(村落). ④ 형 크다. ⑤ 형 공허(空虛)하다. ⑥ 동 벽돌·돌·진흙 따위로 관(棺)을 쌓다. 가매장하다. ¶～在义地; 공동 묘지에 가매장하다/把棺材～起来; 가매장해 두다. ⑦ 명 성(姓)의 하나. **B)** 양 논두렁으로 구획된 하나하나를 세는 데 쓰임. ¶一～田; 논 한 자리. ‖ =〔邱①〕
〔丘八〕 qiūbā 명 〈貶〉 병사(兵士).
〔丘比特〕 qiūbǐtè 명 큐피드(Cupid)《그리스 신화 중의 사랑의 신(神)》.
〔丘垤〕 qiūdié 명 〈文〉 작은 흙산.
〔丘尔邦〕 qiū'ěrbāng 명 〈音〉 터번(turban).
〔丘壑〕 qiūhè 명 〈文〉 ①구학. 언덕과 골짜기. ② 〈轉〉 산수. 은자(隱者)의 거처. ③〈轉〉 깊은 견식. ¶胸有～; 〈成〉 견식이 깊고 높다/对于时事分析, 他确是一个～的政论家; 시사 분석에 있어서는, 그는 확실히 견식이 높은 정론가이다.
〔丘陵〕 qiūlíng 명 구릉. 언덕. =〔丘垄②〕〔冈gāng陵〕
〔丘垄〕 qiūlǒng 명 〈文〉 ①⇨〔丘墓〕 ②⇨〔丘陵〕
〔丘民〕 qiūmín 명 〈文〉 시골 백성.
〔丘木〕 qiūmù 명 〈文〉 묘소(墓所)의 나무.
〔丘墓〕 qiūmù 명 〈文〉 무덤. =〔坟墓〕〔丘坟fén〕〔丘垄①〕
〔丘脑〕 qiūnǎo 명 《生》 간뇌(間腦)의 일부.
〔丘嫂〕 qiūsǎo 명 맏형수. 맏아주머니.
〔丘山〕 qiūshān 명 〈文〉 ①⇨〔丘园〕 ②〈比〉 많음. 또, 큼. ¶建～之功, 享不赀之禄; 큰 공을 세우고 적지 않은 녹을 받았다. ③〈比〉 중대한 일.
〔丘墟〕 qiūxū 명 〈文〉 구허. 폐허.
〔丘鹬〕 qiūyù 명 《鳥》 누른도요.
〔丘园〕 qiūyuán 명 〈文〉 〈轉〉 은거하는 곳. =〔丘山①〕
〔丘疹〕 qiūzhěn 명 《醫》 구진.
〔丘子〕 qiūzi 명 가매장한 묘.

邱 **qiū** (구)
① ⇨〔丘qiū〕 ② 명 구(丘)《공구, 즉 공자의 휘(諱)를 피하여 썼음》. ③ 명 성(姓)의 하나.
〔邱吉尔〕 Qiūjí'ěr 명 《人》 〈音〉 처칠(Winston Leonard Spencer Churchill)《영국의 정치가, 1874~1965》.

蚯 **qiū** (구)
→〔蚯蚓〕
〔蚯蚓〕 qiūyǐn 명 《動》 지렁이. =〔地dì龙〕〔歌gē女②〕〔龙lóng媒〕〔〈文〉 鸣míng砌〕〔曲qū芮〕〔曲蟮〕

龟(龜) qiū (구) →〔龟兹〕⇒guī jūn

〔龟兹〕 Qiūcí 명 〖地〗 구자(옛 나라 이름. 현재의 신장(新疆) 위구르 자치구의 구쥐 현(庫車縣)에 있었음).

秋〈烁, 鞦〉 qiū (추) 명 ①가을. ¶深～; 만추. 늦가을. ②결실(結實). ③〈文〉 어떤 시기. 때. ¶多事之～; 다사다난한 때/得意之～; 만사가 순조롭게 진전될 때/危急存亡之～; 위급하고 존망이 걸린 시기. ④결실(結實)의 시기. ¶麦～; 보리의 수확기. ⑤〈文〉 해. 년(年). ¶千～万岁; 천년 만년/一日不见, 如隔三～; 하루를 만나지 않으면, 3년이나 만나지 않은 것처럼 느낀다/希望您千～万岁, 老是硬硬朗朗; 아무쪼록 언제까지나 정정하시기를 빕니다. ⑥성(姓)의 하나.

〔秋安〕 qiū'ān 〈翰〉 가을의 안부(맺음말로 씀). =〔秋祉〕

〔秋把儿〕 qiūbǎr 명 베어 말린 풀.

〔秋榜〕 qiūbǎng 명 ⇨〔乡xiāng试〕

〔秋波〕 qiūbō 명 (미인의) 추파. 곁눈질. ¶弱小国家往往向强大的国家暗送～; 약소 국가는 왕왕 강대국에 대하여 은밀히 추파를 보내고 있다. =〔秋水②〕

〔秋播〕 qiūbō 명 추파. 가을 파종.

〔秋操〕 qiūcāo 명 가을철의 연습.

〔秋蝉〕 qiūchán 명 ①가을 매미. ②〖蟲〗 기름매미. ③〈比〉 언론이 자유롭지 않은 일.

〔秋成〕 qiūchéng 명 ①가을의 수확. 추수. ②가을에 수확한 농작물. ‖ =〔秋收〕

〔秋虫(儿)〕 qiūchóng(r) 명 가을 밤에 우는 벌레.

〔秋刀鱼〕 qiūdāoyú 명 〖魚〗 꽁치.

〔秋地〕 qiūdì 명 가을 파종을 위해 준비한 논밭.

〔秋吊〕 qiūdiào 명 가을 가뭄.

〔秋泛〕 qiūfàn 명 입추(立秋)에서 상강(霜降)까지의 강물의 범람(汎濫).

〔秋痱子〕 qiūfèizi 명 가을철에 돋는 땀띠.

〔秋分〕 qiūfēn 명 추분(24절기의 하나).

〔秋风〕 qiūfēng ①명 추풍. 가을 바람. ②→〔打秋风〕

〔秋风过耳〕 qiū fēng guò ěr 〈成〉 전혀 무관심함. ¶～置之不理; 무관심하여 마음에 두지〔거들떠보지〕 않다/富贵之于我, 如秋风之过耳; 나에게 있어 부귀라는 것은 가을 바람이 귀를 스쳐 가는 것과도 같다.

〔秋风扫落叶〕 qiū fēng sǎo luò yè 〈成〉 가을 바람이 낙엽을 쓸어 가다(쇠잔한 세력을 쉽게 일소하다). ¶以～之势消灭了敌人残余部队; 가을 바람이 낙엽을 쓸어 버리듯, 적의 남은 부대를 쉽게 소탕해 버렸다. =〔风扫落叶〕

〔秋高气爽〕 qiū gāo qì shuǎng 〈成〉 맑게 갠 가을의 높은 하늘과 상쾌한 공기.

〔秋耕〕 qiūgēng 명 〖農〗 추경. 가을갈이.

〔秋贡〕 qiūgòng 명 ⇨〔乡xiāng试〕

〔秋果儿〕 qiūguǒr 명 화북에서 나는 과일의 일종.

〔秋海棠〕 qiūhǎitáng 명 〖植〗 추해당(베고니아와 같은 종류. 추해당과의 다년초). =〔断duàn肠花〕〔相xiāng思草〕

〔秋毫〕 qiūháo 명 추호. 가을에 털갈이한 조수의 가는 털(①아주 적은 양. ②조금도). ¶明察～; 극히 작은 데까지 명찰하다.

〔秋毫无犯〕 qiū háo wú fàn 〈成〉 추호도 범하는 바가 없다. 추호 불범하다(군기(軍紀)가 엄하거나 사람이 청렴 결백한 것을 가리킴).

〔秋毫之末〕 qiū háo zhī mò 〈成〉 가을에 나는 극히 가는 털의 끝(극히 미세한 것).

〔秋后的黄瓜〕 qiūhòu de huángguā 〈歇〉 가을 오이(뒤에 이어지기도 하는 '晩架(儿)'가 '晩嫁'와 음(音)이 같아, 만혼(晩婚) 또는 결혼 상대가 없음의 비유).

〔秋后的蚂蚱〕 qiūhòu de màzha 〈歇〉 가을이 지난 뒤의 메뚜기(곧 죽는다는 뜻으로, 흔히 뒤에 '没几天蹦达了'가 옴).

〔秋后算账〕 qiū hòu suàn zhàng 〈成〉 ①가을 수확 후에 셈하다. ②마지막 단계에 이른 후 누가 옳고 그른지를 판단하다.

〔秋胡戏〕 qiūhúxì 명 〈歇〉 처(妻). 아내.

〔秋灰色〕 qiūhuīsè 명 〖色〗 고동색이 섞인 연둣빛.

〔秋获〕 qiūhuò 명 ⇨〔秋收〕

〔秋季〕 qiūjì 명 가을철. ¶～天儿; 추계. 가을철.

〔秋见天儿〕 qiūjiàntiānr 명 ⇨〔秋景天儿〕

〔秋节〕 qiūjié 명 ⇨〔中zhōng秋〕

〔秋景天儿〕 qiūjǐngtiānr 명 〈俗〉 가을의 계절. =〔秋季〕〔〈俗〉秋见天儿〕

〔秋葵〕 qiūkuí 명 〖植〗 ①닥풀. =〔黄蜀葵〕 ②오크라(okra).

〔秋葵绿〕 qiūkuílǜ 명 〖色〗 고동색이 섞인 연둣빛.

〔秋老虎〕 qiūlǎohǔ 명 〈比〉 (북방에서의) 심한 늦더위. 9월의 잔서(殘暑).

〔秋凉儿〕 qiūliángr 명 추랭(秋冷). 가을의 찬 기운.

〔秋霖〕 qiūlín 명 가을 장마.

〔秋令〕 qiūlìng 명 ①가을. 가을철. ②가을 날씨. ¶冬行～; 가을을 연상시키는 겨울 날씨.

〔秋罗〕 qiūluó 명 〖紡〗 줄무늬가 있는 얇고 가벼운 직물.

〔秋麻〕 qiūmá 명 ⇨〔大dà麻①〕

〔秋杪〕 qiūmiǎo 명 〈文〉 만추(晩秋).

〔秋明油田〕 Qiūmíng yóutián 명 (러시아의) 튜멘(Tyumen) 유전.

〔秋牡丹〕 qiūmǔdān 명 〖植〗 아네모네.

〔秋娘〕 qiūniáng 명 늙어서 파리해진 여자.

〔秋气〕 qiūqì 명 〈文〉 ①가을의 쓸쓸한 기운. ②삭막한 기분. 쓸쓸한 마음.

〔秋千〕 qiūqiān 명 그네. 추천. ¶～架; 밑신개/荡dàng～ =〔打～〕; 그네를 타다/～戏; 그네타기.

〔秋茄树〕 qiūqiéshù 명 〖植〗 홍수(紅樹).

〔秋秋〕 qiūqiū 형 〈文〉 날아다니며 춤추는 모양. ¶～跄跄; 날아다니며 춤추다.

〔秋日〕 qiūrì 명 ①추일. 가을날. ②가을.

〔秋色〕 qiūsè 명 가을 경치.

〔秋扇〕 qiūshàn 명 가을이 되어 쓸모없게 된 부채. 〈比〉 아리따운 모습이 쇠하자 버림받은 여자. ¶妾身似～, 君恩似履綦; 나는 비유하면 가을 부채, 남자의 사랑은 신끈과도 같다.

〔秋社〕 qiūshè 명 입추(立秋) 후 다섯 번째 술일(戌日)에 토지신(土地神)에게 드리는 감사의 제사.

〔秋声〕 qiūshēng 명 가을철의 쓸쓸한 바람 소리.

〔秋士〕 qiūshì 명 나이가 들어 불우한 사람. 내리막길에 들어선 사람. ¶春女思, ～悲; 소녀는 그리워하고, 노인은 슬퍼한다.

〔秋事〕 qiūshì 명 가을의 농사일〔수확〕.

〔秋试〕 qiūshì 명 ⇨〔秋榜〕

〔秋收〕 qiūshōu 명 ①가을걷이. 추수. ¶~的时候儿农民虽然忙碌, 可是很愉快; 가을걷이 철에는 농민은 바쁘지만, 그러나 매우 즐겁다. ②추수를 기다려 소작료를 거둠. ③추수한 농작물. ‖ =〔秋获〕
〔秋收起义〕 Qiūshōu qǐyì 명《史》1927년 9월, 후난(湖南)·장시(江西) 일대에서 일어난 농민 봉기.
〔秋霜〕 qiūshuāng 명〈文〉①가을의 찬서리. ②〈比〉엄한 형벌. 당당한 위세. ¶怒如~; 노함이 추상과 같다 / ~烈liè日; 추상 열일. 매우 엄정한 일. ③〈比〉희끗희끗한 백발. ¶不知明镜里, 何处得~; 거울 속에 뚜렷이 비친 것은 어디서 희끗희끗한 백발을 얻은 것일까.
〔秋水〕 qiūshuǐ 명 ①강·호수의 맑은 가을 물. ②〈比〉맑은 눈(길). ¶望穿~; 꼼짝 않고 응시하는 맑은 눈《애타게 기다리는 모양》. ③〈比〉〈文〉날이 선 칼. 칼의 빛남.
〔秋思〕 qiūsī 명〈文〉추사. 가을철에 느끼는 쓸쓸한 생각.
〔秋桃〕 qiūtáo 명 입추 후에 맺힌 솜 열매.
〔秋天〕 qiūtian 명 가을.
〔秋头儿〕 qiūtour 명 초추(初秋). 초가을.
〔秋闱〕 qiūwéi 명 ⇨〔乡xiāng试〕
〔秋香色〕 qiūxiāngsè 명《色》짙은 연둣빛.
〔秋行夏令〕 qiūxíng xiàlìng 가을이 되어 여름 정령(政令)을 내리다《철 늦은〔시대에 뒤떨어진〕 짓을〔정치를〕 하다》.
〔秋汛〕 qiūxùn 명 ①황하 등의 가을의 증수(增水). ②가을의 생선 출회 시기.
〔秋衣〕 qiūyī 명 ⇨〔秋装〕
〔秋意〕 qiūyì 명 추의. 가을다운 멋. 가을(다운) 기분.
〔秋雨〕 qiūyǔ 명 가을비. ¶一场~一场寒;〈諺〉가을비가 한 차례 내릴 때마다 추위는 더해 간다 / ~初霁jì;〈文〉가을비가 막 그쳤다.
〔秋征〕 qiūzhēng 명 가을 추수 후에 정부에서 징수하는 현물 농업세.
〔秋祉〕 qiūzhǐ ⇨〔秋安〕
〔秋庄稼〕 qiūzhuāngjia 명 가을 작물(作物).
〔秋装〕 qiūzhuāng 명 가을 옷차림. =〔秋衣〕

湫 qiū (추)
명 연못이란 뜻으로, 흔히 지명에 쓰임. ¶大龙Dàlóng~; 다룽추(大龍湫)《저장 성(浙江省) 옌당 산(雁蕩山)에 있는 폭포 이름》. ⇒jiǎo

萩 qiū (추)
명《植》싸리나무. =〔胡hú枝子〕

楸 qiū (추)
명 ①《植》개오동나무. =〔楸树〕 ②《植》예덕나무. ③→〔楸枰〕
〔楸枰〕 qiūpíng 명〈文〉바둑판.

鹙(鶖) qiū (추)
명《鳥》무수리. 독추(禿鶖)《고서(古書)에서 볼 수 있는 물새의 하나. 머리에 털이 없으며, 성질은 사납고 뱀을 즐겨 먹음》.

鳅(鰍〈鰌〉) qiū (추)
①명《魚》미꾸라지. ¶泥ní~; 미꾸라지. ②→〔鲯qí鳅〕

鞦〈鞧〉 qiū (추)
①명 (소·말의) 껑거리끈. 밀치끈. ¶给马带上~; 말에 밀치끈을 걸다. ②동〈方〉수축하다. 수축시키다. ¶~着眉毛; 눈살을 찌푸리다 / 大辕马~着屁股向后退; 큰 수레채를 맨 말이 궁둥이를 오므리며 뒤로 물러났다.
〔鞦韆〕 qiūqiān 명 그네. ¶打~; 그네를 타다 / ~戏; 그네뛰기.

仇 qiú (구)
명 ①〈文〉짝. 배우(配偶). 배필. ¶~偶ǒu; ⇩ ②성(姓)의 하나. ③→〔仇犹〕 ⇒chóu
〔仇偶〕 qiú'ǒu 명〈文〉배우자.
〔仇犹〕 Qiúyóu 명《民》치우유 족(仇猶族)《전국 시대 지금의 산시 성(山西省) 멍 현(盂縣) 지방에 있던 이민족(異民族)의 이름》. =〔厹Qiú由〕

厹 qiú (구)
→〔厹矛〕〔厹由〕 ⇒róu
〔厹矛〕 qiúmáo 명〈文〉삼지창(三枝槍).
〔厹由〕 Qiúyóu 명 ⇨〔仇犹〕

犰 qiú (구)
→〔犰狳〕
〔犰狳〕 qiúyú 명《動》천산갑(穿山甲).

朹 qiú (구)
명《植》산사나무. 아가위나무. =〔山楂shānzhā〕

訄 qiú (구)
동〈文〉핍박하다. 강제(強制)하다. 강요하다.

鼽 qiú (구)
동 (감기 등으로) 코가 막히다.

囚 qiú (수)
①명 수인. 죄수. 포로. ¶死~; 사형수 / 罪~; 죄수 / ~房; 감방 / 敌~; 갇힌 포로. ②동 붙들다. 구금하다. 가두다. ¶被~在监狱里; 감옥에 갇혀 있다 / ~他两天再说; 그를 2,3일 구금해 둔 다음에 보자. ③동 고민하다.
〔囚车〕 qiúchē 명 죄수 호송차.
〔囚犯〕 qiúfàn 명 ①죄인. 죄수. =〔阶jiē下囚〕 ②〈罵〉욕할 때 쓰는 말《여자의 용어》. ¶你这~! 이 놈팡이가!
〔囚羁〕 qiújī 동〈文〉가두다. 구금하다. 유폐(幽閉)하다.
〔囚禁〕 qiújìn 동 ①옥에 가두다. ②가두다. 구금하다.
〔囚牢〕 qiúláo 명 감옥. 뇌옥.
〔囚粮〕 qiúliáng 명 수형자용(受刑者用)의 식량.
〔囚笼〕 qiúlóng 명 ①옛날, 중죄인을 '囚车'로 호송할 때 수레 위에 설치한 나무 우리. 〈比〉옥사(獄舍). ¶坐~的重犯; 수감 중의 중죄인. ②감옥. 교도소.
〔囚攮的〕 qiúnǎngde 명《罵》버러지 같은 놈《죄수에게 강간당해 낳은 자식. 남을 욕하는 말》.
〔囚室〕 qiúshì 명 감옥. 감방.
〔囚首狗面〕 qiú shǒu gǒu miàn〈成〉⇨〔囚首丧面〕
〔囚首垢面〕 qiú shǒu gòu miàn〈成〉죄수처럼 자랄 대로 자란 머리와 때투성이의 얼굴. =〔囚首丧面〕
〔囚首丧面〕 qiú shǒu sāng miàn〈成〉죄수처럼 부수수한 머리와 거상 중인 상제처럼 오래 세수하지 않은 얼굴. 영락해서 초라한 모양. =〔囚首垢面〕〔囚首狗面〕
〔囚徒〕 qiútú 명 수형자. 죄수.

泅 **qiú** (수)
동〈文〉헤엄치다. ¶～渡dù =〔～水而过〕; 헤엄쳐 건너다.
〔泅水〕 qiúshuǐ 동〈文〉헤엄치다. ¶两头白熊乱钻闯并喜～; 두 마리의 백곰은 물에 마구 뛰어들어 자맥질하며 헤엄치기를 즐긴다.
〔泅游路线〕 qiúyóu lùxiàn 명 물고기의 회유(回游) 루트.

求 **qiú** (구)
① 동 구하다. 간청하다. 부탁하다. ¶不～名; 명예를 구하지 않다 / ～邻居照看门户; 이웃 사람에게 집을 보아 달라고 부탁하다 / 开口～人; 입을 열어 남에게 부탁하다 / 君子～诸己, 小人～诸人; 군자는 허물을 자신에게서 구하나, 소인은 남을 나무란다 / 我有一件事奉～您; 나는 한 가지 당신에게 부탁할 것이 있습니다 / ～您帮我做一件事! 당신이 나를 좀 거들어 주셨으면 합니다! ② 동 찾다. 추구하다. ¶～出百分比; 백분율을 구하다 / 不可以安于小成, 还要深～才好; 작은 성공에 만족해서는 안 되며, 더욱 깊이 추구해야 한다 / 精益～精; 〈成〉 정교하면 할수록 더욱 정교함을 추구하다. 더욱 깊이 추구해야 한다 / 吹毛～疵cī; 〈成〉 흠잡다. 트집을 잡다 / 这道算术题还没～出数来; 이 산술 문제는 아직 답이 나와 있지 않다. ③ 동 희망하다. ¶委曲～全; 〈成〉 뜻을 굽혀 일이 성사되기를 바라다 / 不可急于～成; 성공을 서둘러서는 안 된다 / 极力～好; 극력 원만한 해결을 희망하다. ④ 명 수요(需要). 요구. ¶供～; 공급과 수요 / 供gōng过于～; 〈成〉 공급이 수요를 웃돌다 / 供不应yìng～; 〈成〉 공급이 수요를 충족시키지 못하다 / 供～相适应; 수요 공급이 균형을 이루다. ⑤ 명 성(姓)의 하나.
〔求爱〕 qiú'ài 동 구애하다.
〔求备〕 qiúbèi 동 완비〔완벽〕할 것을 요구하다. =〔求全责备〕
〔求不下〕 qiúbuxià 요구해도 들어 주지 않다.
〔求成〕 qiúchéng 동〈文〉①강화(講和)〔화해〕를 청하다. =〔求和hé〕 ②성공을 구하다.
〔求大同, 存小异〕 qiú dàtóng, cún xiǎoyì 〈成〉 소이(小異)를 남기고 대동을 추구하다《견해가 일치된 것만 타협하고, 일치되지 않는 것은 각자 보류하는 일》. =〔求同存异〕
〔求代〕 qiúdài 동〈文〉대리를 부탁하다.
〔求恩〕 qiú'ēn 동 온정을 바라다. 은정을 베풀어 달라고 원하다.
〔求福〕 qiúfú 동 구복하다. 행복을 바라다.
〔求告〕 qiúgào 동 간절히 바라다. 「바라다.
〔求功名〕 qiú gōngmíng 영달을 구하다. 출세를
〔求过于供〕 qiú guò yú gōng 〈成〉 수요가 공급을 초과하다.
〔求和〕 qiúhé 동 ①화해를 구하다. 화평을 꾀하다. ②(이길 수 없다고 판단될 때) 무승부로 가져가다. 비기기 위해 노력하다.
〔求化〕 qiúhuà 동 동냥하다. 탁발하다.
〔求凰〕 qiú·huáng 동〈文〉('凰'은 암컷, '凤'은 수컷인 데서) 남자가 배필을 구하다. 장가들려고 하다.
〔求婚〕 qiú·hūn 동 구혼하다.
〔求见〕 qiújiàn 동 면회를〔회견을〕 신청〔요청〕하다. ¶跟他～; 그에게 면회를 요청하다.
〔求浆得酒〕 qiú jiāng dé jiǔ 〈成〉 기대 이상의 이득을 얻다. 예상 이상의 결과를 거두다.
〔求教〕 qiújiào 동 가르침을 청하다. ¶跟谁～? 누구에게 가르침을 청할까? / 不懂的事要向别人～; 모르는 것은 남에게 가르침을 청해야 한다.
〔求借〕 qiújiè 동 돈을 꾸어 달라고 하다. 물건을 빌려 달라고 부탁하다.
〔求救〕 qiújiù 동 구조를 요청하다. ¶～无门; 구조를 요청하려고 해도 길이〔기댈 데가〕 없다.
〔求靠〕 qiúkào 동〈方〉남에게 돌봐 줄 것을 부탁하다. 생활의 보살핌을 받다.
〔求马唐肆〕 qiú mǎ táng sì 〈成〉 말이 없는 곳에서 말을 찾다.
〔求名〕 qiúmíng 동 명예나 명성을 추구하다.
〔求牡〕 qiú·mǔ 동〈文〉여자가 배우자를 구하다. ¶雉鸣求其牡; 꿩이 울어 그 수컷을 찾는다.
〔求偶〕 qiú'ǒu 동 배우자를 구하다. 이성(異性)을 찾다.
〔求乞〕 qiúqǐ 동 ⇨〔化huà缘〕
〔求签〕 qiú·qiān 동 제비를 뽑아 길흉을 점치다.
〔求亲〕 qiú·qīn 동 ①(중매인을 통해) 청혼하다. ②친척에게 부탁하다.
〔求亲告友〕 qiúqīn gàoyǒu 친척·친구에게 간절히 부탁하다. 닥치는 대로 애원하다.
〔求情〕 qiú·qíng 동 ①울며 매달리다. 인정에 호소하다. ¶～告饶; 정에 호소하여 용서를 청하다. ②도움을 청하다.
〔求取〕 qiúqǔ 동 구하다. 얻고자 하다. ¶～功名; 공명을 추구하다.
〔求全〕 qiúquán 동 ①완전(完全)하기를 바라다〔추구하다〕. ¶～思想; 모든 것을 완전주의로 하려는 생각. ②원만하게 수습하려고 하다. 일이 결말나기를 바라다. ¶委曲～; 〈成〉 불만족스럽지만 자기의 뜻을 굽히면서 원만히 해결하다. ③생명의 안전을 구하다. ¶苟gǒu延～; 구차하게 생명의 안전을 바라다.
〔求全责备〕 qiú quán zé bèi 〈成〉 일마다 완전무결을 바라다. 너무 까다롭게 요구하다. ¶这篇文章基本上是好的, 我们不能～, 过分强调它的缺点; 이 문장은 기본적으로는 괜찮다. 우리는 완전무결하기를 바랄 수 없고, 너무 그 결점을 강조해서는 안 된다. =〔求备〕
〔求全之毁〕 qiú quán zhī huǐ 〈成〉 ①완벽을 기하려다 도리어 나쁜 결과가 됨. ¶有不虞之誉, 有～《孟子 離婁上》; 뜻하지 않게 영예를 얻는 일도 있고, 완전하게 하려다가 비난을 초래하는 결과가 되는 수도 있다. ②주문〔요구 조건〕이 너무 까다롭다는 비방.
〔求饶〕 qiú·ráo 동 용서를 구하다〔바라다〕.
〔求人〕 qiú·rén 동 남에게 부탁하다. ¶～不如求己; 〈諺〉 남을 믿느니 스스로 하는 게 낫다.
〔求仁得仁〕 qiú rén dé rén 〈成〉 갖고 싶어하는 것이 손에 들어오다. 소원대로 되다.
〔求荣反辱〕 qiú róng fǎn rǔ 〈成〉 영달을 바라다가 도리어 치욕을 당하다.
〔求神拜佛〕 qiú shén bài fó 〈成〉 신불에게 매달리다.
〔求神祷鬼〕 qiúshén dǎoguǐ 여기저기〔무턱대고〕 부탁하며 다니다.
〔求神问卜〕 qiú shén wèn bǔ 신에게 빌고 점쟁이에게 점을 보기도 하다.
〔求生〕 qiúshēng 동 ①생활의 방도를 생각하다. 활로를 모색하다. ¶很多人忙于～; 많은 사람들은 생계를 세우는 데 쫓기고 있다. ②살려고 하다.
〔求生不得〕 qiú shēng bù dé 〈成〉 살려고 해도 살 수 없다. 죽음을 면할 수 없다.
〔求胜〕 qiúshèng 동 승리를 바라다. ¶～心切; 이

기려는 마음이 간절하다.
〔求实精神〕 qiúshí jīngshén 현실적인 것을 중시하는 태도. 현실의 사태를 중요시하는 태도. 실사구시의 정신.
〔求田问舍〕 qiú tián wèn shè 〈成〉 재산의 증식만을 생각하고 원대한 뜻이 없음. ¶君有国士之名而～言无可采《三國志》; 자네는 국사로서의 이름을 가지고 있지만, 실은 눈앞의 이기적인 일에만 전심하여 채택할 만한 의견조차 없다.
〔求同存异〕 qiú tóng cún yì 〈成〉 ⇨〔求大同, 存小异〕
〔求稳怕乱〕 qiú wěn pà luàn 〈比〉 무사 안일주의.
〔求下来〕 qiúxiàlái 소원대로 되다. 부탁이 받아들여지다.
〔求仙家〕 qiú xiānjiā 길흉 그 밖의 것을 신령에게 묻다.
〔求降〕 qiúxiáng 동 항복하다.
〔求心矩尺〕 qiúxīn jǔchǐ 명 《工》 중심맞춤자. 센터 스퀘어(center square)(원의 중심을 구하는 자). =〔〈南方〉中zhōng心角尺〕
〔求心力〕 qiúxīnlì 명 《物》 구심력. =〔向xiàng心力〕 ↔〔远yuǎn心力〕
〔求心神经〕 qiúxīn shénjīng 명 《生》 구심(성) 신경.
〔求学〕 qiú,xué 동 ①학교에서 공부하다. ②학문을 탐구하다.
〔求妍更媸〕 qiú yán gēng chī 〈成〉 미인을 얻으려다 오히려 박색을 만나다(완전을 구하려다 도리어 실패하다).
〔求爷爷告奶奶〕 qiú yéye gào nǎinai 닥치는 대로 여기저기 부탁하다. 만사를 남에게 의지하다. 모든 일에 남의 지시를 받다. ¶筹款实在不容易, ～才借着zhao这么俩钱儿; 자금 마련은 정말 어려워, 여기저기 부탁해서 겨우 이 정도의 돈을 꿀 수 있었다 / 我没有什么权限, 什么事都得děi～; 나는 아무런 권한이 없으므로 무슨 일이나 윗사람의 지시를 받아야 한다.
〔求医问卜〕 qiú yī wèn bǔ 〈成〉 의사에게도 보이고 점쟁이에게도 묻다(병을 고치기 위해 온갖 방법을 다하다).
〔求雨〕 qiú,yǔ 동 비 오기를 빌다. =〔祈qí雨〕
〔求援〕 qiúyuán 명동 원조(를 바라다). 도움(을 청하다).
〔求战〕 qiúzhàn 동 ①상대방에게 결전을 청하다. ②싸움에 나가기를 바라다. ¶～心切; 전투에 참가하기를 간절히 바라다.
〔求之不得〕 qiú zhī bù dé 〈成〉 더 이상 바랄 수 없을 만큼 좋다. 더할 나위 없다. ¶这实在是～的好机会; 이건 정말이지 더는 바랄 수 없는 좋은 기회이다.
〔求知〕 qiúzhī 동 지식을 탐구하다.
〔求助〕 qiúzhù 동 원조를 바라다.
〔求子〕 qiú zǐ 자식 점지를 신불에게 빌다.

俅

qiú (구)
① 형 〈文〉 공순(恭順)하다. 고분고분하다. ②(Qiú) 명 《民》 추 족(俅族)(중국 소수 민족의 하나. 두롱 족(獨龍族)의 고칭(古稱)). ③인명용 자(字).
〔俅俅〕 qiúqiú 형 〈文〉 공손하다. 고분고분하다.

逑

qiú (구)
명 〈文〉 짝. 배우자. ¶好～; 좋은 배우자 / 窈yǎo窕淑女, 君子好～《詩經 國風》; 요조숙녀는 군자의 좋은 배필이다.

尿

qiú (구)
명 《生》 〈方〉 남성 생식기.

球〈毬〉B)

qiú (구)
A) (～儿) 명 ①둥근 것. 구(球). ②다져서 둥글게 만든 요리. ¶虾xiā～儿; 새우의 살을 다져서 뭉친 요리. ③지구(地球). ¶全～; 전세계. B) 명 ①볼(ball). 공. ¶皮～; 고무공 / 打棒～; 야구를 하다 / 排pái排～; 배구를 하다 / 投篮lán～; 농구를 하다. (농구에서) 슛하다 / 足～; 축구(공) / 踢tī～; 축구를 하다 / 踢橄榄～; 럭비를 하다 / 台～; 당구 / 打网wǎng～; 테니스를 하다 / 打高尔夫～; 골프를 치다. ②남자의 생식기. =〔尿〕 C) 동 〈方〉 위축되다. 움츠리다. ¶咱这一辈子就算～了; 우리는 평생을 기를 못 펴고 산 셈이다.
〔球板〕 qiúbǎn 명 《體》 탁구 채.
〔球半径〕 qiúbànjìng 명 반지름. 반경.
〔球棒〕 qiúbàng 명 《體》 구기(球技)의 배트. (야구) 방망이. ¶曲qū棍～; (하키의) 스틱. =〔球棍〕
〔球场〕 qiúchǎng 명 ①당구장. ②구장(球場)(구기(球技)용의 운동장). ¶棒球～; 야구장 / 网球～; 테니스 코트 / 排球～; 배구 코트.
〔球胆〕 qiúdǎn 명 공의 튜브.
〔球垫〕 qiúdiàn 명 《機》 (볼 베어링에 쓰는) 감마(減摩) 볼.
〔球队〕 qiúduì 명 《體》 구기(球技) 팀.
〔球阀〕 qiúfá 명 《機》 글로브 밸브(globe valve). =〔球形凡而〕
〔球房〕 qiúfáng 명 당구장.
〔球竿〕 qiúgān 명 《體》 (역기의) 구간.
〔球根〕 qiúgēn 명 ⇨〔球茎〕
〔球罐〕 qiúguàn 명 구형(球形) 탱크.
〔球棍〕 qiúgùn 명 ⇨〔球棒〕
〔球果〕 qiúguǒ 명 《植》 구과.
〔球籍〕 qiújí 명 지구상에 삶〔적(籍)〕. ¶开除你的～; 너를 지구상에서 말살하겠다.
〔球架〕 qiújià 명 《機》 볼 베어링(ball bearing).
〔球尖笔〕 qiújiānbǐ 명 볼펜. =〔原yuán子笔〕
〔球茎〕 qiújīng 명 《植》 구경. =〔球根〕
〔球径〕 qiújìng 명 공의 직경. ¶球半径; 공의 반경.
〔球裤〕 qiúkù 명 트레이닝 팬츠〔타이츠〕. 운동〔스포츠〕용 바지.
〔球篮〕 qiúlán 명 《體》 (농구의) 바스켓.
〔球类〕 qiúlèi 명 《體》 구기(球技). 구기류(類).
〔球门〕 qiúmén 명 《體》 (럭비·축구 따위의) 골(goal). ¶～柱; 골대 / ～区; 골 에어리어(goal area) / ～球; (축구의) 골킥. (핸드볼의) 골 스로 / ～横木; 크로스바.
〔球门手〕 qiúménshǒu 명 《體》 (축구의) 골키퍼. =〔守shǒu门员〕
〔球迷〕 qiúmí 명 구기광(球技狂)(야구광·테니스광·탁구광 등).
〔球面〕 qiúmiàn 명 《數》 구면. ¶～度; 《物》 스테라디안(sr: steradian)(입체각의 단위의 하나).
〔球磨机〕 qiúmójī 명 《機》 볼 밀(ball mill). 분쇄용 기구.
〔球墨铸铁〕 qiúmò zhùtiě 명 연성(延性) 주철. 고강도의 주철. =〔〈俗〉球铁〕〔球状石墨铸铁〕
〔球拍(子)〕 qiúpāi(zi) 명 《體》 라켓. ¶网～; 테니스 라켓 / 乒乓pīngpāng～; 핑퐁〔탁구〕채 / 羽毛～; 배드민턴 라켓.

〔球票〕 qiúpiào 명 구기(球技) 경기의 입장권.
〔球球旦旦〕 qiúqiudàndàn 형 ⇨〔球球蛋蛋〕
〔球球蛋蛋〕 qiúqiudàndàn 형 변변치 못하다. ¶一屋子七长八短, ～的; 방 안엔 사람들로 그득한데, 모두 변변치 않은 위인들뿐이다. ＝〔球球旦旦〕
〔球儿〕 qiúr 명 ①작은 공. ②구슬.
〔球(儿)房〕 qiú(r)fáng 명 당구장.
〔球儿嘎儿的〕 qiúrgǎrde 명 〈北方〉 작고 하찮은 것. ¶那大苹果论个儿卖, 剩下这～论堆卖; 그 큰 사과는 갯수로 팔지만, 나머지 작은 것들은 무더기로 판다.
〔球儿台〕 qiúrtái 명 당구대.
〔球朊〕 qiúruǎn 명 《化》 글로불린(globulin).
〔球赛〕 qiúsài 명 《體》 구기 경기. ¶棒球比赛; 야구 경기.
〔球衫〕 qiúshān 명 《體》 운동 셔츠.
〔球事〕 qiúshì 명 〈俗〉 하찮은〔시시한〕 일. 문제가 되지 않는 일. ¶～不顶一条; 아무짝에도 못 쓴다.
〔球坛〕 qiútán 명 야구·축구 등의 구기계(界)(선수).
〔球铁〕 qiútiě 명 ⇨〔球墨铸铁〕
〔球网〕 qiúwǎng 명 《體》 테니스의 네트.
〔球鞋〕 qiúxié 명 운동화. ¶长cháng统篮～; 농구화.
〔球形柄〕 qiúxíngbǐng 명 《機》 손잡이. 노브(knob).
〔球形凡而〕 qiúxíng fán'ér 명 ⇨〔球阀〕
〔球艺〕 qiúyì 명 (구기의) 공 다루는 테크닉.
〔球员席〕 qiúyuánxí 명 《體》 (야구의) 벤치.
〔球杖〕 qiúzhàng 명 ①당구의 큐(cue). ②골프채.
〔球证〕 qiúzhèng 명 (구기의) 레퍼리(referee). 주심.
〔球轴承〕 qiúzhóuchéng 명 《機》 볼 베어링. ＝〔滚珠轴承〕〔钢gāng球轴承〕
〔球状石墨铸铁〕 qiúzhuàng shímò zhùtiě 명 ⇨〔球墨铸铁〕
〔球子〕 qiúzi 명 불량배. 무뢰한.
〔球子蕨〕 qiúzijué 명 《植》 야산고사리.

赇(賕) qiú (구)
명동 〈文〉 뇌물(을 주다). ¶受～; 뇌물을 받다.

铽(銶) qiú (구)
명 옛날의 끌〔정〕.

裘 qiú (구)
명 ①〈文〉 갖옷. 모피(毛皮)로 만든 의복. ¶轻～肥马; 가벼운 갖옷에 살찐 말《부귀(富貴)한 사람의 몸차림》/集腋成～; 티끌 모아 태산/羔gāo～; 새끼양의 모피로 만든 옷/狐～; 여우 모피로 만든 옷/轻～; 가벼운 갖옷. 경구. ②성(姓)의 하나.
〔裘弊金尽〕 qiú bì jīn jìn 〈成〉 영락하다. 생활이 몹시 궁핍하다.
〔裘葛〕 qiúgé 명 〈比〉 1년. ¶屡更gēng～; 몇 해가 지나갔다.
〔裘褐〕 qiúhè 명 〈文〉 검소한 옷.
〔裘皮〕 qiúpí 명 모피. 털가죽.

虬〈虯〉 qiú (규)
명 규룡(虯龍)《용의 새끼로 뿔이 둘 있다는 상상의 동물》. ¶～龙lóng; 규룡.
〔虬角〕 qiújiǎo 명 해마(海馬)의 엄니《미술품의 재료》.
〔虬蟠〕 qiúpán 형 〈文〉 비틀려 굽은 모양. 동 (뱀처럼) 도사리다.
〔虬髯〕 qiúrán 명 〈文〉 소용돌이처럼 말린 볼에 난 수염. 곱슬곱슬한 수염.
〔虬须〕 qiúxū 명 〈文〉 소용돌이치듯 뒤얽힌 턱수염.

酋 qiú (추)
명 ①추장. ¶～长; 추장《야만인〔미개인〕의 두목》. ②(침략자나 도적의) 두목. ¶敌dí～; 적의 우두머리/贼zéi～; 도둑의 두목/阿拉伯联合～长国; 아랍 수장국 연방.

遒 qiú (주)
〈文〉 ① 형 건강하다. 힘이 세다. ¶诗兴xìng方～; 시흥이 바야흐로 정점(頂點)에 이르다/风～霜冷; 바람은 세고 서리는 차다. ＝〔遒健〕 ② 동 다하다. 끝나다. ¶*岁忽忽而～尽兮*; 총총히 한 해가 저물다.
〔遒健〕 qiújiàn 형 〈文〉 강건하다.
〔遒劲〕 qiújìng 형 〈文〉 힘차다. ¶笔力～; 필력이 힘차다/苍老～的古松; 가지가 보기 좋게 뻗은 소나무.
〔遒练〕 qiúliàn 형 〈文〉 노련하고 힘이 있다.
〔遒美〕 qiúměi 형 〈文〉 서법(書法)이 힘차고 아름답다.
〔遒逸〕 qiúyì 형 〈文〉 문필(文筆)이 힘차고 뛰어나다.

蝤 qiú (추)
→〔蝤蛴〕⇒yóu
〔蝤蛴〕 qiúqí 명 《蟲》 '天牛' (하늘소)의 유충(幼蟲).

巯(巰) qiú (구)
명 《化》 메르캅토(Mercapto)《'氢qīng' (수소)와 '硫liú' (유황)의 합성자》.
〔巯基〕 qiújī 명 《化》 수황기(水黃基). 메르캅토기(mercapto基). ＝〔氢硫基〕

璆 qiú (구)
〈文〉 ① 명 아름다운 옥〔구슬〕. ②옥이 부딪치는 소리.
〔璆琳〕 qiúlín 명 아름다운 옥(玉).
〔璆然〕 qiúrán 〈擬〉 옥이 부딪치는 소리.

糗 qiǔ (구)
① 명 말린 밥. 건반(乾飯). ② 동 〈方〉 (밥·국수 등이) 덩어리지다. 풀처럼 굳어지다. ③ 동 풀어져 맛이 없어지다. ¶面煮得了不就吃, 一会儿就～了; 국수는 끓여 내어 바로 먹지 않으면 금방 풀어져 맛이 없어진다. ④ 동 약한 불에 오래 끓이다. ¶这饭是在锅里～熟的, 不好吃; 이 밥은 솥에서 약한 불로 오래 익혔기 때문에 맛이 없다. ⑤ 동 들어 앉아 있다. (집·방에서) 죽치다. ¶你别竟～着, 出去活动一下吧; 그렇게 집 안에 틀어박혀 있지만 말고, 좀 밖에 나가 운동이라도 해라.
〔糗疙瘩儿〕 qiǔgēdar 형 마음 속으로 불쾌한 모양. 기운이 없는 모양. 동 (성질이) 비뚤어지다. 지지러지다. 고생이 배어 쩨쩨하다. ¶他那么～的全是因为解小儿就受委曲的缘故; 그가 저렇게 비뚤어진 것은 모두 어릴 적부터 구박을 받아 왔기 때문이란다.
〔糗粮〕 qiǔliáng 명 ①말린 밥. ②볶은 쌀.
〔糗磨〕 qiǔmo 동 (외부로부터 압박을 받아) 마음이 우울〔울적〕하다. ¶这程子真把人～坏了; 요즈

음은 정말 울적해서 견딜 수가 없다.
〔糗糟〕 qiǔzāo 동 (음식물·나무 등이) 썩어서〔상해서〕 못 쓰게 되다. (물건이) 썩어서 문적문적〔너덜너덜〕해지다.
〔糗子〕 qiǔzi 명 된장을 만드는 메주. =〔酱jiàng糗子〕

馊〈餿〉 qiǔ (구) 동 음식이 썩다.

QU ㄑㄩ

区(區) qū (구) ① 동 구분하다. 구별하다. ¶～为两类; 두 종류로 구분하다 / ～分; 구분. ② 명 구역. 지역. 지대. 지구. ¶工业～; 공업 지대 / 风景～; 풍치 지구 / 非军事～; 비무장 지대. ③ 명 행정 구획의 하나. ㉠'自治～'(자치구)처럼 성(省)·직할시(直轄市)와 동격의 구역. ㉡직할시 및 대도시보다 한 단계 아래의 구역(('市辖～'(시 직할구) 따위)). ④ 명 경찰(警察) 담당 지구. ⑤ 명 경찰서. ¶带～; ⓐ경찰서에 연행하다. ⓑ구공서(區公署)로 연행하다. ⑥ 명 구별. 차별. 분별. ⑦ 명 방위(方位). ⑧ 형 〈文〉 작다. 근소하다. 구구(區區)하다. ⇒ Ōu
〔区别〕 qūbié 동 구별하다. ¶～好坏; 선악을 구별하다 / ～不出来; 구별할 수 없다 / 无从～; 구별할 방법이 없다 / ～情况加以处理; 정황에 따라 처리하다. =〔分别〕 명 구별. 차이. ¶有什么～? 어떤 차이가 있는가?
〔区别词〕 qūbiecí 명 옛날의 문법 용어로, 상태를 나타내는 말. 즉, 형용사·부사를 가리킴.
〔区处〕 qūchǔ 〈古白〉 동 처리하다. ¶这怎么～? 이건 어떻게 할까? 명 ①방법. 수단. ¶那倒有个～; 이것은 어떻게든 방법은 있다. ②처리. ③진퇴(進退). ¶到寒家权下, 再作～; 저희 집에 잠시 묵으신 다음에 진퇴를 생각해 보시지요.
〔区分〕 qūfēn 명동 구분(하다). 구별(하다).
〔区号〕 qūhào 명 지역 번호.
〔区划〕 qūhuà 명동 구획(하다). =〔分区划开〕
〔区际赛〕 qūjìsài 명 지구 대항 시합.
〔区间〕 qūjiān 명 구간. ¶～车; 구간차((정상 노선의 일부분에 운전하는 열차나 버스)).
〔区截法〕 qūjiéfǎ 명 (철도의) 폐색기 방법.
〔区理〕 qūlǐ 동 〈文〉 처리하다.
〔区里〕 qūli 명 '区'(구) 당국. '区'(구)의 관청. ¶～的指示; 구(區) 당국의 지시.
〔区区〕 qūqū 형 ①하찮다. 작다. 사소하다. ¶～小事, 何足挂齿; 사소한 일이니, 걱정할 게 못 된다 / ～之心; 조그마한 마음 / ～微意; 촌지 / ～小路; 오솔길 / ～五百元, 何笔争执不已; 겨우 오백 원 가지고 싸움을 계속할 게 뭐 있나. ②구구하다. 가지각색이다. ¶众论～; 모두의 의견이 구구하다. 명 〈謙〉 저. 저 자신. ¶此人非他, 就是～; 이 사람이란 그가 아니고 바로 저 자신입니다.
〔区区话〕 qūquhuà 명 속삭이는 말.
〔区上〕 qūshang 명 '区'(구) 당국. 구공서(區公署).
〔区署〕 qūshǔ 명 경찰서.
〔区为〕 qūwéi 동 〈文〉 …로 나누다. 구분하다. ¶～两类; 두 종류로 나누다.
〔区委〕 qūwěi 명 '区'의 당위원회.
〔区夏〕 qūxià 명 〈文〉 화하(華夏)의 구역. 중국.
〔区域〕 qūyù 명 ①구역. 지역. ¶～自治; 구역에 의한 자치. ②《體》 지역. 존(zone).
〔区域联防〕 qūyù liánfáng 명 《體》 (농구의) 존 디펜스.
〔区域性〕 qūyùxìng 명 지역성. 지방성.
〔区长〕 qūzhǎng 명 ①구공서(區公署)의 장. ②경찰 행정 구역의 장. =〔区官guān〕

岖(嶇) qū (구) ① →〔崎qí岖〕 ② 동 고민하다.

驱(驅〈敺〉) qū (구) 동 ①빨리 달리다. ¶先～; ⓐ선구. ⓑ길안내 / 长～直入; 먼길을 달려와서 단숨에 쳐들어오다〔가다〕. ②(가축 따위를) 몰다. 몰아 내다. 쫓아 버리다. ¶～马前进; 말을 달려〔몰아〕 앞으로 나아가게 하다 / ～羊; 양을 몰다 / ～逐敌人出境; 적을 국경에서 물리치다 / 为wèi渊～鱼; 깊은 곳으로 물고기를 몰아넣다((인심 파악을 못 하여) 당연히 붙들어 둬야 할 사람을 놓쳐 버리다)).
〔驱策〕 qūcè 동 몰아 대다. =〔驱驾②〕
〔驱车〕 qūchē 동 차를 달리다. 차를 몰다.
〔驱驰〕 qūchí 동 남을〔국가를〕 위해 동분서주하다. ¶由是感激, 遂许先帝以～《三國志》; 이로해서 감격하여 마침내 선제를 위하여 분주하게 뛰어다니며 헌신하게 되었다.
〔驱虫〕 qūchóng 동 기생충을 제거하다.
〔驱虫豆素〕 qūchóngdòusù 명 《藥》 크리사로빈(chrysarobin). =〔〈音〉柯kē桠素〕
〔驱出〕 qūchū 동 쫓아 내다. 추방하다. ¶～国外; 국외로 추방하다.
〔驱除〕 qūchú 동 제거하다. ¶～障zhàng碍; 장애를 제거하다.
〔驱动〕 qūdòng 명동 전동(하다). =〔传chuán动〕 동 몰아세우다.
〔驱动器〕 qūdòngqì 명 《電算》 (컴퓨터의) 드라이브(drive).
〔驱赶〕 qūgǎn 동 ①쫓다. 쫓아 버리다. ②(뒤에서) 궁둥이를 치다. 몰아 대다. 재촉하다.
〔驱鬼〕 qūguǐ 명 〈文〉 구나(驅儺). 동 악귀를 쫓다.
〔驱蛔灵〕 qūhuílíng 명 《藥》 피페라진(piperazine).
〔驱蛔素〕 qūhuísù 명 《藥》 ①아스카리돌(ascaridol). ②산토닌(santonin).
〔驱驾〕 qūjià 동 〈文〉 ①말을 몰다. 말을 달리다. ② ⇨〔驱策〕
〔驱马〕 qūmǎ 동 〈文〉 말을 달리다〔몰다〕.
〔驱潜艇〕 qūqiántǐng 명 구잠정. =〔猎liè潜艇〕
〔驱遣〕 qūqiǎn 동 ①〈文〉 멀리 쫓아 버리다. ②보내다. 파견하다. ③혹사(酷使)하다. ¶～大量童工做繁重的劳动; 많은 소년공(工)을 중노동에 혹사시키다. ④없애다. 제거하다. 배제(排除)하다. ¶～别情; 이별의 정을 떨쳐 버리다.
〔驱散〕 qūsàn 동 쫓아 버리다. 몰아 내다. ¶警察～了群众; 경찰이 군중을 쫓아 버렸다 / 不让休息片刻地～; 쉴 틈도 주지 않고 쫓아 버리다 / ～丧sàng气; 재수없는 것을 쫓아 버리다.
〔驱使〕 qūshǐ 동 ①혹사하다. ¶他支不住老板的～把工作辞掉了; 그는 주인이 그를 혹사하는 것을 견디다 못해 사직해 버렸다. ②마음이 동하다. 몰아 대다. 부추기다. ¶被好奇心所～; 호기심에 이

끌리다.
〔驱邪〕 qūxié 동 요사스러운 기운을 쫓아 버리다.
〔驱逐〕 qūzhú 동 구축하다. 쫓아 내다. ¶～出境; 국외로 추방하다 / ～出境令; 국외 퇴거 명령 / 将敌人～国外; 적을 국외로 쫓아 내다. =〔赶走〕
〔驱逐舰〕 qūzhújiàn 명《軍》구축함. =〔猎liè舰〕
〔驱逐令〕 qūzhúlìng 명 추방령. ¶缅Miǎn甸移民当局已下～; 미얀마 이민 당국은 이미 추방령을 내렸다.

躯(軀) qū (구)
① 명 신체. 몸. ¶为wèi国捐～; 나라를 위해 한 몸을 바치다 / 血肉之～; 살아 있는 몸. ② 양 구. 좌《조각한 상이나 시체를 세는 데 쓰임》. ¶佛像一～; 불상 1구〔1좌(座)〕.
〔躯干〕 qūgàn 명《生》①신체. ②동체(胴體). 몸통.
〔躯壳〕 qūqiào 명〈文〉①육체. 신체. ②형해(形骸). ¶只剩下～; 단지 형해(形骸)만을 남길 뿐이다.
〔躯体〕 qūtǐ 명〈文〉신체. 체구(體軀).

曲(麯〈粬〉) B) qū (곡)
A) ① 형 구부러지다. 굽다. ¶～线; 곡선. ↔〔直zhí〕 ② 형 공정치 않다. 불합리하다. ¶理～; 이치가 닿지 않다 / 是非～直; 시비곡직. ③ 형 마음이 비뚤어지다. ④ 형 근소(僅少)하다. ⑤ 동 구부리다. 굽히다. ¶～肱而枕; 팔꿈치를 굽혀 베개로 삼다. ⑥ 부 소상히. 무리(無理)해서. ⑦ 명 굽이. 만곡(灣曲). ⑧ 명 궁벽한 곳. ¶乡～; 궁벽한 시골. ⑨ 명 돌아가는 모퉁이. ⑩ 명 성(姓)의 하나. B) 명 ①(～子) 보리 또는 쌀로 만든 누룩. =〔酒jiǔ母〕〔酒曲〕〔麴qū①〕 ②술. ③누룩빛. 주황색. ⇒qǔ
〔曲背〕 qūbèi 명 ⇨〔驼tuó背〕
〔曲背蝗〕 qūbèihuáng 명 ⇨〔跳tiáo八丈〕
〔曲笔〕 qūbǐ 동 ①〈文〉(이해 관계 때문에 고의로) 곡필하다. 붓을 굽히어 쓰다. ②〈文〉왜곡된 판결을 내리다. ③주제를 벗어나 서술하다. 명 (단조로움을 피하기 위한) 주제를 떠난 서술법.
〔曲庇〕 qūbì 동〈文〉도리를 어기며 비호하다. 일방적으로 감싸다〔두둔하다〕.
〔曲臂〕 qūbì 명《機》크랭크 암(crank arm).
〔曲辫子〕 qūbiànzi 명 세상 물정 모르는 사람《노동자를 가리키던 말》.
〔曲别针〕 qūbiézhēn 명 (종이를 끼우는) 클립. ¶用～别上; 클립으로 고정시키다.
〔曲柄〕 qūbǐng 명《機》크랭크. ¶安全～; 세이프티 크랭크.
〔曲柄臂〕 qūbǐngbì 명《機》크랭크 암(crank arm).
〔曲柄杆〕 qūbǐnggǎn 명《機》크랭크 레버.
〔曲柄轮〕 qūbǐnglún 명《機》크랭크 바퀴.
〔曲柄销〕 qūbǐngxiāo 명《機》크랭크 핀.
〔曲柄轴〕 qūbǐngzhóu 명《機》크랭크 축(軸).
〔曲柄转动装置〕 qūbǐng zhuàndòng zhuāngzhì 명《機》크랭크 기어.
〔曲薄〕 qūbó 명 ⇨〔蚕cán箔〕
〔曲簿〕 qūbó 명 ⇨〔蚕cán箔〕
〔曲尘〕 qūchén 명 ①누룩곰팡이. ②《色》〈比〉누룩곰팡이의 빛《담황색》.
〔曲成〕 qūchéng 동〈文〉①하나하나 정성들여 만들다. ¶～万物而不遗; 하나하나 정성들여 만물을 만들어 빠뜨린 부분이 없다. ②억지로 성사시키다.
〔曲尺〕 qūchǐ 명 곡척. 곱자. ↔〔直zhí规〕
〔曲川(儿)〕 qūchuān(r) 명 ⇨〔三sàn拐(儿)〕
〔曲从〕 qūcóng 동 자기의 뜻을 굽히어 상대의 의견을 좇다.
〔曲道士〕 qūdàoshì 명 ⇨〔曲秀才〕
〔曲发种〕 qūfàzhǒng 명 머리털이 부드럽고 자연적으로 곱슬곱슬한 인종《코카서스 인 따위》.
〔曲拱〕 qūgǒng 명《建》아치.
〔曲拐〕 qūguǎi 명《機》크랭크. ¶～大轴; 크랭크축(軸).
〔曲棍球〕 qūgùnqiú 명《體》①필드 하키(field hockey). ②필드 하키 볼(ball).
〔曲鉴〕 qūjiàn〈翰〉굽어 살펴 주시기를 바라다. ¶伏维～下忱为荷; 굽어 살펴 주시면 고맙겠습니다.
〔曲解〕 qūjiě 동 곡해하다. 곱새기다. ¶他～我的意思; 그는 나의 생각을 곡해하고 있다. 명 곡해.
〔曲谨〕 qūjǐn 형〈文〉극히 작은 일에도 조심하다. 신중하다.
〔曲尽其妙〕 qū jìn qí miào〈成〉극히 미묘한 곳을 남김없이 잘 표현하고 있다. ¶这篇小说描写一个青年的心理变化, 真可算是～; 이 소설은 청년의 심리 변화를 그렸는데, 미묘한 곳까지 잘 묘사하고 있다.
〔曲颈琵琶〕 qūjǐng pípa 명《樂》옛날 악기의 하나.
〔曲颈甑〕 qūjǐngzèng 명《化》레토르트(retort)《증류용(蒸溜用) 유리병》.
〔曲径〕 qūjìng 명〈文〉꼬불꼬불한 작은 길. ¶～小路; 꼬불꼬불한 길.
〔曲局〕 qūjú 동 ⇨〔蜷quán跼〕
〔曲君〕 qūjūn 명 ⇨〔曲秀才〕
〔曲菌〕 qūjùn 명 ⇨〔曲子〕
〔曲里拐弯(儿的)〕 qūliguǎiwān(rde) 형〈口〉꼬불꼬불한 모양. ¶那上面写的字～的; 거기에 써 있는 글씨는 꼬불꼬불하다 / 从大街到他住的地方要经过几条～儿的胡同; 한길에서 그가 사는 데까지는 몇 개의 꾸불꾸불한 골목길을 지나야 한다. =〔曲流拐弯儿〕〔曲曲弯弯〕
〔曲谅〕 qūliàng 동〈文〉자신을 굽히어 남을 용서하다. 굽히어 남의 마음을 이해하다.
〔曲流拐弯儿〕 qūliú guǎiwānr 형 ⇨〔弯wān弯曲曲〕
〔曲溜儿〕 qūliur 명 흔적. 자취. ¶留下好些～; 많은 흔적을 남기다.
〔曲霉〕 qūméi 명 ⇨〔曲子〕
〔曲媚〕 qūmèi 동〈文〉자신을 굽히어 남의 비위를 맞추다.
〔曲糵〕 qūniè 명〈文〉누룩.
〔曲奇饼〕 qūqíbǐng 명〈廣〉〈音義〉쿠키(cookie).
〔曲曲话〕 qūqūhuà 명 소곤소곤하는 말. =〔嘀咕话〕
〔曲曲弯弯(的)〕 qūquwānwān(de) 형 꼬불꼬불한 모양. ¶黄河～地流过河套; 황허 강(黃河)은 꾸불꾸불 굽이쳐 허타오(河套)의 땅을 흐르고 있다.
〔曲全〕 qūquán 동 ⇨〔委wěi曲求全〕
〔曲蟮〕 qūshàn 명《動》〈口〉지렁이. =〔蛐蟮〕〔曲蟺〕〔蚯qiū蚓〕
〔曲射炮〕 qūshèpào 명《軍》곡사포.
〔曲赦〕 qūshè 동 ⇨〔曲恕〕
〔曲生〕 qūshēng 명 ⇨〔曲秀才〕
〔曲士〕 qūshì 명〈文〉①시골 사람. ②하찮은 인간. 소인(小人).
〔曲恕〕 qūshù 동〈翰〉부디 너그러이 용서하여 주

시기 바랍니다. ¶尚祈～; 아울러 용서하여 주시기 바랍니다. =〔曲赦〕〔曲宥〕〔曲原〕
〔曲水流觞〕 qūshuǐ liúshāng ⇨〔流liú觞(曲水)〕
〔曲说〕 qūshuō 명 〈文〉 치우친 언설. 바르지 않은 논설.
〔曲听〕 qūtīng 동 〈文〉 마지못해 남의 의견에 따르다.
〔曲突徙薪〕 qū tū xǐ xīn 〈成〉 굴뚝을 바깥쪽으로 구부리고 나무를 옮기다(재해를 미연에 방지하다. 예방책을 강구하다).
〔曲线〕 qūxiàn 명 곡선. ¶～美; 곡선미/～板; 운형자. 곡선자/～运动; 《物》 곡선 운동.
〔曲线球〕 qūxiànqiú 명 《體》 (야구 등의) 변화구.
〔曲线图解〕 qūxiàn tújiě 명 그래프. 선도(線圖). =〔坐zuò标图〕
〔曲心〕 qūxīn 형 마음이 비뚤다. 정신이 바르지 못하다. ¶做事情别～; 일을 하면서 양심에 부끄러운 짓을 해서는 안 된다/不屈心, 我们三个够棒的, 谁没出汗?《老舍 駱駝祥子》; 사실 말해서, 우리들 셋은 튼튼한 편이지만, 그래도 모두 땀을 흘리고 있지 않으냐? =〔屈心〕
〔曲秀才〕 qūxiùcái 명 술의 별칭. =〔曲道士〕〔曲君〕〔曲生〕
〔曲学阿世〕 qū xué ē shì 〈成〉 진리에 어긋나는 학문을 하여, 세상에 아부하다. 곡학아세하다.
〔曲徇〕 qūxún 동 〈文〉 정실(情實)에 얽매이다.
〔曲意承欢〕 qū yì chéng huān 〈成〉 ⇨〔曲意逢迎〕
〔曲意逢迎〕 qū yì féng yíng 〈成〉 자신의 의지를 굽히고 남에게 영합하다. ¶卖国贼为了私利, 无耻地～帝国主义; 매국노는 사사로운 이익을 위하여 파렴치하게도 제국주의에 영합한다. =〔曲意承欢〕
〔曲意相从〕 qū yì xiāng cóng 〈成〉 마지못해 승복(承服)하다.
〔曲隐〕 qūyǐn 명 《漢醫》 인체 가운데, 꺾이는 부분의 안쪽.
〔曲宥〕 qūyòu 동 ⇨〔曲恕〕
〔曲原〕 qūyuán 동 ⇨〔曲恕〕
〔曲折〕 qūzhé 형 ①꺾여지다. 꼬부라지다. ②복잡하다. 곡절이 많다. 명 곡절. 경위. 복잡한 사정. 자세한 내용. ¶内中颇有～; 그 속에는 복잡한 사정이 있다.
〔曲直〕 qūzhí 명 〈文〉 곡직. 시비. 선악.
〔曲轴〕 qūzhóu 명 《機》 크랭크샤프트(crankshaft). 크랭크축(軸).
〔曲子〕 qūzi 명 누룩. =〔曲菌〕〔曲霉〕
〔曲嘴钳子〕 qūzuǐ qiánzi 명 《機》 플라이어 벤트 노즈(pliers bent nose).

蛐 qū (곡)
→〔蛐蛐儿〕〔蛐蟮〕
〔蛐蛐儿〕 qūqur 명 《蟲》 〈方〉 귀뚜라미. ¶～罩zhào子; 귀뚜라미를 잡는 철사로 만든 그물/～罐儿; 귀뚜라미를 넣어 두는 질그릇/蛐蛐葫芦; 귀뚜라미를 기르는 데 쓰는 호리병박. =〔趋趋〕〔蟋蟀xīshuài〕→〔蛔蛔〕〔蚂mà蚱〕
〔蛐蟮〕 qūshàn 명 《動》 지렁이. =〔蚯蚓qiūyǐn〕〔蛐蟺〕

诎(詘) qū (굴)
① 동 〈文〉 구부러지다. 구부리다. ¶笔bǐ画诘jié～; 필획이 꼬불꼬불하다. ② 동 뜻을 굽히다. 굴복하다. ③ 동 줄어들다. 줄이다. 짧게 하다. ④ 동 기쁨이 겉으로 나타나다. ⑤ 명 성(姓)의 하나.

屈 qū (굴)
① 동 굽히다. 구부리다. 구부러지다. ¶～指算来; 손꼽아 세다/把铁丝～过来; 철사를 구부리다. ↔〔伸shēn〕 ② 동 굴복하다. 남에게 머리를 숙이다. 꺾이다. ¶宁nìng死不～; 〈成〉 죽을지언정 굴하지 않다/不～不挠náo; 〈成〉 불요불굴. 절대로 꺾이지 않음. ③ 동 꺾다. 굴복시키다. ¶他是个威武不能～的人; 그는 위세와 무력으로 꺾을 수가 없는 인간이다. ④ 동 양심에 어긋나다. ¶～心; 양심에 어그러지다. 떳떳지 못하다. ⑤ 동 앞이 막히다. ⑥ 동 기절한 사람을 소생시키다. ¶把他～过来了; 그를 되살렸다. ⑦ 명 부당한 취급. 억울한 죄. ¶叫～; 불평 불만을 호소하다/受～; 무고한 죄를 쓰다. 괴롭힘을 당하다. 학대 받다/情～命不～; 정리상으로는 안됐지만 운명이란 점에서 보면 그렇게 되는 것이 당연하다/委～; 억울하다/～在下僚; 자존심을 버리고 하급 관리가 되다/心～命不～; 〈成〉 억울하지만 운명이다/这个恶霸死得真不～; 이 악당이 죽는 것은 당연한 일이었다. ⑧(Qū) 명 성(姓)의 하나.
〔屈卑〕 qūbēi 동 ⇨〔屈己〕
〔屈才〕 qū.cái 동 재능을 썩이다. 아깝게도 재능을 발휘하지 못하다. ¶屈了他的才啦! 그의 재능이 아깝다! =〔大才小用〕
〔屈从〕 qūcóng 동 굴종하다. 뜻을 굽혀 복종하다. 굴복하다. ¶～外国的援助; 외국의 원조에 무릎을 꿇다.
〔屈打成招〕 qū dǎ chéng zhāo 〈成〉 고문에 못 이기어 아무렇게나 자백하는 일.
〔屈伏〕 qūfú 동 ⇨〔屈服〕
〔屈服〕 qūfú 동 굴복하다. ¶～于敌人; 적에게 굴복하다. =〔屈从〕〔屈伏〕
〔屈服点〕 qūfúdiǎn 명 《物》 내력(耐力). 항복점(降伏點). =〔委wěi点〕〔降xiáng伏点〕
〔屈光度〕 qūguāngdù 명 《物》 디옵터(di-opter).
〔屈侯〕 Qūhóu 명 복성(複姓)의 하나.
〔屈己〕 qūjǐ 동 자기 주장을 굽히다. ¶～从人; 자신을 굽혀서 남을 따르다. =〔屈卑〕 →〔屈身下气〕
〔屈驾〕 qūjià 동 〈文〉 〈敬〉 왕림해 주시기 바랍니다. ¶承您～光临敝舍, 实在感谢得很; 저의 집에 왕림해 주셔서 대단히 감사합니다.
〔屈节〕 qūjié 동 절개를 굽히다. 절조를 굽히다.
〔屈就〕 qūjiù 동 ①본의 아니게 따르다. 할 수 없이〔억지로〕 응하다. ②〈敬〉 몸을 굽혀 천직에 종사하다(남에게 취임(就任)을 부탁할 때 쓰는 말). ¶要是您肯～, 那是太好了; 뜻을 굽히셔서 취임을 승낙해 주시면 대단히 좋겠는데요.
〔屈居〕 qūjū 동 〈文〉 현재 지위에 참고 견디다.
〔屈居下风〕 qū jū xià fēng 〈成〉 남만 못한 위치에 있다. 남에게 뒤지다. ¶美国在这方面也许～了; 미국은 이 방면에서는 어쩌면 뒤져 있는지도 모른다.
〔屈朗拍提〕 qūlǎngpāití 명 《樂》 〈音〉 트럼펫(trumpet) =〔小号〕〔特朗排特〕〔特轮拍〕
〔屈理〕 qūlǐ 동 도리를 굽히다. 불합리하다.
〔屈量(儿)〕 qū.liàng(r) 동 주량(酒量)을 조절하다. ¶你可别～喝; 사양 마시고 마음껏 드십시오.
〔屈垄不翁〕 qūlǒngbùwēng 명 《樂》 〈音〉 트롬본(trombone) =〔长号〕〔拉管〕〔脱伦榜〕
〔屈轮〕 qūlún 명 《美》 갖가지 색의 칠을 겹쳐 바른 후 조각해서 내부의 각 색깔의 칠을 겉으로 드러내는 칠공법(漆工法).
〔屈挠〕 qūnáo 동 ①굴복하다. 굽어 휘어지다. ②

〈文〉 두려워서 기가 죽다.
〔屈蟠〕 qūpán 동 구불구불 구부러지다.
〔屈强〕 qūqiáng 동 고집이 세어서 따르지 않다.
〔屈情〕 qūqíng 명 억울한 일〔심정〕. 원통함. ¶这一份儿～实在是一言难尽; 이 억울한 심정은 정말 한 마디로 다 표현할 수 없습니다. 형 억울하게 …하다. 사실 무근임에도 불구하고 …하다. ¶～招认了; 사실 무근인데도 자인하고 말았다.
〔屈曲〕 qūqū 명형 굴곡(하다).
〔屈戌儿〕 qūqur 명 질러 넣는 식의 걸쇠. 注 '儿化' 하지 않을 때는 'qūxū'로 발음함.
〔屈人〕 qūrén 동 까닭 없이 남을 압박하다. 명 무고한 죄에 걸린 사람.
〔屈辱〕 qūrǔ 명동 업신여김(을 받다). 굴욕〔모욕〕(을 당하다). ¶受人家的～; 남한테서 모욕을 당하다.
〔屈伸〕 qūshēn 명 굴신. 동 신축〔굴신〕하다.
〔屈伸虫〕 qūshēnchóng 명 《蟲》 자벌레.
〔屈身下气〕 qū shēn xià qì 〈成〉 비하하다. 공손하게 굴다. 자기를 낮추다.
〔屈死〕 qūsǐ 동 억울한 죄로 횡사하다. 원통한 죽음을 당하다. ¶～鬼; 억울한 죄로 횡사한 사람의 망령(亡靈). 원귀. /～不告状, 饿死不做贼; 〈諺〉 억울하게 횡사하는 일이 있더라도 고소는 하지 않으며, 굶어 죽을지언정 도둑질은 하지 않는다 / 宁有～没有冤生; 〈諺〉 억울한 누명을 쓰고 살기보다는 원통하게 죽는 편이 낫다.
〔屈体〕 qūtǐ 동 《體》 (체조 등에서) 굴신하다. 구부리다. ¶～旋; (체조의) 몸굽혀 비틀기 / ～姿势; (수영이나 다이빙의) 새우형으로 몸을 구부리는 자세.
〔屈突〕 Qūtū 명 복성(複姓)의 하나.
〔屈枉〕 qūwang 동 ①원죄(冤罪)를 씌우다. 원죄를 쓰다. =〔冤枉①〕 ②헛되이 하다.
〔屈膝〕 qūxī 동 〈文〉 무릎을 꿇다. 〈比〉 굴복하다. ¶～投降xiáng; 순순히 투항하다. 명 경첩.
〔屈心〕 qūxīn 형 ⇨〔曲心〕
〔屈眼〕 qūyǎn 동 눈을 가늘게 뜨고 주시하다.
〔屈佚〕 qūyì 명 《植》 함수초. =〔屈轶〕〔含hán羞草〕
〔屈轶〕 qūyì 명 ⇨〔屈佚〕
〔屈原暴〕 qūyuánbào 명 음력 5월 5일에 부는 폭풍.
〔屈招〕 qūzhāo 동 고문에 못 견디어 없는 죄를 자백하다. →〔屈打成招〕
〔屈折〕 qūzhé 동 굴절하다. 휘어 꺾이다.
〔屈折语〕 qūzhéyǔ 명 《言》 굴절어.
〔屈指〕 qūzhǐ 동 손꼽아 세어 보다. ¶～一算, 离家已经十五年了; 손꼽아 세어 보니 집을 떠난 지 벌써 15년이 되었다.
〔屈指可数〕 qū zhǐ kě shǔ 〈成〉 손꼽아 셀 정도로 얼마 안 되다. 손꼽을 정도로 소수(少數)이다.
〔屈尊〕 qūzūn 동 〈套〉 ①〈敬〉 (그런대로) 참고서 …해 주시다. (신분·체면을) 굽히고 …하다. ¶～您在这儿凑合一宿; 송구스럽습니다만 이 곳에서 하룻밤 참고 묵어 주십시오 / 请再～一会儿吧; 제발 조금 더 기다려 주십시오. ②(체면을 버리고) 참다. ‖ =〔亵xiè尊〕
〔屈尊俯就〕 qū zūn fǔ jiù 〈成〉 참고 신분을 낮추어 낮은 지위에 취임하다. =〔纡yū尊降贵〕
〔屈坐〕 qūzuò 동 〈套〉 낮은 자리에 앉다《연회 때에, 주인이 말석에 앉은 사람에 대하여, '아랫자리지만 참고 앉아 주십시오.'라는 뜻을 말하는 상투적인 말》.

䓛 qū (굴)
명 《化》 크리센(chrysene)《유기 화합물》.

佉 qū (거)
동 〈文〉 구축(驅逐)하다. 내쫓다.

呿 qū (거)
동 입을 비쭉 내밀다. 입이 헤벌어지다.

祛 qū (거)
동 제거하다. 떨어 버리다. 물리치다. 구축(驅逐)하다. ¶～热rè; 열을 내리다 / ～痰剂; 거담제 / ～暑; 더위를 쫓다〔물리치다〕 / ～病延年; 병을 물리치고 수명을 늘리다 / ～散sàn疼痛; 통증을 없애다 / ～煞; 사기(邪氣)를 물리치다. =〔袪②〕
〔祛病〕 qūbìng 동 〈文〉 ⇨〔却病〕
〔祛除〕 qūchú 동 (질병·의심·사기(邪氣) 등을) 제거하다. 물리치다. 털어 버리다.
〔祛风〕 qūfēng 동 《漢醫》 (류머티즘의 고통, 감기 등을) 가라앉히다. 가볍게 하다. ¶～湿药; 《藥》 류머티즘 치료제.
〔祛痰〕 qūtán 동 거담하다. 담을 없애다.
〔祛痛〕 qūtòng 동 아픔을 제거하다. ¶～药; 진통제.
〔祛疑〕 qūyí 동 〈文〉 의혹을 없애다. 의심을 없애 버리다.
〔祛淤活血〕 qūyū huóxuè 《漢醫》 울혈(鬱血)을 없애고 혈액 순환을 촉진하다.

胠 qū (거)
〈文〉 ①동 열다. ¶～箧qiè; 〈比〉 물건을 훔치다. ②명 옆구리.

袪 qū (거)
①명 〈文〉 소맷부리. ②동 ⇨〔祛〕

沏 qū (절)
동 ①음식을 볶아 내기 전에 맛을 내기 위해 파·생강 따위를 냄비에 넣고 살짝 볶다. ②타고 있는 물건에 물을 끼얹어 끄다. ⇒qī

焌 qū (출)
동 〈口〉 ①타고 있는 것을 물 속에 넣어 끄다. ¶把香火儿～了; 향을 물에 적셔 끄다. ②(향불·담뱃불 따위의) 불꽃이 없는 불에 데다. ③달군 냄비에 기름을 붓고, 기름이 끓을 때 재료를 넣고 재빨리 볶아 내다《조리법의 하나》. ¶～豆芽; 콩나물을 위와 같은 방법으로 요리하다. 또, 그 요리 / ～锅儿; 기름이 뜨거워진 다음에 재료를 넣다. ⇒jùn

黢 qū (출)
형 ①검다. ¶～黑的头发; 새까만 머리털. ②어둡다. 깜깜하다. ¶屋子里黑～～的什么也看不见; 방 안은 깜깜해서 아무것도 안 보인다.

蛆 qū (저)
명 ①《蟲》 구더기. ¶～虫 =〔～子〕; ⓐ구더기. ⓑ〈罵〉 구더기 같은 놈. ②〈轉〉 고자질. 밀고. ¶不知在外头挑tiǎo唆了谁来在老爷跟前下的～; 외부 사람이 누군가를 꼬드기어 주인 나리한테 고자질을 하도록 시켰을지 모른다.

趋(趨) qū (추)
①동 급히 가다. ¶～而迎之; 급히 가서 맞이하다 / 疾～而过; 질주하여 통과하다. ②동 어떤 방향으로 가다. 쏠리다. 발전 진행하다. ¶大势所～; 대세가 기우는 바 / 意见～于一致; 의견이 일치로 향하다 / 渐～平静; 점차 평정해지다 / 天气日～寒冷; 날씨는 날로 추워져 가고 있다. ③동 거위나 뱀 따위가 목을 길게 빼고 사람을 물다. ④명 〈文〉 '促cù'와 통용.

〔趋拜〕 qūbài 동 ⇨〔趋谒〕
〔趋承〕 qūchéng 동 영합하다. 아첨하다. =〔趋奉〕
〔趋风〕 qūfēng 동 〈文〉〈比〉 바람처럼 빨리 달리다. 질풍(疾風)과 같이 가다.
〔趋奉〕 qūfèng 동 영합하다. 아부〔아첨〕하다. =〔趋承〕
〔趋附〕 qūfù 동 권세에 빌붙다. 영합하다. ¶他没有什么主见, 总是~大势; 그는 정견(定見)이 없이 항상 대세를 따라간다 / 他本来就是~权贵起家的; 그는 본래부터 권세에 아부하여 입신한 것이다.
〔趋赴〕 qūfù 동 〈文〉〈翰〉 찾아뵙다. 뵈러 가다. ¶~贵府; 댁으로 찾아뵙겠습니다. =〔趋前〕〔趋诣〕
〔趋光性〕 qūguāngxìng 명 《生》 추광성. 주광성(走光性). =〔慕mù光性〕
〔趋贺〕 qūhè 동 〈翰〉 축하하러 찾아뵙다.
〔趋候〕 qūhòu 동 〈翰〉 찾아뵙고 문안드리겠습니다. ¶~台教; 찾아뵙고 가르침을 받고 싶습니다.
〔趋稽〕 qūjī 동 ⇨〔趋谒〕
〔趋利〕 qūlì 동 〈文〉 추리하다. 이익에 마음을 기울이다. 이익을 추구하다.
〔趋蹓〕 qūliu 동 종종걸음으로 걷다.
〔趋前〕 qūqián 동 ⇨〔趋赴〕
〔趋趋〕 qūqū 명 ⇨〔蛐蛐儿〕
〔趋热性〕 qūrèxìng 명 《生》 주열성(走熱性).
〔趋舍〕 qūshě 명 〈文〉 나아감과 멈춤. 진퇴(進退).
〔趋时〕 qūshí 동 〈文〉 유행을 좇다. 시대의 흐름을 따르다. 시세에 순응하다. ¶~而变化; 시대와 함께 변화하다. 형 시체풍의. 유행의. ¶外观~; 외관이 근대적이다.
〔趋事〕 qūshì 동 〈文〉 섬기다. 봉사하다.
〔趋势〕 qūshì 명 추세. 경향. 기운. ¶抑制物价高涨的~; 물가의 오름세를 누르다 / 有媾和的~; 강화의 기운이 있다. 동 ①〈文〉 시세(時勢)에 순응하다. ②〈簡〉 권세 있는 자에게 아부하며 따르다('趋炎附势'의 준말).
〔趋斯〕 qūsī 명 〈文〉 잔심부름꾼.
〔趋庭〕 qūtíng 동 ⇨〔过guò庭①〕
〔趋下坡路〕 qūxià pōlù 내리막이 되다(쇠퇴해 가다). ¶这表示西德的羽毛球霸权已~了; 이는 서독 배드민턴의 패권도 이미 내리막길이 되었음을 나타내고 있다.
〔趋向〕 qūxiàng 동 (… 방향으로) 향하다〔기울다〕. …하는 경향이 있다. ¶~于亲美; 친미로 기울다. 명 추세. 경향. 방향. ¶总~; 전체적 추세 / 劳动生产率有不断上升的~; 노동 생산률은 부단히 상승하는 추세에 있다.
〔趋炎附热〕 qū yán fù rè 〈成〉 ⇨〔趋炎附势〕
〔趋炎附势〕 qū yán fù shì 〈成〉 권세에 영합하고 의지하다. 권력자에 빌붙다. =〔趋炎附热〕〔趋附〕〔趋势②〕
〔趋谒〕 qūyè 동 〈翰〉 찾아가 뵙겠습니다. =〔趋拜〕〔趋稽〕
〔趋义〕 qūyì 동 〈文〉 정의(正義)를 위해 나서다.
〔趋诣〕 qūyì 동 ⇨〔趋赴〕
〔趋于〕 qūyú 동 〈文〉 …로 향하다〔기울어지다〕. ¶~崩溃; 붕괴되어 가다 / ~高潮; 고조되어 가다.
〔趋约〕 qūyuē 동 〈文〉 약속한 연회석에 참석하다.
〔趋之若鹜〕 qū zhī ruò wù 〈成〉 무리를 지어 몰려들다〔가다〕. 쇄도하다(흔히, 부정적인 일에 사용됨). ¶当行情底落之时, 买家~; 시세가 하락했을 때 바이어가 쇄도한다.

觑(覷〈覰, 覻〉) qū (처) 동 〈口〉 눈을 가늘게 뜨고 자세히 보다. ¶偷偷儿地~了他一眼; 슬그머니 그를 실눈으로 곁눈질해 보았다. ⇒qù
〔觑合〕 qūhe 동 ⇨〔觑糊〕
〔觑糊〕 qūhu 동 (눈이 부셔서 또는 노안 때문에) 눈을 가늘게 뜨다. ¶~着眼睛看了半天; 실눈을 뜨고 한참 동안 바라보았다. =〔觑合〕
〔觑觑眼〕 qūqūyǎn 명 〈方〉 근시안(近視眼).

麹(麴) qū (국) 명 ① ⇨〔曲**B**)①〕 ②성(姓)의 하나.

嚁 qū (구) 〈擬〉 ①호루루(호루라기〔호각〕 소리). ②귀뚤귀뚤(귀뚜라미의 울음소리).

劬 qú (구) 〈文〉 ① 명 극도의 피로. ② 동 고생하다. 고생하며 힘쓰다.
〔劬劳〕 qúláo 명동 〈文〉 고생(하다). =〔劬录〕
〔劬录〕 qúlù 명동 ⇨〔劬劳〕
〔劬劬〕 qúqú 형 〈文〉 고생하는 모양.
〔劬学〕 qúxué 동 〈文〉 고학(苦學)하다. 부지런히 배우다.

朐 qú (구) 지명용 자(字). ¶临Lín~; 린취(臨朐)(산둥성(山東省)에 있는 현 이름).

鸲(鴝) qú (구) 명 《鳥》 울새류(類)(쇠유리새·대안작 따위).
〔鸲鹆〕 qúyù 명 《鳥》 구관조(九官鳥). =〔八哥儿〕

鼩 qú (구) ① →〔鼩鼱〕 ② 명 《動》 사향쥐. =〔麝shè鼩〕
〔鼩鼱〕 qújīng 명 《動》 뒤쥐.

渠〈佢〉③ qú (거) ① 명 (용)수로. 도랑. 인공 수로. ¶水shuǐ到~成; 〈成〉 조건이 갖춰지면 일은 순조롭게 진척된다. →〔渠道〕〔沟渠〕 ② 형 〈文〉 크다. ¶~帅shuài =〔~率shuài〕; (도둑의) 두목. 괴수. ③ 대 〈方〉 그 사람. 그. ¶不知~为何人; 그가 어떤 사람인지 모른다. ④ 명 성(姓)의 하나.
〔渠辈〕 qúbèi 대 〈文〉 그들. 그것들.
〔渠道〕 qúdào 명 ①소수(疏水). 용수로(用水路). ②(추상적인) 채널. 방법. 루트. ¶由民间~进行谈判; 민간 루트로 교섭을 진행하다 / 大力疎通城乡流通~; 농촌과의 유통의 길을 크게 열다.
〔渠埂〕 qúgěng 명 용수로를 따라서 있는 소로(小路).
〔渠沟〕 qúgōu 명 도랑.
〔渠灌〕 qúguàn 명 《農》 용수로에 의한 관개.
〔渠魁〕 qúkuí 명 〈文〉 도둑의 두목. 악당의 우두머리. 괴수.
〔渠略〕 qúlüè 명 《蟲》 하루살이.
〔渠侬〕 qúnóng 대 〈方〉 그 사람. 그(자칭은 '我侬'이라고 함).
〔渠水〕 qúshuǐ 명 용수(用水). 소수(疏水).

蕖 qú (거) →〔芙fú蕖〕

磲 qú (거) →〔砗chē磲〕

璩 qú (거) 명 ①〈文〉 옥으로 된 고리류(類). ②(Qú) 성(姓)의 하나.

蘧 qú (거)
①→〔蘧麦〕〔蘧蘧〕〔蘧然〕 ②명 성(姓)의 하나.
〔蘧麦〕 qúmài 명《植》 귀리. =〔瞿qú麦〕
〔蘧蘧〕 qúqú 형〈文〉 ①의기양양한 모양. ②많이 모이는 모양.
〔蘧然〕 qúrán 형〈文〉 깜짝 놀라는 모양. 반색하는 모양.

籧 qú (거)
→〔籧篨〕
〔籧篨〕 qúchú 명 옛날, 대나 갈대로 엮어 만든 거적〔자리〕.

瞿 qú (구)
①동〈文〉 놀라서 주위를 둘러보다. ②→〔瞿麦〕 ③명 성(姓)의 하나. ⇒jù
〔瞿麦〕 qúmài 명《植》 ①패랭이꽃. ②귀리.
〔瞿然〕 qúrán 동 흠칫하다. ¶他～抬起头来, 连忙笑应道"正是!"; 그는 흠칫해서 고개를 들고, 얼른 웃으면서 '바로 그렇소.' 라고 대답했다.
〔瞿视〕 qúshì 동〈文〉 놀라서 보다.

欋 qú (구)
명 (4개의 발을 가진) 써레. 옛날의 농구(農具).

氍〈氀〉 qú (구)
→〔氍毹〕
〔氍毹〕 qúshū 명〈文〉 ①모직의 융단. 양탄자. 모전(毛氈)《옛날, 공연시 흔히 무대에 깔았음》. ¶红～; 붉은 융단. ②〈轉〉 무대.

臞 qú (구)
형〈文〉 ⇨〔癯〕

癯 qú (구)
형〈文〉 마르다. 여위다. ¶面貌清～; 얼굴이 청수(清秀)하고 홀쭉하다. =〔臞〕

鸜(鸜) qú (구)
→〔鸜鹆〕
〔鸜鹆〕 qúyù 명《鳥》 구관조(九官鳥). =〔鸲qú鹆〕

衢 qú (구)
명 ①〈文〉 사방으로 통한 큰 길. ¶通～大道; 사통 팔달의 큰 길. ②소로(小路).
〔衢道〕 qúdào 명〈文〉 갈림길. =〔衢涂tú〕〔衢路②〕
〔衢路〕 qúlù 명〈文〉 ①사통 팔달의 가도(街道). ②기로. 갈림길. =〔衢道〕
〔衢肆〕 qúsì 명〈文〉 큰 길에 면해 있는 상점.
〔衢涂〕 qútú 명 ⇨〔衢道〕

蠼〈蠷〉 qú (구)
→〔蠼螋〕
〔蠼螋〕 qúsōu 명《蟲》 집게벌레. =〔〈俗〉 搜sōu夹子〕

曲 qǔ (곡)
명 ①(～儿, ～子) 노래. 가곡. 속곡(俗曲). ¶唱～儿; 노래를 부르다. ②곡조. 곡. 멜로디. ¶这支歌是他作的～; 이 노래는 그가 작곡한 것이다. ③곡《송(宋)·금대(金代)에 나타나 원대(元代)에 가장 유행한 시문(詩文)의 한 형식. 보통 '元曲'이라 하며, 또 '词cí余'라고도 함》. =〔词余〕 ⇒qū
〔曲本儿〕 qǔběnr 명《樂》 가곡책. 악보.
〔曲词〕 qǔcí 명 '戏曲, 歌曲' 등의 가사.
〔曲笛〕 qǔdí 명 곤곡(崑曲)이나 그 밖의 지방극의 반주에 쓰는 피리.
〔曲调〕 qǔdiào 명《樂》 (희곡·가곡의) 곡조. 가락. 멜로디.
〔曲高和寡〕 qǔ gāo hè guǎ 〈成〉 격조(格調)가 높으면 창화(唱和)하는 사람이 적다. ①지나치게 고상하면 일반에게 인기가 없다. ¶他把文章写得晦涩, 叫人看不懂, 他反而嚷着"～"; 그는 문장을 어렵게 써서 남이 보아 뜻이 통하지 않도록 해 놓고 있으면서, 반대로 대중의 인기가 없다고 뇌까린다. ②재능이 있으면서 기회를 만나지 못하다.
〔曲尽其妙〕 qǔ jìn qí miào 〈成〉 그 미묘한 대목을 충분히 표현하다. 가곡(歌曲)이 사람을 매료(魅了)시키다.
〔曲剧〕 qǔjù 명 ①해방 후, '曲艺'보다 발전된 새로운 극. =〔曲艺剧〕 ②베이징(北京) 곡극(曲劇)을 가리킴.
〔曲牌〕 qǔpái 명 곡조(曲調)의 명칭.
〔曲谱〕 qǔpǔ 명 ①《書》 원곡(元曲)의 대표적인 음률을 모아 분석·고증한 책. ②희곡의 악보.
〔曲奇〕 qǔqí 명〈音〉 쿠키(cookie).
〔曲儿〕 qǔr 명 ⇨〔曲子〕
〔曲儿班子〕 qǔr bānzi 명 옛날의 기생 집.
〔曲式〕 qǔshì 명 원곡(元曲)의 각종 가락의 격식.
〔曲艺〕 qǔyì 명 민간에 유행되는 가요(歌謠)나 만담 따위. 注 '杂技'와는 다르며, 보는 것이 아니고 듣는 것임. ¶许多专业剧团为他们演出了杂技, ～和魔术; 많은 직업적인 극단이 그들을 위하여 서커스·만담·마술을 공연했다.
〔曲终人散〕 qǔ zhōng rén sàn 〈成〉 가곡이 끝나고 사람들이 흩어지다《일이 일단락되어 평정(平靜) 상태로 돌아감》.
〔曲终奏雅〕 qǔ zhōng zòu yǎ 〈成〉 최종 단계에서 빛을 발하다. 유종(有終)의 미(美)를 이루다.
〔曲子〕 qǔzi 명 가곡. 노래. =〔曲儿〕

苣 qǔ (거)
→〔苣荬菜〕 ⇒jù
〔苣荬菜〕 qǔmǎicài 명《植》 사데풀. =〔匍pú茎苦菜〕

取 qǔ (취)
동 ①가지다. 받다. ¶～去; 가지러 가다 / ～来; ⓐ가지러 오다. ⓑ가지고 오다 / ～电灯费的来了; 전등료 징수인이 왔다 / ～行李; 수화물을 찾다 / 回家～东西; 물건을 가지러 집에 돌아가다 / 您别布菜, 我自～吧; 그렇게 음식을 덜어 주지 마십쇼. 제가 가져다 먹겠습니다. ②채용하다. 선발하다. 골라서 뽑다. ¶录～; 채용(하다) / 考～五名; (시험을 보아) 5명을 뽑다 / 今年～了三百名新生; 올해는 300명의 신입생을 뽑았다 / 这回考试, 他～得很高; 이번 시험에 그는 매우 좋은 성적으로 채용되었다. ③얻다. 손에 넣다. 받아들이다. ¶听～报告; 보고를 청취하다 / 大有可～之处; 크게 취할 점이 있다 / 采～新方式; 새로운 방식을 취하다 / 败中～胜; 지는 싸움에 승리를 얻다 / 去～之间, 必须慎重; 취사는 신중하게 해야 한다 / 如盲目进行, 当为贤者所不～; 맹목적인 실행은 현명한 사람이 취할 바가 아니다. ④예금을 인출(引出)하다. ¶从银行～出钱来; 은행에서 돈을 찾다. ⑤초래하다. ¶自～灭miè亡; 멸망을 자초(自招)하다 / 自～之祸; 스스로 부른 재앙. ⑥뜻하다. ¶这一句～的是什么意思呢? 이 구(句)는 대체 어떤 것을 뜻하는 말입니까? ⑦〈文〉 부르다. 불러들이다. ¶后哲宗登基, ～学士回朝cháo; 뒤에 철종(哲宗) 황제가 즉위하여 '学

士'(학문 연구가)를 조정에 불러들였다. ⑧〈文〉…의 방향에 있다. …의 거리에 있다. ¶此间～县有三十里; 이 곳은 현(縣)에서 30'里'의 거리에 있다. ⑨〈文〉'娶qǔ'와 통용.

〔取保〕 qǔ.bǎo 동《法》보증을 받다〔세우다〕. 보증인이 되게 하다. ¶～释放; 보석하다 / 犯人如患重病, 可以准许～回家医治; 범인이 만일 중병에 걸렸으면, 보증인을 세워 집에서 치료하는 것이 허용된다.

〔取便〕 qǔbiàn 동 ①제멋대로 하다. 마음대로 하다. ¶凤丫头在外头, 他们还有个惧怕, 如今他们又该～了《紅樓夢》; 봉아가씨가 바깥쪽에 있어서 그들은 겁을 먹고 있지만, 지금은 또 제멋대로들 굴겠지. ②…에 편리하도록(하다). 형편이 닿게 하다. ¶将标语印成小册, ～宣传; 표어를 소책자로 인쇄하여 선전에 편리하도록 하다.

〔取不竭〕 qǔbujié (아무리) 취(取)해도〔써도〕 없어지지 않다. ¶那就是个～的摇钱树; 그야말로 취해도 취해도 없어지지 않는 돈이다.

〔取不上〕 qǔbushàng (입시·자격 시험 따위에서) 떨어지다. 채용되지 않다. ¶他没取上; 그는 채용〔합격〕이 안 되었다 / 考了好几次, 到底还是～; 꽤 여러 차례 시험을 쳤지만 결국 또 합격되지 못했다.

〔取材〕 qǔ.cái 동 취재하다. 재료를 고르다. 제재(題材)를 골라잡다. ¶就地～; 현지 취재하다.

〔取长补短〕 qǔ cháng bǔ duǎn〈成〉장점을 취하여 단점을 보충하다. =〔采cǎi长补短〕

〔取偿〕 qǔcháng 동〈文〉배상을 요구하다. 보상하게 하다. ¶～于保人; 보증인에게 배상을 요구하다.

〔取称〕 qǔchēng 동〈文〉명성을 얻다. =〔取名②〕

〔取宠〕 qǔchǒng 동 총애를 얻으려 하다.

〔取次〕 qǔcì 부 ①〈文〉차례로. 순서대로. ¶醉把花枝～吟; 취해서 꽃가지를 손에 쥐고 차례로 노래 부르다. →〔依次〕 ②별안간.

〔取代〕 qǔdài 동 …을 대신하다. …의 자리를 대신 차지하다. ¶新的殖民主义者～旧的殖民主义者的地位; 새로운 식민주의자가 구(舊)식민주의자의 지위에 대신 들어서다. =〔取而代之〕 명동《化》치환(置換)(하다). ¶～基jī; 치환기(置換基).

〔取道〕 qǔdào 동〈文〉…을 경유하여〔거쳐〕 가다. ¶～武汉, 前往广州; 우한(武漢)을 거쳐 광저우(廣州)로 가다.

〔取得〕 qǔdé 동 취득하다. 획득하다. ¶～时效; 시효가 성립되다 / ～了一致的意见; 의견의 일치를 보았다 / ～胜利; 승리를 거두다 / ～联系; ⓐ연락이 닿게 하다. 연락을 취하다. ⓑ연계를 맺다 / ～了辉煌的成就; 빛나는 성과를 거두었다. =〔得到〕

〔取灯儿〕 qǔdēngr 명〈京〉성냥. ¶换～的; 넝마〔고물〕장수《옛날, 베이징(北京)의 넝마장수가 넝마와 성냥을 교환하여 장사한 데서 나온 말》. =〔火柴〕

〔取缔〕 qǔdì 명동〈文〉단속(하다). 취체(하다).

〔取而代之〕 qǔ ér dài zhī〈成〉⇨〔取代〕

〔取耳〕 qǔ'ěr 동 귀지를 파내다.

〔取法〕 qǔfǎ 동 …에 따르다. 본보기로 하다. ¶～乎上, 仅得乎中; 높은 쪽을 본받아 겨우 중정도(中程度)의 결과를 얻다 / ～欧美; 구미의 방식을 본뜨다. =〔效法〕

〔取告〕 qǔgào 동 ⇨〔乞qǐ假〕

〔取合儿〕 qǔ.hér 동 ⇨〔取和儿〕

〔取和儿〕 qǔ.hér 동 ①남에게 동조하여 …하다. 남이 하는 대로 …하다. ¶取一个和儿, 我也送礼吧; 나도 다른 사람이 하는대로 선물을 보내야겠다 / 要大家好, 取个和儿便罢; 모두가 좋다면 (나도) 동의하겠다. ②화해시키다. ‖ =〔取合儿〕

〔取回〕 qǔhuí 동 ①되찾다. ¶把送给朋友的照片～来; 친구에게 준 사진을 도로 돌려받다. ②가지고 돌아가다〔돌아오다〕.

〔取火〕 qǔ.huǒ 동 (원시적인 방법으로) 불씨를 얻다. 불을 붙이다.

〔取火镜〕 qǔhuǒjìng 명 화경(火鏡). (햇빛에 대고) 불을 붙이는 렌즈《볼록렌즈》.

〔取货单〕 qǔhuòdān 명《商》화물 상환증. 창고(倉庫) 증권. =〔取货条〕

〔取货条〕 qǔhuòtiáo 명 ⇨〔取货单〕

〔取吉利儿〕 qǔ jílìr 길조로 삼다. 길흉의 조짐에 대하여 마음을 졸이다. ¶吃个苹果, 平平安安的, 就算～吧; 사과를 먹고 무사 평온하니, 이것을 길조로 여겨 둡시다.

〔取给〕 qǔjǐ 동〈文〉공급을 받다《흔히, 뒤에 '于'를 수반함》. ¶军服～于后勤部; 군복은 후방 근무부에서 공급한다.

〔取经〕 qǔ.jīng 동 ①(당(唐)나라의 현장(玄奘)이) 인도에 가서 불교 경전을 중국에 가지고 돌아오다. ②〈比〉(선진적인) 남의 경험을 배워 오다.

〔取经送宝〕 qǔ jīng sòng bǎo〈成〉선진 지역이나 노련한 사람한테서 배우거나, 또는 뒤진 지역에 가르쳐 주다.

〔取精用弘〕 qǔ jīng yòng hóng〈成〉정화(精華)를 받아들여 널리 응용하다.

〔取景〕 qǔ.jǐng 동 (촬영 또는 스케치에서) 구도(構圖)를 잡다. 배경을 고르다.

〔取景镜〕 qǔjǐngjìng 명《撮》(카메라의) 파인더. =〔对duì光镜〕〔探tàn象镜〕

〔取决〕 qǔjué 동〈文〉(…에 따라) 결정하다. 결정되다《흔히, 뒤에 '于'를 동반함》. ¶最终命运～于大选; 최후의 운명은 총선거로 결정된다 / 效率的大小～于电子管; 효율이 크고 작은 것은 진공관에 의해서 결정된다.

〔取快一时〕 qǔ kuài yī shí〈成〉잠시 동안의 즐거움〔쾌락〕을 얻다〔구하다〕.

〔取款〕 qǔ.kuǎn 동 ⇨〔取钱〕

〔取乐(儿)〕 qǔlè(r) 동 향락하다. 즐기다. ¶下棋～; 장기를〔바둑을〕 두며 즐기다 / 旧社会里有一部分人置姨太太～; 낡은 사회에서 일부분의 사람은 첩을 얻어 향락했었다.

〔取戾〕 qǔlì 동〈文〉죄를 받다.

〔取凉〕 qǔliáng 동 (더위를 피해) 시원한 바람을 쐬다. →〔乘chéng凉〕

〔取录〕 qǔlù 동 ⇨〔录取〕

〔取名〕 qǔ.míng 동 ①이름을 짓다. ②명성을 떨치다. 유명하게 되다. =〔取称〕

〔取闹〕 qǔnào 동 소란을 피우다. 떠들어 대다. ¶无理～;〈成〉함부로 떠들어 대다. 어거지 말다툼을 일으키다 / 他常来～, 实在讨厌; 그는 노상 찾아와서 떠들어 대니 정말 지겨운 놈이다.

〔取暖〕 qǔnuǎn 동 따뜻하게 하다. ¶～费fèi用; 난방비 / ～设shè备; 난방 설비.

〔取譬〕 qǔpì 동〈文〉비유하다.

〔取票〕 qǔpiào 명 물표. 화물 보관증.

〔取齐(儿)〕 qǔqí(r) 동 ①모이다. 집합하다. ¶下午三时我们在门口～, 一块儿出发; 오후 3시에 우리들은 입구에 집합하여 함께 출발한다 / 咱们取个齐儿吧; 우리 모이자. ②(수량·높이·길이 따위를) 맞추다. 가지런히 하다. 조절하다. ¶衣服的长短可照老样～; 옷의 길이는 본래의 길이에 맞

추면 됩니다/'买东西多少, 要拿钱～; 물건을 얼마만큼 살지는 가진 돈에 맞춰 보아야 한다.

〔取其〕 qǔqí …의 의미를 취하다. …의 의미이다. …의 의미를 나타내고 있다. ¶～什么意思呢? 그건 어떤 의미를 나타내고 있나요?/一挂火鞭～往后的声名远震; 일련의 폭죽은 앞으로 명성이 멀리까지 울려 퍼지라는 뜻이다/～精华, 去其糟粕; 〈成〉그 정화를 취하고 찌꺼기를 버리다.

〔取钱〕 qǔ·qián 동 (은행에서) 돈을 찾다. =〔取款〕〔提tí款〕

〔取枪〕 qǔqiāng 《軍》 풀어 총!

〔取巧〕 qǔ·qiǎo 동 약삭빠르게〔요령 있게〕 굴다. ¶投机～; 〈成〉기회를 틈타 약삭빠르게 굴다/～图便; 〈成〉약삭빠르게 놀아 이익을 꾀하다/大家都很苦, 只有他一个人～; 사람들은 모두 고생하고 있는데, 그만 혼자서 실속을 차리고 있다. =〔〈方〉偷tōu巧〕

〔取扰〕 qǔrǎo 동 〈謙〉소란을 피우다. 방해하다.

〔取人之长, 补己之短〕 qǔ rén zhī cháng, bǔ jǐ zhī duǎn 〈成〉남의 장점을 본받아 자신의 단점을 보충하다.

〔取容〕 qǔróng 동 ⇨〔取悦〕

〔取上〕 qǔshàng 동 (시험에) 합격하다. (선발에) 들다. 채용하다. 채용되다.

〔取舍〕 qǔshě 명동 취사(하다).

〔取胜〕 qǔshèng 동 ⇨〔获huò胜〕

〔取士〕 qǔshì 동 〈文〉인재를 가리어 채용하다.

〔取赎〕 qǔshú 동 저당잡힌 물건을 되찾다. =〔赎出〕

〔取条儿〕 qǔtiáor 명 보관증. 예금 인출 청구서.

〔取问〕 qǔwèn 동 (피고나 용의자를 끌어 내어) 심문하다. ¶为是连日厮杀, 未曾～发落; 매일같이 서로 죽이고 하는 탓에, 아직 심문하여 판결을 내리지 않고 있었다.

〔取现〕 qǔxiàn 동 현금으로 바꾸다. 현금으로 받다.

〔取消〕 qǔxiāo 동 취소하다. 말살하다. 없애다. 그만두다. ¶～资格; 자격을 취소하다/～害虫; 해충을 없애다/～不合理的制度; 불합리한 제도를 폐지하다/～智育; 지육을 부정(否定)하다. =〔取销〕

〔取销〕 qǔxiāo 동 ⇨〔取消〕

〔取笑〕 qǔxiào 동 웃음거리가 되게 하다. 농담을 하다. 놀리다. ¶他们～她穿妈妈的衣裳; 그들은 그녀가 어머니의 옷을 입은 것을 놀린다/被人～; 남의 웃음거리가 되다.

〔取信〕 qǔxìn 동 ①편지를 (우편함에서) 꺼내다. ②신용〔신임〕을 얻다. ¶如果常常自食其言, 何以～于人; 늘 식언을 한다면 어떻게 남에게 신용을 얻을 수 있을 것인가/怎么样才能～郡众呢? 어떻게 하면 대중의 신뢰를 얻을 수 있을까?

〔取样〕 qǔ·yàng 동 (검사를 위해) 견본을 뽑다〔채취하다〕.

〔取义〕 qǔyì 명 의미. 뜻. 동 의(義)를 택하다. ¶舍生～; 목숨을 버리고 의(義)에 살다.

〔取意〕 qǔyì 명 뜻. 의미. ¶这是怎么个～呢? 그것은 어떤 까닭입니까〔왜입니까〕? 동 의미를 취하다.

〔取盈〕 qǔyíng 동 〈文〉①정액을 징수하다. ②욕망을 만족시키다.

〔取悦〕 qǔyuè 동 남의 환심을 사려고 하다. 비위를 맞추다. 영합하다. ¶～于人; 남의 환심을 사다/为了～大国而歪曲自己国家的局势; 대국에 아첨하기 위하여 자기 나라의 정세를 왜곡하다. =〔取容〕

〔取债〕 qǔzhài 동 빚을 받아 내다.

〔取之不尽〕 qǔ zhī bù jìn 〈成〉아무리 써도 없어지지 않는다. ¶我们祖国的地下宝藏, ～, 用之不竭jié, 是非常丰富的; 우리 조국의 지하 자원은 아무리 취하여도 끝이 없고, 아무리 써도 없어지지 않으니, 매우 풍부하다.

〔取中〕 qǔzhòng 동 ⇨〔考kǎo中〕

〔取子〕 qǔzi 명 ⇨〔扳bān子①〕

娶

qǔ (취)

동 아내를 맞이하다. 장가들다. ¶明媒正～; 〈成〉중매쟁이를 내세워 정식으로 장가 가다/～错一门亲, 坏了十辈人; 〈諺〉장가를 잘못 들면 10대를 망친다/～在苏sū州; 장가를 들려면 소주의 여자를 얻어라/～了媳妇儿满堂红, 聘了女儿满屋穷; 〈諺〉장가들어 아내를 얻으면 살림이나 재화가 집 안에 가득 차지만, 시집 보내는 쪽은 거덜이 나고 만다/～妻; 아내를 얻다.

〔娶聘〕 qǔpìn 명 장가 가고 시집 가는 일(「娶」는 장가듦, 「聘」은 시집 보냄).

〔娶妾〕 qǔqiè 동 옛날, 첩을 얻다. =〔娶小〕

〔娶亲〕 qǔ·qīn 동 ①아내를 얻다. 장가들다. ¶他娶了亲以后, 日子过得很幸福; 그는 결혼한 뒤에는 아주 행복한 나날을 보냈다. ②친영(親迎)하다(구식 결혼 당일에, 신랑 쪽에서 탈것을 준비하여 신부 집으로 신부를 맞으러 가는 일). ¶～太太; 신부 친영의 탈것을 따라 신부를 맞으러 가는 여자.

〔娶媳妇打镲〕 qǔ xífù dǎchǎ 〈歇〉장가드는데 바라(嘍囉)만을 치다(매우 가난하다). ¶～, 没咚dōng咚; 〈歇〉장가드는데 바라 소리만 나고, 북을 치는 둥둥 소리는 들리지 않다. 가난하다(옛날에, 혼례 때 흔히 큰 북을 울리게 되어 있지만 가난한 사람은 「镲」만을 쳐서 울렸음)/玩去没我, 我是～; 놀러 가는 거라면 나는 안 간다. 나는 돈이 없으니까.

〔娶媳妇儿〕 qǔ xífùr 아내를 맞다. 장가들다. ¶～的; 혼례(婚禮) 때에 신부를 맞으러 가는 사람들과 탈것과 의식(儀式)용품의 총칭.

〔娶小〕 qǔxiǎo 동 ⇨〔娶妾〕

〔娶孝服〕 qǔ xiàofú 부모의 거상을 입기 전에 혼인을 서둘러 앞당김.

龋(齲)

qǔ (우)

명 《醫》 충치(蟲齒). =〔龋齿〕〔虫chóng(吃)牙〕〔虫蚀shí牙〕

去

qù (거)

① 동 가다(한 장소에서 딴 장소에 이르다). ¶你上哪儿～? 너 어디 가니?/到北京～; 베이징(北京)에 가다/你还不～? 너는 아직 안 가니? →〔走〕 ↔〔来〕 ② 동 떠나다. …을 떠나다. ¶～国; ⇩/～职; ⇩/～世; ⇩ ③ 동 없애다. 잘라 내다. 떼어 내다. (수를) 빼다. ¶～病; ⇩/太长, 再～两寸; 너무 길다. 2치를 더 잘라 내라/四十八～二十三, 剩下二十五; 48에서 23을 빼면 나머지는 25이다/把它～掉; 그것을 제거하다/人的嗜好, 明知是害, 总是～不了; 사람의 기호는 분명히 해롭다는 것을 알고 있어도 아무래도 그만둘 수가 없다. ④(장소·시간적으로) 떨어져 있다. …에서 …떨어져 있다. ¶～今五百年; 지금으로부터 500년 전/此地～北京三百里; 이 곳은 베이징(北京)에서 3백 리이다/相～不远; 멀리 떨어져 있지 않다/便～包裹取些碎银子; 그리하여 꾸러미 속에서 얼마간의 은자를 꺼냈다. ⑤ 동 (이쪽에서 저쪽으로) 보내다. 파견하다. ¶我已经～信了; 나는 벌써 편지를 보냈다/

～几个人; 사람을 몇 명 보내다. ⑥《劇》(연극 따위의) …역(役)을 하다. ¶我～岳飞; 나는 악비(岳飛)의 역을 맡는다/他～老生; 그가 노생(老生)의 역을 맡다. ⑦ 조 동작의 추세를 나타내며 화자(話者)의 기분을 강조하는 말(그 동작을 하기 위하여 현재지로부터 멀어져 가는 경우). ¶我～打水; 내가 물을 길러 갑니다/就手儿给他带～吧; 가는 길에 그에게 갖다 주어라/黑板上的字, 你把它擦～吧; 칠판의 글씨를 지워라/拍～身上的尘土; 몸의 먼지를 털었다/已经用～了两千斤水泥; 벌써 2천 근의 시멘트를 썼다. ⑧ 조 미래(未來)를 향한 동작의 계속. 또는 동작이 말하는 사람으로부터 멀어져 감을 나타내는 말. ¶我也只好由他们自己～; 나도 그들로 하여금 그네들이 스스로 해 나가도록 시킬 도리밖에 없다/信步走～; 발길이 향하는 대로 걸어가다/他们笑, 叫他们笑～; 그들이 웃거든 웃도록 내버려 두게나/放开眼界看～; 시야를 트고 바라본다/随她说～, 别理她; 그 여자가 멋대로 지껄이게 해라. 상관하지 마. ⑨ 조 동사 뒤에 와서 서로 용납되지 않는 동작을 병렬(竝列)할 때 접속적으로 쓰임. ¶牺牲了荣誉, ～换爱情; 영예를 희생하여 애정과 바꾸다. ⑩ 조〈方〉형용사의 뒤에 붙여 분량이나 정도의 큼을 나타내는 말(뒤에 '了'를 붙임). ¶人可多了～了; 사람이 굉장히 많다/这座楼可大了～了; 이 건물은 참으로 크다/这条路可远了～了; 이 길은 참 멀다/瞧热闹的人可多了～了; 야료꾼이 정말 많다/车多了～了, 何必单买一辆; 차는 얼마든지 있다. 하필 이 차를 살 필요가 있나. ⑪ 조 동사의 뒤에 붙어 방향을 나타내는 말. ¶上～; 올라가다/进～; 안에 들어가다. ⑫ 조 연동(連動)식 글의 동사 결구(結構)(또는 개사(介詞) 결구)와 동사(또는 동사 결구) 사이에 넣어, 전자가 후자의 방법·방향·태도이며, 후자가 전자의 목적임을 나타내는 말. ¶提了一桶水～浇花; 물을 한 통 길어다 꽃에 물을 주다. ⑬ 명 거성(去聲)(사성(四聲)의 하나). ⑭ 형 지나간. 과거의. 이전의(특히, 지난 지 얼마 안 되는 기간, 즉 1년을 이름). ¶～年; 작년/～冬今春; 지난 겨울과 올봄/～日苦多; 전에는 고생이 많았다.

〔去病〕qù∙bìng 동 병을 없애다. 병을 물리치다. ¶常吃水果能～; 항상 과일을 먹으면 몸에 좋다.

〔去不成〕qùbuchéng (가려고 하지만) 갈 수 없다. ¶得不到签证, 那就～了; 비자가 나오지 않으면 갈 수가 없다. ↔〔去得成〕

〔去不得〕qùbude ①(가서는 안 되므로) 갈 수 없다. ¶那种地方, 学生是～的; 그런 곳은 학생이 가면 안 된다. ②제거(除去)해서는 안 된다. 제거할 수 없다.

〔去不起〕qùbuqǐ (경제력 또는 자격이 없어) 갈 수 없다. ¶到外国逛去, 我可～; 외국 여행이면, 나는 (돈이 없어) 갈 수 없다.

〔去差〕qùchāi 명 차견(差遣)된 사람. 보낸 사자〔심부름꾼〕.

〔去程〕qùchéng 명 (왕복에서의) 왕로(往路). 가는 길. ↔〔回huí程〕

〔去臭〕qù∙chòu 동 탈취(脫臭)하다. 냄새를 없애다.

〔去除〕qùchú 동 제거하다. 없애다. ¶～障zhàng碍; 장애를 제거하다.

〔去处〕qùchù 명〈京〉①장소. 곳. ¶荒凉～; 황량한 장소/这儿风景不错, 是个好～; 여긴 경치가 좋아서 좋은 곳이다. =〔地方〕②점. ¶这又是习惯不同的～; 이것 또한 습관이 같지 않은 점이다/得罪人的～; 남에게 실례될 점. ③가는 곳. 행선지. 행방. ¶不知～; 가는 곳을 모른다/我知道他的～; 나는 그의 행방을 알고 있다.

〔去粗取精〕qù cū qǔ jīng〈成〉잡물(雜物)을 골라 내고 정수(精髓)만을 취하다.

〔去到了是礼〕qùdàole shì lǐ 남의 집에 가는 것으로도 예의는 갖추게 된다. 방문하는 것으로도 예의가 된다. ¶～, 不必见面; 가기만 하면 예의를 갖추는 것이 된다. 상대방을 꼭 만나야만 하는 것은 아니다.

〔去得〕qùde 동 ①갈 수 있다. ②가도 좋다. 형 ①꽤 괜찮다. 상당하다. 그럴 듯하다. ¶武艺～; 무예가 이만저만이 아니다/言谈～; 말솜씨가 상당하다/模mú样还～; 용모가 꽤 괜찮다. ②없애도 괜찮다. =〔去得掉diào〕

〔去得过儿〕qùdeguòr ①그런대로 괜찮다. 그저 그렇다. ¶成绩倒还～; 성적은 그런대로 괜찮다. ②가 볼 만하다. ¶那里的景致不错～; 그 곳 경치는 좋아서 가 볼 만하다.

〔去得了〕qùdeliǎo 갈 수 있다. 끝까지 가다.

〔去电〕qùdiàn 동 전보를 치다. =〔发fā电〕. 명 발송 전보. =〔去报〕‖→〔来lái电〕

〔去掉〕qù∙diào 동 떼(내)어 버리다. 제거하다. ¶～了障碍; 방해물을 제거했다/～私心; 사심을 떼어 버리다. =〔除去〕〔除掉〕

〔去恶务尽〕qù è wù jìn〈成〉철저하게 악을 제거하다. =〔除恶务尽〕

〔去高垫洼〕qù gāo diàn wā〈成〉높은 곳을 깎아 낮은 곳을 메우다(장점(長點)을 취하여 단점을 보충하다).

〔去根(儿)〕qù gēn(r) 뿌리를 없애다. 병을 근치하다. ¶老病, 不是一朝一夕能～的; 고질병이므로, 일조일석에 근치될 수 없는 것이다.

〔去垢剂〕qùgòujì 명《化》(각종) 세제(洗劑).

〔去官〕qùguān 동 관직을 떠나다. 관리 생활을 그만두다.

〔去国〕qùguó 동 본국을 떠나다.

〔去寒〕qùhán 동 감기를 낫게〔떨어지게〕하다.

〔去火〕qù∙huǒ 동《漢醫》체내의 열을 가라앉히다.

〔去疾〕Qùjí 명 복성(複姓)의 하나.

〔去件〕qùjiàn 명 보낸 물건. 송부한 물품.

〔去旧布新〕qù jiù bù xīn〈成〉⇨〔除chú旧布新〕

〔去就〕qùjiù 명 진퇴. 처신(處身). 거취. ¶～不苟; 처신을 함부로 하지 않다/事情我给你找好了, ～全凭你; 일은 내가 찾아 주었다. 그 일을 하고 안 하고는 완전히 너한테 달렸다.

〔去来〕qùlai〈古白〉①…하고 있었다(문말에 붙여 과거에 있어서의 지속(持續)을 나타냄). ¶他也那么说～; 그도 그렇게 말하고 있었다. →〔来着〕②…가자. ¶梅香跟我见母亲～; 메이샹(梅香)은 나와 함께 어머니를 만나러 가자.

〔去来今〕qù lái jīn 명《佛》과거·현재·미래의 삼세(三世).

〔去了穿红的, 还有穿绿的〕qùle chuānhóngde, hái yǒu chuānlǜde 빨간 옷 입은 사람이 돌아갔는가 했더니, 또 파란 옷 입은 사람이 오다(방해자 하나를 정리했는가 했더니, 또 다른 방해자가 나타난다).

〔去了咳嗽, 添了喘〕qùle késou, tiānle chuǎn 기침이 멎으니까 천식이 생겼다(하나가 좋아지면 다른 하나가 나빠진다). ¶这辆车刚补好车胎, 马达又出毛病了, 真是～; 이 자동차는 방금 타이어를 바꿔 꼈더니, 이번에는 엔진이 망가졌다, 정말

다. ⑤명 그러모은 것. ¶～锅; 잡탕 요리(料理). ⑥명 성(姓)의 하나.
〔全把式〕 quánbǎshì 명 (무술(武術)이나 기술에 대해) 무엇이든지 할 수 있는 사람.
〔全般〕 quánbān 명형 전반(적인).
〔全豹〕 quánbào 명〈比〉전모(全貌).
〔全备〕 quánbèi 형 ⇨〔完wán备〕
〔全本(儿)〕 quánběn(r) 명 연극에서, 전편(全篇) 공연. ¶～西游记; 서유기 전편 상연. =〔全挂子〕〔全套儿〕
〔全波〕 quánbō 명〔電〕전파(電波). 올 웨이브. ¶～无线收音机; 전파 무선 수신기.
〔全不在乎〕 quán bùzàihu 전혀 개의치 않다. ¶只要把病治好, 他什么～了; 그는 병만 완쾌된다면 다른 것은 문제삼지 않는다.
〔全部〕 quánbù 명부 전부. 모두. ¶～活动; 전활동 / ～国土; 전국 / ～力量; 전부의 힘. 권력 / ～的; 전부의 / 问题已经～解决了; 문제는 이미 모두 해결되었다 / 被洪水～冲走了; 홍수로 모두 떠내려갔다.
〔全才〕 quáncái 명 ①무엇이나 할 수 있는 인물. 만능인 사람. ¶文武～; 문무 모두에 뛰어난 인물. =〔全器〕 ②무엇이나 할 수 있는 재능·만능의 재주. 형 만능의. 무엇이나 할 수 있는.
〔全程〕 quánchéng 명 전(全) 코스. 전행정(全行程).
〔全程票〕 quánchéngpiào 명 전구간표. 직행표(直行票).
〔全蛋粉〕 quándànfěn 명 (노른자·흰자가 섞인) 달걀 가루.
〔全德〕 quándé 명 완전 무결한 덕.
〔全等号〕 quánděnghào 명〔數〕(기하학의) 합동의 부호(≡).
〔全丁〕 quándīng 명 ①요리의 재료에서, 돼지고기·닭고기·전복〔또는 해삼〕의 '三丁'에 죽순·표고버섯을 넣은 것. ②〈文〉17세 이상의 성년.
〔全都〕 quándōu 부 전부. 모두. ¶～忘了; 모두 잊었다 / 男女老少～出来欢迎; 남녀노소가 모두 나와 환영하다.
〔全分(儿)〕 quánfēn(r) 명 만점(滿點). ¶得了～; 만점을 받았다.
〔全份(儿)〕 quánfèn(r) ①형 전부의. 한 벌의. 세트의. ¶～表册; 한 질의 장부 / ～妆奁; 혼수 일습. ②⇨〔全份头面〕
〔全份头面〕 quánfèn tóumiàn 머리 장식 세트. =〔全份(儿)②〕
〔全福〕 quánfú 명 완전한 행복. 동 행복을 온전히 누리다.
〔全福人〕 quánfurén 명 (부모·배우자·자녀를 모두 갖춘) 복이 많은 사람. =〔全合人〕〔全科人〕〔全口人(儿)〕〔全靠人〕
〔全副〕 quánfù 형 한 벌의. 전부 갖춘. ¶～盔kuī甲; 갑옷 투구 한 벌. =〔全挂子〕
〔全副武装〕 quánfù wǔzhuāng 명 완전 무장.
〔全功〕 quángōng 명 ①완전한 공로. ②모든 노력. ¶～尽弃;〈成〉모든 노력이 수포로 돌아가다.
〔全供〕 quángòng 명 (섣달 그믐날) 밤의 제물.
〔全挂子〕 quánguàzi 형 ⇨〔全副fù〕 명 ⇨〔全本(儿)〕
〔全国〕 quánguó 명 전국. ¶～一盘棋; 중국에서 1959년 초에 취한 조치로 전 국민의 경제 활동을 바둑판 위에서 움직이는 말로 보고, 각 지방·각 분야의 긴밀한 관련성을 고려하여 이들을 협동케 한 일 / ～科联;〈簡〉'中华全国自然科学专门学会联合会'(1950년에 발족한 중화 전국 자연 과학 전문 학회 연합회)의 약칭〔후에 '中华全国科学技术普及协会'로 발전됨〕.
〔全国教育会议〕 Quánguó Jiàoyùhuìyì 명 전국 교육 회의〔1949년 12월 23일부터 31일까지 베이징(北京)에서 열린 베이징·톈진·화베이(華北) 5성·둥베이(東北)·화둥(華東)·화중(華中)·시베이(西北)·내몽고 등 12지구 대표가 참석함〕.
〔全国农业发展纲要〕 Quánguó Nóngyè Fāzhǎn Gāngyào 명 1960년 4월에 결정된 중국 농업을 발전시키기 위한 계획.
〔全国戏曲观摩演出大会〕 Quánguó Xìqǔ Guānmó Yǎnchū Dàhuì 명 전국 연극 콩쿠르.
〔全国性〕 quánguóxìng 형 전국적인.
〔全合人〕 quánhérén 명 ⇨〔全福人〕
〔全乎〕 quánhu 형〈口〉전부 갖추어져 있다. ¶这商店虽小, 货物倒很～; 이 가게는 작지만, 상품은 다 갖추어져 있다.
〔全会〕 quánhuì 명〈簡〉⇨〔全体会议〕
〔全活〕 quánhuó 동 생활을 보장하다. 명 많은 부분으로 나뉘어 있는 일의 전부. 일의 전과정.
〔全伙〕 quánhuǒ 명 전체(全體).
〔全集〕 quánjí 명 전집.
〔全家〕 quánjiā 명 전 가족. 한 집안 전부. =〔合hé家〕
〔全家福〕 quánjiāfú 명〈方〉①집안 전체의 안전과 행복. ②가족 전원의 기념 사진. 가족 사진. =〔合hé家欢〕 ③요리의 일종.
〔全跏趺坐〕 quán jiāfūzuò 명〔佛〕전가부좌.
〔全甲〕 quánjiǎ 명 전군(全軍).
〔全节〕 quánjié 동 절조 또는 절개를 지키다. 명 일절(一節)의 전부.
〔全景电影〕 quánjǐng diànyǐng 명 와이드 스크린의 일종.
〔全景画〕 quánjǐnghuà 명 ⇨〔幻huàn景画〕
〔全景照象机〕 quánjǐng zhàoxiàngjī 명 파노라마 카메라. =〔全景摄影机〕
〔全就〕 quánjiù 동 완성하다. 성취하다.
〔全局〕 quánjú 명 전체의 국면. 대세. ¶影响～; 전체 국면에 영향을 주다 / 胸怀～; 전체 국면을 고려에 넣다.
〔全局观念〕 quánjú guānniàn 명 전체 관념. 전체의 이익을 중심으로 생각하는 사고 방식.
〔全军覆没〕 quán jūn fù mò〈成〉①전군이 전멸〔총붕괴〕하다. ②완전 실패하다.
〔全军尽黑〕 quán jūn jìn hēi〈成〉(경기 따위의) 전패(全敗). ¶连同昨天的战果可谓～; 어제의 전과까지도 포함하여, 전군 패배의 꼴이 되었다.
〔全开〕 quánkāi 명 전지(全紙). 전판(全判). ¶～宣传画; 전지 크기의 포스터.
〔全靠〕 quánkào 동 모든 것을 …에 의지〔의존〕하다. ¶他～着您帮忙; 그는 전적으로 당신의 원조에 의존하고 있다.
〔全靠人〕 quánkàorén 명 ⇨〔全福人〕
〔全科〕 quánke 형 모두 갖추어져 있다. ¶要什么有什么, 预备的真～; 필요한 것은 다 (갖추어져) 있다. 명 ①전과(全科). ¶～学生; 전과의 학생. ②전과(全課). ¶～职员; 전과의 직원.
〔全科人〕 quánkerén 명 ⇨〔全福人〕
〔全口人(儿)〕 quánkǒurén(r) 명 ⇨〔全福人〕
〔全劳动力〕 quánláodònglì 명 ①(연령·체력으로 보아) 한 사람 몫의 노동을 할 수 있는 사람. ②전노동력.
〔全力以赴〕 quán lì yǐ fù〈成〉전력을 다해 그

일에 임하다. 전력 투구하다.
〔全脸〕 quán.liǎn 동 면목을 세우다. 체면을 세우다. ¶请您想法子, 给我全上脸吧; 제발 제 체면이 서도록 고려해 주십시오.
〔全貌〕 quánmào 명 전모. 전경(全景). ¶弄清问题的～; 문제의 전모를 밝히다 / 城市的～; 시의 전경.
〔全美〕 quánměi ⇨〔十shí全十美〕
〔全面〕 quánmiàn 형 전면적〔전반적〕이다. 구석구석까지 미치다. ¶～关心儿童的成长zhǎng; 아동의 성장에 대하여 세심한 관심을 기울이다 / 这些规则是很不～的; 이 규칙들은 보편적이지 못하다. 명 전면. ¶～和平; 전면적 평화 / ～停战; 전면 정전 / 不够～; 전면적 배려가 부족하다.
〔全面包干〕 quánmiàn bāogān 명 전면 청부《투자·생산고·진도·품질에 관한 네 가지를 청부맡는 것》. ¶在实行投资大包干办法的基础上, 这个厂正在推行着～, 层层包干的办法; 투자 대청부법(大請負法)을 실행하는 기초 위에서, 이 공장은 전면 청부·단계적 청부의 방법을 추진하고 있다.
〔全民〕 quánmín 명 전체 국민. ¶都属于～所有; 모두 전체 인민의 것이다.
〔全民皆兵〕 quánmín jiēbīng 명《軍》국민 개병.
〔全民所有制〕 quánmín suǒyǒuzhì 명《經》전국민 소유제.
〔全民政治〕 quánmín zhèngzhì 명 국민 전부가 정치를 하는 정치.
〔全民总动员〕 quánmín zǒngdòngyuán 명 국민 총동원.
〔全能〕 quánnéng 형 전능의. 만능의. ¶～的人; 무엇이든지 할 수 있는 사람 / ～运动; 《體》릴레이·5종 경기·10종 경기를 합친 것 / ～世界记录; 《體》동일 경기 중의 각 종목을 종합한 세계기록 / ～成绩; 전종목 성적.
〔全能冠军〕 quánnéng guànjūn 명 전 종목 우승(자). ¶获得了团体世界冠军和个人～; 단체 세계 제1위와 개인 전 종목 우승을 차지했다.
〔全年〕 quánnián 명 꼬박 1년. 만 1년 (동안). ¶～所要的经费; 연간 소요 경비 / ～计划; 연간 계획 / 预约～; 1년 분을 예약하다.
〔全盘〕 quánpán 명 ①전부. 온통. ¶～出让; 전부 양도하다. ②전면. ¶～机jī械化; 전면적인 기계화 / ～否定; 전면(적으로) 부정(하다) / ～集jí体化; 전면적 집단화.
〔全盘托出〕 quán pán tuō chū〈成〉모조리 드러내다. 전부 털어놓다. =〔和hé盘托出〕
〔全票〕 quánpiào 명 어른용 표. 일반표.
〔全勤〕 quánqín 명형 개근(이다).
〔全球〕 quánqiú 명 전세계. 지구 전체. ¶冠guàn于～; 세계에서 으뜸이다 / 甲于～; 세계 제일 / ～战争; 세계 전쟁.
〔全球性〕 quánqiúxìng 형 전세계적. 지구적. ¶～的商业衰退也将要持续一个更长的时期; 전세계적인 상업의 쇠퇴 또한 오랜 기간 지속될 것이다 / ～的问题; 전세계적인 문제.
〔全躯〕 quánqū 동〈文〉일신의 안전을 지키다. =〔全身〕
〔全权〕 quánquán 명 전권. ¶～代表; 전권 대표 / ～大使; 전권 대사.
〔全然〕 quánrán 부 전연. 전혀. 완전히. 도무지. ¶我跟他说的话, 他竟～忘记了; 내가 그에게 말한 것을 그는 완전히 잊고 있다 / ～不知道; 전혀 모르다 / ～不懂; 전혀 통하지 않다〔이해하지 못하다〕.
〔全人〕 quánrén 명 ①성인(聖人). 온갖 덕을 갖춘 훌륭한 사람. 완전한 사람. ②사지가 완전한 사람. 동〈文〉백성을 온전히 지키다. ¶立功～; 공을 세워 백성을 지키다.
〔全日制〕 quánrìzhì 명 전일제.
〔全色胶卷〕 quánsè jiāojuǎn 명 전색성(全色性) 필름.
〔全身〕 quánshēn 명 ①전신. 온몸. =〔全体②〕 ②단체 또는 사물의 전부. 동 ⇨〔全躯〕
〔全身跌下井, 耳朵挂不住〕 quánshēn diēxià jǐng, ěrduo guàbuzhù〈諺〉온몸이 우물에 빠져 있는 상태에서는 귀로만 걸치고 버텨 봐야 소용이 없다《일이 거의 완료된 단계에서는 이를 다시 돌이킬 수가 없다》.
〔全神贯注〕 quán shén guàn zhù〈成〉온 신경을 기울이다. 모든 주의력을 집중하다. ¶要是～地工作, 成绩一定会好; 전 신경을 경주해서 하면 성적은 반드시 좋아진다.
〔全生〕 quánshēng 동〈文〉생명을 보전하다.
〔全胜〕 quánshèng 명동 완승(하다). ¶大获～; 완승하다.
〔全盛〕 quánshèng 형 전성하다. 한창 왕성하다. ¶～时代; 전성 시대.
〔全失〕 quánshī 명 전손(全損).
〔全食〕 quánshí 명《天》태양·달의 개기식(皆既蝕). ¶日～; 개기 일식 / 月～; 개기 월식. =〔全蚀〕
〔全始全终〕 quán shǐ quán zhōng〈成〉시종일관하다. 끝까지 그 책임을 다하다.
〔全受全归〕 quán shòu quán guī〈成〉태어나서 죽을 때까지 덕(德)에 결함이 없다.
〔全数〕 quánshù 명 전액. 전부. ¶～奉还; 〈敬〉남김없이 돌려드리겠습니다. =〔悉xī数〕
〔全双工〕 quánshuānggōng 명《電》전이중(全二重)《동시에 송신을 할 수 있는 전신 방식》.
〔全丝〕 quánsī 명 각종 재료를 채쳐서 만든 요리《'三丝'보다 더 많은 재료를 사용한 것》.
〔全速〕 quánsù 명 전속력. ¶～开往某地; 전속력으로 모지(某地)에 가다.
〔全套〕 quántào 명형 갖추어진 것(의). 한 세트(의). 한 벌(의). ¶～课本; 한 질의 교과서 / ～衣服; 모두 갖춘 옷. 일습의 옷 / ～工具; 한 세트의 공구 / 正式提单一般以三分为一～; 정식의 화물 상환증은 보통 석 장이 한 벌로 되어 있다.
〔全套儿〕 quántàor 명 ⇨〔全本(儿)〕
〔全套设备〕 quántào shèbèi 명 (기계·공장 따위의) 종합된 한 단위의 설비. 플랜트(plant).
〔全体〕 quántǐ 명 ①전체. ¶要看到～; 전체에 눈을 돌려야 한다 / ～学生; 전체 학생 / ～成员; 전체 성원. 전 멤버 / ～出席; 전원 출석 / ～利益; 전체의 이익. ②⇨〔全身①〕
〔全体辞职〕 quántǐ cízhí 명 총사직. ¶他的内阁系于二十一日正式～的; 그의 내각은 21일에 정식으로 총사직했다.
〔全体会议〕 quántǐ huìyì 명 전체 회의. 총회. =〔全会〕
〔全体主义〕 quántǐ zhǔyì 명《政》전체주의.
〔全天〕 quántiān 명 하루 종일. 전일(全日). ¶～营业; 종일 영업. 24시간 영업.
〔全天候〕 quántiānhòu 형 전천후의. ¶～飞机; 전천후 비행기.
〔全帖〕 quántiě 명 옛날, 붉은 종이의 교제용 명함.

〔全托〕 quántuō 명동 전탁(하다)《탁아소에 월요일부터 토요일까지 밤에도 맡기는 것》.
〔全完〕 quánwán 모두 마지막이다〔끝나다〕.
〔全无所有〕 quán wú suǒ yǒu 〈成〉 아무것도 없다.
〔全无心肝〕 quán wú xīn gān 〈成〉 ①혼(魂)이 빠진 듯하다. ②몹시 박정하다. 전혀 양심이 없다. ③전혀 관심이 없다.
〔全息照相术〕 quánxī zhàoxiàngshù 명 홀로그래피(holography).
〔全席〕 quánxí 명 각종 요리가 모두 나오는 (정식의) 연회석 요리. =〔全桌〕
〔全线〕 quánxiàn 명 ①전 전선(全戰線). ¶～崩溃; 전 전선이 무너지다 / ～进攻; 전 전선에 걸친 공격. ②(철도 따위의) 전체 선(로). ¶～通车; (철도의) 전선(全線) 개통.
〔全蝎〕 quánxiē 명 〖漢醫〗 건조한 전갈《어린아이의 경련·중풍 등에 효험이 있음》.
〔全心全意〕 quán xīn quán yì 〈成〉 오로지 성의를 다하여 일에 임하다. 성심성의. ¶～为国民服务; 성의를 다해 국민에게 봉사하다.
〔全新〕 quánxīn 형 완전히 새롭다. 아주 새롭다.
〔全性〕 quánxìng 동 〈文〉 천성을 보전하다.
〔全须全尾儿〕 quán xū quán yǐr 〈成〉 깨지기 쉽고 귀중한 것이 성한 모양《귀뚜라미는 싸움을 좋아하여 상처 없는 것이 좀처럼 없는 데서, 그 성한 것을 진중히 여기는 말》.
〔全音〕 quányīn 명 〖樂〗 온음. ¶～符; 온음표.
〔全愈〕 quányù 동 ⇨〔痊愈〕
〔全找〕 quánzhǎo 명 올라운드 플레이어. ¶她是目前女子乒乓球界的一个～; 그녀는 현재의 여자 탁구계의 올라운드 플레이어이다.
〔全着〕 quánzhe 동 갖추어져 있다. ¶吃的、穿的, ～呢; 먹을 것이나 입을 것은 모두 갖추어져 있다.
〔全知全能〕 quán zhī quán néng 〈成〉 전지 전능.
〔全桌〕 quánzhuō 명 ⇨〔全席〕

诠(詮)
quán (전)
〈文〉 ① 동 사리를 밝혀 분명히 하다. 상세히 설명하다. ¶～释; ⇓ ② 동 고르다. 선택하다. ③ 동 갖추어지다. ④ 명 진상. 진리. ⑤ 명 순서. 절차. 준비. ¶辞无～次; 함부로 말하다.
〔诠次〕 quáncì 〈文〉 동 순서를 정하다. 배열(配列)하다. 명 줄거리. 순서. 짜임새. 차례.
〔诠释〕 quánshì 명동 〈文〉 (사리를) 설명(하다).
〔诠证〕 quánzhèng 동 〈文〉 사실에 의거하여 상세하게 입증〔해명〕하다.
〔诠注〕 quánzhù 동 〈文〉 주석을 달며 설명하다.

佺
quán (전)
인명용 자(字). ¶偓Wò～; 악전(偓佺)《옛날 전설 속의 선인(仙人) 이름》.

荃
quán (전)
명 ①고서(古書)에 나오는 향기 좋은 풀. ② 〈翰〉〈套〉 구식 서한문에서 상대방에 대한 경어(敬語)로 쓰임. ¶～察chá =〔～鉴jiàn〕〔～照zhào〕; 양찰(諒察). ③ ⇨〔筌quán〕

辁(輇)
quán (전)
〈文〉 ① 명 낮고 살이 없는 수레 바퀴. ② 형 빈약하다. 천박〔경솔〕하다. ¶～才; 잔재주. ③ 동 저울질하다. 달다.

痊
quán (전)
동 병이 낫다. 전쾌〔완쾌〕하다. ¶～愈; ⇓
〔痊可〕 quánkě 동 ⇨〔痊愈〕
〔痊愈〕 quányù 동 병이 낫다. 완쾌되다. ¶他左足受伤不能走路, 经医师诊治后已～; 그는 왼발을 다쳐 걸을 수 없게 되었는데, 의사의 치료를 받고서 완전히 나았다. =〔痊可kě〕〔全愈〕

铨(銓)
quán (전)
〈文〉 ① 명 계기(計器). ② 동 저울에 달다. ¶～衡; ⇓ ③ 동 전형(銓衡)하다. 인재를 골라 내다. ¶～择; ⇓
〔铨衡〕 quánhéng 명 저울. 동 ①저울에 달다. ② 〈比〉 인재를 가려 뽑다. 전형하다.
〔铨叙〕 quánxù 동 옛날, 관리를 전형하여 임용하다.
〔铨选〕 quánxuǎn 동 〈文〉 전형〔선고(選考)〕하다.
〔铨择〕 quánzé 동 〈文〉 심사해서 뽑다〔고르다〕.

筌
quán (전)
명 가리《물고기 잡는 기구》. ¶得dé鱼忘～; 〈成〉 물고기를 잡으면 가리는 잊어버린다《성공하고 난 뒤에는 그것이 어떠한 방법으로 이루어졌는지 잊어버린다》. =〔荃③〕

醛
quán (철)
명 〖化〗 알데히드《①알데히드기(基)를 갖는 유기 화합물의 총칭. =〔醛基jī〕 ②아세트알데히드의 약칭》. =〔〈音〉 阿ā勒弟海特〕〔〈音〉 亚yà尔迭海特〕

权(權)
quán (권)
① 동 〈文〉 (무게를) 달다. 대중잡다. ¶～其轻重; 그 무게를 달다. ② 동 잠시 대리하다. →〔权摄shè〕 ③ 명 〈文〉 저울. 저울추. ④ 명 모사(謀事). 모략. ⑤ 명 세력. 권력. 권리. ¶政～; 정권 / 决定～; 결정권 / 主动～; 주도권 / 职zhí～; 직권 / 劳动～; 노동의 권리 / 选举～; 선거권. ⑤광대뼈. =〔颧〕 ⑥ 명 횃불. 봉화. ⑦ 부 잠시. 임시로. ¶～代; 잠시 교대하다 / 姑且从～; 잠시 잠정 조치를 취해 두다 / 把一块石头～做枕头; 돌맹이 하나를 임시의 베개로 삼다. ⑧ 형 임기 응변의. 임시 변통의. ¶一时～宜之策; 임기 응변의 계책 / 通～达变 =〔～变〕〔随机应变〕; 〈成〉 임기 응변(하다). ⑨ 명 성(姓)의 하나.
〔权变〕 quánbiàn 동 〈文〉 임기 응변하다. =〔通权达变〕〔随机应变〕
〔权标〕 quánbiāo 명 권력의 상징.
〔权柄〕 quánbǐng 명 (수중에 있는) 권력. 권병. ¶有～好办事; 권력이 있으면 일을 하기 쉽다. =〔权衡〕
〔权柄单〕 quánbǐngdān 명 교역소·거래소 등에서 거래인이 유가 증권이나 은행 예금 증서 따위를 보증금 대신으로 기탁하는 경우, 그 증권 등을 자유로 처분해도 이의가 없다는 조항을 받아들여야 한다는 내용의 조항을 기록한 문서.
〔权臣〕 quánchén 명 〈文〉 권신. 권세 있는 신하. ¶～用事; 권신이 멋대로 좌지우지하다.
〔权充〕 quánchōng 동 임시로 …이 되다. 잠정적으로 …을 담당하다.
〔权宠〕 quánchǒng 명 〈文〉 권력이 있고 임금의 총애를 받고 있는 사람. =〔权幸〕
〔权代〕 quándài 동 〈文〉 직무를 대리하다. =〔权摄〕
〔权当〕 quándàng 동 임시로 …에 돌리다〔충당하다〕. ¶铁路工人提出把卧车～临时旅馆; 철도 노동자들은 열차의 침대차를 임시 여관으로 할 것을 제의하였다.
〔权度〕 quándù 명 〈文〉 ①저울과 자. ②물건을 재는 표준이 되는 것. 규칙.

〔权股〕 quángǔ 명 권리주(株).
〔权骨〕 quángǔ 명 광대뼈. =〔颧quán骨〕
〔权贵〕 quánguì 명 〈文〉 옛날, 권세가 있는 고귀한 사람. 집권자. =〔权要〕〔权右〕
〔权衡〕 quánhéng 동 ①저울에 달다. ¶～轻重; 일의 경중을 달다 / ～利害; 이해를 따지어 비교하다. ②비교하다. ③조절하다. ¶定他什么罪过审判员自有～; 그를 어떤 죄로 정할지는 재판관의 재량에 달려 있다. ④평가(評價)하다. 명 ⇨〔权柄〕
〔权横〕 quánhèng 명 권세를 업고 횡포를 부리는 일.
〔权家〕 quánjiā 명 ① ⇨〔权门〕 ②전술가. 병법가.
〔权奸〕 quánjiān 명 간악한 권력자.
〔权力〕 quánlì 명 ①권력. ¶最高～机关; 최고의 권력 기관 / 掌握～; 권력을 장악하다. ②권한. ¶行使主席的～; 의장의 권한을 행사하다.
〔权利〕 quánlì 명 《法》 권리.
〔权量〕 quánliáng 동 〈文〉 비교하다. ¶～利害; 이해를 비교하다.
〔权略〕 quánlüè 명 ⇨〔权谋〕
〔权门〕 quánmén 명 옛날, 권문. 권력 있는 집안. =〔权家①〕
〔权谋〕 quánmóu 명 권모 술수. 남을 속이는 계교. 못된 짓을 꾸미는 술책. =〔权略〕〔权术〕〔〈文〉权数〕
〔权能〕 quánnéng 명 권력과 기능. 권능. 권한.
〔权佞〕 quánnìng 명 〈文〉 권세를 쥔 악인.
〔权奇〕 quánqí 명 교묘한 계략. 권모 기책(權謀奇策).
〔权且〕 quánqiě 부 〈文〉 ①잠시. 우선. 잠정적으로. ¶～让他住下; 우선 그를 살게 하다 / ～由他去做; 우선 그가 하는 대로 내맡겨 두다 / 老身～收下; 제가 우선 받아두지요. =〔暂zàn且〕〔姑且〕 ②만일. ¶～如此; 만일 이와 같다면.
〔权摄〕 quánshè 동 (직무를) 잠시 대리하다. =〔权代〕
〔权时〕 quánshí 부 〈文〉 일시. 잠시.
〔权实〕 quán shí 《佛》 권교(權教)와 실교(實教) 《권교는 '权宜'을 활용하는 것이어서 법리도 간단하고 알기 쉬우나, 실교는 불리(佛理)의 진수를 말하는 것이어서 법리도 심오함》.
〔权势〕 quánshì 명 권세. 권력과 세력.
〔权首〕 quánshǒu 명 〈文〉 주모자.
〔权术〕 quánshù 명 ⇨〔权谋〕
〔权数〕 quánshù 명 〈文〉 ⇨〔权谋〕
〔权通〕 quántōng 동 융통성을 발휘하다. ¶～不开; 어쩔 도리가 없게 되다.
〔权威〕 quánwēi 명형 권위(있는). ¶～著作; 권위 있는 저작 / ～的动物学家; 권위있는 동물학자. 명 권위자. 또는 권위 있는 사물. 오소리티. ¶这部著作是物理学界的～; 이 저작은 물리학계에서 권위 있는 책이다.
〔权位〕 quánwèi 명 ①권세 있는 지위. ¶争取～; 권세 있는 지위를 쟁취하다. ②권세와 지위.
〔权限〕 quánxiàn 명 권한. ¶超越～; 권한을 넘어서다 / 在法律规定的～内; 법률이 규정한 권한 내에서.
〔权幸〕 quánxìng 명 ⇨〔权宠〕
〔权要〕 quányào 명 ⇨〔权贵〕 형 기밀의. =〔机jī要〕
〔权宜〕 quányí 동 〈文〉 적당히〔편의적으로〕 처리하다. 변통(變通)하다. →〔变通〕
〔权宜之计〕 quán yí zhī jì 〈成〉 편의적인 계획. 임기 응변의 방법.
〔权益〕 quányì 명 권익. 권리와 이익. ¶劳láo工～; 노동자의 권익.
〔权右〕 quányòu 명 ⇨〔权贵〕
〔权舆〕 quányú 〈文〉 명 〈比〉 사물의 시초. 동 (초목이) 싹이 트다. ¶百草～; 온갖 풀이 싹트다.
〔权欲〕 quányù 명 권세〔권력〕욕.
〔权责〕 quánzé 명 권력과 책임. 권한과 직책. 권능. ¶给以～; 권한과 책임을 부여하다.
〔权诈〕 quánzhà 형 〈文〉 교활하다. 간사하다. =〔奸诈〕
〔权制〕 quánzhì 동 권력으로 견제하다. 명 시기에 적합한 법(法).
〔权轴〕 quánzhóu 명 〈文〉 위정자. ¶久当～, 所任皆非其人; 오랫동안 국정을 맡아보았지만, 맡은 사람들은 하나같이 적당한 인물이 아니었다.
〔权子母〕 quánzǐmǔ 명 옛날의 돈놀이.

卷 quán (권)
① 형 만곡(灣曲)하다. 구부정하다. =〔卷曲qū〕 ② →〔拳qúan拳〕 ⇒juǎn juàn

惓 quán (권)
형 간곡하다. 간절하다. ⇒juàn

蜷〈踡〉 quán (권)
동 ①(벌레가) 꿈틀꿈틀 기다. ②(몸을) 구부리다. 움츠리다. ¶花猫～作一团睡觉; 얼룩 고양이가 몸을 웅크리고 자고 있다 / ～着一条腿; 한쪽 다리를 구부리다.
〔蜷伏〕 quánfú 동 〈文〉 몸을 움츠리고 엎드리다.
〔蜷跼〕 quánjú 동 〈文〉 웅크리다. 구부리다. =〔蜷局〕〔卷局〕〔曲qū局〕〔拳局〕
〔蜷盘〕 quánpán 동 웅크려 몸을 서리다.
〔蜷曲〕 quánqū 동 (사람·동물이 몸을) 웅크리다. 서리다. 사리다. ¶草丛里有一条～着的蛇; 풀섶에 몸을 서리고 있는 한 마리의 뱀이 있다 / 两腿～起来; 두 다리를 웅크리다. →〔蜷跼〕
〔蜷缩〕 quánsuō 동 둥글게 오그라들다. ¶动物纤维在烧的时候, 它的纤就开始～成为小圆球的形状; 동물 섬유는 탈 때, 둥글게 오그라들어 조그마한 구형이 된다.

鬈 quán (권)
형 ①머리털이 아름답다. ②머리털이 곱슬곱슬하다. ¶～发fà; 고수머리. 곱슬곱슬하다. 주름지다.
〔鬈曲〕 quánqū 형 주름지다. 곱슬곱슬하다.

泉 quán (천)
명 ①샘. 샘물. ¶活～; 물이 솟아 나오는 샘 / 死～; 마른 샘 / 温～; 온천 / 矿～; 광천 / 喷～; 분천. ②옛날 화폐. ③샘구멍. ④성(姓)의 하나.
〔泉币〕 quánbì 명 천폐. 옛날의 화폐.
〔泉布〕 quánbù 명 옛날의 돈과 포(布). 화폐.
〔泉池〕 quánchí 명 천지. 천수(泉水). 샘이 솟는 못.
〔泉地〕 quándì 명 오아시스(oasis). =〔绿lǜ洲〕
〔泉华〕 quánhuá 명 《地質》 천화. 탕화(湯花) 《온천에서 생기는 석회질·규산질의 침전물》.
〔泉井〕 quánjǐng 명 샘이 솟는 우물. 옹달샘.
〔泉路〕 quánlù 명 ⇨〔黄huáng泉〕
〔泉脉〕 quánmài 명 천맥. 땅 속의 수맥.
〔泉壤〕 quánrǎng 명 ⇨〔黄huáng泉〕
〔泉石〕 quánshí 명 〈文〉 천석. 산수. 산수의 경치. ¶～膏gāo肓; 〈成〉 여행 취미. 탐승벽(探勝癖) 《산수의 경치를 즐기는 것이 도가 지나쳐서 고질병이 되는 일》.

〔泉世〕 quánshì 명 ⇨〔黄huáng泉〕
〔泉水〕 quánshuǐ 명 ①샘물. ②탄산수. 광천수.
〔泉台〕 quántái 명〈文〉분묘(墳墓).
〔泉头〕 quántóu 명 ⇨〔泉源〕
〔泉下〕 quánxià 명 저승. =〔黄huáng泉〕〔泉路〕〔泉壤〕〔泉世〕
〔泉眼〕 quányǎn 명 샘구멍. 샘물이 솟는 구멍. ¶～水; 샘에서 솟아 나오는 물.
〔泉源〕 quányuán 명 ①샘이 솟아 나오는 수원(水源). ②(지식·감정·생산 따위의) 원천. ¶生命的～; 생명의 원천. ‖=〔泉头〕

鰁(鰁) quán (전)
명《魚》중고기. ¶～鱼yú; 중고기.

拳 quán (권)
①명 주먹. ¶双手握～; 두 주먹을 꼭 쥐다 / 挥～; 주먹을 휘두르다. ②명 권법(拳法). ¶练liàn～; 권법을 수련하다 / 太极～; 태극권《중국 무예(武藝) 중의 한 파(派)의 이름》/ 赛sài～; 권법의 기량을 겨루다 / 打一套～; 권법의 품새를 대략 할 줄 안다. ③명〈文〉힘. ¶无～无勇; 힘도 용기도 없다. ④동 구부리다. 오그리다. ¶～着腿睡在床上; 다리를 오그리고 침상에서 자다 / 须～耳戢jí;〈成〉평소의 위세는 온데간데 없다《맹수가 위력을 잃었을 때의 형용》. ⑤형 작다. ⑥형〈文〉받들어 모시는 모양. 충성스러운 모양. ¶～～; ⇩ ⑦양 대《주먹으로 치는 동작을 세는 데 쓰임》. ¶打了一～; 주먹을 한 대 먹여 주었다.
〔拳棒〕 quánbàng 명 무예(武藝)《권법과 봉술(棒術)》. ¶使一手好～; 무예에 뛰어나다 / 自幼好hào习～; 어려서부터 무예 익히기를 좋아했다. =〔拳脚〕
〔拳不离手, 曲不离口〕 quán bù lí shǒu, qǔ bù lí kǒu〈諺〉주먹은 손을 떠나지 않고 바르지 못한 말은 하지 않는다《항상 배움에 힘씀》.
〔拳菜〕 quáncài 명《植》고사리. =〔蕨jué菜〕
〔拳打脚踢〕 quán dǎ jiǎo tī〈成〉때리고 차고 난폭한 짓을 하다. =〔拳足交加〕
〔拳法〕 quánfǎ 명 ⇨〔拳术②〕
〔拳击〕 quánjī 명《體》권투. 복싱. 동 주먹으로 치다.
〔拳架〕 quánjià 명 ⇨〔拳术②〕
〔拳脚〕 quánjiǎo 명 ⇨〔拳棒〕
〔拳脚交加〕 quán jiǎo jiāo jiā〈成〉⇨〔拳足交加〕
〔拳局〕 quánjú 동 ⇨〔蜷跼〕
〔拳蓼〕 quánliǎo 명《植》범꼬리. =〔拳参〕
〔拳路〕 quánlù 명 권법의 순서. 권법의 요령.
〔拳螺〕 quánluó 명《貝》소라. =〔蝾róng螺〕
〔拳曲〕 quánqū 형 굽다. 구불구불하다. 곱슬곱슬하다. ¶～的头发; 웨이브가 있는 머리칼. 동 구부리다. ¶～身子; 몸을 구부리다.
〔拳拳〕 quánquán 형〈文〉높이 받들어 모시는 모양. 충성스러운 모양. ¶～服膺yīng;〈成〉마음에 정성껏 간직하여 받들다. =〔惓惓〕
〔拳赛台〕 quánsàitái 명 (권투 경기를 하는) 링.
〔拳参〕 quánshēn 명 ⇨〔拳蓼〕
〔拳师〕 quánshī 명 권법사(拳法師).
〔拳手〕 quánshǒu 명 복서. 권투 선수. =〔拳击手〕〔拳击家〕
〔拳术〕 quánshù 명 ①권투. ②(중국의) 권법(拳法). 권술. =〔举法〕〔举架〕
〔拳头〕 quántou 명 ①주먹. ¶拿～打; 주먹으로 때리다 / 把～握得紧紧的; 주먹을 단단히 쥐다 / ～里攥着两把指甲;〈歇〉주먹 속에 손톱을 쥐고 있다《가진 것이 아무것도 없음》. ②(가위바위보의) 바위. =〔石shí头②〕
〔拳头商品〕 quántou shāngpǐn 명 충분히 경쟁력 있는 상품. 히트될 가능성이 많은 상품.
〔拳头项目〕 quántou xiàngmù 명 ①각 방면에서 우세한 항목. ②《體》우승할 가능성이 있는 종목.
〔拳足交加〕 quán zú jiāo jiā〈成〉때리고 차고 하다. ¶在他们～之下意大利队的中锋被踢得不省xǐng人事; 그들에게 얻어맞고 차여서 이탈리아 팀의 센터 포워드가 인사불성이 되었다. =〔拳脚交加〕〔拳打脚踢〕

颧(顴) quán (관)
명《生》관골(顴骨). 광대뼈. ¶～骨; ⇩ =〔权⑤〕
〔颧骨〕 quángǔ 명 광대뼈. ¶～高杀夫不用刀; 광대뼈가 나온 여자는 칼을 쓰지 않고도 남편을 죽인다《광대뼈가 나온 여자는 팔자가 세어서 그 지아비를 여의게 된다는 속설》. =〔权骨〕

犬 quǎn (견)
명《動》개. ¶警～; 경찰견 / 猎～; 사냥개 / 守shǒu～; 집 지키는 개 / 丧家之～;〈比〉영락하여 의지할 데 없는 사람 / 鸡鸣～吠; 닭이 울고 개가 짖다《인가(人家)가 가깝다》. =〔狗①〕
〔犬不嫌家贫, 儿不嫌母丑〕 quǎn bù xián jiā pín, ér bù xián mǔ chǒu〈諺〉개는 그 주인의 가난함을 마다하지 않고, 자식은 그 어미의 추함을 탓하지 않는다.
〔犬齿〕 quǎnchǐ 명《生》견치. 송곳니. =〔犬牙①〕
〔犬马〕 quǎnmǎ 명 개와 말. 대〈文〉〈謙〉자기를 겸손하게 일컫는 말. ¶小人当尽～之劳; 저는 반드시 견마지로를 아끼지 않겠습니다.
〔犬戎〕 Quǎnróng 명 춘추(春秋) 때의 서융(西戎)《서쪽의 만족(蠻族))의 이름》. =〔犬夷〕〔畎夷〕〔串chuàn夷〕〔混hùn夷〕〔昆kūn夷〕
〔犬儒〕 Quǎnrú 명 ①《哲》그리스 철학의 한 파. ②(quǎnrú)〈轉〉세상을 비꼬는 불손한 사람. ¶～学派; 견유학파.
〔犬守夜, 鸡司晨〕 quǎn shǒu yè, jī sī chén〈諺〉개는 밤을 지키고, 닭은 새벽을 알린다《사람은 누구나 저마다의 장점을 지니고 있다》.
〔犬瘟热〕 quǎnwēnrè 명《醫》(수의학에서) 디스템퍼(distemper)《개의 급성 전염병》. =〔犬瘟病〕
〔犬问荆〕 quǎnwènjīng 명《植》개쇠뜨기.
〔犬牙〕 quǎnyá 명 ①송곳니. 견치(犬齒). ¶～形; 지그재그. =〔犬齿〕 ②옷 가장자리 장식을 위해 단 지그재그 모양의 레이스.
〔犬犹儿〕 quǎnyóur 명 개사슴록변《한자 부수의 하나. '犯·狂' 등의 '犭'의 이름》. =〔犬于(儿)〕
〔犬于(儿)〕 quǎnyú(r) 명 ⇨〔犬犹儿〕
〔犬子〕 quǎnzǐ 명〈文〉〈謙〉우식(愚息)《남에게 자기의 자식을 낮추어 이르는 말》. =〔豚tún儿〕〔豚犬〕

畎 quǎn (견)
①명 논 사이의 도랑. ②명 농원(農園). 시골. ¶舜发于～亩之中; 순(舜)은 농부 출신으로 입신(立身)했다. ③명 시냇물. ④→〔畎夷〕
〔畎亩〕 quǎnmǔ 명〈文〉밭. 논두렁. 시골.
〔畎夷〕 Quǎnyí 명 ⇨〔犬Quǎn戎〕

绻(綣) quǎn (권)
①동 굴복하다. ②형 간절하다. 간곡하다.

劝(勸) quàn (권)
①동 권(고)하다. 충고하다. 간(諫)하다. 설득하다. 화해시키다. 타이르다. ¶～善; 선행을 권하다 / ～不醒; 충고를 해도 깨닫지 못한다 / 妈想～你几句话; 엄마는 너한테 충고할 말이 있다 / 他闹情绪被我～好了; 그는 기분이 상해 있었는데 내가 달래 주었다 / 两个人打架, 你给～一～; 두 사람은 싸우고 있으니, 네가 화해시켜 줘라 / 我～他休息一下; 나는 그에게 좀 쉬라고 권했다 / 我～你还是好好想想; 나는 너에게 아무래도 잘 생각해 보는 것이 좋겠다고 충고한다. ②동 격려하다. 장려하다. ③명 충고. 권고.
〔劝酬〕 quànchóu 동 ⇨〔酬酢②〕
〔劝导〕 quàndǎo 동 권고 지도하다. 보도하다. 충고하다. =〔劝诱〕
〔劝服〕 quànfú 동 달래어 따르게 하다. ¶用理由～同事的; 이유를 들어 동료들을 달래어 설득하다.
〔劝告〕 quàngào 명동 ①권고(하다). ②충고(하다). ¶接受医生的～, 不再抽烟; 다시는 흡연하지 말라는 의사의 충고를 받아들였다 / 她不顾我们的一再～; 그녀는 우리의 거듭된 충고를 무시했다.
〔劝和〕 quànhé 동 중재하다. 화해시키다. 명 화해. 중재.
〔劝化〕 quànhuà 동 ①감화하다. 교화하다. ②⇨〔化缘〕
〔劝诲〕 quànhuì 동 〈文〉 권하여 깨우치다.
〔劝驾〕 quàn.jià 동 ①손님으로 오시기를 청하다. 내방(來訪)을 권하다. ②나오도록 권유하다. 출마를 권하다. ¶我们面子不够请不到, 还是您去～吧; 우리들로서는 면목이 없어서 오시게 할 수 없으니, 아무래도 당신이 가서 오시도록 권유해 주시는 것이 좋겠습니다.
〔劝架〕 quàn.jià 동 싸움을 중재하다. =〔拉lā架〕
〔劝谏〕 quànjiàn 동 충고하다. 간하다.
〔劝解〕 quànjiě 동 ①싸움을 중재하다. 화해시키다. ②달래다. 위로하다. 명 중재. 위로.
〔劝戒〕 quànjiè 동 충고하여 깨우치게 하다.
〔劝进〕 quànjìn 동 ①신하가 그 임금의 덕을 기리어 제위(帝位)에 앉도록 요청하다. ¶～表; 즉위(卽位) 청원서. ②권력을 쥔 자가 자신에게 유용한 사람을 옹립(擁立)하다.
〔劝酒〕 quàn.jiǔ 동 술을 권하다. =〔敬jìng酒〕
〔劝捐〕 quànjuān 동 기부·의연금 따위를 권유하여 모금하다. =〔劝赈zhèn〕
〔劝开〕 quànkai 동 달래다. 설득하여 말리다. ¶大家好容易把他～了; 모두가 간신히 그를 달랬다.
〔劝留〕 quànliú 동 말리다. 만류하다. ¶用成人对成人的那种客气～; 어른이 어른에게 하는 것과 같은 태도로 못 가게 말리다.
〔劝勉〕 quànmiǎn 동 권하고 격려하다. 장려하다.
〔劝募〕 quànmù 동 (기부금 따위를) 권유하여 모금하다.
〔劝农〕 quànnóng 동 권농하다. 농업을 장려하다.
〔劝世〕 quànshì 동 사회를 교정(矯正)하다. 사람들에게 의식 개조를 권하다. ¶～文; 사회 교정을 위한 문서.
〔劝说〕 quànshuō 동 설득하다. 권하다. ¶好不容易才～他同意了; 간신히 그에게 동의하도록 했다.
〔劝退〕 quàntuì 명동 명예 퇴직(을 하다).
〔劝慰〕 quànwèi 동 달래다. 위로하다.
〔劝降〕 quàn.xiáng 동 항복하도록 권고하다.
〔劝诱〕 quànyòu 동 ⇨〔劝导〕
〔劝赈〕 quànzhèn 동 ⇨〔劝捐〕
〔劝止〕 quànzhǐ 동 ⇨〔劝阻〕
〔劝住〕 quànzhù 동 달래어 수습하다. 달래서 가라앉히다.
〔劝阻〕 quànzǔ 동 충고하여 그만두게 하다. 간하여 말리다. ¶～吸烟; 담배를 끊도록 권하다. =〔劝止〕

券 quàn (권)
명 ①증(證). 권(券). 종이쪽에 인쇄한 증표류(證票類). ¶入场～; 입장권 / 公债～; 공채 증서 / 会费～; 회비 납부증. ②지폐. ¶人民～; 인민권. 중국 인민 은행권. ③계약서. ¶借～ =〔借单〕; 차용 증서. ⇒xuàn
〔券额〕 quàn'é 명 《經》 액면(額面).
〔券据〕 quànjù 명 증거 서류. 증빙 서류. =〔券契〕
〔券契〕 quànqì 명 ⇨〔券据〕

QUE ㄑㄩㄝ

炔 quē (결)
명 《化》 알킨(독 Alkin)《아세틸렌계(系) 탄화 수소》. ¶乙yǐ～ =〔电diàn石气〕; 아세틸렌. ⇒Guì

缺 quē (결)
①동 모자라다. 부족하다. ¶～力气; 힘이 모자라다 / ～东短西; 이것저것 물건이 달리다 / ～这样少那样; 이것저것 다 부족하다 / 天旱, 这条河～水; 날이 가물어 이 강은 물이 부족하다 / 田里～水; 밭에 물이 부족하다 / 不～吃; 먹는 데는 부족함이 없다 / 青菜吃～了; 야채가 부족해졌다. ②동 (갖춰져야 할 것이) 빠져 있다. 사항이나 상태가 완전하지를 못하다. ¶刀刃儿～了一个口儿; 칼이 한 군데 이가 빠졌다. ③동 비우다. ¶此字暂～; 이 글자는 잠시 비워 둔다. ④형 불성실하여 품행이 나쁘다. 부도덕하다. ¶他真～, 不要管他; 그는 몹쓸놈이니 상관 마라. ⑤명 결손. 결점. 약점. ¶完满无～; 완전 무결. ⑥명 대부. ¶浮～; (옛날) 당좌 대부. ⑦명 (관직의) 빈 자리. 결원(缺員). ¶补～; 결원을 메우다 / 出了一个～; 한 사람 결원이 생겼다. =〔空缺〕 ⑧명 결석. ‖ =〔阙quē②〕
〔缺班〕 quē.bān 동 결항(缺航)하다.
〔缺本〕 quēběn 동 ⇨〔亏kuī本〕
〔缺本钱〕 quēběnqián 동 ⇨〔亏kuī本〕
〔缺笔〕 quē.bǐ 동 글씨를 쓸 때 자획을 생략해서 쓰다. 자획이 빠지다. ¶这个字缺着一笔呢; 이 글자는 한 획이 빠져 있다.
〔缺不了〕 quēbuliǎo ①없어서는 안 된다. ¶米是一天也～的; 쌀은 하루라도 없어서는 안 된다. ②부족할 리 없다.
〔缺场〕 quēchǎng 동 (시험·경기 등에) 결장하다. 결석하다. ¶他虽然有微伤也不至于～的; 그는 가벼운 상처가 있기는 하나 경기에 출장하지 못할 정도는 아니다.
〔缺吃缺穿〕 quē chī quē chuān 〈成〉 옷과 먹을 것이 부족하다. =〔缺吃少穿〕
〔缺齿儿〕 quēchǐr 명 ⇨〔缺口(儿)〕
〔缺处〕 quēchu 명 기물이 파손되어 떨어져 나간 부분.
〔缺穿缺戴〕 quē chuān quē dài 〈成〉 ①(여성의) 복장이 허술하다. ②몸에 걸치는 것 머리에

쓰는 것도 부족하다.

〔缺唇(儿)〕 quēchún(r) 명 언청이. =〔豁子嘴〕

〔缺德〕 quēdé 명 부덕. 비도(非道). 배덕(背德). 형 ①부도덕하다. 양심에 반(反)하다. ¶不要做~的事情; 양심에 어긋나는 짓은 하지 말아라. ②품위가 없다. 상스럽다. 진실치 못하다. 비열〔발칙〕하다. ¶~话; 상스러운 이야기/~的事; 사람으로서 할 수 없는 일/这么大热的天儿, 又叫我白跑一趟, 真~! 이렇게 지독히 더운 날에 사람을 헛걸음치게 하다니 정말 발칙한 녀석이다.

〔缺德带冒烟儿〕 quēdé dài màoyānr 〈罵〉 지나치게 덕행이 없다.

〔缺德鬼〕 quēdéguǐ 명 〈罵〉 괘씸한〔발칙한〕 놈. 추잡한 놈. ¶这个~; 이 돼먹지 못한 놈!

〔缺点〕 quēdiǎn 명 ①결점. 단점. 단처(短處). ¶指出~; 결점을 지적하다/口齿不清是他的~; 말이 분명치〔똑똑지〕 않은 것이 그의 결점이다. =〔短duǎn处〕 ②약점. ¶利用旁人的~; 남의 약점을 이용하다. ③유감(스러운 일). ¶有花无酒算是有点儿~了; 꽃은 있되 술이 없는 것이 좀 유감스러운 점이다.

〔缺玷〕 quēdiàn 명 〈文〉 하자. 결점. 흠.

〔缺掉〕 quēdiào 동 결여되다. 부족하게 되다. ¶~一个; 하나가 모자라다.

〔缺短〕 quēduǎn 동 부족하다. 결핍하다. ¶目前~这类货物, 因此供应有所限制; 지금 이 종류의 물품이 부족해서, 공급에 제한이 가해져 있다.

〔缺额〕 quē'é 명 ①부족수. 부족액. 결손액. ②결원(缺員). 부족 인원. ③외상 매출금. 동 정액·정원이 미달되다. 결손이 나다.

〔缺乏〕 quēfá 동 부족되다. 결핍되다. 모자라다. ¶材料~; 재료가 부족하다/~症; 결핍증/~知识; 지식이 부족하다/~正确的理解; 정확한 이해가 모자라다/~觉悟; 자각이 모자라다/~劳动力; 노동력이 모자라다.

〔缺分〕 quēfen 명 옛날, 관직의 결원·공석(空席). ¶一有~我就通知你, 你安心等着吧; 자리가 있으면 알려 줄 테니 안심하고 기다리고 있어라.

〔缺工〕 quē.gōng 동 일손이 달리다. 노동력이 부족하다.

〔缺憾〕 quēhàn 명 불충분한 점. 유감스러운 점.

〔缺货〕 quē.huò 동 품절되다. (quēhuò) 명 품절.

〔缺角儿〕 quējiǎor 명 기물이 이지러진 모서리.

〔缺脚腕儿〕 quējiǎowànr 명 〈北方〉 ⇨〔缺缺腕儿〕

〔缺刻〕 quēkè 명 《植》 (잎의) 결각.

〔缺课〕 quē.kè 동 수업을 빠지다. 결강(缺講)하다. ¶她不论刮风下雨, 从不~; 그녀는 바람이 불거나 비가 오거나 이 때까지 수업에 빠진 일이 없다.

〔缺口〕 quē.kǒu 동 먹을 것이 부족하다. 먹지 못하다. ¶缺了口, 身子股儿就吃亏; 먹지 못하면 몸에 힘이 없다. (quēkǒu) 명 구멍. 터진 데. 돌파구. ¶打开~; 구멍이나 돌파구를 만들다.

〔缺口(儿)〕 quēkǒu(r) 명 (그릇 따위의) 이 빠진 곳. 갈라진 틈. 이지러진 곳. 실수. 허점. 결함. ¶打~儿; 기회를 노리다/敌军的阵线暴露bàolù了~; 적군의 전선은 약점이 폭로됐다. =〔缺齿儿〕

〔缺口镊子〕 quēkǒu nièzi 〈歇〉 이 빠진 족집게(지독한 구두쇠).

〔缺亏〕 quēkuī 명동 〈文〉 부족(하다). 결핍(하다).

〔缺棱短角儿〕 quēléng duǎnjiǎor 가장자리 따위가 이지러지다.

〔缺理〕 quē lǐ 이치가 맞지 않다. 주장하는 근거가 희박하다. (이야기 따위가) 앞뒤가 맞지 않다. 변명의 여지가 없다.

〔缺粮〕 quē.liáng 동 식량이 부족하다. (quēliáng) 명 식량 부족. ¶~户; 식량 부족 농가.

〔缺粮区〕 quēliángqū 명 식량 부족 지구. ¶~和余粮区; 식량 부족 지구와 식량 잉여 지구.

〔缺门(儿)〕 quēmén(r) 명 빈〔공백〕 부문(部門). ¶填补~; 빈 부문을 메우다. 형 부도덕하다. 부당하다. 도리에 벗어나다. ¶这个办法实在~; 이 방법은 정말 부당하다.

〔缺门产品〕 quēmén chǎnpǐn 명 공급 부족의 제품. 품귀된 제품.

〔缺苗〕 quē miáo 《農》 모가 고르지 않다. 모가 군데군데 빠져 있다.

〔缺奶〕 quēnǎi 형 모유가 부족하다.

〔缺盆〕 quēpén 명 결분(인체 급소의 하나).

〔缺气〕 quēqì 동 용기가 없다. ¶他们普遍~, 忽略了勤练; 그들은 일반적으로 용기가 없고, 연습을 소홀히 했다.

〔缺钱〕 quēqián 동 돈이 모자라다. ¶~花; 용돈이 모자라다.

〔缺欠〕 quēqiàn 명 결함. 결점. ¶检查自己的~; 자기의 결점을 점검하다. 동 적다. 부족하다. 모자라다.

〔缺勤〕 quē.qín 동 결근하다. ¶~率; 결근율.

〔缺情短礼〕 quē qíng duǎn lǐ 〈成〉 예의를 잃다. 실례를 범하다. ¶要有~之处, 请指点指点我吧; 만일 실례되는 점이 있다면, 지적해 주십시오.

〔缺球〕 quēqiú 명 《數》 평면으로 구(球)를 잘라 둘로 만든 것 중의 하나. =〔截jié球体〕

〔缺缺腕儿〕 quēquēwànr 명 〈京〉 약점. 취약점. 급소. ¶拿~; 약점을 쥐다/我把他的~攥zuàn住了; 나는 놈의 약점을 쥐고 있다. =〔〈北方〉 缺脚腕儿〕

〔缺儿〕 quēr 명 ①(기물의) 떨어져 나간 데. 깨진 데. ②결점. 잘못. ③결원이 된 지위. 빈 자리.

〔缺人情〕 quē rénqíng 의리가 없다. 예의가 없다. 인정이 없다.

〔缺少〕 quēshǎo 동 결핍하다. 부족하다. ¶~零件; 부품이 부족하다/~干部; 간부가 부족하다/造房子~砖头; 집을 짓는데 벽돌이 모자란다. =〔短duǎn少〕

〔缺失〕 quēshī 명 결함과 실책. ¶弥补~; 결함과 실책을 보완하다.

〔缺食〕 quē.shí 동 (가축의) 사료가 부족하다.

〔缺市〕 quēshì 동 (시장에서) 물건이 품절되다.

〔缺手〕 quē.shǒu 동 ①일손이 부족하다. 사람 수가 모자라다. ¶打麻将总是要四个人, ~就不能打了; 마작을 하려면 아무래도 네 사람이 필요한데, 머릿수가 모자라면 할 수가 없다. ②지장을 초래하다.

〔缺数〕 quēshù 명 부족수. 부족액.

〔缺水〕 quē shuǐ ①(작물이나 화초 등의) 물이 불충분하다. ¶这块田地~; 이 논은 물이 모자란다. ②(quēshuǐ) 명 수분 부족.

〔缺席〕 quē.xí 동 결석하다. (quēxí) 명 결석(자).

〔缺陷〕 quēxiàn 명 결함. 흠.

〔缺心少肺〕 quē xīn shǎo fèi 〈成〉 인정이 없다. 양심이 없다. 의리도 인정도 없다.

〔缺心眼儿〕 quēxīnyǎnr 형 눈치가 없다. 좀 모자라다. 멍청하다. ¶这个人有点儿~, 不该说的也往出说; 이 자는 좀 모자라서, 말하지 말아야 할 것도 지껄여 버린다. 명 눈치 없는 사람. 좀 모자란

사람.
〔缺氧〕 quēyǎng 동 산소가 적다. 산결(酸缺)이 되다.
〔缺页〕 quēyè 명 서적의 낙장(落帳).
〔缺医少药〕 quē yī shǎo yào 〈成〉 의사와 약이 부족하다.
〔缺银〕 quēyín 명 옛날의 '钱庄'의 대부금.
〔缺雨〕 quēyǔ 동 비가 모자라다. 우량이 부족하다.
〔缺者为贵〕 quēzhě wéiguì 〈諺〉 희소 가치 있는 것은 값이 비싸다. 범 없는 골에는 토끼가 스승이다.
〔缺支(儿)〕 quēzhī(r) 명 등글월문《한자 부수의 하나 '改·敲' 따위의 '攵'·'攴'의 이름》.
〔缺嘴(儿)〕 quēzuǐ(r) 명 〈方〉 언청이. =〔唇chún裂〕 동 먹을 것이 모자라다. 게걸들려 있다. ¶这个孩子~, 看见什么都要吃; 이 아이는 먹을 것이 부족해서, 보는 것마다 먹으려 든다.

阙(闕) quē (궐)
① 명 〈文〉 과실(過失). 궐실. ② ⇨〔缺quē〕 ③ 명 성(姓)의 하나. ⇒què
〔阙本〕 quēběn 명 궐본《낙질이 되어 완전하지 않은 책》.
〔阙漏〕 quēlòu 명 결함. 탈락. 동 빠뜨리다. 빠져서 모자라다.
〔阙略〕 quēlüè 동 〈文〉 궐략하다. 결략(缺略)되다《탈루(脫漏)나 생략》.
〔阙失〕 quēshī 명 〈文〉 궐실. 과실(過失).
〔阙文〕 quēwén 명 〈文〉 문장 중에 글자 또는 문장의 일부가 탈락되어 있는 것《고대의 문헌에 자주 볼 수 있는 현상》.
〔阙疑〕 quēyí 동 〈文〉 의심스러운 일을 보류시켜 신중을 기하다.
〔阙字〕 quēzì 명 ①옛날, 글 가운데 천자 또는 귀인의 칭호·성명 등에 관계가 있는 글자를 쓸 경우, 경의를 표하기 위하여 그 글자 위를 한 자 띄어서 쓴 것. ②문장 중의 탈자.

瘸 qué (가)
〈口〉 ① 명 절름발이. ② 동 다리를 절다. 절름거리다. ¶~腿不能走远路; 절름거리는 다리로는 먼길을 걷지 못한다 / 腿tuǐ~了; 절름발이가 되었다.
〔瘸搭瘸搭〕 quéda quéda 절뚝절뚝. ¶~地走; 절뚝거리며 걷다.
〔瘸毒瞎狠〕 quédú xiāhěn 불구자가 가진 비뚤어진 심한 버릇.
〔瘸驴配破磨〕 quélǘ pèi pòmò 〈諺〉 절름거리는 나귀에는 깨진 맷돌이 제격이다《헌 짚신에도 짝이 있다》. ¶我担任这个正是~; 제가 이것을 담당하게 된 것은 그야말로 제격이지요.
〔瘸秃聋哑瞎〕 qué tū lóng yǎ xiā 절름발이·대머리·귀머거리·벙어리·장님.
〔瘸子〕 quézi 명 〈口〉 절름발이. 절뚝발이. ¶一~一拐; 절룩거리며 걷는 모양 / 摔~; 절룩거리다.

却〈卻, 卻〉 què (각)
① 동 뒤로 물러서다. 뒷걸음질치다. 후퇴하다. ¶望而~步; 보고 뒷걸음질치다. ② 동 물리치다. 거절하다. ¶推~; 거절〔사퇴〕하다 / ~不过面子; 남의 체면을 손상시키면서까지 거절하지 못하다. ③없애 버리다. …해 버리다《동사의 뒤에 붙음》. ¶流泪湿~胭脂; 눈물이 연지를 닦아 내어 버렸다 / 抛~; 내던져 버리다 / 失~联系; 연계를 잃고 말다 / 砍~月中桂, 清光更应多; 달 속의 계수나무를 잘라 버리면 훨씬 밝아질 것이다. →〔去〕〔掉〕 ④ 동 〈文〉 반전(反轉)하다. 되돌아보다. ¶~顾旧路; 옛 길을 돌이켜보다 / ~忆儿时之事, 已恍惚矣; 어렸을 적의 일을 돌이켜보면, 이제 어렴풋한 기억밖에 없다. ⑤ 부 도리어. 반대로. 그러나. 오히려. ¶品行~比别人都好; 품행은 오히려 딴 친구들보다 좋았다 / 本来心中顾虑很多, 等到临时~不怕了; 본래 마음 속으로 크게 걱정하고 있었는데, 그 때가 되니까 오히려 태평했다 / 我~不信; 그러나 난 믿지 않는다 / 今天~贴出了一张不平常的布告; 그런데 오늘은 색다른 공고가 나붙은 것이다. →〔倒〕〔反〕 ⑥ 부 의외로. 뜻밖에도. ¶再细数一次, 不想~差了两张; 다시 한번 찬찬히 세어 보니 웬걸 2장이 모자랐다. →〔竟〕 ⑦ 부 …이기는 하나. 그러나《흔히, 虽然과 호응함》. ¶他虽然身子不大好, ~爱喝酒; 그는 몸이 그렇게 튼튼하진 않지만, 술을 좋아한다 / 春天到了, ~还有点冷; 봄은 왔으나 아직 조금 춥다. ⑧ 부 …이기는 …이다《같은 동사·형용사 사이에 끼여 양보의 뜻을 나타냄》. ¶好~好, 可是…; 좋기는 하다만 …. ⑨ 부 꽤. 오히려 더욱. ¶你说的~不错; 네 말이 오히려 훌륭하다. ⑩ 부 또. ¶明日~说; 내일 다시 말하다. →〔再〕 ⑪ 부 잠시. 잠깐. ¶我~出去; 나 잠깐 나갔다 올 테다. ⑫ 부 어찌 …일 수가 있겠는가. ¶从新再做, ~不是好! 처음부터 다시 하는 것이 어찌 좋지 않겠는가! →〔岂〕 ⑬ 부 …보다 …하다《형용사 뒤에 놓아 비교급을 만들고, 또 동사 뒤에 놓아 수동을 나타냄》. ¶谁道泰山高, 下~鲁连节《李白詩》; 태산이 높다고 하나 노련(魯連)의 절조보다는 낮다. ⑭ 부 결국. 도대체. ¶这位~是谁? 이분은 도대체 누구십니까?
〔却病〕 quèbìng 동 〈文〉 병을 쫓아 내다. ¶~延年; 병을 쫓아 내고 수명을 연장하다. 무병 장생하다. =〔祛qū病〕
〔却步〕 quèbù 동 (두려워하거나 혐오하여) 뒷걸음질치다. ¶不要因为困难而~! 곤란하다고 해서 뒤로 물러서면 안 된다!
〔却不道〕 quèbudào 〈古白〉 ① …라고는 생각도〔상상도〕 못 했다. ¶猜他一定叫人搬行李, 不肯在这里住, ~你留他; 그가 기필코 짐을 운반시키려고 한 것은 여기 머물기 싫다는 것으로 생각되었는데, 네가 말릴 수 있으리라고는 생각도 못 했다. =〔可没想到〕 ②흔히 …라고들 (말)하지 않는가. ¶~一马不鞴bèi两鞍ān; 한 마리 말에 두 안장을 올릴 수는 없다고 하지 않는가. ③참으로. 실로. =〔真是〕
〔却不是〕 quèbushì 본래부터 그렇지 않다. 그러나 그렇지 않다. →〔须xū不是①〕
〔却才〕 quècái 부 〈文〉 방금. =〔方才〕〔恰qià才〕
〔却待〕 quèdài 〈古白〉 마침 …하려고 할 때《옛날 백화(白話) 소설에서 자주 쓰인 말. 구두어(口頭語)의 '正要…'에 해당됨》. ¶接了银子, ~分手《水滸傳》; 돈을 받고 마침 헤어지려는 순간에.
〔却倒〕 quèdào 부 오히려.
〔却敌〕 quèdí 동 〈文〉 적을 물리치다. 「턴 댄스.
〔却尔斯登舞〕 què'ěrsīdēng wǔ 명 〈音義〉 찰스
〔却好〕 quèhǎo 부 〈古白〉 공교롭게도. 마침. 막《백화(白話) 소설에 흔히 쓰이며, 구두어(口頭語)의 '恰qià巧'에 해당함》.
〔却来〕 quèlái 부 〈文〉 ①도리어. 반대로. ¶他~问我; 그가 도리어 나에게 질문을 해 왔다. ②사실대로 말하면. 실은. 기실(其實). ¶~他可以不理的; 실제로, 그는 상대할 필요가 없는 것이다 /

～他们俩倒没什么仇根；기실, 그 두 사람은 아무 원한도 없다. =〔却起来〕
〔却老〕quèlǎo 동〈文〉불로(不老) 장생하다《노(老)를 물리쳐 버린다는 뜻》.
〔却粒〕quèlì 동 곡물을 먹지 않다.
〔却起来〕quèqǐlái 부 ⇨〔却来②〕
〔却是〕quèshì 부 ①오히려. 도리어. 그런데. 그건 아무래도. ②어느 쪽인가 하면.
〔却说〕quèshuō〈古白〉각설하고. 그런데. 그건 그렇다 하고.
〔却退〕quètuì 동〈文〉퇴각하다. 물리치다.
〔却行〕quèxíng 동 꽁무니를 빼다. 뒷걸음질치다.
〔却又〕quèyòu 부〈古白〉①…하고 나서. 그러고서. ¶这也是宿世冤业, 且得他量轻发落, ～理会《京本通俗小說》; 이것도 전생의 업이라, 우선 그를 가볍게 처벌한 다음에 처리해야 한다. ②이것은 또. 그런데 또(다시). ¶～是苦也, 早是不钻出去; 이건 또(한) 괴로운 일이다, 어째서 빨리 달아나지 않았을까.
〔却又来〕quèyòulái〈古白〉역시 또. 그럴줄 알았다. 아니나다를까《항상 '既然如此'와 서로 대응해서 쓰임》. ¶～, 既然如此, 你慌着回屋子去作什么? 그럴 줄 알았지, 기왕 이렇게 됐는데, 허둥지둥 방에 돌아가 어쩌겠다는 거냐?
〔却月〕quèyuè 명 반달. =〔弦xián月〕
〔却之不恭, 受之有愧〕què zhī bù gōng, shòu zhī yǒu kuì〈成〉거절하자니 실례 같고, 받자니 죄송하다.

埆 què (각)
①형 땅이 메마르다. ②명 돌이 많은 메마른 땅. =〔埆瘠jí〕〔硗qiāo埆〕〔垅qiāo埆〕‖=〔确B)〕

确(確〈碻, 塙〉) A) què (확)
A) ①형 확실하다. 진실하다. ¶千真万～; 절대로 틀림없다 / 这话～实吗? 이 이야기는 사실〔정말〕인가? ②형 굳다. 단단하다. 견고하다. ¶～信; 굳게 믿다. 확신하다. ③부 확실히. 틀림없이. ¶他～是进步很快; 그는 확실히 진보가 빠르다. ④부 매우. 몹시《정도를 강조함》. ¶～青的苞米叶子; 매우 푸른 옥수수의 잎. B) 형명 ⇨〔埆〕
〔确保〕quèbǎo 동 ①확실히 보증하다. ②확보하다.
〔确当〕quèdàng 형 적절하다. 적당하다. 다시없다. 정확하다. ¶再～也没有; 이 이상의 안성 맞춤은 또 없다.
〔确定〕quèdìng 동 확정하다. 명확히〔분명히〕하다. 확인하다. ¶～观点; 관점을 정하다. 형 ①확정적이다. ¶～的答复; 확정적인 대답 / ～的胜利; 확실한 승리. ②확고하다. 부동(不動)이다.
〔确定出价〕quèdìng chūjià 명《商》(변동이 없는) 확정된 주문. 확정 오퍼. =〔确定书〕
〔确定书〕quèdìngshū 명 ⇨〔确定出价〕
〔确对〕quèduì 동 확실히 대조하여 살피다.
〔确耗〕quèhào 명 ⇨〔确讯〕
〔确乎〕quèhū 부〈文〉확실히. ¶～如比; 확실히 이러하다 / ～有这宗事; 확실히 이런 일이 있다 / 经过试验, 这办法～有效; 시험을 해 보니, 이 방법은 확실히 유효하다 / ～不错; 확실히 그렇다. =〔确确乎〕〔确然〕〔确是〕
〔确据〕quèjù 명 확실한 증거.
〔确论〕quèlùn 명 올바른 언론. 사리에 맞는〔정당한〕논조.
〔确盘〕quèpán 명《商》확실한 시세. 확약 제공가격.
〔确期〕quèqī 명 확실한 기일. ¶～以后宣布; 확실한 기일은 후에 발표한다.
〔确切〕quèqiè 형 확실〔정확〕하고 적절하다. ¶～的保证; 확실하고 적절한 보증 / ～证据; 확실한 증거 / 说～些; 좀더 정확히 말하다. 부 (겉치레가 아니고) 진심으로. 참으로.
〔确青〕quèqīng 명 짙은 녹색(綠色). =〔碧bì绿〕
〔确确乎〕quèquèhu 부 ⇨〔确乎〕
〔确然〕quèrán 부 ⇨〔确乎〕
〔确认〕quèrèn 명동 확인(하다). ¶参加会议的各国～了这些原则; 회의에 참가한 각국은 이러한 원칙을 확인했다. 명《法》확인.
〔确实〕quèshí 형 확실하다. 틀림없다. ¶～的消息; 확실한 소식 / 这件事他亲眼看到, 说得确确实实; 그 일은 그가 직접 목격했으니까, 말하는 것이 매우 확실하다. 부 확실히. 정말로. ¶他最近～有些进步; 그는 요즘 확실히 진보했다.
〔确是〕quèshi 부 ⇨〔确乎〕
〔确守〕quèshǒu 동 굳게〔단단히〕지키다. 엄수하다. ¶～信义; 신의를 굳게 지키다.
〔确信〕quèxìn 동 확신하다. ¶～以为真; 진실이라고 확신하다. 명 확실한 소식. 확신.
〔确讯〕quèxùn 명 확실한 소식. =〔确耗〕
〔确凿〕quèzáo 형〈文〉확실하다. 명확하다. ¶言之～; 말하는 바가 명확하다 / ～不移; 확실해서 움직일 수 없다 / 叛国罪证据～, 于前日枪决; 반역죄의 증거가 확실하므로 그저께 총살되었다.
〔确诊〕quèzhěn 동 (최종적으로 …라고) 진단하다. 환자를 진단하고 판단을 내리다.
〔确证〕quèzhèng 명 ⇨〔明míng证〕
〔确知〕quèzhī 동 확실하게 알다.

雀 què (작)
명 ①《鳥》참새. =〔家雀qiǎo儿〕〔麻雀儿má-qiǎor〕②작은 새. ¶养～怡情; 작은 새를 기르면 즐겁다 / 孔kǒng～; 《鳥》공작. ⇒qiāo qiǎo
〔雀斑〕quèbān 명 주근깨.
〔雀角鼠牙〕què jiǎo shǔ yá〈成〉다툼. 소송. =〔雀鼠之争〕〔鼠牙雀角〕
〔雀罗〕quèluó 명〈文〉참새 그물. 새그물.
〔雀麦〕quèmài 명《植》참새귀리. =〔野yě麦〕
〔雀盲〕quèmáng 명 ⇨〔雀qiǎo盲眼〕
〔雀鸟(儿)〕quèniǎo(r) 명 작은 새. ¶～牙子; 새 판매점〔장수〕.
〔雀屏中目〕què píng zhòng mù〈成〉사위 간택에서 뽑히다《수(隋)나라 때 두의(竇毅)가, 병풍에 그려진 공작의 눈을 활로 쏘아 적중시킨 사람을 사위로 뽑았다는 고사(故事)에서 유래》.
〔雀翘〕quèqiáo 명《植》민미꾸리낚시의 근연종(近緣種)《논두렁, 도랑가 등의 물가에 사는 일년생 풀. 높이 30～40센티, 잎에는 가시가 있음》.
〔雀榕〕quèróng 명《植》벵골보리수《따뜻한 곳의 바닷가에 자생하는 교목》.
〔雀色〕quèsè 명《色》참새빛. 다갈색.
〔雀舌〕quèshé 명〈文〉〈比〉갓 나온 차나무의 어린 잎.
〔雀鼠〕quèshǔ 명《動》①작서. 참새와 쥐. ②날다람쥐.
〔雀鼠耗〕quèshǔhào 명 작서모. 연공미(年貢米)의 부가세.
〔雀鼠之争〕què shǔ zhī zhēng〈成〉⇨〔雀角鼠牙〕

〔雀瓮蛾〕 quèwèng'é 명 ⇨〔刺cì蛾〕
〔雀息〕 quèxī 동 〈文〉 (압도되어) 말을 하지 못하다. 숨소리도 내지 못하다.
〔雀鹰〕 quèyīng 명 《鳥》 새매. =〔鹞yào子〕
〔雀跃〕 quèyuè 동 〈文〉 흔희 작약하다. 기뻐서 날뛰다. ¶欢欣～; 〈成〉 기뻐서 날뛰다.
〔雀爪〕 quèzhǎo 명 《美》 (수묵화(水墨畫)에서) 대나무의 작은 가지가 세 갈래로 아귀진 부분.

榷〈搉〉B) què (각) A) ①명 〈文〉 통나무 다리. ②명 (예전, 중요 물자의) 전매(專賣). ¶酤gū～; 정부가 술을 전매하다 / 酒～; 주류업에 부과하는 세 / 官～; 정부 전매 / ～利; 전매 이익. ③동 전매하다. 이익을 독점하다. ④동 징세(徵稅)하다. ¶～盐; 염세 징수. B) 동 ①〈文〉 치다. 때리다. 두드리다. ②상의하다. 검토하다. ③〈文〉 인용하여 말〔논술〕하다. ¶扬～古今; 〈成〉 고금의 예에서 인용하여 말〔논술〕하다.

悫(慤〈愨〉) què (각) ①형 〈文〉 성실하다. 조심성이 많다. 몸가짐이 단정하다. ②인명용 자(字).

阕(闋) què (결) ①동 〈文〉 정지하다. 끝나다. 다하다. ¶乐～; 연주가 끝나다 / 服～; 거상 기간(居喪期間)이 끝나다. ②동 〈文〉 문을 닫다. ③형 〈文〉 헛되다. 공허(空虛)하다. ④양 가사(歌詞) 또는 곡(曲)을 세는 데 쓰임. ¶弹琴一～; 거문고를 한 곡 타다 / 歌数～; 몇 곡 노래하다 / 一～词; 사 한 수.

阙(闕) què (궐) 명 ①〈文〉 궁문(宮門) 양쪽의 망루(望樓). ②〈文〉〈轉〉 대궐. 궁성. ③조정(朝廷). ④〈文〉 묘도(墓道)의 바깥쪽에 세운 석비(石碑). ⑤성(姓)의 하나. ⇒quē
〔阙门〕 quèmén 명 〈文〉 궁정. 대궐.
〔阙下〕 quèxià 명 〈文〉 천자(天子). ¶上书～; 천자에게 상서하다〔글을 올리다〕.

碏 què (작) 인명용 자(字). ¶石～; 춘추(春秋) 시대 위(衛)나라 대부(大夫).

鹊(鵲) què (작) 명 《鳥》 까치. =〔喜xǐ鹊〕
〔鹊报〕 quèbào 명 기쁜 소식. 길보(吉報).
〔鹊巢鸠占〕 què cháo jiū zhàn 〈成〉 까치 집에 비둘기가 앉다《남의 땅이나 집 · 지위를 가로채다》. =〔鸠占鹊巢〕
〔鹊豆〕 quèdòu 명 《植》 까치콩. =〔扁biǎn豆〕
〔鹊镜〕 quèjìng 명 뒷면에 까치를 새긴 옛 거울.
〔鹊鸣〕 quèmíng 동 ⇨〔鹊噪〕
〔鹊起〕 quèqǐ 동 〈文〉 시세(時勢)를 타고 분기(奮起)하다.
〔鹊桥〕 quèqiáo 명 오작교《칠석(七夕)날 직녀(織女)가 은하수를 건너는데 까치들이 다리가 되어 주었다는 데서 유래》. ¶～相会; 〈比〉 부부나 연인들이 오랜만에 만나는 것 / ～会; 결혼 상담소.
〔鹊尾炉〕 quèwěilú 명 승려가 지니는 긴 자루 달린 향로.
〔鹊喜〕 quèxǐ 명 ①기쁜 일. 경사. ②⇨〔鹊语〕
〔鹊笑鸠舞〕 què xiào jiū wǔ 〈成〉 매우 경사스럽다.
〔鹊鸭〕 quèyā 명 《鳥》 흰뺨오리. =〔金jīn眼鸭〕〔喜xǐ鹊鸭〕〔白bái颊鸭〕
〔鹊语〕 quèyǔ 명 길조. 길한 조짐. 기쁨의 전조. =〔鹊喜②〕
〔鹊噪〕 quèzào 동 까치가 울다《까치가 우는 것은 길조로 여김》. ¶～则喜生; 까치가 울면 기쁜 일이 생긴다. =〔鹊鸣〕

QUN ㄑㄩㄣ

囷 qūn (균) 명 〈文〉 옛날, 원형의 곡물 곳간.

逡 qūn (준) 동 〈文〉 뒤로 물러나다. 머뭇〔멈칫〕거리다. 주저하다.
〔逡巡〕 qūnxún 동 〈文〉 망설이다. 머뭇거리다. 뒤로 멈칫멈칫 물러나다. =〔逡循〕〔迁qiān逡〕
〔逡循〕 qūnxún 동 ⇨〔逡巡〕

踆 qūn (준) '踆cūn'의 우음(又音).

宭 qún (군) 동 〈文〉 군거(群居)하다. 모여 살다.

裙〈帬, 裠〉 qún (군) 명 ①(～儿, ～子) 치마. 스커트. ¶连衣～; 원피스 / 百折～; 플리츠 스커트. 주름 치마. ②치마 비슷한 것. ¶围wéi～; 앞치마. 에이프런 / 油yóu～; (취사용) 행주 치마 / 墙～; 《建》 징두리판(板) / 作zuō～; 〈方〉 일할 때 입는 치마 같은 것.
〔裙边〕 qúnbiān 명 스커트의 옷단, 또는 옷단에 사용되는 레이스.
〔裙布荆钗〕 qúnbù jīngchāi 〈文〉 치맛자락은 무명, 비녀는 가시나무《여성의 옷이나 머리 장식이 검소함을 형용하는 말》.
〔裙钗〕 qúnchāi 명 〈文〉 ①치마와 비녀. ②부녀자(婦女子). ¶～之流; 부녀자들 / 远不若彼～; 그 부녀자에게 훨씬 미치지 못하다.
〔裙带〕 qúndài 명 ①스커트의 끈. ②⇨〔裙带菜〕 ③〈貶〉〈比〉 처가(妻家)의 덕으로 좋은 처지에 있는 남자. ¶～官; 처가의 덕으로 얻은 관직.
〔裙带菜〕 qúndàicài 명 《植》 미역. =〔嫩nèn海带〕〔裙带②〕
〔裙带豆〕 qúndàidòu 명 《植》 광저기. =〔豇jiāng豆〕
〔裙带关系〕 qúndài guānxi 명 규벌(閨閥) 관계. 처가의 세력을 중심 으로 형성된 파벌 관계.
〔裙带亲〕 qúndàiqīn 명 ⇨〔内nèi亲〕
〔裙带鱼〕 qúndàiyú 명 《魚》 갈치.
〔裙屐少年〕 qún jī shào nián 〈成〉 겉만을 화려하게 꾸미고 능력은 없는 소년. 멋만 부리는 젊은이.
〔裙裤〕 qúnkù 명 ①치마바지. ②몽고 승려가 입는 일종의 치마바지.
〔裙褶〕 qúnzhě 명 스커트의 주름.
〔裙装〕 qúnzhuāng 명 치마 정장.
〔裙子〕 qúnzi 명 치마.

群〈羣〉 qún (군) ①명 무리. 떼. ¶一大～人; 큰 떼를 지은 사람들 / 羊～; 양 떼. ②명 동문(同門)의 벗. ③명 많은 사람. 군중. ④동 떼를 짓다. 무리를 이루다. ¶～居; 군거하다. 떼지어 살다 / ～噪zào; 모여서 떠들다 / ～疑满腹; 〈成〉 뭇 사람이 모두 의심을 품다. ⑤양 떼를 이룬 사람, 또는 물건을 세는 단위. ¶一～羊; 한 떼의 양 / 一～孩子; 한 무리의 아이들.

〔群测群防〕 qún cè qún fáng 〈成〉 대중이 관측하고 대중이 방어함(중국의 지진 대책의 방법).

〔群策〕 qúncè 명 대중의 지혜. 중지(衆智). 동 여럿이 함께 방책을 생각하다. 중지를 모으다.

〔群策群力〕 qún cè qún lì 〈成〉 중지를 모으고 여러사람의 힘을 합치다. 대중의 지혜에 의한 방책과 대중의 힘. ¶应当yīngdāng～, 依靠群众自己的力量为wèi儿童举办一些福利和教jiào育事业; 당연히 중지를 모으고 힘을 합쳐서, 자신들의 힘으로 어린이를 위하여 뭔가 복지와 교육을 위한 대책을 강구해야 한다.

〔群臣〕 qúnchén 명 군신. 뭇신하.

〔群岛〕 qúndǎo 명 《地》 군도.

〔群弟〕 qúndì 명 ⇨〔群季〕

〔群芳〕 qúnfāng 명 ①뭇 향기로운 꽃. ②〈轉〉 많은 미녀. ¶～竞艳; 〈成〉 뭇꽃들이 아름다움을 다투다. ‖ =〔群花〕

〔群防站〕 qúnfángzhàn 명 〈簡〉 방역 치료 기관 ('群众防病治病服务站'의 준말).

〔群分类聚〕 qún fēn lèi jù 〈成〉 서로 다른 것은 가르고, 같은 것끼리는 한데 모으다. 유유상종(類類相從).

〔群管网〕 qúnguǎnwǎng 명 대중 관리망(대중도 기업 관리에 참여하는 조직·구성을 말함).

〔群鹤〕 qúnhè 명 ⇨〔群贤〕

〔群花〕 qúnhuā 명 ⇨〔群芳〕

〔群化〕 qúnhuà 동 ①다수의 사람에게 동화(同化)되다. 사회화(社會化)하다. ②다른 사회를 이쪽 사회에 동화시키다.

〔群活〕 qúnhuó 명 ⇨〔多duō口相声〕

〔群集〕 qúnjí 동 군집하다. 많은 사람이 모이다. =〔群聚〕

〔群籍〕 qúnjí 명 군적. 군서(群書). 많은 서적.

〔群季〕 qúnjì 명 〈文〉 아우들. 여러 아우. =〔群弟〕〔诸zhū弟〕

〔群架〕 qúnjià 명 집단 싸움. 패싸움. ¶打～; 집단 싸움을 하다.

〔群经〕 qúnjīng 명 군경. 온갖 경서.

〔群居〕 qúnjū 동 (동물 또는 사람이) 군거하다. ¶～闭口, 独坐防心; 〈諺〉 여러 사람이 있는 데서는 말을 하지 말고, 혼자 있을 때에는 사심(邪心)이 일어나지 않도록 한다.

〔群聚〕 qúnjù 동 ⇨〔群集〕

〔群黎〕 qúnlí 명 〈文〉 백성. 민중. 만민.

〔群龙无首〕 qún lóng wú shǒu 〈成〉 지도자가 없어 나아갈 방향이 결정되지 않음. 오합지졸.

〔群论〕 qúnlùn 명 《物》 군론.

〔群氓〕 qúnmáng 명 〈文〉〈貶〉 우매한 백성. 중우(衆愚). 민초(民草). ¶把群众看成是～; 대중을 중우(衆愚)로 보다.

〔群蒙〕 qúnméng 명 〈文〉 어리석은 자들의 무리.

〔群魔乱舞〕 qún mó luàn wǔ 〈成〉 백귀 야행(百鬼夜行). 악당들이 마구 날뛰다.

〔群殴〕 qún'ōu 동 뭇매〔물매〕질하다. ¶被无赖子～了; 불량배에게 뭇매를 맞았다.

〔群起〕 qúnqǐ 동 여러 사람이 일제히 일어〔봉기〕나다. ¶～响应; 모두 일제히 호응하다.

〔群起而攻之〕 qún qǐ ér gōng zhī 〈成〉 많은 사람들이 들고 일어나 힘을 모아 공격하다.

〔群青〕 qúnqīng 명 《色》 군청색. =〔佛fó(头)青〕

〔群轻折轴〕 qún qīng zhé zhóu 〈成〉 가벼운 것이라도 많이 실으면 차축이 부러진다(사소한 잘못이라도 그것을 바로잡지 않으면 매우 나쁜 결과를 초래한다).

〔群情〕 qúnqíng 명 〈文〉 민의(民意). ¶～隔gé膜; 여러 사람 사이에 의사 소통이 안 되는 일. =〔群心〕

〔群曲〕 qúnqǔ 명 합창곡.

〔群生〕 qúnshēng 〈文〉 명 ①창생(蒼生). 만물. ②만민. 인류. 동 군생하다.

〔群庶〕 qúnshù 명 〈文〉 민중(民衆).

〔群体〕 qúntǐ 명 ①《化·生》 복합체. 군체(群體). ¶维生素 B_2～; 비타민B_2 복합체. ②단체.

〔群望〕 qúnwàng 명 모두가 갈망하는 이름 높은 인물.

〔群威群胆〕 qún wēi qún dǎn 〈成〉 집단의 위력과 기백(氣魄)을 발휘하다.

〔群贤〕 qúnxián 명 군현. 많은 현인. 뭇현인. ¶压yā倒～; 많은 현인들을 압도하다. =〔群鹤〕

〔群小〕 qúnxiǎo 명 〈文〉 뭇 소인들. 하찮은 인간들.

〔群心〕 qúnxīn 명 ⇨〔群情〕

〔群性〕 qúnxìng 명 (인간의) 사회성.

〔群雄〕 qúnxióng 명 군웅. ¶～割据; 군웅 할거.

〔群言堂〕 qúnyántáng 명 대중에게 주는 발언의 기회. (지도자가) 여론에 귀 기울여 수렴하는 민주적 태도. ¶我们提倡～, 反对一言堂; 우리는 모두가 의견을 내놓기를 주장하며, 혼자만의 생각으로 사물을 결재하는 데 반대한다.

〔群蚁附膻〕 qún yǐ fù shān 〈成〉 개미는 양고기 냄새 나는 물건에 꾄다(사람들은 이(利)를 찾아 몰리게 마련이다).

〔群议〕 qúnyì 명 〈文〉 여론.

〔群英〕 qúnyīng 명 〈文〉 군영. 많은 유능한 사람들.

〔群英会〕 qúnyīnghuì 명 전국의 선진적 인물을 한 자리에 모은 회의.

〔群有〕 qúnyǒu 명 〈文〉 만물(萬物).

〔群运活动〕 qúnyùn huódòng 명 소동〔소란(騷亂)〕 행위.

〔群众〕 qúnzhòng 명 ①대중. 군중. ¶～心理; 군중 심리 / ～呼声; 대중의 요구 / ～监督; 대중의 감독. 대중의 감시 / ～关系好; 인기가 좋다. 대인 관계가 좋다. ②(간부가 아닌) 일반 대중.

〔群众观点〕 qúnzhòng guāndiǎn 명 일반 대중에 대하여 가져야 할 정확한 인식과 취해야 할 정확한 태도.

〔群众基础〕 qúnzhòng jīchǔ 명 하나의 정당·정치 단체가 대표하는 계급 또는 계층. 대중적 지지 기반.

〔群众路线〕 qúnzhòng lùxiàn 명 《政》 대중 노선. ¶密切联系人民群众的作风就是走～; 인민 대중과 밀접하게 연계를 유지하는 방식이 대중 노선의 갈 바이다.

〔群众性〕 qúnzhòngxìng 명 대중적. 대중성.

〔群众运动〕 qúnzhòng yùndòng 명 대중운동(인민 대중이 참가하는 정치 운동 또는 사회 운동).

〔群子弹〕 qúnzǐdàn 명 《軍》 유산탄(榴霰彈).

麇〈麕〉 qún (군)

동 〈文〉 군집(群集)하다. 떼지어 모이다. ⇒jūn

〔麇集〕 qúnjí 동 〈文〉 떼지어 모이다. 무리짓다. ¶苍蝇～; 파리가 떼지어 모이다 / 某国军舰～贝鲁特; 모국(某國)의 군함이 베이루트(Beirut)에 속속 몰려오다.

〔麇至〕 qúnzhì 동 〈文〉 떼지어 몰려오다.

R

RAN ㄖㄢ

rán (염)
蚺〈蚦〉 →〔蚺蛇〕

〔蚺蛇〕 ránshé 명《動》큰 뱀. 이무기. =〔蟒mǎng蛇〕〔髯蛇〕

rán (염)
髯〈髥〉 명 볼수염. 구레나룻. 〈轉〉수염. ¶美～; 훌륭한 수염/长～; 긴 수염/美～公; 미염공. 관우의 별명/白发苍～; 백발에 반백의 수염.

〔髯口(儿)〕 ránkou(r) 명《劇》경극(京劇)에서, '须生'·'老生' 등이 붙이는 가짜 수염(철사에 털을 둘둘 감은 것으로 구레나룻과 턱수염이 이어진 식으로 되어 있음).

〔髯蛇〕 ránshé 명 ⇨〔蚺蛇〕

〔髯苏〕 Ránsū 명《人》송나라의 소식(蘇軾)의 별명(수염이 많았기 때문에 이 이름이 있었음).

〔髯翁〕 ránwēng 명〈文〉(수염을 기른) 노인.

〔髯须〕 ránxū 명 수염(나룻·콧수염의 총칭).

rán (연)
然 ①형 맞다. 그렇다. ¶不以为～; 그렇다고는 생각지 않는다/不尽～; 반드시 그렇다고는 할 수 없다/不知～否; 그런지 어떤지 모른다/大谬不～; 〈成〉완전히 틀리다/到处皆～; 어디를 가나 그러하다/若不～; 만일 그렇지 않다면/这件事要多考虑, 不～就容易起误会; 이 건은 좀더 고려할 필요가 있다. 그렇지 않다면 오해를 일으키기 쉽다. ②대 이와[그와] 같은. ¶他说明天一定能听到回信, 我想未必～; 그는 내일은 답장을 받을 수 있다고 말하지만, 나는 그렇게는 생각지 않는다/知其当～, 而不知其所以～; 〈成〉당연히 그렇게 될 줄은 알지만, 그렇게 될 까닭은 모른다. →〔如此〕〔这样〕 ③접〈文〉그러나. ¶此儿虽幼, ～脚力甚健; 이 아이는 어리지만 다리의 힘은 매우 세다. →〔可是〕〔但是〕〔然而〕 ④동 승낙하다. 허가하다. ⑤접미 부사 또는 형용사 뒤에 붙어 상태를 나타내는 어미(語尾)('偶～' '仍～' 따위). ¶突～; 돌연/悚～; 송연하다. 송연히/似sì不相识者～; 서로 알고 있는 사이가 아닌 듯한 모양. ⑥'燃'과 통용. ⑦명 성(姓)의 하나.

〔然而〕 rán'ér 접 그러나. 하지만. ¶～不是这样; 그러나 이렇지는 않다/～他的态度始终没有改变; 그러나 그의 태도는 죽 변하지 않았다/这件事虽很要紧, ～办起来, 确不容易; 이 건은 매우 중요하지만, 해 보니 확실히 쉽지 않다.

〔然而不然〕 rán'ér bùrán 〈文〉그러나 꼭〔다〕그렇다고는 말할 수 없다.

〔然否〕 ránfǒu 〈文〉그런지 그렇지 않은지. 그런지 아닌지. ¶不知～; 그런지 어떤지 모른다/未知～; 어떨는지 모른다. 맞는지 안 맞는지 모른다/不加～; 그렇다고도 안 그렇다고도 말하지 않다. =〔〈口〉是不是〕

〔然后〕 ránhòu 접 그리고 나서. 그 후. 연후에. ¶学～知不足《禮記》; 학문을 하고 나서야 비로소 자기가 부족하다는 것을 안다/先研究一下, ～再决定; 일단 검토한 연후에 결정하다.

〔然纳〕 ránnà 동〈文〉(남의 의견·학설 등을) 받아들이다.

〔然诺〕 ránnuò 동〈文〉허락하다. 승낙하다. ¶重zhòng～; 한 일을 중히 여기다/不轻～; 경솔하게 승낙하지 않다/不负fù～; 한번 승낙한 것은 어기지 않다.

〔然然可可〕 ránrán kěkě ⇨〔唯wéi唯诺诺〕

〔然疑〕 rányí 명〈文〉반신반의.

〔然赞〕 ránzàn 동〈文〉찬성하다. 찬동하다.

〔然则〕 ránzé 접〈文〉그렇다면. ¶～如之何而可? 그렇다면 어찌해야 좋단 말인가?/此说甚有科学根据, ～前次试验之失败, 必有其他原因; 이 설은 매우 과학적 근거가 있는데, 그렇다면 전번 시험의 실패는 필시 그 밖의 원인이 있었던 것일 게다.

rán (연)
燃 ①동 타다. 화염이 오르다. ¶自～; 자연 발화하다/～料; 연료/氧气能助～; 산소는 연소를 돕는다/煤是可～性的矿物; 석탄은 가연성의 광물이다. ②동 태우다. ¶～油器; 오일 버너. ③형 굉장하다. ④동 불을 붙이다. 점화(點火)하다. ¶～放花炮; 불꽃을 쏘아 올리다/～灯; 등불을 켜다/～香; 향을 피우다/把柴～着zháo了; 땔나무에 불을 붙였다.

〔燃点〕 rándiǎn 동 불을 붙이다. 점화하다. ¶～灯火; 등불을 켜다. 명《化》발화점(發火點).

〔燃放〕 ránfàng 동 (폭죽·불꽃에) 불을 댕기다. 발화(發火)시키다. ¶～鞭炮; 폭죽을 터뜨리다/～烟火; 불꽃을 올리다.

〔燃火〕 ránhuǒ 동〈文〉불을 붙이다.

〔燃料〕 ránliào 명 연료.

〔燃眉〕 ránméi 형〈比〉박두하다. 임박〔절박〕하다. ¶～之急 =〔焦jiāo眉之急〕; 임박한 급한 일/事在～; 일이 급박하다.

〔燃煤机〕 ránméijī 명《機》급탄기(給炭機).

〔燃煤率〕 ránméilǜ ⇨〔煤耗〕

〔燃起〕 ránqǐ 동 (불이) 타오르다. (불이) 일다. ¶～了反抗的怒火; 반항적인 분노가 타올랐다.

〔燃气〕 ránqì 명 가스. ¶～柴油机; 가스 디젤 엔진/～发动机 =〔煤气内燃机〕; 가스 엔진.

〔燃气轮机〕 ránqìlúnjī 명《機》가스 터빈. =〔燃气透平〕〔气轮机〕

〔燃烧〕 ránshāo 명동 연소(하다). ¶怒火～; 노여움이 불꽃처럼 타오르다/～器; 버너/～瓶; 화염병.

〔燃烧弹〕 ránshāodàn 명《軍》소이탄. =〔烧夷弹〕〔纵zòng火弹〕

〔燃油火炉〕 rányóu huǒlú 명 석유 난로.

rǎn (염)
冉〈冄〉 ①명 거북 딱지의 가장자리. ②→〔冉冉〕 ③명 성(姓)의 하나.

〔冉冉〕 rǎnrǎn 형〈文〉①천천히 나아가는 모양. ¶白云～; 흰구름이 천천히 움직인다/时光～; 세월이 천천히 지나간다/月亮～而上; 달이 천천히 떠오른다. ②(털·나뭇가지 등이) 부드럽게 아

래로 드리운 모양. 한들거리는 모양. ③부드럽고 가냘픈 모양. ¶婉小姐～的往后院而去; 婉아가씨는 자늑자늑 뒷마당 쪽으로 걸어간다.
〔冉弱〕 rǎnruò 형 ⇨〔娉袅〕

苒〈荏〉 rǎn (염)
→〔苒苒〕〔苒荏〕
〔苒苒〕 rǎnrǎn 형 〈文〉 ①경쾌하고 날씬한 모양. ②초목이 무성한 모양. ¶草木～; 초목이 무성하다.
〔苒荏〕 rǎnrěn 동 〈文〉 일이 자꾸 늦어지다. 세월이 점차 지나가다. ¶光阴～, 眼看就三年了; 세월이 흘러 벌써 3년이 지났다. =〔荏苒〕

娉(姌) rǎn (념)
→〔娉袅〕
〔娉袅〕 rǎnniǎo 형 〈文〉 가냘프다. ¶妩媚～; 어여쁘고 가냘프다. =〔冉弱〕

染 rǎn (염)
①동 물들이다. ¶～指甲; 매니큐어를 칠하다 / ～布; ⓐ천을 물들이다〔염색하다〕. ⓑ물들인 천 / 印～; 날염(捺染)하다 / 墨mò水容易～手; 잉크는 손에 묻기 쉽다 / ～彩样本; 색상카탈로그. ②동 (나쁜 것에) 물들다. ¶～上了恶习; 악습에 물들었다. ③동 전염〔감염〕하다. ¶传chuán～; 전염(하다). ④동 물 따위에 담그다. ⑤동 (습관 등이) 몸에 배다. ¶～上烟瘾yǐn; 아편 중독이 되다. ⑥명 〈轉〉 간통(姦通). ¶他的夫人和赌棍有～; 그의 부인은 노름꾼과 간통한 사이다.
〔染笔〕 rǎnbǐ 동 〈文〉 글씨를 쓰다. 그림을 그리다.
〔染病〕 rǎn.bìng 동 ①병에 감염되다. ②병에 걸리다. ¶身染重病; 중병에 걸리다. =〔得dé病〕〔患病〕
〔染布匠〕 rǎnbùjiàng 명 염색 장인. 염색공. =〔染匠〕
〔染草〕 rǎncǎo 명 염색에 쓰는 풀.
〔染厂〕 rǎnchǎng 명 염색 공장.
〔染尘〕 rǎnchén 동 〈文〉 속세에 물들다.
〔染逮〕 rǎndài 동 〈文〉 연루되다. 관련되다. ¶及党事起, 天下名贤, 多见～《後漢書》; 당쟁이 일어나자 천하의 명사나 현인들이 다수 연루되었다.
〔染痘〕 rǎndòu 동 〈文〉 천연두에 걸리다.
〔染毒〕 rǎn.dú 동 《軍》 (방사능 따위에) 오염되다. 독에 감염되다.
〔染发油〕 rǎnfàyóu 명 머리 염색 기름〔약〕.
〔染坊〕 rǎnfang 명 《染》 염색소. 염색집. =〔染房〕〔染户〕
〔染房〕 rǎnfáng 명 ⇨〔染坊〕
〔染绯草〕 rǎnfēicǎo 명 《植》 '茜qiàn草' (꼭두서니)의 별칭.
〔染缸〕 rǎngāng 명 물들이는〔염색용〕 항아리.
〔染工〕 rǎngōng 명 염색공. 염색 기술자.
〔染翰〕 rǎnhàn 동 〈文〉 편지를 쓰다.
〔染红尘〕 rǎn hóngchén 세속(世俗)에 물들다.
〔染户〕 rǎnhù ⇨〔染坊〕
〔染花儿〕 rǎn huār 여러 가지 색깔이나 무늬로 물들이다.
〔染化〕 rǎnhuà 동 〈文〉 감화하다. 감화시키다.
〔染患〕 rǎnhuàn 동 〈文〉 병에 걸려 앓다.
〔染黄泉〕 rǎn huángquán 〈比〉 죽다.
〔染匠〕 rǎnjiàng 명 ⇨〔染布匠〕
〔染睫毛油〕 rǎnjiémáo yóu 명 마스카라(mascara).
〔染料〕 rǎnliào 명 염료. 물감. ¶安尼林～ =〔…青～〕; 아닐린 염료〔물감〕.
〔染浼〕 rǎnměi 동 더럽히다. ¶他～不了咱们; 그는 우리에게 폐를 끼치거나 하진 않는다.
〔染人〕 rǎnrén 명 ①염색일을 관장하는 관리. ②염색공.
〔染绒〕 rǎn.róng 동 (직물용의) 털을 염색하다.
〔染色〕 rǎnsè 명 《生》 염색. (rǎn.sè) 동 (세균 관찰을 위해) 세균체를 염색하다. ⇒rǎnshǎi
〔染色市布〕 rǎnsèshìbù 명 《紡》 염색 옥양목.
〔染色体〕 rǎnsètǐ 명 《生》 염색체
〔染色质〕 rǎnsèzhì 명 《生》 염색질.
〔染纱织〕 rǎnshāzhī 명 물들인 실로 짠 직물. –〔印花(儿)〕
〔染色〕 rǎn.shǎi 동 물들이다. ⇒rǎnsè
〔染污〕 rǎnwū 동 ①오염되다. 더러워지다. ②⇨〔染沾〕
〔染习〕 rǎnxí 〈文〉 명 습관. 악습. 동 악습에 물들다. 습관이 되다.
〔染线〕 rǎnxiàn 동 실을 물들이다.
〔染牙〕 rǎnyá 동 이를 (검게) 물들이다.
〔染印〕 rǎnyìn 《染》 명 안료 날염(颜料捺染). ¶～法; 사진 색소상(色素像) 전염법(轉染法)《컬러 프린트 수법의 하나》. 동 안료로 날염하다.
〔染沾〕 rǎnzhān 동 전염하다. 감염하다. =〔染污②〕
〔染指〕 rǎnzhǐ 동 ①(일에) 관계하다. 손을 대다. ¶～投机; 투기에 손을 대다. ②한패에 끼여 재미를 보다. 부당한 이익을 취하다.
〔染指草〕 rǎnzhǐcǎo 명 《植》 봉선화.
〔染指甲〕 rǎn.zhǐjia 동 매니큐어를 칠하다. ¶～油; 매니큐어.
〔染指书〕 rǎnzhǐshū 명 손가락 끝에 먹을 묻혀서 글씨를 쓰는 서법(書法).

RANG ㄖㄤ

嚷 rāng (양)
→〔嚷嚷〕 ⇒rǎng
〔嚷嚷〕 rāngrang 동 〈口〉 ①(큰 소리로) 떠들다. 웅성거리다. ¶外头～～的是什么? 밖에서 와글와글하고 있는 건 뭔가? / 别～, 还有人没起来呢; 큰 소리를 내면 안 돼. 아직 자고 있는 사람이 있다 / 现在的人～改良社会; 현대인은 사회의 개량이니 뭐니 하고 떠들어 댄다. ②말을 퍼뜨리다. ¶这件事要保密, 别～出去; 이 일은 비밀로 해야지 말을 퍼뜨리면 안 된다.

儴 ráng (양)
→〔恇kuāng儴〕

勷 ráng (양)
→〔劻kuāng勷〕 ⇒xiāng

瀼 ráng (양)
①→〔瀼瀼〕 ②지명용 자(字). ¶～河镇; 랑허 진(瀼河鎭)《허난 성(河南省)에 있는 땅이름》. ⇒Ràng
〔瀼瀼〕 rángráng 형 〈文〉 이슬이 많이 내린 모양. 안개가 깊은 모양.

蘘 ráng (양)
→〔蘘荷〕

〔蘘荷〕 ránghé 명 《植》 양하.

禳 ráng (양)
→〔禳解〕

〔禳解〕 rángjiě 동 〈文〉 불제(祓除)〔액막이〕하다. ¶你莫不是撞着什么神道, 替你请个尼僧来～～罢? 《儒林外史》; 넌 망령이라도 쓴 것은 아니냐, 여승이라도 불러서 액막이를 해 줄까? =〔祈禳〕

穰 ráng (양)
형 더러워지다. ¶衣服～了; 옷이 더러워졌다.

穰 ráng (양)
A) ① 형 〈文〉 풍작(豊作)이다. ¶五谷蕃熟, ～～满家; 오곡이 잘 익고 집에는 곡식이 그득 차 있다. ② 명 행복. ③ 형 〈文〉 (사람이) 많다. ¶居民浩～; 주민이 매우 많다. ④(～儿) 명 〈方〉 짚(곡물의 줄기). ⑤ 명 성(姓)의 하나.
B) ⇨〔瓤〕

〔穰年〕 rángnián 명 ⇨〔穰岁〕

〔穰穰〕 rángráng 형 〈文〉 ①풍작의 모양. ¶～满家; 곡식이 집안에 풍족하다. ②사람이 많아 혼잡한 모양.

〔穰岁〕 rǎngsuì 명 〈文〉 풍년. =〔穰年〕〔丰年〕 ↔ 〔歉qiàn岁〕

瓤 ráng (양)
①(～儿, ～子) 명 오이 따위의 과육(果肉). ¶黑子儿黄～的西瓜; 씨는 검고 속은 노란 수박 / 丝瓜～; 수세미외의 속 / 橘子～; 귤 속 / 花生～; 땅콩알 / 核桃～; 호두속 / 榛～; 개암. ② 명 과실의 씨. ③ 명 (떡·만두·과자 따위의) 소. ¶这包子是咸～的; 이 만두속은 소금으로 간한 것이다. ④(～儿, ～子) 명 외피(外皮)로 싸인 속알맹이(시계의 기계. 과자의 속. 편지의 내용 부분 따위). ¶表biǎo～儿; 시계의 속 / 信xìn～儿; 편지 봉투 속의 편지. ⑤(～儿) 명 〈轉〉 일의 내막. 속사정. ¶～儿里的事谁晓得! 내막은 누가 알겠는가! ⑥ 형 〈俗〉 약하다. 좋지 않다. ¶身子真不～儿; 몸이 매우 튼튼하다. ‖ =〔穰B)〕

〔瓤口儿〕 rángkǒur 명 〈俗〉 과류(瓜類) 알맹이의 맛. ¶这个西瓜～不错; 이 수박은 맛이 괜찮다.

壤 rǎng (양)
명 ①(부드럽고 덩이지지 않은) 흙. 토양. ¶沃～; 비옥한 흙 / 土～; 토양. 흙. ②경작지. ③지역. 지구(地區). ¶接jiē～; ⓐ경계 지대. ⓑ경계를 접하고 있다 / 穷乡僻～; 〈成〉 궁벽한 시골. ④땅. ¶霄xiāo～之别 =〔天～之别〕〔壤隔〕; 〈成〉 천양지차 / 相去霄～; 하늘과 땅만큼 서로 떨어져 있다〔다르다〕. ⑤〈文〉 풍작. 풍년. ⑥성(姓)의 하나.

〔壤虫〕 rǎngchóng 명 유충(幼蟲).

〔壤地〕 rǎngdì 명 〈文〉 토지. 땅.

〔壤隔〕 rǎnggé 명 〈文〉〈比〉 (하늘과 땅만큼의) 큰 차이. 먼 거리.

〔壤壤〕 rǎngrǎng 형 〈文〉 어지러운 모양. 어수선하고 혼란스러운 모양. ¶天下～; 천하가 혼란하다. =〔攘攘〕

〔壤室〕 rǎngshì 명 〈文〉 토방(土房). 토담집.

〔壤驷〕 Rǎngsì 명 복성(複姓)의 하나.

〔壤土〕 rǎngtǔ 명 ①농경에 알맞은 검은 흙. ②〈文〉 토지. 국토.

攘〈纕〉⑩ rǎng (양)
동 ①빼앗다. 훔쳐 내다. ¶～夺; 탈취하다 / ～鸡jī; 닭을 훔치다. ②물리치다. ③치워 없애다. 제거하다. ④〈方〉 처넣다. 〈轉〉 잔뜩 먹다. ¶嘴里说吃不下了, 还一个劲儿地往里～; 말로는 더 먹지 못하겠다고 하면서 자꾸 퍼 넣고 있다. ⑤포함하다. ⑥잗다란 것을 불어서〔까불러서〕 가리다. ¶～场cháng; 낟알을 까불러서 선별하다. ⑦(불거나 던져서) 날리다. 흩어 버리다. ¶前人～沙子迷了后人的眼; 〈諺〉 앞사람이 모래 먼지를 일으키면 뒷사람의 눈에 모래가 들어간다〔뒷사람에게 해를 끼치다〕. ⑧씀씀이가 헤프다. 낭비하다. ¶～钱; 돈을 낭비하다 / 把祖产全～了; 조상으로부터 물려받은 재산을 탕진했다. ⑨어지러워지다. 어지럽히다. ¶天下～～; 천하가 매우 혼란해지다 / 纷纭扰～; 어수선하게 어지러워지다. =〔扰rǎo攘〕 ⑩〈文〉 소매를 걷어붙이다〔올리다〕. ¶～臂; ⇩

〔攘辟〕 rǎngbì 동 〈文〉 자리를 떠서 피하다〔물러서다〕. ¶左右～; 좌우의 신하가 자리를 뜨다〔멀리 물러서다〕.

〔攘臂〕 rǎngbì 동 ①소매를 걷어올리다(흥분하거나 화가 났을 경우). ¶～高呼; 소매를 걷어올리고 큰 소리로 외치다. ②〈比〉 분기(奮起)하다. ‖ =〔攘袂〕〔攘袖〕

〔攘场〕 rǎngcháng 동 곡물을 날려 선별하다.

〔攘斥〕 rǎngchì 동 배척하다. =〔攘却〕

〔攘除〕 rǎngchú 동 〈文〉 제거하다. 물리치다. ¶～奸邪; 사악을 제거하다.

〔攘夺〕 rǎngduó 동 〈文〉 빼앗다. 탈취하다. ¶～政权; 정권을 탈취하다. =〔夺取〕

〔攘诟〕 rǎnggòu 동 〈文〉 오명을 씻다. 설욕하다.

〔攘酒〕 rǎngjiǔ 동 술의 양부(良否)를 시험하다.

〔攘袂〕 rǎngmèi 동 ⇨〔攘臂〕

〔攘窃〕 rǎngqiè 동 〈文〉 도둑질하다.

〔攘却〕 rǎngquè 동 ⇨〔攘斥〕

〔攘善〕 rǎngshàn 동 ⇨〔掠lüè美〕

〔攘食包〕 rǎngshibāo 명 〈北方〉 잘 먹는 사람. 대식가. ¶你一顿饭吃这么多, 真成了～了; 너는 한번에 이렇게 많이 먹다니, 정말 대식가로군.

〔攘土〕 rǎngtǔ 동 곡식을 까부르다(곡식을 공중에 던져 올려서 섞인 티·먼지 같은 것을 바람으로 날려 없애다).

〔攘袖〕 rǎngxiù 동 ⇨〔攘臂〕

〔攘烟〕 rǎngyān 동 먼지를 뿌옇게 일으키다.

〔攘羊〕 rǎngyáng 동 〈文〉 양을 훔치다. 〈比〉 지나치게 고지식하다(논어(論語)의 '其父～而子证之'(아버지가 양을 훔친 것을 그 아들이 고자질하다)에서 유래).

〔攘夷〕 rǎngyí 동 〈文〉 외적을 쳐 물리치다.

〔攘灾〕 rǎngzāi 동 〈文〉 재난을 배제〔제거〕하다. ¶～转zhuǎn祸; 〈成〉 재난을 물리치고 전화 위복으로 삼다.

嚷 rǎng (양)
동 ①소리치다. ¶大～大叫; 큰 소리로 외치다 / 别～了, 许多人都正睡觉呢; 고함치지 마, 많은 사람들이 모두 자고 있다. ②〈方〉 꾸짖다. 책(責)하다. ¶～骂mà; ⇩ ③왁자지껄하다. 떠들다. ¶吵～; 와글와글 떠들다 / ～醒了孩子; 떠들어서 아이를 깨웠다. ④〈口〉 말다툼하다. ¶跟他～了一通; 그와 한바탕 말다툼했다. ⇒rāng

〔嚷道〕 rǎngdào 동 큰 소리로 말하다.

〔嚷好(儿)〕 rǎnghǎo(r) 동 갈채(喝采)하다. 큰 소리로 칭찬하다. =〔叫jiào好(儿)〕

〔嚷叫〕 rǎngjiào 동 소리지르다. 외치다.
〔嚷骂〕 rǎngmà 동 큰 소리로 욕하다.
〔嚷闹〕 rǎngnào 동 큰 소리로 시끄럽게 떠들다.

让(讓) ràng (양) ①동 넘기다. 양보하다. ¶退～ =〔逊～〕〔谦～〕; 겸손하게 사양하다. 겸양하다 / ～出一条路来; 길을 양보하다. 길을 비키다 / 你硬要这么做, 我也不能～你; 네가 무리하게 그렇게 하려 한다면, 나도 양보하지 않겠다 / 你～他一步也不算你吃亏; 네가 그에게 한 발 양보하더라도 손해 보는 것은 아니다. ②동 져주다. ¶对弟弟应该有尽有～; 동생한테는 무엇이든지 져 주어야 한다. ③동 사퇴하다. 사양하다. ④동 남에게 권하다. ¶～了大家就吃起来; 여러 사람에게 권하여 먹기 시작했다 / 您实在吃饱了, 我也不再～您了; 정말 많이 드셨다면, 더 이상 권하진 않겠습니다. ⑤동 불러들이다. 안내하다. ¶不知把那一位往那里～才好; 그분을 어디로 모셔 들여야 좋을지 모르겠다 / ～客厅里坐吧; 객실로 안내하시오 / 把他～进来吧; 그를 들어오시게 해라 / ～他坐首座吧; 저분을 상석으로 안내해라. ⑥동 양도하다. 넘겨주다《유상 또는 무상으로》. ¶我把电影票～给他了; 나는 영화 관람권을 그에게 넘겨주었다 / ～给他们一架机器; 기계 한 대를 그들에게 양도하다 / 新建楼房出～; 새로 지은 2층집을 양도하다 / 今天～我; 오늘은 제게 맡겨 주십시오〔계산은 제가 하도록 해 주십시오〕. ⑦동 홱 몸을 비키다. ¶往左一～; 왼편으로 휙 몸을 비키다 / 敌人一刺刀扎过来, 我往左一～, 他就扎空了; 적은 총검으로 찔러 왔지만, 내가 왼쪽으로 획 비켰으므로 허공을 찌르고 말았다. ⑧동 따져 묻다. 힐문하다. 나무라다. ¶诮qiào～; 힐책하다. ⑨동 강요하다. ¶那么我不～你了; 그러면 나는 억지로는 권치 않겠습니다. ⑩동 남에게 담배나 술을 권하다. ⑪동 에누리해 주다. 값을 깎아 주다. ¶～点儿价钱; 값을 조금 깎아 주다 / ～分量; 분량을 후하게 주다 / ～多少? 얼마나 깎아 줄래? / ～那么些可实在办不了; 그렇게 많이 깎으면 정말 안 됩니다. ⑫동 …에게 …시키다. …하도록 내버려 두다. ¶～我试试看; 제가 시험해 보지요 / ～他去买东西; 그를 물건 사러 보내다 / 我不能～你这么做; 자네한테 이런 일을 시킬 수는 없다 / 首先～我向同志们致开幕词; 우선 제가 여러분께 개회사를 말씀드리도록 해 주십시오 / ～他一个人负责吗? 그 사람 혼자에게 책임을 지울 거냐? / ～他哭吧! (그가 울고 싶다면) 울게 내버려 두시오! / 这个小包儿他～我交给你; 그로부터 이 보따리를 당신께 전하도록 분부를 받았습니다 / 你～她自己想想; 자네 그 여자에게 자기 스스로 생각을 하게 해 주게. →〔使〕〔叫〕〔教〕 ⑬동 허락하다. 맡기다. ¶～你走不～他走; 너는 가도 좋으나 그는 보내지 않겠다 / ～他闹去; 그가 마음대로 떠들게 두다. ⑭개 …에게〔…에 대해〕 (…당하다). ¶一碗茶～他碰pèng洒了; (가득 들어 있는) 차 한 잔을 그가 엎질렀다 / ～人笑话; 남에게 웃음거리가 되다 / 丢的包裹～一位小学生拾到, 交给警察了; 잃어버린 소포는 한 초등 학생이 주워서 경찰에게 주었다. =〔被〕〔叫⑨〕 ⑮부 설사 …라 할지라도. ¶她这番举动, 就是～男子汉做也做不来; 그 여자의 이 행동은 설사 남자라고 해도 할 수 없는 일이다 / 就是～他有多大的本领, 也不应该那么自夸; 설사 그에게 훌륭한 솜씨가 있더라도 저렇게 자랑할 건 아니다.

〔让步〕 ràng.bù 동 양보하다. ¶让了一大步; 큰 양보를 하였다 / 对方～了; 상대가 양보하고 나왔다. (ràngbù) 명 양보.
〔让菜〕 ràngcài 명 (주인이 손님에게) 음식을 권하는 것《요리를 젓가락으로 손님의 접시에 덜어 줌》. →〔布bù菜〕
〔让茶〕 ràngchá 동 (손님에게) 차를 권하다.
〔让道(儿)〕 ràngdào(r) 동 길을 양보하다.
〔让渡〕 ràngdù 명동 양도(하다).
〔让分量〕 ràng fènliang 《商》 덤을 주다.
〔让份儿〕 ràng.fènr 동 (분수에 맞게) 겸손한 태도를 취하다. 손윗사람을 높이어 대우하다.
〔让负〕 ràngfù 동 약점을 보이다. 양보하다.
〔让高山低头, 叫河水让路〕 ràng gāoshān dītóu, jiào héshuǐ rànglù 〈諺〉 높은 산이 머리 숙이게 하고 강물이 길을 비키게 만들다《인력(人力)으로 자연을 정복하다》.
〔让给〕 rànggěi 동 …에 양보하다〔양도하다〕. ¶把帝位～了舜; 제위를 순(舜)에게 양도했다. →〔让与〕
〔让过儿〕 ràng.guòr 동 뒤로 물러서다. 양보하다. 용서하다. ¶谁也不～; 어느 쪽도 뒤로 물러서지 않다.
〔让行不让力〕 ràng háng bù ràng lì 〈成〉 내용을 아는 사람에게는 값을 싸게 하고 잘 모르는 사람에게는 바가지 씌운다. →〔内行nèiháng〕
〔让还〕 rànghuán 동 〈方〉 물려주다. 양도하다.
〔让家〕 ràngjiā 명 《法》 양도인. ↔〔受shòu家〕
〔让价(儿)〕 ràng.jià(r) 동 값을 에누리해 주다〔깎아 주다〕. (ràngjià(r)) 명 에누리한 가격.
〔让减〕 ràngjiǎn 동 값을 깎아 주다
〔让酒〕 ràngjiǔ 동 술을 권하다. 권주하다.
〔让开〕 ràngkāi 동 장소를 비워서 양보해 주다. 비키다. 물러서다. ¶喂! ～! 여보시오! 좀 비키시오! / ～了道儿; 길을 열어 주다.
〔让客〕 ràngkè 동 손님을 안내하다.
〔让老〕 ràng.lǎo 동 (상대가) 노인이라서 양보하다. ¶让他个老; 그가 노인이라서 양보하다.
〔让梨〕 ràng lí 〈成〉 윗사람에게 겸손하게 양보하는 일《후한(後漢)의 공융(孔融)이 어릴 적에, 형들과 배를 먹으면서 언제나 작은 것만 집었다는 고사에서 나옴》.
〔让路〕 ràng.lù 동 길을 양보하다.
〔让盘〕 ràngpán 동 점포를 양도하다〔넘겨주다〕.
〔让畔〕 ràngpàn 동 〈文〉 경작자가 밭의 경계를 서로 양보하다《세상이 태평하고 백성도 순박한 모양》.
〔让球〕 ràng.qiú 동 《體》 (구기(球技)에서) 핸디캡을 주다. 점수를 접어 주다.
〔让权〕 ràngquán 동 권리를 양도하다.
〔让人〕 ràngrén 동 ①남에게 양도하다. ②남에게 …을 시키다.
〔让受〕 ràngshòu 동 《法》 넘겨받다. 양도하다.
〔让头〕 ràngtou 명 공제액. =〔扣kòu头②〕
〔让位〕 ràng.wèi 동 ①양위하다. 지위를 물려주다. ②자리를 양보하다. ③바뀌다. 자리를 내주다. ¶困难的局面～于顺利的局面; 어려운 국면을 순조로운 국면으로 바꿔 놓다.
〔让我〕 ràngwǒ ①내게 양보하다. ②나로 하여금 …하게 하다. 내가 …하다. ¶～试试看; 제가 시험해 보지요.
〔让先〕 ràngxiān 동 (바둑에서) 상대방에게 선〔혹〕을 잡게 하다. =〔饶ráo先〕
〔让性〕 ràngxing 명 서로 양보하는 마음. ¶怎么没点儿～! 어째서 양보하는 마음이 조금도 없는 거

냐!
〔让烟〕 ràngyān 동 (손님에게) 담배를 권하다.
〔让与〕 ràngyǔ 명동《法》양여(하다).
〔让枣推梨〕 ràng zǎo tuī lí 〈成〉 우정·우애의 두터움《양(梁)나라의 무제(武帝)와 무릉왕(武陵王)의 고사에서 유래》. =〔推梨让枣〕
〔让账〕 ràng.zhàng 동 (치러야 할) 셈을 서로 제가 내겠다고 하다. 부채를 떠맡다. ¶两个人互相～, 吵成一片; 두 사람은 서로 자기가 셈을 치르겠다고 옥신각신하였다. →〔会账〕
〔让座(儿)〕 ràng.zuò(r) 동 ①(손님에게) 자리를 권하다. ②자리를 양보하다. ¶他给老年人～; 그는 노인에게 자리를 양보하였다. ‖=〔让坐(儿)〕

瀼 Ràng (양) 명《地》랑수이(瀼水)《쓰촨 성(四川省)에 있는 강 이름》. ⇒ráng

RAO ㄖㄠ

荛(蕘) ráo (요) 명 ①〈文〉땔나무. 섶나무. ¶刍chú～; ⓐ꼴을 베고 나무를 하다. ⓑ나무꾼. ②'芜菁'(순무)의 고칭(古稱).
〔荛花〕 ráohuā 명《植》산닥나무.
〔荛竖〕 ráoshù 명 ⇨〔荛子〕
〔荛童〕 ráotóng 명 〈文〉 땔나무를 하는 아이. 초동(樵童).
〔荛子〕 ráozi 명 〈文〉 땔나무를 하는 사람. 나무꾼. =〔荛竖〕

饶(饒) ráo (요) ①형 많다. 풍족하다. ¶丰～ =〔富～〕; 풍부〔풍요〕하다 / ～舌; 수다스럽다. 말이 많다. ②동 더하다. 보태다. 덤을 주다. ¶～给你一个; 네게 한 개 더 준다. ③동 용서하다. 참아 주다. ¶～了他吧! 그를 용서해 주어라! / ～过他这一次; 그를 이번만 용서해 주었다 / 告～(儿) =〔讨～〕; 용서를 구하다. ④동 연루(連累)시키다. 관련을 갖게 만들다. ¶我不告诉他吧, 恐怕把他也～在里面; 그에게는 알리지 말아야겠다. 그 사람까지 말려들게 할 염려가 있으니까. ⑤접 〈方〉 비록 …한다 하더라도. 설사 …한댔자. 아무리 …하더라도. ¶～这么细心检查, 还有遗漏呢! 이렇게 세밀히 검사해도 그래도 소홀한 곳이 있다! / ～这么着, 还有人说闲话; 이 정도로 했는데도 아직 험담을 하는 사람이 있다. =〔尽管〕 ⑥동 재잘거리다. 지껄이다. ¶～不得假话; 사실 무근한 얘기를 나불나불 지껄여 대서는 안 된다. ⑦명 성(姓)의 하나.
〔饶侈〕 ráochǐ 형 ⇨〔饶富〕
〔饶放〕 ráofàng 동 용서하여 눈감아 주다. 용서하여 풀어〔놓아〕 주다.
〔饶富〕 ráofù 형 〈文〉 풍부하다. 풍족하다. =〔饶侈〕〔饶给jǐ〕
〔饶过〕 ráoguò 동 과실을 용서하다.
〔饶给〕 ráojǐ 형 ⇨〔饶富〕
〔饶街上〕 ráojiēshang 형 ⇨〔饶市街〕
〔饶面儿〕 ráomiànr 동 체면을 깎이다.
〔饶命〕 ráo.mìng 동 목숨을 용서하다〔살려 주다〕. ¶求您饶了我的命吧; 제발 목숨만 살려 주십시오.
〔饶儿〕 ráor 명 용서. ¶告～; 용서를 빌다.
〔饶让〕 ráoràng 동 관대하게 봐주다. 눈감아 주다. 용서하다. ¶因此满县人都～他些个《水浒傳》; 이로 인해 현내(縣內)의 사람 모두가 그를 좀 봐주게 되었다.
〔饶人〕 ráo.rén 동 ①남을 용서하다. ②양보하다. 너그러이 봐주다. ¶他的嘴不～; 그의 말은 가차가 없다.
〔饶舌〕 ráoshé 형 말이 많다. =〔多嘴〕
〔饶赦〕 ráoshè 동 (죄 따위를) 용서하다. 사면하다. 남을 용서하다. 명 용서. 사면.
〔饶市街〕 ráoshìjie 명 〈京〉 온 거리. 도처. ¶整天不着zháo家～转zhuàn去, 真不像话! 하루 종일 집에는 붙어 있지 않고 온 거리를 헤매고 다니고 있으니, 정말 돼먹지 않았어! / 怎么搞gǎo得～都是烂纸也不打扫打扫; 어째서 길바닥 천지에 쓰레기투성이를 만들어 놓고 청소도 하지 않는 걸까. =〔饶街上〕〔满mǎn市街〕
〔饶世界〕 ráoshìjie 명 가는 곳마다. 모든 곳. 온 세상. ¶～找不到他; 어디를 찾아봐도 그를 찾을 수 없다.
〔饶恕〕 ráoshù 동 용서하다. 너그러이 봐주다. ¶～一遭; 한 번 용서하다 / ～过失; 과실을 용서하다 / 如再犯定不～; 만일 또 잘못을 범하면 절대 용서치 않겠다 / 因为对方是个孩子所以～了; 상대는 어린애이므로 너그럽게 봐주었다 / 请～我这一回吧! 이번 한 번만 용서해 주십시오! / 犯了不可～的错误; 용서할 수 없는 잘못을 저질렀다.
〔饶田〕 ráotián 명 〈文〉 비옥한 논밭.
〔饶头〕 ráotou 명 〈口〉 ①잉여(剩餘). ②덤. ¶这盒火柴是刚才买烟的～; 이 성냥은 조금 전 담배를 샀을 때 덤으로 받은 거다.
〔饶沃〕 ráowò 형 풍요롭다. 땅이 기름지다.
〔饶先〕 ráoxiān 동 ⇨〔让ràng先〕
〔饶衍〕 ráoyǎn 형 ⇨〔丰fēng衍〕
〔饶益〕 ráoyì 형 〈文〉 남아돌다. 쌔고쌔다. 여유가 있다.
〔饶有风趣〕 ráo yǒu fēng qù 〈成〉 풍취가 넘치다. 유머 감각이 풍부하다.
〔饶裕〕 ráoyù 형 〈文〉 풍족하다. 풍부하다. 유복하다. ¶才识～; 재능과 식견이 풍부하다.
〔饶着〕 ráozhe …하면서도. …한 주제에. …한 위에. ¶他～不给办, 倒跟我打开了官腔; 그는 해 주지도 않는 주제에, 나에게 관료적인 말을 늘어놓았다 / ～请人吃饭, 还落个话把儿; 남에게 식사 대접을 했으면서도 웃음거리가 되다.

娆(嬈) ráo (요) ①형 간드러지고 예쁘다. 요염하다. ¶娇～; 〈文〉 나긋나긋하고 아름답다. 요염하다. ②동 희롱·번롱하다. ⇒rǎo

桡(橈) ráo (요) 명 ①굽은 나무. ②배의 노(櫓). =〔挐〕 ③〈轉〉 배. ¶停tíng～; 배를 멈추다 / 归guī～; 배를 돌려 보내다.
〔桡动脉〕 ráodòngmài 명《生》요골(橈骨) 동맥.
〔桡骨〕 ráogǔ 명《生》요골《전지(前肢) 안쪽의 기다란 뼈》.
〔桡足〕 ráozú 명《動》새우류(類)의 납작한 발.

挐 ráo (노) 명 〈文〉 (배의) 노. =〔桡②〕 ⇒ná rú

扰(擾) rǎo (요) 동 ①어지럽히다. 교란하다. ¶敌寇～边; 적군이 변경을 어지럽히다. ②〈文〉 (동물을) 길들이다. ¶养猛兽而教～之; 맹수를 길들이다. ③〈套〉 폐를 끼치다. 번거롭게 하다. ¶叨～; 폐를 끼치다/打～了; 폐를 끼쳤습니다. ④속여 빼앗다. ⑤(음식) 대접을 받다. ¶有～, 有～! 〈套〉 잘 먹었습니다/厚hòu～; 〈套〉 아주 잘 먹었습니다/奉～; 〈套〉 (권하시는 대로) 잘 먹겠습니다/我～了他一顿饭; 그에게 음식 대접을 받았다.

〔扰动〕 rǎodòng 동 ①어지럽게 하다. 시끄럽게 하다. 소동을〔소요를〕 일으키다. ¶明朝末年, 农民纷纷起义, ～及于全国; 명(明) 나라 말기에 농민이 차례로 봉기하여 동란은 전국에 미쳤다. ②폐를 끼치다. 명 소동. 소요.

〔扰饭〕 rǎo⸱fàn 동 음식 대접을 받다. 잘 얻어먹다.

〔扰聒〕 rǎoguō 동 혼란시켜 시끄럽게 만들다.

〔扰害〕 rǎohài 동 소란을 피워 해를 끼치다. ¶～治安; 치안을 해치다/决不允许～社会治安! 사회의 치안을 어지럽히는 것을 결코 용납하지 않겠다!

〔扰乱〕 rǎoluàn 동 어지럽히다. 혼란케 하다. 교란되다. 방해하다〔받다〕 ¶～秩序; 질서를 어지럽히다/不要～人心! 인심을 혼란케 하지 마라/～思路; 사고의 논리를 혼란시키다/～人睡眠; 안면(安眠)을 방해하다.

〔扰频器〕 rǎopínqì 명《機》 스크램블러《통신용 기계》.

〔扰攘〕 rǎorǎng 동 〈文〉 소란스럽게 하다. 소동을 일으키다. ¶干戈～; 전쟁 때문에 소연(騷然)하다. →〔骚乱〕〔纷乱〕

〔扰扰〕 rǎorǎo 형 복잡하고 어수선하게 혼란된 모양.

娆(嬈)

rǎo (뇨)

동 〈文〉 폐를 끼치다. 번거롭게 하다. ⇒ráo

绕(繞〈遶〉②③)

rào (요)

①동 감(기)다. 휘감(기)다. 엉키고 감기다. 뒤얽히다. ¶绳子～在腿上; 끈〔새끼줄〕이 다리에 감기다/～线; 실을 감다〔동이다〕/把棉绳儿～在线板儿上; 무명실을 실패에 감다. ②동 (둘레를) 빙빙 돌다. ¶鸟～着树飞; 새가 나무 둘레를 빙빙 돌며 날다/运动员～场一周; 운동 선수가 장내를 한 바퀴 돌다/宇宙飞船一天～了地球十七圈儿; 우주선이 하루에 지구를 17 바퀴 돌았다. ③동 (멀리) 돌아가다. 에워 가다. ¶车辆～行! 차량은 우회(迂回)하시오!/故意～着道儿走, 避免和别人见面; 일부러 길을 돌아서 사람과 얼굴이 마주치는 것을 피하다/～攻敌后; 우회하여 적의 배후를 치다. ④동 속이다. 사람을 꾐수에 끌어넣다. ¶～了我好些钱去; 나한테서 많은 돈을 속여서 빼앗다. ⑤동 (머리가 혼란해서) 멍하(게 하)다. 분간을 못 하게 되다. ¶叫他给～在里头了; 그 사람 때문에 머릿속이 혼란에 빠졌다/一时～住, 把线算错了; 잠깐 어리둥절해서 돈을 잘못 계산했다/拿话～人; 말로 사람을 호리(어속이)다. =〔迷惑〕 ⑥양 실을 감은 것을 세는 데 쓰는 말. ¶一～线; 한 타래의 실. ⑦명 성(姓)의 하나.

〔绕避〕 ràobì 동 멀리 돌아서 피하다.

〔绕脖子〕 rào bózi 〈方〉 ①빙 돌려서 말하다. ¶你简单地说吧, 别净～! 빙빙 돌리지만 말고 간단히 말해라/绕着脖子骂人; 넌지시 남을 욕하다/这话说得真～, 我好半天才明白过来; 그 이야기하는 투가 참으로 완곡하므로 나는 한참 지나서야 겨우 알게 되었다. ②말·일이 난해(難解)하다. 까다롭다. ¶这道题真～! 이 문제는 참으로 까다롭다! ③술책을 부리다.

〔绕不开〕 ràobukāi ①휘감겨 붙어 풀리지 않다. 이해할 수 없다. ¶～扣儿; (뒤얽혀) 알 수 없다. 명료하게 알 수 없다. ②돌아가도 피할 수 없다.

〔绕缠〕 ràochán 동 ①얽히고 감기다. 휘감다. ¶树上～着好几条藤子; 나무 위에는 여러 줄기의 덩굴이 감겨 있다. ②마구 휘저어 뒤죽박죽으로 만들다.

〔绕出来〕 ràochulai ①구불구불 돌아서 나오다. (전혀 모르던 것을) 조금씩 알게 되다. ②넌지시 넘겨 짚어 조금씩 알아 내다.

〔绕搭〕 ràoda 동 ①돌아(서)가다. ②일의 순서〔경위〕를 더듬어 알게 되다. ③속이다. 속여 빼앗다. ¶把东西全让他～去了; 물건을 몽땅 그에게 사취당했다/～过来; 이럭저럭 속여서 빠져 나가다.

〔绕道(儿)〕 rào⸱dào(r) 동 에돌아가다. 멀리 돌아가다. ¶～走; ⓐ비켜서 가다. ⓑ회피(回避)하다/～千里; 길을 멀리 에돌아가다/～香港; 홍콩 우회/～而过; 길을 돌아서 지나가다. =〔绕路〕↔〔抄近〕

〔绕得〕 ràode 동 농락하다. (속여) 걸려들게 하다. ¶他是老实人, 你们别～他; 저 사람은 성실한 사람이니, 너희들 그를 농락해선 안 돼.

〔绕兑人〕 ràoduirén 〈京〉 남을 어리둥절하게 만들다. ¶他说这话是故意～, 心里不定又算计什么呢; 그가 그런 소리를 하는 것은 일부러 사람을 현혹시키려 하고 있는 것이다. 마음속으로는 무슨 꿍꿍이속을 꾸미고 있는지 알 수가 없다.

〔绕攻〕 ràogōng 명동 우회 공격(하다).

〔绕过〕 ràoguò 동 우회해서 가다. 길을 돌아서 가다. ¶～暗礁; 암초를 피해서 지나가다.

〔绕脚〕 ràojiǎo 동 길을 돌아서 가다. ¶这条路～, 可是安全; 이 길은 돌아서 가지만 안전하다.

〔绕开〕 ràokāi 동 멀리 돌아가 피하다. 회피하다. ¶～麻烦问题; 귀찮은 문제를 피해서 가다.

〔绕开扣儿〕 ràokāi kòur 도리(道理)〔이치〕 따위를 자세히 이해하다.

〔绕口〕 ràokǒu 동 ⇨〔绕嘴〕

〔绕口令(儿)〕 ràokǒulìng(r) 명 ①잰말놀이. 혀가 잘 안 도는 말을 모은 희문(戲文). '어려운 말 외기'《'喇嘛端汤上塔, 塔滑汤洒汤烫塔' 은 한 예》. ②〈轉〉 에둘러서 짐작하기 어려운 말. ¶我不懂得你这～啊; 너의 그 빙빙 돌려서 하는 말은 나로서는 알 수가 없다. ‖=〔拗ào口令〕〔〈方〉急口令〕

〔绕扣儿〕 rào kòur 〈俗〉 생각이 막히다. 이해하지 못하다.

〔绕来绕去〕 ràolái ràoqù 왔다갔다 하며 같은 자리를 빙빙 돌다. 제자리를 빙빙 돌 뿐, 전혀 진전이 없다. ¶净那么～, 问题可还是没闹明白; 그렇게 빙빙 돌기만 할 뿐, 문제는 여전히 명백하게 밝히지 못했다.

〔绕路〕 rào⸱lù 동 ⇨〔绕道(儿)〕

〔绕磨〕 ràomo 동 ①속이다. ¶稍不留神就让人给～了去; 조금만 방심하면 남에게 속고 만다. ②귀찮게 달라붙다.

〔绕圈(子)〕 rào⸱quān(zi) 동 ①길을 빙 돌다. 돌아서 가다. ¶人地生疏, 难免～走冤枉路; (그 곳) 지리에 생소하면, 길을 빙빙 돌기가 일쑤다. ②〈比〉 말을 돌려서 하다. 에둘러 말하다. ¶你说话别和我～; 나하고 이야기하는 데 말을 빙빙 돌려서 하지 마라.

〔绕舌歌〕 ràoshégē 명《樂》 랩(rap).

〔绕射〕 ràoshè 명동《物》회절(回折)(하다). =〔衍yǎn射〕
〔绕世界〕 ràoshìjie 부 도처에. 온 천지에. ¶这是个秘mì密, 可别～嚷去; 이것은 비밀이니까 여기저기 말을 퍼뜨리지 마라.
〔绕弯儿〕 rào·wānr 동 ①에둘러서〔빗대어〕 말하다. ¶绕着弯儿骂人; 말을 에둘러서 남을 욕하다. =〔绕弯子〕 ②에워 가다. ③〈方〉 산보하다.
〔绕袭〕 ràoxí 동《軍》적의 후방으로 우회하여 습격하다.
〔绕线〕 ràoxiàn 동 실을 (다시) 감다.
〔绕线管〕 ràoxiànguǎn 명《紡》보빈(bobbin)《실을 감는 통, 또는 막대 모양의 방적 용구》.
〔绕行〕 ràoxíng 동〈文〉돌아가다. ¶道路施工! 车辆～! 도로 공사중! 차량은 우회(迂回)하시오!
〔绕远儿〕 rào·yuǎnr 동 멀리 돌아서 가다. 우회하다. ¶我宁可～也不翻山; 나는 멀리 돌아갈지언정 산을 넘어가지는 않겠다 / 这么走就～了; 이렇게 하면 우회하게 된다. ↔〔抄近〕 (ràoyuǎnr) 형 (길이) 구불구불하고 멀다. ¶这条路很好走, 可就是～; 이 길은 걷기에 매우 편하나, 다만 길을 돌아가게 된다.
〔绕住〕 ràozhù 동 ①휘감기다. ¶话筒被软线～了, 你给解开吧! 코드가 마이크에 뒤얽혀 있으니 풀어주시오. ②〈轉〉 정신이 얼떨떨해지다. 뒤엉키어 알 수 없게 되다. ¶你是～了, 哪能这么简单的事都想不过来呢; 너 머리가 어떻게 된 게 아니냐, 이렇게 간단한 것도 모르다니 말이야.
〔绕组〕 ràozǔ 명《電》코일. 권선(捲線). =〔线xiàn包〕〔线卷〕
〔绕嘴〕 ràozuǐ 동 ①혀가 꼬부라지다. ②말하기가 힘들다. 읽기에 거북하다. =〔不顺口〕 ‖ =〔绕口〕

RE ㄖㄜ

若 rě (야)
→〔般bō若〕 ⇒ruò

喏 rě (야)
〈文〉인사할 때 공손히 대답하는 소리. ¶唱～; 읍(揖)하고 절하다《옛 소설에 잘 쓰이는 말》. ⇒nuò

惹 rě (야)
동 ①일으키다. ㉠(어떤 결과·사태를) 야기시키다. ¶～出事来; 사건을 일으키다 / ～是生非 =〔惹是非〕〔惹是弄非〕〔惹是招非〕; 〈成〉 말썽을 일으키다. 물의를 빚다. ㉡(언동이) 어떤 반응을 일으키다. ¶～人注意; 남의 주의를 끌다 / 一句话把大家～得哈哈大笑; 그 한 마디 말이 모두를 하하 하고 크게 웃게 했다 / 这孩子挺～人喜欢; 이 아이는 아주 귀염성이 있다〔귀여워서 남에게 사랑을 받는다〕. ②(상대의) 감정을 건드리다. 비위에 거슬리는 말을 하다. 놀리다. ¶不要把他～翻了! 그를 불쾌하게 만들 소리는 하지 마라! / 这孩子脾气大, 不好～; 이 아이는 성을 잘 내니 놀릴 수도 없다 / 他不是好～的; 그는 섣불리 건드릴 수 없다 / 你不～他, 他不犯你, 最好敬而远之; 네가 그를 건드리지 않으면 그도 너를 건드리지 않는다. 긁어 부스럼은 만들지 마라. ③말썽을 부리다. 왁자지껄 떠들어 대다. ④대들다. 맞서다. 약올리다. ¶招～; 성나게 하다 / ～得他大发雷霆; 그를 노발대발하게 만들었다 / 一句话～恼了他; 이 한 마디로 그를 화나게 만들어 버렸다. ⑤부추기다. 꾀다.
〔惹不得〕 rěbude 건드려서는 안 된다.
〔惹不起〕 rěbuqǐ ①상대할 수가 없다. (벅차서) 손을 쓸〔댈〕 수가 없다. 어찌할 수가 없다. 보통 수단으론 안 되다. ¶他的势力大, 我实在～; 그의 세력이 커서 나는 정말 어쩔 수가 없다. ②(일을) 일으킬 수가 없다. ‖↔〔惹得起〕
〔惹草拈花〕 rě cǎo niān huā 〈成〉 풀을 뽑고 꽃을 꺾다《여자를 농락하다》.
〔惹得〕 rěde 동 불러일으키다. 야기시키다. ¶因为他这一句话, ～大家都议论起来了; 그의 이 한 마디로 인해서 모두는 이렇다 저렇다 하고 논쟁하기 시작했다.
〔惹得起〕 rědeqǐ 손을 댈 수 있다. 건드릴 수 있다. 관여〔관계〕할 수 있다. ¶人家有靠山, 你～吗? 상대에겐 빽이 있는데, 자네가 건드릴 수 있겠는가? ↔〔惹不起〕
〔惹翻〕 rěfān 동 화나게 하다. 기분을 상하게 하다. ¶工作没做好, 把他～了; 일을 잘못해 그의 기분을 상하게 했다.
〔惹火〕 rě·huǒ 동 ①불을 당기다. 인화(引火)하다. ¶～物; 불붙기 쉬운 물건 / 这些～的东西, 快搬远点儿; 이런 인화물은 빨리 먼 곳으로 옮겨라. ②성나게〔노하게〕 하다. ¶这种故意～的话, 你说它干什么? 그렇게 일부러 사람을 화나게 하는 말을 해서 어쩌자는 거냐?
〔惹火烧身〕 rě huǒ shāo shēn 〈成〉 스스로 화를 부르다《자업자득》.
〔惹祸〕 rě·huò 동 화를〔재앙을〕 부르다. 재난을 일으키다. ¶～精; 화를 일으키는 녀석. 트러블메이커.
〔惹急〕 rějí 동 ①(들큰거려서) 성나게 하다. ②상대의 기분을 초조하게 하다.
〔惹娄子〕 rě lóuzi 소동을 일으키다. 재앙을 일으키다. 골치 아픈 일을 야기시키다.
〔惹乱(儿, 子)〕 rě luàn(r, zi) 소동을 일으키다.
〔惹恼〕 rěnǎo 동 성나게 하다. 감정을 해치다.
〔惹怒〕 rěnù 동 성나게〔노하게〕 하다. ¶他因反对命令～了宋江; 그는 명령에 반대하여 송강(宋江)을 화나게 만들었다.
〔惹漆〕 rěqī 동 옻오르다.
〔惹起〕 rěqǐ 동 야기하다. 일으키다. ¶～纠纷; 분쟁을 일으키다 / ～很大问题; 큰 문제를 야기시키다.
〔惹气〕 rě·qì 동 성나게 하다. 화를 내다. ¶犯不上为这点儿事情～; 이런 하찮은 일로 화를 내지는 않는다 / 他不讲理就少搭理他, 何必～呢! 그가 도리에 벗어난 짓을 하면 상관하지 말 것이지, 화를 낼 필요가 뭐 있느냐!
〔惹情〕 rě·qíng 동 색정(色情)을 도발하다〔불러일으키다〕.
〔惹人耻笑〕 rě rén chǐ xiào 〈成〉 남의 웃음거리가 되다.
〔惹人恼怒〕 rě rén nǎo nù 〈成〉 남을 노하게 하다.
〔惹人笑〕 rěrénxiào 남을 웃기다.
〔惹人注目〕 rě rén zhùmù 남의 시선을〔주의를〕 끌다.
〔惹骚〕 rě·sāo 동 소동을 일으키다. ¶惹了一点儿骚; 사소한 소동을 일으켰다.
〔惹事〕 rě·shì 동 성가신 일을 일으키다. 이르집다. ¶～分子; 도발(挑發) 분자. 트러블메이커.

=〔招事〕
〔惹是非〕 rě shì fēi 〈成〉 ⇨〔惹是生非〕
〔惹是弄非〕 rě shì nòng fēi 〈成〉 ⇨〔惹是生非〕
〔惹是生非〕 rě shì shēng fēi 〈成〉 말썽을 일으키다. 물의를 빚다. 이러쿵저러쿵 말을 듣다. =〔惹是非〕〔惹是弄非〕〔惹是招非〕
〔惹是招非〕 rě shì zhāo fēi 〈成〉 ⇨〔惹是生非〕
〔惹嫌〕 rěxián 동 ⇨〔惹厌〕
〔惹眼〕 rěyǎn 동 〈方〉 남의 눈을 끌다. 남의 눈에 띄다.
〔惹厌〕 rěyàn 동 남에게 밉살스럽게 굴다. 혐오감을 품게 하다. =〔惹嫌〕

热(熱) rè (열)
①명 열. ㉠《物》 열. ¶潜qián～; 잠열 / 比～; 비열 / 辐射～; 복사열 / 汽化～; 기화열. ㉡(병으로 나는) 신열. ¶发～; 열이 나다 / 退～; 열이 내리다. ②명 더위. ¶受～了; 더위 먹었다. ③형 덥다. ¶今天很～; 오늘은 매우 덥다 / 不冷不～; 춥지도 덥지도 않아 꼭 알맞은《계절》. ↔〔冷lěng①〕 ④형 친밀하다. (사이가) 뜨겁다. 온정(溫情)이 있다. ¶亲爹～娘; 친부모 / 跟女人～上来了; 여자와 뜨거운 사이가 되었다 / 眼～起来了; (갖고 싶어서) 미치다 / 脸～ =〔脸软〕; 정에 무르다. ⑤형 급격하다. 심하다. ⑥동 초조하다. 조바심하다. ⑦부 즉시. 즉각. ¶～赶将去; 즉시 서둘러 가다. ⑧형 따뜻하다. 뜨겁다. ¶洗澡水～了; 목욕물이 뜨거워졌다. ⑨동 데우다. ¶凉了, 再～一～吧; 식었으니, 다시 한 번 데워라 / 这碗粥还用～吗? 이 사발의 죽은 아직 더 데울 필요가 있나? ⑩명 마침 좋은 기회. 열기. 붐(boom). ¶货刚出厂, 趁～儿销了不少; 상품이 되자마자 마침 때를 만나서 상당히 팔렸다 / 在美国也兴起了算盘～了; 미국에서도 주판 열기가 일었다. ⑪형 인기가 좋다. 잘 팔리다. ¶～货; 잘 팔리는 상품 / ～门儿; 인기 있는 부문·방면·영역 따위. ⑫명 《漢醫》 '六淫'의 하나.
〔热爱〕 rè'ài 동 열애하다. 애착을 가지다. ¶只有～工作的人才能～生活; 일에 정열을 불태우는 사람이야말로 생활을 소중히 할 수가 있다.
〔热巴〕 rèbā 명 〈音〉 지방 순회 연예인《티베트 어(語) 음역》.
〔热饼〕 rèbǐng 명 ⇨〔疟nüè母〕
〔热病〕 rèbìng 명 《漢醫》 열병.
〔热波〕 rèbō 명 ①《物》 자외선. ②한창 성함. 고조(高潮).
〔热补〕 rèbǔ 동 가열하여 보수하다〔땜하다〕. ¶～皮带; 벨트〔피대〕를 가열하여 수선하다.
〔热菜〕 rècài 명 불에 가열하여 만든 요리. (rè cài) 동 요리를 데우다.
〔热肠〕 rècháng 명형 ①열정(적이다). 열심(이다). 열성(적이다). ②친절(하다). ¶～的朋友; 친절한 친구 / 古道～; 인정이 두텁고 정의감이 세다.
〔热潮〕 rècháo 명 열띤〔고양된〕 공기〔분위기〕. 붐. 열기. ¶造成一个学习的～; 학습(學習)의 열띤 분위기를 조성하다 / 爱国～; 애국의 열기 / 掀起了建设的～; 건설의 열기를 불러일으켰다. 동 열기를 띠고 있다. 붐이 일다. ¶群众～起来; 군중이 열기를 띠기 시작했다.
〔热忱〕 rèchén 명 열의. 열정. 열성. ¶以极大的～欢迎; 대대적 열의로 환영하다 / 对这样的办学道路表现了极大的～; 이와 같은 학교 운영 방법에 지대한 정열을 보였다. 형 정열적이다. 열성적이다. ¶他待人～; 그는 남에게 정열적으로 대한다 / 现在, 我们又有机会来到此地访问, 并受到你们～的款待; 지금 우리는 다시 기회를 얻어 이 곳을 방문하여 여러분의 열정적인 대접을 받을 수가 있었습니다.
〔热诚〕 rèchéng 명형 열성(적이다). ¶～爱国; 열성으로 나라를 사랑하다 / ～欢迎; 열성적으로 환영하다.
〔热处理〕 rèchǔlǐ 명 《工》 열처리.
〔热刺呼啦〕 rècìhūlā 형 (감촉이) 뜨겁다. ¶这西瓜晒得～的不好吃; 이 수박은 볕을 쬐어 뜨끈뜨끈하여 맛이 없다.
〔热脆性〕 rècuìxìng 명 《工》 적열 취성(赤熱脆性).
〔热带〕 rèdài 명 《地》 열대. ¶～低压; 《氣》 열대성 저기압 / ～鱼; 열대어 / ～植物; 열대 식물. =〔回归带〕
〔热导率〕 rèdǎolǜ 명 《物》 열전도율.
〔热岛效应〕 rèdǎo xiàoyìng 명 《氣》 열섬 효과《인구 밀집·오염 등으로 인해 그 지역 기온이 주변보다 높은 현상》.
〔热地〕 rèdì 명 ①매우 온도가 높은 곳. ②요지(要地).
〔热电〕 rèdiàn 명 《電》 열전기. ¶～流; 열전류 / ～堆 =〔温差电堆〕; 열전퇴. 열전기 더미 / ～能; 열전력(熱電力) / ～偶; 열전(기)쌍(熱電(氣)雙) / ～站; (공장 내에 스팀 공급의 목적도 겸하는) 화력 발전소 / ～效应; 열전 효과.
〔热店〕 rèdiàn 명 식사가 제공되는 여관〔여인숙〕.
〔热毒〕 rèdú 동 (태양이) 뜨겁게 내리쬐다. ¶～的太阳; 불같이 뜨거운 태양. 명 《漢醫》 ㉠발열성 병독 또는 이로 인해 일어나는 병. ㉡화상(火傷) 후에 일어나는 감염증. ㉢땀띠의 짓무름.
〔热肚儿〕 rèdùr 명형 〈比〉 열심(이다). 열정(적이다). 명 열혈 남아. 열혈(熱血).
〔热度〕 rèdù 명 ①열. 열도《열의 정도》. ¶打了一针, ～已经退了点儿了; 주사를 놓았더니, 열이 좀 내렸다. ②친밀함. 열의. ¶我用同样的～回答他们; 나는 같은 정도의 열의로써 그들에게 답한다.
〔热度表〕 rèdùbiǎo 명 체온계.
〔热饭〕 rèfàn 명 더운 밥.
〔热肥〕 rèféi 명 (발효하여) 열을 가진 비료.
〔热痱子〕 rèfèizi 명 〈方〉 땀띠. =〔痱子〕
〔热分解〕 rèfēnjiě 명 《電》 열해리(熱解離).
〔热风炉〕 rèfēnglú 명 《工》 열풍로.
〔热敷〕 rèfū 명동 《醫》 더운 찜질(을 하다). 더운 습포(를 대다). =〔热罨〕
〔热辐射〕 rèfúshè 명 《物》 열복사. 열방사.
〔热腹〕 rèfù 명 〈文〉 열의(熱意).
〔热功〕 règōng 명 《物》 열의 일.
〔热功当量〕 règōng dāngliàng 명 《物》 열(熱)에너지.
〔热狗〕 règǒu 명 〈義〉 핫도그(hotdog)《해학적인 표현》. =〔红肠面包〕
〔热官〕 règuān 명 〈比〉 권세가 있는 관리.
〔热滚滚〕 règǔngǔn 형 (뜨거운 물이나 눈물이) 펑펑 흘러나오는 모양.
〔热锅上的蚂蚁〕 rè guō shàng de mǎ yǐ 〈成〉 뜨거운 냄비 위의 개미《초조해서 마구 싸다니다. 갈팡질팡 허둥대다》. ¶你这～似的, 来回跑干什么? 너 그렇게 뜨거운 냄비 위의 개미처럼 여기저기 뛰어다니며 뭘 하고 있는 거냐?
〔热核反应〕 rèhé fǎnyìng 명 《物》 열핵반응. 핵

융합 반응. =〔聚变反应〕
〔热核武器〕 rèhé wǔqì 명《軍》열핵무기.
〔热哄〕 rèhōng 동 시끄럽게 왁자지껄 떠들다.
〔热烘烘(的)〕 rèhōnghōng(de) 형 ①화끈거릴 정도로 뜨거운 모양. ¶炉火很旺，屋子里～的; 난롯불이 활활 타고 있어서 방안이 후끈후끈하다. ②〈轉〉기세가 왕성하다.
〔热乎〕 rèhu 형 ①(음식물이) 뜨겁다. 따뜻하다. ¶菜～着哪，正好吃; 요리가 따끈해서 먹기에 알맞다. ②사이가 좋다. 정답다. (마음이) 따뜻하다. ¶他把我推坐在椅子上，挺～地说; 그는 나를 의자에 앉히고 매우 정답게 말했다 / 他们俩那个～劲! 저 두 사람은 정말 사이가 좋다니까! / ～了一阵; 아주 친밀한 듯 한바탕 인사를 나눴다. 동 뜨겁게〔따뜻하게〕 하다. 데우다. ¶把菜～一下; 요리를 따뜻하게 데워라 / 再喝点姜汤～～身子吧; 생강탕을 더 마셔서 몸을 덥게 해라. ‖ =〔热和huo〕〔热火②〕〔热呼〕
〔热呼〕 rèhu 형 ⇨〔热乎〕
〔热乎乎(的)〕 rèhūhū(de) 형 ①(기후·음식·관계 등이) 뜨겁다. ¶慇懃地劝菜劝酒，嚷得～; 정중하게 요리나 술을 권하고 들뜬 기분으로 다정하게 말을 주고받았다. ②(상대방의 호의를 받거나 자기가 감격하여) 마음이 따뜻하다. ‖ =〔热呼呼(的)〕
〔热呼呼(的)〕 rèhūhū(de) 형 ⇨〔热乎乎(的)〕
〔热化〕 rèhuà 명 화력 발전소에서 전기의 공급 외에 증기 등을 이용한 열의 공급까지도 하는 방식.
〔热昏〕 rèhūn 동 ①더워서 정신이 이상해지다. ②정신이 없다. 머리가 돌다. ¶～说出来的胡话; 머리가 돌아 입 밖에 나온 말같잖은 이야기.
〔热火〕 rèhuǒ ① 형 백열화(白熱化)하다. 열렬하다. 열기를 띠고 있다. ¶讨论就～了; 토론은 곧 백열화되었다 / 群众运动展开得更～了; 대중 운동은 더욱더 열기를 띠고 퍼져 나갔다. ② 형동 ⇨〔热乎〕
〔热火朝天〕 rè huǒ cháo tiān 〈成〉 ①굉장히 번화하다. ②(집회·행사·일 따위가) 열기에 넘쳐 있는 모양. ¶大家～地工作着; 모두 대단한 열기로 일을 하고 있다.
〔热火头〕 rèhuǒtóu 명〈比〉최고조. 절정(絶頂).
〔热货〕 rèhuò 명 잘 팔리는 상품. 유행 상품. →〔热门(儿)〕
〔热和〕 rèhuo 형동 ⇨〔热乎〕
〔热机〕 rèjī 명《機》열기관(증기 기관·내연 기관 따위와 같은 열력을 기계 동력으로 바꾸는 기계의 총칭). =〔热力发动机〕
〔热记〕 rèjì 형 ⇨〔强qiáng记〕
〔热剂〕 rèjì 명《漢醫》열성(熱性)의 약(한성(寒性)의 병을 치료하는 데 씀). →〔凉liáng药〕
〔热加工〕 rèjiāgōng 명《工》열간(熱間)〔고온(高溫)〕 가공. ↔〔冷lěng加工〕
〔热解〕 rèjiě 《化》 명 열분해(熱分解). 동 열분해하다.
〔热劲儿〕 rèjìnr 명 ①뜨거운〔더운〕 정도. 뜨거움. 더위. 열. ②열중해 있는 상태. ¶过了～再说吧! 감정이 가라앉거든 다시 말하자!
〔热决〕 rèjué 동 형(刑)을 즉결하다. 즉결 처분하다.
〔热炕〕 rèkàng 명 불을 때고 있는 온돌. =〔火炕〕
〔热客〕 rèkè 명 ①권세에 영합하는 사람. ②늘 오는 손님. 상객(常客). ③(기녀(妓女)의) 단골 손님.
〔热辣辣(的)〕 rèlàlà(de) 형 ①화끈화끈 뜨거운〔달아오르는〕 모양. ¶太阳晒得人～的; 태양이 이글이글 내리쬐다 / 他听了大家的批评，脸上～的; 그는 모두의 비판을 듣고 얼굴이 화끈 달아올랐다 / 他擎起右手，用力的在自己脸上连打了两个嘴巴，～的有些痛《鲁迅 阿Q正傳》; 그는 오른손을 들어 힘껏 제 뺨을 두세 대 계속 때렸더니 화끈거리며 조금 아팠다. ②열렬하다. ¶～的干劲儿; 열렬한 기세 / 心理～; 가슴이 메는 것 같은 느낌이 들다.
〔热浪〕 rèlàng 명 ①서기(暑氣). 열기(熱氣). 무더위. ¶～未退; 더위는 아직 물러나지 않았다. ②《物》열파(熱波).
〔热泪〕 rèlèi 명 열루. (기쁨·슬픔·감격의) 뜨거운 눈물. ¶～盈眶; 뜨거운 눈물을 눈에 가득 머금었다.
〔热力〕 rèlì 명 ①《物》열에너지. ②온도.
〔热力发动机〕 rèlì fādòngjī 명 ⇨〔热机〕
〔热恋〕 rèliàn 동 열렬히 사랑하다. 열애하다.
〔热量〕 rèliàng 명《物》열량. 칼로리. 발열량. ¶～计; 열량계 / ～单位; 열량 단위. 칼로리.
〔热烈〕 rèliè 형 열렬하다. 진심이 담겨져 있다(흥분·격동된 감정이나 분위기를 가리킴). ¶～欢迎; 진심으로 환영하다 / 进行～的争论; 열띤 논쟁을 벌이다.
〔热流〕 rèliú 명 ①《氣》상승 온난 기류. ②감정의 따뜻한 흐름. ¶我感到一股～传遍全身; 나는 훈훈한 느낌이 온몸에 퍼지는 것을 느꼈다.
〔热马〕 rèmǎ 명 우승 후보 말. ¶今年夏天，英国马场上接连爆出冷门，许多～应胜不胜; 금년 여름, 영국의 경마에서 예상이 빗나가는 일이 속출하여, 많은 우승 후보 말이 당연히 이길 줄 알았는데, 지고 말았다.
〔热毛子马〕 rèmáozimǎ 명 (영양 실조 때문에) 겨울에 털이 빠지고 여름에 털이 나는 말.
〔热门(儿)〕 rèmén(r) 명 ①인기가 있는 것. 붐을 타고〔유행하고〕 있는 것. ②우승 후보(자). 가망이 있는 것. (시험 등의) 경쟁률이 높은 것.
〔热门行业〕 rèmén hángyè 명 인기 업종.
〔热门话题〕 rèmén huàtí 명 핫 이슈(hot issue).
〔热门货〕 rèménhuò 명 잘 팔리는 상품. ¶这是～，多批进一点儿也不要紧; 이것은 잘 나가는 물건이니까, 좀 여유 있게 들여놓아도 괜찮다.
〔热门消息〕 rèmén xiāoxī 명 핫 뉴스(hot news). 최신 뉴스.
〔热敏电阻〕 rèmǐn diànzǔ 명《電》서미스터(thermistor).
〔热闹〕 rènao 형 번화하다. 북적거리다. 왁자지껄하다. ¶～的大街; 번화한 큰 거리 / ～口儿; ⓐ번화가〔유흥가〕의 입구. ⓑ한창 …하는 중. 동 ①활기차게〔떠들썩하게. 흥겹게〕 하다. (즐겁고 명랑하게) 떠들다. 떠들썩하게 놀다. ¶约yuē几个朋友～～; 친구 몇 사람과 함께 흥겹게 떠들고 놀다 / 没有他就不～; 그 사람 없으면 조용하군. ②…을 즐겁게 하다. ¶～耳朵; 귀를 즐겁게 하다 / ～眼睛; 눈을 즐겁게 하다. 눈요기하다.
〔热闹闹(的)〕 rènàonào(de) 형 흥청거리는〔떠들썩한〕 모양. 번화한 모양. 혼잡한 모양.
〔热闹儿〕 rènaor 명 ①활기(참). 흥청거림. 떠들썩함. 법석. ¶贪看～; 떠들썩한 구경꾼 근성이 있다. 호기심이 많다 / 凑个～吧! 한바탕 떠들썩하게 놀아 보자! ②연극 등의 오락〔여흥〕. ¶他家办生日，有什么～没有? 그의 집에서 생일 잔치를 한다는데, 뭐 여흥이라도 있나? ③구경거리. ¶看

～; 떠들며 보다. 구경하다 / 他只顾着瞧～, 忘了回家了; 그는 구경하는 데 정신이 팔려 집에 돌아가는 것을 잊어버렸다.

〔热闹人物〕 rènao rénwù 명 화제의 인물. =〔风fēng头人物〕

〔热闹戏(儿)〕 rènàoxì(r) 명 《劇》 공연히 부산을 떨며 웃기려 드는 희극.

〔热能〕 rènéng 명 《物》 열(熱)에너지. ¶～输出; 열출력 / 在地球内部的深处储藏有大量的～; 지구 내부의 깊은 곳에는 대량의 열에너지가 간직되어 있다.

〔热娘〕 rèniáng 명 친어머니. ¶亲爹～; 친부모.

〔热配合〕 rèpèihé 명 《機》 수축 끼워맞춤. 슈링크 핏(shrink fit). =〔热压合座〕〔冷lěng缩配合〕〔〈俗〉 红hóng套〕

〔热气〕 rèqì 명 ①열기. 뜨거운 김. ¶身上冒着～; 몸에서 김이 오르고 있다. ②열의가〔열기가. 열성이〕 넘치는 분위기. ¶～高, 干经大; 열기가 넘치고 의욕이 대단하다. ③(몸의) 온기. ¶身上还有一丝～; 몸에 아직 온기가 조금 남아 있다.

〔热气工〕 rèqìgōng 명 증기 기관·내연 기관 등 열력(熱力)을 사용하는 기계 일에 종사하는 공원(工員).

〔热气腾腾〕 rè qì tēng tēng 〈成〉 ①김이 오르는 모양. ¶他端来一锅～的大米饭; 그는 김이 무럭무럭 나는 큰 솥 가득한 밥을 날라 왔다. ②열기가 넘치는 모양. 열기가 오르는 모양. ¶～的劳动场面; 열기가 넘치는 노동 현장.

〔热切〕 rèqiè 형 열의(熱意)가 담겨 있다. 열렬하고 간절하다. ¶～的愿望; 마음으로부터의 절실한 소망. 열망 / 他对这头亲事很～; 그는 이 혼담에 매우 열의를 보이고 있다.

〔热情〕 rèqíng 형 (태도·마음이) 따뜻하다. 정성이 담겨져 있다. 정성껏 대하다. 친절하다. ¶他对我很～; 그는 나에게 매우 친절하다. 명 의욕. 정열. 열의. ¶工作～; 노동 의욕. 일에 대한 열의 / 提高生产～; 생산 의욕을 높이다 / ～不足; 열의가 부족하다 / ～洋溢的讲话; 열정이 넘치는 이야기.

〔热儿〕 rèr 명 ①열. 더위. ②〈轉〉 갓 만든 상태. 첫물. 맏물. 기분이 고양된 상태. ¶货刚出厂, 趁～销了不少; 물건이 공장에서 막 나와, 갓 나온 상태에서 적지 않게 팔았다.

〔热热儿〕 rèrēr 형 따끈따끈하다.

〔热人儿〕 rèrénr 명 〈俗〉 아주 친숙한〔친밀한〕 사람.

〔热容〕 rèróng 명 《化》 열용량(熱容量).

〔热丧〕 rèsāng 명 최근에 당한 친상(親喪).

〔热嗓子〕 rèsǎngzi 《劇》 중국 전통극에서, 배우가 장시간 노래했기 때문에 목이 쉰 상태.

〔热杀人〕 rèsharén 형 ⇨〔热死人〕

〔热上加热〕 rè shàng jiā rè 〈成〉 ①뜨거운 것을 더욱 뜨겁게 하다. ②불에 기름을 붓다.

〔热射病〕 rèshèbìng 명 《醫》 열사병.

〔热审〕 rèshěn 명 《法》 '小xiǎo满' (소만) 후 10일부터 입추 전날까지 열리는 재판《이 사이에는, 장죄(杖罪) 이하의 죄는 감형이 되었음》.

〔热势〕 rèshì 명 〈文〉 권세.

〔热熟〕 rèshú 형 매우 친하다.

〔热水〕 rèshuǐ 명 더운 물《'开水' (끓는 물). '温和水' (미적지근한 물). '凉水' (냉수)》. ¶～袋; 얼음베개식의 탕파《여자가 손에 들고 손을 다습게 함》/ ～放热器; 온수 방열기.

〔热水杯〕 rèshuǐbēi 명 (더운 물을 넣어도 깨지지 않는) 내열 컵.

〔热水店〕 rèshuǐdiàn 명 더운 물 파는 가게. =〔〈南方〉 老虎灶zào②〕

〔热水瓶〕 rèshuǐpíng 명 〈俗〉 보온병. ¶～胆dǎn; 보온병 속의 유리 그릇. =〔热水壶〕〔暖水瓶〕

〔热死〕 rèsǐ 형 뜨거워서 못 견디다. 더워서 죽을 지경이다. 동 뜨거워서 죽다. 뜨겁게 하여 죽이다.

〔热死人〕 rèsirén 형 몹시 덥다. 더위가 살인적이다. =〔热杀人〕

〔热丝糊拉〕 rèsihūlā 형 〈俗〉 ①따끈따끈하다. ¶冷得厉害, 喝点～的什么才好呢; 몹시 추워서, 뭔가 따끈따끈한 걸 마시게 해야겠다. ②(어떤 일에) 열중해 있다. 골똘해 있다. ¶人家正～的, 怎么离得开? 상대는 한창 열중하고 있는데, 지금 손을 뗄 수 있겠나? ③얼굴이 화끈해질 정도로 부끄럽다. ¶臊sào得脸上～的, 半天抬不起头来; 부끄러워서 얼굴이 화끈 달아 오랫동안 고개를 들 수 없었다.

〔热探测器〕 rètàncèqì 명 《機》 열선 탐지기(熱線探知器).

〔热汤儿面〕 rètāngrmiàn 명 탕면. 온면.

〔热腾腾(的)〕 rètēngtēng(de) 형 ①화끈거리는〔후끈후끈한〕 모양. ¶太阳落了山, 地上还是～的; 해는 산 너머로 졌어도 지상은 아직도 후끈거린다. ②뜨끈뜨끈해서 김이 오르는 모양. ¶一笼～的包子; 한 통의 따끈따끈한 만두.

〔热天(儿)〕 rètiān(r) 명 무더운 날. 여름의 더운 때. 서중(暑中).

〔热头〕 rètóu 명 〈廣〉 태양. ¶广东方言管太阳叫'～', 这和北方土语中的'日头'是一样的; 광둥(廣東) 방언으로 태양을 '热头'라 하는데, 이것은 북방 방언에서의 '日头'와 같다.

〔热透〕 rètòu 동 충분히 데워지다. 충분한 열을 받다. ¶菜～了; 부식이 충분히 데워졌다.

〔热土〕 rètǔ 명 오래 살아서 익숙해진 땅〔고장〕. 태어나서 자란 곳. ¶故乡～ =〔老家～〕〔生地～〕; 태어난 고향.

〔热望〕 rèwàng 명동 열망(하다). ¶～老师出席; 선생님의 출석을 열망하다 / 满足了～; 열망을 만족시켰다.

〔热线〕 rèxiàn 명 ①《物》 열선. 적외선. ②핫라인(hot line)《양국 수뇌를 연결하는 긴급 직통 전화》. ③인기 있는 관광 노선.

〔热线通讯联系〕 rèxiàn tōngxùn liánxì 명 핫 뉴스 라인.

〔热乡〕 rèxiāng 명 날씨가 더운 지방.

〔热销〕 rèxiāo 동 《商》 (상품이) 빨리〔잘〕 팔리다. ¶据行家分折, 今年运动鞋仍继续～; 전문가의 분석에 따르면, 금년 운동화 매출은 여전히 지속적으로 좋을 것이라고 한다.

〔热孝〕 rèxiào 명 부모나 남편이 죽은 지 얼마 되지 않은 상(喪). ¶～在身; 친상중의 몸 / 因有～, 不便前头来《紅樓夢》; 막 친상을 당해 참석을 못 합니다.

〔热心〕 rèxīn 형 ①(사람·물건에 대하는 느낌이) 적극적이다. 열성적이다. 열심이다. 열의가 있다. ¶～给大家办事; 모두를 위해 열의를 가지고 일을 진행하다 / 有些同志, 对科学实验不大～; 일부의 동지는 과학 실험에 별로 열의를 보이지 않는다. ②친절하다. 따뜻하다. 인정이 많다. ¶他感激主人～; 그는 주인의 따뜻한 인정에 감격하였다 / ～人; 인정 많은 사람 / ～帮助; 충심으로 원조하다.

〔热心肠(儿)〕 rèxīncháng(r) 명 〈口〉 친절한 성품〔사람〕. 따뜻한 사람〔마음씨〕. 열의. 형 친절하다. 마음이 따뜻하다. 열성적이다.
〔热性疾病〕 rèxìng jíbìng 명《醫》 발열성 질환.
〔热血〕 rèxuè 명 끓는 피. 열혈. 열정. ¶～男儿; 열혈한(漢) / ～沸腾; 열정이 넘쳐 흐르다 / 满腔～; 가슴 가득한 열정.
〔热压釜〕 rèyāfǔ 명 ⇨〔加jiā压釜〕
〔热压合座〕 rèyā hézuò 명 ⇨〔热配合〕
〔热罨法〕 rèyǎnfǎ 명 ⇨〔温wēn罨法〕
〔热药〕 rèyào 명《漢醫》 온성(溫性)·열성(熱性)의 약.
〔热饮〕 rèyǐn 명 뜨거운 음료수《차·커피 따위》. ↔〔冷饮〕
〔热油器〕 rèyóuqì 명 오일 히터.
〔热在三伏〕 rè zài sānfú 더위는 삼복(三伏) 때가 가장 심하다.
〔热凿〕 rèzáo 명《工》 단공(鍛工)에 쓰이는 끌.
〔热灶〕 rèzào 명 〈比〉 세력이 있는〔경기가 좋은〕 사람〔곳〕. ¶这般小人当然会赶～头儿了; 이런 소인배들은 당연히 세력이 있는 보스한테 붙게 마련이다.
〔热轧〕 rèzhá 명《工》 열간 압연(熱間壓延). ¶～带钢轧机; 핫 스티립 밀(hot strip mill). 열간 압연용 압연기.
〔热战〕 rèzhàn 명 열전. ↔〔冷战〕
〔热胀冷缩〕 rèzhàng lěngsuō 명《物》 열팽창.
〔热着〕 rèzháo 동 더위를 먹다. ¶只是不可过于赶, ～了倒是大事; 하지만 너무 서둘러서는 안 된다. 더위를 먹으면 오히려 큰일이니까.
〔热症〕 rèzhèng 명《漢醫》 발열·구갈(口渴)·변비 등의 증상. 열증.
〔热值〕 rèzhí 명《化》 발열량.
〔热值计〕 rèzhíjì 명《物》 칼로리미터. =〔测cè热器〕
〔热中〕 rèzhōng 동 열중하다. 열을 올리다. (명리(名利)를) 몹시 바라다《흔히, '～于'로 쓰임》. ¶～于个人名利; 개인의 명리 추구에 열을 올리다 / ～于溜冰; 스케이트에 열중하다 / ～于做生意的人; 장사에 열심인 사람 / 弟弟～于集邮; 동생은 우표 수집에 열중하고 있다. =〔热衷〕
〔热中子〕 rèzhōngzi 명《物》 열중성자.
〔热衷〕 rèzhōng 동 ⇨〔热中〕
〔热作〕 rèzuō 명《工》 금속을 가열 연화(軟化)시켜 탄력성을 없앤 다음 하게 되는 일《단조 또는 압연 따위》. ↔〔冷作〕 →〔锻duàn工〕

REN ㄖㄣ

人 rén (인)
① 명 사람. 인간. ¶男～; 남자 / 女～; 여자 / 打扮得不象个～; 사람 같지 않은 몰골을 하고 있다 / 真拿咱们不当～; 완전히 우리를 사람으로 생각하고 있지 않다 / ～种; 인종 / ～权; 인권. ② 명 타인. 남. ¶做工作不让～; 일하는 데 있어서는 남에게 지지 않는다 / 灭～国家; 남의 나라를 멸망시키다 / 帮～做事; 남을 거들어서 일을 하다 / 己所不欲, 勿施于～《論語》; 자기가 원하지 않는 일을 남에게 해서는 안 된다. ③ 명 일반 사람. 중인(衆人). 사람들. ¶～所周知; 누구나 다 안다 / ～都希望和平; 사람은 모두 평화를 바란다 / 受～尊敬; 사람의 존경을 받다. ④ 명 (누구라고 명확히 지정되지 않은 막연한 뜻의) 사람. 누군가. ¶他打发～来叫我; 그는 나를 부르려고 사람을 보냈다. ⑤ 명 어른. 버젓한 한 사람의 인간. ¶长大成～; 버젓한 어른으로 자라다. ⑥ 명 인격. 인물. 인품. 됨됨이. ¶～很不错; 인물〔인품〕은 훌륭하다 / 他～怎么样? 그의 됨됨이는 어떻습니까? ⑦ 명 체면이나 명예·신용 따위. ¶丢～; 체면이 떨어지다 / ～也完了; 신용도 제로다. ⑧ 명 일손. 인재. ¶缺～; 사람이 없다. 손이 모자라다 / 不得其～; 그 소임에 적당한 인재를 얻지 못하다 / ～真不好找; 인재는 정말 구하기 힘들다. ⑨ 명 과실의 씨. =〔仁④〕 ⑩ 명 수하(手下). 부하. ¶从今天起我就算您的～了; 오늘부터 저는 선생님의 부하가 되겠습니다. ⑪ 명 (남녀 관계에서) 그이. 애인. ¶小丽妹的～是个军官; 소려매(小麗妹)의 애인은 장교이다. ⑫ 명 (사람의) 몸. 건강. 의식. ¶我今天～不大舒服; 나는 오늘 몸의 컨디션이 별로 좋지 않다 / ～老心不老; 〈成〉 나이는 먹었어도 마음은 젊다 / ～小志大; 몸은 작지만 뜻은 크다 / ～在这儿, 心不在这儿; 몸은 여기에 있어도 마음은 여기에 있지 않다 / 送到医院～已经昏迷过去了; 병원에 도착했을 때는 이미 의식이 없었다. ⑬감각·심리 변화를 나타내는 동사 뒤에 와서 그와 같은 상태·사태를 일으킴을 나타냄. ¶吓～; 깜짝 놀라다 / 气～; 화가 나다. 注 이 구조의 것은 때로 형용사로도 됨. ⑭ 명 성(姓)의 하나.
〔人保〕 rénbǎo 명 개인 자격으로 하는 보증인. →〔铺pù保〕
〔人本主义〕 rénběn zhǔyì 명 ⇨〔人文主义〕
〔人比人, 气死人〕 rén bǐ rén, qì sǐ rén 〈諺〉 사람을 사람과 비교하다 보면 화가 나서 못 견딘다《위를 보고 살지 말고 밑을 보고 살아라》.
〔人变〕 rénbiàn 명 ⇨〔人妖〕
〔人便〕 rénbiàn 명 인편. ¶～书此报知; 인편에 부쳐 알려 드립니다.
〔人表〕 rénbiǎo 명 〈文〉 사람의 모범. 모범이 되는 사람.
〔人不当头儿, 木不当轴儿〕 rén bù dāng tóur, mù bù dāng zhóur 〈諺〉 사람은 우두머리가 되는 게 아니고, 나무는 굴대가 되는 게 아니다《높은 사람이 되면 책임이 무겁고 괴롭다》.
〔人不得外财不富〕 rén bùdé wàicái bùfù 〈諺〉 사람은 횡재를 하지 않는 한 부자가 못 된다. 특별한 수입이 없이는 재산을 모을 수 없다.
〔人不得外号不富〕 rén bùdé wàihao bùfù 〈諺〉 사람은 별호가 붙을 정도가 아니면, 부자가 될 수 없다.
〔人不犯我, 我不犯人, 人若犯我, 我必犯人〕 rén bù fàn wǒ, wǒ bù fàn rén, rén ruò fàn wǒ, wǒ bì fàn rén 〈成〉 상대방이 범(犯)하지 않는 한 이쪽도 범하지 않지만, 상대방이 범하면 이쪽도 반드시 범한다《상대방에서 나오는 태도 여하에 따라 대응 조치를 취함》.
〔人不可貌相〕 rén bùkě màoxiàng 〈諺〉 사람은 겉모습만 보고 판단해서는 안 된다. ¶～, 海不可斗量; 큰 인물은 겉모습만으로는 헤아릴 수 없다.
〔人不可一日无业〕 rén bùkě yīrì wúyè 〈諺〉 사람은 하루라도 일하지 않고 놀고 있어서는 안된다.
〔人不亏地, 地不亏人〕 rén bù kuī dì, dì bù kuī rén 〈諺〉 사람이 논밭에 정성을 들이면 논밭은 사람을 배신하지 않는다《땅은 공들인 값만큼 보답함》. =〔人勤地不懒〕

〔人不留人，天留人〕 rén bùliú rén, tiān liú rén 〈諺〉 사람이 사람을 만류하지 않아도 하늘이 사람을 못 가게 말린다《사람을 못 가게라도 하듯 때마침 비가 내리다》.
〔人不求人一般大〕 rén bù qiú rén yībān dà 〈諺〉 사람은 남의 원조를 바라지만 않는다면, 누구나 다 동등하다.
〔人不人，鬼不鬼〕 rén bù rén, guǐ bù guǐ 〈成〉 사람도 아니고 귀신도 아니다《정체를 알 수 없음. 돼먹지 못함》.
〔人不说不知〕 rén bù shuō bù zhī 〈諺〉 설명하지 않으면 이해할 수 없다. 마음을 터놓고 말하지 않으면 이해하기 어렵다《뒤에 '木不钻不透'가 붙어 '사람은 말하지 않으면 알 수 없고, 나무는 뚫지 않으면 구멍이 나지 않는다'는 뜻》.
〔人不为己，天诛地灭〕 rén bùwèi jǐ, tiān zhū dì miè 〈諺〉 사람이 자기에게 이롭게 하지 않으면 천제(天帝)와 신과 염라 대왕이 그를 파멸시킨다《이기주의자의 자기 변명》.
〔人不找账，账找人〕 rén bù zhǎo zhàng, zhàng zhǎo rén 〈諺〉 사람은 빚을 모른 체해도 빚은 사람에 붙어 떨어지지 않는다《빚은 언제나 붙어다님》.
〔人不知，鬼不觉〕 rén bù zhī, guǐ bù jué 〈成〉 아무도 모르다. 감쪽같다. 쥐도 새도 모르다. ¶～的, 不好吗? 아무도 모르게 하는 것이 좋지 않겠습니까?
〔人不知死，车不知翻〕 rén bùzhī sǐ, chē bùzhī fān 〈諺〉 재앙은 헤아리기 어렵다.
〔人才〕 réncái 명 ①인재. ¶～济jǐ济; 〈成〉 인재가 많다 / ～辈出; 인재가 배출되다. ②〈口〉 인품. 인물. 얼굴. ¶那闺女～多好! 저 아가씨는 인물이 어쩌면 그리도 좋을까! / 有几分～; 다소 인품이 있다. ‖ =〔人材〕
〔人才市场〕 réncái shìchǎng 명 인재 시장《고급 인력의 협조와 교류가 집중된 장소》.
〔人才主义〕 réncái zhǔyì 명 인재주의.
〔人材〕 réncái 명 ⇨〔人才〕
〔人财两空〕 rén cái liǎng kōng 〈成〉 몸〔사람〕도 재산도 다 잃어버리다〔없어지다〕. 집안이 몰락하다. =〔人财两失〕
〔人财两失〕 rén cái liǎng shī 〈成〉 ⇨〔人财两空〕
〔人财两旺〕 rén cái liǎng wàng 〈成〉 자손과 재산이 모두 번창하다.
〔人差律〕 rénchālǜ 명 개인차.
〔人臣〕 rénchén 명 〈文〉 인신. 신하. 부하.
〔人称〕 rénchēng 명 《言》 인칭. ¶～代词; 인칭대명사(代名詞).
〔人次〕 réncì 양 연인원(延人員)(수). ¶一百个～; 연인원 백 명 / 已有七万多～前往参观; 이미 연 7만여 명이 견학했다. 注 뒤에 명사가 올 수 없음.
〔人丛〕 réncóng 명 사람의 무리.
〔人大〕 Réndà 명 〈簡〉 '全国人民代表大会'의 준말.
〔人大常委会〕 Réndà Chángwěihuì 명 〈簡〉 '全国人民代表大会常务委员会'의 준말.
〔人单力薄〕 rén dān lì báo 〈成〉 인원수가 적고 힘도 부족하다.
〔人道〕 réndào 명 ①인도. ¶～主义; 인도주의 / 不讲～; 사람이 지켜야 할 도리를 중히 여기지 않다. ②(차도에 대하여) 보도. =〔人行道〕 ③교접(交接). 성교. ¶不能～; 성교 불능. ④《佛》 인간 세계. 형(부사를 동반하여) 인도적(人道的)이다. ¶你们太不～了! 너희들은 너무나 비인도적이다!
〔人得其位，位得其人〕 rén dé qí wèi, wèi dé qí rén 〈成〉 사람에게 있어서는 마침 좋은 지위를 얻고, 지위로 생각해도 마침 좋은 사람을 얻다《적재 적소》.
〔人的名儿，树的影儿〕 réndemíngr shùdeyǐngr 〈諺〉 사람의 이름〔평판 · 명성〕은 나무의 그림자와 같은 것이라, 올바른 일을 하고 있으면 두려워할 것이 없다.
〔人灯〕 réndēng 명 〈比〉 뼈와 가죽《야위어 뼈가 앙상한 모양》. ¶这一场病把他瘦得像～似的了; 이번의 병으로 그는 완전히 피골이 상접해지고 말았다.
〔人地〕 réndì 명 ①사람과 땅. 〈比〉 그 땅이나 사람과의 인연〔관계〕. ¶～不宜; 사람과 풍토가 맞지 않다 / ～相宜; 사람과 풍토가 잘 맞는다. ②인품과 가문. ¶～兼美; 인품도 집안도 훌륭하다.
〔人地生疏〕 rén dì shēng shū 〈成〉 사람과 땅이 모두 낯설다. =〔人生地疏〕
〔人丁〕 réndīng 명 ①성년자(成年者). ②〈文〉 인구. ¶～兴旺; 인구가 늘다 / ～不添, 六畜不旺; 사람도 늘지 않고 가축도 번식하지 않다《가운(家運)이 기욺》.
〔人钉人〕 réndīngrén 명 《體》〈義〉 맨투맨《운동경기에서의 대인 방어》. =〔人盯人〕
〔人定〕 réndìng 동 사람들이 잠들어 조용해지다. ¶～时候; 사람들이 잠들어 고요할 때 / 二鼓gǔ～; 두 번째 북이 울려 사람들이 잠들어 고요하다. 명 작심하여 매우 열심히 일을 하게 되는 일.
〔人定胜天〕 rén dìng shèng tiān 〈成〉 인간의 힘은 자연을 이긴다.
〔人堆(儿)〕 rénduī(r) 명 〈口〉 군중. 사람의 무리.
〔人钝人上磨，刀钝石上磨〕 rén dùn rénshang mó, dāo dùn shíshang mó 〈諺〉 사람이 우둔하면 사람 속에 부대껴서 단련되어야 하고, 칼이 무디면 숫돌에 갈아야 한다.
〔人多出韩信〕 rén duō chū Hánxìn 〈成〉 사람이 많으면 한신(韓信)과 같은 모사(謀士)도 나온다.
〔人多好办事〕 rénduō hǎobànshì 〈諺〉 사람 수가 많으면 일도 하기 쉽다.
〔人多好做活，人少好吃饭〕 rénduō hǎozuò huó, rénshǎo hǎochī fàn 〈諺〉 사람〔일손〕이 많으면 일은 잘 진척되고, 사람이 적으면 생활이 넉넉해진다《'活'는 '事'라고도 함》.
〔人多就乱，龙多就旱〕 rénduō jiù luàn, lóngduō jiù hàn 〈諺〉 사공이 많으면 배가 산으로 올라간다.
〔人多口杂〕 rén duō kǒu zá 〈成〉 ⇨〔人多嘴杂〕
〔人多势众〕 rén duō shì zhòng 〈成〉 사람이 많고 세력도 크다.
〔人多，是非多〕 rénduō, shìfēi duō 〈諺〉 사람이 많으면 시비도 많아진다.
〔人多手杂〕 rén duō shǒu zá 〈成〉 ①사람이 많으면 일손이 어지럽다《사람이 많으면 하는 일이 조잡해진다》. ②사람(의 출입)이 많으면 물건의 분실도 많아진다.
〔人多为王〕 rén duō wéi wáng 〈成〉 다수의 힘은 임금처럼 강하다.
〔人多壮胆〕 rén duō zhuàng dǎn 〈成〉 여럿이 있으면 마음이 든든해진다〔담도 커진다〕.
〔人多嘴杂〕 rén duō zuǐ zá 〈成〉 ①사람이 많으면 말이 많다. 사람이 많으면 의견이 통일되지 않는다. ②사람이 많으면 비밀이 새기 쉽다. ‖ =

〔人多口杂〕
〔人痾〕 rén'ē 명 ⇨〔人妖〕
〔人而无信, 不知其可〕 rén ér wú xìn, bù zhī qí kě 〈成〉 인간이 신의를 지키지 않으면 그 가함을 알 수 없다《사람은 신의에 의해서 남에게서 지지(支持)를 받는다》.
〔人犯〕 rénfàn 명 옛날, 범죄 사건의 피고를 포함한 관계자. ¶把那些～都带上来; 본건 관계자를 모두 데리고 와라.
〔人贩子〕 rénfànzi 명 인신 매매 업자. =〔人牙子〕
〔人防〕 rénfáng 명 ①〈簡〉 민간 방공. '人民防空'의 준말. ②인신(人身) 사고 방지.
〔人非木石, 孰能无情〕 rén fēi mùshí, shú néng wúqíng 〈諺〉 사람은 목석이 아닌데, 어찌 무정할 수 있느냐.
〔人非圣贤, 孰能无过〕 rén fēi shèngxián, shú néng wú guò 〈諺〉 사람은 성인도 아니고 현인도 아니다. 누구든지 잘못은 있는 법이다.
〔人粪(尿)〕 rénfèn(niào) 명 《農》 인분(뇨).
〔人逢喜事精神爽〕 rén féng xǐshì jīngshen shuǎng 〈諺〉 사람은 기쁜 일을 만나면 정신이 상쾌해진다. ¶～, 闷上心来瞌睡多; 〈諺〉 기쁜 일을 만나면 상쾌해지고, 고민거리가 있으면 조는 일이 많아진다 / ～, 月到中秋分外明; 사람은 기쁜 일이 있으면 정신이 상쾌해지고, 달은 중추절이 되면 유난히 밝다.
〔人缝(儿)〕 rénfèng(r) 명 사람이 붐비는 속의 틈바구니. 사람과 사람 사이의 틈새.
〔人夫〕 rénfū 명 인부. =〔人伕〕
〔人浮于食〕 rén fú yú shí 〈成〉 ①인구가 많아 식량이 부족하다. ②⇨〔人浮于事〕
〔人浮于事〕 rén fú yú shì 〈成〉 일에 비해 사람이 너무 많다. ¶这些工作单位本来就～; 이들 업무 기관은 원래 일에 비해 사람이 너무 많다. =〔人浮于食②〕
〔人干儿〕 réngānr 명 말라깽이.
〔人格〕 réngé 명 인격. 체면. 품격.
〔人根〕 réngēn 명 《佛》 생식기를 말함.
〔人跟势走, 狗跟屁走〕 rén gēn shì zǒu, gǒu gēn pì zǒu 〈成〉 사람은 권세를 좇아 달리고, 개는 (똥을 먹으려고) 궁둥이를 좇아 달린다.
〔人梗子〕 réngěngzi 명 고집쟁이. 옹고집.
〔人工〕 réngōng 형 인공의. 인위(人爲)의. ¶～呼吸; 인공 호흡 / ～营养; 인공 영양 / ～孵化; 인공 부화. ↔〔自然〕〔天然〕 명 ①인력(人力). 사람의 노동력. ¶十个～; 열 사람 몫의 노동력 / 这种活儿全靠～; 이런 종류의 일은 모두 사람 손으로 한다 / 用～拖石头; 인력으로 돌을 나르다. ②한 사람의 1일분의 작업. 품. 일의 양《작업량의 계산 단위》. ¶需用很多～; 많은 일손이 든다 / 修这所房须要多少～? 이집을 수리하는 데 몇 사람의 품이 드느냐? ③품삯. 급료. 노임. ¶～低dī廉; 공임이 싸다.
〔人工流产〕 réngōng liúchǎn 명 《醫》 인공 유산. =〔打dǎ胎〕〔堕duò胎〕
〔人工气腹〕 réngōng qìfù 명 《醫》 인공 기복(氣腹). =〔气腹〕
〔人工智能〕 réngōng zhìnéng 명 인공 지능.
〔人公里〕 réngōnglǐ 양 여객 운송의 양을 세는 단위《여객 1인을 1킬로미터 수송하는 것을 1'～'로 함》.
〔人功道理〕 réngōng dàolǐ 명 인정이나 도리. ¶你也该学些～, 别一味的贪玩《紅樓夢》; 너도 좀 인정이나 도리를 배워야지, 노는 데만 정신이 팔려 있으면 안 된다.
〔人股〕 réngǔ 명 《經》 노력(勞力) 출자주(株). 공로주(功勞株). =〔人力股(儿)〕〔浮股〕〔空股〕〔身股(儿)〕
〔人过青春, 无少年〕 rén guò qīngchūn, wú shàonián 〈諺〉 젊음은 두 번 다시 오지 않는다.
〔人海〕 rénhǎi 명 ①인해, 수많은 사람. ¶整条街上一片～; 거리에 사람이 가득하다 / ～战zhàn术; 인해 전술. ②〈比〉 인생. ¶～浮沉; 인생의 부침.
〔人豪〕 rénháo 명 ⇨〔人杰〕
〔人合公司〕 rénhé gōngsī 명 《經》 합명 회사(合名會社)《인적 신용을 기초로 한 회사》.
〔人和〕 rénhé 명 ①노름에서 돈을 타게 하는 방법의 하나《물주와 딴 사람이 서로 상대해서 거는 방법》. →〔穿堂(儿)〕 ②인화(人和). 사람들 간의 화합. ¶地利不如～《孟子》; 〈成〉 지(地)의 이(利)는 인화만 못하다.
〔人话〕 rénhuà 명 인간다운 이야기. 인간의 말. 말 같은 말. ¶他说的只有这两句还是～, 其余都是胡说; 그가 말한 것 중에 두어 마디는 그런대로 말 같은 말이지만, 나머지는 모두 터무니없는 말이다.
〔人寰〕 rénhuán 명 〈文〉 세상. 속세.
〔人荒子〕 rénhuāngzi 명 사람의 탈을 쓴 자.
〔人祸〕 rénhuò 명 인위적 재난. 인재. 전화(戰禍). ¶天灾～; 천재와 인재.
〔人机系统〕 rénjī xìtǒng 명 《電》 (전자 공학의) 인간 기계 시스템.
〔人急生计〕 rén jí shēng jì 〈成〉 ⇨〔人急智生〕
〔人急造反, 狗急跳墙〕 rén jí zào fǎn, gǒu jí tiào qiáng 〈諺〉 사람은 궁지에 몰리면 반역을 하고, 개는 궁지에 몰리면 담을 뛰어넘는다.
〔人急智生〕 rén jí zhì shēng 〈成〉 다급해지면 좋은 지혜가 생긴다. =〔人急生计〕
〔人迹罕至〕 rén jì hǎn zhì 〈成〉 인적이 드물다. 좀처럼 다니는 사람이 없다.
〔人家〕 rénjiā 명 ①(～儿) 인가. 주택. ¶那儿有多少～? 저 곳에는 인가가 얼마나 있습니까? 호수(戶數)가 얼마나 됩니까? ②〈文〉 남의 집. ③(～儿) 집안. 가문. ¶富贵～; 부귀한 집안. ④사람의 직업에 붙이는 말. ¶务农～; 농가 / 苦工的～; 노동자. ⑤존칭으로 쓰이는 말. ¶你老～; 노인장. 선생님《노인에게》/ ～人; 양가의 여자. ⑥(～儿) 신랑감. 시집갈 데. ¶她已经有了～了; 그 여자는 이미 시집갈 데가 정해져 있다 / 那个姑娘还没有～; 저 아가씨는 아직 신랑감이 정해져 있지 않다. ⑦〈古白〉 아내.
〔人家〕 rénjia 대 ①남. 타인. ¶～的事你不用管; 남의 일에 상관하지 않는 게 좋다 / ～吃肉, 我喝汤; 〈比〉 남에게 이익을 가로채이다. 헛물 켜다 / ～说的好话, 你怎么不听呢? 남이 친절한 말을 하는데 어째서 듣지 않는가? ②제삼자를 가리키는 말《약간 존경의 뜻을 넣어》. 다른 이. ¶你这么不负责任, ～会批评你的; 너 이렇게 무책임하면 남들이 이러니 저러니 비평을 하게 된다 / ～可不能像你那么胡说; 사람들은 너처럼 터무니없는 말은 하지 않는다. ③(상대에 대하여) 자기. 나. ¶你成天拿这话气我, 只顾你心里痛快, 不问～心里怎么难过; 너는 종일 이 이야기로 나를 화나게 만들면서 자기 통쾌한 것만을 생각할 뿐 내 마음이 얼마나 속상한지는 전혀 개의치도 않는구나. ④제삼자의 이름 위에 붙이는 말. ¶～吉庆媳妇在窗外听啦! 그 길경(吉慶) 아주머니가 창 밖에서 듣고 있단다! ⑤사람을 나타내는 명사의 뒤에 놓이어 신

분·성별·연령을 나타냄. ¶学生～哪儿能这样子; 학생의 신분으로 어찌 그런 짓을 할 수 있으리오/姑娘～; 계집아이. 계집애들/妇道～; 부인. 부인들/男～; 남자. 사내들.

〔人家偷牛, 我拔橛儿〕 rénjia tōu niú, wǒ bá juér 〈諺〉 남이 소를 훔치는 것을 도와, 소를 매어 놓은 말뚝을 뽑아 준다《남의 못된 짓을 거들고 자기만 도둑 누명을 쓰다》.

〔人尖子〕 rénjiānzi 명 걸출(傑出)한 사람. ¶他样样出色, 真是个～; 그는 무슨 일이나 모두 뛰어난 것이, 정말 빼어난 인물이다.

〔人间〕 rénjiān 명 ①인간 사회. 세상. ¶～味; 세상맛/生于此～; 이 세상에 태어나다/换了～; 세상이 바뀌었다/～私语, 天闻若雷; 〈諺〉 세상에서 아무리 몰래 한 일이라도 하늘에는 훤히 알려진다/～正道是沧桑; 변천이야말로 인지상정. ②〈文〉 교제. 접촉.

〔人见人爱〕 rén jiàn rén ài 〈成〉 본 사람이 모두 좋아하게 되다. ¶～的新制品; 보는 사람이 모두 좋아하는 신제품.

〔人鉴〕 rénjiàn 명 〈文〉 사람의 거울〔모범〕. =〔人镜〕

〔人杰〕 rénjié 명 〈文〉 인걸. 걸물. 뛰어난 사람. ¶～地灵; 〈成〉 뛰어난 사람의 출생지. 또는 거기서 살았던 일로 해서, 그 고장이 유명해지는 일. =〔人豪〕

〔人界〕 rénjiè 명 《佛》 인간계.

〔人尽可夫〕 rén jìn kě fū 〈成〉 사람이라면 누구든지 남편으로 삼을 수 있다《상대를 가리지 않는 음탕한 여자》.

〔人尽其才〕 rén jìn qí cái 〈成〉 모든 사람이 각기 재능을 충분히 발휘하다.

〔人精〕 rénjīng 명 ①어른처럼 언동을 하는 아이. ②처세술에 능한 사람.

〔人净场光〕 rénjìng chǎngguāng (그 자리에서) 사람이 완전히 사라지다《텅 비다》.

〔人敬富的, 狗咬破的〕 rén jìng fùde, gǒu yǎo pòde 〈諺〉 사람은 부자를 존경하고, 개는 남루한 사람을 문다《사람은 부귀 권세에 아첨하기 쉽다》.

〔人敬人高〕 rén jìng rén gāo 〈諺〉 남을 존경하면, 자기도 남에게서 존경받게 된다.

〔人境〕 rénjìng 명 〈文〉 사람의 발자취가 있는 곳. 사람 사는 곳.

〔人镜〕 rénjìng 명 ⇨〔人鉴〕

〔人均〕 rénjūn 명 〈簡〉 1인당(평균)《'每人平均'의 생략》.

〔人君〕 rénjūn 명 〈文〉 군주. 임금. =〔人主〕

〔人靠天工, 船靠舵工〕 rén kào tiāngōng, chuán kào duògōng 〈諺〉 사람은 하늘의 운에 의지하고, 배는 키잡이에게 의지한다.

〔人客〕 rénkè 명 〈方〉 손님《막연히 많은 손님을 가리켜 말함》. ¶他们家来的往的～很多, 今天大概有什么举动吧; 저 집에 드나드는 손님이 대단히 많은데, 오늘 아마도 무슨 행사가 있는 모양이다.

〔人孔〕 rénkǒng 명 《建》 맨홀(manhole) =〔进人孔〕〔检jiǎn修孔〕

〔人口〕 rénkǒu 명 ①인구. ¶本市～有多少? 당시(當市)의 인구는 얼마나 됩니까?/～密度; 인구 밀도. ②인신(人身). ¶贩卖～; 인신을 매매하다/买卖～是法律所严禁的; 인신 매매는 법률이 엄하게 금하는 바이다/～贩子; 인신 매매업자. ③가족의 수. ¶～多少? 몇 식구입니까?/～多, 挣钱少; 가족은 많고 벌어들이는 사람은 적다/～税=〔人头税〕; 인두세. ④〈文〉 사람의 입길. ¶脍kuài炙～; 사람의 입길에 오르내리다.

〔人口普查〕 rénkǒu pǔchá 명 인구 조사. 국세 조사.

〔人口儿〕 rénkǒur 명 가족의 수.

〔人困马乏〕 rén kùn mǎ fá 〈成〉 ①인마가 모두 지치다. 군대가 기진맥진하다. ②〈轉〉 (일반적으로) 몹시 지치다.

〔人来疯〕 rénláifēng 명 ①(아이들이) 손님이 오면 더 떠들어 대거나 떼를 쓰는 일. ¶这孩子又犯～了; 이 아이는 손님이 오니까 또 떼를 쓰기 시작했다. ②사람이 있어서 기운이 남.

〔人来人往〕 rén lái rén wǎng 〈成〉 사람들의 왕래가 빈번하다.

〔人老倒缩〕 rén lǎo dào suō 나이를 먹으면 어떤 일에도 위축되게 된다.

〔人老精, 姜老辣〕 rén lǎo jīng, jiāng lǎo là 〈諺〉 사람은 나이를 먹을수록 현명해지고, 생강은 오래 될수록 매워진다.

〔人老心不老〕 rén lǎo xīn bù lǎo 〈成〉 몸은 늙어도 마음은 늙지 않는다.

〔人老珠黄(不值钱)〕 rén lǎo zhū huáng (bù zhí qián) 〈諺〉 인간은 늙으면 쓸모가 없어지고, 구슬은 누렇게 되면 가치가 없어진다.

〔人类〕 rénlèi 명 인류.

〔人理〕 rénlǐ 명 사람이 지켜야 할 도리.

〔人力〕 rénlì 명 인력. ¶这不是～所能办得到的; 이것은 인력으로 해낼 수 있는 것이 아니다.

〔人力车〕 rénlìchē 명 ①⇨〔洋yáng车〕 ②사람이 끌거나 미는 수레. →〔兽shòu力车〕

〔人力股(儿)〕 rénlìgǔ(r) 명 ⇨〔人股〕

〔人流〕 rénliú 명 인파. ¶高峰～; 러시아워(rush hour)의 인파.

〔人柳〕 rénliǔ 명 《植》 위성류(渭城柳). =〔柽chēng柳〕

〔人龙〕 rénlóng 명 〈比〉 사람의 행렬. ¶门前出现了一条～; 문전에 사람의 행렬이 나타났다.

〔人伦〕 rénlún 명 인륜.

〔人马〕 rénmǎ 명 ①인마. 사람과 말. ㉠마부와 말. ¶～已齐; 마부와 말이 이미 준비되었다. ㉡길을 떠나는〔여행을 가는〕 사람과 말. ¶～平安; 인마가 모두 무사하다. ㉢병사와 말. 〈轉〉 군대. ¶人强马壮; 군대가 정예하다/宁今夜只带一百～去劫曹营《三國志演義》; 저 감녕(甘寧)은 오늘 밤 단 백기(百騎)만을 거느리고 조조의 진영을 기습하겠습니다. ②〈轉〉 같이 일하는 동아리들. 일꾼. 요원. ¶我们编辑部的～比较整齐; 우리들 편집부의 요원들은 비교적 잘 갖추어져 있다.

〔人毛(儿)〕 rénmáo(r) 명 ①사람 털. ②〈比〉 인기척. ¶连个～都没有; 사람의 기척조차 없다.

〔人们〕 rénmen 명 ①(어떤 일정 범위 안의) 사람들《자신은 포함하지 않음》. ¶草原上的～; 초원에 있는 사람들/～都在谈论这件事; 사람들은 모두 이 일을 이야기하고 있다/起来, 不愿做奴隶的～! 일어나라, 노예가 되고 싶지 않은 이들이여! ②타인(他人)들. 남들.

〔人面疮〕 rénmiànchuāng 명 《醫》 인면창. 무르팍에 생기는 부스럼.

〔人面兽心〕 rén miàn shòu xīn 〈成〉 인면 수심《겉으로는 선량한 것처럼 보이지만, 내심은 사악하다》.

〔人面桃花〕 rén miàn táo huā 〈成〉 지난 일이나 떠나 버린 사람을 다시 만날 수 없다는 뜻.

〔人面竹〕 rénmiànzhú 명 《植》 대나무의 일종.

〔人民〕 rénmín 명 인민. 백성. ¶～群众; 인민 대중. 일반 민중/～性; ⓐ인민성. ⓑ서민성.
〔人民币〕 rénmínbì 명 인민폐. 중국 인민은행 발행의 중국의 법정 화폐('圆yuán'을 기본 단위로 함. 보통 '元'이라 씀. '㐰'은 옛 합성 약자(合成略字)로 'rénmínbì'로 읽음). =〔人民票〕〔人民券〕
〔人民代表大会〕 rénmín dàibiǎo dàhuì 명 《政》 인민 대표 대회. 인민이 국가 권력을 행사하는 기관('全国人民代表大会'는 최고 국가 권력 기관이며, '地方人民代表大会'는 지방 국가 권력 기관임. '全国人民代表大会'와 현급(縣級) 이상의 '地方人民代表大会'에는 '常务委员会'가 있음). ¶～选举法; 인민 대표 대회의 선거법(1953년에 제정, 79년에 개정, 82년에 일부 수정. 만 18세 이상의 전체 공민(公民)에게 선거권과 피선거권을 인정하고 있음).
〔人民法庭〕 rénmín fǎtíng 명 《法》 인민 법정. ①'基层人民法院'의 지부(1954년 및 79년의 '中华人民共和国人民法院组织法'에 의거함. 지구·인구 및 안건의 정황 등에 따라 '基层人民法院'에 의해서 설립됨). ②혁명 정권이 임시로 설립한 재판 기구의 통칭. '反革命镇压运动·土地改革运动·三反五反运动' 등 시기에 설립되었음.
〔人民法院〕 rénmín fǎyuàn 명 《法》 인민 법원. 국가 재판 기구로, '最高～', '地方各级～', '专门～'이 있음. 형사·민사 사건을 모두 다루고, 4급 2심 종심제를 채택함.
〔人民服〕 rénmínfú 명 ⇨〔中zhōng山装〕
〔人民公社〕 rénmín gōngshè 명 인민 공사. ¶农nóng村～; '农村人民公社'의 생략. '高gāo级社'를 통합하여 1958년 농촌에 설립됨. 공사 조직을 '～' '生产大队' '生产队'로 이루어진 '三sān级所有制'를 채택하고 있음. '生产大队'의 소유권이 기본적인 것이며, '生产队'가 기본 계산 단위임. 사원을 '自留地'·가정 부업·자유 시장 거래를 인정받고 있음. '～'는 단지 농업 경제 운영의 주체일 뿐만 아니라, 향(鄕)·진(鎭)의 행정 사무를 아울러 관리하는 '政社合一'이었으나, 82년 헌법에 의해 새로 성립된 향(鄕) 인민 정부가 행정 기능을 갖게 되어, '～'의 이름은 폐지되고, 단순한 농업 경제 조직이 되었음. 그 수는 '～'가 5만 3천여, '生产大队'가 약 70만, '生产队'가 515만 남짓(1979년 당시)이었음.
〔人民检察院〕 rénmín jiǎncháyuàn 명 《法》 인민 검찰원. 국가의 법률 감독 기관으로, 검찰권을 행사함. '最高～' '地方各级～' 및 '专门～'이 있음.
〔人民解放军〕 Rénmín Jiěfàngjūn 명 ⇨〔中Zhōng国人民解放军〕
〔人民解放战争〕 Rénmín Jiěfàng Zhànzhēng 명 인민 해방 전쟁. 1946년 7월부터 49년 말까지 3년 반에 걸친 국내 전쟁을 말함.
〔人民警察〕 rénmín jǐngchá 명 인민 경찰. 경관. 순경.
〔人民民主统一战线〕 rénmín mínzhǔ tǒngyī zhànxiàn 명 《政》 인민 민주 통일 전선. 파시즘 및 전쟁에 반대하는 모든 정당·단체의 공동 전선. 약칭하여 '人民战线'이라고도 함. 중국에서는 공산당의 제창에 의하여 국민당의 지배를 쓰러뜨리고, 정치와 대중 단체의 결합을 성공시킨 것으로, 각 민주 계층·각 민족, 화교 기타 애국적 민주주의자들이 신민주주의 실현을 위하여 결성한 전투 방법임. 1948년 5월에 열린 '中国人民政治协商会议'가 그 구체적 형식으로서 결실되었음.
〔人民民主主义〕 rénmín mínzhǔ zhǔyì 명 《政》 인민 민주주의(동유럽의 새로운 국가 형태의 특징이 인민 민주주의로 불리어진 뒤, 중국에서 '新民主主义'의 별명으로서 불리기 시작했음. 그러나 양자가 완전히 같은 것이라는 뜻은 아니고, 진정으로 인민 대중의 이익을 대표하는 민주주의가 있다는 것을 표현한 것임).
〔人民民主专政〕 rénmín mínzhǔ zhuānzhèng 명 《政》 인민 민주주의 독재(인민 내부에 있어서 민주주의의 면과 반동파에 대한 독재의 면이 결부된 것. 공화국 성립 전에는, 부르주아 민주주의 혁명을 그 임무로 삼고, 공화국 성립 후는 사회주의 혁명과 사회주의 건설을 그 임무로 함).
〔人民内部(的)矛盾〕 rénmín nèibù(de) máodùn 명 인민 내부 모순(사회주의 혁명과 건설에 찬동하고 옹호하며 참가하는 계급·계층·집단 사이의 모순. '단결-비판-단결'이라는 민주적 방법으로 해결함).
〔人民陪审员〕 rénmín péishěnyuán 명 《法》 인민 배심원. '人民法院'의 제1심에서 직업적 '审判员'(판사)와 동등하게 심리 및 평결에 참가하는 사람.
〔人民票〕 rénmínpiào 명 ⇨〔人民币〕
〔人民券〕 rénmínquàn 명 ⇨〔人民币〕
〔人民日报〕 Rénmín rìbào 명 인민 일보. 중국 공산당 중앙의 기관지(처음에 '中共中央晋冀鲁豫局'의 기관지로서 허베이 성(河北省) 한단(邯鄲)에서 발행되어 화북국(華北局) 기관지가 되고, 1949년 4월 베이징(北京)으로 옮겨 중공 중앙 기관지가 됨).
〔人民调解委员会〕 rénmín tiáojiě wěiyuánhuì 명 인민 조정 위원회(민사 사건 및 경미한 형사 사건을 재판 이외의 방법에 의해서 주민 스스로가 해결하는 조직).
〔人民团体〕 rénmín tuántǐ 명 인민 단체. 당·정부에 속하지 않는 민간의 대중 조직('红十字会'(적십자) 따위).
〔人民文学〕 Rénmín wénxué 명 《書》 인민 문학('中国作家协会' 편집의 월간 잡지. 신중국의 대표적 문학 잡지로 소설·시 따위를 널리 게재함. 1949년 창간. '文化大革命' 중에는 정간(停刊), 1977년부터 다시 복간(復刊)함).
〔人民消费品〕 rénmín xiāofèipǐn 명 《經》 일상 소비 물자.
〔人民政府〕 rénmín zhèngfǔ 명 인민 정부. ①해방 후에 성립된 중앙·지방의 각급 정부의 통칭. ②제2차 세계 대전 전,유럽 각국에서 인민 전선이 정권을 장악했을 때의 정부.
〔人民中国〕 Rénmín zhōngguó 명 신중국의 별칭. =〔新xīn中国〕
〔人民助学金〕 rénmín zhùxuéjīn 명 인민 장학자금(그 범위는 중등 기술 학교·사범 학교·고등 학교(대학)의 학생으로 함).
〔人命〕 rénmìng 명 ①(사람의) 목숨. 인명. ¶～关天; 〈成〉 인명은 가장 존중되어야 한다/～案; 살인 사건/十里莫逢～案; 가까운 곳에서 살인 사건이 나면 말려들기 쉬우니 주의하시오/～官司; 살인 사건의 재판. ②사람의 수명(壽命). ¶～危浅; 수명이 길지 않음(위독 상태).
〔人莫予毒〕 rén mò yú dú 〈成〉 아무것도 안중에 없다. 손가락 하나 까딱 못 하게 하다.
〔人模狗样(儿)〕 rénmo gǒuyàng(r) ①아이가 어른티를 내려고 하는 것. 되바라짐. ¶你看这才几岁呀, 就这么～的了! 봐라. 이제 겨우 몇 살 먹

지도 않는 게 벌써 이렇게 되바라진 꼴을 하고 있구나! ②걸맞지 않는 꼴〔짓〕을 하다《젠체하는 태도를 조롱하는 말》. ¶你也～充起老爷来了! 네 따위가 걸맞지 않은 꼴을 하고 주인 행세를 하다니!

〔人腻子〕 rénnìzi 명 〈俗〉 ①(독립심이 없이 남에게 빌붙는) 애물 단지. ②(장소나 분수를 모르고 남에게 폐를 끼치는) 성가신 존재.

〔人挪活, 树挪死〕 rén nuó huó, shù nuó sǐ 〈諺〉 사람은 환경이 바뀌면 신생면(新生面)이 열리지만, 나무는 다른 곳으로 옮겨 심으면 죽고 만다.

〔人怕出名, 猪怕肥〕 rén pà chū míng, zhū pà féi 〈諺〉 사람은 (화근(禍根)이 될 우려가 있으므로) 이름이 알려지는 것을 두려워하고, 돼지는 (도살(屠殺)당할 우려가 있으므로) 살찌는 것을 두려워한다《모난 돌이 정 맞는다》.

〔人怕品, 金怕炼〕 rén pà pǐn, jīn pà liàn 〈諺〉 금은 정련(精錬)하면 좋고 나쁨을 알 수 있고, 사람은 시련을 겪어야 사람됨을 알 수 있다.

〔人怕事, 事怕办〕 rén pà shì, shì pà bàn 〈諺〉 사람은 일을 두려워하지만, 일은 사람이 하기만 하면 못 할 일이 없다. =〔人怕做活, 活怕做〕

〔人怕笑, 字怕吊〕 rén pà xiào, zì pà diào 〈諺〉 글씨는 족자로 해서 걸어 놓으면 잘 쓰고 못 쓴 것을 알 수 있고, 사람은 웃을 때에 사람됨이 드러나는 법이다.

〔人怕做活, 活怕做〕 rén pà zuòhuó, huó pà zuò ⇨〔人怕事, 事怕办〕

〔人坯子〕 rénpīzi 명 〈罵〉 사람 모양만 하고 있는 놈. 얼간이 같은 놈.

〔人贫志短〕 rén pín zhì duǎn 〈諺〉 사람이 가난하면 뜻이 초라해진다. ¶不怕山高就怕脚软, 不怕人穷就怕志短 =〔～, 马瘦毛长〕; 사람이 가난하면 뜻이 초라해진다. =〔人穷志短〕

〔人品〕 rénpǐn 명 ①인품. 사람됨. ②외관. 풍채.

〔人欺天不欺〕 rén qī tiān bù qī 〈諺〉 사람은 사람을 속이기도 하지만, 하늘은 사람을 속이지 않는다《천리(天理)는 공평하다》.

〔人气〕 rénqì 명 ①인간다움. 인간미. ¶一点～也没有; 조금도 인간다운 점이 없다. ②양심. ¶沖毁～; 양심을 그르치다.

〔人弃我取〕 rén qì wǒ qǔ 〈成〉 다른 사람이 버리면 나는 그것을 줍는다《착안하는 바가 보통 사람과는 달라, 앞을 내다보고 견식이 원대하다》.

〔人前莫露白, 露白定伤财〕 rénqián mò lòubái, lòubái dìng shāngcái 〈諺〉 남이 보는 데서 돈을 꺼내지 마라, 반드시 재물을 잃게 된다.

〔人欠欠人〕 rénqiàn qiànrén 명 꾸는 것과 꾸어 줌. 대차 관계.

〔人枪〕 rénqiāng 명 병력과 총.

〔人强马壮〕 rén qiáng mǎ zhuàng 〈成〉 사람이나 말이 모두 튼튼하다《정예한 군대. 원기 왕성한 집단》.

〔人巧, 巧不过天去〕 rén qiǎo, qiǎobuguò tiān qù 〈諺〉 사람은 아무리 재주가 있어도 하늘을 이길 수 없다.

〔人琴俱亡〕 rén qín jù wáng 〈成〉 고인을 애도하는 말《진(晉)의 왕헌지(王獻之)가 작고했을 때 휘지(徽之)가 고인이 애용하던 거문고를 타 보았으나, 좀처럼 가락을 맞출 수가 없어 사람도 거문고도 함께 가 버렸다고 탄식한 고사에서 유래》.

〔人情〕 rénqíng 명 ①인정. ¶不在～以内的事; 인정에 벗어난 일/～感～; 사람의 마음을 움직이는 것도 사람의 마음이다/～如纸薄; 인정이 종잇장처럼 박하다/你不要怪他伤心, 这也是～; 그가 상심하고 있는 것도 무리가 아니죠. 그런 것이 인정이라는 것이지요. ②의리나 연고에 의한 사정(私情). ¶托～找事; 의리나 연줄로 취직 자리를 구하다/～货; 〈罵〉 유력자의 추천으로 지위에 앉은 놈/做～; ⓐ남에게 호의적으로 대하다. 정실로 일을 처리해 주다. ⓑ남에게 대접을 하다. ③선물. ¶与医生～; 의사에게 선사하다/～财物; 선사품/送～; 선사하다. ④경조사(慶弔事)에 인사로 갖고 가는 금품. ¶行～; 경조사에(금품을 갖고) 인사하러 가다/众邻舍斗分子来与武松～; 이웃 사람들은 돈을 추렴해서 무송에게 돈〔전별금〕을 주었다. ⑤은혜. 의리. 호의. ¶做个～把他放了; 은혜를 베풀어 그를 놓아 주었다/送～; 공치사하다《좋은 일이 있을 때는 내 덕이라는 듯이 자랑하다》/～往来; 의리상의 교제/来了多小号～? 몇 사람쯤 인사하러 왔는가? ⑥인기.

〔人情大似债〕 rén qíng dà sì zhài 〈成〉 교제는 끊을 수가 없는 것이다. 의리는 지키지 않을 수 없다.

〔人情份往〕 rénqíng fènwǎng 경조사가 있을 때 서로 왕래하는 일. 경조사의 교제.

〔人情世故〕 rén qíng shì gù 〈成〉 의리와 인정. 인정과 세태. 세상 물정.

〔人穷呼天〕 rén qióng hū tiān 〈成〉 급하면 하느님을 부른다.

〔人穷志不短〕 rén qióng zhì bù duǎn 〈諺〉 곤궁해도 뜻은 잃지 않는다. 양반은 얼어 죽어도 겻불은 안 쬔다. ¶网烂筋不烂, ～; 곤궁해도 뜻을 잃지 않는다. 양반은 얼어 죽어도 겻불은 안 쬔다.

〔人穷志短, 马瘦毛长〕 rén qióng zhì duǎn, mǎ shòu máo cháng 〈諺〉 사람은 가난하면 뜻이 천해지고, 말은 살이 빠지면 털이 길어진다《가난해지면 똑똑한 사람도 어리석어짐》. =〔人贫志短, 马瘦毛长〕

〔人取我与〕 rén qǔ wǒ yǔ 〈成〉 남이 취하면 나는 그것을 준다.

〔人圈儿〕 rénquānr 명 많은 사람이 빙 둘러서서 울타리처럼 된 상태.

〔人权〕 rénquán 명 인권.

〔人群〕 rénqún 명 ①(～儿) 사람의 무리. ¶往～里扎zhā; 군중 속으로 파고들다/挤在～里看热闹儿; 군중 속에 끼여 구경하다. ②〈文〉 인류.

〔人儿〕 rénr 명 ①(사람 모양의) 인형. ¶捏了一个泥～; 진흙으로 인형을 하나 만들었다. ②풍채. 품격. 인품. ¶他～很不错; 그는 인품이 아주 좋다/几年不目, 他居然也～似的了; 몇 해 만나지 않은 사이에 그도 의외로 인간답게 되었다. ③첩. ④기녀와 단골 손님끼리의 칭호. ¶她的～是个阔人; 그녀의 단골은 부자다.

〔人儿头〕 rénrtóu 명 ①〈俗〉 용모. 얼굴. ②⇨〔袁yuán头〕

〔人人(儿)〕 rénrén(r) 명 한 사람 한 사람. 누구나. 모두 다. 제각기. ¶～皆知; 〈成〉 누구나 다 알고 있다/～为我, 我为～; 사람들은 자신을 위해 하지만, 나는 사람들을 위해 한다/～有脸, 树树有皮; 〈諺〉 사람에게는 얼굴이 있고 나무에는 껍질이 있다《체면은 누구나 다 중히 여기는 것이다》/～都很喜欢它; 누구나 모두 그것을 좋아한다.

〔人日〕 rénrì 명 인일. 인날. 음력 정월 초이레. =〔人胜节〕

〔人日鸟〕 rénrìniǎo 명 《鳥》 비둘기의 별칭.

〔人容天不容〕 rén róng tiān bù róng 〈諺〉 사람은 용서해도 하늘이 용서하지 않는다《악인에게는 반드시 처벌이 있음》.
〔人乳〕 rénrǔ 명 인유. 모유.
〔人瑞〕 rénruì 명 〈比〉 특별히 장수한 사람. 덕행이 있거나 오래 사는 사람. ¶享年150岁的苏联~已去世了; 향년 150세의 소련의 장수자는 이미 세상을 떠났다.
〔人山人海〕 rén shān rén hǎi 〈成〉 인산 인해. 새까맣게 모인 사람 떼. 사람의 물결.
〔人上人〕 rénshangrén 명 ①사람 위에 서는 사람. ②뛰어난 사람.
〔人上有人, 天上有天〕 rénshang yǒurén, tiānshàng yǒutiān 〈諺〉 뛰는 놈 위에는 나는 놈이 있다. ¶~, 你别以为就是你一个人儿高; 뛰는 놈 위에 나는 놈 있는 법이다, 너 혼자만이 높다〔잘났다〕고 생각하지 마라. =〔人外有人, 天外有天〕〔人外有人, 山外有山〕
〔人身〕 rénshēn 명 ①인신. 사람의 몸. ②《佛》 사람의 모습. ¶投生~; 사람의 모습으로 태어나게 하다. ③〈文〉 인품. ¶~亦不恶《世說新語 傷逝》; 인품도 나쁘지 않다.
〔人身保险〕 rénshēn bǎoxiǎn 명 생명·상해 보험.
〔人身攻击〕 rénshēn gōngjī 명 인신 공격.
〔人参〕 rénshēn 명 《植》 인삼. ¶吉jí林参; 지린(吉林) 지방산의 인삼 / 辽liáo参; 랴오둥(遼東)산의 인삼 / 高丽参; 고려 인삼 / 广东~ =〔西洋参〕; 미국 인삼 / 野山参; 산삼 / ~精 =〔~露〕; 인삼 엑스. =〔人衔〕〔〈北方〉 棒槌bàngchuí〕〔地dì精〕〔血xuè参〕〔人参果②〕
〔人参果〕 rénshēnguǒ 명 《植》 ① '委wěi陵菜' (딱지꽃)과 가까운 야생 식물. =〔蕨jué麻〕 ②인삼. ¶猪八戒吃~; 〈歇〉 저팔계가 고려 인삼을 먹는다《고마운 줄 모르다. 팔계는 대식가로, 한 번 먹으면 4만 7천살까지 살 수 있다는 천상의 '人参果'를 한 입에 삼켜 버린다》. =〔人参〕
〔人生〕 rénshēng 명 인생. ¶~观; 인생관 / ~五十; 인생 50년 / ~七十古来稀; 〈成〉 인생 칠십(까지 오래 사는 일)은 예부터 드물다 / ~一百, 种种色色; 인생은 각양 각색이다.
〔人生地理〕 rénshēng dìlǐ 명 ⇨〔人文地理〕
〔人生地疏〕 rén shēng dì shū 〈成〉 사람과 땅이 모두 낯설다. 산 설고 물 설다. =〔人地生疏〕
〔人生路不熟〕 rén shēng lù bù shú 〈成〉 아는 이도 없고 길도 잘 모르다.
〔人生面不熟〕 rén shēng miàn bù shú 〈成〉 안면이 없다. ¶上他那儿我不去, 那儿都是~的; 그 사람한테는 나는 가지 않겠다. 그 곳은 모두 안면이 없는 사람뿐이니까.
〔人生如寄〕 rén shēng rú jì 〈諺〉 인생은 나그네 길, 오래 한 곳〔상태〕에 머무르는 일이 없다.
〔人生五福寿为先〕 rénshēng wǔfú shòu wéi xiān 〈諺〉 인생 오복 가운데 장수(長壽)가 으뜸이다. 목숨이 제일이다.
〔人生朝露〕 rén shēng zhāo lù 〈成〉 인생은 아침 이슬과 같다. 인생은 덧없는 것이다.
〔人声〕 rénshēng 명 사람의 목소리. ¶~鼎沸; 〈成〉 사람들의 환성이 들끓다.
〔人牲〕 rénshēng 명 희생(犧牲)《산 채로 순장되는 일》.
〔人师〕 rénshī 명 사람의 사표〔모범〕.
〔人豕〕 rénshǐ 명 〈文〉 인비인(人非人). 짐승 같은 〔사람이 아닌〕 놈. =〔人彘〕
〔人士〕 rénshì 명 인사. 훌륭한 사람. ¶各界~; 각계의 인사 / 有关~; 관계 인사.
〔人氏〕 rénshì 명 ①(출신지에 관해) 사람. ¶当地~; 그 고장 출신(의 사람) / 你姓什么? 哪里~? 성이 뭐라고? 어디 출신인가? ②성씨(姓氏).
〔人世〕 rénshì 명 이 세상. 인간 세상. 속세. ¶~都是命安排《琵琶記》; 이 세상은 모두 하늘의 배려에〔운명에〕 달려 있다.
〔人市〕 rénshì 명 번화한 곳. ¶谁想走到~处, 把梅香迷了《元雜劇》; 그런데 번화한 곳에 갔을 때, 매향을 놓치고 말았다.
〔人事〕 rénshì 명 ①인간사. 세상사. ¶~代谢; 〈成〉 세상사는 자꾸자꾸 변천해 간다. ②인사 관계. ¶~科; 인사과(課) / ~安排; 인사 배치 / ~材料; 인사 자료. ③일의 도리(道理). 세상 물정. ¶孩子太小, 还不懂~; 아이는 너무 어려서 아직 세상 물정을 모른다. ④사람의 능력으로 할 수 있는 일. ¶尽~以听tīng天命; 〈成〉 (사람이) 할 수 있는 일을 다하고 천명을 기다리다. ⑤의식(意識). ¶昏迷过去, ~不知; 까무러쳐 인사 불성이 되다. ⑥〈方〉 선물. ¶置办~; 선물을 마련하다〔구입하다〕. =〔礼物〕 ⑦〈婉〉 성생활. 성교(性交). ¶不能~; 성교 불능.
〔人是旧的好, 衣裳是新的好〕 rén shì jiùde hǎo, yīshang shì xīnde hǎo 〈諺〉 친구는 옛 친구가 좋고, 옷은 새 것이 좋다.
〔人是肉长的〕 rén shì ròu zhǎngde 〈諺〉 사람은 살로 되어 있어, 기계처럼 살 수는 없다〔쓸 수는 없다〕.
〔人是树桩, 全靠衣裳〕 rén shì shùzhuāng, quán kào yīshang 〈諺〉 사람은 나무 그루터기와 같아, 옷만으로도 훌륭하게 보인다《옷이 날개》.
〔人是铁, 饭是钢〕 rén shì tiě, fàn shì gāng 〈諺〉 사람이 철이라면 밥은 강철이다《밥을 먹지 않으면 몸을 지탱할 수 없다. 금강산도 식후경》.
〔人是衣裳, 马是鞍〕 rén shì yīshang, mǎ shì ān 〈諺〉 사람은 옷이, 말은 안장이 좋아야 한다《옷이 날개》.
〔人手〕 rénshǒu 명 ①사람의 손. ¶~所造的; 사람 손으로 만든 것. ②일손. 손. 일하는 사람. 도움. ¶咱们~不够, 恐怕干不了啊; 우리는 일손이 딸리므로 아마 다 마치지 못할 것이다. ③배우자. 아내. ¶大伯, 你也该寻个~, …《紅旗譜》; 아저씨, 아저씨도 마나님을 찾으셔야지….
〔人手一册〕 rén shǒu yī cè 〈成〉 누구나 한 권은 갖고 있는 책. 아주 잘 팔리는 책.
〔人寿保险〕 rénshòu bǎoxiǎn 명 생명 보험. ¶给某人保~; 아무개를 생명 보험에 들게 하다. =〔人险〕〔寿险〕
〔人寿年丰〕 rén shòu nián fēng 〈成〉 사람마다 장수하고 해마다 풍년이다. ¶地肥水足, ~; 땅은 기름지고 물도 풍족하며, 사람은 장수하고 해마다 풍년이다.
〔人熟是一宝〕 rénshú shì yībǎo 〈諺〉 교제가 넓다는 것도 하나의 보배다.
〔人丝〕 rénsī 명 ⇨〔人造丝〕
〔人死留名〕 rén sǐ liú míng 〈成〉 인사 유명. 사람은 죽어서 이름을 남긴다. ¶~, 豹死留皮; 인사 유명, 표사 유피《사람은 죽어서 이름을 남기고, 표범은 죽어서 가죽을 남긴다》.
〔人死如虎〕 rén sǐ rú hǔ 〈諺〉 사람은 죽어도 여전히 두려워하는 자가 있다《뒤에 '虎死如羊'가 연결되어 '사람이 죽은 후에도 영향력을 가진다'

는 뜻).
〔人所共知〕 rén suǒ gòng zhī 사람들이 주지(周知)하는 사실이다. 누구나 알고 있다(흔히, 문장의 첫머리에 놓임).
〔人体〕 réntǐ 명 인체. ¶～模型; (의학용) 인체 모형/～特异功能; 인체의 초능력/～艺术; 누드화(畫). 누드 사진. 나체화. 나체 사진/～活动广告; 샌드위치맨. 캠페인 걸(campaign girl) 따위/～基因组计画; 게놈(genome)프로젝트.
〔人天〕 réntiān 명 ①사람과 하늘. ¶～永别; 〈比〉 사거(死去)하다. 세상을 떠나다. ②식료(食料). 식량. ③임금. 군주(君主).
〔人同此心〕 rén tóng cǐ xīn 〈成〉 그런 심정은 다 같다. ¶～, 心同此理; 그런 심정은 다 같고, 그 이유도 다 같다. 사람마다 다 한 마음이다.
〔人头〕 réntóu 명 ①사람의 머리. ②인원수. 머릿수. ¶按～分; 인원수로 나누다/～份儿; ⓐ1인분의 몫. ⓑ인원수로 나눈 몫. ③사람의 얼굴. ¶～畜鸣; 〈成〉 모습은 사람인데 말하는 것은 짐승과 같다. ④〈方〉 사람. 인간.
〔人头菜〕 réntóucài 명 양배추. ⇨〔卷juǎn心菜〕
〔人头份儿〕 réntóufènr 명 한 사람 몫〔분〕.
〔人头儿〕 réntóur 명 〈口〉 ①사람. 사람과의 관계. 교제. ¶～熟; 사람을 많이 알고 있다(교제가 넓다). ②〈方〉 인물. 인품. 인격. ¶～次; 인품〔성품〕이 나쁘다/看～行事; 상대의 인물에 따라 방식을 달리한다/凭他那～谁也不相信; 그의 저런 인품이라면 아무도 신용하지 않는다/你怎么这么个～啊? 넌 어째 인간이 그러냐(넌 어째서 그렇게 비열하냐)? ③능력. 자격. 지위. ¶～不济; 능력이 미치지 못하다.
〔人头税〕 réntóushuì 명 옛날의 인두세. =〔人口税〕
〔人蜕〕 réntuì 명 사람의 영혼이 육체에서 떠나감.
〔人外有人, 天外有天〕 rén wài yǒu rén, tiān wài yǒu tiān ⇨〔人上有人, 天上有天〕
〔人王〕 rénwáng 명 〈文〉 임금. 왕.
〔人往高处走, 水往低处流〕 rén wǎng gāochù zǒu, shuǐ wǎng dīchù liú 〈諺〉 사람은 높은 곳으로 가고, 물은 낮은 곳으로 흐른다. 사람은 향상심을 가져야 한다.
〔人旺财旺〕 rénwàng cáiwàng 〈成〉 가족도 늘고 재산도 불어나다(한 집안이 번영하다).
〔人望〕 rénwàng 명 인망.
〔人微权轻〕 rén wēi quán qīng 〈成〉 지위가 낮고 권한도 작다.
〔人微言轻〕 rén wēi yán qīng 〈成〉 지위 낮은 사람의 말은 존중되지 않는다.
〔人为〕 rénwéi 명 인위(적). 사람의 짓〔소행〕. ¶～淘táo汰; 인위적인 도태/事非～; 일은 인위적으로 되는 것이 아니다/事出～; 일은 인위적인 것이다/～的条件; 인위적인 조건.
〔人为刀俎, 我为鱼肉〕 rén wéi dāozǔ, wǒ wéi yúròu 〈諺〉 생살 여탈의 권리가 남의 손에 있어 도마 위의 고기가 되다(어쩔 수 없는 처지가 됨).
〔人为财死, 鸟为食亡〕 rén wèi cái sǐ, niǎo wèi shí wáng 〈諺〉 사람은 재물 때문에 목숨을 잃고, 새는 먹이 때문에 죽는다(욕심이 사람을 죽인다).
〔人位〕 rénwèi 명 ①직무 인원. 직원. ¶贵公司～一共多少? 귀사의 사원수는 모두 몇 사람입니까? ②재능과 담당 직무의 지위. ¶～合宜; 재능과 일의 지위의 균형이 잡혀 있다.
〔人味儿〕 rénwèir 명 ①사는 보람. ②인생의 맛. ¶活着没～; 살아 있되 낙이 없다. ③사람다움. 인간미. ¶不够～; 인간미가 결여되다.
〔人文地理〕 rénwén dìlǐ 명 《地》 인문 지리. =〔人生地理〕
〔人文主义〕 rénwén zhǔyì 명 휴머니즘. 인본주의. 인문주의. =〔人本主义〕
〔人无利息, 谁肯早起〕 rén wú lìxi, shuí kěn zǎoqǐ 〈諺〉 이득이 없다면 누가 아침에 일찍 일어나겠는가(부지런하면 이득이 있다).
〔人无千日好, 花无百日红〕 rén wú qiānrì hǎo, huā wú bǎirì hóng 〈諺〉 모든 사물은 언제까지나 성할 수는 없다. 화무십일홍.
〔人五人六(儿)〕 rénwǔ rénliù(r) 〈京〉 잘난 체하다〔하는 사람〕. ¶人要别人抬举, 自己～的有什么意思? 사람은 다른 사람이 추어올려 주어야지, 저 혼자서 도도하게 굴어서 무슨 소용이 있나?
〔人物〕 rénwù 명 ①인물. ¶危险～; 위험 인물. ②(작품 중의) 인물. ¶反面～; 부정적인 인물. ③《美》 인물화. ④사람과 물건. ¶～富庶; 인구가 많고 물자가 풍부하다.
〔人物〕 rénwu 명 ①큰 인물. 대단한 인물. ¶他是个～; 그는 대단한 인물이다/数一数二的～; 첫째 둘째를 다투는 인물. ②(주로 남성의) 외관(外觀). 풍채. ¶～轩昂; 풍채가 당당하다/说不～的话; 인격이 떨어지는〔체면이 깎이는〕 이야기를 하다.
〔人物画〕 rénwùhuà 명 《美》 인물화.
〔人物头儿〕 rénwutóur 명 ①우두머리. 두목. 보스. ②지도자. 훌륭한 사람. 윗사람.
〔人物字号〕 rénwù zìhào 명 ①실력과 명망. 인물과 평판. ¶凭他的～, 他不能跟一个拉车的一般见识; 그의 실력과 명망으로 본다면, 일개 차부(車夫) 따위와 같은 식견〔소견〕일 리가 없다. ②(이름이 알려진) 인물. ¶这儿的东家也是个～; 이곳의 주인도 상당한 인물이다/像他那样儿的人, 一提起来谁都佩服他的人格儿本事, 这可谓是个～; 그와 같은 사람은 이름만 대면 누구든지 그 인격이나 수완에 감복한다. 이런 것이 이름난 인물이라 할 수 있을 것이다.
〔人衔〕 rénxián 명 ⇨〔人参〕
〔人嫌, 狗不待见〕 rénxián, gǒubùdàijiàn 사람도 싫어하고 개도 거들떠보지 않는다(미운 털이 박힌 사람).
〔人险〕 rénxiǎn 명 ⇨〔人寿保险〕
〔人相学〕 rénxiàngxué 명 인상학.
〔人像〕 rénxiàng 명 《美》 초상. 포트레이트. 조각상.
〔人心〕 rénxīn 명 ①사람의 마음. ㉠인심. 민심. ¶～不古; 〈成〉 인심이 옛날 같지 않다. 인심이 각박하다/振奋～; 인심을 진작시키다/～大变; 〈成〉 인심이 크게 달라지다/～大快; 사람들이 쾌재를 부르다/～日下; 〈成〉 인심이 나날이 각박해지다/～皇皇; 〈成〉 인심이 불안하다〔흉흉하다〕. ㉡사람의 본심. ¶～隔肚皮, 知人知面不知心; 〈諺〉 사람(마음)은 겉보기와 다른 것이다/～不齐qí; 사람 마음은 다 같지가 않다/～回测; 〈成〉 사람의 마음은 헤아리기 어렵다/～曲曲弯弯水, 世事重重迭迭山; 〈諺〉 사람의 마음은 굽이쳐 흐르는 강물처럼 복잡하고, 세상일은 첩첩이 겹친 산처럼 가지각색이다/～不足, 蛇吞象 =〔～不足, 得陇望蜀〕; 사람의 욕심은 한이 없다/～不同如其面; 〈諺〉 인간의 마음은 그 얼굴이 틀리듯이 같지 않다/～似铁, 官法如炉; 〈諺〉 사람

의 마음이 쇠와 같다 하더라도, 법은 그것을 용광로처럼 녹여 버린다〔법은 사람으로 하여금 나쁜 짓을 못 하게 한다〕. ②인정. 동정심. ¶有～的; 인정 있는 사람/～都是肉长的; 사람의 마음은 모두 살로 이루어져 있는 것이다《피도 있고 눈물도 있다》/～都在～上; 인간의 마음은 누구나 다 같은 것이다. 인간의 마음은 서로 상통하는 점이 있다. ③인간다운 마음씨. 인간다움. ¶他要有～, 才怪呢! 그에게 인간다운 마음이 있다면, 그야말로 이상하다!/～长在～上; 〈諺〉 오는 정이 있어야 가는 정이 있다/～换～; 〈成〉 사람에게 인간다운 마음으로 대하면, 상대방도 거기에 응해 준다. ④사례의 뜻. 촌지(寸志). ¶聊表～; 약간의 촌지를 표하다/如果成了, 我必有一份儿～; 성공하면 꼭 사례하겠습니다.

〔人心果〕 rénxīnguǒ 명 《植》 사포딜라(sapodilla).

〔人心叵测〕 rén xīn pǒ cè 〈成〉 인심은 헤아리기 어렵다.

〔人心儿〕 rénxīnr 명 사람이 북적이는 한가운데. ¶在～里站着; 북적거리는 사람들 한가운데 서 있다.

〔人心所向〕 rén xīn suǒ xiàng 〈成〉 인심이 바라는 바. ¶～大势所趋qū; 인심의 향방과 대세의 흐름.

〔人心向背〕 rén xīn xiàng bèi 〈成〉 인심의 향배.

〔人行(儿)〕 rénxíng(r) 명 사람으로서의 행동거지. 인간다운 행위. ¶他简直不是～; 그는 전혀 인간다운 행동을 하지 않는다/你瞧你这个没～经儿; 인간다운 점도 없으니 무슨 꼴이냐.

〔人行道〕 rénxíngdào 명 인도. 보도. =〔人道②〕〔便道(儿)①〕

〔人行横道〕 rénxíng héngdào 명 횡단보도. =〔人行横线〕〔横行道〕〔斑马线〕

〔人行横线〕 rénxíng héngxiàn 명 ⇨〔人行横道〕

〔人行天桥〕 rénxíng tiānqiáo 명 인도교(人道橋).

〔人形(儿)〕 rénxíng(r) 명 ①사람의 모양. ②사람다운 모양.

〔人性〕 rénxìng 명 ①사람의 기질. 성격. 인간성. ¶他～不好; 그는 질이 나쁘다. ②인성. ¶～主义; 휴머니즘.

〔人性〕 rénxing 명 인간으로서의 감정이나 이성. 인간미. 인간다움. ¶这个人不通～; 이 사람은 인간다운 감정을 모른다/要是有～就干不出这样的下流事了; 인간다움이 있다면 이런 비열한 짓을 하지 않는다/这份～! 어쩜 저럴 수가!

〔人性论〕 rénxìnglùn 명 인성론《사람은 사회 제도를 초월하여, 타고난 고유의 공통되는 본성을 가진다는 생각》.

〔人熊〕 rénxióng 명 《動》 불곰. =〔罴熊〕

〔人选〕 rénxuǎn 명 인선. 후보자. ¶物色适当～; 적당한 후보자를 물색하다.

〔人牙子〕 rényázi 명 ⇨〔人贩子〕

〔人烟〕 rényān 명 부뚜막의 (밥 짓는) 연기. 〈比〉 인가(人家). ¶没有～的地方; 인가가 없는〔사람이 안 사는〕 지방/～稠密; 인가가 조밀하다.

〔人言〕 rényán 명 ①사람의 말. ¶～不可信; 사람의 말은 믿을 수가 없다. ②사람이 하는 비평〔소문〕. ¶～可畏wèi; 〈成〉 사람의 소문은 무서운 것이다/～啧zé啧; 〈成〉 사람들이 불만을 늘어놓고 논쟁한다. ③《藥》 '砒pī石' 비상(砒霜)의 별칭. =〔砒石〕〔信石〕〔仁研〕

〔人洋〕 rényáng 명 ⇨〔袁yuán头〕

〔人仰马翻〕 rén yǎng mǎ fān 〈成〉 여지없이 패배하다. ¶打得～, 损失惨重; 참담한 패배로, 손해는 차마 눈 뜨고 볼 수 없다.

〔人样(儿)〕 rényàng(r) 명 ①사람의 모습. 사람다움. ¶她们要求过～的生活; 그녀들은 인간다운 생활을 요구하고 있다/逃难的都不成～了; 난을 피해 온 사람들은 모두 몰골이 말이 아니었다. ②용모.

〔人样〕 rényang 명 〈俗〉 예의 범절. ¶把小孩子惯得一点～没有; 아이를 응석받이로 길러 아주 버릇이 없다.

〔人样子〕 rényàngzi 명 ①(사람의) 모양새. 용자. ②몹시 추한 사람의 형용. ¶他成了～了; 그는 아주 추한 꼴이 되었다.

〔人妖〕 rényāo 명 ①도깨비. 요괴. ②〈轉〉 ㉠도깨비 같이 치장한 사람. ㉡남녀추니. =〔阴yīn阳人〕 ㉢사람의 도리를 지키지 않는 자. ‖=〔人变〕〔人痾〕

〔人一己百〕 rén yī jǐ bǎi 〈成〉 다른 사람이 한 번의 노력으로 해낸다면, 나는 백 배의 노력으로 맞선다.

〔人以类聚, 物以群分〕 rén yǐ lèi jù, wù yǐ qún fēn 〈諺〉 사람은 끼리끼리 모인다. 유유상종.

〔人义水甜〕 rényì shuǐtián 〈比〉 풍속·인정이 좋다. 서로의 관계가 잘 조화되어 만사가 잘 되어 가다.

〔人意〕 rényì 명 사람의 생각. 사람의 감정. 사람의 소망. 남의 의향.

〔人影(儿)〕 rényǐng(r) 명 인영. 사람의 그림자〔모습. 자취〕. ¶连个～都没看见; 자취〔형적〕도 없었다.

〔人有旦夕祸福〕 rén yǒu dànxī huòfú 〈諺〉 인생의 화복은 헤아리기 어렵다.

〔人有脸, 树有皮〕 rén yǒu liǎn, shù yǒu pí 〈諺〉 사람은 모두 수치심을 갖고 있다.

〔人有千算不如老天爷一算〕 rén yǒu qiānsuàn bùrú lǎotiānyé yīsuàn 〈諺〉 사람이 아무리 지혜를 짜내도 하늘의 한 가지 계책에도 미치지 못한다.

〔人有十年旺, 鬼神不敢谤〕 rén yǒu shíniánwàng, guǐshén bùgǎnbàng 〈諺〉 사람에게는 평생에 10년쯤은 운세가 강할 때가 있어, 그 때에는 귀신조차도 범접을 할 수 없다〔섣불리 손을 대지 못한다〕.

〔人鱼〕 rényú 명 ①《動》 도롱뇽. =〔大dà鲵〕 ②⇨〔儒rú艮〕

〔人员〕 rényuán 명 …원. …자. 요원《개개인을 말할 때는 '工作员' '服务员' 따위처럼 말함》. ¶试shì用～; 일시〔임시〕 채용자/政zhèng府机关工作～ =〔公gōng务～〕; 공무원/工gōng作～ =〔服fú务～〕; 근무원/公教～; 공무원과 교직원/管guǎn理～; 관리자. 관리 요원/技jì术～; 기술자/医yī务～; 의사·간호사 그 밖의 의료 종사자/熟shú练～; 숙련자/勤qín杂～; 잡역부/退tuì休～; 퇴직자.

〔人缘儿〕 rényuánr 명 (얼굴 생김새·기분·성격 따위의) 인복. 붙임성. ¶你多有～哪! 너 참 인복이 대단하구나!/～好; 붙임성이 좋다.

〔人猿〕 rényuán 명 유인원(類人猿).

〔人云亦云〕 rén yún yì yún 〈成〉 남이 말하니까 자기도 말한다《부화뇌동(附和雷同)하다》.

〔人在人情在〕 rén zài rénqíng zài 〈諺〉 사람이 살아 있는 동안에는 정리(情理)도 있지만, 죽은

후에는 정리도 없어진다.
〔人在心不在〕 rén zài xīn bù zài 〈成〉 몸은 거기에 있지만, 마음은 거기에 없다. 건성이다. ¶你要是～, 工作就搞不好; 네가 그럴 마음이 되지 않으면, 일은 잘 안 된다.
〔人赃〕 rénzāng 명 범인과 장물. ¶～并获; 범인도 잡히고 장물도 압수되다.
〔人造〕 rénzào 형 인조의. 인공의. ¶～花; 조화(造花) / ～云母片; 합성 운모 / ～革; 인조〔합성〕 피혁.
〔人造白脱〕 rénzào báituō 명 ⇨〔人造黄油〕
〔人造靛〕 rénzàodiàn 명 인조람(人造藍). 인조 쪽물.
〔人造黄油〕 rénzào huángyóu 명 마가린. =〔人造白脱〕〔人造奶油〕〔代dài黄油〕〔假jiǎ奶油〕〔〈音〉麦mài琪淋〕 →〔黄油①〕
〔人造(胶)革〕 rénzào(jiāo)gé 명 레더(leather). 레더 클로스(leather cloth). 모조 가죽. 합성 피혁. =〔胶革〕
〔人造角〕 rénzàojiǎo 명 《化》 인조뿔《카세인과 포름알데히드를 작용시켜서 만든 뿔 모양의 물질로, 쉽게 인화(引火)되지 않아 절연 재료로 쓰임》.
〔人造金〕 rénzàojīn 명 인조금.
〔人造蜡〕 rénzàolà 명 인조 왁스.
〔人造毛〕 rénzàomáo 명 인조 털.
〔人造煤〕 rénzàoméi 명 인조 석탄.
〔人造棉〕 rénzàomián 명 인조면(棉).
〔人造棉纱〕 rénzào miánshā 명 《紡》 인조 무명실. =〔木mù制纱〕
〔人造奶油〕 rénzào nǎiyóu 명 ⇨〔人造黄油〕
〔人造强力丝〕 rénzào qiánglìsī 명 강력 인견.
〔人造绒纱〕 rénzào róngshā 명 인조 털실.
〔人造石〕 rénzàoshí 명 인조석《흔히, 화강암 가루와 시멘트를 섞어 틀에 넣어서 만든 돌》.
〔人造石油〕 rénzào shíyóu 명 인조 석유.
〔人造丝〕 rénzàosī 명 레이온. 인조 견사. =〔人丝〕〔〈音〉雷léi虹〕〔〈俗〉麻má丝①〕
〔人造太阳卫星〕 rénzào tàiyáng wèixīng 명 인공 행성.
〔人造卫星〕 rénzào wèixīng 명 인공 위성. =〔人造地球卫星〕
〔人造纤维〕 rénzào xiānwéi 명 인조 섬유《합성 섬유를 제외한 인조 섬유. '人造毛' '人造棉mián' '人造丝sī' 등 3종이 있음》.
〔人造线〕 rénzàoxiàn 명 인조 견사. ¶～纺织品; 인견 직물.
〔人造象牙〕 rénzào xiàngyá 명 ⇨〔赛sài璐珞〕
〔人造橡胶〕 rénzào xiàngjiāo 명 인조 고무. =〔含hán硫橡皮〕〔假jiǎ橡胶〕
〔人造语言〕 rénzào yǔyán 명 '世shì界语'(에스페란토)와 같은 인조어.
〔人择〕 rénzé 명 《生》 인위 도태(人爲淘汰).
〔人证〕 rénzhèng 명 《法》 사람의 증언. 인증. ¶～物证都在, 这是绝对抵赖不了的; 인증도 있고 물증도 있으니, 이것은 절대로 발뺌할 수 없다.
〔人至察, 则无徒〕 rén zhìchá, zé wútú 〈諺〉 사람이 지나치게 깨끗하면 친구가 생기지 않는다. 맑은 물에는 고기가 안 논다.
〔人质〕 rénzhì 명 인질. ¶释放～; 인질을 석방하다.
〔人彘〕 rénzhì 명 ⇨〔人豕〕
〔人中〕 rénzhōng 명 《生》 인중. ¶～疔; 인중에 생기는 종기.
〔人中白〕 rénzhōngbái 명 《漢醫》 오줌의 침전물에서 모은 황백색 고형의 것《지혈 · 진정 · 해열에 효험이 있다 함》.
〔人中黄〕 rénzhōnghuáng 명 《漢醫》 인중황. 금즙(金汁).
〔人中龙〕 rénzhōnglóng 명 〈比〉 비범한 인물.
〔人中骐骥〕 rén zhōng qí jì 〈成〉 신동(神童).
〔人种〕 rénzhǒng 명 인종. ¶～学; 인종학.
〔人众〕 rénzhòng 명 중인. 많은 사람. 군중. ¶和书吏、差役～接交; 서기나 하급 관리 등 많은 사람과 사귀다.
〔人粥〕 rénzhōu 〈比〉 많은 사람이 북적이는 곳〔것〕.
〔人轴子〕 rénzhóuzi 명 완고한 사람. 융통성이 없는 사람.
〔人主〕 rénzhǔ 명 군주. 인주. =〔人君〕
〔人子〕 rénzǐ 명 인자. 사람의 자식. ¶孝敬父母是～应分yīngfèn的; 부모를 잘 섬기는 것은 자식으로서 당연한 일이다 / 尽～的本分; 자식의 본분을 다하다.
〔人字哔叽〕 rénzì bìjī 명 ⇨〔人字呢〕
〔人字齿轮〕 rénzì chǐlún 명 《機》 헤링본 기어(herringbone gear). =〔〈南方〉 人字牙齿〕〔人字牙轮〕〔〈廣〉 波bō罗牙〕
〔人字裆〕 rénzìdāng 명 ⇨〔骑qí马裆〕
〔人字脚〕 rénzìjiǎo 명 안짱다리. =〔斗dòu脚儿〕
〔人字(儿)裤〕 rénzì(r)kù '骑马裆'으로 만든 바지. →〔骑qí马裆〕
〔人字呢〕 rénzìní 명 《紡》 헤링본《오늬 무늬 사문직(斜紋織)의 서지》. =〔人字哔叽〕
〔人字形〕 rénzìxíng 명 《紡》 (천의) 헤링본식(herringbone式) =〔交jiāo叉缝式〕〔青qīng鱼骨状〕
〔人字牙齿〕 rénzì yáchǐ 명 ⇨〔人字齿轮〕
〔人字牙轮〕 rénzì yálún 명 ⇨〔人字齿轮〕
〔人自为战〕 rén zì wéi zhàn 〈成〉 사람은 저마다의 전법〔방식〕이 있다. 사람은 저마다 자기의 힘으로 노력해야 한다.
〔人走时运, 马走膘〕 rén zǒu shíyùn, mǎ zǒu biāo 〈諺〉 사람이 운이 틔어 있을 때는 일이 순조롭게 이루어지고, 말이 살쪄 있을 때는 빨리 달린다.
〔人嘴两片皮〕 rénzuǐ liǎngpiànpí 〈諺〉 입씨름은 어떻게도 말할 수 있다. 사물은 말하기 나름으로 달라질 수 있다. ¶～, 舌头底下压死人; 〈諺〉 말은 중요한 것으로, 말 한 마디로 사람을 눌러 죽일 수도 있다 / 总而言之～, 怎么说怎么有; 요컨대, 말은 중요한 것으로, 말하기에 따라서 일이 그대로 되어 간다. =〔人嘴两张皮〕
〔人嘴两张皮〕 rénzuǐ liǎngzhāng pí ⇨〔人嘴两片皮〕

仁 **rén** (인)
①명 사람《전에 '人'으로 통용된 일이 있었음》. ¶同～; 동인. ②명 인덕(仁德) 있는 사람. ¶志士～人; 지사와 인인. ③명 인자한〔어진〕 마음. ¶～义礼智信; 인의예지신 / 残暴不～; 잔인 포악하여 인정이 없다. ④(～儿) 명 과실의 씨. 속살. ¶杏～儿; 살구씨 / 核桃～; 호두의 살 / 花生～ =〔花生米〕; 땅콩알 / 瓜子～儿; 수박이나 호박 속. =〔人⑨〕 ⑤동 사랑하다. ⑥동 동정하다. ⑦형 민활하다. 민감하다《주로 손 · 발에 대하여 부정(否定)을 수반함》. ¶麻木不～; 〈成〉 마비되어 감각이 없다. 사상적으로 무신경하다. ⑧형 정이 깊다. 어질다. 인자하다. ⑨(～儿) 명 발라 낸 살. ¶虾xiā～; 새우살 / 蛤gé～; 조갯

살. ⑩ 명 성(姓)의 하나.
〔仁爱〕 rén'ài 명 인애.
〔仁慈〕 réncí 명형 인자(하다). 자비(롭다).
〔仁德〕 réndé 명 인덕.
〔仁弟〕 réndì 명 〈文〉 ①연장자가 손아래 벗을 높여 부르는 칭호. ②스승이 제자를 대접하여 부르는 칭호(흔히, 편지에 쓰임).
〔仁果〕 rénguǒ 명 ①과육(果肉) 부분이 '花托'(화탁)으로부터 발달한 과실. (호두·잣·은행처럼) 열매의 씨가 굳은 껍질로 되어 있는 과실. ②〈方〉 땅콩. =〔落花生〕
〔仁惠〕 rénhuì 명 인덕의 은혜. 어진 은혜.
〔仁浆义粟〕 rénjiāng yìsù 〈比〉 이재민에게 지급하는 돈이나 식량.
〔仁里〕 rénlǐ 명 인정이 순박한〔후한〕 마을.
〔仁民〕 rénmín 동 〈文〉 백성에게 인자한 마음을 베풀다.
〔仁鸟〕 rénniǎo 명 봉황. =〔凤fèng凰〕
〔仁频〕 rénpín 명 ⇨〔槟bīng榔〕
〔仁儿〕 rénr 명 과일 씨의 속살. ¶杏xìng～; 살구씨의 속살.
〔仁人〕 rénrén 명 인덕 있는 사람. 어진 사람. ¶～君子; 인인 군자/～志士; 인인 지사. 정이 깊고 높은 뜻을 가진 사람.
〔仁兽〕 rénshòu 명 기린. =〔麒qí麟〕
〔仁叔〕 rénshū 명 〈敬〉 부친의 친구로서 부친보다 연소자에 대한 경칭.
〔仁斯布〕 rénsībù 명 《紡》 〈音義〉 진스(jeans).
〔仁台〕 réntái 명 〈文〉 귀하. 족하(足下).
〔仁宪〕 rénxiàn 명 〈敬〉 원님. 사또(옛날, 지방민이 현지사 이상의 장관을 높여 부르는 존칭).
〔仁兄〕 rénxiōng 명 인형. 동배의 벗에 대한 경칭(다소 경멸 또는 경원하는 뜻으로 쓰일 때가 있음). ¶你说话要仔细点儿, 小心给揪辫子～批评你; 너는 말을 할 때에는 좀 주의하지 않으면 안 된다, 남의 흠을 잡으려는 친구에게 비판을 받지 않도록 조심해야지.
〔仁言利溥〕 rén yán lì pǔ 〈成〉 인덕 있는 사람의 말은 대중에게까지 이로움을 끼친다.
〔仁研〕 rényán 명 ⇨〔人言③〕
〔仁义〕 rényì 명 인의. ¶～道德; 인의와 도덕/～大方; 친절하고 활수(滑水)하다.
〔仁义〕 rényi 형 〈方〉 온순하다. 온화하고 인정이 있다. ¶还是他～; 역시 그는 인정도 도리도 있다/这个小孩儿很～, 不淘气; 이 아이는 매우 얌전하고 장난꾸러기도 아니다.
〔仁丈〕 rénzhàng 명 〈敬〉 노인장(웃어른에 대한 경어).
〔仁者见仁, 智者见智〕 rénzhě jiàn rén, zhìzhě jiàn zhì 〈諺〉 어진 사람은 그것을 어질다고 보고, 지혜로운 사람은 그것을 지혜롭다고 본다(사람에 따라 문제의 관점이 가지각색으로 다른 법이다).
〔仁者无敌, 暴政必败〕 rén zhě wú dí, bào zhèng bì bài 〈成〉 인자는 적이 없고, 폭정은 반드시 망한다.
〔仁至义尽〕 rén zhì yì jìn 〈成〉 인의를 다하여 대하다. 성의를 다하다.
〔仁智所乐〕 rén zhì suǒ lè 〈成〉 산수를 즐기다. ¶仁者乐山, 智者乐水; 인자는 산을 즐기고, 지자는 물을 즐긴다.

壬 **rén** (임)
①명 십간(十干)의 아홉째. ②명 〈轉〉 배열 순서의 아홉째. ③명 북(北). ④형 크다. ⑤형 간사하다. ⑥동 비위 맞추다. ⑦동 책임지다. ⑧명 성(姓)의 하나.
〔壬二酸〕 rén'èrsuān 명 《化》 아젤라산(azelaic acid).
〔壬人〕 rénrén 명 〈文〉 입만 살아 있는 간사한 사람.
〔壬烷〕 rénwán 명 《化》 노난(nonane).

任 **Rén** (임)
①명 《地》 런 현(任縣)(허베이 성(河北省)에 있는 현 이름). ②지명용 자(字). ¶～丘 Rénqiù; 런추(任丘)(허베이 성(河北省)에 있는 현 이름). ③명 성(姓)의 하나. ⇒rèn

忍 **rěn** (인)
①동 참다. 견디다. 인내하다. ¶～俊不禁; 〈成〉웃지 않을 수 없다/难～; 참기 어렵다/不可容～; 용인할 수 없다/～着痛向敌人冲过去; 아픔을 참고 적에게 돌격해 가다/～着一肚子的眼泪; 가슴에 북받치는 눈물을 참고/～过一冬; 겨울 한 철을 참고 지내다/～得一时之气, 免得百日之忧; 〈諺〉 한때의 화를 참으면 두고두고 근심을 면할 수 있다/你既～得做这个, 还有什么不～得做的? 네가 이것을 참고 해낸 이상, 참아 내지 못할 일이 뭐가 있겠느냐? ②동 〈京〉 잠깐 졸다. 조리치다. ¶～个小觉; 잠시 졸다/太疲倦了, 坐着～了一会儿; 몹시 피곤하였으므로, 앉은 채 잠시 졸았다. ③동 한 일에 열중하여 다른 것을 돌보지 않다. ④형 잔인하다. 지독하다. ¶～心害理; 잔학해서 천리(天理)를 해치다. ⑤모질게 …하다. ¶～得下手; 모질게 손을 대다.
〔忍不得〕 rěnbude 참을 수 없다. 견딜 수 없다.
〔忍不过去〕 rěnbuguòqù (그대로) 참고 지나칠 수가 없다. 차마 보고만 있을 수 없다.
〔忍不下去〕 rěnbuxiàqù (더 이상) 못 참다. 더는 참을 수 없다. ¶叫我～; 나는 이제 더는 참을 수 없다.
〔忍不着〕 rěnbuzháo 잠들지 못하다. ¶翻来复去地怎么也～; 이리 뒤척 저리 뒤척 하면서 영 잠들지 못하다.
〔忍不住〕 rěnbuzhù 견딜 수 없다. 참을 수 없다. …하지 않을 수 없다. ¶他～反问一句; 그는 참다 못해 한 마디 반문했다/～笑起来了; 참지 못하고 웃음을 터뜨렸다. ↔〔忍得住〕
〔忍从〕 rěncóng 동 참고 따르다.
〔忍得〕 rěnde 동 ①참을 수 있다. ②태연히〔모질게〕 …하다. ¶～杀人; 예사로 사람을 죽이다.
〔忍冬〕 rěndōng 명 ①《植》 인동 덩굴(인동과의 다년초. 꽃봉오리를 '忍冬花' '金银yín花', 줄기와 잎을 '忍冬藤'라 하여, 해열·이뇨·정혈(淨血), 특히 종기의 소실·해독에 씀). =〔鹭lù鸶藤〕〔通tōng灵草〕〔鸳yuān鸯藤〕 ②⇨〔麦mài(门)冬①〕
〔忍盹儿〕 rěndǔnr 동 깜빡 졸다. 잠깐 눈을 붙이다.
〔忍诟〕 rěngòu 동 ⇨〔忍垢〕
〔忍垢〕 rěngòu 동 〈文〉 치욕을 참다. ¶～贪生; 치욕을 당하면서도 살고자 애를 쓰다. =〔忍诟〕
〔忍饥〕 rěnjī 동 굶주림을 견디다. ¶～挨ái饿; 〈成〉 굶주림을 참다/～受冻 =〔～受寒hán〕; 굶주림과 추위에 시달리다.
〔忍俊不禁〕 rěn jùn bù jīn 〈成〉 웃음을 참을 수 없다. ¶这位先生最会逗趣, 只要一张嘴就招得大家～; 이 사람은 재미있는 말을 대단히 잘해서 입만 열었다 하면 모두들 웃지 않을 수 없게 한다.

〔忍苦〕 rěnkǔ 동 고통을 참다. 인고하다.
〔忍凌〕 rěnlíng 명 ⇨〔麦mài(门)冬①〕
〔忍奈〕 rěnnài 동〈古白〉참다. 참고 견디다. ¶二官人且～安心《宣和遺事》; 두 분 다 우선 참고 마음을 놓으십시오. =〔忍耐〕
〔忍耐〕 rěnnài 명동 인내(하다). ¶～一下; 잠시 참다/～不住; 참을 수 없다. 견디지 못하다.
〔忍气〕 rěn.qì 동 노여움을 참다. ¶～吞声 =〔～不言〕;〈成〉아무 소리 않고 화를 참다. 노여움을 꾹 참고 아무 말도 하지 않다.
〔忍让〕 rěnràng 동 참고 양보하다. ¶让两家～; 양가에 참아 달라고 하다. 명 양보. 인내.
〔忍辱〕 rěnrǔ 동 치욕을 참다. 굴욕을 견디다. ¶～负重;〈成〉이러쿵저러쿵 욕을 먹어도 참고 중책을 견지하다. 중대한 책임을 위해 치욕을 참다/～报冤; 꾹 참아 가며 원한을 갚다.
〔忍受〕 rěnshòu 동 참고 견디다. 이겨 내다. ¶～的～; 참아야 할 데에서는 참아야 한다/～别人的侮辱; 남에게서 받은 모욕을 참고 견디다/他要是能～, 就不会叫人来拿药; 그가 만약에 참아 낸다면, 사람을 시켜 약을 지어 오게 하는 일은 없을 것이다.
〔忍涕〕 rěntì 동〈文〉눈물을 머금(고 참)다.
〔忍痛〕 rěn.tòng 동 고통을 참다.〈轉〉희생을 참고 견디다/～牺xī牲个人利益; 괴로운 마음으로 개인의 이익을 희생하다.
〔忍无可忍〕 rěn wú kě rěn〈成〉참으려야 참을 도리가 없다. 인내의 한계를 넘다. ¶他们差不多已经到了～的地步; 그들은 거의 이미 더 이상은 참을 수 없는 단계에 와 있다.
〔忍心〕 rěn.xīn 동 마음을 모질게 먹고 …하다. 끔찍하게도 …하다. 무자비하게 …하다. 냉정하게 …하다. ¶～害理; 잔인하여 도리를 돌보지 않다/我不～拒绝他的要求; 나는 그의 요구를 차마 거절할 수 없다. (rěnxīn) 형 박정하다. 잔혹하다. 무자비하다.
〔忍性〕 rěnxìng 명 ①인내심. ¶～大; 인내심이 강하다. ②(물건의) 내구력. ¶这张桌子～很大; 이 탁자는 대단히 튼튼하다.
〔忍尤含垢〕 rěn yóu hán gòu〈成〉치욕을 참고 견디다.
〔忍着〕 rěnzhe 동 참다. 참고 인내하다.
〔忍住〕 rěnzhù 동 꾹 참다. ¶～疼痛; 아픔을 꾹 참다.
〔忍字家中宝〕 rěnzì jiāzhōngbǎo〈諺〉참을인(忍)자가 집안의 보배.
〔忍字心头一把刀〕 rěn zì xīntóu yī bǎ dāo〈諺〉인(忍)이란 글자는 마음 심(心) 위에 칼 도(刀)자이다《인내란 어렵지만 중요한 것임》.

荏 rěn (임)
①명《植》들깨. =〔荏胡麻〕〔〈俗〉白苏(子)〕 ②형〈文〉연약하다. 유약(柔弱)하다. ¶色厉内～;〈成〉강한 듯이 보이나 내심(內心)은 약하다. ③→〔荏苒rǎn〕
〔荏胡麻〕 rěnhúmá 명《植》들깨.
〔荏苒〕 rěnrǎn 동 시간이 자꾸 지체되다. 세월이 덧없이 가다. ¶光阴～, 转瞬已是三年; 세월이 흘러 순식간에 3년이 지났다/离违清挹, ～至今;〈翰〉뵌 지〔작별한 뒤〕오랫동안 격조하여 오늘에 이르고 있습니다.
〔荏弱〕 rěnruò 형〈文〉연약하다.
〔荏桐〕 rěntóng 명 ⇨〔油yóu桐〕
〔荏油〕 rěnyóu 명 ①들기름. =〔苏子油〕 ②⇨〔桐油〕

稔 rěn (임)
〈文〉①동 곡물이 결실하다. ¶丰～之年; 풍작의 해. ②형 친숙하다. 잘 알다. ¶素～; 평소에 잘 알고 있다/～知; 잘 알다/相～; 서로 잘 알고 있다. ③동 (모르던 것을) 알다. ¶接读来函, 借～近状;〈翰〉귀함(貴函)을 받잡고, 귀하의 근황을 잘 알았습니다. ④동 오랫동안 겹쳐 쌓이다. ¶恶积衅xìn～;〈成〉좋지 않은 일이 겹쳐 틈이 벌어지다. ⑤명 년(年). 해. ¶已至五～; 벌써 5년이 된다/至今已历十～; 현재까지 이미 10년이 지났다.
〔稔谷〕 rěngǔ 명〈文〉결실이 잘 된 농작물. 잘 여문 곡식.
〔稔乱〕 rěnluàn 동〈文〉난을 일으키다. ¶～无非近佞臣; 난을 불러일으킨 것은 모두 간신을 가까이한 탓이다.
〔稔年〕 rěnnián 명 ⇨〔稔岁〕
〔稔色〕 rěnsè〈文〉명〈比〉청초한 미모〔미인〕. 동 미인을 사모하여 따르다.
〔稔熟〕 rěnshú 동 ①〈文〉충분히 익다. ②〈比〉익히 알고 있다.
〔稔岁〕 rěnsuì 명〈文〉풍년. =〔稔年〕

刃〈刄, 刅〉 rèn (인)
①(～儿, ～子) 명 (칼·가위 등의) 날. ¶这把刀没有～; 이 칼은 날이 서지 않았다/这把刀还没开～; 이 칼은 아직 날을 세우지 않았다/～快; 날이 날카롭다/～迎缕解 =〔迎～而解〕;〈成〉(칼에 닿자마자 베어지듯) 일도 양단으로 (쉽게) 해결하다. ②명〈文〉날붙이. 칼. ¶手持利～; 손에는 날카로운 검(劍)을 쥐고 있다. ③동 칼로 죽이다. 베어 죽이다. ¶手～奸贼; 간적을 칼로 찔러 죽이다.
〔刃创〕 rènchuāng 명 ①칼로 난 상처. ②베인 상처.
〔刃带〕 rèndài 명 ⇨〔刃棱(面)〕
〔刃具〕 rènjù 명《工》절삭(切削) 공구.
〔刃口(儿)〕 rènkǒu(r) 명 칼날.
〔刃口角〕 rènkǒujiǎo 명《工》절삭면의 각도. =〔偏piān角②〕
〔刃棱(面)〕 rènléng(miàn) 명 강재(鋼材)를 깎아 드릴이나 리머(reamer) 등을 만들 때 파이지 않고 남아 있는 원강재(原鋼材)의 표면의 부문. =〔刃带〕〔白bái刃②〕〔齿chǐ承〕

讱(訒) rèn (인)
형〈文〉입이 무겁다. 말을 많이 하지 않으려 하다. ¶仁者其言也～《論語》; 어진 사람은 말을 많이 하려 하지 않는다.

仞 rèn (인)
양《度》옛날에 8척(尺) 또는 7척(尺)을 1인(仞)이라 했음. ¶为山九～, 功亏一篑; 구인공 휴일궤(九仞功虧一簣)《오랫동안 쌓은 공이 한번 실수로 보람 없이 됨》/万～高峰;〈比〉매우 높은 산/掘井九～, 而不及泉《孟子》; 9인(仞)의 깊이까지 우물을 파도 물이 솟는 데까지 달하지 않는다. =〔轫②〕

纫(紉) rèn (닌)
①동 바늘에 실을 꿰다. ¶～针 =〔认针〕〔穿针〕; 바늘에 실을 꿰다/眼花了, ～不上针; 눈이 침침해져서 바늘귀에 실을 꿸 수 없다. ②동 철(綴)하다. ③동〈翰〉탄복〔감복〕하다. ¶至～高谊; 두터운 우의에 지극히 탄복합니다. ④동 꿰매다. ¶缝～; 바느질하다/

缝féng～机; 재봉틀. ⑤ 명 새끼. 노.
〔纫荷〕 rènhè 동 〈翰〉 충심으로 깊이 감사하다.
〔纫佩〕 rènpèi 동 〈翰〉 깊이 감복하다.
〔纫头〕 rèntou 명 (바늘귀에 실을 꿸 때의) 실의 끝머리.
〔纫谢〕 rènxiè 동 〈翰〉 명심하여 감사하다. ¶实深～; 진심으로 깊이 감사드립니다.

韧(韌〈靭〉) rèn (인) 형 부드럽고 질기다. ¶坚～; 강인(強靭)하다.
〔韧带〕 rèndài 명 《生》 인대.
〔韧化〕 rènhuà 명동 《工》 (금속 따위를) 가열했다가 서서히 식히는 처리법(또, 위와 같이 하다).
〔韧劲〕 rènjìn 명 끈기. 강인함. ¶文静中带着一股子～; 조용한 가운데 강인함이 있다.
〔韧泥〕 rènní 명 ⇨〔粘nián土〕
〔韧皮〕 rènpí 명 《植》 인피. ¶～纤维; 인피 섬유.
〔韧铁〕 rèntiě 명 ⇨〔韧性铸铁〕
〔韧性〕 rènxìng 명 강인한 성질. 끈기 있는 성질. 근성.
〔韧性铸铁〕 rènxìngzhùtiě 명 《工》 가단 주철(可鍛鑄鐵). =〔韧铁〕〔麻铁〕〔马钢〕〔马铁〕〔韧铸铁〕

轫(軔) rèn (인) ① 명 구르지 않게 바퀴를 괴는 나무. ¶发fā～; 바퀴 굄목을 풀어 차를 움직이다. 〈轉〉 일이 발족하다〔시작되다〕. ② 양 ⇨〔仞rèn〕 ③ 동 저지하다. 제동하다. ④ 명 브레이크. ¶轮～ =〔轮掣〕; 바퀴 브레이크 / 风～; 에어 브레이크.

牣 rèn (인) 동 〈文〉 가득 차다〔채우다〕. =〔充牣〕

认(認) rèn (인) 동 ①인정하다. 승인하다. ¶公～; 공인하다 / 承～; 인정〔승인〕하다 / 否～; 부인(하다) / 他的主张, 我～为是对的; 나는 그의 주장이 옳다고 인정〔생각〕한다. ②(가치를) 인정하다. 중시하다. ¶他不～交情; 그는 우정을 중시하지 않는다〔경시한다〕 / 胡涂人～假不～真; 어리석은 사람은 허위에 중점을 두고 진실을 소홀히 한다. ③(물건 · 사람 · 길 · 글자 따위를) 분간하다. 식별하다. 보고 기억하다. 알아보다. ¶我知道他, 可就是不～得; 나는 그의 이름은 알고 있으나, 아는 사이는 아니다 / 这条路, 你～得吗? 이 길을 넌 알고 있니? / 换个地方我简直不敢～你; 다른 데서 만나면 널 전혀 알아보지 못할 것이다. ④배워 알다. ¶他～了不少的字; 그는 많은 글자를 안다. ⑤감수(甘受)하다. (할 수 없이) 용인〔인정〕하다. ¶这儿有真赃实犯, 你还不～吗? 확실한 증거가 있는데도 넌 아직 인정하지 않느냐? / 吃多大亏我都～了; 얼마나 손해를 보든 나는 감수하겠다. ⑥단념하다. 체념하다. ⑦주(株)를 인수하다. ¶我～了一百股; 나는 100주 인수했다. ⑧떠맡다. 부담하다. 변상하다. ¶邮费一概自～; 우편 요금은 일률적으로 각자 부담으로 하다. ⑨…으로서의 인사를 하다. ¶和罗泰盛～了老乡; 나태성(羅泰盛)에게 동향인으로서 인사를 했다. ⑩원래 친족 관계가 없는 자가 친족 관계를 맺다. ¶～干爹; 의붓아버지로 삼다.
〔认保〕 rènbǎo 동 보증을 승낙하다.
〔认背〕 rènbèi 동 운수가 나쁘다고〔팔자탓이라고〕 체념하다. ¶损失了这么些东西, 问谁赔, 只好～了; 이렇게 많은 물건을 손해 봤지만 누구에게 변상을 시키겠나, 운이 없는 것으로 여기는 수밖에 없다 / 既然罢了就～吧, 别懊恼了; 기왕에 끝난 것이니, 운이 없다고 단념하고 끙끙 앓지 마라.
〔认本家〕 rèn běnjiā 동일 계보〔동성 · 동족〕임을 서로 인정하다.
〔认不出来〕 rènbuchū.lái (사람이나 물건 · 길 따위를) 기억해 내어 구분할 수가 없다〔알아낼 수 없다〕.
〔认不得〕 rènbude 이해할 수 없다. 알 수 없다. ¶我该～这个啦; 내가 그런 것도 모를 줄 아느냐.
〔认不清〕 rènbuqīng 확실히 분간할 수 없다. 본 기억이 분명치 않다.
〔认不全〕 rènbuquán 완전히 분간할 수는 없다〔알지 못하다〕. ¶这书上的字, 我还～呢; 이 책 속의 글자는 아직 전부는 모른다〔읽지 못한다〕.
〔认不是〕 rènbùshì 동 ⇨〔认错(儿)〕
〔认不真〕 rènbuzhēn 참〔진품〕인지 어떤지 구분이 가지 않는다. 확실하게 분간할 수 없다. ¶对于古董我可是外行, 实在～; 골동품에 관해서는 나는 아무래도 문외한이라 진짜인지 어떤지 분간하지 못한다.
〔认出〕 rènchū 동 분별하다. 식별(識別)하다.
〔认错(儿)〕 rèn.cuò(r) 동 ①잘못을 인정하다. ¶只要～就行了; 잘못을 인정하기만 하면 된다. ②자백하다. ③사과하다. ‖ =〔认不是〕
〔认错〕 rèncuò 동 잘못 보다. 오인(誤認)하다. ¶你～了人了; 너는 사람을 잘못 본 거야.
〔认打〕 rèndǎ 동 맞아도 할 수 없다고 단념하다. 얻어맞을 각오를 하다. ¶你要输shū了, 是～是认罚? 네가 지면 얻어맞겠느냐, 아니면 벌을 받겠느냐?
〔认大小〕 rèn dàxiǎo 옛날, 대가족 집안에 시집온 며느리가, 시댁 식구 전원에 대하여 장유존비(長幼尊卑)의 분별을 알고 깨치는 일. ¶新婚第三天才一一地接见亲族, 俗叫做～; 신혼 사흘째에 처음으로 친척 한 사람 한 사람과 만나는 일을 '～'라 함. =〔分fēn大小(儿)〕
〔认得〕 rènde 동 (주로 사람 · 길 · 글자를) 보아 알다. 기억하고 있다. 보아서 알고 있다. ¶～他; 그를 알고 있다 / ～字; 글자를 알고 있다 / 到那儿去的路, 你～不～? 그리로 가는 길을 넌 알고 있느냐? / 我在北京没有～的人; 난 베이징(北京)에는 아는 사람이 없다.
〔认镫〕 rèndèng 동 발을 등자(鐙子)에 걸다.
〔认定〕 rèndìng 동 ①인정하다. 굳게 믿다. ②확정하다. 명 《法》 인정.
〔认罚〕 rènfá 동 달게〔순순히〕 처벌을 받다. 처벌에 이의를 제기하지 않다.
〔认付〕 rènfù 명동 ①지불 승인(하다). ¶～支票; 지불 승인 어음. ②어음 인수(를 하다). ¶～拒绝; 어음의 인수 거절.
〔认购〕 rèngòu 동 인수하여 사다. 구입 신청을 하다. ¶人民踊跃～经济建设公债; 국민이 기꺼이 국가 경제 건설 공채를 떠맡기로 하고 사다.
〔认股〕 rèn.gǔ 동 주식(株式)에 가입하다. 주식을 인수하다. ¶～书; 주식 신청서 / ～人; 주식 인수인. =〔认票②〕
〔认晦气〕 rènhuìqì 동 운이 없다고 체념하다.
〔认假为真〕 rèn jiǎ wéi zhēn 〈成〉 거짓말을 곧이듣다.
〔认脚〕 rènjiǎo 동 〈方〉 (신발이) 좌우가 달라서 바꾸어 신을 수 없다.
〔认脚(儿)鞋〕 rènjiǎo(r)xié 명 〈方〉 좌우를 구별해서 신게 된 신발(좌우가 같은 샌들이나 어린아이의 신에 대하여 말함). ¶小孩儿会走了就该穿～

了; 아이가 걸을 수 있게 되면 좌우를 구별해서 신게 된 신발을 신겨야 한다.

〔认捐〕 rèn,juān 동 ①기부(寄附)할 것을 승낙하다. ¶～三千元; 3천 원을 기부할 것을 승낙하다/已有很多商店～了很多日用品; 이미 다수의 상점이 많은 일용품의 기부를 승낙했다. ②세(稅)의 징수를 인정〔인가〕하다.

〔认可〕 rènkě 명동 인가(하다). 허가(하다). 승낙(하다). ¶他在背地里已经～了; 그는 이미 암암리에 승낙하고 있다. 접 차라리. →〔宁nìng可〕

〔认苦子〕 rènkǔzi 동 고생〔고통〕을 체념하다. 고통을 감수하다.

〔认亏〕 rènkuī 동 손해를 인정하다〔떠맡다〕.

〔认领〕 rènlǐng 동 확인하고 받다〔인수하다〕. ¶～失物; 유실물을 확인하고서 받아 가다/所打捞的尸体已由家人～; 인양된 시체는 이미 가족이 확인하고 인수했다.

〔认门〕 rèn,mén 동 시집 가다. 데릴사위로 들어가다.

〔认明〕 rènmíng 동 똑똑히 식별하다. 똑똑히 알다. 가려서 분명히 하다. ¶～假冒; 진짜로 가장하고 있는 것을 분간하다.

〔认命〕 rèn,mìng 동 운명으로 여기고 단념하다. 운명을 감수하다. ¶事已至此, 只好～吧; 일이 이미 여기에 이르렀으니 운명으로 알고 단념할 수밖에 없겠구나/成了呢, 赚一笔钱, 不成了呢, ～! 잘되면 돈을 좀 벌고, 잘못되면 운명이라고 단념한다.

〔认赔〕 rèn,péi 동 변상하기로 승인하다. ¶他们认了多少赔款? 그들은 얼마의 변상을 승낙했는가?

〔认票〕 rèn,piào 동 ①어음을 인정하다. ¶～付款; 어음에 의해 지불하다/～不认人; 그 어음 지참인에게 지불한다(어음 등의 증표에 인쇄되어 있는 양해의 문구. 어음을 가진 사람의 신분이나 지위에 관계 없이 어음 그 자체로써 진위를 가린다). ②주식(株式)에 가입하다. =〔认股〕

〔认破〕 rènpò 동 간파(看破)하다.

〔认亲〕 rèn,qīn 동 ①새로 결혼한 남녀 양가의 친족이 처음으로 대면하다. ②선을 보다. ¶他今天去～; 그는 오늘 선을 보러 간다.

〔认清〕 rènqīng 동 분명히 인식하다〔판별하다〕. 확실히 이해하다.

〔认人支票〕 rènrénzhīpiào 명《商》 지명불 수표.

〔认生〕 rènshēng 동 (어린애가) 낯을 가리다. ¶这个孩子不～; 이 아이는 낯을 안 가린다.

〔认识〕 rènshi 동 ①알고 있다. 알다. ¶我～那个人; 나는 저 사람을 알고 있다/我们一年前就～了; 우리들은 1년 전에 서로 알게 되었습니다/我～你很高兴; 당신과 알게 되어 정말 기쁘다/我们先自我介绍, ～一下吧; 우선 자기 소개를 하여 얼굴을 익히도록 합시다. ②인식하다. 명 인식. ¶～论;《哲》인식론/～不足; 인식 부족.

〔认输〕 rèn,shū 동 패배를 인정하다. 항복하다. ¶只好～吧! 할 수 없다, 항복하자!/他到了liǎo儿不肯～; 그는 끝까지 패배를 인정하려 하지 않았다. =〔伏输〕〔服输〕

〔认死〕 rènsǐ 무슨일이 있어도. →〔宁nìng死〕

〔认死扣子〕 rèn sǐkòuzi ①외곬으로만 생각하다. 융통성이 없다. 고지식하다. ②집착이 강하다. 고집불통이다. 집요하다. ¶他～, 一得罪他, 他就永远忘不了; 그는 집착이 강해서 한번 한을 품었다 하면 영원히 잊지 않는다/意志坚决是好, 可是别太～; 의지가 강한 것은 좋지만, 너무 고집불통이어서는 안 된다. ‖ =〔认死扣儿〕

〔认死理〕 rènsǐlǐ 까다롭다. ¶朱老忠知道严志和是个～的脾气《梁斌 紅旗譜》; 주노충은 엄지화가 까다로운 성미라는 것을 알고 있다.

〔认同〕 rèntóng 동 같은 것으로 인정하다. 동일시(同一視)하다.

〔认头〕 rèntóu 동 ①하는 수 없이 인정하다. ¶我～这次算你胜了; 이번엔 하는 수 없이 네가 이겼다는 것을 인정한다. ②단념하다. 마지못해 하다. ¶只好～受苦; 싫어도 고생하는 수밖에 없다/～作个车夫的老婆; 완전히 체념하고 인력거꾼의 마누라가 되다.

〔认为〕 rènwéi 동 (분석·사고(思考)를 거쳐) 견해를 갖다. 이해하다. 생각하다. (사물에 대한 견해·태도를 나타내어) 인정하다. 긍정하다. ¶一般～他是个学者; 일반적으로 그를 학자로 인정하고 있다/我～他还够不上资格; 나는 그가 아직 자격이 모자란다고 생각한다. 명 이해. 견해. 생각. ¶据～; 아는 바에 의하면.

〔认销〕 rènxiāo 동 판매를 떠맡다.

〔认贼作父〕 rèn zéi zuò fù 〈成〉 적을 자기 편으로 간주(看做)하다. 망상을 진실로 생각하다.

〔认账〕 rèn,zhàng 동 ①부채(負債)를 인정하다. ②〈轉〉 자기가 한 일을 시인하다. 잘못을 인정하다. 자백하다. ¶没有对证, 他哪里肯～? 증거가 없으면, 놈이 자백할 것 같으냐?

〔认针〕 rènzhēn 동 바늘에 실을 꿰다. =〔穿chuān针〕

〔认真〕 rèn,zhēn 동 진실로 받아들이다. 정말로 여기다. ¶人家说着玩儿, 你怎么就认起真来了? 남은 농담으로 말하고 있는데, 너는 왜 정말로 받아들이느냐?/你别～了, 他跟你开玩笑呢; 곧이들어선 안 된다. 그는 너에게 농담을 하고 있는 거다. (rènzhēn) 형 진실하다. 진지하다. 성실〔착실〕하다. ¶～的去做; 진실하게 하다/～工作; 진지하게 일을 하다/～为事; 성실하게 일을 하다. 부 정말로. 깡그리. ¶集会的自由～剥夺了; 집회의 자유는 모조리 박탈되고 말았다.

〔认证〕 rènzhèng 명동 인증(하다).

〔认支〕 rènzhī 동 지불을 승인하다.

〔认知〕 rènzhī 명동《法》인지(하다).

〔认准〕 rènzhǔn 동 확인하다. 단정하다.

〔认字〕 rèn zì 글자를 알다〔알고 있다〕. 글을 읽을 수 있다.

〔认字号〕 rèn zìhao 유명한 가게의 물건이니까 좋다고 생각하여 사는 일. 브랜드 지향(志向).

〔认足〕 rènzú 동 ①(주식 따위를) 전부 신청하다〔떠맡다〕 ②전액 신청하다.

〔认罪〕 rèn,zuì 동 죄를 인정하다. 자백하다.

任 rèn (임)

①명 임무. 직무. 책무. 포스트(post). ¶一身而二～; 1인 2역을 하다/职～; 직임/前～; 전임(자)/现～; ⓐ현임(의). ⓑ현재 …을 담당하고 있다/就～; 취임하다/上～; 부임하다/到～; 취임〔부임〕하다/胜～; 임무를 능히 감당하다/卸～; 사임하다. ②명 신뢰. 신임. ③동 임명〔임용〕하다. ¶～为秘书; 비서로 임명하다. ④동 하는 대로 내맡기다. 그냥 내버려 두다. 방임하다. ¶放～; 방임하다/～他做; 그가 하는 대로 내버려 두다/听之～之; 말하는 대로 내버려 두다/～人出入; 사람들이 드나들도록 내버려 두다/～敌人欺负; 적이 멋대로 괴롭히고 학대하는 것을 그대로 두다. ⑤동 담당하다. 종사하다. …에 임하다. ¶～部长; 장관을 맡다/担～; 담임〔담당〕(하다)/～职已十年; 직무를 맡은 지 벌써 10년이 된다. ⑥동 감당하다. 견디다.

¶病不～行; 〈文〉 병으로 갈 수가 없다 / 无～感佩; 〈成〉 감격〔감복 · 감사〕해 마지않다. ⑦ 접 …이라도. …할〔일〕지라도. …을 막론하고. ¶～什么没有; 아무것도 없다 / ～哪儿都不去; 아무 데도 가지 않다 / ～你是谁也不准犯规矩; 네가 누구든 규칙을 거스르는 것은 용서하지 않는다 / ～人皆知; 누구나 다 알고 있다 / ～事不懂; 아무것도 모른다 →〔不论〕〔无论wúlùn〕 ⑧ 동 신뢰하다. ¶宠chǒng～; 총애하고 신뢰하다 / 信～; 신임하다. ⑨ 양 직무의 횟수에 쓰이는 말. ¶做了一～知县; 지사(知事)를 한 번 맡았다 / 过去几～校长; 과거 몇 대의 교장. ⇒Rén

〔任便〕 rèn.biàn 동 형편 닿는 대로 하게 하다. 임의대로 맡기다. ¶你来不来～; 오든지 말든지 네 마음대로 해라. →〔听便〕

〔任从〕 rèncóng 동 자유에 맡기다. 멋대로 하게 두다. ¶既是如此, ～壮士《水滸傳》; 이미 그렇게 되었다면 장사의 자유에 맡깁니다.

〔任达〕 rèndá 형 제멋대로이다. 활달하고 구애됨이 없다. =〔任放〕〔任纵〕

〔任放〕 rènfàng 형 ⇒〔任达〕

〔任管〕 rènguǎn 접 ⇒〔任凭〕

〔任何〕 rènhé 대 무엇이든지. 어떠한(…라도). ¶～人都…; 어떠한 사람이라도… / ～地方都…; 어떤 곳에서나… / ～场合都…; 어떤 경우에도 … / 没有～嗜好; 별로 이렇다 할 취미가 없다 / 这是我们区别于～其他政党的一个显著的标帜; 이것은 우리가 다른 어떤 정당과도 구별이 되는 하나의 뚜렷한 표지이다.

〔任教〕 rèn.jiào 동 교육에 임하다. 교원 노릇을 하다.

〔任咎〕 rènjiù 동 〈文〉 잘못에 대해 책임을 지다. 잘못을 떠맡다.

〔任可〕 rènkě 접 차라리 (…하는 것이 낫다). ⇒〔宁nìng可〕

〔任课〕 rèn.kè 동 수업을 담당하다.

〔任口〕 rènkǒu 입에서 나오는 대로. ¶～胡说; 입에서 나오는 대로 함부로 지껄이다. =〔信xìn口〕

〔任劳〕 rènláo 동 노고에 견디다. 고생을 마다하지 않다. ¶～任怨 =〔认劳认怨〕; 〈成〉 고생을 견디고 원망하지 않다.

〔任么〕 rènmá 대 어떤 일이라도(‘任什么’의 생략). ¶～都行; 어떤 일이라도 좋다. =〔任吗〕〔任嘛〕

〔任脉〕 rènmài 명 《漢醫》 침구기경 팔맥(針灸奇經八脈)의 하나(회음부에서 복부 · 흉부 · 인후의 중심을 거쳐 입에 이르는 상상상(想像上)의 선을 말하며, 이 사이에 많은 경혈(經穴)이 줄지어 있음).

〔任满〕 rènmǎn 동 임기가 차다.

〔任免〕 rènmiǎn 명동 임명(任命)과 면직(하다).

〔任命〕 rènmìng 명동 임명(하다). ¶～状; 임명장. 동 〈文〉 운명에 맡기다.

〔任内〕 rènnèi 명 ①임기중. 재임중. ②임무〔직무〕의 범위 내. ¶～之事; 직무상의 일. 당연히 해야 할 일.

〔任凭〕 rènpíng 접 …일지라도. …하더라도. ¶我～他说也没有作声; 나는 그가 잔소리를 해도 가만히 있었다〔거역하지 않았다〕 / ～风浪起, 稳坐钓鱼船; 〈諺〉 풍랑이 일어도 침착하게 낚싯배에 앉아 있다(어떤 변화가 있어도 태연하게 있다). =〔任管〕 동 ①자유에 맡기다. 마음대로 하게 두다. 구속하지 않다. ¶以后好坏～你; 앞으로 잘 되든 못 되든 너 할 나름이다 / ～你猜想; 네 추측에 맡긴다 / ～你随便挑一个好的; 네가 생각하는 대로 좋은 것을 하나 고르도록 해라. ②…을 막론하다. ¶～是谁我也不给开门; 누구든지 간에 나는 문을 열어 주지 않는다.

〔任期〕 rènqī 명 임기. ¶～届jiè满; 임기가 차다.

〔任其〕 rènqí 동 …에 맡기다. 내버려 두다. ¶～自流; 〈成〉 마음대로 하게 내버려 두다.

〔任其自然〕 rèn qí zì rán 〈成〉 하는 대로 내버려〔맡겨〕 두다. ¶事已至此, 只好～了; 이미 이렇게 된 바에는 되가는 대로 맡겨 둘 수밖에 없다.

〔任气〕 rènqì 동 마음 내키는 대로 하다. ¶～敢为wéi; 마음이 내키는 대로 대담하게 하다.

〔任情〕 rènqíng 동 마음대로 하다. 멋대로 하다. ¶～妄为; 제멋대로 함부로 굴다. →〔尽情〕

〔任人〕 rèn.rén 동 남의 자유에 맡기다. 남이 하고 싶은 대로 시키다. ¶～所为; 남이 하는 대로 내버려 두다 / ～摆bǎi布; 〈成〉 남이 하라는 대로 하다 / ～参cān观; 남에게 참관시키다 / ～不如任天; 〈諺〉 사람에게 맡기느니 운명에 맡기는 편이 낫다. (rènrén) 명 〈文〉 아첨하는 사람. 간사한 사람. 음흉한 사람.

〔任人唯亲〕 rèn rén wéi qīn 〈成〉 (능력에 관계없이) 연고자만 임용하다.

〔任人唯贤〕 rèn rén wéi xián 〈成〉 (연고에 관계없이) 능력과 인격이 있는 사람만 임용하다.

〔任啥〕 rènshá 〈方〉 ⇒〔任什么〕

〔任上〕 rènshang 명 ①임지(任地). ¶他在～死的; 그는 재임 중에 (임지에서) 죽었다. ②〈轉〉 직무. ¶他～很忙; 그는 직무가 매우 바쁘다.

〔任什么〕 rènshénme 무엇이든. 어떤 일이건. ¶～都如意是办不到的; 무엇이고 자기 마음대로 한다는 것은 되지도 않는 말이다. =〔〈方〉 任啥〕

〔任使〕 rènshǐ 동 〈文〉 임용하(여 쓰)다. 명 임무.

〔任事〕 rèn.shì 동 ①일을 맡기다〔시키다〕. ②일에 임하다. 일을 하다. 재직(在職)하다. (rènshì) 명 어떠한 일. 무슨 일(부정사(否定詞)가 이어짐). ¶～不做; 아무 일도 안 하다.

〔任是〕 rènshi 접 설혹〔설령. 비록〕 …일지라도. ¶～他一等聪明的人…; 그가 설혹 뛰어나게 영리한 인간일지라도…

〔任率〕 rènshuài 형 〈文〉 솔직하고 꾸밈이 없다.

〔任死〕 rènsǐ 죽어도. 차라리 죽을지언정. =〔宁nìng死〕

〔任所欲为〕 rèn suǒ yù wéi 〈成〉 하고 싶은 대로 하게 두다.

〔任天〕 rèntiān 동 천명에 맡기다.

〔任务〕 rènwu 명 ①일. ②임무. 부여된 일. ¶执行～; 임무를 수행하다 / 赶～; 어떻게 해서든지 임무를 다하다 / 完成～; 임무를 완성하다 / 本校今年招生～是三百名; 본교의 금년도의 학생 모집 책임수는 300명이다.

〔任侠〕 rènxiá 형 의협심이 있다. 용감하다. ¶为～有名; 의협심이 있기로 유명하다. 명 의협심이 있는 사람. 협객. 동 의협을 행하다.

〔任兴〕 rènxìng 동 흥이 나는 대로 하(여 도를 지나치)다. ¶赶～; ⓐ임무를 서둘러 완수하다. ⓑ임시 변통으로 일을 하다. 얼버무리다 / ～观点; 무엇이나 의무로만 생각하고 조금도 적극성이 없는 태도.

〔任性〕 rèn.xìng 동 멋대로 행동하다. ¶～妄为; 멋대로 굴다. 망동을 하다. (rènxìng) 형 버릇없다. 멋대로이다. ¶～子; 제멋대로 구는 사람.

〔任意〕 rènyì 부동 ①임의로(하다). 멋대로(하다). 수의(隨意)로(하다). ¶～挥huī霍; 제멋대로 돈을 쓰다 / ～饕tāo餮; 먹고 싶은 대로 먹다. 명형

임의(의). ¶～三角形; 임의의 삼각형.
〔任意球〕 rènyìqiú 명《體》①(축구의) 프리킥. ②(핸드볼·수구의) 프리스로. ¶～线xiàn; 프리스로 라인.
〔任用〕 rènyòng 명동 임용(하다). ¶～非人; 그 일에 적합하지 않은 사람을 임용하다.
〔任由〕 rènyóu 동 임의〔수의〕로 하게 하다. 맡기다.
〔任怨〕 rènyuàn 동 원망을 기꺼이 받아들이다.
〔任运〕 rènyùn 동 운명에 맡기다.
〔任着性儿〕 rènzhexìngr 멋대로.
〔任着意儿〕 rènzheyìr 마음 내키는 대로.
〔任职〕 rènˌzhí 동 직무를 맡다. 재직하다.
〔任重道远〕 rèn zhòng dào yuǎn〈成〉임무는 무겁고 길은 아직도 멀다. 중대한 책임을 지고 있음. =〔任重而道远〕
〔任子〕 rènzǐ 명 부모·형제의 덕으로 벼슬을 얻은 자제.
〔任纵〕 rènzòng 형 ⇨〔任达〕

饪(飪〈餁〉) rèn (임) ①동 푹 삶다. ¶烹～; 조리(하다). ②명 푹 삶은 음식.

妊〈姙〉 rèn (임) 동 잉태하다. 임신하다. ¶～妇; 임부/～娠; 임신. =〔怀孕〕
〔妊娠素〕 rènshēnsù 명《生》①프로게스테론(progesterone)《황체 호르몬의 일종》. =〔黄体酮〕②합성 황체 호르몬성 물질.

纴(紝〈絍〉) rèn (임) ①명 베틀에 거는 실. ②동 짜다.

衽〈袵〉 rèn (임) 명 ①옷섶. ②옛날, 침구(寢具)로서의 깔개. ¶～席之爱; 애인의 사랑/～席之安; 안락한 지위에 있음/～席之上, 饮食之间; 잠자리에 누웠을 때와 음식을 먹을 때/登斯民于～席之上; 백성을 안락하게 살 수 있도록 해 주다. =〔衽席〕③소매.

葚 rèn (심) →〔桑sāng葚(儿,子)〕⇒ shèn

RENG ㄖㄥ

扔 rēng (잉) 동 ①휙 던지다. ¶～球; 공을 던지다/往上一～; 위쪽으로 휙 던지다. ②던지듯이 넣다. ¶把信～在邮筒里; 편지를 우체통에 넣다. ③던져 버리다. 버리다. ¶这条鱼臭了, 把它～了吧! 이 생선은 상했으니 버려라!/不准乱～瓜果皮核; 과일 껍질이나 과일 속을 함부로 버리지 마십시오《거리의 표어》/这些废料还有用处, ～不得; 이 폐품들은 아직 쓸 데가 있으니까 버려서는 안 된다/他把英文～在一边儿了; 그는 영어를 포기했다. ④내버려 두다. ¶～下不管; 내버려 두고 상관하지 않다. ⑤〈轉〉지껄이다. ¶想一句～一句; 생각한 대로 지껄이다/～荒头儿; 터무니없는 소리를 지껄이다. ⑥〈轉〉앞서다. 뒤에 남기고 죽다. ¶我的小孩儿已经～了俩了; 내 자식은 벌써 둘이나 죽었다. ⑦〈轉〉떠나다. 멀어지다. ¶～了三十奔bèn四十; 30세를 지나 40세에 접어들다.
〔扔崩〕 rēngbēng ①동〈京〉휙 달아나다. 휙 떠나다. ¶～一走便完了事了; 도망쳐 버리면 그만이다/鸟儿～了; 새는 달아나 버렸다. ②〈擬〉휙《매우 빠른 모양》.
〔扔出去〕 rēngˌchuˌqu 내던지다.
〔扔哒(着)〕 rēngda(zhe) 동〈京〉내버려 두다. 던져 두다.
〔扔的〕 rēngde 부〈北方〉갑자기. 별안간. 돌연. 문득. ¶抢盗～想起来《梁斌 紅旗譜》; 강도는 문득 생각났다.
〔扔掉〕 rēngdiào 동〈京〉①→〔扔弃qì〕②내버려 두다.
〔扔谎〕 rēnghuǎng 동〈京〉도망칠 궁리를 하다. 책임 회피를 하다. ¶你不用～, 谁都明白; 책임 회피할 생각을 하지 마라. 모두가 알고 있다.
〔扔货〕 rēnghuò 명 (불량해서) 버려지는 물건. 쓸모가 없는 사람.
〔扔开〕 rēngkāi 동 포기하다. 그만두다. 중지하다.
〔扔坑儿〕 rēngkēngr 명 유리 구슬을 튀겨 구멍에 넣는 놀이.
〔扔弃〕 rēngqì 동 내던지다. 포기하다. ¶把功名～回乡下去了; 공명을 내던지고 고향으로 돌아갔다.
〔扔下〕 rēngxia 동 ①버리다. 던지다. ②내버려 두다. ¶～我没人管; 나를 버려 두고 아무도 돌보지 않다.
〔扔在脖子后边〕 rēngzai bózi hòubian 일을 싹 잊어버림. =〔扔在脑勺子后头〕
〔扔在九泉之外〕 rēngzai jiǔquán zhī wài〈比〉상관하지 않다. 문제삼지 않다.

仍 réng (잉) ①부〈文〉여전히. 아직도. ¶病～不见好; 병은 여전히 호전되지 않는다/～旧没有改变; 옛날 그대로인 채로 변하지 않았다. ②부 거듭. 누차. ③형〈文〉빈번하다. ¶频～; 빈번하다/本厂事故频生, ～希领导方面多加有意; 당 공장은 자주 사고가 일어나므로, 지도자 쪽에서 조심하기 바란다. ④동 (그대로) 따르다. ¶一～其旧; 모두 옛것을 따르다.
〔仍复〕 réngfù 부〈文〉또다시. 여전히. =〔仍照〕
〔仍旧〕 réngjiù 부 ①변함 없이. 그전대로. ¶一别十年, 他～是过去的老样子; 헤어지고 10년이 되었는데도 그는 여전히 옛날 그대로이다/他虽然遇到许多困难, 可是意志～那样坚强; 그는 많은 곤란에 부닥쳤지만, 여전히 의지는 공고하다. =〔照旧〕②본래대로. ¶～放在原来的位置; 본래대로 처음 위치에 놓아 두다. 동 옛것을 따르다.
〔仍旧贯〕 réngjiùguàn 동〈文〉이전대로 관철하다. ¶～如之何, 何必改作《論語 先進》; 이전대로 따르면 어떤가, 고칠 필요는 없지 않은가.
〔仍前〕 réngqián 부〈文〉전대로. 이전대로.
〔仍然〕 réngrán 부 ①이전대로. ¶伤愈出院之后, 他～担任车间主任; 그는 상처가 나아 퇴원한 뒤, 이전대로 직장 주임을 맡고 있다. ②계속해서. 여전히. ¶商场里～像往常一样热闹; 가게 안은 변함없이 흥청거린다/～不改恶习; 여전히 악습을 고치지 않다.
〔仍仍〕 réngréng 형〈文〉①많은 모양. ②뜻을 이루지 못한 모양.
〔仍仍然〕 réngréngrán 형〈文〉실의(失意)한 모양.
〔仍世〕 réngshì 부〈文〉대대로. 세세로. ¶～多

故; 대대로 사고가 많았다.
〔仍是〕 réngshi 부 역시. 여전히. ¶他～不听; 그는 여전히 말을 듣지 않는다.
〔仍孙〕 réngsūn 명 잉손(자기로부터 세어서 8대째의 손자). ＝〔耳ěr孙〕
〔仍未…〕 réngwèi… 〈文〉 아직 …하지 않다.
〔仍系…〕 réngxì… 〈文〉 아직 …이다.
〔仍须…〕 réngxū… 〈文〉 여전히〔이제까지와 마찬가지로〕 …해야 한다. ¶～如此; 역시 이대로 해야 한다.
〔仍在…〕 réngzài 〈文〉 아직 …중이다. ¶政府当局～考虑中; 정부 당국은 아직 고려중이다.
〔仍照〕 réngzhào 부 ⇨〔仍复〕

礽 **réng** (잉)
명 〈文〉 복(福).

RI 〡

日 **rì** (일)
① 명 (특정한) 날. 일. ¶工作～; 작업일(수)/假～; 휴일/纪念～; 기념일/节～; 축제일/八十～环游世界; 《書》 80일간의 세계 일주(쥘 베른의 모험 소설). ② 명 시기. ¶他～; 다른 날. 다른 시기/来～方长; 올 날은 아직 멀다/往～; 왕일. 옛날/不～; 머지않아. ③ 명 태양. 해. ¶红～东升; 붉은 태양이 동쪽에서 떠오르다. ④ 명 낮. ¶白～ ＝〔白天〕; 백주. 대낮. ⑤ 명 하루. 날. ¶阳历平年一年三百六十五～; 태양력으로는 평년은 1년 365일이다. ⑥ 부 매일. 나날이. ¶天气～渐炎热; 기후가 날로 더워지다/吾～三省吾身; 나는 하루에 세 번 내몸을 돌아본다/～昂; 나날이 값이 오르다/友好关系～趋亲密; 우호 관계가 날로 친밀해져 간다. ⑦ 명 계절. ¶春～; 봄. ⑧ 명 기후. ⑨(Rì) 명 《地》 〈簡〉 일본(日本). ¶中～两国; 중일 양국. ⑩(～子) 일본(日本). ¶过～子; 살아가다. 지내다. ⑪ 동 〈京〉 명 생활. ¶过～子; 살아가다. 지내다. ⑪ 동 〈京〉 〈罵〉 간음하다. ¶～他亲娘的! 젠장맞을! ⑫ 양 《物》 일. d(시간을 나타내는 단위).
〔日阿默第亚〕 rì'āmòdìyà 명 〈音〉 기하학(geometry). ＝〔量法〕〔几何学〕
〔日安〕 rì'ān 〈翰〉 당신의 오늘의 행복을 빕니다(끝머리에 곁들이는 상투 문구의 일종으로). ¶专zhuān此, 顺请～; 우선 용건을 말씀드리옵고, 끝으로 안녕히 계시기를 빕니다. ＝〔日祉zhǐ〕〔日祺qí〕〔日佳〕
〔日班〕 rìbān 명 낮 근무조(勤務組). 낮반. 주간반. ¶向车间主任请求调换一下, 暂时让她上～; 직장 주임에게 청하여 근무를 바꾸어 달래서, 그녀에게 잠시 주간반을 맡게 하다. ＝〔白bái班〕
〔日斑〕 rìbān 명 《天》 태양의 흑점.
〔日报〕 rìbào 명 ①일간 신문. ¶人民～; 인민 일보(중국 공산당 중앙 기관지). ②(Rìbào) 일본의 신문.
〔日报表〕 rìbàobiǎo 명 매일의 생산고 따위를 기입하는 표. 일계표. ¶填～; 일계표에 기입하다.
〔日本〕 Rìběn 명 《地》 일본. ¶～菜; 일본 요리/～扁鲨biānshā; 《魚》 전자리상어/～黑松 ＝〔黑松〕; 《植》 해송/～三蕊柳sānruǐliǔ; 《植》 선버들/～沙蚕shācán; 《動》 갯지렁이/～工业标准规格; 일본 공업 규격. 지스(JIS).
〔日崩〕 rìbēng 〈擬〉 ①붕 하는 소리. ②휙(날아가듯 빠른 모양). ¶～没影儿了; 눈 깜짝할 사이에 모습을 감추었다. ＝〔日绷〕
〔日币〕 rìbì 명 일화(日貨). 일본 화폐.
〔日表〕 rìbiǎo 명 ① ⇨〔日晷(仪)〕 ②〈文〉 해와 달의 바깥. 천외(天外)(매우 먼 곳).
〔日薄西山〕 rì bó xī shān 〈成〉 해가 서산에 지려 하고 있다(여생이 얼마 남지 않다). ¶～, 气息奄奄 ＝〔～, 奄奄一息〕; 여생이 얼마 남지 않다. 죽어 가다.
〔日晡〕 rìbū 명 〈文〉 신시(申時)(오후 4시경).
〔日不错影〕 rì bù cuò yǐng 〈比〉 매일 어김없이. 매일 정해 놓고〔정확히〕.
〔日不暇给〕 rì bù xiá jǐ 〈成〉 바빠서 시간이 모자라다. 바빠서 하루 종일 시간의 여유가 없다.
〔日差〕 rìchā 명 《天》 일조(日照) 시간의 차.
〔日拆〕 rìchāi 명 《商》 일변(日邊). ¶同业～; 콜금리 일변/存款～; 예금 일변/放款～; 대부 일변. ＝〔日利〕
〔日躔〕 rìchán 명 《天》 태양이 황도상을 운행 경과하는 각 점(點).
〔日产〕 rìchǎn 명 일산. ¶～量; 일산. 일일 생산량.
〔日长如岁〕 rì cháng rú suì 〈成〉 하루가 1년처럼 길게 느껴지다. ¶日长如小年; 하루가 거의 1년만큼이나 길게 느껴진다.
〔日长岁久〕 rì cháng suì jiǔ 〈成〉 ⇨〔日久天长〕
〔日长一线〕 rì cháng yī xiàn 〈成〉 ①(동지가 지난 후) 점점 해가 길어지다. ②〈轉〉 동지 후.
〔日长至〕 rìchángzhì 명동 하지(夏至)(가 되다).
〔日常〕 rìcháng 형 일상의. 일상적인. ¶～用语; 일상 용어/～生活; 일상 생활/～工作; 평상시의 일.
〔日常间〕 rìchángjiān 명 평소.
〔日场〕 rìchǎng 명 주간부(연극 따위의). ↔〔夜场〕
〔日抄〕 rìchāo 명 매일 적는 일기·필기 따위. 일일 기록.
〔日钞〕 rìchāo 명 일본 지폐. →〔日币〕
〔日车公里〕 rìchē gōnglǐ 명 자동차로 하루에 갈 수 있는 정도의 거리. ¶五～地; 자동차로 5일 정도 걸리는 거리.
〔日辰〕 rìchén 명 일진('天tiān干'·'地dì支'를 말함).
〔日程〕 rìchéng 명 일정. 행사 스케줄. ¶～表 ＝〔～历〕; 행사 예정표/安排～; 일정을 짜다/工作～; 작업 일정〔스케줄〕/～排得很紧; 일정이 꽉 짜여 있다/提到～上; 일정을 앞당기다.
〔日出〕 rìchū 명 일출. 해돋이. 동 해가 뜨다. ¶～而作, 日入而息xī; 해가 뜨면 일하고, 해가 지면 쉰다.
〔日出不穷〕 rì chū bù qióng 〈成〉 매일 나와서 끊임이 없음. 잇달아 출현하다.
〔日戳〕 rìchuō 명 일부인(日附印).
〔日戴〕 rìdài 명 《氣》 햇무리. ＝〔日晕〕
〔日道〕 rìdào 명 ⇨〔回huí归线〕
〔日地〕 rìdì 명 〈北方〉 한 사람이 하루에 경작할 수 있는 넓이의 밭. ¶有十～; 경작에 10일 걸리는 넓이의 농토가 있다.
〔日跌〕 rìdiē 동 하루하루 하락하다.
〔日昳〕 rìdié 명 〈文〉 정오 조금 지났을 무렵. 이른 오후. ¶至～皆会; 이른 오후가 되어서야 모두 모였다.
〔日短至〕 rìduǎnzhì 명 동지. 동 낮이 짧아지다.

‖ =〔日南至〕
〔日耳曼人〕 Rì'ěrmànrén 명 〈音〉 게르만(독 German)인(人).
〔日珥〕 rì'ěr 명 ⇨〔日冕〕
〔日费〕 rìfèi 명 하루하루 쓰는 비용.
〔日分〕 rìfèn 명 날수. 날짜.
〔日旰〕 rìgàn 명 〈文〉 저녁때. 일모(日暮).
〔日工〕 rìgōng 명 ①하루의 일〔공임〕 ②주간의 일. 주간 노동. ③일용(日傭) 노동자. 임시공(工).
〔日工资〕 rìgōngzī 명 일급. 하루의 임금. =〔日给〕〔日薪〕
〔日怪〕 rìguài 형 〈俗〉 이상하다. 괴이하다.
〔日官〕 rìguān 명 일관《옛날에, 달력을 관장한 관리》.
〔日冠〕 rìguān 명 《天》 일관《태양의 상부에만 나타난 햇무리》.
〔日光〕 rìguāng 명 햇빛. 일광. ¶～浴; 일광욕.
〔日光尘〕 rìguāngchén 명 ⇨〔隙xì游尘〕
〔日光灯〕 rìguāngdēng 명 형광등. =〔荧yíng光灯〕
〔日圭〕 rìguī 명 ⇨〔日晷(仪)〕
〔日规〕 rìguī 명 ⇨〔日晷(仪)〕
〔日晷(仪)〕 rìguǐ(yí) 명 《天》 해시계. =〔日表①〕〔日圭〕〔日规〕
〔日后〕 rìhòu 명 후일. 일간. 장차. ¶～再说; 뒷날 다시 이야기하자. =〔将来〕
〔日华〕 rìhuá 명 《天》 코로나.
〔日化工业〕 rìhuà gōngyè 명 일용 화학 공업.
〔日环蚀〕 rìhuánshí 명 《天》 금환식(金環蝕).
〔日会〕 rìhuì 명 일수계(日收契). ¶她拥yōng有几百个做～的客人; 그녀는 수백 명의 일수계 계원을 갖고 있다.
〔日货〕 rìhuò 명 일본 상품. ¶抵制～; 일본 상품 배척.
〔日积月累〕 rì jī yuè lěi 〈成〉 점점 쌓여 가다. ¶一天存一角, ～就能成一笔大款kuǎn; 매일 10전씩 돈을 모으면, 쌓이고 쌓여서 큰 돈이 된다.
〔日及〕 rìjí 명 ①⇨〔木mù槿〕 ②⇨〔朱zhū槿〕
〔日籍〕 rìjí 명 일본 국적.
〔日给〕 rìjǐ 명 ⇨〔日工资〕
〔日计〕 rìjì 동 매일 계산하다. 명 일당 계산. ¶～表; 《商》 일계표.
〔日记〕 rìjì 명 일기. 일지. ¶记～; 일기를 쓰다 / ～本(儿); 일기장.
〔日记本儿〕 rìjìběnr 명 일기장.
〔日记账〕 rìjìzhàng 명 (장부의) 일기장. =〔日记簿〕〔日清簿〕〔序时账〕
〔日佳〕 rìjiā ⇨〔日安〕
〔日家〕 rìjiā 명 점쟁이, 점술사.
〔日间〕 rìjiān 명 ①주간. 낮. ②요즈음. 작금.
〔日见〕 rìjiàn 동 하루하루 …이 되다. ¶人心～其安静; 인심이 하루하루 안정되어 갔다 / ～好转; 하루하루 호전되어 가다.
〔日见增长〕 rì jiàn zēng zhǎng 〈成〉 날로 증진되는 것을 알다.
〔日脚〕 rìjiǎo 명 ①햇살. ②⇨〔日子①〕
〔日金〕 rìjīn 명 일본 돈.
〔日进斗金〕 rì jìn dǒu jīn 〈成〉 매일 많은 매상〔수입〕이 있다.
〔日近日亲, 日远日疏〕 rìjìn rìqīn, rìyuǎn rìshū 〈諺〉 날마다 가까이하는 사람은 날로 친해지고, 날마다 멀리하는 사람은 날로 소원해진다.
〔日景〕 rìjǐng 명 〈文〉 햇발. =〔日脚①〕〔日影〕
〔日经指数〕 rìjīng zhǐshù 명 《經》 니케이 지수.
〔日久〕 rìjiǔ 동 오랜 세월이 지나다. ¶～见人心 〈諺〉 세월이 가노라면 사람의 본심을 알게 된다.
〔日久年深〕 rì jiǔ nián shēn 〈成〉 ⇨〔日久天长〕
〔日久天长〕 rì jiǔ tiān cháng 〈成〉 오랜 세월이 흐르다. ¶～养成了这种恶习惯; 오랜 세월 동안에 이러한 나쁜 습관이 들었다 / ～你也就明白了; 언젠가는 너도 알게 된다 / ～自然就知道了; 오랜 세월이 흐르면 자연히 알게 된다. =〔日长岁久〕〔日久年深〕
〔日久玩生〕 rì jiǔ wán shēng 〈成〉 시일이 지날수록 게으른 마음이 생기다.
〔日就月将〕 rì jiù yuè jiāng 〈成〉 일취월장. 착착 성적이 오르다. 날로 발전하여 성과가 오르다. =〔月就日将〕
〔日车〕 rìjū 명 ①〈文〉 태양. ②〈比〉 세월.
〔日居月诸〕 rì jū yuè zhū 〈成〉 해와 달. 세월. =〔居诸〕
〔日喀则〕 Rìkāzé 명 《地》 시가체(shigatse)《티베트의 옛 도시》.
〔日刊〕 rìkān 명 일간(의 신문 잡지 등의 간행물).
〔日课〕 rìkè 명 ①일과. ②주간의 과업.
〔日寇〕 rìkòu 명 〈貶〉 일본 침략(자). ¶接收～投降xiáng; 일본 침략자의 투항을 받아들이다.
〔日来〕 rìlái 요사이. 평소에.
〔日烂红〕 rìlànhóng 명 《植》 천축규. 양이욱. =〔天tiān竺葵〕
〔日里〕 rìlǐ 명 ⇨〔白bái天〕
〔日理万机〕 rì lǐ wàn jī 〈成〉 (정치 권력을 쥐고 있는 사람이) 매일 많은 중요 정무(政務)를 처리하는 일.
〔日历〕 rìlì 명 일력. 캘린더. ¶翻～; 일력을 넘기다.
〔日利〕 rìlì 명 ⇨〔日拆〕
〔日录〕 rìlù 명 매일의 기록.
〔日轮〕 rìlún 명 〈文〉 ①일륜. 태양. ②일본의 기선(汽船).
〔日落〕 rìluò 동 ①해가 지다. ¶～西山; 해가 서산에 지다. ②날이 갈수록 떨어지다〔하락하다〕.
〔日迈月征〕 rì mài yuè zhēng 〈成〉 날로 달로 진보 향상하다.
〔日冕〕 rìmiǎn 명 《天》 코로나. ¶主要调查～、地磁cí气和宇宙线等; 주로 코로나·지자기·우주선 등을 조사한다. =〔日珥〕〔日华〕〔彩cǎi球②〕〔光guāng圈②〕〔太tài阳白光〕
〔日冕仪〕 rìmiǎnyí 명 코로나(corona) 관측기(機).
〔日没〕 rìmò 동 해가 지다. ¶那时已是～沉chén西《水滸傳》; 그 때는 이미 해가 (서쪽으로) 졌다. 명 일몰. ¶～胭yān脂红; 〈諺〉 일몰에 저녁 노을이 지면 이튿날은 갠다.
〔日暮途穷〕 rì mù tú qióng 〈成〉 해는 저물고 길은 막히다. 궁지에 몰리다. ¶～, 一筹莫展; 몰락의 일로를 더듬어, 완전히 궁지에 몰리다. =〔日暮途远〕
〔日暮途远〕 rì mù tú yuǎn 〈成〉 ⇨〔日暮途穷〕
〔日南至〕 rìnánzhì 명동 ⇨〔日短至〕
〔日内〕 rìnèi 명 근일중. 며칠 안으로. ¶大会将于～举行; 대회는 수일 내에 개최한다 / ～将给以答复; 근일중에 (문서로) 회답한다.
〔日内瓦〕 Rìnèiwǎ 명 《地》 〈音〉 제네바(Geneva). ¶～条约 =〔红十字条约〕; 제네바 조약.
〔日弄〕 rìnòng 동 〈俗〉 아무렇게나 하다. ¶你别～; 함부로 하지 마라.

〔日偏蚀〕 rìpiānshí 명《天》 부분 일식(部分日蝕).
〔日平西〕 rì píngxī 해가 서쪽에 지다. 해가 저물다.
〔日期〕 rìqī 명 ①기일. 날짜. ¶发信的~; 발신 일부(日附) / 开会的~; 회의 날짜. ②기한.
〔日期界线〕 rìqī jièxiàn 명《地》 날짜 변경선.
〔日祺〕 rìqí ⇨〔日安〕
〔日前〕 rìqián 명 전날. 며칠 전.
〔日侨〕 rìqiáo 명 재외(在外) 일본인. →〔华侨〕
〔日清簿〕 rìqīngbù 명 ⇨〔日记账〕
〔日趋〕 rìqū 부 나날이. 날로. 점점. ¶~崩溃; 나날이 붕괴되어 가다.
〔日全蚀〕 rìquánshí 명《天》 개기 일식(皆旣日蝕).
〔日人〕 rìrén 명 일인. 일본 사람.
〔日日〕 rìrì 명 일일. 매일.
〔日入而息〕 rì rù ér xī 〈成〉 해가 지면 쉰다(보통 '日出而作'(해가 뜨면 일하다)와 이어서 사용함).
〔日伞〕 rìsǎn 명 ⇨〔御yù日伞〕
〔日色〕 rìsè 명〈文〉 햇빛. 일광. ¶今天~发暗; 오늘은 햇빛이 어둡다. 오늘은 잔뜩 흐려 있다.
〔日纱〕 rìshā 명 일본 면사(綿絲).
〔日上三竿〕 rì shàng sān gān 〈成〉 해가 장대 세 개의 높이만큼 높이 뜨다. 해가 이미 높이 떠오름(늦잠을 잤을 때 흔히 씀).
〔日射病〕 rìshèbìng 명《醫》 일사병. =〔中暑〕
〔日射角〕 rìshèjiǎo 명《物》 입사각(入射角). 태양 광선이 지면과 이루는 각도.
〔日甚〕 rìshèn 동 날이 갈수록 심해지다.
〔日升月恒〕 rì shēng yuè héng 〈成〉 점점 발전하다〔성해지다〕
〔日食〕 rìshí 명동《天》 일식(하다). ¶日环huán食 =〔〈俗〉环食〕; 금환식 / 日全食; 개기 일식 / 日偏食; 부분 일식. =〔日蚀〕
〔日使〕 rìshǐ 명 일본 사절. 일본의 대사·공사.
〔日斯巴尼亚〕 Rìsībāníyà 명《地》〈音〉 에스파냐 (Espana)(스페인. 수도는 '马德里'(마드리드: Madrid)).
〔日塌〕 rìtā 동〈方〉〈俗〉 엉망이〔끝장이〕 되다. ¶都给闹~了; 모두 못 쓰게 됐다.
〔日坛〕 Rìtán 명 베이징(北京) 조양문(朝陽門) 밖에 있는, 옛날에 황제가 태양을 제사 지낸 높은 단.
〔日天〕 rìtiān 명 〈方〉 하루의 시간〔길이〕. 1일. ¶走了三~; 3일 동안 걸었다 / ~太短; 해가 너무나도 짧다.
〔日头〕 rìtou 명 ①〈方〉 태양. 해. ¶~没了; 해가 졌다 / ~平西; 해가 진다 / ~冒嘴; 해가 뜨기 시작하다 / ~地儿; 양지 / ~打西出来; 해가 서쪽에서 뜨다(있을 수 없는 일. 보통이 아닌 일) / 假如你说~从西出来, 他都信得及; 설사 네가 해가 서쪽에서 뜬다고 하더라도, 그는 믿을 것이다. ②낮.
〔日托〕 rìtuō 명 (어린애를) 탁아소에 하루 맡기기(아침부터 저녁까지).
〔日伪〕 Rìwěi 명〈貶〉 중일 전쟁 당시의 일본과 만주국(「日本」과 「伪满」의 뜻). ¶~时期; 일본이 만주국을 만들었던 당시.
〔日文〕 Rìwén 명 일문. 일본어. =〔日语〕
〔日雾〕 rìwù 명 스모그.
〔日夕〕 rìxī 명 ①아침 저녁. 주야. ②황혼.
〔日息〕 rìxī 명 일변(日邊). ¶~二十元; (1000원에 대하여) 일변 20원(元).
〔日戏〕 rìxì 명《劇》 마티네(프 matinée). 주간 공연.
〔日系〕 rìxì 명형 일계(의). 일본 계통(의). 명 ⇨〔太tài阳系〕
〔日下〕 rìxià 명 ①'京师'(수도)의 별칭. ②천하. ¶~无双; 천하 무쌍. ③목하(目下). 요즈음. ¶~天色且是凉; 요즘 날씨는 꽤나 시원한 편이다.
〔日新月盛〕 rì xīn yuè shèng 〈成〉 날로 왕성해지다.
〔日新月异〕 rì xīn yuè yì 〈成〉 하루가 다르게 발전되어 가다〔새로워지다〕.
〔日薪〕 rìxīn 명 일급. =〔日工资〕
〔日行〕 rìxíng 명〈文〉 ①하루의 행정. ②햇발. 동 하루에 …를 가다. ¶~千里; 하루에 천 리를 가다.
〔日削月朘〕 rì xuē yuè juān 〈成〉 마냥 착취를 당하다. 중세(重稅)에 시달리다.
〔日曛〕 rìxūn 명〈文〉 저녁. 황혼.
〔日阳〕 rìyáng 명 일광. 햇살. ¶仍在那里晒~; 아직도 거기에서 햇볕을 쬐고 있다.
〔日要〕 rìyào 명〈文〉 하루의 마무리. 하루일의 매듭.
〔日夜〕 rìyè 명 밤과 낮. 밤낮. 부 밤낮을 가리지 않고. ¶~不停; 밤낮없이 계속하다 / ~三班轮流生产; 밤낮없이 3교대로 생산하다 / ~商店; 철야 영업의 일용품 상점(주로 밤늦게 퇴근하는 근로자 편의를 위한 상점).
〔日夜工〕 rìyègōng 명 (공장 따위의) 주야 교대 근무. 주야 교대 근무 근로자.
〔日以继夜〕 rì yǐ jì yè 〈成〉 ⇨〔夜以继日〕
〔日益〕 rìyì 부 나날이. 날이 갈수록. ¶团结~深切; 단결이 나날이 굳어져 간다.
〔日影〕 rìyǐng 명 ⇨〔日景〕
〔日用〕 rìyòng 형 일용의. ¶~品; 일용품 / ~油; 식용유 / ~家伙; 일용 도구 / ~花费; 일용 잡비. 명 생활비. ¶他留一部分钱做~; 그는 얼마간의 돈을 생활비로 남긴다 / ~账; 가계부.
〔日游神〕 rìyóushén 명 흔히, 걸어다니는 신이라고 하는 흉한 귀신(집집을 찾아다니며 사람의 선악을 살핀다고 함). =〔游奕yì〕
〔日有所闻〕 rì yǒu suǒ wén (사건·사람 등에 관하여) 거의 매일 듣게 되다. ¶摩mó托车事故~; 오토바이 사고는 거의 매일 듣게 된다.
〔日语〕 Rìyǔ 명 ⇨〔日文〕
〔日域〕 rìyù 명 ①〈文〉 해가 뜨는 곳. 먼 동방의 지역. ②〈比〉 천하.
〔日元〕 rìyuán 명양《貨》 일본의 통화 단위. 엔(円). =〔日圆〕
〔日圆〕 rìyuán 명양 ⇨〔日元〕
〔日月〕 rìyuè 명 ①일월. 월일. 시간. 세월. ¶~经天; 〈比〉 영원히 변하지 않다 / ~如梭; 세월은 북처럼 빠르다. ②〈比〉 ⓐ천자와 황후. ⓑ성철(聖哲). ¶仲尼, ~也; 중니는 성인이다. ③⇨〔日月儿〕
〔日月经天〕 rì yuè jīng tiān 〈成〉 영원히 변치 않다.
〔日月儿〕 rìyuèr 명 생활. 생계. ¶太平的~; 평온한 생활. =〔日月③〕
〔日月如梭〕 rì yuè rú suō 〈成〉 해와 달〔세월〕은 (베틀의 북처럼) 빨리 지나간다.
〔日晕〕 rìyùn 명《天》 햇무리.
〔日增〕 rìzēng 동 나날이 붇다〔늘어나다〕. 하루하루 …이 되다. →〔日见〕
〔日长〕 rìzhǎng 동〈文〉 날로 증대하다.

〔日涨〕 rìzhǎng 동 나날이 값이 오르다.
〔日者〕 rìzhě 명 〈文〉 ①지난날. 언젠가. ②점쟁이.
〔日臻〕 rìzhēn 동 〈文〉 날로 …되다. ¶～完善; 날로 완전하게 되다.
〔日支〕 rìzhī 명 매일의 지출〔지불〕.
〔日祉〕 rìzhǐ ⇨〔日安〕
〔日至〕 rìzhì 명 하지(夏至)와 동지(冬至).
〔日志〕 rìzhì 명 일지. ¶教室～; 교실 일지.
〔日中〕 rìzhōng 명 ①정오(正午). ②춘분(春分). ③(RìZhōng) 일본과 중국.
〔日逐〕 rìzhú 명 매일. ¶我～在这里伺cì候《清平山堂話本》; 나는 매일 여기서 기다리고 있다.
〔日字链〕 rìzìliàn 명 《機》 날일자형 쇠사슬.
〔日子〕 rìzi 명 ①날. 일수. 택일. ¶择定～; 택일하다. 날짜를 정하다 / 往前改～; 날짜를 당기다 / 已经不是～; 이제 며칠 안 남았다 / ～过得真快; 세월 가는 것이 정말 빠르다 / ～短, 来不及预备; 날짜가 적어서 준비가 끝나지 않는다 / 他走了有些～了; 그가 출발한 지 여러 날이 되었다. =〔日脚②〕 ②살림살이. 생활. ¶过～; 지내다. 생활하다 / 不好过～; 생활이 힘들다 / ～紧; 살림이 옹색하다〔빡빡하다〕 / 近来他的～似乎是很好; 요즘 그의 형편이 꽤 좋은 것 같다. ③정해진 날짜. ¶你有～走没有? 출발 날짜는 결정되었습니까? / 今天什么～? 오늘은 무슨 날입니까? / ～已经定好了吗? 날짜는 벌써 정했느냐? ④상황. 입장. ¶两个超级大国的～越来越不好过; 두 초대국(超大國)의 입장은 점점 난처하게 되고 있다.
〔日子比树叶儿长〕 rìzi bǐ shùyèr cháng 〈諺〉 날은 나뭇잎보다 길다《한정된 나뭇잎과는 달리 앞날이 길다. 쥐구멍에도 볕들 날이 있다》.
〔日子口儿〕 rìzikǒur 명 〈北方〉 중요한 날. 요긴한 날. ¶谁叫正赶上这～了呢; 마침 이 중요한 날에 맞추다니 (신통하다).
〔日子老儿〕 rìzilǎor 명 근면 성실하고 검약한 사람. 꼼꼼하고 낭비가 없는 사람. ¶年轻轻儿的, 怎么成了～了? 나이도 아주 어린데, 어떻게 저렇게 살림꾼이 되었지?
〔日昨〕 rìzuó 명 〈文〉 어제.

驲(馹) rì (일)
명 옛날, 역참(驛站)에서 쓰던 마차.

钼(鈤) rì (일)
명 《化》 '锗zhě' 게르마늄(Ge: germanium)의 구칭.

RONG ㄖㄨㄥ

戎 róng (융)
①명 무기. 병기. ②명 〈轉〉 군비. 군대. 군사. ¶从～; 종군하다. ③명 전쟁. ④(Róng) 명 《民》 융《옛 중국 서쪽의 종족의 총칭》. ⑤명 병거(兵車). ⑥형 〈文〉 크다. ⑦동 제거하다. ⑧명 성(姓)의 하나.
〔戎车〕 róngchē 명 옛날에, 군주가 타던 병거(兵車).
〔戎狄〕 róng dí 명 〈比〉 야만인. 만족《옛날, 서방의 이민족을 '戎', 북방의 이민족을 '狄'라 하였음》.
〔戎服〕 róngfú 명 ⇨〔戎衣〕
〔戎公〕 rónggōng 명 ⇨〔戎功〕
〔戎功〕 rónggōng 명 〈文〉 큰 공. =〔戎公〕
〔戎行〕 róngháng 명 〈文〉 군대. 대오(隊伍). ¶久历～; 오랫동안 군대 생활을 하다.
〔戎机〕 róngjī 명 〈文〉 ①전기(戰機). ¶屡lǚ误～; 여러 번 전투 계획을 그르치다. ②군사 기밀.
〔戎克〕 róngkè 명 정크(junk).
〔戎葵〕 róngkuí 명 ⇨〔蜀shǔ葵〕
〔戎卢〕 Rónglú 명 《史》 서역(西域)의 나라 이름.
〔戎马〕 róngmǎ 명 ①군마(軍馬). ②군사(軍事). 종군(從軍). ¶～生涯yá; 군대 생활 / ～倥偬; 〈成〉 군무 다망하다.
〔戎蛮〕 róngmán 명 춘추 시대에, 현재의 허난 성(河南省) 경계에 거주한 서융(西戎)의 한 지파(支派). =〔戎曼〕
〔戎器〕 róngqì 명 병기. 무기.
〔戎士〕 róngshì 명 병졸. 병사.
〔戎事〕 róngshì 명 〈文〉 군사(軍事).
〔戎首〕 róngshǒu 명 전쟁의 주모자. (일을 일으키는) 주동자.
〔戎菽〕 róngshū 명 대두. 콩. →〔豌wān豆〕
〔戎索〕 róngsuǒ 명 〈文〉 용병의 방략(方略). 병법.
〔戎伍〕 róngwǔ 명 〈文〉 대오(隊伍).
〔戎盐〕 róngyán 명 ⇨〔石shí盐〕
〔戎衣〕 róngyī 명 〈文〉 군복. 융복. =〔戎服〕
〔戎右〕 róngyòu 명 옛날, 군주의 수레에 탄 호위병.
〔戎政〕 róngzhèng 명 〈文〉 군정(軍政).
〔戎装〕 róngzhuāng 명 〈文〉 군장(軍裝).

狨 róng (융)
명 《動》 명주원숭이.

绒(絨〈羢, 毧〉) róng (융)
명 ①무명·명주·양모 따위의 직물로 표면에 보풀이 있는 것. ¶法(兰)～; 플란넬(flannel) / 天鹅～; 비로드. 우단 / 丝～; 실크 비로드. ②담요 따위의 직물. ③(～儿) 수놓는 연사(練絲). ¶～绣; 숙사(熟絲)로 놓은 (자)수. ④섬유의 가는 실. ¶这棉花不错, 棉～很长; 이 목화는 아주 좋다. 실이 굉장히 길다. ⑤가는 털실. ¶毛～; 가는 털실. ⑥동물, 특히 양의 가는 털. 융털. ¶山羊～; 산양의 융털. ⑦닭고기 다진 것을 수프에 넣은 요리.
〔绒被〕 róngbèi 명 담요. 모포. =〔毯tǎn子〕
〔绒鳖〕 róngbié 명 《蟲》 풍뎅이의 일종. ¶金jīn龟子; 풍뎅이의 일종.
〔绒布〕 róngbù 명 《紡》 면(綿)플란넬.
〔绒发〕 róngfà 명 곱슬머리. ¶～种zhǒng; 곱슬머리 종족.
〔绒花〕 rónghuā 명 ①《植》 물푸레나무의 꽃. ②⇨〔绒花儿〕
〔绒花儿〕 rónghuār 명 (비로드로 만든) 조화(造花). =〔绒花②〕
〔绒花布〕 rónghuābù 명 《紡》 무명의 일종《부드럽고 황색을 띰》.
〔绒花树〕 rónghuāshù 명 《植》 자귀나무. =〔合hé欢〕
〔绒货〕 rónghuò 명 플란넬 등의 모직천으로 만든 제품의 총칭.
〔绒裤〕 róngkù 명 두꺼운 메리야스 속바지. ¶棉～; 면메리야스 속옷 아랫도리.
〔绒料〕 róngliào 명 플란넬 등의 천.

〔绒毛〕 róngmáo 명 ①《生》 융모. 잔털. ②《植》 융모. ③괴깔. 직물(織物) 표면의 부드러운 잔털.
〔绒帽〕 róngmào 명 비로드(포 veludo)로 된 모자.
〔绒面皮鞋〕 róngmiàn píxié 명 쉬에드(프 suède) 가죽 구두.
〔绒呢〕 róngní 명 ⇨〔呢绒〕
〔绒球儿〕 róngqiúr 명 여러 색실로 만든 공 모양의 것《축하할 때 장식으로 쓰임》.
〔绒球花〕 róngqiúhuā 명 자귀나무의 꽃.
〔绒衫〕 róngshān 명 털셔츠.
〔绒绳儿〕 róngshéngr 명 털실. =〔毛线〕
〔绒兽〕 róngshòu 명 털을 깎아 모직물을 만들 수 있는 동물.
〔绒鼠〕 róngshǔ 명 ⇨〔灰huī鼠②〕
〔绒穗儿〕 róngsuìr 명 털(로 만든) 술.
〔绒毯〕 róngtǎn 명 ①양탄자. 카펫. ②담요. 모포.
〔绒绦〕 róngtāo 명 털합사(合絲).
〔绒头绳(儿)〕 róngtóushéng(r) 명 ①머리띠. 머리 묶는 끈. ②〈方〉 털실.
〔绒袜〕 róngwà 명 털양말.
〔绒线〕 róngxiàn 명 ①〈方〉 털실. ¶～裤; 털속바지 / ～背心; 털조끼. =〔毛线〕 ②수실. ¶～儿铺; 실가게. 여성 용품점. ‖ =〔茸线〕
〔绒线衫〕 róngxiànshān 명 자켓. ¶编biān织～; 자켓을 뜨다.
〔绒鞋〕 róngxié 명 겨울용의 나사(羅紗)로 만든 신.
〔绒衣〕 róngyī 명 두꺼운 메리야스 내의. ¶～裤kù; 두꺼운 메리야스 상하의(上下衣) / 丁字形～; 두꺼운 메리야스 T셔츠. =〔〈方〉 卫wèi生衣〕
〔绒衣裤〕 róngyīkù 명 두꺼운 메리야스 속내의.
〔绒毡轰炸〕 róngzhān hōngzhà 명《軍》융단 폭격.
〔绒毡子〕 róngzhānzi 명 융단. 양탄자.

肜 róng (융)

명 옛날, 제사(祭祀)의 하나《축제 다음 날 행하는 제사》.

荣(榮) róng (영)

①형 번영하다. 번창하다. ¶市面繁～; 시장이 번성하다. ②형 초목이 무성하다. ¶欣欣向～; 초목이 싱싱하게 자라다《사업이 번창하여 활기가 있음》/ 春～冬枯; 봄에 무성하고 겨울에 시들어 마르다. ③형 영광스럽다. ④명 지붕 양끝의 번쩍 들린 부분. ⑤명 영광. 영예. ¶～立二等功; 영예롭게 제2급의 공을 세우다. ⑥명 성(姓)의 하나.
〔荣哀录〕 róng'āilù 명 추도록(追悼錄).
〔荣便〕 róngbiàn 명 〈文〉 인편.
〔荣耻〕 róngchǐ 명 ⇨〔荣辱〕
〔荣宠〕 róngchǒng 동 〈文〉 은총을 받다. ¶甚欲避～, 以病上书乞身《後漢書 李通傳》; 은총을 받기를 굳이 피하기 위하여, 병을 핑계로 사표를 냈다.
〔荣悴〕 róngcuì 명 ⇨〔荣枯〕
〔荣典〕 róngdiǎn 명 영전.
〔荣分〕 róngfen 형 (얼굴에) 윤기가 있다. 명 월경의 별칭. =〔月yuè经〕
〔荣光〕 róngguāng 명 〈文〉 ①서기(瑞氣). ②영광.
〔荣归〕 róngguī 동 영광스러운 귀향〔귀임〕을 하다. =〔荣旋〕
〔荣华〕 rónghuá 동 초목에 꽃이 피다. 명 영화. ¶～富贵; 부귀 영화를 누리다.
〔荣婚〕 rónghūn 명동 〈文〉 결혼(하시다). ¶未知几时～? 언제 결혼하십니까? =〔荣娶〕
〔荣获〕 rónghuò 동 영예롭게도 …을 획득하다.
〔荣军〕 róngjūn 명 상이 군인. '荣誉军人'의 약칭.
〔荣枯〕 róngkū 명 영고(성쇠). 번영과 몰락. =〔荣悴〕
〔荣兰〕 rónglán 명 ⇨〔露lù兜树〕
〔荣立〕 rónglì 동 영광스럽게도 세우다. ¶～了三等功; 영광스럽게도 3등의 공을 세웠다.
〔荣禄〕 rónglù 명 〈文〉 영록. 명예와 봉록.
〔荣禄大夫〕 rónglùdàfū 명 영록 대부《종일품에 봉해진 문관의 칭호》.
〔荣名〕 róngmíng 명 〈文〉 영예. 좋은 평판. ¶死有遗业, 生有～《淮南子》; 죽은 후에도 훌륭한 업적을 남기고, 살아서는 영예가 높다.
〔荣迁〕 róngqiān 명동 전임(하다). 영전(하다).
〔荣娶〕 róngqǔ 명동 ⇨〔荣婚〕
〔荣儿〕 róngr 명 ⇨〔茸儿〕
〔荣任〕 róngrèn 명동 취임(하시다). ¶～何处? 귀하의 근무지는 어디십니까 / ～过什么地方? 어느 곳을 역임하셨습니까?
〔荣辱〕 róngrǔ 명 〈文〉 영욕. 영광과 치욕. =〔荣耻〕
〔荣升〕 róngshēng 동 〈立〉 영전(榮轉)하다.
〔荣桐〕 róngtóng 명《植》'桐①'(오동나무)의 고칭(古稱).
〔荣卫〕 róngwèi 명 ⇨〔营yíng卫〕
〔荣闻〕 róngwén 명 〈文〉 좋은 평판. =〔荣问〕
〔荣问〕 róngwèn 명 ⇨〔荣闻〕
〔荣显〕 róngxiǎn 동 〈文〉 입신 출세하다.
〔荣行〕 róngxíng 명동 〈敬〉 출발(하시다). ¶几时～? 언제 출발하십니까?
〔荣幸〕 róngxìng 형 영광스럽다. ¶曷胜héshèng～; 〈翰〉 이 이상의 영광이 없다 / 觉着非常～; 매우 큰 영광으로 생각하다 / 我们能见到您, 感到十分～! 당신을 뵙게 된 것을 무한한 영광으로 생각합니다!
〔荣叙〕 róngxù 명동 〈文〉 영전(하다).
〔荣旋〕 róngxuán 동 ⇨〔荣归〕
〔荣耀〕 róngyào 명 광영. 영광. 영예. 형 영광스럽다.
〔荣膺〕 róngyīng 동 〈文〉 영광스럽게도 …의 지위에 있다. …의 영광을 받다. ¶～司令部的要职; 사령부의 요직에 임명되다 / ～新命; 새로운 임무를 받다.
〔荣誉〕 róngyù 명 영예. ¶～市民; 명예 시민 / ～感; 명예심 / ～券 =〔名誉票〕; 찬조 입장권《입장권의 규정 가격에 의연금을 부가시킨 것》/ ～军人; 상이 군인.
〔荣原〕 róngyuán 명 ⇨〔蝾螈〕
〔荣字头(儿)〕 róngzìtóu(r) 명 한자 부수의 '艹'. =〔劳láo字头(儿)〕
〔荣宗耀祖〕 róng zōng yào zǔ 〈成〉 조상의 이름을 빛내다.

嵘(嶸) róng (영)

→〔峥zhēng嵘〕

蝾(蠑) róng (영)

→〔蝾螺〕〔蝾螈〕
〔蝾螺〕 róngluó 명《貝》 소라.

〔蝾螈〕 róngyuán 명《動》영원(도롱뇽류의 총칭). =〔荣原〕

茸 róng (용)
①형 초목의 잎이 가늘고 작고 부드럽다. ¶春草纤～; 봄에 돋은 풀의 가늘고 부드러운 잎. ②형 풀의 새싹이 돋는 모양. ¶绿～～lǜrōngrōng的草地; 초록색의 부드러운 풀밭. ③형 흩어진 모양. ④명 녹용《약용》. ¶参～; 삼용. 인삼과 녹용/～片; 녹용을 썬 조각. ⑤(～儿) 명 난배(卵胚). ⑥명《植》향포〔부들〕의 꽃. ⇒rǒng

〔茸客〕 róngkè 명《動》사슴의 별칭.
〔茸母〕 róngmǔ 명 ⇨〔鼠shǔ曲草〕
〔茸儿〕 róngr 명 달걀 노른자의 배(胚). ¶鸡jī子儿～; 달걀 노른자의 배(胚)/没有～的蛋不能卵孚fū; 배가 없는 알은 부화되지 않는다. =〔荣儿〕
〔茸茸(的)〕 róngróng(de) 형 풀 따위가 갓 자라서 부드러운 모양.
〔茸阘〕 róngtà 형〈文〉①능력이 열등하다. 무능하다. ②천하다. 비천하다.
〔茸线〕 róngxiàn 명 ⇨〔绒线〕

容 róng (용)
①명 용모. 모습. 자태. ¶姿～; 용자(容姿)/笑～; 웃는 얼굴/怒～; 화낸 얼굴. ②명 속. 알맹이. 내용. ③동 넣다. 수용(收容)하다. ¶～量; 용량/内～; 내용/这间屋子能～三十个人; 이 방은 30명은 들어갈 수 있다. ④동 허용하다. ¶～过他一次; 그를 한번 너그러이 봐 줬다/彼此不能相～; 서로 마음을 놓을 수가 없다/大量～人; 도량이 커서 사람을 용서하다/义不～辞;〈成〉대의 명분상 거절하는 것이 허용되지 않다. =〔宽恕kuānshù〕〔包涵bāohán〕 ⑤동 들어 주다. ⑥동 제한으로부터 해방해 주다. ⑦동 유예하다. 여유를 주다. 기일〔기한〕을 연기하다〔늦추다〕 ¶不～他分辩; 그에게 아무 소리 못 하게 하다/～他一天工夫; 그에게 하루의 여유를 주다. ⑧부 일간. 나중에. ¶余～面陈;〈翰〉나머지는 일간 뵈옵고서 자세히 말씀드리겠습니다/～再商量; 나중에 다시 의논하자. ⑨부 혹시. 어쩌면. ¶～或有之; 혹시 있을지도 모르다/～有可采; 어쩌면 취할 점이 있을지도 모른다/招待～有未周; 대접이 미흡한〔소홀한〕 점이 있을지도 모른다. =〔或〕 ⑩명 모양. 상태. ¶军～; 군대의 상태/市～; 거리의 상황. ⑪명 성(姓)의 하나.

〔容表〕 róngbiǎo 명〈文〉용모. 풍채.
〔容不得〕 róngbude 동 ⇨〔容不下〕
〔容不下〕 róngbuxià 동 ①받아들일 수 없다. 용서할 수 없다. ¶～情; 용서할 수 없다. ②수용할 수 없다. ‖=〔容不得〕↔〔容得下〕
〔容长脸儿〕 róngchangliǎnr 명 ⇨〔长cháng方脸儿〕
〔容成〕 Róngchéng 명 ①황제(黄帝) 때에, 역법(曆法)을 만들었다는 사관(史官)의 이름. ②복성(複姓)의 하나.
〔容盛〕 róngchéng 동 수용하여 담다. 받아들이다. ¶无不～; 받아들이지 않는 것이 없다.
〔容待〕 róngdài 동〈文〉기다리다. =〔容俟〕 부 머지않아. 일간. ¶～面洽; 일간 곧 면회하다.
〔容当面谢〕 róngdāng miànxiè ⇨〔容图面谢〕
〔容得下〕 róngdexià 동 ①받아들여지다. 허락되다. ②수용할 수 있다. ¶就这书架～这么些书吗? 이 책꽂이만으로 이렇게 많은 책을 놓을 수 있는가?
〔容电器〕 róngdiànqì 명 축전기. 콘덴서.
〔容范〕 róngfàn 명〈文〉용모와 인품.
〔容共〕 rónggòng 동 용공·공산당·공산주의를 허용하다.
〔容光〕 róngguāng 명 ①안색. 용모. 풍채. 모양. ¶～焕发; 용모가 빛나다. =〔容华①〕 ②〈比〉약간의 틈새.
〔容后〕 rónghòu 동〈文〉①후일을 기다리다. ¶～再商议; 후일 다시 상담하다. ②뒤로 미루다.
〔容华〕 rónghuá 명 ①⇨〔容光①〕 ②유명한 궁녀의 이름.
〔容缓〕 rónghuǎn 동 늦추다. 연기하다. 유예하다. ¶刻不～; 일각도 유예할 수 없다/～施刑; 형의 집행을 유예하다.
〔容或〕 rónghuò 부〈文〉혹시. 아마. 어쩌면 (…일지도 모른다). ¶这篇文章是根据回忆写的, 与事实～有出人; 이 문장은 회상을 바탕으로 썼기 때문에 사실과 다른 것이 있을지도 모른다. =〔或许〕
〔容积〕 róngjī 명 용적.
〔容空〕 róngkòng 동 시간의 여유를 주다.
〔容谅〕 róngliàng 동〈文〉용서하다. 용납하다.
〔容量〕 róngliàng 명 용량.
〔容留〕 róngliú 동 수용(收容)하다. ¶这个村子无法～这么多队伍; 이 마을에서는 이렇게 많은 부대를 수용할 수 없다. =〔容纳〕〔收留〕
〔容貌〕 róngmào 명〈文〉용모. =〔相貌〕〔容象〕〔容颜〕
〔容纳〕 róngnà 동 ①수용하다. ¶这个宿舍改建后可以～三百个学生; 이 기숙사는 개축 후에는 300명의 학생을 수용할 수 있다/～不开; 다 넣을 수 없다/～不下; 다 들어갈 수 없다. ②받아들이다. 포용하다. ¶～他的要求; 그의 요구를 받아들이다.
〔容乞〕 róngqǐ 동 허락을 청하다. ¶～暂请公孙先生下山; 공손 선생에게 잠시 산에서 내려오시도록 부탁하다.
〔容器〕 róngqì 명 용기. 그릇.
〔容情〕 róngqíng 동 너그러이 봐 주다. 인정상 용서하다《부정문(否定文)에 많이 쓰임》. ¶从严法办, 决不～; 엄히 처벌하여 절대로 용서하지 않다.
〔容让〕 róngràng 동 ①용서하다. ②양보하다. ¶你是他的哥哥, 要～他一些; 너는 형이니까 조금은 양보해야 한다.
〔容人〕 róngrén 동 남을 받아들이다. 포용(包容)하다. ¶～之量; 남을 받아들이는 도량(度量). ¶忍事～; 일에 대해 참고 남을 용서해 주다.
〔容忍〕 róngrěn 동 ①인내하다. 참다. ¶已经到了不可～的地步; 이미 더 참을 수 없는 지경에 이르렀다. ②용서하다. 허용하다. ¶可以～的污染量的一百倍; 허용할 수 있는 오염량의 백배.
〔容日〕 róngrì 명〈文〉타일(他日). 다른 날. 훗날. ¶～申谢; 일간 찾아뵙고 인사드리겠습니다/～再议; 근간에 다시 협의하다/～再来; 훗날 다시 오다/～趋谭;〈翰〉뒷날 찾아뵙고 말씀드리겠습니다.
〔容身〕 róng.shēn 동 (겨우) 몸을 들여놓다. 몸을 두다. ¶～之地; 몸둘 곳.
〔容受〕 róngshòu 동 받아들이다. 수용(受容)하다. 참다. 용인하다. ¶再也不能～这种待遇了; 이러한 대우에 더 이상 참을 수 없다.
〔容恕〕 róngshù 동〈文〉용서하다.
〔容俟〕 róngsì 동 ⇨〔容待〕

〔容态〕róngtài 명 용모와 태도.
〔容头过身〕róng tóu guò shēn〈成〉머리만 들어갈 수 있으면 몸은 통과할 수 있다(일시적으로 얼버무리다. 임시방편으로 때우다. 얼렁뚱땅 넘어가다).
〔容图面谢〕róngtú miànxiè〈翰〉일간 찾아뵙고 감사를 드리겠습니다. =〔容当面谢〕
〔容膝〕róngxī 형 무릎을 넣을 자리밖에 없다.〈比〉집이 좁다. ¶不过~; 몸을 굽힐 정도의 넓이밖에 없다.
〔容限〕róngxiàn 명《物》허용 한도. 공차(公差).
〔容象〕róngxiàng 명 ⇨〔容貌〕
〔容许〕róngxǔ 동〈文〉①혹 …일지도 모른다. ¶此类事件, 十年前~有之; 이런 종류의 사건이 10년 전에 있었는지도 모른다. =〔容或〕②허락〔허용〕하다. ¶不~乐观; 낙관을 불허하다/时间不~; 시간이 허락지 않는다.
〔容颜〕róngyán 명 용모. =〔容貌〕
〔容仪〕róngyí 명 용의. 의용(儀容).
〔容易〕róngyì 형 ①용이하다. 쉽다. ¶~着凉; 감기 들기 쉽다/~写; 쓰기 쉽다/~做; 하기 쉽다/说着~, 做着难; 말하기는 쉽지만, 하기는 어렵다/好~ =〔好不~〕; 겨우. 간신히. ②…하기 쉽다. 걸핏하면 …하다. ¶很不~实行; 매우 실행하기 어렵다/他还年轻, 很~得罪人; 그는 아직 젊어서, 자주 남의 감정을 상하게 하곤 한다.
〔容与〕róngyǔ 동〈文〉①느긋하게 거닐다. 한가하게 어정거리다. ¶三五水禽, ~水面; 몇 마리의 물새가 수면을 한가로이 날고 있다. ②방임하다. ¶~其心; 제멋대로 하게 내버려 두다.
〔容悦〕róngyuè 동〈文〉남의 비위를 맞추다. ¶不问是非, 但求~于人, 总不是正路; 옳고 그름을 따지지 않고 남에게 아부한다는 것은 아무래도 정당한 방도가 아니다.
〔容止〕róngzhǐ 명 (사람을 대하는) 말씨〔태도〕.
〔容质〕róngzhì 명〈文〉용모와 천성. ¶~甚shèn美; 용모와 천성이 대단히 뛰어나다.
〔容装科〕róngzhuāngkē 명 중국 전통극의 분장·의상 담당 부서.
〔容足地〕róngzúdì 명 겨우 발을 디딜 정도의 장소(몹시 좁은 땅).

溶 róng (용)

① 동 용해하다. ¶樟脑~于酒精而不~于水; 장뇌는 알코올에는 녹으나 물에는 녹지 않는다/盐放在水里, ~成咸水; 소금은 물에 넣으면 녹아서 짭짤한 물이 된다. ② 형〈文〉양양(洋洋)한 모양.
〔溶洞〕róngdòng 명 종유동(鐘乳洞). 석회동.
〔溶化〕rónghuà 동 ①녹다. 녹이다. 용해하다. ¶盐在水里~; 소금은 물에 녹는다. ②융화하다. ¶~在笑声中; 웃음소리 속에 융화되다. =〔融化〕
〔溶剂〕róngjì 명 ⇨〔溶媒〕
〔溶剂汽油〕róngjì qìyóu 명《化》①나프타. ②석유 벤진.
〔溶胶〕róngjiāo 명《化》졸(Sol). =〔液yè胶〕
〔溶解〕róngjiě 명동《化》용해(하다). ¶~度dù; 용해도.
〔溶菌素〕róngjūnsù 명《醫》용균소.
〔溶媒〕róngméi 명《化》용매(용해 작용에서, 녹는 물질을 '溶质'이라 이르고, 녹이는 물질을 '~'·'溶剂'라 이름). =〔溶剂〕
〔溶溶〕róngróng 형〈文〉①(물이) 도도히 흐르는 모양. ¶~的江水; 도도히 흐르는 강물/月色~; 교교(皎皎)한 달빛/白云~; 흰 구름이 뭉게뭉게 움직이고 있다. ②광대한 모양. ¶心~其不可量兮; 마음이 커서 헤아릴 수 없다.
〔溶性油〕róngxìngyóu 명《化》가용유(可溶油).
〔溶血〕róngxuè 명《醫》알파 용혈.
〔溶液〕róngyè 명 용액.
〔溶质〕róngzhì 명《化》용질.

蓉 róng (용)

명 ①《植》목부용. ¶~花树;《植》자귀나무. ②〈方〉콩 삶은 것·과일을 체에 밭아 만든 소('月饼'·만두에 넣음). ¶豆~; 콩소/莲~; 연밥으로 만든 소. ③(Róng)《地》쓰촨 성(四川省) 청두(成都)의 별칭.

熔〈鎔〉 róng (용)

① 동 불로 용해하다. 녹이다. ② 명《工》거푸집.
〔熔池〕róngchí 명 전해조(電解槽). 용액조(溶液槽).
〔熔弹〕róngdàn 명《地》화산탄(火山彈).
〔熔点〕róngdiǎn 명 ⇨〔熔融点〕
〔熔度〕róngdù 명 ⇨〔熔融点〕
〔熔断〕róngduàn 동 용해시켜 절단하다. 금속 박판(薄板)이나 철사를 가열하여 절단하다.
〔熔锅〕róngguō 명 도가니. =〔坩gān锅〕
〔熔焊接〕rónghànjiē 명《工》융접(融接). →〔焊接〕
〔熔化〕rónghuà 명《化》융해(融解). ¶~点 =〔熔(融)点〕; 융점/~物; 융성물(融成物). 동 녹이다. =〔熔销xiāo〕
〔熔剂〕róngjì 명 ⇨〔助zhù熔剂〕
〔熔接〕róngjiē 명동 용접(하다). =〔焊hàn接〕
〔熔解〕róngjiě 동 녹이다. 용해하다. =〔熔融〕
〔熔解热〕róngjiěrè 명《化》융해열.
〔熔(金)锅〕róng(jīn)guō 명 ⇨〔坩gān埚〕
〔熔金泥碗〕róngjīn níwǎn 명 ⇨〔坩gān埚〕
〔熔块〕róngkuài 명《化》클링커(clinker).
〔熔蜡铸造法〕rónglà zhùzàofǎ 명《工》왁스 주형법. 납형 주조법. =〔精jīng密铸造〕
〔熔炼〕róngliàn 동 금속을 녹여 정련(精鍊)하다. =〔熔销〕〔熔冶〕
〔熔炉〕rónglú 명 ①용광로. ②〈比〉사상·인격 단련의 장(場). ¶革命的~; 혁명의 엄한 시련.
〔熔融〕róngróng 동 용해하다.
〔熔融点〕róngróngdiǎn 명《化》융점. 녹는점. ¶~表; 융점 일람표. =〔熔融度〕〔熔化点〕〔融解点〕
〔熔融度〕róngróngdù 명 ⇨〔熔融点〕
〔熔丝〕róngsī 명《電》퓨즈. =〔〈俗〉保险丝〕
〔熔销〕róngxiāo 동 ⇨〔熔炼〕
〔熔岩〕róngyán 명《地》용암. ¶~(细)流liú; 용암류. 화쇄류(火碎流)
〔熔冶〕róngyě 동 ⇨〔熔炼〕
〔熔渣〕róngzhā 명 광재(鑛滓)(야금 등에서 생기는 금속의 찌끼).
〔熔铸〕róngzhù 동 녹여서 부어 만들다. 주조하다. ¶~生铁; 선철(銑鐵)로 주조하다.
〔熔锥〕róngzhuī 명 제게르추(독 Seger錐).

瑢 róng (용)

→〔玐cōng瑢〕

榕 róng (용)

명 ①《植》용나무(열대·아열대에 분포하는 용나무과의 상록 교목). ¶~厦; 용나무가 무성한 숲/~须; 용나무의 드리워진 기근. =〔榕树〕②(Róng)《地》푸저우(福州)의 별칭.

¶ ～腔; 푸저우(福州) 사투리 / ～城 =〔～海〕; 푸저우(福州).

融〈螎〉 róng (융)
①동 녹다. ¶一见太阳, 雪就～了; 태양을 잠시 쬐자 눈은 곧 녹았다 / 蜡烛因天热～化; 초가 더위에 녹다. ②동 (융화되어) 부드러워지다. ¶水乳交～; 물과 젖처럼 완전히 화합하다. ③동 융통하다. 유통하다. ¶金～; 금융. ④형 분명하다. ⑤형 장구(長久)하다. ⑥명 성(姓)의 하나.

〔融畅〕 róngchàng 형 〈文〉 구애됨이 없이 누긋하다. 막힘이 없다.

〔融风〕 róngfēng 명 융풍《입춘 무렵에 부는 동북풍》.

〔融贯〕 róngguàn 동 〈文〉 철저하게 밝히다〔이해하다〕. =〔融会贯通〕

〔融埚〕 róngguō 명 도가니.

〔融合〕 rónghé 동 융화하다. 격의가〔허물이〕 없어지다. ¶～无间; 격의 없고 막역(莫逆)한 사이가 되다. =〔融和〕

〔融和〕 rónghé 동 ⇨〔融合〕

〔融化〕 rónghuà 동 용해하다. 녹다. ¶蜡烛遇热就要～; 양초는 열을 만나면 곧 녹는다 / 雪完全～了; 눈이 완전히 녹아 버렸다. =〔融解〕

〔融汇〕 rónghuì 동 〈文〉 융합하다. ¶～于一体; 융합하여 하나가 되다.

〔融会〕 rónghuì 동 융합하다. 화합하다.

〔融会贯通〕 róng huì guàn tōng 〈成〉 모든 점에서 감안하여 밝혀 알아 내다. =〔会通〕

〔融结〕 róngjié 동 융화시키다. ¶把群众的心～在一起; 대중의 마음을 하나로 융화시키다.

〔融解〕 róngjiě 동 ⇨〔融化〕

〔融洽〕 róngqià 형 융화하다. 허물이 없다. ¶夫妇间的感情不～; 부부간의 감정이 융화되지 않는다.

〔融融〕 róngróng 형 〈文〉 ①평화스럽게 즐기는 모양. ②화창한 모양. ¶春光～; 봄빛이 화창하다.

〔融蚀〕 róngshí 동명 《地》 물에 녹아서 침식되다〔되는 일〕.

〔融调〕 róngtiáo 동 녹아서 섞이(게 하)다. ¶双方意见～, 所有问题均顺利解决; 쌍방의 의견을 조정하여 일치시키면, 어떤 문제라도 순조롭게 해결된다.

〔融通〕 róngtōng 동 융통하다. 종합 가미(加味)하다. ¶这是～了几种原则研究出来的办法; 이것은 몇 가지의 원칙을 종합 가미하여 연구해서 나온 방법이다.

〔融通票据〕 róngtōng piàojù 명 《商》 융통 어음.

〔融雪〕 róngxuě ① 명 눈석임. ② (róng xuě) 눈이 녹다.

〔融液〕 róngyè 명 고체의 용액.

〔融资〕 róngzī 명 《經》 융자. ¶接受银行的～; 은행의 융자를 받다. 동 융자하다.

冗〈宂〉 rǒng (용)
①형 쓸데없다. ¶～词赘zhuì句; ⇩ / 删汰泛～的词句; 쓸데없는 불필요한 자구를 삭제하다. ②형 번거롭다. ¶～杂; 번거롭고 복잡하다 / 事务繁～; 사무가 번잡하다. ③명 바쁜 일. ¶拨～光临; 다망하신 가운데 출석해 주시다. ④동 〈俗〉 기다리다. ¶～一～儿; 잠시 기다리다.

〔冗笔〕 rǒngbǐ 명 ①《美》 쓸데없는 붓놀림. ②(문장의) 쓸데없는 말.

「한〕 군인.

〔冗兵〕 rǒngbīng 명 〈文〉 너무 많아 무익한〔불필요

〔冗长〕 rǒngcháng 형 쓸데없이 장황하다〔길다〕. ¶～的讲话; 쓸데없이 장황한 강의.

〔冗词赘句〕 rǒng cí zhuì jù 〈成〉 불필요한 문구(文句).

〔冗繁〕 rǒngfán 형 〈文〉 번거롭고 번잡하다.

〔冗费〕 rǒngfèi 명 용비. 쓸데없는 지출.

〔冗赋〕 rǒngfù 명 〈文〉 잡세《옛날, 정당한 세금 외에 명목을 붙여서 징수하는 세》.

〔冗官〕 rǒngguān 명 용관《옛날, 필요 없는 벼슬아치》.

〔冗末〕 rǒngmò 형 〈文〉 비열하고 잡스럽다. ¶人品～; 인품이 비열하고 잡스럽다.

〔冗冗〕 rǒngrǒng 형 〈文〉 ①번거롭고 많은 모양. ②사람이 우글우글 많은 모양.

〔冗散〕 rǒngsǎn 명형 〈文〉 한산(하다).

〔冗食〕 rǒngshí 동 〈文〉 헛되이 녹을 먹다.

〔冗员〕 rǒngyuán 명 용원《옛날, 쓸데없는 인원》.

〔冗杂〕 rǒngzá 형 용잡하다. 번잡하다.

〔冗职〕 rǒngzhí 명 쓸데없는 관직〔지위〕.

〔冗赘〕 rǒngzhuì 형 (문장이) 쓸데없이 장황하다.

茸 rǒng (용)
①형 (머리털이) 가늘고 부드럽다. ¶小孩儿的头发发fā～; 어린아이의 머리털은 가늘고 부드럽게 보인다 / 身上长一层～毛儿; 몸에 가늘고 부드러운 털〔솜털〕이 돋아났다. =〔毧〕 ② →〔阘tà茸〕 ⇒róng

毧〈氄, 毴〉 rǒng (용)
형 ①(털이) 가늘고 부드럽다. ②섬유의 부드러운 모양.

〔毧毛〕 rǒngmáo 명 가늘고 부드러운 털.

ROU ㄖㄡ

厹 róu (구)
동 ⇨〔蹂〕 ⇒qiú

柔 róu (유)
①형 부드럽다. ¶～软; ⇩ / ～枝; 부드러운 가지 / ～枝嫩叶; 어린 가지와 부드러운〔어린〕 잎 / ～风细雨; 〈成〉 온화한 바람과 비단결 같은 비 / ～能制刚; 〈成〉 부드러운 것이 강한 것을 이긴다. ②형 유화(柔和)하다. 온화하다. ¶性情温～; 성질이 유화하다 / 声音～和hé; 목소리가 부드럽다. ③동 부드럽게 하다. 연하게 만들다. ¶～麻; 삼을 가공하여 부드럽게 하다. ④형 젊다. ⑤형 연약하다. ¶性情～弱; 성격이 유약하다. ⑥동 복종하다. ⑦동 편안히 하다. ⑧명 성(姓)의 하나.

〔柔板〕 róubǎn 명 《樂》 아다지오(이 adagio).

〔柔鼻弹〕 róubídàn 명 《軍》 덤덤탄(dumdum bullet). =〔达dá姆(达姆)弹〕

〔柔肠〕 róucháng 명 〈文〉 동정심이 있는 심성. 부드러운 마음.

〔柔道〕 róudào 명 《體》 유도.

〔柔风〕 róufēng 명 부드러운 바람. ¶～甘雨; 〈成〉 부드러운 바람과 단비.

〔柔干〕 róugān 명 ⇨〔柔日〕

〔柔光〕 róuguāng 명 〈文〉 부드러운 빛.

〔柔汗〕 róuhàn 명 《漢醫》 식은 땀.

〔柔翰〕 róuhàn 명 〈文〉 붓.

〔柔毫〕 róuháo 명 〈文〉 부드러운 털.
〔柔和〕 róuhé 형 ①유화하다. 온순하다. ¶对人很～; 남에게 상냥하다〔부드럽다〕/ 声音～; 목소리가 부드럽다 / 性格～; 성격이 원만하다. ②(기후 따위가) 온화하다. ¶热得～; 더위가 심하지 않다. ③(맥주 따위가) 입맛에 부드럽다. ¶啤酒顶～; 맥주가 매우 순하다.
〔柔化〕 róuhuà 동 ①부드러워지다. 맛이 순하다. ②(태도가) 부드러워지다.
〔柔剂〕 róujì 명 〈文〉 부드러운〔순한〕 약제.
〔柔吕〕 róulǚ 명 《言》 고음운학(古音韻學)에서 '撮cuō口呼'를 말함.
〔柔律〕 róulǜ 명 《言》 고음운학(古音韻學)에서 '合hé口呼'를 말함.
〔柔曼〕 róumàn 형 〈文〉 부드럽고 광택이 있다.
〔柔毛〕 róumáo 명 ①부드러운 털. ②고어(古語)에서, 양의 별칭.
〔柔媚〕 róumèi 형 〈文〉 ①온화하다. 부드러운 느낌이 있다. ¶～的晚霞; 부드러운 빛의 아름다운 저녁놀. ②(여성이) 상냥하고 붙임성이 있다. ¶～的少女; 부드럽고 애교가 있는 처녀.
〔柔靡〕 róumí 형 〈文〉 유약하고 부진하다〔미미하다〕.
〔柔绵〕 róumián 형 부드럽고 감촉이 좋다.
〔柔嫩〕 róunèn 형 보드랍다. 싱싱하다. ¶～的幼苗; 연한 싹 / ～的柳条; 낭창낭창한 어린 버드나무 가지.
〔柔腻〕 róunì 형 부드럽고 기름지다.
〔柔懦〕 róunuò 명형 〈文〉 연약(하다). =〔柔茹〕
〔柔情〕 róuqíng 명 〈文〉 착한 심정. 고운 마음씨. ¶～媚骨; 생글생글 웃으며 알랑거리는 일.
〔柔儿柔儿地〕 rōurrōurde ⇨〔肉儿肉儿地〕
〔柔然〕 Róurán 명 유연《옛날 종족의 이름으로, '北狄'의 하나. '东胡'의 별종으로, 내외 몽골을 통일한 적도 있었으나, 뒤에 '突厥'에 멸망됨》. =〔茹rú茹〕〔蠕rú蠕〕〔芮ruì芮〕
〔柔韧〕 róurèn 형 〈文〉 부드럽고 강인하다. ¶这种材料又美观又～; 이런 종류의 재료는 외관이 좋을 뿐만 아니라 유연하면서도 강하다.
〔柔日〕 róurì 명 유일《십간(十干) 중에서 을(乙)·정(丁)·기(己)·신(辛)·계(癸)의 날》. =〔柔干〕
〔柔茹〕 róurú 명형 ⇨〔柔懦nuò〕
〔柔茹刚吐〕 róu rú gāng tǔ 〈成〉 약한 사람 괴롭히기《약한 자를 누르고 강한 자를 두려워하다》. ¶柔则茹之, 刚则吐之《詩經 大蕩烝》; 연한 것은 먹고 딱딱한 것은 뱉는다.
〔柔软〕 róuruǎn 형 부드럽다. 유연하다. ¶头发～; 머리카락이 부드럽다 / ～体操; 유연 체조 / 穿着～的衣裳, 好舒服; 부드러운 옷을 입으면 기분이 무척 좋다. =〔软和〕
〔柔弱〕 róuruò 형 유약하다. 연약하다. ¶身体～; 몸이 약하다 / ～的幼苗; 부드러운 새싹.
〔柔桑〕 róusāng 명 〈文〉 어린 뽕(잎).
〔柔色〕 róusè 명 온순한〔상냥한〕 얼굴 표정. ¶～以温父母; 공손하게 부모를 섬기다.
〔柔舌〕 róushé 명 재치 있는 말솜씨. ¶弄～; 재치 있는 말솜씨를 휘두르다.
〔柔声〕 róushēng 명 〈文〉 온화한〔부드러운〕 목소리.
〔柔术〕 róushù 명 《體》 유도(기술).
〔柔顺〕 róushùn 형 유순하다. 부드럽고 온순하다.
〔柔态〕 róutài 명 〈文〉 부드러운 태도.
〔柔汤〕 róutāng 명 《漢醫》 순한 탕제(湯劑).
〔柔荑〕 róutí 명 ①《植》 띠. 띠꽃. ¶～花序; 유제꽃차례. 유제 화서. ②〈比〉 여성의 부드러운 손.
〔柔铁〕 róutiě 명 연철(鍊鐵). 단련된 쇠.
〔柔婉〕 róuwǎn 형 온화하고 정숙하다.
〔柔性〕 róuxìng 명 유연성.
〔柔性宪法〕 róuxìng xiànfǎ 명 《法》 연성 헌법(軟性憲法).
〔柔鱼〕 róuyú 명 《動》 오징어. =〔鱿yóu鱼〕
〔柔语〕 róuyǔ 명 〈文〉 부드러운〔상냥한〕 말.
〔柔远能迩〕 róu yuǎn néng ěr 〈成〉 멀리 있는 사람을 무력을 쓰지 않고 항복시킴《유연한 정책으로 외국을 자국의 세력하에 넣음》.
〔柔则〕 róuzé 명 (옛날, 여자의) 순종의 미덕.

揉 **róu** (유)
①동 주무르다. ¶扭niǔ了筋, ～～就好了; 힘줄이 당길 때에는 주무르면 낫는다. ②동 비비다. ¶～眼睛; 눈을 비비다 / 他的眼睛～不进砂子去; 〈比〉 그는 비정한 인간이다 / ～不下; 비벼서 뗄 수 없다. ③동 반죽하다. 구기적거리다. ¶～面; 밀가루를 반죽하다. ④형 〈文〉 난잡하다. ⑤동 〈文〉 구부리다. 휘게 하다. ¶～木为轮; 나무를 둥글게 구부려 바퀴를 만들다. =〔輮②〕
〔揉肠(子)〕 róucháng(zi) ①명 《醫》 장염전(腸捻轉). ②(róu cháng(zi)) 비통한 생각을 하다.
〔揉搓〕 róucuo 동 ①주무르다. 비벼 뭉치다. ¶把废纸～成一团; 폐지를 구겨서 뭉치다. ②세게 비비다. 문지르다. ③〈方〉 괴롭히다. 들볶다. ¶～人; 사람을 괴롭히다 / 累得身上生痛, 还搁得住你这么～; 피곤해서 온몸이 아픈데, 게다가 너한테 괴롭힘을 당하니 견딜 수가 있나. =〔折磨〕 명 고난(苦難). 고생.
〔揉合〕 róuhé 동 ⇨〔揉和〕
〔揉和〕 róuhuó 동 반죽하다. ¶～了面做馒头; 밀가루를 반죽하여 '馒头'를 빚다. =〔揉合〕
〔揉净〕 róujìng 동 (때 따위를) 비벼서〔문질러서〕 깨끗이 하다.
〔揉开〕 róukāi 동 (한 곳에 뭉쳐 있는 가루를) 고르게 반죽하다.
〔揉蓝〕 róulán 명 《色》 남색(藍色)의 별칭.
〔揉轮〕 róulún 동 나무를 구부려 수레바퀴를 만들다. ¶朝～而夕欲乘车《管子 七法》; 아침에 수레를 만들어 저녁에 타겠다고 (무리한 일을) 생각하다. =〔輮轮〕
〔揉磨〕 róumo 동 ①〈方〉 들볶다. 못 살게 굴다. ¶别再～人了! 이 이상 남을 들볶지 마라! / 把人～得起急; 남을 괴롭혀 화나게 만들다. =〔折磨〕 ②쭈글쭈글하게 만들다.
〔揉捺〕 róunà 동 짓밟다.
〔揉弄〕 róunòng 동 쭈글쭈글〔구깃구깃〕하게 주무르다.
〔揉球〕 róuqiú 동 둥근 구슬을 손에 쥐고 손가락으로 굴리다《혈행을 좋게 하고 건강에 좋다는 옛 건강법의 하나》.
〔揉儿铺〕 róurpù 명 〈古白〉 귀금속·보석 등을 사들이는 가게.
〔揉揉〕 róurou 동 비비다. 문지르다. ¶～眼睛细看; 눈을 비비고 자세히 보다. 형 보드랍다. 말랑말랑하다《부드러운 모양》. ¶软ruǎn～的; 말랑말랑하다. 명 〈俗〉 타박상·찰과상 등의 환부(患部).
〔揉碎〕 róusuì 동 비벼 부수다〔망가뜨리다〕.
〔揉洗〕 róuxǐ 동 비벼서 빨다.
〔揉心〕 róuxīn 동 마음을 졸이다. 애태우다.

〔揉眼〕 róuyǎn 동 눈을 비비다.
〔揉匀〕 róuyún 동 잘 비비다〔반죽하다〕.
〔揉杂〕 róuzá 형〈文〉난잡하다. ¶皆粲然成章, 不相～; 모두가 반짝반짝 빛나는 훌륭한 문장이 되어 있으며, 난잡한 문구는 하나도 섞여 있지 않다.
〔揉纸〕 róuzhǐ 동 종이를 구기다〔비비다〕.
〔揉钻〕 róuzuàn 동 송곳을 비벼서 구멍을 뚫다.

輮(輮) róu (유)
①명 차 바퀴의 바깥테. ¶～轹砂漠; 사막으로 수레를 달린다. ②동 ⇨〔揉⑤〕

糅 róu (유)
동 섞이다. 뒤섞다. ¶真伪杂～; 참과 거짓이 한데 뒤섞여 있다 / ～杂难分; 뒤섞여서 가르기가 힘들다 / ～杂不纯; 뒤섞여서 불순하다.
〔糅合〕 róuhé 동 뒤섞다. 반죽하다《흔히, 바람직하지 않은 경우》. ¶～为一; 뒤섞어 하나로 하다. =〔搀和〕
〔糅杂〕 róuzá 동 섞이다. 뒤섞이게 하다.

蹂 róu (유)
동 ①(발로) 짓밟다. ②유린하다. (폭력으로) 고통스럽게 하다. 모욕하다. 침해하다. ‖ =〔厹róu〕
〔蹂蹴〕 róucù 동 밟고 차고 하다.
〔蹂践〕 róujiàn 동 ⇨〔蹂躏〕
〔蹂辚〕 róulín 동〈文〉짓밟다. 유린하다. =〔蹂若〕
〔蹂躏〕 róulìn 동 ①유린하다. 짓밟다. ¶惨遭～; 무참하게 유린당하다. ②학대하다. ‖ =〔蹂践jiàn〕
〔蹂若〕 róuruò 동 ⇨〔蹂辚〕

鞣 róu (유)
①명 무두질한 가죽. ②형 부드럽다. ③동 무두질하다. ¶～皮(子)=〔～革〕; 가죽을 무두질하다 / 这皮子～得不够熟; 이 가죽은 아직 무두질이 충분히 되어 있지 않다.
〔鞣(革浸)膏〕 róu(géjìn)gāo 명 무두질용의 타닌액(液). =〔鞣膏〕
〔鞣剂〕 róujì 명 ⇨〔鞣料〕
〔鞣料〕 róuliào 명 유피제(鞣皮劑). =〔鞣剂〕
〔鞣皮〕 róupí ①명 무두질한 가죽. 유피. ②(róu pí) 가죽을 무두질하다.
〔鞣酸〕 róusuān 명《化》타닌산(tannin酸). =〔单宁(酸)〕
〔鞣酸蛋白〕 róusuāndànbái 명《化》타닌산(tannin酸) 알부민. 타날빈(tannalbin). =〔白朊丹宁〕

煣 rǒu (유)
동〈文〉불에 쬐어 나무를 구부리다. ¶～木为耒lěi; 나무를 구부려 가래의 자루를 만들다.

肉 ròu (육)
①명 고기《보통 소·돼지·양고기를 가리키며, 특히 돼지고기를 가리키는 경우가 많음》. ¶买一块～; (돼지)고기를 사다 / 猪～; 돼지고기 / 羊～; 양고기 / 牛～; 쇠고기. ②명 근육. 신체. ¶肌～; 근육 / 身体胖了, 又长～了; 몸이 뚱뚱한데 또 살이 쪘다 / 由我身上掉下来的～; 나의 뱃속에서 나온 아이. ③명 과실의 먹을 수 있는 살 부분. 과육《씨나 껍질을 뺀 부분》. ¶果～; 과육 / 冬瓜～厚; 동과는 과육이 두껍다. ④형〈京〉느릿느릿하다. 꾸물거리다. 또렷또렷하지 않다. ¶作事真～; 일을 느리게 하다 / 手底下～; 솜씨가 굼뜨다 / 他是个～性的人; 그는 시원시원하지 않은〔굼뜬〕 인간이다 / 那个人真～, 踢不出屁来; 그는 정말 꾸물거리는 성미라 쓰다 달다 반응이 없다. ⑤형〈方〉(과실이) 사각거리지 않다. ¶这西瓜瓤儿太～; 이 수박은 퍼석퍼석하다. ↔〔脆cuì②〕 ⑥명 (생산에 대한) 간접 투자《사택(社宅)·공공 사업·복지 따위》.
〔肉案子〕 ròu'ànzi 명〈轉〉푸줏간. 고깃간.
〔肉包儿〕 ròubāor 명 ⇨〔肉包子〕
〔肉包子〕 ròubāozi 명 고기 만두. ¶～打狗;〈歇〉고기 만두를 개에게 던지다.〈比〉한번 가면 다시 돌아오지 않음《편지나 돈거래에서 많이 쓰임》. =〔肉包儿〕
〔肉胞眼〕 ròubāoyǎn 명 눈두덩이 부어오른 눈.
〔肉报子〕 ròubàozi 명〈比〉입이 가벼운 놈.
〔肉鼻子〕 ròubízi 명 주먹코.
〔肉笔〕 ròubǐ 명 육필. 친필.
〔肉辟〕 ròubì 명 ⇨〔肉刑〕
〔肉饼〕 ròubǐng 명 ①밀가루 반죽에 곱게 다진 돼지고기를 넣고 구운 음식《파이 비슷함》. ②고기를 다져서 둥글넙적하게 빚은 것《햄버그스테이크 비슷한 것》.
〔肉搏〕 ròubó 동 격투하다. ¶用刺刀跟敌人～; 총검으로 적과 격투하다. 명 육탄전(肉彈戰). ¶～战; 백병전(白兵戰).
〔肉翅〕 ròuchì 명 상어 지느러미《중국 요리에 쓰이는 투명한 것》.
〔肉畜〕 ròuchù 명 식육용 가축.
〔肉垂〕 ròuchuí 명 (칠면조 등의) 육수(肉垂). 턱에 늘어진 군살.
〔肉刺〕 ròucì 명 ①(피부의) 거스러미. ②심통(心痛). ¶大感～; 매우 마음이 아프다.
〔肉苁蓉〕 ròucōngróng 명《植》육종용.
〔肉蛋蛋〕 ròudàndan 명 매우 귀여운 아이《호칭으로도 쓰임》.
〔肉到口, 钱到手〕 ròu dào kǒu, qián dào shǒu〈諺〉①고기는 입에 들어와야, 돈은 수중에 있어야 비로소 자기 것이 된다《자기 수중에 있는 것이 가장 확실한 것이다》. ②완전한 준비가 되어 있는 것.
〔肉得慌〕 ròudehuang 느릿느릿하다. 꾸물꾸물하다.
〔肉电话〕 ròudiànhuà 명 전해 듣기. 전문(傳聞). 전하는 말. ¶你这条消息又是从～来的吧; 너의 그 소식은 또 귀동냥이겠지 / 哪儿来的～传的这么快; 어디서 나온 말인데 이렇게 빨리 전해졌을까.
〔肉店〕 ròudiàn 명 고깃간. 정육점.
〔肉丁儿〕 ròudīngr 명 ①골패 모양으로 썬 고기. ¶～炸酱; 위의 고기를 된장과 함께 기름에 볶은 것《국수 위에 얹어 먹음》 ②육종(肉腫).
〔肉疔〕 ròudīng 명 종기.
〔肉冻(儿)〕 ròudòng(r) 명 젤라틴. 고기를 조린 국물이 엉겨 굳어진 것《고기를 뼈·가죽과 함께 장시간 조려서 부드럽게 만든 두부 모양의 식품》.
〔肉豆蔻〕 ròudòukòu 명《植》육두구.
〔肉豆蔻酸〕 ròudòukòu suān 명《化》미리스트산(myristic acid).
〔肉墩子〕 ròudūnzi 명 (통나무를 둥글게 자른) 도마.
〔肉朵〕 ròuduǒ 명 (한데 붙은) 큰 고깃덩이.
〔肉肥, 汤也肥〕 ròu féi, tāng yě féi〈諺〉하나가 좋으면 (거기에 딸린) 다른 것까지도 좋다.
〔肉粉〕 ròufěn 명 (비료로 쓰는) 육분. 고깃가루.
〔肉脯〕 ròufǔ 명 ①양념하여 말린 고기. 육포. ¶牛～; 쇠고기 육포. =〔肉干(儿)〕 ②〈罵〉돼지《살찐 사람에 대한 욕》.

〔肉感〕 ròugǎn 형 육감적이다. ¶那个女人很～; 저 여자는 매우 육감적이다 / 富fù于～; 성적 매력이 풍부한.

〔肉杠〕 ròugàng 명 푸줏간. 고깃간《큰 돼지고기를 가게 앞에 매달아 놓고 팔므로 이렇게 말함》.

〔肉膏〕 ròugāo 명 고기 엑스트랙트(extract).

〔肉告示〕 ròugàoshi 명 거짓말. 허튼 소리.

〔肉冠〕 ròuguān 명 (새의) 볏. 계관.

〔肉桂〕 ròuguì 명 《植》 계수나무. 계수(桂樹). ¶～油; 계피유. =〔木桂〕

〔肉滚子〕 ròugǔnzi 명 고깃덩이. 〈比〉 뚱뚱한 사람. ¶胖pàng得～似的; 비곗덩어리처럼 살쪘다 / 成了～了; 뚱뚱보가 되었다.

〔肉棍子〕 ròugùnzi 명 《魚》 가숭어.

〔肉果〕 ròuguǒ 명 ①《植》 다육과(多肉果). 액과(液果)《포도·귤·복숭아 따위》. ②육두구(肉豆蔻)의 별칭.

〔肉盒〕 ròuhé 명 밀가루를 반죽하여 만든 피(皮)에 양념한 돼지고기를 싸서, 불에 굽거나 튀긴 식품《겉은 바삭바삭하게 튀김. 닭고기로 만든 것은 '鸡jī盒'라고 함》.

〔肉红〕 ròuhóng 명 《色》 발그스름한 색. 분홍색.

〔肉呼呼〕 ròuhūhū 형 토실토실하게 살찐 모양.

〔肉核儿〕 ròuhúr 명 (뼈·가죽·지방·힘줄 따위를 제거한) 살코기. 정육(精肉).

〔肉花儿〕 ròuhuār 명 고깃점. 갈기갈기 찢어진 고기. ¶打得很厉害, ～飞起来了; 몹시 얻어맞어 살점이 날아갔다.

〔肉火烧〕 ròuhuǒshāo 명 밀가루를 반죽하여 만든 피(皮)에 돼지고기를 직사각형으로 싸서 기름에 튀긴 것.

〔肉架子〕 ròujiàzi 명 고기를 매달아 놓는 틀.

〔肉贱鼻子闻〕 ròu jiàn bízi wén 〈諺〉 고기의 값이 싸져도 코로 냄새나 맡을 수 밖에 없다《대단한 불경기》.

〔肉酱〕 ròujiàng 명 ①간 고기. ②고기를 다져 이긴 것《심하게 부상했을 때의 형용에도 쓰임》. ¶摔成～; 넘어져서〔다쳐서〕 납작하게 찌부러졌다〔심하게 다쳤다〕.

〔肉紧〕 ròujǐn 동 몸이 긴장되다. ¶这种恐怖片看得令人～; 이렇게 무서운 영화를 보면 몸이 오싹해진다.

〔肉阄儿〕 ròujiūr 명 작은 혹.

〔肉块〕 ròukuài 명 고깃덩이.

〔肉勒咕咕〕 ròulegūgū 형 ①살찐〔뚱뚱한〕 모양. ¶看这一身～的, 都摸不着骨头; 이렇게 피둥피둥 살이 찌다 보니, 뼈가 만져지지 않을 정도다. ②꾸물거리는〔느릿느릿하는〕 모양. ¶要是老这么～的, 这事多咱才能做完呢? 언제까지나 이렇게 꾸물거리다가, 이 일은 언제나 끝을 내겠느냐?

〔肉类〕 ròulèi 명 육류. 고기붙이.

〔肉瘤〕 ròuliú 명 《醫》 혹.

〔肉麻〕 ròumá 형 오싹해지다. 소름이 끼치다. 징그럽다. ¶～当有趣 =〔叫人～〕; 우스꽝스러워 차마 볼 수 없다 / 听着怪～; 듣고 있자니 아무래도 징그럽다. 동 귀여워하다. 짜릿한 기분을 느낄 정도로 반하다.

〔肉馒头〕 ròumántou 명 고기 만두《간 돼지고기에 파를 섞어 양념한 것을 넣은 만두》.

〔肉末〕 ròumò 명 잘게 저민 고기. 민스미트(mincemeat)《양념을 한 잘게 다진 고기》.

〔肉磨〕 ròumò 명 대식가.

〔肉泥烂酱〕 ròu ní làn jiàng 〈成〉 피가 흐르고 살이 튀는 끔찍한 상황의 형용. 겨우 원형을 유지할 정도로 몹시 모양이 부서진 상태.

〔肉排〕 ròupái 명 (쇠고기·돼지고기의) 스테이크(steak). ¶炸～; 커틀릿.

〔肉朋酒友〕 ròu péng jiǔ yǒu 〈成〉 먹고 마시며 노는 친구. =〔酒肉朋友〕

〔肉皮〕 ròupí 명 (요리에 쓰이는) 돼지 가죽《생피(生皮)》. ¶用～做菜; 돼지 가죽으로 요리를 하다.

〔肉皮气〕 ròupíqì 형 ⇨〔肉性〕

〔肉皮儿〕 ròupír 명 〈方〉 사람의 피부. ¶小孩儿的～很细; 아이의 살갗은 매우 부드럽다. =〔肉皮子〕

〔肉脾气〕 ròupíqi 형 성질이 느릿느릿하다. 굼뜨다.

〔肉片儿〕 ròupiànr 명 육편(肉片). 얇게 썬 고깃조각.

〔肉票(儿)〕 ròupiào(r) 명 ①(배급 받는) 쇠고기·돼지고기 등의 구입표. 또는 부식품의 구입수첩. ②인질(人質). ¶把～撕sī了; 인질을 죽여버리다.

〔肉铺〕 ròupù 명 고깃간. 푸줏간.

〔肉儿〕 ròur 명 ①(뼈에 대한) 살. ②골육처럼 사랑하는 것《귀여운 자식》.

〔肉儿肉儿地〕 rōurrōurde 〈擬〉 윙윙. 씽씽《바람 소리의 모양》. ¶电线～多怕人呢; 전선이 윙윙 소리를 내어 아주 무시무시하다. =〔柔儿柔儿地〕

〔肉人〕 ròurén 명 ①《漢醫》 살집이 좋은 사람. 살찐 사람. ②⇨〔肉枣(儿)②〕

〔肉色〕 ròusè 명 《色》 살색.

〔肉沙律〕 ròushālǜ 명 〈音義〉 고기 샐러드.

〔肉山脯林〕 ròu shān fǔ lín 〈成〉 육산 포림. 회가 산처럼 많고 육포가 숲처럼 많음《호사를 극한 연회》. ¶夏桀为～《史記 帝王世紀》; 하(夏)나라 걸왕(桀王)은 호사스런 주연을 베풀었다. =〔肉山肉海〕〔肉山酒海〕

〔肉身(子)〕 ròushēn(zi) 명 《佛》 육체. 살아 있는 몸뚱이.

〔肉参〕 ròushēn 명 《動》 광삼(光蔘). 갈미《바다에 사는 극피 동물의 일종》.

〔肉声〕 ròushēng 명 ①반주 없는 노래. ②육성.

〔肉食〕 ròushí 동 육식하다. =〔吃荤〕 명 식육(食肉). ¶～动物; 육식 동물.

〔肉食〕 ròushi 명 육류의 식품. 육제품(肉製品). ¶～店; 정육점.

〔肉市〕 ròushì 명 육류 시장.

〔肉烁〕 ròushuò 명 《漢醫》 살이 마르는 것.

〔肉丝(儿)〕 ròusī(r) 명 양고기나 돼지고기를 실처럼 가늘게 썰어 찌거나 삶은 것. ¶～面; '肉丝儿'를 얹은 국수 / 青椒～; 피망과 잘게 썬 고기를 볶은 요리.

〔肉死〕 ròusǐ 형 (성질이) 안타까울 정도로 느리다. 어물어물하다.

〔肉松〕 ròusōng 명 고기를 잘게 썰어 간장에 조린 것.

〔肉酸〕 ròusuān 형 〈南方〉 (얼굴이) 보기 흉한. 불쾌한 기분이 드는. 소름이 끼치는. ¶我怕看自己在影片中的～相xiàng; 나는 영화 속에 나오는 나 자신의 흉한 얼굴을 보는 것이 두렵다.

〔肉缩〕 ròusuō 동 〈比〉 무서워서 앞으로 나아가지 않다〔위축되다〕.

〔肉胎(佛)〕 ròutāi(fó) 명 ①앉은 채로 입적(入寂)한 고승의 시신이 미라가 된 것. ②앉은 채로 입적한 모습으로 만든 불상(佛像).

〔肉袒〕 ròutǎn 동 육단하다. 웃통을 벗고 복종·

항복·사죄의 뜻을 나타내다. ¶～负荆; 웃통을 벗고 형장(刑杖)을 지고 가서 사죄의 뜻을 나타내다.

〔肉汤〕 ròutāng 명 ①고깃국물. 육즙. ②《物》 부용(세균 배양기(基)의 일종).

〔肉汤儿面〕 ròutāngrmiàn 명 고기 국수.

〔肉疼〕 ròuténg 동 ①마음이 아프다. ②아까워하다. ③귀여워하다.

〔肉体〕 ròutǐ 명 육체. ¶～凡胎; 〈比〉 범속한 인간. 속물.

〔肉跳〕 ròutiào 동 (경련을 일으키듯) 실룩대다.

〔肉痛〕 ròutòng 동 ⇨〔心疼②③〕

〔肉头〕 ròutóu 형 시원시원하지 못하다. 굼뜨다. 멍청하다. ¶～汉hàn; 얼간이. 멍청이. 우둔한 사내 / 做得～; 시원시원하게 하지 못하다 / 你怎么这么～, 他叫你怎么样, 你就怎么样; 넌 왜 이렇게 어수룩하냐. 그가 하라는 대로 하고 있지 않느냐.

〔肉头〕 ròutou 형 〈方〉 포동포동하다. 폭신폭신하다. ¶这孩子的手多～! 이 어린애의 손은 어쩌면 이리도 포동포동할까! / 这米真好, 煮上饭来挺～; 이 쌀은 참 좋다. 밥을 지으면 아주 푸하고 부드럽다.

〔肉头户〕 ròutóuhù 명 마음 약한 호인. 좋은 봉.

〔肉头儿〕 ròutóur 명 ①썰고 남은 지스러기 고기. ②고기의 두께. ¶～厚; 고기가 두껍다.

〔肉丸(子)〕 ròuwán(zi) 명 돼지고기·양고기를 다져 반대기를 지은 것. =〔肉圆(子)〕

〔肉痿〕 ròuwěi 명 《漢醫》 살갗의 감각이 없는 일.

〔肉馅〕 ròuxiàn 명 다진 (돼지)고기의 속(만두 따위의 속).

〔肉香〕 ròuxiāng 명 재앙을 피하고 복을 구하는 미신 행위의 하나(팔에 바늘을 꽂고, 그 바늘에 향로를 걸고 향을 피우는 행위). ¶烧～; 육향을 태우다.

〔肉心〕 ròuxīn 명 인간다운 심정〔생각〕.

〔肉星儿〕 ròuxīngr 명 고기 부스러기. ¶菜里连个～都没有; 반찬 속에 고기 부스러기조차 들어 있지 않다.

〔肉刑〕 ròuxíng 명 고대의 체형(體刑)('墨刑'(이마에 자자(刺字)하는 형), '劓yì刑'(코를 베는 형), '剕刑'(발뒤꿈치를 베는 형), '宫刑'(거세하는 형) 등을 이름). ¶～制度; 체형 제도. =〔肉辟〕

〔肉性〕 ròuxìng 형 (행동·결단이) 굼뜨다. 꾸물거리다. ¶他是个～人; 그는 굼뜬 사람이다. =〔肉皮气〕

〔肉蕈〕 ròuxùn 명 《植》 흰 빛깔의 버섯.

〔肉芽〕 ròuyá 명 《醫》 육아. 돋아난 새살.

〔肉眼〕 ròuyǎn 명 ①〈比〉 평범한 사람의 눈. 속인(俗人)의 눈. ¶～不识泰山; 〈成〉 눈뜬 장님이라 위대한 사람을 보는 눈이 없다. ②육안. ¶～看不见细菌; 육안으로 세균은 보이지 않는다. ↔〔心眼〕

〔肉眼凡胎〕 ròuyǎn fántāi 안목이 없는 범속한 인간. 속물. 쓸모없는 사람.

〔肉眼泡儿〕 ròuyǎnpàor (아래위 모두) 앞으로 튀어나온 눈꺼풀.

〔肉眼无珠〕 ròuyǎn wú zhū 〈比〉 안식〔안목〕이 없다.

〔肉燕〕 ròuyàn 푸저우(福州) 명산의 식품(돼지의 지방이 적은 살코기를 갈아 '菱líng粉'(마름 열매 녹말)을 섞어서 얇게 밀어 6cm 정도의 사각형으로 자른 것).

〔肉印〕 ròuyìn 명 살찐 사람의 잘록한 부분.

〔肉蝇〕 ròuyíng 명 《蟲》 쉬파리. =〔大麻蝇〕

〔肉用〕 ròuyòng 형 식용의. 식육용의. ¶～鸡; 식육용의 닭.

〔肉欲〕 ròuyù 명 〈貶〉 육욕. 성욕.

〔肉圆(子)〕 ròuyuán(zi) 명 ⇨〔肉丸(子)〕

〔肉月儿〕 ròuyuèr 명 《言》 육달월변(한자 부수의 하나. '脉·肠' 등의 '月'의 이름). =〔肉月旁〕〔排月(儿)〕

〔肉在肉里〕 ròuzài ròuli 〈比〉 가장 친한. 끊으려야 끊을 수 없는. ¶跟她是～的关系, 跟老头子没什么关系; 그녀와는 가장 친한 관계이지만, 영감과는 아무 관계도 없다.

〔肉枣〕 ròuzǎo 명 ⇨〔山shān茱萸〕

〔肉枣(儿)〕 ròuzǎo(r) 명 ①비계 속에 생기는 타원형의 종양상(腫瘍狀)의 결절(結節). ¶肥肉中的～要剔除, 因里面往往有结核菌; 비계 속의 결절에는 왕왕 결핵균이 들어 있는 일이 있으므로 도려 내야 한다. ②아둔패기. =〔肉人②〕 ③고기 속의 작은 뼈.

〔肉燥子〕 ròuzàozi 명 〈古白〉 잘게 썬 고기. ¶要十斤精肉, 切做燥子《水滸傳》; 정육 10근을 잘게 썰어 주시오.

〔肉长的〕 ròuzhǎngde 명 인간의 것. 인정적(人情的)인 것. ¶谁的心不是～? =〔人心都是～〕; 〈諺〉 인심은 다 매한가지다.

〔肉汁〕 ròuzhī 명 육즙. 고기 믹스.

〔肉中刺〕 ròuzhōngcì 명 〈比〉 방해꾼. 눈 위의 혹(눈엣가시). ¶眼中钉, ～; 눈엣가시.

〔肉壮壮(的)〕 ròuzhuāngzhuāng(de) 형 살집이 좋은 모양.

〔肉赘〕 ròuzhuì 명 《醫》 무사마귀. =〔疣yóu〕〔《漢醫》 疣目〕〔瘊hóu子〕

RU ㄖㄨ

如 **rú** (여)

①동 …과 같다. …와 비슷하다. ¶坚强～钢; 강철처럼 견고하다 / 十年～一日; 10년이 하루 같다 / 整旧～新; 〈成〉 헌 것을 손질하여 신품과 똑같이 만들다 / 正～以上所述; 이상 말씀드린 대로입니다. ②동 …에 미치다. …에 필적하다(부정(否定)에만 사용). ¶不～他; 그만 못 하다 / 走不～等; 가는 것보다 기다리는 편이 낫다 / ～蒙允许, 何幸～之; 만일 허락을 해 주신다면, 이 이상의 행복은 없습니다. ③동 …과 같게 (하다). …처럼 (하다). ¶～命; 명령대로 (하다) / ～数还huán清; 수대로 (아구 맞춰) 모두 반제(返濟)하다 / 恰～以前所说的那样; 꼭 전에 말한 그대로이다 / 非要这样做才～他的意; 이렇게 해야지만 그의 마음에 든다. =〔依照〕 ④접 만일. ¶假～ =〔假使〕; 가령. 만일 / ～不能来, 请先通知; 만일 못 오는 경우에는 미리 알려 주십시오 / ～无妨碍就可以参加; 만약에 지장이 없다면 참가해도 좋다. =〔若是〕 ⑤동 예를 들면 …이다. 예컨대 …이다. ¶中国有五十多个少数民族, ～藏Zàng族、回族等等; 중국에는 50이상의 소수 민족이 있는데, 예컨대 장 족, 후이 족 등등이다. →〔譬pì如〕〔比如〕 ⑥조 상황·상태를 나타내는 말에 붙이는 말. ¶突～其来; 갑자기 오다 / 海内晏～; 천하는 평안하다 / 恂恂～; 얌전한 모습 /

与人言, 侃侃～也; 남과 이야기하는 데 거침이 없다. ⑦ 동 가다. ¶纵舟之所～; 배가 가는 대로 맡기다 / 田生～长安; 전생이 장안에 가다. ⑧ 조 …보다(형용사의 뒤에 놓고 비교하는 데 쓰임). ¶光景一年强～一年; 살림이 해마다 나아지다. ⑨ 명 《佛》 영겁불변의 진리. =〔真如〕 ⑩ 명 성(姓)의 하나.

〔如臂使指〕 rú bì shǐ zhǐ 〈成〉 팔을 쓰듯 사람을 부리다. 사람을 마음대로 부리다.

〔如柴〕 rúchái 형 〈比〉 몹시 야위다. ¶骨瘦～; 나뭇개비처럼 말랐다.

〔如常〕 rúcháng 형 평상시와 같다. 흔히 있다. ¶起居～; 생활이 여느 때와 다름없다 / 这个阵势也只～; 이 진법도 흔한 것에 불과하다. =〔照常〕 부 늘. 항상. =〔常常〕

〔如出一口〕 rú chū yī kǒu 〈成〉 한 입에서 나온 것 같다. 약속한 것처럼 말하는 것이 같다.

〔如出一辙〕 rú chū yī zhé 〈成〉 (여러 사람의) 언어·동작이 꼭 일치함. ¶他们的话都～, 还不可信吗? 그들의 말은 모두가 딱 들어맞는데, 그래도 믿을 수 없다는 것이냐?

〔如初〕 rúchū 형 〈文〉 처음과 같다. ¶照zhào旧～; 처음과 같다 / 余皆～; 그 밖에는 모두 처음과 같다.

〔如椽之笔〕 rú chuán zhī bǐ 〈成〉 대문장(大文章). 무게가 있는 문장.

〔如此〕 rúcǐ 〈文〉 이와 같이. 이와 같다. ¶～勇敢; 이와 같이 용감하다 / ～观之; 이렇게 생각하면 / 非～不可; 이렇게 하는 수밖에 없다 / 他的意见也不过～; 그의 의견이라 해야 이 정도의 것이다. =〔这样〕

〔如此大〕 rúcǐdà 형 ⇨〔许xǔ大〕

〔如此而已〕 rúcǐ éryǐ 이와 같을 뿐이다. ¶～, 岂有他哉; 이와 같을 뿐 어쩔 수가 없다.

〔如此如彼〕 rúcǐ rúbǐ 여차여차. 이러저러. ¶行前他不免～地嘱附了一番; 출발하기 전에 이러저러하게 한바탕 일러 두는 일은 언제나 같았다.

〔如次〕 rúcì 다음과 같다. ¶理由～; 이유는 다음과 같다.

〔如弟〕 rúdì 명 ⇨〔义yì弟〕

〔如堵〕 rúdǔ 형 (많은 사람이 에워싸) 담을 두른 것 같다.

〔如堕五里雾中〕 rú duò wǔlǐwù zhōng 〈諺〉 짙은 안개 속에 빠진 것과 같다. 오리무중이다(마음이 당황하여 갈피를 잡지 못하는 일).

〔如堕烟海〕 rú duò yān hǎi 〈成〉 도무지 짐작할 수 없게 되다. ¶结果～找不到中心; 결과는 오리무중의 상태에 빠져 중심을 찾을 수 없다.

〔如法炮制〕 rú fǎ páo zhì 〈成〉 정해진 처방대로 한약을 조제하다(현재는 옛 방식대로 처리하다의 뜻으로 많이 쓰임).

〔如风过耳〕 rú fēng guò ěr 〈成〉 바람이 귓전을 스쳐 지나가는 정도로밖에 생각하지 않다(①오불관언의 태도를 취하다. ②남의 말에 귀를 기울이지 않다).

〔如夫人〕 rúfūrén 명 ⇨〔小xiǎo夫人〕

〔如干〕 rúgān 명부 〈文〉 약간.

〔如故〕 rúgù 형 〈文〉 ①이전대로이다. ¶依然～; 변함 없이 그대로이다. =〔如旧〕 ②옛 친구처럼 다정하다. ¶一见～; 초대면에서 곧 친해지다.

〔如官如府〕 rúguān rúfǔ 〈比〉 완전히 결정되(어 있)다. ¶昨天说得～的, 怎么今天又改了? 어제 분명히 결정되었었는데, 어째서 오늘 또 바뀌었나?

〔如果〕 rúguǒ 접 만일. ¶～如此; 만일 이와 같다면 / ～他不答应, 我便有法子; 만일 그가 승낙하지 않는다면 나에게 생각〔방법〕이 있다 / ～来得及的话, 我想先去一趟青岛; 만약 시간에 대어 갈 수만 있다면, 먼저 칭다오(青島)에 가 보고 싶다. =〔要是〕〔假使〕〔若果〕

〔如何〕 rúhé 대 〈文〉 ①어떠한가. 어떻게. 어떤. ¶近况～? 근황이 어떠신지요 / 此事～办理? 이 사건은 어떻게 처리해야 하는가 / 无论～; 어떠하든 / 否则您一个人参加～; 그렇지 않으면 당신 혼자 참가하면 어떻겠습니까. =〔怎么〕〔怎么样〕〔何如①〕 ②왜. ¶～不归? 왜 돌아오지 않느냐.

〔如恒〕 rúhéng 형 〈文〉 평소와 같다.

〔如虎添翼〕 rú hǔ tiān yì 〈成〉 범이 날개를 얻은 격이다(흉악한 것이 힘을 얻어 더욱 강해짐).

〔如花〕 rúhuā 형 〈文〉 꽃과 같(이 곱)다. ¶～女; 꽃처럼 아름다운 여자 / ～似锦; 〈成〉 꽃과 비단처럼 아름답다.

〔如簧之舌〕 rú huáng zhī shé 〈比〉 교언(巧言). ¶他们对一些应考生鼓其～, 指出他们未必有资格录取; 그들은 몇몇 수험생에게, 교묘한 말로 그들이 반드시 채용될 자격이 있는 것은 아니라고 지적했다.

〔如火如荼〕 rú huǒ rú tú 〈成〉 ①불과 같이 붉고, 띠꽃같이 새하얗다(군용(軍容)이 갖추어지고 기세가 왕성한 모양). ¶工作～地进行着; 일은 맹렬한 기세로 진행되고 있다. ②새빨간 모양. ¶山路上花开得～; 산길에는 꽃이 새빨갛게 피어 있다. ‖ =〔如荼如火〕

〔如获至宝〕 rú huò zhì bǎo 〈成〉 귀중한 보물을 손에 넣은 것처럼 기뻐하다.

〔如饥似渴〕 rú jī sì kě 〈成〉 굶주린 듯하다(몹시 갈망하는 모양). ¶～地研究科学; 절실하게 과학을 연구하다.

〔如假包换〕 rú jiǎ bāo huàn 〈成〉 만약에 가짜라면 반드시 바꿔 준다(진짜(의). 진실의). ¶生得一脸横肉, 是～的杀人王; 타고난 흉악한 인상을 갖고 있어, 진짜 살인마이다.

〔如箭在弦〕 rú jiàn zài xián 〈成〉 화살은 이미 시위에 메워졌음(정세가 긴박해서 중지할 수가 없다). =〔如箭在弦, 不得不发〕

〔如胶似漆〕 rú jiāo sì qī 〈成〉 아교풀같이 딱 붙어서 떨어지지 않다(①떨어질 수 없는 관계에 있다. ②남녀의 사이가 매우 깊다). ‖ =〔似漆如胶〕

〔如今〕 rújīn 명 현재. 현금. 요즘. ¶～的人; 현대 사람. 요즘 사람 / ～他待我很好; 그는 지금은 나를 아주 좋게 대해 준다 / 事到～没法子了; 일이 지금과 같이 돼 버려서 어쩔 도리가 없다. →〔现在〕 注 '现在'는 극히 짧은 시간이나 꽤 긴 시간을 두루 가리키지만, '如今'은 긴 시간을 가리킬 때만 씀.

〔如今晚儿〕 rújīnwǎnr 명 지금쯤. 이제(와서). ¶他怎么～出门? 그는 어째서 이제서야 떠나느냐.

〔如旧〕 rújiù 형 ⇨〔如故①〕

〔如君〕 rújūn 명 첩. 소실. →〔妾qiè①〕

〔如来(佛)〕 rúlái(fó) 명 《佛》 여래(부처의 존칭).

〔如狼牧羊〕 rú láng mù yáng 〈成〉 늑대가 양을 치는 것과 같은 것(못된 관리가 백성을 괴롭히는 일).

〔如狼似虎〕 rú láng sì hǔ 〈成〉 흉악하고 탐욕스럽기 그지없음.

〔如雷贯耳〕 rú léi guàn ěr 〈成〉 명성(名聲)이 드높음. ¶久闻大名, ～; 존함은 익히 듣고 있으며, 명성이 원근(遠近)에 널리 떨쳐져 있습니다.

〔如临大敌〕 rú lín dà dí 〈成〉 마치 대적과 맞서

는 것과 같다.
〔如临深渊〕 rú lín shēn yuān 〈成〉 깊은 못에 이른 것과 같다(①위험하기 짝이 없다. ②무서워서 벌벌 떨다). ¶夙sù夜战惶, ～《晉書》; 밤낮 두려워하며 벌벌 떨고 있다. =〔如履薄冰〕〔如临深渊, 如履薄冰〕〔如临深薄〕〔深薄〕〔深渊薄冰〕〔深渊履薄〕
〔如履薄冰〕 rú lǚ bó bīng 〈成〉 ⇨〔如临深渊〕
〔如履虎尾〕 rú lǚ hǔ wěi 〈成〉 범의 꼬리를 밟은 것 같다.
〔如律令〕 rúlǜlìng 〈文〉 법률·명령과 마찬가지로 여겨라(여율령. 조서(詔書)나 포고문의 끝에 곁들이는 상투적인 문구. 뒤에, 도가(道家)의 부적 등에도 곧잘 쓰이었음).
〔如梦初醒〕 rú mèng chū xǐng 〈成〉 꿈에서 금방 깨어난 것 같다(방금 제 정신이 든 모양). ¶他才～感到非常惭愧; 그는 그리하여 비로소 꿈에서 깬 것처럼 (생각이 바뀌어) 매우 부끄럽게 느꼈다.
〔如面〕 rúmiàn ⇨〔如晤〕
〔如母〕 rúmǔ 명 ⇨〔继jì母〕
〔如泥〕 rúní 동 몹시 취하다. 만취하다. 형 유연하다.
〔如鸟兽散〕 rú niǎo shòu sàn 〈成〉 뿔뿔이 흩어져 달아나다.
〔如牛负重〕 rú niú fù zhòng 〈成〉 소처럼 무거운 짐을 지고 묵묵히 걸음.
〔如期〕 rúqī 부 기일대로. 예정대로. ¶代表大会业已～于本月廿二日举行; 대표 대회는 예정대로 이미 이 달 22일에 거행되었다 / ～完成了任务; 기일대로 임무를 완성했다.
〔如其〕 rúqí 접 만일. ¶～不然; 만일 그렇지 않다면 / ～不成, 再想办法; 만약에 안 된다면〔성공하지 않으면〕 다시 방법을 생각한다. =〔若ruò其〕
〔如亲謦欬〕 rú qīn qǐng kài 〈翰〉 면담한거나 진배없다. 친히 뵈온 것과 같다.
〔如然〕 rúrán 접 〈文〉 만일 그렇다면.
〔如日中天〕 rú rì zhōng tiān 〈成〉 해가 중천에 떠 있는 것 같다(전성기〔한창〕이다).
〔如如〕 rúrú 형 《佛》 〈文〉 불변이다. 이변(異變)이 없다. ¶～不动; 모든 것이 본디대로이고 변화가 없다 / ～而来; 천천히 오다. 접미 형용사 뒤에 붙어서 상태를 나타냄. ¶痒～把心不定《董解元 西廂記諸宮調》; 욕심이 나서 마음을 가라앉힐 수 없다.
〔如人无人之境〕 rú rù wúrén zhī jìng 〈成〉 무인지경에 들어가듯 하다.
〔如若〕 rúruò 접 ①약하. 어떠냐. ②만일 …이라면. ¶～不然; 만일 그렇지 않다면. ‖ =〔假如〕
〔如丧考妣〕 rú sàng kǎo bǐ 〈成〉〈貶〉 마치 양친을 잃은 듯이 당황하는 모양. 또는 슬픈 모양.
〔如嫂〕 rúsǎo 명 형수(‘如兄’(의형제를 맺은 형)의 아내).
〔如上〕 rúshàng 형 〈文〉 위와 같다. 이상과 같다.
〔如失一臂〕 rú shī yī bì 〈成〉 한 팔을 잃은 듯하다(믿고 의지하는 소중한 사람을 잃다).
〔如失左右手〕 rú shī zuǒyòushǒu 양팔을 잃은 것 같다.
〔如时〕 rúshí 부 정한 시각대로. 제시간 내에. =〔准时〕
〔如实〕 rúshí 형 사실에 입각하다. 여실하다. ¶～汇报; 있는 그대로 보고하다.
〔如是〕 rúshì 〈文〉 이와 같다. ¶～观之; 이와 같이 생각해 보면.
〔如是我闻〕 rú shì wǒ wén 《佛》〈成〉 여시아문(이와 같이 나는〔아난(阿難)은〕 석가모니의 말씀을 들었다). 〈轉〉 보고 들은 바를 서술하는 문장의 제목으로 흔히 쓰이는 말.
〔如释重负〕 rú shì zhòng fù 〈成〉 어깨의 무거운 짐을 내려놓은 듯하다(중임(重任)을 완수하고 마음이 후련함).
〔如属〕 rúshǔ 접 〈文〉 만일 …이면. ¶～事实; 만약에 사실이라면.
〔如数家珍〕 rú shǔ jiā zhēn 〈成〉 가보(家寶)를 세 듯이 잘 알고 있음.
〔如数〕 rúshù 부 전액. 수대로. 수를 맞추어서. ¶委购某货均已～办就; 의뢰하신 모 상품은 이미 전부 구입이 끝났습니다 / ～归还; 전액을 한목에〔액수대로〕 반환하다.
〔如梭〕 rúsuō 형 〈文〉〈比〉 ①세월의 지나감이 (베틀의 북처럼) 빠르다. ②사람의 왕래가 (베틀의 북처럼) 빈번하다. ¶行人～; 행인의 왕래가 잦다.
〔如所周知〕 rú suǒ zhōu zhī 〈成〉 널리 알려진 바와 같다. 주지하는 바와 같다.
〔如汤泼雪〕 rú tāng pō xuě 〈成〉 ⇨〔如汤沃雪〕
〔如汤沃雪〕 rú tāng wò xuě 〈成〉 더운 물을 눈에 붓다(일이 쉬이 해결됨). ¶～地刷新人心; 인심을 싹 일신하다. =〔如汤泼雪〕
〔如贴〕 rútiē 형 빈틈없다. 용의주도하다. ¶把事情安排得很～; 일을 처리하는 것이〔일의 안배가〕 매우 주도하다.
〔如同〕 rútóng 동 마치 …과 같다. ¶我～入梦一般; 나는 꿈꾸는 기분이었다 / 照得～白昼似的; 대낮같이 비추다.
〔如荼如火〕 rú tú rú huǒ 〈成〉 ⇨〔如火如荼〕
〔如闻其声, 如见其人〕 rú wén qíshēng, rú jiàn qírén 〈成〉 그 목소리가 들리고, 그 얼굴이 보이는 것 같다.
〔如晤〕 rúwù 〈翰〉 만나서 말하는 (듯이 편한 마음으로 붓을 듭니다). ¶某某先生足下～, 适奉手书…; …님, 방금 서신을 받잡고…. =〔如面〕
〔如下〕 rúxià 하기(下記)〔아래〕와 같다. ¶现将应注意的事情说明～; 주의 사항을 설명할 것 같으면 아래와 같다 / ～收到; 하기와 같이 수령했습니다.
〔如像〕 rúxiàng 동 …과 같다. =〔如同〕
〔如心〕 rú.xīn 동 생각하는 바와 같다. 생각대로 되다. ¶事事都不～; 일마다 마음대로 안 되다.
〔如心如愿〕 rúxīn rúyuàn 소원대로 되다.
〔如兄〕 rúxiōng 명 ⇨〔义yì兄〕
〔如兄弟〕 rúxiōngdì 명 ⇨〔义yì兄弟〕
〔如许〕 rúxǔ 명 약간. 다소. ¶～钱; 약간의 돈. 형 ①많다. ¶耗费～物力; 많은 물력을 소비하다. ②이와 같다. ¶水清～; 이와 같이 물이 맑다.
〔如埙如篪〕 rú xūn rú chí 〈成〉 형제간의 우애가 깊다.
〔如一〕 rúyī 형 여일하다(변화가 없다). ¶始终～; 시종 여일하다.
〔如仪〕 rúyí 동 격식대로 하다.
〔如蚁附膻〕 rú yǐ fù shān 〈成〉 ①개미가 냄새나는 곳에 모이듯 하다. ②서로 같은 사람끼리 나쁜 짓을 꾀함. 또, 세력 있는 사람에 붙음.
〔如意〕 rú.yì 동 ①뜻대로 되다. ¶衣食住都不～; 생활 만사가 뜻대로 안 된다 / 如他的意; 그의 뜻대로 되다 / 称心～; 마음에 맞고 뜻대로 되다. ②마음에 들다. ¶要是～, 他就留下; 그는 마음에 들면 수중에 넣는다〔사들인다〕. 명 《佛》 (불구(佛

具)의) 여의(如意).
〔如意草〕 rúyìcǎo 명 ⇨〔堇jǐn菜〕
〔如意儿〕 rúyìr 명《佛》작은 여의.
〔如意算盘〕 rú yì suàn pán 〈成〉 제멋대로의 생각. 자기 중심의 속셈. 독장수 셈. ¶这不是～? 이것은 지나친 자기 중심의 속셈이 아니냐? / 最好不要打～; 독장수 셈을 하지 않는 것이 제일 좋다.
〔如意索〕 rúyìsuǒ 명 옛날, 첩자가 쓰던 일종의 밧줄.
〔如意针〕 rúyìzhēn 명 시침 바늘. 안전핀.
〔如影随形〕 rú yǐng suí xíng 〈成〉 그림자가 형체를 따라다니듯 하다(관계가 매우 밀접함).
〔如鱼得水〕 rú yú dé shuǐ 〈成〉 물고기가 물을 만난 듯하다. 마음껏 활동하다(적합한 환경〔마음 맞는 사람〕을 얻다).
〔如鱼似水〕 rú yú sì shuǐ 〈成〉 사이가 아주 좋다. 매우 의가 좋다.
〔如辕下驹〕 rú yuán xià jū 〈成〉 수레채에 매인 말과 같다(뜻대로 움직일 수 없다. 생각대로 되지 않다).
〔如愿〕 rúyuàn 동 소원이 이루어지다. ¶～以偿; 〈成〉 소원 성취하다 / 那么办就如了我的愿了; 그렇게 하면 제 소원대로 됩니다.
〔如约〕 rúyuē 부 약속한 대로. ¶～赴席; 약속대로 연회에 참석하다.
〔如月〕 rúyuè 명 음력 2월의 별칭. 여월.
〔如云〕 rúyún 형 〈文〉 인재·미녀 등이 많은 모양.
〔如在〕 rúzài 형 〈文〉 살아 있는 것 같다. 살아 계신 것처럼 …하다.
〔如之〕 rúzhī 형 〈文〉 ①이와 같은. ②여기에 미치는. 이 이상의. ¶何幸～? 이 이상의 행복이 있을까?
〔如之何〕 rúzhīhé 〈文〉 이를 어찌하랴. ¶将jiāng～? 자, 이제 어떻게 하면 좋은가? / 倘或有人知觉, 必遭诛戮, 如之奈何?《水滸傳》; 만일 남이 알아차리면 필시 죽음을 당할 텐데, 어떡하면 좋을까?
〔如之奈何〕 rú zhī nài hé 〈成〉 이를 어찌하랴. 어찌할 수 없다. 어떻게도 할 수 없다.
〔如众所知〕 rú zhòng suǒ zhī 모두가 알고 있는 대로이다.
〔如兹〕 rúzī 형 〈文〉 이와 같다.
〔如字〕 rúzì 명《言》음을 나타내는 방법의 하나(뜻이 달라서 두 가지 이상의 발음이 있는 경우 가장 통상적으로 읽는 방법을 '如～'처럼 읽는다고 함. 이를테면, '美好'의 '好'를 3성으로 읽는 것).
〔如坐针毡〕 rú zuò zhēn zhān 〈成〉 바늘 방석에 앉아 있는 것 같다(안절부절 못하다).

茹 **rú** (여)
①동 먹다. ②동 견디다. ¶含辛～苦 = 〔～苦含辛〕; 고생을 견디다. ③동 재다. 헤아리다. ¶不可以～; 잴 수가 없다. ④형 〈文〉 연(軟)하다. ⑤명 성(姓)의 하나.
〔茹草〕 rúcǎo 명《植》'南nán柴胡'의 별칭.
〔茹荤〕 rúhūn 동 〈文〉 육식하다. 비린내 나는 것을 먹다.
〔茹苦〕 rúkǔ 동 괴로움을 맛보다. 고난을 당하다. ¶含hán辛～; 〈成〉 고통을 참고 노력하다. =〔吃chī苦〕〔受shòu苦〕
〔茹毛饮血〕 rú máo yǐn xuè 〈成〉 새·짐승을 털도 뽑지 않은 채로 피가 뚝뚝 떨어지는 것을 먹다(원시인 같은 생활을 하다). ¶刘连仁穴居野处, 过了十几年～的悲惨生活; 유연인은 굴에서 살거나 들에서 노숙하거나 하며, 10여 년이나 원시인과 같은 비참한 생활을 보냈다.
〔茹茹〕 Rúrú 명 ⇨〔柔róu然〕
〔茹素〕 rúsù 동 〈文〉 육식을 피하고 채식을 하다.
〔茹痛〕 rútòng 동 고통을 참고 견디다.
〔茹鱼〕 rúyú 명 〈文〉 썩은〔상한〕 물고기. ¶以～驱蝇, 蝇愈至; 상한 물고기로 파리를 쫓으면, 파리는 더욱 꾄다.

挐 **rú** (녀)
①동 〈文〉 당기다. ②동 어지러워지다. ③명 성(姓)의 하나. ⇒ná ráo

铷(鉫) **rú** (여)
명《化》루비듐(Rb:rubidium)(금속 원소의 하나).

儒 **rú** (유)
①명 유자(儒者). ②명 유학(자). ③명 학자. ④형 〈文〉 가냘프다. 나약하다.
〔儒扮〕 rúbàn 명 유학자풍의 차림새.
〔儒典〕 rúdiǎn 명 유서(儒書)(유교의 전적(典籍)). ¶潜qián心～; 유서의 연구에 몰두하다.
〔儒儿〕 rú'ér 동 ⇨〔嚅哯〕
〔儒法论争〕 rú fǎ lùnzhēng 명 유가와 법가 사이의 논전.
〔儒风〕 rúfēng 명 유학자다운 기풍.
〔儒服〕 rúfú 명 유학자의 복장.
〔儒艮〕 rúgèn 명《動》듀공(dugong). =〔〈俗〉人鱼〕
〔儒冠〕 rúguān 명 유관. 유학자가 쓰는 관.
〔儒户〕 rúhù 명 대대로 유학자의 집안.
〔儒家〕 Rújiā 명 ①유가(공자·맹자의 학파). ¶～学说; 유가의 학설(인(仁)을 이상으로 하는 도덕주의를 역설하고, 덕치(德治) 정치를 강조함). ②유학자. =〔儒者〕‖ =〔儒门〕
〔儒将〕 rújiàng 명 학자와 같은 풍격이 있는 무장(武將).
〔儒教〕 Rújiào 명 유교(춘추(春秋) 시대의 유가에 대하여, 남북조(南北朝) 이후 이렇게 부르게 되었음).
〔儒巾〕 rújīn 명 유건(옛날에 유학 수업자·과거 지망자가 쓴 건).
〔儒经〕 rújīng 명 유경. 유학의 책.
〔儒林〕 rúlín 명 유림. 유학자들.
〔儒略历〕 rúlüèlì 명 〈音義〉 율리우스력(Julius曆).
〔儒门〕 Rúmén 명 ⇨〔儒家〕
〔儒墨〕 Rúmò 명 '儒家①'와 '墨家'.
〔儒慕〕 rúmù 동 〈文〉 경모하다. ¶即今思之, 就更有～之感了; 이제 와서 이를 생각하니 한층 경모하는 마음이 깊어진다.
〔儒儒气气〕 rúruqìqì 부 온건하게. 부드럽게.
〔儒生〕 rúshēng 명 ①유생(공맹의 도를 받드는 독서인). ②〈轉〉 독서인.
〔儒释道〕 Rú Shì Dào 명 유교·불교·도교.
〔儒术〕 rúshù 명 유가의 가르침. 유술.
〔儒行〕 rúxíng 명 유행. 유교의 도에 맞는 행위.
〔儒玄〕 Rú Xuán 명 유교와 도교.
〔儒学〕 rúxué 명 ①유학. ②옛날, 부(府)·주(州)·현(縣)의 교관(教官)의 일컬음.
〔儒雅〕 rúyǎ 형 〈文〉 유학자풍으로 너그럽다.
〔儒医〕 rúyī 명 학자 출신의 의사·한의사.
〔儒者〕 rúzhě 명 ⇨〔儒家②〕
〔儒宗〕 rúzōng 명 〈比〉 유종(유학의 대가).

濡 **rú** (유)
동〈文〉①젖다. 적시다. ¶沾～; 젖다. 적시다/～笔; 붓에 먹을 묻치다〔찍다〕. ②지체(遲滯)되다. ③스며들다. ¶耳～目染; 듣기도 하고 보기도 하다.
〔濡毫〕 rúháo 동 붓끝을 적시다.〈比〉휘호하다.
〔濡化〕 rúhuà 동〈文〉인덕으로 선도하다.
〔濡染〕 rúrǎn 동 ①물들이다. 물들다. ¶他～了欧美的习气; 그는 구미의 풍습에 젖어 있다. ②담그다. 적시다.
〔濡忍〕 rúrěn 동〈文〉참고 견디다.
〔濡湿〕 rúshī 동 적시다. 젖다. ¶夜露～了衣服; 밤 이슬에 옷을 적셨다.
〔濡需〕 rúxū 동〈文〉한때의 안일을 탐하다.

薷 **rú** (유)
→〔香xiāng薷〕

嚅 **rú** (유)
→〔嚅唲〕〔嚅嗫〕
〔嚅唲〕 rú'ér 동〈文〉억지로 웃다. 억지 웃음을 짓다. =〔儒儿〕
〔嚅嗫〕 rúniè 형〈文〉①말을 더듬는 모양. ②말을 하려다 멈칫하는 모양. =〔嗫嚅〕

孺 **rú** (유)
①명 유아. 갓난아이. ¶妇～; 여자와 아이. ②명 종속(從屬)된 것. ③동 종속되다. ④동〈文〉친해지다. 따르다. ⑤동 즐기다.
〔孺齿〕 rúchǐ 명〈文〉어린아이. =〔孺弱〕
〔孺孩〕 rúhái 명 ⇨〔孺童〕
〔孺慕〕 rúmù 동〈文〉(자식이 부모를 따르듯) 따르다.
〔孺气〕 rúqì 명〈文〉어린아이 같은 마음.
〔孺人〕 rúrén 명〈文〉①옛날에는 '大夫'의 아내. 명청(明清) 때에는 칠품(七品)을 받은 자의 모친〔아내〕의 칭호. ②〈轉〉부인의 존칭.
〔孺弱〕 rúruò 명 ⇨〔孺齿〕
〔孺童〕 rútóng 명〈文〉어린이. 아이. =〔孺孩〕
〔孺子〕 rúzǐ 명〈文〉아이. ¶～可教; 아이를 가르칠 만하다.
〔孺子牛〕 rú zǐ niú〈成〉〈比〉남이 하라는 대로 순종하는 일(제(齊)나라의 경공(景公)이 아들 도(荼)를 위하여 새끼를 입에 물고 소의 흉내를 내다가 이가 부러졌다는 고사에서 유래함). ¶俯fǔ首甘为～《鲁訊詩》; 고개를 숙여 달게 아이들의 소가 되리라.

襦 **rú** (유)
명〈文〉①짧은 상의(上衣). ¶～衫shān; 내의/～裤; 저고리와 바지. =〔短袄(儿)〕 ②턱받이. ③얇은 비단.

颥(顬) **rú** (유)
→〔颞niè颥〕

蠕〈蝡〉 **rú**〔〈舊〉ruǎn〕(연)
형 (벌레 따위가) 꿈틀꿈틀 움직이는 모양. ¶大肠～动; 대장이 연동 운동을 하다/胎儿～～而动; 뱃속의 아이가 꿈틀꿈틀 움직이다.
〔蠕变〕 rúbiàn 명《物》크리프(creep).
〔蠕动〕 rúdòng 동《生》①연동(蠕動)하다. ¶小肠是经常在～着的; 소장은 항상 연동을 계속하고 있다. ②준동(蠢動)하다.
〔蠕蠕〕 rúrú 형 꿈틀거리는 모양. 기어다니는 모양. ¶～而动; 꿈틀거리다.
〔蠕形动物〕 rúxíng dòngwù 명《動》연형 동물(지렁이·회충 따위).

女 **rǔ** (여)
대〈文〉너. 그대. =〔汝rǔ〕⇒nǚ nǜ

汝 **rǔ** (여)
①대〈文〉그대. ¶吾愿助～等; 나는 그대들을 돕고 싶다/～将何往? 너는 어디로 가려고 하느냐? ②명《地》루수이(汝水)(허난 성(河南省)에 있는 강 이름). ③명 성(姓)의 하나.
〔汝辈〕 rǔbèi 대〈文〉너희들. ¶愿～效之; 너희들이 이를 본받기를 바란다. =〔汝曹cáo〕
〔汝曹〕 rǔcáo 대 ⇨〔汝辈〕
〔汝窑〕 rǔyáo 명 북송(北宋) 시대 현재의 허난 성(河南省) 루저우(汝州) 지방에서 나던 자기(磁器).

乳 **rǔ** (유)
①명 젖. ¶人～; 모유/～液; (식물의) 유액/小儿哺～; 어린아이가 젖을 먹다/生～=〔牛奶〕; 우유. ②명 유방. ③명 젖과 같은 것에 붙이는 말. ¶豆～; 두유. ④명 고기를 갈아 비단에 거른 것. ⑤명 생선의 이리. ⑥명 젖꼭지처럼 생긴 물건. ¶钟～石 =〔石钟～〕; 종유석. ⑦동〈文〉젖먹이다. ¶亲身～儿; 직접 젖을 먹이다〔수유(授乳)하다〕. ⑧동 아이를 기르다. ⑨형 갓 태어난. 어린. ¶～燕; 제비 새끼. ⑩동 약 따위를 갈아 가루로 만들다. ⑪동 태어나다. 태어나서 번식하다. ¶孳～; 점차 번식하여 많아지다.
〔乳癌〕 rǔ'ái 명《醫》유암.
〔乳媪〕 rǔ'ǎo 명 ⇨〔乳母〕
〔乳白玻璃〕 rǔbái bōli 명 젖빛유리. =〔乳色玻璃〕〔玻璃瓷cí〕
〔乳白色〕 rǔbáisè 명《色》유백색.
〔乳表〕 rǔbiǎo 명《機》젖의 농담(濃淡)을 시험하는 기계.
〔乳饼〕 rǔbǐng 명 치즈. =〔干gān酪〕
〔乳钵〕 rǔbō 명 유발. 막자 사발. =〔研yán钵〕
〔乳哺〕 rǔbǔ 동 유아에게 어버이가 씹어서 (입으로 옮겨) 먹이다.
〔乳齿〕 rǔchǐ 명《生》유치. 젖니. =〔乳牙〕〔暂zàn齿〕→〔奶nǎi牙〕
〔乳褡〕 rǔdā 명 ⇨〔乳罩〕
〔乳蛾〕 rǔ'é 명《醫》편도선염. =〔喉hóu蛾〕
〔乳儿〕 rǔ'ér 명 젖먹이.
〔乳房〕 rǔfáng 명 ①《生》유방. 젖통. ¶～炎 =〔《醫》乳痈〕; 유방염. =〔乳盘〕 ②〈俗〉은행나무 줄기에 생기는 혹.
〔乳粉〕 rǔfěn 명 가루 우유. 분유.
〔乳腐〕 rǔfǔ →〔豆腐乳〕
〔乳柑〕 rǔgān 명《植》유감(귤의 일종).
〔乳核〕 rǔhé 명《漢醫》유핵(젖통에 멍울이 생기는 병). =〔乳栗〕
〔乳化〕 rǔhuà 명동《化》유화(하다). ¶～液 =〔乳浊液〕; 유탁액.
〔乳化油〕 rǔhuàyóu 명《化》유화성 기름(금속 절삭 등의 경우에 씀). =〔肥féi皂油〕〔调tiáo水油〕〔〈北方〉洋yáng干油〕
〔乳黄素〕 rǔhuángsù 명《化》비타민B_2. =〔核hé黄素〕
〔乳剂〕 rǔjì 명《化》유제.
〔乳胶(液)〕 rǔjiāo(yè) 명 ⇨〔乳浊液〕
〔乳疽〕 rǔjū 명《漢醫》유방에 생기는 악성 종기.
〔乳桔〕 rǔjú 명《植》귤의 일종('乳柑'과 비슷한

모양으로, 껍질이 단단하고 향기가 진하며 산미(酸味)가 강함).
〔乳酪〕 rǔlào 명 ①버터(butter). =〔黄油〕 ②치즈(cheese). =〔奶nǎi酪〕
〔乳梨〕 rǔlí 명 ⇨〔雪xuě梨①〕
〔乳栗〕 rǔlì 명 ⇨〔乳核〕
〔乳糜〕 rǔmí 명 ①유락(乳酪). ②《生》 유미(음식이 소화되어 유미관 안에 흡수된 젖 모양의 림프액). ¶～管guǎn; 《生》 유미관.
〔乳名〕 rǔmíng 명 유명(幼名)(갓 낳았을 때 붙이는 이름).
〔乳母〕 rǔmǔ 명 유모. =〔奶妈〕〔乳娘〕〔乳媪〕〔乳妪〕
〔乳母车〕 rǔmǔchē 명 ⇨〔婴yīng儿车〕
〔乳娘〕 rǔniáng 명 ⇨〔乳母〕
〔乳牛〕 rǔniú 명 젖소. =〔奶nǎi牛〕
〔乳盘〕 rǔpán 명 ⇨〔乳房①〕
〔乳皮〕 rǔpí 명 유피. →〔奶nǎi皮①〕
〔乳品〕 rǔpǐn 명 유제품. ¶～厂; 유제품 공장.
〔乳气〕 rǔqì 명형 ⇨〔乳臭〕
〔乳泣〕 rǔqì 명 《漢醫》 산전(産前)에 젖이 나옴.
〔乳热症〕 rǔrèzhèng 명 가축이 산후(産後)에 비틀거리는 증세.
〔乳色玻璃〕 rǔsè bōli 명 ⇨〔乳白玻璃〕
〔乳兽〕 rǔshòu 명 〈文〉 새끼를 거느린 (사나운) 짐승.
〔乳树〕 rǔshù 명 《植》 젖나무(남미·남아프리카에 나는 상록수. 유백색의 액즙은 음용(飮用)할 수 있음).
〔乳水〕 rǔshuǐ 명 ⇨〔乳汁〕
〔乳酸〕 rǔsuān 명 《化》 유산. ¶～钙gài; 유산 칼슘.
〔乳糖〕 rǔtáng 명 《化》 유당. ¶水shuǐ解～; 갈락토오스(galactose). =〔奶nǎi糖〕
〔乳头〕 rǔtóu 명 《生》 ①유두(乳頭). =〔奶头〕 ②유두 모양의 것. ¶真皮～; 유두종(腫).
〔乳腺〕 rǔxiàn 명 《生》 유선. ¶～炎yán; 유선염.
〔乳香〕 rǔxiāng 명 유향. 유향 수지. 매스틱(mastic) 고무(약용·향료로 씀). =〔乳香树胶〕〔马mǎ尾香〕〔熏xūn陆香〕〔洋yáng乳香〕
〔乳香树胶〕 rǔxiāng shùjiāo 명 ⇨〔乳香〕
〔乳臭〕 rǔxiù 명 젖비린내. ¶带～; 젖비린내나다 / ～小儿; 풋내기. 애송이. 형 아직 유치하다. ‖ =〔乳气〕
〔乳臭未干〕 rǔ xiù wèi gān 〈成〉 아직도 젖비린내가 나다. =〔口尚乳臭〕
〔乳悬〕 rǔxuán 명 《漢醫》 유현증(출산 후에, 유방이 아랫배까지 늘어져 몹시 아픈 병).
〔乳牙〕 rǔyá 명 ⇨〔乳齿〕
〔乳燕〕 rǔyàn 명 제비 새끼.
〔乳药〕 rǔyào 동 〈文〉 음독하다. 독약을 먹다. ¶岂有～求死乎? 어찌 독약을 먹고 죽는 일이 있겠는가?
〔乳婴〕 rǔyīng 명 유아. 젖먹이.
〔乳佣〕 rǔyōng 명 〈文〉 고용된 유모.
〔乳痈〕 rǔyōng 명 《漢醫》 유옹(乳癰). 화농성 유선염(乳腺炎).
〔乳油〕 rǔyóu 명 ⇨〔奶nǎi油②〕
〔乳妪〕 rǔyù 명 ⇨〔乳母〕
〔乳渣〕 rǔzhā 명 크림과 치즈.
〔乳罩〕 rǔzhào 명 브래지어(brassiere). =〔乳褡dā〕
〔乳汁〕 rǔzhī 명 유즙. 젖. =〔乳水〕〔奶nǎi②〕
〔乳脂〕 rǔzhī 명 ①크림. ②유지방(우유 속의 지방).
〔乳脂酸〕 rǔzhīsuān 명 ⇨〔丁dīng酸〕
〔乳制品〕 rǔzhìpǐn 명 유제품.
〔乳猪〕 rǔzhū 명 돼지의 젖먹이 새끼.
〔乳状液〕 rǔzhuàngyè 명 ⇨〔乳浊液〕
〔乳浊液〕 rǔzhuóyè 명 《化》 유탁액. 에멀션(emulsion). =〔乳化液〕〔乳胶(液)〕〔乳状液〕

辱 rǔ (욕)
①명 수치. 치욕(恥辱). ¶奇耻大～; 커다란 치욕 / 不以为～; 수치로 여기지 않다 / 受～; 모욕을 당하다. ②동 창피당하다. 부끄럼을 당하다. ③동 창피 주다. 욕뵈다. ¶侮～; 모욕하다 / 当众～之; 대중이 보는 앞에서 그를 창피 주다. ④동 황송하게도〔죄송하게도〕 …하다. ¶～承指教; 황송하게도 가르침을 받다.
〔辱承〕 rǔchéng 동 〈翰〉 황송하게도 …하여 주시다. ¶～隆情 =〔～云谊〕; 황송하게도 호의를 받잡다 / ～惠函; 혜서를 받잡다. =〔辱荷〕〔辱蒙〕
〔辱国丧权〕 rǔ guó sàng quán 〈成〉 나라를 욕되게 하고 권위를 떨어뜨리다.
〔辱荷〕 rǔhè 동 ⇨〔辱承〕
〔辱贱〕 rǔjiàn 동 〈文〉 욕보이다.
〔辱卷〕 rǔjuǎn 동 마구 나쁘게 말하다. =〔辱诀〕
〔辱临〕 rǔlín 동 〈文〉 왕림해 주시다.
〔辱骂〕 rǔmà 동 모욕을 주고 욕하다.
〔辱蒙〕 rǔméng 동 〈翰〉 황송하게도 …하여 주시다. ¶～指教; 교시(敎示)하여 주셔서 황송하게 생각합니다.
〔辱命〕 rǔ.mìng 동 ①명령을 거역하다. ¶幸不～; 다행스럽게도 명령을 거역하는 일이 없다. ②하명(下命)을 받들다.
〔辱没〕 rǔmò 동 ①욕보이다. 더럽히다. 창피를 주다. ¶我家中没得与你吃, ～杀人; 우리 집에는 네게 대접할 게 없어 그저 부끄럽기만 하다. =〔玷污〕 ②재능을 묻혀 버리게 하다. ¶他有那样儿的学问, 做这样儿的小事情真是～了他; 그가 저 정도의 학문이 있으면서, 저런 시시한 일을 하고 있는 것은 정말 그의 재능을 묻어 버리는 것이다.
〔辱游〕 rǔyóu 〈謙〉 교제해 주시다.

鄏 rǔ (욕)
지명용 자(字). ¶郏Jiá～; 자루(郟鄏)(주대(周代)의 고산(古山) 이름. 현재의 허난 성(河南省) 뤄양(洛陽)의 서북에 해당).

擩 rǔ (유)
동 〈方〉 ①질러 넣다. 밀어 넣다. 발을 디디다. 꼭 끼이다. ¶一脚～到泥里了; 흙탕 속에 한 발이 푹 빠졌다 / 把棍子～在草堆里; 막대기를 짚더미에 찔러 넣다. ②무심코 어딘가에 끼워 넣다. ¶那个文件, 不知～到哪里了; 그 서류는 어디에 끼워 넣었는지 모르겠다. ③남에게 살짝 물건을 건네다. ¶偷偷地～进他手里了; 살짝 그의 손에 쥐어 주었다 / ～给他一些钱; 그에게 약간의 돈을 슬그머니 쥐어 주다.

入 rù (입)
①동 (밖에서 안으로) 들어가다. ¶～场chǎng; 입장하다 / 日～; 날이 저물다 / 闲人莫～; 무용자 출입 금지. ②동 (조직에) 들어가다. 참가하다. ¶～党; (공산당에) 입당하다. ③동 (시기가) 되다. ¶眼看着～冬了; 이제 곧 입동이 된다. ④동 넣다. 수납(收納)하다. ¶～棺guān; 관에 넣다. 입관하다. ⑤동 섞다. ¶锡xī可以～铜造器皿; 주석은 동과 섞어서 그릇을 만들 수 있다. ⑥동 …에 들어맞다. 적합하다. ¶～时; 시대에 적합하다 / ～情～理; 정리에 맞

다. ⑦ 명 수입(收入). ¶量liàng～为出; 〈成〉 수입을 생각하고 지출을 하다/出～相抵; 수지(收支)가 균형이 잡히다. ⑧ 명 《言》 입성(入聲)⦅사성(四聲)의 하나⦆.

〔入庵〕 rù'ān 동 여승이〔비구니가〕 되다.

〔入板〕 rùbǎn 동 도리에 맞다. ¶他说得不～; 그가 하는 말은 도리에 맞지 않는다.

〔入帮〕 rùbāng 동 조합〔동업회〕에 가입하다.

〔入不敷出〕 rù bù fū chū 〈成〉 수지가 맞지 않다. ¶～的生活; 수입이 지출을 따르지 못하는 생활.

〔入不进去〕 rùbujìnqù 들어갈 수 없다.

〔入仓〕 rùcāng 명 입고(入庫). (rù,cāng) 동 선창(船倉)에 넣다.

〔入册〕 rùcè 동 ⇨〔入账〕

〔入厂〕 rù,chǎng 동 (노동자가) 취직하다.

〔入场〕 rù,chǎng 동 입장하다. ¶～券quàn; 입장권.

〔入超〕 rùchāo 동 수입 초과하다. 명 수입 초과. =〔贸mào易逆差〕‖↔〔出chū超〕

〔入巢〕 rùcháo 동 (나쁜) 패거리에 끼다. ¶十七岁在白货公司行窃, 为前辈发现, 便带他～; 17세 때 백화점에서 도둑질을 하고, 선배의 눈에 띄어 한 패거리에 끼이게 되었다.

〔入朝〕 rùcháo 동 〈文〉 입조하다. 조정에 들어가 (벼슬을 하)다.

〔入厨能手〕 rùchú néngshǒu 명 요리의 명수.

〔入春〕 rù,chūn 동 봄이 되다. 봄에 들어서다.

〔入党〕 rù,dǎng 동 (공산당에) 입당하다. ¶～做官论; 입당하는 목적은 관리가 되어 입신 출세하기 위해서라는 논조(論調).

〔入道〕 rùdào 동 《佛》 입도하다. 불문에 들어가 수도하다⦅'出家'는 절에 들어가 중이 됨을 이르고, '～'는 속세에 있어 머리 깎고 법의를 입는 것을 말함⦆.

〔入地〕 rù,dì 동 〈文〉 땅 속에 숨다. ¶～无门; 진퇴유곡이라 몸 둘 바가 없다/～三尺; 땅이 석 자나 패어 들어가다. 명 '仡Gē佬族(흘로족)'(후난(湖南)·구이저우(貴州)·광시(廣西) 방면에 사는 산사람)이 다른 지역에 옮겨 사는 것을 이르는 말.

〔入调〕 rùdiào 동 ①(노래의) 가락이 잘 맞다. ②〈比〉 논조가 도리에 맞다.

〔入定〕 rùdìng 동 《佛》 좌선(坐禪)을 하다.

〔入冬〕 rù,dōng 동 겨울에 들어서다. =〔上shàng冬〕

〔入洞房〕 rù dòngfáng 신랑·신부가 신방에 들다.

〔入肚〕 rùdù 동 뱃속에 넣다. 머릿속에 넣다⦅마시다. 먹다⦆. ¶读书不～是没用的; 독서를 해도 머릿속에 넣어 두지 않으면 소용 없다/把一盘饺子都给～了; 큰 접시에 가득한 만두를 전부 먹어 치웠다.

〔入耳〕 rù'ěr 동 ①귀에 들어오다. ②(말·음악·노래 등이) 들어서 즐겁다. ¶不～之言; 귀에 거슬리는 말. =〔中听〕 형 들을 만하다. 듣기 좋다. 명 《動》 그리마. =〔蚰蜒yóuyán〕

〔入耳着心〕 rù ěr zhuó xīn 〈比〉 한 번 들은 일은 잊어버리지 않다.

〔入犯〕 rùfàn 동 (적군이) 국경을 침범하다.

〔入房〕 rùfáng 동 ⇨〔行xíng房(事)〕

〔入伏〕 rù,fú 동 복날로 들어서다.

〔入港〕 rù,gǎng 동 ①〈古白〉 (서로의 의사가 접근되어) 말이 맞아 가다. ¶二人谈得～; 두 사람의 이야기는 활기를 띠고 있다. ②입항하다.

〔入告〕 rùgào 동 〈文〉 임금에게 아뢰다.

〔入阁〕 rùgé 동 내각 대학사(內閣大學士)가 정무에 참여하다.

〔入格〕 rù,gé 동 ①격조(格調)에 맞다. ②규격에 맞다.

〔入贡〕 rùgòng 동 〈文〉 입공하다. 외국에서 물품을 바치러 오다.

〔入彀〕 rù,gòu 동 ①시험에 합격하다. ②황홀해지다. 매료되다. 정신을 (거기에) 빼앗기다. ¶他弹tán得好, 听得～; 그는 피아노를 잘 쳐서, 듣고 있노라면 빠져들게 된다/子平本会弹十几调琴, 所以听得～《老殘遊記》; 자평은 본래 거문고는 십여 곡 탈 줄 알아서, 거문고 소리를 듣고 황홀해졌다. ③어떤 세력 범위 안에 들다. 바라던 대로 되다. ¶那些流氓集团, 往往先引人～然后再驱使利用; 그들 불한당의 무리는 왕왕 사람을 무리 안에 끌어들여서 그를 조종하여 이용하려고 한다/今天的考试考得～; 오늘 시험은 예상이〔요행수가〕 들어맞았다.

〔入咕〕 rùgū 동 〈俗〉 아무렇게나 거두어 넣다. 함부로 치워 버리다. ¶这是要紧东西, 别～得找不着; 이것은 중요한 것이니까, 함부로 간수하여 찾아낼 수 없게 하면 안 된다. =〔塞sāi咕〕

〔入股〕 rù,gǔ 동 ①주식에 가입하다. ②현물을 투자하다.

〔入股土地〕 rùgǔ tǔdì 명 '合hé作社'(협동조합)에 출자한 토지. ¶这一类合作社的大部分产品按劳动日进行分配, 一小部分按～分配; 이 종류의 협동조합에서는, 생산물의 대부분은 춰로 일수에 따라 분배되며, 일부분은 출자한 토지의 지분(持分)에 따라 분배된다.

〔入骨〕 rùgǔ 동 ①뼈까지 이르다. ¶贼zéi咬一口, ～三分; 도적한테 한번 물리면 뼛속 깊이까지 이른다⦅나쁜 놈에게 밉게 보이면 혼이 난다⦆. ②〈轉〉 뼈에 사무치다. ¶恨他～; 그에 대한 원한이 골수에 사무치다/叫人恨得～; 남에게 뼈에 사무치게 원한을 사다. ③《佛》 속인으로서 죽은 사람의 유골〔시신〕을 탑(塔)에 모시다.

〔入关〕 rù,guān 동 산해관(山海關) 안으로 들어가다. (동북 지방에서) 중국 본토로 들어서다.

〔入关栈报单〕 rùguānzhàn bàodān 명 《商》 보세 창고 입고 신고서.

〔入关栈准单〕 rùguānzhàn zhǔndān 명 《商》 보세 창고 입고 허가증.

〔入官〕 rù,guān 동 ①몰수하여 국유화하다. =〔充chōng公〕 ②〈文〉 관리가 되다. ¶学古～《書經》; 옛 학문을 배워 벼슬길에 들다.

〔入国问禁〕 rù guó wèn jìn 〈成〉 ⇨〔入乡问俗〕

〔入号〕 rùhào 동 〈俗〉 전당잡히다.

〔入话〕 rù,huà 동 귀뜸하다. 말을 통하다. 대강의 이야기를 해 두다. ¶看他胸有成竹的样子, 一定是有人先入了话了; 그에게 성산(成算)이 있는 점으로 보아 아마 누군가가 먼저 귀뜸해 준 모양이다. (rùhuà) 명 만담에 앞선 짧은 서두의 이야기. =〔垫diàn话〕

〔入画〕 rùhuà 동 그림으로 그리다. 그림으로 만들다. 그림이 되다. ¶足以～; 그림으로 그릴 정도로 훌륭하다. =〔上shàng画儿〕

〔入会〕 rù,huì 동 입회하다.

〔入伙(儿)〕 rù,huǒ(r) 동 ①한패에 끼다⦅주로 나쁜 일에⦆. ¶～分赃; 〈成〉 한패가 되어 장물을 나누다/我今修一封书与兄长, 去投那里～如何? 내가 지금 편지를 써서 형에게 드릴 테니 (그것을 갖고) 그리로 가서 패거리에 들어가는 게 어떻겠

습니까? ②집단 급식 · 공동 식사에 가입하다.
〔入籍〕 rùjí 동 ①입적하다. 호적 대장에 등록하다. ②다른 나라 국적을 취득하다.
〔入己〕 rùjǐ 동 〈文〉 공금으로 사복(私腹)을 채우다.
〔入肩〕 rùjiān 동 내부에 들어가서 책동하다. ¶教小人诈作张闲来宅上～《水滸傳》; 소인을 빈둥빈둥 놀고 있는 것처럼 속이고, 집 안에 들어가 안에서 책동하도록 시켜 주십시오.
〔入监〕 rùjiān 동 입감하다. 교도소에 들어가다.
〔入监〕 rùjiàn 동 〈文〉 '国子监'에 들어가다.
〔入江〕 rùjiāng 명 《地》 후미. 바다가 육지에 후미진 곳.
〔入脚〕 rùjiǎo 동 손을 쓰다〔써서 일을 진행시키다〕. ¶只是没做个道理～处; 아무래도 어디서부터 손을 대야 할지 생각이 나지 않는다.
〔入教〕 rù.jiào 동 (기독교 · 이슬람교 등의) 신자가 되다.
〔入觐〕 rùjìn 동 〈文〉 궁중에 들어가 배알하다.
〔入京〕 rùjīng 동 서울에 들어가다.
〔入境〕 rù.jìng 동 입국(入國)하다. ¶～签证; 입국 사증(査證).
〔入境问禁〕 rù jìng wèn jìn 〈成〉 ⇨〔入乡问俗〕
〔入境问俗〕 rù jìng wèn sú 〈成〉 ⇨〔入乡问俗〕
〔入静〕 rùjìng 동 《宗》 입정하다((도교에서) 정좌(靜座)하여 무념 무상의 경지에 드는 일).
〔入局〕 rù.jú 동 도박에 끼다. 함께 노름하다.
〔入龛〕 rùkān 동 《佛》 입관하다.
〔入考〕 rùkǎo 동 〈文〉 합격하다.
〔入壳(儿)〕 rùké(r) 동 계략에 걸리다. 함정에 빠지다.
〔入口〕 rù.kǒu 동 ①입으로 들어가다. ②수입(輸入)하다. ¶～量; 수입량. ③입항하다. ¶～船期预告; 입항 선박 예고. (rùkǒu) 명 ①수입(輸入). ¶～税 =〔～捐〕; 수입세 / ～准单; 수입 허가증. =〔进口〕 ↔〔出口〕 ②입구.
〔入扣(儿)〕 rùkòu(r) 동 열중하다. 매료되다. ¶他看这本小说看得～; 그는 이 소설을 보는 데 열중하고 있다 / 他对于那档子真想不开, 简直～了; 그는 그 일이 아무래도 단념이 되지 않아, 그 일에만 정신이 팔려 있다.
〔入寇〕 rùkòu 동 〈文〉 외국이 침략해 오다.
〔入库〕 rùkù 동 ①입고하다. ②국고에 들어가다. 국고의 것이 되다. ¶赃zāng物～; 장물이 국고에 귀속되다.
〔入款〕 rùkuǎn 명 〈文〉 수입(收入). 입금. ¶～数目; 수입 금액. =〔入项〕
〔入殓〕 rù.liàn 동 입관(入棺)하다.
〔入列〕 rùliè 동 《軍》 대열에 끼다.
〔入流〕 rùliú 동 ①〈文〉 시세에 들어맞다. 시대의 흐름에 맞아 세상에 받아들여지다. ②심오한 경지에 이르다. ¶认识中草药, 我还不～; (한약의) 약초에 대해서는 나는 아직 잘 모른다. ③옛날, 9품 이상의 관직에 승진하다. ¶未～; 아직 9품관까지 오르지 못하다.
〔入垄〕 rùlǒng 동 〈方〉 (이야기를 나누어) 뜻이 맞다. 의기 투합하다.
〔入洛〕 rùluò 동 〈文〉 낙양(洛陽)에 들어가다. 〈轉〉 서울에 들어가다.
〔入马〕 rùmǎ 동 〈比〉 남녀의 사이가 진행되어 가다. ¶并做衣裳～通奸一一地说《水滸傳》; 옷을 지으면서 친밀해져 간통하게 된 것을 낱낱이 말했다.
〔入梅〕 rùméi 동 장마철에 들다. =〔入霉〕
〔入霉〕 rùméi 동 ⇨〔入梅〕
〔入门〕 rùmén 명 입문. ¶摄影～; 사진 입문. (rù.mén) 동 ①문을 들어가다. ②입문하다. 제자가 되다.
〔入门(儿)〕 rù.mén(r) 동 ①배우기 시작하다. ¶先要～, 再求深造; 우선 기초부터 배우고 깊이 연구하다. ②요령을 알다. ¶能研究得～, 时间总算没白费; 연구하여 대체적인 것을 알게 되면, 시간을 허비했다는 것이 되지는 않을 것이다.
〔入梦〕 rù.mèng 동 잠들다. 꿈에 누군가가 나타나다. ¶翻来复去, 不能～; 몸을 뒤칠 뿐 잠이 들지 않다.
〔入迷〕 rù.mí 동 완전히 어떤 사물(事物)에 혹하다. 열중하다. …광〔팬〕이 되다. ¶听～了; 넋을 잃고 듣다 / 对电影入(了)迷了; 열렬한 영화 팬이 되다.
〔入魔〕 rù.mó 동 ①정신 못 차리다. 열중해 버리다. 고질이 되다. ¶买马票买得～了; 경마에 손을 대어 고질이 되어 버렸다. →〔入神〕 ②잘못하여 악의 길로 들다.
〔入木〕 rùmù 동 〈比〉 죽다. ¶行将～; 죽을 때가 다가오다.
〔入木三分〕 rù mù sān fēn 〈成〉 ①〈比〉 필력(筆力)이 강함. 의론(議論)이 날카로움. ②책에 실다. ¶～, 虽骂亦荣; 〈諺〉 책에 자기 일이 실리기만 하면 나쁜 소리라도 영광이다. ③눈빛이 날카롭다. ¶可以～的鱼眼睛; 나무의 속까지 꿰뚫어 볼 것 같은 물고기처럼 예리한 눈.
〔入目〕 rùmù 동 보다. ¶肉麻表演不堪～; 에로틱한 쇼는 차마 볼 수 없다.
〔入幕〕 rùmù 동 〈文〉 막료가 되다.
〔入幕之宾〕 rù mù zhī bīn ①중요한 일에 참여하는 막료. 스스럼없는 손님. ②〈轉〉 여자의 방에 들어갈 수 있는 손님. 정부(情夫).
〔入泮〕 rùpàn 동 과거(科擧) 시대에 '秀才'의 자격을 딴 자가, '泮宫'(부현(府縣)의 학교)에 들어가 '生员'이 되다. =〔入庠xiáng〕〔进jìn学②〕
〔入破〕 rùpò 동 《樂》 곡이 끝날 즈음에 전체 악기가 합주에 들어가다.
〔入侵〕 rùqīn 동 (적이) 국경을 침범하다. 침입하다.
〔入寝〕 rùqǐn 동 ⇨〔就jiù寝〕
〔入情入理〕 rù qíng rù lǐ 〈成〉 정리(情理)를 다하다. 정리에 맞다.
〔入山〕 rùshān 동 ①산 속에 은둔하다. 입산하다. ②〈轉〉 관직에서 물러나다.
〔入舍女婿〕 rùshè nǚxù 명 데릴사위. =〔赘zhuì婿〕
〔入射〕 rùshè 동 《物》 입사하다. ¶～点; 입사점 / ～角; 입사각 / ～线; 입사 광선.
〔入神〕 rù.shén 동 열중하여 마음을 빼앗기다. 넋을 잃다. ¶看入了神(儿); 보고 넋을 잃다. =〔入神儿〕 (rùshén) 형 ①지극히 정교(精巧)하다. 신기(神技)의 영역에 달하다. ¶这幅画画得很～; 이 그림은 신기의 영역에 달했다. ②도취경에 빠져들다.
〔入神儿〕 rùshénr 동 ⇨〔入神〕
〔入声〕 rùshēng 명 《言》 입성((고대 한어(漢語)의 성조(聲調)의 하나. 내파음(內破音)에서 끝나는 성조로 '上声' · '去声'과 함께 측성(仄聲)에 속한다)).
〔入胜〕 rùshèng 동 〈文〉 황홀해지다. ¶引人～; 〈成〉 사람을 황홀하게 만들다.
〔入时〕 rùshí 동 〈文〉 (흔히, 복장에 대해) 시류(時流)에 맞다. 유행에 맞다. ¶装饰～; 장식이

유행에 맞는다.

〔入世〕 rù,shì 동 실사회에 뛰어들다. 세상 물정에 익숙해지다. ¶～不深; 세상 물정에 익숙하지 못하다.

〔入室〕 rù,shì 동 ①방에 들어가다. ②〈轉〉 심오한 경지에 이르다. ¶由也升堂矣, 未入于室也《論語》; 자로(子路)는 이미 높은 경지에 달하고 있으나, 다만, 심오한 경지에 이르렀다고는 할 수 없을 뿐이다 / 学到～的时候儿; 심오한 경지에 이를 때까지 공부하다.

〔入室操戈〕 rù shì cāo gē 〈成〉 남의 방에 들어가 남의 무기를 들고 공격하다《남의 무기를 역이용하다. 남의 주장을 반대로 이용하여 공격하다》.

〔入室弟子〕 rùshì dìzǐ 명 내제자. ¶做了～; 내제자가 되었다.

〔入手〕 rù,shǒu 동 ①착수하다. ¶音乐教育应当从儿童时代～; 음악 교육은 어릴 때부터 시작해야만 된다. ②손에 넣다. ¶不容易～; 손에 넣기 힘들다. =〔到dào手〕

〔入水〕 rù,shuǐ 동 입수하다. 물 속에 들어가다. ¶～匠jiàng; 잠수부. =〔下xià水⑤〕

〔入睡〕 rù,shuì 동 잠들다.

〔入塔〕 rùtǎ 동 《佛》 죽은 승려의 유골을〔유체를〕 탑 안에 모시다.

〔入头〕 rùtóu 동 ①머리를 들이밀다. 〈比〉 연구를 시작하다. ②《劇》 호궁(胡弓)의 탄주가 들어가다 (‘拍板’(캐스터네츠류의 악기)와 ‘单皮鼓’(한 장의 가죽으로 된 북)의 리듬이 일정한 곳에 이르렀을 때 호궁을 켜기 시작함).

〔入土〕 rù,tǔ 동 ①매장하다. ②〈轉〉 죽다. ¶～为安; 죽으면 편하다 / 这政权的接生婆早就～了; 이 정권의 산파역을 한 사람은 진작에 죽어 버렸다. ③(벌레가) 땅 속에서 동면하다.

〔入团〕 rù,tuán 동 ①입단하다. ②(중국 공산주의 청년단에) 입단하다.

〔入托〕 rùtuō 동 ①위탁하다. ②탁아소에 들어가다. ¶孩子无处～的双职工; 아이를 맡길 곳 없는 맞벌이 부부.

〔入微〕 rùwēi 동 세세한 데까지 미치다. ¶体贴～; 〈成〉 자상하게 마음을 쓰다. 정성껏 돌봐 주다.

〔入闱〕 rù,wéi 동 〈文〉 과거(科擧) 시대에, 수험자 또는 시험 감독관이 시험장에 들어가다.

〔入味(儿)〕 rùwèi(r) 형 ①맛이 있다. 입맛에 맞다. ¶菜做得很～; 음식이 아주 맛있다 / 再多腌腌, 让它～; 더 오래 절여서 맛이 들게 해라. ②재미있다. ¶这出戏我们越看越～; 이 극은 보면 볼수록 재미가 난다.

〔入伍〕 rù,wǔ 동 ①입대(入隊)하다. ②대오에 끼다. ③전열에 끼다.

〔入伍通知书〕 rùwǔ tōngzhīshū 명 《軍》 입영 통지서.

〔入席〕 rù,xí 동 ①연회의 자리에 앉다. ¶咱们就～吧; 빨리 자리에 앉읍시다. =〔入座〕 ②착석(着席)하다. =〔就jiù席〕

〔入乡随乡〕 rù xiāng suí xiāng 〈成〉 ⇨〔随乡入乡〕

〔入乡问忌〕 rù xiāng wèn jì 〈成〉 ⇨〔入乡问俗〕

〔入乡问俗〕 rù xiāng wèn sú 〈成〉 고을에 들어가면 고을 풍속을 따르라. =〔入国问禁〕〔入境问禁〕〔入境问俗〕〔入乡问忌〕〔入乡随乡〕〔随suí乡入乡〕

〔入庠〕 rùxiáng 동 ⇨〔入泮〕

〔入项〕 rùxiàng 명 ⇨〔入款〕

〔入绪〕 rùxù 동 실마리가 잡히다. 윤곽이 잡히다. 단서가 잡히다.

〔入选〕 rù,xuǎn 동 ①입선하다. ②당선하다.

〔入学〕 rù,xué 동 ①입학하다. ②취학하다. ¶刚～的儿童; 갓 입학한 아동.

〔入眼〕 rù,yǎn 동 눈에 띄다. (rùyǎn) 형 보기에 좋다. ¶看得～; 보고 마음에 들다 / 东西虽多, 只是没有一个～的; 물건은 많지만 하나도 마음에 드는 것이 없다. =〔中看〕

〔入药〕 rù,yào 동 약용이 되다. ¶白芷zhǐ根可～; 구리때는 뿌리가 약이 된다.

〔入夜〕 rùyè 동 밤이 되다. 밤의 장막이 드리워지다.

〔入狱〕 rù,yù 동 입옥하다. 수감되다. ¶被捕～; 체포되어 감옥에 들어가다.

〔入院〕 rù,yuàn 동 ①입원하다. =〔住zhù院〕 ②《佛》 (출가하여) 절에 들어가다.

〔入月〕 rùyuè 동 〈文〉 월경이 있을 날짜가 되다. 명 〈轉〉 월경(月經).

〔入栈〕 rù,zhàn 동 창고에 들어가다〔넣다〕. ¶～凭píng单; 창고 보관증. 입고증.

〔入账〕 rù,zhàng 동 기장하다. =〔入册〕

〔入蛰〕 rùzhé 동 벌레가 동면에 들어가다.

〔入阵〕 rù,zhèn →〔出chū阵②〕

〔入直〕 rùzhí 동 입직하다. 당직 근무하다. =〔入值〕

〔入值〕 rùzhí 동 ⇨〔入直〕

〔入主出奴〕 rù zhǔ chū nú 〈成〉 한쪽만을 신봉(信奉)하고 다른 쪽은 돌아보지 않다《학술면에서의 섹트주의(sect主義)》. ¶像他那样儿的～的人, 我没遇见过; 그 사람처럼 저렇게 자기 생각만을 고집하는 사람은 본 적이 없다.

〔入赘〕 rùzhuì 동 데릴사위로 들어가다. ¶～之婿; 데릴사위.

〔入子〕 rùzǐ 명 〈文〉 덤받이. 의붓자식.

〔入座〕 rù,zuò 동 ⇨〔入席①〕

洳 rù (여)
①→〔沮jù洳〕 ②(Rù) 명 《地》 루허 강(洳河)《허베이 성(河北省)에 있는 강 이름》.

溽 rù (욕)
형 ①누지다. 축축하다. ¶～暑shǔ; 습하고 덥다. 무덥다. ②농후하다. 짙다.

蓐 rù (욕)
명 〈文〉 ①깔개. ②깃. 거적. 멍석《바닥에 까는 왕골·짚·풀 따위》. ③산부(産婦)의 깔개〔요〕. ¶坐～; 산욕기에 있다. 몸을 풀다.

〔蓐疮〕 rùchuāng 명 《醫》 ①욕창(褥瘡). ②낳은 지 100일 안에 생기는 부스럼.

〔蓐母〕 rùmǔ 명 산파. =〔蓐妇〕

缛(縟) rù (욕)
형 번잡하다. 번거롭다. 성가시다. ¶繁文～节; 번거로운 규칙과 예의범절《또, 필요 이상 번쇄한 수속》 / ～礼; 번거로운 예의·예절.

褥 rù (욕)
(～子) 명 방석. 요. ¶～面儿; 이불잇 또는 그 감 / 坐～ =〔坐垫〕; 방석 / 马～; 안장 위에 까는 깔개 / 被～ =〔铺盖〕; 이부자리《이불·요의 총칭》.

〔褥被〕 rùbèi 명 이부자리《요·이불》.

〔褥草〕 rùcǎo 명 가축의 우리에 까는 풀·짚.

〔褥疮〕 rùchuāng 명 《醫》 욕창. ¶自发病时起, 对于～即应注意预防; 발병 때부터 욕창의 예방에 조심하지 않으면 안 된다. =〔蓐疮①〕

〔褥单(儿)〕 rùdān(r) 명 시트(sheet). =〔褥单子〕

〔褥垫(子)〕 rùdiàn(zi) 명 ①방석. ②시트. ¶司机席~; 운전석 시트.
〔褥面儿〕 rùmiànr →〔字解〕
〔褥套〕 rùtào 명 ①여행용의 침구 전대. =〔被套〕 ②〈方〉 이불솜.

RUA ㄖㄨㄚ

挼 ruá (뇌) 동 〈方〉 ①구겨지다. ¶这张票~了; 이 지폐는 구겨졌다. ②해지다. ¶衬chèn衫穿~了; 셔츠가 오래 입어서 해졌다. ⇒ruó

RUAN ㄖㄨㄢ

堧〈壖〉 ruán (연) 명 성곽(城郭) 둘레에 있는 공지(空地). 하천(河川)가에 있는 땅. ¶河~; 강가 / 海~; 바닷가.

阮 ruǎn (완) 명 ①'阮咸'의 약칭. ②(Ruǎn) 《地》 완《간쑤 성(甘肅省) 징촨 현(涇川縣) 지방에 있었던 옛 나라 이름》. ③성(姓)의 하나.
〔阮囊羞涩〕 ruǎn náng xiū sè 〈成〉 주머니 사정이 나쁘다《진(晉)나라의 완부(阮孚)가 검은색 주머니를 가지고 회계(會稽)에 갔을 때, 어떤 사람이 주머니 속의 것이 무엇이냐고 물으니 아무것도 들어 있지 않으면 창피하니까, 한 푼 넣어 둔 것이 있다고 대답한 데서 유래함》.
〔阮咸〕 ruǎn xián 명 《樂》 '月琴' 비슷한 4현 악기《죽림 칠현(竹林七賢)의 한 사람인 '阮咸'이 켰다고 함》.

朊 ruǎn (완) 명 《化》 알부민(Albumin). ¶白~; 알부민 / 血红~ =〔血红蛋白〕; 헤모글로빈 / 谷~; 글루텐 / 酪~ =〔酪蛋白〕〔酪素〕〔酪精〕〔干酪素〕; 카세인(casein).

软(軟〈輭〉) ruǎn (연) ①형 부드럽다. ¶绸子比布~; 비단은 무명보다 부드럽다 / ~膏; 연고 / ~化; 연화하다. ↔〔硬yìng〕 ②형 유약하다. ③형 (태도나 말이) 온화하다. 숙부드럽다. ¶话口越来越~; 말하는 것이 점점 부드러워지다. ④형 힘이 없다. 노그라지다. ¶累得脚酸腿~; 피곤하여 다리에 맥이 없다 / 病后身子发~; 병끝이라 몸에 힘이 없다〔휘청휘청하다〕/ 吓得浑身都~了; 깜짝 놀라 온몸의 힘이 빠졌다 / 腿~得迈不开步儿; 다리가 휘청휘청해서 앞으로 내디딜 수 없다. ⑤형 일을 처리하는 데 온건한 방법으로 하다. ¶吃~不吃硬; 부드럽게 나오면 수그러지고 강경하게 나오면 말을 안 듣는다. ⑥형 좋지 않다. 시원치 않다. ¶这一桌的菜~; 이 상(床)의 요리는 변변치 못하다 / 货色~; 품질이 떨어진다. ⑦형 마음이 약하다. 겁이 많다. ¶心~; 심약하다 / 耳(朵)~; 남의 말을 경솔하게 믿다. 귀가 여리다 / ~的欺, 硬的怕; 약한 자를 괴롭히고 강한 자에게는 굽신거린다. ⑧명 성(姓)의 하나.

〔软班子〕 ruǎnbānzi 명 트릿한 사람.
〔软半〕 ruǎnbàn 명 ⇨〔少shǎo半(儿)〕
〔软包〕 ruǎnbāo 명 〈比〉 노력하지 않는 사내. 게으름뱅이.
〔软包装〕 ruǎnbāozhuāng 명 레토르트(retort) 식품.
〔软鼻涕〕 ruǎnbítì 명 〈方〉〈比〉 패기 없는 〔무기력한〕 사람. ¶他是个~, 不中用; 그는 굼떠서 아무 짝에도 못 쓴다.
〔软币〕 ruǎnbì 명 ①지폐. =〔纸zhǐ币〕 ②《經》 약세(弱勢) 통화. =〔软通货〕〔软货币〕
〔软玻璃〕 ruǎnbōli 명 소다 석회 유리.
〔软不吃, 硬不吃〕 ruǎn bù chī, yìng bù chī ①부드럽게 해도 듣지 않고 강력하게 나와도 두려워하지 않다. ②취급하기가 아주 곤란함. 도무지 어떻게도 할 도리가 없다.
〔软不叮当〕 ruǎnbùdīngdāng 형 부드러운 모양.
〔软不唧〕 ruǎnbujī 형 〈方〉 ①매우 부드러운 모양. ②교활한 모양. ¶~地笑了笑; 비웃다. 코웃음치다.
〔软材〕 ruǎncái →〔针zhēn叶树〕
〔软柴〕 ruǎnchái 명 (짚이나 건초 같은 부드러운) 땔감. ¶~捆kǔn得住硬的; 〈諺〉 부드러운 땔감은 단단한 땔감을 묶을 수 있다. 부드러운 것이 강한 것을 이긴다.
〔软缠〕 ruǎnchán 동 ⇨〔软磨(儿)〕
〔软尘〕 ruǎnchén 명 흩어지기 쉬운 가벼운 먼지.
〔软尺〕 ruǎnchǐ 명 줄자. =〔卷juǎn尺〕
〔软揣揣〕 ruǎnchuǎichuǎi 형 벌벌 떠는.
〔软床〕 ruǎnchuáng 명 ①범포(帆布)로 만든 들것. ②스프링이 들어 있는 침대.
〔软磁盘〕 ruǎncípán 명 (컴퓨터의) 플로피디스크《플라스틱 원반(圓盤)을 재료로 한 자기 디스크》.
〔软搭拉〕 ruǎndāla 형 축 늘어진 모양. 맥없이 늘어진 모양. ¶~冷了四肢; 〈古白〉 사지가 축 늘어져서 싸늘해지다. =〔软答剌la〕
〔软蛋〕 ruǎndàn 명 무기력한 사람. 겁쟁이. =〔软货〕〔软骨头〕〔〈方〉 软蛋蛋dàndan〕
〔软刀子〕 ruǎn dāozi 〈比〉 아픔을 주지 않고 사람을 죽이는 음험한 방법《배후에서 억압하는 일》. ¶~杀人不觉死; 〈諺〉 천천히 죽이면 시끄러워지지 않는다《풀솜으로 목을 조르듯이 음험하게 애를 먹이다》.
〔软刀子锯〕 ruǎndāozi jù ⇨〔软刀子扎〕
〔软刀子扎〕 ruǎndāozi zhā 부드러운 칼로 찌르다〔베다〕. 〈比〉 풀솜으로 목을 조르다. 은근히 골탕 먹이다. ¶她受不了婆pó婆的~, 已于昨日自杀了; 그녀는 시어머니의 음흉한 학대를 못 견뎌, 어제 자살하였다. =〔软刀子锯〕
〔软底儿〕 ruǎndǐr 명 출신이 나쁜 사람. 신분이 천한 사람.
〔软垫〕 ruǎndiàn 명 ①패킹. ②쿠션 · 방석류(類).
〔软缎〕 ruǎnduàn 명 《紡》 수자(繻子). 새틴(satin). '绸chóu子'의 별칭.
〔软腭〕 ruǎn'è 명 《生》 연구개(軟口蓋).
〔软风〕 ruǎnfēng 명 ①연풍. 산들바람. 부드러운 바람. ②《天》 초속 0.3~1.5미터. 풍력 1위의 바람.
〔软钢〕 ruǎngāng 명 《工》 연강.
〔软钢板〕 ruǎngāngbǎn 명 연강판.
〔软钢条〕 ruǎngāngtiáo 명 연강봉(棒).
〔软膏〕 ruǎngāo 명 《藥》 연고. ¶硼péng酸~; 붕산 연고 / 汞gǒng~ =〔蓝lán色~〕; 수은 연고.
〔软功〕 ruǎngōng 명 유연한 정책.

〔软工夫〕 ruǎngōngfu 명 지능적인 수. ¶施展～; (상대에게) 지능적인 수를 쓰다. =〔软功夫〕
〔软谷〕 ruǎngǔ 명 (쌀가게의 암호) 찹쌀. =〔阴yīn花〕
〔软骨〕 ruǎngǔ 명《生》 연골. ¶～鱼类; 연골 어류. =〔脆cuì骨〕
〔软骨病〕 ruǎngǔbìng 명 ①⇨〔佝gōu偻病〕 ②《醫》 골연화증.
〔软骨虫〕 ruǎngǔchóng 명 〈比〉 무골충. 줏대 없는 사람.
〔软骨头〕 ruǎngǔtou 형 무기력하다. 줏대가〔근성이〕 없다. 명 무골충. 겁쟁이. 병신 같은 놈.
〔软古囊囊〕 ruǎngǔnāngnāng 〈俗〉 맥없이 흐늘흐늘한. 부드러운. 부드럽고 힘이 없는 모양.
〔软管〕 ruǎnguǎn 명 ①튜브(tube). ②호스(hose).
〔软管搬子〕 ruǎnguǎn bānzi 명《機》 호스렌치(hosewrench).
〔软管接头〕 ruǎnguǎn jiētóu 명 호스 연결기.
〔软罐头〕 ruǎnguàntou 명 팩에 넣은 물건.
〔软焊〕 ruǎnhàn 명 연질 땜납.
〔软乎〕 ruǎnhū 형 부드럽다. ¶软软乎乎(儿); '软乎'의 중첩형(重疊形). =〔软和〕
〔软乎乎(儿)〕 ruǎnhūhū(r) 형 보들보들하다《매우 부드러운 모양》. =〔软糊糊〕
〔软化〕 ruǎnhuà 동 ①연화하다〔시키다〕. ¶使硬yìng水～; 경수를 연화시키다 / ～病; (누에의) 연화병. ②구워 삶다. 구슬리다. ¶你们千万别被敌人～; 너희들은 절대로 적에게 말려들지 마라. ③누그러지다. 명 연화.
〔软话(儿)〕 ruǎnhuà(r) 명 부드러운〔온화한〕 말. ¶用～劝quàn人; 부드러운 말로 충고하다〔달래다〕. =〔软语〕
〔软货〕 ruǎnhuò 명 ①지폐. ②연약한 놈.
〔软和〕 ruǎnhuo 형 〈口〉 ①부드럽다. 연하다. ¶～的羊毛; 부드러운 양털 / 这东西不～嚼不动; 이것은 딱딱해서 깨물 수 없다 / 肠胃不好, 吃点～的吧; 위장이 나쁘면 좀 부드러운 걸 먹어라. =〔活软〕〔柔软〕〔柔和〕 ②(성질이나 말이) 부드럽다. ¶～话; 부드러운 말.
〔软几几〕 ruǎnjījī 형 흐늘흐늘 부드러운 모양.
〔软夹袄〕 ruǎnjiá'ǎo 명 비단 옷감으로 겉을 댄 겹옷 웃도리.
〔软肩膀〕 ruǎnjiānbǎng 명 〈比〉 책임을 떠맡으려 하지 않는 일.
〔软监(禁)〕 ruǎnjiān(jìn) 명동 ⇨〔软禁〕
〔软煎蛋卷〕 ruǎnjiān dànjuǎn 명 오믈렛(omelet).
〔软件〕 ruǎnjiàn 명 ①《電算》 소프트웨어. ¶免费～; 공개 소프트웨어〔freeware〕. =〔软体〕 ②〈比〉 서비스 태도 · 자질 · 관리와 업무 방법 등을 일컬음. ‖→〔硬件〕
〔软脚病〕 ruǎnjiǎobìng 명《醫》 각기병.
〔软脚蟹〕 ruǎnjiǎoxiè 명 〈比〉 쓸모없는 자.
〔软禁〕 ruǎnjìn 명동 연금(하다). =〔软监(禁)〕
〔软筋〕 ruǎnjin 명 밀기울. →〔面miàn筋②〕
〔软拷贝〕 ruǎnkǎobèi 명《電算》 (컴퓨터의) 소프트 카피(soft copy).
〔软靠〕 ruǎnkào 명《劇》 경극(京劇)에서, 무장(武將)이 갑옷만 걸치고, 깃발이나 장식물은 달지 않는 일《허리 앞쪽에 호신용의 거울을 달고 있으므로 '玻璃肚子'라고도 함》. =〔玻bō璃肚子〕
〔软款〕 ruǎnkuǎn 형 얌전하다. ¶休xiū将那～的娘娘惊醒《元雜劇》; 저 정숙한 황후가 놀라서 깨지 않게 해라.
〔软勒咕唧〕 ruǎnle gūjī 형 부드럽고 연하다. ¶这里头～的是什么? 이 안의 부드러운 것은 무엇이냐? / 发了几天烧shāo周身都～的没有劲儿; 며칠 신열이 있어 온몸이 축 늘어져서 힘이 없다.
〔软肋〕 ruǎnlèi 명《生》 늑연골(肋軟骨).
〔软领〕 ruǎnlǐng 명 소프트 칼라(soft collar)《와이셔츠 따위의 부드러운 칼라》.
〔软溜溜(的)〕 ruǎnliūliū(de) 형 나긋나긋한 모양. 부드러운 모양.
〔软帽〕 ruǎnmào 명 부드러운 모자《옥내에서 방한용으로 씀》.
〔软煤〕 ruǎnméi 명 ①분탄(粉炭). ②코크스. =〔焦jiāo炭〕
〔软美〕 ruǎnměi 형 온순하고 아름답다.
〔软锰矿〕 ruǎnměngkuàng 명《鑛》 연(軟)망간광(鑛).
〔软绵绵(的)〕 ruǎnmiánmián(de) 형 ①폭신하게 보드랍다. ¶～新褥rù子; 폭신한 새 요. ②약하디 약하다. ¶病虽好了, 身子还是～的; 병은 나았는데도 아직 몸은 약하다. ③힘이 없이 늘어진 모양.
〔软棉布〕 ruǎnmiánbù 명 ⇨〔稀xī洋纱〕
〔软面簿〕 ruǎnmiànbù 명 얇은 표지의 장부.
〔软面汤〕 ruǎnmiàntāng 명 기개가 없는 놈. ¶他不是～, 是干将; 그는 겁쟁이가 아니고 투장(鬪將)이다.
〔软磨(儿)〕 ruǎnmó(r) 동 〈京〉 이러쿵저러쿵 말하며 부탁하다. 완곡하게〔조용히〕 부탁하다. 자꾸 조르다. ¶他父母本来不答应的, 支不住他～, 到了儿liǎor许可了; 그의 부모는 처음에는 승낙하지 않았지만, 하도 졸라대어 거절하지 못하고 결국 허락했다 / ～硬yìng抗; 완곡하게 부탁하고, 강경하게 거절하다. =〔软缠〕
〔软木〕 ruǎnmù 명《植》 ①코르크나무. ②코르크(cork). ¶～塞sāi =〔软皮塞(儿)〕〔水松枳〕; 코르크 마개 / ～瓶盖pínggài; 코르크 병마개. =〔栓shuān皮〕〔软硬木〕
〔软木树〕 ruǎnmùshù 명《植》 코르크나무. =〔〈廣〉水shuǐ松木〕
〔软囊囊〕 ruǎnnāngnāng 형 말랑말랑하고 부드럽다.
〔软脓包〕 ruǎnnóngbāo 명 〈罵〉 겁쟁이.
〔软皮塞(儿)〕 ruǎnpísāi(r) 명 ⇨〔软木塞〕
〔软匹儿〕 ruǎnpǐr 명 감촉이 부드러운 비단천《'缎duàn子'에 대하여 '绸chóu子'를 말함》.
〔软片〕 ruǎnpiàn 명 ①필름(film). ¶有色～; 컬러 필름. =〔胶片〕 ②수놓은 쿠션 · 커튼 · 책상보 따위.
〔软片倒卷机〕 ruǎnpiàn dàojuǎnjī 명《機》 필름을 되돌려 감는 기계.
〔软怯〕 ruǎnqiè 형 ①겁이 많다. 비겁하다. ②휘청휘청하다. (연)약하다. ¶软怯怯的腰; 맥 없는 허리. 엉거주춤한 허리.
〔软求〕 ruǎnqiú 동 온건하게 넌지시 요구하다. 공손하게 요구하다. ↔〔硬yìng霸〕
〔软任务〕 ruǎnrènwu 명 (시간 · 노르마 따위 점에서) 융통성이 있는 임무.
〔软软(儿)的〕 ruǎnruǎn(r)de〔ruǎnruān(r)de〕 형 폭신폭신. ¶米饭做得～; 밥이 고슬고슬하게 지어졌다.
〔软软和和〕 ruǎnruanhuōhuō 형 부드럽다《'软和'의 중첩형(重疊形)》.
〔软弱〕 ruǎnruò 형 연약하다. 허약하다. ¶～可欺; 연약해서 만만하다 / ～无能; 연약하고 무능

하다 / ～无力; 허약해서 힘이 없다.
〔软善〕 ruǎnshàn 형 심약하고 선량하다. ¶大抵是欺qī娘娘～《元雜劇》; 아마도 황후님이 유순한 것을 깔보고 속이려는 것일 것이다.
〔软声〕 ruǎnshēng 명 ①부드러운 목소리. ②간사한 목소리.
〔软绳〕 ruǎnshéng 명 줄타기. 줄 위에서의 춤. ¶踩～; 줄타기를 하다.
〔软食〕 ruǎnshí 명 유동식(流動食).
〔软手腕〕 ruǎn shǒuwàn 이면(裏面)으로부터 나오는 수. ¶他很会用～; 그는 겸손하게 남을 대하는 일에 능숙하다.
〔软水〕 ruǎnshuǐ 명 연수. 단물.
〔软水管〕 ruǎnshuǐguǎn 명 급수 호스.
〔软水剂〕 ruǎnshuǐjì 명 경수를 연수로 만드는 약품. =〔防fáng锈剂②〕
〔软水砂〕 ruǎnshuǐshā 명《工》퍼뮤티트(permutit). =〔交jiāo替砂〕
〔软说〕 ruǎnshuō 동 부드럽게〔조용히〕 이야기하다.
〔软酥酥〕 ruǎnsūsū 형 연하고 파삭파삭한 모양.
〔软塌塌〕 ruǎntātā 형 흐늘흐늘하고 부드럽다.
〔软瘫〕 ruǎntān 동 축 늘어지다. 맥없이 휘어지다.
〔软糖〕 ruǎntáng 명 ①엿. ②물씬거리는 엿. 젤리류(類).
〔软梯〕 ruǎntī 명〈俗〉줄사다리. =〔绳梯〕
〔软蹄(儿)〕 ruǎntí(r) 명 소·돼지처럼 발굽이 갈라진 동물. 또는 낙타처럼 발굽이 연한 동물.
〔软体〕 ruǎntǐ 명 ⇨〔软件①〕
〔软体动物〕 ruǎntǐ dòngwù 명《動》연체동물.
〔软铁〕 ruǎntiě 명 연철.
〔软头皮〕 ruǎn tóupí 마음이 약한 사람.
〔软文学〕 ruǎnwénxué 명 연문학.
〔软卧〕 ruǎnwò 명 1등 침대. =〔软席卧铺〕
〔软卧车〕 ruǎnwòchē 명 스프링 베드·매트가 달린 침대차.
〔软席〕 ruǎnxí 명 ⇨〔软座〕
〔软席车〕 ruǎnxíchē 명 1등 객차(중국의 기차는 '软座' '软席' (쿠션이 붙은 푹신푹신한 좌석)과 '硬座' '硬席' (보통 좌석)으로 나누어져 있음). ¶软席卧车 =〔软卧车〕; (컴파트먼트식의) 1등 침대차.
〔软席卧铺〕 ruǎnxí wòpù 명 ⇨〔软卧〕
〔软线〕 ruǎnxiàn 명 ①(전기의) 코드(cord). ②건축용의 연철 도선(軟鐵導線). =〔建jiàn筑火线〕
〔软心(肠)〕 ruǎnxīn(cháng) 명 자비심.
〔软刑〕 ruǎnxíng 명 자근자근 고통을 주는 형벌.
〔软性下疳〕 ruǎnxìng xiàgān 명《醫》연성 하감.
〔软性新闻〕 ruǎnxìng xīnwén 명 (신문의) 사회면 기사. 삼면 기사.
〔软言〕 ruǎnyán 명〈文〉부드러운〔무던한〕 말.
〔软洋纱〕 ruǎnyángshā 명《紡》한랭사. 삼 또는 고급 목화로 짠 얇은 천.
〔软洋洋〕 ruǎnyángyáng 형 흐늘흐늘한 모양.
〔软一套硬一套〕 ruǎn yī tào yìng yī tào 강유양책(剛柔兩策)을 쓰다.
〔软银〕 ruǎnyín 명 옛날, 지방에서 유통되고 있던 은(정규(正規)의 은에 상대하여 일컬었음).
〔软硬〕 ruǎnyìng 명 ①부드러움과 단단함. 경연(硬軟). 강온(強穩). ¶～并施 =〔～兼施〕;〈成〉강온 양책(兩策)을 쓰다. ②부드러운 정도.
〔软硬不吃〕 ruǎn yìng bù chī 온순하게 나오건 강하게 나오건 받아들이지 않다. 도무지 어떻게 할 도리가 없다. ¶让他吃他不吃, 不让他吃他自己来, 真是～; 먹으라면 먹지 않고, 먹지 말라면 제 마음대로 먹으니, 정말 어쩔 도리가 없다 / 这个人～真是别扭; 이 사람은 정말 어쩔 도리가 없는 골칫덩어리다. =〔软不吃硬不吃〕
〔软硬木〕 ruǎnyìngmù 명 ⇨〔软木②〕
〔软语〕 ruǎnyǔ 명 온건한 말.
〔软玉〕 ruǎnyù 명 ①연옥. ② '豆dòu腐' 의 별칭.
〔软枣子〕 ruǎnzǎozi 명《植》다래나무.
〔软皂〕 ruǎnzào 명 연성(軟性) 비누.
〔软炸〕 ruǎnzhá 명 요리법의 하나(밀가루 옷을 입힌 튀김). ¶～鸡jī; 닭튀김.
〔软着子〕 ruǎnzhāozi 명 유연한 수단. 회유책.
〔软脂〕 ruǎnzhī 명《化》팔미틴(독 palmitin).
〔软脂酸〕 ruǎnzhīsuān 명 ⇨〔棕zōng榈酸〕
〔软子〕 ruǎnzi 명 무게를 달 때, 물건을 담는 바구니나 소쿠리 따위. ¶刨páo～; 바구니 무게를 빼다.
〔软座〕 ruǎnzuò 명 열차 따위의 상등석(1등석). ¶～车; 1등차. =〔软席〕

耎 **ruǎn** (연)
〈文〉'软ruǎn' 과 통용됨.

RUI ㄖㄨㄟ

绥(綏) **ruí** (유)
명〈文〉모자의 위 또는 깃대 끝에 다는 술장식.

蕤 **ruí** (유)
①형 초목의 꽃이 드리워진 모양. ②명 옛날, 관(冠)이나 기(旗)의 늘어뜨린 장식. =〔绥〕 ③→〔葳wēi蕤〕 ④→〔蕤核〕
〔蕤核〕 ruíhé 명《植》편핵목(扁核木)(장미과로서 과실은 눈병 약에 씀).

桵 **ruǐ** (유)
→〔白bái桵〕

蕊〈蘂, 蘂〉 **ruǐ** (예)
①명 꽃술. ¶雌～; 암꽃술 / 雄～; 수꽃술. =〔花蕊〕 ②명 꽃(봉오리). ¶嫩～; 어린 꽃봉오리. ③형 초목이 우거진 모양.
〔蕊宫〕 ruǐgōng 명《宗》도교(道教)의 절.
〔蕊儿〕 ruǐr 명 꽃술.
〔蕊珠宫〕 ruǐzhūgōng 명《宗》도교에서, 신선이 산다는 궁전의 이름.
〔蕊珠经〕 ruǐzhūjīng 명《宗》예주경. 도교(道教)의 경(經).
〔蕊柱〕 ruǐzhù 명《植》예주(암술과 수술이 결합하여 된 기둥 모양의 기관. 예컨대, 난과(蘭科)의 꽃).

橤〈繠, 蘂〉 **ruǐ** (예)
형〈文〉드리워 처지는 모양.

汭 **ruì** (예)
①〈文〉하천이 모이는, 또는 만곡하는 곳이란 뜻의 지명용 자(字). ②(Ruì) 명《地》루이수이 강(汭水)(장시 성(江西省)과 간쑤 성(甘肅省)에 있는 강 이름).

芮 **ruì** (예)
①(Ruì) 명 옛날의 나라 이름《지금의 산시성(山西省) 루이청 현(芮城縣) 일대》. ②형〈文〉작은 모양. ③명 물가. ④명 성(姓)의 하나.
〔芮稻〕 ruìdào 명 늦벼.
〔芮芮〕 ruìruì 형 풀이 가느다란 모양. (Ruìruì) 명 옛날의 종족 이름. '北狄'의 하나. =〔柔róu然〕

枘 **ruì** (예)
명 장부. ¶方～圆凿; 네모난 장부와 둥근 구멍《서로 맞지 않다》.
〔枘凿〕 ruìzáo 명〈文〉장부와 장붓구멍《어울리지 않다. 서로 용납지 않다》. ¶～不(相)入; 서로 모순되다 / 前后两说, 自相～; 앞뒤의 말이 모순되어 있다.

蚋〈蜹〉 **ruì** (예)
명《蟲》파리매.

锐(鋭) **ruì** (예)
①형 (도검(刀劍)의 날이) 날카롭다. ¶～利; 예리하다. 날카롭다 / 其锋甚～; 그 칼끝은 매우 날카롭다. ②형 감각이 예민하다. ¶～敏; 예민하다 / 眼光～利; 눈빛이 날카롭다. ③명 예기(銳氣). ¶养精蓄～; 기력을 기르고 예기를 쌓다. ④형 민첩하다. 급격하다. ¶～进; ⓐ급속히 진행하다. ⓑ급격히 진보하다. ⑤형 생기가 넘쳐 있다. ¶～不可当; ⇓ / 精～的军队; 정예한 군대.
〔锐兵〕 ruìbīng 명〈文〉①날카로운 무기. ②정예한 군대.
〔锐不可当〕 ruì bù kě dāng〈成〉맞설 수 없을 정도로 기세가 당당하다.
〔锐发〕 ruìfà 명 살쩍. 귀밑털.
〔锐尖〕 ruìjiān 형 예리하다. 날카롭다. ¶用～的眼光瞪了一眼; 예리한 눈빛으로 쏘아보았다.
〔锐减〕 ruìjiǎn 동〈文〉(시장 시세가) 격감(激減)하다. 급락(急落)하다. =〔锐降〕〔锐落〕
〔锐降〕 ruìjiàng 동 ⇨〔锐减〕
〔锐将〕 ruìjiàng 명 용장(勇將).
〔锐角〕 ruìjiǎo 명《數》예각. ¶～三角形; 예각 삼각형. =〔凸tū角〕
〔锐进〕 ruìjìn 동 ①급속히 진행하다. ②대단한 진보가 있다.
〔锐利〕 ruìlì 형 ①(안광·언론·필법 따위가) 날카롭다. 예리하다. ¶～的笔锋; 날카로운 필봉. ②(도검(刀劍)의 날이) 예리하다. ¶～的武器; 예리한 무기.
〔锐落〕 ruìluò 동 ⇨〔锐减〕
〔锐敏〕 ruìmǐn 형 예민하다. 날카롭고 날쌔다. (안광이) 날카롭다.
〔锐骑〕 ruìqí 명 정예한 기병. ¶轻qīng车～; 경쾌한 수레와 정예한 기병.
〔锐气〕 ruìqì 명 예기. 날카로운 기세. ¶压住对方的～; 상대의 기세를 누르다.
〔锐师〕 ruìshī 명〈文〉정예한 군대.
〔锐眼〕 ruìyǎn 명 날카로운 안광[안식]. ¶～识shí人; 안식이 날카로워 인물을 잘 보다.
〔锐意〕 ruìyì 명〈文〉예의. 단단히 차리는 마음. 동 정신을 집중하다. 마음을 굳게 먹다. ¶～求进; 마음을 굳게 먹고 진보를 추구하다. ‖=〔锐志〕
〔锐增〕 ruìzēng 동〈文〉격증하다.
〔锐志〕 ruìzhì 명동 ⇨〔锐意〕

瑞 **ruì** (서)
①명 천자가 제후(諸侯)를 봉할 때 주는 옥기(玉器). ②명 상서로운 징조. 경사스러운 일. ¶祥～; 상서(롭다) / ～相; 서상(瑞相). 상서로운 징조. ③형 상서롭다. 좋다. →〔瑞雪〕 ④명 성(姓)의 하나.
〔瑞草〕 ruìcǎo 명 서초《보면 상서로운 일이 생긴다는 풀. '灵líng芝'(영지) 따위》.
〔瑞典〕 Ruìdiǎn 명《地》〈音〉스웨덴(Sweden)《수도는 '斯德哥尔摩'(스톡홀름:Stockholm)》. =〔瑞国〕
〔瑞国〕 Ruìguó 명 ⇨〔瑞典〕
〔瑞禾〕 ruìhé 명 한 줄기에 두 개의 이삭이 나 있는 벼이삭《상서로운 징조로 침》.
〔瑞花〕 ruìhuā 명〈文〉눈의 별칭.
〔瑞(龙)脑〕 ruì(lóng)nǎo 명 용뇌향(龍腦香). =〔冰bīng片〕
〔瑞麦〕 ruìmài 명 한 대의 줄기에 이삭이 두 개 붙은 보리《상서로운 조짐으로 쳤음》.
〔瑞气〕 ruìqì 명〈文〉①길조(吉兆). ②좋은 운. 호운(好運).
〔瑞日〕 ruìrì 명〈文〉①길일. ②좋은 날씨.
〔瑞士〕 Ruìshì 명《地》〈音〉스위스(Switzerland(Swiss Confederation))《수도는 '伯尔尼'(베른:Bern)》.
〔瑞雪〕 ruìxuě 명 ①계절에 맞는 좋은 눈《해충을 죽이고 풍작을 이룬다고 함》. ¶～兆丰年; 〈諺〉서설은 풍년의 전조. ②《藥》'括楼'의 뿌리를 이름.
〔瑞鹦〕 ruìyàn 명 봉황의 별칭. =〔凤fèng凰〕
〔瑞应〕 ruìyìng 명 ⇨〔喜xǐ兆〕
〔瑞兆〕 ruìzhào 명 ⇨〔喜xǐ兆〕

睿〈叡〉 **ruì** (예)
①형〈文〉밝다. ②형〈文〉지혜롭다. 슬기롭다. ③형〈文〉깊다. ④명 천자(天子)에 관한 사물의 관칭(冠稱).
〔睿才〕 ruìcái 명〈文〉뛰어난 재능(의 사람).
〔睿感〕 ruìgǎn 동〈文〉천자(天子)가 감동하다.
〔睿览〕 ruìlǎn 동〈文〉천자가 친히 보다.
〔睿虑〕 ruìlǜ 명〈文〉임금의 심려.
〔睿略〕 ruìlüè 명〈文〉뛰어난 계략.
〔睿圣〕 ruìshèng 형〈文〉지덕이 뛰어나고 사리에 밝다. 사리에 통달하고 현명하다.
〔睿算〕 ruìsuàn 명〈文〉천자의 나이.
〔睿图〕 ruìtú 명 ①천자의 계책. ②공자의 화상(畫像).
〔睿闻〕 ruìwén 명〈文〉임금이 듣다.
〔睿藻〕 ruìzǎo 명〈文〉임금이 지은 글.
〔睿哲〕 ruìzhé 명형〈文〉영명(英明)(하다).
〔睿知〕 ruìzhī 명〈文〉뛰어난 지성. 형 예지롭다. ‖=〔睿智〕
〔睿旨〕 ruìzhǐ 명〈文〉천자의 뜻.
〔睿智〕 ruìzhì 명형 ⇨〔睿知〕

RUN ㄖㄨㄣ

眴(瞤) **rún** (윤, 순)
동〈文〉(눈꺼풀이나 살갗이) 경련을 일으키다. 쥐가 나다.

闰(閏) **rùn** (윤)
①명형 나머지(의). 여분(의). ¶～指 =〔枝指〕; (육손이의) 덧붙은

손가락/正～十二卷; 정속(正續) 12권. ②명 윤(閏). ¶～年; 윤년/～月; 윤달/～日; 윤년(閏年)의 2월 29일.
〔闰宫〕 rùngōng 명 ⇨〔变biàn宫〕
〔闰耗银〕 rùnhàoyín 명 옛날에, 윤년에 더 늘려 징수한 세금.
〔闰年〕 rùnnián 명 윤년.
〔闰日〕 rùnrì 명 윤일(태양력의 2월 29일).
〔闰统〕 rùntǒng 명 《史》 제위를 빼앗아 제위에 오른 천자의 황통(皇統).
〔闰位〕 rùnwèi 명 정통이 아닌 제위(帝位).
〔闰月〕 rùnyuè 명 ①윤월. 윤달(태양력에서 4년에 한 번 2월을 29일로 정하는 달). ②윤달(음력에서 평년 12개월에 한달을 더하여 13개월이 되는 달. 19년 사이에 7년은 13개월의 해가 있었음).
〔闰指〕 rùnzhǐ →〔字解①〕
〔闰徵〕 rùnzhǐ 명 ⇨〔变biàn徵〕

润(潤) **rùn** (윤)
①형 윤택하다. ②형 광택이 있다. 윤기가 있다. ¶脸上很～; 얼굴에 윤기가 있다/墨色很～; 먹빛이 매우 윤이 난다/光～; 윤이 나다. 매끄럽다/滑～; 매끄럽고 윤이 나다. ③형 촉촉하다. ¶滋～; 촉촉하다/土～苔青; 땅이 촉촉하고 이끼가 파릇파릇하다/雨后空气湿～; 비 온 후의 공기는 눅눅하다. ④동 축이다. ¶～～嗓子; 목을 축이다. ⑤명 이윤(利潤). 이익. ¶利～; 이윤. 사례(謝禮)/分～; 이익을 분배하다/先～后墨; 〈成〉 집필료를 받은 후에 씀. ⑥명 은택(恩澤). ⑦동 장식(裝飾)하다. 꾸미다. (문장등을 고쳐) 윤을 내다. ¶～饰 =〔～色〕; 윤색하다.
〔润笔〕 rùnbǐ 명 ①휘호료(揮毫料). =〔润毫〕〔润资〕 ②〈文〉 고료(稿料). 집필(執筆) 사례금. ¶稿gǎo费是现代语, 古人称稿费为～; 원고료란 현대어이고, 옛날 사람은 원고료를 '润笔'이라 했다.
〔润补〕 rùnbǔ 동 부족을 메우다.
〔润肠〕 rùncháng 동 《漢醫》 위장에 영양분을 보충하여 피가 머리로 올라가는 것을 막아 열기를 내리다. ¶～药yào; 위장에 영양을 보충하여 열기를 가라앉히는 약.
〔润发油〕 rùnfàyóu 명 머릿기름. 헤어 크림.
〔润肤〕 rùnfū 동 피부를 부드럽게〔매끄럽게〕 하다. ¶～液; 스킨 로션/～膏; 스킨 크림.
〔润格〕 rùngé 명 고료(稿料)의 기준. =〔润例〕
〔润毫〕 rùnháo 명 ⇨〔润笔①〕
〔润喉咙〕 rùn hóulóng ⇨〔饮yìn嗓子〕
〔润滑表〕 rùnhuábiǎo 명 《機》 윤활 게이지.
〔润滑料〕 rùnhuáliào 명 《工》 감마제(減摩劑). 윤활제. =〔滑润料〕〔滑剂〕
〔润滑油〕 rùnhuáyóu 명 윤활유. =〔滑机油〕〔滑油〕
〔润例〕 rùnlì 명 ⇨〔润格〕
〔润美〕 rùnměi 형 〈文〉 광택이 있고 아름답다.
〔润面霜〕 rùnmiànshuāng 명 나리싱 크림(nowrishing cream).
〔润色〕 rùnsè 동 윤색하다. 겉을 꾸미다. ¶不加～地说来; 말을 꾸밈없이 하다. =〔润饰〕
〔润身〕 rùnshēn 동 몸을 윤택하게 하다. 몸을 꾸미다. (도덕적으로) 수양하다.
〔润湿〕 rùnshī 동 ①촉촉해지다. 물기가 어리다. ¶～的眼睛; 눈물어린 눈. ②적시다. ¶用热rè水把毛巾～; 더운 물에 수건을 적시다.
〔润饰〕 rùnshì 동 ⇨〔润色〕
〔润手霜〕 rùnshǒushuāng 명 핸드 크림.
〔润屋〕 rùnwū 동 〈文〉 집을 꾸미다〔치장하다〕.
〔润下〕 rùnxià 명 〈文〉 ①물이 낮은 곳으로 흐르는 성질. ②〈轉〉 물. ③《漢醫》 장(腸) 속 또는 체액을 습윤케 하는 약을 써서 각종 변비를 고치는 일.
〔润药〕 rùnyào 명 ①《漢醫》 완하제(緩下劑). ②《工》 습윤제.
〔润益〕 rùnyì 명 〈文〉 이익.
〔润雨〕 rùnyǔ 명 단비. 자우(滋雨). ¶这一场～下得好; 이번 비는 알맞은 때에 내렸다.
〔润燥〕 rùnzào 동 《漢醫》 진액(津液)의 고갈(枯渴)을 촉촉하게 적시다.
〔润泽〕 rùnzé 형 윤기가 있다. 윤택이 있다. ¶～光华; 윤기가 있어 반들반들하다. 동 윤택하게 하다. 매끄럽게 하다. 축이다.
〔润资〕 rùnzī 명 ⇨〔润笔①〕

RUO ㄖㄨㄛ

挼〈挼〉 **ruó** (뇌)
동 ①주무르다. 비비다. 구기적거리다. ¶～挲suō; ⓐ손으로 비벼 구겨지게 하다. ⓑ손으로 쓰다듬다/把纸～成团; 종이를 구겨서 뭉쳐버리다/两手～之使碎; 두 손으로 주물러 부스러뜨리다. ②살살 반죽하다. ¶把面团～一～就行了, 别使劲捏; 밀가루의 덩어리는 살살 개어야지 힘을 주어 반죽하면 안 된다. ③(마음을) 안정시키다. ¶刚从野地里逮回来的鸟, 得闷着～～它的气性; 들에서 막 잡아 온 새니까 포장을 씌워서(어둡게 해) 사나워진 기질을 가라앉혀야 한다. ④〈方〉 닳아서〔스쳐서〕 떨어지다. ¶衬衫穿～了; 내의가 오래 입어서 해졌다. ⇒ruá
〔挼搓〕 ruócuo 동 손으로 비비다. 구깃거리다. 비틀어 돌리다. ¶别把鲜花～坏了; 멀쩡한 꽃을 주물러 터뜨리지 마라.

若 **ruò** (약)
①접 〈文〉 만일. 가령 …이라면. 가령 …이라고 한다면(문장어로 쓰임). ¶倘～; 만일 …이라면/～不早做准备, 一定要误事; 빨리 준비하지 않으면 필시 일을 그르치게 된다/～要人不知, 除非己莫为; 〈諺〉 남에게 알려지기 싫거든, (나쁜 짓을) 하지 말아야지. =〔如果rúguǒ〕〔假如jiǎrú〕 ②동 …과 같다. ¶～有～无; 있는 것 같기도 하고, 없는 것 같기도 하다/安如磐石, 危～朝露; 〈成〉 안전하기가 큰 바위와 같고, 위태롭기가 아침 이슬과 같다. =〔如〕〔好像〕 ③동 …에 미치다. …에 손색 없다. ④동 따르다. ⑤형 젊다. ⑥대 〈文〉 그대. 너. =〔汝〕 ⑦접 및. ¶其子～孙皆得其传授; 그 아들과 손자는 모두 그 전수를 받았다. ⑧지명용 자(字). ¶～羌县; 뤄창현(若羌縣)(신강(新疆) 위구르(Uighur) 자치구에 있는 땅 이름). ⇒rě
〔若敖〕 Ruò'áo 명 복성(複姓)의 하나.
〔若辈〕 ruòbèi 대 〈文〉 너희들. =〔若曹〕〔若属〕
〔若不然〕 ruòbùrán 접 만일 …(이) 아니면. 만일 그렇지 않다면. =〔要不然〕〔若不〕
〔若不是…〕 ruòbùshì… 접 만일 …이 아니라면. ¶～他来我就去了; 만일 그가 오지 않는다면 내가 간다.
〔若曹〕 ruòcáo 대 ⇨〔若辈〕
〔若虫〕 ruòchóng 명 《蟲》 (메뚜기 따위의) 유충.

→〔蝗虫〕
〔若畴〕 ruòchóu 〈文〉 그런 부류.
〔若此〕 ruòcǐ 대 ⇨〔此若〕
〔若而人〕 ruò'érrén 명 ①그러한 사람. ②보통 사람. 평범한 사람.
〔若非…〕 ruòfēi… 접 〈文〉 만일 …이 아니라면. ¶～日落都门闭, 良夜追欢尚未休《清平山堂話本》; 만일 해가 져도 도성의 문이 닫히지 않는다면, 이 좋은 밤에 끝없이 환락을 추구할 것인데.
〔若否〕 ruòfǒu 접 ①그렇지 않으면. →〔否则〕 ②필적하는지〔미치는지〕 어떤지.
〔若夫〕 ruòfú 조 〈文〉 ①그런데《어떤 일에 대해서 말한 뒤에, 그와 관련이 있는 다른 것에 대하여 말할 때의 발어사(發語詞)》. ¶待文王而兴者凡民也, ～豪háo杰之士虽无文王犹兴《孟子 盡心上》; 문왕의 감화를 받아서 감분(感奮)하는 자는 평범한 사람이다. 그런데 호걸지사는 문왕의 감화가 없다 하더라도 오히려 스스로가 분발한다. ②…에 대하려는. …과 같은 것은《문장 첫머리에서 말을 시작한다는 어기를 나타냄》.
〔若干〕 ruògān 명 ①약간. 얼마간. ¶经历了～万年的原始公社的生活; 몇만 년 동안이나 원시 공산사회의 생활을 겪었다. ②(Ruògān) 복성(複姓)의 하나.
〔若干若〕 ruògānruò 형 얼마나 많은. 얼마만큼의. ¶这场风波不知影响了～的人; 이 소동이 얼마나 많은 사람들에게 영향을 끼쳤는지 모른다.
〔若个〕 ruògè 대 〈古白〉 ①그것. 저것. ②약간.
〔若果〕 ruòguǒ 접 ⇨〔如rú果〕
〔若何〕 ruòhé 대 ①어떠한가. ¶结果～, 还不得而知; 결과가 어떤지 아직은 알 수가 없다 / 以逞寡君之志～; 이로써 우리 임금님의 뜻대로 하시면 어떨지요. =〔如何〕 ②어떠한. 어떻게. ¶并无～寓意焉; 결코 어떤 뜻이 담긴 것은 아니다.
〔若即若离〕 ruò jí ruò lí 〈成〉 가깝지도 멀지도 않은《이도 저도 아닌 애매한》. ¶～的态度; 이도 저도 아닌 태도.
〔若鹭〕 ruòlù 명 《魚》 방어.
〔若明若暗〕 ruò míng ruò àn 〈成〉 ①밝은 것도 같고, 어두운 것도 같다. ②알고 있는 것도 같고, 모르고 있는 것도 같다.
〔若其〕 ruòqí 접 ⇨〔如rú其〕
〔若然〕 ruòrán 접 〈文〉 만일 그렇다면.
〔若时〕 ruòshí 명 〈文〉 그 때.
〔若使〕 ruòshǐ 접 〈文〉 가령〔만일〕 …이라면〔하게 한다면〕 =〔若是〕
〔若是〕 ruòshì 접 만일 …이라면. =〔如果〕〔如果是〕〔要是〕〔若果〕
〔若是乎〕 ruòshìhū 〈文〉 이와 같은가. 과연 그러한가. ¶～贤xián者之无益于国也《孟子》; 현자가 나라에 도움이 안 된다니, 그럴 수 있겠는가.
〔若属〕 ruòshǔ 접 〈文〉 만약에 …이라면. 대 ⇨〔若辈〕
〔若无其事〕 ruò wú qí shì 〈成〉 아무 일도 없었던 것 같다. ¶～地走过去; 태연히 지나가다 / 他们～地跟着亲热地谈起来了; 그들은 아무 일도 없었던 듯 친숙하게 이야기하기 시작했다.
〔若无事然〕 ruò wú shì rán 〈成〉 아무 일도 없는 모양〔듯이〕.
〔若许〕 ruòxǔ 형 〈文〉 많다. ¶～人; 여러〔많은〕 사람.
〔若要〕 ruòyào 접 〈文〉 만일 …하고 싶으면. 만일 …하려면.
〔若要好, 大做小〕 ruò yàohǎo, dà zuòxiǎo 〈諺〉 사람과 잘 어우러져 가려면 겸손이 중요하다.
〔若英〕 ruòyīng 명 《植》 '杜dù若'(두약)의 꽃.
〔若有所失〕 ruò yǒu suǒ shī 〈成〉 무엇이 없어진 것 같다《망연 자실한 모양》.
〔若有所思〕 ruò yǒu suǒ sī 〈成〉 무엇인지 생각하는 것이 있는 듯하다. ¶他～地停住了脚步; 무엇인지 생각하는 것이 있는 듯 발을 멈추었다.
〔若者〕 ruòzhě 〈文〉 이러한 것은. 이런 일은.
〔若芝〕 ruòzhī 명 《植》 두약. =〔杜dù若①〕

偌 ruò (야)
대 〈古白〉 이렇게. 저렇게. 저러한. ¶～多; 이렇게 많은〔많이〕 / ～大年纪; 저렇게 많은 나이(에) / 你～远到这里来; 너는 이렇게 먼 곳을 여기까지 왔구나.

鄀 Ruò (약)
명 《地》 약《춘추(春秋) 시대 초국(楚國)의 수도. 후베이 성(湖北省) 이청 현(宜城縣) 동남쪽》.

婼 ruò (야)
지명용 자(字). ¶～羌Ruòqiāng; 루오창(婼羌)《신장 성(新疆省) 위구르 자치구에 있는 현(縣) 이름》. ⇒chuò

箬〈篛〉 ruò (약)
명 ①대나무 껍질. ②《植》 얼룩조릿대. ③얼룩조릿대의 잎.
〔箬笠〕 ruòlì 명 대껍질이나 댓잎으로 만든 모자. ¶～芒máng鞋; 삿갓과 짚신《은둔하여 살고 있는 사람》. =〔箬帽〕
〔箬帽〕 ruòmào 명 대나무 껍질이나 잎으로 만든 삿갓. ¶蓑衣～; 도롱이와 삿갓. =〔箬笠〕〔斗笠〕
〔箬鳎鱼〕 ruòtǎyú 명 《魚》 서대기. =〔鞋xié底鱼〕
〔箬叶〕 ruòyè 명 대껍질. ¶～斗笠; 대껍질을 댄 삿갓.
〔箬竹〕 ruòzhú 명 《植》 얼룩조릿대.

弱 ruò (약)
①형 약하다. 허약하다. ¶体～多病; 몸이 약해서 병에 걸리기 쉽다 / 兵力～; 병력이 약하다 / 不甘示～; 약점을 보이기 싫어하다 / 虚～; 허약하다 / 软～; 연약하다. ②동 〈文〉 약해지다. (약해져서) 죽다. ¶优秀的外交官又～了一个; 우수한 외교관이 또 한 사람 죽었다. ③형 …약(弱). …에 모자라다. …에 부족하다. ¶百分之五～; 5퍼센트 약(弱) / 50斤～; 50근 약〔빠듯〕. ④형 젊다. 연소하다. ⑤형 뒤떨어지다. 미치지 못하다. ¶他的本领不～于那些人; 그의 능력은 저 사람들에게 뒤떨어지지 않는다 / ～智儿童; 지진아(遲進兒).
〔弱不好弄〕 ruò bù hào nòng 〈成〉 (아이가) 약하여 놀며 장난치기를 좋아하지 않다.
〔弱不禁风〕 ruò bù jīn fēng 〈成〉 젊은 여자가 바람에도 견딜 수 없을 정도로 약하다《가냘픈 모양》.
〔弱不胜衣〕 ruò bù shèng yī 〈成〉 옷의 무게를 견디지 못할 정도로 약하다.
〔弱弟〕 ruòdì 명 어린 아우. 막냇동생.
〔弱点〕 ruòdiǎn 명 약점.
〔弱冠〕 ruòguàn 명 약관《20세 안팎의 청년》. ¶二十岁曰yuē～《禮記》; 20세를 약관이라 하고 관례를 치른다.
〔弱碱〕 ruòjiǎn 명 《化》 약염기(弱鹽基).
〔弱累〕 ruòlěi 명 〈文〉 (아이에) 얽매인 누. 자녀의 교육비. 결혼 비용. →〔儿ér女债〕
〔弱龄〕 ruòlíng 형 〈文〉 연소하다. 나이가 어리다. 명 어린 나이. =〔弱岁〕

〔弱女〕 ruònǚ 명 〈文〉 ①소녀. ②약한 여자.
〔弱肉强食〕 ruò ròu qiáng shí 〈成〉 약육 강식(이다).
〔弱势〕 ruòshì 명 약세. ↔〔强势〕
〔弱视〕 ruòshì 명 〈文〉 약시. 형 시력이 약하다. 동 경시하다.
〔弱水〕 Ruòshuǐ 명 《地》 약수(옛날, 중국에서 신선이 살던 곳에 있었다는 물이름. 부력(浮力)이 아주 약해서 기러기 털처럼 가벼운 물건도 가라앉았다고 함).
〔弱酸〕 ruòsuān 명 《化》 약산.
〔弱岁〕 ruòsuì 명 ⇨〔弱龄〕
〔弱息〕 ruòxī 명 〈文〉〈謙〉 제 자식. 어린 딸.
〔弱小〕 ruòxiǎo 형 약소하다. 약하고 작다. ¶～民族; 약소 민족.
〔弱颜〕 ruòyán 형 남을 만나는 것을 부끄러워하다.
〔弱质〕 ruòzhì 명 〈文〉 약질. 약골. 허약한 체질.
〔弱主〕 ruòzhǔ 명 〈文〉 유약한 군주. 어리석은 군주. 약주.

蒻

ruò (약)
① 명 어린 부들. 부들의 새싹. →〔香蒲〕 ② 명 어린 부들로 짠 깔개. ¶～席; 부들 자리. ③ →〔蒟jǔ蒻〕

爇〈焫〉

ruò (열) 〈설〉
동 〈文〉 불을 켜다. 태우다. ¶～烛zhú; 촛불을 켜다 / 石棉能入火不～; 석면은 불 속에 넣어도 타지 않는다.

S

SA ㄙㄚ

仨 sā (사)
수량 〈口〉 셋. 세 개(뒤에 다른 양사를 붙일 수 없음). ¶～人; 세 사람 / 哥儿～; 삼형제. 형제 세 사람 / ～子儿一包; 동전 세 닢으로 한 쌈. =〔三个〕

〔仨鼻子眼儿, 多出气〕 sā bízi yǎnr, duō chūqì 쓸데없이 참견을 하다. ¶我们的事, 不用你管, 别在这里～! 우리 일에 자네가 쓸데없이 참견할 필요가 없다!

〔仨大俩小〕 sādà liǎxiǎo 크고 작은 (이익). ¶谁还不图个～嘛; 누구든 크건 작건 이익을 얻으려 한다.

〔仨瓜俩枣〕 sāguā liǎzǎo 〈比〉 수입·수확이 적음. =〔三瓜两枣〕

〔仨子儿油俩子儿醋〕 sāzǐr yóu liǎzǐr cù 〈比〉 작은 일. 사소한 일. ¶大事要请示领导, ～的事就该根据原则自己处理; 큰 일은 상급자의 지시를 받아야 하지만, 작은 일은 원칙대로 자기의 생각으로 처리해야 한다.

挲〈抄〉 sā (사)
→〔摩mā挲〕 ⇒shā suō

撒 sā (살)
동 ①놓다. 개방하다. 펼치다. ¶～手; 손을 놓다 / 把笼子里的鸟～了; 새장의 새를 놓아주었다 / 一～线, 风筝就上去了; 실을 풀어 주자 연은 금세 위로 올라갔다. ②뿌리다. 털어 내다. ¶把传单都～出去; 삐라를 다 돌리다 / ～气; ⇩ ③방출하다. 소변 보다. ¶～了一泡尿; 쏴 하고 오줌을 누었다. →〔拉lā⑩〕 ④마음껏 행동하거나 나타내거나 하다. ⇒sǎ

〔撒巴掌〕 sā bāzhang 손을 놓다〔떼다〕. ¶～把他放了; 손을 떼어 그를 방면했다.

〔撒把〕 sābǎ 동 핸들을 놓다. ¶骑qí自行车千万别～; 자전거를 탈 때는 절대로 핸들을 놓아서는 안 된다.

〔撒布〕 sābù 동 흩뿌리다. 살포하다.

〔撒不开手儿〕 sābukāi shǒur 손을 뗄 수 없다. (그대로) 내버려 둘 수 없다. ¶这孩子老～; 이 아이는 늘 혼자 내버려 둘 수가 없다.

〔撒痴〕 sāchī 동 백치 같은 행동을 하다. 무지를 드러내다.

〔撒村〕 sā·cūn 동 야비한〔상스러운〕 말을 하다. ¶～骂街; 〈成〉 남의 앞을 꺼리지 않고 큰 소리로 욕지거리하다.

〔撒旦〕 sādàn 명 《宗》〈音〉 사탄(그 Satan). 악마. =〔魔鬼〕〔撒但〕〔沙弹〕

〔撒颠鱼〕 sādiānyú 명 《魚》 정어리. =〔撒丁鱼〕

〔撒刁〕 sā·diāo 동 ①(거리낌없이) 난폭한 행동을 하다. 못되게 굴다. ②앵돌아지다. 떼쓰다. ¶这孩子总是～, 真讨厌; 이 아이는 늘 앵돌아져 있기만 하여 정말 지겹다 / 他直～, 哭上没有完; 저 애는 생떼만 쓰고 울었다 하면 그칠 줄 모른다. ‖ =〔放刁②〕

〔撒都该教〕 Sādūgāijiào 명 《宗》〈音〉 사두개파(派)(Sadducees).

〔撒对儿〕 sāduìr 동 (힘·무기로써) 맞서다. 대항하다. ¶你也见过一个千金小姐合强盗～的么? 너도 규중 처녀가 강도와 맞서는 것을 본 적이 있느냐?

〔撒尔维亚〕 sā'ěrwéiyà 명 《植》〈音〉 샐비어(salvia). =〔洋苏草〕〔紫苏叶〕〔鼠尾草〕〔琴柱草〕

〔撒放〕 sāfàng 동 석방하다. 놓아 주다.

〔撒粪〕 sāfèn 동 똥을 누다. 명 〈罵〉 똥싸개. ¶骂mà了声"小～的, 这不反了吗?"; "이 똥싸개 같은 놈아, 이게 대드는 게 아니고 뭐냐?"라고 호통을 쳤다.

〔撒疯(儿)〕 sā·fēng(r) 동 미치광이 같은 행동을 하다. 광태(狂態)를 부리다.

〔撒哈拉沙漠〕 Sāhālā shāmò 명 《地》〈音〉 사하라(Sahara) 사막.

〔撒黑(儿)〕 sāhēi(r) 명 해 질 녘. 저녁 무렵. =〔傍bàng晚(儿)〕

〔撒欢(儿)〕 sā·huānr 동 〈方〉 ①(동물이) 즐거워서 날뛰다. ¶一只小猫儿在那儿～; 한 마리의 고양이 새끼가 저기서 재롱을 부리고 있다. ②(아이가) 좋아서 날뛰다. 신명이 나서 떠들다. ¶他们都在撒着欢儿地干活; 그들은 신명나게 떠들며 일을 하고 있다 / 孩子们在操场上～; 아이들이 운동장에서 뛰놀고 있다.

〔撒谎〕 sā·huǎng 동 〈口〉 거짓말〔허튼소리〕하다. ¶我决不～; 나는 결코 거짓말은 안 합니다. =〔说谎〕〔扯谎〕〔扯空〕〔调diào谎〕〔掉诞〕〔掉谎〕

〔撒挥〕 sāhuī 동 낭비하다.

〔撒火〕 sāhuǒ 동 ⇨〔撒气①〕

〔撒极〕 sājí 동 초조해지다. 당황하다. ¶风老婆～上吊; 풍 노파는 궁지에 몰려 목을 매(어 죽)었다.

〔撒奸〕 sā·jiān 동 간사〔교활〕하게 굴다. ¶你休呆里～; 시치미를 떼고 간사하게 굴지 마라.

〔撒娇(儿)〕 sā·jiāo(r) 동 어리광〔응석〕을 부리다. 떼를 쓰다. 애교〔아양〕 떨다. ¶孩子跟妈妈～; 어린아이가 어머니한테 어리광을 부리다.

〔撒脚〕 sājiǎo ①⇨〔撒开腿〕 ②⇨〔放fàng足〕

〔撒节帖子〕 sā jiétiězi 상점이 (1년에 세 번의) 계산서를 배부하다. =〔撒帖子②〕

〔撒酒疯(儿)〕 sā jiǔfēng(r) 심한 주정을 하다. 취해서 추태를 부리다. ¶喝酒倒不要紧, 可千万别～; 술 마시는 것은 별로 상관없지만, 절대로 주정은 하지 마라.

〔撒开〕 sākāi 동 ①헤어지다. 갈라지다. ¶俺ǎn二人只好～《水滸傳》; 우리 두 사람은 헤어질 수밖에 없다. ②늦추다. 놓다. ¶～手; 손을 늦추다. ③하고 싶은 대로 하다. 마음껏 하다. ¶～了打; 힘껏 때리다 / ～了吃; 마구〔마음껏〕 먹다 / ～了花钱; 돈을 마음껏 쓰다. ④달아나다. 줄행랑치다. ¶～腿就跑; 쏜살같이 달아나다 / 不如及早～《水滸傳》; 일찌감치 달아나는 것이 제일 좋다.

〔撒开腿〕 sākāi tuǐ 발을 홱 내딛다. (큰 걸음으로) 뛰어가다. =〔撒脚①〕

〔撒炕尿〕 sā kàngniào ①자다가 오줌을 싸다. ②(sākàngniào) 명 오줌싸개.

〔撒科〕 sākē 동 남을 웃기는 말을 하다. 농담을 하

다. ¶～打诨; 농담하다. 배우가 무대에서 우스꽝스럽게 굴어 관중을 웃기다 / 干娘休要～, 你作成我则个《水滸傳》; 엄마 그렇게 농담하지 말고 내 뜻이 이루어지게 해 주세요.

〔撒裤脚(儿)〕 sā kùjiǎor 바짓자락을 동여매지 않다. =〔散sǎn裤脚(儿)〕

〔撒拉族〕 Sālāzú 명《民》싸라 족(撒拉族)《중국 소수 민족의 하나. 칭하이 성(青海省)·간쑤 성(甘肅省)에 거주함》.

〔撒赖〕 sā,lài 동 ①뻔뻔하게 나오다. 시치미 떼다. ¶有理说理, 为什么要～呢? 할 말이 있으면 납득이 갈 때까지 이야기해라. 어째서 뻔뻔스럽게 나오는 거냐? ②속이다. 사기하다. ③게을리하다. 게으름 피우다. ④트집을 잡다. 생떼를 쓰다.

〔撒烂污〕 sā lànwū 〈俗〉 ①더러운 것을 마구 뿌리다. ②〈轉〉 건달 같은 생활〔짓〕을 하다.

〔撒马〕 sā,mǎ 동 ①말의 고삐를 늦추다. ②말을 달리다.

〔撒马尔罕〕 Sāmǎ'ěrhǎn 명《地》〈音〉 사마르칸트(Samarkand).

〔撒蒙鱼〕 sāméngyú 명《魚》〈音〉 연어. ¶咸xián～; 소금에 절인 연어. =〔鲑guī鱼〕

〔撒腻〕 sā,nì 동 넌더리가 난 기색을 하다.

〔撒尿〕 sā,niào 동 〈口〉 오줌을 누다. =〔撒溺niào〕

〔撒泼〕 sāpō 동 ①(분해서) 마구 떠들어 대다. 울며 소란을 피우다. 억지를 쓰다. ¶～打滚; 떼를 쓰며 데굴데굴 구르다. ②못된 장난을 하다. ‖=〔翻波〕

〔撒气〕 sā,qì 동 ①남에게 함부로 신경질을 부리다. 울분을 풀다. 분풀이하다. ¶别拿孩子～; 아이에게 공연히 짜증을 부리면 안 된다 / 不好意思拿朋友～; 친구를 상대로 울분을 터뜨리기가 미안하다. =〔撒火〕 ②(튜브 따위의) 공기가 빠지다. 바람이 새다. ↔〔打气〕

〔撒请帖〕 sā qǐngtiě ⇨〔撒帖子①〕

〔撒擅儿〕 sāshànr 동 〈京〉 방자해지다. ¶越说你, 你越～; 주의를 줄수록 너는 방자해진다.

〔撒手(儿)〕 sā,shǒu(r) 동 ①손을 놓다. 손을 늦추다. ¶拉人不～; 남의 손을 잡아 끌고 놓지 않다 / 你拿稳, 我～了; 꼭 잡고 있어라, 손을 놓을 테니. ②손에서 떨어져 나가다. ¶～不由人儿; 자기 손에서 떨어져 나가 버리면 제 뜻대로는 되지 않는다 / 孩子长大了, 出外做事, 可不就是～不由人儿了吗? 애가 커서 밖에 나가 일을 하게 되면, 부모의 손아귀에서 벗어나 뜻대로 되지 않게 되는 게 아니냐? ③손을 떼다. 포기〔단념〕하다. ¶他～全不管; 그는 손을 떼고 전혀 상관하지 않는다. ④손을 펼치다. ¶～大; 손을 펼친 크기 / ～长辞; 〈成〉 죽다. ⑤드러내놓다. 마음놓다. ¶大～地买进来; 마음놓고 마구 사들이다.

〔撒手长辞〕 sā shǒu cháng cí 〈成〉 ⇨〔撒手尘寰〕

〔撒手尘寰〕 sā shǒu chén huán 〈成〉 죽다. ¶当她父亲～之时, 她只有十三岁; 부친이 사망했을 때, 그녀는 겨우 열세 살이었다. =〔撒手长辞〕

〔撒手锏〕 sāshǒujiǎn 명 옛 소설에서, 상대를 죽이려 할 때, 의표(意表)를 찔러 철봉을 적에게 내던지는 수법. 〈比〉 경기(競技) 때의 최후 수단. 마지막 솜씨.

〔撒帖子〕 sā tiězi ①초대장을 여기저기에 돌리다. =〔撒请帖〕 ② ⇨〔撒节帖子〕

〔撒腿〕 sā,tuǐ 동 (흔히, '～跑'로) 내빼다. 후다닥 뛰어가다. 홱 달리다. ¶～就跑; 홱 달아나다 / 他听说哥哥回来了, ～就往家里跑; 그는 형이 돌아왔다는 말을 듣자 후다닥 집으로 뛰어갔다.

〔撒网〕 sāwǎng 동 ①그물을 치다. ¶～捕bǔ鱼; 그물을 쳐서 물고기를 잡다. ②명목을 붙여 잔치를 벌이고 많은 사람을 초대하여 축의금을 거두다. =〔撒帖子打网〕

〔撒污〕 sāwū 동 〈方〉 똥을 누다.

〔撒无赖〕 sā wúlài ①망나니의 본색을 드러내다. 불량 소년 티를 내다. ②책임을 회피하다. ¶他借了还是不想还, 逼bī急了他可以～《老舍 駱駝祥子》; 그는 빚을 지고도 갚으려고 하지 않는다. 재촉이 심하면 반대로 대들고 나설 것이다.

〔撒线(儿)〕 sā xiàn(r) (연을 띄울 때) 실〔줄〕을 풀다〔늘이다〕.

〔撒锌法〕 sāxīnfǎ 명《工》 아연 가루 속에서 철제품에 도금을 하는 방법.

〔撒熏香〕 sāxùnxiāng (남의 일을) 헐뜯다. 남의 욕을 하고 다니다.

〔撒鸭子〕 sā yāzi 〈方〉 쏜살같이 달리다. ¶～窜了; 쏜살같이 달아났다.

〔撒野〕 sā,yě 동 ①야비한〔상스러운〕 짓을 하다. ¶是哪个～在这里撒尿? 누가 이런 곳에 소변을 보는 상스러운 짓을 할까? ②난폭하게 굴다. ¶急了就～可不行; 성이 난다고 난폭하게 구는 것은 좋지 않다. =〔发横〕 ③욕지거리를 퍼붓다.

〔撒野马〕 sā yěmǎ ①제멋대로 행동하다. ②제멋대로 지껄이다.

〔撒夜仗〕 sā yèzhang ⇨〔撒呓挣〕

〔撒呓挣〕 sā yìzheng 〈口〉 잠꼬대를 하다. 〈轉〉 엉터리로 말하다. ¶你怎么说得好好儿地, 又撒起呓挣来了; 너는 제대로 말을 잘 하더니, 또 잠꼬대 같은 말을 하기 시작하는구나 / 这孩子又～了; 이 애는 또 잠꼬대를 하고 있다. =〔撒夜yè仗〕〔撒呓症〕〔打dǎ呓怔〕

〔撒呓症〕 sā yìzheng ⇨〔撒呓挣〕

〔撒账帖子〕 sā zhàngtiězi 계산서〔외상 청구서〕를 돌리다.

〔撒嘴〕 sā zuǐ ①물었던 입을 떼다. ¶咬住了不～; 물고 늘어져 놓아 주지 않다. ②말다툼을 그치다. ¶两个人各自争, 谁也不肯～; 두 사람은 말다툼을 하여 아무도 그만두려 하지 않는다.

洒(灑) sǎ (쇄)

① 동 (물을) 뿌리다. ¶扫地先～些水; 바닥을 청소하기 전에 물을 조금 뿌리다. ② 동 우수수 떨어지다. ③ 동 엎지르다. 흘리다. 흩뿌리다. ¶～了一地粮食; 바닥에 온통 곡물을 흘렸다 / 黄豆～了一地; 콩이 온 바닥에 흩어졌다. ④ 명 성(姓)의 하나.

〔洒尔佛散〕 sǎ'ěrfósǎn 명《藥》〈音〉 살바르산(독 Salvarsan).

〔洒狗血〕 sǎ gǒuxuè《劇》 배우가 관객의 반응을 염려하고 지나친 연기(演技)를 하는 일.

〔洒家〕 sǎjiā 대 〈古白〉 나《송(宋)·원(元) 때의 관서(함곡관(函谷關) 서쪽) 방언》.

〔洒金〕 sǎjīn 동 서화(書畫)에 금박을 뿜어 입히다.

〔洒泪〕 sǎ,lèi 동 눈물을 흘리다. ¶～分别; 눈물을 흘리며 헤어지다.

〔洒泪雨〕 sǎlèiyǔ 명 〈比〉 음력 6·7월경에 오는 비.

〔洒篱〕 sǎlí 명 ⇨〔笊zhào篱〕

〔洒利汞〕 sǎlìgǒng 명 ⇨〔汞撒利〕

〔洒利(尔)汞〕 sǎlì(ěr)gǒng 명 ⇨〔汞撒利〕

〔洒脸〕 sǎliǎn 동 체면을 잃다.

〔洒漏〕 sǎlòu 동 새어서 흩어지다. ¶粮食～在地上; 곡식이 새어서 땅에 흩어지다.
〔洒落〕 sǎluò 형 ①초연하고 대범한 모양. ¶子显风神～, 雍容闲雅《南史》; 소자 현(簫子顯)은 풍채가 초연하고 대범하며 여유가 있고 우아한 면이 있었다. ②으스스 춥고 황폐한 모양. 동 ①냉정하게 다루다. 매정하게 굴다. ¶又有贾母王夫人都在这里, 不敢～宝玉《紅樓夢》; 게다가 가모나 왕부인이 그 곳에 있으니, 보옥을 매정하게 대할 수도 없었다. ②뿌리다. 엎질러지다. 떨어지다. ¶一串串汗珠～在地上; 줄줄 흐르는 땀방울이 땅바닥에 떨어지다.
〔洒派〕 sǎpài 동 자기의 전답을 나누어 남의 명의로 하여 탈세를 꾀하다.
〔洒泣〕 sǎqì 동 〈文〉 눈물을 흘리(며 울)다.
〔洒然〕 sǎrán 형 ①깜짝 놀라는 모양. ②깨끗한 모양.
〔洒洒〕 sǎsǎ 형 ①쏟아붓듯이 떨어지는 모양. ②〈轉〉 길게 이어져서 끊이지 않는 모양. ¶先后次序数百言, ～可听; 처음부터 끝까지 차례를 따라 수백 마디가 길게 이어져서 경청할 만하다.
〔洒扫〕 sǎsǎo 동 물을 뿌리고 쓸다.
〔洒水〕 sǎshuǐ 동 물을 뿌리다. ¶～壶; 물뿌리개. 조로(프 jorro).
〔洒水车〕 sǎshuǐchē 명 살수차. =〔撒水车〕〔灌guàn路水车〕
〔洒水器〕 sǎshuǐqì 명 살수기(撒水器). 스프링클러.
〔洒汤〕 sǎ·tāng ①동 〈俗〉〈比〉 실수를 하다. 못쓰게 만들다. ¶那件事他办得～了; 그는 그 일을 그르쳤다. ②(sǎ tāng) 국을 엎지르다.
〔洒头〕 sǎtóu 명 수련(修練). 단련. ¶各种梆bāng子戏的生、旦、净、丑、个个有嗓子, 有～; 각종 방자극의 남자 배역·여자 배역·악역·광대역은 각각 좋은 목청을 갖고 있으며, 많은 수련을 쌓고 있다.
〔洒土攘烟(儿)〕 sǎtǔ rǎngyān(r) ⇨〔撒土攘烟(儿)〕
〔洒脱〕 sǎtuo 형 ①(말이나 행위가) 자연스럽다. 구애되지 않다. 담박〔소탈〕하다. ¶她～地和人招zhāo呼; 그녀는 자연스럽게 남을 응대한다. ②시원시원하다. ¶干活真～, 处处带头; 일하는 것이 참으로 시원스러워 무슨 일이나 앞장서서 한다. ③냉담하다. 동 (구속에서) 빠져 나오다. 벗어나다. ¶他慌忙说声"我没有工夫"～身便走; 그는 총총히 한 마디 "틈이 없다"고 말하고 빠져 나가 버렸다.
〔洒沃〕 sǎwò 동 〈文〉 물을 뿌려 축이다.
〔洒淅〕 sǎxī 형 〈文〉 차다. 싸느랗다.
〔洒油〕 sǎ·yóu ①동 〈俗〉 실패를 하다. 실수를 하다. ②(sǎ yóu) 기름을 엎지르다.

靸

sǎ (삽)
동 〈方〉 신발을 질질 끌다. 신발 뒤축을 찌그러뜨려 신다《슬리퍼처럼 신다》. ¶宝玉～了鞋便迎出来《紅樓夢》; 보옥은 신발을 걸치고 맞이하였다.
〔靸拉〕 sǎla 동 질질 끌다.
〔靸鞋〕 sǎxié 명 ①슬리퍼. ②앞부분이 깊고 앞닫이에 가죽을 댄 노동자용 즈크화(네 doek靴). ‖=〔撒鞋〕

潵

Sǎ (산)
명 《地》 싸허 강(潵河)《허베이 성에 있는 강 이름》. ¶～河桥Sǎhéqiáo; 싸허차오(潵河橋)《허베이 성(河北省)에 있는 땅 이름》.

撒

sǎ (살)
①동 훌훌 흩뿌리다. 치다. ¶～豆; 콩을 흩뿌리다 / 在上面～了一层白糖; 표면에 흰 설탕을 한 겹 뿌려 놓았다. ②동 떨어뜨리다. 엎지르다. 흘리다. ¶把～在路上的豆子拾起来; 길에 흘린 콩을 줍다 / 别～了汤; 국을 엎지르지 말아라. ③명 성(姓)의 하나. ⇒sā
〔撒播〕 sǎbō 동 《農》 씨를 고르게 (밭에) 뿌리다.
〔撒肥〕 sǎ·féi 동 비료를 살포하다.
〔撒和〕 sǎhe 동 ①한가로이 거닐면서 유유 자적하다. 느긋하게 쉬다. ¶借着出善会, 热闹热闹, ～～; 절〔사원(寺院)〕 잔치에 참석한다는 명목으로, 신나게 모여서 한가하고 편하게 시간을 보냈다. ②말을 (천천히 걷게 하여) 운동시키다.
〔撒机〕 sǎjī 명 《農》 파종기(播種機).
〔撒漫〕 sǎmàn 동 ①돈을 팍팍 쓰다. ¶见西门庆qìng手里有钱, 又～肯kěn使《金瓶梅》; 서문경(西門慶)이 주머니 사정이 넉넉해서 팍팍 기분 좋게 돈을 쓰는 것을 보았다. ②허사가 되다. 잃다. ¶这便是一句戏xì言～了一个美官《京本通俗小說》; 이야말로 단 한 마디의 농담으로 벼슬자리를 잃어버린 꼴이 된다. 형 시원시원하다. 대범하다. ¶袭xí人又本是个手中～的《紅樓夢》; 습인(襲人) 또한 본래는 시원시원한 여자이다.
〔撒米〕 sǎmǐ 동 쌀을 뿌리다《구식 혼인의 관습으로, 신부의 가마에 쌀을 뿌리는 일. 다복하기를 비는 뜻》.
〔撒然〕 sǎrán 형 〈古白〉 놀라서 잠을 깨는 모양. ¶～惊jīng觉《董解元 西廂記諸宮調》; 놀라서 깨다 / ～觉来, 又是一梦; 놀라서 깨어 보니, 또 꿈이었다.
〔撒散〕 sǎsan 동 ①흩뿌리다. ¶～传单; 삐라를 뿌리다 / 把宣传品都～完了; 선전물을 다 뿌렸다. ②(돈을) 낭비하다. 돈을 뿌리다. ¶这样的一件大事不～几个钱, 就办得开了么? 이토록 큰 일에 어느 정도 돈을 쓰지 않고 잘 해낼 수 있을까?
〔撒扇〕 sǎshàn 명 ⇨〔折zhé扇(儿)〕
〔撒施〕 sǎshī 동 《農》 비료를 작물의 뿌리 부분에 덩어리지지 않게 뿌리다《일종의 시비법》.
〔撒水车〕 sǎshuǐchē 명 살수차.
〔撒土攘烟(儿)〕 sǎtǔ rǎngyān(r) (아이가 놀면서) 흙먼지를 날리다. 〈比〉 불량배 따위가 몰래 숨어서 나쁜 짓을 하다. ¶他是～的人; 저놈은 몰래 못된 짓만 하는 인간이다 / 你不用和我来这个～的; 너는 나한테 슬금슬금 그런 잔재주를 부리지 마라. =〔撒土扬yáng烟(儿)〕〔洒土攘烟(儿)〕〔抓zhuā土攘烟(儿)〕
〔撒鞋〕 sǎxié 명 ⇨〔靸鞋〕
〔撒熏香〕 sǎxùnxiāng 동 (남을) 헐뜯다. 욕을 하고 다니다. ¶他总好给人～; 그는 곧잘 남을 헐뜯는다 / 他竟给朋友～, 我看他必定要失败的; 그는 친구의 욕을 하고 다니기만 하는데, (언젠가는) 반드시 실패하리라 본다 / 这是他给你～了, 算不了什么; 이것은 그가 네 욕을 하고 다니고 있는 것인데, 별것이 아니다.
〔撒种〕 sǎ·zhǒng 동 씨를 뿌리다. 파종하다. ¶春天农夫下田～; 봄에 농부가 밭에 나가 씨를 뿌리다. =〔播bō种〕

卅

sà (삽)
수 30. 삼십(三十). =〔三十〕

摋(㩬)

sà (살)
동 〈文〉 ①손바닥으로 치다. ②측면에서 공격하다. ⇒shā

脎 sà (쇄)
명《化》오사존(osazone)(유기 화합물의 하나). =〔糖二腙〕

飒(颯) sà (삽)
①〈擬〉솨(바람 소리). ¶秋风～～; 가을 바람이 솨 하고 불다 / 白杨树迎面～～地响; 포플러가 바람에 솨솨 소리를 내다. ② 형〈文〉씩씩하다. 시원스럽다. →〔飒爽〕 ③ 형〈俗〉(패션·헤어·화장 등이) 근사하다. ④ 동〈文〉쇠락하다. 시들다.

〔飒剌剌〕 sàlālā 〈擬〉살랑살랑. 산들산들. ¶耳边厢～风又摆; 귓전에는 살랑살랑 바람이 산들거리고 있다.
〔飒戾〕 sàlì 형〈文〉상쾌하다. 시원하다. ¶游清雾之～兮; 맑은 안개의 상쾌함을 즐기다.
〔飒然〕 sàrán ①〈擬〉(바람이) 솨 하고 (부는 모양). ② 형 갑자기 오는 모양. ¶～而至; 갑자기 오다.
〔飒飒〕 sàsà 〈擬〉솨솨(바람 부는 소리. 비 오는 소리). ¶那时正是将近仲秋天气, 金风～, 玉露冷líng冷; 때는 바야흐로 중추가 가까운 때여서 가을 바람이 산들거리고 맺힌 이슬 방울은 차가웠다.
〔飒爽〕 sàshuǎng 형〈文〉모습·태도·행동이 시원스럽고 씩씩하다. ¶～英姿 =〔英姿～〕; 자태가 선드러지다.

萨(薩) sà (살)
①음역용 자(音譯用字). ¶～满教; 《宗》〈音義〉샤머니즘. ② →〔菩pú萨〕 ③ 명 성(姓)의 하나.

〔萨尔瓦多〕 Sà'ěrwǎduō 명《地》〈音〉엘살바도르(El Salvador)(중앙 아메리카의 공화국. 수도는 '圣萨尔瓦多'(산살바도르:San salvador)).
〔萨夫火支〕 sàfūhuǒzhī 명〈音〉소프호스(러 sovkhoz)(구(舊)소련의 대규모 국영 농장).
〔萨福主义〕 sàfú zhǔyì 명〈音義〉사피즘(Saphism)(여성의 동성연애). =〔沙茀式恋爱〕
〔萨噶达娃节〕 Sàgádáwá jié 명〈音〉사가다와절(節)(티베트에서 석가 탄생을 기념하는 축제(일). 티베트력(曆)의 4월 15일).
〔萨哈林〕 sàhālín 명《化》〈音〉사카린(saccharin). =〔糖精〕
〔萨哈林岛〕 Sàhālín dǎo 명《地》〈音〉사할린(Sakhalin). =〔萨哈连岛〕
〔萨克管〕 sàkèguǎn 명 ⇨〔萨克斯管〕
〔萨克森族〕 Sàkèsēn zú 명《民》〈音〉색슨족(튜튼족의 한 종족).
〔萨克斯管〕 sàkèsīguǎn 명《樂》〈音〉색소폰(saxophone). =〔萨克管〕〔沙克管〕〔萨克索封〕〔色士风〕
〔萨克斯号〕 sàkèsīhào 명《樂》〈音〉색스혼(saxhorn). =〔萨克号〕〔萨克斯喇叭〕
〔萨拉方〕 sàlāfāng 명〈音義〉(말레이·인도 등지의) 사롱(sarong). =〔莎笼〕〔纱笼〕
〔萨玛瓦〕 sàmǎwǎ 명〈音〉사모바르(러 samovar). =〔茶炊〕
〔萨曼〕 Sàmàn 명《史》〈音〉사만(Sāmān) 왕조(중앙 아시아의 이란계 왕조 이름(874～999)).
〔萨门鱼〕 sàményú 명《魚》〈音〉새먼(salmon). 연어. =〔鲑鱼〕〔大麻哈鱼〕〔撒蒙鱼〕
〔萨摩亚〕 Sàmóyà 명《地》〈音〉사모아(Samoa).
〔萨姆导弹〕 sàmǔ dǎodàn 명《軍》〈音〉샘 유도탄(SAM 誘導彈). 지대공(地對空) 미사일.
〔萨那〕 Sànà 명《地》〈音〉사나(Sanaa)('阿ā拉伯也门共和国'(아랍 예멘 공화국)의 수도).
〔萨其马〕 sàqímǎ 명〈京〉둥베이(東北)풍의 과자의 일종(달걀·설탕을 섞은 밀가루를 반죽하여 조붓하게 자른 것을 기름에 튀기고, 이것을 물엿으로 굳혀 큰 덩어리로 만든 것을 두께 5센티, 폭 10센티 정도의 직사각형으로 자른 다음, '青qīng丝' '红hóng丝' '葡pú萄干(儿)' 등을 표면에 뿌린 단 과자). =〔萨齐玛〕
〔萨齐玛〕 sàqímǎ 명 ⇨〔萨其马〕
〔萨瓦克〕 sàwǎkè 명〈音〉사바크(SAVAK)(팔레비 왕정시 이란의 비밀 경찰).
〔萨王纳群落〕 Sàwángnà qúnluò 명《地》〈音〉사바나(savanna).
〔萨乌那〕 sàwūnà 명〈音〉사우나탕(sauna湯).

SAI ㄙㄞ

思 sāi (새)
→〔于yú思〕 ⇒ sī

揌〈攓〉 sāi (시) (색)
동 틀어 넣어 메우다. 밀어〔쑤셔〕넣다. ¶～在口袋里; 호주머니에 쑤셔 넣다.

毸 sāi (새)
→〔毰péi毸〕

腮〈顋〉 sāi (시)
명 ①볼. 뺨. ¶两～咬紧; 양턱을 악물다 / 鼓起～帮子; 뺨을 불룩하게 하다. =〔腮颊jiá〕〔〈方〉腮巴(子)〕〔〈俗〉腮帮bāng(子)〕 ②물고기의 아가미. =〔鳃〕

〔腮巴(子)〕 sāiba(zi) 명〈方〉볼. 뺨.
〔腮帮(子)〕 sāibāng(zi) →〔字解 ①〕
〔腮斗〕 sāidǒu 명 볼. 뺨. ¶～上泪lèi痕粉渍定; 볼의 눈물 자국에 분이 말라붙어 있다.
〔腮颊〕 sāijiá →〔字解 ①〕
〔腮脚〕 sāijiǎo 명 (마디발 동물의) 악각(顎脚). =〔颚è脚〕
〔腮托〕 sāituō 명《樂》(바이올린 따위의) 턱을 대는 곳.
〔腮腺〕 sāixiàn 명《生》귀밑샘. 이하선(耳下腺). ¶(流行性)～炎 =〔痄zhà腮〕;《醫》이하선염. 항아리 손님. =〔耳ěr下腺〕
〔腮须〕 sāixū 명《蟲》더듬이. 촉각(觸角).

鳃(鰓) sāi (새)
명 (물고기의) 아가미. =〔鳃际jì〕〔腮②〕

〔鳃蚕〕 sāicán 명《蟲》해안의 바위에 서식하는 모충(毛蟲)의 일종(낚싯밥으로 사용됨).
〔鳃虫〕 sāichóng 명《蟲》바닷물고기에 붙는 기생충의 일종.
〔鳃盖〕 sāigài 명《魚》새개. 아감딱지.
〔鳃骨〕 sāigǔ 명《魚》새골. 아감뼈. =〔鳃弓〕
〔鳃鲵科〕 sāiníkē 명《動》(동물 분류학상의) 도롱뇽과.

塞 sāi (색)
① 동 막(히)다. ㉠틈을 막다〔메우다〕. 틀어막다. ¶把窟kū窿～住; 구멍을 막다. ㉡마개를 하다. ¶把瓶píng子～严; 병에 단단히 마개를 하다. ②(～儿, ～子) 명 마개. ¶瓶子～

儿; 병마개 / 软木～; 코르크 마개 / 火花～; 점화 플러그(plug). ③ 통 (가득) 처넣다. 밀어넣다. 쑤셔넣다. ¶～满mǎn; ⇩ / ～了一嘴馒头; 볼이 미어지게 찐빵을 입에 넣다 / 箱子没装满, 还可以～上一些东西; 상자는 아직 다 차지 않았으니까 좀더 넣을 수 있다 / 用绢子包好, ～在褥子底下; 손수건에 잘 싸서 요 밑에 찔러 넣다. ⇒sài sè

〔塞尺〕 sāichǐ 명 《機》〈方〉 필러(feeler)《매우 작은 틈새를 재는 계기(計器)》.

〔塞嗤〕 sāichi 통〈方〉틀어막다. 채우다.

〔塞带油〕 sāidàiyóu 명 ⇨〔煞shā车油〕

〔塞肚子〕 sāi dùzi 배를 채우다. ¶果木上的野果子也都能～; 과일 나무에 열려 있는 야생의 과일로도 배를 채울 수있다.

〔塞臯〕 sāigāo 명 《鳥》 어치.

〔塞狗洞〕 sāigǒudòng ⇨〔填tián黑窟窿〕

〔塞咕〕 sāigu 통〈口〉마구 집어〔쑤셔〕넣다.

〔塞规〕 sāiguī 명 《機》 플러그 게이지.

〔塞进〕 sāijìn 통 밀어〔쑤셔, 틀어〕넣다. ¶把杂志～衣袋里; 잡지를 호주머니에 쑤셔 넣다.

〔塞满〕 sāimǎn 통 꽉 채우다. 가득 처넣다.

〔塞门〕 sāimén 명 마개. 귀때. 수도꼭지. 콕(cock). ¶煤气～; 가스콕. ⇒sàimén

〔塞箝〕 sāiqián 명 마개뽑이. =〔塞钻zuàn〕

〔塞上〕 sāishang 통 가득 처넣다. 밀어〔쑤셔〕넣다. ¶疮口～药捻子; 종기의 상처 자리에 약을 바른 가제를 밀어넣다. ⇒sàishàng

〔塞死〕 sāisǐ 통 철저히 봉쇄하다. 질식시켜 죽이다. ¶我们要把产生这种歪风的洞～; 우리는 이런 나쁜 풍조를 만들어 내는 근원을 철저히 봉쇄해야 한다.

〔塞填缝〕 sāitiánfèng 명 《機》 코킹(caulking).

〔塞头儿〕 sāitóur 명 (병)마개.

〔塞巷填衢〕 sāi xiàng tián qú 〈成〉 거리가 혼잡〔번화〕한 모양.

〔塞牙〕 sāi.yá 통 ①잇새에 끼이다. ¶吃东西～; 음식을 먹어 이에 끼이다 / 喝凉水都～; 찬물을 마셔도 이에 낀다. 달걀에 뼈. 안 되는 놈은 뒤로 넘어져도 코가 깨진다 / 肥的太腻, 瘦的～; 비계는 너무 느끼하고, 살코기는 이에 끼인다《매사에 트집과 타박이 많다》. ②〈比〉 따로 함축된 뜻이 있다. 참뜻이 깊이 숨어 있다. ¶你真是会说话的, 句句塞人牙; 자넨 참으로 말을 잘 하는군. 한 마디 한 마디마다 숨은 뜻이 있단 말이야.

〔塞牙缝儿〕 sāi yáfèngr 잇새에 끼이다. ¶这个肉丝儿～; 이 돼지고기 저민 것은 잇새에 낀다.

〔塞严〕 sāiyán 통 꼭 틀어막다.

〔塞药〕 sāiyào ① 명 《藥》 좌약(坐藥). ②(sāi yào) 좌약을 넣다.

〔塞住〕 sāizhù 통 틀어막다. 막히다. ¶水管～了; 물 파이프가 막혔다.

〔塞子〕 sāizi 명 마개. ¶软木～ =〔软皮塞〕; 코르크.

〔塞钻〕 sāizuàn 명 ⇨〔塞箝〕

噻 sāi (시)

→〔噻吩〕〔噻唑〕

〔噻吩〕 sāifēn 명 《化》〈音〉 티오펜(thiophene).

〔噻唑〕 sāizuò 명 《化》〈音〉 티아졸(thiazole).

嘫(噻) sāi (시)

통 〈京〉 채워〔처〕 넣다. 입에 쑤셔 넣(듯이 먹)다. ¶好酒好肉～一顿; 맛있는 술이랑 요리를 잔뜩 먹었다.

塞 sài (새)

명 변경의 험요(險要)의 땅. ¶要～; 요새 / ～外wài; 장성(長城) 밖의 땅. 국경 밖 / 边～; 국경의 요새. ⇒sāi sè

〔塞得港〕 Sàidégǎng 명 《地》〈音義〉 포트 사이드(Port Said)《수에즈 운하의 어귀에 있는 이집트의 항구 도시》.

〔塞门〕 sàimén 명 성보(城堡)의 입구. ⇒sāimén

〔塞上〕 sàishàng 명 장성(長城)에서 위쪽의 변경 지역. ⇒sāishang

〔塞外〕 sàiwài 명 ⇨〔边外〕

〔塞翁失马〕 sài wēng shī mǎ 〈成〉 새옹지마《재난과 복(福)은 번갈아 가며 온다》.

赛(賽) sài (새)

①통 우열·강약을 겨루다. 견주다. 다투다. ¶竞～; 경쟁(하다) / 我和你～本领; 너와 솜씨를 겨뤄 보자. ②통 족히 …에 비교할 수 있다. …에 못지않다. 필적(할 만)하다. ¶～真的; 진짜(에) 못지않다 / ～诸葛亮; 제갈량(諸葛亮)에 못지않다 / 快乐～新年; 설날 못지않게 유쾌하다 / 力气～水牛; 힘이 물소에 필적한다 / 这一组的成绩一个～一个; 이 그룹의 성적은 서로 막상막하이다. ③명 시합. 경기. ¶决～; 결승전 / 预～; 예선 / 足球～; 축구 경기 / 田径～; 육상 경기 / 田～; 필드 경기 / 径jìng～; 트랙 경기 / 俩人比了一次～; 두 사람은 시합을 해 보았다. ④통 옛날, 신(神)에게 제사드리다. ⑤명 성(姓)의 하나.

〔赛败〕 sàibài 통 경기나 경쟁에 지다〔패하다〕.

〔赛比〕 sàibǐ 통 ①〈文〉 …에 못지않다〔필적하다〕. ¶听您一夕话, ～读几年书; 당신의 이야기를 하룻밤 들어서 몇 해씩 공부한 것이나 맞먹을 정도로 유익했습니다. =〔赛如〕 ②겨루다. 경쟁하다.

〔赛车〕 sàichē ①명 경륜(競輪). 자전거〔오토바이〕 경주. ②명 경주용 자전거〔오토바이〕. ③(sài chē) 자전거〔오토바이. 자동차〕 경주를 하다.

〔赛程〕 sàichéng 명 경기의 일정.

〔赛船〕 sàichuán 《體》 ①명 경조(競漕). 보트 레이스. ②(sài chuán) 보트 레이스를 하다.

〔赛狗〕 sàigǒu ①명 경견(競犬). ¶～场; 경견장. ②(sài gǒu) 경견(競犬)하다.

〔赛过〕 sàiguò 통 …보다 낫다. …이상이다. ¶感情～亲兄弟; 감정이 친형제 이상이다 / 这种梨甜得～糖; 이 종류의 배는 설탕보다 달다 / 苦得～黄连; 쓰기가 (생약의) 황련 이상이다.

〔赛红〕 sàihóng 통 (공산주의에서) 사상성(思想性)이 견고한가 여부(與否)를 서로 겨루다.

〔赛会〕 sàihuì 명 ①콩쿠르. ②박람회. 품평회. ③신불(神佛)에 올리는 굿 따위의 행사. ¶赶～的赌摊; 옛날, 마을 축제에 모여드는 노름판.

〔赛可橡胶〕 sàikě xiàngjiāo 명 《化》 티오콜《인조고무》.

〔赛力散〕 sàilìsǎn 명 《化》〈音〉 세레산(ceresan)《벼·보리의 병해 구제에 쓰이는 수은분제(水銀粉劑)》.

〔赛栗子〕 sàilìzi 명 군고구마《밤보다도 달다는 뜻》.

〔赛列〕 sàiliè 통 〈文〉 전람하다. 진열하다.

〔赛龙〕 sàilóng 명 ⇨〔醋cù酸丝〕

〔赛璐玢〕 sàilùfēn 명 《化》〈音〉 셀로판. =〔玻璃纸胶膜〕〔赛珞玢〕〔赛珞分〕〔透明纸〕〔〈廣〉 威化纸①〕〔纤络纺〕〔冲象牙〕

〔赛璐珞〕 sàilùluò 명 《化》〈音〉 셀룰로이드(celluloid). =〔明胶〕〔硝纤象牙〕〔假象牙〕〔赛留路以

德〕〔赛路珞〕〔人造象牙〕
〔赛璐珞片〕 sàilùluòpiàn 명 필름. =〔胶jiāo片〕
〔赛洛〕 sàiluò 명《樂》〈音〉 첼로(cello). =〔大提琴〕〔低音提琴〕〔赛罗〕
〔赛马〕 sàimǎ 명 경마(競馬). ¶～场; 경마장. (sài.mǎ) 동 경마를 하다. ‖=〔跑马〕
〔赛门德〕 sàiméndé 명〈音〉 시멘트. =〔水门汀〕
〔赛牡丹〕 sàimǔdān 명 ⇨〔虞yú美人①〕
〔赛跑〕 sàipǎo《體》 ① 명 (달리기) 경주. 러닝. ¶越野～; 크로스컨트리 레이스 / 短距离～; 단거리 경주 / 长途～ =〔长跑〕; 장거리 경주 / 马拉松～; 마라톤 / 接力～; 릴레이. ②(sài pǎo) 경주〔달리기〕하다. ¶赛一百米跑; 백미터 달리기를 하다.
〔赛跑表〕 sàipǎobiǎo 명 스톱워치.
〔赛浦路斯〕 Sàipǔlùsī 명《地》〈音〉 키프로스(Kypros)《지중해상의 공화국. 수도는 '尼科西亚'(니코시아:Nicosia)》.
〔赛球〕 sàiqiú《體》 ① 명 구기(球技) 시합. ②(sài qiú) 구기 시합을 하다.
〔赛拳〕 sài.quán 동 권투 시합을 하다. (sàiquán) 명 권투.
〔赛如〕 sàirú 동 …못지않다. …에 뒤지지 않다. ¶这孩子品行真叫好, ～雷锋; 이 아이의 품행은 매우 좋아서 뢰봉(雷鋒)에 뒤지지 않다. =〔赛比①〕
〔赛社〕 sàishè 명 ⇨〔赛神〕
〔赛神〕 sàishén 명 농가에서 수확이 끝난 후 제물을 차려 놓고 신(神)에게 제사 지내는 일. =〔赛社〕
〔赛胜〕 sàishèng 동 ①서로 겨루다. ②경쟁에 이기다.
〔赛输〕 sàishū 동 시합·경쟁에 지다. ¶他那么热心地练习, 可是还是～了; 그는 그토록 열심히 연습했지만, 끝내는 시합에 지고 말았다.
〔赛特〕 sàitè 명《體》〈音〉 (테니스 등의) 세트(set).
〔赛艇〕 sàitǐng《體》 ① 명 경정(競艇). 조정(漕艇). 보트 레이스. ②(sài.tǐng) 보트 레이스를 하다. 조정 경기를 하다.
〔赛同〕 sàitóng 동〈文〉 …와 다름없다. ¶保育员的爱～妈妈; (보육원의) 보모의 사랑은 어머니와 다름없다.
〔赛文〕 sàiwén 명 신(神)에게 풍작을 감사드리는 제문(祭文).
〔赛序〕 sàixù 명 시합〔경기〕 순서. ¶乒乓单打决赛, 全部～编定公布; 탁구 단식 결승의 전게임 순서가 편성 발표되었다.
〔赛雪〕 sàixuě 명동 눈싸움(을 하다).
〔赛因〕 sàiyīn 명《數》〈音〉 (삼각 함수의) 사인(sine). =〔赛音〕〔正弦〕
〔赛因斯〕 sàiyīnsī 명〈音〉 사이언스(science). =〔科学〕〔赛恩斯〕〔赛先生〕
〔赛音〕 sàiyīn 명 ⇨〔赛因〕
〔赛银〕 sàiyín 명 ①성분이〔순도가〕 낮은 은(銀). ②모조〔가짜〕 은. 가짜 은그릇〔기구〕. ③브리타니아 합금.
〔赛赢〕 sàiyíng 동 시합〔경쟁〕에 이기다.
〔赛愿〕 sài.yuàn 동 (신불(神佛)에) 소원 성취를 감사하는 예를 드리다.
〔赛珍珠〕 Sàizhēnzhū 명《人》〈音義〉 펄벅(Pearl S. Buck)《미국의 여류 소설가, 1892～1973》.
〔赛真〕 sàizhēn 형 진짜와 똑같다.
〔赛诸葛〕 sài Zhūgě (지혜가) 제갈공명(諸葛孔明)에 필적하다〔필적하는 슬기로운 사람〕. ¶他那个人聪明, 真可以～; 저 사람은 총명한 사람으로, 정말 제갈공명에 비견할 만하다.

SAN ㄙㄢ

三 sān (삼)
①수 3. 셋. ②부 재삼. 몇 번이고. ¶～思而行; 재삼 숙고해서 행하다 / ～复斯言; 이 말을 몇 번이나 되풀이하다 / 屡次～番; 누차. 여러 번.
〔三八步枪〕 sānbā bùqiāng 명《軍》 삼팔식〔메이지(明治) 38년식〕 일본군 보병총. =〔〈俗〉 三八大盖儿〕
〔三八大盖儿〕 sānbā dàgàir 명 ⇨〔三八步枪〕
〔三八(妇女)节〕 Sānbā(fùnǚ)jié 명 국제 여성의 날. =〔国guó际(劳动)妇女节〕
〔三八式〕 sānbāshì 명〈簡〉 '三八式的党员(干部)'의 약칭《1938년 전후, 즉 항일 전쟁 시기에 혁명에 참가한 당원이나 간부. 일본군에게서 빼앗은 '三八步枪'(38식 보병총)으로 무장하고 있었던 것도 의미함》.
〔三八线〕 sānbāxiàn 명 (한반도의) 38도선.
〔三八制〕 sānbāzhì 명 하루 24시간 가운데, 8시간 일하고, 8시간 휴식하며, 8시간 오락과 교양에 충당하는 제도.
〔三八主义〕 sānbā zhǔyì 명 '三八制'를 주장하는 주의.
〔三八作风〕 sānbā zuòfēng 명 중국 인민 해방군의 행동 기준《'三'이란, 첫째, 확고하고 정확한 정치적 방향. 둘째, 괴로움을 참고 견디는 검소한 공작 작풍(作風). 셋째, 민활하고 기동적인 전략 전술. '八'이란 '团结'(단결)·'紧张'(긴장)·'严肃'(엄숙)·'活泼'(활발)의 여덟 글자에 포함되어 있는 내용을 말함》.
〔三把刀〕 sānbǎdāo 명 이발사·요리사·재봉사의 세 가지 직업《'剃刀'(면도칼)·'菜刀'(식칼)·'剪刀'(가위)를 사용하기 때문》.
〔三白草〕 sānbáicǎo 명《植》 삼백초.
〔三白(瓜)〕 sānbái(guā) 명 껍질·속·씨가 모두 하얀 품종의 수박. ¶～抹绿;〈歇〉 '三白'에 녹색을 칠하다《약한 자를 괴롭히는 불량배. '假青皮'(가짜 청피(青皮))가 뒤에 이어지기도 함》. =〔白兰瓜〕
〔三百六十行〕 sānbǎiliùshí háng 명 각양 각색의 직업. ¶～, 行行(儿)出状元;〈諺〉 어느 직업에나 뛰어난 사람이 있다. =〔三十六行〕
〔三百篇〕 Sānbǎipiān 명《書》 시경의 별칭《논어에 '诗三百'이라 한 데서 유래함》.
〔三百千千〕 Sān Bǎi Qiān Qiān 명 삼자경(三字經)·백가성(百家姓)·천자문(千字文)·천가시(千家詩)의 사서(四書).
〔三拜九叩〕 sānbài jiǔkòu ⇨〔三跪九叩〕
〔三班倒〕 sānbāndǎo 명 (공장 등에서의) 3교대. ¶这个厂很多工人都是～; 이 공장에서는 많은 노동자가 3교대로 일한다.
〔三班六房〕 sān bān liù fáng〈成〉 옛날, 주(州)나 현(縣)의 관청의 벼슬아치의 총칭《'皂zào班'(간수직의 관리), '壮zhuàng班'(체포직의 관리), '快班'(수사직의 관리)의 삼반과 이(吏)·호(戶)·예(禮)·병(兵)·형(刑)·공(工)의 육방의 관리》.

〔三班制〕 sānbānzhì 명 (공장 등에서의) 3교대제(交代制).
〔三斑鹑〕 sānbānchún 명 《鳥》 세가락메추라기.
〔三板〕 sānbǎn 명 삼판(선).
〔三半规管〕 sānbànguīguǎn 명 《生》 반고리관.
〔三瓣嘴〕 sānbànzuǐ 명 언청이.
〔三包一奖制〕 sānbāo yījiǎng zhì 명 (인민 공사에서) 생산대(生産隊)가 생산 대대로부터 '包产·包工·包本', 즉 생산량·보수로서의 노동 점수·생산비를 청부맡아, 연말에 생산대가 청부 범위 내의 수입을 모두 생산 대대에 바치는 일과, 초과 생산 부분에 대하여 그 일부분을 보상으로서 생산대에 주어서 그 소유로 하는 방법《이것은 '高gāo级社'(고급 농업 생산 합작사) 시대부터 시행되었던 것으로, 인민 공사에서도 실시되어 왔으나, 1979년 이래 '农nóng业生产责任制'로 전환하였음》.
〔三胞胎〕 sānbāotāi 명 세 쌍둥이.
〔三宝〕 sānbǎo 명 삼보. ①세 가지의 보물. 〈轉〉 ㉠대중이 갖고 싶어하는 세 가지 물건. ㉡노동·기술·사상. ㉢총노선·대약진·인민 공사. ② 《佛》 삼보 '佛, 法, 僧'(불, 법, 승).
〔三宝殿〕 sānbǎodiàn 명 절의 본당(本堂). ¶无事不登～; 〈諺〉 용무가 있어야 찾아온다.
〔三宝垄〕 Sānbǎolǒng 명 《地》 〈音〉 사마랑(Samarang)《인도네시아의 자바 섬 중앙부 자바 해에 면한 항구 도시》. =〔垄川〕〔萨sà马伦〕
〔三保田〕 sānbǎotián 명 악조건의 토지를 개량하여 생긴 물·흙·비료를 보존할 수 있는 좋은 밭.
〔三倍黑〕 sānbèihēi 명 (연필의) 3B.
〔三倍体〕 sānbèitǐ 명 《生》 삼배체.
〔三本小书(儿)〕 sānběn xiǎoshū(r) 명 옛날, 초학자에게 읽힌 삼자경(三字經)·백가성(百家姓)·천자문(千字文)의 세 가지 책.
〔三鞭酒〕 sānbiānjiǔ 명 〈音義〉 샴페인. =〔三便biàn酒〕〔三宾bīn酒〕〔香xiāng宾酒〕
〔三扁担挤不出个屁来〕 sānbiǎndàn jǐbuchūge pì lái 〈諺〉 멜대로 아무리 때려도 끽소리도 안 하다《반응이 없는 모양》.
〔三病四痛〕 sānbìng sìtòng 〈比〉 병이 많다. ¶人有个～, 精神总是提不起来; 누구든 병이 잦으면 생기가 돌지 않는다 / 要在外头有个～, 觉得不方便; 타향에서 병이라도 나면 곤란하다.
〔三不管(儿)〕 sānbùguǎn(r) 명 ①게으름뱅이《의식주를 해결 못 하는 사람》. ②어떤 관할에도 속하지 않는 땅. 누구의 소관(所管)도 아닌 일. ③미취학 아동에 대하여 교육면에 나타난 방임주의의 세 가지 현상《학교·사회·가정 등이 돌보지 않는 것》.
〔三不惑〕 sānbùhuò 명 삼불혹《술·여자·재물에 혹(惑)하지 않는 것》. 동 주(酒)·색(色)·재물(財物)에 혹하지 않다.
〔三不要三不少〕 sānbùyào sānbùshǎo 정부의 구원 식량·돈·물자를 사퇴하는 일과, 생산 대대의 축적·국가에다 팔아 넘기는 식량·대원의 수입을 감소시키지 않는 일.
〔三不知〕 sānbùzhī ①〈比〉 아무것도 모르다. ¶一问～; 〈成〉 무엇을 물어도 전혀 모르다. ②뜻밖에. 웬일인지.
〔三不主义〕 sān bù zhǔyì 명 '不抓辫子'(남의 약점을 찌르지 않는다), '不扣帽子'(죄명을 더하지 않는다), '不打棍子'(처벌을 하지 않는다)의 세 가지 주의《'文化大革命' 후에 쓰이었음》.
〔三步两步〕 sānbù liǎngbù ①급히 걷다. 잰걸음으로 걷다. ¶～就跑回来; 바삐 돌아오다. =〔三步并作两步〕 ②가깝다. ¶～就跑到; 두세 걸음으로 도착하다〔도착할 정도로 가깝다〕. ‖=〔三步五步〕
〔三步上篮〕 sānbù shànglán 명 《體》 (농구에서) 러닝 점프 슛. =〔三步跑篮〕〔三大步跑上篮〕
〔三步五步〕 sānbù wǔbù ⇨〔三步两步〕
〔三步作一步〕 sānbù zuò yībù 〈比〉 급히 성큼성큼 걷다.
〔三部曲〕 sānbùqǔ 명 ①《樂》 삼부곡. ②소설이나 시가에서 독립적으로 이루어진 세 부분. 삼부작. =〔三部作〕
〔三部作〕 sānbùzuò 명 ⇨〔三部曲②〕
〔三彩〕 sāncǎi 명 삼채. 세 가지 빛깔의 도자기. ¶唐～; 당삼채.
〔三餐〕 sāncān 명 삼식. 세 끼(의 식사).
〔三操一拳〕 sāncāo yīquán 명 '儿ér童操' '少shào年操' '成chéng年广播操'(성인(成人) 라디오 체조)와 '太tài极拳'을 말함.
〔三槽扩孔钻〕 sāncáo kuòkǒngzuàn 명 ⇨〔三槽钻头〕
〔三槽钻头〕 sāncáozuàntóu 명 《機》 세날 홈 드릴. =〔三槽扩孔钻〕
〔三层舱〕 sāncéngcāng 명 상부 중갑판.
〔三叉〕 sānchā 명 ①세 갈래. ¶～路; 세 갈래길 / ～神经; 《生》 삼차 신경. ②트라이던트《핵미사일을 탑재한 미국의 원자력 잠수함》.
〔三叉耳蕨〕 sānchā'ěrjué 명 《植》 십자고사리. =〔〈文〉 十shí字蕨〕
〔三叉戟〕 sānchājǐ 명 삼지창(三枝槍).
〔三插花〕 sānchāhuā 명 《劇》 중국 전통극에서, 등장 인물 세 사람이 빙빙 돌며 걸어다니는 동작.
〔三茬〕 sānchá 명 ⇨〔三熟〕
〔三茶六饭〕 sānchá liùfàn 세 번의 차 대접과 여섯 번의 식사《손님을 극진히 대접함》. ¶休说一日～儿扶侍着; 차며 밥이며 정중히 대접했음은 말할 것도 없습니다.
〔三茶六礼〕 sān chá liù lǐ 〈成〉 중국의 옛날 결혼 풍습《여자가 결혼 신청을 받아들이는 것을 '受茶'라고 하며, '纳采'·'问名'·'纳吉'·'纳征'·'请期'·'亲迎'을 '六礼'라 함》.
〔三茶一房〕 sānchá yīfáng 옛날, 집주인에게 주는 3개월분 집세에 해당하는 보증금과 1개월 집세.
〔三查〕 sānchá 명 사상·공작·지도를 살피는 일. 즉, 계급·출신을 검사하고, 활동상을 검사하며, 투지를 검사하는 일.
〔三查五比〕 sānchá wǔbǐ 명 '三查'와 '五比'(개조·공작·간부 양성·합작·학습을 비교해 보는 일). ¶新老科学家展开'～', 力争工作大跃进; 신구 과학자는 '三查五比'를 추진하여, 작업에서의 대약진을 쟁취하는 데 열성적이다.
〔三岔道〕 sānchàdào 명 세 갈래길.
〔三岔口〕 sānchàkǒu 명 ①세 갈래길〔세거리〕의 어귀. =〔三岔路口〕 ②경극(京劇) 제목의 하나《난투하는 묘기를 펼치는 장면이 많은 것으로 유명함》.
〔三岔路〕 sānchàlù 명 세 갈래길. =〔三叉路〕
〔三岔路口〕 sānchàlùkǒu 명 ⇨〔三岔口①〕
〔三差两错〕 sān chà liǎng cuò 명 ①〈比〉 여러 가지 잘못〔착오〕. ②뜻밖의 실수〔잘못〕.
〔三长两短〕 sān cháng liǎng duǎn 〈成〉 의외의 변고《특히, 사람의 죽음》. ¶他病得这样重, 万一有个～, 又怎么办? 그의 병은 이렇게 위중한데 만일의 일이 생기면 어떻게 하지요?
〔三场〕 sānchǎng 명 ①옛날, '科kē举'의 시험에

서 반드시 치러야만 했던 '初场' '二场' '三场'의 세 차례의 시험. ②과거 시험의 종장(終場).
〔三朝元老〕 sāncháo yuánlǎo 명 3대의 왕조〔또는 군주〕를 섬긴 중신(일반적으로 경멸하는 뜻을 지니지만, 때로 경력이 많은 사람을 가리킴).
〔三车〕 sānchē 명 (기선의) 3등 기관사.
〔三辰〕 sānchén 명 〈文〉 삼신(해·달·별).
〔三乘〕 sānchéng 명 《佛》 삼승(불법 수행을 수레에 타는 것에 비유하여, 중생을 태우는 성문승(聲聞乘)·연각승(緣覺乘)·보살승(菩薩乘)의 세 가지). 명동 《數》 3승〔세제곱〕(하다).
〔三尺布〕 sānchǐbù 명 (헝겊으로 만든) 술집 간판. =〔酒jiǔ望(子)〕
〔三尺水〕 sānchǐshuǐ 명 〈比〉 칼.
〔三虫〕 sānchóng 명 ⇨〔三尸(神)〕
〔三重〕 sānchóng 명형 삼중(의). ¶～压迫; 3중의 압박 / ～唱; (성악의) 3중창. 트리오 / ～奏; (악기의) 삼중주. 트리오.
〔三春〕 sānchūn 명 〈文〉 ①삼춘. 음력의 봄의 3개월. ② '季jì春' (음력의 3월)을 말함. ¶～之季; 음력 삼월. ③세 차례의 봄. 〈比〉 3년.
〔三春柳〕 sānchūnliǔ 명 ⇨〔柽chēng柳〕
〔三次产业〕 sāncì chǎnyè 명 《經》 제3차 산업. =〔第三次产业〕
〔三次方程式〕 sāncì fāngchéngshì 명 《數》 3차 방정식.
〔三刺(河)鲀〕 sāncì(hé)tún 명 《魚》 은비늘치. =〔海hǎi儿鱼〕
〔三从〕 sāncóng 명 삼종. 옛날 여자에게 요구된 세 가지 복종('未嫁从父, 既嫁从夫, 夫死从子《儀禮》'(시집 가기 전에는 아버지를 따르고, 시집 가서는 남편을 따르며, 남편이 죽은 다음에는 자식을 따른다)). ¶～四德《禮記》; 삼종의 의(義)와 네 가지의 미덕. 곧 부덕(婦德)·부언(婦言)·부용(婦容)·부공(婦功).
〔三从兄弟〕 sāncóngxiōngdì 명 삼종 형제(고조가 같고 증조가 다른 형제).
〔三寸金莲〕 sāncùn jīnlián 명 〈比〉 옛날, 여자의 전족(纏足)한 작은 발.
〔三达鞋〕 sāndáxié 명 〈音義〉 샌들(sandal). =〔凉liáng鞋〕〔木板鞋〕
〔三大差别〕 sān dà chābié 명 세 가지의 큰 차이(공업과 농업, 도시와 농촌, 두뇌 노동과 육체 노동의 격차).
〔三大敌人〕 sān dà dírén 명 세 가지의 큰 적(제국주의·봉건주의·관료 자본주의).
〔三大殿〕 sāndàdiàn 명 3대 고궁. '太和殿' '中和殿' '保和殿'의 세 고궁(故宮).
〔三大发明〕 sān dà fāmíng 명 중국에서 발명한 나침반·화약·인쇄술을 말함.
〔三大法宝〕 sān dà fǎbǎo 명 '统tǒng一战线' '武wǔ装斗争' '党dǎng的建设'의 세 가지.
〔三大革命运动〕 sān dà gémìng yùndòng 명 계급 투쟁·생산 투쟁·과학 실험의 3대 혁명 운동.
〔三大纪律〕 sān dà jìlǜ 인민 해방군의 엄격한 규율의 기본이 되는 세 가지(첫째, 일체의 행동은 지휘에 따른다. 둘째, 민가의 바늘 하나, 실 한 올도 취해서는 안된다. 셋째, 모든 전리품은 사사로이 처분하지 않는다).
〔三大件〕 sāndàjiàn 명 ①손목시계·재봉틀·자전거(1960년대 말부터 1970년 전반). ②텔레비전·세탁기·냉장고(문화 대혁명 이후). ③에어컨·텔레비전·냉장고(타이완에서 쓰임). ④에어컨·VTR·스테레오 전축(홍콩에서 쓰임).
〔三大件儿〕 sāndàjiànr 명 ①연회(宴會)에 나오는 세 가지의 귀중한 요리. ②옛날, 형구인 수갑·차꼬·칼.
〔三大节〕 sāndàjié 명 단오절·중추절·설의 세 명절. =〔三节〕
〔三大经济纲领〕 sān dà jīngjìgānglǐng 명 3대 경제 강령. 1949년의 인민 정치 협상 회의의 공동 강령 중에서 정해진 경제 기본 방침(첫째, 봉건적 지주 계급의 토지를 몰수하여 농민의 소유로 한다. 둘째, 장제스(蔣介石)·쑹 쯔원(宋子文)·쿵 샹시(孔祥熙)·천 리푸(陳立夫) 등 4대 가족의 관료자본을 국가의 소유로 한다. 셋째, 민족 자본 상공업을 보호한다).
〔三大民主〕 sān dà mínzhǔ 명 3대 민주. 중국 인민 해방군 내부의 민주적 생활의 세 가지 상(像)(정치·경제·군사의 민주를 말함).
〔三大文献〕 sān dà wénxiàn 명 3대 문헌. 1949년, '中国人民政治协商会议'가 채택한 세 가지 중요한 법안('人民政协共同纲领' '人民政协组织法' '人民政府组织法'을 말함).
〔三大元帅〕 sān dà yuánshuài 명 3대 주요 목표(식량·생산·철강과 기계 공업의 발전의 3대 항목).
〔三大作风〕 sān dà zuòfēng 명 3대 작풍. (중국 공산당 정치의) 세 가지 큰 방향(이론과 실천의 결합·인민 대중과의 긴밀한 연계·비판과 자기 비판).
〔三代〕 sāndài 명 ①(Sān dài) 하(夏)나라·상(商)나라·주(周)나라의 3대). =〔三后〕 ②아버지·할아버지·증조 할아버지의 3대. ③아버지·아들·손자의 3대. ¶～同堂; 3대가 함께 사는 일.
〔三代果〕 sāndàiguǒ 명 비자나무 열매.
〔三党〕 sāndǎng 명 ⇨〔三族①〕
〔三刀六洞〕 sāndāo liùdòng 기물(器物)이 몹시 손상된 모양.
〔三岛〕 Sāndǎo 명 ①전설상의 세 섬(봉래(蓬萊)·방장(方丈)·영주(瀛州)를 이름. =〔三神山〕〔三壶〕 ②일본의 혼슈(本州)·시코쿠(四國)·규슈(九州)의 세 섬.
〔三道眉〕 sāndàoméi 명 《鳥》 멧새.
〔三道头〕 sāndàotóu 명 《軍》 헌병(憲兵). =〔宪xiàn兵〕
〔三得〕 sāndé〔sānděi〕 명 〈音〉 아이스크림 선디(icecream sundae). ¶水果～; 플루츠 선디. =〔圣shèng代②〕
〔三等边形〕 sānděngbiānxíng 명 《數》 정삼각형.
〔三等九格〕 sānděng jiǔgé 명 ⇨〔三六九等〕
〔三敌四友〕 sāndí sìyǒu 명 제국주의·봉건주의·관료 자본주의의 세 적과 노동자·농민·소자산·민족 자산의 각 계급의 네 친구.
〔三帝同盟〕 sāndì tóngméng 명 《史》 3국 동맹(1872년에, 독일·러시아·오스트리아 3국이 맺은 동맹).
〔三点会〕 sāndiǎnhuì 명 ⇨〔天tiān地会〕
〔三点式〕 sāndiǎnshì 명 비키니(수영복). =〔三点式游泳装〕〔〈音〉 比基尼〕
〔三点教学〕 sāndiǎn jiàoxué 명 교학법(教學法)의 하나. 조금씩 가르치고, 조금씩 배우며, 배운 것을 완전히 이해하는 방식.
〔三点水(儿)〕 sāndiǎnshuǐ(r) 명 삼수변(한자 부수의 하나. '液·浅' 등의 '氵'의 이름).
〔三碘甲烷〕 sāndiǎn jiǎwán 명 ⇨〔碘仿〕
〔三叠纪〕 sāndiéjì 명 《地質》 삼첩기.

〔三丁〕 sāndīng 명 돼지고기 · 닭고기 · 전복 또는 해삼을 주사위 모양으로 썰어 만든 요리.
〔三顶拐〕 sāndǐngguǎi 명 세 사람이 메는 가마.
〔三鼎甲〕 sāndǐngjiǎ 명 옛날, 과거의 '殿diàn试'에서 '一甲三名'(수석 세 사람), 즉 '状zhuàng元' '榜bǎng眼' '探tàn花'에 뽑힌 사람을 말함.
〔三定一项〕 sāndìng yīxiàng 간부가 시간 · 직장 · 직책의 세 가지를 정하여 노동에 참가하고, 육체 노동에 익숙해짐에 따라 생산 대열 속에 들어가는 일.
〔三定政策〕 sāndìng zhèngcè 1955년 식량 수급 계획을 실시하기 위하여 정한 '定产'(생산량 고정), '定购'(수매량 고정), '定售'(배급량 고정)이라는 계획적인 생산 · 구입 · 판매의 정책.
〔三冬〕 sāndōng 명 〈文〉 ①음력의 겨울 3개월. ②음력 섣달. =〔季jì冬〕 ③세 번의 겨울. 〈比〉 3년.
〔三冬二夏〕 sāndōng èrxià 명 ⇨〔三冬两夏〕
〔三冬两夏〕 sāndōng liǎngxià 명 3동 2하. 2 · 3년간. ¶养活小孩儿总得～; 아이를 키우려면 3동 2하는〔2 · 3년간은〕 고생해야 한다. =〔三冬二夏〕
〔三独〕 sāndú 명 독창 · 독주(獨奏) · 독무(獨舞).
〔三段论(法)〕 sānduàn lùn(fǎ) 명 3단 논법. =〔三段论式〕
〔三对六面〕 sān duì liù miàn 〈成〉 계약(인도)에 있어서, 본인과 쌍방의 증인을 합쳐 세 쌍〔6명〕의 사람이 신중히 처리하다《격식대로 일을 깔끔하게 진행하다》. =〔三六对面〕
〔三多〕 sānduō 명 ①'多福' · '多寿' · '多男子'의 세 가지 행복《즉, 복이 많고 수명이 길고 아들이 많은 것》. ②사람 · 생산 방식 · 생산액의 증가.
〔三多明各〕 Sānduōmínggè 명 ⇨〔圣Shèng多明各〕
〔三恶道〕 sān'èdào 명 《佛》 3악도. 곧 지옥도(地獄道) · 아귀도(餓鬼道) · 축생도(畜生道).
〔三耳〕 sān'ěr 형 귀가 셋 달린. ¶～草鞋; 귀가 셋 달린 짚신.
〔三法〕 sānfǎ 명 《佛》 ①교(敎) · 행(行) · 증(證)의 세 법. ②정법(正法) · 상법(像法) · 말법(末法)의 세 법.
〔三法司〕 sānfǎsī 명 청(淸)나라 때의 '刑xíng部' '都dū察院' '大dà理院'을 말함.
〔三番两次〕 sān fān liǎng cì 〈成〉 재삼재사. 누차. 몇 번이나. =〔三回五次〕
〔三番四复〕 sān fān sì fù 〈成〉 변전(變轉) 무쌍하다.
〔三藩〕 sānfān 명 《史》 명(明)나라의 항장(降將)으로, 청(淸)나라 확립에 큰 공이 있었던 오삼계(吳三桂) · 경정충(耿精忠) · 상가희(尙可喜)가 각각 번왕(藩王)에 봉해졌는데, 이를 '三藩'이라 함. ¶～之乱; '三藩'을 일으킨 반란.
〔三反双减〕 sānfǎn shuāngjiǎn 명 '三反'은 반란 · 부역(賦役) 제도 · 인신(人身) 종속 관계의 세 가지의 반대하는 일. '双减'은 소작료와 이자를 줄이는 일로, 모두 낡은 착취 기구를 소멸시키고자 하는 의도를 가짐.
〔三反(运动)〕 sānfǎn(yùndòng) 명 《政》당(黨) · 정(政) · 군(軍)의 독직 · 낭비 · 관료주의의 세 가지에 반대하여 제기된 기강 숙청 운동《1951년 10월의 인민 정협(政協) 회의 제3회 전국 위원회에서 결정되어, 12월부터 이듬해 52년 6월까지 전국적으로 전개되었음》.
〔三方〕 sānfāng 형 3자간의. 3국간의. ¶～会谈; 3자〔3국〕 회담.
〔三房客〕 sānfángkè 명 세든 사람으로부터 집을 빌린 사람.
〔三放〕 sānfàng 명 간부가 '下xià放'하여 노동하는 일, 학급마다 '下放'하는 일, 학교의 문호를 개방하는 일의 세 가지를 말함.
〔三废〕 sānfèi 명 '废气'(배기 가스) · '废液'(공장 폐수) · '废渣zhā'(고형 폐기물). ¶治理～, 保护环境; 세 종류의 폐기물을 처리하여 환경을 보호하자.
〔三分鼎足〕 sān fēn dǐng zú 〈成〉 삼자가 정립(鼎立)하다. =〔鼎足三分〕
〔三分人材, 七分打扮〕 sānfēn réncái qīfēn dǎbàn 〈諺〉 서 푼어치의 사람도 옷차림으로 칠 푼어치로 보일 수 있다《옷이 날개다》.
〔三分醉〕 sānfēnzuì 명 〈比〉 거나하게 취함. ¶那时他已有～; 그 때 그는 이미 거나하게 취해 있었다.
〔三坟五典〕 sānfén wǔdiǎn 명 《書》 삼황 오제(三皇五帝)에 관한 서적.
〔三风整顿〕 sānfēng zhěngdùn 명 '整顿三风' 1942년 옌안(延安)에서 시작된 학풍(學風) · 당풍(黨風) · 문풍(文風)의 정돈.
〔三夫人〕 sānfūrén 명 옛날에, 천자의 측실이었던 '贵guì妃' '贵嫔' '贵人②'을 말함.
〔三伏〕 sānfú 명 여름의 삼복. ¶～天; 한여름.
〔三复〕 sānfù 동 〈文〉 되풀이해서 독송(讀誦)하다.
〔三副〕 sānfù 명 3등 항해사.
〔三竿〕 sāngān 명 삼간. 태양이 이미 높이 떠 있는 일. ¶日上～; 〈成〉 해가 높이 떠 있다.
〔三纲〕 sāngāng 명 삼강. 군신(君臣) · 부자(父子) · 부부(夫婦)의 도(道). ¶～五常; 삼강 오상〔오륜〕. 삼강과 인의예지신(仁義禮智信)의 오상.
〔三高〕 sāngāo 명 '高产' '高质' '高效率'의 세 가지.
〔三高两底〕 sāngāo liǎngdī 고저가 고르지 못한 모양.
〔三哥〕 sāngē 명 ①셋째형《형제 가운데 셋째로 자기보다 손위인 사람》. ②〈北方〉 젊은이《육체 노동을 하는 젊은 사람에 대한 호칭》.
〔三革〕 sāngé 명 〈文〉 투구 · 갑옷 · 방패.
〔三个鼻子眼〕 sān ge bíziyǎn 세 개의 콧구멍. 〈轉〉 군것. 군더더기.
〔三个臭皮匠, 抵得一个诸葛亮〕 sān ge chòu píjiàng, dǐde yīge Zhūgě Liàng 〈諺〉 세 사람의 갖바치는 한 사람의 제갈량(諸葛亮)에 필적한다《세 사람이 모이면 좋은 지혜가 나올 수 있다》. =〔三个笨皮匠, 合成一个诸葛亮〕〔三个臭皮匠, 赛过诸葛亮〕
〔三个法宝〕 sānge fǎbǎo '法宝'란 진귀한 보배. 전하여, 특히 유효한 도구 · 방법을 말함. 중국 공산당과 군대와 여러 당파의 통일 전선의 세 가지.
〔三个妇女一台戏〕 sān ge fùnǚ yī tái xì 〈諺〉 〈貶〉 부녀 셋이서 무대에 한 마당《①여자 셋이 모이면 새 접시를 뒤집어 놓는다. ②여자는 셋이 모여야 한 사람 몫》.
〔三个人抬不过理字〕 sāngerén táibuguò lǐzì 〈諺〉 세 사람이 모이더라도 '理'자를 이겨 낼 수 없다. 세 사람이 모이면 반드시 무리(無理)가 생긴다. 세 사람은 사이가 틀어지기 마련이다.
〔三个世界〕 sānge shìjiè 명 세 개의 세계《제1세계, 곧 미국 · 러시아의 초대강국, 제2세계, 곧 미국 · 러시아 이외의 선진국, 제3세계, 곧 발전 도상 국가》.
〔三更〕 sāngēng 명 〈文〉 삼경《옛날에, 오후 11시부터 오전 1시경》. ¶半bàn夜～; 한밤중 / ～四

点 =〔～半夜〕; 한밤중. =〔丙bǐng夜〕
〔三公〕 sāngōng 명 ①(주(周)나라 · 명(明)나라 · 청(淸)나라 때의) '太tài师①' '太傅①' '太保①'. ② ㉠ '大司马' '大司徒' '大司空' ㉡ '大尉' '司sī徒' '司空'.
〔三宫六苑〕 sāngōng liùyuàn 옛날, 천자의 후궁.
〔三勾的一勾〕 sāngōude yīgōu 〈俗〉 ⇨〔三停(儿)的一停(儿)〕
〔三姑六婆〕 sān gū liù pó 〈成〉 천한 직업을 갖은 여자들('三姑'는 '尼姑'(여승) · '道姑'(여자 도사) · '卦姑'(점쟁이), '六婆'는 '牙婆'(인신 매매 여인) · '媒婆'(매파) · '师婆'(여자 무당) · '虔婆'(기생 어미) · '药婆'(병 고치는 여인) · '稳婆'(산파)).
〔三孤〕 sāngū 명 '少shào师' '少傅' '少保'를 말함. =〔三少〕
〔三股儿〕 sāngǔr 명 세 가닥으로 꼰 끈 · 새끼.
〔三股儿绺〕 sāngǔrliǔ 〈俗〉 (눈대중으로) 3등분하다. 셋으로 나누다.
〔三顾茅庐〕 sān gù máo lú 〈成〉 삼고 초려(草廬)(하다)(삼고의 예(禮). 정중한 예로써 사람을 초청하는 일).
〔三瓜两枣〕 sānguā liǎngzǎo 〈比〉 얼마 안 되는 것. 가볍디 가벼운. 약간. 조금. ¶不是～的争论; 사소한 논쟁이 아니다. =〔仨sā瓜俩liǎ枣〕
〔三拐(儿)〕 sānguǎi(r) 명 마늘모부(한자 부수의 하나. '去 · 参' 등의 '厶'의 이름). =〔曲川(儿)〕
〔三关〕 sānguān 명 〈文〉 ①세 개의 관문. ②입 · 귀 · 눈.
〔三官〕 sān guān 명 도교(道教)에서의 천 · 지 · 수(水)의 관(官).
〔三管轮〕 sānguǎnlún 명 (선박의) 3등 기관사.
〔三光〕 sānguāng 명 ①〈文〉 삼광(해 · 달 · 별). ②《農》 논밭의 바닥을 잘 갈아 일으키는 '铲chǎn光', 잡초를 태워 없애는 '烧shāo光', 옆 도랑을 말끔히 치우는 '扫sǎo光'을 이름. →〔三光政策〕
〔三光政策〕 sānguāng zhèngcè 명 중일 전쟁에서 일본군이 취한, '烧shāo光', '杀shā光', '抢qiǎng光'(모두 태워 버리고, 다 죽여 버리고, 모두 빼앗아 버림)의 잔학한 전술.
〔三归(依)〕 sānguī(yī) 명 《佛》 삼귀의. 불법승(佛法僧)에 대한 귀의.
〔三跪九叩〕 sānguì jiǔkòu ①〈比〉 두 무릎을 꿇고 삼배하고, 일단 일어섰다가 다시 같은 동작을 되풀이하여, 도합 세 차례 무릎을 꿇고 아홉 번 절하는 예(옛날, 천자나 고관을 만날 때, 또는 공자(孔子)의 영위(靈位)에 절할 때 등의 가장 정중한 경례). ②〈轉〉 애원하다. ‖ =〔三拜九叩〕
〔三国〕 Sānguó 명 《史》 '魏wèi' '蜀shǔ汉' '吴wú'의 삼국.
〔三国(志)演义〕 Sānguó(zhì)yǎnyì 명 《書》 삼국지연의(명(明)나라 때의 장편 역사 소설).
〔三海〕 Sānhǎi 명 《地》 베이징(北京)의 옛 황성 내의 '北běi海' '南nán海' '中zhōng海'.
〔三害〕 sānhài 명 ①독직 · 낭비 · 관료주의의 세 가지 악(惡). ②세 가지 해충(지방에 따라 다르나, 주로 '蟑zhāng螂'(바퀴), '臭chòu虫'(빈대), '白bái蚁'(흰개미) 또는 '白蛉子'(눈에놀이)를 말함).
〔三寒四温〕 sān hán sì wēn 〈成〉 삼한사온.
〔三行两见〕 sān háng liǎng jiàn 〈成〉 석 줄 가운데 두 군데나 볼 수 있다(글에 자주 씌어 있다).
〔三行儿〕 sānhángr 명 옛날, '厨chú子'(요리사), '油yóu伙儿'(부엌에서 허드렛일을 하는 사람), '茶chá房'(식당 · 요릿집의 보이)의 총칭.
〔三好〕 sānhǎo 명 몸 건강하고, 공부 잘 하고, 일 잘 하는 세 가지.
〔三好两歉〕 sān hǎo liǎng qiàn 〈成〉 ①3년 간은 풍작이고 2년간은 흉작. ②병에 잘 걸림. ¶他本是～的; 그는 본래 병약한 체질이다.
〔三合板〕 sānhébǎn 명 〈方〉 베니어 합판.
〔三合吃〕 sānhéchī 명 샌드위치.
〔三合(儿)房〕 sānhé(r)fáng 명 'ㄷ'자 모양의 집.
〔三合会〕 Sānhéhuì 명 ⇨〔天Tiān地会〕
〔三合(透)镜〕 sānhé(tòu)jìng 명 트리플렛 타이프의 사진용 렌즈. 아나스티그마트 3중 렌즈.
〔三合土〕 sānhétǔ 명 석회 · 모래 · 황토를 섞어 바르는 것. 회삼물(灰三物). =〔三和土〕
〔三合叶〕 sānhéyè 명 《植》 클로버. 토끼풀.
〔三合油(儿)〕 sānhéyóu(r) 명 참기름 · 간장 · 식초의 세 가지를 섞은 것.
〔三和两全〕 sānhé liǎngquán '三和'는 평화 이행(移行) · 평화 공존 · 평화 경쟁. '两全'은 전민(全民) 국가 · 전민당(全民黨)(소련의 주장).
〔三和土〕 sānhétǔ 명 ⇨〔三合土〕
〔三和一少〕 sān hé yī shǎo 〈成〉 제국주의 · 각국 반동파 · 현대 수정주의와 융화하고, 각국 인민의 혁명 투쟁에 대한 지원을 약화시키려는 생각.
〔三后〕 sānhòu 명 ⇨〔三代①〕
〔三呼万岁〕 sān hū wàn suì 〈成〉 만세 삼창(하다). 축하하여 환호하다.
〔三壶〕 sānhú 명 ⇨〔三神山〕
〔三虎出一豹〕 sānhǔ chū yībào 〈諺〉 여럿 중에는 더러 출중한 자도 나오는 법이다.
〔三花脸(儿)〕 sānhuāliǎn(r) 명 《劇》 (중국 전통극에서) 어릿광대역(役).
〔三化〕 sānhuà 명 ①논밭의 수리화(水利化), 농업의 기계화. 민둥산의 녹화(綠化). ¶吉林五年之内实现～; 지린(吉林)에서는 5년 이내에 '三化'를 실현시킨다. ②기계화 · 자동화 및 설비의 전문화. ③농기구 제조의 규모화 · 보편화 · 계열화.
〔三化螟(虫)〕 sānhuàmíng(chóng) 명 《蟲》 삼화 명충.
〔三还九转〕 sānhuán jiǔzhuǎn 〈比〉 순응하는 모양.
〔三还四复〕 sān huán sì fù 자주 형태가 바뀌다.
〔三环套月〕 sānhuán tàoyuè ①달 주위에 세 개의 고리가 나타나는 것(풍년 또는 태평의 조짐이라 일컬어짐). ②〈比〉 얽은 얼굴의 형용.
〔三浣〕 sānhuàn 명 ⇨〔三旬①〕
〔三皇〕 Sānhuáng 명 《史》 전설상의 삼황제('天tiān皇' · '地dì皇' · '人rén皇' 또는, '伏fú羲' · '神shén农(氏)' · '黄huáng帝').
〔三皇五帝〕 sān huáng wǔ dì 〈成〉 '三皇'과 '五帝'. =〔三五〕
〔三晃五晃的〕 sānhuàng wǔhuàngde 부 자주. 빈번하게.
〔三回五次〕 sān huí wǔ cì 〈成〉 누차. 여러 번. 몇 번이나. =〔三番两次〕
〔三魂〕 sānhún 명 도교(道教)에서 이르는 세 가지의 혼. ¶～荡散; 기겁을 하게 놀라다. 혼비백산하다 / ～出窍qiào; 소스라치게 놀라다.
〔三魂七魄〕 sānhún qīpò 명 (도교에서) 태광(胎光) · 상령(爽靈) · 유정(幽精)의 삼혼과, 시구(屍

狗)·복시(伏矢)·작음(雀陰)·탄적(吞賊)·비독(非毒)·제예(除穢)·취폐(臭肺)의 칠백을 말함.
〔三击不中〕 sānjībùzhòng 명《體》(야구의) 삼진(三振).
〔三机〕 sānjī 명《農》농업용의 세 기종(機種)《트랙터, 핸드 트랙터, 디젤 엔진》.
〔三机式立体电影〕 sānjīshì lìtǐ diànyǐng 명《映》시네라마(cinerama). ¶用～拍摄; 시네라마 촬영으로 찍다.
〔三觭龙〕 sānjīlóng 명《動》트리세라토프스(Triceratops)《공룡의 일종》.
〔三级干部会〕 sānjí gànbùhuì 명 현(縣)·구(區)·향(鄉)의 간부의 합동 간부회. ¶县里召开～; 현에서 '三级干部会'를 소집하여 열었다.
〔三级火箭〕 sānjí huǒjiàn 명 3단 로켓. ¶苏联～放出的卫星重一百八十四磅; 소련의 3단식 로켓이 발사한 위성은 무게가 184파운드이다.
〔三级军区制〕 sānjí jūnqūzhì 명 중국 인민 해방군의 지휘 계통에서, 대군구(大軍區)(몇 개 성(省)에 걸쳐서 몇 개의 군구를 통할), 군구(軍區)(한 성 안의 몇 개의 군분구(軍分區)를 통할), 군분구의 세 구분을 말함.
〔三级所有制〕 sānjí suǒyǒuzhì 명 '人民公社' '生产大队' '生产队'의 세 급의 단위로 이루어지는 인민 공사의 집단 소유제.
〔三级跳〕 sānjítiáo 명 ①⇨〔三级跳远〕 ②〈比〉단기간 내에 실현된 목표.
〔三级跳远〕 sānjí tiàoyuǎn 명《體》삼단뛰기《'单足跳'(홉(hop))·'跨步跳'(스텝(step))·'跳跃'(점프)의 셋》. =〔三级跳①〕
〔三极管〕 sānjíguǎn 명《電》3극관. ¶半导体～; 트랜지스터.
〔三几个〕 sānjǐge 수량 서너너덧 개.
〔三季〕 sānjì 명〈文〉하(夏)나라, 상(商)나라, 주(周)나라 3왕조의 말기(末期).
〔三季稻〕 sānjìdào 명《農》벼의 삼모작(三毛作).
〔三夹板〕 sānjiābǎn 명 ⇨〔胶jiāo合板〕
〔三家村〕 sānjiācūn 명 ①〈文〉인구가 적은 작은 마을. 한촌(寒村). ②'～札记'《1961년부터 64년에 걸쳐서 베이징 시(北京市) 당위원회 기관지(紙) '前线'에 우난시(吳南西)(덩 투오(鄧拓), 우한(吳晗), 랴오 모사(廖沫沙))의 펜네임으로 연재된 수필. '～'은 邓·吴·廖 세 사람을 가리킴》.
〔三甲〕 sānjiǎ 명 과거 시험중 전시(殿試)에서 3급으로 합격한 사람들. =〔第dì三甲〕
〔三尖瓣〕 sānjiānbàn 명《生》삼첨판.
〔三尖两刃刀〕 sānjiān liǎngrèndāo 명 (옛 병기로서의) 양날의 칼. ¶使一口～, 武艺出众; 양날의 칼을 쓰는데, 그 무예는 출중하다.
〔三缄其口〕 sān jiān qí kǒu〈成〉함구(緘口)하다. 입을 다물다. 말을 삼가다. ¶这少女只得～, 直到她们进入一辆汽车, 准备离去为止; 이 소녀는 그들이 자동차를 타고 그 곳을 떠나려는 순간까지 죽 입을 다물고 있을 수밖에 없었다.
〔三建〕 sānjiàn 명《漢醫》'天tiān雄' '乌wū头①' '附fù子'의 세 가지 생약《모두 바곳의 뿌리. 성상(性狀)에 따라 세 종류로 구분했음. 옛날에, 랴오닝 성(遼寧省)의 젠핑(建平)에서 나는 것이 유명했기 때문에 이 이름이 있음》.
〔三箭齐发〕 sān jiàn qí fā〈成〉세 개의 화살을 한 번에 쏘다《세 방향으로 동시에 공격하다》.
〔三江四省〕 sānjiāng sìshěng 명 헤이룽강(黑龍江)·쑹화 강(松花江)·넌장 강(嫩江)의 세 강 및 헤이룽장 성(黑龍江省)·지린 성(吉林省)·랴오닝 성(遼寧省)·(옛) 러허 성(熱河省)의 네 성을 가리키며, '东dōng北' 전체를 의미함.
〔三匠〕 sānjiàng 명 '木mù匠'(목수)·'铁tiě匠'(대장장이)·'泥ní(水)匠'(미장이).
〔三焦〕 sānjiāo 명《漢醫》삼초《'上焦'(위(胃)의 분문(噴門)까지)·'中焦'(유문(幽門)까지)·'下焦'(배꼽 밑까지)를 이르는 말로 소화·흡수·수송·배설을 함》.
〔三角〕 sānjiǎo 명 ①(～儿) 삼각. 삼각형 모양의 것. ¶糖táng～; 삼각 만두 / 眼～鼻大唇粗; 삼각 눈에 코가 크고 입술이 두껍다. ②《數》〈簡〉삼각함수의 약칭. =〔三角函数〕 ③담뱃갑을 접어서 만든 딱지. ¶打～; 담뱃갑 딱지를 치며 놀다.
〔三角板〕 sānjiǎobǎn 명 삼각자. =〔三角规〕〔三角尺〕
〔三角表〕 sānjiǎobiǎo 명《數》삼각 함수표.
〔三角锉〕 sānjiǎocuò 명《機》삼각줄(triangular file). =〔三棱锉〕
〔三角对抗赛〕 sānjiǎo duìkàngsài 명 삼자 대항 시합.
〔三角法〕 sānjiǎofǎ 명 ⇨〔三角学〕
〔三角钢〕 sānjiǎogāng 명 ⇨〔三角铁①〕
〔三角刮刀〕 sānjiǎo guādāo 명《機》삼각 스크레이퍼.
〔三角规〕 sānjiǎoguī 명 ⇨〔三角板〕
〔三角函数〕 sānjiǎo hánshù 명《數》삼각 함수. =〔三角②〕
〔三角火烧〕 sānjiǎo huǒshao 명 삼각형 모양의 군빵.
〔三角肌〕 sānjiǎojī 명《生》삼각근(筋). =〔三棱筋〕
〔三角镜〕 sānjiǎojìng 명 ⇨〔棱léng镜〕
〔三角裤〕 sānjiǎokù 명 삼각팬티.
〔三角恋爱〕 sānjiǎo liàn'ài 명 (남녀의) 삼각 관계.
〔三角(儿)馒头〕 sānjiǎo(r) mántou 명 ⇨〔糖táng三角(儿)〕
〔三角皮带〕 sānjiǎo pídài 명《機》V형 피대.
〔三角皮带轮〕 sānjiǎo pídàilún 명 ⇨〔槽cáo轮〕
〔三角皮带盘〕 sānjiǎo pídàipán 명 ⇨〔槽cáo轮〕
〔三角(儿)〕 sānjiǎo(r) 명 ①설탕소를 넣고 세모꼴로 싼 음식. ②⇨〔三角形〕
〔三角儿车〕 sānjiǎorchē 명 외바퀴 삼각형의 손수레.
〔三角术〕 sānjiǎoshù 명 ⇨〔三角学〕
〔三角酸〕 sānjiǎosuān 명《植》괭이밥. =〔酢cù浆(草)〕
〔三角铁〕 sānjiǎotiě 명 ①《工》각강(角鋼). 앵글 강재(鋼材). 엘형 강(L型鋼). =〔三角钢〕〔角钢〕〔角铁〕 ②《樂》트라이앵글.
〔三角头(儿)〕 sānjiǎotóu(r) 명 ⇨〔私sī字(儿)〕
〔三角推土机〕 sānjiǎo tuītǔjī 명《機》레이크도저(rakedozer)《개간 등에 쓰이는 불도저의 일종》. =〔前qián角推土机〕
〔三角形〕 sānjiǎoxíng 명 삼각형. 세모꼴. =〔三角(儿)②〕
〔三角学〕 sānjiǎoxué 명《數》삼각법. =〔三角法〕〔三角术〕
〔三角(儿)眼〕 sānjiǎo(r)yǎn 명 세모꼴 눈.
〔三角洲〕 sānjiǎozhōu 명《地質》삼각주. 델타.
〔三角钻〕 sānjiǎozuàn 명《機》양날 드릴.
〔三脚凳(儿)〕 sānjiǎodèng(r) 명 삼각의자.
〔三脚蛤蟆〕 sānjiǎo háma 명 (달에 산다는) 발이 셋인 두꺼비〔개구리〕. ¶～没处寻; 〈比〉어디서도 찾을 수 없다.

〔三脚架〕 sānjiǎojià 명 (카메라 등의) 삼각. =〔三脚台〕

〔三脚两步〕 sānjiǎo liǎngbù 〈比〉 ①급히 가는 모양. 급한 걸음. ¶～赶到工地; 급한 걸음으로 공사 현장에 달려가다. ②두서너 걸음. 바로《아주 가까운 모양》.

〔三脚猫〕 sānjiǎomāo 명 쥐는 잘 잡으나 걷지 못하는 고양이. 〈比〉 일은 잘 하나 상규(常規)에 벗어난 사람. 잘 모르면서 아는 척하는 사람.

〔三脚台〕 sānjiǎotái 명 ⇨〔三脚架〕

〔三脚轧头〕 sānjiǎo yàtóu 명 ⇨〔自zì动卡盘〕

〔三脚账〕 sānjiǎozhàng 명 구식 단식 부기의 속칭.

〔三教〕 sānjiào 명 '儒rú教' '佛fó教' '道dào教'의 삼교.

〔三教九流〕 sān jiào jiǔ liú 〈成〉 ①'三教'는 유교·불교·도교(道教). '九流'는 유가(儒家)·도가(道家)·음양가(陰陽家)·법가(法家)·명가(名家)·묵가(墨家)·종횡가(縱橫家)·잡가(雜家)·농가(農家). ②〈比〉 잡다한 직업의 사람. ③〈比〉 여러〔갖가지〕 학파〔유파〕. ¶～, 无所不晓; 갖가지 학술에 모두 통하고 있다. ‖=〔九流三教〕

〔三街两巷〕 sān jiē liǎng xiàng 〈成〉 모든 거리와 골목. =〔三街六巷〕

〔三街六巷〕 sān jiē liù xiàng 〈成〉 ①거리의 사방팔방. 거리거리. ②사면팔방으로 통하는 길. ‖=〔三街两巷〕

〔三节〕 sānjié 명 ⇨〔三大节〕

〔三节棍〕 sānjiégùn 명 삼절곤《몽둥이 끝에 쇠사슬로 짧은 몽둥이 두 개를 연결한 옛날 무기. 방패를 든 적을 쓰러뜨리기 위한 것》. =〔三截棍〕

〔三节两寿〕 sānjié liǎngshòu 명 1년에 세 차례의 큰 절기와 공자 및 스승의 생일《옛날, 글방 선생님에게는 매년 이 다섯 번은 한 달치씩 더 사례를 하는 것이 관습이었음》. ¶～的送礼; '三节两寿'의 선물.

〔三节炉〕 sānjiélú 명 《工》 노신(爐身)이 3단으로 되어 있는 선철(銑鐵)을 녹이는 용광로.

〔三杰〕 Sānjié 명 《人》 ①한(漢)나라의 장량(張良)·소하(蕭何)·한신(韓信). ②촉한(蜀漢)의 제갈량(諸葛亮)(공명)·관우(關羽)·장비(張飛).

〔三洁四无〕 sānjié sìwú 위생 개혁의 슬로건으로, 집안과 뜰, 문간의 세 곳을 청결히 하고, 모기·파리·쥐·빈대를 없애는 일.

〔三结合〕 sānjiéhé ①→〔鞍ān钢宪法〕 ② 명 (문화 대혁명 시절의) 혁명 대중·혁명 간부·혁명 군인의 삼자의 결합. ③ 명 노년·장년·청년의 세 연대의 결합.

〔三截棍〕 sānjiégùn 명 ⇨〔三节棍〕

〔三戒〕 sānjiè 명 세 가지 경계《청년기에는 색욕을 삼가고, 장년기에는 다툼을 경계하며, 노년기에는 탐하는 것을 삼감》.

〔三进三出〕 sān jìn sān chū 〈成〉 반복하여 언제까지나 끝이 없다. ¶骂起来～; 야단치기 시작하면 한이 없다.

〔三进三间〕 sānjìn sānjiān 명 중국의 가옥의 개략적인 규모는 하나의 '院yuàn子①'에 남면하여 '正zhèng房①'이 있으며, 그 앞 양쪽에, '厢xiāng房'이 있고, '正房'과 마주 대하여 남쪽에 '倒dào座'가 있음. '三进'이란 이와 같은 한 구획을 한 단위로 하는 것이 안쪽으로 향해 3단 있는 것을 말함. '三间'이란 '正房'이 세 칸으로 칸막이되어 있다는 뜻. '一间'이란, 두 개의 기둥 사이를 말함.

〔三九〕 sānjiǔ 명 동지부터 세어 세 번째 9일간《가장 추운 기간》.

〔三九四九伸不出手〕 sānjiǔ sìjiǔ shēnbuchū shǒu 〈諺〉 동지(冬至)로부터 세 번째 9일간과 네 번째의 9일 동안은 (너무 추워) 손도 내놓지 못함.

〔三句话不离本行〕 sānjùhuà bùlí běnháng 〈諺〉 사람은 누구나 서너 마디만 꺼내도 자신의 직업에 관한 말을 하게 된다.

〔三聚氰胺〕 sānjùqíng'àn 명 《化》 멜라민(melamine). ¶～树shù脂; 멜라민 수지. =〔〈音〉密mì胺〕

〔三军〕 sānjūn 명 ①주대(周代)의 제도에서 대제후가 거느리는 군대《천자는 6군을 갖고, 대제후(大諸侯)는 3군, 그에 버금 가는 자는 2군, 작은 제후는 1군을 가졌다고 함》. ②삼군. 육해공군. 〈轉〉 군대.

〔三K党〕 Sānkèidǎng 명 큐 클럭스 클랜(Ku Klux Klan). KKK《미국의 반동적인 비밀 결사》.

〔三窟〕 sānkū 명 세 개의 도망갈 길〔도피처〕. ¶狡jiǎo兔有～; 〈諺〉 교활한 토끼는 도망갈 길을 세 개나 갖고 있다 / 为一人谋～; 한 사람을 위해서 세 가지 도피처를 생각하다.

〔三块瓦(儿)〕 sānkuàiwǎ(r) 명 앞과 좌우에 털가죽이 붙어 있는 방한모《앞엣것은 장식, 좌우의 것은 평소에는 위로 올려 그 끝에 달린 끈으로 머리꼭대기에 매어 놓았다가 귀가 시리면 그것을 좌우로 내려서 얼굴을 보온할 수 있음》.

〔三匡栏(儿)〕 sānkuānglán(r) 명 터진입구변《한자 부수의 하나. '匠·匣' 등의 '匚'의 이름》. =〔半匡栏(儿)〕

〔三老实〕 sān lǎoshi '当老实人'(성실한 사람이 되다)·'说老实话'(진실한 이야기를 하다)·'做老实事'(견실한 일을 하다)의 세 가지.

〔三老四严〕 sān lǎo sì yán 〈成〉 '说老实话'(성실한 이야기를 하다), '办老实事'(견실한 일을 하다), '做老实人'(진실한 인간이 되다)의 '三老'와 '严格的要求'(엄격한 요구), '严密的组织'(엄밀한 조직), '严肃的态度'(엄숙한 태도), '严明的纪律'(엄격하고 명확한 규율)의 '四严'.

〔三乐〕 sānlè 명 ①사람으로 태어난 것·남자로 태어난 것·오래 사는 일의 즐거움. ②한 집안의 원만함·천지인(天地人)에 부끄럽지 않음·천하의 영재를 교육하는 일의 즐거움.

〔三类〕 sānlèi 명 삼류. 하급. 하등. ¶～食堂; 삼류 식당 / ～苗; 하등급 묘.

〔三类商品〕 sānlèi shāngpǐn 《經》 삼류상품《지방정부 또는 기업이 관리하는 일용 잡화·과일·영세한 한약재 따위와 같은 '一类商品' '二类商品'을 제외한 모든 상품》.

〔三类社〕 sānlèishè 생산이 오르지 않는 3류의 인민 공사.

〔三棱草〕 sānléngcǎo 명 《植》 매자기.

〔三棱锉〕 sānléngcuò 명 ⇨〔三角锉〕

〔三棱筋〕 sānléngjīn 명 ⇨〔三角肌〕

〔三棱镜〕 sānléngjìng 명 ⇨〔棱镜〕

〔三礼〕 Sānlǐ 명 《書》 주례(周禮)·의례(儀禮)·예기(禮記)의 세 책.

〔三连霸〕 sānliánbà 명 (시합에서의) 3연패《3회 연속 우승함》. =〔三连冠〕

〔三连缸〕 sānliángāng 명 《機》 3기통. ¶卧型～高速度动力喷雾机; 횡형(橫型) 3기통 고속 동력 분무기.

〔三联串票〕 sānlián chuànpiào 명 ⇨〔三联单〕

〔三联单〕 sānliándān 명 ①떼어 내는 점선이 찍힌

3장이 연결된 증서(證書)·전표(傳票)《2매는 잘라서 각자가 소지하고, 1매는 증거로 남겨 둠》. ②중국에서 국내 화물을 구입하여 수출할 때, 세관에서 교부하던 통과 증명서. ‖=〔三联串chuàn票〕
〔三联汇票〕 sānlián huìpiào 명 본권(本券)·통지서·부본(副本)의 석 장이 붙어있는 환(換).
〔三两〕 sānliǎng 명 두셋. 조금. ¶～步; 두세 걸음/～个; 두세 개/～日; 이삼일. =〔两三〕
〔三令五申〕 sān lìng wǔ shēn 〈成〉 몇 번이나 되풀이해서 명령을 내리다. ¶虽然政府～地禁止, 犯法的人还是不能绝迹; 정부는 누차 금령(禁令)을 내리고 있지만, 범죄자는 여전히 없어지지〔끊이지〕 않는다.
〔三六九等〕 sān liù jiǔ děng 〈成〉 여러 가지 등급〔차이〕. 갖가지 구별. ¶把人分成～; 사람을 여러 가지 등급으로 나누다/这两种极端之间, 正如正常社会的各阶层一般, 也分作～; 이 양극단의 사이는 정상적인 사회의 각 계층처럼 각가지 등급으로 나눠지고 있다.
〔三六香肉〕 sānliù xiāngròu 명 〈廣〉 개고기의 별칭《광둥어(廣東語)에서는 '九'과 '狗'가 같은 음이며, 그 '九'를 나누어 '三六'이라 함》. =〔香肉〕
〔三氯醋酸〕 sānlǜ cùsuān 명 《化》 트리클로르초산.
〔三氯化锑〕 sānlǜhuà tì 명 《化》 염화(鹽化) 안티몬.
〔三氯甲烷〕 sānlǜjiǎwán 명 《化》 클로로포름(chloroform).
〔三氯叔丁醇〕 sānlǜshūdīngchún 명 《化》 아세톤클로로폴름.
〔三氯乙醛〕 sānlǜyǐquán 명 《藥》 클로랄(chloral).
〔三氯乙烯〕 sānlǜyǐxī 명 《化》 트리클렌(triclene). 트리클로드 에틸렌(trichloroethylene).
〔三轮草〕 sānlúncǎo 명 《植》 삼륜초. 세바람꽃.
〔三轮侧车〕 sānlún cèchē 명 사이드카(sidecar).
〔三轮车〕 sānlúnchē 명 (자전거식) 3륜차. ¶蹬～; 3륜차의 페달을 밟다/蹬～的; 3륜차 운전수/三轮脚踏车; 삼륜 자전거/三轮摩托车 =〔三轮机动车〕; 모터 바이시클. =〔〈俗〉三轮儿〕
〔三轮卡车〕 sānlún kǎchē 명 삼륜 화물차. =〔三轮载货汽车〕
〔三落〕 sānluò →〔梅méi花三弄②〕
〔三落实〕 sānluòshí 민병 공작에 있어서의 군대 조직·군사 훈련·정치 교육을 확실한 것으로 만드는 일.
〔三毛〕 sānmáo 명 (해방 전 상하이(上海)의) 부랑아《본디 영화·만화 '～流浪记'의 주인공의 이름》.
〔三媒六证〕 sān méi liù zhèng 〈成〉 결혼 중매인과 결혼식에 참가한 사람들《정식 결혼을 일컬음》.
〔三昧〕 sānmèi 명 ①《佛》 삼매. ②〈轉〉 오의(奧義). 가장 중요한 점. ¶深得其中的～; 깊이 그 오의를 터득하다.
〔三门干部〕 sānmén gànbù 명 세 개의 문(가정의 문, 학교의 문, 직장의 문)을 무사히 통과해 왔을 뿐, 확고한 신념이 박혀 있지 않은〔혁명 공작의 시련을 겪지 않은〕 평범한 간부.
〔三门四户〕 sān mén sì hù 〈成〉 '大dà门' '二èr门' '房fáng门'의 세 개의 문과 사방의 입구《모든 출입구》. ¶～不出, 无人能勾得见; 많은 문을 드나들지 않으면〔얌전히 지내고 있으면〕 남의 눈에 뜨이는 일도 없다.
〔三眠〕 sānmián 명 누에의 셋째 잠.
〔三面〕 sānmiàn 명 ①삼면. 세 방면. ②세 사람《각 당사자》. ¶～议yì定; 세 사람이 의논하여 정하다/～妥tuǒ议; 세 사람이 타협하다.
〔三面红旗〕 sānmiàn hóngqí 사회주의 사회 건설의 세 개의 기치《사회주의 건설의 '总zǒng路线' '大dà跃进' '人rén民公社'를 말함》. =〔三面旗帜zhì〕
〔三秒违例〕 sānmiǎo wéilì 명 《體》 (농구에서) 3초 룰.
〔三民主义〕 sānmín zhǔyì 명 《政》 삼민주의《손문(孫文)이 제창한 민족주의·민권주의·민생주의의 세 주의》.
〔三明〕 sānmíng 명 ①일(日)·월(月)·성(星). ②샌드위치. =〔三明治〕
〔三明治〕 sānmíngzhì 명 〈音〉 샌드위치(sandwich). =〔夹心面包片〕〔三面吃〕〔三味治〕〔三文治〕〔三明②〕
〔三明治人〕 sānmíngzhì rén 명 〈音義〉 샌드위치맨. =〔夹jiā心广告人〕〔创chuàng牌子②〕
〔三拇指〕 sānmǔzhǐ 명 〈方〉 가운뎃손가락. =〔中指〕
〔三木〕 sānmù 명 옛날, 죄인의 손·발·목에 채우던 형구(刑具).
〔三奈〕 sānnài 명 ⇨〔山shān奈①〕
〔三男两女〕 sān nán liǎng nǚ 〈成〉 자녀가 많은 모양.
〔三难三关〕 sānnán sānguān '难读' '难懂' '难注'(읽기 어렵고, 뜻을 분간하기 어렵고, 주석하기가 어려움) 및 '文wén字关' '分fēn析关' '表biǎo达关'(문자·분석·표현의 관건)을 말함《고전을 대중에게 쉽게 해석할 때의 문제점》.
〔三泥〕 sānní 명 쓰촨(四川) 요리의 일종《마·찹쌀·자고를 쪄서 걸쭉하게 만든 것》.
〔三年河东, 三年河西〕 sānnián hédōng, sānnián héxī 〈諺〉 영고성쇠(榮枯盛衰)는 변하기 쉬운 법.
〔三年困难〕 sānnián kùnnàn 1959년부터 3년 동안에 걸친 자연 재해로 인한 경제 곤란 시기.
〔三年丧〕 sānniánsāng 명 삼년상. 부모의 상.
〔三年五载〕 sān nián wǔ zǎi 〈成〉 3·4년. 4·5년. 서너〔너덧〕 해. 수 년. ¶住了个～; 4·5년 살았다.
〔三年有成〕 sān nián yǒu chéng 〈成〉 참고 견디면 성공한다.
〔三年之艾〕 sān nián zhī ài 〈成〉 평소의 준비가 필요하다. ¶犹七年之病, 求～也, 苟为不蓄, 終身不得《孟子》; 칠 년째의 병에 3년 묵힌 쑥을 찾는 것이나 같아서, 평소부터 준비하지 않으면 평생 얻을 수 없다.
〔三鸟〕 sānniǎo 명 닭·거위·오리의 세 가지 새. ¶食堂要有蔬菜基地, 还应养适当数量的猪、～和鱼等; 식당은 채소밭을 가져야 하며, 또 적당량의 돼지·닭·거위·오리·물고기를 길러야 한다.
〔三怕〕 sānpà 명 잘못을 저지르는 것을 두려워하고, 경솔함을 두려워하며, 기분을 상하게 하는 것을 두려워하는 일. =〔三惧〕
〔三盘〕 sānpán 명 《商》 (제2장 뒤의) 제3장. (거래소에서) 세 번째 입회(入會).
〔三跑田〕 sānpǎotián 명 큰비가 내리면, 물·흙·비료 등이 씻겨 내려가 버리는 산비탈에 있는

밭.

〔三陪小姐〕 sānpéi xiǎojie 명 호스티스. 접대부.

〔三朋四友〕 sān péng sì yǒu 〈成〉 많은 친구들. 어중이떠중이. ¶谁也有~; 누구든지 어중이떠중이 친구 몇은 있다.

〔三撇(儿)〕 sānpiě(r) 명 삐친석삼(한자 부수의 하나. '彡'의 이름).

〔三品〕 sānpǐn 명 ①금·은·동. ②《漢醫》 약의 상품·중품·하품. ③〈文〉 서화에서, 신품(神品)·묘품(妙品)·능품(能品).

〔三婆两嫂〕 sān pó liǎng sǎo 〈成〉 (새댁 입장에서) 집안에 시어머니나 동서·시누이 등 까다로운 인물이 많은 것.

〔三圃制〕 sānpǔzhì 명 《農》 삼포 농법(한 해는 겨울 농사, 다음 해에는 여름 농사, 3년째는 휴경(休耕)하는 식을 차례로 되풀이하는 경작법).

〔三七〕 sānqī 명 《植》 삼칠초(인삼에 가까운 국화과의 식물. 뿌리를 '~' '田tián七' '金jīn不换③' 따위라 하며, 강장·지혈약으로 함).

〔三七二十一〕 sān qī èrshíyī 〈比〉 사실. 실정(實情). 자초지종. 곡절. ¶不问~ =〔不管~〕; 사정이야〔실제는〕 어떻든. 무턱대고 / 不管~, 就走了; 불문곡직하고 가 버렸다.

〔三七开〕 sānqīkāi 7할의 성적과 3할의 과오로 구분하여 평가하다. ¶对老李要~; 이씨가 한 일을 공적(功績)이 주이고, 과오는 2차적이라고 평가해야 한다.

〔三妻四妾〕 sānqī sìqiè 옛날, 처첩이 많음의 형용. =〔三妻五妾〕

〔三妻五妾〕 sānqī wǔqiè ⇨〔三妻四妾〕

〔三起三落〕 sānqǐ sānluò 변화가 빈번함의 형용.

〔三气〕 sānqì 명 천지인(天地人)의 기.

〔三千(大千)世界〕 sānqiān(dàqiān) shìjiè 명 《佛》 삼천 대천 세계. →〔大千世界〕

〔三千两吊〕 sānqiān liǎngdiào 명 〈比〉 얼마 안 되는 돈.

〔三千六〕 sān qiān liù (말이) 한 보따리(말이 많은 것을 형용). ¶好话说了~; 달콤한 말을 잔뜩 늘어놓았다.

〔三迁〕 sānqiān 명 세 번 옮김. 삼천. →〔孟mèng母三迁〕

〔三羟基嘌呤〕 sānqiǎngjī piàolìng 명 《化》 요산. =〔尿niào酸〕

〔三跷两步〕 sān qiāo liǎng bù 〈成〉 걸음이 급한 모양. 종종걸음. ¶~赶过来; 급한 걸음으로 쫓아오다.

〔三亲〕 sānqīn 명 삼친. 부부·부자·형제.

〔三亲六故〕 sān qīn liù gù 〈成〉 친척·친지의 총칭. ¶谁家没有个~啊; 누구의 집에나 얼마간의 친척·친지는 있는 것이다. =〔三亲六眷〕〔三亲四友〕

〔三亲六眷〕 sān qīn liù juàn 〈成〉 ⇨〔三亲六故〕

〔三亲四友〕 sān qīn sì yǒu 〈成〉 ⇨〔三亲六故〕

〔三勤〕 sānqín 동 학문·생산·일에 힘쓰다. 명 (서비스에서) 부지런히 돌아다니고, 부지런히 일하고, 부지런히 지껄이는 일.

〔三青子〕 sānqīngzi 〈俗〉 명 무법자(無法者). 형편 없는 짓거리를 하는 놈. 동 거리낌없이 말하다. 형편없는 짓거리를 하다. ¶怎么这么~呢, 好好说不行吗? 어째서 그렇게 거침없이 말을 하느냐. 좀더 부드럽게 말할 수는 없느냐?

〔三清子〕 sānqīngzi 명 〈方〉 독설(毒舌). 말을 거칠게 함. 또, 그 같은 사람.

〔三请〕 sānqǐng 동 여러 번 초대하다〔부르다〕. ¶~不到; 〈成〉 여러 번 초대했는데도 오지 않다.

〔三秋〕 sānqiū 명 ①〈文〉 삼추. 가을의 3개월. ②가을의 3개월 중의 마지막 한 달. ③〈文〉 세 차례의 가을. 〈比〉 3년. ¶一日不见, 如~兮; 하루를 안 만나면 마치 3년이나 못 만난 것 같다. ④ ⇨〔三秋工作〕

〔三秋工作〕 sānqiū gōngzuò 명 《農》 '秋收' '秋种' '秋耕', 곧 가을걷이, 가을의 파종, 가을갈이를 말함. =〔三秋④〕

〔三全其美〕 sān quán qí měi 〈成〉 셋 모두 잘 돼 나가다.

〔三拳两脚〕 sān quán liǎng jiǎo 〈成〉 치고 차고 하다. 주먹질 발길질 하다. ¶~把他打死了; 치고 차고 하여 그를 때려 죽였다.

〔三拳两胜(儿)〕 sānquán liǎngshèng(r) '划huá拳②'(연회석에서 흥을 돋구기 위해서 하는 놀이)에서, 3번 중에 두 번 진 사람이 한 잔을 벌주로 마시는 방식.

〔三拳难敌四手〕 sānquán nándí sìshǒu 세 주먹이 네 손을 당하기 어렵다. 중과부적. ¶~,好汉架不住人多; 중과부적이라 대장부라도 여러 사람을 대적할 수는 없다.

〔三儿〕 sānr 명 ①셋째 아들. 〈轉〉 개구쟁이. =〔猴孙〕 ②〈轉〉 원숭이의 별칭.

〔三人称〕 sānrénchēng 명 제3인칭. =〔他tā称〕

〔三人成虎〕 sān rén chéng hǔ 〈成〉 세 사람만 우겨 대면 없는 호랑이도 만들어 낸다(참언(讒言)도 하는 사람이 많으면 믿게 된다. 거짓말도 여러 사람이 하면 곧이듣게 된다).

〔三人成众〕 sān rén chéng zhòng 〈成〉 사람 수는 적어도 무리를 만든다(사람 수가 적다고 가볍게 보아서는 안 된다).

〔三人出局〕 sānrén chūjú 《體》 (야구에서) 스리 아웃(three out).

〔三人同心, 黄土变金〕 sān rén tóngxīn, huángtǔ biàn jīn 〈諺〉 세 사람이 마음을 같이하면 황토도 금이 된다(여러 사람이 협력하면 훌륭한 성과가 오른다). =〔三人一条心黄土变成金〕

〔三人行, 必有我师〕 sān rén xíng, bì yǒu wǒ shī 〈成〉 셋이서 길을 가면 그 중에는 반드시 무언가 배울 것이 있는 사람이 있다.

〔三日两面〕 sānrì liǎngmiàn 늘 얼굴을 대하다.

〔三日两头〕 sānrì liǎngtóu ⇨〔三天两头(儿)〕

〔三日赛〕 sānrìsài 명 (마술(馬術)의) 3일 경기(종합 마술 경기).

〔三日香〕 sānrìxiāng 〈比〉 신기한 것도 잠깐 동안이다.

〔三日严〕 sānrìyán 〈比〉 법률이나 명령이 엄한 것도 잠깐일 뿐이다.

〔三三见九〕 sānsān jiàn jiǔ 《數》 3·3은 9.

〔三三两两〕 sān sān liǎng liǎng 〈成〉 두셋씩. 두세 사람씩. ¶学生们~地出去散步; 학생들은 두셋씩 짝을 지어 밖에 나가 산책한다. =〔两两三三〕

〔三三五五〕 sān sān wǔ wǔ 〈成〉 삼삼오오. 세 사람 또는 다섯 사람씩 떼를 지어.

〔三三制〕 sānsānzhì 명 ①고등 학교 3년, 중학교 3년의 학제. ②항일전 수행중에 해방구에서 채택한 1종의 정치 조직으로, 공산당원이 1/3, 그 밖의 각 당파가 1/3, 무당파의 진보적 인사가 1/3의 비율로 정권을 구성함. ③1/3의 간부는 기관에 남아 일상 활동을 하고, 1/3은 조사 연구에

종사하며, 1/3이 현장 연수를 하는 일.
〔三色版〕 sānsèbǎn 명 《印》 (인쇄의) 3색판.
〔三色虎伯劳〕 sānsè hǔbóláo 명 《鳥》 칡때까치.
〔三色堇〕 sānsèjǐn 명 《植》 삼색제비꽃. =〔蝴蝶花②〕
〔三善根〕 sānshàngēn 명 《佛》 삼선근(《보시·자비심·지혜》).
〔三上〕 sānshàng 〈文〉 명 문장을 구상하는 데 가장 적합하다는 '马mǎ上'(말위)·'枕zhěn上'(침상)·'厕cè上'(측간 안)의 세 곳. 동 세 번 올리다.
〔三上吊〕 sānshàngdiào 명 손·발·목을 매다는 고문.
〔三少〕 sānshào 명 ⇨〔三孤〕
〔三设儿〕 sānshèr 명 옛날, 제단에 바치는 돼지·소·양. =〔三牲〕
〔三舍〕 sānshè 명 ①90리(《하루에 30리 행군하여 숙영(宿營)하는 관례로 '舍'라 함》). ②대학(의 숙사)(《외사(外舍)·내사(內舍)·상사(上舍)의 3단계가 있어, 수재(秀才)에서 입학한 자가 차례로 상사로 옮기게 되어 있었음》).
〔三神山〕 sānshénshān 명 삼신산(《사기(史記)에서 신선이 산다고 기술한 '蓬péng莱' '方fāng壶' '瀛yíng洲'의 세 산》). =〔三岛①〕〔三壶〕
〔三生〕 sānshēng 명 《佛》 전생(前生)·현생(現生)·후생(後生)의 삼생. ¶～有幸; 〈成〉 뜻하지 않은 행운. 대단한 요행/久仰大名, 今天相遇实在是～有幸; 성함은 진작에 들었습니다. 오늘 뵙게 되어 참으로 더없이 다행으로 여깁니다. =〔三世①〕 동 세 번 환생하다.
〔三生豆〕 sānshēngdòu 명 《植》 강낭콩. =〔菜豆〕
〔三生愿〕 sānshēngyuàn 명 부부간의 삼세(三世)의 약속〔인연〕.
〔三生债〕 sānshēngzhài 명 ①삼세에 걸치는 계루(係累). ②〈比〉 꼭 갚아야 할 빚〔은혜〕.
〔三牲〕 sānshēng 명 옛날에, 제사 따위에 쓰이던 소·돼지·양의 산 제물. =〔三设儿〕
〔三圣〕 sānshèng 명 세 성인. ①복희(伏羲)·문왕(文王)·공자(孔子). ②요(堯)·순(舜)·우(禹). ③우·주공(周公)·공자. ④문왕·무왕(武王)·주공.
〔三尸(神)〕 sānshī(shén) 명 삼시. 도교에서, 사람의 몸에 깃들여 해를 끼친다는 세 신(神)(《상시(上尸)를 청고(青姑), 중시(中尸)를 백고(白姑), 하시(下尸)를 혈고(血姑)라 하며, 각각 눈, 오장, 위를 해침. 경신(庚申)날 밤에 몸에서 빠져나가 사람의 은밀한 일을 천제(天帝)에게 고한다고 함》). =〔三虫〕
〔三十二开〕 sānshí'èr kāi 명 32절(折). →〔开本〕
〔三十六行〕 sān shí liù háng 〈成〉 여러 가지 직업의 총칭.
〔三十六计, 走为上计〕 sānshíliù jì, zǒu wéi shàngjì 〈諺〉 삼십육계에 줄행랑이 제일이다. =〔三十六着zhāo, 走为上着〕〔三十六策cè, 走为上策〕
〔三十年做寡妇〕 sānshí nián zuò guǎfù 〈歇〉 30년을 과부로 지내다(《뒤에 '老lǎo守(寡)'(죽 과부로 지내어 절개를 지키다)가 이어지기도 하는데 '老手'(익수(手), 숙달자)의 음과 같음》).
〔三十儿〕 sānshír 수 30. 명 ⇨〔除chú夕〕
〔三十(烷)酸〕 sānshi(wán)suān 명 ⇨〔蜂fēng花酸〕
〔三时〕 sānshí 명 ①《農》 봄·여름·가을의 세 철. ②하지 뒤의 15일간(《첫 번째 3일을 '头tóu时', 다음 5일을 '中时', 나머지 7일을 '～'라 하는 수도 있음》).
〔三史〕 sānshǐ 명 삼사. ①육조(六朝)의, 사기(史記)·한서(漢書)·동관기(東觀記). ②당(唐)나라 이후는 사기·한서·후한서(後漢書)를 말함.
〔三始〕 sānshǐ 명 〈文〉 원단. 정월 초하룻날 아침의 별칭(《해·달·날의 시작이므로 이런 이름이 있음》). =〔三朔〕〔三朝③〕
〔三世〕 sānshì 명 ①⇨〔三生〕 ②태평세(太平世). 승평세(昇平世). 난세(亂世).
〔三式儿〕 sānshìr 명 옛날, 옷깃에 액세서리처럼 늘어뜨려 단 '耳ěr挖子'(귀이개)·'毛máo扫'(깃털로 만든 작은 먼지떨이)·'牙yá签'(이쑤시개)의 세 물건.
〔三熟〕 sānshú 명 《農》 삼모작. ¶珠江三角洲是富饶肥沃的平原, 一年～; 주강(珠江)의 삼각주는 매우 비옥한 평원으로 1년에 3모작을 한다. =〔三茬〕
〔三属〕 sānshǔ 명 ⇨〔三族①〕
〔三朔〕 sānshuò 명 ⇨〔三始〕
〔三丝〕 sānsī 명 햄〔돼지고기〕·닭고기·죽순을 가늘게 실같이 썬 것. →〔全丝quánsī〕
〔三思〕 sānsī 동 〈比〉 심사 숙고하다. ¶～而(后)行; 〈成〉 잘 생각한 다음에 행한다.
〔三巳(日)〕 sānsì(rì) 명 ⇨〔上shàng巳(日)〕
〔…三…四〕 …sān…sì ①성어(成語)·성어 형식(成語形式)의 말을 만들며 난잡함을 나타내는 말. ¶颠三倒四; 정신이 흐리멍덩한 모양/横三竖四; 어수선하게 뒤죽박죽이다. ②성어·성어 형식의 말을 만들며 중복됨을 나타내는 말. ¶推三阻四; 이 핑계 저 핑계 대고 사퇴하다〔발뺌하다. 거절하다〕/调三窝四; 이리 집적거리고 저리 부추기고 하다. 이간질하다.
〔三苏〕 Sān Sū 명 《人》 삼소. 소순(蘇洵)과 그 아들 소식(軾)·소철(轍)의 세 사람.
〔三酸〕 sānsuān 명 황산·질산·염산의 세 가지 산. ¶～即化学工业之母; 세 가지 산은 화학 공업의 어머니이다.
〔三岁看大, 七岁看老〕 sānsuì kàn dà, qīsuì kàn lǎo 될성부른 나무는 떡잎부터 알아본다(《성장한 뒤의 일은 대부분 어릴 적에 상상할 수 있다는 뜻》).
〔三孙子〕 sānsūnzi 명 〈貶〉 남 앞에서 지나치게 자신을 낮추는 사람.
〔三胎儿〕 sāntāir 명 세쌍둥이. 삼태자.
〔三态〕 sāntài 명 고체·액체·기체의 3태.
〔三汤两割〕 sāntāng liǎnggē 〈比〉 몇 가지의 요리. ¶烧卖、扁食有何难, ～我也会《清平山堂話本》; 찐만두나 교자를 만드는 게 무슨 어려운 일이 있느냐, 요리 몇 가지는 나도 만들 수 있다. =〔三汤五割〕
〔三汤五割〕 sāntāng wǔgē 〈比〉 ⇨〔三汤两割〕
〔三唐〕 Sāntáng 명 《史》 초당(初唐)·성당(盛唐)·만당(晚唐).
〔三套车〕 sāntàochē 명 삼두(頭) 마차.
〔三体(书)〕 sāntǐ(shū) 명 진서(眞書)·행서(行書)·초서(草書)의 세 가지 서체.
〔三体(唐)诗〕 sāntǐ(táng)shī 명 '七言绝句' '七言律诗' '五言律诗'의 삼체의 시.
〔三天半〕 sāntiānbàn 명 〈比〉 잠깐 동안. 짧은 기간. ¶～的新鲜; 잠깐 동안의 새로운 것. 삼일 경조.

〔三天打鱼, 两天晒网〕 sān tiān dǎ yú, liǎng tiān shài wǎng〈成〉사흘 고기를 잡고, 이틀 그물을 말리다(일을 정성들여 하지 않는 것).
〔三天两头(儿)〕 sān tiān liǎng tóu(r)〈口〉사흘이 멀다 하고. 뻔질나게. ¶这孩子～儿就闹病; 이 아이는 노상 병을 앓는다 / 太太可手松, ～儿的出去买东西; 아주머니로 말하면 활수(滑手)한 편이어서 늘 물건을 사러 외출한다 / 他～儿地来; 그는 사흘이 멀다 하고 찾아온다. =〔三日两头〕
〔三天五日〕 sāntiān wǔrì 삼사일. 사오일.
〔三条大道走中间〕 sāntiáo dàdào zǒu zhōngjiān〈諺〉세갈랫길의 한가운데 길을 걸어라(정도를 걸어라).
〔三停〕 sāntíng 명 (인상학의 용어로) 상체를 '上停', 허리 부위를 '中停', 발 부위를 '下停'이라 함(또, 얼굴 부위만에 대하여, '天tiān中'에서 '印yìn堂'의 사이를 '上停', '山shān根'에서 '准zhǔn头'의 사이를 '中停', '人rén中'에서 '地dì阁'의 사이를 '下停'이라 함).
〔三停(儿)的一停(儿)〕 sāntíng(r)de yītíng(r)〈俗〉3분의 1. =〔三勾的一勾〕
〔三通〕 sāntōng 명 ①당(唐)나라의 두우(杜佑)의 '通典', 송(宋)나라의 정초(鄭樵)의 '通志', 원(元)나라의 마단림(馬端臨)의 '文献通考'. ②《機》T자형의 통수관(通水管). =〔丁dīng形管〕〔水shuǐ喉汊〕〔〈南方〉天tiān字弯〕 ③통상·통신·통항(通航)(중국의 타이완에 대한 당면한 정책).
〔三同〕 sāntóng 명 간부가 대중과 '同吃, 同住, 同劳动(做)'(함께 먹고, 살고, 일하다)하는 일. ¶～医生; 농촌에 정착한 의사.
〔三头八臂〕 sān tóu bā bì〈成〉⇨〔三头六臂〕
〔三头对案〕 sān tóu duì àn〈成〉(양쪽 당사자와 중개자의) 삼자 대면을 하여 진상을 밝히다.
〔三头二面〕 sān tóu èr miàn〈成〉온갖 수단〔방법〕을 다하여. ¶～趋qū奉人; 갖은 수단을 다하여 남의 비위를 맞추다. =〔四头两面〕
〔三头两日〕 sāntóu liǎngrì 삼일이 멀다 하고. 자주.
〔三头两绪〕 sān tóu liǎng xù〈成〉실마리〔단서〕가 많음. 일을 파악하기 어려움. 일이 복잡하게 뒤엉켜 손을 대기 어려움. ¶外面未有一事时, 里面已有～矣; 겉으로는 아직 이렇다 할 일이 없을 때라도 속으로는 이미 번거롭게〔복잡하게〕 되어 있는 법이다. =〔两头三绪〕
〔三头六臂〕 sān tóu liù bì〈成〉삼두육비(머리 셋에 여섯 개의 팔을 가지고 있는 사람).〈比〉신통력이 있는 자. 초능력이 있는 사람. 교활한 사람. ¶客人最多的时候, 售货员就是～也顾不过来; 손님이 많은 한창 때에는 손이 여섯 개 있는 점원이라도 미처 돌볼 수가 없다. =〔三头八臂〕
〔三头螺纹〕 sāntóu luówén 명《機》세줄 나사홈. =〔〈南方〉三头牙〕〔三线螺纹〕
〔三头五块〕 sāntóu wǔkuài 3～4원. 4～5원.
〔三头牙〕 sāntóuyá 명〈南方〉⇨〔三头螺纹〕
〔三突出〕 sān tūchū '文化大革命'기에 문예 창작의 기준으로서 강조되었던 세 가지(전형적 인물을 강조한다. 전형적 인물 가운데 정면의 인물을 강조한다. 정면 인물 가운데 영웅적 인물을 강조한다(뒤에 비판되었음)).
〔三推六问〕 sān tuī liù wèn〈成〉(재판관이) 몇 번이고 자세히 심문(尋問)하다.
〔三脱离〕 sān tuōlí ⇨〔三游yóu离〕
〔三瓦两舍〕 sān wǎ liǎng shè〈成〉오락가(娛樂街)나 화류항(花柳巷).
〔三弯九转〕 sānwān jiǔzhuǎn 일의 진행에 우여곡절이 많음. ¶这件事情～地真麻烦极了; 이 건(件)은 여러 가지 곡절이 있어 귀찮기 이를 데 없다.
〔三弯腰〕 sānwānyāo (농사일의) 모찌기·모내기·수확을 말함(허리를 굽히고 하는 힘든 농사일).
〔三王〕 Sānwáng 명《人》삼왕(하(夏)나라의 우(禹)임금, 상(商)〔은(殷)〕나라의 탕왕(湯王), 주(周)나라의 문왕(文王)).
〔三围〕 sānwéi 명 버스트(bust)·웨이스트·히프.
〔三位一体〕 sān wèi yī tǐ〈成〉삼위 일체.
〔三味治〕 sānwèizhì 명 ⇨〔三明治〕
〔三文鱼〕 sānwényú 명《魚》연어.
〔三文治〕 sānwénzhì 명 ⇨〔三明治〕
〔三窝两块〕 sān wō liǎng kuài〈成〉이복(異腹) 자녀. ¶膝下又没有～, 只有一男一女; 슬하에 배다른 자식 같은 것도 없고, 다만 1남 1녀가 있을 뿐이다.
〔三卧人儿〕 sānwò rénr 명 개미허리부(한자 부수의 하나 '巡·巢' 등의 '巛'의 이름).
〔三吴〕 Sānwú 명《地》옛날, 쑤저우(蘇州)·창저우(常州)·후저우(湖州).
〔三五〕 sānwǔ 명 ①셋 내지 다섯 가량의 어림수. ¶这是才晴的天, ～天之内, 决不至于闹天气; 날씨가 방금 개었으니까 사흘이나 닷새 사이에 날씨가 나빠지는 일은 결코 없습니다. ②〈文〉십오일. 보름날. ¶～明月满; 보름날 밤이라 달이 차서 둥글다. ③삼황 오제.
〔三…五…〕 sān…wǔ… ①횟수(回數)가 많음을 나타내는 말(성어(成語) 또는 성어 형식(成語形式)의 말을 만듦). ¶三番五次; 재삼 재사. 몇 번이고. ②그렇게 많지 않은 어림수(數)를 나타내는 말. ¶三年五载; 4～5년. 수 년(數年).
〔三五成群〕 sān wǔ chéng qún〈成〉삼삼오오 무리를 이루다.
〔三五天〕 sānwǔtiān 명 사오일간. 사날. 네댓새.
〔三五下里〕 sānwǔxiàlǐ 명부 사방 팔방(에서).
〔三下里〕 sānxiàli 셋이서. 세 사람이. 세 분이. ¶～商量; 셋이서 상의하다.
〔三下两下〕 sān xià liǎng xià〈成〉일을 하는데 별로 힘들이지 않고 간단히〔척척, 대강대강〕 해내다. ¶这点事要是放在他的身上, ～就毛毛草草地弄完了; 이 정도의 일은 그에게 맡긴다면 빈틈없이 척척 해낼 것이다.
〔三下五除二〕 sān xià wǔ chú èr〈成〉①수판셈의 3을 더하는 가감법의 하나(3을 더하려면 다섯 알을 내리고, 아래 알에서 둘을 제하므로 이렇게 이름).〈轉〉쉽사리. 간단히. ¶不是～就可以解决的; 그렇게 쉽사리 해결되는 것은 아니다. ②중개인이 미리 웃돈을 떼다.
〔三下五下〕 sānxià wǔxià 보고 있는 동안에. 순식간에. 계속해서. ¶～就喝进肚子里去了; 순식간에 마셔 버렸다.
〔三夏〕 sānxià 명〈文〉①음력으로 여름의 3개월. ②음력 6월. =〔季jì夏〕 ③세 번째의 여름.〈比〉3년. ④《農》'夏收'(여름 작물의 수확), '夏种'(가을 작물의 파종), '夏管'(수확물의 관리) 등의 농사일.
〔三仙〕 sānxiān 명 ⇨〔三鲜〕
〔三仙丹〕 sānxiāndān 명 ⇨〔红hóng氧化汞〕
〔三鲜〕 sānxiān 명 대표적 산해 진미(보통은 돼지고기·새우·닭고기·전복·죽순·표고버섯 또는

해삼 중 세 가지 재료로 조리한 것). ¶～汤; '三鲜' 재료를 넣고 끓인 탕 / ～馅饺子; '三鲜' 재료로 만든 속을 넣은 만두. =〔三仙〕
〔三鲜果〕 sānxiānguǒ 명 (제사상에 올리는) 사과·복숭아·석류의 세 가지 과일.
〔三弦(儿)〕 sānxián(r) 명 줄 셋을 맨 거문고. 삼현금. =〔弦子〕
〔三线蝶〕 sānxiàndié 명《蟲》세줄나비.
〔三线干部〕 sānxiàn gànbù 명 대중 속에 들어가서 일하기를 싫어하는 간부(전화선·방송선·자동차선에 주로 의지하여 일을 하는 굼뜬 간부를 이름).
〔三线螺纹〕 sānxiàn luówén 명 ⇨〔三头螺纹〕
〔三线企业〕 sānxiàn qǐyè 명 국방상 내륙의 오지에 건설된 기업('三线'은 전략적으로 후방이 되는 서남·서북 지구를 가리킴).
〔三香〕 sānxiāng 명〈文〉매화·수선·난초.
〔三消〕 sānxiāo 명《漢醫》'上消'(물을 많이 마셔도 오줌의 양이 보통인 것), '中消'(오줌량이 적고 붉은 기를 띠고 있는 것), '下消'(오줌이 탁한 것)을 말함('消渴'(당뇨병)의 세 가지 형).
〔三硝基甲苯〕 sānxiāojī jiǎběn 명《化》TNT(트리니트로톨루엔). =〔梯恩梯〕〔〈俗〉黄色炸药〕
〔三小子〕 sānxiǎozi 명 ①허드렛일을 하는 사람. 하인. ②셋째 아들. =〔三小儿〕
〔三笑〕 sānxiào 명《劇》①경극(京劇)에서, 웃음의 표정을 처음부터 마지막까지를 셋으로 나눈 단계. ②중국 전통극의 제목('～姻缘'의 준말. 당백호(唐伯虎)가 추향(秋香)이라는 처녀를 지목하여 원했다는 고사에 얽힌 것).
〔三心二意〕 sān xīn èr yì〈成〉마음 속으로 주저함〔망설임〕. 결심을 내리지 못함. 우유부단함. ¶你不要～，就这么决定吧; 망설이지 말고 이렇게 정해라. =〔三心两意〕
〔三心两意〕 sān xīn liǎng yì〈成〉⇨〔三心二意〕
〔三信危机〕 sānxìn wēijī 명 공산주의·공산당·현대화에 대한 불신감.
〔三星〕 sānxīng 명 ①오리온의 삼형제별(오리온자리의 중앙부에 나란히 있는 세 항성(恒星)의 총칭). ¶～那么高，明儿去吧; 시간이 늦었으니 내일 가라 / ～晌午了《周立波 暴風驟雨》;〈方〉삼형제별이 머리 위에 왔다(한밤중이 지났다). ②복(福)·녹(祿)·수(壽)의 세 복의 신. ¶～在户; 집안에 복·녹·수 세 복신이 계시다.〈成〉가정이 행복하다.
〔三旬〕 sānxún 명 ①상순·중순·하순의 세 순. =〔三浣〕 ②30일. ③30세.
〔三旬九食〕 sān xún jiǔ shí〈成〉가난해서 끼니를 거르다.
〔三汛〕 sānxùn 명 황허(黄河) 등 하천의 1년에 세 차례의 범람 경계 시기('清明' 후 20일 전후의 첫 번째를 '春汛' '桃(花)汛' '桃花水'라 하고, '立秋' 전의 두 번째를 '伏汛'이라 하고, '霜降' 전의 세 번째를 '秋汛'이라 함).
〔三鸭〕 sānyā 명《鳥》청머리오리.
〔三言二拍〕 Sānyán Èrpāi 명《書》'醒世恒言' '警世通言' '喻世明言'과 '拍案惊奇' 초각(初刻) 및 이각(二刻)을 말함(모두 명(明)나라 때의 단편 소설집).
〔三言两语〕 sān yán liǎng yǔ〈成〉간단한 두서너 마디 말. ¶这件事不是～说得完的; 이 일은 두서너 마디 말로 끝낼 수 없는 일이다.
〔三眼板〕 sānyǎnbǎn ⇨〔一yī板三眼①〕
〔三眼枪〕 sānyǎnqiāng 명 ①삼발총. ②〈方〉말에 조심성이 없는 사람.
〔三阳开泰〕 sān yáng kāi tài〈成〉①옛날, 새해를 축하하는 말. ②→〔划huá拳②〕
〔三氧化(二)砷〕 sānyǎnghuà (èr)shēn 명《化》아비산(亞砒酸). 무수 아비산. 삼산화 비소(砒素). =〔亚yà砒酸〕〔亚砷酐〕〔亚砷酸〕〔砒pī霜〕〔砒石〕
〔三氧化二铁〕 sānyǎnghuà èrtiě 명《化》산화제이철.
〔三样〕 sānyàng 명 ①세 종류. 세 가지. ②'松sōng'(칠칠치 못하다), '奸jiān①'(교활하다), '坏huài①'(나쁘다. 모질다)의 삼악(三惡)(을 갖춘 악당). ¶他可真有点儿～，还管人家死活吗? 그는 정말 지독한 악당인데, 남의 생사 따위를 상관하고 있겠느냐?
〔三摇三摆〕 sānyáo sānbǎi ①아장아장 걷다. ②어깨를 흔들 듯하며 의젓하게〔거드름 피우며〕 걷다.
〔三摇四晃〕 sānyáo sìhuàng 비틀비틀〔휘청휘청〕하다.
〔三要三不要〕 sānyào sānbùyào 세 가지 꼭 해야 할 일과, 세 가지의 하지 말아야 할 일('要搞马克思主义，不要搞修正主义，要团结，不要分裂，要光明正大，不要搞阴谋鬼计'(마르크스주의를 해야 하고, 수정주의를 하지 말고, 단결해야 하고, 분열하지 말고, 공명정대해야 하고, 음모나 술수를 쓰지 말아야 한다)).
〔三叶草〕 sānyècǎo 명《植》클로버. 토끼풀.
〔三叶虫〕 sānyèchóng 명《動》삼엽충.
〔三叶海棠〕 sānyè hǎitáng 명《植》아그배나무.
〔三叶轮〕 sānyèlún 명《機》세날개차.
〔三业〕 sānyè 명《佛》신업(身業), 곧 신체 동작, 구업(口業) 곧 언어 표현, 의업(意業), 곧 의식 행위를 말함.
〔三一〕 sānyī 명 세 가지의 '一…'라는 표어. 즉, '一竿gān子'(당(黨)의 당의(黨議)·지시를 신속하게 대중에게 전달하는 일)·'一揽lǎn子'(생산상의 결함을 안 즉시 지도원·관리원에게 전하여 신속히 해결하는 일)·'一串chuàn子'(조직 기업 내부의 공산주의를 기조(基調)로 한 협력).
〔三一个〕 sānyīge 수 셋째. ¶二一个; 둘째 / 四一个; 넷째.
〔三一律〕 sānyīlǜ 명《劇》삼일치(三一致)(유럽의 고전주의 연극의 세 가지 원칙, 곧 장소·시간·스토리의 일치).
〔三一三十一〕 sānyī sānshiyī ①삼일삼십일. 주판의 3으로 1을 나누는 구구. ②〈轉〉셋으로 나누다. ¶我们大家总得～; 우리는 무슨 일이 있어도 균등하게 셋으로 나누어야 한다.
〔三尾儿〕 sānyǐr 명 꼬리가 셋 있는 귀뚜라미(귀뚜라미의 암컷).
〔三盈三虚〕 sān yíng sān xū〈成〉①사람이 모이는 것이 일정하지 않음. ②찼다하면 금방 비는 일. 차는 것과 비는 것이 되풀이됨.
〔三用播种机〕 sānyòng bōzhǒngjī 명《農》파종·거름주기·물뿌리기를 할 수 있는 농기구.
〔三游离〕 sān yóulí 프롤레타리아 계급의 정치로부터의 유리, 대중으로부터의 유리, 생산 노동으로부터의 유리를 말함. ¶三不～; '三游离'의 반대. =〔三脱离〕
〔三友〕 sānyǒu 명〈文〉세 가지 벗. ①거문고·바둑·시. ②송(松)·죽(竹)·매(梅). ③산수(山水)·송죽(松竹)·술과 음악.

〔三浴三薰〕 sān yù sān xūn 〈成〉 몸을 정갈하게 하고 손님을 기다리다《공손하게 대접하다》.
〔三元〕 sānyuán 명 ①도가(道家)에서 이르는 하늘·땅·물. ②〈文〉 원단(元旦). 정월 초하룻날. ③'上元'(정월 15일), '中元'(7월 15일), '下元'(10월 15일)을 가리킴. ④과거 시험 '乡试' '会试' '殿试'의 수석 합격자인 '解元' '会元' '状元'을 가리킴. ¶连中～; 과거 시험(향시·회시·전시)에서 계속 수석을 차지하다.
〔三月黄〕 sānyuèhuáng 명 ⇨〔大dà麦〕
〔三灾〕 sānzāi 명 《佛》 삼재《기근·역병(疫病)·전란을 '小～', 불·바람·물을 '大～'라 함》.
〔三灾六难〕 sān zāi liù nàn 〈成〉 병이 많고 재난이 많다. ¶谁家也有～呢! 어느 집이거나 재난은 있는 법이다! =〔三灾八难〕
〔三藏〕 Sānzàng 명 ①《佛》 삼장《불교 경전의 경(經)·율(律)·논(論)》. ②삼장에 달통한 승려에 대한 존칭. ¶～法师; ㉠삼장 법사. ㉡당(唐)나라의 현장(玄奘).
〔三早晨两晚上〕 sānzǎochén liǎngwǎnshang 〈比〉 여간해서, 단기간에. ¶不是～就劝得过来的; 여간해서 생각을 고쳐 먹게 할 수는 없는 일이다.
〔三造〕 sānzào 명 사건의 당사자 쌍방과 증인의 삼자(三者).
〔三造田〕 sānzàotián 명 3모작의 전답.
〔三战〕 sānzhàn 명 독가스전·세균전·방사전(放射戰).
〔三朝〕 sānzhāo 명 ①신혼 3일째 되는 날《신부가 근친가는 날》. ②아이가 태어난 지 사흘째 되는 날《목욕시키는 날》. ③ ⇨〔三始〕
〔三爪(卡)盘〕 sānzhǎo(qiǎ)pán 명 ⇨〔自zì动卡盘〕
〔三折肱〕 sānzhégōng 명 노련한〔숙달된〕 사람.
〔三针松〕 sānzhēnsōng 명 ⇨〔白bái皮松〕
〔三征七辟〕 sān zhēng qī bì 〈成〉 여러 차례 관직에 임용하기 위한 부름을 받다. ¶～皆不就; 몇 차례나 부름을 받았으나 모두 벼슬에 나아가기를 거절했다.
〔三整〕 sānzhěng 명 조직·사상·작풍(作風)의 세 가지를 정돈하는 일.
〔三支两军〕 sānzhī liǎngjūn 좌파를 지지하고, 공업을 지원하며, 농업을 지원해야 하며, 또 군사 관제(管制)·군사 훈련을 실시해야 한다《'文化大革命' 중의 인민 해방군에 대한 요구》.
〔三只手〕 sānzhīshǒu 명 〈方〉 손버릇이 거칠다. 또, 그런 사람. 소매치기.
〔三只眼〕 sānzhīyǎn 명 〈比〉 사물을 투철하게 꿰뚫어보다. 또, 그런 사람.
〔三枝九叶草〕 sānzhī jiǔyècǎo 명 ⇨〔淫yín羊藿〕
〔三指〕 sānzhǐ 명 ⇨〔中zhōng指〕
〔三柱门〕 sānzhùmén 명 《體》 (크리켓 경기에 쓰는) 나무로 만든 작은 삼각문(三脚門). 위킷(wicket).
〔三传〕 Sānzhuàn 명 《書》 춘추(春秋)의 좌씨전(左氏傳)·공양전(公羊傳)·곡량전(穀梁傳).
〔三锥子扎不出血来〕 sān zhuīzi zhābuchū xiělai ①송곳 세 개로 찔러도 피가 안 나온다. ②〈轉〉 동작이 몹시 굼뜨다.
〔三资企业〕 sānzī qǐyè 명 《經》 (외자 도입을 위하여 설립되는) 합변(合辨) 기업·공동 경영 기업·100% 외자 기업의 세 종류.
〔三子〕 sānzǐ 명 ①아이·노인·맹인. ¶出门不惹～; 〈諺〉 집 밖에 나가 어린이·노인·소경 등을 화나게 하는 짓은 하지 마라. ②자식·수염〔장수〕·금전. ¶～不全; 〈諺〉 자식 복이 있고 장수하고 재산도 있는 이 세 박자는 좀처럼 갖추어지기 힘든 법.
〔三字经〕 Sānzìjīng 명 《書》 ①옛날, 글을 처음 배우는 어린이에게 문자를 외우게 하기 위하여 쓴 책. '人之初, 性本善'서 부터 시작하여 '戒之哉, 宜勉力'으로 끝나는 천자 남짓을 삼자구로 한 것. 송(宋)나라의 왕응린(王應麟)이 지었다고 함. ②후세에 '三字经'을 본뜬 책.
〔三自一包〕 sān zì yì bāo 〈成〉 《經》 자류지(自留地)를 많이 남기고, 자유 시장을 많이 설립하며, 자영 기업을 많이 만들어 농업 생산의 임무를 각 집마다 떠맡게 하는 방식.
〔三自运动〕 sānzì yùndòng 명 1950년 7월 애국 운동의 하나로서 일어난 기독교 혁신 운동. '自治, 自养, 自传chuán'(정치적인 외국 지배를 버리고 경제적으로 독립하여 독자적인 전도를 한다)라는 것을 말함.
〔三足鼎立〕 sān zú dǐng lì 〈成〉 세 사람 또는 세 나라가 대립 관계에 있음. 3자(者)가 균형을 이루고 대립하고 있음. =〔三分鼎立〕
〔三族〕 sānzú 명 삼족. ①부·모·아내의 일족. =〔三党〕〔三属〕 ②아버지·아들·손자. ③아버지의 형제. 자기의 형제. 자식의 형제.
〔三尊〕 sānzūn 명 《佛》 불(佛)·법(法)·승(僧).
〔三座大山〕 sānzuò dàshān 명 〈比〉 제국주의·봉건주의·관료자본주의《옛 중국을 지배한 세력》.

弎

sān (삼)
수 '三'의 고체자(古體字)《'弌yī'는 '一'의 고체, '弍èr'는 '二'의 고체》.

叁

sān (삼)
수 '三'의 갖은자(字). =〔参〕

毵(毿)

sān (삼)
→〔毵毵〕

〔毵毵〕 sānsān 형 ①더부룩이 털이 긴 모양. ¶白毛如雪, ～下垂; 흰 털이 눈 같으며 더부룩이 드리워 있다. ②가늘고 긴 모양. ¶杨柳～; 버드나무 가지가 가늘고 길게 늘어져 있다.

伞(傘〈繖, 繖①〉)

sǎn (산)
명 ①우산. ¶一把～; 우산 한 자루/旱～ =〔凉～〕〔阳～〕; 양산/洋～; 박쥐우산/布～; 천을 댄 양산/缩骨～; 접는 우산/打～; 우산을 쓰다/雨后送～; 〈諺〉 비 갠 후의 우산. 행차 후의 나팔. ②우산처럼 생긴 것. ¶降落～; 낙하산/跳～; 낙하산 강하를 하다. ③성(姓)의 하나.
〔伞兵〕 sǎnbīng 명 《軍》 낙하산병. ¶抗～; 낙하산 저격병.
〔伞齿轮〕 sǎnchǐlún 명 《機》 베벨 기어(bevel gear). =〔〈北方〉八bā字轮〕〔角jiǎo尺牙(齿)〕〔〈廣〉菊jú花牙轮〕〔〈南方〉盆pén子牙〕〔斜xié齿轮〕〔圆yuán锥(形)齿轮〕
〔伞房花序〕 sǎnfáng huāxù 명 《植》 산방꽃차례. 산방(繖房) 화서.
〔伞盖旗扇〕 sǎn gài qí shàn 옛날, 장례식·혼례의 행렬 또는 왕공(王公)의 행차에 쓰이는 우산·천개(天蓋)·기·큰 부채.
〔伞铺〕 sǎnpù 명 우산 가게.
〔伞塔〕 sǎntǎ 명 낙하산 강하 연습탑.
〔伞条〕 sǎntiáo 명 우산의 살.
〔伞形花序〕 sǎnxíng huāxù 명 《植》 산형꽃차례.

산형(繖形) 화서.

〔伞帐〕 sǎnzhàng 명 천장에 매달아 놓은 우산 모양의 모기장.

〔伞子盐〕 sǎnziyán 명 '井jǐng盐'으로, 알이 크고 가운데가 불긋 올라와 우산을 펼친 것 같은 모양의 소금.

散 sǎn (산)

①동 느슨해지다. 흐트러지다. 뿔뿔이 되다. 풀어지다. 분산하다. ¶松～; 느슨해지다/～着头发; 봉두난발로/绳子～了; 새끼가〔끈이〕 풀어졌다/队伍走～了; 대오가 흐트러졌다/行李没打好, 都～了; 짐이 꼭 묶여 있지 않아서 다 풀어졌다/队伍前后靠拢, 不要走～了; 대열의 전후의 간격을 좁혀서, 걸어가는 사이에 흩어지지 않도록 해야 한다. ②동 해체하다. ¶这把椅子～了; 이 의자는 분해됐다. ③동 해산하다. ¶戏班～了; 극단이 해산됐다. ④형 흩어진. 분산된. ¶～居的少数民族; 산재하여 거주하는 소수 민족. ⑤명 가루(약). ¶丸～; 환약(丸藥)과 산약(散藥)/刷牙～; 치마분(齒磨粉)/胃～; 위산. ⑥명 성(姓)의 하나. ⇒sàn

〔散板〕 sǎnbǎn 명 《樂》 중국 음악에서 큰 조곡(組曲)의 앞뒤에 연주되는 자유로운 곡. 동 단결이 안 되고 뿔뿔이 흩어지다. ¶领导不热心, 群众自然就～了; 지도자가 열심이 아니면, 대중도 자연히 흩어지게 된다.

〔散包〕 sǎn∥bāo 동 ①(달아 팔기의 일종으로) 적당량을 포장해 놓고 팔다. ②포장한 것이 (풀어져서) 흩어지다.

〔散兵〕 sǎnbīng 명 《軍》 ①정식으로 편입되지 않은 임시병. ②도망쳐 뿔뿔이 흩어진 병사. ¶～游勇; 〈成〉 ⓐ지휘에서 벗어나 흩어진 병사. ⓑ집단에 속하지 않고 독자적으로 행동하는 사람. ③산개(散開)한 군사. ¶～线; 산병선. ⇒sànbīng

〔散材〕 sǎncái 명 ⇨〔散木〕

〔散草〕 sǎncǎo 명 휘갈겨 쓴 초서. =〔飞草〕

〔散茶〕 sǎnchá 명 잎차.

〔散车〕 sǎnchē 명 탈 손님을 찾아 돌아다니는 차.

〔散处〕 sǎnchǔ 동 〈文〉 분산되어 있다. ¶～各地; 각지에 분산되어 있다.

〔散船〕 sǎnchuán 명 승합선(乘合船). ¶搭dā～; 승합선에 타다.

〔散床〕 sǎnchuáng 명 여관의 큰 방의 침상.

〔散淡〕 sǎndàn 동 〈古白〉 빈둥거리며 돌아다니다. 한가로이 산책하다. =〔散荡〕

〔散单〕 sǎndan 명 (요리 재료로서의) 소나 양의 위《유문(幽門) 부분》. =〔散丹〕

〔散荡〕 sǎndàng 동 ⇨〔散淡〕

〔散地〕 sǎndì 명 한가로운 지위. 한직(閑職). ¶他有将相全才, 不宜置之～; 그는 장군과 재상으로서 완벽한 재능을 갖고 있으므로, 한직에 두어서는 안 된다.

〔散动〕 sǎndòng 동 울려 퍼지다. 울리다.

〔散夫〕 sǎnfū 명 허드렛일(꾼).

〔散工〕 sǎngōng 명 ①임시 고용인. =〔短工〕 ②어중간한 일. 임시로 하는 일. ⇒sàngōng

〔散股〕 sǎngǔ 명 《經》 단주(端株).

〔散官〕 sǎnguān 명 산관. 옛날, 명목뿐이고 실제의 직무가 없는 관리. =〔散秩〕

〔散光〕 sǎnguāng 명 ①《物》 불규칙한 사광(射光). 산광. =〔漫射光〕 ②〈俗〉 난시(亂視). ¶～眼镜; 난시용 안경. ⇒sànguāng

〔散逛〕 sǎnguàng 동 빈들빈들 놀다. 어정거리다. 산책하다. ¶天气这么好, 上哪儿～～去吧; 날씨가 이렇게 좋으니 어디 놀러〔슬슬 산책하러〕 갈까.

〔散行〕 sǎnháng 명 산문체의 편지.

〔散话(儿)〕 sǎnhuà(r) 명 잡담. 한담. =〔闲xián话〕

〔散活〕 sǎnhuó 명 자잘한 일. 허드렛일.

〔散和〕 sǎnhuo 동 〈俗〉 어슬렁어슬렁 걷다.

〔散剂〕 sǎnjì 명 ⇨〔散药〕

〔散家〕 sǎnjiā 명 (마작에서) 선(先)인 동가(東家) 이외의 남가(南家)·서가(西家)·북가(北家)의 일컬음.

〔散架〕 sǎn∥jià 동 ①(조립(組立)한 것·조직 등이) 해체되다. 허물어지다. ¶工厂～了工人怎么办? 공장이 해산되면 노동자는 어떻게 하느냐? ②녹초가 되다. 거덜거덜하다. 사지(四肢)가 풀리다. ¶今天走得像散了架了; 오늘은 걸어서 녹초가 되었다.

〔散居〕 sǎnjū 동 분산해서 거주하다. ¶～职工; 관사·사택 등에 살지 않는 직원·노동자.

〔散裤脚(儿)〕 sǎnkùjiǎo(r) 명동 바지의 단을 접지 않음〔않고 두다〕.

〔散矿〕 sǎnkuàng 명 충적(沖積) 광물.

〔散郎〕 sǎnláng 명 ⇨〔员yuán外郎〕

〔散路灯〕 sǎnlùdēng 명 가로등.

〔散落〕 sǎnluò 형 푸석푸석하다. 끈기가 없다. ⇒sànluò

〔散漫〕 sǎnmàn 형 ①제멋대로이다. 칠칠치 못하다. 방만하다. ¶生活～; 생활이 방만하다. ②통일〔정돈〕이 안 되어 있다. 분산되어 있다. 산만하다.

〔散木〕 sǎnmù 명 〈文〉 소용에 닿지 않는 나무. =〔散材〕

〔散票〕 sǎnpiào 명 《劇》 일반석〔보통석〕 입장권.

〔散钱〕 sǎnqián 명 푼돈.

〔散曲〕 sǎnqǔ 명 산곡《원(元)·명(明)·청대(清代)에 유행한 대사가 들어가지 않은 곡으로 '小令'과 '散套'의 2종류가 있음》.

〔散人〕 sǎnrén 명 〈文〉 쓸모없는 사람. ⇒sàn∥rén

〔散散落落〕 sǎnsǎnluòluò 형 푸석푸석〔꾸들꾸들〕한 모양. ¶这粥里的米粒～的; 이 죽의 쌀알은 푸석푸석하다〔끈기가 없다〕.

〔散散漫漫〕 sǎnsǎn mànmàn 형 흩어져 있다《'散漫'의 중첩형(重疊形)》.

〔散沙〕 sǎnshā 명 흩어진 모래. 〈轉〉 단결되지 않음. ¶一盘～; 한 접시의 흩어진 모래《단결되지 않은 상태》.

〔散射〕 sǎnshè 명 《物》 ①(빛의) 난반사. ②(빛의) 산란. ③(음파의) 난반사. =〔乱luàn反射〕

〔散生日〕 sǎnshēngrì 명 해마다 돌아오는 생일. =〔小生日〕

〔散声〕 sǎnshēng 명 《樂》 개방음《현악기의 현을 누르지 않고 나는 소리》.

〔散碎银〕 sǎnsuìyín 명 잔 은(銀) 알갱이.

〔散套〕 sǎntào 명 산투《'散曲'의 하나. 같은 '宫调'의 약간의 곡으로 이루어진 조곡(組曲)》.

〔散特宁〕 sǎntèníng 명 〈音〉 ⇨〔山shān道年〕

〔散腿裤〕 sǎntuǐkù 명 어린이용의 엉덩이가 뚫린 바지. =〔开裆裤〕

〔散文〕 sǎnwén 명 ①('韵yùn文'에 대하여) 보통의 문장. 산문. ¶～诗shī; 산문시. =〔平píng文〕 ②'杂zá文'(잡문), '随suí笔'(에세이, 수필) 이나 '特tè写'(르포르타주풍(風)의 문장).

〔散心〕 sǎn∥xīn 동 마음이 뿔뿔이 흩어지다. ⇒sàn∥xīn

〔散学〕 sǎnxué 동 ①스승에게서나 또는 학교에서 정식으로 배우지 못하고 불규칙적으로 배우다. ¶我这个日本话是～的; 나의 이 일본어는 정식으로 공부한 것이 아니다. ②들은 풍월로 안다. ⇒sàn.xué
〔散学馆〕 sǎnxuéguǎn ⇨〔私sī塾〕
〔散言碎语〕 sǎn yán suì yǔ 〈成〉 여러 가지 세상 이야기. 정리된 사상이 없는 이야기.
〔散药〕 sǎnyào 명 산제. 가루약. =〔散剂〕〔药面〕
〔散要〕 sǎnyào 동 (요릿집 따위에서 한 상(床)이 아니고) 한 가지씩 주문하다. 조금씩 구하다.
〔散页〕 sǎnyè 명 철하지 않은 낱장의 종이.
〔散语〕 sǎnyǔ 명 단편적인 어귀. 자질구레한 이야기.
〔散员〕 sǎnyuán 명 산원. 실무를 담당하지 않은 임원.
〔散载〕 sǎnzài 동 뱃짐을 낱짐으로 싣다.
〔散职〕 sǎnzhí 명 산직. 일정한 직무가 없는 벼슬.
〔散帙〕 sǎnzhì 동 〈文〉 산질하다. 질로 된 서적의 한 부분이 딴 곳에 흩어지다.
〔散秩〕 sǎnzhì 명 ⇨〔散官〕
〔散住〕 sǎnzhù 동 여기저기 흩어져서 살다.
〔散装〕 sǎnzhuāng 명 포장하지 않고 파는 것. 그릇에 담지 않고 파는 것. ¶～水果糖; (포장하지 않고) 풀어서 파는 드롭스 / ～啤酒; (병포장이 아닌) 잔(으로 파는) 맥주. 동 꾸리지 않고 그대로 쌓다〔싣다〕. 산적(散積)하다.
〔散卒〕 sǎnzú 명 〈文〉 패잔병.
〔散坐〕 sǎnzuò 동 ①(자리 순서 따위에) 상관하지 않고 자유롭게 앉다. ②(연회에서 식사가 끝나고) 식탁을 떠나 딴 자리에 앉다. ¶～吧; 자, 이쪽 자리로 옮깁시다.
〔散座(儿)〕 sǎnzuò(r) 명 ①(극장 등의) 보통석. ↔〔包厢〕 ②뜨내기 손님. ¶拉包月或～就没多大关系了《老舍 駱駝祥子》; 월정(月定) 계약(契約)의 손님을 끌건 뜨내기 손님을 끌건 그것은 그리 큰 문제가 아니다. ③연회가 끝나 손님이 자리를 뜸. ④요릿집 등에서 홀에 놓여져 있는 자리.
〔散做〕 sǎnzuò 동 임시로 고용되다〔되어 일하다〕.

馓(饊) sǎn (산)
→〔馓子〕

〔馓子〕 sǎnzi 명 〈方〉 꽈배기.

糁(糝) sǎn (삼)
명 밥알.
⇒shēn

散 sàn (산)
동 ①흩어〔헤어〕지다. 분산하다. 해산하다. ¶花儿～了; 꽃이 흩어졌다〔떨어졌다〕 / 云彩～了; 구름이 흩어졌다 / 人都～了; 사람들이 모두 흩어져 갔다 / 四～奔bēn走; 뿔뿔이 흩어져 달아나다. ②(흩)뿌리다. 도르다. 나누어 주다. ¶～骨; 해상에 뼛가루를 뿌리다〔뿌리는 장례〕 / ～传单; 전단을 뿌리다 / ～发给大家; 모두에게 도르다 / 未尝～过生日征文的帖子; 이제까지 생일 축하문을 받을 회장(回章)을 돌린 일이 없다. ③〈方〉 해고하다. ¶我把他～了; 나는 그를 해고했다. ④뿌리〔물리〕치다. ⑤분리하다. 따로따로 헤어지다. ⑥파하다. (흥행 따위가) 끝나다. ¶衙门～了; 관공서가 파했다 / 电影刚～; 영화가 방금 끝났다. ⑦중지하다〔되다〕. 망치다. 그만두다. ¶明天的约会儿去不了, ～了吧; 내일 약속에는 가지 못하겠으니까 그만둡시다 / 他的事情～了; 그의 일은 엉망이 되었다. ⇒sǎn
〔散班〕 sàn.bān 동 ①극단을 해산하다. 단체가 분산하다. ②팀을 해체하다. ③ ⇨〔散值〕
〔散兵〕 sànbīng 명 해산된〔제대한〕 군인. ⇒sǎnbīng
〔散播〕 sànbō 동 흩뿌리다. 퍼뜨리다. ¶～种子; 씨를 뿌리다 / ～谣言; 유언비어를 퍼뜨리다.
〔散布〕 sànbù 동 (흩)뿌리다. 살포하다. 흩어지다. ¶～杀虫粉; 살충제를 뿌리다 / ～谣言; 유언비어를 퍼뜨리다 / ～传单; 전단을 뿌리다.
〔散步〕 sàn.bù 동 산보하다. 산책하다. ¶晚饭后在公园里散散步; 저녁 식사 후 공원에서 산책하다.
〔散策〕 sàncè 동 〈文〉 산책하다. 산보하다.
〔散场〕 sàn.chǎng 동 연극·영화의 하루 흥행이 끝나다.
〔散朝〕 sàncháo 동 옛날, 천자가 집정전(執政殿)에서 물러나오다.
〔散档〕 sàn.dàng 동 뿔뿔이 흩어지다. 갈라서다. ¶这婚姻只维持了几个月便～了; 이 결혼은 불과 몇 개월 지속되다가 서로 갈라섰다.
〔散队〕 sàn.duì 동 ①대열을 해산하다. ②헤쳐! 해산!《구령》.
〔散发〕 sànfā 동 ①뿌리다. 도르다. 배포하다. ¶～印刷品; 인쇄물을 배포하다 / ～传单; 전단을 뿌리다. ②발산하다. 내뿜다. ¶～着臭气; 악취를 발산하다. ⇒sàn.fà
〔散发〕 sàn.fà 동 ①(풀어) 산발하다. ¶披头～; 머리를 풀어 헤치다. ②〈文〉 관을 벗다. 〈轉〉 은퇴하다. 은거하다. ⇒sànfā
〔散放〕 sànfàng 동 나누어 주다. ¶～棉衣; 솜옷을 나누어 주다.
〔散风〕 sàn.fēng 동 분위기를 흩뜨리다.
〔散福〕 sàn.fú 동 제물을 음복(飲福)하다. 제물을 나누다. ¶待我还了愿, 请老爷散了福《西遊記》; 소원 성취를 빌고 난 다음에 주인 나리한테 제물을 나누어 달라고 하자.
〔散工〕 sàn.gōng 동 ①직공을 해고하다. ②일이 끝나다. ⇒sǎngōng
〔散光〕 sànguāng 명 《天》 태양 흑점. 솔라 스폿(solar spots). ⇒sǎnguāng
〔散哄〕 sànhòng 동 ⇨〔散sàn伙〕
〔散花〕 sànhuā 명 지는 꽃. 동 ①꽃잎을 뿌려서 부처에게 올리다. ②〈比〉 실패하다.
〔散涣〕 sànhuàn 형 〈文〉 산란하다. 무질서하다.
〔散会〕 sàn.huì 동 산회하다. (sànhuì) 명 산회.
〔散伙〕 sàn.huǒ 동 ①동아리 관계를 풀다. (단체·그룹이) 해산하다. ¶打完了一个足球季便散了伙; 축구의 한 시즌이 끝나 팀을 해산했다. ②거래를 그만두다. ‖ =〔散哄〕
〔散开〕 sànkāi 동 ①나누다. 흐트러뜨리다. ②헤어지다. 흩어지다. ¶云彩～了; 구름이 흩어졌다. ③《軍》 산개하다. ④(체조의) 대형으로 벌려!《구령》. ⑤비키다. 물러나게 하다.
〔散乱〕 sànluàn 형 산란하다. 흩어져 있다.
〔散落〕 sànluò 동 ①흩어져 떨어지다. ¶花～了一地; 꽃이 땅에 가득히 떨어졌다. ②분산되다. 흩어지다. ¶草原上～着很多牛羊; 초원에는 많은 소와 양이 흩어져 있다. ③산산조각나다. 흩어져 없어지다. ¶惜其事迹～; 그 사적이 산산조각으로 흩어지는 것을 애석해하다. ⇒sǎnluò
〔散闷(儿)〕 sàn.mèn(r) 동 (우울한) 기분을 후련하게 하다. 기분을 풀다.
〔散亲〕 sàn.qīn 동 ①이혼하다. ②파혼하다.
〔散热器〕 sànrèqì 명 《機》 라디에이터(radiator).

방열기. ¶冷却液～; (자동차의) 라디에이터. 냉각액 방열기. =〔放热器〕
〔散人〕 sàn·rén 동 해직하다. 해고하다. ⇒sǎnrén
〔散散儿〕 sànsanr 동 ①분산하다. 흩어지다. ②기분을 풀다〔전환시키다〕. =〔散散心〕 ③산책하다.
〔散散停停〕 sànsantíngtíng 형 하는 일 없이 한가로운 모양.
〔散散心〕 sànsan xīn '散心'(시름을 풀다. 기분 전환을 하다)의 중첩형(重疊形). =〔散散儿②〕
〔散失〕 sànshī 동 ①산일(散逸)하다〔시키다〕. 산실되다. ②(수분 따위가) 기화하다. 증발하다.
〔散水〕 sànshuǐ 명 《建》 토담 밖과 도랑 사이의 작은 빈터(빗물에 의한 지반의 파괴를 위함). (sàn·shuǐ) 동 〈比〉 뿔뿔이 흩어지다. 도망치다. ¶这十多个大汉闹事后～; 이십여 명의 사나이들은 한바탕 소란을 피우고 나서 도망쳤다 / 发出警告, 通知～; 경고를 하여 해산하도록 통지하다.
〔散台〕 sàn·tái 동 ⇨〔散戏〕
〔散摊(子)〕 sàn·tān(zi) 동 ①(공동 생활을 하던 사람이) 생활을 따로따로 하다. ②(단체를 이루던 사람이) 조직을 해산하다.
〔散戏〕 sàn·xì 동 (연극의) 종연(終演)이 되다. 공연이 끝나다. =〔散台〕
〔散心〕 sàn·xīn 동 기분을 달래다. 기분 전환을 하다. ¶到公园走走散散心吧; 공원에 가서 걸으면서 기분을 좀 전환시키자. ⇒sǎn·xīn
〔散学〕 sàn·xué 동 ①학교가 파하다. ②방학하다. ⇒sǎnxué
〔散衙〕 sànyá 동 옛날, 관아가 파하다. 관청의 시무가 끝나다.
〔散烟〕 sànyān 동 ①(근무 따위를) 그만두다. ②동료 관계를 해소하다. 해산하다.
〔散盐〕 sànyán 명 막소금. 굵은 소금.
〔散轶〕 sànyì 동 〈文〉 산일하다.
〔散值〕 sànzhí 동 옛날, 벼슬아치가 숙직을 끝내고 퇴근하다. =〔散班③〕
〔散置〕 sànzhì 동 흩뜨려〔배치하여〕 놓다.
〔散众〕 sànzhòng 동 여러 사람에게 재물을 나누어 주다.

SANG ㄙㄤ

丧(喪〈䘮〉)

sāng (상) 명 초상. 죽은 사람에 관한 일. ¶报～; 사망을 통지하다. 부고하다 / 吊～; 조문하다 / 治～; 장례를 치르다 / 不见～不掉泪; 따끔한 꼴을 겪어 보지 않고서는 모른다. ⇒sàng
〔丧榜〕 sāngbǎng 명 ⇨〔殃yāng书〕
〔丧殡〕 sāngbìn 명 장의(葬儀). ¶吴将军的～有一里多长; 오장군의 장례 행렬은 1리 남짓이나 이어졌다.
〔丧车〕 sāngchē 명 영구차.
〔丧费〕 sāngfèi 명 장례 비용.
〔丧服〕 sāngfú 명동 〈文〉 상복(을 입다). ¶～远, 不必穿孝袍子, 系jì个白带子就行了; 먼 친척이니까 흰 상복은 입지 않아도 좋고, 흰 띠만으로 충분하다. =〔〈文〉 哀āi衣〕
〔丧祭〕 sāngjì 명 ①매장 후에 하는 의식. ¶葬前之祭谓之奠diàn, 葬后之祭谓之～; 매장 전의 의식을 '奠'이라 하고, 매장 후의 의식을 '丧祭'라 한다. ②상례와 제사.
〔丧家〕 sāngjiā 명 상가. 초상집. ¶见着～得说两句吊慰话; 상가 사람을 만나면 몇 마디 조문하는 말을 해야 한다. ⇒sàngjiā
〔丧家头〕 sāngjiātóu 명 ⇨〔丧头〕
〔丧假〕 sāngjià 명 복상(服喪) 휴가.
〔丧居〕 sāngjū 명동 거상중의 생활(을 하다). ¶～家中, 日以读书为消遣; 거상중이라 집에 들어박혀, 매일 독서로 소일한다. 명 거상중의 주거. ¶～上海成都路111号; 거상중의 주거는 상하이(上海) 청두로(成都路) 111호이다.
〔丧具〕 sāngjù 명 ⇨〔丧器〕
〔丧礼〕 sānglǐ 명 장례 예식. 상례.
〔丧乱〕 sāngluàn 명 〈文〉 집안에 초상이 있어 북적거리는 일. ¶他家里有～, 不好去打搅; 그의 집에는 초상이 나서 북적거리고 있으니, 가서 방해하는 것은 좋지 않다. 형 (나라 따위가) 어지럽다. ¶国家在这～的时候, 还谈得上什么个享受呢; 나라가 이렇게 어지러운 때에 개인의 이익 같은 게 문제가 되느냐.
〔丧盆儿〕 sāngpénr 명 출관할 때, 상주가 깨는 질그릇 사발. ¶丧主儿没儿子, 就得从族里认个摔～的; 고인에게 자식이 없을 때에는, 친족 중에서 대신 질그릇 사발을 땅바닥에 던져 깨어야 한다.
〔丧棚〕 sāngpéng 명 장례식용의 가건물〔천막〕. ¶办喜事得搭喜棚, 办丧事得搭～; 잔치 때에는 '喜棚'을 세워야 하고, 장례 때에는 '丧棚'을 세워야 한다.
〔丧器〕 sāngqì 명 상구. 장구(葬具). ¶大夫说不行了, 叫杠房把～送来吧; 의사가 안 되겠다고 말했으니, 장의사에 장례 도구를 가져오라고 해라. =〔丧具〕
〔丧声嚎气〕 sāngshēng háoqì 초상이라도 난 것같이 우는 것. ¶好好的成天～《紅樓夢》; 온종일 초상이라도 난 것처럼 대성 통곡했다.
〔丧事〕 sāngshì 명 초상. 장의. 장례. ¶办～; 장사를 지내다 / 他家里有～, 明天我得给帮忙去; 그의 집에 초상이 났으니, 내일은 거들러 가야 한다.
〔丧条子〕 sāngtiáozi 명 출관 일시(出棺日時) 따위를 적어서 문에 붙이는 팻말.
〔丧帖子〕 sāngtiězi 명 사망 통지서. 부고(訃告). ¶送～; 부고를 보내다 / 你快挨家挨户把～送出去吧! 너 빨리 부고장을 한집한집 돌려라.
〔丧头〕 sāngtóu 명 상을 입은 자가 조문자에게 하는 배례. ¶～满街流; 〈諺〉 부모나 남편이 죽으면 잔뜩 고개를 숙여야한다. =〔丧家头〕〔孝xiào头〕
〔丧葬〕 sāngzàng 명동 상장(을 치르다). ¶～费; 장례 비용.
〔丧钟〕 sāngzhōng 명 (교회에서) 장례식 때 치는 종. 〈轉〉 사망. 멸망.
〔丧种〕 sāngzhǒng 명 〈俗〉 ⇨〔丧主〕
〔丧主〕 sāngzhǔ 명 상주. =〔〈俗〉 丧种〕

桑

sāng (상) 명 ①뽕나무. ②성(姓)의 하나. ¶～丘; 복성(複姓)의 하나.
〔桑巴(舞)〕 sāngbā(wǔ) 명 《舞》 〈音〉 삼바(samba)춤. =〔姗巴(舞)〕
〔桑白皮〕 sāngbáipí 명 〈簡〉 '桑根白皮'의 약칭 (코르크층(層)을 제거한 뽕나무의 흰 뿌리 껍질. 약용됨).

〔桑梆〕 sāngbang 형 ⇨〔桑棒〕
〔桑棒〕 sāngbang 형 ①(사물이) 굳어 있다. (천 따위가) 빳빳하다. ¶这号布挺～; 이 종류의 천은 매우 빳빳하다. ②(표정이) 굳어 있다. ¶今儿你怎么这么～, 有什么不顺心的事吗? 오늘 너 왜 이렇게 골이 나 있느냐, 뭐 마음에 안 드는 일이라도 있는 거냐? ③(표정을) 딱딱하게 하다. ‖＝〔桑梆〕
〔桑蚕〕 sāngcán 명《蟲》누에. ＝〔家jiā蚕〕
〔桑草〕 sāngcǎo 명《植》뽕모시풀. ＝〔水蛇麻〕
〔桑(尺)蠖〕 sāng(chǐ)huò 명《蟲》자벌레. ＝〔桑搭〕
〔桑畴〕 sāngchóu 명〈文〉뽕밭.
〔桑搭〕 sāngdā 명 ⇨〔桑(尺)蠖〕
〔桑地〕 sāngdì 명 뽕밭.
〔桑蠹〕 sāngdù 명 ⇨〔天tiān牛〕
〔桑耳〕 sāng'ěr 명《植》뽕나무에 나는 '木mù耳' (목이버섯)
〔桑飞〕 sāngfēi 명《鳥》굴뚝새.
〔桑干河〕 Sānggānhé 명《地》산시 성(山西省) 북부에서 동류하여 허베이 성(河北省)으로 흘러들어가는 '永定河'의 별칭(보통 베이징(北京)보다 상류 부분을 상건하(桑乾河)라 부르고, 베이징보다 하류를 영정하(永定河)라 함).
〔桑根〕 sānggēn 명 ⇨〔蜻qīng蜓〕
〔桑雇〕 sānggù 명 ⇨〔桑扈〕
〔桑果〕 sāngguǒ 명《植》상과(오디나 파인애플같이 즙액이 많은 복과(複果)).
〔桑扈〕 sānghù 명《鳥》밀화부리. ＝〔桑雇gù〕
〔桑黄〕 sānghuáng 명 ⇨〔胡hú孙眼〕
〔桑给巴尔〕 Sāngjǐbā'ěr 명《地》〈音〉잔지바르(Zanzibar)(아프리카에 있던 공화국 이름. 1964년 탕가니카와 합병하여 탄자니아 연합 공화국을 결성).
〔桑寄生〕 sāngjìshēng 명《植》뽕나무겨우살이. 상(상) 기생목. ＝〔桑上寄生〕
〔桑间濮上〕 sāng jiān pú shàng〈成〉음탕한 지방. ¶～之音, 亡国之音也《禮記》; 상간이나 복상 근처의 음악은 망국의 음악이다. ＝〔桑濮〕
〔桑鸠〕 sāngjiū 명 ⇨〔布bù谷(鸟)〕
〔桑蜡虫〕 sānglàchóng 명《蟲》뽕명충나방.
〔桑门〕 sāngmén 명 ⇨〔沙shā门〕
〔桑螟〕 sāngmíng 명《蟲》뽕명충나방.
〔桑木扁担〕 sāngmù biǎndan 명 ①뽕나무로 만든 멜대. ②〈比〉곧고 바른 사람. 반듯한 사람.
〔桑拿浴〕 sāngnáyù 명〈音〉사우나. ¶～室; 사우나탕.
〔桑牛〕 sāngniú 명《蟲》하늘소. ＝〔桑蠹dù〕〔天牛〕
〔桑皮纸〕 sāngpízhǐ 명 뽕나무 껍질을 원료로 한 튼튼한 종이.
〔桑螵蛸〕 sāngpiāoxiāo 명《漢醫》버마재비류의 알집(한방약으로 쓰임).
〔桑濮〕 sāngpú 명〈簡〉⇨〔桑间濮上〕
〔桑丘〕 Sāngqiū 명 복성(複姓)의 하나.
〔桑葚(儿, 子)〕 sāngrèn(r, zi)〔sāngshèn(r, zi)〕 명〈口〉오디. ＝〔桑椹(儿, 子)〕
〔桑筛〕 sāngshāi 명 뽕(잎)을 넣는 바구니.
〔桑上寄生〕 sāngshàng jìshēng 명 ⇨〔桑寄生〕
〔桑黮〕 sāngshèn 명《植》뽕나무 열매. 오디.
〔桑树〕 sāngshù 명《植》뽕나무.
〔桑田〕 sāngtián 명 상전. 뽕나무밭. ¶～变成海; 시세(時世)의 변화가 심한 모양. 상전 벽해(桑田碧海).
〔桑叶〕 sāngyè 명 뽕잎.
〔桑蝇〕 sāngyíng 명《蟲》누에구더기.
〔桑榆暮景〕 sāng yú mù jǐng〈成〉①저녁때가 되어 해가 서쪽 뽕나무나 느릅나무에 걸리다. ②서쪽. ③만년. 노년. ¶人到了～, 还贪图什么呢? 늘그막에 욕심을 부려서 뭘 할 거냐?
〔桑枝〕 sāngzhī 명 뽕나무의 가지(한방약으로 쓰임).
〔桑中〕 Sāngzhōng 명 시경(詩經)의 편명(篇名)(위(衛)나라 왕실의 음란을 풍자한 것). ¶～喜; 남녀간의 불의의 쾌락.
〔桑中之约〕 sāng zhōng zhī yuē〈成〉남녀의 밀회·간통.
〔桑梓〕 sāngzǐ 명〈文〉고향. 향리. ¶～情殷; 고향을 생각하는 정이 두텁다 / 他这种行径, 哪能说是有功于～; 그의 이와 같은 행동은 결코 고향에 대해 공적이 있다고는 말할 수 없다.

搡 sǎng (상)
동〈方〉①밀다. 밀치다. ¶用力一～; 힘껏 밀다 / ～出去; 밖으로 밀어 내다. 밀쳐 내다 / 推推～～ ＝〔连推带～〕; 밀치락달치락하다 / 把他～了个跟头; 그를 밀어서 넘어뜨렸다 / 他把一大堆破报纸全～给我了; 그는 헌 신문더미를 내게 전부 들이밀었다. ②받침대를 대다. 버티다. ¶～上一根柱子; 기둥 하나로 받치다.

嗓 sǎng (상)
명 ①목(구멍). ②(～儿) 목소리. ¶尖～; 새된 소리 / 哑～儿; 쉰 목소리 / 本～(儿); 제 목소리. 본래의 목소리.
〔嗓门(儿)〕 sǎngmén(r) 명 목(구멍). 〈轉〉목소리. ¶大～; 큰 목소리 / 说话的～也很大; 말하는 목소리도 매우 크다 / 粗～; 굵은 목소리 / 李丽爱好音乐, 有一副好～; 이려는 음악을 좋아하며 좋은 목소리를 갖고 있다.
〔嗓窝子〕 sǎngwōzi 명 목의 아래쪽의 우묵한 곳. ¶我～痒痒, 给我一口水润一润; 목구멍이 근질거리니, 물 한 모금만 다오, 목 좀 축이게.
〔嗓音〕 sǎngyīn 명 ①음성. 목소리. ¶～很清亮; 음성이 아주 맑고 곱다 / ～沙哑; 목이 쉬다. ②《電》노이즈(noise). 잡음.
〔嗓子〕 sǎngzi 명 ①목(구멍). ¶闹～; 목구멍을 앓다 / ～冒烟儿; 목구멍에서 연기가 나오다. 〈比〉목이 칼칼하다 / ～干燥了 ＝〔口渴了〕〔嘴干了〕; 목이 마르다 / ～喊干了; (너무 고함을 질러) 목이 쉬었다 / 害了～了; 목을 상하게 했다 / 润润～; 목을 축이다 / ～眼儿通屁股眼儿的人; 목구멍부터 똥구멍까지 뚫린 사람. 〈比〉솔직해서 숨기지 못하는 사람. ②목청. 목소리. ¶～好; 좋은 목청이다 / ～脆; 목소리가 낭랑하다 / 沙～; 목쉰 소리 / 尖着～骂; 새된 목소리로 욕지거리하다 / ～赛叫驴; 〈比〉목소리가 매우 크다.

磉 sǎng (상)
(～子) 명 토대석(土臺石). 지주석(支柱石). 주춧돌.

颡(顙) sǎng (상)
명〈文〉이마. ＝〔脑门子〕

丧(喪〈丧〉) sàng (상)
①동 상실하다. (목숨·입장·정신 따위를) 잃다. ¶～了命; 목숨을 잃었다 / ～良心的钱; 부정한 돈 / ～尽天良; ⇩ ②형〈俗〉운이 나쁘다. ¶今天真～; 오늘은 아주 운이 나쁘다. ③동 낙담하다. ⇒sāng
〔丧邦子〕 sàngbāngzi 동 왁자지껄하게 떠들다.

떠들어 대다. ¶喂! 叫他别老在这儿～! 이봐! 저 놈더러 자꾸 여기서 떠들지 말라고 해라!
〔丧谤〕 sàngbang 형 완강하다. 살벌하다. ¶凭píng他怎么～, 还是温存和气《紅樓夢》; 그 사람 쪽에서 아무리 완강하더라도 (이쪽은) 역시 온화한 태도로 대한다.
〔丧打〕 sàngda 동 〈俗〉 ①딱딱거리다. 윽박지르다. ¶你得好好儿地说, 别～; 상냥하게 말을 해라. 딱딱거리지 말고. ②역습하다. ¶我好心劝你, 你倒～起来了; 내가 호의로 충고하는데 너는 반박을 하는 거냐.
〔丧胆〕 sàng∥dǎn 동 간이 떨어지다. 혼비백산하다. ¶铁道游击队威震山东, 使日寇闻名～; 철도 유격대는 맹위를 산둥 성(山東省)에 떨쳐서 일본 침략군의 간담을 서늘하게 했다/晚上拉警报, 让人听了真有点～; 밤중에 경보가 울리면 정말 깜짝 놀라게 된다/你碰了这么一个小钉子, 怎么就～失志了呢! 真不够丈夫气; 너는 어찌 이만한 일로 낙심하느냐! 정말 대장부답지 못하다.
〔丧胆游魂〕 sàng dǎn yóu hún 〈成〉 혼이 나가다. 허둥지둥하다. ¶大家只是那么默默的, ～的, 慢慢的走《老舍 四世同堂》; 모두 묵묵히 정신 나간 것처럼 느릿느릿 걷고 있다.
〔丧地辱国〕 sàng dì rǔ guó 〈成〉 영토를 잃고 국위를 실추하다.
〔丧掉〕 sàngdiào 동 잃다. 없애다. ¶为了打这场官司, ～了不少房产田地; 이 소송 때문에 적잖이 집과 논밭을 잃었다.
〔丧魂落魄〕 sàng hún luò pò 〈成〉 ①대단히 놀라다. ②혼비백산하다. ‖ =〔丧魂失魄〕 注 '失魂落魄'의 '魄'은 pò, bò의 어느 쪽으로 읽어도 상관없음.
〔丧家〕 sàngjiā 동 파산하다. ¶这件事可真不小, 闹得他～败产; 이 사건은 정말 커서 그 바람에 그는 가산을 탕진했다. ⇒sāngjiā
〔丧家(之)狗〕 sàng jiā (zhī) gǒu 〈成〉 상갓집 개 《뜻을 얻지 못해 떠도는 사람. 또는 의지할 곳 없는 사람》. =〔丧家之犬quǎn〕
〔丧尽〕 sàngjìn 동 완전히 잃어버리다. ¶他是～了天良的人, 还找他干吗má? 그는 완전히 양심을 잃은 인간인데, 그를 찾아가서 어쩌자는 거냐?
〔丧尽天良〕 sàng jìn tiān liáng 〈成〉 양심을 모두 잃다. 양심이 손톱만큼도 남지 않다. =〔丧尽良心〕
〔丧沮〕 sàngjǔ 동 〈文〉 의기소침해지다.
〔丧门话〕 sàngménhuà 명 재수없는〔불길한〕 말.
〔丧门神〕 sàngménshén 명 역귀(疫鬼). 역병(疫病)을 가져오는 귀신. 가난을 가져온다는 귀신.
〔丧门星〕 sàngménxīng 명 〈罵〉 재액(災厄)을 일으키는 놈. 재수없는 놈.
〔丧名〕 sàngmíng 동 성망(聲望)을 잃다. ¶这是～的事我怎么能做呢? 이 불명예스러운 일을 내가 어떻게 하느냐?
〔丧明〕 sàngmíng 동 ①실명하다. ¶他～多年了; 그는 실명한 지 여러 해 된다. ②〈比〉 자식을 잃다. ¶～之痛; 자식을 잃은 슬픔.
〔丧命〕 sàng∥mìng 동 목숨을 잃다. 죽다. ¶人人都劝他别为了色而～; 사람들은 그에게 여색 때문에 목숨을 잃지 않도록 충고했다. =〔丧生〕
〔丧偶〕 sàng'ǒu 동 〈文〉 배우자를 잃다. ¶他为了～回老家去了; 그는 상처했으므로 고향으로 돌아갔다.
〔丧气〕 sàng∥qì 동 맥이 풀리다. 의기 소침하다. ¶灰心～; 실망하여 풀이 죽다/垂头～; 〈成〉 풀이 죽고 기가 꺾인 모양/失败了也别～, 重新再做就行了; 실패해도 낙심하지 마라, 다시 하면 된다.
〔丧气〕 sàngqi 형 〈口〉 ①운이 나쁘다. 불운에 부닥치다. 불길하다. ¶别说～话! 재수없는 말 하지도 마라!/一出门儿就摔个跟头, 今天太～; 문을 나서자 이내 고꾸라졌으니, 오늘은 몹시 재수가 없다. ②기운이 없다. 불경기이다.
〔丧气败打地〕 sàngqi bàidǎde 형 풀이 죽어. 의기소침해서. ¶～直骂街《梁斌 紅旗譜》; 의기소침해서, 다만 욕지거리를 하며 거리를 걸을 뿐이다.
〔丧气话〕 sàngqìhua 명 불길한 이야기. 재수없는 소리. ¶过年的时候, 得图个吉利, 千万别说～; 설 무렵에는 경사스럽도록 바라야지, 절대로 불길한 말을 해서는 안 된다.
〔丧权辱国〕 sàng quán rǔ guó 〈成〉 주권을 상실하고 나라를 욕되게 하다.
〔丧身〕 sàng∥shēn 동 신세를 망치다. 목숨을 잃다. ¶～赌窟; 노름으로 몸을 망치다/因财～; 금전 때문에 몸을 망치다.
〔丧生〕 sàng∥shēng 동 ⇨〔丧命〕
〔丧声歪气〕 sàngshēng wāiqì 뾰로통하다. 토라지다. ¶干什么大清早晨就这么～的? 是没做好梦吗? 뭘 아침부터 뾰로통해 있느냐? 좋은 꿈을 꾸지 못해서 그러느냐?/必是丫头们懒待动, ～的, 也是有的《紅樓夢》; 필시 하인들이 몸을 움직이기 싫어서 뾰로통해 있는 모양인데, 있음직한 일이다.
〔丧失〕 sàngshī 동 상실하다. 잃다. ¶～信心; 자신을 잃다.
〔丧师〕 sàngshī 동 (전쟁에서) 군대를 고스란히 잃다.
〔丧亡〕 sàngwáng 동 (천재·전란 등으로) 목숨을 잃다. 멸망하다. ¶这一次天灾, 人兽可真～了不少; 이번 천재로 인축(人畜)의 사망은 정말 대단한 것이었다.
〔丧心〕 sàng∥xīn 동 본심을 잃다. 판단력을 상실하다. 자실(自失)하다. 이성을 잃다. ¶～病狂; 〈成〉 이성을 잃고 미쳐 날뛰다/特务分子～病狂, 灭绝人性的罪行; 스파이 분자의 상도를 벗어나 인간성을 완전히 상실한 범죄 행위.
〔丧志〕 sàngzhì 동 뜻을〔의지를〕 잃다. ¶灰心～; 〈成〉 낙담해서 의기소침하다/玩物～; 〈成〉 쓸데없는 놀음에 빠져들어 자기의 지조를 잃어버리다.

SAO ㄙㄠ

搔 sāo (소)
동 ①(손톱으로) 긁다. ¶～痒; 가려운 데를 긁다/～爬; 긁다/～背; 잔등을 긁다/～着痒处 =〔～到痒处〕; 가려운 데를 긁다. 〈比〉 요점을 말하다/～虎头弄虎须; 〈比〉 대담하기 짝이 없는 짓을 하다. ② ⇨〔骚①〕
〔搔搅〕 sāojiǎo 동 휘저어서 어수선하게 하다. 억지부리다.
〔搔扰〕 sāorǎo 동 ⇨〔骚sāo扰〕
〔搔首〕 sāoshǒu 동 〈文〉 머리를 긁다《궁리하다》. ¶～踟蹰; 머리를 긁으며 생각하고 머뭇거리다/～寻思; 머리를 짜내다.
〔搔首弄姿〕 sāo shǒu nòng zī 〈成〉 ⇨〔搔头弄姿〕

〔搔首抓腮〕 sāo shǒu zhuā sāi 〈成〉 (안타까워) 머리를 긁거나 볼을 만지거나 하다《망설이다. 당혹해하다》. =〔搔头摸耳〕
〔搔头〕 sāo.tóu 동 머리를 긁다. (sāotóu) 명 〈轉〉 비녀.
〔搔头摸耳〕 sāo tóu mō ěr 〈成〉 ⇨〔搔首抓腮〕
〔搔头弄姿〕 sāo tóu nòng zī 〈成〉 교태를 부리고 아양을 떨다. =〔搔首弄姿〕
〔搔痒〕 sāo.yǎng 동 가려운 데를 긁다. ¶隔靴~; 〈成〉 성이 차지 않음. 마음이 시원치 못하고 안타까움 / 老虎头上~; 〈比〉 위험 천만한 짓을 하다.

骚(騷) sāo (소) ① 동 소란을 피우다. 소동을 일으키다. 어지럽히다. ¶~乱; ⇩ / ~扰; ⇩ =〔搔②〕 ② 명 〈比〉 마음 속에 울적한 것. 불평. 근심. ③ 명 굴원(屈原)의 《이소(離騷)》. ④ 명 〈文〉 시문(詩文). ¶~人; ⇩ ⑤ 형 (행동이) 경망하다. 음란하다. ⑥ 형 〈方〉 (일부 가축의) 수컷의. ¶~马; 수말. ⑦ 형 ⇨〔臊sāo〕
〔骚婊子〕 sāobiǎozi 명 ⇨〔骚货〕
〔骚动〕 sāodòng 동 ①소동을 일으키다. 소란을 피우다. ②동요하다. 불안에 빠지다. 술렁거리다. 명 소동. ¶由于统制物资, 市场起了一阵~; 물자 통제로 말미암아 시장에 공황 사태가 일어났다.
〔骚话〕 sāohuà 명 음란한 말.
〔骚货〕 sāohuò 명 〈罵〉 음탕한 여자. 화냥년. =〔骚婊子〕
〔骚搅〕 sāojiǎo 동 ⇨〔骚扰〕
〔骚客〕 sāokè 명 〈文〉 ⇨〔骚人〕
〔骚驴〕 sāolǘ 명 수탕나귀.
〔骚乱〕 sāoluàn 명동 소란(을 떨다). 혼란(해지다). ¶一阵~过后, 人们开始安静下来; 한바탕 소란이 지나고, 사람들은 조용해졌다.
〔骚闹〕 sāonào 동 떠들다.
〔骚然〕 sāorán 〈文〉 형 소란스럽다. ¶四海~; 〈成〉 천하가 소연해지다. 부 소란스럽게.
〔骚扰〕 sāorǎo 동 ①교란하다. ¶~社会秩序的企图; 사회 질서를 교란시키려는 기도. ②〈套〉 폐를 끼치다. ¶我一来就~您; 저는 오기만 하면 폐를 끼칩니다. 형 〈文〉 소란하다. ‖ =〔骚搅〕〔搔扰〕
〔骚人〕 sāorén 명 〈文〉 시인(詩人). ¶~墨客; 〈成〉 시인 묵객. 풍아(風雅)한 문사(文士). =〔骚客〕
〔骚人雅士〕 sāorén yǎshì 명 ⇨〔韵yùn客〕
〔骚骚〕 sāosāo ① 형 서두는 모양. 허둥대는 모양. ②〈擬〉 쏴쏴《바람 소리》.
〔骚声〕 sāoshēng 명 〈文〉 음탕한 (목)소리.
〔骚体〕 sāotǐ 명 고전 문학의 한 형식《굴원(屈原)의 이소(離騷)의 형식을 모방한 것》.
〔骚屑〕 sāoxiè 동 술렁대다. ¶风~以摇木; 바람이 술렁대어 나무를 뒤흔들다.

缫(繅〈缲〉) sāo (소) 동 실을 잣다. ¶~丝; ⇩ / ~车; 물레 / ~丝厂; 제사(製絲) 공장. ⇒ '缲' qiāo zǎo
〔缫丝〕 sāo.sī 명 실을 잣다. ¶~机器; 물레.

臊 sāo (조) 형 지리다. 노리다. ¶腥~; 비리다. 노리다 / 尿~气; 지린내 / 马尿~多难闻; 말 오줌은 지린내가 몹시 나서 싫다. =〔骚⑦〕 ⇒ sào
〔臊臭〕 sāochòu 형 비리다. 노리다. 지리다.
〔臊鞑子〕 sāodázi 명 옛날, 몽고인에 대한 멸칭.
〔臊恶〕 sāo'ě 형 비린내〔노린내〕로 역하다.
〔臊根〕 sāogēn 명 남근. 음경. ¶将手去掐他的~; 손으로 놈의 사타구니를 꽉 쥐었다.
〔臊气〕 sāoqì 명 비린내. (고기의) 썩은 내. ⇒ sàoqì
〔臊声〕 sāoshēng 명 ①〈文〉 악평. ¶~布于朝野《北史》; 악평이 조야에 퍼지다. =〔臊闻〕 ②음란한 소리.
〔臊陀〕 sāotuó 명 〖鳥〗 앵무새.
〔臊闻〕 sāowén 명 좋지 못한 평판. 악평〔악명〕. =〔臊声①〕

艘 sāo (소) '艘sōu' 의 우음(又音).

扫(掃) sǎo (소) 동 ①(비 등으로) 쓸다. ¶~地; 땅〔바닥〕을 쓸다 / ~干净; 깨끗이 쓸다 / 打~; 청소하다. ②불식(拂拭)하다. 제거하다. ¶一~而空 =〔一~而光〕; 〈成〉 일소하다〔되다〕 / ~除文盲 =〔~盲〕; 문맹을 퇴치하다. ③빠른 동작이 각 방면에 미치다. ¶~一眼; 싹 둘러보다 / ~射; ⇩ / 手中拿着木剑左右~一下; 손에 목검을 들고 좌우로 한차례 휘둘렀다. ④한데 모으다. 총괄하다. ¶~数归还; 전액 변제하다. ⇒ sào
〔扫边(儿)〕 sǎobiān(r) 명 〖劇〗 조역(助役). 단역. ¶~老生; 조역인 늙은 남자역. =〔扫边角儿〕
〔扫边角儿〕 sǎobiānjiǎor 명 ⇨〔扫边(儿)〕
〔扫尘〕 sǎochén 동 〈文〉 ①먼지를 쓸어 없애다. ②〈比〉 난리를 평정하여 평안하게 하다.
〔扫愁帚〕 sǎochóuzhǒu 명 〈文〉 시름을 쓸어 없애 주는 비《술의 별칭》.
〔扫除〕 sǎochú 명동 청소(하다). ¶大~; 대청소(하다). 동 제거하다. 일소하다. ¶~障zhàng碍; 장애를 제거하다 / ~天下; 천하를 평정하다 / ~文wén盲; 문맹을 없애다.
〔扫搭〕 sǎoda 동 (곁눈으로) 흘끗 보다. (주위를) 싹 둘러보다. ¶别拿眼紧~着我; 날 그렇게 훑어보지 마세요.
〔扫荡〕 sǎodàng 동 ①소탕하다. ¶~匪徒; 비적을 소탕하다. ②평정(平定)하다.
〔扫荡圆筒〕 sǎodàng yuántǒng 명 〖機〗 회전 원통《금강사 따위를 채운 회전 장치의 통. 금속제의 물품을 여기에 넣고 연마함》.
〔扫地〕 sǎo.dì 동 ①소제하다. 바닥〔뜰〕을 쓸다. ¶~把子; 비 / ~工; (도로) 청소 노동자. ②〈轉〉 명예·신용을 잃다. ¶名誉~; 명예가 땅에 떨어지다 / ~出门; 〈成〉 빈손으로 내쫓기다 / ~以尽 =〔~荡尽〕; (면목·위신 따위가) 완전히 땅에 떨어지다.
〔扫掉〕 sǎodiào 동 ①닦아 내다. 쓸어 내다. ②제거하다. ¶把政治影响~; 정치적 영향을 제거하다.
〔扫定〕 sǎodìng 동 평정하다.
〔扫毒〕 sǎodú 동 마약을 퇴치하다. 마약 판매상·마약 복용자를 척결하다. ¶提出~的6点计划; 6가지 마약 퇴치 계획을 제시하다.
〔扫房〕 sǎo.fáng 동 집안의 대청소를 하다. (sǎofáng) 명 (집안의) 대청소.
〔扫坟〕 sǎo.fén 동 ⇨〔扫墓〕
〔扫沟机〕 sǎogōujī 명 도랑을 파는 기계. 도랑을 치는 기계.
〔扫光〕 sǎoguāng 동 깨끗이 일소하다.
〔扫轨〕 sǎoguǐ 동 ①바퀴 자국을 쓸어 버리다. ②〈比〉 남의 일에 상관하지 않다.

〔扫黄〕 sǎohuáng 통 음란 간행물·영상물·오락 용품 등을 척결하다. ¶这次～工作取得初步成效; 이번 음란물 척결 사업은 대체적인 성과를 거뒀다.
〔扫灰〕 sǎohuī 통 먼지를 떨다.
〔扫街车〕 sǎojiēchē 명 ⇨〔扫路机〕
〔扫开〕 sǎokāi 통 쓸어 없애다. ¶把地上的土～; 바닥의 먼지를 쓸어 버리다.
〔扫雷〕 sǎo,léi 통《軍》지뢰나 수뢰(水雷)를 제거하다. ¶～艇 =〔灭miè雷艇〕; 소해정.
〔扫脸〕 sǎo,liǎn 통 면목〔체면〕을 잃다. ¶偏偏自己幕友也在内, 还是第一～之事; 공교롭게도 자기의 막료가 그 속에 끼여 있었다는 것은 정말 더할 수 없이 면목이 없는 일이다.
〔扫亮子(的)〕 sǎoliàngzi(de) 명 새벽때를 노리는 도둑. ¶大门要是不锁好, 万一有～小贼呢; 만일 대문에 자물쇠를 잠가 놓지 않았다가 새벽을 노리는 도둑이라도 들면 어떡하느냐.
〔扫路机〕 sǎolùjī 명 도로 청소기〔청소차〕. 노면 청소차. =〔扫街车〕
〔扫盲〕 sǎo,máng 명 문맹을 퇴치하다. ¶～班 =〔识字班〕; 문맹 퇴치반. 명 문맹 퇴치.
〔扫盲运动〕 sǎománg yùndòng →〔识shí字〕
〔扫眉〕 sǎoméi 통 (여성이) 눈썹을 그리다.
〔扫眉才子〕 sǎo méi cái zǐ〈成〉글재주가 있는 여성.
〔扫描〕 sǎomiáo 명《電》주사(走査). 스캐닝. 통 죽 훑어보다. 대충 소개하다.
〔扫描仪〕 sǎomiáoyí 명《電算》스캐너(scanner).
〔扫灭〕 sǎomiè 명통 소탕(하다). ¶残余的敌人尚待我们～; 남은 적은 앞으로 소탕을 요한다.
〔扫墓〕 sǎo,mù 통 성묘하다. ¶～假; 청명절(清明節) 전날의 휴일/清明～; 청명절(음력 4월 5일)의 성묘. =〔扫sǎo坟〕
〔扫脑儿〕 sǎonǎor 명〈京〉독두(禿頭). 대머리.
〔扫平〕 sǎopíng 통 토벌하여 평정하다. ¶～群雄; 군웅을 소탕하다.
〔扫清〕 sǎoqīng 통 일소하다. 깨끗이 청소하다. ¶～道路; ⓐ도로를 깨끗이 청소하다. ⓑ길을 트다〔열다〕/～前进道路上的障碍; 전진 도상에 있는 장애물을 제거하다.
〔扫晴娘(儿)〕 sǎoqíngniáng(r) 명 비를 든 여자의 모양을 오린 종이를 처마끝에 매달아 날씨가 좋아지도록 비는 일.
〔扫扫摸摸〕 sǎosaomōmō〈比〉청소 등 여러 가지 잡무를 하다.
〔扫射〕 sǎoshè 통《軍》소사하다.
〔扫视〕 sǎoshì 통 빙 둘러보다. ¶～了一圈; 주위를 쭉 한 번 둘러봤다.
〔扫数〕 sǎoshù 명 총수(總數). 전부. 전액. ¶～入库; 전부 창고에 넣다. 통 모든 회계를 청산하다. ¶～还清; 전액을 변제하다.
〔扫榻〕 sǎo,tà 통〈文〉침대의 먼지를 털다.〈比〉손님의 내방을 환영하다. ¶～以待;〈成〉만반의 준비를 갖추어 놓고 손님을 환영하다.
〔扫堂腿〕 sǎotángtuǐ 통 다리후리기를 걸다〔넣다〕《무술 동작의 하나》.
〔扫堂旋子〕 sǎotángxuánzi 명 중국 전통극의 연기에서, 쭈그리고 앉아 한 발을 수평으로 뻗고 다른 발로 선회하는 동작.
〔扫堂子〕 sǎotángzi 통 ①무당을 불러 푸닥거리를 하다. ②〈俗〉소탕하다《지주나 왕초들의 재산을 모두 몰수하다》.
〔扫田刮地(儿)〕 sǎo tián guā dì(r)〈成〉①농가(農家)의 자질구레한〔노고가 많은〕 일(을 하다). ②(농민에게서) 모조리 몰수하다.
〔扫听〕 sǎoting 통〈方〉①(간접적으로) 문의하다. ¶别净信一个人的话, 还是四下里再～～; 한 사람의 말을 전면적으로 믿어서는 안 된다. 역시 다시 한 번 여기저기 알아보기로 하자. ②(사람을 시켜) 탐색하다.
〔扫头〕 sǎotou 명《劇》경극(京劇)에서, 가사(歌詞)를 노래 부르기 전에 붙여지는 의미 없이 길게 늘여 빼는 목소리.
〔扫尾〕 sǎo,wěi 통 일을 마무리하다. ¶～工作; 마무리 작업.
〔扫兴〕 sǎo,xìng 통 ①흥이 깨지다. ¶～而归; 흥이 깨진 기분으로 돌아가다. ②낙심하다.
〔扫雪〕 sǎoxuě 통 눈을 쓸어 없애다. ¶～机; 소설기. 제설기.
〔扫烟囱〕 sǎoyāncōng 명통 굴뚝 소제(하다).
〔扫眼〕 sǎo,yǎn 통 눈으로 빠르게 쭉 훑어 보다. ¶扫了一眼; 힐끗 휘둘러 보다.
〔扫营儿〕 sǎoyíngr 명〈俗〉깡그리. 모조리. ¶昨天丢了两件棉袄, 今天索性～连被褥都丢光了; 어제는 솜옷을 두 벌 잃어버렸는데, 오늘은 침구까지 모조리 잃어버렸다.
〔扫帚〕 sǎozhǒu 명 ①(대로 만든 자루가 긴) 비. ②《植》댑싸리.

嫂 sǎo (수)
명 ①(～子) 형수. ¶大～(子); ⓐ맏형수. ⓑ아주머니《자기보다 약간 손위이며 친지의 부인》. ⓒ남편의 아내에 대한 호칭/大～如母;〈成〉맏형수는 어머니나 마찬가지이다. ②형과 같은 세대의 친족 남자의 아내. ¶表～; 어머니 쪽의 사촌형의 아내. ③〈敬〉동년배인 기혼 여성에 대한 존칭.
〔嫂夫人〕 sǎofūrén 명〈敬〉부인. 친구의 처에 대한 경칭. =〔令嫂〕
〔嫂嫂〕 sǎosao 명〈方〉⇨〔嫂子〕
〔嫂子〕 sǎozi 명〈口〉형수. ¶二～; 둘째 형수. =〔〈方〉嫂嫂〕

扫(掃) sào (소)
뜻은 '扫sǎo'와 같고, '扫帚'에만 쓰임. ⇒sǎo
〔扫把〕 sàobǎ 명 ⇨〔扫帚〕
〔扫帚〕 sàozhou 명 비. 빗자루. =〔扫把〕
〔扫帚菜〕 sàozhoucài 명《植》댑싸리. =〔扫sào帚草〕〔地肤〕
〔扫帚菇〕 sàozhougū 명《植》싸리버섯.
〔扫帚星〕 sàozhouxīng 명 ①《天》혜성. ②〈比〉〈罵〉재수가 나쁜 놈.

埽 sào (소)
명 ①호안(護岸) 공사에 쓰이는 수수깡·대나무·나뭇가지 따위. ②둑의 물에 씻긴 곳을 호안·보강 공사한 부분.

梢 sào (소)
명 ①원추형의 것. ②⇨〔锥zhuī度〕
⇒shāo

瘙 sào (소)
명《醫》〈文〉개선(疥癬). ¶～痒; (피부가) 가렵다.

氉 sào (소)
→〔毷mào氉〕

臊 sào (조)
①통 부끄러워하다. ¶害～; 부끄러워하다/～得他脸通红; 부끄러워서 그는 얼굴을 붉

혔다 / ～得慌; 정말 부끄럽다. ②동 무안을 주다. 창피를 주다. ¶把他～了; 그에게 무안을 주었다. ③동 초조하게 굴다. 조바심하다. ④동 성내다. ⑤(～子) 명 〈方〉 잘게 썬 고기. ⇒sāo

〔臊不搭(的)〕 sàobudā(de) 형 대단히 부끄러워하는 모양.

〔臊眉搭眼〕 sào méi dā yǎn 〈成〉 〈北方〉 부끄러움〔난처함〕을 얼굴 가득히 나타내고 있는 모양. ¶他自知没理, ～地走开了; 그는 자기의 말이 이치에 맞지 않는다는 것을 알고 난처해서 가 버렸다.

〔臊皮〕 sàopí 동 부끄러워 얼굴이 달아오르다. ¶平日尽说人家的长短, 今天也落了不是, 这才～哪!《紅樓夢》; 보통 때는 남의 비평만 하다가, 오늘은 자기도 실수를 해서 책망을 받으니, 그야말로 부끄럽게 되었군!

〔臊气〕 sàoqì 형 〈方〉 운수가 사납다. 재수 없다. =〔倒dǎo霉〕 ⇒sāoqì

〔臊人〕 sàorén 형 부끄럽다. ¶说起来, 真～; 이야기를 하자면 정말 부끄럽다. 동 ①창피하게 생각하다. ②남을 욕보이다.

〔臊心〕 sàoxīn 동 부끄럽게〔창피하게〕 생각하다.

〔臊子〕 sàozi 명 〈方〉 고기를 잘게 썬〔다진〕 것. ¶要十斤精肉, 切做～《水滸傳》; 살코기 10근을 썰어 잘게 다져 주시오 / ～面; 〈南方〉 곱게 다진 고기를 넣은 국수.

SE ㄙㄜ

色 sè (색)
명 ①색. 빛. 색채. ¶原～; 원색 / 淡～; 엷은 색 / 深～; 짙은색 / 老～; 수수한 짙은 색 / 脸～; 안색 / 落颜～; 색이 바래다. ②안색. ¶喜形于～; 기쁨이 얼굴에 나타나다 / 和颜悦～; 생글거리는 얼굴. 상냥한 얼굴 / 愧～; 부끄러워하고 있는 기색 / 义形于～; 〈成〉 의로운 마음이 얼굴에 드러나다 / 正颜厉～; 엄숙한 표정과 태도를 하다《엄한 얼굴을 하고 상대를 나무라다》. ③모양. 맵시. ¶他那个～; 그의 저 꼴. ④경치. 정경. ⑤종류. ¶各～用品; 각종 용품 / 各～各样; 각양각색 / 货～; ⓐ상품의 품질·종류. ⓑ〈南方〉 상품. ⓒ〈罵〉 이 자식! / 四～礼物; 사색 예물. ⑥품질. 순도(純度). ¶成～; ⓐ(금·은 따위의) 품위·성분·순도. ⓑ품질. ⓒ품. 격식 / 足～纹银; 규정 순도를 지닌 은괴(銀塊). ⑧색정. 성욕(性慾). ¶酒不醉人人自醉, ～不迷人人自迷; 〈諺〉 술에 취함도 색에 미혹당함도 모두 자기 탓이다. ⑨배우(俳優). ⑩여자의 아름다운 용모. 여색(女色). ¶姿～; (아름다운) 용모. 용자(容姿). 注 '颜料'를 가리킬 때는 shǎi로 발음함. ⇒shǎi

〔色氨酸〕 sè'ānsuān 명 《化》 트립토판(tryptophan).

〔色变〕 sèbiàn 동 얼굴색이 변하다. ¶谈虎～; 범이라고 하면 무서워 곧 얼굴색이 변한다.

〔色标〕 sèbiāo 명 색채 조절. 컬러 코드(color code).

〔色玻璃〕 sèbōli 명 색유리.

〔色布〕 sèbù 명 무늬 있는 면포(綿布).

〔色彩〕 sècǎi 명 ①색채. 빛깔. ¶～缤纷; 색채가 어지럽다〔난잡하다〕. ②〈比〉 경향. 편향. ¶思想～; 사상의 경향 / 地方～; 지방색. ③(말의) 뉘앙스. 어감.

〔色层(分离)法〕 sècéng (fēnlí)fǎ 명 《物》 색층 분석법. 크로마토그래피(chromatography). =〔色谱法〕

〔色层分离用滤纸〕 sècéng fēnlíyòng lǜzhǐ 명 색층 분석용 거름종이.

〔色差〕 sèchā 명 ①《物》 색수차. =〔色收差〕〔色象差〕 ②《紡》 빛깔에 진 얼룩.

〔色带〕 sèdài 명 ⇨〔墨mò带〕

〔色胆〕 sèdǎn 명 색욕에 관한 용기〔대담함〕. ¶常言道～天来大《元雜劇》; 속담에도 색욕에 관한 용기는 하늘만큼이나 크다고 했다.

〔色胆迷天〕 sè dǎn mí tiān 〈成〉 색정(色情)에 빠지면 대담해진다.

〔色淀〕 sèdiàn 명 《化》 레이크(lake).

〔色调〕 sèdiào 명 (그림·문예 작품 등의) 색조. 톤. 색채.

〔色度〕 sèdù 명 색도. 수질(水質) 지표의 색도.

〔色纺〕 sèfǎng 명 《紡》 염색한 포플린.

〔色膏〕 sègāo 명 《染》 염색제(劑).

〔色光〕 sèguāng 명 《物》 크로마틱 라이트. 색을 띤 빛.

〔色鬼〕 sèguǐ 명 색광. 색마. =〔色迷②〕

〔色荒〕 sèhuāng 명 여색에 빠짐.

〔色觉〕 sèjué 명 색각.

〔色拉〕 sèlā 명 〈音〉 샐러드(salad). ¶～油 =〔生菜油〕〔清(净)豆油〕; 샐러드 오일 / 西红柿～; 토마토 샐러드. =〔沙拉(子)〕〔沙辣(子)〕〔沙律〕

〔色拉米香肠〕 sèlāmǐ xiāngcháng 명 〈音義〉 살라미(salami) 소시지. =〔萨拉米肠〕

〔色狼〕 sèláng 명 색마. ¶最近～猖獗, 今年发生强奸案件四千四百多件; 최근에 색마가 격증하여, 금년에는 강간 사건이 4,400건 남짓이나 발생하였다. =〔淫yín棍〕

〔色厉内荏〕 sè lì nèi rěn 〈成〉 겉으로 보기에는 강한 것 같은데 내면은 약하다.

〔色料〕 sèliào 명 《化》 착색제.

〔色盲〕 sèmáng 명 《醫》 색맹. =〔色瞎〕

〔色迷〕 sèmí〔shèmí, shǎimí〕 동 여색에 빠지다. 명 ①색욕에 대한 미혹(迷惑). 미색(迷色). ②색광(色狂). =〔色鬼〕

〔色木〕 sèmù 명 《植》 고로쇠나무.

〔色目人〕 Sèmùrén 명 색목인《원(元)나라 때에 유럽·서아시아·중부 아시아 방면에서 중국으로 들어온 외국인·서역(西域) 민족·서하인(西夏人)의 총칭》.

〔色片〕 sèpiān 명 젤라틴.

〔色品〕 sèpǐn 명 채도(彩度).

〔色谱法〕 sèpǔfǎ 명 ⇨〔色层(分离)法〕

〔色情〕 sèqíng 명 색정. ¶～电影; 포르노 영화 / ～狂; 색정광. 색광(色狂).

〔色情行业〕 sèqíng hángyè 명 윤락업(淪落業).

〔色然〕 sèrán 형 〈文〉 놀라는 모양. ¶～而骇hài; 안색이 달라지며 놀라다.

〔色如死灰〕 sè rú sǐ huī 〈成〉 얼굴에 아무런 표정도 없음. 무표정함.

〔色散〕 sèsàn 명 《物》 분광(分光) 현상.

〔色色〕 sèsè 명 여러 종류. 가지각색. 어느 것이나. ¶～俱全jùquán; 가지가지가 구비되어 있다 / ～般般; 가지각색 / ～写得生动; 어느 것이든 모두 다 생동감 있게 씌어 있다.

〔色收差〕 sèshōuchā 명 ⇨〔色差①〕

〔色授魂与〕 sè shòu hún yǔ 〈成〉 정신적인 교

분·마음이 서로 통하다.
〔色水〕 sèshuǐ 명 옛날, 통화로서의 은의 품질에 차이가 있어, 그 교환 때에 표준은(標準銀)과 대조하여 부족분을 보충하는 비율.
〔色素〕 sèsù 명 색소.
〔色喜〕 sèxǐ 동 〈文〉 기쁨을 얼굴에 드러내다. 회색을 띠다.
〔色瞎〕 sèxiā 명 ⇨〔色盲〕
〔色相〕 sèxiàng 명 ①(주로 여자의) 용모. ¶牺牲～; 용색을 희생으로 하다. ②《佛》(육안으로 볼 수 있는) 형태. (우주 만물의) 모양. ③《物》 색상.
〔色象差〕 sèxiàngchā 명 ⇨〔色差①〕
〔色笑〕 sèxiào 명 〈文〉 좋은 안색과 웃는 얼굴. 〈比〉 기뻐하는 얼굴. ¶亲承～; 〈比〉 부모를 잘 섬기다.
〔色形〕 sèxíng 명 색과 형태.
〔色养〕 sèyǎng 동 〈文〉 웃는 낯으로 부모에게 효도를 다하다. ¶事亲尽～之孝《世說新語》; 어버이를 섬기되 웃는 낯으로 효도를 다하다.
〔色样〕 sèyàng 명 ①색과 모양. 빛깔과 형태. ②종류. ¶甚～人家; 〈古白〉 어떤 종류의 사람.
〔色艺〕 sèyì 명 〈文〉 용색(容色)과 기예. 미모와 재주.
〔色欲〕 sèyù 명 색욕.
〔色泽〕 sèzé 명 빛깔과 광택. ¶～鲜明; 빛깔과 광택이 선명하다.
〔色泽儿〕 sèzér 명 ①(말의) 뉘앙스. ②(허례적인) 수식(修飾). 군더더기. ¶旧式办喜事～太多, 都是妈妈论儿; 구식 결혼식은 허례허식이 너무 많아, 모두 쓸모없는 관례뿐이다/说话别带～, 直接了当地说有多好! 말을 하는 데 군더더기를 붙이지 마라. 직설적으로 말하는 것이 얼마나 좋으냐!
〔色智〕 sèzhì 동 〈文〉 재능을 과시하다. ¶～而有能者小人也; 재능이 있어 그것을 자랑하려고 하는 것은 쓸모없는 인간이다.
〔色中饿鬼〕 sèzhōng èguǐ 색욕에 미친 사람. 색광. 색정광.

铯(銫) sè (색)
명《化》 세슘(Cs:cesium)《금속 원소》.

涩(澀〈濇, 澁〉) sè (삽)
①형 (맛이) 떫다. ¶这柿子很～; 이 감은 떫다/～味; 떫은 맛/馒头里多放了碱有～味儿; 만두에 소다를 너무 넣어서 떫은 맛이 난다. ②형 매끄럽지 않다. ¶轮轴发～, 该上点油了; 회전축이 매끄럽지 않아서 기름을 조금 쳐야 한다/这胰子～; 이 비누는 잘 풀리지 않는다. ③형 읽어 내기 어렵다. 난해하다. ¶晦～; 글뜻이 명확하지 않다/文句艰～; 문장이 이해하기 힘들다. ④동 주저하다. 지체하다. ¶～滞 =〔滞～〕; 진척되지 않다/老～着账不还; 언제까지나 반제를 꺼리며 갚지 않다.
〔涩巴〕 sèba 형 ①떫다. ②인색하다.
〔涩带〕 sèdài 명 (자동차 밴드브레이크의) 밴드.
〔涩剂〕 sèjì 명《漢醫》 허탈 증상을 다스리는 약제.
〔涩苦〕 sèkǔ 형 떫고 쓰다.
〔涩剌剌〕 sèlālā 형 몹시 떫다. ¶～的, 吃它做什么? 무척 떫은데 왜 그런 걸 먹느냐?
〔涩脉〕 sèmài 동《漢醫》 삽맥하다. 맥이 결체(結滯)하다. 명 결체맥.
〔涩呐〕 sènè〔sènà〕 동 〈文〉 말주변이 없다.
〔涩皮〕 sèpí 명《植》 나무나 과일 따위의 속껍질.
〔涩水〕 sèshuǐ 명 (날감의) 떫은 즙. ¶除掉～; 떫은 맛을 빼다.
〔涩税〕 sèshuì 동 세금을 체납하다.
〔涩缩〕 sèsuō 동 ⇨〔瑟缩〕
〔涩账〕 sèzhàng 동 ⇨〔啬账〕
〔涩滞〕 sèzhì 동 진척이 잘 안되다. =〔滞涩〕

啬(嗇) sè (색)
①형 인색하다. ¶吝～; 인색하다. ②동 삼가다. 조심스럽다. ③동 욕심내다. 탐하다. ④형 (차량 등이 막혀서) 밀리다.
〔啬刻〕 sèke 명형 〈方〉 인색(하다). ¶那个人～得厉害, 从没见他帮过谁的忙; 저 사람은 몹시 인색해서 이제까지 누군가를 원조하는 것을 본 적이 없다. =〔吝lìn啬〕
〔啬刻子〕 sèkèzi 명 〈方〉 노랑이. 구두쇠. =〔啬吝lìn子〕
〔啬账〕 sèzhàng 동 빚을 갚으려 하지 않다. 채무를 이행하지 않다. ¶他这么～, 下回没人肯借给他了; 그가 이렇게 빚을 갚으려 하지 않으니, 다음번에는 아무도 돈을 빌려 주는 사람이 없을 것이다. =〔涩账〕

穑(穡) sè (색)
동 〈文〉 (농작물을) 거두어 들이다. 수확하다. ¶～事; 농사. 농업/～夫; 농부/稼～; 모내기와 수확. 〈轉〉 농사. 농작.

塞 sè (색)
뜻은 '塞sāi'와 같고, 몇몇의 합성어(合成語)의 경우에만 사용함. ¶茅～顿开; 〈成〉 문득 깨치다/闭～; 폐색되다. 막혀 있다. ⇒ sāi sài
〔塞擦音〕 sècāyīn 명《言》 파찰음《현대 중국어의 z〔ㄗ〕, c〔ㄘ〕, zh〔ㄓ〕, ch〔ㄔ〕, j〔ㄐ〕, q〔ㄑ〕》. =〔破裂摩擦音〕 →〔浊音〕
〔塞拉勒窝内〕 Sèlālèwōnèi 명《地》〈音〉 시에라리온(Sierra Leone)《아프리카 서남부의 공화국. 수도는 '弗里敦'(프리타운:Freetown)》.
〔塞纳河〕 Sènàhé 명《地》 센 강(江)(프 Seine).
〔塞内加尔〕 Sènèijiā'ěr 명《地》 세네갈(Senegal)《아프리카 서북부의 공화국. 수도는 '达喀尔'(다카르:Dakar)》.
〔塞尼约尔〕 sèníyuē'ěr 명 〈音〉 세뇨르(스 señor). 미스터. =〔先生〕
〔塞尼约里达〕 sèníyuēlǐdá 명 세뇨리타(스 señorita). 미스. =〔女士〕〔女姐〕
〔塞特狗〕 sètègǒu 명《動》〈音〉 세터(setter)《사냥개》.
〔塞音〕 sèyīn 명《言》 파열음. 폐쇄음《현대 중국어의 b〔ㄅ〕, p〔ㄆ〕, d〔ㄉ〕, t〔ㄊ〕, g〔ㄍ〕, k〔ㄎ〕》. =〔塞声shēng〕〔爆发音〕〔破pò裂音〕 →〔浊音〕
〔塞渊〕 sèyuān 형 〈文〉 성실하고 사려 깊다. =〔渊塞〕
〔塞垣〕 Sèyuán 명 〈文〉 만리장성의 별칭. =〔万里长城〕
〔塞责〕 sèzé 동 〈文〉 대강대강 해 넘기다. 그런대로 임시 변통하다. ¶敷衍～; 적당히 앞뒤를 맞춰 책임을 면하다.
〔塞责儿〕 sèzér 명 쓸데없는 덧붙임. 군더더기(의 말). ¶说话儿总zǒng带着许多～; 이야기에 언제나 많은 군더더기가 있다.
〔塞职〕 sèzhí 동 〈文〉 직책을 다하지 않(은 채 그 직위에 앉아 있)다.

瑟 **sè** (슬)
①형 많은. ②형 선명한. ③형 섬세한. ④명〖樂〗거문고와 비슷한 옛날의 현악기(현재는 25현(弦)과 16현(弦)의 두 종류가 있음).
〔瑟利德米〕 sèlìdémǐ 명〖藥〗〈音〉탈리도마이드(thalidomide).
〔瑟瑟〕 sèsè ①명 유리알. ②〈擬〉솔솔(소슬바람이 부는 소리). ¶秋风~; 소슬바람이 솔솔 불다. ③형 가볍게 떨리는 모양. ¶~地抖; 부들부들 떨다.
〔瑟瑟缩缩〕 sèsèsuōsuō 몰래. 발 소리를 죽이고.
〔瑟缩〕 sèsuō 동〈文〉(추위나 두려움으로) 움츠러들다. 움츠리다. ¶~于寒风之中; 찬바람에 움츠러들다. =〔涩缩〕

璱 **sè** (슬)
〈文〉①명 옥에 '瑟'과 같은 가로무늬 모양이 있는 것. ②형 옥의 색깔이 선명하고 고운 모양.

SEN ㄙㄣ

森 **sēn** (삼)
①명 삼림. 숲. ②형〈文〉(숲의 나무처럼) 빽빽이 들어선 모양. 아주 많은 모양. ¶楼台~耸sǒng; 고루(高楼)가 빽빽이 우뚝우뚝 솟아 있다/毛发~竖; 머리털이 곤두서다/刀枪~列; 칼과 창이 빽빽이 늘어서다. ③형 어둡고 고요해서 으스스한 모양. ¶阴~~(的); 음산해서 으스스한 모양.
〔森贝拿尔狗〕 Sēn Bèiná'ěrgǒu 명〖動〗〈音義〉세인트버나드(Saint Bernard).
〔森立〕 sēnlì 동 ①숲처럼 많이 늘어서다. ¶怪石~; 진귀한 돌이 나무 숲의 나무처럼 늘어서 있다. ②엄숙하게 늘어서다.
〔森列〕 sēnliè 동〈文〉빽빽이 늘어서다. 임립(林立)하다. ¶刀枪~; 칼과 창이 숲처럼 빽빽이 늘어서다.
〔森林〕 sēnlín 명 삼림. ¶只见树木不见~;〈成〉나무를 보고 숲을 보지 않는다(국부에 사로잡혀 전반적인 판단을 하지 못하다).
〔森罗万象〕 sēn luó wàn xiàng〈成〉삼라만상. 우주·천지간의 온갖 사상(事象). =〔万象森罗〕
〔森然〕 sēnrán 형 ①빽빽이 늘어선 모양. ¶林木~; 숲에 나무가 빽빽하게 우거지다/~布列; 빽빽이 줄을 짓다. ②엄숙〔삼엄〕한 모양. ③고요하여 어쩐지 기분이 나쁘다. ¶~无声; 고요하여 으시시하다.
〔森人〕 sēnrén 동 기분 나쁜 느낌이 들게 하다. 오싹하게 하다. 형 어쩐지 무시무시하다.
〔森森〕 sēnsēn 형 ①수목이 우거진 모양. ¶松柏~; 송백이 빽빽하게 우거지다. ②어쩐지 무시무시한 모양. ¶~鬼气; 오싹하고 어쩐지 기분 나쁘다/阴~; 으슥하여 무섭다. ③아주 차가운 모양. ¶冷~; 몹시 차갑다.
〔森严〕 sēnyán 형 삼엄하다. 엄중하다. ¶戒jiè备极其~; 경비가 매우 삼엄하다/法度~; 규율이 엄하다.

SENG ㄙㄥ

僧 **sēng** (승)
명 ①〖佛〗〈梵〉중. 승려. ¶小~;〈謙〉소승. ②성(姓)의 하나.
〔僧刹〕 sēngchà 명〈文〉절.
〔僧尘〕 sēngchén 명〖佛〗불자(佛子).
〔僧雏〕 sēngchú 명 ⇨〔僧童〕
〔僧道〕 sēngdào 명 승려와 도사. ¶~无缘; 승려나 도사에 대한 희사 보시는 사절합니다/斋zhāi僧布道; 승려나 도사에게 보시하다.
〔僧多粥少〕 sēngduō zhōushǎo〈比〉물건은 적은데 분배를 바라는 자는 많다. 일손은 많고 일은 적다.
〔僧官〕 sēngguān 명 ⇨〔僧录司〕
〔僧行〕 sēngháng 명 ⇨〔僧徒〕
〔僧家〕 sēngjiā 명 승려. 중.
〔僧来看佛面〕 sēng lái kàn fómiàn〈諺〉중이 오면 부처의 체면을 보아 푸대접하지 않는다(모르는 이에 대해서도 그가 소속하는 곳의 체면을 세워 주어 어느 정도 대우해 준다).
〔僧蓝〕 sēnglán 명 ⇨〔僧伽蓝(摩)〕
〔僧寮〕 sēngliáo 명〈文〉승방(僧房).
〔僧录司〕 sēnglùsī 명 옛날, 승려의 감독을 관장한 관명. =〔僧官〕
〔僧侣〕 sēnglǚ 명 승려.
〔僧侣主义〕 sēnglǚ zhǔyì 명 승려주의(레닌이 유심론 철학을 공격할 때 종종 썼던 말로, 권위에 맹종하는 태도를 말함). =〔信xìn仰主义〕
〔僧律〕 sēnglǜ 명 승률. 승려의 계율.
〔僧门〕 sēngmén 명 승문. 불문.
〔僧尼〕 sēngní 명 승니. 중과 여승.
〔僧祇〕 sēngqí 명〖佛〗〈梵〉대중.
〔僧伽蓝(摩)〕 sēngqiélán(mó) 명〖佛〗〈梵〉①승가람(마)(승려가 사는 구역). ②〈轉〉절. 사원. ‖=〔〈简〉伽蓝〕〔僧蓝〕
〔僧伽邪〕 sēngqiéxié 명〈梵〉스님.
〔僧磬〕 sēngqìng 명 부처에게 절할 때 치는 동발(銅鉢).
〔僧儿〕 sēngr 명 ⇨〔僧人〕
〔僧人〕 sēngrén 명 중. 승려. =〔〈古白〉僧儿〕
〔僧俗〕 sēngsú 명 ①중과 속인. ②승족(僧族). ¶西藏~人众; 티베트에는 승적(僧籍)에 있는 사람의 수가 많다.
〔僧童〕 sēngtóng 명 동자승. 동승(童僧). =〔僧雏〕
〔僧徒〕 sēngtú 명 승도. 중들의 무리. ¶普集~; 널리 승려를 모으다/把这光明寺~杀了, 放把火烧做白地《水滸傳》; 이 광명사의 중들을 죽이고, 불을 질러 태워 버렸다. =〔僧行〕〔僧众〕
〔僧鞋〕 sēngxié 명 승려의 신.
〔僧靿袜〕 sēngyàowà 명 승려가 신는 버선〔양말〕.
〔僧衣〕 sēngyī 명 승의. 승복.
〔僧院〕 sēngyuàn 명 승원. 사원. 절.
〔僧众〕 sēngzhòng 명 ⇨〔僧徒〕

鬙 **sēng** (승)
→〔鬅péng鬙〕

SHA ㄕㄚ

杀(殺) **shā** (살)
①동 죽이다. 살해하다. ¶~了个鸡犬不留; 한 사람도 남김없이 몰살

시켰다 / 刺～; 찔러 죽이다 / ～伤; 살상하다 / ～敌; 적을 죽이다. ② 동 거꾸러뜨리다. 잡다. ③ 동 약화시키다. 약화되다. 소멸시키다. 꺾다. ¶～暑气; 더위를 쫓다 / 拿别人～气; 남에게 분풀이하다 / 雨声稍～; 빗소리가 조금 약해지다. =〔煞shā④〕 ④ 동 〈方〉 죽다. ¶饿～; 굶어 죽다. =〔煞①〕 ⑤ 동 꼭 조르다. 동여매다. 졸라매다. ¶～一～腰带; 허리띠를 졸라매다 / ～在驴上; 나귀의 등에 붙들어매다 / 先用绳子拢上, 然后就用力地勒, 还不行, 两个人～; 우선 새끼줄로 묶어 꼭 동였지만, 그래도 안 돼서 둘이 덤벼들어 꽁꽁 묶었다. =〔煞shā⑤〕 ⑥ 동 브레이크를 걸다. ¶急忙地把车～住, 好容易没碰上了; 급히 차에 브레이크를 걸었으므로 간신히 충돌하지 않았다. =〔煞shā②〕 ⑦ 동 결말을 짓다. 매듭짓다. ¶～账; 장부를 마감하다. =〔煞shā③〕 ⑧ 동 〈方〉 약 따위가 피부를 자극하여 아픔을 느끼다. 쑤시는 것같이 아프다. ¶～得疼; 찌르는 듯이 쑤시고 아프다 / 肥皂水～眼睛; 비눗물이 눈에 들어가 따끔거리다. =〔煞shā⑥〕 ⑨ 동 싸우다. ¶～出重围; 싸워서 겹겹으로 싸인 포위망을 탈출하다 / ～在一处; 적과 아군이 한데 엉겨 난투하다. ⑩ 동 돌진하다. 돌격하다. ¶～! 돌격!(군대의 구령) / ～上疆场; 싸움터로 돌진하다. ⑪ 동 〈方〉 베다. 자르다. ¶～头; 목을 베다 / ～西瓜; 수박을 쪼개다. ⑫ 형 끔찍하다. 처절하다. ⑬ …해 죽겠다. 죽도록 …하다(동사나 형용사 뒤에 붙어 정도가 심함을 나타내는 말). ¶笑～人; 우스워 못 견디다 / 气～人; 화가 나서 죽을 지경이다. =〔煞shā⑦〕 ⇒shài

〔杀毙〕 shābì 동 살해하다. 죽이다.

〔杀剥〕 shābō 동 〈文〉 ①죽여서 껍질을 벗기다. ②〈轉〉 호되게 홀닦다. 몹시 혼내 주다.

〔杀才〕 shācái 명 〈罵〉 쓸모없는 놈. 죽일 놈. ¶叫那～出来! 그 빌어먹을 놈을 불러 내라. =〔杀材〕〔杀坯〕

〔杀材〕 shācái 명 〈罵〉 ⇨〔杀才〕

〔杀车〕 shāchē 명 〈機〉 제동기(制動機). (shā,chē) 동 ①차에 브레이크를 걸다. ②차의 짐을 졸라매다.

〔杀掣〕 shāchè 동 ⇨〔煞掣〕

〔杀虫剂〕 shāchóngjì 명 살충제.

〔杀畜场〕 shāchùchǎng 명 도살장.

〔杀敌〕 shādí 동 적을 무찌르다. ¶～致zhì果; 〈成〉 적을 무찌르고 전공을 세우다.

〔杀掉〕 shādiào 동 몰살하다.

〔杀而未殊〕 shā ér wèi shū 〈成〉 적을 죽였으나, 그 두목은 놓치다.

〔杀伐〕 shāfá 명 〈文〉 전투. 싸움. ¶～之气; 살벌한〔전투적인〕 기분〔분위기〕. 동 혼내다.

〔杀房〕 shāfáng 명 도살장.

〔杀风〕 shāfēng 동 바람이 멎다〔잔잔해지다〕.

〔杀风景〕 shāfēngjǐng 명형 살풍경(하다). 동 흥을 깨다. ‖ =〔煞风景〕

〔杀狗给猴子看〕 shāgǒu gěi hóuzi kàn ⇨〔杀鸡给猴子看〕

〔杀关管放〕 shā guān guǎn fàng 사형·투옥·감시·방면(반혁명 분자에 대한 처벌 방법).

〔杀害〕 shāhài 동 (부정한 목적으로) 살해하다. 사람을 죽이다.

〔杀机〕 shājī 명 ①살인의 동기. ②살기(殺氣). 살의(殺意). ¶～毕露; 살기가 충만하다 / 动～; 살의를 일으키다.

〔杀鸡扯脖〕 shājī chěbó 〈比〉 (궁지에 몰려) 필사적으로(일부러 다급한 체하여 사람을 위협하거나 동정을 구하다). ¶只望着平儿～的使眼色儿, 求他遮盖《紅樓夢》; 그저 오직 평아 쪽으로 눈짓을 하여 감싸 주기를 바랬다. =〔杀鸡儿抹mǒ脖子〕

〔杀鸡给猴子看〕 shā jī gěi hóuzi kàn 〈諺〉 닭을 죽여 원숭이에게 보여 주다(다른 사람을 벌하여 본보기로 삼다). =〔杀鸡吓xià猴〕〔杀鸡骇猴〕〔杀鸡儆猴〕〔杀狗给猴子看〕

〔杀鸡买羊〕 shā jī mǎi yáng 〈成〉 닭을 죽여 양을 사다(소(小)를 희생하고 대(大)를 취하다).

〔杀鸡取卵〕 shā jī qǔ luǎn 〈成〉 닭을 잡아 계란을 취하다(목전의 이익만을 생각하고 장래를 그르침). =〔杀鸡取蛋〕

〔杀鸡问客〕 shā jī wèn kè 〈成〉 닭을 잡을 것인가 아닌가를 손님에게 묻다(상대가 사양할 것을 예상하고 고의로 묻다). ¶你这不是～吗? 有什么就拿来得了, 我什么都吃呀! 일부러 묻지 않아도 되지 않느냐? 뭐든지 있는 것을 가져오면 돼. 나는 뭐든지 먹는다.

〔杀鸡吓猴〕 shā jī xià hóu 〈成〉 ⇨〔杀鸡给猴子看〕

〔杀鸡焉用牛刀〕 shā jī yān yòng niú dāo 〈成〉 닭을 잡는 데 소 잡는 칼이 웬말이냐(작은 일을 하는 데는 큰 인물을 쓰지 않아도 된다).

〔杀价〕 shā,jià 동 값을 몹시 깎다. 값을 내리다. ¶这可由我～, 这叫个里外两赚; 내가 깎는다니, 그야말로 안팎으로 이득을 보는 셈이다.

〔杀脚〕 shājiǎo 동 ①발을 멈추다. 멈춰 서다. ②(위험한 고비에서) 버티고 서다.

〔杀戒〕 shājiè 명 《佛》 살생계.

〔杀菌〕 shā,jūn 동 살균하다. ¶～剂; 살균제.

〔杀开〕 shākāi 동 싸워서 열다. ¶～血路; 혈로를 뚫다.

〔杀裉〕 shā,kèn 동 ⇨〔煞裉〕

〔杀口〕 shā,kǒu 동 〈北方〉 입 안에 강한 자극을 주다. 〈比〉 아주 맛있다. ¶～甜; 굉장히 달다.

〔杀冷〕 shālěng 형 시원스럽다. ¶他办事决不拖泥带水, 真～; 그의 일하는 품은 그야말로 시원스럽다.

〔杀里昔尔酸〕 shālǐxí'ěrsuān 명 《化》 〈音〉 살리실산(salicyl 酸). =〔水杨酸〕〔邻羟苯甲酸〕〔撒里矢尔酸〕

〔杀戮〕 shālù 동 살육하다. 살해하다.

〔杀内〕 shānèi 동 금욕하다.

〔杀坯〕 shāpī 명 〈罵〉 ⇨〔杀才〕

〔杀棋〕 shāqí 동 〈俗〉 바둑을〔장기를〕 두다. →〔下xià棋〕

〔杀气〕 shāqì 명 ①음울(陰鬱). 침울. ②살벌한 기분. 살기. ¶～腾腾; 살기가 등등하다. (shā,qì) 동 ①화를 억누르다. 감정을 죽이다. ¶他有涵养, 别人怎么骂他, 杀着气不言语; 그는 수양이 돼 있으므로 다른 사람이 아무리 욕을 해도 꾹 참고 잠자코 있다. ②울분을 풀다. 화풀이하다. ¶拿老婆～; 아내에게 화풀이하다.

〔杀千刀〕 shāqiāndāo 〈罵〉 뒈져 버려라. 죽어 버려라.

〔杀青〕 shāqīng 동 〈轉〉 저작이 완성되다. 탈고(脫稿)하다(종이가 없던 시절, 대나무에서 푸른색을 없앤 죽간(竹簡)에 글씨를 쓴 것에서 연유됨). ¶原稿已全部～; 원고는 모두 탈고했다 / ～有待; 아직 탈고하지 못했다. 명 녹차(綠茶)를 고온 가공하는 제조 과정(색채와 부드러움의 유지를 위함).

〔杀人〕 shārén 살인하다. ¶～不过头点地; 〈諺〉

사람을 죽여 봤자 (잘린) 머리가 땅에 떨어질 뿐이다(사람을 지나치게 닦달해서는 안 된다) / ～不眨眼;〈成〉사람을 죽이고도 눈 하나 깜짝하지 않다(매우 잔인한 모양) / ～不见血;〈成〉사람을 죽이고 피 흔적도 남기지 않다(수단이 음흉하고 악랄함) / ～须见血;〈諺〉사람을 죽이면 피를 보아야 한다(일을 하면 철두철미하게 해야 한다) / ～如麻;〈成〉죽인 숫자가 매우 많은 모양 / ～越货;〈成〉사람을 죽이고 물건을 빼앗다.

〔杀肉〕 shāròu 동 (끈 따위가) 살에 파고들다.

〔杀伤〕 shāshāng 명동 살상(하다). ¶～力; 살상력.

〔杀身成仁〕 shā shēn chéng rén〈成〉제 몸을 희생하고 인(仁)을 이룩함〔행함〕.

〔杀生〕 shāshēng 동 살생하다. 목축 · 가축 등의 산 짐승을 죽이다.

〔杀生害命〕 shāshēng hàimìng 살생하다. 생명을 해치다.

〔杀熟儿〕 shā,shóur 동〈俗〉상인이 단골을 속이다.

〔杀暑气〕 shā shǔqì 더위를 쫓다.

〔杀死〕 shāsǐ 동 죽이다. ¶～人; 사람을 죽이다 / 把他～; 그를 죽이다.

〔杀头〕 shā,tóu 동 목을 자르다. 참수(斬首)하다. =〔砍脑袋〕

〔杀退〕 shātuì 동 ①죽여서 물리치다. ②육박하여 격퇴시키다.

〔杀威〕 shāwēi 동 남의 위세를 압도하다. 얌전하게 만들다. 기를 꺾다.

〔杀威棒〕 shāwēibàng 명 형벌의 하나(범인의 기세를 꺾기 위하여 몽둥이로 때리는 형벌).

〔杀尾〕 shā,wěi 명동 ⇨〔煞尾〕

〔杀蚊香〕 shāwénxiāng 명 모기향.

〔杀性子〕 shāxìngzi 동 성질을 죽이다. 감정을 억제하다.

〔杀痒〕 shāyǎng 동 가려움을 없애다.

〔杀腰〕 shā,yāo 동 허리띠를 꼭 졸라매다. ¶杀好了腰; 허리띠〔벨트〕를 꼭 맸다.

〔杀一儆百〕 shā yī jǐng bǎi〈成〉한 사람을 죽여 여러 사람의 본보기로 삼다. 일벌백계(一罰百戒). =〔以一儆百〕

〔杀账〕 shā,zhàng 동 계산을 마감하다. 결산하다. =〔煞账〕

〔杀猪宰羊〕 shā zhū zǎi yáng〈成〉(전승(戰勝) 축하의) 연회를 준비하다. 잔치를 마련하다. =〔杀鸡宰鹅〕

〔杀总儿〕 shāzǒngr 동〈俗〉총계(總計)하다.

刹 shā (찰)

동 정지시키다. 멈추다. 제동을 걸다. ¶把汽车～住; 자동차에 브레이크를 걸어 세우다 / ～车; ⇩ ⇒chà

〔刹把〕 shābǎ 명《機》(자전거의) 핸드 브레이크. 제동 레버.

〔刹车〕 shāchē 명〈俗〉브레이크. ¶紧急～; 급브레이크. (shā,chē) 동 ①(동력원을 끊고) 기계를 정지시키다. ②차에 브레이크를 걸다. ‖ =〔煞车〕

〔刹车油〕 shāchēyóu 명 브레이크 오일. =〔煞车油〕

〔刹住〕 shāzhù 동 억압하다. 브레이크를 걸다. ¶～歪风; 잘못된 풍조를 그치게 하다.

挲(挱) shā (살)

동〈文〉복잡하게 뒤섞이다. ⇒sà

铩(鎩) shā (살, 쇄)

①명 옛날의 긴 모(矛)의 하나. ②동〈文〉손상하다. ¶～羽之鸟; 날개를 다친 새. 〈比〉실의(失意)한 사람. ③명《化》'钐shān'(사마륨)의 구칭.

沙 shā (사)

①(～子) 명 모래. ¶防～林; 방사림 / 一盘散～; 한 사발의 흩어진 모래(결속되지 않은 군중) / 飞～走石; 바람에 모래가 날고 돌이 구르다. =〔砂〕 ②명 물가. ③명 수중의 사주(沙洲). ④명 작은 알맹이〔모래〕 모양의 것. ¶～糖 =〔砂糖〕; 결정 모양의 흰 설탕. =〔砂〕 ⑤형 (과실 따위가) 잘 익어서 속이 사각사각한 모양. ¶～瓤西瓜; 잘 익어서 속이 사각사각한 수박 / 这蟹黄(儿)～了; 이 게장은 잘 익었다. ⑥명 소. ¶豆～; 콩소. ⑦(Shā) 명《民》사 족(윈난 성(雲南省)의 소수 민족 이름). ⑧명〈音〉차르(러 tsar). ¶～皇; ⇩ ⑨형 목소리가 거칠다. ¶～音; ⇩ / 嗓子有点儿～; 목소리가 좀 쉬었다. ⑩형 꺼칠꺼칠하다. ⑪명 성(姓)의 하나. ⇒shà

〔沙板儿钱〕 shābǎnrqián 명 옛날, 구리 속에 모래가 섞인 질이 나쁜 동전. ¶这个～值不了什么; 이 저질의 동전 따위는 아무 값어치도 없다 / 这～不能使了, 留着当古董吧; 이 질이 나쁜 동전은 쓸 수 없으므로, 두었다가 골동품으로나 삼자. =〔沙壳〕

〔沙板儿糖〕 shābǎnrtáng 명 엿 반대기(엿을 판상으로 만든 과자. 고동색에 단단하고 깨지기 쉬움).

〔沙板儿砖〕 shābǎnrzhuān 명 담이나 부뚜막을 쌓는 데 쓰는 직사각형의 약간 질이 낮은 벽돌.

〔沙包〕 shābāo 명 ①질냄비. 도가니. ②모래주머니. =〔沙袋〕 ③모래더미.

〔沙煲〕 shābāo 명〈廣〉질냄비. 뚝배기.

〔沙边〕 shābiān 명 바닷가. 갯가.

〔沙布〕 shābù 명 ⇨〔标biāo白布〕

〔沙布隆〕 shābùlóng 명《宗》티베트 라마교의 고승의 칭호.

〔沙蚕〕 shācán 명《動》갯지렁이.

〔沙场〕 shāchǎng 명 ①〈方〉모래 벌판. 사장. ②전장(戰場). 싸움터.

〔沙尘〕 shāchén 명 사진(砂塵). 모래 먼지. ¶大风一起, ～飞扬; 한바탕 큰 바람이 불자, 모래 섞인 먼지가 날아올랐다.

〔沙虫〕 shāchóng 명《動》성충. 별벌레. =〔星虫〕

〔沙船〕 shāchuán 명 옌하이(沿海)나 창장(長江) 하류에서 운송 · 어업에 사용되는 대형 평저선. ¶苏州河里往来的～很多; 쑤저우 허(蘇州河)에는 왕래하는 정크가 대단히 많다.

〔沙床〕 shāchuáng 명 주사 광상(朱砂鑛床).

〔沙葱〕 shācōng 명《植》(모래땅에 나는) 산마늘.

〔沙袋〕 shādài 명 모래주머니. =〔沙包②〕〔沙囊〕

〔沙堤〕 shādī 명 ⇨〔沙嘴〕

〔沙地〕 shādì 명 ①《魚》넙치. ②사지(砂地)의 밭. 모래땅.

〔沙甸鱼〕 shādiànyú 명 ⇨〔沙丁鱼〕

〔沙吊子〕 shādiàozi 명 초벌구이한 물끓이는 도자기. =〔沙吊儿〕〔沙铫diào子〕〔沙铫儿〕

〔沙丁布〕 shādīngbù 명《紡》〈音義〉수자(繻子). 새틴(satin). =〔假jiǎ缎〕

〔沙丁鱼〕 shādīngyú 명《魚》〈音〉정어리〔sardine〕. ¶像罐头～; 정어리 통조림과 같다. 〈比〉빈틈없이 꽉 들어차다. =〔撒丁鱼〕〔沙甸鱼〕〔沙汀

鱼〕
〔沙俄〕 Shā'é 명《史》〈音〉 제정(帝政) 러시아.
〔沙发〕 shāfā 명〈音〉 소파(sofa). ¶坐在~上听无线电; 소파에 앉아서 라디오를 듣다. =〔沙发椅子〕〔沙法〕〔梳化〕
〔沙方〕 shāfāng 명 넓은잎 삼목(杉木)의 각재(角材)(관을 만드는 데 쓰임).
〔沙飞土扬〕 shā fēi tǔ yáng〈成〉 토사를 휘몰아 올리다.
〔沙肥〕 shāféi 명 비료에 섞는 모래(연못 따위에 침전된 모래. 덩어리가 지는 논밭에 뿌려 줌).
〔沙蜂〕 shāfēng 명《蟲》 진노래기벌(벌의 일종).
〔沙阜〕 shāfù 명 흙모래 더미.
〔沙肝儿〕 shāgānr 명〈方〉 (요리용의) 소·양·돼지의 비장(脾臟).
〔沙鸽〕 shāgē 명《鳥》 산비둘기.
〔沙狗〕 shāgǒu 명《動》 '松花江'에서 나는 작은 게의 일종(술지게미에 담가서 식용함).
〔沙谷米〕 shāgǔmǐ 명〈音〉 ⇨〔西xī谷〕
〔沙盬子〕 shāgǔzi 명 운두가 높은 질냄비(요리용).
〔沙锅(儿, 子)〕 shāguō(r, zi) 명 ①질냄비. ¶~浅儿; 질냄비 모양의 접시/抱~;〈比〉 비럭질을 하다/他家穷得连~都卖了, 你想这日子还过不过了? 그의 집은 가난해서 질냄비까지도 팔아 치웠는데, 도대체 살아갈 수 있다고 생각하느냐?/打破~, 问到底;〈歇〉 끝까지 캐묻다〔추궁하다〕. ②가위바위보의 가위('가위'·'바위'·'보'를 중국에서는 '沙锅'·'石头'·'水'라 함). 동 한 번으로 부서지다(알맞지 않은 용도로 쓰임).
〔沙锅捣蒜〕 shāguō dǎo suàn ⇨〔沙锅砸zá蒜〕
〔沙锅浅儿〕 shāguōqiǎnr 명 둥글고 운두가 낮은 질냄비. =〔沙浅儿〕
〔沙锅砸蒜〕 shāguō zá suàn〈歇〉 질냄비에 마늘을 찧다(한 번밖에 할 수 없음. 마지막 수단). ¶~, 一锤chuí子买卖;〈歇〉 한 번 하고 그만두는 장사/蒙mēng人的事是~, 下回谁还照顾他呢; 사람을 속이는 것도 한 번뿐이다. 다음 번에는 아무도 상대하지 않는다/这件事我是~, 非这么办不可了; 이 일은 성패가 달린 일이다. 이렇게 해야만 한다. =〔沙锅捣dǎo蒜〕
〔沙锅煮瓷瓦儿〕 shāguō zhǔ cíwǎr 질냄비에 도자기의 파편을 끓여 보다(억지로 남의 흠을 들춰내려 하다).
〔沙果(儿)〕 shāguǒ(r) 명《植》 능금. =〔花红〕
〔沙果儿梨〕 shāguǒrlí 명《植》 일종의 작은 배(모양이 능금과 비슷함).
〔沙喉〕 shāhóu 명 쉰 목소리.
〔沙狐〕 shāhú 명《動》 사막여우의 일종(그 뱃가죽을 '天马皮' 턱 밑의 가죽을 '乌wū云豹'라 하고 귀중히 여김). ¶蒙古人说打了~要招灾的; 몽골인은 사막여우를 해치면 재난이 온다고 말한다.
〔沙壶〕 shāhú 명 오지 주전자.
〔沙户〕 shāhù 명 어가(漁家). 어민.
〔沙滑〕 shāhuá 명《動》 돌고래. =〔海猪〕〔海豚〕
〔沙画〕 shāhuà 명《美》 샌드 페인팅(sand painting). 모래그림. =〔干gān画〕
〔沙獾〕 shāhuān 명《動》 오소리의 일종. =〔猪獾〕
〔沙荒〕 shāhuāng 명 강풍·홍수 등으로 인해 많은 모래가 덮여 경작 불능인 땅.
〔沙皇〕 Shāhuáng 명〈音義〉 차르(러 tsar)(제정(帝政) 러시아의 황제 칭호). ¶~俄国; 제정 러시아.
〔沙鸡〕 shājī 명《鳥》 사막꿩.
〔沙基惨案〕 Shājī cǎn'àn 명《史》 육이삼(六二三) 사건(1925년 6월 23일, 상하이(上海)의 오삼십(五三十) 사건의 데모에 호응하여, 광둥(廣東)의 사지(沙基)에서 노동자·학생이 시위를 벌여 영국·프랑스 주둔병과 충돌, 수백 명이 사상한 사건). =〔六二三惨案〕
〔沙蒺藜〕 shājílí 명《植》 자운영(紫雲英).
〔沙家〕 shājiā 대〈文〉 나. 저(오대(五代)와 송초(宋初)에 쓰던 자칭의 말).
〔沙浆〕 shājiāng 명 ⇨〔砂浆〕
〔沙礓〕 shājiāng 명《鑛》 물을 통하지 않는 괴상(塊狀)·과립상의 돌(벽돌·돌 대신으로 건축 재료에 쓰이며, 또 길에도 깖). ¶~地; 그와 같은 토질(土質)의 땅.
〔沙礁〕 shājiāo 명 얕은 여울. ¶船在~上搁浅了; 배가 얕은 여울에 좌초했다.
〔沙角〕 shājiǎo 명《植》 마름의 열매.
〔沙金〕 shājīn 명 사금(砂金).
〔沙克(疫)苗〕 shākè(yì)miáo 명《醫》〈音義〉 소크 백신(Salk vaccine).
〔沙坑〕 shākēng 명 ①(아이들이 노는) 모래밭. ②《體》(육상 경기의) 피트(pit). 도약용 모래밭.
〔沙矿〕 shākuàng 명《鑛》 사광. (사금·사철 등) 모래 모양의 광물.
〔沙拉〕 shālā 명〈音〉 샐러드(salad). ¶火腿~; 햄샐러드/~浆; 샐러드 오일. =〔沙律〕〔沙辣〕〔色拉〕
〔沙辣〕 shālà 명〈音〉 ⇨〔沙拉〕
〔沙朗儿朗儿〕 shālǎngrlǎngr〈擬〉 사각사각(수박 따위가 잘 익어서 사각사각한 모양). =〔沙瓤儿瓤儿〕
〔沙捞越〕 Shālāoyuè 명《地》〈音〉 사라와크(Sarawak)(보르네오 섬 서북 해안, 말레이시아 연방의 일부). =〔砂劳越〕
〔沙棱〕 shāleng〈擬〉 사각사각(잘 익은 과일을 먹을 때 나는 소리). ¶这西瓜沙沙棱棱地很好吃; 이 수박은 사각사각 아주 맛있다. 형 (일하는 모습이) 빠르고 깔끔하다.
〔沙厘酒〕 shālíjiǔ 명〈音〉 ⇨〔雪xuě利酒〕
〔沙梨〕 shālí 명《植》 배의 일종(과육에 모래 같은 알갱이가 있고 단단하며 맛이 심. 움 속에 저장하여 발효시켜 거무스름하게 된 것을 1, 2월경에 먹음. 별로 맛은 없음).
〔沙里淘金〕 shā lǐ táo jīn〈成〉 모래알 속에서 황금을 고르다(잔디밭에서 바늘찾기).
〔沙力息酸〕 shālìxīsuān 명〈音〉 ⇨〔水shuǐ杨酸〕
〔沙栗〕 shālì 명《色》 밤색. ¶~儿马; 밤색의 말. 밤색털(의 말).
〔沙砾〕 shālì 명 사력. 모래와 자갈. =〔砂砾〕
〔沙粒〕 shālì 명 모래알.
〔沙列布〕 shālièbù 명《植》〈音〉 살렙(salep)(난초과의 식물로, 덩이뿌리를 약용함).
〔沙淋〕 shālìn 명《漢醫》 요도 결석으로 오줌을 눌 때 결석된 알맹이가 배출되어 아파지는 병.
〔沙龙〕 shālóng 명 ①〈音〉 살롱(salon). ¶文艺~; 문예 살롱/简单的民歌, 比贵族的~小诗有更多的诗意; 간단한 민요는 귀족의 살롱 예술적 소시에 비해서 한층 더 많은 시정(詩情)이 있다. =〔纱龙〕〔纱笼②〕〔萨琅〕 ②이동성 사구(砂丘).
〔沙漏〕 shālòu 명 ①모래시계. ②⇨〔沙滤器〕
〔沙鹭〕 shālù 명 ⇨〔池chí鹭〕
〔沙律〕 shālǜ 명 ⇨〔沙拉(子)〕
〔沙滤器〕 shālǜqì 명 모래 여과기. =〔沙漏②〕

〔沙沦〕 shālún 명 〈音〉 사이렌(siren). =〔汽笛〕〔赛林〕〔赛连〕
〔沙纶〕 shālún 명 《紡》 사란(Saran)(폴리염화 비닐리덴계(系) 합성 섬유의 상품명). =〔纱纶〕
〔沙门〕 shāmén 명 《佛》 승려. 출가하여 수도하는 사람. =〔桑门〕
〔沙门氏菌〕 shāménshìjūn 명 《醫》 〈音〉 살모넬라균(라 Salmonella菌).
〔沙门鱼〕 shāményú 명 《魚》 〈音〉 연어(salmon). ¶咸～; 자반 연어. =〔撒蒙鱼〕
〔沙弥〕 shāmí 명 《佛》 〈梵〉 사미(승). 젊은 승려.
〔沙民〕 Shāmín 명 푸젠(福建)·광둥(廣東) 등 연해 지구의 주민.
〔沙莫瓦〕 shāmòwǎ 명 〈音〉 사모바르(러 samovar)(러시아 특유의 물 끓이는 기구). =〔水火壶〕〔茶炊〕〔沙莫瓦尔〕
〔沙漠〕 shāmò 명 사막. =〔沙幕〕
〔沙模(子)〕 shāmú(zi) 명 주형(鑄型). 거푸집.
〔沙木〕 shāmù 명 《植》 광엽 삼목(廣葉杉木)(나무의 질이 단단하여, 관을 만드는 데 쓰임).
〔沙幕〕 shāmù 명 ⇨〔沙漠〕
〔沙囊〕 shānáng 명 ⇨〔沙袋〕
〔沙挼子〕 shānuózi 명 《蟲》 개미귀신(명주잠자리의 유충).
〔沙盘〕 shāpán 명 모래흙으로 만든 지형의 모형.
〔沙盘画〕 shāpánhuà 명 사화(砂畫).
〔沙皮〕 shāpí 명 《魚》 별상어. ¶～病; 《醫》 파일의 흑점병(黑點病).
〔沙碛〕 shāqì 명 〈文〉 사막.
〔沙浅儿〕 shāqiǎnr 명 ⇨〔沙锅浅儿〕
〔沙丘〕 shāqiū 명 ①사구. 모래 언덕. ②(Shāqiū) 《地》 허베이 성(河北省) 핑샹 현(平鄉縣) 동북방에 있는 땅 이름(은(殷)나라 주왕(紂王)이 향락에 빠진 곳. 또, 진시황이 죽은 곳).
〔沙区〕 shāqū 명 사막 지대.
〔沙泉〕 shāquán 명 사막 가운데의 샘.
〔沙瓤(儿)〕 shāráng(r) 명 수박이 잘 익어서 속이 사박사박하게 된 것.
〔沙瓤儿瓤儿〕 shārángrrángr 〈擬〉 ⇨〔沙朗儿朗儿〕
〔沙壤〕 shārǎng 명 모래땅. ¶这块～上种什么好呢? 이 모래땅에는 무엇을 심으면 좋을까?
〔沙仁(儿)〕 shārén(r) 명 《漢醫》 축사밀의 씨(한방약재).
〔沙沙〕 shāshā 〈擬〉 사각사각. 좍좍(비가 오는 소리. 물 소리. 모래를 밟는 소리). ¶走在河滩上, 脚下～地响; 강가의 모래밭을 걸으면 발 밑에서 사각사각 소리가 난다 / 风吹动树叶, ～作响; 바람이 불어 나뭇잎을 움직여서 사각사각 소리를 낸다.
〔沙沙棱棱〕 shāshaléngléng →〔沙棱〕
〔沙勺〕 shāsháo 명 자루가 달린 작은 질냄비〔뚝배기〕.
〔沙参〕 shāshēn 명 《植》 잔대(담약(痰藥)).
〔沙声〕 shāshēng 명 쉰 목소리.
〔沙石〕 shāshí 명 사석. 모래와 돌.
〔沙士〕 shāshì 명 〈音〉 ⇨〔沙司〕
〔沙手〕 shāshǒu 명 권법(拳法) 수행의 하나(상자 속에 채운 철환(鐵丸) 속에 손을 찔러 넣을 수 있을 때까지 수행하는 일). =〔铁tiě沙手〕
〔沙司〕 shāsī 명 〈音〉 소스(sauce). ¶奶油～; 크림 소스 / 番茄～; 토마토 소스 / 辣酱～; 칠리(chili) 소스 / 肉末～; 미트(meat) 소스. =〔酱汁沙司〕〔沙士〕〔少司〕
〔沙松〕 shāsōng 명 《植》 가문비나무.
〔沙滩〕 shātān 명 강·바다의 사주(沙洲). 백사장. ¶～帽; 비치 햇(해변에서 쓰는 모자) / ～装; 비치 코트(해변용 가운). =〔沙坦〕
〔沙糖〕 shātáng 명 모래 설탕. 굵은 설탕. =〔砂糖〕
〔沙特阿拉伯〕 Shātè Ālābó 명 《地》 〈音〉 사우디아라비아(Saudi Arabia)(수도는 '利Lì雅得'(리야드:Riyadh)). =〔骚sāo提阿拉伯〕
〔沙藤〕 shāténg 명 《植》 청사조(青蛇條).
〔沙田〕 shātián 명 ①강·바닷가에 충적된 모래땅. 모래톱. ②사토(砂土)로 된 밭(사주(砂洲)를 개간한 밭). ③간쑤(甘肅)나 신장(新疆) 등의 건조 지대에서, 땅 속의 수분을 보존하기 위해 크고 작은 돌멩이를 깐 밭.
〔沙铁〕 shātiě 명 《鑛》 사철.
〔沙土〕 shātǔ 명 ①사질(砂質)의 흙. ②모래땅.
〔沙土井愈掏愈深〕 shātǔjǐng yùtāo yùshēn 모래땅의 우물은 쳐내면 쳐낼수록 깊어진다(허우적거리면 거릴수록 깊이 빠져 들어간다).
〔沙土泥〕 shātǔní 명 모래질의 진흙.
〔沙坨子〕 shātuózi 명 ①모래흙으로 쌓은 둑. ②모래를 쌓은 것.
〔沙(尾)钱〕 shā(wěi)qián 명 옛날, (표준보다) 얇고 조잡하며 까칠까칠하고 광택이 없는 1문(文)짜리 동전.
〔沙文主义〕 shāwén zhǔyì 명 〈音〉 쇼비니즘(chauvinism). 배타적 애국주의. ¶特别是大国的～错误必然会带来严重的损害; 특히, 대국의 쇼비니즘의 과오는 필연적으로 큰 손해를 가져다 주게 된다.
〔沙窝门〕 Shāwōmén 명 베이징 옛 성문의 하나인 광거문(廣渠門)의 속칭.
〔沙窝子〕 shāwōzi 명 모래땅. 사지(砂地).
〔沙线〕 shāxiàn 명 광맥(鑛脈).
〔沙噀〕 shāxùn 명 《動》 해삼. =〔刺cì参〕
〔沙哑〕 shāyǎ 동 ①목이 쉬다. ¶嗓音很～; 목이 많이 쉬었다. ②목을 쉬게 하다.
〔沙眼〕 shāyǎn 명 ①《醫》 트라코마. =〔砂眼②〕 ②마맛자국. 좁쌀같이 돋은 것.
〔沙雁儿〕 shāyànr 명 기러기연('风fēng筝'(연)의 일종. 기러기가 날 때처럼 몇개가 연결되어 있는 것).
〔沙燕(儿)〕 shāyàn(r) 명 제비연('风筝'(연)의 일종. 좌우로 날개가 뻗고 꼬리가 두 갈래로 갈라져서 새 모양을 하고 있는 가장 보통의 것).
〔沙音〕 shāyīn 명 ①잡음. 삐걱거리는 소리. ②쉰 목소리. 윤기 없는 음성.
〔沙吟〕 shāyín 명 사막에서 들리는 일종의 음악과 같은 소리.
〔沙鱼〕 shāyú 명 《魚》 상어. =〔鲨鱼〕
〔沙浴〕 shāyù 명 ①모래찜. 사욕. 사증(砂蒸). ②《化》 금속제 접시에 모래를 넣은 후에, 대상물을 넣고 열을 가하는 가열법.
〔沙灾〕 shāzāi 명 모래의 해. 모래로 인한 재해.
〔沙枣〕 shāzǎo 명 《植》 대추(나무)의 일종(수유나무과의 관목). =〔桂香柳〕〔香柳〕〔银yín柳〕
〔沙蚤〕 shāzǎo 명 《蟲》 모래벼룩.
〔沙咤〕 Shāzhà 명 복성(複姓)의 하나.
〔沙纸〕 shāzhǐ 명 샌드페이퍼. 사포(砂布). ¶打～; 샌드페이퍼로 닦다.
〔沙洲〕 shāzhōu 명 사주. 모래톱.
〔沙柱〕 shāzhù 명 사주(사막에서 선풍으로 인해 기둥 모양으로 하늘 높이 휘말려 올라가는 모래).

〔沙锥鸟〕 shāzhuīniǎo 명《鳥》도요새.
〔沙子〕 shāzi 명 ①모래. ¶眼睛里不藏～; 안식(眼識)이 있어서 속일 수 없다. ②모래처럼 흩어지는 것. ¶铁～; 작은 탄알.
〔沙子灯〕 shāzidēng 명 원통형의 장난감(바깥쪽에 인물의 모습을 그리고 여기에 종이를 오려 만든 손발과 머리를 붙이고, 원통 속에 채운 모래를 조금씩 흘려 내보내어 그 힘으로 인형이 계속 움직이도록 되어 있음).
〔沙子口袋〕 shāzikǒudai 명 무술 수행자가 쓰는 쇠알갱이를 채운 주머니(이것을 다리에 붙들어매어 다리의 힘을 기르거나 던져서 팔의 힘을 기름).
〔沙族〕 Shāzú 명《民》사 족('壮Zhuàng族'(장족)의 한 지족(支族). 윈난 성(雲南省) 남부에 삶).
〔沙钻〕 shāzuàn 명《魚》보리멸.
〔沙钻鱼〕 shāzuànyú 명《魚》까나리.
〔沙嘴〕 shāzuǐ 명《地質》길게 돌출한 모양의 사주(砂洲). =〔沙堤〕

莎 shā (사)
①지명용 자(字). ¶～车; 사처(莎車)(신장성(新疆省) 위구르 자치구). ②음역용 자(字). ¶～士比亚;《人》〈音〉셰익스피어(William Shakespeare)(영국의 극작가·시인, 1564～1616) / ～法榻tà =〔沙发〕; 소파 / ～莫瓦尔; 사모바르(러시아 전래의 물 끓이는 주전자). ⇒ suō
〔莎丽服〕 shālìfú 명〈音〉사리(sari, saree)(인도 힌두교의 여성들이 일상복으로 입음). =〔沙丽〕〔纱丽〕

唦 shā (사)
조〈古白〉원대(元代) 잡극(雜劇)에서, 흔히 쓰이는 어기 조사(語氣助詞)로 구두어(口頭語)의 '啊a'와 같음.

挲〈抄〉 shā (사)
→〔挓zhā挲〕 ⇒ sā suō

痧 shā (사)
명《漢醫》①〈方〉홍역. ¶出～子; 홍역에 걸리다 / ～神娘娘; 홍역 귀신. =〔麻疹〕 ②호열자. 콜레라. 서체(暑滯)·장염(腸炎) 따위의 급성 질환. ③콜레라와 비슷한 심한 토사 증상. ¶发～; 심한 토사를 일으키다.
〔痧药水〕 shāyàoshuǐ 명《藥》콜레라 비슷한 증상에 마시는 물약. =〔十滴水〕
〔痧子〕 shāzi 명《醫》①〈方〉홍역. ②성홍열. =〔痧疹〕

裟 shā (사)
→〔袈jiā裟〕

鲨(鯊) shā (사)
명《魚》①문절망둑. ②상어. ¶鼠～; 악상어 / 银～; 은상어 / 剑鱼; 톱상어 / 姥～; 돌묵상어. =〔鲨鱼〕〔沙鱼〕〔海沙鱼〕
〔鲨翅〕 shāchì 명 상어의 지느러미.
〔鲨鱼皮〕 shāyúpí 명 상어 껍질〔가죽〕.
〔鲨鱼皮绸〕 shāyúpíchóu 명《紡》샤크스킨(sharkskin)(아세테이트의 시원한 감촉을 살린 하복지(夏服地)). =〔鲨皮布〕

纱(紗) shā (사)
명 ①목화를 자은 것으로서 실을 만드는 재료가 되는 것. 직사(織絲). 조방사(粗紡絲). ¶60支～; 60번수(番數)(의 실) / 纺～; 실을 잣다. ②발이 살핏하고 얇은 직물을 일컬음(가제·사(紗) 따위). ③성글게 짠 직물. 사. ¶窗～(儿); ⓐ창문에 붙이는 한랭사(寒冷紗). ⓑ한랭사를 바른 창.
〔纱包线〕 shābāoxiàn 명《電》면(綿)피복 코드(선).
〔纱壁子〕 shābìzi 명 망사 따위를 바른 창문 모양의 칸막이.
〔纱布〕 shābù 명 ①두꺼운 면포. ②가제(독 Gaze). →〔药棉〕 ③붕대. ¶眼上里着～; 눈을 붕대로 싸매고 있다.
〔纱厂〕 shāchǎng 명 방적 공장.
〔纱橱〕 shāchú 명 망사 또는 철망을 친 찬장. 파리장.
〔纱窗〕 shāchuāng 명 망사나 철사망을 단 창문. =〔凉liáng窗〕
〔纱灯〕 shādēng 명 사등롱(紗燈籠).
〔纱锭〕 shādìng 명《紡》물레의 가락. 방추(紡錘). ¶全部～和全部织布机, 都是自己制造的; 방추나 베틀은 모두 국산품이다. =〔纺锤(儿)〕
〔纱褂〕 shāguà 명 '长cháng衫(儿)①'의 위에 입는 사로 지은 짧은 웃도리.
〔纱管〕 shāguǎn 명《紡》실 감는 목관(木管).
〔纱巾〕 shājīn 명 사(紗)로 만든 스카프.
〔纱框〕 shākuàng 명《紡》릴. 얼레.
〔纱龙〕 shālóng 명 ⇨〔沙龙①〕
〔纱笼〕 shālóng 명〈音〉①사롱(saron)(동남아 일대의 사람들이 입는 스커트). ② ⇨〔沙龙①〕
〔纱纶〕 shālún 명 ⇨〔沙纶〕
〔纱罗〕 shāluó 명《紡》사(紗) 비단.
〔纱帽〕 shāmào 명 사(紗)로 만든 모자(전에 문관(文官)이 썼음). ¶～头儿; 여름용의 사로 만든 베레모 비슷한 모자 / 因嫌～小, 致使锁枷扛; 사모가 작다(벼슬이 낮다)고 싫어하며, 칼을 쓰는〔처벌을 받는〕신세가 되었다.
〔纱门〕 shāmén 명 방충망을 한 문.
〔纱袍〕 shāpáo 명 사(紗)로 만든 도포.
〔纱衫〕 shāshān 명 크레이프 셔츠(crape shirts).
〔纱头〕 shātóu 명 면사(綿絲) 부스러기.
〔纱头儿〕 shātóur 명 무명실의 이음매.
〔纱线〕 shāxiàn 명 피륙을 짜는 실. 방사(紡絲).
〔纱业〕 shāyè 명 방적업(자).
〔纱羽管〕 shāyǔguǎn 명《紡》보빈(bobbin). 실감개. =〔卷juǎn线〕
〔纱帐子〕 shāzhàngzi 명 ①망사 따위로 만든 커튼. ②모기장. ③〈北方〉옥수수 따위가 무성한 은닉 장소. ¶留神, ～里有红胡子; 정신 차려라, 수수밭에 숨어 있는 마적이 있다.
〔纱罩(儿)〕 shāzhào(r) 명 ①(음식물 따위의) 망사로 만든 덮개. ②맨틀(mantle). ¶煤气灯～; 가스등 맨틀 / ～丝统; 맨틀사(絲).
〔纱罩灯〕 shāzhàodēng 명 맨틀을 사용한 가스등.
〔纱纸〕 shāzhǐ 명 ⇨〔薄báo纱纸〕

砂 shā (사)
명 ①모래(공업 용어로 쓰이는 경우가 많음). ②모래알 같은 것.
〔砂泵〕 shābèng 명《機》준설용 토사 흡입 펌프.
〔砂布〕 shābù 명 사포. 에머리 클로스(emery cloth). =〔刚gāng砂布〕
〔砂汞〕 shāgǒng 명 단사(丹砂)와 수은(도가(道家)에서, 단약(丹藥)을 만드는 데 쓰는 재료).

〔砂光〕 **shāguāng** 동 《工》 기계 등의 녹슨 곳을 갈아서 광을 내다. =〔打dǎ光〕
〔砂姜〕 **shājiāng** 명 《鑛》 암석 모양의 탄산 석회 결괴(結塊). =〔砂礓〕〔姜石〕
〔砂浆〕 **shājiāng** 명 《建》 모르타르. 회반죽. 시멘트. ¶水泥～; 시멘트 모르타르. =〔灰huī浆③〕〔灰泥〕〔胶jiāo浆〕〔沙浆〕
〔砂砾〕 **shālì** 명 사력. 모래와 자갈. =〔沙砾〕
〔砂轮〕 **shālún** 명 회전 숫돌. 그라인딩 휠. =〔磨mó轮〕
〔砂轮机〕 **shālúnjī** 명 《機》 연마기. 그라인더. =〔〈南方〉火huǒ石车〕
〔砂模〕 **shāmú** 명 ⇨〔砂型〕
〔砂囊〕 **shānáng** 명 《鳥》 사낭. 모래주머니.
〔砂皮〕 **shāpí** 명 사포(砂布). 샌드페이퍼.
〔砂生草〕 **shāshēngcǎo** 명 《植》 개미탑.
〔砂石〕 **shāshí** 명 모래와 자갈. 사석. ¶～料; 공사 재료용 모래와 자갈 / ～路; 자갈길.
〔砂糖〕 **shātáng** 명 굵은 설탕. =〔沙糖〕
〔砂田〕 **shātián** 명 모래땅. 모래밭.
〔砂箱〕 **shāxiāng** 명 《工》 (금속 주조용) 거푸집. 몰딩 박스.
〔砂心〕 **shāxīn** 명 《工》 주물(鑄物)〔주형(鑄型)〕의 중심.
〔砂心盒〕 **shāxīnhé** 명 ⇨〔泥ní心盒〕
〔砂型〕 **shāxíng** 명 《工》 모래 주형(鑄型). =〔砂模〕
〔砂眼〕 **shāyǎn** 명 ①《工》 주철(鑄鐵) 등의 내부에 생기는 기포(氣泡). ② ⇨〔沙眼①〕
〔砂样〕 **shāyàng** 명 (시굴(試掘) 따위에서 채취한) 토질(土質)의 샘플.
〔砂油纸〕 **shāyóuzhǐ** 명 《工》 모래를 붙인 루핑(roofing).
〔砂纸〕 **shāzhǐ** 명 샌드페이퍼. 사포. =〔砂皮〕〔刚砂纸〕
〔砂铸〕 **shāzhù** 명 모래 주물. =〔〈俗〉翻fān砂〕
〔砂子〕 **shāzi** 명 모래. 조약돌.

杉 **shā** (삼)

뜻은 '杉shān'과 같고, '杉篙' '杉木' 등에 쓰임. ⇒shān
〔杉杆子〕 **shāgānzi** 명 (긴) 삼목 통나무.
〔杉篙〕 **shāgāo** 명 삼목으로 만든 배의 상앗대. ¶～尖子; 〈比〉 키다리.
〔杉锦〕 **shājǐn** 명 나뭇결이 고운 삼나무 재목.
〔杉木〕 **shāmù** 명 (광엽수의) 삼목의 목재.

煞 **shā** (살)

① 동 죽다. =〔杀④〕 ② 동 브레이크를 걸다. ¶把车～住; 차에 브레이크를 걸다. =〔杀⑥〕 ③ 동 매듭짓다. 결말을 짓다. ¶～好了账了; 장부를 깨끗이 마감했다. =〔杀⑦〕 ④ 동 약화시키다〔되다〕. 누그러뜨리다. =〔杀③〕 ⑤ 동 붙들어매다. 동여매다. 졸라매다. ¶～在车上; 수레에 동여매다 / 把腰带一～; 허리띠를 꽉 졸라매다. =〔杀⑤〕 ⑥ 동 ⇨〔杀⑤〕 ⑦ ⇨〔杀⑬〕 ⑧ 조 〈古白〉 '啊a'와 동일하게 사용됨《원(元)대 잡극에서 흔히 쓰임》. ⇒shà
〔煞笔〕 **shābǐ** 명 문장의 끝맺는 말. (shā·bǐ) 동 글을 끝마치다. 붓을 놓다. ‖ =〔煞脚〕
〔煞场〕 **shāchǎng** 명 종말. 말로. 막판.
〔煞车〕 **shāchē** 명 제동기. 브레이크. ¶～距离; 제동(制動) 거리 / 手～; 핸드 브레이크 / 反踏板～ =〔脚～〕; 코스터 브레이크. (shā·chē) 동 ①브레이크를 걸다. ¶没来得及～; 브레이크를 걸 여유가 없었다 / 煞不住车; 브레이크가 듣지 않다. ②(차·기계를) 세우다. 정지하다. ‖ =〔杀车〕〔刹车〕 ③차에 실은 짐을 묶다.
〔煞车油〕 **shāchēyóu** 명 브레이크 오일. =〔刹车油〕〔塞sāi带油〕
〔煞掣〕 **shāchè** 동 브레이크를 걸다. ¶～不住; 브레이크가 걸리지 않다. =〔杀掣〕
〔煞风〕 **shāfēng** 동 바람이 자다〔멎다〕.
〔煞风景〕 **shāfēngjǐng** ⇨〔杀风景〕
〔煞弓扣弦〕 **shā gōng kòu xián** 〈成〉 일이 끝나다. 종국을 맞다.
〔煞脚〕 **shā·jiǎo** 명동 ⇨〔煞笔〕
〔煞紧〕 **shājǐn** 동 단단히 졸라매다〔죄다〕.
〔煞裉〕 **shā·kèn** 동 중국옷의 소매를 달다. =〔杀裉〕
〔煞气〕 **shā·qì** 동 ①다른 곳에 화풀이하여 울분을 풀다. 분노를 누르다. ¶只有把他杀掉才～; 오직 그를 죽여야만 분을 풀 수 있다. ②물기를 제거하다. ⇒shàqì
〔煞手〕 **shā·shǒu** 동 ①삼가다. ②일을 끝마무리하다. (shāshǒu) 명 삼가. 절제(節制). ¶花钱得有个～; 돈을 쓰는 데는 절제라는 것이 있어야 한다.
〔煞暑气〕 **shā shǔqì** 더위 풀이를 하다.
〔煞死〕 **shāsǐ** 부 어떻게 해서라도. ¶～要绷场面; 어떻게 해서라도 난처한 경우를 얼버무려 넘기려 하다.
〔煞台〕 **shā·tái** 동 ①연극이 끝나다. ②결말이 나다. 일이 끝나다. ¶两个人的长谈也到了～的阶段; 두 사람의 긴 이야기도 마지막 단계에 이르렀다.
〔煞铁〕 **shātiě** 명 ⇨〔镶xiāng条〕
〔煞尾〕 **shā·wěi** 동 결말을 짓다. ¶事情不多了, 马上就可以～; 일이 얼마 남지 않았으니까 곧 끝낼 수 있다. (shāwěi) 명 ①끝. 결말. 대단원. ② '北曲'의 '套数' 중 마지막 곡(曲). ‖ =〔杀尾〕
〔煞星〕 **shāxīng** 명 액성(厄星).
〔煞性子〕 **shāxìngzi** 동 분풀이〔화풀이〕를 하다. ¶两口子生气, 都拿着平儿～; 부부는 화가 나면, 둘 다 평아(平兒)에게 분풀이를 해 왔다.
〔煞账〕 **shā·zhàng** 동 계산을 마감하여 매듭짓다. =〔杀账〕
〔煞着步儿〕 **shāzhe bùr** 발걸음을 늦추다. ¶～走; 발걸음을 늦추어 천천히 걷다.
〔煞住〕 **shāzhù** 동 멈추다. 세우다. ¶～引擎; 엔진을 끄다〔멈추다〕 / 台上的戏也～了《兒女英雄傳》; 무대의 연극도 중지되었다.
〔煞住脚〕 **shāzhùjiǎo** 동 발을 멈추다. 정돈(停頓) 상태에 빠지다. 진퇴양난이 되다.

啥 **shá** (사)

대 〈方〉 무엇. 무슨. 어느. ¶～人家; 누구 / ～事体; 〈南方〉 무슨 일 / 他是～地方人? 그는 어느 곳 사람인가요? / ～场化; 〈吳〉 어디《sāzangho처럼 발음함》 / 你干～? 자네 무엇을 하나? / 赤贫如洗, 家里～都没有; 씻은 듯이 가난해서 집 안에는 아무것도 없다. =〔什么〕
〔啥个〕 **shágè** 〈方〉 무엇. 무슨. 어떤.
〔啥拉的〕 **shálāde** 〈方〉 … 따위〔등〕. =〔什shén么的〕
〔啥子〕 **sházi** 대 〈方〉 무엇.

傻〈儍〉 **shǎ** (사)

형 ①어리석다. 멍청하다. ¶装疯卖～; 미친 척 바보인 척 하다 / ～干; 엉터리로〔무분별하게〕 하다. ②멍하니 넋을 잃은 모양. ¶～了眼儿; 넋을 잃고 어찌할 줄을 모르다 / 吓～了; 놀라서 멍해지다. ③고지식하다. 외곬이다.
〔傻巴愣噔〕 shǎbalèngdēng 형 ⇨〔傻不愣登〕
〔傻白〕 shǎbái 형 새하얗다《희기만 하고 단조로움》.
〔傻不济济〕 shǎbujiji 형 멍청하다. 멍하다.
〔傻不愣登〕 shǎbulèngdēng 형 멍하니 있는 모양. 멍청한 모양. 아무 일도 아니하고 멍멍하게 있는 모양. =〔傻巴愣噔〕
〔傻吃傻喝〕 shǎchī shǎhē 마구〔무분별하게〕 먹고 마시다.
〔傻痴〕 shǎchī 명형 우둔(하다). 멍청(하다).
〔傻大〕 shǎdà 형 구성 없이 크다. 쓸데없이 크기만 하다. ¶～黑粗; 몸은 구성 없이 크며 빛깔은 검고 투박하다.
〔傻大哥〕 shǎdàgē 명 바보. 어리석은 사람.
〔傻大瓜〕 shǎdàguā 명 ⇨〔傻瓜〕
〔傻蛋〕 shǎdàn 명 바보. 멍청이.
〔傻等〕 shǎděng 동 멍하니 넋을 잃고 기다리다. (기다리다가) 바람을 맞다. ¶别叫我～着; 나를 바람 맞히면 안 돼.
〔傻二八气〕 shǎ'èrbāqì 형 멍청한 모양. 재치〔기지(機智)〕가 없는 모양.
〔傻瓜〕 shǎguā 명 천치. 바보. 멍청이. =〔半吊子〕〔傻大瓜〕
〔傻孩子〕 shǎháizi 명 ①바보 같은 아이. ②〈轉〉(어린아이에 대해) 이 바보야.
〔傻好〕 shǎhǎo 형 호인(好人)이다. 어수룩하다. 순하다. ¶～的人; 호인.
〔傻呵呵(的)〕 shǎhēhē(de) 형 멍하니 있는 모양. ¶别看他～的, 心里可有数! 그는 멍하니 있는 것 같지만 마음 속으로는 꿍꿍이가 있다! =〔傻乎乎(的)〕
〔傻喝喝(的)〕 shǎhēhē(de) 형 (기분 나쁘게) 흐흐흐 웃는 모양.
〔傻花子〕 shǎhuāzi 명〈罵〉얼간이 같은 녀석. 바보 자식.
〔傻话〕 shǎhuà 명 쓸데없는 소리. 터무니없는 말. 헛소리. ¶说～; 쓸데없는 소리하다.
〔傻奸〕 shǎjiān 형 (겉으로는) 멍청한 듯하나 (속으로는) 교활하다. 의뭉스럽다.
〔傻劲(儿)〕 shǎjìn(r) 명 ①우직스러움. 어리석음. ¶你的～又发作了; 자네의 어리석은 일면이 또 나왔다. ②뚝심. 고지식함. ¶光靠～蛮干是不行的! 단지 뚝심만을 믿고 무턱대고 해서는 안 된다! / 好在固某人具有一股～, 受软不受硬; 다행히 고아무개는 고지식한 점이 있어 기골찬 데가 있다.
〔傻角〕 shǎjué 명 ①바보. 어리석은 사람《흔히, 소설에 쓰이는 말》. ②어릿광대. ¶这出戏配个～可以热闹一点儿; 이 연극에는 광대역을 한 사람 배치하면 좀 활기차게 된다.
〔傻拉瓜唧〕 shǎlaguājī 형〈方〉바보스러운 모양. 어리어리한 모양. =〔傻里瓜唧〕
〔傻拉光鸡〕 shǎlāguāngjī 형〈俗〉얼간이다. 천치 같다. 어벙하다.
〔傻老〕 shǎlǎo 명 바보. 멍청이. 머저리.
〔傻老婆等呆汉子〕 shǎlǎopo děng dāihànzi 기다리다가 허탕치다. 바람맞다.
〔傻老爷们儿〕 shǎlǎoyémenr 명 얼간씨. 어리석은 사람《고지식한 남자에 대해서 빈정대는 말투의 호칭》. =〔傻老爷儿们〕
〔傻乐〕 shǎlè 동〈方〉바보같이 웃다. =〔傻笑〕
〔傻愣搭〕 shǎlèngke 명〈罵〉바보. 머저리. =〔傻愣壳〕
〔傻愣愣(的)〕 shǎlènglèng(de) 형 어안이벙벙한 모양. 멍한 모양. ¶他被闹得莫名其妙, ～地站在那里; 그는 무슨 일인지 몰라서 어안이벙벙한 채 그 곳에 서 있었다.
〔傻里吧叽〕 shǎlibājī 형 ⇨〔傻里瓜唧〕
〔傻里瓜唧〕 shǎliguājī 형 어리숙하다. 어리어리하다. =〔傻里吧叽〕〔傻拉瓜唧〕
〔傻里傻气〕 shǎli shǎqì 형 어리숙하다. 어리어리하다. ¶他说话有点儿～的; 그의 말은 좀 투미하다.
〔傻忙乎〕 shǎmánghu 야단법석을 떨다. 정신없이 설치다.
〔傻模瞪眼〕 shǎmo dèngyǎn 명 얼간이처럼 멍청한 눈. 멍한 눈.
〔傻气〕 shǎqi 형 미련해서 사리를 분간 못 하다. 어벙하다. ¶冒～; 멍청한 짓을 하다. 명 멍청함. 어리숙함.
〔傻人〕 shǎrén 명 바보. 어리석은 사람. ¶～有傻造化;〈諺〉멍청이에게는 멍청이대로의 행복이 있다.
〔傻傻儿〕 shǎshār 형 어리석다.
〔傻傻顸顸〕 shǎshahānhān 형 맹하다. 어리숙하다. 어리어리하다.
〔傻傻忽忽〕 shǎshahūhū 형 칠칠치 못하다. ¶每逢遇上她, 他会～的一笑; 그녀를 만날 때마다, 그는 칠칠맞게 싱글거린다. =〔傻傻乎乎〕
〔傻傻愣愣〕 shǎshalènglèng 형 어리석다.
〔傻头傻脑〕 shǎ tóu shǎ nǎo〈成〉멍청한 모양. 정신이 나간 모양. 맹한 모양.
〔傻小子〕 shǎxiǎozi 명 ①멍청한 아들. 바보 자식. ②얼간이. ③바보 젊은이《젊은이를 농담삼아 친밀하게 부르는 말》.
〔傻笑〕 shǎxiào 동 멍청히 웃음을 짓다. 바보같이 웃다. =〔〈方〉傻乐〕
〔傻丫头〕 shǎyātou 명 ①바보년. ②〈轉〉바보 아가씨《젊은 처녀를 장난조로 친근하게 부르는 말》.
〔傻眼〕 shǎ.yǎn 동 (뜻밖의 일에) 안색이 변하다. 표정이 멍해지다. ¶他们怕要输, ～啦; 그들은 질까 봐 안색이 달라졌다 / 李少祥一看这情形傻了眼; 이소상은 이 광경을 보고 안색이 변했다.
〔傻戆〕 shǎzhuàng 형 멍청하다. 어리석다. ¶他饰演傻傻戆戆的少爷; 그는 어리숙한 도련님으로 분장했다.
〔傻子〕 shǎzi 명 백치. 천치. 바보.

唦 shà (사)
동 ⇨〔唼shà③〕

沙 shà (사)
동〈方〉(체에) 치다. (키로) 까부르다. ¶～汰; 가려서 남기다 / ～之汰之, 惟存精华; 잘 체질해서, 뛰어난 것만을 남기다 / 把小米里的沙子～一～; 좁쌀 안에 섞인 모래를 치다. ⇒ shā

唼 shà (삽)
①→〔唼喋〕 ②동 벌레 먹다. 벌레 구멍이 생기다. ¶这棵树根被蚂蚁～了; 이 나무 뿌리는 개미에 갉아먹혔다. ③동 (작은 구멍으로) 공기가 빠지다〔새다〕. ¶车胎～气了; 타이어의 공기가 빠졌다. =〔〈方〉唦〕 ④동〈方〉체로 치다. ¶用筛子把这小米里的沙子～一～; 이 좁쌀 속의 모래를 체로 쳐 내라. ⑤동 ⇨〔歃shà〕 ⇒qiè
〔唼腊虫〕 shàlàchóng 명 (광시(廣西) 남부에 있다는) 사람의 시체를 먹는다는 벌레의 이름.
〔唼气〕 shàqì 동 (작은 구멍으로) 바람이〔공기가〕 새다《타이어 따위에 대하여 씀》.

〔唼血〕 shàxuè 동 ⇨〔歃血〕
〔唼眼〕 shàyǎn 명 기물(器物) 표면의 작은 구멍(벌레 먹어 생긴 것).
〔唼喋〕 shàzhá 〈擬〉〈文〉 삭삭(물고기·새 따위가 먹이를 먹는 소리). =〔唼呷xiā〕

霎 shà (삽)
①명 소나기. ②명 순식간. 잠깐. ¶过了一～; ⓐ아주 잠깐 동안의 시간이 지났다. ⓑ그 뒤 바로/一声巨响, ～时天空中出现了千万朵美丽的火花; 쾅 하고 크게 울리더니 순식간에 하늘에 수천 개의 아름다운 불꽃이 나타났다. ③동 눈을 깜박거리다. ④〈擬〉 빗소리.
〔霎巴〕 shàba 동 눈을 꿈벅거리다. =〔眨zhǎ巴〕
〔霎然间〕 shàránjiān 〈文〉 갑자기. 별안간. =〔霎那间〕
〔霎霎〕 shàshà 〈擬〉 쏴쏴(비가 오는 소리. 바람 부는 소리). ¶～雨声来; 쏴쏴 빗소리가 들려 오다.
〔霎时(间)〕 shàshí(jiān) 삽시간. 순식간. =〔煞shà时〕

厦〈廈〉 shà (하)
명 ①큰 건물. ¶高楼大～; 거대한 건물/大～; 빌딩. ②〈方〉 처마. 차양. ¶前廊后～; 남쪽 복도와 북쪽의 차양. ⇒xià
〔厦屋〕 shàwū 명 〈文〉 큰 집.
〔厦檐〕 shàyán 명 〈文〉 ①처마 밑의 복도. ②베란다(veranda). →〔阳yáng台〕

嗄 shà (사)
동 〈文〉 목이 쉬다. ¶～声地唱; 목 쉰 소리로 노래 부르다/～着声儿讲; 목이 쉬도록 강의하다. ⇒ á

煞 shà (쇄)
①명 액신(厄神). 액(厄). 악귀. 악령. ¶他今年是个关～年; 그는 금년이 액년이다/坐～; 액을 당하다/回～; (미신에서) 사후에 그 영혼이 돌아오다. ②부 매우. 극히. 아주. 굉장히. ¶～是好看; 아주 훌륭하다/你也～老实了; 넌 너무 착실하다/～有介事; ⇩/～难为我的呢; 내가 애를 많이 썼지. ③부 단단히 …하다. 빈틈없이 …하다. ¶钉～; 붙박아 놓다. ④대 무슨. 어떤. ¶有～事? 무슨 일이냐?/这是什么东西, 有～用呢? 이게 뭐냐. 무슨 쓸모가 있느냐? ⇒shā
〔煞白〕 shàbái 형 (얼굴이) 창백하다. 핏기가 가시다. ¶他的脸～的; 그의 얼굴은 창백하다/脸上～, 两腮咬紧, 胡子根儿立起来; 얼굴에는 핏기가 가시고, 두 턱은 꼭 악물려 있고, 수염 언저리에는 소름이 돋아 있다.
〔煞馋〕 shàchán 동 굶주림을 견디어 내다.
〔煞费〕 shàfèi 동 크게 쓰다. ¶这事很难办, ～苦心; 이 일은 매우 어려워 크게 애를 쓴다/～工夫; 몹시 시간이 걸리다. 몹시 품이 들다. 아주 까다롭다.
〔煞后儿〕 shà.hòur 동 ①뒷걸음질치다. 주저하다. 일을 당하여 무기력하다. ②고의로 지연시키다〔늦다〕. ¶他上课的时候儿爱～; 그는 수업하러 갈 때 곧잘 늦게 간다.
〔煞气〕 shàqì 명 악기(惡氣). 사기(邪氣). 흉상(凶相). ¶满脸～; 얼굴 가득히 흉상이 나타나 있다/～腾腾; 불길한 기운이 충만하다. 살기등등하다. 동 (기물에 구멍이 있어) 공기가 새다. ¶车带～了; 타이어에서 바람이 샜다. ⇒shā.qì
〔煞青〕 shàqīng 동 〈方〉 일이 끝나다. 완성하다. ¶他导演的喜剧'满面春色'～; 그가 감독한 희극 '만면춘색'은 촬영을 완료했다.
〔煞神〕 shàshén 명 ①〈俗〉 악신(惡神). 흉신(凶神). ②난폭한 사람. 미움 받는 사람.
〔煞时〕 shàshí ⇨〔霎shà时(间)〕
〔煞死个〕 shàsǐge 부 〈南方〉 ①함부로. 덮어놓고. ②외곬으로. 오로지.
〔煞通〕 shàtōng 척척 해내는. 시원스럽게.
〔煞凶〕 shàxiōng 명 재액(災厄).
〔煞有介事〕 shà yǒu jiè shì 〈吳〉 아주 그럴듯하다. ¶～地举出了这样一个例子; 아주 그럴싸하게 이런 예를 들었다.
〔煞札子白〕 shàzhāzibái 형 (안색이) 새파랗다. 창백하다. ¶他吓xià得脸～; 그는 놀라서 얼굴이 새파래졌다.

暞 shà (쇄)
〈古白〉 사(詞)·곡(曲)에서 '매우'·'대단히'란 뜻으로 쓰이는 말. ¶水已无情, 风更无情～; 물(의 흐름)은 본디 무정한 것인데, 바람은 더더욱 무정하게 분다. ⇒shài

歃 shà (삽)
동 〈文〉 마시다. 빨다. =〔唼⑤〕
〔歃血〕 shàxuè 동 피를 입가에 바르고 맹세하다(옛날에, 맹세할 때 입에 가축의 피를 바르고 성의를 표시함). ¶～为盟; 피로써 맹약하다. =〔唼血〕

箑 shà (삽)
명 〈文〉 부채. =〔扇子〕

SHAI ㄕㄞ

筛(篩) shāi (사)
①(～子) 명 체. ¶～眼; 체의 눈. =〔筛箩〕 ②동 체질하다. ¶拿筛子～一～; 체로 좀 치다/把糠～出去; 체로 겨를 쳐내다. ③동 〈方〉 (징을) 치다. 두드리다. ④동 (술을) 데우다. ¶把酒～一～再喝; (술을) 데워서 마시다. ⑤동 〈古白〉 (술을) 그릇에 퍼담다. (술을) 따르다. ¶～酒来; 술을 가져오너라/烫得热了, 把将过来～做三碗; 술을 따끈하게 데워와서 사발 셋에 따르다.
〔筛巴〕 shāiba 동 체로 대강 치다. ¶～～土就成; 흙을 거충거충 떨면 된다.
〔筛分〕 shāifēn 동 체질하여 구분하다. 체로 치다. =〔筛选①〕
〔筛粉机〕 shāifěnjī 명 체치는 기계.
〔筛骨〕 shāigǔ 명 《生》 사골(두개골의 일부).
〔筛海〕 shāihai 동 〈方〉 남의 사이를 갈라놓다. 불화를 일으키다.
〔筛酒〕 shāi jiǔ ①술을 술병에 넣어 데우다. ②술을 따르다.
〔筛糠〕 shāi.kāng 동 ①겨를 체질하다. ②〈口〉 부들부들 몸을 떨다. ¶浑身～似的跪在地上了; 온몸이 부들부들 떨려서 땅바닥에 주저앉고 말았다.
〔筛孔〕 shāikǒng 명 체의 구멍. 체눈.
〔筛锣〕 shāi.luó 동 ①〈方〉 징을 치다. ¶筛了三下锣; (징을 세 번 쳐서) 3시를 알렸다. =〔打锣〕 ②말을 퍼뜨리다.
〔筛箩〕 shāiluó 명 체.
〔筛屑〕 shāixiè 동 모래나 찌꺼기를 체질하여 골라

내다. =〔筛渣〕
〔筛选〕 shāixuǎn 동 ①체질하다. =〔筛分〕 ②선별하다. ¶三年时间～了一百多种药方; 3년 동안 100여 종의 처방을 선별했다.
〔筛眼〕 shāiyǎn →〔字解①〕
〔筛渣〕 shāizhā 동 ⇒〔筛屑〕
〔筛子底儿〕 shāizidǐr 명 ①체의 바닥. ②〈比〉 새는 곳. ¶成了～了, 沾雨就漏; (지붕이) 체 바닥처럼 되어, 조금만 비가 와도 바로 비가 샌다.

酾(釃)
shāi (소, 시)
酾shī 의 우음(又音).

色
shǎi (색)
명 ①(～儿) 〈口〉 색. 빛. 색깔. ¶上～; 색을 칠하다 / 配～; 배색하다 / 套～; 《印》 채색하다 / 落～ =〔掉～〕; 색이 바래다 / 退～; 퇴색하다 / 这块布的～儿很好看; 이 천의 빛깔은 곱다. ②(～子) 주사위. ¶掷zhì～; 주사위를 던지다. =〔骰子tóuzi〕 ③안료. =〔颜料〕 ⇒ sè

杀(殺)
shài (쇄)
동 〈文〉 쇠퇴하다. 줄어들다. ¶隆lóng～; 성쇠. ⇒ shā

晒(曬)
shài (쇄)
동 ①햇볕에 말리다. 햇볕을 쬐다. ¶～衣服; 옷을 말리다. =〔曬〕 ②햇볕이 내리쬐다. ¶～得迷糊; 햇빛을 쬐어 현기증이 나다 / 太阳地里～得厉害; 양지는 볕이 너무 내리쬔다 / 禾苗都～焦了; 가뭄으로 모가 다 말라 버렸다. ③(사진을) 인화하다. ¶～蓝图; 청사진을 만들다 / 洗、～、放; 현상·인화·확대. D.P.E. ④꾀를 부려 남을 앞질러 하다. 완전히 속이다. ⑤〈俗〉 약속 따위를 어기다. ¶～约会儿; 만날 약속을 어기다 / 他把我～了; 그는 나를 바람 맞혔다.
〔晒板〕 shàibǎn 명 재양판(세탁물·풀 먹인 명주 등을 붙여서 말리는 큰 널빤지).
〔晒版〕 shài.bǎn 동 (사진 따위를) 인화하다.
〔晒车板儿〕 shài chēbǎnr 짐을 운반할 화물차를 햇빛에 말리다. 〈比〉 불경기이다.
〔晒垡〕 shàifá 동 《農》 가래로 파 뒤집은 흙덩이를 햇볕에 쬐다.
〔晒粉〕 shàifěn 명 쌀가루.
〔晒干〕 shàigān 동 햇볕에 말리다.
〔晒黑〕 shàihēi 동 볕에 타다.
〔晒蓝法〕 shàilánfǎ 명 청사진술.
〔晒蓝图〕 shài lántú 청사진을 굽다.
〔晒老爷儿〕 shài lǎoyér ⇒〔晒太阳〕
〔晒粮〕 shàiliáng 동 곡물을 햇볕에 말리다.
〔晒晾〕 shàiliàng 동 볕에 말리다. 건조시키다.
〔晒暖儿〕 shài.nuǎnr 동 〈方〉 양달에서 볕을 쬐다. =〔晒太阳〕〔晒爷儿〕〔晒阳儿〕
〔晒棚〕 shàipéng 명 ⇒〔晒台〕
〔晒翘〕 shàiqiáo 동 햇볕에 쐬어 만곡되다. ¶木板～了; 널빤지가 햇빛을 쬐어 휘어 버렸다.
〔晒日〕 shàirì 동 〈文〉 볕을 쬐다.
〔晒日阳儿〕 shài rìyángr ⇒〔晒太阳〕
〔晒书〕 shàishū 동 ⇒〔曝pù书〕
〔晒台〕 shàitái 명 물건을 말리는 틀. 일광 건조대. =〔晒棚〕 (shài.tái) 동 〈俗〉 남을 구경거리로 만들다. 창피를 주다. ¶你给我～啦! 너 날 무안하게 만들었어!
〔晒太阳〕 shài tàiyang 볕을 쬐다. 일광욕하다. ¶这墙根底下可是个～的好地方; 이 담 밑은 볕을 쬐기에 아주 좋은 곳이다. =〔〈俗〉 晒老爷儿〕〔〈方〉 晒暖(儿)〕〔晒日阳儿〕〔晒阳儿〕〔晒阳光〕
〔晒图〕 shàitú 명 인화한 화상(畫像). (shài.tú) 동 감광(感光)시키다. 청사진을 뜨다.
〔晒图纸〕 shàitúzhǐ 명 청사진 감광지(感光紙).
〔晒脱〕 shàituō 동 ①(꼭 붙어있던 것이) 햇빛에 말라 떨어지다. ②(피부가) 햇빛에 타서 벗겨지다. ¶背上～了皮; 등이 햇빛에 타서 피부가 벗겨지다.
〔晒相〕 shàixiàng 명 인화(印畫). ¶～纸; 인화지. (shài.xiàng) 동 인화하다.
〔晒相纸〕 shàixiàngzhǐ 명 청사진 용지. 감광지. 인화지. =〔咪纸〕
〔晒烟〕 shàiyān ①명 햇빛에 말린 담배잎. ②(shài yān) 담배잎을 햇빛에 말리다.
〔晒盐〕 shài yán (해수를 증발시켜) 소금을 만들다. 제염하다.
〔晒阳光〕 shài yángguāng ⇒〔晒太阳〕
〔晒阳儿〕 shàiyángr ⇒〔晒太阳〕
〔晒衣竿〕 shàiyīgān 명 바지랑대. =〔晒衣竹zhú〕
〔晒印〕 shàiyìn 동 사진을 인화하다. 프린팅하다.

曬
shài (쇄)
동 말리다. 햇볕을 쬐다. =〔晒shài①〕 ⇒ shà

SHAN ㄕㄢ

山
shān (산)
①명 산. ¶一座～; 하나의 산. ②명 산과 같은 모양을 한 것. ¶～墙; ⇩ / 人～人海; 〈比〉 인산 인해. ③명 집의 양측의 벽(壁). ④명 누에의 섶. ⑤명 분묘(墳墓). ⑥형 (소리가) 크다. ¶～嚷怪叫; 시끄럽게 고함치다 / ～响; 울려 퍼지다. 크게 울리다. ⑦명 성(姓)의 하나.
〔山隘〕 shān'ài 명 골짜기.
〔山坳〕 shān'ào 명 산간의 평지. 산속의 우묵한 곳.
〔山白竹〕 shānbáizhú 명 《植》 얼룩조릿대.
〔山斑鸠〕 shānbānjiū 명 《鳥》 멧비둘기. 호도애.
〔山包〕 shānbāo 명 ①〈方〉 작은 산. 언덕. ②산의 융기된 곳. ¶一个～连着一个～; 산과 산이 연이어 있다. ③〈北方〉 산.
〔山背子〕 shānbēizi 명 ①버드나무 가지로 엮은 바구니에 숯·과일 등을 담아 지고 나르는 일을 업으로 하는 자. ②등짐을 지는 등산 안내자.
〔山背〕 shānbèi 명 산등성이.
〔山崩〕 shānbēng 명 산이 무너짐. 산사태. ¶～地裂; 〈成〉 산이 무너지고 땅이 갈라지다(천지 이변이 일어나다).
〔山扁豆〕 shānbiǎndòu 명 《植》 차풀.
〔山菜〕 shāncài 명 ⇒〔柴chái胡〕
〔山蚕〕 shāncán 명 《蟲》 산누에. 야생의 누에.
〔山苍子〕 shāncāngzǐ 명 ⇒〔山鸡椒①〕
〔山茶〕 shānchá 명 《植》 동백나무. ¶～油; 동백기름 / ～花; 동백꽃.
〔山茶果〕 shāncháguǒ 명 《植》 아그배나무.
〔山柴〕 shānchái 명 섶나무. 땔나무.
〔山场(地)〕 shānchǎng(dì) 명 ⇒〔山地〕
〔山车胶〕 shānchējiāo 명 (새나 곤충을 잡는) 끈끈이.
〔山城〕 shānchéng 명 산지(山地)의 도시.
〔山赤杨〕 shānchìyáng 명 《植》 산오리나무.

〔山绸〕 shānchóu 명 ⇨〔茧jiǎn绸〕
〔山川〕 shānchuān 명 〈文〉 ①산과 강. ②산하(山河). 산천.
〔山慈姑〕 shāncígu 명 ①《植》 산자고. =〔金jīn灯〕 ②중국산 난초과 식물의 구경(球莖).
〔山葱〕 shāncōng 명 《植》 ①산마늘. =〔茖gé葱〕 ② ⇨〔藜lí芦〕
〔山酢浆草〕 shāncùjiāngcǎo 명 《植》 산괭이밥.
〔山村〕 shāncūn 명 산촌.
〔山达脂〕 shāndázhī 명 〈音〉 산다락(sandarac) 고무.
〔山大力鞋〕 shāndàlìxié 명 샌들(sandal). =〔平底鞋〕〔皮带鞋〕
〔山大黄〕 shāndàihuáng 명 ⇨〔酸suān模〕
〔山大王〕 shāndàiwáng 명 산적의 두목.
〔山丹〕 shāndān 명 ①《植》 산단. ②(Shāndān) 《地》 간쑤 성(甘肅省)에 있는 현(縣) 이름.
〔山道年〕 shāndàonián 명 《藥》 〈音〉 산토닌(santonin). =〔山道宁〕〔山笃年〕〔珊托宁〕〔散妥纫〕〔三道年〕〔山杜年〕〔散特宁〕
〔山底儿〕 shāndǐr 명 바닥을 천으로 두껍게 꿰매어 튼튼하게 만든, 산길을 걷는 데 신는 중국신.
〔山地〕 shāndì 명 ①산악 지대. 산지. ②산 위에 있는 농경지. ‖ =〔山场(地)〕
〔山地栗〕 shāndìlì 명 ⇨〔土tǔ茯苓〕
〔山颠〕 shāndiān 명 ⇨〔山顶(儿)〕
〔山靛〕 shāndiàn 명 《植》 산쪽풀. =〔山蓝〕
〔山顶(儿)〕 shāndǐng(r) 명 산정. 산꼭대기. 산의 정상. =〔山颠〕〔山尖(儿)〕〔山头①〕
〔山东〕 Shāndōng 명 《地》 산둥 성(山東省)《타이항 산(太行山)의 동쪽 일대》. ¶ ～儿; 〈貶〉 산둥 성(山東省) 사람을 멸시하여 일컫는 호칭.
〔山东大鼓〕 shāndōng dàgǔ 명 ⇨〔梨lí花大鼓〕
〔山东府绸〕 shāndōng fǔchóu 명 ⇨〔府绸①〕
〔山东快书〕 Shāndōng kuàishū 명 대중 연예의 일종《산둥(山東)·화베이(華北)·둥베이(東北)에서 유행함》.
〔山东圣人〕 Shāndōng shèngrén 명 《人》 '武训'의 별칭.
〔山东柞丝绸〕 shāndōng zuòsīchóu 명 산둥(山東) 지방에서 나는 비단. →〔茧jiǎn绸〕
〔山洞〕 shāndòng 명 ①(산허리의) 동혈. 굴. ②터널.
〔山兜〕 shāndōu 명 ⇨〔山轿〕
〔山斗〕 shāndǒu 명 〈簡〉 '泰山北斗'의 약칭. 〈比〉 사람들이 우러러 존경하는 사람. ¶ 人人仰如～; 사람들이 태산북두처럼 우러러 존경한다. =〔斗山〕
〔山豆根〕 shāndòugēn 명 《植》 새모래덩굴.
〔山豆花〕 shāndòuhuā 명 《植》 개싸리.
〔山豆子〕 shāndòuzi 명 ⇨〔山樱桃〕
〔山都〕 shāndū 명 《動》 개코원숭이의 일종.
〔山杜年〕 shāndùnián 명 ⇨〔山道年〕
〔山肚〕 shāndù 명 산중턱.
〔山阿〕 shān'ē 명 산굽이.
〔山额主义〕 shān'é zhǔyì 명 생어(Sanger)의 산아 제한론《미국의 여성 운동가 마거렛 생어(Margaret Sanger)에 의해 제창됨》.
〔山风〕 shānfēng 명 산풍. 산바람.
〔山峰〕 shānfēng 명 산봉우리.
〔山蜂〕 shānfēng 명 《蟲》 산벌.
〔山芙蓉〕 shānfúróng 명 《植》 부용. 연꽃.
〔山腹〕 shānfù 명 산복. 산허리.
〔山旮旯儿〕 shāngālár 명 〈方〉 외딴 산간 벽지. ¶ 无奈他又住在这～, 外间事务一概不知; 어찌하랴 게다가 그는 이렇게 외딴 산속에 살고 있으므로, 세상일은 일절 모른다. =〔山旮旯子〕
〔山鳡〕 shāngǎn 명 《魚》 끄리.
〔山冈〕 shāngāng 명 언덕. 낮은 산.
〔山岗子〕 shāngǎngzi 명 언덕. 낮은 산.
〔山高水长〕 shān gāo shuǐ cháng 〈成〉 산처럼 높고 흐르는 물과 같이 끊임이 없다《오래 세상에 전해져 경앙(敬仰)되다. 우정·은혜가 오래 지속되다》. ¶ 先生之风, ～; 선생의 높은 덕은 길이 전해져서 추앙되고 있다.
〔山高水低〕 shān gāo shuǐ dī 〈成〉 예측할 수 없는 사건. 의외의 사고《주로 사람의 죽음을 가리킴》. ¶ 万一有个～, …; 만일 생명에 관계되는 일이 있으면….
〔山高水远〕 shān gāo shuǐ yuǎn 〈成〉 길이 아득하게 멀다《전도가 요원하다》.
〔山歌〕 shāngē 명 ①민요의 하나. 민간 가곡《남방 농촌에서 야외 노동, 특히 산에서 일할 때 부르는 노래》. ②민간의 속곡의 일종《28자 4구로 이루어짐》. ③(Shāngē) 《書》 명대(明代) 풍몽룡(馮夢龍)이 편찬한 책.
〔山根(儿)〕 shāngēn(r) 명 ①〈口〉 산기슭. ②목덜미. 후두부.
〔山梗菜〕 shāngěngcài 명 《植》 숫잔대.
〔山公〕 shāngōng 명 원숭이의 별칭.
〔山沟〕 shāngōu 명 ①골짜기를 흐르는 내. 협곡. ②산골짜기. ③산간 벽지.
〔山谷〕 shāngǔ 명 골짜기. ¶ ～水库; 산의 골짜기를 이용해 만든 저수용 댐.
〔山谷风〕 shāngǔfēng 명 산바람과 골바람.
〔山光〕 shānguāng 명 산의 경치.
〔山龟〕 shānguī 명 ⇨〔草cǎo龟〕
〔山桂〕 shānguì ⇨〔天tiān竺桂〕
〔山郭〕 shānguō 명 산간 마을.
〔山海关〕 Shānhǎiguān 명 《地》 산해관《중국 허베이 성(河北省) 린위 현(臨榆縣)에 있는 만리장성의 기점》.
〔山河〕 shānhé 명 산하. 〈比〉 국토. 강산. ¶ 锦绣～; 금수강산 / ～破碎了; 국토가 분단되었다 / ～好改, 秉性难移 =〔江山易改, 禀性难移〕; 〈諺〉 세살 적 버릇이 여든까지 간다.
〔山和山不相遇〕 shān hé shān bù xiāng yù 〈諺〉 ('人跟人总相逢'과 이어져) 산과 산은 만나는 일이 없으나, 사람과 사람은 만나기 마련이다.
〔山和尚〕 shānhéshang 명 《鳥》 ①〈北方〉 후투티《개똥지빠귀 비슷한 새》. ②〈南方〉 어치.
〔山核桃〕 shānhétao 명 《植》 북미산 호두나무. 히코리(hickory).
〔山黑子〕 shānhēizi 명 《植》 산황나무.
〔山洪〕 shānhóng 명 산의 홍수. 산 물사태. ¶ ～暴发像万马奔腾滚滚而下; 산 물사태가 일어나 만 마가 달리는 것 같은 기세로 도도히 흐르다.
〔山呼〕 shānhū 명 ⇨〔嵩sōng呼〕
〔山户〕 shānhù 명 차를 재배하는 농가.
〔山花〕 shānhuā 명 ①산에 피는 꽃. 들꽃. 야생화. ② ⇨〔山墙〕
〔山怀(儿)〕 shānhuái(r) 명 산속에 움푹 들어간 곳. ¶ 走到一个极宽展的大～; 넓고 큰 산속에 당도하다.
〔山环儿〕 shānhuánr 명 주위의 산들. 겹겹이 둘러선 산.
〔山荒〕 shānhuāng 명 산속의 황무지.
〔山黄连〕 shānhuánglián 명 《植》 애기똥풀.
〔山火〕 shānhuǒ 명 산불. ¶ 护林人骑马在森林中巡

逻，好不让发生～和虫害；산림 감시원이 산불이 나 병충해가 일어나지 않도록 말을 타고 숲 속을 순찰한다.
〔山货〕 shānhuò 명 ①산촌의 일반적인 산물(동백·옥수수·밤·호두·잣 따위). ②위의 산물을 가공한 일용품(비·장대·새끼·목제품 따위). 육상의 산물('海货'의 상대말). ¶～铺＝〔～屋子〕; 잡화상 / ～行háng; 잡화 도매점.
〔山鸡〕 shānjī 명 《鳥》〈方〉 꿩.
〔山鸡椒〕 shānjījiāo 명 ①《植》 쿠베바(스 cubeba)(녹나무과에 속하며, 그 과실을 말려서 약으로 씀). ＝〔山苍子〕〔木mù姜子〕 ②녹나무과 쿠베바를 사용한 치마약품(治痲藥品).
〔山鸡米〕 shānjīmǐ 명 《植》 조리대풀. ＝〔淡dàn竹叶〕
〔山积〕 shānjī 형 산적하다. 매우 많다. ¶垃lā圾～; 쓰레기가 산더미처럼 쌓여 있다.
〔山脊〕 shānjǐ 명 산등성이. ＝〔山梁〕
〔山蓟〕 shānjì 명 《植》 삽주. ＝〔苍cāng术〕〔山精〕
〔山尖(儿)〕 shānjiān(r) 명 ⇨〔山顶(儿)〕
〔山涧(子)〕 shānjiàn(zi) 명 ①골짜기. ②계류(溪流).
〔山椒鸟〕 shānjiāoniǎo 명 《鳥》 할미새사촌.
〔山椒鱼〕 shānjiāoyú 명 《動》 산초어.
〔山脚〕 shānjiǎo 명 산기슭. ＝〔山底下〕
〔山轿〕 shānjiào 명 산길에 사용되는 가마. ＝〔山兜〕
〔山芥(菜)〕 shānjiè(cài) 명 《植》 나도냉이.
〔山金〕 shānjīn 명 《鑛》 산금(광맥 중에서 자연금으로서 산출되는 금).
〔山荆〕 shānjīng 명 ⇨〔山妻〕
〔山精〕 shānjīng 명 ⇨〔山蓟〕
〔山径〕 shānjìng 명 〈文〉 산길.
〔山鸠〕 shānjiū 명 《鳥》 산비둘기.
〔山居〕 shānjū 명동 ①산거(하다). ②〈轉〉 은거(하다).
〔山君〕 shānjūn 명 ①⇨〔山神〕 ②호랑이의 별칭.
〔山喀咕〕 shānkěgū 명 시골뜨기. →〔老赶〕〔白帽盔儿〕〔唛杓〕〔巅巅儿〕
〔山口〕 shānkǒu 명 ①산등성이가 매우 낮게 되어 있는 곳. (보통 사람의 통로가 되는) 고개. ②현악기 상단의 줄을 매는 곳.
〔山寇〕 shānkòu 명 〈文〉 산적(山賊).
〔山苦荬〕 shānkǔmai 명 《植》 산씀바귀.
〔山籁〕 shānlài 명 〈文〉 산뢰. 산바람 소리.
〔山兰〕 shānlán 명 《植》 춘란(春蘭).
〔山岚〕 shānlán 명 〈文〉 산의 구름과 안개.
〔山蓝〕 shānlán 명 ⇨〔山靛〕
〔山老公〕 shānlǎogōng 명 《鳥》〈俗〉 띠까마귀.
〔山佬儿〕 shānlǎor 명 (산 속에서 사는) 촌뜨기. ＝〔山愣儿〕
〔山愣儿〕 shānlèngr 명 ⇨〔山佬儿〕
〔山黧豆〕 shānlídòu 명 《植》 연리초(連理草).
〔山立〕 shānlì 동 〈文〉 곧추서다. 직립하다.
〔山里红〕 shānlihóng 명 《植》 아가위나무. 산사나무. ＝〔山楂〕
〔山梁〕 shānliáng 명 ⇨〔山脊〕
〔山鴷〕 shānliè 명 《鳥》 청딱따구리.
〔山林〕 shānlín 명 ①산림. ②〈文〉 은자(隱者)가 사는 곳.
〔山陵〕 shānlíng 명 ①〈文〉 산릉. 산악. ②천자의 무덤.
〔山岭〕 shānlǐng 명 ①산봉우리. ②연봉(連峰).
〔山路〕 shānlù 명 산로. 산길.
〔山麓〕 shānlù 명 산록. (산의) 기슭.
〔山绿豆〕 shānlǜdòu 명 《植》 땅비싸리.
〔山峦〕 shānluán 명 〈文〉 연산(連山). 산줄기.
〔山萝卜〕 shānluóbo 명 《植》 자리공.
〔山麻柳〕 shānmáliǔ 명 《植》 굴피나무.
〔山马蝗〕 shānmǎhuáng 명 《植》 도둑놈의갈고리.
〔山脉〕 shānmài 명 산맥. ＝〔〈俗〉 地dì脊〕
〔山猫〕 shānmāo 명 《動》 살쾡이.
〔山毛榉〕 shānmáojǔ 명 《植》 너도밤나무 속(屬) 식물의 총칭. ＝〔水shuǐ青冈〕
〔山帽子〕 shānmàozi 명 (산의) 정상의 벌채하지 않은 부분.
〔山莓〕 shānméi 명 《植》 수리딸기.
〔山门〕 shānmén 명 ①불교 사원의 문. ②불교.
〔山门蹲〕 shānméndūn 명 ⇨〔猫māo熊〕
〔山盟海誓〕 shān méng hǎi shì 〈成〉 ⇨〔海誓山盟〕
〔山冕〕 shānmiǎn 명 옛날, 천자의 관(冠).
〔山民〕 shānmín 명 ①산에서 사는 사람. ②〈轉〉 산에 은둔하고 있는 사람의 자칭.
〔山明水秀〕 shān míng shuǐ xiù 〈成〉 산수의 풍경이 뛰어나다. ＝〔山清水秀〕
〔山姆大叔〕 shānmǔ dàshū 명 엉클 샘(Uncle Sam)(아메리카 정부 또는 아메리카 사람에 대한 희칭(戲稱)). ＝〔山姆叔〕
〔山奶钾〕 shānnǎijiǎ 명 ⇨〔氰qíng化钾〕
〔山奈〕 shānnài 명 ①《植》 생강과의 다년생 숙근초(宿根草). ＝〔三sān奈〕 ②시안화물. ＝〔氰qíng化物〕 ③⇨〔氰化钠〕
〔山奈钾〕 shānnàijiǎ 명 ⇨〔氰qíng化钾〕
〔山南海北〕 shān nán hǎi běi 〈成〉 ①멀고 먼 곳. 아득히 먼 곳. ②온갖 곳. 방방곡곡. ¶～, 到处都有勘探人员的足迹; 아주 먼 곳까지, 어디나 지질 조사 대원의 발자취가 있다.
〔山鲇鱼〕 shānniányú 명 《魚》 모캐.
〔山牛蒡〕 shānniúbàng 명 《植》 수리취.
〔山女郎〕 shānnǚláng 명 ⇨〔麝shè蝶〕
〔山炮〕 shānpào 명 《軍》 산포(山砲). ＝〔过guò山炮〕
〔山皮〕 shānpí 명 광맥의 위를 덮고 있는 흙. ¶扒开～, 搞露天开采; 광맥 위를 덮은 흙을 파서 걷어 내고 노천 채굴을 하다.
〔山坡(儿, 子)〕 shānpō(r, zi) 명 산비탈. 산허리. ¶～子地; 산비탈의 밭.
〔山七面鸟〕 shānqīmiànniǎo 명 《鳥》 능에.
〔山妻〕 shānqī 명 형처(荊妻). 내자. ¶～野娘; 시골 여자. ＝〔山荆〕
〔山栖谷饮〕 shān qī gǔ yǐn 〈成〉 은둔 생활을 하다.
〔山漆〕 shānqī 명 《植》 ①개옻나무. ②옻나무.
〔山蕲〕 shānqí 명 ⇨〔当dāng归〕
〔山气〕 shānqì 명 산기운. 남기(嵐氣).
〔山墙〕 shānqiáng 명 중국의 전통 가옥의 양측면의 높은 벽(지면에서 지붕보다 높이 뻗어 있음). ＝〔山花②〕〔金字墙〕〔房山〕
〔山樵〕 shānqiáo 명 나무꾼. ＝〔樵夫〕
〔山茄子〕 shānqiézi 명 《植》 ①흰독말풀. ②가시꽈리.
〔山芹当归〕 shānqín dāngguī 명 《植》멧미나리.
〔山清水绿〕 shān qīng shuǐ lǜ 〈成〉 산수(山水)가 아름다운 모양. ＝〔山清水秀〕
〔山穷水恶〕 shān qióng shuǐ è 〈成〉 ①땅 끝과 같은 곳. 막다른 곳. ②험난한 산과 용솟음치는

강의 흐름(자연 조건이 나쁨).
〔山穷水尽〕 shān qióng shuǐ jìn 〈成〉 난관에 부닥치어 어떻게 할 도리가 없다. 전도가 막연하다. ¶～疑无路, 柳暗花明又一村; 〈諺〉 이러지도 저러지도 못하게 되더라도, 아직 방법은 있다/方块字已经到了～, 非变不可的地步; 한자는 이제 궁지에 빠져서 달라지지 않을 수 없는 지경에 이르렀다.
〔山丘〕 shānqiū 명 ①흙을 약간 높게 쌓아 놓은 곳. ②분묘.
〔山区〕 shānqū 명 산간 지대.
〔山曲〕 shānqū 명 〈文〉 산굽이.
〔山雀〕 shānquè 명 《鳥》 곤줄박이.
〔山嚷怪叫〕 shān rǎng guài jiào 〈成〉 큰 소리로 떠들어 대다.
〔山人〕 shānrén 명 은자(隱者). 속세를 떠난 사람.
〔山瑞〕 shānruì 명 《動》 〈廣〉 자라의 일종.
〔山桑〕 shānsāng 명 《植》 산뽕나무.
〔山上无老虎, 猴子称大王〕 shānshang wú lǎohǔ, hóuzi chēng dàwáng 〈諺〉 호랑이 없는 골에 여우가 스승이라.
〔山哨〕 shānshào 동 〈京〉 터무니없는 말을 하다. 큰소리치다.
〔山参〕 shānshēn 명 《植》 ①산삼. 야생의 인삼. ② ⇨〔丹dān参〕
〔山神〕 shānshén 명 산신. =〔山君①〕
〔山神爷〕 shānshényé 명 산속의 맹수(호랑이 따위).
〔山鼠〕 shānshǔ 명 《動》 산쥐. =〔睡shuì鼠〕
〔山薯〕 shānshǔ 명 《植》 감자.
〔山墅〕 shānshù 명 산장(山莊).
〔山水〕 shānshuǐ 명 ①산수. 산과 물. ¶～相连; 〈成〉 국경을 접하는 이웃 나라와의 밀접한 관계. ②산에서 흘러 떨어지는 물. ③〈轉〉 경치. 풍경.
〔山水画〕 shānshuǐhuà 명 《美》 산수화.
〔山鲐鱼〕 shāntáiyú 명 《魚》 전갱이.
〔山塘〕 shāntáng 명 산중의 못.
〔山桃〕 shāntáo 명 《植》 산도. 소귀나무.
〔山庭〕 shāntíng 명 (인상학상의) 코. ¶～异yì表; 코의 모양이 뚜렷하다.
〔山桐子〕 shāntóngzǐ 명 《植》 의나무. =〔椅yī〕
〔山头〕 shāntóu 명 ①산꼭대기. =〔山顶(儿)〕〔山巅diān〕 ②〈方〉 산. ③산채(山寨)가 있는 산. ④〈比〉 작은 집단. ¶他拉～是别有用心的; 그가 작은 집단을 만드는 것은 무언가 꾸미는 것이 있기 때문이다.
〔山头主义〕 shāntóu zhǔyì 명 지역 파벌주의(일부분의 이익을 전체의 이익 위에 두는 지방적인 섹트주의의 한 형태).
〔山颓木坏〕 shān tuí mù huài 〈成〉 큰 인물이 죽다.
〔山腿子〕 shāntuǐzi 명 산기슭. 산기슭의 한 지맥(支脈).
〔山洼子〕 shānwāzi 명 골짜기. 계곡.
〔山外青山楼外楼〕 shān wài qīng shān lóu wài lóu 〈成〉 산 밖에 청산이 있고, 누각 밖에 누각이 있다(뛰는 놈 위에 나는 놈이 있다).
〔山王〕 shānwáng 명 ①《佛》 최고의 산. 가장 높은 산. ②(Shān wáng) 《人》 산도(山濤)와 왕융(王戎)(죽림 칠현(竹林七賢) 중의 두 사람).
〔山莴苣〕 shānwōju 명 《植》 왕고들빼기.
〔山窝子〕 shānwōzi 명 골짜기. =〔山沟沟〕
〔山乌〕 shānwū 명 《鳥》 산까마귀.
〔山坞〕 shānwù 명 산의 오목한 곳.
〔山西〕 Shānxī 명 《地》 산시 성(山西省). ¶～老lǎo =〔老西儿〕; 산시 성 사람에 대한 멸칭(蔑稱).
〔山西梆子〕 shānxī bāngzi 명 ⇨〔晋jìn剧〕
〔山喜鹊〕 shānxǐquè 명 《鳥》 메까치.
〔山峡〕 shānxiá 명 산협. 산골.
〔山苋菜〕 shānxiàncài 명 《植》 쇠무릎지기. =〔牛niú膝〕
〔山响〕 shānxiǎng 동 울려 퍼지다. 큰 소리가 나다. ¶叫了半天, 拍得门～; 문간에서 잠시 소리를 지르더니, 문을 꽝꽝 두드려서 큰 소리를 냈다.
〔山向(儿)〕 shānxiàng(r) 명 풍수지리에서 말하는 묘(墓)의 방위(方位).
〔山魈〕 shānxiāo 명 ①《動》 맨드릴(mandrill). ②전설에서, 산에서 사는 외다리의 요괴.
〔山小菜〕 shānxiǎocài 명 《植》 초롱꽃.
〔山薤〕 shānxiè 명 《植》 산부추.
〔山鳕〕 shānxuě 명 《魚》 모캐.
〔山牙口地〕 shānyákǒudì 명 두 산에 끼인 토지. =〔鸦yā口子地〕
〔山崖〕 shānyá 명 낭떠러지. 절벽.
〔山羊〕 shānyáng 명 《動》 염소. 산양. ¶～胡hú子; 염소 수염. =〔野yě羊〕
〔山羊蹄〕 shānyángtí 명 ⇨〔酸suān模〕
〔山杨〕 shānyáng 명 《植》 사시나무.
〔山腰〕 shānyāo 명 산중턱. 산허리.
〔山肴野蔌〕 shān yáo yě sù 〈成〉 산과 들에서 잡은 새와 짐승의 고기와 야채.
〔山药〕 shānyao 명 《植》 마. =〔山蓣〕
〔山药蛋〕 shānyaodàn 명 ⇨〔马mǎ铃薯〕
〔山药豆儿〕 shānyaodòur 명 ⇨〔马mǎ铃薯〕
〔山阴道上〕 shān yīn dào shàng 〈成〉 산의 북쪽 지방의 길은 산도 있고 내도 있어 경치의 변화가 많아 접대하기에 겨를이 없다(접대하기에 바빠 겨를이 없다). ¶～, 应yìng接不暇; 접대하기에 겨를이 없다.
〔山音(儿)〕 shānyīn(r) 명 메아리. 산울림.
〔山樱桃〕 shānyīngtáo 명 《植》 '毛máo樱桃'(앵두나무)의 통칭. =〔山豆子〕〔李lǐ桃〕
〔山右〕 Shānyòu 명 《地》 산시 성(山西省)의 별칭(태행 산맥(太行山脈)의 오른쪽에 있으므로 이렇게 말함).
〔山嵛菜〕 shānyúcài 명 《植》 고추냉이. ¶～的辣味冲鼻子; 고추냉이의 매운 맛이 코를 찌르다.
〔山萮酸〕 shānyúsuān 명 《化》 베헨산. =〔二èr十二酸〕
〔山榆〕 shānyú 명 《植》 중국산 느릅나무 속(屬)의 교목.
〔山雨欲来风满楼〕 shān yǔ yù lái fēng mǎn lóu 〈成〉 산비가 오려고 바람이 누각에 차다(일이 터지기 전의 긴장된 분위기).
〔山芋〕 shānyù 명 《植》 〈方〉 고구마. ¶～粉; 고구마 전분. =〔甘薯〕
〔山蓣〕 shānyù 명 ⇨〔山药〕
〔山鹬〕 shānyù 명 《鳥》 누른도요.
〔山园〕 shānyuán 명 〈文〉 능묘(陵墓).
〔山岳〕 shānyuè 명 ①산악. ②〈比〉 중대한 것. ¶功名重～; 공명은 산보다 중하다.
〔山越〕 Shānyuè 명 옛날의 백월(百越)의 후예로, 현재 서북쪽 여러 성(省)에 산재하는 소수 민족의 이름.
〔山晕〕 shānyùn 《醫》 명 고산병. 동 고산병에 걸리다.

〔山查糕〕 shānzhāgāo 명 산사자를 넣어 젤리처럼 굳힌 빨간 빛깔의 달고 시큼한 과자(그 중 좋은 것을 '蜜mì糕' '金jīn糕' '晶jīng糕' 등이라고 함).
〔山查片〕 shānzhāpiàn 명 ①산사자의 씨를 빼고 말린 것(제과의 원료). ②과자의 이름(산사자를 달게 쪄서 둥근 막대 모양으로 굳히고, 이것을 화폐 모양으로 얇게 잘라, 적당한 양을 원통형으로 종이에 싼 것).
〔山楂〕 shānzhā 명 《植》 아가위나무. 산사나무. =〔山查〕〔山里红〕
〔山楂子〕 shānzhāzi 명 《植》 아그배나무.
〔山寨〕 shānzhài 명 ①산채(山砦). ②울타리가 있는 부락 마을. ③도둑의 소굴.
〔山长〕 shānzhǎng 명 옛날, 시골 서당의 훈장.
〔山照〕 shānzhào 명 산림의 땅문서.
〔山珍海味〕 shān zhēn hǎi wèi 〈成〉 산해 진미. =〔山珍海错cuò〕
〔山芝〕 shānzhī 명 《植》 뱀톱.
〔山芝麻〕 shānzhīma 명 《植》 금달맞이꽃.
〔山栀〕 shānzhī 명 《植》 치자나무.
〔山踯躅〕 shānzhízhú 명 《植》 산철쭉.
〔山蛭〕 shānzhì 명 ⇨〔草cǎo蛭〕
〔山茱萸〕 shānzhūyú 명 《植》 산수유나무. =〔〈俗〉肉ròu枣〕
〔山猪〕 shānzhū 명 《動》 멧돼지. =〔山豕shǐ〕
〔山猪粪〕 shānzhūfèn 명 토복령. =〔土茯苓〕
〔山竹〕 shānzhú 명 《植》 식대.
〔山苎〕 shānzhù 명 《植》 (야생의) 모시풀.
〔山铸海煮〕 shān zhù hǎi zhǔ 〈成〉 산에서 금은을 캐어 금은화를 주조하고, 바닷물을 끓여서 소금을 만들다(물질이 풍부함을 말함).
〔山庄〕 shānzhuāng 명 산장(山莊).
〔山字头〕 shānzìtóu 명 메산(한자 부수의 '山').
〔山子(石儿)〕 shānzi(shír) 명 ⇨〔假jiǎ山〕
〔山陬〕 shānzōu 명 〈文〉 산기슭.
〔山嘴(儿)〕 shānzuǐ(r) 명 ①산기슭의 끝. ②갑(岬). 곶.
〔山左〕 Shānzuǒ 명 《地》 산둥 성(山東省)의 별칭(타이항(太行) 산맥의 좌측에 위치한 데서 명칭이 유래).

舢 shān (산)
→〔舢板〕
〔舢板〕 shānbǎn 명 거룻배. 삼판선. =〔舢舨〕〔三板〕

删〈刪〉 shān (산)
동 문자〔문구〕를 삭제하다. ¶这个字应~去; 이 글자는 삭제해야 한다 / 把后一段~几个字; 뒷단락에서 몇 자 삭제하다.
〔删除〕 shānchú 동 삭제하다. 지우다. 명《電算》 (컴퓨터의) DELETE 키.
〔删掉〕 shāndiào 동 (자구·문장 따위를) 지우다. 삭제하다. ¶修正或~; 수정 또는 삭제하다.
〔删订〕 shāndìng 동 삭제 및 정정하다.
〔删繁就简〕 shān fán jiù jiǎn 〈成〉 복잡한 곳을 삭제하여 간결하게 하다.
〔删改〕 shāngǎi 동 문장을 첨삭(添削)하다. 명 첨삭.
〔删减〕 shānjiǎn 동 삭감하다.
〔删节〕 shānjié 동 (불필요한 문자를) 삭제하다. 삭제하여 간결하게 하다. 생략〔요약〕하다. ¶~号; 생략 또는 미정의 뜻을 나타내는 부호(…) / 这课课文太长, 讲授时要~一下; 이 과의 문장은 너무 길어서 강의할 때에 삭제해야 한다.
〔删略〕 shānlüè 동 (문장을) 삭제하여 생략하다.
〔删秋〕 shānqiū 동 ⇨〔芟秋〕
〔删去〕 shānqù 동 삭제하다. ¶请把这个字~! 이 글자를 삭제하시오!
〔删润〕 shānrùn 동 문장을 깎아 다듬고 윤색하다.
〔删汰〕 shāntài 동 〈文〉 삭제하다. 삭제해서 좋은 것을 남기다. ¶略加~; 조금 삭제하다.
〔删削〕 shānxuē 동 (문장을) 다듬어 간결하게 하다.

姗〈姍〉 shān (산)
①동 비방하다. ¶~笑; ⇩ ②형 걸음걸이가 간들간들한〔하느작거리는〕 모양. ¶~~地走; 간들거리며〔하느작거리며〕 걷다 / 飞机~~来迟; 비행기가 좀처럼 오지 않는다.
〔姗姗〕 shānshān 형 여자가 사뿐사뿐〔간들간들〕 걷는 모양.
〔姗笑〕 shānxiào 동 조소하다. 냉소하다. =〔讪笑〕

珊〈珊〉 shān (산)
①→〔珊瑚〕〔珊珊〕 ②음역자(音譯字). ¶~笃宁; 산토닌.
〔珊瑚〕 shānhú 명 산호.
〔珊瑚菜〕 shānhúcài 명 《植》 갯방풍.
〔珊瑚虫〕 shānhúchóng 명 《動》 산호충.
〔珊瑚岛〕 shānhúdǎo 명 산호도.
〔珊瑚顶子〕 shānhúdǐngzi 명 일품관(一品官)의 모자에 다는 '顶子'(모자 꼭대기에 다는 옥장식). 〈轉〉 일품관.
〔珊瑚花〕 shānhúhuā 명 ⇨〔蒴shuò藋〕
〔珊瑚树〕 shānhúshù 명 《植》 산호수. 아왜나무(중국종은 꽃에 향기가 있음).
〔珊珊〕 shānshān 〈擬〉〈文〉 잘랑잘랑(허리에 찬 구슬이 울리는 소리).

栅〈柵〉 shān (산)
→〔栅极〕 ⇒zhà
〔栅极〕 shānjí 명 《電》 (진공관의) 그리드(grid). ¶控制~; 컨트롤 그리드 / 帘lián~; 스크린 그리드 / ~电路; 그리드 서킷. 격자 회로.

跚〈姍〉 shān (산)
→〔蹒pán跚〕

芟 shān (삼)
〈文〉 ①동 풀을 베다. ②동 제거하다. 삭제하다. ¶~反动势力; 반동 세력을 없애다. ③명 큰 낫.
〔芟除〕 shānchú 동 ①(풀을) 뽑다. ②삭제하다. ¶文辞繁冗rǒng, ~未尽; 문사가 장황하고 삭제가 완전히 되어 있지 않다.
〔芟秋〕 shānqiū 동 입추가 지난 후, 풀을 베어내어 잡초가 무성해지는 것을 방지하다. =〔删秋〕

杉 shān (삼)
명 《植》 삼목(杉木). ⇒shā

衫 shān (삼)
(~儿, ~子) 명 ①홑겹 웃옷. ②셔츠. ¶衬~; 와이셔츠. 블라우스 / 毛线~ =〔毛衣〕; 털실로 짠 셔츠.
〔衫裤〕 shānkù 명 ①셔츠와 팬츠. ②⇨〔衣裳〕
〔衫子〕 shānzi 명 ⇨〔青衣②〕

钐(釤) shān (삼) 명《化》 사마륨(Sm : samarium)(희토류 금속 원소). ⇒shàn

苫 shān (섬) 명〈文〉 뜸. 가마니. ¶草~子; 거적. 돗자리 / 寝~枕块; 〈成〉 가마니 위에 자고 흙덩이를 베다(옛날에, 부모상을 당할 때의 예절). ⇒shàn

痁 shān (점) 명《醫》〈文〉 학질. 말라리아. ¶~鬼; 학질을 앓는 사람.

埏 shān (선) 동〈文〉 물로 흙을 이기다. ⇒yán

〔埏埴〕 shānzhí 동 (도공(陶工)이) 진흙을 이기다.

扇 shān (선) 동 ①부채질하다. ¶拿扇shàn子~; 부채로 부채질하다 / ~~就凉快了; 조금 부채질하면 시원해진다. =〔搧②〕〔煽②〕 ②선동하다. 부추기다. =〔煽③〕 ⇒shàn

〔扇打〕 shāndǎ 동 부채질하다. ¶他们一个一个脱下衣服~, 往外赶烟; 그들은 한 사람 한 사람 옷을 벗어서 활활 부채질하여 연기를 밖으로 내보냈다.

〔扇荡〕 shāndàng 동〈文〉 울려 흔들다. 뒤흔들다. ¶~王畿jī; 장안을 흔들어 진동시키다.

〔扇动〕 shāndòng 동 ①선동하다. 부추기다. =〔煽动〕 ②(날개 같은 것을) 파닥거리다. ¶~翅膀; 날개치다.

〔扇风〕 shānfēng 동 ①선동하다. 꼬드기다. 부추기다. ②(shān·fēng) 부채질하다. 송풍(送風)하다. ¶~耳; (저팔계(猪八戒)처럼) 크고 앞쪽으로 내리덮인 귀.

〔扇风点火〕 shān fēng diǎn huǒ 〈成〉 선동해서 사건을 일으키다. 남을 부추겨 나쁜 짓을 하게 하다. =〔煽风点火〕

〔扇风机〕 shānfēngjī 명 선풍기. =〔风扇③〕

〔扇忽〕 shānhu 동 ①(부채 따위를) 빨리 부치다. ②선동하다.

〔扇火〕 shānhuǒ 동 (부채로) 불을 부치다.

〔扇惑〕 shānhuò 동 치켜세우며 유혹하다. ¶~人心; 인심을 선동하여 혼란시키다. =〔煽惑〕

〔扇诱〕 shānyòu 동 부추겨 유혹하다.

〔扇枕温被〕 shān zhěn wēn bèi 〈成〉 부모에게 효도를 다하다.

搧 shān (선) 동 ①손바닥으로 때리다. ¶~一个耳刮子; 따귀를 한 대 때리다 / 动手~人; 폭력을 휘둘러 사람을 치다. ②부채질하다. ¶~~火; 불을 일으키다 / 拿厚纸板~炉子; 판지로 풍로를 부치다. =〔扇shān①〕〔煽②〕

〔搧翅膀儿〕 shān chìbǎngr 활갯짓하다. 날개를 치다.

〔搧打〕 shāndǎ 동 (세게) 치다. →〔扇打〕

〔搧搭〕 shānda 〈擬〉 간들간들. 하느작하느작(여자의 교태 부리며 걷는 모양). ¶两只脚~~的, 像个娘们走路嘛; 두 다리를 꿈틀거리는 게 마치 처녀가 걷는 것 같군.

〔搧忽〕 shānhu 동 ①(부채 따위로) 부치다. ¶再~两下儿, 火就着上来了; 두세번 더 부치면 불이 붙는다. ②선동하다. 부추기다. ¶他本来并没怎么生气, 都是叫人~的; 그는 본래 그다지 화나 있지 않았지만 남에게 부추김을 당한 것이다.

煽 shān (선) 동 ①불이 일다. ②부채질하다. =〔扇①〕〔搧②〕 ③부추기다. 선동하다. =〔扇②〕

〔煽炽〕 shānchì 동 마구 부추기다〔선동하다〕.

〔煽动〕 shāndòng 동 선동하다. =〔扇动①〕

〔煽风〕 shānfēng 동 ①유언비어를〔헛소문을〕 퍼뜨리다. ¶别一听人~就跟着乱; 남의 헛소리를 듣고 곧 덩달아 소란을 피워선 안 된다. ②옆에서 부추기다〔부채질하다〕. ¶他已经气得了liǎo不得了, 还支得住你~! 그는 이미 잔뜩 화가 나 있는데, 네가 곁에서 부추기면 가만 있겠느냐.

〔煽风点火〕 shān fēng diǎn huǒ 〈成〉 ⇨〔扇风点火〕

〔煽惑〕 shānhuò 동 부추겨〔선동하여〕 헷갈리게 하다〔혼란케 하다〕. =〔煽诱〕

〔煽小蒲扇儿〕 shān xiǎopúshànr 〈俗〉 부추기다. 선동하다.

〔煽扬〕 shānyáng 동 선동하고 떠벌리다. ¶在创作中~主观随意性, 这也是我们的创作和批评的积弊的另一面; 창작 중에서 주관적 임의성을 선동하고 떠벌리는 것 또한 우리의 창작과 비평의 오랜 폐단의 일면이다.

〔煽摇〕 shānyáo 동 선동하다.

〔煽诱〕 shānyòu 동 ⇨〔煽惑〕

潸〈潸〉 shān (산) 형〈文〉 눈물을 흘리는 모양. ¶~然泪下; 하염없이 울다 / ~~; 눈물이 멎지 않는 모양.

膻〈羶, 羴〉 shān (전)〈선〉 ①형 노리다. ¶羊尾巴油可~, 好些人吃不来; 양 꼬리의 기름은 노린내가 나서 웬만한 사람은 먹지 못한다. →〔臭chòu③〕〔馊sōu臊〕〔腥xīng〕 ②명 (양고기의) 노린내.

〔膻气〕 shānqì 명 노린내. =〔膻味儿〕

闪(閃) shǎn (섬) ①명 번개. ¶打~; 번개가 치다. ②동 번득이다. 번쩍이다. ¶灯光一~; 불빛이 확 비치다. ③동 몸을 재빨리 비키다. ¶~在树后; 나무 뒤에 살짝 몸을 숨기다 / 赶快将身一~; 급히 몸을 홱 피하다 / ~在一边; 옆으로 확 피하다. ④동 버리다. 떼어 놓다. ¶他没有良心把你~了; 그는 양심도 없이 너를 버리고 말았다. ⑤동 헛된 결과를 초래하다. 소용없게 되다. ¶吃了一~; 좌절을 맛보았다. ⑥동 접질리다. 삐다. ¶~腰yāo; 허리를 삐다 / 打~了手; 손을 삐었다. ⑦동 몸이 흔들리다. 비틀거리다. ¶他脚下一滑, ~了~, 差点跌倒; 그는 발이 미끄러져 비틀거리며 하마터면 넘어질 뻔했다. ⑧명 성(姓)의 하나.

〔闪拜〕 shǎnbài 명《宗》〈音〉 안식일(Sabbath). =〔安息日〕

〔闪避〕 shǎnbì 동 홱 몸을 피하다. 날쌔게 비키다. ¶迎面冲来一个人, 我来不及~就撞上了; 앞에서 사람이 돌진해 와서 나는 피하지 못하고 충돌하고 말았다. =〔闪身shēn〕

〔闪长石〕 shǎnchángshí 명《鑛》 정장석(正長石).

〔闪道〕 shǎn·dào 동 길을 비키다. ¶~! ~! 물러서라! 물러서라!

〔闪得〕 shǎnde 동 어떤 결과가 되다. 결과로써 …가 남다. ¶你盘算两面都好, ~两面都误了; 너는 양쪽을 모두 잘 하려고 했으나 양쪽 모두를 그르치고 말았다 / ~我有家难奔, 有国难投; 결국, 나

는 아무 데도 몸을 의탁할 데 없는 인간이 돼 버리고 말았다.

〔闪点〕 shǎndiǎn 명 《化》 인화점《액체 연료가 인화하는 최저 온도》.

〔闪电〕 shǎn.diàn 동 번갯불이 번쩍이다. (shǎndiàn) 명 번갯불. ¶～娘娘; 우레의 신. 뇌신(雷神)/～战; 기습전. 전격전.

〔闪动〕 shǎndòng 동 번뜩이다. 번쩍이다.

〔闪缎〕 shǎnduàn 명 《紡》 수자(繻子)의 일종《날실과 씨실의 색이 달라, 광택이 나고 보는 각도에 따라 다른 빛깔로 보임》.

〔闪躲〕 shǎnduǒ 동 옆으로 비키다. 피하다. ¶～不开; 비킬 수 없다.

〔闪风〕 shǎnfēng 동 바람을 쏘이다. 바람에 쐬다.

〔闪光〕 shǎnguāng 명 섬광. 번쩍임. (shǎn.guāng) 동 (섬광이) 번쩍하다. (밝게) 빛나다. ¶～的语言; 빛을 발하는 이야기/～灯泡; 섬광 전구.

〔闪光灯〕 shǎnguāngdēng 명 《撮》 (사진용의) 플래시.

〔闪光器〕 shǎnguāngqì 명 (사진용의) 플래시 건 (flash gun).

〔闪击〕 shǎnjī 동 전격(電擊)하다. ¶～战; 《軍》 전격전.

〔闪开〕 shǎnkāi 동 비키다. 피하다. ¶～! 비켜!/他迅速地给飞奔过来的马车～了道路; 그는 재빨리 돌진해 오는 마차를 피했다. =〔闪避〕〔闪身(儿)①〕

〔闪亮〕 shǎnliàng 동 번쩍이다. 확 밝아지다.

〔闪亮儿〕 shǎnliàngr 명 새벽. 여명(黎明). 동틀 무렵.

〔闪米特人〕 Shǎnmǐtè rén 명 ⇨〔闪族〕

〔闪面〕 shǎn.miàn 동 (그 자리에) 얼굴을 내밀다.

〔闪目〕 shǎnmù 동 눈을 번쩍이다. 눈을 빛내다.

〔闪念〕 shǎnniàn 명 번뜩이는 생각.

〔闪色〕 shǎnsè 명 광선 빛에 따라 녹색이나 자줏빛으로 변하는 빛깔. 양색(兩色).

〔闪闪〕 shǎnshǎn 형 (빛이) 반짝〔번쩍〕이다. ¶～的红星; 반짝이는 붉은 별.

〔闪闪烁烁〕 shǎnshanshuòshuò 명 ①번쩍이는 모양. ②분명하지 않은 모양《'闪烁'의 중첩형(重疊形)》.

〔闪身(儿)〕 shǎn.shēn(r) 동 ①몸을 비키다〔피하다〕. =〔闪开〕 ②몸을 옆으로 하다. ¶～进门; 몸을 슬쩍 옆으로 하여 들어가다.

〔闪失〕 shǎnshī 명 뜻밖의 손실〔잘못, 사고〕. ¶多加小心, 免得有～; 잘못하지 않도록 주의하여라/要是挂了号, 倘或有了～, 邮政局负责; 등기 우편으로 해 두면, 만일 사고가 있을 경우 우체국이 책임을 집니다.

〔闪石〕 shǎnshí 명 《鑛》 각섬석(角閃石).

〔闪烁〕 shǎnshuò 동 ①번쩍거리다. ¶繁星～着; 뭇 별이 반짝이고 있다. ②보였다 안 보였다 하다. ¶～往来; 드문드문 왔다갔다 하다. ③〈貶〉 어물어물하다. 말을 얼버무리다. ¶他闪闪烁烁, 不做肯定答复; 그는 말을 얼버무리고 긍정적인 대답을 하지 않는다/～其词 =〔闪铄其词〕; 〈成〉 말을 얼버무리다/供词～; 진술이 앞뒤가 안 맞는다. ④(태도를) 애매하게 하다. ⑤깜박이다. 가물거리다.

〔闪下〕 shǎnxià 동 내버려 두고 돌보지 않다. ¶想不到他竟～妻子儿女丢手走了; 그가 결국 처자식을 내버려 두고 가 버리리라곤 생각지도 못했다.

〔闪现〕 shǎnxiàn 동 갑자기 나타나다. 문득 떠오르다. 번득이다. ¶英雄的形象～在我的眼前; 영웅의 형상이 돌연 내 눈 앞에 나타났다.

〔闪锌矿〕 shǎnxīnkuàng 명 《鑛》 섬아연광(閃亞鉛鑛).

〔闪眼〕 shǎn.yǎn 동 눈을 깜빡이다.

〔闪腰〕 shǎn.yāo 동 허리를 삐다〔삐끗하다〕. ¶昨天我把腰闪了; 나는 어제 허리를 삐었다〔삐끗했다〕.

〔闪腰岔气〕 shǎnyāo chàqì 만일의 일. 예측할 수 없는 일.

〔闪耀〕 shǎnyào 동 (빛이) 번쩍번쩍 빛나다. ¶天空～的星; 하늘에 빛나는 별/放出～的光芒; 반짝반짝 빛나는 빛을 발하다.

〔闪展腾挪〕 shǎn zhǎn téng nuó 〈成〉 돈을 융통하다.

〔闪族〕 Shǎnzú 명 셈 족(Sem族). =〔闪米特人〕

陕(陝) Shǎn (섬)

명 ①《地》 산시 성(陝西省). ¶～甘; 산시 성(陝西省)과 간쑤 성(甘肅省)/～甘宁; 산시 성·간쑤 성·닝샤 후이족 자치구(寧夏回族自治區)의 세 성(省). ②《地》 산현(陝縣)《허난 성(河南省)에 있는 현(縣) 이름》. ③성(姓)의 하나.

〔陕北三宝〕 shǎnběi sānbǎo 명 양모(羊毛)·식염·감초(甘草).

〔陕西梆子〕 shǎnxī bāngzi 명 《劇》 섬서 지방의 극. =〔秦腔〕

映 shǎn (섬)

동 〈文〉 눈을 깜박거리다. ¶一～眼; 한 순간/那飞机飞得很快, 一～眼就不见了; 저 비행기는 빨라서, 눈 깜짝할 사이에 없어졌다. =〔睒②〕

睒 shǎn (섬)

동 ①반짝 빛나다. ②⇨〔映〕 ③엿보다.

〔睒睒〕 shǎnshǎn 형 빛이 번쩍이는 모양.

掺(摻) shǎn (삼)

동 〈文〉 손에 가지다. 움켜쥐다. ⇒càn chān

讪(訕) shàn (산)

①동 비웃다. 비방하다. 헐뜯다. 욕하다. ¶～笑; 비웃다. ②형 어색하다. 겸연쩍다. 미안쩍다. ¶脸上发～; 어색한 표정을 짓다/搭dā～着走开; 멋쩍어서 떠나다.

〔讪不搭的〕 shànbùdāde 형 멋쩍은 모양.

〔讪脸〕 shàn.liǎn 동 ①〈方〉 (어린아이가 어른 앞에서) 뻔뻔스런 얼굴을 하다. ¶再不许你和他～; 두 번 다시 그에게 뻔뻔스런 태도를 해선 안 된다. ②히쭉히쭉 웃다. ③면목을 잃다.

〔讪讪的〕 shànshànde 부 어색한 듯. 참기 어려운 듯. 부끄러운 듯. ¶他～走开了; 그는 무안하여 가 버렸다/自己便～红了脸; 제 쪽에서 겸연쩍은 듯이 얼굴을 붉혔다. =〔讪不搭地〕

〔讪上〕 shànshàng 동 〈文〉 윗사람을 비웃다.

〔讪笑〕 shànxiào 동 비웃다. ¶还是自我检点的好, 何必让人～; 역시 스스로 정신차리는 것이 낫지, 구태여 남에게 비웃음을 살 필요는 없다.

汕 shàn (산)

①명 〈文〉 통발. ②지명용 자(字). ¶～头; 산터우(汕頭)《광둥 성(廣東省)에 있는 한 개 항장》. ③형 〈文〉 물고기가 헤엄치는 모양.

〔汕汕〕 shànshàn 형 〈文〉 물고기가 헤엄치는 모양.

疝 **shàn** (산)
명 《漢醫》 허리나 배의 아픔. 장(腸) 신경통. 탈장(脫腸). ¶～气; 헤르니아. 특히 탈장/～带; 탈장대. =〔小肠串气〕

赸 **shàn** (산)
→〔搭dā赸〕

单(單) **Shàn** (선)
명 ①《地》 산 현(單縣)《산둥 성(山東省)에 있는 현(縣) 이름》. ②성(姓)의 하나. ⇒chán dān

墠(墠) **shàn** (선)
①명 〈文〉 옛날에, 제사를 행하던 평지(平地). ②지명용 자(字). ¶北～; 베이산(北墠)《산둥 성(山東省)에 있는 땅 이름》.

掸(撣) **shàn** (선)
①→〔掸族〕 ②명 《民》 중국 소수 민족의 '傣Dǎi族'에 대한 구칭(舊稱). ⇒dǎn

〔掸族〕 Shànzú 명 《民》 샨 족《미얀마 민족의 하나》.

禅(禪) **shàn** (선)
동 ①옛날, 제왕이 산(泰山) 땅에 제(祭)를 지내다《타이 산(泰山)에 올라가 하늘에 제사 지내는 것을 '封', 타이 산 남쪽에 있는 양푸 산(梁父山)에서 땅을 제사 지내는 것을 '禅'라고 했음》. ②전하여 물려주다. 선양(禪讓)하다. ¶受～; 선양을 받다/～位; ⇩ ‖ =〔嬗②〕 ⇒chán

〔禅让〕 shànràng 동 〈文〉 천자가 자리를 유덕자(有德者)에게 양위하다. ¶尧舜～; 요·순임금은 선양하였다. =〔擅让〕

〔禅位〕 shànwèi 명 〈文〉 천자가 자리를 양위하는 일.

苫 **shàn** (점)
동 (비·서리 따위를 맞지 않게) 가마니·천 따위로 덮다. ¶要下雨了, 快把场上的麦子～上; 비가 올 것 같으니, 빨리 밖의 보리를 덮어라/把货堆～好了; 야적한 짐에는 덮개를 덮었다/～垛; 낟가리에 갈자리를 덮다. ⇒shān

〔苫背〕 shàn.bèi 동 풀·거적 따위의 겉에 재나 진흙을 발라서 지붕 밑에 깔다.

〔苫补〕 shànbǔ 동 거적 따위로 지붕을 수선하다.

钐(釤〈鐥, 鏾〉) **shàn** (삼) 〈선〉
동 〈方〉 (큰 낫으로) 베다. ¶～麦 =〔割麦〕〔䥽pō麦〕; 보리를 베다. ⇒shān

剡 **shàn** (섬)
지명용 자(字). ¶～溪xī; 산시(剡溪)《저장 성(浙江省)에 있는 강 이름》/～纸; '剡溪' 산(産)의 종이. ⇒yǎn

掞 **shàn** (섬)
동 〈文〉 발휘하다. 떨치다. ¶～藻; 〈文〉 문재(文才)를 발휘하다.

扇 **shàn** (선)
①(～子) 명 부채. ¶羽～; 우선. 새의 깃으로 만든 부채/绢～; 비단 부채/电(风)～; 선풍기/秋后～; 〈比〉 버림받은 아내. ②명 문짝·칸막이 장지 따위. ¶隔～; 한 방을 둘로 나눌 때 쓰는 종이, 또는 판자로 된 접어 포개는 칸막이 벽. ③양 ㉠짝. 틀. 폭. 장《문짝 따위의 얇은 것을 세는 단어》. ¶两～窗子; 두 짝의 창문/四～屏儿; 네 폭 병풍/一～玻璃门; 한 장으로 된 유리문. ㉡짝《맷돌의 돌을 세는 말》. ④동 ⇨〔骟①〕 ⇒shān

〔扇贝〕 shànbèi 명 《貝》 가리비.

〔扇边框儿〕 shànbiānkuàngr 명 부채의 겉살. =〔大骨子〕

〔扇车(子)〕 shànchē(zi) 명 풍구.

〔扇袋〕 shàndài 명 ⇨〔扇络子〕

〔扇对〕 shànduì 명 시(詩)의 제1구와 제3구, 제2구와 제4구가 서로 짝을 이루고 있음을 말함.

〔扇骨木〕 shàngǔmù 명 《植》 만병초(萬病草).

〔扇骨子〕 shàngǔzi 명 부챗살. →〔扇面儿〕

〔扇画店〕 shànhuàdiàn 명 부채나 그림을 파는 가게.

〔扇络子〕 shànluòzi 명 부채를 넣고 허리에 차는 주머니. =〔扇袋〕〔扇套〕

〔扇马〕 shànmǎ 명 ⇨〔骟马〕

〔扇门〕 shànmén 명 문짝이 있는 문. ¶单dān～; 외짝문.

〔扇面儿〕 shànmiànr 명 부채의 종이 부분.

〔扇翣〕 shànshà 명 옛날에, 의장(儀仗)으로 쓴 자루가 긴 부채.

〔扇梢〕 shànshāo 명 부채의 사북.

〔扇套〕 shàntào 명 ⇨〔扇络子〕

〔扇形〕 shànxíng 명 ①선형. 부채꼴. ②《機》 섹터(sector). ¶～齿轮; 섹터 톱니바퀴.

〔扇形砖〕 shànxíngzhuān 명 부채꼴 모양의 벽돌.

〔扇页〕 shànyè 명 (책의) 속표지.

〔扇轴儿〕 shànzhóur 명 ⇨〔扇肘儿〕

〔扇肘儿〕 shànzhǒur 명 부채의 사북. =〔扇轴zhóu儿〕

〔扇坠(儿, 子)〕 shànzhuì(r, zi) 명 부챗자루에 다는 장식.

〔扇子〕 shànzi 명 부채. 쥘부채. ('团tuán扇'(둥근 부채)와 '折zhé扇(儿)'(쥘부채)의 총칭). ¶扇shān～ =〔搧shān～〕; 부채로 부치다/～铺; 부채·쥘부채를 파는 가게.

〔扇子小生〕 shànzi xiǎoshēng 명 《劇》연극의 역(役)의 하나. '小生'(미남역의 젊은이)의 일종으로, 언제나 쥘부채를 들고 있는 점잖은 역.

骟(騸) **shàn** (선)
동 ①(말·소·양 따위를) 거세하다. ¶～过的山羊; 거세한 염소. =〔扇shàn④〕 ②접목하다. 접붙이다.

〔骟马〕 shànmǎ 명 거세한 말. 동 말을 거세하다. ‖ =〔扇马〕

善 **shàn** (선)
①형 착하다. 선량하다. ¶和～; 온화하고 선량하다/心怀不～; 나쁜 마음을 품다. ②명 선. 선행. ¶劝～规过; 선을 권장하고 허물을 고치다/～意; 선의/～行; 선행/～良的人; 선량한 사람. ③형 좋다. 훌륭하다. ¶～策; 양책/莫mò不称～; 모두가 좋다고 하다/这病来势不～; 이 병은 병세가 좋지 못하다/求～价而沽; 좋은 값에 팔려고 하다/～为说辞; 말을 교묘〔능숙〕하게 하다. ④부 잘. 부디. ¶～自保重; 부디 몸조심하십시오. ⑤동 〈文〉 잘하다. 능숙하다. ¶～辞令; 말솜씨가 좋다/～于应酬; 응대가 능숙하다/～观风色; 바람 부는 방향을 분간하는 것이 능숙하다《매우 영리함》/工欲～其事, 必先利其器; 일을 훌륭하게 해내려면, 아무래도 우선 쓰는 도구를 예리하게 하지 않으면 안 된다. ⑥동 헤아리다. ¶你～一～有多少钱; 얼마나 되나 세어 보아라. ⑦형 사이가 좋다. 화목하다. ¶相～ =

〔相好〕; 친하다. ⑧ 형 잘 알고 있다. 익숙하다. ¶面～; 낯이 익다. ⑨ 명 자선. ⑩ 형 …하기 쉽다. 걸핏하면 …하다. ¶～变; 변하기 쉽다/多愁～感; 다정다감. ⑪ 명 성(姓)의 하나.

〔善罢甘休〕 shàn bà gān xiū 〈成〉 작파(作破)하다. 그대로 일없이 지내다. 무사하게 끝내다《흔히, 부정에 쓰임》. ¶不能～; 그대로 물러설 수 없다/他受了你这一场侮辱, 怎能～呢! 너한테 이런 모욕을 당하고서 그가 어떻게 그냥 있을 수 있겠느냐!

〔善本〕 shànběn 명 학술적·예술적인 가치가 높은 고서적의 각본(刻本) 또는 사본(寫本). 선본《판(版)이 뛰어난 고서적》.

〔善财难舍〕 shàn cái nán shě 〈成〉 선(善)을 행하는 데 쓰는 돈도 내기 싫어하다.

〔善长〕 shàncháng 동 능숙하다. 익숙하다.

〔善虫子〕 shànchóngzi 명 ⇨〔善棍〕

〔善处〕 shànchǔ 동 〈文〉 선처하다. 바르게 대처하다. 잘못 없이〔훌륭하게〕 처리하다.

〔善待〕 shàndài 동 〈文〉 우대(優待)하다. 잘 대우하다.

〔善刀而藏〕 shàn dāo ér cáng 〈成〉 칼을 잘 손질해서 넣어 두다《수완·재능을 소중히 하다〔함부로 마구 써먹지 않다〕》.

〔善导〕 shàndǎo 동 선도하다.

〔善蠹〕 shàndù 명 착한 사람을 가장하여 나쁜 짓을 하는 자. 위선자.

〔善恶到头终有报〕 shàn è dào tóu zhōng yǒu bào 〈成〉 인과응보. =〔善恶有报〕〔善有善报, 恶有恶报〕

〔善法〕 shànfǎ 명 좋은 방법.

〔善饭〕 shànfàn 동 〈文〉 식사를 잘 하다. ¶廉将军虽老尚～《史記 廉頗藺相如傳》; 염장군은 노령이지만, 아직 식사는 잘 한다.

〔善佛爷儿〕 shànfóyér 명 〈比〉 온화한 사람. 살아있는 부처. =〔善菩萨〕

〔善感〕 shàngǎn 형 다감하다. ¶多愁～; 우수가 많고 다감하다. 센티멘탈하다.

〔善根〕 shàngēn 명 《佛》 선을 행하고자 하는 마음. 착한 근성.

〔善贾〕 shàngǔ 〈文〉 동 장사 솜씨가 좋다. ¶多钱～; 돈이 있으면 장사가 잘 된다. 명 훌륭한 장사꾼〔상업인〕.

〔善棍〕 shàngùn 명 자선 사업의 이름을 빌려 사리 사욕을 꾀하는 자. =〔善虫子〕

〔善果〕 shànguǒ 명 《佛》 선과. 좋은 일을 해서 얻은 좋은 결과.

〔善后〕 shànhòu 동 사건의 뒷수습을 하다. ¶办理～事宜; 선후책(을 꾀하다). 뒷감당을 잘 하다/他们正在研究如何～; 그들은 지금 어떻게 선후책을 강구할 것인가를 연구하고 있다.

〔善后借款〕 shànhòu jièkuǎn 명 민국 2년(1914) 중국 정부가 영국·독일·러시아·프랑스·일본의 5개국 은행단으로부터 빌린 2,500만 파운드의 차관.

〔善话〕 shànhuà 명 〈文〉 좋은 이야기.

〔善会〕 shànhuì 명 절에서 신불의 제사 때에, 시주(施主)를 초대하여 연회를 베푸는 일. ¶～戏xì; 봉납(奉納) 연극.

〔善价〕 shànjià 명 〈文〉 높은 가격. 고가. ¶～收买; 고가로 매입하다.

〔善静〕 shànjìng 형 (생김새가) 진실〔성실〕해 보이다. ¶这老头儿长得多～呀! 이 노인은 얼마나 성실하고 착한 사람이냐!

〔善举〕 shànjǔ 명 〈文〉 자선 사업. ¶共襄～; 협력해서 자선 사업을 하다.

〔善款〕 shànkuǎn 명 자선금. 정재(淨財).

〔善类〕 shànlèi 명 〈文〉 선량한 사람(흔히, 부정 표현에 쓰임). ¶行迹诡秘, 定非～; 행동이 비밀스러운 것을 보니 틀림없이 착한 사람이 아닐 것이다.

〔善脸〕 shànliǎn 동 응석부리다. 어리광부리고 조르다. ¶顺儿! 不准和爷爷～!《老舍 四世同堂》 순이야! 할아버지한테 어리광부리면 못써요!

〔善良〕 shànliáng 형 ⇨〔良善〕

〔善邻〕 shànlín 〈文〉 명 선린. ¶～政策; 선린 정책. 동 이웃이나 이웃 나라와 사이좋게 지내다.

〔善门〕 shànmén 명 ①〈比〉 자선가. ¶丘处机祖父业农, 世称～; 구처기의 조부는 농사를 짓는데, 자선가의 평판이 높았다. ②자선 사업. ¶～难开, ～难闭; 〈諺〉 자선 사업은 시작하기도 어렵고, 그만두기도 어렵다.

〔善谋〕 shànmóu 명 좋은 계획〔계략〕. 동 잘 계획하다. 계획을 잘 짜다.

〔善男善女〕 shànnán shànnǚ 명 ⇨〔善男信女〕

〔善男信女〕 shànnán xìnnǚ 명 선남선녀(善男善女). =〔善男善女〕

〔善男子〕 shànnánzǐ 명 《佛》 선남. 신심(信心)이 깊은 남자.

〔善能〕 shànnéng 동 …을 잘 하다. …에 뛰어나다. ¶～吹弹歌舞; 가무 음곡 등의 연예를 잘 하다.

〔善念〕 shànniàn 명 〈文〉 자선심.

〔善女人〕 shànnǚrén 명 《佛》 선녀(善女). 신심이 깊은 여자.

〔善懦〕 shànnuò 형 ⇨〔善弱〕

〔善破善立〕 shàn pò shàn lì 〈成〉 솜씨좋게 낡은 것을 버리고 새로운 것을 창출하다.

〔善扑营〕 shànpūyíng 명 씨름·활·마술 등에 뛰어난 사람을 가려 뽑아 모은 일종의 특수 부대《베이징(北京)에 두어, 천자 앞에서 1년에 한 번의 어전 무술을 펼치거나, 천자가 몽골의 여러 번(藩)을 초대하는 의식 때 무예를 연출하기도 하고, 진사 시험에 시중을 들기도 하며, 천자의 호위를 이 중에서 뽑기도 했음》.

〔善菩萨〕 shànpúsa 명 ⇨〔善佛爷儿〕

〔善气〕 shànqì 명 온화한 표정. ¶～迎人; 온화한 표정으로 남과 접하다.

〔善人〕 shànrén 명 〈文〉 ①선인. 착한 사람. ②자애심이 깊은 사람.

〔善弱〕 shànruò 형 선량하고 나약하다. 사람은 좋지만 기개가 없다. ¶武大又是个～的人, 哪里会管待人《水滸傳》; 게다가 무대는 선량하지만 기개가 없어서, 도저히 남을 상대하지 못한다. =〔善懦〕

〔善社〕 shànshè 명 자선 단체.

〔善射〕 shànshè 동 〈文〉 궁술이 뛰어나다.

〔善始善终〕 shàn shǐ shàn zhōng 〈成〉 시종을 잘 완수하다. 유종의 미를 장식하다.

〔善士〕 shànshì 명 〈文〉 ①자선가. ②훌륭한 인물. ¶以友天下之～为未足; 천하의 훌륭한 인물과 친구간이면서도 아직 부족하다고 여기다.

〔善事〕 shànshì 명 자선 사업. ¶广行～; 널리 자선 사업을 행하다.

〔善收〕 shànshōu 동 〈文〉 충분한 수확을 얻다.

〔善手〕 shànshǒu 명 〈文〉 ①능수 능란. 솜씨가 좋음. 재치. 기교. ②능숙한 사람.

〔善书〕 shànshū 명 선행을 권하는 책《명말(明末)·청초(清初)에 유행했던 도교의 경전 등》. 동

글씨를 잘 쓰다. 필적이 좋다. ¶～者不择笔; 글씨를 잘 쓰는 사람은 붓을 가리지 않는다.
〔善死〕 shànsǐ 동 ⇨〔好hǎo死〕
〔善颂善祷〕 shàn sòng shàn dǎo 〈成〉 칭찬을 잘 하다. 말주변이 좋다.
〔善俗〕 shànsú 〈文〉 동 풍속을 개선하다. 명 미풍양속. 좋은 풍속.
〔善宿男〕 shànsùnán 명 《佛》 출가하지 않고 부처님을 믿는 남자《범어(梵語) '优婆塞'(우바새:Upāsaka)의 역어》.
〔善宿女〕 shànsùnǚ 명 《佛》 출가하지 않고 부처를 믿는 여자《범어(梵語) '优婆夷'(우바이:Upāsikā)의 역어》.
〔善岁〕 shànsuì 명 〈文〉 풍년.
〔善堂〕 shàntáng 명 옛날, 각 지방에 있던 자선기관〔조직〕.
〔善忘〕 shànwàng 동 잘 잊어버리다. 건망증이다. 「=〔健忘〕
〔善为人〕 shànwéirén 〈文〉 사람과 교제를 잘 하다.
〔善心〕 shànxīn 명 자선심. 선심. ¶发～; 자선심을 일으키다. 형 인정이 많다.
〔善信〕 shànxìn 명 선남 선녀. ¶虚云和尚寂于云居山, 佛门～无不悼念; 허운 화상이 운거산에서 입적하니, 불문에 귀의한 선남 선녀는 애도하지 않는 이가 없었다.
〔善行〕 shànxíng 명 〈文〉 선행. 착한 행동.
〔善谑不为虐〕 shàn xuè bù wéi nüè 〈成〉 농담을 잘 하는 사람은 마음이 악하지 않다.
〔善言〕 shànyán 명 ①선언. 좋은 말. ②듣기 좋은 말. ¶以～辞谢; 듣기 좋은 말로 거절하다 / ～相劝; 좋은 말로 권하다.
〔善意〕 shànyì 명 선의. 호의. ¶～解释; 선의로 해석하다 / ～的忠告; 선의의 충고.
〔善有善报〕 shàn yǒu shànbào 선을 행하면 반드시 좋은 보답이 돌아온다. ↔〔恶有恶报〕
〔善诱〕 shànyòu 동 선도(善導)하다. ¶循xún循～; 〈成〉 차근차근 타일러 인도하다.
〔善于〕 shànyú 형 …에 뛰어나다. …을 잘 하다. ¶～辞令; 말솜씨가 좋다 / ～应酬; 응대를 잘 하다. 부 능숙하게. 교묘하게. ¶应当～把理想和工作结合起来; 이상과 일을 능숙하게 결합시켜야 한다 / ～团结群众; 익숙하게 대중을 단결시키다.
〔善月〕 shànyuè 명 ⇨〔斋zhāi月①〕
〔善哉〕 shànzāi 감 〈文〉 좋다! 옳다! ¶～问《論語 顏淵》; 좋은 질문이다 / ～, ～, 如汝所言《法華經》; 옳다, 옳다, 네 말이 맞다.
〔善战〕 shànzhàn 동 싸움을 잘하다. ¶英勇～; 용감하게 싸움을 잘하다 / ～不如善守; 〈諺〉 잘 싸우기보다는 잘 지키는편이 낫다.
〔善政〕 shànzhèng 명 선정. 좋은 정치.
〔善知鸟〕 shànzhīniǎo 명 《鳥》 흰수염바다오리.
〔善知识〕 shànzhīshí 명 《佛》 선지식. 덕이 높은 승려.
〔善终〕 shànzhōng 동 ①〈文〉 천수(天壽)를 다하고 죽다. =〔〈俗〉好死hǎosǐ〕 ②유종의 미를 거두다.
〔善种学〕 shànzhǒngxué 명 ⇨〔优yōu生学〕
〔善状〕 shànzhuàng 명 좋은 상태. ¶毫无～; 조금도 좋은 것이 없다.
〔善自为谋〕 shàn zì wéi móu 〈成〉 자기 속셈을 차리는 데에 능하다.

鄯 shàn (선)
지명용 자(字). ¶～善; 《地》 ⓐ옛날, 서역에 있었던 나라 이름. ⓑ신장(新疆) 위구르 자치구에 있는 현(縣)의 이름.

墡 shàn (선)
명 〈文〉 흰색의 점토(粘土).

缮(繕) shàn (선)
동 ①수리하다. 매만지다. ②좋게 하다. ③다스리다. ④갖추다. ⑤베끼다. 문서를 작성하다. ¶～录lù; 베껴서 기록〔기입〕하다 / ～一份清稿; 원고 한 부를 청서하다.
〔缮本〕 shànběn 명 등본(謄本). 사본.
〔缮成〕 shànchéng 동 조제(調製)하다. 작성하다.
〔缮单〕 shàndān 〈文〉 명 문서. 서류. 동 문서를 작성하다.
〔缮发〕 shànfā 동 정서(淨書)하여 발송하다.
〔缮稿〕 shàngǎo 동 원고를 베끼다〔옮겨 쓰다〕.
〔缮函〕 shànhán 동 〈文〉 편지를 쓰다.
〔缮校〕 shànjiào 동 〈文〉 문서를 작성하여 대조하다.
〔缮就〕 shànjiù 동 ⇨〔缮妥〕
〔缮生〕 shànshēng 동 〈文〉 양생하다. 기운을 돋구다.
〔缮妥〕 shàntuǒ 동 베끼기를 끝내다. 문서의 작성을 끝마치다. ¶～呈阅; 작성한 후에 열람하도록 제공하다. =〔缮就〕
〔缮写〕 shànxiě 동 베끼다. 문서를 작성하다. 정서(淨書)하다. ¶～文书; 문서를 작성하다.
〔缮折〕 shànzhé 동 〈文〉 상주문(上奏文)을 작성하다.

膳〈饍〉 shàn (선)
①명 식사. ¶早～ =〔早餐〕〔早饭〕; 아침 식사 / 午～; 점심 식사 / 晚～; 저녁 식사 / 用～; 식사하다. ②명 식품. ③동 음식물을 준비하다〔차리다〕.
〔膳车〕 shànchē 명 식당차. =〔饭车〕〔餐车〕
〔膳房〕 shànfáng 명 ⇨〔御yù膳房〕
〔膳费〕 shànfèi 명 식비.
〔膳夫〕 shànfū 명 〈文〉 요리인. 요리사. =〔膳宰〕
〔膳具〕 shànjù 명 식기류.
〔膳食〕 shànshí 명 식사. 음식.
〔膳宿〕 shànsù 명 식사와 숙박. ¶～具备; 식사·숙박 시설을 모두 갖추고 있다 / ～自理; 식사와 숙박은 자기가 준비한다 / 全队一行22人由港方招待～; 전팀 일행 22명은 홍콩측에서 식사와 숙사를 제공한다.
〔膳堂〕 shàntáng 명 식당.
〔膳用〕 shànyòng 동 〈文〉 요리해서 먹다.
〔膳宰〕 shànzǎi 명 요리사. =〔膳夫〕

蟮 shàn (선)
명 《動》 지렁이. =〔蛐qū蟮〕

鳝(鱔〈鱓〉) shàn (선)
명 《魚》 ①두렁허리. ¶～鱼面; 두렁허리를 넣어서 끓인 국수. 또, 두렁허리를 채썰어 볶은 것을 얹은 국수. ②뱀장어.
〔鳝丝〕 shànsī 명 두렁허리를 가늘게 채친 것으로 국수 위에 얹어서 먹음.
〔鳝王〕 shànwáng 명 《魚》 뱀장어 비슷하며 무늬가 있는 물고기. =〔花鳗〕
〔鳝鱼〕 shànyú 명 《魚》 두렁허리. =〔鳣鱼〕

擅 shàn (천)
동 ①멋대로 하다. ¶～专 =〔专～〕; 멋대로 하다 / ～进; 멋대로 들어가다 / ～杀; 함부로 죽이다 / ～权; ⇩ ②독점하다. ③학술 · 기능에 특히 뛰어나다. ¶～长数学; 수학에 뛰어나다 / 不～辞令; 말솜씨가 없다.
〔擅便〕 shànbiàn 동 〈文〉 적당히〔제멋대로〕 처리하다. 하고 싶은 대로 하다. ¶例该斩首, 未敢～; 규칙대로 하면 참수해야 하지만, 감히 독단적으로 처리할 수 없다.
〔擅兵〕 shànbīng 동 〈文〉 병권(兵權)을 마음대로 하다.
〔擅长〕 shàncháng 동 …을 장기(長技)로 삼고 있다. …에 장점을 발휘하다. …에 능통〔정통〕하다. ¶～外国语; 외국어에 특별한 재주가 있다 / 他是个不～应酬的人; 그는 사람의 응대에 서투른 사람이다 / 他精通'心理战'并且～一种本领; 그는 '심리전'에 정통하며, 또한 일종의 기량도 능숙하다.
〔擅场〕 shànchǎng 명 독무대《그 자리에 필적할 자가 없음》. 동 (기능이) 남보다 뛰어나다. 혼자서 판치다.
〔擅朝〕 shàncháo 동 ⇨〔擅国〕
〔擅国〕 shànguó 동 〈文〉 국정을 총람(總攬)하다. ¶～之谓王《史記 範雎傳》; 국정을 총람하는 자를 왕이라 한다. =〔擅朝〕
〔擅离职守〕 shàn lí zhí shǒu 〈成〉 제멋대로 직무를 떠나다.
〔擅利〕 shànlì 동 〈文〉 이익을 독점하다.
〔擅美〕 shànměi 형 〈文〉 홀로 뛰어나게 아름답다.
〔擅命〕 shànmìng 동 〈文〉 (명령을 듣지 않고) 제멋대로 행동하다.
〔擅权〕 shànquán 동 〈文〉 권력을 마음대로 하다. 권력을 장악하다.
〔擅让〕 shànràng 동 ⇨〔禅让〕
〔擅生是非〕 shàn shēng shì fēi 〈成〉 멋대로 분쟁을 일으키다.
〔擅专〕 shànzhuān 동 마음대로 하다. ¶这事不好由我～; 이 일은 내 마음대로 할 수 없다.
〔擅自〕 shànzì 부 마음대로. 멋대로. 제멋대로. ¶～决定; 독단으로 정하다 / ～为谋; 〈成〉 제멋대로 하다 / ～作主; 멋대로 행동하다.
〔擅作〕 shànzuò 동 멋대로 하다.
〔擅作威福〕 shàn zuò wēi fú 〈成〉 멋대로 권력 · 재력을 휘두르다. 함부로 뽐내다.

嬗 shàn (선)
동 〈文〉 ①변천하다. 세월 따라 변해가다. ¶～变biàn; ⓐ변천하다. =〔演变〕 ⓑ변쇠(變衰)하다 / 由此可见百余年来递～之迹; 여기에서 백 년 남짓 이제까지 차례로 변천해 온 모습을 알 수 있다. ② ⇨〔禅〕

蟺 shàn (선)
명 《動》 지렁이. =〔蛐qū蟺〕

鳣(鱣) shàn (선)
명 《魚》 두렁허리. =〔鳝〕 ⇒zhān

赡(贍) shàn (섬)
①동 공급하다. 부양하다. ¶～养; ⇩ / 顾～; 살림을 돌보다. 보살피다 / ～家之用; 가계비 / ～赈 =〔～恤xù〕; 구휼하다. ②형 〈文〉 풍부하다. 충분하다. ¶力不～也; 힘이 충분하지 못하다.
〔赡部州〕 shànbùzhōu 명 《佛》 대지(大地)를 뜻함.
〔赡费〕 shànfèi 명 부양비.
〔赡养〕 shànyǎng 동 부양하다. ¶～金; 부양금. 부조료 / ～人; 부양하는 사람 / 家属失掉～人; 가족이 부양해 줄 사람을 잃다.

SHANG ㄕㄤ

伤(傷) shāng (상)
①명 상처. ¶受～; 부상하다 / 刀～; 칼에 벤 상처 / 枪～; 총상 / 养～; 상처를 치료하다. ②동 상처 입다〔내다〕. 다치다. 해치다. ¶烟酒～身; 술담배는 몸을 해친다 / 你～着了没有? 다친 데는 없느냐? / ～了骨头; 뼈를 다쳤다 / 吃多了, 吃～了; 과식해서 배탈이 났다 / 留神不要碰～了; 부딪쳐서 다치지 않도록 조심해. ③동 감염(感染)하다. 병에 걸리다. ¶～风; ⇩ ④동 방해하다. 지장을 주다. ¶彼虽不允, 无～; 그가 허락하지 않아도 곤란할 것 없다. ⑤동 식상하다. 물리다. ¶吃～; 너무 먹어서 물리다 / 那件事别提了, 我～透了; 그 일은 꺼내지도 마라. 난 정말 지겹다 / 雇～了; (오래 고용해서) 부리기가 어려워지다. ⑥동 남의 감정을 상하게 하다. 화나게 하다. ¶开口～人; 입만 열면 남의 감정을 상하게 한다 / 这句话可把于二婶～了; 이 한 마디는 우(于) 아줌마를 화나게 했다. ⑦동 애도하여 슬퍼하다. =〔伤悲〕
〔伤碍〕 shāng'ài 동 〈文〉 상처를 입혀 방해하다. 지장을 주다.
〔伤疤〕 shāngbā 명 ①흉터. ②마음의 상처. ¶故意戳了他～; 일부러 그의 아픈 곳을 찔렀다.
〔伤瘢〕 shāngbān 명 흉터.
〔伤悲〕 shāngbēi 〈文〉 동 슬퍼하다. ¶请你不要～; 슬퍼하지 마십시오 / 少小不努力, 老大徒～; 〈諺〉 젊어서 노력하지 않으면 늙어서 헛되이 슬퍼한다. 명 슬픔.
〔伤本儿〕 shāng·běnr 동 밑천을 까먹다.
〔伤兵〕 shāngbīng 명 부상병.
〔伤病员〕 shāngbìngyuán 명 상병자. 상병병(傷病兵).
〔伤财〕 shāngcái 동 재산을 축내다. 손해보다. ¶赌钱的事又耗精神又～; 노름은 정신을 소모시키고 재산을 축낸다 / 为wèi他家的事情我帮了很大的忙, ～受累lèi, 他反倒不领情; 그의 집안일을 위하여 내가 도움을 많이 주고 돈까지 써서 수고했는데, 그는 (감사해야 할 텐데) 고맙게 여기지 않는다.
〔伤财惹气〕 shāng cái rě qì 〈成〉 쓸데없이 돈만 쓰고 남을 기분 상하게 하다. =〔丢diū财惹气〕
〔伤残〕 shāngcán 동 부상을 입어 불구자가 되다. ¶～人; 신체 장애자 / 学生和因公务而～的公民都有领优抚金的权利; 학생 및 공무로 인해 다치고 몸이 불구가 된 공민은 모두 무휼금(撫恤金)을 받을 권리가 있다.
〔伤处〕 shāngchù 명 상처. 파손된 데.
〔伤触〕 shāngchù 동 감정을 해치다.
〔伤悼〕 shāngdào 동 (죽은 이를) 애도하다. =〔伤痛〕
〔伤风〕 shāngfēng 명 감기. ¶～时症; 유행성 감기 / ～的鼻子; 감기 든 코. (shāng·fēng) 동 ①풍속을 해치다. =〔伤风败俗〕 ②감기 들다. =〔〈俗〉着zháo凉〕
〔伤感〕 shānggǎn 동 슬퍼하다. 감상적으로 되다.

¶～地低着头; 슬픈 듯 머리를 숙이고 있다 / 争论不休～备至; 언쟁이 계속되어 슬픔이 한꺼번에 몰려왔다. 명 슬픔. 비애.

〔伤弓之鸟〕 shāng gōng zhī niǎo 〈成〉 활로 상처입은 새《전에 재난을 당한 적이 있어서 겁을 내는 사람》.

〔伤骨〕 shāng.gǔ 동 ①뼈를 다치다. ②일에 지장이 생기다. ¶买一辆车子, 又不伤筋, 又不～; 차를 한 대 사도 별로 일에 지장은 없다.

〔伤害〕 shānghài 동 (몸을) 해치다. 상해하다. 상하다. ¶他无意～人, 他开枪只是为了'恐吓'人; 그는 사람을 해칠 뜻은 없었고, 발포한 것은 '위협하기' 위해서였다 / 不要～人的自尊心; 남의 자존심을 상하게 해서는 안 된다 / 这回事必然～群众的积极性; 이번 일은 필시 민중의 적극성을 손상시키게 될 것이 틀림없다. =〔害伤〕

〔伤害保险〕 shānghài bǎoxiǎn 명 상해보험. =〔意yì外保险〕

〔伤寒〕 shānghán 명 ①《醫》 장티푸스. ¶～杆菌; 장티푸스균 / ～菌苗; 장티푸스 백신. ②《漢醫》 발열(發熱)을 동반하는 병. 중증의 감기.

〔伤号〕 shānghào 명 부상자《군대·공장 등 한 사람 한 사람의 번호가 일정하게 매겨 있는 직역(職域)에서 이렇게 말함》.

〔伤耗〕 shānghao 명동 손상(하다). 손모(損耗)(하다). 소모(되다). ¶精神～得太厉害了; 정신을 몹시 소모시켰다. →〔打dǎ伤耗〕

〔伤和气〕 shāng héqi (서로 뜻이 안 맞아) 사이가 벌어지다. 감정을 상하(게 하)다. ¶大家犯不着为孩子～; 아이들 일로 여러 사람이 서먹서먹해져서는 안 된다.

〔伤痕〕 shānghén 명 상흔. 상처 자국.

〔伤怀〕 shāng.huái 동 ⇨〔伤心〕

〔伤坏〕 shānghuài 동 손상하다. 파괴하다. 상처를 내어 망가뜨리다.

〔伤魂〕 shānghún 동 〈文〉 마음을 상하다. 가슴아파하다.

〔伤嗟〕 shāngjiē 동 〈文〉 슬퍼하고 탄식하다.

〔伤筋〕 shāng.jīn 동 ①근육을 다치다. ¶～动骨 =〔～害骨〕; (무리한 일로) 몸을 상하다. ②일에 지장이 생기다. →〔伤骨②〕

〔伤酒〕 shāng.jiǔ 동 (술이 깨도) 기분이 깨끗하지 않다. 숙취가 오다. ¶喝伤了酒; 숙취했다. 술 뒤끝이 좋지 않았다.

〔伤科〕 shāngkē 명 《漢醫》 주로 타박상을 치료하는 의학 부문. →〔外wài科〕

〔伤口(儿)〕 shāngkǒu(r) 명 상처.

〔伤劳〕 shāngláo 명 《漢醫》 과로해서 생긴 병.

〔伤力〕 shānglì 동 일이 과중해서 병이 나다.

〔伤力〕 shāngli 명 과로에서 온 병.

〔伤脸〕 shāng.liǎn 동 ①면목을 잃다. 체면을 떨어뜨리다. ¶我简直不愿意做这种～的事; 나는 이렇게 체면을 손상하는 일은 정말 하고 싶지 않다. ②얼굴에 상처를 입다. ¶昨天比剑, 被人～, 现在还休息着呢; 어제 검술 시합을 하다가 얼굴에 상처를 입어 아직 쉬고 있습니다.

〔伤面皮〕 shāng miànpí 감정을 상해 사이가 틀어지다.

〔伤面子〕 shāng miànzi 낯을 깎이다. 체면을 손상하다.

〔伤名〕 shāng.míng 동 명예를 손상하다.

〔伤命〕 shāng.mìng 동 ⇨〔伤生①〕

〔伤目〕 shāngmù 동 눈을 다치다. 보고 슬퍼지다.

〔伤脑筋〕 shāng nǎojīn (어렵고 까다로워서) 골머리를 앓다. ¶你不必为这件事～; 자네는 이 일 때문에 골머리를 앓을 필요는 없다.

〔伤气〕 shāng.qì 동 ①〈文〉 기력을 잃다. 의기소침해지다. ②《漢醫》 체력이 쇠약해지다.

〔伤情〕 shāng.qíng 동 상심하다. 슬퍼하다. ¶～害理; 인정과 도리를 해치다. 도리에 어긋나다. =〔伤心〕 (shāngqíng) 명 부상의 상태.

〔伤热〕 shāng.rè 동 (야채나 과일 따위가) 더위로 상하다.

〔伤人〕 shāng.rén 동 ①남에게 실례를 하다. ②남에게 상처를 입히다. ③남의 감정을 상하게 하다.

〔伤乳〕 shāngrǔ 명 《漢醫》 (젖먹이가) 젖을 너무 많이 먹어 소화를 못 하게 되는 병.

〔伤神〕 shāng.shén 동 ①원기를 잃다. 너무 신경을 쓰다. ¶生气～; 노여움은 원기를 해친다. ②⇨〔伤心〕

〔伤生〕 shāng.shēng 동 ①생명을 해치다. ¶～害命; 생명을 잃다. =〔伤命〕 ②생물에게 해를 주다.

〔伤食〕 shāng.shí 동 《漢醫》 폭음 폭식으로 소화불량 따위의 병에 걸리다. 식상(食傷)하다. ¶小孩儿不想吃饭, 竟肚子疼, 大概有点儿～; 아이가 밥을 먹으려 하지 않고 배가 아프다고 하니, 아마 식상(食傷)했나 보다. 명 (폭음 폭식으로 인한) 소화 불량.

〔伤事〕 shāng.shì 동 일에 실패하다. 일에 손해를 보다. ¶说话不加检点, 容易～; 말을 조심하지 않으면 일을 실패하기 쉽다.

〔伤势〕 shāngshì 명 부상의 정도. ¶～很重; 부상이 심하다.

〔伤逝〕 shāngshì 동 〈文〉 죽은 사람을 애도하다.

〔伤手疮〕 shāngshǒuchuāng 명 《醫》 정강이에 난 부스럼. =〔臁lián疮〕

〔伤暑〕 shāngshǔ 명 《醫》 일사병. (shāng.shǔ) 동 더위 먹다.

〔伤水〕 shāng.shuǐ 동 물을 너무 마셔 탈이 나다. 물에 얹히다.

〔伤损〕 shāngsǔn 동 (몸이나 기물을) 손상하다. 상하게 하다. ¶筋骨～; 몸이 손상되다 / 器物～; 기물이 손상되다.

〔伤天害理〕 shāng tiān hài lǐ 〈成〉 천리(天理)를 어기다.

〔伤痛〕 shāngtòng 동 ⇨〔伤悼〕

〔伤亡〕 shāngwáng 동 사상(死傷)하다. ¶～事shì故; 상해 사망 사고 / 游击队～了几个; 유격대 몇 사람의 사상자가 발생했다 / ～惨重; 사상이 막심하다. 명 사상자. 사상자의 수. ¶～甚众; 사상자가 매우 많다.

〔伤心〕 shāng.xīn 동 슬퍼하다. 상심하다. ¶为父亲的死而非常～; 아버지의 죽음을 매우 슬퍼하다 / ～惨目; 〈成〉 너무 비참해서 차마 볼 수가 없다. =〔伤怀〕〔伤情〕〔伤神②〕

〔伤雅〕 shāngyǎ 형 버릇이 없다. 무례하다. ¶说话太～了; 이야기가〔말하는 것이〕 매우 무례하다.

〔伤痍〕 shāngyí 명 〈文〉 ①무기에 의한 상처. 부상. ②부상자. ¶遍地～满目; 온통 부상자가 널려 있다. ‖ =〔伤夷〕

〔伤员〕 shāngyuán 명 (주로 군대의) 부상 인원. 부상자.

〔伤着〕 shāngzháo 동 상처를 입다. ¶注意不要～! 다치지 않도록 조심해라!

〔伤众〕 shāngzhòng 동 여러 사람에게 손해를 주

다. 여러 사람에게 폐를 끼치다.

汤(湯) shāng (상)
→〔汤汤〕⇒tāng
〔汤汤〕 shāngshāng 형 〈文〉 물의 흐름이 크고 빠르다. ¶河水～; 강물이 도도히 흐르고 있다.

殇(殤) shāng (상)
①동〈文〉성년(成年)이 되기 전에 죽다. 요절하다. ¶夭～ =〔夭折〕; 요절하다 / 幼子早～; 어린아이가 일찍 죽다. ② 명 국가를 위하여 죽은 자. ¶国～; 순국한 인사.

觞(觴) shāng (상)
〈文〉①명 술잔의 총칭. ¶称chēng～; 축배를 들다 / 洁～以待; 주석을 마련해 놓고 기다리다 / 举～庆祝; 잔을 들어 축하하다. ②동 술을 마시게 하다〔권하다〕.
〔觞豆〕 shāngdòu 명 〈文〉①술잔과 식기. ②〈轉〉음식.
〔觞令〕 shānglìng 명 ⇨〔酒令(儿)〕
〔觞咏〕 shāngyǒng 동 〈文〉 술을 마시며 시를 읊다〔짓다〕.
〔觞政〕 shāngzhèng 명 ⇨〔酒令(儿)〕

商 shāng (상)
①동 상의하다. 상담하다. ¶～量; ⇓ / 面～; 만나서 상의하다 / 有要事相～; 상의하고 싶은 중요한 일이 있다. ②명 장사. 상업. ¶经～; 장사를 하다 / ～业; 상업 / ～店; 상점 / 通～; 통상하다. ③명 상인. 장수. ¶～旅; ⇓ / 布～; 포목상. ④명〘數〙몫. ¶六除二十四, 所得的～是四; 24를 6으로 나눈 몫은 4이다. ⑤명〘樂〙옛날의 오음(五音)의 하나. ⑥(Shāng) 명〘史〙상(왕조명(王朝名). 기원전 17세기 초에서 11세기, 곧 양(湯)임금에서 주(紂)임금까지 약 30대 600년. 반경(盤庚) 임금 때 천도하여 '殷'으로 개칭함). ⑦명〘天〙28수(宿)의 하나. ⑧명 성(姓)의 하나.
〔商办〕 shāngbàn 명 민간 경영. 민영. ¶是官办是～? 관영입니까, 혹은 민영입니까? 동 상의〔의논〕하여 처리하다.
〔商本〕 shāngběn 명 상업 자금.
〔商标〕 shāngbiāo 명 상표. 브랜드. ¶注zhù册～; 등록 상표.
〔商飙〕 shāngbiāo 명 ⇨〔商风〕
〔商卜文〕 shāngbǔwén 명 갑골 문자. =〔甲jiǎ骨文〕
〔商埠〕 shāngbù 명 개항장. 외국과의 거래를 위한 상업 도시.
〔商采官销〕 shāngcǎi guānxiāo 옛날, 민간에서 채굴하여 정부가 매매하다.
〔商场〕 shāngchǎng 명 ①(건물 안에 있는) 시장. 아케이트. 상가. ②백화점. ¶百货～; 백화점. ③시황(市況). 상황(商況). ¶调查～; 시황을 조사하다.
〔商承〕 shāngchéng 동 〈文〉 상담해서 인수받다.
〔商船〕 shāngchuán 명 상선. =〔商轮〕
〔商德〕 shāngdé 명 상도덕(商道德).
〔商电〕 shāngdiàn 명 상용(商用) 전보.
〔商店〕 shāngdiàn 명 상점. ¶日夜～ =〔通宵～〕; 24시간 영업하는 상점.
〔商订〕 shāngdìng 동 상의하여 결정하다. ¶～付款日期; 지급 날짜를 결정하다. =〔商定〕
〔商定〕 shāngdìng 동 ⇨〔商订〕
〔商董〕 shāngdǒng 명 상업 회의소. 또는 상업 단체의 이사(理事).
〔商队〕 shāngduì 명 대상(隊商).
〔商兑〕 shāngduì 동 〈文〉 ⇨〔商酌〕
〔商法〕 shāngfǎ 명〘法〙상법.
〔商贩〕 shāngfàn 명 ①상인. 행상인. ②현금으로 매매하는 상인.
〔商风〕 shāngfēng 명 〈文〉 가을 바람. 추풍(秋風). =〔商飙〕
〔商改〕 shānggǎi 동 의논〔상의〕하여 정하다.
〔商港〕 shānggǎng 명 상업항. 무역항.
〔商股〕 shānggǔ 명 옛날, 민간 소유주(所有株). →〔官guān股〕
〔商贾〕 shānggǔ 명 〈文〉 장사꾼. 상인.
〔商行〕 shāngháng 명 (비교적 큰) 상점. ¶大～; 대형 상사.
〔商号〕 shānghào 명 ①상점. ②상점 이름. 상호. ③상표.
〔商户〕 shānghù 명 ⇨〔商家〕
〔商会〕 shānghuì 명 ①상업 연합회. 상업 회의소. ②상인 길드(중세의 동업자의 자치 단체). =〔商业公会〕〔商会组织〕
〔商货〕 shānghuò 명 상품.
〔商计〕 shāngjì 동 의논하다. 협의하다.
〔商家〕 shāngjiā 명 상점. ¶有信用的～; 신용 있는 상점. =〔商户〕
〔商检证〕 shāngjiǎnzhèng 명 상품 검사증.
〔商鉴不远〕 shāng jiàn bù yuǎn 〈成〉 ⇨〔殷yīn鉴不远〕
〔商界〕 shāngjiè 명 실업계. 상업계.
〔商借〕 shāngjiè 동 차용(借用) 상담을 하다. ¶我想跟您～一笔款子; 당신에게 부탁해서 돈을 빌리고 싶은데요.
〔商科〕 shāngkē 명 상과. ¶～大学; 상과대학.
〔商侩〕 shāngkuài 명 브로커. 중간 상인. 거간꾼.
〔商籁体〕 shānglàitǐ 명 〈音〉 (시의) 소네트(sonnet). =〔十四行诗〕〔商籁〕
〔商量〕 shāngliang 동 상의하다. 의논하다. 협의하다. ¶～今后的解决方法; 금후의 해결 방법을 상의하다.
〔商陆〕 shānglù 명〘植〙자리공. =〔马尾(儿)②〕
〔商路〕 shānglù 명 상로. 거래의 경로.
〔商旅〕 shānglǚ 명 ①상인과 여행자. ②행상인(行商人).
〔商略〕 shānglüè 동 ⇨〔商榷〕 명 상업상의 홍정. 상술(商術).
〔商轮〕 shānglún 명 ⇨〔商船〕
〔商谜〕 shāngmí 명 잡기(雜技)의 하나(한 사람이 수수께끼를 내고, 또 한 사람이 그것을 맞히기를 교대로 하여, 사람을 웃기는 놀이).
〔商民〕 shāngmín 명 〈文〉 ①장사꾼. ②상인과 일반인.
〔商品〕 shāngpǐn 명 ①〘經〙상품. ¶～开放商店 =〔超级市场〕〔自选市场〕; 슈퍼마켓 / ～经济; 상품 경제 / ～菜; 환금(換金) 야채 / ～陈列所; 상품 전시장/ ～券; 상품권. ②(널리 시장에서 매매되는) 물품.
〔商品拜物教〕 shāngpǐn bàiwùjiào 명〘經〙상품의 우상적(偶像的) 성격. 상품의 물신성(物神性). ¶只有消灭生产资料私有制, ～才会消失; 생산 수단의 사유를 없앴을 때에만, 비로소 상품의 우상적 성격이 사라진다.
〔商品粮〕 shāngpǐnliáng 명〘經〙상품화(商品化) 식량.
〔商品率〕 shāngpǐnlǜ 명〘經〙상품화율(생산품의

시장에 나오는 비율).
〔商洽〕 shāngqià 동 〈文〉 교섭하다. 상담하다. 상의하다. 협의하다.
〔商情〕 shāngqíng 명 시황(市況). 경제 상황.
〔商请〕 shāngqǐng 동 상의하여 부탁〔신청〕하다.
〔商丘〕 Shāngqiū 명 ①복성(複姓)의 하나. ②《地》 허난 성(河南省) 동부 룽하이(隴海) 철도 연선의 허난 성 직할시.
〔商秋〕 shāngqiū 명 〈文〉 가을의 별칭.
〔商榷〕 shāngquè 동 협의 검토하다. 상의하다. 여러 모로 궁리하다. 논의하다. =〔商搉〕〔商略〕
〔商人〕 shāngrén 명 구사회에서의 상인〔장사꾼〕.
〔商数〕 shāngshù 명 《數》 상. 몫(나눗셈의 답).
〔商谈〕 shāngtán 동 상의하다. 협의하다.
〔商讨〕 shāngtǎo 동 협의 검토하다. 의견 교환을 하다. ¶～对策; 대책을 협의하다 / 这个问题尚待～; 이 문제는 아직 더 협의를 하여야 한다.
〔商同〕 shāngtóng 동 〈文〉 함께 의논하다. 미리 협의〔타협〕하다. ¶～办理; 함께 의논하여 처리하다.
〔商妥〕 shāngtuǒ 동 상의해서 매듭짓다〔매듭지어지다〕.
〔商务〕 shāngwù 명 상업 업무〔사무〕. ¶～机构; 상무 기구 / ～协定; 통상 협정 / 考察～; 상업 시찰 / ～参赞cānzàn; 상무 참사관.
〔商销〕 shāngxiāo 동 상인의 손을 통해 팔다.
〔商行为〕 shāngxíngwéi 명 《法》 상행위.
〔商询〕 shāngxún 동 ⇨〔咨zī询〕
〔商业〕 shāngyè 명 상업. ¶～网; 상업망 / ～区; 상업 지구.
〔商业差价〕 shāngyè chājià 명 《經》 상업 부가액. ¶商业组织的零售价格就等于批发价格加～; 상업 조직의 소매 가격은 도매 가격에 상업 부가액을 보탠 것과 같다.
〔商业成本〕 shāngyè chéngběn 명 상업원가. ¶工业品有两种成本:工厂成本和完全成本(所谓～); 공업 생산의 원가에는 공장 원가와 총원가(이른바 상업 원가)의 두 가지 종류가 있다. =〔完wán全成本〕
〔商业公会〕 shāngyè gōnghuì 명 ⇨〔商会②〕
〔商业票据〕 shāngyè piàojù 명 상업 어음.
〔商议〕 shāngyì 동 상의하다. 협의하다.
〔商约〕 shāngyuē 명 《經》 ①통상 조약. ②상업상의 계약.
〔商战〕 shāngzhàn 명 상업상의 경쟁. 거래 경쟁.
〔商准〕 shāngzhǔn 동 상의하여 허가하다.
〔商卓特巴〕 shāngzhuótèbā 명 〈音〉 옛날, 티베트의 상무(商務)를 취급하는 관리.
〔商酌〕 shāngzhuó 동 〈文〉 상의하다. 협의하다. ¶这件事, 我要跟你～, 以后再办; 이 건은 자네와 상의한 다음에 처리하겠다. =〔商兑〕

墒〈暘〉 shāng (상)

명 《農》 (식물 발아에 알맞은) 흙의 적당한 습도. ¶保bǎo～; 땅의 습도를 보존하다 / 抢qiǎng～; 습기 있는 동안에 밭을 경작하다 / ～情qíng; 경지의 습도 유지 상황 / 跑pǎo～; (토양이) 수분을 잃다.
〔墒沟〕 shānggōu 명 밭의 흙에 수분을 주기 위해 만든 도랑.
〔墒透〕 shāngtòu 형 (밭의 흙에) 수분이 충분하다.

熵 shāng (상)

명 《物》 엔트로피(entropy)(열역학상의 추상적인 상태량(狀態量)).

上 shǎng (상)

→〔上声〕 ⇒shàng

〔上声〕 shǎngshēng〔shàngshēng〕 명 현대 중국어 성조의 제3성.

垧 shǎng (경)

양 《度》 밭〔토지〕 넓이의 단위(동북(東北)에서는 15묘(畝). 서북(西北)에서는 3묘(畝) 내지 5묘(畝)를 1상(垧)으로 함. 하루에 갈 수 있는 넓이의 땅을 뜻함). ¶新～; 미터법의 '公顷'(헥타르)를 말함. =〔晌shǎng③〕

晌 shǎng (상)

① 명 〈方〉 낮. 정오. ¶歇～; 한낮의 휴식 / 早半～(儿) =〔上半～(儿)〕〔上半天(儿)〕〔前半～(儿)〕〔前半天(儿)〕; 〈口〉 오전. 상오 / 晚半～(儿) =〔下半～(儿)〕〔后半～(儿)〕; 〈口〉 오후. 하오. ②(～儿) 명 잠깐의 시간. 한동안. ¶停了一～; 잠깐 쉬다 / 半～无言; 한동안은 말도 하지 않는다 / 徘徊一～; 한동안 배회하다. =〔一会儿yīhuǐr〕 ③ 양 ⇨〔垧shǎng〕
〔晌饭〕 shǎngfàn 명 〈方〉 ①점심. =〔午wǔ饭〕 ② 농번기의 오전 또는 오후에 추가하는 1회(또는 2회)의 식사.
〔晌觉〕 shǎngjiào 명 〈方〉 낮잠. ¶睡～; 낮잠 자다. =〔午觉〕
〔晌午〕 shǎngwu 명 〈口〉 정오. ¶小～ =〔头～〕; 정오 조금 전 / ～歪; 정오를 조금 지난 오후. =〔中午〕〔晌半天〕

赏(賞) shǎng (상)

① 명동 상(을 주다). 상품(을 주다). 상여(하다). ¶年～; 연말 상여 / ～东西; 상으로 물건을 주다 / ～酒钱; 술값을 주다 / ～给我吧! 적선해 주십쇼 / 悬～; 상금을 걸다 / 论功行xíng～; 논공 행상(을 하다) / 有～有罚; 〈成〉 상 줄때는 상을 내리고, 벌해야 할 때는 벌한다. ② 동 보내다. 주다. ¶您可早～个信儿; 되도록 빨리 소식 전해 주시오. ③ 동 시여(施與)하다. ¶～给他一匹马; 그에게 상으로 말 1필을 주다. ④ 동 칭찬하여 물건을 주다. ¶～罚分明; 상벌이 분명하다. ⑤ 동 칭송하다. ⑥ 동 즐기다. 관상(觀賞)하다. ¶欣～; 감상(하다) / 鉴～; 감별하여 즐기다 / 雅俗共～; 〈成〉 풍아한 사람이나 속인이나 다 즐기다 / ～月; 달을 보며 즐기다. ⑦ 명 성(姓)의 하나.
〔赏赐〕 shǎngcì 동 (웃어른이 아랫사람에게) 상을 주다. 은상(恩賞)을 내리다. 명 은상(恩賞). 하사품. ¶一笔～; 금일봉.
〔赏罚〕 shǎngfá 명 상벌. ¶～分明 =〔～严明〕; 상벌이 분명하다 / ～无章; 상벌에 원칙이 없다.
〔赏饭〕 shǎng fàn 〈謙〉 맛있는 음식을 대접받다(식사에 초대되었을 때). ¶我还没造府奉访呢, 就～吃实在受之有愧; 아직 댁을 찾아뵙고 인사도 못 드렸는데, 이렇게 대접을 받아 정말로 송구스럽습니다.
〔赏封〕 shǎngfēng 명 팁(붉은 봉투에 넣거나 종이에 쌈). 행하(行下). =〔红封包〕
〔赏格〕 shǎnggé 명 ①찾는 사람이나 분실물에 내건 현상(懸賞). ¶寻人～; 사람을 찾는 현상 / ～声明; 현상을 걸고 사람이나 물건을 찾는 광고. ②현상에 정한 보수 금액.
〔赏给〕 shǎnggei 동 포상(褒賞)으로 주다. 베풀어 주다. ¶～我这个吧; 이것을 나에게 주십시오 / 您先～我一封信; 미리 저에게 편지를 주십시오.
〔赏工〕 shǎnggōng 명동 ⇨〔升shēng工〕

〔赏光〕 shǎng.guāng 동 〈套〉 ①꼭 와 주십시오. 왕림해 주십시오. ¶请您务必～; 부디 와 주십시오. ②체면을 보아 주십시오. ¶请各位～尝尝; 내 체면을 보아서 좀 들어주십시오〔잡수시오〕.

〔赏号〕 shǎnghao 명 〈方〉 (각자에게) 포상으로 주는 물건이나 돈.

〔赏花〕 shǎnghuā 동 꽃구경을 하다. 꽃놀이 가다. ¶～饮酒; 꽃놀이를 하고 술을 마시다.

〔赏花阅柳〕 shǎng huā yuè liǔ 〈成〉 화류계를 뻔질나게 드나들다. 정사(情事)에 열중〔몰두〕하다. =〔寻花问柳〕

〔赏鉴〕 shǎngjiàn 동 〈文〉 감상하다. ¶～名画; 명화를 감상하다.

〔赏金〕 shǎngjīn 명 상금.

〔赏脸〕 shǎng.liǎn 동 〈套〉 체면을 세우다《상대에게 자기의 요구나 선물을 받아 달라고 부탁할 때》. ¶～谢谢; 저의 체면을 세워 주시어서 고맙습니다 / 请您赏我个脸, 不要推辞; 아무쪼록 제 체면을 봐서 거절하지 마십시오.

〔赏墨〕 shǎngmò 동 휘호를 하여 주다. ¶请您～; 아무쪼록 휘호를 부탁합니다.

〔赏钱〕 shǎng qián (상으로) 돈을 주다.

〔赏钱〕 shǎngqian 명 축하금. 팁. 행하. ¶大伙卖卖力气, 回头老爷多给～; 모두 열심히 일하면, 나중에 주인 어른께서 상금을 내려 주신다.

〔赏声〕 shǎngshēng 명 ⇨〔上shàng声〕

〔赏识〕 shǎngshí 동 좋은 점을 주목하다〔인정하다〕. 가치나 재능을 인정하다. (상관의) 눈에 들다. ¶这个人才力经验都好, 上司很～他; 이 인물은 수완이나 경험이 뛰어나기 때문에 상관도 크게 그 점을 인정하고 있다 / 受他的～; 그의 눈에 들다.

〔赏食〕 shǎngshí 동 〈謙〉 잡수십시오《음식을 선사할 때의 말》. ¶请您不要见外, ～才好; 부디 사양 마시고 드십시오.

〔赏收〕 shǎngshōu 동 〈謙〉 거두어〔받아〕 주십시오. ¶区区心意, 请您～! 조그만 성의입니다. 거두어 주십시오!

〔赏首〕 shǎngshǒu 〈文〉 동 최고상을 받다. 명 최고 공로자.

〔赏叹〕 shǎngtàn 동 찬양하다.

〔赏玩〕 shǎngwán 동 즐기며 구경하다. 감상하다. ¶～山景; 산의 경치를 감상하다 / ～古董; 골동품을 감상하다.

〔赏心〕 shǎngxīn 동 마음을 기쁘게〔즐겁게〕 하다.

〔赏心悦目〕 shǎng xīn yuè mù 〈成〉 아름다운 경치를 감상하고 마음을 즐겁게 하다.

〔赏刑〕 shǎngxíng 명 〈文〉 상벌(賞罰).

〔赏音〕 shǎng.yīn 동 ①음악을 감상하다. ②〈轉〉 풍류 시운(詩韻)을 알다. ③〈謙〉 좋은 음악을 듣다. ¶求你赏赏音; 좋은 음악을 들려 주십시오.

〔赏月〕 shǎngyuè 동 달구경하다. 달을 바라다보며 즐기다. =〔玩wán月〕

〔赏钟〕 shǎngzhōng 명 상으로 내리는 술(을 마시게 하는 잔). ¶吃了三大～《水滸傳》; 포상의 술을 큰 잔으로 석 잔 받았다.

上 shàng (상)

A) ① 명 위. ¶往～看; 위를 보다 / ～层; 상층 / ～册; 상권. ② 명 윗자리. 상급. ¶长～; 장상. 손위 / ～级; 상급(의) / ～行下效; 〈成〉 윗사람이 하면 아랫사람이 그것을 본받는다. ③ 형 우수하다. 질이 좋다. ¶～等货; 고급품 / ～品茶; 상등품의 차. ④ 형 앞서의. 이전의《일부 명사 앞에 쓰임》. ¶～回; 전번 / ～月; 지난 달 / ～一辈; 전세대. ⑤ 형 군의 각 계급의 제1급의. ¶～将; ⇩ / ～校; ⇩ / ～尉; ⇩ ⑥ 형 존귀하다. ¶～宾; 귀빈 / ～座; 상좌. ⑦ 동 (낮은 데서 높은 곳으로) 오르다. ¶～楼; 2층으로 오르다 / ～山; 등산하다. ⑧ 동 (탈것에) 타다. ¶～船; 승선하다 / ～飞机; 비행기에 탑승하다. ⑨ 동 바치다. ¶～书给领导的机关; 지도 기관에 글을 올리다 / ～税; 납세하다 / 谨～; 〈翰〉 삼가 올림. ⑩ 동 거슬러 올라가다. ¶～水船; (강을) 거슬러 오르는 배 / ～行车; 상행 열차. ⑪ 동 앞으로 나가다. ¶同学们快～啊! 동창 여러분 자 전진합시다. ⑫ 동 주다. ¶～饲sì料; 사료를 주다 / ～肥; 거름을 주다. ⑬ 동 입장하다. ¶戏院正～座儿; 극장에서 마침 (관중이) 입장하고 있다. ⑭ 동 출석하다. 직무를 행하는 곳으로 가다. 착수하다. ¶～班; 출근(하다) / ～工; 일에 착수하다 / ～学; 등교하다 / ～课; ⓐ수업을 하다. ⓑ수업을 받다. ⑮ 동 보급하다. 보태다. ¶火车～水; 기관차에 물을 보급하다 / 风越刮越～劲; 바람은 불수록 더욱 힘을 더한다. ⑯ 동 (약 따위를) 바르다. 넣다. ¶～药; 약을 바르다 / ～颜色shai; 안료를 칠하다. ⑰ 동 다 되다. ¶把～好的粮食也拿了去; 잘된 곡식까지도 빼앗아 가지고 가 버렸다. ⑱ 동 장치하다. 달다. ¶那件小褂儿还没～领子呢; 그 속 셔츠는 아직 깃을 달지 않았다 / ～刺刀; 착검하다. =〔安上〕 ⑲ 동 몸에 걸치다. ¶没～身儿的衣裳; 입어 보지 않은 옷. ⑳ 동 게재하다. 기입하다. ¶～报; 신문에 싣다 / ～账; 장부에 올리다. ㉑ 동 (기계의) 태엽을 감다. 움직이다. 발동시키다. ¶～机器; 기계의 스위치를 넣다 / ～钟 =〔～弦〕; 시계의 태엽을 감다. ㉒ 동 …을 넘다. 넉넉히 …이 되다. ¶到会的人要～三百; 모임에 오는 사람은 3백 명을 넘을 것이다 / 成千～万; 천이나 만이나 되도록. 〈比〉 무수히 많은 / 需要～万支电子管; 만 개나 되는 많은 진공관이 필요하다. ㉓ 동 (마음을) 쓰다. 열중하다. ¶～心念书; 주의해서 책을 읽다 / ～眼瞧; 잘 보다. ㉔ 동 틀림없이 …하다. 행위가 실현되다. ¶上～扣子; 단추를 꼭 채우다. ㉕ 동 요리가 나오다. ¶每～一道菜, 主人应当请大家先喝一杯; 요리가 한 가지 나올 때마다 주인은 손님에게 한 잔 권해야 한다. ㉖ 동 빠지다. 걸리다. ¶～(圈)套(儿); 덫에 걸리다 / ～当; 속임수에 넘어가다. ⇒shǎng ㉗ 개 …으로. …에《방향을 나타냄》. ¶～广东去; 광둥(廣東)에 가다. B) 동사의 뒤에 붙여 다음의 뜻을 더함《대부분 경성임》. ①실현 · 성취했음을 나타냄. ¶看～了; 보고 마음에 들다 / 喝不～; (기회가 오지 않아) 못 마시다 / 人太多, 买不～票; 사람이 너무 많아 표를 살 수가 없다 / 有种种关系, 第三次大战一时打不～; 여러 가지 관계로 제3차 대전은 일어날 수 없다 / 我在那儿也住～十来天; 나는 그곳에서도 열흘 가량 묵는다. ②동작이 개시되고, 어느 것에 이르고, 바야흐로 진행되고 있음을 나타냄. ¶刚煮～饭; 지금 막 밥을 짓고 있는 중 / 吃～饭了; 밥을 먹고 지내게〔생활할 수 있게〕 되었다 / 刚回家又看～书; 방금 돌아왔는데, 또 책을 읽기 시작했다 / 你来得正好, 我们刚喝～酒; 너 마침 잘 왔다. 우리는 막 술을 마시기 시작한 판이다. C)(shang) 명사 뒤에 붙여 그 명사를 장소화함. ①겉임을 나타냄. ¶脸～; 얼굴에. ②어느 범위내임을 나타냄. ¶会～; 회의에서 / 书～; 책 속에. ③중간 · 안임을 나타냄. ¶半路～; 도중에서 / 心～; 마음 속. ④방면 · 쪽을 나타냄. ¶领导～; 지도측 / 原则～同意

了; 원칙적으로 동의했다 / 他在这个～失败的; 그는 이 점에서 실패한 것이다 / 不能尽打贵的～找; 다만 값이 비싼 것만 목표로 해서 찾아서는 안 된다. ⇒shǎng

【上岸】 shàng,àn 동 ①물가로〔뭍으로〕 오르다. ②배를 뭍에 대다.

【上百】 shàngbǎi 백 이상(이다). 백 이상(되다). ¶～间房屋; 백 간(間)이 넘는 집 / 山上全复盖着～米厚的冰雪; 산 위는 온통 100미터 이상에 달하는 두께의 빙설로 덮여 있다.

【上班(儿)】 shàng,bān(r) 동 ①출근하다. ¶到公司去～; 회사에 출근하다. ↔〔下班(儿)〕 ②당번 근무를 하다. ③면전에서 야단치다. ¶这小孩子非得给他～不行; 이 아이는 면전에서 야단치지 않으면 안 된다.

【上板儿】 shàng,bǎnr 동 (하루 장사를 끝내고) 가게문을 닫다. 폐점하다. ¶两个陌生人一见如故, 直谈到酒吧～还舍不得离去; 낯선 두 사람이 만나자마자 오랜 친구처럼 친해져서 죽 이야기를 계속해 술집이 문을 닫을 때가 되어도 헤어지려고 하지 않았다. =〔上门③〕〔打烊yàng〕

【上半场】 shàngbànchǎng 명 (운동 경기의) 전반전.

【上半年】 shàngbànnián 명 1년의 전반(前半). 상반기.

【上半晌(儿)】 shàngbànshǎng(r) 명 오전. =〔上午〕

【上半天(儿)】 shàngbàntiān(r) 명 오전.

【上半夜(儿)】 shàngbànyè(r) 명 일몰에서 자정까지의 이른 밤. =〔前qián半夜(儿)〕

【上半月】 shàngbànyuè 명 한 달의 전반(1일에서 15일까지).

【上邦】 shàngbāng 명 ⇨〔上国〕

【上绑】 shàngbǎng 동 꽁꽁 묶다. 결박하다.

【上榜】 shàng,bǎng 동 게시판에 써 붙이다. 게시하다.

【上报】 shàngbào ①상급 기관에 보고하다. ¶年终决算要及时填表～; 연말 결산은 때를 놓치지 말고 표에 써 넣어 상급 기관에 보고해야 한다. ②(shàng,bào) 동 신문에 실리다. ¶你们车间又～了; 당신네 직장이 또 신문에 실렸다.

【上辈(儿)】 shàngbèi(r) 명 부모·조부모 등 자기보다 선대(先代)의 사람. 조상. 선대.

【上辈子】 shàngbèizi 명 ①조상. 선조. ¶我们～在清朝初年就从山西迁到这个地方了; 우리들의 조상은 청조(清朝) 초기에 산시(山西)에서 이 곳으로 옮겨 왔다. =〔祖上〕 ②《佛》 전세(前世). 전세의 모습. =〔上一辈子〕

【上币】 shàngbì 명 ①주옥(珠玉). ②황금. ‖→〔下xià币〕

【上臂】 shàngbì 명《生》 상박부. =〔上膊〕

【上臂猿】 shàngbìyuán 명《動》 긴팔원숭이.

【上匾】 shàng,biǎn 동 편액(偏額)을 걸다.

【上边(儿)】 shàngbian(r) 명 ①위쪽. ¶飞机从山的～飞过去; 비행기는 산 위를 날아갔다. ②앞. 순서가 앞인 부분. ¶～列举的事实; 이상 열거한 사실. ③상관. 윗사람. ¶～来了通知; 위〔상부〕로부터의 통지가 왔다. ④관가. 관청. ⑤물건의 표면. ¶这把扇子～的画挺好看; 이 부채 표면의 그림은 매우 아름답다.

【上膘】 shàng,biāo 동 동물들이 살찌다. =〔长zhǎng膘〕 ↔〔掉diào膘〕

【上表】 shàngbiǎo 동 ⇨〔上奏〕

【上表弦】 shàng biǎoxián 시계의 태엽을 감다.

【上宾】 shàngbīn 명 ①〈文〉 매우 귀한 손님. 귀빈. =〔上客〕 ②〈文〉 제왕의 죽음. ③(도교(道教)에서의) 비상(飛翔).

【上兵】 shàngbīng 명 〈文〉 최상의 전략. ¶～伐谋, 其次伐交《孫子兵法 謀攻》; 최상의 전략은 적의 모략을 타파하는 것. 그 다음은 외교에 이기는 일이다.

【上膊】 shàngbó 명《生》 상박부. ¶～骨; 상박골 / ～筋jīn; 상박근.

【上不得】 shàngbude ①오를 수 없다. 나설 수 없다. ¶十多年前, 他家还～; 십여 년 전에는 그의 집안은 아직 세상에 나설 수가 없었다. ②올라가서는 안 된다.

【上不得下不得】 shàngbude xiàbude 나갈 수도 물러설 수도 없다. 진퇴유곡이 되다. =〔上不上下不下②〕

【上不来】 shàngbùlái ①올라오지 못하다. ②마음이 맞지 않다. 사이가 원만하지 못하다. ¶他们俩～; 그들 두 사람은 서로 잘 어울리지 못한다. ‖↔〔上得来〕

【上不来台】 shàngbulái tái 남 앞에 나서지 못하다〔나설 처지가 못 되다〕. ¶他那个乡下人实在～; 저 촌놈은 전혀 남 앞에 나설 처지가 못 된다. =〔上不了台〕

【上不了台】 shàngbuliǎo tái ⇨〔上不来台〕

【上不去】 shàngbuqù ①올라갈 수 없다. ¶他累lèi得～炕kàng了; 그는 지쳐서 온돌에도 올라갈 수 없었다. ②높일 수가 없다. ¶生产没个～的; 증산 못 할 리가 없다.

【上不上】 shàngbushàng 끼워지지 않다. 달 수 없다. ¶这窗户怎么～啊? 이 창문은 어찌하여 끼워지지 않지?

【上不上来】 shàngbushàng,lái 올라올 수 없다.

【上不上去】 shàngbushàng,qù 올라갈 수 없다.

【上不上下不下】 shàngbushàng xiàbuxià ①〈比〉 어느 쪽도 아님. 이도 저도 아님. ②⇨〔上不得下不得〕

【上部】 shàngbù 명 ①상부. 윗부분. ②상체(上體).

【上簿】 shàng,bù 동 장부에 기입하다〔올리다〕.

【上才】 shàngcái 명 재능이 뛰어난 사람.

【上彩】 shàng,cǎi 동 ①《劇》 무대 화장을 하다. ②(도자기 따위에) 색을 입히다〔칠하다〕.

【上菜】 shàng cài 음식을 식탁에 내놓다.

【上苍】 shàngcāng 명 〈文〉 하늘. 창공. =〔苍天①〕

【上操】 shàng,cāo 동 ①조련하다. 훈련하다. 교련하다. ¶民兵们天天清早去～; 민병들은 매일 아침 일찍 나가서 조련을 한다. ②체조하러 나가다.

【上册】 shàngcè 명 (책의) 상권. (shàng,cè) 동 등기하다. 등록하다.

【上策】 shàngcè 명 상책. 최상의 방책(方策). ¶三十六策走为～; 〈諺〉 삼십육계 줄행랑이 최고다. =〔上计〕〔上着zhāo〕 ↔〔下xià策〕

【上层】 shàngcéng 명 상층. 상부(대개는 기구·조직·계층을 가리킴). ¶～领导; 상부의 지도(자) / 精简～, 加强下层; 위쪽의 기구를 간소화하고 아래쪽을 강화하다.

【上层建筑】 shàngcéng jiànzhù 명《哲》상부 구조(사회 과학·예술·도덕 등 경제 기초 위에 구축되는 것을 말함).

【上场】 shàng,cháng 동 (수확한 것을 모아) 탈곡장에 가지고 가다. ¶庄稼还没～; 수확물은 아직 탈곡장으로 옮기지 않았다. ⇒ shàng,chǎng

〔上场〕 shàng·chǎng 통 ①《劇》 (배우가) 무대에 등장하다. ¶～门儿; 무대에 등장하는 입구. ②《體》 (선수 따위가) 출장(出場)하다. ③(옛날, 과거 시험을 치는 자가) 시험장에 들어가다. ⇒ shàng·cháng

〔上场昏〕 shàngchǎnghūn (별일도 아닌데) 막상 닥쳐서 당황하여 깜빡 잊는 일. 그 때가 되어 당황하다. 얼다.

〔上场诗〕 shàngchǎngshī 명 《劇》 배우가 그 극에 처음 등장하여 자기의 신상이나 그 극 줄거리와 자신과의 관계 따위를 시형식으로 읊은 것.

〔上朝〕 shàng·cháo 통 ①신하가 조정에서 임금에게 의견을 아뢰다. ②임금이 조정에서 정무(政務)를 보다.

〔上潮〕 shàngcháo 명 밀물. ↔〔退tuì潮〕

〔上车〕 shàng chē 차에 오르다. ¶上火车; 기차에 올라타다.

〔上城〕 shàng chéng 도시로 가다.

〔上乘〕 shàngchéng 명 ①《佛》 상승. ②상등(上等). 최상(最上). ¶在世界印制雕刻板邮票中, 技术最属～的, 一推捷克, 二推法国; 세계의 조각판 우표 가운데, 기술이 가장 뛰어난 것은 첫째가 체코이고 다음이 프랑스이다.

〔上秤〕 shàng·chèng 통 저울에 달다.

〔上吃下搭〕 shàngchī xiàdā 옛날, 하인들이 주인이 먹다 남긴 것에 하인용으로 마련한 조악한 음식을 섞어서 식사를 때운 일.

〔上池水〕 shàngchíshuǐ 명 나무에 걸려 있는 (아직 땅에 떨어지지 않은) 우로(雨露).

〔上齿〕 shàngchǐ 명 《生》 윗니. 상치.

〔上齿龈〕 shàngchǐyín 명 ⇨〔上牙床〕

〔上愁〕 shàngchóu 통 고민하다. 끙끙 앓다. 걱정하다.

〔上传〕 shàngchuán 명통 ⇨〔上载〕

〔上船〕 shàng chuán 배에 오르다. ¶上轮船; 기선에 올라타다.

〔上床〕 shàng·chuáng 통 ①침대에 올라가다. ¶～睡觉; 침대에 올라가서 자다. ②(자택의 침대에서 죽는 것을 꺼려) 다 죽어 가는 병자를 장의사에서 빌려 온 다른 침대로 옮기다.

〔上春〕 shàngchūn 명 〈文〉 음력 정월(正月).

〔上唇〕 shàngchún 명 《生》 윗입술. 상순. =〔上嘴唇〕

〔上次〕 shàngcì 명 지난번. 먼젓번(‘前qián次’는 문어적인 표현). =〔上回〕

〔上刺刀〕 shàng cìdāo 《軍》 총에 대검을 꽂다. 착검하다.

〔上蔟〕 shàng·cù 통 누에가 고치를 짓기 위해 섶에 오르다. =〔上山②〕

〔上窜下跳〕 shàng cuàn xià tiào 〈成〉 (악인이) 사방에 활개치고 다니다.

〔上达〕 shàngdá 통 〈文〉 ①덕의(德義)에 통달하다. ②상부에 아뢰다. 상부에 반영시키다. ¶下情可以～; 아랫사람의 사정을 위에 반영시킬 수 있다. ③〈翰〉 여쭙다. 아뢰다. ¶飞函～; 즉시 서면으로 아뢰니다.

〔上打房钱〕 shàngdǎ fángqián 집세를 선불하다.

〔上大冻〕 shàngdàdòng 강이나 땅이 꽁꽁 얼다. →〔上冻〕

〔上大人〕 shàngdàrén 명 옛날, 어린이가 처음 글씨를 배우는 데 쓴 ‘红hóng模子’(붉은 빛깔로 글자를 인쇄한 모필 습자첩(帖))(이 습자첩의 문구가 ‘～, 孔乙己, 化三千, 七十四…’이었음).

〔上代〕 shàngdài 명 ①조상. 선조. ②상고(上古)시대. ‖=〔上世〕

〔上待〕 shàngdài 통 〈文〉 우대하다.

〔上单〕 shàngdān 명 옛날, 저장 성(浙江省) 원저우(溫州)의 환전 업자 사이에 통용한 일종의 환어음. =〔划huà单〕

〔上当〕 shàng·dàng 통 올가미에 걸려들다. 속아 넘어가다. ¶上了他的当了; 그의 꾐에 넘어갔다 / ～学乖guāi; 〈諺〉 속을 때마다 약아진다. =〔上档〕

〔上档〕 shàngdàng 통 ⇨〔上当〕

〔上刀山, 下火海〕 shàng dāoshān, xià huǒhǎi 〈諺〉 도산(刀山)을 오르고, 불바다로 뛰어들다(두려운 것이 없음).

〔上道儿〕 shàng·dàor 통 ①출발하다. ②⇨〔上(圈)套(儿)〕

〔上德〕 shàngdé 명 〈文〉 ①최상의 덕. ②천자의 덕.

〔上灯〕 shàng·dēng 통 (등)불을 켜다. ¶～时分shífēn; (등)불을 켤 무렵 / 时候儿不早, 该～了; 시간이 늦어〔어두워〕졌으니, 등불을 켜야겠다. =〔掌灯〕

〔上等〕 shàngděng 형 상등의. 상질의. 고급의. ¶～货huò; 고급품 / ～人; 상류 사람 / ～婚hūn; (궁합이 맞는다는 점에서) 최상등의 결혼.

〔上等兵〕 shàngděngbīng 명 《軍》 상등병.

〔上等细布〕 shàngděng xìbù 명 《紡》 론(lawn).

〔上地〕 shàng·dì 통 ①논밭에 나가다(논밭이 높은 곳에 있는 경우). ②논밭에 비료를 주다. (shàngdì) 명 ①상등(上等)의 밭〔논〕. ②교통의 요충에 있는 큰 도시.

〔上帝〕 shàngdì 명 ①하느님. 상천(上天). 천제(天帝). (옥황) 상제. ②《宗》 신. 하나님. 여호와. 천주. 성부(聖父). ③상고(上古)의 황제. =〔上皇③〕〔天帝〕

〔上帝教〕 Shàngdìjiào 명 《宗》 상제교. 청(淸)나라의 도광(道光) 연간에 홍수전(洪秀全)이 창도한 일종의 종교(그리스도교의 계통을 이은 것으로, 상제를 ‘天父’, 그리스도를 ‘天兄’, 홍 자신을 그 아우라 일컬었음).

〔上电〕 shàng·diàn 통 충전하다.

〔上殿〕 shàngdiàn 통 승전(昇殿)하다. 절이나 궁전 등에 오르다.

〔上吊〕 shàng·diào 통 목 매달(아 죽)다.

〔上钓〕 shàng·diào 통 ①낚싯바늘에 걸리다. ②〈轉〉 계략에 걸리다. ‖=〔上钩〕

〔上丁〕 shàngdīng 명 음력 2월과 8월 상순의 ‘丁’의 날(이 날은 공자를 제사 지냄).

〔上顶〕 shàngdǐng 명 ①천장. ②꼭대기.

〔上冬〕 shàngdōng 명 상동. 초겨울. =〔孟mèng冬〕 (shàng·dōng) 통 겨울이 되다. ¶这件事等～再说吧; 이 일은 겨울이 된 다음에 다시 논하자. =〔入rù冬〕

〔上冻〕 shàng·dòng 통 (강이나 땅이) 동결되다. 얼다. ¶地上了冻了; 땅이 얼어붙었다 / 离～不到一个月; 한 달만 있으면 얼어붙는다.

〔上栋〕 shàngdòng 명통 ⇨〔上梁〕

〔上兜〕 shàngdōu 명 윗주머니.

〔上都〕 shàngdū 명 ①서울. 도읍. 수도. ②(Shàngdū) 《地》 옛 땅 이름. ⓐ산시 성(陝西省) 창안 현(長安縣). ⓑ차하르(察哈爾) 둬룬 현(多倫縣)의 동남(東南).

〔上端〕 shàngduān 명 상단. 위 끝.

〔上腭〕 shàng'è 명 ⇨〔上颚①〕

〔上颚〕 shàng'è 명 ①위턱. 상악. =〔上腭〕《生》

上颌〕 ②(특히, 곤충의) 윗턱. =〔上腭〕〔大dà颚〕

〔上颚骨〕 shàng'ègǔ 명《生》상악골. =〔上颌hé骨〕〔上牙床骨〕

〔上法〕 shàngfǎ 명《數》'加法'(덧셈)의 구칭(舊稱).

〔上方〕 shàngfāng 명〈文〉①천상(天上). =〔天tiān上〕 ②양기(陽氣)가 생기는 곳(북쪽 및 동쪽). ③(Shàngfāng) 복성(複姓)의 하나.

〔上方宝剑〕 shàngfāng bǎojiàn 명 황제(皇帝)의 보검(최고 권력의 상징으로, 이를 가진 자가 자유재량의 권력을 부여받음). =〔尚方宝剑〕

〔上房〕 shàngfáng 명 ⇨〔正zhèng房①〕 (shàng,fáng) 동 지붕에 올라가다.

〔上访〕 shàngfǎng 동 (상급 기관에) 진정(陳情)하러 가다. 직소(直訴)하러 가다. ¶～接待站; 진정 접수처.

〔上飞机〕 shàng fēijī 비행기에 타다.

〔上肥〕 shàng,féi 동 비료를 주다. 시비(施肥)하다.

〔上坟〕 shàng,fén 동 성묘하다. =〔上墓〕〔上冢〕

〔上粪〕 shàng,fèn 동 (인분) 거름을 주다.

〔上风〕 shàngfēng 명 ①바람 불어 오는 쪽. ¶烟气从～刮过来; 바람 부는 쪽에서 연기가 날려 오다. ②〈比〉우세. 유리한 위치. ¶占～; 유리한 위치를 차지하다 / 他最近跟人打官司占～了; 그는 최근에 소송 문제를 일으켜 우위를 차지했다.

〔上峰〕 shàngfēng 명 옛날, 상관(上官). 상사(上司). ¶～器qì重他; 상관이 그를 신임하고 있다.

〔上复〕 shàngfù 동 대답하다. 회답하다. ¶～你们先生, 说我谢谢他; 제가 감사하고 있다고 주인 어른께 말씀해 주십시오.

〔上杆子〕 shàng gānzi ①틈을 타서 헤집고 들어가다. 기회를 타다. ¶你看他见杆子就上, 倒是很会抓机会; 그가 틈이 있는 것만 보면 헤집고 드는 것을 좀 봐라, 참 기회를 잘 잡는단 말야. ②(버릇없이) 기어오르다. ¶这孩子不知好歹, 越哄越～; 이 애는 철이 없어 달래면 달랠수록 기어오른다.

〔上赶〕 shànggǎn 부 ('～着'의 형태로) 자진해서. (무리하게 접근하려고) 억지로. 스스로 나아가. ¶不顾皮不顾脸地～巴结人家; 창피도 이목도 돌보지 않고 남의 환심을 사려고 비위를 맞추다 / 这件事我不是求他, 是他～着跟我说出来的; 이것은 내가 그에게 부탁한 것이 아니고, 그가 자진해서 말을 꺼낸 것이다.

〔上纲〕 shàng,gāng 동 ①정치·강령·노선 또는 원칙적인 문제로서 판단하다〔행동하다〕. ②(원칙적이 아닌 일에 대하여 과장되게) 훌닦다. 허물을 씌우다. 낙인을 찍다.

〔上岗〕 shàng,gǎng 동 보초 서다.

〔上岗儿〕 shànggǎngr 명〈俗〉상좌(上座). ¶他在～上一坐, 也不知自己有多大身分了; 그는 윗자리에 한 번 앉더니, 자기가 어느 정도의 신분인가도 분간을 못하게 되었다.

〔上高儿〕 shànggāor 동 높은 곳에 오르다. ¶我可怕～, ～我就头晕; 나는 높은 곳에 올라가는 것이 무섭다, 높은 데 올라가면 머리가 어질어질하다.

〔上告〕 shànggào 명동《法》상고(하다). 동 상급 기관에 보고하다.

〔上根〕 shànggēn 명 뛰어난 성질. 좋은 근성.

〔上工〕 shàng,gōng 동 ①일〔작업〕을 시작하다. 일에 손을 대다. ②고용된 인부·직공이 고용주의 집에 첫날의 일을 하러 가다. ③(농민이) 들일에 나가다. (shànggōng) 명 ①《漢醫》양의(良醫). ②능숙한 직공〔장색(匠色)〕.

〔上供〕 shàng,gòng 동 신불(神佛) 앞에 상〔제물〕을 차려 놓다. 명 신불 앞에 차려 놓는 물건.

〔上钩〕 shàng,gōu 동 ①낚싯바늘에 걸리다. ②〈轉〉올가미에 걸리다. 남의 함정에 빠지다. ‖ =〔上钓diào〕

〔上古〕 shànggǔ 명《史》(시대 구분의) 상고(중국에서는 보통 상(商)나라, 주(周)나라, 진(秦)나라, 한(漢)나라까지를 말함).

〔上挂下联〕 shàngguà xiàlián 위아래로 관계를 맺다.

〔上官〕 shàngguān 명 ①상관. 상사(上司). ②(Shàngguān) 복성(複姓)의 하나.

〔上馆〕 shàngguǎn 동 옛날, 글방의 선생이 되어 가르치다.

〔上光剂〕 shàngguāngjì 명 광내는 약.

〔上柜〕 shàng,guì 동 ①(점원 따위가 어느 정도의 훈련을 쌓고) 매장에 나가다. ②새로운 상품이 점두(店頭)에 진열되다.

〔上国〕 shàngguó 명〈文〉①(이적(夷狄)에 대하여) 중국. ②(종속국에 대한) 종주국. ③남의 나라에 대한 경칭. ‖ =〔上邦〕

〔上好〕 shànghǎo 형 상등의. 최상의. ¶～的茶叶; 최고급의 찻잎 / ～的棉布; 최고급의 면포.

〔上和不如下睦〕 shànghé bùrú xiàmù〈諺〉상사와 잘 지내기보다는 부하와 친하게 하는 편이 낫다.

〔上颌〕 shànghé 명 ⇨〔上颚①〕

〔上颌窦蓄脓症〕 shànghédòu xùnóngzhèng 명《醫》축농증. 만성 비염. =〔慢màn性鼻道炎〕

〔上颌骨〕 shànghégǔ 명 ⇨〔上颚骨〕

〔上呼吸道〕 shànghūxīdào 명《生》상부 호흡기(비강(鼻腔)·인후·기관(氣管)을 포함함).

〔上户〕 shànghù 명〈文〉부잣집. 부자.

〔上话〕 shàng,huà 동 이야기를 하다〔나누다〕. ¶我们是今天头一回～; 우리는 오늘 처음 이야기를 나누었다.

〔上画儿〕 shànghuàr 동 ⇨〔入rù画〕

〔上浣〕 shànghuàn 명〈文〉⇨〔上旬〕

〔上皇〕 shànghuáng 명 ①태상황. 천자의 아버지의 일컬음. ②'三sān皇'의 첫째인 '伏fú羲'를 말함. ③⇨〔上帝①〕

〔上回〕 shànghuí 명 ①지난번. 먼젓번. ¶～还谢谢您赏饭吃; 지난번에는 식사 대접을 해 주셔서 감사했습니다. ②이전. 일찍이.

〔上会〕 shàng,huì 동 ①계(契) 모임에 들다. ¶～钱; 곗돈. ②상점에 예약 구입 대금을 월부로 지불하다. ¶～(钱); 상품 예약 대금의 불입금.

〔上讳〕 shànghuì 동 이름의 첫 글자를 휘(諱)하다(옛날에, 신하의 이름에 천자의 이름과 동일한 글자가 있는 경우, 그 신하가 자기의 이름을 말할 때에는, 그 글자 대신 '讳'라 했음. 예를 들어, '李永明'이라는 사람의 이름이 첫 자인 '永'이 이에 해당하는 글자인 경우, '李～明'이라 말했음. 둘째 자의 경우는 '下讳'라 함).

〔上讳下讳〕 shàng huì xià huì 선인(先人)의 이름을 이를 때의 말로, '上讳某'·'下讳某' 따위로 쓰임.

〔上婚〕 shànghūn 명 남녀의 성격이 잘 맞는 좋은 혼사.

〔上活〕 shànghuó 동 (사용인·하인 등이) 일을 시작하다.

〔上火〕 shàng,huǒ 동 ①《漢醫》상초열(上焦熱)이

나다《대변이 건조하거나 비강 점막(鼻腔粘膜)·구강 점막(口腔粘膜)·결합막(結合膜) 따위가 염증을 일으키는 증상》. ¶我今天上了火了, 有点儿脑袋疼; 나는 오늘 상초열(上焦熱)이 나서 두통이 좀 난다. ②상기(上氣)하다. 흥분하다. 화내다. ¶这人性情粗暴, 很容易～; 이 사람은 성격이 난폭해서 화를 잘 낸다/他～了, 眼睛红红的; 그는 상기되어 눈이 빨갛다/无论怎样讽刺他, 他从来不～; 아무리 그를 비꼬아도 그는 여태껏 화를 낸 적이 없다. (shànghuǒ) 명 상초열. =〔上焦热〕

〔上货〕 shàng·huò 동 ①새로운 상품을 사들이(어 가게에 진열하)다. ②상품을 차나 배에 싣다. (shànghuò) 명 상등품. =〔上料〕

〔上级〕 shàngjí 명 ①상사(上司). 상급자. ②상부 기관. ¶～通知了我们停止收购外货; 상급 기관은 우리에게 외국품 구입을 정지한다고 통지해 왔다. ‖↔〔下xià级〕

〔上集〕 shàng·jí 동 (정기 장 따위에) 모이다. 나가다. (shàngjí) 명 상권(上卷). 상편.

〔上计〕 shàngjì 명 ⇨〔上策〕

〔上祭〕 shàngjì 명동 제례(를 행하다).

〔上家〕 shàng·jiā 동 집으로 발을 돌리다. 집에 돌아가다. ¶三四天没～; 사나흘 집에 돌아가지 못했다.

〔上家(儿)〕 shàngjiā(r) 명 (마작·카드놀이 따위에서) 자기의 바로 앞 순서에 해당되는 사람. =〔上手③〕〔上肩儿〕↔〔下家(儿)〕

〔上尖儿〕 shàng·jiānr 동 〈口〉 (그릇에 담은 것이) 수북해지다. 고봉(高捧)으로 담다. ¶这碗饭盛chéng得都～了; 이 밥은 (너무 퍼서) 수북하다.

〔上肩儿〕 shàngjiānr 명 ⇨〔上家(儿)〕

〔上睑〕 shàngjiǎn 명《生》윗눈꺼풀. =〔上眼皮(儿)〕

〔上江〕 Shàngjiāng 명《地》①양쯔 강(揚子江) 상류 지구《옛날, 안후이 성(安徽省)을 가리킴. '下xià江'은 장쑤 성(江蘇省)을 가리켰음》. ②주장 강(珠江)의 지류 시장(西江) 강의 별칭.

〔上浆〕 shàng·jiāng 동 (천이나 세탁물에) 풀을 먹이다.

〔上讲究〕 shàng jiǎngjiu 공들이다. ¶这种瓷器不常见, 算是～的; 이 종류의 자기는 흔히 볼 수 있는 것이 아니다. 공들여 만든 물건축에 든다. →〔讲究〕

〔上将〕 shàngjiàng 명《軍》상장《중장과 대장의 중간 계급》.

〔上交〕 shàngjiāo 동 ①상납(上納)하다. ¶～废铁; 폐철을 상납하다. ②자기보다 신분이 높은 사람과 교제하다. ¶我可不敢～您; 당신과 교제한다는 것은 황송한 일입니다.

〔上焦〕 shàngjiāo 명《漢醫》상초《위(胃)의 상부로부터 혀의 하부까지를 말함》.

〔上焦热〕 shàngjiāorè 명 ⇨〔上火〕

〔上脚(儿)〕 shàng·jiǎo(r) 동 (신발 따위를) 신다. ¶这双鞋才～就坏了; 이 신은 신은지 얼마 안 되는데 벌써 찢어졌다.

〔上缴〕 shàngjiǎo 동 납입하다. 납부하다. ¶～款项; 불입금/～价格; 납입 가격.

〔上轿〕 shàngjiào 동 가마에 타다.

〔上轿穿耳朵〕 shàngjiào chuān ěrduo 〈諺〉 가마 타고 귀에 구멍을 뚫다《일을 당해서 허둥지둥 서두르다》.

〔上街〕 shàng·jiē 동 ①거리에 나가다. ②물건을 사러 가다.

〔上结〕 shàngjié 명 전기(前期)의 결산.

〔上截(儿)〕 shàngjié(r) 명 위토막. 상반부.

〔上届〕 shàngjiè 명형 전번(의). ¶～运yùn动会; 전번의 운동회/～会huì议; 전번의 회의.

〔上界〕 shàngjiè 명 상계. 천상계.

〔上紧〕 shàngjǐn 동 〈方〉 서두르다. 열심히 하다. 박차를 가하다. ¶麦子都熟了, 得～割啦! 보리가 다 패었으니 빨리 베어들여야겠다!

〔上进〕 shàngjìn 동 ①진보하다. 향상하다. ¶～心; 향상심/力求～; 힘써 향상을 꾀하다/他现在懂得自己～; 그는 이제 스스로 진보하도록 힘쓰는 것을 깨우치게 되었다. ②상급 학교에 진학하다.

〔上劲(儿)〕 shàng·jìn(r) 동 ①태엽을 감다. ②〈俗〉 서비스하다. 기생이 몸을 맡기다. ¶给他～; 그에게 서비스하다. ③힘이 나다. 마음이 내키다. 흥미가 솟다. ¶越干越～儿; 하면 할수록 흥미가 솟는다. ④열중하다. 열의를 쏟다. ¶他近来对于围棋～呢; 그는 요즘 바둑에 열중하고 있다.

〔上京〕 shàng·jīng 〈文〉 동 상경하다. ¶～求qiú名; 상경하여 이름을 떨치려고 하다/～赶gǎn考; 상경하여 과거 시험을 치다. (shàngjīng) 명 ①수도. 도읍. ②중국을 일컬음. ¶于是东夷始通～《後漢書 朝鮮傳》; 이에 동이는 비로소 중국과 통하기 시작했다.

〔上九〕 shàngjiǔ 명 ①옛날에, 음력 매월 29일을 '～', 19일을 '下九', 9일을 '中九'라고 하였음. ②'重阳'의 별칭.

〔上捐〕 shàng·juān 동 세금을 바치다〔납입하다〕.

〔上开〕 shàngkāi 형 ⇨〔上列〕

〔上坎〕 shàngkǎn 명 ⇨〔上门坎(儿)〕

〔上客〕 shàngkè 명 ⇨〔上宾①〕

〔上客人〕 shàng kèren (상점 등에) 손님이 많이 오다.

〔上课〕 shàng·kè 동 수업(授業)하다. 수업이 있다. ¶每天上几节课? 매일 몇 시간의 수업이 있습니까?/张先生给我们上中国话的课; 장 선생이 우리들에게 중국어 수업을 해 주신다/～铃; 수업 시작의 종. =〔上堂〕↔〔下课〕

〔上空〕 shàngkōng 명 상공. 하늘.

〔上控〕 shàngkòng 명동《法》상소와 공소(控訴)(를 하다).

〔上口〕 shàngkǒu 동 ①입에 맞다. ¶这个菜太咸了, 叫人怎么～? 이 요리는 너무 짠데, 어찌 입에 맞겠느냐? ②(시문(詩文) 따위가) 입에서 막힘없이 나오다. ¶四句老腔, 教了多时还不能～; 네 구의 판에 박힌 가락인데, 오랜 시간 가르쳐도 잘 부르게 되지 않았다. ③(시문 따위가 매끄럽게 써어져) 읽기 좋다. ¶他写的歌词很容易～; 그가 쓴 가사는 매우 읽기 쉽다/琅琅～; 낭낭하게 줄줄 나오다.

〔上口字〕 shàngkǒuzì 명《劇》경극(京劇)에서 쓰이는 베이징(北京)의 생활 어음(生活語音) 이외의 음으로, 전통적으로 읽는 글자《예컨대, '尖'·'千'·'先'은 ziān·ciān·siān으로, '脸'은 jiǎn으로, '哥'·'可'·'何'는 guō·kuǒ·huó로 읽음》.

〔上款(儿)〕 shàngkuǎn(r) 명 남에게 서화나 물건을 보낼 때 서화나 물건의 맨 윗부분에 쓰는 받는 사람의 이름이나 호(號).

〔上蜡美术印图纸〕 shànglà měishù yìntúzhǐ 명 (표면을 코팅한) 아트 인쇄지.

〔上蜡纸〕 shànglàzhǐ 명 납을 먹여 만든 광택지.

〔上来〕 shàng·lai 동 ①(위로) 올라오다. ¶他在楼下看书, 半天没～; 그는 아래층에서 책을 보고

있으면서 통 올라오지 않았다 / 下面的意见都已经~了; 아래로부터의 의견은 이미 상부에 올라왔다. ②향해서 오다. 접근해 오다. ¶~就~吧! 올 테면 와라! ③(시골에서 도시로) 올라오다. ¶他是刚从乡下~的; 그는 시골에서 갓 올라왔다. ④치밀어오르다. ¶气儿~要打人; 울화가 치밀어 사람을 치려 하다. ⑤시작되다〔하다〕. ¶一~就有劲; 처음부터 기운이 난다. ⑥지금까지 한 말을 요약하다.

〔-上来〕 -.shàng.lai 접미 ①동사 뒤에 쓰이어 낮은 곳에서 높은 곳으로, 먼 곳에서 가까운 곳으로 오는 것을 나타냄. ¶端上饭来; 밥을 가지고 오다. ②동사 뒤에 쓰이어, 생각한 것 · 기억한 것을 말로 나타낼 때 쓰임. ¶很多花我叫不上名来; 내가 이름을 말할 수 없는〔알 수 없는〕 꽃이 많이 있다. ③동사 뒤에 쓰이어, 어떤 곳에 이르는 것을 나타냄. ¶他赶~; 그는 뒤쫓아왔다. ④〈方〉 형용사 뒤에 쓰이어 일정한 과정을 지나 정도가 심하여짐을 나타냄. ¶天色黑~了; 날이 저물어 왔다 / 天气慢慢凉~了; 날씨가 점점 서늘해졌다 / 他的病好~了; 그의 병은 점점 나아졌다 / 天阴~了; 하늘이 흐려졌다. 注 동사 · 형용사 다음에서 분리되지 않고 이어졌을 경우는 경성(輕聲)임.

〔上篮〕 shànglán 명 《體》 (농구의) 레이업 슛 (lay-up shoot).

〔上烂药〕 shàng.lànyào 동 욕〔험담〕을 하다.

〔上垒〕 shànglěi 명동 《體》 (야구 따위의) 출루(하다). ¶安全~; 세이프 / ~触击; 세이프티(safety) 번트.

〔上礼拜〕 shànglǐbài 명 ①지난주. =〔上星期〕 ②전번 일요일. ¶上~; 전전주. 전전주의 일요일.

〔上力〕 shànglì 명 창고로 반입하는 데 드는 경비.

〔上利〕 shàng.lì 동 ①이자를 치르다. ②이자를 선불하다.

〔上联(儿)〕 shànglián(r) 명 대련(對聯)의 첫 번째 연(聯)(오른쪽).

〔上脸〕 shàng.liǎn 동 얼굴에 나타나다〔오르다〕. ¶一喝酒就~; 술을 마시기만 하면 곧 얼굴에 나타난다.

〔上梁〕 shàngliáng 명 《建》 마룻대. 상량. ¶~不正, 下梁歪; 〈諺〉 마룻대가 곧아야 아랫기둥이 바르다. 윗물이 맑아야 아랫물이 맑다. (shàng.liáng) 동 마룻대를 올리다. 상량하다. ¶~那天, 我打发孩子请你来喝两盅zhōng; 나는 상량식하는 날에 술 한 잔 하자고 청하려 당신에게 아이를 보내겠다. ‖ =〔上栋〕〔上宅〕

〔上粮食〕 shàng liángshi 열매가 열리다. 결실하다. 곡물의 작황이 좋다. 식량이 나다.

〔上料〕 shàngliào 명 상등품. =〔上等货〕〔上货〕

〔上列〕 shàngliè 형 상술(上述)한. 상기(上記)의. ¶~事实不容抵赖; 상술한 사실은 부인을 허용치 않는다. =〔上开〕

〔上檩子, 钉椽子〕 shàng lǐn zi, dìng chuán zi 〈成〉 상량을 하고 서까래에 못질하다.

〔上溜头儿〕 shàngliūtóur 명 〈俗〉 (강의) 상류. =〔上流头儿〕

〔上流〕 shàngliú 명 (강의) 상류(지방). =〔上游①〕 형 상등이다. 상품이다. 지위가 높다. ¶~社shè会; 상류 사회.

〔上流头儿〕 shàngliútóur 명 ⇨〔上溜头儿〕

〔上楼〕 shàng.lóu 동 ①계단을 오르다. 위층에 올라가다. ②더욱〔한 단계〕 발전하다. ¶生产更上一层楼; 생산이 더 한층 오르다.

〔上楼梯吃甘蔗〕 shàng lóutī chī gānzhe 〈歇〉 계단을 올라가면서 사탕수수를 먹다(아래 구절 '步步高步步甜'에 연결되어 '한 걸음 한 걸음 향상하고, 한 걸음 한 걸음 나아지다'라는 뜻으로 쓰임).

〔上漏下湿〕 shàng lòu xià shī 〈成〉 지붕은 새고 마루는 눅어 있다(가옥이 낡은 모양).

〔上陆〕 shàng.lù 동 상륙하다. ¶~点; 상륙 지점. =〔上岸〕

〔上路〕 shàng.lù 동 여정에 오르다. 길을 떠나다. 출발하다. ¶这还没有迈开大步, 有些人根本没有~; 이 일은 막 시작되었으며, 전혀 착수하지 않은 자도 있다. =〔启程〕

〔上略〕 shànglüè 동 상략하다. 전략하다.

〔上论的〕 shàng lùn de 〈成〉 ⇨〔上篇上论的〕

〔上落〕 shàngluò 동 〈京〉 남과 가까운 사람의 흠을 들어 그를 나무라다. ¶你老人家一来就~我; 당신은 나를 책망하려고 하고 있다 / 我到女儿家去一趟, 就得挨一通儿~; 나는 딸네 집에 가면 한 바탕 딸의 험담을 들어야 한다.

〔上马〕 shàng.mǎ 동 ①말에 오르다. ¶~容易, 下马难; 〈諺〉 말에 오르기는 쉬우나 말에서 내리는 것은 쉽지 않다(시작하는 것은 쉽지만 끝내기는 어렵다). ②〈轉〉 중요한 일에 착수하다. ¶这个已经~; 이것은 이미 시작되었다 / 这项工程明年~; 이 공사는 내년에 착수할 예정이다. ③취임〔부임〕하다. ¶他一~, 就发动群众; 그는 취임하자마자 대중을 동원하였다.

〔上马风〕 shàngmǎfēng 명 기업의 설립 · 확충의 풍조(風潮).

〔上马石〕 shàngmǎshí 명 상마석. 옛날 존귀하고 높은 사람의 집 문 앞에 설치하여, 말 탈 때 발판으로 삼는 돌(문 앞에 2단 또는 3단으로 놓인 큰 돌). =〔上马台〕〔〈文〉 乘chéng石〕〔践jiàn石〕

〔上马台〕 shàngmǎtái 명 ⇨〔上马石〕

〔上买卖〕 shàng mǎimai ①상품이 잘 팔리다. ②장사하러 (나)가다.

〔上忙〕 shàngmáng 명 옛날, 상반기〔봄철〕의 납세. →〔上下忙〕

〔上门〕 shàng.mén 동 ①사람을 방문하다. ¶没有人~了; 누구 하나 찾아오는 이 없었다 / 要您亲自~, 这怎么好意思呀? 당신이 친히 찾아 주신다면 어찌 송구스럽지 않겠습니까? / ~拜谒; 찾아 뵙다 / ~不见土地; 〈成〉 방문하여 주인이 없어 만나지 못하다. ②〈方〉 데릴사위를 하다. ③(상점이) 문을 닫(아 걸)다. ¶各商店每天九点钟~; 각 상점은 매일 9시에 문을 닫는다. =〔上板儿〕

〔上门坎(儿)〕 shàngménkǎn(r) 명 문미(門楣). =〔上坎〕

〔上门上户〕 shàngmén shànghù 일부러 상대방의 집까지 찾아가다. ¶~的跑到他那儿去; 일부러 그의 집까지 달려가다.

〔上门牙〕 shàngményá 명 위쪽의 앞니. →〔门齿〕

〔上面(儿)〕 shàngmian(r) 명 ①위. 위쪽. ¶小河~跨着一座石桥; 작은 강 위쪽에 돌다리가 하나 놓여 있다 / 这个意思, 我写在信~了; 그 뜻은 편지에 적어 놓았습니다. ②(글이나 말에서) 순서의 앞부분. ¶~谈的是原则问题; 앞에서 말한 것은 원칙 문제이다. ③사물의 표면. ¶墙壁刷得雪白, ~写了许多诗; 벽은 새하얗게 칠해져 있었으며, 그 위에는 많은 시가 씌어 있었다. ④방면. 분야. ¶他在音乐~下了很多功夫; 그는 음악 분야에서 많은 노력을 기울였다 / 要不是看在这点茶叶~, 我当时就拒绝了; 이 차라도 받지 않았다면

나는 그 때 바로 거절했었을 것이다. ⑤상급 기관. ¶到～又乱说, 蒙混上级; 상급 기관에 가서 또 당치도 않은 말을 하여 상급 기관을 기만하다. ⑥가족 중의 윗세대《할아버지·할머니의 세대》.
〔上庙〕 shàng.miào 동 사당·절에 가다. ¶～不问土地; 〈成〉 장본인을 방치하다.
〔上名儿〕 shàngmíngr 동 이름이 오르다《합격하다. 급제하다》. ¶他没～; 그는 합격하지 않았다〔못했다〕.
〔上明不知下暗〕 shàngmíng bùzhī xià'àn 높은 지위에 있는 사람은 낮은 지위에 있는 사람의 고충을 모른다.
〔上墨〕 shàngmò 동 먹이 잘 먹다. ¶这纸～; 이 종이는 먹이 잘 먹는다.
〔上墓〕 shàng.mù 동 ⇨〔上坟〕
〔上南落北〕 shàng nán luò běi 〈成〉 여기저기 먼 곳으로 가다. ¶等我闭了眼睛, 那时～, 都由他去罢; 언젠가 내가 눈을 감으면〔죽으면〕, 그 때에는 어떤 먼 곳에 가건 그가 하고 싶은 대로 하게 해 줘라.
〔上脑〕 shàngnǎo 동 머리가 띵해지다. ¶辣là酒消愁, 最易～; 시름을 잊으려고 독한 술을 마셨더니 금세 머리가 띵해진다.
〔上脑(儿)〕 shàngnǎo(r) 명 (쇠고기의) 어깨살.
〔上年〕 shàngnián 명 작년. ＝〔去年〕
〔上年纪〕 shàng niánjì 나이를 먹다. ¶上了年纪了, 腿脚不那么灵便了; 나이를 먹어서, 다리가 말을 잘 듣지 않는다.
〔上牌〕 shàng.pái 동 마작에서, 자기가 필요한 패가 들어오다('不～'는 '上牌'의 반대 상황).
〔上盘〕 shàngpán 명 《商》 전장(前場)의 매매 거래 성립의 총액.
〔上捧下压〕 shàng pěng xià yā 〈成〉 윗사람에게는 빌붙고 아랫사람에겐 오만하다.
〔上披〕 shàngpī 명 장자커우(張家口)의 대모피상(大毛皮商).
〔上皮〕 shàngpí 명 상피. 표피. ¶～组织; 《生》 상피 조직.
〔上皮儿〕 shàngpír 명 표면.
〔上篇上论的〕 shàng piān shàng lùn de 〈成〉 확실하게 근거가 있는 것. ¶说句话儿都是～《紅樓夢》; 한 마디 하더라도 확실한 근거가 있는 이야기를 하다. ＝〔上论的〕
〔上票〕 shàngpiào 명 옛날, '钱庄'이 발행한 어음의 일종으로, 보통의 '票据'와 달리, 번호·날인이 모두 없으며, '钱庄'은 단지 이것과 맞바꾸어 현금 지불을 했음.
〔上品〕 shàngpǐn 명형 상등품(의).
〔上平〕 shàngpíng 명 《言》 '四声'의 하나. 제1성(聲).
〔上坡(儿)〕 shàng.pō(r) 동 언덕을 오르다. ¶～路; 오르막길. 〈比〉 발전·번영으로 가는 길.
〔上铺〕 shàngpù 명 2단식〔3단식〕 침대의 상단.
〔上期〕 shàngqī 명 전번. 앞의 차례. 상반기.
〔上气(儿)〕 shàng.qì(r) 동 ①화내다. 발끈하다. ¶他们骂mà我, 我一～就跟他们打起来了; 그들이 나를 욕하기에 나는 발끈하여 주먹다짐을 시작했다. ②수증기를 뿜어 내다. 김이 오르다. ¶馒头已经～了, 就要得了; 만두는 벌써 김이 올랐으니, 곧 된다. (shàngqì(r)) 명 《漢醫》 심장병 천식. 기관지 천식.
〔上气不接下气〕 shàngqì bù jiē xiàqì 숨을 헐떡거리다. ¶～地跑回来了; 헐레벌떡 뛰어 돌아왔다 / 跑得～; 달려서 숨이 차다.

〔上千〕 shàngqiān 명 천 이상. (shàng.qiān) 동 천이 넘다. ¶聚集了～(的)人; 천 명이 넘는 사람이 모였다 / ～上万 ＝〔成千上万〕; 〈成〉 몇천 몇만이라는. 몇천 몇만에 이르는. 무수히 많은.
〔上迁〕 shàngqiān 동 〈文〉 승천하다. 죽다.
〔上前(儿)〕 shàng.qián(r) 동 앞으로 나아가다.
〔上腔〕 shàngqiāng 동 〈方〉 흠을 찾다. 트집을 잡다.
〔上窍〕 shàngqiào 명 ⇨〔七qī窍〕
〔上清〕 shàngqīng 명 ①도교의 '玉yù清'·'～'·'太tài清'의 삼신(三神)의 하나. ②하인〔하녀〕의 별칭.
〔上去〕 shàng.qu 동 올라가다. ¶登着梯子～; 사다리를 타고 올라가다 / ～一个人看看; 한 사람을 올라가게 해서 보도록 하다.
〔-上去〕 -.shàng.qu 접미 동사 뒤에 붙여 낮은 곳에서 높은 곳으로, 가까운 곳에서 먼 곳으로, 주체에서 대상으로 향함을 나타내는 말《동사 뒤에 떨어지지 않고 이어질 때는 경성(輕聲)임》. ¶顺着山坡爬～; 산비탈을 따라서 기어올라갔다 / 大家连忙迎～; 모두 급히 서둘러 마중하러 가다 / 把所有的力量都使～了; 모든 힘을 다 기울였다.
〔上(圈)套(儿)〕 shàng.(quān)tào(r) 동 남의 덫에 걸리다. 남의 함정에 빠지다. ¶他又～了; 그는 또 함정에 빠졌다. ＝〔上道儿②〕〔上圈子〕〔上套儿①〕
〔上圈子〕 shàng.quānzi 동 ⇨〔上(圈)套(儿)〕
〔上人〕 shàng.rén 동 ①사람을 태우다. ¶先把行李装上再～; 우선 짐을 싣고서 사람을 태우다. ②하인(下人)을 고용하다. ¶我们这儿上几个人? 여기에 하인을 몇 사람 고용합니까? (shàngrén) 명 ①《佛》 〈敬〉 승려에 대한 경칭. ②〈方〉 부모 또는 조부모. ③웃어른. 어르신네《연장자에 대한 호칭》. ④주인(主人)님《고용된 소년이 주인을 부르는 호칭》.
〔上人儿〕 shàng.rénr 동 〈方〉 (가게에) 손님이 끊임없이 오다. ¶开场戏唱过了好半天了, 园子里还没有～呢; 개막극도 끝난지가 한참 되는데, 극장에는 아직 사람이 들어오고 있지 않다.
〔上任〕 shàng.rèn 동 취임〔부임〕하다. ¶走马～; 〈成〉 관리가 임지로 가다. (shàngrèn) 명 전임자(前任者).
〔上日〕 shàngrì 명 〈文〉 ①초하루. ¶正月～; 정월 초하루. ②좋은 날. 가일(佳日).
〔上肉〕 shàngròu 명 상등품 고기.
〔上腮〕 shàngsāi 명 ⇨〔上颚②〕
〔上三路儿〕 shàngsānlùr 명형 제1류(의). 일등급(의). 윗길(의)《상지상(上之上), 상지중(中), 상지하(下) 중에 든다는 뜻》. ¶～的大铺子; 일류 점포.
〔上三旗〕 shàngsānqí 명 (만청 제국 군대 편제에서) 8기중 위 3기. →〔八bā旗〕
〔上色〕 shàngsè 명형 ①상등(의). 고급(의). ¶～好酒; 고급의 좋은 술 / ～徒弟; 훌륭한 제자. ②좋은 빛깔. ③〈比〉 미인. ⇒shàng.shǎi
〔上色〕 shàng.shǎi 동 ①색깔을 칠하다. ¶还要一张～的; 색칠한 것으로 한 장 더 필요합니다. ②남보다 뛰어나다. ¶偏疼的不～; 편애받은 사람은 남보다 뛰어날 수 없다. ⇒shàngsè
〔上山〕 shàng shān ①산에 오르다. ¶～擒qín虎易, 开口告人难; 〈諺〉 산에 올라가 호랑이를 잡는 것은 쉬우나 남에게 부탁하기 위해 입을 열기는 어렵다 / ～求鱼; 〈成〉 도저히 있을 수 없는 일을 하려하다 / ～容易, 下山难; 〈諺〉 시작할 때는 쉽

지만, 결말을 짓기는 어렵다. ②누에가 섶에 오르다. =〔上簇cù〕 ③출상하다. 장사를 지내다. ④유격대에 참가하다《항일전 당시의 용어》.
〔上山下乡〕 shàngshān xiàxiāng 대학 졸업생·간부가 농촌이나 산간 마을에 장기간 정주(定住)하여, 노동자·농민과 노동을 함께 하여 사회주의 건설에 참가하여 자각을 높이는 일.
〔上扇磨〕 shàngshànmò 명 맷돌의 위쪽 돌.
〔上上〕 shàngshàng 형 ①가장 좋은. 최상인. ¶～策; 최상책. ②(시기에 대하여) 지지난. 전전(前前). ¶～星期 =〔～礼拜〕; 전전주(週). ↔〔下下〕
〔上上月〕 shàngshàngyuè 명 지지난 달. ↔〔下xià下月〕
〔上上下下〕 shàngshàng xiàxià ①윗사람이나 아랫사람이나 모두. ¶～都很齐心; 위아랫사람이 모두 마음을 합치다. ②위에서 아래까지. 머리끝에서 발끝까지. ¶队长仔仔细细～打量他; 대장은 그의 머리끝에서 발끝까지 세세히 관찰했다.
〔上梢〕 shàngshāo 명〈古白〉시작. 시초. ¶似这般有～无下梢…; 이렇게 뒤끝이 흐리멍덩해서는…. 이렇게 작심삼일이어서는….
〔上身〕 shàng,shēn 동 새로 지은 옷을 처음 입다. ¶我做了一件蓝褂子, 今儿刚～; 나는 푸른 빛깔의 중국식 웃저고리를 지어서 오늘 처음으로 입어 봤다. (shàngshēn) 명 ①상반신. ¶他～只穿一件衬衫; 그는 상반신에 와이셔츠 하나만을 입었을 뿐이다. ②(～儿) 상의(上衣). ¶他穿着白～、黑裙子; 그녀는 흰 상의에 검정 치마를 입고 있다.
〔上升〕 shàngshēng 동 ①올라가다. 오르다. 피어오르다. ¶一缕炊烟袅袅～; 밥 짓는 연기가 한 줄기 하늘하늘 피어 오르고 있다. ②(수량·정도·등급 등이) 상승하다. 증가하다. 높아지다. 고양(高揚)하다. ¶气温～; 기온이 오르다/生产大幅度～; 생산이 대폭 증가하다/从1937年到1948年, 物价～了六百万倍; 1937년부터 1948년 사이에, 물가가 600만 배 올랐다.
〔上升海滩〕 shàngshēng hǎitān 명 ⇨〔海岸平原〕
〔上声〕 shàngshēng〔shǎngshēng〕 명《言》①옛 한어(漢語) 성조어의 상성(上聲)《말끝이 올라가는 성조로, '仄声'에 속함》. ②현대 중국어에서의 제3성(聲). ‖ =〔赏声〕
〔上士〕 shàngshì 명 ①중화 민국(中華民國)의 문관 계급의 하나. ②《軍》육군 상사. →〔中士①〕〔下士①〕 ③〈文〉현인(賢人).
〔上世〕 shàngshì 명 ⇨〔上代〕
〔上市〕 shàng,shì 동 ①(계절 따라 나오는 것이) 나돌다. 시장에 나오다. ¶柿子～了; 감이 나돌기 시작했다. ②거래소에 상장(上場)되다. ③시장에 가다. ¶～买菜去; 시장에 채소를 사러 가다.
〔上市公司〕 shàngshì gōngsī 명《經》상장 회사(上場會社).
〔上手〕 shàngshǒu 명 ①상석(上席)《좌우는 실내의 사람이 밖을 향했을 경우를 기준으로 함》. ¶请坐～! 상석에 앉으십시오! =〔上首〕〔上手儿③〕 ②전임자. 먼저 있던 직원. ¶～交代下手儿; 전임자가 후임자에게 인계하다. ③ ⇨〔上家(儿)〕 동 ①시작하다. 착수하다. ¶今天一～就进行得很顺利; 오늘은 처음부터 순조롭게 진행이 되었다/一～就坏了; 시작하자마자 망쳤다. ②수에 넘어가다〔걸리다〕. 추한 관계를 맺다. ¶不怕他不～; 그가 걸려들지 않아도 걱정 없다.
〔上手传球〕 shàngshǒu chuánqiú 명《體》(배구의) 오버핸드 패스. ¶双shuāng手～; 양손으로 때리는 오버핸드 패스.
〔上手梏〕 shàng shǒugù 수갑을 채우다.
〔上手球〕 shàngshǒuqiú 명《體》(배드민턴의) 오버헤드 스트로크(overhead stroke).
〔上手儿〕 shàngshǒur 명 ①이전(以前). ②선두에 선 사람. 맨 먼저 하는 사람. ③상석. =〔上手〕〔上首〕 부 최초에. 첫판에. 맨 먼저.
〔上首〕 shàngshǒu 명 상좌. 상석. 윗좌석. =〔上手①〕〔上手儿③〕
〔上寿〕 shàngshòu 동 (노인의) 장수를 축하하다. 명〈文〉①100세의 노인. ②120세의 노인. ③90세의 노인.
〔上书〕 shàng,shū 동 ①책을 가르치다. ¶给人家～; 남에게 책을 가르치다/今天温习, 不上生书; 오늘은 복습을 하고, 새로운 것을 가르치지 않는다. ②의견서를 제출하다. 상서하다.
〔上疏〕 shàngshū 동 상소〔상주〕하다.
〔上熟〕 shàngshú 명 아주 잘 된 결실. 풍작.
〔上述〕 shàngshù 동 상술하다. 앞에서 말하다. ¶～情况属实; 상술한 상황은 사실이다〔틀림없다〕.
〔上树拔梯〕 shàng shù bá tī 〈成〉나무에 오르게 하고 사다리를 치우다. 앞으로 나아가게 하고 퇴로를 차단하다《함정에 빠뜨리다》.
〔上树跳井〕 shàng shù tiào jǐng 〈成〉나무에 올라가 우물 속으로 뛰어들다《스스로 재난을 부르다》.
〔上闩〕 shàng,shuān 동 (문을 닫고) 빗장을 지르다.
〔上水〕 shàng,shuǐ 동 ①물줄기를 거슬러 올라가다. 상류를 향해 항행하다. ¶～(的)船 =〔上行船舶〕; 강을 거슬러 올라가는 배. ②채소나 과일에 물을 주다. ③(증기 기관 따위에) 물을 보급하다. 명〈比〉권력자. 권세가. ¶洑fù～; 권력자에 아부하다.
〔上水〕 shàngshui 명〈方〉식용 가축의 내장.
〔上水道〕 shàngshuǐdào 명 상수도.
〔上税〕 shàng,shuì 동 ①납세하다. ¶～单; 세금 납부서. ②세금을 부과하다. ¶～货; 과세품.
〔上巳节〕 shàngsìjié 명 ⇨〔上巳(日)〕
〔上巳(日)〕 shàngsì(rì) 명 상사일《옛날에는, 3월 상순의 사일(巳日)을 일컬었으며, 뒤에 음력 3월 3일을 일컬었음》. =〔上巳节〕〔三sān巳(日)〕〔桃táo花节〕
〔上驷〕 shàngsì 명〈文〉①좋은 말. ②〈比〉재능이 풍부하며 책임을 질 수 있는 사람. 유능한 인재.
〔上司〕 shàngsi 명 상사. 상관. ¶顶头～; 직속 상사〔상관〕.
〔上诉〕 shàngsù 명동《法》상소(하다). 공소(하다). ¶～驳bó回; 공소 기각.
〔上溯〕 shàngsù 동 ①(하천 따위를) 거슬러 오르다. ¶沿江～; 강을 따라 거슬러 올라가다. ②(연대(年代) 따위를) 거슬러 오르다. ¶～到公元前一世纪; 기원전 1세기까지 거슬러 오르다.
〔上算〕 shàngsuàn 동 ①채산이 맞다. 수지가 맞다. ¶不～; 수지가 안 맞다. ②속셈대로 되다.
〔上岁数(儿)〕 shàng suìshu(r) 〈口〉나이를 먹다.
〔上锁〕 shàng,suǒ 동 자물쇠를 잠그다.
〔上台〕 shàng,tái 동 ①무대에 오르다. ¶～表演; 무대에 나가 연기하다/他唱得很好, 可是还没上过台; 그는 (연극의) 창은 잘 하지만, 아직 무대에

선 적은 없다. ②관직에 나가다. 정권을 잡다. ¶ 这次政府改组, 王先生要～了; 이번에 정부가 개편되어서 왕선생이 관직에 나가게 되었다. ③〈比〉 관리가 되어 입신 출세하다《비방하여 이름》. ④시집 갈 때 혼수를 두 사람이 짊어지어 나르다. (shàngtái) 명〈俗〉상관(上官). 장관.

〔上台面〕 shàng.táimiàn 동 공식적인 자리에 나서다. 화려한 자리에 나서다. 상당한 지위를 차지하다. ¶王伯申现在是数一数二的绅缙了, 可是十多年前, 他家还上不得台面《茅盾 霜葉紅似二月花》; 왕백신은 지금에 와서는 첫째 둘째로 손꼽히는 신사가 되었지만, 십 몇년 전에는 그의 집안은 그리 대단한 것이 아니었다.

〔上汤〕 shàngtāng 명 ①(살코기나 뼈 따위로 우려 낸) 고급 수프. ②옛날, 연회의 막판에 요리사가 서비스로 내는 수프《이에 대해 손님측에서 팁을 주기도 하였음》. 동 연회가 끝나다.

〔上堂〕 shàng.táng 동 ⇨〔上课〕 (shàngtáng) 명 앞의 시간. 앞의 수업《'上一堂课'의 준말》.

〔上膛〕 shàng.táng 동 탄알을 재다. 장탄하다. ¶ 子弹上了膛; (총알을) 장탄했다. (shàngtáng) 명《生》구강(口腔)의 상부. 구개(口蓋).

〔上套儿〕 shàng.tàor 동 ①올가미에 걸리다. 속아 넘어가다. 꾐에 빠지다. =〔上(圈)套(儿)〕 ②(일을) 하기 시작하다. 손을 대다. ¶事情已经上了套儿了, 再想褪套儿可就难了; 일은 이미 손을 대기 시작했으니, 이제는 손을 떼려 해도 안 된다.

〔上腾〕 shàngténg 동 (물가가) 앙등하다.

〔上体〕 shàngtǐ 명〈文〉상체. 신체의 상부. 상반신.

〔上天〕 shàngtiān 명 ①자연과 인류를 주재하는 하늘. 천제. ¶～孚佑下民; 하늘은 백성을 단단히 지켜 준다 / ～不生无禄的人;〈諺〉하늘은 봉록이 없는 사람을 만들어 내지 않는다《하늘은 사람을 절망적인 구렁에 빠뜨리는 일은 하지 않는다》. ②천공(天空). 하늘. ③〈文〉겨울. (shàng.tiān) 동 ①하늘에 오르다. ②〈轉〉오만하게 굴다. ¶识了字越要～了; 글씨를 배우더니 더욱 오만하게 군다. ③승천하다. 죽다.

〔上天无路〕 shàng tiān wú lù〈成〉막다른 궁지에 몰려 도망갈 길이 없다《활로를 찾을 수 없다. '～, 入地无门'이라고 이어서 쓰이는 일이 많음》.

〔上天下地〕 shàngtiān xiàdì〈比〉하늘과 땅의 차이. 천양지차(天壤之差). ¶比较起来～; 비교해 보니, 많은 차이가 난다.

〔上田〕 shàngtián 명〈文〉상전. 좋은 전답.

〔上条〕 shàngtiáo 동 (태엽)을 감다. ¶上满了条的钟; 태엽을 끝까지 감은 시계.

〔上停〕 shàngtíng 명 관상학적으로 말하는 인체의 두부(頭部).

〔上挺〕 shàngtǐng 동 시세가 상승하다.

〔上头〕 shàng.tóu 동 ①남자가 관을 쓰고 여자가 비녀를 꽂다《남녀가 성년이 되다》. ②민며느리가 정식으로 결혼식을 올리다. (shàngtóu) 명〈文〉처음. 초기. ¶～数年之间, 百姓安业; 처음 몇 해 동안 백성은 생업에 만족하며 살았다.

〔上头〕 shàngtou 명 ①위. 위쪽. ②관가. 상관. 나리. ③(고용인에 대한) 주인(쪽). ¶回～一声; 주인 어른께 한 마디 전달하다 / 你们～有人没有? 너희 주인 댁에 사람이 있느냐? ④이상(以上). 지금까지. ¶把～的事说了一遍; 이제까지의 일을 죽 이야기했다. ⑤…라는 점. ¶中国商人善于买卖由这～可以看出来了; 중국 상인이 장사를 잘 하는 것은 이 점에서 알 수 있다.

〔上吐下泻〕 shàngtù xiàxiè 토하고 설사하다.

〔上驮〕 shàngtuó 동 (말 따위에) 짐을 싣다.

〔上尾〕 shàngwěi →〔八bā病〕

〔上位〕 shàngwèi 명 상석. 상좌. 동 자리에 앉다.

〔上味〕 shàngwèi 명〈文〉최상의 맛.

〔上尉〕 shàngwèi 명《軍》상위《장교 계급의 하나. '大尉'와 '中尉'의 사이》.

〔上文〕 shàngwén 명 앞의 구절·문장. ¶～所说的; 윗글에 서술한 바. =〔前文〕

〔上沃尔特〕 Shàngwò'ěrtè 명《地》오트볼타(Haute-Volta)《布bù基纳法索(부르키나파소)의 구칭. 아프리카 서부 내륙(內陸)에 있는 공화국》.

〔上屋〕 shàngwū 명 ⇨〔正zhèng房①〕

〔上无片瓦, 下无插针之地〕 shàng wú piàn wǎ, xià wú chā zhēn zhī dì〈成〉이슬비를 막아 줄 기와 한 조각도 없고 손바닥만한 땅조차 없다.

〔上午〕 shàngwǔ 명 오전.

〔上戊〕 shàngwù 명 (음력) 매월 상순의 무일(戊日).

〔上西天〕 shàng xītiān〈比〉저 세상〔저승〕으로 가다.

〔上下〕 shàngxià 명 ①(지위·등급 따위의) 상하. ¶机关里～都很忙; 기관은 상하가 모두 바쁘다 / ～齐心; 상하가 마음을 합치다 / ～一股劲; 상하가 한 마음이 되(어 노력하)다. ②위에서 아래까지. ¶他～打量着这位客人; 그는 이 손님을 위에서 아래까지 살펴보았다 / 摩天岭～有十五里; 마천령은 기슭에서 꼭대기까지 15리이다. ③(정도의) 우열. ¶不相～; 서로 우열이 없다 / ～高低;〈成〉상하 우열. ④…쯤. …정도《수사(數詞)·양사(量詞) 뒤에 쓰이어 대강의 수량을 나타내는 말》. ¶进来一个四十～的中年男子; 40세쯤의 중년 남자가 들어왔다 / 相差一二元～; 차이가 1·2원쯤 있다. ⑤《佛》법명(法名). ¶请教～; 법명은 무어라고 하십니까. ⑥〈古白〉〈敬〉관청의 사용인에 대한 존칭. ¶～请坐《水滸傳》; 나으리 앉으십시오. 동 오르내리다. ¶他年纪大了, ～楼都气喘; 그는 나이를 먹어서 계단을 오르내리는 데도 숨이 찬다 / 一站又一站, 上上下下人不断; 한 역 또 한 역, 끊임없이 사람이 오르고 내린다.

〔上下班〕 shàngxiàbān 명동 통근(하다). 출퇴근(하다). ¶～时间; 러시 아워(rush hour). 출퇴근 시간.

〔上下床〕 shàngxiàchuáng 명〈比〉높고 낮은 격차. ¶他们俩人的学问, 比较起来, 真有～之别; 그들 두 사람의 학문을 비교하면 참으로 높고 낮은 차이가 있다.

〔上下够不着〕 shàngxià gòubuzháo 위에도 아래에도 못 미치다《넘고 처지다. 어중되다》.

〔上下古今〕 shàngxià gǔjīn 명 상하고금. 천지와 고금《세상의 온갖 일》. ¶他们喜欢在一块儿～地闲扯; 그들은 함께 상하고금에 관한 화제로 잡담하기를 좋아한다.

〔上下江〕 Shàngxiàjiāng 명《地》①주장(珠江)의 광둥 성(廣東省) 서부를 흐르는 부분의 지류로, 서강(西江)을 '上江', 남강(南江)을 '下江'이라 하고, 합해서 '～'라 함. ②'安ān徽' '江苏'의 두 성(省)을 말함.

〔上下忙〕 shàngxiàmáng 명 '上忙'과 '下忙'. 동 윗사람이나 아랫사람이나 모두 바쁘다. 이 일 저

일로 바쁘다.
〔上下平〕 shàngxiàpíng 명 '上平'과 '下平'.
〔上下铺〕 shàngxiàpù 명 이단 침대.
〔上下其手〕 shàng xià qí shǒu 〈成〉 ①(법규 따위를 농락하여) 사리(事理)를 전도(顚倒)하다. ②농간 부리다. 수단 부리다. ‖ =〔高下其手〕
〔上下同门〕 shàng xià tóng mén 〈成〉 딸이 아버지의 자매, 곧 고모의 아들에게 시집 간 경우의 관계를 나타내는 말.
〔上下文(儿)〕 shàngxiàwén(r) 명 문장의 전후 관계. 문맥. 앞뒤의 문장. ¶看~就明白了; 전후 문맥을 보면 곧 알 수 있다/按àn~看, 应当是个'人'字; 전후 관계로 보아 '人' 자여야 한다.
〔上弦〕 shàngxián 명 《天》 상현. (shàng·xián) 동 (시계의) 태엽을 감다. ¶这钟该~了; 이 시계는 태엽을 감아야 한다.
〔上县〕 shàngxiàn 명 옛날, 세수(稅收)가 많은 우량 현(優良縣).
〔上限〕 shàngxiàn 명 상한.
〔上限尺寸〕 shàngxiàn chǐcùn 명 《工》 한계 게이지 방식에 있어서 허용된 공차(公差)의 최대 지수. =〔最大尺寸〕 →〔极jí限尺寸〕
〔上线〕 shàng·xiàn 동 ①원칙적 입장에 서서 보다. →〔上纲gāng〕 ②생산 라인에 오르다.
〔上宪〕 shàngxiàn 명 〈文〉 상사. 상관.
〔上香〕 shàng·xiāng 동 선향을 피워 올리다. ¶~奠酒; 향을 피우고 술을 올리다.
〔上相〕 shàngxiàng 동 사진에 찍히다. 형 사진을 잘 받다.
〔上消〕 shàngxiāo →〔三sān消〕
〔上小间〕 shàng xiǎojiān 소변 보러 가다.
〔上校〕 shàngxiào 명 《軍》 상교(대령과 중령의 중간 계급).
〔上鞋〕 shàng·xié 동 ①신을 신다. =〔穿chuān鞋〕 ② ⇨〔绱鞋〕
〔上心〕 shàng·xīn 동 〈方〉 정신을 쏟다. 마음을 쓰다. 전심하다. ¶~照管; 정성껏 돌보다/他对于什么事都肯~, 所以一学就会; 그는 어떤 일에나 정신을 잘 차리므로, 한번 배우면 곧 할 수 있게 된다.
〔上星期〕 shàngxīngqī 명 지난주(週). ¶~天 =〔~日〕; 지난 주 일요일. =〔上礼拜①〕
〔上刑〕 shàng·xíng 동 ①(형구를 씌워) 고문하다. ②처형하다. (shàngxíng) 명 〈文〉 중형(重刑).
〔上行〕 shàngxíng 동 (기차·배·공문 등이) 올라가다. ¶~车; 상행 열차/~文; 하급 관청에서 상급 관청에 올리는 공문서. 명 윗사람의 행위. ¶~下效; 〈成〉 윗사람이 하는 대로 아랫사람이 본뜬다. 윗물이 맑아야 아랫물이 맑다.
〔上姓〕 shàngxìng 명 〈敬〉 당신의 성(姓).
〔上锈〕 shàng·xiù 동 녹이 나다〔슬다〕. =〔生shēng锈〕
〔上选〕 shàngxuǎn 명형 상등(의). 정선(精選)(한). ¶~的茶叶; 고급차.
〔上学〕 shàng·xué 동 ①(초등 학교에) 입학하다. ¶这孩子~了没有? 이 아이는 학교에 들어갔나요? ②등교하다. ¶我每天早晨七点钟~; 나는 매일 아침 7시에 등교한다.
〔上学期〕 shàngxuéqī 명 전학기(前學期).
〔上旬〕 shàngxún 명 상순. =〔〈文〉上浣〕
〔上牙床〕 shàngyáchuáng 명 《生》 윗잇몸. ¶~骨gǔ; 상악골의 구칭. =〔《生》上齿龈〕
〔上牙打下牙〕 shàngyá dǎ xiàyá (놀라서) 이가 딱딱 마주치다.
〔上言〕 shàngyán 명 윗사람의 말. ¶~下听; 윗사람이 말하는 것을 아랫사람이 듣다. 동 〈文〉 여쭙다. 말씀드리다.
〔上眼〕 shàngyǎn 동 ①(보아서) 마음에 들다. ¶这个我看不~; 이것은 내 마음에 들지 않는다. ②눈여겨보다. 잘 보다. ¶诸位~! 여러분, 잘 보십시오!/一~我就知道; 내가 조금만 보면 곧 안다.
〔上眼皮(儿)〕 shàngyǎnpí(r) 명 〈俗〉 윗눈꺼풀. =〔上睑〕
〔上演〕 shàngyǎn 동 상연하다〔공연, 상영〕. ¶~税; (극작가의) 저작권료. 인세.
〔上洋劲〕 shàng yángjìn ①뚝심을 쓰다. ②쓸데없는 고집을 부리다.
〔上腰〕 shàngyāo 명 궁둥이. 동 ①바지의 허리 부분을 꿰매다. ②금전을 착복하다.
〔上药〕 shàng yào 약을 바르다. ¶手烂了, 应当上点药; 손이 짓물렀으니, 약을 발라야 한다.
〔上叶〕 shàngyè 명 〈文〉 상대(上代).
〔上夜〕 shàng·yè 동 〈文〉 ①숙직〔당직〕하다. ②야간 작업을 하러 가다.
〔上谒〕 shàngyè 동 〈文〉 알현하다. 윗사람을 뵙다.
〔上(一)辈子〕 shàng(yī)bèizi 명 《佛》 전생(前生). 전생의 모습.
〔上衣〕 shàngyī 명 ①〈文〉 겉옷. ②윗도리. =〔上装〕
〔上医〕 shàngyī 명 〈文〉 양의(良醫). 명의.
〔上(议)院〕 shàng(yì)yuàn 명 《政》 (양원제의) 상원.
〔上瘾〕 shàng·yǐn 동 중독되다. 버릇이 되다. 푹 빠지다. ¶喝茶都喝上了瘾, 一天不喝就难受; 차를 마시는 것이 버릇이 되어 하루라도 마시지 않으면 못 견딘다/抽~了就了不得了; (아편 따위를) 피워서 중독이 되면 큰일이다.
〔上印〕 shàngyìn 명 〈比〉 취임(就任).
〔上映〕 shàngyìng 동 (영화를) 상영하다. ¶~许多部各国影片; 많은 각국 영화를 상영하다.
〔上硬〕 shàngyìng 동 강경한 태도를 취하다. 강경한 수단으로 나오다.
〔上油〕 shàng·yóu 동 ①기름을 치다〔넣다〕. ②페인트를 칠하다.
〔上游〕 shàngyóu 명 ①(강의) 상류. =〔上流〕 ②〈轉〉 상위(上位)(의 사람·성적). ¶力争~; 〈成〉 우수한 성적을 거두려고 노력하다.
〔上有老, 下有小〕 shàng yǒu lǎo, xià yǒu xiǎo 〈成〉 집에 부양해야 할 노인과 어린이가 있다.
〔上釉子〕 shàng yòuzi 유약을 칠하다. '浸jìn釉'(유약을 담그기), '喷pēn釉'(유약을 뿜기), '浇jiāo釉'(유약 뿌리기), '刷shuā釉'(유약 바르기) 등의 방법이 있음. =〔施shī釉〕
〔上腴〕 shàngyú 명 〈文〉 아주 비옥한 땅.
〔上谕〕 shàngyù 명 조서(詔書). 조칙(詔勅).
〔上元〕 shàngyuán 명 음력 정월 15일.
〔上元(节)〕 shàngyuán(jié) 명 ⇨〔元宵节〕
〔上苑〕 shàngyuàn 명 어원(御苑). 금원(禁苑).
〔上月〕 shàngyuè 명 지난 달. ↔〔下月〕
〔上云梯〕 shàng yúntī 〈比〉 높은 곳〔지위〕에 오르려 하다.
〔上载〕 shàngzài 명동 《電算》 업로드(upload)(하다). =〔上传〕 ↔〔下载〕
〔上灶(儿)〕 shàngzào(r) 동 취사(炊事)하다. ¶~

的; 요리사의 우두머리. 주방장.
〔上则〕 shàngzé 명 ①〈文〉 상책(上策). ②높은 조세.
〔上贼船容易, 下贼船难〕 shàng zéichuán róngyì, xià zéichuán nán 〈諺〉 나쁜 일에 발을 들여 놓기는 쉬워도 빼기는 어렵다.
〔上宅〕 shàngzhái 명동 ⇨〔上梁〕
〔上栈〕 shàngzhàn 동 창고에 넣다. 창고에 보관하다.
〔上张索〕 shàngzhāngsuǒ 명 ⇨〔千qiān斤索〕
〔上涨〕 shàngzhǎng 동 ①(수위·물가·시세가) 오르다. 등귀하다. ¶～幅度; 값의 상승폭 / 河水～; 하천의 수위가 올라가다. ②만조(滿潮)가 되다.
〔上账〕 shàng,zhàng 동 기장(記帳)하다. ¶刚收到的款子已经～了; 방금 받은 금액은 이미 장부에 기재했습니다. =〔写账〕
〔上着〕 shàngzhāo 명 ⇨〔上策〕
〔上阵〕 shàng,zhèn 동 ①출정(出征)하다. 전투에 참가하다. ②〈轉〉(경기·노동 등에) 참가하다. ③〈比〉 아이들 훈육에 애쓰다. ¶这孩子不听话, 他母亲天天和他～; 이 아이가 말을 듣지 않으므로, 모친은 매일 그의 가정 교육에 고심하고 있다.
〔上肢〕 shàngzhī 명《生》팔. 상지.
〔上值〕 shàngzhí 동 숙직〔당직〕하다.
〔上旨〕 shàngzhǐ 명 〈文〉 상지. 천자의 뜻.
〔上纸笔〕 shàng zhǐbǐ 특히 내세워 문제삼다. 대서 특필하다. ¶这又是什么～的事, 值得大惊小怪的; 대관절 이것이 얼마나 문제가 되길래, 큰 소동을 벌일 필요가 있는 것일까.
〔上知〕 shàngzhì 명 성인(聖人). =〔上智〕
〔上中农〕 shàngzhōngnóng 명 상층 중농(부농(富農)과 달리, 연수입 중에서 소작료에 의한 수입이 25% 이하이며, '普通中农' 보다 생활 상태가 좋은 농촌에 있어서 소자산(小資産) 계급). =〔富裕中农〕
〔上冢〕 shàng,zhǒng 동 ⇨〔上坟〕
〔上妆〕 shàngzhuāng 동 화장하다. 모양내다. 나들이 차림을 하다. 무대 화장을 하다. ¶催cuī她～; 그녀에게 화장을 재촉하다.
〔上装〕 shàngzhuāng 명 〈方〉 웃옷. =〔上衣②〕 (shàng,zhuāng) 동 ①(배우가) 분장하다. ②신부가 정장을 입다.
〔上装呢〕 shàngzhuāngní 명 ⇨〔上装绒〕
〔上装绒〕 shàngzhuāngróng 명 상의용(上衣用) 모직천. =〔上装呢〕
〔上桌〕 shàng,zhuō 동 테이블에 올려놓다〔내놓다〕. (shàngzhuō) 명 상석(上席).
〔上梓〕 shàngzǐ 동 〈文〉 출판〔간행〕하다.
〔上奏〕 shàngzòu 동 상주하다. =〔上表〕
〔上足〕 shàngzú 명 〈文〉 ①우수한 제자. =〔高足〕〔高弟〕 ②양마(良馬). 준마.
〔上祖〕 shàngzǔ 명 〈文〉 조상. 선조.
〔上嘴唇〕 shàngzuǐchún 명 ⇨〔上唇〕
〔上座〕 shàngzuò 명 ①상좌. ②《佛》 지위가 높은 승려. ③《佛》 주지(住持)의 다음가는 지위. 동《佛》 승려가 자리에 앉아 독경하기 시작하다(끝내고 자리에서 일어나는 것을 '下座'라 함).
〔上座儿〕 shàng,zuòr 동 (음식점·극장 따위에) 손님이 오다. 손님이 들다. ¶～率; 입장률.

尚 shàng (상)

①동 존중하다. 중시하다. ¶～武; 무를 숭상하다 / 崇～; 숭상〔존중〕하다 / 为时所～; 당대에 존중을 받다 / 时～ =〔时好hào〕; 시대의 유행〔풍조〕. ②동 원하다. ③동 자랑삼다. ④동 좋아하다. ⑤형 〈文〉 오래다. ¶由来～矣; 유래가 오래 되었다. ⑥부 〈文〉 아직. ¶年纪～小; 나이가 아직 어리다 / ～未到期; 아직 기일이 되지 않다. ⑦명 성(姓)의 하나.
〔尚辟安〕 shàngbì'ān 명 〈音〉 챔피언(champion). =〔防御者〕〔保护者〕〔支持者〕
〔尚齿〕 shàngchǐ 동 〈文〉 노인을 존중하다. 경로(敬老)하다. =〔尚年〕
〔尚方宝剑〕 shàngfāng bǎojiàn 명 ⇨〔上方宝剑〕
〔尚年〕 shàngnián 동 〈文〉 ⇨〔尚齿〕
〔尚且〕 shàngqiě 부 여전히. 아직. ¶躯壳毁灭了, 精神～存在; 신체는 멸해도, 정신은 여전히 존재한다. 접 ①…뿐만 아니라. 또한. 게다가. ¶不单丑陋, ～小气; 못생겼을 뿐 아니라, 도량도 작다. ②…조차 …한데 …까지도. 그럼에도 불구하고. 그래도(흔히, '何况'을 수반한 절(節)이 뒤에 옴). ¶这么冷的天气, 大人～受不住, 何况是孩子! 이렇게 추운 날씨는 어른도 견디기가 힘든데, 하물며 어린애가! / 说话句句留心, ～不免有错, 何况信口开河; 한 마디 한 마디 조심해서 말을 해도 실수를 면할 수 없는데, 하물며 되는 대로 지껄여서야 / 大人～举不起来, 何况小孩子; 어른조차도 들지 못하는데 하물며 어린아이야!
〔尚然〕 shàngrán 부 여전히. 아직. ¶你～不知我的心里《王實甫 西廂記》; 너는 아직 나의 마음 속을 모른다.
〔尚书〕 shàngshū 명 ①상서. '六liù部'(육부)의 장관. ②⇨〔书Shū经〕
〔尚未〕 shàngwèi 〈文〉 아직 …아니하다. ¶革命～成功; 혁명이 아직 성공하지 못했다.
〔尚武〕 shàngwǔ 동 무(武)를 숭상하다.
〔尚兀〕 shàngwù 접 〈古白〉 더구나. 그런데도. =〔尚兀自〕
〔尚希〕 shàngxī 〈翰〉 앞으로도 …을 바랍니다. ¶～时赐cì教导; 앞으로 기회 닿는 대로 지도해 주시기를 바랍니다.
〔尚鞋〕 shàngxié 동 ⇨〔绱鞋〕
〔尚羊〕 shàngyáng 동 ⇨〔徜cháng徉〕
〔尚衣〕 shàngyī 명 상의(옛날에, 천자의 의상을 관장하던 벼슬 이름). 동 〈俗〉 옷을 짜서 만들다(청대(清代)의 속어(俗語)).
〔尚犹〕 shàngyóu 부 〈古白〉 여전히. 역시. 아직도. ¶你把笔～力弱《董解元 西廂記諸宮調》; 너는 붓을 잡는 데 아직 힘이 들어가 있지 않다.
〔尚有待〕 shàng yǒudài 〈文〉 아직 …하지 않으면 안 된다. 아직 …해야 할 일이 남아 있다. ¶～证明; 아직 증명할 곳이 남아 있다.
〔尚主〕 shàngzhǔ 동 '公gōng主'(천자의 딸)을 아내로 맞다('娶qǔ'(아내로 삼다)라 하는 것을 꺼려서 이렇게 썼음).
〔尚自〕 shàngzì 접 〈古白〉 …조차도 …한데. ¶他～输shū了, 你如何拼得他过《水滸傳》; 그조차 졌는데, 네가 어떻게 그를 이겨 내겠는가.

绱(緔〈鞝〉) shàng (상)

→〔绱鞋〕
〔绱鞋〕 shàngxié 동 (중국 신의) 신바닥에 창을 꿰매 달다. =〔尚鞋〕〔上鞋②〕

裳 shang (상)

→〔衣yī裳〕 ⇒ cháng

SHAO ㄕㄠ

捎 shāo (소)
동 ①편의를 주다. ¶一百年也轮不着～咱呀! 백 년이 지나도 절대로 그런 편의가 내게 돌아올 리 없다! ②인편에 보내다〔전하다〕. 계제를 이용하여 부탁하다. ¶～一封信去; 편지를 인편에 탁송하다 / 你把我的东西～家去; 내 물건을 집에 가져다 주게 / 我同他是同乡, 这次我回家, 还替他～了点儿钱呢; 나는 그와 동향이므로 이번에 귀향했을 때에는 그 대신 돈을 좀 갖다 전해 주었다. ③가볍게 치다. 툭툭 털다. 두드리다. ¶让鞭子～了一下; 채찍으로 가볍게 톡 털었다 / 被大风刮来的树枝, ～了一膀子; 큰 바람에 날려 온 나뭇가지에 탁 어깨를 맞았다. ④연루(連累)시키다〔되다〕. 말려들다. 끌어넣다. ¶把他～上; 그를 관련시키다. ⑤끼다. ¶把手～在背后; 뒷짐지다. ⑥(운반물 따위를) 붙들어매다. ¶把口袋～在车尾儿; 부대를 차 뒤에 묶다. ⇒shào

〔捎搭〕 shāodā 동 계제에 하다. …하는 김에 하다. ¶你～兼个队长吧! 자네가 하는 김에 대장도 겸해서 해라!

〔捎带〕 shāodài 명 계제에 …하다〔해 주다〕. 하는 김에 …하다《흔히, '着'가 붙어 부사적으로 쓰임》. ¶～着办; 하는 김에 하다 / 你回来, ～着给我买一斤茶叶来吧; 자네 돌아오는 길에 찻잎 좀 1근 사다 주게. 부 틈틈이. ¶夏秋两季～看守村里的庄稼; 여름과 가을에는 틈틈이 동네 농작물을 돌봐 준다.

〔捎带脚儿〕 shāodàijiǎor 부 〈方〉 가는〔하는〕 김에. ¶你要的东西我～就买来了; 자네가 원하던 것을 내가 가는 길에 사 왔다 / 今天上朋友家去道喜, ～逛了一趟公园; 오늘 친구네 집에 축하하러 간 김에 잠깐 공원에 놀러 갔다. =〔捎手儿〕

〔捎话(儿)〕 shāo huà(r) 말을〔안부·소식을〕 전해 주다.

〔捎间(儿)〕 shāojiān(r) 명 ⇨〔套tào间(儿)〕

〔捎脚(儿)〕 shāo,jiǎo(r) 동 운송 도중에 (손님의 짐을) 싣다. 차가 가는 김에 싣고 가다. ¶～运输; 화물 수송에서 특별편을 내지 않고, 보통편에 여유가 있을 때에 수송하는 일.

〔捎口信(儿)〕 shāo kǒuxìn(r) (남에게) 전갈을 부탁하다. (남을 위하여) 전갈을 전달하다.

〔捎栗暴〕 shāo lìbào 꿀밤을 먹이다.

〔捎掠〕 shāolüè 동 스치다. 스치듯이 날다.

〔捎亲〕 shāoqīn 동 친근하게 굴다. 붙임성이 있다.

〔捎手〕 shāo,shǒu 동 팔짱을 끼다. ¶把手捎在背后; 뒷짐을 지다.

〔捎手儿〕 shāoshǒur 부 ⇨〔捎带脚儿〕

〔捎书〕 shāo,shū 동 편지를 가지고 가서 전하다. 편지를 가지고 가다. ¶～带信; 편지를 가지고 가서 전하다. 편지를 가지고 가다. =〔捎信〕

〔捎听〕 shāotīng 동 (사실을) 캐어서 알아내다. 사실을 전해 듣다.

〔捎信〕 shāo,xìn 동 ⇨〔捎书〕

〔捎信儿〕 shāo,xìnr 동 (계제에) 소식을 전달하다. ¶你顺便替我给王先生捎个信儿; 너 가는 김에 내 대신 왕씨에게 소식 좀 전해 다오.

弰 shāo (소)
명 〈文〉 (활의) 고자.

梢 shāo (소)
명 ①(～儿) 나뭇가지 끝. 우듬지. =〔树梢儿〕 ②(～儿) (일반적으로 가늘고 긴) 물건의 말단. ¶鞭～; 채찍 끝 / 辫～儿; 변발의 끝. ③(～儿) 결과. 끝. 마감. ¶没有下～; 결과〔성과〕가 없다. ④〈方〉 키가 낮은 나무. 관목. ⑤ ⇨〔艄〕 ⇒sào

〔梢柴〕 shāochái 명 잔가지로 된 땔나무. 물거리.

〔梢长大汉〕 shāochángdàhàn 명 거한(巨漢). 몸집이 큰 사나이.

〔梢公〕 shāogōng 명 뱃사공.

〔梢瓜〕 shāoguā 명 《植》 월과(越瓜).

〔梢林〕 shāolín 명 관목 숲.

〔梢门〕 shāomén 명 ①큰 길로 향한 문. ②후문. 뒷문.

〔梢末〕 shāomò 명 ①나뭇가지의 끝. 우듬지. ②(물건의) 선단〔끝〕. ③〈轉〉 사소한 일〔것〕. ¶～的事; 사소한〔하찮은〕 일.

〔梢婆〕 shāopó 명 여자 뱃사공.

〔梢梢〕 shāoshāo ①〈擬〉 바람 소리. ② 형 작다. ③ 형 튼튼하다.

〔梢头〕 shāotóu 명 ①나뭇가지의 끝. 우듬지. ②가장자리. 말단. 끝. 어귀. ¶行到市镇～; 읍내의 어귀까지 가다.

〔梢云〕 shāoyún 명 〈文〉 서운(瑞雲).

〔梢子棍〕 shāozigùn 명 옛날 무기의 일종《긴 곤봉 끝에 쇠사슬로 짧은 곤봉을 매단 것》.

〔梢子夹〕 shāozijiā 명 《紡》 핀클립(pin clip). ¶链条式～; 롤러 체인식(roller chain式) 핀클립 / 剀kǎi尼恩型～; 케니언 형(Kenyon型) 핀클립.

〔梢子马〕 shāozimǎ 명 (마차의) 끄는 줄을 당기는 말《중국의 마차는 채에 말 한 필을 매고, 두세 필은 끄는 줄에 맴》.

〔梢子鸭〕 shāoziyā 명 《鳥》 물오리의 일종《저장성(浙江省)에서 사육되는 다산란종(多産卵種)》.

稍 shāo (초)
①부 약간. 조금. ¶～有不同; 조금 다른 점이 있다 / ～觉寒冷; 약간 추위를 느끼다 / 价钱～贵; 값은 약간 비싸다. ②부 잠시. 잠깐. ¶再～等等吧! 조금만 더 기다려 주십시오! / ～坐片刻; 잠깐 동안 앉다. ③형 근소한. ⇒shào

〔稍安勿躁〕 shāo'ān wùzào 〈成〉 ⇨〔少shǎo安毋躁〕

〔稍大〕 shāodà 형 조금〔약간〕 크다.

〔稍地〕 shāodì 명 〈文〉 왕성(王城)에서 300리 떨어진 곳.

〔稍房〕 shāofáng 명 안쪽 방에서 떨어진 곳에 있는 (끝)방. ¶白日里在那街市上讨饭吃, 夜晚在那大人家～里安下; 낮에는 길거리에서 걸식을 하고, 밤에는 그 대인(大人)의 집 곁방에서 잠을 잤다.

〔稍憩〕 shāoqì 동 〈文〉 잠시 쉬다.

〔稍顷〕 shāoqǐng 명 〈文〉 잠시 동안.

〔稍稍〕 shāoshāo 부 ①조금. 약간. ¶～吃了一点儿; 조금 먹었다. ②차차. 차츰차츰. ③잠시. 잠깐.

〔稍胜一筹〕 shāo shèng yī chóu 〈成〉 ⇨〔略lüè胜一筹〕

〔稍事〕 shāoshì 명 작은 일. 사소한 일. 대수롭지 않은 일. 부 잠깐. 잠시《뒤에 2음절어가 옴》. ¶～休息; 잠시 쉬다.

〔稍殊〕 shāoshū 형 조금 차이가 나다. 약간 다르다.

〔稍微〕 shāowēi 부 약간. 다소. 조금. ¶我跟你的看法, ～有一点儿不同; 나는 자네가 보는 방식과는 좀다르다/先生! 请～慢着点儿念; 선생님! 좀 더 천천히 읽어 주십시오. =〔稍为wéi〕〔少shǎo微〕
〔稍为〕 shāowéi 부 ⇨〔稍微〕
〔稍小〕 shāoxiǎo 형 좀 작다.
〔稍歇〕 shāoxiē 동 〈文〉 잠시 쉬다.
〔稍许〕 shāoxǔ 부 조금. 약간. ¶～给家寄几个钱去; 집에 돈을 좀 부치다.
〔稍纵即逝〕 shāo zòng jí shì 〈成〉 (시간·기회는) 깜박하는 사이에 지나가 버린다.

蛸 shāo (초)
→〔蟏xiāo蛸〕 ⇒ xiāo

筲 shāo (소, 삭)
명 ①일종의 대나무 그릇《1두(斗) 2승(升) 들이》. ②통. ¶水～; 물통. ③밥통.
〔筲箕〕 shāojī 명 쌀이나 채소를 씻을 때 쓰는 소쿠리.

艄 shāo (소)
명 ①선미(船尾). 고물. ②(배의) 키. ¶掌～; 배의 키를 잡다. ‖ =〔梢⑤〕〔筲〕
〔艄公〕 shāogōng 명 수부(水夫). 뱃사공.

鞘 shāo (초)
①명 회초리 끝에 매는 가죽끈. =〔鞭鞘〕 ②지명용 자(字). ⇒ qiào

籍 shāo (초)
명 ⇨〔艄〕

烧(燒) shāo (소)
①동 굽다. 태우다. 불을 때다. (불이) 타다. ¶房子(被)～了; 집이 불에 탔다/～砖; 벽돌을 굽다/～火; 불을 때다〔피우다〕/燃～; 연소(하다)/～塌; 불에 타 무너지다. ②동 삶다. 끓이다. ¶～饭; 밥을 짓다/～水; 물을 끓이다/洗澡水～得了; 목욕 물이 다 데워졌다. ③동 요리법의 일종. ㉠불에 쬐어 굽다. =〔烤kǎo〕 ㉡기름에 튀긴 다음 국물을 부어 볶거나 조리다. ¶红～; 기름으로 볶은 다음에 간장을 넣고 익히다/～萝卜; 무를 사용하여 위와 같이 만든 요리. ㉢무르게 삶은 다음 기름에 튀기다. ¶～羊肉; 양고기로 위와 같이 만든 요리. ④동 양조(釀造)하다. ⑤동 얼굴이 달다〔화끈거리다〕. ¶脸～得红了; 얼굴이 벌개졌다. ⑥동 돈이 좀 생기면 바로 활수(滑手)하게 다 써 버리다. ⑦동 열(熱)이 나다. 발열하다. ¶～得厉害; 몹시 열이 나다/～退了; 열이 내렸다. ⑧동 오만하게 우쭐거리다. ¶瞧他～得那个样儿! 그의 오만 불손한 저 꼴 좀 보게! ⑨동 가족 사이에서 불륜한 짓을 하다. ⑩동 거름을 너무 주어 식물을 말라 죽이거나 못 쓰게 만들다. ⑪명 〈簡〉 소주. ¶高粱～; 고량주. 배갈. ⑫명 《鑛》 광맥(鑛脈)의 일부가 지상에 노출되어 있는 적갈색의 푸석푸석한 토질.
〔烧包(儿)〕 shāobāo(r) 명 ①잘난 체하는 사람. ②허영심이 강한 사람. 돈을 헤프게 쓰는 사람. 동 〈京〉 돈을 낭비하다. ¶得了这点儿外财就～了; 뜻밖의 수입이 약간 있었나 싶었더니, 곧 다 써 버렸다.
〔烧杯〕 shāobēi 명 《化》 비커(beaker).
〔烧饼〕 shāobing 명 밀가루를 반죽하여 한쪽에 참깨를 뿌려 구운 '点心'의 일종《북방에서 주식 또는 간식으로 쓰임》. =〔大饼②〕
〔烧菜〕 shāo,cài 동 (불을 사용하여) 음식을 만들다.
〔烧茶〕 shāochá 동 차를 끓이다. =〔煎jiān茶〕〔烹pēng茶〕
〔烧茶吃水〕 shāochá chīshuǐ 〈比〉 일상 생활(의 일).
〔烧柴〕 shāochái 명 땔나무. (shāo,chái) 동 나무를 때다.
〔烧柴吃水〕 shāochái chīshuǐ 〈比〉 일상의 생활.
〔烧成灰烬〕 shāochéng huījìn 다 타 버려 재가 되다.
〔烧瓷泥〕 shāocíní 명 도토(陶土).
〔烧刀子〕 shāodāozi 명 〈方〉 소주(燒酒)의 별칭.
〔烧点〕 shāodiǎn 명 ⇨〔主zhǔ焦点〕
〔烧儿媳妇〕 shāo érxífu 〈比〉 (시아버지가) 며느리를 범하다.
〔烧饭〕 shāo,fàn 동 밥을 짓다. ¶女人们在烧早饭; 여자들은 아침밥을 짓고 있다/自己不会～, 怪锅不好; 〈比〉 자신이 무능하면서 마치 다른 것이 나쁜 것처럼 말하다. =〔煮饭〕
〔烧高香〕 shāo gāoxiāng 〈俗〉 체념했던 일이 다행히 잘 되다. 더 이상 바랄 것 없이 되다. ¶只要儿子没病没灾地回来, 做娘的就算烧了高香; 자식이 병에 걸리지도 않고 재난을 만나지도 않고 돌아와 주기만 하면 어머니로서는 더 바랄 것이 없다.
〔烧光〕 shāoguāng 동 몽땅 태워버리다.
〔烧锅〕 shāo,guō 동 ①냄비를 불에 얹다. ②취사(炊事)를 하다.
〔烧锅〕 shāoguo 명 ①(소규모의) 소주 양조장. ¶～税 =〔烧缸银〕; 옛날의 주조세(酒造稅). ②질냄비.
〔烧焊〕 shāohàn 동 《工》 용접하다.
〔烧红〕 shāohóng 동 ①달아서 빨갛게 되다. ②(얼굴이) 열 때문에 달아올라 빨갛게 되다.
〔烧化〕 shāohuà 동 ①불에 녹이다. 완전히 태워버리다. ②(시체·지전(紙錢) 따위를) 태우다. ¶～遗体; 유해를 화장하다. =〔化纸〕
〔烧荒〕 shāo,huāng 동 ①토지를 개간하기 전에 잡초를 불태워 없애다. ②적이 방목(放牧)하지 못하게 들에 불을 지르다.
〔烧灰〕 shāohuī 동명 《漢醫》 약물을 불에 태워서 조제하다. 또는 그런 약.
〔烧毁〕 shāohuǐ 동 태워서 부수다. 소각하다. ¶～气油库; 가솔린 탱크를 태워 버리다.
〔烧活〕 shāohuó 명 장례 때에 태우는 종이로 만든 세공품(細工品)《수레·말·인형 따위》.
〔烧火〕 shāo,huǒ 동 ①불사르다. ¶那些报纸都～了; 그 신문은 전부 태웠다. ②불을 때다. ¶～做饭; 불을 때서 밥을 짓다/～棍; 부지깽이.
〔烧火的〕 shāohuǒde 명 〈方〉 밥 짓는 사람. 〈轉〉 아내. 처.
〔烧鸡〕 shāojī 명동 통닭구이(를 하다). 동 (창피해서) 얼굴을 들 수 없게 되다. 남에게 말할 수 없는 창피한 짓을 당하다《본래, 통닭구이를 할 때는 닭의 머리를 날개 밑에 넣어 굽는 데서 연유》. ¶只要你不叫我当～怎么办都行; 내가 너에게 무안당하지 않는다면 어떻게 해도 좋다.
〔烧碱〕 shāojiǎn 명 《化》 〈口〉 가성 소다. 수산화나트륨. =〔氢氧化钠〕
〔烧焦〕 shāojiāo 동 눋다. ¶饭～了; 밥이 눌었다.
〔烧角文书〕 shāojiǎowénshū 명 옛날의, 범인 체포 수배서《모서리를 불에 태워서 화급의 뜻을 나

타냈음).
〔烧接〕 shāojiē 명동 ⇨〔焊hàn接〕
〔烧结〕 shāojié 명 ⇨〔粉fěn末冶金〕
〔烧酒〕 shāojiǔ 명 소주. 배갈. ¶杜松~; 진(gin). =〔白酒〕
〔烧炕〕 shāo,kàng 동 온돌에 불을 지피다.
〔烧烤〕 shāokǎo 동 (고기 따위를) 불에 쬐어 굽다.
〔烧蓝〕 shāolán 동 ⇨〔发fā蓝②〕
〔烧冷灶〕 shāo lěngzào 〈比〉 앞으로의 이익을 내다보고 장래가 유망한 사람에게 환심을 사 두다.
〔烧料〕 shāoliào 명 (수공예품 따위를 만드는) 채색 유리질 재료. ¶~镯; 유리로 만든 팔찌/~罩儿; 색유리 전등갓.
〔烧炉〕 shāolú 명 도자기나 법랑 그릇을 굽는 가마.
〔烧埋银〕 shāomáiyín 명 옛날, 살인범에게서 추징하는 피해자 매장비.
〔烧麦〕 shāomài〔shāomai〕 명 '饺子' 비슷한 음식의 일종. =〔烧卖〕
〔烧卖〕 shāomài〔shāomai〕 명 ⇨〔烧麦〕
〔烧眉之急〕 shāoméi zhī jí 〈比〉 일이 급박한 모양. 초미지급(焦眉之急).
〔烧明矾〕 shāomíngfán 명 백반. 소명반.
〔烧馍馍〕 shāomómo 명 밀가루로 만든 작고 납작하고 둥근 음식(반죽하여 발효시킨 밀가루 속에 '油yóu酥面'(기름과 밀가루를 섞어 간을 한 것으로, 구우면 구멍이 송송 뚫림) 소를 넣어 구운 것으로, 단 것과 짠 것이 있음).
〔烧盘儿〕 shāo,pánr 동 〈俗〉 부끄러워서 얼굴을 붉히다.
〔烧盘香, 供螺丝转儿〕 shāo pánxiāng, gòng luósīzhuànr 〈俗〉 비뚤어진〔도리에 어긋난〕 일을 하다. ¶净干些~的事, 谁能信服他呢; 비뚤어진 짓만 하고 있으니 누가 그에게 신복하겠나.
〔烧瓶〕 shāopíng 명 《化》 플라스크. ¶平底~; 평저 플라스크. =〔长cháng颈瓶〕
〔烧钱化纸〕 shāoqián huàzhǐ (죽은 사람의 명복을 빌기 위해) 지전이나 종이로 만든 명기(冥器) 등을 태우다. →〔烧化〕
〔烧青〕 shāoqīng 명 법랑의 파란 부분(의 빛). →〔珐fà琅〕
〔烧肉〕 shāoròu 명 《廣》 큼직큼직하게 썬 껍질 붙은 돼지고기를 불에 구운 것. 지방에서는 '炉lú肉'라 함.
〔烧伤〕 shāoshāng 동 불에 데다. 화상을 입다. 명 화상(火傷).
〔烧石膏〕 shāoshígāo 명 소석고. 구운 석고.
〔烧水〕 shāo,shuǐ 동 물을 끓이다. (shāoshuǐ) 명 끓인 물.
〔烧炭〕 shāo,tàn 동 ①숯을 굽다〔구워 만들다〕. ②숯을 피우다. ¶烧上炭; 숯불을 피우다.
〔烧膛〕 shāotáng 동 (의기 양양해서) 사치를 부리다. 허세를 부리다.
〔烧透〕 shāotòu 동 ①속까지 (충분히) 굽다. ②(불이) 충분히 피다.
〔烧土〕 shāotǔ 명 적토(赤土). 석간주(石間硃)(석탄 가루와 섞어 분탄을 만듦).
〔烧香〕 shāo,xiāng 동 ①향불을 피우다. ②선향(線香)을 꽂다. ¶~还愿; 신불에게 향을 피워 소원 성취를 빌다/~失了火; 〈比〉 모처럼 애를 쓴 일이 도리어 화가 되다/平时不~, 急时抱佛脚; 〈諺〉 괴로울 때의 하느님 찾기.
〔烧心〕 shāoxīn 《醫》 명 명치 언저리가 쓰리고 아픈 증상〔병〕. (shāo,xīn) 동 ①명치 언저리가 쓰리고 아프다. ②(~儿) 〈方〉 양배추 따위의 속이 썩어서 노랗게 되다. ③(~儿) 안달하다. 애태우다. ¶我有一件~的事儿; 나에게는 애타는 일이 한 가지 있다.
〔烧心壶〕 shāoxīnhú 명 〈方〉 물 끓이는 기구(이중벽으로서 안에 숯불을 피워 물을 끓임). =〔茶炊子〕
〔烧鸭子〕 shāoyāzi 명 오리의 통구이.
〔烧烟〕 shāo,yān 동 아편 한 대분을 (피울 수 있도록) 불에 굽다.
〔烧窑〕 shāoyaó 명 도자기나 벽돌 등을 굽는 가마. 도요(陶窯). 동 도요에 불을 때서 도자기나 벽돌 등을 굽다.
〔烧窑匠〕 shāoyáojiàng 명 도공(陶工).
〔烧夷弹〕 shāoyídàn 명 ⇨〔燃rán烧弹〕
〔烧葬〕 shāozàng 명동 화장(火葬)(하다).
〔烧躁〕 shāozào 동 고마워서〔기뻐서〕 어쩔 줄 모르다. ¶他得这点儿外财, ~得不知怎么好了; 그는 뜻하지 않은 돈이 생기자 좋아서 어쩔 줄 몰라 했다.
〔烧纸〕 shāo,zhǐ 동 장례식 또는 성묘 때에 돈 모양의 종이를 태워 영혼을 제사 지내다.
〔烧纸引鬼〕 shāo zhǐ yǐn guǐ 〈成〉 지전(紙錢)을 태워 명복을 빌었는데, 오히려 망령(亡靈)을 끌어들인 결과가 되다(친절이 원수가 되다). =〔烧香引鬼〕
〔烧猪〕 shāozhū 명 새끼돼지의 통구이.
〔烧砖〕 shāo,zhuān 동 벽돌을 굽다. (shāozhuān) 명 점토로 구워 만든 공예품.
〔烧灼〕 shāozhuó 동 ①(쇠붙이 따위를) 달구어 붙이다. ②다리미질하다. 인두질하다. ¶用烙铁~; 인두질하다. ③불에 데다. →〔烧伤〕

勺〈杓〉①

sháo (작)
①(~儿, ~子) 명 국자. 주걱. ¶炒~; ⓐ볶음용 주걱. ⓑ손잡이 달린 중국 냄비. ②양 《度》 '升'의 100분의 1. '合'의 10분의 1. ③동 국자로 푸다〔뜨다〕. ⇒ '杓' biāo
〔勺柄〕 sháobǐng 명 국자의 자루.
〔勺刀〕 sháodao 〈方〉 동 분별 없이〔마구〕 지껄이다. ¶勺勺刀刀地别说了! 분별 없이 지껄이지 마라! / 春梅见婆子吃了两钟酒, ~上来了; 춘매는 노파가 술을 좀 마시고 있는 것을 보고 마구 지껄여 대기 시작하였다. 형 침착하지 못하다. 경솔하다. =〔韶刀〕
〔勺乎〕 sháohu 동 〈俗〉 (손바닥으로 남을) 때리다. 갈기다.
〔勺口儿〕 sháokour 명 요리(사의) 솜씨. (요리사가 만든) 요리의 맛. ¶尝尝厨子的~怎么样; 요리사의 솜씨가 어떤지 맛 좀 보자.
〔勺球〕 sháoqiú 명 골프. ¶打~; 골프를 치다. =〔高尔夫球〕
〔勺儿〕 sháor 명 ⇨〔勺子〕
〔勺勺刀刀〕 sháoshaodāodāo →〔勺刀〕
〔勺勺颠颠〕 sháoshaodiāndiān 형 〈俗〉 경박하다. 촐랑거리다. ¶老了老了的还这么~的; 늙을 대로 늙은 주제에 아직도 이렇게 촐랑대다니.
〔勺水〕 sháo,shuǐ 동 국자로 물을 뜨다〔푸다〕.
〔勺着脑袋〕 sháozhe nǎodai 〈京〉 목에 힘을 주고 고개를 약간 구부린 모양(동체(胴體)와 머리는 국자 비슷한 모양이 되어 있음).
〔勺子〕 sháozi 명 ①(조금 큰) 국자. ②《生》 〈俗〉 후두부(後頭部)의 돌출한 부분. 뒤통수. ¶脑~;

후두부. ‖＝〔勺儿〕

芍 **sháo** (작)
→〔芍药〕

〔芍药〕 sháoyao 명 《植》 작약.

苕 **sháo** (초)
명 《植》〈方〉 고구마. ＝〔红苕〕 ⇒tiáo

韶 **sháo** (소)
〈文〉 ① 형 아름답다. ¶聪明～秀; 총명하고 아름답다. ② 동 잇다. 계승하다. ③ 명 옛날의 악곡(樂曲) 이름. ④ 명 성(姓)의 하나.

〔韶刀〕 sháodāo 명 ⇨〔勺刀〕

〔韶光〕 sháoguāng 명 〈文〉 ①아름다운 봄 빛〔경치〕. ②〈比〉 청년 시절. ③〈轉〉 광음(光陰). 세월. ‖＝〔韶华〕

〔韶和〕 sháohé 형 〈文〉 아름답고 온화하다.

〔韶华〕 sháohuá 명 ⇨〔韶光〕

〔韶景〕 sháojǐng 명 〈文〉 (봄의) 화창한 풍경.

〔韶脑〕 sháonǎo 명 광둥 성(廣東省) 사오관(韶關)에서 나는 장뇌(樟腦).

〔韶秀〕 sháoxiù 형 〈文〉 용모〔외모〕가 아름답다.

少 **shǎo** (소)
① 형 적다. ¶我认识的字比他～得多; 내가 알고 있는 글자는 그보다 훨씬 적다 / 15比18～3; 15는 18보다 3이 적다 / ～花钱, 多办事; 적은 돈으로 많은 일을 하다. ↔〔多〕 ② 형 빠지다. 거르다. ¶～一顿饭不行; 한 끼의 식사도 걸러서는 안 된다. ③ 형 모자라다. 부족하다. ¶你数数钱, ～不～; 돈이 부족하지 않은 지 세어 봐라 / 米、面是一天都不可～的; 쌀과 밀가루는 하루도 없어서는 안 되는 것이다. ④ 동 (～了의 형으로) 분실하다. 없어지다. ¶东西～了几件; 물건 몇 가지를 분실했다. ⑤ 동 남에게 빚을 지다. ¶不该人的, 不～人的; 남에게 빚을 져서는 안 된다. ⑥ 동 값을 깎다. 에누리하다. ¶价钱再不能～了; 값은 더 이상 깎을 수 없다 / ～点儿价钱; 값을 좀 에누리하다. ⑦ 동 삼가다. 적게 하다. ¶～说话; 말을 삼가라 / ～穿衣裳; 옷을 얇게 입다. ⑧ 부 짧은 시간. 잠시. ¶～待; 잠시 기다리다. ⑨ …쪽으로 치우친. ¶东南～东; 약간 동쪽으로 치우친 동남방. ⑩ 동 〈文〉 경시(輕視)하다. ⇒shào

〔少安毋躁〕 shǎo ān wú zào 〈成〉 침착하게 좀 기다리십시오. 조급하게 굴지 마시오. ＝〔少安勿躁〕〔稍安勿躁〕

〔少半(儿)〕 shǎobàn(r) 명 절반이 채 안됨. 절반보다 약간 적은 듯함. ＝〔〈方〉 软ruǎn半〕

〔少报〕 shǎobào 동 실제의 수보다 적게 보고하다.

〔少不得〕 shǎobude ①빼놓을 수 없다. 없어서는 안 된다. ¶丑媳妇～见公婆; 〈諺〉 못생긴 며느리라도 시부모 문안을 거를 수 없다 / 一天两顿饭是～的; 하루 두 끼의 식사는 빼놓을 수 없다 / 这东西是～的; 이 물건은 없어서는 안 되는 것이다. ②…하지 않을 수 없다. ¶他病得这样, ～也要问问; 그가 그렇게 앓고 있다면 가서 병문안을 안 할 수 없다 / ～安排什么款kuǎn待他; 무엇인가 준비해서 그를 환대하지 않으면 안 된다.

〔少不了〕 shǎobuliǎo ①없어서는 안 되다. ¶这件事～你; 이 일은 네가 없어서는 안 된다. ②…하지 않을 수 없다. ¶～要麻烦您; 당신에게 폐를 끼치지 않을 수 없습니다. ③줄어들 염려는 없다. 누락될 일은 없다. ¶该你的钱, 将来还您, 绝～; 네게 꾼 돈은 언젠가는 갚을 것이고, 결코 부족하게는 하지 않겠다. ④적지 않다. 꽤 많다. ¶要开大公司, 用的人可～; 큰 회사를 경영하려면 고용인도 많이 필요하다.

〔少秤〕 shǎochèng 동 (무게를 실제보다) 적게 달다. ¶市场上卖货, ～, 以次货顶好货的现象也见减少; 시장에서 물건을 파는 데 무게를 적게 달거나, 하등품을 상등품으로 속여서 파는 현상도 감소되고 있다.

〔少吃俭用〕 shǎo chī jiǎn yòng 〈成〉 (절약하기 위해) 생활비를 줄이다. 검소하게 생활하다.

〔少吃没喝〕 shǎo chī méi hē 〈成〉 (생활이 곤란하여) 굶다 먹다 하다. 끼니를 거르다.

〔少吃无着〕 shǎo chī wú zhuó 〈成〉 먹는 것 입는 것이 모두 부족하다.

〔少待〕 shǎodài 동 〈文〉 잠시 기다리다. ¶～片piàn刻; 잠깐 기다리다.

〔少等〕 shǎoděng 동 잠시 기다리다(‘좀 기다리시오’라고 할 때도 씀). ¶～一会儿吧! 잠깐 기다려 주십시오!

〔少而精〕 shǎo ér jīng 양을 적게 하고 질을 좋게 하다. 적지만 실속이 있다. ¶教学内容要～; 교과 내용은 양은 적되 내용 질은 좋아야 한다.

〔少管闲事〕 shǎo guǎn xián shì 〈成〉 쓸데없는 일에 관여하지 않다.

〔少广〕 shǎoguǎng 명 《數》 고대 산법(算法)의 개방(開方).

〔少候〕 shǎohòu 동 〈文〉 ①잠시 기다리다. ②오랫동안 격조(隔阻)하다.

〔少回〕 shǎohuí 〈套〉 뒤를 조심해 주세요(손에 무언가를 들고 있을 때, 앞사람에게 갑자기 물러서지 말 것을 경고하는 말).

〔少见〕 shǎojiàn ① 형 보기 드물다. 진귀하다. ¶规模之大、持续时间之长都是近来～的; 규모의 크기, 지속 시간의 길이 등이 모두 근래에 보기 드문 것들이다. ② 형 〈文〉 견문이 좁다. ③〈套〉 한참 못 만나다. 격조하다. ¶一向～; 근간 격조했습니다.

〔少见多怪〕 shǎo jiàn duō guài 〈成〉 견문이 좁아서 무엇이나 기이하게 여기다. 세상 물정을 모르다. ＝〔少所见, 多所怪〕

〔少教训〕 shǎojiàoxun 형 ①교양이 부족하다. ②예의 범절이 바르지 못하다.

〔少精无神〕 shǎo jīng wú shén 〈成〉 기운이 없다. 의기소침하다.

〔少刻〕 shǎokè 명부 잠시. 잠시 동안.

〔少来〕 shǎolái 동 ①적게 사용하다. ¶汤里可以放点儿盐, 可是要～; 국에 소금을 치는 것도 좋지만, 좀 적게 넣어라. ②좀처럼 오지 않다. 오는 것을 줄이다. ¶他们家里不懂情理, 咱们以后～吧; 그 집안은 사리를 분별하지 못하니, 앞으로 왕래를 삼가자.

〔少礼〕 shǎolǐ 〈套〉 ①실례하다. 결례하다. ¶上次令堂正寿, 我也～, 没得去拜寿; 지난번 춘부장의 (10년마다의) 생신에는 실례되게도 축하드리러 가지도 못했습니다. ②부디 편히 하십시오.

〔少量〕 shǎoliàng 명 소량. 조금. 약간.

〔少慢差费〕 shǎo màn chà fèi 적고, 느리고, 좋지 않고 비경제적이다. ¶有的认为:到实践中学习是～的办法; 실천 속에 뛰어들어 학습한다는 것은, 적고, 느리고, 좋지 않고 비경제적이라고 주장하는 이도 있다.

〔少陪〕 shǎopéi 〈套〉 실례하겠습니다(먼저 자리를 뜰 때의 인사말). ¶我有点儿事, ～你了; 나는 일이 좀 있어서 먼저 실례하겠습니다.

〔少气无力〕 shǎo qì wú lì 〈成〉 기운〔기력〕이 없다.
〔少憩〕 shǎoqì 동 〈文〉 잠시 쉬다.
〔少顷〕 shǎoqǐng 명부 〈文〉 잠시. 잠깐(있다가). =〔少刻〕〔少时〕〔少选〕〔少焉〕
〔少少儿的〕 shǎoshǎorde〔shǎoshāorde〕 형 아주 적은.
〔少时〕 shǎoshí 명부 〈文〉 잠시. 잠깐. 곧. ¶～雨过天晴, 院子里又热闹起来了; 잠시 후 비가 멎고 하늘이 개자, 마당은 다시 소란스러워졌다. ⇒ shàoshí
〔少事〕 shǎo·shì 동 쓸데없는 일에 관여하지 않다. ¶少点儿事吧! 쓸데없는 일에 참견 좀 하지 마라!
〔少数〕 shǎoshù 명 소수. 적은 수. 조금. ¶这回打仗敌兵阵亡的也还不在～; 이번 전쟁에서 적의 전사자도 적지 않았다 / 他这几天挥霍的也不在～了; 그가 요 며칠 동안 소비한 것도 적지 않다 / 可也不免有～例外; 그러나 소수의 예외는 있다.
〔少数民族〕 shǎoshù mínzú 명 소수 민족(중국에서는 '汉hàn族'를 제외한 각 민족을 말함. '苗miáo族' '维wéi吾尔族' '壮zhuàng族' 등 55개 소수 민족이 있으며, 총인구의 약 6%, 전국토의 50%～60%에 분포하고 있음).
〔少说〕 shǎoshuō 동 말을 삼가다. 말수를 적게 하다. ¶～废话! 쓸데없는 말을 삼가라! / ～为佳; 말을 삼가는 것이 좋다.
〔少说话〕 shǎoshuōhuà 말을 삼가다. ¶～吧! 작작 떠들어. 시끄럽다!
〔少说少道〕 shǎo shuō shǎo dào 〈成〉 ①말수가 적다. 말이 많지 않다. ②(뒤에 '也'가 이어져) 적어도.
〔少司〕 shǎosī 명 ⇨〔沙shā司〕
〔少算〕 shǎosuàn 동 값을 깎다. 싸게 하다. ¶～点儿吧! 좀 깎아 주시오!
〔少所见, 多所怪〕 shǎo suǒ jiàn, duō suǒ guài 〈成〉 ⇨〔少见多怪〕
〔少调失教〕 shǎo tiáo shī jiào 〈成〉 예의 범절이 충분히 갖춰 있지 않다. 훈련이 부족하다. ¶新来乍到, 就这么～的; 온 지 얼마 안 돼서 이렇게 버릇이 없다.
〔少停〕 shǎotíng 동 〈文〉 ①잠시 정지하다〔중단하다〕. ②〈轉〉 잠시 시간이 흐르다〔지나다〕. ¶现在先不用打听, ～你就知道了; 지금은 먼저 물어 볼 필요가 없다. 잠시 후면 곧 알게 된다.
〔少头〕 shǎotóu 명 값을 깎음. 에누리. ¶有什么～没有? 좀 에누리할 수 없습니까?(이 때의 '什么'는 '一点儿'의 뜻).
〔少头无尾〕 shǎo tóu wú wěi 〈成〉 시작도 없고 끝도 없다. 밑도 끝도 없다. =〔少shǎo头缺尾〕
〔少微〕 shǎowēi 부 약간. 조금. =〔稍shāo微〕
〔少息〕 shǎoxī 동 ①〈文〉 잠시 쉬다. ②〖軍〗 쉬어!(구령). =〔稍shào息〕
〔少许〕 shǎoxǔ 명 〈文〉 조금. 약간. 얼마간. ¶～的钱; 약간의 돈.
〔少选〕 shǎoxuǎn 명부 ⇨〔少顷〕
〔少焉〕 shǎoyān 명부 ⇨〔少顷〕
〔少言寡语〕 shǎo yán guǎ yǔ 〈成〉 말수가 적은 모양. 과묵한 모양.
〔少一半(儿)〕 shǎoyībàn(r) 명 (둘로 나눈 경우의) 적은 쪽의 절반.
〔少一缺二〕 shǎoyī quē'èr 이것저것 모자라는 부분이 있다. 이러저러한 부족함이 있다. ¶你要是日后～, 不妨来对我说, 自当资助; 만일 나중에 이것저것 부족한 것이 있거든 나에게 말해 다오, 힘이 되어 줄게.
〔少有〕 shǎoyǒu 형 좀처럼 없다. 드물다. ¶那并不是～的事; 그것은 결코 드문 일이 아니다. →〔不多〕
〔少云〕 shǎoyún 명 약간 흐림(일기 예보).

少 shào (소)

①형 나이가 젊다〔어리다〕. ¶年～; 나이가 어리다 / ～年男女 =〔～男～女〕; 소년 소녀. ②명 젊은이. ¶～是观音, 老是猴儿; 젊었을 때는 보살같이 아름답고, 늙어서는 원숭이같이 말라 비틀어지다(미인의 용모의 허무함을 일컬음) / 男女老～; 남녀노소. ③명 〈簡〉 '少爷'의 약칭. ¶阔～; 부잣집 도련님 / 恶～; ⓐ불량한 자식. ⓑ불량 소년. ④형 〖軍〗 (군대 계급에서) 아래쪽의. ¶～尉; 소위. ⑤명 성(姓)의 하나. ⇒ shǎo

〔少艾〕 shào'ài 명 〈文〉 젊고 아름다운 여자.
〔少白头〕 shàobáitóu 형 젊은 사람이 머리가 세다〔희다〕. 명 머리가 센〔흰〕 젊은이.
〔少保〕 shàobǎo 명 소보. '三公①'의 보좌역.
〔少辈(儿)〕 shàobèi(r) 명 젊은이. 후배. 손아랫사람.
〔少不更事〕 shào bù gēng shì 〈成〉 젊어서〔어려서〕 경험이 얕다. 젊어서〔어려서〕 세상사에 어둡다. =〔少shào不经事〕
〔少东〕 shàodōng 명 자본주나 지주의 아들. 서방님.
〔少房〕 shàofáng 명 ⇨〔妾qiè①〕
〔少妇〕 shàofù 명 ①젊은 부인〔여자〕. ②젊은 아내.
〔少傅〕 shàofù 명 소부. '三公①'의 보좌역.
〔少腹〕 shàofù 명 ⇨〔小xiǎo肚子〕
〔少姑〕 shàogū 명 시아버지의 첩.
〔少姑奶奶〕 shàogūnǎinai →〔姑奶奶①〕
〔少姑爷〕 shàogūyé 명 처가의 1대 존속이 사위를 일컫는 말.
〔少健〕 shàojiàn 형 젊고 원기가 있다.
〔少将〕 shàojiàng 명 〖軍〗 소장.
〔少君〕 shàojūn 명 〈文〉 ①제후(諸侯)의 부인. ②〈敬〉 영식(令息).
〔少牢〕 shàoláo 명 제사 때 산 제물(祭物)로 바쳐지는 양과 돼지. =〔中zhōng牢〕
〔少吏〕 shàolì 명 〈文〉 소리. 낮은 벼슬아치. 하급관리. =〔小xiǎo吏〕
〔少林棍〕 shàolíngùn 명 ⇨〔齐qí眉棍〕
〔少林寺〕 Shàolínsì 명 소림사(후난 성(湖南省) 덩펑 현(登封縣) 북쪽에 있는 선종(禪宗)의 절. '小林寺拳术'(소림사 권법)의 발상지).
〔少母〕 shàomǔ 명 〈文〉 아버지의 첩.
〔少奶奶〕 shàonǎinai 명 ①며느리. =〔儿妇〕〔儿娘妇〕 ② ⇨〔少太太〕
〔少男〕 shàonán 명 소년. ¶～少女 =〔少年男女〕; 소년 소녀.
〔少年〕 shàonián 명 소년(기). ¶～人; 소년 / ～之家; 소년들이 과외 활동을 하는 '少年文化宫'의 소규모의 것 / ～老成; 〈成〉 소년이면서 조숙하다〔어른스럽다〕(현재에는, 젊은이가 진취의 기상이 없는 것을 말함) / ～易老学难成; 〈成〉 소년은 늙기 쉽고, 배움은 이루기가 어렵다.
〔少年儿童队〕 shàonián értóngduì 명 '少年先锋队'의 구칭.
〔少年犯管教〕 shàoniánfàn guǎnjiào 명 미성년 수형자(受刑者)의 교정(矯正). ¶～所 =〔少管

所〕〔少教所〕; 소년 형무소.
〔少年钢〕 shàoniángāng 명 '大dà跃进'(대약진 운동) 때, 소년의 '废fèi铁'(고철) 모으기 운동으로 수집된 고철을 제철소에 보내어 만들어진 강철덩이.
〔少年(文化)宫〕 shàonián(wénhuà)gōng 명 소년궁《초등·중등 학생이 과외 시간에, 과학·오락·체육 등의 활동을 하기 위하여 설립된 종합적인 교육 센터》.
〔少年先锋队〕 shàonián xiānfēngduì 명 소년선봉대《1949년 성립되어, 처음에 '少年儿童队'라 칭했으나, 53년에 '～'로 개칭, 학습이나 각종 활동을 통해서 소년을 단결시키고 조직하여 '五爱'의 정신 함양을 목적으로 함. 약칭은 '少先队'. 대원은 '文化大革命' 때에는 한때 '红小兵'이라 하였음》.
〔少女〕 shàonǚ 명 소녀.
〔少女花〕 shàonǚhuā 명〘植〙 연꽃진달래.
〔少妻〕 shàoqī 명 ⇨〔妾qiè①〕
〔少日〕 shàorì 명〈文〉 젊을 때. 젊은 시절.
〔少师〕 shàoshī 명 소사. '三公①'의 보좌역.
〔少时〕 shàoshí 명 젊을〔어릴〕 때. ⇒shǎoshí
〔少太太〕 shàotàitai 명 젊은 안주인. =〔少奶奶②〕
〔少尉〕 shàowèi 명〘軍〙 소위.
〔少先队〕 shàoxiānduì 명〈簡〉 '少年先锋队'의 약칭.
〔少相〕 shàoxiang 동〈方〉 ①용모가 젊어보이다. ¶她长得～, 岁数儿可不小了; 그녀는 젊어 보이지만, 나이는 꽤 먹었습니다. ②젊어 보이도록 꾸미다. ‖=〔少像〕〔少形〕〔少兴〕
〔少像〕 shàoxiang 동 ⇨〔少相〕
〔少小〕 shàoxiǎo 형〈文〉 젊다. 어리다. ¶～不努力, 老大徒伤悲;〈諺〉 젊어서 노력하지 않으면 늙어서 헛되이 슬퍼하게 된다.
〔少校〕 shàoxiào 명〘軍〙 소령. →〔军衔〕
〔少辛〕 shàoxīn 명 ⇨〔细xì辛〕
〔少兴〕 shàoxing 동 ⇨〔少相〕
〔少形〕 shàoxing 동 ⇨〔少相〕
〔少阳〕 shàoyáng 명〘漢醫〙 소양《경맥(經脈)의 이름의 하나. 양기 감약(陽氣減弱)의 뜻으로, 병사(病邪)가 반은 겉에 드러나고 반은 숨어 있는 것》. ¶～病; 소양증.
〔少爷〕 shàoye 명 ①도련님. 서방님. ②〈敬〉 남의 아들에 대한 존칭. 영식(令息). ③옛날, 주인이 하인들에게 자기의 아들을 말할 때 쓰던 호칭.
〔少阴〕 shàoyīn 명〘漢醫〙 소음《경맥(經脈)의 이름의 하나. 음기(陰氣) 감약의 뜻으로, 병사(病邪)가 겉에 있는 것》. ¶～病; 소음증.
〔少长〕 shàozhǎng 명 연소자와 연장자.
〔少掌柜的〕 shàozhǎngguìde 명 상점 주인의 아들의 일컬음. 젊은 주인.
〔少正〕 Shàozhèng 명 복성(複姓)의 하나.
〔少壮〕 shàozhuàng 형 젊고 원기가 있다. ¶～派; 소장파. 명 한창 젊은 나이의 사람. 장년자(壯年者). 장정(壯丁). ¶征发城内～, 去修河堤; 성 안의 장정들을 징발하여 강둑을 보수하러 보내다.
〔少子〕 shàozǐ 명〈文〉 막내둥이. 막내.

召 Shào (소)

명 ①〘地〙 주대(周代)의 나라 이름《산시 성(陝西省) 샹지(翔鸞) 일대》. ②성(姓)의 하나. ⇒zhào

佋 shào (소)

명동 ⇨〔绍②〕

卲 shào (소)

형 ⇨〔劭③〕

邵 shào (소)

①지명용 자(字). ¶～水Shàoshuǐ; 사오수이(邵水)《후난 성(湖南省)에 있는 강 이름》. ②명 성(姓)의 하나.
〔邵伯湖〕 Shàobóhú 명〘地〙 사오보 호(邵伯湖)《장쑤 성(江蘇省) 장두 현(江都縣)의 북쪽에 있으며, 가오유호(高郵湖)와 통하는 호수》.
〔邵阳市〕 Shàoyángshì 명〘地〙 사오양 시(邵陽市)《후난 성(湖南省)에 있는 시(市)》.

劭 shào (소)

①동 부지런히 힘쓰다. ②동 격려하다. 권면하다. ¶先帝～农; 선제는 농업을 장려하였다. ③형 (덕망이) 높고 훌륭하다. ¶年高德～; 연만(年滿)하고 덕망도 훌륭하다. =〔卲〕
〔劭美〕 shàoměi 형 (덕행이) 높고 아름답다.

绍(紹) shào (소)

①동 계승하다. 잇다. ¶～先烈之精神; 선열들의 정신을 이어받다. ②명동 소개(하다). =〔佋〕 ③ (Shào) 명〘地〙〈簡〉 저장 성(浙江省) 사오싱(紹興)을 가리킴. ④명 성(姓)의 하나.
〔绍承〕 shàochéng 동〈文〉 계승하다.
〔绍登〕 shàodēng 동〈文〉 연이어 등장〔출현〕하다.
〔绍纺〕 shàofǎng 명〈簡〉 사오싱(紹興)(저장 성(浙江省) 북부의 시)에서 산출되는 견직물《'绍兴纺绸'의 약칭》.
〔绍复〕 shàofù 동〈文〉 계승하여 회복하다.
〔绍继〕 shàojì 동〈文〉 계승하다.
〔绍介〕 shàojiè 동〈文〉 소개하다.
〔绍酒〕 shàojiǔ 명 ⇨〔绍兴酒〕
〔绍剧〕 shàojù 명〘劇〙 저장 성(浙江省)의 지방극《원명(原名)을 '绍兴乱弹', 통칭을 '绍兴大班'이라고함》.
〔绍述〕 shàoshù 동〈文〉 남의 설(說)〔학술〕을 계승하여 이를 전달하다. 계속해서 말하여 전하다.
〔绍位〕 shàowèi 동〈文〉 자리를 잇다. 지위를 계승하다.
〔绍兴酒〕 Shàoxīngjiǔ 명 찹쌀로 빚은 중국산의 양조주《저장 성(浙江省) 사오싱(紹興)산(産). 속칭 '老酒'의 일종》. =〔绍酒〕
〔绍兴师爷〕 shàoxīng shīyé 명 옛날, 지방관의 개인 고문을 맡은 서기관《이런 종류의 서리(書吏)는 사오싱(紹興) 출신의 사람이 많았음》.
〔绍衣〕 shàoyī 동〈文〉 선현의 말씀을 계승하여 체득하다.

捎 shào (소)

동〈京〉 ①물을 뿌리다. ¶往菜上～水; 채소에 물을 주다〔뿌리다〕/～院子; 마당에 물을 뿌리다. ②비가 들이치다. ¶雨点～进来; 빗방울이 들이치다/挡dǎng好窗户, 留神雨～进来; 창문을 잘 닫아 비가 들이치지 않도록 조심해라. ③(천의) 색이 바래다. ¶这布～色shǎi不～色? 이 천은 색이 바래지 않나요? ④동정을 살피다. 엿보다. ¶用眼睛往后～着点儿; 눈으로 뒤쪽을 조금 엿보고 있다. ⑤물러나다. 뒷걸음치다. ¶往后～～; 뒤로 물러서라. ⇒shāo
〔捎马子〕 shàomǎzi 명〈方〉 말의 등으로 물건을 나를 수 있도록 양쪽으로 갈라진 짐주머니.
〔捎色〕 shào.shǎi 동 (주로 천의) 색이 바래다. =〔退色〕

哨 **shào** (소, 초)
①명 경비(警備). (군대의) 초소. ¶放～; 보초를 세우다 / ～位; 입초(立哨) 위치. ②(～儿, ～子) 명 호루라기. 휘파람. ¶吹～; 휘파람을〔호루라기를〕 불다 / 嘟噜儿地一声～响了; 휙 호루라기 소리가 났다. ③동 새가 지저귀다. ¶这只百灵～得很好听; 이 종달새는 아주 잘 지저귄다. ④동 (사람이) 잘 지껄이다. 조잘거리다. ¶他～了半天; 그는 오랫동안 지껄였다. ⑤명 청대(清代) 태평천국(太平天國)의 난을 진압하기 위한 '勇营'(의용군) 편성 단위의 하나《육군은 100명 또는 80명, 해군은 80명 또는 20명을 '一哨'로 삼았음》.

〔哨棒〕 shàobàng 명 호신용의 곤봉. ¶武松缚了包裹, 拴了～要行《水滸傳》; 무송은 보따리를 묶고 호신용 몽둥이를 붙들어매고는 떠나려 했다.
〔哨兵〕 shàobīng 명 보초. 파수병. 초병.
〔哨船〕 shàochuán 명 ①파수 보는 배. ②순시선.
〔哨房〕 shàofáng 명 ⇨〔岗gǎng房〕
〔哨岗〕 shàogǎng 명 초병(哨兵) 대기소. 초소. ¶占领军占据了所有的～; 점령군은 모든 전초 초소를 점거했다.
〔哨官〕 shàoguān 명 《軍》 '一哨'의 통솔관. 곧, 「千qiān总」을 말함.
〔哨箭〕 shàojiàn 명 우는 살.
〔哨马〕 shàomǎ 명 초기(哨騎). 기마 초병(騎馬哨兵). ¶銮luán铃响处, 约有三十余骑～《水滸傳》; 천자의 수레에 다는 방울 소리가 울리는 곳에, 30여 기의 기마 초병이 나타났다.
〔哨儿〕 shàor 명 ⇨〔哨子〕
〔哨人〕 shàorén 명 보초. 파수병.
〔哨所〕 shàosuǒ 명 초소.
〔哨探〕 shàotàn 동 적정(敵情)을 살피다. 정찰하다. 명 정찰병. 간첩.
〔哨铁〕 shàotiě 명 ⇨〔镶xiāng条〕
〔哨游〕 shàoyóu 동 순시하다.
〔哨子〕 shàozi 명 ①호루라기. 휘파람. ¶吹chuī～ =〔打～〕; 호루라기 또는 휘파람을 불다 / 吹口～; 휘파람을 불다 / ～风; 휘휘〔씽씽〕 부는 바람. ②(기차 따위의) 기적. ¶～响xiǎng了; 기적이 울렸다. ‖ =〔哨儿〕

睄 **shào** (소)
동 〈方〉 힐끗 보다. 쓱 보다. ⇒ '瞧' qiáo

稍 **shào** (초)
→〔稍息〕 ⇒ shāo

〔稍息〕 shàoxī 《軍》 쉬어!《구령》.

潲 **shào** (소)
①동 (비가 바람에 날려) 비스듬하게 내리다. 들이치다. ¶雨往南～; 비가 남쪽으로 비껴서 오다. ②동 〈方〉 물을 (좍) 뿌리다. ¶马路上～些水; 큰길에 물을 뿌리다 / 熨衣服以前先～上点儿水; 옷을 다리기 전에 우선 물을 조금 뿌리다. ③명 〈方〉 쌀뜨물·쌀겨·들풀 등을 끓여서 만든 사료. ¶～水; 쌀뜨물. =〔泔gān水〕

SHE ㄕㄜ

奓 **shē** (사)
형 ⇨〔奢shē〕 ⇒ Zhā zhà

畬(畲) **Shē** (사)
'畲Shē'와 통용.

奢 **shē** (사)
형 ①사치스럽다. ¶穷～极欲; 〈成〉 온갖 사치를 다하다 / 豪～; 호사(스럽다). ②돈 씀씀이가 헤프다. ③도가 지나치다. 과분하다. ¶所望不～; 그 소망은 지나친 것이 아니다. ‖ =〔奓shē〕

〔奢侈〕 shēchǐ 명형 호사(스럽다). 사치(하다). ¶～品pǐn; 사치품. =〔侈奢〕
〔奢放〕 shēfàng 형 〈文〉 사치스럽고 방종하다.
〔奢费〕 shēfèi 동 낭비하다.
〔奢华〕 shēhuá 형 사치스럽고 화려하다. ¶他的生活极～; 그의 생활은 대단히 사치스럽고 화려하다 / 陈设～; 사치스럽고 화려하게 차려 놓다.
〔奢俭〕 shējiǎn 명 사치와 검약.
〔奢咧(儿)〕 shēlie(r) 형 ①매무새가 칠칠치 못하다. ¶快把领子扣上, ～着多没礼貌! 빨리 깃의 단추를 채워라. 단정치 못하여 실례가 아닌가! ②보기에 깔끔하지 못하다. ③수다스럽다. ④입을 딱 벌리고 있다. ¶～着嘴, 一脸的傻气; 입을 딱 벌리고 있는 것이 바보 같다 / 怎么～着嘴唇儿, 磕破了吗? 왜 입술을 내밀고 있느냐, 깨물었느냐?
〔奢靡〕 shēmí 동 〈文〉 사치하고 낭비하다.
〔奢汰〕 shētài 형 〈文〉 ⇨〔汰侈〕
〔奢泰〕 shētài 형 〈文〉 ⇨〔汰tài侈〕
〔奢谈〕 shētán 동 〈文〉 마구 지껄이다. 크게 떠들다. 큰소리 치다.
〔奢望〕 shēwàng 명 지나친 욕망. 야심.
〔奢因〕 shēyīn 명 《度》 〈音〉 체인(chain)《영국·미국의 육지 척도(尺度)의 단위로, '英里'(마일)의 1/80, '英尺'(피트)로 말하면 60피트에 상당함》. =〔测链〕
〔奢愿〕 shēyuàn 명 〈文〉 과분한 희망〔소망〕.

猞 **shē** (사)
→〔猞猁〕〔猞猁狲〕

〔猞猁〕 shēlì 명 《動》 스라소니《고양이 비슷하되 귀가 크고 긴 털이 있어 고급 모피가 됨》. =〔林狸yì〕〔猞猁狲〕
〔猞猁狲〕 shēlìsūn 명 ⇨〔猞猁〕

赊(賒) **shē** (사)
①동 외상으로 매매하다. ¶现钱不～ =〔一概不～〕; 〈成〉 외상 절대 사절 / ～酒喝; 외상으로 술을 먹다. ②형 〈文〉 멀다. ¶路～; 길이 멀다. ③형 〈文〉 오래다. (시간이) 길다. ¶虽五日犹觉其～; 비록 5일이라도 긴 시간처럼 느껴진다.

〔赊贷〕 shēdài 명동 외상 판매(하다). 외상 대여(하다).
〔赊购〕 shēgòu 동 외상으로 구입하다. ¶～缝纫机; 재봉틀을 외상으로 구입하다.
〔赊货〕 shēhuò 명동 외상 대여·판매(하다).
〔赊借〕 shējiè 명동 외상 매입(하다). 외상 차입(하다).
〔赊买〕 shēmǎi 명동 외상 구입(하다).
〔赊卖〕 shēmài 명동 외상 판매(하다). ¶～价格; 외상 가격 / 概不～; 외상 사절. =〔赊售〕〔赊销〕
〔赊欠〕 shēqiàn 명동 외상 매매(하다)《아직 빚지고 있는 상태》. ¶催收～的账款; 외상 값을 독촉하여 받아 내다 / ～免言; 〈成〉 외상 사절.
〔赊取〕 shēqǔ 동 (단골 상점에서) 외상으로 들여

오다〔사다〕.
〔赊去〕 shēqù 동 ①외상으로 팔아 버리다. ②외상으로 사 가다.
〔赊三不敌见二〕 shēsān bùdí jiàn'èr 〈諺〉 3원의 외상 거래보다는 2원의 현금 거래가 더 좋다.
〔赊售〕 shēshòu 명동 ⇨〔赊卖〕〔赊售〕
〔赊销〕 shēxiāo 명동 외상 판매(하다). ¶～收音机; 라디오를 외상으로 팔다. =〔赊卖〕〔赊售〕
〔赊账〕 shē,zhàng 동 외상으로 매매하다. ¶现金买卖, 概不～; 외상은 일체 사절이니 현금으로 부탁합니다. (shēzhàng) 명 외상 계정〔매출금〕.
〔赊主〕 shēzhǔ 명《商》(외상 거래에서) 매수인《외상 대금 지불인》.

畲 Shē (사)
명《民》서 족. =〔畲族〕
〔畲族〕 Shēzú 명 서 족(畲族)《중국 소수 민족의 하나. 주로 푸젠(福建)·장시(江西)·광둥(廣東)의 각 성(省)에 거주함. 고대의 '山越'의 후예(後裔)》.

畬 shē (사)
동〈文〉화전(火田)을 일구다. ¶～田; 화전. ⇒yú

舌 shé (설)
명 ①혀. ¶～不俐落; 혀가 잘 돌아가지 않다 / 伸出～头, 缩不进去; (놀라서, 기가 막혀서) 혀를 내민 채 입을 다물 수가 없다 / ～为利害本, 口是祸福门; 〈諺〉혀는 이해의 근원, 입은 화복의 문. ②언어. 말. ③방울·동탁(銅鐸) 따위 속에 있는 혀 모양의 물건. ¶铃～; 방울의 혀. ④혀 모양의 물건. ¶笔～; 만년필의 펜촉 / 帽～; 모자의 챙 / 粘结～; (종이 접기 따위에서) 접는 부분.
〔舌癌〕 shé'ái 명《醫》설암.
〔舌本〕 shéběn 명 ⇨〔舌根〕
〔舌敝唇焦〕 shé bì chún jiāo 〈成〉 입에 침이 마르도록 말하다《심하게 설전(舌戰)을 하는 모양》. ¶～地给人调tiáo解家庭纠纷; 입에 침이 마르도록 남의 가정 불화의 조정을 해 주다. =〔舌干唇焦〕
〔舌敝耳聋〕 shé bì ěr lóng 〈成〉 언쟁〔논쟁〕의 시끄러움이 절정에 이르다.
〔舌辩之士〕 shébiàn zhī shì 명 변론가. 논객(論客).
〔舌端〕 shéduān 명 ①혀끝. ②〈比〉말을 잘 하는 사람.
〔舌锋〕 shéfēng 명〈比〉날카로운 언설.
〔舌腹〕 shéfù ①명 혀의 가운데 부분. ②→〔舌蜜腹剑〕
〔舌干唇焦〕 shé gān chún jiāo 〈成〉 ⇨〔舌敝唇焦〕
〔舌疳〕 shégān 명《漢醫》혀가 짓물러서 크게 붓는 병. =〔舌菌〕
〔舌根〕 shégēn 명 설근. 혀의 뿌리. ¶～音 =〔舌面后音〕; 《言》설근음《표준어의 g, k, h의 음(音)》. =〔舌本〕
〔舌耕〕 shégēng 동〈文〉학문을 가르쳐 생계를 꾸리다. ¶以～为业; 교원 생활을 직업으로 삼다.
〔舌管〕 shéguǎn 명《樂》취주 악기의 리드. 혀. =〔簧huáng①〕
〔舌簧喇叭〕 shéhuáng lǎba 명 ⇨〔舌簧式扬声器〕
〔舌簧式扬声器〕 shéhuángshì yángshēngqì 명 마그네틱 스피커. =〔电diàn磁式扬声器〕〔舌簧喇叭〕
〔舌尖〕 shéjiān 명 혀끝. ¶～杀人不见血; 〈成〉세치 혀끝으로 사람을 죽인다.
〔舌尖音〕 shéjiānyīn 명《言》혀끝 소리. 설첨음《혀끝을 문치(門齒)·상치경(上齒莖)·경구개(硬口蓋) 앞쪽에 들어 올리거나 가까이 대고 내는 자음(子音). 현대 중국어의 d·t·n·l·zh·ch·sh·r·z·c·s 따위의 음》.
〔舌尖嘴损〕 shé jiān zuǐ sǔn 〈成〉 독설을 퍼붓다. 말이 신랄하다.
〔舌剑唇枪〕 shé jiàn chún qiāng 〈成〉 말이 날카롭고 힘참. 날카로운 변설(辯舌).
〔舌交〕 shéjiāo 명 키스. 입맞춤.
〔舌接法〕 shéjiēfǎ 명《植》접목법의 일종《혀 모양으로 자른 단면을 합쳐 붙들어매어 잇는 방법》.
〔舌菌〕 shéjūn 명 ⇨〔舌疳〕
〔舌门(儿)〕 shémén(r) 명 (펌프 따위의) 밸브(valve).
〔舌蜜腹剑〕 shé mì fù jiàn 〈成〉 말은 달콤하지만, 뱃속은 시꺼멓다. ¶～之人 =〔舌腹之人〕; 말은 달콤하나 실제는 음흉한 사람. =〔口蜜腹剑〕
〔舌面后音〕 shémiàn hòuyīn 명 ⇨〔舌根音〕
〔舌面前音〕 shémiàn qiányīn 명《言》전설면음(前舌面音)《표준어의 j·q·x의 음》.
〔舌衄〕 shénǜ 명《漢醫》혀에서 출혈하는 병.
〔舌人〕 shérén 명 ①통역자. ②대변인. 대표 발언자.
〔舌乳头〕 shérǔtóu 명 설유두《혓바닥에 나 있는 작은 입상(粒狀) 돌기》.
〔舌鳎〕 shétǎ 명《魚》혀가자미.
〔舌苔〕 shétāi 명 설태. ¶～发白; 백태가 끼다. =〔舌胎〕
〔舌胎〕 shétāi 명 ⇨〔舌苔〕
〔舌头〕 shétóu 명《魚》참서대.
〔舌头〕 shétou 명 ①혀. ¶大～; ⓐ큰 혀. ⓑ혀가 크다. 〈轉〉혀가 잘 돌아가지 않다 / 短～; ⓐ짧은 혀. ⓑ혀가 짧다 / ～不利落; 혀가 잘 안 돌다 / 嚼～; 함부로 말하다 / ～根子; 혀뿌리 / ～刮子; 혓바닥을 긁는 도구 / ～精; 〈比〉공연히 소문을 퍼뜨리기 좋아하는 사람 / 伸～; (이상할 때나 무서울 때 따위에) 혀를 내밀다 / ～打个滚, 赚钱不亏本; 〈諺〉혀가 잘 돌아가면 돈을 벌고 손해를 보지 않는다 / ～底下压死人; 혀끝으로 사람을 죽일 수 있다. ②적정(敵情)을 알아 내기 위해 잡아온 적의 포로. ¶为了了解敌情需要抓一个～回来; 적정을 알기 위해서 적을 한 사람 붙잡을 필요가 있다.
〔舌下腺〕 shéxiàxiàn 명《生》설하선. 타액선.
〔舌炎〕 shéyán 명《醫》설염.
〔舌叶〕 shéyè 명 혀의 가장자리.
〔舌音〕 shéyīn 명 ①《言》혓소리. 설음《설두음(舌頭音)과 설상음(舌上音)으로 나뉘며, 현대 중국어의 d·t·n 따위의 음》. ②발음.
〔舌蝇〕 shéyíng 명《蟲》체체파리《집파리과(科)의 흡혈성 파리의 총칭》. =〔萃cuì萃蝇〕〔蚩chī蚩蝇〕
〔舌痈〕 shéyōng 명《漢醫》혀가 빨갛게 붓는 병.
〔舌燥〕 shézào 형 혀가 깔깔하다.
〔舌战〕 shézhàn 명〈比〉설전. 동 논전(論戰)하다.
〔舌状花〕 shézhuànghuā 명《植》설상화.

佘 Shé (사)
명 성(姓)의 하나.

折 **shé** (절)
①동 끊어지다. 부러지다. ¶棍子～了; 막대가 부러졌다 / 绳子～了; 끈이 끊어졌다 / 宁nìng～不弯;〈成〉실패할지언정 뜻을 굽히지 않다. ②동 결손(缺損)보다. 손해보다. ¶～本(儿); ⇩ ③명 성(姓)의 하나. ⇒zhē zhé
〔折本(儿)〕 shé·běn(r)〔zhé·běn(r)〕 동 원금(元金)이 잘리다. 손해 보다. 밑지다.
〔折秤〕 shé·chèng 동 (상품이) 축나다. 좀 모자라다.
〔折耗〕 shéhào 명동 손해(보다). 손실(나다). 소모(되다).
〔折脱儿〕 shétuōr 동〈俗〉물건을 떨어뜨리다. 잃어버리다. ¶昨天我没留神～了; 어제 깜박하다가 물건을 잃었다.

阇(闍) **shé** (사)
→〔阇梨〕 ⇒dū
〔阇梨〕 shélí 명《佛》〈梵〉아사리(阿闍梨)《널리 중〔승려〕을 일컬음》.

蛇〈虵〉 **shé** (사)
명《動》뱀. ¶一条～; 한 마리의 뱀 / 海～; 바다뱀 / 蝮fù～; 살무사. ⇒yí
〔蛇床〕 shéchuáng 명《植》벌사상자. ＝〔蛇米〕〔蛇粟〕〔野yě茴香②〕
〔蛇倒退〕 shédàotuì 명《植》며느리배꼽.
〔蛇符〕 shéfú 명 (약용으로서의) 뱀의 허물.
〔蛇腹镜箱〕 shéfù jìngxiāng 명《撮》주름상자식 사진기.
〔蛇根草〕 shégēncǎo 명 ⇨〔萝luó芙木〕
〔蛇瓜〕 shéguā 명《植》하눌타리.
〔蛇管〕 shéguǎn 명 호스(hose). 대롱.
〔蛇含〕 shéhán 명《植》뱀혀. ＝〔蛇衔xián〕〔小龙牙〕
〔蛇含石〕 shéhánshí 명《漢醫》사함석. 내부에 방사상 무늬가 있는 갈철광(褐鐵鑛)《석탄층 속에서 채취됨. 경련, 사지가 아플 때에 씀》.
〔蛇黄〕 shéhuáng 명 사황《뱀의 몸 안에 생기는 결석(結石)의 일종. 한방약으로 쓰는데 구하기 어려우므로, 흔히 '蛇含石'으로 대용됨》.
〔蛇舅母〕 shéjiùmǔ 명《動》장지뱀.
〔蛇口蜂针〕 shékǒu fēngzhēn〈比〉몹시 독기가 있어 보이는 (것). 독살스러운 (것).
〔蛇麻〕 shémá 명《植》홉(hop).
〔蛇矛〕 shémáo 명 고대 병기《모(矛)의 일종》.
〔蛇莓〕 shéméi 명《植》뱀딸기. ＝〔蛇莓委陵菜〕〔地莓〕
〔蛇米〕 shémǐ 명 ⇨〔蛇床〕
〔蛇漠〕 shémò 명《漢醫》살무사의 입에서 나오는 유독한 점액(粘液).
〔蛇年〕 shénián 명 뱀해. 사년(巳年).
〔蛇皮线〕 shépíxiàn 명《樂》사피선《통에 뱀 껍질을 붙인 3현 악기》.
〔蛇皮癣〕 shépíxuǎn 명《醫》살갗이 비늘 모양으로 되는 옴.
〔蛇婆〕 shépó 명《動》바다뱀. ＝〔扁biǎn尾蛇〕
〔蛇葡萄〕 shépútao 명《植》개머루. ＝〔野葡萄〕
〔蛇蜻蛉〕 shéqīnglíng 명《蟲》뱀잠자리.
〔蛇入竹筒, 曲性难改〕 shé rù zhútǒng, qūxìng nán gǎi〈諺〉뱀이 대나무통에 들어가도 굽는 버릇은 고칠 수 없다《세 살 버릇이 여든까지 간다》.
〔蛇豕〕 shéshǐ 명〈比〉탐욕스러워 남을 해치는 사람.
〔蛇粟〕 shésù 명 ⇨〔蛇床〕
〔蛇头疮〕 shétóuchuāng 명 표저(瘭疽)《생인손·생인발》. ＝〔蛇头疔〕
〔蛇头疔〕 shétóudīng 명 ⇨〔蛇头疮〕
〔蛇头鼠眼〕 shétóu shǔyǎn〈比〉매우 교활한 모양.
〔蛇头鱼〕 shétóuyú 명《魚》꼼치.
〔蛇退〕 shétuì 명 ⇨〔蛇蜕〕
〔蛇退皮〕 shétuìpí〈比〉(뱀이 허물을 벗듯이) 옷을 훌렁 벗다.
〔蛇蜕〕 shétuì 명 뱀의 벗은 껍질〔허물〕《한방약》. ＝〔蛇退〕
〔蛇吞象〕 shé tūn xiàng〈比〉몹시 탐욕스럽다.
〔蛇纹石〕 shéwénshí 명《鑛》사문석. ＝〔温wēn石〕
〔蛇无头(而)不行〕 shé wútóu (ér) bùxíng〈諺〉뱀은 머리가 없으면 나아갈 수 없다《앞장 서는 사람이 없으면 일은 진행할 수 없다. 일을 하는 데는 지도자가 필요하다》.
〔蛇衔〕 shéxián 명 ⇨〔蛇含〕
〔蛇蝎〕 shéxiē 명 ①뱀과 전갈. ②〈比〉악랄한 인간. ¶～之心; 악독한 마음.
〔蛇行〕 shéxíng 동 ①뱀처럼 구불구불 기어가다. 지그재그로 나아가다. ¶～示威游行; 갈지자로 데모 행진하다. ②포복 전진하다.
〔蛇眼草〕 shéyǎncǎo 명《植》가지고비고사리와 비슷한 풀.
〔蛇眼蝶〕 shéyǎndié 명《蟲》굴뚝나비. 뱀눈나비.
〔蛇医〕 shéyī 명《動》도마뱀붙이.
〔蛇足〕 shézú 명〈比〉군더더기. 불필요한 여분의 것.
〔蛇足草〕 shézúcǎo 명《植》뱀톱.
〔蛇钻的窟窿蛇知道〕 shé zuānde kūlong shé zhīdao〈諺〉뱀이 뚫은 구멍은 뱀이 안다《과부 사정은 과부가 안다》.

揲 **shé** (설)
동〈文〉(많은 것을 몇 개로) 나누다《옛날에, 톱풀을 이용하여 점을 볼 때》. ⇒dié

舍(捨) **shě** (사)
동 ①버리다. 내버리다. 포기하다. ¶～身为wèi国;〈成〉나라를 위해 목숨을 버리다 / 四～五入; 사사오입하다 / 难～难离;〈成〉서로 버리고 이별하기 아쉬워하다. ②희사하다. 기부하다. ¶施～; 시주하다 / ～药; 시약하다. 무료로 약을 지어 주다. ⇒shè
〔舍本逐末〕 shě běn zhú mò〈成〉근본이 되는 것을 버리고 지엽말절(枝葉末節)을 좇다. 본말이 전도되다. ＝〔舍本从末〕〔舍本求末〕
〔舍不得〕 shěbude (헤어지기) 섭섭하다. 차마 … 못 하다. ¶～给; 주기 아깝다 / ～分手; 차마 헤어지지 못하겠다 / ～离开这儿; 섭섭해서 이 곳을 떠날 수 없다 / ～孩子套不了狼 ＝〔舍不了liǎo孩子套不着狼〕;〈諺〉눈 딱 감고 자식을 미끼로 삼지 않으면 늑대를 잡을 수 없다《어려운 경우에는 죽을 각오로써 덤벼야 성공할 수 있다》.
〔舍财〕 shěcái 동 ①재산을 버리다. ②재산을 희사하다.
〔舍茶〕 shě chá 차(茶)를 서비스하다.
〔舍此〕 shěcǐ 이것 말고. 이를 제외하고. ¶～没有; 이것 외에는 없다.
〔舍德主义〕 shědé zhǔyì 명 사디즘(sadism). ＝〔虐nüè待狂〕
〔舍得〕 shěde 동 아까워하지 않다. 미련이 없다.

¶～卖出去; 팔아 버려도 아깝지 않다 / 送给我, 你～吗? 나한테 주어도 괜찮으냐? / ～一身剐, 敢把皇帝拉下马《紅樓夢》; 〈成〉 몸은 비록 동강이 나더라도 황제를 말에서 끌어내리다《죽을 각오로 투쟁하다》.

〔舍短取长〕 shě duǎn qǔ cháng 〈成〉 남의 단점을 버리고 장점을 취하다.

〔舍哥儿〕 shěger 명 ①사회에서 소외된 사람. ②돌보는 사람이 없는 아이. ¶爹妈整天价上班孩子都成了～了; 양친이 하루 종일 일하러 나가 아이들은 모두 버려진 아이처럼 되었다. ③고아.

〔舍己〕 shějǐ 동 〈文〉 자신을 돌보지 않다. ¶～救人; 〈成〉 자신을 희생하여 남을 구하다 / ～为wèi人; 〈成〉 자신의 이익을 돌보지 않고 남을 돕다.

〔舍劲(儿)〕 shě.jìn(r) 동 힘을 쏟다. 열심히 하다. ¶只要你～干一干, 这点事情包管成; 열심히 한다면 이런 일은 틀림없이 잘 될 것이다.

〔舍近求远〕 shě jìn qiú yuǎn 〈成〉 가까운 것을 버리고 먼 것을 구하다《가까이 두고 멀리서 찾다》. =〔舍近就远〕〔舍近图远〕

〔舍脸〕 shě.liǎn 동 ①체면을 버리다. ②머리를 숙이다. ¶我不用跟他～; 나는 그에게 머리를 숙일 필요가 없다.

〔舍卖〕 shěmài 동 헐값으로 팔다.

〔舍命〕 shě.mìng 동 ①목숨을 버리다. ¶～不舍财; 〈諺〉 목숨은 버려도 돈은 안 버리다. 목숨보다 돈. ②목숨 걸고 하다. 필사적으로 하다. =〔拼命mìng〕

〔舍奶〕 shě.nǎi 동 이유(離乳)하다. 젖을 떼다.

〔舍难就易〕 shě nán jiù yì 〈成〉 어려운 것을 버리고 쉬운 것을 찾다. ↔〔舍易就难〕

〔舍弃〕 shěqì 동 포기하다. 버리다. ¶～久住之家, 到外乡去了; 정든 집을 버리고 타향으로 갔다 / 那儿块钱是不能～的; 저 몇 원의 돈은 꼭 필요한 돈이다.

〔舍却〕 shěquè 동 버리다. 포기하다.

〔舍身〕 shěshēn 동 ①몸을 바치다. 자신을 희생하다. ¶～为国; 〈成〉 나라를 위해 몸을 바치다 / 他遇到危险总是舍着身儿上前; 그는 위험한 일에 부닥치면 자신을 희생하고 전진한다. ②필사적이다. 목숨을 걸다.

〔舍生〕 shěshēng 동 목숨을 버리다〔바치다〕.

〔舍生取义〕 shě shēng qǔ yì 〈成〉 정의를 위해 목숨을 희생하다.

〔舍生忘死〕 shě shēng wàng sǐ 〈成〉 목숨을 돌보지 않다. 일신의 안위를 생각지 않다. =〔舍死忘生〕

〔舍矢〕 shěshǐ 동 화살을 쏘다.

〔舍死〕 shěsǐ 동 목숨을 버리다. 목숨을 걸다. ¶～忘生; 〈成〉 목숨을 돌보지 않다.

〔舍我其谁〕 shě wǒ qí shuí 〈成〉 나 이외에 누가 있단 말인가《자신에 찬 거만한 태도》. ¶大有～的气概; 나 아니면 안 된다라는 기개가 대단하다.

〔舍易就难〕 shě yì jiù nán 〈成〉 쉬운 방법을 버리고 어려운 길을 택하다. ↔〔舍难就易〕

〔舍与〕 shěyǔ 동 〈文〉 기부(寄附)하다.

〔舍着〕 shězhe 앞뒤 생각을 하지 않고. 어떻든 간에. 무턱대고. ¶～还了他十两金子; 무턱대고 그에게 10냥의 금을 돌려 주었다.

〔舍着身儿〕 shězheshēnr 〈京〉 틈을 보이다. ¶无论干什么他总是～让人, 大家都爱重他; 무슨 일을 하나 그는 반드시 한 걸음 물러서서 남에게 양보해 주므로, 모두 그를 좋아한다.

〔舍粥〕 shězhōu 동 옛날, (가난한 사람에게) 죽을 베풀다.

设(設) shè (설)

①동 만들다. 설치하다. ¶总局之下～分局; 총국 밑에 분국을 설치하다 / 开～一个营业处; 영업소를 한 군데 개설하다. ②동 가정하다. ¶～长方形的宽是x米; 장방형의 폭(幅)을 x미터로 가정하다. ③동 차리다. 꾸미다. ¶～宴招待; 연회석을 차리고 접대하다 / 陈～; 진열하다. ④동 계획하다. ¶～计; 설계하다. ⑤접 〈文〉 만약. 만일. ¶～有不测; 만일 뜻밖의 일이 일어나면 / ～能单边结汇, 我方则可确认; 만일 편도 결제가 가능하다면 저희는 확인할 수 있습니다.

〔设摆〕 shèbǎi 동 늘어놓다. 꾸며 놓다. 진열하다. ¶～筵席; 연회석을 마련하다.

〔设备〕 shèbèi 동 설비하다. 장치하다. ¶新建的电影院～得很不错; 신축된 영화관은 설비가 아주 훌륭하다. 명 설비. 장치. 시설. ¶厂房～; 공장 설비 / 机器～; 기계 설비. 기계 장치 / ～利用率; 설비 이용률. 명동 ①사전 준비(를 하다). ¶这事得有一番～才好; 이 일은 사전 준비가 있어야만 한다. ②방비(防備)(를 하다).

〔设布〕 shèbù 동 〈文〉 진열하다.

〔设朝〕 shècháo 동 〈文〉 (천자가) 정무를 보다.

〔设辞〕 shècí 명동 변명(하다). 발뺌(하다). ¶前日不过是我的～《紅樓夢》; 일전에는 내가 발뺌을 했을 뿐이다. =〔托tuō辞〕

〔设奠〕 shèdiàn 동 제물(祭物)을 진설하다.

〔设赌〕 shèdǔ 동 노름판을 벌이다.

〔设法〕 shèfǎ 동 방법을 강구하다. ¶新的殖民主义者正在～取代旧的殖民主义者的地位; 새로운 식민주의자는 현재 어떻게든지 옛 식민주의자의 지위를 대신하려 하고 있다.

〔设防〕 shèfáng 동 방어 시설을 하다. ¶这个城市就成为沿边～的中心; 이 도시는 변경 지대의 방어 시설의 중심이 되었다.

〔设非〕 shèfēi 접 〈文〉 만일 …이 아니라면.

〔设伏〕 shèfú 동 〈文〉 복병을 배치하다〔두다〕.

〔设弧〕 shèhú 명 〈文〉 남자의 생일.

〔设或〕 shèhuò 접 〈文〉 만약. 가령. =〔假如〕

〔设计〕 shè.jì 동 계략을 꾸미다. 방법을 세우다. (shèjì) 명동 ①설계(하다). 디자인(하다). 구상(하다). 설정(하다). ¶～了引人入胜的情节; 사람의 흥미를 자아내는 스토리를 구상했다 / 广告～; 상업 디자인 / ～书; 시방서(示方書) / ～员; 설계자. 디자이너 / 课程～; 교과 과정 계획. ②편극(編劇)(하다).

〔设阱〕 shèjǐng 동 함정을 만들다. 〈轉〉 계략을 써서 남을 함정에 빠뜨리다.

〔设酒〕 shèjiǔ 동 〈文〉 술자리를 마련하다.

〔设局〕 shèjú 동 ①사람에게 야바위치다. 흉계를 꾸미다. ¶～诓kuāng骗; 함정을 파서 사람을 속이다. ②(관청의) 국(局)을 개설하다.

〔设立〕 shèlì 동 설립〔설치〕하다. ¶～学校; 학교를 설립하다.

〔设令〕 shèlìng 접 〈文〉 설령〔설사〕 …이라도. =〔设使〕

〔设譬〕 shèpì 동 〈文〉 예를 들다.

〔设如〕 shèrú 접 ⇨〔设若〕

〔设若〕 shèruò 접 〈文〉 만일〔가령〕 …이면. ¶镀锌铁皮的锌层代铁承受～有的腐蚀; 함석판의 아연층은 만일 부식이 있을 경우 철을 대신하여 (그것

을) 견더 낸다. =〔设或〕〔设如〕
〔设色〕 shèsè 명동 (그림에) 색칠(하다). 채색(하다). ¶这幅画布局新颖, ～柔和; 이 그림은 구도가 참신하고 색상이 부드럽다.
〔设身处地〕 shè shēn chǔ dì 〈成〉 남의 입장이 되어 보다. 입장을 바꿔서 생각하다. ¶我们还要～为他们着想; 우리는 오히려 입장을 바꿔, 그들을 위해 생각해 볼 필요가 있다.
〔设施〕 shèshī 명 ①시설. ¶～部队; 영선(營繕) 부대 / 公共～; 공공 시설 / 教育～; 교육 시설. ②시책(施策).
〔设使〕 shèshǐ 접 ⇨〔设令〕
〔设誓〕 shèshì 동 〈文〉 맹세하다.
〔设帨〕 shèshuì 명 〈文〉 여자의 생일.
〔设席〕 shèxí 동 주연을 준비하다. 연석을 마련하다.
〔设险〕 shèxiǎn 동 〈文〉 요충지에 방어 시설을 하다.
〔设想〕 shèxiǎng 명동 ①상상(하다). 가상(하다). ¶不堪～; 상상할 수도 없다. ②배려〔고려〕(하다). ¶应该处处替国家～; 무슨 일이든 나라를 위해 생각해야 한다. ③구상(하다). 착상(하다). ¶～一个宏伟的目标; 웅장한 목표를 그리다〔구상하다〕/ 他的～很有价值; 그의 구상은 매우 값어치가 있다.
〔设筵〕 shè.yán 동 주연을 베풀다. =〔设宴yàn〕
〔设宴〕 shè.yàn 동 ⇨〔设筵〕
〔设有〕 shèyǒu 동 설치되어 있다. 비치되어 있다. ¶～暖房装置; 난방 장치가 설치되어 있다.
〔设在〕 shèzai 동 …에 설치〔마련〕되어 있다. ¶现代化医院～公社中心; 현대적인 병원이 인민 공사 중심에 설치되어 있다.
〔设账〕 shèzhàng 동 ①장부를 만들다. 가게를 가지다. ②〈文〉 글방에서 가르치다.
〔设置〕 shèzhì 동 ①설립〔설치〕하다. ¶～专业课程; 전문 과정을 설립하다. =〔设立〕 ②설치〔장치〕하다. ¶会场里～了扩声器; 회의장에 확성기를 설치하였다. ③설정하다. ¶先确定主题再～一种人物; 우선 테마를 확정하고 그런 다음에 인물을 설정한다.
〔设座〕 shèzuò 동 〈文〉 …에 연석을 마련하다. ¶～致美楼; 치미루에 자리를 마련하다.

厍(厙)
shè (사)
명 ①〈方〉 동네. 마을. ②성(姓)의 하나.

社
shè (사)
명 ①단체. 조직체. 조합. ¶通讯～; 통신사 / 结～; 조합을 결성하다. ②토지의 수호신을 모시는 사당(의 관리 기관). ③토지의 수호신. ④지신제(地神祭). ¶春～; 〈文〉 봄의 지신제. ⑤〈簡〉 합작사나 인민 공사 따위의 약칭. ⑥성(姓)의 하나.
〔社办〕 shèbàn 동 인민 공사가 경영하다. ¶～工厂; 인민 공사가 경영하는 공장.
〔社仓〕 shècāng 명 사창(옛날, 기근에 대비하여 좁쌀이나 보리를 저장하던 창고).
〔社队〕 shèduì 명 인민 공사와 생산 대대〔생산대〕. ¶～联营茶厂; 공사와 생산 대대가 공동 경영하는 제차(製茶) 공장 / ～脱产干部; 공사와 생산 대대의 (생산에 종사하지 않는) 상근 간부.
〔社公〕 shègōng 명 ①태어난 고장의 수호신. 지신(地神). =〔社鬼〕 ②'天老儿'(백피증으로 인한 선천적으로 피부와 모발이 백색인 사람)의 구칭. ③'蜘蛛'(거미)의 별칭.
〔社管会〕 shèguǎnhuì 명 〈簡〉 '人民公社管理委员会'(인민 공사 관리 위원회)의 약칭.
〔社鬼〕 shèguǐ 명 ⇨〔社公①〕
〔社会〕 shèhuì 명 사회. ¶～存在; 〖哲〗 사회적 존재 / ～工作; 사회 봉사 / ～青年; 학생도 아니고 취직도 하지 않은 청년 / ～名流; 명사(名士) / ～贤达; 재주와 덕이 뛰어난 사람. 사회의 지도적 인사 / ～风气; 사회의 기풍〔풍조〕/ ～渣滓; 〈貶〉 인간 쓰레기 / ～油子; 〈比〉 닳고 닳은 사람. 교활한 놈 / ～主义; 사회주의 / ～主义改造; 사회주의적 개조(사회주의의 원칙에 입각하여 비(非)사회주의적인 경제를 개조하는 일) / ～主义所有制; 사회주의적 소유제('全民所有制'와 '集团所有制'를 가리킴).
〔社会服务〕 shèhuì fúwù 명 사회 봉사.
〔社会关系〕 shèhuì guānxi 명 ①(자기의 친척·친구 등의) 교제 관계. ¶～很复杂; 인간 관계가 복잡하다. ②사회 관계.
〔社会性任务〕 shèhuìxìng rènwu 기업에 있어서의 생산과 직접 관계가 없는 갖가지 일(노동자 주택의 건설·병원의 경영 등등).
〔社会总产值〕 shèhuì zǒngchǎnzhí 명 〖經〗 사회 총생산액.
〔社火〕 shèhuǒ 명 제일(祭日)에 행하는 민간 연예('狮舞'(사자춤)·'龙lóng灯(용등)' 따위).
〔社祭〕 shèjì 명 (고장 수호신의) 제사. 동 토지신에게 제사를 지내다.
〔社稷〕 shèjì 명 ①토지의 신과 곡물의 신. ¶～坛; 베이징(北京) 평안문(平安門) 안에 있으며 황제가 지신(地神)·곡신(穀神)을 제사 지낸 제단. ②〈轉〉 국가. 사직. ¶～之臣; 사직지신. 국가의 중신.
〔社交〕 shèjiāo 명 사교. ¶～场所; 사교장.
〔社君〕 shèjūn 명 '天子'(천자)의 고칭(古稱).
〔社来社去〕 shè lái shè qù 〈成〉 인민 공사에서 학교에 들어가고, 졸업 후에 본래의 인민 공사로 돌아가는 일.
〔社论〕 shèlùn 명 사설(社說). =〔社说〕〔社评〕
〔社前茶〕 shèqiánchá 명 춘분(春分)에 딴 차.
〔社伽〕 shèqié 명 〈梵〉 중생(衆生).
〔社日〕 shèrì 명 옛날에, '土tǔ地神'을 제사 지내는 날(입춘(立春) 후 다섯 번째 무일(戊日)을 '春社②', 입추(立秋) 후 다섯 번째의 무일을 '秋社'라 함).
〔社鼠〕 shèshǔ 명 〈文〉 사당에 살고 있는 쥐(배경을 가진 사람. 통치자 측근의 간신). ¶～城狐 =〔城狐～〕; 〈比〉 후원자를 가지고 있는 악인. 통치자 측근의 간신.
〔社说〕 shèshuō 명 ⇨〔社论〕
〔社团〕 shètuán 명 ①대중에 의해 조직된 결사 단체의 총칭(노동 조합·여성 연합회·학생회 등). ②길드(guild).
〔社外农民〕 shèwài nóngmín 명 합작사(合作社)에 들어 있지 않은 농민. =〔单dān干户①〕
〔社戏〕 shèxì 명 옛날, 농촌에서 수호신에 제사 지낼 때 상연하던 연극.
〔社学〕 shèxué 명 명(明)·청대(清代)에 향(鄉)·진(鎭)에 설립된 학교.
〔社员〕 shèyuán 명 (인민 공사·합작사 등의) 사원. ¶～代表大会; '社员'의 대표자 대회.
〔社章〕 shèzhāng 명 합작사나 인민 공사 등의 규칙.
〔社长〕 shèzhǎng 명 (여행사·통신사·출판사·합작사·인민 공사 등의) 사장.
〔社址〕 shèzhǐ 명 사(社)의 소재지.

舍 shè (사)
① 명 가옥. 건물. ¶宿～; 숙사 / 客～; 객사 / 校～; 교사 / 牛～; 우사(牛舍). 외양간 / 厩～; 마구간 / 旅～; 여관. ② 명 〈謙〉 저희 집. ¶请来～一叙; 저의 집에 오셔서 환담해 주시기 바랍니다 / ～下 =〔敝～〕〔寒～〕〔寒门〕; 저의 집. ③ 대 〈謙〉 자기에 대한 비칭. ④ 접두 〈謙〉 친족 형제 중에 자기보다 손아랫사람의 호칭에 붙이는 비칭. ¶～弟; 우제(愚弟). ↔〔令lìng⑥〕〔尊〕 ⑤ 동 〈文〉 잠시 머무르다. 두류(逗留)하다. ¶～于其家; 그 집에 잠시 머물렀다. ⑥ 양 《度》 옛날에, 하루의 행군(行軍) 거리《30'里'를 1'舍'라 했음》. ¶退避三～; 〈成〉 (충돌을 피하기 위해) 멀찌감치 몸을 피하다. ⑦ 명 성(姓)의 하나. ⇒shě

〔舍次〕 shècì 명 〈文〉 군대의 야숙(夜宿).
〔舍德主义〕 shèdé zhǔyì 명 〈音義〉 사디즘 (sadism). =〔性虐待狂〕〔施虐狂〕〔残暴色情狂〕
〔舍弟〕 shèdì 명 〈謙〉 제 아우. 우제(愚弟). ↔〔令lìng弟〕
〔舍馆〕 shèguǎn 명 〈文〉 여사(旅舍). 여관.
〔舍间〕 shèjiān 명 〈謙〉 저의 집. ¶请来～一叙! 저의 집에 오셔서 이야기나 나누시지요! =〔舍下〕 ↔〔府上〕
〔舍监〕 shèjiān 명 사감.
〔舍来克〕 shèláikè 명 〈音〉 셸락(shellac). =〔充漆〕〔漆片〕
〔舍利〕 shèlì 명 《佛》 〈梵〉 (불)사리. =〔舍利子①〕
〔舍利别〕 shèlìbié 명 〈音〉 시럽(syrup). =〔糖浆〕〔糖汁〕
〔舍利酒〕 shèlìjiǔ 명 〈音〉 ⇨〔雪xuě利酒〕
〔舍利盐〕 shèlìyán 명 《化》 황산 마그네슘.
〔舍利子〕 shèlìzǐ 명 ① ⇨〔舍利〕 ②(Shèlìzǐ) 《人》 〈梵〉 불제자의 이름.
〔舍妹〕 shèmèi 명 〈謙〉 제 누이동생. 우매(愚妹). ↔〔令lìng妹〕
〔舍摩〕 shèmó 명 〈梵〉 보리수(菩提樹)의 별칭.
〔舍匿〕 shènì 동 〈文〉 은닉하다. (죄인·장물(臟物) 따위를) 숨기다〔감추다〕.
〔舍亲〕 shèqīn 명 〈謙〉 저의 친척.
〔舍然〕 shèrán 형 〈文〉 석연(釋然)하다.
〔舍人〕 shèrén 명 ①측근자(者). ②시종(侍從)하는 관리. ③귀족의 자제.
〔舍下〕 shèxià 명 〈謙〉 ⇨〔舍间〕
〔舍侄〕 shèzhí 명 〈謙〉 제 조카《자기 형제의 아들》.

拾 shè (섭)
동 오르다. 밟다. ¶～级; 〈文〉 한 발 한 발 오르다. ⇒shī shí

〔拾级而登〕 shèjí érdēng 한 단 한 단 올라가다. ¶山有步道, ～; 산에는 길이 나 있어, 한 단 한 단 올라가게 되어 있다.

涉 shè (섭)
동 ①물을 걸어서 건너다. ¶～江; 강을 걸어서 건너다 / 跋～; 풀을 헤치고 강을 걸어서 건너가다《행로가 험난함》. ②관련〔관계〕되다. ¶这件事牵～到很多方面; 이 일은 여러 면으로 관련이 된다 / 此事与你无～; 이 일은 너와 무관하다. ③세상을 살아가다. 경험하다. ¶～世不深; 세상 경험이 적다. ④(위험을) 무릅쓰다. 경험을 쌓다. ¶～险往前进; 위험을 무릅쓰고 전진하다.

〔涉笔〕 shèbǐ 동 〈文〉 붓을 놀리(어 쓰)다.
〔涉及〕 shèjí 동 관계가 …까지 미치다. 언급하다. 파급되다. 관련되다. ¶～性命的问题; 생명에 관한 문제 / 这个事件～重大问题; 이 사건은 중요한 문제와 관련된다 / 评论～该报二十一号的社评; 논평은 그 신문 21일의 사설에까지 미치고 있다.
〔涉及面〕 shèjímiàn 명 파급면. ¶～广; 파급면이 넓다.
〔涉己〕 shèjǐ 동 〈文〉 자기의 일에 관계되다.
〔涉览〕 shèlǎn 동 〈文〉 이것저것 훑어보다.
〔涉历〕 shèlì 동 〈文〉 섭렵하다. 갖가지 경험을 하다.
〔涉猎〕 shèliè 동 〈比〉 대충 훑어보다. =〔猎涉〕
〔涉世〕 shèshì 동 〈文〉 세상을 살다. 세상살이를 하다. ¶～不深; 세상 물정을 잘 모르다.
〔涉事〕 shèshì 동 〈文〉 사정을 서술하다.
〔涉水〕 shèshuǐ 동 〈文〉 강을 걸어서 건너다.
〔涉水鸟〕 shèshuǐniǎo 명 섭금류(涉禽類).
〔涉讼〕 shèsòng 동 〈文〉 소송에 관련되다.
〔涉外〕 shèwài 동 외교에 관련되다.
〔涉嫌〕 shèxián 동 〈文〉 혐의를 받다. ¶他们因～运毒而不能离境; 그들은 마약 운반의 혐의를 받아 출국할 수 없다.
〔涉险〕 shèxiǎn 동 〈文〉 위험을 무릅쓰다.
〔涉想〕 shèxiǎng 동 〈文〉 생각에 잠기다.
〔涉血〕 shèxuè 동 피바다를 건너가다. 처참한 전투를 하다.
〔涉(于)春冰〕 shè(yú)chūnbīng 봄철의 살얼음 위를 건너다. 〈比〉 대단한 위험을 무릅쓰다.
〔涉足〕 shèzú 동 〈文〉 (어떤 환경이나 생활 범위에) 발을 들여 놓다. ¶～其间; 그 속에 발을 들여 놓다.

射 shè (사)
동 ①활을 쏘다. ¶这张弓～得很远; 이 활은 먼 데까지 쏠 수 있다. ②발사하다. ¶扫～; 소사(하다). ③투기적 방법으로 취득하다. ④액체가 압력을 받아 작은 구멍으로 뿜어 나오다. 분사하다. ¶注～; 주사하다 / 喷～; 분사하다 / 管子坏了, ～了他一身的水; 파이프가 파손되어 그는 온몸에 물을 뒤집어썼다. ⑤(빛·열·전파 따위를) 방사하다. ¶光芒四～; 빛이 사방으로 비치다 / 日光从窗外～进来; 햇빛이 창문으로 쏟아져 들어오다. ⑥(생각·사상을) 넌지시 비추다. 암시하다. 빈정대다. ¶暗～; 넌지시 비추다. ⑦요행으로 큰 이득을 보려 하다. ¶～利; ⇩ ⑧(수수께끼·퀴즈 등의) 답을 맞히다. ¶麻屋子, 红帐子, 里头住着白胖子?: ～花生; 삼으로 지은 집에 빨간 장막이 쳐져 있고, 안에는 살빛이 흰 뚱뚱이가 살고 있는 것은?: 답은 땅콩. ⇒yè

〔射不着〕 shèbuzháo (쏘아서) 맞히지 못하다.
〔射程〕 shèchéng 명 《軍》 사정 (거리).
〔射出〕 shèchū 동 ①사출하다. 내쏘다. ②한 점에서 방사상으로 나오다.
〔射穿〕 shèchuān 동 쏘아서 꿰뚫다〔관통하다〕.
〔射的〕 shèdì 동 과녁을 쏘다.
〔射电望远镜〕 shèdiàn wàngyuǎnjìng 명 전파망원경.
〔射雕手〕 shèdiāoshǒu 명 〈文〉 ①활을 잘 쏘는 사람. ②〈轉〉 (일반적으로) 명수. 잘 하는 사람.
〔射垛〕 shèduǒ 명 흙으로 축조된 화살의 표적.
〔射干〕 shègān 명 《植》 범부채《뿌리는 해열·해독제로 쓰임》.
〔射工〕 shègōng 명 《動》 물여우. ⇨〔蜮yù①〕
〔射侯〕 shèhóu 명 〈文〉 (활의) 과녁. 동 활 쏘는 연습을 하다.
〔射击〕 shèjī 명동 사격(하다). 명 《體》 사격 경기.

〔射剂〕 shèjì 명 《藥》 주사약.
〔射箭〕 shè.jiàn 동 활을 쏘다. (shèjiàn) 명 《體》 아처리(archery). 양궁(洋弓).
〔射界〕 shèjiè 명 《軍》 사계. 착탄 지역.
〔射精〕 shèjīng 명동 《生》 사정(하다).
〔射篮〕 shèlán 명동 《體》 (농구에서) 슛(하다). 필드 스로(field throw)(하다).
〔射利〕 shèlì 동 〈文〉 (수단을 가리지 않고) 서둘러 이익을 얻으려고 하다.
〔射猎〕 shèliè 명동 사냥(하다). =〔打猎〕
〔射流〕 shèliú 명 분사하여 다발 모양으로 되어 있는 유체(流體). ¶～技术; 《物》 플루이딕스(fluidics). 유체 공학.
〔射门〕 shè.mén 동 《體》 (축구·핸드볼에서) 슛하다. (shèmén) 명 (축구·핸드볼의) 슛. ¶超手～; (핸드볼의) 점프 슛/小角度～; 사이드 슛/凌空倒勾～; (축구의) 오버헤드 킥에 의한 슛/倒地～; 쓰러지듯이 하는 슛.
〔射球〕 shèqiú 동명 《體》 (아이스하키 등에서) 스틱으로 공을 치다〔치기〕.
〔射人先射马〕 shè rén xiān shè mǎ 〈諺〉 사람을 쏘려면 우선 말을 쏘아라. 대장을 잡으려면 말을 쏘아라《요충지를 먼저 쳐라》.
〔射入〕 shèrù 명 《體》 슛《농구》. =〔投入tóurù〕
〔射手〕 shèshǒu 명 사수. ¶机枪～; 기관총 사수.
〔射水器〕 shèshuǐqì 명 《機》 인젝터(injector). 주수기(注水器).
〔射水枪〕 shèshuǐqiāng 명 물딱총 (장난감).
〔射死〕 shèsǐ 동 화살로 사살하다〔되다〕.
〔射踏子〕 shètàzǐ 명 ⇨〔章zhāng鱼〕
〔射帖〕 shètiě 명 과녁의 별칭.
〔射罔〕 shèwǎng 명 《漢醫》 '乌wū头' (바곳) 뿌리의 수성(水性) 엑스《종기의 근이나, 나력(瘰癧)의 치료에 쓰이며, 또 독화살로서도 쓰이었음》.
〔射乌目〕 shèwūmù 명 〈文〉 사시(斜視). 사팔눈.
〔射线〕 shèxiàn 명 ①《物》 방사선. ¶甲jiǎ种～; 알파선. ②《數》 고정된 한 점에서 단일 방향으로 그은 선. 사선. ③《軍》 사선.
〔射向〕 shèxiàng 동 …을 쏘다. …에 화살을 돌리다.
〔射幸〕 shèxìng 명동 사행(하다). ¶～心; 사행심. 요행을 바라는 마음.
〔射药针〕 shèyào zhēn 명 주사 바늘.
〔射印〕 shèyìn 명동 복사(하다). =〔复fù印〕
〔射影〕 shèyǐng 명 《數》 투영.
〔射御〕 shèyù 명 〈文〉 사어. 궁술과 마술.
〔射中〕 shèzhòng 동 ①쏘아 맞히다. ②짐작한 것이 맞다. 알아맞히다.

麝 **shè** (사)
명 ①《動》 사향노루. =〔香獐(子)〕 ②사향노루의 피선(皮腺)으로 만든 향료.
〔麝蝶〕 shèdié 명 《蟲》 사향제비나비. =〔山女郎〕
〔麝煤〕 shèméi 명 〈文〉 먹의 별칭.
〔麝墨〕 shèmò 명 〈文〉 향묵(香墨).
〔麝牛〕 shèniú 명 《動》 사향소《북아메리카 북부산(産)의 동물. 고기에서 사향 냄새가 남》.
〔麝鼩〕 shèqú 명 《動》 사향뒤쥐. ¶大～; 우수리뒤쥐.
〔麝鼠〕 shèshǔ 명 《動》 사향쥐.
〔麝香〕 shèxiāng 명 사향. ¶～皮; 사향고양이 가죽/～酮tóng; 사향 케톤(ketone). =〔麝麐〕
〔麝香猫〕 shèxiāngmāo 명 《動》 사향고양이. =〔灵líng猫〕〔香狸〕
〔麝麐〕 shèxiāng 명 ⇨〔麝香〕

赦 **shè** (사)
①동 용서하다. 사면(赦免)하다. ¶～罪; ⇩/特～; 특사(하다)/大～; 대사하다. ②명 성(姓)의 하나.
〔赦放〕 shèfàng 동 방면(放免)하다. 석방하다.
〔赦过〕 shèguò 동 과실을 용서하다.
〔赦免〕 shèmiǎn 동 (죄를) 방면하다. 사면하다. =〔赦宥〕
〔赦宥〕 shèyòu 동 ⇨〔赦免〕
〔赦罪〕 shèzuì 동 죄를 용서하다.

滠(灄) **Shè** (섭)
①명 《地》 서수이(灄水)《후베이 성(湖北省)에 있는 강 이름》. ②(shè) 지명용 자(字). ¶～口Shèkǒu; 서코우(灄口)《후베이 성(湖北省)에 있는 땅 이름》.

慑(懾〈慴〉) **shè** (섭)
동 〈文〉 ①두려워하다. 겁내다. ¶忠大伯～着眼睛看了看她; 충대백은 겁먹은 눈으로 그녀를 보았다. ②겁나게 하다. 위협하다.
〔慑服〕 shèfú 동 〈文〉 ①두려워서 복종하다. ¶在原始社会, 人们由于不能控制自然, 而～在大自然的脚下; 원시 사회에서는 사람들이 자연을 지배할 수 없었기 때문에, 대자연 아래 부복(俯伏)했었다. ②위협하여 굴복시키다.
〔慑于〕 shèyú 〈文〉 …을 두려워하다. …에 겁을 먹다. ¶～敌人的声势; 적의 세력에 겁을 먹다.

摄(攝) **shè** (섭)
동 ①들어 올리다. 받쳐 들다. ②섭취하다. 흡수하다. ¶～取养分; 양분을 취하다. ③거두다. ④돕다. 보좌하다. ⑤〈文〉 대신〔대행〕하다. ¶～位; 임시로 제위(帝位)에 오르다. ⑥단속하다. ⑦보양〔섭생〕하다. ¶～生; ⇩/惟望珍～; 〈翰〉 아무쪼록 섭생을 잘 하시기 바랍니다. ⑧(사진을) 찍다. 촬영하다. ¶合～一影; 함께 사진을 찍다.
〔摄待〕 shèdài 동 《佛》 문간에 뜨거운 차를 준비하여 놓고 행각승(行脚僧)을 접대하다.
〔摄护〕 shèhù 동 〈文〉 섭생하여 몸을 지키다.
〔摄护腺〕 shèhùxiàn 명 《生》 섭호선. 전립선(前立腺).
〔摄魂〕 shèhún 동 죽은 사람의 넋을 부르다.
〔摄魂板〕 shèhúnbǎn 명 슬레이트(slate)《영화 촬영 개시를 알리는 신호로 쓰는 딱딱이 모양의 판대기》.
〔摄理〕 shèlǐ 동 〈文〉 대리하다. =〔代理〕 명 《宗》 신의 섭리.
〔摄力〕 shèlì 명 ⇨〔引yǐn力①〕
〔摄猎〕 shèliè 동 (사진을) 찍으려고 다니다. ¶把一些动物互相搏斗的镜头～下来; 동물들이 서로 싸우고 있는 장면을 찍으러 찾아다니다.
〔摄谱仪〕 shèpǔyí 명 《物》 분광기(分光器).
〔摄取〕 shèqǔ 동 ①섭취하다. (영양 따위를) 흡수하다. ¶～食物; 음식물을 섭취하다/～氧气; 산소를 흡입하다. ②(사진·영화 따위를) 찍다. 촬영하다. ¶～几个镜头; 몇몇 장면을 촬영하다.
〔摄生〕 shèshēng 동 〈文〉 섭생하다. =〔摄卫wèi〕
〔摄士班拿〕 shèshìbānná 명 〈音〉 ⇨〔活huó搬子〕
〔摄氏〕 shèshì 명 섭씨《기호 C》. ¶～度; 《物》 섭씨 온도/～温度计; 섭씨 온도계/～零下三度; 섭씨 영하 3도.
〔摄氏温标〕 shèshì wēnbiāo 명 섭씨 온도. ℃

〔摄卫〕 shèwèi 동 ⇨〔摄生〕
〔摄小〕 shèxiǎo 동 사진을 축소하다. ↔〔放大〕
〔摄行〕 shèxíng 동 〈文〉 (직무를) 대행하다.
〔摄影〕 shèyǐng 명동 촬영(하다). ¶～记者; 사진기자 / ～机jī; 촬영기. 카메라.
〔摄影场〕 shèyǐngchǎng 명 촬영소.
〔摄影角度〕 shèyǐng jiǎodù 명 카메라 앵글.
〔摄影棚〕 shèyǐngpéng 명 (촬영소의) 스튜디오.
〔摄政〕 shèzhèng 명동 섭정(하다). ¶～王; 섭정왕.
〔摄制〕 shèzhì 동 (영화를) 촬영하여 제작하다. ¶～影片; 영화를 제작하다.
〔摄篆〕 shèzhuàn 동 〈文〉 대리하여 관인을 찍다. 직무를 대행하다.

歙

Shè (흡)
명〔地〕서 현(歙縣)《안후이 성(安徽省)에 있는 현의 이름》. ⇒xī
〔歙砚〕 Shèyàn 명 흡연《장시 성(江西省) 우위안현(婺源縣)에서 산출되는 벼루》. =〔婺源砚〕

SHEI ㄕㄟ

谁(誰)

shéi (수)
谁shuí 의 표준음(標準音).

SHEN ㄕㄣ

申

shēn (신)
① 동 진술하다. 설명하다. 말하다. ¶重chóng～前意; 앞에 말한 의미의 것을 거듭 설명하다 / 三令五～; 〈成〉 반복해서 명령하거나 설명하거나 하다. ② 동 펴다. 펼치다. ¶屈而不～; 구부러져 펴지지 않다. ③ 동 겹치다. 포개다. ④ 동 거듭하다. 중복하다. ⑤ 동 기지개 켜다. ⑥ 명 십이지(十二支)의 아홉째《원숭이》. ⑦ 명 신시(申時)《오후 3시부터 5시》. ⑧ 명 서남서의 방향. ⑨(Shēn) 명〔地〕상하이(上海)의 별칭. ⑩ 명 성(姓)의 하나. ¶～叔; ⇓ / ～屠; ⇓
〔申报〕 shēnbào 동 (서면으로 상급 또는 관계 부서에) 보고〔신고〕하다. 상신(上申)하다. ¶～单dān; 신고서. 신고 용지 / 上星期～失业的人数有50多万人; 지난주에 실업을 신고한 인원은 50만 명 남짓이다. 명 신고. 보고.
〔申报纸〕 shēnbàozhǐ 명 〈南方〉 '报纸'(신문지)의 뜻《전에 상하이(上海)에 '申报'라는 큰 신문이 있었기 때문임》.
〔申辩〕 shēnbiàn 명동 변명(하다). 해명(하다).
〔申禀〕 shēnbǐng 동 〈文〉 보고하다.
〔申补〕 shēnbǔ 명〔經〕프리미엄.
〔申陈〕 shēnchén 동 〈文〉 진술하다. 말씀드리다.
〔申呈〕 shēnchéng 동 청원하다. 명 ①청원. ②청원서.
〔申斥〕 shēnchì 명동 야단(치다). 질책(하다). 타이름〔타이르다〕. ¶严厉～淘气的孩子; 장난꾸러기를 엄하게 나무라다 / 受到～; 질책을 받다. =〔申叱〕〔申饬②〕
〔申饬〕 shēnchì 명동 ①〈文〉 신칙(하다). 계고(戒告)(하다). 견책(하다). =〔申敕〕〔申诫jiè〕 ②⇨〔申斥〕
〔申敕〕 shēnchì 명동 ⇨〔申饬①〕
〔申重〕 shēnchóng 동 〈文〉 거듭하다.
〔申旦〕 shēndàn 동 〈文〉 밤을 새우고 아침에 이르다. 밤을 새우다. ¶谈话～《世說新語》; 밤을 새우며 이야기하다.
〔申告〕 shēngào 명동 신고(하다).
〔申贺〕 shēnhè 동 〈文〉 축사를 하다.
〔申解〕 shēnjiě 명동 설명(하다). 변명(하다). 해명(하다).
〔申诫〕 shēnjiè 명동 ⇨〔申饬chì①〕
〔申敬〕 shēnjìng 동 〈文〉 경의를 표하다.
〔申救〕 shēnjiù 동 〈文〉 해명하여 구해 주다.
〔申理〕 shēnlǐ 동 〈文〉 억울함을 풀어 주다.
〔申明〕 shēnmíng 동 〈文〉 (말·글로 이유를) 밝히다. (중대한 일을) 표명하다. (선언·선고·성명을) 공표하다. ¶～理由; 이유를 밝히다 / ～态度; 태도를 표명하다. 명 공표. 표명. 해명.
〔申命〕 shēnmìng 동 〈文〉 거듭 명하다.
〔申请〕 shēnqǐng 명동 신청(하다). ¶～入党; 입당을 신청하다 / ～书; 신청서 / 入学～书; 입학원서 / 敬希详细报来价格及交易手续, 俾bǐ得便于～; 아무쪼록 가격 및 거래 절차를 자세히 알려 주시어, 저희 거래 신청에 편리하게 해 주십시오.
〔申申〕 shēnshēn 〈文〉 형 느긋하고 편안한 모양. 동 되풀이하다. 거듭하다.
〔申时〕 shēnshí 명 〈文〉 신시《오후 3시에서 5시까지의 시간》.
〔申守〕 shēnshǒu 동 〈文〉 조심해서 지키다.
〔申叔〕 Shēnshū 명 복성(複姓)의 하나.
〔申述〕 shēnshù 명동 (소망·의견·이유 따위를 상세히) 설명(하다). 진술(하다). ¶～来意; 찾아온 뜻을 말하다.
〔申水〕 shēnshuǐ ⇨〔升shēng水①〕
〔申说〕 shēnshuō 동 〈文〉 자세하게 이유를 설명하다. 진술하다.
〔申诉〕 shēnsù 명동 ①제소(提訴)(하다). ②〔法〕상고(上告)(하다). ③호소(하다). ¶有了冤枉也没处～; 억울한 일이 있어도 호소할 데가 없다. =〔伸诉〕
〔申讨〕 shēntǎo 명동 규탄(하다). 성토(하다). 탄핵(하다).
〔申屠〕 Shēntú 명 복성(複姓)의 하나.
〔申文〕 shēnwén 명 옛날, (장관에게 올리는) 상정서(上呈書).
〔申宪〕 shēnxiàn 동 〈文〉 ①법에 따라 처리하다. ②상급 기관에 보고하다.
〔申详〕 shēnxiáng 동 〈公〉 상급 관청에 문서로 상세히 설명하다〔알리다〕.
〔申谢〕 shēnxiè 동 〈文〉 사례의 뜻을 말하다.
〔申冤〕 shēn.yuān 동 ①누명〔억울함〕을 씻다. ¶～吐气; 〈成〉 억울함을 밝히고 분노를 풀다. =〔伸冤〕 ②원죄(冤罪)를 호소하다. 하소연하다.
〔申状〕 shēnzhuàng 명 상신서(上申書).
〔申准〕 shēnzhǔn 동 〈公〉 상신이 받아들여지다.
〔申奏〕 shēnzòu 동 〈文〉 천자에게 상주하다. ¶见今差人星夜～朝廷去了《水滸傳》; 지금 서둘러 사람을 파견하여 조정에 아뢰고 있는 중이다.

伸

shēn (신)
동 ①뻗치다. 펼치다. 내밀다. ¶～出右手来; 오른손을 뻗쳐 오다. ②늘어나다. ③씻다. 털다. 변명하다. ¶～冤; 원통한 일을 풀어 버리다. 신원하다. ④살다. 머무르다. ¶～在家里; 집 안에 박혀 있다. ⑤자다. 눕다.
〔伸把手儿〕 shēnbǎshǒur 〈方〉 도와 주다. 손을 빌려 주다.
〔伸脖子〕 shēn bózi ①먹고 싶어하다. 탐내다. ②목을 늘이다.
〔伸不直〕 shēnbuzhí 똑바로 펴지지 않다. 곧게 펼 수가 없다.
〔伸长〕 shēncháng 동 펴서 길어지다〔길게 하다〕. 길게 뻗다. ¶这条公路一直～到国境线; 이 도로는 국경선까지 쭉 뻗어 있다.
〔伸出〕 shēnchū 동 펴다. 펼치다. 뻗다.
〔伸大拇哥〕 shēn dàmǔgē 엄지손가락을 세우다. 〈轉〉 제일이라고 칭찬하다. =〔伸大拇指〕
〔伸开〕 shēnkāi 동 넓히다. 벌리다. ¶～手; 손을 벌리다.
〔伸懒腰〕 shēn lǎnyāo 기지개를 켜다.
〔伸眉〕 shēnméi 동 ①〈文〉 미간을 펴다(만족한 표정). ¶仰着～; 얼굴을 쳐들고 환한 표정을 짓다. ② (shēn.méi) 안심하다. ¶她一天也没伸过眉; 그녀는 하루도 걱정하지 않는 날이 없다.
〔伸欠〕 shēnqiàn 동 하품하다. =〔欠伸〕
〔伸舌头〕 shēn shétou 혀를 내밀다(경탄·공포·경멸하는 뜻).
〔伸舌啧嘴〕 shēnshé zézuǐ 혀를 내밀기도 하고, 혀를 차기도 하(며 칭찬하다. 혹은 어이없어하)다. ¶乃～的道:这也奇了! 그리하여 혀를 내밀기도 하고, 혀를 차기도 하면서 '이건 기묘하다'라고 말했다.
〔伸手〕 shēn.shǒu 동 ①손을 뻗다. ¶～不见五指 =〔～不见掌〕; 깜깜해서 한 치 앞도 보이지 않다 / ～就勾得着zháo; 손을 뻗으면 닿다. ②〈貶〉 (여력이 있어서 새로운 방면에) 손을 뻗치다. ¶他对于这号买卖也要～; 그는 이 장사에도 손을 뻗치려 하고 있다. ③도와 주다. 원조하다. ¶不能见人有难不～; 남이 어려움에 처한 것을 보고 도와주지 않을 수 없다. ④손을 내밀어 구걸하다.
〔伸手(大)将军〕 shēnshǒu (dà)jiāngjūn 〈比〉 손을 내밀어 구걸하는 사람. 거지. ¶一会儿穷得吃一碗阳春面的钱也没有了, 到处做～《周而復 上海的早晨》; 갑자기 가난해져서 국수 한 그릇 사 먹을 돈도 없어, 여기저기서 구걸을 했다.
〔伸手派〕 shēnshǒupài 명 남에게 의지하려는 사람. ¶穷就干, 自力更生, 不当～; 가난하면 일을 열심히 해서 자력으로 갱생해야지, 남에게 의지하는 사람이 되어서는 안 된다.
〔伸诉〕 shēnsù 동 해명하다. 제소〔상고〕하다. 호소하다. ¶如果不同意这次的决定, 还可以向上级机关～; 만일 이번 결정에 동의할 수 없으면, 다시 상급 기관에 상신해도 좋다. =〔申诉〕
〔伸缩〕 shēnsuō 동 ①신축(伸縮)하다. 늘었다 줄었다 하다. ¶～性; 신축성 / ～自如; 신축이 자유자재이다 / 照相机的镜头能够前后～; 카메라의 렌즈는 전후로 나왔다 들어갔다 할 수 있다. ②융통성〔탄력성〕을 갖게 하다(적당히 조절하다). ¶这件事弄得一点～的余地都没有了; 이 일은 어떻게 조치를 취해 볼 여지가 없을 정도로 돼 버렸다.
〔伸头探脑〕 shēntóu tànnǎo 살짝 엿보다. 주변을 살피면서 들여다보다.
〔伸腿〕 shēn.tuǐ 동 ①발을 뻗다. ②〈轉〉 끼여들다. (유리한) 지위를 차지하려고 하다. 간섭하다. ¶要往那里头～; 그 속에 끼여들려고 하다. ③〈口〉 죽다. 뻗다(익살스런 표현). ¶大dài夫来了, 人已经～了; 의사가 왔을 때는 이미 죽어 있었다.
〔伸小手儿〕 shēn xiǎoshǒur 〈俗〉 음식물〔재물〕에 군침을 흘리다. ¶看见酒就～了; 술을 보면 군침을 흘린다.
〔伸雪〕 shēnxuě 동 (억울한 죄를) 씻다. =〔申雪〕
〔伸腰(儿)〕 shēn.yāo(r) 동 ①허리를 펴다. ¶伸懒腰; 기지개를 켜다. ②등줄기를 똑바로 펴다(다시는 남이 넘보지 않도록 하겠다는 자세). ③〈比〉 마음놓다. 한시름 놓다. ¶不想今日咱们也～了! 오늘 우리가 허리를 쭉 펴고 편안한 기분으로 있게 될 줄은 생각지도 못했지!
〔伸冤〕 shēn.yuān 동 원한을 풀다. =〔申冤①〕
〔伸展〕 shēnzhǎn 동 넓게 퍼지다. (가지 따위가) 뻗다. ¶树枝～开了; 나뭇가지가 뻗었다.
〔伸张〕 shēnzhāng 동 늘이다. 뻗치다. 넓히다(흔히, 추상적인 것에 씀). ¶～器; 《機》 신장기. 스트레처(stretcher).
〔伸证〕 shēnzhèng 명 〈文〉 분명한〔뚜렷한〕 증거. ¶罪无～; 벌하려고 해도 확증이 없다.
〔伸直〕 shēnzhí 동 똑바로 펴다. ¶～了脖子; 목을 길게 빼다.
〔伸志〕 shēnzhì 동 〈文〉 뜻을 펴다〔실현시키다〕.

呻 shēn (신)

→〔呻呼〕〔呻唤〕〔呻吟〕

〔呻呼〕 shēnhū 동 〈文〉 (아파서) 신음하다. =〔呻唤〕
〔呻唤〕 shēnhuàn 동 ⇨〔呻呼〕
〔呻吟〕 shēnyín 명동 신음(하다). ¶病人在床上～; 환자가 침상에서 신음하다 / 周身疼痛, ～不止; 온몸이 쑤시어 쉴새없이 신음한다.

绅(紳) shēn (신)

명 ①옛날 관리들이 허리에 두르던 큰 띠. ②〈轉〉 지방에서 세력·지위를 가진 사람(옛날의 지주 혹은 퇴직 관료). ¶乡～; 향신 / 土豪劣～; (옛날의) 토호 열신.
〔绅董〕 shēndǒng 명 지방의 유력자(有力者).
〔绅宦〕 shēnhuàn 명 〈文〉 퇴직 관리.
〔绅衿〕 shēnjīn 명 ⇨〔绅士〕
〔绅民〕 shēnmín 명 〈文〉 (옛날의) 명사와 평민.
〔绅耆〕 shēnqí 명 〈文〉 명망가(名望家). 지방 신사.
〔绅商〕 shēnshāng 명 ① '绅士(신사)'와 상인. ② 대상인.
〔绅士〕 shēnshì 명 (옛날의) 명사(名士). 신사. ¶～协定; 신사 협정 / ～草帽; 파나마 모자형의 모자 / 合城绅衿都来吊唁; 성 안의 명사들이 모두 조문하러 왔다. =〔绅衿〕

珅 shēn (신)

명 〈文〉 구슬〔옥〕의 하나.

砷 shēn (신)

명 《化》 비소(砒素)(As: Arsen)(비금속 원소의 하나). =〔砒〕

〔砷化三氢〕 shēnhuà sānqīng 명 《化》 비화 수소(砒化水素).
〔砷黄铁矿〕 shēnhuáng tiěkuàng 명 《鑛》 비소·유황·철의 화합물. =〔毒dú砂〕
〔砷酸〕 shēnsuān 명 《化》 비산(砒酸). ¶～钙; 비산 석회 / ～钠; 비산 소다 / ～铅; 비산연.

屾 shēn (산, 신)

인명용 자(字).

身 **shēn** (신)
①(～儿, ～子) 명 신체. 몸. ¶上～; 상반신/～高五尺; 키 5척/这衣服正可～; 이 옷은 딱 몸에 맞는다. ②명 물체의 중요 부분. 줄기. 본체. ¶船～; 선체/车～(子); 차체. ③명 품격. ¶修xiū～; 수신하다/洁jié～自好; 〈成〉 세속에 물들지 않고 고고(孤高)함을 지키다/立～处世; 입신 처세하다(처세와 교제). ④(～子) 명 〈俗〉 임신. ¶有了～子; 아이를 배다/免～; 해산하다. ⑤명대 〈文〉 자기. 스스로. ¶以～作则; 〈成〉 스스로 모범이 되다. ⑥(～儿) 양 벌(의복을 세는 단위). ¶我做了一～儿新衣服; 나는 새 옷을 한 벌 지었다. ⑦명 〈文〉 지위(地位). 신분. ¶～败名裂; 〈成〉 지위를 잃고 명예가 땅에 떨어지다/～为主任; 주임 지위에 있다. ⇒yuán

〔身败名裂〕 shēn bài míng liè 〈成〉 실패하여 지위도 명예도 다 없어지다.
〔身板(儿)〕 shēnbǎn(r) 명 〈方〉 ①몸. 체격(흔히 상반신). ¶他～儿挺结实; 그는 체격이 아주 건장하다. ②〈比〉 건강 상태. 체력.
〔身边〕 shēnbiān 명 ①신변. ②〈轉〉 측근 사람. ③몸. 품. ¶他很用功, ～总是带着书本; 그는 매우 열심히 공부하는데, 언제나 몸에 책을 지니고 있다.
〔身边人〕 shēnbiānrén 명 〈文〉 시녀(侍女). ¶讨几个～在家里《水滸傳》; 몇 사람의 시녀를 집에 두고 있다.
〔身不动, 膀不摇〕 shēn bù dòng, bǎng bù yào 〈成〉 손 하나 까딱하지 않다(전혀 일을 하지 않다).
〔身不由己〕 shēn bù yóu jǐ 〈成〉 ①몸이 말을 듣지 않다. ②엉겁결에. 무의식중에. ‖ =〔身不由主〕
〔身材〕 shēncái 명 몸집. 체격. ¶～小巧; 몸집이 작고 귀엽다/～合中; 중간키의 몸집/～高大; 몸집이 크다/～苗条; 몸이 날씬하다. =〔身裁〕〔身框(儿)〕
〔身裁〕 shēncái 명 ⇨〔身材〕
〔身长〕 shēncháng 명 ①신장. 키. ②(옷의) 기장.
〔身穿〕 shēnchuān 동 ⇨〔身着zhuó〕
〔身底下〕 shēndǐxia 명 ①몸의 밑. 몸 아래. ¶～压着一张纸; 몸 밑에 한 장의 종이를 깔고 있다. ②신체의 하반신. ③현재 살고 있는 집. ¶～住着一所很阔的房子; 현재 한 채의 매우 훌륭한 집에 살고 있다.
〔身丁钱〕 shēndīngqián 명 (옛날의) 인두세(人頭稅).
〔身段〕 shēnduàn 명 ①(여성의) 자태. 몸매. ¶～窈窕; 자태가 아리땁다/～优美; 스타일이 좋다. ②몸짓. 거동. 몸을 놀리는 폼. ③무용화된 배우의 몸짓. ¶扮相好, ～也好; (극에서) 분장도 좋고 동작도 좋다.
〔身法〕 shēnfǎ 명 (무술의) 몸놀림. 동작술.
〔身分〕 shēnfen 명 ①(사회적 또는 법률적인) 지위. 신분. ¶他的～不错; 그의 신분은 훌륭하다/以家长的～参加了这个会; 가장의 신분으로 이 모임에 참석했다. ②〈方〉 (～儿) 품질. ¶这布的～很好; 이 천의 질은 매우 좋다. ③〈俗〉 관록. 품위. 체면. ④티. 빼기는 모습. ¶这高老先生虽是一个前辈, 却全不做～; 고 선생은 선배의 한 사람이면서 도무지 잘난 체는 하지 않는다. ‖ =〔身份〕
〔身分证〕 shēnfènzhèng 명 신분 증명서. 신분증. =〔身份证〕
〔身份〕 shēnfèn 명 ⇨〔身分〕
〔身负重任〕 shēnfù zhòngrèn 무거운 책임을 걸머지다.
〔身高〕 shēngāo 명 신장(身長). 키.
〔身个〕 shēngè 명 〈方〉 체격. ¶～很小; 체격이 매우 왜소하다.
〔身股(儿)〕 shēngǔ(r) 명 ⇨〔人rén股〕
〔身故〕 shēngù 동 (사람이) 죽다. 사망하다. ¶因病～; 병으로 죽다.
〔身后〕 shēnhòu 명 사후(死後). ¶～的事; 사후의 일/～萧条; 〈成〉 사람이 죽은 뒤, 그 집안이 궁박해지다.
〔身怀〕 shēnhuái 동 몸에 감추다. 몸에 지니다. ¶～的现款; 소지하고 있는 현금/～六甲; 〈成〉 임신하다.
〔身火〕 shēnhuǒ 명 《佛》 욕망.
〔身己〕 shēnjǐ 명 〈文〉 자기 자신. 나 자신.
〔身家〕 shēnjiā 명 ①본인과 그 집안. 일가(一家). ¶～性命; 일가의 생명. ②가문. 집안. 신원. 출신. ¶～清白; 출신이 깨끗하다.
〔身价〕 shēnjià 명 ①사회적 지위나 신분. ¶没有～的人; 신분이 없는 사람/～百倍; 〈成〉 명성이 갑자기 오르다. 일약 유명 인물이 되다/自抬～; 도도하게 굴다. ②창기·종·첩 따위의 몸값.
〔身架〕 shēnjià 명 몸매. ¶～不胖不瘦; 몸매가 뚱뚱하지도 않고 마르지도 않다.
〔身教〕 shēnjiào 동 몸소 행동으로 가르치다. ¶不仅要言教, 而且要～; 말로써 가르쳐야 할 뿐 아니라, 몸소 행동으로 가르치지 않으면 안 된다.
〔身经百战〕 shēn jīng bǎi zhàn 〈成〉 백전의 경험을 쌓고 있다. 백전 노장이다.
〔身框(儿)〕 shēnkuang(r) 명 ⇨〔身材〕
〔身魁力壮〕 shēn kuí lì zhuàng 〈成〉 몸집이 크고 힘이 장사이다.
〔身历声〕 shēnlìshēng 명 《映》 영화의 토키(talkie)(하나의 스피커에서 모든 음을 전하는 구식의 음향 방식. '动响声(입체 음향)'에 상대되는 말).
〔身量(儿)〕 shēnliang(r) 명 〈口〉 키. 신장. ¶量一量～; 키를 재다/～不高; 키가 크지 않다/宽肩膀, 大～; 넓은 어깨에, 큰 키.
〔身量段儿〕 shēnliangduànr 명 자기 분수. 자기의 입장. ¶要干什么也得先估计～; 무엇을 하든, 우선 자신의 입장을 잘 생각해 보지 않으면 안 된다.
〔身临目睹〕 shēn lín mù dǔ 〈成〉 그 곳에 가서 자신의 눈으로 보다. 몸소 그 자리에 가서 눈으로 직접 보다.
〔身临其境〕 shēn lín qí jìng 〈成〉 직접 그 자리〔입장〕에 임하다〔서다〕.
〔身派〕 shēnpài 명 몸매. 몸의 움직임. 몸가짐.
〔身旁(儿)〕 shēnpáng(r) 명 신변(身邊).
〔身腔〕 shēnqiāng 명 신체(흉복부).
〔身强力健〕 shēn qiáng lì jiàn 〈成〉 몸이 건장하고 힘이 있다. ¶希望～多福多寿! 건강하시고 행복과 장수를 누리시기를 빕니다! =〔身强力壮〕
〔身轻言微〕 shēn qīng yán wēi 〈成〉 신분이 낮으면 의견이나 권위가 서지 않는다.
〔身躯〕 shēnqū 명 〈文〉 체구(體軀). 몸집. =〔体tǐ躯〕
〔身儿〕 shēnr 명 신체. ¶这件衣服很合～; 이 옷은 몸에 잘 맞는다. 양 벌(의복을 세는 단위). ¶一～; 옷 한 벌.

〔身儿里(头)〕 shēnrlǐ(tou) 명 이야기의 요점. ¶他这话说得～了; 그의 이 이야기는 요점을 찌르고 있다.
〔身入群众〕 shēn rù qúnzhòng 대중 속에 들어가 함께 생활하다. ¶～只是联系群众的开始, 心人群众才能真正地联系群众; 대중과 함께 생활하는 것은 대중과의 연결의 시작이며, 마음이 대중 속에 들어가야지 진정하게 대중과 연결된 것이 된다.
〔身上〕 shēnshang 명 ①몸. ¶～穿一件灰色制服; 몸에 회색 제복을 입고 있다 / 我～没带钱; 나는 몸에 돈을 지니고 있지 않다. ②(생리적인) 몸. 몸의 컨디션. ¶你～不舒服, 早点去休息吧! 너는 몸이 불편하니까 일찍 가서 쉬어라! ③(사명 따위를 짊어지는 주체로서의) 몸. ¶把希望奇托在你的～; 희망을 너에게 건다.
〔身世〕 shēnshì 명 사람의 신세. 형편(대체로 불행한 경우). ¶～凄凉; 신세가 처량하다.
〔身手〕 shēnshǒu 명 〈俗〉 재주. 솜씨. 재능. ¶大显～; 실컷 솜씨를 발휘하다.
〔身首〕 shēnshǒu 명 ①몸과 목. ②〈轉〉 생명.
〔身首异处〕 shēn shǒu yì chù 〈成〉 몸과 목이 각각 다른 곳에 있음(참수(斬首)당하다).
〔身受〕 shēnshòu 동 몸소 받다. 몸으로 직접 체험하다. ¶～其苦; 몸소 그 고통을 겪다 / 感同～; 자신이 은혜를 입은 것처럼 고맙다(남의 일이지만, 고맙게 여기다).
〔身体〕 shēntǐ 명 몸. 신체. ¶我妈～不好; 어머니는 몸이 약하다 / ～有点儿不舒服; 몸이 좀 좋지 않다 / 吸烟对～健康有害; 담배는 건강에 해롭다.
〔身体力行〕 shēn tǐ lì xíng 〈成〉 직접 체험하고 그것을 실행하다.
〔身体损伤人运动会〕 shēntǐ sǔnshāngrén yùndònghuì 명 장애인 올림픽.
〔身外之物〕 shēn wài zhī wù 〈成〉 몸 이외의 것(재산 따위).
〔身亡〕 shēnwáng 동 〈文〉 목숨을 잃다. 사망하다.
〔身无长物〕 shēn wú cháng wù 〈成〉 재산이라고는 단 하나도 갖고 있지 않다. 심한 가난.
〔身先士卒〕 shēn xiān shì zú 〈成〉 스스로 병사의 선두에 서다.
〔身心〕 shēnxīn 명 심신. 몸과 마음.
〔身形〕 shēnxíng 명 ①몸의 모양. 몸가짐. 자태. ¶跪倒的～; 무릎을 꿇은 모양. ②몸의 방향. ¶转～; 몸의 방향을 바꾸다.
〔身影〕 shēnyǐng 명 ①몸의 그림자. ②모습. 신영. 형체.
〔身孕〕 shēnyùn 명동 임신(하다). ¶这女人怀着八个多月的～; 이 여인은 임신 8개월이 넘는다.
〔身在曹营, 心在汉(室)〕 shēn zài Cáo yíng, xīn zài Hàn(shì) 〈成〉 몸은 조조(曹操)의 진영 안에 있어도 마음은 한(漢)나라에 있다(몸은 적지(敵地)에 있어도 마음은 아군 속에 있다).
〔身着〕 shēnzhuó 동 입고 있다. ¶当年可是～将校服的; 당시는 장교 옷을 입고 있었다. =〔身穿〕
〔身子〕 shēnzi 명 〈口〉 ①몸. 신체. 체격. ¶光着～; 벌거벗고 / ～高; 키가 크다. ②건강 상태. ¶～不大舒服; 몸이 불편하다. ③임신. ¶～不便; (임신해서) 몸이 불편하다 / 她有了～了; 그녀는 임신했다. ④구역. 지역. ¶话说东京汴州开封府界～里…; 그래서 동경의 변주(汴州) 카이펑부(開封府)의 지역내에….
〔身子骨(儿)〕 shēnzigǔ(r) 명 〈方〉 몸. 체격. ¶您的～倒挺结实了; 당신은 아주 건강해지셨습니다 / ～软弱; 몸이 허약하다. =〔身子股(儿)〕

诜(詵) shēn (신) ①맞은편의 뜻으로, 인명용 자(字). ② →〔诜诜〕
〔诜诜〕 shēnshēn 형 〈文〉 수가 많은 모양.

侁 shēn (신) →〔侁侁〕
〔侁侁〕 shēnshēn 형 〈文〉 수가 많은 모양. 모이는 모양.

駪(駪) shēn (신) 형 〈文〉 (말이나 물건이) 많은 모양.

参(參〈蓡, 葠〉A)) shēn (삼) A) ① 명 《植》 삼. ¶人～汤; 《藥》 인삼탕. ② →〔海参〕 B) 명 28수(宿)의 하나. ⇒cān cēn
〔参膏〕 shēngāo 명 인삼 엑스.
〔参局〕 shēnjú 명 인삼·녹용 등 귀중한 약재의 도매상.
〔参苓酒〕 shēnlíngjiǔ 명 고량주에 인삼·복령(茯苓)을 넣고 빚은 약주.
〔参茸〕 shēnróng 명 인삼과 녹용.
〔参商〕 shēnshāng 명 〈文〉 ①'参'과 '商'은 모두 28수(宿)의 하나(두 별은 동시에 하늘에 나타나는 일이 없어 혈육·친구를 오래도록 만나지 못하는 것을 말함). ②〈比〉 사이가 나빠서 서로 피하고 있음.

糁(糝〈籸〉) shēn (삼) (～儿) 명 ①쌀알. ②곡물을 바순 것. ⇒sǎn

鯵(鰺) shēn (소) 명 《魚》 전갱이과(科)의 어류(총칭). ¶篮圆～; 가라지.

籸 shēn (삼) ① 명 섣달 그믐날에 정원에 소나무 장작을 쌓아 놓고 이를 태우는 행사. ② 명 〈方〉 깻묵. ¶麻má～; 참기름을 짜고난 깻묵(산시(山西) 지방의 방언). ③ '糁shēn'의 이체자.

莘 shēn (신) ①지명용 자(字). ¶～县Shēnxiàn; 선현(莘縣)(산둥 성(山東省)에 있는 현(縣) 이름). ② 형 많다. ¶～学子; 많은 학생. ③ 명 성(姓)의 하나. ⇒xīn

娠 shēn (신) 동 임신하다.

甡 shēn (신) 형 (사람 또는 동물이 많이) 모여 있는 모양. 수가 많은 모양.

深 shēn (심) ① 형 깊다. ¶这条河很～; 이 강은 대단히 깊다. ② 명 깊이. ¶这口井两丈～; 이 우물은 깊이가 2장(丈)이다. ③ 형 (세로의 길이·장소가) 깊숙하다. ¶～宅大院; ⇩ ④ 형 (생각이나 문장이) 심원(深遠)하다. 어렵다. ¶这本书太～; 이 책은 너무 어렵다 / 不要谈太～的道理; 너무 어려운 이치는 말하지 않기로 하자 / 了解得不～; 이해가 깊지 못하다. ⑤ 형 (정도가) 깊다. ¶～谈; 깊은 이야기를 하다 / ～知; 깊이 알고 있다. ⑥ 형 (관계·교제가) 깊다. ¶～交; 깊은 교제 / ～仇; 깊은 원한. ⑦ 형 (시간이) 깊다. ¶夜已～

了; 밤이 벌써 깊었다 / 年～日久; 〈成〉 세월이 지나다. ⑧형 (색깔이) 짙다. ¶颜色太～; 색깔이 너무 짙다 / ～绿色; 진초록. 농녹색. ⑨부 매우. 대단히. 깊이.
〔深黯〕 shēn'àn 형 〈文〉 시커멓다.
〔深奥〕 shēn'ào 형 (학문·이론 따위가) 심오하다. 깊고 오묘하다. ↔〔浅qiǎn近〕
〔深闭固拒〕 shēn bì gù jù 〈成〉 새로운 사물·남의 의견을 배척하고 받아들이지 않다.
〔深薄〕 shēnbó 〈成〉 ⇨〔如rú临深渊〕
〔深不可测〕 shēn bù kě cè 〈成〉 헤아릴 수 없을 정도의 깊이. 한없이 깊다.
〔深藏若虚〕 shēn cáng ruò xū 〈成〉 남 앞에서 자기의 지식이나 재능을 뽐내지 않다.
〔深查〕 shēnchá 동 〈文〉 깊이 조사하다.
〔深长〕 shēncháng 형 (의미가) 심장하다. ¶意味～; 의미 심장하다.
〔深沉〕 shēnchén 형 ①정도가 깊다. ¶～的哀悼; 깊은 애도 / 暮色～; 해질녘의 경치 / ～的夜; 고요한 밤. 깊은 밤. ②(소리가) 낮고 둔탁하다. ¶铁镐碰着冻硬的土地, 发出～的声响; 곡괭이가 얼어붙은 땅에 닿아 둔중한 소리를 낸다. ③빛깔이 짙다. ④생각·감정이 밖에 드러나지 않다. ¶这个人很～, 难以捉摸; 이 사람은 도무지 얼굴에 감정을 나타내지 않으므로 좀체로 그 본심을 알 수 없다. 명 ①(겉으로는 알 수 없는) 일의 중요성. ¶这件事很～, 不简单; 이 일은 중대하다, 간단하지 않다. ②(일의) 깊은 곳. 내실(內實). 내막. 속사정.
〔深仇〕 shēnchóu 명 깊은 원한. 내막. 속사정.
〔深仇大恨〕 shēn chóu dà hèn 〈成〉 철천지한. 골수에 사무치는 원한.
〔深黛〕 shēndài 명 《色》 짙은 청흑색(青黑色).
〔深得民心〕 shēndé mínxīn 후하게 인심을 얻다.
〔深冬〕 shēndōng 명 한겨울.
〔深洞洞(的)〕 shēndòngdòng(de) 형 심오한 모양. 깊고 휑한 모양.
〔深度〕 shēndù 명 ①깊이. 심도. ¶测量河水的～; 강의 깊이를 재다 / 达到前所未有的～; 아직까지 이르지 못했던 깊이에 도달하다 / ～计; 심도계. 깊이 게이지. ②(렌즈 따위) 도수의 강도. ¶～眼镜; 도수가 높은 안경. ③(일·인식이) 사물의 본질에 닿는 정도. ¶对这个问题大家理解的～不一致; 이 문제에 대해서 모두들 이해하는 정도가 같지 않다. ④사물이 더욱 발전하는 정도. ¶向生产的～和广度进军; 생산의 깊이와 넓이(양·질 따위)를 높이다.
〔深恩〕 shēn'ēn 명 〈文〉 깊은 은혜.
〔深翻〕 shēnfān 동 (논밭을) 깊이 갈다. (흙 따위를) 깊이 파서 뒤집다.
〔深分〕 shēnfēn 부 심하게. 깊이. 몹시. ¶不必～地说他! 그를 심하게 나무랄 것까지 없다!
〔深感〕 shēngǎn 동 깊이 느끼다. ¶～荣幸; 대단한 영광으로 생각합니다.
〔深根固柢〕 shēn gēn gù dǐ 〈成〉 기초가 튼튼하여 흔들리지 않다.
〔深更半夜〕 shēn gēng bàn yè 〈成〉 깊은 밤. 심야. 한밤중. =〔隆lóng更半夜〕
〔深耕细作〕 shēn gēng xì zuò 〈成〉 밭을 깊이 갈고 부지런히 농사짓다. ↔〔浅qiǎn耕粗作〕
〔深宫〕 shēngōng 명 〈文〉 깊숙한 궁전.
〔深沟高垒〕 shēn gōu gāo lěi 〈成〉 깊은 해자(垓字)와 높은 성《견고한 방어》. =〔深堑高垒〕
〔深痼〕 shēngù 명 〈文〉 ①고질병. ②〈轉〉 고질화된 악습.
〔深广〕 shēnguǎng 형 깊고 넓다.
〔深闺〕 shēnguī 명 〈文〉 (신분이 높거나 돈 많은) 여성의 거실. 규방.
〔深酣〕 shēnhān 형 (취하거나 마취 따위로) 몽롱하다.
〔深红色〕 shēnhóngsè 명 심홍색. 짙은 홍색.
〔深厚〕 shēnhòu 형 ①(정이) 깊다. (감정이) 농후하다. ¶～的友谊; 깊은 우정. ②(학술의 기초가) 견실하다. 단단하다. ¶他的外语基础相当～; 그의 외국어 기초는 상당히 견실하다.
〔深呼吸〕 shēnhūxī 명동 심호흡(하다).
〔深化〕 shēnhuà 동 (모순·인식 따위가) 심각해지다. 깊어지다. 심화하다. 깊게 하다. ¶～了所学的理论知识; 배운 이론 지식을 심화하였다.
〔深交(儿)〕 shēnjiāo(r) 명 깊은 교제. 깊은 우정. 동 깊이 교제하다.
〔深揭狠批〕 shēn jiē hěn pī 〈成〉 수박 겉핥기식의 적발로 끝나지 않고 가차없이 비판하다.
〔深景电影〕 shēnjǐng diànyǐng 명 《映》 비스타비전(Vista Vision)《와이드 스크린의 일종》.
〔深静〕 shēnjìng 형 밤이 깊어 조용하다〔고요하다〕. ¶夜深人静的时候; 밤이 깊어 인적이 고요한 때.
〔深究〕 shēnjiū 동 깊이 따지다. 철저히 구명하다. ¶～原因; 원인을 깊이 구명하다 / 对这些小事不必～; 이런 사소한 일은 깊이 추구할 필요가 없다.
〔深居简出〕 shēn jū jiǎn chū 〈成〉 두문 불출하다. 실사회에 접하지 않다.
〔深刻〕 shēnkè 형 ①심각하다. ¶～的影响; 심각한 영향. ②심오하다. ¶意味～; 의미가 심오하다. ③〈文〉 모질다. 너무 엄격하다. ④깊다. ¶～的印象; 깊은 인상.
〔深蓝〕 shēnlán 명 《色》 짙은 감색(紺色)〔남빛〕.
〔深了不是, 浅了不是〕 shēnle bùshì, qiǎnle bùshì 〈比〉 꼭 알맞게 처리하기가 어렵다. (하는 것이) 지나쳐도 안 되고 모자라도 안 되다. ¶后娘管孩子, ～; 계모가 아이를 다루는 것은 지나쳐도 안되고 모자라도 안 된다.
〔深垒〕 shēnlěi 동 〈文〉 방어를 공고히 하다.
〔深莽〕 shēnmǎng 명 〈文〉 울창한 풀숲.
〔深昧〕 shēnmèi 형 〈文〉 깊숙하고 어둡다.
〔深渺〕 shēnmiǎo 형 〈文〉 심원(深遠)하다.
〔深谋远虑〕 shēn móu yuǎn lǜ 〈成〉 주도하게 계획하고 먼 장래도 고려하다.
〔深目〕 shēnmù 명 〈文〉 오목눈.
〔深藕色〕 shēn'ǒusè 명 짙은 자줏빛.
〔深怕〕 shēnpà 동 매우 두려워하다. ¶～秀才的竹杠《鲁迅 阿Q正傳》; 수재의 대나무 몽둥이를 몹시 두려워하다.
〔深浅〕 shēnqiǎn 명 ①깊이. ¶你去打听一下这里河水的～, 能不能蹚水过去! 이 강의 깊이는 어느 정도인지, 걸어서 건널 수 있는지를 물어 보아라! ②〈比〉 정도. 분별. ¶说话没～; 말에 분별이 없다 / 未知宣王意～; 선왕의 생각이 어떤지를 모르다.
〔深堑高垒〕 shēn qiàn gāo lěi 〈成〉 ⇨〔深沟高垒〕
〔深切〕 shēnqiè 형 ①절실하다. 깊다. 절절하다. ¶对这点有特别～的体会; 이 점에 대하여 특별히 절실한 체험이 있다. ②(정 따위가) 깊다. 정성이 담겨 있다. ¶～的关怀; 정성스러운 배려. ③(마음에) 꼭 맞다. 매우 적절하다. ¶这篇论文非常～; 이 논문은 아주 적절하다.

〔深情〕 shēnqíng 명 깊은 정. 깊은 감정. ¶～厚谊;〈成〉깊고 두터운 우정.
〔深秋〕 shēnqiū 명 ⇨〔老lǎo秋〕
〔深人〕 shēnrén 명〈文〉식견(識見)이 높은 사람. ¶～无浅语;〈諺〉식견이 높은 사람은 천박한 말을 하지 않는다.
〔深入〕 shēnrù 동 깊이 들어가다. 핵심에 다가서다. ¶那事～了他的脑筋; 그 일은 그의 뇌리에 깊이 새겨졌다/～人心; 남의 마음에 깊이 파고들다/～生活, ～实际, 真实地反映现实生活; 깊이 생활에 파고들고, 깊이 실제에 파고들어, 사실적으로 현실 생활을 반영하다. 형 철저하다. 심각하다. 투철하다. ¶～地分析; 깊이 파고들어가서 분석하다.
〔深入浅出〕 shēn rù qiǎn chū〈成〉①도리·내용은 깊으나 말은 알기 쉬움. ¶他的文章和讲话从来都是～; 그의 문장이나 강연은 종전부터 늘 내용은 심오하지만 표현은 알기 쉽다. ②깊은 곳까지 연구하여 그것을 쉽게 설명하다.
〔深色〕 shēnsè 명 짙은 빛깔. ¶～酱油; 빛깔이 짙은 간장.
〔深山〕 shēnshān 명 깊은 산. 심산. ¶～老林; 깊은 산의 노목이 나 있는 숲.
〔深深〕 shēnshēn 부 매우 깊이. 깊이깊이. 깊숙이. ¶～作下揖去《儒林外史》; 깊숙이 고개를 숙이다/～体会到; 단단히 체득하다.
〔深识〕 shēnshí 명 심원한 식견〔지식〕.
〔深水炸弹〕 shēnshuǐ zhàdàn 명〖軍〗수중 폭탄. 폭뢰(爆雷). 뎁스 봄(depth bomb).
〔深思〕 shēnsī 동〈文〉심사하다. 깊이 생각하다. ¶～熟虑; 심사숙고하다.
〔深邃〕 shēnsuì 형〈文〉①깊다. 후미지다. ¶～的山谷; 후미진 산골짜기. ②심오하다. ¶哲理～; 철리가 심오하다.
〔深通〕 shēntōng 동〈文〉정통하다.
〔深透〕 shēntòu 형 ①깊이 통하다. ②투철하다. 철저하다. ¶理解得很～; 철저히 이해가 되어 있다.
〔深挖洞, 广积粮, 不称霸〕 shēnwādòng, guǎngjīliáng bùchēngbà 지하호를 깊이 파고, 널리 양식을 저장하며, 패권을 부르짖지 않다.
〔深望〕 shēnwàng 동 깊이 희망하다. 갈망하다.
〔深为所感〕 shēn wéi suǒ gǎn〈成〉깊이 느끼는 데가 있다. 깊은 감명을 받다.
〔深文〕 shēnwén 명〈文〉깊은 뜻이 있는 문장. 심원한 문구.
〔深文周纳〕 shēn wén zhōu nà〈成〉사실에 입각하지 않고 억지로 죄명을 덮어씌우다.
〔深恶〕 shēnwù 동〈文〉몹시 싫어하다〔미워하다〕.
〔深恶痛绝〕 shēn wù tòng jué〈成〉(어떤 사람·어떤 사물을) 극도로 증오함.
〔深悉〕 shēnxī 동 충분히 이해하다.
〔深宵〕 shēnxiāo 명〈文〉심야(深夜).
〔深心〕 shēnxīn 명 깊은 생각.
〔深信〕 shēnxìn 동 깊이〔굳게〕 믿다.
〔深省〕 shēnxǐng 동〈文〉깊이 반성하다〔생각하다〕. ¶令人～; 사람을 깊이 반성케 하다. =〔深醒〕
〔深夜〕 shēnyè 명 심야.
〔深一步浅一步〕 shēn yī bù qiǎn yī bù〈比〉(길이 울퉁불퉁해서) 발걸음이 흐트러지기 쉬운 모양. 발걸음이 휘청거리는 모양. =〔深一脚浅一脚〕
〔深意〕 shēnyì 명 깊은 뜻.
〔深饮〕 shēnyǐn 동〈文〉많은 술을 마시다.
〔深油绿〕 shēnyóulǜ 명 거무스름한 녹색.
〔深鱼白〕 shēnyúbái 명 연노랑색.
〔深渊〕 shēnyuān 명 ①심연. 물이 깊은 못. ¶万丈～; 한없이 깊은 못. ②〈比〉위험한 지경.
〔深渊薄冰〕 shēn yuān bó bīng〈成〉⇨〔如rú临深渊〕
〔深渊履薄〕 shēn yuān lǚ bó〈成〉⇨〔如rú临深渊〕
〔深远〕 shēnyuǎn 형 (영향·의의 등이) 심원하다. 심각하고 거대하다.
〔深造〕 shēnzào 동〈文〉깊이 파고들어 연구하다. ¶～求精;〈成〉깊이 연구하여 정교한 경지에까지 달하다. 명〈文〉깊은 연구. 깊은 조예.
〔深宅大院〕 shēn zhái dà yuàn〈成〉깊숙이 자리잡은 넓은 저택. ↔〔浅qiǎn门浅户〕
〔深湛〕 shēnzhàn 형 깊고도 상세하다. ¶～的著作; 심오하면서도 매우 세밀한 저서/功夫～; 심도 깊은 수련을 쌓고 있다. 수련의 정도가 굉장하다.
〔深圳〕 Shēnzhèn 명〖地〗선전〖광둥 성(廣東省)에 있는 시(市) 이름〗.
〔深知〕 shēnzhī 동〈文〉충분히〔깊이〕 알다.
〔深致〕 shēnzhì 명〈文〉그윽한 심지(心地). 원대한 포부.
〔深挚〕 shēnzhì 형〈文〉열중하다. 깊고 진지하다.
〔深重〕 shēnzhòng 형 (재난·타격·피해 따위가) 심하다. 심각하다. ¶罪孽～; 죄가 많다/经济危机的～; 경제 위기의 심각함.

棽

shēn (림, 침)
→〔棽棽〕

〔棽棽〕 shēnshēn 형〈文〉무성한 모양.

燊

shēn (신)
형〈文〉활활 타는 모양.

什〈甚〉

shén (십)〈심〉
대 무엇. 무슨. →〔什么〕⇒shí, '甚' shèn

〔什般〕 shénbān 대〈古白〉어떤. 무슨. ¶窗儿下～情绪《董解元 西廂記諸宮調》; 창 밑에서는 어떤 심정인가.
〔什处〕 shénchù 대〈古白〉어디. =〔何hé处〕
〔什的〕 shénde 대〈古白〉무엇. ¶那柬jiǎn帖说个～?《宣和遺事》; 그 초대장에 무엇이라 적혀 있었느냐? =〔什底〕
〔什底〕 shéndǐ 대 ⇨〔什的〕
〔什么〕 shénme 대 ①의문 대명사(疑問代名詞). 무엇. ¶这是～? 이것은 무엇인가?/做～ =〔干～〕; ⓐ무엇을 하느냐. ⓑ무엇 때문에. 왜/他说过～没有? 그가 무엇인가 말하던가?/你找～? 너는 무엇을 찾고 있니? ②지시 대명사(指示代名詞). 무엇. ¶我～都行; 나는 무엇이라도 좋다/他没说～; 그는 아무 말도 하지 않았다/国民需要我做～, 我就做～; 국민이 이 사람에게 해 주었으면 하고 원하는 것은 무엇이든지 해 드리겠습니다. ③의문 형용사(疑問形容詞). 무슨. 어떤. 여하한. ¶～东西; ⓐ어떤 물건. ⓑ어떤 놈/～时候(儿); 언제/～地方; 어디/你买～书? 너 어떤 종류의 책을 사는 거냐? 너 무슨 책을 사는 거냐?/还分～男女? 어떻게 남자니 여자니 하고 구

별하고 있을 수 있겠느냐? ④부정(不定) 형용사(形容詞). 무엇인가. ¶你有～事吗? 너 무슨 용무냐?/他是不是受了～委屈; 그는 무슨 억울한 일을 당한 게 아닌가. 注 의문 조사 '吗'와 함께 문장에 쓰일 때는 부정(不定)의 의미를 지님. ⑤(목적어로 하거나 또는 목적어를 수식하여) 비난을 나타냄. ¶你笑～? 자네 무엇을 웃고 있는 거야? ⑥생각이 나지 않거나 불확실한 것을 나타냄. ¶那里有叫～白兔的小孩子; 그 곳에 '白兔'라든가 하는 아이가 있다. ⑦상대방의 발언에 '什么'를 붙여 거듭 말하고 반대나 동의하지 않음을 나타냄. ¶～非用不行? 쓰지 않으면 안 된다니 무슨 말을 하는 거냐? ⑧몇 개의 병렬 성분(並列成分) 앞에 쓰이어 열거할 수 없는 것을 총괄하는 뜻을 나타냄. ¶～自由, 平等, 不过是为了他们自身; 무슨 자유라든지 평등이라는 것은 단지 그들 자신을 위한 것일 따름이다.

〔…什么的〕 …shénmede …따위. …등등《한 개의 성분 또는 병렬하는 몇 개의 성분 뒤에 쓰임》. ¶他就喜欢看文艺作品～; 그는 문예 작품 따위를 보는 것을 좋아한다/红的、白的、黑的～; 빨간 것, 흰 것, 검은 것 등등. =〔…甚么的〕

〔…什么似的〕 …shénmeshìde 완전히. 온통. 참으로. ¶乐lè得～; 참으로 즐거워하다/他相信得～; 그는 완전히 믿는 것 같다. =〔…甚么似的〕

〔什么样〕 shénmeyàng 대 어떠한. ¶你喜欢～的料子? 당신은 어떤 천을 좋아합니까?

〔什么走啊〕 shénmezǒua 걷는다고 할 수 있는 것이 아니다. ¶～, 简直是起跑; 걷는다는 게 아니고, 그냥 냅다 달리고 있는 것이다.

〔什人〕 shénrén 대〈古白〉누구. 어떤 사람. =〔何hé人〕

〔什日〕 shénrì 대〈古白〉언제. 어느 날. ¶～休, 儿时了liǎo《董解元 西廂記諸宮調》; 언제 끝이 날지. =〔何hé日〕

〔什时〕 shénshí 대〈古白〉언제. =〔何hé时〕

〔什事〕 shénshì 대〈古白〉무슨 일. =〔何hé事〕

神 shén (신)

①명 신. ¶无～论; 무신론/多～教; 다신교/供的什么～? 어떤 신을 모시고 있나? ②명 신선(神仙). 귀신. ③명 마음. 정신. 혼. 신경. 기력. 주의력. ¶劳～; 골머리를 앓다/聚精会～; 〈成〉정신을 집중하다/费～; 마음을 쓰다/伤～ =〔耗～〕; 신경을 쓰다/留～; 주의하다. ④형 신비롭다. 비범하다. 불가사의하다. ¶我听了觉得真～; 나는 그것을 듣고 정말 이상하게 생각했다/你说的简直～了, 哪有人能飞的! 네가 말하는 것은 정말 기상천외이다. 어떻게 사람이 날 수 있단 말이냐! ⑤형 썩 잘 진행되다. 훌륭하다. ¶这一仗打得真～! 이 일전(一戰)은 참 훌륭했다!/你熟得都～了, 还想练到什么程度? 넌 벌써 충분히 숙련되어 있다. 도대체 어디까지 연습하려는 거냐?/不～啦; 아주 틀려 먹었다. ⑥명 생기. 활기. ¶说话带～; 말투에 생기가 돌다. ⑦(～儿) 명 표정. 안색. ¶你瞧他这个～儿; 그의 저 표정 좀 보아라. ⑧형〈方〉영리하다. ¶比诸葛亮还～了; 제갈량(諸葛亮)보다 영리하다. ⑨명 성(姓)의 하나.

〔神板〕 shénbǎn 명 판자를 벽 사이에 설치하고, 그 앞에서 향을 피워 신을 예배하는 둥베이(東北) 특유의 옛 풍속.

〔神不知, 鬼不觉〕 shén bù zhī, guǐ bù jué 〈成〉귀신도 모르게. 아무도 모르게.

〔神采〕 shéncǎi 명 정신과 풍채. 표정. 자태. 기색. 안색. ¶～奕奕; 〈成〉윤기가 흐르고 원기 왕성하다.

〔神草〕 shéncǎo 명 신초. 약용 인삼의 별칭.

〔神策〕 shéncè 명〈比〉신책. 신기한 계책.

〔神叉棍子〕 shénchāgùnzi 명 ⇨〔神叉子〕

〔神叉子〕 shénchāzi 명 ①재치 있는 사람. 약삭빠른 사람. ¶他那个～上不了当; 그 사람처럼 머리가 잘 돌아가는 사람은 속임수에 걸리지 않는다. ②노익장(老益壯)인 사람. ¶这个老头儿八十多了, 还～似地什么都问, 什么都管; 이 노인은 여든이 넘었는데도 원기왕성해서 무엇이든지 말참견을 하고 무엇이든지 관여하려 한다. ‖=〔神叉棍子〕

〔神差鬼使〕 shén chāi guǐ shǐ 〈成〉귀신이 곡할 노릇이다. 귀신이 조화를 부리다《자신의 의사가 아니라, 배후에 있는 무언가에 의해 지도되어 행동하고 있는 듯한 현상》. ¶～, 决非偶然; 귀신이 조화를 부린 것이지 결코 우연한 일이 아니다. =〔神谋魔道〕

〔神驰〕 shénchí 동〈文〉마음이 달리다〔쏠리다〕. 생각이 간절하다. 그리워하다. ¶无日不～左右; 〈翰〉당신을 생각하지 않는 날이 단 하루도 없습니다.

〔神出鬼入〕 shén chū guǐ rù 〈成〉①신출 귀몰. ②자못 뜻이 있을 것 같은 모양. ‖=〔神出鬼没〕

〔神厨〕 shénchú 명 '神龛kān' 밑에 놓는 문짝 있는 장《내부는 몇 단으로 칸막이가 되어 있어, 신불 도구나 경문(經文) 등을 넣어 두는 장소로 쓰임》.

〔神吹海聊〕 shén chuī hǎiliáo 〈方〉여러 가지 이야기를 하다. 재잘재잘 세상 이야기를 하다.

〔神道〕 shéndào 명 ①묘 앞의 길. ¶～碑; ⓐ무덤 앞에 세우는 비석. 신도비. ⓑ비문. ②귀신의 조화. 신의 도리. ③〈口〉신. 귀신. ¶～设教; 〈成〉귀신·화복(禍福)의 이야기로 사람을 훈계하다/我说这～最灵; 말해 두는데, 이 신이 제일 영검하단다.

〔神道〕 shéndao 형〈俗〉갓난아이가 원기가 좋다. 생기 발랄하다. ¶这么点儿的孩子, 见着人又蹦又笑的多～! 이렇게 조그만 아이가 사람을 보면 뛰고 웃고 정말 생기가 발랄하다.

〔神抖抖, 精干干〕 shéndǒudǒu, jīnggāngān 원기가 넘치고 힘이 들어 있는 모양.

〔神方〕 shénfāng 명 ①〈比〉매우 효과가 있는 약의 처방. ②가지(加持) 기도 등의 계시에 의한 미신적인 처방.

〔神峰〕 shénfēng 명〈文〉뛰어난 풍채. =〔神锋〕

〔神福〕 shénfú 명 신의 화상을 그린 종이《신을 제사 지낼 때 씀》. ¶烧shāo～; 신의 화상을 태워 신을 제사 지내다. 동 신에게 제사를 지내 복을 빌다.

〔神父〕 shénfù 명 '神甫'의 구칭.

〔神甫〕 shénfu 명《宗》(천주교의) 신부.

〔神工鬼斧〕 shén gōng guǐ fǔ 〈成〉(건축·조각 따위의 기술이) 정교해서 사람의 솜씨라고 생각되지 않다. =〔神画鬼刻〕〔鬼斧神工〕

〔神功〕 shéngōng 명〈比〉혁혁한 공훈.

〔神怪〕 shénguài 명 신선과 요괴(妖怪). 형 기괴하다. 불가사의하다.

〔神汉〕 shénhàn 명 박수《남자 무당》. 기도사(祈禱師).

〔神乎其神〕 shén hū qí shén 〈成〉①참으로 신기하다. 희한하다. ¶这马戏班的妙技真是～; 이 곡마단의 묘기는 참으로 신기하다. ②고답적(高踏

的)이어서 뜻을 알 수 없다.
〔神虎虎(的)〕 shénhǔhǔ(de) 형 (표정에) 원기·기력이 넘쳐 있는 모양.
〔神化〕 shénhuà 동 신격화하다. 명 헤아릴 수 없는 변화.
〔神话〕 shénhuà 명 ①신화. ②황당무계한 이야기.
〔神画鬼刻〕 shén huà guǐ kè 〈成〉 ⇨〔神工鬼斧〕
〔神魂〕 shénhún 명 정신. 의지. 마음. ¶ ～颠倒; 〈成〉 정신이 어리둥절하다〔나가다〕 / 定一定～; 마음을 좀 가라앉히다.
〔神机妙算〕 shén jī miào suàn 〈成〉 놀라운 기지(機智)와 절묘한 계획.
〔神机营〕 shénjīyíng 명 청대(清代), 신식 장비의 정예 부대의 이름.
〔神迹〕 shénjì 명 ①신불(神佛)에 의한 기적. 영험(靈驗)의 자취. ¶ 显xiǎn～; 기적을 나타내다. ②영지(靈地).
〔神奸〕 shénjiān 명 〈比〉 나쁜 일에 대단한 솜씨가 있는 사람.
〔神鉴〕 shénjiàn 동 〈比〉 명찰(明察)하다. 눈치가 빠르다.
〔神交〕 shénjiāo 명 의기 투합한 (정신적인) 교제. 만난 적은 없으나 기분이 서로 통하는 사이. 동 〈文〉 (만나 보지는 않았지만) 의기 투합하다.
〔神经〕 shénjīng 명 《生》 신경. ¶ ～不安; 신경 불안 / ～病; 《醫》 신경병. 정신병 / ～毒气; 신경가스 / ～过敏; 신경 과민. 신경질적이다 / ～战; 신경전 / ～错乱; 정신 착란 / ～性皮炎; 《醫》 신경성 피부염 / ～痛; 신경통.
〔神驹〕 shénjū 명 〈比〉 명마. 준마(駿馬).
〔神龛〕 shénkān 명 감실(龕室). 옛날, 조상의 신주나 신의 화상을 모셔 두는 장.
〔神力〕 shénlì 명 신력. 신의 위력. 신통한 힘.
〔神聊〕 shénliáo 동 〈俗〉 제멋대로 지껄이다. 엉터리 말을 하다.
〔神灵〕 shénlíng 명 신령. 신의 총칭. 형 〈文〉 신기하다.
〔神龙〕 shénlóng 명 신비스러운 용. ¶ ～见首不见尾; 〈比〉 신비적이어서 때로는 모습을 나타내고 때로는 모습을 감추다. 나타났다가는 사라지고 사라졌다가는 나타나 붙잡기 힘들다.
〔神马儿〕 shénmǎr 명 ⇨〔纸zhǐ马(儿)〕
〔神眉鬼道(儿)〕 shén méi guǐ dào(r) 〈成〉 ①기승스러운 성질. ②득의양양한 모양. ③신(神)들린 모양. ¶ 他时常有点儿～; 그는 늘 신들린 것 같은 데가 있다. ‖ =〔神神道道〕
〔神秘〕 shénmì 명형 신비(하다). ¶ ～地说; 무슨 까닭이 있는 듯이 말하다 / ～的口气; 신비스러운 말투 / 故意做出～的样子; 일부러 신비스러운 모습을 보였다.
〔神妙〕 shénmiào 형 신묘하다. 뛰어나게 훌륭하다. 불가사의하다. ¶ ～莫测; 〈成〉 헤아릴 수 없을 정도로 오묘하다 / 笔法～; 필법이 신묘하다.
〔神庙〕 shénmiào 명 신묘. 사당.
〔神明〕 shénmíng 명 ①신(神)의 총칭. ¶ 奉若～; 〈成〉 신처럼 받들다 / 拜～; 신을 예배하다. ②(사람의) 정신. 형 신명하다.
〔神谋魔道〕 shén móu mó dào 〈成〉 ⇨〔神差鬼使〕
〔神木〕 shénmù 명 ⇨〔凶xiōng木②〕
〔神鸟〕 shénniǎo 명 〈文〉 봉황(鳳凰)의 별칭.
〔神农(氏)〕 Shénnóng(shì) 명 《人》 신농씨《농업·의약·교역(交易)의 시조로 치는 전설의 황제. 호는 '炎yán帝'. '三sān皇'의 하나》. =〔大庭②〕
〔神女〕 shénnǚ 명 ①여신(女神). ②〈俗〉 매춘부. 기생. ③《鳥》 까치.
〔神牌〕 shénpái 명 ⇨〔神主〕
〔神品〕 shénpǐn 명 신품. 절묘한 작품《회화 따위》.
〔神婆(子)〕 shénpó(zi) 명 〈方〉 무당. =〔女巫〕
〔神奇〕 shénqí 형 신비롭고 기이하다. 신기하다. 드물다. ¶ 这些古代传说都被人们渲染上一层～的色彩; 이들 고대의 전설은 사람들에 의해 윤색되고 한층 신기한 색채로 꾸며졌다 / 还有许许多多动人心弦的故事又～, 又迷人; 그리고 사람의 심금을 울리게 하는 많은 이야기가 있으며, (그것들은) 신기하고 사람을 미혹시킨다.
〔神祇〕 shénqí 명 〈文〉 신기. 천신(天神)과 지신(地神). 신들.
〔神气〕 shénqi 명 ①신령의 기운. ②정신. 마음. ③열정. 열의. ④기색. 표정. 태도. ¶ 不屑置辩的～; 변명하는 것조차 쑥스럽다는 듯한 표정. ⑤일의 상황. 형 ①우쭐거리는 모양. 득의 양양한 모양. ②원기가 있다. 생기가 돌다. ¶ 觉着很～; 매우 원기 있게 여겨지다. ③눈치가 빠르다. ④훌륭하다. 멋지다. ¶ 连上面的油漆都是崭新的, 多～! 페인트까지 모두 새로 칠해서 아주 보기 좋다! 동 젠체하다. 뻐기다. 뽐내다. 우쭐대다. ¶ ～十足; 되게 뻐기다 / 好～; 장한 듯이 / ～什么? 뭘 뽐내느냐?
〔神气活现〕 shén qì huó xiàn 〈成〉 ①의기 양양한 모양. ②건방진 모양. ③귀신의 재주처럼 뛰어난 모양. ¶ 一个五岁的小女孩儿一登台就得了头奖, 真是～; 겨우 다섯 살 먹은 계집아이가 무대에 올라가더니 1등을 땄다. 정말 귀신 같다. ④원기 왕성한 모양.
〔神钱〕 shénqián 명 1전짜리 동전 모양으로 오린 종이로, 신불을 예배할 때 태움.
〔神枪手〕 shénqiāngshǒu 명 사격의 명수.
〔神清气爽〕 shén qīng qì shuǎng 〈成〉 마음〔기분〕이 상쾌하다.
〔神情(儿)〕 shénqíng(r) 명 얼굴 표정. 안색. 기색. ¶ 他～一变, 羡慕地看看我; 그는 표정을 싹 바꾸고는 부러운 듯 나를 쳐다보았다.
〔神曲〕 shénqū 명 《漢醫》 신국(神麴)《예로부터, 식욕 증진과 건위·정장 등의 효과가 있다고 여겨진 누룩 모양의 약》.
〔神儿〕 shénr 명 ①(흔히, 경멸의 뜻으로) 표정. 태도. 꼴. ¶ 你看他那～, 就不像发财的; 그의 저 꼴을 봐라. 부자 같지는 않다. ②(추상적인) 알맹이. 내용. 정신. ¶ 没～了; 알맹이가 없어졌다 / 庙miào还是那个庙, ～不是那个～了; 형식은 그대로인데 내용은 전과 다르다.
〔神儿鬼儿〕 shénr guǐr 명 귀신이라든가 유령이라고 하는 것. ¶ 我对于～的都不信; 나는 귀신이라든가 유령이라고 하는 것을 일절 믿지 않는다.
〔神人〕 shénrén 명 〈文〉 ①도가(道家)에서 득도한 사람. 선인(仙人). ②풍채가 훌륭한 사람. 당당한 사람. ③신처럼 뛰어난 사람. ④신과 인간.
〔神色〕 shénsè 명 안색. 기색. 신색. ¶ ～忽忙; 태도가 침착하지 못하다 / ～自若; 표정이 태연자약하다.
〔神神道道〕 shén shen dào dào 〈成〉 ⇨〔神眉鬼道(儿)〕
〔神神气气〕 shénshen qìqì 미친 것 같다. ¶ 这儿

天, 他又～的, 不知道又犯什么毛病! 요 며칠, 그는 미친 놈처럼 보이는데, 또 무슨 병이 도진 게 아닐까!
〔神圣〕 shénshèng 형 신성하다. ¶～的任rèn务; 신성한 임무 / ～同盟; 《史》 신성 동맹.
〔神手〕 shénshǒu 명 묘수(妙手). 신기(神技)에 도달한 사람.
〔神荼郁垒〕 shēnshū yùlǜ 명 '度朔山'의 귀문(鬼門)에서, 사람에게 해를 끼치는 나쁜 귀신이 출입하는 것을 붙잡아 호랑이에게 잡아먹게 한다는 전설의 두 신《음력 정월에 집집마다 문에 붙이는 '门mén神'의 신상(神像)은 왼쪽이 '神荼', 오른쪽이 '郁垒'라 하며, 또, '秦琼'과 '尉yù迟敬德'의 두 무장(武將)의 상(像)이라고도 함》.
〔神术〕 shénshù 명 신기한 술법.
〔神思〕 shénsī 명 ①정신과 생각. ②정신 상태. 기분. ¶～恍惚; 정신이 빠져 멍한 모양. 기분이 황홀한 모양.
〔神似〕 shénsì 형 매우 닮다. 흡사하다. ¶他画的虫鸟, 栩栩如生, 十分～; 그가 그린 곤충이나 새는 생기가 넘쳐 있어서 정말로 진짜와 똑같다.
〔神速〕 shénsù 형 놀랄 정도로 빠르다. 신속하다. ¶收效～; 효과가 즉시 나타나다 / 兵贵～; 용병은 신속함을 귀히 여긴다.
〔神算〕 shénsuàn 명 〈比〉 매우 정확한 계산〔견적·관측·예측〕.
〔神台〕 shéntái 명 〈俗〉 옛날, 가정에서 신불을 모신 대(臺).
〔神态〕 shéntài 명 표정과 태도. ¶他～恢复了正常; 그의 표정·태도는 정상을 회복하였다 / ～端庄; 표정·태도가 단정하고 침착하다.
〔神天〕 shéntiān 명 하늘의 신. 하느님. ¶～报应无虚设《董解元 西廂記諸宮調》; 하느님의 응보도 까닭이 없는 것이 아니다. =〔天神〕
〔神通〕 shéntōng 명 신령스럽고 기묘해서 무슨 일이든지 자유자재로 행할 수 있는 능력. 신통력. ¶～广大; 〈成〉 널리 신통력이 미치다《때로 풍자적으로도 쓰임》 / 施展～; 솜씨를 발휘하다. 형 신통력이 있다. 신통하다.
〔神童〕 shéntóng 명 신동. =〔圣shèng童〕
〔神头鬼脸〕 shén tóu guǐ liǎn 〈成〉 기괴한 꼴〔모습〕. ¶这么～的被人瞧见多不好意思! 이런 기괴한 모습을 남들이 본다면 꽤 쑥스럽겠지! =〔神头鬼面〕
〔神头鬼面〕 shén tóu guǐ miàn 〈成〉 ⇨〔神头鬼脸〕
〔神往〕 shénwǎng 동 동경하다. 마음이 끌리다. 사모하다. ¶西湖春色, 令人～; 시후(西湖)의 봄 경치는 사람의 마음을 끌어당긴다.
〔神威〕 shénwēi 명 ①신과 같은 위력. ②신의 위력. ¶发挥～; 신의 위력을 발휘하다 / 大显～; 신위를 크게 떨치다.
〔神位〕 shénwèi 명 ⇨〔神主〕
〔神味〕 shénwèi 명 사람이 남에게 주는 일종의 느낌.
〔神巫〕 shénwū 명 기도사(祈禱師). 무당.
〔神武〕 shénwǔ 〈文〉 명 뛰어난 무용. 형 영명하고 위풍당당하다《주로 제왕·재상·장군에 대해 칭찬하는 말》.
〔神武门〕 shénwǔmén 명 베이징(北京)의 옛 황성의 북문.
〔神物〕 shénwù 명 〈文〉 ①드물게 보는 진귀한 물건. ② ⇨〔神仙①〕
〔神悟〕 shénwù 명 신과 같은〔빠른〕 이해력. 동 신과 같이〔재빠르게〕 이해하다.
〔神仙〕 shénxian 명 ①신선. =〔神物②〕 ②〈比〉 앞일을 내다볼 수 있는 사람. ③〈比〉 유유자적한 사람.
〔神仙葫芦〕 shénxiān húlu 명 ⇨〔链liàn转滑车〕
〔神仙一把抓〕 shénxiān yībǎzhuā 〈比〉 단번에 성공하다. 일거에 효과를 보다. ¶瞧病总得慢慢地见效, 哪能～; 의사의 진찰을 받는다 해도 차차 효력이 나는 것이지, 단번에 병을 고칠 수는 없다.
〔神香〕 shénxiāng 명 선향(線香).
〔神相〕 shénxiàng 명 ①용한 관상쟁이. ②신상(神像). ③고인(故人)의 상(像).
〔神像〕 shénxiàng 명 ①신상. 신불의 화상(畫像). ②신불의 조각상. ③죽은 사람의 초상. 유영(遺影).
〔神效〕 shénxiào 명 뛰어난 효력. 탁월한 효과.
〔神心〕 shénxīn 명 〈文〉 정신. 마음.
〔神学〕 shénxué 명 《宗》 신학. ¶～家; 신학자.
〔神医〕 shényī 명 명의. 신의.
〔神异〕 shényì 형 이상야릇하다. 기묘하다. ¶所以也算得一件～; 그러니까 좀 불가사의한 일이라고도 할 수 있는 것이다. 명 신선과 요괴.
〔神意(儿)〕 shényì(r) 명 ①신의. 신의 뜻. ②정신. 의지.
〔神鹰〕 shényīng 명 《鳥》 콘도르(스 condor)《조장(鳥葬)을 하는 티베트 등지에서는 독수리에게 시체를 먹게 하기 때문에 이렇게 말함》.
〔神颖〕 shényǐng 형 〈文〉 뛰어나게 우수하다. ¶～夙彰; 〈成〉 뛰어나게 우수한 것이 일찍이 알려지다.
〔神勇〕 shényǒng 명 초인적 용기. 형 용맹스럽다. 과감하다. ¶他～而准确地射击; 그는 과감하고 정확하게 사격했다.
〔神游〕 shényóu 동 〈文〉 ①몸에서 혼이 빠져 나가 돌아다니다. ②어느 곳에서 놀고 있는 듯한 기분이 들다. ③어딘가로 놀러 갈 마음이 있다.
〔神佑〕 shényòu 명 〈文〉 신우. 천우신조.
〔神余〕 shényú 명 남은 제물(祭物).
〔神舆〕 shényú 명 신여. 제례에 쓰는 영여(靈輿).
〔神宇〕 shényǔ 명 표정〔기색〕과 풍채.
〔神韵〕 shényùn 명 〈文〉 ①(예술상의) 아취(雅趣). (문장·글씨·그림 따위의) 기품. ②(사람의) 분위기. 기품.
〔神职〕 shénzhí 명 신관(神官). ¶～人员; 천주교·그리스 정교회 등에서 종교 사무를 관장하는 전임 직원.
〔神纸〕 shénzhǐ 명 신불에 예배할 때에 태우기 위해 마제은(馬蹄銀)·집·인형 등의 모양으로 만든 종이.
〔神纸马儿〕 shénzhǐmǎr 명 종이에 인쇄한 신상(神像)《제사가 끝나고 불사름》.
〔神志〕 shénzhì 명 정신과 의지. 의식. ¶～不清; 의식이 맑지 않다 / ～完全清醒了; 의식을 완전히 회복했다.
〔神智〕 shénzhì 명 ①정신과 지혜. ②신지. 뛰어난 지혜.
〔神州〕 Shénzhōu 명 ①전국 시대에 추연(騶衍)이 중국을 '赤县神州'라고 칭하여, 후세에 중국의 미칭(美稱)으로 쓰임. ②송대(宋代) 경기(京畿)를 가리킴.
〔神主〕 shénzhǔ 명 신주. =〔神牌〕〔神位〕〔神坐〕〔版bǎn位〕〔木mù主〕
〔神姿〕 shénzī 명 〈文〉 풍채.

〔神坐〕 shénzuò 명 ⇨〔神主〕

钟(鉮) **shén** (신) 명《化》아르소늄(AsH₄: arsonium)(비소 화합물의 하나).

沈(瀋) **shěn** (심) A) ①지명용 자(字). ¶～阳 Shěnyáng; 선양(瀋陽)(랴오양 성(遼寧省)에 있는 땅 이름). ②명 즙. 물방울. ¶汗出如～; 뚝뚝 떨어질 정도로 땀을 흘리다. B) 명 성(姓)의 하나. ⇒ '沉' chén

〔沈山铁路〕 Shěn Shān tiělù 명《地》선양(瀋陽)·산하이관(山海關) 간의 철도 이름(전장 426킬로).

审(審) **shěn** (심) ①형 상세하다. 세밀하다. ¶精～; 매우 상세하다. ②동 소상히 하다. ③동 상세히 조사하다. 심사하다. 분석하다. 연구하다. ¶～稿; 원고를 심사하다 / ～定; 심사하여 정하다. 검정(檢定)하다. ④동 재판하다. 심문〔심리〕하다. ¶公～; ⓐ공판을 열어 심문하다. ⓑ공개하여 (대중의 손으로) 취조하다. ⑤〈翰〉(자세히) 알다. ¶不～近况何如? 근황은 어떠하십니까? ⑥부〈文〉참으로. 과연. ¶～如是也; 과연 이와 같다. ⑦명 성(姓)의 하나.

〔审案〕 shěn.àn 동 사건을 심리하다.

〔审办〕 shěnbàn 동 재판하다.

〔审查〕 shěnchá 명동 (계획·제안·저작 등이나 특히 개인의 경력·경향을) 심사(하다). ¶～来历; 내력을 심사하다. =〔审察〕

〔审察〕 shěnchá 동 자세히 관찰하다. 검사하다. ¶不根据实际情况进行讨论和～是做不好事情的; 실제 상황에 따라 토론하고 검사하지 않으면 일을 훌륭히 해낼 수 없다. 명동 ⇨〔审查〕 명 심찰.

〔审处〕 shěnchǔ 동 ①심리하다. 공판에 부쳐 처리하다. ¶送法院～; 법원에 송치하여 처리하다. ②심사하여 처리하다. ¶报请上级机关～; 상급 기관에 상고(上告)하여 심사 처리하다. 명 심사〔심리〕 처리.

〔审订〕 shěndìng 동 심사하여 수정하다.

〔审定〕 shěndìng 동 심사하여 정하다.

〔审断〕 shěnduàn 동 심사 판결하다. ¶～不明; 판결이 공정치 못하다.

〔审夺〕 shěnduó 동〈文〉심사하여 결정하다.

〔审度〕 shěnduó 동〈文〉잘 살피어 고려하다.

〔审干〕 shěngàn 명동〈簡〉간부의 심사(를 하다) ('审查干部'의 준말). ¶～工作; 간부를 심사하는 일.

〔审核〕 shěnhé 동 상세히 연구 심의하다. ¶～预算; 예산을 심사 결정하다. 명 심사 결정.

〔审计〕 shěnjì 명동 회계 검사(를 하다). ¶～制度; 감사 제도.

〔审究〕 shěnjiū 동〈文〉심사 규명하다.

〔审勘〕 shěnkān 동〈文〉(사건을) 재심리(再審理)하다.

〔审理〕 shěnlǐ 명동《法》(안건을) 심리(하다).

〔审美(感)〕 shěnměi(gǎn) 명 심미(감).

〔审明〕 shěnmíng 동〈文〉조사하여 밝히다.

〔审判〕 shěnpàn 명동《法》재판(하다). 심판(하다). 검정(하다). ¶～员; 판사 / 受～; 재판을 받다 / 进行～; 재판을 하다.

〔审判官〕 shěnpànguān →〔承chéng审员〕

〔审批〕 shěnpī 동 (상급 기관이 하급 기관의 보고 등을) 심사 허가하다〔비준하다〕.

〔审慎〕 shěnshèn 형〈文〉면밀하고 신중하다. ¶～地考虑; 신중하게 고려하다.

〔审时度势〕 shěn shí duó shì〈成〉시기와 형세를 판단하다. 시세(時勢)를 잘 보다.

〔审时观变〕 shěn shí guān biàn〈成〉시세의 변천을 잘 관찰하다.

〔审视〕 shěnshì 동〈文〉(조심해서) 자세히 보다. ¶他上车以后逐个～车上的人; 그는 차에 오르고는 차에 탄 사람을 한 사람 한 사람 자세히 보았다.

〔审问〕 shěnwèn 명동 심문〔취조〕(하다). =〔审讯〕〔讯xùn问①〕

〔审细〕 shěnxì 동〈文〉조심스럽게 세밀히 조사하다.

〔审讯〕 shěnxùn 명동《法》심문(尋問)(하다). 취조(하다). 문초(하다). ¶～室; 취조실. ‖=〔审问〕〔讯xùn问①〕

〔审议〕 shěnyì 명동 심의(하다). 심사(하다).

〔审音〕 shěnyīn 동 이독사(異讀詞)의 발음을 심사 결정하다.

〔审阅〕 shěnyuè 동 심사 인가하다. 심사 열람하다.

谉(讅) **shěn** (심) 동 (자세히) 알다. ¶～知; 알다 / ～悉; 상세히 알다. =〔谂①〕

渖(瀋) **shěn** (심) 명〈文〉즙(汁). 물. ¶墨～未干; 먹물이 아직 마르지 않다(약속·계약 따위를 취소할 수 있는 여지가 있음) / 汗出如～; 뚝뚝 떨어질 정도로 땀이 나다.

婶(嬸) **shěn** (심) (～儿, ～子) 명 ①아버지의 동생의 처. 숙모. 작은 어머니. ②시동생의 처. 동서. ¶小～; 아랫동서. ③아주머니(어머니와 같은 연배나 또는 젊은 기혼 부인을 이르는 말). ¶大～儿; 아주머니.

〔婶母〕 shěnmǔ 명 숙부의 처. 숙모(흔히 서면어(書面語)로, 남에 대해서 씀). =〔〈方〉婶娘〕〔婶儿〕〔〈方〉婶婶〕〔婶子〕

〔婶娘〕 shěnniáng 명 ⇨〔婶母〕

〔婶婆〕 shěnpó 명 시숙모(媤叔母).

〔婶儿〕 shěnr 명 ⇨〔婶母〕

〔婶婶〕 shěnshen 명 ⇨〔婶母〕

〔婶丈母娘〕 shěnzhàng mǔniáng 명〈俗〉처숙모. 아내의 숙모. 장인의 아우의 아내.

〔婶子〕 shěnzi 명 ⇨〔婶母〕

哂 **shěn** (신) 동 ①미소짓다. ¶微～不语; 미소를 지을 뿐 말하지 않다 / 祈勿～其拙陋; 그 졸렬함을 웃지 말아 주십시오. ②조소하다.

〔哂存〕 shěncún〈套〉⇨〔哂纳〕

〔哂纳〕 shěnnà〈套〉소납하여 주십시오. ¶伏请～是幸;〈翰〉소납하여 주시면 고맙겠습니다 / 望乞～是幸;〈翰〉(보잘것 없는 것이지만) 받아 주시면 다행입니다 / 请你～吧; 소납하여 주시길 바랍니다. =〔哂存〕〔哂收〕

〔哂收〕 shěnshōu〈套〉⇨〔哂纳〕

〔哂笑〕 shěnxiào 동 조소하다.

矧 **shěn** (신) 부〈文〉하물며. 더구나. ¶十日犹嫌其迟, ～一月乎! 열흘도 기다리기가 힘든데, 하물며 한 달이라니!

谂(諗) **shěn** (심) 동①〈翰〉상세히 알다. ¶素～先生于此道深有研究; 선생께서 이 방면에 대해 깊이 연구하셨다는 것은 진작부터 잘 알고 있습니다. =〔谉〕②권고하다. 타이르다.
〔谂知〕 shěnzhī 〈翰〉 자세한 내용을 잘 알았나이다. =〔谂悉〕

瞫 shěn (심)
동 〈文〉 눈여겨보다. 주시하다.

肾(腎) shèn (신)
①명 《生》 신장(腎臟). =〔肾脏〕〔〈口〉 腰yāo子〕 ②→〔肾子〕 ③생식 기능. ¶补bǔ~; 정력을 증강하다.
〔肾病〕 shènbìng 명 《醫》 신장병.
〔肾肝〕 shèngān 명 《生》 신장과 간장.
〔肾结石〕 shènjiéshí 명 《醫》 신석증(腎石症). 신장 결석.
〔肾蕨〕 shènjué 명 《植》 단발고사리.
〔肾亏〕 shènkuī 명 《醫》〈俗〉 신허(腎虛)《남성의 생식기 쇠약》.
〔肾囊〕 shènnáng 명 《漢醫》 음낭(陰囊).
〔肾上腺〕 shènshàngxiàn 명 《生》 부신(副腎).
〔肾上腺皮质素〕 shènshàngxiàn pízhìsù 명 《生》 부신 피질 호르몬. =〔风fēng湿甾酮〕
〔肾上腺素〕 shènshàngxiànsù 명 에피네프린(epinephrine). 아드레날린(adrenaline). 에피레나민(Epirenamine). =〔副fù肾碱〕〔副肾素〕
〔肾下垂〕 shènxiàchuí 명 신하수증(腎下垂症). 유주신(遊走腎).
〔肾痫〕 shènxián 명 《漢醫》 신장병으로 인해 일어나는 간질. =〔猪zhū痫〕
〔肾炎〕 shènyán 명 《醫》 신염.
〔肾叶山蓼〕 shènyè shānliǎo 명 《植》 나도수영.
〔肾盂〕 shènyú 명 《生》 신우. ¶~肾炎; 신우신염/~炎; 신우염.
〔肾脏〕 shènzàng 명 《生》 신장《예로부터 '睾gāo丸'을 '外wài肾', '~'을 '内nèi肾'이라 하였음》. =〔腰yāo子〕
〔肾子〕 shènzǐ 명 《生》〈俗〉 고환(睾丸).

甚〈乇〉 shèn (심)
①부 매우. 대단히. 몹시. ¶~好; 대단히 좋다/其言~是; 그 말은 참으로 옳다/~觉无味; 아주 재미 없다. ②형 지나치다. 심하다. ¶欺人太~; 〈成〉 사람을 업신여기는 것이 너무 심하다/过~; 너무나도 심하다/日~一日; 〈成〉 하루하루 심해지다/他说得未免过~; 그의 말은 아무래도 지나친 것 같다. ③형 낫다. ¶无~于此者; 이보다 나은 것은 없다. ④대 〈方〉 무엇. 무슨. 어떤. ¶姓~名谁? 이름은 무엇이냐?/有~说~; 말하고 싶은 것은 무엇이고 말하다. ⇒'什' shén
〔甚低频〕 shèndīpín 명 《電》 초장파(超長波).
〔甚而〕 shèn'ér ⇨〔甚至zhì(于)〕
〔甚高频〕 shèngāopín 명 초단파. =〔甚高频率〕
〔甚过〕 shènguò 〈文〉 …보다 심하다. …이상(以上)이다.
〔甚或〕 shènhuò ⇨〔甚至(于)〕
〔甚实〕 shènshí 부 〈文〉 실로. 확실히. 참으로. ¶~斯文清秀; 참으로 고상하고 청신하다.
〔甚嚣尘上〕 shèn xiāo chén shàng 〈成〉 (소문 따위에 대해) 의론이 분분한 모양.
〔甚焉者〕 shènyānzhě 명 〈文〉 심한 것. ¶尚有~矣yǐ; 또한 더 심한 것이 있다.
〔甚雨〕 shènyǔ 명 〈文〉 소나기.
〔甚至(于)〕 shènzhì(yú) 부 심지어 …까지도. …조차도. ¶有的~这样说; 심지어 이렇게 말하는 사람까지 있다/~还有的窃取国家经济情报; 심지어는 국가의 경제 정보를 훔치는 자조차도 있다. 개 …까지도. ¶~小孩子也知道; 어린아이조차도 알고 있다. 접 게다가. 더욱이. 그 위에. ¶不但是诓骗人, ~明火路劫他都敢做; 사람을 속일 뿐만 아니라, 심지어는 노상 강도까지도 그라면 한다. ‖ =〔甚而〕〔甚或〕

葚 shèn (심)
명 《植》 오디. =〔桑sāng葚〕 ⇒ rèn

椹 shèn (심)
'葚shèn'과 통용. ⇒ zhēn

黮 shèn (심)
→〔桑sāng黮〕 ⇒ tǎn

胂 shèn (신)
명 《化》 아르신(arsine)류(類)《유기비소 화합물의 하나》.

渗(滲) shèn (삼)
동 ①스미다. 배어들다. ¶~进去; 스며들다/~下去; 배어들다/水~到土里去了; 물이 흙 속에 스며들었다. ②새다. ¶雨水由房顶~下来; 빗물이 지붕으로 새어들다/那茶壶有点儿~水; 이 주전자는 좀 샌다. ③(무서워) 오싹해지다. ¶半夜里谈鬼怪~得慌的; 밤중에 괴담(怪談)을 하면 아주 무섭다. =〔瘆③〕
〔渗出〕 shènchu 동 삼출하다. 배어 나오다.
〔渗氮〕 shèndàn 명 ⇨〔氮化〕
〔渗氮钢〕 shèndàngāng 명 ⇨〔氮化用钢〕
〔渗沟〕 shèngōu 명 배수구《흐르지 않고 물이 스며들도록 만든 하수구. 구멍을 파고 벽돌을 밑에 깔아 만듦》.
〔渗进〕 shènjìn 동 침입하다. ¶~敌阵; 적진에 침입하다. =〔渗人②〕
〔渗井〕 shènjǐng →〔渗坑〕
〔渗酒〕 shèn.jiǔ 동 술을 홀짝홀짝 마시다. ¶你别渗着玩儿不喝酒! 너, 그렇게 홀짝홀짝 마시지 마라!
〔渗坑〕 shènkēng 명 하수구가 없는 뜰이나 도로의 배수를 위해 한쪽 구석을 파서 오수나 빗물이 흘러들어 땅 속으로 스며들도록 구축한 배수 구멍《그 깊은 것을 '渗井'이라고 함》.
〔渗凉儿〕 shènliángr 형 〈方〉 몹시 차다. 살을 에듯 차다《주로 중복하여 사용함》. ¶连着下了几天雨就这么~~的; 비가 며칠 계속 내려 날이 이렇게 차졌다.
〔渗漏〕 shènlòu 동 ①새다. 누설되다. ②침식되다. 침습되다.
〔渗漉〕 shènlù 동 (걸러져서) 나오다. 새다.
〔渗铝〕 shènlǚ 명동 알루미늄 도금(을 하다)《강철 제품을 알루미늄 가루 속에서 장시간 가열하여, 제품의 표면에 알루미늄과 철의 합금이 생기게 함으로써, 부식 방지의 표층(表層)을 형성케 하는 일》.
〔渗滤器〕 shènlǜqì 명 ①여과기. =〔滤器〕 ②퍼컬레이터(percolator).
〔渗人〕 shènrén 동 ⇨〔瘆人〕
〔渗入〕 shènrù 동 ①액체가 스미다. ②〈比〉 (어떤 세력이) 침입하다. =〔渗进〕
〔渗水〕 shèn shuǐ 물이 스며들다.
〔渗碳〕 shèntàn 명 침탄(浸炭). =〔碳化〕
〔渗碳钢〕 shèntàngāng 명 ①탄소 침투에 적합한 강철. ②삼탄강.
〔渗碳体〕 shèntàntǐ 명 ①시멘타이트(cemen-

tite). =〔碳化三铁〕〔碳化铁〕 ②삼탄 조직《삼탄법이라는 열처리에 의해서 강재(鋼材)의 표층(表層)의 탄소 함유량을 증가시킨 조직》.

〔渗透〕 shèntòu 동 ①《物》 삼투하다. ¶～性; 삼투성. 투과성. ②스며들다. ¶雨水～了泥土; 빗물이 진흙 속에 스며들었다. ③〈比〉 (추상적인 사물이나 세력이) 침투하다. ¶经济～; 경제적 침투.

〔渗泄〕 shènxiè 명 《漢醫》 소변의 별칭.

瘆(瘮) shèn (삼)
동 (남을) 무서워하게〔놀라게〕 하다. ¶～得慌; 몹시 무서워하다.

〔瘆人〕 shènrén 동 사람을 두려워하게 만들다. 사람을 위협하다. =〔渗人〕〔慎人〕

慎 shèn (신)
①동 〈文〉 삼가다. 조심하다. ¶谨言～行; 말과 행동을 조심하다 / 口出不～; 말을 조심하지 않다 / 开车失～; 차를 운전하다가 깜빡하(여 사고를 일으키)다. ②동 중히 여기다. ③동 두려워하다. (무서워서) 소름이 오싹 끼치다. ¶半夜外面一声长嗥, 真～得慌; 밤중에 밖에서 짐승의 긴 울음소리를 들으면 정말 소름이 오싹 끼친다. =〔渗③〕 ④동 〈方〉 늦다. 꾸물거리다. ¶做事别～着; 일을 꾸물꾸물해서는 안 된다. ⑤부 부디. 꼭. 절대로. ¶此墙危险, ～勿靠近; 이 담은 위험하오니 절대 다가서지 마시오. ⑥명 성(姓)의 하나.

〔慎独〕 shèndú 명동 〈文〉 신독(하다)《혼자 있을 때에도 도리에 어그러짐이 없도록 삼가다》.

〔慎密〕 shènmì 형 〈文〉 조심스럽다. 신중하다. 치밀하다. 면밀하다.

〔慎默〕 shènmò 형 〈文〉 신중하여 말이 적다.

〔慎人〕 shèn rén 남을 두렵게 하다. 오싹하게 하다. =〔瘆人〕〔渗人〕

〔慎始〕 shènshǐ 동 〈文〉 처음부터 신중하게 하다.

〔慎思〕 shènsī 동 〈文〉 신사하다. 신중히 생각하다. ¶～熟shú虑; 신중히 고려하다.

〔慎微〕 shènwēi 동 〈文〉 사소한 일도 소홀히 하지 않다.

〔慎刑司〕 shènxíngsī 명 청대(清代), 내무부(内務府)에 속하여, 태감(太監)의 범죄를 심의하는 관청.

〔慎行〕 shènxíng 동 〈文〉 조심하여 행하다. 신중히 행동하다.

〔慎着〕 shènzhe 동 〈方〉 꾸물거리며 지연시키다. ¶做事别～, 最好到手就做; 일을 하는데 우물쭈물 미뤄서는 안 된다. 제일 좋은 것은 일이 주어졌을 때 바로 하는 것이다.

〔慎终〕 shènzhōng 동 〈文〉 ①끝을 잘 마무리하기 위해 신중히 하다. ②부모의 장제 기복(葬祭忌服) 따위를 정중히 하다.

〔慎重〕 shènzhòng 동 신중히 하다. ¶凡事总要～; 무슨 일이나 신중히 해야 한다. 형 ①신중하다. ¶～考虑; 신중하게 고려하다. ②엄숙하다.

蜃 shèn (신)
명 《貝》 대합(大蛤). =〔蜃蛤〕

〔蜃车〕 shènchē 명 (주대(周代)의) 영구차(靈柩車).

〔蜃楼〕 shènlóu 명 신기루. =〔蜃景〕〔蜃市〕〔海市〕〔海市蜃楼〕

〔蜃气〕 shènqì 명 신기루 현상.

〔蜃市〕 shènshì 명 ⇨〔蜃楼〕

〔蜃炭〕 shèntàn 명 대합 껍질로 만든 석회.

SHENG ㄕㄥ

升〈昇[A)], 陞[A)④]〉 shēng (승)
A) 동 ①상승하다. 올라가다. 떠오르다. 올리다. ¶气球～到天上去了; 풍선이 하늘로 올라가 버렸다 / 上～; 상승하다 / 直～飞机; 헬리콥터 / 请您再～一～! 상좌로 옮겨 앉으십시오! ②해가 떠오르다. ③하늘까지 올리다. ¶～黄表也不怕; '黄表纸'를 불살라 하늘까지 올린대도〔하느님께 호소한대도〕 조금도 무서울 것이 없다《결백하다》. ④승진하다. B) ①양 《度》 용량 단위의 하나. 리터(liter). ¶公～ =〔〈音〉 立突〕; 리터의 구칭 / 千～; 킬로리터. 구칭은 '公秉' / 百～; 헥토리터. 구칭은 '公石' / 十～; 데카리터. 구칭은 '公斗'. ②양 되《'市升'의 약칭》. ③(～子) 명 되. 됫박《곡류를 되는 기구》. ④명 성(姓)의 하나.

〔升班〕 shēng.bān 동 〈口〉 (학생이) 진급하다. =〔升级②〕

〔升车〕 shēng chē 〈文〉 차에 (올라)타다.

〔升沉〕 shēngchén 명 ①(인생의) 부침. ②승진과 영락(零落).

〔升等〕 shēngděng 동 관등(官等)이 오르다.

〔升殿〕 shēngdiàn 동 궁전에 올라가다. 참조(參朝)하다. 입궐하다.

〔升调〕 shēngdiào 명 《言》 음성을 높이는 성조. 상승 음조.

〔升跌〕 shēngdiē 명 (물가의) 오름과 내림. 고저. 등락.

〔升斗〕 shēngdǒu 명 1 '升' 들이 되와 1 '斗' 들이 말. ¶～小民; 그 날 벌어 그 날 사는 사람들.

〔升发〕 shēngfa 동 발전하다. 관위(官位) 따위가 오르고 부자가 되다. 훌륭하게 되다. ¶一旦～了, 你可要给咱受苦人当主心骨儿!《梁斌 紅旗譜》; 높은 사람이 되거든 너는 우리 고생하고 있는 사람들의 기둥이 되어 다오!

〔升帆〕 shēngfān 동 돛을 올리다.

〔升浮〕 shēngfú 동 ①(연기 따위가) 모락모락 오르다. ②(냄새 따위가) 풍겨 나오다. 감돌다.

〔升赋〕 shēngfù 명 ⇨〔起qǐ科〕

〔升高〕 shēnggāo 동 위로 오르다. 높이 오르다.

〔升格〕 shēng.gé 동 승격시키다〔하다〕. 승진시키다〔하다〕. ¶将外交关系由公使级～为大使级; 외교 관계를 공사급에서 대사급으로 승격시키다. (shēnggé) 명 승격.

〔升工〕 shēnggōng 명동 출근율이 양호한 자에 대한 임금 가급(加給)(을 하다). =〔赏shǎng工〕

〔升汞〕 shēnggǒng 명 《化》 승홍. 염화 제2 수은. 맹홍(猛汞). =〔二èr氯化汞〕〔氯lǜ化(高)汞〕〔猛měng汞〕

〔升官〕 shēngguān 동 ①벼슬이 올라가다. ②출세하다.

〔升官发财〕 shēng guān fā cái 〈成〉 ①관위(官位)가 올라 부자가 되다. ②관리가 되어 돈을 벌다.

〔升官晋爵〕 shēng guān jìn jué 〈成〉 위계(位階)·훈등(勳等)이 오르다.

〔升官图〕 shēngguāntú 명 승경도(陞卿圖)《옛날, 오락 기구의 하나》.

〔升冠〕 shēng.guān 동 〈敬〉 모자를 벗다《옛날,

〔生发〕 shēngfa 동 ①일어나다. 생기다. ¶～利息; 이자가 붙다. ②발전하다. 나아지다. 활기를 띠다. 번영하다. ¶这买卖眼前是不错, 就是没有～; 이 장사는 목전의 경기는 좋지만 그러나 발전성은 없다 / 他的文笔比以前更加～起来; 그의 작품은 이전보다 훨씬 나아졌다.
〔生发蜡〕 shēngfàlà 명 포마드(pomade). =〔发蜡〕
〔生发水〕 shēngfàshuǐ 명 발모제(發毛劑).
〔生番〕 shēngfān 명 ①미개인. 야만인. ②〈比〉 성품이나 행동이 거친 사람.
〔生矾〕 shēngfán 명 정제하지 않은 명반(明礬).
〔生饭〕 shēngfàn 명 《佛》 식전에 약간의 음식을 중생에게 바치는 뜻으로 보시(布施)하는 것. =〔出饭〕
〔生放〕 shēngfàng 동 돈을 빌려 주어 이자를 낳게 하다.
〔生粉〕 shēngfěn 명 〈廣〉 얼레짓가루. 녹말.
〔生分〕 shēngfen 형 ①익숙하지 않다. 습관이 안 되다. ②(감각·감정적으로) 거리가 있다. ¶好久没来往, 显着～了; 오랫동안 왕래를 안 해서 마음에 거리감이 생겼다. ③(사이가) 소원하다. 서먹서먹하다. ¶闹～; 서먹서먹한 태도를 취하다.
〔生风〕 shēngfēng 동 ①바람을 일으키다. 바람이 일다. ②파문을 일으키다. 문제가 일어나다. 문제를 일으키다.
〔生风尼〕 shēngfēngní 명 《樂》 〈音〉 심포니(symphony). =〔交响乐〕
〔生佛〕 shēngfó 명 《佛》 ①생불. ②중생과 부처.
〔生俘〕 shēngfú 동 포로로 하다. 사로잡다. 생포하다. 명 포로.
〔生钢〕 shēnggāng 명 주강(鑄鋼).
〔生根开花〕 shēng gēn kāi huā 〈成〉 뿌리를 내리고 꽃을 피우다《일의 기초가 서고 성과가 이뤄지다》. ¶在群众中～; 민중 속에 뿌리를 내려 꽃을 피우다.
〔生瓜〕 shēngguā 명 ①《植》 월과(越瓜). ②덜 익은 오이〔참외. 수박〕.
〔生光〕 shēngguāng →〔食shí相〕
〔生行莫人, 熟行莫出〕 shēngháng mò rù, shúháng mòchū 〈諺〉 익숙지 않은 직업에는 종사하지 말고, 익숙한 직업에서는 떠나지 마라.
〔生葫芦头〕 shēnghúlutóu 명 ①익지 않은 과일. ②〈比〉 미숙한 사람. =〔生手(儿)〕
〔生虎子〕 shēnghǔzi 명 ①세속의 때가 묻지 않은 사람. 순진한 사람. ②경험이 없는 사람. 풋내기. ¶昨儿雇的那个厨子简直是～; 어제 고용한 요리사는 그야말로 풋내기다.
〔生花之笔〕 shēng huā zhī bǐ 〈成〉 뛰어난 문재(文才).
〔生化〕 shēnghuà 명 〈簡〉 생(물)화학. =〔生物化学〕
〔生还〕 shēnghuán 동 생환하다. 살아서 돌아오다.
〔生荒〕 shēnghuāng 명 미개간의 땅. =〔生地②〕
〔生灰〕 shēnghuī 명 생석회.
〔生魂〕 shēnghún 명 (사람의) 혼.
〔生活〕 shēnghuó 명 ①생활. ¶～资料; 생활 필수품. 생활 물자 / ～素; 《化》 비타민 / ～週刊; 라이프(Life)《미국의 주간 화보》 / ～费; 생활비 / ～方式; 생활 양식. ②〈方〉 일. 생업. ¶做～; 일을 하다. 동 ①생활하다. ¶～下去; 생활해 나가다. ②〈方〉 얻어맞다. ¶吃～; 얻어맞다. ③생존하다. 살아가다. ¶一个人脱离了集体就不能～下去; 사람은 집단을 떠나서는 살아갈 수 없다. =〔生存〕
〔生活关〕 shēnghuóguān 명 〈比〉 어려운 생활 조건.
〔生火〕 shēng·huǒ 동 불을 일으키다〔피우다〕. ¶～做饭; 불을 피워 밥을 짓다 / 生着了火炉(子); 난로를 피웠다. (shēnghuǒ) 명 기선(汽船)의 화부(火夫).
〔生货〕 shēnghuò 명 미가공의 원료. =〔生料〕
〔生机〕 shēngjī 명 ①생존의 기회. 삶의 희망. ¶还有一缕～; 아직 일루의 살 희망이 있다. ②생기(生氣). 생명력. 활력. ¶恢复了～; 생기를 되찾았다.
〔生计〕 shēngjì 명 생계. 살림. ¶我因为～关系, 不得不一早在路上走《鲁迅 一件小事》; 생계를 위해 아침부터 나돌아다니지 않을 수 없었다.
〔生忌〕 shēngjì 명 죽은 이의 생일.
〔生奇死归〕 shēng jì sǐ guī 〈成〉 산다는 것은 임시로 몸을 의탁하고 있는 것이며, 죽는다는 것은 원래 모습으로 되돌아가는 것일 뿐이다.
〔生间〕 shēngjiàn 명 (손자 병법의) 지략가를 써서 적측의 지략가의 생각을 탐지케 하는 방법.
〔生监〕 shēngjiàn 명 '生员'(생원)과 '监生'(감생).
〔生姜〕 shēngjiāng 명 《植》 〈口〉 생강.
〔生借〕 shēngjiè 동 ①무담보로 돈을 빌리다. ②억지로 돈을 꾸다. ¶向朋友～了几百块钱; 친구한테서 억지로 몇백 원을 꾸었다.
〔生金〕 shēngjīn 명 생금. 정련(精鍊)하지 않은 금.
〔生津〕 shēngjīn 동 《漢醫》 타액 또는 체액의 분비를 촉진하다. ¶～止喝; 침의 분비를 촉진하여 갈증을 풀다.
〔生救〕 shēngjiù 동 〈簡〉 스스로 생산을 증강함으로써 위기를 타개하다《'生产自救'의 준말》.
〔生就〕 shēngjiù 동 타고나다. ¶～一付长脸; 타고난 갸름한 얼굴 / ～不凡; 타고난 비범함 / ～的骨头, 长zhǎng就的肉; 〈諺〉 타고난 뼈와 성장하면서 붙게 된 살《타고난 것은 변하지 않는다》. =〔生成③〕
〔生绢〕 shēngjuàn 명 생견. 누이지 않은 깁.
〔生角〕 shēngjué 명 《劇》 중국 전통극에서, 남자로 분장하는 배역.
〔生克〕 shēngkè 명 '五行'의 생(生)과 극(克).
〔生客〕 shēngkè 명 초면의 손님. 낯선 손님. ↔〔熟shú客〕
〔生恐〕 shēngkǒng 동 …할까 봐 몹시 무서워〔두려워〕하다.
〔生口〕 shēngkǒu 명 ① ⇨〔牲口②〕 ②포로.
〔生圹〕 shēngkuàng 명 생전에 미리 만드는 묘혈(墓穴).
〔生拉硬拽〕 shēng lā yìng zhuài 〈成〉 ①억지로 자기 뜻에 따르게 하다. ¶老大爷～地把王排长请到家里去坐; 할아버지는 '王' 소대장을 억지로 집에 데려와서 앉혔다. ②억지 쓰다. 억지로 끌어다 맞추다. ¶把两个不同时代的历史人物～在一起; 시대가 다른 역사상의 두 인물을 억지로 함께 갖다 붙이다. ‖=〔生拖死拽〕〔生拉硬扯〕
〔生来〕 shēnglái 부 ①태어날 때부터. 어릴 때부터. ¶～就聪明; 태어날 때부터 머리가 좋다. ②무턱대고. 분수 없이. 억지로. 명 천성. 타고남. ¶～的性情, 不容易改; 타고난 성질은 좀처럼 고쳐지지 않는다. 동 태어나다. ¶～一个爷们; 일개 남자로 태어나서.
〔生狼〕 shēngláng 명 〈罵〉 야비한 놈. 악랄한 놈.
〔生冷〕 shēnglěng 명 (음식의) 날것과 찬것. 차가

운 날음식. ¶忌～; 날것과 찬것을 피하다〔먹지 않다〕.
〔生冷冷(的)〕 shēnglěnglěng(de) 명 (태도가) 냉랭한 모양. 쌀쌀한 모양.
〔生老病死〕 shēng lǎo bìng sǐ 〈成〉 생로병사.
〔生梨〕 shēnglí 명 《植》〈方〉 배.
〔生离〕 shēnglí 명 생이별. ¶～死别; 〈成〉 다시 만나기 어려운 이별 / 由于大洪水使得夫妻～; 대홍수 때문에 부부가 생이별하게 되었다.
〔生理〕 shēnglǐ 명 ①생리. ¶～学; 생리학. ②〈古白〉 생존의 길. 살아갈 방법. ¶料无～; 아마도 생활도 못 할 것이다. ③〈古白〉 장사. ¶不惯～; 장사에 서투르다 / 做些什么～? 무슨 장사를 하고 있느냐? 명동 〈古白〉 생활(하다). ¶自小忤wǔ逆, 不肯本分～; 어릴 적부터 부모의 뜻을 거스르며, 분수에 맞게 살려고 하지 않았다.
〔生理氯化钠溶液〕 shēnglǐ lǜhuànà róngyè 명 《化》 생리 식염수. 링게르액(液). =〔生理(食)盐水〕
〔生理(食)盐水〕 shēnglǐ (shí)yánshuǐ 명 ⇨〔生理氯化钠溶液〕
〔生力军〕 shēnglìjūn 명 증원군. 신예군(新銳軍).
〔生利〕 shēnglì 동 ①이익을 가져오다. ②이자가 붙다.
〔生怜〕 shēnglián 동 가련하게 생각하다.
〔生脸(儿)〕 shēngliǎn(r) 명 낯선 얼굴. 남에게 알려지지 않은 얼굴. ¶你去见他, 是个～, 什么话倒可以公开说; 너는 그를 만나면 아는 사이가 아니니까, 무슨 말이라도 공개적으로 말할 수 있다.
〔生料〕 shēngliào 명 가공하지 않은 원료. =〔生货〕
〔生料厂〕 shēngliàochǎng 명 (목재소의) 원재료 공장.
〔生灵〕 shēnglíng 명 〈文〉 ①백성. ¶～涂炭; 〈成〉 민생이 도탄에 빠지다. ②생명.
〔生龙活虎〕 shēng lóng huó hǔ 〈成〉 ①생기 발랄한 모양. 활발하고 팔팔한 모양. ¶他岁数虽然快六十, 还是～似的; 그는 나이가 비록 60에 가깝지만 아직도 원기가 왕성하다. ②(이야기가) 눈에 보이는 듯 생생하다. ¶他说话很活泼, 简直是～似的; 그의 이야기는 매우 생생해서, 정말 눈에 보이는 것 같다.
〔生路〕 shēnglù 명 ①생활의 방도. 살아 나갈 길. ¶找一条～; 살길을 찾다 / 另谋～; 달리 살길을 찾다. ②활로(活路). ¶越想越无～; 아무리 생각해도 활로를 찾을 수 없다. ③초행(初行)〔낯선〕 길. =〔生道〕
〔生煤〕 shēngméi 명 불이 충분히 달아오르지 않은 '煤球儿'(조개탄).
〔生闷气〕 shēng mènqì 답답한 기분이 되다. 울적해지다.
〔生米煮成熟饭〕 shēngmǐ zhǔchéng shúfàn 〈諺〉 일은 이미 이루어져 다시 바꿀 수 없다. 행차 뒤에 나팔《'煮'는 '做' 또는 '已'로도 씀》.
〔生棉〕 shēngmián 명 원면(原綿).
〔生面〕 shēngmiàn 명 새로운 국면. 신생면. ¶别开～; 새로운 국면을 열다.
〔生苗〕 Shēngmiáo 명 먀오 족(苗族).
〔生民〕 shēngmín 명 〈文〉 ①(Shēngmín) 생민《시경(詩經) 대아(大雅)의 편명》. ②백성.
〔生命〕 shēngmìng 명 생명. ¶宝贵的～; 귀한 목숨 / ～保险 =〔人寿保险〕〔寿险〕; 생명 보험 / ～力; 생명력 / ～线; 생명선 / ～现象; (생물학의) 생명 현상. 형 (예술 작품 등이) 살아 있는 듯하다. 생동감 있다.
〔生母〕 shēngmǔ 명 생모.
〔生怕〕 shēngpà 동 …할까 봐 몹시 두려워하다. ¶他专心地听着, ～漏掉一个字; 그는 한 마디라도 흘려 버릴까 두려워 열심히 듣고 있다. =〔生恐〕 부 아마도 (그럴 것이다). ¶～咱急中有失; 아마 서둘렀기 때문에 잘못이 있었을 것이다.
〔生坯〕 shēngpī 명 굽기 전의 유약을 바르지 않은 도자기.
〔生皮〕 shēngpí 명 생가죽.
〔生啤酒〕 shēngpíjiǔ 명 생맥주.
〔生僻〕 shēngpì 형 보기 드물다. 흔하지 않다. 생소하다. ¶～的典故; 보기 드문 전고. =〔冷僻〕
〔生平〕 shēngpíng 명 ①평상. 평소. ②평생. 일생. 생애. ¶黄同志～简介; 황 동지의 생애의 약력.
〔生漆〕 shēngqī 명 생칠. 정제하지 않은 옻칠. =〔大漆〕
〔生气〕 shēng·qì 동 화내다. ¶别～! 화내지 마라! / 好hào～的人; 툭하면 골을 내는 사람 / 快去劝劝吧, 他还在生你的气呢! 그는 아직 자네 일로 화를 내고 있으니까 빨리 가서 달래라!
〔生气〕 shēngqì 명 생기. 활기. ¶～勃勃 =〔～蓬勃〕; 활기에 넘치다 / 他的生活更没有了～; 그의 생활은 더욱 생기가 없어졌다.
〔生前〕 shēngqián 명 생전. 살아 있는 동안.
〔生切烟〕 shēngqièyān 명 살담배. 각(刻)연초.
〔生擒〕 shēngqín 동 생포하다. 사로잡다. 생금하다.
〔生趣〕 shēngqù 명 생활의 재미〔즐거움〕. ¶～盎然; 생활의 즐거움이 넘치다.
〔生人〕 shēngrén 명 ①낯선 사람. ↔〔熟人〕 ②…태생. 출생. ¶他是北京～; 그는 베이징(北京) 태생이다 / 他是1949年～; 그는 1949년생이다.
〔生人乐趣〕 shēngrén lèqù 사람으로 태어나 맛보는 즐거움. ¶一点儿～都没有; 사람으로 태어난 즐거움이 조금도 없다.
〔生仁〕 shēngrén 명 껍질을 깐 땅콩.
〔生日〕 shēngrì 명 생일. ¶办bàn～; 생일 잔치를 벌이다 / 祝您～快乐! 생신을 축하드립니다! / 小～ =〔散～〕; 매년의 생일 / 整～; (60세, 70세와 같이) 10년마다의 생일. =〔寿辰〕
〔生荣死哀〕 shēng róng sǐ āi 〈成〉 생전엔 명성이 있고, 사후에는 추모받다.
〔生色〕 shēngsè 동 광채를 더하다. 기색이 피어나다. 형 〈文〉 생동감 있다. 생생하다.
〔生色精〕 shēngsèjīng 명 ⇨〔苯běn胺〕
〔生涩〕 shēngsè 형 (언어 따위가) 유창하지 않다. 익숙하지 않다. 걸리는 데가 있다.
〔生杀〕 shēngshā 명 죽이고 살리는 일. ¶～予夺之权; 생살 여탈의 권한.
〔生身〕 shēngshēn 명 ①몽고에서, 아직 천연두에 걸리지 않은 사람의 일컬음. ②부모에게서 난 몸. ¶～父fù母 =〔亲qīn生父母〕; 〈成〉 자기를 낳은 부모. 친부모.
〔生生〕 shēngshēng 동 생생하다. ¶活～地; ⓐ생생히. ⓑ산 채로.
〔生生不息〕 shēng shēng bù xī 〈成〉 끊임없이 일어나 그치지 않다. =〔生生不已〕
〔生生不已〕 shēng shēng bù yǐ 〈成〉 ⇨〔生生不息〕
〔生生(儿,地)〕 shēngshēng(r, de) ①공연히. 까닭 없이. 무리하게. ¶～把他撵niǎn了, 似乎不大好意思; 아무것도 아닌데 그를 쫓아 낸 것은 아무래도 가엾다 / ～吹毛求疵地责备他; 까닭 없이 트

집을 잡아 그를 나무라다 / 我这么一病不要紧, ～仨礼拜没能上课了; 내가 이렇게 병이 난 것은 그렇다 치고, 어처구니없게도, 3주간이나 수업에 나갈 수 없었다. ②생짜로. 눈을 빤히 뜨고서. ¶这个事情～叫你办坏了; 이 일은 분명히 네가 망친 것이다 / ～把个孩子逼出病来; 멀쩡한 아이를 병이 나게 만들다. ③몹시. ¶薄báo～; 몹시 얇다. ④ 형 생생하다. 생동감 있다.

〔生生世世〕 shēngshēng shìshì 명《佛》윤회설(輪廻說)에 의한 매번의 환생(還生). 〈轉〉 생생세세. 대대손손.

〔生石灰〕 shēngshíhuī 명 ⇨〔石灰①〕

〔生食〕 shēngshí 동 생식하다. (삶거나 굽거나 하지 않고) 날로 먹다.

〔生世〕 shēngshì 동 세상에 태어나다. 이승에 태어나다.

〔生事〕 shēng,shì 동 분쟁〔사건, 말썽〕을 일으키다. ¶造谣～; 유언 비어를 퍼뜨려 분규를 일으키다. =〔生端〕 (shēngshì) 명 〈文〉 생계.

〔生势〕 shēngshì 명 (식물의) 생장하는 힘.

〔生是〕 shēngshi 부 〈方〉 분명히. 틀림없이.

〔生手(儿)〕 shēngshǒu(r) 명 풋내기. 신출내기. ¶做这个买卖完全是一个～; 이 장사는 전혀 처음입니다 / 他是个～, 一切都不熟悉; 그는 미숙해서 아무것도 잘 모른다. =〔生葫芦头②〕〔新手(儿)〕

〔生受〕 shēngshòu 동 번거로움을〔폐를〕 끼치다. ¶时常～您, 实在不过意; 언제나 번거롭게 해 드려서 참으로 미안합니다. 형 금할 수 없다. 참기 어렵다.

〔生瘦〕 shēngshòu 형 〈方〉 몹시 여위다.

〔生书〕 shēngshū 명 ①처음 읽는〔읽은 일이 없는〕 책. ②(교과서 따위의) 아직 배우지 않은 부분.

〔生疏〕 shēngshū〔shēngsū〕 형 ①(사정 · 세상일 따위에) 어둡다. 생소하다. ¶人地～; 아는 이도 없고 고장도 생소하다. 산 설고 물 설다 / 业务～; 업무에 어둡다. ②숙련되어 있지 않다. 미숙하다. ¶技艺～; 기예의 솜씨가 미숙하다. ③소원하다. 서먹서먹하다. 친근감이 생기지 않다. ¶这孩子从小就寄养在他姑母家里, 跟他父母很～; 이 아이는 어려서부터 고모한테 맡겨져 키웠기 때문에 부모를 잘 따르지 않는다 / 我近来跟他很～; 나는 요즘 그 사람과 서먹서먹하다.

〔生水〕 shēngshuǐ 명 생수. →〔开kāi水〕

〔生丝〕 shēngsī 명《紡》생명주실. 생사. =〔丝经〕

〔生死〕 shēngsǐ 명 생사. 삶과 죽음. ¶～与共; 생사를 함께 하다 / ～搏斗; 생사를 건 격투를 벌이다.

〔生死存亡〕 shēng sǐ cún wáng 〈成〉 생사 존망(의). ¶～的问题; 생사 존망이 걸린 문제.

〔生死关头〕 shēngsǐ guāntóu 생사의 갈림길.

〔生死肉骨〕 shēng sǐ ròu gǔ 〈成〉 죽은 자를 되살리고 백골에 살이 나게 하다《깊은〔크나큰〕 은혜》.

〔生死攸关〕 shēng sǐ yōu guān 〈成〉 생사의 갈림길에 있다. 생사가 걸려 있다.

〔生死之交〕 shēng sǐ zhī jiāo 〈成〉 생사를 함께 할 정도의 깊은 교제〔벗〕.

〔生松香〕 shēngsōngxiāng 명 정제하지 않은 송진. 생송진.

〔生酸〕 shēngsuān 형 〈方〉 시다. =〔酸〕

〔生态〕 shēngtài 명《生》생태. ¶～系统; 생태계 / ～学; 생태학.

〔生疼〕 shēngténg 형 〈方〉 매우 심하게〔지독하게〕 아프다.

〔生体〕 shēngtǐ 명 생체. 생물체.

〔生天〕 shēngtiān 동《佛》천국에 다시 태어나다. ¶建立斋醮超度～; 제단을 차리고 독경하여 성불케 하다.

〔生田〕 shēngtián 명 신전(新田). 새로 일구어 만든 밭.

〔生填硬灌〕 shēngtián yìngguàn 억지로 주입하다. ¶教学方法仍旧是～; 교수법은 여전히 주입식이다.

〔生铁〕 shēngtiě 명 ①선철(銑鐵). 무쇠. ②주철(鑄鐵). ¶～铺; 주철로 만든 기구를 파는 가게.

〔生铜〕 shēngtóng 명 생동. 정제하지 않은 구리. ¶～器; 동제(銅製)의 그릇.

〔生土〕 shēngtǔ 명 ①낯선 고장. ②갓 개간한 논밭의 흙.

〔生吞〕 shēngtūn 동 통째로 삼키다.

〔生吞活剥〕 shēng tūn huó bō 〈成〉 통째로 삼키고 산 채로 껍질을 벗기다《맹목적으로 답습〔모방〕하다》. ¶～地照抄照搬; ⓐ무리하게 적용시키다. ⓑ남의 문장을 그대로 본뜨다.

〔生吞死记〕 shēngtūn sǐjì 〈比〉 (이해의 여지없이) 통째로 암기하다.

〔生拖死拽〕 shēng tuō sǐ zhuài 〈成〉 ⇨〔生拉硬拽〕

〔生脱〕 shēngtuō 양《貨》〈音〉 센트(cent).

〔生脱尔〕 shēngtuō'ěr 양 〈音〉 센탈(cental)《영국의 무게 단위의 이름》. 100파운드에 상당함. =〔担dàn②〕

〔生外〕 shēngwài 형 서먹서먹하다. 소원하다. 쌀쌀하다.

〔生物〕 shēngwù 명 생물. 살아 있는 것. ¶～工艺学; 바이오 테크놀로지. 생체 공학.

〔生物固醇〕 shēngwù gùchún 명 ⇨〔甾zāi醇〕

〔生物碱〕 shēngwùjiǎn 명 알칼로이드(alkaloid).

〔生物能源〕 shēngwù néngyuán 명 생물 에너지.

〔生物素〕 shēngwùsù 명《化》비오틴(biotin). 비타민 H. =〔促cù生素〕〔维wéi生素H〕

〔生息〕 shēngxī 동 ①〈文〉 번식하여 살다. 생식〔서식〕하다. ②〈文〉 생활하다. 생존하다. ③〈文〉 성장시키다. ④(shēng,xī) 이자가 붙다〔늘다〕.

〔生息资本〕 shēngxī zīběn 명《經》이자를 낳게 하는 자본. ¶借贷资本是～; 대부 자본은 이자를 낳는 자본이다.

〔生隙〕 shēngxì 동 기회를 틈타다. 기회를 이용하여 일을 하다. ¶恐借此～, 同湘云也作出那些风流佳事来《紅樓夢》; 이 기회를 틈타서 상운과 또 그 전처럼 사랑을 속삭이지나 않을까 걱정한다.

〔生下〕 shēngxià 동 낳다. 나다. ¶我在昆明～的; 나는 쿤밍(昆明) 태생이다.

〔生咸〕 shēngxián 형 〈方〉 매우 짜다.

〔生香〕 shēngxiāng 명 정제하지 않은 송진.

〔生相〕 shēngxiàng 명 용모. 얼굴 모습.

〔生(橡)胶〕 shēng(xiàng)jiāo 명 생고무. =〔生橡皮〕

〔生橡皮〕 shēngxiàngpí 명 ⇨〔生(橡)胶〕

〔生肖〕 shēngxiào 명 (십이지(十二支)를 동물에 짝지어 사람의 태어난 해를 나타내는) 사람의 띠. =〔属相〕

〔生效〕 shēng,xiào 동 효력을 발생하다.

〔生心〕 shēngxīn 동 딴 마음을 품다. 음모를 꾀하다〔기도하다〕. ¶～抢夺这座庙; 그 절을 빼앗으려

고 음모를 꾸미다. 부 고의로. ¶～害朋友; 고의로 친구를 해치다.
〔生心儿〕 shēng xīnr ①(밥 따위가) 잘 퍼지지 않다. 덜 익어 설컹거리다. ②(야채 따위에) 심(心)이 나오다.
〔生衅〕 shēngxìn 동 〈文〉 분쟁의 근원을 만들다. 일을 꾸미다.
〔生性〕 shēngxìng 명 타고난 기질. 천성. ¶小弟～欢喜养几匹马; 저는 천성적으로 말을 몇 마리 기르는 것을 좋아합니다.
〔生性〕 shēngxing 형 〈俗〉 성질이 거칠다. ¶好几十岁的人了, 怎么这么～呢! 나잇살이나 먹은 사람이 어째서 이렇게 거칠까!
〔生锈〕 shēng xiù 녹슬다. ¶不～; 스테인레스(stainless). =〔长zhǎng锈〕
〔生宣〕 shēngxuān 명 명반(明礬)을 먹이지 않은 화선지(畫宣紙).
〔生涯〕 shēngyá 명 ①일생. 생애. ②생활. 생업. ¶教书～; 교사 생활. ③〈轉〉 직업.
〔生烟〕 shēngyān 명 정제하지 않은 아편. 생아편.
〔生厌〕 shēngyàn 동 싫증이 나다.
〔生养〕 shēngyǎng 동 〈口〉 (아이를) 낳다. 낳아 기르다. ¶他女人不能～; 저 여자는 아이를 못 낳는다.
〔生药〕 shēngyào 명 《藥》 생약. ¶～铺pù; 생약을 파는 가게.
〔生业〕 shēngyè 명 생활을 위한 직업. 생업. ¶各安～; 각자 생업에 안주하다.
〔生疑〕 shēng.yí 동 의심을 품다.
〔生意〕 shēngyì 명 원기. 활력. 생기. 생기 넘치는 분위기. ¶百花盛开, 百鸟齐鸣, 大地上一片蓬勃的～; 백화 만발하고, 백 가지 새는 한꺼번에 우짖고, 대지는 온통 생기가 넘쳐 있다.
〔生意〕 shēngyi 명 장사. 영업. ¶做～; 장사하다 / 学～; 장사를 배우다 / 讲～; 장사를 주선하다 / ～大夫; 돌팔이 의사 / ～贵耐着; 장사는 참을성이 중요하다.
〔生意经〕 shēngyijīng 명 ①상업상 준봉(遵奉)해야 할 것〔모토〕. 장사의 방침. ¶有人也许会说, 这是这家商店的～; 그것은 이 가게의 장사 방침이라고 말하는 이가 있을지도 모른다. ②〈南方〉〈俗〉 있을 법한〔타당한〕 일. ¶不是～; 좋지 않다. 돼먹지 않다.
〔生意口〕 shēngyikǒu 명 장사꾼의 말투. 얼렁뚱땅 입에 발린 말. ¶都不是外人, 你就甭卖那套～了; 서로 모르는 사이도 아닌데, 그렇게 입에 발린 말을 늘어놓지 않아도 된다 / 一嘴的～简直靠不住; 입만 뻥끗하면 장삿속의 얼렁뚱땅뿐이니 전혀 믿을 수가 없다 / 您可别拿我所说的当dàng～, 不信您只管去打听; 제 말을 입에 발린 말로 치지 마시고, 믿을 수 없으시다면 얼마든지 문의하십시오.
〔生意人〕 shēngyirén 명 ①장사꾼. ②연예인(演藝人). 광대.
〔生意眼〕 shēngyiyǎn 명 장삿속. 돈벌이 생각.
〔生银〕 shēngyín 명 정제하지 않은 은.
〔生硬〕 shēngyìng 형 ①어색하다. 부자연스럽다. 서툴다. ¶用～的中文问了一下; 어색한 중국말로 물었다. ②딱딱하고 거칠다. 세련되지 못하다. 무뚝뚝하다. ¶作风～; 작풍이 딱딱하다 / 态度～; 태도가 무뚝뚝하다.
〔生油〕 shēngyóu 명 ①〈方〉 낙화생〔땅콩〕 기름. =〔花生油〕 ②식물에서 짜낸 채로의 기름. 날기름.
〔生油气〕 shēngyóuqì 명 ⇨〔乙yǐ烯〕
〔生于〕 shēngyú 동 …에서 태어나다. ¶～中国; 중국에서 태어나다.
〔生鱼片(儿)〕 shēngyúpiàn(r) 명 생선회.
〔生育〕 shēngyù 명동 출산(하다). ¶～节制 =〔节育jiéyù〕; 산아 제한 / 她从来没有～过; 그녀는 아이를 낳아 본 적이 없다 / 计划～; 계획 출산.
〔生育酚〕 shēngyùfēn 명 '维wéi生素E' (비타민E)의 별칭.
〔生员〕 shēngyuán 명 생원《명(明)나라 · 청(清)나라 때의 과거에서) 지방에서 시행하는 원고(院考)에 합격하여 수재(秀才)의 자격을 얻어 현학(縣學)〔부학(府學), 주학(州學)〕에 입학한 사람》.
〔生造〕 shēngzào 동 (말 따위를) 억지로 만들어 내다. 꾸며 내다. ¶～出来的借词; 억지로 만든 구실.
〔生长〕 shēngzhǎng 동 ①성장하다. 자라다. ¶小麦～良好; 밀은 잘 자라고 있다. ②태어나 자라다. 생장하다. ¶他～在北京; 그는 베이징에서 태어나 자랐다 / ～在乡下; 시골에서 태어나 자라다.
〔生长激素〕 shēngzhǎng jīsù 명 《生》 성장 호르몬. =〔激长素〕
〔生枝雕叶〕 shēng zhī diāo yè 〈成〉 ⇨〔生枝添叶〕
〔生枝添叶〕 shēng zhī tiān yè 〈成〉 지엽적인 말을 덧붙이다. 쓸데없는 말을 덧붙이다. ¶～地说; 군말을 섞어서 이야기하다. =〔生枝雕叶〕
〔生殖〕 shēngzhí 명 《生》 생식. ¶～器qì; 생식기 / ～洄游; 생식 회유. 생식 이동 / ～期; 생식 주기 / ～腺; 생식선.
〔生纸〕 shēngzhǐ 명 ①막 떠내어 아직 겉면을 가공하지 않은 종이. 생지. ②보통 종이.
〔生致〕 shēngzhì 동 죽이지 않고 한패에 끼어 주다.
〔生猪〕 shēngzhū 명 ①(사육하고 있는) 돼지. 산 돼지. ②씨돼지.
〔生资〕 shēngzī 명 〈文〉 생활비.
〔生子〕 shēngzǐ 동 아들을 낳다.
〔生字〕 shēngzì 명 처음 보는 글자. 생소한 글자. ¶～表; 새로운 글자〔새로 배우는 글자〕의 표. ↔〔熟字〕
〔生做蛮来〕 shēngzuò mánlái 억지로 하다. 일을 마구 해치우다.

狌 shēng (성)

명 ⇨〔鼪〕

牲 shēng (생)

명 ①희생. 산제물. ¶牺～; ⓐ산제물. 희생. ⓑ희생(되다, 하다) / 献～; 희생을 바치다 / 宰～; 희생을 잡다. ②가축. 집짐승.
〔牲畜〕 shēngchù 명 가축. ¶～配种; 가축의 교배(交配). =〔牲口①〕
〔牲粉〕 shēngfěn 명 《化》 글리코겐(glycogen).
〔牲口〕 shēngkou 명 ①가축의 총칭《주로 소 · 말 따위》. ¶～料; 가축의 사료 / 野～; 길들여지지 않은 가축. 〈轉〉 덜렁이 / ～棚; 가축 우리. =〔〈方〉头口〕〔牲畜〕 ②닭의 별칭. =〔生口①〕
〔牲礼〕 shēnglǐ 명 신전에 바치는 희생용 가축.
〔牲醴〕 shēnglǐ 명 〈文〉 제례용(祭禮用)의 소 · 양 · 돼지와 술.
〔牲灵〕 shēngling 명 ①〈文〉 가축류(類). ②〈方〉 사역용(使役用) 가축의 총칭.

〔牲头〕 shēngtóu 명 희생으로 바치는 가축의 대가리.

〔牲油〕 shēngyóu 명 짐승의 기름.

胜 shēng (성)
명 《化》 펩타이드(peptide)《유기 화합물의 하나》. ＝〔肽tài〕 ⇒shèng

甥 shēng (생)
명 ①자매의 아들. 생질. ¶舍外～; 〈謙〉 저의 생질/堂外～; 사촌 누이의 아들/姑表外～; 고종 사촌 누이의 아들/舅表外～; 외사촌 누이의 아들/姨表外～; 이종 사촌 누이의 아들/姨外～; 처의 자매의 아들/重～＝〔～孙〕; 생질의 아들. ②딸의 남편. 사위. ③(～儿) 저《숙부·숙모에 대한 자칭》.

〔甥女〕 shēngnǚ 명 ①자매의 딸. 조카딸. ＝〔外甥女(儿)〕 ②(숙부·숙모에게 대한) 조카딸의 자칭. 저.

笙 shēng (생)
명 《樂》 생황(笙簧).

〔笙歌〕 shēnggē 동 〈文〉 생황에 맞추어 노래하다. 〈轉〉악기를 타며 노래하다.

〔笙鼓〕 shēnggǔ 명 생황과 북.

〔笙管笛箫〕 shēng guǎn dí xiāo 명 《樂》 옛날, 관악기의 총칭.

〔笙簧〕 shēnghuáng 명 《樂》 생황의 혀〔리드〕.

〔笙磬同音〕 shēng qìng tóng yīn 〈成〉 생(笙)과 경(磬)의 소리가 서로 화합하다《사람의 마음이 꼭 맞음》.

〔笙箫〕 shēngxiāo 명 생황과 소(簫). ＝〔〈文〉管guǎn籥〕

湦 shēng (생)
인명용 자(字).

鼪 shēng (생)
명 《動》 〈文〉 족제비. ＝〔狌〕

声(聲) shēng (성)
①명 (목)소리. ¶大～说; 큰 소리로 말하다/回～; 메아리. 반향. ②명 음. 소리. ¶脚步～; 발 소리/留～机; 유성기. 축음기/噪～ ＝〔噪音〕; 소음. 노이즈(noise). ③동 알리다. 말하다. ¶～张; ⇓/不～不响; 아무 말이 없다/～请; ⇓ ④명 명예. 명성. 평판. ¶名～(儿); 명성/有～于时; 당시 세상에 평판이 높다. ⑤명 《言》 (중국 음운학에서) 음절의 처음에 오는 자음(子音). 성모(聲母). ¶～韵; 성운《음절의 처음에 오는 자음과 모음》. ⑥명 《言》 사성(四聲). 성조(聲調). ⑦양 번. 마디《소리를 내는 횟수를 나타내는 단위》. ¶喊了两～, 没有人答应; 두서너 마디 외쳤으나 아무도 대답하는 사람이 없다/问一～; 한 마디 말을 걸다. ⑧명 소식.

〔声辩〕 shēngbiàn 동 변명하다. 핑계대다.

〔声波〕 shēngbō 명 《物》 음파《'声浪' 은 구칭》.

〔声部〕 shēngbù 명 《樂》 성부《악곡의 하모니를 구성하는 성음의 각 부분》.

〔声叉〕 shēngchā 명 ⇨〔音yīn叉〕

〔声称〕 shēngchēng 동 ①…이라 말하다. ②주장하다. 성명하다. 공언하다. ¶工人～如果不满足他们的要求, 还要罢工; 노동자측은 만일 그들의 요구를 만족시켜 주지 않는다면 또 파업을 하겠다고 주장하고 있다.

〔声带〕 shēngdài 명 ①《生》 성대. ②《映》 사운드트랙(sound track).

〔声调〕 shēngdiào 명 ①(～儿) (음성의) 억양. 음조. 말투. 어조. 음색. ¶说话的～; 말투/胡琴的～甚低; 호궁 소리가 매우 낮게 들린다. ＝〔音调①〕 ②《言》 중국어의 성조(聲調). 사성(四聲). ＝〔字调〕

〔声东击西〕 shēng dōng jī xī 〈成〉 입으로는 동쪽을 칠 것처럼 말하고 서쪽을 치다《기계(奇計)로 허를 찌르다》.

〔声复〕 shēngfù 동 〈文〉 대답〔답장〕을 하다.

〔声光〕 shēngguāng 명 세상에서의 평판과 실제 생활. ¶～更与前不同了; 세상 평판이나 실생활은 더군다나 이전과는 다르다.

〔声唤〕 shēnghuàn 동 부르다. 부르짖다. 외치다. ¶谁人如此～?《水滸傳》 누가 이렇게 부르고 있느냐?

〔声妓〕 shēngjì 명 가희. 가기(歌妓).

〔声价〕 shēngjià 명 성가. 명성. 평판. ¶～很高; 평판이 매우 좋다.

〔声控〕 shēngkòng 명 소리로 조종하다. ¶～袖珍照相机; 소리로 조종하는 소형 카메라.

〔声浪〕 shēnglàng 명 ①《物》 음파. ②풍평. 소문. ③군중의 함성 소리. 여러 사람의 목소리. ④풍조(風潮).

〔声泪俱下〕 shēng lèi jù xià 〈成〉 눈물을 흘리면서 호소하다. 몹시 슬퍼하며 탄식하다.

〔声利〕 shēnglì 명 〈文〉 명리(名利). 명예와 이익.

〔声律〕 shēnglǜ 명 성률. 음률《(시·문의 용자(用字)상 자음의) 가락과 격률(格律)》.

〔声门〕 shēngmén 명 《生》 성문.

〔声名〕 shēngmíng 명 명성. 평판. ¶～狼藉; 〈成〉 명예가 극도로 훼손되다《'狼藉lángjí' 는 수습이 안 될 정도로 혼란함을 이름》/～远震; 명성이 멀리 떨치다. ＝〔名声〕

〔声明〕 shēngmíng 명동 성명(하다). 코뮈니케(를 발표하다). ¶～一声(儿); 한 마디 성명해 두다/发表共同～; 공동 코뮈니케를 발표하다.

〔声母〕 shēngmǔ 명 《言》 성모《중국어에서 처음에 오는 자음. 예컨대, '报bào'·'告gào' 에서의 b·g 따위》.

〔声纳〕 shēngnà 명 《物·軍》 〈音〉 소나(SONAR). 수중 음파 탐지기.

〔声囊〕 shēngnáng 명 《動》 (개구리의) 성낭.

〔声纽〕 shēngniǔ 명 《言》 (음운학에서) '声母' 의 구칭《문자의 자음(子音)이 같은 것을 '双声' 이라 하고, 쌍성자(雙聲字)의 자음(子音)을 나타내는 대표 글자를 '～' 라 함. 예를 들면, '包' 는 '邦' 의 纽字임》.

〔声片〕 shēngpiàn 명 《映》 토키 영화(필름). ＝〔有声片〕

〔声频〕 shēngpín 명 《物》 음향 진동수. 가청(可聽) 주파수.

〔声谱〕 shēngpǔ 명 《物》 소리의 스펙트럼.

〔声气〕 shēngqì 명 ①의기. 마음. 기맥. ¶～相投; 마음이 서로 맞다. ②〈方〉 말솜씨. 말투. ¶主顾也没有好～; 손님들도 퉁명스러웠다. ③소식. 정보. ¶～相通; 소식이 상통하다. ＝〔声息②〕

〔声腔〕 shēngqiāng 명 (극의) 곡조(曲調). 리듬과 박자《극의 공통적인 가락 '昆腔'·'皮黄' 따위》.

〔声强(度)〕 shēngqiáng(dù) 명 《物》 소리의 세기〔강도〕.

〔声请〕 shēngqǐng 동 〈文〉 신청하다. 출원하다.

청원하다. 청구하다.

〔声儿〕 shēngr 명 ①목소리. 소리. ②음.

〔声喏〕 shēngrě 동 〈文〉 인사말을 하다〔하고 절하다〕(예컨대, '某某先生请了!' 등이라고 말하고 인사함). ¶古人~今鞠jū躬, 中外礼仪亦不同; 옛날 사람은 인사말을 했고, 지금은 절을 한다. 또, 국내와 외국과는 예의도 다르다 / 向前~; 앞으로 나아가서 인사하다.

〔声容〕 shēngróng 명 〈文〉 목소리나 태도.

〔声色〕 shēngsè 명 ①목소리와 안색. 태도. ¶~俱厉; 〈成〉 (이야기할 때의) 목소리와 안색이 엄함. ②불건전한 음곡(音曲)과 여색. 가무와 여색. ¶耽于~; 노래와 여색에 빠지다.

〔声实〕 shēngshí 명 〈文〉 명실(名實). 명성과 실제. ¶由是~稍损; 이로써 평판과 실제가 좀 떨어졌다.

〔声势〕 shēngshì 명 ①평판과 세력. ¶印度支持这个提案, 企图以此加强~; 인도는 이 제안을 지지함으로써 자기의 지위를 높이려 하고 있다. ②기세. 위세. ¶虚张~; 허장성세하다. 허세를 부리다 / ~浩大; 위세가 대단하다.

〔声述〕 shēngshù 동 ⇨〔声说〕

〔声说〕 shēngshuō 동 〈文〉 말하다. 말하여 설명하다. =〔声述〕〔声叙〕

〔声嘶〕 shēngsī 동 〈文〉 목소리가 쉬다.

〔声嘶力竭〕 shēng sī lì jié 〈成〉 목소리는 쉬고 힘은 다하다(기진 맥진한 모양. 기를 쓰고 외치는 모양). ¶奔走呼号, ~力竭; 목이 쉬고 녹초가 되도록, 뛰어돌아다니고 고함을 지르다.

〔声速〕 shēngsù 명 《物》 음속(音速). ¶超chāo~; 초음속.

〔声讨〕 shēngtǎo 동 성토하다. 여론으로 때리다. 공공연히 언론에서 공격하다. 규탄하다. ¶~会; (악인의 죄를) 공공연히 매도하는 집회 / 各政党人士一致~帝国主义; 각 정당의 인사들은 일치하여 제국주의를 규탄한다.

〔声望〕 shēngwàng 명 명성과 인망. ¶他在街道上有~; 그는 동네에서 명성과 인망이 있다.

〔声威〕 shēngwēi 명 〈文〉 명성과 위엄. ¶~大震; 〈成〉 성위가 천하에 울려 퍼지다. 명성과 위엄을 크게 떨치다. =〔威声〕

〔声闻〕 shēngwén 명 명성. 평판.

〔声息〕 shēngxī 명 ①기맥(氣脈). ¶联络~; 기맥을 통하다. ②소식. 정보. =〔声气③〕 ③기척. 소리(흔히, 부정문(否定文)에 쓰임). ¶院子里静悄悄的, 没有一点~; 마당 안은 아주 조용하고 아무 소리도 없다.

〔声响〕 shēngxiǎng 명 소리. 음향.

〔声销迹匿〕 shēng xiāo jì nì 〈成〉 ①소리도 흔적도 없어지다. 자취를 감추다. ②소리 없이 숨어 있다. ‖ =〔声销迹灭〕〔销声匿迹〕〔销声敛迹〕

〔声学〕 shēngxué 명 《物》 음향학. =〔音yīn学〕

〔声言〕 shēngyán 동 언명하다. 표명하다. 공언(公言)하다. ¶他~他爸爸要是不答应, 明天他就自己拉着牲口去给人家耕地; 만일 그의 아버지가 승낙하지 않으면, 그는 내일 자신이 가축을 끌고 가서 다른 사람의 밭을 갈아 주겠다고 공언했다 / 李文杰列举理由说明总会措施欠妥当, ~要上诉; 이문걸은 이유를 늘어놓아 총회의 조치가 타당성을 결여하고 있다고 설명하고, 고소하겠다고 언명했다.

〔声扬〕 shēngyáng 동 공언하다. 남에게 누설하다. ¶那件事你不要~; 그 일은 남에게 소문내서는 안 된다.

〔声音(儿)〕 shēngyīn(r) 명 ①목소리. 소리. ¶~大; 음성이 크다 / ~洪亮; 목소리가 크고 우렁차다. ②음악.

〔声印〕 shēngyìn 명 성문(聲紋). 「声相应」

〔声应气求〕 shēng yīng qì qiú 〈成〉 ⇨〔同tóng

〔声誉〕 shēngyù 명 명성과 명예. 평판. ¶享有良好的~; 좋은 평판을 듣고 있다 / ~鹊起; 〈成〉 명성이 빠르게 높아지다 / ~卓著; 〈成〉 명성이 높다.

〔声冤〕 shēngyuān 동 원통함을 호소하다. ¶~雪恨; 〈成〉 원통함을 호소하여 원한을 풀다.

〔声援〕 shēngyuán 명동 (공공연히) 성원(하다). ¶~被侵略者; 피침략자를 성원하다.

〔声乐〕 shēngyuè 명 《樂》 성악.

〔声韵〕 shēngyùn 명 성운. 자음(子音)과 모음. ¶~学; 음운학. 성운학.

〔声杂〕 shēngzá 형 소리가 시끄럽다. (이것저것 말하는) 소리가 많다. ¶白天~; 낮에는 소리가 시끄럽다.

〔声张〕 shēngzhāng 동 ①(소식 · 사건 · 소문 따위를) 널리 퍼뜨리다. ¶人家把这桩丑事~出去了; 사람들은 이 스캔들을 퍼뜨렸다 / 这件事现在还要保守秘密, 你可千万别~; 이 일은 지금은 비밀로 해 둘 필요가 있으니, 절대로 퍼뜨려서는 안 된다. ②소리를 내다.

〔声振林木〕 shēng zhèn lín mù 〈成〉 노래소리가 크고 우렁차다.

〔声震八方〕 shēng zhèn bā fāng 〈成〉 명성을 사방에 떨치다.

〔声罪〕 shēngzuì 동 〈文〉 죄상을 진술하다.

〔声罪致讨〕 shēng zuì zhì tǎo 〈成〉 공공연히 적을 치다. 죄상을 밝혀 징벌하다.

渑(澠) **Shéng** (승)

명 《地》 성수이 강(澠水)(산둥 성(山東省) 린쯔 현(臨淄縣) 일대에 있는 옛날 강 이름). ⇒miǎn

绳(繩) **shéng** (승)

①(~儿, ~子) 명 새끼. 노. 끈. ¶钢~; 와이어 로프(wire rope). ②동 〈文〉 (잘못을) 고치다. 바로잡다. 제재〔통제〕하다. ¶~以纪律; 규율로 바로잡다. ③명 먹줄. ④명 법률. ⑤형 〈文〉 올바르다. 반듯하다. 곧다. ⑥동 〈文〉 이어 가다. 계승하다. ¶~基祖武; 조상의 방식을 계승하다. ⑦동 〈文〉 재다. 판단하다. ¶不能以普通标准~之; 보통의 표준으로 이를 잴〔판단할〕 수는 없다. ⑧명 성(姓)의 하나.

〔绳鞭技〕 shéngbiānjì 명 채찍을 사용하는 곡예.

〔绳尺〕 shéngchǐ 명 ①목공 기구인 먹줄과 자. ②〈比〉 사물을 측정하는 표준. 준칙(準則). 법도.

〔绳床〕 shéngchuáng 명 ①새끼줄로 얽어 매어서 만든 침대〔의자〕. ¶~瓦灶wǎzào; 〈成〉 가난한 살림. ②해먹(hammock).

〔绳垫〕 shéngdiàn 명 코드 패킹(code packing).

〔绳伎〕 shéngjì 명 ⇨〔绳戏〕

〔绳锯木断〕 shéng jù mù duàn 〈成〉 작은 힘이라도 끊임없이 노력하면 성공할 수 있다.

〔绳捆索绑〕 shéng kǔn suǒ bǎng 〈成〉 (범인을) 새끼로 묶다. 포박하다.

〔绳缆〕 shénglǎn 명 새끼줄. 로프 따위의 총칭.

〔绳轮〕 shénglún 명 로프 풀리(rope pully).

〔绳墨〕 shéngmò 명 ①(목공이 사용하는) 먹줄. ②〈比〉 사물을 측정하는 표준. 준칙. 법도. ¶不

中～; 규칙에 맞지 않다 / 拘守～; 규칙을 고수하다.
〔绳愆〕 shéngqiān 동 〈文〉 과실이나 잘못을 고치다. ¶～纠谬; 〈成〉 허물을 고치고 잘못을 바로잡다. =〔绳正〕
〔绳桥〕 shéngqiáo 명 밧줄 다리.
〔绳趋尺步〕 shéng qū chǐ bù 〈成〉 태도·동작에 절도(節度)가 있다.
〔绳圈儿〕 shéngquānr 명 밧줄을 둘러친 장소.
〔绳绳〕 shéngshéng 형 〈文〉 ①끝없이 이어지는 모양. ¶子孙～; 자손이 죽 이어지다. ②무궁무진하다. ③정직한 모양.
〔绳枢〕 shéngshū 명 〈文〉 새끼줄 문동개《문짝엔 경첩을 쓰지 않고 새끼줄로 붙들어맨다는 뜻으로, 가난한 집의 형용》.
〔绳索〕 shéngsuǒ 명 ①(굵은) 끈. 새끼. ¶把～套在自己脖子上; 새끼줄을 자기 목에 걸다. 자기 목을 조르다. ②밧줄. ¶～耕耘机; 로프 견인식(牽引式) 경운기.
〔绳套〕 shéngtào 명 말고삐와 재갈.
〔绳梯〕 shéngtī 명 ①줄사다리. ②야곱(Jacob)의 사다리.
〔绳头〕 shéngtóu 명 새끼·로프·끈 따위의 끄트머리.
〔绳戏〕 shéngxì 명 줄타기. =〔绳伎〕
〔绳正〕 shéngzhèng 동 ⇨〔绳愆〕
〔绳直〕 shéngzhí 형 〈文〉 똑바르다. 〈比〉 정직하다.
〔绳逐〕 shéngzhú 동 〈文〉 과실·잘못을 바로잡고 배제하다.
〔绳子〕 shéngzi →〔字解①〕
〔绳祖〕 shéngzǔ 동 〈文〉 조상의 사업을 계승하다. 승조하다.

省 **shěng** (생)
①명 중국의 행정 구획의 단위. ¶山东～; 산둥 성(山東省). ②명 관청. ③명 궁중. 대궐. ④동 생략하다. 간략하게 하다. ¶～称; 약칭하다 / ～写; 생략해서 쓰다. ⑤동 검약하다. 절약하다. ¶～工夫; 시간을 아끼다 / ～时间; 시간을 줄이다 / ～手续; 절차를 줄이다. 절차가 생략되다 / ～着用; 절약해서 쓰다 / 一个窍门儿给国家～了不少资金; 조그만 궁리가 국가를 위하여 상당한 자금을 절약하게 해 주었다. ⑥동 생략되다. 덜다. 줄이다. ¶这样就可以～一道工序; 이렇게 하면 공정(工程)의 한 가지가 생략될 수 있다. ⇒xǐng
〔省摆尔〕 shěngbǎi'ěr 명 《樂》 〈音〉 심벌즈(cymbals). =〔铜钹〕〔铙钹〕〔辛巴尔〕
〔省便〕 shěngbiàn 형 품이 들지 않다. 생략하여 간단히 하다. 품과 시간이 들지 않아 편리하다. =〔省事方便〕
〔省不下〕 shěngbuxià 절약해서 남길 수가 없다《남길 정도로 절약할 수가 없다》. ¶～几个钱; 돈 몇 푼 절약할 수 없다.
〔省城〕 shěngchéng 명 성(省) 정부〔행정 기관〕 소재지. 성도(省都). ¶四川省～成都市; 쓰촨 성(四川省)의 행정 기관 소재지 청두 시(成都市). =〔省会〕〔省垣yuán〕 →〔省份〕
〔省吃〕 shěngchī 동 음식물을〔식비를〕 절약하다.
〔省吃俭用〕 shěng chī jiǎn yòng 〈成〉 식비를 줄이고 물건을 절약하다《검약한 생활을 하다》.
〔省得〕 shěngde 접 …하지 않기 위해서. …하지 않도록. ¶到百货大楼最好坐三路汽车, ～半路再换车了; 백화점에 가는데 도중에 갈아 타지 않기 위해서는 3번 버스를 타는 것이 가장 좋다.
〔省掉〕 shěngdiào 동 생략하다.
〔省费〕 shěng∙fèi 동 비용을 덜다.
〔省份〕 shěngfèn 명 (행정 구획·범위로서의) 성(省). ¶今年有许多～都获得丰收; 금년에는 많은 성(省)들이 풍요로운 수확을 거두었다. 注 고유명사에 붙여서 쓰지 않음.
〔省工〕 shěng∙gōng 동 수고를〔품을〕 덜다.
〔省工夫(儿)〕 shěng gōngfu(r) 시간을 덜다〔이 절약되다〕.
〔省工减料〕 shěnggōng jiǎnliào 품을 덜고 재료를 절감하다.
〔省沽油〕 shěnggūyóu 명 《植》 고추나무.
〔省会〕 shěnghuì 명 ⇨〔省城〕
〔省俭〕 shěngjiǎn 동 〈方〉 검약〔절약〕하다. =〔俭省〕
〔省减〕 shěngjiǎn 동 덜다. 줄이고 절감하다.
〔省界〕 shěngjiè 명 성계. 성의 경계.
〔省劲〕 shěng∙jìn 동 힘을 덜다. 품을 덜다. (shěngjìn) 형 (힘이 들지 않아) 편하다. 성가시지 않다.
〔省力〕 shěng∙lì 동 힘을 덜다. 힘이 덜어지다. ¶这种耕作方法～不少; 이러한 경작 방법은 힘이 적게 든다. (shěnglì) 형 (힘이 들지 않아 하기가) 쉽다. 품이〔수고가〕 들지 않다.
〔省例〕 shěnglì 명 〈文〉 각 성에서 정한 규칙〔조례〕.
〔省料〕 shěng∙liào 동 재료를 덜다〔줄이다〕.
〔省令〕 shěnglìng 명 성(省) 정부가 내리는 명령.
〔省略〕 shěnglüè 명동 생략(하다). 컷(하다). 명 《言》 (문장 성분(成分)의) 생략. ¶～号 =〔略号〕〔删节号〕; 생략 부호(…).
〔省煤器〕 shěngméiqì 명 ⇨〔节jié煤器〕
〔省钱〕 shěng∙qián 동 돈을 절약하다. 돈을 들이지 않다. (shěngqián) 형 (돈이 들지 않아) 경제적이다.
〔省区〕 shěngqū 명 (행정 구획으로서의) 성(省). →〔省城〕
〔省去〕 shěngqù 동 ⇨〔省却〕
〔省却〕 shěngquè 동 ①절약하다. ②생략하다. ¶这个字可以～; 이 글자는 생략해도 된다. ‖ =〔省去〕
〔省热器〕 shěngrèqì 명 ⇨〔节jié煤器〕
〔省时〕 shěngshí 형 시간이 걸리지 않다. (shěng∙shí) 동 시간을 절약하다. ‖ ↔〔费fèi时〕
〔省市〕 shěngshì 명 성(省)과 시(市).
〔省事〕 shěng∙shì 동 수고를 덜다. 수고를 덜 수 있다. ¶这样可以省许多事; 이렇게 하면 수고를 많이 덜 수 있다. (shěngshì) 형 성가시지 않다. 품이 들지 않다. 번거롭지 않다. 편리하다. ¶在食堂里吃饭～; 식당에서 밥을 먹으면 편리하다. ⇒ xǐngshì
〔省藤〕 shěngténg 명 〈方〉 ⇨〔白bái藤〕
〔省委〕 shěngwěi 명 〈簡〉 (중국 공산당의) '省委员会'(성위원회)의 약칭.
〔省辖市〕 shěngxiáshì 명 성(省)의 직할시.
〔省下〕 shěngxia 동 ①생략하다. ②절약해서 남기다.
〔省心〕 shěng∙xīn 동 걱정을 덜다. 시름을 놓다. ¶早办了早～; 빨리 끝내면 마음이 빨리 개운해진다 / 从此你算～了; 이제부터는 너도 시름을 덜게 된다. (shěngxīn) 형 마음이 편하다. ¶孩子进了托儿所, 我～多了; 아이가 탁아소에 들어가서 한결 마음이 편해졌다.

〔省用〕 shěngyòng 동 비용을 덜다. 절약하다.
〔省油(的)灯〕 shěngyóu(de)dēng ①기름을 절약할 수 있는 등. ②〈比〉 안심할 수 있는〔신경이 덜 쓰이는, 걱정하지 않아도 되는〕 인물. ¶他真令人淘táo神, 不是个~; 그는 정말 사람의 애를 태워, 안심할 수 있는 인간이 아니다.
〔省垣〕 shěngyuán 명 ⇨〔省城〕
〔省长〕 shěngzhǎng 명 성(省)의 장관.
〔省政府〕 shěngzhèngfǔ 명 성정부(성의 최고 행정 기관).
〔省治〕 shěngzhì 명〈文〉(옛날) 성정부(省政府) 소재지.
〔省专〕 shěngzhuān 명 '省政府'와 '专区'('专区'란 한 성 안의 약간의 현(縣)을 통합하는 중간 행정 기관).

眚 shěng (생)
명〈文〉①과오. 잘못. ¶不以一~掩大德; 사소한 과오로 큰 덕이 무시되지는 않는다. ②〈轉〉 재난. 재해. ¶~沴息矣《後漢書》; 재해는 수습됐다. ③〔醫〕 눈에 삼이 생기는 병.

圣(聖) shèng (성)
①명 지와 덕을 겸비한 사람. 성인. ②명 학문·예술 방면에 특히 뛰어난 사람. ¶诗~杜甫; 시성 두보(杜甫) / ~手; 명수. 명인. ③명 천자에 관한 사물을 나타내는 경칭. ¶~谕; 성유. 칙유(勅諭). ④명〔宗〕 종교의 개조(開祖)에 관한 사물을 나타내는 말. 숭배하는 사물에 대한 존칭. ¶~诞节; ⇩ ⑤형 성스럽다.
〔圣保罗〕 Shèngbǎoluó 명〔地〕〈音〉 상파울루(São Paulo)('巴西'(브라질: Brazil)의 도시). ¶~国际美术展; 상파울루 비엔날레.
〔圣裁〕 shèngcái 명〈文〉천자의 재결〔결재〕.
〔圣餐〕 shèngcān 명〔宗〕 성찬식(그리스도의 최후의 만찬. 그 때의 빵을 '圣肉', 포도주를 '圣血'라 이름).
〔圣餐礼〕 shèngcānlǐ 명 ⇨〔弥mí撒〕
〔圣差〕 shèngchāi 명〔宗〕 사도(使徒).
〔圣朝〕 shèngcháo 명〈文〉 당대(當代)의 조정.
〔圣代〕 shèngdài 명 ①〈文〉 성대. 성세(聖世). ②〈音〉 아이스크림 선디(icecream sundae). =〔三sān得〕
〔圣旦〕 shèngdàn 명〈文〉임금의 탄생일.
〔圣诞〕 shèngdàn 명 ①그리스도 탄생일. ¶~老人; 산타클로스. ②공자 탄생일.
〔圣诞岛〕 Shèngdàndǎo 명〔地〕 크리스마스 섬. =〔克kè里马斯岛〕
〔圣诞节〕 Shèngdànjié 명 크리스마스. =〔克利史马史〕
〔圣诞卡(片)〕 shèngdàn kǎ(piàn) 명 크리스마스 카드. =〔冬dōng卡〕
〔圣德〕 shèngdé 명〈文〉①성덕. 천자의 덕. ②최고의 덕. 성인의 덕.
〔圣地〕 shèngdì 명 ①〔宗〕 성인의 출생〔사망〕지. ②〔宗〕 종교의 발상지. ③중대한 역사와 역할을 가진 곳.
〔圣地亚哥〕 Shèngdìyàgē 명〔地〕〈音〉 산티아고(Santiago)('智利'(칠레: Chile)의 수도).
〔圣断〕 shèngduàn 명〈文〉 천자의 재단(裁斷).
〔圣多美和普林西比〕 Shèngduōměi hé pǔlínxībǐ 명〔地〕〈音〉 상투메 프린시페(São Tomé & Principe)(민주 공화국)(아프리카의 서대서양상의 섬나라. 수도는 '圣多美'(상투메: São Tomé)).
〔圣多明各〕 Shèngduōmínggè 명〔地〕〈音〉 산토도밍고(Santo Domingo)('多米尼加共和国'(도미니카 공화국:The Dominican Republic)의 수도). =〔三Sān多明各〕
〔圣多斯〕 Shèngduōsī 명〔地〕〈音〉 산투스(Santos)(브라질의 항구 도시).
〔圣弗兰西斯科〕 Shèngfúlánxīsīkē 명〔地〕〈音〉 샌프란시스코(San Francisco)('美国'(미국: America)의 도시). =〔桑sāng港〕〔三藩市〕〔旧金山〕
〔圣歌〕 shènggē 명 성가. 찬송가.
〔圣公会〕 Shènggōnghuì 명〔宗〕 성공회(영국 국교회). =〔圣公宗①〕
〔圣公宗〕 shènggōngzōng 명〔宗〕 ① ⇨〔圣公会〕 ②영국 국교회의 교의(教義).
〔圣躬〕 shènggōng 명〈文〉〈敬〉 성궁. 천자의 몸.
〔圣观音〕 shèngguānyīn 명〔佛〕(천수 관음이 아닌) 보통 모습의 관음 보살. =〔正zhèng观音〕
〔圣果〕 shèngguǒ 명 ⇨〔正zhèng果〕
〔圣何塞〕 Shènghésāi 명〔地〕〈音〉 산호세(San José)('哥斯达黎加共和国'(코스타리카 공화국: Costa Rica)의 수도). =〔圣约瑟〕
〔圣赫勒拿〕 Shènghèlènà 명〔地〕〈音〉 세인트헬레나(Saint Helena)(대서양 남부, 아프리카 서해안 앞바다에 있는 화산섬).
〔圣后皇太后〕 shènghòu huángtàihòu 명 (명(明)나라·청(清)나라 때의) 황태후가 생모가 아닌 경우, 황제의 그 황태후에 대한 일컬음(생모인 경우는 '国母皇太后'라 부름).
〔圣湖〕 shènghú 명 ⇨〔西xī湖〕
〔圣皇〕 shènghuáng 명〈文〉 성황. 임금님.
〔圣讳〕 shènghuì 동〈文〉 황제의 생존시 그 이름을 부르는 것을 삼가하다.
〔圣诲〕 shènghuì 명〈文〉 ①조칙(詔勅). ②성현의 가르침.
〔圣迹〕 shèngjì 명 성인의 유적.
〔圣洁〕 shèngjié 형〈文〉 신성하고 순결하다.
〔圣经〕 shèngjīng 명〔書〕 ①경전(經典). ¶~贤传 xiánzhuàn; 유교의 경전. ②〔宗〕 성서. ¶~纸; 인디아 페이퍼(India paper)(사서·성경 등의 인쇄에 쓰이는 얇고 질긴 상질의 종이).
〔圣眷〕 shèngjuàn 명〈文〉 천자의 총애.
〔圣君〕 shèngjūn 명〈文〉 성군. 영명한 천자.
〔圣览〕 shènglǎn 명〈文〉 성람. 천람(天覽).
〔圣劳伦〕 shèngláolún 명〈音〉 ⇨〔圣罗棱士〕
〔圣灵节〕 Shènglíngjié 명〔宗〕 성령 강림절(서양에서, 부활절 후의 제7 일요일).
〔圣路易〕 Shènglùyì 명〔地〕〈音〉 세인트루이스(Saint Louis)(미국 중부에 있음).
〔圣罗棱士〕 Shèngluóléngshì 명〔地〕〈音〉 세인트로렌스(Saint Lawrence). ¶~河; 세인트로렌스 강 / ~湾; 세인트로렌스 만. =〔圣劳伦〕
〔圣虑〕 shènglǜ 명〈文〉 성려. 천자의 염려.
〔圣马力诺〕 Shèngmǎlìnuò 명〔地〕〈音〉 산마리노(San Marino)(공화국)(이탈리아 중북부에 있는 작은 나라. 수도는 '圣马力诺'(산마리노:San Marino)).
〔圣门〕 shèngmén 명〈比〉 유교의 가르침.
〔圣庙〕 shèngmiào 명 공자묘(孔子廟).
〔圣明〕 shèngmíng 형 ①(임금께서) 사리가 밝다. ②매우 현명하다(남을 칭찬할 때 씀). ¶这位爷, 您~, 您给评评理; 어르신, 당신은 현명하시니까 판가름을 내려 주십시오.
〔圣谟〕 shèngmó 명〈文〉 성모. 성인의 방책(方

策).
〔圣母〕 shèngmǔ 명 ①중국 민간에서 신앙되던 여신(女神). ②《宗》 성모 마리아. ③〈敬〉 당대(唐代) 측천무후(則天武后)의 존칭. ④〈敬〉 청대(淸代) 황제의 생모의 일컬음.
〔圣墓〕 shèngmù 명 ①옛날, 공자의 묘. ②그리스도 등 종교의 개조(開祖)의 묘.
〔圣人〕 shèngrén 명 ①성인. ¶～不曾高, 众人不曾低; 〈諺〉 성인이 높은 적도 일찍이 없었고, 대중이 낮은 적도 일찍이 없었다. 대중이야말로 참다운 영웅이다 / ～也有三分错; 〈諺〉 성인도 사소한 잘못은 있다 / ～门前卖孝经; 〈諺〉 성인의 문전에서 효경(孝經)을 판다《부처님한테 설법》. ②〈文〉 공자(孔子). ③〈文〉 천자(天子). ④〈文〉 청주(淸酒).
〔圣容〕 shèngróng 명 〈文〉 천자의 용자(容姿).
〔圣肉〕 shèngròu →〔圣餐〕
〔圣萨尔瓦多〕 Shèngsà'ěrwǎduō 명 《地》 〈音〉 산살바도르(San Salvador)《'萨尔瓦多共和国'(엘살바도르: El Salvador의 수도》.
〔圣善〕 shèngshàn 명 〈文〉 ①최선(의 것). ②〈比〉 어머니.
〔圣上〕 shèngshàng 명 〈文〉 〈敬〉 성상. 천자님.
〔圣世〕 shèngshì 명 〈文〉 성세. 성대(聖代).
〔圣手〕 shèngshǒu 명 초인적인 기예를 지닌 사람. 명수. 명인. ¶网球～; 테니스의 명수.
〔圣水〕 shèngshuǐ 명 ①절 같은 데서 병에 잘 듣는다고 나누어 주는 물. ②기독교의 성수.
〔圣嗣〕 shèngsì 명 〈文〉 천자의 후계자.
〔圣算〕 shèngsuàn 명 〈文〉 〈敬〉 임금의 나이.
〔圣听〕 shèngtīng 명 〈文〉 성청. 천청(天聽).
〔圣童〕 shèngtóng 명 신동(神童). =〔神shén童〕
〔圣徒〕 shèngtú 명 그리스도 교도. 기독교 신자.
〔圣洗〕 shèngxǐ 명 ⇨〔洗礼①〕
〔圣贤〕 shèngxián 명 성현. ¶人非～, 孰能无过; 인간은 성현이 아닌데, 어찌 잘못이 없을 수 있겠는가.
〔圣血〕 shèngxiě →〔圣餐〕
〔圣心〕 shèngxīn 명 〈文〉 ①임금의 마음. ②성인의 마음. ③《佛》 불심(佛心).
〔圣训〕 shèngxùn 명 ①천자의 교훈. ②임금의 조서.
〔圣药〕 shèngyào 명 성약. (미신에서) 영약. ¶灵丹～; 영묘한 효능이 있는 약.
〔圣谕〕 shèngyù 명 〈文〉 제왕(帝王)의 칙유(勅諭).
〔圣诏〕 shèngzhào 명 〈文〉 성칙(聖勅). 조칙(詔勅).
〔圣旨〕 shèngzhǐ 명 ①천자의 말씀〔명령〕. ②〈比〉 (상부의) 명령. 분부.
〔圣衷〕 shèngzhōng 명 〈文〉 천자의 걱정.
〔圣主〕 shèngzhǔ 명 ①《佛》 부처의 존칭. ②〈文〉 성주. 영명한 군주.
〔圣祚〕 shèngzuò 명 〈文〉 성조. 천자의 위(位).

胜(勝) shèng (승)

① 명동 이기다〔이김〕. 승리(하다). 注 도박에서 이겼을 때는 쓰지 않음. ¶得～ =〔取～〕〔获～〕; 승리를 얻다 / 好～; 승벽이 강하다 / 打～仗; 전쟁〔싸움〕에 이기다 / 百战百～; 〈成〉 백전백승하다 / 不可战～的力量; 이길 수 없는 힘. ↔〔负fù⑦〕 ② 동 해치우다. 물리치다. ¶以少～多; 소수로 다수를 물리치다. ③ 형 우월하다《'于'·'过'·'似' 따위와 복합함》. ¶他的技术～过我; 그의 기술은 나보다 우수하다 / ～他一筹; 그보다 한 수 위다. ④ 형 (경치 등이) 아름답다. 훌륭하다. ¶名～; 경치가 아름답고 유명한 곳 / ～景; 뛰어난 경치 / ～概; 훌륭한 기개. ⑤〔〈舊〉 shēng〕 동 감당할 수 있다. ¶不～感激; 감격해 마지않다 / 悲不自～; 슬픔을 금할 수 없다. ⑥〔〈舊〉 shēng〕 동 있는 대로 다하다. ¶不可～枚; 많아서 헤아릴 수 없다 / 苦不～言; 고통은 말로 다할 수 없다 / 不～枚举; 낱낱이 다 들 수 없다. ⑦ 명 부인의 머리 장식. ¶花～; 리본. ⑧ 명 《化》 펩티드(peptide). =〔肽〕 ⑨ 명 성(姓)의 하나. ⇒shēng
〔胜败〕 shèngbài 명 승패. 승부. ¶不分～; 승패가 나지 않다. 무승부가 되다 / ～乃兵家之常; 〈諺〉 승패는 병가지 상사. =〔胜负〕
〔胜不骄, 败不馁〕 shèng bù jiāo, bài bù něi 〈成〉 이겼다고 해서 자만하지 않으며, 졌다고 해서 낙심하지도 않는다.
〔胜常〕 shèngcháng 형 〈翰〉 평소보다 기분이 좋다〔명랑하다〕. ¶起居～; 편안히 잘 지내고 있습니다.
〔胜朝〕 shèngcháo 명 〈文〉 멸망한 전대(前代)의 왕조(王朝). =〔胜国〕
〔胜春〕 shèngchūn 명 ⇨〔月yuè季(花)〕
〔胜地〕 shèngdì 명 경승지(景勝地). 명승지. ¶避暑～; 피서지.
〔胜负〕 shèngfù 명 ⇨〔胜败〕
〔胜哥儿〕 shènggēr 명 〈方〉 응석받이로 자란 자식. =〔胜蛋〕
〔胜国〕 shèngguó 명 ⇨〔胜朝〕
〔胜过〕 shèngguo 형 …보다 낫다. …이상이다. ¶干起活来～小伙子; 일이라면 젊은이보다 낫다. =〔胜似〕〔胜于〕
〔胜会〕 shènghuì 명 ⇨〔盛会〕
〔胜迹〕 shèngjì 명 〈文〉 명승 고적.
〔胜家(儿)〕 shèngjiā(r) 명 (내기에서) 이긴 사람.
〔胜践〕 shèngjiàn 동 ⇨〔胜游〕
〔胜景〕 shèngjǐng 명 〈文〉 승경. 뛰어나게 좋은 경치. =〔胜致〕
〔胜境〕 shèngjìng 명 〈文〉 뛰어나게 경치 좋은 곳. 경승지(景勝地).
〔胜利〕 shènglì 명동 승리(하다). 성공(하다). ¶～果实; 승리의 성과 / ～前进; 의기 양양하게 전진하다 / ～冲昏头脑; 승리 또는 성공에 의해서 머리가 멍해지다 / 我们～地开完了会; 우리는 성공리에 모임을 마쳤다.
〔胜利品〕 shènglìpǐn 명 전리품(戰利品).
〔胜流〕 shèngliú 명 〈文〉 명류(名流).
〔胜侣〕 shènglǚ 명 〈文〉 좋은 반려.
〔胜强〕 shèngqiáng 형 뛰어나다. ¶本事～; 솜씨가 뛰어나다.
〔胜券〕 shèngquàn 명 〈比〉 승리에 대한 확신〔자신〕. ¶稳操～; 승리에 대한 확신을 가지다.
〔胜任〕 shèngrèn 동 임무를 능히 감당하다. ¶你也许不能～这个工作; 너는 아마 이 일을 감당하지 못할 것이다 / 不胜其任; 그 소임을 감당해 내지 못하다 / ～愉yú快; 〈成〉 맡은 임무를 훌륭히 감당해 낼 수 있다.
〔胜事〕 shèngshì 명 〈文〉 장한 일. 훌륭한 일.
〔胜似〕 shèngsì 형 〈文〉 ⇨〔胜于〕
〔胜诉〕 shèngsù 명동 《法》 승소(하다). ↔〔败bài诉〕
〔胜算〕 shèngsuàn 명 〈文〉 승산. ¶操～, 用妙计; 승산이 있어 묘책을 쓰다.

〔胜言〕 shèngyán 형 말할 수 있다. 말할 기력이 있다. ¶不可～ =〔苦kǔ不～〕; (괴로워서) 말할 수 없다.
〔胜义〕 shèngyì 명《佛》가장 심오한 도리.
〔胜游〕 shèngyóu 동〈文〉즐겁게 유람하다. =〔胜践〕
〔胜友〕 shèngyǒu 명〈文〉훌륭한〔좋은〕 친구.
〔胜于〕 shèngyú 형〈文〉…보다 낫다. …이상이다. ¶事实～雄辩; 사실은 웅변보다 낫다. =〔胜过〕〔胜似〕
〔胜仗〕 shèngzhàng 명 승전(勝戰). ¶打～; 전쟁에 이기다. ↔〔败仗〕
〔胜致〕 shèngzhì 명 ⇨〔胜景〕

晟 shèng〔chéng〕(성)
형〈文〉①광명하다. 환하다. ②왕성하다.

盛 shèng (성)
①형 왕성하다. 한창이다. ¶年轻气～; 젊고 원기 왕성하다 / 士气很～; 사기가 왕성하다 / 牡丹～开; 모란꽃이 활짝 피었다 / 花开得正～; 꽃이 한창 만발해 있다 / 回家的心～; 집에 돌아가고 싶은 생각이 간절하다. ②형 번성〔홍성〕하다. ¶～衰; 성쇠. ③형 대규모의. 열렬한. ¶～况; 성황. ④형 풍부하다. 성대하다. ¶～装; 성장 / 丰～; 풍성하다 / ～宴 =〔～筵〕; 성대한 연회. ⑤형 심심(深甚)한. 진심 어린. ¶～意; 후의. ⑥동 성행하다. 널리 유행하다. ¶～传chuán; 유행하다/学习外文风气很～; 외국어를 배우는 기풍이 매우 성하다. ⑦형 크다. (정도가) 심하다. ¶～夸; ⓐ크게 칭찬하다. ⓑ심하게 과장하다. ⑧명 성(姓)의 하나. ⇒chéng
〔盛编〕 shèngbiān 명〈敬〉훌륭한 저작.
〔盛餐〕 shèngcān 명 성찬. 성대한 연회.
〔盛产〕 shèngchǎn 동 (토산물·광산물 따위를) 많이 산출하다. ¶～时期; 출회기. 많이 나는 시기 / 这里～茶和橘子; 이 곳에서는 차와 밀감이 많이 산출된다.
〔盛称〕 shèngchēng 동〈文〉크게 칭찬하다.
〔盛宠〕 shèngchǒng 명 성총. 대단한 총애.
〔盛传〕 shèngchuán 동 널리 알려져 있다. 널리 소문이 나돌고 있다.
〔盛大〕 shèngdà 형 성대하다. ¶～的宴会; 성대한 연회.
〔盛待〕 shèngdài 명동〈文〉성대한 대접(을 하다). =〔盛款〕
〔盛典〕 shèngdiǎn 명 성대한 의식.
〔盛冬〕 shèngdōng 명 한겨울《겨울 중 가장 추운 시기인 음력 12월을 가리킴》.
〔盛多〕 shèngduō 형〈文〉풍부하다. 매우 많다.
〔盛恩〕 shèng'ēn 명〈文〉큰 은혜.
〔盛纺〕 shèngfǎng 명 장쑤 성(江蘇省) 우장 현(吳江縣) 성쩌(盛澤)에서 나는 포플린.
〔盛服〕 shèngfú 명〈文〉성장(盛裝). 훌륭한 복장. ¶～先生;〈比〉유학(儒學)의 선생.
〔盛福〕 shèngfú 명〈文〉큰 행복.
〔盛会〕 shènghuì 명 성회. 성대한 모임. =〔胜会〕
〔盛惠〕 shènghuì 명〈文〉많은 혜택.
〔盛极而衰〕 shèng jí ér shuāi 극도로 성한 끝에 쇠퇴하다. ¶经历了一个～的过程; 정상에서 내리막길로의 코스를 지났다.
〔盛极一时〕 shèng jí yī shí〈成〉①한때 대단히 왕성〔유행〕하다. ②한때 만족의 절정에 있는 모양. =〔盛行一时〕
〔盛纪〕 shèngjì 명 ⇨〔盛仆〕
〔盛鬋〕 shèngjiǎn 명〈文〉여자의 숱이 많고 아름다운 머리.
〔盛饯〕 shèngjiàn 명〈文〉성대한 송별.
〔盛价〕 shèngjiè 명 ⇨〔盛仆〕
〔盛举〕 shèngjǔ 명 성대한 거사〔사업·행사〕.
〔盛开〕 shèngkāi 동 (꽃이) 만개(滿開)하다. ¶无穷花～; 무궁화꽃이 만개하다.
〔盛款〕 shèngkuǎn 명동 ⇨〔盛待〕
〔盛况〕 shèngkuàng 명 성황. ¶～空前; 공전의 성황이다.
〔盛礼〕 shènglǐ 명 ①극진한 예의. ②성대한 의식.
〔盛名〕 shèngmíng 명〈文〉높은 명성. ¶中国的丝织品颇享～; 중국 비단은 매우 평판이 높다 / 久负～; 예로부터 이름이 알려져 있다 / ～(之下, 其实)难副;〈成〉명성은 대단하지만 실제는 그렇지 못하다. =〔盛誉〕
〔盛年〕 shèngnián 명〈文〉성년. 장년.
〔盛怒〕 shèngnù 동〈文〉몹시 화내다. 격노하다.
〔盛仆〕 shèngpú 명〈文〉(당신의) 심부름꾼. 사용인. ¶令～收过去吧; 아무쪼록 당신의 하인으로 하여금 받아 가도록 해 주십시오. =〔盛纪〕〔盛价jiè〕
〔盛气〕 shèngqì 명 교만한 마음. 남을 깔보는 태도. 대단한 기세. ¶～凌人;〈成〉대단한 기세로 남을 위압하다《매우 거만스럽다》.
〔盛情〕 shèngqíng 명 (상대방의) 호의(好意). 후정. 친절. ¶蒙您～关照; 여러 가지로 신세를 졌습니다 / ～难却; 호의를 거절하기 어렵다 / 受到～款待; 후한 대접을 받았습니다.
〔盛设〕 shèngshè 명 성찬(盛饌). 성대한 대접. ¶这太～了! 이거 정말 융숭한 대접이십니다!
〔盛使〕 shèngshǐ 명〈文〉당신의 심부름꾼〔사자〕.
〔盛世〕 shèngshì 명 번영하는 시대. ¶太平～; 태평 성세《평화롭고 번영하는 시대》.
〔盛事〕 shèngshì 명 성대한 일.
〔盛暑〕 shèngshǔ 명 한더위. 성하(盛夏).
〔盛衰〕 shèngshuāi 명 성쇠. 번영과 쇠퇴. 흥륭(興隆)과 몰락. 부침(浮沈).
〔盛衰荣辱〕 shèng shuāi róng rǔ〈成〉영고 성쇠(榮枯盛衰)《사회의 성하고 쇠함이 서로 뒤바뀌는 현상》.
〔盛胎〕 shèngtāi 명《漢醫》임신 후에도 매달 월경이 있는 일.
〔盛王〕 shèngwáng 명〈文〉성덕(盛德)의 제왕.
〔盛夏〕 shèngxià 명 한여름《여름 중 가장 더운 시기인 음력 6월을 가리킴》. →〔盛冬〕
〔盛行〕 shèngxíng 동 성행하다. 널리 유행하다. ¶近来这个方法～起来了; 근래 이 방법이 유행하기 시작했다.
〔盛勋〕 shèngxūn 명〈文〉위훈(偉勳). 위대한 공훈.
〔盛筵〕 shèngyán 명〈文〉성연. 성대한 연석. ¶～必散sàn;〈諺〉성대한 연회석도 언젠가는 파할 때가 있다 / ～难再;〈比〉다시 없는 기회. =〔盛宴〕
〔盛业〕 shèngyè 명 성업. 큰 사업.
〔盛意〕 shèngyì 명〈文〉두터운 정. 꽃다운 뜻. =〔盛谊〕
〔盛誉〕 shèngyù 명 ⇨〔盛名〕
〔盛运〕 shèngyùn 명〈文〉왕성한 운(運). =〔昌chāng运〕
〔盛赞〕 shèngzàn 동 크게 칭찬하다.
〔盛治〕 shèngzhì 명〈文〉훌륭한 정치.

〔盛馔〕 shèngzhuàn 명 성찬. 풍성하게 차린 음식.
〔盛装〕 shèngzhuāng 명 성장. 화려한 단장. 화려한 복장. ¶～舞步赛; 마장(馬場) 마술 경기. ⇒chéngzhuāng

乘 shèng (승)
①명〖佛〗불교의 교리로 중생을 태우고 열반의 피안(彼岸)에 이르게 하는 것. ¶大～; 대승/小～; 소승. ②명〈文〉사서(史書). ③명 탈것. ¶车～; 차/～马; (타는) 말. ④양 승《말 4필이 끄는 병거(兵車)를 세는 말》. ¶万～之国; 병거 1만 대를 소유하는 대국. ⑤양〈方〉수레를〔차량을〕세는 말. ‖=〔椉shèng〕⇒chéng

剩〈賸〉 shèng (잉)
①동 남다. 나머지가 있다. ¶大家都走了, 只～下他一个人; 모두들 다 가고, 그 사람 혼자만 남았다. 注 술어의 경우 항상 '～了'·'～下'가 됨. ②명 나머지. ③명〈文〉이익. ¶净～; 순이익금/刨除净～; 순이익을 공제하다.
〔剩磁〕 shèngcí 명〖物〗잔자성(殘磁性). 잔류 자기(磁氣).
〔剩饭〕 shèngfàn 명 (먹다) 남은 밥. ¶～手;〈比〉무능한 사람. 우둔한 사람.
〔剩货〕 shènghuò 명 ①팔고 남은 물품. ②〈轉〉혼기를 놓친 처녀. ¶谁要娶那样儿的姑娘, ～嘛! 누가 저런 아가씨를 데려간단 말인가, 혼기가 지난 노처녀인데! ③〈轉〉우둔해서 쓸모없는 사람.
〔剩款〕 shèngkuǎn 명 잔금. 잉여금.
〔剩魄残魂〕 shèngpò cánhún〈比〉겨우 목숨만 유지하고 있는 노인.
〔剩钱〕 shèngqián 명 잔금. 잉여금.
〔剩水〕 shèngshuǐ 명 세수한 물. 이미 쓴 물. ¶你别用人家的～洗脸; 남이 씻은 물로 세수하지 마라.
〔剩汤腊水〕 shèngtāng làshuǐ 식사하고 남은 음식. 먹다 남은 찌꺼기.
〔剩下〕 shèng.xia 동 남다. ¶剩不下什么钱; 돈이 얼마 남지 않았다/只～几个; 몇 개 남지 않았다.
〔剩银〕 shèngyín 명〈文〉잔금.
〔剩余〕 shèngyú 명 잉여. 나머지. ¶～物资; 잉여 물자/收支相抵, 略有～; 수입과 지출을 상쇄하고도 약간의 잉여가 생겼다/～价值;〖經〗잉여 가치/～产品;〖經〗잉여 생산물/～劳动;〖經〗잉여 노동.
〔剩语〕 shèngyǔ 명〈文〉쓸데없는 말.

嵊 Shèng (승)
명〖地〗성 현(嵊縣)《저장 성(浙江省)에 있는 현(縣) 이름》.

椉 shèng (승)
〈文〉⇨〔乘shèng〕⇒chéng

SHI 尸

尸〈屍〉① shī (시)
①명 송장. 시체. ¶死～; 시체. 시신. 송장/验～; 검시(하다)/僵～; 굳어 버린 송장. ②명 시동(尸童). 옛날, 제사 지낼 때 죽은 사람을 대신하여 제사를 받던 사람. 〈轉〉신주(神主). ③동 관장(管掌)하다. 주관하다. ¶当局应～其咎也; 당국은 그 책임을 져야 한다. ④동 벌이어 놓다. 진(陣)치다. ⑤명 성(姓)의 하나.
〔尸变〕 shībiàn 명 죽은 사람이 일어나 걷는 이변(異變).
〔尸布〕 shībù 명 수의(壽衣).
〔尸场〕 shīchǎng 명 사체가 있는 현장. ¶到～验尸; 사체가 있는 현장으로 가서 검시하다.
〔尸单〕 shīdān 명 ⇨〔尸格〕
〔尸格〕 shīgé 명 사체 검안서(死體檢案書). =〔尸单〕
〔尸古〕 shīgǔ 명 옛 무덤 속에서 나오는 옥(玉)〔구슬〕.
〔尸骨〕 shīgǔ 명 백골. 죽은 사람의 뼈.
〔尸官〕 shīguān 명〈文〉무능한 관리.
〔尸棺〕 shīguān 명 시체를 넣은 관.
〔尸骸〕 shīhái 명 유골. 백골. =〔残cán骸①〕
〔尸横遍野〕 shī héng biàn yě〈成〉시체가 들판 여기저기에 널려 있다. =〔尸骸遍野〕
〔尸碱〕 shījiǎn 명〖化〗프토마인(ptomaine). =〔腐fǔ肉毒〕
〔尸谏〕 shījiàn 동〈文〉시간하다. 죽음으로써 간하다.
〔尸解〕 shījiě 명 시해《도교(道教)에서, 도술을 닦은 사람이 몸만 남기고 혼백이 빠져 나가 신선이 되는 도술》.
〔尸咎〕 shījiù 동〈文〉책임을 지다.
〔尸居余气〕 shī jū yú qì〈成〉죽을 고비에 이른 모양.
「체.
〔尸蜡〕 shīlà 명〖醫〗시랍(屍蠟). 납화(蠟化)한 시
〔尸利〕 shīlì〈文〉명 아무것도 하지 않고 받는 이익. 동 아무것도 하지 않고 이익을 받다.
〔尸录〕 shīlù 동〈文〉아무것도 하지 않고 녹(祿)을 받다.
〔尸婆子〕 shīpózi 명 (여자의 시체를 검시하는) 여자 검시인.
〔尸亲〕 shīqīn 명〈文〉죽은 사람의 가족. 유족.
〔尸身〕 shīshēn 명 시신. 사체. 시체. =〔尸首(儿)〕
〔尸首(儿)〕 shīshǒu(r) 명 ⇨〔尸身〕
〔尸素〕 shīsù〈成〉⇨〔尸位素餐〕
〔尸体〕 shītǐ 명 시체. 사체.
〔尸陀林〕 shītuólín 명 ⇨〔寒hán林②〕
〔尸位〕 shīwèi 동 그 직위에 있으면서 직책을 다하지 않다. ¶～误国;〈成〉관직에 있으면서 직책을 다하지 않고 국사(國事)를 그르치다.
〔尸位素餐〕 shī wèi sù cān〈成〉①일하지 않고 밥을 먹음. ②벼슬 자리에 있으면서 그 직책을 다하지 못하고 공연히 녹만 타 먹음. ‖=〔尸素〕〔窃位①〕〔窃位素餐〕
〔尸逐〕 Shīzhú 명 복성(複姓)의 하나.
〔尸主〕 shīzhǔ 명 시체 인수인.
〔尸祝〕 shīzhù 명〈文〉제문을 읽는 사람.
〔尸子〕 shīzǐ 명 피살자의 아들.

鸤(鳲) shī (시)
→〔鸤鸠〕
〔鸤鸠〕 shījiū 명〖鳥〗뻐꾸기.

失 shī (실)
①동 잃다. 놓치다. ¶～业; ⇩/坐～良机; 뻔히 보면서 좋은 기회를 놓치다. ②동 실수하다. 잘못하다. 실패하다. ¶～手摔了一个碗; 손에서 놓쳐 공기를 하나 깼다. ③명 과실. 잘

못. 실수. ¶百无一～; 백 가지에서 한 가지의 잘못도 없다/智者千虑, 必有一～; 〈諺〉머리 좋은 사람의 생각에도 때로는 잘못이 있다/惟恐有～; 잘못이 있을까 그저 두려워하다/过～; 과실/言多语～; 〈成〉말이 많으면 자칫 실언을 한다. ④ 동 목적에 다다르지 못하다. ¶～望; 실망/～意; 실의. ⑤동 (정상을) 벗어나다. ¶～声而哭; 설움이 복받쳐 통곡하다/惊惶～色; 놀라 당황해서 실색하다. ⑥동 어기다. 배반하다. ¶～信; 신뢰를〔약속을〕어기다/～礼; 실례하다.

〔失败〕 shībài 명동 ①패배(하다). ¶比赛～了; 시합에 졌다/遭列～; 패배하다. ↔〔胜shèng利〕 ②실패(하다). ¶～为成功之母; 〈諺〉실패는 성공의 어머니.

〔失败主义〕 shībài zhǔyì 명 패배주의.

〔失财挡灾〕 shīcái dǎngzāi 재물을 잃은 것으로 재앙을 막다(재물을 잃은 사람에 대한 위로의 말).

〔失策〕 shīcè 명동 실책(하다). 오산(하다).

〔失察〕 shīchá 동〈文〉감독을 소홀히 하다.

〔失常〕 shīcháng 형 정상적인 상태가 아니다. ¶神经～; 신경이 이상을 나타내다.

〔失宠〕 shī.chǒng 동〈貶〉실총하다. 총애를 잃다.

〔失出〕 shīchū 명《法》죄상이 무거운데 가벼운 형을 과하거나, 형을 과해야 할 사람에게 형을 과하지 않거나 하는 법적인 조치.

〔失传〕 shīchuán 동 후세에 전해지지 않다. 전승(傳承)이 끊기다.

〔失辞〕 shīcí 명동 ⇨〔失言〕

〔失次〕 shīcì 동〈文〉순서를 어지럽히다.

〔失措〕 shīcuò 동 (놀라고 당황하여) 행동이 정상이 아니다. 어찌할 바를 모르다. ¶茫然～; 망연자실하다.

〔失单〕 shīdān 명 분실 신고서. 도난(盜難) 신고서.

〔失当〕 shīdàng 형 실당하다. 타당성을 잃다. ¶措施～; 조치가 부당하다/处理～; 처리가 타당하지 않다.

〔失盗〕 shī.dào 동〈文〉도난당하다.

〔失道〕 shīdào 동〈文〉도리에 어긋나다. ¶～寡助; 〈成〉도리에 어긋나는 사람에겐 도움이 조금밖에 없다.

〔失地〕 shīdì 동 국토를 상실하다. ¶丧权～; 주권과 국토를 잃다. 명 잃은 국토. 실지(失地). ¶收复～; 실지를 수복하다.

〔失调〕 shīdiào 형 음악의 가락이 조화되지 않다. ⇒shītiáo

〔失掉〕 shīdiào 동 ①잃다. 잃어버리다. ¶～理智; 이성을 잃다/～作用; 기능을 잃다. ②놓치다. ¶～时机; 시기를 놓치다.

〔失丢〕 shīdiū 동 잃다. 없애다.

〔失度〕 shīdù 동〈文〉정도를 잃다.

〔失儿〕 shī'ér 명 미아(迷兒).

〔失防〕 shīfáng 동〈文〉방비를 잘못하(여 점령당하)다.

〔失分〕 shīfēn 명동《體》실점(하다). ↔〔得dé分〕

〔失风〕 shīfēng 동 사전에 정보가 새다. ¶～被捕; 정보가 새어 나가 체포되었다.

〔失官〕 shīguān 동 관직을 잃다.

〔失和〕 shīhé 동 ①사이가 틀어지다. ②평화가 깨지다.

〔失和气〕 shīhéqi 동 ⇨〔掰bāi脸〕

〔失贺〕 shīhè 동 축하의 말을 할 기회를 놓치다.

〔失候〕 shīhòu 동 ①알맞은 시기를 놓치다. ②자리에 없어서 (손님에게) 실례를 범하다. ③문병을 하지 못해 실례를 범하다.

〔失怙〕 shīhù 동〈文〉①아버지를 여의다. ②기둥이 되는 사람을 잃다. 의지할 사람을 잃다.

〔失欢〕 shī.huān 동 남의 환심을 잃다.

〔失悔〕 shīhuǐ 동 후회하다. ¶他有几分～似地回头看看我; 그는 좀 후회한 듯 돌아서서 나를 보았다.

〔失魂〕 shīhún 동 혼이 빠지다. ¶～落魄; 〈成〉혼비백산(魂飛魄散)하다/把他吓得～; 그를 기절초풍하게 만들다.

〔失火〕 shī.huǒ 동 실화하다. 불을 내다(기휘어(忌諱語)로 '走水'라고도 함). (shīhuǒ) 명 화재. 실화.

〔失机〕 shījī 동 ①기회를 놓치다. ②(득점의) 찬스를 놓치다. 명《體》아웃.

〔失计〕 shījì 명동 실책(失策)(하다).

〔失记〕 shījì 동〈文〉기억에서 사라지다. 잊어버리다. ¶年远～; 오래 되어서 기억이 없다.

〔失家〕 shījiā 동 상처(喪妻)하다. ¶他～了; 그는 상처했다.

〔失检〕 shījiǎn 동 ①검사를 되는 대로 하다. 검사를 잘못하다. 검사를 하지 않고 두다. ②신중을 기하지 않다. ¶言语～; 말이 경솔하다.

〔失脚〕 shī.jiǎo 동 ①발을 헛디디다. ¶从梯子～掉下来; 사다리를 헛디뎌 떨어지다. ②실각(失脚)하다.

〔失教〕 shījiào 형 (가정) 교육을 잘 받지 못하다. 버릇이 없다. ¶少调tiáo～; (가정) 교육을 받지 못했다. 버릇이 없다.

〔失节〕 shī.jié 동〈文〉①절조(節操)를 잃다. ②절개〔정절〕를 잃다.

〔失禁〕 shījìn 동 실금하다. 대소변을 가리지 못하다. ¶小便～; 오줌 지리기. =〔不bù禁〕

〔失惊〕 shījīng 동 깜짝 놀라다.

〔失惊打怪〕 shī jīng dǎ guài 〈成〉깜짝 놀라서 겁을 먹다〔의아해하다〕. ¶没有什么事, 用不着～; 아무것도 아니니, 겁먹을 것 없다.

〔失敬〕 shījìng 명동〈套〉실례(하다). ¶您是王先生啊? ～～! 당신이 왕선생이신가요? 정말 실례했습니다!

〔失据〕 shījù 동〈文〉의지할 곳을〔근거를〕잃다.

〔失控〕 shīkòng 동 제어하기 어렵다. 다루기 벅차다〔버겁다〕. ¶通货膨胀～; (수습이 안 되는) 급상승 인플레.

〔失口〕 shī.kǒu 동 ①입을 잘못 놀리다. 실언하다. ¶一时～; 무심결에 실언하다. =〔失言〕〔失辞〕 ②저도 모르게 입을 열다. ¶～喊冤; 엉겁결에 억울하다고 외쳤다.

〔失礼〕 shīlǐ 동 실례하다. ¶～～! 〈敬〉실례했습니다!/～得很了; 〈敬〉대단히 실례했습니다.

〔失利〕 shī.lì 동 ①손해를 보다. 불리하게 되다. ②패배하다. (싸움·경기에서) 지다. ¶战斗～; 전투에서 지다.

〔失恋〕 shī.liàn 동 실연하다. (shīliàn) 명 실연.

〔失灵〕 shīlíng 동 ①영험(靈驗)을 잃다. 효력을 잃다. ¶听觉～; 귀가 먹다. ②(기계 따위가) 감도(感度)가 나빠지다. 고장나다. ¶马达～; 모터가 고장나다. ③(탄알 따위가) 불발이 되다.

〔失漏〕 shīlòu 동 잊다. 빠뜨리다.

〔失路〕 shīlù 〈文〉동 길을 잃다. 명〈比〉뜻을 이루지 못한 사람.

〔失律〕 shīlǜ 동〈文〉규칙을 지키지 않다. ¶师出

以律，～凶也《易經》; 출병하는 것은 규칙에 따라야 하며, 그것을 지키지 않는 것은 흉(凶)이다.
〔失落〕 shīluò 동 잃어버리다. 잃다.
〔失迷〕 shīmí 동 (길을 잃고) 헤매다. ¶～的小孩子; 미아(迷兒) / ～路途; 길을 잘못 잡아 헤매다.
〔失密〕 shī.mì 동 기밀을 누설하다.
〔失眠〕 shī.mián 동 잠을 못 이루다. 잠을 설치다. ¶病人昨夜～; 환자는 어젯밤 잠을 이루지 못했다. (shīmián) 명 《醫》 불면증. ¶患～; 불면증에 걸리다. =〔失眠症〕
〔失灭〕 shīmiè 동 (물건을) 잃다. 분실하다. ¶把要紧的文件～了; 귀중한 서류를 잃어버렸다.
〔失明〕 shī.míng 동 실명하다. =〔失目〕
〔失目〕 shīmù 동 ⇨〔失明〕
〔失粘〕 shīnián 형 (시의) 평측(平仄)이 맞지 않다.
〔失偶〕 shī'ǒu 동 〈文〉 배우자를〔짝을〕 잃다.
〔失陪〕 shīpéi 동 〈套〉 먼저 실례하겠습니다. ¶～! 먼저 실례하겠습니다. 안녕히 계십시오 / 你们多谈一会儿, 我有事～了; 말씀들 더 나누십시오, 저는 일이 있어서 먼저 실례합니다.
〔失票〕 shīpiào 명 분실 어음. 동 수표를〔어음을〕 분실하다.
〔失期〕 shīqī 동 〈文〉 때를 놓치다. 기일을 잘못 잡다.
〔失窃〕 shīqiè 동 도둑 맞다. 도난당하다.
〔失去〕 shīqù 동 잃다. 잃어버리다. ¶～信心; 자신(自信)을 잃다 / ～了生命力; 생명력을 잃었다 / ～时效; 시효에 걸리다. =〔失掉〕
〔失权〕 shīquán 명동 《法》 실권(하다).
〔失却〕 shīquè 동 〈文〉 잃다. 소실하다. ¶～效用; 효능을 잃다.
〔失群〕 shī.qún 동 무리에서 떨어지다. ¶那只羊失了群了; 저 양은 무리에서 떨어지고 말았다.
〔失群之雁〕 shī qún zhī yàn 〈成〉 무리를 잃은 기러기《동료로부터 떨어져 외톨이가 되다》.
〔失人〕 shīrén 동 〈文〉 사람의 재능을 보는 눈이 없(어서 인재를 놓치)다. ¶可与言而不与之言, ～《論語 衛靈公》; 더불어 말해야 할 때 더불어 말하지 않으면 사람을 놓친다.
〔失容〕 shīróng 동 〈文〉 망연히 놀라다. 어안이 벙벙해지다.
〔失入〕 shīrù 명 《法》 가벼운 죄에 대하여 지나치게 무거운 형을 과하거나 죄없는 사람에게 형벌을 과하는 일.
〔失散〕 shīsàn 동 뿔뿔이 헤어지다. 흩어지다. 이산(離散)하다. ¶和我的同伴～了; 동행자와 떨어지고 말았다.
〔失色〕 shīsè 동 ①안색을 바꾸다. ¶君子不～于人《禮記》; 군자는 사람에 대해 안색을 바꾸지 않는다. ②(놀람·두려움으로) 실색하다. 새파래지다. ¶大惊～; 대경 실색하다.
〔失闪〕 shī.shan 명 의외의 실수. 의외의 사건. 사고. 의외의 위험. 동 ⇨〔失身儿〕
〔失身〕 shī.shēn 동 〈文〉 ①여성이 정조를 상실하다. ②위해(危害)를 받다.
〔失身儿〕 shī.shēnr 동 〈京〉 (장사·교제상의) 손해를 보다. ¶卖这种搁不住的货, 只要不～就出手; 이런 오래 못 가는 상품은 손해만 보지 않는다면 처분해 버린다 / 他很能识人, 交朋友从没失过身儿; 그는 사람을 보는 눈이 있으므로 친구와 교제해도 손해를 본 적이 없다. =〔丢失儿〕〔失闪〕
〔失神〕 shīshén 동 ①실신하다. 넋빠지다. 까무러치다. ¶他瞪着～的眼睛, 痴呆呆地看着窗外; 그는 얼빠진 눈으로 멍하니 창 밖을 내다보고 있다. ②방심하다. 부주의하다. ¶一时失了神; 깜박 방심하다 / 稍一～, 就会中zhòng敌人的暗算; 조금이라도 방심하면 적의 암수에 걸린다.
〔失神无主〕 shīshén wúzhǔ ⇨〔无色无主〕
〔失慎〕 shīshèn 동 ①주의를 게을리하다. 신중을 기하지 않다. ¶行动～; 행동이 신중하지 못하다 / 发言～; 말이 소홀하다〔신중치 못하다〕. ②〈文〉 실화(失火)하다. ¶邻居～, 连他的房子都烧掉了; 이웃집에서 불이나 그의 집도 타 버렸다.
〔失声〕 shīshēng 동 ①엉겁결에 소리를 지르다. ¶胡月亭～笑了起来; 호월정은 저도 모르게 소리를 내어 웃기 시작했다. ②슬픈 나머지 (목이 메어) 울어도 울음소리가 안 나다. ¶痛哭～; 실성통곡하다.
〔失时〕 shī.shí 동 시기〔기회〕를 놓치다.
〔失实〕 shīshí 동 사실과 맞지 않다. 신빙성을 결하다. 진실성을 잃다. ¶传闻～; 소문이 사실과 맞지 않다.
〔失事〕 shī.shì 동 ①실패하다. 잘못하다. ②사고를 일으키다. 불행한 일이 일어나다. ¶船～了; 배에 사고가 생겼다. 명 사고. ¶交通～; 교통사고 / ～信号; 에스오에스(S.O.S).
〔失势〕 shī.shì 동 실세하다. 세력을 잃다.
〔失恃〕 shīshì 동 〈文〉 어머니를 여의다.
〔失手〕 shī.shǒu 동 손에서 놓치다. 손어림이 빗나가다. ¶～差脚; 과오를 저지르다. 실패하다.
〔失守〕 shīshǒu 동 ①함락되다. 점령되다. ②지켜야 할 본분을 잃다. 절조(節操)를 잃다.
〔失溲〕 shīsōu 명 《漢醫》 (소변의) 실금.
〔失速〕 shīsù 《機》 명동 실속(하다). 명 스톨(stall).
〔失算〕 shīsuàn 동 계산을 잘못하다. 예상을 잘못하다. ¶这一着zhāo～得很; 이 한 수는 대단한 계산착오였다.
〔失所〕 shīsuǒ 동 〈文〉 의지할 곳을 잃다.
〔失态〕 shītài 동 추태를 부리다. ¶酒后～; 술을 마신 후 추태를 부리다 / ～症; 《醫》 대뇌 장애 때문에 동작으로 의사를 나타낼 능력이 없어지는 병. 실태증.
〔失调〕 shītiáo 동 ①평형(平衡)을 잃다. 균형이 깨지다. ¶供求～; 수급(需給)이 균형을 잃다 / 营养～; 영양 실조. ②섭생(攝生)이 부족하다. 몸조리를 잘못하다. ¶她产后～, 身体很虚弱; 그녀는 산후의 조리가 나빠서 몸이 매우 쇠약해졌다. ⇒shīdiào
〔失亡〕 shīwáng 동 〈文〉 실종하다. 종적이 없어지다.
〔失望〕 shīwàng 동 ①희망이 없다. 자신을 잃다. 기대가 어긋나다. ②실망하다. 낙심하다. ¶大失所望; 크게 실망하다.
〔失物〕 shīwù 동 물건을 잃어버리다. ¶～不管; 물건을 분실해도 책임을 지지 않습니다. 명 유실물. ¶～单纸; 유실물 목록 / ～招领; 유실물 수령의 통지를 하다 / 寻找～; 유실물을 찾다 / ～招领处; 유실물 취급소.
〔失误〕 shīwù 동 ①(구기(球技)·바둑에서) 실수하다. ②《體》 (배구에서) 서브 미스하다.
〔失喜〕 shīxǐ 동 〈文〉 기쁨을 금치 못하다. 아주 기뻐서 어쩔 줄 모르다.
〔失闲〕 shīxián 형 빈둥빈둥하다. 꼼짝 안 하다. ¶手里半会儿也没舍得～; 잠시 일손을 놓는 것조차 아까워했다.

〔失陷〕 shīxiàn 동 (도시·요새 따위가) 함락되다. (영토·도시가) 적에게 점령당하다.
〔失效〕 shī.xiào 동 ①《法》 실효가 되다. ②효력이 없어지다. ¶此药经过多年，已经～；이 약은 여러 해가 지나 벌써 효력이 없어졌다.
〔失笑〕 shīxiào 동 실소하다. 저도 모르게 웃음이 터져 나오다. 픽 웃다.
〔失心〕 shīxīn 동 미치다. 실성하다.
〔失心疯〕 shīxīnfēng 명 미친 사람. 광인.
〔失信〕 shī.xìn 동 약속을 어기다. 신용을 잃다. ¶和人定约不要～；남과 맺은 약속을 어겨서는 안 된다.
〔失修〕 shīxiū 동 수리(修理)·보호를 게을리하다. ¶年久～；장기간 수리를 하지 않다.
〔失学〕 shī.xué 동 ①공부할 기회를 잃다. ②학업을 중단하다.
〔失血〕 shīxuè 동 (출혈·토혈 등으로) 체내의 혈액이 감소하다. 빈혈을 일으키다.
〔失迓〕 shīyà 〈翰〉 부재중이라 실례했습니다. ＝〔有失迎迓〕
〔失言〕 shī.yán 동 실언하다. ¶一时～；무심코 입을 놀리다. ＝〔失口①〕 (shīyán) 명 실언. ‖＝〔失辞〕
〔失眼〕 shīyǎn 동 〈吴〉 잘못 보다.
〔失业〕 shī.yè 동 실업하다. ¶～工人；실업자. 실업 노동자.
〔失业军〕 shīyèjūn 명 ⇨〔产chǎn业后备军〕
〔失仪〕 shīyí 동 실례하다. 추태를 부리다. ¶我那天多贪了两杯，～的地方不少，叫先生们见笑；제가 그 날 좀 많이 마시고 여러 가지로 추태를 부려 여러 선생님들께 부끄럽습니다.
〔失宜〕 shīyí 동 도리에 어긋나다. 적당〔타당〕하지 않다.
〔失遗〕 shīyí 동 잃다. 분실(紛失)하다.
〔失意〕 shī.yì 동 실의하다. 뜻을 이루지 못하다.
〔失音〕 shīyīn 《醫》 동 성대(聲帶)의 병으로 소리가 나오지 않게 되다. 명 실성증(失聲症).
〔失迎〕 shīyíng 〈套〉 ①마중 나가지 못하여 죄송합니다. ②부재로 말미암아 실례했습니다.
〔失语症〕 shīyǔzhèng 명 《醫》 실어증.
〔失驭〕 shīyù 동 〈文〉 통제력을 잃다. ¶隋氏～，天下沸腾《舊唐書 任瓌傳》；수씨가 통제력을 잃자, 천하는 들끓었다.
〔失约〕 shī.yuē 동 약속을 깨다. 위약하다. ＝〔爽shuǎng约〕
〔失赃〕 shīzāng 명 도둑맞아 잃어버린 것. 도난당한 물건.
〔失张〕 shīzhāng 동 당황하다. 매우 놀라 허둥지둥하다.
〔失着〕 shī.zhāo 동 실책(失策)을 범하다. 실수하다. ¶这一次是我～了；이번에는 내가 실수했다. (shīzhāo) 명 그릇된 방법. 실책. 실계(失計).
〔失真〕 shī.zhēn 동 ①진상(眞相)과 어긋나다. 사실과 다르다. ¶传写～；전사(轉寫)의 잘못. ②(라디오·전화 소리 따위를) 변조하다. ＝〔畸变〕
〔失之东隅，收之桑榆〕 shī zhī dōng yú, shōu zhī sāng yú 〈成〉 처음에는 실패하다가 끝내는 성공하다(‘东隅’는 해가 뜨는 동쪽으로 아침을, ‘桑榆’는 뽕나무와 느릅나무의 뜻으로 그 곳에 달이 진다 해서 저녁을 가리킴).
〔失之毫厘，谬以千里〕 shī zhī háo lí, miù yǐ qiān lǐ 〈成〉 처음에는 사소한 잘못일지라도, 나중에는 크게 잘못된 결과를 초래케 한다.
〔失之交臂〕 shī zhī jiāo bì 〈成〉 빤히 알면서 좋은 기회를 놓치다. ¶机会难得，幸勿～！얻기 힘든 기회이니 부디 놓치지 마시기를!
〔失之于滥〕 shī zhī yú làn 〈成〉 도가 지나치다. 너무 남용하다. 지나치게 혼란하다. ¶这样的说法就未免～了；이러한 말씨는 너무 지나친 경향이 있다.
〔失支脱节〕 shīzhī tuōjié 착오를 일으키다. 사고를 일으키다. ¶要看势头，休要～《水滸傳》；형편을 잘 살피고, 차질이 생기지 않게 해야 된다.
〔失职〕 shī.zhí 동 직무를 태만히 하다. 직무상 과실을 저지르다. ¶李市长～的行为太多，所以被革除了；이 시장은 직무상 잘못한 행위가 너무 많았으므로 파면됐다. (shīzhí) 명 직무상의 과실. 소홀.
〔失重〕 shī.zhòng 동 《物》 무중력 상태가 되다. ¶新制的电梯，速度匀称chèn，在起动的时候不会使乘客有～的感觉；새로 제작한 엘리베이터는 속도가 균형이 잡혀 있어, 시동 때에 승객에게 무중력감을 느끼게 하지 않는다.
〔失主〕 shīzhǔ 명 ①유실물의 주인. 분실자. ¶寻找～；유실물의 주인을 찾다. ②유괴·절도 사건의 피해자.
〔失踪〕 shī.zōng 동 실종되다. 행방불명되다.
〔失足〕 shī.zú 동 ①실족하다. ¶～落水；실족하여 물에 빠지다. ＝〔失脚〕 ②〈比〉 실수하다. 그릇된 길로 들다. 타락하다. ¶一～成千古恨；〈諺〉 한 번의 실수는 천 년의 한이 됨 / ～青年；그릇된 길로 든 청소년. 비행(非行) 소년.

师(師) shī (사)

①명 교사. 스승. ¶老～；스승. 선생님 / ～生；선생과 학생. ②명 《軍》 사단. ¶一～民兵；민병 1개 사단. →〔军〕〔旅〕〔团〕〔连〕〔棚〕 ③명 군대. ¶誓～；출진에 앞서 맹세하다 / 出～；출병하다. ④접미 …사. …가(전문적 지식이나 기술을 가진 사람을 일컫는 말). ¶医～；의사 / 会kuài计～；회계사 / 工程～；기사. 엔지니어. ⑤명 장(長). ⑥명 많은 것. ¶京～；크고 인구가 많은 도회지. 수도. ⑦명 《佛》 〈敬〉 스님. 사승(師僧). ¶法～；법사 / 禅～；선사. ⑧명동 모범(으로 삼다). ¶其人可～；그의 사람됨은 모범으로 삼을 만하다 / 勿～古而不察今；옛일은 본뜰 뿐 현재를 인식하지 않는 일이 있어서는 안 된다. ⑨명 성(姓)의 하나.
〔师保〕 shībǎo 〈文〉 명 옛날, 황태자의 양육 담당. 동 교육하다.
〔师表〕 shībiǎo 명 〈文〉 (도덕·학문상 배워야 할) 모범. 본보기. ¶为wéi人～；〈成〉 남의 모범이 되다 / 万世～；〈成〉 만세의 모범. ＝〔师模〕
〔师伯〕 shībó 명 ⇨〔师大爷〕
〔师部〕 shībù 명 《軍》 〈簡〉 사단 사령부.
〔师承〕 shīchéng 명 스승으로부터의 전수(傳授). 동 스승에게서 전수를 받다. 전승(傳承)하다. ¶～泰西；서양으로부터 가르침을 받다.
〔师出无名〕 shī chū wú míng 〈成〉 정당한 명목 없이 출병하다. 정의롭지 못한 싸움을 하다(정당한 이유 없이 행동하다).
〔师出有名〕 shī chū yǒu míng 〈成〉 ①다른 나라를 치려면 무엇인가 구실이 필요하다. ②정당한 명목이 있어 출병(出兵)하다.
〔师传〕 shīchuán 동 〈文〉 스승으로부터 전수(傳授) 받다.
〔师大爷〕 shīdàye 명 ①스승의 형(兄). ②스승의 사형. ‖＝〔师伯〕
〔师道尊严〕 shīdào zūnyán 교사〔스승〕의 존엄.

〔师弟〕 shīdì 명 ①사제. 스승과 제자. ②동문(同門) 후배. ③스승의 아들 또는 아버지의 제자로 자기보다 나이 어린 자.
〔师弟兄〕 shīdìxiong 명 동문의 벗. 동문. 동창생.
〔师法〕 shīfǎ 〈文〉 명동 본보기(로 삼다). 모범(으로 하다). 명 스승에게서 전수된 학문 기술.
〔师范〕 shīfàn 명 ①교사를 양성함. ②〈簡〉 사범학교('师范学校'의 약칭). ¶高等～学校; 고등 사범 학교. ③〈文〉 모범. 본보기. ¶为世～; 세상의 모범이 되다.
〔师父〕 shīfu 명 ①⇨〔师傅〕 ②〈敬〉 사부(승려·도사 같은 사람에 대한 경칭).
〔师傅〕 shīfu 명 ①(학문·기예 등의) 스승. 선생. 사부. ¶～领进门, 修行在各人; 선생님은 입문을 도울 뿐이고, 그 다음의 수양은 각자가 하는 것이다 / ～带徒弟; 스승이 제자에게 필요한 지식·기능을 전수하다. ②천자의 스승. ③〈敬〉 그 일에 숙달한 사람. ¶厨～; 요리사 / 木匠～; 도편수. ④선생(남에 대한 경칭으로서 성·직함 등에 붙임). ¶陈～; 진선생. ‖ =〔师父①〕
〔师哥〕 shīgē 명 ⇨〔师兄②〕
〔师公〕 shīgōng 명 ①스승의 스승. =〔师爷(爷)②〕 ②박수(남자 무당).
〔师姑〕 shīgū 명 여승(女僧). 비구니.
〔师古〕 shīgǔ 동 〈文〉 옛날을 스승으로 삼다. 옛날 방식을 모범〔본보기〕으로 삼다.
〔师姐〕 shījiě 명 ①자기보다 나이가 많은 동문(同門) 여자. ②자기보다 나이가 많은 스승의 딸.
〔师老兵疲〕 shī lǎo bīng pí 〈成〉 전쟁이 장기간 계속되어 병사들이 피로해서 지쳐 버리다.
〔师旅〕 shīlǚ 명 〖軍〗 〈文〉 ①사단과 여단. ②〈轉〉 군대.
〔师妹〕 shīmèi 명 ①자기보다 나이 어린 동문(同門) 여자. ②자기보다 나이가 어린 스승의 딸.
〔师模〕 shīmó 명 ⇨〔师表〕
〔师母〕 shīmǔ 명 스승의 아내에 대한 경칭. 사모님. =〔师娘①〕
〔师娘〕 shīniáng 명 ①〈口〉 ⇨〔师母〕 ② 무녀(巫女). =〔巫女〕〔师婆(子)〕
〔师婆(子)〕 shīpó(zi) 명 무당. =〔巫wū女〕〔师娘②〕
〔师区〕 shīqū 명 1개 사단의 관할 구역.
〔师生〕 shīshēng 명 교사와 학생. ¶～相长 xiāngzhǎng; 교사와 학생이 서로 가르치며 배워서 성장하다 / ～员工; 교사·학생·직원·근로자(대학의 구성원을 지칭).
〔师事〕 shīshì 동 〈文〉 선생〔스승〕으로 섬기다〔섬기어 가르침을 받다〕. 사사하다.
〔师叔〕 shīshū 명 ①스승의 아우. ②스승의 '师弟'(동문 후배).
〔师徒〕 shītú 명 스승과 제자.
〔师徒合同〕 shītú hétóng 명 도제(徒弟) 계약. =〔教jiào学合同〕
〔师团〕 shītuán 명 〖軍〗 사단.
〔师心自用〕 shī xīn zì yòng 〈成〉 자기 견해만을 고집하다. 독선적이어서 멋대로 행동하다.
〔师兄〕 shīxiōng 명 ①같은 길을 닦고 있는 사람. ②동문(同門)의 선배. =〔师哥〕↔〔师弟〕 ③자기보다 나이가 많은 스승의 아들. ④아버지의 제자 중에서 자기보다 연장(年長)인 사람.
〔师兄弟〕 shīxiōngdì 명 같은 스승으로부터 가르침을 받은 사람. 동학(同學). 동문(同門)의 제자. ¶咱们都是～, 我绝不偏袒着谁; 우리들은 모두 동문 제자이니까 나는 결코 누구를 두둔하지는 않는다 / 咱们～里没有软弱的; 우리 동문 중에는 연약한 자는 없다.
〔师爷(爷)〕 shīyé(ye) 명 ①스승의 아버지. ②스승의 스승. =〔师公①〕
〔师爷〕 shīye 명 〈俗〉 ⇨〔幕mù友〕
〔师宜〕 Shīyí 명 복성(複姓)의 하나.
〔师友〕 shīyǒu 명 ①스승으로 존경할 만한 친구. ②스승과 친구.
〔师约〕 shīyuē 명 도제(徒弟) 계약서.
〔师长〕 shīzhǎng 명 ①〖軍〗 사단장. ②〈敬〉 스승 또는 덕망 있는 사람에 대한 존칭.
〔师直为壮〕 shī zhí wéi zhuàng 〈成〉 대의 명분을 위해 싸우는 군대의 사기는 매우 높다.
〔师资〕 shīzī 명 ①교사. ¶师者教人以不及, 故谓师为～也; 스승된 자는 다른 사람에게 그가 부족한 점을 가르쳐 주는 것이다. 그러므로 스승을 '师资'라 이른다. ②〈轉〉 모범이 되는 사람. ③교사로서의 소질. ¶提高～; 교사로서의 소질을 향상시키다.
〔师子〕 shīzǐ 명 ⇨〔狮子〕
〔师尊〕 shīzūn 명 〈文〉 스승. 선생.

浉(溮) Shī (사)

명 〖地〗 스허(溮河)(허난 성(河南省) 화이허(淮河)에 합류하는 강 이름).

葹(蒒) shī (사)

→〔葹草〕

〔葹草〕 shīcǎo 명 〖植〗 보리사초. =〔海米〕

狮(獅) shī (사)

명 〖動〗 사자.

〔狮峰龙井〕 shīfēng lóngjǐng 명 사봉(獅峰)(에서 나는) 최고급의 룽징차(龍井茶).
〔狮猴〕 shīhóu 명 〖動〗 사자원숭이.
〔狮身人面像〕 shīshēn rénmiànxiàng 명 ①(그리스 신화) 몸은 사자, 머리는 남자인 상(像). ②(고대 이집트) 스핑크스. =〔〈音〉 斯sī芬克斯〕
〔狮子〕 shīzi 명 〖動〗 사자. ¶～狗; 삽살개. 발바리 / ～鼻(儿); 사자코. 들창코 / ～灯; 새해에 장식으로 거는 사자등 / ～头; 일종의 고기 완자. =〔师子〕
〔狮子搏兔〕 shī zǐ bó tù 〈成〉 사자는 토끼와 싸울 때에도 전력을 다한다(작은 일에도 방심하지 않고 전력을 다함).
〔狮子城〕 Shīzichéng 명 ⇨〔新xīn加坡〕
〔狮(子)吼〕 shī(zi)hǒu 명 〈文〉 사자후. ①사자의 울부짖는 소리. ②〖佛〗〈比〉 부처님의 한 번 설법에 뭇 악마가 굴복 귀의함. ③〈比〉 큰 소리로 열변을 토하는 설법. ④〈比〉 악처(惡妻)의 암팡지게 발악하는 소리.
〔狮(子)猫〕 shī(zi)māo 명 〖動〗 털이 길고 꼬리가 굵은 고양이의 일종.
〔狮(子)舞〕 shī(zi)wǔ 명 〖舞〗 사자춤. ¶耍shuǎ～; 사자춤을 추다.
〔狮子座〕 shīzizuò 명 ⇨〔狻ní座〕

鰤(鰤) shī (사)

명 〖魚〗 방어.

虱〈蝨〉 shī (슬)

명 ①〖蟲〗 이. =〔半风子〕 ②〈文〉 악폐. 폐단. ③〈文〉 못된 짓. 교활한 행위.

〔虱处裈中〕 shī chǔ kūn zhōng 〈成〉 견식(見識)이 좁다. 좁은 견식에 사로잡혀 있다.
〔虱害〕 shīhài 명 〈貶〉 유가(儒家)《한비자(韓非子)의 유가에 대한 욕》.
〔虱蝇〕 shīyíng 명 ⇨〔马虱蝇〕
〔虱子〕 shīzi 명 《蟲》 이. ¶～皮袄 =〔～袄儿〕: ⓐ이가 꾀어든 갖저고리. ⓑ〈比〉 성가심. 귀찮음.

鳀(鰣) shī (사) 명 《蟲》 물고기진드기《기생 곤충》. ¶～病; 물고기진드기에 의한 어류의 병.

诗(詩) shī (시) 명 ①시. ¶一首～; 시 한수 / 古～ =〔古体(～)〕; 고체시 / 白话～; 구어시(口語詩). ②《書》 시경(詩經).
〔诗宝〕 shībǎo 명 시의 글자맞추기 놀이《시의 문구의 한 글자를 비워 놓고, 다른 종이에 그 글자와 비슷한 넉 자의 글자를 써 놓고, 그 중에서 가리게 하여, 맞힌 자에게 상품을 줌》.
〔诗伯〕 shībó 명 〈文〉 ⇨〔诗宗〕
〔诗草〕 shīcǎo 명 시고(詩稿).
〔诗词〕 shīcí 명 시와 사(詞).
〔诗歌〕 shīgē 명 시가《시와 가(歌)》.
〔诗虎〕 shīhǔ 명 ⇨〔诗谜〕
〔诗话〕 shīhuà 명 ①시인과 시를 평론한 책. ②시를 섞어 쓴 소설.
〔诗家〕 shījiā 명 ⇨〔诗人〕
〔诗笺〕 shījiān 명 시를 쓰는 종이.
〔诗窖〕 shījiào 명 〈比〉 시재(詩才)가 풍부한 사람.
〔诗经〕 Shījīng 명 《書》 시경. =〔毛Máo诗〕〔〈文〉葩Pā经〕 →〔五Wǔ经〕
〔诗句〕 shījù 명 시구. 시의 문구.
〔诗剧〕 shījù 명 《劇》 시극《시의 형식으로 쓰여진 연극》.
〔诗礼〕 Shī Lǐ 명 《書》 시경(詩經)과 예기(禮記).
〔诗礼之家〕 shī lǐ zhī jiā 〈成〉 외곬으로 학문에만 몰두해 온 가문. 대대로 내려오는 학자(學者) 집안.
〔诗谜〕 shīmí 명 시의 형식으로 되어 있는 수수께끼. =〔诗虎〕〔敲qiāo诗〕
〔诗魔〕 shīmó 명 ①시 읊기를 좋아하는 성벽(性癖). ②시를 짓는 데 있어서 그 사람 특유의 괴벽(怪癖).
〔诗囊〕 shīnáng 명 시낭《시의 원고를 넣어 두는 주머니》.
〔诗奴〕 shīnú 명 〈文〉 삼류 시인.
〔诗派〕 shīpài 명 시파《시인의 유파》.
〔诗癖〕 shīpǐ 명 시벽. 작시벽(作詩癖).
〔诗篇〕 shīpiān 명 ①시의 총칭. ¶朗诵他写的～; 그가 쓴 시를 낭독하다. ②〈比〉 생생하고 시적인 소설이나 문장. 서사시. 사시(史詩). ¶英雄～; 영웅적 서사시.
〔诗情〕 shīqíng 명 시정《시에 읊어진 감정〔정취〕》. ¶～画意; 〈成〉 시적인 정취에다 그림과 같은 아름다움이 있다.
〔诗人〕 shīrén 명 시인. =〔诗家〕
〔诗社〕 shīshè 명 시인들이 조직한 문학적 단체《정기적으로 모여 시작(詩作) 등을 하는 시인들의 모임》.
〔诗圣〕 shīshèng 명 ①매우 뛰어난 시인. ②당(唐)나라 두보(杜甫)의 별칭. 시성.
〔诗史〕 shīshǐ 명 ①시사《시의 역사》. ②역사적 의의가 있는 시.
〔诗思〕 shīsī 명 시상(詩想).
〔诗天〕 shītiān 명 시적 정서를 돋구는 날씨.
〔诗仙〕 shīxiān 명 ①매우 뛰어난 시인. ②당(唐)나라 이백(李白)의 별칭. 시선.
〔诗兴〕 shīxìng 명 시흥《작시의 흥미》.
〔诗眼〕 shīyǎn 명 ①시인으로서의 눈〔안식〕. ②(당대(唐代)에, 오언시(五言詩)의 작시상에 있어서) 특히 공을 들이는 중심되는 한 글자.
〔诗意〕 shīyì 명 ①서가 지니고 있는 의미〔멋〕. ②시정(詩情). 시적 정취. ¶这真是富于～的恋爱啊! 참으로 시정이 넘쳐 흐르는 사랑이로구나!
〔诗友〕 shīyǒu 명 시우《시를 같이 짓는 벗》.
〔诗余〕 shīyú 명 시여. 사(詞)의 별칭.
〔诗云子曰〕 shī yún zǐ yuē 〈成〉 시경(詩經)이나 공자께서 말씀하시다《옛사람의 말을 나열함. 진부한 말을 인용함. 학자인 체하는 말투》. ¶他说的话都是～那一类的; 그의 말은 모두 도학자적인 말투다. =〔子曰诗云〕
〔诗韵〕 shīyùn 명 ①시의 압운(押韻). ②운서(韻書)《작시할 때 참조하는 운율에 관한 책》.
〔诗章〕 shīzhāng 명 시. 시편(詩篇).
〔诗宗〕 shīzōng 명 시종. 시의 대가(大家). =〔诗伯〕

邿 Shī (시) 명 《史》 산둥 성(山東省) 지닝 현(濟寧縣) 동쪽에 있었던 주대(周代)의 소국명(小國名).

绝(絁) shī (시) 명 〈文〉 깁. 올이 성긴 비단.

施 shī (시) ①동 시설하다. 설치하다. ¶～工; 시공하다. ②동 시행하다. 실시하다. ¶紧急措～; 긴급 조치 / ～妙手; 묘수를 쓰다 / 实～; 실시하다 / 无计可～; 〈成〉 어찌할 방도가 없다 / 倒行逆～; 〈成〉 억지로 밀고 나가다. ③동 (은혜 등을) 베풀다. 주다. ¶～粥; 빈민에게 죽을 고루 나눠 주다 / 博～于民; 널리 백성에게 베풀다 / ～药; 시약(하다). ④동 (계략 따위를) 행하다. (재능·솜씨를) 발휘하다. ⑤동 쓰다. 가(加)하다. 뿌리다. ¶～肥; 비료를 주다. ⑥동 쏘다. 방사(放射)하다. ¶枪炮齐～; 총포를 일제히 발사하다. ⑦명 성(姓)의 하나.
〔施暴〕 shībào 동 맹위를 떨치다. ¶狂风已经～而过了; 광풍은 이미 맹위를 떨치고 지나갔다.
〔施不望报〕 shī bù wàng bào 〈成〉 은혜를 베풀고 보답을 바라지 않다.
〔施布〕 shībù 명동 보시(를 하다). 희사(하다).
〔施逞〕 shīchěng 동 ⇨〔施展〕
〔施恩〕 shī,ēn 동 은혜를 베풀다. ¶～不望报 =〔施不望报〕; 은혜를 베풀면서 그 대가는 바라지 않는다.
〔施放〕 shīfàng 동 ①발(發)하다. 발사하다. 뿌리다. ¶～毒气; 독가스를 뿌리다. ②(구제하기 위해) 베풀다.
〔施肥〕 shī,féi 동 비료를 주다. ¶～机; 시비기.
〔施粉〕 shīfěn 동 〈文〉 ①분을 바르다. ②분식(粉飾)하다. 겉을 꾸미다.
〔施给〕 shīgěi 동 베풀어 주다.
〔施工〕 shī,gōng 동 (건축·토목·도로 등의) 공사를 하다. 시공하다. (shīgōng) 명 시공. ¶～队; 시공팀.
〔施工图〕 shīgōngtú 명 설계도. 시공도.
〔施济〕 shījì 동 ⇨〔施赈〕

〔施加〕 shījiā 동 (압력 · 영향 등을) 베풀다. 가하다. 주다. ¶～压力; 압력을 가하다 / ～影响; 영향을 주다〔미치다〕.
〔施教〕 shījiào 동 〈文〉 교육을 시행하다. 포교(布教)하다.
〔施救〕 shījiù 동 ⇨〔施赈〕
〔施礼〕 shī.lǐ 동 절하다. 인사하다.
〔施米〕 shīmǐ 동 빈민에게 쌀을 베풀어 주다. 명 구호미.
〔施密特〕 Shīmìtè 명《人》〈音〉 슈미트(Helmut Schmidt)《독일의 정치가, 1918～2015》.
〔施其所长〕 shī qí suǒ cháng 〈成〉 장점을 발휘하다.
〔施仁政〕 shī rénzhèng 인정(仁政)을 베풀다.
〔施舍〕 shīshě 명 희사. 베풂. ¶把对外援助看成是某种～; 대외 원조를 모종의 희사라고 보다. 동 희사하다. 베풀다.
〔施设〕 shīshè 동 〈文〉 펴다. 깔다. 시설하다. ¶～床席; 침대의 시트를 펴다〔깔다〕.
〔施生〕 shīshēng 동 〈文〉 은혜를 베풀어 살려 주다.
〔施施〕 shīshī 형 〈文〉 ①기뻐하고 있는 모양. 희열(喜悦)의 상태. ¶～从外来《孟子 離婁下》; 기쁜 듯이 밖에서 들어오다. ②느릿느릿한 모양. ¶本人暂时到别处避风, 待紧张气氛平息, 方才～然驾车而去; 저는 잠시 다른 곳에서 형편을 엿보고 있다가 긴장된 분위기가 가라앉은 다음에야 천천히 차를 타고 떠났습니다.
〔施食〕 shīshí 명동《佛》 시아귀(施餓鬼)(를 하다). 시식(하다).
〔施事〕 shīshì 명《言》 시사《문중(文中)에서 동작의 주체가 되는 말. 그러나 이 말이 언제나 문장의 주어가 되는 것은 아님. 예를 들면, '作家写文章'의 '作家', '花瓶叫弟弟打了'의 '弟弟'는 각각 '施事'이지만 주어는 아님》.
〔施送〕 shīsòng 동 〈文〉 (은덕〔은혜 · 혜택〕을) 베풀어 주다.
〔施威〕 shīwēi 동 위풍을 떨치다.
〔施为〕 shīwéi 〈文〉 동 행동하다. 해 보다. 발휘하다. ¶任意～; 뜻대로 해 보다 / 大家也好～; 모두들 해 보면 좋다. 명 수완.
〔施洗〕 shīxǐ 동《宗》 (그리스도교의) 세례를 주다.
〔施行〕 shīxíng 동 ①(법령 · 규칙을) 시행하다. 집행하다. ¶～新刑法; 새 형법을 시행하다. ②행하다. 실행하다. ¶～手术; 수술을 하다.
〔施医〕 shīyī 동 무료로 진료하다. 시료(施療)하다. ¶～院; 무료 진료원. =〔施诊〕
〔施用〕 shīyòng 동 사용하다. 베풀어 쓰다. ¶～化肥; 화학 비료를 사용하다 / ～药物; 약물을 사용하다.
〔施与〕 shīyǔ 동 시여하다. 보시(布施)하다.
〔施斋〕 shī.zhāi 동 승려에게 먹을 것을 주다. 시주하다.
〔施展〕 shīzhǎn 동 (재능 · 수완을) 발휘하다. 펼치다. 신장시키다. ¶～大才; 솜씨를 발휘하다 / ～鬼蜮yù伎俩; 음험한 수법을 쓰다 / ～不出来; (재능 · 수완을) 발휘할 수 없다. =〔施逞〕
〔施诊〕 shī.zhěn 동 ⇨〔施医〕
〔施赈〕 shīzhèn 동 〈文〉 베풀어 구제하다. 시여하다. =〔施济〕〔施救〕
〔施政〕 shīzhèng 명동 시정(하다). 정치(를 하다).
〔施主〕 shīzhǔ 명《佛》 시주.

葹 shī (시)
명《植》 '苍cāng耳'(도꼬마리)의 옛 이름.

拾 shī (습)
→〔拾翻〕 ⇒shè shí

〔拾翻〕 shīfan 동 〈方〉〈俗〉 ①마구 휘젓다〔뒤지다〕. ¶把一抽屉的东西都～乱了; 서랍 속을 마구 뒤죽박죽으로 만들었다. ②(지난 일을) 다시 문제 삼다.

鸤(鳲) shī (사)
명《鳥》 동고비.

湿(濕〈溼〉) shī (습)
①형 누지다. 축축하다. 젖어 있다. ¶防～ =〔防潮〕; 방습(하다) / ～气; ⇩ / 地很～; 지면이 매우 축축하다 / 洗了还～着呢; 빨아서 아직 축축하다. ↔〔干B)①〕 ②동 적시다. ¶手～了; 손이 젖었다 / 全身～透了; 온몸이 흠뻑 젖었다. ③명《漢醫》 육음(六淫)의 하나.

〔湿痹〕 shībì 명《漢醫》 습기 때문에 생기는 일정한 아픔을 느끼는 관절염.
〔湿病〕 shībìng 명《漢醫》 습기로 인해 생기는 병.
〔湿潮〕 shīcháo 형 습기가 있다. 축축〔눅눅〕하다. =〔潮湿〕
〔湿疮〕 shīchuāng 명《漢醫》 습기로 인해 생긴 피부병. =〔湿疥jiè〕
〔湿答答(的)〕 shīdādā(de) 형 흠뻑 젖어 있는 모양. =〔湿沓沓〕〔湿汰汰〕
〔湿党〕 shīdǎng 명 (미국의) 금주법(禁酒法) 철폐론자.
〔湿的氢弹〕 shī de qīngdàn 명《軍》 습식 수소 폭탄.
〔湿地〕 shīdì 명 습지.
〔湿电池〕 shīdiànchí 명《物》 습전지. →〔干gān电池〕
〔湿毒〕 shīdú 명《漢醫》 습기로 생기는 몸안의 독.
〔湿度〕 shīdù 명 습도. ¶～高; 습도가 높다 / ～表 =〔～计〕〔湿温计〕; 습도계. =〔潮度〕
〔湿寒〕 shīhán 명 습기와 추위.
〔湿呼呼(的)〕 shīhūhū(de) 형 흠뻑 젖어 있는 모양. ¶先给他找件干衣服换上, ～地穿着多不好受; 우선 그에게 마른 옷을 찾아 갈아 입혀라. 흠뻑 젖은 옷을 그대로 입고 있으니 얼마나 견디기 힘들겠느냐.
〔湿季〕 shījì 명 우기(雨期).
〔湿疥〕 shījiè 명 ⇨〔湿疮〕
〔湿津津〕 shījīnjīn 형 흠뻑 젖다. ¶淋lín得～; 젖어서 축축하다 / 衣服～的; 옷이 흠뻑 젖었다. =〔湿浸浸〕
〔湿浸浸〕 shījìnjìn 형 ⇨〔湿津津〕
〔湿淋淋(的)〕 shīlīnlīn(de)〔shīlínlín (de)〕 형 흠뻑 젖어서 물방울이 떨어지는 모양. 흠뻑 젖은 모양. ¶给雨淋得～; 비를 맞아 흠뻑 젖다.
〔湿渌渌〕 shīlùlù 형 (물이 밸 정도로) 흠뻑 젖은 모양. ¶浑身～的, 得擦干净了; 온몸이 흠뻑 젖었으니, 깨끗이 닦아라 / 汗出得～的; 땀이 나서 흠뻑 젖었다 / 地下～的; 땅바닥이 젖어서 질척질척하다 / 我顶讨厌这～的东西碰我的脑袋; 이렇게 축축하게 젖은 물건이 내 머리에 닿는 것이 제일 싫다. =〔湿漉漉〕〔湿渍zì渍〕
〔湿漉漉〕 shīlùlù 형 ⇨〔湿渌渌〕

〔湿气〕 shīqì 명 ①《漢醫》 습진 · 무좀 따위의 피부병. 습기에서 오는 병. ②습기.
〔湿热〕 shīrè 형 습기 차고 무덥다. ¶五月至十月是西南季节风的季节，天气有时～，使人疲倦；5월부터 10월까지는 서남 계절풍이 부는 계절로 때때로 습기가 차고 무더워서 사람을 나른하게 만든다.
〔湿润〕 shīrùn 형 습기〔물기〕가 있다. 축축하다. ¶两眼～了；두 눈이 촉촉해졌다 / 空气～；공기가 습하다.
〔湿润润(的)〕 shīrùnrùn(de) 형 축축하게 물기가 있는 모양.
〔湿生(虫)〕 shīshēng(chóng) 명 〈俗〉 습기 때문에 생긴다는 뱀이나 모기, 쥐며느리 따위.
〔湿手抓面〕 shī shǒu zhuā miàn 〈歇〉 젖은 손으로 밀가루를 쥐다《털려고 해도 털 수 없다. 관계를 끊을 수 없다》.
〔湿水货〕 shīshuǐhuò 명 물에 젖은 상품.
〔湿汰汰〕 shītàtà 형 ⇨〔湿答答〕
〔湿透〕 shītòu 동 흠뻑 젖다. ¶全身～了；온몸이 흠뻑 젖었다 / 露水～了他们的衣服；이슬로 그들의 옷은 흠뻑 젖었다.
〔湿窝〕 shīwō 명 눅눅한〔축축한〕 장소. ¶快换换垫子吧，别叫孩子睡～；아이를 축축한 곳에 재우지 말고 빨리 깔개를 갈아라.
〔湿疹〕 shīzhěn 명 《漢醫》 습진.
〔湿渍渍(的)〕 shīzìzì(de) 형 ⇨〔湿渌渌〕

蓍 shī (시)
명 《植》 톱풀《꽃은 흰색이며, 향료 · 약용. 옛날에는 그 줄기로 점을 쳤음》. =〔蓍草〕〔羽衣草〕〔〈俗〉 锯齿草〕
〔蓍龟〕 shīguī 명 점대와 거북의 등. 점(占). ¶不待dài～；〈成〉 점을 쳐 볼 것도 없다《의심할 여지가 없다》.

嘘 shī (허)
감 쉬《반대 · 제지를 나타내는 소리》. ¶大家发出了～的声音；모두가 쉬쉬 소리를 질렀다 / ～！别做声！쉬! 소리내지 마! ⇒xū

酾(釃) shī〔shāi〕 (시, 소)
동 ①술을 거르다. ②술을 따르다. 注 ①②는 '筛'로도 씀. ③하류(河流)를 도입(導入)하다.

十 shí (십)
①수 10. 열. ¶二～三；23 / ～个手指头；열 손가락 / ～号车；10호차. ②형 충분하다. ③형 완전하다. ④형 많은. ¶～目所视；⇩ / ～死莫赎；〈成〉 열 번 죽어도 속죄할 수 없다.
〔十八般武艺〕 shíbābān wǔyì 명 ①십팔반 무예《'弓，枪，弩，刀，剑，矛，盾，斧，钺，戟，鞭，简，挝，殳，叉，爬头，绵绳套索，白打' 또는 '枪，戟，棍，钺，叉，钩，槊，环，刀，剑，拐，鞭，斧，棒，杵，锤，锏，镗' 등 18종의 무예》. ②〈比〉 갖가지 무예〔재주〕.
〔十八变〕 shíbābiàn 〈比〉 몇 번씩이나 변화하다. ¶女大～；〈諺〉 여자는 성장하면서 용모나 자태가 자꾸 바뀐다.
〔十八层地狱〕 shíbācéng dìyù 명 《佛》십팔층 지옥《가장 고통스러운 최하층의 지옥》. =〔十八重地狱〕
〔十八重地狱〕 shíbāchóng dìyù 명 ⇨〔十八层地狱〕
〔十八金〕 shíbājīn 명 18금.
〔十八句头〕 shíbā jù tóu 〈吳〉 알랑거리는 말.
〔十八罗汉〕 shíbā luóhàn 명 《佛》 십팔 나한《불제자 16인과 항룡(降龍) · 복호(伏虎)의 두 존자(尊者)》.
〔十八(碳)酸〕 shíbā(tàn)suān 명 《化》 스테아린산(stearic acid). =〔司sī的林酸〕〔硬yìng脂酸〕
〔十八烯酸〕 shíbāxīsuān 명 ⇨〔油yóu酸〕
〔十八姨〕 shíbāyí 명 바람의 신.
〔十八子儿〕 shíbāzǐr 명 ⇨〔手shǒu串儿〕
〔十包〕 shíbāo 명 10개 항목의 보증《인민공사가 사원의 식사 · 의복 · 출산 · 장례 · 결혼 · 교육 · 주거 · 연료 · 이발 · 관극(觀劇)의 지출을 보장하는 일》.
〔十边地〕 shíbiāndì 명 《農》 경작하기에 가장 조건이 나쁜 좁은 지면《'十边'이란 '田边'(밭의 곁), '场cháng边'(곡물을 타작하는 앞마당의 곁), '路边'(길가), '沟边'(도랑의 가), '塘边'(연못의 가), '圩边'(둑의 아래쪽), '岩边'(바위의 곁), '屋边'(집의 곁), '坟边'(무덤의 곁), '篱边'(생울타리의 곁)을 뜻함》.
〔十不全(儿)〕 shíbùquán(r) 명 〈比〉 몸에 여러 가지 결함이 있는 사람.
〔十不闲(儿)〕 shíbùxián(r) 명 ⇨〔什不闲(儿)〕
〔十布〕 shíbù 명 옛날, 왕망(王莽)이 주조한 '大布' '次布' '弟布' '壮布' '中布' '差布' '厚布' '幼布' '么布' '小布'의 10가지 화폐.
〔十步九回头〕 shí bù jiǔ huí tóu 〈成〉 열 걸음에 아홉 번 돌아보다《이별을 아쉬워하는 모양》.
〔十查运动〕 shícháyùndòng 명 내력 · 가정의 경력 · 개인의 경력 등의 양태의 10가지를 심사하는 것.
〔十刹海〕 Shíchàhǎi 명 ⇨〔什刹海〕
〔十成(儿)〕 shíchéng(r) 명 ①10할. ②100퍼센트. ¶～纯粹；100퍼센트 순수하다 / 你瞧又卖个～座不是? 어떠냐, 또 대만원이 아니냐? 부 꼭. 틀림없이. 형 완전한. 에누리 없는.
〔十成十〕 shíchéngshí 형 십분 충분하다《기대 이상으로 만족한 모양》. ¶收成的够～了；수확은 충분하였다 / 吃的足够～了；먹고 남을 정도이다.
〔十大弟子〕 shídà dìzǐ 명 《佛》 십대 제자《석가의 고제(高弟) 열 사람》.
〔十大关系〕 shídà guānxi 명 1956년 마오쩌둥(毛澤東)이 논술한 10대 관계론《1. 공업과 농업 및 중공업과 경공업의 관계. 2. 연안 공업과 내륙 공업의 관계. 3. 경제 건설과 국방 건설의 관계. 4. 국가 및 생산 단위와 생산자 개인의 관계. 5. 중앙과 지방의 관계. 6. 한(漢民族)과 소수 민족의 관계. 7. 당과 당외(黨外)와의 관계. 8. 혁명과 반(反)혁명과의 관계. 9. 옳은 것과 옳지 않은 것과의 관계. 10. 중국과 외국과의 관계》.
〔十滴(痧)水〕 shídī(shā)shuǐ 명 ⇨〔痧药水〕
〔十冬腊月〕 shídōng làyuè 동지 섣달의 추운 계절. 〈比〉 세모의 찬 날씨. 한겨울.
〔十恶〕 shí'è 명 ①《佛》 살생(殺生) · 투도(偸盜) · 사음(邪淫) · 망어(妄語) · 양설(兩舌) · 악구(惡口) · 기어(綺語) · 탐욕(貪慾) · 진에(瞋恚) · 사견(邪見)의 십악. ②구형법에서 말하는 모반(謀反) · 모대역(謀大逆) · 모반(謀叛) · 악역(惡逆) · 부도(不道) · 대불경(大不敬) · 불효(不孝) · 불목(不睦) · 불의(不義) · 내란(內亂)의 열 가지 죄.
〔十恶不赦〕 shí è bù shè 〈成〉 용서할 수 없는 여러 가지의 나쁜 짓. 십악(十惡)을 범한 자는 용서할 수 없다《죄업이 큼을 말함》.
〔十二辰〕 shí'èrchén 명 ⇨〔地dì支〕
〔十二段锦〕 shí'èrduànjǐn 명 건강법의 일종《12가

지 동작으로 이루어지므로, 이렇게 칭함).
〔十二分〕 shí'èrfēn 명부 십이분('十分'보다 강조한 표현). ¶我对这件事感到～的满意; 나는 이 일에 대해서는 대만족이다.
〔十二黄〕 shí'èrhuáng 명 《鳥》 황여새.
〔十二级风〕 shí'èrjífēng 명 《天》 풍력 12의 바람(최대 풍력의 바람).
〔十二进制〕 shí'èrjìnzhì 명 《數》 십이진법.
〔十二律〕 shí'èrlǜ 명 《樂》 십이율(옛 음악의 12음률).
〔十二棋〕 shí'èrqí 명 ⇨〔双shuāng陆〕
〔十二(生)肖〕 shí'èr(shēng)xiào 명 ⇨〔属shǔ相〕
〔十二时〕 shí'èrshí 명 〈文〉 십이시. ⓐ야반(夜半)·계명(鷄鳴)·평단(平旦)·일출(日出)·식시(食時)·우중(隅中)·일중(日中)·일질(日昳)·포시(晡時)·일입(日入)·황혼(黃昏)·인정(人定). ⓑ자(子)·축(丑)·인(寅)·묘(卯)·진(辰)·사(巳)·오(午)·미(未)·신(申)·유(酉)·술(戌)·해(亥).
〔十二时虫〕 shí'èrshíchóng 명 ⇨〔变biàn色龙①〕
〔十二属(相)〕 shí'èr shǔ(xiàng) 명 ⇨〔属相〕
〔十二酸〕 shí'èrsuān 명 《化》 라우린산. =〔月yuè桂酸〕
〔十二烷〕 shí'èrwán 명 《化》 도데칸(dodecane).
〔十二万分〕 shí'èrwànfēn 명부 〈比〉 십이분. ¶会议决定党要以～的革命干劲, 打破常规, 重新修订各项生产计划; 회의에서는 당 전체가 십이분의 혁명 의식을 가지고 이제까지의 관습을 타파하고, 새로이 생산 계획을 다시 짜기로 정했다.
〔十二肖〕 shí'èrxiào 명 ⇨〔属shǔ相〕
〔十二月党人〕 Shí'èryuè dǎngrén 명 《史》 데카브리스트(러시아의 12월당원. 1825년 12월 무장 봉기한 당시의 진보적 인텔리겐차의 일부를 중심으로 하는 혁명적 비밀 결사).
〔十二哲〕 Shí'èr Zhé 명 공자 문하(門下)의 열두 제자('十哲'(공자(孔子)의 10명의 뛰어난 제자)에 유약(有若)과 주자(朱子)를 합침).
〔十二支〕 shí'èrzhī 명 ⇨〔地dì支〕
〔十二指肠〕 shí'èrzhǐcháng 명 《生》 십이지장. ¶～虫; 십이지장충.
〔十二子〕 shí'èrzǐ 명 ⇨〔地dì支〕
〔十番(儿)〕 shífān(r) 명 적(笛)·관(管)·소(簫)·현(弦)·제금(提琴)·운라(雲鑼)·탕라(湯鑼)·목어(木魚)·단판(檀板)·대고(大鼓)의 10가지 악기에 의한 합주. =〔十番(锣)鼓〕
〔十番(锣)鼓〕 shífān(luó)gǔ 명 ⇨〔十番(儿)〕
〔十方〕 shífāng 명 《佛》 십방(동·서·남·북·동남·서남·동북·서북·상·하의 열 방향). ¶～常住; (승려가) 사방으로 탁발(托鉢)을 다니다.
〔十分〕 shífēn 부 ①충분히. 대단히. 매우. ¶～满意; 대단히 만족하고 있다. ②10분. 10분간. =〔十分钟zhōng〕
〔十分十沿儿〕 shí fēn shí yánr 〈成〉 ⇨〔十分实严儿〕
〔十分实严儿〕 shí fēn shí yánr 〈成〉 더할 수 없다. ¶叫我感激到～; 나는 더할 나위 없이 감격했다 / 直到这时候憋得～了才说出来; 이제 와서 더 이상 참을 수 없을 때까지 참다가 마침내 입을 열었다. =〔十分十沿儿〕
〔十分指标, 十二分措施〕 shífēn zhǐbiāo, shí'èrfēn cuòshī 충분한 목표를 정하고 십이분의 수단을 강구하다(목표를 달성하기 위하여 그 이상의 방법을 강구함을 가리킴).
〔十风五雨〕 shí fēng wǔ yǔ 〈成〉 10일마다 바람, 5일마다 비(날씨가 순조롭다). ¶～岁则熟; 기후가 순조로우면 그 해는 풍년이 든다. =〔五风十雨〕
〔十干〕 shígān 명 ⇨〔天tiān干〕
〔十个麻子九个俏〕 shíge mázi jiǔge qiào 〈諺〉 곰보는 열의 아홉은 잘생겼다.
〔十个胖子九个富〕 shíge pàngzi jiǔge fù 〈諺〉 비만한 사람은 십중 팔구가 부자이다. =〔十胖九富〕
〔十个头儿〕 shígetóur 부 더할 수 없이. 극도로. ¶讲究得可谓～了; 지독하다 할 정도로 따진다 / ～的冷; 지독한 추위.
〔十个指头没有一般儿齐〕 shíge zhítou méi yǒu yībānr qí 〈諺〉 손가락 열 개도 모두 같지 않다. 십인 십색(十人十色)(사람의 능력에는 각각 차이가 있다). =〔十个(手)指头有长短〕〔娘生九种〕
〔十官九胖〕 shí guān jiǔ pàng 〈諺〉 관리는 십중 팔구가 뚱뚱하다.
〔十国〕 Shíguó 명 《史》 십국(오대(五代) 시대의 중국에 할거하고 있던 오(吳)·남당(南唐)·민(閩)·전촉(前蜀)·후촉(後蜀)·남한(南漢)·북한(北漢)·오월(吳越)·초(楚)·남평(南平)의 10나라).
〔十行俱下〕 shí háng jù xià 〈成〉 10줄을 단숨에 읽어 내려가다(독서의 속도가 매우 빠르다). =〔一目十行〕
〔十胡〕 shíhú 명 노름의 일종. ¶斗dòu～; '十胡' 노름을 하다.
〔十级风〕 shíjífēng 명 《天》 풍력(風力) 10의 바람(전강풍(全強風). 풍속 24.5～28.4m/sec의 바람).
〔十佳〕 shíjiā 명 (어떤 방면의) 베스트 텐(best ten). ¶～歌手; 10대 가수.
〔十家〕 shíjiā 명 십가(유가(儒家)·도가(道家)·음양가(陰陽家)·법가(法家)·명가(名家)·묵가(墨家)·종횡가(縱橫家)·잡가(雜家)·농가(農家)·소설가(小說家)의 열 개 학파를 말함).
〔十尖〕 shíjiān 명 열 손가락의 별칭.
〔十斤八斤〕 shíjīn bājīn 10근이 채 못 되는 무게. ¶偷个～东西带在身上, 根本就看不出来; 10근이 채 못 되는 물건을 훔쳐서 몸에 지니면 전혀 알아볼 수 없다.
〔十锦〕 shíjǐn 형 많은 재료를 사용한. ¶～饺子; 여러 가지 재료를 넣은 '饺子'. =〔什锦〕
〔十进对数〕 shíjìn duìshù 명 《數》 상용 대수(常用對數)〔로그〕.
〔十进位〕 shíjìnwèi 명 =〔十进制〕
〔十进制〕 shíjìnzhì 명 《數》 십진법. =〔十进位〕〔十进位制〕
〔十景橱〕 shíjǐngchú 명 ⇨〔多duō宝槅(儿)〕
〔十九〕 shíjiǔ 수 19. 열아홉. 명 십중팔구. ¶～是遭难nàn; 십중팔구는 조난당했을 것이다.
〔十居八九〕 shí jū bā jiǔ 〈成〉 ⇨〔十之八九〕
〔十克〕 shíkè 양 《度》 데카그램((decagram) '公gōng钱'은 구칭).
〔十来八天〕 shílái bātiān 10일 정도의 일수(日數). 10일이 채 못 되는 일수. 팔구 일. ¶打榆林是～的事; 유림(楡林)을 공격하려면 약 10일 정도가 걸린다.
〔十里洋场〕 shílǐ yángchǎng 명 넓은 외국인 거류지(조계(租界)가 많았던 상하이(上海)를 가리키던 말).
〔十两绸子〕 shíliǎng chóuzi 명 《紡》 누인 명주의 일종(극히 얇은 비단으로 무게 10냥의 실로 한 필을 짤 수 있다고 함. 안감 등으로 쓰임).

〔十六开〕 shíliùkāi 명 《印》 ①16절판(折判)의 책. ¶～本; 16절판(折判)의 책. ②16절지(折紙).
〔十六酸〕 shíliùsuān 명 ⇨〔棕zōng榈酸〕
〔十六烷〕 shíliùwán 명 《化》 세탄(cetane). 헥사데칸(hexadecane).
〔十六字诀〕 shíliùzì jué 명 마오 쩌둥(毛澤東)의 유격전의 기본 전략을 나타낸 16자 '敌进我退, 敌驻我扰, 敌疲我打, 敌退我追'(적이 전진하면 아군은 물러나고, 적이 주둔하면 어지럽히고, 적이 피로해지면 공격하고, 물러나면 쫓는다).
〔十聋九哑〕 shílóng jiǔyǎ 〈諺〉 귀머거리 10명 가운데 9명까지는 벙어리이다.
〔十媒九谎〕 shíméi jiǔhuǎng 〈諺〉 중매쟁이의 말은 믿을 수 없다.
〔十米〕 shímǐ 양 《度》 데카미터('公gōng丈'은 구칭).
〔十母〕 shímǔ 명 〈文〉 ①옛날, 열 가지 어머니('亲qīn母(亲)·亲娘'(생모), '出chū母'(이혼당한 어머니), '嫁jià母'(아버지의 사후에 다른 데로 시집 간 어머니), '庶shù母'(아버지의 첩으로 아들이 있는 사람), '嫡dí母'(첩의 아들의 입장에서 아버지의 본처), '继jì母'(계모), '慈cí母②'(어머니의 사후에, 자기를 키워 준 아버지의 첩), '养yǎng母①'(양자의 입장에서, 키워 준 어머니), '乳rǔ母'(유모), '诸zhū母'(고모들)을 가리킴). ②십모. 십간의 별칭. =〔天tiān干〕
〔十目十手〕 shí mù shí shǒu 〈成〉 ⇨〔十目所视, 十手所指〕
〔十目所视, 十手所指〕 shí mù suǒ shì, shí shǒu suǒ zhǐ 〈成〉 ①광범위한 대중으로부터의 감독과 지탄을 받음. ②남의 이목(耳目)이 많아서 나쁜 짓을 할 여지가 없음. ‖ =〔十目十手〕
〔十拿九稳〕 shí ná jiǔ wěn 〈成〉 장래성〔가망〕이 있어 확실함. ¶银行股票, 电气公司股票都是～有赚没赔的; 은행주(株)나 전력주(電力株)는 모두 확실해서 손해보는 일은 없다. =〔十拿九准〕〔十拿八稳〕
〔十年财主轮流做〕 shínián cáizhǔ lúnliú zuò 〈諺〉 부자도 10년이면 바뀐다. 사람의 화복은 10년마다 바뀐다. =〔十年风水轮流转〕
〔十年窗下〕 shínián chuāng xià 〈成〉 오랫동안 힘써 공부하다. =〔十年读书〕〔十年寒窗〕〔十载寒窗〕
〔十年动乱〕 shínián dòngluàn 명 ⇨〔十年内乱〕
〔十年读书〕 shí nián dú shū 〈成〉 ⇨〔十年窗下〕
〔十年风水论流转〕 shínián fēngshuǐ lúnliú zhuǎn 〈諺〉 ⇨〔十年财主轮流做〕
〔十年寒窗〕 shí nián hán chuāng 〈成〉 오랜 세월 동안 집에 틀어박혀 면학에 힘씀(실천과 유리된 학습 태도를 가리키기도 함). ¶～苦, 方为人上人; 〈諺〉 10년 동안 고생하여 공부하지 않으면 남의 위에 설 수 없다. =〔十年窗下〕〔十年读书〕〔十载寒窗〕
〔十年浩劫〕 shínián hàojié 명 ⇨〔十年内乱〕
〔十年河东, 十年河西〕 shínián hédōng, shínián héxī 〈諺〉 10년이면 강산도 변한다. 사물은 절대 불변의 것이 아니다.
〔十年九不遇〕 shí nián jiǔ bù yù 〈成〉 좀처럼 없다. 전례가 없다. ¶今年这么大的雨量, 真是～; 올해 같은 이렇게 많은 양의 비는 10년에 한 번 있을까 말까 하다.
〔十年九旱〕 shí nián jiǔ hàn 〈成〉 10년 동안에 9번이나 가물다(거의 매년 가뭄이 들다).
〔十年九涝〕 shí nián jiǔ lào 〈成〉 10년 동안에 9번이나 물난리가 나다(거의 매년 수해를 입다).
〔十年磨一剑〕 shínián mó yījiàn 〈比〉 십 년을 여일하게 한 가지 일에 힘쓰다.
〔十年内乱〕 shínián nèiluàn 명 '文wén化大革命'에 의한 10년간의 대재난(大災難). =〔十年动乱〕〔十年浩劫〕
〔十年树木, 百年树人〕 shí nián shù mù, bǎi nián shù rén 〈成〉 나무를 키우는 데는 10년, 인재를 키우는 데는 100년이 걸린다(인재를 키우기 위한 원대한 계획. 인재 양성의 어려움).
〔十年制学制〕 shíniánzhì xuézhì 명 초등 학교 5년, 중학교 3년, 고등 학교 2년의 10년제 교육 제도.
〔十胖九富〕 shípàng jiǔfù ⇨〔十个胖子九个富〕
〔十七帖〕 Shíqītiè 명 《書》 십칠첩(왕희지(王羲之)의 초서 법첩(法帖). 십칠일(十七日)이라는 문구로 시작되고 있으므로 이렇게 말함).
〔十全〕 shíquán 형 〈比〉 완전 무결하다. ¶做事哪里有那么～的? 일을 하는 데 있어 어떻게 그와 같은 완전 무결이 있을 수 있을 것인가?
〔十全其美〕 shí quán qí měi 〈成〉 ⇨〔十全十美〕
〔十全十美〕 shí quán shí měi 〈成〉 완전 무결하여 나무랄 데가 없다. ¶设备是～的; 설비는 나무랄 데가 없다. =〔十全其美〕〔全美〕
〔十三包〕 shísānbāo 명 13개 항목의 보장(인민공사가 사원의 의·식·주·탁아(託兒)·독서(讀書)·양로(養老)·매장(埋葬)·혼인·출산·이발·관극(觀劇)·병치료·신발의 지출을 보장해 주는 일).
〔十三点〕 shísāndiǎn 명 〈南方〉 ①사고 방식이 바보 같은 사람. 얼간이 같은 사람. ②왈가닥. 말괄량이. ③질투.
〔十三经〕 Shísānjīng 명 《書》 십삼경. 유가(儒家)의 13가지 경전(經典)(역경(易經)·서경(書經)·시경(詩經)·주례(周禮)·의례(儀禮)·예기(禮記)·춘추좌씨전(春秋左氏傳)·춘추공양전(春秋公羊傳)·춘추곡량전(春秋穀梁傳)·논어(論語)·효경(孝經)·이아(爾雅)·맹자(孟子)를 가리킴).
〔十三陵〕 Shísānlíng 명 《地》 명(明)나라의) 13능(베이징 시(北京市) 창핑 현(昌平縣) 천수 산(天壽山)에 있으며, 성조(成祖)부터 대종(代宗) 곧 경제(景帝)를 제외하고 사종(思宗)에 이르는 13명의 제왕의 능이 있음).
〔十三烷〕 shísānwán 명 《化》 트리데칸(tridecane).
〔十三幺(九)〕 shísānyāo(jiǔ) 명 마작에서, '满贯'의 일종.
〔十三张〕 shísānzhāng 명 마작의 별칭. =〔麻má将〕
〔十三辙〕 shísānzhé 명 《樂》 '皮黄戏'의 운각(韻脚)('中东·人辰·衣期·言前·怀来·江阳·梭波·遥迢·麻沙·由求·姑苏·灰堆·乜邪'의 13부로 나뉨).
〔十升〕 shíshēng 양 《度》 데카리터('公gōng斗'는 구칭).
〔十室九空〕 shí shì jiǔ kōng 〈成〉 전란 재해 따위로 인가(人家)가 대부분 텅 비다.
〔十霜〕 shíshuāng 명 〈比〉 10년.
〔十水合硫酸钠〕 shíshuǐhéliúsuānnà 명 《化》 황산나트륨. =〔硭máng硝〕
〔十四行诗〕 shísìhángshī 명 14행시. 소네트(sonnet). =〔〈音〉商籁体〕

〔十四酸〕 shísìsuān 명《化》 미리스틴산. =〔肉ròu豆蔻酸〕
〔十四烷〕 shísìwán 명《化》 테트라데칸(tetradecane).
〔十体诗〕 shítǐshī 명 고풍(古諷)·악풍(樂諷)·고사(古詞)·신제 악부(新題樂府)·율시(律詩)·칠언(七言)·오언(五言)·율풍(律諷)·도망(悼亡)·염시(艶詩)의 10체의 시.
〔十体书〕 shítǐshū 명 고문(古文)·대전(大篆)·주문(籒文)·소전(小篆)·예서(隷書)·장초(章草)·행서(行書)·팔분(八分)·비백(飛白)·초서(草書)의 10체의 서법(書法)《일설에는, 고문·대전·팔분·소전·비백·도해(倒薤)·산례(散隷)·현침(懸針)·조서(鳥書)·수로(垂露)의 10체를 말함》.
〔十天八天〕 shítiān bātiān 팔구일.
〔十天半(个)月〕 shítiān bàn(ge)yuè 10일이나 반 달. 반 달이 못 되는 날수.
〔十停(儿)〕 shí tíng(r)〈俗〉 10할(割). 100퍼센트. 전부. ¶～已完成了八停; 전부의 8할은 이미 완성했다.
〔十头八个〕 shítóu bāge 열쯤. 열 가량. 열 정도. 10이 채 안 되는 수.
〔十秃九诈〕 shítū jiǔzhà〈諺〉 열 사람의 대머리 가운데 아홉 사람은 사기꾼이다.
〔十途郊〕 shítújiāo 명 옛날, 샤먼(廈門)에 있던 중요 상업 단체의 총칭으로 '洋郊' '北郊' '疋头郊' '泉郊' '纸郊' '药郊' '碗郊' '广东郊' '棉纱郊' '茶郊'를 말함.
〔十万八千里〕 shí wàn bā qiān lǐ 거리가 아득히 멂. 매우 큰 차이가 남. ¶他说了半天, 离正题还差～呢! 그는 오랫동안 이야기를 했으나 본제(本題)와는 하늘과 땅만큼이나 멀어져 있단 말이야!
〔十万火急〕 shí wàn huǒ jí〈成〉 사태가 극도로 절박함. 다급함. ¶打了～的电报; 지급(至急) 전보를 쳤다.
〔十位〕 shíwèi 명《數》 10의 자리.
〔十五个吊桶打水〕 shíwǔ ge diàotǒng dǎ shuǐ〈歇〉 가슴이 두근거리다《15개의 두레박으로 물을 긷다. '七上八下'(7개는 올라가고 8개는 내려간다)에 연결되어 마음이 침착성을 잃었음을 의미》.
〔十五烷〕 shíwǔwán 명《化》 펜타데칸(pentadecane).
〔十项运动〕 shíxiàng yùndòng 명《體》 10종 경기《육상 경기》.
〔十羊九牧〕 shí yáng jiǔ mù〈成〉 열 마리 양에 아홉 명의 양치기《국민은 적고 관리는 너무 많음》.
〔十样锦〕 shíyàngjǐn 명 ①《植》 색비름. ②색비름의 꽃. ③술잔·접시·공기 등이 각각 10개 한 벌이면서, 하나하나의 색채·무늬가 서로 다른 도자기. ④〈比〉 가지각색인 모양. ⑤〈比〉 변덕스러운 사람.
〔十叶派〕 shíyèpài 명〈音〉 ⇨〔什叶派〕
〔-十业的〕 -shíyede 접미〈北方〉 신분 등을 나타내는 명사 뒤에 붙여서 다소 동정하는 뜻을 나타냄. ¶半膘biāo子～可怎么好; 머저리 같은 놈을 도대체 어떻게 해야 좋단 말인가/寡妇～很不容易; 과부 노릇도 참 쉽지 않은 일이다.
〔十一〕 Shí Yī 명〈簡〉 10월 1일《중화 인민 공화국의 국경절》.
〔十一号〕 shíyīhào 명〈俗〉 발. ¶开～; 걸어서 가다/～汽车; 11호차. 〈轉〉 차를 타지 않고 걸어감. =〔十一路〕
〔十一级风〕 shíyījí fēng 명《天》 풍력 11의 바람《풍속 28.5～32.6 m/sec의 바람》.
〔十一烷〕 shíyīwán 명《化》 운데칸(undecane).
〔十有八九〕 shí yǒu bā jiǔ〈成〉 십중팔구. ¶～不保险; 십중팔구는 위험하다. =〔十之八九〕
〔十有九成〕 shí yǒu jiǔ chéng〈成〉 대체로. 십중팔구.
〔十月〕 shíyuè 명 ①10월. ②열 달. ¶～怀胎, 一朝分娩; 열 달 잉태하고, 어느 날 분만하다.〈轉〉 일은 하루 아침에 될 수는 없다.
〔十月革命〕 Shíyuè gémìng 명《史》 10월 혁명《1917년 11월 7일, 러시아력(曆) 10월 25일의 러시아 혁명》.
〔十载寒窗〕 shí zǎi hán chuāng〈成〉 ⇨〔十年窗下〕
〔十哲〕 shízhé 명 십철《공자의 제자 가운데 걸출한 10사람. 안연(顏淵)·민자건(閔子騫)·염백우(冉伯牛)·중궁(仲弓)·재아(宰我)·자공(子貢)·염유(冉有)·계로(季路)·자유(子游)·자하(子夏)》.
〔十之八九〕 shí zhī bā jiǔ〈成〉 십중팔구. 태반. 거의. ¶他今天～不来吧; 그는 오늘은 십중팔구 오지 않을 것이다. =〔十居八九〕〔十有八九〕〔十中八九〕〔八九不离十(儿)〕
〔十指连心〕 shí zhǐ lián xīn〈成〉 양손의 열 손가락을 조이는 형에 처해진 것처럼 심장까지 파고드는 지독한 아픔.
〔十中八九〕 shí zhōng bā jiǔ〈成〉 ⇨〔十之八九〕
〔十姊妹〕 shízǐmèi 명 ①《鳥》 십자매. ②《植》 보살장미. =〔七姊妹〕 ③옛날, 광둥(廣東) 지방의 습속으로, 여자 10명이 약속을 하고 평생 결혼하지 않은 일.
〔十字〕 shízì 명 십자. ¶～鸟;《鳥》〈南方〉 할미새사촌/～车; 구급차.
〔十字布〕 shízìbù 명 자수용의 천.
〔十字镐〕 shízìgǎo 명 ⇨〔丁dīng字镐〕
〔十字花科〕 shízìhuākē 명《植》 겨자과.
〔十字火〕 shízìhuǒ 명《軍》 십자포화.
〔十字架〕 shízìjià 명《宗》 십자가.
〔十字架儿〕 shízìjiàr 명 십자형으로 된 물건.
〔十字接头〕 shízì jiētóu 명 ⇨〔万wàn向接头〕
〔十字街(头)〕 shízì jiē(tóu) 명 ①십자로. 네거리. →〔十字路口(儿)〕 ②〈比〉 분기점. 갈림길.
〔十字蕨〕 shízìjué 명《植》 십자고사리《'三sān叉耳蕨'의 고칭(古稱)》.
〔十字军〕 shízìjūn 명《史》 십자군.
〔十字路口(儿)〕 shízì lùkǒu(r) 명 ①십자로(의 모퉁이). 네거리. 사거리. ②〈比〉(중대한 문제의) 기로. 갈림길.
〔十字天〕 shízìtiān 명 ⇨〔四sì通〕
〔十字头〕 shízìtóu 명《機》 T자형 강(鋼).
〔十字线〕 shízìxiàn 명 수실. 자수에 쓰이는 실.
〔十字形活门〕 shízìxíng huómén 명《工》 기계의 밸브의 1종《평행한 두 관을 잇는 밸브. 펌프나 기선(汽船) 등에 흔히 쓰임》.
〔十足〕 shízú 형 ①함유율이 높다. 성분이 순수하다. ¶～银; 순은. ②충분하다. 넘쳐 흐르다. ¶按照票面～支取; 액면대로 수수(授受)하다/～的丰收; 굉장한 풍작/～奉回; 전액 반려/～的理由; 충분한 이유/劲头～; 긴장돼 있다. 의욕적이다/～弓儿别拉满;〈諺〉 무슨 일이나 극한까지 무리를 해선 안 된다.

〔十足金〕 shízújīn 명 ⇨〔足zú赤(金)〕

什 **shí** (십)

① 수 10. 열(주로 분수나 배수(倍數)에 씀). ¶～一; 10분의 1 / ～百; 10배 또는 100배 / ～长; 10인 1조의 장 / 篇～; 시편(詩篇)(고시(古詩)는 10편으로 묶은 것이 많으므로 이렇게 불렀음). ② 형 〈轉〉 여러 가지. 가지각색의. ③ 명 잡다한 것. ¶家～; 가재 도구. ⇒shén

〔什镑〕 shíbàng 명 호주(濠洲) 파운드(오스트레일리아의 옛 통화 단위 이름. 현재는 '澳大利亚元yuán' (오스트레일리아 달러)를 씀).

〔什不闲(儿)〕 shíbuxián(r) 명 잡기(雜技)의 일종('锣luó' (징), '鼓gǔ' (북), '铙náo' '钹bó')(심벌즈) 따위를 틀에 올려놓고, 이들을 혼자 두드리면서 노래함). =〔十不闲(儿)〕

〔什刹海〕 Shíchàhǎi〔〈京〉 shíjiehǎi〕 명 베이징(北京) 성내에 있는 호수의 이름(지안문(地安門)에서 덕승문(德勝門) 근처에 있는 호수). =〔十刹海〕

〔什果〕 shíguǒ 명 과일류.

〔什货〕 shíhuò 명 잡화. ¶专办各种食品～; 각종의 식품 잡화를 전문으로 취급하다.

〔什件儿〕 shíjiànr 명 ①〈方〉 물건에 붙어 있는 금속의 장식물. ②짐승이나 새의 내장. ¶炒～; 닭 내장을 볶은 것. ‖ =〔饰件(儿)〕〔事件③〕〔事件儿〕

〔什锦〕 shíjǐn 형 여러 가지 재료를 사용한(주로 식품). ¶～饼干; 믹스 비스킷 / ～火锅; 모둠냄비 / ～酱菜; 된장에 절인 여러 가지 야채 / ～太妃糖; 여러 가지 캔디를 섞어 담은 것. =〔十锦〕

〔什锦锉(刀)〕 shíjǐn cuò(dāo) 명 〖機〗 줄칼 세트. =〔组zǔ锉〕

〔什锦角尺〕 shíjǐn jiǎochǐ 명 ⇨〔组zǔ合矩尺〕

〔什锦面〕 shíjǐnmiàn 명 여러 가지 재료를 넣어 만든 국수.

〔什锦南糖〕 shíjǐn nántáng 명 〈京〉 막과자 가게에서 파는 남방풍(南方風)의 여러 가지 엿. =〔南糖〕

〔什可罗支〕 shíkěluózhī 명 〈音〉 사이콜로지(psychology) 심리학. =〔心理学〕

〔什器〕 shíqì 명 집기. 일용 기구.

〔什物〕 shíwù 명 가장 집물. 일용 잡화. ¶～单; 물품 목록. 재산 목록.

〔什袭〕 shíxí 동 〈文〉 겹겹이 싸서 (소중히) 보관하다. ¶～而藏cáng; 겹겹이 싸서 (소중히) 보관하다.

〔什闲儿〕 shíxiánr 동 움직이지 않다. ¶手脚没个～; 바삐 손발을 움직이고 있다.

〔什项〕 shíxiàng 명 잡항(雜項). 잡다한 항목.

〔什洋〕 shíyáng 명 양품 잡화.

〔什样景〕 shíyàngjǐng 명 여러 가지 모양·형식.

〔什叶派〕 Shíyèpài 명 〖宗〗〈音〉 시아파(Shiah派)('伊斯兰教' (이슬람교)의 비주류파의 하나). =〔十叶派〕 →〔逊Xùn尼派〕

〔什一税〕 shíyīshuì 명 십일세. 십일조(租).

〔什用总簿〕 shíyòng zǒngbù 명 잡지출(雜支出) 기입 장부.

〔什质〕 shízhì 명 협잡물. 불순물. ¶规格为～最高3%, 水分最高8%; 규격은 불순물 최고 3%, 수분 최고 8%이다.

石 **shí** (석)

명 ①돌. 바위. ¶石灰～; 석회암. 석회석 / ～台阶(儿); 돌계단 / 岩～; 암석. ②옛날, 약용 광물의 일컬음. ③돌의 조각(彫刻). ④성(姓)의 하나. ⇒dàn

〔石坝〕 shíbà 명 돌을 쌓은 댐. 돌제방.

〔石斑鱼〕 shíbānyú 명 〖魚〗 석반어. 쥐노래미.

〔石板〕 shíbǎn 명 ①〖建〗 판상(板狀)으로 자른 돌. 포석(鋪石). ¶花岗～; 화강암의 포석. ②초등 학교 학생이 쓰던 석판.

〔石版〕 shíbǎn 명 〖印〗 (석판 인쇄용의) 석판.

〔石碑〕 shíbēi 명 비석. 석비. ¶建立～; 석비를 세우다.

〔石背〕 shíbèi 명 〖蟲〗 여지(荔枝)의 해충(그 등딱지가 딱딱하므로 이 이름이 있음).

〔石本〕 shíběn 명 비석의 탁본(拓本). =〔石贝〕

〔石笔〕 shíbǐ 명 석필.

〔石鳖〕 shíbiē 명 〖貝〗 딱지조개.

〔石蚕〕 shícán 명 ①〖動〗 녹석(綠石)(산호충류의 일종). ②〖蟲〗 끝검은날도래. ③〖植〗 개곽향.

〔石菖蒲〕 shíchāngpú 명 〖植〗 석창포.

〔石长生〕 shíchángshēng 명 〖植〗 ①섬공작고사리. ② ⇨〔凤fèng尾草〕

〔石沉大海〕 shí chén dà hǎi 〈成〉 돌멩이가 바다에 가라앉다(아무 소식이 없다. 함흥 차사). ¶打听了多少日子, 依然～; 꽤 오랫동안 알아봤지만, 아직 무소식이다. 「한 것.

〔石城〕 shíchéng 명 ①돌로 쌓은 성. ②〈比〉 견고

〔石莼〕 shíchún 명 〖植〗 파래(해초의 일종).

〔石苁蓉〕 shícōngróng 명 〖植〗 갯질경이.

〔石埭〕 shídài 명 ①〈文〉 돌로 쌓은 제방. ②(Shídài) 〖地〗 스다이 현(石埭縣)(안후이 성(安徽省)에 있는 현(縣)의 이름).

〔石胆〕 shídǎn 명 ⇨〔硫liú酸铜〕

〔石担〕 shídàn 명 〖體〗 (봉(棒)의 양끝에 돌을 단) 역기.

〔石弹〕 shídàn 명 ①돌로 만든 탄알. ②놀이용의 공깃돌.

〔石道〕 shídào 명 돌을 깐 길. =〔石头道〕

〔石刁柏〕 shídiāobǎi 명 〖植〗〈俗〉 아스파라거스(asparagus). =〔石刀柏〕

〔石碉〕 shídiāo 명 (쓰촨 성(四川省) 진촨(金川) 지방에서) 원주민이 사는, 돌로 쌓은 다락집.

〔石雕〕 shídiāo 명 〖美〗 ①석조. 석상(石像) 등을 만드는 일. ②돌 조각품. ¶～佛像; 석불.

〔石堆〕 shíduī 명 돌을 쌓아 놓은 곳. 돌무지.

〔石碓〕 shíduì 명 돌절구. 돌로 된 디딜방아.

〔石墩〕 shídūn 명 초석(礎石)이나 좌석으로 쓰이는 평평한 돌. 받침돌.

〔石耳〕 shí'ěr 명 〖植〗 석이버섯. =〔灵líng芝〕

〔石发〕 shífà 명 ① ⇨〔海hǎi苔〕 ② ⇨〔乌wū韭①〕

〔石帆〕 shífān 명 〖動〗 바다부채산호(산호충의 일종).

〔石方〕 shífāng 명 ①〖度〗 석재의 채굴·매립·축조·운반할 때의 계측 단위(1입방미터의 돌을 '～'이라 함). ②석재 채굴·돌쌓기·돌 공사 따위.

〔石防风〕 shífángfēng 명 〖植〗 기름나물.

〔石舫〕 shífǎng 명 돌배(베이징(北京) 이화원(頤和園)에 있음).

〔石妇〕 shífù ⇨〔石女〕

〔石羔〕 shígāo 명 ⇨〔石膏〕

〔石膏〕 shígāo 명 석고. ¶～像; 석고상. =〔石羔〕

〔石工〕 shígōng 명 ①돌을 깎아 조각하는 일. 돌세공. ② ⇨〔石匠〕

〔石拱桥〕 shígǒngqiáo 명 아치형의 석교(石橋).

〔石鼓文〕 shígǔwén 명 석고문(석고(石鼓)에 새겨진 명문(銘文), 또는 석고의 명문에 새겨진 자체(字體)).

〔石桂〕 shíguì 명 《植》 붓순나무. =〔莽mǎng草〕
〔石桂鱼〕 shíguìyú 명 《魚》 쏘가리. =〔鳜guì鱼〕
〔石磙〕 shígǔn 명 《農》 석제(石製) 롤러. 굴레. 돌태《탈곡장을 고르거나 탈곡하는 데 쓰는 농기구》.
〔石果〕 shíguǒ 명 ⇨〔核hé果〕
〔石荷叶〕 shíhéyè 명 ⇨〔虎hǔ耳草〕
〔石胡荽〕 shíhúsuī 명 《植》 중대가리풀.
〔石斛〕 shíhú 명 《植》 석골풀. 석곡《한방약으로서 해열·소화에 쓰임》. =〔杜dù兰〕〔金钗jīnchāi花〕〔木mù斛①〕
〔石花菜〕 shíhuācài 명 《植》 우뭇가사리. =〔洋菜〕〔生海菜〕
〔石花胶〕 shíhuājiāo 명 한천. 우뭇가사리.
〔石画〕 shíhuà 명 《美》 모자이크.
〔石黄〕 shíhuáng 명 ⇨〔雄xióng黄〕
〔石灰〕 shíhuī 명 《化》 ①생석회. =〔〈俗〉 白bái灰〕〔煅duàn石灰〕〔活huó石灰〕〔生shēng石灰〕〔氧yǎng化钙〕 ②소석회. ¶含氯～ =〔漂piǎo(白)粉〕; 표백분. 클로드 석회. =〔〈俗〉 大dà白②〕〔氢qīng氧化钙〕〔熟shú石灰〕〔消xiāo石灰〕
〔石灰氮〕 shíhuīdàn 명 《化》 석회 질소. =〔氮石灰〕
〔石灰灯〕 shíhuīdēng 명 《佛》 드러먼드 등(Drummond燈). 석회등.
〔石灰乳〕 shíhuīrǔ 명 석회유.
〔石灰石〕 shíhuīshí 명 ⇨〔石灰岩〕
〔石灰水〕 shíhuīshuǐ 명 《化》 석회수.
〔石灰岩〕 shíhuīyán 명 《鑛》 석회암. 석회석. =〔石灰石〕〔灰石〕
〔石火〕 shíhuǒ 명 ①돌을 쳐서 나는 불. ②〈比〉 극히 짧은 시간에만 일어나는 동작·현상의 형용.
〔石级〕 shíjí 명 〈文〉 돌층계.
〔石剑箬〕 shíjiànruò 명 《植》 석위(石葦).
〔石矼〕 shíjiāng 명 강 속에 돌을 쌓아 걸어서 건널 수 있게 하는 것.
〔石匠〕 shíjiàng 명 석수. 석공. =〔石工②〕
〔石交〕 shíjiāo 명 ①〈文〉 굳은 교제. =〔硕shuò交〕 ②⇨〔石友〕
〔石阶〕 shíjiē 명 돌계단. ¶修～; 돌계단을 만들다 / 通到洞底的～; 동굴 바닥까지 통하는 돌계단.
〔石蜐〕 shíjié 명 ⇨〔龟guī足〕
〔石拒〕 shíjù 명 ⇨〔章zhāng鱼〕
〔石决明〕 shíjuémíng 명 ①《貝》 전복. =〔鲍鱼〕〔鳆鱼〕 ②《植》 석결명.
〔石坎〕 shíkǎn 명 ①돌로 쌓아 만든 제방. ②돌산에 만들어 놓은 계단.
〔石刻〕 shíkè 명 석각. 돌의 조각. ¶～文; 석각문《돌에 새긴 문자》.
〔石坑〕 shíkēng 명 채석장.
〔石窟〕 shíkū 명 석굴. ¶～寺; 석굴 사원.
〔石块〕 shíkuài 명 ①돌. 잔돌. ②암괴(巖塊). 석재(石材).
〔石砬子〕 shílázi 명 ⇨〔石头砬子〕
〔石蜡〕 shílà 명 《化》 파라핀(paraffin). ¶～纸; 파라핀지(紙) / ～油; 파라핀유(油). =〔巴拉宾〕
〔石蜡红〕 shílàhóng 명 ⇨〔天tiān竺葵〕
〔石辣红〕 shílàhóng 명 ⇨〔天tiān竺葵〕
〔石兰〕 shílán 명 《植》 ①석란. =〔羽yǔ蝶兰〕 ②⇨〔石韦〕
〔石栏〕 shílán 명 석란. 돌난간.
〔石叻〕 Shílè 명 《地》 '新xīn加坡'(싱가포르)의 별칭. =〔叻埠bù〕
〔石理〕 shílǐ 명 석리《암석의 육안으로 볼 수 있는 외관》.
〔石栗〕 shílì 명 쿠쿠이나무《등대풀과의 유동(油桐) 비슷한 나무》.
〔石料〕 shíliào 명 돌. 석재(石材).
〔石淋〕 shílìn 명 《漢醫》 사림(沙痳). =〔沙shā淋〕
〔石榴〕 shíliu 명 《植》 석류(나무). =〔安石榴〕
〔石榴石〕 shíliúshí 명 《鑛》 석류석.
〔石龙〕 shílóng 명 ①⇨〔石龙子〕 ②⇨〔大dà蓼①〕
〔石龙刍〕 shílóngchú 명 ⇨〔龙须(草)〕
〔石龙芮〕 shílóngruì 명 《植》 개구리자리.
〔石龙子〕 shílóngzǐ 명 《動》 '蜥xī蜴'(도마뱀)의 별칭. =〔石龙①〕
〔石绿〕 shílǜ 명 공작석으로 만든 녹색의 안료. ¶～色; 공작석의 녹색.
〔石芒〕 shímáng 명 《植》 참억새〔새〕의 일종.
〔石煤〕 shíméi 명 질이 낮은 석탄의 일종. =〔石板煤〕
〔石蜜〕 shímì 명 ①석밀. 석청(石淸). ②'冰bīng糖'(얼음사탕)의 별칭.
〔石棉〕 shímián 명 《鑛》 석면. 아스베스토(네 asbesto). ¶～织片; 석면 직물 / ～软垫; 석면 패킹 / ～锅炉涂料; 석면 보일러 도료. =〔石绒〕〔〈俗〉 不bù灰木〕〔〈俗〉 鸡jī毛绒〕〔矿kuàng棉〕〔龙lóng骨垠〕
〔石棉滤板〕 shímián lǜbǎn 명 석면 여과판.
〔石棉绳〕 shímiánshéng 명 충전용 석면 코드(cord). 석면실.
〔石棉水泥瓦〕 shímián shuǐníwǎ 명 지붕을 이는 데 쓰는 석면판(板). =〔〈簡〉 石棉瓦〕
〔石棉填料〕 shímián tiánliào 명 《機》 석면 충전재(充填材).
〔石磨〕 shímó 명 《工》 고운 숫돌로 금속 따위를 가는 공정(工程).
〔石磨床〕 shímóchuáng 명 《機》 연마반(研磨盤). 연마기. 그라인더.
〔石抹〕 Shímǒ 명 복성(複姓)의 하나.
〔石墨〕 shímò 명 《鑛》 ①석묵. 흑연. ¶～碳; 흑연 카본. =〔笔铅①〕〔铅笔粉〕 ②'煤'(석탄)의 별칭.
〔石磨〕 shímò 명 돌절구.
〔石男〕 shínán 명 음위(陰痿)인 남자. 고자(鼓子).
〔石楠〕 shínán 명 《植》 석남(石南).
〔石脑油〕 shínǎoyóu 명 《化》 나프타(naphtha).
〔石弩〕 shínǔ 명 석궁(石弓). 노궁(弩弓).
〔石女〕 shínǚ 명 돌계집. 자식을 못 낳는 여자. =〔石妇fù〕〔实女〕
〔石坯子〕 shípīzi 명 가공 전의 석재. 원석재(原石材).
〔石皮〕 shípí 명 ⇨〔石韦〕
〔石癖〕 shípǐ 명 정원석 수집벽.
〔石破天惊〕 shí pò tiān jīng 〈成〉 ①문장이 유달리 뛰어나 남을 놀라게 함. ②천지가 무너지는 듯한 큰 소리.
〔石荠苎〕 shíqízhù 명 《植》 들깨풀.
〔石器〕 shíqì 명 석기. ¶～时代; 석기 시대.
〔石青〕 shíqīng 명 ①《鑛》 광물질인 쪽색 안료. =〔扁青〕 ②검은색을 띤 자색.
〔石人〕 shírén 명 ①석인. 돌로 새긴 사람의 상(像). ②〈轉〉 무지한 사람. 돌머리.
〔石绒〕 shíróng 명 ⇨〔石棉〕
〔石濡〕 shírú 명 ⇨〔石蕊①〕
〔石乳〕 shírǔ 명 ⇨〔钟zhōng乳石〕
〔石蕊〕 shíruǐ 명 ①《植》 리트머스 이끼. =〔石濡〕〔云茶〕 ②《化》 리트머스(litmus). ¶～试纸 =

〔〈音義〉立脱马司试纸〕; 리트머스 시험지 / ～色素; 리트머스 색소.
〔石山〕 shíshān 명 석산. 돌산. 바위산.
〔石狮(子)〕 shíshī(zi) 명 돌사자.
〔石室〕 shíshì 명 ①석실. 돌로 만든 방. 〈比〉 견고한 것. ¶金城～; 금성 철벽. ②(무덤의) 석실.
〔石首鱼〕 shíshǒuyú 명 《魚》 참조기. ＝〔黄鱼〕
〔石鼠〕 shíshǔ 명 《動》 은서(銀鼠). 변색 족제비.
〔石松〕 shísōng 명 《植》 석송. ¶～子zǐ; 석송자(석송의 포자(胞子)).
〔石蒜〕 shísuàn 명 《植》 석산. 또, 그 구근(球根). ＝〔老lǎo鸦蒜〕〔水shuǐ麻②〕〔蒜头草〕
〔石髓〕 shísuǐ 명 ①⇨〔玉yù髓〕 ②⇨〔钟zhōng乳石〕
〔石笋〕 shísǔn 명 《地質》 석순(종유석이 밑에서 위를 향해 죽순처럼 자라 있는 것).
〔石锁〕 shísuǒ 명 돌로 만든 자물쇠 모양의 것(크고 작은 여러 가지가 있어, 한 사람이 이것을 던지고 다른 사람이 받아 힘을 기름). ¶练liàn～; '石锁'를 서로 던져 주고 받으며 힘을 단련하다.
〔石胎〕 shítāi 명 석태(성형(成型)되어 아직 굽지 않은 상태의 도기(陶器)).
〔石炭〕 shítàn 명 《鑛》 '煤méi'(석탄)의 고칭. ¶～纪; 석탄기 / ～系; 석탄계.
〔石炭酸〕 shítànsuān 명 《化》 석탄산. →〔酚fēn〕
〔石田〕 shítián 명 ①작물이 자랄 수 없는 밭. ②〈比〉 소용에 닿지 않는 것. 무용지물.
〔石条〕 shítiáo 명 가늘고 긴 돌.
〔石头〕 shítou 명 ①돌. ¶小～; 돌멩이 / ～子儿; 〈口〉 자갈. 잔돌. ②(가위바위보의) 바위. ＝〔拳头②〕 ③〈比〉 농민을 압박하는 못된 지주. ④〈比〉 의문. 문제. 걱정거리. ¶心里的～落了地; 마음속의 돌이 땅에 떨어졌다(걱정거리가 없어져서 한시름 놓다).
〔石头道〕 shítoudào 명 ⇨〔石道〕
〔石头砬子〕 shítoulázi 명 〈方〉 땅바닥에 돌출해 있는 큰 바윗돌. ¶～地; 돌멩이투성이의 땅. ＝〔石砬子〕
〔石头儿〕 shítour 명 ①〈俗〉 보석. ②돌멩이.
〔石头渣〕 shítouzhā 명 〈俗〉 알칼리성 광재(鑛滓).
〔石韦〕 shíwéi 명 《植》 석위. 또, 그와 가까운 종류. ＝〔石兰②〕〔石皮〕
〔石文〕 shíwén 명 석문(비석에 새긴 문자).
〔石硪〕 shíwò 명 돌로 만든 달구. →〔硪〕
〔石像〕 shíxiàng 명 석상.
〔石蟹〕 shíxiè 명 고생대(古生代)의 게의 화석(눈병의 약으로 씀).
〔石鸭〕 shíyā 명 ⇨〔金jīn线蛙〕
〔石盐〕 shíyán 명 《鑛》 암염. ＝〔岩盐〕〔戎róng盐〕
〔石羊〕 shíyáng 명 ⇨〔岩yán羊〕
〔石印〕 shíyìn 명 《印》 석판 인쇄. →〔影印〕
〔石英〕 shíyīng 명 《鑛》 석영. ¶～钟; 수정(水晶)시계 / ～表; 수정 손목시계.
〔石英岩〕 shíyīngyán 명 ⇨〔硅guī岩〕
〔石尤风〕 shíyóufēng 명 역풍(逆風). 앞바람. ＝〔顶dǐng风〕〔石邮风〕
〔石油〕 shíyóu 명 석유. ¶未练～; 원유 / ～机; 석유 발동기 / ～质 ＝〔～脂〕; 《化》 바셀린 / ～精; 《化》 벤졸 / ～苯; 《化》 벤진 / ～炉; 석유 풍로 / ～能; 석유 에너지.
〔石邮风〕 shíyóufēng 명 ⇨〔石尤风〕
〔石油焦(炭)〕 shíyóu jiāo(tàn) 명 석유 코크스.
〔石油脚〕 shíyóujiǎo 명 석유 공업의 부산물이나 폐기물.
〔石油精〕 shíyóujīng 명 《化》 벤진(benzine). ＝〔石油醚②〕〔轻油精〕
〔石油沥青〕 shíyóulìqīng 명 석유 피치(pitch).
〔石油醚〕 shíyóumí 명 ①석유 에테르. ②⇨〔石油精〕
〔石油气〕 shíyóuqì 명 석유 가스. ¶液化～; 액화 석유 가스. LPG.
〔石油输出国组织〕 Shíyóu Shūchūguó Zǔzhī 명 석유 수출국 기구(보통 '欧Ōu佩克'(오펙, OPEC)이라 함).
〔石友〕 shíyǒu 명 〈文〉 굳게 사귄 친구. ＝〔石交②〕
〔石陨星〕 shíyǔnxīng 명 《天》 운석. ＝〔陨石〕
〔石渣〕 shízhā 명 쇄석(碎石). 자갈. ＝〔石砟〕
〔石砟〕 shízhǎ 명 ⇨〔石渣〕
〔石钟乳〕 shízhōngrǔ 명 《鑛》 종유석. 돌고드름.
〔石槠〕 shízhū 명 《植》 돌가시나무.
〔石竹〕 shízhú 명 《植》 석죽. 패랭이꽃. ¶麝shè香～; 카네이션. ＝〔〈方〉云yún竹〕
〔石柱〕 shízhù 명 (종유동 속의) 석주. 돌기둥.
〔石桩〕 shízhuāng 명 길가, 또는 경계에 세우는 표석(標石).
〔石子(儿)〕 shízǐ(r) 명 잔돌. 돌멩이. 자갈.
〔石子〕 shízi 명 〈南方〉 돌. ¶～路; 돌멩이가 많은 길. ＝〔石头〕
〔石镞〕 shízú 명 석촉. 돌살촉. 돌촉.
〔石作〕 Shízuò 명 복성(複姓)의 하나.

炻 shí (석)

→〔炻器〕

〔炻器〕 shíqì 명 도기(陶器)와 자기(磁器)의 중간 제품인 일종의 도자기(내수성이 있어서 '水缸'(물항아리) 따위로 씀).

祏 shí (석)

명 〈文〉 옛날에, 종묘(宗廟)의 위패를 넣어 두던 석실(石室).

鼫 shí (석)

명 《動》 '鼯wú鼠'(날다람쥐)의 별칭(別稱).

〔鼫鼠〕 shíshǔ 명 《動》 ①석서(농작물에 피해를 주는 작은 다람쥐의 일종). ②'鼯wú鼠'(날다람쥐)의 고칭(古稱). ③옛날, '蝼lóu蛄'(땅강아지)의 별칭.

识(識) shí (식)

① 동 알다. 식별하다. 인식하다. ¶认～; ⓐ인식(하다). ⓑ(사람·길·장소·글자 따위를) 알고 있다 / 素不相～; 평소에 서로 모르다 / 有眼不～泰山; 〈諺〉 미처 몰라 보다. ② 명 견해. 생각. ¶卓～; 탁견. ③ 명 지식. ¶常～; 상식 / 有～之士; 유식한 사람. ⇒zhì

〔识拔〕 shíbá 동 〈文〉 재능을 인정하여 발탁하다.
〔识别〕 shíbié 동 분간하다. 식별하다. ¶～真伪; 진위를 가려 내다 / 诚非愚臣所能～《三國志》; 실제로 소신이〔제가〕 식별할 수 있는 바가 아닙니다.
〔识别符〕 shíbiéfú 명 《電算》 아이디(I.D.). ＝〔标识符〕
〔识大体〕 shí dàtǐ ①전체·대세를 알(고 있)다. ¶～, 顾大局; 대세를 알고 대국에 마음을 쓰다. ②일의 중요한 점을 알(고 있)다.
〔识得〕 shídé 동 인식하여 알(고 있)다.
〔识丁〕 shídīng 동 〈文〉 문자를 깨우쳐 알다. ¶目

不～；〈成〉전혀 글을 모르다. 낫 놓고 기역자도 모르다.

〔识度〕 shídù 명〈文〉견식과 도량.

〔识韩〕 shíhán 동 ⇨〔识荆〕

〔识货〕 shí.huò 동 상품의 좋고 나쁨을 식별하다. 보는 눈이 있다.

〔识家〕 shíjiā 명 감식력이 있는 사람. 유식한 사람. 견식이 넓은 사람. ¶～明公; 사물에 대한 이해력이 빠른 사람.

〔识见〕 shíjiàn 명〈文〉식견. 견식.

〔识荆〕 shíjīng 동〈文〉〈敬〉소원대로 서로 아는 사이가 되다. 처음으로 대면하다《한조종(韓朝宗)의 고사에서 온 말》. ¶生不用万户侯, 但愿一识韩荆州; 살아서 만 호의 후로 임명되지 못하더라도, 한 번은 형주의 한 조종(韓朝宗)과 알고 지냈으면 싶다. =〔识韩〕

〔识面〕 shímiàn 동 면식이 있다. 안면이 있다.

〔识破〕 shípò 동 간파하다. ¶他的意思早已叫我(给)～了; 그의 의향은 진작에 나에게 간파되었다.

〔识窍〕 shíqiào 동 비결을 알다. 세상 물정에 정통하다. ¶经历一番世事自然就～了; 한 번 세상일을 경험하면, 저절로 세상 물정을 알게 된다.

〔识趣(儿)〕 shíqù(r) 동 세상사를 잘 분별하다. 사물에 대한 이해가 빠르다. 눈치가 빠르다. ¶他要～早就知难而退了; 그가 말귀를 잘 알아듣는다면 일찌감치 어렵다는 것을 깨닫고 물러났을 것이다.

〔识人〕 shírén 동 사람을 볼 줄 안다. 사람의 성질을 분별하다.

〔识时〕 shíshí 동〈文〉세상 돌아가는 것을 알다. 시대의 급선무를 알다.

〔识时务〕 shí shíwù 그 시대의 급선무를 알다. 시세(時勢)의 요구를 알고 즉응(卽應)하다. ¶～者为俊杰; 〈諺〉시무(時務)를 아는 사람은 준걸이다. 시대의 조류와 당면한 정세를 아는 사람은 총명하고 재능 있는 사람이다 / 不～; 〈轉〉(이해력이 없어서) 융통성이 없다.

〔识数〕 shíshù 동 ①수가 몇인가를 알다. ②시시비비(是是非非)·이해 득실(利害得失)을 알다.

〔识水〕 shí.shuǐ 동 수영을 할 줄 알다. =〔识水性〕

〔识透〕 shítòu 동 모조리 알다. 완전히 다 알다. 간파(看破)하다.

〔识途老马〕 shí tú lǎo mǎ〈成〉경험이 많아 사물에 능통한 사람. =〔老马识途〕

〔识文断字〕 shí wén duàn zì〈成〉글을 알다. 학문에 소양이 있다.

〔识相〕 shíxiàng 동 ①〈方〉분별(分別) 있게 굴다. 약삭빠르게 굴다. ¶你要～点儿, 别自讨苦吃! 너, 좀 눈치 있게 굴어라. 사서 고생하지 말고! ②재치를 발휘하다. ¶～地说; 재치 있게 말하다.

〔识羞〕 shíxiū 동 수치를 알다《흔히, 부정적으로 쓰임》. ¶你这个人怎么不～呢? 너라는 인간은 어째서 수치를 모르느냐?

〔识者〕 shízhě 명〈文〉식자. 식견이 있는 사람.

〔识字〕 shí zì ①글자를 알다. ¶～运动; 문맹자에게 문자를 가르치는 운동 / ～课本; 글자 해독 입문서. ②글자를 외다. ¶识一百个字; 100자를 외다 / ～牌; 글자를 외기 위한 카드.

时(時) shí (시)

①명 때. 시기. ¶不过是一～侥幸; 한때의 요행에 불과하다 / 一～回不来; 잠깐 동안은 돌아오지 못한다. ②명 시대. ¶宋～; 송대(宋代) / 古～; 고대 / 彼一～, 此一～; 〈成〉그 때도 한때, 지금도 한때《그 때와 지금은 사정이 다르다》. ③명 시간. 시각. 시《하루를 구분하는 시각의 단위로, 옛날의 '时'는 지금의 2시간에 상당함》. ¶一小～; 1시간. ④명 계절. ¶四～; 사계(四季) / 农～; 농사철. ⑤명 당시. 그 때. ¶当～; 당시. 그 무렵 / 几～; 언제 / 有～; 때로는. 때에 따라서는 / ～来铁成金; 〈比〉때가 되면 쇠도 황금이 된다. ⑥명형 현대(의). 현재(의). ¶～价; 시가(時價) / ～事; 시사. ⑦명 기회. 시운(時運). 적당한 시기. ¶趁～; 기회를 타서 / ～不可失; 〈成〉때를 놓쳐서는 안 된다 / 及～行舟; 〈成〉때를 보아 일을 추진하다. ⑧형 시대에 맞는. 유행의. ↔〔老〕 ⑨형 시기에 적합한. ⑩부 늘. 때때로. 자주. ¶～～发生困难; 늘 곤란한 일이 생기다 / 学而～习之《論語 學而》; 배우고 때로 익히다 / ～有错误; 때때로 잘못을 저지르다. ⑪부 때로는. 이따금《주로 '时…时…'의 형태를 취함》. ¶天气～阴～晴; 날씨는 흐렸다 개었다 한다 / ～来～去; 가끔 왔다갔다 하다. ⑫명 (정해진) 시간. ¶按～上班; 정각에 출근하다 / 列车准～到站; 열차는 정시(定時)에 역에 도착한다. ⑬명《言》시제(時制). 시상(時相). ¶过去～; 과거 시제. ⑭명 성(姓)의 하나.

〔时安〕 shí'ān〈翰〉'내내 안녕하시기를 빕니다'의 뜻으로, 편지 끝에 쓰는 관용적인 말. =〔时佳〕〔时祺qí〕〔时祉zhǐ〕

〔时弊〕 shíbì 명〈文〉시폐. 그 시대의 폐단. =〔时病①〕

〔时变〕 shíbiàn 명 시국〔시대〕의 변천.

〔时表〕 shíbiǎo 명 시계.

〔时病〕 shíbìng 명 ①⇨〔时弊〕 ②⇨〔时气病〕

〔时不常(儿)(地)〕 shíbucháng(r)(de) 부 자주. 종종. 언제나. =〔时不时〕

〔时不时〕 shíbùshí 부〈方〉종종. =〔时不常(儿)(地)〕

〔时不我待〕 shí bù wǒ dài〈成〉시간은 나를 기다리지 않는다. 注 '时不待我'로는 쓰지 않음. =〔时不待人〕

〔时差〕 shíchā 명 시차.

〔时常〕 shícháng 부 항상. 자주. 늘. =〔时时〕

〔时辰〕 shíchen 명 ①때. 시각. 시간. ¶～未到; 아직 (예정된) 시각이 되지 않았다. ②(옛날의) 시간 단위《하루의 12분의 1》. ¶等了足有一个～; 족히 2시간은 기다렸다.

〔时辰香〕 shíchénxiāng 명 옛날, 시간을 재는 데 썼던 선향(線香).

〔时疮〕 shíchuāng 명 ⇨〔杨yáng梅(疮)〕

〔时代〕 shídài 명 ①시대. ¶划～; 시대를 구분하다. ②현대. 시대. 당대의 흐름. ¶～精神; 시대정신. ③(일생 중의 어느) 시기. 시절. ¶青年～; 청년 시대. ④(Shídài) 타임(Time)《미국의 시사 주간지》. =〔时代週刊〕

〔时道〕 shídao 명형 유행(의). 유행(하는). ¶～小曲儿; 유행가 / 这不过是一时的～, 过去就不兴了; 이것은 한때의 유행에 불과하다. 때가 지나가 버리면 더 이상 유행하지 않게 된다.

〔时调〕 shídiào 명 ①어떤 한 지역에서 유행하는 민간 속곡(民間俗曲)《'曲艺'로 발전된 것도 있으며, '天津时调' 따위가 대표적임》. ②그 시대의 가락. ¶～曲儿; 새로운 시대에 맞는 노래《유행가》. ‖=〔时曲〕

〔时毒〕 shídú 명《漢醫》시독. 계절적으로 유행하

는 역병(疫病).
〔时断时续〕 shíduàn shíxù 단속적이다. ¶～的歌声; 단속적인 노랫소리.
〔时而〕 shí'ér 부 ①때로는. 이따금. ¶蔚蓝色的天空中, ～飘过几片薄薄的白云; 짙은 남색 하늘에 때때로 몇 조각의 흰구름이 두둥실 떠내려간다. ②(되풀이해서 쓰여) 때로는 …하고 때로는 …하다《다른 상황이 동일 시간내에 번갈아 일어남을 나타냄》. ¶这几天～晴天, ～下雨; 이 며칠 동안은 개었다 비가 오다 한다 / 雷声～断～续; 우렛소리가 그쳤다 이어졌다 한다.
〔时方〕 shífāng 명《漢醫》'古gǔ方'(고대의 처방)에 상대하여, 송(宋)나라 · 원(元)나라 때의 처방.
〔时分〕 shífēn 명 무렵. 때. ¶到了那儿, 已经是薄暮～; 도착한 것은 이미 해질 무렵이었다.
〔时风〕 shífēng 명〈文〉시풍《철따라 부는 바람》.
〔时工〕 shígōng 명 ①시간급 노동. ②파트타이머(part-timer).
〔时乖命蹇〕 shí guāi mìng jiǎn〈成〉시운(時運)이 좋지 않다.
〔时光〕 shíguāng 명 ①세월. 시간. ¶～可贵; 시간은 귀중하다 / 浪费～; 시간을 낭비하다 / ～一年一年地过去了; 시간은 한 해 한 해 지나갔다 / ～已经不早了; 시간이 이미 늦다. ②시기. 때. ¶那～, 还没有电灯呢; 그 때는 아직 전등도 없었다 / 青春, 这是多么美妙的～啊! 청춘, 그것은 얼마나 아름다운 시기인가! ③생계. 살림. 생활. ¶现在我们的～比以前好过多了; 지금의 우리들 살림은 이전보다 훨씬 좋아졌다.
〔时过境迁〕 shí guò jìng qiān〈成〉이미 때는 지나고 상황이 바뀌다. ¶如今已经～, 他也不再想了; 지금 때는 이미 가고 상황도 바뀌어 그도 두 번 다시 생각지 않게 됐다.
〔时过心平〕 shí guò xīn píng〈成〉시간이 지나자 마음이 가라앉다. 시간이 흐르자 침착해지다.
〔时好〕 shíhào 명 그 시대의 기호. 당세의 풍조. =〔时尚〕
〔时候(儿)〕 shíhou(r) 명 ①때. ¶什么～; 언제 / 这个～; 지금 이 때 / 现在正是～; 지금이 딱 좋은 때이다 / 到～我也来; 그 때가 되면 나도 온다. ②시각. ③시대. ④시절. ¶烤鸭子正是～; '烤鸭子'는 지금이 한철이다. ⑤시간. ¶你写这篇文章用了多少～? 너는 이 글을 쓰는 데 어느 정도의 시간이 걸렸느냐? ‖ =〔时会儿〕
〔时花〕 shíhuā 명 ①철따라 피는 꽃. ②유행의 양상.
〔时化〕 shíhuà 명《工》시효 처리(時效處理: aging). =〔时效处理〕
〔时会〕 shíhuì 명 ①〈文〉시운. 운수. =〔时运〕 ②부정기적 모임. ③당시의 특수 정황.
〔时讳〕 shíhuì 명〈文〉시휘. 그 시대의 금구(禁句)〔입에 올리기를 꺼리는 말〕. =〔时忌〕
〔时会儿〕 shíhuìr 명 ⇨〔时候(儿)〕
〔时货〕 shíhuò 명〈文〉일용 필수품.
〔时机〕 shíjī 명 시기. 찬스. 기회.
〔时疾〕 shíjí 명 ⇨〔时疫〕
〔时计〕 shíjì 명《天》크로노미터(chronometer). 경선의(經線儀).
〔时忌〕 shíjì 명 ⇨〔时讳〕
〔时佳〕 shíjiā〈翰〉⇨〔时安〕
〔时价〕 shíjià 명 시가.
〔时间〕 shíjiān 명 ①시간. 틈. 여가. ¶晚上有～吗? 밤에는 시간이 있습니까? / 没有～学习; 공부할 시간이 없다 / 长～; 오랜 시간 / ～表biǎo; 시간표 / ～紧, 任务重; 시간은 촉박하고 임무는 중하다. ②세월. ¶需要几十年的～; 수십 년의 세월이 필요하다. ③시점《시간의 흐름의 한 점》. ¶现在的～是三点十五分; 지금 시각은 3시 15분입니다. ④《哲》시간. ¶～与空间; 시간과 공간.
〔时间差〕 shíjiānchā 명 ①《體》(배구의) 시간차(공격). ②시간상의 차이를 교묘히 이용하여 적극적 효과를 얻어내는 것.
〔时间词〕 shíjiāncí 명《言》때를 나타내는 명사《'过去, 现在, 早晨, 今天, 元旦, 星期日, 去年' 따위》.
〔时间定额〕 shíjiān dìng'é 명 시간 노르마(러 norma). 기준 작업 시간.
〔时间性〕 shíjiānxìng 명 시간성. 시간적 제약《때를 놓치지 않고, 적시에, 기회를 잡다의 뜻》. ¶农业生产的～强; 농업 생산은 조금도 때를 놓치지 말고 제 때에 해야 한다.
〔时艰〕 shíjiān 형〈文〉시국이 곤란하다. 명 시국의 곤란.
〔时节〕 shíjié 명 시절. 계절. ¶农忙～; 농번기.
〔时节〕 shíjie 명 때. 시기. ¶那～她才十二岁; 그 무렵에 그녀는 겨우 12살이었다 / 他还小的～…; 그가 아직 어렸을 때….
〔时紧时松〕 shíjǐn shísōng 때로는 빠듯하고 때로는 느슨하게. ¶银根～; 금융 시장은 때로는 핍박하고 때로는 완만하다.
〔时禁〕 shíjìn 명〈文〉그 당시의 금령(禁令).
〔时景〕 shíjǐng 명〈文〉그 당시의 상황〔풍경〕.
〔时局〕 shíjú 명 시국.
〔时刻〕 shíkè 명 ①시각. 시간. ¶～表; 시간표 / 严守～; 시간을 엄수하다. ②특정한 어떤 때〔시기〕. ¶关键～; 중대한 갈림길. 부 끊임없이. 언제나. 항상. ¶～注意; 항상 주의하다 / ～准备着迎击敌人; 늘 적을 맞아 칠 준비를 하고 있다.
〔时款〕 shíkuǎn 명〈文〉시대에 맞는〔그 당시의〕양식〔타입〕. ¶衣装很合～; 의상이 제법 현대적 모드에 어울리다.
〔时来运转〕 shí lái yùn zhuǎn〈成〉때가 되어 좋은 운이 트이다. ¶～, 诸事如愿;〈諺〉때가 오면 운이 트여 만사가 원하는 대로 된다.
〔时令〕 shílìng 명 계절. 철. ¶～不正; 기후 불순 / ～已交初秋, 天气逐渐凉爽; 계절은 벌써 초가을로 접어들어, 기후가 점점 서늘해진다.
〔时令〕 shíling 명《漢醫》〈方〉계절병. ¶闹～; 계절병에 걸리다. =〔时令病〕
〔时令风〕 shílìngfēng 명 계절풍. =〔季jì(候)风〕
〔时令症〕 shílìngzhèng 명 계절에 따라 유행하는 병.
〔时流〕 shíliú 명 ①시류. 시대의 풍조. ②⇨〔时人〕
〔时论〕 shílùn 명 시론. 당시의 여론.
〔时髦〕 shímáo 명형 유행(이다). 현대적(이다). ¶盖～的房子; 현대적인 집을 짓다 / 赶～; 유행을 따르다 / 这是最～的颜色和式样; 이것은 가장 유행하는 색상과 디자인이다.
〔时难〕 shínàn 명 시국의 난관.
〔时鸟〕 shíniǎo 명 ⇨〔候hòu鸟〕
〔时女〕 shínǚ 명〈文〉처녀. 숫처녀.
〔时牌〕 shípái 명 청대(清代), 시보(時報)를 위하여 내건 패《새벽 6시인 '卯mǎo时'에서 저녁 6시인 '酉yǒu时'에 이르는 7종류의 패. 예를 들면, 정오에는 '午wǔ牌'가 내걸려 '午牌时分'이라 하였음》.
〔时派〕 shípài 명 유행하는 복장. ¶～的人; 유행

을 좇는 사람. 멋쟁이.
〔时评〕 shípíng 명 시사평론.
〔时期〕 shíqī 명 시기. 특정한 때.
〔时祺〕 shíqí 〈翰〉 ⇨〔时安〕
〔时起时伏〕 shí qǐ shí fú 〈成〉 높아졌다 낮아졌다 하다. 기복을 되풀이하다. ¶麦浪在微风中～; 소맥은 산들바람에 의해 파도처럼 높고 낮게 일렁이고 있다.
〔时气〕 shíqì 명 사계절의 기후.
〔时气〕 shíqi 명 〈方〉 시운(時運)《특히, 한때의 행운》. ¶～好; 운이 좋다 / 近来～背; 요즘은 운이 없다〔나쁘다〕/ 走～; 운이 트이다.
〔时气病〕 shíqìbìng 명 계절의 유행병. ＝〔时行病〕〔时病②〕
〔时晴时阴〕 shíqíng shíyīn 개었다 흐렸다 하다.
〔时区〕 shíqū 명 (표준) 시간대.
〔时趋〕 shíqū 명 〈文〉 당세풍. 유행 풍조.
〔时曲〕 shíqǔ 명 ⇨〔时调〕
〔时曲风谣〕 shíqǔ fēngyáo 명 유행가.
〔时人〕 shírén 명 〈文〉 ①그 당시의 사람. ¶～有诗为证; 증거가 될 만한 당시 사람의 시가 있다. ＝〔时流②〕 ②당대의 인물.
〔时日〕 shírì 명 ①시일. 시간(의 여유). ¶假jiǎ以～, 定能奏效; 시간적 여유가 주어진다면, 꼭 효과를 올릴 수 있다. ②시간과 날짜. 〈轉〉 딱 좋은 일시. 길일.
〔时霎〕 shíshà 명 〈古白〉 잠시. 잠깐. ¶不敢住～; 잠시도 머무르지 못하다.
〔时尚〕 shíshàng 명 ⇨〔时好〕
〔时师〕 shíshī 명 〈文〉 당대의 대학자.
〔时时〕 shíshí 부 항상. 언제나. ¶～处处; 늘 어디서나 / ～依靠群众, 事事请教群众; 항상 대중을 의지하고, 일마다 대중에게 가르침을 청하다.
〔时时刻刻〕 shíshí kèkè 부 시시각각. 언제나 《'时刻'의 중첩형(重疊形)》.
〔时食〕 shíshí 명 ⇨〔时鲜〕
〔时世〕 shíshì 명 시대. 시세. ¶～妆zhuāng; 당세풍의 옷차림.
〔时式〕 shíshì 명 현대적인 양식. 유행하는 스타일《흔히, 복장에 관해 쓰임》. ＝〔时样(儿)〕
〔时事〕 shíshì 명 시사. ¶～述评; 시사 해설 / ～报告; 시사 문제의 강연. 시사 보고.
〔时殊风异〕 shí shū fēng yì 〈成〉 시대가 바뀌면 풍속도 달라진다.
〔时衰鬼弄人〕 shí shuāi guǐ nòng rén 〈成〉 화불단행(禍不單行). 설상가상. 엎친 데 덮친다.
〔时台〕 shítái 명 고대의 기상대(氣象臺).
〔时态助词〕 shítài zhùcí 명 《言》 시태 조사 《'着'·'了'·'过' 따위》.
〔时望〕 shíwàng 명 〈文〉 당대의 인망. 한때의 인기.
〔时文〕 shíwén 명 ①시문《옛날에, 과거 시험에 답안에 쓰인 문체. 특히, 명(明)나라·청(淸)나라 때의 '八股文'('古文'에 대하여)을 말함》. ②현대 문어문(文語文).
〔时务〕 shíwù 명 ①목전의 중대사. 시무. ¶不识～; 당세의 중대사를 인식하지 못하다. 시세(時勢)를 모르다. ②계절의 농사.
〔时喜时忧〕 shíxǐ shíyōu 때로 명랑해졌다 때로 침울해졌다 하다.
〔时下〕 shíxià 명 지금. 현재. 오늘날. ＝〔现下〕
〔时鲜〕 shíxiān 명 〈文〉 철따라 나오는 신선한 야채와 과일. ＝〔时食〕
〔时鲜货〕 shíxiānhuò 명 계절의 신선한 식료품《생선·야채 등》.
〔时贤〕 shíxián 명 〈文〉 그 때의 현인. 당대의 명사(名士).
〔时限〕 shíxiàn 명 시한. 기한.
〔时宪书〕 shíxiànshū 명 역서. 달력. 책력. ＝〔历lì书〕
〔时效〕 shíxiào 명 ①일정 기간 내에 활동하는 기능. ②《法》 시효. ¶取得～; 시효가 되다. ③《化》 시효《금속 따위가 시간의 경과와 더불어 변화해 가는 현상》.
〔时效处理〕 shíxiào chǔlǐ 명 ⇨〔时化〕
〔时新〕 shíxīn 형 새로 유행하는. ¶～样儿; 최신 유행의 스타일 / 凡～物品, 无不常备; 대체로 새로 유행하는 물건은 언제나 모두 구비해 놓고 있다.
〔时兴〕 shíxīng 명동 유행(하다). ¶～货; 유행하는 물건 / 目前倒很～带领花的; 지금은 오히려 나비 넥타이를 매는 것이 유행하고 있다 / 赶～; 유행을 좇다.
〔时行〕 shíxíng 동 ①때를 기다려서 행하다. ②때때로 일어나다. ¶大雨～; 큰비가 가끔 내리다. ③유행하다. ¶～过一阵子; 잠시 유행한 적이 있다.
〔时行病〕 shíxíngbìng 명 ⇨〔时气病〕
〔时行品〕 shíxíngpǐn 명 유행품.
〔时羞〕 shíxiū 명 〈文〉 ⇨〔时馐〕
〔时馐〕 shíxiū 명 〈文〉 계절의 음식. ＝〔时羞〕
〔时序〕 shíxù 명 〈文〉 시서. 사철의 변화.
〔时雪〕 shíxuě 명 〈文〉 때 맞춰 내리는 눈.
〔时谚〕 shíyàn 명 〈文〉 당시의 속담.
〔时样(儿)〕 shíyàng(r) 명 유행하는 스타일. ¶按着～做; 유행하는 스타일로 만들다 / 这种尖头的皮鞋是～的; 이런 끝이 뾰족한 종류의 구두는 유행하는 형이다. ＝〔时式〕
〔时夜〕 shíyè 명 닭의 별칭.
〔时衣〕 shíyī 명 유행하는 의상.
〔时医〕 shíyī 명 인기 있는 의사.
〔时宜〕 shíyí 명 〈文〉 시의. 시기 적절. ¶不合～; 시의에 맞지 않다.
〔时移俗易〕 shí yí sú yì 〈成〉 시대가 바뀌면 풍속〔세상 물정〕도 바뀐다.
〔时疫〕 shíyì 명 〈文〉 유행병. 돌림병. 악역(惡疫). ＝〔时疾〕〔时症〕
〔时隐时现〕 shíyǐn shíxiàn 때로는 숨고 때로는 나타나다. ¶这声音～; 이 목소리는 들릴 때도 있고 들리지 않을 때도 있다.
〔时英〕 shíyīng 명 ①《植》 매화(나무)의 별칭. ②〈文〉 당대의 뛰어난 인물.
〔时有时无〕 shí yǒu shí wú 〈成〉 있다가 없다가 하다. 있을 때도 있고 없을 때도 있다.
〔时有所闻〕 shí yǒu suǒ wén 〈成〉 종종 듣다. ¶这样的消息～; 이런 소식은 종종 듣는다.
〔时雨〕 shíyǔ 〈文〉 명 시우. 적시에 내리는 비. ¶及jí～; 자우(慈雨). 때 맞춰 내리는 비. 동 비가 내렸다 그쳤다 하다.
〔时运〕 shíyùn 명 〈文〉 시운. ¶～不济jì; 운이 따르지 않다 / ～多艰; 〈文〉 시운이 다난하다 / ～之变化; 시운의 변천. ＝〔时会①〕
〔时针〕 shízhēn 명 ①시계 바늘. ¶～方向; 시계 방향(으로). 오른쪽(으로). ②(시계의) 단침(短針). 시침.
〔时政〕 shízhèng 명 〈文〉 시정. 당시의 정치 상황.
〔时症〕 shízhèng 명 ⇨〔时疫〕
〔时值〕 shízhí 명 〈文〉 ①시가(時價). 시세. ②

《樂》음표나 쉼표의 시간적 길이. 동 바야흐로 …의 때를 당하다〔맞다〕. ¶～春令, 疫病流行; 때마침 봄철을 맞아 역병이 유행한다.
〔时祉〕 shízhǐ 〈翰〉 ⇨〔时安〕
〔时至今日〕 shízhì jīnrì 지금〔오늘날〕에 이르러. ¶～, 事情已经无可挽回; 이런 시점에 이르러서, 일은 이미 만회할 수 없다.
〔时中〕 shízhōng 동 〈文〉 시의에 맞게 중용을 지키다.
〔时钟〕 shízhōng 명 (좌종·괘종 등의 때를 알리는) 시계.
〔时妆〕 shízhuāng 명 ⇨〔时装〕
〔时装〕 shízhuāng 명 ①유행하는 복장. ¶～展览; 패션 쇼 / ～设计师; 패션 디자이너 / ～模特儿; 패션 모델. ②('古装'에 대하여) 그때 그때의 복장. 현대의 복장. ¶～戏; 현대극. ‖ =〔时妆〕
〔时作时辍〕 shí zuò shí chuò 〈成〉 하다 말다 하다.

埘(塒) shí (시)
명 〈文〉 토벽에 구멍을 내어 만든 옛날의 닭장.

莳(蒔) shí (시)
→〔莳萝〕 ⇒ shì

〔莳萝〕 shíluó 명 《植》 시라《회향(茴香) 비슷한 미나리과(科)의 식물. 종자는 약용·향료·조미료로 씀》.

鲥(鰣) shí (시)
명 《魚》 준치. =〔鲥鱼〕

实(實) shí (실)
①명 사실. 진실. ¶虚～; 허와 실. ②형 성실한. 참된. ¶～心眼儿; 정직하다 / ～心～意; 성심 성의. ③명 과실. 종자. ¶开花结～; 꽃이 피고 열매가 맺다. ④형 속에 물건이 가득하다. 충실〔충만〕하다. ¶～心的铁球; 속이 차 있는 철구 / 这根铁柱子是～心儿的, 不是空膛儿的; 이 쇠기둥은 속이 차 있는 것이지 속이 빈 것은 아니다. ↔〔空〕 ⑤형 실제의. 참말의. ⑥부 실제로. 참으로. ¶这是当时～事; 이것은 당시 실제로 있었던 일이다 / ～有其人; 실제로 그런 사람이 있다 / ～对您说…; 사실을 말씀드리면 …. =〔寔①〕 ⑦형 진실의. 거짓이 아닌. ¶照～说; 사실대로 말하다. ⑧동 채우다. 차다. ¶这个手枪～着五个子弹; 이 권총에는 탄알이 다섯 개 재어 있다 / 冻～了的湖面; 꽉 얼어붙은 호수 표면. ⑨부 대단히. 반드시. ¶～指望…; 꼭 …하고자 원하고 있다.
〔实报实销〕 shíbào shíxiāo 실제의 지출에 의해 청산하다. 실비(實費)를 청산하다. ¶差chāi旅费是～; 여비는 실비가 지급된다.
〔实逼处此〕 shí bī chǔ cǐ 〈成〉 정세(情勢)로 보아 부득이 하다.
〔实秕实糠〕 shí bǐ shí kāng 〈成〉 진실을 말하다.
〔实币〕 shíbì 명 (금화·은화 따위의) 실질 화폐.
〔实不相瞒〕 shí bù xiāng mán 〈成〉 속이지 않고 사실대로 말하다.
〔实诚〕 shíchéng 형 성실하다. 독실하다. 거짓이 없다. 정직하다. ¶他为人很～, 交他办事错不了; 그는 매우 성실하니 일을 맡겨도 틀림이 없다.
〔实词〕 shící 명 《言》 실사《뜻이 비교적 구체적인 단어. 명사·동사·형용사 또는 양사·대명사 따위》.
〔实存〕 shícún 명 《商》 현재액(額).
〔实打达〕 shídădá 명 《機》 〈音〉 스타터(starter). =〔起动机〕〔起辉器〕〔起动装置〕〔斯达打〕〔士挞胆〕
〔实打实〕 shídǎshí 형 확실하다. 착실하다. ¶他干活～; 그는 일하는 것이 착실하다 / ～地说吧; 확실히 이야기하시오.
〔实弹〕 shídàn 명 실탄. ¶～射击; 실탄사격. =〔〈俗〉真zhēn子儿〕
〔实到〕 shídào 동 실제로 출석하다. 실제로 도착하다. ¶～的代表一千一百个人; 실재 출석한 대표는 1,100명이다 / ～一百一十八名; 현재 인원 118명.
〔实的榜的〕 shíde bǎngde 진실〔착실〕하다. 실질적이다. ¶废话少说, 你说点儿～吧; 쓸데없는 말은 그만하고, 좀더 실질적인 얘기를 해라.
〔实底儿〕 shídǐr 명 일의 실체(實體)〔내막〕. ¶摸不清～; 실체를 확실히 파악할 수 없다.
〔实地〕 shídì 명 실지. 현지. 현장. ¶～考察; 현지 시찰하다 / ～练习; 실제로 연습하다 / ～解决; 즉석에서 해결하다. 부 실제로. 실지로. ¶～去做; 실제로 하다.
〔实地纱〕 shídìshā 명 바탕이 촘촘한 사(紗).
〔实端儿〕 shíduānr 동 바른 대로 말하다. 숨기지 않고 고(告)하다. ¶留点儿余地, 别～! 좀 함축성을 가져라, 무엇이든 다 말하지 말고!
〔实对实〕 shíduìshí 형 있는 그대로이다. ¶～地点破; 사실대로 지적하여 표면화시키다.
〔实发〕 shífā 동 옛날, 죄인을 유배지로 호송하다. 명 차감 지급액.
〔实繁有徒〕 shí fán yǒu tú 〈成〉 (그런 종류의) 인간이 지극히 많다《'繁'은 '蕃'으로도 씀》. ¶趋炎附势者～; 세력 있는 자에게 아첨하는 자가 지극히 많다 / 参与政党者～; 정당에 관계하고 있는 자가 매우 많다.
〔实扶的里亚〕 shífúdìlǐyà 명 《醫》 〈音〉 디프테리아(diphtheria). =〔白喉〕〔实布的利亚〕
〔实付〕 shífù 동 실제로 지불하다.
〔实干〕 shígàn 동 착실하게 하다. 열심히 일하다.
〔实供〕 shígòng 동 사실대로 자백하다. 있는 그대로 진술하다. 명 사실의 진술.
〔实官〕 shíguān 명 ⇨〔实职〕
〔实葫芦儿〕 shíhúlur 명 틀림없는 사람.
〔实话〕 shíhuà 명 사실 이야기. 솔직한 말. 참말. ¶～对你说吧! 사실을 당신한테 이야기하지요! / ～实说; 〈成〉 있는 그대로 이야기하다. 진실을 말하다.
〔实惠〕 shíhuì 명 실제적인 혜택. 실제적인 이익. 실속. ¶得到～; 실리를 얻다. 형 실용적이다. 실속이 있다. ¶你送他实用的东西比送陈设品要～些; 그에게 장식품을 보내는 것보다 실용적인 것을 보내는 편이 실속 있다 / 又便宜又～; 싸고 실리적이다.
〔实际〕 shíjì 명형 실제(의). 현실(의). ¶符fú合～; 실제와 부합되다 / 不切qiè～; 실정에 맞지 않다 / 联系～; 현실에 연관시키다. 실제에 입각하여 / 脱离～; 현실에서 유리되다 / ～行动; 구체적인 행동 / ～产量; 실제의 생산고 / ～生活; 실제의 생활 / ～说, …; 사실을 말하면…. 형 실제적〔현실적〕이다. ¶不够～; 별로 실제적이 아니다.
〔实际工资〕 shíjì gōngzī 명 《經》 실질 임금. ¶使工人～降低; 노동자의 실질 임금을 저하시키다.
〔实际上〕 shíjishang ①실제상. 사실상. ¶原定计划是三个月完工, ～只用了两个月; 원래 계획에서

는 3개월에 준공할 예정이었지만, 실제로는 2개월밖에 걸리지 않았다. ②실질상. 실질적. ¶这个问题～并不那么简单; 이 문제는 실제로는 그렇게 간단하지가 않다.
〔实芰答里斯〕 shíjìdālǐsī 명《植》〈音〉 디기탈리스(digitalis). =〔洋地黄〕
〔实迹〕 shíjì 명 〈文〉 실제의 형적.
〔实价〕 shíjià 명《商》①회답 기한부 매매 신청. 펌 오퍼(firm offer). ¶对于某公司制造的阀门, 我方甚感兴趣, 唯价格稍高, 急速以电回报～; 모회사 제조의 밸브콕에 대하여 우리측은 크게 흥미를 느끼고 있는데, 값이 좀 비싸므로, 지급 전보로 펌 오퍼를 제출해 주시기 바랍니다. ②실가. 실제의 가격. =〔净jìng价①〕‖=〔实盘〕
〔实践〕 shíjiàn 명동 실천(하다). 실행(하다). 실시(하다). ¶～出真知; 올바른 인식은 실천에서 생겨난다 / ～诺言; 약속을 지키다 / ～性; 실제적.
〔实交〕 shíjiāo 동 실제로 건네다〔지불하다〕. 명 실제로 받는 금액. 실수령액.
〔实据〕 shíjù 명 확실한 근거. 실증(實證). ¶查无～; 조사했으나 확실한 증거가 없다 / 真凭～; 〈成〉 움직일 수 없는 증거.
〔实况〕 shíkuàng 명 실제 상황. 실황. ¶～报道; 실황 보도 / ～转播; 실황 중계 방송 / ～录音; 실황 녹음.
〔实狼实虎〕 shíláng shíhǔ 〈俗〉 ① 더할 나위 없이 확실하게. 정말로. ②차분히. 곰곰이. ③충분히. 푹. 잘.
〔实牢〕 shíláo 형 ①착실하다. 정직하다. 표리부동하지 않다. 신용할 수 있다. 거짓이 없다. 확실하다. ¶～价儿; 에누리 없는 가격 / ～人儿; 확실한 사람. ②의지할 수 있다. 튼튼하다.
〔实老价儿〕 shílǎojiàr 명 에누리 없는 값.
〔实力〕 shílì 명 실력《흔히, 군사·경제면에 관함》. ¶搞～; 실력을 행사하다 / ～派; 실력파 / ～政策; 힘의 정책. 부 열심히. 착실하게.
〔实利〕 shílì 명 실리. ¶～主义; 실리주의.
〔实例〕 shílì 명 실례.
〔实录〕 shílù 명 실록.
〔实落〕 shíluo〔shíluò〕 형 ①안심하다. ②확실하다. 틀림이 없다. ¶总得问出个～话儿才好打算; 확실한 이야기를 들어 놓지 않으면 계획을 세울 수 없다. ③성실하다. 충실하다. ④튼튼하다. 견고하다. ¶这张桌子做得可真够～的; 이 탁자는 정말 튼튼하게 만들었구나. 동 남의 호의를 그대로 받다. ¶您太不～了, 吃顿饭有什么关系呀! 당신은 너무 사양하시는군요. 밥 좀 먹는 게 무슨 상관이 있습니까!
〔实脉〕 shímài 명《漢醫》 힘찬 맥박.
〔实棉〕 shímián 명 아직 씨를 빼지 않은 솜. =〔子zǐ棉〕
〔实念论〕 shíniànlùn 명 ⇨〔实在论〕
〔实女〕 shínǚ 명 ⇨〔石女〕
〔实拍拍(的)〕 shípāipāi(de) 형 ①확실한〔착실한〕 모양. ¶他向来做事～地; 그는 늘 일을 착실하고 진지하게 한다. ②꽉 차 있는 모양. ¶～的一包米; 가득 담긴 한 자루의 쌀. ③용서 없는〔호된·엄격한〕 모양. ¶～地打了两下子; 호되게 두어 대 때렸다.
〔实盘〕 shípán 명 ⇨〔实价〕
〔实情〕 shíqíng 명 실정. ¶问不出～来; 실정을 캐낼 수 없다.
〔实权〕 shíquán 명 실권. 실제의 권력.
〔实缺〕 shíquē 명 '实职'의 결원.
〔实任〕 shírèn 명 ⇨〔实职〕
〔实生苗〕 shíshēngmiáo 명《植》 실생묘. 씨가 싹이 터서 난 묘목 모.
〔实施〕 shíshī 명동 실시(하다).
〔实实(地)〕 shíshí(de) 부 정말. 확실히. 실로. ¶至于这件事, ～可办不来了; 이 일에 이르러서는 정말 할 수 없다.
〔实实在在(地)〕 shíshí zàizài(de) 부 정말. 참으로.
〔实事〕 shíshì 명 실사. 실제의 일.
〔实事求是〕 shí shì qiú shì 〈成〉 사실을 토대로 진리를 탐구하다. ¶～地正视事实; 실사 구시적 태도로 사실을 직시하다.
〔实事儿〕 shíshìr 명 실제의 일.
〔实收〕 shíshōu 명 실수입. 실제로 받은 돈. ¶～资本; 불입된 자본금 / 邮票代款, 九五～; 우표값은 5% 깎아서 받습니다.
〔实数〕 shíshù 명 ①《數》 가감승제되는 쪽의 수. ②《數》 (허수에 대한) 실수. ③《數》 유리수·무리수의 총칭. ④실제의 수효. ¶开会的人有多少, 报个～来; 참가자 실수를 보고해 주시오.
〔实说〕 shíshuō 동 사실을〔사실대로〕 말하다. =〔实话实说〕
〔实体〕 shítǐ 명 ①《哲》 실체. ②실제로 활동하고 있는 자나 조직.
〔实体法〕 shítǐfǎ 명《法》 실체법.
〔实物〕 shíwù 명 ①실물. ¶～教学; 실물 교수(를 하다). ②현물. ¶～工资; 실물 임금. 현물 급여 / ～征zhēng收; (돈이 아니고) 현물로 징수하다.
〔实物贷款〕 shíwù dàikuǎn 차관 방식으로 현물을 팔아 넘기다. ¶实现万隆会议经济合作原则, 我国给印度尼西亚～; 반둥(Bandung) 회의의 경제 협력 원칙을 실현하여, 우리 나라는 인도네시아에 차관 방식으로 현물을 제공하기로 했다.
〔实物地租〕 shíwù dìzū 명《經》 생산물 지대(地代). 현물 지대(地代).
〔实物交易〕 shíwù jiāoyì ⇨〔以yǐ货易货〕
〔实习〕 shíxí 명동 실습(하다). 수습(하다). ¶～生; 실습생 / ～医生=〔～大夫〕; 의학 연수생. 인턴 / ～记者; 수습기자.
〔实线〕 shíxiàn 명 실선《'虚xū线①'(점선)에 상대하여 이름》.
〔实现〕 shíxiàn 동 실현시키다. 달성하다. ¶为了～四个现代化而努力; 4대 현대화를 실현하기 위해 노력하다 / 人民的夙愿～了; 국민의 숙원이 실현되었다.
〔实相〕 shíxiàng 명 실상. 실태. 진상.
〔实像〕 shíxiàng 명《物》 실상.
〔实销〕 shíxiāo 명《商》 실수(實需) 거래.
〔实效〕 shíxiào 명 실효. 실제의 효력. ¶讲究～; 실효를 중시하다.
〔实心〕 shíxīn 명 성실한 마음. 성심 성의. 진심. ¶以～行实事; 성실한 마음으로 진실된 일을 행하다 / ～任事; 성실하게 일을 담당하다.
〔实心(轮)胎〕 shíxīn (lún)tāi 명 튜브리스 타이어. 솔리드 타이어(solid tire). 통 타이어.
〔实心(儿)〕 shíxīn(r) 형 속이 차다. 내부가 비어 있지 않다. ¶～的汤圆; 속이 꽉 찬 '汤圆tángyuán'.
〔实心眼(儿)〕 shíxīnyǎn(r) 형 ①성실하고 정직하다. ¶她跟婆婆一样能操劳, ～; 그녀는 시어머니와 마찬가지로 일도 잘 하고 성실하고 정직하다. ②고지식하다.
〔实信儿〕 shíxìnr 명 실제의 소식. 확실한 소식.

〔实行〕 shíxíng 동 실행하다. 행하다. 실시하다. ¶～镇压群众; 대중 탄압을 행하다 / ～民主集中制; 민주 집중제를 실행하다.
〔实学〕 shíxué 명 ①착실하고 견고한 깊은 학식. ¶真才～; 진정한 재능과 착실한 학문. ②《哲》 실학.
〔实验〕 shíyàn 동 실제로 경험하다. 명동 실험(하다). ¶～室shì; 실험실 / 做～; 실험하다.
〔实业〕 shíyè 명 실업. ¶～家; 실업가 / ～界jiè; 실업계.
〔实意〕 shíyì 명 진심(眞心). 본심. ¶并不是～说的; 결코 진심으로 한 말은 아니다 / 实心～ =〔实心实力〕; 성심성의.
〔实用〕 shíyòng 명형 실용(적이다). ¶不合～; 실용에 적합지 않다. 동 실제로 사용하다. ¶～的钱数儿; 실제 사용된 금액.
〔实用程序〕 shíyòng chéngxù 명 《電算》 유틸리티 프로그램.
〔实用主义〕 shíyòng zhǔyì 명 ①《哲》 실용주의. 프래그머티즘(pragmatism). ②(정치상의) 실제주의. 현실주의.
〔实在〕 shízài 동 실재하다. 형 ①속이 차다. 실속 있다. ¶他的学问很～; 그의 학문은 매우 견실하다. ②성실하다. 진실하다. ¶这个人心眼儿挺～; 이 사람은 심성이 매우 참하다. ③〈俗〉 충분하다. ¶吃～点儿, 免得路上饿; 충분히 먹어 두어라. 가다가 시장하지 않도록. ④사실이다. 확실하다. 부 ①확실히. 정말. ¶～讨厌他了; 정말로 그를 싫어했다. =〔确是〕〔的dí确〕 ②사실상. 실은. ¶名义上是大学生, ～只是中学程度; 말이 대학생이지 실제는 중학생 정도밖에 안 된다.
〔实在〕 shízai 형 ①〈方〉 (하는 일이) 꼼꼼하다. 참되고 거짓이 없다. 견실하다. 착실하다. ¶工作做得很～; 일하는 품이 매우 착실하다 / 做得～; 튼튼히 만들어졌다. ②(값이) 싸다. ¶那家的菜价～～; 저 집 요리값은 참으로 싸다《앞의 '～'는 부사, 뒤의 '～'은 맛이 있고, 양이 많아 값이 쌈을 말함》.
〔实在论〕 shízàilùn 명 《哲》 실재론. =〔实念论〕
〔实则〕 shízé 부 〈文〉 실은. 사실상.
〔实战〕 shízhàn 명 실전. 실제의 전투. ¶从～需要出发; 실전의 필요에서부터 출발하다.
〔实招〕 shízhāo 동 있는 그대로 자백하다.
〔实着〕 shízhao 〈俗〉 완전히〔아주〕 …하다《동사 뒤에서 동작의 결과가 확실해지고 안정된 느낌을 나타냄》. ¶还没睡～呢, 就给吵醒了; 미처 깊이 잠들기 전에 시끄러워져서 잠에서 깨고 말았다 / 刚粘上, 还没粘～呢; 방금 붙였기 때문에 아직 잘 붙지 않았다.
〔实证〕 shízhèng 명동 실증(하다). ¶～主义; 《哲》 실증주의.
〔实症〕 shízhèng 명 《漢醫》 (병이 났을 때의) 고열·발한·변비·울혈(鬱血) 따위의 증상.
〔实支〕 shízhī 동 실제로 지출하다. 명 실제의 지출. ¶～数目; 실지출액.
〔实职〕 shízhí 명 실직. 명목상이 아니고 실제 직무를 맡은 관리. =〔实官〕〔实任〕
〔实至名归〕 shí zhì míng guī 〈成〉 실적(實績)이 오르면 명성도 그에 따른다.
〔实质〕 shízhì 명 실질. 본질. ¶～上; 본질적으로. 본질상. 사실상.
〔实字〕 shízì 명 《言》 구(舊) 문법 용어로, 명사〔대명사〕를 말함.
〔实足〕 shízú 형 ①실제로 숫자가〔분량이〕 차다. ¶～一百人; 실수(實數) 100명 / ～年龄; 만(滿) 나이 / ～的亏损; 실질적인 손실. ②만족하다. ¶他～了; 그는 만족했다.

拾 shí (습)

①동 줍다. 집다. ¶～麦穗; 보리 이삭을 줍다 / 把东西～起来; 물건을 줍다〔주워 올리다〕. ②동 모으다. ③동 치우다. 정리하다. ④명 '十'의 갖은자. ⇒shè shī
〔拾不起〕 shíbuqǐ 〈俗〉 문제삼을 것이 못 되다. ¶～喳儿来了; ⓐ(작은 일이라) 전혀 기억에 없다. ⓑ(하찮은 일이라) 문제삼을 것이 못 된다 / ～个儿来了; (가치가 없어) 문제가 안 된다. 축에도 못 든다.
〔拾不起茬儿来〕 shíbuqǐ chárlai 문제삼을 것이 없다. 하찮다. ¶你说的这事我都～了; 네가 말하는 그 일이라면 나는 전혀 문제삼지 않는다 / 这么点儿～的事, 还提它干吗má? 이런 하찮은 일을 꺼내서 무엇 하겠느냐?
〔拾茬儿〕 shí.chár 동 ①상대방 이야기에 응답해 주다. 말을 받아 주다. ¶他高高兴兴地说了半天, 没人～很觉扫兴; 그는 신이나서 한참 지껄였지만, 맞장구를 쳐주는 이가 없자 흥이 깨졌다. ②말참견하다.
〔拾单〕 shídān 명 습득물 신고서.
〔拾掇〕 shíduo 동 ①정리하다. 치우다. 가지런히 정돈하다. ¶把书架～! 책꽂이를 정리하자! ②수리하다. ¶～钟表; 시계를 수리하다. ③차리다. 준비하다. ④〈口〉 골탕 먹이다. 혼내 주다. ¶非～他不可; 저놈을 혼내 주지 않으면 안 된다. ⑤해치우다. 없애 버리다. 죽이다.
〔拾粪的〕 shífènde 명 길의 마소 똥을 청소하는〔거름으로 쓰려고 줍는〕 사람.
〔拾荒〕 shí.huāng 동 (가난해서) 넝마를 줍다. ¶～的 =〔～者〕; 넝마주이.
〔拾获〕 shíhuò 동 〈文〉 습득하다. 줍다.
〔拾芥〕 shíjiè 동 〈文〉 티끌을 줍다《쉽게 손에 넣을 수 있다》.
〔拾金不昧〕 shí jīn bù mèi 〈成〉 돈을 줍더라도 자기 것으로 슬쩍 갖지 않는다.
〔拾落脚儿〕 shílàjiǎor 〈京〉 뒤치다꺼리를 하다. ¶这么个马马虎虎的性情, 总得有人给他～才行哪; 이렇게 흐리멍텅한 성질은 아무튼 누군가가 뒤치다꺼리를 해 줘야만 한다.
〔拾零〕 shílíng 동 자질구레한 자료를 모으다. 명 〈轉〉 따로 선별한 뉴스. 토막 기사. 단신《흔히, 표제(標題)로 쓰임》.
〔拾漏子〕 shí lòuzi 〈比〉 틈을 타서 이득을 보다. =〔拾漏儿〕
〔拾没〕 shímò 대 〈文〉 무엇《표준어의 '什shén么'와 같음》. ¶不知而问曰～《集韻》; 몰라서 묻는 것을 '拾没'라 한다.
〔拾起〕 shíqǐ 동 주워 들다.
〔拾取〕 shíqǔ 동 줍다. ¶在海岸上～贝壳; 해안에서 조개를 줍다.
〔拾人牙慧〕 shí rén yá huì 〈成〉 남의 말·의견을 그대로 흉내내다. =〔拾唾〕〔拾人沸唾〕
〔拾沈〕 shíshěn 동 〈比〉 (어떤 일을 이루기가) 매우 어렵다《'潘(즙액)을 줍다'란 뜻에서 온 말》.
〔拾穗〕 shísuì 동 이삭을 줍다.
〔拾唾〕 shítuò ⇨〔拾人牙慧〕
〔拾唾余〕 shí tuòyú 남의 하찮은 것을 가치 있는 것으로서 받아들이다.
〔拾物〕 shíwù 동 물건을 줍다. 명 습득물. 유실물. ¶～招领处; (경찰 계통의) 습득물 취급소.

〔拾闲儿〕 shíxiánr 동 〈俗〉 조용히 있다. 얌전히 있다. 침착하다《흔히, 부정문에 쓰임》. ¶忙得手脚不～; 바빠서 손발(몸)이 잠시도 쉬지 못하다 / 一念书他的腿就不～; 공부를 시작하면 그의 다리는 얌전하게 있지 않는다. =〔什闲儿〕
〔拾险儿〕 shíxiǎnr 동 〈京〉 위험에서 몸을 피하다. ¶能～总算侥jiǎo幸; 위험에서 피할 수 있었던 것은 어쨌든 행운인 셈이다.
〔拾笑儿〕 shí.xiàor 동 아첨하는〔비굴한〕 웃음을 짓다. (방관자의 입장에서) 따라 웃다.
〔拾遗〕 shíyí 동 ①남의 유실물을 주워서 자기 것으로 하다. ¶夜不闭户, 路不～; 〈成〉 밤에 문도 잠그지 않고, 길에 떨어진 것을 줍는 사람도 없다《세상이 안정되어 있음》. ②남이 하다가 만 것을 보충하다. ¶～补阙; 증보하다.
〔拾音器〕 shíyīnqì 명 〖物〗 (전축의) 픽업《바늘의 진동을 전류의 진동으로 바꾸는 장치》. =〔唱chàng头〕〔电diàn唱头〕
〔拾紫〕 shízǐ 동 〈文〉 벼슬자리를 쟁취하다〔얻다〕.

食 shí (식)
①동 먹다. ¶应多～蔬菜; 야채를 많이 먹어야 한다. ②명 음식. 식사. ¶废寝～忘; 〈成〉 침식을 잊다 / 进～; 식사를 하다 / 主～; 주식 / 副～; 부식. ③형 식용의. ¶～油; 식용유. ④(～儿) 명 먹이. ¶打～; 먹이를 찾아다니다 / 鸡～; 닭의 사료. 닭모이. ⑤명 녹봉(祿俸). ⑥동 …으로 살아가다. ¶自～其力; 〈成〉 자기 힘으로 살아가다. ⑦명 〖天〗 천체의 빛이 다른 천체에 의해 가려지는 현상. 식(蝕). ¶日～; 일식 / (日)环～ =〔全～〕〔皆既～〕; 개기식. =〔蚀①〕 ⑧명 성(姓)의 하나. ⇒sì yì
〔食饱衣暖〕 shí bǎo yī nuǎn 〈成〉 먹고 입는 것이 충족스럽다.
〔食变星〕 shíbiànxīng 명 〖天〗 식변광성(食變光星).
〔食补〕 shíbǔ 동 식보하다. 음식으로 영양을 보급하다.
〔食不充饥〕 shí bù chōng jī 〈成〉 허기진 배를 채울 만한 식량이 없다. 배고픈 생활을 하다. =〔食不果腹〕
〔食不甘味〕 shí bù gān wèi 〈成〉 (마음이 즐겁지 않아) 먹어도 맛이 없다.
〔食不果腹〕 shí bù guǒ fù 〈成〉 배불리 먹지 못하다. 끼니를 잇기 어렵다. =〔食不充饥〕
〔食不沾唇〕 shí bù zhān chún 〈成〉 (병으로) 음식이 넘어가지 않다. 음식을 먹을 수 없다.
〔食槽〕 shícáo 명 사료통(飼料桶).
〔食虫虻〕 shíchóngméng 명 〖蟲〗 광대파리매.
〔食单〕 shídān 명 식단. 메뉴.
〔食道〕 shídào 명 ①〈文〉 양도(糧道). 식량을 나르는 도로. ¶绝jué～; 양도를 끊다. 양도가 끊기다. ②〖生〗 식도. ¶～癌; 식도암. =〔食管〕〔〈俗〉 食嗓〕
〔食而不化〕 shí ér bù huà 〈成〉 ①먹어도 소화를 못 하다. ②(지식 따위를) 자기 것으로 소화시키지 못 하다.
〔食粉〕 shífěn 명 ⇨〔小xiǎo苏打〕
〔食粪动物〕 shífèn dòngwù 명 〖動〗 (곤충 등) 분식성(糞食性) 동물.
〔食俸〕 shífèng 명 〈文〉 봉록(俸祿). =〔俸禄〕 동 봉록〔녹〕을 먹다. ‖ =〔食禄〕
〔食腐动物〕 shífǔ dòngwù 명 〖動〗 부생(腐生) 동물.
〔食复〕 shífù 명 〖漢醫〗 식사를 조심하지 않아 병이 재발하는 것.
〔食古不化〕 shí gǔ bù huà 〈成〉 ①전에 배운 낡은 것을 현재의 필요에 맞출 수 없다. ¶书念得多了, 而不能运用, 反成～; 책을 많이 읽어도 운용을 못 하면 오히려 소화 불량을 일으킨다. ②옛것에 고집스럽게 매달리다.
〔食管〕 shíguǎn 명 ⇨〔食道②〕
〔食盒〕 shíhé 명 음식을 담는 그릇. 찬합.
〔食盒〕 shíhe 명 〈京〉 결혼 전에 납폐(納幣)로서 신부 집에 보내는 물건을 넣는 그릇《네 개가 한 벌을 이루며 두 사람이 짊어짐》.
〔食火鸡〕 shíhuǒjī 명 〖鳥〗 화식조(火食鳥).
〔食积〕 shíjī 명 〖漢醫〗 (폭음·폭식에 의한) 식체(食滯).
〔食忌〕 shíjì 명 금식(禁食). 단식(斷食).
〔食家〕 shíjiā 명 미식가. 음식 맛에 대해 정통한 사람. ¶马肉很受法国～的欢迎; 말고기는 프랑스의 미식가로부터 환영을 받고 있다.
〔食井〕 shíjǐng 명 식수용 우물.
〔食酒〕 shíjiǔ 동 〈文〉 술을 마시다.
〔食具〕 shíjù 명 식기(食器).
〔食客〕 shíkè 명 ⇨〔门mén客〕
〔食力〕 shílì 동 〈文〉 ①백성의 조세로 생활하다. ②자신의 노동에 의하여 의식(衣食)을 꾸려 나가다. =〔自食其力〕
〔食粮〕 shíliáng 명 식량. ¶精神～; 정신〔마음〕의 양식.
〔食量〕 shíliàng 명 식량. 식사량. =〔饭fàn量(儿)〕
〔食料(品)〕 shíliào(pǐn) 명 식료(품). 식사 재료.
〔食禄〕 shílù 명동 ⇨〔食俸〕
〔食毛践土〕 shí máo jiàn tǔ 〈成〉 그 나라의 산물을 먹고, 그 나라에 살다《그 나라의 국민임》.
〔食品〕 shípǐn 명 식품. ¶～厂; 식품 제조소《제빵소나 과자 제조소 따위》 / ～公司; 식품 회사 / ～商店; 식(료)품점 / 罐头～; 통조림 식품.
〔食谱〕 shípǔ 명 ①요리책. ②식단(食單). ¶在这里, 每个星期都有一定的～; 이 곳에서는 매주 정해진 식단이 있다〔매주 식단이 정해진다〕. ‖ =〔菜cài谱〕
〔食器玻璃〕 shíqì bōli 명 식기용 유리《경도(硬度)는 나트륨 유리와 칼륨 유리의 중간》.
〔食前方丈〕 shí qián fāng zhàng 〈成〉 한 장(丈) 사방에 요리를 벌이다《매우 호화스런 식사를 하다》.
〔食亲财黑〕 shí qīn cái hēi 〈成〉 사리 사욕을 탐하고 부당한 이익을 좋아하다.
〔食顷〕 shíqǐng 명 〈文〉 한 끼 식사를 끝낼 수 있을 정도의 시간. 〈比〉 잠시 동안. ¶～复入焉《史記》; 곧 다시 안으로 들어갔다.
〔食日万钱〕 shí rì wàn qián 〈成〉 음식이 매우 사치스럽다.
〔食肉动物〕 shíròu dòngwù 명 육식 동물.
〔食肉寝皮〕 shí ròu qǐn pí 〈成〉 그 고기를 먹고, 그 가죽을 깔고 자고 싶을 만큼 원한이 쌓여 있다.
〔食嗓〕 shísang 명 〈俗〉 ⇨〔食道②〕
〔食膳〕 shíshàn 명 〈文〉 식사.
〔食伤〕 shíshāng 명 〖醫〗 급성 위카타르. =〔急性胃卡他〕
〔食甚〕 shíshèn →〔食相〕
〔食水〕 shíshuǐ 명 ①(배의) 흘수. =〔吃chī水A)②〕 ②음료수. 식수.
〔食肆〕 shísì 명 〈文〉 음식점. 요릿집.
〔食堂〕 shítáng 명 ①식당. 식사를 하는 방. =

〔饭fàn厅〕 ② '饭馆'(요릿집·음식점)의 뜻으로도 씀.
〔食糖〕 shítáng 명 설탕.
〔食头路〕 shítóulù 동〈南方〉취직하다. 고용되다. ¶到上海去～; 상하이(上海)에 가서 취직하다.
〔食土〕 shítǔ 명동 ⇨〔食邑〕
〔食为民天〕 shí wéi mín tiān〈成〉음식물은 사람에게 있어서 가장 중요한 것이다.
〔食无求饱〕 shí wú qiú bǎo〈成〉뜻을 세운 사람은 식욕 따위에 사로잡히지 않는다. =〔食不求饱〕
〔食物〕 shíwù 명 음식(물). ¶～中毒;《醫》식중독.
〔食饷〕 shíxiǎng 동 급료를 받(아 생활하)다. ¶～的兵丁; 봉급받는 병졸.
〔食相〕 shíxiàng 명《天》일식·월식 때의 해·달이 이지러지는 양상을 말함('全食'(개기식)의 경우. '初chū亏'(해·달의 이지러지기 시작하는 일. 초휴), '食既'(개기식의 시작), '食甚'(식심. 식분(食分)이 가장 심할 때), '生光'(개기식의 끝), '复fù圆'(식의 끝)의 5단계가 있음. '偏piān食'(부분식)의 경우는 '初亏' '食甚' '复圆'의 단계가 있음).
〔食蟹獴〕 shíxièměng 명 ⇨〔蟹獴〕
〔食心虫〕 shíxīnchóng 명《蟲》심식충(心食蟲)(과수나 야채 따위의 해충).
〔食性〕 shíxìng 명 식성(동물의 먹이에 대한 습성).
〔食溴粉〕 shíxiùfěn 명《化》탄산 수소 암모늄('重chóng碳酸铵'의 속칭).
〔食血动物〕 shíxuè dòngwù 명《動》(박쥐·곤충 따위) 흡혈성 동물.
〔食言〕 shíyán 동 식언하다. ¶～而肥;〈成〉자기의 일방적인 편의나 이익을 위해 약속·맹세를 지키지 않다.
〔食盐〕 shíyán 명 식염. =〔白báì盐〕
〔食蚁兽〕 shíyǐshòu 명《動》개미핥기.
〔食邑〕 shíyì 명 식읍. 명동 영지(領地)(의 상납으로 지내다). ‖ =〔食土〕
〔食用〕 shíyòng 명형 식용(의). ¶～植物; 식용식물 / ～植物油; 식물성 식용유. 명 생활비. ¶每月的～; 매달의 생활비. 동 식용하다.
〔食(用)油〕 shí(yòng)yóu 명 식용유.
〔食玉炊桂〕 shí yù chuī guì〈成〉물가(物價)의 등귀가 매우 심하다.
〔食欲〕 shíyù 명 식욕. ¶～不振; 식욕 부진. 입맛이 없다 / 促进～; 식욕을 촉진하다.
〔食运〕 shíyùn 명 먹을 복〔운〕. ¶你这个家伙, ～真好; 이놈, 먹을 복도 많구나.
〔食在广州〕 shí zài Guǎngzhōu 음식은 광저우(廣州)(광둥(廣東)의 요리가 천하 제일이라는 말).
〔食指〕 shízhǐ 명 ①집게손가락. =〈口〉二拇指头〕 ②〈文〉〈比〉식구수. ¶～众多; 부양 가족이 많다.
〔食治〕 shízhì 명《漢醫》식이 요법. 규정식(規定食) 치료.
〔食茱萸〕 shízhūyú 명《植》머귀나무.
〔食字旁〕 shízìpáng 명 밥식변(한자 부수의 하나. '饮·馆' 등의 '食'의 이름).

蚀(蝕)

shí (식)
① 명《天》(일식·월식 등의) 식. ② 동 손해보다. 밑지다. 손상하다. ③ 동 벌레먹다. 침식(侵蝕)하다. ¶侵qīn～; 침식하다 / 腐～; 부식하다.
〔蚀本〕 shí.běn 동 본전을 축내다. 적자 보다. =〔亏kuī本〕
〔蚀刻〕 shíkè 명《美》①에칭(etching). ②부식 동판술(腐蝕銅版術). 동《印》부각(腐刻)하다.
〔蚀损〕 shísǔn 명동〈文〉손해(보다). 손모(損耗)(하다). 손상(되다).

湜

shí (식)
①→〔湜湜〕 ②인명용 자(字).
〔湜湜〕 shíshí 형〈文〉물이 맑아 밑바닥이 보이는 모양.

寔

shí (식)
① 부 참으로. 실제로. 실로. =〔实⑥〕 ② 동 놓다. 두다. ③ 대 이것. 이.

史

shǐ (사)
명 ①역사. ¶～无前例; 역사상 전례가 없다 / 革命～; 혁명사 / ～料; 사료. ②사관(史官). ③성(姓)의 하나.
〔史巴拿〕 shǐbāná 명 ⇨〔扳bān子①〕
〔史笔〕 shǐbǐ 명 사관(史官)이 곡필하지 않고 사실을 기록하는 필법.〈比〉곧은 말로 기록하는 필법.
〔史不绝书〕 shǐ bù jué shū〈成〉역사서에 기록이 끊이지 않다.
〔史部〕 shǐbù 명 사부. 한적(漢籍)의 전통적 분류법. =〔乙yǐ部〕
〔史册〕 shǐcè 명 역사서. ¶名垂～; 이름을 사서(史書)에 남기다. =〔史书〕〔史策〕〔史记②〕〔史籍〕
〔史策〕 shǐcè 명 ⇨〔史书〕
〔史抄〕 shǐchāo 명 약사(略史).
〔史臣〕 shǐchén 명 사신(옛날, 사실(史實)의 기록을 관장한 관리).
〔史地〕 shǐdì 명 역사와 지리.
〔史阁〕 shǐgé 명 역사책의 서고(書庫).
〔史观〕 shǐguān 명 사관. 역사관.
〔史官〕 shǐguān 명 사관. 옛날, 사실의 기록을 맡은 벼슬 이름.
〔史馆〕 shǐguǎn 명 사관. 옛날, 역사 편찬소.
〔史汉〕 Shǐ Hàn 명《書》사기(史記)와 한서(漢書).
〔史籍〕 shǐjí 명 ⇨〔史书〕
〔史记〕 shǐjì 명 ①(Shǐjì)《書》사기(한(漢)나라의 사마천(司馬遷)이 지은 중국 최고의 사서의 이름. 내용은 황제(黃帝)부터 한무제(漢武帝)에까지 이름). ② ⇨〔史书〕
〔史迹〕 shǐjì 명 사적. 역사상의 유적.
〔史家〕 shǐjiā 명〈文〉사가. 역사가.
〔史匠〕 shǐjiàng 명〈文〉판각장인(版刻匠人)(글이나 역사를 판각함).
〔史料〕 shǐliào 명 사료.
〔史沫特莱〕 Shǐmòtèlái 명《人》〈音〉스메들리(Smedley, Agnes)(미국의 여류 작가. 중국 혁명 등을 소개한 작품을 남겼음, 1894～1950).
〔史篇〕 Shǐpiān 명 ⇨〔史籀〕
〔史评〕 shǐpíng 명 ①역사에 대한 평론. ②사서(史書)에 대한 논평.
〔史迁〕 Shǐqiān 명《人》역사가의 대표적 인물인 사마천(司馬遷)의 일컬음.
〔史前〕 shǐqián 형 선사 시대의. 유사(有史) 이전의. ¶～时代; 선사 시대.
〔史诗〕 shǐshī 명 서사시(敍事詩).
〔史实〕 shǐshí 명 사실(史實). ¶'三国演义'中的故事, 大部分都有～根据; '삼국연의' 이야기는 대

부분 역사적 사실에 근거한다.
〔史书〕 shǐshū 명 역사서. ¶名垂～; 사서에 이름을 남기다. =〔史册〕〔史策〕〔史籍〕〔史记②〕
〔史他杜迈仙〕 shǐtādùmàixiān 명 《藥》〈音〉스트렙토마이신(streptomycin). =〔链霉素〕〔咪仙〕
〔史太林〕 Shǐtàilín 명 《人》〈音〉 스탈린(Stalin, Iosif V.)《소련의 정치가, 1879～1953》. =〔斯太林〕〔斯塔林〕〔史丹林〕
〔史体〕 shǐtǐ 명 사체. 역사의 기술 양식.
〔史无前例〕 shǐ wú qián lì 〈成〉 사상(史上) 전례가 없다.
〔史学〕 shǐxué 명 사학. 역사학. ¶～家; 사학자. 역사가.
〔史职〕 shǐzhí 명 〈文〉 사관(史官)의 직위.
〔史籀〕 Shǐzhòu 명 ①《人》 주(周)나라 선왕(宣王)의 사관이었던 주(籀)를 이름. ②《書》 주(籀)가 지은 일종의 자서(字書)의 이름. =〔史篇〕
〔史传〕 shǐ zhuàn 명 역사와 전기(傳記).
〔史佐〕 shǐzuǒ 명 사관(史官)의 보좌역.

使 shǐ (사)
①동 쓰다. 사용하다. ¶～拖拉机耕种; 트랙터를 사용하여 경작하다/～坏; 써서 망가뜨리다/这枝笔好～; 이 붓은 사용하기가 좋다/头发上～点儿油; 머리에 기름을 조금 바르다/学会～新式农具; 신식 농기구 쓰는 법을 배워 익히다. ②동 파견하다. 보내다. ¶～人送去; 사람을 시켜서 보내다. ③동 …하게 하다. …하도록 하다. ¶～人振奋; 사람을 분기시키다/～人高兴; 남을 유쾌하게 하다. →〔叫〕〔让〕 ④만일〔가령, 만약〕…라면〔이어도〕. ¶假～…; 가령 …이라면/设～…; …이었다고 하여도/～有事故, 请速来告我; 만일 사고가 있으면 곧 와서 알려 다오/即～不成, 尚天大碍; 설사 잘 되지 않더라도 그런대로 큰 지장은 없다. ⑤동 외국에 사절로서 나가다. ¶出～外国; 외국에 사신으로 나가다/～于四方; 사방에 사신으로 나가다. ⑥명 외교관. ¶大～; 대사/公～; 공사.
〔使绊儿〕 shǐ.bànr 동 ①다리걸기를 하다. ¶～把他撩倒了; 발을 걸어 그를 쓰러뜨렸다. ②〈比〉 남을 몰래 함정에 빠뜨리다. ¶嘴里说好话, 脚下～; 입으로는 달콤한 말을 하면서 몰래 남을 함정에 빠뜨리다. ‖=〔使绊子〕
〔使婢〕 shǐbì 명 〈文〉하녀. 계집종.
〔使臂使指〕 shǐ bì shǐ zhǐ 〈成〉 멋대로 사용하거나 지시하다. 남을 턱으로 부리다.
〔使不出去〕 shǐbuchū.qù 쓸 수 없다. ¶这张票子破得厉害, 怕～; 이 지폐는 몹시 찢어져, 쓸 수 없을 것 같다.
〔使不得〕 shǐbude ①쓸 수 없다. ¶情况改变了, 老办法～; 상황이 바뀌었으니 낡은 방법은 쓸 수 없다. ②써서는 안 된다. ¶这是假票子, ～; 이것은 위조 지폐니, 써서는 안 된다. ③안 된다. 바람직하지 않다. ¶你病刚好, 走远路可～; 너는 병이 막 회복됐으니 멀리 걸어서는 안 된다.
〔使不惯〕 shǐbuguàn 사용하는 데 익숙지 않다. 서투르다. ¶外国人～毛笔; 외국인은 붓에 익숙지 않다.
〔使不了〕 shǐbuliǎo ①다 쓸 수 없다. ¶～这么多; 이렇게 많이는 다 쓸 수 없다. ②⇨〔使不上〕 ③구사(驅使)할 수 없다. ‖↔〔使得了〕
〔使不上〕 shǐbushàng (방법을) 쓸 수 없다. 수가 없다. 할 수 없다. ¶想尽方法却都～; 온갖 방법을 생각해 봤지만 수가 없다〔어쩔 수가 없다〕. =〔使不了②〕
〔使不上劲〕 shǐbushàng jìn 힘이 없어지다. 쓸 수 없게 되다. 못 쓰게 되다. ¶秦皇岛港受地理条件的限制, 就～了; 진황도항은 지리적 조건의 제한을 받아 쓸모없게 되었다.
〔使不通〕 shǐbutōng 통용되지 않다. 쓸 수 없다.
〔使臣〕 shǐchén 명 (외교) 사신.
〔使出〕 shǐchū 동 (힘 따위를) 쓰다. 다하다. 발휘하다. ¶～全副本领; 있는 솜씨를 다 발휘하다/～浑身解数; (상대방의 술수를 깨뜨릴) 온갖 술수를 쓰다/～最后一点力气; 마지막 남은 힘을 다하다.
〔使得〕 shǐde 동 ①쓸 수 있다. ¶这枝笔～使不得? 이 붓은 쓸 수 있습니까?/这张桌子凑合着还可以～; 이 테이블은 그럭저럭 쓸 수 있다. ②…게 하다. …한 결과를 낳다. ¶由于大规模开垦荒地, ～谷物比去年增加了八千万吨; 대규모의 황무지 개간으로, 곡물을 작년에 비해 8,000만톤 증가시켰다. 형 좋다. 되다. ¶那还～吗? 그것으로 괜찮겠는가?
〔使得上〕 shǐdeshàng 쓸 수 있다. 사용할 수 있다. 적용할 수 있다.
〔使刁〕 shǐdiāo 동 대들다. 못되게 굴다. 생트집을 잡다.
〔使乏〕 shǐfá 동 다 써 버리다. 쓸 수 있을 때까지 쓰다.
〔使费〕 shǐfèi 명 수수료.
〔使馆〕 shǐguǎn 명 대사관. 공사관. =〔使署〕
〔使鬼〕 shǐ.guǐ 동 (몰래) 책략을 쓰다. 나쁜 계략을 꾀하다. ¶你想使什么鬼? 너는 몰래 무슨 흉계를 꾸미고 있는 거냐?
〔使过〕 shǐguò 동 〈文〉 과실이 있던 사람을 쓰다〔써서 발분케 하다〕. ¶夫使功者不如～《後漢書》; 대체로, 공이 있는 자를 쓰는 것은 과실을 범한 자를 써서 분발케 하느니만 못하다.
〔使坏〕 shǐ.huài 동 〈口〉 흉계를 꾸미다. 교활한 수단을 쓰다. ¶他又往高云身上～; 그는 또 '高云'에게 못된 짓을 했다.
〔使唤〕 shǐhuan 동 ①(사람을) 부리다. ¶～人; ⓐ심부름꾼. ⓑ사람을 부리다/～丫头yātou; 하녀/～小子; 사환/他就会～人, 自己什么都不做; 그는 단지 남을 부릴 줄만 알지, 자신은 아무것도 하지 않는다/～得苦; 지독하게 혹사하다. ②〈口〉 (도구·가축 따위를) 쓰다. 다루다. ¶新式农具～起来很方便; 신식 농기구는 사용해 보니 매우 편리하다. ③사람을 파견하다.
〔使唤儿媳妇〕 shǐhuan érxífu 옛날, 집안일을 돕게 하기 위하여 아들에게 일찍부터 짝지워 준 며느리. 민며느리.
〔使会〕 shǐhuì 동 계알이 빠지다. 계(契)를 낙찰시키다.
〔使贿(赂)〕 shǐhuì(lù) 동 증뢰(贈賂)하다. 뇌물을 보내다.
〔使节〕 shǐjié 명 사절. ¶各国驻韩～; 한국 주재의 각국 외교 사절.
〔使尽〕 shǐjìn 동 체력을 다 쓰다. ¶～力气; 체력을 다 쓰다.
〔使劲(儿)〕 shǐ.jìn(r) 동 힘을 내다. ¶使不出劲(儿)来; 힘을 낼 수 없다/～拉; 힘을 내어 당기다.
〔使净〕 shǐjìng 동 다 써 버리다. 남김없이 써 버리다.
〔使酒〕 shǐjiǔ 동 〈文〉 술주정하다. ¶～难近; 술주정을 하여 가까이 갈 수 없다.
〔使君〕 shǐjūn 명 〈文〉 사군《옛날, 주(州)·군(郡)

의 장관의 존칭).
〔使君子〕 **shǐjūnzǐ** 명 《植》 사군자(상록 만목(蔓木), 꽃은 황록색, 열매는 약용함). =〔留liú求子〕
〔使老牛劲〕 **shǐ lǎoniújìn** 젖 먹던 힘까지 다 내다. 상식 밖의 굉장한 힘을 내다. 뚝심을 내다. =〔使老拙劲〕〔使牛劲〕〔使拙劲〕
〔使老拙劲〕 **shǐ lǎozhuōjìn** ⇨〔使老牛劲〕
〔使脸子〕 **shǐ liǎnzi** 불만·노여움을 얼굴에 나타내다. 불쾌한 얼굴을 하다. =〔使脸色〕
〔使领馆〕 **shǐlǐngguǎn** 명 대사관·공사관과 영사관.
〔使令〕 **shǐlìng** 〈文〉 동 사역하다. 명령하여 부리다. 명 사역(당하는 사람). 심부름꾼.
〔使命〕 **shǐmìng** 명 사명. 〈比〉 중대한 책임. ¶历史～; 역사적인 사명.
〔使捻子〕 **shǐ.niǎnzi** 동 〈俗〉 총의 화승(火繩)을 사용하다. 도화선에 불을 댕기다. 〈轉〉 책동(策動)하다. ¶这件事是他使的捻子; 이 일은 그가 책동한 것이다.
〔使牛劲〕 **shǐ niújìn** ⇨〔使老牛劲〕
〔使奴唤婢〕 **shǐnú huànbì** 하인을 부리다. 하인을 부리며 호화롭게 살다.
〔使女〕 **shǐnǚ** 명 〈文〉 하녀. 계집종.
〔使皮气〕 **shǐ píqi** ⇨〔使脾气〕
〔使脾气〕 **shǐ píqi** 화내다. 신경질을 부리다. =〔使皮气〕〔发脾气〕
〔使气〕 **shǐqì** 동 분발하다. 힘쓰다.
〔使钱〕 **shǐ qián** 뇌물을 쓰다. 교제비를 쓰다.
〔使巧劲儿〕 **shǐ qiǎojìnr** 요령 있게 힘을 쓰다. 재치 있게 힘을 사용하다.
〔使巧弄乖〕 **shǐqiǎo nòngguāi** 이것저것 잔재주를 부리다.
〔使圈子〕 **shǐ quānzi** 교묘하게 속이다. 올가미를 씌우다. ¶你别跟我～! 너 나한테 올가미를 씌우지 마!
〔使然〕 **shǐrán** 동 〈文〉 그렇게 하게〔되게〕 하다. …시키다. ¶市面萧条是因购买力弱所～; 시장의 불경기는 구매력 약화가 그 원인이다.
〔使人〕 **shǐrén** 동 사람으로 하여금 …시키다. 사람에게 …일으키게 하다. ¶～困惑; 사람을 몹시 곤혹스럽게 만들다.
〔使声儿〕 **shǐshēngr** 동 소리를 내다. (주위를 살피기 위하여) 소리를 내어 보다.
〔使手脚〕 **shǐ shǒujiǎo** 흉계를 쓰다. 음모를 꾸미다. 농간을 부리다.
〔使署〕 **shǐshǔ** 명 ⇨〔使馆〕
〔使徒〕 **shǐtú** 명 《宗》 사도.
〔使团〕 **shǐtuán** 명 외교 사절단. 외교단. ¶荷兰～人员; 네덜란드 사절단 단원. =〔使节团〕
〔使相〕 **shǐxiàng** 명 (당(唐)나라·송(宋)나라 때에) 장군과 재상의 지위를 겸한 자.
〔使心〕 **shǐ.xīn** 동 마음을 쓰다. 애쓰다.
〔使心眼儿〕 **shǐ xīnyǎnr** 계략을 쓰다. 수단을 부리다.
〔使心用意〕 **shǐ xīn yòng yì** 〈成〉 온갖 정신을 기울이다.
〔使性子〕 **shǐ.xìngzi** 동 성내다. 토라지다. 신경질 내다. =〔使性儿〕〔使性气〕
〔使眼色〕 **shǐ yǎnsè** ⇨〔使眼神(儿)〕
〔使眼神(儿)〕 **shǐ yǎnshén(r)** 눈짓하다. 눈짓으로 알리다. =〔使眼色〕〔递dì眼色〕〔丢diū眼角〕〔丢眼色〕〔要shuǎ眼神(儿)〕
〔使羊将狼〕 **shǐ yáng jiàng láng** 〈成〉 약한 자에게 강한 자를 거느리게 하다. 통솔 능력이 모자라다.
〔使役〕 **shǐyì** 동 역축(役畜)을 부리다. ¶牲口的～; (소·말 따위의) 사역.
〔使印子〕 **shǐ yìnzi** 일수돈을 빌리(어 쓰)다.
〔使用〕 **shǐyòng** 동 ①쓰다. 사용하다. ¶～拖拉机耕种; 트랙터를 써서 논밭을 갈다 / 他会～人; 그는 사람을 잘 쓴다〔부린다〕 / 善于～干部; 그는 간부를 잘 쓴다 / ～离间计; 이간책을 쓰다 / 这头牛～了三年; 이 소는 3년 부렸다. ②(돈을) 쓰다. ¶不敷fū～; (돈이) 쓰기에 부족하다. 명 사용. ¶～价值; 《經》 사용 가치.
〔使用费〕 **shǐyòngfèi** 명 사용료.
〔使招儿〕 **shǐ.zhāor** 동 ⇨〔使着儿〕
〔使着儿〕 **shǐ.zhāor** 동 수단을 부리다. =〔使招儿〕
〔使者〕 **shǐzhě** 명 〈文〉 사자. 사절(使節). ¶绿lǜ衣～; 우편 배달부의 별칭.
〔使拙劲〕 **shǐzhuōjìn** ⇨〔使老牛劲〕

驶(駛) **shǐ** (사)

①동 빨리 달리다. ¶疾～而过; 빠른 속도로 지나가다 / 光阴如～; 〈成〉 세월이 몹시 빨리 지나가다 / 急流奔～; 급류가 대단한 기세로 흐르다 / ～赴 =〔～往〕; 서둘러 가다. ②동 운전하다. 조종하다. ¶驾～; 운전하다 / 轮船～入港口; 기선이 항구에 들어오다. ③형 〈文〉 신속하다. 빠르다.
〔驶车〕 **shǐ.chē** 차를 몰다〔운전하다〕. =〔开kāi车②〕
〔驶车的〕 **shǐchēde** 명 운전사. 운전수. =〔开kāi车的〕
〔驶出〕 **shǐchū** 동 (배·열차 따위가) 출발하다. 나가다. ¶火车～车站; 기차가 역에서 떠나다.
〔驶舵〕 **shǐ.duò** 동 키를 잡다.
〔驶河〕 **shǐhé** 명 〈文〉 급류(急流).
〔驶回〕 **shǐhuí** 동 〈文〉 서둘러 돌아오다.
〔驶力〕 **shǐlì** 명 〈文〉 달리는 속력.
〔驶马〕 **shǐ.mǎ** 동 〈文〉 말을 몰다〔질주 시키다〕.
〔驶入〕 **shǐrù** 동 (배가) 들어오다. 입항하다. (열차 따위가) 역에 도착하다. ¶～港口; (배가) 항구에 들어오다 / ～车站; (기차가) 역에 들어오다〔도착하다〕.
〔驶向〕 **shǐxiàng** 동 (배 따위를) …로 향하(게 하)다. ¶～上海; '上海'로 항로를 잡다.
〔驶行〕 **shǐxíng** 동 〈文〉 항행하다.

矢 **shǐ** (시)

①명 화살. ¶无的dì放～; 〈成〉 ⓐ뚜렷한 목표 없이 일을 실행에 옮기다. ⓑ사실 무근의 비평·공격. =〔箭jiàn〕 ②명 똥. ¶遗～; 똥을 누다. =〔屎shǐ〕 ③동 〈文〉 맹세하다. 굳게 지키다. 변치 않다. ¶～以天日; 하늘과 태양에 걸고 맹세하다 / ～捐顶踵; 〈成〉 신명을 버리고 진력할 것을 맹세하다.
〔矢车草〕 **shǐchēcǎo** 명 ⇨〔鬼guǐ灯檠〕
〔矢车菊〕 **shǐchējú** 명 《植》 수레국화(국화과의 1년 또는 2년초).
〔矢服〕 **shǐfú** 명 전동. 화살집. =〔矢壶〕
〔矢壶〕 **shǐhú** 명 ⇨〔矢服〕
〔矢橛〕 **shǐjué** 명 〈文〉 마른 똥〔대변〕.
〔矢口〕 **shǐkǒu** 동 〈文〉 ①맹세하다. ②주장을 굳게 지키다. ¶～否认; 〈成〉 완강히 부인하다 / ～不移; 〈成〉 말한 것을 바꾸지 않고 굳게 지키다 / ～抵赖 =〔～狡赖〕; 〈成〉 진실을 은폐하며 완강히 주장을 밀고 나가다. 끝까지 잡아떼다.
〔矢量〕 **shǐliàng** 명 《數·物》 벡터(vector). =〔向xiàng量〕

〔矢人〕 shǐrén 명〈文〉시인. 화살을 만드는 장인.
〔矢石〕 shǐshí 명 (옛날, 전쟁에서 쓰던) 활과 석궁(石弓)의 돌.
〔矢誓〕 shǐshì 동〈文〉맹세하다.
〔矢无虚发〕 shǐ wú xū fā〈成〉화살은 과녁을 빗나가지 않는다. 사격술이 뛰어나다.
〔矢言〕 shǐyán 명〈文〉①맹세하는 말. ②강직한 발언.
〔矢直〕 shǐzhí 형〈文〉화살처럼 똑바르다〔곧다〕.
〔矢志〕 shǐzhì 동〈文〉뜻을 세우다. 뜻하다.
〔矢志不二〕 shǐ zhì bù èr〈成〉이심(二心)이 없음을 맹세하다.
〔矢志不移〕 shǐ zhì bù yí〈成〉초심(初心)을 바꾸는 일이 없다. 결의가 흔들리지 않다.

豕 **shǐ** (시)
명〖動〗〈文〉돼지 · 멧돼지의 총칭(‘豚tún’은 작은 돼지를 말함).
〔豕膏〕 shǐgāo 명〈文〉돼지의 지방. 돼지 비계.
〔豕喙〕 shǐhuì 명〈文〉돼지 주둥이처럼 삐죽한 입.〈比〉욕심이 많아 보이는 인상. ¶虎目而～《國語》; 퉁방울눈에 삐죽한 입.
〔豕交兽畜〕 shǐ jiāo shòu xù〈成〉사람을 대함에 예로써 하지 않다. 사람 대우를 하지 않다. ¶食而弗爱, 豕交之也, 爱而不敬, 兽畜之也《孟子》; 기르고 사랑하지 않음은 돼지 취급하는 것이요, 사랑하되 존경하지 않음은 짐승 취급하여 기르는 것이니라.
〔豕牢〕 shǐláo 명〈文〉돼지우리.
〔豕零〕 shǐlíng 명 ⇨〔猪zhū苓〕
〔豕首〕 shǐshǒu 명 ①⇨〔天tiān名精〕 ②⇨〔马mǎ蔺〕
〔豕突〕 shǐtū 동〈文〉저돌(猪突)하다. 무모하게 행동하다.
〔豕突狼奔〕 shǐ tū láng bēn〈成〉(비적이나 적군이) 제멋대로 난폭하게 날뛰며 파괴하다.
〔豕腊〕 shǐxī 명〈文〉말린 돼지고기.
〔豕心〕 shǐxīn 명〈文〉〈比〉탐욕스런 마음.
〔豕猪〕 shǐzhū 명〈文〉돼지.
〔豕鬃〕 shǐzōng 명〈文〉돼지의 목덜미털.

始 **shǐ** (시)
①명 시초. 시작. 처음. ¶自～至终; 자초지종 / 有～有终 =〔有头有尾〕;〈成〉시작도 있고 끝도 있다(처음과 끝이 모두 훌륭하다) / 建厂之～; 공장 건설의 당초. ②동 시작하다. 비롯하다. ③부〈文〉비로소. 가까스로. 겨우. ¶促cù之～来; 독촉을 해야 겨우 온다 / 经此失败, ～知改进; 이 실패를 거쳐서야 비로소 개량하지 않으면 안 된다는 것을 알았다. →〔才〕 ④명 성(姓)의 하나.
〔始春〕 shǐchūn 명〈文〉⇨〔立lì春〕
〔始而〕 shǐ'ér 접 처음에는. ¶～哭, 继而喊; 처음에는 울다가 이어 큰 소리로 외치기 시작했다 / ～还好, 后来就不行了; 처음에는 그래도 괜찮았지만 후에 곧 나빠졌다.
〔始发站〕 shǐfāzhàn 명 시발역. =〔起点站〕
〔始膏〕 shǐgāo 명〖漢醫〗임신 2개월의 일컬음.
〔始话〕 shǐhuà 명 (전화의) 통화 개시. ¶～时刻; 통화 개시 시각.
〔始皇〕 Shǐhuáng 명〖人〗진시황. =〔秦qín始皇〕
〔始基〕 shǐjī 명 ⇨〔初chū基〕
〔始克〕 shǐkè 동〈文〉겨우 …할 수 있다.
〔始料〕 shǐliào 동〈文〉처음에는 …라고 여기다〔예상하다〕. ¶～不及; 설마 …이라고는 생각지도 못했다.
〔始乱终弃〕 shǐ luàn zhōng qì〈成〉(부녀자를) 농락하고 버리다(이용한 후에 미련 없이 버리다).
〔始末〕 shǐmò 명 시말. 자초지종. 경과. 전말. ¶他把这件事的～对大家说了一遍; 그는 이 일의 자초지종을 모두에게 이야기했다 / ～根由; 일의 경과. 자초지종.
〔始胚〕 shǐpēi 명〖漢醫〗임신 1개월의 일컬음.
〔始胎〕 shǐtāi 명〖漢醫〗임신 3개월의 일컬음.
〔始新世〕 shǐxīnshì 명〖地質〗제3기(紀)의 시신세.
〔始业〕 shǐyè 동 학업이 시작되다(특히, 대 · 중고등 · 초등 학교의 수업). ¶～式; 시업식.
〔始愿〕 shǐyuàn 명〈文〉최초의 지망.
〔始则〕 shǐzé 접〈文〉처음에는(흔히, ‘继则’으로 이어짐). ¶～竭力诬蔑, 继则歪曲历史; 처음에는 힘껏 모멸하고 뒤이어 역사를 왜곡하다.
〔始终〕 shǐzhōng 명 처음과 끝. 부 시종. 처음부터 끝까지. 언제나. 한결같이. 끝내. ¶～如一 =〔终始如一〕;〈成〉시종여일하다 / ～没有变化; 시종 변화가 없다 / ～不渝;〈成〉시종일관. 한결같다. 흔들리지 않다 / ～不懈;〈成〉처음부터 끝까지 해이함이 없다 / 他～没来; 그는 끝내 오지 않았다.
〔始祖〕 shǐzǔ 명 시조. 개조(開祖).
〔始祖鸟〕 shǐzǔniǎo 명〖鳥〗시조새(쥐라기 후기의 화석 새).
〔始作俑者〕 shǐ zuò yǒng zhě〈成〉악습(惡習)을 만들어 낸 사람. 악례(惡例)를 만든 최초의 사람.

屎 **shǐ** (시)
명 ①똥. 대변. ¶拉～; 똥누다 / 是～都拉, 可是不拉人～; 어떤 똥이라도 싸지만 사람 똥은 싸지 않는다(어떤 나쁜짓도 하지만, 사람다운 일은 하지 않는다). ②눈곱 · 귀지 따위. ¶眼～; 눈곱 / 耳～; 귀지. ③〈方〉무능한 사람을 욕하는 말.
〔屎包〕 shǐbāo 명〈罵〉식충이. 밥벌레.
〔屎包肚子〕 shǐbāodùzi 명 과식 때문에 병적으로 크게 나온 어린이의 배.
〔屎蛋〕 shǐdàn 명〈罵〉개 같은 놈.
〔屎猴〕 shǐhóu 명〈京〉〈罵〉변소의 똥물 푸는 사람(‘掏tāo粪工人’을 욕되게 부르는 말).
〔屎甲虫〕 shǐjiǎchóng 명 쇠똥구리. →〔蜣qiāng螂〕
〔屎橛(子)〕 shǐjué(zi) 명 똥이 수북하게 올라와 건조해서 말뚝처럼 된 것.
〔屎蚵螂〕 shǐkēláng 명 쇠똥구리. →〔蜣qiāng螂〕
〔屎壳郎(子)〕 shǐkelàng(zi) 명〖蟲〗〈方〉쇠똥구리. ¶～带花;〈歇〉쇠똥구리가 꽃을 달고 있다(잘난 체하여 아니꼽고 역겹다). =〔屎蜣螂〕
〔屎坑(子)〕 shǐkēng(zi) 명 똥통. 똥구덩이. 똥독.
〔屎尿〕 shǐniào 명동 대소변(을 보다). ¶要迅速改变过去农村人无厕, 到处是～的不良习惯; 과거 농촌 사람들이 변소가 없어 아무곳에서나 대 · 소변을 보던 나쁜 습관을 빨리 고쳐야 한다.
〔屎盆子〕 shǐpénzi 명 ①요강(尿鋼). ②〈比〉오명(汚名). 누명. ¶你别往我脑袋上扣～! 너는 나에게 누명을 씌우지 마라!
〔屎棋〕 shǐqí 명 풋장기. 줄바둑. ¶下～; 풋장기〔줄바둑을〕를 두다.
〔屎蜣螂〕 shǐqiāngláng 명 ⇨〔屎壳郎(子)〕
〔屎勺子〕 shǐsháozi 명 똥바가지.
〔屎诗〕 shǐshī 명 서투른 시. 시시한 시.
〔屎汤儿〕 shǐtāngr 명 물찌똥. 똥물.

〔屎桶〕 shǐtǒng 명 똥통. 거름통.

士

shì (사)
명 ①학식 있는 사람. 선비. ②관직에 있는 사람. ③무사. ④미혼의 남자. 또, 널리 남자를 이름. ⑤사람에 대한 미칭. ¶壮~; 장사 / 烈~; 열사. ⑥《軍》 하사관(널리 군인을 이름). ⑦어떤 기술을 몸에 지닌 사람. ¶医~; 의사 / 护~; 간호사 / 飞行~ =〔飞行员〕; 비행사. ⑧성(姓)의 하나.

〔士巴拿〕 shìbāná 명 ⇨〔扳bān子①〕

〔士班拿〕 shìbānná 명 《工》 스패너(spanner). =〔扳子〕〔扳钳〕〔士巴拿〕

〔士兵〕 shìbīng 명 《軍》 사병(병(兵)과 하사관. 병사의 총칭).

〔士大夫〕 shìdàfū 명 〈文〉 ①사대부. 관직 있는 사람. ②군사(軍士). 옛날, 군대의 장교. ③상류 계급(의 사람). 사족(士族). 지식 분자. =〔士族〕

〔士担〕 shìdàn 명 〈音〉〈方〉 우표. 스탬프(stamp). =〔邮票〕

〔士的〕 shìdì 명 〈音〉 스틱. 단장. 지팡이.

〔士的年〕 shìdìnián 명 《化》〈音〉 스트리크닌(strychnine). =〔士的宁〕〔番木鳖碱〕

〔士多〕 shìduō 명 〈音〉〈方〉 상점. 스토어(store). =〔商店〕

〔士多比蘺〕 shìduōbìlí 명 《植》〈音〉 스트로베리(strawberry). 딸기. =〔杨莓〕〔草莓〕

〔士风〕 shìfēng 명 사풍. 선비의 기풍.

〔士夫〕 shìfū 명 〈文〉 ①젊은 남자. 소장(少壮). ②남자.

〔士君子〕 shìjūnzǐ 명 〈文〉 높은 교양을 지닌 상류 사회 사람.

〔士可杀, 不可辱〕 shì kě shā, bù kě rǔ 〈成〉 선비는 죽일 수는 있으나 욕되게 할 수는 없다.

〔士类〕 shìlèi 명 〈文〉 학자 계층. 지식층. =〔士林〕〔士流〕

〔士礼〕 shìlǐ 명 ⇨〔仪yí礼〕

〔士力(片)〕 shìlì(piàn) 명 〈音〉 ⇨〔虫chóng胶(片)〕

〔士林〕 shìlín 명 ⇨〔士类〕

〔士林布〕 shìlínbù 명 《紡》 인단스렌(indanthrene) 염료로 염색한 천('阴yīn丹士林布'의 약칭).

〔士流〕 shìliú 명 ⇨〔士类〕

〔士麦那〕 Shìmàinà 명 〈音〉 ⇨〔伊yī兹密尔〕

〔士民〕 shìmín 명 〈文〉 ①백성. ¶其~好hào武勇《管子》; 그 백성은 무용을 좋아한다. ②학예에 뛰어나고 선비의 덕행이 있는 사람.

〔士敏土〕 shìmǐntǔ 명 〈音〉 시멘트(cement). =〔水泥〕〔水门汀〕

〔士女〕 shìnǚ 명 〈文〉 ①신사 숙녀(옛날에는 미혼의 남녀를 가리켰음). ② ⇨〔仕女②〕

〔士气〕 shìqì 명 사기.

〔士人〕 shìrén 명 ①지식인. 인텔리. ②신사. 남자. ③백성.

〔士绅〕 shìshēn 명 ①지방의 재산가나 권력자. ②관리·선비 등 상류 계급의 사람.

〔士庶〕 shìshù 명 〈文〉 일반인('士大夫'와 '庶shù民').

〔士孙〕 Shìsūn 명 복성(複姓)의 하나.

〔士为知己者死〕 shì wèi zhī jǐ zhě sǐ 〈成〉 선비는 자기를 알아 주는 사람을 위하여 죽는다.

〔士子〕 shìzǐ 명 〈文〉 ①선비. ②옛날, 과거 시험에 응시하는 사람. ③학생.

〔士卒〕 shìzú 명 〈文〉 사졸. 병사.

〔士族〕 shìzú 명 ⇨〔士大夫③〕

仕

shì (사)
① 동 봉사하다. 섬기다. ② 동 관리가 되다. 임관하다. ¶出~; 출사하다 / 致~; 치사하다. 벼슬을 그만두다. ③ 명 관리. ④ 명 (장기의) 사(士).

〔仕版〕 shìbǎn 명 〈文〉 벼슬아치의 명부. ¶始登~; 처음으로 직원록(職員錄)〔벼슬아치 명부〕에 오르다.

〔仕宦〕 shìhuàn 동 〈文〉 사환하다. 관리가 되다. ¶~行xíng台; 벼슬아치의 숙소 / ~之家 =〔~人家〕; 벼슬아치 집안.

〔仕进〕 shìjìn 동 〈文〉 관리가 되어 영달(榮達)을 도모하다. 벼슬길에서 출세하다.

〔仕历〕 shìlì 동 〈文〉 역임하다.

〔仕路〕 shìlù 명 ⇨〔仕途〕

〔仕女〕 shìnǚ 명 ①여관(女官). 궁녀. ②《美》 미인을 제재(題材)로 한 중국화. 미인도(美人圖). =〔士女②〕 ③신사 숙녀.

〔仕商〕 shìshāng 명 〈文〉 관리와 상인.

〔仕途〕 shìtú 명 〈文〉 관도(官途). 벼슬길. =〔仕路〕

氏

shì (씨)
명 ①씨. 성(姓). ¶张~兄弟; 장씨 형제 / 李~子; 이씨네 아들. ②기혼 부인의 친정 집 성(姓). ¶王~; 친정이 왕씨인 부인 / 赵张~; 친정이 장씨인 조씨 댁 부인. ③옛날에는 제왕·귀족 따위를 부르는 데 '氏'를 썼으며, 뒤에 명사(名士)·전문가 따위를 부르는 데 쓰였음. ¶神农~; 신농씨 / 摄~表; 섭씨 온도계. ④친족 호칭 뒤에 붙여 자기 친족임을 나타냄. ¶舅~; 외삼촌. ⑤(편지 따위에서) 부인의 자칭. ⑥옛날, 세습의 관명에 붙이어 쓰였음. ¶太史~; 태사씨 / 职方~; 직방씨. ⑦성(姓)의 하나. ⇒zhī

〔氏族〕 shìzú 명 (사회학상의) 씨족.

〔氏族社会〕 shìzú shèhuì 명 씨족 사회.

舐〈舓〉

shì (지)
동 〈文〉 핥다. 〈比〉 아첨하다. ¶你是~谁的屁股? 너 누구한테 아첨하는 거냐?

〔舐唇〕 shìchún 동 〈文〉 입술을 핥다. 입맛을 다시다.

〔舐犊〕 shìdú 동 어미소가 송아지를 핥다. 〈比〉 자식을 지극히 사랑하다. ¶老牛~; 어미소가 송아지를 핥다 / ~情深; 부모가 자식을 귀여워하고 지극히 사랑하는 모양.

〔舐糠及米〕 shì kāng jí mǐ 〈成〉 겨를 핥다가 쌀까지 핥다(점차 내부에까지 미치다〔침투하다〕).

〔舐屁股〕 shìpìgu 〈比〉 아첨하다. 보비위(補脾胃)하다. =〔拍马屁pāimǎpì〕

〔舐痔吮痈〕 shì zhì shǔn yōng 〈成〉 지나치게 아첨하다.

世〈卋〉

shì (세)
① 명양 세. 대. ¶四~同堂, 五~不分财; 〈成〉 4대 가족이 한 집안에 살며, 5대까지도 재산 분할을 하지 않다(옛날, 대가족주의 가정의 이상으로 삼았던 말). ② 명 1대. ③ 명 일생. 생애. ¶没mò~不忘; 평생 잊지 않다. ④ 명 (역사적으로 구분된) 시대. 시기. ¶近~; 근세 / 当~; 당세 / 一~之盛; 〈成〉 그 당시에 있어서의 성대함. ⑤ 명 세계. 우주. 지구. ⑥ 명 세상. 세간. ¶公之于~; 세상에 공개하다. ⑦ 명 대대. 역대. ⑧ 형 대대로 전해지

는. 여러 대를 걸친. ¶~医; 대대로 전해진 중국의원. ⑨ 명 성(姓)의 하나.
〔世表〕 shìbiǎo 명 ①사기(史記)의 하(夏)·은(殷)·주(周) 3대에 걸친 계보. ②〈文〉 세표. 세상의 모범. ¶德为~, 行为士则《北史》; 그 덕은 세상의 모범이며, 행실은 선비의 본보기이다.
〔世伯〕 shìbó 명 〈敬〉 아버지의 친구로 아버지보다 연장자에 대한 경칭. →〔老伯〕
〔世臣〕 shìchén 명 〈文〉 세신. 대대로 섬기는 가신(家臣).
〔世尘〕 shìchén 명 〈比〉 세진. 세상의 속사(俗事).
〔世仇〕 shìchóu 명 〈文〉 세구. 대대로 내려오는 원수.
〔世传〕 shìchuán 명 세전. 대대로 전해 내려오는 것. 조상 전래의 것. 동 대대로 전하다.
〔世代〕 shìdài 명 ①세대. 연대. ②대대. ¶~书香; 〈比〉 대대로 이어진 학자의 집안/~相传; 대대로 전해지다.
〔世代交番〕 shìdài jiāofān 명 《生》 (생물학에서) 세대 교번. 세대 교체. =〔世代交替〕
〔世代交替〕 shìdài jiāotì 명 ⇨〔世代交番〕
〔世道〕 shìdào 명 ①세정. 세태. ¶有穷有富才成~; 〈諺〉 가난한 사람이 있고 부자가 있어야 세상이 이루어진다. ②처세의 길. 세상의 도리. 사회 상황.
〔世嫡〕 shìdí 명 적자. 후사. =〔家jiā嫡〕〔嫡嗣〕
〔世弟〕 shìdì 명 〈敬〉 대대로 사귀고 있는 사람으로 자기보다 연소한 사람에 대한 경칭(敬稱). =〔世兄弟di〕
〔世法〕 shìfǎ 명 〈文〉 세법. 세속의 법. ¶不用~; 세법을 따르지 않다.
〔世风〕 shìfēng 명 〈文〉 세상의 기풍. ¶~日下; 세상 기풍이 점점 나빠지다/~不古; 세상 기풍이 옛날 같지 않다.
〔世父〕 shìfù 명 세부. 가장 연장인 백부. 〈轉〉 백부.
〔世妇〕 shìfù 명 ①세부. 옛날, 천자의 첩. ②옛날, 황후에게 딸린 궁녀.
〔世故〕 shìgù 명 속세의 일들. 세상 물정. 세상사. ¶~气; 속된 기풍. 속된 세상사와 타협하는 마음. 그저 그렇게 우물쭈물 지내는 기분/老于~; 세상 물정에 밝다.
〔世故〕 shìgu 형 (사물의 처리나 남에 대한 응대가) 원활하다. 빈틈이 없다. 처세술에 능하다. ¶为人很~; 사람됨이 빈틈이 없다/他有很丰富的社会经验, 很~; 그는 사회 경험이 풍부하여 처세술이 능하다.
〔世故佬〕 shìgulǎo 명 세상 물정에는 밝으나 패기가 없는 (늙은이 같은) 사람.
〔世官〕 shìguān 명 〈文〉 세관. 세습하는 관직.
〔世好〕 shìhǎo 명 ⇨〔世交〕 ⇒shìhào
〔世好〕 shìhào 명 〈文〉 세간(世間)의 취향〔기호〕. ⇒shìhǎo
〔世纪〕 shìjì 명 ①세기. ¶二十~; 20세기. ②〈轉〉 시대. 연대.
〔世纪末〕 shìjìmò 명 ①세기말. ¶19~叶; 19세기 말엽. ②(사회의) 몰락의 단계. 퇴폐적인 단계. 말세기.
〔世家〕 shìjiā 명 ①명문. 세가. 오래 된 집안. ¶~子弟; 좋은 집안의 자제. 명문의 자제. =〔世门〕〔世族〕 ②사기(史記)에서 제후(諸侯)의 전기(傳記)《제후의 세대에 따라 배열함》. ③가업(家業)을 세습한 집안. ¶教育~; 교육자의 가계.
〔世家大族〕 shìjiā dàzú 명 세가 대족. 명문 거족.
〔世间〕 shìjiān 명 세간. 세상. ¶人是~第一宝贵的因素; 인간이 이 세상에 가장 중요한 요소이다.
〔世交〕 shìjiāo 명 ①대대로 교분이 있는 사람 또는 집. ¶王家跟李家是~; 왕씨네와 이씨네 집안은 선대부터 교분이 있다. ②여러 대(代)의 교제. ③ 2대 이상의 교제. ‖ =〔世好hǎo〕〔世谊〕
〔世姐〕 shìjiě 명 ⇨〔世界小姐〕
〔世界〕 shìjiè 명 ①세계. 세상. ¶~气象组织; (유엔의) 세계 기상 기구/~之大, 无奇不有; 세계는 크니까 어떤 불가사의한 일도 있다. ②《佛》 우주. ¶大千~; 대천 세계/极乐~; 극락 세계. ③사회의 정세·기풍. ¶现在是什么~, 还允许你不讲理; 지금이 어떤 세상인데 그런 억지가 통할 줄 아느냐. ④영역. 활동 범위. ¶科学~; 과학 세계/儿童~; 어린이 세계.
〔世界〕 shìjie 명 각지. 도처. 곳곳. ¶满~跑; 장소를 가리지 않고 뛰어다니다/这屋里一~乱七八糟; 이 방안은 온통 뒤죽박죽이다.
〔世界霸权〕 shìjiè bàquán 명 세계 국가들 중의 패권.
〔世界报〕 shìjièbào 명 르몽드(Le Monde)《프랑스의 신문 이름》.
〔世界杯(赛)〕 shìjièbēi(sài) 명 월드컵.
〔世界船舶等级协会〕 Shìjiè chuánbó děngjí xiéhuì 명 로이드 선급 협회.
〔世界大学生运动大会〕 Shìjiè dàxuéshēng yùndòng dàhuì 명 유니버시아드(Universiade). 국제 학생 체육 대회.
〔世界大战〕 shìjiè dàzhàn 명 세계 대전.
〔世界范围网〕 shìjiè fànwéiwǎng 명 《電算》 월드와이드 웹(www). =〔万维网〕
〔世界工会联合会〕 Shìjiè gōnghuì liánhéhuì 명 세계 노동 조합 연맹. WFTU.
〔世界观〕 shìjièguān 명 《哲》 세계관. =〔宇宙观〕
〔世界冠军〕 shìjiè guànjūn 명 세계 선수권 보유자. ¶~赛sài=〔世界锦标赛〕; 세계 선수권 대회.
〔世界和平理事会〕 Shìjiè hépíng lǐshìhuì 명 세계 평화 평의회. =〔和平理事会〕〔和理会〕
〔世界红卍字会〕 Shìjiè hóngwànzìhuì 명 ⇨〔卍字会〕
〔世界锦标赛〕 shìjiè jǐnbiāosài 명 세계 선수권 대회. =〔世界冠军赛〕
〔世界民主青年联盟〕 Shìjiè mínzhǔ qīngnián liánméng 명 세계 민주주의 청년 연맹. WFDY.
〔世界青年节〕 Shìjiè qīngniánjié 명 세계 청년절.
〔世界时〕 shìjièshí 명 세계시. 그리니치시. =〔格gé林威治时〕
〔世界市场〕 shìjiè shìchǎng 명 《經》 국제 시장.
〔世界水平〕 shìjiè shuǐpíng 명 세계적 수준. 세계적 레벨.
〔世界卫生组织〕 Shìjiè wèishēng zǔzhī 명 세계 보건 기구. WHO.
〔世界闻名〕 shìjiè wénmíng 세계적 명성이 있다.
〔世界(屋)脊〕 shìjie(wū)jǐ 명 세계의 지붕《'帕pà米尔高原'(파미르(Pamirs)고원)을 가리킴》. ¶跨过'~'的康藏公路和青藏公路也已通车; '세계의 지붕'을 가는 시캉(西康)·티베트 간, 칭하이(青海)·티베트 간의 자동차 도로도 개통되었다.
〔世界小姐〕 shìjiè xiǎojie 명 미스 유니버스〔미스 월드, 미스 인터내셔널〕. ¶八十七位世界佳丽最近

纷纷到达美国, 准备参加～选美比赛; 87명의 세계의 미녀가 지금 속속 미국에 도착하여, 미스 유니버스 콘테스트에 참가할 준비를 하고 있다. =〔世姐〕

〔世界语〕 shìjièyǔ 명《言》에스페란토(Esperanto). =〔爱ài世语〕

〔世界运动(大)会〕 Shìjiè yùndòng (dà)huì 명 ⇨〔奥ào林匹克运动会〕

〔世界主义〕 shìjiè zhǔyì 명 세계 주의. 코스모폴리타니즘(cosmopolitanism).

〔世局〕 shìjú 명 세계 정세.

〔世爵〕 shìjué 명 세습의 작위.

〔世路〕 shìlù 명〈文〉세상을 살아나가는 일. 처세의 길. =〔世途〕

〔世门〕 shìmén 명 ⇨〔世家①〕

〔世面〕 shìmiàn 명 세상 물정. 사회 상황. ¶乡下佬儿没见过～; 시골 영감은 세상 물정을 모른다〔견문이 좁다〕.

〔世情〕 shìqíng 명 세정. 세상 물정. ¶不懂～; 세상 물정을 알지 못하다.

〔世人〕 shìrén 명 세인. 세상 사람.

〔世儒〕 shìrú 명〈文〉①세유. 대대로 가학(家學)을 전하는 유자(儒者). ②절조 없이 시대에 영합하는 헛된 명성만 높은 학자.

〔世上〕 shìshàng 명 세상. ¶～人; 세상 사람/～无难事, 只怕有心人 =〔～无难事, 只怕心不专〕〔～无难事, 只要肯登攀〕;〈諺〉마음먹기 따라서 무슨 일이든지 할 수 있다, 다만 되지 않는 것은 사람이 하지 않는 까닭이다.

〔世世〕 shìshì 명 세세. 대대. 누대. ¶～代代; 대대 손손.

〔世事〕 shìshì 명 세상사. 세상일. ¶不问～; 세상사를 상관하지 않다.

〔世室〕 shìshì 명 하(夏)나라 때에, 천자가 제후를 조견(朝見)한 장소《주(周)나라에서는 '明míng堂②'이라 하였음》.

〔世叔〕 shìshū 명〈敬〉대대로 친한 교제가 있는 집안 간에, 아버지와 동배이며 아버지보다 나이가 아래인 사람에 대한 경칭.

〔世俗〕 shìsú 명〈文〉①세속. 세상의 풍속. ¶～之见; 일반적인 견해. ②세상 사람.

〔世态〕 shìtài 명 세태. 세상의 형편. ¶人情～;〈成〉인정 세태/～炎凉;〈成〉세태 염량. 인정이 변하기 쉽고 믿을 것이 못됨.

〔世统〕 shìtǒng 명 ⇨〔世系〕

〔世途〕 shìtú 명 ⇨〔世路〕

〔世外桃源〕 shì wài táo yuán ①무릉도원. 유토피아. 도원경(桃源境). ②〈比〉은둔처. 은거하는 곳.

〔世网〕 shìwǎng 명〈文〉세간의 속사(俗事).

〔世味〕 shìwèi 명 세상의 고락(苦樂). ¶饱尝～; 세상의 고락을 실컷 맛보다.

〔世务〕 shìwù 명〈文〉세무. 당면한 해야 할 일.

〔世袭〕 shìxí 동 (지위 따위를) 대대로 이어받다. 세습하다. ¶～领地; 세습 영토.

〔世系〕 shìxì 명 세계. 대대로 전해 내려오는 가계. =〔世统〕

〔世兄〕 shìxiōng 명 ①대대로 교분이 있는 사람끼리의 상대방 아이들에 대한 호칭. ¶大～; 댁의 장남/～们都多大了? 아드님들은 몇 살이나 되었습니까? ②같은 세대로서 선대부터 교분이 있는 사람을 부르는 말《예컨대, 아버지의 문하생이나 스승의 아들에 대하여. 또, 한 세대 아래의 친구에 대한 호칭》.

〔世兄弟〕 shìxiōngdì 명〈敬〉대대로 교제가 있는 사람의 아들들끼리의 경칭.

〔世兄弟〕 shìxiōngdi 명〈敬〉대대로 교제가 있는 사람으로 자기보다 연하인 사람에 대한 경칭. =〔世弟〕

〔世业〕 shìyè 명 ①세업. 조상 전래의 사업. ②선대가 남긴 유산.

〔世医〕 shìyī 명 세의. 대대로 의학을 업으로 하는 사람.

〔世谊〕 shìyì 명 ⇨〔世交〕

〔世缘〕 shìyuán 명 세연. 속세의 인연.

〔世运〕 shìyùn 명 ① (Shìyùn)〈簡〉'世界运动(大)会'(올림픽 경기 대회)의 약칭. ¶～村; 올림픽 촌. ②〈文〉세상의 성쇠(盛衰)하는 기운.

〔世运(大)会〕 Shìyùn(dà)huì 명 ⇨〔奥ào林匹克运动会〕

〔世泽〕 shìzé 명〈文〉조상의 유산으로 인한 은혜.

〔世侄〕 shìzhí 명 대대로 교제가 있는 집안 간에, 아버지와 동배인 사람에 대한 자칭.

〔世职〕 shìzhí 명 세직. 세습의 직.

〔世胄〕 shìzhòu 명 대대로 녹(祿)을 이어받은 집안과 그 후손.

〔世主〕 shìzhǔ 명〈文〉당시의 군주.

〔世子〕 shìzǐ 명 ①세자. 천자·제후의 적자(嫡子). ②청대(清代), 종실(宗室) 작위의 제 2등.

〔世族〕 shìzú 명 ⇨〔世家①〕

〔世尊〕 Shìzūn 명 ⇨〔释尊〕

贳(貰) shì (세)

동 ①빌려 주다. 세내다〔주다〕. ¶～器店;〈方〉관혼상제용의 도구들을 빌려 주는 상점. ②외상으로 사다. ¶常～酒; 언제나 술을 외상으로 사다. ③눈감아 주다. 묵인하다. (죄를) 용서하다. ¶～赦; 죄를 용서하다/～其罪; 그 죄를 용서하다.

市 shì (시)

① 명 시장(市場). 저자. 장(場). ¶菜～; 식료품 시장/牲口～; 가축 시장/上～去买货; 시장에 물건 사러 가다/金融～; 금융 시장/商品～; 상품 시장/～盘; 시세. ② 명 도회. 도시. ¶城～ =〔都～〕; 도시. 도회/～区; 시가지구. ③《度》도량형의 '市制'. ④ 동 사다. ⑤ 동 거래하다. 매매하다. ¶沽酒～脯《論語》; 술과 육포를 사고 팔다. ⑥ 명 시《행정 구획의 하나》. ¶北京～; 베이징 시. ⑦ 명 성(姓)의 하나.

〔市舶司〕 shìbósī 명《史》시박사. (송(宋)나라·원(元)나라·명(明)나라 때에) 외국 무역을 관리하기 위하여 광저우(廣州)·취안저우(泉州) 등지에 설치한 관청 이름.

〔市布〕 shìbù 명《紡》셔츠감으로 쓰이는 흰 무명천.

〔市曹〕 shìcáo 명〈文〉①시가지. 가두(街頭). ②〈轉〉형장(刑場). 사형장. ¶斩zhǎn于～; 형장에서 참수되다.

〔市廛〕 shìchán 명〈文〉시전. 시가. 상가. ¶山居良有异于～; 산속 살림은 시가지와 다른 점이 있다.

〔市场〕 shìchǎng 명 ①시장. 마켓. ¶～行市; 시중 시세. ②〈比〉환영받을 여지. 받아들여질 여지. ¶在党内再也没有～了; 당내에서도 이미 설 자리를 잃었다. ③판로(販路). ¶推广～; 판로를 확장하다.

〔市场机制〕 shìchǎng jīzhì 명《經》시장 메카니즘.

〔市场调节〕 shìchǎng tiáojié 명《經》시장 조절.

〔市秤〕 shìchèng 명 '市制'로 표시되는 저울《1근이 500그램인 것》.
〔市尺〕 shìchǐ 양 《度》 '市制'의 길이 단위《1/3미터》.
〔市寸〕 shìcùn 양 《度》 길이의 단위《'市尺'의 1/10, '(市)分'의 10배, '分米'(데시미터)의 1/3에 상당함. 통칭은 '寸'》.
〔市撮〕 shìcuō 양 《度》 '市制'의 용량 단위《'(市)勺'의 1/10, '毫háo升'(밀리리터)에 해당》.
〔市石〕 shìdàn 양 《度》 용량의 단위《100리터에 상당함. 통칭 '石'》.
〔市担〕 shìdàn 양 《度》 중량의 단위《50'公斤'(킬로그램)에 상당함. 통칭은 '担'》.
〔市道〕 shìdào 명 〈文〉 ①상도덕(商道德). ②시내 도로.
〔市道交〕 shìdàojiāo (상인처럼) 이해 관계에 의한 교제.
〔市电〕 shìdiàn 명 ①도시 주택용의 전기. ②시내의 전차.
〔市斗〕 shìdǒu 양 《度》 용량의 단위《10'升'(리터)에 상당함. 통칭 '斗'》.
〔市恩〕 shì'ēn 동 〈文〉 (사람에게 물건을 베풀어 주고) 은혜를 팔다. =〔市惠〕
〔市房〕 shìfáng 명 〈方〉 점포가 딸린 집. =〔铺面房〕
〔市分〕 shìfēn 양 《度》 ①길이의 단위《1'市分'은 1'市尺'의 100분의 1》. ②중량 단위《1'市分'은 1'市斤'의 1000분의 1》. ③면적의 단위《1'市分'은 1'市亩'의 10분의 1》.
〔市合〕 shìgě 양 《度》 용량의 단위《'(市)升'의 1/10. 0.1리터에 상당함. 통칭 '合'》.
〔市官〕 shìguān 명 옛날, 무역을 관장하던 벼슬아치.
〔市毫〕 shìháo 양 《度》 ①길이의 단위《'(市)尺'의 1만분의 1. '丝sī米'(데시밀리미터)의 1/3에 상당함. 통칭 '毫'》. ②중량의 단위《'(市)厘'의 1/10. 통칭 '毫'》.
〔市虎〕 shìhǔ 명 〈比〉 ①말하는 이가 많기 때문에 거짓말도 진실로 받아들여지는 일. ②참언(讒言) 또는 요언(謠言)을 퍼뜨리는 자. ③폭주 오토바이.
〔市欢〕 shìhuān 동 〈文〉 비위를 맞추다. 환심을 사다.
〔市惠〕 shìhuì 동 ⇨〔市恩〕
〔市集〕 shìjí 명 ①장《일정한 시기에 일정한 장소에서 열리는 임시 시장》. ②작은 도시. 읍내.
〔市价〕 shìjià 명 ①시장 가격. 시세. ②자유 가격.
〔市郊〕 shìjiāo 명 교외(郊外).
〔市街〕 shìjiē 명 시가지. 상점가. =〔街市〕
〔市斤〕 shìjīn 양 《度》 '市制'의 무게의 기본 단위《1킬로 그램의 1/2》. →〔公斤〕
〔市井〕 shìjǐng 명 〈文〉 시정. 시가. ¶～之人; 서민 / ～(之)徒tú; 시정 잡배 / ～无赖; 시정 무뢰. 시중의 부랑배.
〔市景〕 shìjǐng 명 시장의 정황. 시황(市況). 경기 개황(概況).
〔市骏〕 shìjùn 동 〈文〉〈比〉 현인을〔인재를〕 구하다.
〔市口儿〕 shìkǒur 명 〈俗〉 거리. 시가지.
〔市侩〕 shìkuài 명 ①중매인. 거간꾼. ¶～习气; 브로커의 습성. =〔市牙〕 ②배금주의자. ¶～哲学; 배금주의. 사리 사욕의 철학.
〔市厘〕 shìlí 양 《度》 ①길이의 단위《'(市)尺'의 천분의 1. 통칭 '厘'》. ②중량의 단위《'(市)斤'의 1만분의 1. 통칭 '厘'》.
〔市里〕 shìlǐ 양 《度》 '市制'의 길이의 단위《1/2킬로 미터》.
〔市立〕 shìlì 명 시립. ¶～学校; 시립학교.
〔市利〕 shìlì 명 〈文〉 시리. 상업상의 이익.
〔市两〕 shìliǎng 양 《度》 '市制'의 중량 단위《1'市两'은 1'市斤'의 10분의 1》.
〔市楼〕 shìlóu 명 〈文〉 시정(市井)의 술집.
〔市面(儿)〕 shìmiàn(r) 명 시장 상황. 시황《도시의 공업·상업 활동의 일반적 상황》. ¶～紧; 시장이 불경기이다 / ～挺死; 시장이 매우 침체해 있다.
〔市民〕 shìmín 명 ①시민. 도시의 주민. ②사회주의의 자각이 없는 낡은 시민. ¶他带些～气; 그에게는 소시민적인 데가 있다.
〔市亩〕 shìmǔ 양 《度》 지적(地積)의 단위《60'平方(市)丈'(약 6.667아르)에 상당함. 통칭 '亩'》.
〔市盘〕 shìpán 명 《商》 시가. 시세.
〔市平〕 shìpíng 명 ①시중의 물가를 규정하는 일. ②옛날, 그 고장마다의 저울. ③옛날, 일반 거래에 사용된 저울《'库平'과 '京平'의 중간에 해당》.
〔市气〕 shìqì 명 시장의 인기.
〔市钱〕 shìqián 양 《度》 '市制'의 중량 단위《1'市钱'은 1'市斤'의 100분의 1》.
〔市情〕 shìqíng 명 시황(市況). ¶考虑～接纳订单; 시황을 고려해서 주문을 받다.
〔市顷〕 shìqǐng 양 《度》 면적의 단위《1'～'은 100'(市)亩'으로 약 6.667헥타르에 상당함. 통칭 '顷'》.
〔市区〕 shìqū 명 시구. 시가 구역.
〔市儿〕 shìr 명 (규모가 작고 간단한) 장(場). ¶晓～; 아침장.
〔市人〕 shìrén 명 〈文〉 시중의 사람. 도회지 사람.
〔市日〕 shìrì 명 장날. 장이 열리는 날.
〔市容〕 shìróng 명 〈文〉 도시의 외관〔면모〕. ¶看～; 시내 구경을 하다.
〔市勺〕 shìsháo 양 《度》 용량의 단위《'(市)升'의 1/100. '厘lí升'(센티리터)에 상당함. 통칭 '勺'》.
〔市升〕 shìshēng 양 《度》 '市制'의 용량의 기본 단위《리터에 상당함》.
〔市声〕 shìshēng 명 〈文〉 거리의 왁자지껄한 소리. ¶～嘈杂; 거리의 왁자지껄한 소리가 심하다.
〔市食〕 shìshí 명 〈文〉 시중에서 팔고 있는 음식.
〔市势〕 shìshì 명 시세. 시장의 경기.
〔市丝〕 shìsī 양 《度》 ①길이의 단위《'(市)毫'의 1/10. '(市)尺'의 10만분의 1. 통칭 '丝'》. ②중량의 단위《'(市)毫'의 1/10. '(市)斤'의 백만분의 1. 통칭 '丝'》
〔市肆〕 shìsì 명 〈文〉 시사. 시중의 상점. 시전.
〔市俗〕 shìsú 명 시중〔세상〕의 풍속.
〔市态〕 shìtài 명 시황(市況).
〔市谈〕 shìtán 명 ⇨〔市语〕
〔市委〕 shìwěi 명 〈簡〉 (중국 공산당의) 시당 위원회의 약칭. =〔市委会〕
〔市乡制〕 shìxiāngzhì 명 시읍면의 자치제.
〔市巷〕 shìxiàng 명 〈文〉 골목.
〔市刑〕 shìxíng 명 옛날, 거리에서 집행하는 형《공중에게 보여 주기도 하고 몽둥이로 두들기기도 하였음》.
〔市牙〕 shìyá 명 ⇨〔牙子①〕
〔市医〕 shìyī 명 개업 의사.
〔市易法〕 shìyìfǎ 명 《史》 시역법《송(宋)나라 왕안석(王安石)의 신법(新法)의 하나》.

〔市银〕 shìyín 명 옛날, 각지의 시장에서 사용되었던 은(순은(純銀)에 대한 차는 지역마다 달랐음).
〔市引〕 shìyǐn 양〈度〉길이의 단위(1 '~' 은 10 '(市)丈'. 100 '米mǐ' (미터)의 1/3에 상당함. 통칭 '引').
〔市隐〕 shìyǐn 명〈文〉시정(市井)에 은둔하고 있는 사람.
〔市语〕 shìyǔ 명〈文〉시중에서 유행하는 은어(예컨대, '吉恩jīēn'이라 하여 '斤jīn'의 뜻으로 쓰는 따위). =〔市谈〕
〔市妪〕 shìyù 명〈文〉시정의 (교양없는) 노파.
〔市债〕 shìzhài 명 시에서 발행한 지방채(地方債).
〔市长〕 shìzhǎng 명 시장.
〔市丈〕 shìzhàng 양〈度〉길이의 단위(1 '~' 은 10 '米' (미터)의 1/3에 상당함. 통칭 '丈')
〔市招〕 shìzhāo 명 (옛날, 일종의 실물) 간판.
〔市镇〕 shìzhèn 명 읍. 소도시.
〔市政〕 shìzhèng 명 시정. 도시의 행정. ¶~厅tīng =〔~府〕; 옛날의 시청.
〔市制〕 shìzhì 명〈度〉중국에서 습관적으로 사용되는 계량 제도(길이의 주요 단위는 '市尺', 중량의 주요 단위는 '市斤', 용량의 주요 단위는 '市升'). =〔市用制〕
〔市租〕 shìzū 명 옛날의 물품세.

柿〈柹〉

shì (시)
명〈植〉감(나무). ¶西红~; 토마토.

〔柿饼(儿,子)〕 shìbǐng(r,zi) 명 건시. 곶감. =〔柿干〕
〔柿蒂〕 shìdì 명 감의 꼭지(딸꾹질 약으로 씀).
〔柿干〕 shìgān 명 ⇨〔柿饼(儿)〕
〔柿椒〕 shìjiāo 명 ⇨〔柿子椒〕
〔柿漆〕 shìqī 명 감의 떫은 즙. 감물.
〔柿霜〕 shìshuāng 명 시설(柿雪)(곶감 거죽에 돋는 흰 가루).
〔柿油〕 shìyóu 명 감물.
〔柿子〕 shìzi 명〈植〉감(나무). ¶西红~; 토마토/冻~; 딱딱하게 언 감.
〔柿子椒〕 shìzijiāo 명〈植〉피망. 서양 고추. ¶红~; 빨간 피망. =〔柿椒〕
〔柿子树〕 shìzishù 명〈植〉감나무.

铈(鈰)

shì (시)
명〈化〉세륨(Ce:cerium)(금속 원소의 하나).

示

shì (시)
동 ①가리키다. 나타내다. ¶以目~意; 눈으로 생각을 나타내다. 눈짓하다/表~; 표시하다. 태도를 표명하다/~意; ⓐ의사를 표시하다. ⓑ의미를 나타내다〔설명하다〕/以~坚决; 그에 의해서 굳은 결의를 보이다. ②보이다. ¶出图~之; 도면을 꺼내어 보이다. ③알리다. 고하다. ¶告~; 고시하다/暗~; 암시하다/尚希~以时日;〈翰〉그리고 날짜와 시간을 알려 주시기 바랍니다.

〔示波管〕 shìbōguǎn 명〈物〉오실로스코프(oscilloscope).
〔示波器〕 shìbōqì 명〈物〉오실로그래프(oscillograph). =〔计jì波器〕〔记jì波器〕〔描miáo波器〕〔写xiě波器〕
〔示补(儿)〕 shìbǔ(r) 명 보일시 변(한자 부수의 하나. '礼·禧' 등의 '示·礻'의 이름). =〔示补旁páng(儿)〕〔示shì字旁(儿)〕〔祇示(儿)〕
〔示惩〕 shìchéng 동〈文〉본보기로 징계하다. 본때를 보이다.
〔示范〕 shìfàn 명동 시범(하다). 모범(을 보이다). ¶~作用; 모범이 되는 역할.
〔示范赛〕 shìfànsài 명〈體〉시범 경기. ¶篮球~; 농구의 시범 경기.
〔示复〕 shìfù 동〈翰〉답장을 주시다. ¶恭候~; 삼가 답장을 기다립니다/请即~ =〔希即~〕; 곧 회답해 주시기 바랍니다.
〔示功器〕 shìgōngqì 명〈機〉지압계. 인디케이터(indicator).
〔示功图〕 shìgōngtú 명〈機〉지압계. 인디케이터 카드(indicator card).
〔示好〕 shìhǎo 동 호의를 보이다.
〔示疾〕 shìjí 동〈文〉병의 증상이 나타나다. 병이 나다.
〔示寂〕 shìjì 명〈佛〉승려의 죽음. 시적.
〔示禁〕 shìjìn 동 금령(禁令)을 공포하다.
〔示警〕 shìjǐng 동 (동작·신호로) 주의를 주다. 경고하다. ¶鸣锣~; 징을 울려 경고하다.
〔示敬〕 shìjìng 동〈文〉경의를 표하다.
〔示例〕 shìlì 명동 예시(하다).
〔示期〕 shìqī 동〈文〉기일을 지시하다〔알리다〕.
〔示弱〕 shìruò 동 ①약점을 보이다. ¶不甘~; 쉽사리 약점을 나타내지 않다/敌人也不~, 进行了顽抗; 적 또한 대단하여 완강하게 저항했다. ②약한 체하다.
〔示威〕 shìwēi 명 시위. 데모. ¶~队伍; 데모 대열. (shì,wēi) 동 ①시위〔데모〕하다. ②위세를 떨쳐 보이다.
〔示威游行〕 shìwēi yóuxíng 명 데모 행진. 시위 행진. ¶在商业中心地区冒雨举行了~; 상업 센터 지구에서 비를 무릅쓰고 데모 행진을 했다.
〔示悉〕 shìxī 동〈翰〉귀함(貴函)의 취지는 잘 알았습니다.
〔示下〕 shìxià 동〈文〉지시를〔명령을〕내리다. ¶伏fú祈~;〈翰〉아무쪼록 지시를 내려 주십시오.
〔示以颜色〕 shì yǐ yánsè 본때를 보여 주다. (행동의 제시 따위로) 혼내 주다. ¶要是政府不接纳我们的要求, 就采取行动~; 만일 정부가 우리의 요구를 받아들이지 않으면, 행동으로 본때를 보여 주겠다.
〔示意〕 shì,yì 동 의사·의도를 나타내다. 의미를 나타내다〔설명하다〕. ¶以目~; →〔字解①〕
〔示意图〕 shìyìtú 명 (설명용의) 약도. 겨냥도. ¶十三陵水库~; 십삼릉(十三陵) 댐의 약도.
〔示谕〕 shìyù 동〈文〉유시를 내리다.
〔示知〕 shìzhī 동 ①고지하다. 통지하다. ②〈翰〉회답〔답장〕하다. ¶即祈~; 곧 답장하여 주시기 바랍니다.
〔示众〕 shì,zhòng 동 ①고지하다. 대중에게 보이다. ②대중에 대한 본보기로 삼다. 죄인의 목 따위를 대중에게 보이어 본보기로 하다. ¶游街~; 죄인을 거리로 끌고 다니며 본보기로 삼다.
〔示踪物〕 shìzōngwù 명〈物〉트레이서(tracer).
〔示踪原子〕 shìzōng yuánzǐ 명〈物〉트레이서. 트레이서 아톰(tracer atom). ¶用这含有放射性磷的无味液体, 作为~来诊断病症; 이 방사성 인을 함유한 무미(無味)의 액체를 사용해서, 트레이서 아톰(tracer atom)을 만들어 병을 진단하다.

式

shì (식)
①명 (표준·규준이 되는) 식(式). 형식. 격식. ¶公文程~; 공문서의 서식/法~; 법식/格~; 격식. ②명 (방법·설비 따위의 외형

적인) 모양. 양식. ¶新～农具; 신식의 농기구/中国～; 중국식. ③명 의식. 예식. ¶毕业～; 졸업식/阅兵～; 열병식. ④명《言》식. 법《어법상의 분류의 하나》. ¶命令～; 명령법. ⑤명 (수학·자연 과학의) 식. 공식. ¶公～; 공식/方程～; 방정식/分子～; 분자식. ⑥동 따르다. ⑦동 쓰다. 사용하다. ⑧조〈文〉아!《감탄을 나타내는 발어사(發語詞)》.
〔式法儿〕 shìfar 명 모양. 양식. 형식.
〔式老夫〕 shìlǎofū 명〈音〉옛날, 외국인 상점 등의 수금원.
〔式题〕 shìtí 명 수학 따위의 공식.
〔式微〕 shìwēi 형〈文〉(국가 또는 명문 호족 등이) 쇠미(衰微)하다.
〔式样〕 shìyàng 명 양식. 스타일. ¶各种～的衣服; 각종 스타일의 옷.
〔式子〕 shìzi 명 ①자세. 모양. 형(型). ②《數·化》식.

试(試) shì (시)
①동 시험해 보다. ¶～用yòng; (사람·물건을) 시험삼아 쓰다/我来～(一)～看; 어디, 내가 한번 시험해 보자/把热水～着往里灌; 끓는 물을 시험삼아 속에 부어 보다/尝～; (어떤 것인지) 시험해 보다. ②부 시험삼아. ¶～以此句为例, 分析机构; 시험삼아 이 글을 예로 하여 구조를 분석하다/兄～往观之; 형이 시험삼아 가 보는 게 좋겠다. ③부 시험삼아 하듯이. 슬금슬금. ¶～着步儿往上走; 슬금슬금 위를 향해 걷다. ④명 시험. ¶笔bǐ～; 필기 시험. ⑤명 시도(試圖).
〔试巴〕 shìba 동〈俗〉시험해 보다. ¶你三天不吃饭～～! 너 사흘 동안 밥을 먹지 말고 시험해 봐라!
〔试办〕 shìbàn 동 ①시험삼아 해 보다. ②시험적으로 설치하다. ¶～了商品代销店; 상품 대리 판매점을 시험적으로 설치했다.
〔试表〕 shìbiǎo 명 시험 리스트(list). (shì.biǎo) 동 체온을 재다.
〔试差〕 shìchāi 명 청대(清代), 예부(禮部)에서 파견하는 향시(鄕試)의 시험관.
〔试尝〕 shìcháng 동〈文〉맛을 보다. 시식해 보다.
〔试场〕 shìchǎng 명 시험장.
〔试车〕 shì.chē 동 시운전하다.
〔试穿〕 shìchuān 동 ①입어 보다. ②가봉(假縫)하다.
〔试灯〕 shìdēng 명 '元宵'의 전날에 켜는 등불.
〔试点〕 shìdiǎn 명 ①어떤 문제점에 관하여 시험적으로 행하는 공작. ¶～工作; 시험적 공작. ②(어떤 일을 정식으로 하기 전) 시험적으로 해 보는 장소. (shì.diǎn) 동 정식으로 실시하기 전에, 시험적으로 소규모의 테스트를 행하다. ¶～班; 실험 학습반《새로운 교수법·교재 등을 실험하기 위한 클래스》.
〔试电笔〕 shìdiànbǐ 명《電》테스터(tester).
〔试儿〕 shì'ér 명 ⇨〔抓zhuā周(儿)〕
〔试法〕 shìfǎ 동〈文〉법망을 피하려 하다. ¶以身～; 목숨 걸고 법망을 피하다.
〔试飞〕 shìfēi 명동 시험 비행(하다). ¶喷气客机昨天从北京飞抵此间, 沿途未停, 这是这一路线的首次～; 제트 여객기가 어제 베이징(北京)에서 도중 무착륙으로 당지에 도착했는데, 이것은 이 항공로에서 처음 있는 테스트 비행이다/～员; 테스트 파일럿.
〔试工(儿)〕 shì.gōng(r) 동 (직공 등을 정식으로 채용하기 전에) 시험적으로 일을 시켜 보다. ¶等试过工儿再定工吧; 시험삼아 일을 하게 해 보고 나서 고용 여부를 정하자. (shìgōng(r)) 명 시험삼아 채용한 노무자. ‖ =〔试手(儿)〕
〔试官〕 shìguān 명 ①옛날, 시험 감독관. ②청대(清代), 시험적으로 임용한 관리《예를 들면 '试用知府'(부지사 시보) 따위》.
〔试管〕 shìguǎn 명 ⇨〔试验管〕
〔试管婴儿〕 shìguǎn yīng'ér 명《醫》체외 수정아. 시험관 아기.
〔试航〕 shìháng 명동 시험 항해〔비행〕(하다).
〔试剂〕 shìjì 명《化》시약(試藥). =〔试药〕
〔试件〕 shìjiàn 명 테스트 물건. 시험하는 물건.
〔试教〕 shìjiào 동 ①시험적으로 가르치다. ②교육 실습을 하다. 명 교육 실습.
〔试金石〕 shìjīnshí 명 시금석.
〔试井〕 shìjǐng 명 (석유의) 시굴정(試掘井).
〔试镜头〕 shìjìngtou 동 (영화 용어) 스냅을 찍다. 명 시험 촬영.
〔试举〕 shìjǔ 명《體》(역도의) 시기(試技).
〔试卷(儿)〕 shìjuàn(r) 명 시험 답안. ¶～上只写报名号头吧! 답안에는 접수 번호만을 적으시오! =〔卷子〕〔答dá卷〕〔考kǎo卷〕
〔试掘〕 shìjué 동 (광맥·유전 따위를) 시굴하다.
〔试开〕 shìkāi 동 시운전하다. ¶七月上旬上海～了一次'跃进号'火车; 7월 상순에, 상하이(上海)에서 열차 '跃进号'의 시운전이 실시되었다.
〔试看〕 shìkàn 동 ①→〔试试看〕 ②시험삼아 보다.
〔试论〕 shìlùn 명 시론.
〔试拟〕 shìnǐ 동 시안을 만들다. ¶～一个规则; 하나의 규칙 안을 시험삼아 만들어 보다.
〔试片〕 shìpiàn 명동 ⇨〔试映〕
〔试期〕 shìqī 명 시험 기일.
〔试赛〕 shìsài 명 연습 경기〔시합〕.
〔试身〕 shì.shēn ⇨〔试样子〕
〔试试看〕 shìshi kan 시험해 보다. ¶～的态度; 시험해 보자는 태도. 注 '看'은 경성(輕聲).
〔试手(儿)〕 shìshǒu(r) 명동 ⇨〔试工(儿)〕
〔试署〕 shìshǔ 명 옛날, 고급 관청의 시보(試補).
〔试思〕 shìsī 동〈文〉생각해 보다. 이리저리 궁리하다.
〔试算〕 shìsuàn 명동 시산(하다).
〔试探〕 shìtàn 동 (문제 따위) 탐색하다. 탐구하다. ¶他到处～投资的可能性; 그는 도처에서 투자의 가능성을 탐색하고 있다/用棍子～水的深浅; 막대기로 물의 깊이를 탐색한다.
〔试探〕 shìtan 동 (뜻이 모호한 말 또는 동작으로 상대의 반응을 통하여) 상대의 생각을 떠보다. 타진하다. ¶拿话～～, 看他有什么反应; 그가 어떤 반응을 보이는지 말로 떠 보다.
〔试探性〕 shìtànxìng 형 탐사적. 탐색의. 탐색적인. ¶～攻击; 탐색적인 공격/～谈判; 탐색하기 위한 회담.
〔试题〕 shìtí 명 시험 문제.
〔试图〕 shìtú 동 ①시도〔기도〕하다. ②(성능을) 시험하다.
〔试问〕 shìwèn 동 시험삼아 묻다. ¶～怎么见得呢; 묻겠는데, 어째서 그렇게 생각하느냐〔아느냐〕/～没有船怎么过江呢; 배 없이 어떻게 강을 건널 수 있느냐. =〔借jiè问②〕
〔试想〕 shìxiǎng 동〈婉〉조금 생각해 보다. ¶～你这样做会有结果吗? 생각 좀 해 보아라. 네가 이

렇게 해서 좋은 결과가 있겠느냐?
〔试销〕 shìxiāo 동 시험 판매하다. 명 시험 판매. ¶～品; 시험 판매품.
〔试新〕 shì‧xīn 동 ①신품〔신제품〕을 써〔시험해〕 보다. ②햇곡식을 시식하다.
〔试行〕 shìxíng 동 시행해 보다. 시험삼아 해 보다. ¶～法; 시행법 / 先～, 后推广; 우선 시험해 보고, 그러고 나서 보급하다.
〔试验〕 shìyàn 명동 시험(을 하다). 테스트(를 하다). ¶武汉市建立一个～商店, 大胆革新工作; 우한 시(武漢市)에 시험 상점이 세워지고, 대담하게 일을 혁신했다.
〔试验杆〕 shìyàngǎn 명 《化》 테스트 바. 실험봉. =〔试验棒〕
〔试验管〕 shìyànguǎn 명 《化》 시험관. =〔试管〕
〔试验田〕 shìyàntián 명 ①시험전. 실험전(實驗田). ②〈轉〉 시험적인 일을 실시하는 장소. ¶妇女商店就是她们那个～改大了的, 一半天就全部开张; 여성만으로 경영하는 상점은 그녀들의 저 시험적인 가게를 확장한 것으로, 하루이틀 사이에 전부 개점된다.
〔试验乡〕 shìyànxiāng 명 시험 마을.
〔试验纸〕 shìyànzhǐ 명 ⇨〔试纸〕
〔试样〕 shìyàng 명 ①시료(試料). (통계의) 샘플. 견본. ②가봉(假縫). (shì‧yàng) 동 가봉을 하다.
〔试样子〕 shì yàngzi 가봉한 것을 입어 보다. ¶下次什么时候儿～? 다음엔 언제 가봉한 것을 입어 보지요? =〔试身〕
〔试药〕 shìyào 명 《化》 시약.
〔试艺〕 shìyì 명 옛날, 과거 시험의 답안문(答案文). 동 재능을 시험하다.
〔试印本〕 shìyìnběn 명 ⇨〔试用本〕
〔试映〕 shìyìng 명동 (영화 등의) 시사(試寫)(를 하다). ¶～会; 시사회 / 他看过～, 认为相当精彩; 그는 시사를 보았는데, 상당히 훌륭하다고 생각했다. =〔试片〕
〔试用〕 shìyòng 동 (사람이나 물건을) 시험적으로 써 보다. ¶～知府; 시용중인 부지사(府知事) / ～两个月; 한두 달 써 보다. 명 시용.
〔试用本〕 shìyòngběn 명 시용본. =〔试印本〕
〔试运转〕 shìyùnzhuǎn 명 《機》 시운전.
〔试着步子〕 shìzhe bùzi ①발로 더듬어 가며 걷다. ②시험해 보면서 하다. ¶～淘气; 상대의 반응을 보아 가며 장난을 치다. =〔试着步儿〕
〔试着劲儿〕 shìzhe jìnr 천천히. 조금씩 (…하다). ¶～做下吧! 조금씩 해 나가자!
〔试着路儿〕 shìzhe lùr 시험해 보면서 (…하다). ¶～开动吧! (기계 따위를) 시험해 보면서 움직여 보자!
〔试着路儿说〕 shìzhelùr shuō 타진해 보다.
〔试纸〕 shìzhǐ 명 《化》 시험지(리트머스지 따위). =〔试验纸〕
〔试制〕 shìzhì 명동 시작(試作)(하다). 개발(하다). ¶～巨型变压器成功; 대형 변압기의 시작에 성공했다.
〔试周〕 shìzhōu 명 ⇨〔抓zhuā周(儿)〕
〔试种〕 shìzhòng 명동 시험 재배(하다). ¶～水稻; 논벼를 시험적으로 재배하다.
〔试钻〕 shìzuān 명동 시굴(試掘)(하다). =〔钻验〕

拭

shì (식)
동 닦다. 지우다. 훔치다. ¶～桌椅; 책상과 의자를 닦다 / ～目以待; 〈成〉 눈을 비비고 기다리다(일의 출현을 대망(待望)·확신하고 있음).
〔拭垢〕 shìgòu 동 〈文〉 때를 닦다.
〔拭净〕 shìjìng 동 〈文〉 깨끗하게 닦다.
〔拭泪〕 shìlèi 동 〈文〉 눈물을 닦다.
〔拭子〕 shìzǐ 명 ⇨〔棉mián花签〕

栻

shì (식)
명 옛날, 점치는 데 사용했던 기구.

轼(軾)

shì (식)
① 명 옛날에 수레 앞쪽에 있는 기대기 위해 가로 댄 널판. ②인명용자(字).

弑

shì (시)
동 시해(弑害)하다. ¶～亲案; 부모 시해 사건.

似

shì (사)
→〔…似的〕 ⇒ sì

〔…似的〕 …shìde 조 …과 같다(명사·대명사(代名詞) 또는 동사 뒤에 쓰이어 사물의 상태와 비슷함을 나타냄). ¶像…～; …과 같다 / 像雪～那么白; 눈처럼 희다 / 他仿佛睡着了～; 그는 잠들어 버린 것 같다. =〔…是的〕

事

shì (사)
①(～儿) 명 일. ¶一件～; 하나의 일 / 闲～; 한가한 일. ②(～儿) 명 직업. 일. ¶他现在做什么～? 그는 지금 어떤 일을 하고 있는가? / 找～儿; 일·일자리를 찾다. ③(～儿) 명 용무. ¶有什么～? 어떤 볼일입니까? / 省～; 수고가 덜리다 / 费～; 품이 들다 / 没～找～; 필요없는 군짓을 하다. ④ 명 사고. 사건. ¶无～; 무사고 / 遭了～了; 사고를〔재난을〕 당했다 / 出了～了; 사고를 일으켰다. ⑤ 명 직무. 책임. 관계. ¶没有医生的～; 의사와는 상관 없는 일이다. ⑥ 양 기구·용기·가구 따위를 세는 말. ⑦ 동 시중들다. 섬기다. ¶善～父母; 부모를 잘 모시다 / 一女不～二夫; 한 여자가 두 남편을 섬기지 않는다. ⑧ 동 (…을) 하다. 종사하다. ¶稍～休息; 잠시 휴식을 취하다 / 不～生产; 생산에 종사하지 않다.
〔事半功倍〕 shì bàn gōng bèi 〈成〉 반의 노력으로 2배의 효과를 거두다.
〔事倍功半〕 shì bèi gōng bàn 〈成〉 수고하고도 공이〔성과가〕 적다.
〔事本〕 shìběn 명 〈文〉 일의 발단.
〔事必躬亲〕 shì bì gōng qīn 〈成〉 일은 반드시 손수하다. 부하에게 일임하지 않고, 모든 일을 참견하다.
〔事变〕 shìbiàn 명 ①사변. 변란. 소동. 사건. ¶有世界意义的～; 세계적인 의의를 갖는 사건. ②(군사 정치상의) 중대한 변화. ③일반적인 사물의 변화. ¶找出周围～的内部联系; 주위의 변화의 내부 관계를 찾아 내다.
〔事不关己〕 shì bù guān jǐ 〈成〉 자기와 관계없는 일이라고 무관심함. ¶～, 高高挂起; 자신과는 관계 없다고 뒤로 미루다.
〔事不宜迟〕 shì bù yí chí 〈成〉 일이 지연되는 것을 허락하지 않다. 책임상 연기할 수는 없다.
〔事不有余〕 shì bù yǒu yú 〈成〉 일에 조그만 여유도 없다. ¶把他挖苦得～; 그를 몰아세워 꼼짝 못하게 하다.
〔事出不测〕 shì chū bù cè 〈成〉 ①뜻밖의 일이 일어나다. 일의 발생이 의외이다. ②일은 뜻밖의 시간에서 일어난다.

〔事出有因〕 shì chū yǒu yīn 〈成〉 일이 발생하는 데는 원인이 있다.
〔事到临头〕 shì dào lín tóu 〈成〉 일에 직면하다. 다급한 지경에 이르다.
〔事到其间〕 shì dào qí jiān 〈成〉 드디어 일이 그 때가 되다.
〔事到如今〕 shì dào rú jīn 〈成〉 일이 이 지경에 이르다. 일이 현재와 같이 되다. ¶～, 只得děi给以回击; 일이 여기에 이르렀으니, 반격으로 나갈 수밖에 다른 길이 없다.
〔事道由子〕 shìdàoyóuzi 명 ⇨〔事故由子〕
〔事端〕 shìduān 명 사단. 소동. 말썽. 분쟁. 사건. ¶挑起～; 사건을 도발하다 / 制造～; 소동을 일으키다.
〔事繁任重〕 shì fán rèn zhòng 〈成〉 일이 번잡하고 책임은 무겁다. =〔事繁责zé重〕
〔事非偶合〕 shì fēi ǒu hé 〈成〉 일이 우연히 일치한 것은 아니다. 일치한 것은 우연이 아니다.
〔事非偶然〕 shì fēi ǒu rán 〈成〉 우연히 일어난 일이 아니다.
〔事逢凑巧〕 shì féng còuqiǎo 마침 그 때〔시기〕에. 바로 알맞은 상태로〔형편으로〕.
〔事奉〕 shìfèng 동 (부모를) 섬기다. 받들다. =〔侍shì奉〕
〔事隔多年〕 shì gé duō nián 〈成〉 일이 일어나고서 오랜 시간이 지나다.
〔事功〕 shìgōng 명 〈文〉 사업과 공적. 일의 성취. ¶急于～; 공(功)을 서두르다. 일의 성취에 급급하다.
〔事故〕 shìgù 명 ①일의 상태. 사정. ¶～由子 =〔～由儿〕〔事道由子〕; 사정. 일의 자세한 내용. 분규의 원인 / ～苗子; 분규〔말썽〕의 발단 / 一时我不到, 就有～(儿); 잠깐 내가 오지 않으면 말썽이 일어난다. ②사고. ¶造成大～; 큰 사고를 일으키다 / 防止发生～; 사고의 발생을 방지하다 / 工伤～; 공무(工務) 중에 입은 부상 및 사고. 산업 재해(産業災害).
〔事过境迁〕 shì guò jìng qiān 〈成〉 일은 이미 지나가 버리고 주위의 상황도 바뀌다.
〔事后〕 shìhòu 명 사후. 일이 끝난 뒤. ¶～诸葛亮; 〈比〉 일을 저질러 놓고 후회하거나 수습하려 하다.
〔事缓有变〕 shì huǎn yǒu biàn 〈成〉 일의 진행이 너무 느리면 중도에서 변화가 일어난다.
〔事机〕 shìjī 명 ①일의 계기. ②기밀을 지켜야 할 사항〔일〕. ③정세(情勢).
〔事急从权〕 shì jí cóng quán 〈成〉 일이 다급하기 때문에 임기 응변의 조치를 취하다.
〔事迹〕 shìjì 명 ①(평가받아야 할 과거의) 사적(事跡). 행위. 실적. ¶生平～; 생애의 사적. ②(지나간) 일의 경위. ¶讲述了制造这只货船的～; 이 화물선을 만든 경위를 말했다.
〔事假〕 shìjià 명 (사적인 일로 인한) 휴가. ¶请～; 사용(私用)의 휴가를 신청하다.
〔事件〕 shìjiàn 명 ①사건. ②사항(事項). ③⇨〔什件儿〕
〔事件儿〕 shìjiànr 명 ⇨〔什件儿〕
〔事局大定〕 shì jú dà dìng 〈成〉 일은 수습되고 매우 안정되어 있다.
〔事款则员〕 shì kuǎn zé yuán 〈成〉 차분히 순서〔절차〕에 따라 일을 진행하면 반드시 성공한다. ↔〔忙máng中有错〕
〔事理〕 shìlǐ 명 사리. 일의 도리.
〔事例〕 shìlì 명 사례.
〔事略〕 shìlüè 명 ①약전(略傳)《전기(傳記) 양식의 하나로 일생의 개략을 기술한 것》. ¶名臣～; 명신 약전. ②일의 대략.
〔事前〕 shìqián 명 ⇨〔事先〕
〔事情〕 shìqing 명 ①용무. 볼일. ¶你来有什么～; 무슨 일로 오셨습니까? ②일. 사항. ¶意外的～; 예상외의 일 / 这件～; 이런 사정. 이 사항. ③일. 사건. ¶这样会出～的; 이러면 일이 일어난다 / 人家～头上过, 自己～穿心过; 남의 일이라면 아주 태연하지만, 자기 일이 되면 마음이 쓰인다. ④길흉사(吉凶事). ¶前次令弟～上, 我也没帮帮您的忙; 지난번 아우님의 경사때에는 도와 드리지 못해 정말 죄송합니다. ⑤사정. 일의 (되어 가는) 형편. ¶～是这样的; 사정은 이렇다. ⑥직업. 업무. 일.
〔事权〕 shìquán 명 직권(職權).
〔事实〕 shìshí 명 사실. ¶～上shang; 사실상 / ～告诉我们; 사실이 우리에게 말한다 / ～俱在; 증거는 갖추어져 있다.
〔事事〕 shìshì 동 〈文〉 일을 하다. ¶无所～; 〈成〉 아무 일도 하지 않고 놀고 지내다. 명 일마다. 모든 일. ¶～他作主; 만사를 그가 지시한다.
〔事势〕 shìshì 명 〈文〉 사세. 일의 추세. 형세.
〔事态〕 shìtài 명 사태. 국면(대개 나쁜 경우를 가리킴). ¶～严重; 사태가 중대하다.
〔事体〕 shìtǐ 명 〈方〉 ①일의 질서. ②일의 전망. 일이 되어 가는 모양〔꼴〕. ③⇨〔事样儿〕
〔事无大小〕 shì wú dà xiǎo 〈成〉 일의 대소를 불문하고. ¶他～都要参加主持; 그는 일의 대소에 관계 없이 출석하여 주재(主宰)하려 한다. =〔事无巨细〕
〔事务〕 shìwù 명 ①사무. 일. ¶～繁忙; 사무가 바쁘다 / ～性工作; 그날 그날의 정해진 일 / ～员; 사무원. ②총무. ¶～科; 총무과.
〔事务主义〕 shìwù zhǔyì 명 사무적인〔융통성 없는 딱딱한〕 방법.
〔事物〕 shìwù 명 사물.
〔事先〕 shìxiān 명 사전. 미리. ¶～没有计划好; 미리 계획을 잘 세우지 않았다 / ～要通知一声儿; 사전에 한 마디 알릴 필요가 있다. =〔事前〕
〔事项〕 shìxiàng 명 사항.
〔事畜〕 shìxù 동 〈文〉 부모를 봉양하고 처자를 부양하다.
〔事样儿〕 shìyàngr 명 일이 되어가는 모양〔꼴〕. ¶成什么～, 简直是胡闹了; 이게 무슨 꼴이냐, 그야말로 야단 법석이 아니냐. =〔事体③〕
〔事业〕 shìyè 명 ①사업. ¶中韩友好～; 중한 우호의 사업 / ～心强; 일을 성사시키려는 의욕이 강하다. ②(생산 수입이 없이 국가의 관리하에 있는 비영리적) 사업《'企业'와 구별하여 말함》. ¶～费; 경영비 / 为wèi儿童举办一些福利和教育～; 아동을 위하여 복지 및 교육의 대책을 강구하다. ③계획. 기획.
〔事宜〕 shìyí 명 ①일의 사정. ②〈公〉 사무. …의 건(件). ¶商谈呈递国书～; 신임장 봉정의 건에 관하여 상담하다.
〔事已如此〕 shì yǐ rú cǐ 〈成〉 사태는 이미 이렇게 되었다. 이렇게 된 바에야. ¶～不可挽回; 이렇게 된 이상 만회는 불가하다.
〔事由(儿)〕 shìyóu(r) 명 ①사유. 일의 경위. 일의 상태〔원인〕. ¶把～交代明白; 사유를 분명하게 설명하다. ②〈公〉 서류의 주된 내용. ③(～儿) 〈京〉 직업. 일. ¶就是小～他也可以做; 작은 일이라도 그는 합니다.

〔事与愿违〕 shì yǔ yuàn wéi 〈成〉 일이 바라는 대로 되지 않다. ¶生老病死～; 사람의 생로병사는 뜻대로 되지 않는다.
〔事在人为〕 shì zài rén wéi 〈成〉 일이 성사가 되느냐 안 되느냐는 사람의 노력 여하에 달려 있다. ¶～, 地在人种; 〈諺〉 풍작이나 흉작은 사람의 노력 여하에 달려 있다.
〔事主〕 shìzhǔ 명 ①《法》 (형사 사건의) 피해자. ¶强盗离开～房屋之后, 就能够自称不是强盗了吗? 강도가 피해자의 집을 나온 후, 곧 자기는 강도가 아니라고 말할 수 있느냐? ②옛날, 혼례·상례 따위를 주관하던 사람.

侍 shì (시)
①동 시중들다. 모시다. ¶～立; ⇩/服～病人; 병자 곁에서 시중들다. ②명 시녀 따위와 같이 늘 옆에서 모시는 사람.
〔侍婢〕 shìbì 명 ⇨〔侍女〕
〔侍兵〕 shìbīng 명 호위병.
〔侍侧〕 shìcè 명 ⇨〔侍前〕
〔侍从〕 shìcóng 명 〈文〉 시종. =〔御yù者②〕 동 천자의 측근에서 모시다.
〔侍丁〕 shìdīng 명 옛날, (부역에서 면제되어) 집에 남아 부모를 모신 장정(壯丁).
〔侍读〕 shìdú 명 시독(벼슬 이름. 남북조·당나라·송나라 때에 제왕(諸王)에게 경학(經學)을 가르친 학자).
〔侍奉〕 shìfèng 동 〈文〉 ①부모를 모시고 효양을 지극히 하다. ¶～不周; 부모를 잘 모시지 못하다. ②(윗사람을) 섬기다〔모시다〕. ¶～老人; 노인의 시중을 들다. ‖=〔事奉〕
〔侍候〕 shìhòu 동 시중들다. 보살피다. ¶护士对伤员～得很周到; 간호원은 부상자를 자상하게 돌보았다. =〔服侍〕
〔侍护〕 shìhù 동 시중들고 보호하다.
〔侍其〕 Shìjī 명 복성(複姓)의 하나.
〔侍讲〕 shìjiǎng 명 시강(옛날, 천자에게 혹은 왕부(王府)에서 학문을 강의한 학자).
〔侍郎〕 shìláng 명 시랑(청대(淸代), '六部'(중앙 관청의 부(部)에 해당함)의 차관에 상당하는 직명).
〔侍立〕 shìlì 동 시립하다. 곁에 서서 모시다.
〔侍弄〕 shìnòng 동 〈方〉 (농작물·가축 등을) 보살피다. (성심껏) 관리하다. ¶～猪; 돼지를 돌보다/～南瓜; 호박을 손질하다/这儿地不薄, 可是得～得好; 이 땅은 척박하지는 않지만, 잘 손질하지 않으면 안 된다.
〔侍女〕 shìnǚ 명 〈文〉 시녀. =〔侍婢〕〔侍儿〕
〔侍前〕 shìqián 명 〈翰〉 편지에서, 상대의 이름 뒤에, 예를 들면 '○○先生～' 처럼 쓰이는 말. =〔侍侧〕〔侍下〕〔侍右〕
〔侍妾〕 shìqiè 명 시첩(옛날, 하녀이면서 동시에 첩인 자).
〔侍亲〕 shìqīn 동 〈文〉 부모를 모시다〔섬기다〕.
〔侍儿〕 shìr 명 ①시녀(侍女). ②부인의 자칭.
〔侍生〕 shìshēng 명 〈文〉 ①시생. 후배가 선배에 대하여 이르는 겸칭. ②동배 혹은 후배의 부인에 대한 자칭.
〔侍史〕 shìshǐ 명 옛날, 귀인 주변에 있으면서 주객(主客)의 담화 내용을 기록한 비서역.
〔侍僮〕 shìtóng 명 시동. 귀인의 곁에서 잔심부름을 하는 아이. =〔小xiǎo史④〕
〔侍卫〕 shìwèi 명 천자의 신변을 호위하는 자. 동 보호하다. 지키다.
〔侍下〕 shìxià 명 ⇨〔侍前〕
〔侍应生〕 shìyìngshēng 명 급사(옛날, 은행 등 신식 기업에서 근무하는 젊은 잡역부(雜役夫)).
〔侍右〕 shìyòu 명 ⇨〔侍前〕
〔侍御〕 shìyù →〔御史〕
〔侍者〕 shìzhě 명 〈文〉 시자. 귀인의 측근에서 모시는 자.

恃 shì (시)
동 의지하다. 믿다. ¶有～无恐; 〈成〉 믿는 데가 있으면 두려울 것이 없다.
〔恃爱〕 shì'ài 동 〈翰〉 총애에 의지하다. ¶～奉恳kěn; 후의를 믿고 부탁드립니다.
〔恃才傲物〕 shì cái ào wù 〈成〉 자기 재능을 믿고 남을 멸시하다.
〔恃赖〕 shìlài 동 〈文〉 (남을) 의지하다. 믿다.
〔恃凭〕 shìpíng 동 (금력·권력 따위를) 믿다. 의지하다.
〔恃强〕 shìqiáng 동 힘을 믿다. ¶～顽抗; 힘을 믿고 완강히 저항하다/～凌líng弱; 힘을 믿고 약한 자를 괴롭히다/～仗势; 힘을 믿고 세력에 의지하다.
〔恃势〕 shìshì 동 〈文〉 세력에 의지하다. 세력을 믿다.

峙 shì (치)
지명용 자(字). ¶繁Fán～; 판스(繁峙)(산시 성(山西省)에 있는 현 이름). ⇒ zhì

势(勢) shì (세)
명 ①기세. ¶火～很猛; 불의 기세가 매우 사납다. ②세력. 권력. 위력. ¶倚～欺人 =〔仗～欺人〕; 〈成〉 세력을 등에 업고 남을 괴롭히다/得～; 세력을 얻다/失～; 세력을 잃다. ③형세. 상태. ㉠자연계에 속하는 것. ¶水～汹涌; 수세(水勢)가 세차다. ㉡동작에 속하는 것. ¶姿～; 자세/手～; 손짓. ㉢정치·군사 따위에 속하는 것. ¶乘～追击; 기세를 이용해서 추격하다. ④기회. ⑤《生》 수컷의 생식기. ¶去～; 거세하다.
〔势必〕 shìbì 부 필연적으로. 꼭. 반드시. ¶～至于; 되가는 추세가 필연적으로 …이 되다/～至于灭亡; 필연적으로 멸망하게 되다. 注 방언(方言)으로는 '是必'로도 씀.
〔势不可当〕 shì bù kě dāng 〈成〉 당해낼 수 없는 세력. ¶蓬勃兴起, ～; 왕성하게 일어나서 세력을 당해 낼 수 없다. =〔势不可挡〕
〔势不两立〕 shì bù liǎng lì 〈成〉 정세의 향방으로 보아 양립할 수 없다.
〔势成骑虎〕 shì chéng qí hǔ 〈成〉 기호지세(騎虎之勢). 내친걸음. 진퇴유곡에 빠지다. 이러지도 저러지도 못하는 입장에 빠지다. =〔骑虎难下〕
〔势孤〕 shìgū 형 사람 수효가 적어서 쓸쓸하다〔허전하다, 불안하다〕. ¶三位～, 大家一块儿前往吧; 세 사람으로는 불안하니, 모두 함께 나아가자.
〔势合形离〕 shì hé xíng lí 〈成〉 형체는 각기 독립하고 있으나, 구성은 전체로서 완전하다.
〔势家〕 shìjiā 명 ⇨〔势门〕
〔势交〕 shìjiāo 명 ⇨〔势(利)交〕
〔势均力敌〕 shì jūn lì dí 〈成〉 세력이 백중(伯仲)하다. 세력이 엇비슷하다.
〔势力〕 shìlì 명 세력. ¶倚yǐ仗～; 세력에 의지하다/～范fàn围; 세력 범위.
〔势力鬼〕 shìlìguǐ 명 《佛》 야차(夜叉)·나찰(羅刹) 따위 힘이 센 귀신.
〔势利〕 shìlì 명 〈文〉 ①권세와 재리(財利). ②형세의 유리(有利). ¶兵之所贵者～也; 용병상 중요한

것은 형세의 유리함이다. 동 권세나 재력에 아부하다. ¶～人; 기회주의자 / ～小人; 간에 붙었다 쓸개에 붙었다 하는 하찮은 인간 / 他可～呢; 저 녀석은 권세나 재력에 아부만 할 줄 아는 놈이다 / ～眼; ⓐ상대방의 지위·재산 따위로 상대방의 인물을 평가하다. ⓑ이해에 밝은 인간. 약삭빠른 인간.
〔势(利)交〕 shì(lì)jiāo 명 권력이나 (이익에) 아부하는 교제. =〔势利之交〕〔势交〕
〔势门〕 shìmén 명〈文〉권세있는 가문. ¶～子弟; 권세있는 집안의 자제. =〔势家〕
〔势能〕 shìnéng 명《物》위치 에너지. =〔位能〕
〔势派(儿)〕 shìpai(r) 명〈方〉①형편. 형세. ¶看这～不大好! 형세가 별로 좋지 않군! =〔势头①〕 ②기개. 위세. 패기. 기풍. ¶他～挺大; 그의 위세는 대단하다. ③자부〔자존〕심. 외관. 화려한 모양. 볼품. ¶他～很不小; 그는 자부심이 대단하다.
〔势如卵石〕 shì rú luǎn shí〈成〉계란으로 바위치기.
〔势如破竹〕 shì rú pò zhú〈成〉파죽지세(破竹之勢). ¶～, 所向无敌; 파죽지세로, 향하는 곳마다 대적할 자가 없다.
〔势如水火〕 shì rú shuǐ huǒ〈成〉기세가 물과 불과 같다. 맹렬한 기세.
〔势色〕 shìsè 명 형세. 정황. ¶～不妙; 형세가 좋지 않다.
〔势所必然〕 shì suǒ bì rán〈成〉필연의 기세.
〔势所必至〕 shì suǒ bì zhì〈成〉필사적인 기세이다. 형세가 피할 수 없다.
〔势所难免〕 shì suǒ nán miǎn〈成〉기세로 보아 모면하기 어렵다.
〔势同水火〕 shì tóng shuǐ huǒ〈成〉형세로 보아 서로 용납지 않다. =〔势如水火〕
〔势头〕 shìtóu 명〈口〉①정세. 형세. ¶看～不好, 赶快逃走; 형세가 불리한 것을 보고 급히 도망치다. ②세력. 기세. 위세. ¶扩张～十足; 확장의 기운이 충만하다.
〔势焰〕 shìyàn 명 기세. 기염(氣焰). ¶～万丈; 〈成〉맹렬하게 기염을 토하다 / ～熏天; 〈成〉기세가 하늘을 덮을 듯하다.
〔势要〕 shìyào 명〈文〉권세 있는 요직의 사람.
〔势在必行〕 shì zài bì xíng〈成〉형세로 보아 피할 수 없다.
〔势字〕 shìzì 명 (옛날 문법 용어에서) 형용사.

饰(飾)

shì (식) ① 동 꾸미다. ¶修～; ⓐ수식하다. ⓑ멋을 부리다. ⓒ손질하다 / 盛～而人; 화려하게 차리고 들어오다. ② 동 장식하다. ¶装～; 장식(하다) / 雕～; 장식을 조각하다. 조각하여 꾸미다 / 四周～以花边; 둘레를 레이스로 꾸미다. ③ 동 겉치레〔외면치레〕하다. ④ 동 배우로 분장하다. ¶～孔明; '孔明'으로 분장하다. ⑤ 명 장식(품). ¶首～; 장신구. 액세서리. ⑥ 동 숨기다. 꾸미어 속이다. ¶文过～非; 〈成〉(자기의) 잘못이나 좋지 않은 점을 속여 꾸미다〔숨기다〕.
〔饰车〕 shìchē 명 고대의, 옻칠로 채색 장식한 수레.
〔饰词〕 shìcí 명 ①수식사. ②진상을 덮어 숨기는 말. 둔사(遁辭). 구실(口實). =〔托词〕
〔饰非〕 shìfēi 동 자기의 과실〔좋지않은 것〕을 알면서 감추어 숨기다.
〔饰观〕 shìguān 동〈文〉외관을 꾸미다. 허세를 부리다.
〔饰柜〕 shìguì 명 진열장. 쇼윈도.
〔饰件(儿)〕 shìjiàn(r) 명 ⇨〔什shí件(儿)〕
〔饰巾〕 shìjīn 명 옛날, 관을 쓰지 않고, 머리에 둘러서 꾸미는 천.
〔饰口〕 shìkǒu 동 말을 꾸미다.
〔饰扣〕 shìkòu 명 ⇨〔饰针〕
〔饰器〕 shìqì 명 고대의, 채색 장식한 무구(武具).
〔饰伪〕 shìwěi 동〈文〉꾸미어 속이다.
〔饰物〕 shìwù 명 ①장신구. ②장식품.
〔饰言〕 shìyán 명〈文〉교언(巧言). 꾸민 말. 동 말을 꾸미다.
〔饰演〕 shìyǎn 동 …의 역을 연기하다.
〔饰针〕 shìzhēn 명 넥타이 핀. =〔饰扣〕〔领lǐng带夹针〕〔领带别针〕
〔饰智〕 shìzhì 동〈文〉아는 체하다. ¶～以惊愚《莊子》; 아는 체하고 어리석은 사람을 위협하다.
〔饰终〕 shìzhōng 동명〈文〉죽은 이의 영예를 칭송하다〔하는 의식〕.

视(視〈眂,眎〉)

shì (시) 동 ①보다. ¶近～眼; 근시안. 근시안인 사람 / 俯而～之; 몸을 구부리고 보다 / 不应无～这种现象; 이러한 현상을 무시할 것이 아니다. ②자세히 조사하다. 시찰하다. ¶巡～一周; 한 바퀴 순시하다. ③상대하다. 대우하다. 간주하다. ¶轻～ =〔轻看〕; 경시하다 / 重～; 중시하다 / ～如敝屣; ⇩ ④사무를 보다. ¶就职～事; 취임하여 사무를 보다.
〔视财如命〕 shì cái rú mìng〈成〉돈을 목숨처럼 소중히 여기다.
〔视差〕 shìchā 명 ①《天》시차. ②(카메라의 파인더와 렌즈 사이의) 패럴랙스(parallax). ③눈으로 측정할 때의 오차.
〔视查〕 shìchá 동 시찰하다. =〔视察①〕
〔视察〕 shìchá 동 ①시찰하다. ②관찰하다.
〔视场〕 shìchǎng 명 시야(視野).
〔视程〕 shìchéng 명 시계(視界). 시정. ¶森林已进～; 산림이 벌써 시야에 들어왔다.
〔视窗〕 shìchuāng 명《電算》윈도우(window).
〔视导〕 shìdǎo 명 감독. 동 시찰 지도하다.
〔视而不见〕 shì ér bù jiàn〈成〉보고 있으면서 깨닫지 못하다. 중시하지 않다. 주의를 기울이지 않다. ¶心不在焉, ～, 听而不闻《大學》; 마음이 이 곳에 없으면, 보아도 보이지 않으며, 들어도 듣지 못하느니라 / 神魂颠倒～; 제 정신이 아니어서 보고 있으면서 깨닫지 못하다.
〔视官〕 shìguān 명《生》〈簡〉시각 기관('视觉器官'의 약칭).
〔视角〕 shìjiǎo 명 ①《生》시각. ②(카메라의) 앵글.
〔视界〕 shìjiè 명 시계.
〔视觉〕 shìjué 명《生》시각. ¶～器官 =〔视官〕; 시각 기관 / ～象; (심리학) 시각 심상(心像).
〔视觉通讯〕 shìjué tōngxùn 명 시각에 의한 통신. 수기(手旗)나 등불에 의한 통신. ¶海军部队已经在～上开始使用拼音字母, 效果很好; 해군 부대는 이미 시각 통신면에서 병음 자모의 사용을 시작했는데, 효과는 매우 좋다.
〔视力〕 shìlì 명 시력. ¶～表 =〔目力表〕; 시력표 / 保护～; 시력을 보호하다.
〔视盘〕 shìpán 명《電算》비디오 디스크(video disc).
〔视频〕 shìpín 명《物》비디오 주파수. 영상 주파

수. ¶～显示; 비디오 디스플레이(video display).

〔视频电路〕 shìpíndiànlù 명 영상(映像) 회로.

〔视频干扰〕 shìpíngānrǎo 명 영상(映像) 방해.

〔视如敝屣〕 shì rú bì xǐ 〈成〉 헌신짝 취급을 하다. 몹시 천대하다.

〔视如寇仇〕 shì rú kòu chóu 〈成〉 적대시(敵對視)하다.

〔视若不见〕 shì ruò bù jiàn 〈成〉 보고도 못 본 체하다. ¶～, 无动于衷; 보고도 못 본 체하고 마음을 움직이지 않다.

〔视若无睹〕 shì ruò wú dǔ 〈成〉 보고도 못 본 체하다. 무시하다. 관심을 갖지 않다.

〔视神经〕 shìshénjīng 명 《生》 시신경.

〔视事〕 shìshì 동 사무를 보다. 집무하다. ¶照常～; 평상시대로 집무하다.

〔视死如归〕 shì sǐ rú guī 〈成〉 태연하게 죽음을 대하다.

〔视听〕 shìtīng 명 시청. 보는 것과 듣는 것. 견문(見聞). ¶以广～; 그것으로써 견문을 넓히다.

〔视听资料〕 shìtīng zīliào 명 시청각 자료.

〔视同〕 shìtóng 동 〈文〉 …처럼 보다〔간주하다, 생각하다〕. ¶～路人; 〈成〉 길가는 사람과 동일시하다.

〔视同儿戏〕 shì tóng ér xì 〈成〉 어린아이 장난으로 보다. 경시하여 문제삼지 않다.

〔视同路人〕 shì tóng lù rén 〈成〉 자기와 관계없는 사람으로 보다《길가의 사람과 동일시하다란 뜻에서》.

〔视同一律〕 shì tóng yī lǜ 〈成〉 동일시(同一視)하다.

〔视图〕 shìtú 명 《機》 (기계 제도의) 도(圖). ¶主～ =〔正～〕; 정면도 / 侧～ =〔侧面图〕; 측면도 / 俯～ =〔顶～〕; 평면도. 상면도(上面圖).

〔视网膜〕 shìwǎngmó 명 《生》 망막. ¶～炎; 망막염.

〔视为〕 shìwéi 동 〈文〉 …라고 보다〔간주하다〕. ¶～畏途; 위험한 일이라고 보다 / ～知己; 친구로 간주하다. 친구처럼 대하다.

〔视息〕 shìxī 동 〈文〉 단지 눈으로 보고, 코로 냄새만 맡을 수 있다. 〈比〉 겨우 살고는〔지내고는〕 있다.

〔视险如夷〕 shì xiǎn rú yí 〈成〉 어려움을 두려워하지 않다.

〔视线〕 shìxiàn 명 ①시선. ②보이는 범위. ¶～以内的东西; 보이는 범위의 것.

〔视学〕 shìxué 명 옛날, 시학《뒤에는 '督dū学'로 개칭되었음》.

〔视野〕 shìyě 명 시야.

〔视于无形〕 shì yú wú xíng 〈成〉 선견지명이 있다.

〔视阈〕 shìyù 명 《生》 시각역(視覺閾). 광각역(光覺閾).

脎 shì (시)

명 《化》 프로테오스(proteos)《단백질을 부분적으로 가수 분해하여 응고성을 잃은 상태의 것. 미생물 배양기로 씀》.

室 shì (실)

명 ①방. 실. ¶教～; 교실 / 办公～; 사무실 / ～内; 실내 / ～外; 실외. ②〈文〉 처. 아내. ③〈文〉 묘혈(墓穴). ④〈文〉 칼집. ⑤기관·단체의 업무 단위로서의 실. ¶企划～; 기획실. ⑥〈文〉 집. 가정. ¶宜～宜家 =〔宜其～家〕; 신부가 시집에 가서 원만하게 지내는 일. ⑦28수의 하나.

〔室迩人远〕 shì ěr rén yuǎn 〈成〉 매우 동경하면서, 좀처럼 만나지 못하다. 죽은〔멀리 있는〕 사람을 생각하다. ¶其室则迩, 其人甚远《詩經》; 집은 극히 가까운데, 사람은 매우 먼 데 있는 것 같다.

〔室家〕 shìjiā 명 〈文〉 〈比〉 가정. ¶～不睦mù; 가정 불화.

〔室(内)乐〕 shì(nèi)yuè 명 《樂》 실내악.

〔室女〕 shìnǚ 명 〈文〉 미혼 여성.

〔室怒市色〕 shì nù shì sè 〈成〉 가정의 일로 화를 내고 세상 사람에게까지 노한 빛을 나타내다. 엉뚱한 화풀이를 하다.

〔室人〕 shìrén 명 〈文〉 ①처. 아내. =〔妻qī〕 ②시누이. ③집안 사람.

〔室如悬罄〕 shì rú xuán qìng 〈成〉 매우 가난하다.

〔室韦〕 Shìwéi 명 ①실위《옛날의 종족 이름. 거란족(契丹族)의 하나로, 현재의 몽골 동부에서 헤이룽장(黑龍江)의 북부 일대에 살고 있었음》. =〔失韦〕 ②《地》 헤이룽장 성에 있는 현(縣)의 이름.

〔室中〕 Shìzhōng 명 복성(複姓)의 하나.

适(適) shì (적)

①형 적합하다. ¶～口; 입에 맞다. 맛이 있다 / 他不～于此种工作; 그는 이런 일에는 맞지 않는다. ②부 마침. 공교롭게. ¶～值佳节; 마침 좋은 계절을 만나다 / ～足以见其为人; 마침 그의 사람됨을 보는 데 계제가 좋다. ③부 방금. 이제 막. ¶～从何来? 지금 어디서 오는 것이냐? ④형 기분이 좋다. 편(안)하다. ¶稍觉不～; 기분이 좀 나쁘다 / 舒～; 기분 좋다. 쾌적하다. ⑤동 가다. ¶君将何～? 자네는 어디로 가려는가? ⑥동 〈文〉 따르다. ¶何～何从? 무엇을 따르려는가? ⑦형 알맞다. 마땅하다. ⑧동 합치되다. ⑨동 〈文〉 시집 가다. ¶～人 =〔适嫁〕; 시집 가다. ⇒ '适 kuò

〔适才〕 shìcái 부 방금. 지금 막. =〔刚gāng才〕

〔适称〕 shìchèn 동 어울리다. ¶这样衣服对他很～; 그에게는 이런 모양의 옷이 잘 어울린다.

〔适从〕 shìcóng 동 〈文〉 따르다. 좇다. ¶何所～; 어디로 따를 것인가 / 无所～; 〈成〉 따를 데가 없다. 어떻게 하면 좋을지 모르다.

〔适当〕 shìdàng 형 적당하다. 적절하다. 타당하다. ¶～其可; 〈成〉 매우 적절하다 / 采取～的措置; 적절한 조치를 강구하다. =〔合适〕〔恰qià当〕

〔适得其反〕 shì dé qí fǎn 〈成〉 (바라는 바와) 전혀 반대의 결과가 되다.

〔适敌所需, 为敌所用〕 shì dí suǒ xū, wéi dí suǒ yòng 〈成〉 적이 바라던 대로 되어 버리다. 역효과를 초래하다. 예상이 틀어지다.

〔适度〕 shìdù 형 적당하다. 알맞다. ¶繁简～; 번거로움과 간편함이 중용을 얻다.

〔适逢〕 shìféng 동 마침 …이 되다. 마침 그 때가 되다. ¶～其便; 〈成〉 마침 좋은 기회를 만나다 / ～其会; 〈成〉 마침 그 시기를 만나다.

〔适观〕 shìguān 형 〈文〉 훌륭하다.

〔适航性〕 shìhángxìng 명 ①(항공기의) 내공성(耐空性). ②(배의) 내파성(耐波性).

〔适合〕 shìhé 형 적합하다.

〔适嫁〕 shìjià 동 〈文〉 시집 가다. =〔适人〕

〔适间〕 shìjiān 명 ①방금. 이제 막. ¶～婆婆说你许多不是《清平山堂話本》; 방금 시어머니가 너의 여러 가지 좋지 않는 점을 말하였단다. ②요즈음.

〔适可而止〕 shì kě ér zhǐ 〈成〉 적당한 정도에서 그치다. ¶喝酒～; 술은 적당할 때 그만 마신다.

〔适口〕 shìkǒu 형 입에 맞다. 맛있다. ¶还是家乡采吃起来～! 그래도 고향의 음식이 먹었을 때 구미에 꼭 맞는다!/～充肠; 입에 맞는 것을 배불리 먹다. 〈比〉 생활이 안정되어 있다.

〔适来〕 shìlái 부 〈古白〉 방금. ¶～骑马的是什么人; 방금 말을 타고 온 자는 어떤 사람이냐?

〔适量〕 shìliàng 명 적량. 형 적당량이다.

〔适龄〕 shìlíng 명 적령. ¶～儿童; (입학) 적령 아동. 학령 아동.

〔适配器〕 shìpèiqì 명 《機》 어댑터(adapter). =〔结合器〕

〔适然〕 shìrán 형 〈文〉 ①우연이다. ②당연하다. 필연이다. 부 ①우연히. 공교롭게도. ②물론. 당연히.

〔适人〕 shìrén 동 ⇨〔适嫁〕

〔适如其愿〕 shì rú qí yuàn 〈成〉 바로 소원대로 되다.

〔适时〕 shìshí 형 〈文〉 ①시의(時宜). 시기에 적절하다. ②시간에 대다. ¶～赶到; 시간에 대도록 달려가다.

〔适往〕 shìwǎng 동 〈文〉 가다. 이르다.

〔适宜〕 shìyí 형 ①적당하다. ¶浓淡～; 농도가 적당하다. ②적합하다. ¶～于出口的物资; 수출에 적합한 물자.

〔适意〕 shìyì 형 ①마음에 들다. ②(몸·정신이) 상쾌하다. ¶夏天洗冷水澡, ～极了; 여름의 냉수욕은 매우 기분이 좋다. =〔舒服〕

〔适应〕 shìyìng 동 적응하다. ¶～时代的要yāo求; 시대의 요구에 적응하다/～环境; 환경에 적응하다.

〔适用〕 shìyòng 형 쓰기에 적당하다. 알맞다. 마땅하다. ¶这本书对学生～; 이 책은 학생에게 적당하다. 동 적용하다. ¶这个法则广泛～; 이 법칙은 광범위하게 적용된다.

〔适于〕 shìyú 동 〈文〉 …에 맞다. …에 적합하다. ¶～体质; 체질에 맞다.

〔适值〕 shìzhí 동 〈文〉 마침 …을 만나다. 마침 …즈음이 되다. =〔适逢〕

〔适中〕 shìzhōng 형 ①꼭 알맞다. 딱 적당하다. ¶华中是气候～的地方; '华中'은 기후가 알맞은 지방이다. ②위치가 한쪽으로 치우치지 않다. ¶地点～; 장소가 적당하다.

〔适足见其不自量〕 shì zú jiàn qí bù zì liáng 〈成〉 자신의 역량이 부족함을 알아야 한다(자신의 능력을 모르는 자를 지탄하는 말).

是〈昰〉 shì (시)

①동 …이다. ㉠두 개의 사항을 이어 양자가 동일함을 나타냄. ㉡진술의 대상이 '是' 다음에 기술되는 종류·속성(屬性), 또는 어떤 상태에 있음을 나타냄(보통 경성(輕聲)으로 읽음. 부정(否定)은 항상 '不～'가 됨). ¶那不～书; 저것은 책이 아니다/我～工人; 나는 노동자이다. ㉢존재를 나타냄(주어는 일반적으로 장소를 나타내고 '是' 뒤의 말은 존재하는 사물을 나타냄). ¶房子前面～花坛; 집 앞은 화단이다. ㉣'是…的'으로 쓰이어, 분류의 작용을 나타냄. ¶这张桌子～石头的; 이 책상은 돌로 만든 것이다. ㉤…은 …이고 …은 …이다(두 개의 것이 전혀 다른 것임을 나타냄). ¶去年～去年, 今年～今年, 你当年年一样哪; 작년은 작년이고, 금년은 금년이야. 자네는 매년 같다고 생각하나. ②네. 예. 그렇습니다. 그렇소(긍정의 대답). ¶～, 我知道了 =〔～, 我明白了〕; 네, 알았습니다/～, 我这就去; 네, 이제 곧 가겠습니다/～, ～! 네, 네, 그렇고 말고요! ③(주어와 동사·형용사 술어와의 사이에 두어) 강한 긍정을 나타냄('是'는 강하게 발음함). ¶这本书～好, 你可以看一遍; 이 책은 확실히 좋으니, 너는 한 번 읽어 봐라. ④형 옳다. 맞다. ¶可说的～吧! 정말 그 말이 옳다!/到底谁～谁非? 대관절 누가 옳고 누가 그르냐?/自以为～; 〈成〉 스스로 옳다고 여기다. ↔〔非〕 ⑤형 적합하다. ¶来得～时候; 마침 좋은 때에 왔다/做得～味儿; 맛이 알맞다/～时候儿了; 시간 됐다. ⑥동 …이냐 …이냐(선택의문을 나타냄). ¶～…～…? …이냐 …이냐?/～…还～…? …이냐 그렇지 않으면 …이냐?/你～坐船去, 还～坐火车去? 너는 배로 가겠느냐, 그렇지 않으면 기차로 가겠느냐? ⑦의문사('呢' 보다 약간 강함). ¶你不给你的长福定个媳妇～? 당신은 당신네의 '长福'에게 며느리를 정해주지 않을 작정이요? ⑧동 …이기는 하나 …(문장 앞부분에서 '是'의 앞뒤에 같은 명사·형용사·동사를 둠). ¶好～好…; 좋기는 하나/有～有, 可不多; 있기는 하나, 많지 않다. ⑨무릇. 모든. ¶～中国人都忘不了…; 모든 중국인은 다 …을 잊을 수가 없다/～书都看过了; 책이라면 모두 읽었다. ⑩대 이것. 이. ¶～日; 이 날/如～; 이와 같다/非～之谓也; 그런 것은 아니다/由～而知; 이로써 알 수 있다/于～; 이에. ⑪과연 …이다〔하다〕. …투성이다(긍정의 강조를 나타냄). ¶我们工人有的～力量; 우리들 노동자는 얼마든지 힘이 있다/身上～土; 몸은 흙먼지투성이다/你～聪明; 너는 머리가 좋단 말이다/满地都～小石头子儿; 땅바닥에 온통 잔돌멩이투성이다/有的～钱 =〔钱有的～〕; 돈이라면 얼마든지 있다. ⑫접미 접속사·부사의 어미로 쓰는 말(경성(輕聲)으로 읽음). ¶若～ =〔要yào～〕; 만일/老～; 언제나/横héng～; 아마. 대개/还hái～; 역시/可～; 그러나/却què～; 오히려/倒～; 오히려/总～; 꼭. 반드시. ⑬'惟〔唯〕…是…'의 형태로 쓰이어, '다만 …과 같은 것만을 …하다'의 뜻을 나타냄. ¶唯利～图; 〈成〉 다만 이익만을 추구하다/唯力～视; 오직 힘만을 문제삼다/唯命～从; 〈成〉 오직 명령만을 좇다〔따르다〕/马首～瞻; 〈成〉 오로지 지도자의 뒤를 따르다. ⑭명 성(姓)의 하나.

〔是不〕 shìbu 그렇지요(문두(文頭)·문말에 놓여 상대를 납득시키는 어기(語氣)를 나타냄). ¶你们都不能反对, ～; 당신들은 모두 반대 못 하겠지요, 안 그래요.

〔是不是〕 shìbushì ①그러하냐 그렇지 아니하냐. ¶你～韩国人? 당신은 한국 사람인가요?/你这就要出去买东西～? 너는 이제부터 물건을 사러 가는 거지? ②…하는 것이 어떤가. ¶你～去看一看; 가 보는 것이 어떻습니까?

〔是不是的〕 shìbushìde ①옳고 그름은 별문제로 하고. 여하간에. 어쨌든. ¶～就能和大总统觌面说话; 일의 여하는 별개로 하고, 즉시 대통령과 대면해서 담화를 할 수 있다는 것은 대단한 일이다. ②걸핏하면. 아무튼. ¶他有脾气, ～就骂人; 그는 성깔이 있어서 걸핏하면 남을 욕한다.

〔是的〕 shìde 그렇습니다. 그것임에 틀림없습니다. ¶～, 他是不肯同意的; 그렇습니다, 그는 찬성하려고 하지 않습니다.

〔…是的〕 …shìde 조 ⇨〔…似shì的〕

〔是儿不死, 是财不散〕 shì ér bù sǐ, shì cái bù sàn 〈諺〉 하늘이 점지한 자식이라면 죽지 않을 것이며, 하늘이 내려 준 재산이라면 없어지지

않는다(하늘에서 내린 것이 아니면 오래 혜택을 누릴 수 없다).
〔是凡〕 shìfán 부 〈方〉 무릇. 대체로. ＝〔凡是〕
〔是非〕 shìfēi 명 시비. 선악. 잘잘못. 좋고 나쁨. ¶～曲直 ＝〔～皂白〕〔～好歹〕; 〈成〉 시비곡직. 시비선악 / ～界限; 〈成〉 시비의 한계 / ～颠倒; 시비가 전도되다 / 不问～好歹; 시비선악을 묻지 않다. 동 좋고 나쁨을 가리다. 시비선악을 구별하다. ¶～感; 선악에 대한 감각 / ～之心, 人皆有之; 시비를 판단하는 마음은 사람이 모두 가지고 있다 / 来是～人, 去是～者; 〈比〉 와서 다른 사람의 비평을 하는 사람은 다른 곳에 가서 자기를 비평하는 사람이다. ＝〔分清是非〕
〔是非〕 shìfei 명 소동. 문제. 시비. 좋지 못한 소문. 추문. ¶惹～; 소동을 일으키다. 좋지 못한 소문을 내다 / 闹～; 소동을 일으키다 / 搬弄～; 〈成〉 부추겨서 문제를 일으키다 / ～只因多开口, 烦脑皆因强出头; 〈諺〉 말썽은 말이 많은 데서, 번민은 모두 주제넘게 나서는 데서 생긴다. 수다스러운 것과 주제넘은 것은 말썽을 일으키는 원인이다 / ～兜儿 ＝〔～篓子〕; 자주 말썽을〔문제를〕 일으키는 사람 / 一个不留神就难免闹～; 잠깐 정신을 차리지 않았다간 말썽을 일으킬지도 모른다 / 那个是～窝; 그것이 문제〔의혹〕의 요점이다.
〔是非人〕 shìfeirén 명 말썽의 원인이 되는 사람. ¶你多少是个～, 还是请你少到咱家门上来才好; 너는 아무래도 말썽의 원인이 되는 사람이니, 역시 우리 집에 오지 말았으면 좋겠다.
〔是风是雨〕 shìfēng shìyǔ 비가 올지 혹은 바람이 불지 (모른다). 〈轉〉 어떤 결과가 될지 (모른다). ¶明天还不定～; 내일 어떻게 될지 아직 확실히 알 수가 없다.
〔是否〕 shìfǒu …인지 어떤지. …인가 …이 아닌가. ¶不知道～放在心上; 유념하고 있는지 어떤지 모른다 / ～有当; 합당한지 어떤지 / ～能实际取得出口许可, 尚希详示; 실제로 수출 허가를 얻을 수 있는지 없는지, 상세하게 알려 주시기 바랍니다 / ～已检收; 받으셨는지 어떤지.
〔是福, 不是祸〕 shìfú, bùshì huò 〈諺〉 복 아니면 재앙이다(흥하든 망하든 해 보자).
〔是个疖子得出脓〕 shìge jiēzi děi chū nóng 〈諺〉 종기라면 고름을 빼야 한다(문제는 철저하게 해결짓지 않으면 안 된다).
〔是个儿〕 shìgèr 동 〈口〉 상대가 되다. ¶不是他的个儿; 그의 적수가 아니다 / 鸡蛋怎么能跟石头碰, 他哪是你的个儿; 달걀이 도저히 돌에는 이기지 못하는 거나 마찬가지다. 그 사람 따위가 이렇게 네 상대가 될 수 있겠느냐.
〔…是感〕 …shìgǎn ⇒〔…是荷〕
〔是古非今〕 shì gǔ fēi jīn 〈成〉 옛 일은 모두 옳다고 여기고 오늘날의 것은 모두 그르다고 여기다.
〔是故…〕 shìgù… 접 〈文〉 이 때문에. 그러므로.
〔…是荷〕 …shìhè 〈翰〉 …하여 주시면 고맙겠다. ¶即请示知～; 바로 알려 주신다면 좋겠습니다. ＝〔…是感〕
〔是劲儿〕 shìjìnr 동 ①득의 양양하다. ②잘 되어 나가다.
〔是可忍, 孰不可忍〕 shì kě rěn, shú bù kě rěn 〈成〉 이것을 인내할 수 있다면 무엇을 인내할 수 없을 것인가?(절대로 용인할 수 없다).
〔是了〕 shìle 그렇습니다. ¶～, 老爷, 没错儿! 그렇습니다, 영감마님, 틀림없습니다!
〔是了就是了〕 shì liǎo jiù shì liǎo 가능하면 하지만 무리는 하지 않는다.
〔是吗〕 shìma ①그렇습니까. ¶～, 怪不得你什么也不知道; 그래요, 그래서 당신이 아무것도 모르고 있었군요. ②그렇겠습니다. 지당합니다.
〔是猫变不得狗〕 shì māo biànbude gǒu 〈諺〉 고양이는 개가 될 수 없다(제 버릇 개 못 준다. 본성은 고칠 수 없다).
〔…是盼〕 …shìpàn 〈翰〉 …하여 주시기를 부탁드립니다. ¶伏请示知～; 부디 소식 전해 주시기를 앙망하나이다.
〔是亲不是亲〕 shì qīn bù shì qīn 〈成〉 친척이면서도 오히려 육친의 정이 없다.
〔是亲三分向, 是火就热炕〕 shì qīn sān fēn xiàng, shì huǒ jiù rè kàng 〈諺〉 신분이나 빈부의 차가 있어도 친족은 일가이다.
〔是日〕 shìrì 명 〈文〉 ①그날. 이날. ②그 당시.
〔是时候〕 shì shíhou 적당한 때(가 되다). 마침 좋은 때다. ¶他来得～; 그는 적당한 때에 왔다. 그는 때마침 왔다.
〔是是〕 shìshì ①예, 예, 그렇습니다. ②〈文〉 옳은 것을 옳다고 하다.
〔是是非非〕 shì shì fēi fēi ①옳은 것은 옳다 하고, 그른 것은 그르다고 하다. ②좋든 나쁘든. 어쨌든지 간에.
〔是属〕 shìshǔ 명 〈文〉 이 무리. 이 부류.
〔是为至要〕 shì wéi zhìyào 〈翰〉 …하는 것이 긴요하다. 반드시〔꼭〕 …하여 주면 좋겠다. ＝〔…是要〕
〔是味儿〕 shì wèir 〈口〉 ①입에 맞다. 맛이 있다. ¶这菜做得～; 이 요리는 맛있게 만들었다. ②기분이 좋다. 편안하다. ¶你是了味啦, 教我一个人背黑锅《老舍 駱駝祥子》; 너만 단맛을 보고 나 혼자에게만 누명을 씌우는구나.
〔…是问〕 …shìwèn 〈文〉 …의 책임이다. ¶倘有不测, 惟阿Q～《鲁迅 阿Q正傳》; 만약 무슨 일이 생기면, 모두 아Q의 책임이다.
〔…是幸〕 …shìxìng 〈翰〉 …해 주시면 다행이겠습니다. ＝〔是为至幸〕
〔是样儿〕 shìyàngr 볼품이 있다. 모양이 아름답다. ¶这鞋很～; 그 구두는 아주 멋이 있다 / 不～; 볼품이 없다. 꼴불견이다.
〔…是要〕 …shìyào 〈翰〉 …하는 것이 긴요하다. 꼭 …하여 주면 고맙겠다. ＝〔是为至要〕
〔是以〕 shìyǐ 접 〈文〉 이로써. 이로 말미암아. 이 때문에. 그러므로. ¶计划欠妥, ～遭遇困难; 계획에 타당성이 결여되어 있었기 때문에 어려움에 처하게 된 것이다.
〔是用〕 shìyòng 접 〈文〉 이로써. 이 때문에.
〔是正〕 shìzhèng 동 〈文〉 조사하여 바로잡다. 시정하다.

谡(諟) shì (시)

〈文〉 ① 형 이치에 맞다. 옳다. ② 동 바로잡다. ¶～正; 시정하다.

逝 shì (서)

동 ①(시간·물 등이) 흐르다. 지나가다. ¶光阴易～; 세월은 쉽게 지나간다 / ～水; 흘러가는 물 / 时光已～; 때는 이미 지나가 버렸다. ②죽다. ¶病～; 병사하다 / 长～ ＝〔永～〕; 영면하다. 영원히 이 세상에서 떠나다 / 伤～; 죽음을 애도하다.
〔逝去〕 shìqù 동 모습이 사라지다. 자취를 감추다. ¶岁月梦一般地～; 세월이 꿈처럼 지나가 버리다.
〔逝世〕 shìshì 동 서거하다. ＝〔去世〕

〔逝水〕 shìshuǐ 명 〈文〉 흘러가고 다시 돌아오지 않는 물. ¶～年华; 〈成〉 흘러가는 물처럼 지나가는 세월.
〔逝者〕 shìzhě 명 〈文〉 ①죽은 사람. 고인. ②과거.
〔逝止〕 shìzhǐ 명 〈文〉 떠남과 머무름. ¶～无常; 가고 머무름이 무상하다. 덧없다.

誓 shì (서)
①동 맹세하다. 결의를 말하다. ¶～死不二; 목숨을 걸고 마음 변치 않겠다고 맹세하다. ②동 타이르다. 경계하다. ③명 맹세·결의를 나타내는 말. ¶发～; 맹세하다 / 宣～; 선서(하다) / 起～发愿; 맹세하고 발원하다.
〔誓不甘休〕 shì bù gān xiū 〈成〉 절대로 도중에 그만두지 않겠다고 맹세하다.
〔誓不两立〕 shì bù liǎng lì 〈成〉 무슨 일이 있어도 양자가 양립할 수 없다《어느 쪽이든 한 쪽이 상대를 쓰러뜨려야만 한다》.
〔誓词〕 shìcí 명 선서〔맹세〕의 말. =〔誓言〕
〔誓师〕 shìshī 동 (군대에서) 출진에 즈음해서 맹세하다. 〈轉〉 (집회 등에서) 일을 시작함에 있어 맹세하다. ¶～大会; 궐기 대회.
〔誓死〕 shìsǐ 동 목숨을 걸고 맹세하다. ¶～反对; 결사 반대하다.
〔誓言〕 shìyán 명 서언. 맹세(하는 말).
〔誓愿〕 shìyuàn 동 맹세하고 소원하다. 명 서원. 맹세하여 세운 소원.
〔誓约〕 shìyuē 명 서약.

莳(蒔) shì (시)
동 ①〈方〉 (식물을) 옮겨 심다. 이식하다. ②〈文〉 재배하다. ¶～花 huā; 꽃을 재배하다. =〔栽种〕 ⇒ shí
〔莳田〕 shìtián 동 모내기하다.
〔莳秧〕 shìyāng 동 모종을 내다. 이앙하다. =〔分秧〕

谥(謚〈諡) shì (시)
①명 시호(諡號)('义公' '烈公' 따위). ¶汉武帝是刘彻的～号; 한(漢)나라 무제라는 것은 유철(劉徹)의 시호이다. =〔谥号〕 ②동 시호를 내리다〔받다〕. ¶岳飞～武穆; 악비는 무목이라는 시호가 주어졌다. ③동 …라고 일컫다〔칭하다〕. ¶～之为保守主义; 보수주의라고 칭한다.

释(釋) shì (석)
①동 해석하다. 설명하다. ¶解～; 해석하다. 설명하다 / 注～ =〔注解〕; 주해하다 / 浅～; 간단한 해석을 하다. ②동 (의심·원한 등을) 풀다. ¶～疑; 의심〔의문〕을 풀다 / 涣然冰～; 의심〔의문〕이 깨끗이 풀리다. ③동 버리다. 포기하다. ④동 자취를 감추어 없어지다. 사라지다. ⑤동 방치해 두다. ⑥동 용서하다. 석방하다. ¶～俘; 포로를 석방하다 / 无罪开～; 무죄 방면이 되다 / 假～; 가석방이 되다. ⑦명 《人》 〈簡〉 석가(釋迦).
〔释道〕 Shì Dào 명 불교와 도교. ¶～儒Rú; 불교와 도교와 유교.
〔释典〕 shìdiǎn 명 불전(佛典). =〔佛fó经〕
〔释奠〕 shìdiàn 명 ①공물(供物)을 옛 성현의 신전에 바치고 제사 지냄. ②공자(孔子)의 제사를 지내는 큰 의식《음력 2월과 8월》.
〔释读〕 shìdú 동 〈文〉 고대의 문학을 고증하고 해석하다.
〔释放〕 shìfàng 동 ①석방하다. ②《物》 (에너지 따위를) 방출하다. ¶原子核被高速度运动的中子撞击时, 就～出原子能; 원자핵은 고속 운동을 하는 중성자의 충격에 의해 에너지를 방출한다.
〔释服〕 shìfú 동 〈文〉 ①상복을 벗다. 탈상하다. ②옷을 벗다.
〔释根灌枝〕 shì gēn guàn zhī 〈成〉 본말(本末)이 전도되다《뿌리는 놔 두고 가지에만 물을 준다는 뜻에서》.
〔释憾〕 shìhàn 동 〈文〉 유감을 풀다. 원한을 풀다. ¶～于…; …에 대한 원한을 풀다.
〔释褐〕 shìhè 명 〈文〉 옛날, 새로 진사(進士)에 합격한 자가 서민의 옷을 벗고 관복으로 갈아입는 일. 동 〈比〉 진사가 되어 임관(任官)하다.
〔释恨〕 shìhèn 동 〈文〉 원한을 풀다.
〔释怀〕 shìhuái 동 〈文〉 석연(釋然)히〔마음을 털어 놓고〕 친해지다.
〔释迦(牟尼)〕 Shìjiā(móuní) 명 《人》 석가모니 《불교의 개조》.
〔释家〕 shìjiā 명 〈文〉 석가. 불가(佛家). 불교도.
〔释教〕 shìjiào 명 불교. =〔佛fó教〕
〔释卷〕 shìjuàn 동 〈文〉 손에서 책을 놓다. ¶手不～; 〈成〉 손에서 책을 놓지 않다《책읽기에 몰두하다》.
〔释老〕 Shì Lǎo 명 ①석가와 노자. ②불가와 도가(道家).
〔释门〕 shìmén 명 〈文〉 ①석문. 불문. ②승려.
〔释闷〕 shìmèn 동 〈文〉 울적함을 풀다. 번민에서 벗어나다.
〔释明〕 shìmíng 동 〈文〉 석명하다. 똑똑히 풀어 밝히다.
〔释念〕 shìniàn 동 〈文〉 마음을 놓다. 안심하다. ¶希～; 〈翰〉 아무 염려 마세요. =〔抒念〕
〔释然〕 shìrán 형 석연하다. (의심·의문이 풀려) 개운하다.
〔释示〕 shìshì 동 〈文〉 설명하여 지시하다. ¶外交部加以～; 외교부에서 설명 지시를 가(加)했다.
〔释手〕 shìshǒu 동 〈文〉 손을 놓다.
〔释俗〕 shìsú 동 알기 쉬운 말로 해석하다.
〔释文〕 shìwén 동 ①문자의 음과 의미를 해석하다. ②(갑골 문자나 금문자(金文字) 등을) 석명하다.
〔释像〕 shìxiàng 명 〈文〉 불상(佛像).
〔释言〕 shìyán 동 〈文〉 석명(釋明)(하다). 똑똑히 풀어 밝히다.
〔释疑〕 shìyí 동 ①의문을 해석하다. 의심을 풀다. ②걱정을 없애다.
〔释义〕 shìyì 명동 (단어나 문장의 뜻을) 해석(하다).
〔释冤〕 shìyuān 동 억울하게 쓴 죄를 벗다.
〔释怨〕 shìyuàn 동 원한을 풀다.
〔释藏〕 Shìzàng 명 《佛》 불전(佛典)의 총칭.
〔释旨〕 shìzhǐ 명 《佛》 불교의 종지(宗旨).
〔释子〕 shìzǐ 명 〈文〉 중. 승려(僧侶).
〔释罪〕 shìzuì 명 〈文〉 죄를 용서하다.
〔释尊〕 shìzūn 명 〈敬〉 석존. 석가의 존호(尊號). =〔世尊〕

嗜 shì (기)
①동 즐기다. ¶～酒成癖; 술을 즐겨서 버릇이 되다. ②동 좋아하다. 애호하다. ③명 취미. 기호.
〔嗜痴〕 shìchī 동 어처구니없는 것을 좋아하다. 명 변태적 기호.
〔嗜赌〕 shìdǔ 동 도박을 좋아하다.
〔嗜好〕 shìhào 명 ①도락(道樂). 취미. 기호. ¶没有任何～; 이렇다 내세울 만한 도락도 없다 / 音

乐合乎我的～; 음악은 내 취미에 맞는다. ②아편 상습(常習). ¶他有～; 그는 아편을 상습한다 / 他染上～了; 그는 (아편 흡음 등의) 좋지 않은 기호에 물들고 말았다.

〔嗜痂〕 shìjiā 동 〈比〉 색다른 것을 좋아하다. 기호가 변태적이다. ¶～有癖; 별난 취미가 있다.

〔嗜口腹〕 shìkǒufù 동 〈文〉 마시고 먹는 것을 좋아하다〔즐기다〕.

〔嗜癖〕 shìpǐ 명 〈文〉 좋지 않은 버릇. 도락.

〔嗜热细菌〕 shìrè xìjūn 명 고온균(高溫菌).

〔嗜血〕 shìxuè 동 〈文〉 피에 굶주리다《살인을 좋아함》.

〔嗜欲〕 shìyù 명 기욕. 즐겨하고 좋아하는 욕심.

筮 **shì** (서)
명 옛날에, 비수리의 줄기로 길흉을 점치던 일.

〔筮验〕 shìyàn 명 〈文〉 점에 나타난 징표〔조짐〕.

澨 **shì** (서)
명 ①〈文〉 물가. ¶山陬海～; 〈成〉 멀리 외떨어진 곳〔땅〕. ②명 〖地〗 스수이(澨水)《후베이 성(湖北省)에 있는 강 이름》.

噬 **shì** (서)
동 깨물다. 씹다. ¶吞tūn～; 병탄(倂呑)하다 / ～菌体; 〖植〗 박테리오파지《세균 바이러스》 / ～人鲨; 〖魚〗 백상아리《식인 상어》 / ～脐莫及; 〈成〉 후회 막급.

〔噬脐〕 shìqí 동 〈文〉 후회하다. ¶～何及 =〔～莫及〕〔～无及〕; 〈成〉 후회 막급이다.

奭 **shì** (석)
① 형 〈文〉 왕성한 모양《인명용 자(字)》. ② 동 노(怒)하다. ③ 명 성(姓)의 하나.

襫 **shì** (석)
→〔袯bó襫〕

螫 **shì** (석)
동 (독충이) 쏘다.《'螫zhē'의 문어음. '螫'와 '蜇'는 동의 이음어(同義 異音語)임. 지금은 흔히 '螫'를 '蜇'로 읽음》. ¶～麻子; 〖植〗 혹쐐기풀. =〔蜇zhē〕 ⇒zhē

匙 **shi** (시)
→〔钥yào匙〕 ⇒chí

殖 **shi** (식)
→〔骨gǔ殖〕 ⇒zhí

SHOU ㄕㄡ

收〈収〉 **shōu** (수)
동 ①거두어 넣다. 간수하다. 건사하다. 보존하다. ¶把东西～在柜里; 물건을 찬장에 간수하다 / 这纪念品好好地～起来; 이 기념품은 잘 넣어〔간수해〕 두어라 / 请您赏～; 아무쪼록 받아 주십시오. ②받다. 영수하다. ¶～信人; 편지 수취인 / ～支; 수입 지출 / 货款已经～齐了; 물품 대금은 이미 전부 받았다. ③수확하다. ¶～庄稼; 농작물을 거두어들이다 / 丰～; 풍작. ④흡수하다. ⑤징수하다. ⑥사다. ¶～购; ⇩ / 统～; 일괄 매입(하다). ⑦수용하다. 용납하다. ⑧끝맺다. 그만두다. 걷어치우다. ¶～了买卖; 장사를 그만두다 / ～工; (그날의) 일을 끝내다 / ～摊儿; 노점을 거두다〔닫다〕. ⑨(상처가) 아물다. ¶疮伤已经～了口儿了; 종기 부리는 이제 아물었다. ⑩체포하다. 구금하다. ¶～押; 붙잡아 구금하다. ⑪(감정이나 행동을) 억누르다. 참다. ⑫취하다. 거두어 들이다. 되찾다. 회수〔철수〕하다. ¶～兵; ⇩ / 说出的话～不回来; (일단) 뱉어 버린 말은 거두어들일 수 없다 / ～归国有; 회수하여 국유화하다.

〔收报〕 shōu.bào 동 전보를 받다. ¶～机; 전보 수신기(受信機) / ～人; (전보의) 수취인.

〔收杯〕 shōubēi 동 주연(酒宴)을 끝마치다〔끝내다〕.

〔收笔〕 shōubǐ 동 붓을 놓다. 명 문말(文末).

〔收编〕 shōubiān 동 (군대 따위를) 수용하여 개편하다.

〔收兵〕 shōubīng 동 ①군대를 철수하여 싸움을 끝내다. ¶鸣金～; 징을 울려 군사를 철수시키다. 〈轉〉 휴전하다. ②(진행 중의 일 따위를) 중지시키다. 종결시키다.

〔收不住〕 shōubuzhù ①막을 수 없다. 멈출 수 없다. ¶～脚; 발이 멈추지 않다. ②거둘 수 없다. 건잡을 수 없다. ‖↔〔收得住〕

〔收藏〕 shōucáng 명동 수집(하다). ¶～家; 수집가.

〔收操〕 shōucāo 동 조련(操練)이나 체조를 끝마치다.

〔收场〕 shōu.chǎng 동 ①결말을 짓다. 끝내다. 수습하다. ¶巴黎会议一～, 美联社马上做出报道; 파리 회의가 끝나자, AP에서는 곧 보도를 내보냈다. ②(연극 따위가) 파하다. (shōuchǎng) 명 결과. 결정. 결말. ¶是怎么个～? 결말이 어떻게 났느냐? / 少shào小不努力, 胡做非为, 将来是怎么一个～, 可想而知了; 젊을 때에 노력도 하지 않고 나쁜 짓만 하고 있다간, 장래 어떤 말로가 될지는 짐작할 수 있다.

〔收场白〕 shōuchǎngbái 명 연극·강석(講釋) 등의 맺는 말. 에필로그. 소설·시 낭송·강연 등의 끝맺는 문구.

〔收潮〕 shōucháo 명 간조. 썰물.

〔收成〕 shōucheng 명 수확. 작황. ¶今年稻子～不好; 올해의 벼농사는 작황이 나쁘다.

〔收存〕 shōucún 동 넣어 두다. 간수해 두다. ¶老大爷把～在箱子里的旧照片拿了出来, 给孩子们看; 할아버지는 상자에 넣어둔 옛날 사진을 꺼내어, 아이들에게 보여 주었다.

〔收单〕 shōudān 명 수령증. 영수증.

〔收档〕 shōu.dàng 동 일을 중지하다〔끝내다〕.

〔收到〕 shōudào 동 수령(受領)하다. 받다. ¶～你的信; 네 편지를 받다 / ～来信; 편지를 받다.

〔收电〕 shōu.diàn 동 수신하다. 전보를 받다. ¶～人; (전보의) 수취인.

〔收订〕 shōudìng 동 (주문을) 받(아들이)다. ¶您这里～外文报纸吗? 이 곳에서는 외국어 신문의 구독 신청을 접수합니까?

〔收兑〕 shōuduì 동 사들여서 태환(兌換)하다. ¶～金银牌价; 금은 매상 공정 시세.

〔收发〕 shōufā 명 ①인수. 인도. ¶～行李处; 화물 인도처. ②발신과 수신. ¶～两用机; 〖機〗 트랜시버(transceiver). 동명 (기관·학교·일반 기업 따위에서) 서류·우편물을 수령·발송하다 (또, 그 일을 담당하는 사람).

〔收方〕 shōufāng 명 〖商〗 차변(借邊). 차변 잔고. =〔借jiè方〕

〔收房〕 shōufáng 명동 옛날, 계집종을 첩으로 삼

다〔삼는 일〕.
〔收放〕 shōufàng 명 수지(收支). 동 금품을 출납(出納)하다.
〔收费〕 shōu,fèi 동 비용을 받다. ¶不另～; 따로 비용을 받지 않는다. (shōufèi) 명 비용. 납입금. ¶～单; 비용 명세서 / ～公路; 유료 도로.
〔收费厕所〕 shōufèi cèsuǒ 명 유료 화장실.
〔收风〕 shōu,fēng 동 옥외로 내보내 운동을 시키던 구류자를 유치장에 넣다.
〔收伏〕 shōufú 동 ⇨〔收服〕
〔收服〕 shōufú 동 〈文〉 ①눌러서 복종시키다. 길들이다. 항복시키다. ¶要想～我们是办不到的; 우리들을 순종시키려 해도 안 된다. ②퇴치(退治)하다. 정벌(征伐)하다. ¶～毒蛇; 독사를 퇴치하다 / ～土匪; 토비를 정벌하다. ‖ =〔收伏〕
〔收抚〕 shōufǔ 동 〈文〉 (투항한 적이나 반도(叛徒)를 받아들여) 귀순시키다.
〔收付〕 shōufù 동 수납과 지불을 행하다. 수령하고 지불하다. 명 ①수령과 지불. ②수입과 지출.
〔收复〕 shōufù 동 회수하다. 되찾다. ¶～失地; 실지를 회복하다.
〔收复橡胶〕 shōufù xiàngjiāo 명 재생고무. =〔再生橡胶〕
〔收缚〕 shōufù 동 〈文〉 포박하다.
〔收割〕 shōugē 동 수확하다. 베어서 거두어들이다. ¶～机; 《農》 바인더(binder) 《작물을 베어 다발 짓는 기계》.
〔收工〕 shōugōng 명 일을 끝냄. (shōu,gōng) 동 일을 쉬다. 일을 끝내다. ¶作活的～了; 직공이 일을 쉬었다. 직공이 일을 끝냈다 / 开工早, ～晚; 일을 빨리 시작하고 늦게 끝내다.
〔收购〕 shōugòu 동 사들이다. 구매하다. (대량으로) 구입하다. ¶～粮食; 곡물을 사들이다. 명 사들임. 조달. 구입. 구매. ¶～价格; ⓐ구입 가격. ⓑ조달 가격 / ～站; ⓐ구매처. ⓑ조달소.
〔收官〕 shōuguān ⇨〔官子zǐ〕
〔收、管、吃〕 shōu, guǎn, chī 식량의 수확, 보관, 배분(配分)을 가리키는 말.
〔收锅〕 shōu,guō 동 〈俗〉 (상점이) 영업을 마치다. 폐점하다.
〔收归〕 shōuguī 동 회수하여 …으로 하다〔되다〕. ¶外国人经营的企业都要～国有; 외국인 경영의 기업은 전부 회수하여 국유화하다.
〔收规〕 shōuguī 동 (옛날, 깡패 두목이 구역 내의 업자로부터 일정한) 돈을 걷다.
〔收海〕 shōuhǎi 명 〈方〉 낙조. 간조. 썰물. =〔退tuì潮〕
〔收号儿〕 shōuhàor 명 수령했다는 증표의 번호〔사인〕.
〔收花〕 shōuhuā 동 목화를 수확하다.
〔收回〕 shōu,huí 동 ①되찾다. 회수하다. ¶这本书已经借出两个月, 应该～了; 이 책은 빌려 준지 이미 두 달이 되니까, 마땅히 회수해야 한다 / ～贷款; 대출금을 회수하다. ②(의견·명령 따위를) 취소하다. 철회하다. ¶～成命; 내린 명령을 취소하다.
〔收货〕 shōuhuò 동 ①상품〔물건〕을 받다. ¶～单; 상품 수취증 / ～人; 화물 인수인. ↔〔发货〕 ②물품을 간수하다. ¶～箱; 컨테이너(container).
〔收货账〕 shōuhuòzhàng 명 매입 장부.
〔收获〕 shōuhuò 동 농작물을 거두어들이다. ¶春天播种, 秋天～; 봄에 씨를 뿌리고 가을에 거둬들이다. 명 성과. 수확. ¶开了这几天会, ～可大啦; 요 며칠 동안 회의에 참석하여, 소득이 매우 크다.
〔收集〕 shōují 명동 채집(하다). 수집(하다). ¶学生们到森林里去～标本; 학생들은 숲에 가서 표본을 채집한다 / 这本手册所～的, 都是反映我们国家在1955年一年里政治, 经济和文化生活的文件, 资料; 이 핸드북에 수집되어 있는 것은, 모두 우리나라의 1955년 1년 동안의 정치·경제 및 문화생활을 반영한 문서·자료이다. =〔采cǎi集〕
〔收辑〕 shōují 동 집록(集錄)하다. 수집하여 한 편(篇)으로 만들다. ¶～遗文; 생전에 남긴 글을 집록하다.
〔收监〕 shōu,jiān 동 투옥하다. 수감하다. =〔收狱〕
〔收件〕 shōujiàn 동 우편물 따위를 받다. 수취하다. ¶～地址; (소포 따위의) 보내는 곳 / ～人; 수취인. 명 수배(受配) 우편물.
〔收缰〕 shōujiāng 동 말고삐를 죄다〔당기다〕.
〔收交〕 shōujiāo 동 수수(受授)(하다). 주고받다.
〔收缴〕 shōujiǎo 동 받아들여 수령하다. 접수하다. 몰수하다.
〔收紧〕 shōujǐn 동 ①꽉 쥐다. ↔〔伸shēn开〕 ②바싹 오그라들다.
〔收进〕 shōujìn 동 ①구입하다. ②입수하다.
〔收禁〕 shōujìn 동 구금하다.
〔收惊(儿)〕 shōujīng(r) 동 혼을 불러 되돌아오게 하다《어린애가 병 따위로 인사 불성이 되었을 때, 어머니가 그 아이의 옷이나 신발 등을 가지고 발병 전에 다니거나 놀던 곳에 가서, 그 아이의 이름을 불러, 그 혼을 육체에 되돌아오게 한다는 미신적인 행위》.
〔收据〕 shōujù 명 수령증. 영수증. ¶包裹guǒ～; 소포 수령증 / 开～; 영수증을 작성하다. =〔收票〕
〔收捐〕 shōujuān 동 ①세금을 징수하다. =〔收税〕 ②기부금을 받다.
〔收看〕 shōukàn 동 텔레비전을 시청하다. ¶收视率lǜ; 시청률. =〔收视〕
〔收科儿〕 shōukēr 명 ①〈京〉 마지막 해산(解産). ②종결. 종말.
〔收口(儿)〕 shōu,kǒu(r) 동 ①(뜨개질 따위에서 열린 곳을) 꿰매다. 마무리하다. ¶这件毛线衣再打几针该～了吧? 이 스웨터는 이제 몇 바늘만 더 뜨고는 마무리해야 하지 않을까? ②(상처 따위가) 아물다. 유착하다.
〔收款〕 shōu,kuǎn 동 돈을 받다. ¶～人; (돈의) 수취인. =〔领lǐng款〕 (shōukuǎn) 명 수취금(受取金). 대금(代金). 집금. ¶～处; 회계소 / ～人; 수금원(收金員).
〔收揽〕 shōulǎn 동 ①수중에 넣다. ¶～大权; 대권을 수중에 넣다. ②민심을 다독거려 거두어들이다. 수람하다. ¶～人心; 인심을 수람하다. ③〈俗〉 거두어 넣다. 정리하여 건사하다. ¶总得有个大箱子, 这些零碎物件才有个～; 아무래도 큰 상자가 있어야 이 자질구레한 물건을 치울 수 있다.
〔收泪〕 shōulèi 동 〈文〉 울음을 그치다. 눈물을 거두다.
〔收礼〕 shōu,lǐ 동 선물을 받다.
〔收敛〕 shōuliǎn 동 ①(세금이나 곡물을) 거두어들이다. ②개심하다. ③걷다. 다스리다. 수렴하다. ¶～剂; 《藥》 출혈·설사 따위를 그치게 하는 약품. 수렴제. ④(웃음·빛 등이〔을〕) 가시다〔거두다〕. ¶她的笑容突然～了; 그녀의 미소가 갑자기 가셨다.
〔收殓〕 shōu,liàn 동 입관(入棺)하다.

〔收领〕 shōulǐng 통 수령하다. 받다.
〔收留〕 shōuliú 통 ①받아들여 묵게 하다. 수용하다. 숨겨 주다. ¶来多少, ～多少, 从来不限名额; 오는 사람은 모두 수용하고, 이 때까지 정원(定員)을 한정하지 않았다. ②떠맡다. ¶～孤儿; 고아를 맡다.
〔收拢〕 shōulǒng 통 ①(한 곳에) 모으다. ¶把四散的羊, 慢慢地～在一起; 사방에 흩어져 있는 양을 천천히 한 곳에 모았다. ②오므리다. ¶把噘着的嘴唇～; 삐죽이 내밀었던 입술을 오므리다. ③매수하다. 농락하다. ¶～人心; 인심을 농락하여 사로잡다.
〔收录〕 shōulù 통 ①(접수하여) 뽑다. ¶这个学期不～新生; 이번 학기는 신입생은 뽑지 않는다. ②(시문 따위를) 수록하다. 싣다.
〔收录(音)机〕 shōulù(yīn)jī 명 라디오 카세트 테이프 레코더. =〔收录两用机〕
〔收罗〕 shōuluó 통 (여러 곳으로부터) 모으다. 망라하다. ¶～人材; 인재를 모으다 / ～门徒; 제자를 모으다.
〔收锣〕 shōuluó 통 〈比〉 끝마치다. 끝내다. ¶巴黎会议今天～; 파리 회의가 오늘 폐막했다.
〔收买〕 shōumǎi 통 ①(물품을) 사들이다. 매입하다. ¶～旧书; 헌 책을 사들이다. ②(사람을) 매수하다. ¶你想～村长吗? 너는 면장(面長)을 매수하려고 하는 거냐?
〔收买卖〕 shōu mǎimai (그 날의) 장사를 끝내다. 폐점하다.
〔收门生〕 shōu ménshēng 문하생을 두다. 제자를 받다.
〔收纳〕 shōunà 통 수납하다. 수령하다. 받다.
〔收盘(儿)〕 shōupán(r) 명 《商》 전에, 거래소의 파장〔최종〕 시세. ¶～价; 최종가(價). 통 ⇨〔收市〕
〔收篷〕 shōupéng 통 ①돛을 내리다. ②〈轉〉 싸움을 중지하다.
〔收票〕 shōupiào 명 ⇨〔收据〕
〔收齐〕 shōuqí 통 전액을 받다〔영수하다〕. ¶～货款; 물품 대금을 전부 받다.
〔收讫〕 shōuqì 명 수령필(畢). 영수필. =〔收清〕
〔收清〕 shōuqīng 통 (요금의) 납입이 끝나다. 정확히 전액을 수령하다.
〔收秋〕 shōu.qiū 통 가을걷이하다. 추수하다.
〔收球〕 shōuqiú 명 《體》 (테니스 따위의) 리시브.
〔收取〕 shōuqǔ 통 ①영수하다. 수취하다. ¶～手续费; 수수료를 받다 / ～人; 수취인. ②흡수하다.
〔收人〕 shōurén 명 옛날, 어린 계집아이를 사서 하녀로 부리다가, 큰 다음에 흔히 첩으로 삼은 일을 말함.
〔收容〕 shōuróng 통 수용하다. 받아들이다. ¶～队; (군의) 후미(後尾) 부대 / ～伤员; 부상자를 수용하다 / ～站 =〔～所〕; 부랑자·술주정뱅이 등을 일시적으로 수용하는 수용소 / ～审查; 《法》 신병을 유치(留置)하여 심문하다〔하는 일〕.
〔收入〕 shōurù 통 받다. 받아들이다. 수용하다. 명 수확. 수입. 소득. ¶实际～; 실질 수입 / ～很好; 수입이 매우 좋다.
〔收杀〕 shōushā 명 결말. 끝장. ¶做来做去, 没～; 옥신각신하여 결말이 나지 않다. =〔收煞〕
〔收煞〕 shōushā 명 ⇨〔收杀〕
〔收山〕 shōushān 통 〈比〉 비적이나 두목이 은퇴하다.
〔收梢〕 shōushāo 명 일의 결말〔매듭〕. 결착(結着).
〔收神〕 shōu.shén 통 기분을 가라앉히다. ¶他靠在藤椅上闭目而坐一两分钟, 收～, 然后矍jué然而起, 奋笔疾书; 그는 등의자에 기대어, 잠깐 동안 눈을 감고 자신의 기분을 가라앉히고 나서, 다시 기운을 내어 단숨에 붓을 놀려 써내려갔다.
〔收生〕 shōushēng 통 태아(胎兒)를 받다. ¶～婆pó; 산파 / ～婆摸屁股; 문외한(門外漢). 풋내기.
〔收声〕 shōushēng 명 《言》 (중국 음운학에서) 한 자음의 성모(聲母)를 '发音' '发fā声'이라 하고 운모(韻母)를 '～'이라 함.
〔收尸〕 shōu.shī 통 ①유해를 인수받다. ②시체를 수용하다.
〔收市〕 shōu.shì 통 가게를 닫다. 파장하다. =〔收盘(儿)〕〔上shàng板儿〕
〔收视〕 shōushì 통 ⇨〔收看〕
〔收拾〕 shōushi 통 ①수선하다. 수리하다. ¶～皮鞋; 구두를 수선하다 / 这座钟出毛病了, 要～了; 이 시계는 고장났으니, 수리해야겠다. ②치우다. 정리〔정돈〕하다. ¶～屋子; 방을 치우다. ③〈口〉 벌을 주다. 혼내 주다. ¶我总得～他; 무슨 일이 있어도 그를 손봐 줘야겠다. ④〈口〉 죽이다. 해치우다. ¶把敌人全部～了; 적을 전멸시켰다. ⑤수습하다. ¶～时局; 시국을 수습하다 / ～残局; 파국을 수습하다. ⑥돌보다. ¶妈妈～孩子睡下; 어머니는 어린아이를 달래어 잠들게 했다. ⑦준비하다. 꾸리다. ¶～要带的东西; 휴대품을 준비하다. 명 장식.
〔收受〕 shōushòu 통 받다. 수령하다.
〔收赎〕 shōushú 통 ①금전으로 속죄하다. ②보상하다. 벌충하다.
〔收束〕 shōushù 통 ①결말이 나다. 끝맺다. ¶写到这里, 我的信也该～了; 이것으로 나의 편지를 끝맺겠습니다. ②검속(檢束)하다. ③(생각 따위를) 정리하다. (마음을) 가라앉히다. ¶把心思～一下; 생각을 정리하다. 마음을 집중하다 / ～心神; 마음을 가라앉히다. ④《物》 수렴(收斂)하다. ¶～透镜; 수렴 렌즈. ⑤(짐을) 꾸리다. 정리하다.
〔收税〕 shōushuì 통 ⇨〔收捐①〕
〔收送〕 shōusòng 통 수수하다. 주고받다. ¶～礼物; 선물을 주고받다.
〔收缩〕 shōusuō 통 축소하다. 오그라들다. 수축하다. ¶铁遇冷就～; 철은 냉각하면 수축한다 / ～在碉堡里; 토치카 안에 움츠리고 있다 / ～率; 수축률 / ～性; 수축성.
〔收摊儿〕 shōu.tānr 통 노점 상인이 펴 놓은 물건을 치우다. 가게를 닫다. 〈比〉 일을 끝내다.
〔收汤〕 shōutāng 통 끓이는 음식의 국물을 졸이다. ¶做这菜要～; 이 요리는 불을 세게 해서 국물이 적어지도록 졸여서 만들어야 한다.
〔收条(儿)〕 shōutiáo(r) 명 영수증. ¶临时～; 가영수증. 통 메모〔쪽지〕 따위를 받다. ‖ =〔收帖tiě(儿)〕
〔收帖(儿)〕 shōutiě(r) 명통 ⇨〔收条(儿)〕
〔收听〕 shōutīng 통 (라디오를) 청취하다. ¶～广播; 방송을 청취하다 / ～哨; 《軍》 청음초(聽音哨).
〔收头〕 shōutóu 통 그만두다. 중지하다. 끝맺다.
〔收托〕 shōutuō 통 부탁을 받고 수용하다. ¶～儿十个儿童; 수십명의 어린이를 의뢰받아 수용하다.
〔收尾〕 shōu.wěi 통 마무리(를 짓다). ¶～工程; 마무리 일〔공사〕 / ～竣工阶段; (공사의) 마감 단

계. (shōuwěi) 명 문장의 말미(末尾).
〔收文〕 shōuwén 명 접수한 문서. ¶～簿; 문서 접수 대장.
〔收悉〕 shōuxī 동〈翰〉(편지를) 받다. ¶承寄尊函已～; 서한을 잘 받았습니다.
〔收系〕 shōuxì 동 ⇨〔收押〕
〔收下〕 shōuxià 동 받아 놓다. 받아 두다. ¶赏脸～; 저를 봐서 받아 주십시오.
〔收项〕 shōuxiàng 명 ⇨〔借jiè项〕
〔收像〕 shōuxiàng 명 연말에 내놓은 조상의 상(像)을 정월 18일에 거두어 넣기《옛날 관습》.
〔收小〕 shōuxiǎo 동〈文〉축소하다.
〔收小的〕 shōuxiǎode 동 (갓난)아이를 받다. ¶又会～, 又会抱腰; 아이를 받을 줄도 알고, 산모의 허리를 안아 (힘을 북돋아) 줄 수도 있다. =〔收生〕
〔收效〕 shōu//xiào 동 효과를 거두다〔보다〕. 성공하다. ¶～显著; 현저한 효과를 거두다 / 这些轻工业项目具有投资少, ～快的特点; 이러한 경공업 부문은 적은 투자로 빠른 효과를 거두는 효과 특징을 갖추고 있다. (shōuxiào) 명 효과.
〔收心〕 shōu//xīn 동 마음을 진정시키다. 침착성을 회복하다.
〔收信〕 shōuxìn 동 (편지·공문서·전보 따위를) 받다. ¶～人; 수취인. 수신인.
〔收讯〕 shōuxùn 동 수신(受信)하다. ¶～真空管; 수신용 진공관.
〔收讯台〕 shōuxùntái 명 수신국(受信局).
〔收汛〕 shōuxùn 명〈文〉간조(干潮). 썰물.
〔收押〕 shōuyā 동 압류(押留)하다. 구금하다. 가두다. =〔收系〕
〔收养〕 shōuyǎng 동 수양하다. (남의 자식을) 맡아서 양육하다.
〔收衣〕 shōuyī 동 옷을 정리하여 걷어 넣다〔간수하다〕.
〔收仪簿〕 shōuyíbù 명 축의·선물 등의 접수 장부.
〔收益〕 shōuyì 명 수익. 이득. ¶这次参观, ～不小; 이번 견학은 이득이 적지 않다 / ～表 =〔损益表〕;《商》손익 계산서. 동 수익·수입을 올리다.
〔收因结果〕 shōuyīn jiéguǒ 명 결말(은). 결국(은). ¶这事的～大家都很满意; 이 일의 결말에 모두 매우 만족하고 있다 / 现在虽然辛苦, 将来～自会使人羡xiàn慕; 지금은 비록 괴롭더라도, 장래는 결국 자연히 남들이 부러워하게 된다. =〔收缘结果〕
〔收音〕 shōuyīn 동 ①음성이 잘 울리게 하다《실내의 구조를 좋게 하여》. ¶露天剧场不～; 야외 극장은 음향 효과가 나쁘다. ②(방송을) 수신하다. ¶～网; 라디오 청취망.
〔收音机〕 shōuyīnjī 명 라디오(수신기). ¶听～; 라디오를 듣다 / 落地式～; 탁상 라디오 / 半导体～; 트랜지스터 라디오 / 电唱～; 전축 겸용의 라디오.
〔收影〕 shōuyǐng 동 수상(受像)하다. ¶电视～得不清楚; 텔레비전의 영상이 깨끗하지 않다.
〔收用〕 shōuyòng 동 ①고용해서 쓰다. 부리다. ②옛날, 하녀로 하여금 잠자리 시중을 들게 하다〔첩을 삼다〕. ¶大户暗把金莲唤至房中, 遂～了; 주인은 몰래 금련을 방안으로 불러들여 마침내 첩으로 삼았다.
〔收狱〕 shōuyù 동 ⇨〔收监〕
〔收缘结果〕 shōuyuán jiéguǒ 명 ⇨〔收因结果〕
〔收闸〕 shōu//zhá 동 브레이크를 걸다〔밟다〕. ¶～不及; 브레이크를 밟았으나 이미 때가 늦다.
〔收摘〕 shōuzhāi 동 (콩·과일 따위를) 수확하다.
〔收债〕 shōuzhài 동 옛날, 빚을 받다.
〔收张〕 shōuzhāng 동 가게문을 닫다. 가게를 걷어치우다.
〔收账〕 shōu//zhàng 동 금전을 거두어들이다. 수금하다. 계산을 맡다. ¶～员; 수금원. 출납계.
〔收针〕 shōuzhēn 동 (바느질이나 편물 등의) 끝을 맺다. 마무르다.
〔收支〕 shōuzhī 명 수입과 지출. 수지. ¶～员; 회계원 / ～平衡; 수입과 지출의 균형이 잘 잡혀 있다 / ～相抵; 수지가 맞다.
〔收执〕 shōuzhí 동〈公〉받다. 받아서 소지·보관하다《정부 기관이 발행한 허가증 등에 쓰임》. 명 정부 기관의 세금 따위의 영수서.
〔收贮〕 shōuzhù 동〈文〉간수하여 두다.
〔收庄稼〕 shōu zhuāngjia 작물을 수확하다.
〔收捉〕 shōuzhuō 동〈方〉①치우다. 정리하다. ②결말을 짓다. ‖ =〔收拾〕
〔收租〕 shōuzū 동 (집세·지대(地代) 등을) 받다〔거두다〕.
〔收足〕 shōuzú 동 다 거두어들이다. ¶全数～; 전액 수령필(畢).
〔收作〕 shōuzuò 동〈南方〉①처리하다. 정리하다. ②결판을 내다. 매듭을 짓다. ③받아들이다.

熟 shóu (숙)

'熟shú'의 구어음(口語音).

手 shǒu (수)

①명 손《손목에서 손끝까지의 부분》. ¶一双～; 양손 / 放～ =〔撒～〕; 손을 놓다 / 松～; 손을 늦추다 / 握～; 악수하다 / 背～(儿); 뒷짐을 지다 / 动～; ⓐ손을 대다. ⓑ착수하다. ⓒ폭력을 쓰다. ②명 어떤 기술·기능에 능숙한 사람을 가리키는 말. ¶好～; 숙달한 사람 / 画～; 화가. ③형 경편하다. 간편하다. ¶～册; ⇓ ④명 사물을 처리하는 수단이나 행동을 가리키는 말. 수. ¶上～; ⓐ상수. ⓑ일을 착수하다. ⑤(～儿) 명 기술. 재주. ¶高～; 명수. 고수. ⑥명 담당자. 어떤 일에 종사하는 사람. ¶副～; 조수. ⑦손수. 직접. ¶～植; 손수 심다 / ～稿; 직접 쓴 원고. ⑧아주 가까운 것을 나타내는 말. ¶～使的东西; 손 가까이에 두고 늘 쓰는 물건. ⑨일상 있는. 항용 있는. ⑩명 손에 관계가 있는 것. ¶～表; 손목시계 / ～工; ⓐ수공. 세공. ⓑ품삯 / ～杖; 지팡이 / 扶～; 난간.
〔手巴掌(儿)〕 shǒubāzhang(r) 명 ①손바닥. =〔手掌(儿)〕 ②벙어리 장갑.
〔手把麻〕 shǒubǎmá 명《紡》라미(ramie)《모시풀 섬유로 짠 직물의 하나》.
〔手把手儿〕 shǒu bǎ shǒur ①손에 손을 잡다. ②손을 잡다. ¶～地教给人; 손을 잡고〔친절하게〕 남을 가르치다.
〔手把子〕 shǒubǎzi 명〈俗〉(돈·물건의) 씀씀이. ¶～大; 돈 씀씀이가 헤프다.
〔手把(儿)〕 shǒubà(r) (잡거나 드는 데 쓰는) 손잡이.
〔手白〕 shǒubái 동〈翰〉제 붓으로 써서〔제가 직접 붓을 들어〕 몇자 올립니다. =〔手启qǐ〕
〔手板〕 shǒubǎn 명 ①홀(笏). =〔手版①〕〔手简②〕 ②〈方〉손바닥. ¶背不上书来, 老师要打～的; 외우지 못하면 선생님이 손바닥을 때린다. ③(～儿, 子) 옛날, 교사가 학생을 벌 주는 데 쓴

널빤지. =〔手版②〕〔手简③〕 ④ ⇨〔手本①〕
〔手版〕 shǒubǎn 명 ① ⇨〔手板①〕 ② ⇨〔手板③〕 ③ ⇨〔手本①〕
〔手背(儿)〕 shǒubèi(r) 명 손등. ¶～朝下; 손등을 밑으로 하다. 〈比〉 손을 내밀어 구걸하다. 형 (마작 등에서) 운이 좋지 않다. 재수가 나쁘다.
〔手本〕 shǒuběn 명 ①명청(明清) 시대에 문하생이 스승을 만날 때나 부하가 상사를 만날 때에 사용하는 자기 소개장(이름·직위 따위를 씀). =〔手板④〕〔手版③〕 ② ⇨〔手册〕
〔手笨〕 shǒubèn 형 솜씨가 없다. 서툴다.
〔手笔〕 shǒubǐ 명 ①(저명인의) 자필의 문장·글씨·그림. ¶这篇杂文像是鲁迅先生的～; 이 잡문은 노신(鲁迅) 선생이 자필로 쓴 것인 듯하다. ②문필의 조예. ¶大～; 대문필가 / 他的～不错; 그의 글〔글씨〕은 뛰어나다. ③돈의 씀씀이. ¶他向来～大; 그는 본래 돈의 씀씀이가 크다. ④증서. 계약서. ¶立～; 증서를 쓰다.
〔手毕〕 shǒubì 명 〈翰〉 귀한(貴翰). 보내주신 편지. ¶伏奉～; 편지는 고맙게 받아 보았습니다.
〔手臂〕 shǒubì 명 ①팔뚝. =〔〈方〉 手臂膊〕 ②조수.
〔手边(儿)〕 shǒubiān(r) 명 손 가까이. 수중. ¶～正紧得很; 수중에 마침 돈이 바싹 마르다 / ～没有钱; 수중에 돈이 없다.
〔手表〕 shǒubiǎo 명 손목시계. ¶～带子; 손목시계줄. →〔怀表〕
〔手柄〕 shǒubǐng 명 핸들. 손잡이.
〔手拨轮〕 shǒubōlún 명 핸드 기어.
〔手脖子〕 shǒubózi 명 〈方〉 손목. =〔手腕子〕
〔手搏〕 shǒubó 동 맨손으로 싸우다.
〔手膊脚腿〕 shǒu bó jiǎo tuǐ 명 사지(四肢).
〔手不溜赖袄袖〕 shǒu bùliū lài ǎoxiù 〈諺〉〈北方〉 솜씨가 없는 것이 옷 소매 탓이라 한다(자신의 무능을 남의 탓으로 돌리다).
〔手不能提, 肩不能挑〕 shǒu bùnéng tí, jiān bùnéng tiāo 〈比〉 손으로 들지도 못하고, 어깨에 메지도 못한다(가벼운 노동에도 견디지 못하는 허약한 학생〔인텔리〕 등을 조소하는 말).
〔手不释卷〕 shǒu bù shì juàn 〈成〉 책을 손에서 떼지 않다(꾸준히 면학에 힘쓰다).
〔手不提脚不拿〕 shǒu bùtí jiǎo bùná 〈比〉 손가락 하나 까딱 않다.
〔手不稳〕 shǒu bùwěn 〈方〉 손버릇이 나쁘다. ¶少叫他进来, 他可～; 되도록 그를 들여 놓지 않도록 해라, 그는 손버릇이 나쁘니까.
〔手不沾面, 面不沾盆〕 shǒu bùzhān miàn, miàn bùzhān pén 〈比〉 (밀가루 반죽을 하는데) 반죽이 손에도 묻지도 않고, 그릇에도 묻지 않는다(일하는 솜씨가 뛰어나다〔뛰어나서 나중에 어떤 문제도 남지 않는다〕). ¶做事总得办个～; 일을 하는 데에는 아무래도 나중에 말썽이 생기지 않도록 깨끗이 처리해야 한다.
〔手册〕 shǒucè 명 ①수첩. ②핸드북. ‖ =〔手本②〕
〔手策〕 shǒucè 명 〈文〉 수단.
〔手叉子〕 shǒuchāzi 명 비수. 단도.
〔手铲〕 shǒuchǎn 명 (한 손으로 쥐는) 작은 삽. 핸드 스콥(hand schop).
〔手长〕 shǒucháng 동 ①손이 길다. ②손버릇이 나쁘다. ③연줄이 있다〔많다〕.
〔手抄〕 shǒuchāo 동 손으로 베끼어 쓰다. ¶～本; 수사본(手寫本).
〔手车〕 shǒuchē 명 ①1륜차. =〔小车〕 ②손수레(1륜 또는 2륜). ③〈廣〉 인력거. =〔车仔〕
〔手迟脚慢〕 shǒuchí jiǎomàn 〈比〉 동작이 느리다. ↔〔手疾眼快〕
〔手稠〕 shǒuchóu 형 각 방면에 관계가 많다.
〔手揣子〕 shǒuchuāizi 명 ⇨〔手笼(子)②〕
〔手搋子〕 shǒuchuāizi 명 ⇨〔手笼(子)②〕
〔手串儿〕 shǒuchuànr 명 염주. =〔十八子儿〕
〔手钏〕 shǒuchuàn 명 ⇨〔手镯①〕
〔手创〕 shǒuchuàng 동 (손수) 처음으로 만들다.
〔手锤〕 shǒuchuí 명 해머(hammer). (소형의) 쇠망치.
〔手戳(儿)〕 shǒuchuō(r) 명 〈口〉 개인의 이름을 새긴 도장. 개인의 도장.
〔手此〕 shǒucǐ 〈翰〉 직접 이 편지를 썼습니다. ¶～布悬; (직접 이 편지를 써서) 부탁드립니다.
〔手刺〕 shǒucì 명 옛날, 관명(官名)을 써넣은 명함.
〔手粗心细〕 shǒu cū xīn xì 〈成〉 억센 완력(腕力)에 어울리지 않게 세심(細心)하다.
〔手锉〕 shǒucuò 명 손톱을 손질하는 줄.
〔手打鼻梁儿〕 shǒu dǎ bíliángr ①손가락을 콧등에 대다. ②자기가 책임지고 떠맡다(내가 책임질 테니 염려 말라는 뜻을 나타냄).
〔手大〕 shǒudà 형 ①손이 크다. ¶～捂wǔ不过天来 =〔～遮zhē不过天去〕; 〈諺〉 ⓐ아무리 잘하는 사람도 힘에는 한계가 있다. ⓑ아무리 능력있는 사람도 이 큰 사업은 혼자서는 못한다. ②활수하다. ¶给十块钱小账表示～; 10원을 팁으로 주고 선심을 보이다. 명 손만한 크기.
〔手大把不过天来〕 shǒu dà bǎbuguò tiān lái 〈諺〉 손이 아무리 커도 하늘을 쥘 수는 없다(아무리 수완이 있다 해도 혼자 많은 일을 할 수는 없다).
〔手袋〕 shǒudài 명 손가방. 핸드백.
〔手到病除〕 shǒu dào bìng chú 〈成〉 ①손이 닿기만 하면 병이 낫는다(의술이 훌륭함). ②순조로워서 곧 성공·성취함.
〔手到擒来〕 shǒu dào qín lái 〈成〉 손을 뻗기만 하면 잡을 수 있다(쉽게 목적을 달성할 수 있다). ¶这回的胜利真可以说是～了; 이번 승리는 정말로 쉽게 얻었다고 할 수 있을 것이다. =〔手到擒拿〕
〔手倒立〕 shǒudàolì 명 《體》 물구나무서기.
〔手灯〕 shǒudēng 명 휴대용 등잔. 칸델라.
〔手等〕 shǒuděng 부 손을 멈춘 동안. 〈轉〉 곧. 즉시.
〔手底(下)〕 shǒudǐ(xia) 명 ①수중(의 생활 형편). ¶～不便; 수중이 여의치 못하다. =〔手头(儿)①〕 ②착수할 때. ③일하는 태도. ④돈의 씀씀이.
〔手递〕 shǒudì 동 직접 전하다〔건네다〕.
〔手电〕 shǒudiàn 명 회중 전등. ¶开～; 회중 전등을 켜다. =〔手电筒〕〔手电棒〕〔手电灯〕〔〈方〉 电棒(儿)〕
〔手动编织机〕 shǒudòng biānzhījī 명 《機》 손편물기.
〔手动倒链〕 shǒudòng dàoliàn 명 《機》 체인 블록(chain block)(무거운 물건을 달아 올리는 공구).
〔手牍〕 shǒudú 명 ⇨〔手书〕
〔手段〕 shǒuduàn 명 ①수단. 수법. ¶不择～; 수단을 가리지 않다 / 高压的～; 고압적인 수단. ②잔재주. 농간. 부정한 방법. ¶使～; 잔재주를 부리다 / 耍～骗人; 계략을 써서 사람을 속이다 / ～通天 =〔～大如天〕; 〈比〉 계략이 매우 교묘하

다. ③솜씨. 수완. ¶卖弄～; 솜씨를 자랑삼아 보이다.
〔手乏〕 shǒufá 형 살림이 어렵다.
〔手法(儿)〕 shǒufǎ(r) 명 ①수단. 방법. 수법. 기교. ¶～巧妙; 수법이 교묘하다 / 她～不错, 把孩子们扶养得一个儿一个儿都像水葱儿似的; 그 여자는 솜씨가 좋아, 자식들을 제 각각 예쁘게 키우고 있다 / 一个人一个～; 사람에게는 저마다의 (다른) 방식이 있다. ②교묘한 수단. 계략. ¶两面～; 표리가 있는 수법. 양다리 걸친 수단. 양면적인 계략.
〔手翻〕 shǒufān 명 《體》 (체조에서 손을 짚고 하는) 회전.
〔手风〕 shǒufēng 명 (도박 등의) 손속. ¶～一顺立可翻本; 손속만 좋으면 금세 밑천은 복구할 수 있다.
〔手风琴〕 shǒufēngqín 명 《樂》 아코디언. 손풍금. ¶拉lā～; 손풍금을 타다.
〔手风箱〕 shǒufēngxiāng 명 수동식 풀무.
〔手缝儿〕 shǒufèngr 명 손샅. ¶～里漏出来的钱; 손가락 사이로 샌 돈. 〈比〉 구두쇠가 쓴 돈.
〔手扶拖拉机〕 shǒufú tuōlājī 명 핸드 트랙터(hand tractor). 손으로 미는 트랙터.
〔手复〕 shǒufù 동 〈翰〉 친히 답장하다. ¶专zhuān此～; 우선 답장을 올립니다.
〔手感细腻〕 shǒu gǎn xì nì 〈成〉 감촉이 좋다.
〔手高手低〕 shǒu gāo shǒu dī 〈成〉 저울을 사용하지 않고 손대중으로 물건을 나눌 때, 많고 적음이 있는 것은 피할 수 없는 일이다.
〔手高眼低〕 shǒu gāo yǎn dī 〈成〉 수완은 있으나 견식(見識)이 부족하다.
〔手镐〕 shǒugǎo 명 (소형의) 곡괭이.
〔手稿〕 shǒugǎo 명 (저명한 작가 등의) 친필 원고.
〔手根儿底下〕 shǒugēnr dǐxia 가까운 곳. 신변. ¶那个正在～; 그것은 마침 가까운 곳에 있다.
〔手工〕 shǒugōng 명 ①손일. ¶做～; 손일을 하다 / ～很好; 일은 아주 잘 돼 있다. ②수공《공작》. ¶～纸; 수공용의 광택 있는 색종이. ③〈口〉 공임. 품삯. ¶这件衣服多少～? 이 옷을 짓는 데 공전이 얼마인가요?
〔手工纺织呢〕 shǒugōng fǎngzhī ní 명 《紡》 홈스펀(homespun). =〔手织毛绒〕〔火huǒ姆四本〕
〔手工工厂〕 shǒugōng gōngchǎng 명 공장제(工場制) 수공업. 매뉴팩처(manufacture).
〔手工业〕 shǒugōngyè 명 수공업.
〔手工业生产合作社〕 shǒugōngyè shēngchǎn hézuòshè →〔合作社〕
〔手工艺品〕 shǒugōngyìpǐn 명 수예품.
〔手骨节儿〕 shǒugǔjiér 명 손가락 관절.
〔手鼓〕 shǒugǔ 명 《樂》 ①탬버린. ②탬버린과 비슷한 위구르의 악기《둘레에 방울이 없음》. =〔〈音〉达dá布〕〔〈音〉达卜〕〔小xiǎo手鼓〕
〔手梏〕 shǒugù 명 ⇨〔手铐(子)〕
〔手棍(儿)〕 shǒugùn(r) 명 지팡이. 몽둥이. 스틱.
〔手函〕 shǒuhán 명 ⇨〔手书〕
〔手翰〕 shǒuhàn 명 ⇨〔手书〕
〔手黑〕 shǒuhēi 형 〈俗〉 손버릇이 나쁘다. ¶你可得留点儿神, 他～极了; 그는 손버릇이 나쁘니까 조심해라.
〔手狠〕 shǒuhěn 형 쩨쩨하다. 인색하다. ¶～不肯花钱; 인색해서 돈을 쓰려고 하지 않다.
〔手狠心黑〕 shǒu hěn xīn hēi 〈成〉 수법이 악랄하고 음험하다.
〔手虎钳〕 shǒuhǔqián 명 핸드 바이스(hand vice). =〔手拿子〕
〔手滑〕 shǒuhuá 형 ①손이 미끄럽다. ②(어떤 일에) 이골이 나다. 버릇이 되다.
〔手急眼快〕 shǒu jí yǎn kuài 〈成〉 동작이 민활함. =〔手疾眼快〕
〔手机〕 shǒujī 명 휴대 전화.
〔手记〕 shǒujì 동 수기하다. 손수 적다. 명 수기.
〔手技〕 shǒujì 명 〈文〉 ①수예. 손으로 하는 일. ②요술. →〔手艺〕
〔手迹〕 shǒujì 명 필적. =〔墨迹〕
〔手茧〕 shǒujiǎn 명 손의 못.
〔手简〕 shǒujiǎn 명 ①〈文〉 서간. 편지. ②⇨〔手板①〕 ③⇨〔手板③〕
〔手简纸〕 shǒujiǎnzhǐ 명 편지용의 두루마리 종이.
〔手交〕 shǒujiāo 동 ⇨〔袖xiù交〕
〔手绞刀〕 shǒujiǎodāo 명 ⇨〔手(用)绞刀〕
〔手脚〕 shǒujiǎo 명 ①손과 발. ②거동. 동작. 솜씨. ¶好～; 좋은 솜씨 / ～利落; 동작이 민첩하다 / ～麻利; 동작이 민첩하다. ③〈方〉 간계(奸計). ¶弄～; 간계를 꾸미다 / 做～; ⓐ일을 꾸미다. ⓑ운동하다. ④육체 노동. ¶卖～; 육체 노동으로 돈을 벌다. ⑤잔손질. ¶费了两番～; 두어 차례 잔손질을 했다.
〔手教〕 shǒujiào 명 ⇨〔手书〕
〔手巾〕 shǒujīn 명 ①수건. ¶～把儿; 물수건 / 一条～; 수건 한 장. ②〈方〉 손수건. ③〈方〉 타월. =〔毛巾〕
〔手紧〕 shǒujǐn 형 ①호주머니가 여의치 못하다. =〔手底下不方便〕 ②인색하다. 노랑이다. 구두쇠다. ¶王奶奶～是出了名的; 왕할머니의 인색한 것은 소문이 나 있다.
〔手劲(儿)〕 shǒujìn(r) 명 손힘. ¶～很大; 손힘이 매우 세다.
〔手锯〕 shǒujù 명 수동식 톱.
〔手卷(儿)〕 shǒujuàn(r) 명 두루마리.
〔手绢(儿)〕 shǒujuàn(r) 명 손수건.
〔手诀〕 shǒujué 명 농간. ¶闪shǎn电～; 재빠른 솜씨.
〔手铐(子)〕 shǒukào(zi) 명 수갑. 쇠고랑. ¶铐～; 수갑을 채우다 / ～脚镣 =〔手镯脚铐〕; 수갑과 족쇄 / 他被加上～押到营地; 그는 쇠고랑이 채워져서 주둔지로 연행되었다. =〔手捧子〕〔手梏〕
〔手快〕 shǒukuài 형 ①일손이 빠르다. ②동작이 민활하다. ¶眼明～; 〈成〉 눈치가 빠르고 동작도 빠르다. ‖↔〔手慢màn〕
〔手拉手(儿)〕 shǒu lā shǒu(r) 손에 손을 잡다.
〔手辣心毒〕 shǒu là xīn dú 〈成〉 마음이 잔혹하고 수법이 악랄하다.
〔手泐〕 shǒulè 동 〈翰〉 손수 쓰다.
〔手雷〕 shǒuléi 명 《軍》 (대전차용의) 수류탄.
〔手里〕 shǒulǐ 명 ①손 안. 수중(手中). ②주머니〔수입〕 사정. ¶～硬; 호주머니 속이 두둑하다 / ～软 =〔～不方便〕〔～不宽绰〕〔～不松通〕; 주머니 사정이 여의치 않다. =〔手头(儿)②〕
〔手镣〕 shǒuliào 명 쇠고랑. 수갑. =〔手铐(子)〕
〔手令〕 shǒulìng 동 〈文〉 친히 명령을 내리다. 명 친히 내린 명령.
〔手榴弹〕 shǒuliúdàn 명 ①《軍》 수류탄. =〔手炮〕 ②《體》 수류탄 투척 경기.
〔手镏子〕 shǒuliùzi 명 〈京〉 반지. =〔戒jiè指(儿)〕

〔手笼(子)〕 shǒulóng(zi) 명 ①(차가운 손을 녹이는) 작은 화로(대나무를 엮어 만든 바구니 속에 도자기로 만든 화로를 넣도록 되어 있음). ②머프(muff). 토시(겨울에 양손을 좌우로 넣어 손을 따뜻하게 하기 위해 쓰는 솜을 두거나 모피로 만든 통 모양의 방한구). =〔手搋chuāi子〕〔手揣子〕〔手焐wù子〕

〔手轮〕 shǒulún 명 핸드휠(handwheel). =〔〈南方〉凡fán而盘〕

〔手锣〕 shǒuluó 명 (흔히 중국 전통극의 반주에 쓰이는) 작은 징. =〔小xiǎo锣(儿)〕

〔手码儿〕 shǒumǎr 명 손가락으로 나타내는 숫자(數字). ¶捏弄了一会儿～; (두 사람은) 호주머니 속에 손을 넣어 더듬으며 잠깐 값을 흥정했다.

〔手脉〕 shǒumài 명 〔漢醫〕 손의 맥(맥을 짚는 데 손목의 맥이 뛰는 곳에 인지·중지·약지의 세 손가락을 대어 짚음. 그 각각의 부위의 맥을 '寸脉' '关脉' '尺脉'이라 함).

〔手慢〕 shǒumàn 형 일·동작이 느리다.

〔手忙脚乱〕 shǒu máng jiǎo luàn 〈成〉 ①허둥지둥하다. ②바쁘게 이리 뛰고 저리 뛰다. ‖=〔手脚忙乱〕

〔手闷子〕 shǒumēnzi 명 방열(防熱) 장갑(벙어리장갑의 형태로 되어 있는 것). ¶怎么不早甩开～? 어째서 빨리 벙어리 장갑을 내동댕이치지 않느냐?

〔手面〕 shǒumiàn 명 〈方〉 돈의 씀씀이. ¶你～太阔了, 要节约一点才好! 자네는 돈을 너무 헤프게 쓰네, 좀더 절약을 해야지!

〔手面儿〕 shǒumiànr 명 수단. 방법. 솜씨. ¶他～广, 找他准有办法; 그는 재주가 많으니까 그에게 부탁하면 틀림없이 무슨 방법이 있을 것입니다 / 我倒也要做点～给他瞧, 看我到底是饭桶不是饭桶; 나도 그놈에게 솜씨를 좀 보여 줘서 내가 밥통인지 아닌지를 알도록 해 주고 싶다.

〔手民〕 shǒumín 명 〈文〉 조판공(組版工). 식자공. ¶～之误; 인쇄 상의 잘못.

〔手模〕 shǒumó 명 ①손도장. 지장(指章). ¶打～; 손도장을 찍다. =〔手印〕 ②손자국. 남겨진 지문(指紋).

〔手墨〕 shǒumò 명 〈文〉 진필(眞筆). 친필.

〔手拿子〕 shǒunázi 명 ⇨〔手虎钳〕

〔手脑〕 shǒunǎo 명 손과 머리. 몸과 머리. ¶动～; 손과 머리를 움직이다.

〔手粘〕 shǒunián 형 〈比〉 손버릇이 나쁘다. 도벽이 있다.

〔手杻〕 shǒuniǔ 명 쇠고랑. 수갑.

〔手帕姊妹〕 shǒupà zǐmèi 명 옛날, 기녀(妓女)끼리 서로 맺은 의자매(義姊妹).

〔手帕(子)〕 shǒupà(zi) 명 손수건.

〔手牌〕 shǒupái 명 마작에서, 각각 손에 들고 있는 패. →〔起qǐ牌〕

〔手刨脚蹬〕 shǒu páo jiǎo dēng 〈成〉 (괴로움·아픔을 참지 못해) 드러누운 채 손발을 허우적거리다.

〔手炮〕 shǒupào 명 ⇨〔手榴弹①〕

〔手捧子〕 shǒupěngzi 명 ⇨〔手铐(子)〕

〔手旗通讯〕 shǒuqí tōngxùn 명 수기 신호.

〔手启〕 shǒuqǐ 동 ⇨〔手白〕

〔手气〕 shǒuqì 명 (도박 따위의) 재수. 운(運). ¶你～真不错啊! 넌 재수가 정말로 좋구나! / ～不好 =〔手背〕; 운이 나쁘다. 재수가 없다. =〔牌运〕

〔手钳〕 shǒuqián 명 젓가락.

〔手欠〕 shǒuqiàn 명형 물건을 만지작거리는 버릇(이 있다). ¶这人真～, 坐这一会儿, 一盒儿洋火都窝折wōshé了; 이 사람은 물건을 만지작거리는 버릇이 있어, 잠깐 앉아 있는 동안에 성냥 한 통을 모두 부러뜨려 놓았다.

〔手枪〕 shǒuqiāng 명 ①권총. ¶掏出一枝～; 권총 한 자루를 꺼내다 / 柯尔特～; 콜트식 자동권총 / 转轮～; 리볼버. =〔短枪②〕 ②〔體〕 사격 경기용 권총. ¶气～; 공기 권총.

〔手枪式管〕 shǒuqiāngshìguǎn 명 〔機〕 피스톨식 노즐(유체 분출 장치).

〔手巧〕 shǒu qiǎo 손재주가 있다. ¶～能干; 손재주가 있어서 일을 잘 한다.

〔手切面〕 shǒuqiēmiàn 명 수타(手打) 국수.

〔手琴〕 shǒuqín 명 〔樂〕 아코디언.

〔手勤〕 shǒuqín 형 부지런하다. ¶新媳妇可～哩, 不管粗活儿细活儿, 拿起来就做! 새댁은 정말 부지런하군요, 힘드는 일이건 잔일이건 척척 해냅니다!

〔手轻〕 shǒuqīng 형 (손을 쓸 때) 힘을 넣지 않다. 부드럽다. ¶～着点儿吧! 부드럽게 다루어라!

〔手球〕 shǒuqiú 명 〔體〕 ①핸드볼. ②핸드볼용의 공.

〔手圈〕 shǒuquān 명 ⇨〔手镯①〕

〔手儿〕 shǒur 명 ①손. ②손재주. ¶～粘赘; 도벽이 있다 / 不管谁, 都有两～; 누구에게나 재주는 있다. ③수완. ¶我得给他看一～; 그에게 내 솜씨를 좀 보여 줘야겠다. ④(어떤 기능·성격이 뚜렷한 경우에 쓰는) 사람. ¶老张那个～, 可真不错! 저 장이란 사람은 정말 틀림없는 사람이야! ⑤계략. 수단. ¶他这一～太厉害了; 그의 이번 수단은 너무 지독했다.

〔手刃〕 shǒurèn 동 〈文〉 맨손으로 때려 잡다. 직접 베어 죽이다.

〔手软〕 shǒuruǎn 형 ①차마 손을 쓸 수 없다. 기가 꺾이어 힘을 낼 수 없다. ¶对他绝不能～! 그에게는 절대로 인정 사정 봐 줄 필요 없다! ②마음이 무르다. 우유부단하다. ¶拿了人家的～; 남에게서 은혜를 입고 있으면 마음이 물러진다.

〔手扫漆〕 shǒusǎoqī 명 솔로 칠하는 옻.

〔手刹车〕 shǒushāchē 명 핸드 브레이크. 수동 브레이크. =〔手闸①〕

〔手煞〕 shǒushā 명 핸드 브레이크(hand brake).

〔手上〕 shǒushàng 명 대(代). ¶我爷爷～就当长工; 나의 할아버지대(代)에는 머슴을 살았다.

〔手生〕 shǒushēng 형 (연습 따위를 게을리하여) 솜씨가 무디어지다. 손이 말을 듣지 않다.

〔手使〕 shǒushǐ 동 손 가까이에 두고 쓰다. ¶～的东西; 손 가까이에 두고 쓰는 물건.

〔手示〕 shǒushì 명 ⇨〔手书〕

〔手势〕 shǒushì 명 손짓. ¶交通警打～指挥车辆行人; 교통 경찰관이 손짓으로 차량과 통행인을 정리하다 / ～语; 수화(手話). =〔手式〕

〔手式〕 shǒushi 명 손짓. ¶打～; 손짓으로 의사를 표시하다. =〔手势〕

〔手书〕 shǒushū 동 수서하다. 손수 쓰다. 명 〈翰〉 귀한(貴翰)(손수 쓰신 편지). ¶顷奉～; 방금 보내 주신 편지를 읽었습니다. =〔手牍〕〔手函〕〔手翰〕〔手教〕〔手示〕〔手札〕

〔手熟〕 shǒushú 동 숙련되어 있다.

〔手术〕 shǒushù 명 ①수술. ¶～室; 수술실 / ～台; 수술대 / 动dòng～ =〔施shī～〕; 수술하다. =〔割gē术〕 ②〈方〉 교묘한 손놀림. ¶他得用～量布, 手指一捻就抽回来一块; 그는 교묘한 손끝의

속임수로 손끝을 한 번 비틀어 천을 약간 당겨 천을 재어야만 한다.
〔手松〕 shǒusōng 형 활수하다. 돈 씀씀이가 대범하다. ↔〔手紧〕
〔手谈〕 shǒután 명 〈文〉 수담. '围wéi棋'(바둑)의 별칭. 동 바둑을 두다.
〔手套(儿)〕 shǒutào(r) 명 ①장갑. ¶戴～; 장갑을 끼다. ②글러브. 미트(mitt). ¶棒球～; 야구 장갑/拳击～; 권투 장갑.
〔手提〕 shǒutí 동 손에 들다. ¶～包; 핸드백. 손가방/～(皮)箱 =〔提箱〕; 슈트 케이스(suitcase).
〔手提式〕 shǒutíshì 명 포터블. ¶～收shōu音机; 포터블〔휴대용〕 라디오/～步谈机; 워키토키. =〔便biàn携式〕〔轻qīng便式〕
〔手条(儿)〕 shǒutiáo(r) 명 친필의 간단한 편지.
〔手帖〕 shǒutiě 명 ①수서본(手書本). ②필기. 노트. 수첩.
〔手头(儿)〕 shǒutóu(r) 명 ①수중. 곁. 신변. 손이 미치는 범위. ¶东西不在～; 물건이 수중에 없다. ②주머니〔수입〕 사정. ¶～窄; 주머니가 여의치 않다/～儿宽裕 =〔～儿宽绰〕〔～儿壮〕〔～儿松〕; 주머니가 두둑하다. ③돈 씀씀이. ¶～儿大; 돈 씀씀이가 헤프다. ④손재주. 솜씨. ¶～巧; 솜씨가 있다/猎户～很准; 사냥꾼은 솜씨가 정확하다/～俐落; 일을 똑소리나게 처리하다. ⑤힘. ¶～硬; 힘이 세다.
〔手头活儿〕 shǒutóuhuór 명 ①손으로 하는 일. ②신변의 잡일.
〔手头字〕 shǒutóuzì 명 ①상용자. ②(생활에 필요한) 간략자(簡略字). 약자.
〔手推车〕 shǒutuīchē 명 ⇨〔小xiǎo车(儿)①〕
〔手推犁〕 shǒutuīlí 명 손으로 미는 쟁기. 핸드 플라우.
〔手推式撒粉机〕 shǒutuīshì sāfěnjī 명 수동 살포기.
〔手托着〕 shǒutuōzhe 〈比〉 확실히. 영락없이. 어김없이. ¶他每月～有一百万的进款; 그는 매달 어김없이 백만원의 수입이 있다.
〔手挽手〕 shǒuwǎnshǒu ①손에 손을 잡다. ②손을 맞잡고.
〔手腕(儿)〕 shǒuwàn(r) 명 ①손목. ②술수. 계교. 술책. ¶耍shuǎ～儿; 농간 부리다. ③수완. 역량. 능력. ¶外交～; 외교적 수완.
〔手腕子〕 shǒuwànzi 명 손목. ¶叫人攥zuàn住～了; 증거를 잡혀서 꼼짝 못 하게 되었다.
〔手尾〕 shǒuwěi 명 손을 대고 있는〔있어 아직 끝이 나지 않은〕 일. ¶此系家父～, 我并不知道; 이것은 아버지가 관계하고 있는 일이라, 나는 전혀 모른다.
〔手味〕 shǒuwèi 명 손수 만든 음식. ¶吃吃婶子这～! 아주머니가 손수 만든 음식을 먹어 봐라!
〔手文〕 shǒuwén 명 ⇨〔手纹〕
〔手纹〕 shǒuwén 명 손금. =〔手文〕
〔手无寸铁〕 shǒu wú cùn tiě 〈成〉 몸에 아무런 무기도 갖고 있지 않다.
〔手无缚鸡之力〕 shǒu wú fù jī zhī lì 〈成〉 손에 닭을 묶을 힘도 없다《젓가락을 질 힘도 없다》.
〔手舞足蹈〕 shǒu wǔ zú dǎo 〈成〉 너무 좋아서 어쩔 줄 모르다.
〔手焐子〕 shǒuwùzi 명 ⇨〔手笼(子)②〕
〔手下〕 shǒuxià 명 ①지도〔통솔〕하. 부하. 수하. ¶他过去在王工程师的～当过技术员; 그는 전에 왕기사 밑에서 기술자로 일한 적이 있다. ②주머니 사정. ¶～不便; 주머니 사정이 여의치 못하다/用钱无计划, 月底～就紧了; 돈을 계획적으로 쓰지 않으면 월말에 가서 주머니 사정이 구차해진다/～宽绰; 주머니사정이 넉넉하다. ③신변. 수중. ¶东西不在～; 물품은 수중에 없다/他是～有什么拿出什么; 그는 수중에 있는 대로 내놓는 사람이다. =〔手头(儿)①〕 ④일을 시작할 때. 처리할 때. ¶请你～留情! 잘 부탁합니다.
〔手相术〕 shǒuxiàngshù 명 ⇨〔相xiàng手术〕
〔手携手〕 shǒu xié shǒu 손에 손을 맞잡다. 〈轉〉 일치 단결하다.
〔手写〕 shǒuxiě 동 손으로 쓰다. ¶这些字是那小伙子～的; 이 글씨들은 저 젊은이가 손으로 쓴 것이다.
〔手写体〕 shǒuxiětǐ 명 필기체. 스크립트체(script體).
〔手心(儿)〕 shǒuxīn(r) 명 ①손바닥의 한가운데. 손바닥. ②〈比〉 손아귀. 장악. 지배. ¶逃不了他的～; 그의 손아귀로부터 도망칠 수 없다.
〔手信〕 shǒuxìn 명 간단한 선물《편지 대신 간단한 것을 직접 들고 가서 마음을 표시함》. ¶小黄顺便在街上买了点儿东西, 做为一点～; 소황은 가는 길에 거리에서 간단한 물건을 사서 선물로 삼았다.
〔手幸〕 shǒuxìng 형 (마작 따위) 운이 좋다. 손속이 좋다. ¶我打麻将jiàng今天～; 오늘 마작은 재수가 좋다.
〔手续〕 shǒuxù 명 수속. 절차. ¶办bàn～; 절차를〔수속을〕 밟다/～费; 수속비.
〔手癣〕 shǒuxuǎn 명《醫》손의 무좀. =〔鹅掌风〕
〔手旋儿〕 shǒuxuànr 명 원통형에 깊이가 얕은 손 씻는 금속 대야.
〔手丫巴儿〕 shǒuyābar 명 손가락의 갈라진 부분.
〔手丫子〕 shǒuyāzi 명 〈方〉 손. ¶他一晃大～, 开口称赞; 그는 큰 손을 흔들며 칭찬했다.
〔手压泵〕 shǒuyābèng 명 손으로 누르는 펌프.
〔手押〕 shǒuyā 명 수압. 수결(手決).
〔手眼〕 shǒuyǎn 명 〈比〉 ①움직임. 동작. ¶～灵活; 움직임이 기민하다. ②세력. ③솜씨. 계략. 짓. 소행. ¶～很大; 수완가이다/一定是他使用的～; 틀림없이 그의 짓이다.
〔手痒〕 shǒuyǎng 형 ①팔이 근질근질하다. 팔이 들먹거리다. ②…하고 싶은 욕망으로 좀이 쑤시다.
〔手痒难耐〕 shǒu yǎng nán nài 팔이 근질거려 참을 수 없다《하고 싶어 견딜 수 없다》. ¶他看到我们赚了那么多的钱早已～了; 그는 우리가 무척 많은 돈을 벌고 있는 것을 보고 갖고 싶어 벌써부터 손이 근질근질해졌다.
〔手摇〕 shǒuyáo 동 손으로 흔들다. 손으로 돌리다. ¶～车床; 《機》 수동식 선반(旋盤).
〔手摇式喷雾机〕 shǒuyáoshì pēnwùjī 명 수동식 분무기. 핸드 스프레이어.
〔手摇钻〕 shǒuyáozuàn 명 핸드 드릴.
〔手艺〕 shǒuyi 명 ①손재주. 기량. 솜씨. ¶显显～; 솜씨를 보이다/～精; 솜씨가 정교하다/～潮; 솜씨가 서투르다. ②수예. 솜씨를 부려 만든 것. ¶这是谁的～? 이것은 누구의 솜씨냐?
〔手淫〕 shǒuyín 명 수음. =〔〈文〉自zì渎〕
〔手印〕 shǒuyìn 명 손도장. 지장(指章). 수장인(手掌印).
〔手印(儿)〕 shǒuyìn(r) 명 ①손자국. ②무인(拇印).
〔手硬〕 shǒuyìng 형 노름 따위에서 운이〔재수가〕

좋다.
〔手(用)绞刀〕 shǒu(yòng) jiǎodāo 명 《機》 핸드 리머(hand reamer). 손달구. =〔手绞刀〕
〔手(用)螺丝攻〕 shǒu(yòng) luósīgōng 명 《機》 핸드 탭(hand tap). 수동 암나사산을 깎는 공구(工具).
〔手语〕 shǒuyǔ 명 수화. ¶打~; 수화로 이야기하다. =〔手指语〕〔〈俗〉哑yǎ语〕
〔手谕〕 shǒuyù 명 〈文〉 상급자 또는 윗사람이 친필로 쓴 지시.
〔手栽〕 shǒuzāi 명동 손으로 심기〔심다〕. =〔手植〕
〔手泽〕 shǒuzé 명 〈文〉 수택. 손때《선인이 남긴 물건 또는 필적 따위》.
〔手札〕 shǒuzhá 명 ⇨〔手书〕
〔手闸〕 shǒuzhá 명 ①핸드 브레이크. =〔手刹shā车〕 ②〈俗〉(자동차의) 레버(lever).
〔手掌(儿)〕 shǒuzhǎng(r) 명 손바닥. =〔手巴掌(儿)①〕
〔手杖〕 shǒuzhàng 명 지팡이. 단장. ¶一根~; 한 개의 지팡이/拄zhǔ~; 지팡이를 짚다. =〔文明棍儿〕〔洋杖〕
〔手诏〕 shǒuzhào 명 옛날, 황제 친필의 조서(詔書).
〔手照(子)〕 shǒuzhào(zi) 명 수촉(手燭). 등롱. ¶打个手照送铁老爷回去《老殘游記》; 수촉을 밝혀 철영감을 배웅하다.
〔手折〕 shǒuzhé 명 ①옛날, 관리가 장관에게 의견을 상신하기 위하여 종이에 적어 펴보기 쉽게 접어서, 직접 제출한 것. ②상점에서, 거래나 가격을 적어 놓는 접책(摺冊) 모양의 장부.
〔手织毛绒〕 shǒuzhī máoróng 명 ⇨〔手工纺织呢〕
〔手植〕 shǒuzhí 명동 ⇨〔手栽〕
〔手纸〕 shǒuzhǐ 명 수지. 뒤지. 화장지.
〔手指〕 shǒuzhǐ 명 손가락. ¶~语; 수화(手話)/~字母; 농아자용의 지문자(指文字).
〔手指公〕 shǒuzhǐgōng 명 〈廣〉 엄지손가락.
〔手指甲〕 shǒuzhǐjia 명 손톱.
〔手指头〕 shǒuzhǐtou 명 〈口〉 손가락. ¶十个~都不一般齐; 〈諺〉 열 손가락이 모두 같지 않다. 십인 십색(十人十色). =〔手指〕
〔手指头肚儿〕 shǒuzhǐtoudùr 명 〈口〉 손가락 끝의 지문이 있는 부분.
〔手中有钱助腰眼〕 shǒuzhōng yǒu qián zhù yāoyǎn 〈諺〉 수중에 돈이 있으면 허리를 받쳐준다《돈이 있으면 배짱이 커진다》.
〔手钟〕 shǒuzhōng 명 탁상에 설치한 호출용 초인종.
〔手重〕 shǒuzhòng 형 (손을 움직일 때) 힘이 들어 있다. 난폭하다. 손이 거칠다. ¶男孩子打架~; 사내아이들의 싸움은 난폭하다.
〔手拙〕 shǒuzhuō 형 솜씨가 없다. 손이 굼뜨다. ↔〔手巧〕
〔手捉〕 shǒuzhuō 동 손으로 붙잡다.
〔手镯〕 shǒuzhuó 명 ①팔찌. ¶~表; 손목시계. =〔手钏〕〔手圈〕 ②수갑. ¶~脚镣 =〔手铐脚镣〕; 수갑과 차꼬.
〔手字儿〕 shǒuzìr 명 〈俗〉 서명(署名). ¶你写来的帖tiě子现在, 但是没你的~; 네가 적어 보낸 초대장은 여기 있지만, 네 서명은 없더라.
〔手足〕 shǒuzú 명 ①손과 발. 〈轉〉 동작. ¶~并行; 엎드려 기어가다. ②〈比〉 형제. ¶~情重; 형제간에 우애가 있다/亲如~; 형제처럼 친하다/结为异姓的~; 의형제를 맺다. ③대응책. ¶~无措; 〈成〉 손을 쓸 여지가 없다.
〔手足重茧〕 shǒu zú chóng jiǎn 〈成〉 힘든 고생을 거듭하다.
〔手钻〕 shǒuzuàn 명 나사송곳. 짐렛(gimlet).

守 **shǒu** (수)
①동 방위하다. 수비하다. ¶~城; 성을 방위하다〔지키다〕/坚~阵地; 진지를 굳게 지키다. ②동 지키다. 준수하다. ¶~时间; 시간을 지키다/~信用; 신용을 지키다/~着本来的面目; 본래의 면목을 유지하고 있다/保~秘密; 비밀을 지키다. ③동 지켜 보다. 망보다. ¶~电话; 전화 당번을 하다/~护病人; 환자를 간호하다/~在电视机旁; 텔레비전 앞에 붙어있다. ④동 …에 의지하다. …을 기화로 하다. ⑤명 절조. 지조. ¶有为有~; 재능이 있고 절조가 있다. ⑥동 가까이 가다. 접근하다. ¶~着灯看书; 등불 가까이에서 책을 읽다/~着水的地方, 要多种zhòng稻子; 물이 있는 곳에서는 벼농사를 짓는 것이 좋다.
〔守备〕 shǒubèi 동 수비하다. 방어하다.
〔守边〕 shǒubiān 동 변경을 수비하다.
〔守不住〕 shǒubuzhù ①(더 이상) 지킬 수 없다. 견딜 수 없다. ②(더 이상) 수절할 수 없다. ¶~, 嫁了; 수절하지 못하고 시집 갔다.
〔守财虏〕 shǒucáilǔ 명 ⇨〔守财奴〕
〔守财奴〕 shǒucáinú 명 수전노. ¶他是个舍命不舍财的~; 그는 목숨보다 돈이 소중한 수전노이다. =〔守财虏〕〔钱虏〕〔看钱鬼〕
〔守场员〕 shǒuchǎngyuán 명 《體》 야수(野手).
〔守车〕 shǒuchē 명 ①차장 승무차《화물 열차의 맨 뒤의 승무원 전용차》. ②〈文〉 병참용(兵站用)의 병거(兵車).
〔守臣〕 shǒuchén 명 ⇨〔诸zhū侯〕
〔守成〕 shǒuchéng 동 〈文〉 수성하다. 이미 이룩한 가업〔사업〕을 발전시켜 나가다.
〔守刺〕 shǒucì 명 옛날, 태수(太守)와 자사(刺史).
〔守倅〕 shǒucuì 명 옛날, 군수와 그의 보좌관.
〔守寸〕 shǒucùn 명 ①미간(眉間)의 별칭. ②〈比〉 미간과 같이 좁은 장소.
〔守道〕 shǒudào 동 〈文〉 도덕을 지키다. 명 명청대(明淸代) 각 도(道)의 순사관. =〔分fēn守道〕
〔守得住〕 shǒu de zhù 지킬 수 있다. 지켜 낼 수 있다.
〔守灯人〕 shǒudēngrén 명 등대지기.
〔守敌〕 shǒudí 명 적의 수비 병력.
〔守冻〕 shǒudòng 동 ⇨〔打dǎ冻〕
〔守法〕 shǒufǎ 동 법률을 준수하다. ¶~奉公; 법을 지키고 공사(公事)에 힘쓰다.
〔守分〕 shǒufèn 동 자기의 분수를〔본분을〕 지키다. ¶~安命; 〈成〉 본분을 지키고, 천명을 따르다/安分守己; 〈成〉 분에 만족하고 본분을 지키다.
〔守服〕 shǒu.fú 동 거상(居喪)을 입다.
〔守更〕 shǒugēng 동 〈文〉 야간 당번을 하다. 야경(夜警) 보다〔돌다〕.
〔守庚申〕 shǒugēngshēn 명 옛날, 도사(道士)가 경신(庚申)날에 좌선하여 밤새 자지 않고 수도하는 일.
〔守宫〕 shǒugōng 명 ⇨〔壁bì虎〕
〔守瓜〕 shǒuguā 명 《蟲》 수과. 외잎벌레. 넓적다리잎벌레《개똥벌레 비슷한 오이의 해충으로, 주로 잎을 먹으므로 '守瓜'라 함》. =〔瓜守〕〔瓜萤〕〔瓜蝇〕〔黄huáng守瓜〕

〔守寡〕 shǒu,guǎ 동 과부가 수절하다. =〔居孀〕
〔守恒〕 shǒuhéng 동 (일정한 것을) 바꾸지 않고 지키다. 명〔物〕 불멸(不滅). ¶能量~定律; 에너지 불멸〔보존〕의 법칙/质量~定律; 질량 불변의 법칙.
〔守候〕 shǒuhòu 동 ①지키다. 기다리다. ¶他眼巴巴~着家乡的信息; 그는 눈이 빠지도록 고향 소식을 기다리고 있다. ②곁에서 시중들다. 간호하다. ¶护士日夜~, 给伤员们打针换药; 간호원은 밤낮으로 부상자들 곁에서 주사를 놓거나 약을 바꾸어 주며 시중을 든다.
〔守护〕 shǒuhù 동 지키다. 지켜보다.
〔守活寡〕 shǒu huóguǎ 생과부로 지내다. →〔守寡〕
〔守己〕 shǒujǐ 동 자기의 본분을 지키다. ¶安分fèn~; 〈成〉 분에 만족하여 자기의 본분을 지키다.
〔守家〕 shǒu,jiā 동 가정을 지키다.
〔守节〕 shǒu,jié 동 〈文〉 ①절조를 지키다. ②수절하다. 과부가 정조를 지키다.
〔守经达权〕 shǒu jīng dá quán 〈成〉 정도(正道)를 지키면서 임기 응변으로 일을 처리하다. 원칙을 지키면서 융통성을 부리다.
〔守旧〕 shǒujiù 동 옛것을 고수하다. 옛것에 구애되다. ¶~派; 보수파. 수구파. 명〔劇〕 연극할 때 무대 뒤에 치는 막《극의 줄거리와는 관계 없는 그림이 수놓여 있음》.
〔守军〕 shǒujūn 명 수비대.
〔守口〕 shǒukǒu 동 ①〈文〉 말을 삼가다〔조심하다〕. ②육지나 수로의 요소(要所)를 지키다. ¶~官; 육지나 수로의 요소를 지키는 관리.
〔守口如瓶〕 shǒu kǒu rú píng 〈成〉 말을 삼가다. 비밀을 굳게 지키다.
〔守垒员〕 shǒuléiyuán 명〔體〕 (야구 등의) 누수(壘手).
〔守灵〕 shǒu,líng 동 (죽은 사람의 유해·위패를 지키며) 밤샘을 하다. =〔守丧〕
〔守令〕 shǒulìng 명 옛날, 군수와 현령(縣令).
〔守漏〕 shǒulòu 동 옛날, 물시계를 지키다.
〔守门〕 shǒu,mén 동 ①문지기를 하다. ②〔體〕 골(goal)을 지키다. ¶~员 =〔球门手〕〔门将jiàng〕; 골키퍼/~发球; 골킥(goal kick).
〔守门使〕 shǒuménshǐ 명 개의 별칭.
〔守女儿寡〕 shǒu nǚérguǎ 명 〈文〉 약혼 중인 남자가 죽었을 때, 한번 맺은 혼약을 그대로 이행키 위해 여자가 남자 집으로 시집을 가서 수절하는 행위.
〔守七〕 shǒuqī 명동 사람이 죽은 후 49일 동안 7일마다의 불공(을 드리다).
〔守球〕 shǒuqiú 명동〔體〕 (탁구·테니스에서) 리시브(하다).
〔守区〕 shǒuqū 명〔體〕 (아이스하키의) 디펜싱 존. 수비 구역.
〔守犬〕 shǒuquǎn 명 〈文〉 집지키는 개. =〔看kān家狗〕
〔守日〕 shǒurì 명 〈文〉 길일(吉日).
〔守若泰山〕 shǒu ruò Tài shān 〈成〉 반석(盤石)과 같은 수비를 이르는 말.
〔守塞〕 shǒusài 동 〈文〉 요새를 지키다.
〔守丧〕 shǒu,sāng 동 ⇨〔守灵〕
〔守哨〕 shǒushào 명 망을 보는 사람. 파수꾼.
〔守身〕 shǒu,shēn 동 〈文〉 (나쁜 짓을 하지 않도록) 자기 몸을 지키다. 〈比〉 정절을 지키다. ¶~如玉; 〈成〉 절조를 지키어 깨끗하다.
〔守时(间)〕 shǒu shí(jiān) 시간을 지키다.
〔守势〕 shǒushì 명 수세. 방어. ¶采取~; 수세를 취하다.
〔守岁〕 shǒu,suì 동 섣달 그믐밤에 온 집안이 둘러앉아 뜬눈으로 묵은 해를 보내다.
〔守田〕 shǒutián 명 ⇨〔半bàn夏〕
〔守土〕 shǒutǔ 동명 〈文〉 국토를 지키다〔지키는 사람〕. ¶~有责任; 국토를 지키는 데에 책임이 있다.
〔守望〕 shǒuwàng 동 파수(把守)를 보다. ¶~相助; 〈成〉 외래의 침입을 막기 위해 이웃 촌락간에 서로 파수를 보면서, 일이 있을 때는 서로 돕는다.
〔守卫〕 shǒuwèi 동 방위하다. (공격으로부터) 지키다. 명동〔體〕 수비(하다).
〔守孝〕 shǒu,xiào 동 부모의 상(喪)을 입다《상중에는 오락·교제를 멀리함》.
〔守信〕 shǒuxìn 동 약속〔신용〕을 지키다. ¶~是基本的社会道德; 신용을 지키는 것은 기본적인 사회 도덕이다.
〔守业〕 shǒuyè 동 〈文〉 전해 내려오는 가업을 지키다.
〔守夜〕 shǒu,yè 동 ①야경 보다〔돌다〕. ¶~兵; 야경병. =〔守更〕 ②철야하다. ¶收生婆连着守了她三天三夜《老舍 駱駝祥子》; 산파는 사흘 낮 사흘 밤을 그녀 곁에서 지키고 있었다. ③야간 당번을 하다. =〔守更〕
〔守一〕 shǒuyī 동 〈文〉 한 가지 일에 전심(專心)하다. ¶~主义; 매너리즘.
〔守茔〕 shǒuyíng 명 〈文〉 묘지기.
〔守御〕 shǒuyù 동 방어하다. 수비하다.
〔守约〕 shǒu,yuē 동 ①〈文〉 요소(要所)를 지키다. ②약속을 지키다.
〔守则〕 shǒuzé 명 수칙. 규칙. 규정. ¶工作~; 집무 규정〔수칙〕/小学生~; 초등학생 수칙〔규칙〕.
〔守着〕 shǒuzhe 동 ①곁을 떠나지 않고 있다. 함께 지내다. ¶~舅舅姊母住着, 未免拘紧了《紅樓夢》; 외삼촌과 이모들과 함께 지내자니, 거북한 것은 피할 수 없다. ②바로 가까이에 있다. ¶~饼挨饿; 〈諺〉 눈 앞에 떡을 두고도 배고파한다《모처럼 생긴 것도 이용할 줄 모르다》. ③〈俗〉 (남편이 죽은 후에) 절개를 지키다.
〔守贞〕 shǒuzhēn 동 ①수절하여 재혼하지 않다. ②처녀로 결혼하지 않다.
〔守正不阿〕 shǒu zhèng bù ē 〈成〉 옳은 것을 지키고 남에게 아첨하지 않다.
〔守制〕 shǒuzhì 동 옛날, 부모의 상(喪)을 입다《봉건 시대에, 아들은 부모가 돌아가신 후 27개월 동안 상(喪)을 입게 되는데, 남과의 면회를 사절하고 관직에 있는 자는 이 기간 중 이직(離職)을 하여야 했음》.
〔守终〕 shǒuzhōng 동 유종의 미를 거두다. 끝마무리를 잘 하다.
〔守冢〕 shǒuzhǒng 명동 〈文〉 묘지기(를 하다).
〔守株待兔〕 shǒu zhū dài tù 〈成〉 ①구습〔편협한 자기 주관〕을 고수하고 임기 응변하지 못하다. ②노력하지 않고 만일의 요행을 바라다. ‖ =〔守株〕〔株守〕
〔守住〕 shǒu,zhù 동 꼭 지키다. 단단히 지키다.
〔守拙〕 shǒuzhuō 동 〈文〉 ①분수를 지키고 약삭빠르게 굴지 않다. ②결점을 드러내지 않도록 하다.

首 shǒu (수)
①명 머리. ¶昂~; 머리를 쳐들다/搔~寻思; 머리를 긁적이며 생각에 잠기다. ②명

장(長). 우두머리. ¶～长; 수장. 리더 / ～席代表; 수석 대표. ③통 시작되다. ¶～于1980年; 1980년부터 시작되었다. ④통 스스로 나가서 고발하다. ¶自～ =〔出～〕; 자수하다. ⑤명 방위(方位). 근방. ¶右～; 오른쪽. ⑥양 시(詩)·노래를 세는 말. ¶一～诗; 한 수의 시 / 两～歌曲; 두 곡의 노래. ⑦형 제1위의. 최고의. ⑧형 최초의. 제일 빠른. ¶～次; 최초. 제1회. ⑨명 성(姓)의 하나.

〔首班车〕 shǒubānchē 명 (열차·버스 등의) 첫차. =〔首车〕〔头趟车〕↔〔末mò(班)车〕

〔首报〕 shǒubào 통 제일 먼저 출원(出願)하다. 맨 먼저 신고하다.

〔首本戏〕 shǒuběnxì 명 장기(長技). 특기.

〔首刹〕 shǒuchà 명 《佛》 본사(本寺).

〔首倡〕 shǒuchàng 통 ⇨〔首唱〕

〔首唱〕 shǒuchàng 통 (새로운 것을) 처음으로 부르짖다〔제창하다〕. 수창하다. =〔首倡〕

〔首车〕 shǒuchē 명 ⇨〔首班车〕

〔首创〕 shǒuchuàng 통 창시하다. 처음으로 만들다. ¶～精神; 창의성. 창조력.

〔首春〕 shǒuchūn 명 ⇨〔孟mèng春〕

〔首次〕 shǒucì →〔字解⑧〕

〔首从〕 shǒucóng 명 《法》 정범(正犯)과 종범(從犯). 주모자와 공모자.

〔首当其冲〕 shǒu dāng qí chōng 〈成〉 ①진두(陣頭)에 서다. ②제일 먼저 공격을 받다. 제일 먼저 재난을 당하다.

〔首董〕 shǒudǒng 명 〈文〉 회장(會長).

〔首都〕 shǒudū 명 수도. ¶北京是中华人民共和国的～; 베이징(北京)은 중국의 수도이다.

〔首恶〕 shǒu'è 명 〈文〉 원흉. (나쁜 일의) 주모자. ¶～者必办, 胁从者不问; 주모자는 반드시 처벌되지만, 협박에 의해 참가한 자는 불문에 부친다.

〔首尔〕 Shǒu'ěr 명 《地》 〈音〉 서울《대한민국의 수도》.

〔首犯〕 shǒufàn 명 주범(主犯).

〔首焚一炉〕 shǒu fén yī lú 〈成〉 제일 먼저 분향하다《남보다 앞서서 착수하다》.

〔首服〕 shǒufú 명 〈文〉 관(冠). 통 자수하여 죄를 받다.

〔首府〕 shǒufǔ 명 ①(성(省)의) 수도. ②수부.

〔首辅〕 shǒufǔ 명 〈文〉 재상(宰相).

〔首富〕 shǒufù 명 〈文〉 (그 지역의) 제일가는 부자. =〔首户〕

〔首告〕 shǒugào 통 〈文〉 밀고하다. 고발하다.

〔首功〕 shǒugōng 명 〈文〉 ①제일 공이 있는 사람. ②최초의 공적.

〔首户〕 shǒuhù 명 ①금력과 권력이 있는 집. ②첫째 가는 집. ¶他是当地～财主; 그는 이 고장에서 첫째 가는 부자이다.

〔首级〕 shǒují 명 〈文〉 수급. 베어온 적의 목.

〔首季〕 shǒujì 명 제1기. 일사분기. ¶美国外贸今年～比去年同期猛退二成; 미국의 외국 무역은 금년의 제 일사분기에는 지난해의 동기에 비해 2할이 격감했다.

〔首届〕 shǒujiè 명 제1회. 제1기(期). ¶～全运会; 제1회 전국 운동회 / ～毕业生; 제1기 졸업생.

〔首句〕 shǒujù 명 첫 귀절.

〔首肯〕 shǒukěn 통 수긍하다. 끄덕이다.

〔首揆〕 shǒukuí 명 〈文〉 수상(首相). 총리 대신. =〔阁gé揆〕〔揆席〕

〔首领〕 shǒulǐng 명 ①〈文〉 머리와 목. ②〈比〉 수령. 두목. 대장. ¶梁山泊的～; 양산박의 수령.

〔首路〕 shǒulù 통 ⇨〔首途〕

〔首轮〕 shǒulún 명 개봉. ¶～映期的观众人数, 估计超过六十万; 개봉 상영 기간 중의 관객수는 60만을 초과할 예상이다.

〔首谋〕 shǒumóu 통 수모(하다).

〔首脑〕 shǒunǎo 명 수뇌. ¶～会议; 수뇌 회의 / 西方国家～会议; 선진국 수뇌 회의. 서밋(Summit) / 政府～; 정부 수뇌〔최고 책임자〕 / ～人物; 중요 인물.

〔首批〕 shǒupī 명 제1회. 제1진(陣). 제1차(次).

〔首七〕 shǒuqī 명 〈俗〉 (사람이 죽은지) 첫이레.

〔首期〕 shǒuqī 명 제 1기.

〔首丘〕 shǒu qiū 〈成〉 고향을 잊지 못하다《여우가 본래 살았던 언덕에 고개를 향하고 죽는다는 데서 나온 말》. ¶不胜狐死～之情; 고향을 그리워하는 마음이 간절하다.

〔首秋〕 shǒuqiū 명 ⇨〔孟mèng秋〕

〔首屈一指〕 shǒu qū yī zhǐ 〈成〉 첫째로 손꼽다《넘버 원. 제일(第一)》. ¶～的大商埠; 제일의 대상업 도시.

〔首任〕 shǒurèn 통 처음으로 임명되다. ¶～教员; ⓐ처음으로 교원에 임명되다. ⓑ초임 교원.

〔首日封〕 shǒurìfēng 명 초일(初日)(스탬프) 봉투《우표 발행 첫날의 스탬프가 찍힌 봉투》.

〔首善〕 shǒushàn 명 〈文〉 최상(最上). ¶～之区; 수도.

〔首施两端〕 shǒu shī liǎng duān 〈成〉 ⇨〔首鼠两端〕

〔首时〕 shǒushí 명 〈文〉 춘하추동 각 계절의 처음.

〔首事〕 shǒushì 통 〈文〉 발기(發起)하다. ¶～人; 발기인.

〔首饰〕 shǒushi 명 본래는 머리를 꾸미는 장식품을 가리켰으나, 현재는 널리 귀고리·목걸이·반지·팔찌 따위 장신구를 이름. ¶～楼 =〔～行〕; 귀금속·장식품 가게 / ～盒; 보석함.

〔首鼠两端〕 shǒu shǔ liǎng duān 〈成〉 태도가 명백하지 않고 우물쭈물하다. 주저하고 망설이는 모양. =〔首施两端〕

〔首岁〕 shǒusuì 명 ⇨〔孟mèng春〕

〔首途〕 shǒutú 통 〈文〉 출발하다. 길을 떠나다. =〔首路〕

〔首陀(罗)〕 Shǒutuó(luó) 명 〈音〉 수드라(Sudra)《고대 인도의 카스트(caste) 제도에서 최하층 계급인 노예》.

〔首尾〕 shǒuwěi 명 ①수미. 시종. 처음부터 끝까지. ¶这次旅行, ～经过了一个多月; 이번 여행은 출발에서 도착까지 1개월 남짓 걸렸다. ②수미. 머리와 꼬리. ¶～不能相顾; 전위(前衛)가 후위(後衛)로부터 격리되다. ③관계 (되는 일). ¶贾jiǎ政听了, 便知此事不是贾珍的～《紅樓夢》; 가정은 이를 듣고, 이 일은 가진에 관한 일은 아니라는 것을 알았다.

〔首位〕 shǒuwèi 명 수위(의). 제1위(의).

〔首席〕 shǒuxí 명 ①수석(의). ¶坐～; 상석에 앉다. 수석 자리에 앉다. 명예석에 착석하다. ②제1위의. 최고 직무의. ¶～代表; 수석 대표.

〔首夏〕 shǒuxià 명 ⇨〔孟mèng夏〕

〔首先〕 shǒuxiān 명 ①제일 먼저. 우선. ¶～报名; 제일 먼저 신청하다. ②제일. 첫째《열거할 때》. ¶～要有科学精神; 첫째로 과학하는 마음을 갖지 않으면 안 된다. 통 남보다 앞서다.

〔首县〕 shǒuxiàn 명 옛날, 성(省) 또는 부(府)의 으뜸가는 현(縣).
〔首相〕 shǒuxiàng 명 수상.
〔首选〕 shǒuxuǎn 동 〈文〉 제1위로 당선하다. 제1위로 합격하다.
〔首演〕 shǒuyǎn 명동 초연(初演)(하다).
〔首要〕 shǒuyào 형 가장 중요하다. ¶～任务; 가장 중요한 임무 / ～战争罪犯; 제1급 전범(戰犯). 명 수뇌(首腦). ¶～分子; 주모자. 주범(主犯).
〔首义〕 shǒuyì 동 〈文〉 맨먼저 의병(義兵)을 일으키다. 명 최초의 봉기.
〔首银〕 shǒuyín 명 ⇨〔袁yuán头〕
〔首映〕 shǒuyìng 명동 개봉 상영(하다). ¶举行～招待会; 영화 개봉 초대회를 거행하다 / 少林寺昨天在首都电影院～; 소림사는 어제 수도 극장에서 개봉되었다.
〔首月〕 shǒuyuè 명 ⇨〔孟mèng春〕
〔首造〕 shǒuzào 동 〈文〉 발명하다. 창조하다.
〔首战告捷〕 shǒu zhàn gào jié 〈成〉 첫 싸움에서 승리하다. 서전(緖戰)에서 승리를 거두다.
〔首章〕 shǒuzhāng 명 〈文〉 제1장.
〔首长〕 shǒuzhǎng 명 수장《정부나 군대의 상급 지도자》. ¶我们不叫长官, 叫～; 우리는 장관이라고 부르지 않고 수장이라 부릅니다 / 中央～; 중앙의 지도자.
〔首状〕 shǒuzhuàng 명 〈文〉 고소장(告訴狀).
〔首子〕 shǒuzǐ 명 〈文〉 장남. ＝〔长zhǎng子〕
〔首字母〕 shǒuzìmǔ 명 머리 글자. 이니셜(initial).
〔首祚〕 shǒuzuò 명 〈文〉 연초(年初).
〔首座〕 shǒuzuò 명 ①수좌. 수석(에 앉는 자). 상좌(인 자). ②《佛》 좌선할 때 맨 상좌에 앉는 중.

艏 shǒu (수)
명 이물. 뱃머리. 선수(船首). ＝〔船头〕 ↔〔艉wěi〕

寿(壽〈夀〉) shòu (수)
① 명 수명. 연령. ¶您高～? (노인에 대해) 연세가 어떻게 되십니까? ② 명 장수. ¶福如东海, ～比南山 ＝〔寿山福海〕; 〈成〉 복은 동해처럼, 수(壽)는 남산만큼 지니시기를 빕니다《장수를 축하하는 인사의 말로 흔히 쓰임》 / 人～年丰; 사람은 장수, 농사는 풍작. ③ 명 (나이 든 이의) 생일. 생신. ¶拜bài～; (노인의) 생신을 축하하다. ④ 동 〈文〉 술을 권하고 축복하다. ¶奉巨觥为～; 큰 잔을 권하여 축복하다 / 祝君～而康; 장수와 건강을 축원하다. ⑤〈婉〉 죽은 사람에 쓰이는 물건에 붙이는 말. →〔寿材〕〔寿衣〕 ⑥(Shòu) 명 《地》 서우 현(壽縣)《안후이 성(安徽省)에 있는 현(縣) 이름》. ⑦ 명 성(姓)의 하나.
〔寿斑〕 shòubān 명 (노인의 피부에 생기는) 검버섯. 기미.
〔寿板〕 shòubǎn 명 관으로 쓸 널. 〈轉〉 관.
〔寿材〕 shòucái 명 생전에 준비하는 관. 널리 보통의 관도 가리킴. ＝〔寿木〕〔寿器〕
〔寿辰〕 shòuchén 명 생일《일반적으로 중년 또는 노년의 사람에게 씀》. ＝〔寿日〕〔寿诞〕
〔寿幢〕 shòuchuáng 명 생일 축하로 보내는 기(旗) 모양의 것.
〔寿诞〕 shòudàn 명 ⇨〔寿辰〕
〔寿糕〕 shòugāo 명 생일 축하 케이크.
〔寿光鸡〕 shòuguāngjī 명 《鳥》 난육(卵肉) 양용 닭의 1종《원산지는 산둥 성(山東省) 서우광 현(壽光縣)》.
〔寿纪〕 shòujì 명 〈文〉 연령.
〔寿酒〕 shòujiǔ 명 생일 축하의 술〔주연〕.
〔寿考〕 shòukǎo 명 〈文〉 장수. 고령.
〔寿蜡〕 shòulà 명 생일 축하 때 세우는 붉은 초. ＝〔寿烛〕
〔寿礼〕 shòulǐ 명 생일 축하 선물. ＝〔寿仪〕
〔寿联〕 shòulián 명 생일 선물로 보내는 대구(對句)로 되어 있는 족자. ＝〔寿对儿〕
〔寿眉〕 shòuméi 명 노인의 눈썹 중에서 특별히 기다랗게 자란 몇 가닥의 털. ＝〔毫眉〕〔秀眉〕
〔寿面〕 shòumiàn 명 생일 축하로 먹는 국수.
〔寿命〕 shòuming 명 ①수명. ②내용(耐用) 기간. 유효 기간. ¶机器的使用～; 기계의 수명.
〔寿木〕 shòumù 명 ⇨〔寿材〕
〔寿屏〕 shòupíng 명 생일 축하의 글을 적은 4폭 또는 6폭의 대련(對聯).
〔寿器〕 shòuqì 명 ⇨〔寿材〕
〔寿日〕 shòurì 명 ⇨〔寿辰〕
〔寿山福海〕 shòushān fúhǎi →〔字解②〕
〔寿山石〕 shòushānshí 명 푸젠 성(福建省) 민호우 현(閩侯縣) 서우산 산(壽山)에서 나는 돌《아름답고 고와 인장이나 장식용 등으로 쓰임. 투명한 것을 '寿山冻', 유백색의 것을 '白芙蓉'이라 이름. 특히 누른 빛을 띠고 투명하며 무늬가 있는 것을 '田黄'(전황)이라 하여 가장 귀하게 침》.
〔寿数〕 shòushu 명 수명. 천명. ¶～未尽; 수명이 아직 다하지 않았다. ＝〔寿算〕〔寿限〕
〔寿算〕 shòusuàn 명 ⇨〔寿数〕
〔寿堂〕 shòutáng 명 ①생일 축하 식장. ② ⇨〔寿穴〕
〔寿桃〕 shòutáo 명 노인의 생신 축하로 선사하는 밀가루로 만든 복숭아.
〔寿头〕 shòutóu 명 ①남에게 속아 헛되이 돈을 쓰는 사람. ②촌스럽고 꾸물거리는 사람.
〔寿文〕 shòuwén 명 생일을 축하하여 보내는 글. ＝〔寿序〕
〔寿险〕 shòuxiǎn 명 생명 보험. ¶保～; 생명 보험에 들다.
〔寿限〕 shòuxiàn 명 ⇨〔寿数〕
〔寿星(老儿)〕 shòuxing(lǎor) 명 ①《天》 수성('老人星'을 이름). ②장수(長壽)의 축하를 받는 사람. ¶～上哪儿去了, 我们等着拜寿呢; 장수 축하의 본인은 어디로 가셨나. 우리가 축하 인사를 드리려고 기다리고 있는데. ‖ ＝〔老寿星〕
〔寿序〕 shòuxù 명 ⇨〔寿文〕
〔寿靴〕 shòuxuē 명 죽은 사람에게 신기는 신.
〔寿穴〕 shòuxué 명 생전에 만들어 놓은 묘. ＝〔寿堂②〕〔寿域②〕〔寿藏〕
〔寿筵〕 shòuyán 명 수연. 생일 축하의 잔치.
〔寿夭〕 shòuyāo 명 〈文〉 장수와 요절.
〔寿衣〕 shòuyī 명 (죽은 사람의) 수의. ¶～铺; 수의를 파는 가게.
〔寿仪〕 shòuyí 명 ⇨〔寿礼〕
〔寿域〕 shòuyù 명 ①〈文〉 태평 성세. ② ⇨〔寿穴〕
〔寿元〕 shòuyuán 명 〈文〉 수명. ¶祝吾王～无量《元雜劇》; 우리 임금님의 수명이 무량하기를 빌다.
〔寿藏〕 shòuzàng 명 ⇨〔寿穴〕
〔寿幛〕 shòuzhàng 명 생일 축하로 보내는 진홍색 비단에 축하의 금문자를 붙인 족자.
〔寿祉〕 shòuzhǐ 명 〈文〉 장수하고 행복한 일.
〔寿终〕 shòuzhōng 동 〈文〉 수명을 다하다. 별세

하다. 죽다.
〔寿轴〕 shòuzhóu 명 생일 축하로 보내는 대련(對聯)이나 족자.
〔寿烛〕 shòuzhú 명 ⇨〔寿蜡〕

受 **shòu** (수)
동 ①받다. ¶接jiē～; 접수하다. 받아들이다/给他酬金, 他不～; 그에게 사례금을 주어도 그는 받지 않는다/～到优待; 우대를 받다/自作自～; 〈成〉 자업자득. ②(손해 · 고통 · 재난 따위를) 입다. 당하다. ¶～伤; 상처를 입다. 부상당하다/～的牛马苦, 吃的猪狗食; 마소의 고통을 받고 개 돼지의 먹이를 먹다(농민의 비참한 생활). ③…에게 …당하다. ¶～人欺负; 남에게 모욕당하다/～批评; 비평〔비판〕을 받다. ④〈方〉 침해당하다. ¶～暑; 더위 먹다. ⑤…을 견뎌 낼 수 있다. 그럭저럭 …할 수 있다. ¶我再也不能～了; 나는 이 이상은 견딜 수 없다/实在够～的了; 정말 못 참겠다. ⑥노동하다. ¶没日没夜地～; 밤낮을 가리지 않고 노동하다.
〔受办〕 shòubàn 동 〈方〉 떠맡다. 형 〈轉〉 하기 쉽다. 할 만하다. ¶这件事实在不～; 이 일은 참으로 하기가 쉽지 않다. =〔好办〕
〔受逼〕 shòu.bī 동 추궁을 당하다. 압박 · 강제당하다.
〔受瘪〕 shòu.biě 동 어려운 지경에 빠지다. 매우 난처하게 되다. 크게 혼이 나다. ¶出门没带钱, 受了瘪了; 외출하면서 돈을 가지고 나오지 않아 혼이 났다.
〔受病〕 shòu.bìng 동 병에 걸리다(보통, 즉각적인 증상이 나타나지 않는 경우). ¶你身体不好, 睡凉炕会～的! 너는 몸이 약해서 불 안 땐 방에서 자면 병난다!
〔受不得〕 shòubude ①참을 수 없다. 못 견디다. ¶他一点儿苦也～; 그는 조그마한 고통도 견디지 못한다. ②심하다. 지나치다. ¶他把孩子爱得～; 그는 자식을 귀여워하는 것이 지나치다.
〔受不了〕 shòubuliǎo ①못 견디다. 참을 수 없다. ¶这么热～! 이렇게 더워서야 정말 견딜 수 없다! ↔〔受得了〕 ②괴롭다.
〔受不起〕 shòubuqǐ 받을 수 없다. 받을 만한 자격이 없다. ¶～您的厚意; 황송해서 당신의 후의를 받을 수가 없습니다. ↔〔受得起〕
〔受不住〕 shòubuzhù 참지 못하다. 견뎌 낼 수 없다. 지탱할 수 없다. ¶冷得～; 추워서 견딜 수 없다. ↔〔受得住〕
〔受财〕 shòu.cái 동 남에게서 (까닭없는) 뇌물을 받다. ¶～枉wǎng法; 남에게 뇌물을 받고 법을 어기다.
〔受茶〕 shòuchá 동 구식 결혼에서, 약혼 예물을 받다.
〔受潮〕 shòu.cháo 동 습기차다. 습기를 띠다. ¶屋子老不见太阳, 东西容易～; 방은 항상 햇빛이 들지 않아서, 물건에 습기가 차기 쉽다. =〔犯潮〕
〔受吃〕 shòuchī 형 맛있다. =〔好吃〕
〔受斥〕 shòuchì 동 배척을 받다. ¶到处～; 도처에서 배척받다.
〔受宠〕 shòuchǒng 동 총애받다. 사랑받다.
〔受宠若惊〕 shòu chǒng ruò jīng 〈成〉 ①(복은 재앙의 원인일 수 있기 때문에) 총애를 받아도 겸허함을 잃지 않다. ②분에 넘치는 총애를 받고 매우 기뻐하며, 한편으로 놀라다. ‖=〔被宠若惊〕
〔受挫〕 shòucuò 동 좌절당하다. 패하다. 꺾이다. 방해받다. ¶世界乒乓球男子团体赛准决赛时, 中国队以一比五～韩国; 세계 탁구 선수권 대회 남자 단체 준결승에서, 중국 팀은 1대 5로 한국에 졌다.
〔受到〕 shòudào 동 …을 받다(뒤에 2음절어 또는 연어(連語)가 옴). ¶～很大的影响; 대단히 큰 영향을 받다.
〔受得下〕 shòudexià ①수용할 수 있다. 넣을 수 있다. ¶这个瓶子～一斤半酒; 이 병은 1근 반의 술을 담을 수 있다. ②견딜 수 있다. ¶这样的苦, 谁还～; 이와 같은 괴로움을 누가 참을 수 있겠는가.
〔受等〕 shòuděng 기다리게 하다. ¶～～! 오래 기다리셨습니다!/叫大家～; 여러분 기다리게 해서 죄송합니다.
〔受冻〕 shòu.dòng 동 ①추위로 얼다. 추위로 고통을 받다. ②냉해(冷害)를 당하다.
〔受二茬罪〕 shòu èrchá zuì 다시 한 번 고난을 참고 견디다.
〔受罚〕 shòu.fá 동 벌〔처벌〕을 받다. =〔挨ái罚〕
〔受粉〕 shòufěn 명동 《植》 수분〔가루받이〕(하다).
〔受风〕 shòu fēng ①바람을 맞다〔쐬다〕. ②(shòu.fēng) 동 감기 들다.
〔受福〕 shòufú 동 ⇨〔享xiǎng福〕
〔受感〕 shòugǎn 형 감수성이 예민하다. ¶～的少年们; 감수성이 예민한 소년들.
〔受害〕 shòu.hài 동 ①손해를 입다. ¶战争的～者; 전쟁의 피해자. ②살해되다. ¶他～的那一年才二十一岁; 살해당한 그 해 그는 겨우 21세였다.
〔受寒〕 shòu.hán 동 ①감기 들다. 추위로 병이 나다. ②추위를 만나다. 찬바람을 맞다.
〔受旱〕 shòuhàn 동 가뭄의 피해를 입다. 가뭄이 들다.
〔受喝〕 shòuhē 형 (마시면) 맛있다. 마시기 좋다. ¶这个酒味儿不好, 不～; 이 술은 향기가 좋지 않아서 맛이 없다.
〔受话〕 shòu.huà 동 전화를 받다. ¶～人; 전화의 수신인/～人付款; 컬렉트 콜(collect call). 요금 수신인 지급 통화/～器; 수화기.
〔受欢迎〕 shòu huānyíng 환영받다. 인기가 있다. ¶不～的人; 페르소나 논 그라타(persona non grata)(《외교상의》 기피 인물).
〔受贿〕 shòu.huì 동 뇌물을 받다. ¶贪脏～; 부정한 물품을 탐내고 뇌물을 받다/不吃请不～; 식사 초대에도 응하지 않고 뇌물도 받지 않다. =〔纳贿nàhuì〕
〔受家〕 shòujiā 명 양수인(讓受人). ↔〔让ràng家〕
〔受奖〕 shòu.jiǎng 동 상을 받다. =〔受赏〕
〔受教育〕 shòu.jiàoyù 동 교육을 받다.
〔受劫〕 shòujié 동 재난을 당하다.
〔受戒〕 shòu.jiè 동 《佛》 불계(佛戒)를 받(아 승려가 되)다. 수계하다.
〔受尽〕 shòujìn 동 (온갖 고통을) 다 겪다. ¶～旧社会的苦; 구사회의 고난을 지긋지긋하게 겪었다.
〔受惊〕 shòu.jīng 동 깜짝 놀라다. ¶～的马; 놀란 말. 난폭한 말. =〔担惊〕
〔受精〕 shòujīng 명 《生》 수정. ¶～卵; 수정란. 접합자(接合子). (shòu.jīng) 동 《生》 수정하다.
〔受窘〕 shòu.jiǒng 동 어려운 지경에 빠지다. 난처하게 되다. ¶出门没带钱, 受了窘了; 외출하면서 돈을 갖고 있지 않아서 혼났다. =〔受瘪〕
〔受看〕 shòukàn 형 보기 좋다. =〔好看〕
〔受可怜〕 shòu kělián 남에게 동정을 받고도 꿋꿋하다. ¶这个孩子～, 大家都愿意帮助他; 이 아이는 남에게서 동정을 받아도 꿋꿋하니까 누구나 모두 돕고 싶어진다.

〔受苦〕 shòu·kǔ 동 ①고통을 받다. 고생하다. ②〈方〉 힘든 노동을 하다. 농사일을 하다. ¶～人; ⓐ고통을 받고 있는 사람. ⓑ농민. 노동자.
〔受亏〕 shòukuī 동 손해를 입다. 손해를 보다.
〔受累〕 shòu·lěi 동 난처한 꼴을 당하다. 연루(連累)되다. ⇒shòu·lèi
〔受累〕 shòu·lèi 동 ①괴로움을〔수고를〕 끼치다. ②고생하다. 애쓰다. 수고하다. ¶叫你白～; 당신께 헛수고를 시켰군요/叫您～! 수고하셨습니다!/你身体不好, 不能这样～! 너는 몸이 불편하니까, 이런 힘든 일을 하면 안 된다!/这么远送东西来, 让您～了! 이렇게 먼 곳까지 물건을 가져오시다니, 정말 수고하셨습니다! ⇒shòu·lěi
〔受累钱〕 shòulèiqián 명 수고비. ¶留给你点～; 수고비를 좀 남겨 놓을게.
〔受冷淡〕 shòu lěngdàn ①냉대를 받다. 매정한 대우를 받다. ②남이 상대해 주지 않다.
〔受冷气〕 shòu lěngqì ①(대우에 있어) 푸대접을 받다. ②까닭 없는 처우를 당하다. ③찬 공기에 쏘이다.
〔受礼〕 shòu·lǐ 동 ①경례(敬禮)를 받다. ②선물을 받다.
〔受理〕 shòulǐ 동《法》(법원에서 사건을) 수리하다. ¶～申请; 신청을 받아들이다.
〔受连累〕 shòu liánlěi 연루되다. 후림불에 걸려들다. =〔〈俗〉背bēi(黑)锅〕
〔受凉〕 shòu·liáng 동 ⇨〔着zháo凉①〕
〔受骂〕 shòumà 동 꾸지람을 듣다. 욕먹다. 야단맞다. =〔挨ái骂〕
〔受命〕 shòu·mìng 동 ①명령 또는 임무를 받다. ¶既不能令, 又不～; 남에게 명령을 할 수도 없을 뿐더러 남의 명령을 받으려고도 하지 않다. ②〈文〉 천명(天命)을 받다.
〔受拿〕 shòuná 형 들기 편하다. ¶这个东西太不～; 이 물건은 들기에 매우 불편하다.
〔受难〕 shòu·nàn 동 고난을 겪다. 어려움을 만나다. ¶～者; 이재자. 조난자.
〔受虐狂〕 shòunüèkuáng 명 마조히즘(masochism). ¶色情～; 마조히즘(masochism).
〔受盘〕 shòu·pán 동 가게를 양도받다. =〔接jiē盘〕↔〔推tuī盘〕
〔受碰〕 shòupèng 동 ①장애에 부닥치다. 혼이 나다. ②초장에서 콧대를 꺾이다. 기선(機先)을 제압당하다.
〔受批评〕 shòu pīpíng 비평〔비판〕을 받다. ¶受群众的批评; 대중으로부터 비평을 받았다.
〔受骗〕 shòu·piàn 동 속임을 당하다. 사기당하다. =〔被骗〕
〔受票人〕 shòupiàorén 명 (어음 등의) 수취인.
〔受气〕 shòu·qì 동 ①분을 참다. ②학대받다. 수모를 당하다.
〔受气包(儿)〕 shòuqìbāo(r) 명〈比〉 항상 욕을 먹거나 호통을 당하는 사람. 늘 들볶이거나 구박을 당하는 사람. 천덕꾸러기. ¶她不再是个～与小泥鬼《老舍 四世同堂》; 그녀는 이제 더 이상 천덕꾸러기나 더러운 아이는 아니다.
〔受穷〕 shòu·qióng 동 가난에 시달리다. 빈궁에 처하다. ¶受一辈子穷; 평생을 가난에 시달리다.
〔受赇〕 shòu·qiú 동〈文〉 뇌물을 받다.
〔受屈〕 shòu·qū 동 ①억울한 누명을 쓰다. ②괴로움을 당하다. 혼나다. ¶你～啦; 욕보셨습니다. 폐를 끼쳐 드려 죄송스럽습니다. ③부당한 손해를 입다. ‖=〔受委屈〕
〔受权〕 shòu·quán 동 권한을 부여 받다. ¶～发表声明; 당국의 명에 의해 성명을 발표하다.
〔受热〕 shòu·rè 동 ①더위 먹다. ¶他路上～了, 现在还头痛; 그는 도중에 더위를 먹어서, 아직도 두통을 앓는다. =〔中zhòng暑〕〔受暑〕 ②고온의 영향을 받다. ¶物体～则膨胀; 물체는 고열을 받으면 팽창한다. ③혼나다. ¶你们要是不回了, 人们就受了热了; 만일 너희들이 돌아오지 않으면, 다른 사람들이 모두 혼난다.
〔受任〕 shòurèn 동 임명을 받다.
〔受辱〕 shòu·rǔ 동 모욕을 당하다. 수치를 당하다. 창피한 일을 당하다.
〔受禅〕 shòushàn 동 선양(禪讓)을 받다. 임금의 자리를 물려받다.
〔受伤〕 shòu·shāng 동 ①부상당하다. ¶他因不小心, 手上受了点儿伤; 그는 부주의로 손에 약간 상처를 입었다. ②손상되다. ¶汽车冲撞车箱～了; 자동차가 부딪혀서 차체가 손상되었다.
〔受赏〕 shòu·shǎng 동 ⇨〔受奖〕
〔受审〕 shòu·shěn 동 재판〔심판〕을 받다.
〔受生〕 shòushēng 〈文〉 동 생(生)을 부여 받다. 이 세상에 태어나다. 명 천성. ¶～就聪明; 천성이 총명하다/～不饮酒; 천성이 술을 마시지 않는다.
〔受事〕 shòushì 명《言》 동작의 지배를 받는 사람·사물을 이르는 말(‘我看报’의 ‘报’ 따위).
〔受室〕 shòushì 동〈文〉 아내를 얻다.
〔受暑〕 shòu·shǔ 동 ⇨〔受热①〕
〔受死〕 shòusǐ 동 죽을 고통을 받다. 고통을 참고 견디다. ¶耶苏为人类～; 그리스도는 인류를 위하여 죽음의 고통을 당했다.
〔受梭带〕 shòusuōdài 명《紡》 피킹 밴드(picking band). 북침 피대(皮帶).
〔受梭棍〕 shòusuōgùn 명《紡》 피킹 스틱(picking stick).
〔受胎〕 shòu·tāi 동 수태하다. =〔受孕〕
〔受听〕 shòutīng 형 듣기에 좋다. (목소리·소리가) 좋다. ¶他这话倒是很～; 그의 이 말은 도리어 매우 듣기 좋다.
〔受头〕 shòutóu 동 남에게서 ‘叩kòu头’의 절을 받다.
〔受托〕 shòu·tuō 동 부탁받다. 의뢰받다. 맡다.
〔受委〕 shòuwěi 동 위촉(委囑)되다. ¶～政府委员; 정부 위원에 위촉되다.
〔受委屈〕 shòuwěiqu 동 ⇨〔受屈〕
〔受洗〕 shòu·xǐ 동《宗》 세례를 받다.
〔受降〕 shòu·xiáng 동 항복을 수락하다.
〔受像〕 shòuxiàng 동 텔레비전을 수상(受像)하다.
〔受刑〕 shòu·xíng 동《法》 ①형벌을 받다. ②고문을 당하다〔받다〕.
〔受性〕 shòuxìng 명〈文〉 천성. ¶～本幽yōu独; 천성이 본래 한적하게 홀로 있는 것을 좋아한다.
〔受训〕 shòu·xùn 동 ①훈련을 받다. ②훈계를 받다.
〔受洋罪〕 shòu yángzuì 생고생하다. 어이없는 꼴을 당하다. 혼이 나다.
〔受业〕 shòuyè 〈文〉 명 스승에 대한 학생의 자칭. (shòu·yè) 동 ①수업을 받다. ②부동산을 넘겨받다.
〔受益〕 shòuyì 동 수익하다. 이익을 얻다. ¶这本书使我～不浅; 이 책은 내게 크게 유익하다.
〔受用〕 shòuyòng 동 ①누리다. 향유하다. ②이익을 받다. ¶须是见得分明, 方有～处《朱子全書》; 진위(眞僞)의 판별이 분명해야만 비로소 이익을

얻는 바가 있는 것이다. =〔得益〕

〔受用〕 shòuyong 형 〈方〉 편하다. 기분이 좋다《흔히, 부정형(否定形)으로 쓰임》. ¶今天身体有点不～; 오늘은 몸이 좀 불편하다.

〔受冤〕 shòuyuān 동 억울한 죄를 뒤집어 쓰다. 누명을 쓰다.

〔受援〕 shòu.yuán 동 원조를 받다. ¶～国; 피원조국.

〔受孕〕 shòu.yùn 동 임신하다. 수태(受胎)하다. =〔受胎〕

〔受灾〕 shòu.zāi 동 재해를 입다.

〔受窄〕 shòu.zhǎi 동 난처하게 되다. 궁지에 몰리다. 구박당하다. ¶你别教我～啊; 나를 난처한 입장에 빠뜨리지 마.

〔受症〕 shòuzhèng 동 〈文〉 ①병에 걸리다. 병을 얻다. ②(나쁜 결과를 야기시키는) 영향·자극을 받다.

〔受之无愧〕 shòu zhī wú kuì 〈成〉 미안한 마음 없이 받다. 당연한 것으로서 받다.

〔受之有愧〕 shòu zhī yǒu kuì 〈成〉 받기에 부끄럽다. 받을 자격이 없다. 과분하다. ¶却之不恭, ～; 거절하는 것은 실례가 되고, 그렇다고 받기도 미안스럽다.

〔受知〕 shòuzhī 동 자기를 알아 주신 은사(恩師)를 얻다《옛날에, 과거 시험에서 급제했을 때의 시험관을 '受知师'라 일컬었음》.

〔受制〕 shòu.zhì 동 ①제압되다. 제약을 받다. ¶～于人; 남에게 지배를 받다. =〔受治〕 ②피해를 입다. ③고난을 받다. 시달리다.

〔受治〕 shòuzhì 동 ⇨〔受制①〕

〔受主〕 shòuzhǔ 명 양수인(讓受人).

〔受赚〕 shòuzuàn 동 속다.

〔受罪〕 shòu.zuì 동 ①쓰라린 맛을 맛보다. 학대받다. 혼나다. ¶受夹板罪; 양쪽으로부터 혼나다 / ～遭殃; 혼이 나다 / 你受什么罪, 我受什么罪; 너희들과 똑같은 호된 꼴을 나도 당하고 있다. ②죄를 받다.

授

shòu (수)

동 ①교부하다. ②수여(授與)하다. 주다. ¶私相～受; 암거래를 하다 / 计口～粮; 인원수에 따라 식량을 배급하다. ③가르치다. 전수하다. ¶教～; ⓐ가르치다. ⓑ교수 / 传～技术; 기술을 전수하다.

〔授餐〕 shòucān 동 〈文〉 음식을 대접하다.

〔授读〕 shòudú 동 〈文〉 ①읽기와 쓰기를 가르치다. ②교육을 받게 하다.

〔授粉〕 shòu.fěn 동 〈植〉 수분하다《암술에 수술의 꽃가루를 붙여 줌》. (shòufěn) 명 수분. ¶人工～; 인공 수분.

〔授给〕 shòugěi 동 …에게 수여하다.

〔授馆〕 shòuguǎn 동 〈文〉 빈객을 위한 숙소를 준비하다.

〔授计〕 shòujì 동 계략을 털어놓고 이야기하다.

〔授奖〕 shòu.jiǎng 동 표창장이나 상품 등을 수여하다. ¶～大会; 상품 수여식. 시상식.

〔授课〕 shòu.kè 동 수업하다. 강의하다. ¶每周～六小时; 매주 6시간 수업하다.

〔授命〕 shòu.mìng 동 ①〈文〉 목숨을 바치다〔버리다〕. ¶见危～; 〈成〉 남이 위태로운 것을 보고 자기를 희생하다. ②(흔히 국가 원수가) 명령을 내리다.

〔授权〕 shòu.quán 동 권한을 부여하(여 대행시키)다.

〔授人以柄〕 shòu rén yǐ bǐng 〈成〉 도검의 자루 쪽을 남에게 주다《남에게 자신을 해칠 수 있는 틈을 주다》.

〔授时〕 shòushí 동 시보(時報)를 알리다《천문대에서 매일 일정 시각에 정확한 시간을 알림》. 명 《書》 정부에서 반포(頒布)한 달력.

〔授室〕 shòushì 동 〈文〉 장가를 들이다. 아내를 맞게 하다.

〔授首〕 shòushǒu 동 〈文〉 (반역자·도적 따위가) 참수(斬首)당하다.

〔授受〕 shòushòu 동 ①교부(交付)와 수납(受納)하다. ②수수하다. ¶男女～不亲礼也《孟子 離婁上》; 남녀간에는 직접 물건을 주고받지 않는 것이 예의이다.

〔授田〕 shòutián 동 옛날, 성년(成年)이 된 사람에게 전답을 주다. 명 성년이 된 사람에게 준 논밭.

〔授衔〕 shòu.xián 동 (군인의) 위계(位階)를 수여하다.

〔授勋〕 shòuxūn 동 훈위(勳位) 또는 훈장을 주다.

〔授意〕 shòuyì 동 뜻을 알리다〔전하다〕. 뜻을 전하여 그대로 하게 하다. 의중을 밝히다. ¶～底下人; 하인에게 이르다 / ～他的心腹; 그의 심복에게 자기의 뜻을 알리다.

〔授予〕 shòuyǔ 동 (훈장·군의 위계(位階)·학위 따위를) 수여하다. ¶～学位; 학위를 수여하다 / ～李明以劳动英雄称号; 이명에게 노동 영웅의 칭호를 수여하다.

〔授职〕 shòuzhí 동 〈文〉 관직을 주다. ¶～典礼; 임명식.

绶(綬)

shòu (수)

명 비단으로 만든 리본의 하나《옛날에, 도장을 매는 데 썼음》. ¶～带; 수. 도장의 끈. 훈장을 매다는 리본 모양의 끈.

〔绶鸟〕 shòuniǎo 명 ⇨〔吐绶鸡〕

狩

shòu (수)

① 동 〈文〉 사냥하다. ¶～猎; 수렵하다. 사냥하다. ② 명 천자의 순행(巡行).

兽(獸)

shòu (수)

명 ①짐승. ¶野～; 야수 / ～聚鸟散; 〈成〉 짐승처럼 모이고 새처럼 흩어지다《이합 집산(離合集散)이 심하다》. ②〈比〉 야만. 야비.

〔兽环〕 shòuhuán 명 '门环'(문고리)에 짐승의 형상을 새겨 넣은 것.

〔兽圈〕 shòujuàn 명 짐승의 우리.

〔兽军〕 shòujūn 명 짐승 같은〔잔학한〕 군대.

〔兽类〕 shòulèi 명 야수. 짐승(류).

〔兽力车〕 shòulìchē 명 가축의 힘으로 끄는 수레.

〔兽睡〕 shòushuì 동 〈文〉〈比〉 시기를 보아 일어나기 위해, 조용히 계략을 꾸미며 기다리다.

〔兽炭〕 shòutàn 명 골탄(骨炭). 수탄.

〔兽头〕 shòutóu 명 ①⇨〔兽瓦〕 ②짐승의 머리 모양으로 만든 도자기.

〔兽头大门〕 shòutóu dàmén 명 짐승의 머리 모양의 장식으로 꾸며 놓은 대문.

〔兽瓦〕 shòuwǎ 명 궁전이나 대저택 등에 있는, 짐승 머리 모양의 용마루 끝의 기와. =〔兽头①〕

〔兽王〕 shòuwáng 명 백수(百獸)의 왕《사자를 가리킴》.

〔兽心〕 shòuxīn 명 〈比〉 수심. 흉악한 마음. 인도(人道)에 어그러진 마음.

〔兽行〕 shòuxíng 명 〈比〉 ①수행. 흉악하고 몰염

치한 행위. ②인륜에 어긋난 행위.
〔兽性〕 shòuxìng 명 ①수성. 야성. ②〈比〉 인간이 지닌 동물적인 욕망.
〔兽医〕 shòuyī 명 수의.
〔兽医桩子〕 shòuyī zhuāngzi 명 〈俗〉 가축 병원. 수의원(獸醫院)(‘桩子’는 말뚝으로, 가축을 매어 두는 설비).
〔兽疫〕 shòuyì 명 수역. 짐승의 돌림병.
〔兽欲〕 shòuyù 명 수욕. 짐승과 같은 음란한 욕망.
〔兽脂〕 shòuzhī 명 수지. 탤로우(tallow).

售 shòu (수)
동 ①팔다. ¶出～; 팔다. 매각하다 / 公开发～; 널리 발매하다 / 零～; 소매〔산매〕하다. ②계획대로 실행되다. ¶奸计不～; 간계가 뜻대로 진행되지 않다. 엿장수 마음대로 되지 않다 / 其计得～; 그 계책이 먹혀들다.
〔售出〕 shòuchū 동 매출하다. 팔다.
〔售后服务〕 shòuhòu fúwù 명 애프터 서비스(after service).
〔售货〕 shòuhuò 명 ①상품 판매. ②파는 물건. ¶～店; 판매점. 상점. 동 상품을 팔다. ¶～员 =〔～职员〕; 판매원. 세일즈맨(salesman).
〔售货确认书〕 shòuhuò quèrènshū 명 《經》 매도 확인서.
〔售价〕 shòujià 명 매가(賣價). 판매 가격. ¶～特別低廉; 판매가가 특별히 싸다.
〔售卖〕 shòumài 동 팔다. 판매하다. ¶～条件; 판매조건.
〔售盘〕 shòupán 명 파는 시세. 파는 값.
〔售票处〕 shòupiàochù 명 매표소. 출찰구(出札口).
〔售票员〕 shòupiàoyuán 명 매표원. 차장.
〔售讫〕 shòuqì 명 〈文〉 매약필(賣約畢).
〔售罄〕 shòuqìng 동 〈文〉 매진되다. 다 팔리다.
〔售现价格〕 shòuxiàn jiàgé 명 현금 판매 가격.
〔售销〕 shòuxiāo 동 〈文〉 팔다. 매각(賣却)하다.
〔售主〕 shòuzhǔ 명 매주(賣主). 파는 사람. =〔卖mài主〕

瘦 shòu (수)
형 ①(몸이) 마르다. 여위다. ¶他～了点儿了; 그는 조금 여위었다 / 骨～如柴; 마른 장작처럼 말라 있다. ↔〔胖pàng〕 ②(고기의) 기름기가 적다. 순 살코기이다. ¶这块肉太肥, 我要～点儿的; 이 고기는 지방이 너무 많으니, 지방이 적은 것으로 주게 / 炖牛肉, 肥的～的都好吃; 푹 곤 쇠고기는 비곗살이나 살코기나 모두 맛있다. ↔〔肥①〕 ③(옷 따위가) 작아서 꽉 끼다. ¶这件衣裳太～; 이 옷은 너무 작아서 몸에 꽉 낀다. ↔〔肥③〕 ④(땅이) 메마르다. ¶这块地太～; 이 땅은 너무 메말라 있다. ↔〔肥⑥〕
〔瘦巴〕 shòuba 형 매우 여위다. 빼빼 마르다. ¶～得就剩皮包骨了; 몹시 야위어서 뼈와 가죽만 남게 되었다.
〔瘦长〕 shòucháng 형 (몸이) 여위고 키가 껑충하다. ¶～个儿; 여위고 키가 껑충한 사람 / ～条子; 꺽다리.
〔瘦掉〕 shòudiào 동 (살이) 빠지다. ¶身上～了十斤肉; 몸의 살이 10‘斤’이나 빠졌다.
〔瘦个子〕 shòugèzi 명 ⇨〔瘦子〕
〔瘦骨骨(的)〕 shòugǔgǔ(de) 형 여위어 뼈가 앙상한 모양.
〔瘦骨伶仃〕 shòu gǔ líng dīng 〈成〉 여위어 피골이 상접해 있는 모양.
〔瘦括括(的)〕 shòuguāguā(de) 형 몹시 야윈 모양. ¶～一张脸《官場現形記》; 몹시 여윈 얼굴.
〔瘦果〕 shòuguǒ 명 《植》 수과.
〔瘦猴(儿)〕 shòuhóu(r) 명 ①마른 사람. 말라깽이. ②발가벗은 사람. 벌거숭이.
〔瘦货〕 shòuhuò 명 〈比〉 ①잘 팔리지 않는 상품. ②수지가 맞지 않는 상품. 이문(利文)이 없는 상품.
〔瘦瘠〕 shòují 형 ①가냘프다. 수척하다. ②(땅이) 메마르다.
〔瘦减〕 shòujiǎn 동 야위고 수척하다. 까칠해지다. 바싹 마르다. ¶花容～; 꽃다운 얼굴이 야위고 수척해지다.
〔瘦筋巴骨〕 shòu jīn bā gǔ 〈成〉 여위어 홀쭉한 모양.
〔瘦客〕 shòukè 명 ⇨〔月yuè季(花)〕
〔瘦棱棱〕 shòuléngléng 형 몹시 야위다. 홀쭉하다. ¶～的脸; 몹시 야윈 얼굴.
〔瘦伶仃〕 shòulíngdīng 형 야위어서 가냘프다. ¶～的正在他面前《魯迅 阿Q正傳》; 말라 빠진 모습으로 바로 그의 앞에 있다.
〔瘦溜〕 shòuliu 형 〈方〉 몸이 여위고 날씬하다. 호리호리하다. ¶身材～, 动作轻巧; 몸이 날씬하고 동작이 가볍다.
〔瘦眉窄骨〕 shòu méi zhǎi gǔ 〈成〉 갸름하고 단정한 얼굴.
〔瘦煤〕 shòuméi 명 《鑛》 질이 나쁜 석탄.
〔瘦皮猴〕 shòupíhóu 명 〈罵〉 말라깽이.
〔瘦怯怯(的)〕 shòuqièqiè(de) 형 여위어 약해 보이는 모양. 여위어 기력이 쇠한 모양. ¶一个～的书生《兒女英雄傳》; 야위고 허약한 서생.
〔瘦弱〕 shòuruò 형 빈약하다. 여위어 허약하다. ¶身体～; 몸이 허약하다.
〔瘦瘦溜溜〕 shòushouliūliū 형 호리호리하게 여윈 모양.
〔瘦死的骆驼比马大〕 shòusǐ de luòtuo bǐ mǎ dà 〈諺〉 말라 죽은 낙타라도 말보다는 크다. 썩어도 준치. =〔大船破了还有三颗钉〕〔牛瘦角不瘦〕
〔瘦损〕 shòusǔn 형 야위어 수척하다.
〔瘦田〕 shòutián 명 메마른 전답.
〔瘦条子〕 shòutiáozi 명 ⇨〔瘦子〕
〔瘦小〕 shòuxiǎo 형 여위고 작다. ¶～枯干; 〈成〉 작고 말라 비틀어지다. 바싹 마르다(몸의 발육이 불충분하다). ↔〔肥大〕
〔瘦削〕 shòuxuē 형 〈文〉 말라서 앙상하다.
〔瘦硬〕 shòuyìng 형 서체(書體)가 가늘고 힘차다. ¶书贵～; 글씨는 서체가 가늘고 힘찬 것을 존중한다.
〔瘦子〕 shòuzi 명 말라깽이. =〔瘦条子〕〔瘦个子〕

SHU ㄕㄨ

书(書) shū (서)
①명 서적. 책. ¶一本～; 1권의 책 / 一套～; 전집이나 선집의 한 질 / 念～; ⓐ책을 음독하다. ⓑ공부하다 / 读～; ⓐ독서하다. ⓑ공부하다 / 教科～ =〔课本(儿)〕; 교과서. ②명 편지. ¶家～; 집에 보내는 편지. 집에서 온 편지. ③명 글씨체. ¶草cǎo～; 초서 / 楷～; 해서. ④(Shū) 명 〈文〉 서경(書經). ⑤동 쓰다. 기록하다. ¶～法; 서법 / 大～特～; 대

서 특필하다 / 其中～一革命烈士故事; 거기에 한 혁명 열사의 이야기가 씌어져 있다. ⑥ 명 문서. 서류. ¶白皮～; 백서 / 文～; 문서 / 证～; 증서 / 说明～; 설명서.

〔书案〕 shū'àn 명 〈文〉 ①서랍 따위가 없이 판자와 다리뿐인 책상. ②조사 결과를 진술하는 문서.

〔书班〕 shūbān 명 ⇨〔书吏〕

〔书版纸〕 shūbǎnzhǐ 명 서적 용지.

〔书办〕 shūban 명 ⇨〔书吏〕

〔书包〕 shūbāo 명 책가방. ¶提～; 책가방을 들다 / 搁下～; 책가방을 내려놓다 / ～带; 북 밴드.

〔书报〕 shūbào 명 서적과 신문. 출판물.

〔书报社〕 shūbàoshè 명 신문 잡지 판매점.

〔书背〕 shūbèi 명 책의 등(철한 데). =〔书脊〕 ↔〔书口〕

〔书本(儿)〕 shūběn(r) 명 서적(書籍)의 총칭. ¶～知识; 책상 위에서의 학문. 서적상의 지식 / 抠kōu～, 钻zuān史料; 책을 탐구하고 역사 자료속에 몰입하다.

〔书本本〕 shūběnběn 명 〈北方〉 책. 서적.

〔书辫儿〕 shūbiànr 명 서표(書標)로 쓰는 끈. =〔书签带〕

〔书不尽言〕 shū bù jìn yán 〈成〉 ①글자나 말로 충분히 나타낼 수 없다('～, 言不尽意'의 약칭). ②〈翰〉 서면으로는 뜻을 모두 나타낼 수 없습니다. ¶～, 容再面洽; 서면으로는 일일이 다 쓸 수 없어서, 일간 찾아뵙고 상의하겠습니다. ‖ =〔书不一一〕

〔书仓〕 shūcāng 명 ⇨〔书库①〕

〔书册〕 shūcè 명 ⇨〔书籍〕

〔书策〕 shūcè 명 (옛날, 죽간(竹簡)에 쓰인) 책.

〔书茶馆〕 shūcháguǎn 명 ⇨〔书馆儿〕

〔书差〕 shūchāi 명 ⇨〔书吏〕

〔书场〕 shūchǎng 명 옛날, 야담·만담의 공연장. →〔书馆儿〕

〔书呈〕 shūchéng 명 윗사람에게 올리는 편지. ¶写了一封～, 却使高俅送去《水滸傳》; 윗사람에게 올리는 편지를 한 통 써서 다름아닌 고구를 시켜 보냈다.

〔书城〕 shūchéng 명 〈比〉 주위에 (성처럼) 쌓아 올린 많은 책.

〔书痴〕 shūchī 명 ⇨〔书淫〕

〔书虫〕 shūchóng 명 ⇨〔书蠹①〕

〔书厨〕 shūchú 명 ①책장. ②〈比〉 박식(博識)한 사람. ③〈比〉 박식하나 실제면에는 어두운 사람. ‖ =〔书橱〕

〔书春〕 shūchūn 동 '春联(儿)'을 쓰다.

〔书呆子〕 shūdāizi 명 책벌레(책만 읽고 있어 세상사에 어두운 사람). =〔书虎子〕〔学呆子〕

〔书带草〕 shūdàicǎo 명 ⇨〔麦mài(门)冬①〕

〔书丹〕 shūdān 명 〈文〉 주필(朱筆)로 쓴 비명(碑銘). 비(碑)에 쓴 글씨.

〔书单子〕 shūdānzi 명 도서 목록. 책의 리스트.

〔书挡〕 shūdǎng 명 북엔드(bookend). 책버티개.

〔书到用时方恨少〕 shū dào yòng shí fāng hèn shǎo 〈諺〉 ①책은 필요로 할 때에야 비로소 적음을 아쉬워한다. ②학문은 세상에 나가기 전에 충분히 해 두어야 한다.

〔书底儿〕 shūdǐr 명 학문의 조예(造詣). 학문상의 기초. ¶～深; 학문의 조예가 깊다.

〔书店〕 shūdiàn 명 서점. 책방. =〔书局①〕〔书铺(儿)①〕〔〈文〉 书肆〕

〔书牍〕 shūdú 명 〈文〉 편지. 서신(書信).

〔书蠹〕 shūdù 명 ①《蟲》 반대좀. 좀. =〔书鱼〕〔书虱〕〔书虫〕〔蠹鱼(子)〕 ②〈轉〉 책벌레. 책상물림(책만 붙들고 있는 사람).

〔书法〕 shūfǎ 명 ①서예(의 필법). ¶～家; 서예가. ②(사가(史家)가) 역사를 기록하는 필법.

〔书坊〕 shūfāng 명 옛날의 책방(책을 간행하여 파는 가게).

〔书房〕 shūfáng 명 ①서재. ②서당. ③서점.

〔书告〕 shūgào 동 서면으로 알리다. ¶～全国青年; 전국의 청년에게 서면으로 알리다.

〔书格〕 shūgé 명 글씨를 쓸 때에 팔꿈치를 받치는 제구.

〔书槅子〕 shūgézi 명 ⇨〔书架(儿,子)〕

〔书根(子)〕 shūgēn(zi) 명 ①(책의) 밑면(책의 아래쪽 가를 이름). ②검색을 편리하게 하기 위하여 책의 밑면에 쓴 책 이름·권수(卷數) 따위.

〔书估〕 shūgū 명 ⇨〔书贾〕

〔书贾〕 shūgǔ 명 ⇨〔书客〕

〔书馆〕 shūguǎn 명 ①(옛날의) 사숙(私塾). ②서점.

〔书馆儿〕 shūguǎnr 명 〈方〉 야담·만담의 공연장이 설치된 찻집. =〔书茶馆〕

〔书归正传〕 shū guī zhèng zhuàn 〈成〉 이야기를 본론으로 돌리다(야담가가 흔히 쓰던 말로, 장회(章回) 소설에 잘 쓰임).

〔书柜〕 shūguì 명 책궤. 책장.

〔书函〕 shūhán 명 ① ⇨〔书信〕 ② ⇨〔书套①〕

〔书翰〕 shūhàn 명 ⇨〔书信〕

〔书号儿〕 shūhàor 명 책의 번호. 책의 정리 번호. ¶查～; 책의 번호를 조사하다.

〔书后〕 shūhòu 명 책의 발문(跋文). 후기. =〔书后记〕〔书后语〕

〔书虎子〕 shūhǔzi 명 ⇨〔书呆子〕

〔书画〕 shūhuà 명 서화. 글씨와 그림.

〔书荒〕 shūhuāng 명 (문화 대혁명 기간 중 서적의 엄격한 통제에 의한) 서적 기근.

〔书几〕 shūjī 명 서궤. 책상.

〔书籍〕 shūjí 명 서적(총칭). =〔〈文〉 书册〕〔〈文〉 书卷juàn〕

〔书脊〕 shūjǐ 명 ⇨〔书背bèi〕

〔书计〕 shūjì 명 ⇨〔书算〕

〔书迹〕 shūjì 명 필적.

〔书记〕 shūji 명 ①서기(공산당·공산 청년단의 각급 조직에서의 주요 책임자). ¶支部～ =〔支书〕; 지부 서기 / ～挂师; 서기가 지휘하다. ②서기. 문서계(文書係). ¶～处; ⓐ비서과. 사무국. ⓑ(중국 공산당 정치국 안에 설치된) 서기처.

〔书夹〕 shūjiā 명 (종이·서류 따위의) 집게.

〔书家〕 shūjiā 명 서가. 서예가.

〔书架(儿,子)〕 shūjià(r, zi) 명 책꽂이. ¶安装～; 책꽂이를 설치〔가설〕하다. =〔书槅子〕

〔书柬〕 shūjiǎn 명 ⇨〔书信〕

〔书简〕 shūjiǎn 명 ⇨〔书信〕

〔书经〕 Shūjīng 명《書》 서경(유가(儒家)의 경전의 하나. 옛날의 정치사(史)를 편집한 것). =〔尚Shàng书②〕

〔书局〕 shūjú 명 ①⇨〔书店〕 ②옛날, 관공서의 서고(書庫). ③관립(官立)의 서적 간행소.

〔书卷〕 shūjuàn 명 ⇨〔书籍〕

〔书卷气〕 shūjuànqì 명 학자티. 학자 타입. 학자 냄새. =〔方fāng巾气〕

〔书刊〕 shūkān 명 서적과 잡지.

〔书壳〕 shūké 명 책의 케이스.

〔书客〕 shūkè 명 〈文〉 서적상. ¶走到村学堂里,

见那闯chuǎng学堂的～, 就买几本旧书《儒林外史》; 마을 학교에 가 보았더니, 예의 학교를 순회하는 서적상이 있어서 헌 책을 몇 권 샀다. =〔书贾〕〔书估〕
〔书空〕 shūkōng 동 〈文〉 손가락으로 허공에 글씨를 쓰다.
〔书口〕 shūkǒu 명 책의 등의 반대쪽《책장을 넘기는 데》. ↔〔书背〕
〔书扣子〕 shūkòuzi 명 야담(野談)의 절정에 이르렀을 때, 이야기꾼이 잠깐 사이를 두고 한층 흥미를 북돋우는 대목. 긴장되는 대목.
〔书库〕 shūkù 명 ①서고. =〔书仓〕 ②〈比〉 박학한 사람.
〔书侩〕 shūkuài 명 옛날, 서적 매매의 중개업자.
〔书吏〕 shūlì 명 옛날의, 서기. 서리. 하급 관리. =〔书班〕〔书办〕〔书差〕〔吏胥〕〔笔bǐ吏〕〔典diǎn吏〕〔胥xū吏〕
〔书例〕 shūlì 명 ①휘호료(揮毫料)의 규정. 윤필료. ②서식(書式).
〔书楼〕 shūlóu 명 도서관의 구칭. =〔藏cáng书楼〕
〔书篓子〕 shūlǒuzi 명 야담(野談)에 능통한 사람. 야담통(通). ¶～一来, 说书的都得加三分小心, 怕挑毛病啊; 야담에 능통한 사람이 오면, 이야기꾼은 말꼬리를 잡히지 않도록 좀 소심해진다.
〔书录〕 shūlù 명 도서 목록. 참고 서목(書目).
〔书簏〕 shūlù 명 ①대나무로 만든 책궤〔책상자〕. ②〈轉〉 박학하지만 쓸모없는 사람.
〔书眉〕 shūméi 명 서적의 난외(欄外) 위쪽의 여백.
〔书迷〕 shūmí 명 ⇨〔书癖〕
〔书面〕 shūmiàn 명 ①책의 거죽〔표지〕. ②서면. 문서. ¶以～回答; 서면으로 회답하다 / ～报告; 서면에 의한 보고(를 하다). ↔〔口头〕
〔书面语〕 shūmiànyǔ 명 서면어. 문장어. ↔〔口语〕 →〔文言〕
〔书名〕 shūmíng 명 서명. 책 이름.
〔书名号〕 shūmínghào 명 책 이름임을 나타내는 표점(標點) 부호(《 》·〈 〉 따위).
〔书墨〕 shūmò 명 문필(文筆).
〔书目〕 shūmù 명 서목. 도서 분류 목록. 카탈로그.
〔书脑〕 shūnǎo 명 책의 철한 부분.
〔书判〕 shūpàn 명 판결문.
〔书皮(儿)〕 shūpí(r) 명 ①서적의 표지(表紙). ¶～纸板; 표지용의 두꺼운 종이. ②(개인이 만들어 씌우는) 책가위. 북 커버. ‖ =〔书衣〕
〔书癖〕 shūpǐ 명 서벽. 책을 좋아하는 성벽(性癖). =〔书迷〕
〔书评〕 shūpíng 명 서평.
〔书铺(儿)〕 shūpù(r) 명 ①⇨〔书店〕 ②대서방. 대서소.
〔书启〕 shūqǐ 명 ①옛날, 지방관의 문서 담당. 서기. ¶～师爷; 서기 나리. ②⇨〔书信〕
〔书气〕 shūqì 명 학자 티〔기질〕.
〔书契〕 shūqì 명 〈文〉 서계《은(殷)나라 때에, 나무·대나무·갑골(甲骨) 등에 새긴 문자》.
〔书签(儿)〕 shūqiān(r) 명 ①서첨(書籤)《책 겉장에 제목을 써서 붙인 쪽지》. ②서표(書標). ¶～带 =〔书辫儿〕; (서적의) 서표끈.
〔书箧〕 shūqiè 명 〈文〉 책궤. 책장.
〔书生〕 shūshēng 명 ①인텔리. 서생. 선비《현재는 풍자적으로 쓰임》. ¶～本色; 서생 근성 / ～气; 서생 기질《침착하지 못하고 천박함》. ②세상 물정에 어두운 사람. 샌님. ¶白面～; 백면 서생.
〔书圣〕 shūshèng 명 〈比〉 서성. 서예의 명필〔대가〕.
〔书虱〕 shūshī 명 ⇨〔书蠹①〕
〔书手〕 shūshǒu 명 필생(筆生). 필경생.
〔书首〕 shūshǒu 명 책〔글〕의 첫 부분.
〔书说〕 shūshuō 동 〈文〉 문장으로 이론을 내세우다. =〔著zhù书立说〕
〔书肆〕 shūsì 명 ⇨〔书店〕
〔书算〕 shūsuàn 명 〈文〉 쓰는 일과 셈하는 일. =〔书计〕
〔书摊(儿)〕 shūtān(r) 명 책 파는 노점(露店).
〔书套〕 shūtào 명 ①책갑. 서질(書帙). =〔书函②〕〔书帙〕 ②책의 커버.
〔书题〕 shūtí 명 책의 표제(標題).
〔书体〕 shūtǐ 명 서체.
〔书亭〕 shūtíng 명 (간이식의 작은) 책방.
〔书童(儿)〕 shūtóng(r) 명 옛날, 부잣집 서재에서 심부름하던 소년. =〔书僮〕
〔书筒〕 shūtǒng 명 봉투.
〔书尾〕 shūwěi 명 책의 말미. 책의 마지막 페이지.
〔书屋〕 shūwū 명 〈文〉 서재.
〔书物〕 shūwù 명 서적이나 서적과 관계된 물품.
〔书香〕 shūxiāng 명 옛날, 학자의 가풍(家風). 선비의 집안. ¶世代～; 대대로 학문을 하는 집안 / ～之家; 학자풍의 가정 / ～人; 학자풍의 사람 / ～气; 학자 기풍 / 早养出一个儿子来, 叫他读书, 接进士的～; 빨리 사내 아이를 하나 낳아, 그 아이에게 학문을 시켜서 대대로 내려온 진사의 가풍을 잇게 하려 했다.
〔书箱(子)〕 shūxiāng(zi) 명 책궤.
〔书写〕 shūxiě 동 쓰다. 적다. ¶～自己的姓名; 자기의 성명을 쓰다.
〔书信〕 shūxìn 명 편지. 서간. 서신. ¶～体; 서간체. =〔信〕〔信函〕〔书函①〕〔书翰〕〔书柬〕〔书简〕〔书启②〕〔书札〕
〔书业〕 shūyè 명 ①저작〔저술〕업. ②출판업. 서적 판매업.
〔书页〕 shūyè 명 책의 페이지.
〔书衣〕 shūyī 명 ⇨〔书皮(儿)〕
〔书淫〕 shūyín 명 〈文〉 지나치게 책읽기를 좋아하는 일. 독서광. =〔〈文〉书痴〕
〔书影〕 shūyǐng 명 책·간행물의 판식(版式)과 내용의 일부를 나타내는 인쇄물《전에는 원서와 비슷하게 각인(刻印) 또는 석인(石印)이었고, 현재는 사진판이나 복사판임》.
〔书鱼〕 shūyú 명 ⇨〔书蠹①〕
〔书院〕 shūyuàn 명 옛날의, 학교. 서원.
〔书札〕 shūzhá 명 ⇨〔书信〕
〔书斋〕 shūzhāi 명 서재. 독서실.
〔书纸签儿〕 shūzhǐqiānr 명 ⇨〔纸签(儿)〕
〔书帙〕 shūzhì 명 ⇨〔书套①〕
〔书种〕 shūzhǒng 명 〈比〉 학문을 할 줄 아는 자제.
〔书桌(儿)〕 shūzhuō(r) 명 데스크. 책상. =〔写字桌〕
〔书子〕 shūzi 명 〈古白〉 편지.
〔书佐〕 shūzuǒ 명 옛날의, 문서 담당〔관리〕.

殳

shū (수)
① 명 옛날의 무기(武器)의 하나《대나무 자루의 장창》. ¶铁～; 철제의 장창(長槍). ②→〔殳书〕 ③ 명 성(姓)의 하나.
〔殳书〕 shūshū 명 진대(秦代)의 팔체서(八體書)의 하나《무기 따위의 표면에 새겨진 서체》.

抒 shū (서) 동 (충분히) 진술하다. (마음껏) 토로하다. (의견을) 표시하다. ¶各～己见; 각기 자기의 생각을 (충분히) 진술하다 / 发～感情; 감정을 토로하다 / ～其怀抱; 자기의 회포를 말하다.
〔抒发〕 shūfā 동 (감정을) 토로하다. ¶～心中的悲愤; 심중의 비분을 토로하다.
〔抒恨〕 shūhèn 동 〈文〉 원한을 풀다. ¶心情～; 원한을 풀다.
〔抒念〕 shūniàn 동 ⇨〔释shì念〕
〔抒情〕 shū,qíng 동 감정을 표현하다. ¶～诗; 서정시 / ～散文; 서정 산문.
〔抒写〕 shūxiě 동 〈文〉 표현〔묘사〕하다. ¶散文可以～感情, 也可以发表议论; 산문은 감정을 표현할 수 있으며, 자기의 생각도 나타낼 수 있다.
〔抒意〕 shūyì 동 〈文〉 생각을 말하다. 흉금을 털어놓다.

纾(紓) shū (서) ① 동 풀다. 해제하다. 덜다. 제거하다. ¶可以～忧; 시름을 풀어 버릴 수 있다 / ～祸; 재액〔우환〕을 제거하다 / 毁家～难nàn; 〈成〉 집안 재산을 내던져 재난(災難)을 구하다. ② 동 늦추다. 연기하다. ③ 형 풍부하다. 여유 있다.

舒 shū (서) ① 동 펴다. 풀다(갑갑함·지루함·구속 따위에서 벗어남). ¶～了一口气; 한숨 돌리다. ② 동 늘이다. ③ 동 늦추다. ④ 형 느리다. ⑤ 형 마음 편안케 하다. 느긋해 하다. ⑥ 명 성(姓)의 하나.
〔舒畅〕 shūchàng 형 막힘이 없이 기분이 후련하고 좋다. 상쾌하다. 쾌적하다. ¶心情～; 마음이 후련하고 좋다.
〔舒迟〕 shūchí 형 ⇨〔舒徐〕
〔舒尔硬度〕 shū'ěr yìngdù 명 《物》 쇼(shore) 경도. =〔萧xiāo氏硬度〕
〔舒服〕 shūfu 형 ①(몸·마음이) 상쾌하다. 쾌적하다. ¶身体有点儿不～; 몸이 좀 불편하다 / 睡得很～; 아주 기분 좋게 잤다. ②태평스럽다. 편하다. ¶哪能像你这么～; 어찌 당신처럼 태평하게 있을 수 있겠소 / 过～日子; 편안한 날을 보내다. ‖=〔舒坦〕
〔舒怀〕 shūhuái 동 〈文〉 마음을 편하게 갖다.
〔舒缓〕 shūhuǎn 형 편안하다. 느긋하다. ¶～的步子; 여유 있는 발걸음.
〔舒活〕 shūhuó 동 풀다. ¶～筋骨; 근육이나 뼈를 부드럽게 풀다. 몸을 부드럽게 하다.
〔舒筋〕 shūjīn 동 근육을 풀다. ¶～活血 =〔～和血〕; 《漢醫》 근육을 풀어 혈액 순환을 왕성하게 하다 / ～活络; 《漢醫》 근육과 경락(經絡)을 풀어주다.
〔舒卷〕 shūjuǎn 동 ①모이고 흩어지다(흔히, 구름이나 연기를 가리킴). ②〈轉〉 진퇴하다. ¶～自如; 진퇴가 자유롭다. 신축이 자유롭다.
〔舒开〕 shūkāi 동 (닫힌 듯한 것이) 열리다. ¶眉头～了; 찌푸렸던 얼굴이 펴졌다.
〔舒眉〕 shū,méi 동 안심하다. 근심을 잊다. ¶～展眼; 〈成〉 안심하는 모양. 근심을 잊은 모양.
〔舒难〕 shūnàn 동 〈文〉 재난을 구제하다.
〔舒气〕 shū,qì 동 안도의 한숨을 쉬다. ¶舒一口气; 안도의 한숨을 쉬다.
〔舒情〕 shūqíng 동 감정을 토로하다.
〔舒散〕 shūsǎn 형 한산하다. 한가하다. ⇒shū-sàn
〔舒散〕 shūsàn 동 ①(근육 따위를) 움직이다. 기지개를 켜다. 펴다. ②(기분 따위를) 풀다. 편안하게 하다. ⇒shūsǎn
〔舒伸〕 shūshēn 동 쭉 펴다.
〔舒身〕 shūshēn 동 기지개를 켜다. ¶舒开身子; 몸을 쭉쭉 펴다.
〔舒声〕 shūshēng 명 《言》 옛 중국어의 '平'·'上'·'去'의 삼성(三聲).
〔舒适〕 shūshì 형 쾌적하다. 기분이 좋다. ¶这双鞋很～; 이 신발은 편하다.
〔舒手舒脚〕 shūshǒu shūjiǎo 손발을 편안하게 펴는 모양. 마음이 느긋한 모양. 긴장이 풀린 모양. ¶天气暖和了, 可以～; 날씨가 따뜻해져서 마음이 한가롭고 편안하다.
〔舒泰〕 shūtai 형 편안하고 기분이 좋다. →〔舒服〕
〔舒坦〕 shūtan 형 ⇨〔舒服fu〕
〔舒坦坦(的)〕 shūtǎntǎn(de) 형 ①편안한 모양. ¶感到浑身～; 온몸이 편안하다. ②평평하게 뻗은 모양.
〔舒贴〕 shūtie 형 ①기분이 좋다. 쾌적하다. ②편하다. ③관계가 친밀하다.
〔舒席〕 shūxí 명 안후이 성(安徽省) 수청 현(舒城縣) 특산의 돗자리(대나무를 얇게 깎아 엮음).
〔舒心(儿)〕 shūxīn(r) 형 〈方〉 마음이 편안하다. 태평하다. ¶家里的事用不着你多管, 你是最～, 最自由的! 당신은 집안일은 걱정하지 않아도 되니까, 가장 편안하고, 자유롭다! =〔舒意〕
〔舒徐〕 shūxú 형 〈文〉 느긋하다. 여유 있다. 한가하다. =〔舒迟〕
〔舒意〕 shūyì 형 ⇨〔舒心(儿)〕
〔舒展〕 shūzhǎn 동 ①늘이다. ②구김살〔주름〕을 펴다. ¶他把揉了许多褶子的剧本小心地～着; 그는 심하게 구겨진 대본을 조심스럽게 펴고 있다. 형 ①(접은 금이나 구김살이 없이) 빳빳하다. ¶找张～点儿的纸包上; 빳빳한 종이로 싸거라. ②심신이 한가롭다. 느긋하고 기분이 좋다. ③(심신이) 쾌적(快適)하다. 마음에 여유가 있다.
〔舒展不开〕 shūzhǎnbukāi ①잘 펴지지 않다. ②마음을 놓을 수 없다.
〔舒张〕 shūzhāng 명 《生》 (심장 등의) 확장. 이완. ¶～压; 이완(혈)압.

叔 shū (숙) 명 ①형제의 순서. '伯'·'仲'·'叔'·'季'의 3번째. ②아버지의 동생. 작은아버지. ③(～子) 남편의 남동생. 시동생. =〔小叔子〕 ④아버지와 동배(同輩)로서 아버지보다 손아랫사람. 아저씨. ¶李～; 이씨 아저씨. ⑤《化》 제3(급). ¶～胺; 제3 아민(amine) / ～醇; 제3 알코올. ⑥성(姓)의 하나.
〔叔伯〕 shūbai 명 아버지의 형제 관계를 나타내는 말. ¶～弟兄 =〔～哥儿们〕; 종(從)형제 / ～兄弟 =〔～弟弟〕〔叔弟〕〔亲叔伯〕; 종제 / ～哥哥; 종형 / ～姐妹; 종자매 / ～姐姐jiějie; 종자(從姉) / ～嫂子; 종형의 아내 / ～小婶儿; 종제의 아내 / ～侄儿; 종형제의 아들 / ～侄女; 종형제의 딸 / ～大爷; 아버지의 종형 / ～叔叔; 아버지의 종제.
〔叔弟〕 shūdì 명 사촌동생. =〔叔伯兄弟〕
〔叔父〕 shūfù 명 ①숙부(아버지의 아우). =〔叔叔①〕〔〈南方〉 阿ā叔〕 ②옛날에, 천자가 동성(同姓)의 제후(諸侯)에 대하여 부르는 칭호.
〔叔公〕 shūgōng 명 ①아내가 남편의 숙부를 부르는 말. →〔叔叔〕 ②〈方〉 아버지의 숙부. =〔叔祖〕
〔叔季〕 shūjì 명 〈文〉 말세(末世). =〔叔世〕
〔叔舅〕 shūjiù 명 어머니의 남동생.

〔叔妹〕 shūmèi 명 남편의 누이동생. =〔小姑(儿)〕
〔叔母〕 shūmǔ 명 〈文〉 숙모(아버지의 아우의 처).
〔叔婆〕 shūpó 명 ①남편의 숙모. 시숙모. ②〈方〉 아버지의 숙모. =〔叔祖母〕
〔叔嫂〕 shūsǎo 명 '小叔(子)' (시동생)와 형수 (사이). ¶～的关系; 시동생과 형수 사이.
〔叔婶〕 shūshěn 명 ①숙부와 숙모. ②〈文〉 숙모.
〔叔世〕 shūshì 명 ⇨〔叔季〕
〔叔叔〕 shūshu 명 〈口〉 ①아버지의 동생. 숙부. =〔叔父〕→〔叔公〕 ②아저씨(아이가 어른에게). ¶抗日军～; 항일군 아저씨. ③남편의 남동생. =〔小叔(子)〕
〔叔孙〕 Shūsūn 명 복성(複姓)의 하나.
〔叔翁〕 shūwēng 명 ⇨〔叔祖〕
〔叔丈(人)〕 shūzhàng(rén) 명 아내의 숙부.
〔叔侄〕 shūzhí 명 '叔父'와 '侄儿' '侄女(儿)' 들 (과의 사이).
〔叔子〕 shūzi 명 남편의 남동생. 시동생.
〔叔祖〕 shūzǔ 명 조부의 남동생. =〔叔翁〕〔〈方〉叔公②〕
〔叔祖母〕 shūzǔmǔ 명 숙조모(아버지의 숙모).

淑 shū (숙)

①형 정숙하다. ¶～姿; 정숙하고 아리따운 자태. ②형 아름답다. ③형 선량하다. 뛰어나다. ¶～行; 선행/～性; 선량한 성질. ④동 사숙(私淑)하다.
〔淑安〕 shū'ān 〈翰〉 (여성에 대하여) 편안하시기를 기원합니다(편지 말미에 쓰는 말).
〔淑德〕 shūdé 명 〈文〉 숙덕. 여성의 미덕.
〔淑弟〕 shūdì 명 〈文〉 현제(賢弟)(남의 아우에 대한 높임말).
〔淑范〕 shūfàn 명 〈文〉 선량한 모범.
〔淑候〕 shūhòu 〈文〉〈翰〉 (여성에 대하여) 별고 없으십니까. 문안드립니다. ¶书奉娘子妆前, 迩来未审～何如《清平山堂話本》; 부인께 올립니다. 요즘은 어떻게 지내십니까?
〔淑华〕 shūhuá 형 〈文〉 우아하고 아름답다.
〔淑女〕 shūnǚ 명 숙녀. 레이디. =〔〈文〉 淑媛〕
〔淑人〕 shūrén 명 〈文〉 ①선량한 사람. ②청대(清代), 숙인(고급 관리의 아내로 '三品'의 봉호(封號)를 받고 있는 자의 칭호). ③미인.
〔淑善君子〕 shūshàn jūnzǐ 명 〈比〉 선량하고 유덕한 사람.
〔淑胤〕 shūyìn 명 〈文〉 착한 자손.
〔淑媛〕 shūyuán 명 〈文〉 ⇨〔淑女〕
〔淑质〕 shūzhì 명 〈文〉 정숙한 기질.
〔淑种学〕 shūzhǒngxué 명 우생학(優生學).

菽〈尗〉 shū (숙)

명 콩 종류의 총칭.
〔菽草翘摇〕 shūcǎoqiàoyáo 명 《植》 개미자리.
〔菽麦〕 shūmài 명 〈文〉 콩과 보리. 〈比〉 구별하기가 매우 쉬운 것. ¶不辨～; 〈成〉 콩과 보리도 분간 못 하다(아주 쉬운 일도 못 함. 어리석음).
〔菽靡〕 shūmí 명 두유(豆乳). =〔豆奶〕
〔菽乳〕 shūrǔ 명 '豆dòu腐'의 고칭(古稱).
〔菽水承欢〕 shū shuǐ chéng huān 〈成〉 가난한 가운데서도 부모를 정성껏 섬기다.
〔菽粟〕 shūsù 명 〈文〉 콩류와 곡류. 〈轉〉 식량.

枢(樞) shū (추)

명 ①문을 여닫는 지도리. ¶～轴; ⓐ추축. 문지도리와 수레의 굴대. ⓑ〈轉〉 중추. 중심. ②중앙 기관. ③주요한 것. ④장치.
〔枢奥〕 shū'ào 명 ⇨〔枢密〕
〔枢臣〕 shūchén 명 〈文〉 중신(重臣).
〔枢府〕 shūfǔ 명 추밀원(樞密院).
〔枢机〕 shūjī 명 〈文〉 ①문지도리와 쇠뇌의 발사 장치. 〈轉〉 중요한 곳. 관건. 중요한 사항. ¶言行, 君子之～; 언행은 군자에게 있어서 중요한 일이다. ②측근(의 신하). 옛날, 봉건 왕조에 있어서의 직위. 또, 그 기구(機構).
〔枢机主教〕 shūjī zhǔjiào 명 《宗》 추기경. =〔红衣主教〕
〔枢近〕 shūjìn 명 〈文〉 측근의 사람.
〔枢路〕 shūlù 명 〈文〉 요로(要路).
〔枢密〕 shūmì 명 〈文〉 추밀. 기밀. =〔枢奥〕
〔枢纽〕 shūniǔ 명 중요한 관건. 요점. 중추. ¶～工程; 기간(基幹)이 되는 공사/交通～; 교통의 요충/贸易～; 상거래의 중추지.
〔枢务〕 shūwù 명 〈文〉 중요한 정무.
〔枢星〕 shūxīng 명 북두칠성의 첫째 별.
〔枢要〕 shūyào 명 〈文〉 ①중요한 (일). 가장 긴요한 곳. ②구사회에 있어서의 중앙 행정 기관.
〔枢轴〕 shūzhóu 명 →〔字解①〕
〔枢椎〕 shūzhuī 명 《生》 제2 경추(頸椎)의 별칭.

姝 shū (주)

〈文〉 ①형 곱다. 아름답다. ¶容色～丽; 용모가 아름답다/～艳; 요염하다. ②명 미녀(美女). ¶彼～; 그 미인.

殊 shū (수)

①형 다르다. ¶～途同归; 〈成〉 다른 길을 통하여 같은 목적지에 닿다(다른 방도를 취해도 같은 결과가 됨)/二者相～; 양자는 서로 다르다/悬～; 현격하게 다르다. ②형 특수하다. 뛰어나다. ¶～能; 특수 능력/～量; 비길 데 없는 도량. ③부 특히. 극히. 매우. 심하게. ¶～佳jiā; 극히 좋다/～可嘉尚; 크게 칭찬할 만하다/凉爽～甚; 시원하고 상쾌하기가 유다르다/～有未妥; 매우 타당하지 않은 점이 있다. ④동 〈文〉 죽다. 목숨을 끊다. ¶～死战; 결사적인 전투/自刎不～; 스스로 목을 베려 시도했으나 죽음에는 이르지 않았다. ⑤동 잘라서 쪼개다. ¶断其后之木而弗～《左傳》; 그 배후의 나무를 베되 조금 붙어 있게 하고 완전히 베지는 않았다.
〔殊别〕 shūbié 형 〈文〉 큰 차이가 있다. 몹시 동떨어지다.
〔殊不然〕 shūbùrán 〈文〉 크게 다르다. 전혀 그렇지 않다.
〔殊不知〕 shūbùzhī ①…을 모른다. 글쎄 …을 모르고 있단 말이야. 누가 알았으리요. ¶有人以为喝酒可以御寒, ～酒力一过, 更觉得冷; 어떤 사람은 술을 마시면 추위를 막을 수 있다고만 생각하고, 술이 깨면 더욱 추워진다는 것을 모른다. ②뜻밖에. 의외로. ¶我以为他还在北京, ～上星期他就走了! 나는 그가 아직 '北京'에 있을 거라고 생각했는데 의외로 지난 주에 벌써 떠나 버렸어!
〔殊常〕 shūcháng 형 〈文〉 보통과 다르다.
〔殊宠〕 shūchǒng 명동 〈文〉 특별한 총애(를 하다).
〔殊等〕 shūděng 명 〈文〉 특등.
〔殊斗〕 shūdòu 동 〈文〉 목숨 걸고 싸우다. 결투하다.
〔殊恩〕 shū'ēn 명 〈文〉 특별한 은혜.
〔殊方〕 shūfāng 명 〈文〉 이역. 타지(他地). =〔殊域〕 동 방향·방법을 바꾸다.
〔殊非〕 shūfēi 절대로 …이 아니다.
〔殊风〕 shūfēng 명 〈文〉 색다른 풍속.

〔殊功〕 shūgōng 명 수훈(殊勳). =〔殊绩〕〔殊勋〕
〔殊号〕 shūhào 명 〈文〉 특별한 칭호. 동 칭호를 바꾸다.
〔殊技〕 shūjì 명 〈文〉 특기. 형 습득한 기능이 다르다.
〔殊绩〕 shūjì 명 ⇨〔殊功〕
〔殊境〕 shūjìng 명 〈文〉 이역(異域). 타국.
〔殊眷〕 shūjuàn 명 〈文〉 특별한 은고(恩顧).
〔殊绝〕 shūjué 형 〈文〉 크게 동떨어지다. 특이하다. ¶～凡庸; 평범한 자와 아주 다르다.
〔殊科〕 shūkē 동 〈文〉 종류를 달리하다. 별개의 것이다. ¶民权主义之民权是革命民权, 与天赋人权～; 민권주의의 민권은 혁명 민권으로서, 기본적 인권과는 별개의 것이다.
〔殊类〕 shūlèi 명 〈文〉 다른 종류. 이류(異類).
〔殊礼〕 shūlǐ 명 〈文〉 ①특별한 예우. ②다른 예절.
〔殊难〕 shūnán 형 〈文〉 ①(흔히, 뒤에 2음절어(二音節語)가 와서) 도저히 …하기 어렵다. ¶～相信; 도저히 믿기 어렵다. ②특히 어렵다.
〔殊派〕 shūpài 명 〈文〉 다른 파(派).
〔殊盼〕 shūpàn 명동 〈文〉 특별한 은고(恩顧)(를 베풀다).
〔殊品〕 shūpǐn 명 〈文〉 특별한〔보기 드문〕 물품.
〔殊荣〕 shūróng 명 〈文〉 특별한 영광.
〔殊色〕 shūsè 명 〈文〉 출중한 용모. 뛰어난 용색(容色).
〔殊深轸念〕 shū shēn zhěn niàn 〈成〉 매우 비통하게 생각하다.
〔殊胜〕 shūshèng 형 〈文〉 특히 뛰어나다. 수승하다.
〔殊死〕 shūsǐ 동 목숨을 걸다. 죽음을 각오하다. ¶～以下; 결사적인 전투를 하여 적을 항복시키다 / 作～的斗争; 결사적인 투쟁을 하다. 명 참수형(斬首刑).
〔殊死战〕 shūsǐzhàn 명 결사적인 전투.
〔殊俗〕 shūsú 형 ①〈文〉 범속(凡俗)과 다르다. ¶志操～; 지조가 범속과 다르다. ②풍속이 다르다. 명 풍속이 다른 타향.
〔殊途同归〕 shū tú tóng guī 〈成〉 길은 다르지만 귀착하는 곳은 같다. 수단은 달라도 목적은 같다. =〔同归殊途〕〔异yì路同归〕
〔殊未…〕 shūwèi… 〈文〉 끝내 …하지 않다. 어찌 된 일인지 아직도 …하지 않다. ¶佳人～来; 좋은 사람이 어찌 된 일인지 아직도 오지 않는다. =〔竟未…〕
〔殊相〕 shūxiàng 명 〈文〉 보통과 다른 모양.
〔殊效〕 shūxiào 명 〈文〉 특효.
〔殊行〕 shūxíng 명 〈文〉 훌륭한 행위. ¶表其～; 그 훌륭한 행위를 표창하다.
〔殊选〕 shūxuǎn 동 〈文〉 파격적으로 발탁하여 등용하다.
〔殊勋〕 shūxūn 명 ⇨〔殊功〕
〔殊异〕 shūyì 형 〈文〉 대단히 다르다. 매우 상이(相異)하다. 특이하다.
〔殊尤〕 shūyóu 형 〈文〉 특히 빼어나다. ¶～之材cái; 특히 빼어난 재능(의 사람).
〔殊域〕 shūyù 명 ⇨〔殊方〕
〔殊遇〕 shūyù 명 〈文〉 특별한 대우.
〔殊致〕 shūzhì 〈文〉 형 일치하지 않다. 명 특수한 풍치(風致).

倏〈儵〉 **shū** (숙)
부 홀연히. 별안간. 어느덧. ¶来去～忽; 왔다갔다 하는 것이 (눈이 어지럽도록) 빠르다. 순식간에 왔다갔다 하다 / ～而不见; 갑자기 보이지 않게 되다 / ～闪 =〔～烁〕; (빛이) 번득이다.
〔倏地〕 shūde〔shūdì〕 부 신속하게. 갑자기. 확. ¶～不见了; 돌연 모습을 감추었다.
〔倏忽〕 shūhū 부 돌연. 별안간. 어느덧. 갑자기. ¶山地气候～变化, 应当随时注意; 산지는 기후가 돌변하기 때문에 항상 주의를 게을리해서는 안 된다.
〔倏利〕 shūli 형 〈方〉 (행동이) 재빠르다.

鄃 **Shū** (유)
명 《地》 수 현(鄃縣)《산둥 성(山東省) 샤진 현(夏津縣) 부근에 있는 옛 현(縣) 이름》.

输(輸) **shū** (수)
동 ①운송하다. 나르다. ¶～油管; 송유관. ②바치다. 기부하다. 드리다. ¶捐～; 헌납하다 / 乐～; 기꺼이 기부하다 / 劝～; 기부를 권유하다. ③(승부에서) 지다. (도박에서) 잃다. ¶～了两个球; 두 골 졌다. ↔〔赢yíng①〕 ④져서 (상대에게 무엇인가를) 주다. (내기·도박에서) 걸다. ¶我把这支猎枪～给你; 나는 이 엽총을 진 표시로 주겠다 / 把脑袋～给你; 목을 걸겠다 / 要是不对, 你～给我什么呢? 만약 틀리면, 내게 뭘 줄 거니?
〔输不得〕 shūbude 속일 수 없다. ¶是～他那一双眼; 그의 눈은 속일 수 없다.
〔输财〕 shūcái 동 재산을 헌납하다.
〔输诚〕 shūchéng 동 〈文〉 ①성의를 다하다. ¶当面～, 背面笑; 마주 대하면 성의를 다하는 것 같으나, 뒤에서는 비웃고 있다. =〔输实〕〔输心〕 ②투항하다.
〔输筹〕 shūchóu 동 〈文〉 지다. 패배하다.
〔输出〕 shūchū 동 (안에서 밖으로) 보내다. ¶血液从心脏～, 经血管分布到全身组织; 혈액은 심장에서 송출되어 혈관을 지나 온몸의 조직에 골고루 퍼진다. 명동 ①수출(하다). ¶～额; 수출액 / ～超过; 수출 초과 / 大搞资本～; 대대적으로 자본 수출을 하다. ②《電》 출력(出力)(하다). 아웃풋(output)(하다). ¶～机; (컴퓨터 등의) 아웃풋 / ～数据; 데이터 아웃(data out) / ～变压器; (라디오의) 아웃풋 트랜스.
〔输出量〕 shūchūliàng 명 ⇨〔出力③〕
〔输打赢要〕 shūdǎ yíngyào 〈比〉 몰염치하다. 염치 없다. ¶他们那种～的作风, 平日也会找借口来进行退订扣价; 그들의 저런 몰염치한 태도는 평소에도 구실을 만들어 주문을 취소하거나 값을 깎거나 한다.
〔输胆〕 shūdǎn 동 간담이 서늘해지다. 섬뜩해지다.
〔输电〕 shū,diàn 동 송전(送電)하다. (shūdiàn) 명 송전. ¶～线; 송전선.
〔输东道〕 shū dōngdào ⇨〔输东儿〕
〔输东儿〕 shūdōngr 내기에 지고 한턱 내다. =〔输东道〕
〔输服〕 shūfú 동 판결〔재판〕에 복종하다.
〔输光〕 shūguāng 동 (건 돈을) 모두 빼앗기다. (싸움·시합 등에서) 완패하다.
〔输荒压青〕 shūhuāng yāqīng 명 《農》 경지의 일부를 1년 동안 휴경(休耕)하고 잡초가 나서 씨가 맺힐 무렵, 갈아 엎어서 땅 속에 묻어 거름으로 하고, 이듬해에 씨를 뿌리는 방법.
〔输家(儿)〕 shūjia(r) 명 내기에 진 사람.
〔输将〕 shūjiāng 동 〈文〉 ①수송하다. ②국가 또는 공공 단체에 재물을 헌납하다. ¶踊跃～; 기꺼

이 기증하다 / 慷kāng慨～; 활수하게〔호기 있게〕 기부하다.
〔输交〕 shūjiāo 동 ⇨〔输纳〕
〔输精管〕 shūjīngguǎn 명 《生》 정관(精管).
〔输捐〕 shūjuān 동 ①세금을 납부하다. ②기부금〔의연금〕을 내다.
〔输亏〕 shūkuī 동 지다. ¶举手无措, 大败～, 往后便退《水滸傳》; 손을 쓸 도리가 없어 여지없이 대패하여 뒤로 물러나다.
〔输理〕 shū.lǐ 동 도리(道理)를 잃다. 도리상으로 지다.
〔输卵管〕 shūluǎnguǎn 명 《生》 수란관. 나팔관.
〔输纳〕 shūnà 동 수납하다. 납부하다. =〔输交〕
〔输尿管〕 shūniàoguǎn 명 《生》 요관(尿管).
〔输气〕 shūqì 동 상대방 말에 양보하다.
〔输钱〕 shūqián 동 (내기에서) 돈을 잃다.
〔输情〕 shūqíng 동 ①(적에게 내정을) 몰래 알리다. 정보를 보내다〔제공하다〕. ②(남에게) 사실을 말하다. 숨김 없이 알리다.
〔输球〕 shū.qiú 동 (구기(球技)에서) 지다.
〔输人〕 shū.rén 동 남에게 지다.
〔输入〕 shūrù 동 (밖에서 안으로) 보내다. 들여오다. ¶五四以后, 从西洋～了许多新名词; 5·4 운동 이후 서양으로부터 많은 새 명사가 들어왔다. 명동 ①수입(하다). ②《電》 입력(入力)(하다). 인풋(input)(하다). ¶～机; (컴퓨터 등의) 인풋 / ～输出设备; 입출력 장치 / ～输出通道; 입출력 채널.
〔输实〕 shūshí 동 ⇨〔输诚①〕
〔输税〕 shūshuì 동 세금을 내다〔납부하다〕.
〔输送〕 shūsòng 명동 수송〔운송〕(하다). ¶～带; 《機》 ⓐ컨베이어(conveyer). ⓑ벨트 컨베이어. ⓒ벨트 컨베이어의 벨트〔피대〕. =〔输运〕
〔输送机〕 shūsòngjī 명 《機》 컨베이어(conveyer). =〔输送带〕〔输送器qì〕〔输送设备shèbèi〕〔电diàn流子〕〔运yùn输机〕〔运送机①〕
〔输往…〕 shūwǎng… 동 …에 수출하다. ¶～外国; 외국에 수출하다.
〔输心〕 shūxīn 동 ⇨〔输诚①〕
〔输血〕 shū.xuè 동 ①《醫》 수혈하다. ②〈比〉 (외부에서) 원조〔지원〕(해 주다). ¶～打气; 특별 지원하다. (shūxuè) 명 《醫》 수혈.
〔输眼〕 shūyǎn 동 (상품 따위를) 잘못 보다. ¶我输眼力, 出的价钱太大了; 내가 잘못 보아서 값을 너무 매겼다.
〔输氧〕 shūyǎng 명 《醫》 산소 흡입.
〔输液〕 shūyè 명동 수액(하다). 점적 주사(點滴注射)(를 하다).
〔输一筹〕 shūyīchóu 한 점 지다. 조금 뒤떨어지다. 한 수 뒤지다(《'一筹'는 산가지의 하나》).
〔输赢〕 shūyíng 명 승패. 승부(勝負). ¶较量一下～; 승부를 겨뤄 보자 / 不分～; 승부가 나지 않다.
〔输油船〕 shūyóuchuán 명 송유선. 유조선. 탱커(tanker). ¶～线; 오일 라인(oil line).
〔输油管〕 shūyóuguǎn 명 송유관.
〔输运〕 shūyùn 명동 ⇨〔输送〕
〔输着儿〕 shū.zhāor 동 (남보다) 뒤지다. ¶输一着儿; 한 수 뒤지다.
〔输嘴〕 shūzuǐ 동 ①잘못을 시인하다. ②약속을 다하지 못하다. ③언쟁(言爭)에서 지다.

毹 shū (유)
→〔氍qú毹〕

梳 shū (소)
①(～子) 명 빗. ¶胶～; 플라스틱 빗. →〔拢子〕 ②동 빗질하다. ¶把头～一～; 머리를 빗다. ③동 〈轉〉 머리를 땋다. ¶一个～双辫的女工; 가랑머리로 땋은 여공.
〔梳篦〕 shūbì 명 (얼레)빗과 참빗.
〔梳辫子〕 shū biànzi 변발을 하다. =〔打dǎ辫子〕
〔梳齿〕 shūchǐ 명 빗살.
〔梳打〕 shūdá 명 《化》 〈音〉 소다. ¶～洗粉 =〔洗粉〕; 소다 가루비누 / ～饼干; 소다 크래커 / ～食粉 =〔小苏打〕; 탄산수소나트륨. =〔苏sū打〕
〔梳发刷子〕 shūfà shuāzi 명 머릿솔. 헤어 브러시. ¶尼龙～; 나일론 머릿솔〔헤어 브러시〕.
〔梳化〕 shūhuà 명 〈音〉 ⇨〔沙shā发〕
〔梳具〕 shūjù 명 머리 손질에 쓰이는 도구.
〔梳理〕 shūlǐ 동 ①《紡》 소면(梳綿)하다. ②(수염·머리 등을) 빗으로 빗다. ¶～头发; 머리를 빗다.
〔梳拢〕 shūlǒng 동 머리를 빗어 얹다. 〈轉〉 창녀가 처음으로 손님을 받다.
〔梳毛〕 shūmáo 명 《紡》 소모. ¶～机; 소모기 / ～绒róng; 팬시코드 우스티드.
〔梳棉〕 shūmián 명 《紡》 소면. ¶～机; 소면기.
〔梳头〕 shū.tóu 동 머리를 빗다. ¶～油; 머릿기름 / ～匣子; 빗접 / ～酒; 딸이 시집 간 후에 처음으로 친정 부모가 찾아왔을 때 베푸는 주연.
〔梳头桌儿〕 shūtóuzhuōr 명 화장대. =〔梳妆台〕
〔梳洗〕 shūxǐ 동 몸치장하다. 머리를 빗고 세수를 하다. =〔梳头洗脸〕
〔梳匣〕 shūxiá 명 화장 상자.
〔梳栉〕 shūzhì 동 머리를 빗다.
〔梳妆〕 shūzhuāng 동 화장하다. ¶～台 =〔梳头桌儿〕; 화장대 / ～盒; (손에 드는) 화장 도구 상자 / ～类; 화장품 / ～室; 화장실 / ～打扮; 화장하고 몸치장하다.

疏〈疎〉[A)] shū (소)
A) ①동 (막힌 것을) 통하게 하다. 수로(水路)를 내다. ¶～湖水以灌田; 호수를 통하게 하여 논을 관개하다. ②동 분산시키다. 성기게 하다. ¶～散sàn人口; 인구를 분산시키다. 소개(疏開)하다. ③형 사이가 멀다. 소원하다. ¶～亲; 친척을 멀리하다 / 不分亲～; 친하고 소원함을 구별하지 않다. ④동 소홀(히) 하다. 깜박하다. ¶～一点儿神就要出岔子; 조금만 소홀히 하면 사고가 난다 / ～于防范; 방비를 소홀히 하다. ⑤형 거칠다. 조잡(하다). →〔疏食〕 ⑥형 듬성듬성하다. 성기다. ¶～密不均; 밀도가 균일하지 않다 / 此布似～实密; 이 천은 올이 성긴 것 같지만 실은 촘촘하다 / ～星淡月; 〈成〉 드문드문 떠 있는 별에 어슴푸레한 달. ⑦형 설다. 사정에 어둡다. ¶人生地～; 낯선 고장이어서 아는 사람도 없다 / 生～; 생소하다. ↔〔熟shú③〕 ⑧형 공허하다. 모자라다. ¶志大才～; 뜻은 크나 재능이 그에 따르지 못하다 / 才～学浅; 〈成〉 재능이 빈약하고 학문이 얕다. ⑨명 성(姓)의 하나. B) 명 ①황제에 대한 상주서(上奏書). ②고서(古書)의 주해(註解). 주석. ¶毛诗草木鸟兽虫鱼～; 모시의 초목조수충어의 주해.
〔疏播〕 shūbō 동 씨를 드문드문 뿌리다.
〔疏薄〕 shūbó 형 〈文〉 박(薄)하다. 적다. ¶存货～; 재고품이 적다.
〔疏不间亲〕 shū bù jiàn qīn 〈成〉 관계가 소원한 사람은 친밀한 사이에 끼여들어 이간질할 수 없다. ¶～, 候不僭老; 남이 친한 사이를 이간질

해서는 안 되는 것이니, 젊은 사람이 노인을 젖혀 놓고 중뿔나게 나서지 말아야 한다.
〔疏财〕 shūcái 동 재물을 가볍게 여기다. ¶～仗义 =〔仗义～〕; 〈成〉 금전을 소홀히 여기고 정의를 존중하다. 의를 내세워 재물을 남에게 나누어 주다.
〔疏斥〕 shūchì 동 〈文〉 멀리하여 물리치다.
〔疏淡〕 shūdàn 형 듬성듬성하고 엷다. ¶～的眉毛; 듬성하고 엷은 눈썹.
〔疏宕〕 shūdàng 형 〈文〉 선이 굵다. 대범하여 작은 일에 얽매이지 않다.
〔疏导〕 shūdǎo 동 ①하류(河流)를 준설하다. ¶～水渠; 도랑을 치다. ②완화되다. ¶自从地铁设置后, ～了交通挤迫情况; 지하철이 가설된 후로는 교통 혼잡이 많이 완화되었다.
〔疏防〕 shūfáng 동 방비(防備)를 게을리하다.
〔疏放〕 shūfàng 형 〈文〉 구속받지 않다. 자유롭고 너그럽다.
〔疏隔〕 shūgé 동 〈文〉 소식이 끊어지다. 사이가 멀어지다.
〔疏果〕 shūguǒ 동 《農》 과실을 솎아 내다. ¶～是为了保证获得丰产; 열매 솎기는 풍작을 보장하기 위함이다.
〔疏忽〕 shūhu 동 소홀히 하다. 부주의하다. ¶～职守; 직분을 소홀히 하다 / ～大意; 소홀히 하다. 방심하다. 명 실수. 잘못. ¶检查的时候不能有点儿～; 검사할 때는 사소한 잘못도 있어서는 안 된다.
〔疏花〕 shūhuā 명동 적화(摘花)(하다).
〔疏慌〕 shūhuāng 형 (익숙지 않아) 당황하다. ¶他做事有些～; 그는 일하는 것이 익숙하지 않아 좀 당황하고 있다.
〔疏竭〕 shūjié 동 〈文〉 결핍〔고갈〕되다. ¶原料～; 원료가 결핍되다.
〔疏解〕 shūjiě 동 화해(和解)하다. 뜻을 관철시키다.
〔疏浚〕 shūjùn 동 강 따위를 쳐내어 잘 유통되게 하다. ¶～航道, 以利交通; 항로를 준설(浚渫)하여 교통을 편리하게 하다 / ～船; 준설선.
〔疏浚机〕 shūjùnjī 명 ⇨〔挖wā泥机〕
〔疏开〕 shūkāi 동 《軍》 산개(散開)시키다. ¶～队形; 산개 대형.
〔疏快〕 shūkuài 형 구애됨이 없이 자유로워 즐겁다.
〔疏狂〕 shūkuáng 형 소광하다. 지나치게 소탈하여 난잡하다.
〔疏阔〕 shūkuò 형 〈文〉 ①조잡하다. 허술하다. 소활하다. 주도 면밀하지 않다. ②소원하다. 오래 만나지 못하다.
〔疏懒〕 shūlǎn 형 게으르다. 칠칠치 못하다. ¶～性成; 태만한 습성이 붙다.
〔疏朗〕 shūlǎng 형 ①산뜻하다. 청명하다. ②(글씨가) 또렷하다. 명확하다.
〔疏理〕 shūlǐ 동 조리 있게 정리하다.
〔疏粝〕 shūlì 명 ⇨〔疏食〕
〔疏林〕 shūlín 명 소림. 나무가 듬성듬성한 숲.
〔疏漏〕 shūlòu 동 무심코 빠뜨리다. 실수로 누락시키다. ¶有～的地方, 请用钢笔作校正! 실수로 빠진 곳이 있으면 펜으로 고쳐 주십시오! 명 잘못. 과실. ¶工作不细心就会有～; 일은 세심하게 하지 않으면 과실이 생긴다.
〔疏略〕 shūlüè 형 소홀하다.
〔疏落〕 shūluò 형 듬성하다. 드문드문하다. ¶～的晨星; 드문드문 있는 새벽별.
〔疏慢〕 shūmàn 동 〈文〉 소홀하고 태만하다. 대수롭지 않게 여기다. ¶此件非常重要, 在办理时千万不能～! 이것은 매우 중요하므로 처리할 때 절대로 소홀히 해서는 안 된다!
〔疏眉细眼〕 shū méi xì yǎn 〈成〉 엷은 눈썹에 가느다란 눈.
〔疏密〕 shūmì 명 밀도(密度). 간격을 두는 일. ¶花木栽得～有致; 꽃과 나무가 아취 있게 간격을 두고 심어져 있다.
〔疏谋少略〕 shū móu shǎo lüè 〈成〉 계략이 교묘하지 못하다. 모략에 잘못이 있다.
〔疏亲〕 shūqīn 동 친척을 멀리하다.
〔疏散〕 shūsàn 형 ①소개(疏開)하다〔시키다〕. 분산하다〔시키다〕. ¶红十字会已成立救济站, 救助那些因洪水而从家里～出来的人们; 적십자사에서는 이미 구호소를 설치하여, 홍수로 인해 소개해 온 사람들을 구제하고 있다. ②드문드문하다. 흩어져 있다. ¶～的住宅; 산재해 있는 집들.
〔疏神〕 shū.shén 동 주의를 게을리하다. 멍하니 정신을 팔다. ¶疏不得神; 방심하고 있으면 안 된다.
〔疏失〕 shūshī 동 ①부주의로 실수를 저지르다. =〔疏忽失误〕 ②경황 없는 중에 소원해지다. ¶自从进市后, 彼此就～了《儒林外史》; 도시로 온 후로는 서로 소원해졌다. 명 (부주의로 인한) 실수. 실책(失策). ¶清查库存物资, 要照册仔细核对, 不准稍有遗漏～! 재고 물자를 점검하려면 장부와 자세히 대조하고 사소한 유루도 있어서는 안 된다!
〔疏食〕 shūshí 명 조식(粗食). 변변치 않은 음식. =〔疏粝〕
〔疏率〕 shūshuài 형 경솔하다. 소홀하다.
〔疏松〕 shūsōng 형 (흙 등이) 부드럽고 포슬포슬하다. ¶土质～干燥; 흙이 포슬포슬하게 말랐다. 동 풀어서 부드럽게 하다. ¶～土壤; 흙을 부드럽게 풀다 / ～剂; 베이킹 파우더(baking powder). 발효제.
〔疏索〕 shūsuǒ 형 〈文〉 드문드문하다. 드물다. ¶音信～; 소식이 뜸하다.
〔疏通〕 shūtōng 동 ①수류(水流)를 소통시키다. 물꼬를 트다. ¶～护城河, 使死水变成活水; 외호(外濠)를 준설하여, 고인 물을 흐르는 물로 바꾸다. ②서로의 의사를 소통시켜 분쟁을 조정하다. 화해시키다. ¶双方老这么僵持下去也不是办法, 还是请出人来给～～吧; 쌍방이 이렇게 서로 버티고 있으니 도리가 없다. 역시 누군가에게 부탁해서 조정을 받는 게 좋겠다. ③손을 써서 해결하다. ¶那件公事延搁了很久, 请人去～了才批下来; 저 공무 관계의 용건은 오래 미뤄져 왔는데, 사람에게 부탁해서 손을 썼더니 겨우 인가가 내려졌다.
〔疏外〕 shūwài 동 〈文〉 소외하다. 멀리하다.
〔疏懈〕 shūxiè 동 〈文〉 게을리하다. 태만하다. ¶如此重要的工作万万～不得! 이와 같이 중요한 일은 결코 태만하게 해서는 안 된다!
〔疏野〕 shūyě 형 〈文〉 예의가 없다. 무례하다. 버릇이 없다.
〔疏于…〕 shūyú… 동 …에 소홀하다. ¶～管理; 관리에 소홀하다.
〔疏虞〕 shūyú 동 〈文〉 소홀히 하다. 무심코 넘기다. 실수하다. ¶倘有～, 干系不小; 만약에 소홀함이 있거나 하면, 영향이 적지 않다.
〔疏远〕 shūyuǎn 형 소원하다. ¶两个人的关系逐渐～起来; 두 사람 사이는 점점 소원해지고 있다.

명 소원하게 하다. 소외하다. ¶毕业后和他~了; 졸업 이후 그와 소원해졌다.
〔疏状词〕 shūzhuàngcí 명 ⇨〔状词②〕
〔疏凿〕 shūzáo 동 〈文〉 파서 통하게 하다.
〔疏宗〕 shūzōng 명 〈文〉 먼 친척.
蔬 shū (소)
명 야채. 푸성귀.
〔蔬菜〕 shūcài 명 야채. 채소. =〔青菜qīngcài〕
〔蔬饭〕 shūfàn 명 ①채소로 만든 반찬만 먹는 식사. 야채 요리. ②〈轉〉 변변치 않은 음식.
〔蔬果〕 shūguǒ 명 야채와 과일.
〔蔬粝〕 shūlì 명 〈文〉 야채와 현미(의 변변치 않은 식사).
〔蔬圃〕 shūpǔ 명 〈文〉 채원. 채마밭. 채소밭.
〔蔬食〕 shūshí 명 ①채식. ¶~主义; 채식주의. ②〈轉〉 조식(粗食). 변변치 못한 음식.
摅(攄) shū (터)
동 〈文〉 발표하다. 진술하다. ¶各~所见; 각자 그 생각을 말하다.
〔摅诚〕 shūchéng 동 〈文〉 성의를 피력(披瀝)하다.
〔摅意〕 shūyì 동 〈文〉 마음에 생각하고 있는 것을 진술하다. =〔摅怀〕
秫 shú (출)
명 〖植〗 ①기장. ②수수. ③찹쌀.
〔秫秸〕 shújiē 명 수수깡. ¶~留着当柴烧; 수숫대를 모아 두어 땔감 대신 쓰다〔태우다〕. =〔秫秸秆儿〕〔秫秸棍儿〕〔高粱杆儿〕
〔秫秸秆儿〕 shújiēgǎnr 명 ⇨〔秫秸〕
〔秫秸棍儿〕 shújiēgùnr 명 ⇨〔秫秸〕
〔秫酒〕 shújiǔ 명 '黄酒'의 고칭(古稱).
〔秫米〕 shúmǐ 명 수수쌀.
〔秫秫〕 shúshú 명 수수쌀.
孰 shú (숙)
대 〈文〉 ①누구. ¶~是~非, 暂且不论; 누가 옳고 그른지는 잠시 논하지 않는다. →〔谁〕 ②무엇. ¶~取~舍; 무엇을 취하고 무엇을 버려야 하나. →〔什么〕 ③어느 쪽. 어느 것. ¶~胜~负? 어느 쪽이 이기고 어느 쪽이 졌느냐? →〔哪个〕
〔孰若〕 shúruò 〈文〉 어찌 …와 같으랴. 어떻게 필적할 수 있겠는가. 도저히 필적할 수 없다. =〔孰与〕
〔孰与〕 shúyǔ ⇨〔孰若〕
〔孰知〕 shúzhī 〈文〉 어찌 알랴. 어찌 알 수 있으랴. 어찌 생각이나 했으랴.
塾 shú (숙)
명 (옛날의) 사설 학교. 서당. ¶~师; 서당의 훈장(訓長).
熟 shú (숙)
① 형 익다. 여물다. ¶麦子~了; 보리가 여물었다 / ~透了的西瓜; 잘 익은 수박. ② 형 삶아지다. 익다. ¶饭~了; 밥이 다 되었다 / 煮~了; 잘 삶아졌다. 잘 끓었다. ③ 형 잘 알고 있다. ¶这地方我不大~; 이 근처는 별로 잘 모른다 / 病走~路; 〈成〉 병은 언제나 잘 생기는 부위에 생긴다. ④ 형 숙련되어 있다. 들은〔본〕 적이 있다. 정통(精通)하다. ¶眼~; 눈에 익은 / 耳~; 귀에 익은 / ~手(儿) =〔老手(儿)〕; 숙련자. ⑤ 형 정제(精製)하다. 정련(精鍊)하다. ¶~药; 정제한 약. 조제약 / ~皮; 무두질한 가죽. 숙피. ⑥ 명 수확. ¶三~稻; 1년에 세 번 수확하는 벼 / 岁大~; 이번 해는 풍작이다. ⑦ 부 깊이. 곰곰이. 면밀히. ¶~思; 곰곰이〔깊이〕 생각하다 / ~睡; 숙면하다.
〔熟谙〕 shú'ān 동 〈文〉 사정을 잘 알고 있다.
〔熟菜〕 shúcài 명 ①곧 먹을 수 있게 완성된 요리. ②요리된 반찬(고기의 된장 조림, 훈제 생선, 조미한 삶은 달걀 따위).
〔熟车〕 shúchē 명 늘 타는 차. 눈에 익은 차.
〔熟成〕 shúchéng 명동 숙성(하다).
〔熟道(儿)〕 shúdào(r) 명 ⇨〔熟路〕
〔熟地〕 shúdì 명 ①〖農〗 다년간 경작한 땅. ②(잘 아는) 익숙한 땅〔지방〕. 오래 살아 정든 땅. ③〖漢醫〗 숙지황. =〔熟地黄〕
〔熟读〕 shúdú 동 숙독하다. 잘 읽다. ¶~内外科不如临症多; 내외과의 서적을 숙독하기보다는 실지로 진찰을 많이 하는 것이 낫다.
〔熟番〕 Shúfān 명 〈文〉 숙번. 한(漢)민족에 동화한 만족(蠻族).
〔熟饭〕 shúfàn 명 다〔잘〕 된 밥. ¶生米做成~; 〈諺〉 일이 이미 이루어져 돌이킬 수 없게 되다.
〔熟惯〕 shúguàn 형 익숙해져 있다. 숙달되어 있다. ¶略比别的姊妹~些《紅樓夢》; 대체로 다른 자매들보다 익숙해 있다.
〔熟行〕 shúháng 명 익숙해진 장사. ¶生行莫人, ~莫出; 〈諺〉 익숙하지 않은 장사는 하지 말고, 익숙해진 장사는 그만두지 마라.
〔熟花〕 shúhuā 명 솜틀로 튼 솜.
〔熟滑〕 shúhuá 동 친숙해지다. ¶刚见面就~了; 만나자마자 친해졌다.
〔熟化〕 shúhuà 동 〖農〗 개간(開墾)·시비(施肥)·관개(灌漑) 따위의 조치로 경지(耕地)가 되게 (개량)하다.
〔熟荒〕 shúhuāng 명 황폐해진 개간지. ¶~地; 황폐해진 개간지.
〔熟货〕 shúhuò 명 가공품. 정제품(精製品). ↔〔生货〕
〔熟极如流〕 shú jí rú liú 〈成〉 익숙해서 조금도 막힘이 없다. 익숙해서 자유 자재다.
〔熟记〕 shújì 동 암기하다. 완전히 기억하다.
〔熟精〕 shújīng 동 〈文〉 정통하다. 익히 알다.
〔熟绢〕 shújuàn 명 누인 비단.
〔熟客〕 shúkè 명 단골 손님. 낯익은 손님. ↔〔生客〕
〔熟烂〕 shúlàn 동 (과일 등이) 지나치게 익다. 너무 익어 무르다.
〔熟脸〕 shúliǎn 명 낯익은 얼굴. 지면(知面). ¶我和他有个~; 나는 그와 안면이 있다.
〔熟练〕 shúliàn 명형 숙련(되어 있다). ¶~工(人) =〔老lǎo工(人)〕; 숙련공 / ~人员; 숙련자 / ~劳动; 숙련 노동.
〔熟料〕 shúliào 명 가공한 목재. ¶~铺; 가공 목재 판매점.
〔熟路〕 shúlù 명 늘 다니는 길. 다녀서 익숙해진 길. =〔熟道(儿)〕
〔熟虑〕 shúlǜ 동 숙려하다. 심사숙고하다. ¶~审处chǔ; 숙려하여 선처하다. =〔熟思〕
〔熟门熟路〕 shú mén shú lù 〈成〉 ①친지(親知)의 집. ②익숙한 곳〔사물〕.
〔熟眠〕 shúmián 명동 〈文〉 숙면(하다). =〔熟睡〕
〔熟苗〕 shúmiáo 명 〈文〉 한(漢)민족에 동화한 묘족(苗族).
〔熟能生巧〕 shú néng shēng qiǎo 〈成〉 익숙해지면 교묘한 기능이 생긴다. 배우기보다 익숙해지기에 힘써라.

〔熟泥〕 shúní 명 잘 뒤섞은 진흙(건축용).
〔熟年〕 shúnián 명 대풍작의 해. 풍년.
〔熟盘儿〕 shúpánr 명 면식이 있는 사람. 잘 아는 사람.
〔熟皮(子)〕 shúpí(zi) 명 무두질한 가죽. ¶～箱; 가죽 트렁크/～房; 무두질하는 집. ↔〔生皮〕
〔熟漆〕 shúqī 명 숙칠. 정제한 옻.
〔熟巧〕 shúqiǎo 형 손에 익어 잘 하다. 능숙하다.
〔熟切店〕 shúqiēdiàn 명 가공 식육점. =〔熟肉铺〕
〔熟人〕 shúrén 명 잘 아는 사람. =〔熟人(儿)①〕
〔熟人(儿)〕 shúrén(r) 명 ①⇨〔熟人〕 ②단골 손님. ‖↔〔生人(儿)〕
〔熟稔〕 shúrěn 형 ①(곡식이) 잘 여물다〔익다〕. ②잘 알고 있다.
〔熟肉〕 shúròu 명 익혀져 있어서 곧 먹을 수 있는 상태의 고기. 가공육(加工肉). ¶～铺 =〔熟切店〕; 가공 식육점.
〔熟身〕 shúshēn 명 몽골에서, 이미 천연두를 앓고 난 사람을 말함.
〔熟石膏〕 shúshígāo 명 소석고(燒石膏).
〔熟石灰〕 shúshíhuī 명 ⇨〔石灰②〕
〔熟食〕 shúshí 동 삶거나 구워서〔조리해서〕 먹다. 명 삶거나 구워 만든 음식물. ↔〔生食〕
〔熟视〕 shúshì 동 숙시하다. 눈여겨보다.
〔熟视无睹〕 shú shì wú dǔ 〈成〉 보고도 못 본 척하다. 본체만체하다. ¶自从新中国成立以后, 世界各国不能～了; 신중국이 성립하고 나서 세계 각국은 본체만체할 수는 없게 되었다.
〔熟识〕 shúshi 동 자세히 알다. 숙지하다. ¶著名的地方他都～; 유명한 곳이라면 그는 모두 알고 있다/这批学员～水性儿; 이들 학생들은 헤엄을 매우 잘 친다.
〔熟手〕 shúshǒu 명 숙련된 사람. 능숙한 사람. ↔〔生手〕
〔熟水〕 shúshuǐ 명 한 번 끓여 낸 물.
〔熟水性〕 shú shuǐxìng 물에 익숙하다. 헤엄을 잘 치다. ¶我还不大～啊! 나는 아직도 헤엄을 잘 치지 못해!
〔熟睡〕 shúshuì 명동 ⇨〔熟眠〕
〔熟丝〕 shúsī 명《紡》아교질을 제거한 정제 생사(精製生絲). ↔〔生丝〕
〔熟思〕 shúsī 동 ⇨〔熟虑〕
〔熟松香〕 shúsōngxiāng 명 정제 로진(rosin). 송진.
〔熟炭〕 shútàn 명 잘 피어 있는 숯.
〔熟烫〕 shútang 형 〈俗〉 ①(과일·야채 따위가) 신선한 빛깔·맛이 없다. ②지나치게 익어 빛깔〔맛〕이 가다. ¶～味儿; 상한 냄새/这个西瓜～了, 快扔了吧; 이 수박은 곯았다, 빨리 버려라.
〔熟套(子)〕 shútào(zi) 명 흔한 수법. 상투 수단. 관례(慣例).
〔熟铁〕 shútiě 명 연철(鍊鐵). 시우쇠. ¶～块; 괴철. 분괴철(分塊鐵). =〔锻duàn铁〕 ↔〔生铁〕
〔熟铜〕 shútóng 명 정동(精銅).
〔熟透〕 shútòu 동 ①농익다. 잘 익다. ¶～的西瓜; 농익은 수박. ②숙지(熟知)하다.
〔熟土〕 shútǔ 명 ①《農》 경작된 토양. ②오래 살아 정든 고장〔땅〕.
〔熟悉〕 shúxī 동 상세히 알다. 숙지(熟知)하다. ¶～本地的情形; 이 지방의 사정을 숙지하고 있다/我～他的脾气; 나는 그의 성벽(性癖)을 잘 알고 있다.
〔熟习〕 shúxí 동 ①잘 배웠다〔익혔다〕. ②숙련되어 있다. 숙지하고 있다.
〔熟小菜〕 shúxiǎocài 명 〈吳〉 요리. 반찬.
〔熟宣〕 shúxuān 명 가공한 선화지(仙花紙).
〔熟药〕 shúyào 명《漢醫》정제한 약. ↔〔生shēng药〕
〔熟语〕 shúyǔ 명《言》숙어. 관용어(고정적인 '词cí组' 또는 '句jù子'를 말함. '成chéng语'·'格言'·'歇xiē后语'·'谚yàn语' 따위를 포함함).
〔熟知〕 shúzhī 동 숙지하고 있다.
〔熟纸〕 shúzhǐ 명 도사(陶砂)나 납(蠟)으로 가공한 종이.
〔熟中见生〕 shú zhōng jiàn shēng 〈成〉 잘 하는 가운데에도 치졸(稚拙)함이 있다.
〔熟主儿〕 shúzhǔr 명 낯익은 손님. 단골 손님.
〔熟字〕 shúzì 명 잘 아는 글자. 습득한 글자. ↔〔生字〕

赎(贖) shú (속)

동 ①속죄하다. 금품을 물고 죄를 면하다. ¶立功～罪; 공을 세워서 속죄하다. ②금품을 내고 되찾다. 전당물을 찾다. ¶把典出去的房子～回来; 저당잡힌 집을 되찾다. ③〈古白〉 사다. ¶～一帖心疼的药来; 가슴앓이 약을 한 첩 사 오다.
〔赎不起〕 shúbuqǐ ①보상할 수 없다. ②되찾을 수 없다.
〔赎出〕 shúchū 동 전당물을 되찾다. ¶～质物; 전당물을 되찾다. =〔赎回①〕〔赎取〕〔取赎〕
〔赎单〕 shúdān 동 어음을 인수하다.
〔赎当〕 shú.dàng 동 전당물을 되찾다.
〔赎当顶当〕 shúdàng dǐngdàng 동 전당물을 바꾸어 넣다.
〔赎典〕 shúdiǎn 동 〈文〉 전당물을 되찾다.
〔赎还〕 shúhuán 동 속죄하다. ¶～过去的罪恶; 과거의 죄를 속죄하다. =〔赎回②〕
〔赎回〕 shúhuí 동 ①⇨〔赎出〕 ②⇨〔赎还〕
〔赎价〕 shújià 명 ⇨〔赎款〕
〔赎金〕 shújīn 명 ⇨〔赎款〕
〔赎款〕 shúkuǎn 명 ①배상금(賠償金). ②(인질의) 몸값. ‖=〔赎价〕〔赎金〕
〔赎买〕 shúmǎi 동 되사다. 매입하다(정액 이자를 지급하면서 사들이다). 유상 몰수하다.
〔赎命〕 shúmìng 동 재물을 주고 생명을 구하다〔처형을 면하다〕.
〔赎票〕 shúpiào 동 몸값을 지불하(고 인질을 되찾)다.
〔赎取〕 shúqǔ 동 ⇨〔赎出〕
〔赎身〕 shú.shēn 동 (옛날, 기생·노비 등이) 몸값이나 대가를 지불하고 자유를 얻다.
〔赎刑〕 shúxíng 동 돈으로 형벌을 면하다.
〔赎嘴〕 shúzuǐ 동 잘못했다고 사과하다. ¶只要你一～就不再打了; 네가 잘못했다고 한 마디 사과하면 더 이상 때리지 않겠다.
〔赎罪〕 shú.zuì 동 속죄하다. ¶将功～; 〈成〉 공로를 세워 죄를 씻다.

属(屬) shǔ (속)

①명 무리들. ②명 같은 계통〔범주〕. ③명 관할(管轄) 관계에 있는 것. ¶直～; 직속/附～; 부속(의). ④명 부하. ⑤명 가족. ¶军～; 출정 군인의 가족/烈～; 전사자 유족/亲～; 친족. ⑥동 …에 속하다. …(의 관할)하에 있다. ¶～他管; 그의 관할에 속하다/猿猴～于灵长类动物; 원숭이는 영장류 동물에 속한다/～不着你; 너와는 관계가 없다. ⑦동 …이다(여럿 중에서 가장 걸출하거나 특이한 것을 가리켜 말하는 경우). ¶全家还～他的身量最高;

집안에서 역시 그의 키가 제일 크다 / 实～万幸; 참으로 다행이다 / ～他打头; 그가 시작한 것이다 / 才学～他第一; 재능이나 학문은 그가 으뜸이다. →〔数〕⑧ 동 …띠이다《간지(干支)로 나이를 나타낼 때》. ¶我是～牛的; 나는 소띠이다 / 他是～什么的? 그는 무슨 띠인가? ⑨ 명 《生》 속《생물 분류학상의 한 단위. '科'의 아래, '种'의 위》. ⇒ zhǔ

〔属邦〕 shǔbāng 명 ⇨〔属国〕

〔属爆竹的〕 shǔ bàozhú de 명 〈比〉 발끈 화내는 사람. 화를 잘 내는 사람.

〔属蚕的〕 shǔcánde 명 〈比〉 누에띠인 사람《엉큼한 사람》. ¶他是～, 肚里竟是丝; 그는 누에띠라, 뱃속에는 실(사(絲) '私'와 같은 음. 이기심의 뜻)이 가득 차 있다.

〔属城〕 shǔchéng 명 관할에 속하는 도읍.

〔属地〕 shǔdì 명 속지. 식민지.

〔属地法〕 shǔdìfǎ 명 《法》 속지법.

〔属伏〕 shǔfú 동 삼복 더위에 들어서다.

〔属妇〕 shǔfù 명 ⇨〔鼠妇〕

〔属负〕 shǔfù 명 ⇨〔鼠妇〕

〔属狗的〕 shǔgǒude 〈歇〉 개띠(인 사람). 〈比〉 입이 더러운 사람. 남을 잘 비방하는 사람.

〔属国〕 shǔguó 명 속국. =〔属邦〕

〔属耗子的〕 shǔhàozide 〈歇〉 쥐띠(인 사람)《속이 좁은 사람. 사소한 일을 걱정하는 옹졸한 사람》. ¶为一点儿小事就气得了不得, 真是～小心眼儿; 사소한 일에 화를 내니, 정말 쥐처럼 속이 좁다. =〔属老lǎo鼠的〕

〔属猴儿的〕 shǔhóurde 〈歇〉 원숭이띠(인 사람)《경박하고 침착하지 못한 사람》. ¶～毛手毛脚; 경박한 기질이라 언제나 성급하고 덜렁거린다.

〔属毽儿毛的〕 shǔjiànrmáode 명 〈比〉 타산적인 사람. 돈만 아는 사람《'毽子'는 엽전 구멍에 깃털을 꽂은 '제기'》.

〔属吏〕 shǔlì 명 ⇨〔属员〕

〔属僚〕 shǔliáo 명 ⇨〔属员〕

〔属毛离里〕 shǔ máo lí lǐ 〈成〉 관계가 밀접하다. ¶～之亲; 끊을래야 끊을 수 없는 사이.

〔属面筋的〕 shǔmiànjīnde 명 〈比〉 끈덕진〔집요한〕 사람.

〔属螃蟹的〕 shǔpángxiède 명 〈比〉 억지 쓰는 사람. 횡포한 사람. ¶～横行霸道; 게띠 기질로 억지를 쓰다.

〔属喷壶的〕 shǔpēnhúde 명 〈比〉 수다스러운 사람. ¶～碎嘴子; 〈歇〉 수다스러워서 말이 많다.

〔属实〕 shǔshí 동 〈文〉 사실에 속하다. 사실이다. ¶人民日报对我公司汽车司机工作时间过长的批评完全～; 우리 사(社)의 자동차 운전수의 노동 시간이 너무 긴 데 대한 인민 일보의 비평은 전적으로 사실과 일치한 것이다.

〔属文〕 shǔwén 동 〈文〉 글을 잇대다. 문장을 죽 늘어놓다. ⇒ zhǔwén

〔属辖〕 shǔxiá 명동 관할(하다). ¶～的地方; 관할지. =〔管guǎn辖〕

〔属下〕 shǔxià 명 ①관할하. ②부하(部下).

〔属县〕 shǔxiàn 명 관할하의 현. 소속 현.

〔属相〕 shǔxiang 명 〈口〉 띠. =〔生肖〕〔十二(生)肖〕〔十二属(相)〕 (shǔ,xiang) 동 …띠다. ¶你属什么相? 당신은 무슨 띠인가요?

〔属性〕 shǔxìng 명 ①속성. ②성격. 성질.

〔属于〕 shǔyú ①…에 속하다. ¶这个问题～哲学范围; 이 문제는 철학의 범위에 속한다. ②…의 것이다.

〔属员〕 shǔyuán 명 〈文〉 속리(屬吏). 하급 관리. ¶亦是调tiáo剂～意思《官場現形記》; 동시에 또한 속리를 돌보아 주려는 뜻이기도 하다 / 交派～; 속관에게 명령하다. =〔属吏〕〔属僚〕

暑 shǔ (서)

① 형 덥다. ② 명 한여름. ③ 명 더운 기운. 더위. ¶中zhòng～ =〔受～〕; 더위를 먹다 / 消～; 더위를 가시게 하다 / 去～; 더위를 물리치다.

〔暑安〕 shǔ'ān 〈翰〉 더위에 편안하시기를 기원합니다《편지의 끝맺음말》.

〔暑伏〕 shǔfú 명 삼복. =〔三sān伏(天)〕

〔暑假〕 shǔjià 명 하기 휴가. 여름 방학. ¶放～; 여름 방학이 되다 / ～作业; 여름 방학 숙제.

〔暑令〕 shǔlìng 명 한여름(철). 삼복. ¶交jiāo～ =〔入rù伏〕; 삼복철에 들어가다 / ～营yíng; 여름 캠프.

〔暑期〕 shǔqī 명 ①하기. 더운 기간. ¶～学校; 하기 보습 학교 / ～训练班; 하기 강습회. ②여름 휴가.

〔暑气〕 shǔqì 명 서기. 더위. ¶受～; 더위먹다.

〔暑热〕 shǔrè 형 〈文〉 덥다. ¶～天 =〔～炎yán天〕; 찌는 듯이 더운 날. 명 더위. 염열(炎熱).

〔暑溽〕 shǔrù 형 〈文〉 찌는 듯이 덥다. 무덥다. =〔暑湿〕〔闷mēn热〕

〔暑湿〕 shǔshī 형 ⇨〔暑溽〕

〔暑岁〕 shǔsuì 명 〈文〉 가물고 더운 해.

〔暑汤〕 shǔtāng 명 녹두 삶은 물《더울 때 콩가루를 타서 마시면 갈증을 막을 수 있음》. =〔解jiě暑汤〕

〔暑天〕 shǔtiān 명 염천(炎天). 더운 날.

〔暑瘟〕 shǔwēn 명 《漢醫》 여름의 열성병(熱性病)《유행성 비형(B型) 뇌염 · 바일병(Weil病) · 악성 말라리아 등》.

〔暑雨〕 shǔyǔ 명 〈文〉 서우《더운 여름날에 내리는 비》.

〔暑月〕 shǔyuè 명 〈文〉 여름. ⇨〔夏xià月〕

〔暑疹〕 shǔzhěn 명 《醫》 땀띠.

署 shǔ (서)

① 명 관공서. ¶公～; 관청. 공서 / 官～; 관서 / 警备总～; 경비 본부. ② 명동 배치(하다). ¶战争部～; 전시(戰時) 배치 / 部～已毕; 배치가 이미 끝났다. ③ 동 일시(一時) 대행하다. ④ 동 서명하다.

〔署办〕 shǔbàn 동 ⇨〔署理〕

〔署理〕 shǔlǐ 동 관직을 대리하다. 직무를 대행하다. =〔署任〕〔署办〕〔署事〕

〔署名〕 shǔ,míng 동 〈文〉 서명하다. (shǔmíng) 명 서명. ‖ =〔签qiān名〕

〔署缺〕 shǔquē 동 후임자가 부임할 때까지 대리로 근무하다.

〔署任〕 shǔrèn 동 ⇨〔署理〕

〔署事〕 shǔshì 동 ⇨〔署理〕

〔署书〕 shǔshū 명 서서《진(秦)나라 때의 8서체(書體)의 하나로, 액자 · 현판 등에 쓰임》.

〔署押〕 shǔyā 동 수결(手決) 두다. 서명하다.

〔署职〕 shǔzhí 동 대리를 겸무(兼務)하다.

〔署篆〕 shǔzhuàn 동 서명 날인하다. ¶这封公文除部长签章以外, 还要请工业局长～方能有效; 이 공문서는 장관의 서명 날인 외에 공업 국장의 서명 날인을 받아야 비로소 유효하게 된다.

薯〈藷〉 shǔ (서)

명 고구마. 감자류(類). ¶甘～ =〔〈京〉 白～〕〔红～〕〔番～〕; 고구

마／生白～干儿; 날고구마 말린 것／熟shú白～干儿; 쪄서 말린 고구마／马铃～＝〔土豆〕〔山药蛋〕; 감자.
〔薯豆〕 shǔdòu 명 《植》 둥근담팔수.
〔薯粉〕 shǔfěn 명 고구마 가루.
〔薯莨〕 shǔliáng 명 《植》 서랑(광둥(廣東)·푸젠(福建) 등지에 나는 마과의 풀. 덩이 줄기를 삶아낸 즙으로 어망이나 천을 물들임). ¶～膏; 서랑의 엑스.
〔薯药〕 shǔyào 명 《植》 참마의 별칭. ＝〔薯蓣〕〔薯芋yù〕〔《俗》山药〕
〔薯蓣〕 shǔyù 명 《植》 참마. ＝〔薯芋〕〔蓣〕〔山药yào〕〔玉yù延〕
〔薯蔗〕 shǔzhè 명 《植》 '甘蔗'(사탕수수)의 별칭.

曙 shǔ (서)
명 〈文〉 새벽. ¶天方～; 날이 막 밝아 오다.
〔曙光〕 shǔguāng 명 ①서광. 새벽의 날 새는 빛. ②〈比〉 일의 전도에 비치는 희망·기대.
〔曙红〕 shǔhóng 명 《化》 에오신(eosine).
〔曙后星孤〕 shǔ hòu xīng gū 〈成〉 의지할 데 없는 고아 소녀.
〔曙色〕 shǔsè 명 〈文〉 새벽 하늘빛.
〔曙霞〕 shǔxiá 명 〈文〉 아침놀.

黍 shǔ (서)
(～子) 명 《植》 찰기장. ¶玉蜀～＝〔玉米〕; 옥수수. 옥수수 알맹이／蜀shǔ～＝〔高粱〕〔蜀秫〕; 탈곡한 고량〔수수〕.
〔黍棒〕 shǔbàng 명 《植》 찰기장. ¶碾～; 찰기장을 멧돌로 갈다.
〔黍尺〕 shǔchǐ 명 옛날의 길이 단위의 하나(100알의 기장을 늘어놓은 길이).
〔黍谷生春〕 shǔ gǔ shēng chūn 〈成〉 곤경에서 전기(轉機)가 찾아오다. 고생 끝에 낙이 오다.
〔黍醅〕 shǔpēi 명 수수로〔찰기장으로〕 빚은 술.

数(數) shǔ (수)
동 ①(수를) 세다. ¶～数shù儿; 수를 세다／你～一～一共有多少; 전부 얼마인가 세어 보아라／他们进行了～以百万美金的投资; 그들은 수백만 달러의 투자를 했다. ②(열거하여) 책(責)하다. 나무라다. ¶～其罪; 그 죄를 이것저것 책망하다. ③손꼽히다. 두드러진 축에 들다(여럿 가운데 가장 걸출하거나 특이한 것을 가리킴). ¶就～他有本领; 그는 능력 있는 축에 든다／全班～他好; 반에서는 그가 좋은 편의 부류이다. ⇒shù shuò
〔数板〕 shǔbǎn 명 《劇》 중국 전통극에서, 장단에 맞추어 하는 대사(악기의 반주 없이 '板'에 맞춰 말함).
〔数不过来〕 shǔbuguò.lái (많아서) 셀 수 없다. ＝〔指zhǐ不胜屈〕
〔数不尽〕 shǔbujìn 다 셀 수 없다. ↔〔数得尽〕
〔数不清〕 shǔbuqīng (많아서) 정확히 셀 수 없다. 세어도 정확하지 않다. ¶来参观的人多得～; 견학하러 온 사람은 헤아릴 수 없을 정도로 많다. ↔〔数得清〕
〔数不上〕 shǔbushàng ⇨〔数不着〕
〔数不胜数〕 shǔbùshèngshǔ 셀래야 셀 수 없(이 많)다.
〔数不着〕 shǔbuzháo …축에도 못 들다. …의 값어치가 없다. ¶论射击技术, 在我们连里可～我; 사격 기술로 말한다면, 우리 중대에서는 나 따위는 축에도 못 낀다／～你; 〈罵〉 너 같은건 축에도 못 낀다／说是学者吧, 他又～; 학자냐 하면, 그는 그 축에도 들지 못한다. ＝〔数不上〕
〔数错〕 shǔcuò 동 잘못 세다.
〔数叨〕 shǔdao 동 ⇨〔数落〕
〔数得上〕 shǔdeshàng ⇨〔数得着〕
〔数得着〕 shǔdezháo …안에 꼽히다. 손꼽히다. 저명하다. ＝〔数得上〕
〔数典忘祖〕 shǔ diǎn wàng zǔ 〈成〉 ①규칙만 열거하고 그 근본을 잊다. ¶我们实际上只能在这个基础(古代学者们研究的成果)上提高, 决不能～《王力 漢語史稿》; 우리는 실제에 있어서 다만 이 기초 (고대 학자들의 연구 성과) 위에 서서 높여 갈 수 있을 뿐, 결코 그 근원을 잊어서는 안 된다. ②자기 나라의 역사를 모르거나 잊고 있다.
〔数东瓜道茄子〕 shǔ dōngguā dào qiézi 〈比〉 이러쿵저러쿵 장황하게 지껄이다.
〔数伏〕 shǔ.fú 동 삼복철로 접어들다. (shǔfú) 명 복날.
〔数黑论黄〕 shǔ hēi lùn huáng 〈成〉 ①함부로 지껄이다. ②장황하게 지껄이다. 중언 부언하다. ‖＝〔数黄道黑〕
〔数黄道黑〕 shǔ huáng dào hēi 〈成〉 ⇨〔数黑论黄〕
〔数计〕 shǔjì 동 〈文〉 계산하다.
〔数九〕 shǔjiǔ 명 동지 다음 날부터 81일간을 말함. 첫 번째 9일을 '一九', 다음 9일을 '二九'라는 식으로 부르고, 마지막 9일을 '九九'라 함. '九九'가 지나 81일간이 끝나는 것을 '出chū九'라 함. ¶～寒天＝〔～天气〕; 엄동설한. 한겨울.
〔数来宝〕 shǔláibǎo 명 ①곡조의 하나. 운(韻)을 밟은 재미있는 문장. ②걸인이 가게 앞에서 즉흥시를 지어 소리 하는 것. 또, 그 거지.
〔数唠〕 shǔlao 동 ⇨〔数落〕
〔数落〕 shǔluo 동 〈口〉 ①남의 결점·과실을 열거하며 책하다. 나무라다. ¶别淘气, 看爸爸～你! 장난 좀 그만 해라, 아버지한테 야단 맞겠다! ②열거하다. 수다스럽게 늘어놓다. ¶那个老大娘～着村里的新事; 그 할머니는 마을에서 새로 일어난 일을 수다스럽게 늘어놓고 있다. ③한 말을 뇌고 또 뇌다. ¶一点儿小事他就～个没完没了; 작은 일을 가지고 그는 언제까지나 뇌고 또 뇐다. ‖＝〔数叨〕〔数唠〕〔数说〕
〔数骂〕 shǔmà 동 나무라며 욕하다.
〔数脉〕 shǔmài 동 《漢醫》 맥을 세다. ⇒shuòmài
〔数米而炊〕 shǔ mǐ ér chuī 〈成〉 쌀알을 세고 나서 밥짓다(①자잘한 일까지 간섭하다〔꼬치꼬치 캐다〕. ②생활이 곤궁하다. ③고생만 많고 이득이 적은 일을 하다).
〔数贫嘴〕 shǔpínzuǐ 동 미움받을 말〔쓸데없는 말〕을 지껄이다.
〔数七〕 shǔqī 명 초이레.
〔数清〕 shǔ.qīng 동 똑똑히 세다.
〔数数儿〕 shǔ shùr 수를 세다.
〔数说〕 shǔshuō 동 ⇨〔数落〕
〔数息〕 shǔxī 동 (좌선에서) 호흡을 세다.
〔数一数二〕 shǔ yī shǔ èr 〈成〉 일이등을 다투다. 손꼽을 만큼 뛰어나다. ¶他的技术, 在我们车间里是～的; 그의 기술은, 우리 직장에서 일이등을 다툰다.
〔数以百计〕 shǔ yǐ bǎi jì 〈成〉 백 단위로 세다. 백에 이르다. ¶～的羊; 백 두(頭)나 되는 양.
〔数着〕 shǔzhe …한 편이다. ¶这些人中就～他有本领; 이 사람들 중에서는 그가 솜씨가 뛰어난 편에 속한다. ＝〔算suàn是〕

蜀 shǔ (촉)

명 ①《蟲》 나비애벌레. ②제사 때에 쓰이는 일종의 도구. ③독립된 산. ④《史》 나라 이름. ㉠촉한(蜀漢). ㉡주대(周代)의 나라 이름《쓰촨 성(四川省) 청두(成都) 일대》. ⑤《地》 쓰촨 성(四川省)의 별명. ¶～椒; 쓰촨 성(四川省)에서 나는 산초.

〔蜀汉〕 Shǔ Hàn 명 《史》 촉한《왕조 이름. 삼국의 하나. 유비(劉備)가 한(漢)나라의 황통(皇統)을 이어 위(魏)나라·오(吳)나라와 정립(鼎立)하여 세움. 현재의 쓰촨(四川) 땅을 중심으로 함. (221년～263년)》. =〔蜀〕〔季jì汉〕

〔蜀季花〕 shǔjìhuā 명 《植》 접시꽃.

〔蜀椒〕 shǔjiāo ⇨〔花huā椒〕

〔蜀锦〕 shǔjǐn 명 《紡》 쓰촨 성(四川省)에서 나는 무늬 있는 비단.

〔蜀葵〕 shǔkuí 명 《植》 접시꽃. 촉규. =〔戎róng葵〕

〔蜀犬吠日〕 Shǔ quǎn fèi rì 〈成〉 촉(蜀) 땅의 개가 해를 보고 짖다《쓰촨(四川) 지방은 안개가 많아서 그 곳의 개는 태양을 별로 볼 수 없으므로, 해가 뜨면 이상하게 여겨 짖음》. 견문이 좁은 자는 무엇이고 기이하게 생각함.

〔蜀黍〕 shǔshǔ 명 《植》 수수. =〔蜀秫shú〕〔高粱〕

〔蜀绣〕 shǔxiù 명 쓰촨 성(四川省) 특산의 자수.

〔蜀羊泉〕 shǔyángquán 명 《植》 ①배풍등. ②'漆姑草'(개미자리)의 별칭.

〔蜀窑〕 shǔyáo 명 쓰촨(四川) 지방에서 구워진 당(唐)나라 때의 자기.

鼠 shǔ (서)

명 《動》 쥐. ¶家～; 집쥐/大家～ =〔沟～〕〔沟耗子〕〔褐(家)～〕; 시궁쥐/爬山～ =〔田～〕〔野～〕; 들쥐/小家～; 생쥐. =〔〈口〉老鼠〕〔〈北方〉耗子hàozi〕

〔鼠辈〕 shǔbèi 명 〈文〉〈罵〉 소인배. 쥐새끼 같은 놈들. 애송이놈들. 하찮은 것들. =〔鼠子zǐ〕

〔鼠标〕 shǔbiāo 명 《電算》 마우스(mouse).

〔鼠疮〕 shǔchuāng 명 《漢醫》 '瘰疬'(나력)의 별칭. =〔鼠瘘〕〔癙疮〕

〔鼠窜〕 shǔcuàn 동 허둥지둥 도망치다. ¶抱头～而去; 머리를 감싸고 허둥지둥 도망쳐 가다.

〔鼠胆〕 shǔdǎn 명 〈比〉 겁쟁이. 형 겁이 많다.

〔鼠肚鸡肠〕 shǔ dù jī cháng 〈成〉 도량이 작다.

〔鼠妇〕 shǔfù 명 《動》 쥐며느리. =〔鼠姑①〕〔潮虫〕〔属妇〕〔属负〕

〔鼠肝虫臂〕 shǔ gān chóng bì 〈成〉 하찮다. 보잘것 없다.

〔鼠姑〕 shǔgū 명 ①⇨〔鼠妇〕 ②'牡mǔ丹(花)'(모란)의 별칭.

〔鼠灰色〕 shǔhuīsè 명 《色》 연회색.

〔鼠货〕 shǔhuò 명 장물. 좀도둑이 훔친 물건. ¶～市场; 장물 시장.

〔鼠技〕 shǔjì 명 〈比〉 보잘것 없는 재주. 하찮은 재간.

〔鼠夹〕 shǔjiā 명 쥐덫.

〔鼠口不出象牙〕 shǔkǒu bùchū xiàngyá 〈諺〉 쥐의 주둥이에서 상아는 나지 않는다《못된 놈 입에서 고상한 말이 나올 리가 없다》. =〔狗gǒu嘴里吐tǔ不出象牙来〕

〔鼠窟〕 shǔkū 명 쥐구멍.

〔鼠狼〕 shǔláng 명 《動》 만주족제비. =〔黄鼠狼〕〔黄鼬〕

〔鼠李〕 shǔlǐ 명 《植》 갈매나무.

〔鼠瘘〕 shǔlòu 명 ⇨〔鼠疮〕

〔鼠目〕 shǔmù 명 작고 튀어나온 눈. 〈比〉 견식이 좁음. ¶～寸光; 〈成〉 안식(眼識)〔식견〕이 매우 얕음. 시야가 좁음. =〔鼠眼〕

〔鼠窃〕 shǔqiè 명 〈文〉 좀도둑. =〔鼠贼〕〔小xiǎo窃〕〔小偷(儿)〕

〔鼠曲草〕 shǔqūcǎo 명 《植》 떡쑥. =〔鼠麹草〕〔清明菜〕〔茸róng母〕

〔鼠雀耗〕 shǔquèhào 명 옛날, 나라에 바치는 곡물이 쥐나 참새의 해를 입을 손실을 미리 짐작하여 더 받던 부가세. 모곡(耗穀).

〔鼠壤〕 shǔrǎng 명 《農》 부드럽고 덩어리가 없는 토양.

〔鼠色〕 shǔsè 명 《色》 잿빛.

〔鼠矢枣〕 shǔshǐzǎo 명 《植》 까마귀베개.

〔鼠思〕 shǔsī 동 〈文〉〈比〉 이것저것 고민하다.

〔鼠尾草〕 shǔwěicǎo 명 《植》 뱀차조기. =〔雪见草〕

〔鼠蹊〕 shǔxī 명 ⇨〔腹fù股沟〕

〔鼠牙雀角〕 shǔ yá què jiǎo 〈成〉 소송. 송사. 쟁론.

〔鼠眼〕 shǔyǎn 명 ⇨〔鼠目〕

〔鼠咬症〕 shǔyǎozhèng 명 《醫》 서교증. 서독증(鼠毒症).

〔鼠疫〕 shǔyì 명 《醫》 페스트. =〔癙疫〕〔黑死病〕

〔鼠贼〕 shǔzéi 명 ⇨〔鼠窃〕

〔鼠子〕 shǔzǐ 명 〈罵〉 소인배(小人輩)들. =〔鼠辈〕

〔鼠梓木〕 shǔzǐmù 명 《植》 '女贞'(당광나무)의 별칭.

癙 shǔ (서)

명 ①울병(鬱病). ②→〔癙疫〕 ③→〔癙疮〕

〔癙疮〕 shǔchuāng 명 ⇨〔鼠疮〕

〔癙疫〕 shǔyì 명 ⇨〔鼠疫〕

〔癙忧〕 shǔyōu 형 걱정으로 인해 울적하다.

术(術) shù (술)

명 ①방법. ¶战～; 전술/权～; 권모 술수. ②기술. 학술. ¶武～; 무술/美～; 미술. ③계교. 수단. ¶讲防御之～; 방어 수단을 강구하다. ④주문(呪文).

〔术策〕 shùcè 명 술책. =〔术数①〕

〔术科〕 shùkē 명 군사 훈련·체육 훈련 중의 실기(實技).

〔术士〕 shùshì 명 ①의술·마술·복서(卜筮)·신선술(神仙術) 등에 정통한 사람. ②유생(儒生). 선비.

〔术数〕 shùshù 명 ①⇨〔术策〕 ②음양·오행의 이치에 근거하여 길흉을 점치는 법. 점술(占術).

〔术语〕 shùyǔ 명 술어. 전문 용어.

〔术智〕 shùzhì 명 〈文〉 교묘한 지혜.

沭 Shù (술)

지명용 자(字). ¶～河Shùhé; 수허 강(沭河)《산둥 성(山東省)에서 발원하여 장쑤 성(江蘇省)으로 흘러드는 강 이름》.

述 shù (술)

동 ①진술하다. 설명하다. 말하다. ¶略～经过; 경과를 대충 설명하다/～怀; 마음에 생각한 바를 말하다/叙～; 서술하다. ②저술하다. ③준봉(遵奉)하다. 받들어 지키다.

〔述而不作〕 shù ér bù zuò 〈成〉 선인(先人)의 설(說)을 진술할 뿐으로 창의성이 보이지 않는다.

〔述明〕 shùmíng 동 〈文〉 똑똑히 진술하다〔밝히다〕.

〔述评〕 shùpíng 명 논술과 논평. 평론. ¶时事～; 시사 평론. 동 평론하다.
〔述圣〕 Shùshèng 명 술성(전국 시대 초기의 자사(子思)(공자의 손자)에 대한 봉호(封號)).
〔述说〕 shùshuō 동 진술하다. 말하다.
〔述诉〕 shùsù 동 설명하여 호소하다. 주장하다. 명 호소. 주장. ¶我听着他的～, 心里很受感动; 나는 그의 호소를 들으면서 매우 감동을 받았다.
〔述语〕 shùyǔ 명 ⇨〔谓wèi语〕
〔述职〕 shù.zhí 동 ①제후(諸侯)가 임금을 배알하고 정무(政務)의 보고를 하다. ②복명(復命)하다. ¶大使回国～; 대사가 귀국하여 보고를 하다.
〔述作〕 shùzuò 동 〈文〉 조술(祖述) 및 창작적 업적을 이루다. 명 술작. 저작.

钵(鉥) shù (술) ①명 긴 바늘. ②동 찌르다. ③동 인도(引導)하다.

戍 shù (수) 동 ①변경(邊境)을 지키다. 수자리하다. ¶～边; 국경 경비. ②지키다.
〔戍楼〕 shùlóu 명 〈文〉 수루. 변경에 설치된 수비하는 망루.
〔戍人〕 shùrén 명 〈文〉 변경의 수비병. =〔戍卒〕
〔戍守〕 shùshǒu 명동 〈文〉 수비(하다). =〔戍卫〕
〔戍卫〕 shùwèi 명동 ⇨〔戍守〕
〔戍卒〕 shùzú 명 ⇨〔戍人〕

束 shù (속) ①동 다발짓다. ¶～禾机; 《農》 바인더(binder). ②동 묶다. 매다. ¶～发; 머리를 묶다 / 以带～腰; 띠로 허리를 졸라매다. ③동 속박하다. 제약하다. ¶整～; 구속하다 / ～身自爱; 자중자애하다 / 约～; 제한(하다) / 无拘无～; 〈成〉 구애〔구속〕되지 않다. ④양 다발(다발로 묶은 것을 세는 단위). ¶一～鲜花; 한 다발의 생화 / 竹签一～; 댓개비 한 묶음. ⑤명 《物》 빔(beam). ¶电子～; 입자선(粒子線). ⑥명 성(姓)의 하나.
〔束帛〕 shùbó 명 속백. 양쪽 끝에서 만 다섯 필을 한 묶음으로 한 비단(옛날에, 이것을 예물로 썼음).
〔束带〕 shùdài 동 〈文〉 띠를 매다. 속대하다.
〔束阨〕 shù'è 동 〈文〉 구속하다. 제약(制約)하다.
〔束发〕 shùfà 동 〈文〉 ①(산발한) 머리를 묶다〔땋다〕. 속발하다. ②〈轉〉 학령에 달하여 머리를 묶(고 학문을 시작하)다. ¶～修学; 속발하고 학문을 닦다.
〔束缚〕 shùfù 명동 속박(하다). 구속(하다).
〔束腹〕 shùfù 동 배를 꼭 졸라매다. 명 코르셋.
〔束阁群书〕 shù gé qún shū 〈成〉 많은 책을 묶어 놓기만 하고 읽지 않다.
〔束躬〕 shùgōng 동 ⇨〔束身〕
〔束管〕 shùguǎn 동 속박하다. 구속하다.
〔束金〕 shùjīn 명 ⇨〔束脩②〕
〔束紧〕 shùjǐn 동 바싹 졸라매다. ¶～裤腰带; 허리띠를 졸라매다. 〈轉〉 시장끼를 참다. ↔〔放开〕〔解放〕
〔束马悬车〕 shù mǎ xuán chē 〈成〉 험한 도로의 형용.
〔束身〕 shùshēn 동 〈文〉 ①자신을 경계하다. 몸을 삼가다. 속신하다. ¶～自修《後漢書 卓茂傳》; 자중하고 수양하다. ②자기를 묶다. ‖ =〔束躬〕
〔束矢难折〕 shù shǐ nán zhé 〈成〉 한데 묶은 화살은 꺾기 어렵다. 단결된 힘은 강하다.
〔束手〕 shùshǒu 동 ①손을 묶이다〔묶다〕. ②〈比〉 어찌할 수가 없다. 속수 무책이다. ¶～束脚; 〈成〉 꼼짝할 수 없다 / ～待毙; 〈成〉 꼼짝 못 하고 죽음을 기다리다 / ～无措 =〔～无策〕; 〈成〉 속수무책 / ～就擒; 〈成〉 꼼짝 못 하고 사로잡히다.
〔束脩〕 shùxiū 명 ①〈文〉 포개어 묶은 포(옛날에는 극히 조촐한 예물로 쳤음). ②〈轉〉 ㉠글방 선생에 대한 사례. ㉡(개인 교수 등에 대한) 사례금. =〔束金〕〔束仪〕
〔束腰〕 shùyāo 동 허리를 꽉 졸라매다. 명 ①허리를 졸라매는 끈. ②코르셋.
〔束仪〕 shùyí 명 ⇨〔束脩②〕
〔束之高阁〕 shù zhī gāo gé 〈成〉 묶어서 높은 선반 위에 올려놓다(방치해 두다).
〔束装〕 shùzhuāng 동 〈文〉 여행 떠날 준비를 하다. ¶～就道; 여행 준비를 하고 출발하다 / 武装警察～待发; 무장 경찰이 준비하고 대기하다.

树(樹) shù (수) ①명 나무. 수목(樹木). ¶松～; 소나무. ②명 울타리. 담. ③동 심다. 재배하다. ¶～谷; 곡류를 심다. ④동 세우다. 수립하다. 창설하다. ¶～碑; 비를 세우다 / ～敌; 적을 만들다 / 建～威信; 위신을 세우다. ⑤동 양성하다. ¶十年～木, 百年～人; 〈諺〉 나무를 키우려면 10년이 걸리지만, 사람을 양성하는 데는 백 년이 걸린다. ⑥명 성(姓)의 하나.
〔树碑立传〕 shù bēi lì zhuàn 〈成〉 ①비를 세우고 전기(傳記)를 쓰다(공덕을 기리기 위해 기념함). ②개인의 위신을 나타내고 명망을 높이다.
〔树本〕 shùběn 〈文〉 명 나무 뿌리. 동 기본을 세우다.
〔树菠萝〕 shùbōluó 명 《植》 보리수.
〔树杈(儿,子)〕 shùchà(r, zi) 명 나무의 잔가지. 나무 가장귀. =〔〈俗〉 树卡kǎ巴儿〕〔树丫巴(杈)儿〕〔树丫巴(杈)子〕
〔树虫子〕 shùchóngzi 명 ①나무의 해충. ②〈比〉 도벌하는 사람. 도벌꾼.
〔树串儿〕 shùchuànr 명 《鳥》 〈方〉 ①노랑눈썹솔새. =〔柳莺〕 ②노랑허리솔새.
〔树丛〕 shùcóng 명 나무숲. 총림.
〔树大好遮阴〕 shù dà hǎo zhē yīn 〈諺〉 나무가 크면 그늘도 지기 쉽다(이왕 의지하려면 탄탄한 사람에게 하라). =〔树大阴凉(儿)大〕
〔树大招风〕 shù dà zhāo fēng 〈成〉 나무가 크면 바람도 많이 받는다(권력을 가진 사람은 화를 부르기 쉽다). ¶官guān大有险, ～; 벼슬이 높으면 공격을 많이 받고, 나무가 크면 바람을 심하게 받는다.
〔树袋熊〕 shùdàixióng 명 《動》 코알라(koala). =〔树熊〕
〔树党〕 shùdǎng 동 도당(徒黨)을 짜다. 당파를 조직하다.
〔树倒猢狲散〕 shù dǎo húsūn sàn 〈諺〉 나무가 쓰러지면 원숭이도 흩어진다(중심 인물이 몰락하면 따르던 자도 의지할 곳을 잃고 흩어짐).
〔树德〕 shùdé 동 〈文〉 덕행을 쌓다.
〔树敌〕 shùdí 동 적을 만들다. ¶我们此时不宜～太多《茅盾 霜葉紅似二月花》; 우리는 이 때에 너무 적을 많이 만들어서는 안 된다.
〔树墩〕 shùdūn 명 나무의 그루터기.
〔树恩〕 shù'ēn 동 〈文〉 은혜를 베풀다.
〔树法〕 shùfǎ 동 〈文〉 법칙을 세우다.
〔树蜂〕 shùfēng 명 《蟲》 나무벌의 총칭.
〔树干〕 shùgàn 명 ⇨〔树身〕
〔树高千丈, 叶落归根〕 shù gāo qiān zhàng,

yè luò guī gēn 〈諺〉 천 장(千丈)의 수목도 낙엽은 밑동에 떨어진다《사람은 아무리 먼 곳에 가더라도 결국은 고향에 돌아오는 법이다. 고향이야말로 종언(終焉)의 땅이다》.
〔树疙瘩〕 shùgēda 명 나무의 옹이.
〔树根(儿,子)〕 shùgēn(r,zi) 명 수근. 나무의 뿌리.
〔树根头〕 shùgēntóu 명 나무의 밑동.
〔树挂〕 shùguà 명 수빙(樹氷). 무빙(霧氷). =〔树稼〕〔树嫁〕〔树介〕〔雾wù凇〕
〔树冠〕 shùguān 명 수관. ¶～直径二十公尺; 수관의 지름은 20미터에 달한다.
〔树海〕 shùhǎi 명 수해. 〈比〉 나무가 많이 나 있는 곳.
〔树行子〕 shùhàngzi 명 ①(중국식 가로수와 같은) 줄지어 심은 수목. ②작은 산림.
〔树鸡〕 shùjī 명 ①《鳥》 수게. 들꿩. ②《植》 '木mù耳' (목이버섯)의 별칭.
〔树鹡鸰〕 shùjígē 명 《鳥》 〈北方〉 물레새.
〔树嫁〕 shùjià 명 ⇨〔树挂〕
〔树稼〕 shùjià 명 ⇨〔树挂〕
〔树胶〕 shùjiāo 명 ①생(生)고무. ¶～液; 고무풀. =〔橡胶〕〔〈俗〉生橡胶〕 ②수지(樹脂).
〔树介〕 shùjiè 명 ⇨〔树挂〕
〔树卡巴儿〕 shùkǎbar 명 ⇨〔树杈(儿, 子)〕
〔树棵子〕 shùkēzi 명 (중간 정도 크기의) 묘목. ¶道路两旁新栽的～; 길의 양쪽에 새로 심어진 묘목.
〔树蜡〕 shùlà 명 식물성 납(蠟).
〔树懒〕 shùlǎn 명 《動》 나무늘보.
〔树立〕 shùlì 동 수립하다. 세우다. ¶～谦虚谨慎的作风; 겸허하고 신중한 기풍을 수립하다 / ～必胜的信心; 반드시 이긴다는 신념을 세우다 / ～榜样; 본보기를 세우다.
〔树凉儿〕 shùliángr 명 ⇨〔树阴(凉儿)〕
〔树林(子)〕 shùlín(zi) 명 수풀《산림(山林)보다 적음》. ¶～放风筝; 숲 속에서 연을 날리다. 〈比〉 사물〔일〕이 뒤엉키다. =〔林子〕
〔树鹨〕 shùliù 명 《鳥》 홍뚱새.
〔树帽(子)〕 shùmào(zi) 명 수관(樹冠)《수목의 상반부의 무성한 부분》.
〔树莓〕 shùméi 명 《植》 ①단풍딸기. ②단풍딸기의 열매.
〔树苗〕 shùmiáo 명 묘목.
〔树杪〕 shùmiǎo 명 ⇨〔树梢(儿)〕
〔树末〕 shùmò 명 ⇨〔树梢(儿)〕
〔树木〕 shùmù 명 수목. 나무의 총칭. 동 〈文〉 나무를 심다.
〔树棚〕 shùpéng 명 나무 위의 오두막집.
〔树皮〕 shùpí 명 수피. 나무 껍질. ¶剥～; 나무껍질을 벗기다 / ～纸; 닥나무 껍질로 만든 종이 / ～膏 =〔～恙〕; 나무 껍질에서 채취한 액즙《무두질에 씀》.
〔树鼩〕 shùqú 명 《動》 투파이아(tupaia).
〔树人〕 shùrén 동 인재를 양성하다.
〔树善〕 shùshàn 동 〈文〉 선행을 쌓다. 선정을 베풀다.
〔树上开花〕 shù shang kāi huā 〈成〉 금전 관계의 분쟁의 해결을 남에게 의뢰했을 때, 그로 해서 취득한 금액의 일정 비율을 보수로서 주는 방식. ¶这么大的民事案子, 律师费当然要～了; 이런 큰 민사 사건에서는, 변호료는 물론이고 일정 비율의 사례비를 내야 한다.
〔树梢(儿)〕 shùshāo(r) 명 나뭇가지 끝. 우듬지. =〔树杪〕〔树末〕
〔树身〕 shùshēn 명 나무 줄기. =〔树梃(儿)〕〔树干〕
〔树熟儿〕 shùshóur 명 〈方〉 나무에 달린 채 익은 과실.
〔树薯〕 shùshǔ 명 《植》 카사바(cassava)의 별칭. =〔树蕃薯〕
〔树獭〕 shùtǎ 명 《動》 나무늘보.
〔树梃(儿)〕 shùtǐng(r) 명 ⇨〔树身〕
〔树头〕 shùtóu 명 나무 토막.
〔树蛙〕 shùwā 명 《動》 청개구리.
〔树心〕 shùxīn 명 (목재의) 수심. 나무 고갱이.
〔树雄心, 立大志〕 shù xióngxīn, lì dàzhì 웅대한 마음을 품고, 큰 뜻을 세우다.
〔树熊〕 shùxióng 명 ⇨〔树袋熊〕
〔树勋〕 shùxūn 동 〈文〉 수훈하다. 공훈을 세우다.
〔树丫巴(儿)〕 shùyāba(r) 명 나뭇가지의 가랑이.
〔树秧(儿)〕 shùyāng(r) 명 묘목.
〔树叶(儿,子)〕 shùyè(r,zi) 명 ①나뭇잎. ②《鳥》 〈北方〉 노랑눈썹솔새.
〔树衣〕 shùyī 명 나무의 이끼.
〔树阴(凉儿)〕 shùyīn(liángr) 명 나무 그늘. ¶～儿下面喝茶的地方最热闹了; 나무 그늘 아래의 차를 마시는 곳이 가장 떠들썩하였다. =〔树凉儿〕
〔树欲静而风不止〕 shù yù jìng ér fēng bù zhǐ 〈成〉 나무가 조용히 있고자 하여도 바람이 그치지 않는다《①부모에 효도하고 싶어도 부모는 기다려 주지 않는다. ②현재의 객관적 존재는 사람의 주관에 따라 변하는 것은 아니다》.
〔树园子〕 shùyuánzi 명 과수원. =〔果树园〕
〔树怨〕 shùyuàn 동 〈文〉 원한의 씨를 뿌리다. 원한을 맺다.
〔树枝(儿,子)〕 shùzhī(r,zi) 명 나뭇가지.
〔树脂〕 shùzhī 명 ①고무. 레진(resin). 수지. ②합성 수지의 속칭. =〔塑sù胶〕
〔树种〕 shùzhǒng 명 ①수종. 나무의 종류. ②나무의 종자〔씨〕.
〔树桩(子)〕 shùzhuāng(zi) 명 (말을 매어 두기도 하는) 나무의 그루터기. =〔树兜〕

竖(竪〈豎〉) shù (수)

① 명형 세로(의). ¶横～; 가로 세로. ② 명형 직립(直立)(의). ③ 동 세로로 세우다. ¶～着写; 세로로 쓰다 / 把旗子～起来; 깃발을 세우다. ④(～儿) 명 서법(書法)의 하나. 위에서 아래로 긋는 획. ¶一横(儿)一～就成了'十'字; 가로 그은 획과 세로 그은 획으로 '十'이라는 글자가 된다. ⑤(～子) 명 사환 아이. 동자(童子).
〔竖臣〕 shùchén 명 〈文〉 미천한 가신(家臣). 하급 관리.
〔竖道(儿)〕 shùdào(r) 명 세로로 그은 괘선(罫線).
〔竖耳〕 shù'ěr 동 귀를 세우다〔귀울이다〕. ¶～听着; 귀를 기울이고 듣다.
〔竖竿子〕 shù gānzi ①깃대를 세우다. ②봉기(蜂起)하다.
〔竖柜〕 shùguì 명 세로로 높은 양복장 비슷한 가구. =〔立柜〕
〔竖焊〕 shùhàn 명 《工》 연직 용접(鉛直熔接). 버티컬 웰드.
〔竖井〕 shùjǐng 명 ⇨〔立lì井〕
〔竖箜篌〕 shùkōnghóu 명 《樂》 수공후《옛 악기의 이름. 23현의 활 모양의 현악기》. =〔擘bò箜

篌〕〔胡hú箜篌〕
〔竖立〕 shùlì 동 〈文〉 직립하다〔시키다〕. 서다〔세우다〕.
〔竖毛〕 shù,máo 동 ①(놀라서) 털이 곤두서다. ②〈比〉 매우 놀라다.
〔竖眉〕 shù,méi 동 ①(성나서) 눈썹을 곤두세우다. ②화를 내다.
〔竖排字〕 shùpáizì 동 《印》 세로짜기의 활자.
〔竖起〕 shùqǐ 명 …을 세우다. ¶～大拇指; 엄지손가락을 세우다(동의·만족의 표시) / ～耳朵听; 귀를 기울이고 듣다.
〔竖琴〕 shùqín 명 《樂》 하프(harp).
〔竖蜻蜓〕 shù qīngtíng =〔倒立〕
〔竖儒〕 shùrú 명 〈文〉〈罵〉 식견이 없는〔썩어 빠진〕 유생.
〔竖心旁(儿)〕 shùxīnpáng(r) 명 심방변(한자 부수의 하나. '悦'·'情' 등의 '忄'의 이름). ↔〔卧心儿〕
〔竖眼〕 shùyǎn 명 노한 눈. 도끼눈. (shù,yǎn) 동 노해서 눈초리를 치켜올리다.
〔竖直〕 shùzhí 명 수직(垂直).
〔竖直立〕 shù zhílì ⇨〔拿ná大顶〕
〔竖柱〕 shùzhù 동 기둥을 세우다. ¶～上梁; 기둥을 세우고 대들보를 올리다.
〔竖子〕 shùzǐ 명 〈文〉 ①사환 아이. ②아이. 동자(童子). ¶童儿～皆轻易之《三國志》; 아이들이 모두 그를 경멸하고 있다. ③〈罵〉 애송이. 잔챙이.

恕 **shù** (서)
동 ①동정〔생각〕해 주다. ②용서하다. 너그러이 봐주다. ¶～过他这一次吧; 이번에는 그를 한 번 너그러이 봐주다. =〔宽恕〕〔饶恕〕 ③〈套〉 용서〔양해〕를 바라다. ¶～难从命; 분부에 따르지 못함을 용서하십시오 / 三尺以下幼童, ～不招待; 키 3척 이하의 어린이는 입장할 수 없으니, 양해 바랍니다.
〔恕不…〕 shùbù… 〈翰〉 …하지 않음을 용서해 주십시오. ¶～另简; 따로 통지하지 못함을 양해하여 주십시오 / ～作复; 따로 회답하지 않는 것을 양해하여 주십시오.
〔恕道〕 shùdào 형 너그럽다. 동정심이 있다. ¶祖父一生～厚人; 할아버지께서는 평생 남에게 너그러운 태도로 대하셨다 / 近来人情浇薄, 应倡～; 요즘은 인정이 각박해져서 남에 대한 관대한 배려를 제창해야 한다. =〔恕物〕
〔恕速〕 shùsù 〈翰〉 갑작스러운 초대를 양해하여 주십시오(연회 당일에 급히 초대장을 보낼 때에 끝에 곁들이는 말).
〔恕物〕 shùwù 형 ⇨〔恕道〕
〔恕邀〕 shùyāo 〈翰〉 직접 모시러 가지 못함을 양해해 주시기 바랍니다(초대장 따위에 씀).
〔恕宥〕 shùyòu 동 〈文〉 용서하다.
〔恕罪〕 shù,zuì 동 잘못을 용서하다. 〈套〉 용서하십시오. 실례했습니다.

庶 **shù** (서)
① 형 많다. ¶富～; 인구가 많고 부유하다 / ～官; 백관(百官). ② 부 〈文〉 대체로. 대략. 거의. 뭔가. ¶～不致误; 잘못되는 일은 없을 것이다 / 双方协议, ～可解决; 쌍방이 협의하면 대체로 해결될 것이다. ③ 명 서민. 백성. ¶众～; 많은 사람. ④ 형 서출(庶出)의. ↔〔嫡〕 ⑤ 동 간절히 바라다.
〔庶常〕 shùcháng 명 ⇨〔庶吉士〕
〔庶出〕 shùchū 명 〈文〉 서출. 첩의 자식.
〔庶妇〕 shùfù 명 〈文〉 (큰며느리를 제외한) 차남 이하의 아내. 작은며느리.
〔庶乎〕 shùhū 동부 ⇨〔庶几〕
〔庶几〕 shùjī 동 대체로 …일 것이다. 거의 …일 것이다. 비로소 …할 수 있다. ¶～可行; 비로소 실행할 수 있을 것이다 / ～无愧; 거의 부끄러워할 줄을 모른다. 유들유들하고 태연하다 / ～有成; 대체로 이루어질 것이다 / 其～乎! 대체로 그러할 것이다. 부 원컨대. 바라건대. 아무쪼록. ‖=〔庶几乎〕〔庶乎〕
〔庶吉士〕 shùjíshì 명 서길사(옛날, '翰hàn林院'의 벼슬 이름의 하나. '庶常'은 별칭. 과거 시험에 합격하여 진사가 된 사람 가운데 우수한 자가 이에 임명되었음). =〔庶常〕
〔庶绩〕 shùjì 명 〈文〉 여러 가지 공적.
〔庶黎〕 shùlí 명 ⇨〔庶人〕
〔庶民〕 shùmín 명 ⇨〔庶人〕
〔庶母〕 shùmǔ 명 〈文〉 서모(아버지의 첩).
〔庶孽〕 shùniè 명 〈文〉 서얼. 첩의 자식.
〔庶人〕 shùrén 명 〈文〉 서민. 평민. =〔庶黎〕〔庶民〕〔庶众〕
〔庶室〕 shùshì 명 첩. 소실.
〔庶孙〕 shùsūn 명 서손. 서자의 아들.
〔庶务〕 shùwù 명 〈文〉 ①서무(계). ②서무 담당 직원.
〔庶羞〕 shùxiū 명 〈文〉 여러 가지 맛있는 것.
〔庶长〕 shùzhǎng 명 ①〈文〉 서출의 맏아들. ②진(秦)나라 때의 벼슬 이름. ③진한(秦漢) 시대의 작위(爵位)의 이름.
〔庶政〕 shùzhèng 명 〈文〉 서정. 온갖 정사(政事).
〔庶众〕 shùzhòng 명 ⇨〔庶人〕
〔庶子〕 shùzǐ 명 첩의 자식. 서자.
〔庶祖母〕 shùzǔmǔ 명 서조모. =〔季jì祖母〕

裋 **shù** (수)
→〔裋褐〕
〔裋褐〕 shùhè 명 허술한 옷(서민의 옷).

数(數) **shù** (수)
①(～儿) 명 수. ¶序～; 서수 / 次～; 횟수(回數) / 岁～; 연령 / 无～的人; 무수한 사람 / 把东西先过过～; 먼저 물건의 수효를 맞추다 / ～以万计; 〈成〉 그 수는 만으로 헤아릴 정도이다. ② 명 《數》 수('有理数'·'无理数'·'实数'·'虚数' 등의 총칭). ③ 명 《言》 수(영문법 등의 단수·복수를 이름). ④ 명 운명. 천명. ¶气～; 운세. 운수 / 在～难逃; 정해진 운명은 피하기 어렵다. ⑤ 명 꾀. 계교. 책략. ¶权谋术～; 권모 술수. ⑥ 수 수. 몇. 여러. ¶～日; 수일 / ～人; 여러 명 / ～次; 수 차례 / 不过三～人而已; 서너 사람뿐이다. 注 '书面语'의 개수(概數)를 나타낼 때는 '～十'·'～百'이며 때로는 '十～'라고도 하나, 보통 '十余'로 씀. ⑦ 명 (수량의) 정도. 쯤. ¶寸～来长; 1치 정도의 길이. ⇒shǔ shuò
〔数词〕 shùcí 명 《言》 수사.
〔数额〕 shù'é 명 일정한 수. 숫자. 액수.
〔数奇〕 shùjī 형 〈文〉 팔자가 사납다. 운명이 기구하다.
〔数据〕 shùjù 명 숫자적 근거. 통계 수치. 데이터(data). ¶～处理; 데이터 처리 / ～处理机; 데이터 프로세서(data processor) / ～库; 데이터 뱅크(data bank) / ～传输; 데이터 전송(傳送) / 原始～; 기본 데이터.
〔数控〕 shùkòng 명 《機》 수치 제어(數値制御).

엔시(NC). ¶～机床 =〔～母机〕; 엔시 공작 기계.
〔数理化〕 shù lǐ huà 명 수학·물리학·화학.
〔数量〕 shùliàng 명 수량. 양. ¶～界限; 양적 한계 / ～词; 《言》 '数词'(수사)와 '量词'를 합칭하는 말. 수량사('三本书'의 三本 등) / ～积; 《數》 스칼라(scalar) 승적. 내적(內積) / ～指标; 수량 면의 목표.
〔数列〕 shùliè 명 《數》 수열.
〔数论〕 shùlùn 명 《數》 수론. 정수론(整數論).
〔数码(儿)〕 shùmǎ(r) 명형 ⇨〔数字〕
〔数目〕 shùmù 명 수량. 수. 숫자. 금액. ¶准～; 확실한 수 / 你数好以后, 就把～告诉他! 네가 세고 난 후에 수량을 그에게 알려 줘라! / ～字; 숫자.
〔数儿〕 shùr 명 ①수. ¶数shǔ～; 수를 세다. ②예상. 예산. 예견. ¶问问近日情形, 自然就有了～了; 요즘 정황을 물어 보면, 자연히 대강은 알 수 있다. ③계획. 목적. 정견(定見). 속셈. 심산(心算). ¶心里有～; 마음 속에 계획이 있다 / 哑吧吃扁食, 肚子里有～; 〈歇〉 벙어리가 만두를 먹는 것과 같다(말은 하지 않아도 속으로는 다 속셈이 있다).
〔数术〕 shùshù 명 음양 오행의 설.
〔数位〕 shùwèi 명 《數》 수의 자릿수. 수의 위치.
〔数学〕 shùxué 명 수학(초등 학교 저학년에서는 '算suàn术'를 씀).
〔数值〕 shùzhí 명 《數》 수치. 값. ¶～微分; 수치 미분.
〔数中〕 shùzhōng 명 그 가운데. 그 중. ¶～有一个后生, 年纪二十五岁, 姓崔名宁; 그 중에, 나이는 25세, 성은 최, 이름은 영이라는 젊은이가 있었다. =〔内nèi中①〕
〔数珠(儿)〕 shùzhū(r) 명 《佛》 염주. =〔念珠(儿)〕
〔数字〕 shùzì 명 ①숫자. ¶阿拉伯～; 아라비아 숫자 / ～控制机床 =〔～控制母机〕; 엔시(NC) 공작 기계. ②수량. ¶～惊人; 그 수는 놀랄 만큼 많다. 명형 디지털(digital)〔계수(計數)〕(형의). ¶～计算机; 디지털 계산기 / ～盘; 다이얼 / ～手表; 디지털 손목시계. ‖ =〔数码(儿)〕〔数目字〕〔〈口〉字码儿〕
〔数罪并罚〕 shùzuì bìngfá 명 《法》 수죄 병벌.

腧〈俞〉 shù (수)
명 《漢醫》 인체의 경혈(經穴). ¶～穴xué; 몸의 경혈. ⇒ '俞' yú

漱 shù (수)
동 ①양치질하다. ②헹구어 빨다. ③물이 침식(浸蝕)하여 씻어 내다.
〔漱涤〕 shùdí 동 헹구다.
〔漱口〕 shù.kǒu 동 입을 가시다. 양치질하다. ¶一天漱一次口; 하루에 한 번 양치질하다 / ～水; 양칫물 / ～杯; 양치질용 컵 / ～盂; 양치 그릇 / ～药水 =〔～剂〕; 양치질 약. =〔荡口〕

墅 shù (서)
명 ①별장. 빌라. =〔别墅〕 ②〈文〉 농막(農幕).

澍 shù (주)
①명 〈文〉 때마침 오는 비. 자우(慈雨). ②동 〈文〉 (비가) 젖게 하다. 〈轉〉 은택을 입다. ③인명용 자(字).
〔澍濡〕 shùrú 동 ①자우(慈雨)에 젖다. ②은택을 입다.

SHUA ㄕㄨㄚ

刷 shuā (쇄)
①(～儿, ～子) 명 솔. 브러시. ¶一把～; 솔 하나 / 帽～; 모자솔. ②동 솔질하다. ¶～鞋; 구두에 솔질하다 / 拿刷子～一～; 솔질하다. ③동 비비어 씻다. ¶吃完饭, ～家伙; 식사를 끝내고 그릇을 닦다 / 桌子擦不干净, 要用水～; 탁자가 (닦아도) 깨끗해지지 않으니, 물로 싹싹 닦아야 한다. ④동 제거하다. 축출하다. ¶～去坏份子; 불량 분자를 배제하다. ⑤동 (페인트 따위를) 솔로 바르다. ¶墙用石灰～得很白; 벽이 석회로 하얗게 칠해져 있다. ⑥동 해고하다. 파면하다. ¶他被～了; 그는 해고당했다 / 既是挨～了, 只好另找工作吧; 기왕에 목이 잘렸으니, 달리 일을 찾을 수밖에 없다. ⑦동 인쇄하다. ¶～传单; 전단을 인쇄하다. ⑧〈擬〉 ⇨〔唰shuā〕 ⇒ shuà
〔刷扮〕 shuābàn 동 〈文〉 분장〔몸단장〕을 하다.
〔刷柄〕 shuābǐng 명 솔의 자루. =〔刷把(儿)〕
〔刷耻〕 shuāchǐ 동 치욕을 씻다. =〔雪xuě耻〕
〔刷地〕 shuādì 부 갑자기. 별안간. 확. 싹. ¶他的脸～红了; 그의 얼굴이 확 붉어졌다.
〔刷刮〕 shuāguā 동 돈을 마련하다. ¶难道不收拾个铺盖, 不～个路费《醒世姻緣傳》; 설마 침구를 준비 안 하고 노자를 변통하지 않는 건 아니겠지.
〔刷锅〕 shuā guō 솥을 닦다. 솥을 부시다.
〔刷灰〕 shuā huī 석회를 칠하다. ¶墙上～; 벽에 석회를 칠하다.
〔刷拉〕 shuālā 〈擬〉 ①바삭. ②푸드덕. ¶～一声, 柳树上飞走了一只鸟儿; 푸드덕 소리를 내고 버드나무에서 새가 한 마리 날아갔다. ②좍좍. 솨솨. ¶刷拉拉的大雨; 좍좍 소리내어 오는 큰비.
〔刷了〕 shuāle 동 〈方〉 ①(시험에서) 떨어지다. ¶今年高考他被～; 금년 대학 입시에서 그는 떨어졌다. ②(시합에) 지다. ③해고하다. 해고당하다. 사직하다.
〔刷亮〕 shuāliàng 형 매우 밝다. ¶灯光～; 등불이 매우 밝다.
〔刷轮〕 shuālún 명 ⇨〔击jī轮〕
〔刷马〕 shuāmǎ 동 말을 솔질하다.
〔刷色儿〕 shuāshǎir 동 색칠하다. =〔刷颜色〕
〔刷杓儿〕 shuā sháor ①국자를 씻다. ②〈比〉 요리사를 그만두다. ¶起今儿咱们～不伺候了, 您另请高明吧; 오늘부터 저희들은 주방일을 그만두겠으니, 다른 사람을 구해 보십시오.
〔刷刷(地)〕 shuāshuā(de) 〈擬〉 술술. 줄줄. 몹시 서둘러. ¶～写xiě; 줄줄 글을 쓰다.
〔刷洗〕 shuāxǐ 동 ①솔로 깨끗이 닦다. ②〈轉〉 모조리 긁어모으다. ¶要～村坊, 着zhuó科斂白粮五万石; 마을을 싹 쓸어 약탈하기 위하여 쌀 5만 석의 추렴을 명했다.
〔刷下来〕 shuāxialai 〈俗〉 ①면직시키다. ¶他为什么把你～了? 그는 왜 너를 그만두게 했느냐? ②퇴학시키다. ③(시험에) 떨어지다. ④체로 쳐서 떨어뜨리다(나쁜 것을 골라 내다). ⑤고소하다.
〔刷鞋〕 shuāxié 동 구두를 닦다.
〔刷写〕 shuāxiě 동 솔〔브러시〕로 쓰다. 더덕더덕 쓰다. ¶满街满墙～了那么多的标语; 온 거리와 모든 벽에는 온통 표어가 더덕더덕 써 있었다.

〔刷新〕 shuā‧xīn 동 ①쇄신하다. 경신하다. ¶～人心; 인심을 쇄신하다 / ～门面; 가게 앞을 새롭게 단장하다. ②(기록을) 경신하다. ¶在这次运动会上她～了一万米赛跑的世界记录; 그녀는 이번 운동회의 만미터 달리기 시합에서 세계 기록을 경신했다.

〔刷牙〕 shuā yá 이를 닦다. ¶～子; 〈京〉 칫솔 / ～粉 =〔～散〕; 치마분(齒磨粉) / ～膏; 크림 치약 / ～漱口洗脸; 이를 닦고 양치질을 하고 세수를 하다.

〔刷牙水〕 shuāyáshuǐ 명 양치물.

〔刷颜色〕 shuā yánsè 색을 칠하다. =〔刷色shǎi儿〕

〔刷衣服〕 shuā yīfu 옷에 솔질을 하다.

〔刷印〕 shuāyìn 동 인쇄하다. =〔印刷〕

〔刷雨器〕 shuāyǔqì 명 와이퍼(wiper).

〔刷帚〕 shuāzhǒu 명 ①수세미. ② ⇨〔垩è帚〕

〔刷子〕 shuāzi 명 브러시. 솔. ¶鞋～; 구둣솔 / 一把～; 한 개의 솔.

唰 **shuā** (살)

〈擬〉 ①솨. 와삭와삭(빠르게 문지르듯이 지나가는 소리). ¶～～地下起雨来了; 비가 솨 하고 내리기 시작했다. ②척척(일 처리가 재빠른 모양). ③휙(갑자기 변화하는 모양). ‖ =〔刷⑧〕

耍 **shuǎ** (솨)

동 ①〈方〉 희롱하다. 장난하다. ¶不是～的; 농담이 아니다 / 戏～ =〔〈古白〉 作～〕; 놀다. 장난하다 / ～货(儿); 장난감. ②가지고 놀다. 만지작거리다. ③(칼이나 창을) 쓰다. 휘두르다. ¶～棒bàng =〔～棍gùn〕; 막대기를 휘두르다. ④멋대로 굴다. (나쁜 버릇이나 태도를) 드러내고 하다. ¶～无赖; 불량한 짓을 하다 / ～威风; 으스대다 / ～态度; ⇩ / 这种卑劣手段现在可～不开了; 이와 같은 비열한 수단은 지금은 부릴 수 없게 되었다. ⑤조종하다. ¶～狮子; 사자춤을 추다 / ～傀儡; ⓐ인형을 놀리다〔조종하다〕. ⓑ인형극. ⑥도박을 하다. ¶那个人好hào～; 저 사람은 도박을 좋아한다. ⑦꼬드기다. 유혹하다. ¶～出别人来; 남을 꼬드기어 끌어 내다.

〔耍把〕 shuǎba 동 〈方〉 휘두르다. 흔들다. =〔挥舞〕〔舞动〕

〔耍把戏〕 shuǎ bǎxì ①마술을 쓰다. 잡기(雜技)를 부리다. ②〈比〉 속임수를 쓰다.

〔耍笔杆(儿)〕 shuǎ bǐgǎn(r) 〈貶〉 문필(文筆)을 농(弄)하다. 펜대나 놀리다. ¶光会～的人, 碰到实际问题往往束手无策; 농필(弄筆)하는 재주밖에 없는 사람은 실제 문제에 부딪치면 왕왕 속수무책이 된다.

〔耍不开〕 shuǎbukāi ①(좁아서) 자유로이 움직일 수 없다. 휘두를 수 없다. ¶场子小, ～; 장소가 좁아서 마음대로 움직일 수 없다. ②(억눌려서) 발휘할 수 없다.

〔耍布人儿的〕 shuǎburénrde 명 ⇨〔耍人儿的〕

〔耍叉〕 shuǎ‧chā 동 ①(장난이 지나쳐서) 사이가 나빠지다. ②우겨 대어 티격나다. ③〈俗〉 소동〔문제〕을 일으키다.

〔耍刺儿〕 shuǎ cìr ①건방지게 굴다. ②짓궂은 짓을 하다. 남의 비위를 건드리다. ¶不～就不是刺儿头了; 못된 짓을 하지 않으면 무리한은 아니다.

〔耍大嗓子〕 shuǎ dàsǎngzi 고함치다.

〔耍刀〕 shuǎ‧dāo 동 ①칼을 쓰다. 칼을 휘두르다. ¶耍起刀来了; 칼을 휘두르기 시작했다. ②칼싸움놀이를 하다.

〔耍碟子〕 shuǎdiézi ①명 접시돌리기(곡예). ②(shuǎ diézi) 접시돌리기를 하다.

〔耍斗〕 shuǎdòu 동 도박하다.

〔耍幡〕 shuǎfān 동 '中zhōng幡' 을 하다.

〔耍胳膊〕 shuǎ gēbó 팔을 쓰다〔휘두르다〕. 폭력을 쓰다. 못된 짓을 하다.

〔耍狗熊〕 shuǎ gǒuxióng ①곰에게 재주를 부리게 하다. ②〈俗〉 남을 업신여기다. 우롱하다. ③〈俗〉 체면을 떨어뜨리다. 창피당하다. 웃음거리가 되다. ¶众位瞧我～, 这是我开窑子的下场; 여러분들 저를 보십시오. 이것이 저와 같이 기생 집을 차린 자의 말로입니다.

〔耍骨头〕 shuǎ gútou ①까불다. 착실하게 일을 하려고 하지 않다. ②뻔뻔스럽게 시치미떼다. ③놀리다. 야유하다. ¶没人敢跟他～; 아무도 감히 그를 놀리는 자는 없다 / 别竟这么～, 说正经的吧; 그렇게 놀리기만 하지 말고, 진지한 얘기를 합시다.

〔耍光棍〕 shuǎ guānggùn ①빈둥거리다. ②위협적인 태도를 하다. 고약하게 굴다. ③강한 체하다. 허세를 부리다. ‖ =〔耍光光〕

〔耍鬼(儿)〕 shuǎ guǐ(r) 속임수를 쓰다. 부정한 짓을 하다. =〔做zuò鬼(儿)〕

〔耍耗子〕 shuǎ hàozi 쥐를 시켜 재주를 부리게 하다. ¶～的; 쥐를 시켜 재주를 부리게 하는 사람.

〔耍猴(儿, 子)〕 shuǎ hóu(r, zi) ①원숭이를 시켜 재주를 부리게 하다. ②엉터리짓을 하다. ¶你别净这么～, 好好儿干吧; 그렇게 엉터리짓만 하지 말고 잘 해라. ③〈比〉 다른 사람을 조종하여 어떤 일을 하게 하다.

〔耍猴粒子〕 shuǎhóulìzi 명 거리에서 하는 소규모 인형극. =〔〈方〉 布bù袋戏〕

〔耍花枪〕 shuǎ huāqiāng 창끝을 휘두르는 솜씨로 적의 눈을 혼란하게 만들다. 〈比〉 능란한 솜씨로 상대를 농락하다.

〔耍花腔〕 shuǎ huāqiāng 달콤한〔교묘한〕 말로 남을 속이다.

〔耍花舌子〕 shuǎ huāshézi 겉치레말을 하다. 입에 발린 말을 하다. ¶我是老实人, 向来不～; 나는 성실한 사람이라 옛날부터 입에 발린 말은 할 줄 모른다.

〔耍花样(儿)〕 shuǎ huāyàng(r) ⇨〔耍花招(儿)〕

〔耍花招(儿)〕 shuǎ huāzhāo(r) ①약아 빠진 것을 자랑삼다. 아는 체하다. ②잔재주를 부리다. 교활한 수단을 쓰다. ‖ =〔耍花样(儿)〕〔耍花着(儿)〕

〔耍花着(儿)〕 shuǎ huāzhāo(r) ⇨〔耍花招(儿)〕

〔耍滑〕 shuǎhuá 동 교활한 짓을 하다. 약게 굴다. ¶他给自己人办事还～, 可恶极了; 그는 동료의 일을 해 줄 때에도 교활한 짓을 하는 몹시 괘씸한 놈이다. =〔耍滑头〕

〔耍混混(儿)的〕 shuǎ hùnhun(r)de 명 무뢰한. 건달.

〔耍火〕 shuǎhuǒ 동 불장난하다.

〔耍货(儿)〕 shuǎhuò(r) 명 ①장난감. ②〈罵〉 화냥년('儿化' 안함).

〔耍家(儿, 子)〕 shuǎjiā(r, zi) 명 도박 상습자. 도박꾼.

〔耍尖头〕 shuǎ jiāntou 작은 일에 힘을 쓰다. 사소한 일에 얽매이다. ¶合作社的利益和社员的利益是一致的, 必须大家不～, 才能把社办好; 협동 조합의 이익과 조합원의 이익이 일치하기 때문에, 모두가 작은 일에 얽매이지 않으면 협동 조합은 잘 되어 나간다.

〔耍奸〕 shuǎjiān 동 교활한 수단을 꾸미다. 명 교

활.

〔耍贱骨头〕 shuǎ jiàngútou 추잡하고 실없는 장난을 하여 사람을 웃기다.

〔耍将〕 shuǎjiàng 명 도박의 대가.

〔耍空拳头〕 shuǎ kōngquántou 말만 앞세우고 실제로는 아무것도 못 하다. 허세 부리다. 허풍떨다.

〔耍傀儡〕 shuǎ kuǐlěi ①인형을 조종하다. ¶～的; 인형을 놀리는 사람. ②인형극.

〔耍阔〕 shuǎkuò 동 허세를〔허영을〕 부리다.

〔耍赖〕 shuǎ.lài 동 ①남이 싫어하는 짓을 하다. ②못된 짓을 하다. 행패를 부리다. =〔耍无赖〕 ③딱 잡아떼다. ¶他又耍起赖来了; 그는 또 시침을 떼기 시작했다. ④억지부리다.

〔耍赖皮〕 shuǎ làipí 뻔뻔스럽게 굴다. 불평하다.

〔耍懒〕 shuǎlǎn 동 게으름 피우다. 꾀부리다. =〔偷tōu懒〕

〔耍乐〕 shuǎlè 동 장난치다. 까불다. 놀다. ¶禁止游客进入佛像肚内～; 구경꾼이 불상의 배 안에 들어가서 노는 것을 금지하다.

〔耍脸子〕 shuǎ liǎnzi ①화난 얼굴을 하다. 무뚝뚝한 표정을 하다. ¶你昨儿夜里没作好梦, 今天～; 넌 간밤에 꿈자리가 사나웠던지 오늘은 무뚝뚝한 표정을 하고 있구나. ②얼굴을 팔다.

〔耍两面派〕 shuǎliǎngmiànpài 딴 마음이 있는 거동. 이면적 행동.

〔耍流氓〕 shuǎ liúmáng ①불량한 짓을 하다. ②여성에게 실례가 되는 짓을 하다. ③야비한 행위를 하다.

〔耍龙灯〕 shuǎ lóngdēng (음력 대보름날에) 용등춤을 추다.

〔耍马前刀(儿)〕 shuǎ mǎqiándāo(r) 〈比〉 남 앞에서는〔보는 앞에서는〕 열심히 일하는 체하다. ¶你不用耍这套马前刀, 你有什么打算直说就是了; 너는 그렇게 내 앞에서만 부지런한 체하지 말고, 무슨 생각이 있다면 솔직히 말해라 / 这个用人真奸, 净当着人～, 背后就偷懒; 이 하인은 정말 교활해서, 남 앞에서만은 열심히 하지만 보지 않는 데선 게으름을 피운다.

〔耍埋汰〕 shuǎ máitai 〈方〉 잔꾀를 부리다. 간계를 쓰다. 추접스러운 수법을 쓰다.

〔耍蛮〕 shuǎmán 동 난폭한 짓을 하다.

〔耍孬种〕 shuǎ nāozhǒng 비겁한〔비열한〕 행동을 하다.

〔耍闹〕 shuǎnào 동 장난치며 떠들다.

〔耍弄〕 shuǎnòng 동 우롱하다. 농락하다. ¶他想～我们呢, 可不能上当! 놈은 우리들을 농락하려고 들지만, 그 수에 속아서는 안 된다! / 这会子被那起毛崽子～《紅樓夢》; 이번에는 저 애송이들한테 당했다.

〔耍派头〕 shuǎ pàitou ①잘난 체하다. 건방지게 굴다. ②허세를 부리다.

〔耍盘子〕 shuǎ pánzi ①접시돌리기를 하다. ②(shuǎpánzi) 명 접시 돌리기.

〔耍脾气〕 shuǎ píqi 짜증내다. 신경질을 내다. ¶富贵家的人爱～; 부잣집 사람은 짜증을 잘 낸다.

〔耍贫嘴〕 shuǎ pínzuǐ 〈方〉 입심 좋게 지껄여 대다. 쓸데없는 얘기를 지껄이다. ¶这猴崽子, 净～; 이 원숭이 새끼 같은 놈, 쓸데없는 말만 지껄여 대는구나. =〔耍频嘴〕

〔耍钱〕 shuǎ.qián 동 〈方〉 도박을 하다. ¶～鬼; 도박꾼. =〔赌钱〕

〔耍枪弄棒〕 shuǎqiāng nòngbàng ①창이나 봉을 사용하다. ②무예를 닦다〔익히다〕.

〔耍强〕 shuǎqiáng 동 위세를 부리다.

〔耍俏〕 shuǎ.qiào 동 ①잘난 체하다. 젠체하다. 건방지게 굴다. ②약올리다. ¶及至人们问到, "认识呀?" 他就又像装傻又像～的那么一笑, 使人们不知怎样才好《老舍 駱駝祥子》; 손님들이 '장소는 알고 있느냐' 라고 물었을 때, 그는 얼빠진 사람 같기도 하고 남을 놀리는 것 같기도 한 웃음을 히쭉이며, 손님이 어떻게 하면 좋을지 모르게 했다. ‖ =〔耍飘儿〕

〔耍拳〕 shuǎ.quán 동 권법(拳法)을 하다. ¶～弄棒; 권법·봉술(棒術)을 하다.

〔耍儿〕 shuǎr 명 도박.

〔耍人〕 shuǎ.rén 동 남을 놀리다. 남을 속이다.

〔耍人儿的〕 shuǎrénrde 명 (브로커 따위처럼) 신용·교제 등을 밑천으로 삼고 살아가는 사람. ¶咱们都是～的, 讲究的是信用, 要净是许愿不还愿, 下回还能办事啦; 우리들은 모두 백수라, 중요한 것은 신용인데, 만일 약속을 지키지 않으면 다음 번부터는 일을 할 수 없지. =〔耍布人儿的〕

〔耍神儿〕 shuǎ.shénr 동 ①표정을 바꾸다. ②추파를 던지다.

〔耍狮子〕 shuǎ.shīzi 동 사자춤을 추다.

〔耍势力〕 shuǎ shìli 권세를 부리다. ¶～是不能持久的; 권세를 제마음대로 부리면 오래 가지 않는다.

〔耍手彩〕 shuǎ shǒucǎi 교묘하게 남을 속이다. ¶他不会暗中闹鬼儿～《老舍 四世同堂》; 그는 몰래 못된 짓을 하거나, 교묘하게 남을 속이는 짓은 못한다.

〔耍手段〕 shuǎ shǒuduàn (부정한) 수단을 부리다〔쓰다〕. =〔耍手腕(儿)〕

〔耍手腕(儿)〕 shuǎ shǒuwàn(r) ⇨〔耍手段〕

〔耍手艺〕 shuǎ shǒuyi 기예로 입신하다. 손재주로 살아가다. ¶～的; 손재주로 살아가는 사람.

〔耍死狗〕 shuǎ sǐgǒu 〈方〉〈比〉 ①장난치다. ¶整天～没一点正经, 真讨人嫌; 하루 종일 장난만 치고 있어 조금도 진실한 구석이 없으니, 정말 보기 싫다. ②뻔뻔스럽다. 철면피다. 입을 다물고 모르는 체하다. ¶人家不肯周济, 还不趁早走, 赖在这儿～, 好没有出息; 남이 도와 주지 않는다고 해도 빨리 가지도 않고 뻔뻔스럽게 눌러 앉다니, 어지간히 못난 놈이다. ③투덜대다. 떼쓰다.

〔耍态度〕 shuǎ tàidu 건방진 태도를 취하다. 잘난 체하다. 거드름 피우다.

〔耍坛子〕 shuǎtánzi ① 명 항아리돌리기《곡예》. ②(shuǎ tánzi) 항아리돌리기를 하다.

〔耍威风〕 shuǎ wēifēng 뻐기다. 으스대다. 위세를 부리다. ¶你跟这孩子～; 너는 이 아이에게 위세를 부리는 거냐.

〔耍无赖〕 shuǎ wúlài 깡패 같은 언동을 하다. 행패를 부리다. =〔耍赖②〕

〔耍戏〕 shuǎxì 동 놀리다. 희롱하다. ¶现在不是～的时候, 正经点儿! 지금은 까불 때가 아니다, 점잖게 굴어라!

〔耍象儿〕 shuǎxiàngr 동 얼굴 표정으로 알리다. ¶你为什么同我眉来眼去地～呀; 너는 왜 내게 눈썹을 찡긋하거나 눈짓으로 알리는 거냐.

〔耍小聪明〕 shuǎ xiǎocōngmíng 약은 체하다. 잔꾀를 부리다.

〔耍笑〕 shuǎxiào 동 ①마음껏 웃고 떠들다. 장난치다. ¶他们在新房里～了好一阵; 그들은 신혼방에 쳐들어가서 꽤 오랫동안 장난들을 쳤다. ②남을 웃음거리로 만들다. 놀려 대다. 우롱하다. ¶他一向很庄重, 从来不～人; 그는 아주 근엄해서 이

때까지 남을 우롱해 본 일이 없었다.
〔耍心眼儿〕 shuǎ xīnyǎnr (무엇을 얻으려고) 잔꾀를 부리다. 못된 꾀를 부리다.
〔耍玄虚〕 shuǎ xuánxū ①거드름 피우며 이상한 짓을 하다. ②(뜻 모를 말을 하여) 남을 혼란시키다. 일부러 이해 못할 말을 하다.
〔耍眼神(儿)〕 shuǎ yǎnshén(r) 추파를 던지다. 눈짓하다. =〔使shǐ眼神(儿)〕
〔耍阴阳脸〕 shuǎ yīnyángliǎn 어정쩡한 얼굴을 하다.
〔耍硬〕 shuǎ.yìng 동 엄하게 하다. 강경한 태도를 취하다.
〔耍着玩儿〕 shuǎzhe wánr 〈方〉 ①놀다. 장난치다. ②놀리다. 장난치다.
〔耍子〕 shuǎzi 동 〈方〉 놀다. 장난하다. ¶～话; 농담. =〔玩儿〕
〔耍嘴〕 shuǎ.zuǐ 동 ①말로만 하다. 말만 하고 하지 않다. ②억지부리다. ‖=〔耍嘴巴〕〔耍嘴皮子〕
〔耍嘴片子〕 shuǎ zuǐpiànzi 이리저리 변명만 하다. 억지를 부리다.

刷 shuà (쇄)
①→〔刷白〕 ②동 〈文〉 고르다. =〔刷选xuǎn〕 ③〈擬〉 싹. 쓱. 쓱싹(반반한 면이 물건과 닿아서 나는 소리. 또, 갑자기 변화가 일어나는 형용). ¶他～地从树上滑到了平地; 그는 쓱 나무에서 땅바닥으로 미끄러져 떨어졌다. ⇒shuā
〔刷白〕 shuàbái 형 〈方〉 ①창백하다. ¶一听这话, 他的脸立刻变得～; 이 말을 듣고 그의 얼굴은 금방 창백해졌다. ②푸르스름하다. ¶月亮把麦地照得～; 달이 보리밭을 푸르스름하게 비추고 있다.

SHUAI ㄕㄨㄞ

衰 shuāi (쇠)
동 쇠퇴해지다. 쇠하다. ¶老年力～; 나이가 들어 힘이 쇠퇴해지다. ⇒cuī
〔衰败〕 shuāibài 동 쇠퇴하다. ¶精神～了; 정신이〔원기가〕 쇠퇴했다.
〔衰变〕 shuāibiàn 명 《物》 (방사성 원소의) 붕괴. =〔蜕变〕
〔衰分〕 shuāifēn 명 《數》 〈文〉 '九jiǔ章算术'의 하나로, 분배 비례에 관한 계산법. =〔差chā分〕
〔衰耗〕 shuāihào 동 쇠약해지다.
〔衰疾〕 shuāijí 명 〈文〉 노쇠(병).
〔衰减〕 shuāijiǎn 명 《電》 (전기·전압 등의) 감쇠. ¶～器; 감쇠기.
〔衰竭〕 shuāijié 동 《醫》 (중병으로) 생리 기능을 상실하다. 쇠약해지다. 피폐(疲弊)해지다. ¶心力～; 심장 기능 부전(不全). 심부전.
〔衰老〕 shuāilǎo 형 노쇠하다. 늙어 추레해지다. 몰락하다. =〔衰朽〕
〔衰落〕 shuāiluò 동 쇠락하다. 힘을 잃다. ¶日趋～; 날로 쇠퇴하다 / 对外贸易愈见～; 대외 무역은 더욱더 쇠미해진다. =〔衰朽〕
〔衰迈〕 shuāimài 형 〈文〉 나이들어〔늙어서〕 쓸모없다.
〔衰派老生戏〕 shuāipài lǎoshēngxì 명 노쇠하거나 사정이 비참한 노인에 관한 연극.
〔衰容〕 shuāiróng 명 〈文〉 노쇠한 얼굴 모습. =〔衰颜〕
〔衰弱〕 shuāiruò 형 쇠약하다. ¶身体～; 몸이 쇠약하다. 동 쇠약해지다. ¶攻势已经～; 공세가 이미 쇠약해졌다.
〔衰飒〕 shuāisà 형 〈文〉 쇠미하다. 영락하다. 동 의기 소침하다. ¶～不振; 의기 소침하여 왕성하지 못하다.
〔衰酸〕 shuāisuān 명 ⇨〔青qīng酸〕
〔衰损〕 shuāisǔn 동 다치고 쇠하다. 쇠약해지다. ¶筋肉的～; 근육의 쇠약.
〔衰缩〕 shuāisuō 동 〈文〉 쇠퇴하다. ¶贸易日见～; 무역이 날로 쇠퇴하다.
〔衰颓〕 shuāituí 동 (심신·민족 등이) 쇠퇴하다. 퇴폐하다. 조락(凋落)하다.
〔衰退〕 shuāituì 동 쇠퇴하다. 쇠약해지고 감퇴하다. ¶气力～; 기력이 쇠퇴하다.
〔衰亡〕 shuāiwáng 동 쇠망하다.
〔衰微〕 shuāiwēi 형 〈文〉 (국가·민족 등이) 쇠미하다. 쇠잔하고 미약하다.
〔衰歇〕 shuāixiē 동 쇠퇴하여 종말로 향하다. 쇠진(衰盡)하다. ¶其影响至今仍未～; 그 영향은 지금도 여전히 남아 있다.
〔衰朽〕 shuāixiǔ 동 ⇨〔衰落〕 형 ⇨〔衰老〕
〔衰颜〕 shuāiyán 명 ⇨〔衰容〕

摔〈踤〉 shuāi (솔)
① 동 ①자빠지다. 넘어져 뒹굴다. 실족하다. ¶差点儿～两个好的; 하마터면 두 번이나 되게 넘어질 뻔했다 / ～了一个跟头; 실족하여 나가 동그라졌다. →〔跌〕 ②털리어 떨어지다. ¶～下来; 흔들리어 떨어지다 / 他是骑马～下来了; 그는 말을 타다가 떨어진 것이다. ③떨어뜨려 산산조각이 내다. ¶把花盆～了; 화분을 떨어뜨려 깨뜨렸다. ④내동댕이치다. ¶把书往桌上一～; 책을 테이블 위에 내동댕이치다. ⑤난폭하게 움직이다. 힘을 주어 뿌리치듯이 하다. ¶～门而出; 문을 탕 닫고 나가다(화났을 때).
〔摔不掉〕 shuāibudiào 내버릴 수 없다. 떨쳐 버릴 수 없다.
〔摔打〕 shuāida 동 ①훈련하다. 단련하다. ¶～出一副结实身了; 단련하여 튼튼한 몸을 만들었다. ②경험을 쌓다. 세상 풍파에 시달리다. ¶在外头～过; 사회에서 고생을 겪었다 / 人是～出来的; 사람이라는 것은 고생을 하며 단련되어야 한다. ③(손에 쥐고) 탁탁 털다. ¶他拾起了帽子, ～了几下; 그는 모자를 주워서 몇 번인가 탁탁 털었다.
〔摔打花〕 shuāidǎhuā 명 ⇨〔武wǔ净〕
〔摔打砸拉〕 shuāi dǎ zá lā ①(던지고, 치고, 때려 부수고, 당기는 등) 온갖 파괴적인 짓을 하다. 〈轉〉 난폭한〔심한〕 짓을 하다. ¶他这人～, 什么事做不出? 千万不要惹他; 그는 난폭한 짓을 하는 인물로, 무슨 짓이든 못 하겠는가? 절대로 상대하지 마라. ②〈轉〉 어떠한 일에도 굴하지 않다. ¶他是个～的人; 그는 무슨 일에도 굴하지 않는 인간이다. ③〈轉〉 중노동. 힘으로 하는 일. ¶他有力气, 什么～的活儿都能做; 그는 힘이 있어, 어떠한 막일도 할 수 있다. ‖=〔摔砸拉活儿〕
〔摔倒〕 shuāidǎo 동 ①내동댕이치다. ②나가동그라지다. 자빠지다.
〔摔得出来〕 shuāidechu.lái ⇨〔抡lūn得出来〕
〔摔跟头〕 shuāi gēntou ①나가동그라지다. 곤두박질치다. =〔摔筋斗〕〔摔觔斗〕 ②실패하다. ③《劇》 공중제비를 넘다.
〔摔坏〕 shuāihuài 동 ①넘어져서 다치다. ②던져서 부수다.

〔摔簧〕 shuāihuáng 동 빗대어 빈정거리다. 비꼬아 말하다. ¶老李得罪你了, 你找他说去, 甭在这儿～; 이군이 너한테 잘못했으면 그를 찾아가 말을 해야지, 여기서 빈정거리지 마라. =〔摔黄〕
〔摔跤〕 shuāi.jiāo 동 ①넘어지다. 자빠지다. ¶摔了一跤; 푹 꼬꾸라지다. ②레슬링을 하다. (중국식의) 씨름하다. (shuāijiāo) 명《體》①레슬링. ¶国际～; 국제 레슬링. ②(중국식의) 씨름.
〔摔镜子〕 shuāi jìngzi 〈比〉 남의 비판을 받아들이지 않다. ¶你不该～; 너는 남의 비판을 받아들여야 한다.
〔摔颗子〕 shuāikèzi 명《劇》 뒤로 넘는 공중제비《무예극의 동작의 하나》.
〔摔劳盆〕 shuāiláopén 명 ⇨〔摔盆儿〕
〔摔脸子〕 shuāi liǎnzi 금방 화를 내다. 골내다.
〔摔咧子〕 shuāi liēzi ⇨〔甩闲话〕
〔摔落〕 shuāiluò 동 떨어지다. 굴러 떨어지다. ¶从宝座上～下来; 보좌에서 떨어지다.
〔摔门〕 shuāimén 동 문을 꽝 닫다.
〔摔耙子〕 shuāi pázi 〈比〉 일을 팽개쳐두고 하지 않다.
〔摔牌〕 shuāi.pái 동 〈比〉 체면을 손상하다. 명예를 더럽히다. ¶不能给前辈～现眼; 선배의 명예를 실추시켜 체면을 손상할 수 없다.
〔摔炮儿〕 shuāipàor 명 딱총《땅에 내던져 폭발시키는 장난감》.
〔摔盆儿〕 shuāipénr 명 출관(出棺) 때, 상주(喪主)가 질그릇 공기를 깨는 의식. =〔摔劳盆〕〔摔丧(盆子)〕
〔摔盆砸碗〕 shuāipén záwǎn 〈比〉 화풀이하다. 까닭 없이 옆사람에게 화를 내다.
〔摔破〕 shuāipò 동 내던져서 부수다. ¶风～了门; (닫아 놓지 않은) 문이 바람에 부서졌다.
〔摔铺儿〕 shuāipūr 동 에둘러 말하다.
〔摔丧(盆子)〕 shuāisāng(pénzi) 명 ⇨〔摔盆儿〕
〔摔手〕 shuāishǒu 동 손을 뿌리치다. 손을 떼다. ¶他～不管; 그는 손을 떼고 상관하지 않는다.
〔摔死〕 shuāisǐ 동 ①던져 죽이다. ②추락사하다.
〔摔碎〕 shuāisuì 동 떨어져서 깨지다.
〔摔闲话〕 shuāi xiánhuà 불평하다. 푸념하다.
〔摔袖〕 shuāixiù 동 소매를 뿌리치다.
〔摔砸〕 shuāizá 동 파괴하다. ¶～了个土平; 하나도 남김없이 파괴했다〔되었다〕.
〔摔赞儿〕 shuāizànr ⇨〔甩shuǎi闲话〕

甩 shuǎi (솔)

동 ①흔들다. 뿌리치다. ¶～尾巴; 꼬리를 흔들다 / ～着胳臂走; 활개치며 걸어가다. ②뿌리다. ¶把烟袋油子～出去; 담뱃대의 진을 털어 내다. ③내던지다. ¶～手榴弹; 수류탄을 던지다 / 把鞋～出挺远; 신을 아주 멀리 내던지다. ④따로따로 떼어 놓다. ⑤손으로 코를 풀다. ⑥떼버리다. ¶被她～了; 그 여자에게 채었다. ⑦말을 내뱉다.
〔甩车〕 shuǎi.chē 동 기관차에서 객차 등을 떼어 놓다.
〔甩出〕 shuǎichu 동 내던지다. 던지다.
〔甩大鞋〕 shuǎi dàxié 〈比〉 ①거만하다. 건방지다. ¶他逢人总～, 一点不和气; 그는 다른 사람에 대해서 늘 거만하여 조금도 온화한 데가 없었다. ②(일을) 대충 하다. 아무렇게나 되는 대로 하다. ¶做事要多加小心, 可不能～! 일은 조심스럽게 해야지 되는 대로 해서는 안 된다. ③〈方〉 책임을 회피하다.
〔甩底〕 shuǎidǐ 동 참패하다. ¶杨子祥在曼谷的比赛中～了; 양자상은 방콕에서의 시합에서 참패했다.
〔甩掉〕 shuǎidiào 동 내던지다. ¶～包袱; 마음의 무거운 짐, 또는 과해진 일을 벗어던지다.
〔甩动〕 shuǎidòng 동 (힘껏) 휘두르다. ¶～大斧子; 큰 도끼를 휘두르다.
〔甩发〕 shuǎifà 명《劇》 경극(京劇)의 남자 배역의 머리형의 하나《머리를 묶은 실을 잘라서 머리를 풀어 헤쳐, 맹렬한 칼싸움, 패장(敗將)의 초라한 모습, 죄수 등을 나타냄》.
〔甩风葫芦〕 shuǎi fēnghúlu 요요(yoyo)를 돌리(고 놀)다.
〔甩汗〕 shuǎi hàn 땀을 훔치다.
〔甩货〕 shuǎihuò 명 투매품. (shuǎi.huò) 동 투매하다.
〔甩开〕 shuǎikāi 동 ①뿌리치다. 뿌리쳐 떼다. (힘껏 또는 무리하게) 내던지다. ②크게 벌리다. ¶～两条腿; 양다리를 크게 벌리다 / ～膀子; 팔을 걷어붙이다《힘내어 일하다》/ ～腮帮子; 〈北方〉 실컷 먹다.
〔甩脸子〕 shuǎi liǎnzi 〈方〉 언짢은 얼굴을 하다. 화난 얼굴로 남을 대하다. ¶我好心问你, 你跟我甩什么脸子? 나는 자네에게 호의로 묻고 있는데, 자네는 왜 불쾌한 얼굴을 하는 거냐?
〔甩咧子〕 shuǎi liēzi ⇨〔甩闲话〕
〔甩轮〕 shuǎilún 명《機》 플라이휠(flywheel).
〔甩卖〕 shuǎimài 동 방매(放賣)하다. 투매(投賣)하다. ¶大～; 대매출.
〔甩儿〕 shuǎir 명 파리 따위를 쫓는 총채《말총으로 만듦》. ¶苍蝇～ =〔蝇刷儿〕; 파리 쫓는 총채.
〔甩手〕 shuǎi.shǒu 동 ①손을 떼다《상관 않는다는 의미》. ¶～无边 =〔甩袖无边〕; 〈比〉 끝이 없이 넓은 모양. ②〈轉〉(일 따위를) 방치해 두다. 내버려 두다. ¶事还没成, 他就～不干了; 일을 아직 끝내지 않았는데, 그는 일을 안 하고 방치해 버렸다.
〔甩头〕 shuǎitou 명 (말총 따위로 만든) 총채.
〔甩脱〕 shuǎituō 동 ①벗어 던지다. ¶他一～上衣, 就跑过去了; 그는 상의를 벗어던지고는 곧바로 뛰어가 버렸다. ②(뿌리치듯) 도망치다. ¶想办法把这件事～掉吧! 어떻게 해서든 이 일에서 도망쳐라! ③(미행(尾行)하는 것을) 따돌리다. ¶～了跟踪的人; 미행하는 사람을 따돌렸다.
〔甩闲话〕 shuǎi xiánhuà ①투덜거리다. 불평하다. ¶您有什么不满意, 请直接说出来, 甭冷言冷语地～; 뭔가 불만스러운 일이 있거든 직접 말해 주십시오. 빈정거리는 투로 투덜거리지 말고. ②쓸데없는 이야기를 하다. 잡담하다. ‖ =〔甩咧子〕〔摔咧子〕〔摔赞儿〕
〔甩闲杂儿〕 shuǎi xiánzár 〈京〉 불평하듯 말하다. ¶我没有工夫听他～; 나는 그의 불평하는 얘기를 들을 틈이 없다.
〔甩袖子〕 shuǎi xiùzi 소매를 뿌리치다《모르는 체하거나 불만을 나타낼 때의 태도》. ¶一～出来了; (화나서) 홱 나왔다 / 因为挨了批评, ～不干了; 비판을 당했기 때문에 화가 나서 그만두어 버렸다.
〔甩砸〕 shuǎizá 동 파괴하다. ¶～了个土平; 모두 철저하게 파괴했다〔되었다〕.
〔甩子〕 shuǎizǐ 동 (물고기나 벌레가) 알을 슬다. ¶～儿; 벌레의 알.
〔甩子〕 shuǎizi 명 ①대장간에서 쓰는 금속 단압용(鍛壓用)의 틀. ②커넥팅 로드(connecting rod). =〔连杆〕

帅(帥) **shuài** (수)
①명 장수. ②명 총독(總督). ③동 통솔하다. ¶统～; 통수하다. =〔率①〕 ④형〈方〉멋있다. 세련되다. ¶打扮得真～呀! 몸차림이 정말 멋지다!/这字写得真～; 이 글씨는 정말 근사하다. =〔率⑦〕 ⑤명 (중국 장기에서) 붉은 자가 쓰인 말의 궁(宮)《검은 글자의 말의 경우는 '将'》. ⑥명 성(姓)의 하나.

率 **shuài** (솔)
①동 거느리다. 통솔하다. ¶～队; 부대를 거느리다/～二子前往; 두 아이를 데리고 현지로 가다. =〔帅③〕 ②명 본보기. ③형 경솔하다. ¶草～; 거칠고 경솔하다/～尔; ⇓ ④동 따르다. 따라서 지키다. ⑤형 솔직하다. 꾸밈이 없다. ¶坦～; 솔직하다. ⑥부 대략. 대체로. 대개. ¶～皆如此; 대체로 모두 이와 같다/～以此为例; 대개 이것을 예로 삼다. ⑦형〈方〉멋지다. 세련되다. 보기 좋다. ¶跳舞的步子真～; 댄스의 스탭이 참말로 멋이 있다. =〔帅④〕 →〔漂亮〕〔俏皮〕 ⇒lǜ

〔率部〕 shuàibù 동 부하를 인솔하다.
〔率常〕 shuàicháng 부〈文〉대개. 대체로.
〔率带〕 shuàidài 동〈文〉인솔하다.
〔率尔〕 shuài'ěr 형 ①〈文〉경솔한 모양. ¶～而对; 경솔하게 대답하다. ②갑작스런 모양.
〔率怀〕 shuàihuái 부〈文〉마음 내키는 대로. 제멋대로. ¶～行事; 마음 내키는 대로 일하다.
〔率教〕 shuàijiào 동〈文〉가르침을 받들다.
〔率领〕 shuàilǐng 동 거느리다. 인솔하다. ¶～军队作战; 군대를 거느리고 싸우다.
〔率然〕 shuàirán 부〈文〉돌연. 갑자기.
〔率任〕 shuàirèn 동〈文〉제멋대로 하다.
〔率师〕 shuàishī 동〈文〉군대를 거느리다〔통솔하다〕.
〔率同〕 shuàitóng 동 인솔하여 함께 가다. …을 대동(帶同)하다. ¶～部下前往; 부하를 대동하여 앞으로 나아가다.
〔率土〕 shuàitǔ 명〈文〉온 나라의 땅. 국토 전체. ¶～之滨莫非王臣《詩經 小雅 北山》; 온 나라의 지경 안의 주민은 모두 왕의 신하이다.
〔率先〕 shuàixiān 동 앞장서다. 부 맨 먼저. 제1착으로. 우선.
〔率性〕 shuàixìng 동〈文〉하늘이 정한 본성(本性)에 따르다. 명 천성(天性). 부 차라리. 아예. 시원스럽게. 마음껏. =〔索性〕
〔率意〕 shuàiyì 동〈文〉①마음대로 하다. ②성의를 다하다.
〔率由〕 shuàiyóu 동 따르다. 의거하다. ¶～旧章; 〈成〉모든 것을 이전의 관습에 의거하다.
〔率御〕 shuàiyù 동〈文〉통어(統御)하다. ¶～之才; 통어의 재능.
〔率允〕 shuàiyǔn 동〈文〉쾌히 허락하다.
〔率真〕 shuàizhēn 형 솔직 담백하다. 정직하다.
〔率直〕 shuàizhí 형 솔직하다.
〔率职〕 shuàizhí 동〈文〉직무를 다하다.

蟀 **shuài** (솔)
→〔蟋xī蟀〕

SHUAN ㄕㄨㄢ

闩(閂〈櫄〉) **shuān** (산)
①명 문빗장. ¶上了～了; 빗장을 걸었다/拔了～, 去待开门《水滸傳》; 빗장을 빼어 문을 열려고 하다. =〔门闩〕 ②동 (문에) 빗장을 걸다〔지르다〕. ¶把门～上; 문에 빗장을 걸다. ‖ =〔栓④〕

拴 **shuān** (전)
동 ①(새끼로) 묶다. ②(마소 따위를) 붙들어매다. ¶～马; 말을 매다/～结实; 단단히 묶다/～住; 붙잡아매다/让这件事给～住了; 이 건으로 얽매이고 말았다. ③〈俗〉구입하다. 손에 넣다. ¶～了一辆大车; 큰 짐수레 1대를 샀다.

〔拴绑〕 shuānbǎng 동 묶다. 매다. ¶～行李; 짐을 꾸리다.
〔拴插〕 shuānchā 동〈京〉어린아이를 돌보다〔보살피다〕. ¶由小～你那么大, 容易吗? 어렸을 때부터 이렇게 클 때까지 너를 돌보아 온다는 게 쉬운 일이었는 줄 아니? =〔拴持①〕
〔拴车的〕 shuānchēde 명 옛날, 인력거를 세놓는 가게.
〔拴持〕 shuānchí 동 ①⇨〔拴插〕 ②판가름하다. 처리하다.
〔拴对儿〕 shuān‧duìr 동〈俗〉사이에 끼여 선동하다. 이간질하다. ¶你千万别信, 他那是给你们～; 너 절대로 믿어선 안 돼. 그는 너희들 양쪽을 선동하고 있는 거야. =〔拴扣儿③〕
〔拴缚〕 shuānfù 동 묶다. 붙들어매다. ¶～了包裹《水滸傳》; 보따리를 싸서 묶었다.
〔拴扣儿〕 shuān‧kòur 동 ①(끈 따위를) 매다. 매듭을 짓다. ②원한을 가지다. ③서로 증오하도록 만들다. 이간질하다. =〔拴对儿〕
〔拴马〕 shuānmǎ 동 말을 매다. ¶～桩; 말을 매는 말뚝.
〔拴牌子〕 shuān páizi 짐〔화물〕에 꼬리표를 달다. =〔扣牌子②〕
〔拴上〕 shuānshàng 동 (새끼 따위로) 매다. 붙들어매다.
〔拴牲口〕 shuān shēngkou 소나 말을 매다.
〔拴事〕 shuānshì 동 고자질하여 남의 사이에 문제를 일으키게 하다.
〔拴束〕 shuānshù 동 싸서 꾸리다. ¶～包裹《水滸傳》; 한데 모아서 보따리로 꾸리다.
〔拴娃娃〕 shuānwáwa 명 옛날, 아이를 갖지 못한 여성이 '娘niáng娘庙'(삼신 사당)에 소원을 빌고 그 곳의 많은 '泥ní娃娃'(진흙 인형) 가운데 마음에 드는 것을 슬쩍 갖고 돌아오는 일《아이가 점지되면, 이듬해 설날에 참배하고 그 인형을 되돌려 놓음》.
〔拴住〕 shuānzhù 동 동여매다. 붙들어매다. ¶～啦, 跑不了! 붙들어매었으니 도망치지 못한다!

栓 **shuān** (전)
명 ①기물(器物)의 개폐부(開閉部). ¶枪～; 총의 노리쇠 뭉치/活～ =〔施塞〕; 활전. 콕(cock)/消火～; 소화전. ②마개. ¶木～; 나무 마개. =〔塞子〕 ③《藥》좌약(坐藥). ¶肛门～; 항문 좌약/阴道～; 질(膣) 좌약/尿道～; 요도 좌약. ④⇨〔闩〕

〔栓剂〕 shuānjì 명《藥》좌약. =〔塞sāi药〕〔《漢醫》坐药〕
〔栓皮〕 shuānpí 명 코르크(cork). ¶～栎lì; 《植》굴참나무. =〔软木〕〔软硬木〕
〔栓塞〕 shuānsè 동《醫》전색이 생기다. ¶静脉血管～了; 정맥에 혈전이 생겼다. 명 색전증.
〔栓子〕 shuānzǐ 명《醫》색전《혈전·혈관을 막히게 하는 이물질》.

涮 **shuàn** (산)
동 ①물로 씻다. 헹구다. 물로 쫙 씻다. ¶～一下瓶子; 병을 헹구어 내다. ②끓는 물에 고기를 넣어 잠깐 동안 삶다. ③허풍을 떨어 속이다. ¶别净拿话～人; 거짓말로 남을 속이지 마. ④바람 맞히다.

〔涮锅子〕 shuànguōzi 명 양고기를 저미어 끓는 냄비 속에 잠깐 넣어 익혀서 양념을 찍어 먹는 요리. =〔涮羊肉〕

〔涮金〕 shuànjīn 동 도금하다. ⇨〔镀dù金①〕

〔涮金作〕 shuànjīnzuō 명 도금장(鍍金匠)(의 점포).

〔涮人〕 shuànrén 동 〈京〉 약속을 어기다. ¶我在车站等你, 不见不散, 你可别～; 역에서 기다리고 있겠다. 만날 때까지는 돌아가지 않을 테니까 약속 어기지 마.

〔涮洗〕 shuànxǐ 동 ①씻다. 헹구다. ②(죄명·악명을) 씻다. 설욕하다.

〔涮羊肉〕 shuànyángròu 명 ⇨〔涮锅子〕

SHUANG ㄕㄨㄤ

双(雙〈雙〉) **shuāng** (쌍)
①두 개(의). 한 쌍(의). ¶举～手赞成; 두 손 들고 찬성하다. ↔〔单①〕 ②양 두 개가 짝을 이루는 것을 세는 단위. ¶一～鞋; 한 켤레의 신 / 一～手; 양손 / 一～筷子; 젓가락 한 매. ③우수(偶數)의. 짝수의. ¶～数; 우수. 짝수. ↔〔单〕 ④2배. ¶～薪; 2개월 또는 2인분의 급료. ⑤동 두 개를 합치다. ¶～着拿; 두 개를 아울러 갖다. ⑥명 성(姓)의 하나.

〔双安〕 shuāng'ān 형 〈文〉 쌍방이 모두 건재하다. ¶父母～; 양친 모두 건재하시다.

〔双百方针〕 shuāngbǎi fāngzhēn 명 '百花齐放, 百家争鸣'의 방침.

〔双伴儿〕 shuāngbànr 명 ⇨〔双生(子)〕

〔双瓣儿〕 shuāngbànr 명 《植》 겹꽃잎.

〔双棒儿〕 shuāngbàngr 명 ⇨〔双生(子)〕

〔双包案〕 shuāngbāo'àn 명 진짜냐 가짜냐의 여부가 중심 문제가 된 사건. ¶出过～; 진위 여부가 관건이 되는 사건이 일어났다.

〔双胞胎〕 shuāngbāotāi 명 쌍둥이. =〔双生(子)〕

〔双保折实贮蓄〕 shuāngbǎo zhéshí zhùxù 명 국민의 저축을 장려하고, 저축액을 화폐 가치의 변동으로부터 지켜주기 위하여 만들어진 제도(예를 들면, 100'元'을 저축하는 경우, 좁쌀 한 근의 시가(市價)가 1'角'이었다면, 좁쌀 1,000근이라 기입하고, 환불할 때에는 실물의 시가로 환산하여 화폐로 내어 주는 방식). =〔保本保值贮蓄〕

〔双倍黑〕 shuāngbèihēi 명 연필의 2B.

〔双璧〕 shuāngbì 명 〈比〉 쌍벽. 나란히 뛰어난 두 사람(의 인재).

〔双边〕 shuāngbiān 명 쌍무. 양자(兩者). 2국간. ¶～协定; 쌍무 협정 / ～会谈; 2국간 회담〔교섭〕. 양자 회담 / ～关系; 쌍방 관계 / ～贸易; 2국간〔쌍무〕 무역 / ～友好条约; 쌍무 우호 조약.

〔双宾语〕 shuāngbīnyǔ 명 《言》 이중 목적어. 이중 빈어(예를 들면, '我问你一句话'(내가 너에게 한 마디 묻겠다)에서 '你'는 '近宾语, 间接宾语'라고 하며, '话'는 '远宾语, 直接宾语'라고 함).

〔双层〕 shuāngcéng 명 2층. 이중. ¶～列车; 2층 좌석 열차 / ～床 =〔叠架床〕〔上下铺〕〔两层床〕; 2단 침대 / ～桥; 《建》 2단식 다리(상단은 인도·차도, 하단은 열차의 통로) / ～结构; 이중 구조.

〔双层环〕 shuāngcénghuán 명 《工》 더블 링(double ring). 이중 링.

〔双岔道〕 shuāngchàdào 명 (철도의) 분기점.

〔双程票〕 shuāngchéngpiào 명 왕복표.

〔双重〕 shuāngchóng 명 이중. 중복. ¶～人格; 이중 인격 / ～国籍; 이중 국적 / ～牙; 덧니 / ～水槽; 이중 탱크〔수조〕 / ～系统; 《電算》 (컴퓨터의) 듀플렉스 시스템(duplex system) / ～摄影法; 중복 촬영법 / 受～打击; 이중의 타격을 받다.

〔双重政府〕 shuāngchóng zhèngfǔ 명 《政》 한 영토 안에 이중의 통치권이 있는 것(연방제 같은 것을 말함).

〔双抽丝〕 shuāngchōusī 명 《紡》 2겹실. 2합사. 두올실.

〔双唇音〕 shuāngchúnyīn 명 《言》 중순음(重脣音). 양순음(兩脣音)(현대 중국에서는 b·p·m 따위의 음).

〔双打〕 shuāngdǎ 《體》 명 ①탁구·테니스·배드민턴 등의 복식(複式). ¶男女混合～; 남녀 혼합복식 / ～比赛; 복식 경기. ②(무술 연습 등의) 대련. 동 복식으로 겨루다.

〔双单〕 shuāngdān 명 우수〔짝수〕와 기수〔홀수〕.

〔双端搬子〕 shuāngduān bānzi 명 ⇨〔双头搬子〕

〔双蛾〕 shuāng'é 명 〈比〉 (여자의) 눈썹. 쌍아.

〔双耳刀(儿)〕 shuāng'ěrdāo(r) 명 '右耳刀(儿)'(우부방)과 '左耳刀(儿)'(좌부방)의 총칭('阝'의 이름). =〔双耳朵〕〔双耳旁(儿)〕

〔双反运动〕 shuāngfǎn yùndòng 명 반낭비(反浪費)·반보수(反保守)의 운동. ¶～挖wā出潜qián力, 建设速度大大加快; 반낭비·반보수 운동으로 잠재력을 발굴하면, 건설 속도는 크게 가속된다.

〔双方〕 shuāngfāng 명 쌍방(모두). ¶～都有益yì处; 쌍방 모두 잇점이 있다 / ～同意; 쌍방이 모두 찬성하다.

〔双飞〕 shuāngfēi 동 (새의) 암수가 나란히 날다. 〈比〉 부부 사이가 좋다.

〔双份(儿)〕 shuāngfèn(r) 명 2인분. ¶吃个～也不为过; 2인분을 먹어도 과다하지 않다.

〔双峰驼〕 shuāngfēngtuó 명 《動》 쌍봉 낙타.

〔双幅(儿)〕 shuāngfú(r) 명 《紡》 더블폭(double 幅).

〔双斧(伐)孤树〕 shuāngfǔ (fá) gūshù 〈成〉 쌍도끼가 외나무를 찍다(술과 계집으로 수명을 줄이다).

〔双杠〕 shuānggàng 명 《體》 평행봉. →〔单杠〕

〔双工钱〕 shuānggōngqián 명 2배의 임금. =〔双料工钱〕〔双饷〕

〔双宫〕 shuānggōng 명 쌍고치. =〔双宫茧〕

〔双钩〕 shuānggōu 명 ①속이 비게 윤곽만을 가는 선으로 그은 글자〔필법〕. ②옛날, 전족(纏足)의 별칭.

〔双股〕 shuānggǔ 명 ①《紡》 이겹실. 이합사(二合絲). ②두 가닥으로 된 것.

〔双股剑〕 shuānggǔjiàn 명 한쌍의 검. =〔雌cí雄劍〕

〔双挂号〕 shuāngguàhào 명 배달 증명 등기 우편. ¶～的快信; 배달 증명 등기 속결 우편. →

〔单dān挂号〕
〔双关〕 shuāngguān 동 ①하나의 말이 두가지 뜻을 가지다. ¶一语～; 한 말로 두 가지 의미를 가지다. ②양쪽에 관계하다.
〔双管猎枪〕 shuāngguǎn lièqiāng 명 쌍발 산탄총(散彈銃)〔엽총〕.
〔双管齐下〕 shuāng guǎn qí xià 〈成〉 두 개의 화필로 동시에 그림(어떤 목적을 달성하기 위해 두 가지 방법을 동시에 취하거나 두 가지 일을 동시에 행함). ¶一面用手术，一面搽药，～，六个月可以完全治好的; 한편으로는 수술을 하고, 한편으로는 약도 발라 두 가지 방법을 쓰면 6개월에 완전히 고칠 수 있다.
〔双轨〕 shuāngguǐ 명 복선(複線)(궤도). =〔双线②〕 ↔〔单轨〕
〔双行〕 shuāngháng 명 (세로의) 2열. 두 줄. ¶排成～; 두 줄로 늘어놓다.
〔双行走〕 shuāngházǒu 명 2열 행진.
〔双毫〕 shuāngháo 명 〈廣〉 2'角'〔20전〕 은화.
〔双号〕 shuānghào 명 (표·좌석 등의) 짝수 번호. ¶～门; 짝수 번호의 입구(중국의 극장·영화관 입구는 흔히 홀수와 짝수로 나뉨).
〔双红〕 shuānghóng 명 짙은 홍색(의). ¶～名帖; 심홍색(深紅色) 명함.
〔双铧犁〕 shuānghuálí 명 이단 쟁기. ¶马拉～; 축력(畜力) 이단 쟁기.
〔双簧〕 shuānghuáng 명《劇》 연기자는 입만 놀리고 다른 사람이 숨어서 노래하는 일종의 잡기(雜技). 〈比〉 쌍방이 호흡을 맞춰 행동하는 것. ¶唱～; ⓐ'双簧'을 실연하다. ⓑ〈比〉 쌍방이 서로 짜고 하다/合演～丑剧 =〔串演～〕; 둘이 짜고 잔꾀를 부리다.
〔双簧管〕 shuānghuángguǎn 명《樂》 오보에(이 oboe).
〔双击〕 shuāngjī 명《電算》 더블 클릭(double click). →〔单击〕
〔双机飞机〕 shuāngjī fēijī 명 쌍발 비행기.
〔双机系统〕 shuāngjī xìtǒng 명《電算》 (컴퓨터에서) 듀플렉스 시스템(duplex system).
〔双基〕 shuāngjī 명 기초 지식과 기본 능력.
〔双季〕 shuāngjì 명《農》 이모작. ¶种～; 이모작 농사를 짓다/～稻 =〔双作稻〕; 이모작의 벼.
〔双髻鲨〕 shuāngjìshā 명《魚》 귀상어. =〔丁dīng字鲨〕〔官guān鲨〕〔相xiàng公帽〕
〔双肩〕 shuāngjiān 명 양어깨. ¶～挑; 양어깨에 짊어지다(두 가지 일을 겸임하다)/他抱着～慢吞吞地往回走; 그는 양 어깨를 움츠리고 터덜터덜 오던 쪽으로 되돌아갔다.
〔双交〕 shuāngjiāo 명《農》 복교잡(複交雜). 이중교잡.
〔双脚规〕 shuāngjiǎoguī 명 ⇨〔圆yuán规〕
〔双镜头〕 shuāngjìngtóu 명 (카메라 렌즈의) 이안(二眼). ¶～反光; 이안 리플렉스.
〔双九〕 shuāngjiǔ 명 옛날, 결혼 후 18일째에 신부측 사람들이 선물을 들고 신랑집으로 가서 함께 잔치를 하는 일(9일째에 이런 행사를 하는 수도 있음).
〔双绝〕 shuāngjué 명 비길 데 없이 훌륭한 두 가지의 일. 으뜸 가는 두 개의 물건. 형 두 가지 모두 비할 데 없이 훌륭하다. ¶色艺～; 자태와 솜씨가 모두 제 1급이다.
〔双款(儿)〕 shuāngkuǎn(r) 명 글씨나 그림에 '上款(儿)'와 '下款(儿)'이 모두 적혀 있는 것.
〔双括号〕 shuāngkuòhào 명 이중 괄호 '(( ))'.
〔双礼〕 shuānglǐ 명 신혼 부부가 윗사람에게 함께 인사하는 일.
〔双鲤〕 shuānglǐ 명 〈文〉〈比〉 서간. 편지. =〔双鱼〕
〔双立人(儿)〕 shuānglìrén(r) 명《言》 두 인변(한자 부수의 하나. '役·往' 등의 '彳'의 이름). =〔双人旁(儿)〕
〔双连〕 shuānglián 명 목재상(木材商)의 변말로 1장(丈) 8척(尺)이 되는 것.
〔双联单〕 shuāngliándān 명 영수증과 부본(副本) 쪽지가 붙어 있는 용지. =〔双联票〕
〔双联炼钢法〕 shuānglián liàngāngfǎ 명《工》 이단 제강법(二段製鋼法).
〔双联票〕 shuāngliánpiào 명 ⇨〔双联单〕
〔双脸鞋〕 shuāngliǎnxié 명 발 끝 부분에 두 개의 매는 끈이 달린 중국의 헝겊 신발. =〔双脸儿鞋〕
〔双料(儿)〕 shuāngliào(r) 명 ①두 배의 재료를 들여 만든 것. ②〈比〉 특제. ¶～的货; 특제품/～的笔; 특제의 붓/他的儿子更是～的不是东西; 그의 아들은 더욱 지독한 나쁜 놈이다.
〔双料工钱〕 shuāngliào gōngqián 명 ⇨〔双工钱〕
〔双领(子)〕 shuānglǐng(zi) 명 더블 칼라(double collar).
〔双硫代甘油〕 shuāngliúdàigānyóu 명 ⇨〔二巯qiú基丙醇〕
〔双六〕 shuāngliù 명 ⇨〔双陆〕
〔双溜胡〕 shuāngliùhú 명 팔자 수염. =〔八字胡〕
〔双炉胆锅炉〕 shuānglúdǎn guōlú 명 ⇨〔兰lán开夏锅炉〕
〔双陆〕 shuānglù 명 쌍륙(옛날의 오락 이름. 장기판 비슷한 쌍륙판에 편을 갈라 말을 늘어놓고, 번갈아 주사위 두 개를 던져 말을 써서 먼저 적의 궁 안에 들여보낸 쪽이 이김. 판의 줄이 열두 줄이었으므로 '十二棋'라고도 함). ¶～板; 쌍륙판/打～; 쌍륙을 치다〔놀다〕. =〔双六〕〔十shí二棋〕
〔双轮〕 shuānglún 명《體》 더블 라운드. ¶五十米～射箭; 50미터 더블 라운드 양궁 경기.
〔双轮犁〕 shuānglúnlí 명《農》 겹바퀴 쟁기.
〔双轮双铧犁〕 shuānglún shuānghuálí 명《農》 두 개의 바퀴와 두 개의 보습이 달린 경운기.
〔双满月〕 shuāngmǎnyuè 명 (사정이 있어서 1개월째의 축하를 하지 않은 경우에) 아이가 태어나 만 2개월째 되는 날의 잔치. ¶办～; '双满月'의 잔치를 하다.
〔双眉紧锁〕 shuāng méi jǐn suǒ 〈成〉 양눈썹을 찌푸리다.
〔双面〕 shuāngmiàn 명 ①양날. ¶～刀片; 양날의 면도날. ②양면. ¶～绣 =〔～刺绣〕; 양면수. ③안팎. ¶～卡; 안팎으로 쓸 수 있는 카키복지.
〔双名〕 shuāngmíng 명 두 자(字)의 인명(人名)(예를 들면, '林语堂'의 '语堂').
〔双眸〕 shuāngmóu 명 〈文〉 쌍모. 양안(兩眼). 두 눈동자.
〔双目显微镜〕 shuāngmù xiǎnwēijìng 명 쌍안현미경.
〔双排扣〕 shuāngpáikòu 명 더블(double). ¶～的男西服; 더블의 남자 양복.
〔双栖〕 shuāngqī 동 (부부 또는 암수가) 동거(同居)하다.
〔双抢〕 shuāngqiǎng 명동《農》 수확을 서두르고

파종을 서두름〔서두르다〕.
〔双亲〕 shuāngqīn 명 양친. ¶～不全的; 편친(偏親)의 / ～在堂; 〈成〉 양친이 아직 건재하다.
〔双庆〕 shuāngqìng 명 부부 두 사람의 생일을 함께 지내는 경사.
〔双球菌〕 shuāngqiújūn 명 《醫》 쌍구균속(屬).
〔双(曲)拱桥〕 shuāng(qū) gǒng qiáo 명 《建》 이중 아치(arch) 다리.
〔双曲线〕 shuāngqūxiàn 명 《數》 쌍곡선.
〔双全〕 shuāngquán 동 둘 다 갖추다. ¶父母～; 양친이 모두 건재하다 / ～其美 =〔两全其美〕; 양쪽 다 좋게 하다.
〔双拳〕 shuāngquán 명 ①두 주먹. ②〈比〉 세력이 없음. 인원수가 적음. ¶～难敌四手; 〈諺〉 중과 부적. 소수는 다수에 대적하기 어렵다.
〔双人床〕 shuāngrénchuáng 명 더블 베드. 이인용 침대.
〔双人单桨有舵手〕 shuāngrén dānjiǎng yǒuduòshǒu 명 《體》 (조정 경기에서) 키가 달린 페어(pair). 유타 페어(有舵pair). ↔〔双人单桨无舵手〕
〔双人房间〕 shuāngrén fángjiān 명 두 사람이 쓰는 방. 트윈 룸. ¶带洗澡间的～; 목욕탕이 붙은 2인용의 방.
〔双人滑〕 shuāngrénhuá 명 《體》 페어스케이팅(pairskating).
〔双人旁(儿)〕 shuāngrénpáng(r) 명 ⇨〔双立人(儿)〕.
〔双人双桨〕 shuāngrén shuāngjiǎng 명 《體》 (조정 경기에서) 더블 스컬(double scull).
〔双日(子)〕 shuāngrì(zi) 명 우수(偶數)의 날. ¶十一月二号是个～, 我们一炮未打; 11월 2일은 짝수 날로 우리는 대포를 한 발도 쏘지 않는다.
〔双杀〕 shuāngshā 명동 《體》 (야구의) 병살(併殺)(하다).
〔双扇门〕 shuāngshànmén 명 좌우 여닫이의 문. ↔〔单dān扇门〕
〔双身(子)〕 shuāngshēn(zi) 명 〈口〉 임부(妊婦).
〔双生(子)〕 shuāngshēng(zi) 명 〈口〉 쌍둥이. ¶他两个倒像一对双生的兄弟; 그들 두 사람은 꼭 쌍둥이 형제 같다. =〔双生子〕〔双伴儿〕〔双棒儿〕
〔双声〕 shuāngshēng 명 《言》 쌍성. 한 단어에서 두 개의 글자 또는 몇 개의 글자의 성모(聲母)가 동일한 것(‘公告 gōnggào’의 g나 ‘方法fāngfǎ’의 f 따위).
〔双十节〕 shuāngshíjié 명 쌍십절(1911년의 신해 혁명과 1912년의 중화 민국 정부 수립을 기념하는 날로 10월 10일임). →〔辛亥革命〕
〔双石头〕 shuāngshítou 명 돌 역기(力器)(막대 양쪽에 원판 모양의 돌이 있음). ¶举～; 역기를 들어 올리다.
〔双手〕 shuāngshǒu 명 양손. 두 손. ¶～合十; 두 손을 합치다. 합장하다 / ～举枪; 받들어 총 / ～投篮; 《體》 (농구의) 투 핸드 슛.
〔双寿〕 shuāngshòu 명 두 사람이 동시에 생일 잔치를 하는 일(노년 부부의 경우가 많음). ¶作～; ‘双寿’를 하다.
〔双数〕 shuāngshù 명 우수(偶數). 짝수.
〔双双〕 shuāngshuāng 부 둘씩. 쌍쌍으로. ¶～见喜; 이중의 기쁨. 양손에 꽃 / ～对对; 두 개씩. 두 사람씩. 쌍쌍이.
〔双宿双飞〕 shuāngsù shuāngfēi 〈比〉 부부가 같이 살며 또한 함께 감. 사는 것도 여행하는 것도 함께 함.
〔双糖〕 shuāngtáng 명 《化》 이당류(자당(蔗糖)·젖당 따위).
〔双淘汰赛〕 shuāngtáotàisài 명 《體》 패자 부활전. =〔安慰赛〕
〔双套车〕 shuāngtàochē 명 ①사이드카가 달린 차. ②쌍두 마차.
〔双体船〕 shuāngtǐchuán 명 쌍동선(雙胴船).
〔双筒望远镜〕 shuāngtǒng wàngyuǎnjìng 명 쌍안경.
〔双偷垒〕 shuāngtōulěi 명 《體》 더블 스틸(double steal).
〔双头搬子〕 shuāngtóu bānzi 명 양구 스패너(兩口spanner). =〔双端搬子〕
〔双头镐〕 shuāngtóugǎo 명 ⇨〔丁dīng字镐〕
〔双头螺栓〕 shuāngtóu luóshuān 명 《機》 스터드 볼트(stud bolt). 양측(兩側) 나사 볼트. =〔〈南方〉 司sī搭子〕〔栽zāi丝〕〔柱zhù螺栓〕
〔双头螺纹〕 shuāngtóu luówén 명 《機》 두줄 나사. =〔〈南方〉 双头牙〕
〔双头汽锅〕 shuāngtóu qìguō 명 《機》 선박용 보일러의 일종으로, 양쪽에 모두 노(爐)와 아궁이가 있음.
〔双头牙〕 shuāngtóuyá 명 ⇨〔双头螺纹〕
〔双腿安〕 shuāngtuǐ'ān 명 꿇어앉아 절하는 예법(본디 만족 기인(滿族旗人)의 예법).
〔双尾鱼〕 shuāngwěiyú 명 《魚》 피라미.
〔双纹锉〕 shuāngwéncuò 명 《機》 두줄날 줄(보통의 줄은 대개 이 종류임).
〔双误〕 shuāngwù 명 《體》 (배구 등의 서브에서) 더블 폴트(double fault).
〔双喜〕 shuāngxǐ 명 두 개의 경사(慶事). 겹경사. ¶～临门; 두 경사가 한꺼번에 한 집에 닥치다 / ～字儿; 쌍희자(囍; 경축의 뜻).
〔双下巴〕 shuāngxiàba 명 이중턱.
〔双线〕 shuāngxiàn 명 ①쌍줄. 두 줄. ②⇨〔双轨〕
〔双线钢笔〕 shuāngxiàn gāngbǐ 명 두 줄 긋는 가막부리〔오구(烏口)〕.
〔双饷〕 shuāngxiǎng 명 ⇨〔双工钱〕
〔双心锅炉〕 shuāngxīn guōlú 명 ⇨〔兰lán开夏锅炉〕
〔双星〕 shuāngxīng 명 ①《天》 쌍성. 이중성. ②견우·직녀의 두 별. ③〈比〉 부부.
〔双姓〕 shuāngxìng 명 ①두 자의 성. 복성(‘司马’·‘欧阳’ 따위). =〔复姓〕 ②두 개의 성(결혼한 여자는 친정의 성 위에 시집의 성을 얹어 두 성을 사용함).
〔双牙盘〕 shuāngyápán 명 (자전거의) 두 개의 앞 기어.
〔双眼皮(儿)〕 shuāngyǎnpí(r) 명 쌍꺼풀. ↔〔单dān眼皮〕
〔双氧水〕 shuāngyǎngshuǐ 명 《藥》 옥시돌(oxydol). 과산화 수소수. =〔过氧化氢溶液〕
〔双氧铀〕 shuāngyǎngyóu 명 《化》 우라닐기(uranyl 基).
〔双翼(飞)机〕 shuāngyì(fēi)jī 명 복엽 비행기.
〔双音节〕 shuāngyīnjié 명 《言》 2음절. ¶～词; 2음절어.
〔双引号〕 shuāngyǐnhào 명 큰따옴표(‘标biāo点符号’의 “ ”표).
〔双用〕 shuāngyòng 명형 양용(兩用)(의). ¶男女～; 남녀 양용.
〔双鱼〕 shuāngyú 명 ⇨〔双鲤〕
〔双元音〕 shuāngyuányīn 명 《言》 이중 모음.

〔双月〕 shuāngyuè 명 ①짝수의 달. ↔〔单月〕 ② 2개월. ¶～刊; 격월 간행(물) / ～历; 2개월마다 넘기는 달력.
〔双造田〕 shuāngzàotián 명 이모작의 논밭.
〔双职工〕 shuāngzhígōng 명 ①맞벌이 부부. ② 맞벌이 직원·노동자.
〔双周〕 shuāngzhōu 명 격주(隔週). ¶～刊; 격주 간행(물).
〔双绉〕 shuāngzhòu 명《紡》크레프 드 신(프 crepe de chine). =〔法fǎ国绉纱〕
〔双珠〕 shuāngzhū 명〈比〉뛰어난 두 형제〔자매〕.
〔双子叶植物〕 shuāngzǐyè zhíwù 명《植》쌍자엽 식물. 쌍떡잎 식물. ↔〔单子叶植物〕
〔双作稻〕 shuāngzuòdào 명 ⇨〔双季稻〕
〔双座〕 shuāngzuò 명 2인승의 (자동차·비행기 따위).

笅(籆) **shuāng** (쌍)
→〔栙xiáng笅〕

泷(瀧) **shuāng** (롱)
지명용 자(字). ¶～水镇Shuāng shuǐzhèn; 솽수이전(瀧水鎮)《광둥 성(廣東省)에 있는 지명》. ⇒lóng

骦(驦) **shuāng** (상)
→〔骕sù骦〕

鹴(鷞) **shuāng** (상)
①→〔鹴鸠〕 ②→〔鹔sù鹴〕
〔鹴鸠〕 shuāngjiū 명《鳥》매.

霜 **shuāng** (상)
명 ①서리. ¶下xià～; 서리가 내리다. ② (～儿) 과실의 겉에 나오는 흰 가루. ¶柿～儿; 시설(柿雪). ③〈比〉백색. ¶～发; 백발 / 冷lěng～; 콜드 크림.
〔霜鬓〕 shuāngbìn 명 하얗게 센 살쩍.
〔霜刀〕 shuāngdāo 명〈比〉번쩍 빛나는 칼. 예리한 칼.
〔霜冻〕 shuāngdòng 동 ①서리가 내리다. ②상해(霜害)를 맞다. 명 상해. ¶遭了～; 상해를 입었다.
〔霜锋〕 shuāngfēng 명〈比〉번쩍 빛나는 칼. 서릿발처럼 빛나는 칼.
〔霜膏〕 shuānggāo 명 화장용 크림.
〔霜害〕 shuānghài 명《農》상해. (식물 등의) 서리에 의한 피해.
〔霜花〕 shuānghuā 명 ①(유리창 따위에 생기는) 서리꽃. 성에. ②서리 무늬의 세공(細工).
〔霜降〕 shuāngjiàng 명 상강. 절기의 이름《양력 10월 23·4일》.
〔霜烈〕 shuāngliè 형〈比〉(서릿발처럼) 매섭다. 엄하다.
〔霜露〕 shuānglù 명 서리와 이슬. ¶～之病 =〔感冒〕;〈比〉감기.
〔霜毛〕 shuāngmáo 명〈文〉새하얀 털.
〔霜霉病〕 shuāngméibìng 명《農》노균병. =〔露菌病〕
〔霜期〕 shuāngqī 명《氣》서리가 내리는 시기.
〔霜气横秋〕 shuāng qì héng qiū〈成〉태도가 엄하다. 추상같다.
〔霜天〕 shuāngtiān 명 ①추운 날의 하늘. ②추운 날씨.
〔霜条〕 shuāngtiáo 명〈方〉아이스 캔디. =〔冰棍儿〕
〔霜雪〕 shuāngxuě 명 서리와 눈. 형〈比〉①(서리나 눈처럼) 하얗다. ②마음이 결백하다. 순수하다.
〔霜叶〕 shuāngyè 명 서리맞아 단풍든 잎사귀. ¶～红于二月花; 서리맞은 단풍잎이 2월의 꽃보다 붉다.
〔霜月〕 shuāngyuè 명 음력 11월의 별칭. 상월.

孀 **shuāng** (상)
명 과부. ¶居了～了; 과부로 지냈다 / 小孤～;〈罵〉여자를 욕하는 말. 이년! / ～闺; 과부의 집. =〔孀妇〕〔孤孀〕

骦(驦) **shuāng** (상)
→〔骕sù骦〕

礵 **shuāng** (상)
지명용 자(字). ¶北～岛; 베이솽 섬(北礵島)《푸젠 성(福建省)에 있는 섬 이름》.

鹴(鸘) **shuāng** (상)
→〔鹔sù鹴〕

爽 **shuǎng** (상)
①형 밝다. 맑다. ¶～目; 맑은 눈. ②형 (공기·날씨·기분 등이) 상쾌하다. ¶秋高气～; 맑게 갠 가을 날씨 / 天凉风～; 날씨는 서늘하고 바람은 상쾌하다 / 身体不～; 몸이 산뜻하지 않다. ③형 (성격이) 시원스럽다. 솔직하다. ¶直～; 솔직하고 시원스럽다. ④동 어기다. 틀리다. ¶毫厘不～; 조금도 틀리지 않다 / ～约 =〔失约〕; 약속을 어기다 / 屡lǚ试不～; 몇 차례 시험해 봐도 결과는 틀리지 않다.
〔爽脆〕 shuǎngcuì 형 ①(일하는 것이) 시원시원하다. 시원스럽다. ¶他办事总是那么～; 그는 일을 언제나 시원시원하게 해낸다. ②(성질이) 시원시원하다. ¶他是个脾气～的人; 그는 성품이 시원시원한 사람이다.
〔爽当〕 shuǎngdāng 형 ①시원시원하다. 민첩하다. ②깨끗하다. 부 ⇨〔爽性〕
〔爽德〕 shuǎngdé 동〈文〉도덕에 어긋나는 짓을 하다.
〔爽得〕 shuǎngde 부 아예. 차라리. 당장. =〔爽当〕〔爽利〕〔爽性〕
〔爽法〕 shuǎngfǎ 동〈文〉법을 지키지 않다. 법을 어기다.
〔爽发膏〕 shuǎngfàgāo 명 포마드(pomade).
〔爽慧〕 shuǎnghuì 형〈文〉기민하고 영리하다.
〔爽鸠〕 shuǎngjiū 명《鳥》매. =〔来lái鸠〕
〔爽俊〕 shuǎngjùn 형〈文〉호쾌하고 빼어나다. ¶丰采～; 풍채가 준수하다.
〔爽垲〕 shuǎngkǎi〈文〉형 (집이나 땅이) 높고 건조하여 상쾌하다. 명 높고 건조한 땅.
〔爽慨〕 shuǎngkǎi 형 호탕하고 기개가 있다.
〔爽口〕 shuǎngkǒu 형 (맛이) 시원하다. 개운하다. ¶这个香瓜吃着很～; 이 참외는 아주 시원하다 / ～食多应损胃, 快心事过必为殃《醒世恒言》; 입에 당긴다고 많이 먹으면 위를 해치고, 즐거운 일도 도가 지나치면 반드시 재앙이 된다.
〔爽快〕 shuǎngkuai 형 ①기분이 좋다. 상쾌하다. 후련하다. ¶谈了这许多话, 我心里倒～了些; 이렇게 말을 많이 나누고 나니 오히려 기분이 상쾌해졌다. ②단도직입적이다. 호쾌하다. ¶说话说得～; 말이 단도직입적이다. ③꾸물거리지 않고 재빠르다. 시원스럽다. ¶办事要办得～; 일은 시원스럽게 하지 않으면 안 된다 / 为人～; 사람됨이

시원스럽다. =〔爽利〕
〔爽籁〕 shuǎnglài 명 〈文〉 바람.
〔爽朗〕 shuǎnglǎng 형 ①날씨가 활짝 개어 기분이 상쾌하다. 청량(쾌청)하다. ¶深秋的天空异常~; 깊어 가는 가을 하늘은 유난히 상쾌하다. ②명랑하다. 쾌활하다. ¶~的笑声; 명랑한 웃음소리.
〔爽利〕 shuǎngli 형 날래다. 시원시원하다. =〔爽快③〕〔爽神shén〕 부 ⇨〔爽性xìng〕
〔爽亮〕 shuǎngliàng 형 상쾌하고 후련하다. 개운하다.
〔爽气〕 shuǎngqì 명 〈文〉 상쾌한 공기〔기분〕. 형 〈方〉 시원스럽다. 시원시원하다. ¶老张这人很~, 说话向来不绕圈子; 장씨는 시원스러워서, 본래 말을 빙빙 돌리지 않는다.
〔爽然〕 shuǎngrán 형 〈文〉 망연(茫然)한 모양. ¶~若失 =〔~自失〕; 〈成〉 망연 자실하다.
〔爽身粉〕 shuǎngshēnfěn 명 땀띠약. 탤컴 파우더(talcum powder). =〔滑石粉〕
〔爽神〕 shuǎngshén 형 재빠르다. 시원시원하다. ¶他说话不~; 그의 말은 시원시원하지 않다. 동 기분을 상쾌하게 하다. ¶这药吃下去可以~; 이 약을 먹으면 기분이 산뜻해진다.
〔爽失〕 shuǎngshī 동 (정한 것을) 어기다.
〔爽手〕 shuǎngshǒu 동 (일이) 재빨리〔시원스럽게〕 진척되다. ¶~的事; 손쉬운 일/家伙不快不~; 연장이 잘 듣지 않으면 일이 시원스럽게 진행되지 않는다.
〔爽爽〕 shuǎngshuǎng 형 〈文〉 출중하다.
〔爽甜〕 shuǎngtián 형 개운하게〔느끼하지 않고〕 달다.
〔爽土〕 shuǎng.tǔ 동 흙을 부드럽게 하다. 흙의 찰기를 없애다.
〔爽心〕 shuǎngxīn 형 기분이 상쾌하다〔후련하다〕.
〔爽信〕 shuǎngxìn 동 약속을 어겨 신용을 잃다. =〔失信〕
〔爽性〕 shuǎngxing 부 〈方〉 차라리. 아예. 깨끗이. 시원스럽게. ¶既然晚了, ~不去吧; 어차피 늦었으니 차라리 가지 마라/~再来一次吧; 차라리 한 번 더 오시지요. =〔爽得〕〔索suǒ性〕〔爽当〕〔爽利〕
〔爽言〕 shuǎngyán 동 약속을 어기다.
〔爽约〕 shuǎngyuē 동 〈文〉 위약(違約)하다. ¶他爽了约了; 그는 약속을 어겼다. =〔失约〕
〔爽直〕 shuǎngzhí 형 솔직하고 시원스럽다. ¶他为人~, 一点儿也不固执; 그는 사람됨이 솔직하고 시원스러워 조금도 고집스러운 데가 없다. =〔直爽〕

塽 **shuǎng** (상)
명 〈文〉 높고 양지바른 곳.

SHUI ㄕㄨㄟ

谁(誰) **shuí〔shéi〕** (수)
대 ①누구《단수·복수에 관계 없이 쓰이는 의문 대사(疑問代詞)》. 注1 '哪个'(어느 것)와 구별하는데, 방언(方言)에서는 구별하지 않는 경우도 있음. 注2 '谁'를 쓰지 않고 '什么人'·'啥人'으로 쓰는 방언(方言)도 있음. ¶他是~? 그 사람은 누구냐?/你们是~? 너희들은 누구냐?/这是~的? 이것은 누구의 것이냐?/你找~呀? 넌 누굴 찾고 있는가? ②누구. 누가. 누구냐《반어(反語) 용법에 쓰이는 대사(代詞)》. ¶~不说他好? 누가 그를 좋다고 말하지 않겠는가?《누구나 그를 좋다고 말한다》. ③누군가. 누구라도《불특정인을 나타내는 대사(代詞)》. ¶我的书不知道被~拿走了; 내 책을 누가 가지고 가버렸는지 모르겠다/今天没有~来过; 오늘은 아무도 오지 않았다. ④임의(任意)의 사람을 가리키는 대사(代詞). ㉠('也'·'都'와 호응하여) 누구나. 아무도. ¶这件事~也不知道; 이 사건은 아무도 모른다/~也管不着; 아무도 간섭할 수 없다/~都可以做; 아무나 할 수 있다. ㉡주어와 목적어의 양쪽에 쓰이어, 양쪽이 서로 같음을 나타냄. ¶他们俩~也说不服~; 그들 두 사람은 서로가 설득할 수 없다/~也顾不得~; 아무도 다른 사람을 돌볼 여유가 없다/~也不让~; 아무도 남에게 양보하려 하지 않다. ㉢복문(複文)의 양쪽에 쓰이어, 같은 사람을 가리킴. ¶大家看~合适, 就选~当代表; 모두가 적당하다고 생각하는 사람을 대표로 뽑다/~不愿意, ~不用参加; (누구든지) 참가하고 싶지 않은 사람은 참가하지 않아도 좋다. ㉣연용(連用)하여 어느 한쪽 사람을 가리킴. ¶~胜~负; 어느 쪽이 이기고 어느 쪽이 지는가. ⑤이름을 모르거나 생각나지 않을 때 사람을 가리키는 대사(代詞). ¶我记得~写的小说里有这么一段话; 누군가가 쓴 소설 속에 이런 대목이 있었다고 기억하고 있다.
〔谁边〕 shuíbiān 대 어디. 어느 쪽.
〔谁不知(道)〕 shuí bùzhī(dào) 누가 모르는 사람이 있으랴. 누구든지 알고 있다.
〔谁的〕 shuíde 누구의.
〔谁个〕 shuíge 대 〈南方〉 누구. =〔谁〕
〔谁家〕 shuíjiā 명 누구네 집. ¶是~的小孩儿? 누구네 집 아이인가? 대 〈古白〉 누구.
〔谁叫…〕 shuíjiào… 무슨 연유로. ¶大下雨天儿的, ~你跑到这儿来的; 억수같이 비가 쏟아지는 날에 무슨 연유로 여기에 달려왔느냐.
〔谁料〕 shuíliào …이라고 누가 예상했겠느냐. 뜻밖이다. ¶本来不想告诉他, ~他早就知道了; 본래 그에게 알리고 싶지 않았는데, 그가 일찌감치 알고 있었을 줄 누가 예상했겠는가.
〔谁料想〕 shuí liàoxiǎng …을 누가 짐작이나 했겠는가. …일 줄은 뜻밖이다. ¶那时候他还是硬棒棒的, ~他一下子就病倒了呢; 그 무렵 그는 아주 건강했는데, 갑자기 병으로 쓰러질 줄이야 누가 짐작이나 했겠는가. =〔谁想到〕
〔谁们〕 shuímen 대 누구들. 누구와 누구《복수》. 注 바로 앞에 '…们'이 들어 있는 말이 있고, 그것을 확인하는 경우 등에 쓰임. 문장어 특히 문학 작품 이외에는 보통 쓰지 않음. ¶他们都走了, ~都走了? 그들은 모두 가 버렸다, 누구누구가 모두 가버렸는가?/是~在那儿唱呢; 저기서 노래부르고 있는 것은 누구와 누구냐.
〔谁某〕 shuímǒu 명 아무개. 어떤 사람.
〔谁能〕 shuínéng 누가 …할 수 있다. ¶有~帮帮我才好; 누군가 거들어 주러 와 주었으면 좋겠는데.
〔谁人〕 shuírén 대 〈文〉 누구. ¶~不知, 哪个不晓; 누구나 잘 알고 있다. 모르는 사람은 없다.
〔谁胜谁负〕 shuí shèng shuí fù 〈成〉 어느 쪽이 이기고 어느 쪽이 지는가. ¶~斗争; 생사를 건 투쟁.

〔谁是谁非〕 shuí shì shuí fēi 〈成〉 누가 옳고 누가 그른가. ¶～自然有个水落石出了; 누가 옳고 그른가는 자연히 알게 된다.
〔谁说不是〕 shuíshuō bùshì 누가 그렇지 않다고 말하겠는가. 아무렴 그렇고말고《반어(反語)》.
〔谁想…〕 shuíxiǎng… …이라고 누가 생각하랴(아무도 …이라고는 생각지 않는다). ¶～他一去就不回来了; 그는 떠나면 돌아오지 않는다고 누가 생각했겠는가.
〔谁想到〕 shuí xiǎngdào (…라고는) 아무도 생각지 못하다. (…일 줄) 누가 생각이 미치겠는가. =〔谁料想〕
〔谁也管不着〕 shuí yě guǎnbuzháo 아무도 간섭할 수 없다.
〔谁战胜谁〕 shuí zhànshèng shuí 누가 상대를 쳐부술까. 어느 쪽이 이길까.
〔谁知〕 shuízhī …이라고 누가 알 것인가. 아무도 …이라고는 모른다. ¶～好事多更变; 좋은 일은 도중에 변화가 많다는 것을 누가 알겠나. =〔谁知道〕
〔谁知道〕 shuízhīdao (…을) 누가 알겠는가. 아무도 (…일 줄은) 모르다. =〔谁知〕

水 shuǐ (수)
①명 물. ¶凉liáng～; 냉수/开kāi～; 뜨거운 물/苦～; 못 먹는 물/软～; 연수. 단물/硬～ =〔涩～〕; 경수. 센물/温和～; 미지근한 물/茶～; 차/来, 歇会儿, 喝口茶～; 자, 잠깐 쉬면서 차나 한 잔 들자. ②강·호수·바다 따위 물이 있는 곳. ¶汉～; 한수/湘～; 상수/～陆两用汽车; 수륙 양용 자동차. ③(～儿) 명 액즙(液汁). 용액(溶液). ¶铁～; 철의 용액/果guǒ子～; 과즙. 주스. ④명 〈俗〉 (도박 따위의) 개평. ¶今儿抽～有多少? 오늘 뜯은 개평은 얼마나 되나? ⑤명 《商》 차액. 수수료. 규정 외의 수입. ¶外～; 부수입/汇～; 환수수료. ⑥품질의 등급을 나타내는 말. ¶头～货; 상등품/二～货; 2등품. ⑦양 물《빨래한 횟수를 나타내는 말》. ¶洗三～; 세 번 빨다. ⑧동 물에 떠내려 보내다. ¶怕那七八万块钱～了; 그 칠팔만 원이 물에 떠내려가지 않았나 걱정된다. ⑨명 〈比〉 좋지 않은 일. ¶不染这个～; 이런 좋지 않은 일에는 손을 대지 않는다/不蹚这混～; 그런 좋지 않은 일에는 발을 들여 놓지 않는다. ⑩명 전에 통화로서 쓰인 은의 품위(品位). 화폐의 품위. ⑪동 〈俗〉 넌지시 속을 떠 보다. ¶你～一～问一问她吧; 네가 넌지시 그녀의 속을 떠 보아라/探他一～; 그의 속을 한 번 떠 보다. ⑫(Shuǐ) 명 《民》 수이 족(水族)《중국 소수 민족의 하나》. ⑬명 성(姓)의 하나.
〔水癌〕 shuǐ'ái 명 《醫》 수암. 노마(noma).
〔水坝〕 shuǐbà 명 댐. 제방.
〔水包皮〕 shuǐbāopí 명 〈比〉 매일 목욕하는 버릇이 있는 사람.
〔水杯〕 shuǐbēi 명 물컵.
〔水泵〕 shuǐbèng 명 양수 펌프. ¶把～开动, 向锅炉上水; 급수 펌프를 가동하여 보일러에 물을 넣다.
〔水笔〕 shuǐbǐ 명 ①세자 해서용(細字楷書用)의 빳빳한 붓. ②수채화용의 모필. ③〈方〉〈簡〉 만년필《'自来水笔'의 약칭》.
〔水笔仔〕 shuǐbǐzǐ 명 《植》 홍수. =〔秋茄树〕
〔水边〕 shuǐbiān 명 물가. =〔水滨〕〔水畔〕〔水曲qū〕〔水涯〕〔淯〕
〔水标〕 shuǐbiāo 명 수표. 수심을 재기 위해 설치한 표척(標尺).
〔水膘(儿)〕 shuǐbiāo(r) 명 갓난아기의 포동포동한 살. ¶这两天～塌了, 还显着瘦点儿呢; 요 며칠 젖살이 빠져서 좀 말라 보인다.
〔水表〕 shuǐbiǎo 명 ①수도의 미터〔계량기〕. ②하천·호수 등의 수위(水位)나 보일러의 수위를 지시하는 미터. 수위 지시계. 수량계(水量計).
〔水鳖〕 shuǐbiē 명 ⇨〔马mǎ尿花①〕
〔水鳖子〕 shuǐbiēzi 명 《動》 〈俗〉 참게.
〔水滨〕 shuǐbīn 명 ⇨〔水边〕
〔水鬓〕 shuǐbìn 명 (여자의) 살쩍《이것이 긴 것이 미인의 한 요소로 꼽힘》. ¶瓜子脸, 描的～长长的; 갸름한 얼굴에 살쩍을 길게 그렸다《미인의 용모》.
〔水兵〕 shuǐbīng 명 수병.
〔水波浪儿〕 shuǐbōlàngr 명 파문(波紋). 물결. ¶起了～; 파문이 일었다.
〔水玻璃〕 shuǐbōli 명 《化》 물유리. 규산(珪酸) 나트륨. =〔泡pào花碱〕〔泡化碱〕〔硅guī酸钠〕
〔水伯〕 shuǐbó 명 수신. 수백.
〔水驳〕 shuǐbó 명 급수선(給水船).
〔水箔〕 shuǐbó 명 ⇨〔水锈①〕
〔水鹁鸪〕 shuǐbógū 명 ⇨〔鹁鸪〕
〔水簸箕〕 shuǐbòji 명 ①인력거의 손님이 발 놓는 부분. ¶车夫坐在～上歇着; 인력거꾼이 인력거의 손님이 발 놓는 부분에 걸터앉아 쉬고 있다. ②수세(水勢)를 줄이기 위하여 키 모양으로 구부러지게 만든 후미.
〔水彩〕 shuǐcǎi 명 수채. ¶～画; 수채화.
〔水菜〕 shuǐcài 명 ⇨〔水芹qín(菜)〕
〔水仓〕 shuǐcāng 명 《鑛》 갱저(坑底)의 물웅덩이.
〔水操〕 shuǐcāo 명 옛날의, 해군의 연습.
〔水槽〕 shuǐcáo 명 수조. 물탱크.
〔水草〕 shuǐcǎo 명 ①물과 풀이 있는 곳. ¶牧民逐～而居; 유목민은 수초가 있는 곳을 찾아 이동한다. ②《植》 골풀. ③수생 식물의 통칭.
〔水厕〕 shuǐcè 명 수세식 변소.
〔水汊〕 shuǐchà 명 강의 지류(支流). ¶周围尽是深港～, 芦苇草荡; 주위는 모두 깊은 후미나 강의 지류로 갈대가 무성한 늪이다.
〔水虿〕 shuǐchài 명 《蟲》 수채. 잠자리의 유충. =〔水马②〕
〔水产〕 shuǐchǎn 명 수산. 수생(水生). ¶～品; 수산물.
〔水菖蒲〕 shuǐchāngpú 명 《植》 '菖蒲'(창포)의 별칭.
〔水车〕 shuǐchē 명 ①(논에 물을 대는) 수차(水車). =〔水马③〕 ②물을 나르는 수레. 급수차. ③펌프.
〔水车前〕 shuǐchēqián 명 《植》 물질경이. =〔龙舌草〕
〔水沉〕 shuǐchén →〔沉香〕
〔水丞〕 shuǐchéng 명 수승. 연적(硯滴). =〔水滴②〕〔水盂〕〔水注〕
〔水成岩〕 shuǐchéngyán 명 ⇨〔沉chén积岩〕
〔水程〕 shuǐchéng 명 항행. 뱃길.
〔水秤〕 shuǐchèng 명 비중계(比重計).
〔水池〕 shuǐchí 명 ①못. 저수지. ②(부엌의) 수채.
〔水呎〕 shuǐchǐ 명 배의 흘수.
〔水铳〕 shuǐchòng 명 ⇨〔水枪〕
〔水出来〕 shuǐ.chu.lai 동 〈京〉 (넌지시) 넘겨짚어서 이야기를 끌어 내다. ¶他的想法被他～了; 그는 그의 생각을 넘겨짚어서 끌어내었다.

〔水搋子〕 shuǐchuāizi 명 긴 자루가 달린 오물 흡입용 고무 컵. 플런저(plunger).
〔水锤〕 shuǐchuí 명 ①워터 해머(water hammer). ②《物》 수격(水擊) 작용.
〔水葱〕 shuǐcōng 명 ①《植》 산마늘. ②〈比〉 튼튼하게 자란 아이들을 형용하는 말. ¶看着三个～似的孩子忙来忙去, 心里喜欢; 건강하게 자란 세 아이들이 정신없이 뛰어다니는 것을 보고 있노라면, 마음이 즐겁다 / 调理的～似的《紅樓夢》; 영리하고 튼튼하게 자란. ③《植》 골풀.
〔水打磨〕 shuǐdǎmò 명 ⇨〔水磨mò〕
〔水丹〕 shuǐdān 명 ⇨〔油yóu灰①〕
〔水单〕 shuǐdān 명 《商》 ①선하 송장(船荷送狀). ②태환(兌換) 전표. 태환 계산서. ¶外汇兑换～; 외국환 태환(兌換) 계산서.
〔水凼〕 shuǐdàng 명 ⇨〔水荡〕
〔水荡〕 shuǐdàng 명 (호남(湖南) 방언으로) 물을 모아 두는 곳〔용기〕. =〔水凼〕
〔水到渠成〕 shuǐ dào qú chéng 〈成〉 물이 흘러오면 도랑은 이루어진다《시기가 무르익으면 일은 자연히 성취된다》.
〔水道〕 shuǐdào 명 ①하류(河流). ②수로(水路). ③풀(swimming pool)에서의 각 코스.
〔水稻〕 shuǐdào 명 수도. 논벼.
〔水灯〕 shuǐdēng 명 ⇨〔河hé灯〕
〔水滴〕 shuǐdī 명 ①(～儿, ～子) 물방울. ②연적(硯滴).
〔水滴石穿〕 shuǐ dī shí chuān 〈成〉 낙숫물이 돌을 뚫는다《노력을 쌓으면 성공을 가져온다》.
〔水底〕 shuǐdǐ 명 물밑. 해저. ¶～电缆; 해저 케이블 / ～电视照相机; 수중 텔레비전(TV) 카메라.
〔水地〕 shuǐdì 명 ①무논. 수전(水田). ②관개지(灌溉地). 관개할 수 있는 밭.
〔水点〕 shuǐdiǎn 명 물방울. =〔水点子①〕
〔水点子〕 shuǐdiǎnzi 명 ①⇨〔水点〕 ②《農》 담배의 탄저병.
〔水电〕 shuǐdiàn 명 ①수력 발전. ¶～站 =〔～厂〕; 수력 발전소. ②수력 발전의 전기. ③수도와 전기. ¶～费; 수도 전기료.
〔水殿〕 shuǐdiàn 명 〈文〉 ①물가에 세워진 큰 저택. ②옛날, 천자가 타는 배.
〔水靛〕 shuǐdiàn 명 물로 풀처럼 갠 쪽 (물감).
〔水貂〕 shuǐdiāo 명 《動》 밍크. =〔黄狼〕
〔水吊子〕 shuǐdiàozi 명 (조금 큰) 주전자. =〔铫diào子〕
〔水冬瓜〕 shuǐdōngguā 명 《植》 산오리나무.
〔水斗〕 shuǐdǒu 명 취사장 등에서의 깔때기 모양의 물받이.
〔水豆腐〕 shuǐdòufu 명 ①두부. =〔豆腐〕 ②두유(豆乳). 콩국. =〔豆腐浆〕 ③순두부. =〔豆腐脑儿〕
〔水痘(儿)〕 shuǐdòu(r) 명 《醫》 수두. 작은마마. =〔水花(儿)〕〔凹āo痘疔〕
〔水窦〕 shuǐdòu 명 〈文〉 도랑. 내.
〔水碓〕 shuǐduì 명 물방아.
〔水囤儿〕 shuǐdùnr →〔水碗〕
〔水炖儿〕 shuǐdùnr →〔水碗〕
〔水厄〕 shuǐ'è 명 〈文〉 ①수액. 수재(水災). ②차(茶)를 너무 많이 마신 고통.
〔水发〕 shuǐfā 동 (요리 재료를) 데치다.
〔水法〕 shuǐfǎ 명 ①'中华人民共和国～'의 약칭. ②(～儿) 분수(噴水) '喷pēn水'의 구칭.
〔水饭〕 shuǐfàn 명 ①물을 부은 밥. ¶～洞; 감방의 차입구(差入口)〔배식구〕. ②〈方〉 죽.
〔水贩〕 shuǐfàn 명 물장수.
〔水飞〕 shuǐfēi 명 수비. 고체로 된 물건을 깨어 물에 섞어서 침전시키고, 가라앉은 부분을 떠내어 정제하는 방법.
〔水飞蓟〕 shuǐfēijì 명 《植》 큰엉겅퀴.
〔水肥〕 shuǐféi 명 《農》 수비. 액비(液肥).
〔水费〕 shuǐfèi 명 수도 요금.
〔水肺〕 shuǐfèi 명 애쿼렁(aqualung). (잠수용) 수중 호흡기. =〔水中呼吸器〕
〔水粉〕 shuǐfěn 명 ①〈方〉 물에 담근 '粉条(儿)'. ②물분(화장용). ¶～画; 《美》 구아슈(프 gouache)화(수채화의 일종).
〔水粉皮〕 shuǐfěnpí 명 녹말을 원료로 한 백색 반투명의 우무 모양의 식품. 묵처럼 만들어 먹음.
〔水粉子〕 shuǐfěnzi 명 소석회(消石灰)를 용해시켜 빛깔을 낸 것(도료용).
〔水分〕 shuǐfèn 명 ①수분. ②과대. 과장. ¶这个数字有～; 이 숫자는 늘린 것이다 / 这份报告有～; 이 보고는 다소 과장되게 쓰여 있다. ‖=〔水份〕
〔水份〕 shuǐfèn 명 ⇨〔水分〕
〔水夫〕 shuǐfū 명 ①물 긷는 인부. ②수부. 뱃사람.
〔水芙蓉〕 shuǐfúróng 명 《植》 연꽃.
〔水府〕 shuǐfǔ 명 ①물이 깊은 곳. 수신(水神)이 사는 곳. ②수신(水神).
〔水斧虫〕 shuǐfǔchóng 명 《蟲》 게아재비.
〔水甘草〕 shuǐgāncǎo 명 《植》 개정향풀.
〔水缸〕 shuǐgāng 명 물독. 물항아리.
〔水钢〕 shuǐgāng 명 담금질한 강철.
〔水咯哒〕 shuǐgēda 명 순무를 절인 것.
〔水阁〕 shuǐgé 명 (남방에 많은) 물가의 누각. ¶～凉亭; 물가에 있는 납량정(納凉亭).
〔水蛤蜊〕 shuǐgéli 명 ⇨〔檐yán沟〕
〔水工〕 shuǐgōng 명 ①뱃사공. ②치수 공사 인부. ③〈簡〉 수리 공사('水利工程'의 약칭).
〔水沟(儿, 子)〕 shuǐgōu(r, zi) 명 배수구. 도랑. 하수구. 시궁창.
〔水狗〕 shuǐgǒu 명 ①《鳥》 물총새. =〔翡翠〕 ②⇨〔水獭tǎ〕
〔水垢〕 shuǐgòu 명 물때. ¶积了～; 물때가 쌓이다. =〔水锈〕
〔水姑顶〕 shuǐgūdīng 명 《鳥》 큰물닭.
〔水鸪鸪〕 shuǐgūgū 명 ⇨〔鹁bó鸪〕
〔水骨菜〕 shuǐgǔcài 명 《植》 고비.
〔水鼓〕 shuǐgǔ 명 〈俗〉 (배를 매는) 부이(buoy) 〔부표(浮標)〕. =〔浮fú标〕
〔水臌〕 shuǐgǔ 명 《漢醫》 복수(腹水).
〔水怪〕 shuǐguài 명 물속에 사는 괴물.
〔水关(儿)〕 shuǐguān(r) 명 성 안의 도랑을 성 밖으로 통하기 위해 성벽에 뚫은 수문.
〔水管〕 shuǐguǎn 명 ⇨〔水喉通〕
〔水罐(儿)〕 shuǐguàn(r) 명 수관(도자기·법랑 혹은 유리로 만든 물그릇으로, 모양이 '水桶tǒng'(물통)도 아니고 '瓶píng'(물병)도 아닌 것).
〔水龟〕 shuǐguī 명 《動》 남생이.
〔水鬼〕 shuǐguǐ 명 ①잠수부. =〔水虎②〕〔水摸子〕 ②수영을 잘하는 사람. ③익사자(溺死者).
〔水柜〕 shuǐguì 명 수조(水槽). 물통. ¶～车; 수조차.
〔水锅〕 shuǐguō 명 물 끓이는 냄비.
〔水国〕 shuǐguó 명 ⇨〔江jiāng乡〕

〔水果〕 shuǐguǒ 명 과일. ¶～铺 =〔～店〕〔～行〕〔果行〕〔果铺〕; 과일 가게 / 餐后～; 디저트 / ～糖; 드롭스(drops) / ～罐头; 과일 통조림 / ～软糖; 프루츠 젤리. =〔水菓〕
〔水过地皮湿〕 shuǐ guò dì píshī 물 지나간 자리가 젖다. 〈比〉 슬쩍 비추기만 해도 충분히 이해됨.
〔水旱〕 shuǐhàn 명 ①물과 뭍. 바다와 육지. ②수해와 한해(旱害).
〔水旱码头〕 shuǐhàn mǎtóu 명 개항장(開港場)《수륙 교통이 편리한 상업 도시》.
〔水旱烟〕 shuǐhànyān 명 물담배와 보통의 담배.
〔水耗子〕 shuǐhàozi 명 물에 빠진 생쥐. ¶成～了; 흠뻑 젖었다 / 被水淋得像～似的; 물에 젖어 물에 빠진 생쥐같이 되다. =〔水鸡子②〕
〔水合〕 shuǐhé 명 《化》 ①수화(水化). 수화(水和). ¶～物; 수화물(水化物) / ～氯醛 =〔～三氯代乙醛〕; 《藥》 포수 클로랄(抱水 Chloral). ②(섬유소의) 수해(水解). 가수(加水) 분해.
〔水鹤〕 shuǐhè 명 《機》 ①급수전(栓). ②L형의 증기 기관차 급수관.
〔水黑老婆〕 shuǐhēilǎopó 명 《鳥》 물까마귀.
〔水横枝〕 shuǐhéngzhī 명 《植》 〈方〉 치자나무. =〔栀子树〕〔栀子〕
〔水红〕 shuǐhóng 명 《色》 수홍색(의)《핑크색보다 짙고 산뜻한 빛》.
〔水喉〕 shuǐhóu 명 물파이프의 끝. 호스의 몸통 끝 부분.
〔水喉汉〕 shuǐhóuchà 명 ⇨〔三sān通②〕
〔水喉通〕 shuǐhóutōng 명 통수관. 수도관. ¶黑～; 검은 철관(鐵管) / 铅～; 아연을 입힌 철관. =〔水管〕
〔水候〕 shuǐhòu 명 물이 따뜻한 정도. ¶烫tàng酒是一件不容易的工作, 冷热的～是很难调tiáo节得恰好的; 술을 알맞게 데우기는 어려운 일이다. 뜨거운 정도를 조절하기가 매우 어렵다.
〔水壶〕 shuǐhú 명 ①주전자. ②수통(水筒). ③조로(포 jorro). 물뿌리개.
〔水葫芦儿〕 shuǐhúlur 명 ①물 푸는 바가지. ②옛날, 여자가 살쩍을 볼에 길게 늘어뜨려 기름으로 매만진 것. ③《植》 부레옥잠. 워터 히아신스《물옥잠과의 열대성 수초》.
〔水虎〕 shuǐhǔ 명 ①물 속에 산다는 어린 아이 모양의 괴물. ②⇨〔水鬼①〕
〔水浒传〕 Shuǐhǔzhuàn 명 《書》 수호전《명(明)나라 때에 씌어진 장편 소설》.
〔水戽〕 shuǐhù 명 두레박. =〔戽斗dǒu〕
〔水花〕 shuǐhuā 명 ①수두(水痘). ②물보라. ¶～打进来; 물보라가 들어오다. ③속돌. 경석(輕石). ④(～儿) 물결 모양으로 만든 양피(羊皮) 옷.
〔水花魁〕 shuǐhuākuí 명 《植》 연꽃. =〔荷花(儿)〕
〔水滑石〕 shuǐhuáshí 명 《鑛》 수활석《함수(含水) 산화 마그네슘광(鑛)》.
〔水患〕 shuǐhuàn 명 수해(水害).
〔水荒〕 shuǐhuāng 명 물기근.
〔水黄芹〕 shuǐhuángqín 명 ⇨〔羊yáng蹄〕
〔水火〕 shuǐhuǒ 명 ①물과 불. ¶～会 =〔水局〕; 민간의 소방단 / ～险xiǎn; 해상 화재 보험. ②〈比〉 서로 모순된 것. 두 개의 불상용(不相容)의 대립물. ¶～不相容; 〈成〉 물과 불처럼 서로 용납하지 않다 / ～无交; 〈成〉 아무런 관계가 없다. ③'水深火热'의 준말. 〈比〉 재난. ¶～不留情 =〔～不饶人〕〔～无情〕; 〈諺〉 수해와 화재는 가차없이 닥쳐온다.
〔水火壶〕 shuǐhuǒhú 명 '茶馆'에서 찻물을 따르는 큰 주전자.
〔水货〕 shuǐhuò 명 ①(배로 들어온) 밀수품. ②부정한 방법으로 수출입되어 팔리는 물품.
〔水机〕 shuǐjī 명 ⇨〔水引擎〕
〔水鸡〕 shuǐjī 명 《動》 〈俗〉 개구리의 별칭.
〔水鸡子〕 shuǐjīzi 명 ①《動》 참개구리. ②⇨〔水耗子〕
〔水唧唧〕 shuǐjījī 동 ⇨〔水渍渍〕
〔水家〕 Shuǐjiā 명 ⇨〔水族②〕
〔水碱〕 shuǐjiǎn 명 물때. =〔水锈xiù①〕
〔水箭〕 shuǐjiàn 명 화살처럼 힘차게 뻗는 물. 물이 힘차게 뻗어 나옴을 형용.
〔水浇地〕 shuǐjiāodì 명 《農》 관개지(灌漑地). ¶变旱hàn地为～; 메마른 땅을 관개지로 바꾸다.
〔水胶(儿)〕 shuǐjiāo(r) 명 젤라틴. 짐승 가죽으로 만든 아교. =〔黄明胶〕
〔水胶绒〕 shuǐjiāoróng 명 《紡》 몰튼(molton)《공업용 면포(綿布)의 일종》.
〔水饺(儿)〕 shuǐjiǎo(r) 명 ①물만두. =〔煮饺子〕〔锅贴儿〕〔水饺子〕〔〈北方〉 煮饽bō饽〕 ②만둣국.
〔水脚〕 shuǐjiǎo 명 ①〈方〉 선임. 뱃삯. =〔船chuán脚〕〔水力〕 ②전족(纏足)한 발.
〔水搅〕 shuǐjiǎo 명 큰비가 올 조짐《흰구름이 낮게 깔리거나, 멀리서 비바람 소리가 들려 오는 일 등》. =〔雨搅〕
〔水结〕 shuǐjié 명 생사 보무라지. ¶长吐～; 방적기계 등에서 나오는 생사 보무라지의 일종. =〔丝sī吐〕
〔水解〕 shuǐjiě 명 《化》 가수 분해(加水分解). ¶～产物; 가수 분해 생성물 / ～作用; 가수 분해 작용.
〔水解乳糖〕 shuǐjiěrǔtáng 명 《化》 갈락토오스(galactose)《'半乳糖'의 별칭》.
〔水金凤〕 shuǐjīnfèng 명 《植》 노랑물봉선화.
〔水尽鹅飞〕 shuǐ jìn é fēi 〈成〉 ①세력이 없어지면 추종자들은 떨어져 나가 버린다. ②무엇이고 다 없어지다. 무일물이 되다.
〔水晶〕 shuǐjīng 명 《鑛》 수정. ¶～钟; 수정 시계 / ～灯笼; 〈成〉 사물을 분명히 이해하고 있음 / ～肘(儿,子) =〔白炖肘子〕; 돼지 다리를 뼈째로 오래 삶은 여름철의 음식 / ～包; 돼지 비계와 흰 설탕을 섞고 팥소를 넣어 만든 '包子' / ～鸡; 엉긴 닭고기 국물 / ～花; 《植》 ⓐ'酢cù浆草'(괭이밥)의 별칭. ⓑ'溲疏'(병꽃나무)의 별칭. =〔水精〕〔水玉〕
〔水晶宫〕 shuǐjīnggōng 명 ⇨〔水精宫〕
〔水精〕 shuǐjīng 명 수정. ¶～心肝, 玻璃人儿; 〈比〉 매우 총명한 사람 / ～盐; 천연 소금. =〔水晶〕
〔水精宫〕 shuǐjīnggōng 명 ①수정궁《용왕궁의 별칭》. ②〈比〉 수중. 물 속. ‖=〔水晶宫〕
〔水井〕 shuǐjǐng 명 우물.
〔水警〕 shuǐjǐng 명 수상(水上) 경찰. ¶～轮; 수상 경찰선(船).
〔水镜〕 shuǐjìng 명 ⇨〔迷mí水〕
〔水韭〕 shuǐjiǔ 명 《植》 부추.
〔水酒〕 shuǐjiǔ 명 ①박주(薄酒). 조주(粗酒). ②〈謙〉 변변찮은 술. ¶请喝杯～; 박주나마 한 잔 드십시오 / 略备～, 恭候光临; 박주나마 대접하고자, 오시기를 기다리겠습니다《초대장 용어》. ③싱거운 술.

〔水居〕 shuǐjū 동 〈文〉 ①물가에 살다. 수상 생활을 하다. ②물 속에 서식하다.
〔水局〕 shuǐjú 명 옛날, 민간의 소방 조합. =〔水火会〕
〔水军〕 shuǐjūn 명 ⇨〔水师〕
〔水客〕 shuǐkè 명 ①원산지에 가서 물건을 사들이는 상인. ②〈文〉 뱃사공.
〔水课〕 shuǐkè 명 수운(水運)에 관한 부과금.
〔水坑〕 shuǐkēng 명 ①물웅덩이. ②인공 연못.
〔水口〕 shuǐkǒu 명 ⇨〔冒màoロ〕
〔水苦荬〕 shuǐkǔmǎi 명 《植》 물칭개나물. =〔谢xiè婆菜〕
〔水库〕 shuǐkù 명 댐. 저수지.
〔水裤〕 shuǐkù 명 방수(防水) 바지.
〔水葵〕 shuǐkuí 명 《植》 '莼菜'(순채)의 별명.
〔水剌巴唧〕 shuǐlābājī 형 〈京〉 (음식이) 싱겁다. (과일 등이) 싱겁고 달지 않다.
〔水蜡虫〕 shuǐlàchóng 명 《蟲》 백랍벌레. 백랍충. =〔蜡虫〕〔腊虫〕〔白bái蜡虫〕
〔水蜡树〕 shuǐlàshù 명 《植》 수랍목. 쥐똥나무. =〔蜡树②〕
〔水来伸手, 饭来张口〕 shuǐ lái shēnshǒu, fàn lái zhāngkǒu 〈成〉 무사 태평이다.
〔水牢〕 shuǐláo 명 수옥(水獄)《감옥에 물을 채워 죄수를 괴롭히는 형벌》.
〔水老鸹〕 shuǐlǎoguā 명 《鳥》 가마우지. =〔水老鸦yā〕
〔水涝〕 shuǐlào 동 침수하다. ¶～地; 침수된 토지·밭.
〔水雷〕 shuǐléi 명 수뢰. ¶～艇tǐng; 수뢰정.
〔水冷〕 shuǐlěng 명형 수냉식(의). ¶～式发动机; 수냉식 기관.
〔水礼(儿)〕 shuǐlǐ(r) 명 선물(을 보내는 일).
〔水力〕 shuǐlì 명 ①수력. ¶～发电站; (소규모) 수력 발전소 / ～车床; 수압 변속 선반(旋盤) / ～开采; 수력 채광(採鑛) / ～涡轮(机) =〔水轮(机)〕; 수력 터빈 / ～喷射器; 수력 착암기 / ～试验 =〔〈俗〉 打冷泵〕; 압력 용기(容器)(보일러 등)에 대한 압력 시험. ②수로(水路) 수송의 운임. ③물에 대한 힘. 수영 능력.
〔水力机〕 shuǐlìjī 명 수압(水壓) 엔진.
〔水利〕 shuǐlì 명 ①수리. ¶～化; 모든 농지를 관개할 수 있게 하다. ②수리 공사. ¶～枢shū纽; 수리 센터.
〔水栗〕 shuǐlì 명 《植》 '菱'(마름)의 별칭.
〔水帘〕 shuǐlián 명 (낙차가 별로 크지 않은) 작은 폭포.
〔水连水〕 shuǐliánshuǐ 동 물과 물이 이어지다. 바다로 이어져 있다. ¶韩中两国～, 韩中人民连心; 한중 양국은 바다로 이어져 있으며, 한중 인민은 마음이 잘 통하고 있다.
〔水亮〕 shuǐliang 형 ⇨〔水灵〕
〔水疗〕 shuǐliáo 명 《醫》 수치(水治) 요법.
〔水蓼〕 shuǐliǎo 명 《植》 여뀌.
〔水淋布〕 shuǐlínbù 명 〈俗〉 희게 바랜 무명.
〔水淋淋(的)〕 shuǐlīnlīn(de) 형 물이 뚝뚝 떨어지게 흠뻑 젖은 모양. ¶马路两旁的树, 被雨水一浇, ～的; 거리 양쪽의 나무들은 비에 젖어 물방울이 뚝뚝 떨어진다.
〔水灵〕 shuǐling 형 ①(과일·야채 따위가) 싱싱하다. ¶这甜tián瓜很～; 이 참외는 아주 싱싱하다 / 刚摘下来的葡萄多～啊! 갓 따 온 포도는 어쩜 이렇게 싱싱할까! ②(용모가) 시원스럽다. 생기 발랄하다. ¶～的眼睛; 맑고 시원스런 눈매 / 到了二十岁左右, 长得更～了; 스무 살쯤 되자 한결 더 생기 발랄하게 되었다. ‖ =〔水亮〕〔水泠〕〔水淩〕〔水零〕
〔水灵灵(的)〕 shuǐlínglíng(de) 형 싱싱한〔싱그러운〕 모양. 신선한 모양.
〔水泠〕 shuǐling 형 ⇨〔水灵〕
〔水淩〕 shuǐling 형 ⇨〔水灵〕
〔水零〕 shuǐling 형 ⇨〔水灵〕
〔水流〕 shuǐliú 명 ①수류(水流). 물의 흐름. ¶～湍急; 수류가 빠르다 / ～星; 물을 담은 그릇을 끈에 매달아 회전시켜 어둠 속에서 유성(流星)처럼 보이게 하는 곡예. ②하천(河川). ③수류의 속도. ④도랑 모양의 것. ¶～铁 =〔漕钢〕〔槽铁〕; 도랑 모양의 강철. ㄷ자형의 강철.
〔水溜〕 shuǐliù 명 ⇨〔檐yán沟〕
〔水溜儿〕 shuǐliùr 명 ①봇둑 등에 생기는 작은 폭포. ②빠른 물흐름에서 불룩 솟아올라 흐르는 부분.
〔水龙〕 shuǐlóng 명 ①《植》 여뀌바늘. ②소방용 펌프. ¶～瞄手; 펌프의 호스 끝을 조종하는 소방수.
〔水龙布〕 shuǐlóngbù 명 두꺼운 범포(帆布).
〔水龙带〕 shuǐlóngdài 명 소방 호스.
〔水龙骨〕 shuǐlónggǔ 명 《植》 메역순나무.
〔水龙卷〕 shuǐlóngjuǎn 명 《天》 맹렬한 회오리. 용오름.
〔水龙皮带〕 shuǐlóng pídài 명 ⇨〔皮带管〕
〔水龙皮带管〕 shuǐlóng pídàiguǎn 명 호스. =〔水龙软管〕
〔水龙软管〕 shuǐlóng ruǎnguǎn 명 ⇨〔水龙皮带管〕
〔水龙头〕 shuǐlóngtóu 명 ①급수전(給水栓). 수도꼭지. ②소방용 펌프의 호스(hose) 끝 부분.
〔水砻〕 shuǐlóng 명 물레방아용의 연자매.
〔水楼子〕 shuǐlóuzi 명 급수탑. →〔水塔〕
〔水漏〕 shuǐlòu 명 물시계.
〔水炉〕 shuǐlú 명 물을 끓여 파는 직업.
〔水陆〕 shuǐlù 명 ①수로와 육로. ¶～交通; 수로와 육로에 의한 교통 / ～平安; 도중 무사. ②산해진미. ¶～兼陈 =〔～杂陈〕; 〈成〉 산해진미를 벌여 놓다.
〔水陆道场〕 shuǐlù dàochǎng 명 《佛》 수륙 도량《수로·육로에서 죽은 사람의 망령(亡靈)을 위해 올리는 재(齋)》. =〔水陆斋(仪)〕
〔水陆斋(仪)〕 shuǐlù zhāi(yí) 명 ⇨〔水陆道场〕
〔水渌渌〕 shuǐlùlù 형 흠뻑 젖은 모양. ¶张顺爬上岸～的《水滸傳》; 장순은 물가로 기어올라왔지만 흠뻑 젖어 있었다.
〔水鹿〕 shuǐlù 명 《動》 수록. 물사슴. =〔黑hēi鹿〕
〔水路〕 shuǐlù 명 해로. 수로. ↔〔旱hàn道(儿)〕〔陆lù路〕
〔水绿〕 shuǐlǜ 명 《色》 연록색. 백록색(白綠色).
〔水轮发电机〕 shuǐlún fādiànjī 명 《機》 수력 터빈 발전기.
〔水轮(机)〕 shuǐlún(jī) 명 《機》 수력 터빈. =〔水力涡轮(机)〕
〔水萝卜〕 shuǐluóbo 명 《植》 〈北方〉 (껍질만 붉은) 홍당무. =〔小萝卜(儿)〕
〔水骆驼〕 shuǐluòtuo 명 《鳥》 덤불백로. ¶大～; 큰덤불백로.
〔水落〕 shuǐluò 명 ⇨〔檐yán沟〕
〔水落管〕 shuǐluòguǎn 명 ⇨〔落水管〕
〔水落石出〕 shuǐ luò shí chū 〈成〉 물이 흘러 떨어지면 자연히 돌이 노출된다《진상이 철저히 밝혀지다. 자기 자신을 드러내 보이다》. ¶这样, 这

件事的责任所在也～了; 이렇게 하여 이 사건의 책임 소재도 확실해졌다.
〔水麻〕 shuǐmá 명 ①삼('大麻'를 오래 물에 담가서 얻는 섬유의 속칭). ②⇨〔石shí蒜〕
〔水麻柳〕 shuǐmáliǔ 명 《植》 느티나무. =〔枫杨〕
〔水马〕 shuǐmǎ 명 ①⇨〔水黾mǐn〕 ②⇨〔水虿chài〕 ③⇨〔水车①〕 ④용주(龍舟).
〔水码头〕 shuǐmǎtóu ⇨〔码头①〕
〔水脉〕 shuǐmài 명 《地質》 수맥.
〔水猫〕 shuǐmāo 명 ⇨〔水獭tǎ〕
〔水煤气〕 shuǐméiqì 명 《化》 수성(水性) 가스.
〔水门(子)〕 shuǐmén(zi) 명 수문. =〔水闸〕
〔水门汀〕 shuǐméntīng 명 〈方〉〈音〉 시멘트. =〔水泥〕〔洋灰〕〔士敏土〕〔西门土〕〔泗门汀〕〔赛门脱〕〔塞门德〕〔塞门土〕
〔水米〕 shuǐmǐ 명 물과 쌀(최저 한도의 음식). ¶～没沾牙; 물도 음식도 들지 않고 있다/～无交; 〈成〉 아무런 관계〔교제〕도 없다.
〔水密〕 shuǐmì 명형 《機》 수밀(의). 방수(의).
〔水蜜桃〕 shuǐmìtáo 명 《植》 수밀도.
〔水绵〕 shuǐmián 명 《植》 수면.
〔水绵袄〕 shuǐmián'ǎo 명 술의 별칭.
〔水面〕 shuǐmiàn 명 수면. 삶은 국수를 물에 담가서 식힌 것.
〔水面飞艇〕 shuǐmiàn fēitǐng 명 ⇨〔水翼船〕
〔水面(儿)〕 shuǐmiàn(r) 명 수면. ¶划huá得船开, 约行了五六里水面《水滸傳》; 배를 저어 수면을 약 5,6리는 갔다.
〔水黾〕 shuǐmǐn 명 《蟲》 물매암이. =〔水马①〕
〔水摸子〕 shuǐmōzi 명 ⇨〔水鬼①〕
〔水磨〕 shuǐmó 동 ①물을 부으면서 갈다. ¶～工夫; 〈成〉 참을성 있고 치밀한 노력/～石; 《建》 테라초(이 terrazzo). ②삼 따위를 물에 담갔다가 껍질을 벗기다. 명 섬세한 조각(彫刻) 종류의 이름. ⇒ shuǐmò
〔水磨电〕 shuǐmódiàn 명 〈俗〉 수력 발전.
〔水磨调〕 shuǐmódiào 명 《劇》 곤강(昆腔). ⇨〔昆kūn曲〕
〔水沫(子)〕 shuǐmò(zi) 명 수포(水泡). 물거품.
〔水墨画〕 shuǐmòhuà 명 《美》 수묵화.
〔水墨粒蓝〕 shuǐmòlìlán 명 《染》 용해성 결정 순(純)블루(blue).
〔水磨〕 shuǐmò 명 물방아. =〔水打磨〕 ⇒ shuǐmó
〔水母〕 shuǐmǔ 명 ①《動》 해파리. =〔海蜇〕 ②물의 신. =〔水神〕
〔水木两作〕 shuǐmù liǎngzuō 명 ⇨〔水木作〕
〔水木作〕 shuǐmùzuō 명 ① '泥ní水匠'(미장이)와 '木匠'(목수). ②미장이와 목수의 겸업(兼業). ‖ =〔水木两作〕
〔水嫩〕 shuǐnèn 형 ①물기가 있어서 보드랍다. ②(피부 따위가) 싱싱하다.
〔水能〕 shuǐnéng 명 물에너지(강물의, 수력 전기에 이용할 수 있는 에너지).
〔水能载舟, 亦能覆舟〕 shuǐ néng zàizhōu, yì néng fùzhōu 물은 배를 띄우지만, 뒤집을 수도 있다. 한편으로는 이로움을 주지만, 다른 한편으로는 해를 끼칠 수도 있다. 양날의 검(劍).
〔水泥〕 shuǐní 명 시멘트. ¶铁骨～; 철근 콘크리트/～钢条; 철근 콘크리트에 쓰이는 철근/～石; 석회석/～厂; 시멘트 공장/～拌机; 콘크리트믹서/～纸袋; 시멘트 종이 부대. 크라프트지(craft 紙)/～砂浆; 시멘트 모르타르/～砖; 시멘트 블록/～工事; 콘크리트 구축 진지(陣地)/～路; 시멘트로 굳힌 도로. =〔〈俗〉 洋灰〕〔〈方〉〈音〉 水门汀〕〔红毛坭〕
〔水泥管〕 shuǐníguǎn 명 시멘트 파이프.
〔水泥瓦〕 shuǐníwǎ 명 《建》 시멘트 기와.
〔水碾〕 shuǐniǎn 명 수력을 이용하는 롤러(곡물을 분쇄하여 가루로 만듦).
〔水鸟〕 shuǐniǎo 명 《鳥》 수조. 물새. =〔水禽〕
〔水牛〕 shuǐniú 명 《動》 물소.
〔水牛(儿)〕 shuǐniú(r) 명 《動》 〈方〉 달팽이. =〔蜗牛〕
〔水牛角婆婆〕 shuǐniújiāo pópo 〈比〉 며느리를 구박하는 시어머니.
〔水暖工〕 shuǐnuǎngōng 명 (수도관·위생기·난방용 증기관 등의) 배관공(配管工).
〔水牌〕 shuǐpái 명 (상가(商家)에서) 흰 페인트를 나무 판대기 또는 나무패에 칠하여 칠판처럼 사용하는 것.
〔水畔〕 shuǐpàn 명 ⇨〔水边〕
〔水袍〕 shuǐpáo 명 ⇨〔朝cháo服〕
〔水泡〕 shuǐpào 명 ①물거품. ②(화상(火傷) 따위의) 물집.
〔水疱〕 shuǐpào 명 (피부의) 물집. 수포.
〔水盆〕 shuǐpén 명 물동이. 대야.
〔水皮〕 shuǐpí 형 〈廣〉 칠칠치 못하다. 명 ⇨〔水皮儿〕
〔水皮儿〕 shuǐpír 명 〈方〉 수면(水面). ¶茶叶漂在～上; 찻잎이 수면에 떠 있다. =〔水皮〕
〔水漂〕 shuǐpiāo 명 ①물거품. ¶十年辛苦一～; 십 년 고생이 물거품이 되다. ②(～儿) 물수제비뜨기. ¶打～; 물수제비뜨다.
〔水瓢(子)〕 shuǐpiáo(zi) 명 호리병박으로 만든 물바가지. =〔水葫芦儿①〕
〔水平〕 shuǐpíng 명 ①수평. ¶～梯田; 수평 단구(段丘). 수평 계단식 논. ②수준. ¶生活～; 생활 수준/提高～; 수준을 높이다/已经达到前所未有的～; 이미 전에 없었던 수준에 도달했다. =〔水准〕 ③수준기(水準器). ④학문. 기예. 기교. ¶矿长是有～的老干部; 광장은 배운 것이 있는 간부이다.
〔水平舵〕 shuǐpíngduò 명 (비행기 등의) 승강타.
〔水平关系〕 shuǐpíng guānxì 명 동급 기관의 횡적인 관계.
〔水平基面〕 shuǐpíng jīmiàn 명 해면을 표준으로 하여 높낮이를 결정하는 경우의 기준 해면.
〔水平面〕 shuǐpíngmiàn 명 수평면. =〔水准面〕〔地平面〕
〔水平线〕 shuǐpíngxiàn 명 수평선.
〔水平仪〕 shuǐpíngyí 명 수준기. =〔水准器〕
〔水萍〕 shuǐpíng 명 《植》 개구리밥.
〔水泼不进, 针插不进〕 shuǐ pō bù jìn, zhēn chā bù jìn 〈成〉 물샐틈도 바늘 꽂을 자리도 없다(단결·수비가 견고함).
〔水旗〕 shuǐqí 명 중국 전통극에서, 해상을〔물 위를〕 나타내는 물결 모양을 나타낸 기(旗).
〔水气〕 shuǐqì 명 물기. 습기. ¶他说的话很干, 没有点儿～; 그의 이야기는 쌀쌀맞아서, 조금도 부드러운 데가 없다.
〔水汽〕 shuǐqì 명 수증기.
〔水钱〕 shuǐqián 명 ①물값(적당한 음료수를 얻을 수 없는 지방에서 물장수에게서 물을 사는 값). ②끓은 물값(물을 끓여 파는 가게에서 끓인 물을 사는 값).
〔水浅石现〕 shuǐ qiǎn shí xiàn 〈成〉 물이 얕으면 돌이 드러난다(수양〔학문〕이 얕으면 금세 본색이 드러난다).

〔水枪〕 shuǐqiāng 명 ①(장난감) 물딱총. ②호스. ③모니터《수압 굴착 기계의 하나로, 수압을 이용해서 바위를 깨거나 석탄을 캐거나 함》. ④구식의 소화(消火) 용구. ‖=〔水铳〕
〔水橇〕 shuǐqiāo 명《體》수상 스키.
〔水芹(菜)〕 shuǐqín(cài) 명《植》미나리. =〔水芹菜〕〔水菜〕
〔水禽〕 shuǐqín 명 ⇨〔水鸟〕
〔水青冈〕 shuǐqīnggāng 명 ⇨〔山shān毛榉〕
〔水清无鱼〕 shuǐ qīng wú yú 〈成〉물이 맑으면 물고기가 살지 못한다《몸가짐이 지나치게 결벽한 사람에게는 포용력이 적다》. =〔水至zhì清则无鱼〕
〔水情〕 shuǐqíng 명 수위(水位)나 유량(流量) 등의 모양·상태.
〔水穷水尽〕 shuǐ qióng shuǐ jìn 〈成〉진퇴유곡인 모양. 절대 절명의 상태. 어찌할 바를 모르게 된 상태.
〔水球〕 shuǐqiú 명《體》수구. 워터 폴러(의 공). ¶～门; (수구의) 골.
〔水曲〕 shuǐqū 명 ⇨〔水边〕
〔水曲柳〕 shuǐqūliǔ 명《植》들메나무.
〔水渠〕 shuǐqú 명 수로(水路).
〔水儿〕 shuǐr 명〈俗〉①물. ②즙(汁). 액(液). ③ ⇨〔水头儿〕
〔水人〕 shuǐrén 명 물에 익숙한 사람. 수영을 잘하는 사람.
〔水乳交融〕 shuǐ rǔ jiāo róng 〈成〉물과 젖처럼 잘 융합하다. 의기 투합하다. 사상·감정이나 의견이 잘 융합되다. =〔水乳相融〕
〔水色树〕 shuǐsèshù 명《植》고로쇠나무.
〔水杉〕 shuǐshān 명《植》메타세쿼이아.
〔水上〕 shuǐshàng 명형 수상(의). 수중(의). ¶～滑艇; 윈드 서핑 / ～飞机; 수상 비행기 / ～滑翔机; 수상 글라이더 / ～居民; 수상 거주자《특히, 단민(疍民)을 가리킴》.
〔水筲〕 shuǐshāo 명 물통.
〔水勺(子)〕 shuǐsháo(zi) 명 물을 뜨는 자루 바가지. =〔水舀子〕
〔水蛇〕 shuǐshé 명《動》물가에 사는 뱀의 총칭.
〔水蛇麻〕 shuǐshémá 명《植》뽕모시풀.
〔水蛇腰〕 shuǐshéyāo 명 경증(輕症)의 꼽추. 새우 등. 구부정한 허리. ¶相貌还好, 可惜弄了个～; 얼굴은 잘생긴 편이지만, 아깝게도 허리가 구부정하다. =〔水势腰〕
〔水深火热〕 shuǐ shēn huǒ rè 〈成〉도탄에 빠진 곤고(困苦). 수화(水火)의 고통. 산 지옥. ¶～的境遇; 매우 곤란한 처지 / 人民生活陷于～之中; 백성의 생활은 도탄에 빠져 있다.
〔水神〕 shuǐshén 명 수신. 물의 신. =〔水母②〕
〔水生〕 shuǐshēng 명 수생. ¶～动物; 수생 동물 / ～植物; 수생 식물.
〔水声儿〕 shuǐshēngr 명 힘 없는 목소리.
〔水师〕 shuǐshī 명 옛날의, 해군. 수군. ¶～提tí督; 청대(清代), 수군의 사령관. =〔水军〕
〔水虱〕 shuǐshī 명《蟲》톡토기.
〔水湿〕 shuǐshī 동 물에 젖다.
〔水蚀〕 shuǐshí 명《地》수식. 물의 침식.
〔水式〕 shuǐshì 명 수영 기술.
〔水势〕 shuǐshì 명 수세. 물살. 홍수의 증수(增水)와 감수(減水). ¶密切注意～; 홍수의 증감을 주의 깊게 살펴라.
〔水势腰〕 shuǐshiyāo 명 ⇨〔水蛇腰〕
〔水手〕 shuǐshǒu 명 뱃사공. 수부(水夫). ¶～式西装 =〔～服〕〔～装〕; 세일러복(服).
〔水兽〕 shuǐshòu 명 해수(海獸)《'海hǎi狮'(강치), '海豹'(바다표범) 따위》.
〔水鼠〕 shuǐshǔ 명 ⇨〔沟gōu鼠〕
〔水刷石〕 shuǐshuāshí 명 인조 화강암.
〔水死〕 shuǐsǐ 명동 익사(하다).
〔水松〕 shuǐsōng 명《植》청각채.
〔水松木〕 shuǐsōngmù 명 ⇨〔软ruǎn木树〕
〔水松枳〕 shuǐsōngzhǐ 명 코르크 마개.
〔水苏〕 shuǐsū 명《植》개석잠풀《꿀풀과의 다년초》. =〔香苏〕
〔水梭花〕 shuǐsuōhuā 명《佛》물고기의 별칭《'般bō若汤'(술), '钻zuān篱菜'(닭고기) 등 승려의 은어》.
〔水塔〕 shuǐtǎ 명 급수탑(給水塔). →〔水楼子lóuzi〕
〔水獭〕 shuǐtǎ 명《動》수달. =〔水狗②〕〔水猫〕
〔水苔〕 shuǐtái 명 물이끼《해캄·수면 등 담수조(淡水藻)의 총칭》. =〔陟zhì厘①〕
〔水潭〕 shuǐtán 명〈文〉늪.
〔水塘〕 shuǐtáng 명 못. 저수지. ¶～养鱼; 양어지(養魚池) 양어.
〔水烫〕 shuǐtàng 명 머리를 세트하다. ¶洗头～; 세발 세트.
〔水烫发〕 shuǐtàngfà 명 콜드 퍼머넌트(cold permanent).
〔水屉(儿)〕 shuǐtì(r) 명 시룻밑.
〔水田〕 shuǐtián 명 수전. 무논.
〔水田芥〕 shuǐtiánjiè 명《植》물냉이.
〔水田拖拉机〕 shuǐtián tuōlājī 명 논 가는 트랙터.
〔水田衣〕 shuǐtiányī 명 가사(袈裟)의 별칭.
〔水条〕 shuǐtiáo 명《植》고추나무.
〔水汀〕 shuǐtīng 명〈方〉〈音〉수증기. 스팀. =〔暖气〕〔蒸气〕〔水蒸气〕〔泗汀〕〔士店〕
〔水亭〕 shuǐtíng 명 연못 가운데에 지은 정자. =〔水心亭〕
〔水桶〕 shuǐtǒng 명 양동이. 물통. ¶太平～; 비상용 물통.
〔水头〕 shuǐtóu 명 ①수위차(水位差)〔낙차〕의 통칭. =〔落差〕〔水位差〕 ②홍수의 최고 수위. 최고 수위의 홍수.
〔水头发儿〕 shuǐtóufàr 명 여자의 이마에 늘어뜨린 한 가닥의 머리카락.
〔水头儿〕 shuǐtóur 명 ①(과일의) 물기. ¶这桃儿又甜又有～; 이 복숭아는 달고 또 물기도 많다. ②옥석(玉石)의 광택. ‖=〔水儿③〕
〔水土〕 shuǐtǔ 명 ①(지표(地表)의) 물과 흙〔수분과 토양〕. ¶～保持; 전답의 수분·토양의 유실을 막다. ②기후 풍토. ¶不服～; 기후 풍토에 맞지 않다.
〔水豚〕 shuǐtún 명 ⇨〔鳜guì〕
〔水挖单〕 shuǐwādān 명 물이 스미지 않게 만든 탁자 보(褓).
〔水洼子〕 shuǐwāzi 명 물웅덩이.
〔水湾〕 shuǐwān 명 후미. 해만(海灣).
〔水碗〕 shuǐwǎn 명 상하 한 벌로 되어 있는 그릇으로, 위의 비교적 작은 쪽에 음식을 담고, 아래쪽 그릇에 뜨거운 물을 넣어 따뜻하게하는 것. 아래 그릇을 '水炖dùn儿' '水囤dùn儿'라 함.
〔水汪〕 shuǐwāng 명 물웅덩이.
〔水汪汪(的)〕 shuǐwāngwāng(de) 형 ①물이 넘치듯 가득 찬 모양. ②(눈이) 맑고 시원한 모양. ¶一双～的大眼睛; 맑고 시원한 두 눈.

〔水网〕 shuǐwǎng 명 하천망(河川網).
〔水位〕 shuǐwèi 명 ①(강·바다·댐 따위의) 수위. ②지표와 지하수까지의 거리.
〔水位差〕 shuǐwèichā 명 ⇨〔水头①〕
〔水文〕 shuǐwén 명 수문. ¶～学; 수문 학 / ～地理学; 수로학 / 专为地质～和工程等部门服务; 주로 지질·수리 및 공사 등의 부문에 복무한다.
〔水文站〕 shuǐwénzhàn 명 하천·호수·용수로·댐 등의 수위·수온 등을 조사하는 관측소·측후소.
〔水纹〕 shuǐwén 명 ①인쇄의 투문(透紋). =〔水印(儿)②〕 ②파문. 잔물결.
〔水瓮〕 shuǐwèng 명 〈文〉 물독.
〔水涡儿〕 shuǐwōr 명 소용돌이.
〔水窝子〕 shuǐwōzi 명 ①⇨〔井jǐng窝子〕 ②물이 괴어 있는 데. ③〈轉〉 수해의 근원.
〔水屋〕 shuǐwū 명 물이 불편한 지방에서 급수를 하거나 물을 파는 오두막.
〔水蜈蚣〕 shuǐwúgōng 명 《植》 파대가리.
〔水雾〕 shuǐwù 명 물보라. 물안개.
〔水嬉〕 shuǐxī 동 물싸움을 하다. 명 물장난.
〔水螅〕 shuǐxī 명 《動》 히드라(hydra). =〔螅〕
〔水洗〕 shuǐxǐ 명 (세탁소에서의) 물빨래. ↔〔干gān洗〕 동 물빨래하다.
〔水系〕 shuǐxì 명 《地質》 수계.
〔水下气柜〕 shuǐxià qìguì 명 《土》 잠함(潛函).
〔水下照相机〕 shuǐxià zhàoxiàngjī 명 수중(水中) 카메라.
〔水仙〕 shuǐxiān 명 《植》 수선화. ¶～花; 수선화의 꽃 / ～疙gē瘩; 수선화의 뿌리.
〔水险〕 shuǐxiǎn 명 〈簡〉 해상 보험(‘水灾保险’의 약칭). ¶保了～; 해상 보험에 들었다.
〔水藓〕 shuǐxiǎn 명 《植》 물이끼.
〔水线〕 shuǐxiàn 명 ①해저 전선(海底電線). ②풀장의 코스. ¶借了两条～为游泳运动员训练之用; 두 개의 코스를 빌려 수영 선수의 훈련용으로 했다. ③(배의) 흘수선.
〔水乡〕 shuǐxiāng 명 수향. 물가의 마을.
〔水香〕 shuǐxiāng 명 《植》 향등골 나물.
〔水箱〕 shuǐxiāng 명 ①냉각 장치. 라디에이터. ②저수 탱크. ¶～车; 급수차.
〔水泄不通〕 shuǐ xiè bù tōng 〈成〉 ①물샐틈도 없다. 경계가 엄중하다. ②꽉 차 있다. ¶能容纳一万六千名观众的看台上挤得～; 1만6천 명의 관중을 수용할 수 있는 스탠드는 꽉 차 있다.
〔水泻〕 shuǐxiè 명 ⇨〔腹fù泻〕
〔水榭〕 shuǐxiè 명 〈文〉 물가에 지은 가옥.
〔水心亭〕 shuǐxīntíng 명 ⇨〔水亭〕
〔水星〕 shuǐxīng 명 《天》 수성.
〔水杏儿〕 shuǐxìngr 명 익지 않은 살구. 풋살구.
〔水性〕 shuǐxìng 명 ①수영의 지식〔기술〕. ¶～大=〔很有～〕; 헤엄을 잘 치다 / 有半眼眼儿的～; 수영을 조금 할 줄 안다. ②하천·호수·바다의 깊이·유속(流速) 등의 특징. ③〈貶〉 (여자의) 난봉기. 바람기. ¶～人; 난봉기가 있는 사람 / ～杨花; 〈成〉 여자가 지조 없이 행동하다. ④마음이 변하기 쉬움. ¶～人; 마음이 쉽게 변하는 사람. 정견 없는 사람.
〔水袖〕 shuǐxiù 명 중국 전통극 무대 의상의 소매끝에 단 길고 흰 천(격한 감정을 나타낼 때 팔을 크게 흔들어 이것으로 효과적인 표현을 할 수 있음).
〔水锈〕 shuǐxiù 명 ①(보일러나 주전자 등의) 물때. ¶锅炉里的～没有打过, 有的竟有一寸多厚; 보일러 안의 물때는 벗긴 적이 없어, 한 치를 넘는 것조차 있다. =〔〈南方〉 水箔〕〔水垢〕〔水碱〕〔锅guō垢〕 ②기물(器物)을 오래 물에 담가 두었기 때문에 생긴 흔적.
〔水选〕 shuǐxuǎn 명 물에 의한 선광(選鑛)·선종(選種).
〔水压〕 shuǐyā 명 수압. 동수압(動水壓). ¶～机; ⓐ수력 기계. ⓑ수압 프레스.
〔水鸭〕 shuǐyā 명 ⇨〔野yě鸭(子)〕
〔水鸭子〕 shuǐyāzi 명 《軍》 상륙용 주정(舟艇)의 별칭.
〔水涯〕 shuǐyá 명 ⇨〔水边〕
〔水烟〕 shuǐyān 명 수연통(水煙筒)에 쓰이는 살담배. ¶～袋; 수연통.
〔水燕子〕 shuǐyànzi 명 《鳥》 갈색제비.
〔水杨〕 shuǐyáng 명 《植》 ①냇버들. =〔蒲pú柳〕 ②수양버들. =〔垂chuí杨柳〕
〔水杨梅〕 shuǐyángméi 명 《植》 큰뱀무.
〔水杨酸〕 shuǐyángsuān 명 《化》 수양산. 살리실산(酸). ¶～钠nà =〔柳酸钠〕〔杨曹cáo〕; 살리실산 나트륨 / ～汞gǒng; 살리실산 수은 / ～铋bì; 살리실산 비스무트. =〔邻羟línqiǎng基苯甲酸〕〔柳liǔ酸〕〔沙shā力息酸〕
〔水舀子〕 shuǐyǎozi 명 ⇨〔水勺sháo(子)〕
〔水业〕 shuǐyè 명 수도 공사나 우물 공사에 종사하는 직업.
〔水衣〕 shuǐyī 명 이끼. =〔青qīng苔〕
〔水翼船〕 shuǐyìchuán 명 수중익선(水中翼船). =〔水面飞艇〕
〔水一水〕 shuǐyishuǐ 관심을 갖도록 유도하다. 에둘러 말하다. 마음 속을 떠 보다.
〔水音(儿)〕 shuǐyīn(r) 명 ①맑고 시원한 목소리. ②지방 사투리. ¶他说话带一点儿天津～; 그의 말에는 조금 톈진(天津) 사투리가 있다.
〔水银〕 shuǐyín 명 ⇨〔汞gǒng〕
〔水银灯〕 shuǐyíndēng 명 수은등.
〔水银浆子〕 shuǐyín jiāngzi 명 ⇨〔汞gōng齐〕
〔水引擎〕 shuǐyǐnqíng 명 수력 엔진. =〔水机〕
〔水饮〕 shuǐyǐn 명 ①(마시기 위해) 끓인 물과 차. ②《漢醫》 수음(장기(臟器)의 병적 삼출액(滲出液)).
〔水印〕 shuǐyìn 명 중국의 전통적인 목각 인쇄 방법(기름을 쓰지 않고 물안료만을 배합하여 씀). ¶～艺术; 위와 같이 만든 작품. =〔水印木刻〕〔木刻水印〕
〔水印(儿)〕 shuǐyìn(r) 명 ①〈方〉 (버들잎 모양의) 상인이 쓰는 도장. ¶这张借据上还得托熟识的铺子打个～; 이 차용증에는 따로 잘 아는 상점에 부탁해서 (보증) 도장을 찍어 달래야 한다. ②제지(製紙) 과정에서 종이 섬유의 밀도를 바꿈으로써 명암의 무늬를 붙인 것. (화폐 따위의) 투문(透紋). ③물방울이 말라서 남은 흔적.
〔水勇〕 shuǐyǒng 명 〈文〉 수군 병사.
〔水有源, 树有根〕 shuǐ yǒu yuán, shù yǒu gēn 〈諺〉 물엔 근원이 있고, 나무엔 뿌리가 있다. 무릇 일에는 그 근원을 이루는 것이 있다. =〔树有根, 水有源〕
〔水盂〕 shuǐyú 명 ⇨〔水丞chéng〕
〔水鱼〕 shuǐyú 명 《動》 자라.
〔水榆〕 shuǐyú 명 《植》 팥배나무.
〔水玉〕 shuǐyù 명 ①⇨〔水晶〕 ②⇨〔半bàn夏〕
〔水玉米〕 shuǐyùmǐ 명 《植》 율무.
〔水域〕 shuǐyù 명 수역. ¶领lǐng海～; 영해의 수역.

〔水源〕 shuǐyuán 명 수원.
〔水月灯〕 shuǐyuèdēng 명 아세틸렌 램프. 가스등. =〔水月电〕
〔水月镜花〕 shuǐyuè jìnghuā 명 ①물에 비친 달. 거울에 비친 달. ②〈比〉 진실이〔진짜가〕 아닌 것.
〔水运〕 shuǐyùn 명 수운.
〔水杂〕 shuǐzá 명 수분과 불순물.
〔水灾〕 shuǐzāi 명 수해. 수재.
〔水灾保险〕 shuǐzāi bǎoxiǎn 명 ⇨〔水险〕
〔水葬〕 shuǐzàng 명동 수장(하다).
〔水蚤〕 shuǐzǎo 명〖動〗 물벼룩. =〔鱼虫〕
〔水藻〕 shuǐzǎo 명〖植〗 수조. 수초류의 총칭.
〔水泽〕 shuǐzé 명 수택. 소택(지).
〔水贼〕 shuǐzéi 명 ①해적. =〔海hǎi盗〕 ②〈比〉 교활한 놈.
〔水闸〕 shuǐzhá 명 수문. 가동언(可動堰).
〔水栅〕 shuǐzhà 명 ①수책. 관개를 위하여 물의 흐름을 막는 울타리. ②선박의 통행을 막기 위하여 친 울타리.
〔水寨〕 shuǐzhài 명 수군의 근거지.
〔水战〕 shuǐzhàn 명 수전. 해전. 수상 전투.
〔水涨船高〕 shuǐ zhǎng chuán gāo 〈成〉 수위(水位)가 높아지면 배의 높이도 따라서 높아진다《주위 사람들의 향상함에 따라 자신도 향상된다》. ¶～, 物价涨了别的费用也会提高的; 물이 불으면 배도 높아지는 것이니, 물가가 오르면 다른 비용도 자연히 올라가는 것이다. =〔水长船高〕
〔水胀〕 shuǐzhàng 명〖漢醫〗 수창. 창만(脹滿).
〔水针疗法〕 shuǐzhēn liáofǎ 명〖漢醫〗 수침 요법《약을 주사함과 동시에 침을 놓는 치료법》.
〔水蒸气〕 shuǐzhēngqì 명 수증기. =〔蒸汽〕
〔水芝〕 shuǐzhī 명〖植〗 ① '荷hé花(儿)' (연꽃)의 별칭. ② '冬dōng瓜' (동아. 동과)의 별칭.
〔水蜘〕 shuǐzhī 명〖蟲〗 물거미.
〔水至清则无鱼〕 shuǐ zhì qīng zé wú yú 〈成〉 ①맑은 물에 고기가 안 논다《몸가짐이 지나치게 결백하면 남이 따르지 않는다》. ②원칙에 무관한 일로 사람을 엄히 책하면 단결이 무너진다.
〔水质〕 shuǐzhì 명 수질.
〔水蛭〕 shuǐzhì 명〖蟲〗 거머리. =〔蛭〕〔蚂蟥〕
〔水中呼吸器〕 shuǐzhōng hūxīqì 명 애퀴렁(agualung). =〔水肚〕
〔水中捞月〕 shuǐ zhōng lāo yuè 〈成〉 물에 비친 달을 건지다《헛수고를 하다》. ¶～一场空; 〈歇〉 헛수고. =〔海底捞月①〕
〔水肿〕 shuǐzhǒng 명〖漢醫〗 수종《신장 및 심장성 부종·급성 신장염·복수 따위》. =〔浮fú肿〕
〔水珠(子)〕 shuǐzhū(zi) 명〈俗〉 물방울. 이슬 방울.
〔水注〕 shuǐzhù 명 ⇨〔水丞chéng〕
〔水准〕 shuǐzhǔn 명 ⇨〔水平píng②〕
〔水准面〕 shuǐzhǔnmiàn 명 ⇨〔水平面〕
〔水准器〕 shuǐzhǔnqì 명 ⇨〔水平仪〕
〔水准仪〕 shuǐzhǔnyí 명 수준기. 수평기.
〔水渍渍〕 shuǐzīzī 동 흠뻑 젖다. ¶快把这～的被bèi窝搬出去晒; 이 흠뻑 젖은 이불을 빨리 내다 말려라 / 面条一泡～的, 还有什么吃头儿; 국수가 국물에 불었는데 무슨 맛이 있겠느냐. =〔水唧jī唧〕
〔水渍〕 shuǐzì 동 (짐이) 물에 잠기다. ¶～货; 물에 잠긴 화물 / ～险; 침수 화물에 대한 해상 보험. 명 물웅덩이.
〔水租〕 shuǐzū 명 용수구(用水溝)의 임차료(賃借料).
〔水族〕 shuǐzú 명 ①수서(水棲) 동물. ¶～馆; 수족관. ②(Shuǐzú) 《民》 수이 족《중국 소수 민족의 하나. 구이저우 성(貴州省) 안에 흩어져 삶》. =〔水家〕
〔水钻儿〕 shuǐzuànr 명〖鑛〗 '金刚钻' (다이아몬드)의 별칭.
〔水嘴〕 shuǐzuǐ 명〖鳥〗 바다지빠귀.
〔水作坊〕 shuǐzuōfang 명 두부 공장.
〔水座儿〕 shuǐzuòr 명 물 가운데에 있는 정자(亭子).

说(說) shuì (세)

동 남을 설복〔설득〕하다. ¶游～; 유세하다 / 特来叙xù旧, 奈何疑我做～客也; 그리워서 일부러 찾아온 나를 설득객으로 의심하는가. ⇒shuō yuè

帨 shuì (세)

명〈文〉 옛날의 수건《현재의 손수건과 같음》.

〔帨辰〕 shuìchén 명〈文〉 (여자의) 생일. ¶设～; (여자의) 생일 잔치를 베풀다. =〔帨tuì辰〕〔婺wù辰〕〔悦yuè辰〕
〔帨樽〕 shuìzūn 명〈文〉〈比〉 결혼식 피로연.

税 shuì (세)

① 명 세금. ¶营业～; 영업세 / 纳～; 납세하다 / 抽～; 세금을 징수하다 / 印花～; 인지세. ② 동 납세하다. ¶这张房契已然～过了; 이 가옥 등기증은 이미 세금을 납부했다. ③ 명 성(姓)의 하나.

〔税仓库〕 shuìcāngkù 명 ⇨〔关guān栈〕
〔税差〕 shuìchāi 명 ⇨〔税吏〕
〔税单〕 shuìdān 명 납세 증명서.
〔税额〕 shuì'é 명 세액.
〔税法〕 shuìfǎ 명〖法〗 세법.
〔税赋〕 shuìfù 명 ⇨〔税课〕
〔税驾〕 shuìjià 동〈文〉 쉬다. 휴식하다. =〔解jiě驾〕
〔税局子〕 shuìjúzi 명 (전의) 세무서.
〔税捐〕 shuìjuān 명 ⇨〔税课〕
〔税课〕 shuìkè 명 세금. =〔税赋〕〔税捐〕
〔税款〕 shuìkuǎn 명 세금(의 액수).
〔税吏〕 shuìlì 명 세리. =〔税差chāi〕
〔税率〕 shuìlǜ 명 세율.
〔税目〕 shuìmù 명 세목. 세금의 명목.
〔税票〕 shuìpiào 명 (납세 증서·고지서 등의) 납세 전표.
〔税契〕 shuìqì 명 (부동산의) 납세 증서〔고지서〕.
〔税卡〕 shuìqiǎ 명 (전의) 통행세를 징수하던 세관.
〔税收〕 shuìshōu 명 세수.
〔税务〕 shuìwù 명 세무(稅務). ¶～局; 세무서 / ～员; 세리(稅吏).
〔税务司〕 shuìwùsī 명 옛날, 중국의 각 무역항에 있었던 세관의 외국인 고급 관리.
〔税银(子)〕 shuìyín(zi) 명 (옛날의) 세금. ¶打鱼的～都交不上; 어로세(漁撈稅) 마저도 납부할 수 없다.
〔税印〕 shuìyìn 명 납세필(畢)의 도장.
〔税则〕 shuìzé 명 세칙. 징세에 관한 규칙. 조세법.
〔税章〕 shuìzhāng 명 세칙(稅則).
〔税制〕 shuìzhì 명 세제. 징세에 관한 제도. 조세 제도.
〔税种〕 shuìzhǒng 명 세종. 세목(稅目).

睡 **shuì** (수)
①동 자다. ¶早～早起; 일찍 자고 일찍 일어나다 / ～着了; 잠들었다 / 我想～; 나는 자고 싶다〔졸리다〕/ 一～就～到大天亮; 한번 잠들면 날이 다 밝도록 잔다 / ～不好; 잠을 못 자다 / ～不下; (갑갑해서) 잠이 안 오다 / ～得喷香的 =〔～得香甜〕; 달게 자(고 있)다. ②명 잠. ¶装zhuāng～; 잠자는 척하다 / ～长了梦长; 〈諺〉 오래 자면 꿈도 길다(일은 너무 길어지면 사태가 달라지는 일이 많다). ③동 몸을 옆으로 누이다. 모로 눕다. ④동 동침하다. ¶～人家闺女; 남의 딸과 자다.

〔睡病虫〕 shuìbìngchóng 명《醫》 트리파노소마 (라 Trypanosoma)('锥zhuī虫'의 속칭).
〔睡不成眠〕 shuìbuchéng mián 푹 자지 못하다. 잠을 이룰 수가 없다.
〔睡不够〕 shuìbugòu 동 ①충분히 자지 못하다. 잠이 모자라다. ②잠꾸러기. =〔睡虎儿〕
〔睡不合眼〕 shuìbuhé yǎn 눈을 붙일 수 없다. 잠이 오지 않다.
〔睡不着〕 shuìbuzháo 동 잠들 수 없다. 잠을 못 자다. ↔〔睡得着〕
〔睡车〕 shuìchē 명 침대차. =〔卧wò车〕
〔睡沉〕 shuìchén 동 푹 자다.
〔睡虫儿〕 shuìchóngr 명 ⇨〔睡虎子〕
〔睡床〕 shuìchuáng 명 침상.
〔睡房〕 shuìfáng 명 침실.
〔睡鬼〕 shuìguǐ 명 ①정신 없이 잠들어 있는 사람. ②잠꾸러기.
〔睡过头〕 shuìguòtóu 동 시간을 지나쳐 자다. 늦잠 자다. =〔睡过站〕
〔睡过站〕 shuìguozhàn 동 ⇨〔睡过头〕
〔睡虎子〕 shuìhǔzi 명 잠꾸러기. =〔睡虫儿〕〔睡迷〕
〔睡(回)龙觉〕 shuì(huí)lóngjiào 두 번째 자다. 새벽녘에 잠을 깨고 다시 푹 자다. ¶～最养人; 새벽에 또 한잠 자면 건강에 매우 좋다. =〔睡五更觉〕〔睡龙觉〕
〔睡觉〕 shuì.jiào 동 자다. ¶睡一点钟的觉; 한 시간 자다 / 和衣～; 입은 채로 자다 / 睡晌觉; 낮잠 자다 / 睡了一个觉; 한잠 잤다 / 睡死觉 =〔睡大觉〕; 푹 자다 / 该～了; 잘 시간이다 / 睡婆婆觉; 갓난아기가 꿈을 꾸고 웃거나 소리를 내거나 함.
〔睡炕〕 shuìkàng 동 온돌에서 자다.
〔睡懒觉〕 shuì lǎnjiào 늦잠을 자다.
〔睡莲〕 shuìlián 명《植》 수련. =〔子zǐ午莲〕
〔睡龙觉〕 shuì lóngjiào ⇨〔睡(回)龙觉〕
〔睡帽〕 shuìmào 명 나이트캡.
〔睡梦〕 shuìmèng 명 〈文〉 잠. ¶一阵敲门声把他从～中惊醒了; 한바탕 문을 두드리는 소리가 그를 잠에서 놀라 깨어나게 하였다.
〔睡迷〕 shuìmí 명 ⇨〔睡虎子〕
〔睡眠〕 shuìmián 명동 수면(하다). ¶～不足; 수면 부족 / ～疗liáo法; 《化》 (생리학의) 수면 요법.
〔睡眠病〕 shuìmiánbìng 명《醫》 수면병.
〔睡魔〕 shuìmó 명 〈比〉 수마. 못 견디게 오는 졸음. =〔睡神〕
〔睡婆婆教(儿)〕 shuìpópojiāo(r) 아기가 자면서 웃음을 짓는 일. 배냇짓을 하는 일.
〔睡晌〕 shuìshǎng 동 낮잠 자다. =〔睡晌觉〕〔睡午觉〕
〔睡神〕 shuìshén 명 ⇨〔睡魔〕
〔睡狮〕 shuìshī 명 ①잠자는 사자. ②〈比〉 위세를 떨치지 못하는 대국.
〔睡实着〕 shuì shízháo 숙면하다. 푹 자다.
〔睡熟〕 shuìshú 동 푹 자다. 숙면하다.
〔睡思梦想〕 shuìsī mèngxiǎng 몽매간에도 골똘히 생각하다.
〔睡五更觉〕 shuì wǔgēngjiào ⇨〔睡(回)龙觉〕
〔睡午觉〕 shuìwǔjiào 동 ⇨〔睡晌〕
〔睡下〕 shuìxia 동 ①몸을 옆으로 하다. 모로 눕다. ¶～, 不要起来; 누워 있어라, 일어나지 말고. ②자다. ¶昨天晚上九点种的时候, 我已经～了; 어젯밤 9시에 나는 이미 잠자리에 들었다. →〔躺下〕
〔睡乡〕 shuìxiāng 명 수면 상태. 꿈나라.
〔睡相〕 shuìxiàng 명 잠자는 모습. ¶他躺tǎng在床上咬牙打呼说梦话, 四脚八叉地乱打滚儿, ～太不好; 그는 잠자리에서 이를 갈고 코를 골며 잠꼬대를 하고, 몸부림을 치는 등 잠을 험하게 잔다.
〔睡醒〕 shuìxǐng 동 (잠에서) 깨다. 눈을 뜨다. ¶看样子, 他刚～, 两只眼睛红红的; 그는 막 잠에서 깨어난 듯 눈이 충혈되어 있다.
〔睡鸭〕 shuìyā 명 '香xiāng炉'(향로)의 별칭.
〔睡眼〕 shuìyǎn 명 졸린 듯한 눈. ¶～惺松; 〈成〉 잠에 취한 눈.
〔睡眼迷离〕 shuì yǎn mí lí 〈成〉 잠에서 덜 깬 눈.
〔睡衣〕 shuìyī 명 잠옷. =〔困衫〕
〔睡椅〕 shuìyǐ 명 안락 의자. 침대용 소파.
〔睡意〕 shuìyì 명 졸음. 자고 싶은 느낌. ¶有了点儿～; 조금 졸리다.
〔睡游病〕 shuìyóubìng 명 몽유병.
〔睡在鼓里〕 shuìzai gǔli 〈比〉 ①아랑곳하지 않다. 무사 태평이다. ¶店被人家搬空了, 你还～; 사람들이 물건을 가져가서 가게가 텅 비어도 넌 나 몰라라 태평하냐. ②남에게 속고 있으면서 아무것도 모르고 있다. ¶～做救亡图存的好梦; 속고 있으면서 멸망에서 벗어나 살아 나갈 꿈을 꾸고 있다.
〔睡早觉〕 shuì zǎojiào 늦잠 자다. ¶睡惯早觉了; 늦잠 자는 버릇이 들어 있다.
〔睡着〕 shuìzháo 동 잠들다.

SHUN ㄕㄨㄣ

吮 **shǔn** (연)
동 입으로 빨다. 입으로 들이마시다. ¶～乳; 젖을 빨다.

〔吮疽〕 shǔnjū 동 〈文〉 장수가 군사를 어루만지다.
〔吮吸〕 shǔnxī 동 빨아들이다〔먹다〕(현재는 흔히 비유로 쓰임). ¶～奴隶血汗的寄生虫; 노예의 피와 땀을 빨아먹는 기생충.
〔吮痈舐痔〕 shǔn yōng shì zhì 〈成〉 아첨하기 위해 어떤 치사한 짓이라도 하다.

楯 **shǔn** (순)
명 〈文〉 난간. ⇒dùn

顺(順) **shùn** (순)
①동 같은 방향으로 향하다. 역(逆)으로 가지 않다. ¶～着潮流走; 시대의 흐름과 한 방향으로 나아가다 / 风要是～, 船一个钟头就到了; 순풍이면 배가 한 시간 만에

닿는다 / 一个～流而下, 一个逆流而上; 한쪽은 흐름에 거스르지 않고 내려가고, 한쪽은 흐름을 거슬러서 올라간다. ↔〔逆〕 ② 동 따르다. ㉠…에 연(沿)하다. …을 끼다. ¶～城街; 성벽(城壁) 안쪽에 연해 있는 가도 / ～河边走; 강변을 따라〔끼고〕 걷다. ㉡복종〔순종〕하다. 배반하지 않다. ¶归～; 귀순하다 / 百依百～; 〈成〉 일체 상대의 말하는 대로 따르다 / 孝～; (부모에) 효순하다. ③ 개 …에 맞추어. …하는 김에. ¶～手关门! 드나드는 김에 문을 닫아 주시오 / ～口说出来; (말을) 입에서 나오는 대로 지껄이다 / ～便带去; 가는 길에 가져가다. ④ 동 차례로 물리다. ¶遇雨～延; 우천 순연(雨天順延). ⑤ 동 정리하다. 다듬다. 가지런히 하다. 바로잡다. ¶～一～头发; 머리를 매만져 다듬다 / 文章太乱, 得～一～! 문장이 엉망이니 정리해야 한다 / 不用另写, 把原稿～一～就行了; 다시 쓸 필요는 없고, 원고를 좀 정리하면 된다 / ～过船来; 배의 방향을 바로잡다. ⑥ 동 맞다. 꼭 들어맞다. ¶不～他的意; 그의 뜻에 맞지 않다 / ～着人心眼儿行; 남의 마음에 들도록 일을 하다. ⑦ 형 순조롭다. 무리가 없다. ¶办事不～; 일이 잘 진척되지 않다 / 文章做得很～; 문장이 매우 매끄럽게 쓰여져 있다. ⑧ 형 (…함에 있어) 좋다. 형편이 좋다. ¶～心; 기분이 좋다 / 这管笔用着～手; 이 붓은 쓰기가 좋다. ⑨차례로. ¶～着数下去; 차례차례 세어 나가다. ⑩ 형 조리가 서 있다. ⑪ 개 겸사겸사. ¶～请台安; 〈翰〉 겸하여 평안하심을 복망하나이다. ⑫ 명 성(姓)의 하나.

〔顺把〕 shùn.bǎ 동 〈京〉 (남의 말을) 잘 듣다. 유순하다. ¶这个人有点不～; 이 사람은 좀 유순치 않은 점이 있다 / 这马不～; 이 말은 사납다.

〔顺便(儿)〕 shùnbiàn(r) 부 …하는 계제〔김〕에. ¶～把那件事说了; 마침 어떤 계제에 그 일을 말하였다.

〔顺步〕 shùnbù 형 발길 닿는 대로 걷다. ¶～来到了街上; 발길 닿는 대로 걸어 거리에 왔다.

〔顺差〕 shùnchā 명 《貿》 흑자(黑字)《수출 초과의 차액》. ↔〔逆差〕

〔顺产〕 shùnchǎn 명 ⇨〔安ān产〕

〔顺畅〕 shùnchàng 형 거침없다. 순조롭다. ¶工作进行得很～; 일이 순조롭게 진행되다.

〔顺成〕 shùnchéng 동 〈文〉 순조롭게 일이 진척되다.

〔顺城街〕 shùnchéngjiē 명 성벽 (안쪽)을 따라 나 있는 길〔거리〕.

〔顺磁〕 shùncí 명 《物》 상자성(常磁性).

〔顺次〕 shùncì 명 차례. 순번. 순서. ¶～排列; 순번대로 배열하다.

〔顺从〕 shùncóng 동 순순히 따르다. 순종하다. ¶表现得太～; 행동이 아주 온순하고 고분고분하다 / 那国政府表现得太～于美国; 저 나라 정부의 태도는 미국에 매우 순종적이다. =〔顺服〕

〔顺带〕 shùndài 부 …하는 김에.

〔顺袋〕 shùndài 명 '护hù身符' 나 '硃zhū砂' 따위를 넣는 자루.

〔顺当〕 shùndang 형 〈口〉 ①순조롭다. 쾌조〔호조〕이다. 잘 돼 가다. ¶事儿进行得很～; 일의 진행이 매우 순조롭다 / 心里不～; 기분이 좋지 않다 / 住着不～, 竟出逆事; 살아 보니 거북하고, 뜻밖에도 불길한 일만 일어난다. =〔顺利〕 ②얌전하다. 거스르지 않다. ¶那条狗听到叫声, ～地走过来; 그 개는 부르는 소리를 듣더니 얌전하게 다가왔다.

〔顺导〕 shùndǎo 동 좋은 방향으로 인도하다.

〔顺道(儿)〕 shùndào(r) 동 도리에 따르다. 명부 ⇨〔顺路(儿)〕

〔顺丁橡胶〕 shùndīng xiàngjiāo 명 부타디엔(butadiene) 고무.

〔顺耳〕 shùn'ěr 형 (말이) 듣기에 좋다. 귀에 거슬리지 않다. ¶他说的话听着真～; 그가 하는 이야기는 들어서 무척 기분이 좋다.

〔顺风〕 shùnfēng 명 순풍. ¶～船; 순풍에 돛단배《순조로운 조건·정황을 일컬음》 / ～转舵; 〈成〉 정세에 따라 태도를 바꾸다. 기회주의적인 태도를 취하다 / ～吹火; 〈成〉 세를 이용하다〔틈타다〕 / ～扯旗; 〈成〉 형세에 편승(便乘)하여 하다 / ～而呼; 〈成〉 외력(外力)을 빌려 더 좋은 효과를 거두다. =〔背风②〕 동 바람 부는 대로 따르다. 형 운수가 좋다.

〔顺风耳〕 shùnfēng'ěr 명 ①〈比〉 소문 따위를 남보다 빨리 듣고 아는 사람. 소식통. ¶他具有通天的本领, 那就是千里眼与～; 그는 굉장한 능력을 갖고 있는데, 그것은 천리안과 빠른 소식통이다. ②메가폰. =〔话筒〕

〔顺服〕 shùnfú 동 ⇨〔顺从〕

〔顺竿儿爬〕 shùn gānr pá 〈俗〉 남에게 영합하다. ¶人家刚一说这么办, 他马上说也好, 真能～啊; 다른 사람이 이렇게 하자고 말하면 곧 그것도 좋겠다고 말하니, 참으로 남의 비위를 잘 맞추는 군.

〔顺胳臂掉〕 shùngēbeidiào 〈比〉 하려는 대로 되다. 말하는 대로 되다.

〔顺合〕 shùnhé 동 따라 맞추다. 영합하다. ¶～他的心意; 그의 뜻에 영합하다.

〔顺和〕 shùnhe 형 (말·태도 따위가) 온순하다.

〔顺红笺〕 shùnhóngjiān 명 경사에 쓰이는 (괘나 무늬가 없는) 붉은 종이. ¶办喜事还不买几张～; 경사를 치르는데 붉은 종이 몇 장 사지 않을 수 없지. =〔顺红纸〕

〔顺红纸〕 shùnhóngzhǐ 명 ⇨〔顺红笺〕

〔顺候〕 shùnhòu 동 〈翰〉 아울러 …을 여쭙겠습니다. ¶～起居; 아울러 근황이 어떠신지 여쭙는 바입니다. =〔顺请〕

〔顺怀〕 shùnhuái 동 ⇨〔顺心〕

〔顺奸〕 shùnjiān 동 〈文〉 좋지 않은 일에 질질 끌려 따르다.

〔顺脚〕 shùnjiǎo 동 발길 닿는 대로 걷다. 명 ①순탄한 길. 탄탄한 길. ②〈比〉 좋은 운수. ¶走～; 운 좋게 되어 가다.

〔顺脚(儿)〕 shùnjiǎo(r) 동 ①(차·말에) …하는 김〔계제〕에 실어 나르다. ②발 가는 대로 걷다. 부 ⇨〔顺路(儿)〕

〔顺结〕 shùnjié 명동 ⇨〔直zhí结〕

〔顺姐儿的妹妹〕 shùnjiěrde mèimei 〈歇〉온순한 언니의 동생《온순한 언니의 반대인 '짓궂고 심술궂고 성가신 동생'이라는 의미. 괴팍하다. '别妞儿'를 '别扭'에 엇걸어 말하는 익살》.

〔顺劲〕 shùnjìng 형 아주 적합하다. 아주 형편이 좋다. 딱 들어맞다.

〔顺口(儿)〕 shùnkǒu(r) 동 ①(말을) 잘 생각지 않고 내뱉다. (입에서) 나오는 대로 말하다. ¶～胡说; (입에서 나오는 대로) 되는 대로 말하다 / ～答音儿; 남의 말에 가볍게 응답하다. 예예 하고 응답하다. =〔信口〕 ②〈方〉 (흔히 '儿化' 하여) 음식이 입에 맞다. 기호〔구미〕에 맞다. ¶这个菜很～儿; 이 요리는 맛이 있다 / 这个菜他吃着很～儿; 이 반찬은 매우 그의 입에 맞는다. ③말이 입에서 술술 나오다. 읽기 쉬워 거침없이 나가

다. ¶经他这样一改, 念起来就特别~了; 그가 이와 같이 고친 결과 매우 읽기 쉬워졌다. ④버릇〔습관〕이 되다.

〔顺境〕 shùnjìng 명 〈文〉 순조로운〔좋은〕 처지〔경우〕.

〔顺口溜〕 shùnkǒuliū 명 민간 예술의 일종(구어(口語)에 의한 운문(韻文)으로, 구의 장단(長短)은 구구각각이며, 매우 어조가 듣기 좋은 것이 특징임).

〔顺口之言(儿)〕 shùnkǒu zhī yán(r) ⇨〔带dài口之言儿〕

〔顺理〕 shùnlǐ 동 도리에 맞다. 순리이다. ¶~而行; 순리대로 일을 하다 / ~成章; 〈成〉 도리에 맞게〔따라서〕 무리가 없는 형식으로 되어 있다.

〔顺利〕 shùnlì 형 순조롭다. ¶工作~; 일이 순조롭다 / ~无阻; 순조로워 막힘이 없다 / ~地完成了任务; 순조롭게 임무를 완수했다 / 一切事情~地进行着; 만사 순조롭게 진행되고 있다.

〔顺良〕 shùnliáng 명 〈文〉 선량(한 백성). 형 선량하다. 온순하다.

〔顺溜〕 shùnliu 형 〈方〉 ①순서 바르다. 잘 정리돼〔다듬어져〕 있다. 흐트러짐이 없다. ¶这篇小文章写得很~; 이 짤막한 글은 순서 있게 또박또박 쓰여 있다. ②막힘 없이〔순조롭게〕 나아가다. ¶这几年日子过得很~; 이 몇 년 동안은 아무 일 없이 지냈다 / 事办得挺~; 일이 순조롭게 진행되다. ③(어린아이가) 말을 잘 듣다. (성질이) 고분고분하다. ¶他弟兄三个, 就是他脾气好, 比谁都~; 그들 삼형제 중에서는 그가 성격이 제일 좋아서 누구보다도 말을 잘 듣는다. ④매끄럽다. 반드러워 보기 좋다. ¶那箱子打过沙纸, 油过油, 就~多了; 그 상자는 사포로 문지르고 니스를 칠했더니 훨씬 매끄럽고 보기 좋아졌다 / 他的脑袋还没有石头~; 저놈의 두상은 돌멩이보다도 보기 흉하다. ⑤운이 좋다. ¶最近不大~, 净出事儿; 요즈음은 운이 별로 좋지 않아서 문제만 생긴다.

〔顺溜溜(的)〕 shùnliūliū(de) 형 순종하다. 거스르지 않다. ¶听说听道, ~的; 순순히 남의 말을 듣고 거스르지 않다.

〔顺流〕 shùnliú 동 흐름에 따르다. ¶~而下; 〈成〉 흐르는 대로 내려가다. 형 〈比〉 순조롭다. 거침없다. ¶说起来~; 입을 열어보니 술술 잘 나온다.

〔顺路(儿)〕 shùnlù(r) 부 …하는 김〔길, 계제〕에 (들르다). ¶她在区里开完会, ~到娘家看了看; 그녀는 구(區)회의에 참석한 김에 친정에 들러 보았다 / ~停靠; 순로 기항(寄港). =〔顺道(儿)〕〔顺脚(儿)〕 형 (길이) 편하다. ¶这么走太绕远儿, 不~; 이렇게 가면 너무 돌아가서 불편하다. 명 ①가는 길. 지나는 길. ¶正好是~; 마침 지나는 길이다. ②순탄한 길. 탄탄한 길. =〔顺道(儿)〕

〔顺蔓摸瓜〕 shùn màn mō guā 〈成〉 덩굴을 더듬어 참외를 따다(①하나의 계기로 해서 그 근원을 찾아 내다. ②작은 일이 실마리가 되어 큰 일에 이르다). =〔顺藤摸瓜〕

〔顺毛驴儿似地〕 shùnmáolǘrshide 〈比〉 아무런 저항도 없이. 거침없이.

〔顺民〕 shùnmín 명 〈文〉 ①귀순한 백성. ②천명(天命)대로 행동하는 사람.

〔顺命〕 shùn·mìng 동 〈文〉 순명하다. 명령에 따르다.

〔顺坡儿溜〕 shùnpōr liū 〈比〉 임기 응변으로 대처하여 원만하게 수습하다.

〔顺毛驴儿〕 shùnmáolǘr 명 무기력한 사람. 지나치게 순한 사람. 변변치 못한 사람.

〔顺坡下驴〕 shùn pō xià lǘ 〈成〉 언덕을 따라서 당나귀를 내려몰다(가볍게 받아 넘기다).

〔顺气〕 shùn·qì 동 노여움을 거두다. 마음을 가라앉히다. (shùnqì) 형 마음에 들다. 마음이 평온하다. ¶这几天我总有一点不大~; 요 며칠 동안 나는 도무지 마음이 편치가 않다 / 碰了件不~的事; 마음에 들지 않는 일에 부딪쳤다.

〔顺契〕 shùnqì 명 집문서·땅문서 따위 소유권을 나타내는 증서.

〔顺情〕 shùnqíng 동 정의(情誼)에 따르다. 인정에 따르다. ¶自古道, ~说好话, 干直惹人嫌; 예로부터, 인정에 따라서 남의 기분을 거스르지 않도록 말해야 하며, 입바른 말을 하면 남의 미움을 산다는 말이 있다.

〔顺情顺理(儿)〕 shùnqíng shùnlǐ(r) 인정과 도리에 합당하다.

〔顺请〕 shùnqǐng 동 〈翰〉 ⇨〔顺候〕

〔顺色〕 shùnsè 형 (빛깔이) 잘 어울리다〔조화되다〕. 배색(配色)이 좋다. ¶白的和绿的还算~; 백색과 녹색은 잘 어울리는 편이다.

〔顺舌〕 shùn·shé 동 〈北方〉 고집을 버리고 상대 의견에 따르다. 고집이 꺾이다. 타협적으로 나오다. ¶他一~这事就好办了; 그가 타협하면 이 일은 하기가 좋다.

〔顺时针向〕 shùnshízhēnxiàng 동 ⇨〔正zhèng转〕

〔顺事〕 shùnshì 명 〈文〉 순조로운 일.

〔顺势〕 shùn·shì 동 추세〔정세〕를 따르다. (shùnshì) 부 하는 김에. 제풀에.

〔顺适〕 shùnshì 형 침착하다. 태연 자약하다.

〔顺手(儿)〕 shùnshǒu(r) 형 ①순조롭다. ¶事情办得相当~; 일은 꽤 순조롭게 진행되다. ②쓰기 좋다. 사용에 편리하다. 손에 알맞다. ¶这把刀用得很~; 이 칼은 쓰기에 매우 편리하다. ③기회가 좋다. 부 ①…하는 김에. ¶院子扫完了, ~儿也把屋子扫一扫; 뜰 청소가 끝났으니 내친걸음에 방도 청소하자. =〔顺便(儿)〕 ②(손동작에서) 그대로. 그 손으로. ¶我~一放, 也不记得放在哪里; 나는 그대로 획 던져 두었으므로 어디다 두었는지 기억도 없다. ③닥치는 대로. ¶他一生气, ~打坏了; 그는 발끈해서 닥치는 대로 부쉈다. 명 《紡》 오른쪽으로 실을 꼬는 것.

〔顺手牵羊〕 shùn shǒu qiān yáng 〈成〉 그 자리에 있던 것을 가져가다〔슬쩍하다〕. ¶其中有一人~把铺主的大衣拿走了; 그 중의 누군가가 가게 주인의 외투를 슬쩍 가져가 버렸다.

〔顺守〕 shùnshǒu 동 〈文〉 규정대로 지켜 나가다. ¶逆nì取~; 〈成〉 난폭하게 손에 넣어도 보전은 신중하게 하다. 천하를 무력으로 빼앗아 법으로 다스리다.

〔顺受无阻〕 shùnshòu wúzǔ 지장 없이 받아들여지다. ¶这学说在中国不能~的; 이 학설은 중국에서 쉽게 받아들여질 수 없다.

〔顺水〕 shùn·shuǐ 동 흐름에 따르다(흔히, 정세에 순응하는 것에 쓰임). ¶~推舟 =〔~推船〕〔~行船〕; 〈成〉 흐름을 타고 일을 행하다. 형편에 따라서 일을 하다. ↔〔逆水〕

〔顺水人情〕 shùn shuǐ rén qíng 〈成〉 손쉬운 일. …하는 김에 의리나 인정을 베풀기. 값싼 인정. 별것도 아닌 친절. ¶这是~, 他乐lè意做; 이건 별일이 아니므로 그는 기꺼이 한다.

〔顺顺当当地〕 shùnshundāngdāngde 형 순조롭다. ¶~毕bì了业; 순조롭게 졸업했다.

〔顺顺溜溜地〕 shùnshunliūliūde 형 매우 순조롭

다(‘顺溜’의 중첩형(重疊形)).
〔顺说〕 shùnshuō 동 온화하게 이야기하다. ¶给他～是不行的; 그에게 온화하게 말해서는 안 된다.
〔顺丝顺绺〕 shùnsī shùnliǔ 조리가 서 있다. 정연(整然)하다. ¶～的事好办; 사리가 바른 일은 하기가 쉽다.
〔顺颂〕 shùnsòng 동〈翰〉 곁들여 …을 경하(慶賀)드립니다. ¶～台安; 아울러 평안하심을 경하드립니다.
〔顺遂〕 shùnsuì 동〈文〉 순조롭다.
〔顺孙〕 shùnsūn 명〈文〉 유순한 손자.
〔顺藤摸瓜〕 shùn téng mō guā〈成〉 ⇨〔顺蔓摸瓜〕
〔顺天〕 shùntiān 동〈文〉 천리에 따르다. 순천하다. ¶～应yìng人;〈成〉 천리와 인심을 따르다 / ～者昌; 천리를 따르는 자는 번창한다 / ～者存, 逆天者亡; 도를 따르는 자는 번영하고, 도를 거스르는 자는 망한다.
〔顺条顺理(儿)〕 shùntiáo shùnlǐ(r) ①도리에 거역하지 않다. ¶你要是～, 怎么着都好办; 네가 이치를 딱 지켜서 한다면 아무렇게 해도 쉽다. ②순종하다.
〔顺听〕 shùntīng 형 귀에 거슬리지 않다. 듣기 좋다.
〔顺心〕 shùn·xīn 동 뜻대로 되다. ¶诸事～; 만사가 뜻대로 되다 / 他一不～就发作; 그는 좀 뜻대로 되지 않으면 금세 짜증을 낸다. =〔顺怀〕
〔顺星〕 shùnxīng 명 음력 정월 8일에 별을 제사하는 행사.
〔顺行〕 shùnxíng 명〖天〗 순행.
〔顺序〕 shùnxù 명 순서. 부 차례로. 순서대로. ¶～参观了五个工厂; 차례로 다섯 공장을 참관했다 / ～前进; 순서를 따라 전진하다.
〔顺序〕 shùnxu 형 걱정이 없다. (마음이) 편하다. ¶在这儿住着很～; 이 곳은 살아보니 아주 편하다.
〔顺言〕 shùnyán 동〈文〉 (남의) 말에 따르다. 남의 말대로 하다.
〔顺延〕 shùnyán 명동 순연(하다). ¶划船比赛定于七月五日举行, 遇雨～; 경조(競漕)는 7월 5일 행하는데, 우천 순연(雨天順延)이다.
〔顺眼〕 shùnyǎn 형 보고 즐겁다. 보기가〔에〕 좋다. (보고) 마음에 들다. 눈에 거슬리지 않다. ¶不～的人; 마음에 들지 않는 사람 / 模mú样儿长zhǎng得很～; 용모가 꽤 아름답다 / 他看你不～; 그에게 잘못 보이다 / 看什么事也不～; 무엇을 보건 모두 눈에 거슬린다〔마음에 안 든다〕. (shùn·yǎn) 동 눈을 내리뜨다(얌전하게 굶).
〔顺应〕 shùnyìng 명동 순응(하다).
〔顺运〕 shùnyùn 형〈文〉 운수가〔운이〕 좋다. 명 좋은 운.
〔顺辙(儿)〕 shùn·zhé(r) 동 보조를 맞추다. ¶我们想法子叫他～了才好办哪; 어떻게든 궁리해서 그에게 보조를 맞추게 하면 일은 수월해진다.
〔顺着个儿〕 shùnzhegèr 부 하나씩. ¶～查一查; 하나하나 조사해 보다.
〔顺证〕 shùnzhèng 명〖漢醫〗 꾸준히 나아진 중한 병.
〔顺钟(方)向〕 shùnzhōng (fāng)xiàng 동 ⇨〔正zhèng转〕
〔顺子〕 shùnzi 명 ①야채의 중심 부분의 부드러운 줄기. ②마작에서, ‘数shù牌’(숫자의 패)의 1·2·3이나 6·7·8 등 숫자를 3개 늘어놓아 맞춘 것. ③포커에서, 스트레이트.
〔顺嘴(儿)〕 shùnzuǐ(r) 동 ①말이 술술 나오다. 술술 지껄일 수 있다. ②(입에서) 나오는〔되는〕 대로 지껄이다. ¶说～; ⓐ내키는 대로 지껄이다. ⓑ말이 입에 익숙해지다.

舜 shùn (순)
명 ①〖人〗 중국 태고의 전설상의 제왕 이름. ②〖植〗 무궁화. =〔蕣〕 ③성(姓)의 하나.
〔舜日尧年〕 shùn rì yáo nián〈成〉 태평한 세상.

蕣 shùn (순)
명〖植〗〈文〉 무궁화. 목근(木槿)(‘木槿花’의 고칭(古稱)). =〔舜②〕

瞬 shùn (순)
동 눈을 깜박이다. ¶一～间; 일순간에 / 转～即逝; 눈 깜짝할 사이에 지나갔다 / ～将结束; 순식간에 끝나려 하다 / 目不暇～;〈成〉 눈 깜빡할 여유도 없다.
〔瞬华〕 shùnhuá 명〈比〉〈文〉 순식간에 지나는 시간.
〔瞬间〕 shùnjiān 명〈文〉 순간.
〔瞬盼〕 shùnpàn 동〈古白〉 눈을 깜박이(어 뜻을 전하)다.
〔瞬时〕 shùnshí 명〈文〉 순시. 순식간. 잠깐 동안. ¶～速度; 순간 속도.
〔瞬息〕 shùnxī 명〈文〉 순식간. 일순. ¶一颗流星从天边落下来, ～间便消失了; 별똥별이 한 개 하늘 끝에서 떨어지더니 일순간에 없어졌다.
〔瞬眼〕 shùnyǎn 동 눈을 깜박거리다. ¶不～地望着; 눈도 깜짝 않고 쳐다보고 있다. 부〈轉〉 순식간에. ¶～就过去了; 눈 깜짝할 사이에 지나가 버렸다.

SHUO ㄕㄨㄛ

说(說) shuō (설)
① 동 말하다. ㉠이야기하다. ¶～中国话; 중국어를 하다 / 你们～谁呀? 너희들은 누구의 일을 말하고 있는 건가? / 不瞒mán您～, …; 사실을 말씀드리면〔실은〕… / 我们正在～你呢; 우리는 지금 바로 당신 일을 이야기하고 있는 중입니다 / ～心里话; 사실을 말하면. 실은 / 我～怎样 =〔我～如何〕; 그것 봐라(내가 뭐라고 했어) / 怎么～; 뭐라고 말해야 좋을지… / 这话怎么～呢; 이것은 어째선가 하면… / ～得是哪; 지당하신 말씀입니다. 그렇고말고요 / 那可～呢! 그(거)야 그렇지! / 谁～不是呢; 누가 그렇지 않다고 하겠습니까 / 听～…; 들리는〔들은〕 바에 의하면 / 虽～是…; …라고는 하나〔하지만〕 / 有什么～什么; 무엇이든 생각하고 있는 대로 말하다 / ～走就走; 간다면 곧 간다 / ～到哪儿是哪儿; 교섭이 매듭지어진 데까지로 중단하다(어느 정도 타협이 지어지면 그것으로 됐다고 친다). ㉡(‘跟’·‘和’ 따위가 만드는 구조 뒤에서) …에게 이야기하다. ¶我有话跟你～; 네게 하고 싶은 말이 있다 / 我跟你～那里的情形吧! 너에게 그 곳 상황에 관해 이야기하겠다. ㉢설명하다. ¶～理; 도리〔이치〕를 설명하다 / ～服; 설득하다. ㉣타이르다. 충고하다. ¶我～了他好几回, 他总不听; 나는 몇 번이나 그에게 충고했으나 도무지 듣지 않았다. ㉤…(라)고 하다(인용문을 이끎). ¶他～马上就来; 그는 곧 온다고 했습니다 / 老师～让我

去找你; 선생님께서 당신을 찾아가 보라고 하셨습니다 / 你告诉他就～我不去了; 그에게, 나는 안 간다고 말해 주시오. ②동 생각하다. ¶心里～; 마음 속으로 생각하다 / 你～怎么样? 자네 어떻게 생각하나? / 你～是谁? 자네 (그건) 누구라고 생각하나? / 我～呢; 어쩐지 (그러리라 생각했지) / 你～可气不可气! 정말 화나는 일이 아닌가! ③동 중개하다. 소개하다. ¶～婆家; 혼인의 중매를 서다. ④명 이론. 주장. 설(說). ¶学～; 학설 / 著书立～; 책을 저술하여 설을 세우다. ⑤동 꾸짖다. 책하다. ¶挨～; 야단맞다 / ～了他一顿; 그를 한 번 야단쳤다. ⇒ shuì yuè

〔说白〕 shuōbái 명《劇》 대사(臺詞). 동 ①대사를 말하다. ②헐뜯다. 이의를 말하다. ¶～道绿; 〈比〉 이러쿵저러쿵 시비하다. ③비근한 말이나 비유로 설명하다.

〔说白清唱〕 shuōbái qīngchàng 옛날, 국상(國喪) 등으로, 음곡(音曲)이 금지된 경우의 편법으로 허용된 극의 방식으로, 분장하지 않고 의상도 착용하지 않으며 반주 없이 연기하는 일.

〔说不出〕 shuōbuchū 말을 꺼낼〔시작할〕 수 없다. =〔说不出来〕〔说不出口儿来〕

〔说不出, 道不出〕 shuōbuchū, dàobuchū ①마음 속의 괴로움이나 불만을 이루 다 말할 수 없다. ②말주변이〔말솜씨가〕 없다. ¶看他～, 就知道是个老实人; 그가 말주변이 없는 것을 보면 순진한 사람이라는 것을 곧 알 수 있다.

〔说不出来〕 shuōbuchū.lái ⇨〔说不出〕

〔说不到〕 shuōbudào ①(마땅히) 해야 할 말에 이야기가 미치지 않다. …이야기로까지는 발전치 않다. ¶有时候一句话～也能引起误wù会; 한 마디의 이야기도 하기 전에 오해를 일으킬 때가 있다. ②의견이 일치하지 않다. ¶～一块儿; 의견이 하나로 일치되지 않다.

〔说不得〕 shuōbude ①말해서는 안 된다. ¶猥wěi亵的话, ～; 추잡한 이야기는 해서는 안 된다. ②말할 수 없을 정도이다. ¶他的行为坏得～; 그의 행위는 말할 수 없을 정도로 나쁘다. ③〈方〉 어쩔 수 없다. 두말 없이 …하다. 싫든 좋든 …하다. ¶～东拼西凑, 恭恭敬敬封了二十四两贽见礼; 마지못해 이리저리 변통하여 공손히 24냥의 은을 처음 뵙는 선물로서 포장했다.

〔说不定〕 shuōbudìng 확실히〔분명히〕 말할 수 없다. …일지도 모른다. ¶他～是来接关系的; 그는 연락하러 왔는지도 모른다. ↔〔说得定〕

〔说不过〕 shuōbuguò 말로 이길 수 없다. 말로 못 당하다. ¶他的嘴厉lì害, 谁也～他; 그는 말을 매우 잘 해서 아무도 그를 못 당한다.

〔说不过去〕 shuōbuguòqù 도리에 어긋나다. 말이 되지 않는다. 조리가 서지 않다. 변명이 서지 않다. ¶这样办太～; 이런 짓을 해서는 너무나도 도리에 어긋난다. ↔〔说得过去〕

〔说不好〕 shuōbuhǎo ①잘 표현할 수 없다. ↔〔说得好〕 ②〈京〉 모르다. ¶月底能否完成任务, 我可～; 월말에 임무가 완성될지 어떨지 모르겠다.

〔说不尽〕 shuōbujìn 이루 다 말할 수 없다.

〔说不开〕 shuōbukāi ①이야기가 (성립)되지 않다. 해명〔변명〕이 안 된다. ②이야기가 진전되지 않다. 타협이〔화해가〕 되지 않다. ¶～就得归官司吧; 타협이 되지 않으면 재판에 맡길 수 밖에 없다 / 他们俩有什么～的; 그들 두 사람 사이에 화해하지 못할 게 뭐 있나. ‖↔〔说得开〕

〔说不来〕 shuōbulái ①(감정 따위가 맞지 않아서) 말이 통하지 않다. 사상·마음이 맞지 않다. ¶他们俩一见面儿就～; 그들 두 사람은 만나기만 하면 의견이 일치하지 않는다. ②말이 안 될 정도로 심하다. 말이 아니다. ¶他那坏行为实在～; 그의 비행은 말이 안 될 정도로 심하다 / 当初他很阔, 现在～了; 당초 그는 부자였지만 지금은 말이 아니다. ③〈方〉 말할 수 없다. ¶今天我有要紧事, ～不出去; 오늘 나는 중요한 볼일이 있어 외출하지 않는다고는 말할 수 없다. ④〈方〉 말을 잘 할 줄 모른다. =〔不会说〕 ‖↔〔说得来〕

〔说不齐〕 shuōbuqí ①확실히 말할 수 없다. 단언할 수 없다. ¶这可～; 그건 꼭 그렇다고 단언할 수 없다. ②완전히는 말할 수 없다.

〔说不清〕 shuōbuqīng ①확실하게 말할 수 없다. 말을 해서 확실하게 할 수 없다. ¶～道不明; 말하는 것이 모두 요령부득이다. ②확실히는 모른다. ‖↔〔说得清〕

〔说不上〕 shuōbushàng ①분명히 말할 수 없다. 단언할 수 없다. ¶他也～是乡间美呢, 还是城市美; 그도 시골이 좋다거나 또는 도시가 좋다고 분명히 말할 수가 없다. ②…라고까지는 말할 것이 못 되다. …라고 말할 값어치가 없다. …라고까지는 말할 수 없다. ¶你这些话都～; 자네의 그런 말은 초들어 말할 게 못 된다.

〔说不上来〕 shuōbushàng.lái ①(뭐라고 해야 좋은지 몰라) 말을 못 하다. 말로는 표현하지 못하다. ¶我～, 给你画个样儿看吧; 말로는 할 수 없으므로 그림으로 그려 보이겠다. ②말해봤자 이미 늦다. …해도 소용 없다. ¶现在后悔也～了; 지금 후회해도 소용 없다. ‖↔〔说得上来〕

〔说不通〕 shuōbutōng 말을 해도 통하지 않다. 말이 성립되지 않다. ¶这种表达方法在语法上～; 이런 표현 방식은 문법적으로 성립되지 않는다. ↔〔说得通〕

〔说不下去〕 shuōbuxià.qù ①미안하다. 딱하다. ②(사리에 맞지 않아서) 말할 수 없다. ③말을 계속할 수 없다. ¶这么失礼的话, 我和人家～; 이런 실례되는 말은 끝까지 말할 수 없다.

〔说不着〕 shuōbuzháo 말할 처지가〔성질이〕 못 되다. ¶这个话和我～; 이 이야기는 나에게 말할 성질의 것은 아니다. ↔〔说得着〕

〔说部〕 shuōbù 명 〈文〉 소설. 이야기. 일화.

〔说曹操, 曹操就到〕 shuō Cáocāo, Cáocāo jiù dào 〈諺〉 호랑이도 제 말 하면 온다. =〔说谁, 谁就来〕〔说着曹操, 曹操就到〕〔说着风, 风就来〕〔说着关公, 关公就到〕

〔说岔〕 shuōchà 동 ①의견이 엇갈리다. ②이야기가 줄거리에서〔본론에서〕 벗어나다.

〔说长道短〕 shuō cháng dào duǎn 〈成〉 어쩌니 저쩌니 말하다〔비평하다〕. 왈가왈부하다. 품평하다. ¶他那个人呢, 就会～, 自己不肯出一点力气; 저 사람은 이러쿵저러쿵 말만 하고, 자신은 아무것도 하려고 하지 않는다. =〔说好说歹②〕〔说高说低〕〔说短论长〕〔说长说短〕

〔说长说短〕 shuō cháng shuō duǎn 〈成〉 ⇨〔说长道短〕

〔说场〕 shuōchǎng 명 대사(臺詞) 따위가 들어가는 장면. ¶一段儿～; 한 토막의 대사가 들어간 장면. (shuō.chǎng) 동 대사 따위를 말하다. ¶他说完了场拨着弦子就唱起来; 그는 대사를 다 말하고 나더니 현악기를 타면서 노래를 부르기 시작했다.

〔说唱〕 shuōchàng 명 말에 곡조를 붙여 노래하는 것처럼 하는 야담(野談). ¶～文学; 설창 문학.

동 ①말에 곡조를 붙여 노래하는 것처럼 야담을 하다. ②이야기도 하고 노래도 하다.
〔说成〕 shuōchéng 동 …라고 말하다. …라고 간주하다. ¶把它～自由; 그것을 자유라고 말하다.
〔说出大天来〕 shuōchū dàtiān lai 어떤 말을 해도. 아무리 좋은 말을 해도. 누가 뭐라고 하든. ¶你～, 我也不去; 네가 뭐라고 하든 나는 가지 않는다 / ～我也不答应; 어떤 좋은〔달콤한〕 말을 해도 나는 대꾸하지 않겠다. =〔说出天来〕〔说出漆来〕
〔说出漆来〕 shuōchuqīlai ⇨〔说出大天来〕
〔说处〕 shuōchù 명 〈古白〉 ①할 말. ¶我自有～《水滸傳》; 나는 나대로 할 말이 있다. ②하소연할 대상.
〔说穿〕 shuōchuān 동 ①들추어내다. 폭로하다. ¶他的心事被老李～了; 그의 고민 거리가 이군한테 정곡을 찔렸다. ②분명히 말하다. 속속들이 들춰 내다. 설파하다. ¶～了, 就是内容不当就要修改; 분명히 말하지만 내용이 적당치 않으면 고쳐야 한다 / ～了, 就是反对批判智育第一; 분명히 말해서, 지육 제일(智育第一)을 비판하는 것에 반대하는 바이다.
〔说词〕 shuōcí 명 ①말씨. 변설. ¶善shàn于～; 변설에 능하다. ②구실. 변명. 할 말. ¶也许有别的～; 뭔가 다른 구실이 있을지도 모른다. =〔说辞〕
〔说辞〕 shuōcí 명 변명. 구실(口實). ¶他借着这个当～; 그는 이것을 구실로 삼았다.
〔说错〕 shuōcuò 동 잘못 말하다. 틀리게 말하다. ¶他慌了把台词都～了; 그는 당황해서 대사를 틀렸다.
〔说大话〕 shuō dàhuà 허풍을 떨다. ¶～使小钱儿; 입으로는 큰소리를 치면서 돈 쓰는 것은 인색하다.
〔说倒〕 shuōdǎo 동 윽박질러 아무 소리 못 하게 하다.
〔说到〕 shuōdào 동 …에 이야기가 미치다. 언급하다. ¶～一半; 반까지 이야기하다 / ～痛处; 아픈 데를 초들어 말하다 / 这一点他已经～了, 但我再重复一下; 이 점에 대해서는 그가 이미 언급했습니다만, 제가 또 한 번 되풀이 합니다.
〔说到底〕 shuōdàodǐ 끝까지 이야기하다. 〈轉〉 결국. 요컨대. 본질적으로는. ¶民族斗争, ～, 是一个阶级斗争问题; 민족 투쟁은 결국은 계급 투쟁의 문제이다.
〔说到做到〕 shuō dào zuò dào 〈成〉 말한 것은 반드시 실행하다.
〔说道〕 shuōdào 동 (…라고) 말하다《소설에서 인물의 말을 인용하는 데 쓰임》. ¶他沉默了一会儿, ～"我去"; 그는 잠시 침묵 뒤에 '내가 간다'고 말했다.
〔说…道…〕 shuō…dào… 상대되는 또는 유사한 명사·형용사·수사를 넣고 여러 가지 성어(成語)·성어 형식의 말을 만듦. ¶说三道四; 이러니 저러니 말을 하다 / 说亲道热; 친한 듯이 이야기하다.
〔说道〕 shuōdao 동 〈方〉 ①말로 전하다〔표현하다〕. ¶你还有什么～? 당신은 아직 무엇인가 할 말이 있나요? / 他有满肚子话, 想对大家～～; 그는 모두에게 들려 주고 싶은 말이 마음 속에 그득했다. ②상의〔상담〕하다. 서로 이야기하다. ¶我跟他～～再作决定; 나는 그와 상의해서 결정하겠다. =〔商量shāngliang〕
〔说的〕 shuōde 명 당치도 않은 소리《상대의 발언을 나무라는 말》. ¶听你～; 무슨 당치도 않은 말을 하는 거냐.
〔说得到, 做得到〕 shuōdedào, zuòdedào 말을 한 것은 반드시 실천한다.
〔说得过去〕 shuōdeguòqù ①논리적이다. 조리가 서다. ¶只要在理论上～就可以; 이론상 조리가 서 있기만 하면 된다. ②그런대로 괜찮다. ¶这件衣裳穿上, 总～了; 이 옷은 입어 보니, 그런대로 괜찮다.
〔说得好〕 shuōdehǎo 일리 있는〔좋은〕 말을 하(고 있)다. ¶俗sú语儿～…; 속담에도 …라는 좋은 말이 있다. ↔〔说不好〕
〔说得来〕 shuōdelái ①서로 이야기가 통하다. 마음이 맞다. ¶咱们找一个跟他～的人去动员他! 우리, 그와 이야기가 통하는 사람을 찾아 그를 설득하게 하자. ②〈方〉 말을 잘 하다. ‖↔〔说不来〕
〔说得拢〕 shuōdelǒng 〈方〉 이야기하기 쉽다.
〔说得上〕 shuōdeshàng 말할 수 있다. 똑똑히 말할 수 있다. ↔〔说不上〕
〔说得上来〕 shuōdeshàng.lái 말이 통하다. ¶我和他～; 나는 그와 말이 통한다. ↔〔说不上来〕
〔说得下去〕 shuōdexià.qù ①계속 말할 수 있다. ②말이 이치에 맞다. 말이 통하다. ‖↔〔说不下去〕
〔说得着〕 shuōdezháo ①말할 만한 가치가 있다. ¶这些话都是～的; 이러한 말은 모두 말할 만한 가치가 있는 일들이다. ②말할 만한 자격이 있다. ¶我～才说你呢; 나에게는 네게 말할 만한 자격이 있으니까 잔소리를 하는 것이다. ③이야기가 (서로) 통하다. ¶两个人还～; 두 사람은 그런대로 마음이 맞는다. ‖↔〔说不着〕
〔说地谈天〕 shuōdì tántiān 〈比〉 변설이 뛰어나다. 말을 잘 하다. ¶多亏了张子房～口; 장자방의 능숙한 변설 덕분이다.
〔说定〕 shuōdìng 동 ①단언하다. ②(그렇게 하기로) 결정하다. 약속하다. ¶推翻了～的口约; 서로 주고받은 구두 약속을 뒤집다. =〔说下〕
〔说东道西〕 shuō dōng dào xī 〈成〉 이것저것 이야기하다. 여러 가지 이야기를 하다. 두서없이 말하다.
〔说动〕 shuōdòng 동 말로써 남의 마음을 움직이다. ¶局长被他花言巧语～了; 국장은 그의 달콤한 말에 마음을 움직였다.
〔说短论长〕 shuō duǎn lùn cháng 〈成〉남의 장점과 단점을 논하다. 남의 흉을 보다.
〔说法〕 shuō.fǎ 동 《佛》 설법하다. 설교하다.
〔说法〕 shuōfa 명 ①표현(법). 논법. ¶改换一个～; 표현을 바꾸다 / 一个意思可以有两种～; 하나의 뜻에 두 가지 표현이 있을 수 있다 / "后来居上"是一种鼓舞人向前看的～; '뒤진 자가 앞선 자를 앞지른다'는 말은 사람들을 격려하고 전진토록 하는 논법이다. ②의견. 견해. ¶我不同意你的～; 나는 자네 견해에 찬성하지 않는다 / 你是怎样的～? 자넨 어떤 의견인가?
〔说翻〕 shuōfān 동 이야기가 우습게 되다. 의견이 충돌하다. 말다툼하다.
〔说方便〕 shuō fāngbiàn 〈古白〉 중재하(여 말을 해 주)다. 좋은 말을 하다. ¶大户面前一力与他～; 부자 앞에서 그를 위하여 열심히 좋은 말을 해 주었다.
〔说风凉话〕 shuō fēng liáng huà 〈方〉 빈정거려〔비꼬아〕 말하다. 빗대어 빈정대다.
〔说服〕 shuō.fú 동 설득하다. 납득시키다. (shuōfú) 명 설득. ¶～教育; 설득 교육 / ～力;

설득력.

〔说干脆的〕 shuō gāncuì de 딱 잘라〔분명히〕 말하다. ¶～, 双方都不对; 잘라 말한다면 양쪽 모두 옳지 않다.

〔说高说低〕 shuō gāo shuō dī 〈成〉 ⇨〔说长道短〕

〔说古〕 shuōgǔ 동 처음으로 보고 들은 일을 신기한 듯이〔부러운 듯이〕 떠벌리다. 남의 말을 받아 옮기다. ¶在这儿开了眼, 回家～去吧; 여기서 처음으로 본 것을 집에 돌아가서 얘기를 해 주어야지.

〔说官话〕 shuō guānhuà 정식적인 이야기를 하다. ¶现在不用说, 等着～的时候儿再提; 지금 말하지 않아도 좋다. 정식으로 말할 때 거론하자.

〔说鬼话〕 shuō guǐhuà ①거짓말을 하다. 되는 대로 지껄이다. ②소곤소곤 말하다. ③혼잣말을 하다.

〔说海口〕 shuō hǎikǒu 허풍치다. 뽐내다. 큰소리치다. ¶你道我～; 너는 내가 허풍치고 있는 것으로 생각하고 있다.

〔说好〕 shuōhǎo 동 이야기를 확실히 매듭짓다. 이야기가 결정되다. ¶那件事我已经和他给你～了; 그 일은 너를 위해 그 사람과 이미 타협해 놓았다.

〔说好话〕 shuō hǎohuà ①상대가 기뻐할 이야기를〔듣기에 좋은 말을〕 하다. ②(사람·제삼자를) 좋게 말하다.

〔说好说歹〕 shuō hǎo shuō dǎi 〈成〉 ①(설득하기 위해) 여러 가지 이야기를 하다. ②⇨〔说长道短〕

〔说合〕 shuōhé 동 ①중간에 서서 일을 주선해 주다. 소개하다. ¶～亲事; 중매하다 / ～人; 중개인. ②상의〔상담〕하다. ③⇨〔说和〕

〔说和〕 shuōhe 동 중재하다. 화해시키다. ¶你去给他们～～! 자네가 그들을 화해 좀 시켜 줘! =〔说合③〕

〔说黑道白〕 shuō hēi dào bái 〈成〉 무책임한 비판을 하다. 멋대로 왈가왈부하다.

〔说话(儿)〕 shuō.huà(r) 동 ①이야기를 하다. ¶不爱～儿; 이야기를 좋아하지 않다. 입이 무겁다 / ～不当话; 언행이 일치하지 않다 / 说半天话; 오랫동안 이야기를 하다. ②(흔히, '儿化'하여) 잡담하다. ¶找他～儿去; 그와 만나서 잡담을 하다 / 说了半天话儿; 꽤 오랜 시간 한담했다. =〔闲谈〕 ③…에 좌우되다. …가 좌우하다. ¶这种工作是看气候～; 이 종류의 일은 날씨에 좌우된다. ④나무라다. 비난하다. ¶要把事情做好, 否则人家要～了; 일을 제대로 잘 하지 않으면 남한테 비난받는다.

〔说话〕 shuōhuà 부 〈方〉 잠깐 말을 하는 동안. ('～就'로 하여) 곧. ¶他～就到; 그는 곧 도착한다 / ～间; 말하는 동안. 말할 때. 곧. 이윽고 / 你稍等一等, 饭菜～就得; 좀 기다려 주세요, 식사는 곧 됩니다 / ～, 队伍来到了工地上; 이윽고 대열은 공장 현장에 도착했다. 명 ①〈方〉 말. 언사(言辭). ¶他这句～很有道理; 그의 이 말은 매우 사리에 맞는다 / 学问只理会个是与不是, 不要添许多无益～; 학문은 다만 옳고 그름을 이해하기만 하면 되는 것이지, 많은 무익한 언사(言辭)를 덧붙여서는 안 된다. ②〈方〉 이야기. ¶讲～; 이야기를 하다. ③설화《송대(宋代)의 일종의 화예(話藝). 현재의 '说书'(야담)에 해당함》. ¶～人; 야담가(野談家).

〔说话(儿)答理儿地〕 shuōhuà(r) dālǐrde 세상 이야기를〔한담을〕 주고받으며〔주고받는 중에〕. ¶～已经到了公园门口了; 세상 이야기를 주고받는 사이에 벌써 공원 입구에 닿았다.

〔说话带镢头〕 shuōhuà dàijuétou 〈比〉 ⇨〔刨páo根儿问底儿〕

〔说话的〕 shuōhuàde 명 ①발언하는 사람. 이야기하는 사람. ¶～那人是谁? 발언하고 있는 저 사람은 누구입니까? ②'说话人'(야담가)의 자칭. =〔说书的〕

〔说话忌三条腿〕 shuōhuà jì sāntiáotuǐ 〈諺〉 이야기는 세 다리를 싫어한다《불확실한 이야기는 하지 마라》.

〔说话人〕 shuōhuàrén 명 야담가.

〔说谎〕 shuō.huǎng 동 거짓말을 하다. ¶～大王; 거짓말 대장. =〔说谎话〕〔说假话〕

〔说回来〕 shuōhuílai 동 말을 되돌리다. 말이 원점으로 되돌아가다. ¶话又得～; 이야기를 또 원래로 되돌리지 않으면 안 된다.

〔说活〕 shuōhuó 동 ①말을 융통성이 있도록 하다. 말에 융통성을 두다. ②생동감 있고 실감나게 이야기하다.

〔说及…〕 shuōjí… ⇨〔提tí到…〕

〔说假话〕 shuō jiǎhuà ⇨〔说谎〕

〔说僵〕 shuōjiāng 동 이야기가〔말이〕 막히다.

〔说将〕 shuōjiàng 명 웅변가.

〔说教〕 shuōjiào 명동 ①설교(하다). ②딱딱한 교훈적인 이야기(하다). 이론만 캐는 이야기(하다).

〔说绝〕 shuōjué 동 철저하게 말하다. 극단적으로 이야기하다.

〔说开〕 shuōkāi 동 ①이야기를 매듭지어 두다. ¶价钱要先～了; 값은 미리 정해둘 필요가 있다 / 咱们可把话～了; 이야기를 확실하게 결말지어 놓자. ②해명〔변명〕하다. ¶从头给各位～; 처음부터 여러분에게 해명드리겠습니다. ③(말이) 익숙해지다. 퍼지다. 통용되다. ¶这个词儿已经～了, 大家也都懂得了; 이 말은 이미 널리 보급되어 누구도 알 수 있게 되었다. ④이야기를 꺼내다.

〔说客(儿)〕 shuōkè(r)〔shuìkè(r)〕 명 ①웅변가《설득에 능한 사람》. ②설득 역할을 맡은 사람. 중재역을 맡고 나선 사람.

〔说空话〕 shuō kōnghuà 빈말〔실속 없는 말〕을 하다.

〔说口〕 shuōkǒu 동 ⇨〔说嘴〕

〔说来〕 shuōlai ①말하자면 말을 한다면. ¶可是总的～, …; 그러나 총체적으로 말해서, … / ～好笑; 말을 하면 어처구니없는 웃음거리가 됩니다만 / ～话长; 〈成〉 말을 하자면 길다. ②말한 적이〔바가〕 있다.

〔说来说去〕 shuōlái shuōqù 장황하게 지껄여 대다. 이것저것 되풀이해서 말하다.

〔说老实话〕 shuō lǎoshihuà 정직하게 말하다. 진지한 이야기를 하다. ¶～, 干老实事, 做老实人; 진실한 이야기를 하고 정직하게 행동하며 성실한 사람이 되다.

〔说了不算〕 shuōle bùsuàn 말해 놓고 실행치〔책임지지〕 않다. 식언하다. 앞서 말할 것을 뒤엎다. ¶你～可不行; 한 말은 책임을 지지 않으면 곤란하다.

〔说了归齐〕 shuōleguīqí 결국. 요컨대.

〔说了就算〕 shuōle jiù suàn 말한 대로 실행한다. 말에 책임을 지다.

〔说了算〕 shuōle suàn ①(일방적으로) 멋대로 결정하다. (말로) 상대에게 강요하다. ¶不能个人～; 혼자서 멋대로 정해서는 안 된다 / 国际间的

事情不能由超级大国～; 국제간의 문제는 강대국의 말 한 마디로 결정되어서는 안 된다. ②말을 했으면 실천을 한다. 한 말에 책임을 지다. ¶这里谁～? 여기는 누가 책임자인가? =〔说了就算〕
〔说理〕 shuō.lǐ 동 ①도리를 설명하다. 조리를 세우다. ¶～的文章; 도리를 말하는 문장 / 你这个人多么不～呀! 너란 녀석은 어찌 그렇게도 억지가 센가! ②(의견 등을) 내세우다. 시비 곡직을 분명히 하다. 해결짓다. ¶咱们找他～去! 우리 그를 만나서 흑백을 가리자! ③조리가 통하는 일〔말〕을 하다. ¶不～; 부당한. 터무니없는.
〔说理斗争〕 shuōlǐ dòuzhēng 명 (주로 말로 하는) 이론 투쟁.
〔说溜了嘴〕 shuōliūle zuǐ ⇨〔说走了嘴〕
〔说漏〕 shuōlòu 동 말이 새다. 이야기를 빠뜨리다. 무심코 말하다. ¶～嘴; 무심결에 입 밖에 내다.
〔说满〕 shuōmǎn 동 자신 있게 말하다. 장담하다.
〔说媒〕 shuō.méi 동 결혼 중매를 하다. ¶～拉纤的少有不瞒哄人的; 혼인을 중매하거나 매매 중개를 하는 사람 중에는 사람을 속이지 않는 자가 별로 없다.
〔说梦〕 shuō.mèng 동 ①꿈 같은 말을 하다. ②잠꼬대하다.
〔说明〕 shuōmíng 동 이야기하다. ㉠(상대가 알게끔) 이야기하다. 설명하다. ¶～原因; 원인을 설명하다 / 向他～事情的内容; 그에게 일의 내용을 이야기하여 알려 주다. ㉡말해 주다. 입증하다. ¶事实充分～这种做法是正确的; 사실은 이 같은 방법이 옳다는 것을 충분히 말해 주고 있다 / 这个事实雄辩地～他那认真的性格; 이 사실이 그의 진지한 성격을 웅변적으로 말해 주고 있다. 명 설명. 해설. ¶图片下边附有～; 그림 밑에 설명이 붙어 있다.
〔说片〕 shuōpiàn 명 ⇨〔说帖①〕
〔说片儿〕 shuōpiànr 명 ⇨〔说帖儿〕
〔说票儿〕 shuōpiàor 동 (유괴범이 피해자측과) 몸값 교섭을 하다.
〔说频话〕 shuōpínhuà (지겹도록) 말이 많다. 수다스럽다.
〔说评书的〕 shuōpíngshūde 명 ⇨〔说书的〕
〔说婆婆家〕 shuō pópojiā 시집 갈 혼처를 주선하다. =〔说人家儿〕
〔说破〕 shuōpò 동 ①털어놓고 말하다. ¶这是变戏法儿, 一～就没意思了; 이것은 요술이니까 속임수를 밝혀 버리면 재미가 없어진다 / 你别瞒着, 要～了; 숨기지 말고 털어놓아라. ②폭로하다. ¶那件事别～了; 그 일은 입 밖에 내서는 안 됩니다. =〔说穿〕
〔说破嘴〕 shuōpò zuǐ 입이 닳도록 말하다. ¶就是～劝他, 他也不答应; 입이 닳도록 충고했으나, 그는 알아듣지 못한다.
〔说谱儿〕 shuō pǔr 따지다. 의론하다. ¶不能办事, 净是～; 일은 할 줄 모르면서 트집만 잡다.
〔说起来〕 shuō.qi.lai ①말을 하기〔이야기를〕 시작하다. ②말해 보면. 이야기해 보면. =〔说来①〕
〔说千说万〕 shuōqiān shuōwàn 되풀이해서 말하다. 뇌고 뇌다.
〔说戗〕 shuōqiāng 동 이야기가 엇갈리다〔결렬되다〕. 의견이 달라 충돌하다. ¶两个人～了, 打了起来; 두 사람은 의견이 엇갈려 싸우기 시작했다.
〔说亲〕 shuō.qīn 동 중매서다. 혼담을 꺼내다. =〔提tí亲〕
〔说亲道热〕 shuōqīn dàorè 친하게〔다정하게〕 이야기하다.
〔说清道白〕 shuōqīng dàobái (말하는 것이) 깨끗하고 시원하다. 명쾌하다.
〔说情(儿)〕 shuō.qíng(r) 동 (남을 대신해서) 용서를 청하다. 사정하다. 정실로써 부탁하다. ¶后来他打电话来～; 후에 그는 전화로 부탁해 왔다. =〔说人情〕
〔说情缓颊〕 shuōqíng huǎnjiá 말을 거들어 중재하다. ¶还是托张老～吧; 역시 장 노인에게 중재를 부탁하는 게 좋다.
〔说儿〕 shuōr 명 설(說). ¶也有这么一个～; 이러한 설도 있다.
〔说人家儿〕 shuō rénjiār ⇨〔说婆婆家〕
〔说人情〕 shuō rénqíng 동 ⇨〔说情(儿)〕
〔说三不接两〕 shuōsān bùjiēliǎng 말이 앞뒤가 맞지 않다.
〔说三道四〕 shuō sān dào sì 〈成〉 어쩌니저쩌니 말하다. ¶～地讲人家; 이러니저러니 남의 일을 말하다. =〔说五道六〕
〔说三分〕 shuōsānfēn 명 삼국지 이야기《송(宋)나라 때의 '诨hùn词小说'의 일종. 위(魏)·오(吳)·촉(蜀)나라로 나뉘어 천하를 삼분해서 다툰 데서 이렇게 말함. '三国志演义'는 이 '～'을 구연(口演)한 것. 즉, '三国志平话'가 집대성된 소설로 간주됨》.
〔说啥〕 shuōshá 부 〈方〉 아무리 해도. ¶～也买不着; 아무리 해도 살 수 없다.
〔说山〕 shuōshān 동 남의 마음을 끌도록 말하다. 달콤한 말을 늘어놓다. ¶这简直地是～吗, 一点儿都不可靠; 이것은 완전히 감언이설이야. 전혀 믿을 수 없어.
〔说上来〕 shuō.shang.lai 말할 수 있게 되다. ¶他进步得快, 差不多的话都～了; 그는 진보가 빨라서 대개의 것은 모두 말할 수 있게 되었다.
〔说什么…〕 shuōshénme… ①비유해서 말하면 …. ②아무래도 …《항상 '～也'로서 쓰임》. ¶今天～也要把这本书看完; 오늘은 어쨌든지 이 책을 다 읽어야겠다. =〔怎么也…〕
〔说声〕 shuō.shēng 동 한 마디 하다. 잠깐 이야기하다.
〔说时迟, 那时快〕 shuōshí chí, nàshí kuài 말하자마자. 그 찰나〔순간〕에《일이나 동작이 순식간에 일어남》.
〔说事〕 shuō.shì 동 ①그럴싸하게 이야기하다. 애처롭게 말을 걸다. ¶别听他说得那么可怜, 据我看, 靠不住, 也许就是～; 저렇게 애처롭게 말하고 있지만, 내가 보기에는 믿을 수가 없다. 그럴싸하게 꾸며대고 있는지도 모른다 / 他又来～来了, 你不用听他; 또 그가 그럴싸한 얘기를 들고 왔는데, 상대하지 마라. ②중간에 서서 소개하다. 중재〔조정〕하다. ¶～人; 중개인.
〔说是〕 shuōshì …라는 것이다. …라고 한다. ¶～他回国探亲了; 그는 귀성했다고 한다.
〔说是道非〕 shuō shì dào fēi 〈成〉 왈가 왈부하다. 이러니저러니 비판하다.
〔说书〕 shuōshū 명 설서. 송(宋)나라 때부터의 통속 문예의 하나《옛날에는 '讲史'라고도 했음. 음곡(音曲)과 대사를 써서 시대물·역사물('三国志演义·水浒传' 따위)을 이야기함. 때로 '评píng话①' '平话' '说评书'라고도 일컬어지지만, 보통 '评话'는 고사(故事)의 일단〔단편(斷片)〕을 구연하고, '～'는 사실(史實)의 전체를 구연함. '～'의 명칭은 명말(明末)에 생겼다고 하며, 주

로 장쑤(江蘇) 사람이 이를 구연하는 데 능했음. 한편, 청(清)나라 때에는 양쯔 강(揚子江) 북쪽에 '淮huái书'가 생기고, 항저우(杭州) 이동(以東)에 '鼓gǔ(儿)词'가 유행했으나, 장쑤(江蘇) 사람의 '～'가 뛰어나 현재까지 성행하고 있음. '～'의 각본에는 탄사 각본(彈詞脚本)과 평화(評話) 각본이 있어, 이들 야담가를 '～的' '讲jiǎng书的'라 함. 야담가는 이야기가 한참 고조되는 장면에서는 널조각으로 탁자를 두드리면서 이야기하므로 '大dà板儿书'라고도 함).

〔说书场〕 shuōshūchǎng 명 야담 연예장. =〔书场〕

〔说书的〕 shuōshūde 명 야담가. =〔说评书的〕

〔说耍〕 shuōshuǎ 동 〈古白〉 농(담)을 하다. ¶我自～; 나는 그저 농담을 하고 있을 따름이다.

〔说谁谁就来〕 shuō shuí shuí jiù lái ⇨〔说曹操, 曹操就到〕

〔说说唱唱〕 shuōshuō chàngchàng 명 《書》 신중국에서의 설창 문학(說唱文學). 잡지의 이름(1950년 창간. 리 보자오(李伯釗)·자오 수리(趙樹理) 등이 중심이 되어 편집하였음).

〔说说道道〕 shuōshuō dàodào 동 (흥이 나서) 이것저것 이야기하다.

〔说说闹闹〕 shuōshuo nàonào 동 왁자지껄 떠들다.

〔说说笑笑〕 shuōshuo xiàoxiào 동 담소하다. 담소하며 웃음꽃을 피우다. ¶～, 不理会就到了半夜了; 담소하는 사이에 어느덧 한밤중이 되었다.

〔说死〕 shuōsǐ 동 ①딱 잘라 말하다. 단언하다. ¶这回～了, 三点在那边儿见, 不见不散; 이번에는 딱 잘라 말하는데 3시에 거기서 만나자. 만나기 전에는 돌아가지 말아야 한다. =〔说住〕 ②극언(極言)하다. 부 뭐라고 하든. 무슨 말을 해도. ¶～我也不去; 무어라고 하든 나는 가지 않겠다.

〔说死说活〕 shuō sǐ shuō huó 〈成〉 ①이것저것 싫증도 내지 않고 말하다. ②온갖 말을 다하다. 입이 닳도록 말하다. ¶～他也嫌败兴, 死不赞成; 아무리 말해도 그는 흥이 나지 않아서 도무지 찬성을 안 한다.

〔说他胖, 他就喘〕 shuō tā pàng, tā jiù chuǎn 〈成〉 살이 쪘다는 말만 해도 숨을 헐떡인다(칭찬 좀 해 주면 금세 우쭐해진다).

〔说天说地〕 shuōtiān shuōdì 〈比〉 호언 장담하다.

〔说调〕 shuōtiáo 동 〈古白〉 부추기다. 사주하다. ¶一向把夫人～; 줄곧〔죽〕 부인을 부추기고 있다.

〔说帖〕 shuōtiě 명 〈古白〉 ①의견서. =〔说片〕 ②각서. 구상서(口上書).

〔说帖儿〕 shuōtiěr 명 옛날, 편지 대신에 간단한 용건을 적은 쪽지. =〔说片儿〕

〔说通〕 shuōtōng 동 설득하다. 알아듣도록 말을 하다. ¶他～女人赶快下种; 그는 서둘러 파종을 하도록 부인을 설득했다.

〔说透〕 shuōtòu 동 남김없이 말하다. 죄다 말하다.

〔说头儿〕 shuōtour 명 ①말할 만한 값어치. ¶这件事还有个～; 이 일은 아직 말할 만한 값어치가 있다. ②변명의 여지. 핑계의 구실. 할 말. ¶不管怎样, 你总有你的～; 어쨌든 너는 항상 너대로의 할 말이 있다. 注 '有～'·'没(有)～'의 형태로 쓰임.

〔说妥〕 shuōtuǒ 동 확실하게 말을 매듭짓다.

〔说完〕 shuōwán 동 말을 끝내다. 다 말해 버리다. ¶～了算; 할 말을 다하고 나서 정하다. 이야기가 끝나면 그것으로 그만이다. 두서없는 말을 하다.

〔说五道六〕 shuō wǔ dào liù 〈成〉 ⇨〔说三道四〕

〔说媳妇(儿)〕 shuō xífu(r) (여성에 대하여) 혼담을 말하다.

〔说戏〕 shuōxì 동 경극(京劇)에서, 스승이 제자에게 연극에 대해서 가르치다. 연기 지도하다(극의 내용이나, 노래하는 법, 동작, 반주 등 전반적인 것에 걸쳐서(실제 노래 연습은 없이) 가르치는 일).

〔说瞎话〕 shuō xiāhuà 되는 대로 지껄이다. 거짓말을 하다. ¶他是个～不脸红的无赖; 놈은 뻔뻔스럽게 터무니없는 말을 하는 건달이다.

〔说下〕 shuōxia 동 ①이야기를 매듭짓다. ②계속해서 말하다. =〔说下去〕

〔说闲话(儿)〕 shuō xiánhuà(r) ①뒤에서 빈정거리거나 불만을 말하다. ¶有意见当面提, 别在背后～! 의견이 있으면 뒤에서 수군거리지 말고 맞대놓고 말하시오! ②(흔히, '儿化'하여) 잡담하다. 세상 이야기를 하다. ¶晚饭后老乡们聚在一起～儿; 저녁을 먹고 나면 고향 사람들은 함께 모여서 세상 이야기를 합니다.

〔说响〕 shuōxiǎng 동 분명히〔똑똑히〕 말하다. 누구나 들을 수 있도록 말하다.

〔说项〕 shuōxiàng 동 중재하다. (남을 위해) 좋게 말하다. 변호하다. ¶他们派人～被拒绝; 그들은 사람을 보내어 중재를 해 보았지만 거절당했다.

〔说小话〕 shuō xiǎohuà 옆에서 고자질하다. 부추기다. 꼬드기다. =〔敲qiāo边鼓〕

〔说笑〕 shuōxiào 동 담소하다. ¶都聚jù在那里～; 모두들 저 곳에 모여 담소하고 있다.

〔说笑话(儿)〕 shuō xiàohuà(r) ①우스운 이야기를 하다. ②농담하다. 말장난하다.

〔说也奇怪〕 shuō yě qíguài 이야기하기도 이상하지만. 우스운〔이상한〕 말이지만.

〔说一不二〕 shuō yī bù èr 〈成〉 말한 대로 하다. 두말 하지 않다. ¶我跟他～, 要什么给什么; 나는 두말 없이 그가 요구하는 것은 뭐든지 다 들어 준다 / ～地惯着; 제멋대로 하게 내버려 두고 있다. =〔说一是一〕

〔说一定〕 shuōyīdìng 동 ①분명하게 말하다. ②확약(確約)하다.

〔说一千, 道一万〕 shuō yīqiān, dào yīwàn 〈比〉 몇 번이나 되풀이해서 말하다. 입이 닳도록 말하다.

〔说一是一〕 shuō yī shì yī 〈成〉 ⇨〔说一不二〕

〔说一套, 做一套〕 shuō yītào, zuò yītào 〈諺〉 말하는 것과 행동하는 것은 별개이다(말과 행동이 다르다).

〔说远〕 shuōyuǎn 동 ①이야기가 본론에서 벗어나다. 탈선하다. ②남 대하듯 말하다. 야속하게 말하다. ¶您这话～了; ⓐ당신은 딴소리를 하고 있군요. ⓑ당신은 남 대하듯 말하는군요.

〔说章儿〕 shuōzhāngr 명 ①까닭. 연유. 사정. 핑계. ¶他抓zhuā那样东西有什么～呢; 그는 저런 하찮은 놈을 붙잡고 있는데 무슨 까닭이 있는 건가 / 他家里～太多; 그 (사람) 집에서는 (장차 재수가 어떨까 하고) 가리키는 것이 매우 많다. ②해 둘 말. 규정. 약조. ¶这件买卖咱们俩人得有个～; 이 거래에 관해서는 우리 둘 사이에 뭔가 약조가 있어야겠다. ③말씨. 말투.

〔说着〕 shuōzháo 동 ①정곡을 찌르다. 아픈 데를 찌르다. ¶你真～了; 너는 정말 정곡을 찌르는구

나. ②심하게 꾸짖다. ¶真把他～了; 정말 그를 호되게 야단쳤다.
〔说这道那〕 shuō zhè dào nà 이런저런 이야기를 하다. 이것저것 이야기하다. ¶他们拉着铁成的手, ～, 恋恋不舍; 그들은 '铁成'의 손을 잡고, 이 얘기 저 얘기 하면서, 이별을 아쉬워했다.
〔说着曹操, 曹操就到〕 shuōzhe Cáocāo, Cáocāo jiù dào 〈諺〉 조조(曹操)의 말을 하니 조조(曹操)가 온다. 호랑이도 제 말 하면 온다.
〔说着风, 风就来〕 shuōzhe fēng, fēng jiù lái 〈諺〉 ⇨〔说曹操, 曹操就到〕
〔说着关公, 关公就到〕 shuōzhe guāngōng, guāngōng jiù dào 〈諺〉 ⇨〔说曹操, 曹操就到〕
〔说着容易做着难〕 shuōzhe róngyì zuòzhe nán 〈諺〉 말하기는 쉬워도 행하기는 어렵다.
〔说着玩(儿)〕 shuōzhe wán(r) 농담을 하다《흔히, '不是'로 부정함》. ¶不是～的; 농담이 아닐세.
〔说真的〕 shuō zhēnde 사실을 말하다〔말하면〕. 실은.
〔说真方卖假药〕 shuō zhēnfāng mài jiǎyào 〈成〉 ⇨〔挂guà羊头卖狗肉〕
〔说知〕 shuōzhī 동 (말하여) 알리다. ¶把此事～于他了; 이 일은 그에게 알렸다.
〔说中〕 shuōzhòng 동 딱 맞게 말하다. 말이 딱 들어맞다. ¶这句话刚好～了社会的矛盾; 이 말은 바로 사회의 모순을 잘 말해 주고 있다.
〔说住〕 shuōzhù 동 ⇨〔说死①〕
〔说转〕 shuōzhuǎn 동 말을 해서 생각을 바꾸게 하다. ¶总算把他～了; 말을 해서 결국 그의 생각을 바꾸게 했다.
〔说准〕 shuōzhǔn 동 확실하게 언약하다. 명확히 말해 주다.
〔说走了嘴〕 shuōzǒule zuǐ 그만 입 밖에 내다. 쓸데없는 소리를 해 버리다. ¶咱们先不要张扬～; 우리는 이번 일을 마구 떠벌려서 입을 놀려서는 안 된다. =〔说溜了嘴〕
〔说嘴〕 shuōzuǐ 동 ①자랑하다. 허풍떨다. 떠벌리다. ¶谁也别～, 咱们俩来比一比! 말로만 떠들지 말고, 둘이 한 번 겨루어 보지 않겠나! / ～打嘴; 〈成〉 허풍 떨다가 탄로나서 창피를 당하다. =〔自夸〕〔吹牛〕 ②〈方〉 말다툼하다. ¶他好和人～; 그는 남하고 잘 다툰다. ‖ =〔说口〕

妁 shuò (작)

명 중매쟁이. ¶媒méi～; (결혼을) 중매하다.

烁(爍) shuò (삭)

형 번쩍거리다. 반짝이다. ¶～～ =〔铄铄〕; 번쩍번쩍 빛나는 모양. =〔铄shuò④〕
〔烁亮〕 shuòliàng 형 환하다. ¶点得～; 등불을 환하게 밝히다.

铄(鑠) shuò (삭)

①동 금속을 녹이다. ¶销～ =〔熔～〕; 금속을 녹이다 / ～石流金 =〔流金～石〕; 〈成〉 돌과 쇠가 녹아 흐르다《매우 덥다》 / 众zhòng口～金; 〈成〉 여러 사람의 말은 무섭다. ②형 아름답다. 정정하다. ¶矍～; ⓐ용감한. ⓑ노인의 정정한 모습. ③동 소멸하다. 약하게 하다. ④형 ⇨〔烁shuò〕

朔 shuò (삭)

①명 《天》 삭. ②명 음력 초하루. ③명 북쪽. ¶～风; 삭풍. 북풍 / ～北 =〔～边〕〔～方〕; 삭북. 북쪽 변경(의 땅). ④지명용 자(字). ¶～县; 쉬 현(朔縣)《산시 성(山西省)에 있는 현(縣) 이름》.
〔朔旦〕 shuòdàn 명 〈文〉 초하룻날 아침.
〔朔风〕 shuòfēng 명 〈文〉 삭풍. 북풍.
〔朔晦〕 shuòhuì 명 〈文〉 삭회. 초하루와 그믐날.
〔朔客〕 shuòkè 명 〈文〉 북쪽의 사람.
〔朔漠〕 shuòmò 명 〈文〉 북방의 사막.
〔朔日〕 shuòrì 명 〈文〉 삭일. 초하루. =〔吉jí日①〕
〔朔望〕 shuòwàng 명 〈文〉 삭망. 음력 초하루와 보름날. ¶～月; 《天》 삭망월.
〔朔牖〕 shuòyǒu 명 〈文〉 북쪽의 창.
〔朔月〕 shuòyuè 명 ①음력 11월의 별칭. ②⇨〔新xīn月②〕

蒴 shuò (삭)

→〔蒴藋〕〔蒴果〕
〔蒴藋〕 shuòdiào 명 《植》 넓은잎딱총나무. 삭조. 말오줌나무. =〔芨jī①〕〔陆英〕〔〈俗〉 珊瑚花〕〔〈俗〉 真珠花〕
〔蒴果〕 shuòguǒ 명 익으면 씨가 터져 나오는 열매. 삭과《깨·양귀비 따위》.

搠 shuò (삭)

동 〈古白〉 찌르다. 푹 찌르다. ¶～死; 찔러 죽이다.
〔搠包(儿)〕 shuòbāo(r) 동 몰래 바꿔치기 하다. =〔掉diào包(儿)〕

槊 shuò (삭)

명 자루가 긴 창. 옛 무기의 일종. =〔矟shuò〕

硕(碩) shuò (석)

형 크다. ¶～大无朋; 〈成〉 비할 것이 없을 만큼 크다. =〔大〕
〔硕德〕 shuòdé 명 〈文〉 큰 덕. 높은 덕.
〔硕果〕 shuòguǒ 명 큰 열매〔과실〕. 〈比〉 거대한 성과〔업적〕. ¶结～; 큰 열매를 맺다 / ～仅存; 〈成〉 역사의 흐름을 견뎌 내고 유일하게 남은 위대한 인물이나 사물.
〔硕画〕 shuòhuà 명 〈文〉 큰 계획. ¶～伟wěi谋; 위대한 계획.
〔硕交〕 shuòjiāo 명 〈文〉 굳은 교제〔사귐〕. =〔石shí交①〕
〔硕量〕 shuòliàng 명 〈文〉 큰 도량.
〔硕儒〕 shuòrú 명 〈文〉 석유. 대학자.
〔硕士〕 shuòshì 명 ①〈文〉 현명한 선비. ②석사. ¶获得～学位; 석사 학위를 따다.
〔硕望〕 shuòwàng 명 성망(盛望). 큰 명망(名望).
〔硕学〕 shuòxué 명 〈文〉 석학. 매우 학식이 많은 사람. ¶～通儒; 〈成〉 학식이 풍부하고 정통한 사람 / ～高才; 매우 학식이 뛰어난 사람.
〔硕勋〕 shuòxūn 명 위훈(偉勳). 큰 공적.
〔硕勇〕 shuòyǒng 명 〈文〉 큰 용기(를 가진 사람).

矟 shuò (삭)

명 ⇨〔槊shuò〕

数(數) shuò (삭)

부 자주. 종종. 누차. 빈번히. ¶～见不鲜 =〔屡见不鲜〕; 〈成〉 자주 보기 때문에 신기하지 않다 / 频～; 빈번하다. ⇒shǔ shù
〔数脉〕 shuòmài 명 《漢醫》 삭맥. 빠른 맥. ⇒shǔmài
〔数数〕 shuòshuò 부 자주. 누차. ¶言之～; 자주〔누차〕 말하다. 형 어수선하다. 분주하다.

SI ㄙ

厶 **sī** (사)
'私sī'의 고체자(古體字). ⇒mǒu

私 **sī** (사)
① 형 개인의. 사(私)의. ¶～事; 사적인 일. 사(私)를 위해서 하다. ② 형 국가나 공공의 사업이 아닌. 사유(私有)의. ¶～立学校; 사립학교 / 公～合营; 국가와 민간의 공동 경영 / ～营企业; 사영 기업. ③ 형 공개하지 않는. 비합법의. ¶走～; 밀수 / 吃～; 사복(私腹)을 채우다 / ～通; 외부와 가만히 기맥을 통하다〔연락을 취하다〕. 밀통하다 / 营～舞弊; 〈成〉 사복을 채우고 독직을 하다. ④ 형 은밀한. 비밀의. ¶～语; 속삭임 / ～自拿走了; 몰래〔슬그머니〕 가져갔다. ⑤ 형 특별히 친한. ⑥ 명 이기심. ¶自～; 이기적이다 / 大公无～; 〈成〉 공명정대하고 사심이 전혀 없음. ⑦ 동 〈文〉 (공적인 것을) 자기 소유로 삼다. 사물화하다. ¶非少数人所得而～; 소수의 사람만이 획득하여 자기 소유로 삼은 것은 아니다.

〔私版〕 **sībǎn** 명 사판. '官guān版'이나 '殿diàn版'에 대하여 개인이 간행한 책.
〔私背事儿〕 **sībèishìr** 명 숨기고 있는 일.
〔私奔〕 **sībēn** 명동 〈文〉 사랑의 도피(를 하다).
〔私币〕 **sībì** 명 위조 화폐.
〔私弊〕 **sībì** 명 (흔히, 관계(官界)에서의) 부정 행위《횡령 · 착복 · 수회(收賄) 따위》. ¶要是查出有～来, 得要受罚的; 만약에 부정 행위가 발각되면 벌을 받아야 한다.
〔私猜〕 **sīcāi** 동 멋대로 추측〔생각〕하다. 혼자 상상하다. ¶你别～, 我没骂过你; 멋대로 생각해서는 안 돼. 난 자네의 험담을 한 적이 없어.
〔私财〕 **sīcái** 명 사재.
〔私采〕 **sīcǎi** 동 몰래 채굴하다.
〔私藏〕 **sīcáng** 동 ①은닉하다. ¶～军火; 무기를 은닉하다. ②숨기다. ¶～歹dǎi人; 악인을 숨겨 두다.
〔私查〕 **sīchá** 동 비밀리에 조사하다. ¶～暗àn访; 밀정(密偵)하다.
〔私产〕 **sīchǎn** 명 사유 재산.
〔私娼〕 **sīchāng** 명 (옛날, 공창에 대하여) 사창. =〔私科kē子〕〔私窠kē子〕〔〈南方〉 私门头〕〔私门子〕〔私窝wō子〕
〔私忱〕 **sīchén** 명 ⇨〔私衷zhōng〕
〔私吃〕 **sīchī** 동 사복(私腹)을 채우다. 착복(着服)하다. ¶～公款; 공금을 착복하다.
〔私仇〕 **sīchóu** 명 개인적인 원한. 사원(私怨).
〔私处〕 **sīchù** 명 ①비밀 장소. ② ⇨〔阴yīn部〕
〔私船〕 **sīchuán** 명 사유〔개인 소유〕의 배.
〔私带〕 **sīdài** 동 몰래 휴대하(여 운반하)다.
〔私单〕 **sīdān** 명 개인의 메모〔비망록〕.
〔私党〕 **sīdǎng** 명 사당.
〔私德〕 **sīdé** 명 사덕. 개인의 도덕.
〔私邸〕 **sīdǐ** 명 〈文〉 사저. =〔私第〕〔私宅〕 ↔〔官guān邸〕
〔私底下〕 **sīdǐxià** 부 비공식으로. 가만히. 몰래. ¶～见面; 비공식으로 만나다.
〔私地〕 **sīdì** 부 ⇨〔私下(里)①〕
〔私第〕 **sīdì** 명 ⇨〔私邸dǐ〕
〔私斗〕 **sīdòu** 명 사투. 개인적인 다툼.
〔私渡〕 **sīdù** 명 사설의 나루터.
〔私法〕 **sīfǎ** 명 《法》 사법. ↔〔公gōng法〕
〔私贩〕 **sīfàn** 명 밀매(密賣)(자).
〔私方〕 **sīfāng** 명 개인측(個人側)《'公方①'(정부 · 행정 기관측)에 상대하여 말함》. ¶～代表; (공사(公社) 합영에 있어서의) 개인측의 대표. 자본가측의 대표 / ～人员; (공사 합영 기업에 있어서의) 자본가측의 이익을 대표하는 인원이나 직원.
〔私访〕 **sīfǎng** 명동 ①개인적인 방문(을 하다). ②미행(微行)(하여 민정을 살피다).
〔私坊〕 **sīfang** ①남창(男娼). ②옛날, 남창의 거소. =〔相公堂子〕
〔私房〕 **sīfang** 명 ①남 모르게〔사사로이〕 모은 돈. 사전. ¶攒些～; 사전을 모으다. =〔梯己〕 ②기밀. 비밀.
〔私房话〕 **sīfanghuà** 명 ①부부끼리의 이야기. 부부가 베갯머리에서 속삭이는 말. ②(친한 사람끼리의) 비밀 이야기.
〔私房钱〕 **sīfangqián** 명 사전. 비상금. ¶不要听她叫穷, 手里很有点～呢; 그녀가 (생활이) 어렵다고 우는 소리하는 것을 곧이들어서는 안 된다. 수중에 꼬불쳐 둔 사전이 꽤 있어. =〔私蓄xù〕
〔私愤〕 **sīfèn** 명 사분. 개인적인 원한. ¶泄～; 개인적 원한을 풀다.
〔私股〕 **sīgǔ** 명 (반관 반민(半官半民)의 기업에서) 개인의 소유주(所有株).
〔私孩子〕 **sīháizi** 명 ⇨〔私生子〕
〔私和〕 **sīhé** 명동 《法》 사화(하다). 시담(示談)(하다). =〔私休〕
〔私话〕 **sīhuà** 명 사사로운 비밀 이야기. 내밀(內密)한 이야기. ¶咱们说句～, 你可不许告诉别人; 우리끼리 하는 얘기인데, 다른 사람한테 이야기해서는 안 된다.
〔私讳〕 **sīhuì** 명 ①할아버지 · 아버지의 이름 글자. ②할아버지 · 아버지의 이름 글자를 손자나 아들의 이름에 쓰지 않는 일. ‖ =〔家jiā讳〕
〔私会〕 **sīhuì** 명동 밀회(密會)(하다).
〔私货〕 **sīhuò** 명 ①밀수품. ②금제품(禁制品).
〔私己〕 **sījǐ** 명 ①이기. ¶～的心; 이기심. ② ⇨〔私囊〕
〔私家〕 **sījiā** 명 ①자가(自家). 자기 집. ¶～车; 자가용차 / ～出版; 자가 출판. ②민간(民間). ③집. ¶在～闲坐, 无可消遣; 집 안에 한가롭게 앉아 있어 심심풀이할 일도 없다.
〔私艰〕 **sījiān** 명 〈文〉 부모의 죽음.
〔私见〕 **sījiàn** 명 ①개인의 편견. 선입견. ②개인의 의견. 자기 혼자의 견해. ③자기에게 유리한 생각. 편견.
〔私交〕 **sījiāo** 명 〈文〉 개인적인 교제.
〔私酒〕 **sījiǔ** 명 밀주(密酒).
〔私科子〕 **sīkēzi** 명 ⇨〔私娼〕
〔私窠子〕 **sīkēzi** 명 ⇨〔私娼〕
〔私款〕 **sīkuǎn** 명 개인의 돈.
〔私亏〕 **sīkuī** 명 개인의 결손. 개인의 빚.
〔私悃〕 **sīkǔn** 명 ⇨〔私衷zhōng〕
〔私累〕 **sīlěi** 명 〈文〉 개인적인 계루(係累). 딸린 식구.
〔私立〕 **sīlì** 명형 사립(의).
〔私利〕 **sīlì** 명 개인적인 이익. ¶讲～的人, 全是一片恨人的心; 사리를 따지는 사람은 모두 남을 원망하는 마음으로 가득 차 있다.
〔私了〕 **sīliǎo** 동 《法》 (사법 절차를 밟지 않고) 슬그머니 매듭을 짓다. 당사자끼리 해결하다. 사화

(私和)하다.
〔私料子〕 sīliàozi 명 '私酒'(밀주)의 별칭.
〔私炉〕 sīlú 명 위조 화폐를 주조하는 곳.
〔私路〕 sīlù 명 사도. 사용(私用) 도로.
〔私买私卖〕 sīmǎi sīmài 몰래 사고 팔다. 암거래하다.
〔私卖〕 sīmài 명동 밀매(하다).
〔私门头〕 sīméntóu 명 ⇨〔私娼〕
〔私门子〕 sīménzi 명 ⇨〔私娼〕
〔私面儿〕 sīmiànr 명 〈比〉 (표면화에 대한) 내밀. ¶两方斗殴之后, 由～和解了liǎo事; 양쪽의 주먹다짐이 있은 후 내밀히 화해시켜 해결지었다.
〔私名号〕 sīmínghào 명 ⇨〔专zhuān名号〕
〔私囊〕 sīnáng 명 자기의 호주머니〔돈지갑〕. 사복. ¶全入了～; 전부 자기 호주머니에 집어 넣다 / 饱～; 사복(私腹)을 채우다. =〔私己②〕
〔私拟〕 sīnǐ 동 몰래 계획·기초(起草)하다.
〔私昵〕 sīnì 명 〈文〉 개인적인 편애(偏愛).
〔私念〕 sīniàn 명 이기적인 동기〔잡념〕. ¶克制～; 이기적인 의도를 억제하다.
〔私挪〕 sīnuó 동 몰래 유용(流用)하다. ¶～税款; 세금을 몰래 유용하다.
〔私姘〕 sīpīn 동 사통(私通)하다. 밀통〔야합〕하다.
〔私钱〕 sīqián 명 ①옛날, 민간에서 주조한 가짜 화폐. ②사재(私財).
〔私欠〕 sīqiàn 명 개인 부채(負債).
〔私情〕 sīqíng 명 ①사정(私情). 정실(情實). ¶不徇～; 사정에 사로잡히지 않다. 정실에 매이지 않다. ②불의의 사랑.
〔私曲〕 sīqū 명 〈文〉 사곡. 불공정.
〔私趣〕 sīqù 명 〈文〉 사적인 욕망. ¶平生正直无～; 평소부터 정직하고 사적인 욕망 따위는 없다.
〔私人〕 sīrén 명 ①사인(私人). 개인. ¶一所～办的中学; 사설(私設) 중학 하나 / ～资本; 개인 자본 / ～秘书; 개인 비서 / ～事业; 사영(私營) 사업 / ～性; 개인성 / ～关系; 개인적인 관계 / ～感情; 개인적인 감정. ②연고자. ¶不用～; 연고자를 임용하지 않다 / ～援引; 연고의 정실로 채용하다. ③부하(部下).
〔私丧〕 sīsāng 명 가족의 상(喪).
〔私商〕 sīshāng 명 ①암거래상. 밀수업자. ②개인 경영의 상점〔상인〕.
〔私生活〕 sīshēnghuó 명 사생활.
〔私生子〕 sīshēngzǐ 명 사생아. =〔私孩子〕
〔私史〕 sīshǐ 명 ①개인이 저술한 사서(史書). ②정사(正史) 이외의 사서(史書).
〔私事〕 sīshì 명 ①사용(私用). ¶～私了liǎo; 개인의 일은 개인적으로 처리한다. ②사사로운 일. 남에게 알리고 싶지 않은 일.
〔私室〕 sīshì 명 ①개인의 방. ②개인 집.
〔私谥〕 sīshì 명 학자·작가 등이 죽었을 때, 친척·문인 등이 붙이는 시호(諡號).
〔私受〕 sīshòu 동 몰래 받다.
〔私售〕 sīshòu 동 밀매하다.
〔私书〕 sīshū 명 ⇨〔私信〕
〔私淑〕 sīshū 동 〈文〉 사숙하다.
〔私塾〕 sīshú 명 사숙. 글방. =〔散sǎn学馆〕
〔私帑〕 sītǎng 명 〈文〉 천자의 내탕금.
〔私逃〕 sītáo 동 〈文〉 모습을 감추다. 슬그머니 도망하다.
〔私田〕 sītián 명 ①개인의 논밭. ②옛날에, 정전제(井田制)에서 중앙의 '公田②'을 제외한 나머지 8구획.
〔私贴〕 sītiē 명 비밀 수당금(手當金).
〔私通〕 sītōng 동 ①사통하다. 밀통하다. ②은밀히 외부와 연락을 취하다. ¶～外国; 몰래 외국과 밀통하다.
〔私图〕 sītú 동명 (자신을 위해) 획책(하다). (혼자서) 기도(企圖)(하다). ¶～越境潜qián逃; 월경 도주를 꾀하다.
〔私土〕 sītǔ 명 밀수한 아편.
〔私吞〕 sītūn 동 사복(私腹)을 채우다. 착복하다. 횡령하다.
〔私维…〕 sīwéi… 〈文〉 은근히 생각하면.
〔私窝子〕 sīwōzi 명 ⇨〔私娼〕
〔私下(里)〕 sīxià(li) 부 ①가만히. 몰래. ¶过后, 他还～向朋友透露说; 후에, 그는 결국 몰래 친구에게 누설했다. =〔背地里〕〔私地〕 ②비공식으로. 개인적으로. ¶～调解; 비공식으로 조정(調停)하다.
〔私相〕 sīxiāng 부 서로 슬그머니. 서로 몰래.
〔私相授受〕 sī xiāng shòu shòu 〈成〉 은밀히 주고받다. 암거래를 하다. ¶由某党～的保守政权; 모당이 암거래한 보수 정권.
〔私枭〕 sīxiāo 명 밀수꾼·밀매자의 별칭.
〔私心〕 sīxīn 명 ①사심(私心). 사사로운 마음. 이기심. ¶～杂念; 사심 잡념. ②사견(私見). ¶～话; 마음 속의 생각. 흉금 / ～自用; ⓐ사리만을 꾀하다. ⓑ자기 생각만을 고집하다. ③내심. 마음 속. ¶～窃喜; 내심 기뻐하다. 내심 미소를 짓다.
〔私心话〕 sīxīnhuà 명 본심을 털어놓는 이야기. 흉금. ¶悄悄地央告了几句～; 몰래 속셈을 털어놓고 긴히 부탁했다.
〔私心眼〕 sīxīnyǎn 명 자기 중심의 사고 방식. 형 (제)멋대로이다.
〔私信〕 sīxìn 명 사신. ¶不能随便看人家的～; 함부로 남의 편지를 보면 안 된다. =〔私书〕
〔私刑〕 sīxíng 명 사형. 린치(lynch).
〔私行〕 sīxíng 명 〈文〉 사행. 개인적인 행동. 동 독단적으로 행하다. ¶～释shì放; 독단적으로 석방하다.
〔私休〕 sīxiū 명동 ⇨〔私和〕
〔私蓄〕 sīxù 명 ⇨〔私房钱〕
〔私烟〕 sīyān 명 밀수 담배.
〔私盐〕 sīyán 명 밀조(密造)한 소금. ↔〔官盐〕
〔私盐包〕 sīyanbāo 명 〈比〉 공개적으로 내놓을 수 없는 사람〔물건〕.
〔私养〕 sīyǎng 동 개인이 사육하다.
〔私药〕 sīyào 명 (성병 따위에) 몰래 사용하는 약.
〔私医〕 sīyī 명 가짜 의사. 돌팔이 의사.
〔私益〕 sīyì 명 〈文〉 사익. 개인적 이익. ↔〔公gōng益〕
〔私隐〕 sīyǐn 명 〈文〉 사행(私行). 비밀. ¶揭人的～; 남의 사생활을 폭로하다.
〔私印〕 sīyìn 명 사인. 개인의 인장. 동 몰래 출판하다.
〔私营〕 sīyíng 명동 사영(하다). 개인 영업(하다). ¶私人经营; 개인 경영 / ～企业; 개인 경영의 기업 / ～工商业; 개인 경영의 공업 또는 상업 기업.
〔私用〕 sīyòng 명 자용(自用). 동 부정하게 사용하다. ¶～公款; 공금을 사용하다.
〔私有〕 sīyǒu 명 사유. ¶～财产; 사유 재산 / ～制; (생산 수단의) 사유 제도 / ～观念; 사유 관념.
〔私语〕 sīyǔ 동 가만히〔몰래〕 이야기하다. 내밀한 이야기를 하다. ¶窃窃～; 소곤소곤 이야기하다.

명 내밀한 이야기.
〔私欲〕 sīyù 명 사욕.
〔私愿〕 sīyuàn 명 〈文〉 자기의 소원〔지망〕.
〔私运〕 sīyùn 명동 밀수송(하다). (금제품의) 밀송(密送)(을 하다).
〔私藏〕 sīzàng 명 개인 소장품.
〔私造〕 sīzào 동 위조하다.
〔私宅〕 sīzhái 명 ⇨〔私邸dǐ〕
〔私债〕 sīzhài 명 〈文〉 개인의 부채.
〔私章〕 sīzhāng 명 개인의 도장. 사인(私印).
〔私衷〕 sīzhōng 명 〈文〉 자기의 마음〔진심〕. 흉중. 가슴 속. =〔私忱chén〕〔私悃kǔn〕
〔私铸〕 sīzhù 동 사주하다. 돈을 몰래 위조하다.
〔私子〕 sīzǐ 명 〈文〉 사생아.
〔私字(儿)〕 sīzì(r) 명 마늘모《한자 부수의 하나; '去·参' 등에서 '厶'의 이름》. =〔私字头tóu〕〔三角头(儿)〕
〔私自〕 sīzì 부 ①자기 마음대로. 무단으로. 멋대로. ¶这是公物, 不能～拿走! 이것은 공용물이니까 마음대로 가져가면 안 된다! ②가만히. 살그머니. 몰래. ¶～逃跑; 몰래 도망치다 / ～运动; (일이 잘 되도록) 몰래 활동하다.

司 sī (사)
①동 맡다. 관장(管掌)하다. 주관하다. ¶～法; 《法》 사법 / 各～其事; 각기 그 직무를 맡다. ②명 중앙 관청의 부국(部局)《우리 나라의 '국'(局)에 해당》. ¶外交部亚洲～; 외무부 아주국. →〔部〕〔科〕〔股〕 ③명 성(姓)의 하나. ④음역자(音譯字). ¶派～; 패스. 통행증 / 盎～; 《度》 온스(ounce) / 罗曼～; 로맨스.
〔司报生〕 sībàoshēng 명 통신사(通信士).
〔司泵员〕 sībèngyuán 명 (소방사의) 펌프 담당자.
〔司必令〕 sībìlìng 명 〈音〉 스프링. 용수철. =〔弹簧〕〔发条〕
〔司晨〕 sīchén 명 수탉의 별칭. 동 새벽을 알리다. ¶犬守夜鸡～; 개는 밤을 지키고, 수탉은 새벽을 알린다.
〔司城〕 Sīchéng 명 복성(複姓)의 하나.
〔司秤〕 sīchèng 명 ①계량원(計量員). ② ⇨〔司马秤〕
〔司词〕 sīcí 명 《言》 구(舊)문법 용어로, 개사(介詞)의 빈어(賓語)를 말함《예를 들면, '精于文法'(문법에 정통하다)의 '文法'》.
〔司搭子〕 sīdāzi ⇨〔双shuāng头螺栓〕
〔司代克〕 sīdàikè 명 〈音〉 (고기나 생선의) 스테이크의 음역.
〔司狄古〕 sīdígǔ 명 〈音〉 스틱. 지팡이. =〔司的克〕〔司梯克〕
〔司的克〕 sīdìkè 명 〈音〉 스틱(stick). 단장. =〔手杖〕〔士的〕
〔司多间〕 sīduōjiān 명 〈南方〉 저장실《'司多'는 스토어(store)의 음역》.
〔司铎〕 sīduó 명 ①〈文〉 문교(文敎)의 책임자. ②신부·선교사의 존칭.
〔司法〕 sīfǎ 명 《法》 사법. ¶～官; 사법 관 / ～权quán; 사법권 / ～部门; 사법 부 / ～机关; 사법기관 / ～鉴定; (재판 등에 있어서의) 전문가의 감정.
〔司服马达〕 sīfú mǎdá 명 ⇨〔伺sì服机〕
〔司更〕 sīgēng 명 ⇨〔更夫〕
〔司官〕 sīguān 명 옛날에, 각 성(省)·부(部)의 '郎láng中', '员yuán外郎', '主事' 등의 총칭.
〔司号员〕 sīhàoyuán 명 《軍》 ①신호병〔담당〕. ②나팔수.
〔司阍〕 sīhūn 명 〈文〉 문지기.
〔司机〕 sījī 동 기계를 취급하다〔관리하다〕. 명 (열차·자동차 등의) 운전수. 조종사. 기관사. ¶计程车～; 택시 운전사.
〔司机台〕 sījītái 명 ①운전대. ②《機》 드라이빙 박스. =〔主zhǔ动轴箱〕
〔司监〕 sījiān 명 〈文〉 전옥(典獄).
〔司可纳〕 Sīkěnà 명 《藥》〈音〉 세코날(Seconal)《수면제》. =〔速可眠〕
〔司空〕 sīkōng 명 ①사공《옛 관직명》. ¶～见惯; 〈成〉 흔히 있는 일이라 특별히 신기하지 않다. (늘 보아서) 눈에 익으면 조금도 이상하게 여기지 않는다《당(唐)의 사공(司空)인 이신(李紳)의 잔치에서 유우석(劉禹錫)이 한 말》. ②(Sīkōng) 복성(複姓)의 하나.
〔司寇〕 sīkòu 명 ①사구. 옛 벼슬 이름으로, 주(周)나라의 '六卿'의 하나. ②(Sīkòu) 복성(複姓)의 하나.
〔司库(员)〕 sīkù(yuán) 명 금고 담당. 금고 관리원.
〔司垒裁判员〕 sīlěi cáipànyuán 명 《體》 (야구의) 누심.
〔司理〕 sīlǐ 동 〈文〉 관리하다. 취급하다.
〔司令〕 sīlìng 명 사령관. ¶～部; 사령부 / ～塔tǎ; 사령탑《중국 인민 해방군에서는 '～员'(군구(軍區) 이상의 고급 지휘관)을 습관상 '～'이라고도 함》.
〔司炉〕 sīlú 명 ①보일러 조작. ②(흔히 기차의) 화부(火夫). 보일러맨.
〔司伦〕 sīlún 명 달라이 라마(Dalai Lama)의 정치 보좌관.
〔司马〕 sīmǎ 명 ①사마《옛 관직명》. =〔大尉②〕 ②(Sīmǎ) 복성(複姓)의 하나. ¶～昭之心, 路人皆知矣 =〔司马昭之心, 昭然若揭〕; 〈歇〉 야심가의 음모는 길 가는 사람 모두가 알고 있다《위(魏)나라의 장군 사마소(司馬昭)가 왕위를 노리고 있는 것을 모두 알고 있었던 데서》.
〔司马秤〕 sīmǎchèng 명 옛날, 상하이(上海)·광둥(廣東) 등의 면업지(綿業地)에서 쓰이었던 저울의 이름으로, 1 '司马斤'은 0.61584킬로(1.23168 市斤)에 상당함. =〔司码秤〕〔司秤②〕
〔司码秤〕 sīmǎchèng 명 ⇨〔司马秤〕
〔司幕〕 sīmù 명 《劇》 막을 여닫는 일을 맡은 사람.
〔司南〕 sīnán 명 중국 고대의 나침반. ¶～车 =〔指南车〕; 지남차(指南車). 옛날, 자석을 갖춘 전차(戰車).
〔司农〕 sīnóng 명 사농. 관명(官名)《'九卿'의 하나로 '大～'을 말함》.
〔司农仰屋〕 sī nóng yǎng wū 〈成〉 국고가 결핍하여, 재정을 맡은 관리가 할 일 없이 지붕을 쳐다보고 탄식하는 일. ¶～, 吾辈但领生活费以为活者数月; 〈文〉 국고가 결핍하여, 우리는 몇 달 동안 오직 생활비만 타서 생활했다.
〔司配司〕 sīpèisī 명 〈音〉 (활자의) 행간. 스페이스(space).
〔司票〕 sīpiào 명 출찰원(出札員).
〔司梯克〕 sītīkè 명 ⇨〔司狄古〕
〔司替阿林〕 sītìālín 명 《化》〈音〉 스테아린(stearin). =〔硬脂酸〕〔司替林〕
〔司听神经〕 sītīng shénjīng 명 《生》 청신경.
〔司徒〕 sītú 명 사도. ①옛 관명으로, 주(周)나라의 '六卿'의 하나. 한(漢)나라의 '三公'의 하나. 토지와 백성을 관장했음. 애제(哀帝) 때 '大～'라

하였으며, 그 뒤 호부 상서(戶部尙書)의 별칭으로 쓰임. ②(Sītú) 복성(複姓)의 하나.
〔司围子〕 sīwéizǐ 명 〈音〉 스위치(switch). =〔开关〕〔电钮〕
〔司卫脱〕 sīwèituō 명 〈音〉 스웨터(sweater). =〔毛绒衫〕〔厚绒线衫〕〔司威特〕〔斯威特〕
〔司务〕 sīwù 명 ①(명(明)나라·청(淸)나라 때의) 공문서의 수발을 맡은 관리. ¶～厅tīng; 공문서의 수발청. ②직인. 기술자. ¶厨chú～; 요리사. 주방장.
〔司务长〕 sīwùzhǎng 명 《軍》 중대의 경리 담당관.
〔司线员〕 sīxiànyuán 명 《體》 (구기 종목의) 선심(線審). =〔巡xún边员〕
〔司药〕 sīyào 명 약제사. 약제계. 약제관.
〔司仪〕 sīyí 명 ①사회자(司會者). ②결혼식 등의 사회자.
〔司长〕 sīzhǎng 명 (중앙 관청의) 국장. ¶亚洲～; 아주 국장.
〔司账〕 sīzhàng 동 회계〔경리〕하다. 명 회계〔경리〕 계원.
〔司账员〕 sīzhàngyuán 명 회계 담당원. =〔会kuài计员〕
〔司钻〕 sīzuàn 명 헤드 드릴러(head driller).

铜(銅) sī (사)
명 《化》 '钪kang'(스칸듐)의 구칭(舊稱).

丝(絲) sī (사)
①명 생사(生絲). 명주(실). 비단. ¶人造～; 인견(사)／绸子是一种～织品; 단자(緞子)는 일종의 견직물이다. ②(～儿) 명 잘게 썬 것. 실처럼 가는 것. ¶铁～; 철사／蜘蛛～; 거미줄／萝卜～儿; 무채／把肉切成～儿; 고기를 잘게 썰다／保险～; 퓨즈(fuse)／雨～; 〈比〉 가랑비. ③명 〈比〉 (흔히, '一～儿'로 하여) 약간. 극히 조금. ¶纹wén～不动; 〈文〉 옴쭉도 않다／脸上没有一～笑容; 얼굴엔 미소도 없다／一～风也没有; 바람 한 점 없다／～毫不差; 조금도 틀리지 않다. ④양 수(數)의 단위(單位)를 이름《10'丝'=1'毫', 10'毫'=1'厘'》. ⑤양 《度》 데시밀리(decimilli). ¶～米; 데시밀리미터. ⑥〈簡〉 '螺luó丝'(나사)의 준말.
〔丝包(软)线〕 sībāo(ruǎn)xiàn 명 《電》 명주 권선(卷線).
〔丝边(儿)〕 sībiān(r) 명 비단 레이스.
〔丝表〕 sībiǎo 명 ⇨〔千qiān分表〕
〔丝布〕 sībù 명 날실은 면사, 씨실은 견사로 짠 혼방직 천《장쑤 성(江蘇省) 오장 현(吳江縣) 성쩌진(盛澤鎭)에서 남》.
〔丝厂〕 sīchǎng 명 제사(製絲) 공장. =〔缫丝厂〕
〔丝虫〕 sīchóng 명 《動》 필라리아(filaria).
〔丝虫病〕 sīchóngbìng 명 《醫》 필라리아(filaria)증. 사상충증(絲狀蟲症). =〔象皮病〕〔粗腿病〕
〔丝绸〕 sīchóu 명 《紡》 비단. 견직물.
〔丝绸之路〕 sīchóu zhī lù 명 실크로드. =〔丝路〕
〔丝带〕 sīdài 명 명주 테이프. 비단 리본〔끈〕.
〔丝钉〕 sīdīng 명 작은 못. 징. 대갈못.
〔丝缎〕 sīduàn 명 비단과 주단《견직물의 총칭》.
〔丝对〕 sīduì 명 ⇨〔牵qiān条螺栓〕
〔丝贩〕 sīfàn 명 생사(生絲) 상인. =〔丝客〕
〔丝杆〕 sīgǎn 명 《機》 리드 스크루(lead screw). 안내 나사.
〔丝杠〕 sīgàng 명 《機》 나선의 홈을 절삭할 때, 절삭도(刀)를 움직이는 급동 공간(給動槓杆). =〔导dǎo丝杠〕
〔丝糕〕 sīgāo 명 ①녹말을 발효시켜 건과(乾果)를 넣고 찐 음식. ②좁쌀·옥수수 가루를 반죽하여 발효시켜 찐 음식.
〔丝公〕 sīgōng 명 탭(Tap).
〔丝攻〕 sīgōng 명 ⇨〔螺luó纹攻〕
〔丝瓜〕 sīguā 명 《植》 수세미외. ¶～络 =〔～筋〕; 수세미외의 섬유(纖維).
〔丝挂丝〕 sīguàsī 〈比〉 옷이 너덜너덜 해져서 앙상한 실가닥이 늘어져 있는 모양. =〔丝挂丝, 缕挂缕〕
〔丝挂子〕 sīguàzi 명 주낙.
〔丝光〕 sīguāng 명 《紡》 (면의) 머서리화(mercerize化) 가공. ¶～不褪色卡其; 머서리화 가공의 빛이 바래지 않는 카키색 천.
〔丝光布〕 sīguāngbù 명 《紡》 실켓(silkette) 직물.
〔丝光(棉)纱〕 sīguāng(mián)shā 명 《紡》 가스사(紗). =〔丝光线〕
〔丝光绉地纱〕 sīguāng zhòudìshā 명 《紡》 실켓 가공을 한 크림프(crimp) 천.
〔丝行〕 sīháng 명 생사 도매상. =〔丝栈〕
〔丝毫〕 sīháo 명 추호. 극히 조금〔약간〕. ¶～不差; 조금도 틀리지 않다／～不让; 추호도 양보하지 않다／～不爽; 조금도 거짓이〔허위가〕 없다／不容许有～改变; 약간의 변경도 허용되지 않다.
〔丝极〕 sījí 명 《電》 필라멘트. =〔灯丝〕
〔丝胶〕 sījiāo 명 《化》 세리신(sericin).
〔丝巾〕 sījīn 명 ⇨〔丝帕〕
〔丝客〕 sīkè 명 ⇨〔丝贩〕
〔丝拉〕 sīla 형 ①꾸물거리는〔우물쭈물하는〕 모양. ②오래 끄는 모양. ③끊임이 없는 모양. ¶肚子～地疼; 배가 쉴새없이 아프다.
〔丝来毫去〕 sī lái háo qù 〈成〉 ⇨〔丝来线去〕
〔丝来线去〕 sī lái xiàn qù 〈成〉 잠시의 인연이 언제까지나 끊어지지 않다. =〔丝来毫去〕
〔丝兰〕 sīlán 명 《植》 실유카.
〔丝栏〕 sīlán 명 책의 행간(行間)의 괘(罫).
〔丝柳〕 sīliǔ 명 버드나무의 가지. =〔柳丝〕
〔丝绺儿〕 sīliǔr 명 ①섬세한 것. ②(기(旗)·탁자보 따위의) 술. ¶台布的四周都缀着红色的～; 탁자보 주위에는 붉은 술이 달려 있다.
〔丝路〕 sīlù 명 ⇨〔丝绸之路〕
〔丝缕〕 sīlǚ 명 견사(絹絲). 가는 실.
〔丝纶〕 sīlún 명 〈比〉 천자의 조칙(詔勅).
〔丝罗〕 sīluó 명 《紡》 사라. 깁.
〔丝罗缎〕 sīluóduàn 명 포플린. =〔府fǔ绸②〕
〔丝萝〕 sīluó 명 '菟tù丝子'(새삼)과 '松sōng萝'(소나무겨우살이). 〈轉〉 혼인《새삼과 소나무겨우살이가 둘 다 다른 나무에 기생하는 데서 유래》.
〔丝落棉〕 sīluòmián 명 《紡》 견사 방적의 비단 부스러기.
〔丝毛绸〕 sīmáochóu 명 《紡》 견모(絹毛) 교직의 단자(緞子).
〔丝毛儿〕 sīmáor 명 실오라기《몸에 걸치는 최소한도의 것》. ¶身上一根～都没有; 몸에 실오라기 하나 걸치고 있지 않다.
〔丝茅〕 sīmáo 명 ⇨〔白bái茅①〕
〔丝米〕 sīmǐ 양 《度》 '米'(미터)의 1만분의 1.
〔丝绵〕 sīmián 명 풀솜. =〔丝棉〕
〔丝绵饼〕 sīmiánbǐng 명 둥근 떡처럼 풀솜을 뭉친 것.
〔丝绵儿〕 sīmiánr 명 《紡》 견직물《빳빳한 면직물

에 대하여, 부드러운 견직물을 말함). =〔丝绵梢儿〕

〔丝绵梢儿〕 sīmiánshāor 명 ⇨〔丝绵儿〕

〔丝棉球〕 sīmiánqiú 명《紡》방적사(紡績絲) 톱(top).

〔丝母〕 sīmǔ 명 암나사. =〔螺luó丝母(儿)〕

〔丝帕〕 sīpà 명 비단 손수건. =〔丝巾〕

〔丝禽〕 sīqín 명《鳥》백로.

〔丝儿〕 sīr 명 ①실. ¶这匹布的布～很滋密; 이 천의 실은 매우 촘촘하다. ②가늘고 긴 물건. ¶这肉～切得很匀; 이 채썬 고기는 매우 고르게 썰어져 있다. ‖ =〔丝子〕

〔丝绒〕 sīróng 명《紡》우단. 비로드. 벨벳. ¶柳条～; 줄무늬 벨벳.

〔丝伞〕 sīsǎn 명 비단 양산.

〔丝纱〕 sīshā 명 ①견사(絹絲). ②그물. ¶金属～; 쇠그물 / 铁～; 철망 / 磷铜～; 인동(燐銅) 그물.

〔丝扇〕 sīshàn 명 비단 부채.

〔丝商〕 sīshāng 명 생사 상인.

〔丝绳〕 sīshéng 명 ①비단실로 만든 끈. ②와이어 로프. 강삭(鋼索).

〔丝丝〕 sīsī 형 ①〈比〉극히 가는 모양. ¶春雨下～; 봄비가 가늘게 내리다. ②욱신욱신 쑤시며 아픈 모양. ¶～作痛; 욱신욱신 쑤시며 아프다.

〔丝丝挂挂〕 sīsiguàguà 형 (옷 따위가 해져서) 너덜너덜하다. ¶这衣服破到～的程度了; 이 옷은 너덜너덜하도록 해졌다.

〔丝丝拉拉〕 sīsilālā 형 끊임없이 계속되는 모양. ¶～闹了一个多月的病; 시름시름 한 달 남짓 앓았다 / 肚子～地疼; 배가 줄곧 아프다 / 雨～地下; 비가 쉴새없이 (질금질금) 내린다. =〔拉拉丝丝〕

〔丝丝入扣〕 sī sī rù kòu 〈成〉(문장 따위의) 한 자 한 구(句)가 급소를 찌름. 미세한 데까지 미침. (연예 따위가) 심오한 경지에 이름. ¶舞台上表演得～; 무대 연기가 매우 섬세하고 자연스럽다.

〔丝绦子〕 sītāozi 명 비단실로 꼰 끈. 명주실 끈.

〔丝桐〕 sītóng 명 ①〈文〉'琴qín'(거문고)의 별칭. ②거문고를 만드는 곧은 나뭇결의 오동나무.

〔丝吐〕 sītǔ 명 ⇨〔水shuǐ结〕

〔丝袜〕 sīwà 명 비단 양말〔버선〕.

〔丝网〕 sīwǎng 명《印》실크 스크린(silk screen). ¶～印刷; 실크 스크린 인쇄(법) / ～油墨; 실크 스크린 인쇄용 잉크.

〔丝弦儿〕 sīxiánr 명 ①스자장(石家莊) 일대에서 행하여지는 연극. =〔老调丝弦〕 ②비단실로 꼬아 만든 현(弦)(현악기용).

〔丝线〕 sīxiàn 명《紡》①명주실. ②명주 재봉실.

〔丝绣货〕 sīxiùhuò 명 견(絹) 자수품.

〔丝鱼〕 sīyú 명《魚》가시고기. =〔棘jí鱼〕

〔丝雨〕 sīyǔ 명 세우(細雨). 가랑비.

〔丝藻〕 sīzǎo 명《植》울로드릭스(Ulothrix)(녹조류의 일종).

〔丝栈〕 sīzhàn 명 ⇨〔丝行〕

〔丝织〕 sīzhī 명 견직(絹織). ¶～品; 견직물 / ～风景片; 비단으로 짠 풍경화.

〔丝织厂〕 sīzhīchǎng 명 견직물 공장.

〔丝纸板〕 sīzhǐbǎn 명 자카드(jacquard) 판지(板紙)의 일종.

〔丝质花边〕 sīzhì huābiān 명 비단 레이스.

〔丝竹〕 sīzhú 명 ①악기의 총칭(현악기와 관악기). ②〈轉〉음악.

〔丝状〕 sīzhuàng 명 가늘고 긴 실 모양.

〔丝锥(子)〕 sīzhuī(zi) 명《機》탭(tap). =〔螺luó纹攻〕

〔丝子〕 sīzi 명 ⇨〔丝儿〕

咝(噝) sī (사) 〈擬〉퓽퓽(탄알 따위가 멀리 공중을 날아가는 소리). ¶子弹～～地从身旁飞过; 탄알이 퓽퓽 옆으로 날아가다. =〔嘶sī④〕

鸶(鷥) sī (사) →〔鹭lù鸶〕

思 sī (사) ①동 생각하다. 고려하다. ¶寻xín～; 여러 가지로 생각하다 / 请君三～之; 자네 잘 고려하게. ②동 걱정하다. 그리워하다. ¶～故乡; 고향을 그리워하다 / ～亲qīn; 부모를 걱정하다〔그리워하다〕. ③명 사상. 생각. ¶文～; 글에 나타난 생각. ④명 성(姓)의 하나. ⇒sāi

〔思不出位〕 sī bù chū wèi 〈比〉분수를 지키어 도를 지나치지 않다.

〔思潮〕 sīcháo 명 ①사조. 시대 사상의 흐름. 사상 경향. ②생각. 상념. ¶一路上都有人向他欢呼, 打断了他的～; 길가에서 죽 그를 환호하여 맞아 주는 사람이 있어 그의 상념을 단절시켰다 / ～起伏; 마음이 천 갈래로 흩어지다.

〔思春〕 sīchūn 동 ⇨〔怀huái春〕

〔思春病〕 sīchūnbìng 명 상사병. =〔相xiāng思病〕

〔思忖〕 sīcǔn 동〈文〉두루 생각하다. 사고하다. ¶那孙立心中～《宣和遺事》; 손립은 마음 속으로 생각했다.

〔思度〕 sīduó 동〈文〉생각하여 헤아리다.

〔思凡〕 sīfán 동 출가(出家)한 사람이 속세의 일에 마음이 끌리다. 속념(俗念)이 일다. ¶段祺瑞又要～了; 단기서는 또 (정권에) 관심을 보이려 하고 있다.

〔思妇〕 sīfù 명〈文〉시름에 잠긴 여인.

〔思归鸟〕 sīguīniǎo 명 두견새.

〔思过半〕 sīguòbàn 〈文〉생각이 반을 넘다. 충분히 짐작이 가다. 짐작했던 것 이상이어서 감개 무량하다.

〔思乎〕 sīhu 동〈方〉생각하다.

〔思家〕 sījiā 동〈文〉가정이나 가족을 생각하다. 집을 그리워하다.

〔思考〕 sīkǎo 동 사고하다. 깊이 생각하다. ¶～事物的本质; 사물의 본질을 깊이 생각하다 / 我继续～这句话的含义; 나는 이 말이 갖고 있는 의미를 계속 생각했 다 / 独立～; 홀로 생각하다. 명 사고. 사색. 사유.

〔思恋〕 sīliàn 동〈文〉애타게 그리다〔생각하다〕. ¶～故乡; 고향을 애타게 그리다.

〔思量〕 sīliang 동 ①〈方〉걱정하다. 생각하다. 그리워하다. ¶大家正～你呢! ⓐ모두들 네 걱정을 하고 있다! ⓑ모두들 너를 그리워하고 있다! ②고려하다. ¶他暗自～; 그는 속으로 이것저것 생각한다. =〔考虑〕

〔思鲈〕 sī lú 〈成〉가을 바람이 부니 고향의 농어 맛이 생각난다(고향으로 돌아가 은거하려는 마음이 생기다).

〔思路〕 sīlù 명 ①문장의 구상〔맥락〕. ②생각의 방향〔갈피〕. 사고의 줄기. ¶～错乱了; 생각의 줄기가 혼란해지다. 갈피를 잡지 못하고 뒤죽박죽되다 / 无论做什么事, 先得有个～; 무슨 일을 하건, 미리 생각의 방향을 정해 놓지 않으면 안 된다 / ～顿开; 막혔던 생각이 탁 트여 환히 알게 되다.

〔思虑〕 sīlǜ 통 깊이 생각하다. 고려〔사려〕하다. ¶～周到; 사려가 빈틈없다. =〔思索考虑〕 명 사려. 숙고. ¶年岁越大～越深; 나이가 들어감에 따라 생각이 깊어진다.
〔思摸〕 sīmō 통 타산해 보다. 생각해 보다.
〔思谋〕 sīmóu 통 고려하다. 계산하다. ¶我～着这里边有名堂; 나는 이 속에는 계략이 있다고 보고 있다.
〔思慕〕 sīmù 통 사모하다. 그리다.
〔思念〕 sīniàn 통 생각하다. 그리워하다. ¶～祖国; 조국을 그리워하다. =〔想念〕
〔思前算后〕 sī qián suàn hòu 〈成〉 ⇨〔思前想后〕
〔思前想后〕 sī qián xiǎng hòu 〈成〉 어제까지의 일을 회고하고 장래의 일을 생각하다. =〔思前算后〕
〔思索〕 sīsuǒ 통 사색하다. 이것저것 깊이 생각하다. ¶你别轻举妄动, 总得～～; 경거망동하지 말고, 꼭 거듭거듭 생각해야 한다. 명 사색. 생각. ¶扰乱～; 사색을 방해하다.
〔思惟〕 sīwéi 통 사유 활동을 하다. 생각〔숙고〕하다. 명 《哲》 사유. ‖ =〔思维〕
〔思想〕 sīxiǎng 명 사상. 생각. 견해. 의식. 마음. ¶神妙～; 묘안 / ～体系; 이데올로기 / ～包袱; 정신적인 부담 / ～境地; 이데올로기의 수준. 사상의 경지 / ～见面; 솔직히 생각〔의견〕을 교환하다 / 暴露～; 자기의 기분이나 생각을 정직하게 토로하다 / ～不对; 마음씨가 나쁘다 / ～负担; 정신면의 무거운 부담 / ～根底; 사상의 바탕 / ～准备; 마음의 준비. 각오. 태세 / ～盖子; 생각의 뚜껑. 진짜 생각을 숨기고 드러내지 않음 / ～转不过弯来; 생각을 아직 올바른 방향으로 바꾸지 못하다 / ～混乱; ⓐ생각이 혼란하다. ⓑ사상이 혼란해지다. 통 생각하다. ¶千思万想; 여러 가지로 두루 생각하다 / 胡思乱想; 부질없는〔터무니없는〕 생각을 하다 / 人又不是石头, 哪有不～的道理; 인간은 돌멩이와는 다르다. 이것저것 생각하지 않을 도리가 없다.
〔思想库〕 sīxiǎngkù 명 싱크 탱크(think tank). 두뇌 집단. =〔智zhì囊班子〕
〔思绪〕 sīxù 명 ①생각(의 갈피). 사고(의 실마리). ¶～纷乱; 생각이 흐트러지다. →〔思路②〕 ②정서(情緖). 기분. ¶～不宁; 마음이 안정되지 않다. =〔情绪〕
〔思议〕 sīyì 통 생각하여 헤아리다. ¶不可～; 불가사의하다.

偲 sī (시)
→〔偲偲〕 ⇒cāi

〔偲偲〕 sīsī 통 〈文〉 서로 평(評)하여 격려하다. 함께 절차(切磋)하다. ¶朋友切qiè切～; 친구끼리 서로 절차(切磋)하고 격려하다.

缌(緦) sī (시)
명 〈文〉 고운 마포(麻布). 모시.

飔(颸) sī (시)
①명 서늘한〔시원한〕 바람. ②명 질풍(疾風). ③〈擬〉 솔솔. 솨솨. 산들산들《바람 소리의 형용》. ¶～～来风; 솨솨 바람이 불어 온다.

罳 sī (시, 새)
→〔罘fú罳〕〔罳顶〕

〔罳顶〕 sīdǐng 명 천장널.

锶(鍶) sī (시)
명 《化》 스트론튬(Sr :strontium) 《금속 원소의 하나》. ¶硝酸～; 질산 스트론튬.

虒 sī (사)
지명용 자(字). ¶～亭tíng; 쓰팅(虒亭)《산시 성(山西省)에 있는 땅 이름》.

斯 sī (사)
〈文〉 ①대 이것. 이. 여기. ¶～人; 이 사람 / ～时; 이 때 / ～道; 이 길 / 如～之不幸; 이(와) 같은 불행 / 生于～, 长于～; 이 곳에서 태어나 이 곳에서 성장하다 / 歌于～, 哭kū于～; 이 문제로 울기도 하고 웃기도 하다. ②접 (…하면) 곧. 즉시. 이에. ¶如知其非义, ～速已矣; 만일 그것이 의롭지 않다고 알면 즉시 그만둔다 / 敢问如何～可以免于过矣; 어떻게 하면 곧 잘못을 면할 수 있는지를 감히 여쭈어 봅니다. =〔于是〕〔就〕 ③뜻 없는 보조어(補助語). ¶亿万～年; 몇억 몇만 년이나 되는 동안. ④조 어기사(語氣詞). ¶彼何人～; 그는 어떤 사람이냐. ⑤통 쪼개다. 절개(切開)하다. ¶斧以～之; 도끼로 쪼개다. ⑥조 …의《일설(一說)에 '之'와 같은 용법으로 쓰임》. ¶兔tù～首《詩經》; 토끼의 머리. ⑦통 (거리가) 떨어져 있다. ¶华胥氏之国, 不知～齐国几千万里《列子 黄帝》; 화서씨의 나라는 제나라에서 몇천만 리나 떨어져 있는지 모른다. ⑧명 성(姓)의 하나.
〔斯巴达〕 Sībādá 명 《地》〈音〉 스파르타(Sparta).
〔斯大林〕 Sīdàlín 명 《人》〈音〉 스탈린(Joseph V. Stalin)《소련의 정치가, 1879～1953》. ¶～宪法; 스탈린 헌법《1936년 개정된 소련의 헌법》.
〔斯德哥尔摩〕 Sīdégē'ěrmó 명 《地》〈音〉 스톡홀름(Stockholm)《'瑞Ruì典王国'(스웨덴: Sweden)의 수도》.
〔斯蒂林脂〕 sīdìlínzhī 명 《化》〈音〉 스테아린(stearin).
〔斯多葛派〕 Sīduōgépài 명 《哲》〈音義〉 스토익파(Stoic派). =〔斯多亚派〕〔斯多噶学派〕
〔斯多亚(派)〕 Sīduōyà(pài) 명 《哲》〈音〉 ①스토아학파(Stoa學派). ②금욕주의자.
〔斯芬克司〕 Sīfēnkèsī 명 《史》〈音〉 스핑크스(sphinx). =〔史芬克斯〕〔斯芬克狮〕〔斯芬克斯〕
〔斯古勒〕 sīgǔlè 명 〈音〉 학교. 스쿨(school). =〔学校〕
〔斯堪的纳维亚半岛〕 Sīkāndìnàwéiyà Bàndǎo 명 《地》〈音〉 스칸디나비아 반도.
〔斯克兰〕 sīkèlán 명 〈音〉 스크럼(scrum).
〔斯拉夫人〕 Sīlāfūrén 명 《民》〈音義〉 슬라브인(Slav人).
〔斯勒格〕 sīlègé 명 〈音〉 슬래그(slag).
〔斯里兰卡〕 Sīlǐlánkǎ 명 《地》〈音〉 스리랑카(Sri Lanka)《'锡Xī兰'(실론)은 구칭(舊稱). 수도는 스리자야와르데네푸라코테(Sri Jayawardenepura Kotte). '科Kē伦坡'(콜롬보: Colombo)는 옛 수도》.
〔斯罗〕 sīluó 통 ⇨〔撕罗①〕
〔斯洛伐克〕 Sīluòfákè 명 《地》〈音〉 슬로바키아(Slovakia(Slovak Republic))《수도는 '布Bù拉迪斯拉发'(브라티슬라바: Bratislava)》.
〔斯洛文尼亚〕 Sīluòwénníyà 명 《地》〈音〉 슬로베니아(Slovenia)(공화국)《수도는 '卢Lú布尔雅那'(류블랴나: Ljubljana)》.
〔斯配哥得〕 sīpèigēdé 명 《物》〈音〉 스펙트럼(spectrum). =〔光谱〕

〔斯普特尼克〕 Sīpǔtèníkè 명〈音〉 스푸트니크(Sputnik)(소련 최초의 인공 위성).
〔斯沙声〕 sīshāshēng 명 ⇨〔嘶沙声〕
〔斯时〕 sīshí 명〈文〉 이 때.
〔斯斯文文〕 sīsīwénwén 유유히. 동작에 기품이 있고 느긋한 모양. →〔斯文wen〕
〔斯忒因勒斯〕 sītèyīnlèsī 명〈音〉 스테인레스 스틸(stainless steel). =〔不锈钢〕
〔斯替林〕 sītìlín ⇨〔乙yǐ稀苯〕
〔斯瓦希利语〕 Sīwǎxīlìyǔ 명〈音〉 스와힐리어(Swahili語).
〔斯威士兰〕 Sīwēishìlán 명〔地〕〈音〉 스와질란드(Swaziland). 수도는 '姆巴巴纳'(음바바네: Mbabane)
〔斯文〕 sīwén 명 ①예악(禮樂) 제도. 옛날부터의 문화. ②유자(儒者). 문인. 선비. ¶～败类; 학자이면서 행동이 좋지 않은 자. 타락한 문인/～扫地;〈成〉 ⓐ문인이 완전히 타락하다. ⓑ문화가 퇴폐하다. 문화나 문인이 존중되지 않다. =〔斯文人〕〔斯文的人〕
〔斯文〕 sīwen 형 ①고상하다. 우아하다. 점잖다. ¶风火事儿～不来; 화급할 때에는 점잔만 빼고 있을 수는 없다/说话～点儿, 别这么大叫大嚷rang的! 이렇게 큰 소리로 떠들지 말고, 조용히 말씀하시오! =〔文雅〕 ②단정하다. 온화하다.
〔斯文人〕 sīwénrén 명 ①문인. 학자. ¶模mú样儿像个～; 모양이 학자 같다. ②점잖은 사람.
〔斯须〕 sīxū 명〈文〉 잠시. ¶礼乐yuè不可～去身《禮記 祭義》; 예악은 잠시도 소홀히 할 수 없다. =〔须臾yú〕

凘 sī (시)
〈文〉 ①동 얼음이 녹아서 흐르다. ②명 유빙(流氷).

厮〈廝〉 sī (시)
①명 종. 하인. ②명 놈. 자식(사람을 경멸하여 부르는 말). ¶小～无礼! 꼬마놈, 무례하구나!/那～; 저놈. ③부 서로. ¶～打; 서로 때리다. =〔互相〕
〔厮并〕 sībìng 동 서로 싸우다. 결투하다. ¶如若不从, 却和他～未迟chí; 만약 따르지 않는다면 그 때 가서 싸워도 늦지는 않다.
〔厮吵〕 sīchǎo 동 떠들어 대다. 말다툼하다. 서로 욕하다.
〔厮打〕 sīdǎ 동 ①서로 때리고 싸우다. ②맞부딪치다. 마주치다. ¶牙齿捉对儿～; 이를 마주치며 덜덜 떨다.
〔厮跟〕 sīgēn 동〈文〉 함께 가다. 따라가다.
〔厮会〕 sīhuì 동 회합하다.
〔厮混〕 sīhùn 동 ①함께 살다〔지내다〕. ¶跟他～在一起; 그와 함께 지내다. ②잠시 사귀다. ③하는 일 없이 지내다. ④농하며 떠들다. ⑤뒤섞이다. 뒤엉키다. ¶新愁接着旧愁, ～了难分新旧; 새 근심이 옛 근심의 뒤를 이어 뒤섞여서 새것과 옛것을 구별할 수 없게 되었다.
〔厮见〕 sījiàn 동 만나다. 대면하다.
〔厮揪〕 sījiū 동〈文〉 서로 드잡이하다.
〔厮罗〕 sīluo 동 ⇨〔撕罗①〕
〔厮骂〕 sīmà 동 서로 욕지거리하다.
〔厮杀〕 sīshā 동 서로 싸우고 죽이다(전투를 가리킴). ¶常言道"～无如父子兵"; 속담에도 "싸우는 데는 부자가 힘을 합한 병력보다 나은 게 없다"고 했다.
〔厮徒〕 sītú 명〈文〉 하인. 머슴. =〔厮役yì〕
〔厮下〕 sīxià 명〈文〉 아랫것. 미천한 자.
〔厮役〕 sīyì 명 하인. 종.

澌 sī (시)
①동 다하다. 없어지다. ¶～灭miè; 소멸하다. 소실하다/～尽灰灭;〈比〉 모조리 사라지다. ②〈擬〉 좍좍. 주룩주룩(비가 내리는 소리). ¶～～雨下; 좍좍 비가 내리다.

撕 sī (시)
동 ①손으로 잡아 찢다. ¶把布～成两块; 천을 두 조각으로 찢다/～了个粉碎; 갈가리 찢다. ②꺾다. ③〈京〉 피륙을 사다. ¶～半匹绸子来; 비단을 반 필 사 오다.
〔撕剥〕 sībāo 동 잡아 찢다. 잡아떼다.
〔撕哧〕 sīchi 동 손으로 잡아 찢다.
〔撕打〕 sīdǎ 동 맞붙어 싸우다. 드잡이하다. ¶抓着鲍二家的就～; 포이의 집 사람을 붙잡고 맞붙어 싸운다.
〔撕掉〕 sīdiào 동 찢어 버리다. 벗기다.
〔撕夺〕 sīduó 동 서로 빼앗다. ¶和匪徒～; 비적과 서로 빼앗으려고 다투다.
〔撕毁〕 sīhuǐ 동 ①찢어 발기다. ②(계약·조약·규정 등을) 파기하다. ¶～规定; 규정을 파기하다.
〔撕开〕 sīkāi 동 잡아 찢다.
〔撕烂〕 sīlàn 동 갈기갈기〔산산조각으로〕 찢다.
〔撕掳〕 sīlǔ 동 ⇨〔撕罗①〕
〔撕罗〕 sīluo 동〈京〉 ①(일의) 끝매듭을 짓다. 끝내다. 처리하다. ¶～不开; 처리를 할 수 없다/事情都～完了; 일은 다 처리됐다/这半日只顾～这桩事; 이렇게 오랫동안 이 일의 처리에만 매달리고 있다. =〔斯罗〕〔厮罗〕〔撕掳〕〔撕捋〕 ②달라붙다. ¶这孩子竟～我; 이 아이는 내게 달라붙어 떨어질 줄 모른다. ③나누어 생각하다.
〔撕灭〕 sīmiè 동 파괴하여 멸하다. ¶～文化; 문화를 파괴하다.
〔撕旁岔儿〕 sī pángchàr 이야기를 본 줄거리에서 벗어나게 하다. 딴소리〔허튼 수작〕만 하다. ¶这几天只顾～, 一说别的, 把本题扔在膀子后了; 요며칠 동안 줄곧 딴소리만 하여, 근본 문제는 완전히 뒷전이 되고 말았다.
〔撕皮掳肉〕 sīpí lǔròu (싸움 따위를 하여) 온몸이 상처투성이가 되다.
〔撕票〕 sī.piào 동 (유괴범이 몸값을 받지 못할 경우) 인질(人質)을 죽이다. =〔扯票(儿)〕
〔撕破〕 sīpò 동 찢다. 잡아 찢다. ¶衣服被钉子给～了; 못에 옷이 걸려 찢기었다/～脸皮;〈成〉 (창피를 무릅쓰고) 과감하게 나오다. 뻔뻔스럽게 굴다/把信～了; 편지를 잡아 찢었다.
〔撕碎〕 sīsuì 동 갈기갈기 찢다.
〔撕头掳鬓〕 sītóu lǔbìn (싸워서) 머리에 상처투성이가 되다.
〔撕下〕 sīxià 동 벗기다. 잡아떼다. ¶～遮羞布; 결점을 폭로하다.
〔撕嘴〕 sīzuǐ 동 무심코 입을 놀리다. 비밀 따위를 누설시키다.

嘶 sī (시)
①동 (말이) 울다. ¶人喊马～; 사람은 고함치고 말은 울다/风声～啸; 바람 소리가 윙윙 나다. ②동 흐느끼다. 처량하게 울다. ¶～酸suān; (목)소리가 애처롭다/～噪; (벌레가) 시끄럽게 울다. ③동 목소리가 쉬다. ¶力竭声～;〈成〉 힘이 다하고 목이 쉬다. ④〈擬〉 ⇨〔咝sī〕
〔嘶叫〕 sījiào 동 ①고함치다. ②말이 울다.
〔嘶鸣〕 sīmíng 동 말이 큰 소리로 울다. 명 말의 울음소리.

〔嘶沙声〕 sīshāshēng 명 쉰 목소리. =〔斯沙声〕
〔嘶哑〕 sīyǎ 동 목이 쉬다. ¶～的声音; 쉰 목소리 / 那陈旧的, ～的话匣子; 저 낡아서 소리가 긁히는 축음기.

蛳(螄) sī (사)
→〔螺luó蛳〕

死 sǐ (사)
①동 죽다. (식물이) 말라 죽다. ¶～亡; 사망하다 / 不怕～; 죽음을 두려워하지 않다 / 寻xún～; 자살을 꾀하다 / 这棵树～了; 이 나무는 말라 죽었다 / ～而后已; 〈成〉 죽어서야 그만두다 / 生的伟大, ～的光荣; 살아서는 훌륭하게 살고 죽을 때는 명예롭게 죽다 / 好～不如癞活着; 〈諺〉 좋게 죽기보다는 그럭저럭 살고 있는 편이 낫다 / 烧～; 소사하다. 불에 타 죽다 / 淹～; 익사하다. ↔〔活〕 ②부 〈比〉 ㉠필사적으로. 한사코. 죽을 때까지. 결연히. ¶～不承认; 절대로〔끝까지〕 인정치 않다 / ～战; 필사적으로 싸우다 / ～记; 덮어놓고 암기하다 / ～不肯说; 한사코 말하려 하지 않다. ㉡형용사 뒤에 와서 '극도로 …함'을 나타냄. ¶累～; 극도로 피로하다 / 乐～了; 몹시 즐거웠다 / 笑～人; 우스워 죽겠다 / 我简直讨厌～他了; 나는 그가 싫어서 못 살겠다 / 不济～了是教书匠; 제일 수지맞지 않는 것이 선생 노릇이다. ③동 (남을) 죽게 하다. 죽이다. 여의다. ¶打～; 타살하다〔되다〕 / 七岁上～了父亲; 일곱 살에 아버지를 여의었다. ④동 고정되다. 움직이지 않다. 융통성이 없다. ¶～水; 배수구가 없는 고인 물 / 这人多～呀; 이 자는 정말 이지 융통성 없는 놈이군. ⑤동 〈比〉 막다르다. 여지가 없다. ¶～胡hú同(儿); 막다른 골목 / 定dìng～; 변경의 여지가 없을 정도로 결정해 버리다 / 水泵淤～了; 펌프가 막혔다 / 脑筋～; 머리가 둔하다. ⑥동 붙박아 움직이지 않는 상태까지 …하다. 불통이 되다. ¶把门钉～了; 문을 단단히 못박았다 / 把洞堵～了; 구멍을 꼭 틀어막았다 / 用砖头砌qì～; 벽돌을 쌓아 막아 버리다 / 这书架子是安～了的; 이 서가는 붙박이이다 / 这个领子是～的; 이 칼라는 꿰매 붙인 것이다 / 这件事我记～了, 你放心吧; 이 일은 내가 단단히 기억하고 있으니 안심하시오. ⑦동 효력이 없어지다. ¶当～; 유질(流質)되다. ⑧동 (생각·바람 따위를) 그치다. 버리다. ¶他野心不～, …; 그는 야심을 버리지 못해, … / 贪心不～; 탐욕스런 마음이 없어지지 않다.

〔死挨〕 sǐ'ái 동 ①언제까지나 괴로워하다. 끝없이 고생스럽게 보내다. ②그대로 참고 견디다. 필사적으로 참다. ¶～活撑huóchēng; 〈成〉 온갖 고생을 참고 버티다.
〔死巴〕 sǐbā 형 〈俗〉 ①완고하다. 융통성이 없다. ②활기가 없다. 움직임이 없다. 변화가 없다.
〔死巴巴(的)〕 sǐbābā(de) 형 ①꼼짝 않는 모양. 활기가 없는 모양. ②융통성이 없는 모양.
〔死白〕 sǐbái 형 창백하다. ¶脸色～了; 안색이 창백해졌다.
〔死搬硬套〕 sǐ bān yìng tào 〈成〉 억지로 갖다 붙여 적용시키다. 억지로 인용하다.
〔死板〕 sǐbǎn 형 ①융통성이 없다. 탄력성이 없다. 경직(硬直)돼 있다. ¶做事情不能～; 일을 함에 있어 융통성이 없어서는 안 된다 / 有些人说他办事太～了; 그가 하는 일은 너무나도 융통성이 없다고 말하는 사람이 있다. ②활기가 없다. 생기(生氣)가 없다. ¶这幅画上的人物太～, 没有表情; 이 그림의 인물은 전혀 생동감이 없고 무표정하다.
〔死板板(的)〕 sǐbǎnbǎn(de) 형 융통성이 없는 모양. 변화가 없는 모양. 활기가 없는 모양.
〔死抱〕 sǐbào 동 사수하다. 고집하다. 매달리다. ¶不应该～着原定的指标一点也不许动; 처음에 정한 목표를 고집하여 조금도 변경하지 않으려 해서는 안 된다 / ～住不放; 매달려〔꽉 부둥켜안고〕 놓지 않다.
〔死本〕 sǐběn 명 이자가 붙지 않는 원금. 유휴 자본.
〔死别〕 sǐbié 명동 사별(하다). ¶生离～; 생이별과 사별.
〔死并〕 sǐbìng 동 목숨 걸고 싸우다. ¶我们尽数都去与他～, 如何《水滸傳》; 우리 모두 가서 그와 목숨 걸고 싸우면 어떤가.
〔死不〕 sǐbù 아무리 해도 …하려 들지 않다. 죽어도〔한사코〕 …하지 않다. ¶～改悔 =〔～回头〕; 〈成〉 도무지 회개하려고 안 한다 / ～吭气儿; 아무리 해도 소리를 내지 않다 / ～要脸; 파렴치하기 짝이 없다 / ～承认; 아무리 해도 승인치 않다 / ～瞑目; 〈成〉 죽을래야 죽을 수 없다. 죽어도 눈을 감지 못하다 / ～足惜; 〈成〉 죽어도 아깝지 않다.
〔死不了〕 sǐbuliǎo ①죽을 수 없다. 차마 못 죽다. ②죽일 리 없다.
〔死缠〕 sǐchán 동 죽자꾸나 하고 매달리다. 달라붙다. ¶这孩子竟～着我; 이 아이는 나한테 끈질기게 달라붙는다.
〔死缠活缠〕 sǐ chán huó chán 〈成〉 집요하게 달라붙다. ¶～跟我要玩具; 나한테서 장난감을 얻어 내려고 귀찮게 달라붙다.
〔死产〕 sǐchǎn 명동 〖醫〗 사산(하다).
〔死车〕 sǐchē 명 폐차(廢車).
〔死沉〕 sǐchén 형 ①묵직하다. ¶～的, 可真吃胖了! 무겁네. 아주 잘 먹어서 살쪘구나! ②전혀 활기〔생기〕가 없다.
〔死吃〕 sǐchī 동 ①좌식(坐食)하다. 놀고 먹다. ¶在外挣钱虽少, 也比在家中～好得多; 밖에서 버는 돈이 비록 적어도 집에서 놀고 먹는 것보다는 훨씬 낫다. =〔死吃死嚼jiáo〕 ②언제까지나 남에게 의지하여 생활하다. ¶～他一口; (여자가 남자의) 돌봄을 받다.
〔死打〕 sǐdǎ 동 ①마구 두들기다. ②필사적으로 싸우다. =〔死打硬拼〕
〔死挡〕 sǐdǎng 동 필사적으로 대들다. 한사코 저항하다. =〔死抵〕
〔死党〕 sǐdǎng 명 〈貶〉 ①어떤 사람 또는 집단을 위하여 사력을 다하는 도당《비방하는 뜻으로 쓰임》. ②완고한 반동 집단.
〔死道(儿)〕 sǐdào(r) 명 죽음의 길. 자멸(自滅)의 길.
〔死得其所〕 sǐ dé qí suǒ 〈成〉 가치 있는 죽음이다. ¶他的死是～, 重于泰山的; 그의 죽음은 마땅히 죽을 자리를 얻은 것이며, 그의 죽음은 태산보다도 무겁다.
〔死得过儿〕 sǐ de guòr 죽어도 상관없다. 죽을 만한 값어치가 있다.
〔死的〕 sǐde 명 ①죽은 자〔물건〕. 사자(死者). 생명이 없는 것. ②고정되어 있는 것. 분해할 수 없는 것. 변경할 수 없는 것.
〔死等(儿)〕 sǐděng(r) 동 언제까지고 기다리다. 꼼짝 않고 (그 곳에서) 기다리다. ¶今天在门外～; 오늘은 문 밖에서 언제까지나 기다린다.
〔死敌〕 sǐdí 명 한 맺힌 원수. 불구대천의 원수. =

〔死对头〕
〔死抵〕 sǐdǐ 동 ⇨〔死挡〕
〔死地〕 sǐdì 명 ①피할 수 없는 장소〔처지〕. 도저히 면할 수 없는 어려운 경지. ¶置之～; 사지에 몰아 넣다. ②지상(地相)이 좋지 않은 땅. 불길한 땅.
〔死佃〕 sǐdiàn 명 영대 소작(永代小作). =〔永yǒng佃〕
〔死店活人开〕 sǐdiàn huórén kāi 〈諺〉 도산(倒産)한 가게라도 수완 있는 사람이 하면 번성한다(절망적인 사태에서도 능력 있는 사람이라면 타개해 낸다). ¶这件小事你就办不了啊, ～, 反正你得想法了; 이런 사소한 일도 못하느냐. 무슨 일이든 사람이 하기에 따라 훌륭하게 할 수 있는거야. 어쨌든, 너는 방법을 생각해야 된다.
〔死钉坑儿〕 sǐdīng kēngr 〈比〉 ①한 곳에 못박히다〔매이다〕. ¶事情很忙不能离身儿, 非～不可; 일이 바빠서 몸을 뺄 수가 없어 꼼짝할 수 없다. ②한 가지 일만 깊이 추구하다. ③융통성이 전혀 없다.
〔死顶〕 sǐdǐng 동 (말로) 끝까지 저항하다. ¶他要发威, 我就～他; 그가 잘난 체하면, 나는 끝까지 그에게 반항할 것이다.
〔死斗〕 sǐdòu 동 〈文〉 ⇨〔力lì斗〕
〔死读〕 sǐdú 동 맹목적으로 읽다. 덮어놓고 공부하다.
〔死读书〕 sǐdúshū 동 오로지〔맹목적으로〕 공부하다. ¶～, 读死书; 책을 기계적으로 암기하다.
〔死对头〕 sǐduìtou 명 ⇨〔死敌dí〕
〔死而复生〕 sǐ ér fù shēng 〈成〉 죽었다가 다시 살아나다.
〔死而后已〕 sǐ ér hòu yǐ 〈成〉 죽을 때까지 하다.
〔死法子〕 sǐfǎzi 명 판에 박은 방식. 융통성이 없는 방법.
〔死饭〕 sǐfàn 명 공밥. 헛밥. ¶他只会吃～; 그는 밥만 먹었지 도무지 쓸모가 없다.
〔死方子〕 sǐfāngzi 명 판에 박힌 처방〔대책〕.
〔死分活评〕 sǐfēn huópíng (인민 공사 노동량의 계산 방법의 하나로) 각자가 완성한 일에 의하여 일정한 노동 점수 등급을 적당히 평가하여 매김.
〔死分死记〕 sǐfēn sǐjì 각 사람에 대하여 일정한 노동 점수 등급을 변화 없이 노동 점수 수첩에 기입하다.
〔死旮旯儿〕 sǐgālár 명 〈比〉 외진〔구석진〕 곳.
〔死干〕 sǐgàn 동 맹목적으로 하다. 요령 없이 미련하게 하다.
〔死纥纮(儿)〕 sǐgēda(r) 명 ⇨〔死扣kòu儿①〕
〔死跟头〕 sǐgēntou 명 곤두박질. ¶摔了一个～; 곤두박질치다.
〔死工夫〕 sǐgōngfū 명 〈比〉 필사적인 연찬(硏鑽). 피나는 노력. ¶下xià～; 필사적으로 연찬하다. 피나는 노력을 하다.
〔死工钱〕 sǐgōngqián 명 《經》 시간급.
〔死沟〕 sǐgōu 명 물이 빠지지 않는 도랑〔시궁창〕.
〔死狗〕 sǐgǒu 명 〈罵〉 개자식.
〔死光〕 sǐguāng 동 모조리 죽다. 명 《物》 살인 광선.
〔死规矩(儿)〕 sǐguīju(r) 명 〈比〉 판에 박힌 듯한〔변경할 수 없는〕 규칙. 융통성 없는 규칙.
〔死鬼〕 sǐguǐ 명 ①죽은 사람. ¶～某人我倒认识他; 고인인 아무라면 나는 알고 있다 / ～当家(儿)的; 세상을 떠난 남편. ②유령. 귀신(욕이나 농담에 많이 쓰임). ③〈罵〉 망할 놈〔년〕.
〔死过去〕 sǐ.guo.qu 의식을 잃다. 인사불성에 빠지다. ¶被吊打～五次; 매달린 채 매를 맞아 다섯 차례나 의식을 잃었다.
〔死海〕 Sǐhǎi 명 《地》 사해. =〔大咸湖〕
〔死汉子翻了身〕 sǐhànzi fānle shēn 〈比〉 (말솜씨가 뛰어나서) 죽은 사람도 몸을 뒤집을 정도이다(말솜씨가 아주 뛰어나다). ¶他说得～; 그는 말을 잘 한다. =〔死人翻身〕
〔死号〕 sǐhào 명 전당 기한〔마감일〕.
〔死耗〕 sǐhào 명 죽음을 알리는 통지. 부고(訃告).
〔死胡同(儿)〕 sǐhútòng(r) 명 〈京〉 막힌 길. 막다른 골목. ¶～又回来; 이야기나 일이 다시 제자리로 돌아가다 / 被引进～; 막다른 골목에 끌려들어가다. →〔死巷xiàng〕
〔死葫芦头儿〕 sǐhúlutóur 명 〈比〉 막다른 골목(에 부딪친 일). ¶办到～上办不下去了; 일이 벽에 부딪쳐 해 나갈 수 없게 됐다 / 你老是一死儿地往～走; 넌 언제나 무턱대고 막다른 길로 가 버린다.
〔死话〕 sǐhuà 명 ①사어(死語). ②융통성이 없는 이야기. (상담의) 여지가 없는 말. ¶～活说着; (상담·결정에) 여지를 남겨두다 / 你别说～, 总得留个活话儿才好; 이야기를 잘라 말해 버리면 안된다. 어쨌든 여지는 남겨 둬야 한다.
〔死缓〕 sǐhuǎn 명 《法》 사형 집행 유예.
〔死皇帝不如生叫化〕 sǐ huángdì bùrú shēng jiàohuà 〈諺〉 훌륭하게 죽는 것보다 비참하게라도 살아 있는 편이 좋다. 죽은 정승보다 살아 있는 개가 낫다. =〔好死不如癞活着〕
〔死灰〕 sǐhuī 명 불기 없는 재. ¶心如～; 마음이 사그라진 재 같다. 아무 의욕도 없다.
〔死灰复燃〕 sǐ huī fù rán 〈成〉 되살아나다. (흔히 악인이) 큰 타격을 입은 뒤에 다시 일어나다〔활동하다〕.
〔死活〕 sǐhuó 명 (흔히, 부정형(否定形)으로) 사활. 생사. ¶～一般大; 생사를 가리지 않다. 죽으나 사나 매일반이다 / 哥哥被抓走了, 至今不知道～; 형님은 끌려가서, 지금도 생사를 모른다. 부 〈口〉 ('～不'로서) 아무리 해도. 한사코. ¶我劝了他半天, 他～不答应; 나는 그에게 꽤 오랫동안 권하였으나, 아무리 해도 듣지 않는다 / ～好坏; 좋든 궂든. 어쨌든.
〔死火〕 sǐ.huǒ 동 〈方〉 엔진이 꺼지다〔멈추다〕. ¶汽车死了火, 无法开动; 자동차 엔진이 멎어서 움직일 방법이 없다.
〔死货〕 sǐhuò 명 ①소용이 안 되는 것. 쓸모 없는 것. ②〈比〉 팔리지 않는〔데려갈 사람 없는〕 여자.
〔死机〕 sǐjī 명동 《電算》 다운(되다).
〔死记〕 sǐjì 동 ①기계적으로 외다. 무조건 외다. ¶这样的记忆法, 不是～而是活记了; 이와 같은 기억법은 기계적으로 암기하는 것이 아니고, 완전히 자기의 것으로 만드는 산 기억법이다. ②고쳐〔다시〕 쓰지 않다. ¶底分～; (계산상의) 기본액의 고정.
〔死记硬背〕 sǐ jì yìng bèi 〈成〉 (이해도 못 하면서) 기계적으로 무턱대고 외다.
〔死纪儿〕 sǐjìr 명 (죽은 사람의) 유품(遺品).
〔死忌〕 sǐjì 명 기일. 명일(命日).
〔死寂〕 sǐjì 형 〈文〉 쥐죽은 듯 고요하다. ¶夜深了, 田野里一片～; 밤이 깊어서 들녘은 쥐죽은 듯 고요하다.
〔死傢伙〕 sǐjiāhuo 명 〈罵〉 뒈질 놈. =〔这要死的〕
〔死间〕 sǐjiàn 명 사간(손자(孫子) 병법에서, 거짓 정보를 주어 그것을 보고한 첩자가 그 때문에 벌을 받고 죽게 만드는 일).

〔死谏〕 sǐjiàn 동 〈文〉 죽음으로써 간하다.
〔死角〕 sǐjiǎo 명 ①《軍》 사각. ②〈比〉 성적 불량으로 낙오한 사람들. ¶消灭～; 낙오자를 없애다. ③(영향력이 미치지 못하는) 공백 지역. 손길이 미치지 않는 곳.
〔死角水〕 sǐjiǎoshuǐ 명 〈比〉 이용되지 않고 있는 물.
〔死教条〕 sǐjiàotiáo 명 융통성이 없는 교조.
〔死节〕 sǐjié 동 〈文〉 사절하다. 절조를 지키기 위하여 죽다.
〔死结〕 sǐjié 명 옭매듭. =〔死扣儿〕
〔死紧〕 sǐjǐn 형 딱딱하다. 완고하다. ¶口气儿～; 완고하게 말하다.
〔死劲儿〕 sǐjìnr 명 〈口〉 필사적인 힘. 죽을 힘. ¶使～; 죽을 힘을 다 내다. 굉장한 힘을 내다/大伙用～来拉, 终于把车子拉出了泥坑; 모두가 사력을 다하여 잡아당겨 마침내 차를 수렁에서 끌어 내었다/～往下压; 힘껏 내리누르다/～盯住他; 꼼짝않고 그에게서 눈을 떼지 않다.
〔死经〕 sǐjīng 동 단념하다.
〔死井〕 sǐjǐng 명 물이 마른 우물.
〔死就〕 sǐjiù 동 숨이 끊어지다. ¶那只狗挣扎了三四个钟头才～了; 저 개는 3,4시간 동안 발버둥치고 나서야 숨이 끊어졌다. 注 술어(術語)에서는 '～了'로 함.
〔死绝〕 sǐjué 동 ①죽어 없어지다. 멸종하다. ②갈 데까지 가다. 극한 상황에 이르다.
〔死啃〕 sǐkěn 동 ①무위도식하다. ②〈比〉 지독히 파다. 열심히 해 보다. ③〈比〉 무비판적으로 신봉하다. 무턱대고 매달리다.
〔死抠〕 sǐkōu 형 ①완고하다. 융통성이 없다. ¶他那～脾气, 谁也说不动他; 그의 저런 고집스러운 성미로는 누가 뭐라 해도 그의 마음을 움직일 수는 없다. ②(한가지 일에) 열중하다. 외곬이다. ③인색하다. ¶他真是～啊, 一个钱也舍不得花; 그는 정말 인색하여 한 푼의 돈도 쓰기 아까워한다. 동 ①일념으로〔전력으로〕 파고들다. ②지나치게 구애되다. ¶～名词的概念, 抓不住问题的实质; 명사의 개념에 지나치게 구애되어, 문제의 실질을 파악할 수 없다.
〔死口咬定〕 sǐkǒu yǎodìng 〈比〉 말한 것을 완강하게 바꾸지 않다. 끝까지 주장을 굽히지 않다.
〔死扣儿〕 sǐkòur 명 〈口〉 ①옭매기. 옭매듭. =〔死结〕〔死纥纮(儿)〕 ↔〔活huó扣儿〕 ②〈比〉 마음의 응어리〔앙금〕. 맺힌 감정. ¶他的心眼儿太小, 什么事都认～; 그는 무척 소심해서, 만사가 마음에 걸려 응어리가 진다. ‖ =〔死扣子〕 ③구두쇠.
〔死扣子〕 sǐkòuzi 명 ⇨〔死扣儿①②〕
〔死库容〕 sǐkùróng 명 댐의 최대 저수량을 넘어서 방출되는 수량(水量).
〔死拉活扯〕 sǐ lā huó chě 〈成〉 ⇨〔死拉活拽〕
〔死拉活拽〕 sǐ lā huó zhuài 〈成〉 무턱대고 잡아끌다. 강제로 추진하다. ¶～地非去不可; 무턱대고 잡아끄는 바람에 가지 않을 수 없게 되다. =〔死拉活扯〕〔死拖活拉〕〔死拖活拽〕
〔死拉硬拽〕 sǐ lā yìng zhuài 〈成〉 억지로 잡아끌다. ¶他亲自动手, 把他往外～; 손수 그를 밖으로 억지로 끌어 내었다.
〔死赖〕 sǐlài 동 〈方〉 ①자꾸만 떼를 쓰다. ¶～着不走; 자꾸만 떼를 쓰며 가지 않다. ②완강하게 발뺌하다.
〔死劳动〕 sǐláodòng 명 《經》 유형적 노동. =〔物wù化劳动〕
〔死里逃生〕 sǐ lǐ táo shēng 〈成〉 구사일생하다. 간신히 도망치다. ¶好容易才能～; 간신히 구사일생으로 살아났다.
〔死力〕 sǐlì 명 사력. 죽을 힘. 부 사력〔전력〕을 다하여. ¶～抵抗; 전력을 다하여 저항하다.
〔死路(儿)〕 sǐlù(r) 명 ①막다른 길〔골목〕. ②희망없는 길. 죽음〔절망〕의 길. ¶每日抽大烟喝大酒, 简直是向～走嘛; 매일 줄담배를 피우고 폭음을 하고 있으니, 그야말로 절망의 방향으로 달려가고 있는 것이지.
〔死露〕 sǐlù 명 《化》 루이사이트(lewisite).
〔死驴〕 sǐlǘ 명 ①죽은 나귀. ②〈罵〉 쓸모없는 놈. 병신 같은 놈.
〔死轮〕 sǐlún 명 ⇨〔定dìng轮〕
〔死落后〕 sǐluòhòu 남보다 뒤지고 있다는 것을 완고하게 인정하지 않다〔않는 사람〕.
〔死马当作活马医〕 sǐmǎ dàngzuò huómǎ yī 〈諺〉 죽은 말도 살아 있는 말처럼 생각하고 치료한다《절망일 때도 전력을 다하여 일에 대처함》.
〔死脉〕 sǐmài 명 사맥. ①《漢醫》 죽음의 징후를 나타내는 맥박. ②광맥이 끊어진 곳. 광물이 고갈된 광맥.
〔死卯〕 sǐmǎo 명 〈文〉 사기. 죽는〔죽은〕 시기.
〔死没堆〕 sǐméiduī 형 멍하다. ¶怎样这般～在灯前立?《元雜劇》; 왜 그렇게 멍하니 등불 앞에 서 있느냐?/气的我死没腾软瘫做一垛《元雜劇》; 분개한 나머지 나는 멍청히 털썩 주저앉고 말았다. =〔死没腾téng〕
〔死没腾〕 sǐméiténg 형 ⇨〔死没堆〕
〔死眉瞪眼〕 sǐ méi dèng yǎn 〈京〉 ①무표정한 모양. 어안이 벙벙한 모양. 생기가 없는 모양. ¶这张画有点儿～的; 이 그림은 생동감이 없다. ②딱딱한 모양. ¶这馒头怎么蒸得～的, 一点儿不发势; 이 만두는 어떻게 쪘길래 딱딱하고 조금도 부풀지 않았다.
〔死门儿〕 sǐménr 명 옛날, 딸을 첩으로 팔았을 경우, 친척으로서의 왕래나 딸이 친정 부모를 일절 만나지 않는 약속으로 되어 있던 일. =〔死门子〕
〔死门子〕 sǐménzi 명 ⇨〔死门儿〕
〔死面(儿)〕 sǐmiàn(r) 명 반죽만 하고 발효시키지 않은 밀가루. ¶烙～饼; 밀가루를 반죽해서 발효시키지 않고 '饼'을 굽다.
〔死面饼〕 sǐmiànbǐng 명 ①(발효시키지 않은) 밀가루 반죽으로 만든 '饼'. ②〈比〉 완고하고 융통성이 없는 놈.
〔死灭〕 sǐmiè 동 사멸하다.
〔死命〕 sǐmìng 명 죽을 운명. ¶制其～; 운명의 열쇠를 쥐다. 부 필사적으로. ¶～抵dǐ抗; 필사적으로 저항하다.
〔死难〕 sǐnàn 동 ①국난(國難)에 순(殉)하다. ②사고사(事故死)하다. 재난을 만나 죽다. ¶救济～者家属; 조난당한 사람의 가족을 구제하다.
〔死脑筋〕 sǐnǎojin 형명 돌대가리로 융통성이 없다〔없는 사람〕.
〔死腻〕 sǐnì 동 (장소·일에) 달라붙다. 끈덕지게 버티다.
〔死牛儿〕 sǐniúr 명 〈方〉 융통성 없는 사람. 완고한 사람. 생기 없는 사람.
〔死怕〕 sǐpà 형 몹시 두려워하다.
〔死牌子〕 sǐpáizi 명 〈比〉 융통성 없는 규정.
〔死丕丕〕 sǐpīpī 형 〈比〉 꼼짝도 하지 않다. ¶只在家里～的闲坐《元雜劇》; 그저 집 안에 죽치고 앉아 있다.
〔死坯〕 sǐpī 명 〈罵〉 쓸모없는 놈. 멍청이.
〔死皮〕 sǐpí 형 ⇨〔赖lài皮〕
〔死(皮带)轮〕 sǐ(pídài)lún 명 ⇨〔定dìng轮〕

〔死皮赖脸〕 sǐ pí lài liǎn 〈成〉 철면피한 모양. 개의(介意)치 않는 모양. ¶～地要钱; 낯가죽 두껍게도 돈을 달라고 조르다.
〔死嫖滥赌〕 sǐ piáo làn dǔ 〈成〉 계집과 노름에 빠지다.
〔死期〕 sǐqī 명 사기. 죽는 시기. 죽을 때.
〔死棋(子)〕 sǐqí(zi) 명 ①(바둑의) 죽은 돌. 사석(死石). ②〈比〉 반드시 실패할 형세〔국면〕.
〔死气〕 sǐqì 명 (생기(生氣)에 대한) 죽을 것 같은 기색〔기미〕. 침체된 분위기. ¶～憋biē力; 억제하고 참는 모양/～沉沉; 〈成〉 활기가 없는 모양. 몹시 침체되어 있는 모양/～活哵; 기운이 없고 맥이 빠진 모양.
〔死气白赖〕 sǐqi báilài 〈方〉 ⇨〔死乞白赖〕
〔死契〕 sǐqì 명 되쓸 수 없음을 명기한 부동산 매매 계약.
〔死乞白赖〕 sǐqi báilài 〈方〉 ①치근치근하게 남에게 달라붙어 떨어지지 않다. 뻔뻔스럽다. 억지〔생떼〕를 쓰다. ¶～地要求; 치근치근하고 뻔뻔스럽게 요구하다. ②끈덕지게 하다. ¶～地能保个平产; 끈기 있게 해서 평년작을 유지할 수 있었다. ‖＝〔死乞白咧liē〕〔死气白赖〕〔死揪掰裂〕〔死求白赖〕
〔死乞白咧〕 sǐqi báiliē 〈方〉 ⇨〔死乞白赖〕
〔死墙〕 sǐqiáng 명 창이 없는 벽.
〔死揪掰裂〕 sǐqiū bāiliè 〈方〉 ⇨〔死乞白赖〕
〔死囚〕 sǐqiú 명 사형수. ¶押下～牢里监禁了《水滸傳》; 사형수 감방에 처넣어 감금했다.
〔死求白赖〕 sǐqiú báilài〈方〉 ⇨〔死乞白赖〕
〔死球〕 sǐqiú 명《體》 데드 볼(dead ball). (야구에서) 히트 바이 피치. ＝〔触身球〕
〔死去活来〕 sǐ qù huó lái 〈成〉 ①죽느냐 사느냐 할 정도로 (고초를 겪다). 반죽음이 되다. ¶疼téng得～; 죽을 것같이 아프다/打得～; 호되게 치다〔얻어맞다〕. ②(슬픔·분함 등으로) 체면이고 무어고 없다. ¶哭了个～; 체면이고 무어고 없이 울었다.
〔死人〕 sǐrén 명 ①죽은 사람. ②〈比〉〈罵〉 머리가 나쁜 사람. 지진아. 바보. 천치. ③〈方〉 아내가 남편을 부르는 말. (sǐ rén) 동 사람이 죽다.
〔死人翻身〕 sǐrén fānshēn 〈比〉 ⇨〔死汉子翻了身〕
〔死伤〕 sǐshāng 명 사상(자). ¶这次战斗～累累; 이번 전투에서는 사상자를 많이 내었다.
〔死蛇烂蟮〕 sǐshé lànshàn 〈比〉 극도로 피로하다. 녹초가 되다. ¶～总不出个劲道来; 극도로 지쳐서 아무리 해도 힘이 나지 않는다.
〔死生〕 sǐshēng 명 사생. 생사. ¶～有命, 富贵在天; 생사는 운명에 달렸고, 부귀는 재천이다.
〔死尸〕 sǐshī 명 사체. 시체.
〔死士〕 sǐshì 명 〈文〉 대의(大義)를 위해 목숨을 바치는 사람.
〔死事〕 sǐshì 동 〈文〉 순직(殉職)하다.
〔死手〕 sǐshǒu 명 〈比〉 극단적인〔혹독한〕 수단.
〔死守〕 sǐshǒu 동 ①사수하다. ②〈比〉 고수〔묵수(墨守)〕하다. ¶～老年的规矩; 예로부터의 규칙을 굳게 지키다.
〔死书〕 sǐshū 명 〈比〉 활용할 수 없는〔쓸모없는〕 책.
〔死数〕 sǐshù 명 고정된 수.
〔死水〕 sǐshuǐ 명 ①고인 물(흐름이 없는 못이나 호수 따위도 포함). ¶～坑子; 물웅덩이. ②〈比〉 무감동. 무표정 또는 교착 상태의 모양. ‖＝〔死水儿①〕
〔死水儿〕 sǐshuǐr 명 ①⇨〔死水〕 ②〈比〉 증가할 가망이 없는 자본. 한정된 자산. ¶你可省着点儿, 这是～; 좀 절약해서 써야 한다. 이것은 한도가 있는 재산이니까. ③일할 수 없는 사람.
〔死睡〕 sǐshuì 동 〈比〉 푹 자다. 깊이 잘 자다. 숙면하다.
〔死说活说〕 sǐ shuō huó shuō 〈成〉 ①온갖 말로 달래다. ¶我～的, 他才认可; 내가 백방으로 온갖 말을 다 동원하여 설득했으므로, 그는 겨우 승낙했다/～地劝了他好几次, 他总不肯答应; 온갖 수단을 다 써서 몇 번이나 그를 타일러 보았지만, 그는 끝내 승낙하려 하지 않았다. ②오로지 설득에 힘쓰다.
〔死死(的)〕 sǐsǐ(de) 형 ①꼼짝 않고 가만히 있는 모양. 조금도 움직임이 없는 모양. ¶睡得～; 죽은 듯이 자다. ②외곬인 모양. 맹목적인 모양. ③필사적인 모양.
〔死绥〕 sǐsuí 동 〈文〉 전사(戰死)하다.
〔死塌塌(的)〕 sǐtātā(de) 형 ①융통성이 없는 모양. ②활발하지 못한 모양. 활기가 없는 모양.
〔死胎〕 sǐtāi 명 사태. 사산아(死産兒).
〔死膛儿〕 sǐtángr 명 속이 꽉 차 있는 것. ¶这管子是～的; 이 파이프는 속이 꽉 차 있다.
〔死套子〕 sǐtàozi 명 ①정해진〔예(例)의 그〕 수법〔형식〕. 상투 수단. ¶不要看戏台上武戏打得那样剧烈, 其实全是～; 무대 위에서 무술 장면은 저렇게 격렬한 것 같지만, 사실은 전부 고정된 형〔틀〕이 있는 것이다. ②〈比〉 낡은 틀. 케케묵은 방법. ¶反正是那些～, 没新鲜事; 어차피 예의 낡아 빠진 방식이라, 신선한 데라고는 아무것도 없다.
〔死土〕 sǐtǔ 명《農》 죽은 땅. 메마른 땅.
〔死拖〕 sǐtuō 동 〈比〉 ①무턱대고 끌다. ②손에서 놓지 않다. ¶～活捞lāo; 끝까지 잡고 손을 놓지 않다.
〔死拖活拉〕 sǐ tuō huó lā 〈成〉 ⇨〔死拉活拽〕
〔死拖活拽〕 sǐ tuō huó zhuài 〈成〉 ⇨〔死拉活拽〕
〔死顽固〕 sǐwángù 명 어떻게도 할 수 없는 고집쟁이. 옹고집인 사람. 석두(石頭). ¶不识时务的～; 세상 물정을 모르는 외고집쟁이.
〔死顽硬〕 sǐwányìng 형 벽창호이다. 고집 불통이다. (sǐwányìng) 명 벽창호.
〔死亡〕 sǐwáng 명동 사망(하다). ¶～边缘; 사망 직전/～率lǜ; 사망률. ↔〔生shēng存〕
〔死无对证〕 sǐ wú duì zhèng 〈成〉 죽어버리면 증인이 될 수 없다. 죽은 사람에게는 입이 없다.
〔死物儿〕 sǐwùr 명 ①무생물(無生物). ②움직이지 않는 것. ③부동산. 돈으로 바꾸기 어려운 것.
〔死巷〕 sǐxiàng 명 〈南方〉 막힌 길. 막다른 골목. ＝〔死胡同(儿)〕
〔死心〕 sǐ.xīn 동 ①체념하다. 단념하다. ¶你死了心吧, 丢了的钱再回不来; 너 단념해라. 없어진 돈이 다시 돌아오진 않는다/在这件事上他始终不～; 이 일에 대해서는 그는 끝까지 단념하지 않고 있다. ②마음을 확고히 정하다. ¶～塌地 ＝〔～搭地〕〔～踏地〕; 〈成〉 ⓐ체념하여 마음이 안정된 모양. ⓑ생각을 절대로 바꾸지 않음. ⓒ(한 가지 일에) 외곬이다/～眼子; 완고한 사람.
〔死心眼儿〕 sǐxīnyǎnr 형 〈比〉 완고하다. 외곬으로 생각하다. 융통성이 없다. ¶想开点儿吧, 别～; 좀 단념해라. 외곬으로 생각해서는 안 돼. 명 고지식한〔융통성 없는〕 사람.
〔死信〕 sǐxìn 명 (주소 불명 등으로 인해) 보낼 도리가 없는 편지. 배달 불능의 편지.

〔死信(儿)〕 sǐxìn(r) 명 사망 통지. =〔死讯〕
〔死刑〕 sǐxíng 명 〖法〗 사형. ¶判处chǔ ～; 사형 판결을 내리다. 사형 판결이 내려지다.
〔死性〕 sǐxìng 형 외고집이다. 융통성이 없다. 명 완미(頑迷)한 성질. 지나치게 강직한 성질.
〔死性子〕 sǐxìngzi 명 고집이 센 사람. 융통성 없는 사람.
〔死讯〕 sǐxùn 명 ⇨〔死信(儿)〕
〔死秧〕 sǐyang 형 〈俗〉 머리가 돌지 않다. 둔하다. ¶我这人向来很～, 不会应酬; 저라는 놈은 원래 둔해서 교제를 잘 할 줄 모릅니다. =〔死应yīng〕〔死赘zhuì〕〔死羊〕〔死样〕
〔死秧子〕 sǐyāngzi 명 〈俗〉 우둔한 사람. 멍청한 사람. 얼간이.
〔死羊眼〕 sǐyangyǎn 형 시원시원하지 않다. 융통성이 없다. 명 멍청한 사람. 융통성이 없는 사람.
〔死样〕 sǐyang 명 흉한 모습. 꼴 사나운 모양. ¶看你个～! 이거 무슨 꼴(불견)이람! / ～怪气; 〈成〉 ⓐ반짝 띄지 않는 모양. 우물쭈물하는 모양. ⓑ흉한 모양.
〔死要面子〕 sǐ yào miànzi 목숨보다도 체면을 존중하다. 어떤 희생을 치르더라도 면목을 유지하다.
〔死译〕 sǐyì 명동 직역(直譯)(하다). 축어역(逐語譯)(하다).
〔死硬〕 sǐyìng 형 ①(태도가) 완고하고 강경하다. ¶英法两国也不满意他们的～态度; 영불(英佛) 양국도 그들의 완고하고 강경한 태도에 불만이다. ②융통성이 없다. 완미(頑迷)하다. ¶～派; 완미파. 강경파.
〔死应〕 sǐying 형 ⇨〔死秧〕
〔死友〕 sǐyǒu 명 〈文〉 죽을 때까지 변하지 않는 친한 친구.
〔死有应得〕 sǐ yǒu yīng dé 〈成〉 죽어 마땅하다.
〔死有余辜〕 sǐ yǒu yú gū 〈成〉 죽어도 다 속죄할 수가 없다. 죄가 극히 크다. ¶真是罪有应得, ～啊; 참으로 당연한 응보로서 죽어도 죄를 다 씻을 수 없다.
〔死于非命〕 sǐ yú fēi mìng 〈成〉 비명(非命)으로 죽다. 횡사하다.
〔死冤家〕 sǐyuānjiā 명 불구대천의 원수.
〔死约会(儿)〕 sǐyuēhui(r) 명 변경할 수 없는 회합의 약속.
〔死凿儿〕 sǐzáor 형 〈俗〉 지나치게 고지식하다. 융통성 없이 고지식하기만 하다. ¶你别犯～, 什么事也要看宽一点; 너무 고지식하게 굴지 마시오. 무슨 일이나 넓게 보아야 합니다.
〔死战〕 sǐzhàn 명동 사투(하다).
〔死仗〕 sǐzhàng 명 필사적인 싸움. ¶打～; 필사적으로 싸우다 / 打～到流尽最后一滴血; 마지막 피 한 방울이다 할 때까지 사투(死鬪)하다.
〔死折子〕 sǐzhězi 명 옷의 꿰맨 주름.
〔死者〕 sǐzhě 명 사자. 죽은 사람.
〔死症〕 sǐzhèng 명 ①불치병. =〔绝jué症〕 ②큰 상처. 타격. ¶赔了这么些钱可是～; 이렇게 많은 돈을 손해보면 참으로 치명적이다.
〔死中求活〕 sǐ zhōng qiú huó 〈成〉 죽음 가운데에서 살 길을 구하다. =〔死中求生〕
〔死中求生〕 sǐ zhōng qiú shēng 〈成〉 ⇨〔死中求活〕
〔死猪不怕开水烫〕 sǐzhū bù pà kāishuǐtàng 〈諺〉 죽은 돼지는 뜨거운 물을 부어도 태연하다. 장님이 뱀을 무서워하랴.
〔死拽〕 sǐzhuài 동 결사적으로〔힘껏〕 잡아당기다.
〔死拽〕 sǐzhuai 형 ①활발하지 못하다. ②어색하다. 원활하지 못하다. (교제 따위가) 서툴다. (태도가) 딱딱하다. ③탄력이 없다. 활력이 없다. ¶这块肉这么～, 怕是不新鲜; 이 고기는 이렇게 흐늘거리는 것을 보니 아마 신선하지 못한 것 같다.
〔死赘〕 sǐzhuì 형 ⇨〔死秧〕
〔死子〕 sǐzǐ 명 (바둑의) 사석(死石). 죽은 돌.
〔死字〕 sǐzì 명 죽은〔쓰이지 않는〕 글자.
〔死租〕 sǐzū →〔活huó租〕
〔死罪〕 sǐzuì ①명 죽을 죄. 죽어 마땅한 죄. ②〈文〉 저의 죄는 죽어 마땅합니다《정말 죄송합니다》. ¶～～! 저의 죄는 죽어 마땅합니다《정말 죄송합니다》.
〔死做〕 sǐzuò 동 목적 없이 하다. 뒤죽박죽으로 하다.

巳

sì (사)
명 ①십이지(十二支)의 여섯째. 뱀. ②오전 9시에서 11시까지. ¶～牌时分; 사시경(巳時頃). =〔巳刻〕〔巳时〕 ③동남의 방위. ④성(姓)의 하나.

汜

sì (사)
지명용 자(字). ¶～水; 쓰수이(汜水)《허난성(河南省)에 있는 강 이름》.

祀〈禩〉

sì (사)
①동 제사 지내다. ¶～祖; 조상의 제사를 지내다. =〔祭祀〕 ②명 해(年)《은대(殷代)》. ¶十有三～; 13년.
〔祀奉〕 sìfèng 동 (옛날, 신을) 제사 지내다. ¶～神; 신을 제사 지내다.
〔祀孔〕 sìkǒng 동 〈文〉 공자를 제사 지내다.
〔祀蜡〕 sìlà 명 〈文〉 신불에 올리는 촛불.
〔祀社〕 sìshè 동 〈文〉 토지신을 제사 지내다.
〔祀天〕 sìtiān 명 중화 민국 초기, 대총통(大總統)이 해마다 동짓달에 수도〔서울〕의 남쪽 교외에 나가 하늘을 제사 지낸 의식《옛날의 '郊jiāo祭' 에 상당함》.
〔祀物〕 sìwù 명 〈文〉 제물.
〔祀灶日〕 sìzàorì 명 부뚜막에 제사 지내는 날. 곧, 음력 12월 23일.

四

sì (사)
①수 넷. 4. →〔肆sì④〕 ②명 〖樂〗 '工尺' 의 두 번째 음표《'简谱' 의 저음(低音)인 6에 상당함》. ③명 성(姓)의 하나.
〔四白落地〕 sìbái luòdì 방의 사방의 벽을 위에서 아래까지 하얗게 칠하는 일.
〔四宝〕 sìbǎo 명 사보. 네 가지 보물. ¶文房～; 문방 사보〔사우〕《'纸, 墨, 笔, 砚yàn' 을 말함》.
〔四倍体〕 sìbèitǐ 명 〖生〗 사배체《사배수의 염색체의 세포》.
〔四壁〕 sìbì 명 ①사면의 벽. ¶～萧条; 〈成〉 사면이 벽뿐이고 텅 비어 쓸쓸하다《가난하여 아무 것도 가진 것이 없다》. ②주위의 성벽. ③〈方〉 사방. 근처.
〔四边(儿)〕 sìbiān(r) 명 ①사방. 주위. ¶～儿围着篱笆; 사방은 울타리로 둘러싸여 있다. =〔四周〕 ②네 변.
〔四边形〕 sìbiānxíng 명 사변형. ¶平行～; 평행 사변형. =〔四角形〕
〔四脖子汗流〕 sìbózi hànliú 〈比〉 땀투성이가 되다. ¶又搭dā着天气炎热, 走出没有五里地, 早累得～了; 게다가 더워서 5리도 채 가기 전에 벌써 지쳐서 땀을 흠뻑 흘리고 말았다.

〔四不〕 sìbù 명 네 가지 '하지 말아야 할 일'《예를 들면, '不狂饮, 不赌钱, 不请客, 不送礼'(폭음하지 않으며, 노름하지 않으며, 손님을 초대하지 않으며, 선물을 하지 않는다) 등처럼 쓰임》.
〔四不像〕 sìbùxiàng ①이도 저도 아니다. 보기에 비슷하나 같지 않다. 괴상하다. ¶说的是~的英语; 지껄이는 것은 어설픈 영어이다. ② 명《動》〈俗〉사불상. =〔麋鹿〕 ③ 명 '驯xùn鹿'(순록)의 별칭.
〔四步违例〕 sìbù wéilì 명《體》(핸드볼에서) 오버스텝(over step).
〔四部合唱〕 sìbù héchàng 명《樂》사부 합창.
〔四部书〕 sìbùshū 명 사부서《한적(漢籍)의 전통적 분류 '经jīng部' '史shǐ部' '子zǐ部' '集jí部'로 구분된 서적》.
〔四槽钻头〕 sìcáo zuàntou 명《機》네날 홈 드릴.
〔四尘〕 sìchén 명《佛》'色sè' '香xiāng' '味wèi'와 '触chù觉'의 네 가지 감각.
〔四衬〕 sìchèn 형〈比〉모두 다 어울리다. 어느 모로 보나 잘 맞아 빈틈이 없다. ¶衣服太肥穿着不~; 옷이 너무 커서 몸에 잘 맞지 않는다.
〔四重唱〕 sìchóngchàng 명《樂》사중창.
〔四重奏〕 sìchóngzòu 명《樂》사중주.
〔四处〕 sìchù 명 이쪽저쪽. 사방. 도처. ¶~去找; 여기저기 찾아다니다 / ~逃窜cuàn; 여기저기에 도망쳐 숨다.
〔四川〕 Sìchuān 명《地》쓰촨 성(四川省). ¶~苗miáo子; 옛날, 쓰촨 성 사람에 대한 멸칭.
〔四川泡菜〕 Sìchuān pàocài 명 사천 김치《'酸菜'의 하나. '포채담(泡菜罎)'이라는 특수한 항아리에 담금》.
〔四垂〕 sìchuí 명〈文〉사경. 사방의 변경(邊境).
〔四次击球〕 sìcì jīqiú 명《體》오버타임(over-time).
〔四大〕 sìdà 명 ①1978년의 중국 헌법에 있었던 '大鸣, 大放, 大辩论, 大字报'의 운용에 관한 권리《1982년 헌법에서 삭제됨》. ②도교에서, '道·天·地·王'을 말함. ③《佛》'地·水·火·风'을 말하며, 그 성능인 '坚·湿·暖·动'을 말함. 〈轉〉사람의 신체《이 네 가지로 이루어져 있으므로》.
〔四大家儿〕 sìdàjiār 명 ⇨〔四大门儿〕
〔四大家鱼〕 sìdàjiāyú 명 흔히 요리에 쓰는 '青鱼, 草鱼, 鲢鱼, 鳙鱼'를 말함.
〔四大家族〕 sìdà jiāzú 명 장제스(蔣介石)·쑹쯔원(宋子文)·궁상시(孔祥熙) 및 천(陳)형제(과부(果夫)·입부(立夫)를 중심으로 하는 네 가족을 총칭함).
〔四大皆空〕 sì dà jiē kōng《佛》〈成〉세상은 모두 공허하다.
〔四大金刚〕 sìdàjīngāng 명 사대 금강. 절의 사천왕상(四天王像)《통속적으로, 손에 검(劍)을 쥔 남방의 증장천(增長天)을 '风(날카로운 날)', 비파를 가진 동방의 지국천(持國天)을 '调(음조)', 우산을 가진 북방의 다문천(多聞天)을 '雨(비)', 용을 가진 서방의 광목천(廣目天)을 '顺(거스르지 않고 순탄하게 난 비늘)' 합쳐서 '风, 调, 雨, 顺'(기후가 순조롭다)에 비김》. =〔四大王〕〔四金刚〕〔四天王〕
〔四大门儿〕 sìdàménr 명 미신에서, 사람에게 지벌을 내리기도 하고 은혜를 주기도 한다는 '狐hú' '鼬yòu' '猬wèi' '蛇shé'의 네 가지 동물. =〔四大家儿〕
〔四大名旦〕 sìdà míngdàn 명 근세의 여자 역을 잘 해낸 4대 명배우《매난방(梅蘭芳)·정연추(程硯秋)·상소운(尙小雲)·순혜생(荀慧生)의 네 사람》.
〔四大奇书〕 sìdà qíshū 명 4대 기서. ①수호전(水滸傳)·삼국지연의(三國志演義)·서상기(西廂記)·비파기(琵琶記). ②수호전·삼국지연의·서유기·금병매(金瓶梅).
〔四大王〕 sìdàwáng 명 ⇨〔四大金刚〕
〔四大洲〕 sìdàzhōu 명《佛》사대주《동승신주(東勝神洲)·남섬부주(南贍部洲)·서우하주(西牛賀洲)·북구로주(北俱盧洲)의 네 주를 말함》.
〔四大自由〕 sìdà zìyóu 명 사대 자유. 토지 매매의 자유, 토지를 소작주는 자유, 고용의 자유, 임대차(賃貸借)의 자유《1950년대 초기에 류사오치(劉少奇)가 4대 자유를 농민에게 부여할 것을 주장했음》.
〔四代〕 Sìdài 명 사대. 우(虞)·하(夏)·은(殷)·주(周)의 네 왕조.
〔四氮嗪〕 sìdànqín 명《化》테트라젠(tetra-zene). =〔四氮朵苯duǒběn〕
〔四德〕 sìdé 명 사덕. ①부덕(婦德)·부언(婦言)·부용(婦容)·부공(婦功)의 네 가지 덕. ②효(孝)·제(悌)·충(忠)·신(信)의 네 가지 덕.
〔四地〕 sìdì 형 완전하다. 빈틈 없다. ¶这人真~; 이 사람은 정말 빈틈 없는 사람이다 / 东西安置得挺~; 물건의 배치가 질서 정연하여 소홀함이 없다. =〔四的〕〔四适〕
〔四点(儿)〕 sìdiǎn(r) 명《言》연화발《한자 부수의 하나로, '照·热' 등의 '灬'의 이름》. =〔四点火(儿)〕〔火点(儿)〕
「(四丘體).
〔四叠体〕 sìdiétǐ 명《生》사첩체(四疊體). 사구체
〔四斗精神〕 sìdòu jīngshén 명 '文化大革命' 시기에 강조되었던 네 가지 투쟁 정신. '同天斗, 同地斗, 同阶级敌人斗, 同错误路线和错误思想斗'(하늘과 싸우며, 땅과 싸우며, 계급적(階級敵)과 싸우며, 그릇된 노선이나 사상과 싸우다)를 말함.
〔四方〕 sìfāng 명 ①동서남북. 사방. 주위. ¶~响应; 사방에서 호응하다 / 奔走~; 사방으로 뛰어다니다 / ~八面; 사방팔방 / 拜~; 정월에 사방의 신에 절하다. ②네모. 정방형(正方形). ¶~脸; 네모진 얼굴 / 四四方方的大脸; 네모 반듯하고 큰 얼굴 / ~步(儿); 느리고 점잔 빼는 듯한 걸음 / ~块儿; ⓐ사각형. ⓑ〈轉〉땅딸막한 사람 / ~脑袋; 〈比〉완고한 머리〔사람〕 / ~城; 마작(麻雀)《멋부려 일컫는 말》.
〔四方竹〕 sìfāngzhú 명 ⇨〔方竹〕
〔四肥〕 sìféi 명 질소·인산·칼리·부식산류(腐植酸類)의 네 가지 비료.
〔四废〕 sìfèi 명 '废液' '废气' '废物' '废渣zhā' 등 공해를 일으키는 폐기물.
〔四分五裂〕 sì fēn wǔ liè 〈成〉사분오열(되다). ¶天下~; 천하가 사분오열이 되다 / 内部~一点不团结; 내부가 몇 갈래로 분열되고 조금도 단결되어 있지 않다. =〔五分四裂〕
〔四分五落〕 sì fēn wǔ luò 〈成〉뿔뿔이 흩어져 있다. 드문드문하다. ¶那篮雪梨~滚了开去《水滸傳》; 그 바구니의 배가 여기저기 흩어져 굴렀다.
〔四伏〕 sìfú 동 (위기를) 도처에 내포하고 있다. ¶危机~; 도처에 위기가 내포되어 있다.
〔四旮旯儿〕 sìgālár 명 네 구석. 네 귀퉁이.
〔四干〕 sìgān 명 중국음식에서, 전식(前食)으로 차려 나오는 땅콩. 용안 따위의 네가지 마른 과실. →〔压yā桌①〕
〔四个第一〕 sìge dìyī 명 '三八作风'을 관철하기 위한 군대 내에서의 정치 공작에 관한 네 가지 기

준《사람의 요소(要素)·정치 공작·사상 공작·산사상(思想)》.
〔四个坏球〕 sìge huàiqiú 명 《體》 (야구의) 포볼(four ball). =〔四坏球〕
〔四个现代化〕 sìge xiàndàihuà 명 농업·공업·국방·과학 기술을 근대화하는 일. =〔四化②〕
〔四个一样〕 sìge yīyàng 소대·반(班)·조(組)나 개인도 일은 '黑夜和白天一个样'(밤이나 낮이나 변함 없이), '坏天气和好天气一个样'(궂은 날씨나 좋은 날씨나 변함 없이), '领导不在场和领导在场一个样'(지도자가 현장에 있건 없건 변함 없이), '没有人检查和有人检查一个样'(점검하는 사람이 있건 없건 변함 없이)는 혁명적 작풍(作風)을 말함.
〔四更〕 sìgēng 명 〈文〉 사경. 축시《옛날에, 오전 한 시부터 세 시경》. =〔丁dīng夜〕〔四鼓〕〔丑chǒu时〕
〔四股子〕 sìgǔzi 명 호궁 비슷한 4현의 민속 악기 이름.
〔四管〕 sìguǎn 명 '管吃, 管住, 管车钱, 管零用'의 뜻으로, 식(食)·주(住)·교통비·일당에 이르기까지 부담해 주는 일. ¶余赴日, 东方大学概任～之责; 내가 일본으로 갈 수 있었던 것은 동방대학이 일체를 떠맡아 부담해 주었기 때문이다.
〔四簋〕 sìguǐ 명 〈文〉 수수·메기장·벼·조의 네 가지 곡물.
〔四海〕 sìhǎi 명 〈比〉 사해. 천하. 세계. ¶～之内皆兄弟也; 세계 전체가 모두 형제다 / ～兄弟; 사해 동포 / 放之～而皆准; 전세계에 널리 통용하다 / ～为家; 〈成〉 떠돌아다녀 일정한 주소가 없다. 유랑하다.
〔四海〕 sìhai 형 ①도량이 크다. 호탕하고 활달하다. ¶为wéi人甚shèn是～; (그의) 사람됨이 매우 도량이 넓다. ②무사〔만사〕태평이다. ¶你真～, 才认得我; 당신은 정말 태평하군. 이제야 나를 알아보다니.
〔四海碗〕 sìhǎiwǎn 명 중국 요리에서 '红hóng烧鱼翅'나 '红烧鲤鱼' 따위와 같이 큰 그릇에 담아 내놓는 네 가지 요리.
〔四害〕 sìhài 명 '苍cāng蝇'(파리), '蚊wén子'(모기), '老lǎo鼠'(쥐), '麻雀máquè'(참새)의 네 가지 동물의 해《1958년 전국적으로 '除chú～'(네 가지 해되는 것을 퇴치하는) 운동이 대대적으로 실시되었는데, 1960년 '麻雀' 대신 '臭chòu虫'(빈대)가 끼었음》.
〔四好〕 sìhǎo 명 네 개의 기준《인민 해방군에 있어서의 '政治思想好, 三八作风好, 军事训练好, 生活管理好'를 말함》.
〔四号定位〕 sìhào dìngwèi 일정한 장소에 기재(器材)를 보존하여, 각각 번호를 붙이는 일. ¶～就是把存放器材的库号, 架号, 层号, 位号四者统一编号, 并和账页上的编号统一对口; '四号定位'라는 것은 보관되어 있는 기재의 창고, 시렁, 단〔층〕의 번호나 단의 어느 부분의 번호인가를 통일하여 번호를 매기고, 그것이 장부에 기입되어 있는 번호와 일치되도록 하는 일이다.
〔四合房(儿)〕 sìhéfáng(r) 명 '正房'과 동서(東西)의 '厢房' 및 '倒座'의 네 채로 된 집. =〔四合儿〕〔四合院(儿)〕
〔四合儿〕 sìhér 명 ⇨〔四合房(儿)〕
〔四合院(儿)〕 sìhéyuàn(r) 명 ⇨〔四合房(儿)〕
〔四和〕 sìhe 형 (대접이) 극진하다. 무엇 하나 소홀함이 없다. 자상하다. ¶为人～总不得罪人; 사람에게 자상하게 대하는 성격이라면 남에게 원망을 사는 일은 없다.
〔四呼〕 sìhū 명 《言》 '开口呼'·'齐齿呼'·'合口呼'·'撮口呼'의 일컬음《운모(韻母)가 i 또는 i로 시작되는 것을 '齐齿呼', 운모(韻母)가 u 또는 u로 시작되는 것을 '合口呼', 운모(韻母)가 ü 또는 ü로 시작되는 것을 '撮口呼', 운모(韻母)가 i·u·ü가 아니거나 i·u·ü로 시작하지 않는 것을 '开口呼'라 함》.
〔四胡〕 sìhú 명 《樂》 '二胡'와 비슷하고 사현(四絃)으로 된 호궁(胡弓).
〔四化〕 sìhuà 명 ①네 가지 구체적인 방책《예를 들면, 1960년 봄부터 전개된 농업의 기계화·수리화(水利化)·화학화·전화(電化)나, 농공업 생산의 대약진의 수요에 따라 일어난 아동 교육의 그룹화·식사의 식당화(食堂化)·재봉의 기계화·식량 가공의 기계 분식화(粉食化)》. ②⇨〔四个现代化〕
〔四环素〕 sìhuánsù 명 《藥》 테트라사이클린(tetracycline).
〔四会〕 sìhuì 명 외국어를 배우는 데 있어 네 가지 해야 할 일《'会认, 会写, 会讲, 会用'(이해하다·쓸 수 있다·말할 수 있다·사용할 수 있다), 또 '会听, 会说, 会读, 会写'(들어서 알다·말할 수 있다·읽을 수 있다·쓸 수 있다)》.
〔四极管〕 sìjíguǎn 명 《物》 사극 진공관. 사극관.
〔四季〕 sìjì 명 사계. 사계절. ¶～花儿; 모란·석류·국화·매화의 네 가지 꽃《기물(器物)·의상의 무늬》 / ～树; 상록수 / ～竹; 《植》 대명죽(大明竹) / ～海棠; 《植》 렉스 베고니아(Rex Begonia)《온실 재배용의 관엽 식물》 / ～豆; 《植》 강낭콩.
〔四季豆〕 sìjìdòu 명 《植》 강낭콩.
〔四季发财〕 sìjì fācái 명 '划拳' 놀이에서, 손가락을 내밀면서 말하는 숫자의 일종.
〔四件〕 sìjiàn 명 돼지나 양(羊)의 두부(頭部)·발굽·간(肝)·허파를 일컬음.
〔四健会〕 sìjiànhuì 명 4에이치 클럽(4H club).
〔四郊〕 sìjiāo 명 (도시의 사방의) 교외.
〔四角〕 sìjiǎo 명 사각. 네모. ¶～号码; 《言》 한자 필획(漢字筆畫)을 네 귀퉁이의 특징에 따라 나누고 그것에 부여한 번호. 그 수를 순서대로 늘어놓고 한자를 검출함 / ～蛤蜊géli; 《貝》 바지락개량조개.
〔四角儿俱全〕 sìjiǎor jù quán 〈比〉 완전 무결하다. 완벽하다. 나무랄 데 없다.
〔四角落空〕 sìjiǎo luòkōng ①집 안이 물건 하나 없이 텅 비게 되다. ②〈比〉 매우 가난하게 되다.
〔四角形〕 sìjiǎoxíng 명 ⇨〔四边形〕
〔四脚八叉〕 sìjiǎo bāchā 뒤로 벌렁 넘어지는 모양.
〔四脚哈天〕 sìjiǎo hātiān 〈比〉 큰대자 모양. ¶～地睡着了; 큰대자로 드러누워 잤다〔자고 있다〕. =〔四脚朝天〕
〔四脚儿朝天〕 sìjiǎor cháo tiān ①벌렁 나동그라지는 모양. ②(바빠서) 이리 뛰고 저리 뛰고 하는 모양.
〔四脚蛇〕 sìjiǎoshé 명 《動》 〈俗〉 도마뱀. =〔蜥蜴xīyì〕
〔四金刚〕 sìjīngāng 명 ⇨〔四大金刚〕
〔四近〕 sìjìn 명 주위. 주변.
〔四九〕 sìjiǔ 명 동지부터 세어서 36일째 되는 날.
〔四旧〕 sìjiù 명 '文化大革命'의 초기에, 혁명의 주목표로서 내세워진 네 가지 낡은 악(惡). 즉, 낡은 사상·낡은 문화·낡은 풍속·낡은 습관을 말

함.
〔四句推子〕 sìjù tuīzi 명 안후이(安徽)의 봉대(鳳臺)·회원(懷遠) 등지의 지방극(劇)의 이름(‘皖wǎn北花鼓戏’(안후이 성(安徽省) 북부 일대에 유행하는 지방극)에서 발전한 지방 연극. 곡조도 비교적 간단하여, 네 구(句)를 반복할 뿐이므로 이 이름이 있음. 상연물로는 ‘游春’이 유명함).
〔四君子〕 sìjūnzǐ 명《美》사군자. 매·난·국·죽(고결한 아름다움이 군자와 같다는 뜻으로 일컫는 말).
〔四开〕 sìkāi 명 ①《印》(신문·인쇄 제본 용어에서) 사절판(四折判). ¶～本; 사절판(의 책). 쿼토판(quarto判). ②〈南方〉옛날, ‘两角’(20센트)의 작은 양은화(洋銀貨)의 속칭.
〔四苦〕 sìkǔ 명《佛》사고. 생(生)·노(老)·병(病)·사(死)(인간의 네 가지 고통).
〔四库全书〕 sìkù quánshū 명《書》사고 전서(청(清)나라의 건륭제(乾隆帝) 때에 편찬된 총서의 이름. 경사자집(經史子集)의 4부로 나누었으므로 이 이름이 있음).
〔四块瓦儿〕 sìkuàiwǎr 명 귀 덮개가 있는 방한모.
〔四框栏儿〕 sìkuànglánr 명 ①《言》에운 담. 큰입구변(한자 부수의 하나로, ‘国·因’ 따위의 ‘口’의 이름). ②대체의 범위. 대체적인 모양. ¶把～告诉我就得了; 대강을 내게 이야기해 주면 된다.
〔四类分子〕 sìlèi fènzǐ 명 ‘地, 富, 反, 坏huài’(지주, 부농, 반혁명 분자, 악질 분자)를 가리킴.
〔四棱(儿, 子)〕 sìléng(r, zi) 명〈俗〉직육면체의 것. 네모난 것.
〔四冷荤〕 sìlěnghūn 명 중국 요리의 안주로 나오는 네 종류의 차가운 요리(내용은 일정하지 않으나 ‘松sōng花(蛋)’(송화단), ‘酱jiàng肉’(돼지고기 장조림), ‘酥sū鱼’(뼈까지 흐물흐물하게 요리한 생선), ‘卤lǔ什件’(닭의 밥통·간을 육수로 요리한 것) 따위가 주로 쓰임).
〔四愣子〕 sìlèngzi〈俗〉명 ①촌사람. ②버릇없는 놈. 무법자. 형 (말씨가) 불손하다. ¶话一出来就～味儿; 입을 열었다 하면 시비조다. ‖ =〔四楞子〕
〔四立〕 sìlì 명 입춘·입하·입추·입동.
〔四联单〕 sìliándān 명 절취선이 있는 4매 연속의 전표.
〔四梁八柱〕 sìliáng bāzhù 명〈比〉가옥의 골조.
〔四两红肉〕 sìliǎng hóngròu 명〈俗〉①양심(良心). ②붉은 혀. ③음경(陰莖).
〔四两蜜〕 sìliǎngmì 명〈比〉어린아이가 빠는 손가락. ¶那个孩子还吃～呢; 이 아이는 아직도 손가락을 빨고 있다.
〔四两棉花〕 sìliǎng miánhua 명〈歇〉4냥 정도의(적어서 기계에 틀 수 없는) 솜. ‘不能谈’(말할 거리가 안 된다)의 뜻으로 씀.
〔四邻〕 sìlín 명 ①사방의 이웃 나라. ②이웃 (사람). ¶～八舍; 가까운 이웃 / ～皆知; 이웃 사람은 다 알고 있다.
〔四零一〕 sìlíngyī 명《藥》농업용 살균제의 일종. =〔四〇一〕
〔四六不成材〕 sìliù bù chéng cái〈比〉변변치 않아 쓸모없는 놈〔쓸모없다〕.
〔四六步儿〕 sìliùbùr 명 ①장단 맞춰 걷는 율동적인 걸음걸이. ②유연(悠然)한 걸음.
〔四六风〕 sìliùfēng 명 ⇨〔脐qí风〕
〔四六夹开〕 sìliù jiākāi〈比〉확실한 결론이 나와 있음. ¶说个～; 확실한 결론을 내다.
〔四六句字〕 sì liù jùzi 명〈比〉욕. 욕설. 더러운 말. ¶说着说着～就上来了; 이야기를 하다 보니 욕설이 나오고 말았다.
〔四六体〕 sìliùtǐ 명 사륙체. 변려체(騈儷體).
〔四六文〕 sìliùwén 명 사륙문(육조(六朝)부터 유행한 운문(韻文)의 하나로, 4자(字)·6자의 구(句)를 교차시켜 평측(平仄)을 사용함). =〔骈四俪六〕〔骈(体)文〕
〔四氯化碳〕 sìlǜhuàtàn 명《化》사염화 탄소. ¶～灭火机; 사염화 탄소 소화기.
〔四氯乙烯〕 sìlǜyǐxī 명《化》사염화 에틸렌.
〔四轮滑冰〕 sìlún huábīng 명 롤러 스케이트. =〔溜liū冰②〕
〔四马攒蹄〕 sìmǎ cuántí〈比〉손발을 함께 묶다. ¶把手脚～捆缚做一块《水滸傳》; 손발을 함께 묶었다.
〔四马分肥〕 sìmǎ fēnféi 다 함께 분배하다.
〔四码电〕 sìmǎdiàn 명 네 자리의 숫자로 하나의 한자(漢字)를 나타내는 양식의 중국식 전보(電報).
〔四门六亲〕 sìmén liùqīn 명 친척의 총칭.
〔四孟〕 sìmèng 명 음력으로 ‘孟春’‘孟夏’‘孟秋’‘孟冬’의 네 달.
〔四面〕 sìmiàn 명 사면. 사방. 주위. ¶～八方;〈成〉사방 팔방 / ～围住; 사면을 에워싸다 / ～见光;〈比〉(마음과 주의가) 더할 나위 없다. 극진하다 / ～不靠边儿; 애매 모호하다.
〔四面八方政策〕 sìmiàn bāfāng zhèngcè 인민 정치 협상 회의 공동 강령 제26조에 규정되어 있는 경제 건설의 근본 방침인 ‘公私兼顾, 劳资两利, 城乡互助, 内外交流’의 정책(‘四面’이란 공사(公私)·노사(勞使)·도시 농촌·내외를 가리키고, ‘八方’이란 공·사·노·자·도시·농촌·내(內)·외(外)의 여덟 가지를 가리킴).
〔四面楚歌〕 sì miàn Chǔ gē〈成〉사면 초가(고립 무원).
〔四面风(儿)〕 sìmiànfēng(r) 명 사면에서 부는 바람(외부의 작용〔압력〕). ¶他～全沾zhān着; 그는 어떤 외부 압력에도 잘 맞추어 나간다.
〔四面挂钩〕 sì miàn guà gōu〈成〉(두고두고 이용하기 위하여) 관계를 맺어 두다.
〔四面光〕 sìmiànguāng ①사면이 번쩍거리다. ②〈轉〉누구나 호감을 갖는 붙임성 있는 사람.
〔四面玲珑〕 sì miàn líng lóng〈成〉처세가 원만하여 실수가 없음. 교제하는 솜씨가 있다.
〔四明儿〕 sìmíngr 명 사방. ¶～都是篱笆; 사방이 모두 생울타리다 / 没有外人, ～为上吧; 모르는 사람은 없으니까(상좌니 아랫자리니 따지지 말고) 어느 자리나 윗자리라고 생각하자.
〔四拇指〕 sìmuzhǐ 명〈方〉약손가락. =〔无名指〕〔四指〕
〔四盘儿两碗儿〕 sìpánr liǎngwǎnr 명 ‘炒菜’(볶은 요리) 4개와 ‘汤菜’(국물이 많은 요리) 2개.〈比〉가짓수가 적은 간단한 식사(‘成桌的菜’(한 상 가득 차린 요리)에 대한 말).
〔四旁〕 sìpáng 명 (전후 좌우의) 사방. ¶～绿化; 환경의 녹화.
〔四配〕 sìpèi 명 사배(공자묘(廟)에서 공자의 좌우에 배향되어 있는 네 현인. 곧, 안연(顔淵)·증자(曾子)·맹자(孟子)·자사(子思)).
〔四硼酸二钠〕 sìpéngsuān èrnà 명 ⇨〔硼砂〕
〔四平八稳〕 sì píng bā wěn〈成〉①침착한 모양. ②팔방이 평온 무사한 모양. ③사물에 흔들림이 없는 모양. ④적극성·창조성이 없는 모양.

〔四平调〕 sìpíngdiào 명《樂》 경극(京劇) 곡명의 하나.

〔四起〕 sìqǐ 동 사방에 일어나다. ¶群雄～; 군웅이 여기저기 일어나다.

〔四气〕 sìqì 명 ①희로애락(喜怒哀樂)의 사기(四氣). ②춘온(春溫)·하열(夏熱)·추량(秋冷)·동한(冬寒)의 사기. ③《漢醫》 한(寒)·열(熱)·온(溫)·냉(冷). ④'煤气'(석탄 가스)·'蒸气'(증기)·'天然气'(천연 가스)·'沼气'(메탄 가스)의 4가지.

〔四清运动〕 sìqīng yùndòng 명 정치·사상·조직·경제를 정화하는 운동《사회주의의 성과를 올바르게 유지 발전시키기 위하여 1962년서부터 1966년에 걸쳐서 전개된 사회주의 교육 운동》.

〔四穷〕 sìqióng 명 사궁《'鳏guān'(홀아비), '寡guǎ'(과부), '孤gū'(고아), '独dú'(자식 없는 늙은이)의 네 가지 어려운 처지》.

〔四人单桨无舵手〕 sìrén dānjiǎng wúduòshǒu 명《體》(조정 경기의) 키 없는 4인승 카누(canoe). ↔〔四人单桨有舵手〕

〔四鳃鲈〕 sìsāilú 명《魚》 농어. 꺽정이.

〔四散〕 sìsàn 동 사산하다. 사방으로 흩어지(어 달아나)다. ¶～奔bēn逃; 산지 사방으로 달아나다.

〔四山五岳〕 sìshān wǔyuè 〈比〉 여기저기. 방방곡곡. ¶为了这个零件儿, 我～地这么一找才配到了; 이 부품 때문에 여기저기를 찾아 겨우 맞는 것을 찾아 냈다.

〔四扇屏〕 sìshànpíng 명 네 폭짜리 족자(의 서화).

〔四舍五入〕 sìshě wǔrù 명동 사사오입(하다).

〔四声〕 sìshēng 명《言》 ①옛 중국어의 평성(平聲)·상성(上聲)·거성(去聲)·입성(入聲)의 네 개의 성조(聲調). ②현대 중국어에서 음평(陰平)·양평(陽平)·상성·거성. 또는 '第一声'·'第二声'·'第三声'·'第四声'의 네 개의 성조. ③널리 성조를 이르는 말.

〔四十雀〕 sìshíquè 명《鳥》 박새.

〔四时〕 sìshí 명 ①〈文〉 하루의 아침·저녁·낮·밤. ②사계절. 사철. ¶～八节; 사계절과 입춘·입하·입추·입동·춘분·하지·추분·동지의 여덟 절기 / ～鲜果; 사계절의 과일.

〔四史〕 sìshǐ 명 ①《書》 사사《사기(史記)·한서(漢書)·후한서(後漢書)·삼국지(三國志)의 네 사서(史書)》. ②'家史' '村cūn史' '社史' '厂chǎng史'의 네 역사. ¶～运动; '四史②'를 글로 쓰고 말로 이야기하여 들려 주는 운동《과거의 괴로웠던 역사를 현재와 비교하고, 사회주의 건설을 위한 노력을 북돋으려는 것》.

〔四始〕 sìshǐ 명 사시《그 해·그 달·그 날·그 때의 시작이라는 뜻으로, 정월 원단(元旦)의 별칭》.

〔四世同堂〕 sìshì tóngtáng 명 사세 동당《네 세대의 사람이 한 집에서 동거하고 있는 것을 말함. 즉, 조부·아버지·아들·손자, 또는 증조부·조부·아버지·아들의 네 세대가 함께 사는 일》.

〔四书〕 sìshū 명《書》 사서. '大学' '中庸' '论lún语' '孟子'의 네 책. =〔四子书〕

〔四术〕 sìshù 명 〈文〉 사술. '시(詩)·서(書)·예(禮)·악(樂)'의 네 가지 재능. =〔四业〕

〔四水相合〕 sìshuǐ xiānghé 〈比〉 모든 것이 원만하게 해결되다〔잘 되어 가다〕.

〔四四地地儿〕 sìsidìdìr 형 완전 무결하다. 빈틈없다. →〔四地〕

〔四逃五散〕 sì táo wǔ sàn 〈成〉 사방 팔방으로 도망치다. 산산이 흩어지다. ¶全家人就这样～了; 온 집안 사람들은 이와 같이 산산이 흩어지고 말았다.

〔四蹄〕 sìtí 명 네 발. ¶放开～奔驰; (말 따위가) 마음껏 달리다 / ～朝天; 위를 향해 넘어지다.

〔四体〕 sìtǐ 명 〈文〉 ①사체. 수족. 몸의 각부분. ¶～不勤, 五谷不分; 손발을 움직이지 않고 오곡도 분간하지 못하다《조금도 노동하지 않고 생산의 실정도 모르다》. ②→〔四体(书)〕

〔四体(书)〕 sìtǐ(shū) 명 사체. 한자의 네 가지 서체《①'草, 章草, 隶lì, 散隶'의 네 가지 서체. ②'古文, 篆zhuàn, 隶, 草'의 네 가지 서체. ③'真(正), 草, 隶, 篆'의 네 가지 서체》.

〔四天王〕 sìtiānwáng 명 ⇨〔四大金刚〕

〔四条汉子〕 sìtiáo hànzi '文化大革命' 중에, 문예계의 지도자인 저우양(周揚)·샤옌(夏衍)·양한성(陽翰笙)·톈한(田漢)을 가리킴.

〔四停八当〕 sì tíng bā dàng 〈成〉 온당하게〔타당하게〕 처리되다. 잘 수습되다.

〔四通〕 sìtōng 동 사방으로 통하다. ¶～八达; 〈成〉 사통 팔달하다. 명《機》 십자형의 접합관(接合管). =〔十字天〕

〔四同运动〕 sìtóng yùndòng 명 1960년 봄부터 농촌 노동력 부족의 보충과 농촌의 사회주의화 촉진을 위하여 상급 간부의 '下放'이 이루어졌을 때의 '함께 식사하고, 함께 자고 일어나며, 함께 노동하며, 함께 의논한다'는 운동.

〔四统一〕 sìtǒngyī 명 ①지도·조직·지휘·관리의 네 가지 면(面)의 통일(을 하다). ②농업 기계를 통일적으로 지휘하고, 사용하고, 점검하고, 수리하며 결산(決算)하는 일.

〔四头股肌〕 sìtóugǔjī 명《生》(대퇴부의) 사두근(四頭筋).

〔四脱舞〕 sìtuōwǔ 명 ⇨〔脱衣舞〕

〔四外〕 sìwài 명 사방(四方). 주위. ¶～全是平坦辽阔的大草地; 사방은 온통 평탄하고 넓은 대초원이다 / ～无人; 주위에는 사람 하나 없다 / ～八向; 각처. 각 방면.

〔四弯腰〕 sìwānyāo 명 허리를 구부리고 하는 네 가지 농작업《'拔秧báyāng'(모찌기), '插chā秧'(모내기), '收shōu割'(수확), '耘yún稻'(논의 김매기)》.

〔四围〕 sìwéi 명 사위. 주위. 둘레.

〔四维〕 sìwéi 명 〈文〉 사유. ①동북·동남·서북·서남의 네 방위. ¶天有～; 하늘에는 사유가 있다. ②네 가지의 근본《예(禮)·의(義)·염(廉)·치(恥)》. ¶～不张, 国将灭亡; 치국의 근본 도덕이 쇠하여 나라는 바야흐로 멸망하려 하고 있다.

〔四无〕 sìwú 명 '四害'를 없애는 일. ¶～乡; 네 가지 해가 없어진 고장.

〔四五不靠六〕 sì wǔ bùkào liù 〈諺〉(언동이) 신뢰할 수 없다. 모호하다. ¶你是喝醉了吗? 怎么说话～的; 너 취했느냐? 어째서 이치에 맞지 않는 말을 하느냐.

〔四五六(儿)〕 sìwǔliù(r) 명 ①〈俗〉 사물의 순서. ¶这人太不知深浅, 不懂～; 이 사람은 철이 너무 없어, 사물의 순서도 모른다. ②일의 잘잘못. ¶你呀, 办事不知～; 너란 놈은, 일을 하는 데 시비도 분간할 줄 모르다니.

〔四五运动〕 sìwǔ yùndòng 명《史》 1976년 4월 5일, 저우 언라이(周恩來) 총리의 죽음을 애도하기 위하여 천안문(天安門) 앞에 모인 군중을 탄압한 사건. =〔天tiān安门事件〕

〔四五子〕 sìwǔzi 명 〈俗〉 술의 별칭《'酒jiǔ'는 '九'와 통하고 '九'는 '四'와 '五'의 합이므로》.

〔四喜〕 sìxǐ 명 ①네 가지 기쁨(‘久旱逢甘雨’(가뭄 뒤의 단비를 만남)·‘他乡遇故知’(타향에서 옛 친구를 만남)·‘洞房花烛夜’(신혼 초야)·‘金榜挂名时’(‘科举’의 합격 발표에 이름이 나와 있을 때)). ②숫자 ‘四’의 별칭(경사로울 때나 ‘划拳’에 쓰임). ¶～丸子; 돼지고기의 ‘丸子’(그릇에 4개씩 담는 데서 경사로운 뜻으로 이르는 말). ③〈音〉 초밥(일본어 ‘스시’의 음역자(音譯字)). =〔四喜饭〕

〔四下〕 sìxià 명 ⇨〔四下里〕

〔四下里〕 sìxiàli 명 사방. 동서남북. 주위. 각처. ¶～一看, 都是果树; 사방을 보니 모두 과수이다 / ～都找遍了; 사방으로 찾았다. =〔四下〕

〔四仙桌〕 sìxiānzhuō 명 4인용의 작은 네모 탁자.

〔四鲜〕 sìxiān 명 배·사과·포도·감 따위의 과일.

〔四弦琴〕 sìxiánqín 명 《樂》 바이올린.

〔四乡〕 sìxiāng 명 사방[둘레]의 가까운 향리. ¶～八镇; 주변(周邊)의 읍이나 촌.

〔四厢〕 sìxiāng 명 성 안의 시가와 성 밖의 성문(城門)에 접한 거리.

〔四项原则〕 sìxiàng yuánzé 명 사회주의의 길·인민 민주 전제(프롤레타리아 독재)·공산당의 지도·마르크스 레닌주의·마오쩌둥 사상의 네 원칙. =〔四项基本原则〕

〔四象〕 sìxiàng 명 사상(역(易)에서, ①금(金)·목(木)·수(水)·화(火)를 말함. ②태양(太陽)·태음(太陰)·소양(少陽)·소음(少陰)을 말함).

〔四小炒〕 sìxiǎochǎo 명 연회에서, 기름에 볶은 4가지의 간단한 요리.

〔四序〕 sìxù 명 〈文〉 사계절. =〔四运〕

〔四言诗〕 sìyánshī 명 사언시. 한 구(句)가 넉 자로 된 고체시(古體詩)(시경(詩經) 따위).

〔四眼狗〕 sìyǎngǒu 명 네눈박이(개).

〔四眼狼〕 sìyǎnláng 명 눈 위가 흰 이리. 〈比〉 흉포한 것.

〔四眼佬〕 sìyǎnlǎo 명 〈廣〉 안경쟁이(안경을 낀 사람).

〔四眼人〕 sìyǎnrén 명 ①임신부(妊娠婦). ②〈貶〉 안경쟁이.

〔四仰八杈〕 sìyǎng bāchà 큰대(大)자로 벌렁 누워 있는 모양. ¶他喝足了水, 像死尸似的, ～地躺在地上; 그는 물을 실컷 마시더니 죽은 사람처럼 땅 위에 벌렁 자빠졌다.

〔四氧化三铅〕 sìyǎnghuà sānqiān 명 《化》 연단. =〔铅丹〕

〔四野〕 sìyě 명 넓은 벌판. 사방의 들판. ¶～茫茫, 寂静无声; (바라보면) 사방의 벌판은 끝 닿은 데 없이 망망하고 고요하여 소리 하나 없다.

〔四叶菜〕 sìyècài 명 《植》 네가래.

〔四业〕 sìyè 명 ⇨〔四术〕

〔四一个〕 sìyīge 명 네 번째(의 것). =〔第四个〕〔第四一个〕

〔四夷〕 sìyí 명 사이(옛날, 중국에 인접한 미개 민족인 동이(東夷)·서융(西戎)·남만(南蠻)·북적(北狄)을 말함).

〔四乙(基)铅〕 sìyǐ(jī)qiān 명 《化》 사에틸납.

〔四裔〕 sìyì 명 〈文〉 사방의 변경 지대.

〔四应之才〕 sìyìng zhī cái 〈比〉 ⇨〔肆应之才〕

〔四隅〕 sìyú 명 네 귀퉁이.

〔四远驰名〕 sì yuǎn chí míng 〈成〉 사방에 이름을 날리다. 소문이 널리 퍼지다.

〔四岳〕 sìyuè 명 사악(사방의 큰 산. 동악은 태산(泰山), 서악은 화산(華山), 남악은 형산(衡山), 북악은 항산(恒山)).

〔四运〕 sìyùn 명 ⇨〔四序〕

〔四葬〕 sìzàng 명 사장(네 가지 매장 방법. 화장·수장·토장·조장(鳥葬)).

〔四则〕 sìzé 명 ①네 가지 규칙. ②《數》 가(加)·감(減)·승(乘)·제(除)의 네 가지 계산법.

〔四照花〕 sìzhaòhuā 명 《植》 산딸나무.

〔四诊〕 sìzhěn 명 《漢醫》 진찰할 때의 네 가지 진단법(‘望’(시진(視診)하다)·‘闻’(소리를 듣고 냄새 맡다)·‘问’(문진하다)·‘切’(진맥하다)의 일컬음).

〔四正〕 sìzhèng 형 ①단정하다. 예의바르다. ②〈方〉 건전하다.

〔四肢〕 sìzhī 명 《生》 사지(수(手)·박(膊)·각(脚)·퇴(腿)). ¶～发达; 신체가 발달되다. =〔〈文〉 指zhǐ支〕

〔四指〕 sìzhǐ 명 ⇨〔四拇指〕

〔四指雨〕 sìzhǐyǔ 명 《農》 손가락 네 개의 폭(7～8센티) 정도로 땅에 스미게 내린 비.

〔四至〕 sìzhì 명 집이나 토지의 사방의 경계(境界)(‘田契’(토지 매매 계약서에는 ‘东至某处, 西至某处…’라고 기입함). ¶～界址; 사방의 경계.

〔四致(儿)〕 sìzhì(r) 명 ①집이나 밭 둘레의 경계. ②윤곽. 형 깔끔하다. 타당하다. 주도(周到)하다. ¶安排得挺～; 매우 주도하게 준비되어 있다. =〔四至(儿)〕

〔四至(儿)〕 sìzhi(r) 명 ①집·밭 둘레의 경계. ②대체의 규모. 윤곽. ¶这事总得先定出个～; 이것은 우선 대체의 규모·윤곽을 정해야 한다. 형 ①딱딱하고 고지식하다. 엄격하다. ¶这个人素来办事有～; 이 사람은 원래 일에는 까다롭다. ②철저하다. 주도하다. ¶安排得挺～的; 준비가 빈틈없다〔주도면밀하다〕. =〔四致(儿)〕

〔四仲〕 sìzhòng 명 음력으로 중춘(仲春)·중하(仲夏)·중추(仲秋)·중동(仲冬)의 넉 달.

〔四周(围)〕 sìzhōu(wéi) 명 사방. 주위. 둘레. =〔〈俗〉 四周遭儿〕

〔四周遭儿〕 sìzhōuzāor 명 ⇨〔四周(围)〕

〔四柱〕 sìzhù 명 사주. 별점에서 해·달·날·시를 말함.

〔四柱册〕 sìzhùcè 명 옛날, 관청의 회계 장부 문서 가운데, 전부터의 이월·수입·지출·현재액의 네 가지 주요 대장(臺帳).

〔四子书〕 sìzǐshū 명 ⇨〔四书〕

泗 sì (사)

①명 〈文〉 콧물. ¶涕～滂沱 =〔涕～横流〕〔涕～交流〕; 눈물·콧물이 줄줄 흐르다(심하게 울다). =〔鼻涕〕 ②(Sì) 명 《地》 쓰수이 강(泗水)(산둥 성(山東省)에 있는 강 이름). ③(Sì) 명 《地》 쓰 현(泗縣)(안후이 성(安徽省) 부근에 있는 현(縣) 이름). ④음역용 자(字).

〔泗门汀〕 sìméntīng 명 〈音〉 시멘트(cement). =〔洋灰〕〔水泥〕

〔泗水〕 Sìshuǐ 명 《地》 ①‘苏Sū腊巴亚’(수라바야(Surabaya))의 별칭. 4두 마차 천 대분의 말을 갖고 있다. ②산둥 성(山東省)에 있는 강 이름. 또, 현(縣)의 이름.

〔泗水桶〕 sìshuǐtǒng 명 ⇨〔汽qì油桶〕

〔泗汀〕 sìtīng 명 〈音〉 스팀(steam).

驷(駟) sì (사)

명 〈文〉 ①옛날 네 필의 말이 끄는 마차. 또는 그 말. 사마(駟馬). ¶～马高车; 〈成〉 호화로운 마차 / 一言既出, ～马难追 =〔～不及舌〕; 〈諺〉 일단 입 밖에 낸 말은 사두 마차로도 쫓아갈 수 없다(한번 내뱉은 말은 취소할 수 없다). ②말. ¶良～; 좋은 말 / 若～之

过隙xì; 말이 달려가는 것이 문틈으로 살짝 보일 정도로 빠르다. ③성(姓)의 하나.

似 sì (사)
①동 닮다. 비슷하다. ¶形～物不同; 형태는 비슷하나 물건은 같지 않다 / 两个人面貌相～; 두 사람은 용모가 비슷하다. ②…인 것 같다. …하는 것 같다. ¶～应再行研究; 다시 연구해야 할 것 같다 / ～对不对; 옳은 것 같지만 옳지 않다 / ～懂不懂地; 아는 것 같기도 하고 모르는 것 같기도 한 얼굴로 / ～睡～不睡; 자는 것 같기도 하고 자지 않는 것 같기도 하다 / ～有若无; 있는 것 같기도 하고 없는 것 같기도 하다. ③…에 비하여 …하다《비교하여 낫다의 뜻》. ¶生活一天好～一天; 생활이 날이 갈수록 좋아지다. ④동 본뜨다. ⑤동 흉내내다. ⑥동 뒤를 잇다. ‖ =〔佀sì①〕 ⇒shì

〔似此〕 sìcǐ 〈文〉 이와 같다〔같이〕.

〔似大厦倾〕 sì dà xià qīng 〈成〉 ①큰 집이 기울어지듯 하다. ②부패한 세력이 붕괴에 처한 모양.

〔似灯将灭〕 sì dēng jiāng miè 〈成〉 ①등불이 꺼지려고 하다. ②운명이 다하려 하다. 부패한 세력이 곧 무너지려 하다.

〔似懂非懂〕 sì dǒng fēi dǒng 〈成〉 아는 것 같기도 하고 모르는 것 같기도 하다. ¶他～地点了点头; 그는 알 듯 모를 듯하게 고개를 끄덕였다.

〔似而非〕 sì'érfēi 〈成〉 ⇨〔似是而非〕

〔似…非…〕 sì…fēi… …인 듯도 하고 …아닌 듯도 하다《동일한 단음절(單音節)의 명사·형용사·동사를 넣어 연어(連語)·성어(成語)·성어 형식의 말을 만듦》. ¶似绸非绸; 비단 같기도 하고 비단이 아닌 것 같기도 하다 / 似笑非笑; 웃는 것 같기도 하고 그렇지 않은 것 같기도 하다.

〔似虎〕 sìhǔ 명 고양이의 별칭.

〔似乎〕 sìhu 부 마치 …같다. …인 것 같다. ¶～有理; 그럴싸하게 보이다 / ～类乎; 비슷해서 차이가 없다. 엇비슷하다 / ～可以不必; 그럴 필요는 없을 것 같다.

〔似乎类乎〕 sìhulèihu 〈文〉 비슷비슷하다. ¶两者的学问彼此都～, 没有优劣; 두 사람의 학문은 서로 엇비슷해서 우열이 없다.

〔似看非看〕 sì kàn fēi kàn 〈成〉 보는 것 같은데 보지 않다. 보는 둥 마는 둥 하다.

〔似哭非哭〕 sì kū fēi kū 〈成〉 울고 있는 것 같으나 실은 울고 있지 않다.

〔似漆如胶〕 sì qī rú jiāo 〈成〉 ⇨〔如胶似漆〕

〔似是而非〕 sì shì ér fēi 〈成〉 그럴 듯 하지만 실은 아니다. 사이비이다. 엉터리이다. ¶～的慈cí善家; 사이비 자선가. =〔似而非〕

〔似属〕 sìshǔ 동 …인 것 같다. …인 듯 하다. ¶～势不可免; 사세(事勢)가 면할 수 없는 것 같다.

〔似听非听〕 sì tīng fēi tīng 〈成〉 듣는 둥 마는 둥하다. ¶他一边～, 一边翻着识字课本上的插图; 그는 한편으로 듣는 둥 마는 둥 식자 교과서의 삽화를 뒤적이고 있다.

〔似信非信〕 sì xìn fēi xìn 〈成〉 반신반의(半信半疑). ¶虽是～, 心里却系了疙瘩; 반신반의였으나, 마음 속에는 오히려 석연찮음이 남았다.

〔似醒非醒〕 sì xǐng fēi xǐng 〈成〉 깬 듯 아직 덜 깬 듯하다. 비몽사몽간인 모양.

〔似续〕 sìxù 명 〈文〉 자손.

姒 sì (사)
명 ①옛날, 자매 중의 언니를 지칭하던 말. ②옛날, 남편의 형수(兄嫂)를 지칭하던 말. ¶～妇; 형수 / ～娣 =〔娣～〕; 형제의 아내간의 사이. 동서. ③성(姓)의 하나.

寺 sì (사)
명 ①〖佛〗 절. 사찰. ②옛날, 관공서 이름. ¶太常～; 옛날, 종묘의 의례를 관장하던 관공서. ③〖宗〗 이슬람교의 사원. ¶清真～; 이슬람 교도의 예배소. ④내시. 환관(宦官). ¶阉～; (거세한) 환관 / 妇～; 시녀와 환관.

〔寺产〕 sìchǎn 명 사원 소유의 재산.

〔寺观〕 sìguàn 명 불교의 절과 도교(道教)의 도관(道觀).

〔寺库〕 sìkù 명 ①옛날, 절이 전당물을 잡고 돈을 빌려 준 일. ②절의 광.

〔寺门〕 sìmén 명 ①절의 문. ②〈轉〉 불교도.

〔寺庙〕 sìmiào 명 ⇨〔寺院〕

〔寺人〕 sìrén 명 옛날에, 궁중의 잡용을 맡은 관원《뒤의 환관(宦官)에 상당함》.

〔寺舍〕 sìshè 명 승방(僧房).

〔寺宇〕 sìyǔ 명 〈文〉 사우. 사원의 건물.

〔寺院〕 sìyuàn 명 사원. =〔寺庙〕

佀 sì (사)
① ⇨〔似sì〕 ② 명 성(姓)의 하나.

耜 sì (사)
명〖農〗〈文〉 ①보습. ②보습에 다는 날《본래는 목제》.

伺 sì (사)
동 ①정찰하다. 살피다. ¶～敌; 적정(敵情)을 살피다. =〔窥kuī伺〕 ②기회를 엿보다. ¶～有便人, 即可送上; 인편이 닿는 대로 곧 보내겠습니다. ⇒cì

〔伺便〕 sìbiàn 동 〈文〉 편승(便乘)의 기회를 노리다.

〔伺察〕 sìchá 동 〈文〉 살피다. 사찰하다.

〔伺谍〕 sìdié 동 ⇨〔伺探〕

〔伺服机〕 sìfújī 명〖機〗〈音義〉 서보모터(servomoter). 보조 전동기. =〔〈音〉 司sì服马达〕

〔伺候〕 sìhòu 동 〈文〉 기다리다. ⇒cìhou

〔伺机〕 sìjī 동 기회를 엿보다〔노리다〕.

〔伺窥〕 sìkuī 동 〈文〉 남몰래 엿보다. 조심스럽게 기회를 노리다.

〔伺求〕 sìqiú 동 〈文〉 득실(得失)을 찾다.

〔伺探〕 sìtàn 동 〈文〉 염탐하다. 엿보아 살피다. =〔伺谍〕

〔伺隙〕 sìxì 동 〈文〉 허점을 노리다. 틈〔기회〕을 노리다.

饲(飼) sì (사)
①동 기르다. 사육하다. ¶家中～肥猪三口; 집에서는 살찐 돼지 세 마리를 키우고 있다 / 桑叶可以～蚕; 뽕잎으로 누에를 칠 수 있다. ②명 사료.

〔饲蚕〕 sìcán 동 〈文〉 누에를 치다.

〔饲槽〕 sìcáo 명 (가축용의) 구유.

〔饲草〕 sìcǎo 명 목초(牧草).

〔饲料〕 sìliào 명 사료. ¶～作物; 사료 작물. =〔喂wèi料〕

〔饲兔〕 sìtù 명 〈文〉 집토끼. =〔家jiā兔〕

〔饲养〕 sìyǎng 명동 사육(하다). ¶～牲畜; 가축을 사육하다 / ～场; 가축 사육장 / ～棚; 가축의 우리.

〔饲育〕 sìyù 동 치다. 기르다. 키우다. 사육하다. 사양하다. 명 사육.

覗(覗) sì (사)
동 〈文〉 엿보다. 들여다보다.

笥 **sì** (사)
명 〈文〉 밥·의류 따위를 담는 네모진 대나무 그릇. ¶～匮kuì囊空; 〈比〉 가난하게 살다 / 巾～而藏之; '笥'에 넣어 헝겊을 덮다. 〈比〉 소중하게 간수하다.

嗣 **sì** (사)
① 명 〈文〉 후계자. ¶后～人选; 후계자의 인선(人選). ② 명 〈文〉 자손. ¶子～; 뒤를 잇는 자식. ③ 동 뒤를 잇다. ¶子～其父; 아들이 아버지의 뒤를 잇다. ④ 부 〈文〉 그 뒤. 바로 뒤에. 뒤이어. ¶先到天津, ～即赴京; 우선 톈진(天津)으로 갔다가 곧바로 베이징(北京)으로 가다. ⑤ 부 금후. ⑥ 부 이어서. ⑦ 명 성(姓)의 하나.

〔嗣产〕 sìchǎn 동 〈文〉 ①재산을 이어받다. ②(양자가 되어) 다른 집안의 대를 잇다.
〔嗣承〕 sìchéng 동 〈文〉 잇다. 상속하다.
〔嗣单〕 sìdān 명 ⇨〔嗣书〕
〔嗣父母〕 sìfùmǔ 명 〈文〉 양부모.
〔嗣后〕 sìhòu 〈文〉 부 금후. 그 뒤. 동 뒤를 잇다.
〔嗣经…〕 sìjīng… 〈文〉 그 후 …했다.
〔嗣君〕 sìjūn 명 〈文〉 군주의 뒤를 이을 사람. 사군. ＝〔嗣适〕
〔嗣适〕 sìshì 명 ⇨〔嗣君〕
〔嗣书〕 sìshū 명 양자 결연(養子結緣) 결정 문서. ＝〔嗣单〕
〔嗣岁〕 sìsuì 명 〈文〉 명년. 내년.
〔嗣位〕 sìwèi 동 〈文〉 사위하다. 왕위를 잇다.
〔嗣续〕 sìxù 명 〈文〉 뒤를 이을 사람. 후사. 자손. 동 대를 잇다.
〔嗣业〕 sìyè 동 〈文〉 사업·재산을 이어받다.
〔嗣子〕 sìzǐ 명 〈文〉 ①적자(嫡子). 후사(後嗣). ②양사자(養嗣子).

兕 **sì** (시)
명 《動》 ①무소. ②푸른 들소. ¶～觥gōng; 푸른 들소의 뿔로 만든 주기(酒器).

俟〈竢〉 **sì** (사)
① 동 〈文〉 기다리다. ¶一～…; 한번 …하자마자. …하는 대로 / ～机; 기회를 기다리다 / ～于门外; 문 밖에서 기다리다 / 立～回音; 〈翰〉 받으시는 대로 곧 회답해 주시기 바랍니다 / ～命; 천명을 기다리다 / 一～出版, 当即奉送一本; 출판되는 대로 즉시 한 권 보내 드리겠습니다. ＝〔俟候hòu〕 ② 명 성(姓)의 하나. ⇒ qí

涘 **sì** (사)
명 〈文〉 물가. ¶在河之～《詩經》; 강가에 있다.

食 **sì** (식)
① 명 밥. ¶箪～壶浆; 〈成〉 대그릇에 담은 밥과 단지에 담은 국. 그것으로 군대를 환영하는 모양. ② 동 먹이다. 기르다. ¶以食～之; 먹을 것을 주다〔먹이다〕. ⇒ shí yì

肆 **sì** (사)
① 동 멋대로 하다. ¶放～; 방자(放恣)하다 / 恣～; 제멋대로이다. 자사(恣肆)하다 / 二人举止, 一庄一～; 두 사람의 행동은 한쪽은 단정하고 한쪽은 방종하다 / ～行无忌; 제멋대로 하며 거리낌이 없다. ② 동 자유로이 하다. ③ 명 〈文〉 가게. 점포. ¶小～; 작은 가게 / 酒～; 선술집. ④ 수 '四①'의 갖은자(字).

〔肆廛〕 sìchán 명 가게. 상점. ＝〔廛肆〕
〔肆德〕 sìdé 동 〈文〉 덕을 펴다〔베풀다〕. 명 대덕(大德).
〔肆乖〕 sìguāi 동 준동(蠢動)하다.
〔肆伙〕 sìhuǒ 명 〈文〉 상점의 점원.
〔肆既〕 sìjì 동 〈文〉 남김없이 다하다.
〔肆口〕 sìkǒu 동 입에서 나오는 대로 말하다. ¶～大骂; 〈成〉 입에서 나오는 대로 온갖 욕을 퍼붓다 / ～妄言; 〈成〉 입에서 나오는 대로 멋대로 지껄이다.
〔肆力〕 sìlì 동 〈文〉 진력하다. ¶～于农事; 농사에 힘쓰다.
〔肆詈〕 sìlì 동 〈文〉 마구 욕하다.
〔肆虐〕 sìnüè 동 사학하다. 잔학한 짓을 거리낌없이 하다.
〔肆无忌惮〕 sì wú jì dàn 〈成〉 방자하여 무엇 하나 거리낄 것이 없다. 제멋대로이다. ¶～的残酷手段; 거리낌없는 잔혹한 수단.
〔肆刑〕 sìxíng 명동 〈文〉 극형(에 처하다).
〔肆行〕 sìxíng 동 멋대로 굴다. 함부로 행동하다. 注 뒤에 단음절어(單音節語)가 오지 않음. ¶～破坏; 멋대로 부수다 / ～无度; 제멋대로 굴어 거칠 것이 없다.
〔肆意〕 sìyì 부동 마음대로〔멋대로〕(하다). 注 뒤에 단음절어(單音節語)가 오지 않음. ¶～妄为; 분별없이 날뛰다.
〔肆饮〕 sìyǐn 동 〈文〉 (술을) 마구 마시다.
〔肆应之才〕 sìyìng zhī cái 〈比〉 무엇이든지 할 수 있는 재능(을 지닌 사람). 만능(재주꾼). ＝〔四应之才〕

厕(厠〈廁〉) **si** (측)
→〔茅máo厕〕 ⇒ cè

SONG ㄙㄨㄥ

忪 **sōng** (종)
→〔惺xīng忪〕 ⇒ zhōng

松(鬆)B) **sōng** (송)
A) 명 ①《植》 소나무. ②성(姓)의 하나. **B)** ① 형 느슨하다. ¶带子系～了; 허리띠를 느슨하게 맸다 / 捆得太～; 묶은 것이 너무 느슨하다 / ～着点儿量; 넉넉하게 치수를 재다. ↔〔紧〕 ② 형 엄하지 않다. 허술하다. ¶规矩太～; 규칙이 너무 허술하다 / 检查太～, 好些半废品都混过去了; 검사가 너무 허술하여, 많은 불량품까지 적당히 속여서 통과되었다. ↔〔紧〕 ③ 형 부드럽다. 무르다. ¶点心～脆适口; 과자가 부드럽고 바삭바삭해서 입에 맞다〔맛이 있다〕 / 土质～; 토질이 무르다. ④ 동 늦추다. 느슨하게 하다. ¶～了一口气; 후 하고 한숨 돌렸다 / 一～手, 气球就飞了; 잡은 손을 좀 늦췄더니, 풍선이 날아가 버렸다. ⑤ 동 맥이 풀리다. 긴장이 풀리다. ¶团丁们越来越～; 단원(團員)들은 점점 해이(解弛)해지고 있다 / 心里觉得～一点儿; 기분이 좀 풀린 것 같다. ⑥ 형 연화(軟化)하다. 마음 약한 소리를 하다. ⑦ 동 시세가 내리다. ⑧ 명 섭산적. ¶肉～; 섭산적. ⑨ 명 (요리에서) 잘게 썬 것. ¶鸡～; 닭고기를 삶아 잘게 찢어 놓은 것. ⑩ 형 연약하여 쓸모 없는. 헐렁헐렁한. 쓸개 빠진. ＝〔屣〕

〔松阿里乌喇〕 Sōng'ālǐwūlā 명 '松花江'의 만주어 음역.

〔松柏〕 sōngbǎi 명 《植》 송백. 소나무와 측백나무. ¶～常青; 송백은 연중 푸르다 / 他的伟大革命精神和崇高气节, 与～长青日月同辉; 그의 위대한 혁명 정신과 숭고한 기개는 푸른 송백처럼 영원히 빛나고 있다.
〔松柏枝(儿)〕 sōngbaizhī(r) 명 음력 설에 문 위에 장식하는 소나무나 측백나무의 가지. ¶一到腊月就有卖～, 芝麻秸儿的了; 섣달이 되면 소나무·측백나무의 가지나 참깨 줄기를 파는 사람이 있다.
〔松绑〕 sōng⸱bǎng 동 ①묶은 포승을 풀다. 포박(捕縛)을 풀다. ②〈比〉 제한을 완화시키다. 구속을 풀다.
〔松包〕 sōngbāo 명 〈比〉 무기력한 사람. 트릿한 사람. 얼간이. =〔松蛋包〕
〔松饼〕 sōngbǐng 명 '油yóu面'(밀가루를 식용유로 반죽한 것)을 외피(外皮)로 하여 속에 여러 가지 소를 넣어 구워 낸 바삭바삭하고 연한 식품.
〔松波波(的)〕 sōngbōbō(de) 형 바삭바삭해서 부서지기 쉬운 모양. ¶～饼干; 바삭바삭한 비스킷.
〔松铂〕 sōngbó 명 ⇨〔铂海绵〕
〔松舱〕 sōngcāng 동 ⇨〔投tóu货〕
〔松弛〕 sōngchí 형 ①느슨하다. ¶紧张的心情～了下来; 긴장된 마음이 풀리기 시작했다. ②(제도·규율이) 엄격히 시행되지 않다. 해이하다. ¶纪律～了; 규율이 해이해졌다. 동 늦추다. 풀다. 이완하다. ¶～一下肌肉; 근육을 풀다.
〔松脆〕 sōngcuì 형 ①음식이 퍼석퍼석하다. ②아삭아삭하다.
〔松耷耷(的)〕 sōngdādā(de) 형 맺힌 데가 없이 축 늘어진 모양. 활기가 없이 칠칠치 못한 모양.
〔松蛋包〕 sōngdànbāo 명 ⇨〔松包〕
〔松动〕 sōngdong 형 ①(좌석 따위가) 비다. 드문드문하다. ¶到了下一站, 车上～得多了; 다음역에 도착하니, 차가 많이 비었다. ②여유가 있다. 옹색하지 않다. ¶现在手头～一点儿了; 지금 주머니 사정이 좀 좋다. =〔宽裕〕〔不穷〕 동 ①(기계가 낡아서) 헐거워지다. ¶机器～了; 기계가 (낡아서) 헐거워졌다. ②부드럽게 하다. 풀다. ¶～田地里的土; 밭의 흙을 (풀어서) 부드럽게 하다.
〔松(动)配合〕 sōng(dòng) pèihé 명 《機》 헐거운 맞춤. 루스 피트(loose fit). =〔松转合座〕
〔松度〕 sōngdù 명 《機》 간극률(間隙率).
〔松耳〕 sōng'ěr 명 《植》 송이. =〔松蕈xùn〕
〔松泛〕 sōngfan 형 〈京〉 ①긴박하지 않다. 긴장이 풀려 편하다. 여유가 있다. ¶穿西服捆得慌, 还是穿中国衣裳～些; 양복을 입으면 답답해 죽겠다. 역시 중국옷을 입는 편이 편하다. ②기분이 좋다. 가뿐하다. ¶吃了这药, 身上～一点儿; 이 약을 먹어서 겨우 몸이 좀 가뿐해졌다. ‖ =〔松放〕
〔松肪〕 sōngfáng 명 ⇨〔松香②〕
〔松放〕 sōngfang 형 ⇨〔松泛〕
〔松风草〕 sōngfēngcǎo 명 《植》 송풍초.
〔松膏〕 sōnggāo 명 송진.
〔松根石〕 sōnggēnshí 명 '琥hǔ珀'의 별칭.
〔松狗〕 sōnggǒu 명 ⇨〔松鼠(儿)①〕
〔松鹤〕 sōnghè 명 ①송학. 소나무와 학. ②〈比〉 장수. ¶～同长cháng =〔～遐xiá龄〕〔～延年〕; 〈成〉 대단히 장수하다.
〔松虎〕 sōnghǔ 명 《蟲》 〈方〉 송충이. =〔松毛虫〕
〔松花〕 sōnghuā 명 〈俗〉 송화단(오리 알을 석회 찰흙에 소금절이한 식료품의 이름). =〔皮蛋〕〔变蛋〕
〔松花饼〕 sōnghuābǐng 명 송홧가루와 꿀을 넣어 만든 떡.
〔松花江〕 Sōnghuājiāng 명 《地》 쑹화 강.
〔松花儿〕 sōnghuār 명 '扁biǎn柏'(측백나무)의 열매(꽃잎 모양으로 터지므로 이렇게 말함).
〔松黄〕 sōnghuáng 명 송홧가루.
〔松活〕 sōnghuó 명 소나무·측백나무의 가지와 잎을 묶어 사람·말·새·집 등의 모양으로 만든 것으로, 장례식의 제물로 씀(정자 모양을 한 것을 '松亭'이라 함).
〔松鸡〕 sōngjī 명 《鳥》 들꿩.
〔松缰〕 sōngjiāng 동 고삐를 늦추다.
〔松胶〕 sōngjiāo 명 ①송진. =〔松香①〕 ②로진 고무.
〔松焦油〕 sōngjiāoyóu 명 파인 타르(pine tar). 송근(松根) 타르(소나무 재목을 건류(乾溜)하여 얻음).
〔松紧〕 sōngjǐn 명 ①느슨함과 팽팽함. 긴장도. ¶～正合适; 느슨하고 팽팽한 정도가 딱 적당하다. ②탄력. 신축성.
〔松节油〕 sōngjiéyóu 명 테레빈유(terebene油). 송유(松油). ¶～精; 테레빈.
〔松紧带(儿)〕 sōngjǐndài(r) 명 ①고무끈〔줄〕. 탄성(彈性) 테이프. ②밀짚 띠.
〔松紧螺旋扣〕 sōngjǐn luóxuánkòu 명 《機》 턴버클(turnbuckle). 죔쇠. =〔花篮螺丝〕
〔松劲(儿)〕 sōng⸱jìn(r) 동 ①힘을 빼다. 힘을 늦추다. ¶我们没有～, 一直顽强地进行努力; 우리들은 힘을 늦추지 않고 끊임없이 노력하고 있다 / 你揪住了绳子, 可别～; 밧줄을 꼭 잡고 있어라. 늦춰서는 안 된다. ②기세가 느슨해지다. 긴장이 이완되다. 해이해지다. 우물쭈물하다. ¶～情绪; 느슨해진 마음 / 你别～; 우물쭈물하지 마라.
〔松菌〕 sōngjùn 명 《植》 송이버섯. =〔松茸〕〔松蕈xùn〕
〔松开〕 sōngkāi 동 풀어지다. 늦추어서 놓다. ¶～拉着的手; 잡아당기던 손을 늦추어 놓다.
〔松柯〕 sōngkē 명 〈比〉 굳은 절조.
〔松口〕 sōng⸱kǒu 동 ①입에 물고 있는 것을 놓다. ¶狗叼diāo着一块骨头, 怎么也不～; 개가 뼈다귀 하나를 물고서, 어떻게 해서든 놓치지 않으려 한다. ②말이 부드러워지다. (주장·의견 등이) 꺾이다〔굽히다〕. ¶当时我一～就答应了他的要求; 나는 그 때 굽혀서 그의 요구에 응했다. ③ ⇨〔松口气〕
〔松口气〕 sōng kǒuqì 한숨 돌리다. 한시름 놓다. 말씨가 꺾이다. ¶卖主松了口气了; 매주가 타협 쪽으로 나왔다. =〔松口③〕〔松嘴②〕
〔松快〕 sōngkuai 형 시원스럽다. 후련하다. ¶在外边倒～些; 밖에 있는 것이 오히려 마음이 시원하다. 동 ①갑갑하지 않고 트이다. ¶搬走一张桌子, 屋里～多了; 탁자 1개를 내가니까, 방이 훨씬 훤해졌다. ②(괴로움·아픔·걱정이 없어져) 한시름 놓다. 느긋한 기분이다. ③편안히 쉬다. 긴장을 풀다. ¶干了一天活, ～吧! 하루 일을 했으니 편히 쉬어라! ‖ =〔松爽〕
〔松宽〕 sōngkuān 동 늦추다. 느슨하게 하다. ¶～带子; 벨트를 늦추다.
〔松籁〕 sōnglài 명 〈文〉 송뢰. 솔바람. =〔松涛tāo〕
〔松醪〕 sōngláo 명 송진으로 만든 술.
〔松露〕 sōnglù 명 《植》 송로(식용 버섯의 일종. 4, 5월경에 바닷가 송림에 나는데, 모양은 버섯 모양이고 땅 속에 묻혀 있음. 특유한 향기가 있음). =〔麦mài蕈〕

〔松卵〕 sōngluǎn 명 소나무의 씨.
〔松轮〕 sōnglún 명《機》놀고 있는 차. 쉬고 있는 차.
〔松萝〕 sōngluó 명《植》①석송(石松). ②소나무 겨우살이. =〔松上寄生〕〔女萝〕
〔松毛〕 sōngmáo 명 ⇨〔松针〕
〔松毛虫〕 sōngmáochóng 명 ⇨〔松虎〕
〔松明(子)〕 sōngmíng(zi) 명 횃불.
〔松木〕 sōngmù 명 소나무 재목. 송재(松材).
〔松黏子〕 sōngniánzi 명 송진. =〔松脂〕
〔松配合〕 sōngpèihé 명 ⇨〔松(动)配合〕
〔松皮带盘〕 sōng pídàipán 명 ⇨〔游yóu轮〕
〔松皮癣〕 sōngpíxuǎn 명《漢醫》소나무 껍질처럼 반점이 생기고 가려운 피부병의 일종.
〔松皮纸〕 sōngpízhǐ 명 송피지《종이의 일종. 소나무 껍질로 만든 것》.
〔松气〕 sōng.qì 동 ①후유 하고 한숨쉬다. 마음을 편안히 하다. 긴장을 풀고 쉬다. ¶松了一口气; 잠시 마음을 놓았다. ②기가 꺾이다. 힘을 빼다. 노력을 그치다. ¶在节骨眼上决不能~; 결정적인 중요한 고비에서 절대로 해이해서는 안 된다.
〔松契〕 sōngqì 명〈比〉오랜 동안의 교제.
〔松楸〕 sōngqiū 명〈文〉①묘지에 심는 나무. ②〈轉〉묘.
〔松球〕 sōngqiú 명 솔방울. ¶~鱼;《魚》철갑둥어. =〔松塔tǎ〕
〔松球芒〕 sōngqiúmáng 명《植》솔방울고랭이.
〔松雀鹰〕 sōngquèyīng 명《鳥》조롱이. =〔松子鹰〕〔雀鹞〕〔雀贼〕〔摆bǎi胸〕
〔松瓤(儿)〕 sōngráng(r) 명 ⇨〔松仁(儿)〕
〔松人〕 sōngrén 명 겁쟁이. 나약한 사람.
〔松人儿〕 sōngrénr 명 소나무·측백나무의 잎으로 만든 인형.
〔松仁(儿)〕 sōngrén(r) 명 잣 알맹이. 소나무 씨. =〔松瓤(儿)〕〔松子(儿)②〕
〔松茸〕 sōngróng 명 ⇨〔松菌jùn〕
〔松软〕 sōngruǎn 형 ①폭신하고 보드랍다. ¶白净~的羊毛; 새하얗고 폭신한 양털. ②보드랍게 하다. ¶~土壤; 흙을 보드랍게 하다.
〔松蕊〕 sōngruǐ 명 송화. 소나무의 꽃.
〔松散〕 sōngsǎn 동 ①흙을 부숴 보드랍게 하다. ¶使土质~一些; 토질을 보드랍게 하다. ②느슨해지다. 어수선하게 흩어지다. 긴장이 풀어지다. ¶绷带~了; 붕대가 느슨해졌다 / 结构~了; 구조가 느슨해지다.
〔松散〕 sōngsan 동 편안히 하다. 느긋한 마음이 되다. 형 (가슴을) 후련하게〔시원하게〕 하다. ¶房里太热, 出来~~; 집 안이 너무 더우니까 나와서 바람 좀 쐽시다.
〔松上寄生〕 sōngshàng jìshēng 명 ⇨〔松萝②〕
〔松神话〕 sōngshénhuà 명 실망시키는 이야기. 김 빠진 이야기.
〔松手〕 sōng.shǒu 동 ①손을 늦추다. ¶一~, 手里的日记本就落在地上了; 손의 힘이 풀리자, 쥐고 있던 일기장이 땅에 떨어지고 말았다. ②손에서 떼어 놓다. ¶不肯~东西; 물건을 끝내 손에서 내놓으려 하지 않다.
〔松鼠(儿)〕 sōngshǔ(r) 명《動》①다람쥐. =〔栗鼠〕〔松狗〕 ②시베리아 다람쥐. =〔灰鼠①〕
〔松树〕 sōngshù 명 소나무.
〔松树鹀〕 sōngshùwú 명《鳥》흰머리멧새.
〔松爽〕 sōngshuǎng 형동 ⇨〔松快〕
〔松松口〕 sōngsōngkǒu 말을 순하게 하다. 한시름 놓다. 한숨 돌리다. ¶~撒撒手的思想; 한숨 돌리고 손을 늦추는 사상.
〔松松垮垮〕 sōngsongkuǎkuǎ 형 일을 겉날리는 모양. 힘을 들이지 않는 모양. 해이한 모양. ¶事事都要认真, 决不能马马虎虎, ~呀! 모든 일은 진지하게 해야지 되는 대로 하거나 해이하게 하면 절대로 안 된다!
〔松溚油〕 sōngtǎyóu 명 나무 타르(tar). 소나무 타르유(tar油).
〔松塔(儿)〕 sōngtǎ(r) 명 ⇨〔松球〕
〔松涛〕 sōngtāo 명 ⇨〔松籁〕
〔松腾〕 sōngteng 형 ①조밀하지 않다. 꽉 차 있지 않다. ②(금전면·생활면에서) 옹색하지 않다. 넉넉하다. (장소가) 여유가 있다. ¶你也不~; 너도 여유 있진 않다 / 这所小房儿, 一家子住挺~; 이 작은 집에 한 집안 식구가 살아도 제법 넉넉하다 / 一部分的观众散了, 礼堂里才~一点儿; 일부 관중이 나가자 비로소 식장은 좀 널찍해졌다. ③(시황(市况)이) 긴박하지 않다. 평온하다. ¶市面~; 시황이 평온하다. 동 (죄었던 것이) 느슨해지다. ¶螺丝~; 나사가 헐거워지다. ‖=〔松通〕
〔松亭〕 sōngtíng →〔松活〕
〔松通〕 sōngtong 형동 ⇨〔松腾〕
〔松头日脑〕 sōngtóu rìnǎo 명〈罵〉겁쟁이. 패기 없는 놈.
〔松土〕 sōngtǔ 명 부드러운 흙. 동《農》땅을 파서 부드럽게 하다. ¶~机; 경운기 / 马上~补种; 즉시 흙을 파 부수어 부드럽게 한 후 다시 씨를 뿌리다.
〔松脱〕 sōngtuō 동 느슨해져서 떨어지다〔풀어지다〕. ¶接头~了; 이음매가 느슨해져서 풀어졌다.
〔松下〕 sōngxia 동 힘을 늦추다〔빼다〕. ¶缓缓~那只捂脸的手; 얼굴을 가리고 있던 손의 힘을 서서히 뺐다.
〔松闲〕 sōngxián 형 한가하다. ¶工作也不~; 일도 한가하지는 않다.
〔松香〕 sōngxiāng 명 ①〈俗〉송진. ¶毛~; 변색하여 굳은 송진. =〔松胶〕〔松脂〕 ②로진(rosin). ¶~油; 로진유. =〔松肪〕〔松香胶〕
〔松香架子〕 sōngxiāng jiàzi 명〈比〉겉만 번드르르하고 쓸모없는 사람〔물건〕. ¶看着那么结实, 敢情是~, 一碰就垮kuǎ; 보기에는 저렇게 튼튼한 것 같지만, 뜻밖에도 겉만 번드르르할 뿐 좀 부딪쳐도 금세 망가진다.
〔松香胶〕 sōngxiāngjiāo 명 ⇨〔松香②〕
〔松香水〕 sōngxiāngshuǐ 명 석유를 증류하여 얻는 '汽qì油'(가솔린)과 '灯dēng油'(등유)의 중간 유출분(溜出分)의 명칭《'松节油'(테레빈유)의 대용으로 씀》. =〔白bái醇〕
〔松香油〕 sōngxiangyóu 명 송지유(松脂油). 로진유(rosin油)《송진을 증류하여 얻음》. =〔松脂油〕
〔松懈〕 sōngxiè 동 ①게을리하다. 나태하다. 늦추다. 힘을 빼다. ¶~警惕tì性; 경계심을 늦추다. ②이완되어 있다. 느즈러져 있다. ¶~现象; 이완 현상. ③인간 관계가 소원하다.
〔松心〕 sōng.xīn 형 (걱정거리가 없어져) 홀가분하다. ¶~饭; 소란 뒤에 먹는 식사 / 两个孩子学习都不行, 我一点也不~; 두 아이가 모두 공부를 못 하므로 조금도 편하지 못하다. 동 마음을 편안히 갖다. 긴장을 풀다.
〔松性〕 sōngxìng 명 다공성(多孔性). 퍼석퍼석한 성질.
〔松须菜〕 sōngxūcài 명《植》고수.
〔松蕈〕 sōngxùn 명 ⇨〔松菌〕
〔松鸦〕 sōngyā 명《鳥》어치의 아종(亞種)《까마귀

과(科) 어치의 무리》.
〔松烟(墨)〕 sōngyān(mò) 명 송연묵. 숯먹《상등품의 먹》.
〔松杨〕 sōngyáng 명《植》 ①송양나무의 근연종(近緣種). ②층층나무의 근연종(近緣種)《층층나무과의 교목》. ‖ =〔凉liáng木〕
〔松叶蕨〕 sōngyèjué 명《植》 송엽란. =〔松叶兰〕
〔松叶人参〕 sōngyè rénshēn 명《植》 개아마.
〔松一把儿〕 sōng yībǎr 손을 늦추다. 한숨 돌리다. 힘을 늦추다. 잠깐 쉬다. ¶管教孩子, 到时候也要~; 아이를 가르치는 데는, 적당한 시기가 되면 좀 늦추어 줘야 한다.
〔松一步儿〕 sōng yībùr 조금 늦추다. 연기하다. 유예하다. ¶请您~, 下月我一定还huán上; 조금만 기다려 주십시오, 다음 달에는 꼭 갚겠습니다.
〔松一口气〕 sōng yīkǒuqì →〔松气①〕
〔松怡〕 sōngyí 형 마음이 느긋하다. ¶茶道既可陶冶性情, 又可~一下神经; 다도는 성품을 도야할 수 있음과 동시에 또 마음도 가라앉혀 준다.
〔松腴〕 sōngyú 명《植》 복령. =〔茯fú苓〕
〔松筠〕 sōngyún 명 〈文〉 송죽(松竹). 소나무와 대나무. ¶~之操; 〈比〉 굳은 절조(節操).
〔松藻〕 sōngzǎo 명《植》 솔잎말. ¶~虫; 《蟲》 송장헤엄치개.
〔松针〕 sōngzhēn 명 솔잎. ¶~油 =〔冷杉油〕; 송엽유(松葉油)《소나무·전나무의 잎을 증류하여 만든 기름으로, 소독제나 향료용》. =〔〈俗〉松毛〕
〔松枝门〕 sōngzhīmén 명 아치(arch).
〔松枝儿〕 sōngzhīr 명《鳥》 동고비.
〔松脂〕 sōngzhī 명 송진. =〔〈俗〉松香①〕
〔松脂油〕 sōngzhīyóu 명 ⇨〔松香油〕
〔松转合座〕 sōngzhuǎn hézuò 명 ⇨〔松(动)配合〕
〔松滋侯〕 sōngzīhóu 명 먹의 별칭.
〔松子(儿)〕 sōngzǐ(r) 명《植》 ①송실(松實). 소나무의 열매. ② ⇨〔松仁(儿)〕
〔松子糕〕 sōngzǐgāo 명 잣을 넣은 과자 이름.
〔松子松〕 sōngzǐsōng 명 ⇨〔白bái松①〕
〔松子鹰〕 sōngziyīng 명 ⇨〔松雀鹰〕
〔松嘴〕 sōngzuǐ 동 ①(물고 늘어진) 입을 풀다. ② ⇨〔松口气〕

凇 sōng (송)
명 〈文〉 얼음. ¶雾~ =〔树挂〕; 수빙(樹冰).

淞 Sōng (송)
명《地》 쑹장 강(淞江)《장쑤 성(江蘇省)에 있는 강 이름》. =〔吴淞江〕〔松陵江〕〔吴江〕

菘 sōng (숭)
→〔菘菜〕〔菘蓝〕
〔菘菜〕 sōngcài 명《植》〈方〉 배추. =〔白菜〕
〔菘蓝〕 sōnglán 명《植》 장대냉이.

娀 Sōng (융)
명《地》 옛날의 나라 이름《산시 성(山西省) 윈 성(運城) 일대》.

嵩〈崧〉 sōng (숭)
①(Sōng) 명《地》 쑹산 산(嵩山)《오악(五嶽)의 하나. 허난 성(河南省)에 있는 산 이름》. =〔嵩山〕〔嵩高〕 ②지명용 자(字). ¶~明; 쑹밍(嵩明)《윈난 성(雲南省)에 있는 현(縣) 이름》. ③ 형 〈文〉 산이 크고 높다. ④ 명 성(姓)의 하나.
〔嵩呼〕 sōnghū 명 〈文〉 천자의 장수를 기원하여 '万岁, 万万岁!'를 부르는 일. =〔呼嵩〕〔山shān呼〕
〔嵩山〕 Sōngshān 명《地》 쑹산 산《허난 성(河南省) 덩펑 현(登封縣)의 북쪽에 있는 산. 오악(五嶽)의 하나》. =〔中zhōng岳〕
〔嵩寿〕 sōngshòu 명 고령(高齡).
〔嵩柱骨〕 sōngzhùgǔ 명《漢醫》 비골(鼻骨)의 쑥 내민 부분.

㞞 sóng (송)
형 〈京〉 마음이 약하다. 겁이 많다. ¶怕什么? 你也太~了; 뭐가 무서우냐, 너도 꽤 겁이 많구나 / ~(蛋)包; 〈罵〉 겁쟁이. 약골. ⇒ sǒng

㞞(屣) sóng (송)
명 ①〈俗〉 정액(精液). ②나약한 사람을 풍자하여 이르는 말. ¶~包; 겁쟁이.

扨(摗) sǒng (송)
동 ①〈文〉 직립(直立)하다. 곧추 세우다. ¶苍鹰~身欲飞; 매가 몸을 곧추 세우고 날아가려고 하다. ②〈方〉 밀다. ¶~出去; 밖으로 밀어 내다 / 你给他往外一~; 그를 밖으로 밀어 내어라. =〔推〕

怂(慫) sǒng (종)
① 동 〈文〉 놀라다. ② →〔怂恿〕
〔怂恿〕 sǒngyǒng 동 ①권하다. 종용하다. ¶经我再三~, 他才答应去了; 내가 재삼 권한 뒤에, 그는 겨우 가기를 승낙했다. ②부추기다. 충동하다. ¶他做这样儿的事, 全是受了别人的~; 그가 이런 짓을 하는 것은 순전히 다른 사람이 부추긴 탓이다.

耸(聳) sǒng (용, 송)
동 ①우뚝 솟다. ¶高~; 높이 우뚝 솟다. ②귀를 기울이게 하다. 놀라게 하다. ¶危言~听; 과격한 말을 하여 남을 놀라게 하다. ③으쓱하다. ¶~一~肩膀; 어깨를 으쓱하다.
〔耸动〕 sǒngdòng 동 ①(어깨 따위를) 으쓱거리다. ②(귀를) 쫑긋하게 하다. 놀라게 하다. ¶~视听; 〈成〉 남의 이목을 놀라게 하다.
〔耸肩〕 sǒng,jiān 동 어깨를 으쓱거리다. ¶他耸了耸肩, 现出无所谓的神情; 그는 어깨를 으쓱거리며, 아무 일도 아니란 듯한 표정을 보였다.
〔耸立〕 sǒnglì 동 우뚝 솟다.
〔耸人听闻〕 sǒng rén tīng wén 〈成〉 남의 이목(耳目)을 쏠리게 하다. 이목을 놀라게 하다. ¶故作危言, ~; 일부러 사람을 놀라게 하는 말을 해서 남의 이목을 집중시킨다. =〔耸人耳目〕
〔耸人云端〕 sǒng rù yún duān 〈成〉 높이 구름 위에 우뚝 솟다.
〔耸人云霄〕 sǒng rù yún xiāo 〈成〉 (산이나 건물이 매우 높아) 하늘을 찌를 듯 우뚝 솟다. ¶~的高山; 하늘을 찌를 듯이 솟은 높은 산.
〔耸揖〕 sǒngyī 동 〈文〉 손을 높이 들어 읍하다.
〔耸直〕 sǒngzhí 동 〈文〉 높고 곧게 서다. 우뚝 서다.
〔耸峙〕 sǒngzhì 동 〈文〉 우뚝 솟다.

悚 sǒng (송)
동 〈文〉 오싹하다. 놀라다. ¶毛骨~然; 모골이 송연하다《몹시 놀라는 모양》. ⇒ sóng
〔悚惧〕 sǒngjù 동 〈文〉 두려워〔무서워〕하다. =〔悚恐〕〔悚惕tì〕
〔悚恐〕 sǒngkǒng 동 ⇨〔悚惧〕
〔悚栗〕 sǒnglì 동 〈文〉 두려워서 부들부들 떨다.

〔悚然〕 sǒngrán 형 소름끼치다. 오싹하다(두려워서 웅숭그리는 모양).
〔悚悚〕 sǒngsǒng 형〈文〉무서워서 소름이 끼치다.
〔悚惕〕 sǒngtì 동 ⇨〔悚惧〕
〔悚息〕 sǒngxī 동〈文〉놀라서 숨을 죽이다.

竦 sǒng (송)
동 ①〈文〉공경하다. ¶～然起敬; 삼가 존경의 뜻을 나타내다. ②두려워하다. ③위축(萎縮)하다. ④〈文〉목을 빼고 발돋움하다. ¶～而望归; 목을 빼고 발돋움하며 돌아오는 것을 기다리다. ⑤우뚝 솟다.
〔竦跪〕 sǒngguì 동〈文〉황공하여 무릎을 꿇고 엎드리다.
〔竦敬〕 sǒngjìng 동〈文〉황송하여 경의를 표하다.
〔竦惧〕 sǒngjù 동 송구스러워하다. 황송해하다.
〔竦慕〕 sǒngmù 동〈文〉경모(敬慕)하다.
〔竦然〕 sǒngrán 형 송구스러워하다(황공하여 삼가는 모양).

楤 sǒng (총)
명《植》두릅나무. =〔楤木〕

讼(訟) sòng (송)
동 ①소송하다. 재판에 호소하다. ¶成～; 재판 사태가 되다. ②(시비 곡직을) 논쟁하다. ¶聚～纷纭; 시끄럽게 서로 시비 곡직을 논하다. =〔争讼〕 ③〈文〉책하다. ¶自～; 자책하다.
〔讼案〕 sòng'àn 명《法》소송 사건.
〔讼词〕 sòngcí 명 고소 내용.
〔讼费〕 sòngfèi 명 소송 비용.
〔讼告〕 sònggào 동 고소하다.
〔讼棍〕 sònggùn 명 (공갈·협박을 일삼는) 소송 브로커(broker).
〔讼师〕 sòngshī 명 옛날의 변호사.
〔讼事〕 sòngshì 명 송사. 소송 사태.
〔讼言〕 sòngyán 동〈文〉공언(公言)하다. =〔诵言〕
〔讼狱〕 sòngyù 명〈文〉재판 사건.
〔讼则终凶〕 sòng zé zhōng xiōng〈成〉소송 따위를 일으켜 다투면 종국에 가서는 좋은 일이 없다.

颂(頌) sòng (송)
①동〈文〉칭송하다. 찬양하다. ¶歌～; 노래하여 찬양하다. ②명 공적을 기리는 문장이나 시가(詩歌). ¶屈原～; 굴원을 기리는 시문. ③명 주대(周代)에 종묘 제사에 쓰인 무곡(舞曲)(가사의 일부는 시경(詩經)에 수록됨). ④동 축하〔축원〕하다(흔히, 서신에 씀).
〔颂忱〕 sòngchén 명〈翰〉축하의 뜻〔정〕.
〔颂称〕 sòngchēng 동 칭송하다. 칭찬하다.
〔颂词〕 sòngcí 명 ①찬사. ②축하의 말.
〔颂德〕 sòngdé 동 송덕하다. 공덕을 칭송하다. ¶～碑bēi; 송덕비.
〔颂歌〕 sònggē 명 송가. 찬가.
〔颂古非今〕 sòng gǔ fēi jīn〈成〉(주로 문화에 대해) 옛 것을 찬양하고 현재를 좋지 않다고 하다.
〔颂美〕 sòngměi 동 (남의 공적 따위를) 찬미하다. 기리다.
〔颂声〕 sòngshēng 명 송성. 공덕을 칭송하여 노래하는 소리.
〔颂声载道〕 sòng shēng zài dào〈成〉칭찬하는 소리가 거리에 차 있다.
〔颂诗〕 sòngshī 명 송시. 칭송하는 시.
〔颂箫〕 sòngxiāo 명 옛날의 피리의 일종.
〔颂扬〕 sòngyáng 동 찬양하다. 찬미하다. ¶～他谦逊随和, 忠厚老实; 그가 겸손하고 남과 화목하며 성실하고 정직한 것을 칭송하다.
〔颂赞〕 sòngzàn 동〈文〉칭찬하다.

宋 Sòng (송)
명 ①《地》주대(周代)의 나라 이름(허난 성(河南省) 상추 현(商邱縣) 일대). ②옛날 중국의 왕조 이름. ③성(姓)의 하나.
〔宋版〕 sòngbǎn 명 송판(송나라 때에 간행된 책). =〔宋板〕〔宋刻〕〔宋椠〕
〔宋钞〕 sòngchāo 명 송나라 때에 나온 선집(選集).
〔宋词〕 sòngcí 명 송나라 때의 사(詞).
〔宋瓷〕 sòngcí 명 송나라 때에 만든 도자기. =〔宋磁〕
〔宋磁〕 sòngcí 명 ⇨〔宋瓷〕
〔宋江戏〕 sòngjiāngxì →〔高gāo甲戏〕
〔宋锦〕 sòngjǐn 명 송나라 때의 비단.
〔宋刻〕 sòngkè 명 ⇨〔宋版〕
〔宋椠〕 sòngqiàn 명 ⇨〔宋版〕
〔宋儒〕 sòngrú 명 송나라 때의 유학자.
〔宋体(字)〕 sòngtǐ(zì) 명 명조체(明朝體)(일반적으로 널리 쓰이고 있는 한자(漢字) 활자체, '简化字'가 정체(政體)로 됨에 따라, 되도록 해서(楷書)와 비슷하게 만들었으므로, 한국의 명조체와는 일치하지 않음). =〔老宋体〕
〔宋襄之仁〕 sòng xiāng zhī rén〈成〉송양지인(쓸데없는 동정).
〔宋学〕 sòngxué 명 송학. 송유(宋儒)의 성리학. =〔道dào学①〕〔理lǐ学〕〔义yì理之学〕

诵(誦) sòng (송)
동 ①고저(高低)의 억양을 붙여서 읽다. 낭송하다. ¶～读dú; 소리 내어 읽다. ②암송하다. 외다. ¶熟读成～; 숙독하여 외울 수 있다 / 背～ =〔记～〕; 외워서 낭송하다. ③말하다. 진술하다.
〔诵经〕 sòngjīng 동 ①⇨〔唱chàng经〕 ②경서(經書)를 읽다.
〔诵诗〕 sòngshī 동 송시하다. 시를 낭송하다.
〔诵悉〕 sòngxī〈翰〉귀함(貴函) 배송(拜誦)했습니다.
〔诵言〕 sòngyán 동〈文〉공언(公言)하다. =〔讼言〕
〔诵珠儿〕 sòngzhūr 명《佛》염주. =〔数shù珠(儿)〕

送 sòng (송)
동 ①배웅하다. 전송하다. ¶～人去; 배웅 나가다 / 不～, 不～! 여기서 실례합니다〔멀리 안 나갑니다〕!(손님이 돌아갈 때 주인이 하는 인사). ↔〔接〕 ②증정하다. 주다. ¶～给你; 당신에게 드립니다 / 这不是～的, 是买的; 이것은 받은 것이 아니고 산 것이다 / 白～; 거저 주다 / ～东西; 물건을 보내다. 선사하다 / 这个～给你作记念; 이것을 기념으로 당신께 드립니다. ③보내어〔바래다〕 주다. ¶～小弟弟回家; 아우를 집까지 데려다 주다 / ～孩子到学校去; 아이를 학교까지 바래다 주다 / 护～病人; 병자를 호송하다. ④전달하다. ¶～信儿; 소식을 전하다 / ～电; 송전하다 / 传～带; 컨베이어. ⑤배달하다. 운반하다. ¶把药～上门; 약을 집까지 배달하다. ⑥공급하다. ⑦제사 지내다. ⑧(학교에) 입학시키다. ¶～大儿子上大学了; 장남을 대학에 보냈다 / 公社里选

几个尖子～大学了; 인민 공사에서 몇 명의 우수한 학생을 뽑아 대학에 입학시켰다. ⑨목숨을 끊다. ⑩망가뜨리다. 부수다. ¶你这个败家子, 把好好的一份家(产)当～在你的手里了; 이 패가 망신한 놈아, 그 많던 가산이 네 손에서 다 탕진되고 말았어.
〔送案〕 sòng'àn 동 《法》 죄인을 법정에 송치하여 재판하다. 송치하다〔되다〕. =〔送惩〕〔送究〕
〔送宝〕 sòng.bǎo 동 귀중〔소중〕한 것을 보내다《경험·창의(創意) 등을 전함》. ¶～上门; 보물을 집에다 보내다《귀중한 교훈·경험을 가지고 오다》.
〔送报〕 sòng.bào 동 ①신문을 배달하다. ¶～的 =〔～员〕〔～生〕; 신문 배달원. ②전보를 배달하다.
〔送别〕 sòng.bié 동 ①송별하다. 배웅하다. ②전별(餞別)하다. 송별연을 열다.
〔送殡〕 sòng.bìn 동 회장(會葬)하다. 장송(葬送)하다. ¶～的; 장례식에 모인 사람. =〔送丧 sāng〕
〔送财神爷〕 sòng cáishényé 명 섣달 그믐날에 가난한 집 아이가 복신(福神)의 그림을 그리고 돈을 받고 다니는 일.
〔送茶〕 sòng.chá 동 손님에게 차를 내다.
〔送呈〕 sòngchéng 동 봉정(奉呈)하다. 바치다.
〔送惩〕 sòngchéng 동 ⇨〔送案〕
〔送存〕 sòngcún 동 〈公〉 문서를 송부하여 보존시키다.
〔送饭〕 sòngfàn 동 ①식사를 보내 주다. ②식욕이 나다. 많이 먹히다. ¶我爱吃你们的擦菜子, 它酸酸的, 很～; 우리는 당신네의 김치를 좋아해요. 시큼한 것이 입맛을 돋워요. =〔下饭〕
〔送粪〕 sòng.fèn 동 밭에 인분을 나르다〔나르고 거름을 주다〕.
〔送风机〕 sòngfēngjī 명 선풍기. 통풍기.
〔送风马达〕 sòngfēng mǎdá 명 《機》 블로워 모터(blower motor).
〔送佛送到西天〕 sòng fó sòngdào xītiān 〈諺〉 부처를 서천에 보내다. 〈轉〉 철저하게 하다.
〔送服〕 sòngfú 동 약을 복용하다. ¶用白开水～; 끓인 물로 약을 복용하다.
〔送给〕 sònggěi 동 보내다. 거저 주다. ¶～什么东西好? 어떤 것을 보내면 좋을까?
〔送羹饭〕 sònggēngfàn 동 ⇨〔送鬼〕
〔送工〕 sòng.gōng 동 무상으로 노동하다.
〔送故迎新〕 sòng gù yíng xīn 〈成〉 ⇨〔送旧迎新〕
〔送官〕 sòngguān 동 관청에 인도하다. ¶～问罪; 관청에 인도해서 처단하다. 관청에 넘겨 죄를 묻다.
〔送鬼〕 sòngguǐ 동 액땜하다《옛날, 사람이 앓는 것은 망령이 재앙을 내린다는 미신에서, 술과 음식을 바쳐 액막이를 하는 것을 말함》. =〔送羹饭〕〔送祟suì〕
〔送寒衣〕 sònghányī 명 음력 10월 1일에, 죽은 사람에게 겨울옷을 보내 주는 행사《종이로 만든 옷을 태움》.
〔送话〕 sòng.huà 동 (경솔한 말을 하여) 남의 이야깃거리가 되다. ¶往人嘴底下～; 남의 입에 오르다.
〔送话器〕 sònghuàqì 명 《電》 마이크로폰(microphone). 마이크.
〔送还〕 sònghuán 동 (주로 물건을) 송환하다. 반환하다.
〔送回〕 sòng.huí 동 (사람을) 돌려 보내다. ¶把妻子～娘家去; 아내를 친정으로 돌려 보내다.
〔送贿〕 sònghuì 동 뇌물을 주다.
〔送货〕 sònghuò 동 ①상품을 보내다. ¶～单 =〔发(货)单〕; 상품 송장(送狀). ②배달하다. ¶～簿; 물건을 받은 도장을 받아 두는 장부 / ～上门; 고객의 집에 물건을 배달하다.
〔送饯〕 sòngjiàn 동 전별(餞別)하다. =〔饯行〕
〔送交〕 sòngjiāo 동 ①신고하여 넘기다. 인도(引渡)하다. ¶～宪兵队; 헌병대에 인도하다. ②〈文〉 직접 배달하다. ¶～尊府; 댁으로 직접 보내겠습니다. 명 《商》 점두 지참 인도.
〔送脚〕 sòngjiǎo 동 운송〔배달〕하다.
〔送节〕 sòngjié 동 명절(설·단오·추석)의 선물을 하다.
〔送进〕 sòngjìn 동 보내 주다. ¶～历史博物馆; 역사 박물관에 보내 주다.
〔送究〕 sòngjiū 동 ⇨〔送案〕
〔送酒安席〕 sòngjiǔ ānxí 연회에서, 주인이 술잔에 술을 따르고 일일이 지명하여 손님의 좌석을 차례로 정해 나가는 일. ¶客到齐了, 主人就～; 손님이 모두 오면, 주인이 술을 따르면서 손님의 좌석을 일일이 정해 나간다. =〔安席〕
〔送旧迎新〕 sòng jiù yíng xīn 〈成〉 송구영신. 묵은 해를 보내고 새해를 맞이하다. =〔送故迎新〕
〔送君千里, 终有一别〕 sòng jūn qiān lǐ, zhōng yǒu yī bié 〈諺〉 그대를 천리까지 바래다 주어도 결국은 헤어져야 한다. 〈轉〉 만남은 이별의 시작이다.
〔送客〕 sòng.kè 동 손님을 배웅하다.
〔送库〕 sòngkù 명 〈北方〉 출관(出棺) 전날 해질녘에 거리에서 종이로 만든 '楼lóu库'를 태우는 일. =〔送圣shèng〕
〔送老〕 sòng.lǎo 동 ①부모의 장례식을 치르다. ②〈文〉 노후(老後)를 보내다.
〔送老家去〕 sòng lǎojiā qù 죽이다《풍자적으로 쓰임》.
〔送礼〕 sòng.lǐ 동 예물〔선물〕을 보내다. ¶给他～; 그에게 선물을 보내다. =〔送礼物〕〔送人情②〕
〔送力〕 sònglì 명 (물건을 배달해 온 심부름꾼에게 주는) 심부름삯.
〔送路〕 sònglù 동 배웅하다. =〔送行〕 명 ⇨〔送三〕
〔送嬷嬷〕 sòngmāma 명 옛날, 신부가 시가에 데리고 들어가는 몸종.
〔送梅雨〕 sòngméiyǔ 명 강남 지방에서, 음력 5월에 내리는 비.
〔送命〕 sòng.mìng 동 ①목숨을 끊다. ¶～郎中; 사람 죽이는 의사. ②(헛되이) 목숨을 잃다. 개죽음을 하다. ¶为钱送了命; 돈 때문에 목숨을 잃다.
〔送目取爱〕 sòngmù qǔ'ài 추파를 던지다.
〔送娘娘〕 sòngniángniang 명 옛날 미신의 하나로, 아이가 천연두에 걸렸을 때, 한밤중에 종이로 만든 천개(天蓋)·가마·포창신(疱瘡神)의 감실(龕室)을 길에 들고 나와 태우는 일.
〔送暖偷寒〕 sòng nuǎn tōu hán 〈成〉 ⇨〔偷寒送暖〕
〔送气〕 sòngqì 명 《言》 유기음(有氣音)《자음을 발음할 때 강한 기류(氣流)를 동반하는 것으로, 현대 중국어의 p·t·k·q·c·ch》. =〔吐气〕 ↔〔不送气〕
〔送钱〕 sòng.qián 동 ①돈이나 재물(財物)을 보내다. ¶～, 送东西都行; 돈을 기부해도 되고 물건을 기증해도 된다. ②〈比〉 돈을 헤프게〔헛되게〕 쓰다.

〔送亲〕 sòngqīn 동 신부를 신랑 집까지 데리고 가다. ¶～的; 위요(圍繞)《친척·친구들 중에서 뽑은 한 쌍의 부부 또는 두 쌍의 부부가 이 일을 맡음. 그 중의 남성쪽을 '～老爷' '～爷们' '～官客' 라 하고, 여성 쪽을 '～太太' 라 함》.
〔送情〕 sòng‚qíng 동 ①물건을 선사하다. =〔送礼〕 ②뇌물을 보내다. ¶把多少财宝送了情; 많은 재물을 뇌물로 썼다. ③호의를 보이다. 정을 주다. ¶眉目～; 눈으로 속삭이다. 추파를 던지다.
〔送穷〕 sòngqióng 동 가난의 신(神)을 몰아 내다. 액막이하다. 액때움을 하다.
〔送秋波〕 sòng qiūbō 추파를 보내다. 가까이하고 싶은 눈치를 보이다.
〔送人〕 sòng‚rén 동 ①배웅하다. ②남에게 보내다. ¶这是～的; 이것은 남에게 줄 것입니다. ③(소개업자가) 사람을 구인자(求人者)에게 보내다.
〔送人情〕 sòng rénqíng ①(수월하게 할 수 있는 편의를 봐 주고) 공치사하다. 환심을 사다. 생색을 내다. ②〈方〉 ⇨〔送礼〕
〔送三〕 sòngsān 명 죽은 지 사흘째의 지전(紙錢)을 불사르는 의식. =〔接三〕〔送路〕
〔送丧〕 sòng‚sāng 동 ⇨〔送殡bìn〕
〔送上〕 sòngshàng 동 ①바치다. 드리다. ②(목적지까지) 보내어 주다. ¶～门来; 집 앞까지 보내어 주다.
〔送神〕 sòngshén 동 (음력 12월 23일 밤에) 부뚜막신(神)의 승천(昇天)을 배웅해서 보내다. ¶请神容易, ～难; 〈諺〉 신을 맞이하기는 쉽지만, 잘 전송해 보내기는 어렵다《무엇이든 시작하기는 쉽지만, 유종의 미를 거두기는 어렵다》.
〔送审本〕 sòngshěnběn 명 심사·검열을 위하여 관계 기관에게 돌리는 서적.
〔送生娘娘〕 sòngshēng niángniang 명 삼신 할머니. =〔送子娘娘〕
〔送圣〕 sòngshèng 명 ⇨〔送库〕
〔送水〕 sòng‚shuǐ 동 (밭·작업장 따위에) 차〔식수〕를 내가다.
〔送死〕 sòngsǐ 동 ①〈口〉 스스로 죽음의 길을 택하다. ②⇨〔送终②〕
〔送祟〕 sòngsuì 동 ⇨〔送鬼〕
〔送祟单〕 sòngsuìdān 명 미신에서, 밤에 잘 우는 아이를 가진 부모가 가로(街路)에 붙이는 액막이 부적.
〔送铜〕 sòngtóng 동 〈俗〉 (도박에서) 계속해서 잃다.
〔送往事居〕 sòng wǎng shì jū 〈成〉 (부모가) 돌아가시면 정중히 장례를 모시고, 생전에는 잘 섬기다《효도를 다하다》.
〔送往迎来〕 sòng wǎng yíng lái 〈成〉 가는 손님을 배웅하고 오는 손님을 마중하다. 손님 접대에 바쁘다.
〔送鲜〕 sòngxiān 동 (철따라) 만물을 보내다.
〔送香火儿的〕 sòngxiānghuǒrde 명 담뱃불 붙여 주는 사람《옛날, 번화가나 오락장 등에 출입하여, 손님이 담배를 피우려고 하면 불이 붙은 선향(線香)을 재빨리 대령하여 불을 붙여 주고 얼마간의 보수를 받아 먹고 살던 거지와 다름없는 자》.
〔送信〕 sòng‚xìn 동 ①편지를 보내다. ②서신을 배달하다. ¶～的; 우편 집배원. ③정보·소식을 전하다.
〔送信儿〕 sòng‚xìnr 동 소식을 전하다. ¶明儿我给他～去; 나는 내일 그에게 소식을 전하러 간다.
〔送行〕 sòng‚xíng 동 ①배웅하다. 전송하다. ¶给他～; 그를 전송하다. ②⇨〔饯行〕
〔送疟子〕 sòng yàozi 학질을〔말라리아를〕 쫓아내다《엽전을 나무에 매달아 놓으면 가져간 사람에게 학질이 옮아간다는 미신》.
〔送医〕 sòngyī 동 ①의사를 보내다. ¶～上门; 의사가 환자 집에 가다. ②의료(醫療)를 베풀다. ¶爬山涉水, 坚持～送药上门, 医好了许多危重病人; 산을 기어오르고 내를 건너, 직접 환자 집에 가서 병을 치료하거나 약을 보내는 방식을 지켜, 많은 중환자를 고쳤다.
〔送葬〕 sòng‚zàng 동 시신을 매장지나 화장터로 보내다.
〔送灶〕 sòng‚zào 동 (음력 12월 23일) 조왕(竈王)을 승천(昇天)하게 하다《각 가정에서는 엿을 차려서 제사 지냄》.
〔送站〕 sòngzhàn 동 역까지 배웅하다.
〔送终〕 sòng‚zhōng 동 ①(부모의) 병구완을 하다. ②선배·친척의 장례식을 맡아 보다. =〔送死②〕
〔送妆〕 sòng‚zhuāng 동 혼수를 보내다.
〔送子〕 sòngzǐ 동 (신이) 자식을 점지하다. ¶～娘娘 =〔送生娘娘〕; 삼신 할머니.
〔送做堆儿〕 sòng zuò duīr 옛날, 아랫사람이 첩을 얻는 것을 (윗사람이) 인정해 주는 것. ¶老太爷备了桌酒, 给他们～; 할아버지는 주안상을 차려 주고 두 사람을 정식으로 인정했다.

SOU ㄙㄡ

溲 sōu (수)
①동 붓다. 적시다. ②동 밀가루에 물을 붓다. ③명동 〈文〉 변(便), 특히 오줌(을 누다). ¶～器qì; 변기. 요강 / 一日数～; 하루에 몇 번 소변을 보다. =〔溲溺niào〕〔溲便biàn〕 ④→〔溲疏〕 ⑤→〔溲溲〕
〔溲疏〕 sōushū 명 《植》 병꽃나무(의 꽃).
〔溲溲〕 sōusōu 명 쌀을 씻는 소리.

廋 sōu (수)
〈文〉 ①동 숨다. 숨기다. ¶～伏; 복병을 두다. 매복하다 / ～语; 은어. ②동 찾다. 수색하다. =〔廋求〕〔廋索〕 ③명 모퉁이. ¶山～; 산모퉁이. 모롱이. =〔隈wēi〕

搜 sōu (수)
동 수색하다. 찾다. 검사〔수사〕하다. ¶什么也没～着; (검사를 했으나) 아무것도 나오지 않았다〔찾지 못했다〕 / ～身; ⇩
〔搜捕〕 sōubǔ 동 수색하여 체포하다. =〔搜获〕
〔搜采〕 sōucǎi 동 (온갖 수단으로) 채집하다. 수집하다. ¶～物证; 물증을 수집하다.
〔搜查〕 sōuchá 동 (범죄자나 규제품을) 수사〔수색〕하다. ¶挨户～; 집집이 수사하다. 명 수사.
〔搜肠刮肚〕 sōu cháng guā dù 〈成〉 생각을 짜내다. 머리를 짜내어 생각하다.
〔搜根儿〕 sōugēnr 동 시시콜콜히 캐어 조사하다.
〔搜根剔齿〕 sōugēn tīchǐ 〈比〉 철저히 파고들다〔조사하다〕.
〔搜购〕 sōugòu 동 찾아다니며 사 모으다. ¶近日曼谷的出口米商却四处～谷米, 以供装船外运, 以致数日来曼谷米市掀起涨风; 최근에 방콕의 미곡 수출업자가 여기저기서 쌀을 사들여 선적해서 국외로 반출하고 있기 때문에, 요 며칠새 방콕의 쌀 시세는 값이 올라 소동이 일어나고 있다.

〔搜刮〕 sōuguā 동 ①찾다. ②채어 빼앗다. 착취하다. 약탈하다. =〔搜括〕
〔搜获〕 sōuhuò 동 ⇨〔搜捕〕
〔搜缉〕 sōujī 동 수사 체포하다. 체포를 위해 수사하다.
〔搜集〕 sōují 동 수집하다. 찾아 모으다. ¶～材cáiliào料; 재료를 수집하다 / ～意见; 널리 의견을 수집하다. 명 수집. ‖ =〔搜辑〕
〔搜辑〕 sōují 명동 ⇨〔搜集〕
〔搜夹子〕 sōujiāzi 명 ⇨〔蠼qú螋〕
〔搜家〕 sōu.jiā 동 집을 뒤져 찾다. 가택 수색을 하다.
〔搜检〕 sōujiǎn 동 수색하여 조사하다. 수사 점검하다. ¶被警察～出去; 경찰에 의해서 수색되어 드러나다.
〔搜剿〕 sōujiǎo 동 〈文〉 수색하여 토벌하다.
〔搜缴〕 sōujiǎo 동 몰수하다. 찾아서 빼앗다.
〔搜尽枯肠〕 sōu jìn kū cháng 〈成〉 온갖 생각을 다 짜내다.
〔搜看〕 sōukàn 동 찾아 다니다. 여기저기 수색하다. ¶再入庙里来～《水滸傳》; 다시 한 번 사당 안에 들어가서 찾아보고 돌아다니다.
〔搜括〕 sōukuò 동 ⇨〔搜刮②〕
〔搜罗〕 sōuluo 동 ①(널리) 수집하다. 찾아서 모으다. ¶～人材; 널리 인재를 모으다 / ～党羽; 도당을 그러모으다 / ～大量史料; 대량의 사료(史料)를 수집하다 / ～殆尽; 〈成〉 거의 다 수집하다. 모두 수집해서 거의 없어지다. ②탐색하다.
〔搜拿〕 sōuná 동 수사 체포하다. ¶～犯人; 범인을 수사 체포하다.
〔搜盘〕 sōupán 동 여기저기 다니며 사 모으다. ¶由于各线帮客～突告增强, 各货走势连续翻升; 각 방면으로부터의 지방 매주측(買主側)의 사 모으기가 갑자기 증강되었기 때문에, 각 상품의 시세 변동은 계속 높은 값을 경신하고 있다.
〔搜票〕 sōupiào 명 체포 영장.
〔搜求〕 sōuqiú 동 찾다. 물색하다. ¶秦王多方～韩非的著作; 진왕(秦王)은 팔방으로 온갖 수단을 다하여 한비자(韓非子)의 저작을 찾았다.
〔搜身〕 sōu.shēn 동 (숨긴 것을 찾기 위해) 몸수색을 하다. ¶让门口的武装卫兵严密地～; 입구의 무장한 위병에게 철저한 몸수색을 받다.
〔搜索〕 sōusuǒ 동 수색하다. 수사하다. ¶～犯人的下落; 범인의 행방을 수색하다.
〔搜索枯肠〕 sōu suǒ kū cháng 〈成〉 (시문 따위를 짓기 위해) 애써 머리를 짜다. 골똘히 생각하다. ¶～硬作文章; 빈약한 머리를 짜내어 억지로 문장을 만들다. =〔搜尽枯肠〕
〔搜索引擎〕 sōusuǒ yǐnqíng 명 《電算》 검색 엔진.
〔搜讨〕 sōutǎo 동 〈文〉 (이치 따위를) 찾다. 세밀히 검토〔연구〕하다.
〔搜剔〕 sōutī 동 후비어 내듯 찾다. 샅샅이 가려내다.
〔搜寻〕 sōuxún 동 찾아다니다. ¶～珍本; 진귀본을 찾아다니다 / ～不着zháo; 찾아 내지 못하다 / ～是非; 〈成〉 흠을 잡다. 트집을 잡다.
〔搜验〕 sōuyàn 동 〈文〉 검사하다.
〔搜腰〕 sōu.yāo 동 호주머니를 뒤지다. 소지품 검사를 하다. =〔搜腰包〕

嗖

sōu (수)
〈擬〉 씽. 휙. 핑. 윙《빨리 지나가는 소리의 형용》. ¶汽车～的一声过去了; 자동차가 휙 지나갔다 / 子弹～～地飞过; 탄알이 퓽퓽 날아가다. =〔飕③〕

馊(餿)

sōu (수)
동 ①밥이나 죽이 시큼해지다. 쉬다. ¶饭～了; 밥이 쉬었다. ②냄새가 나다. ¶身上都～了, 还不洗洗? 온몸이 (땀과 더러움으로) 냄새가 나는데도, 씻지 않느냐?
〔馊臭〕 sōuchòu 동 썩어서 냄새가 나다. 쉰내가 나다.
〔馊饭〕 sōufàn 명 쉰〔부패한〕 밥. ¶～户头; 〈比〉 질이 나쁜 손님〔거래처〕.
〔馊腐〕 sōufǔ 형 진부(陳腐)하다.
〔馊气〕 sōuqì 명 쉰 냄새.
〔馊酸〕 sōusuān 형 〈比〉 인색하다. 쩨쩨하다. ¶悭qiān吝～; 인색하고 쩨쩨하다. 또는 그런 사람.
〔馊味(儿)〕 sōuwèi(r) 명 ①쉰 냄새. ②쉰 맛.
〔馊主意〕 sōuzhǔyi 명 〈比〉 ①발칙한 생각. 잔꾀. ②시시한 생각. 역겨운 생각. ¶出～; 부질없는 것을 생각하다.

飕(颼)

sōu (수)
①〈擬〉 쏴. 윙《바람 소리》. ¶～～的风; 쏴 하고 부는 바람 / ～的一声抽出一把刀来; 쑥 칼을 잡아 뽑았다. ② 동 〈方〉 바람을 받아 마르거나 냉각되거나 하다. ¶洗的衣服被风～干了; 바람에 빨래가 말랐다. ③〈擬〉 ⇨〔嗖sōu〕
〔飕飗〕 sōuliú 〈擬〉〈文〉 쏴쏴. 쌩쌩《바람 소리의 형용》.
〔飕(儿)飕(儿)〕 sōu(r)sōu(r) 〈擬〉 쏴쏴. 윙윙. ¶风～刮guā得很凉; 바람이 윙윙 불어 무척 썰렁하다 / ～的一阵秋风; 쏴 하고 일진의 가을 바람이 분다 / 他们享受那～的鞭声与老人的怒吼《老舍 四世同堂》; 그들은 저 찰싸닥하는 채찍 소리와 노인의 성난 소리를 즐기고 있다.

锼(鎪)

sōu (수)
동 〈方〉 실톱으로 나무에 도림질하다. 목각(木刻)하다. ¶～弓子 =〔钢丝锯〕; 〈方〉 (조각 등에 쓰이는) 실톱 / 镜子边框上的玲珑花纹是～出来的; 거울틀의 영롱한 무늬는 조각한 것이다.

螋

sōu (수)
→〔蠼qú螋〕

艘

sōu〔sāo〕 (소)
① 명 배. ② 양 척《배를 세는 말》. ¶军舰jiàn十～; 군함 10척.

蒐

sōu (수)
① 동 모으다. ¶～集意见; 의견을 모으다 / ～集材料; 자료를 수집하다. =〔蒐集〕 ② 동 모이다. ③ 동 찾(아 내)다. ¶身上～出一包海洛英来了; 몸에서 한 봉지의 헤로인(heroin)을 찾아 냈다. ④ 명 〈文〉 《植》 꼭두서니. ⑤ 명 옛날, 봄·가을의 사냥을 가리킴. ¶春～; 봄사냥.

叟〈叜〉

sǒu (수)
명 노인. 옹(翁). ¶童～无欺; 〈成〉 아이나 노인일지라도 속이지 않는다《상점의 선전 문구》 / 邻～; 이웃 노인. =〔老叟〕

瞍

sǒu (수)
명 〈文〉 ①눈에 동자(瞳子)가 없는 것. ②소경.

嗾

sǒu (수)
①〈擬〉 개를 부추길〔부릴〕 때 내는 소리. ② 동 부추기다. 교사〔사주(使嗾)〕하다. ¶～狗追兔; 개를 부추겨서 토끼를 쫓게 하다 / ～使家人不睦; 집안 사람을 부추겨 불화하게 만들다 /

~奖; 부추기다. 꼬드기다. =〔调tiáo嗾〕
〔嗾使〕 sǒushǐ 동 교사(教唆)하다. 사주하다.

薮(藪) sǒu (수) 명〈文〉①풀이 우거진 호수(湖水)나 소택(沼澤). ②〈比〉인재가 모이는 곳. ¶人才渊yuān~; 인재가 많이 모인 곳.

擞(擻) sǒu (수) 동 ①북돋워 일으키다. ¶抖~精神; 기운을 북돋워 일으키다. ②털다. ⇒sòu
〔擞抖抖〕 sǒudǒudǒu 형〈古白〉벌벌 떠는 모양. ¶王道台吓得~的颤; 왕도태는 놀라서 벌벌 떨었다.

嗽〈嗽〉 sòu (수) 명동 기침(하다). ¶干gān~; 마른 기침(을 하다) / 咳~了一声 =〔~了一声〕; 콜록 기침을 하다 / ~血; 《漢醫》 각혈(하다).

擞(擻) sòu (수) 동〈方〉부젓가락 따위로 화로의 재를 쑤셔서 털다. ¶把炉子~一~吧! 화로의 재를 떨어 내라! ⇒sǒu
〔擞火〕 sòuhuǒ 동 (부젓가락 따위로) 화로의 재를 떨어 화력을 세게 하다.
〔擞净〕 sòujìng 동 (부젓가락으로) 재를 깨끗이 떨어 내다.

SU ㄙㄨ

苏(蘇〈甦〉A), 囌G)) sū (소) A) 동 ①소생(蘇生)하다. ¶死而复~; 죽은 뒤에 되살아나다. 괴로움에서 풀려나 자유로워지다. ②〈轉〉고난에서 벗어나다. ③잠에서 깨다. B) 명 늘어진 술. C) 명 《植》 ①차조기. =〔紫苏〕 ②들깨. =〔白苏〕 D) 명 《地》〈簡〉①쑤저우(蘇州)의 약칭. ¶~白; 쑤저우(蘇州) 방언(方言). ②장쑤 성(江蘇省)의 약칭. E) 명 《地》〈簡〉소련. 소비에트. =〔苏维埃〕〔苏联〕 F) 동〈俗〉파삭파삭 부스러지다. 힘없이 바스러지다. ¶一碰就~; 닿기만 하면 이내 부스러진다. G) →〔噜lū苏〕 H) 명 성(姓)의 하나.
〔苏白〕 sūbái 명 ①→〔字解D)①〕 ②'昆kūn曲'·'京剧'에서의 쑤저우(蘇州) 말로 하는 대사.
〔苏脆〕 sūcuì 형 ⇨〔酥脆〕
〔苏打〕 sūdá 명〈音〉소다(soda). =〔碳tàn酸钠〕〔苏答〕〔苏达〕
〔苏丹〕 Sūdān 명《地》〈音〉수단(Sudan)(아프리카 동북부의 공화국. 수도는 '喀土穆'(하르툼: Khartoum)).
〔苏底〕 sūdǐ 명〈方〉〈音〉소켓(socket). =〔插座〕
〔苏俄〕 Sū'é 명《地》〈簡〉〈音〉소비에트 러시아(Soviet Russia).
〔苏尔奈〕 sū'ěrnài ⇨〔唢suǒ呐〕
〔苏发呱定〕 sūfā guādìng 명 ⇨〔磺huáng胺胍〕
〔苏方〕 sūfāng 명 ①《植》 다목. ②(Sūfāng) 소련측(側).
〔苏枋〕 sūfāng 명 ⇨〔苏木①〕
〔苏斐斯特〕 Sūfěisītè 명《哲》〈音〉소피스트(sophist).
〔苏格拉底〕 Sūgélādǐ 명《人》〈音〉소크라테스(Socrates)(그리스의 철학자, 469~399B.C).
〔苏格兰〕 Sūgélán 명《地》〈音〉스코틀랜드(Scotland). ¶~威士忌酒; 스카치 위스키. =〔苏克兰〕
〔苏梗〕 sūgěng 명《植》 차조기의 줄기(약용).
〔苏杭〕 Sū Háng 명《地》 쑤저우(蘇州)와 항저우(杭州). ¶上有天堂, 下有~; 〈諺〉천상에 극락정토가 있듯이, 지상에는 쑤저우와 항저우가 있다(쑤저우·항저우는 강남에서 경치 좋은 곳).
〔苏合香〕 sūhéxiāng 명《植》 소합향(페르시아 원산의 낙엽 교목. '~树'에서 채취하는 수지를 '~油' '苏合油' '流动~'이라 일컬어, 향료·거담제(去痰劑)·옴 치료제로서 씀).
〔苏沪〕 Sū Hù 명 쑤저우(蘇州)와 상하이(上海).
〔苏化果乃丁〕 sūhuà guǒnǎidīng ⇨〔磺huáng胺胍〕
〔苏化那米〕 sūhuà nàmǐ 명《藥》 설파마인(sulfamine). =〔磺huáng胺〕
〔苏化太秦〕 sūhuà tàiqín 명《藥》 술파다이아진(sulfadizine). =〔苏化太仙〕
〔苏缓〕 sūhuǎn 동〈文〉완화하여 소생시키다. ¶~农民的元气; 농민의 고통을 완화하여 기력을 되살아나게 하다.
〔苏黄米蔡〕 Sū Huáng Mǐ Cài 명《人》 북송의 사대 서예가 소식(蘇軾)·황정견(黃庭堅)·미불(米芾)·채양(蔡襄)을 말함.
〔苏髻〕 sūjì 명 ⇨〔苏州髻(儿)〕
〔苏京〕 Sūjīng 명 소련의 수도(모스크바).
〔苏剧〕 sūjù 명 장쑤 성(江蘇省)의 주요 지방극의 하나('苏州滩簧'에서 발전함). =〔苏戏〕
〔苏克兰〕 sūkèlán 명 ⇨〔苏格兰〕
〔苏空头〕 sūkòngtou 명 소주의 빈말쟁이.
〔苏黎世〕 Sūlíshì 명《地》〈音〉취리히(스위스 북부의 지방).
〔苏里南〕 Sūlǐnán 명《地》〈音〉수리남(Surinam)(남미 북동부의 나라. 수도는 '帕拉马里博'(파라마리보:Paramaribo)).
〔苏联〕 Sūlián 명《地》〈簡〉소련('苏维埃社会主义联邦共和国'의 약칭. 수도는 '莫斯科'(모스크바:Moskva)). ¶~部长会议主席; 소련 각료 회의 의장 / ~最高苏维埃; 소련 최고 회의.
〔苏门答腊岛〕 Sūméndálà Dǎo 명《地》〈音〉수마트라 섬(말레이시아 제도(諸島)의 하나로, 인도네시아 공화국을 구성하는 한 섬).
〔苏木〕 sūmù 명 ①《植》 다목. ¶~红; 다목의 붉은 빛깔 / ~膏; 다목의 엑스. =〔苏枋〕 ②(몽골어(語)로) 라마 묘(廟). ③〈轉〉몽골의 부락.
〔苏木精〕 sūmùjīng 명《化》 헤마톡실린(hematoxylin).
〔苏区〕 sūqū 명 소비에트구(區)(제2차 국내 혁명 전쟁기에 있어서의 혁명 근거지).
〔苏软〕 sūruǎn 형 피로 또는 쇼크로 축 늘어지다. 나른하다〔노곤하다〕. ¶使尽了力气, 手脚都~了; 힘을 다 써 버려서 손발이 나른해 축 늘어졌다. =〔酥软〕
〔苏润〕 sūrùn 동〈文〉혜택을 베풀어 윤택하게 하다.
〔苏苏〕 sūsū 형〈文〉쭈뼛쭈뼛하는 모양. 무서워 불안한 모양. ¶震zhèn~; 무서워 벌벌 떨다.
〔苏滩〕 sūtān 명〈簡〉쑤저우(蘇州)의 잡곡(雜曲). =〔苏州滩簧〕

〔苏铁〕 sūtiě 명 《植》 소철. =〔铁蕉〕〔铁树①〕〔凤fèng尾蕉〕〔凤尾松〕〔番fān蕉〕
〔苏瓦〕 Sūwǎ 명 《地》 〈音〉 수바(Suva)('斐fěi济'(피지: Fiji)의 수도).
〔苏维埃〕 Sūwéi'āi 명 〈音〉 소비에트(Soviet).
〔苏息〕 sūxī 동 〈文〉 ①휴식을 취하다. ②소생하다. 되살아나다.
〔苏戏〕 sūxì 명 ⇨〔苏剧〕
〔苏醒〕 sūxǐng 동 소생하다. ¶他～过来了; 그는 소생했다. 그는 의식이 되살아났다/用人工呼吸又～过来了; 인공 호흡으로 소생했다.
〔苏胸〕 sūxiōng 명 ⇨〔酥胸〕
〔苏绣〕 sūxiù 명 쑤저우(蘇州)의 자수(刺繡).
〔苏叶〕 sūyè 명 《漢醫》 소엽(차조기의 잎. 약용함).
〔苏伊士运河〕 Sūyīshì Yùnhé 명 《地》 〈音〉 수에즈(Suez) 운하. =〔苏彝yí士〕
〔苏鱼〕 sūyú 명 ⇨〔酥鱼〕
〔苏州扁儿〕 sūzhōubiǎnr 명 ⇨〔苏州髻(儿)〕
〔苏州髻(儿)〕 sūzhōujì(r) 명 소주식 쪽(머리를 뒤통수에서 둥글게 묶어 비녀를 꽂는 방식). =〔苏髻〕〔苏州扁biǎn儿〕
〔苏州码(字)〕 Sūzhōu mǎ(zì) 명 쑤저우(蘇州) 숫자(중국의 전통적인 숫자를 나타내는 부호. 1에서 10까지는 '〡〢〣〤〥〦〧〨〩〸'으로 나타냄). =〔草码〕
〔苏子〕 sūzǐ 명 《植》 ①들깨. ¶～油; 들기름. ②차조기의 알맹이.

酥 sū (수)
①명 소 또는 양의 젖으로 만든 식품. ②명 치즈. ③명 밀가루에 지방이나 설탕을 섞어 만든 일종의 과자. ¶核hé桃～; 호두를 넣어 만든 과자. ④형 바삭바삭하다. 가볍고 바삭하다. ¶把虾米炸～了; 새우를 바삭하게 튀겨 내었다. ⑤동 (힘 빠져) 기력을 잃다. ¶吓得浑身都～了; 놀라서 온몸의 힘이 쑥 빠졌다. ⑥동 〈京〉 실망하다. 흥이 깨지다. ¶大家看得很高兴的时候, 忽然这么一停电, 观众全～了; 모두들 유쾌하게 보고 있을 때, 갑자기 정전이 되어, 관중은 모두 실망했다. ⑦동 〈京〉 물건이 못 쓰게 되다. 일이 틀어지다. 실패하다. ¶看着情形不好, 你早说呀, 等到～了谁也没办法了; 형편이 나쁘다고 생각되거든 빨리 말해라. 일이 틀어지고 나서는 아무도 어떻게 할 도리가 없다. ⑧형 부드럽고 윤이 나다.

〔酥氨酸〕 sū'ānsuān 명 《化》 트레오닌(threonine).
〔酥饼〕 sūbǐng 명 밀가루에 기름·설탕을 넣고 구운 파이. =〔酥烧〕
〔酥脆〕 sūcuì 형 아삭아삭〔바삭바삭〕하다. =〔苏脆〕
〔酥倒〕 sūdǎo 동 녹초가 되어 쓰러지다. 진절머리 나다. ¶简直叫人～了; 참으로 사람으로 하여금 진절머리 나게 한다.
〔酥灯〕 sūdēng 명 구식의 등불('油面'(밀가루를 기름에 반죽한 것)에 심지를 세우고, 안정되게 원뿔꼴로 손으로 빚어 만든 것으로, 양초처럼 쓸 수 있음).
〔酥发〕 sūfà 명 〈文〉 부드럽고 윤이 나는 머리카락.
〔酥瓜〕 sūguā 명 《植》 참외.
〔酥果子〕 sūguǒzi 명 밀가루를 식용유로 반죽하여 불에 구워 만든 과자·간식(間食)의 총칭.
〔酥盒子〕 sūhézi 명 부드럽고 말랑말랑한 과자를 한데 넣은 작은 상자.
〔酥酪〕 sūlào 명 치즈(cheese).
〔酥了〕 sūle 동 〈方〉 ①힘이 빠지다. 나빠지다. ②흥이 깨지다.
〔酥梨〕 sūlí 명 연한 배.
〔酥麻〕 sūmá 형 저릿저릿하다. 저리다.
〔酥皮(儿)〕 sūpí(r) 명 과자의 흐슬부슬 부서지기 쉬운 껍질.
〔酥软〕 sūruǎn 형 ①맥이 탁 풀려 있다. 노곤하다. =〔苏软〕 ②가볍고 부드럽다. ¶～的点心; 부드러운 과자〔간식〕.
〔酥烧〕 sūshāo 명 ⇨〔酥饼〕
〔酥糖〕 sūtáng 명 ①말랑말랑하고 투명한 엿을 납작하게 펴서, 깨소금을 뿌려 돌돌 말고, 끝에서부터 잘라 하나씩 종이에 싼 과자. ②물엿을 떠서, 콩가루 또는 깨소금을 담은 그릇에 옮겨 넣고, 반복해서 엿을 잡아늘이는 동안에 생기는, 가는 실타래 모양의 과자.
〔酥胸〕 sūxiōng 명 여자의 희고 풍만한 가슴. =〔苏胸〕
〔酥油〕 sūyóu 명 소나 양의 젖이 엉겨 굳은 크림으로 만든 식품. ¶～茶; 우유나 양젖의 기름을 넣은 차(티베트족(族)이 애용함).
〔酥鱼〕 sūyú 명 뼈까지 흐물흐물하게 조리한 생선. =〔苏鱼〕
〔酥炸〕 sūzhá 명 껍질 속에 라드나 버터를 넣어, 기름에 파삭파삭하게 튀김. 또, 그것.

稣(穌) sū (소)
①동 소생하다. 다시 살아나다. =〔苏A)①〕 ②음역자. ¶耶～; 예수.

窣 sū (솔)
→〔窣磕〕〔窣窣〕〔窸xī窣〕

〔窣磕〕 sūkē 〈擬〉〈文〉 바스락. 딸그락. ¶邻人闻屋中～之声; 이웃 사람이 방 안에서 바스락 소리가 나는 것을 들었다.
〔窣窣〕 sūsū 〈擬〉 솨솨(옷 스치는 소리. 낙엽 소리. 바람 소리 따위).

俗 sú (속)
①명 풍속. ¶移风易～; 풍속을 고치다/入境问～; 다른 나라에 들어가면 그 나라의 풍속을 묻는다. 입향순속(入鄕循俗). ②형 통속〔대중〕적이다. 일반적이다. ¶通～读物; 통속적인 읽을거리/～文学; 통속 문학. ③형 저속하다. 속되다. ¶庸yōng～; 범용하고 속되다/画得不～; (그림의) 그림새가 속되지 않다. ④형 신기하지 않다. 새로운 맛이 없다. 흔하다. ¶这句都听～了; 그 이야기는 신물이 나도록 들었다/渐渐地～了; 점점 흔한 것이 되었다. =〔不新鲜〕 ⑤명 (출가(出家)한 사람에 대한) 일반인. 속인(俗人). ¶僧～; 승려와 속인.

〔俗不讲理〕 sú bù jiǎng lǐ 〈成〉 속되어서 예절·도리에 구애되지 않다.
〔俗不可耐〕 sú bù kě nài 〈成〉 속악(俗惡)하여 견딜 수 없다. 상스럽기〔저속하기〕 그지없다.
〔俗不伤雅〕 sú bù shāng yǎ 〈成〉 통속적이지만 품위를 잃지 않다. 속되지만 품위가 있다.
〔俗菜〕 súcài 명 흔한 요리.
〔俗尘〕 súchén 명 〈比〉 속세(의 일).
〔俗传〕 súchuán 명 일반에게 유포돼 있는 전설. 세간에서 전해 오는 말. 동 세간에서 입으로 전해지다.
〔俗耳〕 sú'ěr 명 〈文〉 속인의 귀. 세상 사람의 귀.
〔俗烦〕 súfán 형 〈文〉 번거롭다. 귀찮다

〔俗氛〕 **súfēn** 명 ①속된 느낌. ②조야한〔상스러운〕 느낌. ‖ =〔俗雰〕
〔俗雰〕 **súfēn** 명 ⇨〔俗氛〕
〔俗父〕 **súfù** 명《佛》출가한 사람에게 있어서, 그 친아버지를 말함《가르침을 받은 스승은 '师shī父'라 함》.
〔俗歌〕 **súgē** 명 옛 이야기를 넣어서 부르는 민요.
〔俗骨〕 **súgǔ** 명〈比〉속인. 속물(俗物). ¶浑身～; 골수까지 속물이다.
〔俗过节儿〕 **súguòjiér** 명 쓸모없는 관습이나 예절. 지나친 예절. ¶他家～太多, 说话不容易; 그의 집에는 쓸데없는 예절이 많아서 말하기가 정말 어렵다.
〔俗呼…〕 **súhū…** 동〈文〉통속적〔일반적〕으로 …이라 부르다〔이르다〕.
〔俗化〕 **súhuà** 명동 속화(하다).
〔俗话(儿)〕 **súhuà(r)** 명〈口〉세속적으로 쓰이는 말. 속어(俗語). 속담.
〔俗忌〕 **sújì** 명 일반적으로 꺼리고 싫어하는 일.
〔俗家〕 **sújiā** 명 ①속인《출가하여 '僧sēng道'(승려나 도사)가 된 사람에 상대하여 말함》. ②속가《출가한 사람에게 있어서, 그의 생가를 말함》.
〔俗间〕 **sújiān** 명 속세간. 속세. =〔红尘〕
〔俗累〕 **súlěi** 명〈文〉세속적인 번거로움. 속사(俗事).
〔俗礼〕 **súlǐ** 명 ①속례. 세속의 예절. ②일상적인 선물.
〔俗理儿〕 **súlǐr** 명 알기 쉬운 도리(道理).
〔俗吏〕 **súlì** 명 속리. 비천한 관리. 쓸모없는 관리.
〔俗例(儿)〕 **súlì(r)** 명 낡은 습관. 속습(俗習). =〔俗论儿〕
〔俗流〕 **súliú** 명〈文〉속류. 속물(俗物).
〔俗陋〕 **súlòu** 형 속루하다. 속악하고 비천하다.
〔俗虑〕 **súlǜ** 명 쓸데없는 생각. 시시한 생각.
〔俗论儿〕 **súlùnr** 명 ⇨〔俗例(儿)〕
〔俗名(儿)〕 **súmíng(r)** 명 ①속칭(俗稱). 세칭(世稱). ¶～叫做…; 속칭 …라고 한다 / 阑尾炎, ～盲肠炎; 충수염(蟲垂炎), 속칭 맹장염 / 在北方, 老鼠～耗子; 북방에서는 쥐를 속칭 '耗子'라고 한다. ②속명《불교에서 출가하기 전의 이름》.
〔俗目〕 **súmù** 명〈文〉속안. 속인이 보는 눈. 저속한 관점. =〔俗眼〕
〔俗盆〕 **súpén** 명 여자들의 뒷물에 쓰는 대야. =〔兰lán盆〕
〔俗贫〕 **súpín** 형〈文〉속되고 상스럽다. ¶～客套话; 속되고 상스러운 인사말.
〔俗气〕 **súqi** 형 ①저속하다. 속되다. 상스럽다. ¶这块布颜色素净, 花样也大方, 一点不～; 이 천은 색깔도 수수하고 무늬도 차분해서, 조금도 저속하지 않다. →〔粗俗〕〔庸俗〕 ②…에 싫증나다〔물리다〕. ¶这话都听～了; 그 말은 싫증나도록 들었다. ③번거롭다. 명 속된 풍. 속된 맛.
〔俗情〕 **súqíng** 명 ①세속적인 정의(情義). 속된 생각. ②평범한 관혼상제(冠婚喪祭)의 선물.
〔俗人〕 **súrén** 명 속인. 범인.
〔俗冗〕 **súrǒng** 명〈文〉속세의 온갖 잡사(雜事).
〔俗儒〕 **súrú** 명〈文〉범용한 학자. 깊은 학문이 없는 유생.
〔俗尚〕 **súshàng** 명〈文〉①세상 일반 사람들의 취미. ②풍속의 흐름.
〔俗事(儿)〕 **súshì(r)** 명 속된 일. 속세간의 일.
〔俗说〕 **súshuō** 명〈文〉속간에서 하는 말. 통속적·습관적인 말. 속설.
〔俗态〕 **sútài** 명 속된 자태.
〔俗谈〕 **sútán** 명 속설(俗說).
〔俗套(子)〕 **sútào(zi)** 명 ①속된〔시시한〕 관습. 속된 관례(慣例). ¶你不必拘这些～; 그런 세속적인〔속된〕 관례에 구애될 필요는 없다. ②관용적인 방식·말투. ¶又说了一段～; 또, 한바탕 판에 박힌 이야기를 했다. ③변화가 없는 것. ¶不落～; 매너리즘에 빠지지 않다 / 练的都是些～; 배워 익힌 것은 모두 새로운 것이 없는 것뿐이다.
〔俗体字〕 **sútǐzì** 명 ⇨〔俗字〕
〔俗务〕 **súwù** 명 ①속무. 자질구레한 일. ②일반 업무.
〔俗物〕 **súwù** 명〈文〉속물. 속된 인물.
〔俗习〕 **súxí** 명 ①일반적인 풍습. ②속된 풍습.
〔俗相〕 **súxiàng** 명 꼴사나운 일. 불리한 일. 사고. ¶我怕又会出～; 나는 또 꼴사나운 일이 일어나지 않을까 걱정이다.
〔俗眼〕 **súyǎn** 명 속인의 관점〔견해〕. 속된 눈. =〔俗目〕
〔俗谚〕 **súyàn** 명 속담《때로 성어(成語)도 포함》.
〔俗语〕 **súyǔ** 명 ①속어. ②속담. 속언. ¶～儿说, 人怕出名, 猪怕壮zhuàng; 속담에 말하기를, '사람은 명성이 높아지면(시기를 받게 되므로) 두렵고, 돼지는 살찌는 것이 (도살될 우려가 있으므로) 두렵다'라고 하였다.
〔俗缘〕 **súyuán** 명 속세에서의 인연.
〔俗主〕 **súzhǔ** 명〈文〉범용한 군주.
〔俗字〕 **súzì** 명 속자. 통속적인 글자. =〔俗体字〕
〔俗子〕 **súzi** 명 ①일반인. 속세의 사람. ¶～村夫; 촌부야인(村夫野人). ②상스러운 사람.

夙

sù (숙)
〈文〉① 명 이른 아침. ¶～兴夜寐mèi;〈成〉아침 일찍 일어나 밤늦게 자다《부지런히 일하다》. ② 형 일찍(부터). 벌써〔이전〕부터(의). ¶～愿yuàn; 숙원. ③ 동 삼가다.
〔夙逋〕 **sùbū** 명〈文〉오래 된 묵은 빚. 구채(舊債). =〔夙借〕
〔夙仇〕 **sùchóu** 명 전부터의 원수.
〔夙敌〕 **sùdí** 명 숙적.
〔夙好〕 **sùhǎo** 명〈文〉①전부터의 친분. ②대대로 사귀어 오는 친분.
〔夙借〕 **sùjiè** 명 ⇨〔夙逋〕
〔夙孽〕 **sùniè** 명〈文〉전세(前世)로부터의 악업(惡業).
〔夙诺〕 **sùnuò** 명 전에 승낙한 일〔말〕.
〔夙日〕 **sùrì** 명 ⇨〔素日〕
〔夙儒〕 **sùrú** 명 ⇨〔宿儒〕
〔夙世〕 **sùshì** 명〈文〉전생(前生). 전세. ¶～冤yuān家; 전생으로부터의 원수. 숙적 / ～姻缘; 전생으로부터 맺어진 연분.
〔夙素〕 **sùsù** 명〈文〉평소부터의 바람. 소원.
〔夙望〕 **sùwàng** 명 ⇨〔宿望〕
〔夙昔〕 **sùxī** 명〈文〉이전. 옛날.
〔夙嫌〕 **sùxián** 명 전부터의 원혐(怨嫌)〔불만〕.
〔夙恙〕 **sùyàng** 명〈文〉숙병(宿病). 지병(持病).
〔夙夜〕 **sùyè** 명〈文〉①아침 저녁. 밤낮. ¶～匪懈 =〔～不怠〕〔～勤励〕; 아침부터 밤까지 부지런히 힘씀 / ～之忧; 밤낮 머리에서 떠나지 않는 걱정거리. ②미명(未明). 새벽녘. ‖ =〔宿夜〕
〔夙谊〕 **sùyì** 명〈文〉오래 된 교분.
〔夙缘〕 **sùyuán** 명 ⇨〔宿缘〕
〔夙怨〕 **sùyuàn** 명 ⇨〔宿怨〕
〔夙愿〕 **sùyuàn** 명 ⇨〔宿愿〕
〔夙早〕 **sùzǎo** 명〈文〉이른 아침.

〔夙贼〕 sùzéi 명 ⇨〔宿贼〕
〔夙志〕 sùzhì 명 ⇨〔宿志〕

诉(訴) sù (소)

①동 말하다. 고하다. 이야기하다. ¶告～; 알리다. ②동 호소하다. (가슴 속에 것을) 털어놓다. ¶～苦; 괴로움을 호소하다 / ～了半天委屈wěiqu; 한참 동안 괴로운 입장을 호소했다. =〔愬①〕 ③동 …(수단)을 쓰다. ¶～诸武力; 무력을 쓰다. ④동 (재판소에) 고소하다. ¶～讼sòng; 소송(하다) / 上～; 상소(하다) / 起～; 기소하다. ⑤명 성(姓)의 하나.

〔诉案〕 sù'àn 명 소송 사건.
〔诉陈〕 sùchén 동 하소연하여 말하다.
〔诉呈〕 sùchéng 명 소장(訴狀). ¶递dì～; 소장을 내다. 고소하다.
〔诉辞〕 sùcí 동〈文〉 소송을 일으키다. 명고소장의 문구.
〔诉告〕 sùgào 동〈古白〉 고소하다. 호소하다《구두어(口頭語)의 '告诉gàosù'와 같음》. ¶径jìng到知县衙内～《水滸傳》; 곧바로 현지사의 관아에 가서 고소했다.
〔诉棍〕 sùgùn 명〈文〉 소송을 미끼로 공갈 협박을 일삼는 자. 악덕 변호사.
〔诉苦〕 sù.kǔ 동 ①괴로움을 호소하다. ¶诉过去的苦; 지나간 고통을 호소하다. 가난을 호소하여 구원을 청하다. =〔吐苦水〕 ②클레임을 걸다. 진정서를 제출하다. ¶接受～; 진정서를 접수하다 / 损坏～; 《商》 손해 배상 클레임.
〔诉苦会〕 sùkǔhuì 명 과거, 압박 받고 착취받던 고통을 호소하는 대중 집회《항일 전쟁 중에 대중을 지도하기 위하여 성립된 것으로, 연대감과 자각을 높이는 데 도움이 되었음》.
〔诉苦穷儿〕 sù kǔqióngr 우는 소리를 하다.
〔诉情〕 sùqíng 동 사정을 호소하다.
〔诉请〕 sùqǐng 동 ⇨〔呼hū吁〕
〔诉屈〕 sù.qū 동 ①억울함을 호소하다. ②불평·불만·원통함을 호소하다. =〔诉委屈〕
〔诉说〕 sùshuō 동 (어떤 감정으로) 호소하다. 간곡히 말〔진술〕하다. 하소연하다. ¶他在信里～着对工作的热情; 그는 편지 속에서 일에 대한 열의를 말하고 있다.
〔诉讼〕 sùsòng 명동 《法》 소송(하다). ¶提起～; 고소하다 / ～法fǎ; 소송법 / ～费fèi用; 소송 비용 / ～代理人; 소송 대리인.
〔诉讼状〕 sùsòngzhuàng 명 ⇨〔诉状〕
〔诉冤〕 sù.yuān 동 억울함을 호소하다.
〔诉愿〕 sùyuàn 명동 《法》 (상급 관청에) 부당함을 호소(하다).
〔诉纸〕 sùzhǐ 명 ⇨〔诉状〕
〔诉诸〕 sùzhū 동〈文〉 (…에) 호소하다. 수단을 쓰다. ¶～武力; 무력을 쓰다. 무력에 호소하다 / ～战争; 전쟁에 호소하다. 전쟁이라는 수단을 쓰다.
〔诉珠儿〕 sùzhūr 명 《佛》 염불에 쓰이는 염주.
〔诉状〕 sùzhuàng 명 《法》 고소장. =〔诉讼状〕〔诉纸〕

肃(肅) sù (숙)

①형 공경스럽다. 공손하다. 삼가다. 숙연하다. ¶～然起敬; ⇩ ②형 엄정하다. 엄숙하다. ¶严～; 엄숙하다. ③동〈文〉 맞아들이다. 이끌다. ¶～客人…; 손님을 안으로 맞아들여… ④동 숙청하다. 일소하다. ¶有反必～; 반동 분자를 반드시 숙청한다. ⑤동〈翰〉 삼가올리다《경의를 표하는 말》. ¶手～; 삼가 몸소 썼나이다. ⑥명 성(姓)의 하나.

〔肃拜〕 sùbài 명 숙배《옛날의, 무릎을 꿇고 손을 올렸다 내리며 절하는 예법》. 동〈翰〉 공손히 배례하다.
〔肃布〕 sùbù 동〈翰〉 삼가 말씀드리다.
〔肃此…〕 sùcǐ… 동〈翰〉 삼가 …합니다. ¶～敬白; 삼가 말씀드립니다 / ～布悬; 삼가 원합니다 / ～奉复 =〔～布复〕; 삼가 답장을 드립니다 / ～奉贺; 삼가 축하드립니다.
〔肃反〕 sùfǎn 동〈簡〉 반혁명 분자를 숙청하다《'肃清反革命分子'의 약칭》. ¶有人认为～的偏差达到百分之九十以上; 반혁명 분자의 숙청에 있어서, 편향이 90% 이상이나 된다고 보고 있는 축도 있다.
〔肃复〕 sùfù 동〈翰〉 삼가 회답을 드립니다. =〔肃此布复〕
〔肃函〕 sùhán 〈翰〉 삼가 편지를 드리다. ¶～以贺; 삼가 서면으로 축하드립니다 / ～奉复; 삼가 답장드립니다.
〔肃黄运动〕 sùhuáng yùndòng 명 에로〔외설〕 숙청 운동.
〔肃静〕 sùjìng ①형 정숙하다. 고요〔조용〕하다. ¶～无声; 쥐죽은 듯 소리 하나 없다 / 院子里没个人影儿很～; 뜰에는 사람 그림자 하나 보이지 않고 쥐죽은 듯하다. →〔寂静〕 ②조용히《주의를 줄 때나 게시(揭示)에 쓰임》.
〔肃静牌〕 sùjìngpái 명 옛날, 대관의 장례 행렬의 앞쪽에 나란히 있는 의장(儀仗) 가운데 몇 사람은 '肃' '静'이라는 글씨를 쓴 옻칠한 플래카드 비슷한 '牌子'를 메고 가는데, 이 '牌子'를 말함.
〔肃军〕 sùjūn 동 군기를 바로잡다.
〔肃立〕 sùlì 동 공손히〔경건하게〕 일어서다.
〔肃穆〕 sùmù 형 조심성이 많고 온화하다. 엄숙하고 경건하다.
〔肃清〕 sùqīng 동 숙청하다. 철저하게 제거하다. 일소하다. ¶～残余; 잔재를 일소하다 / ～余毒; 여독을 제거하다. 형〈文〉 적막하다. ¶冬夜～; 겨울밤이 적막하다.
〔肃然〕 sùrán 형 공경하는 모양. 숙연한 모양.
〔肃然起敬〕 sù rán qǐ jìng 〈成〉 숙연하여 공경의 마음이 생기다. ¶人们看见了他这次勇敢的行为, 个个都～; 사람들은 그의 이번의 용감한 행동을 보고, 누구나 존경심을 갖게 되었다.
〔肃杀〕 sùshā 형〈文〉 엄숙하고 무시무시하다. 스산하다. ¶～的气象; 엄숙하고 무시무시한 날씨 / 秋气～; 가을 기운이 스산하다.
〔肃肃〕 sùsù 〈文〉 ①형 공경하는 모양. ②형 빠른 모양. ③〈擬〉 새의 날개치는 소리의 형용.
〔肃修〕 sùxiū 동〈翰〉 삼가 (편지를) 쓰다. ¶～寸柬jiǎn; 삼가 (이) 간단한 편지를 씁니다.
〔肃正〕 sùzhèng 동 숙정하다. (추상적인 것을) 일소하다. ¶～余毒; 여독을 없애다.

骕(驌) sù (숙)

→〔骕骦〕〔骕骦〕

〔骕骦〕 sùshuāng 명 ⇨〔骕骦〕
〔骕骦〕 sùshuāng 명 옛날의 양마(良馬)의 하나. =〔骕骦〕

鹔(鷫) sù (숙)

→〔鹔鹴〕〔鹔鹴〕

〔鹔鹴〕 sùshuāng 명 ⇨〔鹔鹴〕
〔鹔鹴〕 sùshuāng 명 옛날의, 기러기 비슷한 물새의 이름. =〔鹔鹴〕

涑 Sù (속)
명 《地》 쑤수이(涑水)《산시 성(山西省)에 있는 강 이름》.

速 sù (속)
① 형 빠르다. ¶火～; 화급하다 / 飞行甚shèn～; 매우 빨리 날다. ② 부 빨리. 속히. ¶见信～回; 〈翰〉 받으시는 대로 즉시 회답 주십시오 / ～赐示复; 〈翰〉 속히 회답주십시오 / 他来信叫我～归; 그가 편지로 나더러 빨리 돌아오라고 말해 왔다. ③ 명 속도(速度). ¶声～; 음속 / 风～; 풍속. ④ 동 초대하다. 부르다. ¶不～之客; 불청객 / ～祸huò; 화(禍)를 부르다.

〔速成〕 sùchéng 명동 속성(하다). ¶～食品 =〔方便食品〕〔快餐食品〕; 인스턴트(instant) 식품.
〔速递〕 sùdì 명 특송《우편 행정 계통의 우편물 배달 방식 중 하나》. ¶随着社会名界的工作节奏的日益加快, 许多公司越来越依赖于～服务; 사회 각계의 업무의 리듬이 날로 빨라짐에 따라 많은 회사가 점점 특송 서비스를 의지하게 되었다.
〔速冻〕 sùdòng 동 급속 냉동하다.
〔速度〕 sùdù 명 ①《物》 스피드. 속도. 속력. ¶～表 =〔～计〕; 속도계. 스피도미터 / 加速～; 스피드를 내다 / ～很大; 속력이 대단하다. =〔速力〕〔速率①〕 ②《樂》 템포.
〔速度标语〕 sùdù biāoyǔ 명 《樂》 악곡의 속도를 나타내는 표어(標語). 빠르기말.
〔速度滑冰〕 sùdù huábīng 명 ⇨〔快kuài速溜冰〕
〔速度滑雪〕 sùdù huáxuě 명 《體》 (스키의) 노르딕(nordic) 종목의 거리 경주. →〔滑雪〕
〔速滑刀〕 sùhuádāo 명 《體》 스피드 스케이트 슈즈(의 날).
〔速即〕 sùjí 부 〈文〉 곧. 즉시. ¶～赐cì复; 〈翰〉 즉시 회답 주시기 바랍니다.
〔速疾〕 sùjí 형 〈文〉 급속하다. 빠르다.
〔速记〕 sùjì 명동 속기(하다). ¶～录lù; 속기록 / ～术shù; 속기술 / ～员; 속기사.
〔速决〕 sùjué 명동 속결(하다). ¶～战; 전쟁에서 속공(速攻)하여, 승부를 단숨에 결정하다.
〔速力〕 sùlì 명 ⇨〔速度①〕
〔速溜〕 sùliū 〈擬〉 쭈르르《미끄러지는 모양》. ¶他～～地从树上下来了; 그는 쭈르르 나무 위에서 내려왔다.
〔速率〕 sùlǜ 명 《物》 ① ⇨〔速度①〕 ②공률. =〔工率〕
〔速遣费〕 sùqiǎnfèi 명 《商》 디스패치 머니(dispatch money). 선적〔양륙〕 할인 환급금.
〔速溶咖啡〕 sùróng kāfēi 명 인스턴트 커피(instant coffee). =〔即冲咖啡〕
〔速射炮〕 sùshèpào 명 속사포.
〔速胜〕 sùshèng 동 〈文〉 속전 속결로 이기다. ¶～论; 속전 속결론.
〔速熟面〕 sùshúmiàn 명 인스턴트 라면. =〔方fāng便面(条)〕
〔速熟食品〕 sùshú shípǐn 명 인스턴트 식품.
〔速速〕 sùsù 〈翰〉 대지급(大至急). ¶～为感; 대지급으로 부탁합니다.
〔速香〕 sùxiāng 명 물에 뜨고 가라앉지 않는 '沉chén香'
〔速效肥料〕 sùxiào féiliào 명 속효성 비료.
〔速写〕 sùxiě 《美》 명 ①스케치(sketch). 약도(略圖). ②스케치풍(風)의 문체. ¶街jiē上～; 가두스케치 / 岁suì暮～; 세모스케치. 동 스케치하다.
〔速则不达〕 sù zé bù dá 〈成〉 ①서두르면 일을 그르친다. ②맹동주의(盲動主義)에 치우치면 반드시 실패한다.

餗(餗) sù (속)
명 〈文〉 세발솥 속의 음식. ¶覆fù～ =〔鼎dǐng～〕; 솥 안의 임금의 음식을 뒤엎다《대신이 그 임무를 감당 못 하여 나라를 망침》 / 无时不以～堪虞之戒心, 谨慎将事, 以期达成任务; 늘 세발솥을 뒤엎는 것은 아닌가 하는 경계심으로, 신중하게 일을 진행하고, 임무의 달성을 기대하고 있다.

觫 sù (속)
→〔觳hú觫〕

素 sù (소)
① 명 흰빛. 본색(本色). ② 명 〈文〉 흰색의 생견(生絹). ¶尺～; 흰 비단에 쓴 편지 / 本色shǎi～; 마전하지 않은 흰 명주 / 漂白～; 표백한 무지(無地). 생견. ③ 형 하얀. 무지(無地)의. 색이 없는. ¶～丝; 흰 명주실 / ～服; 소복. 흰 옷《흔히 상복》. ④ 명 상복. ¶穿chuān～; 소복〔상복〕을 입다. ⑤ 명 사물의 기본 성분. ¶元～; 원소 / 因～; 요소 / 毒～; 독소 / 维wéi生～; 비타민(vitamin). ⑥ 명 (고기 없는) 정진(精進)요리. 소식(素食). 채식. ¶吃～; 소식을 하다. ↔〔荤①〕 ⑦ 부 평소. 이전. ¶～无来往; 평소 교제가 없다 / ～不相识 =〔～不识荆〕; 평소 면식이 없다 / 安之若～; 침착하여 평소와 다름없다 / ～负众望; 평소부터 많은 사람으로부터 촉망을 받고 있다. ⑧ 형 부족〔결핍〕하다. 없다. ¶手头儿～; 살림이 궁핍하다. ⑨ 형 (빛깔·모양이) 단순하고 화려하지 않다. 수수하다. 소박하다. ¶这块布花很～; 이 천은 무늬가 아주 수수하다. ⑩ 형 본래〔본디〕의. ¶～性; 본성 / ～材cái; 소재.

〔素材〕 sùcái 명 (문학이나 예술의) 소재.
〔素菜〕 sùcài 명 소찬. 소밥. 정진 요리(精進料理). ¶守着肥肉吃～; 〈諺〉 맛있는 고기를 버려두고 소찬을 먹다《모처럼 생긴 것을 버려 둠》 / ～馆(儿); 채식 전문 요리집. ↔〔荤hūn菜〕
〔素餐〕 sùcān 명 채식 요리. 동 ①채식하다. 육류를 끊다. ②무위도식하다. ¶尸位～; 〈成〉 한갓 자리만 차지하고 헛되이 녹(祿)만 축내는 사람.
〔素常〕 sùcháng 명부 평소. 일상. 평상. ¶～舍不得穿的新大褂; 평소에 아까워서 입지 않았던 새 겉옷. →〔平日〕〔平素〕
〔素车白马〕 sù chē bái mǎ 〈成〉 장례식에 쓰는 거마(車馬). 장송(葬送)하는 일.
〔素称〕 sùchēng 동 〈文〉 (…로) 잘 알려져 있다. (…라고) 흔히 일컬어지고 있다. ¶～发达的农业; 발달한 것으로 잘 알려진 농업.
〔素绸〕 sùchóu 명 ⇨〔白bái纺〕
〔素楮〕 sùchǔ 명 〈文〉 백지.
〔素淡〕 sùdàn 형 ①(색채나 무늬가) 수수하다. 요란하지〔야하지〕 않다. ②(요리가) 담백하다. 산뜻하다. ¶～淡的; 아주 담백한.
〔素地〕 sùdì 명 밑바탕. 바탕. ¶～虽然带花也显得很素; 비록 바탕에 무늬가 있어도 매우 수수하다.
〔素点心〕 sùdiǎnxīn 명 식물성 기름으로 만든 과자.
〔素缎〕 sùduàn 명 무지(無地)의 공단.
〔素饭〕 sùfàn 명 야채 요리의 식사. 소박한 식사.
〔素风〕 sùfēng 명 ①〈文〉 원래부터의 기풍. 평소의 기풍. ¶此吾家～, 尔曹当毋忘也; 이것은 우리 집의 원래부터의 가풍이니, 너희들도 잊어선 안 된다. ②순박〔소박〕한 기풍. ③가을 바람.

〔素封〕 sùfēng 명〈文〉재산가(작위나 녹(祿)은 없어도, 그에 맞먹을 만한 재산을 가진 큰 부자). 동 공 없이 봉작(封爵)을 받다.
〔素服〕 sùfú 명 ①소복. ②상복(喪服).
〔素负盛名〕 sù fù shèng míng〈成〉평소 널리 명성을 떨치고 있다.
〔素供〕 sùgòng 명 채소만으로 만든 제물.
〔素故〕 sùgù 명 ⇨〔素交〕
〔素官〕 sùguān 명 청렴하고 가난한 관리.
〔素冠〕 sùguān 명 상중(喪中)에 쓰는 관.
〔素和〕 Sùhé 명 복성(複姓)의 하나.
〔素荷…〕 sùhè… 전부터〔평소〕 …해 받고〔주시고〕 있다.
〔素怀〕 sùhuái 명 ①평소의 생각. 본심. ②평생의 포부.
〔素火腿〕 sùhuǒtuǐ 명 두부 껍질을 겹친 사이에 양념을 끼워 넣고 단단히 말아서 묶고 찐 음식(햄 모양으로 만든 것인데, 둥글게 썰어 먹음).
〔素鸡〕 sùjī 명 '豆腐皮(儿)'(두부 껍질)을 접어서 잘라 기름에 볶은 것에 죽순이나 표고버섯을 섞어 간장에 조린 야채 요리.
〔素鸡烧〕 sùjīshāo 명 ⇨〔鸡素烧〕
〔素检〕 sùjiǎn 동〈文〉조신하게 자기의 행동을 조심하다. 자기의 행동을 돌아보다.
〔素交〕 sùjiāo 명〈文〉오랜 교제〔친구〕. =〔素故〕〔旧jiù交(儿)〕
〔素静〕 sùjìng 형 (마음이) 고요〔평온〕하다.
〔素净〕 sùjing 명 산뜻한 빛깔. 형 ①(맛이) 담백하다. ②(옷 따위가) 무늬가 없고 점잖다. 수수하다. (빛깔이) 차분하다. ¶～的衣料花样; 수수한 옷 무늬.
〔素酒〕 sùjiǔ 명 ①야채 요리로 차린 축하 잔치에 내는 술. ②〈方〉야채 요리로 차린 축하 잔치.
〔素口骂人〕 sù kǒu mà rén〈成〉불도(佛道)에 들어가 수행을 끝낸 사람이 상스럽게 남을 욕함.
〔素况〕 sùkuàng 명〈文〉평소의 상황.
〔素来〕 sùlái 부 전〔평소〕부터. 진작부터. ¶他的人品, 是我～佩服的; 그의 인품에 나는 진작부터 탄복하고 있었습니다. →〔从来〕〔向来〕
〔素脸(儿)〕 sùliǎn(r) 명 (화장하지 않은) 맨 얼굴. =〔素面②〕
〔素练〕 sùliàn 명 ①소견(素絹). 흰빛의 견(絹). ②평소의 훈련.
〔素绫〕 sùlíng 명 무늬 없는 비단.
〔素流〕 sùliú 명〈文〉청빈한 사람들.
〔素罗〕 sùluó 명 무늬 없는 (성기게 짠) 명주.
〔素美〕 sùměi 형〈文〉청초(淸楚)하다.
〔素昧生平〕 sù mèi shēng píng〈成〉아는 사이가 아니다. 평소에 일면식도 없다. =〔素昧平生〕
〔素门〕 sùmén 명〈文〉청빈한 집안.
〔素门凡流〕 sù mén fán liú〈成〉집안이 비천한 속인(俗人). 천한 것들.
〔素面〕 sùmiàn 명 ①육류 따위를 넣지 않은 국수. ②(화장하지 않은) 맨얼굴. ¶～朝天;〈成〉여자가 미모를 믿고 화장을 하지 않음. =〔素脸(儿)〕
〔素面儿〕 sùmiànr 명 겉에 무늬가 없는 것.
〔素描〕 sùmiáo 명 ①〖美〗소묘. 데생(프 dessin). ②(문학상의) 스케치. 간결한 묘사.
〔素女〕 sùnǚ 명〖人〗전설에서, 음악을 잘 하고 또 음양술(陰陽術)과 방중술(房中術)에 능했다고 하는 선녀.
〔素朴〕 sùpǔ 형 ①소박하다. ¶画面都很～动人; 화면들이 다 매우 소박해서 사람을 감동시킨다. =〔朴素〕 ②싹트는 단계이다. 아직 발전되지 않다. 소박 원초적이다(철학 사상을 이름). ¶～实在论;〖哲〗소박 실재론.
〔素气〕 sùqi 형 (무늬 따위가) 화려하지 않다. 수수하다. ¶这种花样很～; 이런 종류의 무늬는 매우 수수하다.
〔素秋〕 sùqiū 명〈文〉가을.
〔素稔〕 sùrěn 동〈文〉전〔진작〕부터 잘 알고 있다.
〔素日〕 sùrì 명〈文〉평소. ¶他～不爱说话, 今天一高兴, 话也多起来了; 그는 평소에 말하는 것을 좋아하지 않았으나, 오늘은 신이 나자 말이 많아졌다. =〔平日〕〔平常〕〔夙日〕
〔素三彩〕 sùsāncǎi 명 '蓝lán'·'白'·'黑'의 세 빛깔.
〔素色〕 sùsè 명 ①백색. ¶～布; 흰 천〔베〕. ②수수한 빛깔. 점잖은 색. ¶～布; 무지(無地)의 천.
〔素纱〕 sùshā 명 무지(無地)의 얇은 비단.
〔素烧〕 sùshāo 명 (도기를) 잿물에 입히지 않고 굽는 일. 또, 그렇게 한 것. 초벌구이.
〔素烧坯〕 sùshāopī 명 유약을 바르지 않은 초벌구이의 자기.
〔素什锦〕 sùshíjǐn 명〈文〉야채 요리에서, 여러 가지 재료를 배합하여 만든 것.
〔素识〕 sùshí 명 전부터〔평소부터〕 잘 알고 있는 사이. 구면(舊面)
〔素食〕 sùshí 명 ①소식. 육류를 뺀 음식과 가벼운 식사. ②평소의 음식. 소박한 음식. 동 ①소식〔채식〕하다. ¶～者; 오랫동안 채식을 하는 사람. ②무위도식하다.
〔素事〕 sùshì 명〈文〉흉사(凶事). 상사(喪事). 장례. =〔白事〕
〔素手〕 sùshǒu 명 ①〈文〉희고 매끄러운 손. ②맨손. 빈손. ¶贫僧～进拜, 怎么敢劳赐斋; 소승은 빈손으로 참배했는데, 어떻게 감히 공양밥을 받을 수 있겠습니까.
〔素数〕 sùshù 명 ⇨〔质zhì数〕
〔素丝良马〕 sù sī liáng mǎ〈成〉현인(賢人)을 예우(禮遇)하다.
〔素四喜丸子〕 sùsìxǐ wánzi 명 감자를 삶아 껍질을 벗기고 으깨어 밀가루를 섞은 다음, 소금·간장·설탕으로 간을 하고, 크고 둥글게 빚은 단자(團子) 네 개를 기름에 지지고, 표고버섯·죽순·완두콩 따위를 볶고 간장·물을 붓고 삶아서, 단자와 함께 뭉근한 불에 15분 동안 찌듯이 삶은 요리('素'는 고기가 들어 있지 않음을 나타내고, '四'는 재수 좋은 수이므로 '喜'라 함).
〔素王〕 sùwáng 명〈文〉①소왕. 왕의 지위는 없으나, 왕자(王者)의 덕을 갖춘 사람. ②〈轉〉공자(孔子).
〔素望〕 sùwàng 명〈文〉평소의 명망〔인망〕.
〔素位〕 sùwèi 명〈文〉현재의 지위〔환경〕. ¶君子素其位而行《中庸》; 군자는 그때 그때의 처지에 따라 행동한다.
〔素昔〕 sùxī 명 ⇨〔宿昔〕
〔素悉…〕 sùxī… 동〈文〉전〔진작〕부터 …을 알고 있다. =〔素知…〕
〔素习〕 sùxí 명〈文〉평소의 습관.
〔素席〕 sùxí 명 야채 요리의 연회석.
〔素心〕 sùxīn 명〈文〉①순박한 마음. ②본심. ¶～正如此; 본심이 바로 이러하다.
〔素心兰〕 sùxīnlán 명 '建jiàn兰'(건란)의 일종으로, 향기 있는 흰 꽃이 핌. 꽃을 약용함.
〔素馨〕 sùxīn 명〖植〗소형. 말리(茉莉)(인도 원산

의 물푸레나무과(科)의 덩굴 관목).
〔素行〕 sùxíng 명 〈文〉 소행. 평소의 행동〔행실〕.
〔素性〕 sùxìng 명 ①천성. 본성. ②소질.
〔素雅〕 sùyǎ 형 〈文〉 수수하고 우아하다. ¶颜色～; 빛깔이 산뜻하고 우아하다.
〔素仰〕 sùyǎng 동 〈文〉 오래 전부터 성함은 듣고 있습니다. =〔久jiǔ仰〕
〔素养〕 sùyǎng 명 〈文〉 소양. 평소의 교양.
〔素衣〕 sùyī 명 ①흰 속옷. ②소의. 소복〔상복〕.
〔素油〕 sùyóu 명 식물성 기름. =〔〈方〉 清qīng油〕↔〔荤hūn油〕
〔素友〕 sùyǒu 명 〈文〉 이전부터의 친구.
〔素愿〕 sùyuàn 명 ⇨〔宿愿〕
〔素知…〕 sùzhī… 동 ⇨〔素悉…〕
〔素志〕 sùzhì 명 〈文〉 소지. 평소의 뜻.
〔素质〕 sùzhì 명 ①흰 바탕. ②소양(素養). 자질. ¶提高军事～; 군사적 자질을 높이다. ③사물의 본래의 성질. 본질. ④소질. 천성.
〔素珠儿〕 sùzhūr 명 염주.
〔素著〕 sùzhù 형 〈文〉 이전부터 저명하다.
〔素馔〕 sùzhuàn 명 〈文〉 채소 요리.
〔素装〕 sùzhuāng 명 〈文〉 ①간소한 옷차림. ②상복(喪服).
〔素族〕 sùzú 명 〈文〉 평민.

愫

sù (소)
명 〈文〉 진정. 진심. ¶一倾qīng积～; 〈翰〉 쌓여 있는 생각을 단숨에 기울여 쏟다〔남김없이 다 쓰다〕. =〔情愫〕

嗉〈膆〉①

sù (소)
명 ①(～儿, ～子) 새의 멀떠구니. ②(～儿, ～子) 〈方〉 작은 술병. ¶烫一～酒; 술을 한 병 데우다 / 摆上两～黄酒; 노주(老酒) 두 병을 차려 놓다.

宿〈宿〉

sù (숙)
①동 숙박하다. 묵다. ¶住～; 숙박하다 / 露～; 노숙하다. ② 형 경험 많은. 노련한. ¶～将; 경험이 풍부하고 노련한 장군 / 耆qí～; 사계(斯界)의 대가(大家) / 名～; 명망 높은 대가. ③ 형 전부터의. 평소의. ¶～愿得偿; 숙원이 이루어지다. ④ 명 숙소. ⑤ 명 성(姓)의 하나. ⇒xiǔ xiù
〔宿饱〕 sùbǎo 동 (많이 먹어서) 다음 날까지 배가 부르다. 푸만〔트릿〕하다. 명 숙원. 과제. ¶如果我能够多活几年, 续成此书, 了此～, 那当然更好; 만약 내가 앞으로 몇 년을 더 살 수 있고, 이 책을 계속하여 완성시켜 숙원을 이룰 수 있다면, 물론 더욱 좋은 일이다.
〔宿娼〕 sùchāng 동 〈文〉 유곽에서 창녀와 놀다. ¶～嫖piáo妓; 유곽에서 창기와 놀다.
〔宿酲〕 sùchéng 명 ⇨〔宿醉〕
〔宿齿〕 sùchǐ 명 〈文〉 경험이 많은 노인. 세상 물정에 해박한 노인.
〔宿耻〕 sùchǐ 명 〈文〉 숙치. 이전에 받은 수치.
〔宿仇旧怨〕 sù chóu jiù yuàn 〈成〉 평소의 원한. 여러 해 쌓인 원한.
〔宿顿〕 sùdùn 동 숙박하다.
〔宿痾〕 sù'ē 명 ⇨〔宿疾〕
〔宿费〕 sùfèi 명 숙박료. 방값.
〔宿分〕 sùfèn 명 〈文〉 전부터의 운명. 숙명.
〔宿根〕 sùgēn 명 ①《植》 숙근. 여러해살이뿌리. ②《佛》 근본이 있는 수행(修行).
〔宿憾〕 sùhàn 명 〈文〉 이전부터 유감으로 생각하고 있는 일.
〔宿好〕 sùhǎo 명 〈文〉 옛 친구. 오랜 친구. ⇒sùhào
〔宿好〕 sùhào 명 〈文〉 평소의 취미. ⇒sùhǎo
〔宿货〕 sùhuò 명 〈罵〉 변변치 못한 놈.
〔宿疾〕 sùjí 명 연래의 지병(持病). 숙환. ¶～复发; 지병이 또 발병하다. =〔宿痾ē〕〔〈俗〉 老毛病〕
〔宿将〕 sùjiàng 명 〈文〉 노장(老將). 노련한 장군.
〔宿酒〕 sùjiǔ 명 〈文〉 숙취(宿醉). ¶～未醒; 숙취가 아직 덜 깨다.
〔宿眷〕 sùjuàn 명 〈文〉 오랜 은고(恩顧).
〔宿老〕 sùlǎo 명 숙로. 고로(古老). 경험이 많고 사리에 통달한 노인.
〔宿命〕 sùmìng 명 숙명. ¶～论; 숙명론. 운명론.
〔宿诺〕 sùnuò 명 〈文〉 ①전부터의 약속. ②아직 실행하지 않은 약속.
〔宿欠〕 sùqiàn 명 〈文〉 이전의 빚. 묵은 빚.
〔宿日〕 sùrì 명 〈文〉 지난 날.
〔宿儒〕 sùrú 명 〈文〉 노유(老儒). (경험이 많고 박학한) 대학자. =〔夙儒〕
〔宿砂〕 sùshā 명 ⇨〔缩sù砂(蔤)〕
〔宿舍〕 sùshè 명 숙사. 기숙사.
〔宿生〕 sùshēng 명 ⇨〔宿世〕
〔宿世〕 sùshì 명 전생(前生). ¶～因缘; 전생의 인연. =〔宿生〕
〔宿守〕 sùshǒu 동 숙직하여 경비하다.
〔宿头〕 sùtóu 명 숙소. 투숙지. ¶赶程途, 趁～; 길을 서둘러 숙소에 다다르다.
〔宿望〕 sùwàng 명 숙망. 평소부터 가지고 있는 희망. =〔夙望〕
〔宿卫〕 sùwèi 명동 왕궁 호위를 위한 숙직(을 하다). 궁중·관청의 숙직(을 하다).
〔宿夕〕 sùxī 명 〈文〉 ①한 밤. 하룻저녁. ②〈比〉 짧은 시간.
〔宿昔〕 sùxī 명 〈文〉 ①이전(부터). ②오랫동안. ‖ =〔素昔〕
〔宿隙〕 sùxì 명 〈文〉 전부터의 벌어진 감정의 틈. 숙원(宿怨).
〔宿心〕 sùxīn 명 평소부터 가지고 있던 심정. 평소의 본심.
〔宿学〕 sùxué 명 〈文〉 학식이 풍부한 학자. 대학자. ¶当世～; 당대의 숙학〔대학자〕.
〔宿业〕 sùyè 명 《佛》 전세의 죄업(罪業).
〔宿夜〕 sùyè 명 ⇨〔夙夜〕
〔宿因〕 sùyīn 명 ⇨〔宿缘〕
〔宿营〕 sùyíng 명동 (군대가) 숙영(하다). ¶～地; 숙영지.
〔宿雨〕 sùyǔ 명 〈文〉 간밤에 내린 비.
〔宿缘〕 sùyuán 명 전생부터의 인연. ¶～未了wèiliǎo; 전생의 인연이 아직도 다 끝나지 않았다. =〔夙缘〕〔宿因〕
〔宿怨〕 sùyuàn 명 오래 된 원한. =〔夙怨〕
〔宿愿〕 sùyuàn 명 숙망(宿望). ¶～得偿cháng; 숙망이 이루어지다. =〔夙愿〕〔素愿〕〔前qián志〕
〔宿贼〕 sùzéi 명 〈文〉 오랜 세월 나쁜 일을 하고 있는 사람. =〔夙贼〕
〔宿债〕 sùzhài 명 〈文〉 ①오래된〔묵은〕 빚. ②《佛》〈比〉 전생(前生)의 악업(惡業).
〔宿账〕 sùzhàng 명 〈文〉 밀린 외상값.
〔宿志〕 sùzhì 명 〈文〉 숙지. 일찍부터 품은 뜻. =〔夙志〕
〔宿主〕 sùzhǔ 명 《生》 숙주. ¶终zhōng～; 최종 숙주 / 中间jiān～; 중간 숙주. =〔寄主〕
〔宿罪〕 sùzuì 명 《佛》 전생에 지은 죄.

〔宿醉〕 sùzuì 명〈文〉 숙취. =〔宿酲〕

缩(縮)
sù (축)
→〔缩砂(蔤)〕⇒suō

〔缩砂(蔤)〕 sùshā(mì) 명《植》 축사밀《씨는 약용하며, '砂仁'이라 함》. =〔宿砂〕

蹜
sù (축)
→〔蹜蹜〕

〔蹜蹜〕 sùsù 형〈文〉 종종걸음으로 걷는 모양.

谡(謖)
sù (속)
동〈文〉 ①일어나다. 일어서다. ¶～～; 우뚝 솟아 있는 모양. ②몸을 단정하게 하다.

粟
sù (속)
명 ①《植》 탈곡하지 않은 조. 겉조. ¶～饭 fàn; 조밥. 〈轉〉 변변치 못한 밥. =〔谷子①〕 ②곡류의 총칭. ¶重农贵～; 농업을 중시하고 곡물을 소중히 하다. ③좁쌀알 같은 것. (추울 때 나는) 소름. ¶起～; 살갗에 소름이 돋다 / 疹zhěn～; 발진(發疹). →〔〈俗〉 鸡皮疙瘩〕 ④〈文〉 녹(祿). ¶不食周～; 주(周)나라의 녹을 받지 않다. ⑤성(姓)의 하나.

〔粟粉〕 sùfěn 명 옥수수 가루.
〔粟红贯朽〕 sù hóng guàn xiǔ 〈成〉 곡식이 풍작으로 썩을 정도로 거두어들이고, 돈꿰미가 썩을 만큼 경제가 풍족하다.
〔粟米〕 sùmǐ 명 ⇨〔玉yù米〕
〔粟菽〕 sùshū 명〈文〉 곡류와 두류(豆類)의 총칭.

傈
sù (소)
→〔傈lì傈族〕

溯〈遡, 泝〉
sù (소)
동 ①물을 거슬러오르다. ¶～河而上; 강을 거슬러 올라가다. 근원을 더듬다. ②(일·사건 등의) 근원을 더듬다. ¶推本～源; 〈比〉 역사적 근원을 더듬어 찾다 / 不～既往; 지난 일은 추궁하지 않다 / ～自…; 〈文〉 …이래 죽〔계속하여〕. ③(사람·지난 일)을 그리워하다. 회상하다.

〔溯洄〕 sùhuí 동〈文〉 흐름을 거슬러 올라가다.
〔溯源〕 sùyuán 동 ①근원을 더듬어 거슬러 올라가다. ②〈比〉 역사·학문 등의 근원을 찾아 연구하다.

塑
sù (소)
동 흙 따위로 인물상(像)을 만들다. 소조(塑造)하다. ¶泥～木雕; 〈成〉 흙 인형과 목각 인형《사람이 우둔하고 무표정한 모양》 / ～一座老佛爷的像; 부처님의 상을 (흙으로) 만들다.

〔塑胶〕 sùjiāo 명《化》 ①플라스틱(plastic). ②〈俗〉 합성 수지.
〔塑炼〕 sùliàn 동 가소성(可塑性)을 지니게 하다. 가소화(化)하다.
〔塑料〕 sùliào 명《化》 가소성(可塑性) 고분자 화합물의 총칭《플라스틱(plastic)·비닐(vinyl)·베이클라이트(bakelite)·셀룰로이드(celluloid) 따위》. ¶～袋; 비닐 봉지 / ～鞋; 비닐(vinyl) 신발 / ～棚温室; 비닐 하우스 온실.
〔塑偶〕 sù'ǒu 명 ⇨〔塑像②〕
〔塑套本〕 sùtàoběn 명 비닐(vinyl) 커버(cover)가 달린 서적.
〔塑像〕 sù∙xiàng 동 흙으로 상(像)을 만들다. 조소(彫塑)하다. (sùxiàng) 명 ①소상(塑像). 조소. ②토우(土偶). =〔塑偶〕
〔塑性〕 sùxìng 명《物》 가소성(可塑性).
〔塑造〕 sùzào 동 ①《美》 형틀에 넣어 만들다. 소상(塑像)을 만들다. ¶～石膏像; 석고상을 만들다. ②(문자로) 인물을 묘사〔형상화〕하다. ¶～形象; 이미지(image)를 형상화하다. ③(사람의 생각 따위를) 일정한 틀에 맞추다.

愬
sù (소)
〈文〉 ①동 호소하다. 털어놓고 이야기하다. =〔诉②〕 ②형 놀라는 모양. =〔愬愬〕

蔌
sù (속)
①명〈文〉 야채. 산채(山菜). ¶山肴野～; 산과 들에서 나는 식품. ②→〔蔌地〕

〔蔌地〕 sùde 〈擬〉 ⇨〔簌地〕

橚〈樕〉
sù (속)
→〔朴pǔ樕〕

䍞
sù (속)
→〔䍦lù䍞〕

簌
sù (속)
→〔簌地〕〔簌簌〕

〔簌地〕 sùde 〈擬〉 주르르. 줄줄. 뚝뚝. ¶小娘子～两行泪下《清平山堂話本》; 소녀는 주르르 두 눈에서 눈물을 흘렸다. =〔蔌地〕〔簌簌②〕
〔簌簌〕 sùsù 〈擬〉 ①바스락. 와삭《나뭇잎 따위가 떨어지는 모양. 또, 스치는 소리》. ¶忽然听见芦苇里～地响; 갑자기 갈대 속에서 와삭와삭하는 소리가 들렸다. ②뚝뚝. 주르륵《뚝뚝 떨어지는 모양》. ¶热泪～地往下落; 뜨거운 눈물이 주르르 흘러 떨어지다. =〔簌地〕〔蔌地〕

SUAN ㄙㄨㄢ

狻
suān (산)
→〔狻猊〕

〔狻猊〕 suānní 명 전설상의 맹수의 하나.

酸〈痠〉B)
suān (산)
A) ①명《化》 산(酸). ¶盐～; 염산 / 硝～; 질산 / 胺àn～; 아미노산(amino) / 有机～; 카르본산 / 丙二～; 말론산 / 本多～; 판토텐산 / 蒲桃～; 피멜산 / 羟基丁二～; 능금산 / 十二～; 라우린산 / 十六～; 팔미트산. ②명 우유(迂儒)를 조롱하는 말《세상일에 어두운 하찮은 선비라는 뜻》. ¶～秀才; (고지식한) 가난한 서생(書生). ③형 (맛·냄새가) 시다. 시큼하다. ¶～菜; 배추 따위의 피클(pickle) / 这个梨真～; 이 배는 아주 시다 / 杏儿比醋还～; 살구는 초보다 시다 / 发～; 시큼해지다 / 馒头碱少发～; 만두는 소다를 조금 넣어서 시큼하다. ④형 애달프다. 슬프다. ¶心～; 슬프다 / 十分悲～; 매우 애달프다 / 鼻～; 슬퍼서 코가 찡하다 / 令人～怀; 남의 마음을 아프게 하다. ⑤형 거만하다. ⑥형 질투하다. 샘내다. ⑦형 궁티가 나다《흔히, 문인(文人)을 이름》. ¶穷～; 궁색하다. B) 형 께느른하다. 시큰거리다《가벼운 아픔을 느끼고 힘이 빠진 느낌》. ¶腰有点儿发～; 허리가 좀 시큰거린다 / ～软; 께느른하고 힘이 없다. 노곤하다 / 腰～腿疼; 허리가 시큰거리고 다리가 아프다.

〔酸白菜〕 suānbáicài 명 더운물에 데쳐서 시큼하게 발효시킨 배추. →〔酸菜〕
〔酸败〕 suānbài 동 부패하(여 시어지)다.
〔酸鼻〕 suānbí 형 코가 찡하다《매우 슬프다. 비참하다》.
〔酸宾子〕 suānbīnzi 명 ⇨〔槟子〕
〔酸不唧(儿)的〕 suānbujī(r)de 형 ①〈俗〉(맛이 없을 정도로) 시다. 시큼하다. ¶～味儿, 很好吃; 시큼해서 아주 맛있다. 注 '儿化' 하면 '시어서 맛이 있다'의 뜻이 됨. ②몸이 나른하고 시큰시큰하다. ¶走得两条腿有点儿～了; 걸었더니 두 다리가 좀 시큰시큰해졌다. ‖=〔酸不唧儿的〕〔酸得溜儿的〕
〔酸不剌唧〕 suānbulājī 형 ⇨〔酸不溜丢〕
〔酸不唧溜儿的〕 suānbujīliūrde 형 ⇨〔酸不唧(儿)的〕
〔酸不溜丢(的)〕 suānbuliūdiū(de) 형 〈方〉(맛이 없을 정도로) 시큼하다. 신냄새가 난다. =〔酸不剌唧〕
〔酸菜〕 suāncài 명 배추·산동채(山東菜) 따위를 온수에 담가서 시큼하게 만든 요리 이름. 초김치《볶거나 끓여서 먹음》.
〔酸橙〕 suānchéng 명 《植》 등자(나무)《'回huí青橙'의 별칭. '代dài代花'는 그 변종》.
〔酸楚〕 suānchǔ 명 ⇨〔酸辛〕
〔酸怆〕 suānchuàng 형 〈文〉 비참하고 애처롭다.
〔酸醋〕 suāncù 명 식초.
〔酸蛋〕 suāndàn 명 〈罵〉 ①〈方〉 건방지고 아니꼬운 놈. ②인텔리(intelli)를 비꼬아서 하는 말.
〔酸得溜儿的〕 suāndeliūrde 형 ⇨〔酸不唧(儿)的〕
〔酸丁〕 suāndīng 명 고리타분한 사람《문인(文人)의 멸칭》. ¶休惹rě他这～; 그런 찰가난뱅이하고는 상관하지 마라.
〔酸豆〕 suāndòu 명 ⇨〔罗luó晃子〕
〔酸毒〕 suāndú 형 (성격·수법이) 악랄하고 가혹하다.
〔酸度〕 suāndù 명 《化》 산도.
〔酸儿辣女〕 suān'ér lànǚ (미신에서) 임신부가 신 것을 좋아하면 아들을 낳고, 매운 것을 좋아하면 딸을 낳는다.
〔酸腐〕 suānfǔ 형 (사고 방식이나 언동이) 케케묵고 답답하다. 낡아 빠지다. 진부하다. =〔酸溜溜(儿)③〕
〔酸甘〕 suāngān 형 새콤달콤하다.
〔酸酐〕 suāngān 명 《化》 무수산(無水酸). =〔酐〕
〔酸根〕 suāngēn 명 《化》 산기(酸基). =〔酸基〕
〔酸梗〕 suāngěng 동 〈文〉 슬퍼서 가슴이 메다. =〔酸噎yē〕
〔酸咕囔的〕 suāngūnangde 형 부패해서 시큼한 냄새가 나다〔시큼하다〕.
〔酸怀〕 suānhuái 형 근심하다. 걱정하다. 마음아프다.
〔酸黄瓜〕 suānhuángguā 명 ①오이지. ②초를 쳐서 만든 오이 요리.
〔酸鸡〕 suānjī 명 《蟲》 베짱이.
〔酸基〕 suānjī 명 ⇨〔酸根〕
〔酸箕〕 suānjī 명 《植》 괭이밥. =〔酸迷迷草〕〔酸米草〕〔酸母草〕〔酸三柳〕〔酸味草〕〔酢cù浆草〕
〔酸浆〕 suānjiāng 명 《植》 ①꽈리. =〔灯笼草〕〔挂金灯〕〔寒浆〕 ②괭이밥. =〔酢cù浆草〕
〔酸浆贝〕 suānjiāngbèi 명 《貝》 꽈리조개.
〔酸角〕 suānjiǎo 명 ⇨〔罗luó晃子〕
〔酸苦〕 suānkǔ 명 ⇨〔酸辛〕
〔酸款〕 suānkuǎn 명 〈比〉 거드럭거리는 태도. 아니꼬운 태도. 잘난 척하는 모양. ¶好hào体面爱闹个～; 체면치레를 좋아하고 잘난 척한다.
〔酸狂〕 suānkuáng 형 오만하고 건방지다. ¶～劲jìn儿; 건방진 태도.
〔酸困〕 suānkùn 형 시큰시큰하다. ¶站得腿脚～了; 서 있어서 다리가 시큰시큰해졌다.
〔酸辣〕 suānlà 형 (맛이) 시고 맵다. ¶～汤; 국에 식초·후추를 넣은 것.
〔酸辣苦甜咸〕 suān là kǔ tián xián 명 시고, 맵고, 쓰고, 달고, 짠 다섯 가지 맛. =〔甜酸苦辣咸〕
〔酸辣辣〕 suānlàlà 형 몹시 시다. =〔酸渍渍〕
〔酸懒〕 suānlǎn 형 〈方〉(몸이) 뻐근하다. 나른하다. ¶身上～; 몸이 뻐근하다.
〔酸梨〕 suānlí 명 《植》 배의 일종《작고 타원형이며 시큼함》.
〔酸刘刘〕 suānliúliú 형 ⇨〔酸溜溜①〕
〔酸溜溜(的)〕 suānliūliū(de) 형 ①신맛이 나다. =〔酸刘刘〕 ②(몸이) 나른하다. 뻐근하다. ¶走了一天的路, 腿肚子有点儿～的; 하루 종일 걸었더니 장단지가 조금 뻐근하다. ③ ⇨〔酸腐〕 ④슬프다. 마음이 쓰라리다. ¶要和老师离别, 学生们心里都～的; 선생님과 헤어지게 되어 학생들은 슬퍼하고 있다. 명동 질투(하다). 시샘(하다). ¶她看到自己的男朋友跟另一个女同学要好, 心里感到～的; 그녀는 자기의 남자 친구가 다른 여학생과 친한 것을 보고 샘을 내고 있다.
〔酸麻〕 suānmá 형 께느른하다. 나른해서 감각이 둔해지다. 시큰시큰하고 저리다.
〔酸马奶〕 suānmǎnǎi 명 쿠미스(koumiss). 말젖을 발효시켜서 만드는 음료.
〔酸梅〕 suānméi 명 ①말려서 훈제(燻製)로 한 청매(青梅). ¶～汤 =〔梅汤〕; 말려서 훈제한 청매를 설탕물에 담근 여름 음료수. =〔乌wū梅〕 ②《植》 타마린드(tamarind). =〔罗晃子〕
〔酸迷迷草〕 suānmímícǎo 명 ⇨〔酸箕〕
〔酸米草〕 suānmǐcǎo 명 ⇨〔酸箕〕
〔酸模〕 suānmó 명 《植》 수영. ¶～叶蓼; 《植》 흰여뀌. =〔山大黄〕〔山羊蹄〕
〔酸母草〕 suānmǔcǎo 명 ⇨〔酸箕〕
〔酸奶〕 suānnǎi 명 ⇨〔酸牛奶〕
〔酸牛奶〕 suānniúnǎi 명 요구르트(yogurt). =〔酸奶〕〔酸奶酪〕〔酸乳(酪)〕〔〈音〉 育yù高德〕
〔酸胖〕 suānpàng 형 푸석살이 쪄 있다. 탄력 없이 뚱뚱하다.
〔酸气〕 suānqì 명 툭하면 문자를 쓰고 싶어하는 일. 학자티를 내는 것. ¶之乎者也不离嘴, 人听着这分儿～; 말끝마다 '之·乎·者·也' 같은 문자가 입에서 떠나지 않아〔늘상 입에 붙어〕 옆에서 듣고 있기에 역겹다.
〔酸切〕 suānqiè 형 통절(痛切)하다. 절실하다.
〔酸然〕 suānrán 형 처량하다. 구슬프다.
〔酸人〕 suānrén 명 불평불만만 늘어놓는 사람. 역겨운〔메스꺼운〕 사람.
〔酸乳(酪)〕 suānrǔ(lào) 명 ⇨〔酸牛奶〕
〔酸软〕 suānruǎn 형 께느른하다. 노곤하다. ¶腿～了; 다리가 께느른하다.
〔酸三柳〕 suānsānliǔ 명 ⇨〔酸箕〕
〔酸笋〕 suānsǔn 명 죽순을 데쳐 2, 3일간 찬물에 담갔다가 초를 쳐서 삶아 먹는 요리.
〔酸疼〕 suānténg 형 시큰시큰 쑤시다. 결리고 아프다. =〔酸痛〕
〔酸甜苦辣〕 suān tián kǔ là 〈成〉 신맛·단맛·쓴맛·매운맛의 여러 맛《ⓐ이 수(手) 저 수. ⓑ세

상의 간난 신고(艱難辛苦)). ¶他没受过～; 그는 세상의 괴로움을 모른다 / 尝过～; 세상의 신산(辛酸)을 맛보다 / 用威迫、利诱、～的种种办法; 협박하고 매수하고 그 밖에 여러 가지 수법을 쓰다.
〔酸甜儿〕 suāntiánr 형 새콤달콤하다.
〔酸桶〕 suāntǒng 명 ⇨〔盐yán肤子〕
〔酸痛〕 suāntòng 형 결리고 아프다. 뻐근하다. ¶左臂～; 왼팔이 뻐근하다. =〔酸疼〕
〔酸头儿〕 suāntóur 명 약간 신 맛. ¶这酒有点儿～; 이 술은 약간 시큼하다.
〔酸味〕 suānwèi 명 ①산미. 신맛. ②질투. 시기.
〔酸味草〕 suānwèicǎo 명 ⇨〔酸箕〕
〔酸文假醋〕 suānwén jiǎcù 〈比〉 겉으로는 그럴싸하게 학식(學識)이 있는 듯한 태도를 보이다. 박식(博識)한 척하다.
〔酸相〕 suānxiàng 명 꼴사나운 모습. 궁상맞은 꼴. 다라운 꼴. =〔寒hán酸相〕
〔酸心〕 suānxīn 형 ①마음이 아프다. 애달프다. ②속이 쓰리고 아프다.
〔酸辛〕 suānxīn 명 신고(辛苦). 신산(辛酸). 고생. 괴로움. ¶饱尝了天下的～; 세상의 괴로움을 싫도록 경험하다. =〔酸楚〕〔酸苦〕
〔酸性〕 suānxìng 명 《化》 산성. ¶～反应yìng; 산성 반응 / ～染rǎn料; 산성 염료 / ～大红; 산성 스칼릿 / ～玫瑰; 산성 로다민 / ～藏zàng青; 산성 블루블랙 / ～雨 =〔酸雨〕〔〈俗〉空中鬼〕; 산성비.
〔酸性渣〕 suānxìngzhā 명 산성 광재(鑛滓)〔슬러지(sludge)〕. =〔〈俗〉玻bō璃渣〕
〔酸噎〕 suānyē 동 ⇨〔酸梗gěng〕
〔酸柚〕 suānyòu 명 그레이프 프루트(grapefruit). =〔葡pú萄柚〕〔西xī柚〕
〔酸枣〕 suānzǎo 명 《植》 멧대추나무. ¶～儿; 멧대추 / ～儿糕; 멧대추 가루를 반죽하여 만든 과자 / ～儿面儿; 멧대추의 가루 / 吃～; 〈比〉 고생하다. 곤궁하다. 형 고통 받다. 곤란 받다. =〔受苦〕
〔酸赭〕 suānzhě 명 《植》 오이풀. =〔地dì榆〕
〔酸枝(红)木〕 suānzhī(hóng)mù 명 ⇨〔红木〕
〔酸值〕 suānzhí 명 《化》 산가(酸價). 산패도(酸敗度).
〔酸渍渍〕 suānzìzì 형 보기만 해도 신 모양. ¶～的梅子; 신 매실(梅實). =〔酸辣辣〕
〔酸子行〕 suānziháng 명 〈比〉 학문이 있는 체하는 경박한 사람.

蒜 suàn (산)

명 《植》 마늘. ¶一瓣～; 한 다발의 마늘. =〔大蒜〕〔葫(蒜)〕
〔蒜瓣儿〕 suànbànr 명 ①통마늘의 낱쪽. ②발(足).
〔蒜辫子〕 suànbiànzi 명 마늘접《마늘을 줄기 쪽에서 묶은 것》.
〔蒜肠(儿)〕 suàncháng(r) 명 마늘로 조미(調味)한 '香xiāng肠(儿)'(소시지).
〔蒜槌子〕 suànchuízi 명 ⇨〔蒜锤子〕
〔蒜锤子〕 suànchuízi 명 마늘을 다지는〔찧는〕 망치〔공이〕. =〔蒜槌子〕
〔蒜发〕 suànfà 명 새치. =〔算发〕
〔蒜罐子〕 suànguànzi 명 마늘을 으깨는 작은 절구. =〔蒜臼〕
〔蒜毫(儿)〕 suànháo(r) 명 마늘의 새싹.
〔蒜黄(儿)〕 suànhuáng(r) 명 그늘에서 키운 황색의 마늘 잎《식용》.
〔蒜臼〕 suànjiù 명 ⇨〔蒜罐子〕
〔蒜卵〕 suànluǎn 명 통마늘.
〔蒜苗(儿)〕 suànmiáo(r) 명 ①〈方〉 마늘의 싹. ②마늘종. ③요리용의 마늘의 줄기와 잎. ④〈比〉 하잘것없는 사람.
〔蒜脑薯〕 suànnǎoshǔ 명 《植》 백합의 별칭.
〔蒜泥〕 suànní 명 마늘을 짓찧은 것.
〔蒜皮儿〕 suànpír 명 마늘 껍질. 〈比〉 하찮은 것. ¶去～; 마늘 껍질을 까다 / 鸡毛～; 〈比〉 보잘것없는 것 / ～脑袋; 텅빈 머리.
〔蒜茸〕 suànróng 명 곱게 으깬 마늘.
〔蒜薹〕 suàntái 명 마늘의 싹. 마늘종.
〔蒜条〕 suàntiáo 명 〈比〉 마늘종처럼 가늘고 긴 것. ¶～金; 가늘고 긴 금막대 / ～镯子; 가늘고 긴 팔찌.
〔蒜头(儿)〕 suàntóu(r) 명 통마늘. ¶～鼻子; 동그란 코.
〔蒜头草〕 suàntóucǎo 명 《植》 〈俗〉 '石shí蒜'(석산)의 속칭.
〔蒜味(儿)〕 suànwèi(r) 명 마늘 냄새.

筭 suàn (산)

〈文〉 ① 명 산가지. ② 명 어림수(數). ③ '算suàn'과 통용.

算〈祘〉 suàn (산)

① 동 계산하다. ¶～～多少钱! 얼마인가 계산해라! / ～错; 계산을 잘못하다 / ～起来差不多; 계산해 보니 대체로 비슷하다 / ～在一块儿; 함께 계산하다. 합산하다. ② 동 계산에 넣다. 가산하다. 포함시키다. ¶不～我, 还有十个人; 나를 계산에 넣지 않아도 10명이 있다 / 把他也～上吧; 그도 셈에 넣자 / 不～一回事; 문제가 아니다. ③ 동 …으로 치다. …이라 간주하다. …인 셈이다. ¶还～不错; 그저 그만하면 나은 편이다 / 也～不白活一世; 평생 헛되이 살지 않았다고 간주할 수 있다 / 能～偷么? 도둑질이라고 할 수 있을까? / 剩下的～我的; 남은 것이 내 것이란 얘기가 된다. ④ 동 승인하다. ¶说了不～; 식언(食言)하다. ⑤ 동 끝나다. 그만두다. 이러쿵저러쿵 말하지 않다《뒤에 '了'를 동반함》. ¶～了, 别说了! 이제 됐어. 더 이상 말하지 마! / 到几时才能～了呢; 언제나 끝날 것인가 / 您不愿意去, 那就～了; 네가 가고 싶지 않다면 그만이다. ⑥ 동 비중을 두다. 중요시하다. ¶他说的才～, 我说的不～; 그가 말하는 것이야말로 확실하며 내가 말하는 것은 믿을 수 없는 것이다 / 只有超级大国说了～; 강대국의 말만이 유효하다. ⑦ 동 추측하다. 알아맞히다. …이라고 생각하다. ¶我～着他今天该来; 나는 그가 오늘 꼭 올 것이라 생각한다. ⑧ 동 기도하다. 계획하다. 계략을 꾸미다. ¶失～; 기대에 어긋나다 / ～无遗策; 〈成〉 계획에 실수가 없다 / 盘～; (마음 속으로) 계획하다 / 四～万～不如老天爷一～; 〈諺〉 아무리 생각해 봐도 하느님의 한 번 생각에는 못 미친다. ⑨ 동 남을 속이다. 남의 것을 노리다. ¶你不要～我! 너는 나를 노리면 안 된다! ⑩ 동 점(占)치다. ⑪ 명 계산.
〔算不得…〕 suànbude… …로 칠 수 없다. …에 넣을 수 없다. …라고 인정할 수 없다. ¶～英雄; 영웅이라 할 수 없다. ↔〔算得〕
〔算不了〕 suànbuliǎo ①…라 할 수 없다. …로 간주할 수 없다. ¶～一回事; 대단치 않은 일이다. ②(계산에 관계 있는 일을) 할 수 없다. 계산할 수 없다. ¶这个算术题, 我～; 이 산수 문제를 나는 풀 수 없다. ③(많아서) 계산할 수 없다. ‖ ↔〔算得了〕
〔算不清〕 suànbuqīng ①계산이 정확하지 않다.

②확실하게 계산할 수 없다.
〔算不上〕 **suànbushàng** …이란 계산을 넣을 수 없다. …이라고 할 수는 없다. ¶这一点不顺利～是打击; 이 정도로 순조롭지 못한 것은, 타격이라 할 수 없다.
〔算不着〕 **suànbuzháo** ①계산이 맞지 않다. ②점(占)이 맞지 않다.
〔算草(儿)〕 **suàncǎo(r)** 명 산식(算式). 계산식. 운산(運算). ¶～要写在另一张纸上; 운산은 별지(別紙)에 쓸 것.
〔算尺〕 **suànchǐ** 명 《數》 계산자. ＝〔计jì算尺〕
〔算筹〕 **suànchóu** 명 산가지. 산대.
〔算大账〕 **suàn dàzhàng** ①결산하다. ②〈比〉 대국적인 견지에서 판단하다.
〔算得〕 **suàn·de** 동 헤아릴 수 있다. (그럭저럭) …라고 간주되다. …이라고 할 수 있다《흔히, '还'의 수식을 받거나, 또 '可以'와 같은 조동사(助動詞)를 앞에 놓음》. ¶还可以～一位知识人; 그만하면 지식인의 한 사람이라고 할 수 있다／还～书本吗? 그래도 서적이라고 할 수 있겠는가?
〔算定〕 **suàndìng** 동 ①확정 계산하다. 결산을 끝내다. ②그런 줄로 믿다. 그렇다고 생각하다. 그렇다고 여기다. ¶他们～我们办不好经济; 그들은 우리들이 경제를 잘 처리하지 못할 것이라고 믿는다.
〔算端〕 **Suànduān** 명 〈音〉 술탄(Sultan)《중세 이슬람교국의 군주》. ＝〔苏丹〕〔萨尔旦〕〔算滩〕〔素丹〕〔苏檀〕〔莎勒檀〕
〔算法〕 **suànfǎ** 명 ①산법. ②계산하는 법. ¶你这样～是不对的; 너의 그런 계산 방식은 틀렸다.
〔算发〕 **suànfà** 명 ⇨〔蒜发〕
〔算付〕 **suànfù** 동 〈文〉 계산하여 치르다〔지불하다〕.
〔算卦〕 **suàn·guà** 동 점치다. ¶～的; 점술가. 점쟁이.
〔算话〕 **suàn·huà** 동 ①(말한 것을) 저버리지 않다. 말에 책임을 지다. ¶说话～; 말에 책임을 지다. ②말한 대로 되다. ¶政府说话有时候也不～; 정부에서 말하는 것도 때때로 그대로 되지 않는다.
〔算还〕 **suànhuán** 동 계산하여 갚다. 지불하다. ¶于是二人起身～酒账《紅樓夢》; 그래서 두 사람은 일어나서 술값을 치렀다.
〔算计〕 **suànji** 동 ①계산하다. (수를) 어림해 보다. ¶～着也就够了; 어림해 보니까 대체로 충분한 상태이다. ②생각하다. 고려하다. ¶这件还得～～; 이 건(件)은 좀더 생각해 볼 필요가 있다／～不到的事; 계산이〔고려가〕 미치지 못한 일. ③함정에 빠뜨리다. 속이다. ¶他要～你; 그는 너를 속여 먹으려고 한다. ④추측〔짐작〕하다. ¶我～他今天回不来, 果然没回来; 나는 그가 오늘 돌아오지 못할 것이라 예상했는데, 과연 돌아오지 않았다. ⑤(계략을) 꾀하다. ¶他嘴里跟您好, 心里可～您呢! 그는 입으로는 당신과 친해지고 싶다고 하지만, 당신에게 계략을 꾸미고 있단 말이오!
〔算计儿〕 **suànjir** 명 〈方〉 계산. 계획. 타산. 예정. ¶他很有～; 그는 잘 계산〔타산〕한다／要预先有个～; 우선 먼저 계획이 있어야 한다.
〔算筋算骨〕 **suànjīn suàngǔ** 동 〈比〉 면밀히 계산하다. 세밀히 타산하다.
〔算就〕 **suànjiù** 동 ①꼭 …할〔일〕 것이라고 생각하다. ¶～了你要来; 꼭 자네는 올 것이라고 생각했었네. ②정확히 내다보다. 예견하다. ¶～了敌人败亡的命运; 적이 멸망될 운명을 정확하게 내다보고 있었다／早给他～了; 진작부터 그의 일은 예상하고 있었다.
〔算来〕 **suànlái** 동 ①세어 보다. ②추측해 보다.
〔算来算去〕 **suànlái suànqù** ①되풀이하여 계산해 보다. ②〈轉〉 이것저것을 두루 생각하다.
〔算老账〕 **suàn lǎozhàng** ①묵은 채무를 청산하다. ②〈轉〉 지나간 일을 끄집어 내어 처리하다.
〔算了〕 **suànle** 개의치 않다. 그만두다. 이젠 그만하다. 그것으로 끝장이다. 됐다. ¶～, ～, 随他的便吧! 이젠 됐어, 그의 자유대로 하게 내버려 두어라!／这件事～; 이 일은 아무래도 상관없다／他不愿意, 那就～; 그가 싫다면 그만이다. ⇒ **suànliǎo**
〔算了〕 **suànliǎo** 결말이 나다. ¶这件事～; 이 일은 결말이 났다. ⇒ **suànle**
〔算命〕 **suàn·mìng** 동 (생년월일로) 운수를 점치다. ¶～的 ＝〔～先生〕; 점술가. 점쟁이.
〔算盘〕 **suànpán** 명 ①주판. ¶打～; ⓐ주판을 튀기다〔놓다〕. ⓑ〈轉〉 타산적으로 따지다／做生意小～儿是不能不打的; 장사를 하는데 주판을 꼼꼼하게 튀기는 것은 불가피한 일이다／～脑袋; 〈比〉 구두쇠／～手儿; 〈比〉 검약가(儉約家)／～子儿 ＝〔～珠(儿)〕; 주판 알／～纥繨gēda ＝〔～疙瘩〕; 중국옷의 단추나 모자 위의 꼭지에 쓰이는, 끈 장식의 단추나 장식 구슬. ＝〔算子①〕 ②〈比〉 계획(計劃). 속셈. 심산(心算). ¶这些好～全都白打了; 이 좋은 계획들은 모두 헛것이 되었다.
〔算清〕 **suànqīng** 동 청산하다.
〔算上〕 **suànshàng** 동 (…까지) 계산에 넣다. 셈치다. 포함시키다. ¶今天请客也～他; 오늘의 초대에는 그도 포함시킨다／连吃饭、穿衣的时间都得～; 밥을 먹거나 옷을 입는 시간도 계산에 넣어야 한다.
〔算式〕 **suànshì** 명 《數》 산식. 산술의 식.
〔算是〕 **suànshi** 동 …인 셈이다. …인 편이다. 그럭저럭 …이다. ¶这一下～你猜着了; 이번은 너의 추측이 아마 맞은 것 같다／他在我们班～学得好的; 우리 학급에서는 그가 공부를 잘 하는 편이다.
〔算术〕 **suànshù** 명 《數》 산술. ¶～题; 산술 문제／～级数; 산술 급수. 등차(等差) 급수. ＝〔算学②〕
〔算数(儿)〕 **suàn·shù(r)** 동 ①수를 세다. 셈하다. ②속셈을 하다. 앞뒤를 생각하고 말하다. ¶说话得～, 别竟胡说八道; 말할 때는 앞뒤를 생각해야지, 함부로 말하면 안 된다. ③그만이다. 그뿐이다. 그것으로 됐다. ¶然后把这种纸衣撕掉扔了～; 그런 후에 이런 종이로 만든 옷을 찢어 버리면 그만이다. ④약속을 지키다. 말한 대로 지키다. 책임지다. ¶这只是我个人的意见, 不能～; 이것은 단지 나 개인의 의견으로, 책임은 질 수 없다.
〔算题〕 **suàntí** 명 운산(運算) 문제. 연산(演算) 문제.
〔算铁〕 **suàntiě** 동 상담·홍정 등이 성립되다. 확정되다. ¶这门亲事～了; 이 혼담은 성립되었다.
〔算完〕 **suànwán** 동 ①계산을 끝내다. ②끝장 나다. 일이 끝이 나다. ¶买卖～了; 장사가 형편없다〔끝장났다〕.
〔算细账〕 **suàn xìzhàng** ①득실을 세밀하게 계산하다. 타산적으로 하다. ②정산(精算)하다.
〔算小账〕 **suàn xiǎozhàng** 눈앞의 작은 손득(損得)을 생각한다.
〔算学〕 **suànxué** 명 ①수학. ②산술. ＝〔算术〕

〔算账〕 suàn⸝zhàng 동 ①청산〔결산〕하다. ¶算总账; 총결산하다. ②회계하다. ③〈口〉〈轉〉 일의 매듭을 짓다. 끝장을 내다. 결판을 내다. 유한(遺恨)을 풀다. ¶明天去跟经理～; 내일 나가서 지배인과 결판을 짓겠다 / 算苦账; 고통을 당한 앙갚음을 하다 / 那个厨子简直不行, 待会儿给他～; 저 요리사는 정말 못 쓰겠다. 기회를 봐서 결판을 짓겠다.

〔算账派〕 suànzhàngpài 명 대중의 힘의 위대함을 고려하지 않고, 다만 일반 조건만을 계산하는 일파(一派).

〔算珠〕 suànzhū 명 주판알. =〔算盘子儿〕

〔算准〕 suànzhǔn 동 정확하게 계산이 되어 있다. 정확히 계산하다.

〔算子〕 suànzi 명 ① ⇨〔算盘①〕 ②《數》 연산자(演算子). ¶微分～; 미분 연산자.

SUI ㄙㄨㄟ

尿 suī (뇨)
① 명 소변. 요(尿). ¶小孩儿又尿niào了一泡～; 어린애가 또 오줌을 쌌다. ② 동 기가 죽다. 무서워하다. ¶鬼看见他就～了; 귀신이라도 그를 본다면 무서워할 것이다 / 有人就横没人就～了; 사람이 있다면 기세가 당당하지만, 사람이 없으면 풀이 죽는다. ⇒niào

〔尿脬〕 suīpao 명《生》〈方〉 방광. ¶猫咬～, 空kōng欢喜; 고양이가 방광으로 만든 얼음 주머니를 물고 좋아한다《헛된 기쁨》.

虽(雖〈虽, 雖〉) suī (수)
접 비록 …이라고 할지라도. 설령〔설사〕 …일지라도. ¶话～如此说, 还是去一趟好; 그렇게 말하기는 하지만 역시 한 번 가 보는 것이 좋다 / ～有条件的限制, 但乃要努力; 조건이 제약되고 있기는 하지만, 역시 노력은 필요하다 / 山～高, 雪～深, 却挡不住英雄的意志; 산은 높고 눈은 깊지만, 영웅의 의지를 막을 수는 없다.

〔虽然〕 suīrán 접 〈口〉 비록〔설령〕 …이라 할지라도. 그렇기는 하지만《'～' 다음에 기정 사실을 말하고 그 뒤에 '可是' '却(是)' '但(是)' 등을 써서 다음의 서술을 시작함》. ¶～…可是…; …이기는 하나… / ～天气这么冷, 但是我身上还出汗呢! 날씨가 이렇게 추운데도, 내 몸에서는 아직도 땀이 나온답니다! / 他～脾气有点火暴, 可是个直性子; 그는 성질이 좀 거칠기는 하지만, 솔직한 사람이다 / 我们～多费了几天工夫, 但是多走了几个地方, 长了不少见识; 우리들이 비록 며칠을 더 소비했지만, 그러나 여러 곳에 가서 적지 않은 견식을 쌓았다. =〔虽是〕〔虽说〕〔虽则〕

〔虽然如此〕 suīrán rúcǐ 비록 그렇기는 하지만. 그럼에도 불구하고.

〔虽是〕 suīshì 접 ⇨〔虽然〕

〔虽说〕 suīshuō 접 ⇨〔虽然〕

〔虽则〕 suīzé 접 〈文〉 ⇨〔虽然〕

荽 suī (유)
→〔芫yán荽〕〔胡hú荽〕

眭 suī (혜)
① 동 〈文〉 주시하다. 주의 깊게 보다. ② 명 성(姓)의 하나.

睢 suī (수)
① 동 눈을 크게 뜨고 보다. 눈을 부릅뜨다. ¶万众～～; 모두가 눈을 크게 뜨고 보다〔우러러보다〕. ② 동 〈文〉 제멋대로 하다. 방자하다. →〔恣zì睢〕 ③(Suī) 명《地》 쑤이 현(睢縣)《허난성(河南省)에 있는 고을 이름》. ④ 명 성(姓)의 하나.

濉 Suī (수)
명《地》 쑤이허 강(濉河)《안후이 성(安徽省)에 있는 강 이름》.

绥(綏) suí (수)
① 동 편안하게 하다. ② 형 생활이 안정되다. ③ 형 편안〔평안〕하다. ¶顺颂台～; 〈翰〉 아울러 편안하심을 기원합니다. ④ 명 싸움. ¶交～; 교전하다. ⑤ 동 물러나다.

〔绥边〕 suíbiān 동 〈文〉 변경을 평정(平定)하다. ¶清圣祖以～靖国为大业; 청나라 성조(聖祖)는 변경을 평정하여 나라를 편안히 하는 것을 대업으로 삼았다.

〔绥抚〕 suífǔ 동 〈文〉 진압하여 달래다.

〔绥和〕 suíhé 형 〈文〉 평온하다. 평안하다. ¶家中大小～; 집안은 어른에서 어린이에 이르기까지 사이좋고 평안하다.

〔绥靖〕 suíjìng 동 진무(鎭撫)하다. 안무(安撫)하다. 평정하다. ¶～主任公署; 지방의 치안 유지를 맡던 관청 / ～主义; 유화(宥和)주의.

〔绥绥〕 suísuí 형 〈文〉 ①평안하고 태평하다. ¶兄弟融融, 妯娌～, 乃家庭之至乐; 형제간에 우애있고, 며느리들이 평화롭게 지내는 것은 가정의 최상의 기쁨이다. ②슬슬〔느릿느릿〕 가는 모양.

〔绥慰〕 suíwèi 동 〈文〉 위무(慰撫)하다. =〔绥宥〕

〔绥宥〕 suíyòu 동 ⇨〔绥慰〕

隋 Suí (수)
명 ①《史》 수나라《양견(楊堅)이 세운 왕조. 581～618》. ②성(姓)의 하나.

随(隨) suí (수)
① 동 (강·길 등을) 따르다. ¶～着电车道往西走; 전찻길을 따라 서쪽으로 가다. ② 동 …을 따라가다. 따르다. ¶～着人走; 남의 뒤를 따라가다 / 追～于后; 뒤를 따르다. ③ 동 맡기다. …대로 하다. …에 맞추다. ¶～你怎么想吧; 네 생각대로 해라 / 你弹钢琴, 我～着唱; 네가 피아노를 치면, 나는 맞추어 노래한다 / 封建时代的女人总是～夫贵～夫贱的, 现在也有她们自己的身价了; 봉건 사회의 여자는 아무래도 남편 따라 귀해지기도 하고 비천해지기도 하였지만, 현재는 그녀들 자신의 가치도 있게 되었다. ④…에 달라붙어서. ⑤…에 따라. …하면 할수록. ¶～老～衰; 나이를 먹을수록 쇠약해지다. ⑥ 동 〈京〉 닮다. ¶他的脸庞～他母亲; 그의 얼굴은 어머니를 닮았다. ⑦…하면서. …하는 족족《행동의 연속이나 중첩을 나타냄》. ¶～说～写; 말하는 족족 쓴다 / ～说～哭; 말하면서 울다 / ～来～花 =〔～来～用〕; 오자마자 (돈을) 써 버리다 / ～说～忘; 말하는 족족 잊다. ⑧아무리 …라도. 어떠한 …라도. ¶～来～有; 오면 언제든지 있다 / ～时～地; 언제 어디라도 / ～你不和顺的兄弟, 听着在下讲这节故事, 都要学好起来; 아무리 유순하지 않은 당신의 동생이라 하더라도, 제가 하는 이 이야기를 들으면, 모두 잘 본받게 될 것입니다. ⑨ 동 부대(附帶)하다. 부대하여 지니다. ¶～身带着救急的药; 구급약을 몸에 지니고 있다 / ～着自行车有铃儿; 자전거에 벨이 달려 있다 / ～着锁有两把钥匙; 자물쇠에 열쇠가 둘 딸려

있다. ⑩ 명 성(姓)의 하나.

〔随班唱喏〕 suíbān chàngrě 동료〔한 패거리〕들이 하는 대로 네하고 대답하다《다른 사람에 맞장구를 치다》. =〔随帮唱影〕

〔随帮唱影〕 suíbāng chàngyǐng ⇨〔随班唱喏〕

〔随包〕 suíbāo 명 종자(從者)에게 주는 행하(行下). =〔随封〕

〔随辈〕 suíbèi 명 〈文〉 수행원. 종자(從者).

〔随笔〕 suíbǐ 명 ①수필. 에세이. '散sǎn文②'의 하나. ②(강연·소개·설명 등의) 노트. 기록.

〔随便〕 suí.biàn 동 마음대로 하다. 멋대로 하다. 좋을 대로 하다. ¶随你的便吧! 마음대로 하십시오! / 去不去都～; 가든 안 가든 자유이다. (suíbiàn) 부 자유롭게. 마음대로. 함부로. ¶～发表意见; 자유롭게 의견을 말하다. 형 제멋대로이다. 무책임하다. ¶我说话很～, 请你不要见怪! 나는 거리낌없이 말하니까 언짢게 생각하지 마십시오! / 你别在客人面前太～; 손님 앞에서 너무 무례하게 굴면 안 된다. 접 …에 관계 없이. …을 막론하고《뒤에 흔히 의문 대명사(疑問代名詞)를 씀》. ¶～什么话, 他都大胆地说出来; 무슨 말이건, 그는 대담하게 한다.

〔随便舞〕 suíbiànwǔ 명 '迪dí斯科' (디스코) 따위와 같은 제멋대로 추는 춤.

〔随波漂流〕 suí bō piāo liú 〈成〉 ⇨〔随波逐流〕

〔随波逐流〕 suí bō zhú liú 〈成〉 바람 부는 대로 물 흐르는 대로《남이 하는 대로 맡기다. 정견 없이 시대 조류에 좌우되다》. =〔随波漂流〕

〔随不上〕 suíbushàng 따라갈 수 없다. ¶～溜liù儿; 남만큼 따라갈 수 없다.

〔随茶随饭〕 suí chá suí fàn 〈成〉 특별한 음식을 만들지 않고 있는 대로 손님을 접대하다. =〔随菜随饭〕

〔随常〕 suícháng 부 평상. 보통. ¶不要特别好的, ～用的就行了; 특별히 좋은 것은 필요 없고, 보통 쓰는 것이면 된다.

〔随车雨〕 suíchēyǔ 명 〈比〉 옛날, 관리(官吏)의 은택이 백성에게 미치는 일.

〔随处而安〕 suí chù ér ān 〈成〉 ⇨〔随遇而安〕

〔随处(儿)〕 suíchù(r) 부 어디서나. 도처에. ¶春郊～尽花草; 봄의 교외는 도처에 온갖 화초가 있다.

〔随船〕 suíchuán 같은 그 배로. 가는 배편으로. ¶～寄上; (물건은) 같은 배편으로〔배에 실어서〕 보내겠습니다.

〔随次〕 suícì 동 순서에 따르다. 명 순서.

〔随从〕 suícóng 동 수종하다. 수행하다. 따르다. ¶～人; 수행인. 명 종자(從者). 수행원. ¶家人～等, 皆四围防宿; 가족과 종자 등은 모두 방비를 위하여 주위에 숙소를 잡았다.

〔随大流(儿)〕 suí dàliú(r) 여러 사람의 동향을 보고 행동하다. 대세를 따르다. =〔随大溜(儿)〕

〔随带〕 suídài 동 ①함께 가지고 가다. ¶信外～书籍一包; 편지 외에 책 한 꾸러미를 가지고 가다. ②휴대하다. ¶～行李; ⓐ수화물(手貨物)을 휴대하다. ⓑ휴대 수화물.

〔随得随失〕 suí dé suí shī 〈成〉 손에 넣는 족족 잃어〔없애〕버리다.

〔随地〕 suídì 부 ①곳에 따라. ¶～不同; 곳에 따라 다르다. ②아무데나. 어디서나. ¶随时～; 언제 어디서나 / 不准～吐痰; 함부로 침을 뱉는 것을 금하다.

〔随方就圆〕 suí fāng jiù yuán 〈成〉 순응성〔융통성〕이 있다. 환경에 잘 적응하다. 자유 자재로 변화하다. ¶出家在外总得～才能处世无忧; 집을 나와 밖에 있으면 주위에 잘 적응해야만 근심 없이 처세할 수 있다. =〔随高就低(儿)〕

〔随分〕 suífèn 동 ①분수에 따르다. ②낼 만한 역량을 내다. 힘 닿는 대로 하다. ¶随力～; 낼 수 있는 역량을 내다. ③(남에게 주는 선물에) 자기도 분수에 맞게 한몫 담당하다. ¶王夫人、凤姐、黛玉等诸人皆有～的《紅樓夢》; 왕부인. 봉저·대옥 등 여러 사람들은 모두 각각 선물의 한 몫씩을 분담하였다.

〔随份子〕 suífènzi 분수에 맞게 경조금(慶弔金)을 보내다. ¶今儿张家有事, 我得～去; 오늘은 장씨 집에 행사가 있으므로 돈〔부조금〕을 보내러 가야 한다.

〔随风(儿)倒〕 suífēng(r)dǎo 〈比〉 ①세력이 강한 쪽에 붙다. 권력에 복종하다. ②정견(定見) 없이 흔들리다. ‖ =〔随风倒柳〕

〔随风倒舵〕 suí fēng dǎo duò 〈成〉 ⇨〔随风转舵〕

〔随风就俗〕 suí fēng jiù sú 〈成〉 ①사회 일반의 풍조에 쉽게 따르다. ②그 지방에 가면 그 풍속을 따른다.

〔随风转舵〕 suí fēng zhuǎn duò 〈成〉 형세를 보고 행동하다. ¶有人说～是识时务, 我可认为那是丧sàng失人格的事; 형세를 보아 행동하는 것을 정세 판단을 잘 하는 것이라고 말하는 사람도 있지만, 나는 그것은 인격을 상실하는 일이라고 생각한다. =〔随风倒舵〕〔随风使舵〕〔顺风转舵〕

〔随封〕 suífēng 명 ⇨〔随包〕

〔随赶着〕 suígǎnzhe 부 서둘러. 급히. 곧. =〔随跟身〕〔随跟之〕

〔随高就低(儿)〕 suígāo jiùdī(r) 〈成〉 ⇨〔随方就圆〕

〔随跟身〕 suígēnshēn 부 ⇨〔随赶着〕

〔随跟(着)〕 suígēn(zhe) 부 곧이어. 뒤따라. ¶～就来了; 곧이어 왔다.

〔随跟之〕 suígēnzhī 부 ⇨〔随赶着〕

〔随函〕 suíhán 동 동봉(同封)하다. ¶～附上该货之规格一纸; 그 상품의 규격표를 동봉하여 보냅니다.

〔随河打淌〕 suí hé dǎ tǎng 〈成〉 남에게 맹종하다.

〔随和〕 Suí Hé 〈成〉 수(隨)나라의 보주(寶珠)와 화씨(和氏)의 벽(璧)《둘 다 옛날의 천하의 지보(至寶)로 일컬어졌던 것. '随'는 '隋'로도 씀》.

〔随和〕 suíhe 형 온화하고 자기 의견만 고집하지 않다. (남과) 사이좋게 지내다. 보조를 잘 맞추다. ¶他脾气～, 跟谁都合得来; 그는 온화하고 고집을 부리지 않는 성격이라, 누구하고나 잘 어울릴 수 있다 / ～近人; 사귐성이 있다.

〔随侯(之)珠〕 suí hóu (zhī) zhū 〈成〉 수후지주《옛날에, 수나라의 군주가 뱀을 살려 준 사례로 뱀에게서 받았다는 보주(寶珠)》. '随'는 '隋'로도 씀. =〔随珠〕

〔随后〕 suíhòu 부 나중에. 그 다음에. 곧 이어《'～就'로 쓰임》. ¶你先走, 我～就去; 먼저 가십시오. 저는 곧 뒤따라가겠습니다.

〔随护〕 suíhù 동 호위하다.

〔随机存储器〕 suíjī cúnchǔqì 명《電算》 램(RAM).

〔随机存取存储器〕 suíjī cúnqǔ cúnchǔqì 명《電算》(컴퓨터의) 랜덤 액세스 메모리(random access memory). 램(RAM).

〔随机应变〕 suí jī yìng biàn 〈成〉 임기 응변(臨機應變)하다. 새로운 환경에 순응하다. ¶办外交

的人都得有～的才智; 외교에 종사하는 자는 누구든지 임기응변의 재주와 지혜가 있어야 한다. =〔得dé风便转〕〔因机应变〕

〔随即〕 suíjí 부 바로. 곧. 곧 이어서. ¶他先是一愣lèng, ～瞪她一眼; 그는 처음에는 놀랐으나, 곧 그녀에게 눈을 흘겼다. →〔马上〕〔立刻〕

〔随脚儿〕 suíjiǎor 형 (신발 따위가) 신기에 편하다. 발에 잘 맞다. ¶穿着～; 신어 보니 꼭 맞는다. 신기에 편하다.

〔随缴〕 suíjiǎo 동 첨부하여 제출하다. ¶报名时, ～照片三张; 신청할 때, 사진 3매를 첨부하여 제출하다.

〔随军〕 suíjūn 명동 종군(從軍)(하다). ¶～记者; 종군 기자.

〔随军茶〕 suíjūnchá 명 《植》 싸리나무.

〔随口〕 suíkǒu 부 입에서 나오는 대로. ¶～骂人; 입에서 나오는 대로 사람을 욕하다 / 他对别人的要求, 从不～答应; 그는 남의 부탁을 쉽사리 들어준 일이 없다 / ～说; 되는 대로 지껄이다. →〔信口〕

〔随量〕 suíliàng 동 (술을) 적당한 양만 마시다. 자신의 주량만큼만 마시다.

〔随流〕 suíliú 동 시세(時世)에 따르다.

〔随溜儿〕 suíliùr 동 (별다르게 굴지 않고) 남 하는 대로 하다. ¶她打扮得可不～; 그녀의 차림은 아무래도 남과 색다르다.

〔随陆无武, 绛灌无文〕 Suí Lù wú wǔ, Jiàng Guàn wú wén 〈成〉 수하(隨何)·육가(陸賈)에게는 무(武)가 없으며, 강후주발(絳侯周勃)·관영(灌嬰)한테는 문(文)이 없다《문무를 겸하지 못함을 아쉬워하는 말》.

〔随銮〕 suíluán 동 〈文〉 (천자에) 수행하다.

〔随娘(儿)改嫁〕 suíniáng(r)gǎijià 어머니가 개가하는 데 따라 계부(繼父)의 성(姓)을 따르다.

〔随坡儿打躺〕 suí pōr dǎ tǎng 그때 그때에 되어 가는 대로 하다.

〔随墙门(儿)〕 suíqiángmén(r) 명 (문루(門樓)가 없는) 담장에 만든 문.

〔随曲(儿, 子)〕 suíqǔ(r, zi) 동 곡조에 맞추다. ¶好歹～唱两句儿吧; 하여간 곡조에 맞추어 노래 좀 불러라.

〔随群(儿)〕 suíqún(r) 동 ①모두에게 영합(迎合)하다. 모두에게 맞추다. ¶穿着儿不～; 복장이 모든 사람과 다르다. ②모든 사람과 잘 해 나가다. ¶性情～的人, 容易交朋友; 다른 사람과 장단을 맞출 수 있는 성격의 사람은 쉽게 친구를 만들 수 있다.

〔随人俯仰〕 suí rén fǔ yǎng 〈成〉 남이 하라는 대로 하다.

〔随任〕 suírèn 동 임지에 따라가다. ¶宝眷也去～吗? 가족분들도 함께 임지에 따라갑니까?

〔随身〕 suíshēn 동 몸에 지니다. 휴대하다. ¶～的东西; 휴대품. 소지품 / 手提箱～带着; 슈트 케이스는 놓지 않고 휴대하고 있다 / ～灯; 고인의 영전(靈前)에 밝히는 등불.

〔随身听〕 suíshēntīng 명 (휴대용) 미니카세트.

〔随声附和〕 suí shēng fù hè 〈成〉 부화뇌동(附和雷同)하다. 남이 하라는 대로 하다. 남의 의견에 영합하다. ¶他嘴里是～地说, 可是心里也许是反对; 그는 입으로는 다른 사람의 말에 맞장구를 치고 있지만, 마음 속으로는 반대하고 있는지도 모른다.

〔随时〕 suíshí 부 ①언제든지. 수시로. ¶有问题可以～来问我! 문제가 있을 때는 언제든지 나에게 물어 봐도 좋다! ②제 때. 그 때 즉시.

〔随时随地〕 suíshí suídì 언제 어디서나.

〔随时制宜〕 suí shí zhì yí 〈成〉 ⇨〔因yīn时制宜〕

〔随事应景〕 suí shì yìng jǐng 〈成〉 형편에 따라 잘 처리하다.

〔随侍〕 suíshì 동 〈文〉 측근에서 모시다. 명 근시(近侍).

〔随势〕 suíshì 동 정세에 따르다〔따라서 행동하다〕. ¶～酌zhuó情; 경우에 따라 작량〔참작〕하다.

〔随手(儿)〕 suíshǒu(r) 부 ①하는 김에. ¶出门时～关灯; 나가는 김에 전등을 끄고 가다 / ～关门; 문을 닫아 주십시오《게시(揭示) 용어》/ 劳您驾, ～把茶壶递一递吧; 미안하지만 수고하시는 김에 차주전자를 좀 집어 주십시오. =〔趁手〕 ②마음대로. 닥치는 대로. ¶～打人; 닥치는 대로 사람을 치다 / ～来～去; (돈이) 쉽게 들어오지만, 쉽게 즉시 나가 버린다. =〔信手(儿)〕 동 ①손에 맡기다. ¶～拿, 别挑拣jiǎn! 고르지 말고 아무거나 집어라! ②손에 지니다. 손에서 떼지 않다. ¶～使的东西; 소지품 / ～的行李; 수화물. ③즉석에서〔즉시〕하다. ¶～而成; 즉시 되다〔만들다〕/ ～上账; 즉시 기장(記帳)하다.

〔随顺〕 suíshùn 동 순종하다. 순순히 따르다. ¶只得～; 할 수 없이 순순히 따르다.

〔随俗〕 suísú 동 세상의 관습을 따르다.

〔随…随…〕 suí…suí… …하는 족족(하다). …하자마자《…각기 두 개의 동사 또는 동사성의 연어(連語) 앞에 쓰이어, 뒤의 동작이 앞에 이어 곧 일어남을 나타냄》. ¶～叫～到; 부르면 곧 온다. (요리 등이) 주문하면 곧 된다 / ～印～发; 인쇄하자마자 배부하다 / ～挣～花; 버는 족족 쓰다 / 大家～到～吃, 不用等! 여러분은 오는 대로 곧 식사하시오, 기다리지 마시고!

〔随同〕 suítóng 동 동반(同伴)하다. 동행하다. ¶刘君先行, 王君亦～前往; 유군이 먼저가고, 왕군도 함께 갔다.

〔随往〕 suíwǎng 동 〈文〉 수행하다. 따라가다.

〔随喜〕 suíxǐ 동 《佛》 남의 선행(善行)을 보고 기뻐하다.

〔随喜〕 suíxi 동 ①《佛》 남이 공덕(功德)을 행하는데 기꺼이 참가하다. ②집단 활동에 기꺼이 참가하다. ③(절에) 참예(參詣)하다. ¶到庙里去～; 사당에 참예하다. ④(남의 뜻에) 맞추다. 순응하다. ¶别太固执, 还是～点儿好; 그렇게 고집 부리지 마. 그래도 상대방을 따르는 게 좋다.

〔随乡入乡〕 suí xiāng rù xiāng 〈成〉 입향순속(入鄕循俗). =〔随乡随土〕〔入乡问俗〕〔入乡随乡〕

〔随想曲〕 suíxiǎngqǔ 명 《樂》 기상곡(綺想曲). 카프리치오(이 capriccio).

〔随心〕 suíxīn 동 생각대로 하다. 뜻대로 하다. ¶～所欲 =〔～所愿〕; 〈成〉 뜻대로 하다 / ～行事; 자기의 생각대로 하다 / ～如意; 생각대로 되다. 생각대로이다.

〔随心草儿〕 suíxīncǎor 〈比〉 (각자의) 기호. ¶这是～的东西; 이것은 사람에 따라 기호가 다른 물건이다 / 穿衣裳乃是～, 他爱红的, 我爱绿的; 어떤 옷을 입을지는 각자의 기호에 따르는 것으로, 그가 빨간 것을 좋아하는데, 나는 초록색을 좋아한다는 식이다.

〔随行〕 suíxíng 동 수행하다. 따라가다. ¶～人员; 수행원. 명 수행원.

〔随兴所至〕 suí xìng suǒzhì 흥이 나는 대로 맡기다. ¶～, 把笔成诗; 흥이 나는 대로 맡겨 붓을

들면 시가 완성된다.
〔随阳鸟〕 suíyángniǎo 명 ⇨〔候hòu鸟〕
〔随尾儿〕 suí yǐr 〈京〉 바로 뒤따르다. ¶我也~去; 나도 곧 뒤따라간다.
〔随意〕 suí.yì 동 마음대로 하다. 뜻대로 하다. ¶~行事; 마음대로 일을 하다 / 不可~解释古典; 고전을 멋대로 해석해서는 안 된다 / ~科; 선택 과목 / ~契约; 수의 계약.
〔随意肌〕 suíyìjī 명 《生》 수의근. 횡문근(橫紋筋). =〔随意筋jīn〕〔横héng纹肌〕
〔随遇而安〕 suí yù ér ān 〈成〉 어떤 환경에 처하든 스스로 적응하고 안주하다. ¶汉族人对于适应环境的能力很大, 有~的性格; 한족(漢族)은 환경에 적응하는 능력이 강하고, 어떤 환경에 처하든 잘 적응하고 안주하는 성격이 있다. =〔随处而安〕
〔随遇平衡〕 suíyù pínghéng 명 《物》 중립(中立)의 평형.
〔随员〕 suíyuán 명 ①국가 사절의 수행원. ②재외공관의 최하급의 외교관.
〔随缘〕 suíyuán 동 《佛》 외부로부터의 기회와 인연에 따라 행동하(여 무리를 하지 않)다.
〔随缘乐助〕 suí yuán lè zhù 〈成〉 스스로 재물을 희사(喜捨)하여 남을 돕다.
〔随葬〕 suízàng 동 부장(副葬)하다. ¶~物 =〔~品〕; 부장품.
〔随着〕 suízhe ①…에 따라서. ¶~对方的意思; 상대방의 의향에 따라서. ②…됨에 따라. ¶~生产的发展而进步; 생산의 발전에 따라 진보하다 / 那时银盘一涨各样材料~涨; 그 때는 은 값이 오르면 각종 자재값도 뒤따라 올랐다. ③곧. ¶~派了一个官员前去接洽; 곧 관리를 파견해서 교섭시켰다.
〔随挣随花〕 suízhèng suíhuā (돈을) 버는 족족 써 버리다. ¶薪水阶级总是~, 储蓄不起来; 월급쟁이는 아무래도 버는 대로 써 버려, 돈은 모이지 않는다.
〔随之〕 suízhī 〈文〉 이에 따라서. 이것과 함께. ¶~而来; 이것과 함께 오다. 부수하여 생기다.
〔随踵而至〕 suí zhǒng ér zhì 〈成〉 (많은 사람들이) 잇달아서 오다.
〔随众〕 suízhòng 동 대중을 따르다. ¶既然大家都赞成, 那我也只好~了; 모두가 찬성하는 이상, 나도 다른 사람이 하는 대로 하는 수밖에 없다.
〔随珠〕 suízhū ⇨〔随侯(之)珠〕
〔随珠弹雀〕 suí zhū tán què 〈成〉 수주(隨珠)처럼 귀한 것으로 참새를 쏘다《물건의 가치를 몰라서 하찮은 일에 씀》.
〔随嘴〕 suízuǐ 동 입에서 나오는 대로 말하다. ¶~乱说; 입에서 나오는 대로 함부로 말하다.
〔随坐〕 suízuò 동 연좌(連坐)하다. 남의 일에 말려들다.

遂

suí (수)
→〔半bàn身不遂〕 ⇒ suì

瀡

suǐ (수)
명 〈文〉 쌀뜨물. ¶滫xiǔ~; 쌀뜨물에 먹을 것을 담가서 부드럽게 하다.

髓

suǐ (수)
명 ①《生》 골수. ¶敲骨吸~; 〈成〉 골수까지 빨아먹다《가혹하게 착취하다》. ②뼛속의 지방질. ③사물의 정화(精華). 정수(精髓). 요점. 핵심. ④《植》 줄기의 중심.
〔髓海〕 suǐhǎi 명 〈比〉 ①《生》 뇌수(腦髓). ②이해력.
〔髓腔〕 suǐqiāng 명 《生》 수강. 골수강.

岁(歲〈嵗, 嵗〉)

suì (세)
①명 해〔年〕. ¶辞旧~, 迎新年; 지난 한 해를 보내고, 새해를 맞이하다. ②명 정초(正初). ③명 〈文〉 그 해의 작황(作況). ¶~大熟; 대풍작 / 歉~; 흉작. ④양 세《나이를 세는 말》. ¶三~的孩子; 세 살짜리 어린이 / 七~上小学; 7세에 소학교에 입학하다.
〔岁报〕 suìbào 명동 〈文〉 연차〔연례〕 보고(를 하다).
〔岁币〕 suìbì 명 (속국으로부터의) 연공(年貢).
〔岁不我与〕 suì bù wǒ yǔ 〈成〉 세월은 사람을 기다리지 않는다.
〔岁残〕 suìcán 명 ⇨〔岁底〕
〔岁差〕 suìchā 명 《天》 세차.
〔岁成〕 suìchéng 명 〈文〉 그 해에 이룬 일.
〔岁出〕 suìchū 명 세출.
〔岁除〕 suìchú 명 〈文〉 섣달 그믐날(밤). =〔岁夕〕〔岁夜〕
〔岁次〕 suìcì 명 〈文〉 세차. 연도. →〔龙lóng集〕
〔岁底〕 suìdǐ 명 〈文〉 연말. 세말. =〔岁残〕〔岁竟〕〔岁阑〕〔岁杪〕〔岁暮①〕〔岁晚〕〔岁尾〕〔岁晏〕〔岁终〕
〔岁费〕 suìfèi 명 〈文〉 세비. 1년의 비용.
〔岁俸〕 suìfèng 명 〈文〉 연봉.
〔岁贡〕 suìgòng 명 ①세공(歲貢). 속국으로부터의 매년의 공물. ②청대(淸代), 생원 중에서, 해마다 고참자를 골라 서울로 보내어, 국자감(國子監)에서 수업하게 하던 제도.
〔岁寒三友〕 suì hán sān yǒu 〈成〉 ①세한 삼우. 송·죽·매(松·竹·梅). ②〈比〉 곤란할 때의 친구.
〔岁寒松柏〕 suì hán sōng bǎi 〈成〉 난세에도 절개를 잃지 않는 인물.
〔岁华〕 suìhuá 명 〈比〉 세월. =〔岁月〕〔年月〕
〔岁计〕 suìjì 명 1년간의 수지 계산.
〔岁进〕 suìjìn 명 〈文〉 세입(歲入).
〔岁进士〕 suìjìnshì 명 '岁贡②'에서 선발된 학생.
〔岁竟〕 suìjìng 명 ⇨〔岁底〕
〔岁君〕 suìjūn 명 ⇨〔太tài岁〕
〔岁考〕 suìkǎo 명 ⇨〔岁试〕
〔岁口〕 suìkǒu 명 짐승의 나이. ¶这匹马几~? 이 말은 몇 살인가? / 三~的马; 세 살짜리 말.
〔岁阑〕 suìlán 명 ⇨〔岁底〕
〔岁杪〕 suìmiǎo 명 ⇨〔岁底〕
〔岁暮〕 suìmù 명 ①⇨〔岁底〕 ②〈比〉 노년.
〔岁祺〕 suìqí 명 〈翰〉 새해의 행운〔복〕. ¶顺颂~; 아울러 새해에 복 많이 받으십시오.
〔岁入〕 suìrù 명 세입. ¶~枯竭; 매년의 수입이 고갈되다. 세입 원천(源泉)이 다하다.
〔岁时〕 suìshí 명 〈文〉 세시. 계절.
〔岁事〕 suìshì 명 〈文〉 ①세사. 농사. ¶~已毕, 余子皆人学《尙書大傳》; 농사도 이미 끝나, 다른 아이는 모두 학교에 들어갔다. ②1년의 행사. ¶成~, 制国用; 1년의 행사가 마련되고, 나라의 예산을 정하다.
〔岁试〕 suìshì 명 세시《과거(科擧) 시대에, 생원이 향시(鄕試)에 공시할 자격을 얻기 위하여 정기적으로 친 시험》. =〔岁考〕
〔岁首〕 suìshǒu 명 〈文〉 세수. 연두. 새해의 처음. =〔开kāi岁〕
〔岁数(儿)〕 suìshu(r) 명 〈口〉 연령. 나이. ¶你多大~了? 몇 살입니까? / ~不饶人; 〈諺〉 나이는

못 속인다. =〔年纪niánjì〕
〔岁晚〕 suìwǎn 명 ⇨〔岁底〕
〔岁尾〕 suìwěi 명 ⇨〔岁底〕
〔岁夕〕 suìxī 명 ⇨〔岁除〕
〔岁星〕 suìxīng 명 ⇨〔太tài岁〕
〔岁修〕 suìxiū 명 〈文〉 건축물의 연차(年次) 보수.
〔岁序〕 suìxù 명 〈文〉 세서. 일월의 운행. 세월이 바뀌는 순서. ¶～更新; 해가 바뀌다.
〔岁晏〕 suìyàn 명 ⇨〔岁底〕
〔岁夜〕 suìyè 명 ⇨〔岁除〕
〔岁用〕 suìyòng 명 〈文〉 세용. 1년간의 비용.
〔岁余〕 suìyú 명 〈文〉 겨울.
〔岁月〕 suìyuè 명 세월. ¶～不待人; 〈諺〉 세월은 사람을 기다리지 않는다 / ～下江船; 〈諺〉 세월은 강물을 내려가는 배와 같(이 빠르)다.
〔岁云暮矣〕 suì yún mù yǐ 〈成〉 한 해가 저물어 가다.
〔岁运〕 suìyùn 명 〈文〉 1년의 운수(運數).
〔岁朝〕 suìzhāo 명 〈文〉 원단(元旦). 설날 아침. ¶～会集诸生, 讲论终日《後漢書》; 설날에 여러 유생을 모아 종일 강론했다.
〔岁朝春〕 suìzhāochūn 명 설날과 입춘이 겹친 날.
〔岁终〕 suìzhōng 명 ⇨〔岁底〕

谇(誶) suì (수) 동 〈文〉 ①힐책하다. 꾸짖다. ②충고하다.
〔谇骂〕 suìmà 동 ⇨〔谇语〕
〔谇语〕 suìyǔ 동 〈文〉 힐책하다. 책망하다. =〔谇骂〕

碎 suì (쇄) ①동 부수다. ¶粉身～骨; 분골 쇄신 / 碰～了一块玻璃; 유리를 한 장 부딪쳐서 깼다. ②동 부서지다. ¶急得心都～了; 초조하여 마음이 안타깝다. ③형 자질구레하다. ④형 말이 많다. 수다스럽다. ¶闲言～语; 잡담 / 嘴～; 말이 많다. 수다스럽다. ⑤명 부순 물건. ¶～参shēn; 부스러기 인삼 / ～铁; 설철(屑鐵). 파쇠. ⑥명 가루.
〔碎布〕 suìbù 명 헝겊. 천 조각.
〔碎步儿〕 suìbùr 명 종종걸음. ¶～跑过来了; 종종걸음으로 달려왔다. =〔碎步子〕
〔碎瓷〕 suìcí 명 고자기(古磁器)가 깨어진 것. 사금파리.
〔碎催〕 suìcuī 명 〈貶〉 심부름꾼 노릇을 하는 사람. ¶认劳认怨地当～; 노고를 마다 않고 원망을 두려워하지 않고 남의 심부름꾼 노릇을 하다.
〔碎烦〕 suìfan 형 말이 싫증날 정도로 수다스럽다.
〔碎肥机〕 suìféijī 명 《農》 비료 분쇄기.
〔碎粉〕 suìfěn 명 부서진 가루. ¶如果侵略者不滚开就要被砸zá成～; 만일 침략자가 나가지 않는다면 분쇄되고 말 것이다.
〔碎工〕 suìgōng 명 자질구레한 일.
〔碎谷机〕 suìgǔjī 명 《農》 곡물 분쇄기.
〔碎花儿〕 suìhuār 명 잔무늬.
〔碎货〕 suìhuò 명 자질구레한 물건. 잡화.
〔碎金〕 suìjīn 명 〈文〉 ①황금 조각. 금싸라기. ②〈轉〉 뛰어난 짧은 글.
〔碎块儿〕 suìkuàir 명 (부서진) 조각. (자잘한) 조각.
〔碎矿机〕 suìkuàngjī 명 《機》 쇄광기. 크러셔(crusher).
〔碎烂〕 suìlàn 동 산산이 부서지다.
〔碎料〕 suìliào 명 자투리 재료.
〔碎煤〕 suìméi 명 분탄(粉炭). →〔煤末(儿, 子)〕
〔碎米〕 suìmǐ 명 싸라기 섞인 쌀. ¶～粥; 싸라기 죽.
〔碎米荠〕 suìmǐjì 명 《植》 황새냉이.
〔碎末末儿〕 suìmòmor 명 〈京〉 잔부스러기. 가루. ¶饼干早吃完了, 匣子里就剩了点儿～; 비스킷은 진작에 먹었다. 상자 안에는 가루가 조금 남아 있을 뿐이다.
〔碎末儿〕 suìmòr 명 분말. 가루.
〔碎片(儿)〕 suìpiàn(r) 명 조각. 단편(斷片).
〔碎破〕 suìpò 동 쇄파하다. 부수어 깨뜨리다.
〔碎肉〕 suìròu 명 고깃조각. 고기 부스러기.
〔碎尸万段(儿)〕 suì shī wàn duàn(r) 〈成〉 갈가리 찢다《욕말로도 씀》. =〔碎尸粉骨〕
〔碎石〕 suìshí 명 밤자갈. ¶～路; 쇄석〔머캐덤(mcadam)〕 포장 도로 / ～机; 쇄석기.
〔碎炭〕 suìtàn 명 작은 덩이 석탄.
〔碎铁〕 suìtiě 명 쇠 부스러기.
〔碎土机〕 suìtǔjī 명 《機》 토양(土壤) 분쇄기《농업용》.
〔碎纹〕 suìwén 명 갈라진〔터진〕 금.
〔碎务〕 suìwù 명 〈文〉 자질구레한 일.
〔碎虾米〕 suìxiāmi 명 말린 새우살 부스러기.
〔碎小〕 suìxiǎo 명 〈古白〉 아들딸들. 자식들. ¶嫡亲的两口儿, 别无甚～; 단출한 부부로 따로 자식도 없다.
〔碎屑〕 suìxiè 명 부스러기. 음식 찌꺼기.
〔碎修〕 suìxiū 동 조금씩 쪼개어 쓰다. ¶那一千块钱, 这两年都～了; 그 천 원의 돈은 이 2년 동안에 조금씩 다 써 버렸다.
〔碎修儿〕 suìxiūr 동 (집 등의 특히 낡은 부분을) 여기저기 수리하다.
〔碎烟〕 suìyān 명 담배잎 또는 살담배의 부스러기.
〔碎银〕 suìyín 명 (옛날에, 은덩이를 통화로서 쓰고 있던 시절의) 은 조각. 싸라기 은.
〔碎雨云〕 suìyǔyún 명 《氣》 난층운. 비구름.
〔碎语〕 suìyǔ 명 번거로운〔장황한〕 말.
〔碎嘴子〕 suìzuǐzi 〈方〉 동 장황하게 말하다. ¶你别跟我～了! 자네는 나한테 장황하게 말하지 말게! / 怎么这么～, 不怕惹人厌烦! 뭘 그렇게 장황하게 말하느냐. 남들이 싫어할까 두렵지 않느냐! 명 ①뇌고 뇌는 말. ¶两句话能说完的事就别犯～了! 두세 마디로 끝낼 일을 장황하게 말하지 마라! ②〈比〉 잔소리꾼. 수다쟁이. ③조로의 별칭. =〔喷壶〕

祟 suì (수) ①명 동티. 빌미. 앙화. ¶鬼怪作～; 귀신이 빌미 붙다〔해를 끼치다〕. ②동 동티 나다. 귀신이 앙화를 끼치다. ③명 〈轉〉 좋지 않은 일〔행동〕. 부정(不正). ¶作～; 몰래 좋지 않은 일을 하다. ④형 〈轉〉 (버젓하지 못하여) 수상쩍다. ¶鬼鬼～～; ⓐ아무래도 수상쩍다. ⓑ숨어서 못된 짓을 꾸미다.
〔祟惑〕 suìhuò 동 ①죽은 사람의 혼이 들리다. ②〈轉〉 부추기어 유혹하다. ¶也不知受谁的～; 누구의 꾐에 빠졌는지 모르겠다.
〔祟书〕 suìshū 명 옛날, 어느 날에 어떤 신령이 재앙을 내린다는 것을 적은 미신적인 책. ¶叫人往真武庙陈道士家借了一本～来到, 查看三十日系灶神不乐《醒世姻緣傳》; 사람을 진무묘의 진도사 집에 보내어 수서(祟書)를 빌려 오게 하여 살펴보니, 30일은 부뚜막의 신이 기분이 좋지 않은 날이라는 것을 알았다.

遂 **suì** (수)
①동 마음먹은 대로 되다. ¶所谋不～; 계획한 것이 뜻대로 되지 않다/诸事～心; 여러 가지 일이 뜻대로 되다. ②동 완수하다. 성취하다. 성공하다. 이루다. ¶所求不～; 소망이 이루어지지 않다. ③부〈文〉곧. 즉시. ¶服药后腹痛～止; 약을 먹은 후 복통은 곧 멎었다/宜～伐之; 즉시 이를 정벌해야 한다. ④부〈文〉마침내. 결국. 끝내. ¶屡上书, ～不纳; 여러 번 의견서를 올렸으나, 결국은 받아들여지지 않았다/～不为世所称; 결국 세상에서 칭찬받게 되지는 않았다. ⇒suí

〔遂初〕 suìchū 동〈文〉처음 품은 뜻을 이루다(벼슬에서 은퇴하다).

〔遂古〕 suìgǔ 명〈文〉태고. ¶～之初; 태곳적 시초에.

〔遂过〕 suìguò 동〈文〉과실을 얼버무리다〔감싸다〕. ¶饰非～; 좋지 않은 일을 겉꾸며서 잘못을 얼버무리다.

〔遂即〕 suìjí 부〈文〉①마침내. 드디어. =〔竟然〕 ②그래서. 그 즉시.

〔遂路〕 suìlù 명〈文〉사방으로 통한 길.

〔遂人〕 suìrén 명 주대(周代), 먼 교외의 일을 맡아 다스리던 관리.

〔遂事〕 suìshì 명〈文〉이미 지나간 일. ¶～不谏; 과거의 일은 간하지 않는다. 동 일에 전념(專念)하다.

〔遂遂〕 suìsuì 형〈文〉①성(盛)하게 일어나는 모양. ②천천히 수행(遂行)하는 모양.

〔遂心〕 suì‧xīn 동 ①마음먹은 대로 되다. 뜻을 이루다. 마음에 들다. ¶～如愿; 마음먹은 대로 되다/～所愿; 마음먹은 대로 하다/事不～; 일이 뜻대로 되지 않다/那件衣裳很～; 저 옷은 썩 마음에 든다. =〔遂意〕 ②상인이 돈을 벌다.

〔遂心愿〕 suì xīnyuàn 마음먹은 대로 되다. 소원이 이루어지다. ¶经过大伙这样一齐努力, 眼下事事都遂了心愿; 모두 함께 이와 같이 노력한 결과 지금 모든 일이 소원대로 되었다.

〔遂行〕 suìxíng 동 수행하다. 해내다. ¶无形中～着这种意见; 어느 틈엔가 그런 의견을 수행하고 있다.

〔遂意〕 suì‧yì 동 ⇨〔遂心①〕

〔遂愿〕 suì‧yuàn 동 소원을 이루다. 소원이 성취되다.

隧 **suì** (수)
①명 터널. ②동 돌다.

〔隧道〕 suìdào 명 터널. =〔隧洞〕

〔隧道窑〕 suìdàoyáo 명 터널 가마〔요(窯)〕.

〔隧蜂〕 suìfēng 명《蟲》땅벌.

燧 **suì** (수)
명 ①부싯돌. ②봉화(烽火). ③〈文〉횃불.

〔燧火镜〕 suìhuǒjìng 명 태양로(爐)의 오목거울.

〔燧木〕 suìmù 명 부싯막대(부싯돌을 사용하기 전에, 불을 일으키던 나무 막대).

〔燧人氏〕 Suìrénshì 명《人》수인씨(처음으로 불을 이용했다고 전해진 전설상의 사람 이름).

〔燧石〕 suìshí 명 부싯돌. =〔火石①〕

〔燧石玻璃〕 suìshí bōli 명 플린트(flint) 유리. =〔弗fú林玻璃〕

邃 **suì** (수)
형〈文〉①(공간·시간상) 멀다. 심원하다. 그윽하다. ¶深～; 깊숙하다/～宇; 깊숙하고 큰 저택/～古; 아주 먼 옛날. ②(학문 따위의 정도가) 심오하다. ¶精～; 매우 심원하다/～密mì; 학문이 깊다. 정심(精深)하다.

〔邃谷〕 suìgǔ 명〈文〉깊은 골짜기. 유곡(幽谷).

〔邃室〕 suìshì 명〈文〉안방. 안쪽에 있는 방.

襚 **suì** (수)
명〈文〉①수의(襚衣). ②(생존한 이에게) 보내는 옷.

穟 **suì** (수)
명 ⇨〔穗suì A)①〕

穗〈繐〉B) **suì** (수)
A) ①(～儿) 명 이삭. ¶麦～; 밀·보리 이삭/高粱～; 수수 이삭/吐～; 이삭이 패다. =〔穟〕 ②명 이삭 모양의 물건. ③명 광저우 시(廣州市)의 별칭. ¶～电; 광저우(廣州)발(發)의 전보. ④양 옥수수를 세는 양사(量詞). ¶一～青苞米; 풋옥수수 1개. ⑤명 성(姓)의 하나. B) (～儿, ～子) 명 (실·천·종이 등으로 만든) 술.

〔穗裳〕 suìcháng 명〈文〉상복(喪服).

〔穗婆〕 suìpó 명〈文〉산파(産婆).

〔穗妥〕 suìtuǒ 형〈文〉온당(穩當)하다.

〔穗帷〕 suìwéi 명〈文〉영전에 드리우는 막. =〔穗帐〕

〔穗选〕 suìxuǎn 동《農》종자로 쓸 이삭을 골라내다.

〔穗帐〕 suìzhàng 명 ⇨〔穗帷〕

〔穗轴〕 suìzhóu 명 옥수수의 심(芯)(돼지의 사료나 술의 재료).

〔穗子榆〕 suìziyú 명《植》참개암나무. =〔铁木〕

SUN ㄙㄨㄣ

孙(孫) **sūn** (손)
명 ①(～子) 손자. ②후예(後裔). 후손. 자손. ¶四世～; 사대(四代)째의 손자. 사대손/祖～三代; 조부에서 손자까지 3대(에 걸쳐서). ③손자와 같은 항렬의 친척. ¶外～; 외손. ④《植》움. 움돋이(한번 자른 식물의 뿌리나 그루터기에서 나온 것). ¶稻～; 벼의 움돋이. ⑤성(姓)의 하나.

〔孙大圣〕 Sūndàshèng 명 ⇨〔孙悟空〕

〔孙儿〕 sūn'ér 명〈文〉손자. =〔孙子①〕

〔孙妇〕 sūnfù 명〈文〉손부. 손자의 처.

〔孙猴儿〕 Sūnhóur 명 손오공(孫悟空)의 별칭. ¶～爱八戒; 〈諺〉가재는 게편이다. =〔孙行者〕〔美猴王〕〔齐天大圣〕〔孙大圣〕

〔孙猴子七十二变〕 Sūnhóuzi qīshí'èr biàn 명 손오공의 일흔 두 가지 변화. 서유기(西遊記)에서, 손오공(孫悟空)은 천궁(天宮)에서 마구 난동을 부려 일흔 두 가지 변화로써 양이랑(楊二郎)과 싸웠는데, 결국 양이랑에게 탄로나 버렸음(아무리 위장을 해도, 끝까지 숨길 수 있는 것은 아니어서 결국은 탄로가 난다).

〔孙络〕 sūnluò 명 ⇨〔孙脉〕

〔孙脉〕 sūnmài 명《漢醫》말초 혈관. =〔孙络〕

〔孙女(儿)〕 sūnnǚ(r) 명 손녀.

〔孙女婿〕 sūnnǚxu 명 손서(孫婿). 손자사위.

〔孙山外〕 Sūnshān wài〈比〉낙방하다(낙방하는 것을 '名落孙山'·'在～' 따위로 익살스럽게 씀).

〔孙少奶奶〕 sūnshàonǎinai 명 〈敬〉 손자며느님《남의 손자며느리에 대한 경칭》.
〔孙少爷〕 sūnshàoye 명 〈敬〉 영손(令孫)《남의 손자에 대한 경칭》.
〔孙什钱儿〕 sūnshiqiánr 명 〈京〉 얼마 안 되는 돈. ¶才花这么～, 你就心疼了; 요만한 돈을 쓰고 넌 마음 아파하는구나.
〔孙头(儿)〕 sūntóu(r) 명 옛날, 쑨원(孫文)의 초상이 들어 있는 은화(銀貨).
〔孙文〕 Sūn Wén 명 《人》 손문《자(字)는 일선(逸仙). 호(號)는 중산. 광둥 성(廣東省) 출신. '中国国民党'의 창시자. 신해 혁명을 성공시켜 1912년 '中华民国'을 설립, 임시 대통령이 됨. '三民主义'을 주창하여, 그 실현에 힘씀. '国父'로 일컬어짐. 1866～1925》.
〔孙悟空〕 Sūn Wùkōng 명 손오공《소설 서유기의 주인공인 원숭이의 이름》. =〔孙大圣〕〔孙猴儿〕〔孙行者〕〔美猴hóu王〕〔齐天大圣〕
〔孙媳〕 sūnxí 명 손자 며느리. =〔孙媳妇(儿)〕
〔孙行者〕 sūnxíngzhě 명 ⇨〔孙悟空〕
〔孙渣子〕 sūnzhāzi 명 손자의 찌꺼기《매우 열등(劣等)한 사람》.
〔孙枝〕 sūnzhī 명 ①오동나무의 어린 가지. ②〈比〉〈文〉 남의 손자.
〔孙子〕 Sūnzǐ 명 ①《人》 춘추(春秋) 시대의 병법가(兵法家)인 손무(孫武)의 존칭. ②《書》 손자. 춘추 시대 말, 오(吳)나라 손무(孫武)가 찬한 중국 최초의 병서(兵書)의 이름. =〔兵bīng经〕
〔孙子〕 sūnzi 명 ①손자. =〔孙儿〕 ②〈俗〉 꼬마. 애송이. 손자뻘 되는 놈《남을 경멸하여 욕하는 말》. ¶你是我的～! 손자뻘밖에 안 되는 놈이!/我是个～, 好吧! 난 애송이야, 봐 줘!/～! 快给我滚出去! 몹쓸 놈! 빨리 꺼져 버려!/装～; 시치미 떼다.

荪(蓀) sūn (손)
명 〈文〉 ①《植》 창포. =〔菖蒲〕〔溪荪〕 ②벼의 모. =〔秧荪〕

狲(猻) sūn (손)
→〔扪mén狲〕

猻(猻) sūn (손)
→〔猢hú狲〕

飧〈飱〉 sūn (손)
명 〈文〉 ①저녁밥. =〔晚饭〕 ②물만 밥. ③익힌 음식.

损(損) sǔn (손)
①동 감하다. 덜다. 줄이다. ②동 손해 보다. ¶～价出售; 손해보고 팔다. ③동 잃다. ¶～气力 =〔～元气〕; 기력을 잃다. ④명동 손해(를 입히다). ¶～人利己; 남에게 손해를 입히고 자기를 이롭게 하다/无～于友情; 우정에 해를 끼치지 않다/有益无～; 이익은 있고 손해는 없다. ⑤형 유해하다. 해롭다. ⑥형 〈方〉 신랄하다. 악랄하다. ¶这一招儿真～了; 이 방법은 정말 잔인하다/说话太～; 말하는 것이 몹시 신랄하다/曹操这家伙～透啦! 조조란 놈은 정말 잔인하다! ⑦동 〈方〉 빈정대다. 비꼬다. 조롱하다. ¶你别～人了; 남을 비꼬지 마라/连挖苦带～; 연해 빈정대고 모진 소리를 하고, 자꾸 헐뜯기고 욕을 먹는다. ⑧동 훼손하다. 손상시키다.
〔损碍〕 sǔn'ài 동 훼손(毁損)하다. 손상하다.
〔损兵折将〕 sǔn bīng zhé jiàng 〈成〉 장병을 잃다. 패전하여 인적 손해를 입다.
〔损到家〕 sǔndàojiā ①가장 낮다. ¶这是～的价钱; 이것이 가장 낮은 값이다. ②(언행이) 매우 야박하다.
〔损德〕 sǔndé 동 덕을 손상하다. 품격을 손상하다.
〔损根子〕 sǔngēnzi 명 〈罵〉 악랄한 놈. 극악 무도한 놈. =〔损骨头〕
〔损公肥己〕 sǔn gōng féi jǐ 〈成〉 대중의 이익을 손상시키고 제 호주머니를 살찌우다. =〔损公肥私〕
〔损骨头〕 sǔngǔtou 명 ⇨〔损根子〕
〔损害〕 sǔnhài 동 손상시키다. 해치다. ¶～健康; 건강을 해치다/～友谊; 우의를 해치다/～集体财产; 집단의 재산에 손해를 주다/～赔偿; 손해 배상/国家的独立和主权受到～; 국가의 독립과 주권이 손상을 입다.
〔损耗〕 sǔnhào 동 ①손실하다. 소모하다. ②《商》 (자연적으로 또는 수송하면서) 화물이 손실되거나 분량이 줄다. 결손이 나다. 명 손실. 소모. 결손. ¶电能的～; 전기 에너지의 손실/无形～; 《經》 사회적 소모. 무형의 마멸. 도덕적 마멸. 기능 마멸.
〔损坏〕 sǔnhuài 동 손상하다. 파손시키다. 망치다. ¶香烟～身体; 담배는 몸에 해롭다/糖吃多了, 容易～牙齿; 사탕을 많이 먹으면 이를 상하기 쉽다/～庄稼; 농작물을 망치다/这个箱子做得结实, 不会轻易～; 이 상자는 튼튼하게 만들어서 쉽게 부서질 리 없다.
〔损脉〕 sǔnmài 명 《漢醫》 혈기 부족으로 한 호흡에 2회 정도 뛰는 느린 맥박.
〔损命〕 sǔnmìng 동 목숨을 잃다.
〔损鸟儿〕 sǔnniǎor〔sǔndiǎor〕 명 〈罵〉 방종한 여자. 몸가짐이 헤픈 여자.
〔损皮折骨〕 sǔn pí zhé gǔ 〈成〉 몸을 상하다〔다치다〕.
〔损人〕 sǔn,rén 동 ①남을 놀리다. 남을 헐뜯다. ②남에게 손해를 끼치다. ¶以～开始, 以害己告终; 남을 해치는 데서 비롯하여, 마지막에는 자기 자신을 해치는 것이 된다.
〔损色〕 sǔnsè 명 (금·은 등의) 품질이 낮은 것.
〔损伤〕 sǔnshāng 명동 ①손상(되다). 손실(되다). ¶～神秘性; 신비성을 상실하다/其他各部分毫无～; 그 밖의 각 부분에는 조금도 손상이 없다/～身体; 건강을 해치다. →〔损害〕〔伤害〕 ②병력 따위가 손실(되다). ¶敌人经过两次战役, 兵力～很大; 적은 두 차례의 전투로 병력 손실이 크다.
〔损失〕 sǔnshī 명동 손실(하다). ¶热～; 열 손실/铁～; 철의 손실/排吸～; 펌프 손실/机械～; 기계 손실/无载～; 무적재(無積載) 손실/造成～ =〔带来～〕; 손해를 가져오다/遭到～ =〔遭受～〕; 손해를 당하다/因为这场事故, ～两个人; 이 사고로 두 사람을 잃었다.
〔损事儿〕 sǔnshìr 명 악랄함. 잔인한 일〔행동〕.
〔损寿〕 sǔn,shòu 동 ①수명을 단축하다. ¶～折福; 〈成〉 수명을 단축하고 행복을 잃다. ②〈比〉 혼(쭐)이 나다. ¶我要是喝了您这茶非得děi～不可; 만약에 당신의 이 차를 마시면 틀림없이 혼이 날 거야.
〔损数〕 sǔnshù 동 수명을 줄이다.
〔损条子〕 sǔntiáozi 명 〈比〉 빈정거림. 조소. ¶你怎么直给我上～呢! 넌 어째서 줄곧 나한테 빈정거리기만 하느냐!

〔损透〕 sǔntòu 형 야비하다. 악랄하기 짝이 없다. ¶他这一招儿可～; 그의 이 수법은 야비하기 짝이 없다.
〔损样儿〕 sǔnyàngr 명 ①꼴사나움. 몰골 사나운 모양. ②야비한 모양.
〔损益〕 sǔnyì 명 ①손익. 이해. ¶～表=〔～计算书〕〔收益表〕; 《商》 손익 계산서 / ～相抵; 손익이 엇비슷하다. ②증감. 감소와 증가. 개변(改變). ¶永远不可～的礼; 영원히 고치지 못할 예. 동 증감하다. ¶不能～一字; 한 자도 증감할 수 없다.
〔损阴骘〕 sǔn yīnzhi 음덕(陰德)을 손상시키다. →〔损种〕
〔损友〕 sǔnyǒu 명 나쁜 친구. 악우(惡友). ↔〔益友〕
〔损种〕 sǔnzhǒng 동 음덕(陰德)을 손상시키다. ¶干这号～事的人, 十有八九也躲起来了; 이런 덕을 해치는 짓을 한 놈은 십중팔구 숨어 버렸다. 명 〈罵〉 철면피. 야비한 놈. 악덕한 놈.

笋〈筍〉 sǔn (순)

명 ①《植》 죽순. ②죽순 모양을 한 것. ¶萵wō(苣jū)～; 《植》 상추. ③종(鐘) 같은 것을 거는 가로대. ④대나무의 푸른 껍질. ⑤(～子) 《建》 장부. 순자(筍子). =〔榫〕
〔笋鞭〕 sǔnbiān 명 대나무 뿌리로 만든 회초리.
〔笋虫〕 sǔnchóng 명 《蟲》 말파리의 유충.
〔笋床〕 sǔnchuáng 명 대나무 침대.
〔笋峰〕 sǔnfēng 명 〈文〉〈比〉 깎아지른 듯한 산봉우리.
〔笋干〕 sǔngān 명 삶아서 말린 죽순.
〔笋鸡(儿)〕 sǔnjī(r) 명 (요리 재료로서의) 영계.
〔笋尖〕 sǔnjiān 명 죽순 끝의 부드러운 부분《음식 재료》.
〔笋壳儿〕 sǔnkér 명 ⇨〔笋皮〕
〔笋枯〕 sǔnkū 명 〈文〉 말린 죽순.
〔笋农〕 sǔnnóng 명 죽순 재배 농가.
〔笋皮〕 sǔnpí 명 죽순 껍질. 대나무 껍질. =〔笋壳儿〕〔笋衣〕
〔笋肉〕 sǔnròu 명 (요리용으로 준비한) 죽순.
〔笋丝〕 sǔnsī 명 죽순을 채쳐서 말린 것.
〔笋头〕 sǔntóu 명 ①《植》 죽순. ②⇨〔榫头〕
〔笋鞋〕 sǔnxié 명 대나무 껍질로 만든 신.
〔笋鸭〕 sǔnyā 명 (요리로서의) 어린 집오리.
〔笋眼〕 sǔnyǎn 명 장붓구멍. =〔榫眼〕〔卯mǎo眼〕
〔笋衣〕 sǔnyī 명 ⇨〔笋皮〕
〔笋(舆)〕 sǔn(yú) 명 대나무를 쪼개어 엮어 만든 가마〔탈것〕. =〔编舆〕

隼 sǔn (준)

명 《鳥》 매. =〔鹘hú〕〔游隼〕

榫〈搑〉 sǔn (순)

(～儿, ～子) 명 《建》 장부. ¶按～; 장부촉을 장붓구멍에 끼우다 / 接～; 장부를 장붓구멍에 끼우다 / 拔～; 장부를 뽑다 / 走～; 〈方〉 ⓐ장부가 헐거워지다. ⓑ건강이 몹시 나빠지다. ⓒ행동이 궤도를 벗어나다 / 这椅子走了～了, 你坐可小心点儿; 이 의자는 삐걱거린다. 조심해서 앉아라 / 父母～; 장부촉과 장붓구멍. =〔笋⑤〕
〔榫钉〕 sǔndīng 명 은혈(隱穴) 못.
〔榫缝儿〕 sǔnfèngr 명 장부와 장붓구멍의 틈.
〔榫槽〕 sǔncáo 명 장부의 홈.
〔榫头〕 sǔntou 명 장부촉. =〔笋头②〕
〔榫眼〕 sǔnyǎn 명 장붓구멍. =〔卯mǎo眼〕〔笋眼〕

簨 sǔn (순)

명 옛날에 종(鐘)이나 북을 걸어 놓던 대(臺).

SUO ㄙㄨㄛ

莎 suō (사)

→〔莎草〕 ⇒ shā
〔莎草〕 suōcǎo 명 《植》 향부자(香附子). 사초(莎草)《약용》. =〔雷公头〕〔续根草〕

娑 suō (사)

①→〔婆pó娑〕 ②음역용 자(音譯用字). ¶～发fā =〔沙shā发〕; 소파(sofa) / ～婆; 《佛》 사바《이 세상. 인간 세상》.
〔娑罗树〕 suōluóshù 명 《植》 사라수. =〔沙罗树〕
〔娑罗双树〕 suōluó shuāng shù 명 《佛》 사라쌍수《석가모니가 열반한 장소의 사방에 각각 한 쌍씩 서 있던 사라수》.
〔娑娑〕 suōsuō 형 왔다갔다 하는 모양.

桫 suō (사)

→〔桫椤〕
〔桫椤〕 suōluó 명 《植》 ①노각나무. ②목생(木生) 양치류.

挲〈挱〉 suō (사)

→〔摩mó挲〕 ⇒ sā shā

唆 suō (사)

동 충동하다. 부추기다. ¶受人调～; 남의 부추김을〔사주를〕 받다 / 教～; 교사하다 / ～使shǐ; ⇩
〔唆恶为非〕 suō è wéi fēi 〈成〉 남을 부추켜 그릇된 일을 시키다.
〔唆狗咬猪〕 suō gǒu yǎo zhū 〈成〉 개를 부추겨 돼지를 물게 하다《싸움을 부추기다》.
〔唆哄〕 suōhǒng 동 속이어 부추기다.
〔唆令〕 suōlìng 동 사주(使嗾)하다. 선동하다.
〔唆弄〕 suōnòng 동 충동질〔교사〕하다. 부추기다. (남을) 꼬드기다.
〔唆使〕 suōshǐ 동 충동하여〔쑤석거려〕 …시키다. 교사하다.
〔唆讼〕 suōsòng 동 《法》〈文〉 소송하도록 부추기다.
〔唆调〕 suōtiáo 동 부추기다. 꼬드기다.

梭 suō (사)

①(～子) 명 《紡》 베틀의 북. ②형 빠르거나 빈번한 모양. ¶往来如～; 왕래가 빈번한 모양 / 日月如～; 〈成〉 세월가는 것이 북이 움직이듯 빠르다. ③두 끝이 빤〔뾰족한〕 것을 형용하는 말.
〔梭标〕 suōbiāo 명 자루가 긴 창.
〔梭镖〕 suōbiāo 명 긴 자루가 달린 단첨(單尖) 양날의 칼.
〔梭布〕 suōbù 명 《紡》 무명. ¶蓝～; 남빛의 무명.
〔梭(儿)胡〕 suō(r)hú 명 화투 딱지류를 써서 하는 노름의 일종. =〔纸zhǐ牌〕
〔梭那他〕 suōnàtā 명 《樂》〈音〉 소나타(sonata). =〔奏鸣曲〕〔钢琴曲〕〔朔拿大〕
〔梭枪〕 suōqiāng 명 남방 만족(蠻族)이 쓰던 투창

(投槍). =〔飞fēi枪〕

〔梭梭〕 suōsuō 명 《植》 (사막 지역의) 명아주과의 관목의 일종. 부 실룩실룩(북처럼 재빨리 왔다갔다 하는 모양). ¶两眼～跳, 必定晦气到; 두 눈의 눈꺼풀이 실룩거릴 때는 반드시 재수없는 일이 생긴다.

〔梭尾螺〕 suōwěiluó 명 《貝》 소라고동.

〔梭巡〕 suōxún 동 〈文〉 순시하다. 순라(巡邏)를 돌다.

〔梭莺〕 suōyīng 명 《鳥》 꾀꼬리의 일종.

〔梭鱼〕 suōyú 명 《魚》 가숭어.

〔梭子〕 suōzi 명 ①《紡》 (베틀의) 북. 셔틀. ¶～米; 길쭉한 현미 / ～葡萄; 《植》 (알이 잘고 씨가 없는) 건포도용 포도 / ～蟹 =〔蝤蛑〕; 《動》 〈俗〉 꽃게. ②《軍》 기관총 따위의 탄협(彈莢). 양 탄환을 케이스로 세는 단위. ¶一～子弹; 1케이스의 탄환.

睃 suō (준)
동 곁눈으로 보다. 흘겨보다.

羧 suō (최)
명 《化》 카르복시기(carboxy基). ¶～化酶 huàméi; 카르복실라아제(carboxylase) / ～酸 =〔有机酸〕; 카르복시산(carboxy酸). 카르본산(독Karbon酸).

蓑〈簑〉 suō (사)
명 도롱이. =〔蓑衣〕

〔蓑草〕 suōcǎo 명 ⇨〔蓑衣草①〕

〔蓑笠〕 suōlì 명 도롱이와 삿갓.

〔蓑衣草〕 suōyīcǎo 명 《植》 ①개피. =〔蓑草〕 ②용수초. =〔龙须(草)〕

〔蓑(衣)虫〕 suō(yī)chóng 명 ⇨〔结jié草虫〕

〔蓑衣丈人〕 suōyī zhàngrén 명 도롱이벌레의 별칭.

嗍 suō (삭)
동 입을 오므려 빨다.

嗦 suō (사)
① 동 (가늘고 긴 것을) 빨다. 핥다. ¶小孩子总喜欢～手指头; 어린아이는 대체로 손가락 빨기를 좋아한다. ② →〔哆嗦duōsuo〕〔啰嗦luōsuo〕

缩(縮) suō (축)
동 ①뒤로 물러나다. 뒷걸음(질)치다. ¶不要畏～; 주눅들지 마라. ②오그라〔줄어〕들다. 수축하다. ¶～了半尺; 반 자 줄어들었다 / ～手～脚; ⓐ(일을 함에 있어 용기가 없어) 겁을 먹고 있는 모양. (두려워) 손을 대지 못하는 모양. ⓑ추위로 손발을 움츠리는 모양 / 冷得～成一团; 추워서 몸을 서로 바싹 붙이다 / 伸～自如; 신축 자재. ③움츠러들(이)다. ¶乌龟的头老～在里面; 거북은 언제나 머리를 움츠러들이고 있다 / 把胳臂一～; 팔을 움츠리다. ④시세가 내리다. ⑤(술을) 거르다. ¶～酒; ⇓ ⇒ sù

〔缩本〕 suōběn 명 축소해서 만든 책. 축쇄판(縮刷版).

〔缩鼻〕 suōbí 동 ①코를 찡그리다. ②코를 찡그려 비웃다.

〔缩编〕 suōbiān 동 ①기구(機構)·인원을 축소하다. ②문장 따위를 축소 편집하다. 명 축소해서 편집한 것. 다이제스트판(版).

〔缩脖儿〕 suō bór ①목을 움츠리다. ¶冻～了; 추워서 몸을 움츠렸다. ②무서워하다. ¶他临阵～了; 그는 싸움에 임해서 (무서워서) 도망치려 했다.

〔缩尺〕 suōchǐ 명 ⇨〔比bǐ例尺〕

〔缩短〕 suōduǎn 동 단축하다. 줄이다. ¶～期限; 기한을 단축하다 / ～了一年时间; 1년의 시간을 단축했다 / ～电线; 전선을 축소하다 / 把袖子～了; 소매를 줄였다.

〔缩额〕 suō'é 동 ①이맛살을 찌푸리다. ②불쾌한 표정을 짓다.

〔缩放仪〕 suōfàngyí 명 축도기(縮圖器). 팬터그래프(pantagraph).

〔缩骨伞〕 suōgǔsǎn 명 접는 우산.

〔缩合〕 suōhé 명동 《化》 축합(하다).

〔缩合〕 suōhe 동 〈俗〉 줄어서 작아지다. 오그라들다. ¶刚抻出来, 又～回去了; 방금 잡아당겨 끄집어 내어 놓았는데, 또 오그라들고 말다.

〔缩回〕 suōhuí 동 움츠러들이다. 철회하다. ¶～魔爪; (뻗었던) 마수를 거두어들이다.

〔缩肩〕 suōjiān 동 어깨를 움츠리다. 어깨를 으쓱하다. ¶他俩相视, ～, 吐一吐舌头《老舍 四世同堂》; 그들 둘은 얼굴을 마주 보고 어깨를 으쓱하며 혀를 낼름 내밀었다.

〔缩减〕 suōjiǎn 동 축감하다. 감축하다. 감퇴하다. ¶生产～; 생산이 감퇴되다 / ～重叠的机构; 중복된 기구를 축소하다.

〔缩脚语〕 suōjiǎoyǔ 명 한 구(句)의 마지막 글자를 일부러 말하지 않고, 그 한 글자에 강한 뜻을 내포시키는 신소리(예를 들면, '万两黄金' (황금 1만 냥)을 생략하여 '万两黄' 이라고 말하는 따위).

〔缩紧〕 suōjǐn 동 꽉 오므리다. 바싹 죄다.

〔缩酒〕 suōjiǔ 동 〈文〉 술을 밭다〔거르다〕.

〔缩聚〕 suōjù 동명 《化》 중축합(하다).

〔缩孔〕 suōkǒng 명 《工》 수축소(收縮巢)(shrinkage hole).

〔缩囊〕 suōnáng 동 〈文〉 점차 가난해지다. 생활이 어려워지다.

〔缩脑〕 suōnǎo ⇨〔缩头缩脑(儿)〕

〔缩气〕 suōqì 명 구두쇠. 형 인색하다.

〔缩手〕 suō,shǒu 동 ①(내밀었던) 손을 움츠려〔당겨〕들이다. ②〈轉〉 손을 빼다(두 번 다시 하지 않음). ¶～旁观; 〈成〉 수수 방관하다.

〔缩手缩脚〕 suōshǒu suōjiǎo ①(추위로) 몸을 움츠리다. ¶店家方拿了一盏灯, ～的进来; 여관 사람이 막 등불을 들고, (추위로) 몸을 움츠리면서 왔다. ②소심하다. 몸을 사리다. ¶～办不成大事; 자신 없이 겁을 먹으면 큰 일은 못 한다.

〔缩水〕 suōshuǐ 동 ①물에 젖어 줄어들다. ¶这种布不褪色也不～; 이 종류의 천은 빛이 바래지 않고 물에 젖어도 줄어들지 않는다. ②수도 공급 시간을 단축하다.

〔缩缩〕 suōsuō 형 〈文〉 ①부끄러워하는 모양. ②나아가지 않는 모양.

〔缩缩儿密〕 suōsuormì 〈京〉 약속을 파기하고 모르는 체하다. ¶你说请我看电影, 怎么又～不请了? 넌 내게 영화 구경 시켜 주겠다고 해 놓고, 어째서 약속을 어기고 모르는 체하는가?

〔缩缩势势〕 suōsuōshìshì 형 (두려워) 흠칫흠칫하는 모양. 뒷걸음질치는 모양.

〔缩头鳖〕 suōtóubiē 자라처럼 목을 움츠리다.

〔缩头拱肩〕 suōtóu gǒngjiān 머리와 어깨를 움츠리다. 곱송그리다.

〔缩头缩脑(儿)〕 suō tóu suō nǎo(r) 〈成〉 ①두

려워 몸을 움츠리는 모양. ②꽁무니 빼는 모양. 자진해서 책임을 질 용기가 없는 모양. ‖ =〔缩脑〕
〔缩头吐舌〕 suō tóu tǔ shé 〈成〉 무서워〔놀라서〕 움츠리는 모양.
〔缩图器〕 suōtúqì 명 축도기.
〔缩微〕 suōwēi 명 마이크로(micro). ¶ ～技术; 마이크로 기술.
〔缩微胶卷〕 suōwēi jiāojuǎn 명 마이크로 필름(microfilm)(의 한 권). →〔缩微胶片piàn〕
〔缩微胶片〕 suōwēi jiāopiàn 명 마이크로피시(microfiche). →〔缩微胶卷〕
〔缩微照片〕 suōwēi zhàopiàn 명 마이크로 필름(의 한 컷(cut)). =〔显xiǎn微影片〕〔小xiǎo型影片〕
〔缩小〕 suōxiǎo 동 축소하다. 축소되다. ¶ ～范围; 범위를 축소하다.
〔缩写〕 suōxiě 동 ①축사하다. ②약기(略記)하다. 요약하다. ③문학 작품을 짧게 다시 쓰다. ¶ ～本; 다이제스트본(本). 명 약어.
〔缩写词〕 suōxiěcí 명 ⇨〔略lüè语〕
〔缩衣节食〕 suō yī jié shí 〈成〉 의식(衣食)을 절약하다. 생활비를 줄이다. =〔缩衣缩食〕
〔缩印〕 suōyìn 명동 축쇄(縮刷)(하다).
〔缩影〕 suōyǐng 명 ①사진 인쇄로 축소한 것. ②축도(縮圖). 축소판. ¶ 过去的大世界就是旧上海的～; 옛날의 대세계는 옛 상하이(上海)의 축도였다. 동 사진 인쇄를 축소하다.
〔缩映机〕 suōyìngjī 명 마이크로 사진 촬영기.
〔缩字〕 suōzi 명 《言》 절분법(切分法). 싱코페이션(syncopation).

𫎬(𧴩) suǒ (쇄)
지명용 자(字).

唢(嗩) suǒ (쇄)
→〔唢呐〕

〔唢呐〕 suǒnà 명 《樂》 〈音〉 수르나이(인surnay). 날라리. =〔锁呐〕〔琐嗦〕

琐(瑣〈瑣〉) suǒ (쇄)
①형 자질구레하다. 사소하다. ¶ ～碎的事; 자잘한 일 / 繁fán～; 번쇄하다. ②형 천하다. ③형 번거로운. ④명 사슬. 연환(連環). 〈轉〉 창문에 새기거나 그린 쇠사슬 모양의 무늬. ¶ ～闼 =〔～闱〕; 연환 모양을 새긴 문. 궁문(宮門). ⑤명 옥(玉)의 부스러기.
〔琐才〕 suǒcái 명 〈文〉 쇄재. 보잘것 없는 작은 재주. ¶ ～凡庸之质; 보잘것 없고 범용한 재질.
〔琐辞〕 suǒcí 명 〈文〉 자질구레한 말.
〔琐渎〕 suǒdú 동 〈文〉 자잘한 일로 번거롭게 하다. ¶ ～清神; 하찮은 일로 걱정을 끼쳐 드립니다. =〔琐费〕
〔琐费〕 suǒfèi 동 ⇨〔琐渎〕
〔琐记〕 suǒjì 명 〈文〉 잡다한 일의 기록. 잡기(雜記).
〔琐罗亚斯德教〕 Suǒluóyàsīdéjiào 명 〈音〉 ⇨〔拜bài火教〕
〔琐嗦〕 suǒnà 명 〈音〉 ⇨〔唢呐〕
〔琐事〕 suǒshì 명 번거롭고 자잘한 일. ¶ ～奉渎; 귀찮은 일을 부탁드립니다 / 忙于料理家里的～不能安心休养; 집안의 잡무에 쫓기어 마음놓고 휴양할 수도 없다 / 各种各样的生活～耗费了人们大量的精力和时间; 생활상의 여러 가지 자질구레한 일로 사람들은 많은 에너지와 시간을 소모하게 된다.
〔琐碎〕 suǒsuì 형 ①번쇄(煩瑣)하다. 자질구레하고 번거롭다. ¶ 摆脱这些～的事; 이 자잘한 일들에서 헤어나다. ②잔병이 많다.
〔琐琐〕 suǒsuǒ 형 〈文〉 자질구레하다. 잡다하다.
〔琐琐气气〕 suǒsuo qìqì 곰상스럽게 굴다. 대범치 못하게 자잘한 일을 걱정하다.
〔琐尾流离〕 suǒ wěi liú lí 〈成〉 처음에는 괜찮았다가 나중에는 좋지 않게 되는 일. 용두사미.
〔琐闻〕 suǒwén 형 자질구레한 뉴스〔소문〕. ¶ 偶ǒu有～, 究竟不明真相xiàng; 가끔 자질구레한 소식이 전해질 뿐 결국 진상은 모른다.
〔琐务〕 suǒwù 명 〈文〉 잡무(雜務).
〔琐细〕 suǒxì 형 자질구레하다. 사소하다. ¶ 作家要能从～的生活中发现出时代的变化; 작가는 자질구레한 생활 속에서 시대의 변화를 찾아 내어야만 한다. =〔琐屑〕
〔琐屑〕 suǒxiè 형 자질구레하다. 사소하다. ¶ 从家庭～到国家大事, 无所不谈; 가정의 자잘한 일에서 국가의 대사(大事)에 이르기까지, 이야기하지 않는 바가 없다. =〔琐细〕

锁(鎖〈鎻〉) suǒ (쇄)
①명 자물쇠. ¶ 一把～; 하나의 자물쇠 / 门～; 문의 자물쇠 / 把门关严, 上了～; 문을 꼭 닫고 자물쇠를 채웠다. ②명 쇠사슬. ¶ 披枷带～; 칼을 씌우고〔쓰고〕, 쇠사슬로 묶다〔묶이다〕. ③명 어린아이의 액막이용으로, 끈으로 목에 거는 금제·은제 등의 목걸이류(‘长命锁片’ ‘金锁片’ 등). ④명양 영국의 거리의 단위. 체인(1마일의 1/80). ⑤동 자물쇠를 잠그다〔채우다〕. 사슬로 매다. ¶ 把门～上; 문에 자물쇠를 채우다 / 拿锁～箱子; 자물쇠로 트렁크를 채우다 / 把猴子～起来; 원숭이를 사슬로 매어 두다. ⑥동 감치다. ¶ ～扣眼; 단춧 구멍을 사뜨다. ⑦동 가두다. 유폐하다. ¶ 封～; 봉쇄하다.
〔锁不上〕 suǒbushàng 자물쇠가 채워지지 않다.
〔锁匙〕 suǒchí 명 ⇨〔钥匙yàoshi〕
〔锁垫〕 suǒdiàn 명 자물쇠용의 따리쇠.
〔锁缝〕 suǒfèng 명 아일릿(eyelet)(자수).
〔锁骨〕 suǒgǔ 명 《生》 쇄골. 빗장뼈. =〔锁子骨〕
〔锁光圈〕 suǒguāngquān 명 (사진기의) 조리개.
〔锁国〕 suǒguó 명동 쇄국(하다). ¶ ～主义; 쇄국주의.
〔锁簧〕 suǒhuáng 명 자물쇠 속의 용수철. ¶ 怕是～锈了; 아마 자물쇠의 용수철이 녹슬었던 게지. =〔锁镄〕〔锁须〕
〔锁活〕 suǒhuó 명 (재봉에서) 체인 스티치(chain stitch)로 단춧구멍 따위를 마무르는 일. 감침질.
〔锁匠〕 suǒjiàng 명 자물쇠장이.
〔锁紧〕 suǒjǐn 동 ①자물쇠를 단단히 잠그다. ②로킹(rocking)하다.
〔锁紧螺母〕 suǒjǐnluómǔ 명 《機》 로크너트(lock-nut). 고정(固定) 너트(check nut). =〔〈南方〉 保bǎo险螺丝帽〕〔〈北方〉 背bèi帽〕〔防fáng松螺母〕〔〈北方〉 降jiàng母〕
〔锁禁〕 suǒjìn 동 (쇠사슬로 묶어서) 감금하다.
〔锁壳〕 suǒké 명 자물쇠통. 자물쇠의 겉쪽.
〔锁孔〕 suǒkǒng 명 열쇠 구멍.
〔锁口〕 suǒkǒu 동 구멍을 감치다.
〔锁扣眼〕 suǒ kòuyǎn 단춧구멍을 사뜨다.
〔锁链(儿, 子)〕 suǒliàn(r, zi) 명 (쇠)사슬. ¶ 打断

了封建的～; 봉건의 (쇠)사슬을 끊어 버렸다.
〔锁镣〕 suǒliào 명 족쇄(쇠사슬이 달린 차꼬).
〔锁眉头〕 suǒ méitóu 눈썹〔눈살〕을 찌푸리다.
〔锁门〕 suǒ.mén 동 문 또는 창에 자물쇠를 잠그다.
〔锁呐〕 suǒnà 명 ⇨〔唢呐〕
〔锁皮子〕 suǒpízi 명 자물쇠의 구멍이 있는 쪽.
〔锁片〕 suǒpiàn 명 아이들의 액막이를 위해 금·은·동으로 목에 걸도록 만든 것.
〔锁上〕 suǒshang 동 자물쇠를 꼭 잠그다.
〔锁神〕 suǒshén 명 옛날, 혼인 때에 모시던 신(神). 딸의 생활을 봉쇄하여 처녀의 순결을 지켜 준 신(神).
〔锁示〕 suǒshì 동 〈文〉 (죄인을) 조리돌리다.
〔锁厅〕 suǒtīng 명 ⇨〔锁院〕
〔锁头〕 suǒtóu 명 자물쇠의 열쇠 구멍이 있는 쪽.
〔锁头〕 suǒtou 명 ①자물쇠. ②어린이의 가슴에 다는 일종의 부적(‘洗三’의 예물).
〔锁线〕 suǒ.xiàn 동 실로 사뜨다. ¶太厚了就不好～; 두꺼우면 사뜨기 힘들다.
〔锁须〕 suǒxū 명 ⇨〔锁簧〕
〔锁押〕 suǒyā 동 죄인에게 수갑을 채워 호송하다.
〔锁阳〕 suǒyáng 명 쇄양. (한방약의) 약초의 이름(육종용(肉蓯蓉)의 무리).
〔锁阴〕 suǒyīn 명 《漢醫》 쇄음. =〔管键〕
〔锁院〕 suǒyuàn 명 옛날, 과거의 시험장(응시자가 입장한 뒤에는 끝날 때까지 입구를 폐쇄하게 되어 있기 때문에 이렇게 말함). =〔锁厅〕
〔锁钥〕 suǒyuè 명 ①열쇠. 〈比〉 관건. ②변경(邊境) 방비의 요지(要地).
〔锁缀工〕 suǒzhuìgōng 명 복식품 등에 색 천을 꿰매어 붙이는 일.
〔锁子〕 suǒzi 명 사슬.
〔锁子骨〕 suǒzigǔ 명 ⇨〔锁骨〕
〔锁子甲〕 suǒzijiǎ 명 갑옷 속에 받쳐 입는 작은 미늘로 엮어 만든 옷.

所 suǒ (소)
①명 곳. 장소. ¶住～; 주소. 숙소/安身之～; 편안히 있을 곳/各得其～; 각각 자기가 있을 곳에 있다. ②명 기관(機關)이나 기타의 일하는 곳. ¶研究～; 연구소/派出～; 파출소. ③명 명대(明代) 군사의 주둔지(큰 것을 ‘千户所’, 작은 것을 ‘百户所’라 했음. 현재는 지명으로 남아 있음). ¶海阳～; 하이양소(海陽所)(산둥성(山東省)에 있는 지명). ④양 채. 동(가옥·학교·병원 등의 건축물을 세는 단위). ¶两～房子; 두 채의 집/一～医院; 병원 하나/两～学校; 두 학교. ⑤조 동사 앞에 놓여 동작을 받는 사물을 나타내는 말. ㉠동사 뒤에는 사물을 나타내는 말을 쓰지 않음. ¶耳～闻, 目～见; 귀로 듣고 눈으로 본 것/无～不知; 모르는 바가 없다/发展情况有～不同; 발전 상황에는 다른 데〔차이〕가 있다/各述～见; 각자 생각하는 바를 말하다/各尽～能; 각자 자기가 할 수 있는 능력을 발휘하다. ㉡동사 뒤에 다시 사물을 나타내는 ‘者’·‘的’을 씀. ¶吾家～寡有者; 우리 집에 부족한 것/这是我们～反对的; 이것은 우리가 반대하는 것이다. ㉢동사 뒤에 다시 사물 따위를 나타내는 말을 씀. ¶他～提的意见; 그가 내놓은 의견/你～说的话; 네가 하는 말/这是人～共知的事实; 이것이 사람들이 모두 알고 있는 사실이다/～需的费用; 필요한 비용. ⑥조 …에 …하여지다(동사 앞에 와서 앞의 ‘为’·‘被’와 호응하여 수동(受動)을 나타냄). ¶不大为人～知; 별로 사람들에게 알려져 있지 않다/侵略军为我军～打败; 침략군은 아군에 의해 격파되었다. ⑦부 〈京〉 완전히. 전혀. 도무지. ¶～睡不着zháo; 도무지 잠을 잘 수가 없다/～是夏天了; 완전히 여름이 되었다/这衣服～走了样子了; 이 옷은 시대에 뒤떨어졌다. ⑧명 쯤. 가량. 남짓(어림수를 나타냄). ¶二里～; 2리쯤/高四尺～; 높이가 넉 자 남짓이다/开办历有年～; 개설 이래 꽤 세월이 지났다. ⑨명 성(姓)의 하나.
〔所部〕 suǒbù 명 부하(거느리고 있는 부대). ¶统率～; 부대를 통솔하다.
〔所长〕 suǒcháng 명 뛰어난〔잘 하는〕 것. 장점. ¶取～, 舍shě所短; 장점을 취하고 단점을 버리다. ⇒suǒzhǎng
〔所答非所问〕 suǒdá fēi suǒwèn 대답이 묻는 말과 일치하지 않다. 동문 서답하다.
〔所得〕 suǒdé 명 ①〈文〉 얻는 바. ¶计其～, 反不知所丧sàng者之多; 그 얻는 바를 계산해 보니, 도리어 잃는 바가 많다. ②소득. ¶～税; 소득세.
〔所费无几〕 suǒ fèi wú jǐ 〈成〉 비용이 얼마 들지 않다.
〔所感〕 suǒgǎn 명 소감.
〔所怀〕 suǒhuái 명 〈文〉 속에 품은 회포〔생각〕. ¶未遂suì～; 뜻이 이루어지지 않다.
〔所欢〕 suǒhuān 명 〈文〉 ①기뻐하는〔좋아하는〕 바〔일〕. ②〈轉〉 사랑하는 사람.
〔所见〕 suǒjiàn 명 소견. 보는 바. 생각. ¶英雄～略同; 〈諺〉 훌륭한 사람이 생각하는 것은 대체로 비슷한 것이다.
〔所见所闻〕 suǒ jiàn suǒ wén 〈成〉 견문(見聞). 보고 듣는 것.
〔所罗门群岛〕 Suǒluómén qúndǎo 명 《地》〈音〉 솔로몬 제도.
〔所能〕 suǒnéng 명 ①할 수 있는 일. ②재능. 능력.
〔所剩〕 suǒshèng 명 남은 바〔것〕. 나머지. ¶～无多; 남은 것은 얼마 없다.
〔所是〕 suǒshì 부 〈京〉 아주. 완전히. ¶～疯了似的; 완전히 미쳐 버린 것 같다.
〔所属〕 suǒshǔ 명형 ①예하(의). 휘하(의). 산하(의). ¶命令～各部队一齐出动; 예하 각 부대에 일제히 출동하도록 명령하다/转饬～; 부하에게 명령을 전달하다. ②자기가 속하는 곳(의). 소속(의). ¶向～派出所填报户口; 소속 파출소에 호적을 등록하다. 명 휘하. 예하. 관하(뒤에 명사가 오지 않음).
〔所司〕 suǒsī 명 〈文〉 ①관할하는 바〔것〕. ②소관(所管)의 장관.
〔所天〕 suǒtiān 명 〈文〉 ①군주. 임금. ②아버지. ③남편.
〔所为〕 suǒwéi 명 〈文〉 하는 일〔바〕. ¶所做～; 하는 일 모두/～何事! 무슨 일을 하려고 하는 건가! ⇒suǒwèi
〔所为〕 suǒwèi 명 〈文〉 이유. 원인. 까닭. ¶～何来; 〈成〉 그 원인은 어디서 왔는가. 무엇 때문에 그런가. ⇒suǒwéi
〔所谓〕 suǒwèi ①…란. …라는 것은. ②소위. 이른바. ¶～民主主义; 이른바 민주주의/代表这个～政府发言的发言人; 이러한 소위 정부를 대표해서 말하는 대변인/他们的～和平是什么? 그들의 소위 평화란 무엇인가?
〔所喜〕 suǒxǐ 부 다행히도. 기쁘게도.
〔所向披靡〕 suǒ xiàng pī mǐ 〈成〉 힘〔병력〕이 미치는 곳마다 장애가 모두 제거되다. 가는 곳마

다 모두 복종하다.

〔所向无敌〕 **suǒ xiàng wú dí** 〈成〉 소향 무적하다. 가는 곳마다 당할 자가 없다.

〔所向无前〕 **suǒ xiàng wú qián** 〈成〉 가는 곳마다 저지하는 자가 없다.

〔所行所为〕 **suǒ xíng suǒ wéi** 〈成〉 ⇨〔所作所为〕

〔所幸〕 **suǒxìng** 부 〈文〉 다행스럽게도. ¶～, 这种人在印度是很少的; 다행히도 이 종류의 사람은 인도에는 매우 적다.

〔所需〕 **suǒxū** 명형 〈文〉 소요(所要)(의). 소용(의). 필요로 하는 바(의).

〔所以〕 **suǒyǐ** ① 명 까닭. 소이. 이유. 연유. ¶～然; 그렇게 된 이유. 연유/看不出～然来; 그 까닭을 모르겠다/问其～; 그 까닭을 묻다/这就是我自信我是一员健将的～; 이것이 바로 내가 남 못지않는 용장(勇將)이라고 믿는 이유다. ② 접 인과 관계를 나타내는 접속사. ㉠…이므로 …. 그러므로. 그런고로(‘下文’에 쓰이어 결과를 나타냄). ¶因为…～…; …인 까닭에 그로 말미암아…/土壤含有水分和养料, ～作物能够生长; 토양에는 수분과 양분이 함유되어 있어서, 작물이 자랄 수가 있다/正赶上下雨, ～去的人少; 마침 비가 와서 간 사람이 적다. ㉡…한 까닭은 …때문(‘上文’의 주어와 술어 사이에 쓰이어 원인을 설명할 필요가 있는 일을 제기하고 ‘下文’에서 원인을 설명함). ¶作物～能够生长, 是因土壤含有水分和养料; 작물이 자랄 수 있는 것은 토양에 수분과 양분이 함유돼 있기 때문이다/今年～获得丰收, 是因为新修了一个水库, 解决了灌溉问题; 올해 풍작이었던 원인은, 댐을 하나 만들어 관개 문제를 해결했기 때문이다. 注 ‘上文’에서 원인을 보이고, 그 원인이 어떤 결과를 가져왔는지를 설명할 때에는 ‘下文’에 ‘是…所以…的原因〔缘故〕’(…한데 이것이 …한 원인이다)를 씀. ¶土壤含有水分和养料, 这就是作物～能够生长的原因; 토양에는 수분과 양분이 함유돼 있는데, 이것이 바로 작물이 자랄 수 있는 원인인 것이다. ③ 접 〈口〉 그러니까. 그러니(단독으로 쓰여 독립된 문장을 이룸). ¶～呀, 要不然我怎么这说呢! 그러니까 말이야, 그렇지 않으면 내가 왜 이런 말을 하겠니!/～了, 人要是不存好心, 哪儿能有好结果呢! 그러니까 말입니다. 사람이 만일 마음가짐이 좋지 않으면 어떻게 좋은 결과가 있겠습니까! ④(문두(文頭)에서 ‘～了’로 쓰이어) 맞아. 그렇고말고. 과연. ⑤ 접 고(故)로(증명할 때의 ‘∴’을 일컬음).

〔所以然〕 **suǒyǐrán** 명 그러한 까닭·이유(원인·도리를 가리키며 객어(客語)로 쓰임). ¶只知其然而不知其～; 단지 그렇게 된 것만 알고 그렇게 된 까닭은 모르고 있다/看不出～来; 그 까닭을 모른다.

〔所以者何〕 **suǒyǐzhěhé** 〈文〉 그 이유는 무엇인가. 왜냐 하면. ¶～就因为赵大爷是不会错的; 왜냐 하면 조대인께서는 틀릴 분이 아니기 때문이다.

〔所由〕 **suǒyóu** 명 〈文〉 …인〔한〕 이유(동사나 형용사 앞에 옴). ¶美国之～强; 미국이 강한 까닭.

〔所有〕 **suǒyǒu** 형 모든. 일체의. ¶～的东西; 모든 물건/～的人都鼓掌欢迎了; 모든 사람이 박수를 치며 환영했다. 注1 ‘一切’와의 구별. ㉠‘一切’는 각종 각양의 것 모두. ㉡‘所有’는 동류(同類)의 것 모두. 注2 ‘所有’와 ‘一切’를 연용(連用)할 때는 보통 ‘所有一切’ 혹은 ‘一切所有的’라고 함. ¶～一切的东西都拿来了; 온갖 것을 모두 가지고 왔다/～一切的行动都得受他的拘束; 온갖 일체의 행동은 그의 구속을 받아야 한다/～这些全是他一个人的贡献; 이 모든 것이 그 한 사람의 공헌이다. 명동 소유(하다). ¶那本字典现在归我～; 저 사전은 지금은 나의 소유가 되었다. 명 소유물. ¶尽其～; 가지고 있는 것을 모두 내놓다.

〔所有权〕 **suǒyǒuquán** 명 소유권.

〔所在〕 **suǒzài** 명 ①장소. 곳. ¶什么～; 어디/出人很方便的～; 출입하기에 매우 편리한 장소/该公司～交通极方便; 이 회사가 있는 곳은 교통이 극히 편리하다. →〔地方〕〔处所〕 ②각지. 도처(到處). ¶～皆有; 도처에 있다. ③존재하는 곳. 소재. ¶病因～; 병인의 소재/～地; 소재지. 동 속(屬)하다. ¶他～的参观团明天出发; 그가 속한 참관단은 내일 떠난다.

〔所在多有〕 **suǒ zài duō yǒu** 〈成〉 도처에 있다. 어느 곳에나 많이 있다.

〔所长〕 **suǒzhǎng** 명 소장. ⇒**suǒcháng**

〔所知〕 **suǒzhī** 명 〈文〉 ①학문에 의해서 아는 바〔것〕. ②잘 아는 사이.

〔所致〕 **suǒzhì** 명 소치. 탓. 까닭으로 된 일. ¶材料不良～; 재료가 좋지 않아 이렇게 된 것이다.

〔所作所为〕 **suǒ zuò suǒ wéi** 〈成〉 하는 일 모두. 모든 행위. =〔所行所为〕

索

suǒ (삭, 색)

①(～子) 명 굵은 밧줄. 로프(rope). ¶船～; 배의 로프/铁～桥; 철삭으로 된 다리. ② 동 탐색하다. 찾다. ¶遍～不得; 구석구석 찾아도 찾을 수가 없다. ③ 동 청구하다. 요구하다. ¶～价; ⓐ대금을 청구하다. ⓑ부르는 값/～欠; 빚을 독촉하다/催～; 재촉하다. ④없어지다. 조금도 없다. ⑤ 부 쓸쓸하게. 고독하게. ¶离群～居; 남과 떨어져 혼자 살다〔있다〕/～然无味; 무미건조해서 재미없다. ⑥ 동 〈文〉 새끼를 꼬다. ⑦ 부 아예. 전혀. 조금도. 완전히. ¶他～不顾纪律了; 그는 전혀 규율을 지키지 않게 되었다. →〔索性〕 ⑧ 조동 〈古白〉 (마땅히) …하여야 한다. …할 필요가 있다. ¶～拜做师父; 스승으로 우러러야 한다/不～踌躇; 주저할 필요가 없다. ⑨ 명 성(姓)의 하나.

〔索保〕 **suǒbǎo** 동 ①보증을 요구하다. ②〈文〉 보호를 청하다.

〔索偿〕 **suǒcháng** 동 배상을 요구하다. ¶～无着zhuó; 배상을 요구했으나 해결이 안 나다.

〔索车〕 **suǒchē** 명 케이블카.

〔索道〕 **suǒdào** 명 삭도. 가공 삭도. 케이블웨이(cableway). 로프웨이(ropeway). ¶～运输; 삭도 운수.

〔索尔〕 **suǒ'ěr** 명양 〈音〉 솔(sol)(페루의 통화 단위 이름. 1‘～’는 100‘生太伏’(센타보(centavo)).

〔索饵回游〕 **suǒ'ěr huíyóu** 물고기 떼가 먹이를 찾아 회유하다.

〔索非亚〕 **Suǒfēiyà** 명 《地》 〈音〉 소피아(Sofia)(‘保加利亚’(불가리아:Bulgaria) 공화국의 수도).

〔索费〕 **suǒfèi** 동 비용을 요구하다.

〔索粉〕 **suǒfěn** 명 녹두·고구마·감자 등의 전분으로 만든 당면. =〔粉条(儿,子)①〕

〔索佛那〕 **suǒfónà** 명 《藥》 〈音〉 술포날(sulfonal). =〔二èr乙眠砜〕

〔索诃〕 **suǒhē** 명 《佛》 〈梵〉 사바(娑婆). 속세.

〔索合〕 **suǒhé** 동 〈古白〉 …하지 않으면 안 된다.

…해야 한다. ¶～再做个机谋; 다시 한 번 생각해야 되겠다.
〔索回〕 suǒhuí 동 되찾다. 회수하다.
〔索汇〕 suǒhuì 동 환(換)의 결제를 하다.
〔索贿〕 suǒhuì 동 뇌물을 요구하다.
〔索价〕 suǒjià 동 대금을 요구하다. 명 요구하는 가격.
〔索解〕 suǒjiě 동 〈文〉 해답을 묻다〔찾다〕.
〔索居〕 suǒjū 동 외로운 독신으로 살다. ¶～独处; 〈成〉 외로운 독신 생활의 모양.
〔索款〕 suǒkuǎn 동 대금을 독촉하다.
〔索卢〕 Suǒlú 명 복성(複姓)의 하나.
〔索落〕 suǒluò 동 ①찾다. ②야단치다. 트집〔탈을〕 잡다. ¶头里嗔他唱, 这回又～他; 처음에는 그가 노래를 불렀다고 야단치더니 이번에는 또 트집을 잡아 시비를 건다.
〔索马里〕 Suǒmǎlǐ 명 《地》 〈音〉 소말리아(Somalia) 《수도는 '摩加迪沙'(모가디슈:Mogadishu)》. =〔索马利〕
〔索寞〕 suǒmò 형 〈文〉 의기소침하고 쓸쓸하다. ¶～乏气; 의기소침하고 기운이 없다. =〔索莫〕〔索漠〕
〔索盘〕 suǒpán 동 《商》 오퍼(offer)를 요구하다. 거래 조건의 조회(照會)를 보내다. ¶去电欧洲广方～, 但尚未接获复电; 유럽의 메이커에게 전보를 쳐서 오퍼를 요구했는데 아직 답신을 받지 못했다.
〔索赔〕 suǒpéi 동 배상을 요구하다. →〔索偿cháng〕 명동 《商》 클레임(claim)(을 내다). ¶短卸92袋向船方～; 하역된 화물 92자루가 부족하여 선박회사측에 클레임을 요구했다.
〔索赔权〕 suǒpéiquán 명 《商》 클레임 청구권.
〔索欠〕 suǒqiàn 동 빚을 독촉하다.
〔索桥〕 suǒqiáo 명 (밧줄로 된) 조교(弔橋).
〔索求〕 suǒqiú 동 ⇨〔索要〕
〔索取〕 suǒqǔ 동 (재촉하여) 거둬들이다. (독촉하여) 받아 내다. ¶向大自然～财富; 대자연으로부터 많은 재화를 거둬들이다. =〔索讨〕
〔索然〕 suǒrán 형 〈文〉 ①다하여 없어지는 모양. ¶～已尽; 이미 다 없어졌다. ②흥이 깨지는 모양. 흥미가 없는 모양. ¶兴致～; 흥미가 없다/～无味 =〔～寡味〕; 삭막하여 재미 없다. ③눈물이 떨어지는 모양. ¶～出涕; 눈물을 뚝뚝 떨어뜨리다.
〔索索〕 suǒsuǒ ①형 두려워 떠는 모양. ¶脚～地抖dǒu; 다리가 후들후들 떨리다. ②형 쓸쓸한 모양. ¶～无人; 적막하여 사람의 그림자도 없다. ③〈擬〉 와삭와삭《나무 등이 흔들리는 소리》. ¶～树而摇枝; 나무가 와삭와삭 소리를 내며 가지를 흔든다. ④〈擬〉 부슬부슬. ¶雨～地下着; 비가 부슬부슬 내리고 있다.
〔索讨〕 suǒtǎo 동 ⇨〔索取〕
〔索头〕 suǒtóu 명 밧줄〔새끼〕의 끝. ¶紧紧地拽zhuài住～; 밧줄의 끝을 꽉 잡아당기다.
〔索现〕 suǒxiàn 동 현금을 요구하다.
〔索笑〕 suǒxiào 동 장난쳐서 웃기다.
〔索性〕 suǒxìng 부 ①차라리. 아예. ¶既然已经做了, ～就把它做完! 이미 시작한 이상 차라리 그것을 완수하자! ②마음껏. 부끄러움〔체면〕도 없이. ¶～放声大哭起来了; 부끄럼도 체면도 없이 대성 통곡하기 시작했다. ‖=〔索兴〕 형 성질이 완고(頑固)〔강직〕하다. ¶激烈～的人; 성격이 격하고 강직한 사람.
〔索要〕 suǒyào 동 요구하다. 강요하다. ¶～贿赂huìlù; 뇌물을 강요하다. =〔索求〕
〔索银〕 suǒyín 동 〈古白〉 ①대금 지불을 청구하다. ②돈을 요구하다.
〔索引〕 suǒyǐn 명 색인. ¶～纸片; 인덱스카드. =〔〈音〉引得yǐndé〕
〔索隐〕 suǒyǐn 동 〈文〉 숨겨진 일을 캐다. ¶探迹～; 〈成〉 자취를 캐고 숨겨진 일을 밝히다.
〔索阅〕 suǒyuè 동 열람을 요청〔요구〕하다.
〔索诈〕 suǒzhà 동 강제로 핍박하다. ¶～行xíng怪; 〈成〉 강제로 핍박하고 괴이한 짓을 하다.
〔索债〕 suǒzhài 동 빚을 독촉하다〔거두다〕.
〔索战〕 suǒzhàn 동 ⇨〔挑tiǎo战〕
〔索账〕 suǒzhàng 동 대금 지불을 청구하다〔청구해 두다〕.
〔索子〕 suǒzi 명 ①〈方〉 새끼. 참바. 밧줄. ②마작패(麻雀牌)의 일종.

鎍 suǒ (삭)
명 와이어 로프. ¶～子; ⓐ사슬. ⓑ시계의 태엽.

些 suò (사)
조 고문(古文)에 쓰던 문말(文末) 조사《'兮 xī'와 용법이 비슷함》. ¶归来归来, 往恐危身～《楚辭 招魂》; 돌아오라 돌아오라, 가면 아마 몸에 위험이 닥칠 것이다. ⇒xiē

溹 Suò (삭)
명 《地》 쒀수이 강(溹水)《허난 성(河南省)에 있는 강 이름》.

T

TA ㄊㄚ

他 tā (타)
대 ①그. 그 사람. 그 남자(여성에게는 '她'를 쓰며, 사물 또는 동물의 경우는 '它'를 씀). 注 5·4(五四) 문화 혁명 이전에는 남성·여성, 기타 모든 사물을 가리켰으나 현재는 남성만을 주로 가리키며 성이 분명치 않을때나 구별할 필요가 없을 때는 '他'를 씀. ¶从笔迹上看不出~是男人还是女人; 필적으로는 그 사람이 남자인지 여자인지 구분이 안 된다. ②다른 곳. 다른 데. 다른 방면. ¶~往; 딴 곳으로 가다/留作~用; 남겨서 다른 데에 사용하다. ③제삼자를 가리키는 말. ¶~老人家; 저 노인. ④부정(不定)의 사람 또는 물건을 가리키는 말. ¶你推~, ~推你; 서로 밀어대다. ⑤동사와 수량사(數量詞) 사이에 두어 어세(語勢)를 강조하는 말. ¶今天星期天, 到公园去好好的玩~一天; 오늘은 일요일이므로 공원에 가서 하루 실컷 놀자/睡~一觉! 한잠 자자!/盖~三间瓦房; 세 칸 짜리 기와집을 짓자. =〔它④〕 ⑥〈俗〉 이름이나 '孩子' 따위 뒤에다 놓고 다시 그 사람에 대한 가족 관계의 호칭 등을 붙여서 완곡하게 부르거나 그 사람을 가리키거나 함. ¶孩子~叔叔; 아이의 삼촌/金旺~娘; 진왕(金旺) 어머니.

〔他爸〕 tā bà ⇨〔他爹〕

〔他不具论〕 tā bù jù lùn 〈成〉 그밖의 일에 대해서는 긴 말을 하지 않겠다.

〔他称〕 tāchēng 명 3인칭(三人稱).

〔他爹〕 tā diē 애 아빠(아내가 남편을 부르는 말. 아이 없을 때는 '他'뿐, 아이가 생기면 대개 '~'로 함. '他'앞에 아이 이름이 생략되어 있음). ¶娃~; 애 아빠. =〔他爸〕

〔他端〕 tāduān 명 〈文〉 다른 계책〔계획〕.

〔他故〕 tāgù 명 〈文〉 다른 이유〔원인〕. =〔他因〕

〔他加禄语〕 Tājiālùyǔ 명 《言》 〈音〉 타갈로그어(Tagalog語)(필리핀의 공용어).

〔他家〕 tājiā 명 ①다른 집. ②〈古白〉 그. 그 여자. 그 사람.

〔他拉〕 tālā 명 《貨》 〈音〉 달러(dollar). =〔大赉〕〔他赖〕〔打拉〕

〔他老〕 tālǎo 대 〈敬〉 저분('他'의 경칭).

〔他妈的〕 tāmāde 감 〈罵〉 ①제미(사람을 욕하는 말). ¶你~; 우라질 놈(화나서 하는 욕). ②제기랄(어떠한 일을 가지고 화나서 욕하는 말). ¶真~怪; 제기랄! 참 그거 괴상한데/这~是什么事? 제기랄, 무슨 일이야?

〔他们〕 tāmen 대 ①그들. 그 사람들(남성만인 경우나 남녀가 섞였을 경우나 다 씀). ¶~俩; 그들 두 사람. ②인명·직명·호칭 따위의 뒤에 놓아, 어떤 사람 또는 그 사람과 관계되는 사람을 가리킴. ¶连长~; 중대장들.

〔他迁〕 tāqiān 동 〈文〉 딴 데로 이사가다. ¶即将~; 곧 이사한다.

〔他人〕 tārén 명 타인. 다른 사람. 남. →〔别bié人〕

〔他日〕 tārì 명 〈文〉 ①훗날. 뒷날. 타일. =〔日后〕 ②과거의 어느 날 또는 어느 시기. =〔有一天〕〔以前〕

〔他杀〕 tāshā 명 《法》 타살. 살인.

〔他山攻错〕 tā shān gōng cuò 〈成〉 ⇨〔他山之石, 可以攻错〕

〔他山之石, 可以攻错〕 tā shān zhī shí, kě yǐ gōng cuò 〈成〉 다른 산의 돌로 나의 옥을 갈 수 있다(남의 언행으로 자기의 경계가 되는 것을 말함). =〔他山之石, 可以攻玉〕〔他山之石, 可以为错〕〔他山攻错〕〔攻错〕

〔他往〕 tāwǎng 동 〈文〉 출타하다. 딴 곳으로 가다.

〔他乡〕 tāxiāng 명 〈文〉 타관(他關). 타향. ¶~遇故知; 타향에서 아는 사람을 만나다.

〔他造〕 tāzào 명 소송의 상대방.

她 tā (타)
대 ①그녀. 그 여자. ¶~们; 그 여자들. ②조국·당기(黨旗)·국기 등의 존칭으로서 쓰임.

它〈牠〉 tā (타)
대 ①그. 저. 그것. 저것(사물·동물을 가리킴). →〔他〕〔她〕 ②구어(口語)에서는 특히 주제(主題)를 복수 지칭함. ¶这个你们不要管~! 이것은 너희가 상관할 일이 아니다! =〔他〕 ③'任'·'凭'·'让' 등의 뒤에 놓고 방임(放任)의 어기(語氣)를 나타냄. ¶暴风任~刮, 大雨任~下! 폭풍이여, 불테면 불어라, 폭우여 내릴테면 내려라! ④⇨〔他⑤〕

〔它们〕 tāmen 대 그것들. 저것들.

铊(鉈) tā (삽)
명 《化》 탈륨(Tl: Thallium)(금속 원소의 하나). ⇒'铊' tuó

趿 tā (삽)
동 (신을) 끌다. →〔靸sǎ〕

〔趿拉〕 tāla 동 (헝겊신을) 뒤축을 꺾어서 신다. (신을) 질질 끌다. ¶~着鞋走; 신을 질질 끌며 걷다. =〔靸拉sǎla〕

〔趿拉板儿〕 tālabǎnr 명 〈方〉 샌들(sandal). =〔呱guā哒板儿〕

〔趿拉儿〕 tālar 명 〈方〉 슬리퍼. =〔拖鞋〕

溻 tā (탑)
동 〈方〉 땀을 흘려 옷이 젖다. 땀이 옷에 배다. ¶天太热, 我的衣服都~了; 너무 더워서 내 옷은 온통 땀이 배었다.

遢 tā (탑)
→〔邋lā遢〕

塌 tā (탑)
동 ①무너지다. 내려앉다. 붕괴하다. 넘어져 떨어지다. ¶倒~; 무너지다/坍~了; 무너져 내리다/房顶子~了; 지붕이 무너져 내리다. ②쑥 들어가다. 움푹패다. 꺼지다. 처지다. ¶~鼻子; ⇩/人瘦了两腮都~下去了; 여위어 양볼이 쑥 들어갔다/地面~了一个坑; 땅이 꺼져 구멍이 생겼다. ③안정시키다. 가라앉히다. ¶~下心去; 마음을 가라앉히다. ④늘어지다. 시들다. 세력이 쇠하여지다. ¶这棵花晒得～秧了; 이 꽃은 햇볕에 쬐어 시들어 버렸다.
〔塌鼻子〕 tābízi 명 ①납작코. ②코가 낮은 사람.
〔塌车〕 tāchē 명 〈吳〉 짐수레.
〔塌倒〕 tādǎo 동 무너져 내려앉다.
〔塌顶〕 tā,dǐng 동 지붕·천장이 무너져 내려앉다.
〔塌方〕 tā,fāng 동 《建》 토사·쌓은 돌 등이 무너지다. (tāfāng) 명 토사의 무너짐. 사태. ‖＝〔坍tān方〕
〔塌坏〕 tāhuài 동 (건조물·조직이) 무너지다. 붕괴하다.
〔塌火〕 tā,huǒ 동 (탄환이) 불발이 되다.
〔塌架(子)〕 tā,jià(zi) 동 ①집이 무너지다. ②〈比〉 실패하다. ③〈比〉 (조직·국면(局面)·체제 등이) 무너지다.
〔塌窖〕 tā,jiào 동 ①움이 내려앉다. ②결손이 나서 사업에 실패하다.
〔塌棵菜〕 tākēcài 명 《植》 내한성(耐寒性)이 강한 겨울 채소의 하나. ＝〔太古菜〕〔瓢儿菜〕
〔塌气儿〕 tāqìr 동 의기 소침하다. 실망하다.
〔塌欠〕 tāqiàn 동 결손(缺損)하다. 구멍을 내다.
〔塌飒〕 tāsà 동 ①실패하다. ②몰락하다.
〔塌沙鱼〕 tāshāyú 명 《魚》 홈대기.
〔塌实〕 tāshi 형 ①(일·학습 태도 등이) 착실하다. 침착하다. 들뜨지 않다. 견실하다. ¶做法不～; 일하는 것이 착실하지 않다. ②올곧다. 고지식하다. ③(일이) 낙착되다. ④(기분이) 안정되다. 평온하다. ¶事情办完就～了; 일을 끝내서 마음이 편안해졌다. ‖＝〔踏实〕
〔塌塌儿〕 tātar 명 〈京〉 작고 초라한 집. 곳. 장소 《만주(滿洲)에서 온 말》. ¶这～; 이 곳/小～; 〈謙〉 저의 집.
〔塌台〕 tā,tái 동 ①사업에 실패하다. ②창피를 당하다. 면목이 없다. ¶他不至于想塌我的台; 그는 나의 체면을 손상시키려는 것은 아니다.
〔塌天〕 tātiān 동 하늘이 무너지다《중대(重大)함》. ¶～的祸; 하늘이 무너질 정도의 큰 재앙.
〔塌陷〕 tāxiàn 동 빠지다. 꺼지다. 함몰되다. ¶由于地震房子～了; 지진으로 집이 매몰되었다/地基～; 지반이 내려앉다.
〔塌秧儿〕 tāyāngr 동 ①화초가 시들다. ②〈轉〉 (실패하여) 풀이 죽다. ③얼굴에 생기가 없어지다. ④(사업 등이) 부진(不振)하다.
〔塌腰〕 tā,yāo 동 허리를 낮추다. (tāyāo) 명 툭 불거진 엉덩이.
〔塌中〕 tāzhōng 동 배우가 연기 도중 목소리가 나오지 않아 실수를 하다.

溻(緆) tā (탑)
동 〈文〉 (새끼줄로) 묶다. 매다.

禢 tā (타)
→〔锅guō爆〕

褟 tā (탑)
〈方〉 ①동 (레이스를) 달다. ②동 땀을 눌러 닦아 내다. ¶把汗～过来; 땀을 눌러 닦아 내다. ③명 ⇨〔汗hàn褟(儿)〕

踏 tā (답)
→〔踏实〕 ⇒tà
〔踏实〕 tāshi 형 ⇨〔塌tā实〕

𠺱 tā (탑)
동 〈文〉 삼키다. 들이마시다.

溚 tǎ (답)
명 〈音〉 타르(tar). ¶煤～; 콜타르/木～; 목타르. ＝〔〈俗〉 焦jiāo油〕

塔〈墖〉 tǎ (탑)
①명 탑. ②명 탑 모양의 건조물. ¶水～; 급수탑/灯～; 등대. ③음역용자(音譯用字). ¶白～油; 버터. ④양 〈南方〉 기계 등의 길이의 단위. 1인치의 1/32에 해당. ¶三个～; 3/32인치. ⑤명 성(姓)의 하나. ⇒da
〔塔比俄卡〕 tǎbǐ'ékǎ 명 〈音〉 타피오카(tapioca).
〔塔布〕 tǎbù 명 〈音〉 터부(taboo). ＝〔头布〕〔答布〕〔达波〕
〔塔吊〕 tǎdiào 명 탑형 크레인. 타워 크레인.
〔塔顶〕 tǎdǐng 명 탑 꼭대기.
〔塔夫绸〕 tǎfūchóu 명 《紡》 〈音〉 호박단. 태피터(taffeta).
〔塔灰〕 tǎhuī 명 〈方〉 천장·벽의 그을음.
〔塔吉克斯坦〕 Tǎjíkèsītǎn 명 《地》 타지키스탄(Tadzhikistan)《수도는 '杜Dù尚别'(두샨베: Dushanbe)》.
〔塔吉克族〕 Tǎjíkèzú 명 《民》 타지크 족(Tadzhik族)《중국 소수 민족의 하나. 주로 신장(新疆) 남부에 거주함》.
〔塔架〕 tǎjià 명 (가선용(架線用)) 철탑. 가선탑.
〔塔轮〕 tǎlún 명 《機》 단차(段車). 계단식 피대 바퀴. ＝〔宝bǎo塔(皮带)盘〕
〔塔什干〕 Tǎshígān 명 《地》 타슈켄트(Tashkent)《우즈베키스탄(Uzbekistan)의 수도》. ＝〔塔士墨〕
〔塔斯马尼亚岛〕 Tǎsīmǎníyà Dǎo 명 《地》 태즈메이니아(Tasmania) 섬.
〔塔斯社〕 Tǎsīshè 명 〈音〉 타스(TASS) 통신사.
〔塔塔尔族〕 Tǎtǎ'ěrzú 명 《民》 타타얼 족(塔塔爾族)《중국 소수 민족의 하나》.
〔塔台〕 tǎtái 명 (비행장의) 관제탑.
〔塔哇〕 tǎwā 명 〈音〉 옛날, 티베트 사원의 노예.
〔塔希提岛〕 Tǎxītí dǎo 명 《地》 타히티(Tahiti) 섬.
〔塔钟〕 tǎzhōng 명 옥상 시계. 탑시계.
〔塔座儿〕 tǎzuòr 명 탑의 아랫 부분.

獭(獺) tǎ (달)
명 《動》 수달. ＝〔水獭〕
〔獭祭〕 tǎjì 명 ①수달이 물고기를 제물처럼 늘어놓는 것. ②〈比〉 (문필가가) 남의 문장을 이어 맞추어 글을 지음.
〔獭疫〕 tǎyì 명 《醫》 페스트(pest). ＝〔百斯笃病〕

鳎(鰨) tǎ (탑)
명 《魚》 홈대기류(類)의 총칭. ¶舌～; 홈대기. ＝〔鳎目鱼〕
〔鳎米〕 tǎmǐ 명 《魚》 참서대. ＝〔鳎目mù〕

达(達) tà (달)
→〔挑tāo达〕 ⇒dá

佉(㒓) tà (달)
→〔佻tiāo佉〕

汏(澾) tà (달)
형 〈文〉 (길 따위가) 미끄럽다. ¶滑huá～; 〈南方〉 도로가 질어서 미끄럽다.

闼(闥) tà (달)
명 〈文〉 문. 작은 문. ¶排～直入; 문을 열어 젖히고 들어가다.

挞(撻) tà (달) 동 〈文〉 (채찍이나 몽둥이로 사람을) 치다. ¶鞭～; 매로 치다. 편달하다.
〔挞斗〕 tàdǒu 명 탈곡기.
〔挞伐〕 tàfá 동 〈文〉 ①토벌하다. ¶大张～; 여러 사람이 나서서 정벌하다. ②(남을) 책망하다. 비난하다. 꾸짖다.
〔挞谷〕 tàgǔ 동 탈곡하다.

拓〈搨〉 tà (탁) 〈탑〉 동 ①탑본(搨本)하다. 탁본하다. ¶石～; 돌 탁본. ②바르다. 칠하다. ⇒tuò
〔拓本〕 tàběn 명 옛 비석에 새긴 글씨·그림 등을 박아낸 것. 탁본.
〔拓便宜〕 tà piányi 애쓰지 않고 이익을 차지하다.
〔拓片〕 tàpiàn 명 탑본한 종잇조각. 탑본 편(搨本片).
〔拓帖〕 tàtiè 명 옛 비석의 탑본.
〔拓印〕 tàyìn 동 탁본하다.

沓 tà (답) ① 형 〈文〉 중복되다. 겹치다. ¶重～; 포개어 쌓다. ② 동 탐하다. ③ 형 많다. 중다하다. ¶杂～; 혼잡하다. ④ 명 성(姓)의 하나. ⇒dá
〔沓杯〕 tàbēi 명 세트(set)로 된 잔. =〔套tào杯〕
〔沓潮〕 tàcháo 명 밀물과 썰물이 부딪침.
〔沓合〕 tàhé 동 〈文〉 겹치다. =〔重叠〕
〔沓沓〕 tàtà 형 ①재잘거리는 모양. ②긴장이 풀어져 있다. 매조지가 없다. =〔松懈〕
〔沓杂〕 tàzá 형 혼란하다. 혼잡하다.

踏 tà (답) 동 ①(발로) 밟다. ¶践～; 밟다. 짓밟다. ②짓밟다. 디디다. ③걷다. ¶大～步地前进; 성큼성큼 나아가다. 스스로 현장에 나가다. ④제자리걸음하다. ⑤실지 측량이나 조사를 하다. ¶～看; ⇩/～勘; ⇩ ⇒tā
〔踏八字脚〕 tà bāzìjiǎo 거드름 피우며 걷다.
〔踏板〕 tàbǎn 명 ①발판. ②깔판. ③침대 앞의 낮은 발판. ④페달. ¶加速～; 액셀러레이터 페달. 가속페달/～车; 스쿠터.
〔踏瓣〕 tàbàn 명 (오르간·피아노 등의) 페달.
〔踏步〕 tàbù 명동 답보(하다). 제자리걸음(하다). ¶～走! 제자리 걸어가! /～不前; 제자리걸음하고 나아가지 않다. 명 〈方〉 계단. =〔台阶(儿)〕
〔踏歌〕 tàgē 명 옛날에, 발로 장단을 맞추며 부르는 노래(현재에도 '苗Miáo族' 등에 남아 있음). =〔蹈dǎo歌〕
〔踏海〕 tàhǎi 동 〈文〉 (세상을 개탄하여) 바다에 몸을 던지다.
〔踏缉〕 tàjī 동 〈文〉 추적하여 체포하다.
〔踏肩头的〕 tà jiāntóude 〈比〉 잇달아. 내리 계속하여. ¶他有～六个孩子; 그는 내리 아이 여섯이 있다.
〔踏脚〕 tàjiǎo 명 ①발판. 거는 판. ②페달. (tà·jiǎo) 동 ①제자리걸음하다. ②다리를 뻗디디다. ¶～的车板; 수레에 오를 때 발 디디는 곳.
〔踏脚板〕 tàjiǎobǎn 명 침대 앞에 놓는 작은 발판.
〔踏脚儿〕 tàjiǎor 부 곧. …하자 곧. ¶我～就跑回来《梁斌 紅旗譜》; 나는 곧 돌아오겠다.
〔踏进〕 tàjìn 동 들어가다. 진입하다. ¶～历史的新页; 새로운 역사를 만들어 나가다.
〔踏勘〕 tàkān 동 ①《建》 (건조물의 설계에 앞서) 현장에서 지형·지질 등을 조사하다. 실지 조사하다. ②관리가 현장 검증하다.
〔踏看〕 tàkàn 동 현장·실지 조사를 하다.
〔踏平〕 tàpíng 동 밟아서 평평하게 하다.
〔踏破铁鞋〕 tàpò tiěxié 쇠 신발이 닳도록 찾아다니다. ¶～无觅处; 쇠신발이 닳도록 찾아다녀도 찾을 수 없다.
〔踏青〕 tàqīng 동 ①교외로 소풍나가다. 피크닉 가다. ②'清明节'에 교외로 나가다. 명 음력 정월 8일의 야외 놀이.
〔踏上〕 tàshàng 동 발을 내딛다. ¶～旅途; 여행을 떠나다.
〔踏腾〕 tàteng 동 (발 따위를) 동동 구르다.
〔踏跳〕 tàtiào 명 《體》 (멀리뛰기 등의) 구름판.
〔踏线〕 tàxiàn 명 《體》 (농구 등의) 라인 크로스. =〔过guò线〕
〔踏心〕 tà·xīn 동 마음을 진정시키다. 결심하다. ¶你还不踏下心来收拾收拾? 너는 아직 매듭지을 결심이 서지 않았느냐?
〔踏月〕 tàyuè 동 〈文〉 달밤에 산보하다〔거닐다〕.

阘(闒) tà (답) ① 명 누상(樓上)의 입구. ② 명 마을. 촌락. ③ 형 비천하다. ⇒dá
〔阘懦〕 tànuò 형 〈文〉 지위가 낮고 무능하다.
〔阘茸〕 tàrǒng 형 〈文〉 비천하다. 졸렬하다. =〔阘冗〕

榻 tà (탑) 명 좁고 길며 비교적 낮은 침대. ¶竹～; 대나무 침대/扫～以待; 왕림하시기를 고대하고 있습니다/下～; 숙박하다.
〔榻边会谈〕 tàbiān huìtán 명 병상(病床) 회담. ¶他们俩在医院举行了～; 그들 두 사람은 병원에서 병상회담을 하였다.
〔榻榻咪〕 tàtàmī 명 〈音〉 다다미(일본어). =〔榻榻米〕

鳎〈艌〉 tà (탑) 명 〈文〉 큰 배. =〔大船〕

蹋 tà (답) ①→〔糟蹋zāota〕 ② 동 축국(蹴鞠)을 하다.

嗒 tà (탑) 형 〈文〉 실의(失意)의 모양. ¶～然若失; 망연자실하는 모양. ⇒dā
〔嗒丧〕 tàsàng 동 〈文〉 맥이 탁 풀리다.
〔嗒焉〕 tàyān 형 낙담한 모양.

鞳 tà (탑) →〔鞺tāng鞳〕

遝 tà (답) →〔杂zá遝〕

漯 Tà (탑) 명 《地》 타허 강(漯河)(산둥 성(山東省)에 있는 강 이름). ⇒luò

TAI ㄊㄞ

台 Tāi (태) ① 명 《地》 타이저우(台州)(저장 성(浙江省)에 있는 주(州) 이름). ②(tāi) 지명용 자

(字). ¶天～Tiāntāi; 톈타이(天台)《저장 성(浙江省)에 있는 산 또는 현 이름》. ⇒tái

苔 tāi (태)
명 설태(舌苔). 백태(白苔). ⇒tái

胎 tāi (태)
①명 태. 태아. ¶怀～; 잉태하다. ②명 임신. ③양 임신·출산의 횟수를 나타내는데 쓰임. ¶头～; 최초의 출산. 초산/生过三～; 세 번 출산했다. ④(～儿) 명〈轉〉근원. 시작. 싹. 징조. ¶祸～; 화근(禍根). ⑤(～儿) 명 (옷 따위에 넣는) 심(芯). 기물의 골격. 뼈대. 틀. ¶帽子～; 모자의 심/景泰蓝的～儿; 경태람의 밑바탕. ⑥명 타이어(tire). ¶内～; 튜브. =〔外胎〕〔车胎〕〔轮胎〕

〔胎饱〕 tāibǎo 명 해산 전에 임산부가 물을 많이 마셨기 때문에, 출생 후에 식욕이 없는 일.
〔胎动〕 tāidòng 명동《生》태동(하다). ¶～不安; 《漢醫》동태(動胎).
〔胎毒〕 tāidú 명 태독《젖먹이가 모태 안에서 받은 독》.
〔胎儿〕 tāi'ér 명 태아《수의학에서는 가축의 경우도 가리킴》. ⇒tāir
〔胎发〕 tāifà 명 배냇머리. 솜털.
〔胎粪〕 tāifèn 명《醫》배내똥. 태변.
〔胎羔皮〕 tāigāopí 명〈音〉아스트라칸(astrakhan). =〔阿ā斯特拉罕皮〕
〔胎骸〕 tāihai 명〈京〉〈罵〉나면서의 얼간이. 배냇병신.
〔胎环〕 tāihuán 명 자동차 타이어의 림(rim).
〔胎教〕 tāijiào 명 태교.
〔胎具〕 tāijù 명 틀. 형(型). 골《형태를 만들어 내는 데 근본이 되는 것》. =〔胎模〕
〔胎里〕 tāili 명 모태(母胎) 안. ¶～红; 부귀한 집에 태어남/～坏; 선천적인 악인/～素; 선천적으로 육류를 싫어하는 사람.
〔胎毛〕 tāimáo 명 솜털. 배냇머리. =〔胎发〕
〔胎模〕 tāimú 명 ⇨〔胎具〕
〔胎娘〕 tāiniáng 명 대리모.
〔胎盘〕 tāipán 명《醫》태반.
〔胎气〕 tāiqi 명 태기. 임신의 징후. ¶有了～; 임신했다/动～; 산기가 돌다.
〔胎儿〕 tāir →〔字解④⑤〕 ⇒tāi'ér
〔胎生〕 tāishēng 명《動》태생.
〔胎死腹中〕 tāi sǐ fùzhōng ①태아가 뱃속에서 죽다. ②〈比〉어둠 속에 묻혀 버리다. ¶这个案àn件, 结果～; 이 사건은 결국 어둠 속에 묻혔다.
〔胎位〕 tāiwèi 명《醫》태위《자궁 안에서의 태아의 위치》. ¶～异yì常; 이상 태위.
〔胎息〕 tāixī 명 태식《도가 수련법으로, 태아처럼 입과 코를 사용하지 않고 호흡하는 일》.
〔胎养〕 tāiyǎng 명 태양. 산전의 섭생.
〔胎衣〕 tāiyī 명 태반(胎盤). =〔胞bāo衣〕
〔胎子〕 tāizi 명 ①바탕. 소지(素地). =〔坯pī子〕 ②선천적 자질. ¶美人～; 미인으로 태어난 여자.
〔胎座〕 tāizuò 명《植》태좌. 태자리.

台(臺B)**, 檯〈枱〉**B)⑤**, 颱**C)**)**
tái (대)〈태〉
A) ①대〈敬〉상대방에게 경의를 나타내는 말. ¶兄～; 귀형/～甫; ⇩/～览; ⇩ ②명 성(姓)의 하나. B) ①명 고대(高臺). 먼곳을 전망하는 건조물. ¶瞭望～; 전망대/亭～; 높은 정자/电～; 무선 전신국/广播电～; 라디오 방송국. ②명 단(壇). 무대. 연단(演壇). 플랫폼(platform). 스탠드. ¶看～; 관람대. 스탠드/讲～; 연단/戏～; 무대/月～ =〔站～〕; 플랫폼. ③명 기물(器物)의 받침대. ¶蜡～; 촛대/锅～; 부뚜막. ④(～儿) 명 대(臺) 비슷한 것. ¶井～儿; 우물가의 약간 높은 곳/窗～儿; 창문 하부의 가로나무. ⑤명 탁자·테이블·탁자 비슷한 기물. ¶写字～; (사무용) 책상/梳妆～; 화장대/大餐～; 큰 식탁. ⑥양 대. 편. 차례. 회《기계·차량 설비 등이나 연극의 수를 세는데 쓰임》. ¶一～机器; 한 대의 기계/唱一～戏; 연극을 하나 공연하다. ⑦(Tái) 명 타이완 성(臺灣省)의 약칭. C) →〔台风〕 ⇒Tāi

〔台安〕 tái'ān 명〈翰〉안태(安泰). ¶请～! 편안하시기를 기원합니다! =〔台祺〕
〔台杯〕 Táibēi 명 ⇨〔台维斯杯〕
〔台本〕 táiběn 명 (극의) 대본. 극본. 시나리오.
〔台布〕 táibù 명 테이블 보. =〔桌布〕
〔台步(儿)〕 táibù(r) 명《劇》무대위에서의 걸음걸이.
〔台车〕 táichē 명 ①보기(bogie)차. 전향차. =〔转向架〕 ②광차(鑛車).
〔台秤〕 táichèng 명 ①앉은뱅이저울. ②〈方〉탁상용 저울.
〔台词〕 táicí 명《劇》대사.
〔台灯〕 táidēng 명 ①앉은뱅이 램프. ②전기스탠드. =〔桌zhuō灯〕
〔台地〕 táidì 명 대지.
〔台度〕 táidù 명《建》〈音〉징두리널. 데이도(dado).
〔台端〕 táiduān 명〈翰〉귀하. 귀댁. 귀중(貴中). ¶进谒～; 진배(進拜)하겠습니다.
〔台风〕 táifēng 명《天》태풍. ¶～眼; 태풍의 눈.
〔台风儿〕 táifēngr 명 무대에서의 배우의 풍격(風格). 스테이지 매너(stage manner).
〔台锋儿〕 táifēngr 명〈比〉격. 틀거지. 틀. ¶他还没～; 그는 아직 격에 어울리지 않는다.
〔台甫〕 táifǔ 명〈敬〉남에게 호(號)·아호(雅號)를 묻는 말. ¶贵～? 귀하의 호는 무엇입니까?
〔台光〕 táiguāng 명〈翰〉왕림(枉臨). 광림(光臨).
〔台函〕 táihán 명〈翰〉귀한(貴翰). 혜서(惠書).
〔台基儿〕 táijīr 명 기초. 발판. 화합의 토대. ¶就着他的～倒也好办; 그의 기반을 이용하면 오히려 일하기가 좋다.
〔台驾〕 táijià 명〈文〉①귀하(貴下)의 탈것. ②〈轉〉귀하. ‖ =〔大驾〕
〔台鉴〕 táijiàn 명〈翰〉고람(高覽). 귀중. ¶…公司～; …회사 귀중. =〔台览〕
〔台阶(儿)〕 táijiē(r) 명 ①계단. 층계. ②전환의 기회. 빠져 나갈 길. 찬스. ¶找～; 빠져 나갈 길을 찾다/给～下; 물러날 길을 만들어주다.
〔台口〕 táikǒu 명 무대의 안 길이. =〔台口宽度〕
〔台览〕 táilǎn 명〈翰〉⇨〔台鉴〕
〔台历〕 táilì 명 탁상 캘린더. 탁상 달력.
〔台帘(儿)〕 táilián(r) 명 배우가 출입하는 무대 출입구에 드리운 막.
〔台门〕 táimén 명 성문(城門).
〔台面〕 táimiàn 명 ①연회석 테이블에 놓는 작은 접시·젓가락 받침·사기 숟가락 등의 총칭. ②테이블의 윗면. ③〈方〉회의 석상. 공개 석상. ④〈方〉도박에 건 돈의 총액.
〔台面儿〕 táimiànr 명〈俗〉얼굴 모습. 용모.

〔台命〕 táimìng 명〈文〉분부. 하명(下命).
〔台盘〕 táipán 명 공공연한 장소. 공식적인 장소. ¶看他那癫diàn蒜劲儿的, 哪儿上得~! 저렇게 허튼 짓을 하는 그의 꼴을 봐라, 그래서야 어떻게 공식적인 자리에 나갈 수 있겠느냐!
〔台祺〕 táiqí 명〈翰〉⇨〔台安〕
〔台启〕 táiqǐ 명〈翰〉태계. 친전(親展). 귀하《수취인의 이름 밑에 쓰는 말로, 받아 보시기 바랍니다의 뜻》. ¶…先生~; …선생님 좌하.
〔台钳〕 táiqián 명《機》바이스(vise). =〔虎钳〕
〔台球〕 táiqiú 명《體》①당구. ②당구공. ③〈方〉탁구. =〔乒乓球〕
〔台球棍子〕 táiqiú gùnzi 명 당구봉·큐(cue).
〔台容〕 táiróng 명 배우의 무대 모습. ¶~还不错; 무대 이미지는 그런대로 괜찮다.
〔台式〕 táishì 명형 탁상식(의). ¶~电子计算机; 탁상 전자 계산기.
〔台毯〕 táitǎn 명 (모직(毛織)의) 테이블 보.
〔台湾〕 Táiwān 명《地》타이완《수도는 타이베이(臺北)》.
〔台维斯杯〕 Táiwéisī bēi 명《體》〈音〉데이비스컵(Davis cup). =〔大卫斯杯〕〔台卫斯杯〕〔台杯〕
〔台铣床〕 táixǐchuáng 명《機》탁상 프레이즈반.
〔台下交易〕 táixià jiāoyì 명 뒷거래.
〔台阅〕 táiyuè 명〈翰〉고람(高覽). 태감.
〔台站〕 táizhàn 명 옛날, '口外'(구베이커우(古北口)·장자커우(張家口) 등의 바깥쪽)로 공문·범인을 보내는 도로상의 역참.
〔台钟〕 táizhōng 명 ①〈方〉탁상 시계. =〔座钟〕 ②댄서·호스테스 등이 테이블에 불리어 와서 시간을 보냄. ¶~不旺; 테이블에 그다지 불림을 받지 못한다.
〔台柱子〕 táizhùzi 명 ①중추 기둥. 주요 인물. ¶她是家里的~; 그녀는 집안의 기둥이다. ②대주(臺柱). ③전에, 극단의 중심 배우. 인기 배우.
〔台子〕 táizi 명 ①당구·탁구의 대. ②〈方〉테이블. =〔桌子〕 ③〈口〉(공공 장소의) 대. 단. ¶戏~; 극단.
〔台钻〕 táizuàn 명《機》탁상 보르반.

邰 **Tái** (태)
명 ①성(姓)의 하나. ②《地》옛날 나라 이름《지금의 산시 성(陕西省) 우궁 현(武功縣)의 경계에 있었음》.

苔 **tái** (태)
명《植》①이끼. ②버나 보리의 줄기. ¶抽~; 줄기가 뻗다. ⇒tāi
〔苔藓植物〕 táixiǎn zhíwù 명《植》선태(蘚苔) 식물.
〔苔癣〕 táixuǎn 명《醫》태선《피부병의 하나》.
〔苔衣〕 táiyī 명《植》이끼의 총칭.
〔苔原〕 táiyuán 명《地》툰드라(러 tundra).

抬〈擡〉 **tái** (태)〈대〉
①동 고개를 들다. ¶~不起头来; 머리를 쳐들 수 없다. ②동 힘을 합하여 들어 올리다. 두 사람 이상이 메다. ¶两个人~一桶水; 둘이서 한 통의 물을 나르다. ③동〈轉〉높이 올리다. (값을) 올리다. ¶~价(儿); 값을 올리다. ④동〈轉〉치켜세우다. 칭찬하다. ¶不要把他~得太高了! 그를 과찬하지 마라! ⑤동 놓다. ⑥동 빌다. 빌리다. ¶你~给我两石米; 쌀을 두 섬 꾸어 다오. ⑦동〈京〉말다툼하다. ¶因为不要紧的两句话就~起来了; 하찮은 한 두 마디 말로 싸움을 시작했다. ⑧양 짐《한 번 메는〔짊어지는〕 것을 세는 데 쓰임》. 짐. ¶嫁妆是四十八~; 혼수가 48짐이다.
〔抬爱〕 tái'ài 명 존의(尊意). 애고(愛顧). ¶蒙您~; 존의를 받다.
〔抬昂〕 tái'áng 동〈文〉(값을) 인상하다.
〔抬不动〕 táibudòng (무거워서) 들어 올리지 못하다.
〔抬秤〕 táichèng 명 대형의 대저울을 메고, 다른 한 사람이 그 무게를 닮.
〔抬夫〕 táifū 명 짐꾼.
〔抬杆〕 táigān 명 중국에 전래해온 대형 총.
〔抬杠〕 tái⸱gàng 동 ①거스르다. 고집을 부리다. ¶抬死杠; 끝까지 고집을 부리다. ②〈口〉말다툼하다. ¶~拌嘴; 말다툼하다. ‖=〔扳杠〕 ③멜대로 관(棺)을 메다.
〔抬高〕 táigāo 동 ①높아지다. 등귀하다. ②높이 들어올리다. ¶~价钱; 값을 올리다 / ~身分; 신분을 높이다.
〔抬搁〕 táigē 명 제례 때 여러 사람이 어깨에 메고 다니는 장식물《신상(神像)·소설·전설 등의 전고(典故)에 따라 만든 상(像)을 대(臺)에 놓은 것》.
〔抬阁〕 táigé 명 축제 때에, 나무로 만든 네모난 받침대에 2, 3명의 어린이를 연극이나 전설상의 인물로 분장시켜 태우고 여러 명의 어른이 메고 다니는 놀이.
〔抬夯儿〕 tái⸱hāngr 동 ①땅 다지는 달구를 들어올리다. ②달구질 때처럼 모두 함께 소리 지르다. ¶~闹; 일제히 떠들어대다.
〔抬价(儿)〕 tái⸱jià(r) 동 값을 올리다. ↔〔减价〕
〔抬肩〕 táijian 명 (옷의) 소매 진동의 치수《어깨에서 겨드랑 밑까지의 치수》. =〔〈方〉抬裉kèn〕
〔抬脚动步〕 táijiǎo dòngbù 손발을 조금 움직임. 약간의 기거 동작.
〔抬轿子〕 táijiàozi ①가마를 메다. ②아첨하다. ¶~的人; 권력자의 지지자. =〔吹捧〕〔吹喇叭〕 ③마작에서, 여럿이 짜고 한 사람을 우려먹다.
〔抬举〕 táiju 동 ①발탁하다. 밀어 주다. 천거(薦擧)하다. ¶不识~; 남의 호의를 헛되이 하다. ②들어 올리다. 위로 떠올리다. ③화초를 비배(肥培) 관리하다.
〔抬裉〕 táikèn 명 ⇨〔抬肩〕
〔抬筐〕 táikuāng 명 흙을 담는 삼태기류(類).
〔抬粮〕 tái⸱liáng 동〈方〉고리채(高利債)를 쓰다.
〔抬钱〕 tái⸱qián 동 돈을 꾸다.
〔抬枪〕 táiqiāng 명 총구 장전식의 구식 총.
〔抬上〕 táishàng 동 메어 올리다.
〔抬手〕 tái⸱shǒu 동 ①손을 들다. ②관대히 보아주다. 용서하다. ¶高抬贵手! 제발 너그러이 봐 주십시오!
〔抬手动脚(儿)〕 táishǒu dòngjiǎo(r) ①일거 일동. 기거 동작. ②몸짓.
〔抬头〕 tái⸱tóu 동 ①고개를 쳐들다. ¶~见喜; 고개를 쳐드니 경사로운 일이 보인다《정초에 문전의 벽에 써붙이는 경사스러운 문구》/ ~老婆低头汉; 고개를 든 여자, 고개를 숙인 남자《악랄·음험한 남녀》. ②〈轉〉(억압당하던 사람·사물이) 대두하다. 세력을 얻다. ③〈比〉태연하다. ¶见了人也敢~了; 남을 만나도 태연할 수 있게 되었다. ⇒táitóu
〔抬头〕 táitóu 동 옛날, 서한문·공문서 따위에서 상대방의 이름이나 상대에 관계되는 것을 기재할 때에 존경의 뜻으로 행(行)을 바꾸다. 명 위와 같이 되어 있는 곳《현재는 증서(證書)에서 수취인의 이름을 쓰는 곳만을 이름》. ⇒tái⸱tóu
〔抬头儿〕 táitóur 명 전표·영수증 등에 쓰는 서명.

〔抬头人〕 táitóurén 명 기명 수표(記名手票)에 쓰인 수취인. ¶~支票; 기명 수표.
〔抬头纹〕 táitóuwén 명 〈方〉 이마의 주름.
〔抬腿〕 tái.tuǐ 동 발을 들다《발의 동작이 재빠름》. ¶~就往里跑去了; 재빨리 안으로 뛰어 들어 갔다.
〔抬眼〕 táiyǎn 형 남의 눈을 끌다. 두드러져 보이다. 훌륭하다.
〔抬子〕 táizi 명 가마(탈것).

骀(駘) tái (태) ① 명 〈文〉 둔한 말. ¶驽nú~; 둔한 말. 빈약한 말. 〈比〉 둔하고 재주없는 사람. 범용한 사람. ② 형 둔하다. ③ 동 풀다. 벗겨지다. ④ 동 밟다. ⇒dài

炱 tái (태) ① 명 그을음. ¶煤~; 석탄 그을음. =〔〈俗〉烟子〕〔煤子〕 ② 동 그을다.

鲐(鮐) tái (태) 명 《魚》 복. =〔河豚tún〕

〔鲐巴鱼〕 táibāyú 명 《魚》 고등어. =〔青花鱼〕〔青鱼〕〔鲭qīng〕〔油筒鱼〕
〔鲐背〕 táibèi 명 〈文〉 ①복의 반점과 같은 검버섯이 있는 등. ②〈比〉 장수하는 노인.

儓 tái (대) 명 옛날, 관청의 노복(奴僕).

薹 tái (대) 명 《植》 ①사초(莎草). 삿갓사초. ②야채 따위의 꽃대. ¶青菜~; 배추의 장다리.

呔〈奤, 嚺〉 tǎi (대) 동 〈方〉 말에 사투리가 있다. ⇒dāi, '奤' hǎ

太 tài (태) ① 부 정도가 일정 한도를 넘다의 뜻을 나타냄. ㉠대단히. 너무나. 지나치게. ¶~热; 너무 덥다 / 人~多了, 会客室里坐不开; 사람이 너무 많아서 응접실에 다 앉을 수 없다. ㉡극히. 매우(감탄했을 때 씀). ¶~好! 매우 좋다! / 这花儿~美了; 이 꽃은 매우 아름답다. ㉢'有' 또는 '没(有)'에 추상적인 뜻이 있는 목적어가 포함된 구조(構造)에 대하여, 그 상태의 정도가 예사롭지 않음을 나타냄. ¶依我看, 这个人可~有前途了; 내가 보는 바로는, 이 남자는 앞날이 매우 유망하다. 注 이 경우에 구체적인 것을 가리키는 명사를 써도 추상적 관념이 됨. ㉣심리 활동을 나타내는 동사 앞에 붙여, 그 정도가 보통이 아님을 나타냄. ¶你真是~不小心了! 너는 참으로 조심성이 너무 없어! ㉤사역 표현의 동사 앞에 붙음. ¶这真~令人高兴了; 이것은 정말 사람을 아주 기쁘게 한다 / ~气人了! 정말 아니꼽군! ㉥(부정부사(否定副詞) 뒤에서) 별로…않다. ¶不~好; 별로 좋지 않다. 注₁ '太'와 '极'·'最(顶)'의 차이. 모두 다 정도가 높다의 뜻인데, '太'는 그 정도가 지나침을 나타내는 데 대하여 '极'은 그 뜻이 없음. 따라서 '太'의 경우는 '~贵了些'(자못 비싸군요), '说得~过分了一点'(말이 자못 지나치는군)처럼 도가 지나친 분량을 나타내는 양사(量詞)가 붙지만, '极'·'最(顶)'에는 붙지 않음. 注₂ '太'로 수식한 경우 때때로 문말(文末)에 '了'가 오는데, 이것은 이러한 상태를 새롭게 알게 되었다는 어기(語氣)를 나타내므로 뜻이 강조됨. ② 형 크다. 넓다. ¶~空; ⇩ / ~学; ⇩ ③ 부 매우. 가장. 극히. ¶~古; ⇩ ④신분이나 항렬이 높은 사람에 대한 존칭. ¶~老伯; 증조부 / ~老师; ⇩ / ~夫人; ⇩. ⑤ 명 성(姓)의 하나.

〔太白星〕 Tàibáixīng 명 《天》 금성의 옛 이름.
〔太半〕 tàibàn 명 태반. 대부분.
〔太保〕 tàibǎo 명 ①고대의 관명(官名)으로, 천자를 보좌하는 역할(삼공(三公)의 하나). ②〈廣〉 불량〔비행〕 소년.
〔太仓稊米〕 tài cāng tí mǐ 〈成〉 창고 안의 돌피 한 알(보잘것 없이 극히 작은 것). =〔太仓一粟〕
〔太仓一粟〕 tài cāng yī sù 〈成〉 ⇨〔太仓稊米〕
〔太初〕 tàichū 명 ①상고. 태초. =〔太极〕 ②처음. 최초.
〔太阿出匣〕 Tài ē chū xiá 〈成〉 보검(寶劍)이 궤(櫃)에서 나오다(인물이 걸출(傑出)함).
〔太阿倒持〕 Tài ē dào chí 〈成〉 태아(太阿)(보검의 이름)를 거꾸로 잡다(권력을 남에게 양보하고 오히려 화를 당하다). =〔倒持太阿〕
〔太妃糖〕 tàifēitáng 명 〈音義〉 태피(taffy). 캐러멜(caramel).
〔太夫人〕 tàifūrén 명 〈敬〉 자당(慈堂)(남의 어머니의 존칭).
〔太羹〕 tàigēng 명 양념을 하지 않은 고기 수프.
〔太公〕 tàigōng 명 ①〈方〉 증조부(호칭으로도 쓰임). =〔曾祖〕 ②〈敬〉 증조부와 동연배나 손윗사람에 대한 호칭.
〔太公钓鱼, 愿者上钩〕 Tàigōng diào yú, yuànzhě shàng gōu 〈諺〉 ①강태공(姜太公)의 곧은 낚시질에는 원하는 고기만이 걸린다(저의(底意)가 확실한 이상 그 수에는 넘어가지 않음). ②자업자득.
〔太公望〕 Tàigōngwàng 명 《人》 태공망. 여상(呂尙)(주(周)나라 문왕(文王)을 도와 인정(仁政)을 베풀었음).
〔太公在此〕 Tài gōng zài cǐ ⇨〔姜Jiāng太公在此〕
〔太古〕 tàigǔ 명 태고. 상고(上古). ¶~代; ⓐ《地質》 선 캄브리아기(先 Cambria紀). ⓑ(고고학의) 시생대(始生代) / ~界 =〔无生界〕; ⓐ《地質》 선(先) 캄브리아 지층. ⓑ생물이 아직 없었던 세계. =〔远古〕
〔太古菜〕 tàigǔcài 명 ⇨〔塌tā棵菜〕
〔太过〕 tàiguò 형 분에 넘치다. 지나치다. ¶~和不及是一样的; 지나친 것은 미치지 못함과 같다. =〔太过于〕
〔太憨生〕 tàihānshēng 형 어리석은 모양.
〔太后〕 tàihòu 명 태후. 황태후.
〔太湖石〕 tàihúshí 명 장쑤 성(江蘇省) 타이후 호(太湖)에서 나는 정원석(구멍과 주름이 많고 모양이 다양함).
〔太极〕 tàijí 명 태극(천지가 혼돈하여 아직 분명치 않던 우주). ¶~旗; 태극기.
〔太极拳〕 tàijíquán 명 태극권(중국 무술에서 권법의 하나로, 현재는 건강 체조로 보급됨). ¶打~; ⓐ태극권을 하다. ⓑ핑계를 대어 책임을 회피하다.
〔太极图〕 tàijítú 명 태극도(원안에 그려진 태극 무늬. 만물이 생기는 근원. 우주의 무극(無極)인 모양을 상징함).
〔太监〕 tàijiàn 명 ①환관(宦官)의 우두머리. ②환관의 통칭.
〔太君〕 tàijūn 명 ①〈文〉〈敬〉 자당(慈堂). 남의 모친에 대한 경칭. ②우두머리. 장관 등의 호칭. ③항일전(抗日戰)을 다룬 문학 작품에서, '汉奸'(반역자)가 일본군 장교 등에 대하여 쓴 호칭.
〔太空〕 tàikōng 명 우주. ¶~人; 우주 비행사. 우

주인 / ～飞船 =〔～船〕; 우주선 / ～站; 우주 정거장 / ～科学; 우주 과학 / ～飞行; 우주 비행 / ～装 =〔～衣〕; 우주복 / ～囊; 로켓의 캡슐 / ～握手; (우주선의) 도킹.

〔太空产品〕 tàikōng chǎnpǐn 명 우주에서 쓰이는 과학 기술 제품(적외선 스캐너·거품 없는 치약 등).

〔太老师〕 tàilǎoshī 명 〈敬〉 ①아버지의 스승. ②스승의 부친. ③스승의 스승.

〔太老爷〕 tàilǎoyé 명 〈敬〉 남의 할아버지에 대한 존칭.

〔太庙〕 tàimiào 명 천자의 종묘(宗廟).

〔太平〕 tàipíng 형 태평하다. 편안하다. ¶～观念; 자기 도취 / ～将军; 전장에 나가 본 일이 없는 장군 / ～信; 무사하다는 편지 / ～水缸 =〔～水桶〕〔～桶〕; 방화용 물통.

〔太平斧〕 tàipíngfǔ 명 ①소방용의 자루가 긴 도끼. ②폭풍 때 배 위에서 돛대·케이블을 자르기 위한 도끼.

〔太平公主〕 Tàipíng gōngzhǔ 명 ①《人》 측천무후의 딸. ②〈比〉 아름다운 여자. ③〈俗〉 몸매가 굴곡없이 밋밋한 여자.

〔太平鼓儿〕 tàipínggǔr 명 ①손잡이가 달린 탬버린 모양의 작은 북(가는 채로 두드리며 춤을 춤). ②민간에 전해 내려오는 춤.

〔太平官〕 tàipíngguān 명 진취적이지 못하고 무사안일한 관리.

〔太平花〕 tàipínghuā 명 ①《植》 고광나무. ②폭죽의 일종(점화하면, 폭음없이 아름다운 불꽃을 분출함).

〔太平话〕 tàipínghuà 명 온화한 이야기. 온당한 이야기.

〔太平间〕 tàipíngjiān 명 영안실(병원의 시체 안치실).

〔太平觉〕 tàipíngjiào 명 편안한 잠. ¶战争可能随时爆发, 千万不能睡～; 전쟁은 언제라도 일어날 가능성이 있어서, 결코 방심해서는 안 된다.

〔太平龙头〕 tàipíng lóngtóu 명 소방용 수도의 비상전(非常栓). 소화전(消火栓).

〔太平门〕 tàipíngmén 명 비상구.

〔太平梯〕 tàipíngtī 명 비상 계단.

〔太平天国〕 Tàipíng Tiānguó 명 《史》 태평천국(1851～64년. 홍슈취안(洪秀全) 등에 의한 중국 사상 최대의 농민 반란으로 세워진 국가정권. 기독교 신앙에 의거하여 '拜上帝会'를 조직함. 광시(廣西)에서 봉기하여 북상함. 수도를 난징(南京)으로 정하고, '天京'이라 하였음).

〔太婆〕 tàipó 명 ①〈文〉 옛날에 조모를 가리키던 말. ②〈方〉 증조모. ¶外祖～; 외증조모.

〔太谦〕 tàiqiān ①형 지나치게 겸손하다. ②겸손한 말씀이십니다(인사말). ¶～～! 겸손한 말씀이십니다!

〔太亲公〕 tàiqīngōng 명 ①사위의 할아버지. =〔〈俗〉亲qìng爷爷〕 ②고모의 시아버지. ③이모의 시아버지.

〔太亲母〕 tàiqīnmǔ 명 사위의 할머니. =〔〈俗〉亲qìng奶奶〕

〔太上〕 tàishàng 명 ①태고. 아주 오랜 옛날. ②〈敬〉 ⇨〔太上皇①〕

〔太上皇〕 tàishànghuáng 명 ①〈敬〉 태상. 상황(황제의 부친의 존칭). =〔太上②〕 ②〈比〉 실권을 쥐고 괴뢰 정권을 조종하고 있는 지배자. ③절대적인 권력자.

〔太上老君〕 Tàishàng Lǎojūn 명 〈敬〉 태상 노군((도교(道教)에서) 노자(老子)에 대한 존칭).

〔太上忘情〕 tài shàng wàng qíng 〈成〉 고결(高潔)한 사람.

〔太甚〕 tàishèn 형 너무 심하다.

〔太师母〕 tàishīmǔ 명 〈敬〉 ①아버지의 스승의 부인. ②스승의 모친. ③선생님의 스승의 모친.

〔太师椅〕 tàishīyǐ 명 등받이와 팔걸이가 반원형으로 된 구식 의자. 곡록(曲彔)(전에 지위가 높은 사람이 썼음). =〔大dà圈椅〕〔交jiāo椅〕

〔太守〕 tàishǒu 명 ①한 고을의 장관. 태수. ②부지사(府知事).

〔太瘦生〕 tàishòushēng 형 몹시 야위어 있다('生'은 조사(助詞)).

〔太水〕 tàishuǐ 명 〈文〉 아내의 모친. 장모.

〔太岁〕 tàisuì 명 ①태세(목성(木星)의 별칭). ②태세신(太歲神)(지상에 있다고 하며 태세가 있는 쪽을 흉한 방위라하여 흙을 움직여 건축하면 동태가 난다고 함). ¶～头上动土; 〈諺〉 힘센 자에게 대들다(분수 없이 행동하다). ③〈貶〉 지방의 악질 보스(boss)를 증오하여 부르던 말. ¶镇山～; 산을 지키는 두목. ‖ =〔岁君〕〔岁星〕

〔太太〕 tàitai 명 ①마나님. ㉠관리나 지주의 부인에 대해서 씀. ㉡기혼 부인에 대해 그 남편의 성을 붙여서 씀. ¶王～; 왕(王)씨 부인 / 老～; ⓐ남의 어머니에 대한 존칭. ⓑ일반적으로 노부인에 대한 존칭 / 姨yí～; 첩. ②남이나 자기의 아내를 이르는 말. ¶我～跟你～原来是同学; 우리 집사람하고 자네 부인은 원래 동창이다. ③〈方〉 증조모 또는 증조부.

〔太息〕 tàixī 명동 〈文〉 탄식(하다). 한숨(쉬다).

〔太先生〕 tàixiānsheng 명 〈敬〉 ①스승의 아버지. ②아버지의 스승. ③스승의 스승.

〔太虚〕 tàixū 명 〈文〉 ①하늘. ②공허하고 적막한 경지.

〔太学〕 tàixué 명 태학(수(隋)나라 이전, 도읍에 설치된 최고 학부. 그 학생을 '～生'이라 하였음).

〔太阳〕 tàiyáng 명 ①태양. ¶～平西了; 해가 졌다 / ～压山; 해가 산꼭대기에 지다. 해질녘이 되다 / ～白光; 코로나. ②햇볕. 태양열. ¶～好; 햇볕이 잘 든다 / ～毒; 햇볕이 쨍쨍 내리쬐다 / 满院没一点～; 마당에 볕이 조금도 들지 않는다 / 晒～; 볕을 쬐다. ③〈簡〉 '太阳穴'의 약칭. ④《漢醫》 태양(경락(經絡)의 하나로, 몸의 양기가 왕성하다는 뜻이며 병이 표층(表層)에 있는 것). ¶～膏gāo; 두통고(頭痛膏).

〔太阳挡儿〕 tàiyángdǎngr 명 차일. 차양.

〔太阳灯〕 tàiyángdēng 명 태양등(자외선을 쐬어 의료용에 쓰는 전등).

〔太阳地儿〕 tàiyángdìr 명 양지.

〔太阳电池〕 tàiyáng diànchí 명 태양 전지. 솔라 배터리(solar battery).

〔太阳房〕 tàiyángfáng 명 태양열 주택.

〔太阳风〕 tàiyángfēng 명 태양풍.

〔太阳黑子〕 tàiyáng hēizǐ 명 《天》 태양 흑점.

〔太阳红焰〕 tàiyánghóngyàn 명 《天》 태양 홍염. 프로미넌스(prominence).

〔太阳活动〕 tàiyáng huódòng 명 《天》 태양 활동.

〔太阳镜〕 tàiyángjìng 명 ⇨〔太阳眼镜〕

〔太阳历〕 tàiyánglì 명 ⇨〔阳历〕

〔太阳炉〕 tàiyánglú 명 태양로. 태양 고온로.

〔太阳落〕 tàiyáng luò 태양이 서쪽으로 기울다. 해질녘이 되다. 저녁때가 되다. ¶天天儿～的时候才回家; 매일 해가 서쪽으로 기울 무렵에야 집에

돌아간다. =〔太阳平西〕〔太阳压山儿〕
〔太阳帽〕 tàiyángmào 명 차양모(帽).
〔太阳能〕 tàiyángnéng 명 《物》 태양 에너지.
〔太阳能灶〕 tàiyángnéngzào 명 태양로. 태양열을 이용한 노. =〔太阳灶〕
〔太阳年〕 tàiyángnián 명 《天》 태양년.
〔太阳鸟〕 tàiyángniǎo 명 《鳥》 태양조. 태양새.
〔太阳日〕 tàiyángrì 명 《天》 태양일.
〔太阳神〕 tàiyángshén 명 태양신. →〔阿Ā波罗〕
〔太阳时〕 tàiyángshí 명 《天》 태양시.
〔太阳窝〕 tàiyángwō 명 ⇨〔太阳穴〕
〔太阳系〕 tàiyángxì 명 《天》 태양계. =〔日rì系〕
〔太阳穴〕 tàiyángxué 명 《漢醫》 태양혈. 섭유(顳顬). ¶～与腮都瘪进去了; 태양혈과 턱이 (야위어서) 움푹 들어갔다. =〔额é角(头)〕〔太阳③〕〔太阳窝〕
〔太阳眼镜〕 tàiyáng yǎnjìng 명 선글라스(sunglass). =〔茶镜〕〔〈俗〉蛤蟆镜〕〔墨镜〕〔太阳镜〕
〔太阳灶〕 tàiyángzào 명 ⇨〔太阳能灶〕
〔太爷〕 tàiyé 명 ①조부의 별칭. ②〈敬〉 현(縣) 지사. ③〈方〉 증조부.
〔太爷爷〕 tàiyéye 명 증조부.
〔太一〕 tàiyī 명 〈文〉 ①태일. 천지 만물의 생성의 근원. ②최고의 천신(天神).
〔太医〕 tàiyī 명 ①황실의 시의(侍醫). ②〈方〉 의사. =〔医生〕
〔太以的〕 tàiyǐde 부 〈俗〉 너무나도. ¶你可是～没福分啦! 너는 운도 되게 없구나!
〔太阴〕 tàiyīn 명 ①《天》〈方〉 달. =〔月亮〕 ②《漢醫》 비(脾)·폐(肺)의 양(兩) 경락.
〔太阴历〕 tàiyīnlì 명 ⇨〔阴历〕
〔太岳父〕 tàiyuèfù 명 아내의 할아버지. 처조부. =〔岳祖父〕
〔太岳母〕 tàiyuèmǔ 명 아내의 할머니. 처조모. =〔岳祖母〕
〔太子〕 tàizǐ 명 태자. =〔皇huáng太子〕〔东宫②〕
〔太子参〕 tàizishēn 명 《植》 개별꽃.

汰 tài (태)

①동 도태하다. ②형 지나치게 …하다. 지나치다. 사치하다. =〔奢shē汰〕 ③→〔汰浴〕
〔汰侈〕 tàichǐ 형 〈文〉 지나치게 사치하다. ¶纨裤子弟生活～; 대갓집 자제들의 생활은 사치스럽다. =〔泰侈〕〔奢shē汰〕〔奢泰〕
〔汰除〕 tàichú 동 〈文〉 골라 내다. 가려 내다.
〔汰虐〕 tàinüè 형 〈文〉 매우 포학하다.
〔汰沙〕 tàishā 동 도태하다.
〔汰浴〕 tàiyù 동 〈吳〉 목욕탕에 들어가다. 입욕하다. =〔洗澡〕

态(態) tài (태)

명 ①상태. 상황. ¶～势; ⇓/形～; 형태/状～; 상태/姿～; 자태. 모습/常～; 평상 상태. ②태도. 거동. 모습. ¶丑～; 추태/作～; 태부리다. 짐짓 꾸민 태도를 짓다. ③동작. ④《言》 태(態).
〔态度〕 tàidù 명 ①태도. 거동. ¶～大方; 태도가 의젓하다/坚决的～; 결연한 태도/耍～; 화를 내다. 짜증을 부리다. ②사물을 대하는 방법. 처신하는 법. 입장. 태도. ¶表明了～; 입장을 표명했다/政治～; 정치 자세.
〔态势〕 tàishì 명 태세. ¶～日见不妙; 태세는 하루가 다르게 좋지가 않다.

肽 tài (태)

명 《化》 펩타이드(peptide). =〔胜shēng〕

钛(鈦) tài (태)

명 《化》 티타늄(Ti: 라 titanium)《금속 원소》.
〔钛酸〕 tàisuān 명 《化》 티타늄산(酸). ¶～盐; 티타늄산염.

酞 tài (태)

명 《化》 프탈레인(phthalein).
〔酞染料〕 tàirǎnliào 명 프탈레인 염료.
〔酞色素〕 tàisèsù 명 프탈레인 색소.

泰 tài (태)

①형 편안하다. 평온하다. 안정되다. ¶～然自若; ⇓/国～民安; 국태 민안. ②부 크나큰. ③부 너무 지나치게. 몹시. ¶去～去甚; 최악의 것을 제거하다. ④명 평안. 즐거움. ⑤명 성(姓)의 하나.
〔泰半〕 tàibàn 명 〈文〉 태반. 대부분.
〔泰侈〕 tàichǐ 형 ⇨〔汰侈〕
〔泰斗〕 tàidǒu 명 ①〈簡〉 태산과 북두칠성. ②〈轉〉 사람을 존경하여 일컫는 말. 대가(大家). 권위자. 제일인자. ¶京剧～; 경극의 대가/他算得上音乐界的～; 그는 음악계의 태두에 오른 셈이다. ‖ =〔泰山北斗〕
〔泰国〕 Tàiguó 명 《地》 타이(Thailand)《정식으로는 '泰王国', 수도는 '曼Màn谷'(방콕: Bangkok)》.
〔泰极否来〕 tài jí pǐ lái 〈成〉 흥진비래(興盡悲來). ↔〔否极泰来〕
〔泰米尔人〕 Tàimǐ'ěr rén 명 타밀 사람《인도 남부의 한 부족》.
〔泰平〕 tàipíng 형 태평스럽다. =〔太平〕
〔泰然〕 tàirán 형 태연스럽다. 천연스럽다. ¶～处之; 태연하게 처리하다. 태연하다.
〔泰然自若〕 tài rán zì ruò 〈成〉 태연자약하다. ¶他临危不惧, ～; 그는 위기에 처해서도 두려워하지 않고, 태연자약하다.
〔泰山〕 tàishān 명 ①(Tàishān) 《地》 타이산 산(泰山)《산둥 성(山東省)에 있는 산 이름》. ¶～压顶不弯腰的大无畏精神; 어떤 괴로움에도 꺾이지 않다. 어떤 것도 두려워하지 않는 정신/重于～; 무엇보다도 중요하다/～梁木; 본래는 현인(賢人)을 이르는 말이었으나 후에 애도사로 쓰임/～不让土壤; 〈諺〉 태산은 흙덩이를 버리지 않는다. 대(大)를 이루기 위해서는 소(小)를 버려서는 안 된다. ②〈轉〉 장인(丈人). ③(Tàishān) 《人》〈音〉 타잔《미국 영화의 주인공》.
〔泰山北斗〕 tàishān běidǒu 명 ⇨〔泰斗〕
〔泰山府君〕 tàishān fǔjūn 명 ①태산 부군. 태산의 신. ②장인의 아칭(雅稱).
〔泰山鸿毛〕 tài shān hóng máo 〈成〉 대단히 무거운 것과 대단히 가벼운 것《차이가 현격한 것》.
〔泰山压卵〕 tài shān yā luǎn 〈成〉 태산 압란. 큰 산이 알을 누른다《매우 큰 힘이 매우 작은 힘을 압박하는 일》.
〔泰晤士报〕 Tàiwùshì Bào 명 〈音〉 타임즈(The Times)《영국의 신문명. '泰'는 '太'로도 썼음》.
〔泰晤士河〕 Tàiwùshì Hé 명 《地》〈音〉 테임스 강《영국의 강. '泰'는 '太'로도 썼음》.
〔泰西〕 Tàixī 명 서양. 구미(歐美).
〔泰西缎〕 tàixīduàn 명 《紡》 능직의 공단. 베니션(Venetian).
〔泰族〕 Tàizú 명 《民》 타이 족(族)《태국의 주된 민족》.

TAN ㄊㄢ

坍 tān (단)
동 (제방·건축물·퇴적물 따위가) 무너지다. 무너져 내리다. ¶房～了; 가옥이 무너졌다 / 土墙被雨淋lín～了; 비로 토담이 무너졌다.
〔坍倒〕 tāndǎo 동 무너져 쓰러지다. 도괴하다. ¶房子～了; 집이 무너졌다.
〔坍方〕 tān,fāng 동 토사(土砂)가 무너지다. 사태가 나다.
〔坍塌〕 tāntā 동 (벼랑·하안(河岸)·건축물·퇴적물 등이) 무너져 부서지다. 붕괴하다. ¶～倒坏; 무너져 내리다.
〔坍台〕 tān,tái 동 〈方〉 ①창피를 당하다. 체면을 잃다. ¶～的事情; 부끄러운 일 / 干这样的活是～, 不肯干! 이런 일은 창피해서, 못하겠다! ＝〔丢脸〕 ②붕괴하다. 실패하다. 유지할 수 없게 되다《흔히, 사업·국면 따위가 유지될 수 없는 상태에 이름을 뜻함》. ＝〔垮台〕

贪(貪) tān (탐)
동 ①탐하다. ¶～官污吏; ⇩ / ～污; ⇩. ②탐내다. 끝없이 바라다. 욕심을 부리다. 집착하다. ¶～玩儿; 노는데 정신이 팔리다 / ～得无厌; ⇩ / ～小便宜; 하찮은 이익에 욕심을 부리다. ③(욕망을 채우려고) 기도(企圖)하다. 추구하다. ¶～快; ⇩ / ～小失大; 작은 이익에 눈이 어두워 큰 이익을 잃다.
〔贪爱〕 tān'ài 동 지나치게 사랑에 집착하다. 애정을 탐하다.
〔贪安〕 tān'ān 동 〈文〉 안일(安逸)에 빠지다.
〔贪暴〕 tānbào 형 탐욕스럽고 횡포하다.
〔贪杯〕 tānbēi 동 〈文〉〈謙〉 술을 즐기다.
〔贪财〕 tān,cái 동 재물을 탐하다.
〔贪财害命〕 tān cái hài mìng 〈成〉 돈이 탐나서 사람을 죽이다.
〔贪馋〕 tānchán 형 ①탐욕스럽다. 몹시 갖고 싶어하다. ②먹고 싶어하다. (음식에) 욕심이 많다. ¶这是小孩子～拿走的; 이것은 아이들이 먹고 싶어서 가지고 간 것이다.
〔贪吃〕 tānchī 동 탐식(貪食)하다.
〔贪大比多〕 tān dà bǐ duō 〈成〉 무턱대고 크게 또 많이 하려고 하다. ¶～不求质量; 무턱대고 크게 또 많이만 하려고 하며 질은 생각지 않는다.
〔贪大发〕 tāndàfa 형 지나치게 탐욕스럽다. 탐욕스럽기 짝이 없다.
〔贪大求洋〕 tān dà qiú yáng 〈成〉 무엇이나 대규모적으로 행하려 하며, 무엇이든 외국의 것에서 구하려 한다.
〔贪得无厌〕 tān dé wú yàn 〈成〉 탐욕스러워 지칠줄 모르고 욕심부리다.
〔贪黩〕 tāndú 동 〈文〉 철저하게 이익을 추구하다.
〔贪多〕 tānduō 동 많은 것을 탐내다. 욕심부리다. ¶～嚼不烂; 〈諺〉 많은 것을 탐내면 충분히 씹을 수 없다《욕심을 부려 많이 거두어 들여도 삭히지 못한다》 / ～图快; 한꺼번에 많이 해서 빨리 끝내려 한다.
〔贪夫殉财〕 tān fū xùn cái 〈成〉 재물을 탐하는 자는 재물 때문에 목숨을 잃는다.
〔贪官污吏〕 tān guān wū lì 〈成〉 탐관오리.
〔贪鬼〕 tānguǐ 명 욕심 많은 사람. 탐욕스러운 사람.
〔贪黑〕 tān,hēi 동 밤 늦도록 일어나 있다. ¶贪着黑剥麻; 밤늦도록 삼 껍질을 벗기다.
〔贪花〕 tān,huā 동 여색(女色)을 탐하다.
〔贪贿〕 tānhuì 동 뇌물을 탐하다. ¶～无厌; 뇌물을 탐하기에 한도가 없다.
〔贪贱买老牛〕 tān jiàn mǎi lǎoniú 〈諺〉 싼 것 찾다가 늙은 소를 사다《싼 것이 비지떡》.
〔贪看〕 tānkàn 동 넋을 잃고 보다. 한결같이 보고 싶어하다.
〔贪快〕 tānkuài 동 졸속(拙速)을 원하다. 빠르게 하는 것을 바라다.
〔贪婪〕 tānlán 형 매우 탐욕스럽다. ¶～无厌; 탐욕을 내어 싫증날 줄을 모르다 / ～地阅读; 탐독하다.
〔贪懒〕 tān,lǎn 동 게으름 피우다. 꾀부리다. 게으름 피우려하다.
〔贪狼〕 tānláng 명 〈文〉 ① 탐욕스런 늑대. ②〈轉〉 탐욕스러운 놈. 무자비하도록 욕심많은 놈.
〔贪恋〕 tānliàn 동 미련을 갖다. 연연해 하다. ¶～城市舒适生活; 살기 좋은 도시 생활을 연연해 하다 / ～女色; 여색에 빠지다.
〔贪墨〕 tānmò 동 〈文〉 수뢰(收賄)하다. 사복(私腹)을 채우다. ¶以～论; 수뢰로 간주하다.
〔贪便宜〕 tān piányi ①자기 중심적인〔이기적인〕 생각을 하다. ②싼거리를 하고 싶어하다. ③목전의 이(利)를 탐하다. ¶～受大害; 〈諺〉 목전의 이(利)에 눈이 어두워 크게 손해보다.
〔贪青〕 tānqīng 명 〖農〗 농작물이 누렇게 익을 때가 되어도 줄기와 잎에 녹색을 띠는 현상.
〔贪求〕 tānqiú 동 탐구(貪求)하다. 탐내어 구하다. ¶～无席; 무절제하게 탐구하다.
〔贪人巧营〕 tānrén qiǎoyíng 탐욕스러운 사람의 교활한 짓〔처사〕.
〔贪忍〕 tānrěn 형 〈文〉 탐욕스러우며 잔인하다.
〔贪色〕 tānsè 동 색욕을 탐하다.
〔贪生怕死〕 tān shēng pà sǐ 〈成〉 목숨을 아까워하며 죽음을 두려워하다.
〔贪睡〕 tānshuì 동 ①늦잠 자다. ②오로지 자고 싶어하다.
〔贪天之功〕 tān tiān zhī gōng 〈成〉 자연이나 객관적 정세에 의한 공을 자기의 공으로 하다. 공적을 독차지하다.
〔贪头儿〕 tāntour 명 ⇨〔贪图(儿)〕
〔贪图〕 tāntú 동 욕심내다. 탐하다. ¶～安逸; 안일을 탐하다 / ～便宜; 이기적인 것만 생각하다.
〔贪图(儿)〕 tāntu(r) 명 탐하는 것《목적물》. ＝〔贪头儿〕
〔贪玩(儿)〕 tānwán(r) 동 ①놀고 싶어하다. ②노는 데 정신이 팔리다. ¶可不要～, 误了事; 노는 데 정신이 팔려 실수하면 안된다.
〔贪污〕 tānwū 명동 탐오(하다). 독직(하다). 횡령(하다). ¶～公款; 공금 횡령 / ～罪; 독직죄 / ～腐化; 독직 타락.
〔贪小便宜吃大亏〕 tān xiǎopiányi chī dàkuī 〈諺〉 작은 욕심을 내다가 큰 손해를 보다.
〔贪小失大〕 tān xiǎo shī dà 〈成〉 소탐대실. 이익을 탐내다가 큰 이익을 잃다.
〔贪心〕 tānxīn 명 탐욕. 탐욕스런 마음. 야심. ¶起～; 욕심을 내다 / ～不足; 〈成〉 탐욕에는 한(限)이 없다. 형 탐욕스럽다.
〔贪欲〕 tānyù 명 탐욕.
〔贪赃〕 tān,zāng 동 뇌물을 탐하다〔받다〕. 독직(瀆職)하다. ¶～枉法; 뇌물을 받고 법을 굽히다 / ～舞弊; 뇌물을 받고 부정을 행하다.

〔贪字贫字一样写〕 tān zì pín zì yīyàng xiě 〈諺〉 탐(貪)자와 빈(貧)자는 같은 모양으로 쓴다((가난해지면 탐하게 된다)).
〔贪嘴〕 tānzuǐ 形 입정 사납다. 게걸들리다. 名 먹보.

怹 tān (탄)
代〈京〉그 분. '他'의 경어((오늘날에는 거의 쓰이지 않음)). →〔您nín〕

啴(嘽) tān (탄)
→〔啴啴〕⇒ chǎn

〔啴啴〕 tāntān 〈擬〉 헉헉. 씩씩((가축이 헐떡이는 소리)).

滩(灘) tān (탄)
名 ①물가의 습지. 사주(砂洲). ¶海～; 해변의 모래 사장 / 沙～; 사주. 모래톱 / 上海～(头); 상하이의 강변. 상하이 시가지. ②내가 얕고 돌이 많은 곳. 얕은 여울. ¶险～; 물흐름이 험한 여울. ③(해안의) 염전. ④사막. ¶戈壁～; 〈音〉 고비 사막.
〔滩船〕 tānchuán 名 돛이 없는 배.
〔滩地〕 tāndì 名 강가의 모래밭. 하구 등의 사주(砂洲).
〔滩户〕 tānhù 名 제염업자.
〔滩簧〕 tānhuáng 名 장쑤(江蘇) 남부 저장(浙江) 북부에서 널리 행해지는 '唱腔'의 하나. =〔摊簧〕
〔滩师〕 tānshī 名 배의 파일럿.
〔滩头堡〕 tāntóubǎo 名〔軍〕(적측 해안의) 상륙 거점. 교두보. =〔滩头阵地〕
〔滩头阵地〕 tāntóu zhèndì 名 ⇨〔滩头堡〕
〔滩涂〕 tāntú 名 ⇨〔海hǎi涂〕
〔滩盐〕 tānyán 名 염전에서 제조된 소금. →〔井jǐng盐〕
〔滩羊〕 tānyáng 名〔動〕 사육용 양의 일종((닝샤(寧夏)·간쑤(甘肅)의 황허 연안산)).
〔滩子〕 tānzi 名 하안(河岸)에서 급류를 오르는 배를 끌면서 걸어가는 인부.

摊(攤) tān (탄)
①動 펼치다. 늘어놓다. 펼쳐놓다. 벌이다. ¶～在桌上; 테이블 위에 펼쳐 놓다 / 一只大手向他～着; 커다란 한 손이 그를 향해 펼쳐 있다 / ～膏药; 고약을 펴다 / 他为难地把手一～说; 그는 난처한 듯이 손을 펴보이고 말했다. ②(～儿, ～子) 名 노점(露店). ¶摆～; 노점을 내다 / 果～; 과일을 파는 노점 / 旧货～子; 고물을 늘어놓은 노점. ③量 (연한 물건의) 한 더미. 한 무더기. ¶一～泥; 한 더미의 진흙 / 一～屎; 똥 한 무더기. ④動 얇게 부치다. 지지다((요리법의 한 가지)). ¶～煎饼; 얇게 부친 부침개의 일종 / ～鸡蛋; ⇓ ⑤動 할당하다. 분배하다. ¶均～; 고르게 분담〔할당〕하다 / ～四成; 10분의 4를 할당하다 / ～劳工; 일을 할당하다 / 昨天的公份一个人～多少钱; 어제의 추렴은 한 사람당 얼마나 분담하게 됩니까. ⑥動 …을 만나다. …에 부딪치다. ¶想不到～上这么一档dàng子事; 이런 일에 부딪칠 줄은 꿈에도 생각 못 했다. ⑦動 늦추다. ⑧動 뿌리다. ⑨動 일으키다.
〔摊场〕 tān.cháng 動 (수확한 곡물을) 건조장에 펴서 햇볕에 말리다. ⇒tān.chǎng
〔摊场〕 tān.chǎng 動 도박을 시작하다. ⇒tān.cháng
〔摊底儿〕 tāndǐr 動 ①밑천을 들이다. ②기초를 만들다.
〔摊饭酒〕 tānfànjiǔ 名 소흥주(紹興酒)의 대표적인 술.
〔摊贩〕 tānfàn 名 노점 상인.
〔摊贩市场〕 tānfàn shìchǎng 名 노천시장.
〔摊分〕 tānfēn 動 할당하다. 분담하다.
〔摊付〕 tānfù 動 할부(割賦)로 물다.
〔摊工〕 tāngōng 動 공사를 분담하다. 名 분담한 공사.
〔摊还〕 tānhuán 動 분할 상환하다. ¶按年～; 연부 상환 / 分三个月～; 3개월 월부로 상환하다.
〔摊簧〕 tānhuáng 名 ⇨〔滩簧〕
〔摊鸡蛋〕 tānjīdàn ①名 얇게 부친 알지단. =〔摊黄菜〕〔摊鸡子儿〕 ②(tān jīdàn) (얇게) 알지단을 부치다.
〔摊缴〕 tānjiǎo 動 분할 납입하다.
〔摊捐〕 tānjuān 動 기부(寄附)를 할당하다.
〔摊开〕 tānkāi 動 펼치다. 속속들이 드러내다. 고르게 펼치다. ¶跟你～了说吧! 너에게 노골적으로 말하마! / ～手; 손을 펼치다 / 把米～了晒晒; 쌀을 고르게 펴서 말려라.
〔摊牌〕 tān.pái 動 ①수중의 패를 상대방에게 보이다. ②〈比〉 교섭을 함에 있어 서로 속셈을 제시하다. ¶～式记者招待会; 최종적 태도 표명의 기자 회견. ③진상을 공개하다. ④승부를 결하다. 대결하다.
〔摊派〕 tānpài 動 (노역·기부금 따위를) 균분하다. 할당하다. ¶按户～; 세대별로 분담시키다.
〔摊配〕 tānpèi 動 할당하다. 배당하다.
〔摊蒲〕 tānpú 名 도박의 일종((그릇 안에 담긴 동전을 꺼내면서, 4개씩 짝을 맞추어 나가다가 나머지의 남은 수가 짝수인가 홀수인가로 승부를 겨룸)). =〔摊赌〕〔摊戏〕〔番摊〕〔意钱〕
〔摊钱〕 tān.qián 動 ①할당금을 내다. 각자 부담으로 지불하다. ②(기부금 따위를) 할당하다.
〔摊儿〕 tānr 名 노점. =〔摊子①〕
〔摊认〕 tānrèn 動 ①(균등하게) 할당하다. ②(기부금 따위를) 배당하다.
〔摊手〕 tān.shǒu 動 손을 놓다. 느슨하게 하다. ¶摊开双手; 양손을 놓다. 양손을 벌리다.
〔摊售〕 tānshòu 動 노점상을 하다.
〔摊提〕 tāntí 名動 (무형 고정 자산의) 감가 상각(償却)(하다). ¶这种～方法比较简单; 이와 같은 상각법은 비교적 간단하다.
〔摊头〕 tāntou 名 노점. 포장마차. 이동식 작은 가게.
〔摊位〕 tānwèi 名 (상품 전람회·백화점 따위의) 상품 진열소.
〔摊子〕 tānzi ①名 노점. ¶摆bǎi～; 노점을 내다 / 书～; 책 파는 노점. ②名 집단. 종파((속된 표현)). ③量 집단·종파를 세는 말. ¶三～会议; 3개의 파벌 회의. ④量 어수선하게 쌓여 있는 것을 세는 말. ¶一～事; 산더미같은 일. ⑤名〈轉〉(상거래의) 규모. 범위. ¶对外贸易～大, 情况复杂; 대외 무역은 그 범위가 넓으며, 정황이 복잡하다.

瘫(癱) tān (탄)
①名〔漢醫〕 중풍(中風). 반신 불수. ②動 움직이지 못하다. 마비되다. ¶吓～了; 놀라서 가슴이 덜컥했다. ③動 (사상·계획·사업 등이) 막히다.
〔瘫巴〕 tānba 動 ①비틀비틀하다. ②무너지다. 名 반신불수자.
〔瘫痪〕 tānhuàn 名 ①〔漢醫〕 중풍. 반신불수. =〔〈俗〉 风瘫〕 ②마비. 마비상태. ¶交通～; 교통 마비. 動〈轉〉(기구(機構)·활동이) 마비되다.

마비시키다. ¶～运输; 운수를 마비시키다 / 贸易陷于～状态; 무역이 마비 상태에 빠졌다.

〔瘫软〕 tānruǎn 형 (몸이) 힘이 빠져서 움직일 수 없는 모양. 마비되어 비척거리는 모양. ¶累得浑身～; 지쳐서 녹초가 되다.

〔瘫子〕 tānzi 명 중풍 환자. 반신 불수자.

坛(壇[A)], 罎〈壜, 墰, 罈〉[B)])

tán (단, 담)

A) 명 ①의식(儀式)용으로 마련한 제단. ¶天～; 천단. 옛날, 황제가 하늘에 제사를 지낸 단 / 地～; 지단. 옛날, 황제가 해마다 하지(夏至)에 지신(地神)을 제사 지낸곳. ②다른 데보다 한 단 높게 만든 곳. ¶讲jiǎng～; 연단. ③(예능·체육 따위의) 사회·범위. ¶文～; 문단 / 影yǐng～; 영화계 / 乒～; 탁구계. ④(꽃을 심기 위해) 흙을 쌓아 올려 평평하게 만든 곳. ¶花～; 화단. **B)** (～子) 명 독. 술단지. ¶酒～; 술독 / 醋～; 초단지 / 水～; 물독 / ～子肉; 항아리에 넣어 뭉근한 불로 삶은 고기.

〔坛坫〕 tándiàn 명〈文〉①제후(諸侯)가 조령(朝令)이나 맹약을 맺는 장소. ②〈轉〉문인이 모이는 곳. 문단(文壇).

〔坛社〕 tánshè 명 사단(社壇). 제단(祭壇).

〔坛坛罐罐〕 tántán guànguàn 명 ①독과 항아리. ②주방 기구. ③〈轉〉개인이 소유하고 있는 물건. 개인의 재산. ¶不怕打烂～; (전쟁 때에) 개인의 소유물이 파괴되는 것을 두려워하지 않다.

〔坛装〕 tánzhuāng 명형 병조림(의).

〔坛子〕 tánzi 명 (오지) 항아리. 단지. ¶～肉; 고기를 항아리에 넣고 뭉근한 불에 서서히 익힌 요리.

昙(曇)

tán (담)

형 흐리다. 구름이 잔뜩 끼다.

〔昙花〕 tánhuā 명〖植〗①홍초(紅蕉). ②우담화(優曇華). ¶～一现;〈成〉우담화처럼 잠깐 나타났다가 바로 사라져버리다(나타났다가 금방 없어지는 것의 비유) / ～一现就消失; 덧없이 사라지다.

〔昙华〕 tánhuá 명〖植〗①인도칸나. =〔红hóng蕉〕〔兰lán蕉〕〔美měi人蕉〕 ②⇨〔优yōu昙华①〕

谈(談)

tán (담)

① 동 말하다. 토론하다. 이야기하다. ¶两个人～了一个晚上; 두 사람은 밤새도록 이야기했다 / 请你～一～经过; 경과를 이야기해 주시오 / 面～; 면담하다 / ～思想; 생각을 말하다. ② 명 언론. 담화. 말. 이야기. ¶奇～; 기담 / 美～; 미담 / 无稽之～; 황당무계한 이야기. ③ 명 성(姓)의 하나.

〔谈崩〕 tánbēng 동 이야기가 깨지다〔결렬되다〕. ¶双方～了; 쌍방의 이야기가 결렬되었다.

〔谈柄〕 tánbǐng 명 ①화제(話題). 이야깃거리. ②옛날, 이야기할 때 손에 쥐던 불자(拂子).

〔谈不到〕 tánbudào ①거기까지는 말할 수 없다. 화제로 올릴 수 없다. 문제가 되지 않다. ¶门外汉决～; 문외한은 절대로 거기까지는 말할 수 없다〔문제가 되지 않는다〕. ②⇨〔谈不上〕

〔谈不拢〕 tánbulǒng 이야기가 정리되지 않다〔귀결점을 찾지 못하다〕. ¶开了几次协商会, 双方仍旧～; 여러 차례나 협의회를 열었지만, 쌍방이 여전히 귀결점을 찾지 못했다.

〔谈不上〕 tánbushàng ①말이 안 된다. 문제되지 않는다. …까지 말할 수 없다. ¶离开机械化就根本～现代化; 기계화를 떠나서는 현대화는 말할 수 없다 / 门外汉决～; 문외한은 절대 거기까지는 말할 수 없다〔문제가 되지 않는다〕. ②이야기가 통하지 않다. 마음이 맞지 않다. ¶他们俩老～一块儿; 그들 두 사람은 언제나 마음이 맞지 않는다. ‖ =〔谈不到〕 ↔〔谈得上〕

〔谈丛〕 táncóng 명〈文〉이야기를 모아 놓은 것. 담화집. =〔谈薮〕

〔谈到〕 tándào 동 언급하다. 이야기가 미치다. 말을 꺼내다. ¶他还～…; 그는 또 …을 언급했다 / ～了过去的事; 지나간 일을 언급하다 / 历史没有～那个问题; 역사는 그 문제에 관해 언급하고 있지 않다.

〔谈道〕 tándào 동 이야기하다. 말하다.

〔谈得来〕 tándelái 이야기가 맞다. 마음이 맞다. 注 '谈来'라는 말의 변화 형식은 아님.

〔谈得上〕 tándeshàng …라고 말할 수 있다. …라고 말할 만하다('哪里'·'怎么' 등을 써서 반어문(反語文)이나 의문문으로 쓰임). ¶他哪里～勇敢呢; 그가 용감하다니 당치도 않다.

〔谈锋〕 tánfēng 명 담론의 기세. 날카로운 말씨. ¶～甚健; 말솜씨가 매우 명쾌하다.

〔谈何容易〕 tán hé róng yì〈成〉말하기는 쉽지만 실제는 매우 어렵다. 말처럼 그렇게 쉽지는 않다. ¶一般人～; 일반 사람에게는 쉬운 일이 아니다.

〔谈和〕 tánhé 동 화해하다.

〔谈虎色变〕 tán hǔ sè biàn〈成〉호랑이 말만해도 안색이 변한다(겁이 많음).

〔谈话〕 tán·huà 동 담화하다. 서로 이야기하다. ¶他们正在书房里～; 그들은 지금 서재에서 이야기하고 있다. (tánhuà) 명 담화. 서로 이야기함(흔히 정치에 관한 것). ¶代表团团长发表了重要～; 대표단 단장이 중요 담화를 발표했다.

〔谈及〕 tánjí 동 …에 이야기가 미치다. 언급하다.

〔谈家常〕 tán jiācháng 일상의 평범한 일에 관하여 이야기하다. 세상 이야기에 끌어들이다. 잡담하다.

〔谈僵〕 tánjiāng 동 이야기가 난국에 부딪치다. 이야기가 복잡해지다. ¶两个人很快就～了; 두 사람의 이야기는 곧 난국에 부딪치고 말았다.

〔谈近〕 tánjìn 명〖數〗(삼각 함수의) 탄젠트(tangent). =〔正切〕

〔谈客〕 tánkè 명〈文〉①유세가(遊說家). 웅변가. ②이야기 잘하는 사람.

〔谈恋爱〕 tán liàn'ài 연애하다.

〔谈论〕 tánlùn 명동 담론(하다). 논의(하다). 의론(하다). ¶人们还在热烈地～; 사람들은 아직도 열심히 의론하고 있다. 동 ①비난하다. ②소문내다. 이러니저러니 말하다. ¶～人家; 남의 이야기를 하다.

〔谈判〕 tánpàn 동 회담하다. 담판하다. 교섭하다. 협의하다. ¶同葡萄牙政府进行～; 포르투갈 정부와 교섭하다. 명 담판. 교섭. 협의. ¶裁军～; 군축 회담 / ～代表; 교섭 대표.

〔谈情〕 tánqíng 동 사랑을 속삭이다. ¶～说爱; 연애하다. 사랑을 속삭이다.

〔谈山海经〕 tán Shānhǎijīng 한담하다.

〔谈商〕 tánshāng 명동 협의(하다). 상담(하다).

〔谈上〕 tánshang 동 …까지 이야기가 진행되다. ¶～两个钟头; 두 시간이나 서로 이야기했다.

〔谈思想〕 tán sīxiǎng ①사상에 관해 검토하다. ②생각을 서로 이야기하다.

〔谈谈打打〕 tántán dǎdǎ 교섭하면서 전쟁하다.
〔谈天(儿)〕 tán⌐tiān(r) 동 잡담을 하다. 한담하다. ¶我今天～来了; 난 오늘 잡담하러 왔다. =〔闲谈〕〔聊liáo天(儿)〕〔谈心 ②〕
〔谈天说地〕 tán tiān shuō dì 〈成〉 잡담하다. 이야기에 꽃을 피우다.
〔谈吐〕 tántǔ 명 〈文〉 이야기. 언론. 말씨와 태도. ¶～淳朴; 말하는 태도가 순박하다 / ～不俗; 말하는 것이 속되지 않다. =〔吐属〕
〔谈闲天〕 tánxiántiān 동 한담을 하다.
〔谈相〕 tánxiàng 동 관상을 보다.
〔谈笑〕 tánxiào 동 담소하다. 유쾌하게 이야기를 나누다. ¶～风生 =〔～生春〕; 〈成〉 주고 받는 이야기가 흥겨워지는 모양. 화기 애애하게 담소하는 모양. 이야기에 꽃이 피다 / ～封侯; 〈成〉 담소하면서 작위(爵位)를 내림《쉽게 공명(功名)·관직을 얻음》.
〔谈笑自若〕 tán xiào zì ruò 〈成〉 태연자약하게 담소하다. ¶沉着镇静～; 아주 침착하게 담소하다.
〔谈屑〕 tánxiè 명동 〈文〉 자질구레한 이야기(를 해대다).
〔谈心〕 tán⌐xīn 동 ①흉금을 터놓고 이야기하다. 심정을 토로하다. ¶促膝～; 무릎을 맞대고 솔직이 이야기하다 / 这是～话; 이것은 솔직이 터놓고 하는 이야기입니다. ②⇨〔谈天(儿)〕
〔谈心电话〕 tánxīn diànhuà 명 상담 전화.
〔谈兴〕 tánxìng 명 이야기의 흥미.
〔谈玄〕 tánxuán 동 〈文〉 심오하고 현묘한 이론을 이야기하다.
〔谈言微中〕 tán yán wēi zhòng 〈成〉 말을 완곡하게 하면서 요점을 담고 있음.
〔谈助〕 tánzhù 명 〈文〉 화제. 이야깃거리. ¶足资～; 이야깃거리를 충분히 제공하다.
〔谈资〕 tánzī 명 〈文〉 이야기의 자료. 이야깃거리. ¶饭后～; 식후의 이야깃거리.

倓 tán (담)
① 형 〈文〉 편안하다. 조용하다. ②인명용 자(字).

郯 Tán (담)
명 ①〔地〕 탄청(郯城)《산둥 성(山東省)에 있는 현 이름》. ②성(姓)의 하나.

痰 tán (담)
명 ①담. 가래. ¶吐～; 가래를 뱉다. ②〔漢醫〕 호흡기나 그밖에 병변 기관(病變器官)에 분비 축적된 점액.
〔痰喘〕 tánchuǎn 명 〔醫〕 천식(喘息). =〔痰喘〕
〔痰盒〕 tánhé 명 작은 타구. =〔痰罐儿〕〔唾tuò沫盒儿〕
〔痰火病〕 tánhuǒbìng 명 ⇨〔痰喘〕
〔痰惑〕 tánhuo 명 〔漢醫〕 목에 가래가 끓는 병.
〔痰厥〕 tánjué 명 〔漢醫〕 담궐《가래로 목이 메어 갑자기 인사 불성이 되는 병》.
〔痰迷心窍〕 tán mí xīn qiào 〈成〉 (사람의 행위가) 혼란하여 정상이 아님《본래는 신경병을 뜻했음》.
〔痰气〕 tánqì 명 〈方〉 ①정신병. ②뇌출혈.
〔痰气〕 tánqi 명 가래가 뭉쳐 붙는 병. 천식(喘息).
〔痰切豆〕 tánqièdòu 명 〔植〕 쥐눈이콩.
〔痰嗓儿〕 tánsǎngr 명 가래가 목에 걸려 있는 듯한 쉰 목소리.
〔痰桶〕 tántǒng 명 〈口〉 통 모양의 타구(唾具). 가래통.
〔痰饮〕 tányǐn 명 〔漢醫〕 만성위염.
〔痰盂(儿)〕 tányú(r) 명 타구《봉당(封堂)에 두는 비교적 큰 것》. =〔痰桶〕

锬(錟) tán (담)
옛날의 모(矛)의 뜻으로, 인명용 자(字). ⇒'铦' xiān

弹(彈) tán (탄)
동 ①튀기다. 떨다. 제거하다. ¶～球儿; ⇩ / ～力; ⇩ / ～眼泪; 눈물을 훔치다 / 用手指～他一下; 손가락으로 그를 한 차례 튀기다 / ～烟灰; 담뱃재를 떨다. ②(기계 따위로) 솜을 타다〔틀다〕. ¶～棉花; ⇩ ③(피아노·거문고 따위를) 타다. 켜다. 치다. ¶～钢琴; ⇩ ④탄핵(彈劾)하다. 규탄하다. ¶～劾hé; ⇩ ⇒dàn
〔弹拨〕 tánbō 동 (현악기의 줄을) 뜯다. ¶～琵琶; 비파를 뜯다.
〔弹拨乐器〕 tánbō yuèqì 명 〔樂〕 줄을 뜯어 소리를 내는 현악기.
〔弹参〕 táncān 동 〈文〉 ⇨〔弹劾〕
〔弹唱〕 tán⌐chàng 동 (악기를) 연주하며 노래하다.
〔弹词〕 táncí 명 남방(南方)에서 '大鼓书'를 가리키는 말. 남방 지방에서 성행한 민간 예능의 하나《삼현(三絃)·비파·월금(月琴) 등에 맞추어 노래하고 이야기함. 또한 그 대본을 말할 경우도 있음》. =〔南nán词〕
〔弹钢琴〕 tán gāngqín ①피아노를 치다. ②핵심을 파악하여 전체를 통괄하며 일을 진행함.
〔弹弓跳床〕 tángōng tiàochuáng 명 〔體〕트램펄린(trampoline).
〔弹冠〕 tánguān 동 〈文〉 ①관의 먼지를 떨다. ②〈比〉 임관(任官)할 준비를 하다. ¶～相庆; 〈成〉 동료의 승진을 기뻐하다. 자기에게도 그런 희망이 있을 것이라고 기뻐하다《비방하는 말》.
〔弹劾〕 tánhé 동 〈文〉 탄핵하다. 관리의 부정을 들추어 규탄하다. =〔弹参〕
〔弹花机〕 tánhuājī 명 〔機〕 솜틀. 솜트는 기계.
〔弹簧〕 tánhuáng 명 용수철. 스프링. ¶～秤chèng; 용수철 저울 / ～门; 용수철이 달린 자동문 / ～床; 스프링 침대 / ～椅子; 스프링을 사용한 의자. =〔绷bēng簧〕
〔弹簧刀〕 tánhuángdāo 명 ①〔機〕 용수철이 달린 절삭구. ②잭나이프.
〔弹簧阀〕 tánhuángfá 명 〔機〕 스프링 밸브(spring valve).
〔弹簧夹头〕 tánhuáng jiātóu 명 〔機〕 물림쇠. 콜릿 척(collet chuck). =〔弹簧筒夹〕〔〈方〉 弹簧轧头〕〔〈北方〉 卡qiǎ罐〕
〔弹簧锁〕 tánhuángsuǒ 명 ⇨〔碰pèng(簧)锁〕
〔弹簧套〕 tánhuángtào 명 〔機〕 스프링 포켓.
〔弹铗〕 tánjiá 동 ①자신을 현시(顯示)하다. ②남의 원조를 요구하다.
〔弹简〕 tánjiǎn 명 〈文〉 ⇨〔弹章〕
〔弹纠〕 tánjiū 명동 〈文〉 규탄(하다).
〔弹力〕 tánlì 명 〔物〕 탄력. 탄성. ¶～丝sī; 탄력사(彈力絲). 스트레치 얀(stretch yarn) / ～袜wà; 일래스틱 삭스(elastic socks).
〔弹棉弓〕 tánmiángōng 명 무명활. 솜타는 활.
〔弹棉花〕 tán miánhuā 솜을 타다. ¶～戴纱帽; 〈歇〉 솜을 타는 데는 '弓'(솜채)을 손에 쥐어야 하고, 사(紗)로 만든 모자를 쓰는 것은 신(臣)의 상징이므로, 궁(弓)과 신(臣)이 공신(功臣)으로 통한다 해서 공이 있는 사람·진력(盡力)한 사람을 이를 때에 씀.

〔弹墨〕 tánmò 동 (목수가) 먹줄을 긋다. 명 먹물을 튕긴 것 같은 무늬. 희끗희끗한 무늬.
〔弹琴〕 tánqín 동 거문고를 타다. =〔操cāo琴〕〔奏zòu琴〕
〔弹球(儿)〕 tán.qiúr 명 구슬치기 놀이(를 하다). =〔弹蛋(儿)〕〔弹子儿②〕
〔弹射〕 tánshè 동 ①탄력·압력을 이용하여 발사하다. ②사물이 신축성이 있다. ③〈文〉 지적하다. ¶～利病; 이로운 점이나 잘못을 지적하다.
〔弹丝品竹〕 tán sī pǐn zhú 〈成〉 거문고나 피리 등을 연주하다(풍아한 정취를 즐기다).
〔弹涂鱼〕 tántúyú 명〔魚〕 말뚝망둥어. ¶大～; 게르치. =〔泥ní猴〕〔跳tiào跳鱼〕〔虾xiā虎鱼〕
〔弹弦乐器〕 tánxián yuèqì 명〔樂〕 현악기.
〔弹性〕 tánxìng 명 ①〔物〕 탄성. ②〈比〉 탄력성. 변통성. 유연성. ¶在外交和政治方面应采取更大的～; 외교 및 정치 방면에 더욱 큰 탄력성을 받아들여야 한다 / 有～; (침대가) 부드럽다.
〔弹性模数〕 tánxìng móshù 명〔物〕 탄성률(彈性率). 탄성의 계수. =〔弹性系数〕〔弹性模量〕
〔弹性女郎〕 tánxìng nǚláng 명 〈音〉 댄싱 걸(dancing girl). =〔舞女〕
〔弹压〕 tányā 명동 탄압(하다).
〔弹章〕 tánzhāng 명 〈文〉 탄핵하는 상주서(上奏書). =〔弹简〕〔弹事〕
〔弹指〕 tánzhǐ 명 〈比〉 매우 짧은 시간. ¶～之间; 순간.
〔弹治〕 tánzhì 동〈文〉 남의 부정·죄악을 폭로하여 추궁하다.
〔弹子〕 tánzi 명 배의 닻줄.
〔弹子儿〕 tán.zǐr 동 집 빼앗기놀이를 하다(어린이 놀이의 하나). 명 ⇨〔弹球(儿)〕
〔弹奏〕 tánzòu 동 탄주하다. ¶～钢琴; 피아노를 치다.

覃 tán (담)
①형 〈文〉 깊다. ¶～思; 깊은 생각. ②동 미치다. ③동 뻗다. ④형 잘들다(칼 따위). ⑤명 성(姓)의 하나. ⇒Qín

谭(譚) tán (담)
①명 이야깃거리. ②명 이야기. ③동 이야기하다. ④명 성(姓)의 하나.

潭 tán (담)
①명 깊은 웅덩이. ②형 깊다. 그윽하다. ¶～府; ⇩ ③명 〈方〉 구덩이. ④명 성(姓)의 하나.
〔潭第〕 tándì 명〈文〉 귀하의 댁. 귀댁.
〔潭恩〕 tán'ēn 명 〈文〉 넓고 큰 은혜. 홍은(鴻恩).
〔潭福〕 tánfú 명 〈翰〉 귀하의 행복.
〔潭府〕 tánfǔ 명 ①심연. 깊은 못. ②귀댁(貴宅).
〔潭渊〕 tányuán 명 심연(深淵).
〔潭祉〕 tánzhǐ 명 〈翰〉 귀댁의 행복.

燂 tán (담)
동 〈方〉 불에 데우다.

磹 tán (담)
지명용 자(字). ¶～口; 탄커우(磹口)(푸젠성(福建省)에 있는 땅 이름).

镡(鐔) Tán (담)
명 성(姓)의 하나. ⇒Chán xín

醰 tán (담)
형〈文〉 (술맛이) 진하다. 좋다.
〔醰醰〕 tántán 형 〈文〉 술이 진하다. 감칠맛이 있다.

嶓 tán (담)
명 〈文〉〈方〉 구멍·연못의 뜻으로, 흔히 지명용 자(字). ¶～宾; 탄빈(嶓賓)(광둥성(廣東省)에 있는 땅 이름). ⇒xìng

澹 tán (담)
→〔澹台〕⇒dàn
〔澹台〕 Tántái 명 복성(複姓)의 하나.

檀 tán (단)
명 ①〔植〕 단향목(檀香木)(백단(白檀)·자단(紫檀)이 있음). ②〔色〕 담홍색. ③성(姓)의 하나.
〔檀板〕 tánbǎn 명 자단(紫檀)으로 만든 딱딱이.
〔檀那〕 tánnuó 동 〈梵〉 보시하다. 시주하다. 명 시주(施主). 단가(檀家). ‖ =〔檀越〕
〔檀香〕 tánxiāng 명 ①백단(白檀)(향료·약용·조각용). ¶～皂; 백단향 비누 / ～扇; 백단향 부채. ②백단재(材).
〔檀香油〕 tánxiāngyóu 명 백단유(白檀油).
〔檀越〕 tányuè 명동 ⇨〔檀那〕

忐 tǎn (담)
→〔忐忑〕
〔忐忑〕 tǎntè 형 마음이 안정되지 않다. 마음이 동요하다. 불안해하다. ¶～不安; 불안해서 두근두근하다.

坦 tǎn (탄)
①형 평탄하다. 평평하다. ¶平～; 평탄하다. ②형 숨김이 없다. 솔직하다. ¶～率; ⇩ ③형 마음이 편안하다. ¶～然; ⇩ ④명 사위.
〔坦白〕 tǎnbái 형 숨김이 없다. 솔직하다. 허심탄회하다. ¶～地; 격의없이 / 襟怀～; 기분이 담백하다. 동 (자기의 결점·잘못 따위를) 숨김없이 고백하다. 솔직하게 털어놓다. ¶到派出所去～; 파출소에 가서 자백하다 / 干脆～了吧! 깨끗이 자백해라! / ～从宽; 정직하게 자백하면 관대히 조처한다.
〔坦诚〕 tǎnchéng 형 솔직하고 정직하다. ¶～告诉我说; 솔직하고 정직하게 나에게 말하다.
〔坦荡〕 tǎndàng 형 ①넓고 평탄하다. ¶前面是一条～的大路; 앞은 넓고 평평한 대로이다. ②(마음이 구애되는 것이 없이) 평온하다. ¶胸怀～; 마음이 긴장함이 없이 편안하다.
〔坦道〕 tǎndào 명〈文〉 평탄한 길. =〔坦途〕
〔坦噶尼喀〕 Tǎngáníkā 명〔地〕 탕가니카(아프리카 동부. 탄자니아(Tanzania) 연방 공화국의 일부).
〔坦怀〕 tǎnhuái 명 솔직. 허심탄회.
〔坦缓〕 tǎnhuǎn 형 지세(地勢)가 평탄하고 완만하다.
〔坦克〕 tǎnkè 명〔軍〕〈音〉 탱크. 전차(戰車). ¶～炮车; 자주포(自走砲) / ～兵; 전차 부대. 또는 그 병사 / ～手; 전차병 / 重型～; 중(重) 탱크 / 反～炮 =〔防～炮〕; 대전차포. =〔坦克车〕
〔坦平〕 tǎnpíng 형 〈北方〉 평평하다. =〔躺tǎng平〕
〔坦然〕 tǎnrán 형 ①마음이 안정된 모양. 편안한 모양. 태연한 모양. ¶～自若; 태연자약 / ～无惧; 태연하여 두려워하지 않다. ②평편한 모양.
〔坦桑尼亚〕 Tǎnsāngníyà 명〔地〕 탄자니아(Tanzania)(수도는 '多多马'(도도마: Dodoma)).

〔坦率〕 tǎnshuài 형 숨김이 없다. 정직하다. 솔직하다. ¶为人～; 사람됨이 솔직하다 / ～交换意见; 솔직하게 의견을 교환하다.
〔坦坦〕 tǎntǎn 형 넓고 평탄한 모양.
〔坦途〕 tǎntú 명 〈比〉 평탄한 길. 탄탄대로.
〔坦直〕 tǎnzhí 형 솔직하다. ¶～地表明自己的态度; 자신의 태도를 솔직하게 표명하다.

袒〈襢〉 tǎn (단) 동 ①상반신을 벗다. 몸의 일부를 노출시키다. ¶～其左臂 =〔左～〕; 왼쪽 어깨를 드러내다. ②비호하다. ¶偏～; 한쪽 편을 들다. 두둔하다.
〔袒臂以护〕 tǎn bì yǐ hù 〈成〉 소매를 걷어붙이고 지키다. 편들다.
〔袒膊〕 tǎnbó 동 〈文〉 웃통을 벗다.
〔袒缚〕 tǎnfù 동 적에게 항복하다. 사죄하다.
〔袒护〕 tǎnhù 동 비호하다. 감싸주다. ¶没有人～我; 나를 감싸주는 사람이 없다.
〔袒露〕 tǎnlù 동 상반신을 벗다. ¶～着脊梁; 상반신을 벗고 등을 드러내 놓고 있다.
〔袒裸〕 tǎnluǒ 동 〈文〉 벌거벗다.
〔袒裼裸裎〕 tǎn xī luǒ chéng 〈成〉 팔을 걷어붙이고 윗도리를 벗다(예의가 없는 모양).

钽(鉭) tǎn (탄) 명 《化》 탄탈(Ta: Tantalum)(금속 원소의 하나).

菼 tǎn (담) 명 《植》 〈文〉 갓 난 물억새.

毯 tǎn (담) 명 융단 깔개. 담요 따위. ¶毛～; 모포 / 地～; 양탄자. 카펫 / 壁～; 벽걸이 융단. 태피스트리(tapestry).
〔毯子〕 tǎnzi 명 담요. 모든 깔개 따위의 총칭.

黮 tǎn (담, 탐) 형 〈文〉 검다. 어둡다. ⇒shèn

叹(嘆〈歎〉) tàn (탄) 동 ①탄식하다. 한숨쉬다. 한탄하다. ¶～息; ⇩ / ～了一口气; 후유하고 한숨을 쉬었다. ②읊다. 읊조리다. ¶咏～; 영탄하다 / 一唱三～; 한 사람이 선창하면 세 사람이 따라 부르다. ③칭찬하다. 격찬하다. ¶赞～; 찬양하다 / ～为奇迹; 기적이라고 찬탄하다.
〔叹茶〕 tànchá 동 〈廣〉 차를 맛보다. 차를 즐기며 세상 이야기를 하다. ¶舒舒服服地～; 천천히 차 마시며 이야기를 하다.
〔叹词〕 tàncí 명 《言》 감탄사.
〔叹伏〕 tànfú 동 ⇨〔叹服〕
〔叹服〕 tànfú 동 탄복하다. 감탄〔감복〕하다. =〔叹伏〕
〔叹观止矣〕 tàn guān zhǐ yǐ 〈成〉 보고 들은 것이 최고로 훌륭하다고 찬미하다(대개는 예술품이나 연예 등에 대해서 말함). ¶精采的表演达到了～的地步; 뛰어난 연기는 더할 나위 없이 훌륭한 것이었다. =〔叹为观止〕
〔叹号〕 tànhào 명 감탄 부호(!). =〔感gǎn叹号〕
〔叹苦经〕 tàn kǔjīng 불만을 중얼중얼 늘어놓다. 게정거리다.
〔叹美〕 tànměi 명동 찬미(하다). ¶～喝hè采; 와하고〔우레와 같이〕 갈채하다.
〔叹腻儿〕 tànnìr 동 〈京〉 ①어린아이가 어른의 눈치를 살피다. ¶孩子们也知道～, 看见大人心烦, 他们也老实了; 아이들도 눈치를 살필 줄 알아, 어른이 울적해 있으면 얌전해진다. ②고분고분하다. 어찌할 바를 모르다. ¶实在困住了不～也不行; 정말로 곤경에 빠지면 고분고분해지지 않을 수 없다.
〔叹念儿〕 tànniànr 동 〈京〉 마음이 약해지다. 기가 꺾여 타협적이 되다. ¶有娇妻幼子不免就得～; 처자식을 거느리고 있으면 기가 꺾여 타협적이 될 수 밖에 없다.
〔叹气〕 tàn,qì 동 한숨 쉬다. 탄식하다. ¶叹了一口气; 후유하고 한숨 쉬다.
〔叹赏〕 tànshǎng 동 극구 칭찬하다. 칭찬하다. ¶～不绝; 끊임없이 칭찬하다. =〔称赞〕
〔叹惋〕 tànwǎn 동 탄식하며 애석히 여기다.
〔叹为观止〕 tàn wéi guān zhǐ 〈成〉 ⇨〔叹观止矣〕
〔叹息〕 tànxī 동 ①〈文〉 탄식하다. =〔太tài息〕 ②찬미하다.
〔叹惜〕 tànxī 동 탄식하며 애석해하다. 매우 아쉬워하다.

炭 tàn (탄) 명 ①목탄. 숯. ¶木～; 목탄 / 烧～; 숯을 만들다. ②〈方〉 석탄(산시(山西)·산시(陕西)에서는 괴탄(塊炭)을 '炭', 분탄을 '煤' 또는 '炭面子'라고 함). ③탄소. =〔碳〕 ④목탄 비슷한 것. ¶山楂～; 건조한 산사나무 열매.
〔炭笔〕 tànbǐ 명 《美》 데생용 목탄필(木炭筆).
〔炭笔画〕 tànbǐhuà 명 《美》 목탄화. =〔炭画〕〔擦cā笔画〕
〔炭厂(子)〕 tànchǎng(zi) 명 ①목탄상(商). ②석탄상.
〔炭电阻〕 tàndiànzǔ 명 《電》 카본 저항기.
〔炭行〕 tànháng 명 숯 도매상.
〔炭黑〕 tànhēi 명 카본 블랙.
〔炭弧灯〕 tànhúdēng 명 탄소 아크 램프.
〔炭化〕 tànhuà 명동 《地》 탄화(하다). =〔煤méi化〕
〔炭画(儿)〕 tànhuà(r) 명 목탄화(木炭畫).
〔炭火〕 tànhuǒ 명 숯불.
〔炭墼〕 tànjī 명 연탄. =〔炭基〕〔炭结〕
〔炭精〕 tànjīng 명 《工》 ①카본. ¶～纸; 카본 지 / ～棒; 탄소봉. ②〈方〉 황. =〔煤精〕
〔炭疽〕 tànjū 명 《醫》 탄저병. =〔〈方〉 癀huáng病〕
〔炭坑〕 tànkēng 명 ⇨〔煤méi矿〕
〔炭库〕 tànkù 명 벙커(bunker), (배의) 석탄 창고. ¶～交; 《商》 벙커 적재(積載) 인도(引渡). =〔煤méi库〕
〔炭面子〕 tànmiànzi 명 ①분탄. ②탄진(炭塵).
〔炭盆〕 tànpén 명 화로. =〔火盆〕
〔炭气〕 tànqì 명 《化》 탄산가스.
〔炭素钢〕 tànsùgāng 명 ⇨〔碳钢〕
〔炭田〕 tàntián 명 탄전. =〔煤méi田〕
〔炭条〕 tàntiáo 명 기다란 숯.
〔炭星儿〕 tànxīngr 명 불똥.
〔炭窑〕 tànyáo 명 ①탄광. =〔煤méi窑〕 ②숯가마.
〔炭油〕 tànyóu 명 콜타르(coal-tar). =〔煤黑油〕
〔炭圆〕 tànyuán 명 〈方〉 조개탄. =〔煤méi球(儿)〕
〔炭渣〕 tànzhā 명 석탄이 탄 찌꺼기.
〔炭纸〕 tànzhǐ 명 카본지(紙). 복사지. =〔炭精纸〕

碳 tàn (탄) 명 《化》 탄소(C: Carbonium). ¶～钙; 탄화칼슘(카바이드).
〔碳等量〕 tànděngliàng 명 《化》 주철 중에 함유하

는 탄소량과 규소량의 3분의 1의 합(C + 1/3Si)을 말함. =〔碳当量〕
〔碳电极〕 tàndiànjí 명《電》탄소 전극.
〔碳酐〕 tàngān 명《化》이산화 탄소.
〔碳钢〕 tàngāng 명《工》탄소강. 카본 스틸. =〔炭素钢〕
〔碳工具钢〕 tàngōngjùgāng 명《工》탄소 공구강.
〔碳黑〕 tànhēi 명《化》카본 블랙(carbon black). =〔煤气黑〕
〔碳化〕 tànhuà 명《化》탄화. ¶～钙gài; 카바이드. 탄화칼슘 / ～硅guī; 탄화 규소 / ～钨wū; 탄화 텅스텐 / ～物; 탄화물. 탄소와 금속의 이원 화합물 / ～三铁tiě; 탄화철.
〔碳(极)弧灯〕 tàn(jí) húdēng 명 아크등(arc 燈). 호광등(弧光燈). =〔弧灯〕〔弧光灯〕〔弧光电灯〕
〔碳胶〕 tànjiāo 명 카본 시멘트.
〔碳精棒〕 tànjīngbàng 명 카본(봉상(棒狀)의 것).
〔碳氢化合物〕 tànqīng huàhéwù 명《化》탄화수소. =〔碳化氢〕〔烃tīng〕
〔碳水化合物〕 tànshuǐ huàhéwù 명《化》탄수화물.
〔碳丝〕 tànsī 명《化》전구용(電球用) 카본 필라멘트.
〔碳素〕 tànsù 명《化》탄소. ¶～薄皮; 카본 필름.
〔碳酸〕 tànsuān 명《化》탄산. ¶～钾jiǎ; 탄산칼륨 / ～铵; 탄산암모늄 / ～钙; 탄산 칼슘 / ～钠; 탄산나트륨 / ～水; 탄산수 / ～氢钠; 탄산수소나트륨 / ～盐; 탄산염 / ～乙酯奎宁; 에틸탄산키니네 / ～镁; 탄산마그네슘.
〔碳(酸)气〕 tàn(suān)qì 명《化》탄산 가스. 이산화탄소. =〔碳(酸)酐〕〔二èr氧化碳(气)〕
〔碳锌电池〕 tànxīn diànchí 명《電》건전지.
〔碳烟末〕 tànyānmò 명 카본 블랙의 상품명.
〔碳氧基〕 tànyǎngjī 명《化》철(鐵) 카르보닐. =〔碳酰基〕〔羰tāng基〕
〔碳渣〕 tànzhā 명 잔류(殘留) 탄소분(炭素分).

探 tàn (탐)

①동 찾다. 탐색하다. ¶～源; 근원을 찾다 / ～路; 길을 찾다 / 钻～; 시굴하다 / 深山～宝; 산지(山地)에 들어가 지하 자원을 찾다. ②동 정탐하다. 엿보다. 알아보다. ¶～消息; 소식을 알아보다 / 试～; 탐색하다 / 侦～; 정찰하다. ③동 방문하다. 찾다. ¶～病; 병문안하다. 문병하다. ④동 (대롱 따위가 막히지 않게) 내뚫다. ¶用铁丝～～烟嘴儿; 철사로 파이프를 청소하다. ⑤동 얼굴·상체를 내밀다. ¶不要向窗外～头; 창밖으로 머리를 내밀지 마십시오. ⑥명 탐정. 스파이. ¶密～; 스파이 / 敌～; 적의 스파이. ⑦동〈方〉말참견하다. 간섭하다. ¶家里的事, 不要你～了; 집안 일에 대해서는 당신은 간섭하지 않아도 됩니다.
〔探棒〕 tànbàng 명《醫》존데(독 Sonde)(식도 등에 넣어 속을 탐사하는 기구).
〔探宝〕 tàn.bǎo 동 ①보물을 찾다. ②지하 자원을 찾다.
〔探报〕 tànbào 동〈文〉탐색하는 내용을 넣어 보고하다.
〔探病〕 tàn.bìng →〔字解③〕
〔探测〕 tàncè 명동 탐측(하다). 관측(하다)(기기를 사용하여 간접적으로 조사 측량함). ¶～土星; 토성을 관측하다.
〔探筹〕 tànchóu 동 제비를 뽑다.
〔探春〕 tànchūn 명동 봄철의 야유회(를 가다).
〔探方〕 tànfāng 동 (시굴하여 굴착할) 방향을 탐색하다. ¶开挖～; 시굴하여 방향을 확인하다.
〔探访〕 tànfǎng 동 ①탐방하다. ¶～队; 정찰대. ②취재(取材)하다. ¶～新闻; 뉴스를 취재하다. ③방문하다.
〔探戈〕 tàngē 명《舞》〈音〉탱고. ¶～舞; 탱고춤.
〔探购〕 tàngòu 명《商》매매 거래. 상거래. ¶外客来～的也渐告增多; 외국 상인과의 상거래도 점차로 증가하고 있다. =〔探盘〕
〔探花〕 tànhuā 명 명(明)·청(淸) 시대 과거(科擧)의 전시(殿試)에서 제3위의 성적으로 합격한 사람의 칭호.
〔探家〕 tàn.jiā 동 귀성(歸省)하다. 가족의 문안을 하다. ¶抽空探一回家; 틈을 내어 한번 가족을 방문하다.
〔探监〕 tàn.jiān 동 감옥에 면회를 가다.
〔探脚步〕 tàn jiǎobù ①발로 더듬다. ②〈比〉은근히 속을 떠보다. ¶探探脚步; 은근히 속을 떠보다.
〔探井〕 tànjǐng 명 (유전(油田) 따위의) 시굴정(試掘井). (tàn.jǐng) 동 (유전 따위를) 시굴하다.
〔探究〕 tànjiū 동 탐구하다. ¶～原因; 원인을 탐구하다.
〔探勘〕 tànkān 동 지질을 조사 측량하다. =〔勘探〕
〔探看〕 tànkàn 동 탐색하다. 정세를 살피다. 문안하다. ¶～病人; 환자를 문병하다.
〔探空仪〕 tànkōngyí 명《物》라디오존데(독 radiosonde).
〔探口话儿〕 tàn kǒuhuàr 말투를 살피다. ¶探探他的口话儿; 그의 말투를 살피다. =〔探口气(儿)〕
〔探矿〕 tàn.kuàng 동 광맥을 찾다. 광산의 시굴(試掘)을 하다.
〔探窥〕 tànkuī 동 살피다. 엿보다.
〔探雷器〕 tànléiqì 명 지뢰검파기(地雷檢破器).
〔探骊得珠〕 tàn lí dé zhū〈成〉문자·용어가 적절하여 문장이 요점을 찌르고 있다.
〔探马〕 tànmǎ 명〈古白〉기마 정찰병. =〔探骑〕
〔探明〕 tànmíng 동 탐사하다. 조사하다. ¶～矿藏; 지하 자원을 조사하다.
〔探摸〕 tànmō 동 살피다. 염탐하다.
〔探目〕 tànmù 명 옛날, 탐정.
〔探囊〕 tànnáng 동 ①주머니 속의 물건을 찾다〔뒤지다〕. ②절도하다. 형 아주 쉽다.
〔探囊取物〕 tàn náng qǔ wù〈成〉주머니를 뒤져 물건을 끄집어내다(매우 용이함).
〔探脑〕 tànnǎo 동 (엿보기 위해) 머리를 내밀다. ¶伸头～; 살금살금 엿보다.
〔探亲〕 tàn.qīn 동 부부·가족·친척을 방문하다. ¶～假; 귀성 휴가(歸省休暇).
〔探求〕 tànqiú 동 탐구하다. ¶～真理; 진리를 탐구하다.
〔探区〕 tànqū 명 시굴(試掘) 구역. 탐사 구역.
〔探丧〕 tàn.sāng 동 문상하다. 조문(弔問)하다.
〔探伤〕 tàn.shāng 동 (X선·γ선·초음파 따위를 이용하여) 금속 재료 내부의 결함 유무를 검사하다.
〔探身〕 tàn.shēn 동 몸을 내밀다.
〔探视〕 tànshì 동 문안〔문병〕하다. ¶～时间; (병원의) 면회 시간.
〔探首〕 tànshǒu 동 목을 내밀다. ¶请勿～; 머리를 내밀지 마십시오(차창 같은 데서 쓰임).
〔探水篙〕 tànshuǐgāo 명 수심을 측정하는 장대.
〔探索〕 tànsuǒ 동 (더듬어) 찾다. 탐구하다. ¶～

真理; 진리를 탐구하다 / ～目标; 목표를 더듬어 찾다.
〔探汤〕 tàntāng 동 ①(손으로) 물의 더운 정도를 보다. ②겁을 먹고 일을 하다.
〔探讨〕 tàntǎo 동 탐구하다. ¶～高原科学理论问题; 고원 과학의 이론 문제를 탐구하다. 명 탐구.
〔探条〕 tàntiáo 명 《醫》 부지(Bougie). 존데(Sonde). 소식자(消息子). ¶食道～; 식도 부지. =〔探针〕
〔探听〕 tàntīng 동 (비밀리에) 탐색하다. ¶～虚实; 실정이 어떤가를 은근히 떠보다 / ～意图; 의향을 떠보다. =〔打探〕
〔探头〕 tàntóu 명 《醫》 존데. (tàn,tóu) 동 (들여다 보기 위해) 머리를 내밀다. ¶～探脑 =〔～缩脑〕; 〈成〉 들여다 보다. 겁을 먹고 살금살금 엿보다 / 报童向屋里探出头来; 신문 배달하는 아이가 방안을 들여다보았다.
〔探望〕 tànwàng 동 ①구경하다. 바라보다. (상황·변화를) 둘러보다. ¶四处～; 사방을 둘러보다. ②방문하다. 문안하다. ¶～父母; 양친을 방문하다.
〔探问〕 tànwèn 동 ①(소식·의도 따위를) 탐색하다. 타진하다. ¶从他嘴里什么也～不出来; 그에게서 아무것도 알아낼 수 없다. ②방문하다. 방문하여 찾다. ③문안하다. ¶～病人; 환자를 문병하다.
〔探悉〕 tànxī 동 의중을 떠보고 알다. 캐어서 알아내다. 물어서 내용을 알다. ¶从有关方面～; 관련 방면으로부터 알아내다.
〔探先〕 tànxiān 부 미리. 사전에. ¶～防备; 미리 방비하다. =〔探前〕
〔探险〕 tàn,xiǎn 동 탐험하다. (tànxiǎn) 명 탐험. ¶～队; 탐험대.
〔探信(儿)〕 tànxìn(r) 동 소식을 묻다.
〔探寻〕 tànxún 동 물어서 찾다.
〔探询〕 tànxún 동 캐묻다. 염탐하며 묻다. =〔探问〕
〔探鱼仪〕 tànyúyí 명 어군탐지기(魚群探知器).
〔探员〕 tànyuán 명 탐정.
〔探源〕 tànyuán 명 근원을 밝혀 내다.
〔探月〕 tànyuè 명 달 탐험. ¶～火箭; 달 탐험 로켓. 달 로켓.
〔探赜索隐〕 tàn zé suǒ yǐn 〈成〉 심원한 철리(哲理)를 탐구하여 파묻힌 사적을 찾아 내다.
〔探照灯〕 tànzhàodēng 명 탐조등. 서치라이트(searchlight). =〔探海灯〕
〔探针〕 tànzhēn 명 ⇨〔探条〕
〔探子〕 tànzi 명 ①〈古白〉 (군대의) 척후(斥候). 정찰원. ②더듬어 찾는 것. 가는 관(管) 따위를 청소하는 도구. ¶蛐蛐儿～; 구멍에 넣고 귀뚜라미를 쫓는 것 / 粮食～; 색대 / 枪qiāng～; 꽂을대 / 烟筒～; 굴뚝 소제기.
〔探钻机〕 tànzuānjī 명 《機》 천공기. 시추기(試錐機). 보링기(boring機).

TANG ㄊㄤ

汤(湯) tāng (탕)
명 ①끓는 물. ¶～壶; ⇩ / 温～浸种; 《農》 온탕 침법 / 赴～蹈火; 〈成〉 물불을 가리지 않다. ②수프. 국. ¶清～; 갈분(葛粉)을 넣지 않은 맑은 국 / 肉～; 고기 수프 / 两菜一～; 요리 두 접시와 국 한 그릇. ③끓인〔조린〕 후의 국물. ¶米～; 미음 / ～药; 탕약. ④온천《현재는 주로 지명에 쓰임》. ⑤(～儿) 〈俗〉 재미. 이익. ¶喝点儿～; 재미를 좀 보다. 약간 벌다. ⑥(～了) 남은 국물. ¶菜没了, 净剩下～了; 음식은 모두 동이 나고 국물만 남았다. ⑦성(姓)의 하나. ⇒ shāng
〔汤包〕 tāngbāo 명 속에 국물이 들어 있는 '包子'.
〔汤饼〕 tāngbǐng 명 탕면. 가락 국수《'汤面'의 고칭(古稱)》. ¶～会; 아기 출산 후 3일 째에 손님을 청해 국수를 대접하는 잔치.
〔汤薄铃〕 tāngbólíng 명 《樂》 〈音〉 탬버린(tambourine). =〔铃鼓〕〔坦博轮〕
〔汤菜〕 tāngcài 명 ①수프. 국. ②수프와〔국과〕 요리.
〔汤池〕 tāngchí 명 ①열탕이 솟는 못. ②〈轉〉 쉬이 접근하기 어려운 곳. 견고한 성. ③온천. ④(목욕탕의) 욕조.
〔汤匙〕 tāngchí 명 (중국식의) 국순가락. =〔羹gēng匙〕〔调tiáo羹〕
〔汤碟〕 tāngdié 명 수프 접시. =〔羹gēng碟〕
〔汤风〕 tāngfēng 동 〈文〉 바람을 무릅쓰다.
〔汤夫人〕 tāngfūrén 명 ⇨〔汤壶〕
〔汤根儿〕 tānggēnr 명 국의 가라앉은 부분.
〔汤罐〕 tāngguàn 명 '炉lú灶'(중국식 부뚜막)에 걸어놓은 물 끓이는 독.
〔汤锅〕 tāngguō 명 ①털을 뜯기 위해 도살한 가축을 넣는 물을 끓이는 솥. ¶把一个能用的牲口送进～; 부릴 수 있는 가축을 도살하다. ②〈轉〉 도살장. ③국냄비.
〔汤锅〕 tāngguo 명 옛날, 돼지를 잡아서 파는 가게.
〔汤壶〕 tānghú 명 탕파(湯婆). =〔〈方〉 汤婆(子)〕〔汤夫人〕〔脚jiǎo婆〕〔锡xī奴〕
〔汤火〕 tānghuǒ 명 ①끓는 물과 타오르는 뜨거운 불. ②〈轉〉 사람을 살상케 하는 위험한 것.
〔汤火不避〕 tāng huǒ bù bì 〈成〉 물불을 가리지 않다.
〔汤剂〕 tāngjì 명 《漢醫》 탕제. 탕약. =〔汤药〕
〔汤加〕 Tāngjiā 명 《地》 〈音〉 통가(Tonga) 《수도는 '努Nǔ库阿洛法'(누쿠알로파: Nukualofa)》. ¶～王国; 통가 왕국.
〔汤面〕 tāngmiàn 명 탕면. 국말이 국수. =〔热rè汤儿面〕
〔汤姆斯杯〕 Tāngmǔsībēi 명 《體》 〈音義〉 토마스배(杯)《배드민턴 남자 단체 세계 선수권 대회》.
〔汤盘〕 tāngpán 명 수프 접시〔쟁반〕.
〔汤泡饭〕 tāngpàofàn 명 국에 만 밥. 국밥.
〔汤皮儿〕 tāngpír 명 국의 표면 부분. →〔汤根儿〕
〔汤瓶〕 tāngpíng 명 ①주둥이가 넓고, 손잡이가 달려 있는 더운 물을 담는 법랑 칠기. ②이슬람 교도가 몸을 맑게 하는 데 사용하는 물을 담는 기구.
〔汤婆子〕 tāngpózi 명 ⇨〔汤壶〕
〔汤泉〕 tāngquán 명 온천.
〔汤儿面〕 tāngrmiàn 명 탕면.
〔汤儿事〕 tāngrshì 명 ①〈北方〉 확실하지 않은 일. 절실하지 않은 일. 쓸데 없는 것. ¶他说的都是～的话, 不能指望的; 그의 말은 모두 확실한 것이 아니어서 희망을 걸 수가 없다 / 你可真～, 不怨人家管你叫废物; 너는 정말 쓸모가 없구나, 그러니까 모두들 너를 밥벌레라고 하는 거다. ②거짓꼴. (실속 없는) 껍데기.

〔汤勺〕 tāngsháo 명 국물을 따르는 큰 숟가락. 둥근 모양의 자루 달린 국자.
〔汤水儿〕 tāngshuǐr 명 ①(음식물로서의) 뜨거운 국물. 수프. ¶另做了～给他吃; 따로 뜨거운 국물을 만들어 그에게 먹였다. ②〈比〉 이익. 알짜의 이득. ③〈比〉 재산.
〔汤汤水水(的)〕 tāngtangshuǐshuǐ(de) 형 변변치 못한 음식만 있는 모양.
〔汤头〕 tāngtóu 명 《漢醫》 탕약의 배합 요령. ¶～歌诀; 《書》 청대(淸代) 의학서(고래(古來)로부터의 명의의 약처방을 모아, 기억에 편리하도록 약성(藥性)을 운문으로 명확하게 만들어 놓은 것).
〔汤团〕 tāngtuán 명 ①〈方〉 소를 넣은 단자(團子)로, 삶아서 그 국물과 함께 먹는 것(산사자(山査子)·깨·호도 따위를 설탕을 섞어 소를 만들고 둥글게 빚어 찹쌀가루를 묻혀 만듦. 음력 1월 15일 원소절(元宵節)에 먹음). =〔汤圆〕 ②〈比〉 (손님이 없어) 공침. 허탕침. ¶～舞女; 손님이 생기지 않는 댄서.
〔汤碗〕 tāngwǎn 명 국그릇.
〔汤心儿〕 tāngxīnr 명 국의 웃물과 밑에 가라앉은 것을 걷어 낸 부분.
〔汤药〕 tāngyào 명 《漢醫》 탕약.
〔汤圆〕 tāngyuán 명 ⇒〔汤团①〕
〔汤窄〕 tāngzhǎi 형 국물이 적다. 동 (음식물·옷 따위의) 속이 나오다. ¶这件衣服不能穿了, ～啦! 이 옷은 (해어져서) 솜이 삐져 나와 입을 수 없게 됐어!

铴(鐋) tāng (탕) →〔铴锣〕
〔铴锣〕 tāngluó 명 《樂》 소형의 동라(銅鑼).

嘡 tāng (탕) 〈擬〉 땡. 탕. 댕(무언가를 칠 때 나는 소리. 징·시계 등의 소리). ¶～的一拳打在桌子上; 탕 하고 한 번 주먹으로 탁자를 쳤다.
〔嘡啷〕 tānglāng 〈擬〉 댕댕. 댕그랑(금속물이 부딪치는 소리).

镗(鏜) tāng (당) 〈擬〉 댕. 땡. 텅(금속 소리. 징이나 북 소리). ¶～～地一阵锣响; 댕댕 하고 한바탕 징이 울리다. ⇒táng

蹚〈趟〉 tāng (탕) (당) 동 ①(얕은 물·진흙 속을) 걸어서 건너다. ¶～水过河; 걸어서 강을 건너다. ②마구 밟다. 짓밟다. ③〈比〉 악당의 패거리가 되다. (나쁜 일·위험한 일에) 빠져들다. ¶胡～; 한패가 되어 터무니없는 짓을 하다. ④《農》 (괭이·쟁기 따위로) 파 뒤집어서 제초(除草)하다. ‖ =〔趟tāng〕
〔蹚道儿〕 tāng,dàor 동 ①(상대방의) 기분을 살피다. 동정을 살피다. ¶先蹚蹚道儿再置买别的吧! 우선 상대방의 동정을 보고서 다른 것으로 삽시다! ②전방(前方)의 길을 살피다. ③선도(先導)하다. ‖ =〔蹚路子〕〔蹚路水儿〕
〔蹚地〕 tāng dì 밭을 갈아 제초(除草)하다.
〔蹚河〕 tānghé 동 강을 걸어서 건너다.
〔蹚浑水〕 tāng húnshuǐ 〈方〉 남에게 붙어 나쁜 짓을 하고 이득을 보다.
〔蹚水〕 tāng,shuǐ 동 물이 있는 곳을 걷다. 강을 걸어서 건너다.
〔蹚土〕 tāngtǔ 동 (땅 위를 걸어) 흙먼지를 일으키다.
〔蹚一水〕 tāng yīshuǐ 시험삼아 한 번 해 보다.

鞺 tāng (당) 〈擬〉 둥. 당. 탕(북 소리).
〔鞺鞳〕 tāngtà 〈擬〉 탕탕. 텅텅(북이나 종을 치는 소리).

羰 tāng (탕) 명 《化》 카르보닐기(carbonyl基)('碳酰基' '碳氧基'의 약칭). =〔羰基jī〕
〔羰基铁〕 tāngjītiě 명 《化》 철(鐵) 카르보닐.

趟 tāng (쟁) '蹚tāng'과 통용. ⇒tàng

饧(餳) táng (당) '糖táng'과 통용. ⇒xíng

唐 táng (당) ①(Táng) 명 《史》 옛 왕조의 이름. ㉠요제(堯帝)가 세웠다는 전설상의 왕조. ㉡당(이연(李淵)이 세운 왕조. 618～907). ㉢후당(後唐)(5대(五代)의 하나. 923～936). ②(Táng) 명 《地》 허베이 성(河北省)에 있는 현 이름. ③(Táng) 명 〈廣〉 중국의 별칭. ④ 형 (말이) 터무니없다. 황당하다. ¶～大无验; 황당하기만 하고 근거가 없다. ⑤ 부 쓸데없이. 헛되이. ¶功不～捐; 노력은 헛되지 않다. ⑥ 명 성(姓)의 하나.
〔唐餐〕 tángcān 명 〈廣〉 중국 요리.
〔唐菖蒲〕 tángchāngpú 명 《植》 글라디올러스. =〔剑jiàn兰〕
〔唐棣〕 tángdì 명 《植》 ①채진목(장미과). ②사시나무 근연종(近緣種)(버드나무과).
〔唐花〕 tánghuā 명 온실 재배의 화초. =〔堂花〕
〔唐皇〕 tánghuáng 형 한없이 넓다.
〔唐老鸭〕 Tánglǎoyā 명 〈音義〉 도널드 덕(Donald Duck)(미국 디즈니 만화의 주인공 오리).
〔唐蒙〕 tángméng 명 《植》 새삼.
〔唐宁街〕 Tángníngjiē 명 《地》 〈音〉 (런던의) 다우닝가(Downing街).
〔唐人〕 tángrén 명 〈廣〉 중국인.
〔唐人街〕 tángrénjiē 명 차이나 타운. 중국인 거리. =〔华huá人街〕〔中华街〕
〔唐三彩〕 tángsāncǎi 명 당대(唐代)에, 도자기 및 도용(陶俑)에 사용한 유약. 또, 그 도자기·도용(삼채유(三彩釉)(삼색의 유약)이라고도 하나, 실제로 삼색(三色)에 한(限)하지 않음).
〔唐僧〕 tángsēng 명 ①당나라 승려. ②(Tángsēng) 현장(玄奘)의 속칭(서유기(西遊記)의 등장인물명).
〔唐松草〕 tángsōngcǎo 명 《植》 꿩의다리.
〔唐突〕 tángtū 형 거칠고 난폭하다. 무례하다. ¶出言～; 난폭한 말을 하다 / ～的行为; 난폭한 행위. 동(경솔한 언행으로) 실례가 되다. ¶～古人; 고인에 대하여 무례하다 / 刻画无盐以～西施; 무염(추녀의 이름)을 칭찬하여 서시(미녀의 이름)에 대한 실례를 감히 하다.
〔唐尧〕 Tángyáo 명 《人》 중국의 전설상의 고대 황제(오제(五帝)의 하나).
〔唐装〕 tángzhuāng 명 ①당대(唐代)의 복장. 고대의 복장. ②〈廣〉 중국(中國)의 복장. 중국옷.

鄌 táng (당) 지명용 자(字). ¶～郚Tángwú; 탕우(鄌郚)(산둥 성(山東省)에 있는 땅 이름).

溏 táng (당) ① 명 못. ② 형 걸쭉한. 곤죽 같은. 반유동의. ③ 명 흙탕물.

〔溏便〕 tángbiàn 명 《漢醫》 묽은 똥.
〔溏黄蛋〕 tánghuángdàn 명 ①반숙한 달걀의 노른자. ②피단(皮蛋)의 노른자가 굳지 않은 것.
〔溏心(儿)〕 tángxīn(r) 명 속을 굳히지 않은 것. ¶~儿鸡蛋 =〔~蛋〕; 반숙란(半熟卵).

塘 táng (당)
명 ①둑. 제방. ¶海~; 해안의 제방/河~; 강둑. ②못. 저습지. ¶苇~; 갈대가 나 있는 연못. ③욕조(浴槽). 목욕탕. ¶洗澡~; 목욕탕. ④봉당(封堂)에 흙을 파서 만든 노(爐). =〔火huǒ塘〕
〔塘磁器〕 tángcíqì 명 법랑 칠기.
〔塘鹅〕 táng'é 명 《鳥》 펠리컨(pelican). 사다새.
〔塘肥〕 tángféi 명 《農》 연못의 진흙을 사용한 비료.
〔塘干井枯〕 táng gān jǐng kū 〈成〉 연못이나 우물의 물이 마르다(한발이 심해서).
〔塘工〕 tánggōng 명 (연못의) 호안(護岸) 공사.
〔塘路〕 tánglù 명 〈南方〉 강이나 호숫가의 길.
〔塘泥〕 tángní 명 연못 속의 흙(비료용).
〔塘堰〕 tángyàn 명 (산지·구릉지에 만든) 소형 저수지의 제방. =〔塘坝bà〕
〔塘鱼〕 tángyú 명 연못에서 키운 물고기.

搪 táng (당)
①동 저항하여 저지하다. 막다. ¶~风冒雨; 바람을 거스르고 비를 무릅쓰다/水来土~; 물이 오면 흙으로 막다. ②동 받치다. 버티다. ¶~上木头; 나무로 버티다/~上一块板子就塌不下来了; 널빤지 한 장을 받치면 무너지지 않는다. ③동 눈을 속이다. 핑계대어 적당히 얼버무리다. ¶~差使; ⇩ ④동 발라서 표면을 반드럽게 하다. ¶~炉子; 부뚜막을 바르다. ⑤부 돌연히. ⑥부 임시적으로. ⑦명동 ⇨〔镗táng〕
〔搪布〕 tángbù 명 발이 굵은 좁은 폭의 면포(걸레 따위로 씀).
〔搪差使〕 táng chāishi 책임 회피할 만큼만 일을 하다. 일을 적당히 어물쩍해 넘기다. 마지못해 체면치레로 하다.
〔搪出去〕 táng.chu.qu (막아서) 쫓아 보내다.
〔搪床〕 tángchuáng 명 《機》 보링 머신. 구멍 뚫는 기계. =〔镗床〕
〔搪瓷〕 tángcí 명 에나멜. 법랑 (칠기). ¶~杯; 법랑 컵/~锅; 법랑 냄비/~漆; 래커(lacquer). 에나멜. =〔洋瓷〕
〔搪磁〕 tángcí 명 에나멜. ¶~铁器; 양재기/卫生~铁器; 목간통·변기 등의 기구/~器皿; 에나멜을 올린 기구. =〔搪瓷〕
〔搪风〕 táng.fēng 동 바람을 막다.
〔搪缸机〕 tánggāngjī 명 실린더 보링 머신.
〔搪寒〕 táng.hán 동 추위를 막다. 추위에 저항하다.
〔搪饥〕 táng.jī 동 허기를 막다. ¶先吃一点搪搪饥! 우선 조금 먹고 허기를 모면하자!
〔搪炉子〕 tánglúzi 명 노(爐)의 덮개.
〔搪扭儿〕 tángniǔr 명 조금씩 묶어서 하나로 합치는 머리 모양의 하나.
〔搪塞〕 tángsè 동 ①눈을 속이다. 변명하여 발뺌하다. 적당히 얼버무리다. ¶我不大明白就~过去了; 나는 잘 몰라서 얼버무려 두었다/你这又是~吧; 또 발뺌하는 변명을 하겠지. =〔唐塞〕 ②틈을 틀어막다.
〔搪塞话〕 tángsèhuà 명 발뺌하는 변명. 어려운 입장을 모면하기 위해 말하는 일시적 발뺌. ¶那都是~; 저것은 모두 발뺌하려는 소리이다.
〔搪账〕 tángzhàng 명 빚을 갚지 못하고 적당한 구실을 댐.

瑭 táng (당)
명 〈文〉 (고서(古書)에서) 옥(玉)의 하나.

糖〈醣〉① táng (당)
명 ①《化》 탄수화물(炭水化物). 함수 탄소. ¶单~; 단당/多~类; 다당류/肝~ =〔~原〕; 글리코겐(glycogen). =〔碳水化合物〕 ②설탕. 사탕. ¶白~ =〔白砂(~)〕; 백설탕/红~; 흑설탕/砂~; 설탕/冰~; 얼음사탕. ③엿. 사탕 과자. 캐러멜·캔디 따위. ¶~果; ⇩/软~; 젤리 과자/牛奶~; 밀크캐러멜/水果~; 드롭스.
〔糖包〕 tángbāo 명 흰설탕이나 팥소를 넣은 찐빵.
〔糖饼〕 tángbǐng 명 ①당과(糖果)와 비스킷. ②밀가루로 만든 단맛 나는 건과자.
〔糖厂〕 tángchǎng 명 제당(製糖) 공장.
〔糖炒栗子〕 tángchǎo lìzi 명 감률(甘栗). 단밤.
〔糖醋〕 tángcù 명 중국 요리법의 하나(튀긴 생선·고기 위에 양념을 해서 끓인 녹말즙을 부어 만드는 요리). ¶~鲤鱼; 새콤달콤하게 만든 잉어 요리.
〔糖醋萝〕 tángcùluó 명 무에 소금·식초·설탕·사카린 따위를 써서 가공한 식품.
〔糖醋排骨〕 tángcù páigǔ 명 돼지 갈비를 기름에 튀기고, 설탕과 식초로 조미한 걸쭉한 녹말 국물을 얹은 요리.
〔糖醋酥姜〕 tángcù sūjiāng 명 생강에 소금·양조 식초·설탕·홍색 식용 물감을 첨가한 가공 식품.
〔糖醋渍菜〕 tángcù zìcài 명 채소를 소금에 절인 후 이것을 꺼내어 식초와 설탕에 절인 가공 식품.
〔糖甙〕 tángdài 명 《化》 글루코사이드(glucoside). 배당체(配糖體).
〔糖弹〕 tángdàn 〈成〉 ⇨〔糖衣炮弹〕
〔糖锭〕 tángdìng 명 《藥》 트로키제(troche劑). 당의정(糖衣錠). ¶青qīng霉素~; 페니실린 토로키.
〔糖耳朵〕 táng'ěrduo 명 밀가루를 당밀로 반죽해서 기름에 튀긴 과자(모양이 귀를 닮았음).
〔糖坊〕 tángfáng 명 엿 따위의 제조 공장.
〔糖粉〕 tángfěn 명 설탕 가루.
〔糖膏〕 tánggāo 명 물엿(고구마·사탕무의 수분을 증발시킨 후의 적갈색의 진한 액체).
〔糖疙瘩〕 tánggēda 명 ①눈깔사탕. ②설탕 덩어리.
〔糖瓜(儿)〕 tángguā(r) 명 맥아당으로 만드는 오이 모양의 식품(옛 풍습으로 조왕(竈王)에게 바치는 제물).
〔糖罐(子)〕 tángguàn(zi) 명 ①설탕 항아리. ¶~里长大; 〈比〉 아무런 고생도 모르고 자라다. 응석받이로 자라다. ②캔디 통.
〔糖果〕 tángguǒ 명 드롭스·캐러멜 따위의 과자. ¶~盘; 위의 과자를 담는 쟁반/~盆; 위의 과자를 담는 그릇/~店; 사탕 가게. 과자점.
〔糖行〕 tángháng 명 설탕 도매상.
〔糖葫芦〕 tánghúlu 명 산사자(山查子)·해당화 열매 등을 대꼬챙이에 꿰어, 녹인 설탕을 발라서 굳힌 식품(가을에서 겨울 동안에 먹음). =〔冰糖葫芦〕〔冰糖葫(儿)〕
〔糖化〕 tánghuà 명동 《化》 당화(하다).
〔糖火烧〕 tánghuǒshāo 명 깨고물·기름·설탕을 섞고 밀가루·소다를 넣어 반죽한 후 밀어서 장방

형으로 편 다음 말아서 편평한 냄비에 양면을 구워 낸 것.
〔糖姜〕 tángjiāng 명 편강(片薑).
〔糖浆〕 tángjiāng 명 ①《藥》 시럽. ②당용액(糖溶液)《농도 60%로 졸인 것. 캔디 원료》. ‖ =〔糖汁〕〔密mì浆〕〔单糖浆〕
〔糖酱〕 tángjiàng 명 잼. 마멀레이드.
〔糖浸〕 tángjìn 명 사탕절임. 사탕절이.
〔糖精〕 tángjīng 명 《化》 사카린(saccharine).
〔糖酒〕 tángjiǔ 명 럼주(rum酒). =〔糖蜜酒〕
〔糖块〕 tángkuài 명 ①눈깔사탕. 캔디. ②설탕 덩어리.
〔糖类〕 tánglèi 명 《化》 탄수화물.
〔糖莲子〕 tángliánzǐ 명 연밥의 사탕절이. =〔糖莲心〕
〔糖料作物〕 tángliào zuòwù 명 《農》 당료 작물.
〔糖萝卜〕 tángluóbo 명 ①〈口〉 사탕무. 첨채. =〔甜菜〕 ②〈方〉 설탕으로 절인 당근.
〔糖锣(儿)〕 tángluó(r) 명 과자 행상인·엿장수 등이 두드리는 조그마한 징〔꽹과리〕
〔糖蜜〕 tángmì 명 당밀. =〔糖滓〕
〔糖尿病〕 tángniàobìng 명 《醫》 당뇨병.
〔糖皮〕 tángpí 명 ①⇨〔糖衣〕 ②서양과자의 장식용 당의(糖衣)《설탕과 난백(卵白)으로 만듦》.
〔糖槭〕 tángqì 명 《植》 사탕단풍. =〔糖枫〕
〔糖球(儿)〕 tángqiú(r) 명 눈깔사탕.
〔糖儿豆儿〕 tángrdòur 명 ①아이들이 좋아하는 간식류(類). ②〈比〉 작은 은혜.
〔糖人儿〕 tángrénr 명 ①엿으로 만든 인형·조수(鳥獸)의 모양. ¶吹~的 =〔抓~的〕; 옛 세공가게. ②설탕을 틀에 흘려 넣어 인형·조수의 형태로 만든 과자.
〔糖朊〕 tángruǎn 명 당(糖)단백《당철완(糖綴朊)이라고도 함》.
〔糖三角儿〕 tángsānjiǎor 명 설탕엿을 넣은 삼각형의 찐만두. =〔三角儿馒头〕
〔糖嗓儿〕 tángsǎngr 명 약간 목이 쉰 듯한 목소리.
〔糖色〕 tángshǎi 명 설탕을 기름에 볶아 황적색이 된 것을 간장을 치고 끓인 것《이것을 사용하여 요리를 하면, 요리 색깔이 황갈색이 되므로 '红烧…'라는 이름이 붙게 됨. 예컨대, '红烧肉' '红烧鲤鱼' 따위》.
〔糖食〕 tángshí 명 '糖果' 따위의 식품. 설탕으로 만든 과자류(類).
〔糖食铺〕 tángshípù 명 설탕으로 만든 과자를 파는 가게.
〔糖霜〕 tángshuāng 명 가루 설탕. 아주 입자가 고운 설탕 가루《도넛 따위에 뿌림》.
〔糖水〕 tángshuǐ 명 설탕물. 시럽.
〔糖蒜〕 tángsuàn 명 설탕과 초에 통째로 절인 마늘.
〔糖稀〕 tángxī 명 맥아당. 질척하게 녹인 꿀이나 물엿.
〔糖馅儿〕 tángxiànr 명 설탕으로 만든 엿.
〔糖饧〕 tángxíng 명 ①엿. ②맥아당.
〔糖衣〕 tángyī 명 《藥》 환약에 씌운 단꺼풀. 당의. =〔糖皮①〕
〔糖衣炮弹〕 táng yī pào dàn 〈成〉 당의를 입힌 포탄《뇌물. 사탕발림. 달콤한 속임수》. =〔糖弹〕
〔糖原〕 tángyuán 명 《化》 글리코겐(glycogen). =〔动物淀粉〕
〔糖杂面儿〕 tángzámiànr 명 물엿으로 밀가루를 반죽하여 만든 과자.
〔糖汁〕 tángzhī 명 시럽. 당밀(糖蜜).
〔糖纸〕 tángzhǐ 명 사탕 종이.
〔糖盅〕 tángzhōng 명 설탕 항아리.
〔糖子儿〕 tángzǐr 명 눈깔사탕. 봉봉(프 bonbon).
〔糖滓〕 tángzǐ 명 ⇨〔糖蜜〕
〔糖渍梅〕 tángzìméi 명 씨를 뽑고 건조시킨 후, 설탕에 절인 매실.

螗 **táng** (당)
명 《蟲》 고서(古書)에서 매미를 가리키는 말. ¶~蜩; 《蟲》 쓰르라미.

糖 **táng** (당)
명 《色》 붉은색《대부분 사람의 안색에 쓰임》. ¶紫~脸; 검붉은 얼굴.

堂 **táng** (당)
①명 넓은 방. 대청. 홀. ¶课~; 교실/礼~; 강당. ②명 상점의 옥호(屋號)에 붙임. ¶同仁~; 동인당《약국 이름》. ③명 옛날, 관공서의 사무실. 법정. ¶过~; 심리 받다/退~; 퇴정하다/问一~; 한 차례 신문(訊問)하다. ④명 정방(正房)의 가운뎃방. ¶~屋; ⇓ ⑤명 큰 건물. 안채. ⑥명 장소. ¶食~; 식당. ⑦명 친조부의 동성(同姓) 친족 관계를 나타냄. ¶~兄弟; 당형제. 사촌 형제/~叔; 당숙. 아버지의 사촌 형제/~姑; 당고. 아버지의 사촌 자매. →〔表⑥〕 ⑧양 ㉠세트. 조(組)《한 벌을 이룬 기구》. ¶成~家具; 한 세트의 가구/一~瓷器; 자기 한 세트. ㉡수업의 횟수를 세는 말. ¶头一~; 첫 시간째/今天有两~课; 오늘은 수업이 2시간 있다. ⑨명 부인. ⑩명 남의 어머니. ¶令~ =〔尊~〕; 자당(慈堂). ⑪형 당당하다. 광대하다. ¶相貌~~; 용모가 당당하다.
〔堂坳〕 táng'ào 명 움푹 패어서 물이 고인 곳.
〔堂奥〕 táng'ào 명 〈文〉 ①안방의 깊숙한 곳. ②중심 구역. 중부 지역. =〔腹地〕 ③심오한 도리. 깊은 이치. ④내지(內地). 오지.
〔堂表兄弟〕 tángbiǎo xiōngdì 명 조부의 형제의 딸의 아들《자신과 같은 항렬로, 먼 사촌의 하나》.
〔堂伯(父)〕 tángbó(fù) 명 아버지의 사촌형.
〔堂伯叔〕 tángbóshū 명 할아버지의 형제의 아들. 당숙(堂叔).
〔堂布〕 tángbù 명 품질이 나쁜 면포(綿布).
〔堂彩〕 tángcǎi 명 요릿집 고용인에게 주는 팁〔행하(行下)〕.
〔堂弟〕 tángdì 명 사촌 동생. 종제(從弟).
〔堂而皇之〕 táng ér huáng zhī 〈成〉 당당하다. ¶编了个~的理由; 당당한 이유를 꾸며 냈다.
〔堂房〕 tángfáng 명 같은 조부·같은 증조부의 사촌 관계의 친척. ¶~兄弟; 종형제/~侄子; 당질(堂姪). 종질(從姪)/ ~侄女; 당질녀. 종질녀.
〔堂费〕 tángfèi 명 소송 비용.
〔堂幅〕 tángfú 명 대청(大廳)에 거는 큰 족자. =〔中zhōng堂táng〕
〔堂高廉远〕 táng gāo lián yuǎn 〈成〉 높고 요원한 곳.
〔堂姑〕 tánggū 명 당고모. 종고모.
〔堂鼓〕 tánggǔ 명 양면을 쇠가죽으로 씌운 큰 북. 당고《현대극, 주로 무극의 반주로 사용됨》.
〔堂官〕 tángguān 명 청대(淸代)의 관공서의 장관.
〔堂倌(儿)〕 tángguān(r) 명 음식점의 급사〔보이〕 =〔跑pǎo堂儿的〕〔倌倌①〕
〔堂规〕 tángguī 명 가정 내의 규율. 가헌(家憲).

〔堂花〕 tánghuā 명 ⇨〔唐花〕
〔堂皇〕 tánghuáng 형 당당하고 훌륭한 모양. ¶缺～; 훌륭하지 못하다. 불경기다 / 富丽～; 장엄하고 화려하다.
〔堂会〕 tánghuì 명 경사 때, 집으로 예능인을 초대하여 공연케 하는 피로연.
〔堂吉诃德〕 Tángjíhēdé 명《書·人》돈키호테《17세기 에스파냐의 작가 '塞Sāi万提斯'(세르반테스)의 소설. 또, 그 주인공》.
〔堂姐〕 tángjiě 명 (아버지 쪽의) 종자(從姊). 손위의 사촌 누이.
〔堂姐妹〕 tángjiěmèi 명 종자매(從姊妹). 동성(同姓)의 사촌. =〔堂姊妹〕
〔堂舅(父)〕 tángjiù(fù) 명 외종숙(外從叔).
〔堂舅母〕 tángjiùmǔ 명 외종숙모.
〔堂客〕 tángke 명〈方〉①여성. 안손님. ②아내. ¶讨～; 아내를 얻다. ③부인. 부녀.
〔堂口〕 tángkǒu 명〈方〉불량배. 깡패.
〔堂帘〕 tánglián 명 본채 입구에 친 커튼, 또는 발.
〔堂妹〕 tángmèi 명 종매(從妹).
〔堂名〕 tángmíng 명 ①성(姓)에 덧붙이는 별호《예를 들면, 왕(王)은 '三槐堂', 양(楊)은 '四知堂' 따위》. ②각 방에 붙이는 이름《대가족에서 행함》. ③쑤저우(蘇州)·항저우(杭州) 지방의 악대 이름《가무 음곡(音曲)을 업으로 함》.
〔堂判〕 tángpàn 명 옛날, 부현(府縣) 관리의 판결.
〔堂庆〕 tángqìng 명 부모 탄신의 축하.
〔堂上〕 tángshàng 명 ①〈敬〉부모. ②장관(長官). ③법원. ¶在～招口供; 법원에서 자백하다. ④옛날, (소송자가 이르는) 재판관.
〔堂叔〕 tángshū 명 아버지의 사촌 동생. 당숙.
〔堂堂〕 tángtáng 형 ①용모가 위엄이 있고 당당한 모양. ¶相貌～; 용모가 훌륭하다. ②기백에 차 있는 모양. 뜻이 굳건한 모양. ¶～男子; 기개 있는 남자. ③진용(陣容)·힘 따위가 장대한 모양. ¶～之阵; 당당한 진영.
〔堂堂皇皇〕 tángtánghuánghuáng 형 성대한 모양.
〔堂堂正正〕 táng táng zhèng zhèng〈成〉①공명정대한 모양. 정정당당한 모양. ②체격이 당당하고 풍채가 뛰어난 모양.
〔堂头〕 tángtóu 명 절의 주지. 주지의 거소. ¶～和尚; 주지 스님. =〔方丈fāng zhang〕
〔堂外祖父〕 tángwàizǔfù 명 외종조부(外從祖父). 어머니의 백숙부(伯叔父).
〔堂外祖母〕 tángwàizǔmǔ 명 외종조모(外從祖母). 어머니의 백숙모(伯叔母).
〔堂外祖姨母〕 tángwaìzǔyímǔ 명 외조모와 같은 성(姓)의 사촌 자매.
〔堂屋〕 tángwū 명 ①'正房'의 가운뎃방. ②일반적으로 '正房'을 이름. ③가운뎃방.
〔堂兄〕 tángxiōng 명 종형(從兄). 사촌형.
〔堂兄弟〕 tángxiōngdì →〔字解 ⑦〕
〔堂讯〕 tángxùn 명 법정에서의 심문.
〔堂姨(母)〕 tángyí(mǔ) 명 어머니의 친정 사촌 자매.
〔堂姨兄弟〕 tángyíxiōngdi 명 어머니의 '堂姐妹'의 아들.
〔堂侄(儿)〕 tángzhí(r) 명 아버지 형제의 손자.
〔堂姊妹〕 tángzǐmèi 명 ⇨〔堂姐妹〕
〔堂子〕 tángzi 명 ①청대(清代)에 황제가 조상에게 제사 지내던 곳. ②〈南方〉기관(妓館). 기루(妓樓).

傥

táng (당)
→〔傥倌〕

〔傥倌〕 tángguan 명 ①⇨〔堂倌(儿)〕 ②작업장이나 공사장의 십장. =〔那nà摩温〕

樘

táng (당)
①명 (문·창의) 틀. ¶门～; 문의 틀. ②양 짝《문이나 창을 세는 데 쓰임》. ¶一～玻璃门; 1장의 유리로 된 문짝.

膛

táng (당)
명 ①가슴《흉골·늑골로 싸인 부분》. ¶胸～; 가슴. 흉강(胸腔). ②(～儿) 물건의 속이 비어 있는 부분. ¶枪～; 총의 탄창부 / 柜～; 장롱 속. 서랍 속.

〔膛儿里头〕 tángrlǐtou 마음속. 심중(心中). ¶～舒服; 마음은 편하다.
〔膛嗓(儿)〕 tángsǎng(r) 명 소리를 지르거나 노래를 하여 쉰 목소리. =〔膛堂儿〕
〔膛线〕 tángxiàn 명《軍》총열 내벽의 나선 홈. ¶～炮;《軍》강선포(腔線砲).
〔膛音〕 tángyīn 명 음성. 목소리. ¶他的～很亮; 그의 목소리는 쩌렁쩌렁하게 잘 들린다. =〔膛音儿〕

镗(鏜)

táng (당)
명동《機》①절삭 가공(하다). 내면 연삭(하다). ②천공(穿孔)(하다). 보링(boring)(하다). ¶～杆; 보링바 / ～缸机; 실린더 보링 머신. ‖ =〔搪táng〕 ⇒ tāng

〔镗床〕 tángchuáng 명《機》선반(旋盤). 보링 머신. ¶立式～; 직립(直立) 보링 머신 / 卧wò式～; 수평식(水平式) 보링 머신. =〔搪床〕
〔镗刀〕 tángdāo 명《機》보링 비트《천공기의 끝날》. =〔拨刀〕
〔镗工〕 tánggōng 명《機》보링공(工).
〔镗孔〕 tángkǒng 동 보링하다. 구멍을 뚫다.
〔镗头〕 tángtou 명《機》보링 헤드《주축(主軸) 및 동력 전달 장치를 포함하는 선반의 머리 부분》.
〔镗削〕 tángxuē 명동《機》보링(하다).

螳

táng (당)
명《蟲》사마귀. 버마재비.

〔螳臂〕 tángbì 명 ①사마귀의 앞다리. ②〈轉〉분수없이 덤비는 것. ¶把他们的 ～辗得粉碎; 분수도 모르고 덤비는 그들을 납작하게 만들었다.
〔螳臂当车〕 táng bì dāng chē〈成〉사마귀가 앞발을 들어 수레를 막다《제 분수를 모른다는 말》.
〔螳螂〕 tángláng 명《蟲》사마귀. 버마재비. ¶～捕蝉, 黄雀在后;〈成〉사마귀가 매미를 잡으니 참새가 뒤에서 기다리고 있다《이욕에 눈이 어두워 후환을 돌보지 않다》/ ～枪;〈俗〉경(輕)기관총. =〔〈俗〉刀dāo螂〕〔天马④〕

棠

táng (당)
명 ①《植》해당화. 때찔레. =〔海棠树〕 ②성(姓)의 하나.

〔棠棣〕 tángdì 명《植》산앵두나무. 그 열매《장미과(科)의 관상용 낙엽 활엽 관목. 열매는 이뇨제》. =〔唐棣〕〔常棣〕〔棠李子〕
〔棠梨〕 tánglí 명《植》돌배나무. 돌배나무의 열매.
〔棠李子〕 tánglǐzi 명 ⇨〔棠棣〕
〔棠杋子〕 tángqiúzǐ 명《植》산사나무. 산사나무의 열매. =〔山shān查〕

帑

tǎng (탕)
명〈文〉①금고(金庫). ②공금(公金). ¶国guó～; 국고금. ③옛날, '孥nú'와 통용.

倘 tǎng (당)
접 만일 …이면. ¶～有困难, 当再设法; 만일 곤란하면 딴 수를 생각해야 한다. =〔傥〕〔假使〕〔如果〕⇒cháng
〔倘或〕 tǎnghuò 접 ⇒〔倘若〕
〔倘来之物〕 tǎng lái zhī wù 〈成〉 ①뜻하지 않게 생긴 재물. ②분외(分外)의 재물. ③세상에 돌고 도는 돈. ‖=〔傥来之物〕
〔倘能〕 tǎngnéng 접 만일 …이 될 수 있다면. ¶～如愿, 必当厚谢; 만일 소원을 이루어 주시면, 꼭 후사하겠습니다.
〔倘其〕 tǎngqí 접 만일. ¶～不愿; 만일 원하지 않는다면.
〔倘然〕 tǎngrán 접 ⇒〔倘若〕
〔倘若〕 tǎngruò 접 〈文〉 만일 …이라면. ¶～有错误, 我就负责; 만일 착오가 있으면, 내가 책임진다 / ～错过这个机会, 将来你会后悔的; 만일 이 기회를 놓치면, 너는 후에 후회할 것이다. 注 '如果'·'要是' 보다 딱딱한 말. =〔倘令〕〔倘如〕〔倘忽〕〔倘其〕〔倘然〕〔倘或〕〔倘使〕
〔倘使〕 tǎngshǐ 접 ⇒〔倘若〕

淌 tǎng (창)
①동 흐르다. 듣다. ¶～一身汗; 온몸이 땀투성이가 되다 / ～眼泪; 눈물이 흐르다 / 汗珠直往下～; 땀이 뚝뚝 흘러 떨어지다. ②명 큰 파도·물의 모양.
〔淌白〕 tǎngbái 명 〈南方〉 옛날에 사기·협박 등에 종사하는 악당 또는 창녀.
〔淌尘〕 tǎngchén 명 먼지.
〔淌度〕 tǎngdù 명 《機》 모빌리티. 이동도(移動度).
〔淌汗〕 tǎng hàn 땀이 흐르다.
〔淌口水〕 tǎng kǒushuǐ (군)침을 흘리다.
〔淌血〕 tǎng xiě 피가 흐르다. ¶～死; 출혈로 죽다.
〔淌眼抹泪〕 tǎngyǎn mǒlèi 눈물을 흘리는 모양. 목놓아 울다.

惝 tǎng (창)
'惝chǎng'의 우음(又音).

耥 tǎng (당)
동 (논에서) 써레로 흙을 깨고 풀을 뽑다. ¶～耙pá; 논에 쓰는 써레.

躺 tǎng (당)
동 ①옆으로 드러눕다. ¶～着吃; 누워서 먹다. 일하지 않고 먹다 / ～在床上; 침대 위에 드러눕다 / 浮～; 선잠을 자다. ②(…하여) 옆으로 눕다. 쓰러뜨리다. ¶打～下; 두드려서 쓰러뜨리다 / 你说水车不动, 它能～过三年两载吗? 수차(水車)가 돌지 않는다고 해서, 2년이고 3년이고 그대로 버려두고 지낼 수 있단 말인가?
〔躺船〕 tǎngchuán 명 침대가 딸린 지붕 있는 놀잇배.
〔躺疮〕 tǎngchuāng 명 욕창(蓐瘡). 등창.
〔躺倒〕 tǎngdǎo 동 ①몸을 가로누이다. ②(병상에) 눕다. ③옆으로 쓰러뜨리다.
〔躺柜〕 tǎngguì 명 대형의 농(籠)〔옷고리짝〕.
〔躺平〕 tǎngpíng 형 평평하다. ¶～的道路; 평평한 길. =〔〈方〉坦tǎn平〕
〔躺卧〕 tǎngwò 동 눕다. 드러눕다.
〔躺下〕 tǎngxià 동 ①눕다. 드러눕다. ②쓰러지다. 쓰러뜨리다. ¶叫风刮～了; 바람에 넘어졌다.
〔躺箱〕 tǎngxiāng 명 대형의 의류 상자. =〔躺柜〕
〔躺椅〕 tǎngyǐ 명 ①소파. 긴의자. ②누워 잘 수 있게 만든 의자.
〔躺着吃〕 tǎngzhe chī 놀고먹다. 무위도식하다. ¶过去他家里很有钱, 可以～; 전에는 그의 집이 아주 부자여서, 놀고먹을 수 있었다.

傥(儻) tǎng (당)
①접 ⇒〔倘〕 ②형 뜻하지 않은. 예기치 않은. ③형 깔끔하다. 구애되지 않다. 산뜻하다. =〔倜tì傥〕
〔傥荡〕 tǎngdàng 형 〈文〉 ①맺힌 데가 없는 모양. 느슨한 모양. ②깔끔하지 않은 모양.
〔傥来之物〕 tǎng lái zhī wù 〈成〉 ⇒〔倘来之物〕

镋(钂) tǎng (당)
명 〈文〉 창끝이 반달 모양으로 된 무기의 하나.

烫(燙) tàng (탕)
①동 화상 입다. 데다. ¶小心～着! 데지 않도록 조심하여라! ②동 데우다. 중탕하다. ¶～酒; 술을 알맞게 데우다. ③동 다리미질하다. ¶～平了衣裳; 옷에 다리미질하여 주름을 폈다. ④형 몹시 뜨겁다. ¶开水太～, 晾一晾再喝; 물이 아주 뜨거우니, 식혀서 마셔라. ⑤동 (머리를) 파마하다. ¶电～; 전기 파마 / 冷～; 콜드파마. ⑥동 (인두를 대어 풀·금분(金粉)·납 등을) 붙이다. 밀착시키다. ¶～上了一行金字; 금자를 한 줄 박아 넣었다. ⑦동 태우다.
〔烫板儿〕 tàngbǎnr 명 다리미판. 인두판.
〔烫疮〕 tàngchuāng 명 덴 상처.
〔烫斗〕 tàngdǒu 명 다리미. 아이론(iron). 인두.
〔烫发〕 tàng.fà 동 머리를 파마하다. (tàngfà) 명 파마 머리. ¶～钳; 헤어 아이론(머리에 웨이브를 내는 전기 인두).
〔烫饭〕 tàngfàn 명 〈北方〉 찬밥에 고기·야채를 넣고 끓인 것.
〔烫煳〕 tànghú 동 다리미로 태우다. 다려서 눌리다.
〔烫花〕 tànghuā 명 낙화(烙畫)로 무늬를 넣은 공예품. =〔烙lào花〕
〔烫金〕 tàngjīn 동 금니(金泥)를 박아 넣다. 금문자(金文字)를 박아 넣다.
〔烫酒〕 tàng.jiǔ 동 술을 데우다. =〔温酒〕
〔烫卷〕 tàngjuǎn 동 머리에 웨이브를 내다. 머리를 곱슬곱슬하게 지지다.
〔烫蜡〕 tàng.là 명 ①밀랍을 입히다. ②목기구(木器具) 표면에 밀랍을 입혀 광택을 내다.
〔烫面〕 tàngmiàn 명 익반죽한 밀가루. ¶～饺子; 익반죽한 피(皮)로 만든 교자(餃子).
〔烫起泡〕 tàngqǐpào 명 화상으로 생긴 물집.
〔烫热〕 tàngrè 동 열을 가하여 데우다. ¶把酒～了; 술을 뜨겁게 데웠다. 형 매우 뜨겁다. 찌는 듯 덥다.
〔烫伤〕 tàngshāng 명동 열상(熱傷)(을 입다). 화상(을 입다). ¶受了～; 화상을 입었다.
〔烫手〕 tàng.shǒu 동 ①손에 화상을 입다. 손을 데다. ②〈方〉 손을 따뜻하게 하다. (tàngshǒu) 형 ①델 만큼 뜨겁다. ¶～热; 닿으면 델 정도로 뜨겁다. ②(힘들고 귀찮아서) 애먹다.
〔烫样〕 tàngyàng 동 종이 펄프를 녹여 모형을 만들다.
〔烫药〕 tàng.yào 동 약을 달이다(생약을 모래와 함께 고온으로 가열하는 것).
〔烫澡〕 tàng.zǎo 동 (주로 몸을 따뜻하게 하기 위해) 입욕(入浴)하다.
〔烫嘴〕 tàngzuǐ ①형 입 밖에 내어 말하기 힘들

다. 말하기 난처하다. ②(tàng zuǐ) 입을 데다. 입을 델 정도로 뜨겁다.

趟 tàng (탕)
①㊂ 번. 차례《왕래하는 횟수를 나타냄》. ¶去一~; 한 번 가다/他来了一~; 그는 한 번 왔다. ㊟ 방언에서는 왕래하는 횟수에만 한하지 않음. ②㊂〈方〉(~儿) 행(行). 열(列). 줄. ¶屋里摆着两~桌子; 방에 책상이 2열로 늘어 놓여 있다/一大~火车; 긴 열차. ③㊂ 차례. 번《횟수·도수(度數)를 나타냄》. ¶看一~; 한 번 보다/洗一~; 한 번 씻다/练了一~拳; 권법을 한 차례 연습하다. ④㊍ 장애물 위를 지나다. ¶车子~上地雷; 차가 지레 위를 통과했다. ⇒tāng

〔趟马〕 tàngmǎ ㊔《劇》 말 탄 장면을 나타내는 연기.
〔趟趟有〕 tàngtàngyǒu ㊔ 죽의 별칭.
〔趟田〕 tàngtián ㊔ 벼 이외의 작물을 심는 논.
〔趟子车〕 tàngzichē ㊔ (일정한 지점간을) 왕복하는 차. 승합 마차.

TAO ㄊㄠ

叨 tāo (도)
①㊍ 탐하다. ¶~冒mào; 뇌물을 받다. ②㊍ 은혜를 입다. 신세를 지다. ¶~光; ⇓/~教; ⇓ ③㊇ 황송하게도. 함부로. ⇒dāo dáo

〔叨爱〕 tāo'ài ㊍〈文〉 애고(愛顧)해 주심을 입다.
〔叨光〕 tāo·guāng ①㊍ 덕을 보다. 은혜를 입다〔주시다〕. ¶~现惠; 현금을 주시다. ②〈套〉 양해해 주십시오《상대방의 양해를 구할 때》. ‖=〔叨庇〕
〔叨教〕 tāojiào ㊍〈套〉 교시(教示)를 받자와 감사합니다.
〔叨扰〕 tāorǎo ㊍〈套〉(남의 환대를 받고 음식 대접을 받았을 때) 소란스럽게 해 드렸습니다. 실례 많았습니다. =〔讨tǎo扰〕
〔叨鱼狼〕 tāoyúláng ㊔《鳥》 재갈매기.

挑 tāo (도)
→〔挑达〕 ⇒tiāo tiǎo

〔挑达〕 tāotà ㊌〈文〉 경박하고 버릇없는 모양.

涛(濤) tāo (도)
㊔ 큰 물결〔파도〕. ¶波~; 파도/惊~骇hài浪; 성난 파도. 위험한 정세.

焘(燾) tāo (도)
'焘dào'의 우음(又音).

绦(縧〈條, 縚〉) tāo (조)〈도〉
㊔ 명주실로 꼰 끈. ¶打~子; 겹끈을 엮다. =〔绦子〕

〔绦虫〕 tāochóng ㊔《動》 촌충. =〔寸cùn白虫〕
〔绦带〕 tāodài ㊔ 끈목의 긴 것.
〔绦纶〕 tāolún ㊔ 데이크론(Dacron).

掏〈搯〉 tāo (도)
㊍ ①더듬어 잡다. 손으로 더듬다. ¶把口袋里的钱~出来; 호주머니 속의 돈을 손으로 더듬어 꺼내다/小孩子~麻雀què窝; 아이가 참새 둥지를 손으로 더듬다. ②편평한 바닥의 것을 앞으로 그러모으다. 헤치며 파내다. 후비다. ¶在墙上~一个洞; 벽에 구멍을 후비어 파다. =〔扒〕 ③들춰내다. 찾아내다. ¶从口袋里~出来; 자루 속에서 찾아내다.

〔掏鼻〕 tāo·bí ㊍ 콧구멍을 후비다.
〔掏槽〕 tāocáo ㊔ ①《鑛》 개착로(開鑿路). ②가옥 건축 등을 할 때 기초의 시멘트 공사할 곳을 파서 우선 도랑을 만드는 일.
〔掏哧〕 tāochi ㊍ 후비어 휘젓다.
〔掏出〕 tāochū ㊍ 더듬어 끄집어내다. ¶~手枪来; 권총을 끄집어내다.
〔掏洞儿〕 tāo·dòngr ㊍ 구멍을 뚫다〔내다〕.
〔掏耳朵〕 tāo·ěrduo ㊍ 귀를 후비다.
〔掏粪〕 tāo·fèn ㊍ 변소를 푸다. ¶~的 =〔掏茅厕的〕;〈貶〉 오물 청소원. =〔掏茅厕〕
〔掏沟〕 tāo·gōu ㊍ 도랑을 쳐내다. =〔淘táo沟〕
〔掏坏〕 tāo·huài ㊍〈俗〉 나쁜 짓을 하다. ¶在这个年月, 凡要成功必须~; 지금 세상에서는, 성공하려는 사람은 나쁜 짓을 해야만 된다.
〔掏坏心眼儿〕 tāo huàixīnyǎnr 나쁜 마음을 먹다.
〔掏换〕 tāohuàn ㊍〈方〉 교환하다.
〔掏火耙〕 tāohuǒpá ㊔ 재를 긁어내는 도구.
〔掏获〕 tāohuo ㊍ ①물색하다. 찾아내다. ¶请您~一个小狗; 작은 개 한 마리를 찾아 주시오. ②(상대로부터 지식 따위를) 끄집어내어 배우다. 슬금슬금 이것저것 사물을 배우다. ¶常跟着老前辈, 总能~点玩意; 항상 어른 곁에 있으면, 아무래도 뭔가 배우게 된다. ‖=〔掏换〕〔淘táo换〕
〔掏井〕 tāo·jǐng ㊍ 우물을 쳐내다. =〔淘井〕
〔掏窟窿〕 tāo kūlong ①〈方〉 구멍을 파다. ②〈轉〉 빚을 내다. ¶~弄洞; 여기저기 빚투성이가 되다.
〔掏捞〕 táolao ㊌〈京〉 색을 밝히다. 여색을 탐하다.
〔掏茅厕〕 tāo máosi ㊍ ⇨〔掏粪fèn〕
〔掏摸〕 tāomō ㊍ ①집어〔끄집어〕내다. ②훔치다. ¶夜间出来~些东西; 밤중에 나와 물건을 훔치다.
〔掏钱〕 tāo qián 돈을 더듬어 꺼내다. 돈을 지불하다.
〔掏亲钱〕 tāo qīnqián 제 돈을 들이다.
〔掏线穷绪〕 tāo xiàn qióng xù〈成〉 실을 당기어 실마리를 찾다《사물의 근원을 찾다》.
〔掏心虫〕 tāoxīnchóng ㊔《蟲》 채소의 명아〔명충나방〕.
〔掏心窝子〕 tāo xīnwōzi ①자기 기술·능력을 모두 내다. ②속마음을 드러내다. ¶~的话; 마음속에서 우러나오는 말.
〔掏严〕 tāoyán ㊍ 돈의 변통이 안되다. 돈에 궁하다. 돈 때문에 옴쭉 못하게 되다.
〔掏腰〕 tāoyāo ㊔ 웨이스트라인. 허리선.
〔掏腰包〕 tāo yāobāo〈口〉 ①자기 돈으로 비용을 내다. ¶会kuài计账目不合, 结果是自己掏了腰包; 회계 장부가 맞지 않아 결국 본인이 부담했다. ②(남의 지갑이나 주머니에서) 소매치기하다.

滔 tāo (도)
①㊍ 물이 가득 차 있다. 물이 넘치다. ②㊍ 모이다. ③㊍ 만연(蔓延)되다. ④㊍ 게을리하다. ⑤㊌ 물의 흐름이 굉장한 모양.

〔滔滔〕 tāotāo ㊌ ①물이 세차게 흐르는 모양. ¶白浪~, 无边无际; 흰 파도가 도도하여 끝이 없다. ②(말이) 거침새 없이 술술 나오는 모양. ¶口若悬河, ~不绝; 물 흐르듯이 술술 내리 떠들어 대다/~皆是;〈成〉 세상 기풍이 하나같이 나빠지고 있음. 온통 악폐뿐으로 막을 길이 없음.

〔滔滔不绝〕 tāo tāo bù jué 〈成〉 끊임없이 흐르다. ¶～地说下去; 도도하게 논하다.

〔滔天〕 tāotiān 형 하늘에 가득 차다. 하늘까지 닿다. (죄악·재앙이) 대단히 크다. ¶惹下了～大祸; 대단한 화를 불러일으켰다 / 波浪～; 파도가 하늘을 뒤덮을 듯하다 / 罪恶～ =〔～罪行〕; 하늘로까지 넘쳐날 큰 죄행. 극악무도한 범죄 행위.

慆 tāo (도)
→〔敖āo慆〕

韬(韜〈弢〉) tāo (도)
〈文〉 ① 명 활이나 칼을 넣는 자루. ② 명 병법(兵法). 전술. 권모. ③ 명 계략. 지모(智謀). ④ 동 〈比〉 감추다. 싸다.

〔韬笔〕 tāobǐ 동 붓을 치워 버리다. 글쓰기를 그치다. ¶钳qián口～; 입을 봉하고 붓을 치워 버리다.

〔韬弓〕 tāogōng 동 〈文〉 활을 활집에 넣다.

〔韬光养晦〕 tāo guāng yǎng huì 〈成〉 재능을 감추고 드러내지 않다(능력을 감추고 세상에 나서지 않다).

〔韬晦〕 tāohuì 동 능력·형적 따위를 감추다. 은거하여 명성을 얻으려 하지 않다. =〔韬藏〕

〔韬略〕 tāolüè 명 ①육도삼략(六韜三略). ②병법. ③책략.

饕 tāo (도)
동 〈文〉 (재물·음식 등을) 탐하다.

〔饕餮〕 tāotiè 명 ①전설상의 흉수(凶獸). ②〈比〉 흉악한 사람. ③입정 사나운 사람. ④〈比〉 먹보. 식충이.

匋 táo (도)
'陶táo①'와 통용.

陶 táo (도)
① 명 오지그릇. 도기(陶器). ¶～瓷; ⇩ / 白～; 백도. 흰 도기. ② 동 도기를 만들다. 질그릇을 굽다. ¶～冶; ⇩ ③ 동 〈比〉 (사람을) 양성하다. 훈육하다. 길러 내다. ④ 형 즐기다. 기뻐하다. 황홀하다. ⑤ 형 완고하다. ⑥ 명 성(姓)의 하나. ⇒yáo

〔陶瓷〕 táocí 명 도자기.

〔陶工〕 táogōng 명 도공(陶工).

〔陶管〕 táoguǎn 명 토관(土管). =〔〈俗〉 缸管〕

〔陶化砖〕 táohuàzhuān 명 도화(陶化) 벽돌.

〔陶匠〕 táojiàng 명 도공(陶工). =〔陶人〕

〔陶钧〕 táojūn 명 〈文〉 도기 만드는 녹로. 동 〈比〉 ①천하를 경영(經營)하다. ②인재를 양성하다.

〔陶粒〕 táolì 명 《建》 세람사이트(ceramsite)(인공 경량 골재의 하나, 자갈 대신으로 시멘트에 섞음).

〔陶器〕 táoqì 명 도기. 오지그릇.

〔陶情〕 táoqíng 명 〈文〉 즐거움. 부드러움.

〔陶犬瓦鸡〕 táo quǎn wǎ jī 〈成〉 도기의 개와 기와의 닭(무용지물).

〔陶然〕 táorán 형 느긋한〔즐거운〕 모양. 넋을 잃고 도취되어 있는 모양.

〔陶石〕 táoshí 명 ⇨〔陶土〕

〔陶陶〕 táotáo 형 느긋해하며 즐거워하는 모양.

〔陶土〕 táotǔ 명 도토. 카올린(고령토). =〔陶石〕

〔陶土石〕 táotǔshí 명 도석(陶石)(화강암이 분해되어 도토와 같은 성분이 되어 있는 것).

〔陶文〕 táowén 명 도기에 새겨진 문자(고고학 용어).

〔陶砚〕 táoyàn 명 도기 벼루.

〔陶冶〕 táoyě 동 ①도기를 만들다. ②금속을 정련하다. ③(사람의 성격·사상을) 도야하다. ¶这一切都坚固了他的信心, ～了他的灵魂; 이 모든 것은 그의 신념을 굳히고 그의 혼을 도야했다.

〔陶俑〕 táoyǒng 명 토용(土俑)(부장(副葬)용의 도기 인형).

〔陶渣〕 táozhā 명 《建》 샤모테(Schamotte)(내화 벽돌 제조용).

〔陶甄〕 táozhēn 동 〈文〉 인재를 양성하다.

〔陶铸〕 táozhù 동 〈文〉 ①도기나 주물을 만들다. ②〈比〉 도야하다. 인재를 만들다.

〔陶醉〕 táozuì 동 도취하다. (마음이 사로잡혀) 넋을 잃다. ¶我被这动人的情景～了; 나는 이 감동적인 정경에 넋을 잃었다.

淘 táo (도)
① 동 잡물을 씻어내다. 쌀을 씻다〔일다〕. ¶～米; ⇩ ② 동 (흙·모래·찌꺼기 따위를) 제거하다. 골라내다. ③ 동 (우물·하천 따위를) 치다. ④ 동 파다. =〔挖wā〕 ⑤ 형 〈方〉 버릇없다. 장난이 심하다. ¶这孩子真～; 이 아이는 참으로 개구쟁이다. ⑥ 형 심로(心勞)하다.

〔淘伴〕 táobàn 명 〈吳〉 동반(同伴).

〔淘簸筛〕 táobǒshāi 명 《機》 지그(jig).

〔淘沟〕 táo,gōu 동 도랑을 쳐내다.

〔淘河〕 táohé 명 《鳥》 펠리컨(pelican). 사다새. =〔鹈鹕tíhú〕

〔淘换〕 táohuan 동 〈俗〉 ①(여기저기) 찾다. 애써서 입수하다. 수단을 다하여 구하다. ¶好不容易给你～着这本书; 너를 위해 겨우 이 책을 찾아내었다. ②(상대로부터 생각 따위를) 끄집어내다. 탐색해 내다. ③골라내다.

〔淘金〕 táo,jīn 동 ①사금을 일어내다. ②〈轉〉 돈벌이를 하다. ¶出外～; 멀리 나가서 돈벌이를 하다.

〔淘井〕 táo,jǐng 동 우물을 쳐내다. =〔掏井〕

〔淘空〕 táokōng 동 말끔히 쳐내다. 쳐내어 아무것도 없게 하다.

〔淘渌〕 táolù 동 여색에 빠져 몸을 망치다.

〔淘漉〕 táolù 동 ⇨〔淘汰〕

〔淘箩〕 táoluó 명 (쌀 이는) 조리.

〔淘米〕 táo,mǐ 동 쌀을 일다. ¶～水 =〔～泔水〕; 쌀뜨물.

〔淘气〕 táoqì 형 장난이 심하다. ¶～玩儿哪; 장난을 하며 놀고 있다 / ～包 =〔～精〕〔～鬼〕〔～儿〕; 장난꾸러기 / 这孩子很聪明, 可就是有些～; 이 아이는 매우 총명하지만, 단지 좀 개구쟁이다. (táo,qì) 동 〈方〉 ①(서로 논쟁을 하여) 화내고 있다. ②성가시다. 품이 들다.

〔淘神〕 táoshén 동 〈口〉 ①남에게 걱정을 끼치다. 심려케 하다. ②(아이가 개구쟁이어서) 애가 타다. ③골치 썩이다. 심로하다.

〔淘声斗气〕 táo shēng dòu qì 〈成〉 큰소리로 말다툼하는 모양.

〔淘汰〕 táotài 동 도태하다. 실격되다. ¶我国选手被～了; 우리 나라 선수는 실격했다 / ～老品种; 구품종을 도태하다. =〔〈文〉 淘漉〕〔〈文〉 洮汰〕

〔淘汰赛〕 táotàisài 명 《體》 승자전. 토너먼트(tournament).

〔淘淘〕 táotáo 형 물이 철철 넘치는 모양. =〔滔tāo滔②〕 동 〈文〉 골라내다.

〔淘洗〕 táoxǐ 동 헹구어 씻다. 일다. ¶待春暖解冻时到矿区去～沙金; 봄의 눈 녹을 때를 기다려 광

구로 가서 사금을 채취하다.

〔淘写〕 táoxiě 동 〈古白〉 심정을 토로하여 쓰다. =〔淘泻〕〔陶写〕

〔淘鱼〕 táoyú 동 (강물을 퍼내고) 물고기를 잡다.

萄 táo (도)
명 《植》 포도. ¶葡pú～; 《植》 포도 / ～糖táng =〔葡～糖〕; 포도당 / ～酒jiǔ =〔葡～酒〕; 포도주.

啕 táo (도)
① 동 울다. ¶嚎háo～ =〔号háo～〕; 대성통곡하다. ② 명 수다쟁이.

绹(綯) táo (도)
명 〈文〉 밧줄. 노끈.

醄 táo (도)
→〔酕máo醄〕

洮 Táo (도)
① 명 《地》 타오허 강(洮河)《간쑤 성(甘肅省)에 있는 강 이름》. ②(táo) 동 가셔내다. 씻다. ⇒Yáo

〔洮汰〕 táotài 동 ⇨〔淘汰〕

〔洮砚〕 táoyàn 명 타오허 강(洮河)에서 나는 녹석(綠石)으로 만든 벼루《희소한 것으로 귀중시됨》.

逃〈迯〉 táo (도)
동 ①달아나다. 도망치다. ¶潜～; 몰래 달아나다. ②떠나다. ③모면하다. ④피하다. 도피하다.

〔逃北〕 táoběi 동 〈文〉 패주(敗走)하다.

〔逃奔〕 táobèn 동 (다른 곳으로) 도망가다. ¶～到江南; 강남으로 도망가다 / ～他乡; 타향으로 도망치다.

〔逃避〕 táobì 동 도피하다. ¶～现实; 현실을 도피하다.

〔逃兵〕 táobīng 명 ①도망병. ②〈比〉 직장 이탈자《곤란 따위가 두려워서 이탈한 사람》.

〔逃不脱〕 táobutuō 탈출할 수 없다. 도망칠 수 없다.

〔逃禅〕 táochán 동 속세를 버리고 선도(禪道)에 몸을 담다.

〔逃出重围〕 táo chū chóng wéi 〈成〉 엄중한 포위망을 빠져 나가다.

〔逃出虎口〕 táo chū hǔ kǒu 〈成〉 범의 굴을 도망치다《구사일생하다》.

〔逃窜〕 táocuàn 동 도주하다. 달아나 숨다.

〔逃遁〕 táodùn 동 〈文〉 도망치다. ¶无可～地现出了原形; 도망쳐 숨을 경황도 없이 정체를 드러냈다. =〔逃跑〕〔逃避〕

〔逃反〕 táo·fǎn 동 전란이나 비적의 습격을 피하여 타곳으로 가다.

〔逃犯〕 táofàn 명 도망범. 탈주범.

〔逃光〕 táoguāng 동 도망쳐 아무도 없다. 깨끗이 도망치다. 완전히 도망쳐 버리다.

〔逃户〕 táohù 명 (병란(兵亂)·기근 따위를 피하기 위해 타지로 도망한) 피난민. 유민(流民).

〔逃荒〕 táo·huāng 동 기근으로 인해서 타지방으로 피난하다. ¶～的; 기근으로 인한 피난민. =〔避荒〕

〔逃汇〕 táohuì 명 국가 외환 관리 규정을 위반하고, 국가로 귀속시켜야 하는 외화를 개인적으로 사용하거나 국외로 빼돌리는 행위.

〔逃嫁〕 táojià 동 ①시집가기 싫어서 도망치다. ②남편을 버리고 딴 데 시집가다.

〔逃监〕 táojiān 명동 탈옥(하다). ¶因为有人通风，～的计划全部败露了; 밀고하는 자가 있어서 탈옥의 계획은 완전히 발각되었다.

〔逃军〕 táojūn 동 군대에서 도망하다. 탈영하다.

〔逃开〕 táokāi 동 ①(그 자리에서) 도망쳐 벗어나다. ②이탈하다. ③도피하다.

〔逃名〕 táomíng 동 이름이 나는 것을 피하다. 세속적 명성을 추구하지 않다.

〔逃命〕 táo·mìng 동 망명(亡命)하다. 목숨을 건지다. 살아남다. 생명의 위험을 피하다.

〔逃难〕 táo·nàn 동 피난하다.

〔逃匿〕 táonì 동 〈文〉 ①달아나 숨다. ②도망하여 거처를 숨기다.

〔逃跑〕 táopǎo 동 도망가다. 달아나다.

〔逃散〕 táosàn 동 도망쳐 흩어지다. 행방을 감추다.

〔逃生〕 táoshēng 동 도망쳐 목숨을 구하다. ¶死里～; 구사일생하다.

〔逃世〕 táo·shì 동 ⇨〔避bì世〕

〔逃税〕 táo·shuì 동 탈세(脫稅)하다. →〔漏lòu税〕

〔逃套〕 táotào 명 감독을 피해 개인적으로 보유한 외화와 암거래로 획득한 외화.

〔逃脱〕 táotuō 동 ①도주하다. 탈출하다. ¶～了危险; 위험에서 탈출했다. ②도망치다. 벗어나다. ¶～责任; 책임에서 벗어나다.

〔逃亡〕 táowáng 동 도망치다. 달아나다. ¶～者; 도망자 / 畏罪～; 죄가 무서워 도망치다.

〔逃席〕 táo·xí 동 ①(주석에서 술 권하는 것이 싫어) 도망치다. ②연회석에서 몰래 자리를 뜨다.

〔逃刑〕 táoxíng 동 도망쳐서 형의 집행을 피하다.

〔逃学〕 táo·xué 동 학교를 빠지다. 게으름 피우고 학교 수업을 빠지다. =〔滑学〕

〔逃逸〕 táoyì 동 〈文〉 도주하다. ¶～无踪; 도주해서 행방을 모르다. =〔逃跑〕

〔逃债〕 táozhài 동 빚쟁이로부터 도망치다.

〔逃之夭夭〕 táo zhī yāo yāo 〈成〉 냅다 도망치다. 줄행랑을 놓다《시경(詩經)의 '桃之夭夭'에 빗댄 말로 '逃'와 '桃'가 동음(同音)인 것을 이용해서 풍자적으로 비꼬아 표현함》.

〔逃资〕 táozī 동 자금을 빼돌리다. 자금을 밀반출하다.

〔逃走〕 táozǒu 동 도주하다. =〔逃跑〕

咷 táo (도)
동 울다. ¶号háo～; 큰 소리로 울다.

桃 táo (도)
명 ①《植》 복숭아. ¶～树; 복숭아나무 / ～儿; 복숭아 / ～花(儿); ⇩ ②복숭아 비슷한 것. ¶绵花～儿; (개화되지 않은) 면화의 열매. ③호두. ¶～酥; 호두과자. =〔核hé桃〕

〔桃板〕 táobǎn 명 ⇨〔桃符②〕

〔桃饱杏伤人〕 táo bǎo xìng shāng rén 〈諺〉 복숭아는 과식해도 좋으나, 살구는 몸에 해롭다.

〔桃符〕 táofú 명 ①춘련. =〔春chūn联(儿)〕 ②옛날 풍습으로, 두 장의 복숭아나무 판자를 문 양쪽에 걸고 거기에 문신(門神) 상을 그려 넣은 액막이. ¶～更新; 새해에 묵은해의 '春联'을 새롭게 하다. 새 시대를 맞이하다. =〔桃板〕→〔门神〕

〔桃脯〕 táofǔ 명 ①꿀에 절인 복숭아. ②녹두 가루에 복숭아 꿀절이를 넣어 만든 우무 모양의 식품.

〔桃脯干儿〕 táofugānr 명 복숭아의 과육을 말린 것.

〔桃核儿〕 táohér 명 복숭아 씨.

〔桃红〕 táohóng 명 《色》 핑크색. 분홍색. =〔粉fěn红〕

〔桃红柳绿〕 táo hóng liǔ lǜ 〈成〉 복숭아꽃이 피고 버들잎이 푸르다《봄날의 아름다운 자연의 형용》.
〔桃红色〕 táohóngsè 명 핑크빛.
〔桃花(儿)〕 táohuā(r) 명 ①복숭아꽃. ②여성의 미모의 형용. ¶面似～; 꽃다운 얼굴. ③사춘기에 남녀가 연애로 몸을 그르침. ¶～案; 도색 사건.
〔桃花癸〕 táohuāguǐ 명 월경(月經). 경도.
〔桃花脸〕 táohuāliǎn 명 복숭아꽃과 같은 미인의 얼굴.
〔桃花马〕 táohuāmǎ 명 흰 털에 붉은 반점이 있는 말.
〔桃花梦〕 táohuāmèng 명 연애의 꿈같이 달콤한 경지.
〔桃花石〕 táohuāshí 명 《鑛》 ①분홍색의 돌《광동성(廣東省) 사오저우(韶州)산으로 기구(器具) 제작용》. ②녹색과 흰색의 혼합석《산둥 성(山東省)예 현(掖縣)산》.
〔桃花水〕 táohuāshuǐ 명 ⇨〔桃花汛①〕
〔桃花心木〕 táohuāxīnmù 명 《植》 마호가니.
〔桃花星〕 táohuāxīng 명 (역자(易者)들이 말하는) 여성의 흉(凶).
〔桃花癣〕 táohuāxuǎn 명 《醫》 마른버짐《일종의 피부병》.
〔桃花雪〕 táohuāxuě 명 복숭아꽃이 필 때 내리는 눈. 춘설.
〔桃花汛〕 táohuāxùn 명 ①봄철의 눈석임으로 인한 황허 강(黃河) 등의 증수(增水)《복숭아꽃이 한창 필 무렵에 일어남》. =〔桃花水〕〔春汛〕 ②봄철의 어기(漁期). ‖ =〔桃汛〕
〔桃花眼〕 táohuāyǎn 명 색정적인 눈매.
〔桃花鱼〕 táohuāyú 명 《魚》 피라미.
〔桃花源〕 táohuāyuán 명 ⇨〔桃源〕
〔桃花运〕 táohuāyùn 명 ①(남성의) 이성 관계의 운. 애정 운. ¶他正走～; 그는 지금 여성에게 인기가 있다. ②(넓게) 좋은 운. 호운. ¶他写的小说交了～, 最近被几家刊物连续转载; 그가 쓴 소설은 호운을 만나, 최근 여러 잡지에 연속해서 게재되었다.
〔桃花纸〕 táohuāzhǐ 명 얇고 질이 좋은 종이.
〔桃花妆〕 táohuāzhuāng 명 짙은 화장.
〔桃胶〕 táojiāo 명 복숭아 송진《한방에서 전염병 치료에 쓰임》.
〔桃李〕 táolǐ 명 〈文〉〈比〉 ①복숭아와 오얏. ¶～不言, 下自成蹊; 〈諺〉 복숭아와 오얏은 말을 하지 않으나 그 밑에는 저절로 길이 생긴다《덕 있는 사람은 가만히 있어도 저절로 사람들이 그 덕을 흠모하여 모여든다》/ ～之年 =〔芳fāng年〕; 꽃다운 나이《16～20세》. ②다사제제(多士濟濟)한 모양. ③문하생(門下生). ¶～盛开; 문하생이 많이 배출되고 있다 / ～满门 =〔～盈门〕; 문하에 학생이 가득 차다 / ～满天下; 〈成〉 문하생이 천하에 차 있다. ④형제. ¶～门墙; 총명한 자제가 집안에 있다.
〔桃毛〕 táomáo 명 복숭아 거죽의 털.
〔桃梅〕 táoméi 명 나무에 달린 채로 시든 복숭아.
〔桃面〕 táomiàn 명 생일을 축하하기 위해 선물하는 국수《장수를 빈다는 뜻으로》.
〔桃木〕 táomù 명 (목재로서의) 복숭아나무.
〔桃娘〕 táoniáng 명 《植》 물레나물. =〔桃金娘〕
〔桃儿〕 táor 명 복숭아(열매). ¶～帽子; 라마교(喇嘛教)의 중이 쓰는 모자. =〔桃子〕
〔桃儿不该杏儿该〕 táor bù gāi xìngr gāi 〈比〉 사방에 빚을 지고 있다. ¶他失业以后借债维生, 弄得～的; 그는 실업한 뒤로는 빚으로 살고 있으므로, 온통 빚투성이다.
〔桃瓤〕 táoráng 명 ⇨〔桃仁(儿) ②〕
〔桃仁(儿)〕 táorén(r) 명 ①복숭아씨의 알맹이. ②호두 알. =〔桃瓤〕〔核hé桃仁〕
〔桃腮〕 táosāi 명 〈文〉 아름다운 용모. ¶～微晕; 여성의 표정에 은은히 드리운 수줍음.
〔桃色〕 táosè 명 ①《色》 분홍색. 핑크색. ②〈比〉 문란한 남녀 관계. ¶～案; 도색 사건. ③정치적 주의 주장이 적색에 가까운 것.
〔桃觞〕 táoshāng 명 ①연극 등에서 여흥이 없는 연회. ②생일 축하연.
〔桃树〕 táoshù 명 《植》 복숭아나무.
〔桃汛〕 táoxùn 명 ⇨〔桃花汛〕
〔桃蚜〕 táoyá 명 《蟲》 자주진딧물. =〔烟yān蚜〕
〔桃夭〕 táoyāo 명 ①시경(詩經)의 편명(篇名)《여자의 혼인이 매우 알맞은 시기에 있음을 노래한 것》. ②〈轉〉 여자가 혼기에 있음을 뜻하는 말.
〔桃靥〕 táoyè 명 〈文〉 아름다운 용모.
〔桃仪〕 táoyí 명 생일 선물.
〔桃雨〕 táoyǔ 명 〈比〉 (화베이(華北)에서 6.7월에 내리는) 봄비.
〔桃园〕 táoyuán 명 복숭아밭.
〔桃园结义〕 táo yuán jié yì 〈成〉 도원결의《삼국지연의(三國志演義)에 나오는 의형제 결의》.
〔桃源〕 táoyuán 명 도원. 이상향《속세를 떠난 낙원. 도연명(陶淵明)의 도화원기(桃花源記)의 고사에 유래함》. =〔桃花源〕
〔桃月〕 táoyuè 명 음력 3월을 이름.
〔桃枝〕 táozhī 명 ①복숭아 가지. ②껍질이 얇은 붉은 대나무의 일종. =〔桃枝竹〕
〔桃子〕 táozi 명 《植》 복숭아(열매). =〔桃儿〕

梌 táo (도)
→〔梌黍〕

〔梌黍〕 táoshǔ 명 《植》〈方〉 고량(高粱). 수수.

鼗〈鞉, 鞀〉 táo (도)
명 〈文〉 땡땡이 비슷한 작은 북.

梼(檮) táo (도)
→〔梼杌〕

〔梼杌〕 táowù 명 ①옛날 전설상의 맹수. ②〈比〉 흉악한 사람.

讨(討) tǎo (토)
동 ①토벌하다. 정벌하다. ¶征～; 정벌하다 / ～平叛乱; 반란을 토벌하여 평정하다. ②비난하다. 문책하다. 책망하다. ¶声～; 나쁜 짓을 문책하다. ③구하다. 청구하다. ¶～饭; ⇩ / ～债; ⇩ / ～饶; ⇩ ④다스리다. ⑤토론하다. 연구하다. 탐구하다. ¶仔细研～; 세밀히 탐구하다 / 探～; 탐구하다 / 商～; 상담하다. 토론하다. ⑥재촉하다. ⑦거두어들이다. ¶向敌人～还血债; 적으로부터 피맺힌 부채를 거둬들이다. ⑧드러눕다. =〔躺tǎng〕 ⑨초래하다. 야기하다. …하게 되다. 받다. ¶～人嫌; 남에게 미움 받다 / 自～没趣; 〈成〉 스스로 노여움 살 짓을 하다. ⑩장가들다. 아내를 맞다. ¶～老婆; 아내를 얻다.
〔讨保〕 tǎobǎo 동 보증인을 구하다. ¶～开释; 보증인을 세워서 석방하다.
〔讨吃〕 tǎochī 동 먹을 것을 요구하다. 구걸하다. ¶～子; 〈方〉 거지.
〔讨打〕 tǎodǎ 동 매 맞다. ¶成心～; 일부러 맞으

려 하다. 일부러 맞을 거리를 만들다.
〔讨得〕 tǎodé 동 구하다. 입수하다. ¶哈吧狗儿摇尾巴, 是为了～主子的欢心; 발바리가 꼬리를 흔드는 것은 주인의 환심을 사기 위해서이다.
〔讨伐〕 tǎofá 동 (적이나 반란을) 토벌하다. =〔征zhēng讨〕
〔讨饭〕 tǎo·fàn 동 걸식하다. 구걸하다. ¶～的; 거지.
〔讨公道〕 tǎo gōngdao 좋은 일을 만나다. ¶管叫敌人讨不出公道去; 적군에게 좋은 꼴을 보게는 하지 않겠다.
〔讨好(儿)〕 tǎo·hǎo(r) 동 ①비위를 맞추다. 환심을 사다. 눈에 들다. 칭찬 받다. ¶各方面都要～; 각 방면에서 모두 환심을 사야 한다 / 讨不出好来; 마음에 들지 못하게 하다. 비위를 맞추지 못하다. =〔买好〕 ②좋은 효과를 얻다《흔히, 부정(否定)으로 쓰임》. ¶费力不～; 애만 쓰고 소득이 없다. 헛수고하다.
〔讨还〕 tǎohuán 동 반환을〔반제를〕 요구하다. ¶向敌人～血债; 적에게 피의 대가를 받아 내다.
〔讨换〕 tǎohuàn 동 손에 넣으려고 찾다. 구하다.
〔讨价〕 tǎojià 명 파는 사람이 요구하는 가격. (tǎo·jià) 동 팔 사람이 값을 매기다. =〔要价〕
〔讨价还价〕 tǎo jià huán jià 〈成〉 (일을 맡을 때나 담판할 때) 흥정하다. ¶以种种借口～; 여러 가지 구실을 들어 흥정하다. =〔要价还价〕
〔讨贱〕 tǎojiàn 동 ①자중하지 못해 남에게 경시당하다. ②어린이가 어리광을 부려 떼를 쓰다.
〔讨教〕 tǎo·jiào 동 가르침을 바라다.
〔讨究〕 tǎojiū 동 탐구하다.
〔讨酒钱〕 tǎo jiǔqián 술값을 달라고 조르다.
〔讨口气〕 tǎo kǒuqì 어투를 살피다. 말투로 사정을 살피다.
〔讨愧〕 tǎokuì 동 스스로 부끄러이 여기다. 자괴하다.
〔讨老公〕 tǎo lǎogōng 〈方〉 남편을 얻다.
〔讨老婆〕 tǎo lǎopó →〔字解⑩〕
〔讨论〕 tǎolùn 명동 토론(하다). 의논(하다). 검토(하다). ¶～问题; 문제를 토론하다 / 参加～; 토론에 참가하다.
〔讨没趣〕 tǎo méiqù 스스로 흥을 깨는 짓을 하다. 스스로 재미없게 하다.
〔讨命鬼〕 tǎomìngguǐ 명 〈比〉 고의로 사람을 괴롭히는 것.
〔讨便宜〕 tǎo piányi 자기에게 유리하게 되기를 바라다. 단단히 재미를 보려고 하다. 얌체 같은 짓을 하다. ¶精明人会讨别人的便宜; 머리가 좋은 놈은 남보다 얌체짓을 한다.
〔讨平〕 tǎopíng 동 평정하다. ¶～叛乱; 반란을 평정하다.
〔讨乞〕 tǎoqǐ 동 자비를 구하다. (돈·음식 따위를) 구걸하다. =〔乞讨〕
〔讨气〕 tǎoqì 동 〈南方〉 약이 오르다. 배알이 꼴리다.
〔讨巧〕 tǎoqiǎo 동 수고 없이 이를 얻다〔단물을 빨다〕. 요령 있게 행동하다.
〔讨俏〕 tǎoqiào 동 (연기나 일솜씨 등으로) 남의 갈채를 받으려 하다. 사람을 감동시키려 하다. ¶卖好～; 비위를 맞추어 남의 마음에 들려고 하다.
〔讨亲〕 tǎo·qīn 동 〈方〉 아내를 얻다. =〔娶亲〕
〔讨情〕 tǎo·qíng 동 〈方〉 (남을 대신하여) 사과하다. ¶～告饶; (대신하여) 용서를 빌다.
〔讨取〕 tǎoqǔ 동 받아 내다. 취하다.
〔讨饶〕 tǎo·ráo 동 용서를 구하다.
〔讨扰〕 tǎorǎo 동 대접을 받다. 폐를 끼치다.
〔讨人欢心〕 tǎo rén huānxīn 남의 환심을 사다. 남의 마음에 들려 하다. =〔讨喜欢〕
〔讨人喜欢〕 tǎo rén xǐhuan 남의 귀염을 받다. ¶这孩子一点儿不～; 이 애는 조금도 귀여운 데가 없다. =〔讨人喜爱〕
〔讨人嫌〕 tǎo rén xián ⇨〔讨嫌〕
〔讨臊〕 tǎosào 동 멋쩍어하다. 부끄럽게 여기다.
〔讨赏〕 tǎoshǎng 동 팁을 요구하다.
〔讨生〕 tǎoshēng 동 삶을 찾다. 살아가려고 하다. ¶要饭～; 거지 노릇을 하며 살아가다.
〔讨生活〕 tǎo shēnghuó 살 길을 강구하다. 살림을 꾸려 나가다.
〔讨寿〕 tǎoshòu 동 자녀가 부모의 병을 대신 앓게 해 달라고 신불에게 기원하다. =〔借jiè寿〕
〔讨索〕 tǎosuǒ 동 요구하다. 독촉하다.
〔讨喜欢〕 tǎo xǐhuan 남의 환심을 사다. 남의 눈에 들려고 하다.
〔讨嫌〕 tǎo·xián 동 미움을 사다. 미움을 받다. (tǎoxián) 형 밉다. 싫다. ‖ =〔讨人嫌〕
〔讨厌〕 tǎoyàn 형 ①역겹다. 싫다. 혐오스럽다. ¶他那话多么～! 그의 그 말은 얼마나 역겨운가! / 他这样态度最～; 그의 이러한 태도가 가장 싫다. ②(사정이 어려워) 번거롭다. 성가시다. 힘들다. 귀찮다. ¶这种病很～, 目前还不容易彻底治好; 이런 종류의 병은 아주 까다로워서 현재로는 완치하기가 아직 어렵다. 동 싫어하다. 미워하다. 혐오하다. ¶我真～那个家伙了! 저 사람에게는 진절머리가 납니다! ‖ =〔讨嫌〕
〔讨厌鬼〕 tǎoyànguǐ 명 짓궂은 아이. 비루한 녀석.
〔讨要〕 tǎoyào 동 구걸하다.
〔讨野火〕 tǎo yěhuǒ 〈比〉 남을 화나게 하여 험한 꼴을 당하다.
〔讨源〕 tǎoyuán 동 근원을 탐구하다.
〔讨债〕 tǎo·zhài 동 빚을 독촉하다. 반제를 청구하다. ¶～鬼; ⓐ빚쟁이. 채귀(債鬼). ⓑ집안의 재산을 탕진하는 사람. 패가망신한 사람. ⓒ어려서 죽은 자식.
〔讨账〕 tǎo·zhàng 동 (빚 따위에 대해) 반제를 요구하다. 징수하다. 거두다.

䅗

tǎo (도)
→〔䅗黍〕

〔䅗黍〕 tǎoshǔ 명 《植》 〈方〉 고량. 수수.

套

tào (투)
①명 강이나 산의 굽이《흔히, 지명에 쓰임》. ¶河～; 강의 굽이. ②명 올가미. 책략. 농간. 수단. 방법. ¶甭来这一～; 이런 수작은 그만두어라. 그런 수에 걸려들 줄 아느냐. ③명 덧씌우개. 커버. 덮개. ¶手～; 장갑 / 书～; 책갑(冊匣) / 钢笔～儿; 만년필 집 / 手枪～; 권총집 / 封～; 봉투. ④동 〈方〉 (솜을 이불이나 요에 고루 넣어) 꿰매다. ⑤(～儿) 명 굴레. ¶牲口～儿; (역축의) 굴레 / ～绳; ⇩ ⑥동 메우다. ¶～车; ⇩ ⑦명 (새끼 따위로 만든) 고리. ¶双～结; 이중으로 맨 매듭. ⑧(～儿) 명 〈方〉 이불·의류에 넣은 솜. ¶被～; 이불솜 / 袄～; 옷솜. ⑨(～儿) 명 인사말. ¶～话; ⇩ / 客～; 인사말. ⑩명 수법. 식. 관례. 관습. 습관. ¶老一～; 상투적 수법. 케케묵은 방식. ⑪양 〈方〉 배(倍). ¶比先前好一百～了; 전보다 백 배나 좋아졌다. ⑫동 덮어씌우다. 껴입다. 걸쳐 입다. ¶把那身单军服～在棉衣外边; 그 홑옷 군복을 솜옷 위에다 껴입었다 / ～上笔帽儿; 붓뚜껑을 씌우다. ⑬동

올가미에 걸다. ⑭ 동 끄집어내다. ¶借机会～～老周的实话; 기회를 보아서 주(周)군의 참뜻을 염탐해 보자. ⑮ 동 꾀어 납득시키다. ¶你给他～走了; 너는 그의 꾀에 넘어갔다. ⑯ 동 모방하다. 흉내내다. 본뜨다. 베끼다. 맞추어〔끼워〕 넣다. ¶他这几句话是由别人的文章里～下来的; 그의 이 몇 마디의 말은 다른 사람의 문장에서 따낸 것이다. ⑰ 동 거듭하다. 포개다. 겹치다. 연결하다. ¶一环～一环; 하나의 고리를 다른 고리에 연결하다 / ～种zhòng; ⇩ / ～色shǎi; ⇩ / ～间; ⇩ ⑱ 동 관계를 맺다. 교제하다. 가까이 하다. ¶～着环儿的交情; 여러 가지 관계가 얽혀 있는 교제. ⑲ 양 ㉠벌. 조. 일식(一式). 세트《한 조를 이루고 있는 기물에 쓰임》. ¶一～沙发; 소파 한 세트 / 两～衣服; 의복 두 벌 / 两～家具; 가구 두 벌 / 一～丛书; 총서 한 세트 / 一～班子; 그룹 일조. ㉡기구·제도·방법·재능·언어 등의 체계를 이루고 있는 것. ¶一～老思想; 일련의 낡은 사상 / 一～机构; 일련의 기구 / 一～章程; 일련의 규약 / 说了一大～废话; 한바탕 허튼 말을 늘어놓았다.

〔套白狼〕 tàobáiláng 명 날강도《강도가 행인의 뒤에서 습격하여 끈으로 목을 졸라 죽이고 재물을 강탈함》.

〔套版〕 tào,bǎn 동 인쇄판을 기계에 맞추다. (tàobǎn) 명 채색판. 천연색판.

〔套半车〕 tàobànchē 명 〈比〉 덤받이를 데리고 재혼한 과부.

〔套包(子)〕 tàobāo(zi) 명 마구의 일종《말의 목에 거는 고리. 흔히, 옥수수 껍질로 짜서 겉에는 헝겊을 씌움》.

〔套杯〕 tàobēi 명 한 벌로 되어 있는 술잔《보통 3개가 한 벌임》.

〔套柄〕 tàobǐng 명 손잡이. 자루.

〔套裁〕 tàocái 동 (옷감을 절약하기 위하여) 하나의 옷감으로 둘 이상의 옷을 재단하다.

〔套菜〕 tàocài 명 한 상(床)의 요리. 정식(定食).

〔套餐〕 tàocān 명 음식점에서 주식과 부식을 일정한 비례로 배치해 만들어 파는 식사.

〔套车〕 tào,chē 동 수레에 마소를 매다. 수레를 만들다. ¶三～; 3두 마차 / 套好了车了; 수레는 준비가 다 되었다.

〔套房〕 tàofáng 명 ⇨〔套间(儿)〕

〔套服〕 tàofú 명 슈트(suit). ¶西装～ =〔西服套装〕; 양복 한 벌. =〔套装〕

〔套耕〕 tàogēng 명《農》 두 개의 쟁기로 한 곳을 동시에 두 번 갈기《땅이 깊이 갈림》. =〔套犁〕

〔套供〕 tàogòng 동 유도신문으로 자백시키다. 유도신문하다. ¶用话～; 유도신문하다.

〔套购〕 tàogòu 동 ①부정한 방법으로 (국가의 통제품을) 사들이다. (명목을 속여) 부정 구입하다. ¶大肆sì～; 부정 구매를 자행하다 / ～统购统销物资; 국가의 통제 물자를 부정으로 구입하다. ②일괄 구입하다.

〔套管〕 tàoguǎn 명 유정 강관(油井鋼管). ¶～活栓; 《機》 재킷 콕(jacket cock).

〔套合〕 tàohé 동 짜맞추다.

〔套盒〕 tàohé 명 찬합 모양의 용기(容器).

〔套壶〕 tàohú 명 더운물을 넣어 술을 데울 수 있게 만든 주기(酒器)의 하나.

〔套话〕 tàohuà 명 ①틀에 박힌 말. 상투어. ¶他又说出那～来了; 그는 또 틀에 박힌 말을 하기 시작했다. ②인사말. ‖ =〔套语〕 (tào,huà) 동 속을 떠보다. ¶套他的话; 그의 속을 떠보다.

〔套画押字〕 tào huàyāzì 사문서 사인(私印)을 위조하다.

〔套环〕 tàohuán 명 ①《機》 튜브 링(tube ring). ②밀가루로 만든 식품의 하나《연결된 고리 모양을 함》.

〔套汇〕 tàohuì 동 ①암거래환으로 송금하다. ②환거래의 차액으로 이득을 얻다.

〔套价〕 tàojià 명 《商》 런던 대(對) 각국의 환시세〔환율〕. =〔介jiè率〕

〔套间(儿)〕 tàojiān(r) 명 ①본채의 양쪽 곁에 딸린 작은 두 방. ②연이어져 있는 두 방 중 (직접 밖으로 나갈 수 없고) 다른 방을 통해서만 나갈 수 있는 방. ‖→〔耳房ěrfáng〕 ③(호텔의) 스위트룸(suite room). ‖ =〔套房〕〔捎间(儿)〕

〔套交情〕 tào jiāoqing 사람에게 곰살궂게 친근히 하다. 빌붙으며 교제하다.

〔套进〕 tàojìn 동 《經》 (주식 거래에서 처음에 매출한 것을 시세의 등귀를 예상하고) 다시 사들이다. 명 되사기.

〔套近(乎)〕 tào jìn(hu) 〈諺〉 ⇨〔套拉拢〕

〔套句〕 tàojù 명 상투어. =〔套话〕

〔套壳〕 tàoké 명 (물건을 넣는) 케이스.

〔套裤〕 tàokù 명 덧바지《중국옷의 바지 위에 입는 것으로, 무릎에서 발목까지 이르는 방한용의 의복》.

〔套拉拢〕 tào lālong 〈諺〉 교제 없는 자가 친한 듯이 말을 걸다. 친한 듯 꾸며 대다. =〔套近(乎)〕

〔套犁〕 tàolí 명 ⇨〔套耕〕

〔套礼〕 tàolǐ 명 세속적인 흔한 보통의 예물.

〔套利〕 tàolì 명 《商》 매매 차익.

〔套连环儿〕 tàoliánhuánr 명 ①연결 고리로의 관계. ②이어져 있거나 관계가 긴밀한 것.

〔套耧〕 tàolóu 동 《農》 씨 뿌리는 기계로 씨를 뿌리다.

〔套马〕 tào,mǎ 동 말에 마구를 얹다. ↔〔卸xiè马〕

〔套买〕 tàomǎi 명 《經》 되사기·거듭사기《주식 거래에서 시세가 오를 것을 예상하고 사 둠》.

〔套毛〕 tàomáo 명 양의 여름털.

〔套帽子〕 tào màozi ①모자를 씌우다. ②〈比〉 …라고 단정해 버리다. ¶给他套右派的帽子; 그를 우파로 단정해 버리다.

〔套弄〕 tàonong 동 속을 떠보다. 말로 교묘히 옭다. ¶莫非是装模作样地～咱们; 얼렁뚱땅 얼버무려서 이쪽을 속이려는 것은 아니겠지.

〔套配〕 tàopèi 동 짜 맞추다. 편성하다. ¶旧的邮票还没有～齐; 옛 우표는 아직 다 갖추어지지 않았다.

〔套曲〕 tàoqǔ 명 《樂》 모음곡. 디베르티멘토(이 divertimento). 희유곡(嬉遊曲).

〔套圈〕 tàoquān 명 《機》 (파이프의) 페룰(ferrule).

〔套圈儿〕 tàoquānr 명 고리 던지기. (tào,quānr) 동 ①(고리 던지기에서) 고리를 막대기에 넣다. ②함정에 빠뜨리다. 야바위치다.

〔套裙〕 tàoqún 명 잠바〔서양식〕 스커트.

〔套儿〕 tàor 명 올가미. ¶弄～; 사람을 속이다.

〔套色〕 tàoshǎi 《印》 명 중쇄(重刷). ¶～版; 컬러의 중쇄판(重刷版) / ～印刷; 컬러 인쇄. (tào,shǎi) 동 중쇄〔컬러 인쇄〕하다.

〔套衫〕 tàoshān 명 ⇨〔套衣〕

〔套绳〕 tàoshéng 명 봇줄《가축 따위를 마차·짐차 따위에 매는 밧줄》. (tào,shéng) 동 올가미를 씌우다. 밧줄로 묶다〔매다〕.

〔套事〕 tàoshì 명동 속임수(쓰다). 사기 협잡(하다). ¶乘机～; 기회를 틈타 속임수를 쓰다.

〔套售〕 tàoshòu 동 끼워 팔다. 명 끼워 팔기.
〔套数〕 tàoshù 명 ①'戏曲'이나 '散曲'의 연속되어 조곡(組曲)으로 되어 있는 것. ②〈比〉 계통적인 기교나 수법. ③〈比〉(일련의) 수단. 농간. 계략.
〔套索〕 tàosuǒ 명 올가미《고대 전쟁 때, 사람을 걸어 잡기 위해 사용한 것. 또는, 야생의 마소 등을 잡는 것》.
〔套套〕 tàotao 명 〈方〉 방법. 수. 생각.
〔套筒〕 tàotǒng 명 《機》 투관(套管)《기계의 마멸 방지를 위해 끼우는 관》.
〔套筒搬子〕 tàotǒng bānzi 명 《機》 상자형 스패너. 박스(box) 스패너. 소켓 렌치. =〔套管搬子〕〔〈南方〉 套筒扳头〕
〔套筒炮身〕 tàotǒng pàoshēn 명 《軍》 이중으로 되어 있는 포신.
〔套头〕 tàotóu 명 차익금을 바라고 하는 상거래.
〔套头裹脑〕 tào tóu guǒ nǎo 〈成〉 자기 이익을 위하여 다른 사람과 관계를 맺다. ¶这件事~的不好办; 이 일은 모두가 생각을 갖고 있어 하기가 어렵다.
〔套头帽子〕 tàotóu màozi 명 방한모《털실로 짠 방한모로서 가를 걷어올리면 보통 모자 같고, 내리면 목까지 감추고 눈만 보이게 되어 있는 것》. =〔〈俗〉 猴hóu儿帽〕
〔套问〕 tàowèn 동 넌지시〔에둘러서〕 묻다.
〔套鞋〕 tàoxié 명 오버슈즈(overshoes). 덧신. =〔鞋套〕
〔套袖〕 tàoxiù 명 (소매에 끼는) 사무용 토시.
〔套叙〕 tàoxù 〈文〉 동 상투어를 쓰다. 명 관용어. 판에 박힌 말.
〔套窑〕 tàoyáo 명 (혈거(穴居) 주택의) 가장 안쪽의 방.
〔套衣〕 tàoyī 명 풀오버(pull over). ¶开身毛衫和~; 카디건(cardigan)과 풀오버. =〔套衫〕〔套头(儿)的毛衣〕
〔套印〕 tàoyìn 명동 《印》 목판(木板)의 중쇄(重刷)(하다).
〔套用〕 tàoyòng 동 답습하다. 인용하다. 적용시키다. ¶到处~这个公式; 어디서나 이 공식을 적용시키다.
〔套友情〕 tào yǒuqíng 우정이 있는 체하다.
〔套语〕 tàoyǔ 명 ⇨〔套话〕
〔套院〕 tàoyuàn 명 3면이 가옥으로 둘러싸인 안뜰.
〔套着烂〕 tàozhelàn 〈京〉 차츰 썩어 들다. 부패가 조금씩 퍼지다.
〔套种〕 tàozhòng 동 《農》 간작(間作)하다. 사이짓기하다. =〔套作〕
〔套装〕 tàozhuāng 명 ⇨〔套服〕
〔套子〕 tàozi 명 ①덮개. (물건을 끼우거나 담는) 집. 주머니. 색(sack). ¶洋伞~; 양산 주머니. ②〈方〉 (이불 · 옷 따위 속에 넣은) 솜. =〔棉絮miánxù〕 ③상투적인 인사말. 진부한〔케케묵은 · 판에 박힌〕 방식〔방법〕. ¶俗~; 속례(俗例). 관례. ④〈比〉 함정. 계략.
〔套作〕 tàozuò 동 ⇨〔套种〕

TE ㄊㄜ

忒 tè (특)
①명 〈文〉 착오. 오류. ¶差~; 착오. ②동 의심하다. ¶别~多心了; 이것저것 의심 마라. 공연한 걱정은 하지 않아도 좋다. ③동 어긋나다. 변하다. ④부 너무나. 대단히. ⇒tēi tuī
〔忒勒服克〕 tèlèfúkè 명 〈音〉 텔레복스(televox)《발성 장치를 가진 로봇》. =〔声控机器人〕
〔忒意〕 tèyì 부 매우. 분수를 넘어.

铽(鋱) tè (특)
명 《化》 테르븀(Tb: terbium).

忑 tè (특)
→〔忐tǎn忑〕

螣(蟘〈螣〉) tè (특)
명 《蟲》 〈文〉 묘목이나 잎을 해치는 애벌레. ⇒ '螣' téng

特 tè (특)
①형 특별하다. 특수하다. 특이하다. 독특하다. ¶~大号的胶鞋; 특대호 고무신 / 奇~; 특출하다 / 能力~强; 능력이 특히 뛰어나다 / ~权; ⇩ / ~等; ⇩ ②부 일부러. 특별히. ¶~为此事而来; 일부러 이 일을 위해 왔다 / ~意; ⇩ ③부 특히. 아주. ¶那个大夫扎针zhāzhēn~灵; 그 의사의 침술은 특히 뛰어나다. ④부 다만. 단지. 겨우. …뿐. ¶不~…且…; 다만 …뿐이 아니고 게다가 … / 不~此也; 이것만이 아니다 / 汝所见, ~其最小者耳; 네가 보는 것은 다만 가장 작은 것일 뿐이다. =〔但〕〔只〕 ⑤명 간첩. 스파이('特务'의 생략). ¶防~; 스파이 방지. 방첩 / 匪~; 적의 간첩. 비적(匪賊)과 특무. ⑥개 〈文〉 우선…《서신이나 공문의 결미어》. ¶~此复上; 우선 답장으로 올립니다. ⑦→〔特(斯拉)〕
〔特别〕 tèbié 형 특별하다. 특이하다. ¶~区域; 특별 행정 구역 / ~放盘一星期; 특별 대매출 1주일 / 我没有什么~的事情; 특별한 볼일이 있는 것은 아니다 / 他近来对我的态度有点儿~; 그는 요즘 나에 대한 태도가 좀 이상하다 / 我的做法, 我想不怎么~; 나의 수법은 별로 특별하다고는 생각지 않는다. 부 ①대단히. 무척. 각별히. ¶~好; 매우 좋다 / ~指出; 특별히 지적하다 / 我~爱吃肉; 나는 고기를 무척 좋아한다. ②특히. 일부러. ¶厂长~把他留下来研究技术上的问题; 공장장은 특별히 그를 남게 하여 기술상의 문제에 관하여 검토했다.
〔特别党部〕 tèbié dǎngbù 명 특별 당부《지역을 표준으로 하지 않는 당의 기관. 군대 등에 있어서의 당조직을 말함》.
〔特别犯〕 tèbiéfàn 명 《法》 특별범. 특수범.
〔特别费〕 tèbiéfèi 명 특별 경비. ↔〔经jīng常费〕
〔特别快车〕 tèbié kuàichē 명 특별 급행열차. 특급 열차.
〔特产〕 tèchǎn 명 특산물.
〔特长〕 tècháng 명 특장. 특별히 우수한 점. 특유한 일의 경험. ¶也便于发挥社员~; 사원의 특장을 발휘하는 데도 편리하다.
〔特诚〕 tèchéng 부 특별히. 일부러.
〔特出〕 tèchū 형 특출하다. 특히 걸출하다. 특히 눈에 띄다. 남의 이목을 끌다. ¶~人材; 특출한 인재.
〔特此〕 tècǐ 〈翰〉 우선…. 이상…《편지나 공문에 쓰이는 말》. ¶~布复; 이상 회답드립니다 / ~奉恳; 이상 부탁드립니다 / ~通知; 이상 통지드립니다.
〔特达〕 tèdá 〈文〉 동 특히 통고하다. 형 특히 걸출하다.

〔特大〕 tèdà 형 특대의. 특별히 크다. ¶～喜讯; 특별히 반가운 소식 / ～丰收; 대풍년 / ～号服装; 특대호 옷.
〔特待生〕 tèdàishēng 명 특대생.
〔特贷〕 tèdài 동 〈文〉 특별히 관대히 하다.
〔特等〕 tèděng 명 특등. 특별히 높은 등급.
〔特地〕 tèdì 부 특히. 일부러. ¶他昨天～来找您, 您没在; 그는 어제 일부러 당신을 만나러 왔으나 당신은 안 계시더군요.
〔特点〕 tèdiǎn 명 특점. 특색. 특징. 특성.
〔特定〕 tèdìng 동 특정하다. 지정하다. ¶～的人选; 특정의 인선. 지정된 인선. 형 일정한. 주어진. 정해진. ¶在～的条件下; 어떤 특정(주어진) 조건 밑에서.
〔特氟纶〕 tèfúlún 명 《紡》 〈音〉 테플론(Teflon).
〔特高频率〕 tègāo pínlǜ 명 《電》 극초단파.
〔特工〕 tègōng 명 ①특수 공작. ②비밀 정보 기관원. ③시크리트 서비스(요인을 호위함. 또, 그 사람). =〔特工人员〕
〔特故〕 tègù 부 짐짓. 고의로.
〔特圭勒酒〕 tèguīlèjiǔ 명 〈音〉 테킬라(tequila)(증류주).
〔特行〕 tèháng 명 특수한 직업.
〔特惠关税〕 tèhuì guānshuì 명 《經》 특혜 관세.
〔特技〕 tèjì 명 ①특기. ②《撮》 특수 촬영. ¶～镜头; 트릭 신(trick scene).
〔特价〕 tèjià 명 특가. ¶～出售; 특매하다.
〔特卡克兰姆〕 tèkǎkèlánmǔ 명 데카그램(decagramme). =〔特卡格兰姆〕〔迭客格郎瓦〕〔公钱〕
〔特刊〕 tèkān 명 특집. 특집호.
〔特克诺克拉西〕 tèkènuòkèlāxī 명 〈音〉 테크노크라시(technocracy).
〔特快〕 tèkuài 형 특히 빠르다. 특급(의). ¶～车; 특급 열차. 명 〈簡〉 특별 급행('特别快车'의 약칭).
〔特快专递〕 tèkuài zhuāndì 명 특급 배달. ¶～是当今世界上传递速度最快的邮递业务; 특급 배달은 현재 세계에서 배달 속도가 제일 빠른 우편 배달 업무이다.
〔特拉维夫〕 Tèlāwéifū 명 《地》 〈音〉 텔아비브(이스라엘의 옛 수도).
〔特立〕 tèlì 형 ①걸출하다. 뛰어나다. ②특립하다. ¶～独行; 〈成〉 홀로 서고 홀로 가다(세상에 구애됨 없이 자기 신념대로 행동하다).
〔特立安格尔〕 tèlìāngé'ěr 명 《樂》 〈音〉 트라이앵글(triangle). =〔三角丽动器〕
〔特立克〕 tèlìkè 명 〈音〉 트릭(trick).
〔特利科呢〕 tèlìkēní 명 〈音〉 트리콧(tricot). =〔经编针织物〕
〔特利奥〕 tèlì'ào 명 〈音〉 트리오(trio). =〔三重奏曲〕〔三重唱曲〕
〔特例〕 tèlì 명 특례. ↔〔通tōng例〕
〔特罗比卡〕 tèluóbǐkǎ 명 《紡》 〈音〉 트로피컬(모직물의 하나).
〔特洛伊木马〕 Tèluòyī mùmǎ 명 트로이의 목마. →〔木马计〕
〔特命〕 tèmìng 명 특명. ¶～全权大使; 특명 전권 대사 / ～全权公使; 특명 전권 공사. 동 특별히 명령하다.
〔特派〕 tèpài 동 특파하다. 특별히 파견하다. ¶～员; 특파원.
〔特起〕 tèqǐ 형 특출나다. 유달리 빼어나다.
〔特遣部队〕 tèqiǎn bùduì 명 《軍》 기동 부대.
〔特屈儿〕 tèqū'ér 명 《化》 〈音〉 테트릴(tetryl).
〔特权〕 tèquán 명 특권. ¶～阶层; 특권 계층 / ～地位; 특권적인 지위 / 享有～; 특권을 향유하다.
〔特儿〕 tèr 〈擬〉 푸드덕(새가 나는 소리).
〔特仁登桃红〕 tèréndēng táohóng 명 《染》 〈音義〉 담홍색. 듀린돈 핑크(durindone pink).
〔特任〕 tèrèn 명 신해혁명(辛亥革命) 이후에 제정되었던 관리의 계급(문관의 제1등급).
〔特色〕 tèsè 명 특색. 특징. ¶民族～; 민족의 특색 / 艺术～; 예술상의 특색.
〔特赦〕 tèshè 명 《法》 특사. 동 특별 사면하다.
〔特使〕 tèshǐ 명 특사.
〔特殊〕 tèshū 형 특수하다. 특별하다. 특이하다. ¶～规律; 특수한 법칙 / ～待遇; 특별 대우 / ～照顾; 특별 배려 / 这是～情况, 不能一概而论; 이것은 특수한 상황이므로 싸잡아 논할 수는 없다. 동 (간부 등을) 특별 취급하다. 특별 대우를 받다. ¶搞～; 특별 대우하다 / 不能～, 也不能放过; 특별 취급도 할 수 없지만, 그냥 내버려 둘 수도 없다.
〔特(斯拉)〕 tè(sīlā) 명 《物》 〈音〉 테슬라(자속(磁束) 밀도의 단위. 부호는 T).
〔特特〕 tètè ①〈擬〉 타가닥타가닥(말발굽 소리). ②부 특히. 고의로. =〔特特(儿)地〕
〔特为〕 tèwèi 부 특별히. 일부러. ¶我～来请你们去帮忙; 저는 여러분이 도와 주러 오시기를 부탁하러 왔습니다. =〔特地〕
〔特务〕 tèwù 명 《軍》 군대내에서 경비·통신·수송 따위의 특수 임무를 담당하는 부문. ¶～连; 특무 중대.
〔特务〕 tèwu 명 간첩. 스파이. 특수 공작원. ¶～分子; 특수 공작원 / ～头子tóuzi; 특수 공작원의 우두머리. 스파이 두목 / ～工作; 스파이·파괴·교란 활동. =〔特工①〕
〔特西立特尔〕 tèxīlìtè'ěr 명 〈音〉 데시리터(decilitre). =〔公合〕〔得夕立得耳〕
〔特嫌〕 tèxián 명 간첩 용의자.
〔特效〕 tèxiào 명 특효. ¶～药; 특효약.
〔特写〕 tèxiě 명 ①《映》 클로즈업. ¶～镜头; 클로즈업 신. ②르포르타주풍(風)의 문장 또는 문학 작품. 명동 특필(하다). 특기(하다).
〔特许〕 tèxǔ 명동 특허(하다). 특별히 허가(하다).
〔特许银行〕 tèxǔ yínháng 명 특수 은행.
〔特讯〕 tèxùn 명 ①특별 통신. ②신문의 특종.
〔特邀〕 tèyāo 동 특별히 초대하다. ¶～教授; 객원(客員) 교수 / ～代表; 특별 초청 대표.
〔特艺彩色〕 tèyì cǎisè 명 《劇》 테크니컬러(technicolor).
〔特异〕 tèyì 형 ①특이하다. 독특하다. ¶他们都画花卉, 但各有～的风格; 그들은 모두 화훼를 그리지만, 각자 독특한 풍격이 있다 / 人本～功能; 인체의 초능력. ②뛰어나게 훌륭하다. 빼어나다. ¶成绩～; 성적이 특출하게 뛰어나다.
〔特异质〕 tèyìzhì 명 《醫》 특이 체질.
〔特意〕 tèyì 부 일부러. 특히. ¶谢谢你～来接我们; 일부러 저희를 맞이하러 나와주셔서 감사합니다. =〔特地〕
〔特用颜料〕 tèyòng yánliào 명 특수 안료〔염료〕.
〔特有〕 tèyǒu 형 특유하다. ¶表现出青年～的热情; 청년 특유의 열정을 표현해 내다.
〔特宥〕 tèyòu 동 〈文〉 특별히 용서하다.
〔特约〕 tèyuē 명동 ①특약(하다). ¶～记者; 특약 기자 / ～经售处; 특약 판매점 / ～演员; 특별 출연 스타 / ～评论员; 특별 해설자. ②특별히 초청(하다).

〔特招〕 tèzhāo 명동 특별 채용(하다).
〔特征〕 tèzhēng 명 ①특징. 사물 특유의 상징. ② (사람 외모의) 특수한 점. 동 특별히 소집하다. 특히 부름 받다.
〔特指〕 tèzhǐ 동 특히 …을 가리키다〔지칭하다〕. ¶我们所说的'小老鼠'是～我们班上的张华; 우리가 이야기하고 있는 '흰 생쥐'는 특히 우리 반의 장화(張華)를 가리킨다.
〔特制〕 tèzhì 명동 특제(하다). ¶～品; 특제품.
〔特制钢〕 tèzhìgāng 명 특수강.
〔特种部队〕 tèzhǒng bùduì 명 특수 부대.
〔特种钢〕 tèzhǒnggāng 명 합금강.
〔特种工艺〕 tèzhǒng gōngyì 명 특수 공예품《예술성이 높고 전통적인 수공예품. 흔히 감상을 위한 장식물》. =〔特艺〕

慝 tè (특)
〈文〉①명 사악. 간악. 간사. ②형 간사하다. 간특하다. 사악하다. ¶隐～; 남이 모르는 나쁜 일. ③명 재앙. 화(禍). ④동 감추다. 속이다. 숨기다. ¶～名; 본명을 감춤. 익명. ⑤명 악인. 나쁜 놈. ¶以除邦国之～; 나라의 악인을 제거하다.

貣 te (특)
'貣de'의 우음(又音).

TEI ㄊㄟ

忒 tēi (특)
→〔忒儿〕⇒tè tuī
〔忒儿〕 tēir 〈擬〉〈京〉 푸드덕. 푸르르《새가 세차게 날개 치는 소리》. ¶麻雀～一声就飞了; 참새가 후루룩 날개 치며 날아갔다.

TENG ㄊㄥ

熥 tēng (통)
동 (식은 음식을 찌거나 불에 쬐어서) 데우다. ¶～馒头; 찐빵을 다시 찌다.

鼟 tēng (등)
〈擬〉 둥둥《북을 두드리는 소리》.
〔鼟(儿)鼟(儿)的〕 tēng(r)tēng(r)de 형 나이가 들어도 동작이 힘찬 모양.

疼 téng (동)
동 ①아프다. ¶肚子～; 배가 아프다/脑袋～; 머리가 아프다. ②쑤시다. ③몹시 귀여워하다. 매우 사랑하다. ¶就没有人～, 到现在还没个婆家; 그저 아무도 관심을 보이지 않아 지금까지 결혼 못 하고 있다/他奶奶最～他; 할머니는 그를 가장 귀여워하고 있다. ④(물건을) 소중히 하다. 아끼다.
〔疼爱〕 téng'ài 동 귀여워하다. ¶～小孩儿; 아이를 귀여워하다.
〔疼耳草〕 téng'ěrcǎo 명《植》 범의귀.
〔疼顾〕 ténggù 동 귀여워하며 보살펴 주다.
〔疼乎〕 ténghu 동 소중히 여기다. 귀여워하다.
〔疼痛〕 téngtòng 명 아픔. 동통. 형 아프다. ¶伤口受了冻, 更加～; 상처가 얼어서 더욱 아프다.

腾(騰) téng (등)
①동 오르다. 올라가다. 상승하다. ¶～空; 하늘 높이 오르다/升～; 뛰어오르다/飞～; 날아 오르다. ②동 가격이 오르다. ¶物价～贵; 물가가 등귀하다. ③동 힘차게 달리다. 질주하다. 날뛰다. 뛰어오르다. ¶奔～; 뛰듯이 달리다/万众欢～; 대중이 기뻐 날뛰고 있다. ④동 비우다. 명도하다. 전용(轉用)하다. 이리저리 융통하다. ¶把房子～出来; 집을 비워 내다/～出一只箱子来; 상자를 하나 비우다/～不出空来; 시간을 낼 수가 없다. ⑤동사의 뒤에 붙어 동작이 반복·연속됨을 나타냄. ¶倒～; 뒤섞어 놓다. 뒤집다. 팔거나 사거나 하다/闹～; 떠들어 대다. ⑥명 성(姓)의 하나.
〔腾出〕 téngchū 동 비우다. ¶～时间; 시간을 내다/～地方; 장소를 비우다.
〔腾达〕 téngdá 동 ①급상승하다. 날듯이 달리다. ②〈比〉 출세하다. 영달하다. ¶飞黄～; 척척 순탄하게 출세하다.
〔腾蛋儿〕 téngdànr 동 새가 교미하다.
〔腾地〕 téngde 부 확. 휙《갑자기 어떤 현상이 나타나는 모양》. ¶打开车门, ～跳下去; 차 문을 열고 확 뛰어내렸다.
〔腾房〕 téng.fáng 동 방〔집〕을 비우다. =〔腾房间〕
〔腾工夫〕 téng gōngfu 시간을〔틈을〕 내다.
〔腾贵〕 téngguì 동 등귀하다. 물가가 오르다〔뛰다〕.
〔腾欢〕 ténghuān 동 기쁨으로 환희하다. ¶万家～; 어느 집이나 다 기쁨에차 있다.
〔腾蛟起凤〕 téng jiāo qǐ fèng 〈成〉 교룡이 뛰어오르고 봉황이 춤춘다《문사(文辭)가 뛰어나고 재기가 넘치다》. 재능이 우수한 사람.
〔腾空〕 téngkōng 동 ①하늘 높이 뛰어오르다. ¶～而起; 혼자 힘으로 성공하다. 벼락 부자가 되다/～球; 《體》(야구의) 플라이. 비구(飛球)/内场～球; 내야 플라이/牺xī牲～球; 희생 플라이. ②비우다.
〔腾空儿〕 téng kòngr ①시간을 내다. ②기회를 주다. (눈치 있게) 그 자리를 비우다.
〔腾马〕 téngmǎ 명《動》 수말.
〔腾挪〕 téngnuó 동 ①옮기다. (물건이 놓여 있는) 장소를 바꾸다. 갈다. ¶把仓库里的东西～一下放水泥; 시멘트를 넣게 창고 안의 물건을 옮겨 놓으시오. ②유용(流用)하다. ¶专款专用, 不得任意～; 각 예산 항목은 그 일에만 쓰고 임의로 유용해서는 안 된다.
〔腾闪〕 téngshǎn 동 휙 피하다.
〔腾身〕 téngshēn 동 뛰다. 점프하다. ¶～越过了池塘; 점프하여 연못을 뛰어넘었다.
〔腾升〕 téngshēng 동 시세 따위가 오르다. ¶进口货虽略告下跌, 可是春季的节性用品, 却不断～; 수입 상품 가격은 대체로 하락했으나, 봄의 계절 용품의 값은 계속 오르고 있다.
〔腾手〕 téng.shǒu 동 손을 펴다〔놓다〕. ¶腾不出手来; 손을 펼 수가 없다.
〔腾腾〕 téngténg 형 ①왕성한 모양. ¶热气～; 열기가 왕성하다/杀气～; 살기가 등등하다. ②잠자고 있는 모양. ¶半醉～; 거나하게 취하여 잠자는 모양. ③새가 나는 모양. ¶～的鸟; 하늘을 나는 새.
〔腾笑〕 téngxiào 동 ①남의 웃음 거리가 되다. ②사람을 웃기다. 큰 소리로 웃다.

〔腾跃〕 téngyuè 동 ①물가가 등귀하다. ②활약하다. ¶精神～; 머리가 잘 돌아간다. 명 (뜀틀·철봉 따위의) 뛰어넘기.
〔腾越〕 téngyuè 동 뛰어넘다. ¶～战壕; 참호를 뛰어넘다.
〔腾云驾雾〕 téng yún jià wù 〈成〉 ①전설에서, 구름이나 안개를 타고 자유로이 왕래하는 일. =〔云来雾去〕 ②가공의 일. ¶他说得～, 不能相信; 그의 말은 구름을 잡는 듯하여 믿을 수가 없다.

誊(謄)
téng (등)
동 베끼다. 원본에서 베껴 쓰다. 정서하다. ¶这稿子太乱, 要～一遍; 이 원고는 매우 어지러우므로 한 번 정서해야겠다.

〔誊本〕 téngběn 명 복사. 카피(copy).
〔誊黄〕 ténghuáng 명 옛날, 황지(黃紙)에 베껴 쓴 조서(詔書).
〔誊录〕 ténglù 동 베끼다. 명 정서(淨書) 담당원의 구칭.
〔誊清〕 téngqīng 동 정서하다. ¶这一页写得不清楚, 你再～一下! 이 페이지는 글자가 분명치 않으니까 다시 한 번 정서하시오!
〔誊写〕 téngxiě 동 베끼다. 옮겨 쓰다. ¶～版纸; 등사 원지 / ～布; 등사용 천/ ～笔记; 노트를 베끼다. =〔誊抄〕
〔誊写版〕 téngxiěbǎn 명 《印》 등사기.
〔誊写钢版〕 téngxiě gāngbǎn 명 등사 철판. =〔誊写钢板〕
〔誊印社〕 téngyìnshè 명 등사 인쇄소.
〔誊印纸〕 téngyìnzhǐ 명 등사 용지. 카피지.
〔誊正〕 téngzhèng 동 해서(楷書)로 정서하다.

滕
Téng (등)
명 ①등나라(주대(周代)의 나라 이름). ②《地》 텅 현(滕縣)(산둥 성(山東省)에 있는 현 이름). ③성(姓)의 하나.

螣
téng (등)
→〔螣蛇〕 ⇒ '蟘' tè

〔螣蛇〕 téngshé 명 ①등사(고서(古書)에서, 하늘을 나는 뱀). ②관상에서 말하는 입가의 세로 주름.

縢
téng (등)
① 동 봉쇄하다. ② 동 구속하다. 단속하다. ③ 명 끈. 띠.

藤〈籐〉
téng (등)
명 ① 만생 목본(蔓生木本)의 총칭. 등. 등나무. 만초(蔓草). 등본(藤本). ②덩굴. ¶瓜～; 오이 덩굴 / 葡萄～; 포도 덩굴.

〔藤包〕 téngbāo 명 등(籐)줄기로 만든 그릇.
〔藤本植物〕 téngběn zhíwù 명 《植》 덩굴 식물.
〔藤床〕 téngchuáng 명 ⇨〔藤榻〕
〔藤瓜〕 téngguā 명 《植》 다래나무.
〔藤花〕 ténghuā 명 《植》 자등(紫藤).
〔藤黄〕 ténghuáng 명 ①《植》 등황. ② ⇨〔藤黄胶〕
〔藤黄胶〕 ténghuángjiāo 명 갬부지(gamboge) 고무. 자황(雌黃). =〔藤黄②〕
〔藤盔〕 téngkuī 명 광부가 쓰는 등(籐)으로 엮은 모자(상해(傷害) 예방을 위해서 쓰는 철모의 대용품).
〔藤篮子〕 ténglánzi 명 등줄기로 만든 광주리.
〔藤轮〕 ténglún 명 등줄기로 만든 둥근 자리〔방석〕.
〔藤萝〕 téngluó 명 《植》 등('紫zǐ藤'의 통칭). ¶～架子; 등덩굴을 올린 시렁 / ～饼; 밀가루로 만들어 등꽃을 넣은 '饼'의 이름.
〔藤牌〕 téngpái 명 ①등나무를 엮어 만든 둥근 방패(옛날의 무기). ②〈轉〉 방패.
〔藤器〕 téngqì 명 등줄기로 만든 기구.
〔藤圈〕 téngquān 명 ①등나무로 만든 고리. ②후프. ¶～操; 링 체조.
〔藤榻〕 téngtà 명 등나무로 엮은 침대. =〔藤床〕
〔藤条〕 téngtiáo 명 ①등덩굴. ②등나무.
〔藤椅(子)〕 téngyǐ(zi) 명 등(籐)의자.
〔藤纸〕 téngzhǐ 명 파초(芭蕉) 잎처럼 반드러운 종이(궁정·사원 등에서는 청색의 이 종이를 썼음).
〔藤子〕 téngzi 명 〈口〉 등나무 줄기(등제품을 만드는 재료).

螣(騰)
téng (등)
명 《魚》 쑤기미. =〔螣鱼yú〕

TI ㄊㄧ

体(體〈躰〉)
tī (체)
→〔体己〕 ⇒ tǐ

〔体己〕 tīji ⇨〔梯tī己〕

剔
tī (척, 체)
① 동 (살을 뼈에서) 발라〔뜯어〕 내다. ¶～骨肉; 뼈에서 뜯어 낸 고기 / 把肉～得干干净净; 살을 깨끗이 발라 내었다. ② 동 후비다. 쑤시다. ¶用牙签儿～牙; 이쑤시개로 이를 후비다 / ～指甲; 손톱에 낀 때를 후비다. ③ 동 돋우다. ¶把油灯～亮; 등잔 심지를 돋우다. ④ 동 (나쁜 것을) 골라 빼내다. 선별하다. ¶把有伤的果子～出去; 흠이 있는 과일을 골라 내다 / 挑tiāo～; 남의 과실을 캐내다. ⑤ 동 도려 내다. ¶～花样儿; 본뜬 종이를 포개어 놓고 무늬를 도려 내다. ⑥ 동 금속에 강철끌로 홈을 파다. ⑦ 명 ⇨〔提tí⑨〕

〔剔篦子〕 tī bìzi 참빗을 깨끗이 하다.
〔剔除〕 tīchú 동 (나쁜 것·쓸모 없는 것을) 제거하다. ¶～脓泡; 고름을 빼내다 / ～糟粕; 재강을〔찌꺼기를〕 제거하다.
〔剔缝儿〕 tīfèngr 동 틈새에 낀 더럼을 후벼 내다.
〔剔骨拔刺〕 tī gǔ bá cì 〈成〉 뼈를 후벼서 잔뼈를 빼다(자잘한 일에까지 간섭하다).
〔剔骨肉〕 tīgǔròu 명 뼈에서 발라 낸 고기. 변변치 않은 고기.
〔剔红〕 tīhóng 명 조칠. 칠기(漆器)의 한가지. =〔雕diāo漆〕
〔剔花缎〕 tīhuāduàn 명 《紡》 꽃무늬가 도드라진 비로드식 무늬의 공단.
〔剔抉〕 tījué 동 (결함을) 들춰 내다.
〔剔毛货〕 tīmáohuò 명 잡털을 제거한 순량 모피.
〔剔去〕 tīqù 동 ①(틈새에서) 후비어 내다. ¶～骨头; 뼈를 발라〔후벼〕 내다. ②뜯어내다. 발라 내다.
〔剔人〕 tīrén 동 부적임자를 면직하다. ¶那机关里因为节省经费正往外～哪; 저 관청에서는 경비 절약을 위해 바로 이제부터 부적임자를 면직시킬 참이다.
〔剔手旁(儿)〕 tīshǒupáng(r) 명 《言》 손수변(한

자의 부수. '扌').
〔剔透〕 tītòu 형 ①투명하다. ¶玲珑～; (옥·돌·도자기 따위가) 밝아 투명한 것 같다. ②〈比〉 총명하다.
〔剔土旁(儿)〕 tītǔpáng(r) 명 《言》 흙토변(한자의 부수. '土').
〔剔选〕 tīxuǎn 동 골라 내다.
〔剔牙〕 tī.yá 동 이를 쑤시다. ¶～签儿; 이쑤시개 / ～挖碎; 다랍게 굴다. 쩨쩨하다.
〔剔庄货〕 tīzhuānghuò 명 떨이 물건. 싸게 파는 흠 있는 물건. 처분품. 투매품.

踢 tī (척)
동 ①차다. 주로 발끝으로 차다. ¶一脚～开; 퍽 차 버리다. ②훼방하여 망쳐 놓다. ¶他们俩那档买卖让我给～了; 그 두 사람의 그 장사는 내가 망쳐 놓았다.
〔踢哧〕 tīchi 동 〈俗〉 차다. 차 버리다.
〔踢出〕 tīchū 동 ①차 버리다. ②〈俗〉 (직장 따위에서) 밀어내다. 목 자르다. ¶把很多工人～了工厂; 많은 노동자를 공장에서 쫓아냈다.
〔踢达〕 tīdá ①〈擬〉 툭탁툭탁(발 소리). ②동 퉁탕퉁탕 소리를 내며 걷다. ¶～舞 =〔踢踏舞〕; 탭 댄스.
〔踢跶〕 tīda ①동 마구 밟고 차다. ②동 재물을 함부로 낭비하다. ③〈擬〉 터벅터벅. 또박또박(발걸음 소리).
〔踢蹬〕 tīdeng 동 ①닥치는 대로 차고 밟다. ¶小孩儿爱活动, 一天到晚老～; 아이는 가만히 있지 못해 하루 종일 툭툭 차고 밟고 다닌다. ②낭비하다. 탕진하다. ¶把家产～光了; 재산을 다 털어 먹었다. ③정리하다. 치우다. 처리하다. ¶用了一个晚上才把这些琐碎事～完; 하루 저녁 걸려 겨우 번거로운 것을 마무리지었다. ‖ =〔踢腾teng〕
〔踢饭碗〕 tī fànwǎn ①밥사발을 차 버리다. ②〈比〉 직업을 잃다.
〔踢飞脚〕 tī fēijiǎo 두 발을 번갈아 계속 머리 높이까지 차 올리는 기술.
〔踢毽子〕 tī jiànzi 제기차기를 하다. =〔拍pāi毽子〕
〔踢脚板〕 tījiǎobǎn 명 《建》 굽도리. 징두리. =〔踢脚线〕
〔踢开〕 tīkāi 동 ①차서 제치다. ¶～了石头; 돌을 차 제쳐 버렸다. ②차서 열다. ¶一脚把门～; 한 번에 차서 문을 열다.
〔踢拉塌拉〕 tīlatāla 〈擬〉 타닥타닥. 찍찍(신발을 끄는 소리).
〔踢弄〕 tīnong 동 주선하다. 중개인 노릇을 하다.
〔踢皮球〕 tī píqiú (고무)공을 차다. 〈轉〉 책임을 전가하다. ¶有的单位对毕业生采取～的办法; 어떤 사업장에서는 졸업해서 (취직해) 온 학생에 대하여 공던지기하듯 이리저리 돌리는 방법을 쓰고 있는 데가 있다.
〔踢球〕 tī.qiú 동 ①축구를 하다. ②차다. (tīqiú) 명 《體》 (럭비·축구 등의) 킥. ¶脚弓～; 인사이드 킥 / 外脚背～; 아웃사이드 킥.
〔踢蹋〕 tītā 동 ①돈을 낭비하다. ②목숨을 잃다. ③못 쓰게 되다.
〔踢踏舞〕 tītawǔ 명 《舞》 탭댄스.
〔踢腾〕 tīténg 동 ①⇨〔暴bào腾〕 ②더욱더 좋아지다. 왕성해지다. ¶他的买卖现在真～起来了; 그의 장사는 지금 정말 잘 된다.
〔踢腾〕 tīteng 동 ⇨〔踢蹬〕
〔踢踢踏踏〕 tītītātā 〈擬〉 우르르. 타닥타닥(많은 사람이 급한 걸음으로 걷는 소리).

梯 tī (제)
명 ①계단. 사다리. ¶搭～子; 사다리를 걸다 / 楼～; 계단 / 避火～; 비상 사다리. ②엘리베이터·에스컬레이터 등 계단 역할을 대신하는 것. ¶电～; 엘리베이터 / 自动扶～ =〔升降～〕; 에스컬레이터. ③사다리꼴의 것. ¶～形; ⇩ / ～田; ⇩
〔梯次〕 tīcì 명 ①〈文〉 계단. ¶步上～; 계단을 오르다. ②군대나 단체에서 활동 진행의 편제 순서.
〔梯地〕 tīdì 명 ⇨〔梯田〕
〔梯度〕 tīdù 명 경사도.
〔梯队〕 tīduì 명 ①《軍》 (군대·군함·비행기 따위의) 계단형 대형. 사다리꼴 편성. ②간부의 사다리꼴 편성.
〔梯恩梯〕 tīēntī 명 《化》 〈音〉 티엔티(T.N.T.). =〔三硝基甲苯〕
〔梯河〕 tīhé 명 계단식 강(많은 댐에 의하여 물줄기가 계단꼴로 되어 있는 강).
〔梯级〕 tījí 명 ①트랩. ¶当他步下飞机～时, 手里拿着一个公事包; 그가 비행기의 트랩을 내려올 때 손에 서류 가방을 갖고 있었다. ②(하천 개발에서) 계단식. ¶～开发; (하천의) 계단식 개발.
〔梯己〕 tīji 명 사천. 가정에서 개인이 사사로이 모은 돈〔재물〕. ¶存了几个～; 얼마간의 사천을 모았다. =〔私房①〕〔私房钱〕 형 친근한. 친밀한. 허물 없는. ¶～人; 측근자 / ～话; 마음 속에 있는 말. 부 자기 자신이. 스스로. 동 아첨하다. ‖ =〔体己〕
〔梯克树〕 tīkèshù 명 《植》 〈音〉 티크(teak).
〔梯媒〕 tīméi 명 〈文〉 브로커. 중개하는 사람.
〔梯山〕 tīshān 명 험한 산.
〔梯梯梯〕 tītītī 〈擬〉 킥킥킥(킬킬거리며 웃는 소리). ¶老实点儿, ～地干什么? 좀 점잖게 굴어라, 뭘 그렇게 킥킥거리느냐?
〔梯田〕 tītián 명 계단식 밭. ¶已经把二十万亩坡地改为～; 이미 20만 묘의 경사지를 계단밭으로 개조했다. =〔梯地〕〔条田①〕
〔梯形〕 tīxíng 명 사다리꼴.
〔梯子〕 tīzi 명 사다리. ¶爬上～; 사다리를 기어오르다.

锑(銻) tī (제)
명 《化》 안티몬(Sb: Antimon).
〔锑电极〕 tīdiànjí 명 《化》 안티몬 전극.
〔锑华〕 tīhuá 명 《化》 안티몬화(華). 산화안티몬.
〔锑化〕 tīhuà 명 《化》 스티빈(stibine).
〔锑酪〕 tīluò 명 《化》 안티몬버터.
〔锑酸盐〕 tīsuānyán 명 《化》 안티몬산염.

䴘(鷉〈鷈〉) tī (체)
→〔䴙pì䴘〕

擿 tī (적)
동 폭로하다. ¶发fā奸～伏; 숨겨져 있는 나쁜 일을 적발하다. ⇒zhì

荑 tí (제)
명 〈文〉 ①(초목의 갓 나온) 싹. 움. ②《植》 돌피. ⇒yí

绨(綈) tí (제)
명 두터운 견직물. ¶～袍páo; 두꺼운 비단으로 만든 솜옷. ⇒tì

稊 tí (제)
명 ①《植》 돌피. ¶太仓～米; 창고 안의 한 알의 피(큰 것과 작은 것. 미세한 것). ②싹. 움.

鹈(鵜) tí (제) →〔鹈鹕〕

〔鹈鹕〕 tíhú 명 《鳥》 가람조(伽藍鳥). 펠리컨. 사다새. =〔淘tǎo河〕

逓 Tí (제) 명 성(姓)의 하나.

啼〈嗁〉 tí (제) 동 〈文〉 ①소리내어 울다. ¶～哭; ⇩/儿～; 어린아이가 울다. ②(새나 짐승이) 울다. ¶虎啸猿～; 범이 으르렁대고 원숭이가 울다/月落乌～; 달이 지고 까마귀 울다.

〔啼饥号寒〕 tí jī háo hán 〈成〉 굶주림에 울고 추위에 외치다(생활이 곤궁한 모양).

〔啼哭〕 tíkū 동 〈文〉 소리내어 울다.

〔啼明〕 tímíng 동 〈文〉 (닭이) 새벽을 고하다.

〔啼声〕 tíshēng 명 우는 소리.

〔啼啼哭哭〕 títíkūkū 형 (아이 따위가) 계속 울어대는 모양. 훌쩍거리는 모양.

〔啼笑皆非〕 tí xiào jiē fēi 〈成〉 울 수도 웃을 수도 없다(어떤 태도를 취해야 할지 난처한 모양).

蹄〈蹏〉 tí (제) 명 (소·말 따위의) 발굽. ¶马不停～; 〈成〉 말이 발을 멈추지 않다(가는 길을 서두르는 모양).

〔蹄膀〕 tíbǎng 명 돼지 족발(식품).

〔蹄涔〕 tícén 명 〈文〉 마소의 발굽 자리에 괸 물. ¶～尺鲤; 〈成〉 마소의 발자국에 괸 물에 월척의 잉어(소(小)는 대(大)를 용납할 수 없음의 비유).

〔蹄筋(儿)〕 tíjīn(r) 명 소·양·돼지의 사지의 근육살(요리 재료).

〔蹄髈〕 típǎng 명 〈方〉 돼지 넓적다리의 제일 윗부분.

〔蹄筌〕 tíquán 명 〈文〉 토끼 잡는 도구와 물고기 잡는 통발(사물을 파악하는 실마리).

〔蹄儿脚儿〕 tírjiǎor 형 부산히 뛰어다니는 모양. 황망히 도망쳐 다니는 모양. =〔蹄儿腿儿〕

〔蹄腿〕 títuǐ 명 (마소 따위의) 발굽.

〔蹄形磁石〕 tíxíng císhí 명 제형 자석. 말굽 자석.

〔蹄子〕 tízi 명 ①발굽. ¶长了～; 발굽이 났다/～窝; 발굽으로 짓밟은 자국. ②〈方〉 돼지 발굽. ③〈罵〉 망할 년. =〔小蹄子〕

提 tí (제) ①동 (손에) 들다. 쥐다. ¶～着一壶水; 물이 든 주전자를 들고 있다/～纲挈领; ⇩ →〔拿〕〔拎〕〔带〕〔捧〕 ②동 〈轉〉 늘어뜨리다. 걸어 놓다. ¶～心吊胆; ⇩ ③동 끌어올리다. 위로 당기다. ¶～高; ⇩/把鞋～上; 신을 끌어올려 바로 신다. ④동 시간을 앞당기다. ¶～到九月; 9월로 앞당기다. ↔〔缓〕 ⑤동 분발시키다. ⑥동 꺼내다. 찾다. 뽑다. ¶～炼; ⇩/～货; ⇩/把存款～出来; 예금을 인출하다. ↔〔存〕 ⑦동 제기하다. 내놓다. ¶～意见; 의견을 내놓다/～了一个问题; 하나의 문제를 제출했다. ⑧동 말하다. 꺼내다. 언급하다. ¶甭～他; 그 사람의 일은 말하지 않아도 좋다. ⑨명 한자 필획(筆畫)의 하나(㇀). =〔剔tī⑦〕〔挑tiǎo⑪〕 ⑩동 범인을 불러 내다. ¶～犯; ⇩ ⑪명 구기. 작자(杓子)(술이나 기름을 푸는 도구. 긴 자루가 달린 원통형). ¶油～; 기름 구기/酒～; 술 구기. ⑫명 성(姓)의 하나. ⇒dī

〔提案〕 tí·àn 동 의안을 제출하다. (tí'àn) 명 의안.

〔提把〕 tíbà 명 핸들. 손잡이. ¶提～; 손잡이를 잡고 들다.

〔提拔〕 tíba 동 발탁하다. 등용하다. ¶不断地～积极分子; 끊임없이 활동가를 발탁하다. =〔提掖〕〔拉拔①〕

〔提包〕 tíbāo 명 손가방.

〔提笔〕 tíbǐ 동 집필하다. =〔题笔〕

〔提兵〕 tíbīng 동 군사를 거느리고 출동하다. ¶～上阵; 군사를 거느리고 출진하다.

〔提拨〕 tíbo 동 〈方〉 말을 꺼내어 생각나게 만들다. 일깨우다.

〔提步〕 tí·bù 동 발을 들다.

〔提不到〕 tíbudào 말할 때가 아니다. 말할 필요가 없다. ¶知己的朋友, 感谢俩字是～的; 잘 아는 친구 사이에는 감사라는 두 글자는 말할 필요가 없다.

〔提不得〕 tíbude 말이 안 된다. ¶我的孩子简直～; 우리 아이는 전혀 말할 나위도 되질 않아요.

〔提不起来〕 tíbuqǐ·lái 말이 안 된다. 돼먹지 않았다. 구제할 길이 없다.

〔提补〕 tíbu 동 (말이 부족했거나 잊었던 것을) 보충해 말하다. ¶要是我忘了, 请您～我一声儿; 혹시 내가 잊어버리면 제발 한 마디 거들어 주십시오.

〔提倡〕 tíchàng 동 ①주창〔제창〕하다. ¶～勤俭节约; 근검 절약을 제창하다. ②장려하다. ¶～国货; 국산품 장려. ↔〔抵制dǐzhì〕

〔提成(儿)〕 tíchéng(r) 명 전액(全額) 중에서 일정 비율로 빼낸 것. 공제금. 공제액(공동의 복리·건설·설비 따위에 쓰임). (tí·chéng(r)) 동 공제하다.

〔提出〕 tíchū 동 제시하다. 제기하다. 제출하다. 신청하다. 말을 꺼내다. ¶～口号; 구호를 내걸다/～疑问; 의문을 제시하다/～了请求; 요구를 내놓았다/～保证; 보증을 하다/～批评; 비평을 하다. 비판하다/～异议; 이의를 제기했다/～建议; 건의를 내놓다.

〔提纯〕 tíchún 동 정련(精練)하다. 정제하다. ¶～金属; 금속을 정련하다/～酒精; 알코올을 순화하다.

〔提词〕 tí·cí 동 《劇》 프롬프터(prompter)를 하다(무대 뒤에서 배우에게 대사를 읽어 줌).

〔提存〕 tí·cún 동 ①⇨〔提款〕 ②채무자가 채권자에게 갚아야 할 돈 따위를 법정에 공탁하다.

〔提单〕 tídān 명 《貿》 선하 증권(B/L). 화물 인도서. =〔提货单〕〔货票②〕〔外底票〕

〔提到…〕 tídào… …에 언급하다. ¶他在谈话中常～我; 그는 얘기 도중 때때로 나에 대해 언급한다. =〔提及…〕〔说shuō到…〕〔说及…〕

〔提灯〕 tídēng 명 초롱.

〔提灯遊行〕 tídēng yóuxíng 명 제등(提燈) 행렬. =〔提灯会〕

〔提点〕 tídiǎn 동 힌트를 주다. 주의를 환기시키다. ¶我有忘记的事情请您～～; 제가 잊어버린 것이 있으면, 아무쪼록 힌트를 주십시오. 명 사판(事判) 중〔僧〕.

〔提调〕 tídiào 동 배치·안배를 지도하다. ¶有的社员不听他～; 사원 중에는 그의 지시에 따르지 않는 자도 있다. 명 배치를 지도하는 책임자. ¶总～; 총지휘자.

〔提东道西〕 tídōng dàoxī 이것저것 말하다. 이러니저러니 말하다.

〔提兜〕 tídōu 명 천으로 만든 휴대용 자루.

〔提督〕 tídū 명 옛날, 한 성(省) 내의 최고급 무관. 동 지시하다. 처리하다.
〔提掇〕 tíduō 동 ①서로 돕다. ②전횡(專橫)하다.
〔提耳朵〕 tí ěrduo 귀를 잡아당기다. 〈轉〉 억지로 시키다.
〔提法〕 tífǎ 명 제기 방식. 제출 방식. 표현 방식. ¶这种～不对; 이런 식의 제기 방법은 옳지 않다.
〔提犯〕 tífàn 동 범인을 법정으로 불러 내다.
〔提干〕 tígàn 동 간부로 발탁하다(‘提拔干部’의 약칭).
〔提纲〕 tígāng 명 대강(大綱). 요점. 대요(大要). ¶会议～; 회의의 대강 / 学习～; 학습 요강 / 讲演～; 강연의 개요〔요강〕.
〔提纲挈领〕 tí gāng qiè lǐng 〈成〉 그물 벼리를 잡고 옷깃을 거머쥐다(문제의 요점을 간명하게 제시하다). ¶您～地说说吧; 간단명료하게 말해 주십시오. =〔提纲振领〕〔提纲举领〕
〔提高〕 tí,gāo 동 (위치·정도·수준·수량·질 따위를) 높이다. 향상시키다. 끌어올리다. 고양하다. ¶～水平; 수준을 높이다 / ～权限; 권한을 확장시키다 / ～警惕; 경계심을 높이다 / ～技术; 기술을 향상시키다 / ～地位; 지위를 높이다 / ～工作能率; 작업 능률을 높이다.
〔提供〕 tígōng 동 (의견·자료·물자·조건 등을) 제공하다. 공급하다. 주다. ¶农业为工业～粮食和原料; 농업은 공업을 위해 식량과 원료를 공급하다 / ～贷款; 차관(借款)을 제공하다 / 历史给我们～了有益的经验教训; 역사는 우리에게 유익한 경험과 교훈을 제공한다.
〔提灌〕 tíguàn 동 양수(揚水) 관개하다.
〔提归〕 tíguī 동 인수하다. ¶由海关～货物; 세관에서 상품을 인수하다.
〔提行〕 tí,háng 동 행을 바꾸다. =〔换huàn行〕
〔提盒〕 tíhé 명 손잡이가 달린 찬합.
〔提黑道白〕 tíhēi dàobái 동 이러니저러니 말하다. 이것저것 비평하다.
〔提花(儿)〕 tíhuā(r) 명《紡》날실과 씨실을 교차시켜 직물 위에 짜내는 부푼 무늬. 자카드직(Jacquard織).
〔提花缎〕 tíhuāduàn 명 자카드직(Jacquard織)의 수자(繻子)〔공단〕.
〔提花机〕 tíhuājī 명 ①조면기(繰綿機). ②자카드(Jacquard) 문직기(紋織機). ¶～架的管; 자카드 스탠드 파이프 / ～架用的凹āo沟=〔～架用的导管〕; 자카드 스탠드 채널. =〔花布织机〕
〔提花呢〕 tíhuāní 명《紡》자카드(Jacquard). 자카드로 짠 도드라진 무늬가 있는 천.
〔提环儿〕 tíhuánr 명 기구 등을 들어올리기 위한 손잡이 고리.
〔提回〕 tíhuí 동 (예금을) 인출하다.
〔提婚〕 tí,hūn 동 혼담을 꺼내다.
〔提货〕 tí,huò 동 물품을 인수하다. (tíhuò) 명 물품 인수증.
〔提货单〕 tíhuòdān 명 ⇨〔提单〕
〔提及…〕 tíjí… ⇨〔提到…〕
〔提级〕 tí,jí 동 급을〔랭크를〕 올리다. ¶工资～了; 노동 임금의 호봉이 올랐다.
〔提价〕 tí,jià 동 값을 올리다. ¶借机～; 기회를 타고 값을 올리다. 동명 ⇨〔出价〕
〔提交〕 tíjiāo 동 제출하다. 신청하다. 교부하다. ¶～会议加以讨论; 토론하도록 회의에 신청하다 / 把这项问题～安理会审议; 이 문제를 안전 보장 이사회에 제안하여 심의하다.
〔提劲儿〕 tí,jìnr 동 힘을 내다. ¶提不起劲儿; 힘을 낼 수 없다.
〔提究〕 tíjiū 동 어떤 문제를 제기하여 추구하다. ¶当局对于那档子事要～哪; 당국은 그 일에 대하여 추궁하려 하고 있다.
〔提举〕 tíjǔ 동 어떤 문제를 제기하다. 어떤 문제에 대하여 말을 꺼내다. ¶我把那件事当场～出来了; 나는 그 일을 그 자리에서 꺼내어 말했다.
〔提控〕 tíkòng 동 고소하다. ¶人民～县长不法; 인민이 현장의 불법을 고소하다.
〔提口气〕 tí kǒuqì 숨을 들이마시고 긴장하다. 기운을 내다. ¶施手术的时候儿, 您得～咬着才行呢; 수술 때에는 숨을 들이마시고, 이를 악물고 있어야 한다. =〔提气〕
〔提款〕 tí,kuǎn 동 예금을 찾다. ¶特别～权; SDR 특별 인출권. =〔提存①〕〔取qǔ钱〕
〔提拉〕 tílā 동 끌어올리다.
〔提篮(儿)〕 tílán(r) 명 바구니. (작은) 손구럭.
〔提捞〕 tílāo 동 (유정에서 원유를) 퍼올리다.
〔提力〕 tí,lì 동 힘을 주다. 힘을 내다. =〔提劲〕
〔提炼〕 tíliàn 동 ①(화학적·물리적 방법으로 화합물·혼합물에서 필요로 하는 성분을) 분리하여 내다. 추출하다. 정제하다. ¶～石油; 석유를 정제하다. =〔精炼〕 ②(문장·기술을) 세련하다. 다듬어 내다. ¶～舞蹈动作; 무용의 동작을 세련하다.
〔提梁(儿)〕 tíliáng(r) 명 (냄비·주전자 따위의) 손잡이. 들손.
〔提另〕 tílìng 부 따로. 별도로. ¶咱们～说吧; 우리는 따로 이야기합시다.
〔提溜心〕 tíliūxīn 무서워서 벌벌 떨다. 조마조마해하다. ¶看着叫人～; 보고 있으니 조마조마해진다. →〔提心吊胆〕
〔提留〕 tíliú 동 유보하다(기업 등에서 일정액을 떼어 적립해 두는 일).
〔提篓〕 tílou 명 구기·작자(杓子). ¶老孙头站在酒篓旁边, 搁～往外舀酒《周立波 暴風驟雨》; 노손두는 술독 옆에 서서, 구기를 독 속에 넣어 술을 퍼냈다.
〔提炉〕 tílú 명 손에 드는 향로.
〔提媒〕 tí,méi 동 ⇨〔提亲〕
〔提苗〕 tí,miáo 동 (속효성(速效性) 비료로) 모의 성장을 촉성하다.
〔提苗肥〕 tímiáoféi 명 볏모의 성장을 위한 비료.
〔提名〕 tí,míng 동 이름을 내다. (후보자로) 지명하다. ¶全班同学一致～张用; 전학급 학우는 일치하여 장융(張用)을 지명하였다 / ～他为候选人; 그를 후보자로 지명하다.
〔提脑袋〕 tí nǎodai 목숨을 내던짐.
〔提牛儿〕 tíniúr 명《言》소우변(한자 부수의 하나. ‘牜’).
〔提偶戏〕 tí'ǒuxì 명 꼭두각시놀음.
〔提菩子〕 típúzi 명《植》보리수.
〔提起〕 tíqǐ 동 ①말을 꺼내다. 언급하다. ¶每当～辛酸的往事, 她总是落下伤心的泪; 괴로웠던 옛날 얘기를 꺼낼 때면, 으레 그녀는 상심의 눈물을 흘리는 것이었다. ②떨쳐 일으키다. 분기하다. ¶～精神; 정신을 가다듬다. 기운을 차리다. ③꺼내다. 제기하다. ¶～诉讼; 소송을 제기하다.
〔提气〕 tí,qì ⇨〔提口气〕
〔提前〕 tíqián 동 (시일을) 앞당기다. ¶～半个小时走; 30분 앞당겨 떠나다 / ～完成任务; 기한 내에 임무를 완성하다 / 原来的计划～了; 원래의 계획이 앞당겨졌다.
〔提枪〕 tí qiāng 〈方〉 총을 노획하다.

〔提挈〕 tíqiè 동 〈文〉 ①인솔하다. ②〈轉〉 후진을 기르다. ¶这个小孩是他～起来的; 이 아이는 그가 양성한 것이다. ③서로 돕다. ④꺼내다. 언급하다. ‖ =〔提携xié〕
〔提亲〕 tí.qīn 동 (남자측 혹은 여자측 집의 부탁으로) 혼담을 들이밀다. =〔提媒〕〔说亲〕〔提亲事〕〔提人家〕
〔提琴〕 tíqín 명 《樂》 바이올린. ¶中～; 비올라/大～; 첼로/低音大～; 콘트라베이스/～手; 바이올린 주자(奏者). =〔小提琴〕
〔提请〕 tíqǐng 동 ①제출하여 구하다. 신청하다. ¶～大会讨论和批准; 대회에 제출하여 토론 승인을 구하다. ②(문제로서 제시하여) 촉구하다. ¶～注意; 주의를 돌리게 하다〔촉구하다〕.
〔提取〕 tíqǔ 동 ①(예치한 돈 또는 물품을) 찾다. ¶～存款; 예금을 인출하다. ②추출(抽出)하다. 뽑아 내다. ¶从中～有效成分; 속에서 유효 성분을 추출하다.
〔提人家〕 tí rénjia ⇨〔提亲〕
〔提身〕 tíshēn 동 손을 짚고 상체를 내밀다. ¶你要出来, 非得俩手一按劲一～不行; 네가 나오고 싶으면, 양손을 힘껏 짚고 상체를 내밀지 않으면 안된다.
〔提神〕 tí.shén 동 ①열심히 하다. 기운을 내다. ②정신을 차리다. 신경을 흥분시키다. ¶浓茶能～; 진한 차는 기분을 흥분시킨다.
〔提审〕 tíshěn 동 《法》 ①심문하다. 재판하다. ②(사건의 중대성이나 다른 원인으로 상급 법원이 하급 법원에서 이미 처리했거나 아직 미판결인 안건을) 가져다 사건을 재심리하다.
〔提升〕 tíshēng 동 ①발탁하다. 승진시키다. ¶～你为组长; 자네를 계장으로 승진시킨다. ②(크레인 따위로 높은 곳으로) 날라 올리다. ¶～设备; 승강 설비.
〔提升机〕 tíshēngjī 명 직각 또는 급각도로 물건을 운반하는 데 쓰이는 엘리베이터. 호이스트(hoist). →〔输shū送机〕
〔提示〕 tíshì 동 제시하다. 지적하다. 시사하다. 명 (크로스워드 퍼즐의) 힌트.
〔提手蹑脚〕 tí shǒu niè jiǎo 〈成〉 살금살금 걸어가는 모양.
〔提手旁(儿)〕 tíshǒupáng(r) 명 《言》 손수변(한자 부수의 하나. '扌').
〔提说〕 tíshuō 동 말하다. 제의하다. ¶你把他的好处～～; 너는 그의 좋은 점을 말해라.
〔提撕〕 tísī 동 ①⇨〔提携〕 ②분발케 하다.
〔提诉〕 tísù 동 《法》 〈簡〉 기소하다('提起诉讼'의 약칭).
〔提提星儿〕 títíxīngr 명 화포(花砲)의 일종.
〔提桶〕 títǒng 명 들통.
〔提头(儿)〕 tí.tóu(r) 동 말의 서두를 열다. 말을 꺼내기 시작하다. ¶这个办法是他提的头; 이 방법은 그가 말을 꺼낸 것이다.
〔提头儿〕 títour 명 말할 만한 가치. 문제삼을 가치. ¶这种人没有～; 이러한 인간은 별로 화제로 삼을 가치가 없다.
〔提土旁(儿)〕 títǔpáng(r) 명 《言》 흙토변(한자 부수의 하나. '土').
〔提腕〕 tíwàn 명 제완(운필법(運筆法)의 하나). (tí.wàn) 동 (팔꿈치를 책상에 대고) 팔목을 들다.
〔提网〕 tíwǎng 명 뜰망(그물의 일종). ¶下～捕鱼; 뜰망을 내려서 물고기를 잡다.
〔提味(儿)〕 tíwèi(r) 동 맛을 내다. ¶搁点儿香油最～; 참기름을 조금 치면 훨씬 맛이 난다.
〔提问〕 tíwèn 동 ①질문하다. 문제를 제기하다. ¶现在～可以不可以? 지금 질문해도 좋겠습니까? ②문제를 내어 묻다(흔히, 교사가 학생에 대해서 말하는 경우). 명 질문.
〔提线木偶〕 tíxiàn mù'ǒu 명 꼭두각시놀음.
〔提线儿〕 tíxianr 명 연에 맨실. 연실. 인형을 조종하는 실. ¶这风筝栽跟头准是～不周正; 이 연이 곤두박질 치는 것은 연줄을 제대로 매지 않았기 때문인가 보다. =〔提系儿〕
〔提现〕 tíxiàn 동 현금을 인출하다.
〔提箱〕 tíxiāng 명 슈트케이스. 여행용 소형 가방.
〔提携〕 tíxié 동 ①아이를 데리고 걷다. ②〈比〉 (일·사업 따위에서 후배를) 인도하며 육성하다. ‖ =〔提撕①〕
〔提鞋〕 tí.xié 동 《劇》 ①신의 뒤축을 잡아당겨 신발을 신다. ②하찮은 일을 하다(무능한 자를 꾸짖는 말, '不提携'의 뜻).
〔提心〕 tí.xīn 동 ①마음을 도스르다. ②흠칫흠칫하다.
〔提心吊胆〕 tí xīn diào dǎn 〈成〉 흠칫흠칫하다. 마음이 조마조마하다. 매우 두려워하다. ¶你不要～, 我自有办法; 겁먹지 마. 내게 방법이 있다.
〔提心在口〕 tí xīn zài kǒu 〈成〉 두려워서 벌벌 떨다.
〔提薪〕 tí.xīn 동 급료를 올리다. 승급하다. ¶一年～一次; 1년에 한 번 승급하다.
〔提醒〕 tíxǐng 동 (잊어버리지 않게) 주의를 환기시키다. 깨닫게 하다. 조언(助言)하다. 눈뜨게 하다. ¶我是给你提个醒, 不是小瞧你; 나는 너에게 깨닫도록 한 것이지 너를 깔본 것은 아니었어/我要是忘, 请你～我! 만일 내가 잊으면 한 마디 주의시켜 주세요!/～话; 힌트.
〔提选〕 tíxuǎn 동 (좋은 것을) 골라 내다. 선출하다. ¶～耐旱品种; 햇볕에 강한 품종을 선정하다/他们为什么～那种无能之辈当代表? 그들은 왜 저런 무능한 자들을 대표로 선출했는가?
〔提讯〕 tíxùn 동 《法》 (범인을 끌어 내어) 심문하다.
〔提药〕 tíyào 명 각성제.
〔提药罐子〕 tí yàoguànzi ①약탕관을 들다〔허리에 차다〕. ②병약한 사람. ③일을 하는데 게으름을 피우다.
〔提要〕 tíyào 동 요점을 제시하다. 제요하다. 명 제요. 개요. 요점. 요약(흔히, 책 이름에 쓰임. '四库全书总目～'). ¶内容～; 내용 요약.
〔提掖〕 tíyè 동 ⇨〔提拔〕
〔提议〕 tí.yì 동 제의하다. 제안하다. ¶我～现在休会; 나는 지금 휴회할 것을 제안하다. (tíyì) 명 제의. 제안. ¶大会一致通过了他们的～; 총회는 만장 일치로 그들의 제안을 채택했다.
〔提引号〕 tíyǐnhào 명 ⇨〔引号〕
〔提优巴〕 tíyōubā 명 《樂》 튜바(tuba). =〔杜巴〕〔土巴〕〔条巴〕
〔提用〕 tíyòng 동 끄집어 내어 쓰다. 유용하다.
〔提早〕 tízǎo 동 이르게 하다. (날짜·시간을) 앞당기다. ¶～出发; 시간을 당겨서 출발하다. =〔提前〕
〔提闸〕 tí zhá 수문을 열다. ¶～放水; 수문을 열고 방수하다.
〔提着〕 tízháo 동 이야기를 꺼내어 약점을 언급하다. ¶您这么一提倒把我～了; 그런 얘기를 꺼내면 나도 난처해진다.
〔提制〕 tízhì 동 정제하다. ¶用麻黄～麻黄素; 마황

으로부터 에페드린(ephedrine)을 정제하다.
〔提钟〕 tízhōng 명 손잡이가 달려 있는 탁상 시계.
〔提庄〕 tízhuāng 명 유질(流質)의 옷을 파는 헌옷 가게.
〔提子(儿)〕 tízǐ(r) 동 (바둑에서) 돌을 따내다.
〔提足儿〕 tízúr 명《言》발족변《한자 부수의 하나. '⻊'》.

媞 tí (제)
① 형〈文〉용모가 아름다운 모양. ②인명용 자(字).

缇(緹) tí (제)
명〈文〉적황색(의 비단).

骎(騠) tí (제)
→〔驮jué骎〕

禔 tí (제)
① 명형〈文〉행복(하다). ②인명용 글자.

鹈(鵜) tí (제)
→〔鹈鴂〕

〔鹈鴂〕 tíjué 명《鳥》두견새.

题(題) tí (제)
①명 제. 제목. 표제. 문제. ¶考~; 시험 문제 / 出~; 문제를 내다 / 标~; 표제 / 文不对~; 글이 제목과 맞지 않다. ②명 표지(標識). ③명 현판. ④동 쓰다. 적다. 서명하다. ¶~名; ⇩ / ~诗; ⇩ ⑤동 말하다. 언급하다. ¶~名道姓; 사람에게 성명을 말하다. =〔提⑧〕 ⑥명 성(姓)의 하나.
〔题跋〕 tíbá 명 제발. 제사(題辭)와 발문.
〔题本〕 tíběn 명 옛날, 황제에게 올리는 상주문. =〔本章〕
〔题壁〕 tíbì 동 벽에 글씨를 쓰다. 벽에 시문을 쓰다.
〔题匾〕 tíbiǎn 동 액자에 글을 쓰다. 명 제자(題字)의 편액(扁額).
〔题材〕 tícái 명 제재. ¶这是写小说的好~; 이것은 소설로 쓰기에 좋은 제재이다.
〔题词〕 tící 명 ①서문. 머리말. ②화폭에 쓴 제언(題言). ③(기념 또는 격려를 위하여) 적는 말. 제자(題字). (tí.cí) 동 제자(題字)를 적다. ‖ =〔题辞〕
〔题额〕 tí'é 명 제액. 제자(題字)를 쓴 편액. 동 편액을 쓰다.
〔题花〕 tíhuā 명 (출판물의) 표제의 컷·도안.
〔题画〕 tíhuà 명 시나 사(詞) 따위를 곁들여 쓴 그림. 동 그림에 시문을 쓰다.
〔题记〕 tíjì 명 권두언(卷頭言). 책의 머리말.
〔题笺〕 tíjiān 명〈文〉서간. 편지.
〔题解〕 tíjiě 명 ①해제(解題). ②문제집의 상세한 해답. ¶平面几何~; 평면 기하 해답.
〔题名〕 tí.míng 동 ①이름을 쓰다. 서명하다. 사인하다. ¶在石壁上~; 석벽에 이름을 쓰다 / 请在此~; 여기에 서명하세요. ②표제를 붙이다. (기념이나 표창을 위하여) 성명을 기입하다. ¶金榜~; 시험 합격자 게시판에 이름이 나붙다. (tímíng) 명 ①(기념으로 쓴) 성명. 서명. 사인. ②제목. 제명(題名).
〔题名道姓〕 tímíng dàoxìng 성명을 대다.
〔题铭〕 tímíng 명 ①(비(碑) 따위의) 명(銘). ②(권(卷)·장(章) 따위의 처음에 쓰인) 표어. 명구(銘句).
〔题目〕 tímù 명 ①제목. 표제. 테마. 타이틀. ¶讨论的~; 토론의 주제. ②문제. ¶考试~; 시험 문제.
〔题念〕 tíniàn 동 사자(死者)를 추상(追想)하다.
〔题品〕 típǐn 동 ⇨〔题评〕
〔题评〕 típíng 동 품평하다. 비평하다. =〔题品〕
〔题签〕 tíqiān 명 제첨《손으로 묶은 책 표지에 서명(書名)을 써서 붙인 작은 종이 쪽지》.
〔题诗〕 tí.shī 동 시를 기물 또는 그림 위에 써 넣다.
〔题由〕 tíyóu 명 구실. ¶借买东西为~; 물건 사기를 구실로 삼다.
〔题缘〕 tíyuán 동 기부자명 금액을 장부에 기입하다.
〔题主〕 tízhǔ 동 제주하다. 상가(喪家)에서 남에게 부탁하여 죽은 자의 관명·직명을 위패에 써 받다.
〔题字〕 tí.zì 동 기념으로 남기기 위하여 글자를 쓰다. ¶主人拿出纪念册来请来宾~; 주인은 기념 앨범을 갖고 와서 손님에게 글씨를 써 달라고 부탁하였다. (tízì) 명 기념으로 쓴 글씨.

醍 tí (제)
→〔醍醐〕

〔醍醐〕 tíhú 명〈文〉①우유에서 정제(精製)한 최상의 음료. ②《佛》〈比〉제호. 최고의 불법. ¶如饮~; (사물의) 묘미를 맛보는 듯하다. 최고의 불법을 체득함 / ~灌顶;〈成〉제호 관정. 제호탕을 정수리에 붓다《지혜를 주고 득도(得道)하게 함의 비유》.

鳀(鯷〈鮷〉) tí (제)
→〔鳀鱼〕

〔鳀鱼〕 tíyú 명《魚》멸치. =〔〈俗〉海蜒〕

体(體〈躰〉) tǐ (체)
①명 몸. 신체. ¶四~; 수족(手足) / ~重; 체중 / 上~; 상반신 / 肢~; 지체. ②명 (사물의) 본체. 전체. 물체. ¶物~; 물체 / 整~; 전체 / 个~; 개체 / 液~; 액체 / 有机~; 유기체. ③명〈文〉형태. 형체. ¶易无~; 역(易)의 음양 변화에는 일정한 형체가 없다. ④명 모습. ⑤명 본질. ⑥명 체제. 형식. 격식. ¶~制; 체재(體裁) / 文~; 문체 / 草~; 초서체. ⑦동 생각해 주다. 동정하다. 배려하다. ¶~谅; ⇩ / 深~其意; 깊이 생각해 주다. ⑧동 상세하게 연구하다. ⑨동 체험하다. 체득하다. 스스로 경험하다. ¶~会; ⇩ / ~验; ⇩ / 身~力行; 몸소 체험하고 힘써 실행하다. ⑩명 기하학에서 '立体'를 말함. ¶~积; 체적. 부피. ⑪명《言》(문법 용어에서) 상(相). 애스펙트(aspect). ⇒tī
〔体裁〕 tǐcái 명 체재. 문학 작품의 형식〔스타일〕. 문장의 체재. 장르(프 genre).
〔体操〕 tǐcāo 명《體》체조. ¶练liàn~; 체조하다 / 广播~; 라디오 체조.
〔体察〕 tǐchá 동 상세히 관찰하다. 정성스레 고찰하다. ¶我们的上司倒很能~下情的; 우리 상사는 아랫사람을 아주 잘 생각해 준다. 명 체험과 관찰.
〔体沉〕 tǐchén 형 무겁다. ¶我掂着这么~; 손에 쥐어 보니 묵직하다. =〔重〕
〔体词〕 tǐcí 명《言》체언(體言).
〔体大思精〕 tǐ dà sī jīng〈成〉구상이 웅대하고 사려가 주밀함.

〔体登〕 tǐdeng 동 (신체 따위를) 망치다.
〔体罚〕 tǐfá 명동 체벌(하다).
〔体范〕 tǐfàn 명〈文〉 모범(模範).
〔体感温度〕 tǐgǎn wēndù 명 체감 온도.
〔体高〕 tǐgāo 명 신장.
〔体格〕 tǐgé 명 ①체격. ¶检查～; 체격 검사를 하다. ②양식. 격식.
〔体根儿〕 tǐgēnr 명〈北方〉 이전. 지난번. →〔从cóng前〕
〔体会〕 tǐhuì 동 (각 개인이 실제로 세심히 관찰하여) 이성적으로 깨닫다. (체험·경험적으로) 알다. (현상을 통하여 사물의 정신·실질을) 깨닫다. 이해하다('体验' 보다는 이성적). ¶深有～地说了; 깊이 체득한 것처럼 말하였다. 명 (각 개인적인) 이해. 체득. 체험. ¶座谈会上大家漫谈了一下个人的～; 좌담회에서는 모두 개개인의 체득한 바를 잠시 자유스럽게 서로 이야기하였다. ‖ =〔体认〕
〔体积〕 tǐjī 명 체적. 부피.
〔体检〕 tǐjiǎn 명〈簡〉 체격〔신체〕 검사('体格检查'의 약칭).
〔体角〕 tǐjiǎo 명〔數〕 입체각.
〔体节〕 tǐjié 명〔動〕 체절.
〔体究〕 tǐjiū 동 그 입장이 되어서 연구하다.
〔体看〕 tǐkàn 동 스스로 그 입장이 되어 보다.
〔体力〕 tǐlì 명 체력. ¶～不支; 체력이 견디지 못하다. →〔力气〕
〔体力架〕 tǐlìjià 명〈方〉 크래커(cracker). =〔饼干〕〔克力架〕
〔体力劳动〕 tǐlì láodòng 명 육체 노동.
〔体例〕 tǐlì 명 ①사무 처리의 규칙. ②문체. 격식. 문장의 체제.
〔体谅〕 tǐliang 동 양찰하다. 그 입장이 되어서 동정하다. ¶～他的心情; 그의 마음을 짐작하다 / 互相～; 서로 상대의 입장이 되어 이해하다 / 请～我的心! 내 마음을 헤아려 주세요!
〔体貌〕 tǐmào 명 몸매. 스타일과 용모. 동 예의로써 대하다.
〔体面〕 tǐmian 명 체면. 면목. 명예. ¶不～; 꼴사납다 / 有失～; 체면을 잃다 / 丧失～; 체면을〔품위를〕 잃다. 형 ①훌륭하다. 명예롭다. 면목이 서다. ¶帮助人, 真～; 남을 돕는다는 것은 훌륭한 일이다 / ～的人; 점잖은 사람 / 好吃懒做是不～的事; 먹기만 하고 일을 게을리하는 것은 명예롭지 못한 일이다. ②겉모양이 좋다. 용모가 좋다. ¶长得～; 얼굴 모습이 곱다.
〔体面人〕 tǐmianrén 명 훌륭한 사람. 체면을 존중하는 사람. ¶大家都是～, 别为了这点小事弄得很不开心; 다들 점잖은 사람들이니, 이런 작은 일로 불쾌해하지 맙시다.
〔体念〕 tǐniàn 동 (남의 입장이 되어) 이해하다〔동정하다〕.
〔体膨胀〕 tǐpéngzhàng 명〔物〕 체팽창. 부피 팽창.
〔体魄〕 tǐpò 명 신체와 정신. ¶锻炼强健的～; 강건한 신체와 정신을 단련하다.
〔体气〕 tǐqì 명〈文〉 ①문장의 격식. ②인품. 성격. ③체질.
〔体腔〕 tǐqiāng 명〔生〕 체강.
〔体躯〕 tǐqū 명 ⇨〔身shēn躯〕
〔体认〕 tǐrèn 동명 ⇨〔体会〕
〔体弱〕 tǐruò 형 몸이 약하다.
〔体虱〕 tǐshī 명〔蟲〕 이.
〔体式〕 tǐshì 명 (문장의) 형식. 법식. (활자의) 자체. ¶这首诗是用民歌～写的; 이 시는 민간 가요의 형식으로 쓴 것이다 / 拼音字母有手写体和印刷体两种～; 표음 자모에는 필기체와 인쇄체의 두 가지 체가 있다.
〔体势〕 tǐshì 명 ①자세. ②글자체.
〔体视〕 tǐshì 명〔物〕 스테레오. 입체. ¶～显微镜; 입체 현미경. 스테레오 마이크로코프 / ～镜; 입체경. 스테레오스코프 / ～照相机; 스테레오카메라.
〔体素〕 tǐsù 명〔生〕〈音〉 티슈(tissue). 조직(組織).
〔体态〕 tǐtài 명 신체의 자세. 몸매. ¶～潇洒; 몸매가 날씬하다 / ～轻盈; 몸매가 날씬하고 아름답다.
〔体坛〕 tǐtán 명 체육계.
〔体贴〕 tǐtiē 동 ①그 입장이 되어서 생각하다. 이해성이 있다. ¶～顾客心理; 손님의 마음에 꼭 맞도록 하다 / ～人家; 남의 마음을 헤아려 주다 / ～入微; 생각해 주는 마음이 세세한 곳에까지 미치다. ②차근차근히 생각하다. ③참작하다.
〔体统〕 tǐtǒng 명 격식. 체면. 품위. 면목. ¶不成～; 방식에 걸맞지 않다. 모양이 잡히지 않는다. 꼴이 말이 아니다 / 这是怎样的大失～的事啊! 이것이 얼마나 체통을 크게 손상하는 일인가! / 合～; 품위를 유지하다.
〔体外受精〕 tǐwài shòujīng 명〔生〕 체외 수정.
〔体味〕 tǐwèi 동 (말 따위를) 음미하다. 새겨 보다. ¶他认真地～着他的话; 그는 진지하게 그의 말을 차분히 되새기고 있다.
〔体温〕 tǐwēn 명 체온. ¶给孩子量liáng～; 아이의 체온을 재다 / 她的～在上升; 그녀의 체온은 오르고 있다.
〔体温表〕 tǐwēnbiǎo 명 ⇨〔体温计〕
〔体温计〕 tǐwēnjì 명 체온계. =〔体温表〕〔检jiǎn温表〕
〔体无完肤〕 tǐ wú wán fū〈成〉 ①온몸에 상처를 입음. ¶被打得～; 만신창이가 되도록 맞다. ②〈比〉 철저히 얻어맞다. 사정없이 비평당하다(문장이 원래 형태가 없어질 정도로 삭제·수정됨). ¶他这种理论让人攻击得～; 그의 이 이론은 철저히 공격받았다.
〔体息〕 tǐxī 형 ①숨긴. ¶～钱; 사전(私錢). ②진귀〔귀중〕한.
〔体惜〕 tǐxī 동 괴로움을 이해하고 동정하다. 동정심이 깊다.
〔体悉〕 tǐxī 동 그 입장이 되어서 분별하다.
〔体系〕 tǐxì 명 (추상적인) 체계. 체제. 시스템. ¶哲学～; 철학 체계 / 思想～; 사상 체계 / 工业～; 공업의 시스템.
〔体现〕 tǐxiàn 동 (정신·원칙·방침·정책 등을) 구현하다. ¶～了中国的民族风格; 중국의 민족 풍격이 구현되어 있다. 명 (추상적 사물의) 구체적인 표현.
〔体行〕 tǐxíng 동 몸으로〔몸소〕 실천하다.
〔体形〕 tǐxíng 명 체형. (인간·동물 등의) 몸의 모양. (기계의) 형태.
〔体型〕 tǐxíng 명 체형. ¶～瘦削; 몸매가 야위어 있다.
〔体恤〕 tǐxù 동 그 입장에서 동정하다〔생각해 주다〕. ¶她很能～别人; 그녀는 남의 입장을 잘 생각해 준다.
〔体癣〕 tǐxuǎn 명〔醫〕 소수포성 반상 백선(小水泡性班狀白癬).
〔体循环〕 tǐxúnhuán 명〔生〕 체순환. 대순환. =〔大循环〕

〔体验〕 tǐyàn 명동 체험(하다). ¶～社会生活; 사회 생활을 체험하다.
〔体要〕 tǐyào 명 ①대체와 강요(綱要). ②간결하고도 요령이 있는 일.
〔体液〕 tǐyè 명《生》체액.
〔体用〕 tǐyòng 명 체용. 사물의 본체와 작용. 실체와 응용. ¶中学为体, 西学为用; 중국의 학문을 '体'로 하고, 서양의 학문을 '用'으로 하다.
〔体育〕 tǐyù 명 체육. 스포츠. ¶～场 =〔运yùn动场〕; 운동장. 그라운드 / ～馆; 체육관. →〔健jiàn身房〕
〔体育道德〕 tǐyù dàodé 명 스포츠 정신.
〔体育运动〕 tǐyù yùndòng 명 체육 운동. 체육 활동.
〔体胀系数〕 tǐzhàng xìshù 명《物》부피 팽창 계수.
〔体制〕 tǐzhì 명 ①체제. 조직의 양태. ¶领导～; 지도 체제. ②(문장의) 체재. 뼈대. 형식. 짜임.
〔体质〕 tǐzhì 명 ①체질. 체력. ¶他～弱; 그는 체질이 약하다. ②모양. 형체(形體). ¶光阴这种东西是没有～的; 시간이란 것은 형체가 없는 것이다.
〔体重〕 tǐzhòng 명 체중. 몸무게.

弟 tì (제)
동〈文〉⇨〔悌〕⇒dì

剃〈鬀, 薙〉 tì (체)
동 (면도로 머리나 수염을) 깎다. ¶～光头; 머리를 박박 깎다 / ～刀; ⇩ =〔鬄〕
〔剃齿床〕 tìchǐchuáng 명《機》톱니바퀴 모양의 깎는 기계. 기어 호빙 머신(gear hobbing machine).
〔剃刀〕 tìdāo 명 면도칼. ¶～皮; 가죽 숫돌 / ～布; 헝겊으로 만든 가죽 숫돌 / ～砖; 면도칼 숫돌.
〔剃刀嘴〕 tìdāozuǐ 명 독설의 입. 사람을 찌를 듯한 말을 하는 입.
〔剃度〕 tìdù 동《佛》제도하다. 삭발하고 출가(出家)하다.
〔剃光〕 tìguāng 동 (머리를) 박박 깎다. ¶夏天索性把头～了倒凉快; 여름에는 차라리 박박 깎아 버리는 편이 시원해서 좋다.
〔剃胡膏〕 tìhúgāo 명 면도용 크림. 세이빙 크림(shaving cream).
〔剃胡子〕 tì·húzi 동 수염을 깎다.
〔剃头〕 tì·tóu 동 머리를 깎다《이발을 가리키기도 함》. ¶～的 =〔～匠〕; 거리의 이발사. 떠돌이 이발사 / ～刀子; 면도 / ～的柜子; 한쪽에만 더운 물이 있어 한쪽만 덥다. 짝사랑 / ～担子一头热; 〈歇〉이발사가 메고 있는 짐은 한쪽이 덥다《옛날에 떠돌이 이발사가 멜대의 한쪽에 더운 물을 지고 다니던 데서 '一头热'(짝사랑)을 말함》/ ～的扁担; 〈歇〉이발사의 멜대는 길지 않다《'长不了'라고 하는 데서 교제가 길지 않다고 할 때 따위에 씀》/ 酒肉朋友是～的扁担长不了; 먹고 마시기만 하는 친구는 이발사의 멜대와 같이 교제가 오래 가지 않는다.
〔剃须皂〕 tìxūzào 명 면도용 비누.
〔剃枝虫〕 tìzhīchóng 명《蟲》〈方〉야도충. 거염벌레.

洟 tì (체)
명 ⇨〔涕tì〕

涕 tì (체)
명 ①눈물. ¶痛哭流～; 몹시 울며 눈물을 흘리다 / 感激～零; 감격한 나머지 눈물을 흘리다. ②콧물. ‖ =〔洟〕
〔涕泪〕 tìlèi 명〈文〉눈물.
〔涕泣〕 tìqì 동〈文〉슬퍼하며 울다.
〔涕泗〕 tìsì 명 눈물. 형 하염없이 눈물을 흘리는 모양. ¶～交流; 통곡하는 모양 / ～纵横; 슬픔·감동·기쁨이 넘쳐 얼굴이 눈물과 콧물의 범벅이 되다 / ～滂沱pāngtuó; (울어서) 눈물이 몹시 흐르는 모양.

悌 tì (제)
동〈文〉(형제간) 화목하다. (윗사람을) 공경하다. ¶孝～; 어버이와 형을 잘 섬김. =〔弟tì〕

绨(綈) tì (제)
명《紡》깁. ⇒tí

睇 tì (제)
명《化》①스티빈(stibine). 안티몬화 수소(SbH_3). ② SbH_3형 유기 안티몬 화합물.

逖〈逷〉 tì (적)
①형 멀다. ②인명용 자(字).

屉〈屜〉 tì (체)
명 ①시루. 찜통. ¶一～馒头; 한 시루의 만두 / ～帽; ⇩ =〔笼lóng屉〕 ②신발의 바닥 깔개. ③안장 밑의 깔개. (침대·의자 따위의) 스프링 매트리스《떼어 낼 수 있는》. ¶床～(子); 침대의 스프링 매트리스 / 椅子～(儿); 의자의 쿠션. ④〈方〉서랍. ¶抽～; 서랍.
〔屉鞍〕 tì'ān 명 안장의 나무 부분.
〔屉壁〕 tìbì 명 시루〔찜통〕의 칸막이 벽.
〔屉帽〕 tìmào 명 시루 뚜껑.
〔屉子〕 tìzi 명 ①시루. 찜통. ②(침대·의자 따위의) 쿠션. ③〈方〉서랍.

俶 tì (척)
→〔俶傥〕⇒chù
〔俶傥〕 tìtǎng 형 ⇨〔倜傥〕

倜 tì (척)
→〔倜然〕〔倜傥〕〔倜傥不群〕
〔倜然〕 tìrán 형〈文〉①초연히 빼어나 있는 모양. ②경원하는 모양.
〔倜傥〕 tìtǎng 형〈文〉소탈하다. 구애됨이 없다. 자유 분방하다. 호방하다. ¶风流～; 풍류스럽고 소탈하다. =〔俶傥〕
〔倜傥不群〕 tì tǎng bù qún〈成〉초연(超然)히 빼어나 있는 모양.

惕 tì (척)
동 근신하다. 주의하다. 두려워하다. ¶警～; 경계(하다). 경계심. =〔惕息xī〕
〔惕厉〕 tìlì 동〈文〉경계하다. ¶日夜～; 주야로 경계하다. =〔惕励〕

裼 tì (체)
명〈文〉갓난아기의 옷. 배내옷. ⇒xī

鬄 tì (체)
동 ⇨〔剃tì〕

替 tì (체)
① 동 대신하다. …의 대리를 하다. ¶他没来, 你～他吧! 그가 안 왔으니까, 네가 대신 해

라! ②동 대신하여 …하다. ¶你～我给他送去; 내 대신 네가 보내어 다오. ③동 폐지하다. ④동 망하다. 쇠퇴하다. ¶隆～; 성쇠 / 兴～; 흥망. ⑤개 …을 위하여. ¶～祖国争光; 조국을 위하여 영광을 다투다 / 大家～他高兴; 모두가 그를 위하여 기뻐하다.

〔替班(儿)〕 tì.bān(r) 동 ①(근무를) 교대하다. ②대신하여 출근하다〔근무하다〕.

〔替办〕 tìbàn 동 대신하여 처리하다.

〔替比昂〕 tìbǐ'áng 명《藥》티비온. =〔氨ān硫脲〕

〔替补员〕 tìbǔyuán 명《體》보결 선수.

〔替不下〕 tì bu xià 교체할 수 없다. ¶～身子; 일의 교체가 안 된다. ↔〔替得下〕

〔替代〕 tìdài 동 대신하다. 대체하다. =〔代替〕

〔替代物〕 tìdàiwù 명《法》대체물.

〔替工(儿)〕 tì.gōng(r) 동 일을 대신하다. (tìgōng(r)) 명 대신하는 노동자. 임시로 대신하는 고용인. ¶找～; 임시로 대신 일할 사람을 찾다.

〔替古人担忧〕 tì gǔrén dānyōu 남의 일을 (쓸데없이) 걱정하다.

〔替换〕 tìhuan 동 ①교대하다. 교체하다. 갈다. 바꾸다. ¶～跑 =〔接力赛跑〕;《體》릴레이 / 你去～他一下! 자네 좀 그와 교대해 주게나! / ～下来的衣服; 갈아 입은 옷.

〔替角儿〕 tìjuér 명《劇》대역(代役).

〔替考〕 tìkǎo 명동 대리 시험(을 치다).

〔替另〕 tìlìng(〈京〉 tílìng) 부 ①또다시. 재차. =〔重行〕 ②따로. ¶宝玉贾琏～拜见《紅樓夢》; 보옥(寶玉)과 가련(賈璉)이 따로따로 인사했다. =〔另外〕

〔替漏〕 tìlòu 동 흠이 생기다. 새다.

〔替身(儿)〕 tìshēn(r) 명 ①대역(代役). 대리인. ¶总得找到～才离得开呢; 대신 할 사람을 찾아내야만 출발할 수 있다 / ～演员; 스턴트맨. ②⇨〔替头儿〕

〔替手换脚〕 tìshǒu huànjiǎo 내리 일손이 바뀌다. ¶老是这么～的, 活儿还做得好吗? 언제나 이렇게 일손이 바뀌기만 하여 일이 제대로 되겠느냐?

〔替手脚〕 tì shǒujiǎo 남의 수족이 되다.

〔替手儿〕 tìshǒur 명 대리인. ¶找个～做; 누군가 대신시키다. (tì.shǒur) 동 대신하다. 대리하다.

〔替死鬼〕 tìsǐguǐ 명〈俗〉남을 대신하여 재해 등을 받거나 죽은 사람.

〔替头儿〕 tìtóur 명 죽은 사람의 망령이 환생하기 위해서, 다른 사람을 죽게 만드는 일이 있다고 하는데, 그 망령의 꾐에 빠져 대신 횡사한 사람. 〈比〉남을 대신하여 죄를 받거나 죽은 사람. 희생자. ¶找zhǎo～ =〔拉lā～〕; 대신할 사람을 끌어오다〔찾아오다〕. =〔替身(儿)②〕〔替死鬼〕〔替托〕

〔替洗儿〕 tìxǐr 명 빨래할 동안만 대용으로 입는 옷.

〔替下〕 tìxià 동 ①대신하다. 대리하다. 교대하다. ②(그대로) 베껴 내다. 도려 내다. ¶～个样儿; 본을 도려 내다. 형(型)을 본뜨다.

〔替续器〕 tìxùqì 명《電》계전기(繼電器).

〔替罪羊〕 tìzuìyáng 명 속죄양.

殢(殢) **tì** (체)
〈文〉동 ①체류하다. 체제하다. ②귀찮게 굴다. 치근대다. 매달리다.

薙 **tì** (체)
①동〈文〉제초하다. ② '剃tì'와 통용.

嚏 **tì** (체)
동〈文〉재채기하다.

〔嚏喷〕 tìpen 명 재채기. ¶打～; 재채기하다. =〔喷嚏〕

趯 **tì** (적)
①동〈文〉도약하다. 뛰어오르다. ②명 한자 필획의 하나(㇀).

TIAN ㄊㄧㄢ

天 **tiān** (천)
①명 공중. 하늘. ¶～黑了; 날이 저물었다 / ～亮了; 날이 샜다 / ～上有星星; 하늘에는 별이 있다. ②명 조물주. 전능자(全能者). 절대자. ¶～哪; 하느님. 신이시여 / ～晓得; 하늘이 알고 계시다(말다툼할 때 흔히 쓰임). ③명 운명. ④형 천연의. 자연의. ¶～灾; ⇓ / ～道; ⇓ ⑤명 날. 일. 하루. ¶今～; 오늘 / 三～; 3일간 / 第二～; 이튿날 / 一～二十四小时; 하루 24시간. ⑥명 계절. ¶春～; 봄 / 秋～; 가을 / 热～; 더운 시절. ⑦명 기후. 날씨. ¶～冷了; 날씨가 추워졌다 / 好～; 좋은 날씨 / 晴～儿; 맑은 날씨. ⑧명 시각. ¶～不早了; 벌써 시간이 늦었다. ⑨명 주간. 낮. ¶三～三夜; 3일 3야 / 放了半～假; 반나절 휴업했다 / 冬天～短; 겨울에는 해가 짧다. ↔〔夜〕 ⑩형 타고난. 천부의. 천성의. ¶～性; ⇓ / ～才; ⇓ ⑪명 필요 불가결한 것. 의지하는 것. ¶民以食为～; 사람은 먹는 것이 우선 제일이다. ⑫명 천국. 낙원. ¶～堂; ⇓ / ～国; ⇓ ⑬부 뛰어나게. 가장. ¶说得～好不做出来也不行; 아무리 좋은 말을 하여도 실행이 없으면 역시 소용없다. ⑭명 물건의 상부·꼭대기에 있는 것. ¶～棚; ⇓ / ～桥; ⇓

〔天安门〕 Tiān'ānmén 명 천안문(베이징 옛 황성 '故gù宫'의 정문). ¶～广场; 천안문 광장.

〔天宝蕉〕 tiānbǎojiāo 명《植》바나나의 별칭.

〔天崩地坼〕 tiān bēng dì chè〈成〉⇨〔天崩地裂〕

〔天崩地裂〕 tiān bēng dì liè〈成〉하늘이 무너지고 땅이 갈라지다(거대한 소리·대변동·중대한 사변을 말함). ¶～的雷声; 천지가 무너지는 듯한 뇌성. =〔天崩地坼〕

〔天边(儿)〕 tiānbiān(r) 명 ①아득히 먼 곳. 하늘 저 편. ¶错到～去了; 터무니없는 착오였다 / 远在～, 近在眼前;〈諺〉멀리는 하늘 저 편에 있고, 가까이는 눈 코 앞에 있다(뜻밖에도 눈앞에 있다). ② ⇨〔天际〕 ‖ =〔天涯〕

〔天变〕 tiānbiàn 명 천변(천상(天象)에 나타나는 이상한 현상. 일식(日蝕) 같은 것).

〔天表〕 tiānbiǎo 명〈文〉①하늘의 바깥. 천표. ②제왕의 의용(儀容).

〔天兵〕 tiānbīng 명 ①황제의 군사. 왕사(王師). ②신병(神兵)(우수한 군대). ¶～天将; 하늘이 보낸 장병(將兵).

〔天禀〕 tiānbǐng 명〈文〉천품. 타고난 성질.

〔天波〕 tiānbō 명《電》공중 전파. 공간파. =〔空kōng间波〕

〔天不帮忙, 地不长粮〕 tiān bù bāng máng, dì bù zhǎng liáng〈諺〉하늘이 돕지 않으면, 논밭에 곡식은 자라지 않는다.

〔天不打吃饭人〕 tiān bù dǎ chīfànrén〈諺〉하늘은 밥을 먹고 있는 자를 치지 않는다(식사할 때에는 조용히 하라).

〔天不怕, 地不怕〕 tiān bù pà, dì bù pà〈成〉

하늘도 두려워 않고 땅도 두려워 않다(천하에 두려운 것 없다).
〔天不随人愿〕 tiān bù suí rén yuàn 〈成〉 세상은 생각하는 대로 되는 것은 아니다. =〔天不从人愿〕
〔天不响, 地不应〕 tiān bù xiǎng, dì bù yìng 〈成〉 어찌할 도리가 없다. 의지할〔발붙일〕 데가 없다.
〔天不作美〕 tiān bù zuò měi 〈轉〉 운이 나쁘다. ¶忽然~大雨倾盆; 갑자기 운 나쁘게 큰비가 내렸다.
〔天才〕 tiāncái 명 ①선천적인 뛰어난 재능. 천부적 자질. ¶他有艺术~; 그는 예술적 재능이 있다 / ~的创作; 천재적인 창작. ②천재. ¶这个孩子是音乐~; 이 아이는 음악의 천재다. →〔天分〕〔天资〕
〔天蚕〕 tiāncán 명 《蟲》 참나무산누에나방의 유충. 천잠.
〔天蚕蛾〕 tiāncán'é 명 《蟲》 참나무산누에나방.
〔天差地别〕 tiān chā dì bié 〈成〉 천지의 차. 전혀 다름. =〔天差地远〕
〔天产〕 tiānchǎn 명 〈文〉 천연의 산물.
〔天长地久〕 tiān cháng dì jiǔ 〈成〉 천지가 계속될 만큼 오랜 시간. 영원히 변함이 없음(흔히, 애정을 말함). ¶~有时尽; 천지는 장구하나 끝날 때가 있다(사물은 생성 발전 쇠망의 과정을 더듬으며, 영구히 존재하는 것은 없다). =〔地久天长〕
〔天长日久〕 tiān cháng rì jiǔ 〈成〉 긴 세월이 지나다. 세월이 오래 되다. 길고 긴 기간.
〔天朝〕 tiāncháo 명 천조. 중국의 조정(옛날, 외국에 대하여 쓰이던 자칭(自稱)).
〔天车〕 tiānchē 명 《機》 주행(走行) 크레인〔기중기〕. =〔行háng车〕
〔天秤〕 tiānchèng 명 ⇨〔天平〕
〔天窗(儿)〕 tiānchuāng(r) 명 천창. 지붕창. ¶打开~说亮话; 흉금을 털어놓고 이야기하다.
〔天垂线〕 tiānchuíxiàn 명 수직선.
〔天凑人愿〕 tiān còu rén yuàn 〈成〉 하늘이 사람의 소원을 들어〔이루어〕주다.
〔天打雷劈〕 tiān dǎ léi pī 〈成〉 ①하늘이 징벌을 내리다. ②천벌을 받다.
〔天大〕 tiāndà 형 하늘만큼 크다. ¶~的造化; 무상(無上)의 행운 / ~的谎; 터무니없는〔새빨간〕 거짓말.
〔天道〕 tiāndào 명 ①천지 자연의 도리. 천도. ②〈文〉 옛날, 자연 현상에 의한 길흉화복의 조짐. ③〈方〉 날씨. 기후.
〔天灯〕 tiāndēng 명 ①하늘 높이 단 등불. ②달의 별칭.
〔天敌〕 tiāndí 명 《生》 천적.
〔天底下〕 tiāndǐxia 명 〈口〉 이 세상. ¶~竟有这样的事! 세상에 이런 일이 있다니!
〔天地〕 tiāndì 명 ①천지. ¶炮声震动~; 포성이 천지를 진동하다 / 感~而泣鬼神; 천지에 감동하여 귀신을 울리다. ②〈比〉 천지. 세계. 경지(사람의 활동 범위를 나타냄). ¶别有~; 또 다른 경지가 있다(경치나 예술품에 대하여) / 文学艺术的新~; 문학 예술의 신천지 / 不要把自己关在办公室的小~里; 자기를 사무실의 작은 세계 안에 가두지 마라. ③〈方〉 지경. 상태. 처지. 경지. ¶穷到这个~; 이토록 궁경에 빠지다 / 既到这步~, 挽回是不能的; 이런 상태가 된 바에는 만회하기가 불가능하다.
〔天地会〕 Tiāndìhuì 명 《史》 천지회(청대(清代) 민간 비밀 결사의 하나). =〔三合会〕
〔天地间〕 tiāndìjiān 명 〈文〉 천지간. 세상.
〔天地头〕 tiāndìtóu 명 (책의) 천지. 아래위의 공백 부분.
〔天地线〕 tiāndìxiàn 명 《電》 안테나와 접지선('天线' 과 '地线').
〔天地悬隔〕 tiān dì xuán gé 〈成〉 ⇨〔天远地隔〕
〔天地之差〕 tiān dì zhī chā 〈成〉 천지차. 하늘과 땅의 차이. 천양지차. =〔天地之分〕
〔天地桌〕 tiāndìzhuō 명 신랑 신부가 천지(天地)를 경배할 때 향이나 초를 놓는 대.
〔天电〕 tiāndiàn 명 《電》 공중 전기. 공전(空電).
〔天顶〕 tiāndǐng 명 《天》 천정. 정점. 제니스(zenith).
〔天定〕 tiāndìng 명 천정. 하늘의 정함. 운명.
〔天定胜人〕 tiān dìng shèng rén 명 하늘이 정한 것에는 사람이 진다〔어쩔 수 없다〕(부정적인 생각으로 봄). ↔〔人定胜天〕
〔天鹅〕 tiān'é 명 《鳥》 백조류의 총칭. ¶~湖; (차이코프스키의 명곡) 백조의 호수.
〔天鹅绒〕 tiān'éróng 명 《紡》 빌로드. 벨벳. ¶丝~; 견(絹) 빌로드 / 棉~ =〔假jiǎ~〕〔棉剪绒〕; 면 빌로드 / 薄纱~; 시퐁(chiffon) 벨벳. =〔鹅绒〕
〔天蛾〕 tiān'é 명 《蟲》 박각시나방.
〔天罚〕 tiānfá 명 천벌.
〔天翻地覆〕 tiān fān dì fù 〈成〉 ①질서가 아주 문란한 모양. 소란 법석대는 모양. ②변화의 격심함을 이름. =〔翻天覆地〕
〔天方〕 Tiānfāng 명 《地》 '阿拉伯' (아라비아)의 고칭(古稱). ¶~夜谭 =〔一千零一夜〕; 아라비안 나이트.
〔天分〕 tiānfèn 명 선천적인 성질이나 재능. 소질. 천분. ¶~高; 타고난 재능이 뛰어나다 / ~又好, 又肯用功, 一定错不了; 소질도 좋고 공부하기도 좋아하니까 실패할 리가 없다.
〔天府〕 tiānfǔ 명 〈文〉 비옥하고 물산(物産)이 풍부한 곳. ¶~之国; 천연 자원이 풍부한 나라(쓰촨 성(四川省)의 미칭(美稱)).
〔天父〕 tiānfù 명 (기독교의) 하나님. 천부. →〔上shàng帝教〕
〔天赋〕 tiānfù 명 〈文〉 천부. 천품. 타고난 성품. →〔天分〕〔天资〕
〔天干〕 tiāngān 명 십간(十干)('甲' · '乙' · '丙' · '丁' · '戊' · '己' · '庚' · '辛' · '壬' · '癸'의 총칭). =〔十干〕 ↔〔地支〕 →〔干支〕
〔天罡星〕 tiāngāngxīng 명 《天》 〈文〉 북두칠성(北斗七星).
〔天高地厚〕 tiān gāo dì hòu 〈成〉 하늘은 높고 땅은 두껍다. ①은정(恩情)이 깊고 도타움의 형용. ¶~之恩; 지극히 높은 은혜. ②사물의 복잡함을 이름(흔히, '不知~'로 쓰임). ¶不知道天多高地多厚; 세상 물정을 모르다.
〔天高皇帝远〕 tiān gāo huángdì yuǎn 〈諺〉 ①지배자의 힘은 먼 곳에는 미치지 않는다. ②지배 · 구속 받는 것 없이 자유로움.
〔天膏药〕 tiāngāoyào 명 《植》 함바기.
〔天各一方〕 tiān gè yī fāng 〈成〉 (생활을 위해) 각기 멀리 떨어져 있음. =〔天远地隔〕
〔天工〕 tiāngōng 명 〈文〉 ①하늘의 조화. 묘도(妙道)에 든 기술. ②자연 상태를 말함.
〔天公〕 tiāngōng 명 〈俗〉 천제. 하느님. 자연계의 주재자. ¶偏偏~不作美, 一连下了几天雨; 마침 하늘의 신이 도와 주지 않아, 며칠이나 계속 비가 내렸다.

〔天公地道〕 tiān gōng dì dào 〈成〉 천지와 같이 공정하다. 공평 무사하다.
〔天宫〕 tiāngōng 명 천궁. 천제(天帝)의 궁전.
〔天沟〕 tiāngōu 명〖建〗안홈통(처마 위 난간 벽의 안쪽에 댄 홈통).
〔天狗〕 tiāngǒu 명 〈文〉 ①유성(流星)의 이름. ②흉신(凶神)의 이름. ③괴수(怪獸)의 이름.
〔天狗螺〕 tiāngǒuluó 명〖貝〗털탑고둥(바다에 삶).
〔天鼓〕 tiāngǔ 명 〈文〉〈比〉천둥.
〔天官〕 tiānguān 명 복을 내리는 신. ¶～赐福; 복의 신이 복을 주다.
〔天光〕 tiānguāng 명 ①날. 시간. ¶～还早; 시간은 아직 이르다. ②〈方〉(이른) 아침. 새벽. =〔早晨〕
〔天癸〕 tiānguǐ 명〖漢醫〗①생장·발육·생식 기능을 촉진하는 일종의 물질. ②⇨〔月yuè经〕 ③신음(신(腎)의 음기(陰氣)).
〔天国〕 tiānguó 명 ①⇨〔天堂①〕 ②〈比〉이상(理想) 세계.
〔天旱〕 tiānhàn ①명 한발. ②(tiān hàn) 한발이 되다.
〔天好〕 tiānhǎo 형 가장〔더없이〕 좋다. ¶你说得～我也不凭信; 네가 아무리 더없이 그럴 듯한 말을 하여도 나는 믿지 않는다.
〔天河〕 tiānhé 명 '银河'(은하)의 별칭. =〔长汉〕〔明河〕〔长河①〕〔星河〕〔星汉〕
〔天黑〕 tiānhēi ①명 저녁때. 해질무렵. ②(tiān hēi) 날이 저물다. 해가 지다.
〔天候〕 tiānhòu 명 천후. 기후. 날씨.
〔天胡荽〕 tiānhúsuī 명〖植〗피막이풀.
〔天花〕 tiānhuā 명 ①〖醫〗천연두. ¶出了～死了; 천연두로 죽었다. ②〖佛〗천상의 영묘한 꽃. ③옥수수의 수염. ④〈比〉눈.
〔天花板〕 tiānhuābǎn 명 천장널. =〔承尘②〕
〔天花粉〕 tiānhuāfěn 명〖漢醫〗하눌타리 뿌리의 분말. 천화분. =〔花粉②〕
〔天花接种〕 tiānhuā jiēzhòng 명〖醫〗종두(種痘).
〔天花乱坠〕 tiān huā luàn zhuì ①〈成〉색색이 찬란하고 화려한 모양(양무제(梁武帝) 때 어떤 스님이 경(經)을 강론하는데 상천(上天)을 감동시켜 천화(天花)가 분분히 내렸다고 함). ②〈比〉말이 생기 있어 사람을 끄는 힘이 있음. 현재는 말을 잘 하여 그럴 듯한 것. 과장되거나 비실제적인 것을 가리키는 일이 많음. ¶把自己的计划说得～; 자기의 계획을 그럴 듯하게 잘 말하다.
〔天荒地老〕 tiān huāng dì lǎo 〈成〉오랜 시간이 흐르다. =〔地老天荒〕
〔天皇〕 tiānhuáng 명 ①천자. 천황. ②(일본의) 천황.
〔天昏地暗〕 tiān hūn dì àn 〈成〉하늘과 땅이 다 같이 어둡다. ①모진 바람이 하늘로 모래를 불어 올리는 모양. ¶突然狂风大起, 刮得～; 갑자기 폭풍이 모질게 불어 하늘은 사진(砂塵)으로 어두워졌다. ②정치가 부패하고 사회가 혼란하다. ‖=〔天昏地黑〕
〔天火〕 tiānhuǒ 명 ①낙뢰 따위로 저절로 일어난 화재. ②원인 불명의 실화(失火). ③〖醫〗단독(丹毒)의 별칭.
〔天机〕 tiānjī 명 〈文〉 ①하늘의 기밀. 천기. 흔히 자연계의 비밀. 또, 불가사의한 일. ¶一言泄漏了～; 얼결에 중대한 기밀을 누설하여 버렸다. ②하늘의 뜻. 천의(天意). ③본래의 성격. 천성.
〔天际〕 tiānjì 명 (육안으로 보이는) 지평의 끝. ¶晚霞染红了～; 저녁놀이 지평선을 붉게 물들였다. =〔天边(儿)②〕
〔天骄〕 tiānjiāo 명 한대(漢代)에 흉토(匈土)의 군주를 천(天)의 교자(驕子)(천의 교만하고 우쭐대는 아들)라고 불렀던 데서 훗날 북방 소수 민족의 군주를 일컫던 말.
〔天戒〕 tiānjiè 명 선천적으로 술을 마시지 않음.
〔天尽头〕 tiānjìntóu 명 하늘의 끝. 극히 먼 곳.
〔天经地义〕 tiān jīng dì yì 〈成〉불변의 진리.
〔天井〕 tiānjǐng 명 ①〈方〉'正房'과 '厢房'에 에워싸인 마당. ②〈轉〉주택의 뜰의 총칭. ③네 주위가 높고 가운데가 움푹 들어간 모양의 것. ④천창(天窓)(채광을 위해 지붕에 낸 창. '天井沟'는 이에 대해 땅에 판 빗물 배수를 위한 도랑).
〔天九(牌)〕 tiānjiǔ(pái) 명 숫자맞추기의 일종인 카드 도박(32매의 골패를 가지고 네 사람이 놂. 각자 8매씩 패를 내놓고 승부를 진행함. 패는 문·무로 나뉘며, 문패(文牌)는 천패(天牌)가 가장 세고, 무패(武牌)는 9점이 가장 강하므로 이렇게 부름). =〔牌九〕
〔天可怜见〕 tiān kě lián jiàn 〈成〉하늘이 가엾게 여기시다. ¶～, 异日不死受了招安, 那时却来寻访哥哥未迟《水滸傳》; 하늘의 자비로 훗날 죽지 않고 조정의 사면을 받으면, 그 때 형님을 찾아가도 늦지 않을 것이다.
〔天空〕 tiānkōng 명 천공. 하늘. ¶～海阔kuò =〔海阔～〕; 〈成〉하늘이나 바다처럼 너르다(가슴 속에 아무런 거리낌도 없는 모양).
〔天葵〕 tiānkuí 명〖植〗개구리발톱.
〔天籁〕 tiānlài 명 〈文〉천뢰. 자연의 소리.
〔天蓝〕 tiānlán 명〖植〗하늘색. 스카이 블루. ¶～苜蓿; 〖植〗잔개자리.
〔天狼星〕 tiānlángxīng 명〖天〗천랑성. 시리우스(Sirius).
〔天朗气清〕 tiān lǎng qì qīng 〈成〉하늘이 맑게 개고 날씨가 화창하며 공기가 상쾌함.
〔天老儿〕 tiānlaor 명 선천적으로 전신의 색소가 결핍되어 모발·피부가 흰 사람. (선천성) 백인. =〔天落luò儿〕〔自化病②〕
〔天老爷〕 tiānlǎoyé 명 하느님.
〔天理〕 tiānlǐ 명 〈文〉 ①자연의 이치. ②송대(宋代)의 이학(理學)에서, 객관적 도덕 규범.
〔天理教〕 Tiānlǐjiào 명〖宗〗천리교('白莲教'의 일파로 '八卦教'라고도 하며, 청(清)의 가경(嘉慶) 연간에 전국에 퍼져 동(同) 18년에 반란을 일으켰다가 멸망함). =〔八卦教〕
〔天连水, 水连天〕 tiān lián shuǐ, shuǐ lián tiān 수평선이 끝없이 펼쳐 있는 모양.
〔天良〕 tiānliáng 명 〈文〉(타고난) 양심. ¶丧尽～; 양심이라곤 눈곱만큼도 없다.
〔天亮〕 tiānliàng ①명 새벽. 미명. 먼동. ¶～下雪; 〈歇〉분명하다. 명백하다. ↔〔天黑hēi〕 ②(tiān liàng) 날이 밝다. ¶快～了; 곧 동이 튼다.
〔天灵盖〕 tiānlínggài 명〖生〗①두개골. ②머리끝.
〔天鹨〕 tiānliù 명〖鳥〗종다리.
〔天龙表〕 tiānlongbiǎo 명 〈比〉가장 권위 있는 것. ¶不管你怎么说, 就是说出～来我也不去; 네가 뭐라 말하든, 설사 하느님을 들먹거려도 나는 절대로 가지 않는다.
〔天聋地哑〕 tiānlóng dìyǎ 명 극히 어리석은 사람.
〔天禄〕 tiānlù 명 〈文〉천록. 하늘이 태워 준 복록.

〔天禄大夫〕 tiānlù dàifū 명 술의 별칭.
〔天伦〕 tiānlún 명 〈文〉 ①자연히 정해진 인륜·순서. 천륜. ¶～之乐; 가정의 단란함. ②가정의 정의(情誼). ③아버지.
〔天罗地网〕 tiān luó dì wǎng 〈成〉 천지에 펼쳐 놓은 큰 그물(빈틈없는 포위망을 치다).
〔天络〕 tiānluò 명 《植》 수세미외의 별칭.
〔天麻〕 tiānmá 명 《植·漢醫》 천마. 적전(赤箭). 수자해좆(한방 의학에서 뇌병에 쓰임).
〔天麻麻亮〕 tiān mámaliàng 새벽 먼동이 틀 때. 어슴새벽. 여명.
〔天马〕 tiānmǎ 명 ①대원국(大宛國)에서 나는 좋은 말. ②십이지의 '卯mǎo'의 별칭. ¶我是属shǔ～的; 나는 묘년생이다. ③여우 가죽의 일종. ④ ⇨〔螳táng螂〕
〔天马行空〕 tiān mǎ xíng kōng 〈成〉 천마가 하늘을 날아다닌다(시문(詩文)·서법(書法) 등의 기세가 호방하고 자유 활달함).
〔天门〕 tiānmén 명 ①현묘(玄妙)한 경지에 이르는 문. ②탑의 꼭대기.
〔天门冬〕 tiānméndōng 명 《植》 호라지좆. =〔婆罗树①〕
〔天门盖〕 tiānméngài 명 이마. =〔前额é〕
〔天名精〕 tiānmíngjīng 명 《植》 여우오줌풀. =〔天门精〕〔地dì菘〕〔豕shǐ首①〕〔〈文〉玉yù门精〕
〔天明〕 tiānmíng 명 새벽. 동트기.
〔天命〕 tiānmìng 명 〈文〉 ①천연의 법칙. ②하늘이 부여한 운명. 천명. ③하늘의 뜻.
〔天幕〕 tiānmù 명 ①하늘. 창공. ②《劇》 (무대 뒤쪽의) 하늘 배경막.
〔天那水〕 tiānnàshuǐ 명 〈方〉 시너(thinner). =〔稀释剂〕〔溶剂〕
〔天南地北〕 tiān nán dì běi 〈成〉 ①아득히 먼 것을 형용. ②장소가 각기 멀리 떨어져 있는 것을 형용. ③멀리 서로 떨어져 생활하고 있음. ④이것저것 얘기하다. 세상사를 이야기하다. ¶敞开胸怀～地闲扯起来; 흉금을 터놓고 이것저것 세상 이야기를 시작했다.
〔天南海北〕 Tiān Nán Hǎi Běi ①〈簡〉 톈진(天津)·난징(南京)·상하이(上海)·베이징(北京) 4대 도시의 약칭. ②(tiānnán hǎiběi) ㉠이런저런 세상 이야기를 하는 모양. ¶～地瞎扯了一通就走了; 이것저것 잡담을 하고 가 버렸다. ㉡전국 방방곡곡. 온 나라.
〔天南星〕 tiānnánxīng 명 《植》 천남성. =〔虎掌〕
〔天年〕 tiānnián 명 ①천수(天壽). ¶尽其～; 천수를 누리다. =〔天算①〕 ②올해의 운세(運勢).
〔天鸟〕 tiānniǎo 명 ⇨〔云yún雀〕
〔天牛〕 tiānniú 명 《蟲》 하늘소. =〔桑sāng蠹〕〔桑牛〕
〔天怒人怨〕 tiān nù rén yuàn 〈成〉 몹쓸 죄를 범하여 하늘의 진노와 사람의 원한을 삼. 천인 공노할 용서 못 할 죄를 범함.
〔天牌压地牌〕 tiānpái yā dìpái 〈諺〉 천패(天牌)가 지패(地牌)를 누르다(①이치가 당연하다. ②뛰는 놈 위에 나는 놈 있다).
〔天疱疮〕 tiānpàochuāng 명 《漢醫》 천포창. 두창(痘瘡).
〔天棚〕 tiānpéng 명 ①천장. ②더위를 막기 위하여 뜰에 치는 삿자리 차일(遮日). ¶～戏; 야외에서 포장 치고 하는 연극. =〔凉棚〕〔木天①〕
〔天平〕 tiānpíng 명 천평. 천칭(天秤). ¶调剂～; 조제용 천칭. =〔天秤chèng〕
〔天气〕 tiānqì 명 ①일기. 날씨. ¶～预报; 일기예보 / 北京秋天的～最好; 베이징의 가을 날씨는 아주 좋다. ②시각. 시간. 기간. ¶～不早; 시간이 늦다 / 二年～; 2년간.
〔天气图〕 tiānqìtú 명 《氣》 일기도. 천기도.
〔天堑〕 tiānqiàn 명 천연의 참호. ¶长江～; 양쯔강(揚子江)의 천험(天險).
〔天桥〕 tiānqiáo 명 ①철도의 가교. ②적교(吊橋)식의 옛 공성구(攻城具). ③《體》체조 용구의 하나(양 끝에 사다리가 있는 다리). ④육교. 과선교(跨線橋). 구름다리. ⑤(Tiānqiáo) 《地》 베이징(北京)의 외성(外城) 안에 있는 번화한 곳.
〔天桥把式〕 Tiānqiáo bǎshi ①베이징(北京) 천교(天橋)의 거리의 무예자. ②〈轉〉 실력이 말 같지는 않음. 이류(二流).
〔天琴座〕 tiānqínzuò 명 《天》 거문고자리.
〔天青〕 tiānqīng 명 《色》 감색(紺色). ¶～石; 《鑛》 천청석(天青石). 셀러스타이트(celestite).
〔天穹〕 tiānqióng 명 천공(天空). 하늘.
〔天球〕 tiānqiú 명 《天》 천구.
〔天球仪〕 tiānqiúyí 명 《天》 천구의(일월성신을 원구 위에 표시한 천체의(天體儀)). =〔浑hún天仪②〕〔浑象〕
〔天衢〕 tiānqú 명 〈文〉 서울의 큰 거리. 서울. 수도.
〔天趣〕 tiānqù 명 〈文〉 천연의 풍취. 자연의 정취.
〔天阙〕 tiānquè 명 〈文〉 천궐. 궁궐. 서울. 수도.
〔天儿〕 tiānr 명 일기. 기후.
〔天然〕 tiānrán 형 ①천연의. ¶～橡胶; 천연 고무 / ～屏障; 천연의 장벽(障壁) / ～丝; 천연 생사. ↔〔人rén工〕〔人造〕 ②천연 그대로. 천성적인. ③도리로 보아 당연하다. 무리가 없다. ¶～合理; 무리가 없이 이치에 합당하다.
〔天然痘〕 tiānrándòu 명 《醫》 천연두. →〔痘疮〕
〔天然果实〕 tiānrán guǒshí 명 《法》 천연 과실(쌀·보리·과일처럼 자연적으로 나는 과실).
〔天然(煤)气〕 tiānrán (méi)qì 명 천연 가스. =〔天然燃气〕
〔天然免疫〕 tiānrán miǎnyì 명 《醫》 자연 면역. ↔〔人rén工免疫〕
〔天然足〕 tiānránzú 명 ⇨〔天足〕
〔天壤〕 tiānrǎng 명 〈文〉 ①하늘과 땅. ② ⇨〔天渊〕
〔天壤之别〕 tiān rǎng zhī bié 〈成〉 천양지차. ¶你和他的天分有～; 너와 그의 천분에는 천양지차가 있다. =〔天渊之别〕〔云yún壤之别〕〔云泥之别〕
〔天人〕 tiānrén 명 〈文〉 ①우주와 인생. ②천상의 사람. 하늘에서 내려온 사람. ③재능·학문이 보다 뛰어난 사람. ④유덕한 사람. ⑤미인. ⑥천리(天理)와 인욕(人慾).
〔天日〕 tiānrì 명 하늘과 태양. 〈比〉 광명. ¶重见～; 〈成〉 다시 해를 보다. 광명을 찾다.
〔天容〕 tiānróng 명 하늘의 빛깔. 하늘의 모양. 날씨.
〔天色〕 tiānsè 명 ①하늘색. 하늘빛. ②날씨. 일기. ¶看～怕要下雨; 하늘을 보니 아무래도 비가 올 것 같다. ②시간. 때. ¶～还早, 你再睡一会儿! 아직 이르니 한잠 더 자거라!
〔天塞镜头〕 tiānsè jìngtóu 명 테사르(Tessar) 렌즈(렌즈 4개를 합친 사진 렌즈).
〔天杀的〕 tiānshāde 명 〈罵〉 천벌을 받을 놈. 뒈질 놈. =〔天诛〕
〔天上〕 tiānshàng 명 천상. 하늘. ¶～地下; 천양지차 / ～无云不下雨; 〈諺〉 하늘에 구름이 없으면 비가 오지 않는다(아니 땐 굴뚝에 연기 날까) /

～一句地下一句; 〈諺〉 말의 앞뒤가 모순되다 / ～落下馅儿饼来; 〈諺〉 하늘에서 팥떡이 떨어졌다(굴러 온 호박).
〔天上掉〕 tiānshàngdiào 〈比〉 굴러온 호박. ¶他发的这个财简直是～下来的; 그의 이번 벌이는 순전히 뜻밖의 행운이다.
〔天上人间〕 tiān shàng rén jiān 〈成〉 천상과 인간 세상(처지나 환경이 완전히 다르다).
〔天神〕 tiānshén 명 〈文〉 천신. 하느님. =〔神天〕
〔天神地祇〕 tiānshén dìqí 명 천신지기. 천지의 신.
〔天生〕 tiānshēng 명형 천성적(이다). 선천적(이다). 자연적(이다). ¶本事不是～的; 능력은 천부적인 것이 아니다 / ～地长的; 자연히 육성된 것 / ～自灭; 자연히 나서 자연히 없어지다 / ～尤物; 〈比〉 타고난 미인.
〔天师〕 Tiānshī 명 ①도교(道教)의 시조(한대(漢代)의 장도릉(張道陵)에 대한 존칭). ②(tiānshī) 도술을 심득한 사람. 득도한 사람.
〔天时〕 tiānshí 명 〈文〉 ①하늘이 부여한 호기(好機). ②기후. 천후. ③절기. 철.
〔天使〕 tiānshǐ 명 〈文〉 ①천제(天帝)의 사자. ②옛날, 황제가 파견한 사자. ③〖宗〗 천사. 엔젤(angel). ¶～鱼; 〖魚〗 진저리상어. 엔젤 피시(angel fish). =〔〈音〉 安琪儿〕
〔天寿〕 tiānshòu 명 천수. →〔天年①〕
〔天书〕 tiānshū 명 ①천상의 신선이 썼다고 하는 책이나 편지. ②〈比〉 읽기 힘든 문자나 이해하기 어려운 문장. ③조칙(詔勅).
〔天数〕 tiānshù 명 〈文〉 천명. 운명. 숙명.
〔天水田〕 tiānshuǐtián 명 〖農〗 천수답. 천둥지기.
〔天丝瓜〕 tiānsīguā 명 〖植〗 수세미외. =〔丝瓜〕
〔天算〕 tiānsuàn 명 ①⇨〔天年①〕 ②하늘의 조치. 자연의 이치. ③〈簡〉 '天文算法'(천문의 산법)의 약칭.
〔天随人愿〕 tiān suí rén yuàn 〈成〉 하늘이 인간의 소원을 들어 주다. 바라던 대로 되다.
〔天塌〕 tiāntā 동 하늘이 무너져 내리다. 〈比〉 큰 사건이 일어나다. ¶～砸zá众人; 하늘이 무너져 내리면 모든 사람이 다친다(일단 일이 일어나면 모든 사람이 똑같이 관련된다) / ～了有大汉顶着; 하늘이 무너져 내려도, 그것을 떠받치는 대장부가 있다(든든해서 안심이 되다).
〔天塌地陷〕 tiān tā dì xiàn 〈成〉 하늘이 무너지고 땅이 꺼지다(대사건·대이변이 일어남을 말함). ¶下吧, 下吧, 下个～才好哩! 내려라, 내려라, 내려서 하늘도 땅도 다 무너져 버리는 게 낫겠다! =〔天坍tān地陷〕
〔天台〕 tiāntái 명 건물 옥상의 평평한 부분(축축한 것을 말리거나 여름에 더위를 피해 서늘한 바람을 쐬는 데 이용됨).
〔天台乌药〕 tiāntái wūyào 명 〖植〗 천태오약.
〔天堂〕 tiāntáng 명 ①〖宗〗 천국. 극락. =〔天国①〕 ②〈比〉 행복한 생활. 낙원. 파라다이스. ¶上有～, 下有苏杭; 하늘에는 천당이 있고 땅에는 쑤저우(蘇州)·항저우(杭州)가 있다(쑤저우(蘇州)와 항저우(杭州)의 아름다움을 비유한 말). ③(관상학에서) 이마의 윗부분.
〔天堂地狱〕 tiān táng dì yù 〈成〉 천당과 지옥(행복한 생활 환경과 고된 생활의 서로 판이한 처지).
〔天梯〕 tiāntī 명 ①〈文〉 하늘로 오르는 사다리(산길이 험함의 형용). ②높은 건물 설비에 설치된 사다리. ③'祭jì灶' 때에 쓰이는 종이로 만든 사다리.
〔天体〕 tiāntǐ 명 〖天〗 천체. ¶～仪yí; 천체의(儀). 천체의 모형.
〔天体营〕 tiāntǐyíng 명 나체주의자의 운동 허가 구역.
〔天天(儿)〕 tiāntiān(r) 명 매일. 날마다. ¶～做什么工作? 매일 어떤 일을 하고 있느냐? =〔每天〕
〔天条〕 tiāntiáo 명 ①〈文〉 천상(天上)의 법률. ②태평 천국(太平天國)의 금령.
〔天庭〕 tiāntíng 명 이마의 중앙. 양미간. ¶～饱满; 눈썹과 눈썹 사이가 넓다(복상(福相)이라고 함).
〔天头〕 tiāntóu 명 책의 지면 상단의 공백. =〔顶dǐng眉〕 ↔〔地头〕
〔天头〕 tiāntou 명 〈方〉 날씨. 기후. ¶～冷了; 날씨가 추워졌다.
〔天头地脚〕 tiāntóu dìjiǎo 명 책의 지면의 아래위의 공백.
〔天外〕 tiānwài 명 ①의외의 것. 상상이나 예상할 수 없는 것. ¶～飞来; 의외의 좋은 일을 당하다. ②고원(高遠)한 곳.
〔天王星〕 tiānwángxīng 명 〖天〗 천왕성.
〔天网恢恢〕 tiān wǎng huī huī 〈成〉 하늘의 그물은 크고 엉성하지만, 악인은 이 그물에서 도망칠 수 없다.
〔天威〕 tiānwēi 명 〈文〉 천위. ①천제(天帝)의 위엄. ②제왕의 위엄.
〔天维〕 tiānwéi 명 〈文〉 천유. 하늘이 이루어지는 근본.
〔天维地络〕 tiān wéi dì luò 〈成〉 지세(地勢)가 그물처럼 연이어지다.
〔天文〕 tiānwén 명 천문. ¶～算法; 〈文〉 천문 산법.
〔天文单位(距离)〕 tiānwén dānwèi (jùlí) 명 〖天〗 천문 단위(지구와 태양의 거리를 말하며 이를 태양계 내의 거리 단위로 씀 1 '～'는 49600×10^{8} 킬로미터).
〔天文馆〕 tiānwénguǎn 명 천문관.
〔天文数字〕 tiānwén shùzì 명 천문학적 숫자.
〔天文台〕 tiānwéntái 명 〖天〗 천문대.
〔天文望远镜〕 tiānwén wàngyuǎnjìng 명 천체 망원경.
〔天文学〕 tiānwénxué 명 천문학.
〔天文钟〕 tiānwénzhōng 명 천문 시계.
〔天无绝人之路〕 tiān wú jué rén zhī lù 〈諺〉 하늘은 사람의 길을 끊지 않는다(마음만 있으면 길은 열린다. 궁하면 통한다). =〔天不绝人(之)路〕
〔天无箬帽大〕 tiān wú ruò mào dà 〈成〉 하늘이 대삿갓만큼의 크기도 안된다(세상에 무서운 것이 없다).
〔天无私复〕 tiān wú sī fù 〈成〉 하늘은 공평 무사하다.
〔天下〕 tiānxià 명 ①천하. 세계. 전국. ¶～为公; 〈成〉 천하는 공동의 것. 세계는 여러 사람의 것 / ～为笼; 세상의 부귀는 몸의 올무 / ～老鸹〔乌鸦〕一般黑; 〈諺〉 천하의 까마귀는 다 검다(동류(同類)의 일들이란 대체로 비슷하다. 세상의 악인들이 하는 짓은 다 같다) / ～没有不散的筵席; 〈諺〉 성한다고 언제나 계속되지는 않는다 / ～无不是的父母; 〈諺〉 세상에 나쁜 부모는 없다(자식을 생각지 않는 부모는 없다) / ～无难事, 只怕有心人 =〔～无难事, 只要肯登攀〕; 〈諺〉 세상에는 어려운 일이란 없다, 하려고 마음만 먹는다면. ②국가의

통치권. 정권.

〔天下没有白吃的午餐〕 tiānxià méiyǒu báichīde wǔcān 명 세상에 공짜는 없다.

〔天仙〕 tiānxiān 명 〈文〉 ①선녀. 천녀(天女). ②〈比〉 미녀.

〔天险〕 tiānxiǎn 명 천험. 천연의 요새.

〔天线〕 tiānxiàn 명 《電》 ①전차의 공중 가선. ②안테나. ¶安装～; 안테나를 설치하다 / 抛pāo物柱面反射～; 파라볼라 안테나. ↔〔地线〕

〔天香〕 tiānxiāng 명 〈文〉 ①향. ¶烧～; 향을 피워 하늘에 제사지내다. ②타고난 미모.

〔天香百合〕 tiānxiāng bǎihé 명 《植》 산나리.

〔天香国色〕 tiān xiāng guó sè 〈成〉 절세의 미인《원래는 모란의 아름다움을 형용한 말》. =〔国色天香〕

〔天象〕 tiānxiàng 명 ①〈文〉 천상. 천체의 현상. =〔乾qián图〕 ②하늘 모양. 날씨. 기상.

〔天象仪〕 tiānxiàngyí 명 천상의. 플라네타륨(planetarium).

〔天晓得〕 tiān xiǎode 〈方〉 신만이 안다. 아무도 모른다. 아니나다를까. 뜻밖에도. ¶～他在那儿待了多久; 그가 거기에 얼마나 머물렀는지는 아무도 모른다.

〔天心〕 tiānxīn 명 〈文〉 천심. ①천제(天帝)의 마음. ②하늘의 한가운데.

〔天刑〕 tiānxíng 명 〈文〉 ①천벌. ②옛날, 환관의 별칭.

〔天行〕 tiānxíng 동 〈文〉 유행하다. ¶～时气; 〈成〉 돌림병이 유행하다 / ～疫yì; 유행병 / ～赤目; 《漢醫》 결막염.

〔天性〕 tiānxìng 명 천성. 본성. 타고난 성격. =〔〈文〉 性天〕

〔天幸〕 tiānxìng 명 〈文〉 천행. 의외의 행운. 뜻밖의 행운. 천만다행.

〔天旋地转〕 tiān xuán dì zhuǎn 〈成〉 ①(감각이 이상해져서) 천지가 도는 것처럼 느끼다. 머리가 어찔한 모양. ¶由于流血过多, 感到～; 피를 너무 많이 흘려서 머리가 어지럽다. ②천지가 뒤집힐 듯 야단법석을 떨다.

〔天悬地隔〕 tiān xuán dì gé 〈成〉 ⇨〔天远地隔〕

〔天涯〕 tiānyá 명 ⇨〔天边(儿)〕

〔天涯地角〕 tiān yá dì jiǎo 〈成〉 하늘끝과 땅끝《아주 먼 곳》. ¶任你走到～, 我永远和你在一起; 하늘끝 땅끝이라도 당신과 언제까지나 함께 있겠다. =〔天涯海角〕〔海角天涯〕

〔天涯海角〕 tiān yá hǎi jiǎo 〈成〉 ⇨〔天涯地角〕

〔天阉〕 tiānyān 명 선천적인 고자. 천환(天宦). 임포텐츠.

〔天眼通〕 tiānyǎntōng 명 ①《佛》 천안통. ②〈比〉 천리안.

〔天演〕 tiānyǎn 명 만물의 자연의 진화. ¶～论; 진화론.

〔天衣〕 tiānyī 명 〈文〉 천의. ①천자의 옷. ②선인(仙人)의 옷.

〔天衣无缝〕 tiān yī wú fèng 〈成〉 천의 무봉. 천녀의 옷에는 솔기가 없다. 자연 그대로 흠이 없이 완전함《흔히, 시가(詩歌) 등의 기교 없이 완미(完美)함의 형용》. ¶她～地顺口答应了; 그녀는 한 치의 틈도 없이 술술 대답하였다.

〔天意〕 tiānyì 명 〈文〉 천의. ①하늘의 뜻. ②조화(造化)〔조물주〕의 마음. ③자연의 이치.

〔天鹰座〕 Tiānyīngzuò 명 《天》 독수리자리.

〔天有不测风云〕 tiān yǒu bùcè fēngyún 〈諺〉 하늘에는 예측 못 하는 풍운(風雲)이 있다《한 치 눈앞을 알 수 없다. 화(禍)는 예기치 않게 들이닥친다》.

〔天佑〕 tiānyòu 명 〈文〉 천우. 하늘의 도움.

〔天与人归〕 tiān yǔ rén guī 〈成〉 천의(天意)와 인심이 모두 그 곳으로 귀의하다.

〔天宇〕 tiānyǔ 명 천우. ①〈文〉 천하. 세상. ②제도(帝都). 제국의 수도. ③하늘. ¶歌声响彻～; 노랫소리가 하늘에 울려 퍼지다.

〔天渊〕 tiānyuān 명 하늘과 심연. 〈比〉 엄청난 차이. ¶相去～ =〔天壤之别〕; 천지의 차. =〔天壤②〕

〔天缘儿〕 tiānyuánr 명 하늘이 맺어 준 인연. 천생 연분.

〔天远地隔〕 tiān yuǎn dì gé 명 〈成〉 하늘과 땅만큼의 차이가 있다. =〔天地悬隔〕〔天悬xuán地隔〕

〔天运〕 tiānyùn 명 〈文〉 천운. ①운명. ②천체의 운행.

〔天灾〕 tiānzāi 명 자연 재해. 천재. ¶～人祸; 〈成〉 천재와 인재(人災).

〔天灾病业〕 tiān zāi bìng yè 〈成〉 천재와 질병《어쩔 수 없는 일》.

〔天葬〕 tiānzàng 명 ⇨〔鸟niǎo葬〕

〔天造地设〕 tiān zào dì shè 〈成〉 자연히 형성되고 또 이상적이다. ¶这里物产丰富, 山水秀丽, 四季如春, 真是～的好地方; 이 곳은 물산이 풍부하고 산수가 수려하며, 사계절 내내 봄 같아서 참으로 하늘이 만든 이상향이다.

〔天真〕 tiānzhēn 명 사람의 본성. ¶～流露; 자연의 좋은 본성이 나타나다. 형 ①천진하다. 순진하다. 허위나 작위가 없다. ¶～烂漫; 〈成〉 천진난만 / ～无忧; 천진 난만하여 시름을 모르다. ②(생각이) 단순하다. 유치하다. ¶这种想法过于～; 이런 사고 방식은 지나치게 단순하다.

〔天之骄子〕 tiān zhī jiāozǐ ①하늘의 보호를 받는 사람《옛날, 흉노(匈奴)를 가리켰음》. ②운명의 혜택을 받은 사람. ③오만 불손한 사람.

〔天职〕 tiānzhí 명 천직.

〔天质〕 tiānzhì 명 ⇨〔天资〕

〔天中〕 tiānzhōng 명 천중. ①〈文〉 하늘의 중앙. ②(골상학에서) 이마의 위쪽.

〔天轴〕 tiānzhóu 명 《機》 선축(線軸). 라인 샤프트(line shaft).

〔天诛地灭〕 tiān zhū dì miè 〈成〉 (죄악을) 천지가 용서하지 않다. 천벌을 받다《서약하는 말》. ¶我要是说谎, ～! 내가 거짓말을 하면 천벌을 받는다!

〔天竹(子)〕 tiānzhú(zi) 명 《植》 〈簡〉 남천촉.

〔天竺〕 Tiānzhú 명 《地》 천축. 인도의 고칭(古稱). =〔乾竺〕

〔天竺桂〕 tiānzhúguì 명 《植》 생달나무《약용됨》. =〔山shān桂〕〔月yuè桂②〕

〔天竺葵〕 tiānzhúkuí 명 《植》 천축규. 양아욱.

〔天竺鼠〕 tiānzhúshǔ 명 《動》 마멋(marmot). =〔荷hé兰猪〕〔豚tún鼠〕

〔天主〕 tiānzhǔ 명 《宗》 천주. (천주교에서의) 신.

〔天主教〕 Tiānzhǔjiào 명 《宗》 천주교. =〔加jiā特力教〕〔罗luó马公教〕〔公gōng教〕〔旧jiù教〕

〔天主堂〕 tiānzhǔtáng 명 《宗》 천주당. 성당.

〔天姿〕 tiānzī 명 ①천자. 타고난 용모〔자태〕. ¶～国色; 절세의 미인. ②천자의 용모. ③타고난 소질.

〔天资〕 tiānzī 명 천자. 소질. 천품. 타고난 성질. =〔天质zhì〕

〔天子〕 tiānzǐ 명 천자. 황제. =〔官guān家①〕〔官里②〕〔万乘wànshèng〕
〔天字第一号〕 tiān zì dì yī hào〈成〉제일 가는 첫째. 최고의 것. 최강의 것(‘天’이 ‘天字文’의 머릿구 ‘天地玄黄’에서 첫 글자이므로 ABCD의 A처럼 쓰임). ¶他是总长面前~的红人; 그는 총장이 가장 마음에 들어하는 사람이다.
〔天足〕 tiānzú 명 전족(纏足)하지 않은 자연의 발. =〔天然足〕
〔天尊〕 tiānzūn 명〈敬〉①도교의 신선. ②《佛》부처님.
〔天作之合〕 tiān zuò zhī hé〈成〉①하늘의 배합에 의하여 맺어진 혼인. ②좋은 인연.
〔天做庄稼, 人做梦, 收多收少由天命〕 tiān zuò zhuāngjia, rén zuò mèng, shōu duō shōu shǎo yóu tiānmìng〈諺〉사람은 소망을 걸지만 작물을 만드는 것은 하늘이요, 수확이 많고 적음은 하늘의 명(命)이다.

添 tiān (첨)
동 ①첨부하다. 첨가하다. 덧붙이다. 더하다. ¶~人; 사람을 늘리다. 증원하다 / ~水; 물을 첨가하다 / 增~; 증가하다 / 再~儿台机器; 몇 대의 기계를 더 늘리다 / 给你~麻烦了; 폐를 끼쳐 미안합니다. ②〈方〉아이를 낳다. ¶~了一个小孩子; 아이를 하나 낳았다(첫 아이건 둘째 이후이건 두루 쓰임).
〔添办〕 tiānbàn 동 상품을 사들이다.
〔添本(儿)〕 tiān.běn(r) 동 자본을 증액하다.
〔添病〕 tiān.bìng 동 병세가 더하다. ¶是到这儿休养来的, 还是~来的? 여기에는 정양하러 왔는가, 아니면 병을 더 키우기 위해서 왔는가?
〔添补〕 tiānbu 동 ①(용구·의상 따위를) 증가 보충하다. ¶~点儿衣裳; 옷을 조금 사들이다. ②금전으로 돕다. ¶我每月得~他点儿; 나는 매달 그에게 얼마간 보조해 주어야 한다.
〔添仓〕 tiān.cāng 동 ⇨〔填tián仓〕
〔添草〕 tiāncǎo 동 가축에 꼴을 주다.
〔添丁〕 tiān.dīng 동〈比〉옛날, 사내아이를 낳다.
〔添发〕 tiānfā 동 늘려서 내다. 추가로 내다.
〔添饭〕 tiān fàn ①밥을 더 먹다. ②밥을 더 푸다. =〔盛饭chéngfàn〕
〔添房〕 tiānfáng 명동 ⇨〔添箱〕
〔添坟〕 tiānfén 동 봉분에 흙을 덧얹어 성묘의 표시로 하다. =〔填坟②〕
〔添盖〕 tiāngài 동 증축하다. 늘려서 짓다. ¶~房子; 집을 증축하다.
〔添购〕 tiāngòu 명동 추가 구입(하다).
〔添火〕 tiān.huǒ 동 방에 불을 지피다. 난방하다. →〔生shēng火〕〔升shēng火〕
〔添货〕 tiān.huò 동 상품을 사 불리다. 상품을 추가 구입하다.
〔添加剂〕 tiānjiājì 명《化》첨가제. 첨가물.
〔添价〕 tiān.jià 동 (사는 쪽이) 처음 값보다 더 주고 사다. =〔添钱〕
〔添乱〕 tiān.luàn 동 폐를 끼치다. 수고를 끼치게 하다.
〔添麻烦〕 tiān máfan 수고를 끼치다. ¶给她们添了多大的麻烦; 그녀들에게 대단히 신세졌다.
〔添买〕 tiānmǎi 동 사서 불리다. 더 사다.
〔添煤机〕 tiānméijī 명《機》자동 급탄기(給炭機).
〔添盆(儿)〕 tiānpén(r) 동 아이가 태어나 사흘째 되는 축하날에 손님들이 아이의 장수를 기원하여 ‘聚宝盆’에 축하 선물을 넣다.
〔添钱〕 tiānqián 명 원래 가격보다 더 얹어주는 돈. ¶再没有~吗? 조금만 더 쓸 수 없겠나? =〔添头①〕 (tiān.qián) 동 ⇨〔添价〕
〔添人进口〕 tiān rén jìn kǒu〈成〉(혼인 따위로) 집에 식구가 늘다.
〔添上〕 tiānshang 동 첨부하다. 첨가하다.
〔添设〕 tiānshè 동 증설하다.
〔添头〕 tiāntou 명 ①⇨〔添钱〕 ②벌충(액).
〔添箱〕 tiānxiāng 명 옛날, 친척·친구가 신부에게 주는 선물. (tiān.xiāng) 동 친척·친구가 신부에게 선물이나 축의금을 보내다. ¶我也没有什么给她~; 나도 그녀의 결혼에 줄 물건이 아무것도 없다. ‖ =〔添房〕〔填tián箱〕
〔添油加醋〕 tiān yóu jiā cù〈成〉말에 살을 붙이거나 강조하다. ¶他本来就在发火, 你还在旁边~; 그는 본래 화가 나 있는데, 너는 옆에서 부채질하고 있구나.
〔添债〕 tiān.zhài 동 빚이 늘다〔불어나다〕.
〔添枝加叶〕 tiān zhī jiā yè〈成〉(말에) 지엽을 붙이다. 과장하다. ¶她~地到处嚷嚷; 그녀는 말에 살을 보태어 여기저기 가서 떠들어 댔다 / 他向来是爱~地夸大事实; 그는 본래 말을 보태서 사실을 과장하기 좋아한다. =〔添枝添叶〕〔有枝添叶〕
〔添置〕 tiānzhì 동 추가로 사들이다〔구입하다〕.
〔添注涂改〕 tiān zhù tú gǎi〈成〉문장을 쓰다가 빠뜨린 것을 보충하고 그릇된 것을 고치다.
〔添砖加瓦〕 tiān zhuān jiā wǎ〈成〉벽돌과 기와를 더하다(미력을 다함). ¶我们要为国家的经济建设~; 우리는 국가의 경제 건설을 위해 미력을 다할 것이다.

黇 tiān (첨)
→〔黇鹿〕
〔黇鹿〕 tiānlù 명《動》사슴의 일종(회황색으로, 보통 사슴보다 작으며 뿔 상반부는 편평하고 갈라지지 않았음).

田 tián (전)
①명 논. 밭. 전지(田地). 전답. ¶水~; 논 / 旱hàn~; 밭 / 种~; 경작하다. ②동〈文〉사냥하다. ¶以~以渔; 사냥을 하거나 고기를 잡거나 하다. =〔畋〕 ③명 필드(경기). ↔〔径〕 ④명 성(姓)의 하나.
〔田边〕 tiánbiān 명 논·밭의 가장자리. ¶~地角; 논밭의 구석.
〔田鳖〕 tiánbiē 명《蟲》물장군.
〔田产〕 tiánchǎn 명 토지 재산. ¶置~; 토지를 사다.
〔田塍〕 tiánchéng 명〈方〉논두렁. 논의 두둑. =〔田埂gěng(儿)〕
〔田畴〕 tiánchóu 명〈文〉전지(田地). 논밭.
〔田单〕 tiándān 명 ①토지 증서. 지권(地券). ②(Tiándān) 전국 시대 제(齊)나라 명장의 이름.
〔田荡〕 tiándàng 명 논바닥을 고르는 농구.
〔田地〕 tiándì 명 ①논밭. 경작지. ②밭. ③이수(里數). 거리. ¶十四五里~; 십사오 리(里)의 이수. ④〈轉〉입장. 처지. 정도. 상태. ¶到了这样的~; 이런 (바람직하지 못한) 입장·처지·상태가 되었다. →〔地步①〕
〔田夫〕 tiánfū 명〈文〉농부.
〔田父〕 tiánfǔ 명 ①농부. ②늙은 농부.
〔田赋〕 tiánfù 명 전지(田地)세. 전조(田租). =〔钱qián粮①〕
〔田埂(儿)〕 tiángěng(r) 명〈方〉⇨〔田塍〕
〔田鸡〕 tiánjī 명 ①식용 개구리. ②‘青蛙’(개구리)의 통칭. ¶~炮; 《軍》구포(臼砲). ③《鳥》쇠물

닭.
〔田基〕 tiánjī 명 논밭의 두렁. ¶～黄 =〔地耳草〕;《植》 애기고추나물.
〔田家〕 tiánjiā 명〈文〉 농가. =〔田户〕
〔田假〕 tiánjià 명 농가 농번기의 휴가.
〔田间〕 tiánjiān 명 ①〈文〉 논. 전지. 들. =〔畎quǎn亩〕 ②경작지《기계 공장에서의 '车chējiān间'(현장)에 대하여 농작의 작업장으로서의 논을 말함》. ¶～工作; 경작 작업/～管理; 경지 관리《파종에서부터 수확까지의 논밭에서의 농업 노동》. ③농촌.
〔田径〕 tiánjìng 명《體》 육상 경기《'田'은 필드(field), '径'은 트랙(track)을 말함》. ¶～赛; 육상 경기/～队; 육상 경기팀/～运动; 육상 운동.
〔田坎〕 tiánkǎn 명 ①논밭의 이랑. ②두렁.
〔田客〕 tiánkè 명 소작(농). =〔佃diàn户〕
〔田猎〕 tiánliè 명동〈文〉 사냥(을 하다). →〔打猎〕
〔田鹨〕 tiánliù 명《鳥》 도요새.
〔田垄(儿)〕 tiánlǒng(r) 명 논두렁.
〔田螺〕 tiánluó 명《貝》 우렁이. ¶～眼;〈比〉 퉁방울눈.
〔田面〕 tiánmiàn 명 소작료를 물어야 할 벼·보리 등의 주요 곡물.
〔田苗子〕 tiánmiáozi 명 (아직 이삭이 나지 않은) 농작물의 모종.
〔田亩〕 tiánmǔ 명 전답. 논밭.
〔田畔〕 tiánpàn 명 (논밭의) 두렁.
〔田婆〕 tiánpó 명 전파《고장의 수호신》.
〔田七〕 tiánqī →〔三sān七〕
〔田畦〕 tiánqí 명 논두렁과 밭두렁.
〔田契〕 tiánqì 명 지권(地券). 토지 증서.
〔田雀〕 tiánquè 명《鳥》 쑥새.
〔田赛〕 tiánsài 명《體》 필드(field) 경기. ¶～场; 필드.
〔田舍〕 tiánshè 명〈文〉 ①전지와 가옥. ②시골집. 농촌의 집. ③전가(田家). 농가.
〔田鼠〕 tiánshǔ 명《動》 ①들쥐. =〔野鼠〕 ②두더지. =〔鼹鼠〕
〔田薯〕 tiánshǔ 명《植》 참마.
〔田头〕 tiántóu 명 ①전답의 관리인. ②논의 두렁. ③논밭의 옆. 들녘. ¶～食堂; 논 옆의 식당/～诗; 들판이 배경이 되는 시.
〔田鹀〕 tiánwú 명《鳥》 쑥새.
〔田野〕 tiányě 명 전야. 들. 야외. ¶列车穿过～, 奔向远方; 열차는 들판을 가로질러 먼 곳으로 달려간다.
〔田野工作〕 tiányě gōngzuò 명 야외에서 행해지는 측량. 발굴 등의 일. =〔野外工作〕
〔田业〕 tiányè 명 전답 따위의 재산.
〔田园〕 tiányuán 명 전원. 시골. ¶～风光; 전원 풍경/～诗; 전원시/～化; 논밭을 정원으로 바꾸다《집약 농법을 써서 농업 생산성을 높임으로써 일부의 토지를 정원화(庭園化)한다는 착상》.
〔田月桑时〕 tiányuè sāngshí 명〈比〉 농번기. 농사일이 바쁜 시기.
〔田宅〕 tiánzhái 명 ①논밭과 집. ②〈比〉 눈과 눈썹 사이.
〔田庄〕 tiánzhuāng 명 부자가 소유한 시골의 장원(莊園).
〔田字草〕 tiánzìcǎo 명《植》 네가래. =〔蘋pín〕
〔田租〕 tiánzū 명 ①전조. 논밭의 조세. ②소작료.

佃 tián (전)
동〈文〉 ①농사짓다. 경작하다. ②사냥하다. =〔畋tián〕 ⇒diàn

畋 tián (전)
동〈文〉 사냥을 하다. =〔佃tián②〕

钿(鈿) tián (전)
명〈方〉 ①경화(硬貨). 동전. ¶铜～; 동화. 동전. ②돈. 화폐. ¶几～? 얼마요? ③비용. 경비. 금액. ¶车～; 차비. ⇒diàn

恬 tián (첨)
형〈文〉 ①조용하다. 고요하다. 평온하다. ¶～适; ⇓ ②태연하다. 뻔뻔스럽다. ¶不知耻; ⇓/～不为怪; 태연하게 이상하다고 여기지 않다.
〔恬安〕 tián'ān 형〈文〉 태연하고 평안하다.
〔恬不知耻〕 tián bù zhī chǐ〈成〉 태연하여 부끄러움을 모르다. 뻔뻔스러운 모양. 느물거리는 모양. ¶那个人脸皮太厚, 真是～; 그의 낯가죽은 너무 두껍다. 정말 부끄러운 줄 모른다.
〔恬淡〕 tiándàn 형 사욕이 없이 담백하다. 염담하다. ¶～自甘; 명리를 구하지 않고 유연함. =〔恬澹dàn〕
〔恬静〕 tiánjìng 형〈文〉 평안하고 조용하다. 마음이 평온하다.
〔恬然〕 tiánrán 형〈文〉 개의치 않는 모양. 태연한 모양. ¶处之～; 태연히 일에 처하다/～不以为怪; 별난 것을 보아도 태연히 개의치 않다.
〔恬适〕 tiánshì 형〈文〉 조용하여 평온하다.
〔恬退〕 tiántuì 동〈文〉 깨끗이 물러서다.
〔恬无忌惮〕 tián wú jì dàn〈成〉 태연하여 조금도 거리낌이 없다.

湉 tián (첨)
→〔湉湉〕
〔湉湉〕 tiántián 형〈文〉 물의 흐름이 잔잔한 모양.

菾 tián (첨)
→〔菾菜〕
〔菾菜〕 tiáncài 명《植》 첨채(甜菜). 사탕무. =〔甜tián菜〕〔糖萝卜〕

甜 tián (첨)
형 ①(맛이) 달다. ¶这西瓜真～; 이 수박은 참으로 달다. =〔甘①〕 ②감미롭다. ¶话说得很～; 말이 아주 감미롭다. ③즐겁다. 기분이 좋다. ¶我们的日子现在可～多了; 우리의 생활은 지금은 훨씬 즐거워졌다.
〔甜半夜〕 tiánbànyè 명《植》 호깨나무.
〔甜不到〕 tián bu dào 알찬 재미를〔이익을〕 볼 수 없다. ¶～哪儿去; 별다른 이익을 볼 수 없다.
〔甜不唧儿〕 tiánbujīr 형 ⇒〔甜不丝儿〕
〔甜不丝儿〕 tiánbusīr 형 맛이 달다. =〔〈方〉甜不唧儿〕
〔甜菜〕 tiáncài 명《植》 ①사탕무. ②'甜菜'의 뿌리. ‖ =〔糖萝卜〕〔菾菜〕〔红菜头〕
〔甜橙〕 tiánchéng 명《植》 네이블 오렌지《창장(長江) 이남에서 재배되는 감귤》.
〔甜脆〕 tiáncuì 형 달고 입맛에 좋다. 달고 바삭바삭〔아삭아삭〕하다.
〔甜点心〕 tiándiǎnxin 명 맛이 단 디저트.
〔甜甘〕 tiángān〔tiángan〕 형 ①붙임성이 좋다. ②(말이) 부드럽다. 귀에 거슬리지 않다.
〔甜甘草〕 tiángāncǎo 명《植》〈俗〉 감초.
〔甜秆〕 tiángǎn 명《植》 ①사탕수수. ②사탕수수같이 단 옥수숫대.
〔甜哥哥蜜姐姐〕 tián gēge mì jiějie 알랑거리

다. 귀염을 떨다. ¶～地拍pài他的马屁; 추켜세우며 그의 비위를 맞추다.
〔甜瓜〕 tiánguā 명《植》참외. =〔果瓜〕〔香瓜(儿)〕〔蜜瓜〕
〔甜和〕 tiánhe 형 기분이 흡족하다. 만족스럽다.
〔甜活〕 tiánhuó 명 수월하고 수입도 좋은 일. ↔〔苦活〕
〔甜浆粥〕 tiánjiāngzhōu 명 찹쌀가루로 만든 단죽.
〔甜酱〕 tiánjiàng 명 ⇨〔甜面酱〕
〔甜椒〕 tiánjiāo 명《植》피망. =〔甜柿椒〕
〔甜津津(的)〕 tiánjīnjīn(de) 형 아주 달다. 달콤하다.
〔甜精〕 tiánjīng 명《化》사카린. =〔糖精〕
〔甜井〕 tiánjǐng 명 음료수용의 우물. =〔甜水井〕 ↔〔苦kǔ井〕
〔甜酒〕 tiánjiǔ 명 ①리큐어(liqueur). ②달콤한 술.
〔甜快〕 tiánkuài 형 (잠이) 고소하다〔달다〕. ¶～地睡着; 깊이〔달게〕 잠자고 있다.
〔甜拉八咭〕 tiánlābājī 형〈方〉몹시 달콤하다('…拉八咭'는 맛이 지나치게 진함을 이름).
〔甜溜溜〕 tiánliūliū 형 맛이 단 모양.
〔甜买卖〕 tián mǎimai 단물이 나는 〔실속 있는〕 장사.
〔甜梅儿〕 tiánméir 명《植》살구.
〔甜美〕 tiánměi 형 ①달다. 감미롭다. ¶这种苹果多汁而～; 이런 종류의 사과는 물이 많고 달다. ②유쾌하다. 쾌적하다. 기분이 좋다. ¶睡了一个～的午觉; 쾌적한〔달콤한〕 낮잠을 잤다.
〔甜蜜〕 tiánmì 형 (관계 따위가) 달콤하다. 기분 좋다. (행복감을 느껴) 즐겁다. (말을) 잘 하여 사람을 끌다. ¶～宣传; 말솜씨 좋은 선전 / 回忆有时那么～; 회상은 때론 매우 달콤할 때가 있다.
〔甜蜜蜜〕 tiánmìmì 형 ①달콤하다. ②친밀〔다정〕하다. ¶他们～地谈话来着; 그들은 다정하게 이야기하고 있었다. ③기분 좋다. ¶～地睡着来着; 기분 좋게 푹 자고 있었다.
〔甜面酱〕 tiánmiànjiàng 명 단맛이 나는 된장(밀가루를 반죽하여 발효시킨 것을 쪄서(질적으로는 만두와 같음), 여기에 누룩·소금을 넣어서 만듦). =〔甜酱〕〔面酱〕
〔甜品〕 tiánpǐn 명 (과자 등의) 단맛나는 간식.
〔甜烧酒〕 tiánshāojiǔ 명 리큐어(liqueur).
〔甜食〕 tiánshí 명 ①단 음식. ②디저트.
〔甜适〕 tiánshì 형〈文〉즐겁고 기분이 좋다.
〔甜柿椒〕 tiánshìjiāo 명 ⇨〔甜椒〕
〔甜水〕 tiánshuǐ 명 ①음료에 적합한 물. 단물. ¶～井 =〔甜井〕; 물맛이 좋은 우물. 음료수용의 우물. ↔〔苦kǔ水〕 ②〈轉〉행복한 환경. ¶苦水里生～里长; 어려운 환경에서 태어나 유복한 환경에서 자라다.
〔甜睡〕 tiánshuì 동 숙수(熟睡)하다. 기분 좋게 자다. 푹 자다.
〔甜丝丝(儿〔的〕)〕 tiánsīsī(r〔de〕) 형 ①달짝지근한 모양. ¶这种菜～儿的, 很好吃; 이 요리는 달콤하여, 아주 맛있다. ②행복에 잠긴 모양. ¶她想到孩子们都长大成人, 能为祖国尽力, 心里～儿的; 그녀는 아이들이 모두 어른이 되어서, 조국을 위하여 힘을 다하게 된 것을 생각하니, 마음은 기쁨으로 충만했다. ‖ =〔甜滋滋(的)〕
〔甜酸(儿)〕 tiánsuān(r) 명 달콤새콤한 음식. ¶小姑娘们都爱吃个～; 소녀들은 모두 달콤새콤한 음식을 좋아한다.
〔甜酸苦辣咸〕 tián suān kǔ là xián ①다섯 가지 맛(단맛·신맛·쓴맛·매운맛·짠맛). ②〈比〉뜬세상의 갖가지 시련. ¶～都尝过了; 뜬세상의 갖가지 시련을 맛보았다. ‖ =〔酸辣苦甜咸〕
〔甜头(儿)〕 tiántou(r) 명 ①단맛. 맛남. ¶他吃了还想吃, 大概吃出～儿来了; 그는 먹고 또 더 먹으려고 하는데, 아마 맛을 알았나 보다. ②(일의) 묘미. 맛. 달콤함. 이득. ¶尝到了～; 즐거움을 맛보다. 재미를 느꼈다. 맛을 들였다 / 这是苦买卖没一点～; 이것은 힘든 장사로, 조금도 잇속이 없다.
〔甜味〕 tiánwèi 명 단맛.
〔甜笑〕 tiánxiào 명 천진스런 웃음.
〔甜鞋净袜〕 tiánxié jìngwà 청결한 신과 양말(아름다운 몸단장).
〔甜言〕 tiányán 명 달콤한 말. 감언. =〔甘gān言〕
〔甜言蜜语〕 tián yán mì yǔ 〈成〉①감언이설. ¶被旁人的～骗得上了当; 남의 감언이설에 속아 넘어갔다. ②(연인들 간의) 달콤한 속삭임.
〔甜枣〕 tiánzǎo 명《植》보리수나무. =〔牛奶子〕
〔甜滋滋(的)〕 tiánzīzī(de) 형 ⇨〔甜丝丝(儿〔的〕)〕
〔甜嘴蜜舌〕 tiánzuǐ mìshé 말을 잘 하다. 언변이 좋다.

阗(闐)

tián (전)
①〈擬〉둥둥. 덩더꿍(북소리). =〔阗阗〕 ②형 충만하다. ¶喧xuān～; 소리가 시끄럽다. ③지명용 자(字). ¶和～; 허톈(和闐)(신장 성(新疆省) 웨이우얼(維吾爾) 자치구에 있는 현 이름).

填

tián (전)
동 ①(웅덩이·구멍을) 메우다. ¶～坑; 구멍을 메우다. ②공란을 메우다. ¶～志愿书; 지원서에 써 넣다 / 头一栏要～姓名; 첫째 난에는 성명을 기입해야 한다. ③(공석·결손 등을) 메우다. ¶～补bǔ; ⇩ ④조각품에 색칠하다. 새긴 것에 금이나 칠을 메워 넣다. ¶～漆; ⇩ / ～彩; 색칠하다.
〔填饱〕 tiánbǎo 동 한껏 배를 채우다. 실컷 먹다.
〔填报〕 tiánbào 동 (표에 필요 사항을) 기입하여 보고하다. ¶每周～工程进度; 매주 공사의 진도를 표에 기입하여 보고하다.
〔填表〕 tiánbiǎo 동 표에 기입하다.
〔填补〕 tiánbǔ 동 보충하다. 메우다. ¶～缺额; 모자란 돈을 보충하다 / ～空白; 공백 부분을 메우다.
〔填簿〕 tiánbù 동 장부에 기입하다. =〔填册〕
〔填仓〕 tián,cāng 동 곡식 창고를 채우다(음력 정월 25일을 '填仓节'이라고 하며, 이 날에 곳간에 식량을 조금 더하여서 풍작을 기원하고 음식을 먹던 옛 풍속). =〔添仓〕
〔填册〕 tiáncè 동 ⇨〔填簿〕
〔填嗤〕 tiánchi 동 ①메우다. 쑤셔 넣다. ②보충하다.
〔填充〕 tiánchōng 동 메우다. 채우다. 채워 넣다. =〔装填〕 명 빈칸 메우기(식 문제)(한 구 안의 공백란을 메우는 식). =〔填空②〕
〔填词〕 tián,cí 동 사(詞)를 짓다(엄밀히 글자를 골라 운을 맞추기 위하여 이렇게 말함). (tiáncí) 명 사(詞).
〔填凑〕 tiáncòu 동 우르르 모이다.
〔填发〕 tiánfā 동 (면허장·증권 등의 용지의 공란에 필요 사항을) 기입하여 교부하다. ¶～毕bì业文凭; 졸업 증서를 교부하다 / ～汇票; 환어음을

발행하다.
〔填方〕 tiánfāng 명 ①《建》 시공시에 넣는 모래나 자갈의 $1m^3$를 말함. ②(토사·자갈 등으로 된) 흙더미.
〔填房〕 tián.fáng 동 후처(後妻)로 가다.
〔填房(儿)〕 tiánfang(r) 명 후처.
〔填房娘〕 tiánfángniáng 명 계모('继jì母'의 별칭).
〔填坟〕 tiánfén 동 ①매장할 때, 육친이나 친척·친구가 흙을 관 위에 던져 넣다. ②⇨〔添tiān坟〕
〔填格〕 tiángé 동 공란을 메우다. 공란에 기입하다.
〔填沟壑〕 tiángōuhè 동 〈比〉 사망하다.
〔填海区〕 tiánhǎiqū 명 해안 매립 지구. =〔填筑zhù地〕
〔填海眼〕 tián hǎiyǎn ①밑 빠진 구멍을 메우다. ②〈比〉 헛수고하다.
〔填函盖〕 tiánhángài 명 《機》 패킹 누르개.
〔填黑窟窿〕 tián hēikūlong 아무도 알아 주지 않을 돈을 쓰다. 명분도 이득도 없는 돈을 쓰다. 어처구니 없는 일에 돈을 쏟아 붓다. ¶精明人决不～; 영리한 사람은 시시하게 헛된 돈을 쓰지 않는다/辛辛苦苦赚的钱, 都～了; 애써 번 돈을 어처구니 없는 일에 모두 쏟아 붓고 말았다/不能拿血xuè汗钱去～; 피땀으로 번 돈을 헛된 일에 쓸 수는 없다. =〔塞sāi狗洞〕→〔填窟窿〕〔花huā冤钱〕
〔填还〕 tiánhuan 동 ①반제(返濟)하다. 은혜를 갚다. ¶不～人的东西; 은혜를 갚을 줄 모르는 놈. ②(그럴 의무도 없는데 금품 따위를) 바치다. ¶他有钱都～她娘家了; 그는 돈만 생기면 모조리 처가에다 갖다 바쳤다.
〔填金〕 tiánjīn 명 금을 새겨넣는 세공(細工).
〔填具〕 tiánjù 동 공란에 써 넣다. 양식에 기입하다.
〔填空〕 tiánkòng 동 공석(空席)을 메우다. 빈 지위[직위]를 메우다. ¶～补缺; 결원을 보충하다. 명 ⇨〔填充〕
〔填空白〕 tián kòngbái 공백을 메우다. 여백을 메우다.
〔填窟窿〕 tián kūlong 구멍을 메우다. 결원을 보충하다.
〔填料〕 tiánliào 명 ①《機》 패킹(packing). ¶豫备～; 예비 패킹. =〔板更〕〔巴金〕〔盼更〕〔填密〕 ②콘크리트·고무·플라스틱 등에 혼입(混入)하는 입상(粒狀)·분말상 또는 섬유상(纖維狀)의 재료. 사춤 재료.
〔填(料)函〕 tián(liào)hán 명 스터핑 박스(stuffing box). 패킹 상자(피스톤 로드의 왕복 운동을 위하여 만들어진 공간의 바깥 둘레).
〔填密〕 tiánmì 명 ⇨〔填料①〕
〔填木眼漆〕 tiánmùyǎnqī 명 《化》 목재 충전용(充填用) 니스류(類).
〔填泥〕 tiánní 명 충전용 시멘트. =〔填坭〕
〔填平〕 tiánpíng 동 메워 반반하게 하다. ¶～水池盖房子; 못을 메우고 집을 짓다/～补齐; 불균형을 고르게 하다.
〔填漆〕 tiánqī 명동 조각한 곳에 칠(漆)을 메워 넣는 세공(을 하다).
〔填嵌〕 tiánqiàn 동 상감하다.
〔填情〕 tiánqíng 동 의리를 갚다. 신세를 갚다. =〔还huán情(儿)〕
〔填塞〕 tiánsè 동 메우다. 틀어막다. ¶看热闹的人填街塞巷; 구경꾼이 거리를 메우다/～塘堰tángyàn造田; 연못을 메워서 논을 만들다.
〔填嗓〕 tiánsang 동 무턱대고〔마구〕 음식을 먹이다. =〔填搡〕
〔填死〕 tiánsǐ 동 채워 넣어 움직임이 없게 하다. 메워서 통하지 못하게 하다. ¶把渠门～了; 용수로의 어귀를 메워서 물이 통하지 못하게 하였다.
〔填填〕 tiántián ①〈擬〉 우르릉(천둥 소리의 형용). ②형 듬직하고 차분한 모양.
〔填隙钉〕 tiánxìdīng 명 《機》 코킹네일(calking nail).
〔填隙片〕 tiánxìpiàn 명 ⇨〔垫diàn片〕
〔填馅(儿)〕 tiánxiàn(r) 동 ①공연한 희생을 하다. 후림불에 말리다. ②팥을 넣다. ③담을 쌓을 때 돌이나 벽돌 사이에 흙을 메우다. ‖=〔填限(儿)〕
〔填箱〕 tiánxiāng 명동 ⇨〔添箱〕
〔填写〕 tiánxiě 동 (인쇄된 표나 영수증 등의) 공란에 써 넣다. 기입해 넣다. ¶～汇款通知单; 송금 불입 통지에 기입하다.
〔填鸭〕 tiányā 동 오리를 강제 비육하다(오리를 가두어 놓고 수수·검은콩·밀기울 등을 이긴 모이를 관으로 입 속에 밀어 넣어 살찌움. '北京烤鸭'는 이러한 오리를 사용함). ¶～式造就人才; 주입식으로 인재를 양성하다. 명 '填鸭'의 방식으로 사육한 오리. ¶～式; 쑤셔 넣기식.
〔填鸭式教学法〕 tiányāshì jiàoxuéfǎ 명 주입식 교육.
〔填眼油灰〕 tiányǎn yóuhuī 명 《化》 아마인유 퍼티(putty).
〔填咽〕 tiányè 형 많은 사람들이 붐비다.
〔填膺〕 tiányīng 동 〈文〉 가슴 속에 꽉 차다. ¶义愤～; 〈成〉 의분이 가슴에 들끓다.
〔填在手里〕 tiánzai shǒuli 억지로 쥐어주다. 강요하여 안기다. ¶他直推辞不要, 我只好给他～了; 그가 계속 거절하고 받지 않기 때문에 나는 할 수 없이 억지로 손에 쥐어 주었다.
〔填债〕 tiánzhài 동 부채를 메우(는 데 충당하)다. 빚을 갚다.
〔填注〕 tiánzhù 동 주(注)를 써 넣다.
〔填篆〕 tiánzhuàn 명 전서체(篆書體)(서체의 하나). =〔填书〕
〔填装〕 tiánzhuāng 명 패킹(packing). 동 쑤셔 넣다. 틈에 밀어넣다.
〔填字游戏〕 tiánzì yóuxì 명 크로스워드 퍼즐(crossword puzzle)놀이.

忝 tiǎn (첨)

〈文〉 ①동 욕보이다. ②부 〈套〉〈謙〉 황송하게. ¶～列门墙; 황송하게도 문하의 자리에 끼이다/～在至交; 황송하게도 친밀히 사귀게 되다.
〔忝附茑萝〕 tiǎn fù niǎoluó 〈文〉〈謙〉 황송하게도 친척의 말석(末席)을 더럽히다(약혼한 양가가 상대방에 대한 겸사말).
〔忝居…〕 tiǎnjū… 〈文〉〈謙〉 …의 말석을 더럽히다.
〔忝眷〕 tiǎnjuàn 명 〈文〉〈謙〉 외람되오나 신랑·신부의 집안되는 사람(주로 쌍방의 가장(家長)이 서로 겸손하여 일컬음).
〔忝窃微名〕 tiǎn qiè wēimíng 〈文〉〈謙〉 황송하게도 약간의 명예는 얻었다(약간 이름이 알려지게 되었다).
〔忝私〕 tiǎnsī 〈文〉〈謙〉 황공하게도 사적(私的)인 교제를 원하고 있다〔교제를 허락받고 있다〕.
〔忝膺〕 tiǎnyīng 〈文〉〈謙〉 과분하게도 그 소임을 맡다.

舔 tiǎn (첨)

동 빨다. 핥다. ¶～了一下嘴唇; 한 번 입술을 핥다.

〔舔屁股〕 tiǎnpìgu 동 〈比〉 아첨하다. 알랑거리다. ¶他老想着要给人～; 그는 늘 남에게 아첨할 일만 생각하고 있다. =〔舔眼子〕
〔舔嘴〕 tiǎnzuǐ 동 입맛을 다시다.

餂(餂) tiǎn (첨)
동 〈文〉 뒤져서 취하다. 갈고리로 걸어서 취하다.

殄 tiǎn (진)
동 〈文〉 ①다하다. 없어지다. ②멸절시키다. 다 없애 버리다. 멸망시키다. ¶暴～天物; 〈成〉 하늘이 내린 물건을 함부로 없애다.
〔殄瘁〕 tiǎncuì 형 〈文〉 곤궁하다.

淟 tiǎn (전)
형 〈文〉 혼탁하다.

惧 tiǎn (전)
동 〈文〉 부끄러워하다. ¶～～; 부끄러이 여기다. 부끄러워하다 / ～愧; 부끄러워하다.
〔惧脸〕 tiǎn.liǎn 동 뻔뻔스럽게 굴다. ¶他还惧着脸和我借钱; 그는 아직도 낯 두껍게 나한테서 돈을 빌리려 하고 있다. =〔靦脸〕〔腆脸〕

腆 tiǎn (전)
①형 두껍다. ②형 풍성하다. 후하다. 좋다. ¶不～之仪; 변변치 못한 선물. ③형 〈方〉 (가슴·배가) 튀어나오다. ¶～胸脯; 톡 튀어나온 가슴. 새가슴. ④동 〈方〉 (가슴·배를) 내밀다. ¶～着个大肚子; 큰 배를 내밀고 있다(뻔뻔스러운 모양의 뜻으로도 씀). ⑤동 부끄러워하다.
〔腆肚子〕 tiǎndùzi ①명 올챙이 배(불룩하게 튀어나온 배). ②(tiǎn dùzi) 〈轉〉 뻔뻔스럽게 굴다.
〔腆脸〕 tiǎnliǎn 동 ⇨〔靦tiǎn脸〕
〔腆默〕 tiǎnmò 동 〈文〉 부끄럽게 여겨 입을 다물고 있다.
〔腆胸迭肚〕 tiǎnxiōng diédù 가슴과 배가 불거진 기세 좋은〔위세 당당해 보이는〕 모양.
〔腆仪〕 tiǎnyí 명 〈文〉 후한 선물. =〔腆赠〕

靦(靦) tiǎn (전)
형 〈文〉 ①부끄럽다. ¶～颜相对; 부끄러운 듯이 서로 대하다. ②얼굴 모습을 형용함. ¶～然人面; 과연 인간다운 얼굴이다. ⇒miǎn
〔靦脸〕 tiǎnliǎn 동 뻔뻔스럽게 굴다. ¶你还～说这个话吗? 넌 아직도 뻔뻔스럽게 그런 말을 하느냐? =〔惧脸〕〔腆脸〕
〔靦然〕 tiǎnrán 형 〈文〉 염치없다. 낯두껍다. ¶～拜求先生; 염치없습니다만 당신에게 부탁합니다.
〔靦颜〕 tiǎnyán 형 〈文〉 뻔뻔스럽다. 명 〈文〉 후안(厚顔). 철면피.

掭 tiàn (첨)
동 ①(붓에 먹을 묻혀 벼루 위에 비비어) 붓끝을 가지런히 하며 먹을 조절하다. ¶把笔～～再写; 붓끝을 가지런히 하고 다시 쓰다. ②〈方〉 흔들어 움직이다. 돋우다. ¶～灯心; 등심을 돋우다.

TIAO ㄊㄧㄠ

佻 tiāo (조)
형 〈文〉 ①경박하다. 경솔하다. 방정맞다. ¶轻～; 경솔하다. ②→〔佻佻〕
〔佻薄〕 tiāobó 형 〈文〉 경박하다. 경솔하다. 경조부박하다.
〔佻巧〕 tiāoqiǎo 형 〈文〉 경박하고 요령이 좋다〔교활하다〕.
〔佻佔〕 tiāotà 형 〈文〉 경박하다. 경솔하다.
〔佻佻〕 tiāotiāo 형 홀로 가는 모양.
〔佻脱〕 tiāotuō 형 〈文〉 경박하고 변덕스럽다.

挑 tiāo (조)
①동 멜대로 메다. 작대기 모양의 것의 양끝에 물건을 달아 어깨에 메다. ¶～两桶水; 물 두 통을 메어 나르다 / ～水的; 물장수. 물긷는 인부. ②(～儿, ～子) 명 (멜대에 달아맨) 짐. ¶挑tiǎo着～儿; 짐을 메고 있다 / 菜～; 채소를 묶은 짐. ③(～儿) 양 짐(멜대로 메는 짐을 세는 데 쓰임). ¶一～儿白菜; 배추 한 짐. ④동 선택하다. 고르다. ¶把米里的沙子～出来; 쌀 속의 모래를 골라 내다 / ～好日子; 길일을 택하다. ⑤동 (부정적인 것을) 찾아 내다. 헤쳐 내다. ¶～错儿; 잘못된 것을 찾다. ⇒tāo tiǎo
〔挑拔〕 tiāobá 동 선발하다.
〔挑鼻弄眼〕 tiāobí nòngyǎn 〈比〉 남의 잘못을 책망하다. 흠을 들추다. ¶横～竖挑眼; 눈을 밝히고 흠을 들추다. =〔挑鼻子〕〔挑鼻挑眼〕〔弄眼〕
〔挑鼻子〕 tiāo bízi ⇨〔挑鼻弄眼〕
〔挑鼻子挑眼儿〕 tiāo bízi tiāo yǎnr 〈比〉 사람을 책망하다. 트집을 잡다. 트집을 찾아 내다.
〔挑兵〕 tiāobīng 동 군인을 뽑다. 군사로 뽑히다. ¶他～去了; 그는 (선발되어) 군대에 갔다.
〔挑补〕 tiāobǔ 동 선발하여 보충 임용하다. ¶～空kòng额; 선발하여 결원을 보충하다.
〔挑不出〕 tiāobuchū 골라 낼 수가 없다.
〔挑不动〕 tiāobudòng (힘이 없어) 짊어질 수 없다. 짊어 올릴 수 없다. ↔〔挑得动〕
〔挑不起来〕 tiāobuqǐ.lái (무거워서) 메어 올릴 수 없다. ↔〔挑得起来〕
〔挑不上眼〕 tiāobushàng yǎn ①(선택한 것이) 마음에 들지 않다. ¶我都～; 나는 어느 것도 마음에 들지 않는다. ②나무랄 데가 없다. 흠잡을 것을 찾을 수 없다. ¶您做得这么周到, 恐怕他～; 당신이 이 정도로 꼼꼼하게 하면 아마도 그는 트집을 못잡을 것입니다.
〔挑不是〕 tiāo bùshì 결점〔흠〕을 찾다. ¶他专爱挑人的不是; 그는 곧잘 남의 흠을 들추어 낸다.
〔挑岔(儿)〕 tiāo.chà(r) 동 〈方〉 ⇨〔挑刺儿〕
〔挑斥〕 tiāochì 동 비난하다. 지탄하다.
〔挑穿〕 tiāochuān 동 입는 것에 까다롭게 굴다.
〔挑疵〕 tiāo.cī 동 ⇨〔挑刺儿〕
〔挑刺儿〕 tiāo.cìr 동 〈方〉 흠을 들추어내다. (말이나 행동에 대하여) 트집을 잡다. =〔挑岔chà(儿)〕〔挑疵〕
〔挑错(儿)〕 tiāo.cuò(r) 동 잘못을 찾(아 책망하)다. 흠을 잡다.
〔挑担〕 tiāodàn ①명 〈比〉 동서. 자매의 남편 사이. =〔连襟〕 ②(tiāo dàn) 짐을 짊어지다. ¶～的; 행상인.
〔挑担子〕 tiāo dànzi ①짐을 지다. ②〈比〉 부담을 지다. 괴로운 일을 떠맡다. 중임을 맡다.
〔挑定〕 tiāodìng 동 골라서 정하다. 선정하다.
〔挑额〕 tiāo'é 명 선발 인원수. 동 인원을 선발하다.
〔挑肥〕 tiāo.féi 동 거름을 지다.
〔挑肥拣瘦〕 tiāo féi jiǎn shòu 〈成〉 이것저것 좋은 것만 가리다.
〔挑费〕 tiāofèi 명 잡상. ⇒tiǎofei
〔挑缝子〕 tiāo fèngzi ①흠을 들추다. ②틈을 노리다〔엿보다〕.

〔挑夫〕 tiāofū 명 짐꾼.
〔挑高球〕 tiāogāoqiú 명《體》로빙(lobbing).
〔挑好挑歹〕 tiāo hǎo tiāo dǎi〈成〉좋은 것만을 골라 취하다. 가리다. =〔挑好道歹〕
〔挑换〕 tiāohuàn 동 골라서 교환하다.
〔挑肩〕 tiāojiān 동 어깨에 지다.
〔挑拣〕 tiāojiǎn 동〈文〉(요구에 맞는 것을) 고르다.
〔挑脚〕 tiāo·jiǎo 동 (옛날, 직업적으로) 짐을 운반하다.
〔挑脚的〕 tiāojiǎode 명 운반인. 인부.
〔挑开鼻子说亮话〕 tiāokāi bízi shuō liànghuà 탁 터놓고 이야기하다. =〔打开鼻子说亮话〕〔打开天窗说亮话〕
〔挑筐〕 tiāokuāng 명 (비료 따위를 넣는) 메는 광주리.
〔挑礼(儿)〕 tiāo·lǐ(r) 동 예절을 일일이 번거롭게 말하다. 예절을 흠잡다. ¶咱们是来帮忙的, 不是来～的; 우리는 도우려고 온 것이지 예절을 흠잡으려고 온 것이 아니다.
〔挑卖〕 tiāomài 동 짐을 지고 다니며 팔다. 명 행상.
〔挑毛病〕 tiāo máobing 흠을 찾다.
〔挑毛拣刺〕 tiāo máo jiǎn cì〈成〉고의로 흠을 들추다. 트집잡다. 남의 허점을 노리어 잡다.
〔挑毛匠〕 tiāomáojiàng 명 옛날, 기생집의 건달.
〔挑取〕 tiāoqǔ 동 골라잡다.
〔挑缺〕 tiāoquē 동 사람을 골라 임용하다.
〔挑儿〕 tiāor 명 멜대짐(멜대에 지는 것·광주리 포함).
〔挑人儿〕 tiāorénr 동 ①사람을 고르다. ¶做事得děi～; 일을 하는 데에는 사람을 골라야 한다. ②색시를 고르다. ¶老三不小了, 该给他～了; 셋째도 이젠 아이가 아니니 색시를 골라주어야 한다.
〔挑三拣四〕 tiāo sān jiǎn sì〈成〉이것 저것 가리다. =〔挑三嫌四〕
〔挑山担涧〕 tiāoshān dānjiàn〈比〉부담이 크다.
〔挑食〕 tiāo·shí 동 편식하다. ¶从来没挑过食; 이제껏 편식해 본 적이 없다.
〔挑水〕 tiāoshuǐ 동 물을 지다. ¶～的; 물장수.
〔挑台〕 tiāo·tái 동 ①노점의 뼈대를 받치다. ②사업을 버티다〔떠맡다〕.
〔挑剔〕 tiāoti 동 (남의 결점·잘못 따위를) 들춰내어 책망하다. 지나치게 트집잡다. ¶～别人的毛病; 남의 흠을 들춰내다/他是没有理由～的; 그가 책망할 만한 이유는 없다. 형 가리는 것이 많다. 까다롭다. ¶他交朋友～; 그는 사람과의 교제를 가려서 한다. 명 결점. 흠. ¶没有一点～; 조금도 결점이 없다.
〔挑挑担担〕 tiāotiaodāndān 형 여러 사람이 물건을 메어 나르는 모양. ¶那些～的敢情都是逃难的; 저 물건을 메고 가는 많은 사람들은 모두 피난가는 사람들이구나.
〔挑挑儿〕 tiāotiāor 동 짐을 지다.
〔挑头〕 tiāotóu 명 짐꾼. =〔挑担(儿)的〕 ⇒tiǎo·tóur
〔挑土〕 tiāo tǔ (멜대로) 흙을 지다.
〔挑挖〕 tiāowā 동 하천 따위를 치다. ¶～河道; 강바닥을 쳐내다.
〔挑戏〕 tiāoxì 동 놀리다. 까불다.
〔挑下去〕 tiāoxiaqu 골라 버리다. 골라 제치다. ¶那些橘子都是我～的; 그 귤은 내가 가려 제쳐 놓은 것입니다.
〔挑选〕 tiāoxuǎn 동 (요구에 맞는 것을) 고르다. ¶任你～; 네맘대로 골라라/从多数里～; 다수 중에서 골라내다.
〔挑雪填井〕 tiāo xuě tián jǐng〈成〉눈을 지어다가 우물을 메우다(헛수고를 함. 수고한 보람이 없음).
〔挑眼〕 tiāo·yǎn 동 (태도·예의범절에서) 흠을 잡다. 트집 잡다. ¶你别挑人家的眼; 남의 잘못을 탓하지 마라/做得好谁也挑不了liǎo眼; 잘만 하고 있다면 아무도 트집을 잡지 못한다.
〔挑幺挑六〕 tiāoyāo tiāoliù〈比〉(남의 잘못을) 책망하다. ¶这一点子小崽子, 也～; 이런 애송이까지 남의 잘못을 책망한다. =〔挑五挑六〕〔挑五挖wā六〕
〔挑运〕 tiāoyùn 동 (멜대로) 메어 나르다. ¶～庄稼; 농작물을 지어나르다.
〔挑运费〕 tiāoyùnfèi 명 운반료. 짐삯.
〔挑着样儿〕 tiāozhe yàngr 좋아하는 것을 고르다. ¶～拿吧! 좋아하는 것을 골라 가져라!
〔挑重担〕 tiāo zhòngdàn 무거운 짐을 지다.〈轉〉중대한 임무를 떠맡다.
〔挑字眼儿〕 tiāo zìyǎnr〈比〉말·자구의 흠을 들추다. 말꼬리를 잡다. ¶咱们这儿说闲话, 你怎么～; 우리는 지금 잡담을 하고 있는데, 네가 왜 말꼬리를 잡느냐.
〔挑子〕 tiāozi 명 멜대와 그 짐. ¶怕苦怕累, 总想撂liào～; 괴로움과 피곤이 싫어서, 늘 무거운 짐을 내려놓을 생각만 한다. =〔担dàn子〕
〔挑嘴〕 tiāozuǐ 동 맛있는 것만 가려서 먹으려 하다. 편식하다. 가리다. →〔挑食〕

祧 tiāo (조)

〈文〉①명 먼 조상의 묘(廟)(고대에 일정한 세대 이상으로 먼 선조의 위패를 여기에 모셨음). ②동〈轉〉선대의 뒤를 이어받다〔이어받아 제사 지내다〕. ¶承～; 대를 잇다/兼～; (아버지와 큰아버지와 같은) 두 분의 대를 잇다〔이어서 제사를 받들다〕.

条(條) tiáo (조)

①(～儿, ～子) 명 가늘고 긴 가지. ¶枝～; 나뭇가지/柳～儿; 버드나무 가지. ②(～儿, ～子) 명 너비가 좁고 긴 것〔물건〕. ¶面～儿; 가락국수/金～; 길쭉한 금덩이/萝卜～; 무우채/布～儿; 가늘고 긴 천조각. 천 테이프. ③명 가늘고 긴 선(線)〔무늬〕. ¶～纹; ⇩/花～儿布; 줄무늬 천. ④명 조. 조목. 항목으로 나눈 것. ¶～例; ⇩/～目; ⇩/法～; 법조항/第一～; 제1조. ⑤명 순서. 질서. 조리. ¶井井有～;〈成〉정연한 조리가 있다/有～不紊wěn;〈成〉질서가 있고 문란하지 않다. ⑥명 동북풍(東北風). 조풍(條風). ⑦명 가늘고 길게 잘라 갖춘 요리. →〔丝〕 ⑧양 ㉠가늘고 긴 것을 세는 데 쓰임. ¶一～线; 한 가닥 실〔선〕. ㉡항목으로 나뉘는 것을 셈. ¶这一版上有五～新闻; 이면에는 다섯 가지 뉴스가 실려 있다. ㉢일정한 수량이 갖추어진 막대 모양의 것을 셈. ¶一～儿中华牌烟; 중화 표시의 한 카턴(carton)/一～儿肥皂; (두 토막으로 잘라 쓸 수 있는) 비누 한 개. ㉣어떤 추상적 사물을 세는 데 쓰임. ¶一～计策; 하나의 묘책/两～意见; 두 가지 의견. ⑨양 가늘고 긴 물건, 또는 가늘고 긴 느낌이 있는 유형·무형의 것을 세는 말. ㉠지형이나 건조물에 관한 것. ¶一～山脉mài; 한 줄기의 산맥/一～河; 한 줄기의 강/一～铁路; 한 줄기의 철도/一～路; 한 줄기의 길/一～街; 한 줄기의

거리. ㉡천연 현상에 관한 것. ¶一～虹jiàng; 한 줄기의 무지개. ㉢도구·생활 용품에 관한 것. ¶一～口袋; 주머니 하나 / 一～布; 천 한 장 / 一～裙qún子; 스커트 한 장 / 一～裤子; 바지 한 장 / 一～手巾; 수건 한 장. ㉣인체·생명·운명에 관한 것. ¶一～眉; 눈썹 하나 / 一～腿; 한쪽 다리. 외다리 / 一～性命; 한 목숨. 하나의 목숨 / 一～心; 한 마음. ㉤동식물을 셈. ¶一～狗; 한 마리의 개 / 一～蛇shé; 한 마리의 뱀 / 一～毛毛虫; 한 마리의 모충(毛蟲) / 一～鱼; 한 마리의 물고기 / 一～黄瓜; 오이 한 개.

〔条案〕 tiáo'àn 명 (객실에 장식품 따위를 올려 놓는) 좁고 긴 탁자. 장식용 탁자. =〔架几jiàjī案〕〔条几〕

〔条斑病〕 tiáobānbìng 명《農》 반엽병(斑葉病).

〔条板箱〕 tiáobǎnxiāng 명 널빤지로 성기게 만든 포장용 상자(유리·자전거 따위에 쓰는 포장).

〔条币〕 tiáobì 명《貨》 지금(地金) 화폐.

〔条播〕 tiáobō 명동 조파(하다).

〔条畅〕 tiáochàng 형〈文〉(문장이) 유창하고 조리가 있다. ¶文笔～; 문장이 유창하며 조리가 서 있다.

〔条陈〕 tiáochén 동 조목을 적어서 진술하다. 명 조목으로 적은 진술서. ¶上了一个～; 조목으로 적은 진술서를 제출하였다.

〔条达〕 tiáodá 형 조리가 서 있다.

〔条带〕 tiáodài 명 (리본 모양의) 긴 끈.

〔条凳〕 tiáodèng 명 (등널 없는) 긴 나무 걸상. =〔〈方〉长凳〕

〔条对〕 tiáoduì 명 짝을 이루는 구(句)를 쓴 기다란 장식(방 입구 등에 겲). 동 조목조목 대답하다.

〔条顿族〕 Tiáodùnzú 명《民》〈音〉 튜턴족.

〔条分缕析〕 tiáo fēn lǚ xī 〈成〉 한 조목 한 조목 분명하게 분석하다. 조리를 따져서 분석하다.

〔条风〕 tiáofēng 명 동북풍(東北風).

〔条幅〕 tiáofú 명 족자(한 폭으로 된 것을 '单幅', 짝으로 된 것을 '屏条'라고 함).

〔条贯〕 tiáoguàn 명 ⇨〔条理①〕

〔条规〕 tiáoguī 명 ⇨〔条例〕

〔条痕〕 tiáohén 명 ①줄로 되어 있는 자국. ②(지문(指紋) 같은) 줄. 선.

〔条几〕 tiáojī 명 ⇨〔条案〕

〔条脊〕 tiáojǐ 명 (가옥의) 긴 용마루.

〔条记〕 tiáojì 명 ⇨〔钤qián记〕

〔条件〕 tiáojiàn 명 ①조건. ¶满足～; 조건을 만족시키다 / 不够～; 조건에 흠이 있다. ②(어떤 일을 하는 데 필요한) 조건. 기준. 레벨. 요구. ¶他的～太高, 我无法答应; 그의 요구는 너무 높아서 나로서는 응할 도리가 없다. ③상황. ¶他身体～很好; 그는 몸에 있어서는 튼튼하다.

〔条件反射〕 tiáojiàn fǎnshè 명《生》 조건 반사. =〔高级神经活动〕

〔条禁〕 tiáojìn 명 금령. 금제(禁制).

〔条举〕 tiáojǔ 동 조목별로 열거하다. ¶用～的方式来说明; 조목조목 열거하는 방식으로 설명하다.

〔条锯〕 tiáojù 명《機》 띠톱.

〔条卷机〕 tiáojuǎnjī 명《紡》 스트리퍼(stripper).

〔条款〕 tiáokuǎn 명 (문헌·계약 등의) 조항. 조목. ¶法律～; 법률 조항 / 最惠国～; 최혜국 조항. =〔规条①〕

〔条框〕 tiáokuàng 명〈貶〉(사람의 사고·행동을 구속하는) 테. 틀. ¶打破条条框框; 이런저런 테두리를[틀을] 타파하다.

〔条理〕 tiáolǐ 명 ①〈文〉 줄거리. 조리. 사리. ¶～分明; 조리가 분명히 서 있다 / 你的话没有～; 너의 이야기는 조리가 서 있지 않다 / ～性; 논리성(적). =〔条贯〕 ②〈比〉 불평. 이의. 군소리. ¶这些人～多; 이런 사람들은 군소리가 많(아 성가시)다.

〔条例〕 tiáolì 명 조례. 조항. 규정. =〔条规〕

〔条列〕 tiáoliè 동 ①조목별로 열거하다. ②조리(條理)를 분명히 하여 열거하다.

〔条令〕 tiáolìng 명《軍》 조령. ¶内务～; 내무 조령.

〔条目〕 tiáomù 명 조목. 세목. 항목. 색인(索引). 사항. =〔孔kǒng目②〕

〔条拟〕 tiáonǐ 명 조목별로 쓴 초안.

〔条绒〕 tiáoróng 명《紡》 코르덴. =〔灯dēng心绒〕

〔条褥〕 tiáorù 명 좁고 긴 요.

〔条施〕 tiáoshī 명 ⇨〔沟gōu施〕

〔条石〕 tiáoshí 명 가늘고 긴 돌.

〔条丝〕 tiáosī 명 ①실낱. ②(담배를) 잘게 썬 것. ¶～烟yān; 살담배.

〔条鳎〕 tiáotǎ 명《魚》 궁제기서대.

〔条炭〕 tiáotàn 명 긴 막대 모양의 숯.

〔条糖〕 tiáotáng 명 가래엿.

〔条田〕 tiáotián 명 ①⇨〔梯tī田〕 ②좁고 긴 논밭.

〔条条框框〕 tiáotiaokuāngkuāng 〈貶〉〈比〉 전통적인 낡은 방식·규칙이나 제약. ¶反对～; 전통적인 낡은 방식에 반대하다 / 为～所束缚; 전통의 틀에 속박당하다.

〔条条缕缕〕 tiáotiaolǚlǚ 형 ①너덜너덜한 모양. ②줄이 여러 개 쳐진 모양. ¶扫过的地方留下～的波痕; (비로) 쓴 자리에는 여러 가닥으로 줄쳐진 파도꼴 자국이 나 있다.

〔条脱〕 tiáotuō 명 ①팔찌. ②〈轉〉 수갑과 족쇄.

〔条尾绯鲤〕 tiáowěi fēilǐ 명《魚》 노랑촉수.

〔条文〕 tiáowén 명《法》 조문. ¶法律～; 법률의 조문.

〔条纹〕 tiáowén 명 줄무늬. ¶斑马身上有～; 얼룩말의 몸에는 줄무늬가 있다 / ～东方鲀;《魚》 까치복.

〔条形码〕 tiáoxíngmǎ 명 바코드(bar code).

〔条锈病〕 tiáoxiùbìng 명《農》 소맥류에 흔히 선상(線狀)으로 나는 황수병(黃銹病).

〔条约〕 tiáoyuē 명 ①조약. ¶日Rì内瓦～; 제네바 조약 / ～国; 조약 체결국. =〔公gōng约①〕 ②계약.

〔条皂〕 tiáozào 명 막대형 비누.

〔条帚〕 tiáozhou 명 수수깡 따위로 묶어 만든 비.

〔条子〕 tiáozi 명 ①가늘고 긴 것. ¶纸～; 가늘고 긴 종이쪽지. ②가늘고 긴 종이쪽지에 쓴 간단한 편지. 적바림. 메모. =〔便条〕 ③〈方〉 금을 늘려 막대 모양으로 한 것. =〔金条子〕 ④인질. ⑤기생(妓生)을 부르는 쪽지. ¶发～ =〔叫～〕; 기생에게 '条子'를 보내서 부르다. ⑥줄무늬. ¶～市布; 줄무늬의 옥양목 / ～羽绸; 줄무늬의 주단(綢緞).

鲦(鰷〈儵〉)

tiáo (조) 명《魚》 피라미. =〔鲦鱼〕〔鳘cān鲦〕

苕

tiáo (초) 명《植》 ①완두. ②능소화. =〔紫zǐ葳〕 ③〈文〉 '苇子'(갈대)의 꽃. ⇒sháo

〔苕帚〕 tiáozhou 명 ⇨〔笤tiáo帚〕

迢

tiáo (초) 형 ①아득히 먼 모양. ②높은 모양.

〔迢迢〕 tiáotiáo 형 ①(길이) 아득히 멀다. =〔迢递

dì〕②높고 먼 모양.
〔迢峣〕 tiáoyáo 형 높이 솟은 모양.
〔迢远〕 tiáoyuǎn 형 아주 멀다. ¶道路～; 길이 아주 멀다.

岧〈嶕〉 tiáo (초)
형〈文〉산이 높은 모양. =〔岧峣yáo〕

笤 tiáo (소)
명 대비.

〔笤帚〕 tiáozhou 명 대나무비. =〔苕帚〕
〔笤帚簸箕〕 tiáozhou bòji 명 비와 쓰레받기. 〈比〉 가정내의 옥신각신〔사소한 문제〕. ¶笤帚歪wāi了簸箕斜xié了地闹生分; (가족 사이에) 비가 비뚤어졌다느니 쓰레받기가 기울어졌다느니 하여 옥신각신하다 / 为一点儿～的事儿就闹起来了; 대수롭지 않은 가정 내의 사소한 일로 소동이 일어났다.
〔笤帚疙瘩〕 tiáozhougēda 명 비나 쓰레받기. 작은 비《침상 · 선반의 먼지털이》.

龆(齠) tiáo (초)
동〈文〉(아이가) 이를 갈다.

〔龆年〕 tiáonián 명〈比〉유년. =〔龆龀 chèn〕

髫 tiáo (초)
명〈文〉옛날, 어린아이의 땋아 늘어뜨린 머리. ¶～年 =〔～龄líng〕; 유년 / ～辫; 머리를 늘어뜨리고 변발을 하다《유년》.

调(調) tiáo (조)
① 형 고르다. 일정하다. 적당하다. 알맞다. ¶风～雨顺; 기후가 순조롭다 / 月经不～; 월경이 불순하다 / 饮yín食失～; 음식의 조절이 안되다. ② 동 뒤섞어서 알맞게 하다. 고루 섞다. 배합하다. ¶～味; ⇓ / ～配; ⇓ / 牛奶里加点糖～一下; 우유에 설탕을 조금 넣어 맛을 알맞게 맞추다. ③ 동 조정(調整)하다. 조절하다. ¶～谐; ⇓ / ～了～弦儿; (악기의) 현을 조율했다. ④ 동 조정(調停)하다. 중재하다. 화해시키다. ¶～人; ⇓ / ～停; ⇓ ⑤ 동 놀리다. 희롱하다. ¶～笑; ⇓ / ～戏; ⇓ ⑥ 동 도발하다. 건드리다. 부추기다. ¶～词架讼; ⇓ ⇒diào
〔调处〕 tiáochǔ 명동 조정(調停)(하다). ¶～争端; 쟁단을 조정하다. =〔调解〕
〔调词架讼〕 tiáocí jiàsòng 남을 충동질해서 소송을 제기하게 하고 그 중간에서 이득을 보다. =〔挑tiǎo词架讼〕
〔调达〕 tiáodá 형 조화롭다.
〔调斗〕 tiáodòu 동 집적거려 마음을 움직이게 하다. =〔调逗〕
〔调幅〕 tiáofú 명《物》진폭 변조(振幅變調).
〔调羹〕 tiáogēng 명 작은 국숟가락. =〔羹匙〕〔汤匙chí〕
〔调和〕 tiáohé 형 (배합이) 알맞다. 어울리다. 조화롭다. ¶窗帘的颜色和墙的颜色很～; 커튼의 색과 벽의 색이 잘 어울린다. 동 ①중재(仲裁)하다. 조정하다. ¶两中～; 사이에 서서 조정하다. ②타협하다. 양보하다《흔히 부정(否定)에 쓰임》. ¶不可～的斗争; 타협할 수 없는 투쟁. ⇒tiáohuo
〔调合〕 tiáohe 동 조합하다. 가감하다.
〔调护〕 tiáohù 동 ①섭생하여 몸을 조리하다. 간호하다. ②(거칠어지지 않게) 안전을 지키다. 명 간호. 보호.
〔调货〕 tiáohuò 명〈罵〉놈. ¶他不是好～; 저놈은 좋은 놈이 아니다.
〔调货〕 tiáohuo 명 요리의 재료《소금 · 된장 · 식초 · 기름 따위》. (음식점에서) 주석(酒席)에 쓰이는 재료 · 조미료《일반적으로 다 '材料'》.
〔调和〕 tiáohuo 동 (요리의 재료 등을) 한데 섞다. ⇒tiáohé
〔调级〕 tiáo.jí 동 임금 격차를 조정하다.
〔调剂〕 tiáojì 동 ①(다소 · 유무 · 망한(忙閑)을) 조절하다. 조정하다. 적당히 안배하다. ¶～物资; 물자를 조절하다 / ～盈虚; 유무(有無)를 조정하다 / ～生活; 생활을 적절히 조절하다. ②(약을) 조제하다. ¶～平秤; 조제용 천평. ③직무의 고락(苦樂)을 고르게 하다. ④조미(調味)하다.
〔调济〕 tiáojì 동 고통을 풀어 없애다. (생활의) 괴로움을 없애다.
〔调价〕 tiáojià 동 ①가격을 조정하다. ②〈婉〉가격을 올리다.
〔调教〕 tiáojiào 명동 (아동을) 훈육(하다). 교육(하다). ¶他一点儿～也没有; 그는 교육이라고는 조금도 배우지 않았다. 동 (동물을) 길들이다. 훈련하다.
〔调节〕 tiáojié 명동 조절(하다). ¶水能～动物的体温; 물은 동물의 체온을 조절할 수 있다 / 经过水库的～, 航运条件大为改善; 저수지의 수위 조절을 통해, 수운(水運) 조건에 크게 개선되었다.
〔调节器〕 tiáojiéqì 명《機》레귤레이터(regulator). 조절 장치.
〔调解〕 tiáojiě 명동 조정(하다). 중재(하다). 화해(하다). ¶～家庭纠纷; 가정내의 분쟁을 조정하다. =〔调处〕
〔调经〕 tiáojīng 동《漢醫》(약물 등으로) 월경을 조절하다.
〔调侃〕 tiáokǎn 동 비웃다. 조롱하다. ¶用讽刺的话来～他; 독기 있는 말로 그를 조롱했다.
〔调口味〕 tiáo kǒuwèi ①조미하다. ②〈轉〉색다른 요리를 먹다.
〔调理〕 tiáolǐ 동 ①가르쳐 이끌다. 돌보아 기르다. 버릇을 가르치다. ¶～儿媳妇儿; 며느리를 가르치다 / 这是我～出来的丫头; 이 애는 내가 가르친 몸종이다. ②⇨〔调养〕 ③〈方〉희롱하다. 생트집을 잡다. ¶这个人竟～人, 鬼里鬼气! 이 사람은 언제나 남을 못 살게 군다. 지지리 못난 인간이다. ④〈方〉조리하다. 요리하다. ¶他把十几个人的伙食～得很好; 그는 10수 명의 식사를 매우 훌륭하게 마련했다.
〔调料〕 tiáoliào 명 조미료. =〔调味料〕
〔调马师〕 tiáomǎshī 명 말의 조련사.
〔调弄〕 tiáonòng 동 ①희롱하다. 우롱하다. ②악기를 연주하다. ③정리하다. 처리하다. ④⇨〔调tiáo唆〕
〔调配〕 tiáopèi 동 ①(약 · 안료 등을) 조합(調合)하다. 배합하다. ②배치하여 대비하다. 잘 설비하다. ⇒diàopèi
〔调皮〕 tiáopí 형 ①장난기가 있고 말을 안 듣다. ¶不敢再～; 다시는 장난하려고 하지 않다. →〔顽皮〕 ②얌전하지 않다. 교활해서 다루기 힘들다. ¶训练～的马; 사나운 말을 조련하다 / ～捣蛋; ⓐ생트집을 잡고 떠들어 대다. 심술을 부려 일을 시끄럽게 하다. ⓑ괴팍한 고집쟁이. 동 얼버무리다. 가볍게 다루다. 속이다. ¶科学是老老实实的学问, 任何一点～都是不行的; 과학은 정직한 학문이어서 어떠한 조그마한 속임수도 통하지 않는다. ‖ =〔调tiáo脾〕
〔调频〕 tiáopín 명《物》주파수 변조(變調). FM. ¶～广播; FM 방송.
〔调气〕 tiáoqì 동 ⇨〔调息①〕

〔调情〕 tiáoqíng 동 (남녀가) 농탕치다. 시시덕거리다. =〔拿ná情〕
〔调人〕 tiáorén 명〈文〉⇨〔调停人〕
〔调三窝四〕 tiáo sān wō sì〈成〉이간질하다. ¶别听他～, 自己应该有个主意; 그의 이간질에 넘어가지 말고, 자기의 의견대로 해야한다. =〔调三惑四〕〔调三弄四〕〔调三斡wò四〕〔挑三窝四〕
〔调色板〕 tiáosèbǎn 명《美》팔레트(palette).
〔调色刀〕 tiáosèdāo 명《美》팔레트 나이프(palette knife).
〔调色〕 tiáo·shǎi 동《美》색을 조합(調合)하다. 조색하다.
〔调摄〕 tiáoshè 동 ⇨〔调养〕
〔调试〕 tiáoshì 명《電算》(컴퓨터에서) 디버깅(debugging)(프로그램의 오류나 컴퓨터의 잘못된 동작을 검출하여 제거하는 일). =〔调整〕
〔调顺〕 tiáoshùn 형〈文〉순조롭다. 조화되어 있다. ¶雨水～; 비가 꼭 알맞게 내리다.
〔调速器〕 tiáosùqì 명《機》속력 조절 장치. 거버너(governor).
〔调唆〕 tiáosuō 동 꼬드기다. 부추기다. ¶她们婆媳不和是受了外人的～; 그들 고부간의 불화는 외부 사람의 꼬드김 때문이다. =〔调弄④〕
〔调停〕 tiáotíng 동 조정하다. 중재하다. ¶居jū中～; 중간에 서서 조정하다. →〔调解〕
〔调停人〕 tiáotíngrén 명 조정인. 조정하는 사람. =〔调人〕
〔调味〕 tiáo·wèi 동 조미하다. 맛을 내다. ¶～品 =〔～料〕〔调tiáo料〕; 조미료.
〔调味汁〕 tiáowèizhī 명 (서양 요리에 쓰는) 소스(‘沙司’(소스)는 음역자(音譯字)).
〔调息〕 tiáoxī 동〈文〉①조용히 앉아 숨을 가다듬다. =〔调tiáo气〕 ②조정하여 낙착시키다. ¶～讼事; 소송을 조정하여 낙착시키다.
〔调戏〕 tiáoxì 동 놀리다. 희롱하다. (여자에게) 못된 장난을 하다. ¶打架、骂人、～妇女等不良现象不断发生; 싸움질·욕질·부녀 희롱 등 좋지 않은 현상이 끊임없이 일어나고 있다.
〔调弦〕 tiáoxián 명동《樂》조현(調弦)(하다). 조율(하다). =〔理lǐ弦〕
〔调相〕 tiáoxiàng 명《電》위상 변조(位相變調).
〔调笑〕 tiáoxiào 동 놀리다. 희롱하다.
〔调协〕 tiáoxié 동 ①타협하다. 협조하다. ¶彼此固执己见不容易～; 서로 자기 생각을 고집하여 타협하기 어렵다. ②중재(仲裁)하다. ③조화되다.
〔调谐〕 tiáoxié 동 ①협조하다. 어우르다. ¶这篇文章写得很不～; 이 문장은 조화가 대단히 안 되어 있다. ②(라디오 등을) 조절하다. 명《電》동조(同調). 전기 공진. ¶～器; 튜너(tuner) / ～电路; 동조 회로.
〔调谑〕 tiáoxuè 동 조롱하다. 놀리다. 조소하다.
〔调驯〕 tiáoxún 동 (동물을) 길들이다.
〔调压机〕 tiáoyājī 명《電》전압을 조정하는 기계.
〔调养〕 tiáoyǎng 동 요양하다. 조섭하다. ¶病后～; 병후 조리. =〔调理②〕〔调摄〕
〔调音〕 tiáoyīn 동《樂》튜닝(tuning)하다. 악기를 조율하다.
〔调匀〕 tiáoyún 동 ①잘 섞다. ②알맞게 조절하다〔조절되다〕. ¶雨水～; 비가 알맞게 내리다.
〔调韵〕 tiáoyùn 동 시(詩)의 운(韻)을 맞추다.
〔调整〕 tiáozhěng 명동 조정(하다). 정리 통합(하다). ¶～价jià格; 가격을 조정하다 / 适当地～了社员的自留地, 以种zhòng植红薯shǔ、萝卜等饲料作物; 사원의 개인 보유지를 적당히 조정하여 고구마·무 따위의 사료 작물을 심게 하다. →〔精jīng简〕 명 ⇨〔调试〕
〔调制〕 tiáozhì 동 ①재료를 마련하여 제조하다. ②조합(調合)하여 만들다. 명《電》(라디오·TV 등의) 변조(變調).
〔调制解调器〕 tiáozhì jiětiáoqì 명《電算》모뎀(MODEM). ¶内置型～; 내장형 모뎀. =〔数据机〕〔〈俗〉猫〕
〔调治〕 tiáozhì 동 몸조리하다. 요양하다.
〔调质处理〕 tiáozhì chǔlǐ 명《機》강재(鋼材)의 강도·인성(靭性)을 증가하기 위한 열처리. =〔调质〕
〔调治〕 tiáozhi 동 ①(일을) 처리하다. ¶他真有才干, 不论有多少事, 他都～得有条不紊wěn; 그는 정말로 재능이 있어서 일이 아무리 있더라도 모두 조리있게 처리한다. ②조리〔요리〕하다. ¶这碗汤～得很得味儿; 이 국은 아주 맛있게 조리되어 있다.
〔调准〕 tiáozhǔn 동 조절하여 정확하게 하다.
〔调资〕 tiáozī 명 임금 조정.
〔调嘴学舌〕 tiáo zuǐ xué shé〈成〉뒤에서 장단점을 들어 왈가왈부하다.

蜩

tiáo (조)
명《蟲》고서(古書)에서 매미. ¶螗～; 쓰르라미 / ～螗沸羹; 한없이 시끄러움. →〔蝉①〕
〔蜩沸〕 tiáofèi 형〈文〉소란하다. 시끄럽다.
〔蜩甲〕 tiáojiǎ 명〈文〉매미의 허물. =〔蝉chán蜕〕

蓨〈蓚〉

Tiáo (조)
명 ①옛 지명(현재의 허베이 성(河北省) 징 현(景縣) 남쪽). ②(tiáo)《植》양제초(羊蹄草). 소루쟁이. ⇒xiū

鞗

tiáo (조)
명〈文〉가죽 고삐. =〔鞗革gé〕

诮(誂)

tiǎo (조)
동 ①유혹하다. ②희롱하다. 놓치다. ⇒diào

挑

tiǎo (조, 도)
①동 (기·막·커튼 따위를) 내걸다. 올리다. ¶把旗子～出去; 기를 내걸다. ②동〈轉〉떠받치다. 지지하다. 떠맡다. 담당하다. ¶一个人儿～着; 혼자 버티고 있다 / 独～儿; 혼자서 연극을 하다. 〈轉〉혼자서 떠맡다〔담당하다〕/ 假若出乱子, 有我～着呢; 만일 말썽이 생기면 내가 떠맡겠다. ③동 (눈을) 치뜨다. (손가락을) 세우다(굉장하군 하는 뜻을 나타냄). ¶～眉立目; ⇩ / ～大拇指; 엄지손가락을 세우다. ④동 (작대기 따위의 끝으로) 후비다. 돋우다. ¶把火～开; 불을 일구다〔돋우다〕. ⑤동 칼이나 창으로 찌르다. ¶拿刺刀～了他们; 총검으로 그들을 찔러 죽였다. ⑥동 도전하다. ⑦동 우롱하다. ⑧동 부추기다. 불러일으키다. 자극하다. ¶～事 =〔～是非〕; 들쑤셔서〔부추겨서〕 시비를 일으키다 / ～人的火儿; 사람의 분노를 돋우다. ⑨동 팔다. 저당잡히다. ¶～五亩地; 5묘의 토지를 팔다〔저당잡히다〕. ⑩동 크로스스티치(cross-stitch)를 놓다. 십자수를 놓다. ⑪명 한자의 밑에서 위로 비스듬히 올리는 필획(筆畫)‘㇀’. ⇒tāo tiāo
〔挑拨〕 tiǎobō 동 ①선동하다. 충동하다. 이간하다. ¶～友好感情; 우호적 감정을 이간시키다 / ～离间líjiàn;〈成〉이간시키다 / ～是非;〈成〉부추겨서 문제를 일으키다. ②노발대발(怒發大發)하다.
〔挑饬〕 tiǎochì 동 지나치게 책망하다.

〔挑刺儿〕 tiǎo, cìr 동 탈잡다. 흠잡다. 세세한 점을 왈가왈부하다.

〔挑大梁〕 tiǎo dàliáng 〈俗〉 중요한 역할을 담당하다. ¶这一天小风可挑了大梁，一个人站在车床边一分钟也没歇过; 그날 소풍(小風)은 큰 일을 맡았는데, 혼자서 선반 곁에 서서 1분간도 쉬지 않았다.

〔挑刀〕 tiǎodāo 동 칼을 휘두르다.

〔挑灯〕 tiǎo, dēng 동 ①등불의 심지를 돋우다. 〈轉〉 등불을 향하다. ¶～说话儿; 등불 아래에서이야기하다 / ～独坐; 등불을 향해 홀로 앉아 있다. →〔剔tī③〕 ②등불을 높이 걸다.

〔挑动〕 tiǎodòng 동 선동하다. (분쟁·전쟁 또는 어떤 종류의 심리를) 부추겨 일으키다. 북돋우다. ¶～是非; 시비를 불러일으키다 / ～好奇心; 호기심을 북돋우다.

〔挑斗〕 tiǎodòu 동 ⇨〔挑逗〕

〔挑逗〕 tiǎodòu 동 희롱하다. 실없이 손을 대다. 불러일으키다. 자초(自招)하다. =〔逗引〕〔招惹〕〔挑斗〕

〔挑费〕 tiǎofei 명 일상 비용. 생활비. =〔调tiáo费〕⇒tiāofèi

〔挑缝儿〕 tiǎofèngr 명 머리의 가르마.

〔挑高球〕 tiǎogāoqiú 명《體》(테니스·탁구 따위의) 로빙(lobbing)〔로브(lob)〕.

〔挑花(儿)〕 tiǎohuā(r) 명동 크로스스티치(를 놓다). 십자수(를 놓다).

〔挑花眼(儿)〕 tiǎo huāyǎn(r) 윙크하다. 추파를 던지다. ¶妞niū儿冲chòng他～; 처녀가 그에게 윙크하다.

〔挑幌子〕 tiǎo huǎngzi ①(옛날, 가게에서) 아침 일찍 문을 열다. ¶这个酒鬼天天酒店一～就钻进去喝酒; 이 술망나니는 매일 술집이 문만 열기만 하면 뛰어들어가 술을 마신다. ②간판을 떼다.

〔挑火〕 tiǎo, huǒ 동 화롯불을 일구다.

〔挑火儿〕 tiǎo, huǒr 동 ①사람을 격분케 하다. 화나게 하다. ¶一～学生就闹起来; 학생들을 격분시키면 곧 소동을 일으킨다. ②부아가 치밀다.

〔挑祸〕 tiǎo, huò 동 부추기어 일을 일으키다.

〔挑家〕 tiǎo, jiā 동 집의 생계를 버티다. 집안일을 책임지다. ¶我没本事～过日子; 나에게는 일가를 지탱해 나갈 만한 능력이 없다.

〔挑开〕 tiǎo, kāi 동 ①쑤셔내다. 후벼 내다. ¶拿刀子～; 칼로 후벼 파다. ②(하수구 따위를) 쑤셔서 구멍을 내다.

〔挑开〕 tiǎokāi 동 돋우다. 북돋우다.

〔挑帘红〕 tiǎoliánhóng《劇》배우가 첫무대부터 인기를 끄는 일.

〔挑眉立目〕 tiǎoméi lìmù 눈썹을 치켜세우고 눈을 부라리다. 〈比〉 성내다.

〔挑门面〕 tiǎo ménmiàn 〈比〉 체면을 유지하다. ¶竟拿嘴～; 그저 번드르르한 말로 체면을 유지하다.

〔挑明〕 tiǎomíng 동 까밝히다. 숨겨져 있는 일을 폭로하다. ¶～了说; 까놓고 말하다 / 事情～了就难办了; 사실이 밝혀지면 처리하기가 어려워진다.

〔挑弄〕 tiǎonòng 동 ①(말썽을 일으키려고) 이간하다. 도발하다. 꼬드기다. ¶～是非; 생트집을 잡아 말썽을 일으키다. ②조롱하다. 희롱하다.

〔挑泡〕 tiǎopào 동 (발 따위의) 물집을 터뜨리다.

〔挑皮〕 tiǎopí 형 ①성미가 괴팍스럽다. ②실없다.

〔挑破〕 tiǎopò 동 ①(바늘 따위로 종기 따위를) 파다. 찔러서 터뜨리다. ¶用针～脓泡; 바늘로 곪은 데를 찔러서 터뜨리다. ②폭로하다. ¶把秘密给～了; 비밀을 폭로시켰다.

〔挑起〕 tiǎoqǐ 동 도발하다. 선동하다. 부추기다. ¶～边境冲突; 국경의 충돌을 도발하다.

〔挑情〕 tiǎoqíng 동 욕정을 돋구다.

〔挑三窝四〕 tiǎo sān wō sì 〈成〉 ⇨〔调tiáo三窝四〕

〔挑痧〕 tiǎoshā 명《漢醫》바늘로 혈관을 찔러 악혈을 짜내어 '痧'를 고치는 방법. →〔痧〕

〔挑扇〕 tiǎoshàn 명 (한 쌍이 아닌 외짝의) 족자. =〔挑儿〕〔条tiáo幅〕

〔挑事〕 tiǎoshì 동 부추겨서 사단을 일으키(게 하)다. ¶～搭dā =〔～鬼〕; 도발자. 선동자.

〔挑式〕 tiǎoshi 명 맵시있는 자태〔몸매〕.

〔挑寿〕 tiǎoshòu 동 ①축하 국수를 집어 올리다〔올려서 먹다〕《'挑寿面'의 뜻으로 아기 출생 후 3일만에 축하하여 먹음》. ②장수하기를 축수하다.

〔挑唆〕 tiǎosuō 동 꼬드기다. 선동하다. ¶不和是被人～的; 사이가 나쁜 것은 남에게서 부추김을 받았기 때문이야.

〔挑头儿〕 tiǎo, tóur 동 ①선두에 서다. 선수를 쓰다. ¶这档子事是谁～闹起来的; 이 사건은 누가 앞장서서 떠들기 시작하였느냐. ②개시의 입을 떼다. 계기를 만들다. 일의 근원을 만들다. ⇒tiāotóu

〔挑挖〕 tiǎowā 동 (강 밑을) 준설하다.

〔挑衅〕 tiǎoxìn 명동 도전(하다). 도발(하다). ¶明目张胆的～; 거리낄 것 없는 도전 / 武装～; 군사도발 / 战争～; 전쟁 도발 / 提出～性问题; 도발적인 문제를 내다.

〔挑引〕 tiǎoyǐn 동 꾀어 내다. 유인하다. 유혹하다. ¶他本来没那个意思，只是经不住～; 그는 본래 그런 생각은 없었지만, 다만 유혹을 견뎌 낼 수가 없었다.

〔挑战〕 tiǎo, zhàn 동 도전하다. 싸움을 걸다. ¶接受～; 도전을 받아들이다 / ～的口吻; 도전적인 말투. =〔叫jiào战〕〔叫阵zhèn〕〔索suǒ战〕

〔挑战书〕 tiǎozhànshū 명 ①도전장. ②〈轉〉 어떤 직장에서 다른 직장에 증산 목표 달성의 경쟁을 하자고 도전하는 신청서.

〔挑账〕 tiǎo, zhàng 동 외상을 탕(蕩)치다〔삭치다. 상쇄하다〕. ¶没多少账，都挑了吧; 얼마 안되니 모두 삭(削)쳐 버리지요.

朓 tiǎo (조)
①동 〈文〉 그믐 때가 되어 달이 서쪽 하늘에 나타나다. ②인명용 자(字).

窕 tiǎo (조)
형 ①깊숙하다. 그윽하다. ②우아하다. 아름답다. →〔窈yǎo窕②〕 ③일시적이다. 한때이다. ¶～言; 그 때뿐인 말 / ～利; 한때의 이익.

〔窕邃〕 tiǎosuì 형 심오하다. 깊다.

〔窕冶〕 tiǎoyě 형 요염하다.

斢 tiǎo (주)
동 〈方〉 바꾸다. 교환하다.

眺〈覜〉 tiào (조)
동 멀리 바라보다. 조망하다. ¶凭píng高远～; 높은 곳에서 먼 곳을 바라보다.

〔眺望〕 tiàowàng 동 조망하다. 멀리 바라보다. ¶从山顶向四下～; 산꼭대기에서 사방을 바라보다.

跳 tiào (도)
동 ①펄쩍 뛰다. 뛰어오르다. ¶吓了一～; 깜짝 놀라 팔짝 뛰다 / 高兴得直～; 좋아서 펄펄 뛰며 기뻐하다 / 从房上～下来; 지붕 위에서 뛰어내리다. ②뛰게 하다. ③도망치다. 피하다. ④맥이 뛰다. ¶心里乱～; 가슴이 마구 뛰다 / 人的脉搏每分钟一般～七八十次; 사람의 맥박은 보통 1분에 7, 80번 뛴다. ⑤팔딱팔딱 움직이다. ¶眼睛～; 눈이 실룩거리다 / 左眼直～是有好事的预兆; 왼쪽 눈이 실룩거림은 좋은 일이 있을 전조이다. ⑥(차례나 순서를) 뛰어넘다. 건너뛰다. (중간을) 비우다. ¶～班; ⇩ / ～行háng; ⇩ / ～过三页; 세 페이지를 뛰어넘다 / 隔三～两地来看看; 2, 3일 걸러 만나러 오다. ⑦물건이 튀다. ¶新皮球～得高; 새 공은 잘 튄다. ⑧(자살할 목적으로 몸을) 던지다(장소를 직접 목적어로 취함). ¶～海; 바다에 몸을 던지다.

〔跳八丈〕 tiàobāzhàng 명 《蟲》 방아깨비. =〔跳百丈〕〔曲qū背蝗〕

〔跳白〕 tiàobái 명 작은 고깃배〔어선〕.

〔跳班〕 tiào,bān 동 월반하다. ¶他因为～所以早毕业一年; 그는 월반했으므로 졸업이 1년 빨랐다. =〔跳级〕

〔跳板〕 tiàobǎn 명 ①(배나 차에 오르고 내릴 때의) 발판. 널다리. ¶搭～; 널다리를 걸치다. =〔梯tī板〕 ②(수영의) 뜀판. ③〈轉〉 빠져 나가기 어려운 생활·처지. ¶她是新上～的; 그녀는 새로 막 이 업(業)에 들어왔다〔발을 들여 놓았다〕. ④〈比〉 임시 직업. ¶他拿这个职业当dàng～, 找着好事这就不干了; 그는 이 직업을 임시업으로 생각하고 있으므로 좋은 일이 나서면 곧 그만둔다. ⑤〈俗〉 생활의 양식. ¶在一个～上走; 모종의 생활을 영위하다. 명동 (남을) 발판(으로 이용하다). 연줄(로 이용하다).

〔跳蹦〕 tiàobeng 동 깡충 뛰다.

〔跳布扎〕 tiào bùzhá 《宗》 액땜 춤을 추다(라마교의 풍습으로 라마교 명절날 신불 마귀 등으로 분장하여 경을 읽고 춤을 춤. '布扎'는 티베트어로 악마의 뜻). =〔打鬼〕〔跳神(儿)②〕

〔跳不出〕 tiàobuchū 벗어날 수 없다. 빠져 나오지 못하다. ¶～圈儿去; 어떤 테두리 안에서 빠져 나갈 수 없다 / ～手掌心; 〈比〉 세력 범위에서 빠져 나오지 못하다.

〔跳不出蹦儿来〕 tiàobuchū bèngr lái 어쩔 수가 없다. ¶无论怎么挣扎也～; 아무리 바둥거려도 헤어날 길이 없다.

〔跳槽〕 tiào,cáo 동 (말 따위가) 다른 구유통으로 뛰어 들다. 〈比〉 ①마음이 변하여 딴 곳으로 옮기다. ②직업을 바꾸다. ③본처를 버리고 다른 여자를 얻다.

〔跳厂〕 tiàochǎng 동 노동자가 전직하다. 노동자가 전전하며 직장을 옮기다.

〔跳车〕 tiàochē 동 차에 뛰어 올라타다. 차에서 뛰어내리다. ¶～真危险; 차에 뛰어 올라타는 것〔차에서 뛰어내리는 것〕은 참으로 위험하다.

〔跳虫〕 tiàochóng 명 《蟲》 ①벼룩. =〔跳蚤zǎo〕 ②물웅덩이에 떼 지어 사는 날벌레.

〔跳出樊笼〕 tiàochu fánlóng ①조롱에서 튀어나가다. ②〈比〉 골치 아픈 연루에서 벗어나다.

〔跳出火坑〕 tiàochu huǒkēng 〈比〉 모진 괴로움에서 벗어나다.

〔跳达〕 tiàodá 명동 응대(하다). 시중(들다). 주선(하다). 보살핌〔보살피다〕. ¶所有事情全仗他一人～了; 일체의 일은 모두 그 한 사람에게 맡겨졌다.

〔跳打〕 tiàodǎ 동 ①마구 날뛰다. 생떼를 쓰다. ②일에 힘을 내다. 다부지게 하다.

〔跳大神〕 tiàodàshén 명 굿을〔기도를〕 하여 병을 고치는 무당.

〔跳跶〕 tiàoda 동 (몸을) 깡충깡충 뛰다. 팔팔 뛰다. ¶小孩儿在背上直～; 아이가 등에서 계속 팔팔 뛰다.

〔跳弹〕 tiàodàn 명 《軍》 튕겨 나가는 탄알.

〔跳岛战术〕 tiàodǎo zhànshù 명 징검다리 작전(섬을 따라 진공하는 작전). ¶用～反攻; 징검다리 작전으로 반격하다. =〔跳蛙进攻〕

〔跳道〕 tiàodào 명 《體》 (넓이뛰기의) 조주로(助走路).

〔跳动〕 tiàodòng 동 ①〈京〉 약동하다. (사회적으로) 활동하다. ②〈京〉 처세를 잘하다. 세상을 잘 헤쳐 나가다. ¶他无恒产无正业, 维持这个局面全仗能～; 그는 재산도 정업도 없으나 끄떡없이 이러한 국면은 유지해나가는 것은 전적으로 처세술이 좋기 때문이다. ③두근두근하다. 약동하다. ¶心在砰砰地～; 가슴이 두근거리다 / 心脏在～; 심장이 고동치고 있다. 명 〈京〉 실력. 역량. 솜씨. 능력. ¶他没有多大～; 그의 실력은 별것 아니다.

〔跳房子〕 tiàofángzi 명 사방치기(어린이 놀이의 일종. 지면을 네모지게 몇 개 그리고 한 발로 기왓조각으로 차서 차례로 집어넣는 놀이). (tiào,fángzi) 동 사방치기 놀이를 하다. ‖ =〔跳间〕〔跳圈儿〕

〔跳蜂〕 tiàofēng 명 《蟲》 사탕무의 벼룩잎벌레 무리.

〔跳高(儿)〕 tiàogāo(r) 《體》 명 높이뛰기. ¶撑竿～; 장대높이뛰기. 봉고도(棒高跳) / 急行～; 높이뛰기 / ～栏; 고장애(高障礙) 경주. 하이 허들 경주. (tiào,gāo(r)) 동 높이뛰기를 하다.

〔跳高架〕 tiàogāojià 명 ①《體》 장애물 넘기. ②높이뛰기용의 지주(支柱).

〔跳格〕 tiào,gé 동 ①(원고지 따위의) 칸 밖으로 비어져 나가다. ②칸을 뛰어넘다.

〔跳格磴儿〕 tiàogédengr 동 등급을 뛰어넘다.

〔跳格键〕 tiàogéjiàn 명 《電算》 탭(Tab).

〔跳过〕 tiàoguò 동 뛰어넘다. ¶～三行来读; 3행을 건너 뛰어서 읽다. 명 《體》 바나 허들을 넘어뜨리지 않고 뛰어 넘음.

〔跳海〕 tiào,hǎi 동 (죽으려고) 바다에 몸을 던지다.

〔跳行〕 tiào,háng 동 ①(책을 읽을 때나 베낄 때) 행을 건너 뛰다. 행을 빠뜨리다. ②행을 바꾸다. ③직업을 바꾸다. 전업하다. →〔改gǎi行〕

〔跳河〕 tiào,hé 동 강에 몸을 던지다. ¶那个穷人～自杀了; 저 가난한 사람은 강에 투신 자살했다.

〔跳猴皮筋儿〕 tiàohóupíjīnr ⇨〔跳皮筋儿〕

〔跳火坑〕 tiào huǒkēng ①불구덩이에 던지다. ②〈比〉 곤경에 빠지다.

〔跳祸〕 tiàohuò 동 재화가 발생하다.

〔跳级〕 tiào,jí 동 월반하다. =〔跳班〕

〔跳加官〕 tiào jiāguān 《劇》 중국 전통극에서 연극이 시작될 때, 혹은 도중에라도 귀한 사람이 관객으로 왔을 때 등에 행하는 것으로, 한 사람이 가면을 쓰고 옷차림을 갖추고 무대로 나가 '天官赐福' 등으로 쓴 두루마리를 들고 관객에게 보임으로써 경하의 뜻을 표하는 것.

〔跳间〕 tiàojiān 명동 ⇨〔跳房子〕

〔跳涧虎〕 tiàojiànhǔ 명 〈比〉 흉악한 인물.

〔跳脚(儿)〕 tiào,jiǎo(r) 동 (안달이 나거나 화나거나 하여) 발을 구르다. 발을 동동 구르다. ¶他急得～; 그는 초조하여 발을 동동 구른다.

〔跳进黄河也洗不清〕 tiàojìn Huánghé yě xǐbù qīng 〈諺〉 황허 강에 뛰어들어도 깨끗하게 씻어 버릴 수 없다《아무리 해도 오명을 씻을 수는 없다》.
〔跳井〕 tiào,jǐng 동 우물에 투신자살하다.
〔跳栏〕 tiàolán 명 《體》 허들. 장애물. ¶～赛跑; 장애물 경주.
〔跳梁〕 tiàoliáng 동 ①〈文〉 뛰어다니다. ②〈比〉 악한이 공공연히 횡행하다.
〔跳梁小丑〕 tiào liáng xiǎo chǒu 〈成〉 소란을 피우는 못된 인간. 별다른 재능이 없는 좀스러운 악인.
〔跳踉〕 tiàoliáng 동 〈文〉 발을 함부로 움직이다. 발을 바둥거리다.
〔跳龙门〕 tiào lóngmén 〈比〉 출세하다.
〔跳楼〕 tiào,lóu 동 빌딩에서 뛰어내리다. ¶～自杀; 투신 자살.
〔跳楼货〕 tiàolóuhuò 명 싸게 파는 물품. 투매품(投賣品).
〔跳楼价〕 tiàolóujià 명 투매값. 출혈 서비스.
〔跳马〕 tiàomǎ 명 《體》 ①도마. ②(체조용의) 도마.
〔跳马索儿〕 tiàomǎsuǒr 명 여자아이의 줄넘기놀이의 일종《둘이 마주보고 노래하면서 줄을 좌우로 수평되게 움직이면, 다른 아이는 그 줄에 걸리지 않도록 깡총깡총 뜀》. 동 줄넘기를 하다.
〔跳门坎儿〕 tiào ménkǎnr 변덕스러워 여기저기 손을 대다.
〔跳门踏户〕 tiàomén tàhù 〈比〉 재혼하다.
〔跳蝻〕 tiàonǎn 명 메뚜기의 유충. =〔蝗蝻〕
〔跳牛〕 tiàoniú 동 소가 흘레하다. 소를 교미시키다.
〔跳脓〕 tiàonóng 동 부은 곳이 쑤시다.
〔跳皮筋儿〕 tiàopíjīnr ① 명 고무줄 넘기. ②(tiào píjīnr) 고무줄 넘기를 하다. ‖ =〔跳猴皮筋儿〕
〔跳棋〕 tiàoqí 명 다이아몬드 게임. ¶下～; 다이아몬드 게임을 하다.
〔跳墙蹿穴〕 tiàoqiáng cuānxué 〈比〉 남녀가 몰래 부정을 행하다.
〔跳球〕 tiàoqiú 명 《體》 (농구에서) 점프볼. =〔争球〕
〔跳圈儿〕 tiào,quānr 명동 ⇨〔跳房子〕
〔跳伞〕 tiàosǎn 동 낙하산으로 내리다. ¶～塔; 낙하산 강습 연습탑.
〔跳神(儿)〕 tiàoshén(r) ① 동 무당이 신지피다. ②⇨〔跳布扎〕
〔跳绳〕 tiàoshéng 명 줄넘기. (tiào,shéng) 동 줄넘기를 하다.
〔跳虱〕 tiàoshī 명 ⇨〔跳蚤〕
〔跳书〕 tiàoshū 동 (책을) 뛰어서 읽다. ¶喂! 你背书的时候别～啊; 이봐, 암송할 때에 뛰어 외어서는 안 돼.
〔跳鼠〕 tiàoshǔ 명 《動》 날쥐.
〔跳水〕 tiào,shuǐ 동 ①물속에 투신 자살하다. ② 《體》 (수영에서) 다이빙하다. (tiàoshuǐ) 명 《體》 (수영의) 다이빙. ¶～池; 다이빙 경기용 수영장.
〔跳水板〕 tiàoshuǐbǎn 명 ①《體》 (수영의) 스프링 보드. ②〈比〉 발판. 교두보. ¶占领某地做为一～; 어떤 곳을 점령하여 교두보로 삼다.
〔跳丝〕 tiàosī 동 (양말의) 올이〔코가〕 풀리다. ¶这丝袜保证不～; 이 견직 양말은 올이 풀리지 않음을 보증한다.
〔跳蹋〕 tiàotà 동 ①안달이 나서 골내다. 초조하여 화내다. 발을 동동 구르다. ②발을 버둥대며 떠들다.
〔跳台〕 tiàotái 명 《體》 점프대. 다이빙대. ¶滑雪表演用的～; (스키 경기용의) 점프대 / ～滑雪; (스키의) 점프 경기.
〔跳腾〕 tiàoteng 동 ①튀어오르다. 뛰어오르다. ② 출세하다. ③꾸려 나가다. 처리하다. ¶一家的事, 全仗他一个人～呢; 한 집안의 일을 모두 그 혼자 꾸려가고 있다.
〔跳跳蹿蹿〕 tiàotiaocuāncuān 팔짝팔짝 뛰어다니다. ¶年轻～, 到老没病没痛; 〈諺〉 어릴 적에 뛰어다니면, 늙어서도 병에 걸리지 않는다 / 那个孩子真不老实, 老是～; 저 애는 정말 얌전하지 않아, 언제나 팔짝거린다. =〔跳跳蹦蹦〕〔跳跳躜躜〕
〔跳投(篮)〕 tiàotóu(lán) 명 《體》 (농구의) 점프숏.
〔跳丸〕 tiàowán 명 고대 공놀이의 일종. 형 〈文〉 시간이 빠르게 지나감의 형용.
〔跳舞〕 tiào,wǔ 동 춤을 추다. ¶跟她跳过一回舞; 그녀와 한 번 춤춘 일이 있다 / 跳迪斯科舞; 디스코 춤을 추다. (tiàowǔ) 명 댄스. 무도. ¶～迷; 댄스광 / ～会 =〔舞会〕; 댄스 파티 / ～厅; 댄스 홀. 무도장. ‖ =〔舞蹈〕
〔跳虾〕 tiàoxiā 명 날새우 먹기《산 새우를 간장에 찍어 먹는 따위》.
〔跳箱〕 tiàoxiāng 명 《體》 ①(기구로서의) 뜀틀. ②(경기로서의) 뜀틀.
〔跳心〕 tiàoxīn 동 가슴이 뛰다. 두근거리다.
〔跳雪〕 tiàoxuě 명동 《體》 (스키의) 점프(를 하다).
〔跳雪台〕 tiàoxuětái 명 《體》 샨체. 스키의 도약대.
〔跳鱼〕 tiàoyú 명 《魚》 짱뚱어.
〔跳远(儿)〕 tiàoyuǎn(r) 《體》 명 멀리뛰기. ¶三级～; 세단뛰기 / 立定～; 제자리 멀리뛰기. (tiào,yuǎn(r)) 동 멀리뛰기를 하다.
〔跳月〕 tiàoyuè 명 달놀이《먀오 족(苗族)·이 족(彝族) 청년의 무용 활동의 하나, 달빛 아래에서 노래하거나 춤추거나 함》.
〔跳跃〕 tiàoyuè 동 점프하다. 도약하다. ¶～前进; 《體》 (세단〔삼단〕 뛰기·스키의) 점프 / ～运动; 《體》 도약 운동.
〔跳跃器〕 tiàoyuèqì 명 《體》 도약 운동 기구.
〔跳蚤〕 tiàozao 명 《蟲》 벼룩. =〔虼gè蚤〕〔跳虱〕
〔跳蚤市场〕 tiàozǎo shìchǎng 명 (유럽 등지의) 벼룩 시장.
〔跳珠〕 tiàozhū 동 물방울이 구르다. ¶雨中看荷叶～; 빗속에서 연잎에 물방울이 구르는 것을 보다.
〔跳(子)棋〕 tiào(zǐ)qí 명 다이아몬드 게임. ¶下～; 다이아몬드 게임을 하다.

粜(糶) tiào (조)

동 식량을 내팔다. 양식을 방출하다. ¶平～; 쌀값이 오를 때 정부의 보유미를 방출하여 쌀값을 조절하다. =〔粜米〕 ↔〔籴dí①〕
〔粜贵籴贱〕 tiào guì dí jiàn 〈成〉 곡물 시세가 쌀 때에 사들이고, 비쌀때 내다 팔다.

TIE ㄊㄧㄝ

怗 tiē (첩)

〈文〉 ① 동 평정(平定)하다. ② 형 고요하다.

帖 tiē (첩)
①형 평온하다. ¶安～; 평안히 있다. ②형 꼭 맞다. 타당하다. 알맞다. 형편이 좋다. ¶妥～; 타당하다. ③동 낙착되다. 처리되다. ④동 복종하다. 순종하다. ¶服～; 복종하다 / 俯首～耳; 머리를 숙이고 귀를 드리우다(오직 공손히 명령을 좇는 모양). ⇒tiě tiè

〔帖耳〕 tiē'ěr 동 〈文〉 복종하다. 순종하다. =〔帖伏〕〔帖服〕〔贴伏〕〔贴服〕

〔帖伏〕 tiēfú 동 ⇨〔帖耳〕

〔帖服〕 tiēfú 동 ⇨〔帖耳〕

贴(貼) tiē (첩)
①동 붙이다. 붙여 놓다. ¶～邮票; 우표를 붙이다 / ～在墙上; 벽에 붙이다 / ～布告; 포고를 붙이다 / 剪～; 스크랩하다. ②동 부족을 보충하다. 금전의 원조를 하다. ¶每月～给他一些钱; 매달 그에게 얼마간의 돈을 보조한다. ③명 보조금. ¶津～; 보조금 / 房～; 집세 보조금. 주택 수당. ④형 적당하다. 타당하다. ⑤동 접근하다. 들러붙다. ¶～着道边走; 길가로 걷다 / 孩子把头～在母亲胸前; 아이가 얼굴을 어머니 가슴에 꼭 붙이다. ⑥명 보조역(補助役). ⑦동 (요리법에서) 한쪽 면만 굽다. ¶～饼子; ⇩ ⑧동 (바둑에서) 공제하다. 덤을 주다. ⑨양 고약(膏藥)을 세는 데 쓰임.

〔贴报(儿)〕 tiēbào(r) 명 포스터. (tiē.bào(r)) 동 포스터〔광고〕를 붙이다. ¶贴谎报; ⓐ연극 광고에 출연하지 않는 배우의 이름을 열거하다. ⓑ엉터리 말을 하다.

〔贴碑儿〕 tiēbēir 동 〈京〉 등을 벽에 대고 서다.

〔贴鼻子〕 tiēbízi 명 코붙이기 놀이(사람의 얼굴 그림을 붙여놓고 눈을 가리고 거기에 코를 붙이는 놀이). ¶玩儿～; 코붙이기 놀이를 하다.

〔贴边〕 tiēbiān 명 바이어스 테이프(옷 안감의 가에 꿰매는 조붓한 테이프 모양의 천).

〔贴边儿〕 tiēbiānr 명 (옷 가장자리의) 자수. 수놓음. (tiē.biānr) 동 ①가로 다가서다. ¶～走路就不怕被车撞着; 가로 다가서 걸으면 자동차와 부딪칠 염려는 없다. ②성공의 바로 문 앞에 이르다. 가망이 보이다. ③(의복의) 가선을 두르다.

〔贴饼子〕 tiēbǐngzi 명 옥수수나 좁쌀 가루를 이겨서 타원형으로 하여 냄비에 붙여서 구운 것. (tiē.bǐngzi) 동 위의 것을 만들다.

〔贴补〕 tiēbǔ 동 ①경제적으로 원조하다. 보조하다(흔히 친족이나 친구에 대하여). ¶他每月都寄点儿钱去～家用; 그는 매달 약간의 돈을 부쳐서 생활비를 보조한다. ②모아둔 것으로 일상의 소비를 보충하다. 변통하다. 임시 모면하다. ¶还有存的料子～着用, 现在先不买; 아직 남겨 두었던 천으로 때우고, 지금은 어쨌거나 사지 않는다. ③수선하다. ¶～雨衣; 우의를 수선하다.

〔贴不上〕 tiēbushàng ①붙지 않다. ¶膏药～; 고약이 잘 붙지 않다. ②전혀 그렇지 않다. ¶他硬说是我亲戚, 其实～; 그는 끝까지 내 친척이라고 하지만, 사실 그렇지 않다.

〔贴彩〕 tiēcǎi 동 축의금을 내다.

〔贴出〕 tiēchū 동 붙이다. 게시하다. ¶～征募广告; 모집 광고를 내붙이다.

〔贴错门神〕 tiēcuò ménshén 〈比〉 서로 외면하다. 딴전부리다.

〔贴旦〕 tiēdàn 명 《劇》 중국 전통극에서, 시녀(侍女) 역. =〔六liù旦〕

〔贴倒〕 tiēdào 동 거꾸로 붙이다. ¶把广告～了; 광고를 거꾸로 붙이다.

〔贴耳〕 tiē'ěr 동 귀에 입을 갖다대고 말하다. 귓속말을 하다.

〔贴伏〕 tiēfú 동 ⇨〔帖耳〕

〔贴服〕 tiēfú 동 ⇨〔帖耳〕

〔贴梗木瓜〕 tiēgěngmùguā 명 《植》 명자나무. 산당화. =〔贴梗海棠〕

〔贴骨膘(儿)〕 tiēgǔbiāo(r) 형 〈比〉 수척하다. 야위다.

〔贴挂〕 tiēguà 동 ①붙이거나 걸거나 하다. ¶家家门口～着对联; 집집마다 입구에 대련(對聯)이 붙어 있거나 걸려 있다. ②붙이는 방법으로 걸다.

〔贴合〕 tiēhé 형 꼭 맞다. 어울리다. ¶他说出这样的话来总有点不大～; 그가 이런 말을 하다니, 아무래도 어울리지 않는다.

〔贴花〕 tiēhuā 명 아플리케(프 appliqué). 동 ①(창에) 절지(切紙) 세공을 붙이다. ②(수령증에) 증지를 붙이다.

〔贴换〕 tiēhuàn 동 옛날, 구품에 웃돈을 얹어서 신품과 교환하다.

〔贴己〕 tiējǐ 형 친밀하다. 친근하다. 격의없다. ¶～的朋友; 격의없는 친구 / ～话; 스스럼없는 이야기. 명 〈方〉 가족 구성원 개인이 모은 재물. ¶～钱; 개인이 모은 돈.

〔贴胶〕 tiējiāo 명 코팅(coating).

〔贴金〕 tiē.jīn 동 ①(불상 등에) 금박을 붙이다. ②〈比〉 자만하다. 으스대다. 자기 과시하다. 미화하다. ¶别往脸上～了; 자만해서는 안 된다.

〔贴近〕 tiējìn 동 접근하다. 들러붙다. ¶耳朵～门边; 귀를 문에 바싹 대다. 형 아주 가깝다. 근접해 있다. ¶～那个学校, 有一个病院; 그 학교 바로 가까이에 병원이 있다.

〔贴邻〕 tiēlín 명 바로 이웃 (사람).

〔贴绫〕 tiēlíng 명 풀을 먹여 윤을 낸 비단.

〔贴落〕 tiēluo 명 벽에 붙인 글이나 그림. ¶墙上的～都陈旧了; 벽에 붙인 서화는 모두 낡았다.

〔贴念〕 tiēniàn 동 생각해 주다. 그 입장이 되어 걱정하다.

〔贴赔〕 tiēpéi 동 거듭 손해보다.

〔贴钱买罪受〕 tiēqián mǎizuìshòu 〈比〉 돈을 쓰고 도리어 고생하다.

〔贴俏〕 tiēqiao 명 진동 둘레를 꿰매어 싸는데 쓰는 바이어스 테이프.

〔贴切〕 tiēqiè 형 적절하다. 적당하다. ¶这句话不～; 이 말은 적절하지 않다.

〔贴秋膘〕 tiēqiūbiāo 동 입추날에 닭·오리·생선·고기 요리를 먹고 원기를 북돋우다.

〔贴绒画〕 tiēróngh uà 명 《美》 비단에 우단을 붙인 그림.

〔贴肉〕 tiēròu 동 ⇨〔贴身(儿)①〕

〔贴上〕 tiēshàng 동 붙이다. ¶～胶布; 접착 테이프를 붙이다.

〔贴身(儿)〕 tiē.shēn(r) 동 ①몸에 찰싹 붙다. ¶～背心; 러닝 셔츠 / ～衣; 속옷 / ～的裤子; 속바지. =〔贴肉〕 ②신변에 붙어 늘 따라다니다. 신변에서 귀찮게 굴다. ¶～的人; 곁에서 모시고 시중드는 사람. 시인(侍人) / ～丫头; 신변에서 시중을 드는 몸종. (tiēshēn(r)) 명 《體》 (럭비·축구 등에서) 대인 방어.

〔贴士〕 tiēshì 명 〈廣〉 ①팁(tip). 행하. ②안내. 소개. ③〈音〉 테스트.

〔贴树皮〕 tiēshùpí 명 《鳥》 ①쏙독새. ②동고비.

〔贴水〕 tiēshuǐ 동 두 가지 통화의 교환 차액을 더하다. 명 ①통화 환전 수수료. ‖ =〔汇水〕 ②프리미엄(premium).

〔贴题〕 tiētí 형 제목에 꼭 부합하다. (말이) 적절하다. ¶着zhuó墨不多, 但是十分～; 짧은 문장이긴 하나 테마에 충분히 걸맞는다 / 说得不多却很～; 말수는 적으나 테마에 적절하다.
〔贴头〕 tiētóu 명 주소 성명 카드.
〔贴息〕 tiēxī 명동 어음 할인료(의 이자를 내다).
〔贴现〕 tiēxiàn 명동 《經》어음 할인(하다). ¶～率lǜ; (어음) 할인율 / ～票据; 할인 어음. =〔割刀〕
〔贴现媒介商〕 tiēxiàn méijièshāng 명 어음 브로커〔중개인〕.
〔贴现银行〕 tiēxiàn yínháng 명 《經》할인 은행.
〔贴心〕 tiēxīn 형 마음이 통하다. 마음이 맞다. ¶～的朋友; 마음을 주고 받는 친구 / ～话; 마음에서 우러나오는 이야기 / ～人; 친밀한 사람. 속내를 아는 사람.
〔贴心贴意〕 tiēxīn tiēyì 마음이 맞다. 친근하다.
〔贴靴〕 tiēxuē 동 ①상인을 위하여 손님이 모이게 해 주다. ②(길거리 상인의) 야바위꾼이 되다. 야바위꾼 노릇을 하다.
〔贴演〕 tiēyǎn 동 공연 프로그램을 붙이고 공연하다.
〔贴纸〕 tiēzhǐ 명 첩지. (tiē,zhǐ) 동 종이를 붙이다.

萜 tiē (첩)
명 《化》테르펜(terpens)《유기 화합물로 대개는 방향이 있는 액체임》. ¶～品醇; 테르피네올.

帖 tiě (첩)
①(～儿) 명 벽보. 삐라 따위. ¶房～儿; 셋집 표찰. ②명 메모지. 쪽지. ¶字～儿; 글쪽지. 메모지. ③명 옛날, 결혼이나 의형제를 맺을 때에 교환하던 접책으로 된 서장(書狀). ¶八字～ =〔龙凤～〕; 결혼 때 교환하는 남녀의 생년월일을 적은 접책 / 换～; 의형제를 맺을 때 교환하는 서장(을 교환하고 의형제를 맺다). ④(～子) 명 초대장. ¶喜～; 결혼식 초대장 / 请qǐng～; 초대장. 청첩장. ⑤양 〈方〉(한약의) 한첩. ¶一～药; 약 한 첩. ⇒tiē tiè
〔帖儿〕 tiěr 명 글쪽지. 벽보. 삐라.
〔帖子〕 tiězi 명 명함·안내장·광고 따위. ¶下～; 안내장·초대장을 내다.

铁(鐵〈銕〉) tiě (철)
①명 철(Fe). 쇠. ¶趁热打～; 〈成〉쇠가 달구어졌을 때 때리다《시기를 놓치지 않다》. ②형 쇠로 만든. 철제의. ¶～柜guì; 금고. 철제 캐비닛 / ～路; ⇩ ③명 (칼·권총 등의) 무기. ¶手无寸～; 몸에 무기를 지니지 않다. ④형 (쇠처럼) 단단하다. 굳다. 불변이다. ¶～证; 확실한 증거 / ～的事实; 확고한 사실 / ～的意志; 확고부동한 의지. ⑤동 딱 정해지다. ¶这门亲事算～了; 이 혼담은 결정된 것이나 다름없다. ⑥동 독하게 먹다. 결심하다. ¶我～了心了; 나는 마음을 독하게 먹었다. 굳게 결심하였다. ⑦동 쇠처럼 굳어지다. ¶老师批评他了, 他～了; 선생의 꾸중을 듣고 그는 아주 얼어버렸다. ⑧형 잔인하고 난폭하다. ⑨명 성(姓)의 하나.
〔铁案〕 tiě'àn 명 〈比〉증거가 확실하여 번복할 수 없는 사건.
〔铁案如山〕 tiě àn rú shān 〈成〉사건의 증거가 확실하여 움직일 수 없다. =〔铁证如山〕
〔铁耙〕 tiěbà 명 《農》써레.
〔铁板〕 tiěbǎn 명 ①철판. ¶～照象; 페로타이프(ferrotype). ②움직이기 어려운 것. ¶～注脚; 움직이기 어려운 주석. 형 (표정이) 험악하다. 차갑다. ¶他一听, 面孔～, 眼睛气得发红; 그는 듣자 표정이 험악해지고 눈은 분노로 빨개졌다.
〔铁板钉钉〕 tiěbǎn dìng dīng 〈比〉일이 이미 결정되어 변경할 수 없는 일. ¶这次足球赛, 甲队获胜, 看来是～了; 이번 축구 경기에서 갑팀이 승리할 것은 뻔하다.
〔铁绷〕 tiěbēng 동 ('～了脸'으로 쓰여) 무표정하게 표정을 굳히다.
〔铁笔〕 tiěbǐ 명 ①각인(刻印)에 쓰는 칼. 도장칼. ②(등사용의) 철필. =〔钢笔④〕
〔铁箅子〕 tiěbìzi 명 ①(난로의) 받침쇠. ②석쇠.
〔铁壁〕 tiěbì 명 ①철벽. ②〈比〉견고한 성벽.
〔铁壁铜墙〕 tiě bì tóng qiáng 〈成〉⇨〔铜墙铁壁〕
〔铁饼〕 tiěbǐng 명 《體》①(경기용의) 원반. ②원반던지기. ¶掷～; 투원반. 원반던지기. =〔扁铁②〕
〔铁驳〕 tiěbó 명 화물 운반용 거룻배.
〔铁布衫〕 tiěbùshān 명 권법의 하나《칼을 피하는 기술》.
〔铁蚕豆〕 tiěcándòu 명 (껍질째로) 볶은 잠두콩.
〔铁铲〕 tiěchǎn 명 ①스콥. 삽. ②요리용 쇠주걱.
〔铁肠石心〕 tiě cháng shí xīn 〈成〉⇨〔铁石心肠〕
〔铁厂〕 tiěchǎng 명 제철 공장.
〔铁撑子〕 tiěchēngzi 명 고기 굽는 대.
〔铁城〕 tiěchéng 명 〈比〉철성. 견고한 성.
〔铁尺〕 tiěchǐ 명 ①자 비슷한 철제의 고대 무기. ②쇠로 만든 자.
〔铁冲子〕 tiěchōngzi 명 ①쇠기둥. ②〈比〉강건한 사람. ¶他从来没得过病, 是个～; 그는 이제까지 병을 앓은 적이 없는 정말 튼튼한 사람이다.
〔铁铳子花〕 tiěchòngzihuā 명 대형 폭죽(爆竹)의 이름.
〔铁锄〕 tiěchú 명 괭이.
〔铁杵磨成针〕 tiěchǔ móchéng zhēn 〈諺〉쇠막대기를 갈아서 바늘을 만든다《꾸준히 하면 뭐든지 해낼 수 있다》. ¶只要功夫深, ～; 연습을 쌓기만 하면 성취 못하는 게 없다. =〔铁尺磨成针〕
〔铁窗〕 tiěchuāng 명 철창. 〈比〉감옥. ¶～风味; 감옥 생활.
〔铁床〕 tiěchuáng 명 철제의 침대.
〔铁槌(子)〕 tiěchuí(zi) 명 쇠메. 망치. 해머(hammer). =〔铁锤(子)〕
〔铁锤(子)〕 tiěchuí(zi) 명 ⇨〔铁槌(子)〕
〔铁骢〕 tiěcōng 명 〈文〉철총이. 검푸른 빛깔의 말.
〔铁搭〕 tiědā 명 〈方〉철탑. 쇠스랑《농구》. =〔铁锴〕
〔铁锴〕 tiědā 명 〈方〉⇨〔铁搭〕
〔铁打〕 tiědǎ 명 〈比〉견고함. ¶～江山; 요지부동한 정권 / ～汉子; 철인. 불사신의 사나이. 〈比〉강건한 사람.
〔铁打的〕 tiědǎde 명 ①쇠로 만든 것. ②〈比〉불사신인 사람. 의지가 견고한 사람. ¶～肠子, 铜铸的心; 쇠로 만든 창자, 구리로 만든 심장《절대로 변하지 않는 굳은 의지. 반석같은 뜻》.
〔铁丹〕 tiědān 명 철단. 붉은 물감. =〔红土子〕
〔铁蛋白〕 tiědànbái 명 《化》페리틴(ferritin).
〔铁刀木〕 tiědāomù 명 《植》철도목.
〔铁道〕 tiědào 명 철도. ¶～部; 철도부 / ～线(路); 철도 선로.
〔铁道兵〕 tiědàobīng 명 철도병《철도의 수축(修

築)과 방어를 담당하는 병과(兵科) 혹은 그 병사).
〔铁的事实〕 tiěde shìshí 움직일 수 없는 사실. 부정·부인할 수 없는 사실.
〔铁吊(子)〕 tiědiào(zi) 명 쇠주전자.
〔铁钉〕 tiědīng 명 쇠못.
〔铁钉木〕 tiědīngmù 명 《植》 비목나무. 보얀목.
〔铁定〕 tiědìng 형 확정하여 움직이지 않다. ¶～的事实; 움직일 수 없는 사실.
〔铁锭〕 tiědìng 명 인곳. 주괴(鑄塊). 쇳덩이.
〔铁冬青〕 tiědōngqīng 명 《植》 먼나무.
〔铁段〕 tiěduàn 명 《電》 세그먼트.
〔铁矾土〕 tiěfántǔ 명 보크사이트(bauxite). 철반석. =〔铁铝氧石〕
〔铁饭碗〕 tiěfànwǎn 명 ①쇠주발. 깨지지 않는 주발. ②〈比〉 확실한 생활 수단. 뒤가 튼튼한 직업·일자리.
〔铁肺〕 tiěfèi 명 철폐(인공 호흡기의 일종).
〔铁粉〕 tiěfěn 명 《醫》 철분. 쇳가루(보혈제).
〔铁弗〕 Tiěfú 명 복성(複姓)의 하나.
〔铁杆蒿〕 tiěgǎnhāo 명 《植》 갯개미취.
〔铁杆儿〕 tiěgǎnr 형 ①완고하다. 철저하다. ¶～保守派; 완고한 보수파. →〔老lǎo保〕 ②확실하다. 틀림없다. ¶～卫队; 확실한 위병대.
〔铁杆(儿)庄稼〕 tiěgǎn(r) zhuāngjia ①풍이 들지 않고 수확이 확실한 작물. ②가장 확실한 것. 가장 믿을 수 있는 것. ③확실한 뒷배〔후원자〕.
〔铁杠〕 tiěgàng 명 ①《體》 철봉. ②쇠막대기.
〔铁镐〕 tiěgǎo 명 곡괭이.
〔铁铬合金〕 tiěgè héjīn 명 《機》 페로크롬. 크롬철.
〔铁梗〕 tiěgěng 명 철봉(鐵棒).
〔铁工〕 tiěgōng 명 ①철공. 대장일. ¶～厂; 대장간. ②대장장이.
〔铁工资〕 tiěgōngzi 명 (생산·작업 효율 등의 영향을 받지 않는) 고정된 액수를 보장받는 임금.
〔铁公鸡〕 tiěgōngjī 명 〈比〉 인색한 사람. 구두쇠. ¶～一毛不拔; 구두쇠라서 털 하나 뽑지 않는다.
〔铁钩〕 tiěgōu 명 쇠갈고리.
〔铁姑娘〕 tiěgūniang 명 〈比〉 여걸. 여장부. 사내를 능가하는 여자라는 뜻으로, 체력·사상·의식 모두 훌륭하고 근면한 여성.
〔铁箍〕 tiěgū 명 (포장용) 쇠테. =〔铁腰〕
〔铁瓜〕 tiěguā 명 〈俗〉 지뢰. ¶吃了～; 지뢰에 걸렸다. =〔地雷〕
〔铁观音〕 tiěguānyīn 명 철관음('乌龙茶'(오룡차)의 일종).
〔铁轨〕 tiěguǐ 명 (철도의) 레일. ¶铺～; 레일을 깔다.
〔铁轨规〕 tiěguǐguī 명 레일용 게이지(guage).
〔铁鬼〕 tiěguǐ 명 〈比〉 공장의 화부(火夫). 보일러공.
〔铁柜〕 tiěguì 명 ①철제장〔케이스〕. ②금고.
〔铁棍〕 tiěgùn 명 ①철봉. ¶一根～; 한 대의 철봉. →〔单杠〕 ②쇠몽둥이.
〔铁锅〕 tiěguō 명 가마. 솥.
〔铁汉(子)〕 tiěhàn(zi) 명 ①(몸이) 다부진 사나이. ②불굴의 사나이. 쇠 같은 의지를 지닌 사람.
〔铁耗〕 tiěhào 명 ⇨〔铁损失〕
〔铁合金〕 tiěhéjīn 명 《機》 앨로이 아이언(alloy iron).
〔铁壶〕 tiěhú 명 쇠주전자.
〔铁花〕 tiěhuā 명 ①쇳조각으로 꽃 따위를 만든 벽걸이 장식품. ②〈轉〉 초등 학교 공작에서, 검은 종이를 오려서 꽃 따위의 무늬를 나타낸 것.
〔铁画〕 tiěhuà 명 ①얇은 쇠판으로 만든 선상(線狀)의 것으로 구성한 그림. ②철화 공예.
〔铁画银钩〕 tiě huà yín gōu 〈成〉 서법(書法)이 힘이 넘쳐 있는 것.
〔铁环〕 tiěhuán 명 철륜(鐵輪). 쇠바퀴. ¶滚～; 굴렁쇠.
〔铁活〕 tiěhuó 명 ①철공의 일. ②철을 원료로 하여 만든 제품. ③(건축물 또는 기물상의) 쇠장식.
〔铁货〕 tiěhuò 명 철제품. 쇠붙이.
〔铁蒺藜〕 tiějíli 명 마름쇠. 철질려.
〔铁剂〕 tiějì 명 《藥》 철제. 쇠를 성분으로 하는 보혈제(補血劑).
〔铁甲〕 tiějiǎ 명 ①철제의 갑옷. ②쇠로 겉을 입힌 것. ¶～船; 철갑선(옛날, 전함(戰艦)).
〔铁甲(炮)车〕 tiějiǎ (pào)chē 명 ⇨〔装zhuāng甲车〕
〔铁甲汽车〕 tiějiǎ qìchē 명 《軍》 장갑차.
〔铁将军〕 tiějiāngjūn 명 쇠자물쇠(잠기지 않으면 열쇠가 빠지지 않음). =〔将军不下马〕
〔铁匠〕 tiějiang 명 철공. 대장장이.
〔铁蕉〕 tiějiāo 명 《植》 소철(蘇鐵).
〔铁脚板〕 tiějiǎobǎn 명 피로를 모르는 다리. 건각. 무쇠다리.
〔铁角蕨〕 tiějiǎojué 명 《植》 차꼬리고사리.
〔铁金属〕 tiějīnshǔ 명 ⇨〔黑hēi色金属〕
〔铁筋土〕 tiějīntǔ 명 철근 콘크리트. =〔钢gāng骨水泥〕〔钢筋混凝土〕〔钢筋水泥〕
〔铁筋洋灰〕 tiějīn yánghuī 명 ⇨〔铁筋土〕
〔铁酒〕 tiějiǔ 명 철주. 철분을 함유한 약술.
〔铁锔子〕 tiějūzi 명 꺾쇠.
〔铁据〕 tiějù 명 〈比〉 확실한 증거.
〔铁卷〕 tiějuàn 명 철권(옛날에, 공신(功臣)에게 내린 증거물. 쇠로 기와꼴로 만들어 겉에는 이력·영전, 안에는 면죄·감봉의 횟수 등을 새김).
〔铁镢〕 tiějué 명 괭이.
〔铁军〕 tiějūn 명 〈比〉 정예군. 불패의 군대. 상승군(常勝軍).
〔铁口〕 tiěkǒu 명 《工》 탕구(湯口; pouring gate)(녹인 금속을 거푸집에 붓는 구멍).
〔铁矿〕 tiěkuàng 명 《鑛》 철광(석).
〔铁狼萁〕 tiělángqí 명 《植》 발풀고사리.
〔铁榔头〕 tiělángtou 명 쇠망치. =〔铁狼头〕
〔铁犁〕 tiělí 명 쟁기.
〔铁(梨)木〕 tiě(lí)mù 명 《植》 유창목. 리그넘 바이티(lignum vitae)(갈색질의 단단한 목재로 압연기의 축받이에 쓰임).
〔铁篱笆〕 tiělíbā 명 《植》 갯대추나무.
〔铁力木〕 tiělìmù 명 《植》 철력목.
〔铁栎〕 tiělì 명 《植》 종가시나무.
〔铁脸〕 tiěliǎn 명 굳은 표정. 차가운 표정. (tiě liǎn) 동 ('铁着脸'으로 하여) 굳은〔차가운〕 표정을 짓다. ¶他铁着脸走开了; 그는 굳은 표정으로 가버렸다.
〔铁链(子)〕 tiěliàn(zi) 명 쇠체인. ¶～吊桥; 쇠사슬의 적교. =〔铁炼〕
〔铁流〕 tiěliú 명 ①(녹은 선철의) 철탕(鐵湯)의 흐름. ②〈比〉 전투력이 강한 군대.
〔铁路〕 tiělù 명 철도. ¶～网; 철도망 / ～员工 =〔～工作人员〕; 철도 종업원 / 窄zhǎi轨～; 협궤 철도 / 阔kuò轨～; 광궤 철도 / 全国～时刻表; 전국 철도 시각표.
〔铁路口〕 tiělùkǒu 명 철도 건널목.

〔铁铝氧石〕 tiělǚyǎngshí 명 《鑛》 보크사이트.

〔铁罗汉〕 tiěluóhàn 명 ①쇠로 된 나한. ②〈比〉 목석 같은 사람. 고지식하고 융통성이 없는 사람. ¶他是个～决不受女子的迷惑; 그는 목석같은 사람이라 절대로 여자에게 매혹당하는 일은 없다.

〔铁马〕 tiěmǎ 명 ①철갑으로 무장한 말. 쇠처럼 강한 군마. →〔铁骑〕 ¶金戈～; 병사(兵事). 전쟁을 이름. ②풍경(風磬). ③〈方〉 기차. ④〈方〉 오토바이의 별칭.

〔铁马鞭〕 tiěmǎbiān 명 《植》 괭이싸리.

〔铁锚〕 tiěmáo 명 (쇠의) 닻.

〔铁门〕 tiěmén 명 ①철문. 철제의 문. ②쇠창살문.

〔铁门槛〕 tiěménkǎn 명 〈比〉 엄중한 제한〔제약〕. 견고한 관문. =〔铁门限〕

〔铁面〕 tiěmiàn 명 무쇠탈(병기의 하나). 형 ⇨〔硬yìng脸〕

〔铁面无情〕 tiě miàn wú qíng 〈成〉 냉혹하고 무정하다.

〔铁面无私〕 tiě miàn wú sī 〈成〉 ①공평 무사. 정실에 쏠리지 않음. 옳지 못한 것을 싫어하며 사욕이 없음. ②조금도 사정보지 않다. ¶历史事实这样～地告诉我们; 역사적 사실은 이처럼 조금도 가차없이 우리에게 고하고 있다.

〔铁苗〕 tiěmiáo 명 철의 광맥(鑛脈).

〔铁末子〕 tiěmòzi 명 철설(鐵屑). 쇠를 깎을 때 나는 부스러기. =〔铁沫子〕〔铁屑xiè〕

〔铁模儿〕 tiěmúr 명 쇠로 만든 거푸집. ¶这个玩艺儿是用～铸的; 이 장난감은 쇠거푸집으로 주조한 것이다.

〔铁木〕 tiěmù 명 《植》 참개암나무.

〔铁幕〕 tiěmù 명 철의 장막.

〔铁鸟〕 tiěniǎo 명 〈俗〉 비행기.

〔铁镍合金〕 tiěniè héjīn 명 《機》 페로니켈맬로이.

〔铁牛〕 tiěniú 명 ①〈俗〉 트랙터. =〔拖拉机〕 ②철제의 소(옛날, 강에 가라앉혀 수해를 면하도록 빎). ③〈俗〉 철갑 자동차. ④〈比〉 고집통이. 외고집인 사람.

〔铁女人〕 tiěnǚrén 명 〈比〉 ①의지가 강한 여인. ②감정이 없는 (메마른) 여인.

〔铁棚〕 tiěpéng 명 함석 지붕.

〔铁皮〕 tiěpí 명 ①철판. ¶镀铅锡～; 연석(鉛錫) 도금 철편. ②철제의 테. ③피부의 검은 부스럼 딱지.

〔铁片〕 tiěpiàn 명 엷은 철판.

〔铁骑〕 tiěqí 명 〈比〉 빼어난 기병. 정예(精鋭)한 군대.

〔铁签(儿,子)〕 tiěqiān(r,zi) 명 쇠꼬챙이.

〔铁钳(子)〕 tiěqián(zi) 명 쇠집게. 펜치.

〔铁锹〕 tiěqiāo 명 ①가래. ②삽.

〔铁橇〕 tiěqiāo 명 쇠지렛대. ¶～棍; 쇠지렛대. =〔铁挺〕

〔铁桥〕 tiěqiáo 명 철교.

〔铁雀儿〕 tiěqiǎor 명 참새(식품으로서의 일컬음). =〔禾hé花雀〕 →〔麻má雀①〕

〔铁青〕 tiěqīng 형 검푸르다. 새파랗다. ¶～脸相; 무서운 표정. 불유쾌한 얼굴/气得脸色～了; 화가 나서 얼굴이 새파래졌다.

〔铁氰化钾〕 tiě qíng huàjiǎ 명 《化》 적혈염(赤血鹽). 페리시안화 칼륨. =〔赤chì血盐〕

〔铁磬〕 tiěqìng 명 《樂》 쇠로 만든 경쇠(옛 악기의 일종).

〔铁球〕 tiěqiú 명 ①옛날, 손바닥 안에서 굴려 중풍을 예방하던 쇠구슬. ②《體》 포환(砲丸). ¶掷～; 포환 던지기를 하다.

〔铁拳〕 tiěquán 명 철권. ¶～制裁; 철권 제재.

〔铁人〕 tiěrén 명 〈比〉 철인. 의지가 강한 사람. ¶～王进喜; 철인 왕진희(다칭(大慶) 유전(油田)의 걸출한 보링 기술자)/～精神; 철인 정신(왕진희의 불요불굴의 정신).

〔铁人三项〕 tiěrén sānxiàng 명 《體》 철인 3종 경기.

〔铁扫吧〕 tiěsǎobǎ 명 《植》 송엽난.

〔铁扫帚〕 tiěsàozhou 명 《植》 시초. 비수리.

〔铁砂〕 tiěshā 명 ①《化》 철사. 사철(砂鐵). 철광석. ②(엽총의) 산탄(散彈). ③(주물에 쓰는) 강철 알갱이. 쇼트(shot).

〔铁山〕 tiěshān 명 ①철산. ②〈比〉 용장(勇將).

〔铁杉〕 tiěshān 명 《植》 솔송나무.

〔铁勺儿〕 tiěsháor 명 쇠주걱(요리용). =〔铁勺子〕

〔铁十字〕 tiěshízì 명 쇠로 만든 닻.

〔铁石骨子〕 tiěshígǔzi 명 〈比〉 강건한 체질.

〔铁石人〕 tiěshírén 명 〈比〉 ①무정〔냉정〕한 사람. 피도 눈물도 없는 사람. ②의지가 굳은 사람.

〔铁石心肠〕 tiě shí xīn cháng 〈成〉 ①철석처럼 차고 무정한 마음. ②견고한 의지. ‖=〔铁肠石心〕〔铁心石肠〕

〔铁实〕 tiěshí 부 확실히. 꼭. =〔铁铁儿地〕

〔铁树〕 tiěshù 명 ①《植》〈口〉 소철. ②쇠로 만든 나무(꽃이 피지 않음의 비유). ¶～开花; ⓐ극히 드문 일. ⓑ〈比〉 실현하기가 극히 어려운 것.

〔铁栓〕 tiěshuān 명 쇠 볼트.

〔铁水〕 tiěshuǐ 명 《鑛》 철용액(鐵溶液). =〔〈方〉铁水子〕〔钢水〕

〔铁丝〕 tiěsī 명 철사. ¶带刺～ =〔有刺～〕; 가시철사.

〔铁丝剪〕 tiěsījiǎn 명 와이어커터.

〔铁丝笼〕 tiěsīlóng 명 《土》 철사로 엮은 (둑 따위를 보호하는) 돌망태.

〔铁丝纱〕 tiěsīshā 명 철망.

〔铁丝网〕 tiěsīwǎng 명 ①철망(눈이 성긴 것). ¶～玻bō璃; 철망(鐵網) 유리. ②《軍》 철조망. ¶有刺cì～; 가시 철조망.

〔铁素体〕 tiěsùtǐ 명 《工》 페라이트(ferrite).

〔铁算盘〕 tiěsuànpan 명 계산이 확실함. 확실한 계산.

〔铁损失〕 tiěsǔnshī 명 《電》 철손(鐵損)(철재 속에서 자속(磁束)이 변화함으로써 일어나는 에너지의 손실). =〔铁耗〕

〔铁索〕 tiěsuǒ 명 철삭. 케이블. ¶～桥; 철적교/～吊车; 케이블카.

〔铁塔〕 tiětǎ 명 ①철탑. ¶～天线; 탑(塔) 공중선. ②(고압 송전선용의) 철탑.

〔铁胎〕 tiětāi 명 《工》 철태.

〔铁探子〕 tiětànzi 명 쇠부지깽이. →〔拨bō火棍(儿)〕

〔铁蹄〕 tiětí 명 〈比〉 잔학 무도한 행위.

〔铁条〕 tiětiáo 명 큰부젓가락. 쇠꼬챙이.

〔铁桶〕 tiětǒng 명 ①철통. 〈比〉 견고하고 깨기 어려운 것〔일〕. ¶又关得～相似; 게다가 철통같이 굳게 닫혀 있다. ②〈比〉 주도면밀한 것. ¶宋江与吴用已自～般商量下计策《水滸傳》; 송강과 오용은 벌써 물샐 틈 없는 계획을 의논해 놓고 있었다.

〔铁桶江山〕 tiě tǒng jiāng shān 〈成〉 ①지위가 굳혀져 부동함을 이름. ②나라 수호가 견고함을 이름.

〔铁腿〕 tiětuǐ 명 〈比〉 건각(健脚). 튼튼한 다리.

〔铁瓦刀〕 tiěwǎdāo 명 (벽·담 등을 쌓을 때에 쓰는) 쇠흙손.

〔铁腕〕 tiěwàn 명 철완. ¶～人物; 압제자. 강권을 휘두르는 인물.
〔铁钨合金〕 tiěwū héjīn 명 《機》 페로텅스텐. 텅스텐철.
〔铁矽合金〕 tiěxī héjīn 명 《機》 페로실리콘. 규소철(硅素鐵).
〔铁锨〕 tiěxiān 명 작은 삽. ¶用～铲土; 삽으로 흙을 긁어내다.
〔铁铣〕 tiěxiǎn 명 삽.
〔铁苋菜〕 tiěxiàncài 명 《植》 깨풀.
〔铁线〕 tiěxiàn 명 철사. ¶～纱; 철망/～草; 《植》 공작고사리/～莲; 《植》 위령선/～藤 =〔海金沙〕; 《植》 실고사리.
〔铁箱〕 tiěxiāng 명 금고.
〔铁像〕 tiěxiàng 명 ①철상. 쇠로 만든 상(像). ②〈比〉 악인의 모습.
〔铁屑〕 tiěxiè 명 철설. 쇠를 깎은 부스러기. =〔铁末子mòzi〕
〔铁心〕 tiěxīn 명 ①잔인한 마음. 냉정한 마음. 박정한 마음. ②《電》 철심. 코어. ⇒tiě.xīn
〔铁心〕 tiě.xīn 동 마음을 굳히다〔결정하다〕. ¶铁了心; 결심했다/真是铁了心要娶媳妇? 정말 아내를 맞을 결심을 한 거야? ⇒tiěxīn
〔铁锈〕 tiěxiù 명 빨간 녹. 녹.
〔铁砚磨穿〕 tiě yàn mó chuān 〈成〉 각고의 노력으로 면학하다. 문인이 끊임없이 노력하여 문장을 씀을 이름.
〔铁氧体〕 tiěyǎngtǐ 명 《物》 페라이트(ferrite). =〔磁性瓷〕
〔铁叶轮〕 tiěyèlún 명 《機》 날개바퀴.
〔铁叶子〕 tiěyèzi 명 ①쇠경첩. ¶～锈xiù了开不开门; 경첩이 녹슬어 문이 안 열린다. ②얇은 철판.
〔铁衣〕 tiěyī 명 ①쇠 갑옷. ②쇠의 녹.
〔铁陨星〕 tiěyǔnxīng 명 《天》 운철(隕鐵). =〔陨铁〕
〔铁灶〕 tiězào 명 전기 레인지.
〔铁则〕 tiězé 명 철칙. 일정불변의 법칙.
〔铁渣〕 tiězhā 명 광재(鑛滓). 슬래그.
〔铁栅〕 tiězhà 명 철책.
〔铁掌〕 tiězhǎng 명 구두 징. 편자.
〔铁赭石〕 tiězhěshí 명 산화철(酸化鐵).
〔铁砧〕 tiězhēn 명 《工》 철침. 모루.
〔铁铮铮(的)〕 tiězhēngzhēng(de) 형 ①몸이 다부진 모양. ②남보다 빼어난 모양.
〔铁证〕 tiězhèng 명 확실한 증거. ¶～如山; 증거가 확실하여 산처럼 움직일 수 없다.
〔铁支子〕 tiězhīzi 명 (고기나 생선을 굽는) 석쇠. 적철(炙鐵).
〔铁中铮铮〕 tiě zhōng zhēng zhēng 〈成〉 걸출한〔뛰어난〕 사람을 이름.
〔铁主意〕 tiězhǔyì 명 〈比〉 확고한 생각. 확고 부동한 의사.
〔铁砖〕 tiězhuān 명 ①선철덩이. 무쇳덩이. ②배의 밸러스트용(ballast用)의 쇳덩이. =〔压yā载铁〕
〔铁嘴〕 tiězuǐ 명 〈比〉 (운명적 판단·점 등에서) 확실한 판단을 하는 사람. 판단이 적중하는 사람. ¶这个算卦suànguà的外号叫王～; 이 점쟁이는 왕족집게라는 별명을 갖고 있다.

帖 tiè (첩)
명 ①습자첩. 글씨본. 화첩. 탁본(拓本). ¶字～; 글씨본/画～; 화첩/碑bēi～; 탁본. 탑본(搨本). ②글씨를 쓴 비단. ⇒tiē tiě
〔帖法〕 tièfǎ 명 서법(書法). 필법(筆法). ¶写字得děi照～; 글씨는 서법대로 써야 한다.

餮 tiè (철)
동 〈文〉 탐식하다. →〔饕tāo餮〕

TING ㄊㄧㄥ

厅(廳) tīng (청)
명 ①큰 방. 홀(hall). ¶客～; 응접실/餐～; 식당/大～; 대청. 홀/跳舞～; 댄스홀. ②관청. ③성(省) 정부 안의 기관의 명칭(‘科’의 상부 기관. 점차 이 명칭은 ‘局’로 바뀌어 가고 있음). ¶公安～; (성·특별시의) 공안국/教育～; (성·특별시의) 교육청. ④큰 기관 속의 부문. ¶秘书～; 비서과. 비서실/办公～; 사무청. 사무국.
〔厅房〕 tīngfáng 명 〈方〉 대청. 큰 홀.
〔厅审〕 tīngshěn 명동 심문(하다). 취조(하다).
〔厅事〕 tīngshì 명 홀(정부 기관 따위의).
〔厅堂〕 tīngtáng 명 ①대청. 홀. ②관공서. 관청.

汀 tīng (정)
명 〈文〉 ①물가. 수변. ¶绿～; 초록빛 물가/荷花～; 연못의 가. ②조그만 주(洲). ③(Tīng) 《地》 팅장(汀江) 강(푸젠 성(福建省)에 있는 강 이름). ④음역용 자(音譯用字). ¶水门～; 〈南方〉 시멘트.
〔汀泞〕 tīngníng 명 〈文〉 ①물이 얕은 곳. ②진창. 수렁.
〔汀线〕 tīngxiàn 명 《地質》 해안선. 물과 바다와의 경계선.
〔汀洲〕 tīngzhōu 명 정주. 물이 얕아 모래가 드러난 팽팽한 곳.

听(聽〈聼〉) tīng (청)
①동 듣다. ¶～音乐; 음악을 듣다/你～谁说的? 너 누구한테서 들었니?/你～～外面有什么响声! 밖에서 무슨 소리가 들리는지 들어보렴! ②동 (병을) 청진(聽診)하다. ¶把衣服敞chǎng开, 给你～～; 가슴을 열어요, 진찰해 드릴테니. ③동 (남의 의견을) 듣다. 복종하다. 들어서 그에 순종하다. ¶这孩子～话; 이 아이는 말을 잘 듣는다/～人劝; 남의 충고를 받아들이다/～他的指使; 그의 지시대로 하다/命令一定要～; 명령은 절대 복종하지 않으면 안 된다. ④동 기다리다. ¶～一～再做决定; 잠시 기다렸다가 결정하다/你～我的回话吧; 저의 회답을 기다려 주십시오. =〔等〕 ⑤동 〈方〉 냄새를 맡다.(허베이 성(河北省) 일부의 방언). ¶～气味; 냄새를 맡다. =〔闻〕 ⑥동 하는 대로 내맡기다. …을 좇다. ¶～你的便; 너의 자유에 맡긴다/～凭你怎么办; 너 하고 싶은 대로 맡긴다/～其自然; ⇓ ⑦동 판가름하다. 판단하다. ¶～讼; ⇓ ⑧명 이목(耳目). ⑨명 간첩(間諜). ⑩명 〈方〉 생철통. 양철통. ¶～装; ⇓ ⑪양 〈方〉 통(깡통을 세는 데 쓰임). ¶一～香烟; (양철통에 넣은) 담배 1통.
〔听报〕 tīngbào 동 신문을(읽어 달라고 하여) 듣다.
〔听便〕 tīng.biàn 동 형편이 좋을 대로 하게 하다. 마음대로 하게 하다.
〔听不出来〕 tīngbuchū.lái 알아들을 수 없다. 듣고도 모르다.
〔听不得〕 tīngbude ①들어서는 안 되다. ②들을

필요는 없다.

〔听不懂〕 tīngbudǒng 알아듣지 못하다. 들어도 모르다〔이해 못 하다〕. ↔〔听得懂〕

〔听不惯〕 tīngbuguàn 귀에 익숙지 않다. 귀에 거슬리다. ¶对上级的批评听得惯, 对群众的批评～; 상급의 비평에 대해서는 귀에 거슬리지 않지만 대중의 비판은 귀에 거슬린다.

〔听不过〕 tīngbuguò 들어 넘길 수 없다. 들은 체만 체할 수 없다.

〔听不见〕 tīngbujiàn 들리지 않다.

〔听不进去〕 tīngbujìn.qù ①귀에 들어가지 않다. ②귀담을 수 없다. 들을 만한 귀를 갖지 못하다.

〔听不清〕 tīngbuqīng 똑똑히 들리지 않다. ↔〔听得清〕

〔听蹭儿的〕 tīngcèngrde 명《劇》(연극 따위의) 무료 입장자.

〔听蹭戏〕 tīngcèng xì 연극을 공짜로 구경하다.

〔听差〕 tīngchāi 명 (기관이나 부잣집의) 사동. 급사. 하인. 종. =〔听差的〕 동 심부름을 하다.

〔听从〕 tīngcóng 동 따르다. 듣다. 순종하다. ¶～指挥; 지휘를 따르다 / ～忠告; 충고를 듣다 / ～父母的教训; 부모의 가르침을 따르다.

〔听到〕 tīngdào 동 들리다.

〔听得出〕 tīngdechū 들어 분간할 수 있다. 들어 구별할 수 있다. ↔〔听不出〕

〔听懂〕 tīngdǒng 동 듣고 이해가 되다. 알아 듣다.

〔听断〕 tīngduàn 동 소송을 듣고 단죄하다.

〔听而不闻〕 tīng ér bù wén 〈成〉 건성으로 듣다.

〔听烦〕 tīngfán 동 들어 싫증나다. ¶那样的话我～了; 그런 이야기는 이젠 진저리난다.

〔听风〕 tīng.fēng 동 소문을 듣다. ¶听到什么风啦? 무슨 소문을 들었느냐?

〔听风是雨〕 tīng fēng shì yǔ 바람 소리를 듣고는 곧 비가 올 것으로 생각하다《성급하게 판단을 내리다》. =〔听见(到)风, 就是雨〕

〔听够〕 tīnggòu 동 충분히 듣다. 들을만큼 듣다.

〔听骨〕 tīnggǔ 명《生》청골(聽骨). 이소골(耳小骨).

〔听喝(儿)〕 tīng.hē(r) 동 남이 하라는 대로 하다. 네네 하고 따르다.

〔听候〕 tīnghòu 동 (상부의 결정을) 기다리다. 대명하다. ¶～调遣; 지시를 기다리다 / ～处理; 처리를 기다리다.

〔听户〕 tīnghù 명 (라디오의) 청취자.

〔听话〕 tīng.huà ① 동 (연장자나 지도자의) 말을 듣다. 말을 따르다. ¶听老师的话; 선생님의 말을 듣다 / 这孩子很乖, 非常～; 이 아이는 매우 착해서 말을 잘 듣는다. ②(tīng huà) 이야기를 듣다. ¶～学话; 남의 말을 (자기 생각처럼) 받아옮기다.

〔听话儿〕 tīng.huàr 동 남의 대답을 기다리다.

〔听会〕 tīng.huì 동 (회의·모임·집회 등에 참석하여) 발언 내용을 듣다. 강연을 듣다.

〔听见〕 tīng.jian 동 들리다. ¶听得见; 들리다 / 听不见; 들리지 않다 / 我说的话你～了吗? 내가 한 말 들었니?

〔听讲〕 tīng.jiǎng 동 수업이나 강연을 듣다. ¶一面～, 一面记笔记; 수업을 들으면서 노트하다.

〔听叫儿〕 tīng.jiàor 동 ①(벌레 따위의) 소리를 듣다. ②남에게 조종되다. 남의 시키는 대로 하다.

〔听进〕 tīng.jìn 동 귀에 들어오다. 귀에 담다. ¶听得进不同意见; 다른 의견을 잘 듣다.

〔听景〕 tīngjǐng 동 상황을 (귀로) 듣다. ¶～不如见景; 〈諺〉 경치는 듣기보다 보는 편이 낫다.

〔听景不如看景〕 tīng jǐng bùrú kàn jǐng 〈諺〉 백문이 불여일견이다.

〔听决〕 tīngjué 동 소송을 판결하다.

〔听觉〕 tīngjué 명《生》청각.

〔听课〕 tīng.kè 동 ①수업을 받다. ②청강하다《전공 이외의 교실 따위에서》. ③수업을 참관하다.

〔听了风儿就是雨〕 tīngle fēngr jiù shì yǔ 일에 구실을 붙여 문제를 일으키어 법석을 떨다.

〔听篱察壁〕 tīng lí chá bì 〈成〉 엿듣다. 몰래 정황을 살피다.

〔听力〕 tīnglì 명 청력. 듣기 능력.

〔听令〕 tīnglìng 동 명령을 듣다.

〔听命〕 tīngmìng 동 ①명령을 좇다. ¶～于大国; 큰 나라에 대하여 하자는 대로 따르다. ②〈簡〉 천명에 맡기다《'听天由命'의 생략》.

〔听能〕 tīngnéng 명 청력(聽力).

〔听尼时〕 tīngníshí 명〈方〉〈音〉 테니스(tennis). =〔网球〕

〔听牌〕 tīng.pái 동 (마작이나 카드놀이 따위에서) 나기를 기다리다. ¶他已经～了, 就快和hú了; 그는 벌써 패를 기다리고 있다. 곧 날 거다.

〔听评书掉泪〕 tīng píngshū diàolèi 〈諺〉 강담(講談)을 듣고 눈물 흘리다《쓸데 없는 걱정을 하다》.

〔听凭〕 tīngpíng 동 좋을 대로 맡기다. 자유로이 하게 해 두다. ¶去也罢, 不去也罢, ～你自己作主; 가도 좋고 안 가도 좋으며 네 자유에 맡기겠다.

〔听其使用〕 tīngqí shǐyòng 사용하는 대로 맡기다. 이용되는 대로 버려두다. 자유로이 쓰게 하다.

〔听其言而观其行〕 tīng qí yán ér guān qí xíng 〈成〉 사람을 판단하려면 그 사람의 말을 들을 뿐만 아니라 행동도 잘 보지 않으면 안 된다.

〔听其自然〕 tīng qí zì rán 〈成〉 자연에 맡기다. 되어가는 대로 맡기다.

〔听墙根(儿)〕 tīng qiánggēn(r) 엿듣다. 몰래 듣다.

〔听情〕 tīngqíng 동 동정하다.

〔听取〕 tīngqǔ 동 (의견·반응·보고 따위를) 청취하다. ¶～意见; 의견을 듣다.

〔听劝〕 tīng.quàn 동 충고·권고를 따르다.

〔听缺〕 tīng.quē 동 자리〔포스트〕가 나기를 기다리다.

〔听人穿鼻〕 tīng rén chuān bí 〈成〉 남이 하라는 대로 함.

〔听人劝吃饱饭〕 tīng rén quàn chī bǎo fàn 〈諺〉 남의 충고를 들으면 생활에 파탄이 오지는 않는다. 사람은 과실을 고치면 반드시 복이 온다.

〔听认〕 tīngrèn 동 승인하다.

〔听任〕 tīngrèn 동 임의로 맡기다. 마음대로 하게 하다. =〔听凭〕

〔听三不听两〕 tīng sān bù tīng liǎng 〈比〉 남의 말을 잘 듣지 않다《오해가 생기고 혼란이 일어남》. =〔听三不听四〕

〔听审〕 tīng.shěn 동 심판을 받다.

〔听声〕 tīng.shēng 동 ①소리·음성을 듣다. ②정황을 살피다. ¶有谁深夜半更的来～? 누가 한밤중에 정황을 살피러 오겠는가?

〔听使〕 tīngshǐ 동 ①지시를 기다리다. 시키는 일〔심부름〕을 하다. ②쓸모 있다. 쓸 수 있다. 말을 듣다. ¶这台机器不～; 이 기계는 사용하기가

어렵다〔말을 안 듣는다〕/ 心不～; 마음대로 안 되다. =〔听用〕
〔听使唤〕 tīng shǐ huàn 분부를 듣다. 시키는 대로 하다.
〔听事〕 tīngshì 동 〈文〉(옛날, 임금 등이) 보고를 듣고 정사를 펴다. =〔听政〕 명 〈文〉(관공서의) 대청. 홀. =〔厅事〕
〔听受〕 tīngshòu 동 들어주다. 알아듣다.
〔听书〕 tīng,shū 동 강담(講談)을 듣다.
〔听说〕 tīng,shuō 동 ①…이라 한다. 들은 바에 의하면. (…라고) 듣고 있다. ¶～他死了; 그는 죽었다고 한다 / 我～他到上海去了; 나는 그가 상하이로 갔다고 들었다. ②〈方〉 말을 듣다. 순종하다.
〔听说听调〕 tīng shuō tīng diào 〈成〉 남의 말을 잘 듣다. 남이 시키는 대로 하다. =〔听说听道〕
〔听讼〕 tīngsòng 동 〈文〉 소송(訴訟)을 재판하다.
〔听他所为〕 tīng tā suǒ wéi 남이 하라는 대로 하다.
〔听提〕 tīngtí 동 ①사람에게서 듣다. ¶这事儿, 我们没～; 이 일을 우리는 들은 일이 없다. ②주의하다. 고려하다. ¶满不～; 전혀 고려하지 않다.
〔听天由命〕 tīng tiān yóu mìng 〈成〉 천명에 순종하다. 사태의 추이에 맡기다. =〔听天命〕〔听命〕
〔听听儿〕 tīngtingr 동 〈京〉 잠깐 기다리다. ¶～再说吧! 잠깐 기다려서 하기로 하자! =〔停tíng停(儿)〕
〔听筒〕 tīngtǒng 명 ①《電》 수화기. =〔耳机ěrjī〕 ②《醫》 청진기. =〔听诊器〕
〔听头儿〕 tīngtour 명 들을 만한 것. 들을 가치 있는 것. ¶外行的批评, 倒也有个～; 아마추어〔문외한〕의 비평도 오히려 재미있다.
〔听闻〕 tīngwén 〈文〉 명 ①남의 귀. ¶耸人～; 남의 귀를 솔깃하게 하다. ②들은 내용·일들. ¶骇人～; 듣고 깜짝 놀랄 일. 동 들리다. ¶可以～爆炸的声音; 폭발하는 소리가 들리다.
〔听戏〕 tīng,xì 동 연극을 구경하다《주로 중국 전통극을 보는 것을 이름》.
〔听写〕 tīngxiě 명동 받아쓰기(를 하다).
〔听信〕 tīngxìn 동 (믿어서 안될 것을) 듣고 믿다. 곧이 듣다. ¶～谣言; 유언비어를 믿다 / ～谎话; 거짓말을 믿다 / 不要～他的话; 그의 말을 믿어서는 안 된다. ⇒tīng,xìn(r)
〔听信(儿)〕 tīng,xìn(r) 동 ①통지를 듣다. ②기별을 기다리다. ¶今天晚上开会就决定这件事儿, 你～吧! 오늘 밤 회의가 열려서 이 건을 결정할 테니까, 너는 그 소식을 기다려라! ⇒tīngxìn
〔听厌〕 tīngyàn 동 듣기 진력나다. ¶那种话已经～了; 그런 이야기는 이젠 진력이 난다.
〔听阈〕 tīngyù 명 《生》 가청(可聽) 한계.
〔听允〕 tīngyǔn 동 승인하다.
〔听贼话(儿)〕 tīng zéihuà(r) 엿듣다. 훔쳐듣다. ¶小心窗户根儿底下有人～; 창 밑에서 엿들리지 않도록 조심하세요.
〔听真〕 tīngzhēn 동 똑똑히 듣다. 들어 확실케 하다. ¶你的话我～了; 너의 이야기를 나는 똑똑히 들었다.
〔听诊〕 tīngzhěn 명동 《醫》 청진(하다). →〔闻wén诊〕
〔听诊器〕 tīngzhěnqì 명 《醫》 청진기. =〔听管〕〔听筒②〕
〔听政〕 tīngzhèng 동 (옛날, 임금이) 정사(政事)를 다스리다.
〔听之任之〕 tīng zhī rèn zhī 〈成〉 내맡겨 두다. 방임해 두다. ¶～, 不予过问; 되어 가는 대로 맡겨 두고 문제삼지 않다.
〔听众〕 tīngzhòng 명 ①청중. ②라디오 청취자. →〔观guān众〕
〔听主儿〕 tīngzhǔr 명 ①연극 따위의 관객. ②듣는 사람.
〔听装〕 tīngzhuāng 동 〈方〉 깡통으로 포장하다. ¶～奶粉; 깡통에 든 분유.
〔听准〕 tīngzhǔn 동 승인하다. 청허하다.
〔听子〕 tīngzi 명 〈方〉 양철 깡통. ¶香烟～; 양철 담배 깡통.

烃(烴)

tīng (경)
명 《化》 알킬. ¶～化huà; 알킬화. =〔碳tàn氢化合物〕
〔烃基〕 tīngjī 명 《化》 알킬기(독 Alkyl基).

桯

tīng (정)
명 ①→〔桯子〕 ②야채의 꽃대. ③(옛날, 침대 앞에 놓은) 작은 책상.
〔桯子〕 tīngzi 명 ①(송곳 따위의) 손잡이. 자루. ¶锥～; 송곳자루. ②장다리.

鞓

tīng (정)
명 〈文〉 가죽 혁대.

廷

tíng (정)
① 명 〈文〉 조정(朝廷). ¶宫～; 조정 / ～臣; ⇓ ② 동 공정하다 ③ 명 관사(官舍).
〔廷巴〕 tíngba 명 《魚》 복어.
〔廷臣〕 tíngchén 명 〈文〉 조정의 신하. 정신.
〔廷对〕 tíngduì 동 궁전에서 황제의 물음에 답하다.
〔廷魁〕 tíngkuí 명 〈文〉 '殿试'에 1등으로 합격한 자. =〔状zhuàng元①〕
〔廷帕尼〕 tíngpànī 명 《樂》〈音〉 팀파니(timpani). =〔定音鼓〕〔锅形铜鼓〕〔廷拍尼〕〔提班〕

庭

tíng (정)
명 ①가정. ¶大家～; 대가족 / ～训; 아버지의 가르침. 가훈. ②뜰. 마당《중국식 건물에서 '正房'(본채) 앞의 빈터》. ¶前～后院; 앞뜰과 뒤뜰. ③조정. ④법정. ¶开～; 사건을 심리하다 / 民～; 민사 법정 / 休～; 휴정하다. ⑤홀. 대청. ¶大～广众; 〈成〉 대중이 모인 공개적인 장소. 대중의 앞.
〔庭除〕 tíngchú 명 정원. 뜰.
〔庭荠〕 tíngjì 명 《植》 뜰냉이.
〔庭警〕 tíngjǐng 명 〈文〉 법정 근무 순경.
〔庭审〕 tíngshěn 명 법정 심문. ¶进行～; 법정 심문을 하다.
〔庭闱〕 tíngwéi 명 〈文〉 ①부모의 주거. ②〈比〉 부모.
〔庭院〕 tíngyuàn 명 정원. 넓은 뜰.
〔庭长〕 tíngzhǎng 명 《法》 옛날, 재판장.

莛

tíng (정)
(～儿) 명 초본 식물(草本植物)의 줄기. ¶麦～儿; 보릿대.

蜓

tíng (정)
→〔蜻qīng蜓〕

霆

tíng (정)
명 ①천둥 소리의 여운. ②굉장한 천둥 소리. ③번개.

亭

tíng (정)
① 명 정자. 모정(茅亭). ② 명 정자 모양의 작은 건축물. 박스(box). ¶邮～; 임시 혹은

소규모의 우체국. 또는 그 출장소 / 书～; 서적 스탠드. ③ 명 휴게소. ④ 형 〈文〉 적당하다. 균형이 잡혀 있다. 고르다. 평평하다. ¶ ～午; ⇩ ⑤ 동 다다르다. =〔到〕

〔亭亭〕 tíngtíng 형 〈文〉 ①곧추선 모양. 높이 솟은 모양. ¶荷花～出水; 연꽃이 똑바로 물에서 뻗어나와 있다 / ～云外; 탑이나 나무 따위가 높이 우뚝 솟아 있는 모양 / ～玉立; ⓐ미녀의 날씬한 모양. ⓑ꽃이나 나무가 높이 빼어나 있는 모양. ② ⇨〔婷婷〕

〔亭午〕 tíngwú 명 〈文〉 정오.

〔亭匀〕 tíngyún 형 〈文〉 ⇨〔停匀〕

〔亭长〕 tíngzhǎng 명 향(鄕)의 장.

〔亭子〕 tíngzi 명 정자. 모정.

〔亭子间〕 tíngzijiān 명 지붕 밑 방. 고미다락 방.

停 tíng (정)

① 동 멈추다. 서다. 정지하다. 중지하다. ¶钟～了; 시계가 멎었다 / 雨～了; 비가 그쳤다 / ～工; ⇩ / 日夜不～地工作; 밤낮 쉬지 않고 일하다. ② 동 머무르다. 체재하다. 체류하다. ¶我在杭州～了三天, 才去金华; 나는 항저우(杭州)에 사흘 머무르고 나서 진화(金華)로 갔다. ③ 동 정거하다. 정박하다. ¶一辆汽车～在门口; 한 대의 자동차가 입구에 서 있다. ④ 동 정비하다. 완비하다. ¶ ～当; ⇩ / ～妥; ⇩ ⑤ 동 시체나 관을 안치하다. ⑥(～儿) 명 〈口〉 몫. 할. 분《전체를 몇 몫으로 나누어 그중의 한 몫을 '一～'라고 함》. ¶八～儿; 8할 / 三～儿的两～儿; 3분의 2 / 十～儿有九～儿是好的; 열 가운데 아홉은 좋은 것이다 / 三～儿去了两～儿还剩一～儿; 셋 중에서 둘을 빼도 아직 하나 남는다. =〔成〕

〔停摆〕 tíng.bǎi 동 ①시계추가 서다. ¶因为没上弦, 这个钟停了摆了; 태엽을 감아주지 않아, 이 시계는 섰다. ②〈轉〉 사물이 활동을 그치다. 중지하다. 중단하다. ¶那个学校停了摆了; 저 학교는 폐교되었다.

〔停班〕 tíng.bān 동 (차·배가) 운휴하다. 운행을 일시 정지하다. 항행을 임시로 중단하다.

〔停板〕 tíng.bǎn 동 (거래 시장에서 폭등이나 폭락 때문에) 매매 거래를 정지하다. =〔停市〕

〔停版〕 tíngbǎn 명 (잡지·신문의) 출판 정지. 동 출판을 그만두다. 휴간하다.

〔停办〕 tíngbàn 동 (업무를) 중지하다. 휴무하다.

〔停闭〕 tíngbì 동 폐쇄하다. ¶ ～报社; 신문사를 폐쇄하다.

〔停表〕 tíngbiǎo 명 ①스톱워치. =〔马表〕〔起跑钟〕〔计秒表〕〔按停表〕〔立停表〕 ②회중 시계.

〔停疲〕 tíngbō 명 〈音〉 템포(tempo). =〔腾步〕

〔停泊〕 tíngbó 동 (선박이) 정박하다. ¶港湾里～着许多轮船; 항구에 많은 기선이 정박하여 있다. =〔歇xiē泊〕

〔停步〕 tíng.bù 동 〈文〉 걸음을 멈추다. 정지하다. ¶ ～不前; ⓐ행진을 일단 정지하다. ⓑ발전·진보하지 않다.

〔停产〕 tíng.chǎn 동 생산을 정지하다.

〔停车〕 tíng.chē 동 ①차를 멈추다. 정거하다. ¶下一站是上海, ～十分钟; 다음은 상하이(上海), 10분간 정거. ②차의 통행을 금지하다. ¶因修理马路, ～三天; 도로 수리 공사로 인하여 3일간 차량 통행 금지. ③주차하다. 차를 세워두다. ¶ ～处 =〔～场〕; 주차장. ④공장의 조업을 정지하다. (기계가) 서다. 기계를 세우다. ¶三号车间～修理; 3호 작업장은 기계를 세우고 수리를 행한다.

〔停车表〕 tíngchēbiǎo 명 파킹미터(parking meter).

〔停车站〕 tíngchēzhàn 명 정류소. 정차역(停車驛).

〔停床〕 tíngchuáng 명 칠성판《죽은 사람을 안치하는 얇은 널조각》. ¶上了～了; 임종이다.

〔停辍〕 tíngchuò 동 〈文〉 휴지(休止)하다. 정지하다.

〔停当〕 tíngdang 형 (사물이) 잘 갖추어지다. 구비하다. 완비하다. ¶一切准备～; 준비는 잘 갖추어져 있다. 동 ①타결되다. ②완전히 끝나다.

〔停电〕 tíngdiàn 명동 ⇨〔断duàn电〕

〔停断〕 tíngduàn 동 끊어지다. ¶水电供应～了五分钟; 수도 전기의 공급이 5분간 중단되었다.

〔停兑〕 tíngduì 동 《商》 태환(兌換)을 정지하다.

〔停顿〕 tíngdùn 동 ①휴지(休止)하다. 중단하다《일반적으로 잠시》. ¶工作～了; 일이 중단되었다. ②(이야기나 읽기에) 사이를 두다. 명 《言》 쉼. 휴지.

〔停发〕 tíngfā 동 지급을 정지하다.

〔停放〕 tíngfàng 동 세워 두다《흔히 차량·관 따위를 짧은 시간 세워 둠을 이름》. ¶～自行车; 자전거를 세워 두다.

〔停飞〕 tíngfēi 동 ①비행(飛行)을 그만두다. ②(항공기의 출발을) 중지하다〔취소하다〕.

〔停俸〕 tíng.fèng 동 급료 지급을 정지하다.

〔停付〕 tíngfù 동 지불 정지하다.

〔停搁〕 tínggē 동 중절하다. 중지하다. 그대로 놓아두다. (일을) 방치하다. 중단하다.

〔停工〕 tíng.gōng 동 ①공사를 중지하다. ②조업(操業)을 중지하다. ¶ ～待料; 일을 멈추고 재료를 기다리다 / 停几天工; 며칠이나 일을 쉬다 / ～工资 =〔～津jīn贴〕; 휴업중에 지불되는 임금. 휴업 수당.

〔停公〕 tínggōng 명동 (관공서의) 휴무(하다).

〔停锅〕 tíngguō 동 (이재민 등에의) 급식을 그만두다《구호 식품 공급을 그만두다》.

〔停航〕 tíng.háng 동 (기선이나 비행기가) 결항하다. ¶班机因气候恶劣～; 정기편(定期便)은 날씨가 나빠서 결항함.

〔停会儿〕 tíng huìr 잠시 지나다. ¶ ～他被吵醒了; 이슥고 그는 요란한 소리에 잠이 깨었다.

〔停火〕 tíng.huǒ 동 발포(發砲)를 그치다. 휴전하다. 정전하다. ¶有关～的条款; 정전에 관한 조항 / ～撤兵; 휴전하고 철병하다.

〔停机坪〕 tíngjīpíng 명 (공항의 비행기) 주기장(駐機場). 에이프런(apron).

〔停脚〕 tíng.jiǎo 동 발을 멈추다. 보행을 그만두다. ¶前面很危险, 你～别走了; 앞쪽은 매우 위험하니 너는 가서는 안 된다.

〔停经〕 tíngjīng 동 《醫》 경도(經度)가 멈추다.

〔停柩〕 tíngjiù 동 영구(靈柩)를 안치하다.

〔停开〕 tíngkāi 동 ①여는 것을 그만두다. (모임 따위를) 취소하다. ¶今天的会决定～; 오늘 모임은 취소하기로 결정하였습니다. ②(기계 따위의) 운전을 멈추다. ¶班车～了; 정기 버스가 운행 중지되었다.

〔停刊〕 tíng.kān 동 정간하다. (신문이나 잡지의) 발행을 정지하다. 휴간하다.

〔停靠〕 tíngkào 동 기항하다. 정박하다. ¶可以～一万吨轮; 1만톤급의 기선이 접안(接岸)할 수 있다.

〔停课〕 tíng kè 수업을 쉬다. 휴강하다.

〔停口〕 tíngkǒu 동 말을 중도에서 끊다.

〔停潦〕 tínglǎo 명 괸 물.
〔停利归本〕 tínglì guīběn 이자는 말소하고 원금만을 반제하다.
〔停灵〕 tínglíng 동 (매장 전에) 잠시 관을 안치해 두다.
〔停留〕 tíngliú 동 정체하다. 머무르다. ¶～了一刻; 잠깐 머무르다/代表团在北京～了一周; 대표단은 베이징에 일주일 머물렀다/～在某一个阶段上; 어떤 하나의 단계에 정체하고 있다/把眼光～在文字上; 시선을 문자에 박다.
〔停炉〕 tíng.lú 동 용광로의 불을 끄다.
〔停轮机〕 tínglúnjī 명 (시계 톱니바퀴의) 걸쇠.
〔停批〕 tíngpī 동 허가를 정지하다. ¶暂时～入口申请书; 잠시 수입 신청서의 허가를 정지하다.
〔停妻〕 tíngqī 동 아내와 이혼하다. =〔出chū妻〕
〔停妻再娶〕 tíng qī zài qǔ 〈成〉 아내가 있는데도 딴 여자와 결혼하다.
〔停汽门〕 tíngqìmén 명 《機》 스톱 밸브. 증기를 멈추게 하는 밸브.
〔停热点〕 tíngrèdiǎn 명 《物》 금속 가열의 임계점(臨界點).
〔停赛〕 tíngsài 명 출장(出場) 정지. 동 경기를 중지하다.
〔停烧〕 tíngshāo 동 (기관·보일러 등의) 불을 줄이다.
〔停升〕 tíngshēng 명동 승급 정지 처분(하다).
〔停生意〕 tíng shēngyi 〈南方〉 해고하다. 그만두게 하다.
〔停食〕 tíng.shí 동 식체하다. 얹히다. =〔停滞〕
〔停驶〕 tíngshǐ 동 운전〔운행〕(을) 중지하다.
〔停市〕 tíng.shì 동 ⇨〔停板〕
〔停手〕 tíng.shǒu 동 손을 멈추다. 일하던 것을 그치다. 일손을 쉬다. 일을 중단하다.
〔停售〕 tíng.shòu 동 발매(發賣)를 정지하다.
〔停水〕 tíng.shuǐ ① 동 (수도가) 단수하다. ②(tíng shuǐ) 물이 괴다. ¶地上停着水; 봉당에 물이 괴어 있다. ③(tíngshuǐ) 명 괸 물.
〔停台〕 tíngtái 동 기계의 작동을 정지하다.
〔停停当当〕 tíngtingdāngdāng 형 모든 게 형편이 좋다. ¶一切办得～; 모든 게 형편 좋게 처리되다. =〔停停妥妥〕
〔停停儿〕 tíngtingr 동 잠시 기다리다.
〔停妥〕 tíngtuǒ 형 적절 타당하다. 깨끗이 처리되어 있다(흔히 보어에 쓰임). ¶预备～了; 준비가 되었다/收拾～; 잘〔깨끗이〕 처리하다.
〔停稳〕 tíngwěn 동 멈춰서 움직이지 않게 되다. ¶车～了; 차가 움직임을 그쳤다.
〔停息〕 tíngxī 동 (움직임이나 소리 따위가) 그치다. 멈추다. 정지하다. ¶微风～了; 미풍이 그쳤다.
〔停显液〕 tíngxiǎnyè 명 《撮》 (사진의) 정지액.
〔停歇〕 tíngxiē 동 ①영업을 쉬다. 휴업하다. 폐업하다. ②멈추다. 그치다. ¶雨渐渐～下来了; 비가 잠시 멈췄다. =〔停止〕〔停息〕 ③행동을 멈추고 휴식하다. ¶就此～吧! 이것으로 그만하기로 하자! ④(기계 따위를) 쉬게 하다. ¶使机器～; 기계를 쉬게 하다.
〔停薪留职〕 tíngxīn liúzhí 명 무급 휴직(無給休職).
〔停学〕 tíng.xué 동 ①정학하다. ¶～一周的处分; 1주일의 정학 처분을 받다. ②휴학하다. ¶因病～; 병으로 휴학하다. (tíngxué) 명 정학 (처분).
〔停讯〕 tíngxùn 동 심문을 정지하다.
〔停演〕 tíngyǎn 동 (영화의 상영을) 중지하다.
〔停业〕 tíng.yè 동 ①조업 정지하다. 영업 정지하다. ②임시 휴업하다. ¶清理存货, ～两天; 재고 정리로 인하여 2, 3일간 휴업합니다.
〔停饮〕 tíngyǐn 명 《漢醫》 만성 위염.
〔停映〕 tíngyìng 동 상영을 중단하다.
〔停匀〕 tíngyún 형 〈文〉 균형이 잡혀 있다. 고르다(흔히, 형체나 리듬에 대하여). =〔亭匀〕
〔停炸〕 tíngzhà 동 폭격을 정지하다.
〔停战〕 tíng.zhàn 동 정전하다. 휴전하다. (tíngzhàn) 명 정전. =〔休xiū战〕
〔停职〕 tíng.zhí 동 정직 처분하다. ¶你可以停我的职; 너는 나를 정직시켜도 좋다.
〔停止〕 tíngzhǐ 동 정지하다. 멎다. ¶～付款; 지불을 정지하다/～公权; 공권을 정지하다/暴风雨～了; 폭풍우가 멎었다.
〔停止把手〕 tíngzhǐ bǎshǒu 명 《機》 스톱 모션 핸들.
〔停滞〕 tíngzhì 동 ①정체하다. ¶～不前; 정체하여 전진하지 않다. ② ⇨〔停食〕
〔停住〕 tíngzhù 동 멈추다. 정지하다. ¶钟～了; 시계가 섰다/～脚步; 발을 멈추다/在这儿～! 여기서 서라!
〔停转〕 tíngzhuàn 동 회전을 멈추다. ¶车轮～; 차륜이 회전을 멈추다.
〔停嘴〕 tíng.zuǐ 동 지껄이기를 그치다.

渟 tíng (정)
동 〈文〉 (물의) 흐름이 정체하다. ¶渊yuān～; 늪. 소.

葶 tíng (정)
→〔葶苈〕

〔葶苈〕 tínglì 명 《植》 꽃다지. =〔〈俗〉 狗荠〕

婷 tíng (정)
형 〈文〉 아름답다(사람이나 꽃을 형용).

〔婷婷〕 tíngtíng 형 〈文〉 (사람이나 꽃이) 아름다운 모양. =〔亭亭②〕

聤 tíng (정)
→〔聤耳〕

〔聤耳〕 tíngěr 명 귀에 진물이 나는 병.

町 tǐng (정)
명 〈文〉 ①논밭의 경계. 논밭의 두둑. ②논밭. 전지(田地). ⇒dīng

侹 tǐng (정)
형 〈文〉 평평하고 꼿꼿하다〔곧다〕.

挺 tǐng (정)
① 형 쭉 곧다. 꼿꼿하다. ¶笔～; 쭉곧아 있다/直～～地躺着不动; 쭉 곧게 누운 채 움직이지 않는다/死尸已经～了; 시체는 이미 굳어서 꼿꼿해졌다. ② 동 (몸 또는 몸의 일부를) 곧게 뻗치다. ¶～起腰来; 허리를 펴다/～着身子站; 몸을 곧게 펴고 서다/～着胸膛; 가슴을 펴다. ③ 동 (몸 또는 몸의 일부를) 내밀다. ¶～身而出; 몸을 내밀고 (용감하게) 나아가다/～进; ⇩ ④ 동 억지로 참다. 견디다. 지탱하다. ¶病了, 他舍不得钱去买药, 自己硬～着; 병이 나도 약값이 아까워서 무리하게 참고 있다/晚上的功课很累, 我～不下来; 밤공부는 피곤해서, 나는 견뎌내지 못한다. ⑤ 형 뛰어나다. 빼어나다. 특출나다. ¶英～; 빼어나게 훌륭하다. ⑥ 동 굴하지 않다. 지지 않다. ⑦ 부 대단히. 매우. 아주('顶'만큼 뜻이 강하지 않음). ¶～好; 대단히 좋은.

어지간히 좋은. =〔很〕 ⑧ 양 정. 자루(총 따위를 세는 데 쓰임). ¶一~机关枪; 기관총 1정(挺).
〔挺拔〕 tǐngbá 형 ①곧추 높이 솟아 있다. ¶~的白杨; 곧게 솟아 있는 백양. ②다부지고 힘세다. ¶笔力~; 필세(筆勢)가 힘있다. ③훤칠하게 높다. ④빼어나다. ¶~的表演动作; 뛰어난 연기.
〔挺不住〕 tǐngbuzhù 버틸 수 없다. 참을 수 없다. ¶饿得实在~了; 배가 고파서 거의 견딜 수 없게 되었다. ↔〔挺得住〕
〔挺出〕 tǐngchū 형 빼어나다. 앞장서서 나아가다.
〔挺粗挺奘〕 tǐngcū tǐngzhuǎng 대단히 크다.
〔挺刀〕 tǐngdāo 동 검을 휘두르다.
〔挺道〕 tǐngdào〔tǐngdao〕 형 빳빳하고 구김이 없다. =〔挺式〕
〔挺而走险〕 tǐng ér zǒu xiǎn 〈成〉 자진하여 위험한 일에 종사하다. 성패간(成敗間)에 해 보다.
〔挺杆〕 tǐnggǎn 명 《機》 태핏(tappet).
〔挺括〕 tǐngguā 동 〈方〉 (천·종이 따위가) 팽팽하다.
〔挺棍儿〕 tǐnggùnr 명 단단한〔튼실한〕 막대기. ¶那个东西硬得像~似的; 저것은 단단하여 막대기 같다.
〔挺过去〕 tǐngguòqu 힘을 내어 헤치고 나가다. ¶设法儿把难关~; 방법을 생각하여 난관을 힘내어 넘어가다.
〔挺觉〕 tǐngjiào 동 자빠져 자다(희롱하는 표현). =〔挺尸〕
〔挺节〕 tǐngjié 동 절조를 견지하다.
〔挺劲儿〕 tǐng.jìnr 동 기운을 불러 일으키다. 힘내어 버티다. (힘을 주어) 딛고 버티다.
〔挺进〕 tǐngjìn 동 정진하다. 용감히 나아가다. ¶部队马不停蹄地向前~; 부대가 조금도 쉬지 않고 전방으로 정진하다.
〔挺举〕 tǐngjǔ 명 《體》 (역도의) 용상(聳上).
〔挺了〕 tǐngle ①(신세 따위가) 떠올랐다. 부상했다. ¶他委曲了许多年, 这回可~; 그는 여러 해 동안 짓눌려 있었으나 이번에는 부상하였다. ②죽었다. 뻗었다.
〔挺立〕 tǐnglì 동 곧게 서다. 의연히 서다. ¶几棵老松树~在山坡上; 몇 그루의 노송이 산비탈에 곧게 서 있다/~不拔; 기세 좋게 서 있어 요동치 않다. =〔直立〕
〔挺起胸膛〕 tǐngqǐ xiōngtáng 가슴을 펴다. 〈轉〉 기운을 내다. 의연(毅然)히 일어나다.
〔挺起腰杆〕 tǐngqǐ yāogān 허리를 곧게 펴다. 〈轉〉 꽁무니를 빼지 않고 곤란이나 위험한 일에 맞서다. =〔挺起腰板儿〕
〔挺俏〕 tǐngqiào 명 《商》 (시세의) 오름세.
〔挺身〕 tǐng.shēn 동 정진하다. 앞장 서다. 용감하게 맞서 나가다. ¶~反抗; 용감히 나서 반항하다/~而斗; 용감히 나가 싸우다.
〔挺身而出〕 tǐng shēn ér chū 〈成〉 용감히 곤란한 일이나 위험한 일을 떠맡다. 어려움에 몸을 던져 앞장서 나가다.
〔挺身式〕 tǐngshēnshì 명 《體》 (멀리뛰기의) 젖혀뛰기.
〔挺尸〕 tǐngshī 동 ①시체가 경직하다. ② 〈俗〉 자빠져 자다(장난으로 또는 나쁘게 말할 때에 씀). ¶你还在~呀! 넌 아직도 자빠져 자고 있는 거야!
〔挺式〕 tǐngshi 형 ①(물건이) 견고하고 튼튼하다. ②(옷이나 천 따위가) 빳빳하다. 꿋꿋하다. ¶这衬衫的领子, 浆得一点儿也不~; 이 셔츠의 깃은, 풀이 전혀 안 먹었다.
〔挺挺〕 tǐngtǐng 형 똑바른 모양. 빠르고 곧은 모양.
〔挺腿〕 tǐngtuǐ 동 〈俗〉 죽다. 뻗다. ¶等老了一~, 连坟坑都没处刨; 나이 먹어 뻗어도 무덤 하나 팔 곳조차 없다.
〔挺脱〕 tǐngtuō 형 〈方〉 ①늠름하다. 건장하다. 굳세다. 튼튼하다. ¶文字~; 글이 힘차다/这匹马真~; 이 말은 매우 건장하다. ②(의복이) 쫙 펴져 있다.
〔挺托〕 tǐngtuo 형 ①(천 따위가) 팽팽하다. 빳빳하다. ¶浆上点儿就~了; 풀을 좀 먹으면 빳빳해진다. ②원기가 있다. ③경직되어 있다.
〔挺刑〕 tǐngxíng 동 고문에 굴하지 않다. =〔挺挞〕
〔挺胸〕 tǐng.xiōng 동 가슴을 펴다. 가슴을 내밀다.
〔挺胸凸肚〕 tǐng xiōng tū dù 〈成〉 가슴을 펴고 배를 내밀다(용감한 모양. 힘을 내는 모양).
〔挺秀〕 tǐngxiù 형 ①(몸매가) 늘씬하고 아름답다. ②(수목이) 곧고 아름답다.
〔挺腰〕 tǐng.yāo 동 ①허리를 쭉 펴다. ¶他站起来挺了腰; 그는 일어서서 허리를 폈다. ②강경한 태도로 나오다. ③(딱) 밟고 버티다.
〔挺直〕 tǐngzhí 동 곧게 하다. ¶~腰板; 허리를 곧게 펴다.
〔挺撞〕 tǐngzhuàng 동 말로 대들다. 말대답하다.

珽 tǐng (정)
명 〈文〉 옥홀(玉笏). 옥정(玉珽).

梃 tǐng (정)
① 명 〈文〉 곤봉. 나무 방망이. =〔木mù棍子〕 ② (~子) 명 문·창의 설주. 문·창의 틀. ③(~儿) 명 〈方〉 꽃꼭지. 꽃자루. ¶独~儿; 꽃이 하나만 피는 꽃꼭지. ④ 양 긴 물건을 세는 데 쓰임. ⇒tìng

脡 tǐng (정)
〈文〉 ① 명 가늘고 긴 말린 고기(肉). ② 형 곧다.

铤(鋌) tǐng (정)
형 〈文〉 빨리 달리는 모양. ⇒dìng
〔铤而走险〕 tǐng ér zǒu xiǎn 〈成〉 자진하여 위험을 무릅쓰고 하다.

颋(頲) tǐng (정)
형 〈文〉 정직하다.

艇 tǐng (정)
명 경쾌하고 작은 배. 보트(boat). ¶汽qì~; 모터보트/潜水~; 잠수정/水雷~; 수뢰정/飞fēi~; 비행정/炮pào~; 포함(砲艦).
〔艇巴〕 tǐngbā 명 《魚》 복섬.

梃 tìng (정)
① 동 돼지를 죽인 후 다리에 홈을 내고 쇠막대기로 살과 가죽 사이를 쑤시다(이렇게 해서 살과 가죽 사이에 틈이 생기면 공기를 불어넣어 가죽을 팽팽히 하여 털이나 먼지를 쉽게 제거함). =〔梃猪zhū〕 ② 명 위의 일을 하는 쇠막대기. ⇒tǐng

TONG ㄊㄨㄥ

恫〈痌〉 tōng (통)
동 〈文〉 아프다. 상심하다. ¶~瘝guān; (병으로 인한) 고통. 병

고. ⇒dòng
〔恫瘝在抱〕 tōng guān zài bào 〈成〉 남의 고통을 자기 일처럼 걱정함.

通 tōng (통)
①동 (막힌 것 없이) 통하다. 관통하다. 뚫리다. ¶两个房间是～着的; 두 방은 내왕할 수 있다/这趟车直～汉城; 이 기차는 서울로 직통되어 있다/山洞快要打～了; 산굴이 곧 뚫릴 것이다/电话打～了; 전화가 통했다/这个主意行不～; 이 생각은 통할 수 없다. ②동 잇다. 서로 왕래하다. 교류하다. ¶沟～; 교류하다/串chuàn～; 한통속이 되다. 내통하다/私～; 밀통하다/互～有无; 유무를 상통하다/互～情报; 정보를 교환하다. ③동 전달하다. 알리다. ¶～知; ⇩/～信; ⇩/～报; ⇩/～个电话; 전화로 말하다. ④동 〈文〉 간음(姦淫)하다. ⑤동 깨달아 알다. 통달하다. 능통하다. 통효하다. ¶～晓xiǎo; ⇩/精～业务; 업무에 정통하다/弄～信息处理理论; 정보 처리 이론에 능통하게 되다/他～三国文字; 그는 3개 국어에 통하고 있다. ⑥동 (문맥·뜻이) 통하다. ¶把他说～了; 그를 설득했다. 그는 납득했다/文理不～; 문리가 통하지 않는다. ⑦명 어떤 일에 정통한 사람. 통. ¶中国～; 중국통. ⑧동 꿰뚫다. 통하게 하다(도구를 구멍에 넣어 막힌 것을 제거함). ¶用通条～炉子; 부지깽이로 난로의 재를 떨구다. ⑨동 (길이) 통하다. ¶四～八达; 사통팔달/这是直～北京的火车; 이것은 베이징으로 직통하는 기차다/～都; ⇩ ⑩형 전반적인. ¶～全所属, 一体遵守; 전 산하 기관에서 일률적으로 준수할 것/～缉jī; ⇩ ⑪형 온. 모든. 전체의. ¶～国皆知; 전국에 알려졌다/～盘计画; 전반에 통하는 계획. 통일계획. ⑫형 보통의. 일반적인. ¶～常; ⇩/～称; 일반적인 호칭. 통칭/～病; 흔히 있는 결점/～例; ⇩ ⑬부 대단히. 매우. ¶电灯开了, ～亮; 전등을 켜니, 매우 밝다. ⑭부 모두. 전부. 온통. ¶～～忘掉了; 전부 잊어버렸다/～共; ⇩ ⑮명 파이프·튜브 따위. ¶水喉～; 수관(水管). ⑯양 〈文〉 통(문서의 수나 전보의 횟수를 세는 데 쓰임). ¶一～电报; 전보 한 통/一～文书; 문서 한 건. ⑰명 성(姓)의 하나. ⇒tòng
〔通班〕 tōngbān 명 반 전체. 학급 전체.
〔通宝〕 tōngbǎo 명 금전. 돈.
〔通报〕 tōngbào 동 ① 안내하다. (말·생각 따위를 가운데서) 전하다. ¶累您给～一声; 한 말씀 전하여 주시기 바랍니다. ②비밀을 누설하여 통보하다. ¶赶紧～叫他逃走; 빨리 알려서 도망치게 하다. 명 ①〈公〉 중앙 정부로부터 각 기관에 통달하는 공문. 통첩. 통보. ¶～表扬; 표창을 통보하다/关于情况的～; 상황에 관한 통보. ②과학 연구의 정기 간행물〔회보·보고·잡지 등〕의 명칭. ¶科学～; 과학 통보/化学～; 화학 통보.
〔通报舰〕 tōngbàojiàn 명 《軍》 통보함(적의 방어함(防禦艦)의 동정을 살피거나 명령을 전달하기 위한 군함).
〔通弊〕 tōngbì 명 〈文〉 통폐(通弊). =〔通患〕
〔通便〕 tōngbiàn 명동 변통(便通)(하다).
〔通便剂〕 tōngbiànjì 명 《醫》 변비약. 완하제. ¶蜂蜜也是有效的～; 벌꿀도 효력이 있는 변비약이다.
〔通禀〕 tōngbǐng 동 (하급에서 상급으로) 보고하다. (위에다) 전하다. ¶～上司; 상사에게 보고하다.
〔通病〕 tōngbìng 명 통폐(通弊). ¶偷懒是一般人的～; 게으름피우는 것은 일반인의 공통된 결점이다.
〔通才〕 tōngcái 명 사리에 분명하고 재능 있는 사람. 다예 다재(多藝多才)한 사람. ¶他是～, 什么事都能做; 그는 재능 있는 사람이라, 무슨 일이든지 할 수 있다.
〔通财〕 tōngcái 동 돈을 융통하다. 명 금전의 출납.
〔通草〕 tōngcǎo 명 《植》 으름덩굴.
〔通草纸〕 tōngcǎozhǐ 명 라이스 페이퍼('通脱木'의 고갱이를 얇게 켜서 종이 모양으로 만든 것). =〔洁jié白细纸〕
〔通常〕 tōngcháng 명 통상. 보통. ¶他～六点钟就起床; 그는 보통 여섯시에 일어난다.
〔通场〕 tōngchǎng 명 (연극의) 전 일장(全一場). 부 전면적〔전반적〕으로.
〔通畅〕 tōngchàng 형 ①막힘이 없다. 잘 통하다. 원활하다. ¶血液循环～; 혈액 순환이 원활하다. ②(사고(思考)의 진행에) 막힘이 없다. 술술 이어지다. ③(문장이) 유창하다. (문맥이) 잘 통해 있다. ¶她下笔很快, 文字也非常～; 그녀는 달필이고 문장도 유창하다.
〔通车〕 tōng·chē 동 ①(철도나 도로가) 개통하다. ¶我的家乡也已经～了; 우리 마을에도 이미 철도가 지나고 있다/～典礼; 철도〔자동차 도로〕 개통식. ②차가 왕래하다. ¶从包头到上海也～了; 바오터우에서 상하이까지도 차가 다닌다. (tōngchē) 명 직행 열차. ¶～票; 직행 차표.
〔通彻〕 tōngchè 동 ①관철하다. ②(어떤 일에 대하여) 통효하다. 통달하다. ¶～古今; 고금에 통달하다. ③철저하다.
〔通称〕 tōngchēng 동 통칭하다. 통칭 …이라고 한다. ¶乌鳢～黑鱼; '乌鳢'는 통칭 '黑鱼'라고 한다. 명 통상의 명칭. 통칭. ¶水银是汞的～; '水银'은 '汞'의 통칭이다.
〔通饬〕 tōngchì 동 (소속된 각 기관에) 골고루 명령을 발하다. 전체에 명령하다. ¶～所属一体遵行; 소속 기관에 두루 통달하여 일률적으로 준수 실행케 한다.
〔通达〕 tōngdá 동 ①널리 알려지다. ②널리 퍼지게 하다. ③(인정·도리에) 통하다. ¶～人情; 인정을 이해하다. ④잘 분별하다. ¶～商务; 상업에 숙달되다. ⑤일이 척척 처리되다. ¶四面～; 사방으로 열려 있다.
〔通大路的〕 tōngdàlùde 형 이름이 알려진. 널리 사람의 입에 오르내리는. ¶唱的都是～老戏; 상연물은 전부 이름이 알려진 친숙한 가극이다.
〔通道〕 tōngdào 명 ①통로. 한길. 가도. ¶战略～; 전략적 통로/打通到印度洋的～; 인도양으로 통하는 길을 열다. ②《電算》 (컴퓨터의) 채널. 통신로. ③(Tōngdào) 《地》 통다오 현(通道縣)(후난 성(湖南省)에 있는 현 이름).
〔通敌〕 tōng·dí 동 적과 내통하다.
〔通电〕 tōng·diàn 동 ①전류를 통하다. 전류가 통하다. ¶连乡下也～了; 시골에까지 전력이 들어가 있다. ②타전하다. ¶给他～; 그에게 전보를 치다. ③각 방면에 공개 전보를 내다. ¶～全国; 전국에 타전하다. (tōngdiàn) 명 각 방면에 내는 공개 전보. ¶大会～; 대회의 관계 방면에 대한 전보.
〔通牒〕 tōngdié 명 (외교 문서의) 통첩. ¶最后～; 최후 통첩.
〔通都〕 tōngdū 명 〈文〉 (교통이 편리한) 대도시. ¶～大邑; 사통팔달의 대도시.
〔通读〕 tōngdú 동 ①통독하다. (전체를 한 차례) 읽어 보다. ¶～一遍; 한 번 통독하다. ②읽어 이

해하다.

〔通方〕 tōngfāng 동 도술에 통하다. 명《漢醫》일반적인 처방. ¶～里少不了甘草、当归; 보통의 처방에는 감초와 당귀는 으레 들어 있다.

〔通房〕 tōngfáng 명 옛날, 하녀이면서 첩을 겸한 여자. =〔通房大丫头〕

〔通肥〕 tōngféi 동 통통하게 살찌다. ¶长得～; 몸매가 통통하게 살찌다 / 吃得～; 잘 먹어서 포동포동 살찌다.

〔通分〕 tōng∙fēn 동《數》통분하다. (tōngfēn) 명 통분. ‖ =〔齐分〕

〔通粉〕 tōngfěn 명 (가공·정제되지 않은) 입자가 거친 밀가루.

〔通风〕 tōng∙fēng 동 ①공기를 통하게 하다. ②바람을 통하게 하다. 바람이 잘 통하다. ¶这屋子不～, 闷得很; 이 방은 통풍이 잘 안 되어 숨이 막힐 것 같다 / ～透光; 통풍이 잘 되고 빛도 잘 들어온다. ③정보를 흘리다. (한통속이 되어) 정보를 알리다. 밀고하다. ¶有人～; 누군가가 내통하고 있다. (tōngfēng) 명 통풍. 공기의 유통. ¶～设备; 통풍 설비 / ～眼; (지하실의) 채광 환기창 / ～计; 통풍계.

〔通风报信〕 tōng fēng bào xìn〈成〉정보·비밀(秘密)을 상대방에게 몰래 알리다. 내통하여 정보를 보고하다. ¶抓住一个给敌人～的坏分子; 적과 내통하는 불량 분자를 붙잡다.

〔通风针〕 tōngfēngzhēn 명《機》공기 구멍용의 침.

〔通告〕 tōnggào 동 일반에게 알리다. 공고하다. 전달하다. ¶～周知; 널리 모두에게 알리다. =〔公gōng告〕 명 통고 문서. 공고문. 포고. ¶～牌; 게시판.

〔通庚〕 tōnggēng 동〈文〉결혼을 위하여 남녀의 이름과 생년월일시를 적은 것을 교환하다. →〔八bā字(儿)〕

〔通功易事〕 tōng gōng yì shì〈成〉서로 보완하며 협력함. =〔分fēn工互助〕

〔通共〕 tōnggòng 부 도합. 모두. ¶我们～十八个人; 우리는 모두 18인이다. =〔一共〕〔共总〕

〔通古斯〕 Tōnggǔsī 명《民》퉁구쓰 족(通古斯族)《중국의 소수 민족의 하나》.

〔通咕〕 tōnggu 동〈方〉①작은 소리로 이야기하다. ②의논을 제기하다. 의논하다.

〔通关〕 tōngguān 명 ①통관. ¶办～手续; 통관 수속을 하다. ②《漢醫》약·침·뜸 등으로 경혈(經穴)을 뚫는 일. ¶连用～之剂, 并不见效《紅樓夢》; '通关' 약을 계속 썼지만, 조금도 효험이 없다. ③카드놀이나 '天九牌'에서 패를 숫자순으로 맞추는 놀이. ¶玩儿～; '通关③' 놀이를 하고 놀다.

〔通关鼻子〕 tōngguānbízi 명 콧날이 높은 사람.

〔通关节〕 tōng guānjié ①안과 밖에서 몰래 암호로 서로 통하다. 기맥을 통하다. ②뇌물을 보내어 융통성이 있도록 하다.

〔通关手〕 tōngguānshǒu 명 손바닥을 가로지르는 두 개의 손금이 하나가 되어 있는 것. 일자(一字) 손금《이런 손금이 있는 사람은 흉포하거나, 또는 재물의 운이 있다고 함》.

〔通观〕 tōngguān 동 통관하다. 전체를 내다보다. ¶～全局; 전체 국면을 보다.

〔通官〕 tōngguān 명〈文〉①통역관. ②사무 일반을 관장하는 관리.

〔通国〕 tōngguó 명 전국(全國). ¶～上下一致行动; 전국의 상하가 일치해서 행동하다.

〔通过〕 tōng∙guò ①동 지나가다. 통과하다. 가로지르다. ¶路太窄, 汽车不能～; 길이 너무 좁아서, 자동차는 지나갈 수 없다 / 顺利地～这一关; 아무 일 없이 이 관문을 지나가다. ②동 (의안 따위를) 통과시키다. 성립시키다. 채택하다. 가결하다. ¶会议～了这一系列决议; 회의는 이 일련의 결의를 채택하였다. ③(tōngguò) 개 …을 통하여. ～을〔를〕 거쳐. ¶～国际书店订几份杂志; 국제 서점을 통하여 잡지를 여러 권 주문하다 / ～您向贵国国民说几句话; 귀하를 통하여 귀국의 여러분께 한 말씀 올립니다. ④(tōngguò) 동 (관련 있는 사람이나 조직의) 동의·인가를 구하다. ¶这问题要～群众, 才能做出决定; 이 문제는 대중의 찬의를 얻어야만 결정할 수 있다.

〔通过量〕 tōngguòliàng 명《電算》(컴퓨터에서) 스루 풋(through put)《단위 시간에 처리할 수 있는 정보의 양》.

〔通航〕 tōngháng 명 항공로·해로의 개통. 동 항행하다. (배·비행기가) 취항하다. ¶～长江上游; 양쯔 강 상류로 항행하다.

〔通航护照〕 tōngháng hùzhào 명 해외 도항(渡航) 면장〔패스포트〕.

〔通好〕 tōnghǎo 동〈文〉왕래하며 친분을 맺다. 통호하다《흔히, 국가간의 우호 관계를 말함》.

〔通红〕 tōnghóng 〔〈京〉tònghóng〕 형 진홍빛이다. 새빨갛다. ¶脸冻得～; 얼굴이 추위로 얼어서 새빨갛다. →〔彤tóng②〕

〔通候〕 tōnghòu 동〈文〉편지로 안부를 묻다. ¶～起居; 편지로 안부를 묻다.

〔通话〕 tōng∙huà 동 ①통화하다. 전화가 통하다. ¶汉城和纽约～了; 서울과 뉴욕간에 통화했다. ②(tōnghuà) (서로 통하는 말로) 담화하다. ③(tōnghuà) 통역하다. ¶找翻译给～; 통역을 불러 통역을 부탁하다.

〔通患〕 tōnghuàn 명〈文〉⇨〔通弊〕

〔通汇合同〕 tōnghuì hétong 명《經》은행간의 환거래 계약.

〔通婚〕 tōng∙hūn 동 혼인 관계를 맺다. ¶田、陈姓不～; 텐(田)씨와 천(陳)씨 성(姓) 은 서로 혼인하지 않는다.

〔通火〕 tōng huǒ ①재를 떨구어 불이 잘 타게 하다. ②재에 묻었던 불을 그러내다. ③(간수해 두었던) 스토브에 불을 지피다.

〔通货〕 tōnghuò 명《經》통화. 통용하는 화폐.

〔通货贬值〕 tōnghuò biǎnzhí 명《經》평가 절하.

〔通货紧缩〕 tōnghuò jǐnsuō 명《經》디플레이션. 통화 수축. =〔通货收缩〕 ↔〔通货膨胀〕

〔通货膨胀〕 tōnghuò péngzhàng 명《經》인플레(이션). 통화 팽창. ¶～政策; 인플레이션 정책 / 纸币发行过多引起纸币贬值, 这种现象称为～; 지폐의 발행이 과다하면 지폐의 값이 떨어지는데, 이 현상을 인플레(이션)이라 부른다. ↔〔通货紧缩〕

〔通货收缩〕 tōnghuò shōusuō 명 ⇨〔通货紧缩〕

〔通缉〕 tōngjī 명동 지명 수배(하다). ¶受到了～; 지명 수배를 받았다.

〔通计〕 tōngjì 명 통계. 총계.

〔通家〕 tōngjiā 동 (양가가) 한집안처럼 친밀하게 지내다. ¶～之好; 가족들이 서로 오가는 정도의 친밀한 관계. 명 친척. 인척.

〔通假〕 tōng jiǎ 문자〔한자〕의 통용과 가차(假借). ¶'叶'和'协'字可以～; '叶'과 '协' 자는 통용할 수 있다.

〔通价〕 tōngjià 명 보통 시세. ¶市面上的～是五块

钱, 你们卖得怎么这么贵呢; 보통 시세는 5원인데, 너의 집에서는 왜 이렇게 비싸냐.
〔通奸〕 tōng.jiān 동 간통하다.
〔通解〕 tōngjiě 동 〈文〉 통해하다. 통석(通釋)하다.
〔通经(儿)〕 tōng.jīng(r) 동 ①그 방면에 정통하다. ¶他什么都～; 그는 무엇이든지 잘 알고 있다/油行的买卖, 您也～吗? 기름 장사에 관해서 당신은 잘 알고 있습니까? ②대체로 알고 있다. ¶不过是～, 知道得不详细; 대체적인 것을 알고 있을 뿐, 상세한 것은 모른다. ③통경하다(옛날, 유교의 경전에 통달하고 있는 일). ④《漢醫》 통경하다(막혀 있는 월경을 통하게 하는 일).
〔通精〕 tōngjīng 명 사팔뜨기.
〔通开〕 tōngkāi 동 막혔던 곳을 뚫다. ¶管子～了; 막혔던 파이프가 뚫렸다.
〔通款〕 tōng.kuǎn 동 〈文〉 ①적과 내통하다. ②항복하다. (tōngkuǎn) 명 《法》 계약 중의 일반 조항.
〔通栏〕 tōnglán 명 (신문·잡지 등의) 전면. 전단.
〔通栏标题〕 tōnglán biāotí 명 톱(top)으로 뽑은 큰 표제.
〔通礼〕 tōnglǐ 명 통상적인 예(禮). ¶鞠躬是东方的～, 握手是西方的～; 절은 동양의 통상적인 예이며, 악수는 서양의 통상적인 예이다.
〔通理〕 tōnglǐ 명 통리. 보통의 도리. ¶这是人人皆知的～; 이것은 누구나 알고 있는 보통의 도리이다.
〔通力〕 tōnglì 동 힘을 합치다. ¶～合作; 모두가 힘을 모아 같이 하다. 명 만사에 다 통하는 신묘한 힘.
〔通历〕 tōnglì 명 역서(曆書). 달력. =〔通书①〕→〔历书〕
〔通例〕 tōnglì 명 통례. 일반적인 관례. ↔〔特tè例〕
〔通连〕 tōnglián 동 통하다. 이어져 있다. ¶跟卧房～的还有一间小屋子; 침실에 이어 또 한 칸 작은 방이 있다. =〔连通〕
〔通联〕 tōnglián 명동 통신 연락(을 취하다). ¶～工作; 통신 연락에 관한 업무. =〔联通〕
〔通亮〕 tōngliàng 형 매우 밝다. 환하게 비치고 있다. ¶电灯照得一屋子～; 전등이 실내를 환하게 비치고 있다.
〔通灵〕 tōnglíng 형 ①통령하다. 신비한 힘이 있다. ②총명하다. ¶这个八哥很～, 会讲话; 이 구관조(九官鳥)는 매우 영리해서 말을 할 줄 안다.
〔通令〕 tōnglìng 동 동문(同文)의 훈령·명령을 내리다. 명 동문(同文)으로 널리 발포하는 훈령·명령. ¶为～事; 통령(通令)의 건(件).
〔通楼子〕 tōnglóuzi 소동을 일으키다. ¶鲁莽人到处～; 경솔한 사람은 도처에서 말썽을 일으킨다. =〔捅tǒng楼子〕
〔通路〕 tōnglù 명 ①한길. 가도(街道). ②통로.
〔通论〕 tōnglùn 명 ①조리가 선 이야기. 사물을 잘 이해한 이론. ¶明情达理, 可谓～; 정리에 어긋나지 않으니, 통론이랄 수 있다. ②통론. ¶史学～; 사학 통론.
〔通眉〕 tōngméi 명 양쪽 눈썹이 이어져 있는 일. ¶～心窄; 양 눈썹이 이어져 있는 사람은 마음이 좁다.
〔通名〕 tōng.míng 동 〈文〉 ①이름을 대다. 명함을 전달하여 알리다. ②연극에서 '上场诗', '上场白' 다음에 스스로 이름을 대다. (tōngmíng) 명 통명. 통칭.
〔通明〕 tōngmíng 형 매우 밝다. ¶～雪亮; 한낮처럼 밝다/灯火～; 등화가 아주 밝다.
〔通谋〕 tōngmóu 동 공모하다. 한패가 되다. ¶～造反; 한패가 되어 모반하다.
〔通年〕 tōngnián 명 1년중. 1년을 통해서. ¶～不下雨; 1년 내내 비가 오지 않다.
〔通挪〕 tōngnuó 동 융통하다. ¶～一笔钱; 한 몫의 돈을 융통하다.
〔通盘〕 tōngpán 명 ①반(盤) 전체. ②〈比〉 전체적. 전면적. 전반적(개별적인 것을 고려해 넣고서의). ¶把心里的话～说出来了; 마음 속에 있는 것을 죄다 털어놓고 말았다/～筹划; 전체적으로 계획하다.
〔通票〕 tōngpiào 명 ①통용표(표 한 장으로 여러 교통 기관을 갈아 타며 목적지까지 갈 수 있는 표). ②철도 또는 철도와 선박과의 통용표.
〔通谱〕 tōngpǔ 명동 ①동성자(同姓者)가 서로 동족임(을 인정하다). ②이성(異姓)인 자가 3대의 가계도(家系圖)를 교환하고 의형제가 되다. 또, 그 가계도.
〔通铺〕 tōngpù 명 (하숙집·기숙사 따위에서) 여럿이 함께 나란히 잠자도록 되어 있는 침상〔침대〕. =〔统tǒng铺〕
〔通气〕 tōng.qì 동 ①기맥(氣脈)을 통하다. ②소식을 전하다. ¶～兵; 연락병. ③공기를 유통시키다. ¶～孔; 통기공/鼻子不～; 코가 막히다. ④호흡이 통하다. ¶这一来就使师生之间通了气; 이로써 교사와 학생 사이에 기분이 통하게 되었다. ⑤개운하게 맑아지다.
〔通窍(儿)〕 tōng.qiào(r) 동 ①정통하다. 일의 도리를 깨닫다. ¶这孩子～了; 이 아이는 영리하다. ②명백해지다.
〔通情〕 tōngqíng 동 ①사리를 분별하다. ¶他是个～的人; 그는 사리를 아는 사람이다. ②기분을 통하다. ¶～知心; 기분이 서로 통하다. ③정실(情實)로 교섭하다. ¶上下花钱～了; 위에도 아래에도 돈을 써서 교섭하였다. ④애정을 통하다. ¶二人～已久; 두 사람은 정을 통한 지가 이미 오래다. =〔通心②〕
〔通情达理〕 tōng qíng dá lǐ 〈成〉 사리에 통달하다. 사리에 밝다.
〔通衢〕 tōngqú 명 사통 팔달인 곳. ¶武汉市素有九省～之说; 우한(武漢) 시는 원래 9성(省)으로 통하는 곳으로 일컬어지고 있다.
〔通权达变〕 tōng quán dá biàn 〈成〉 정세에 따라 유연한 조처를 하다. 임기 응변의 처치를 하다. ¶处理问题要有原则, 又要能～; 문제를 처리하는 데는 원칙을 지녀야 하는 동시에, 정세에 따라 유연한 조처를 할 수 있어야 한다. =〔经达权变〕
〔通泉草〕 tōngquáncǎo 명 《植》 주름잎.
〔通人〕 tōngrén 명 ①〈文〉 학식이 넓고 널리 사리에 정통한 사람. 교양인. ②흔히 있는 〔평범한〕 사람.
〔通日〕 tōngrì 명 하루 종일.
〔通融〕 tōngróng 동 ①융통하다. 변통하다. ¶～办法; 편리한 방법. 편법(便法)/～期票; 융통어음/这事可以～; 이 일은 융통 있게 해도 좋다. ②(단기간) 돈을 빌리다. ¶～资金; 융자받다/我想跟你～二十块钱; 당신에게서 20원을 빌렸으면 좋겠는데요.
〔通儒〕 tōng.rú 동 통유하다. (tōngrú) 명 각종 경서에 통달한 유능한 학자. ¶博学～; 박식한 학자.
〔通塞〕 tōngsè 명 ①〈文〉 통하는 것과 막히는 것.

②〈轉〉순경(順境)과 역경(逆境).
〔通商〕 tōng.shāng 명 통상하다. ¶～口岸; 무역항. 개항장(開港場) / ～港; 무역항. 개항장(開港場) / 非～港; 외국 배의 입항을 금한 항구.
〔通身〕 tōngshēn 명 ①전신. 온몸. ¶～是汗; 온몸이 땀투성이 / ～白毛的小猫; 전신이 흰 털의 작은 고양이 / ～检查; 전신 검사. =〔全身〕〔浑身〕 ②〈轉〉전부. 통틀어서. ¶他说的～都是假jiǎ的; 그가 말하는 것은 모두 거짓말이다.
〔通神〕 tōngshén 동 〈比〉신통력이 있다. ¶钱可～; 〈諺〉돈만 있으면 귀신도 부릴 수 있다.
〔通史〕 tōngshǐ 명 통사.
〔通使〕 tōngshǐ 명 통상 사절.
〔通士〕 tōngshì 명 〈文〉통사. 학문이 깊고, 경험이 풍부한 사람.
〔通市〕 tōngshì 동 〈文〉통상(通商)하다.
〔通事〕 tōngshì 명 통사. 통변(通辯). 통역(《译yì员》(통역)의 구칭).
〔通书〕 tōngshū 동 소식을 전하다. 명 ① 달력. 역서(曆書). =〔通历〕 ②신랑 집에서 신부 집으로 혼인 날짜를 통지하는 서장(書狀).
〔通顺〕 tōngshùn 형 (문장이) 이론적·어법적으로 흠이 없다. 조리가 통하다. ¶文理～; 문장의 논리가 정연하다 / 这篇短文写得很～; 이 단문은 논리 정연하게 씌어 있다.
〔通说〕 tōngshuō 명 ①통설. ②도리에 맞는 의론(議論).
〔通俗〕 tōngsú 형 통속적이다. 비속하여 보통 사람에게 통용되다. ¶～小说; 통속 소설 / ～化; 대중화 / ～易懂; 통속적이어서 알기 쉽다.
〔通俗歌曲〕 tōngsú gēqǔ 명 통속 가요. 유행 가곡.
〔通套〕 tōngtào 명 진부한 관례. 통속적인 격식. 통용되고 있는 방식. ¶打破公文～; 공문의 격식을 타파하다.
〔通体〕 tōngtǐ 명 전체. 전부. ¶水晶～透明; 수정은 그 전체가 투명하다 / 文章的～都顺当了; 문장 전체가 고르게 가다듬어졌다.
〔通天〕 tōngtiān 형 ①하늘에 통하다. 매우 크다〔높다〕. ¶罪恶～; 죄악이 하늘에 닿다. ②(최고 권력자에게 직접 면회하는) 신통력이 있다. ③(재능·솜씨가) 탁월하다. ¶～的本事; 신기(神技)와 같은 솜씨.
〔通条〕 tōngtiáo〔tōngtiao〕 명 ①부젓가락. ②《軍》꽂을대.
〔通通〕 tōngtōng 부 전부. 모두. =〔通统〕〔统tǒng统〕
〔通同〕 tōngtóng 동 한통속이 되다. 결탁하다. ¶～舞弊; 결탁하여 부정을 행하다 / ～一气; 서로 기맥을 통하다. 한통속이 되다. =〔串通〕
〔通统〕 tōngtǒng 부 ⇨〔通通〕
〔通头〕 tōng.tóu 동 머리를 빗질하다.
〔通透〕 tōngtòu 동 철저히 이해하다.
〔通途〕 tōngtú 명 〈文〉가도(街道). 큰 길. ¶天堑变～; 험한 땅이 대로로 바뀌다.
〔通脱〕 tōngtuō 동 〈文〉사리에 통달하여 사소한 일에 구애되지 않다. 호방(豪放)하다. 융통성이 있다. ¶～不羁jī; 호방하여 사소한 일에 구애되지 않다. =〔通侻〕
〔通脱木〕 tōngtuōmù 명 《植》통탈목(《팔손이나무의 일종으로 산야에 자생하는 관목. 고갱이가 백색이어서 이를 얇게 켜, 종이의 대용품을 만듦》).
〔通往〕 tōngwǎng 동 (…으로) 통하다. ¶～城镇的大道; 읍으로 통하는 한길 / 这条公路～北京; 이 자동차 도로는 베이징으로 통한다.
〔通问〕 tōngwèn 동 ①편지를 주고받다. ②안부를 묻다. 방문하다. 인사하다.
〔通夕〕 tōngxī 명 〈文〉밤새. =〔通昔〕
〔通详〕 tōngxiáng 동 상급 관청에서 하급 관청에 훈령을 내리다. ¶～周知; 하급 관청에 훈령을 내려 주지시키다.
〔通宵〕 tōngxiāo 명동 철야(하다). 밤샘(하다). ¶～达旦; ⓐ밤새. ⓑ밤새다. 철야하다 / 熬了三个～, 搞了这么一个设计; 사흘이나 밤샘하여 이러한 설계를 하였다.
〔通宵电影〕 tōngxiāo diànyǐng 명 심야 상영 영화.
〔通宵商店〕 tōngxiāo shāngdiàn 명 철야 영업을 하는 상점.
〔通晓〕 tōngxiǎo 동 통효하다. 환히 깨달아 알다. ¶～多种文字; 여러 가지 언어에 통효하다 / ～音律; 음률에 밝다 / ～当地的情况; 그 곳 사정에 밝다.
〔通心〕 tōngxīn 동 ①중심을 꿰뚫다. ② ⇨〔通情④〕 형 ①(둥글고 가늘고 길며) 속이 비다. ¶～粉; 마카로니. ②마음이 통하다. ¶四目相接, ～会意; 눈과 눈을 마주 보고 서로 마음이 통하고 뜻이 통하다.
〔通信〕 tōng.xìn 동 통신하다. 편지 왕래하다. ¶我跟他常常～; 나는 그와 늘 편지 왕래를 하고 있다 / ～处; 편지의 수신인 주소. (tōngxìn) 명 ①통신. 왕래 서신. ②결혼 날짜를 통지하고 납폐를 보내는 것.
〔通信兵〕 tōngxìnbīng 명 《軍》통신병.
〔通信控制器〕 tōngxìn kòngzhìqì 명 《電》통신 제어 장치.
〔通信网〕 tōngxìnwǎng 명 통신망.
〔通信员〕 tōngxìnyuán 명 통신원. 전령(傳令). 문서 송달인.
〔通兴〕 tōngxīng 동 세상 일반에 유행하다. ¶现在裙子又～穿短的了; 지금 스커트는 또 미니가 유행하고 있다.
〔通行〕 tōngxíng 동 ①보편적으로 행하여지다. 통용하다. ¶新货币已经～开了; 새 화폐가 이미 완전히 통용되고 있다. ②(사람이나 차가) 지나가다. 통행하다. ¶此巷不～; 이 골목은 통행하지 못합니다 / 车辆禁止～; 차량 통행을 금하다. ③각처에 동문(同文)의 공문(公文)을 내다. ¶～严拿; 나포(拿捕)하도록 각 방면에 통지하다. ④횡행하다. ¶让这种东西到处～无阻; 이러한 자가 도처에서 활개치고 다니는 것을 허용하였다.
〔通行车〕 tōngxíngchē 명 직행 열차. =〔通车〕
〔通行票〕 tōngxíngpiào 명 전구간표. →〔通票〕
〔通行证〕 tōngxíngzhèng 명 통행증. =〔〈廣〉行街纸〕〔路lù条〕
〔通性〕 tōngxìng 명 공통의 성질.
〔通姓问名〕 tōngxìng wènmíng 성명을 대다. 통성명을 하다.
〔通宿(儿)〕 tōngxiǔ(r) 명동 밤새(자지 않다). 하룻밤(새다). ¶～没睡; 하룻밤 꼬박 자지 않았다. =〔通夜〕〔整zhěng宿〕
〔通玄〕 tōngxuán 동 〈文〉통현하다. 심오한 철리를 깨달아 실상(實相)에 들어가다.
〔通学〕 tōngxué 동 학교에 통학하다. ¶～生; 통학생.
〔通讯〕 tōngxùn 동 통신하다. 명 통신문. 보도문. 기사. ¶～社; 통신사 / ～处; 통신〔연락〕할 곳 / ～员; 통신원. 특파원. 리포터 / 你给报纸写

过～吗? 당신은 신문에 기사를 쓴 일이 있습니까?

〔通讯网〕 tōngxùnwǎng 명 통신망.

〔通讯卫星〕 tōngxùn wèixīng 명 통신 위성.

〔通讯信息〕 tōngxùn xìnxī 명 정보 통신.

〔通夜〕 tōngyè 명동 ⇨〔通宿(儿)〕

〔通谒〕 tōngyè 동 〈文〉 명함을 건네고 면회를 요청하다. =〔通刺cì〕

〔通译〕 tōngyì 명 옛날의, 통역(관). ¶请一位～来给咱们翻译翻译吧; 통역을 한 사람 부탁해서 통역해 달라고 합시다. =〔译员〕 동 (옛날) 통역하다. =〔翻fān译〕

〔通邑〕 tōngyì 동 〈文〉 길이 사방팔방으로 통하여 교통이 편리한 도시. ¶～大埠; 도로가 사통팔달한 대도시.

〔通用〕 tōngyòng 명 ①통용하다. ¶～货币bì; 통용 화폐 / 全国～教材; 전국에 통용하는 교과서. =〔通行①〕 ②(언어학의) 통용하다(‘太tài’ 와 ‘泰tài’, ‘措词cí’ 와 ‘措辞cí’ 따위).

〔通用计算机〕 tōngyòng jìsuànjī 명 범용(汎用) 전자 계산기.

〔通邮〕 tōngyóu 동 우편 배달 업무를 개시하다. 우편 왕래가 가능하다.

〔通谕〕 tōngyù 동 일반에게 일러 깨우쳐 주다. ¶～所属, 一体凛遵; 소속 기관 일반에 알려, 일률적으로 따르고 받들게 하다.

〔通则〕 tōngzé 명 통칙. 일반적인 법칙.

〔通栈〕 tōngzhàn 명 역이나 부두에 있는 창고.

〔通知〕 tōngzhī 명 통지하다. 알리다. ¶他没～我; 그는 내게 알리지 않았다. 명 고시(告示). 공시(公示). 게시. 사령(辭令)(정식으로 특정 기관 또는 사람에게 알리는 통지(문서 또는 구두)). ¶口头～; 구두 통지.

〔通知存款〕 tōngzhī cúnkuǎn 명 통지 예금.

〔通知书〕 tōngzhīshū 명 ①통지서. 통고. ¶终止条约～; 조약 실효(失效)의 통고. ②《商》 통지장.

〔通直〕 tōngzhí 형 매우 곧다.

仝 **tóng** (동)
① ‘同tóng’ 과 통용. ② 명 성(姓)의 하나.

砼 **tóng** (동)
명 콘크리트(concrete)(‘混hùn凝土’ 의 구합성 약자. hùnníngtǔ로도 읽었음).

同 **tóng** (동)
① 형동 같다. 서로 같다. ¶～类; ⇩ / ～岁; ⇩ / ～工～酬; 동일 노동에 대한 동일 보수 / 大～小异; 〈成〉 대동 소이하다 / ～时代的人; 동시대 사람 / 条件不～; 조건이 다르다. ②함께 …하다. 같이 …하다. …을 함께 하다. ¶会～; 회동하다 / ～去参观; 함께 참관하러 가다 / ～甘共苦; 고락을 같이하다 / 我和他～过几次席; 나는 그와 여러 번 연회에서 얼굴을 대한 적이 있다. ③ 동 (…와, …과) 같다. ¶～上; 위와 같다 / ～前; 앞과 같다 / ‘外头’ 的用法～ ‘外边’; ‘外头’ 의 용법은 ‘外边’ 과 같다. ④ 동 수반하다. 동행하다. ¶有你～着他一块儿去, 我很放心; 당신이 그와 함께 동행해 준다면 나도 퍽 마음이 놓이겠습니다. ⑤ 개 ㉠…와. …와 함께(동작의 대상을 나타냄). ¶我～他商量一下; 나는 그와 의논하겠습니다 / 你刚才～他说什么来着? 너는 방금 그와 무슨 이야기를 하였느냐? ㉡…처럼(비교의 대상을 나타냄). ¶我想她一定是～老太太一样的和气、可爱; 그녀는 필시 할머니처럼 온화하고 친근미가 있으리라고 생각합니다. ㉢〈方〉 …대신으로. …을 위하여. …에게. ¶这封信我一直～你保存着; 이 편지는 당신을 위해 죽 내가 보관해 두었었다. ⑥ 접 …와(병렬(竝列)을 나타냄). ¶我～你都是初学; 나와 너는 다 초학이다. 注 ⑤⑥의 ‘同’ 은 원래 남방어에서 쓰였으므로 현대 중국어 속에서도 방언적인 색채를 띠고 있다. 단, 서면어(書面語)에서는 흔히 쓰인다. 또, ‘同’·‘跟’ 을 전치사로, ‘和’ 를 접속사로 그 용법을 한정하려는 경향이 있다. ⑦ 명 성(姓)의 하나. ⇒tòng

〔同案〕 tóng'àn 명 ①〈文〉 같은 해에 ‘院yuàn考’ 에 합격하고 ‘入rù泮’ 한 사람. 동기생(同期生). →〔科kē举〕 ②동일한 (재판) 사건. ¶～犯; 《法》 공범.

〔同班〕 tóngbān 동 같은 반에서 생활하다. 동급생이다. ¶～上课; 같은 학급에서 수업을 받다 / ～同学; 급우. 동급생.

〔同伴(儿)〕 tóngbàn(r) 동 동반하다. ¶～走; 동행해 가다. 명 길동무. 동행자. 함께 활동·생활하는 사람. 동료.

〔同帮〕 tóngbāng 명 동료. 같은 패.

〔同胞〕 tóngbāo 명 ①육친의 형제 자매. ¶～兄弟; 육친의 형제 / 至亲～; 가장 가까운 형제 자매. ②동포. 동국인. ¶十亿～; 10억의 동포.

〔同胞手足〕 tóngbāo shǒuzú 명 친형제.

〔同辈(儿)〕 tóngbèi(r) 명 동배. 동년배.

〔同病相怜〕 tóng bìng xiāng lián 〈成〉 동병상련하다.

〔同步〕 tóngbù 명 《物》 동시 발생. 동시성(同時性). 싱크로나이즈(synchronize). 동 (서로 관련된 것들끼리) 보조를 맞추다. 발맞추다.

〔同步电动机〕 tóngbù diàndòngjī 명 《物》 싱크로너스 모터(synchronous motor). 동기 전동기(同期電動機). =〔同步马达〕

〔同步读出器〕 tóngbù dúchūqì 명 《物》싱크로리더(synchro-reader)(인쇄할 수 있는 녹음기).

〔同步回旋加速机〕 tóngbù huíxuán jiā-sùjī 명 《物》 싱크로사이클로트론(synchro-cyclotron).

〔同步计算机〕 tóngbù jìsuànjī 명 동기식(同期式) 계산기.

〔同步加速器〕 tóngbù jiāsùqì 명 《物》 사이클로트론(cyclotron).

〔同步器〕 tóngbùqì 명 싱크로 장치.

〔同步稳相加速机〕 tóngbù wěnxiàng jiāsùjī 명 《物》 싱크로파조트론.

〔同参〕 tóngcān 명 〈文〉 ①《佛》 동참. ②함께 수업하는 동료. 동 ①《佛》 동참하다. ②함께 연구하다.

〔同差〕 tóngchāi 명 동료. 동관.

〔同侪〕 tóngchái 명 〈文〉 ①동배(同輩). ②같은 일을 하는 동료. ‖ =〔同俦〕

〔同产〕 tóngchǎn 명 〈文〉 형제.

〔同尘〕 tóngchén 동 〈文〉 세속에 물들다.

〔同吃〕 tóngchī 동 ①식사를 함께 하다. ②식사를 민중과 함께 하다.

〔同齿〕 tóngchǐ 명 〈文〉 동치. 같은 나이. 동년.

〔同仇〕 tóngchóu 명 공공의 적. 공통의 원수. ¶～敌忾 =〔敌忾～〕; 〈成〉 공동의 적에 대해 분노하여 맞서다.

〔同出一辙〕 tóng chū yī zhé 〈成〉 같은 것에서 나오다. 궤(軌)를 같이하다. ¶与孔子思想～; 공자의 사상과 그 궤를 같이하다.

〔同处〕 tóngchǔ 동 〈文〉 ①동거하다. ②동료로서 함께 일을 하다. ¶在县政府～三年; 현(縣)정부에

서 3년간 동료로서 함께 일했다.
〔同船过渡〕 tóng chuán guò dù 〈成〉 같은 배에 타다. ¶～, 三生有缘; 〈諺〉 옷깃만 스쳐도 인연이다.
〔同窗〕 tóngchuāng 명 동창(생). 동 한 학교에서 같이 배우다.
〔同床共枕〕 tóng chuáng gòng zhěn 〈成〉 남녀가 하룻밤을 함께 지내다(하룻밤의 연분을 맺다).
〔同床异梦〕 tóng chuáng yì mèng 〈成〉 동상이몽이다. =〔同床各梦〕
〔同爨〕 tóngcuàn 동 〈文〉 공동 생활을 하다. 같은 솥의 밥을 먹다.
〔同党〕 tóngdǎng 명 같은 당파. 같은 동아리.
〔同道〕 tóngdào 명 ①같은 길. ②길·뜻을 같이하는 사람. ③동업자. 동 뜻을 같이 하다.
〔同等〕 tóngděng 형 동등하다. 같은 등급〔정도〕이다. ¶～重要; 똑같이 중요하다 / ～对待; 똑같이 대우하다 / ～学力; 동등한 학력.
〔同调〕 tóngdiào 명 ①같은 취미와 기호. 또는 같은 주장의 사람. ¶引为～; 동지로 끌어들이다 / 唱～; 같은 의견을 발표하다. ②마음이 맞는 사람. 동조자. ③《樂》 같은 으뜸음조. 동명조(同名調). 동주조(同主調).
〔同恶相济〕 tóng è xiāng jì 〈成〉 악인끼리 서로 도와 주다. =〔同恶相助〕〔同恶相求〕
〔同而不和〕 tóng ér bù hé 〈成〉 사이가 좋은 듯 하면서도 속은 터놓지 않다. 뇌동(雷同)하지만 진실로 화합하지는 않다.
〔同犯〕 tóngfàn 명 공범자.
〔同方〕 tóngfāng 동 〈方〉 ①뜻이 같다. ②같은 곳에 있다.
〔同房〕 tóng,fáng 동 〈婉〉 ①(부부가) 동침하다. ②한 방〔집〕에 살다〔머물다〕 (tóngfáng) 명 ① '家族' (일족) 중에서 같은 부친의 계통에 속하는 자. ¶～兄弟; 육친(肉親)의 형제. ②동거자. 동숙자. ③부부 교합.
〔同分异构体〕 tóngfēn yìgòutǐ 명 《物》 핵이성체(核異性體).
〔同风〕 tóngfēng 형 풍속이 서로 같다. ¶百里不～, 千里不同俗; 〈諺〉 고장이 바뀌면 풍속도 달라진다.
〔同甘共苦〕 tóng gān gòng kǔ 〈成〉 동고동락하다. 함께 즐기고 함께 고생하다. =〔同甘苦〕〔同患难〕
〔同感〕 tónggǎn 명동 동감(이다). 공감(하다). ¶我也有～; 나도 동감이다.
〔同根〕 tónggēn 명 동근. ①같은 뿌리. ②〈比〉 형제. ¶兄弟～生; 형제는 같은 뿌리에서 태어난 것이다.
〔同庚〕 tónggēng 명동 〈文〉 동갑(이다). 같은 나이〔연령〕(이다). =〔同甲〕
〔同工异曲〕 tóng gōng yì qǔ 〈成〉 ⇨〔异曲同工〕
〔同功茧〕 tónggōngjiǎn 명 쌍고치. =〔玉yù茧〕
〔同功一体〕 tóng gōng yī tǐ 〈成〉 공적도 지위도 같다.
〔同宫丝〕 tónggōngsī 명 쌍고치에서 뽑은 실.
〔同归于尽〕 tóng guī yú jìn 〈成〉 함께 망하다. 다 함께 쓰러지다.
〔同行(儿)〕 tóngháng(r) 명 동업(同業). 동업자. ¶你可以跟～的人请教请教! 너는 동업자의 가르침을 받아라! / 我们俩是～; 우리 두 사람은 동업자입니다 / ～嫉妒 =〔～必妒〕; 〈諺〉 동업자는 서로 시기하는 것 / ～是冤家; 〈諺〉 동업자는 원수. ⇒ tóngxíng
〔同蒿〕 tónghāo 명 《植》 쑥갓의 별명('同'은 '茼'의 속된 표기).
〔同好〕 tónghào 명 취미를 같이함. 같은 취미를 가진 사람. 동호인.
〔同乎流俗〕 tóng hū liú sú 〈成〉 세속에 합류하다.
〔同呼吸, 共命运〕 tóng hū xī, gòng mìng yùn 〈成〉 일련 탁생(一蓮托生)하며, 운명을 같이하다.
〔同化〕 tónghuà 명동 ①동화(하다). ¶被汉民族所～; 한(漢)민족에 동화되다 / ～政策; (소수 민족의) 동화 정책. ②(언어학의) 동화(하다)(예컨대 '面包miànbāo'가 'miàmbāo'로 발음되는 일).
〔同化作用〕 tónghuà zuòyòng 명 《生》 동화 작용.
〔同怀〕 tónghuái 명 〈文〉 친 형제자매. 동 서로 똑같은 생각을 하다. ¶～古道; 모두 성실한 사람이다 / 清明时节故友～; 청명절에는 옛 친구들은 서로 그리워한다.
〔同伙(儿)〕 tónghuǒ(r) 명 동료. 한 동아리. ¶招集～; 동아리를 모으다. =〔伙伴〕 동 ①한 동아리를 이루다. 조직하다. ②공동으로 하다.
〔同级〕 tóngjí 명 ①동급. 같은 등급. ②같은 학년.
〔同甲会〕 tóngjiǎhuì 명 동갑 모임.
〔同奸〕 tóngjiān 동 〈文〉 공모하다. ¶～谋逆; 공모하여 반역하다.
〔同教〕 tóngjiào 동명 〈文〉 같은 종교(를 믿다).
〔同居〕 tóngjū 동 ①동거하다. ¶父母死后, 他和叔父～; 부모가 세상을 떠난 뒤로, 그는 숙부와 함께 살고 있다. ②동서(同棲)하다. ¶他们俩由于相爱而～了; 그들 두 사람은 서로 사랑하여 동서하게 되었다.
〔同居各炊〕 tóng jū gè chuī 〈成〉 동거하면서도 따로따로 생활하고 있다. =〔同居各爨cuàn〕〔同居异爨〕
〔同居继父〕 tóngjū jìfù 명 의붓아버지. 의부(義父).
〔同忾敌仇〕 tóng kài dí chóu 〈成〉 한결같이 적개심을 일으켜 적과 맞서다. →〔同仇〕
〔同科〕 tóngkē 명 ①《法》 동등(同等). ¶～罪刑; 동등한 죄. ②〈文〉 과거 시험의 동기 급제자. ¶～及第; 동기 급제.
〔同叩〕 tóngkòu 명 〈翰〉 일동 돈수(一同頓首)(연명으로 쓴 편지에 쓰는 말의 한 가지).
〔同快〕 tóngkuài 동 함께 즐기다. ¶大家～; 여럿이 함께 즐기다.
〔同牢〕 tóngláo 명 같은 죄수. 같은 감방의 죄수. ¶托～带出口信; 같은 감방에 있던 사람에게 말을 전해 달라고 부탁하다.
〔同乐〕 tónglè 동 함께 즐기다. ¶～会; 간친회(懇親會). 친목회 / 新年～会; 신년 연회.
〔同类〕 tónglèi 명 ①동류. 동종. ¶～商品; 같은 종류의 상품. ②같은 무리. ¶～相求; 같은 무리가 서로 요구하다〔부탁하다〕 / ～为朋; 같은 무리끼리 친구가 되다. 동 동류이다. 같은 무리이다. =〔同道为友〕
〔同类项〕 tónglèixiàng 명 《數》 동류항. =〔相似xiāngsì项〕
〔同理〕 tóng,lǐ 동 같은 이치이다. ¶心同此理; 이 도리는 사람들의 마음에 공통적이다.
〔同力〕 tónglì 동 힘을 합치다.
〔同力合作〕 tónglì hézuò 동 일치 협력하다.

〔同利为朋〕 tóng lì wéi péng〈成〉이(利)를 같이하여 친구가 되다(이(利)를 따라 결합하는 사이를 말함).
〔同僚〕 tóngliáo 명〈文〉동료.
〔同列〕 tóngliè 명 동렬. 동배. 같은 지위에 있는 사람.
〔同流合污〕 tóng liú hé wū〈成〉한패에 어울려 나쁜 일을 하다. 야합하다.
〔同路〕 tóng.lù 동 일로 동행(一路同行)하다. 동행자가 되다. 같은 곳으로 가다. ¶～人; ⓐ동행자. ⓑ동조자. ⓒ혁명의 동반자.
〔同门〕 tóngmén 동 같은 스승 밑에서 배우다. 동문 수학하다. 명 옛날, 동문 (제자).
〔同门婿〕 tóngménxù 명 남자 동서. 자매의 남편끼리.
〔同门异户〕 tóng mén yì hù〈成〉대체의 경향은 같지만 다소의 차이가 있다. 대동소이하다.
〔同盟〕 tóngméng 명동 동맹(하다). ¶结成～; 동맹을 맺다.
〔同盟罢工〕 tóngméng bàgōng 명 동맹 파업.
〔同盟会〕 Tóngménghuì 명〈簡〉⇨〔中国革命同盟会〕
〔同名〕 tóngmíng 동 동명이다. ¶他跟你～; 그는 당신과 이름이 같다.
〔同明相照〕 tóng míng xiāng zhào〈成〉좋은 것이 좋은 것과 함께 있으면 더욱 빛을 발한다. 사상 감정을 함께 하는 자는 서로 공명한다(뒤에 '同类相求'가 이어지기도 함).
〔同命〕 tóngmìng 동〈文〉동시에 죽다. 생사를 같이하다. 명 ①〈比〉같은 운명을 타고난 사람. ②같은 운명. 같은 전도(前途).
〔同谋〕 tóngmóu 동 모의(謀議)에 가담하다. 공동 모의하다. ¶～共断; 함께 계획하고 함께 결정하다 / ～犯; 공범. 명 공모자. 공범자.
〔同年〕 tóngnián 명 ①동년. 같은 해. ¶～九月大桥竣工; 같은 해 9월에 대교는 준공된다. ②같은 해에 과거 시험에 합격한 자. ¶～好友; 동기(同期)의 친구. =〔齐qí年〕 동 ⇨〔同岁〕
〔同袍〕 tóngpáo 명〈文〉매우 친한 친구(하나의 저고리를 두 사람이 입는다는 뜻).
〔同袍同泽〕 tóngpáo tóngzé 명 군인끼리 서로 부를 때의 호칭.
〔同期〕 tóngqī 명 ①같은 시기. ¶产量超过历史～最高水平; 생산량이 역사상 같은 시기의 최고 수준을 초과했다. ②동기. ¶～生; 동기생 / 他和我～毕业; 나는 그와 동기 졸업이다.
〔同启〕 tóngqǐ〈翰〉복수의 수신인(受信人) 앞으로 보내는 봉투에 쓰는 말로 '여러분께서 개봉해 주십시오'의 뜻.
〔同气〕 tóngqì 명〈文〉①동지(同志). ②동기. 형제.
〔同气连枝〕 tóng qì lián zhī〈成〉형제(같은 부모의 기(氣)를 받아, 한 줄기에서 난 가지가 연결되어 있는 것과 같음에 비유하여 말함).
〔同衾共枕〕 tóngqīn gòngzhěn 부부가 동침하다.
〔同寝〕 tóngqǐn 동 함께 자다. 동침하다.
〔同情〕 tóngqíng 동 ①동정하다. ¶我～你的境遇; 나는 너의 처지에 동정한다. ②동조하다. 공감하다. 찬성하다. ¶我～于他的分类法; 나는 그의 분류법에 찬성한다. 명 ①같은 생각. ¶想必～; 같은 생각이실 줄 믿습니다. ②동정. ③공감. 공명.
〔同情罢工〕 tóngqíng bàgōng 명 동정 스트라이크.
〔同庆〕 tóngqìng 동〈文〉함께 기뻐하다. ¶普天～; 천하의 사람들이 모두 기뻐하다.
〔同人〕 tóngrén 명 동인. 동지(同志). 동료. 동업자. ¶敝～; 저희들. =〔同仁〕
〔同仁〕 tóngrén 명 ⇨〔同人〕 동〈文〉평등하게 사랑하다. ¶一视～;〈成〉일시 동인. 차별없이 평등하게 취급하다.
〔同日〕 tóngrì 동 ①날짜를 같이하다. ¶不可～而语;〈成〉함께 논할 수 없다. 전혀 다르다. ②〈轉〉같이하다.
〔同日而语〕 tóng rì ér yǔ〈成〉같은 날에 논하다. ¶不可～; 똑같게 말할 수는 없다. 동일지논(同日之論)은 아니다.
〔同生存, 共患难〕 tóng shēng cún, gòng huàn nàn〈成〉생사 환난을 함께 하다.
〔同声〕 tóngshēng 동 일제히 소리를 내다. ¶～欢呼; 일제히 소리를 내어 환호하다 / ～赞美; 입을 모아 칭찬하다.
〔同声翻译〕 tóngshēng fānyì 명동 동시 통역(하다). =〔同声传译〕
〔同声相应〕 tóng shēng xiāng yìng〈成〉의기투합하다. =〔同气相投〕〔声应气求〕〔同声相应, 同气相求〕
〔同时〕 tóngshí 명부 동시(에). 같은 때(에). ¶～发生; 동시에 발생하다 / ～存在; 같은 때에 존재하다. 병존하다 / 我和他是～上大学的; 나와 그는 같은 시기에 대학에 입학했다. 접 게다가. 그와 동시에. 더욱. ¶任务艰巨, ～时间又很紧迫; 임무는 막중하고, 게다가 시간은 더욱 긴박하다 / 今天有点心感冒, ～头也痛; 오늘은 감기 기운도 조금 있고 게다가 머리도 아프다.
〔同时并举〕 tóngshí bìngjǔ 동시에 두 가지의 것을 향상시키다. 병행하다.
〔同食同饮〕 tóngshí tóngyǐn 침식을 함께 하다.
〔同事〕 tóng.shì 동 같은 직장에서 일하다. ¶我和他同过事; 나와 그는 한 직장에서 일한 적이 있다. (tóngshì) 명 동료. 같은 직장의 사람. ¶老～; 오랜 동료.
〔同事人〕 tóngshìrén 명 공범자.
〔同室〕 tóngshì 명〈文〉①같은 방. ②부부. ③같은 집안. 가족.
〔同室操戈〕 tóng shì cāo gē〈成〉내분이 일다. 집안 싸움하다.
〔同手〕 tóngshǒu 부 함께. 공동으로. ¶和他～办事; 그와 공동으로 일을 하다.
〔同岁〕 tóngsuì 동 같은 나이이다. 동갑이다. =〔同年〕
〔同堂〕 tóngtáng 동 일족이 동거하다. 한집에 살다. ¶四世～; 4대가 함께 살다. 명 동창(同窓).
〔同天斗, 同地斗〕 tóng tiān dòu, tóng dì dòu〈成〉하늘과 싸우고 땅과 싸우다(자연 개조에 몰두하다).
〔同条共贯〕 tóng tiáo gòng guàn〈成〉같은 가지에 나고, 같은 돈꿰미에 꿰어져 있다(사리(事理)가 서로 통함).
〔同位素〕 tóngwèisù 명《物》동위 원소. 동위체. 아이소토프(isotope).
〔同文〕 tóngwén 동 문자를 공용하다. 동일한 문자를 쓰다.
〔同屋〕 tóngwū 명 동실자(同室者). 동거자. 동 같은 방〔집〕에서 살다.
〔同伍〕 tóngwǔ 명〈文〉①같은 부대. ¶～弟兄; 전우. ②동료.
〔同席〕 tóng.xí 동 동석하다. ¶我和他同过几次席; 그와는 몇 차례 연회에서 동석한 적이 있다. =

〔同桌〕〔同座〕
〔同禧同禧〕 tóngxǐ tóngxǐ 〈套〉 저도 역시 축하드립니다(‘新xīn禧新禧!’ (새해 복 많이 받으십시오)에 대한 인사). =〔同喜(同喜)〕
〔同系〕 tóngxì 명 ①대학의 학과 동창. ¶我们是物理系的～; 우리는 물리학 전공의 동창이다. ②동일 계통(의 사람).
〔同系物〕 tóngxìwù 명 《化》 동족체(同族體).
〔同乡〕 tóngxiāng 명 동향. ¶～人; 동향인 / ～会huì; 동향회 / 大～; 같은 성(省) 또는 같은 현(縣)의 출신 / 小～; 같은 진(鎭) 또는 같은 마을의 출신.
〔同心〕 tóng.xīn 동 ①마음을 합치다. ¶二人～, 黄土变成金; 두 사람이 마음을 합치면, 황토도 금으로 바뀐다. =〔齐qí心〕 ②《數》 중심을 같이하다. ¶～圆; 《數》 동심원.
〔同心合意〕 tóng xīn hé yì 〈成〉 협동 일치하다.
〔同心弧〕 tóngxīnhú 명 동심호(동일한 중심을 갖고 있는 둘 이상의 호).
〔同心结〕 tóngxīnjié 명 ①동심결(끈을 두 개의 심장 모양으로 맺은 것. 남녀간에 주고받아 애정의 맹세를 나타냄). ②가사(袈裟)의 끈을 매는 법.
〔同心同德〕 tóng xīn tóng dé 〈成〉 모두가 마음을 합치다. 일심동체. =〔一yī心一德〕 ↔〔离lí心离德〕
〔同心协力〕 tóng xīn xié lì 〈成〉 일치 협력하다. =〔同心合力〕〔协力同心〕
〔同行〕 tóngxíng 동 함께 가다. 동행하다. ¶～同止; 끝까지 행동을 같이하다. 명 동행자. 여행 반려자. ⇒ tóngháng(r)
〔同性〕 tóngxìng 동 동성이다. 성별이 같다. ¶～恋爱; 동성애(호모. 레즈비언). 명 같은 성질.
〔同姓〕 tóngxìng 명 동성. 같은 성. ¶～同名; 동성 동명. 동 동성이다.
〔同学〕 tóng.xué 동 같은 학교에서 배우다. ¶我和他同过三年学; 나와 그는 3년간 같은 학교에서 배운 적이 있다. 명 ①동창. 학우. 동급생(학년의 상하에 관계없음). ¶新～; 신입생 / 同班～; 동급생. ②학생 상호의 호칭. 교사의 학생에 대한 호칭. ¶王～; 왕군 / ～们; 학생 여러분.
〔同学会〕 tóngxuéhuì 명 동창회.
〔同学录〕 tóngxuélù 명 동창회 명부.
〔同穴〕 tóngxué 동 〈文〉 부부를 합장(合葬)하다.
〔同样〕 tóngyàng 형 같다. 마찬가지다. ¶～适用; 똑같이 적용되다.
〔同业〕 tóngyè 명 동업(자). ¶～条规; 동업 조합 규칙.
〔同业公会〕 tóngyè gōnghuì 명 옛날, 상공업자의 업종별 조직. 동업 조합. 길드(guild).
〔同业日拆〕 tóngyè rìchāi 명 금융업자간의 대출 금리. 콜(call) 금리.
〔同一〕 tóngyī 형 ①동일하다. 같다. 동등하다. ¶向～目标前进; 하나의 목표를 향해 전진하다. ②일치하다. ¶～律; (논리학) 동일률 / ～性; 《哲》 동일성.
〔同义词〕 tóngyìcí 명 《言》 동의어. 시노님(synonym)(이를테면, ‘火柴’ 와 ‘洋火’ ‘妨碍’ 와 ‘妨害’).
〔同意〕 tóngyì 동 동의하다. 승인하다. 합의하다. 찬성하다. ¶我的意见你～吗? 내 의견에 넌 동의하니? / 上级会～你们的要求; 상급 기관 회의에서 당신들의 요구를 인정한다. 명 동의. 찬성. 승낙. ¶举手表手～; 찬성함을 거수로써 표하다. →〔赞zàn成〕
〔同音词〕 tóngyīncí 명 《言》 동음어. 동음 이의어(이를테면, ‘反攻’ 과 ‘返工’ 은 다 fǎngōng).
〔同余〕 tóngyú 명 《數》 합동(合同). ¶～式; 합동식.
〔同志〕 tóngzhì 명 ①동지(특히 동일 정당의 사람을 가리킴). ¶各位～! 동지 여러분! ②공무원에 대한 호칭. ¶县里派了三位～; 현의 관청에 3인의 동지를 파견했다. ③격식차린 기분으로 말할 때의 호칭. ¶女～; 여자분 / 男～; 남자분 / 王～; 왕동지. 왕씨 / 主任～; 주임 동지 / 服务员～; 복무원 동지. ④모르는 사람을 부를 때에 씀(‘저기, 잠깐, 이봐요’ 등에 해당함).
〔同中〕 tóngzhōng 중개인과 함께. 보증인을 세우고. ¶～具结; 보증인을 세우고 서명 날인하다.
〔同中之异〕 tóng zhōng zhī yì 〈成〉 같은 것들 중에서 틀리는 것. 본질적으로는 같은 것.
〔同舟〕 tóng zhōu 같은 배를 타다. 〈比〉 이해(利害)를 같이하다. 처지가 같다.
〔同舟风雨〕 tóng zhōu fēng yǔ 〈成〉 같은 배를 타고 함께 풍파를 겪다. 공통의 이해를 위하여 서로 돕다. =〔风雨同舟〕
〔同舟共济〕 tóng zhōu gòng jì 〈成〉 같은 처지에 놓인 사람끼리 서로 돕다.
〔同轴〕 tóngzhóu 동 동축이다. ¶～电缆; 동축 케이블.
〔同桌〕 tóngzhuō 동 동석하다. 테이블에 마주 앉다. =〔同席〕 명 테이블에 동석하는 사이.
〔同宗〕 tóngzōng 명 동족. 같은 조상의 자손. 동 동본이다. ¶同姓不～; 성은 같지만 본은 다르다.
〔同族〕 tóngzú 명 ①동족. ②동종(同種).
〔同座〕 tóngzuò 동 ⇨〔同席〕

侗 tóng (동)
형 〈文〉 유치하다. 무지하다. 철없다. ⇒ Dòng tǒng

垌 tóng (동)
지명용 자(字). ¶～冢Tóngzhǒng; 퉁중(垌塚)(후베이 성(湖北省)에 있는 땅 이름). ⇒ dòng

茼 tóng (동)
→〔茼蒿〕

〔茼蒿(菜)〕 tónghāo(cài) 명 《植》 쑥갓. =〔蒿子秆儿〕

峒 tóng (동)
지명용 자(字). ¶崆～Kōngtóng; ⓐ쿵퉁 산(崆峒山)(간쑤 성(甘肅省)에 있는 산 이름). ⓑ쿵퉁 섬(崆峒島)(산둥 성(山東省)에 있는 섬 이름). ⇒ dòng

烔 tóng (동)
지명용 자(字). ¶～炀河Tóngyánghé; 퉁양허(烔煬河)(안후이 성(安徽省) 차오후(巢湖)의 북쪽에 있는 땅 이름).

桐 tóng (동)
명 ①《植》 오동나무. ②유동(油桐)(씨에서 짠 기름을 ‘桐油’ (동유)라 하여 도료로 씀). ③청동. 벽오동.

〔桐棺三寸〕 tóng guān sān cùn 〈成〉 세 치 두께의 오동나무 관(보잘것 없는 관을 이름).
〔桐麻〕 tóngmá 명 《植》 벽오동. =〔梧桐〕
〔桐实胶〕 tóngshíjiāo 명 로커스트 빈 고무(locust bean gum).
〔桐酸〕 tóngsuān 명 《化》 엘레오스테아린 산(酸).
〔桐油〕 tóngyóu 명 동유(유동(油桐)의 씨에서 짠 기름. 인쇄 잉크·도료의 원료). =〔荏油②〕

〔桐子〕 tóngzǐ 명 유동(油桐)의 씨(짜서 '桐油'를 만듦).

铜(銅) **tóng** (동)
명《化》구리. 동(Cu)(금속 원소의 하나). ¶黄huáng ～; 놋쇠.

〔铜氨丝〕 tóng'ānsī 명《紡》구리 암모늄 레이온. 벰베르크 레이온. ＝〔〈音〉偏piān倍尔〕〔铜氨纤维〕〔铜氨人造丝〕「이펜」.
〔铜把(儿)勺〕 tóngbà(r)sháo 명 구리 국자〔프라
〔铜板〕 tóngbǎn 명 ①〈方〉동전. 동화(銅貨). ¶～纸; 아트 인쇄지. ②'快书' 등을 부를 때, 박자를 맞추는 데 쓰는 팔자 모양의 악기.
〔铜版〕 tóngbǎn 명《印》동판. 동제(銅製)의 인쇄판. ¶～画; 동판화.
〔铜帮铁底〕 tóngbāng tiědǐ 매우 견고한 모양.
〔铜煲〕 tóngbāo 명〈方〉구리 냄비. 놋쇠 냄비(가장자리가 수직이며 약간 깊음).
〔铜薄〕 tóngbáo 명 동박(銅箔).
〔铜表〕 tóngbiǎo 명 ①구리로 만든 표지(標識). ②구리 딱지의 회중 시계.
〔铜饼〕 tóngbǐng 명 구리덩이.
〔铜钹〕 tóngbó 명《樂》동발. 요발(鐃鈸)(지름 20～30센티의 접시 모양의 구리 판의 중앙에 끈을 꿰어 한 손에 하나씩 잡고 치는 악기. 양악기의 심벌즈). ＝〔〈文〉铜拔〕
〔铜布司〕 tóngbùsī 명 ⇨〔衬chèn套〕
〔铜厂〕 tóngchǎng 명 구리 제련소.
〔铜衬〕 tóngchèn 명《機》구리로 만든 축받이.
〔铜锤〕 tóngchuí 명 ①옛날 무기로, 동제(銅製)의 '锤②'. ②경극(京劇)인 '花脸(儿)' 중의 역의 하나로 노래 잘 부르는 것에 중점을 둠. ＝〔铜锤花脸〕
〔铜锤子〕 tóngchuízi 명 ①구리 추. ②구리 망치.
〔铜打铁铸〕 tóngdǎ tiězhù 명 구리나 쇠로 만든 것. 튼튼한 것. ¶壮得像～的人; 구리나 쇠로 만든 것같이 튼튼한 사람.
〔铜吊〕 tóngdiào 명〈方〉주전자.
〔铜钉〕 tóngdīng 명 구리못.
〔铜斗儿〕 tóngdǒur 명〈比〉부잣집.
〔铜工〕 tónggōng 명〈方〉구리 세공인. 생철장이. ＝〔白铁工〕
〔铜鼓〕 tónggǔ 명 동고. 꽹과리.
〔铜焊〕 tónghàn 명《工》구리납땜(동합금으로 금속을 땜질함).
〔铜号〕 tónghào 명 구리제의 나팔. ＝〔铜角〕→〔号筒①〕
〔铜荷叶〕 tónghéyè 명 구리 경첩.
〔铜红〕 tónghóng 형 새빨갛다. ＝〔彤红〕
〔铜壶〕 tónghú 명 ①동호(고대의 구리로 만든 물시계). ＝〔铜壶滴漏〕 ②구리 단지〔항아리〕.
〔铜壶滴漏〕 tóng hú dī lòu〈成〉옛날, 시계 구실을 하던 의기(儀器). 물시계.
〔铜活〕 tónghuó 명 ①(건축물·기물의) 구리제의 부속물. ②위의 것을 제작·수리하는 일.
〔铜匠〕 tóngjiang 명 동세공인(銅細工人).
〔铜角〕 tóngjiǎo 명 구리로 만든 나팔. ＝〔铜号〕
〔铜角子〕 tóngjiǎozi 명〈南方〉동전. 구리로 만든 경화(硬貨).
〔铜金粉〕 tóngjīnfěn 명 청동 가루.
〔铜筋铁骨〕 tóng jīn tiě gǔ〈成〉건강한 신체.
〔铜镜〕 tóngjìng 명 동경. 구리 거울.
〔铜壳儿〕 tóngkér 명 총알의 약협(藥莢). 탄피.
〔铜矿〕 tóngkuàng 명《鑛》동광. 구리 광석.
〔铜铃打鼓〕 tónglíng dǎ gǔ 구리 방울로 북을 치다(딴 소리가 난다는 데서 말에 딴 속이 있음을 말함).
〔铜龙〕 tónglóng 명 (분수기 따위의) 구리로 만든 용의 머리 모양의 꼭지.
〔铜绿〕 tónglǜ 명《化》녹청(綠青). ＝〔铜青〕
〔铜罗鱼〕 tóngluóyú 명《魚》수조기.
〔铜锣〕 tóngluó 명《樂》징. ＝〔铜钲〕
〔铜锣槌〕 tóngluóchuí 명《魚》얼룩통구멍.
〔铜帽〕 tóngmào 명 ①안전모. ②(총탄의) 뇌관. ＝〔碰引火〕
〔铜面具〕 tóngmiànjù 명 구리 탈(무구(武具)의 일종).
〔铜模(子)〕 tóngmú(zi) 명《印》①인쇄 활자형(型). ＝〔字模〕 ②인쇄에 사용하는 요판(凹版).
〔铜镍管〕 tóngnièguǎn 명 구리 니켈관(管).
〔铜纽扣〕 tóngniǔkòu 명 놋쇠로 만든 단추. ＝〔铜纽〕
〔铜琶铁板〕 tóng pá tiě bǎn〈成〉문장·사문(詞文)이 웅대하거나 격렬하다.
〔铜牌〕 tóngpái 명 동메달. 구리제의 플레이트.
〔铜盘〕 tóngpán 명 ①구리 쟁반. ②옛날의 촛대.
〔铜盆帽〕 tóngpénmào 명 중산 모자.
〔铜盆鱼〕 tóngpényú 명《魚》〈俗〉참돔.
〔铜气〕 tóngqì 명 돈내. 돈 가진 티.〈比〉돈. ¶他除去有点臭～, 别的无所长; 그는 돈푼께나 갖고 있다는 것 이외에는 취할 점이 없다.
〔铜器〕 tóngqì 명 동기(구리·청동·놋쇠로 만든 제품). ¶～时代; 청동기 시대 / ～铺 ＝〔铜匠铺〕; 동기를 파는 가게.
〔铜钱〕 tóngqián 명 (고대의 화폐와 같은) 청동제의 엽전. ＝〔制zhì钱(儿)〕
〔铜墙铁壁〕 tóng qiáng tiě bì〈成〉아주 견고하여 격파할 수 없는 것. 금성 철벽(金城鐵壁). ＝〔铁壁铜墙〕
〔铜青〕 tóngqīng 명 ⇨〔铜绿〕
〔铜青石〕 tóngqīngshí 명 ⇨〔绀gàn青石〕
〔铜人〕 tóngrén 명 구리 인형(옛날, 종묘(宗廟) 등에 세웠음). 동상. ＝〔铜像 xiàng〕
〔铜纱〕 tóngshā 명 놋쇠 철망.
〔铜勺〕 tóngsháo 명 놋쇠 주걱. 놋쇠 국자.
〔铜身铁骨〕 tóng shēn tiě gǔ〈成〉완강하고 반항적인 사나이. 불사신인 사나이.
〔铜饰件儿〕 tóngshìjiànr 명 책상이나 상자 따위 기구에 붙이는 구리 장식.
〔铜丝〕 tóngsī 명 동선(銅線).
〔铜胎〕 tóngtāi 명 아직 굽지 않은 도자기의 하나(구리로 '坏pī'를 만드는 데서 연유).
〔铜套〕 tóngtào 명 ⇨〔衬chèn套〕
〔铜钿〕 tóngtián 명〈吳〉돈.
〔铜条〕 tóngtiáo 명 구리 막대.
〔铜头铁额〕 tóng tóu tiě é〈成〉용감하여 죽음을 두려워하지 않고 싸우는 사람. 용맹 과감한 용자를 말함.
〔铜图〕 tóngtú 명 동판화(銅板畵).
〔铜驼荆棘〕 tóng tuó jīng jí〈成〉나라가 망하여 황폐한 모양.
〔铜线〕 tóngxiàn 명 구리 철사.
〔铜线纱〕 tóngxiànshā 명 구리 철망.
〔铜像〕 tóngxiàng 명 동상.
〔铜腥气〕 tóngxīngqì 명 ⇨〔铜臭〕
〔铜臭〕 tóngxiù 명 동취. 돈 냄새.〈轉〉돈의 욕심이 강한 것〔사람〕을 풍자하여 말함. ¶有～气; 역겹게 코를 찌르는 금전욕 / 满身～; 배금주의(拜金主義)가 몸에 배어 있어 구역질 난다. ＝〔铜

腥气〕
〔铜旋子〕 tóngxuànzi 명 구리로 만든 대야 모양의 것《술을 데우는 데 쓰는 기구》.
〔铜鱼〕 tóngyú 명 〘魚〙 수조기《민어과의 물고기》.
〔铜元〕 tóngyuán 명 〘貨〙 동화《청대(清代) 말년부터 항일 전쟁 전까지 통용된 보조 화폐》. =〔铜圆〕
〔铜柱〕 tóngzhù 명 옛날, 구리 기둥《국경의 표지》.
〔铜子儿〕 tóngzǐr 명 〘貨〙〈口〉 중국의 이전의 동화(銅貨).

酮 tóng (동)
명 〘化〙 케톤(ketone)《유기 화합물의 일종》. ¶ ~酸suān; 케토산(酸)(keto acid) / 丙~; 아세톤.

鲖(鮦) tóng (동)
①지명용 자(字). ¶ ~城; 퉁성(鮦城)《안후이 성(安徽省)에 있는 땅 이름》. ② 명 〘魚〙 가물치.

佟 Tóng (퉁)
명 성(姓)의 하나.

峂 tóng (동)
지명용 자(字). ¶ ~峪Tóngyù; 퉁위(峂峪)《베이징(北京) 시에 있는 땅 이름》.

彤 tóng (동)
① 명 적색(赤色). ② 형 붉다. ¶ ~红hóng; 심홍색 / ~红的脸上冒着热气; 벌건 얼굴에 김이 오르고 있다. ③ 명 성(姓)의 하나.
〔彤彩〕 tóngcǎi 명 짙은 붉은색. 농(濃)적색.
〔彤弓〕 tónggōng 명 붉은 활《옛날에 제왕이 공신에게 주었음》.
〔彤管〕 tóngguǎn 명 붉은 대의 붓《옛날, 궁중의 후비(后妃)의 일을 기록하는 데 썼음》. ¶ ~扬芬; 부덕(婦德)을 기리는 일.
〔彤心〕 tóngxīn 명 〈文〉 참된 마음. 충심(忠心).
〔彤云〕 tóngyún 명 ①햇빛을 받아 붉게 뵈는 구름. ②(눈 오기 전의) 음울하게 거무스름한 구름. ¶ ~密布; 먹구름이 드리우고 있다.

童 tóng (동)
① 명 아이. 어린이. ¶ 儿~; 아동 / 牧~; 목동. ② 명 미혼자(를 나타냄). ¶ ~女; ⇓ ③ 명 옛날, 미성년의 하인. 시동. ¶ 书 ~儿; 독서인의 시동(侍童). ④ 동 머리가 벗어지다. 산에 나무가 없다. ¶ 头~齿豁huò; 머리가 벗어지고 이가 빠지다《노쇠의 형용》 / ~山; 민둥산. ⑤ 명 성(姓)의 하나.
〔童便〕 tóngbiàn 명 〘漢醫〙 12세 이하인 사내아이의 소변《내과에서는 토혈(吐血) 치료에, 외과에서는 진통제로서 효험이 있음》.
〔童车〕 tóngchē 명 ⇨〔婴yīng儿车〕
〔童蛋子儿〕 tóngdànzǐr 명 동정(童貞)(을 지키고 있는 사람). 숫총각.
〔童工〕 tónggōng 명 미성년 근로자.
〔童话〕 tónghuà 명 동화.
〔童昏〕 tónghūn 형 〈文〉 ①어려서 아무것도 모르다. =〔僮昏〕 ②무지하여 사리를 모르다. ‖ =〔童昧〕
〔童剧〕 tóngjù 명 아동극.
〔童伶〕 tónglíng 명 〈文〉 아역(兒役). 어린이 역. →〔戏xì子〕
〔童昧〕 tóngmèi 형 ⇨〔童昏〕
〔童蒙〕 tóngméng 명 〈文〉 ①무지한 초학자. ②아이.
〔童男〕 tóngnán 명 ①〈文〉 사내아이. ②⇨〔童男(子)〕
〔童男女(儿)〕 tóngnánnǚ(r) 명 동남동녀. 처녀 총각.
〔童男童女〕 tóngnán tóngnǚ 명 ①소년 소녀. ②동복(童僕). ③장례식 의장용(儀仗用)의 소년 소녀의 종이 인형. 또는 신상(神像)의 양 옆에 시립(侍立)하는 동남동녀의 상(像). =〔仙童仙女〕
〔童男(子)〕 tóngnán(zǐ) 명 동정의 남자. =〔童男②〕
〔童年〕 tóngnián 명 유년. 유년기. 유년 시절.
〔童牛〕 tóngniú 명 〈文〉 뿔이 나지 않은 송아지. ¶ ~角马; 〈成〉 사실 · 진상에서 완전히 떨어져 있음.
〔童女〕 tóngnǚ 명 ①계집아이. ②처녀.
〔童仆〕 tóngpú 명 〈文〉 ①남자 하인의 총칭. 종자(從者). ②심부름하는 어린아이와 남자종. ‖ =〔僮仆〕
〔童儿〕 tóngr 명 ①동자(童子). ②시동(侍童). 동복(童僕). ¶ 琴~; 거문고 심부름 하는 어린 종 / 顶香的奶奶带着~就来了; 무녀는 시중드는 아이를 데리고 왔다. ③대단히 총명하였으나 일찍 죽은 자식. ¶ 怪不得这孩子那么可爱呢, 原来是个~, 被天老爷给召回去了; 어쩐지 이 아이는 이렇게 사랑스럽다고 생각했는데, 과연 '童儿'이었던 거야. 하느님이 데려가 버렸어. →〔童乌〕 ④동정(童貞) ‖ =〔僮儿〕
〔童山〕 tóngshān 명 ①민둥산. ¶ ~秃岭; 민둥산 / ~濯濯; 산에 나무가 없는 모양. ②〈比〉 대머리.
〔童身〕 tóngshēn 명 동정의 몸.
〔童生〕 tóngshēng 명 명 · 청대(明清代) 과거 제도로, 현(縣)의 시험에 합격했으나 아직 수재(秀才) 시험을 보지 않음. 또는 불합격자. =〔文童③〕
〔童声〕 tóngshēng 명 (변성기 이전의) 어린이 목소리. ¶ ~合唱; 아동 합창.
〔童叟无欺〕 tóng sǒu wú qī 〈成〉 노인이나 아이나 똑같이 응대하여 결코 속이는 일이 없음《전에 가게의 기둥이나 간판에 써 붙인 말》.
〔童乌〕 tóngwū 명 매우 총명해서 일찍 죽은 어린이.
〔童心〕 tóngxīn 명 동심. 천진한 마음. ¶ ~未泯; 동심이 아직 가시지 않았다.
〔童星〕 tóngxīng 명 옛날, 아역(兒役) 스타.
〔童言无忌〕 tóng yán wú jì 〈成〉 아이는 아무 소리라도 함《아이가 불길한 소리를 하여도 개의할 것 없다는 말》.
〔童颜〕 tóngyán 명 동안. 노인의 용모가 어린이처럼 젊은 일. ¶ ~鹤发fà =〔鹤发~〕; 〈成〉 백발홍안.
〔童养媳〕 tóngyǎngxí 명 민며느리《어릴 때부터 데려다 길러 자란 후 며느리로 삼는 여자》. =〔童养媳妇(儿)〕〔等郎媳〕
〔童谣〕 tóngyáo 명 동요.
〔童贞〕 tóngzhēn 명 ①동정. ¶ ~姑娘 =〔~女〕; 처녀. ②(처녀나 총각의) 정조. ¶ 保持~; 동정을 지키다.
〔童装〕 tóngzhuāng 명 아동복.
〔童子〕 tóngzǐ 명 〈文〉 동자. 사내아이.
〔童子半票〕 tóngzǐ bànpiào 명 어린이 반액 표.
〔童子军〕 tóngzǐjūn 명 보이스카우트. 소년단. ¶ 女~; 걸스카우트 / 万国~大会 =〔〈音〉 强qiáng普利〕; 잼버리(jamboree).
〔童子痨〕 tóngzǐláo 명 〘漢醫〙 소아 결핵.

僮 tóng (동)
명 ①(~儿) 잔심부름하는 아이. 사동. ②〈文〉 어린이. 아이. ③성(姓)의 하나. ⇒

Zhuàng

〔僮昏〕 tónghūn 형 〈文〉 ⇨〔童昏①〕

〔僮仆〕 tóngpú 명 〈文〉 ⇨〔童仆〕

〔僮儿〕 tóngr 명 ⇨〔童儿〕

〔僮然〕 tóngrán 형 〈文〉 무지(無知)한 모양.

〔僮使〕 tóngshǐ 명 〈文〉 하인.

〔僮僮〕 tóngtóng 형 〈文〉 ①황공무지해하는 모양. ②두려워 우물쭈물하는 모양.

〔僮御〕 tóngyù 명 〈文〉 심부름하는 어린 사내아이.

橦

tóng (동)

명 《植》 〈文〉 목면(木棉)나무. =〔木mù棉〕

潼

Tóng (동)

① 명 《地》 통수이 강(潼水)《쓰촨 성(四川省)에 있는 강 이름》. ②(tóng) 지명용 자(字). ¶～关; 퉁관(潼關)《산시 성(陝西省)에 있는 땅 이름》.

曈

tóng (동)

→〔曈昽〕〔曈曈〕

〔曈昽〕 tónglóng 형 〈文〉 점점 밝아지다《새벽녘, 먼동틀 무렵》.

〔曈曈〕 tóngtóng 형 〈文〉 ①해돋이의 태양 빛이 빛나는 모양. ②눈이 번득이는 모양.

朣

tóng (동)

→〔朣朦〕

〔朣朦〕 tóngméng 형 〈文〉 흐릿하여 분명치 않은 모양.

瞳

tóng (동)

명 《生》 눈동자. ¶～孔; ⇩

〔瞳孔〕 tóngkǒng 명 《生》 동공. 눈동자.

〔瞳人(儿)〕 tóngrén(r) 명 《生》 눈동자. 동공. ¶～反背; 눈뜬 소경. 청맹과니. =〔瞳仁(儿)〕

〔瞳神散光〕 tóngshén sànguāng 눈이 퀭하다. 눈이 흐리터분하다.

侗

tǒng (통)

→〔优lǒng侗〕 ⇒Dòng tóng

筒〈筩〉

tǒng (통)

명 ①통. 파이프. ¶竹～; 죽통/烟～; 굴뚝/信～; 우체통/汽～; 기관. ②통 모양으로 된 부분. ¶靴～儿; 신울/袜～儿; 양말의 목/袖～儿; 소매통/长～袜子; 긴 양말. =〔统⑩〕

〔筒车〕 tǒngchē 명 물방아. 관개용 수차.

〔筒带〕 tǒngdài 명 《機》 고정〔죄는〕 밴드. ¶橡皮～; 고무로 된 고정〔죄는〕 밴드.

〔筒管〕 tǒngguǎn 명 《紡》 (방직에서 통 모양의) 실감개. 보빈(bobbin).

〔筒桂〕 tǒngguì 명 《植》 계수나무.

〔筒夹〕 tǒngjiā 명 《機》 콜릿(collet)《둥근 막대를 꽉 무는 데 씀》.

〔筒裤〕 tǒngkù 명 일자(一字) 바지.

〔筒裙〕 tǒngqún 명 타이트 스커트(tight skirt).

〔筒(儿)瓦〕 tǒng(r)wǎ 명 수키와.

〔筒塞机〕 tǒngsāijī 명 트렁크〔피스톤〕 기관.

〔筒瓦〕 tǒngwǎ 명 통기와. 둥근 기와.

〔筒摇间〕 tǒngyáojiān 명 (방적 공장의) 완성부.

〔筒状花〕 tǒngzhuànghuā 명 《植》 통상화. 관상화.

〔筒子〕 tǒngzi 명 통《대롱》.

统(統)

tǒng (통)

① 명 〈文〉 실마리. 단서. ② 명 계통. ¶系～; 계통/传～; 전통/道～; 도통/血～; 혈통. ③ 명 구두 또는 양말 따위의 목 부분. ④ 명 옷의 안에 대는 옷 모양을 한 모피. →〔皮统子〕 ⑤ '统税'의 약어. ⑥ 양 기《비석을 세는 데 쓰임》. ¶一～碑 =〔一座碑〕; 비석 한 기. ⑦ 동 통치하다. 통할하다. ¶～帅; ⇩ ⑧ 동 종합하다. 합계하다. ¶～共; ⇩/～起来算一算; 합계해 보다. ⑨ 부 〈文〉 간절히. 절실히. ¶～希; 절실히 원하다. ⑩ 명 ⇨〔筒②〕 ⑪ 동 뇌물을 보내다. ¶他～给某一个官儿不少的钱; 그는 모 관리에게 적잖은 뇌물을 보내었다.

〔统办〕 tǒngbàn 동 독점 취급하다.

〔统兵〕 tǒngbīng 동 군대를 통솔하다.

〔统舱〕 tǒngcāng 명 ①기선의 5등 선실《화물실 겸용》. ②옛날, 기선의 3등 선실.

〔统称〕 tǒngchēng 동 총칭하다. 통칭하여 부르다. 명 총칭. ¶陶瓷是陶器和瓷器的～; 도자는 도기와 자기의 통칭이다.

〔统筹〕 tǒngchóu 동 전면적으로 계획·고려하다. ¶～兼顾; 통일적으로 계획하고 고려하다/～办理; 통일적으로 처리하다.

〔统都〕 tǒngdōu 부 모두. 전부.

〔统共〕 tǒnggòng 부 모두. 통틀어. ¶我们小组～才七个人; 우리 그룹은 모두 해서 겨우 일곱 사람이다. =〔共总zǒng〕

〔统购〕 tǒnggòu 동 국가가 중요한 생활 물자를 일괄적으로 매입하다. 명 일괄 매입. →〔统销〕

〔统购合同〕 tǒnggòu hétong 명 통제 구입 계약《식량·목화·식용유 등은 미리 표준 가격을 산정하여 계약을 맺음》.

〔统购统销〕 tǒnggòu tǒngxiāo 명 통제 구입·판매.

〔统计〕 tǒngjì 명동 ①통계(하다). ¶～表; 통계표/～学; 통계학/～员; 통계원. ②합계(하다).

〔统监〕 tǒngjiān 동 전체를 통제하고 감시하다. 명 보호국 또는 속지(屬地)에 주재하는 장관.

〔统考〕 tǒngkǎo 명 〈簡〉 '统一考试(전국 통일 대학 입학 시험)'의 약칭.

〔统括〕 tǒngkuò 동 통괄하다. 총괄하다.

〔统领〕 tǒnglǐng 동 통솔하다. ¶那里的部队归你～了; 그 곳의 부대는 당신의 통솔하에 들어갔다. 명 청말(清末)의 무관 이름《현재의 여단장에 상당함》.

〔统名〕 tǒngmíng 명 총칭(總稱).

〔统盘〕 tǒngpán 명 전체. 총계. ¶～计算; 계산하다/～计划; 전반적인 계획.

〔统配物资〕 tǒngpèi wùzī 명 ⇨〔一yī类物资〕

〔统摄〕 tǒngshè 명동 〈文〉 통할(하다). ¶～大权quán; 대권을 통할하다.

〔统手〕 tǒngshǒu 동 ①양손을 앞에 모아 품속에 넣다. ¶冻得～; 추워서 손을 품속에 넣다. ②관계가 있다. 연락이 있다. ¶他跟某一个官有～关系; 그는 어떤 관리와 연락이 있다.

〔统属〕 tǒngshǔ 명 관할과 예속.

〔统帅〕 tǒngshuài 동 통수하다. 통솔(統率)하다. 총괄하다. 지배하다. ¶坚持用利润～生产; 어디까지나 이윤으로 생산을 끌고 가다. 명 통수자. 원수. ¶三军～; 삼군의 통솔자.

〔统率〕 tǒngshuài 동 통솔하다. ¶～部; 최고 사령부. 최고 통수 기관/～三军; 삼군을 통솔하다. =〔统帅〕

〔统税〕 tǒngshuì 명 구(舊)제도에서의 통행세.

〔统算〕 tǒngsuàn 동 총계하다. 합계하다.
〔统体〕 tǒngtǐ 명 전체.
〔统厅〕 tǒngtīng 명 홀(hall). ¶在~接见代表团; 홀에서 대표단을 접견하다.
〔统统〕 tǒngtǒng 부 모두. 전부. ¶知道的~说出来! 아는 것은 모두 말하시오! =〔统通〕〔统同〕〔通tōng通〕
〔统系〕 tǒngxì 명 계통.
〔统辖〕 tǒngxiá 동 통할하다. 통일하여 관할하다.
〔统销〕 tǒngxiāo 명동 일괄 판매(하다). ¶~统购; 일괄 판매와 일괄 구입.
〔统绪〕 tǒngxù 명 단서. 실마리.
〔统一〕 tǒngyī 명동 통일(하다). ¶大家的意见逐渐~了; 여러 사람의 의견은 점차 통일 되었다. 형 통일된. 일치한. 전국적(全局的)인. 단일의. ¶~的意见; 일치된 의견/~调配; 통일적으로 배치하다/~领导; 통일된 지도. 지도의 일원화.
〔统一书号〕 tǒng yī shūhao 명 통일 서적 코드(code).
〔统一体〕 tǒngyītǐ 명《哲》통일체.
〔统一战线〕 tǒngyī zhànxiàn 명 통일 전선. 공동 전선. ¶抗日(民族)~; 항일 (민족) 통일 전선.
〔统战〕 tǒngzhàn 명〈簡〉통일 전선('统一战线'의 약칭). ¶~政策; 통일 전선 정책/~工作; 통일 전선활동.
〔统制〕 tǒngzhì 명동 통제(하다). ¶~经济; 통제 경제/~军用物资; 군용 물자를 통제하다.
〔统治〕 tǒngzhì 명동 통치(하다). 지배(하다). ¶~权; 통치권/~阶级; 지배 계급/~集团; 통치 집단.

捅〈㨜〉

tǒng (통)
동 ①찔러 꿰뚫다. 푹 찌르다. 뚫다. ¶~窟窿; ⓐ구멍을 뚫다. ⓑ돈을 꾸다. 빚을 지다/把窗户纸~了个大窟窿; 창호지를 찔러 큰 구멍을 냈다. ②치다. 건드리다. ¶用手~了他一下; 손으로 그를 한 번 쿡 쳤다. ③일으키다. ¶~乱子; 소동을 일으키다. ④들추어 내다. 폭로하다. ¶把问题全~出来了; 문제를 완전히 들추어 내었다.
〔捅嗤〕 tǒngchi 동 쿡쿡 찌르다.
〔捅穿〕 tǒngchuān 동 ①쑤셔서 통하게 하다. ②들추어 내다. 폭로하다. ¶~了一些问题; 몇 가지 문제를 들추어내었다.
〔捅道〕 tǒngdào 동 산림 등을 개간하여 길을 만들다.
〔捅鼓〕 tǒnggǔ 동〈方〉①가지고 놀다. 만지작거리다. ②화나게 하다. ③보고〔밀고〕하다. ¶不值当的一点儿小事, 他也向领导~; 아무 일도 아닌데, 그는 상급자에게 고자질한다.
〔捅咕〕 tǒnggu 동 ①부딪치다. 건드리다. 찌르다. ¶伤口还没有愈合, 不要用手~; 상처가 아물지 않았으니까 만져선 안된다. ②부추기다. 선동하다. 꼬드기다. ¶他总是~别人提意见, 自己却不出面; 그는 언제나 다른 사람을 부추겨서 의견을 제시하게 해놓으면서 자신은 표면에 나서지 않는다.
〔捅饥荒〕 tǒng jīhuang〈方〉생활이 어려워 빚을 지다. ¶他过日子一点计划也没有, 经常~; 그는 생활에 계획성이 도무지 없어, 언제나 빚을 지고 있다.
〔捅开〕 tǒngkāi 동 (막대 따위로) 뚫다. ¶~阴沟; 막대로 쑤셔서 수채를 뚫다.
〔捅窟窿〕 tǒng kūlong ①찔러 깨뜨리다. 찔러서 구멍을 내다. ¶用手指头在窗户纸上~; 손가락으로 창호지를 찔러 구멍을 내다. ②〈俗〉빚을 지다. ¶失业已久, 到处~; 실직한 지 오래 되어, 도처에 빚을 지고 있다.
〔捅娄子〕 tǒng lóuzi 소동을 일으키다. 문제를〔말썽을〕일으키다. ¶不怕~就怕缩脖子; 소동을 일으키는 것은 상관없지만, 목을 졸라 기를 못펴게 하면 곤란하다. =〔捅祸〕〔捅漏子〕〔捅乱子〕〔通娄子〕
〔捅漏子〕 tǒng lòuzi 실수하여 문제를 야기시키다. 실수를 저지르다. ¶这个东西不能乱丢, 混在一起要捅大漏子! 이것은 함부로 버려서는 안 된다. 뒤섞이면 큰 사고가 일어나게 되니까!/已经有人捅过这个漏子; 이미 이 실수를 저지른 자가 있다.
〔捅马蜂窝〕 tǒng mǎfēngwō 벌집을 쑤시다(손도 댈 수 없는 것에 감히 도전하다. 화를 불러일으키다).
〔捅破〕 tǒngpò 동 찔러 깨뜨리다〔뚫다〕.
〔捅钱〕 tǒng,qián 동 (뇌물로) 매수하다.
〔捅球〕 tǒng,qiú 동 당구를 치다. (tǒngqiú) 명 당구.
〔捅儿怂儿的〕 tǒngrsǒngrde〈北方〉①손가락으로 남을 쿡쿡 찔러 장난을 하다. ¶老老实实的坐着不好? 别~! 얌전히 앉아 있지 못하니? 남을 쿡쿡 찌르지 말고! ②손가락으로 남을 쿡쿡 찔러서 부추기다. ¶你不会自己说去吗? 干吗~; 너는 네가 직접 말하지 않고, 왜 남을 부추기느냐.

桶

tǒng (통)
① 명 통. ¶木~; 나무통/铅~; 양동이/太平~; 방화 용수통/冰~; 냉장고·얼음 상자/煤油~; 석유통. ② 명 옛날에는 네모진 나무 그릇. ③ 양 배럴(barrel). ¶一~石油; 석유 1배럴.
〔桶车〕 tǒngchē 명 탱크차(액체로 된 것을 나르는 '货车').
〔桶柑〕 tǒnggān 명《植》귤의 일종.
〔桶匠〕 tǒngjiàng 명 통메장이. 통장수. =〔圆yuán作〕
〔桶络〕 tǒngluò 명 통의 테.
〔桶塞(儿)〕 tǒngsāi(r) 명 통의 마개.
〔桶装〕 tǒngzhuāng 명형 통조림(의). 드럼통들이(의).
〔桶子〕 tǒngzi 명 ①통. ②중국 옷 안에 대어 입게 만든 털가죽. =〔皮pí桶子〕

同

tòng (동)
→〔胡hú同〕 ⇒ tóng

衕

tòng (동)
→〔衚hú衕〕

恸(慟)

tòng (통)
동〈文〉몹시 슬퍼하다. 통곡하다. ¶~得肠子都要断了; 비탄에 젖어서 창자가 찢어지는 것 같다.
〔恸哭〕 tòngkū 동 통곡하다. 몹시 울고 슬퍼하다.
〔恸切〕 tòngqiè 동 매우 슬퍼하다.
〔恸心〕 tòngxīn 동 한탄하다. 슬퍼하다. ¶他听了这些话之后真是~极了; 그는 이 이야기를 듣고 몹시 한탄했다.

通

tòng (통)
(~儿) ①양 번. 회. 차례(북을 치는 횟수). ¶打了三~鼓; 세 번 계속하여 북을 울렸다. ②양 말이나 문장의 한 구분〔일단락〕. 한 차례. ¶说了一~; 한 차례 지껄였다/讽刺了它一~; 그를 한 차례 희롱했다. ③→〔通红〕 ⇒ tōng

〔通红〕 tònghóng 〈京〉 '通红tōnghóng'의 우음(又音).

痛 **tòng** (통)
①형 아프다. ¶头～; 두통이 나다/伤口很～; 상처가 매우 아프다. ②동 슬퍼하여 개탄하다. ¶悲～; 비통하다/抚棺大～; 관을 어루만지며 크게 슬퍼하다. ③동〈文〉원망하다. 미워하다. ④부 심히. 철저히. 심각하게. 실컷. ¶～饮; ⇓/～下决心; 굳게 결심하다.

〔痛爱〕 tòng'ài 동〈文〉귀여워하다. →〔疼téng爱〕
〔痛不欲生〕 tòng bù yù shēng 〈成〉 비통함이 극에 달하여 죽으려 하다. 죽도록 슬픈 생각을 하다.
〔痛斥〕 tòngchì 동 심하게 책망하다. 심하게 비난하다. 명 통렬한 비난. 심한 질책.
〔痛楚〕 tòngchǔ 명 고통. 아픔.
〔痛处〕 tòngchù 명 아픈 곳. 결점. 약점. 마음 속의 고뇌. ¶触到了他的～; 그의 아픈 곳을 건드렸다/刺到了～; 아픈 곳을 찔렀다(비유적으로).
〔痛打〕 tòngdǎ 동 통타하다. 심하게 때리다. =〔臭chòu打〕
〔痛倒〕 tòngdǎo 동 통곡하여 쓰러지다. 쓰러져 울다.
〔痛诋〕 tòngdǐ 동〈文〉(남의 단점·약점을) 통렬히 비판하다. 가차없이 힐문하다.
〔痛点〕 tòngdiǎn 명《生》통점.
〔痛定思痛〕 tòng dìng sī tòng 〈成〉 비통한 마음이 가라앉고 나서 당시의 고통을 추상하여 그 이유를 생각하다. 참혹한 실패 뒤에 그 실패를 반성하다.
〔痛风〕 tòngfēng 명《醫》①류머티즘. ②요산성(尿酸性) 관절염.
〔痛改〕 tònggǎi 동 철저히 고치다. ¶～前非; 철저히 과거의 잘못을 뉘우쳐 고치다.
〔痛感〕 tònggǎn 동 통감하다. ¶～责任; 책임을 통감하다.
〔痛恨〕 tònghèn 동 몹시 미워하다. 마음으로부터 원망하다.
〔痛悔〕 tònghuǐ 동 깊이 뉘우치다.
〔痛击〕 tòngjī 동 통렬히 쳐부수다. ¶迎头～; 정면으로 통격을 가하다. 명 통격. 호된 공격.
〔痛剿〕 tòngjiǎo 동 철저히 토벌하다.
〔痛经〕 tòngjīng 명《醫》생리통. =〔经痛〕
〔痛觉〕 tòngjué 명《生》통각.
〔痛哭〕 tòngkū 동 통곡하다. 몹시 울다. ¶～流涕; 눈물을 흘리며 대성통곡하다/～失声; 소리가 나지 않을 정도로 울다.
〔痛苦〕 tòngkǔ 명형 고통(스럽다). ¶担着重担子过日子, 真是～; 무거운 부담을 지고 사는 것은 참으로 고통이다/～万状; 괴로움이 말할 수가 없다/～的经验; 고통스런 경험. =〔苦痛〕
〔痛快〕 tòngkuai 형 ① 유쾌하다. 통쾌하다. 즐겁다. 기분 좋다. ¶看见一家人团聚在一起, 心里真～; 일가의 단란한 모습을 보니, 정말 기쁘다/～淋漓; 통쾌하기 짝이 없다/今天放假, 咱们痛痛快快地玩一天吧! 오늘은 쉬는 날이니, 유쾌히 하루 놀아 보세! ②(성격이) 시원시원하다. 솔직하다. ¶他很～, 说到哪儿做到哪儿; 그는 아주 시원시원해서 한다고 하면 척 해낸다/队长～地答应了我们要求; 대장은 시원스럽게 우리의 요구를 응해 주었다. ③ 물의 흐름이 시원스런 모양. ¶水流得不～了; 물의 흐름이 막히다. ④재치 있다. 동 ①마음껏 즐기다〔놀다〕. ¶彼此谈一谈～～; 서로 이야기하면서 실컷 즐기다. ②서두르다. ¶～点儿吧; 좀 서두릅시다.
〔痛快话〕 tòngkuàihuà 명 통쾌한 말. 시원한 말. ¶你到底是肯办不肯办, 说一句～; 너는 결국 하겠다는 것인지 안 하겠다는 것인지 딱 부러지게 말해라/问他一句～来; 그에게서 확실한 얘기를 듣고 오너라.
〔痛骂〕 tòngmà 동 심하게 매도하다. 거친 말로 욕지거리하다.
〔痛切〕 tòngqiè 명 통절.
〔痛入骨髓〕 tòng rù gǔ suǐ 〈成〉 뼛골까지 아픔(모진 아픔의 형용).
〔痛说〕 tòngshuō 동 침통한 모습으로 말하다.
〔痛痛〕 tòngtòng 부 호되게. ¶～批评他一顿; 호되게 그를 비평하다.
〔痛痛快快〕 tòngtong kuàikuài 형 통쾌한 모양. 시원스런 모양.
〔痛恶〕 tòngwù 동 몹시 미워하다.
〔痛惜〕 tòngxī 동 몹시 애석해하다. 형 몹시 애석하다.
〔痛下决心〕 tòngxià juéxīn 단호히 결단을 내리다. 분명한 결심을 하다.
〔痛心〕 tòngxīn 동 마음이 괴롭고 아프다.
〔痛心疾首〕 tòng xīn jí shǒu 〈成〉 (과실(過失) 따위를) 극도로 증오하고 한스러워함.
〔痛痒〕 tòngyǎng 명 ①아픔과 가려움. 고통. ¶关心群众的～; 대중의 고통에 관심을 갖다. ②〈比〉중요한 일. 긴요한 일. ¶不关～; 아무것도 아니다. 이렇다 할 것 없다. 동 좋아하지 않다. 싫어하다. ¶群众～官僚主义; 대중은 관료주의를 싫어한다.
〔痛痒相关〕 tòng yǎng xiāng guān 〈成〉 무엇인가 서로 영향이 있다. 긴밀한 사이〔관계〕.
〔痛饮〕 tòngyǐn 동 통음하다. 통쾌하게 술을 마시다. 마음껏 술을 마시다.
〔痛饮黄龙〕 tòng yǐn huáng lóng 〈成〉 승리의 술을 마음껏 마시다.
〔痛怨〕 tòngyuàn 동 몹시 원망하다.
〔痛责〕 tòngzé 동 몹시 나무라다. 가차없이 비난하다.
〔痛胀〕 tòngzhàng 동 아픔으로 부어오르다.

TOU ㄊㄡ

偷〈婾〉⑥⑦ **tōu** (투)
① 동 몰래 훔치다. ¶～东西; 물건을 훔치다. ② 부 남몰래. 슬그머니. 살짝. ¶～着溜出来; 슬쩍 꽁무니 빼다/～眼儿看人; 곁눈질로 사람을 보다/～越国境; 몰래 국경을 넘다. ③ 동 틈을〔시간을〕 내다. ¶～工夫; 시간을 마련하다. ④ 명 좀도둑. ¶小～(儿); 좀도둑. ⑤ 동 사통하다. 간음하다. ¶～人儿; 서방질하다. =〔偷情〕 ⑥ 동 눈앞의 일시적 안락이나 생활에 안주하다. ¶～安; ⇓/～生; ⇓ ⑦ 형 천박하다.

〔偷安〕 tōu'ān 동〈文〉한때의 안락을 탐하다. 눈앞의 안일만을 생각하다.
〔偷案〕 tōu'àn 명〈文〉절도 사건.
〔偷薄〕 tōubó 형 경박하다.
〔偷拆〕 tōuchāi 동 몰래 편지를 개봉하다.
〔偷吃〕 tōuchī 동 훔쳐 먹다.
〔偷吃摸喝〕 tōu chī mō hē 〈成〉 몰래 못된 짓을

하고 지내다.
〔偷盗〕 tōudào 동 도둑질을 하다. ¶～财物; 금품을 훔치다.
〔偷盗险〕 tōudàoxiǎn 명 《經》 도난 보험.
〔偷东摸西〕 tōu dōng mō xī 〈成〉 ①몰래 물건을 훔치다. ②몰래 나쁜 짓을 하다.
〔偷渡〕 tōudù 동 적이 눈치 못 채게 몰래 강을 건너다. 명동 밀입국(하다). ¶～客; 밀입국자.
〔偷惰〕 tōuduò 동 〈文〉 안일을 탐닉하다.
〔偷富济贫〕 tōu fù jì pín 〈成〉 부자에게서 훔쳐 내어 빈민에게 베풀다.
〔偷干〕 tōugàn 동 은밀히 하다. 비밀리에 하다.
〔偷工减料〕 tōu gōng jiǎn liào 〈成〉 공전과 재료를 속이다. 일을 날리다.
〔偷光〕 tōuguāng 동 한 가지도 남기지 않고 훔치다. 도둑맞아 깨끗이 없어지다. ¶货物叫他～了; 물품을 그에게 몽땅 도둑맞았다.
〔偷寒送暖〕 tōu hán sòng nuǎn 〈成〉 (남녀가) 마음을 가까이함. 서로 위로함. =〔送暖偷寒〕
〔偷汉子〕 tōu hànzi 샛서방을 만들다.
〔偷合取容〕 tōu hé qǔ róng 〈成〉 남에게 영합하여 지위를 얻다.
〔偷欢〕 tōuhuān 동 〈文〉 남녀가 밀통하다.
〔偷换〕 tōuhuàn 동 바꿔치다. 몰래 바꾸다. ¶～命题; 명제를 바꿔치다.
〔偷活〕 tōuhuó 동 ⇨〔偷生〕
〔偷鸡不着蚀把米〕 tōu jī bù zháo shí bǎ mǐ 〈諺〉 닭은 못 잡고 한 줌의 쌀만 손해 보다《본전도 못 찾다》. =〔偷鸡盗狗〕
〔偷鸡摸狗〕 tōu jī mō gǒu 〈成〉 그늘에서 신통치도 않은 일을 하다. 몰래 나쁜 짓을 하다.
〔偷睛〕 tōujīng 동 ⇨〔偷眼〕
〔偷看〕 tōukàn 동 훔쳐 보다. 살피다. ¶～邻家的情况; 이웃의 정황을 살피다.
〔偷空(儿)〕 tōu kòng(r) 짬을 내다. 틈을 타다〔내다〕. 시간을 변통하다.
〔偷空(儿)摸空(儿)〕 tōukòng(r) mōkòng(r) 될 수 있는 대로 시간을 내다. 될 수 있는 대로 시간을 변통하다. ¶他真是好hào学，无论怎么忙也要～地看点书; 그는 정말 학문이 좋아서 아무리 바빠도 어떻게든 시간을 내어 공부한다.
〔偷扣〕 tōukòu 동 몰래 뭉개어 버리다. 깔아 뭉개다. ¶～情报; 정보를 몰래 깔아뭉개다.
〔偷来的锣鼓〕 tōulaide luógǔ 〈歇〉 훔쳐 온 징과 북《다음에 '打不得'(칠 수 없다)라는 말이 와서 소송을 할 수 없다는 뜻》. ¶这场官司是～，打不得; 이 소송은 할 수 없다.
〔偷懒(儿)〕 tōu‧lǎn(r) 동 게으름피우다. 태만히 하다. ¶从不～; 이제까지 게으름 피워 본 일이 없다. =〔偷闲②〕
〔偷垒〕 tōulěi 명 《體》 도루(盜壘). 스틸. ¶双～; 더블 스틸. 중도(重盜). (tōu‧lěi) 동 도루하다. ¶偷本垒; 홈 스틸을 하다.
〔偷梁换柱〕 tōu liáng huàn zhù 〈成〉 속이어 몰래 일의 내용이나 성질을 바꿔치다. 알맹이를 바꿔치다.
〔偷猎〕 tōuliè 동 밀렵하다.
〔偷猎者〕 tōulièzhě 명 밀렵꾼.
〔偷龙换凤〕 tōu lóng huàn fèng 〈成〉 슬쩍 바꿔치기하여 훔치다. =〔偷龙转凤fèng〕
〔偷漏〕 tōulòu 동 ①탈세하다. ②몰래 누설하다. ¶～消息; 사정을 살짝 누설하다.
〔偷娘儿们〕 tōu niángrmen 여자와 밀통하다.
〔偷拍〕 tōupāi 동 몰래 촬영하다.
〔偷跑〕 tōupǎo 동 ①《體》 (경주의 스타트에서) 플라잉하다. ¶怕再～了，被取消比赛资格; 다시 플라잉하면, 경기 자격을 취소당할지도 모른다. ②몰래 도주하다. 야반 도주하다. 명 《體》 플라잉.
〔偷巧〕 tōu‧qiǎo 동 〈方〉 ⇨〔取qǔ巧〕
〔偷窃〕 tōuqiè 동 〈文〉 훔치다.
〔偷青〕 tōuqīng 동 농작물을 훔치다.
〔偷情〕 tōuqíng 동 남녀가 사통하다. 밀통하다. ¶少年少女的危险～行为; 소년 소녀의 위험한 불순 이성 교제 행위.
〔偷儿〕 tōur 명 도적. 도둑놈.
〔偷人〕 tōu‧rén 동 샛서방을 두다. 불의를 하다. 서방질하다. ¶我要是去偷人，你才戴绿帽子《老舍 四世同堂》; 내가 샛서방이라도 두었다면, 당신은 그야말로 얼간이의 표본이지. =〔偷汉子〕
〔偷生〕 tōushēng 동 구차하게 살다. 아무것도 하지 않고 살아가다. =〔偷活〕
〔偷生怕死〕 tōu shēng pà sǐ 〈成〉 생을 탐하고 죽음을 두려워하다.
〔偷师〕 tōushī 동 비전(秘傳)을 훔치다.
〔偷手〕 tōushǒu 동 손이 덜 가다. 필요한 절차를 생략하다. ¶这活计没～的地方; 이 일은 날린 구석이 없다 / 他们那儿做家伙爱～; 저 곳에서 도구를 만들면 언제나 손이 덜 간 데가 있다. 명 못된 장난. 짓궂은 장난.
〔偷税〕 tōu‧shuì 동 (밀수 따위로) 탈세하다. ¶～漏税; 탈세하다.
〔偷私儿〕 tōusīr 동 몰래 일을 진행하다.
〔偷探〕 tōutàn 동 (정황을) 살피다.
〔偷天换日〕 tōu tiān huàn rì 〈成〉 하늘을 속이고 태양을 바꾸다《대담하게 진상을 왜곡하여 사람을 속이다. 더할수 없는 악폐를 끼치다》.
〔偷听〕 tōutīng 동 훔쳐 듣다. 몰래 듣다.
〔偷偷(儿)〕 tōutōu(r) 몰래〔슬쩍〕 하는 모양. ¶他～地溜出去了; 그는 몰래 빠져 나갔다.
〔偷偷摸摸〕 tōutoumōmō 살금살금. 남의 눈을 피해서. ¶青年人谈恋爱是正大光明的事，用不着～的; 젊은 사람이 연애를 하는 것은 정당한 일인데, 일부러 남의 눈을 피할 필요가 없다.
〔偷袭〕 tōuxí 동 기습하다. 불시에 치다. ¶～了珍珠港; 진주항을 기습하였다.
〔偷暇〕 tōu‧xiá 동 ⇨〔偷闲①〕
〔偷闲〕 tōu‧xián 동 ①짬을〔틈을〕 내다. ¶忙里～; 바쁜 중에 틈을 내다 / ～躲静; 바쁜 가운데 짬을 내어 즐기다. =〔偷暇〕 ② ⇨〔偷懒(儿)〕
〔偷香〕 tōuxiāng 동 남녀가 사통하다. ¶～窃玉; 〈成〉 남녀가 사통하다.
〔偷眼〕 tōuyǎn 동 훔쳐 보다《'～看'으로서 몰래 훔쳐 보다》. ¶他～看了一下母亲的神色; 그는 흘끗 모친의 안색을 훔쳐 보았다. =〔偷睛〕
〔偷营〕 tōuyíng 동 적의 진영을 기습하다.
〔偷油(儿)〕 tōuyóu(r) 동 ①게으름피우다. 태만하다. 꾀부리다. ¶他做事向来不～; 그는 일하는데 지금까지 게으름을 피운 적이 없다. ②용케 틈을 마련하다. ¶你～儿到我家里去一趟! 잘 짬을 내어 우리 집에 오시오!
〔偷油婆〕 tōuyóupó 명 《蟲》 〈方〉 진디.
〔偷运〕 tōuyùn 동 밀수하다. ¶～私货; 밀수품을 몰래 나르다.
〔偷针眼〕 tōuzhēnyǎn 명 《醫》 다래끼.
〔偷嘴〕 tōu‧zuǐ 동 훔쳐 먹다. =〔偷吃〕

头(頭) tóu (두)

A) ①머리. ¶～疼téng; ⓐ머리가 아프다. 두통이 나다. ⓑ기분이 나

쁘다/出～; 머리를 내밀다. 〈轉〉 출세하다. =〔〈口〉 脑袋nǎodai〕 ② 명 두발. 머리 모양. 이발 방식. ¶推光～; 머리를 빡빡 깎다/梳～; 머리를 빗다/剃～; 머리를 깎다/背bēi～; 올백(all back)/他不想留～了; 그는 머리를 길게 기르려고 하지 않다. ③(～儿) 명 우두머리. 두목. ¶～目; ⇩/把～; 항만·도로 공사 등에서의 일꾼 우두머리. 십장. ④(～儿) 명 물건의 제일 앞부분. 정상. ¶火车～; ⓐ(기차의) 기관차. ⓑ〈比〉 선두에 선 사람. ⑤(～儿) 명 물건의 끝. 가. ¶笔～儿; 붓끝/东～儿; 동쪽 끝/一～高一～低; 한쪽은 높고 한쪽은 낮다. ⑥명 첫머리. 제일 앞자리. ¶书～题字; 권두에 제목을 적다/在报～上安一幅插图; 신문 머리에 삽화를 하나 넣다/肩～; 어깨. 어깨의 위쪽. ⑦명 물품의 남은 부분. ¶烟卷～儿; 담배 꽁초/布～儿; 천 조각/铅笔～; 몽당 연필. ⑧(～儿) 명 일의 시초. 발단. ¶话～儿; 말의 실마리/从～儿说起; 처음부터 이야기하다. ⑨(～儿) 명 단서. 실마리. ¶找不着～儿; 단서가 잡히지 않다/无～公案; 〈成〉 실마리가 없는 사건. 해결 방법이 없는 사건. ⑩(～儿) 명 일의 종국. 결말. 완성. 최후. ¶这件工程可有了～儿了; 이 공사는 완성이 가깝다/跟着丈夫走到～; 남편을 끝까지 따르다/说起来没～儿了; 말하기 시작하면 끝이 없다. ⑪(～儿) 명 정점. 극단. ¶现在天短到～了; 지금은 해가 짧은 절정이다/这个人狡jiǎo猾到～了; 이 사람은 극단적으로 교활하다. ⑫(～儿) 명 한쪽. 측면. 방면. ¶他们两个是一～儿的; 그들 두 사람은 같은 쪽 사람이다/他落了个两～儿不过好; 그는 양쪽으로부터 미움받게 되었다. ⑬명 사람을 가리키는 말. ¶滑～; 교활한 사람/老实～; ⓐ정직하고 온후한 사람. ⓑ호인. ⑭숫자 사이에서 대략의 수를 나타냄. 쯤. ¶三～五百; 3백에서 5백쯤. ⑮ 접두 제1의. 최초의. ¶～一个; 처음의 하나/～等技术; 제1급의 기술/～次出国; 최초의 외국 여행. ⑯명 순서가 앞임. 처음. ¶起～儿再念一回; 처음부터 다시 한 번 읽다. ⑰형〈方〉 앞의. 전의. ¶～年; 작년/～几天; 수일 전. ⑱ …에 앞서. …까지에. ¶～天亮我就起来; 날 새기 전에 나는 일어난다/～下雨必先闷mēn热; 비 오기 전에는 반드시 무덥다/～这月底他不能回来; 이 달 말까지는 그는 돌아오지 못한다. ⑲ 양 ㉠두. 필(가축을 세는 데 쓰임). ¶一～牛; 한 필의 소/三～骡子; 노새 세 마리. ㉡(마늘·비녀) 따위의 머리 모양을 한 물건을 세는 데 쓰임. ¶两～蒜; 마늘 두 통. ㉢일〔사항〕을 나타내는 데 쓰임. ¶这～亲事不合适; 이 결혼은 적합하지 않다. ⑳'一'의 뜻. ¶～二十万银子; 10만 20만의 돈. **B**) (tou) 접미 ① ㉠명사 뒤에 쓰임. ¶石 ～; 돌/木～; 목재. 나뭇조각/拳～; 주먹. ㉡(～儿) 형용사 뒤에 쓰여 추상 명사를 만듦. ¶尝尝甜～; 단맛을 보다. 맛들이다/饱尝苦～; 되게 혼나다. ㉢동사의 뒤에 붙어 그 동작을 할 가치 있음을 나타냄. ¶这戏有什么看～? 이 극은 어떤 볼 가치가 있느냐?/有说～; (문제로서) 논할 가치가 있다/有吃～; 먹을 만하다. ② 방위사(方位詞) 뒤에 쓰임. ¶上～; 위/下～; 아래/前～; 앞/后～; 뒤/里～; 안/外～; 밖. ③사람에 대하여 친애의 기분을 담는 경우. ¶老孙～; 손 서방.

〔头把交椅〕 tóubǎ jiāoyǐ 〈比〉 필두(筆頭). 제1인자. 서열이 첫째인 사람. =〔第dì一把交椅〕

〔头把手〕 tóubǎshǒu 명 〈俗〉 (일 따위의) 제일인자.

〔头班车〕 tóubānchē 명 첫 차. 시발(始發) 버스〔열차〕. =〔头趟tàng车〕〔首shǒu(班)车〕

〔头版〕 tóubǎn 명 (신문 따위의) 제1면.

〔头半晌〕 tóubànshǎng 명 오전. =〔上shàng半天(儿)〕

〔头半天(儿)〕 tóubàntiān(r) 명 오전.

〔头布〕 tóubù 명 터번(turban). ¶缠～; 터번을 감다.

〔头部〕 tóubù 명 두부. 머리 부분.

〔头彩〕 tóucǎi 명 복권의 1등.

〔头茬〕 tóuchá 명 《農》 (그 해의) 첫번째 작물.

〔头槎〕 tóuchá 명〈方〉 전회(前回). 먼젓번.

〔头朝地, 脚朝天〕 tóu cháo dì, jiǎo cháo tiān 〈比〉 눈코뜰새 없다. ¶把我赶落得～; 나는 그 바람에 눈코뜰새 없이 바쁘다.

〔头朝里〕 tóu cháolǐ 〈比〉 ①의리도 인정도 없이 자기 이익만을 추구하다. ②적극성이 없는 주춤거림.

〔头朝下〕 tóu cháoxià ①완전히 거꾸로 되다. ¶～滚下去了; 곤두박이쳐서 굴러 떨어졌다. ②〈比〉 실패하다. 좌절하다.

〔头筹〕 tóuchóu 명 추첨의 1등상.

〔头次〕 tóucì 명 제1회. 제1차.

〔头寸〕 tóucùn 명 《商》 ①옛날, 은행·금융 기관이 보유하고 있던 자금. ¶～紧; 자금 결핍. 자금 경색/缺～; 자본〔돈〕이 부족하다. ②은행의 지급 준비금. ③장부. ¶轧gá～; 장부끝을 맞추다. ④ ⇨〔银yín根〕

〔头大〕 tóudà 형 최초로 태어난. 맏이의. ¶～的孙子; 맏손주. 첫손주.

〔头大福大〕 tóu dà fú dà 〈諺〉 머리가 큰 사람은 복도 많다(머리가 큰 것은 복상(福相)의 하나로 일컬어짐).

〔头灯〕 tóudēng 명 ①(자동차의) 헤드라이트. ② 《鑛》 (갱부 등이) 머리에 다는 소형 램프.

〔头等〕 tóuděng 명형 제1등(의). 첫째(의). 최고(의). ¶～车; 1등차/～品质; 우량 품질/～头儿; 최상등/～重要任务; 제일 중요한 임무/～大事; 첫째 가는 큰일.

〔头点地〕 tóu diǎn dì ①고두 사죄하다. ②(참수되어) 목이 땅에 떨어지다.

〔头垫头〕 tóudiàntou 명 《機》 헤드개스킷(head gasket). ¶原动机关～; 시동 기관, 해드 개스킷.

〔头顶〕 tóudǐng 명 머리 꼭대기. 명형 최고(의). 최상(의). =〔头顶头〕 동 머리에 이다.

〔头顶头〕 tóudǐngtóu 명형 최상등(의). 최고(의). ¶那是个～的棒小伙子《老舍 駱駝祥子》; 저 사람은 아주 튼튼한 젊은이다. =〔头等头儿〕

〔头发〕 tóufa 명 머리털. 두발. ¶～夹子; 헤어핀/剪～; 이발하다.

〔头发绺〕 tóufaliǔ 명 딴머리. 다리(머리털에 덧넣는 머리). =〔发绺〕

〔头份儿〕 tóufènr 명 첫 번째 몫·포상.

〔头风〕 tóufēng 명 《漢醫》 신경성 두통.

〔头伏〕 tóufú 명 '三伏'의 처음 열흘간.

〔头盖骨〕 tóugàigǔ 명 《生》 두개골. →〔头骨〕

〔头盖软垫〕 tóugài ruǎndiàn 명 《機》 헤드 커버 패킹(head cover packing).

〔头高头低〕 tóu gāo tóu dī 〈成〉 ①저울로 물건을 잴 때 저울대의 끝이 약간 오르내리는 것. ②얼마간의 차이는 피할 수 없음을 이름.

〔头拱地〕 tóu gǒng dì 〈俗〉 전력을 다함. 최선을

다함. ¶不管怎么样, 我～也要把你这件事给办成了; 무슨 일이 있어도 최선을 다해서 너의 이 일이 성공되도록 하겠다.
〔头贡〕 tóugòng 명 (백설탕의) 최상등품. ¶～白糖; 최고급 백설탕.
〔头骨〕 tóugǔ 명《生》(척추 동물의) 머리뼈. 두개골. 노골(顱骨). 두골. =〔颅lú骨〕
〔头关〕 tóuguān 명 제1의 관문. ¶勇拔～; 용감하게 제1의 관문을 돌파하다.
〔头管〕 tóuguǎn 명 ①《樂》(옛날의 악기인) 필률(篳篥). ②《機》(배관의) 본관.
〔头行〕 tóuháng 명 ①제1행. 첫 줄. ②필두(筆頭). 제1등. 특별한 것. ¶～人; 제일 훌륭한 인간 / 粗粮里头高粱小米是～; 잡곡 가운데 수수나 좁쌀은 으뜸으로 꼽히는 것이다. ③절차. 계획. ¶干啥都得有～、骨干; 무슨 일을 하든 계획과 중심 인물이 있어야 한다.
〔头号〕 tóuhào 명형 ①제1(의). 최대(의). ¶～地主; 제1의 지주 / ～机密; 기밀 중의 기밀 / ～字; 특호 활자. ②최상〔최고〕(의). ¶～面粉; 최고급 밀가루.
〔头花〕 tóuhuā 명 머리를 꾸미는 꽃. 또는 조화(造花)의 비녀.
〔头灰色〕 tóuhuīsè 명《色》은회색.
〔头回〕 tóuhuí 명 처음으로. 제1회. ¶～上话; 처음으로 말하다.
〔头回生, 二回熟〕 tóu huí shēng, èr huí shú〈諺〉①첫 번째에는 익숙지 않으나 두 번째에는 익숙하다. 배우기보다 익혀라. ②첫 대면은 어색하지만 두 번째부터는 스스럼이 없어진다.
〔头昏〕 tóuhūn 형 머리가 아찔하다. 어지럽다. ¶～眼花;〈成〉머리가 어지럽고 눈이 핑핑 돌다.
〔头昏目眩〕 tóu hūn mù xuàn〈成〉머리가 어지럽고 눈이 핑 도는 모양. ¶闹得～, 心神不安; 머리가 흔들리고 눈이 돌아, 마음이 진정되지 않는다.
〔头昏脑胀〕 tóu hūn nǎo zhàng〈成〉①머리가 어지러워 아프다. ②머리가 멍해지다. ‖ =〔头昏脑闷〕
〔头婚〕 tóuhūn 명 초혼(初婚).
〔头火〕 tóuhuǒ 동 흥분되다. 상기되다. ¶～上来了; 흥분되었다.
〔头货〕 tóuhuò 명 1등품. =〔头水货〕
〔头家〕 tóujiā 명 ①두목. 우두머리. ②제례(祭禮)의 당번자. ③노름판의 주인.
〔头奖〕 tóujiǎng 명 1등상.
〔头角〕 tóujiǎo 명〈文〉①단서(端緖). 처음. ②머리끝. ③〈轉〉청년의 재기(才氣). ¶崭然见xiàn～ =〔～崭然〕〔～峥嵘zhēngróng〕;〈成〉특출하게 남보다 빼어나다 / 初露～; 처음으로 두각을 나타내다.
〔头脚〕 tóujiǎo 먼저(…하다)(《'后脚'과 대응하여 '하자 곧'이라는 뜻으로 쓰임》). ¶她～走, 我后脚也离开家; 그녀가 사라지자, 나도 곧 뒤따라 집을 떠나갔다.
〔头巾〕 tóujīn 명 ①두건(《고대 남자나 명·청대(明淸代)의 독서인(讀書人)이 썼음》). ¶～气; 학자 냄새(《세상일에 어두운》). ②스카프.
〔头颈〕 tóujǐng 명〈方〉목. 두부(頭部).
〔头口〕 tóukǒu 명〈方〉가축. =〔牲口〕
〔头蓝色〕 tóulánsè 명《色》연한 남빛. 짙은 도라지색.
〔头里〕 tóuli 명 ①앞. 전방(前方). ¶你～走, 我马上就来; 먼저 가십시오. 곧 가겠습니다. ②처음. 사전(事前). ¶咱们把话说在～, 不要事后翻悔; 미리 말해 두지만, 뒤에 가서 후회하지 말도록. =〔事前〕 ③이전. ¶这是二十年～的事; 이것은 20년 전의 일이다 / 他如今比～好得多; 그는 지금은 전보다 훨씬 좋다.
〔头脸〕 tóuliǎn 명 ①안면. ¶有～; 얼굴이 널리 알려져 있다. 얼굴이 통하다. ②얼굴 생김새. ¶那个戏子～好, 做功也好; 저 배우는 얼굴도 잘생기고, 연기도 잘 한다.
〔头领〕 tóulǐng 명〈古白〉수령. 두령(《흔히, 조기(早期) 백화문(白話文)에서 볼 수 있음》). →〔头目〕
〔头颅〕 tóulú 명 머리. ¶把～撞破; 머리를 물건에 부딪치다. =〔额颅〕
〔头路(儿)〕 tóulù(r) 명형 (물품 등이) 제일급(의). ¶～货; 1급품. =〔头等〕 명 ①〈方〉가르마. ②〈方〉실마리. 단서. 계기. ¶摸不着～; 단서를 잡을 수 없다. =〔头绪〕 ③〈方〉요령. 방법.
〔头轮(儿)〕 tóulún(r) 명 (영화의)개봉. (순번의 차례가) 제1번. ¶～影片; 개봉 영화.
〔头罗〕 tóuluó 형 첫 번째 체질한(《밀가루 따위의 첫 번 가루(의)》). ¶那面是～白, 雪花一样; 그 가루는 첫 번 가루처럼 희어서, 눈과 같다.
〔头落地〕 tóu luò dì 머리가 땅에 떨어지다. 죽음을 당하다.
〔头马〕 tóumǎ 명 대상(隊商)의 선도(先導)를 보는 말.
〔头毛〕 tóumáo 명 머리털. →〔头发fà〕
〔头门〕 tóumén 명 (관청이나 대저택의) 정문. ¶～头水; 첫째 번(의).
〔头朦眼黑〕 tóu méng yǎn hēi〈成〉머리는 어지럽고 눈앞은 캄캄해지다. 정신을 잃은 모양.
〔头面〕 tóumian 명 옛날, (여성의) 머리 장식(《총칭》).
〔头面人物〕 tóu miàn rén wù〈成〉①무대 전면에 있는 사람. ②사회적으로 세력·명망 있는 사람. 보스적인 존재의 인물.
〔头名〕 tóumíng 명 첫째. 수석(首席).
〔头明〕 tóumíng 명 새벽.
〔头目〕 tóumù 명〈貶〉두목. 우두머리. ¶土匪大～; 비적의 두목.
〔头难〕 tóunán 형〈方〉(일함에 있어) 첫 시작이 어렵다. ¶什么事总是～, 做了一阵就容易了; 무슨 일이든 처음은 어렵지만, 얼마 동안 하면 쉬워진다.
〔头脑〕 tóunǎo 명 ①두뇌. 머리. ¶～发热; 울컥 흥분하다 / 切不可被花花世界弄昏了～; 겉만이 화려한 세계를 보고 혼미해서는 안 된다 / ～旧 =〔～冬烘〕; 머리가 낡았다 / ～清醒; 머리가 맑다 / ～托辣斯; 브레인 트러스트. 두뇌 위원회. ②마음. 마음 속. ③조리. 줄거리. ④단서. 실마리. 계기. ¶摸不着～; 실마리를 잡을 수 없다. ⑤〈口〉두목. ⑥옛날, 상하이(上海) 조계(租界) 경찰의 탐정.
〔…头…脑〕 …tóu…nǎo 다음과 같은 성어(成語)나 성어 형식의 말을 만듦. ①두뇌 활동〔작용〕. ¶昏头昏脑; 머리가 멍하다 / 晕头晕脑; 머리가 어질어질한 모양. ②처음과 끝. 시종. ¶没头没脑; 아닌 밤중에 홍두깨격으로, 도대체가 요령 부득인 모양. 느닷없는 모양 / 秃头秃脑; 앞뒤가 갖추어지지 않은 모양. ③자질구레한 것. ¶针头线脑儿; 바늘이나 실 따위의 자질구레한 것. =〔零头〕
〔头脑企业〕 tóunǎo qǐyè 명 전문적으로 정보자문

서비스를 제공하는 기구〔회사〕. 컨설턴트(consultant) 회사.
〔头脑资源〕 tóunǎo zīyuán 명 지적(知的) 자원. 또는 인적(人的) 자원.
〔头年〕 tóunián 명 ①〈方〉 지난해. 작년. ¶～的年过的很好; 작년 정월은 참 잘 쇠었다. ②첫해. 최초의 해.
〔头皮〕 tóupí 명 ①머리. 기분. ¶硬着～; 뻔뻔스럽게. 염치없이 / 挠着～想主意; 머리를 긁적거리며 방법을 생각하다. ②비듬. ¶刮掉～; 비듬을 털다 / 长zhǎng～; 비듬이 생기다. =〔头皮屑〕〔头屑〕
〔头破血流〕 tóu pò xuè liú 〈成〉 머리가 깨져서 피가 흐르다(호되게 경을 치다). →〔人rén仰马翻〕
〔头七〕 tóuqī 명 상(喪)을 당하고 7일째 되는 날.
〔头妻〕 tóuqī 명 ①정처(正妻). 본부인. ②선처(先妻). 전처.
〔头齐脚不齐〕 tóuqí jiǎobùqí ①겉은 완비된 것 같으나 결함이 있음. ②위쪽은 의견이 맞으나 아래는 제각각임.
〔头卡(子)〕 tóuqiǎ(zi) 명 (머리털을 집는) 클립(clip).
〔头前〕 tóuqián 명 선두. 맨 앞. ¶唱着歌儿～走; 노래를 부르며 선두에 서서 가다.
〔头钱〕 tóuqián 명 ①⇨〔头(儿)钱〕 ②이발 요금.
〔头壳〕 tóuqiào 명 머리. 두부(頭部).
〔头儿〕 tóur 명 ①우두머리. 대장. 두목. 성(姓)에 붙여 친애의 뜻을 나타냄. ②끄트머리. ¶东～; 동쪽 끝. ③머리. ④일의 시초. ¶起～; 최초. ⑤사람. ¶老实～; 정직한 자.
〔头儿顶〕 tóurdǐng 정면으로 부딪침. ¶我跟他走了个～; 나는 그와 딱 마주쳤다. =〔顶头儿〕
〔头(儿)钱〕 tóu(r)qian 명 도박의 자릿세. =〔头钱①〕
〔头儿上〕 tóurshang 명 ①처음. ¶月～; 달초. ②끝. 가. ¶街～; 거리의 변두리.
〔头人〕 tóurén 명 (전에 '彝Yí族' 따위 소수 민족의) 수령(首領). 추장.
〔头如捣蒜〕 tóu rú dǎo suàn 〈成〉 굽실굽실 연신 머리를 숙이는 모양. 연신 굽실거리는 모양.
〔头如蓬葆〕 tóu rú péng bǎo 〈成〉 머리가 흩어져 부스스한 모양.
〔头三脚难踢〕 tóusānjiǎo nántī 〈諺〉 처음에 세 번 걷어차기가 어렵다(무슨 일이나 최초가 어렵다).
〔头纱〕 tóushā 명 베일(veil). =〔面纱〕
〔头晌(儿)〕 tóushǎng(r) 명 ①〈方〉 오전. =〔上午〕 ②들일에서의 오전 중의 제1회 휴식.
〔头晌午〕 tóushǎngwu 명 〈方〉 정오 전(前). →〔晌午〕
〔头上安头〕 tóu shàng ān tóu 〈成〉 옥상가옥(중복하다. 모방만 하고 창의가 없음).
〔头上脚下〕 tóushàng jiǎoxià 머리끝에서 발끝까지. 전신. 온 몸.
〔头上末下〕 tóushàng mòxià 제1회. 처음. 최초. ¶我～地到您这儿来; 전 처음 댁에 왔습니다.
〔头上长角〕 tóushàng zhǎng jiǎo 머리에 뿔이 나다(사상적으로 확고하여 자기 비평을 경시하는 사람. 항상 '身上长刺'로 이어짐).
〔头生(儿)〕 tóushēng(r) 명 ①첫아이. ②초산(初産). ‖ =〔头胎(儿)〕
〔头绳(儿)〕 tóushéng(r) 명 ①땋아 늘인 머리를 매는 가는 끈. 상투 끈. ②〈方〉 털실.
〔头虱〕 tóushī 명 《蟲》 머릿니.
〔头势〕 tóushì 명 ①형세. ¶两个都头见～不好, 转身便走《水滸傳》; 두 '都头'는 형세가 나쁜 것을 보자 몸을 돌려 돌아갔다. ②추세. ¶～也都自向那边去了《朱子全書》; 추세도 자연히 그쪽으로 기울어져 갔다.
〔头是头, 脚是脚〕 tóu shì tóu, jiǎo shì jiǎo 〈比〉 ①몸가짐이 단정하고 산뜻하다. ②한계가 명확하고 말끔하다.
〔头手消息〕 tóushǒu xiāoxi 명 ⇨〔头条新闻〕
〔头水儿〕 tóushuǐr 명 ①〈俗〉 최고급품. 정선품. ¶～货; 최상등품. ②신품을 처음으로 쓰는 일. 첫물. ¶新货刚到就让您试～吧; 신품이 지금 들어왔으니 당신께서 첫 시험해 주시기를 부탁드립니다. ③(옷의) 새것. 새 맞춤옷. ④헤어로션. 두발용의 화장수. ⑤커미션. 구전.
〔头胎(儿)〕 tóutāi(r) 명 초산(初産).
〔头套〕 tóutào 명 가발(배우가 쓰고, 각기 배역에 맞는 머리 모양을 만들기 위한 용구).
〔头套车〕 tóutàochē 명 말 한 필이 끄는 마차.
〔头疼〕 tóuténg 형 머리가 아프다. ¶想到他就有点儿～; 그의 일만 생각하면 머리가 아프다. 명 두통.
〔头疼脑热〕 tóu téng nǎo rè 〈成〉 대수롭지 않은 병. 잔병. ¶我倒是常常地～, 可是没患过大病; 나는 늘 잔병치레는 하지만, 큰 병을 앓은 적은 없다.
〔头天〕 tóutiān 명 ①첫날. ②〈方〉 전날. ¶～晚上; (어느 날의) 전날 밤.
〔头挑〕 tóutiāo 명 1등품을 일컫는 말(첫째로 뽑힌 것).
〔头条新闻〕 tóutiáo xīnwén 명 톱 뉴스. ¶以他的建议为～; 그의 건의를 톱 뉴스로 하였다. =〔头手消息〕
〔头童齿豁〕 tóu tóng chǐ huō 〈成〉 머리가 빠지고 이가 빠지다(노쇠함의 형용).
〔头通(儿)〕 tóutòng(r) 명 《劇》 첫 음악.
〔头痛〕 tóutòng 형 ①두통이 나다. ¶我～; 나는 골치가 아프다 / ～医头, 脚痛医脚 =〔～救头, 脚痛救脚〕; 〈成〉 근본적인 방법을 강구하지 않고, 고식적인 처치를 하는 일(임시변통으로 때우다). ②난처하다. 골치 아프다. 명 두통.
〔头头件件〕 tóutoujiànjiàn 모조리. 전부.
〔头头脑脑〕 tóutounǎonǎo 명 ①단서(端緖). 경위. 내력. ¶他对那一伙的行动, ～比别人清楚些; 그는 그 사람들의 행동의 단서에 대해 다른 사람보다 더 분명히 알고 있다. ②〈比〉 끄트러기. 나부랭이. ③지도자들.
〔头头儿〕 tóutour 명 장(長). 우두머리. 보스. ¶各分校的～都来了; 각 분교 교장들이 다 왔다.
〔头头是道〕 tóu tóu shì dào 〈成〉 하나하나가 이치에 닿다. (말·일하는 품 따위가) 모두 이치가 있다. 하나하나가 사리에 맞다. ¶谈得～; 하나하나 사리에 맞게 말하다.
〔头陀〕 tóutuó 명 《佛》 〈梵〉 행각승(行脚僧).
〔头尾〕 tóuwěi 명 자초지종. 처음과 끝. 종말. ¶你对头头尾尾最清楚, 为什么不说上公正的话; 너는 자초지종에 대하여 분명히 아는데, 왜 공정한 이야기를 하지 않느냐.
〔头未回, 脚未停〕 tóu wèi huí, jiǎo wèi tíng 뒤돌아보지도 않고 발을 멈추지도 않다(신속하게 빨리빨리 가다). ¶他～地出了家门; 그는 돌아보지도 발을 멈추지도 않고 곧장 집을 나가 버렸다.
〔头衔〕 tóuxián 명 직함. 칭호. 학위. ¶希望拿到

博士～; 박사 칭호를 얻고 싶어하다. =〔衔头〕
〔头项〕 tóuxiàng 명 실마리. 단서. 방법. 전망. ¶他失业了, 请您再给我个～吧; 그는 실직했으니 또 직업을 찾아 주십시오 / 那件事有～了吗? 그 일은 방법이 있겠습니까? =〔头向〕
〔头像〕 tóuxiàng 명 (그림 · 조각 등의) 두상.
〔头屑〕 tóuxiè 명 ⇨〔头皮②〕
〔头囟儿〕 tóuxìnr 명 《生》〈方〉 숫구멍. 신문(囟門)=〔囟门〕
〔头胸部〕 tóuxiōngbù 명 《動》 (갑각류의) 두흉부.
〔头绪〕 tóuxù 명 ①단서. 실마리. ¶有了～; 어림이 잡히다 / 找出～来; 실마리를 찾아 내다 / 茫无～; 막연하여 손댈 곳을 모르는 모양. ②사항. 일. ¶～繁多; 일이 번다하다.
〔头癣〕 tóuxuǎn 명 《醫》 두부 백선(頭部白癬).
〔头羊〕 tóuyáng 명 선도(先導) 양. 우두머리 양.
〔头影〕 tóuyǐng 명 그림자. 모습.
〔头由(儿)〕 tóuyóu(r) 명 이유. 원인.
〔头油〕 tóuyóu 명 머릿기름. =〔发fà油〕
〔头晕〕 tóuyūn 형 현기증이 나다. 머리가 어찔어찔하다. ¶～眼花; 〈成〉 머리가 핑핑 돌고 눈이 캄캄해지다.
〔头遭〕 tóuzāo 명 제1회. 첫 번째. ¶我进城这还是～; 내가 도시에 온 것은 이번이 처음입니다.
〔头灶〕 tóuzào 명 주방장.
〔头针疗法〕 tóuzhēn liáofǎ 명 《漢醫》 머리에 침을 놓는 요법.
〔头阵〕 tóuzhèn 명 ①제1회 교전(交戰). ②선봉(先鋒). ③일의 시작.
〔头重脚轻〕 tóu zhòng jiǎo qīng 〈成〉 ①머리가 무겁고 발이 땅에 착 붙지 않음(머리에 피가 올라서). ②〈比〉 (조직 따위) 상부가 불균형하게 크고 기초가 튼튼치 않음.
〔头注〕 tóuzhù 명 노름에서 처음에 거는 돈.
〔头状花序〕 tóuzhuàng huāxù 명 《植》 두상 화서(꽃차례).
〔头桌饭〕 tóuzhuōfàn 명 신혼 부부의 첫 겸상.
〔头子〕 tóuzi 명 ①〈貶〉 두목. 우두머리. ¶流氓máng～; 깡패 두목 / 土匪～; 토비의 두목 / 叫化子～; 거지 왕초. ②책망. 모진 소리. ¶碰了一～; 한바탕 책망을 들었다 / 给你～吃; 너를 혼내 줄 테다.
〔头足倒置〕 tóu zú dào zhì 〈成〉 거꾸로임. ¶～的看法; 정반대의 생각.
〔头足异处〕 tóu zú yì chù 〈成〉 목이 잘림(참살됨).

投 tóu (투)
①동 던지다. ¶～人江中; 강 속에 던지다 / ～手榴弹; 수류탄을 던지다. ②동 넣다. 투입하다. ¶～票; ⇩ / ～资; ⇩ ③동 (편지 · 원고 따위를) 부치다. 보내다. ¶～书; 투서하다 / ～稿; ⇩ / 把这封信～到公司; 이 편지를 회사에 내다. ④동 투신하다. 참가하다. ¶弃暗～明; 어두운 일에서 발을 빼어 바른 길로 가다 / ～人战斗; 전투에 참가하다. ⑤동 몸을 던지다. 뛰어들다. ¶～火; 불 속으로 뛰어들다 / ～河; 강물에 뛰어들다. 투신 자살하다. ⑥동 합치되다. (기분이) 맞다. 투합하다. 영합하다. ¶～机; ⇩ / 情～意合; 의기 투합하다 / 脾气相～; 성격이 서로 맞다 / 他们手下有一把子人想～老冯; 그들 수하의 한패가 풍(馮)에게 붙으려 하고 있다. ⑦동 〈文〉 털다. 떨어〔씻어〕 버리다. ¶～袂而起; 〈成〉 소매를 걷어 붙이고 일어서다(분연히 일어서다). ⑧동 (빛 따위가) 비치다. (그림자를) 던지다. (시선을) 던지다. ¶把眼光～到他身上; 시선을 그에게로 던지다 / 影子～在窗户上; 그림자가 창에 비치고 있다. ⑨이르다. 임하다. …이전. ¶～至 =〔乃至〕; 이르러서. 그 때가 되어 / ～明; 날이 새기 전. 새벽녘 / ～老; 늘그막에 임하여 / 日已～暮; 날이 이미 해질녘에 이르렀다.
〔投案〕 tóu.àn 동 자수하다.
〔投保〕 tóu.bǎo 동 보험에 들다. ¶～火险; 화재 보험에 들다 / ～人; 보험 계약자.
〔投报〕 tóubào 명 〈文〉 증여와 답례.
〔投报口〕 tóubàokǒu 명 신문 투입구.
〔投奔〕 tóubèn 동 뛰어들다. 투신하다. 피하여 남의 구원을 청하다. ¶～亲戚; 친척에게 몸을 의탁하다. =〔投路lù〕
〔投笔从戎〕 tóu bǐ cóng róng 〈成〉 붓을 버리고 종군하다(문인의 종군).
〔投畀豺虎〕 tóu bì chái hǔ 〈成〉 (악인을) 승냥이나 범에게 던져 잡아먹히게 하다(악인에 대한 깊은 증오를 나타냄).
〔投鞭断流〕 tóu biān duàn liú 〈成〉 병사가 가지고 있는 채찍만 강에 던져도 그 때문에 물의 흐름이 멈춘다(군대가 많음. 또 병력이 강대함의 비유).
〔投标〕 tóu.biāo 동 입찰하다('招标'은 '입찰을 공모하다' · '得标'은 '낙찰되다'라는 뜻이다). =〔标投〕
〔投呈〕 tóuchéng 동 〈文〉 제출하다. 내놓다.
〔投诚〕 tóuchéng 동 항복하다. 귀순하다. ¶缴械～; 무장 해제를 하고 항복하다.
〔投刺〕 tóucì 동 명함을 갖고 방문하다.
〔投弹〕 tóu.dàn 동 ①(비행기에서) 폭탄을 투하하다. ②수류탄을 던지다.
〔投敌〕 tóu.dí 동 투항하다.
〔投递〕 tóudì 동 (공문서 · 통신물 등을) 배달하다. ¶～邮件; 우편물을 배달하다 / 无法～, 退回原处; 배달 불능. 보낸 이에게 되돌림.
〔投递员〕 tóudìyuán 명 우편 집배원. =〔邮yóu递员〕
〔投店〕 tóudiàn 동 여관에 투숙하다.
〔投放〕 tóufàng 동 ①던져 넣다. 던지다. ¶～鱼饵; 먹이를 던져 넣다. ②(금융 기관이 기업에) 융자하다. ③(기업이 시장에 상품을) 매출〔방출〕하다.
〔投分〕 tóufèn 동 연분이 닿다. 의기 투합하다.
〔投分披襟〕 tóu fèn pī jīn 〈成〉 서로 의기 투합함. 마음이 맞아 말이 통함.
〔投附〕 tóufù 동 항복하다('投诚归附'의 약칭).
〔投稿〕 tóu.gǎo 동 투고하다. (tóugǎo) 명 투고.
〔投戈〕 tóugē 동 〈文〉 싸움을 그치다. ¶～讲艺; 군중(軍中)에서도 학문에 힘쓰는 일.
〔投戈释褐〕 tóu gē shì hè 〈成〉 관직에 오름('戈'은 낚시 도구. '褐'은 천한 사람이 입는 옷).
〔投骨相牙〕 tóu gǔ xiāng yá 〈成〉 (계략을 써서) 서로 헐뜯도록 하게 함. 분쟁의 씨를 만듦.
〔投匦〕 tóuguǐ 동 〈文〉 투표하다.
〔投函〕 tóuhán 동 〈文〉 편지를 부치다. 투함하다.
〔投合〕 tóuhé 동 ①투합하다. 마음이 맞다. 뜻이 맞다. ¶谈得很～; 이야기가 잘 맞는다. ②남의 기호에 영합하다. 만족시키다. ¶～读者的心理; 독자의 뜻에 영합하다.
〔投劾〕 tóuhé 동 〈文〉 관직을 사퇴하다.
〔投河〕 tóu.hé 동 〈文〉 강물에 투신 자살하다.

〔投壶〕 tóuhú 명 투호(고대의 연석(宴席)의 놀이. 병 속에 화살을 던져 넣어 승부를 가리고, 패자에게 술을 마시게 하는 일).

〔投缳〕 tóuhuán 동 〈文〉 목을 매어 자살하다.

〔投荒〕 tóuhuāng 동 〈文〉 먼 곳으로 도망치다. 사람이 없는 두메진 곳으로 달아나다.

〔投簧〕 tóuhuáng 동 ①열쇠가 열쇠 구멍에 맞다. ②〈比〉 (방법 따위가) 적절하다. 꼭 맞다. ¶这一剂药总算~了; 이 약은 그런대로 적절하였다고 할 수 있다.

〔投会〕 tóuhuì 명 계(契). ¶做~的工作; 계를 모으다.

〔投货〕 tóu.huò 동 투하(投荷)하다(해난을 당했을 때). ¶正则~; 정식으로 하주(荷主)의 승인을 얻어 투하하는 일. =〔松sōng舱〕

〔投机〕 tóujī 명 투기. ¶~商人; 투기상 / ~买卖; 투기 매매. 동 ①기회를 잡아 사리(私利)를 얻으려 하다. ¶~取巧; 기회를 보아 이를 취하다. 부정한 수단으로 사리를 꾀하다. 수고 없이 잔재주로 공을 얻으려 하다 / ~分子; 기회를 잘 포착하여 이익을 잡는 수단이 좋은 인간. 기회주의자 / ~倒把; 투기 거래〔매매〕를 하다. ②(tóu.jī) 생각·견해·기분이 맞다. ¶两下里话已~; 쌍방의 이야기가 완전히 합의되었다 / 我们一路上谈得很~; 우리는 길을 가는 동안 내내 이야기를 하였는데, 뜻이 아주 잘 맞았다 / 投他的机; 그와 의기투합하다. 그와 죽이 맞는다.

〔投寄〕 tóujì 동 (편지를) 보내다. ¶~匿名信; 익명의 편지를 띄우다.

〔投进〕 tóujìn 동 투입하다. ¶~资本; 자본을 투입하다.

〔投井〕 tóu.jǐng 동 ①우물에 몸을 던지다. =〔〈口〉跳tiào井〕 ②우물에 던져 넣다.

〔投井下石〕 tóu jǐng xià shí 〈成〉 우물에 빠진 사람에게 돌을 던지다(남의 어려움을 틈타 타격을 주다). =〔落luò井下石〕

〔投军〕 tóujūn 동 옛날, 군에 투신하다. 지원하여 군에 복무하다. ¶~作战; 군에 투신하여 전투에 참가하다.

〔投考〕 tóu.kǎo 동 시험치다. ¶~高等学校; 대학 시험을 치다 / ~生 =〔应yìng考生〕; 수험 응시자.

〔投靠〕 tóukào 동 ①남에게 의지하다. ¶~亲友; 친척과 친구에게 몸을 의탁하다 / ~谁最稳当? 누구에게 몸을 의탁하면 제일 무난하겠는가? ②몸을 의지하여 하인이 되다.

〔投篮〕 tóu.lán 동 《體》 (농구에서) 슛하다. (tóu-lán) 명 《體》 슛. ¶跳~; 점프슛 / 单手~; 원핸드 슛 / 原地~; 세트 슛(점프나 러닝을 하지 않고 그 자리에서 행하는 슛) / 中距离~; 중거리 슛.

〔投老〕 tóulǎo 동 ①노년이 되다. ②노령으로 사직하다.

〔投料〕 tóuliào 동 원료를 준비하다.

〔投锚〕 tóu.máo 동 투묘하다. 닻을 내리다. ¶~处; 계선(繫船) 위치.

〔投袂而起〕 tóu mèi ér qǐ →〔字解⑦〕

〔投门路〕 tóu ménlù 연줄을 타고 의뢰하다. 연고를 더듬어 운동하다. 뒷구멍으로 부탁하다. =〔投门子〕

〔投面子〕 tóu miànzi 연줄을 의지하다. 정실을 구하다. 의리나 안면으로 부탁하다.

〔投名状〕 tóumíngzhuàng 명 귀순(歸順) 문서.

〔投命〕 tóumìng 동 〈文〉 생명을 내던지다.

〔投票〕 tóu.piào 동 투표하다. ¶投谁的票? 누구에게 투표하겠나? / 投谁一票呢? 누구에게 한 표를 던지겠는가?

〔投其所好〕 tóu qí suǒ hào 〈成〉 기호(嗜好)에 맞추다. 마음에 들도록 하다. 남의 기호에 영합하다.

〔投契〕 tóuqì 동 〈文〉 마음이 맞다. 의기 투합하다.

〔投枪〕 tóuqiāng ①명 투창. 표창(鏢槍). =〔标biāo枪③〕 ②(tóu qiāng) 창을 던지다.

〔投亲〕 tóuqīn 동 (먼) 친척에게 몸을 의탁하다. ¶~靠友; 친척과 친구에게 몸을 의탁하다 / ~不如投店; 〈諺〉 친척 집에 머물기보다는 여인숙에 드는 것이 낫다. 친척보다는 남이 낫다.

〔投球〕 tóuqiú 명동 《體》 투구(하다).

〔投入〕 tóurù 동 ①참가하다. 뛰어들다. 돌입하다. ¶~生产; 조업(操業)을 개시하다 / ~战斗; 전투에 참가하다 / 五十个新建电站~生产; 50개의 새로 생긴 발전소가 생산을 개시했다. ②(정신을 집중하여 어떤 일에) 몰입하다. 전개하다. ¶她演戏很~; 그녀는 몰입하여 연기한다. ③(자금 등을) 투입하다. 투자하다. ¶~资本; 투자하다 / 教育~逐年增加; 교육에 대한 투자가 매년 증가하다.

〔投射〕 tóushè 동 ①투기로 이익을 꾀하다. ②권세자에게 교묘히 빌붙다. ③(목표를 향하여) 던지다. ¶~标枪; 투창을 하다. ④(광선이나 그림자가) 비치다. 들이비치다. 투사하다. ¶金色的光芒~到平静的海面上; 금빛 광선이 조용한 해면을 비쳤다 / 周围的人都对他~出惊讶的眼光; 주위 사람들은 모두 그에게 의아한 눈빛을 던졌다. 명 《物》 입사(入射). ¶~角; 입사각.

〔投身〕 tóushēn 동 투신하다. 헌신하다. ¶~于教育事业; 교육 사업에 헌신하다.

〔投生〕 tóu.shēng 동 ⇨〔投胎〕

〔投师〕 tóu.shī 동 사사하다. ¶~访友; 스승에게 사사받거나 친구를 방문하거나 하여 배우다 / 他没投过师; 그는 스승을 모신 적이 없다. =〔就jiù师〕

〔投石鱼〕 tóushíyú 명 《魚》 돗돔.

〔投手〕 tóushǒu 명 《體》 (야구의) 투수. 피처. ¶~犯规; 보크(balk) / ~板bǎn; 투수판. 마운드(mound). =〔掷zhì手〕

〔投手榴弹〕 tóushǒuliúdàn ①명 《體》 수류탄 던지기. ②(tóu shǒuliúdàn) 수류탄을 던지다.

〔投首〕 tóushǒu 동 ①자수하다. ②고발하다.

〔投鼠忌器〕 tóu shǔ jì qì 〈成〉 쥐는 때려 잡고 싶은데, 그릇을 깰 것이 걱정이다(부정을 벌하고 싶으나, 그 영향이 클 것이 두려워 손을 쓰지 못하다). =〔打老鼠伤玉器〕

〔投水〕 tóu.shuǐ 동 (죽으려고) 물속으로 뛰어들다.

〔投水炸弹〕 tóushuǐ zhàdàn 명 《軍》 폭뢰(爆雷). =〔潜qián水炸弹〕

〔投税〕 tóushuì 동 납세하다. =〔纳nà税〕

〔投顺〕 tóushùn 동 항복하다. 귀순하다.

〔投送〕 tóusòng 동 송달(送達)하다. 우송하다. 발송하다. ¶~邮件; 우편물을 발송하다.

〔投宿〕 tóusù 동 투숙하다. 숙소를 잡다.

〔投梭〕 tóu.suō 동 여자에게서 (베틀의) 북이 던져지는 꼴을 당하다(퇴짜를 맞다). ¶他挑tiǎo女人被她投了梭了; 그는 여자에게 집적거렸다가 거절을 당했다.

〔投胎〕 tóu.tāi 동 환생하다(사람 혹은 축생이 사후(死後)에 그 영혼이 모태로 들어가 전생(轉生)하다). =〔投生〕

〔投桃报李〕 tóu táo bào lǐ 〈成〉 복숭아를 받았으면 답례로 자두를 보내다(친밀하게 교제함).

〔投吻〕 tóu.wěn 동 키스를 보내다. (tóuwěn) 명 손시늉으로 보내는 키스.

〔投辖〕 tóuxiá 동 〈比〉 객(客)을 머물게 하다('辖'은 바퀴 굴대의 고리).

〔投闲置散〕 tóu xián zhì sǎn 〈成〉 중요치 않은 지위에 몸을 두다.

〔投降〕 tóuxiáng 동 투항하다. 항복하다. =〔降服〕

〔投向〕 tóuxiàng 명 자금 투자의 방향. ¶合理调整农村信货资金～; 농촌 신용 자금 투자의 방향을 합리적으로 조정하다.

〔投效〕 tóuxiào 동 〈文〉 자진하여 진력하다. 자발적으로 봉사하다. ¶请求～空军; 공군에서 복무하기를 지원하다.

〔投药〕 tóuyào 동 투약하다. =〔逗dòu药〕

〔投谒〕 tóuyè 동 〈文〉 부탁하려고〔믿고〕 찾아가다.

〔投影〕 tóuyǐng 명동 투영(하다). ¶～器; 영사기. 프로젝터.

〔投缘〕 tóu.yuán 동 마음이 맞다. 뜻이 통하다(처음으로 알게 된 때 따위에 흔히 씀). ¶两人越谈越～; 두 사람은 서로 이야기할수록 더욱 뜻이 맞았다 / 谁投你的缘, 对你的劲儿? 누가 너와 뜻이 맞으며, 너와 마음이 통하느냐?

〔投缘对劲(儿)〕 tóu yuán duì jìn(r) 〈成〉 마음이 통하다. 사이가 좋다. ¶～的朋友; 사이좋은 친구.

〔投止〕 tóuzhǐ 동 〈文〉 (배가) 가박(假泊)하다.

〔投掷〕 tóuzhì 명 《體》 투척(포환던지기 · 원반던지기 · 해머던지기 · 창던지기 등의 총칭). 동 투척하다. 던지다.

〔投中〕 tóuzhòng 명 《體》 카운트.

〔投珠与豕〕 tóu zhū yǔ shǐ 〈成〉 돼지에게 진주를 던져주다(아무리 귀중한 것이라도 그 가치를 모르는 사람에게는 아무런 소용이 없음).

〔投注〕 tóuzhù 동 (돈을) 걸다. 내기하다. 도박하다. ¶这更使～的人有所顾忌; 이는 돈을 거는 사람의 마음을 더욱 꺼림칙하게 한다.

〔投杼〕 tóu zhù 〈成〉 남에게 의심을 갖게 하다.

〔投资〕 tóu.zī 동 투자하다. 자본을 투하하다. ¶～工矿企业; 광공업체에 투자하다 / 投不起资; 경제력이 없어 투자할 수 없다. (tóuzī) 명 투자. 투하 자금. ¶～基金; 투자 기금 / 发挥～效果; 투자 효과를 발휘하다.

骰 tóu (투)

(～子) 명 〈方〉 주사위. ¶打～子 =〔掷～子〕; 주사위를 던지다 / 耍～子; 주사위를 갖고 놀다. =〔色shǎi子〕

〔骰花儿〕 tóuhuār 명 주사위의 점〔눈〕.

〔骰盆〕 tóupén 명 주사위(를 넣고 흔드는) 그릇.

〔骰子局〕 tóuzijú 명 주사위 도박장.

〔骰子令〕 tóuzilìng 명 연회에서 주사위를 던져 그 승패로 술을 먹이는 여흥.

钭(鈄) Tǒu (두)

'钭Dǒu'의 우음(又音).

敨 tǒu (투)

동 〈方〉 ①(싼 것 또는 감아 있는 것을) 풀다. 펼치다. ②(먼지 따위를) 휘몰아 올리다.

透 tòu (투)

①동 (기체 · 액체 · 광선 따위가) 통과하다. 통하다. 스며들다. 뚫고 지나가다. ¶不～气; 공기가 통하지 않다 / 阳光～过玻璃窗照进来; 태양빛이 유리창을 뚫고 비쳐 오다. ②형 철저하다. 투철하다. ¶把道理讲得很～; 도리의 설명이 투철해 있다 / 恨～了; 한이 골수에 사무쳐 있다 / 看～了; 꿰뚫어보다. 간파하다. ③형 대단한. 충분한. ¶下了一场～雨; 한 차례 비가 흠뻑 내렸다. ④부 극히. 대단히. 극도로(정도가 심함을 나타냄). ㉠부사어로 쓰는 말. ¶天还没有～亮; 날은 아직 완전히 밝지 않았다. ㉡보어로 쓰는 말. ¶果子熟～了; 과실이 완전히 익었다 / 身子～软了; 몸이 완전히 지쳐 버렸다. ⑤동 새게 하다. 흘리다. 새다. ¶～消息; 소식을 흘려 보내다 / ～露秘密; 비밀을 누설하다. ⑥(～着) 동 나타나다. 드러나다. …처럼 보이다. ¶脸上～着喜欢; 기쁜 듯이 보이다 / 他～着很老实; 그는 대단히 성실해 보인다. ⑦동 느끼다. ¶肚子～饿; 시장기를 느끼다. ⑧동 깨닫다. 알다. ¶一点即～; 〈成〉 조금만 시사(示唆)하면 곧 안다.

〔透彻〕 tòuchè 형 투철하다. (상황 파악이나 사회 분석이) 밝고 확실하다. ¶他对这一问题有了～的了解; 그는 이 문제에 대해 환히 꿰뚫고 있다 / 她把问题分析得很～; 그녀는 문제에 대한 분석이 매우 철저하다.

〔透底(子)〕 tòudǐ(zi) 부 근본부터. 맨 구석〔밑〕까지. ¶～的; 철저히.

〔透地〕 tòudì 부 철저히. 터놓고. 숨김없이. ¶～说; 숨김없이 이야기하다.

〔透顶〕 tòudǐng 동 〈貶〉 극하다. 그 극에 이르다(대개 보어용). ¶腐败～; 부패가 극에 달하다 / 胡涂～; 더없는 얼간이다 / 荒谬～; 순 엉터리다.

〔透度〕 tòudù 명 투명도(透明度).

〔透风〕 tòu.fēng 동 ①바람이 통하다. 바람이 통하게 하다. ¶这屋子不～, 夏天闷热; 이 방은 바람이 통하지 않아 여름엔 무덥다. ②바람을 맞히다. ¶把箱子里的东西拿出来透透风; 상자 속의 것을 꺼내서 바람을 쐬다. ③소문이 새다. 비밀을 누설하다. ¶～泄xiè漏; 비밀을 누설하다.

〔透骨〕 tòugǔ 동 ①(추위 따위가) 뼛골에 스미다. 골수에 사무치다. ②철저하다. 심각하다. ¶话说得～; 이야기가 심각하다.

〔透光〕 tòuguāng 동 빛을 투과하다. 투명하다.

〔透光镜〕 tòuguāngjìng 명 ⇒〔透镜〕

〔透过〕 tòuguò 동 투과하다. 통과하다. 통하다(흔히, 뒤에 동사 '看'·'看见'을 씀). ¶～现象看本质; 현상을 통하여 본질을 보다 / ～车窗可以看见前面的村子; 차창을 통하여 앞마을이 보인다.

〔透过去〕 tòu.guo.qu ①꿰뚫다. 관통하다. ②속속들이 스며들다. ¶雨水～了; 빗물이 속속들이 스며들었다.

〔透汗〕 tòu hàn ①(온몸이) 땀으로 흠뻑 젖다. 땀이 배어 나오다. ②(tòuhàn) 명 흠뻑 나온 땀. ¶出了一身～; 온몸이 땀범벅이 되었다.

〔透花窗帘〕 tòuhuā chuānglián 명 무늬가 든 사(紗)나 레이스의 커튼.

〔透话〕 tòu huà ①(상대방에게 말로) 의향을 전하다. 말을 전하다. ¶你先向对方透个话儿; 너는 우선 상대방에게 말을 전해라. ②말을 흘려 보내다. 슬며시 말하다. ¶透他的话; 그의 말을 누설하다.

〔透家子〕 tòujiāzi 명 빈틈없이 재치를 발휘하는 사람. ¶他是个～, 细心得很; 그는 빈틈이 없는 사람으로, 아주 세심하게 배려한다.

〔透镜〕 tòujìng 명 《物》 렌즈. ¶凸～; 볼록 렌즈 / 凹～; 오목 렌즈. =〔透光镜〕

〔透亮〕 tòuliàng〔tòuliang〕 형 ①⇨〔透明①〕 ②밝다. (마음 속이) 환해지다. ¶这间房子又向阳, 又～; 이 집은 양지바르고 밝다 / 感到心里霍地～; 마음이 활짝 밝아졌음을 느꼈다. =〔明亮〕 ③명백하다. 분명하다. ¶经你这么一说, 我心里就～了; 너의 그 말을 듣고, 나는 분명히 알았다 / 他是个～人; 그는 사리에 밝은 사람이다. =〔明白〕

〔透亮儿〕 tòu.liàngr 동 빛이 스며들다. 빛이 새다. ¶这个暗室有点～; 이 암실은 빛이 조금 샌다 / 黑中～; 깜깜한 중에 빛이 조금 새어들다.

〔透伶〕 tòulíng 형 매우 영리하다.

〔透漏〕 tòulòu 동 소홀히 하다. 유루(遺漏)하다. 흘리다.

〔透露〕 tòulù 동 ①(소식·의향 등을) 누설하다. 흘리다. 폭로하다. ¶～风声; 소문을 살짝 말하다 / 真相～出来了; 진상이 새어나왔다. ②(말·문장 속에서 슬그머니) 밝히다. 시사하다. 암시하다. ¶他拒绝在没有正式会晤之前作任何～; 그는 정식으로 면회하기 전에는 어떠한 것도 밝히기를 거부하였다.

〔透明〕 tòumíng 형 ①투명하다. ¶水是无色～的液体; 물은 무색 투명한 액체이다 / ～体; 《物》 투명체. =〔透亮①〕 ②(사람이) 순수하다.

〔透明度〕 tòumíngdù 명 ①투명도. ②〈比〉 사물이 공개되는 정도. ¶提高工作的～; 작업의 투명도를 제고시키다.

〔透明胶带(纸)〕 tòumíng jiāodài(zhǐ) 명 셀로판 테이프. =〔胶粘纸条〕〔玻璃纸条〕

〔透明鱼〕 tòumíngyú 명 《魚》 윈난 성(雲南省)에서 나는 비늘이 없고 온몸이 투명한 물고기.

〔透辟〕 tòupì 형 〈文〉 (식견이나 이론이) 철저하다. 투철하다. 핵심을 찌르고 있다. ¶这一场～的严正的辩论教育了大家; 이 철저하고 엄정한 변론은 모두에게 교육이 되었다.

〔透平〕 tòupíng 명 〈音〉 터빈(turbine). ¶～机 =〔涡轮机〕〔叶轮机〕; 터빈 / 煤气～; 가스 터빈 / ～车; 도로 포장차.

〔透气〕 tòu.qì 동 ①환기하다. 공기를 통하게 하다. ¶把车窗打开透一透气! 차창을 열고 환기시켜라! ②공기나 숨이 새다. ③숨을 내쉬다. ¶忙得透不过气来; 바빠서 숨도 돌릴 수 없다. ④안도의 숨을 내쉬다. ¶他说的话很让人～; 그의 이야기를 듣고 안도하였다.

〔透热〕 tòu.rè 동 열을 통하다. ¶～疗法; 《醫》 전기 요법의 일종《높은 전류를 인체에 통하여 체내를 덥게 함. 신경통·염증·경련 등에 효과가 있음》. =〔烤电〕 (tòurè) 형 매우 덥다. 대단히 뜨겁다. ¶天所～了; 완전히 염서(炎暑)가 되었다 / ～～的天; 푹푹 찌는 날(씨).

〔透山雨〕 tòushānyǔ 명 산에 물이 스며들 정도의 비. ¶人秋即使不下～, 水也不成问题了; 가을이 되어 설사 산에 스며들 만한 비가 오지 않는다 해도, 물은 문제 없게 되었다.

〔透墒〕 tòushāng 형 《農》 토양의 습도가 농작물의 발아와 성장에 충분함.

〔透视〕 tòushì 명동 ①《醫》 뢴트겐에 의한 투시 검사(를 하다). ¶走, ～去; 자, 엑스레이 사진을 찍으러 가자 / ～检查; 엑스선〔뢴트겐〕 검사. ②《美》 투시(하다)《평면에 있는 그림이나 도형을 입체적으로 보는 방법》. ¶建筑～图; 건축 입체도〔투시도〕. 동〈比〉 투시하다. 꿰뚫어보다.

〔透水〕 tòushuǐ 동 물이 스며들다.

〔透膛〕 tòutáng 명 〈比〉 진심에서의 말. 충심으로 하는 말. 사실을 털어놓은 말. ¶我和您说的都是～的话, 没一句瞒mán着的; 저의 이 이야기는 모두 실제를 털어놓은 것으로, 한 마디도 숨기지 않았습니다.

〔透天儿〕 tòutiānr 동 (비밀 따위가) 완전히 표면화하다. 세상에 알려지다. 공개적으로 되다.

〔透脱〕 tòutuo 형 머리의 회전·이해가 빠르다.

〔透味儿〕 tòuwèir 형 요리의 맛이 나다. ¶火候儿到了就～了; 불을 잘 조절하면 맛이 좋습니다.

〔透消息〕 tòu xiāoxi 비밀을 누설하다. 기밀을 내통하다.

〔透写纸〕 tòuxiězhǐ 명 투사지. 트레이싱 페이퍼. →〔描miáo图〕

〔透心凉〕 tòuxīnliáng 형 ①몸 전체가 시원하다. ②오싹 춥다. 뼛속까지 춥다. 동 (실망하여) 맥이 풀려 버리다. 기분이 싹 가셔 버리다. ¶听了他的话, 真叫人～; 그의 이야기를 듣고 정말 실망스러웠다.

〔透心眼〕 tòuxīnyǎn 명 속까지 뚫려 있는 구멍. ¶扎个～; 속까지 통하는 구멍을 뚫다.

〔透信儿〕 tòu xìnr 소식을 흘려 보내다.

〔透眼〕 tòuyǎn 명 관통된 구멍. ↔〔闷mēn眼〕

〔透雨〕 tòuyǔ 명 충분한 비. 다량의 비. 충분히 땅에 스며들 만한 비. ¶下了那阵～以后, 旱田上的蔬菜长得很快; 흠뻑 내린 그 비로, 밭의 채소가 빠르게 자란다. =〔〈方〉 饱bǎo雨〕 동 비가 새다.

〔透支〕 tòuzhī 명 《經》 당좌 대월(當座貸越). ¶～契qì约; 당좌 대월 계약 / ～交易; 당좌 대월 거래. 동 적자가 되다. 명동 임금의 가불(을 하다).

〔透紫玻璃〕 tòuzǐ bōlí 명 자외선 투과 유리.

〔透字〕 tòuzì 명 구멍을 뚫어 표시한 글자. ¶～支票; 구멍을 뚫어 표시한 수표.

TU ㄊㄨ

凸 **tū** (철)
형 불룩 튀어나오다. 부풀어오르다. ¶～起来; 불룩하게 올라오다 / 这块平板的右上角～出了一块; 이 판은 오른쪽 구석의 한 곳이 부풀어 있다 / 挺胸～肚; 가슴을 펴고 배를 내밀다《의연하고 용감하게 일을 해 나가는 모양》. ↔〔凹āo〕

〔凸凹〕 tū'āo 형 울퉁불퉁하다. 명 요철(凹凸).

〔凸版〕 tūbǎn 명 《印》 철판《문자 부분이 도도록하게 되어 있는 인쇄판(아연판·동판·삼색판·목판 따위)》. ↔〔凹āo版〕

〔凸半圆成形铣刀〕 tūbànyuán chéngxíng xǐdāo 명 《機》 철면 프레이즈(凸面fraise). 볼록 밀링 커터(convex cutter).

〔凸出〕 tūchū 형동 ⇨〔突出〕

〔凸窗〕 tūchuāng 명 《建》 퇴창(退窓).

〔凸雕〕 tūdiāo 명 《美》 엠보싱(embossing).

〔凸额〕 tū'é 명 툭 불거진 이마. ¶鹅头上有～; 거위는 앞이마가 불쑥 튀어나와 있다.

〔凸花〕 tūhuā 명 ①돋아오른 꽃. ②돋을새김을 한 무늬.

〔凸镜〕 tūjìng 명 볼록 거울. 돋보기. =〔凸面镜〕

〔凸轮〕 tūlún 명 《機》 캠(cam). ¶～槽; 캠의 홈 / ～轴; 캠축(cam軸).

〔凸面〕 tūmiàn 명 철면. 볼록면.

〔凸面镜〕 tūmiànjìng 명 볼록 거울. =〔凸镜〕

〔凸起〕 tūqǐ 동 부풀다. 뜨다. ¶房基～来了; 집의 토대가 떴다.
〔凸透镜〕 tūtòujìng 명 ①볼록 렌즈. ②확대경. =〔会聚透镜〕〔〈俗〉 放fàng大镜〕
〔凸图版〕 tūtúbǎn 명 컷《소형의 도안이나 그림》.
〔凸眼〕 tūyǎn 명 퉁방울눈. 툭 튀어나온 눈.
〔凸缘〕 tūyuán 명 〖機〗 플랜지(flange). ¶单～; 싱글 플랜저링(single flangering) / 复fù～; 더블 플랜저링. =〔法兰〕〔法兰盘〕
〔凸缘轮〕 tūyuánlún 명 〖機〗 플랜지(flange) 바퀴.
〔凸肿〕 tūzhǒng 동 부어오르다.
〔凸字〕 tūzì 명 돌출한 문자. 점자(點字). ¶～书; 점자를 인쇄한 책.
〔凸子〕 tūzi 명 〖機〗 태핏(tappet). ¶～拔头; 태핏 렌치(tappet wrench).

秃 tū (독)
①형 (머리가) 벗어지다. 대머리이다. 무이어서 벗어지다. ¶头顶有点～了; 머리의 정수리가 조금 벗어졌다 / 一夜急～了头发; 하룻밤의 노심초사로 머리가 벗어졌다. ②형 (산에) 나무가 없다. (나무에) 잎이 없다. ¶～山; ⇩ ③형 깃털 따위가 빠져 있다. ¶～尾巴鸡; 꽁지가 빠진 닭. ④형 (뾰족한 물건의 끝이 닳아) 무디다. 모지라지다. ¶笔尖～了; 붓끝이 무디어졌다. ⑤형 모자라다. 갖추어지지 못하다. 고르지 못하다. ¶这篇文章写得有点～; 이 문장은 중간에서 끊겨 버렸다. ⑥(～子) 명 대머리진 사람.
〔秃宝盖儿〕 tūbǎogàir 명 〖言〗 민갓머리 변《한자 부수의 하나. '冖'》.
〔秃鼻乌鸦〕 tūbí wūyā 명 〖鳥〗 띠까마귀.
〔秃笔〕 tūbǐ 명 〈文〉 ①끝이 무지러진 붓. 몽당붓. ②〈比〉〈謙〉 졸필(拙筆)《문장의 재능이 없음》. ¶我这～哪儿能写得出好文章呢; 저의 졸필로 어찌 좋은 문장을 쓸 수 있겠습니까.
〔秃殡〕 tūbìn 명 가난한 자의 장례식.
〔秃不剌茬〕 tūbuláchá 형 〈京〉 ①일을 말끔히 끝내지 못하다. 지저분하게 해 놓다. ¶这件事就这么放下了, 真觉得有点儿～的; 이 일을 여기서 그만두면 중동무이의 꼴이다. ②무미건조하다. 단조롭다. 구색이 안 맞다. ‖ =〔秃不剌唧jī〕
〔秃茬茬〕 tūchácha 형 흠이나 벗겨진 곳이 선명한 모양. ¶刚打过的树～的很不好看; 지금 막 잘린 나무는 벤 자리가 뚜렷하여 보기가 좋지 않다. =〔秃碴碴〕
〔秃茬儿〕 tūchár 동 일을 중도에 흐지부지되게 하다.
〔秃疮〕 tūchuāng 명 〖醫〗〈俗〉 독두병(禿頭病). =〔黄huáng癣〕〔头癣〕〔秃子②〕
〔秃顶〕 tū,dǐng 동 머리가 벗겨져 있다. ¶他还不到四十岁, 就已经～了; 그는 아직 40전 인데, 벌써 머리가 벗겨졌다. (tūdǐng) 명 대머리.
〔秃咕吃〕 tūgūchi 형 〈京〉 곳곳이 벗겨져 있다.
〔秃光杆儿〕 tūguānggǎnr 명 독신자. 홀아비. 딸린 식구가 없는 사람. =〔秃人②〕
〔秃光光〕 tūguāngguāng 형 번들번들 빛나다. 명 머리가 번들번들 빛나는 사람.
〔秃毫〕 tūháo 명 끝이 무지러진 붓. 몽당붓. ¶～拙笔; 〈謙〉 서툰 문장의 졸필.
〔秃葫芦〕 tūhúlu 명 대머리. =〔秃瓢儿〕
〔秃尖儿〕 tū,jiānr 동 (바늘·송곳·붓 따위의) 끝이 무지러지다〔무디어지다〕. ¶这锥子～了; 이 송곳은 끝이 무디어졌다 / ～的针不好使; 끝이 무디어진 바늘은 사용하기에 나쁘다.
〔秃鹫〕 tūjiù 명 〖鳥〗 독수리. =〔坐zuò山雕〕
〔秃老美〕 tūlǎoměi 명 대머리. 민머리.
〔秃噜〕 tūlu ①동 주르르 미끄러지다. ¶一松手绳子就～了; 손을 늦추는 순간 새끼가 주룩 흘러내렸다. ②동 완전히 없어지다. ¶吃～了; 깨끗이 먹어 치우다 / 把秘密都说～了; 비밀을 모조리 말해 버렸다. ③동 엉겁결에 말해 버리다. 뻥끗 입을 잘못 놀리다. ¶别把话说～喽! 뻥끗 입을 잘못 놀려서는 안 된다! / 把心里的秘密说～了; 가슴 속의 비밀을 무심결에 입 밖에 내고 말았다. ④동 대답이 막히다. ¶问～了; 물음에 답이 막히다. ⑤동 느슨해지다. 풀어지다. ¶打的毛活都～了; 뜨개질한 것이 완전히 풀어졌다. ⑥동 질질 끌다. ¶～着大尾巴; 큰 꼬리를 끌고 있다. ⑦〈擬〉 ㉠훌쩍. 후루룩《새가 빨리 날아가는 소리 따위》. ¶～一声飞去了; 후루룩 날아가 버렸다. ㉡쪼르르. 털썩. ¶～掉了; 털썩 떨어졌다. ㉢후르르. 훌훌. 술술《먹는 소리》. ㉣휙《걷도는 소리》. ⑧동 (털이나 깃 따위가) 빠지다. ¶这张老羊皮的毛儿都～了; 이 양가죽의 털은 다 빠졌다. ‖ =〔秃鲁〕〔突噜〕
〔秃驴〕 tūlǘ 명 중놈. 까까중《중을 욕으로 일컫는 말》.
〔秃毛儿鸡〕 tūmáorjī 명 ①〖鳥〗 중닭《새끼에서 중새가 되는 중간 시대》. ②〈轉〉 15, 6세의 소년. 로틴에이저.
〔秃眉〕 tūméi 명 엷은 눈썹.
〔秃眉画眼〕 tūméi huàyǎn 눈썹이 없다. ¶～全凭打扮; 눈썹이 없어, 전적으로 화장에 의지하고 있다.
〔秃眉画影〕 tūméi huàyǐng 용모가 쇠하여 볼품이 없다〔사뜻하지 못함〕. 볼썽사납고 초라하다. 물건이 살풍경하여 사뜻하지 못함. ¶书皮儿上不印金字好像～的; 표지에 글자로 인쇄하지 않으면 초라하게 보인다.
〔秃脑(袋)瓜儿〕 tūnǎo(dai)guār 명 ①대머리. ②까까머리. (아무것도 쓰지 않은) 맨머리. ¶～没带帽子; 맨머리로 모자를 쓰지 않았다. ‖ =〔秃脑袋瓜子〕
〔秃偏厂儿〕 tūpiānchǎngr 명 〖言〗 민엄호《한자 부수의 하나. '厂'》. =〔偏厦儿〕
〔秃瓢儿〕 tūpiáor 명 ⇨〔秃葫芦〕
〔秃铅笔〕 tūqiānbǐ 명 끝이 무지러진 연필.
〔秃球〕 tūqiú 명 ①대머리. ②빡빡 깎은 머리. 중대가리.
〔秃人〕 tūrén 명 〈文〉 ①대머리(인 사람). 독두병(禿頭病). ②⇨〔秃光杆儿〕
〔秃山〕 tūshān 명 민둥산. =〔崩bēng山〕
〔秃蔌〕 tūsù 명 시들고 상한 야채.
〔秃头〕 tū,tóu 동 모자를 쓰지 않다. ¶他秃着个头出去了; 그는 맨머리로 나갔다.
〔秃头(儿)〕 tūtóu(r) 명 ①대머리(인 사람). ②앞뒤가 연결되지 않는 것. ¶～信; 무명〔익명〕의 편지.
〔秃头秃脑〕 tūtóu tūnǎo 대머리. 까까머리. ¶～真难看, 看见秃子吃不下饭; 대머리는 정말 흉해서, 대머리를 보면 밥이 목에 넘어가지 않는다.
〔秃头文章〕 tūtóu wénzhāng 서론도 결론도 없는 본문만의 문장.
〔秃尾巴〕 tūwěiba 명 꼬리가 무지러진 것. 꼬리 없는 것. ¶～鹌鹑; 꼬리 없는 메추라기.
〔秃纹丝儿〕 tūwénsīr 명 〖言〗 작을요변《한자 부수의 하나. '幺'》.
〔秃鹜〕 tūwù 명 오리. =〔鸭yā子〕

〔秃稀稀的〕 tūxīxīde 형 ①머리가 빠져 숱이 적다. ¶头上～; 머리털이 드문드문하다. ②손에 아무것도 든 것이 없다. ¶手边儿～不好看; 손에 아무것도 들지 않아 보기에 좋지 않다.
〔秃针〕 tūzhēn 명 끝이 몽톡한 바늘.
〔秃子〕 tūzi 명 ①대머리(인 사람). ¶～当和尚; 〈歇〉 대머리가 중이 되다. 임기 응변이 되는 것을 이름. =〔秃儿〕 ②〈方〉 ⇨〔秃疮〕 ③〈罵〉 까까중년. ¶看见～要倒霉; 까까중년을 만나면 재수가 없다.
〔秃子药〕 tūziyào 명 발모제.

突 tū (돌)
①부 돌연. 갑자기. ¶～然停止; 갑자기 정지하다 / 气温～增; 기온이 갑자기 올랐다. ②동 충돌하다. 부딪치다. 뚫다. 돌진하다. ¶～围; ⇩ / 冲～; 충돌하다 / ～破; ⇩ ③형 주위보다 높다. 돌출하다. ¶～起; ⇩ / ～出; ⇩ / 山势～兀; 산이 높이 솟아 있다. ④형 심장이 고동치는 모양. ¶心～～地跳; 심장이 두근거린다. ⑤형 뜻밖인 모양. ¶这个人来的～兀; 이 사람이 불쑥 나타났다. ⑥명 굴뚝. 연돌. ¶灶～; 부뚜막의 굴뚝 / 曲qū～徒薪; 〈成〉 굴뚝을 구부리고 장작을 옮기다(화(禍)를 미연에 방지하다).
〔突变〕 tūbiàn 명동 돌변(하다). 돌연한 변란(이 일어나다). ¶～说; 돌연변이설 / 军队发生了～; 군대에 갑작스런 변란이 일어났다. 명 ①《生》 돌연변이(종). ②《哲》 (변증법의) 질적(質的) 격변. 비약. =〔飞fēi跃〕
〔突出〕 tū·chū 동 돌파하다. 뚫다. ¶～重围; 겹겹이 둘러싸인 포위를 돌파하다. ⇒tūchū
〔突出〕 tūchū 형 ①툭 튀어나오다. 돌출하다. ¶眼珠～; 눈알이 튀어나와 있다 / ～颧骨; 불거져 있는 턱. ②뛰어나다. 두드러지다. ¶他的行动太～! 그의 행동은 너무나 두드러진다〔유별나다〕! 동 ①두드러지게 하다. ¶～政治; 정치를 두드러지게 내세우다. 정치를 모든 것에 우선시키다. ②특히 중점을 두다. ¶～工业建设; 공업 건설에 특히 중점을 두다. ③분명히 나타나다. ¶矛盾又～来了; 모순이 또 (분명히) 표면화 되었다. ‖ =〔凸出〕⇒tū·chū
〔突地〕 tūdì 부 돌연. ¶路旁～跳出一个人来; 길가에서 갑자기 한 사람이 뛰어 나왔다. =〔突然〕
〔突点试验〕 tūdiǎn shìyàn 느닷없는 검사.
〔突飞猛进〕 tū fēi měng jìn 〈成〉 눈부시게 진보·발전하다. 전력으로 매진하다(사업·학문 등의 진보·발전이 눈부심을 형용). ¶独立自主地、～地发展自己的工业; 독립 자주적이고 비약적으로 자기의 공업을 발전시키다.
〔突贯攻击〕 tūguàn gōngjī ①《軍》 종대로 적진으로 돌진해 들어가다. ②공사 따위를 온 힘을 기울여 쉼 없이 진행하다.
〔突击〕 tūjī 명동 돌격(하다). ¶敌军～我军防线; 적이 아군의 방어선을 돌격했다. =〔冲chōng击①〕 동 힘을 집중하여 학습이나 생산을 하다. ¶～生字; 모르는 글자를 돌격적 태도로 학습하다 / 经常性工作和～性运动; 평소의 일과 돌격적인 운동.
〔突击队〕 tūjīduì 명 돌격대.
〔突将〕 tūjiàng 명 ①용맹하게 돌진하는 장군. ②〈轉〉 축구 등에서 돌파를 잘 하는 선수.
〔突进〕 tūjìn 명동 (병력을 집중하여) 돌진(하다).
〔突厥〕 Tūjué 명 《民》 투궤 족(突厥族).
〔突噜〕 tūlu ⇨〔秃噜〕
〔突噜嘴〕 tūluzuǐ 동 아무 생각 없이 지껄여 결점을 드러내다. ¶说～; 함부로 지껄이다.
〔突门〕 tūmén 명동 (축구에서) 골에 돌진하는 일〔하다〕.
〔突尼斯〕 Tūnísī 명 《地》 〈音〉 ①튀니지(Tunisie)(아프리카 북안의 공화국). ②튀니스(Tunis)(튀니지의 수도).
〔突破〕 tūpò 동 ①(군대·스포츠에서) 돌파하다. ¶中央～战术; 중앙 돌파 전술 / ～口; 돌파구. ②(난관·한계를) 쳐부수다. 타파하다. ¶～千斤关; 1묘당 천근을 웃도는 수확량을 돌파하다 / ～记录; 기록을 깨다.
〔突起〕 tūqǐ 동 ①갑자기 나타나다. ¶异军～; 뜻밖의 군대가 갑자기 나타나다. (스포츠 따위에서) 다크 호스가 갑자기 표면에 나타나다. ②우뚝 솟다. 돌출하다. ¶峰峦luán～; 〈成〉 높이 우뚝 솟아 있는 산들. 명 《生》 (종기 따위와 같은) 돌기.
〔突然〕 tūrán 형 갑작스럽다. 느닷없다. 뜻밖이다. ¶～事变; 돌연한 사변 / ～的事故; 뜻밖의 사고 / ～发生了意外; 갑자기 뜻밖의 일이 일어났다 / 他来得很～; 그가 온 것은 느닷없는 일이었다. 부 갑자기. 돌연히. 별안간. ¶～发作; 발작하다 / ～没有一点儿响声了; 갑자기 아무 소리도 들리지 않았다. =〔突地〕〔突然间〕
〔突然间〕 tūránjiān 부 ⇨〔突然〕
〔突如其来〕 tū rú qí lái 〈成〉 갑자기 발생하다. 갑자기 오다.
〔突入〕 tūrù 동 돌입하다. 갑자기 뛰어들다. ¶～敌军阵地; 적의 진지에 돌입하다.
〔突梯〕 tūtī 형 〈文〉 원활하다. 모나지 않다.
〔突头突脑〕 tū tóu tū nǎo 〈成〉 아닌 밤중에 홍두깨격인 모양. 느닷없는 모양. =〔没头没脑〕
〔突突〕 tūtū 〈擬〉 두근두근. 쿵쿵(심장의 소리 따위). ¶心～地跳; →〔字解④〕 / 摩托车～地响; 오토바이가 통통 소리를 내다.
〔突围〕 tū·wéi 동 포위를 돌파하다.
〔突兀〕 tūwù 형 ①높이 솟은 모양. ¶怪峰～; 기봉이 높이 솟아 있다. ②(갑자기 일어나) 뜻밖이다. ¶事情来得这么～, 使他简直不知所措; 일이 이렇게 졸지에 일어났으므로, 그는 전혀 손을 쓸 수 없었다.
〔突袭〕 tūxí 명동 기습(하다). 급습(하다).
〔突现〕 tūxiàn 동 갑자기 나타나다.
〔突缘〕 tūyuán 명 튀어나온 곳.

葖 tū (돌)
→〔蓇gū葖〕

图(圖) tú (도)
①명 회화. 그림. 도표. ¶插～; 삽화 / 地～; 지도 / 蓝～; 청사진 / 示意～; 설명도. ②명 계략. 계획. ¶鸿～; 원대한 계획 / 再做他～; 다시 딴 계획을 짜다 / 良～; 좋은 의도. ③동 계획하다. 도모하다. ¶容缓～之; 천천히 계획하다. ④동 그림 그리다. ¶画影～形; 인상서를 그리다. ⑤동 희망하다. 구하다. 꾀하다. 노리다. ¶不～名利; 명예와 이익을 탐내지 않다 / 你这是～什么? 너는 대체 무엇을 노리고 있느냐? / 不能只～省事, 不顾质量; 품을 덜 것만 생각하고, 품질을 돌보지 않아서는 안 된다. ⑥명 성(姓)의 하나.
〔图案〕 tú'àn 명 도안.
〔图案画(儿)〕 tú'ànhuà(r) 명 ⇨〔图样①〕
〔图板〕 túbǎn 명 제도판.
〔图版〕 túbǎn 명 《印》 도판. 플레이트.
〔图报〕 tú·bào 동 ①(은혜를) 갚으려 하다. ¶～于

异日; 후일 은혜를 갚다 / 定当～; 반드시 은혜를 갚다. ②보복을 꾀하다. 앙갚음하다.
〔图标〕 túbiāo 명 《電算》 아이콘(icon).
〔图表〕 túbiǎo 명 도표. 통계표.
〔图不得〕 túbude ①참을 수 없다. 견딜 수 없다. ¶我熬夜好几天, 真～; 나는 며칠이나 밤을 새웠더니 정말 견딜 수 없다. ②수지가 맞지 않다. 계산이 맞지 않다. 애쓴 보람이 없다. ¶白吃苦受累, 真是～; 공연히 수고만 하다니 정말 수지가 맞지 않는다.
〔图财〕 túcái 동 재물을 탐하다. =〔贪tān图财宝〕
〔图财害命〕 tú cái hài mìng 〈成〉 재산 횡령을 노리고 사람을 죽이다.
〔图抄〕 túchāo 명 도면의 사본.
〔图谶〕 túchèn 명 도참. 옛날, 장래의 길흉을 예언한 책.
〔图吃图喝〕 túchī túhē 먹고 마시는 일을 생각하다. 음식을 탐하다. ¶净想～; 오직 먹고 마시는 일만 생각하다.
〔图存〕 túcún 동 생존의 길을 생각하다. 생계를 세우다. ¶救亡～; 조국의 멸망을 구하고 생존을 꾀하다.
〔图钉(儿)〕 túdīng(r) 명 압핀. ¶钉～; 압핀으로 고정시키다. =〔揿钉儿〕
〔图干净儿〕 tú gānjingr 책임 회피를 하려 하다. 모르는 체하려 하다. ¶把事儿推在别人身上, 自己～; 일은 남에게 미루고 자기는 모르는 체하다.
〔图画〕 túhuà 명 ①도화. 회화. ¶～文字; 회화(繪畫) 문자. ②한 토막. 한 장면. ¶这个农场像一幅大跃进的～; 이 농장은 대약진의 한 장면 같다. 동 그림 그리다.
〔图籍〕 tújí 명 〈文〉 도적. 국경 지도와 호적부.
〔图记〕 tújì 명 ①⇨〔图章①〕 ②간단한 그림으로 나타낸 기호.
〔图贱多买〕 tú jiàn duō mǎi 〈成〉 싸구려 물건을 많이 사들이다.
〔图贱买老牛〕 tújiàn mǎi lǎoniú 〈諺〉 싼 것이 비지떡.
〔图鉴〕 tújiàn 명 도감.
〔图解〕 tújiě 명동 도해(하다). ¶用～说明; 도해하여 설명하다 / ～法; 도식법(圖式法). 도시법(圖示法).
〔图近〕 tújìn 동 지름길을 가려고 하다《추상적으로》. ¶为了～, 反倒绕远了; 지름길을 가려다 도리어 먼길을 돌았다.
〔图景〕 tújǐng 명 〈比〉 (이상적인) 경관(景觀). (이상으로 지향하는) 미래도.
〔图考〕 túkǎo 명 도해. ¶书中附有20幅～; 책에는 20매의 도해가 붙어 있다.
〔图快〕 túkuài 동 빨리 하려고 방법을 생각하다.
〔图赖〕 túlài 동 ①부인하다. 구실을 대어 피하다. ¶～借款; 빚을 부인하다 / ～不认账; 구실을 붙여 책임을 지지 않다. ②사취하다. 속이다. ¶撒谎～; 거짓말을 하여 사람을 속이다 / ～别人的钱; 남의 돈을 사취하다. ③남을 함정에 빠뜨리다. =〔陷xiàn害〕
〔图懒〕 túlǎn 동 게으름피우다. ¶～装病不上班; 게으름피워 꾀병을 앓고 출석하지 않다.
〔图乐〕 túlè 동 편안하려 하다. 안락을 꾀하다. ¶他净～; 그는 오직 놀려고만 한다 / 他成天～不想正事; 그는 하루 종일 노는 일만 생각하고, 당연히 해야 할 일을 생각하지 않는다.
〔图利〕 túlì 동 이익을 도모하다. ¶商人以～为目的; 상인은 이익을 얻자는 것이 목적이다.
〔图例〕 túlì 명 (도표·지도 따위의 기호를) 설명한 범례.
〔图箓〕 túlù 명 〈文〉 도록. 천명(天命)을 기록한 글.
〔图盲〕 túmáng 명 도표를 이해할 능력이 없는 자.
〔图名〕 túmíng 동 명예를 얻으려고 하다. ¶文化教育都是～不图利的事业; 문화 교육은 모두 명예를 위한 것이지, 이익을 위한 사업이 아니다.
〔图名利〕 tú mínglì 명리를 꾀하다. ¶～的心太重; 명예와 이익을 얻으려는 마음이 지나치게 강하다.
〔图谋〕 túmóu 동 (나쁜 일을) 꾀하다. 획책하다. 도모하다. ¶～不轨; 모반을 책모하다. 불법한 일을 꾀하다. 명 (나쁜) 계책. 꾀. 계획. ¶有远大的～; 원대한 계획이 있다.
〔图南〕 túnán 명 원대한 뜻. ¶男子宜有～之心; 사나이는 모름지기 원대한 뜻을 품어야 한다.
〔图便宜〕 tú piányi 자기에 편리한 일을 꾀하다. 이익을 도모하다. ¶人人都有～的心理; 누구나 모두 힘 안 들이고 잇속을 차리려는 마음이 있다 / ～买烂货; 싼 거래를 하려다 돈만 버리다. 싼 게 비지떡.
〔图片〕 túpiàn 명 사진·그림·도면·탁본 따위의 총칭. ¶～展览会; 그림이나 사진의 전람회 / 展出新闻～; 신문 사진을 내다 붙이다.
〔图骗〕 túpiàn 동 사기를 치다. ¶他失业以后成天在码头上～行人; 그는 실직하고 나서부터는 하루 종일 부두에서 행인들을 사기치고 있었다.
〔图谱〕 túpǔ 명 도보. 도록(圖錄). 도감(圖鑑).
〔图钱〕 túqián 동 돈을 벌려고 하다.
〔图穷匕首见〕 tú qióng bǐ shǒu xiàn 〈成〉 막판에 이르러 진상이나 계획이 드러남《전국(戰國) 시대의 유명한 자객 형가(荊軻)가 진시황(秦始皇)을 암살하려고 왕에게 연(燕)나라의 지도를 천천히 펼쳐 보였는데, 그 속에 숨겨 놓은 비수가 마지막에 나왔다는 고사에서 유래》. =〔图穷匕见〕
〔图什么〕 tú shénme 무엇 때문에. 어찌하여. ¶既不为名又不为利, 到底～? 명예와 이익을 위해서가 아니라면 도대체 무엇 때문인가? =〔图什么儿〕
〔图式〕 túshì 명 ⇨〔图样〕
〔图书〕 túshū 명 ①지도와 서적. ②서적.
〔图书〕 túshu 명 ⇨〔图章①〕
〔图书馆〕 túshūguǎn 명 도서관.
〔图说〕 túshuō 명 도해 설명서. 도설(圖說)《흔히, 책 이름에 쓰임》.
〔图腾〕 túténg 명 《史》 〈音〉 토템(totem).
〔图瓦卢〕 Túwǎlú 명 《地》 〈音〉 투발루(Tuvalu) 《수도는 '富纳富提'(푸나푸티: Funafuti)》.
〔图象卡〕 túxiàngkǎ 명 《電算》 그래픽 카드(VGA card).
〔图像〕 túxiàng 명 화상(畫像). 영상(映像). ¶～电路; 《電》 영상 회로 / ～干扰; 《電》 영상 방해.
〔图形〕 túxíng 명 ①도형. ¶～打印机; 그래픽 프린터. ②《數》 기하학 도형.
〔图样〕 túyàng 명 ①카탈로그. 목록. 도안. 도면. 설계도. ¶～纸; 제도 용지 / 房子～; 집의 도면. =〔图案画(儿)〕〔图式〕 ②〈俗〉 그림.
〔图影〕 túyǐng 명 초상화. 초상 사진.
〔图赞〕 túzàn 명 화면에 첨가해 쓰는 시문(詩文). =〔画赞〕
〔图章〕 túzhāng 명 ①도장. 인감. 인장. ¶盖～ =〔打～〕; 날인하다. =〔图记①〕〔图书shu〕 ②도장 자국. 인영(印影).
〔图纸〕 túzhǐ 명 설계도. 청사진 도면이 그려진 종

이.

涂(塗A)〈涂〉B))

tú (도)
A) ①동 (안료·페인트 등을) 바르다. 칠하다. 뒤바르다. ¶~上一层油; 페인트를 칠하다. ②동 엉망으로 쓰다. 엉망으로 그리다. ¶~鸦; ⇓ ③동 칠하여 지우다. ¶~去一个字; 한 자 말소하다/写错了可以~掉! 잘못 썼으면 칠해서 뭉개 버리시오! ④명 진흙. ¶~炭; ⇓ ⑤명 도로. 길. =〔途tú〕 ⑥→〔糊hú涂〕 ⑦명 간석지. ¶围~造田; 간석지를 논으로 만들다. =〔海涂〕 B) 명 성(姓)의 하나.

〔涂擦〕 túcā 동 ①(지우기 위하여) 비비다. ②(칠하기 위해) 비비다.

〔涂嗤〕 túchi 동 ①뒤바르다. 마구 칠하다. ②칠하여 지우다.

〔涂窜〕 túcuàn 동 개찬(改竄)하다. (악용하기 위해) 변개(變改)하다.

〔涂地〕 túdì 동〈文〉(진흙처럼 땅 위에) 흩어지다. ¶一败~; 재기 불능일 정도로 패하다. 참패하다/肝脑~;〈成〉간과 뇌가 흙에 범벅되다(참살을 당하다).

〔涂掉〕 túdiào 동 (쓴 것을) 칠하여 뭉개다. 칠하여 지우다. ¶把墙上乱写乱画的~; 벽 위에 낙서한 것을 칠로 뭉개다.

〔涂粉〕 túfěn 동 ①분을 바르다. =〔擦cā粉〕 ②가루를 바르다.

〔涂敷〕 túfū 동 (약을) 바르다. ¶~药膏; 고약을 바르다.

〔涂附〕 túfù 동 ①뒤바르다. 칠로 뭉개고 다시 쓰다. ②악(惡)을 더하다.

〔涂改〕 túgǎi 동 (글자 따위를) 지우고 다시 쓰다. 흰 가루를 칠하고 다시 쓰다. ¶原稿写错了, 可以~; 원고는 잘못 썼으면 다시 고쳐 써도 된다.

〔涂盖〕 túgài 명동 코팅(하다). 도장(塗裝)(하다).

〔涂画匠〕 túhuàjiàng 명 화공(畫工).

〔涂金〕 tújīn 동 금색을 칠하다. ¶~镜框子; 금색 칠을 한 액자.

〔涂金纸〕 tújīnzhǐ 명 금박을 칠한 종이.

〔涂潦〕 túlǎo 명 길바닥에 괸 물.

〔涂料〕 túliào 명 도료(페인트·니스 따위).

〔涂抹〕 túmǒ 동 ①바르다. 칠하다('涂'보다는 딱딱한 표현임). ¶木桩zhuāng子上~了沥青; 말뚝에 피치를 칠했다. ②목적 없이 쓰다. 엉망으로 쓰다. ¶信笔~; 붓 가는 대로 갈겨쓰다.

〔涂漆〕 túqī 명 도료(塗料).

〔涂去〕 túqù 동 칠하여 지우다. 지워 없애다.

〔涂染〕 túrǎn 동 색칠하다. ¶在画儿上~颜色; 그림에 색칠하다.

〔涂上〕 túshang 동 바르다. 칠하다. ¶~浅色指甲油; 엷은 색의 매니큐어를 바르다.

〔涂饰〕 túshì 동 ①(페인트·색을) 칠하다. ¶墙壁上的~很美; 벽의 도장이 매우 아름답다. ②(석탄이나 진흙을) 바르다. =〔粉刷〕

〔涂刷〕 túshuā 동 귀얄로 바르다. 솔로 칠하다.

〔涂笋〕 túsǔn 명〈植〉푸젠 성(福建省)에서 나는 죽순(해안의 모래 구멍 속에서 자람). =〔土笋〕

〔涂炭〕 útàn 명 진흙과 숯불 속. 명동 도탄(에 빠지다). 심한 고생(을 겪다). 대단한 곤경(에 빠지다). ¶生灵~;〈成〉백성들이 도탄에 빠지다.

〔涂涂〕 tútú 형 짙은 모양. ¶伦敦浓雾~; 런던은 안개가 짙다.

〔涂销〕 túxiāo 동 칠하여 지우다.

〔涂写〕 túxiě 동 직직 갈겨쓰다. ¶请勿~乱画! 낙서 금지!

〔涂鸦〕 túyā 명〈謙〉〈比〉글씨를 잘 못쓰다(악필을 형용하는 말). ¶拙作乃~之字, 难登大雅之堂; 제 글씨는 악필이어서, 남 앞에 내놓을 만한 것이 못 됩니다.

〔涂乙〕 túyǐ 동〈文〉문장의 글자를 지우거나 보충하다('涂抹句乙'의 약칭). 문장을 첨삭하다.

〔涂脏〕 túzāng 동 마구 칠하여 더럽히다.

〔涂脂抹粉〕 tú zhī mǒ fěn〈成〉연지를 칠하고 분을 바르다. 화장을 하다(미화하다. 정체를 감추다).

途

tú (도)
명 ①길. 도로. ¶坦~; 평탄한 길/前~; 전도. 미래/长~汽车; 장거리 버스/半~而废; 중도에서 그만두다. ②여정(旅程). ③역정(歷程). ¶宦~; 환도. 벼슬길. ④경력.

〔途程〕 túchéng 명 도정(道程). 과정(흔히, 추상적으로 쓰임). ¶人类进化的~; 인류 진화의 도정.

〔途次〕 túcì 명〈文〉여행에서의 숙박지. 여관. ¶遇友人于~; 여관에서 친구를 만나다.

〔途径〕 tújìng 명 경로. (추상적인) 길. 방도. 방법. 수단. ¶走一样的~; 같은 경로를 밟다/谋生的正当~; 생활의 정당한 길/外交~; 외교적 수단.

〔途路〕 túlù 명 도로(道路).

〔途人〕 túrén 명 통행인. 나그네. ¶~横渡线; 보행자 횡단로. 횡단 보도/路上没有遇见一个~; 도중에 한 사람도 나그네를 만나지 않았다.

〔途听途说〕 tútīng túshuō 명 항간의 소문. ¶~不可尽信; 항간의 소문을 모두 신용할 수는 없다.

〔途遇〕 túyù 동〈文〉길에서 만나다. 도중에 만나다. ¶~朋友; 친구와 길에서 만나다. 명〈轉〉지기(知己). ¶人生~之恩, 不可不报; 지기의 은혜는 갚아야 한다.

荼

tú (도)
명〈文〉①〈植〉씀바귀. ②〈植〉'茅máo草'(띠)의 흰 꽃. ¶如火如~; 원래는 군용(軍容)의 왕성함을, 지금은 왕성·열렬한 모양을 나타냄.

〔荼草〕 túcǎo 명〈植〉씀바귀. =〔苦kǔ菜〕

〔荼毒〕 túdú 명〈文〉해악(害惡). 해독. 박해. ¶受土豪劣绅之~; 토호 열신의 박해를 받다/~生灵shēnglíng; 사람에게 해악을 끼치다.

〔荼酚〕 túfēn 명〈化〉알파나프톨.

〔荼火〕 túhuǒ 명〈文〉①흰색과 빨간색. ②군용(軍容)이 왕성함. ③사업이 번성함. ¶买卖做得像~一般的火炽chì; 장사가 매우 번창하다. →〔如rú火如荼〕

〔荼蘼〕 túmí 명 ⇨〔酴醾①〕

酴

tú (도)
명 ①술밑. 누룩. ②탁주.

〔酴醾〕 túmí 명 ①〈植〉두건딸기. =〔荼蘼〕〔荼䕷〕 ②(고서에서) 농익은 술.

徒

tú (도)
①동 걸어서 가다. ¶~步; ⇓ ②형 아무 것도 갖지 않다. 빈손이다. ¶~手; ⇓ ③부 공연히. 헛되이. ¶~劳往返; 헛되이 왕복하다/~自惊扰; 쓸데없는 소란을 피우다. ④부 다만. 단지…뿐. ¶~托空言; 다만 말뿐이고 실행치 않다/不~…而…; …뿐만 아니라 게다가/不~无益, 反而有害; 단지 유익하지 못할 뿐 아니라, 도리어 유해하다. ⑤명 제자. 문제. ¶尊师爱~;

스승을 존경하고 제자를 사랑하다. ⑥ 명 신도. 신자. 종도. ¶教～; 교도 / 信～; 신도. ⑦ 명 〈貶〉 패거리. 동아리. 무리《대개 악인들을 이름》. ¶暴～; 폭도 / 酒～; 술꾼 / 赌～; 노름꾼 / 不法之～; 불량한 무리. ⑧ 명 보병(步兵). ⑨ 명 하인. 종. ⑩ 명 도형(徒刑)《옛날, 형벌의 이름》. ¶无期～刑; 무기 도형. ⑪ 명 성(姓)의 하나.

〔徒步〕 **túbù** 명동 도보(하다). ¶～旅行; 도보 여행. 명 〈比〉 가난. 빈천. ¶范雎起～《漢書》; 범저는 가난에서 입신했다.

〔徒弟〕 **túdi** 명 도제. 제자. 견습생. →〔学xué徒〕

〔徒尔〕 **tú'ěr** 부 공연히. 쓸데없이. 그저.

〔徒费〕 **túfèi** 동 헛되이 써 버리다. ¶～口舌; 헛되이 지껄이다 / ～工夫; 헛되이 시간을 낭비하다. 명 헛된 비용.

〔徒负〕 **túfù** 동 헛되이 (…을) 저버리다. ¶～父兄之期望; 헛되이 부형의 기대를 저버리다.

〔徒负虚名〕 **tú fù xūmíng** 쓸데없이 헛된 이름이 있을 뿐 실질이 없다. ¶我无才无德, 不过是～而已; 저는 재주도 덕도 없이, 다만 헛된 명성이 있을 뿐입니다.

〔徒歌〕 **túgē** 동명 반주 없이 노래를 부르다〔부르는 일. 또, 그 노래〕.

〔徒工〕 **túgōng** 명 견습공.

〔徒耗〕 **túhào** 동 낭비하다. 보람 없이 쓰다. ¶～国帑tǎng; 국고의 돈을 낭비하다.

〔徒劳〕 **túláo** 동 헛수고하다. ¶～往返; 헛걸음하다 / ～跋涉; 헛되이 돌아다니다.

〔徒劳无功〕 **tú láo wú gōng** 〈成〉 아무런 성과 없이 헛일을 하다. 헛수고하다. =〔徒劳无益〕

〔徒乱人意〕 **tú luàn rén yì** 〈成〉 공연히 사람의 마음을 어지럽히다.

〔徒囚〕 **túqiú** 명 죄인. 죄수.

〔徒然〕 **túrán** 부 ①헛되이. 쓸데없이. ¶～耗费精力; 쓸데없이 힘을 소비하다. =〔白白地〕 ②다만. 단지. ¶如果那么办～有利于敌人; 그렇게 하면 적에게 유리할 뿐이다.

〔徒涉〕 **túshè** 동 〈文〉 걸어서 하천을 건너다.

〔徒师〕 **túshī** 명 보병의 군대.

〔徒事游玩〕 **tú shì yóuwán** 할 일 없이 놀기를 일삼다. ¶～不务正业; 할 일 없이 노는 데 정신이 팔려 본업에 힘쓰지 않다.

〔徒手〕 **túshǒu** 명 빈손. 맨손. ¶～肉搏; 맨손으로 격투하다 / ～成家; 자수성가하다 / ～见人不好看, 还是买包点心带去吧; 빈손으로 사람을 찾아가는 것은 거북하니, 역시 과자라도 사 가지고 가자. →〔白bái手起家〕

〔徒手操〕 **túshǒucāo** 명 《體》 도수〔맨손〕 체조.

〔徒孙〕 **túsūn** 명 손제자(孫弟子)《제자의 제자》. ¶嫡传～; 직계의 손제자.

〔徒托空言〕 **tú tuō kōng yán** 〈成〉 다만 말뿐이고 실행치 않다. 근거 없는 소리에 불과하다. ¶～难以取信; 빈말뿐으로 실천하지 않으면 신용을 얻을 수 없다.

〔徒淆观听〕 **tú xiáo guāntīng** 〈文〉 헛되이 남의 눈과 귀를 혼란시키다.

〔徒刑〕 **túxíng** 명 《法》 징역. ¶有期～; 유기 징역 / 无期～; 무기 징역.

〔徒行〕 **túxíng** 동 〈文〉 보행하다.

〔徒胥〕 **túxū** 명 〈文〉 하급 관리.

〔徒有皮毛〕 **tú yǒu pí máo** 〈成〉 외면(外面)뿐으로 내용이 뒤따르지 못하다.

〔徒有其表〕 **tú yǒu qí biǎo** 〈成〉 겉뿐이지 내용이 없음. 겉만 번드르르함.

〔徒有其名〕 **tú yǒu qí míng** 〈成〉 이름뿐 실질이 뒤따르지 못하다. 유명무실하다.

〔徒长〕 **túzhǎng** 동 《農》 (작물·과수의 잎과 줄기가) 도장하다. 쓸데없이 너무 자라다《비료의 과다·광선의 부족 등에 기인함》.

〔徒子徒孙〕 **tú zǐ tú sūn** 〈成〉 〈貶〉 제자와 손제자. 흔히 일파(一派)를 계승하는 사람《동료, 한패》.

〔徒坐〕 **túzuò** 동 할 일 없이 앉아 있다. ¶闲来～, 百无聊赖; 할 일 없이 우두커니 앉아 있으니, 무척 따분하다.

菟

tú (토)
→〔於wū菟〕 ⇒ tù

屠

tú (도)
① 동 가축을 도살하다. 잡다. ② 동 〈轉〉 대량 학살하다. ¶～了村子; 촌민을 대량 학살했다. ③ 명 성(姓)의 하나. ¶～岸; 복성(複姓).

〔屠场〕 **túchǎng** 명 도살장.

〔屠城〕 **túchéng** 동 도시 주민을 몰살하다. ¶原子弹的罪恶比～还要大; 원자 폭탄의 죄악은 한 도시의 주민의 몰살하는 것보다 더 크다.

〔屠刀〕 **túdāo** 명 도살용 칼붙이. ¶放下～, 立地成佛; 도살용 칼을 버리고 곧바로 성불하다. 과오를 뉘우치고 새 사람이 되다.

〔屠钓〕 **túdiào** 명 ①도살업자와 어부. ② 〈比〉 천업(賤業). 비천한 처지.

〔屠贩〕 **túfàn** 명 ①도살자와 행상인. ② 〈轉〉 천한 직업을 가진 사람. ¶与～为伍; 천한 직업을 가진 사람과 한패가 되다.

〔屠房〕 **túfáng** 명 도살장.

〔屠夫〕 **túfū** 명 ⇨〔屠户〕

〔屠格涅夫〕 **Túgénièfū** 명 《人》 〈音〉 투르게네프 (Turgenev, Ivan Sergeevich)《러시아의 문인, 1818～83》.

〔屠沽儿〕 **túgūr** 명 ①도살자와 술장수. ② 〈轉〉 천한 직업을 가진 사람.

〔屠户〕 **túhù** 명 푸주. 도살업자. 백정. =〔屠夫〕 〔屠家〕

〔屠龙之技〕 **tú lóng zhī jì** 〈成〉 용을 잡을 수 있는 기능《뛰어난 기능을 가지고도 써먹을 길이 없는 것》. ¶以～去杀狗, 未免大材小用了; 〈成〉 용을 도살하는 뛰어난 기능을 갖고 있으면서 개 같은 것을 잡고 있어서는 그 솜씨가 아깝지 않을 수 없다.

〔屠戮〕 **túlù** 동 ⇨〔屠杀〕

〔屠门〕 **túmén** 명 〈文〉 푸줏간. ¶～大嚼; 푸줏간을 향하여 입을 놀리다《공상을 현실로 보며 자위함》.

〔屠杀〕 **túshā** 동 (대량으로) 학살하다. 살육하다. 참살하다. ¶纳粹～犹太人; 나치는 유태인을 대량 학살하였다. =〔〈文〉 屠戮〕

〔屠兽场〕 **túshòuchǎng** 명 ⇨〔屠宰场〕

〔屠苏〕 **túsū** 명 도소《술에 담갔다가 연초에 마시는 약의 이름》. =〔酴酥〕

〔屠羊〕 **Túyáng** 명 복성(複姓)의 하나.

〔屠宰〕 **túzǎi** 동 (가축을) 잡다. 도살하다. =〔宰杀〕

〔屠宰场〕 **túzǎichǎng** 명 도살장. =〔屠兽场〕

瘏

tú (도)
형 〈文〉 (피로 때문에) 병들다.

腯

tú (돌)
형 〈文〉 (돼지가) 살쪄 있다.

土 **tǔ** (토) ①명 흙. 토양. 진흙. ¶泥~; 흙 / ~墙; ⇩ / 黄~; 황토 / 沙~; 모래땅. ②명 대지(大地). ③명 국토. ④명 토지. 영토. ¶领~; 영토 / 国~; 국토 / ~地改革; 토지 개혁. ⑤명 고향. ¶故~; 고향 / 本乡本~; 본디의 고향. ⑥명 먼지. ¶尘~; 흙먼지 / 扬~; 먼지가 일어나다. ⑦명 정제하지 않은 아편. ¶烟~; 정제하지 않은 아편. ⑧형 그 토지〔고장〕의. 그 땅의. 토착의. ¶~产; ⇩ / ~话; ⇩ / ~风; ⇩ ⑨형 촌스러운. 구식(舊式)의. ¶~头~脑; 시골뜨기. 촌뜨기 / 这个人真~; 이 사람은 정말 촌스럽다. ⑩형 구래(舊來)의. 종래의. ¶~高炉; 중국 재래식 방법의 용광로. ⑪→〔土家族〕〔土族〕 ⑫명 성(姓)의 하나.

〔土埃子〕 tǔ'āizi 명 (둑처럼) 높이 쌓은 흙더미.

〔土坝〕 tǔbà 명 둑. 제방.

〔土霸〕 tǔbà 명 그 지방의 깡패. 토박이 불량배.

〔土白芍〕 tǔbáisháo 명〘植〙 산작약.

〔土办法〕 tǔbànfǎ 명 중국 또는 그 지방 전래의 방법. 토착적인 구래의 방식. ↔〔洋yáng办法〕

〔土包子〕 tǔbāozi 명 ①촌놈. 시골뜨기. ②글을 모르며 낡은 생각을 가진 사람. ③일반적으로 상식이 없는 사람. 교양 없는 사람.

〔土豹〕 tǔbào 명〘鳥〙 말똥가리.

〔土崩瓦解〕 tǔ bēng wǎ jiě 〈成〉 와해하다. 산산이 부서지다. 사물이 여지없이 무너지다. ¶乌合之众不堪一击, 就~了; 오합지중은 일격을 견디지 못하고 금방 무너지고 말았다.

〔土鳖〕 tǔbiē 명 ①〘動〙 쥐며느리. =〔〈俗〉 地鳖〕 ②〘蟲〙 물장군.

〔土兵〕 tǔbīng 명 현지에서 모집된 군인. 토착민 병사. 토병. =〔土军〕

〔土拨鼠〕 tǔbōshǔ 명〘動〙 타르바간(tarbagan). =〔旱hàn獭〕

〔土伯特〕 Tǔbótè 명〘地〙〈音〉 티베트(Tibet).

〔土簸箕〕 tǔbòji 명 쓰레받기.

〔土布〕 tǔbù 명〘紡〙 토산의 수직 면포(手織綿布). =〔粗cū布②〕 ↔〔洋yáng布①〕

〔土财主〕 tǔcáizhu 명 그 고장의 부자. 토착의 재산가. ¶~连花钱的方式都是土的; 시골 부자는 돈 쓰는 방식까지 촌스럽다. =〔乡xiāng财主〕

〔土菜〕 tǔcài 명 시골식 요리.

〔土蚕〕 tǔcán 명〘蟲〙 ①농작물의 뿌리를 갉아먹는 벌레의 총칭. =〔地老虎〕 ②〈方〉 풍뎅이의 유충. =〔蛴qí螬〕

〔土茶〕 tǔchá 명 허베이 성(河北省) 창핑 현(昌平縣) 및 그 밖의 지방에서 대추나무 잎 또는 야자 잎 따위로 만든 질이 낮은 차.

〔土产〕 tǔchǎn 형 지방산의. 토산의. 명 토산품. 지방 특산물. =〔土产品〕

〔土场〕 tǔcháng 명 탈곡장. 타작 마당.

〔土车〕 tǔchē 명 쓰레기차. ¶独轮~; 외바퀴 쓰레기 운반차.

〔土城〕 tǔchéng 명 토성. 흙으로 쌓은 성. =〔土台①〕

〔土樗子〕 tǔchūzi 명〘植〙 소태나무.

〔土瓷〕 tǔcí 명 토기. 질그릇《물동이·화분·어항 등》.

〔土大夫〕 tǔdàifu 명 시골 의사.

〔土当归〕 tǔdāngguī 명〘植〙 ①바디나물. ②땅두릅.

〔土道〕 tǔdào 명 진흙길.

〔土地〕 tǔdì 명 ①토지. ¶房产~; 가옥과 토지 / ~脸; 옅은 갈색(褐色). ②(벽돌이 깔리지 않은) 흙바닥. →〔砖地〕〔地板〕 ③시골. ¶~老; 시골뜨기. ④영토. 영역. 판도. ¶我国~辽阔; 우리 나라의 영토는 넓다. ⑤논밭. ¶~肥沃; 논밭은 비옥하다.

〔土地〕 tǔdi 명 토지신. 향토 수호신. ¶~庙; 수호신을 모신 사당

〔土地报酬递减规律〕 tǔdì bàochóu dìjiǎn guīlǜ 명〘經〙 수확 체감(收穫遞減)의 법칙. =〔土地递减律〕

〔土地改革〕 tǔdì gǎigé 명 토지 개혁《봉건 지주의 토지·가옥 등의 무상 몰수와 빈농에 대한 분여(分與)를 내용으로 하는 것》.

〔土地革命〕 tǔdì gémìng 명 토지 혁명. ①토지의 철저한 균분화(均分化)를 이름. ②제2차 국내 혁명 전쟁의 시기(1927-1937년)를 말함. →〔第二次国内革命战争〕

〔土地规划〕 tǔdì guīhuà 명 토지 이용 계획.

〔土地局〕 tǔdìjú 명 시(市)·현(縣)의 토지 행정 기관《토지의 등기·분할·측량 등을 맡음》.

〔土地老〕 tǔdilǎo 명 ①⇨〔土地神〕 ②촌놈. 얼뜨기. =〔怯qiè八裔〕

〔土地脸〕 tǔdiliǎn 명 ①토지신의 얼굴. ②토지신의 얼굴빛 같은 흙빛. ¶病得颜色赛过~了; 병으로 안색이 토지신 못지않은 흙빛이다.

〔土地庙〕 tǔdimiào 명 각 마을에 있는 토지신의 사당.

〔土地奶奶〕 tǔdinǎinai 명 토지신의 부인.

〔土地神〕 tǔdishén 명 토지신. 고장의 수호신. =〔土地公〕〔土地老①〕〔土地爷〕

〔土靛〕 tǔdiàn 명 쪽잎을 말려 쪄서 굳힌 물감.

〔土调(儿)〕 tǔdiào(r) 명 ①그 지방의 가곡(歌曲). 토속 민요. ②시골풍의 가락.

〔土豆(儿)〕 tǔdòu(r) 명〘植〙〈口〉 감자. ¶~泥; 매시트 포테이토(mashed potato)《으깬 감자 요리》. =〔马mǎ铃薯〕

〔土豆子〕 tǔdòuzi 명 ①〘植〙〈口〉 감자. ¶~淀粉; 감자의 녹말. =〔土豆(儿)〕 ②시골뜨기.

〔土堆儿〕 tǔduīr 명〘言〙 한자 부수의 하나. 흙토《단, '基'처럼 밑에 오는 경우》.

〔土堆(子)〕 tǔduī(zi) 명 ①흙산. ②흙을 쌓아올린 작은 산.

〔土墩(子)〕 tǔdūn(zi) 명 흙을 굳혀 만든 작은 의자《앉기 위해 노천에 만듦》.

〔土遁〕 tǔdùn 명 도가(道家)의 '五遁'의 하나. 동〈轉〉 도주하다. ¶这家伙欠债不还~了; 이놈이 빚을 갚지 않고 달아나 버렸다.

〔土恶〕 tǔ'è 명 토박이 악당. 그 지방의 건달.

〔土耳其〕 Tǔ'ěrqí 명〘地〙 터키(Turkey)《수도는 '安卡拉'(앙카라: Ankara)》. ¶~玉; 〈音〉 터키석(Turkey石).

〔土法〕 tǔfǎ 명 ①각지의 민간 재래식 방법. 구식 방법. ¶~上马; 구식 방법으로 일에 착수하다 / 用~开采; 재래식 방법으로 채굴하다. ②자기 독특한 방법.

〔土番〕 tǔfān 명 토번. 토착의 야만인.

〔土矾〕 tǔfán 명〘鑛〙 천연산의 불순한 명반(明礬).

〔土方〕 tǔfāng 명 ①토목 공사의 시행 체적. ②토목 공사에서 판 흙을 재는 단위. ¶一~是一立方米; 1'土方'은 1입방 미터이다. ③토목 공사에서 파내는 흙. ¶多挖wā~; 흙을 많이 파내다. ④토목 공사. ¶兴筑~; 토목 공사를 착수하다.

〔土方(儿)〕 tǔfāng(r) 명 민간에 널리 전하는 약의 처방. 한약에 의한 민간 요법. ¶用~治病; 민간

전래 요법으로 병을 치료하다.
〔土房(子)〕 tǔfáng(zi) 명 흙벽돌로 만든 집. 토담집. →〔砖房〕
〔土肥〕 tǔféi 명 퇴비.
〔土匪〕 tǔfěi 명 ①그 지역의 악당. ②토비(지방의 무장 비적(匪賊)).
〔土粉子〕 tǔfěnzi 명 담장의 벽면을 칠하는 데 사용되는 백색토.
〔土风〕 tǔfēng 명 ①그 지방 고유의 풍속. ②그 지방의 가요.
〔土风舞〕 tǔfēngwǔ 명 민속 무용. 포크 댄스.
〔土蜂〕 tǔfēng 명《蟲》배벌과 곤충의 총칭(애배벌·노랑띠배벌 따위).
〔土茯苓〕 tǔfúlíng 명《植》산귀래(山歸來). 나도물통이(중국산의 쐐기풀과 밀나물속(屬) 식물. 또, 그 근경. 약용함). =〔刺cì猪苓〕〔山shān地栗〕〔山猪粪〕
〔土附鱼〕 tǔfùyú 명《魚》횟대. 두부어(杜父魚). =〔吐哺鱼〕〔菜cài花鱼〕〔杜dù父鱼〕〔鲈lú鲤〕
〔土嘎拉〕 tǔgāla 명 무뢰한. 건달. 농사꾼.
〔土改〕 tǔgǎi 명동〈簡〉토지 개혁(을 하다)('土地改革'의 약칭). ¶～了; 토지 개혁을 했다 / ～运动; 토지 개혁 운동.
〔土岗〕 tǔgǎng 명 작은 언덕〔구릉〕.
〔土膏〕 tǔgāo 명 ①흙 속에 함유된 양분. ②토산의 아편.
〔土梗〕 tǔgěng 명 ①흙이나 나무의 가시(변변치 않은 것에 비유함). ②진흙 인형.
〔土工〕 tǔgōng 명 ①토목 공사. ¶～是用整套的掘土机器进行的; 토목 공사는 종합 굴착기를 써서 행해진다. ②(옛날, 농촌에서 집을 지을 때) 흙을 파거나 이기는 인부. 토공.
〔土狗〕 tǔgǒu 명 토종개. 보통의 잡종개. =〔笨bèn狗①〕
〔土狗子〕 tǔgǒuzi 명《蟲》〈方〉땅강아지. =〔蝼lóu蛄〕
〔土古〕 tǔgǔ 명〈文〉땅 속에서 파낸 옛 동기(銅器).
〔土谷祠〕 tǔgǔcí 명 (수호신을 모시는) 사당. 지장보살을 모신 불당.
〔土鼓风〕 tǔgǔfēng 명 중국 재래의 송풍기.
〔土鹘〕 tǔgǔ 명《鳥》새호리기.
〔土棍〕 tǔgùn 명 토박이 깡패.
〔土豪恶霸〕 tǔháo èbà 명 지방의 세력가. 악당의 두목.
〔土豪劣绅〕 tǔháo lièshēn 명 토호 열신. 지방의 세력가와 악당 두목. =〔土恶势豪〕〔土劣〕
〔土红〕 tǔhóng 명《色》주황색.
〔土猴儿〕 tǔhóur 명〈比〉온몸이 먼지투성이인 사람.
〔土虎伯劳〕 tǔhǔbóláo 명《鳥》되때까치.
〔土户〕 tǔhù 명 토착의 민가.
〔土花〕 tǔhuā 명 ①중국 토산의 면화. ②기물이 오랜 세월 흙 속에 묻혀서 생긴 고색(古色). 흙에 의한 부식으로 매장된 토기에 생긴 무늬 모양의 자국.
〔土化〕 tǔhuà 동《農》논밭의 지질에 따라 비료를 주고 개량하다.
〔土化肥〕 tǔhuàféi 명 중국 민간 방법으로 만드는 화학 비료. ¶～和洋化肥; 재래의 화학 비료와 새로운 (외래) 화학 비료.
〔土话〕 tǔhuà 명 ①방언. 토어. =〔土语〕↔〔标准话〕〔普通话〕〔国语〕 ②상스러운 말.
〔土皇帝〕 tǔhuángdì 명 (지방에 할거하는) 소군벌. 대보스. 대지주.
〔土黄(色)〕 tǔhuáng(sè) 명《色》황토색. (얼굴의) 흙빛. ¶穿～制服; 황토색의 제복을 입다.
〔土蝗〕 tǔhuáng 명《蟲》반날개벼메뚜기.
〔土灰〕 tǔhuī 명 ①흙먼지. ②석회토(石灰土).
〔土虺蛇〕 tǔhuǐshé 명《動》살무사.
〔土货〕 tǔhuò 명 ①국산품. →〔国guó货〕 ②⇨〔土物(儿)①〕
〔土基〕 tǔjī 명 노상(路床).
〔土墼〕 tǔjī 명 아직 굽지 않은 벽돌. 생벽돌.
〔土籍〕 tǔjí 명 여러 대(代)에 걸쳐 살고 있는 본적지.
〔土家族〕 Tǔjiāzú 명《民》투자 족(土家族)(중국의 소수 민족의 하나. 주로 후난 성(湖南省)의 자치구에 거주).
〔土建工程〕 tǔjiàn gōngchéng 명 토목 건축 공사. ¶～已经基本完工; 토목 공사는 이미 기본적으로 준공되었다.
〔土疆〕 tǔjiāng 명 경계(境界).
〔土角〕 tǔjiǎo 명 갑(岬).
〔土窖〕 tǔjiào 명 땅굴. 토굴. ¶冬天把白菜收藏在～里; 겨울에 배추를 토광에다 보존해 둔다.
〔土阶茅茨〕 tǔ jiē máo cí〈成〉흙층계와 띠지붕. 주거의 허름함. 허름한 집(검소·검약함).
〔土芥〕 tǔjiè 명 ①〈文〉이토(泥土)와 초개(草芥). ②〈轉〉하잘것없는 것. ¶～之才, 微不足道; 하찮은 놈으로, 내세워 말할 만한 것이 없다.
〔土荆芥〕 tǔjīngjiè 명《植》정가.
〔土井〕 tǔjǐng 명 황토층에 얕게 구멍을 판 간단한 우물.
〔土酒〕 tǔjiǔ 명 토속주. 토주.
〔土居〕 tǔjū 명 토착인. 본토박이. ¶北京～人氏; 베이징(北京) 본토박이. =〔土著〕
〔土军〕 tǔjūn 명 ⇨〔土兵〕
〔土喀拉〕 tǔkāla 명 흙덩이. 흙덩어리.
〔土坎子〕 tǔkǎnzi 명 성토를 한 약간 높은 곳.
〔土炕〕 tǔkàng 명 온돌. 방구들.
〔土坷垃〕 tǔkēla 명〈方〉흙덩이.
〔土寇〕 tǔkòu 명 토구. 그 지방의 도둑. 토비(土匪).
〔土库曼斯坦〕 Tǔkùmànsītǎn 명《地》〈音〉투르크메니스탄(Turkmenistan)(수도는 '阿A什哈巴特'(아슈하바트: Ashkhabad)).
〔土筐〕 tǔkuāng 명 흙을 메어 나르는 광주리.
〔土牢〕 tǔláo 명 토뢰. 지하 감옥.
〔土老儿〕 tǔlǎor 명〈貶〉시골뜨기. 촌놈(농민을 경멸해서 부르는 말).
〔土沥青〕 tǔlìqīng 명 천연산의 아스팔트.
〔土里土气〕 tǔli tǔqi 촌티가 나다. ¶～的人; 촌티나는 사람. →〔洋yáng里洋气〕
〔土连翘〕 tǔliánqiáo 명《植》물레나물.
〔土劣〕 tǔliè 명 ⇨〔土豪劣绅〕
〔土龙〕 tǔlóng 명 ①⇨〔鼍tuó〕 ②흙으로 만든 용(옛날에, 기우제에 쓰였음). ③'蚯qiū蚓'(지렁이)의 별칭.
〔土龙刍狗〕 tǔ lóng chú gǒu〈成〉흙으로 빚은 용. 짚으로 엮어 만든 개(명실 상부하지 못함).
〔土砻〕 tǔlóng 명 맷돌. 매통.
〔土圞儿〕 tǔluánr 명《植》토우(土芋). 구자양(九子羊)(콩과의 다년생 야생 식물. 황갈색의 구형(球形) 괴근(塊根)이 생김).
〔土麻草〕 tǔmácǎo 명《植》쇠뜨기.
〔土麻黄〕 tǔmáhuáng 명《植》개속새.
〔土马鬃〕 tǔmǎzōng 명《植》솔이끼(총칭)(솔이끼

과의 상록 민꽃 식물).
〔土埋了半截〕 tǔmáile bànjié ①한 발을 관에 들여 놓고 있다(여명이 얼마 안 남았다). ¶他已经是～的人了, 别和他计较吧; 그는 이미 죽을 때가 된 사람이다. 그 사람과 이러니저러니 하지 마라. ②죽으려다 못 죽음.
〔土馒头〕 tǔmántou 명〈俗〉묘. 무덤.
〔土毛〕 tǔmáo 명 토모. 땅에서 나는 오곡·뽕나무·삼 따위의 식물.
〔土眉土眼〕 tǔméi tǔyǎn 명 촌티가 줄줄 흐르는 얼굴. 때 벗지 못한 얼굴 모양.
〔土煤〕 tǔméi 명 토탄. 이탄(泥炭).
〔土霉素〕 tǔméisù 명《藥》테트라사이클린.
〔土门土户〕 tǔmén tǔhù 명 흙으로 지은 오두막집.
〔土面〕 tǔmiàn 명 (맷돌로 갈아서 만든) 밀가루. →〔机器面①〕
〔土面施佛〕 tǔmiàn shīfó 손님에게 변변치 않은 요리를 내다(손님을 푸대접하다).
〔土名〕 tǔmíng 명 토명. 그 지방에서 쓰이는 이름.
〔土末儿〕 tǔmòr 명 차의 가루. 가루차.
〔土模〕 tǔmú 명 시멘트 제품을 만들 때 쓰는 흙으로 만든 틀.
〔土木〕 tǔmù 명 토목 건축 공사. ¶～工程; 토목 공사.
〔土木香〕 tǔmùxiāng 명《植》댕댕이덩굴.
〔土木形骸〕 tǔ mù xíng hái〈成〉몸차림을 돌보지 않는 사람. 풍채가 두드러지지 못하는 사람.
〔土囊〕 tǔnáng 명 토낭. 흙을 넣은 부대.
〔土泥匠〕 tǔníjiàng 명 미장이.
〔土牛〕 tǔniú 명 성토(盛土). 제방의 보수를 위해 준비되어 있는 흙더미(멀리서는 소의 모습으로 보임).
〔土牛木马〕 tǔ niú mù mǎ〈成〉흙으로 만든 소와 나무로 만든 말(모양뿐이고 실질이 없는 것. 무용지물).
〔土偶〕 tǔ'ǒu 명 토우. 진흙 인형.
〔土坯〕 tǔpī 명 흙벽돌(아궁이·온돌·흙담 등을 쌓을 때 씀). ¶打～; 흙벽돌을 만들다.
〔土皮〕 tǔpí 명 벽의 미장칠이 들떠서 벗겨진 것.
〔土平〕 tǔpíng 명 지상의 것이 파괴되어 평지가 되다(파괴가 극심한 것). ¶原子战争一开始, 全世界就会打个～; 핵전쟁이 시작되면 전세계는 철저히 파괴된다.
〔土平炉〕 tǔpínglú 명《工》재래식의 제강용(製鋼用) 용광로.
〔土坪〕 tǔpíng 명 흙을 쌓아 나무를 심은 둑. 또, 그것에 에워싸인 곳.
〔土坡子〕 tǔpōzi 명 비탈길. 언덕길. 경사진 땅.
〔土菩萨过江〕 tǔpúsa guò jiāng〈歇〉흙으로 만든 보살이 내를 건너다. 남을 돕기는커녕 제 몸 하나도 보전하기 어렵다(뒤에 '自身难保'(자기 몸이 위태롭다)로 이어짐). =〔泥ní菩萨过江〕
〔土气〕 tǔqì 명 풍토. 흙냄새. ¶一进村子就闻到了家乡的～; 마을에 들어서면 이내 고향의 풍토를 느낀다. =〔地dì气②〕
〔土气〕 tǔqi 형 ①촌스럽다. 시골티 나다. 때를 벗지 못하다. 유행에 뒤지다. ②먼지가 많다. ¶～狼烟; 먼지가 많은 모양.
〔土气儿〕 tǔqìr 명 흙내. 땅의 정기(精氣)(동식물이 땅에서 받는 생기). ¶这棵蔫了的花移在地里沾点儿～居然缓过来了; 이 시들어 버린 꽃은 땅바닥에 옮겨서 흙의 정기를 맡게 했더니, 뜻밖에 생기를 되찾았다. =〔地气③〕
〔土枪〕 tǔqiāng 명 ①손으로 만든 엽총. ②아편 흡연용의 큰 담뱃대.
〔土腔〕 tǔqiāng 명 (말의) 지방 사투리.
〔土墙〕 tǔqiáng 명 토장. 토담. 흙담.
〔土青木香〕 tǔqīngmùxiāng 명《植》쥐방울. =〔马兜铃〕
〔土壤〕 tǔrǎng 명 토양. ¶～学; 토양학 / ～细流; 〈成〉티끌 모아 태산.
〔土人〕 tǔrén 명 ①토인. 토착민. 현지인. ②흙인형.
〔土肉〕 tǔròu 명〈方〉흙. 토양. ¶爸爸开出来了一亩不算肥沃、～发红的山地; 아버지는 비옥하다고 할 수 없는 붉은 산의 땅 1묘(畝)를 개간하였다.
〔土三七〕 tǔsānqī 명《植》가는기린초. =〔土山漆〕
〔土色〕 tǔsè 명 토색. 흙빛. ¶面如～; 얼굴이 흙빛이다.
〔土山子〕 tǔshānzi 명 작은 토산(土山).
〔土商〕 tǔshāng 명 토착 상인. 내국 상인.
〔土设备〕 tǔshèbèi 명 ①중국식 설비. ②자체적으로 만든 설비.
〔土绅士〕 tǔshēnshì 명 시골 신사. 지방 유지.
〔土神〕 tǔshén 명 토지의 신.
〔土生〕 tǔshēng 명 현지 태생. ¶～华侨; 현지 태생의 화교.
〔土生土长〕 tǔ shēng tǔ zhǎng〈成〉그 고장에서 태어나 자라다. 그 고장 토박이다. ¶～的华侨; 현지 태생의 화교.
〔土石方〕 tǔshífāng 명 토사나 돌의 입방 미터(구체적으로 $1m^3$를 '一个土石方'이라고 함). →〔土方〕
〔土丝〕 tǔsī 명 기계에 의하지 않고 재래식으로 뽑은 생사.
〔土司〕 tǔsī 명 ①원(元)·명(明)·청대(清代)에, 소수 민족의 세습 족장. 또, 그러한 제도. ②먀오족(苗族)의 세습 족장. ③〈音〉토스트(toast). ¶一杯咖啡, 一块～的早餐; 커피 한 잔과 토스트 한 장의 아침 식사. =〔吐司〕〔烤kǎo面包〕
〔土思〕 tǔsī 명 고향 생각. 망향심. ¶在客地过年, 终不免有些～乡梦; 타향에서 설을 보내면 고향 생각이 나게 마련이다.
〔土松〕 tǔsōng 명《植》노간주나무. =〔椿chūn松〕
〔土俗〕 tǔsú 명 ①토속. 지방의 풍속. ②비속한 풍속.
〔土笋〕 tǔsǔn 명 ⇨〔涂tú笋〕
〔土台〕 tǔtái 명 ①⇨〔土城〕 ②(～子) 흙으로 쌓은 대.
〔土特产〕 tǔtèchǎn 명 그 고장의 특산물. →〔土产〕
〔土藤〕 tǔténg 명《植》방기. =〔防己〕
〔土头土脑〕 tǔtóu tǔnǎo 명 시골뜨기. 촌뜨기.
〔土豚〕 tǔtún 명 ①돼지 모양의 토낭(土囊). ②《動》(남아프리카산) 개미핥기의 일종.
〔土蛙〕 tǔwā 명《動》개구리·두꺼비 따위의 총칭. =〔蛤há蟆〕
〔土围子〕 tǔwéizi 명 ①토담으로 둘러싸인 곳. 촌락 주위의 토담. ②지방의 독립 왕국. ¶打～; 지방 할거주의자를 타도하다. ③완강한 반혁명 진지.
〔土温〕 tǔwēn 명《農》지온(地溫). 토양의 온도.
〔土物(儿)〕 tǔwù(r) 명 ①지방 산물. 토산물. =〔土产②〕〔土货②〕 ②선물용의 토산물. ③〈轉〉〈謙〉

하찮은 물건. ¶不过一点儿～, 请您收下; 변변치 않은 것이지만 받아 주십시오.
〔土戏〕 tǔxì 명 《劇》 ①'土家族'의 전통극《후베이 성(湖北省) 라이펑 현(來鳳縣) 일대에 유행함》. ②좡 족(壮族)의 전통극 중의 하나. =〔壮族土戏〕
〔土星〕 tǔxīng 명 《天》 토성.
〔土星子〕 tǔxīngzi 명 ①흙먼지. ②흙의 됨.
〔土腥〕 tǔxīng 형 흙내나다.
〔土腥气〕 tǔxīngqì 명 흙내. 흙냄새. ¶这菠菜没洗干净, 有点儿～; 이 시금치는 깨끗이 씻지 않아서 흙냄새가 좀 난다. =〔土腥味儿〕
〔土杏儿〕 tǔxìngr 명 ①맛이 쓴 살구. ②〈比〉 박복한 아이('苦核儿'이 '苦孩儿'과 뜻이 통하는 데서).
〔土性〕 tǔxìng 명 ①토양의 성질. 지미(地味). 토리(土理). ②시골티가 남. 촌스러움.
〔土虚子〕 tǔxūzi 명 지방의 세력가. 토박이 무뢰한.
〔土烟〕 tǔyān 명 토연. 흙보라. 토사가 뽀얗게 연기처럼 날리는 것. ¶～呼呼滚起; 토연이 휙 날아올랐다.
〔土盐〕 tǔyán 명 거친 돌소금. =〔硝xiāo盐〕〔小xiǎo盐〕
〔土燕子〕 tǔyànzi 명 《鳥》 제비물떼새.
〔土洋〕 tǔyáng 명 ①중국의 것과 외국의 것. ②신구 절충. ¶～并举; 재래의 생산 방법과 외국의 방법을 함께 씀 / ～结合; 재래의 방법과 외국식의 방법을 결합하다.
〔土腰〕 tǔyāo 명 지협(地峽).
〔土药〕 tǔyào 명 정제하지 않은 아편.
〔土业〕 tǔyè 명 토지 전답 등의 부동산.
〔土医生〕 tǔyīsheng 명 시골 의사. 토박이 의사. ¶当地的～; 그 지방 토박이 의사.
〔土仪〕 tǔyí 명 〈文〉 그 고장 특산물의 선물.
〔土宜〕 tǔyí 명 ①그 토지의 산물. 토산물. ②토지에 적합한 작물.
〔土音〕 tǔyīn 명 방언. 지방 사투리.
〔土语〕 tǔyǔ 명 ⇨〔土话①〕
〔土语村言〕 tǔyǔ cūnyán 명 비속한 언어.
〔土葬〕 tǔzàng 명동 토장(하다).
〔土造〕 tǔzào 명 그 고장에서 만든 것. 그 자리에서 벼락치기로 만든 것. ¶～的翻译; 그 자리에서 벼락치기로 한 번역.
〔土栈〕 tǔzhàn 명 시골 마을의 작은 여관. ¶落～; 작은 여관에 묵다. =〔土庄〕
〔土政策〕 tǔzhèngcè 명 지방 독자적인 정책.
〔土蜘蛛〕 tǔzhīzhu 명 ①《動》 땅거미. ②토착인. ③그 고장의 불량배.
〔土纸〕 tǔzhǐ 명 손으로 만든 종이. 질이 낮은 종이.
〔土中出洋〕 tǔzhōng chūyáng 재래 방식 중에서 외국 기술에 필적하는 것〔현대적 방법〕이 나오다.
〔土冢〕 tǔzhǒng 명 총(塚)《흙을 높게 성토해서 만든 무덤》.
〔土著〕 tǔzhù 명 여러 대에 걸쳐 그 곳에 살고 있는 사람. 원주민. 토착인. 명동 토착(하다).
〔土专家〕 tǔzhuānjiā 명 (학교 졸업자가 아닌) 실천·경험과 이론을 결합시킨 민간에서 나온 전문가.
〔土字眼儿〕 tǔzìyǎnr 명 어느 지방에서 특수한 뜻으로 쓰이고 있는 문자.
〔土族〕 Tǔzú 명 《民》 투 족(土族)《중국 소수 민족의 하나. 주로 칭하이 성(青海省)·간쑤 성(甘肅省)에 거주함》.

吐 tǔ (토)

①동 토하다. (내)뱉다. ¶～核儿; 씨를 내뱉다 / 蚕cán～丝sī; 누에가 실을 토하다 / 不要随地～痰; 아무데나 가래를 뱉어서는 안 된다. ②동 말하다. 털어놓다. ¶谈～不俗; 말투가 속되지 않다 / 坚不肯～; 막무가내로 말을 안 하다 / ～露; ⇩ / ～实情; 실정을 토로하다. ③동 (이삭을) 내다. 패다. ¶～出了绿芽; 푸른 싹을 내밀었다 / 高粱～穗了; 수수 이삭이 팼다. ④명 성(姓)의 하나. ⇒tù
〔吐哺握发〕 tǔ bǔ wò fà 〈成〉 위정자가 인재를 찾기 위해 애쓰다《주공(周公)이 내객을 맞이함에 있어, 식사중이면 입 속의 음식을 뱉고, 머리를 감던 중이면 머리를 쥔 채 손님을 맞았다는 고사에서 유래》. =〔吐握〕
〔吐蕃〕 Tǔfān 명 《民》 토번《옛날의 민족명. 티베트 족(族)의 조상》.
〔吐放〕 tǔfàng 동 〈文〉 꽃이 피다. ¶百花～; 여러 가지 꽃이 어우러 피다.
〔吐刚茹柔〕 tǔ gāng rú róu 〈成〉 강자를 두려워하고 약자를 들볶다. =〔畏wèi强欺弱〕
〔吐根〕 tǔgēn 명 《植》 토근《상록 반교목으로 그 뿌리를 토제·거담제로 씀》.
〔吐根碱〕 tǔgēnjiǎn 명 《藥》 에메틴《토근(吐根)에서 채취하는 일종의 알칼로이드》. =〔吐根精〕
〔吐故纳新〕 tǔ gù nà xīn 〈成〉 묵은 기(氣)를 내뱉고 새 기(氣)를 흡수하다. (도가 수련법의) 심호흡. 〈轉〉 ①(인원의) 신진 대사를 하다. ②낡은 사상을 버리고 새 사상을 받아들이다.
〔吐贺〕 Tǔhè 명 복성(複姓)의 하나.
〔吐花〕 tǔ,huā 동 꽃이 피기 시작하다. ¶枝上～; 나뭇가지에 꽃이 피다.
〔吐话〕 tǔhuà 동 ⇨〔吐实〕
〔吐话(儿)〕 tǔ,huà(r) 동 말하기 시작하다. 말을 꺼내다. ¶这件事一定要你～才行; 이 일은 반드시 네가 먼저 말을 꺼내야 한다.
〔吐剂〕 tǔjì 명 구토제.
〔吐口〕 tǔ,kǒu 동 말을 꺼내다. 말을 하다.
〔吐口话儿〕 tǔ kǒuhuar 의견을 말하다. ¶他始终不肯～; 그는 시종 한 마디도 의견을 말하지 않았다.
〔吐苦水〕 tǔ kǔshuǐ (자신이 겪은) 과거의 괴로움을 호소하다《집회에서》.
〔吐愣搭〕 tǔlèngké 명 《罵》 촌놈. =〔土愣卖〕
〔吐露〕 tǔlù 동 (심정·진실 따위를) 털어놓다. 토로하다. ¶～实情; 실정을 토로하다.
〔吐气〕 tǔ,qì 동 ①가슴 속의 맺힌 것·불만을 토로하여 후련케 하다. ¶吐一口不平之气; 마음 속의 불평을 토로하다. 울분을 풀다. ②기를 토하다. ¶扬眉～; 〈成〉 의기 충천한 모양. 득의 양양한 모양. (tǔqì) 명 《言》 숨소리를 내는 발음. 기식음.
〔吐弃〕 tǔqì 동 ①입으로 내뱉다. 타기하다. ¶你把骨头～在地上也行; 너는 뼈를 땅바닥에 뱉어 버려도 좋다. ②침을 뱉다.
〔吐舌〕 tǔ,shé 동 혀를 내밀다. 혀를 내두르다《놀람·감탄의 시늉》. ¶吓得直～; 놀라서 줄곧 혀를 내두르고 있다. =〔吐舌头①〕
〔吐舌头〕 tǔ shétou ①⇨〔吐舌〕 ②혀를 내밀다《장난을 칠 때 따위》. ¶～作鬼脸; 혀를 내밀고 괴상한 표정을 짓다.
〔吐实〕 tǔshí 동 실토하다. ¶再三盘问, 坚不～; 재삼 심문하였으나, 입을 굳게 다물고 사실을 말하지 않는다. =〔吐话〕〔〈文〉 吐款〕

〔吐绶鸡〕 tǔshòujī 명 《鳥》 중국 원산의 칠면조. =〔火huǒ鸡〕〔绶鸡〕
〔吐疏纳亲〕 tǔ shū nà qīn 〈成〉 소원(疏遠)한 자를 배척하고 가까운 자를 들이다. 인사 문제를 연고(緣故)로 다루다.
〔吐属〕 tǔshǔ 명 〈文〉 말하는 바. 말의 품격. ¶此人～不凡; 이 사람은 말하는 것이 평범치 않다.
〔吐丝〕 tǔ sī (누에가) 실을 토하다. ¶～自缚; 〈成〉 자승자박하다.
〔吐司〕 tǔsī 명 〈音〉 토스트(toast). =〔烤面包〕〔烤面包片〕〔土司〕〔土斯〕
〔吐穗〕 tǔ/suì 동 이삭이 패다. ¶稻禾～; 벼이삭이 패다. 명 출수(出穗).
〔吐痰〕 tǔ tán 가래침을 뱉다.
〔吐突〕 Tǔtū 명 복성(複姓)의 하나.
〔吐吐沫〕 tǔ tùmo 침을 뱉다. ¶见鬼～; 도깨비를 만나면 침을 뱉는다. =〔吐唾沫〕
〔吐芒〕 tǔ/wáng 동 (보리 따위에) 까끄라기가 나다.
〔吐雾吞云〕 tǔ wù tūn yún 〈成〉 안개를 토하고 구름을 삼키다《아편을 피우는 모양》.
〔吐奚〕 Tǔxī 명 복성(複姓)의 하나.
〔吐卸〕 tǔxiè 동 (화물을 화차나 배에서) 부리다.
〔吐秀〕 tǔxiù 동 〈文〉 꽃이 피어나다.
〔吐絮〕 tǔ/xù 동 (면화 열매가 익어 벌어져) 흰 솜이 나타나다.
〔吐芽儿〕 tǔ/yár 동 싹이 트다. (식물의) 눈이 트다. =〔滋zī芽〕
〔吐烟〕 tǔ yān (담배 따위를) 피우다.
〔吐谷浑〕 Tǔyùhún 명 《史》 투위훈《중국 고대의 소수 민족(이 세운 나라). 지금의 간쑤(甘肅)·칭하이(青海)에 있었음》.
〔吐怨气〕 tǔ yuànqì 불평〔불만〕을 호소하다.
〔吐嘴儿〕 tǔ/zuǐr 동 꽃이 피기 시작하다. ¶花咕朵儿～了; 꽃봉오리가 벌어지기 시작했다.

钍(釷) tǔ (토)
명 《化》 토륨(Th: 라 thorium)《방사성 희토류(稀土類) 금속 원소》.

吐 tù (토)
동 ①구토하다. 게우다. ¶呕ǒu～; 구토하다 / 上～下泻; 토하고 설사하다 / 恶心要～; 가슴이 메슥거리며 토할 것 같다. ②〈比〉 착복한 것을 다시 내놓다. (돈 따위를) 토해 내다. ¶～出赃款; 착복한 돈을 게워 내다. ⇒tǔ
〔吐剂〕 tùjì 명 《醫》 최토제. 토하게 하는 약. ¶赶紧吃～把毒呕出来就好了; 빨리 토하는 약을 먹어 독을 토해 내 버리면 괜찮다. =〔吐药〕
〔吐酒石〕 tùjiǔshí 명 《藥》 토주석. =〔酒石酸(氧)锑钾〕
〔吐沫〕 tùmo 명 침. ¶吐tǔ～ =〔啐cuì～〕; 침을 뱉다. =〔唾tuò沫〕
〔吐沫星子〕 tùmòxīngzi 명 침방울.
〔吐逆〕 tùnì 명 구토. 동 게우다. 토하다.
〔吐清水〕 tù qīngshuǐ 위(胃)에서 신물을 토해 내다. ¶三天没吃东西，吐到没得可吐了，还是直～; 사흘이나 아무것도 먹지 않고 뱃속의 것을 다 토해 버렸지만, 그래도 계속해서 위에서 신물을 토해 냈다. =〔吐酸水〕
〔吐血〕 tù/xiě 동 피를 토하다. (tùxiě) 명 토혈.
〔吐泻〕 tùxiè 동 토사하다. 명 구토와 설사.

兔〈兎〉 tù (토)
명 ①(～儿, ～子) 《動》 토끼. ¶家～; 집토끼 / 野～(儿); 산토끼. ②계간(鷄姦). 비역.
〔兔唇〕 tùchún 명 언청이(의 입술). 토순. =〔唇裂〕
〔兔蛋〕 tùdàn 명 〈比〉 여자가 노리개로 삼는 미동(美童). 남색(男色)의 상대되는 소년.
〔兔捣碓〕 tùdǎoduì 명 달 속의 절구질하는 토끼. ¶传说月亮上有个～; 달에 토끼가 있어 절구질을 한다고 전해지고 있다.
〔兔耳〕 tù'ěr 명 난도질. ¶切～; 난도질하다.
〔兔翻花〕 tù fānhuā 토끼처럼 깡충깡충 뛰다. ¶戏台上的小丑儿像～似的那么跳; 무대에서 어릿광대가 토끼처럼 깡충깡충 뛰고 있다.
〔兔脯〕 tùfǔ 명 말린 토끼 고기.
〔兔羔子〕 tùgāozi 명 ①토끼 새끼. ②뻔뻔스런 녀석.
〔兔罟〕 tùgǔ 명 토끼 (잡는) 그물.
〔兔毫〕 tùháo 명 토호. ①토끼의 털. ②토끼털로 만든 붓.
〔兔角〕 tùjiǎo 명 〈文〉〈比〉 절대로 없는 것.
〔兔毛尘〕 tùmáochén 명 〈比〉 미소한 것.
〔兔起鹘落〕 tù qǐ hú luò 〈成〉 ①민첩한 모양. ②서가의 붓놀림이 민첩하고도 역동적인 모양. ¶但见他拿起笔来～，一会儿就写完了; 그는 붓을 집어 들어 민첩하게 붓을 휘두르는가 싶더니, 잠깐 동안에 다 써 버렸다.
〔兔儿爷〕 tùryé 명 중추절에 달에 제사 지내는, 토끼 머리에 사람 몸을 한 진흙 인형.
〔兔丝(子)〕 tùsī(zǐ) 명 《植》 새삼. ¶～燕麦; 〈成〉 이름뿐이고 실이 없는 예. 겉만 번지르르한 예. 유명무실하다.
〔兔死狗烹〕 tù sǐ gǒu pēng 〈成〉 토사구팽《일이 성사되면 공신은 죽음을 당함. 은혜를 잊고 의리를 저버림》.
〔兔死狐悲〕 tù sǐ hú bēi 〈成〉 토끼가 죽으면 여우가 슬퍼하다《동병상련(同病相憐)하다》. ¶～，物伤其类; 동병상련하다.
〔兔逃〕 tùtáo 동 〈文〉 ⇨〔兔脱〕
〔兔头蛇眼〕 tùtóu shéyǎn 〈罵〉 꼴불견으로 생긴 머리나 눈. 교활해 보이는 몰골. ¶这小子～准不是好人; 이놈은 교활해 보이는데, 틀림없이 변변치 않은 놈일 것이다.
〔兔头兔脑〕 tùtóu tùnǎo 〈罵〉 토끼 대가리. ¶长得～的，一定是傻蛋; 토끼 대가리를 하고 있으니, 틀림없이 멍청한 놈이겠지.
〔兔脱〕 tùtuō 동 〈文〉 도망치다. 잽싸게 달아나다. =〔兔逃〕
〔兔崽子〕 tùzǎizi 명 ①〈罵〉 토끼 새끼. ②〈比〉 쓸모없는 놈.
〔兔子〕 tùzi 명 ①《動》 토끼. ¶～不吃窝边草; 〈諺〉 토끼는 둥지 부근의 풀은 먹지 않는다《도둑은 제 근거지는 털지 않는다. 곧 드러날 짓은 하지 않는다》 / ～尾巴，(长不了); 〈歇〉 토끼 꼬리(길어질 까닭이 없다)《오래 갈 리가 없다》. =〔兔儿〕 ②남창(男娼).
〔兔子鞋〕 tùzixié 명 토끼 신발《빨리 달릴 수 있음》. ¶穿～跑; 냅다 달려가다.
〔兔子鱼〕 tùziyú 명 《魚》 은상어.

堍 tù (토)
명 다리(橋)의 양 끝.

菟 tù (토)
→〔菟葵〕〔菟丝(子)〕 ⇒tú
〔菟葵〕 tùkuí 명 《植》 너도바람꽃.

〔菟丝(子)〕 tùsī(zi) 명 《植》 새삼.

TUAN ㄊㄨㄢ

湍 tuān (단)
①형 수류(水流)가 급하다. 물살이 세다. ②명 급류. ¶急~; 급류.
〔湍急〕 tuānjí 형 물살이 세다〔급하다〕.
〔湍流〕 tuānliú 명 〈文〉 급하게 흐르는 물. 여울물.

团(團, 糰④) tuán (단)
①형 둥글다. ¶~扇; ⇩/~花儿; ⇩/雌蟹是~脐的; 암게의 배는 둥글다. ②동 쥐어서 둥글게 하다. 둥글리다. 단자로 만들다. ¶把雪~成一个球; 눈을 둥글게 뭉치다/~饭~子; 주먹밥을 만들다/~药丸; 환약을 빚다. ③명 (둥글게 된) 덩어리. 뭉치. ¶饭~儿; 주먹밥/钱~; 실뭉치. ④명 단자. ¶汤~; 경단. ⑤명 단체. 집단. 단. ¶主席~; 의장단/访华代表~; 방중 대표단/文工~; 문화 선전 활동단. ⑥동 하나로 모이다. ¶~聚; 함께 모이다. ⑦명 〈簡〉 '中国共产主义青年团'의 약칭. ¶入~; 공산주의 청년단에 참가하다. ⑧명 《軍》 연대. ⑨양 뭉치. 덩어리(뭉친 것·덩어리를 세는 데 쓰임. 추상적인 것에도 씀). ¶两~毛线; 털실 두 뭉치/一~和气; 일단의 화기.
〔团拜〕 tuánbài 동 단체로 신년 하례를 하다. 명 단체 하례. ¶初一举行~; 정월 초하루에 단배식을 거행하다.
〔团部〕 tuánbù 명 연대 본부.
〔团茶〕 tuánchá 명 차 이름(상등품).
〔团城〕 tuánchéng 명 ①둥근 성. ②성문 밖으로 또 한 겹 반월(半月)로 쌓은 성벽.
〔团城会〕 tuánchénghuì 명 《體》 구기에서 감독이나 주장이 대원을 불러 둥글게 서서 스크럼을 짜고 은밀히 작전을 지시하거나 의논하는 것.
〔团丁〕 tuándīng 명 옛날, 민간 의용병. 청년 단원.
〔团饭〕 tuánfàn 명 주먹밥. =〔饭团儿〕
〔团防局〕 tuánfángjú 명 옛날, 지방의 자위대(自衛隊).
〔团匪〕 Tuánfěi 명 ⇨〔义Yì和团〕
〔团费〕 tuánfèi 명 (공산주의 청년단의) 단비.
〔团粉〕 tuánfěn 명 조리용 녹말(대개 녹두로 만듦). =〔绿豆粉〕
〔团凤〕 tuánfèng 명 ①봉황새를 둥글게 도안화한 것. ②차(茶)의 최상품.
〔团附〕 tuánfù 동 연대에 소속되다. 명 ①연대 소속. ②부연대장. =〔副团长〕
〔团糕〕 tuángāo 명 단자. 경단.
〔团花儿〕 tuánhuār 명 둥근 자수 무늬. ¶福字~; '福' 자의 둥근 자수 무늬.
〔团环脸〕 tuánhuánliǎn 명 둥근 얼굴. 오동통한 얼굴. =〔团脸儿〕〔苹píng果脸〕
〔团焦〕 tuánjiāo 명 〈文〉 초가집.
〔团结〕 tuánjié 명동 단결(하다). 연대(聯帶)(하다). 결속(하다). ¶把大家~起来; 모두를 단결시키다/~他; 그와 연대하다. 형 사이가 좋다. 화목하다. ¶大家很~; 모두 아주 화목하다.
〔团居〕 tuánjū 동 〈文〉 무리를 이루어 거주하다. ¶~日久成村镇; 무리를 이루어 오래 살아 차츰 촌락이 되었다.
〔团聚〕 tuánjù 동 ①함께 모이다(흔히, 육친이 흩어졌다가 다시 모여 즐거운 생각을 함을 가리킴). ¶全家~; 일가가 한 자리에 모이다. ②단결하여 모이다. ¶组织和~千千万万民众; 많은 사람을 조직하여 단결 결집하다.
〔团课〕 tuánkè 명 공산주의 청년단원에 대한 사상 교육. ¶上~; 공산주의 청년단원에 대한 교육을 받다.
〔团矿〕 tuánkuàng 명동 《機》 펠레타이징(pelletizing)(하다)(광석을 분말로 하여 접착제를 넣어 가열해서 정련에 편리하도록 막대·공 모양으로 하는 과정).
〔团粒〕 tuánlì 명 《農》 입상(粒狀)〔단립〕. ¶~结构; 입상 구조/~肥料; 입상 비료.
〔团练〕 tuánliàn 명 ①(송대(宋代)에 시작되어 근세까지 존속되었던, 지주가 통솔하던) 지방 무장 조직. ②주민의 무장 자위 집단.
〔团龙(儿)〕 tuánlong(r) 명 용이 서린 모양. 용무늬. ¶~蓝纱大衫; 둥글게 서린 용무늬가 있는 남빛 얇은 비단의 긴 옷.
〔团圞〕 tuánluán 형 ①〈文〉 달의 둥근 모양. ¶一轮~的明月; 둥글고 밝은 달. ②단란하다. 즐겁게 둘러앉다. ¶一家子~; 온 가족이 모여 단란하다. ‖=〔团栾〕
〔团年〕 tuánnián 명 섣달 그믐날 가족 전부가 단란하게 모여 앉음. ¶吃~饭; 섣달 그믐날 저녁 온 집안이 모여 식사를 하다.
〔团弄〕 tuánnong 동 〈文〉 ①손으로 물건을 둥글리다. ②사람을 좌지우지하다. 마음대로 조종하다. 어루꾀다. 속이다. 끌어들이다. ¶满嘴好听话, 企图~群众; 입으로만 달콤한 말을 해서 군중을 속이려 하다. ‖=〔抟弄〕
〔团脐〕 tuánqí 명 ①게의 배딱지가 둥근 것(암컷의 특징). ¶这些螃蟹都是~的; 이들 게는 모두 배딱지가 둥근 것들뿐이다. ↔〔尖脐〕 ②암게. ¶我吃了两个尖脐, 一个~; 나는 수게 두 마리와 암게 한 마리를 먹었다. =〔雌蟹〕
〔团旗〕 tuánqí 명 ①《軍》 연대(聯隊)기. ②단체의 기. ③중국 공산주의 청년단의 단기.
〔团伞花序〕 tuánsǎnhuāxù 명 《植》 단산 화서(團繖花序).
〔团扇〕 tuánshàn 명 단선. =〔宫gōng扇〕
〔团扇鳐〕 tuánshànyáo 명 《魚》 목탁가오리(가오리의 일종). =〔团扇〕
〔团舌儿〕 tuán shér 혀가 돌아가지 않는 일.
〔团身〕 tuánshēn 명 《體》 (체조 따위에서) 양팔로 껴안기.
〔团体〕 tuántǐ 명 단체. ¶~赛; 단체전/组织了一个~; 하나의 단체를 조직했다.
〔团体操〕 tuántǐcāo 명 매스 게임(mass game). ¶上~; 매스 게임을 하다〔에 참가하다〕.
〔团体协约〕 tuántǐ xiéyuē 명 ⇨〔集jí体合同〕
〔团团〕 tuántuán 형 ①동그랗다. ¶面~的大富翁; 얼굴이 동그란 큰 부자. ②빙글빙글 도는 모양. ¶许多人把他~围住, 问长问短; 많은 사람이 그를 빙 둘러싸고 이것저것 묻다.
〔团团簇簇〕 tuántuan cùcù 형 가득 모여 있는 모양. 인산 인해를 이룬 모양.
〔团团饭〕 tuántuánfàn 명 섣달 그믐날 저녁 온 가족이 다 모여 함께 먹는 식사.
〔团团伙伙〕 tuántuán huǒhuǒ 그룹. 파벌. 섹트(sect)('团伙'로도 쓰임).

〔团团转〕 tuántuán zhuàn ①빙글빙글 돌다. ¶陀螺儿tuóluór在那儿～; 팽이가 저기에서 빙글빙글 돌고 있다/小巴狗儿围着人～; 작은 발바리가 사람 주위를 빙글빙글 돌고 있다. ②이리 뛰고 저리 뛰다. 쩔쩔매다. 허둥지둥하다. ¶忙得～; 바빠서 쩔쩔매다/急得～; 급해서 허둥지둥하다. ③남이 하라는 대로 하다. ¶别的青年在她跟前～; 다른 청년들은 그녀 앞에서는 그녀가 하라는 대로 한다.

〔团委〕 tuánwěi 명 〈簡〉 공산주의 청년단 위원회의 약칭.

〔团叙〕 tuánxù 동 〈文〉 (온 집안이) 단란하게 이야기를 나누다. 함께 즐겁게 이야기를 나누다. 한자리에 모여 서로 이야기하다.

〔团鳐〕 tuányáo 명 《魚》 목탁가오리.

〔团音〕 tuányīn →〔尖jiān团音〕

〔团鱼〕 tuányú 명 《動》 자라. =〔甲jiǎ鱼〕

〔团员〕 tuányuán 명 ①단체의 성원. ¶友好访华团的～; 우호 방중단의 단원. ②공산주의 청년단의 단원.

〔团圆〕 tuányuán 동 흩어졌던 가족이 재회하다〔다시 모이다〕. 온 가족이 단란하게 지내다. ¶骨肉～; 육친이 재회하다/全家～; 전 가족이 다시 모이다. 형 둥글다. 원형이다. ¶这个人～脸,大眼睛; 이 사람은 둥근 얼굴에 큰 눈을 하고 있다.

〔团圆饼〕 tuányuánbǐng 명 ⇨〔月yuè饼①〕

〔团圆饭〕 tuányuánfàn 명 ①중추절에 온 가족이 함께 모여 먹는 밥. ②신랑 신부가 결혼식 당일에 함께 먹는 밥.

〔团圆节〕 tuányuánjié 명 추석·중추절.

〔团圆酒〕 tuányuánjiǔ 명 사건이 원만하게 낙착되었을 때 마시는 술. 화해술.

〔团藻〕 tuánzǎo 명 《植》 녹조류(綠藻類)의 하나.

〔团章〕 tuánzhāng 명 단(團)의 규약(흔히, 공산주의 청년단의 규약을 지칭).

〔团长〕 tuánzhǎng 명 ①단체의 장. ¶代表团～; 대표단장. ②연대장.

〔团折〕 tuánzhé 동 물건을 뭉쳐서 주름이 생기다. ¶～了的纸摊不平; 뭉쳐서 구겨진 종이는 펴도 펴지지 않는다.

〔团子〕 tuánzi 명 단자. 경단. ¶糯nuò米～; 찹쌀경단/玉米面～; 옥수수 가루 경단.

〔团坐〕 tuánzuò 동 빙 둘러 앉다. 원형으로 둘러앉다.

漙(溥)

tuán (단)

형 〈文〉 이슬이 많은 모양.

抟(摶)

tuán (단)

동 ①빚어서 둥글리다. 주물러 뭉치다. ¶～饭团儿; 주먹밥을 만들다. ②〈文〉 빙빙 돌다. 선회하다. =〔盘pán旋〕

〔抟弄〕 tuánnong 동 ⇨〔团tuán弄〕

〔抟沙〕 tuán shā 모래를 뭉치다. 단결력이 없는 것을 억지로 단결시키다. ¶～无功; 〈成〉 헛되이 단결하려고 애쓰다.

〔抟埴〕 tuánzhí 동 〈文〉 도기를 빚다.

疃〈畽〉

tuǎn (탄)

명 ①짐승의 발자국. ②촌(村). 부락. ¶柳Liǔ～; 류탄(산둥 성(山東省)에 있는 땅 이름).

彖

tuàn (단)

→〔彖辞〕

〔彖辞〕 tuàncí 명 '역경(易經)'에서 괘의(卦義)를 논하는 말. =〔卦辞〕

TUI ㄊㄨㄟ

忒

tuī (특)

부 〈京〉 지나치게 (…하다). 매우. 꽤. ¶风～大; 바람이 몹시 세다/路～滑; 길이 매우 미끄럽다/价钱～便宜; 값이 너무 싸다/相隔～远; 서로 떨어진 거리가 너무 멀다. ⇒tè tēi

〔忒板〕 tuībǎn 형 〈京〉 너무나 촌스럽다. 너무 융통성이 없다.

〔忒柴〕 tuīchái 형 〈方〉 매우 엉망이다. 매우 형편없다. ¶这场足球乙队踢得～; 이 축구 시합에서 을팀의 플레이는 너무 엉망이었다. =〔糟zāo糕〕

〔忒儿地〕 tuīrde 〈擬〉 ①새가 퍼덕거리며 나는 소리. ②강한 바람의 소리. ‖ =〔忒楞楞〕

〔忒儿喽〕 tuīrlou 〈擬〉 후룩후룩(들이마시는 소리). ¶几口就把一大碗～完了; 큰 대접에 가득한 국수를 두세 번에 후루룩 먹어 버렸다/直～鼻涕; 연해 콧물을 훌쩍거리다.

〔忒杀〕 tuīshā 부 너무나. 몹시. =〔忒煞〕

〔忒已地〕 tuīyǐde 부 〈京〉 대단히. 몹시.

推

tuī (추, 퇴)

동 ①밀다. ¶门没有关, 一～就开了; 문이 잠겨 있지 않아서 조금 밀었더니 열렸다. ②추진하다. (추상적인 것을) 널리 퍼뜨리다. 보급시키다. ¶～广; ⇩/～行; ⇩/～销; ⇩ ③추대〔추천〕하다. ¶公～代表; 대표를 공선(公選)하다. ④구실을 만들어 피하다. ¶～病不到; 병을 핑계 삼아 결석하다. ⑤책임을 전가시키다. ¶把自己的不好～在人家身上; 자기 잘못을 남에게 들씌우다. ⑥거절하다. 사퇴하다. ¶～得好; 솜씨 좋게 거절하다. ⑦심문(審問)하다. ¶三～六问; 갖가지로 심문하다. ⑧연기하다. ¶往后～三天; 3일 연기하다. ⑨이발 기계로 머리를 깎다. ¶～光头; 빡빡 깎다. ⑩(도구를 써서) 벗기다. 깎다. 자르다. ¶用刨子～光; 대패로 깨끗이 밀다. ⑪(절구로 곡물을) 빻다. ¶～了两斗荞麦; 메밀을 두 말 빻았다. ⑫겸손하다. 양보하다. ¶你～我, 我让你地彼此谦让; 서로 사양하며 양보하다. ⑬추론하다. 유추하다. ¶～论; ⇩

〔推案〕 tuī'àn 동 사건을 심문하다.

〔推扳〕 tuībān 형 〈南方〉 나쁘다. 못하다. 수준 미달이다. 서투르다. ¶生意～; 장사가 불경기다.

〔推刨〕 tuībào 명 〈方〉 대패. ¶推～; 대패로 밀다.

〔推本溯源〕 tuī běn sù yuán 〈成〉 근원을 찾다. 대본(大本)을 탐구하다. 대강의 원인을 살피다.

〔推病〕 tuī.bìng 동 병을 핑계 삼다. (병을 이유로) 변명하다. (책임 따위를) 회피하다.

〔推波助澜〕 tuī bō zhù lán 〈成〉 일을 더욱 부추겨 영향을 크게 함. 부추김. 악을 조장함. ¶在一旁～; 옆에서 부채질하다. 불에 기름을 붓다.

〔推步〕 tuībù 동 천문(天文)을 추산(推算)하다.

〔推测〕 tuīcè 동 추측하다. 헤아리다. ¶无从～; 추측할 수 없다.

〔推车〕 tuīchē 동 차를 밀다. ¶～上坡; 수레를 밀어 비탈을 오르다/～的; 수레꾼.

〔推陈出新〕 tuī chén chū xīn 〈成〉 묵은 사물의 찌꺼기를 제거하고 그 정화(精華)를 살려 새 방향으로 발전시켜 나가다. 낡은 부정적인 것을 물리치고 새 것을 창출하다《흔히, 문화 유산의 계승에 대하여》. =〔推旧出新〕

〔推诚〕 tuīchéng 동 성의를 가지고 대하다. ¶～相见; 성의를 갖고 상대를 접하다.

〔推迟〕 tuīchí 동 〈文〉 지연하다. 연기하다. ¶～回答; 회답을 지연시키다 / 把日期～; 날짜를 뒤로 물리다.

〔推斥力〕 tuīchìlì 명 《物》 척력(斥力).

〔推崇〕 tuīchóng 명동 추앙(하다). ¶他的作品早就受到了文学界的～; 그의 작품은 일찍부터 문학계의 추앙을 받고 있다.

〔推崇备至〕 tuī chóng bèi zhì 〈成〉 격찬하다. ¶他竖起大拇指, ～地说"这人不简单"; 그는 엄지손가락을 세우고 격찬하면서, "이 사람은 대단합니다"라고 말하였다.

〔推出〕 tuī.chū 동 (새로운 것 따위를 세상에) 내놓다〔내다〕. ¶文坛～一批新人; 문단에는 많은 신인이 나왔다 / ～新产品; 신제품이 등장하다 / ～一部新片; 새로운 영화가 개봉되었다.

〔推出去〕 tuī.chu.qu ①밀어 내다. ②거절해 버리다. ¶咱们不能把上门的买卖～呀; 우리는 상대방이 들고 온 장사를 거절할 수는 없다.

〔推床〕 tuīchuáng 명 이동식 침대.

〔推辞〕 tuīcí 동 (임명 · 초대 · 기증 따위를) 사양하다. 사퇴하다. ¶请不要～! 제발 사양하지 마시도록! / 我能干绝不～; 나는 할 수 있으면 결코 거절하지 않는다. =〔推却〕

〔推辞话〕 tuīcíhuà 명 둔사(遁辭). 핑계대는 말. ¶见风转舵, 就说～; 형세를 보고 핑계를 대다.

〔推戴〕 tuīdài 동 〈文〉 추대하다. ¶竭诚～; 마음으로부터 추대하다.

〔推挡球〕 tuīdǎngqiú 명 《體》 (탁구의) 쇼트《코트 가까이에 위치하여 공이 바운드하는 순간을 재빨리 되받아치는 타법》.

〔推宕〕 tuīdàng 동 〈文〉 구실을 만들어 연기하다. ¶故意～; 고의로 지연시키다.

〔推导〕 tuīdǎo 동 이끌어 내다. ¶～公式; 공식을 이끌어 내다.

〔推倒〕 tuī.dǎo 동 ①밀어 넘어뜨리다. ②뒤집어엎다. ¶把堆得很高的一堆书～; 높이 쌓아올린 책을 밀어 무너뜨리다. ③ ⇨〔推翻〕

〔推定〕 tuīdìng 동 추정하다. ¶失踪十年, ～已经死亡; 실종된 지 10년이 되므로, 사망한 것으로 추정된다.

〔推动〕 tuīdòng 동 추진하다. 밀고 나아가다. ¶～了社会的发展; 사회의 발전을 추진하다 / 总结经验, ～工作; 경험을 총괄하여 일을 추진하다. 명 추진. 촉진. ¶～力; 추진력.

〔推动杆〕 tuīdònggǎn 명 《機》 푸시 로드(push rod). 밀대.

〔推动机〕 tuīdòngjī 명 프로펠러. 추진기.

〔推断〕 tuīduàn 명동 추정(하다). 추단(하다). 추정(해 내다). ¶那个结论是怎么～出来的? 그 결론은 어떻게 하여 추정해 내었는가? 명 추단. 추정. ¶对于它的将来做正确的～; 그 장래에 대하여 바른 추단을 하다.

〔推度〕 tuīduó 동 〈文〉 추측하다. ¶～人的心理; 사람의 심리를 미루어 헤아리다.

〔推躲〕 tuīduǒ 동 칭탁하여 피하다. 구실을 만들어 회피하다. 이유를 붙여서 몸을 빼다.

〔推恩〕 tuī'ēn 동 〈文〉 은혜를 베풀다. ¶～于万民, 足以保四海; 은혜를 만민에게 베풀면, 천하를 보전할 수 있다.

〔推而广之〕 tuī ér guǎng zhī 〈成〉 이를 넓혀서 말한다면….

〔推翻〕 tuī.fān 동 ①(공공연한 수단으로 지배를) 뒤엎다. 전복시키다. ¶～了外国人的统治; 외국인의 통치를 전복시켰다. ②(이제까지의 설명 · 계획 · 결정 따위를) 번복하다. 뒤집다. ¶～了先前的结论; 이전의 결론을 번복하였다. ‖ =〔推倒③〕

〔推服〕 tuīfú 동 〈文〉 칭찬하며 경복(敬服)하다.

〔推富〕 tuīfù 동 〈文〉 재산을 남에게 베풀어 주다. ¶～及人; 재산을 다른 사람에게 베풀다.

〔推干净〕 tuī gānjing ①책임 회피를 하다. 무관(無關)해지려 하다. ②단호히 거절하다.

〔推干就湿〕 tuī gān jiù shī 〈成〉 마른 곳은 자식에게 밀어 주고 자신은 자식의 오줌으로 젖은 곳에 있다《자식 기르는 노고를 말함》. =〔推燥居湿〕

〔推给〕 tuīgěi 동 (…에게) 밀어 버리다. 밀다. ¶重担自己不挑而～别人; 무거운 짐은〔임무는〕 자신이 지지 않고〔떠맡지 않고〕 남에게 밀어 버리다.

〔推根溯源〕 tuī gēn sù yuán 〈成〉 근본을 캐다. ¶～地找出问题的症结; 근본적으로 문제의 근원을 찾아 내다.

〔推故〕 tuīgù 동 〈文〉 구실을 대어 거절하다. ¶叫他几次, 总是～不来; 그를 몇 차례 불렀는데, 핑계를 대고 끝내 오지 않는다.

〔推光〕 tuīguāng 동 ①머리를 빡빡 깎다. ¶～头; 머리를 빡빡 깎다. ②'天tiān九(牌)'(숫자 맞추기의 일종의 카드 노름)을 하여 돈을 모두 잃다. ¶推牌九把钱都～了; 카드 노름을 하여 돈을 모두 잃다.

〔推广〕 tuīguǎng 동 (사용 범위나 작용이 미치는 범위를) 넓히다. 확대하다. 보급하다. ¶～销路 xiāolù; 판로를 확대시키다 / ～普通话; 표준어를 확대하다 / ～先进经验; 선진 경험을 보급하다.

〔推核桃车〕 tuī hétáo chē 서로 책임을 전가하다.

〔推怀〕 tuīhuái 동 진심을 남에게 알리다. ¶彼此～相待; 서로 진심으로 교제하다. →〔推诚〕

〔推还〕 tuīhuán 동 되돌려 주다. 사양하여 돌려보내다. ¶把东西～给他; 물건을 사양하여 돌려보냈다.

〔推回〕 tuīhuí 동 되돌리다. (받기를) 거절하고 되보내다.

〔推及〕 tuījí 동 〈文〉 추진하여 파급시키다. ¶将福利事业～大众; 복리 사업을 추진하여 대중에게 파급시키다.

〔推己及人〕 tuī jǐ jí rén 〈成〉 자신을 미루어 남에게 미침《자기를 돌아보고 남의 일을 헤아림》.

〔推剪〕 tuījiǎn 명 ⇨〔剪发刀〕

〔推荐〕 tuījiàn 명동 추천(하다). ¶向青年～好的作品; 청년에게 좋은 작품을 추천하다 / ～书; 추천서. =〔举jǔ荐〕

〔推解〕 tuījiě 동 ①추측하여 해결하다. ¶～出文中的深意来; 글 속의 깊은 뜻을 추측하다. ②〈文〉 밥을 권하여 먹이고 옷을 벗어 입히다《남에게 친절을 다하다》. =〔推食食之, 解衣衣之〕

〔推介〕 tuījiè 동 추천하여 소개하다.

〔推进〕 tuījìn 동 ①추진하다〔시키다〕. ¶～我们的工作; 우리의 일을 추진시키자. ②(군대를) 전진하다〔시키다〕. 밀고 나가다.

〔推进机〕 tuījìnjī 명 《機》 프로펠러. 추진기. =〔推动机〕〔推进器〕

〔推究〕 tuījiū 동 (원인 · 도리 따위를) 탐구하다.

탐색하다. 추구하다. ¶～真理; 진리를 추구하다 / ～原因; 원인을 탐구하다. 명 탐색과 검사.
〔推旧出新〕 tuī jiù chū xīn 〈成〉 ⇨〔推陈出新〕
〔推举〕 tuījǔ 명동 추거(하다). 추천(하다). 명 《體》(역도의) 추상(推上). 프레스.
〔推开〕 tuī.kāi 동 ①열어젖히다. 밀어서 열다. ¶把门～; 문을 열어젖히다 / ～天窗说亮话; 〈成〉 공명정대하게 모든 것을 털어놓고 말하다. ②회피하다. ¶～责任; 책임을 피하다. ③밀어붙이다〔제치다〕. ¶面子上推不开; 의리상 거절할 수가 없다.
〔推勘〕 tuīkān 동 〈文〉 죄인을 문초하다.
〔推克诺克拉西〕 tuīkènuòkèlāxī 명 〈音〉 테크노크라시(technocracy). =〔德克诺克拉西〕〔德古诺克拉西〕
〔推枯拉朽〕 tuī kū lā xiǔ 〈成〉 마른 것을 밀고 썩은 것을 빼다. 질풍이 마른 잎을 휩쓰는 기세.
〔推来让去〕 tuī lái ràng qù 〈成〉 서로 양보하다. ¶你们俩别～啦! 당신 두 사람은 서로 양보하는 것을 그만두어요!
〔推赖〕 tuīlài 동 ①죄를 남에게 전가하다. ¶他们俩互相～; 그들 두 사람은 서로 죄를 전가하고 있다. ②구실을 대고 거절하다. ¶有证据～不掉; 증거가 있으므로 속여서 거절할 수가 없다.
〔推李让枣〕 tuī lǐ ràng zǎo 〈成〉 우정이 도타움. 애정이 깊음. =〔推梨让枣〕
〔推理〕 tuīlǐ 명동 《哲》 추리(하다).
〔推力〕 tuīlì 명 《機》 ①추력. ②스러스트(thrust).
〔推聋装哑〕 tuī lóng zhuāng yǎ 〈成〉 모르는 체하다. 들리지도 않고 또 말도 못하는 체하다.
〔推橹〕 tuīlǔ 동 뱃머리를 오른쪽으로 돌리다. 키를 우로 꺾다.
〔推论〕 tuīlùn 명동 추론(하다).
〔推命〕 tuīmìng 명동 운명을 판단(하다). 점(보다). ¶～人; 점쟁이. →〔算suàn命〕
〔推磨〕 tuī mò ① 맷돌을 갈다. ②〈比〉(결론을 못 내고) 질질 끌다.
〔推拿〕 tuīná 명동 《漢醫》 지압(하다). 안마(하다). 마사지(하다).
〔推碾〕 tuīniǎn 동 맷돌질하다. 연자매를 돌리다.
〔推牌九〕 tuī páijiǔ '牌九'(골패로 하는 노름의 일종)를 하다.
〔推派〕 tuīpài 동 〈文〉 추거하여 일을 맡기다.
〔推盘〕 tuī.pán 동 점포를 양도하다. ¶～据 =〔推受据〕; 점포 양도 증서. =〔交jiāo盘〕
〔推平〕 tuīpíng ① ⇨〔推平头〕 ② 동 사물을 공평하게 처리하다. ¶把事情～了办; 일을 공평하게 처리하다.
〔推平头〕 tuīpíngtóu 머리를 상고머리로 깎다〔깎는 일〕. =〔推平①〕
〔推迁〕 tuīqiān 동 사고(事故)를 빙자하여 미루다. ¶白白～时光; 공연히 시간을 끌다. →〔拖tuō延〕
〔推铅球〕 tuīqiānqiú 명 《體》 투포환.
〔推前擦后〕 tuī qián cā hòu 〈成〉 주저하다. 망설이다. ¶他们～的, 谁也不敢上前; 그들은 망설이며 아무도 앞으로 나서려는 자가 없다.
〔推敲〕 tuīqiāo 동 ①자구(字句)를 짜내다. 퇴고하다. ¶～诗句; 시구를 다듬다. ②미루어 헤아리다. 이리저리 생각하다. ¶要细细～一下, 才能领悟; 여러 모로 생각해 보아야 뜻을 겨우 알 수 있었다.
〔推求〕 tuīqiú 동 탐구하다. 조사하다.
〔推拳〕 tuīquán 동 권법 연습을 하다. ¶清早儿在太庙的空场上～, 锻炼身体; 아침 일찍 태묘의 광장에서 권법 연습을 하고, 몸을 단련하다.
〔推却〕 tuīquè 동 ⇨〔推辞〕
〔推让〕 tuīràng 동 사퇴하여 남에게 양보하다. ¶大家推推让让, 谁也不肯放手; 모두가 서로 양보하면서 아무도 손을 놓으려 하지 않다.
〔推人(犯规)〕 tuīrén(fànguī) 명 《體》(농구의) 푸싱(pushing). 차징.
〔推日子〕 tuī rìzi ①날짜를 헤아려 세다. ¶你推推日子有多少天了; 며칠 남았는지 날짜를 세어 보아라. ②날짜를 끌다. ¶实在有困难, 并不是故意～; 실제로 곤란해서이지, 절대로 일부러 날짜를 미루고 있는 것은 아니다.
〔推三阻四〕 tuī sān zǔ sì 〈成〉 여러 가지 구실을 대어 거절하다. 핑계를 대서 책임을 회피하다. ¶～地不肯答应; 이 핑계 저 핑계로 승낙하지 않다. =〔推三托四〕
〔推搡〕 tuīsǎng 동 ①(손으로) 쿡쿡 밀다〔찌르다〕. ¶把他～了一把, 差chà点儿没打起来; 그를 쿡 밀었기 때문에 하마터면 싸움이 일어날 뻔하였다. ②(싫어하는 것을) 확 밀다. ¶大伙儿推推搡搡地把他拥进了大门; 모두는 그를 쑥쑥 밀어서 대문 안으로 밀어넣었다. ③서로 밀치다. 밀치락달치락하다. ¶庙会里人多, 推推搡搡, 什么也看不见; 잿날에는 사람이 많이 들끓어 서로 밀고 밀리고 하므로, 아무것도 볼 수가 없다.
〔推山填海〕 tuī shān tián hǎi 〈成〉 산을 밀어붙이어 바다를 메우다(혼신의 힘을 내는 것을 이름).
〔推使〕 tuīshǐ 동 …을 움직여서 …시키다. ¶～他们发生运动; 그들을 움직여서 운동을 일으키게 하다.
〔推事〕 tuīshì 명 《法》 판사(判事).
〔推受据〕 tuīshòujù 명 점포 양도 증서. =〔推盘据〕
〔推售〕 tuīshòu 동 ⇨〔推销①〕
〔推说〕 tuīshuō 동 핑계대다. 변명하다. ¶～没有经费; 경비가 없다고 핑계대다.
〔推算〕 tuīsuàn 동 (데이터에 의하여 관련 있는 수치를) 산출하다. 추계하다. ¶根据太阳、地球、月球运行的规律, 可以～出日食和月食发生的时间; 태양·지구·달의 운행 법칙에서 일식과 월식이 일어나는 시간을 산출할 수가 있다.
〔推涛作浪〕 tuī tāo zuò làng 〈成〉 풍랑을 일으키다. 파란을 불러일으키다. 악을 조장하다.
〔推头〕 tuī.tóu 동 ①이발기로 머리를 깎다. 이발하다. ¶上理发店去～; 이발관에 이발하러 가다. ②서로 책임을 떠밀다.
〔推土机〕 tuītǔjī 명 불도저(bulldozer). =〔铲chǎn土机〕〔平píng土机〕
〔推土机手法〕 tuītǔjī shǒufǎ 명 〈比〉 강경 수단. 불도저같이 밀어붙이는 수단.
〔推託〕 tuītuō 동 ⇨〔推托〕
〔推托〕 tuītuō 동 ①핑계삼아〔빙자하여〕 거절하다. ¶他～嗓子坏了, 怎么也不肯唱; 그는 목이 아프다면서 도무지 노래를 부르려 하지 않았다. =〔推脱〕 ②추천하여 위탁하다. ¶这件事就～他办吧; 이 일은 그를 추천해서 처리하도록 하자. ‖ =〔推託〕
〔推托话〕 tuītuōhuà 명 핑계. 구실.
〔推脱〕 tuītuō 동 일을 핑계삼아 거절하다. ¶～责任; 책임을 회피하다 / ～不管; 거절하여 관계를 맺지 않다. =〔推托①〕
〔推丸〕 tuīwán 명 《蟲》 쇠똥구리. 말똥구리. =〔蜣qiāng螂〕
〔推挽〕 tuīwǎn 동 천거하다. 추천하다.
〔推委〕 tuīwěi 동 책임을 전가하다. ¶彼此互相～

企图逃避责任; 서로 상대방에게 밀면서 책임을 피하려고 꾀하다.
〔推问〕 tuīwèn 동 (원인을 조사하기 위하여) 심문하다. 규문(糾問)하다. ¶法官～案子; 법관이 사건을 심리하다. =〔推究审问〕
〔推贤让能〕 tuī xián ràng néng 〈成〉 현자나 유능한 사람을 추천하여 지위(地位)를 양보해 주다. ¶实行～的民主政治; 현자와 유능한 사람을 중용하는 민주 정치를 실행하다.
〔推详〕 tuīxiáng 동 〈文〉 상세히 구명하다. ¶～出一个道理来; 도리를 구명하다.
〔推想〕 tuīxiǎng 명동 상상(하다). 추론(하다). 추측(하다).
〔推销〕 tuīxiāo 동 ①매출(賣出)하다. 판로를 넓히다. 팔아 버리다. ¶～员; 세일즈맨. =〔推售〕 ②(부정적인 것을) 세상에 넓히다. 선전하다. 밀어붙이다.
〔推卸〕 tuīxiè 동 전가하다. 회피하다. ¶～责任; 책임을 전가하다.
〔推心置腹〕 tuī xīn zhì fù 〈成〉 성의를 갖고 사람을 대하다. ¶和朋友们～, 谈知心话; 친구와 성의를 가지고 사귀어 숨김없이 말하다.
〔推信〕 tuīxìn 동 〈文〉 중히 여겨 신임하다. ¶连校长都～他; 교장까지도 그를 존중하며 신임하고 있다.
〔推行〕 tuīxíng 동 추진하다. 보급시키다.
〔推醒〕 tuīxǐng 동 (자고 있는 사람을) 밀어서 일으키다. ¶怎么～也没睡醒; 아무리 밀어서 깨워도 눈을 뜨지 않았다.
〔推许〕 tuīxǔ 동 추장(推奬)하여 칭찬하다. ¶他的才能久为众人所～; 그의 재능은 많은 이가 인정하고 칭찬하는 바이다.
〔推选〕 tuīxuǎn 동 추천하여 고르다〔선발하다〕. ¶～代表; 대표를 추천하여 고르다.
〔推雪车〕 tuīxuěchē 명 제설차(除雪車).
〔推延〕 tuīyán 동 ⇨〔拖tuō延〕
〔推演〕 tuīyǎn 동 〈文〉 추단(推斷)하여 연역(演繹)하다.
〔推移〕 tuīyí 동 변천하다. 전환하다. 변화하다. ¶事已～; 일은 이미 변천했다.
〔推拥〕 tuīyōng 동 (군중이) 서로 밀다.
〔推原〕 tuīyuán 동 〈文〉 원인을 추구하다.
〔推源溯流〕 tuī yuán sù liú 〈成〉 근원으로 거슬러 올라가다. ¶～地细研究; 근원으로 거슬러 올라가서 상세히 연구하다.
〔推燥居湿〕 tuī zào jū shī 〈成〉 ⇨〔推干就湿〕
〔推展〕 tuīzhǎn 동 추진하다. ¶～经济政策; 경제 정책을 추진하다.
〔推知〕 tuīzhī 동 미루어 알다. 추측하다. ¶由人心向背～政权的前途; 인심의 향배로 정권의 앞날을 추측하다.
〔推重〕 tuīzhòng 동 (어떤 사람의 사상·행위·저작·발명 등을) 추상(推賞)하다. 명 추상. 높은 평가. ¶深受人们的～; 사람들의 높은 평가를 받다.
〔推子〕 tuīzi 명 이발 기계. 바리캉. ¶电～; 전기 바리캉.
〔推子杆镮〕 tuīzigǎnhuán 명 《機》 푸셔 레벨링(pusher leveling).
〔推尊〕 tuīzūn 동 〈文〉 받들어 존경하다. ¶华侨都～他为侨领; 화교는 모두 그를 존경하여 화교의 영수로 삼고 있다.

蓷 tuī (퇴)
명 《植》 '茺chōng蔚' (익모초)의 고칭(古稱). =〔益yì母草〕

𬯎(隤) tuí (퇴)
①무너지다. 무너뜨리다. ②강하하다. 내리다. ③병들다. 피로하다.

㿉(㿉〈遺〉) tuí (퇴)
→〔虺huī㿉〕

颓(頹〈穨〉) tuí (퇴)
① 동 무너져 내려앉다. ¶～垣断壁; 무너져 내린 담이나 벽. ② 동 쇠퇴해지다. 쇠하다. 퇴폐하다. ¶～风败俗; 퇴폐한 풍속 기풍. ③ 동 넘어지다. ④ 형 낙담하다. ⑤ 명 성(姓)의 하나.
〔颓败〕 tuíbài 동 〈文〉 무너져 깨지다. (풍속이) 부패하다. ¶社会风气日渐～; 사회의 기풍이 하루하루 나빠지다.
〔颓波〕 tuíbō 명 〈文〉 ①밀어닥친 파도가 무너져 나가는 수세(水勢). ②〈比〉 사물의 쇠퇴하는 추세. ¶其事业如～之日下; 그 사업은 무너져 가는 파도처럼 나날이 쇠해 가고 있다.
〔颓堕〕 tuíduò 동 〈文〉 타락하다. ¶精神～; 정신이 타락하다.
〔颓放〕 tuífàng 형 〈文〉 방자 태만하여 예절을 지키지 않다.
〔颓废〕 tuífèi 동 무너져 쇠락하다. ¶殿宇～; 건물이 무너지다. 형 방종 퇴폐적이다. ¶精神～生活潦倒liáodǎo; 무기력해지고 타락하다 / ～派; 데카당(decadent).
〔颓风〕 tuífēng 명 퇴폐한 풍속 기풍.
〔颓毁〕 tuíhuǐ 동 붕괴하다. 무너지다. ¶那座古庙已然～了; 저 옛 사당은 이미 붕괴되었다.
〔颓加荡〕 tuíjiādàng 명 〈音〉 데카당. =〔颓废派〕
〔颓龄〕 tuílíng 명 〈文〉 노년(老年).
〔颓落〕 tuíluò 동 〈文〉 퇴락하다. 무너져 내리다.
〔颓靡〕 tuímǐ 형 의기 저상해 있다. 풀이 죽다. ¶～不振; 풀이 죽어 떨치지 못하다. =〔颓丧〕
〔颓圮〕 tuípǐ 동 〈文〉 도덕이 쇠퇴하다. 타락하다.
〔颓然〕 tuírán 형 〈文〉 흥이 깨진 모양. 신명이 나지 않는 모양. 낙담한 모양. ¶～而醉; 억병으로 취하다 / ～躺下; (실망하여) 축 늘어져 눕다.
〔颓丧〕 tuísàng 형 의기소침하다. 낙담하다. 풀이 죽다. ¶你为什么那样～? 왜 그렇게 낙담하고 있느냐? =〔颓靡〕
〔颓势〕 tuíshì 명 〈文〉 퇴세. 쇠세(衰勢).
〔颓唐〕 tuítáng 형 기개가 없다. 실망하다. 맥이 빠져 힘없이 되다. ¶对于这样一个失败就～了可太泄气了; 이런 실패로 의기소침해서야 너무나 무기력하다.
〔颓阳〕 tuíyáng 명 〈文〉 석양. 낙일(落日).
〔颓垣败壁〕 tuí yuán bài bì 〈成〉 허물어진 벽과 쓰러져 가는 울타리《황폐한 집. 오두막집》.
〔颓运〕 tuíyùn 명 쇠퇴해 가는 운명. ¶他怎么努力也挽救不回来失败的～; 그가 아무리 노력해도 실패의 내리막길에 있는 운명을 돌릴 수는 없다.

腿 tuǐ (퇴)
① 명 다리《샅에서 발목까지》. ¶大～ =〔股gǔ〕; 넓적다리 / 小～; 아랫다리 / 前～; (동물의) 앞다리 / 后～; (동물의) 뒷다리. ② 명 소금에 절인 돼지다리살. 햄. ¶火～; 햄 / 云～; 윈난성(雲南省) 햄. ③ 명 빽《자기를 감싸 주고 끌어 주는 사람》. ¶有～; 빽이 있다. ④(～儿) 명 기구류의 다리. ¶椅子～儿; 의자 다리 / 桌子～; 책상 다리. ⑤ 명 바짓가랑이. ⑥(～着) 동 〈京〉 걷다. ¶～也～到; 걸어서도 갈 수 있다 / 才这么远的道路, 我～着去就行了; 이 정도의 길

이라면 나는 걸어가겠다.
〔腿把子〕 tuǐbǎzi 명 〈俗〉 다리. =〔腿①〕
〔腿长〕 tuǐcháng 형 발이 빠르다.
〔腿带(儿,子)〕 tuǐdài(r,zi) 명 대님.
〔腿肚(子)〕 tuǐdù(zi) 명 〈口〉 장딴지.
〔腿脚(儿)〕 tuǐjiǎo(r) 명 다리. 걸음걸이. 다릿심. ¶～不便; 다리가 부자유하다 / ～很灵活; 걸음이 잘 걸린다 / 这位老人的～倒很利落; 이 노인의 다릿심은 꽤 튼튼하다.
〔腿紧〕 tuǐjǐn 형 몸이 재다. 바지런히 일을 잘 하다.
〔腿劲儿〕 tuǐjìnr 명 다릿심. ¶尽～地跑; 온 힘을 다해 달리다.
〔腿快〕 tuǐkuài 형 발이 빠르다. 행동이 민첩하다.
〔腿懒〕 tuǐlǎn 형 발 옮기기를 귀찮아하다. 나다니기 싫어하다.
〔腿勤〕 tuǐqín 형 부지런하다.
〔腿儿短〕 tuǐr duǎn 〈比〉 실력이 없다. 자격이 부족하다. 미치지 못하다.
〔腿肉牛排〕 tuǐròu niúpái 명 램스테이크.
〔腿软〕 tuǐruǎn 동 다리의 힘이 빠지다. ¶一看见长虫就～了; 뱀을 보자, 다리의 힘이 빠져 움직일 수 없었다. 형 다리가 나른하다. 다리가 지치다〔지쳐 있다〕.
〔腿酸脚麻〕 tuǐsuān jiǎomá ①다리가 휘청휘청해지다. ②〈轉〉 몹시 기운이 없다.
〔腿疼腰酸〕 tuǐ téng yāo suān 〈成〉 피곤하여 다리·허리가 쑤시다.
〔腿弯子〕 tuǐwānzi 명 무릎 뒤쪽의 오목한 부분. 오금. =〔腿弯儿〕
〔腿腕(子)〕 tuǐwàn(zi) 명 복사뼈. 발목. →〔手腕子〕
〔腿窝(儿,子)〕 tuǐwō(r,zi) 명 서혜부(아랫배와 넓적다리가 접하는 부분).
〔腿腋子〕 tuǐyèzi 명 넓적다리 맨 위쪽.
〔腿子〕 tuǐzi 명 ①물건의 다리. =〔腿儿〕 ②〈俗〉 앞잡이. =〔走狗〕

侻

tuì (탈)
형 〈文〉 ①좋다. 아름답다. 훌륭하다. ②적합하다. 알맞다. ⇒tuō

蜕

tuì〔shuì〕 (태, 세)
①명 (뱀·매미 따위의) 허물. ¶蛇～; 뱀의 허물 / 蝉chán～; 매미 허물. ②동 (뱀·매미 따위가) 허물을 벗다. ③동 새가 털갈이하다. ④동 〈轉〉 탈피하다. 변화하다. 타락 변질하다.
〔蜕变〕 tuìbiàn 동 (사람이나 사물이) 변화하다. 탈피하다. 명 《物》 붕괴(崩壞)(방사성 원자핵에서 방사선이 나와서 딴 종류의 원자핵으로 변함). =〔衰shuāi变〕
〔蜕辰〕 tuìchén 명 〈文〉 (여자의) 생일. =〔帨shuì辰〕〔婺wù辰〕
〔蜕化〕 tuìhuà 동 ①(뱀·곤충 따위가) 허물을 벗다. ②타락하다. ¶思想～; 사상이 타락하다 / ～分子; 처음에 우수했다가 후에 타락한 사람.
〔蜕皮〕 tuìˌpí 동 《動》 탈피하다. 허물을 벗다.

退

tuì (퇴)
동 ①물러서다. 후퇴하다. 퇴각하다. ¶后～; 후퇴하다 / ～一步想; 한 발짝 물러서서 생각하다 / 有进无～; 전진할 뿐 물러서는 일은 없다. ②뒤로 물리다. 물리치다. 퇴각시키다. ¶～兵; ⇩ / ～敌; 적을 물리치다 / 把子弹～出来; 탄알을 뒤로 밀어서 빼다. ③(직무·지위·장소 따위에서) 떠나다. 물러나다. 탈퇴하다. 퇴출하다. ¶～席; ⇩ / ～伙; ⇩ / ～职; ⇩ ④반환하다. 돌려 주다. 도로 주다. ¶～钱; ⇩ / ～货; ⇩ / 把飞机票～了; 비행기표를 반환했다. ⑤(결정한 것을) 취소하다. 철회하다. ¶～保; ⇩ / ～掉订货; 주문을 취소하다 / ～婚; ⇩ ⑥빛이나 맛·열 따위가 감퇴되다. 떨어지다. 감소하다. ¶～色; ⇩ / ～烧; ⇩ / 潮水已经～了; 조수는 이미 빠졌다. ⑦물리다. 양보하다. ¶临街房屋要往里～三尺; 가로에 면한 가옥은 안으로 석 자 물려야 한다. ⑧(새·짐승의 털을) 벗기다. ¶～鳞; 물고기의 비늘을 벗기다.
〔退拔〕 tuìbá 명 《機》 〈音〉 원추형. 테이퍼(taper). =〔锥zhuī形①〕
〔退拔管用螺丝规〕 tuìbáguǎn yòng luósīguī 명 《機》 가스관용(gas管用) 테이퍼 게이지(taper gauge).
〔退拔螺丝攻〕 tuìbá luósīgōng 명 테이퍼 탭(tapered tap). 암나사 깎는 기계의 나삿날이 테이퍼되어 있는 것.
〔退拔销(子)〕 tuìbáxiāo(zi) 명 ①⇨〔锥zhuī销〕 ②은혈못.
〔退班〕 tuìˌbān 동 〈文〉 퇴조(退朝)하다. 퇴근하다.
〔退保〕 tuìˌbǎo 동 보증을 취소하다. 보증을 그만두다. =〔撤chè保〕
〔退笔〕 tuìbǐ 명 ①끝이 닳아서 무딘 붓. 몽당붓. ②〈謙〉 졸문(拙文). ‖ =〔秃tū笔〕 ③해약서.
〔退避〕 tuìbì 동 〈文〉 퇴피하다. 피하다. 달아나다.
〔退避三舍〕 tuì bì sān shè 〈成〉 ①삼가서 양보하다. 양보하여 다투지 않다(옛날에, 군대는 30리를 행군하여 '一舍'(하룻밤 머무름)한 일에서, 90리를 물러나 충돌을 피한 것을 말함). ②〈轉〉 두려워하여 양보하다. 멀리 미치지 못하다. 몇 발짝을 양보하다.
〔退膘〕 tuìˌbiāo 동 (말이) 마르다. 가축 따위가 마르다. ¶牛马～了, 需要贴秋膘; 소와 말이 야위었으니, 가을에 잘 먹여 살찌게 해야 한다.
〔退兵〕 tuìˌbīng 동 ①군대를 철퇴시키다. ¶传令～; 철병의 명을 전하다. ②적을 철퇴시키다. ¶～之计; 적을 철퇴시키는 책략.
〔退不及〕 tuì bu jí 물러설 틈이 없다. ↔〔退得及〕
〔退步〕 tuìˌbù 동 ①퇴보하다. 나빠지다. ¶到了那儿之后事情就～了; 그 곳으로 간 후 사정이 악화되었다. ↔〔进jìn步〕 ②양보하다. ¶这事你退一步, 不就解决了吗? 이 일은 네가 한 발 양보하면 금세 해결되는 게 아니냐? (tuìbù) 명 ①퇴보. 낙후. ②후퇴하여 보신하는 여유. 물러설 여지. ¶凡事都该留个～; 무슨 일이나 빠져 나갈 구멍을 남겨 두어야 한다(빼도 박도 못할 지경까지 빡빡하게 해서는 안 된다). =〔退身步儿〕 ③안채의 곁방. =〔套tào间(儿)①〕
〔退步知足〕 tuì bù zhī zú 〈成〉 한 걸음 양보하고 참다. ¶～虽然明里吃亏, 实际上却减少损失了; 한 걸음 양보해서 참으면 표면상으로는 손해를 보는 것 같아도, 실제로는 오히려 손해를 덜 보게 된다.
〔退藏〕 tuìcáng 동 〈文〉 몸을 빼어 세상에 얼굴을 내밀지 않다.
〔退场〕 tuìˌchǎng 동 퇴장하다. (tuìchǎng) 명 퇴장.
〔退潮〕 tuìˌcháo 동 조수가 밀려나가다. (tuìcháo) 명 썰물. ‖ =〔落潮〕 ↔〔上潮〕
〔退出〕 tuìchū 동 퇴장하다. 떨어지다. 떠나가다. 탈퇴하다. ¶～会场; 회장을 퇴장하다 / ～组织; 조직에서 탈퇴하다.

〔退辞〕 tuìcí 동 사퇴하다.
〔退党〕 tuìˌdǎng 동 정당에서 탈퇴하다. 탈당하다.
〔退佃〕 tuìˌdiàn 동 지주가 소작지를 회수하다.
〔退掉〕 tuìdiào 동 사양하다. 되돌리다. ¶～了礼物; 선물을 사양하였다/把买好的车票～了; 사두었던 승차권을 되돌렸다.
〔退订〕 tuìdìng 명동 발주(發注) 취소(하다). 주문 취소(하다).
〔退毒〕 tuìˌdú 동 독을 풀어 없애다. 해독하다. ¶～药; 해독제.
〔退房〕 tuìˌfáng 동 집을 반환하다. 내주다. ¶～结账; (호텔에서) 체크아웃.
〔退干净〕 tuì gānjìng ①전부〔깨끗이〕 돌려 주다. ②깨끗이 털을 뽑다. ¶把那只鸡～; 저 닭의 털을 깨끗이 뽑아라.
〔退给〕 tuìgěi 동 (…에게) 되돌리다. 반환하다. ¶把彩礼～男方; 납채(納采)를 남자 쪽에 되돌리다.
〔退耕〕 tuìgēng 동 ①귀농(歸農)하다. 관에서 물러나 농사를 짓다. ②소작의 전답을 지주에게 돌리다.
〔退工〕 tuìgōng 명 ⇨〔离lí厂〕
〔退股〕 tuìˌgǔ 동 ①주주를 그만두다. ②공동 투자하고 있던 장사에서 손을 떼다. ‖＝〔抽chōu股〕
〔退光〕 tuìˌguāng 동 ①광택을 없애다. ②광택이 없어지다. ¶桌面上的漆已经～了; 탁자의 칠은 벌써 광택이 없어졌다. →〔退色shǎi〕
〔退光漆〕 tuìguāngqī 명 광택을 없애는 칠.
〔退归〕 tuìˌguī 명동 〈簡〉 ⇨〔退休〕
〔退汗〕 tuìˌhàn 동 땀이 가시다.
〔退红〕 tuìˌhóng 동 붉은색이 바래다. (tuìhóng) 명 《色》 바랜 붉은색. 엷은 분홍빛.
〔退后〕 tuìhòu 동 후퇴하다.
〔退化〕 tuìhuà 명동 ①(기관의 구조·작용 등이) 퇴화(하다). ②타락(하다). 악화(하다). ¶战后政教～; 전후에 정치나 교육이 악화되었다.
〔退还〕 tuìhuán 동 (이미 받은 것 또는 산 것을) 반환하다. 되돌리다.
〔退换〕 tuìhuàn 동 반품(返品)하여 교환하다. 무르다. ¶缺页或装订上有错误的书, 可以～; 낙장이나 페이지가 바뀌어 있는 것은 바꾸어 드립니다.
〔退回〕 tuìhuí 동 ①되보내다. 반송하다. ¶把这篇稿子～给作者; 이 원고는 작자에게 반송한다. ②되돌아가다. 되돌아오다. ¶道路不通, 只好～; 길이 통하지 않으므로 돌아갈 수밖에 없다.
〔退婚〕 tuìˌhūn 동 약혼을 해소하다. 파혼하다. ＝〔退亲qīn〕
〔退婚书〕 tuìhūnshū 명 퇴혼서. ＝〔离lí婚书〕
〔退火〕 tuìˌhuǒ 동 달군 쇠를 서서히 식히다. 설담금질하다. (tuìhuǒ) 명 달군쇠를 서서히 식힘. 설담금.
〔退火炉〕 tuìhuǒlú 명 《工》 어닐링 노(annealing 爐). 풀림 노(爐). ＝〔加jiā韧炉〕
〔退伙〕 tuìˌhuǒ 동 ①'帮会'(동업자 조합)를 탈퇴하다. ②집단 급식에서 탈회하다. ③식비를 환불하다.
〔退货〕 tuìˌhuò 동 반품하다. ¶要是不好就～; 좋지 않으면 반품해라. (tuìhuò) 명 반품.
〔退价〕 tuìjià 동 대금을 반환하다.
〔退减〕 tuìjiǎn 동 감퇴하다.
〔退居〕 tuìjū 동 ①물러나다. 은퇴하다. ②칩거하다. 은거하다. ¶他～林下了; 그는 산 속에 틀어박혔다.
〔退老〕 tuìlǎo 명동 정년 퇴직(하다).
〔退礼〕 tuìlǐ 동 선물을 되짜놓다. 받기를 거절하다.
〔退路〕 tuìlù 명 ①퇴로. 도망갈 길. ¶切断～; 퇴로를 끊다. ②물러설 여지. ¶为将来留个～; 장래를 위하여 후퇴의 여지를 남기다.
〔退落〕 tuìluò 동 ①(색 따위가) 바래다. ②(수세(水勢) 따위가) 떨어지다. 꺾이다. ¶洪水～了; 큰물이 빠졌다.
〔退毛〕 tuìˌmáo 동 (닭 따위의) 털을 뽑다.
〔退赔〕 tuìpéi 명동 (흔히, 약탈한 것이나 불법으로 획득한 것을) 반환(하다). 배상(하다).
〔退皮〕 tuìˌpí 동 가죽을 벗기다.
〔退票〕 tuìˌpiào 명동 ①표의 환불(을 하다). (tuìpiào) 명 ①(어음의) 지급 거절. ②《商》 부도 어음. ＝〔退条〕
〔退坡〕 tuìˌpō 동 쇠퇴하다. (곤란을 당하여) 후퇴하다. ¶中途～; 도중에서 퇴각하다.
〔退坡路〕 tuìpōlù 명 ①내리막길. ②〈比〉 타락으로 가는 길.
〔退前缩后〕 tuì qián suō hòu 〈成〉 겁을 먹고 뒤로 물러서다('退前'에는 뜻이 없음).
〔退钱〕 tuìˌqián 동 돈을 돌려 주다. ¶我不要这个, 你～吧; 나는 이것이 필요 없으니, 돈을 돌려 다오.
〔退怯怯〕 tuìqièqiè 주뼛주뼛 뒤로 물러서다. 슬슬 피하다. ¶她见了生人就～地往后溜; 그녀는 낯선 사람을 만나면 주뼛주뼛 뒤로 물러선다.
〔退青〕 tuìqīng 동 《農》 벼가 (어느 정도 성장하여 잎의 푸르름이) 황녹색으로 변하다.
〔退却〕 tuìˌquè 동 ①퇴각하다. ②꽁무니를 빼다. 위축되다. ¶在困难面前～; 어려움 앞에서 꽁무니를 빼다. ③거절하다.
〔退让〕 tuìràng 동 양보하다. ¶他坚持原则, 毫不～; 그는 원칙을 굽히지 않고 조금도 양보하지 않다.
〔退热〕 tuìˌrè 동 ①⇨〔退烧〕 ②더위가 가시다.
〔退色〕 tuìˌshǎi 동 퇴색하다. ¶～的花儿; 빛 바랜 꽃. ＝〔褪③〕
〔退闪〕 tuìshǎn 동 뒤로 혹은 옆으로 (휙) 몸을 피하다.
〔退烧〕 tuìˌshāo 동 열이 내리다. ¶～药yào; 해열제. ＝〔退热①〕
〔退身步儿〕 tuìshēnbùr 명 ⇨〔退步①〕
〔退手〕 tuìshǒu 동 손을 떼다. 관계를 끊다.
〔退守〕 tuìshǒu 동 물러나 지키다. 명 《電》 고장 대치.
〔退书〕 tuìshū 명 파약서(破約書).
〔退缩〕 tuìsuō 동 무르춤하다. 위축하다. ¶不为失败而～; 실패에 위축하지 않다.
〔退堂〕 tuìtáng 동 옛날, 관리가 관청·법정 등에서 물러나다. ¶～鼓gǔ; 옛날, 퇴정(退廷)을 알리는 북.
〔退条〕 tuìtiáo 명 ⇨〔退票②〕
〔退位〕 tuìˌwèi 동 ①퇴위하다. ②차례를 양보하다. ¶我～, 让你来; 나는 물러나고, 너에게 양보하겠다(마작 등의 게임 등에서 쓰임).
〔退味儿〕 tuìˌwèir 동 ①냄새가 나가다. ②맛이 가다.
〔退伍〕 tuìˌwǔ 동 제대하다. 퇴역하다. ¶～军人; 퇴역 군인. ＝〔退役〕
〔退席〕 tuìˌxí 동 (연회나 회의 중간에) 자리를 뜨다. 물러나다. 퇴석하다. ¶音乐演奏中途请勿～; 음악 연주 중에는 자리를 뜨지 마시기 바랍니다.
〔退闲〕 tuìxián 명동 〈簡〉 ⇨〔退休〕

〔退邪〕 tuìxié 동 사기(邪氣)를 물리치다. ¶这道符是~的; 이 부적은 악귀를 물리치기 위한 것이다.
〔退省〕 tuìxǐng 동 〈文〉 반성하다.
〔退休〕 tuìxiū 명동 〈簡〉 (정년 또는 공상(公傷)에 의한 불구로) 퇴직(하다)('退職休养'의 약칭). ¶~军人; 퇴역 군인/~金; 퇴직금. =〔退归〕〔退闲〕
〔退休年龄〕 tuìxiū niánlíng 명 정년(停年). ¶我们的~是六十岁; 우리의 정년은 60세이다.
〔退学〕 tuì.xué 동 퇴학하다. 공부를 그만두다. (tuìxué) 명 퇴학.
〔退押〕 tuì.yā 동 〈簡〉 보증금을 돌려 주다('退还押金'의 약칭).
〔退养林泉〕 tuì yǎng lín quán 〈成〉 관을 물러나 은거하다.
〔退一步〕 tuì yībù 한 걸음 물러서다. ¶~说; 한 걸음 양보해서 말하다/~想; 한 발 물러나 생각하다.
〔退役〕 tuì.yì 동 ⇨〔退伍〕
〔退隐〕 tuìyǐn 동 〈文〉〈簡〉 퇴직하여 은거하다.
〔退有后言〕 tuì yǒu hòu yán 〈成〉 나중에 뒤에서 이러쿵저러쿵 말하다.
〔退约〕 tuì.yuē 동 파약(破約)하다. 해약하다.
〔退赃〕 tuìzāng 동 (장물·부정 이득 따위를) 게워내다〔반환하다〕.
〔退职〕 tuì.zhí 동 퇴직하다.
〔退志〕 tuìzhì 명 〈文〉 퇴직 의사. 물러날 의사. ¶心萌méng~; 물러날 의향이 싹트다.
〔退租〕 tuìzū 동 ①빌린 토지·가옥 따위를 주인에게 돌려 주다. ②소유주가 빌린 토지나 가옥 따위를 회수하다.

煺〈焞, 㨃〉

tuì (퇴)
동 (잡은 돼지나 닭에 뜨거운 물을 붓고) 털을 뽑다.

褪

tuì (퇴)
동 ①(옷을) 벗다. ¶~去冬衣; 겨울 옷을 벗다. ②털갈이하다. 털이 빠지다. ¶小鸭~了黄毛; 오리 새끼의 털이 빠졌다. ③색이 바래다〔낡다〕. 퇴색하다. =〔退色〕 ⇒ tùn

TUN ㄊㄨㄣ

吞

tūn (탄)
동 ①(통째로) 삼키다. ¶囫囵~枣; 대추를 통째로 삼키다/把丸药~下去; 환약을 삼키다. ②〈轉〉 (부정한 수단이나 폭력으로) 점유하다. 병탄하다. 횡령하다. 착복하다. ¶侵~公款; 공금을 횡령하다. ③얕보다. ④〈轉〉 꾹 참다.
〔吞并〕 tūnbìng 동 ①병탄(倂呑)하다. 아울러 삼키다. ②약소국을 병합하다. ③남의 물건을 횡령하다. ‖ =〔并吞〕
〔吞剥〕 tūnbō 동 병탄 착취하다. 먹이로 하다.
〔吞吃〕 tūnchī 동 ①착복하다. 횡령하다. ¶~公款; 공금을 횡령하다. ②통째로 삼키다.
〔吞服〕 tūnfú 동 마셔 버리다. 꿀꺽 삼키다. 돈복(頓服)하다. ¶~泻药; 설사약을 돈복하다.
〔吞恨〕 tūnhèn 동 원한을 삼키다. ¶在无可奈何之下, 只得~而去; 어쩔 수 없었으므로 원한을 삼키고 떠나지 않을 수 없었다.
〔吞花卧酒〕 tūn huā wò jiǔ 〈成〉 춘색(春色)을 즐기는 모양. 봄의 행락(行樂).
〔吞脊兽〕 tūnjǐshòu 명 〖建〗 지붕 마루에 얹는 용머리꼴의 기와. 용두(龍頭). 망새.
〔吞金〕 tūn.jīn 동 금을 마시다(자살하다).
〔吞口〕 tūnkǒu 명 검의 날밑.
〔吞款〕 tūnkuǎn 동 돈을 써 버리다. 돈을 후무리다.
〔吞搂〕 tūnlōu 동 (금전·재물을) 착복하다.
〔吞灭〕 tūnmiè 동 ①병탄하여 멸망시키다. ¶秦~六国; 진나라는 6국을 병탄하여 멸망시켰다. ②횡령하다.
〔吞没〕 tūnmò 동 ①(공공의 것을) 내 것으로 하다. 가로채다. 착복하다. 횡령하다. ¶~田产; 논밭을 횡령하다/~巨款; 거금을 착복하다. =〔干gān没〕 ②홍수 따위가 (전답·가옥 등을) 삼키다. ¶小船被巨浪~了; 작은 배는 큰 파도에 침몰되었다.
〔吞牛〕 tūnniú 형 〈比〉 견우성 북두성을 통째로 삼킬 정도이다(원기 왕성하다). ¶壮气欲~; 장한 기세는 북두 견우를 삼킬 만큼 왕성하다.
〔吞骗〕 tūnpiàn 동 속여서 횡령하다.
〔吞气〕 tūnqì 동 분노를 억제하다. ¶财势争他不过, 只得~忍怒; 재산이나 세력이 도저히 그에게는 못 미치므로, 분노를 억제하는 수밖에 없다. 명 도가(道家) 수련법의 하나.
〔吞枪〕 tūnqiāng 동 권총 자살을 하다. ¶她丈夫~自杀; 그녀의 남편은 권총 자살을 하였다.
〔吞舌〕 tūnshé 동 입을 봉하고 말하지 않다.
〔吞声〕 tūn.shēng 동 ①〈文〉 소리를 죽이고 울다. 울음을 삼키다. ¶~忍气; 〈成〉 울음 소리를 억누르고 분노를 견디어 참다. 울분을 참다. ②침묵하다.
〔吞食〕 tūnshí 동 삼키다. ¶大鱼~小鱼; 〈諺〉 큰 고기가 작은 고기를 삼키다(약육강식). =〔吞噬①〕
〔吞噬〕 tūnshì 동 〈文〉 ①삼키다. ¶~大象; 〈成〉 욕심이 끝이 없다/~细胞; 〖生〗 식(食)세포. =〔吞食〕 ②병탄(倂呑)하다. ¶~弱小国家; 약소국을 병탄하다.
〔吞吐〕 tūntǔ 동 ①삼켰다 뱉었다 하다. ②〈比〉 대량으로 출입하다. ¶北京车站昼夜不停地~着来往的旅客; 베이징(北京) 역에서는 밤낮으로 끊임없이 오르내리는 승객이 출입하고 있다/仓库货物的~量; 창고 화물의 출입량. ③말이 애매하다. 얘기가 시원스럽지 못하다. 요령 부득이다.
〔吞吞吐吐〕 tūntuntǔtǔ 동 말이 요령이 없다. 우물우물 말하는 모양. 횡설수설 말하는 모양. ¶~地回答不出来; 더듬거리며 대답을 못 하다.
〔吞下〕 tūnxià 동 삼키다. ¶一口~; 한입에 삼키다.
〔吞下去〕 tūnxiàqù 동 ①삼켜 버리다. ¶一嘴~一个馄饨; 훈탕을 한입에 삼켜 버리다. ②병탄(倂呑)하다. ③말을 꿀꺽 삼키다. 이야기 끝을 삼켜 버리다. ¶听见老师来了, 吓得把没说出来的那半句话给~了; 선생님이 왔으므로 놀라서 아직 말을 하지 않았던 끝의 반 마디를 삼키고 말았다.
〔吞烟〕 tūnyān 동 아편을 삼키고 자살하다.
〔吞咽〕 tūnyàn 동 ①(물건을) 삼켜 버리다. ②말을 삼키다. 말을 그만두다. ¶把要说的话~回去; 하려던 말을 삼키고 말았다.
〔吞云吐雾〕 tūn yún tǔ wù 〈成〉 담배나 아편을 뻑뻑 피우고 있는 모양. ¶几个人在屋里~, 高谈阔论; 몇 사람이 방 안에서 담배를 뻑뻑 피우며, 크게 담론을 하고 있다.

〔吞占〕 tūnzhàn 동 횡령하다.
〔吞舟之鱼〕 tūn zhōu zhī yú 〈成〉 배를 통째로 삼킬 만한 큰 고기.

焞 **tūn** (돈)
①명 옛날, 점을 볼 때, 거북 딱지를 불에 쬐는 데 쓴 섭나무. ②형 〈文〉 별빛이 어스레한 모양.

暾 **tūn** (돈)
〈文〉 ①형 해가 뜨기 시작하는 모양. ¶朝~始上; 아침 해가 떠오르다. ②명 아침해. ¶~~; ⓐ햇빛이 부드러운 모양. ⓑ불빛이 거센 모양.

屯 **tún** (둔)
①동 모으다. 비축하다. ¶~聚; ⇓/~粮; ⇓/~了很多米; 다량의 쌀을 비축했다. ②동 《軍》 군대가 주둔하다. ¶驻~; 주둔하다/~兵; ⇓ ③(~儿, ~子) 명 마을(주로 마을 이름·지명에 쓰임). ¶皇姑~Huánggūtún; 황구툰(皇姑屯)(랴오닝 성(遼寧省)에 있는 땅 이름). ⇒zhūn

〔屯堡〕 túnbǎo 명 군대의 주둔지. =〔屯保〕
〔屯兵〕 túnbīng 명 주둔병. (tún,bīng) 동 군대를 주둔시키다.
〔屯并〕 túnbìng 명 덤핑(dumping). =〔倾qīng销〕〔探并〕
〔屯鞑〕 túndá 명 《民》 몽골 개간지로 이주한 한인(漢人). ¶他不是骚鞑子, 是个~子; 그는 순수한 몽골인이 아니라, (개간을 위해 이주한) 한인이다.
〔屯防〕 túnfáng 동 주둔하여 방비하다.
〔屯膏〕 túngāo 동 〈文〉 인색하여 아랫사람에게 주지 않다.
〔屯户〕 túnhù 명 개간지의 농가.
〔屯积〕 túnjī 동 ①저장해 두다. ②매점하다. 사서 모아들이다. =〔囤tún积〕
〔屯集〕 túnjí 동 ⇨〔屯聚〕
〔屯街塞巷〕 túnjiē sāixiàng 거리에 많은 사람이 북적거리다.
〔屯聚〕 túnjù 동 한 곳에 모이다. 둔취하다. ¶~了不少人才; 적잖은 인재가 모였다. =〔屯集〕
〔屯军〕 túnjūn 동 군대를 주둔시키다.
〔屯垦〕 túnkěn 동 주둔병이 개간하다. 농민이 집단적으로 개간하다.
〔屯粮〕 túnliáng 명 둔전자(屯田者)가 납입해야 할 식량. (tún,liáng) 동 식량을 비축하다. =〔囤粮〕
〔屯溜子〕 túnliūzi 명 〈方〉 ⇨〔二流子①〕
〔屯落〕 túnluò 명 〈文〉 촌락. 마을. →〔屯子〕
〔屯门〕 túnmén 동 수문을 막다.
〔屯儿〕 túnr 명 마을. 촌락. =〔村cūn儿〕
〔屯养〕 túnyǎng 동 가축을 사육하다.
〔屯扎〕 túnzhā 동 주둔하다. ¶军队~在城外; 군대가 성 밖에 주둔하고 있다.
〔屯长〕 túnzhǎng 명 촌장(村長).
〔屯住〕 túnzhù 동 ①많이 모이다. ②괴다. ¶水~了; 물이 고였다. ③모여 살다.
〔屯驻〕 túnzhù 동 주둔하다. =〔驻屯〕
〔屯子〕 túnzi 명 〈方〉 마을. 촌락.

忳 **tún** (돈)
→〔忳忳〕

〔忳忳〕 túntún 형 〈文〉 번민하는 모양.

囤 **tún** (돈)
동 ①식량을 대량으로 저장하다. ②사서 모아두다. (값이 오르기를 기다려) 사재다. ¶~了不少米; 상당량의 쌀을 사잿다. ③창고에 저장하다. ⇒dùn

〔囤货〕 tún,huò 동 상품을 축적(蓄積)하다. 매점(買占)하다. ¶囤点儿年货好过年; 설 용품을 사서 두면 정월을 보내기가 수월하다/~入仓; 창고에 사재다.
〔囤积〕 túnjī 동 사서 모아 두다. 사재다. ¶主妇们开始~白糖; 주부들은 설탕을 사재기 시작했다/~居奇; 〈成〉 매점매석하여 폭리를 거두다. =〔屯积②〕
〔囤聚〕 túnjù 동 상품을 모아 두다.
〔囤粮〕 tún,liáng 동 양식을 저장하다. ¶~过冬; 월동을 위하여 양식을 저장하다/奸商~; 악덕 상인이 양식을 사 모아 두다. =〔屯粮〕
〔囤买〕 túnmǎi 동 사들이다. 사재다. 매점하다.

饨(飩) **tún** (돈)
→〔馄hún饨〕

鲀(魨) **tún** (돈)
명 《魚》 복어. ¶虫chóng纹圆~; 《魚》 매리복/ 红hóng鳍圆~; 《魚》 자지복. =〔河hé豚〕

豚〈豘〉 **tún** (돈)
①명 새끼돼지. ②명 《動》 돼지. ③동 발꿈치를 질질 끌며 걷다.

〔豚肩〕 túnjiān 명 돼지의 앞넓적다리.
〔豚鼠〕 túnshǔ 명 《動》 기니피그(guinea pig). 모르모트. =〔荷hé兰猪〕〔天竺鼠〕
〔豚蹄穰田〕 tún tí ráng tián 〈成〉 족발과 술 한 잔을 놓고, 오곡의 풍양을 기원하다(약간의 노력(勞力)으로 관대한 보수를 바람).
〔豚鱼〕 túnyú 명 ①돼지와 물고기. ②〈比〉 얼뜬 사람. 둔한 사람. 어리보기. ¶虽~亦能教化; 얼뜨기라도 교화할 수 있다.

臀〈臋〉 **tún** (둔)
명 ①《生》 엉덩이. 볼기. ②밑.

〔臀部〕 túnbù 명 엉덩이. 둔부.
〔臀骨〕 túngǔ 명 《生》 좌골(坐骨).
〔臀尖〕 túnjiān 명 돼지의 볼기살(최상등의 부분). =〔臀肩〕
〔臀鳍〕 túnqí 명 (물고기의) 배지느러미.
〔臀围〕 túnwéi 명 (양장에서) 엉덩이 둘레. →〔腰yāo围①〕
〔臀位〕 túnwèi 명 《醫》 골반위(骨盤位).
〔臀疣〕 túnyóu 명 원숭이 엉덩이의 딱딱한 살갗(털 없는 빨간 부분).

氽 **tǔn** (탄)
①동 물힘이 물건을 밀어 올리다. ②동 〈南方〉 물 위에 떠돌다. ¶木头在水上~; 목재가 물에 뜨다/浮萍~于水面; 개구리밥이 수면에 떠돌다. ③동 〈方〉 기름에 튀기다. ¶油~花生米; 기름에 튀긴 땅콩. ④지명용 자(字). ¶~湖; 툰 호(氽湖)(후난성(湖南省)에 있는 호수 이름).

褪 **tùn** (퇴)
동 ①(손이나 발을 오므리면서) 벗다. 빼다. ¶把袖子~下来; 소매에서 빼내다. 손을 소매에서 빼다. ②〈方〉 오므려 넣다. (슬그머니 소매·주머니 속에) 숨기다. 줄어들다. 시들다. ¶花瓣儿~了; 꽃잎이 시들었다/~头; ⇓/他把信偷偷儿地~在袖子里走了; 그는 몰래 편지를 소매 속에 감추고 갖고 갔다. ③벗어나다. 벗어나 떨어지다. ¶~了套儿跑了; (개 따위가) 묶인 새끼에서 벗어나 도망치다. ⇒tuì

〔褪后趋前〕 tùn hòu qū qián 〈成〉 앞에 서거나 뒤로 가거나 하여 몹시 정중하게 행동하다.
〔褪回〕 tùnhuí 동 ①되돌아오다. ¶你要不赶紧～来就要上圈套了; 너는 곧 빠져 나오지 않으면 함정에 걸릴 것이다. ②되찾다.
〔褪旧儿〕 tùnjiùr 명 색이 바랜 것. 중고(中古).
〔褪壳〕 tùn.qiào 동 껍질을 벗기다. 깍지를 벗겨 내다.
〔褪去〕 tùnqù 동 벗다. ¶～冬衣; 동복을 벗다.
〔褪手〕 tùn.shǒu 동 손을 소매에 넣다. ¶～旁观; 〈成〉 수수방관하다. =〔袖xiù手〕〔褪袖〕
〔褪套儿〕 tùn.tàor 동 〈方〉 ①속박을 벗어나다. (남의 계략에 걸려 하려던 것을 중간에 눈치채고) 도망치다. ¶～逃走; 빠져나와 도망치다. ②〈比〉 책임에서 빠져 나가다. (말만으로) 실행치 않다. 해야 할 것을 어기다. ¶他因为事情办不好, 想～不干了; 그는 일이 잘 안 되므로 달아나 버리려 했다. ③(개의 목걸이·맨 줄 따위가) 느스러져 빠지다. ¶狗～了; 줄이 느스러져 개가 달아났다 / 小贼褪了套儿了; 도둑이 밧줄을 벗어나 도망쳤다.
〔褪头〕 tùntóu 동 ①머리를 움츠리다. 머리를 안으로 밀어넣다. ¶～汗衫; 셔츠에 머리를 들이밀고 입다 / ～缩脑; 〈成〉 머리를 움츠리다(면목 없거나 뒤가 켕길 때 따위). ②집의 앞쪽이 줄지어 있는 것보다 들어가 있다. ¶～门儿; 줄지어 있는 것보다 들어가 있는 집의 문.
〔褪下〕 tùnxia 동 벗다. ¶把袖子～; 소매를 벗다.

TUO ㄊㄨㄛ

乇 tuō (탁)
명양 ⇨〔托tuō A)⑥〕

托〈託〉[B)] tuō (탁)
A) ①동 받쳐 들다. 받치다. 고이다. ¶两手～着下巴; 두 손으로 턱을 괴다 / 一只手～着一个盘子; 한 손으로 쟁반을 받쳐 들다. ②(～儿, ～子) 명 깔거나 받치는 데 쓰이는 물건. ¶茶～儿; 찻잔 받침 / 日历～儿; 탁상 캘린더의 받침대. ③동 깔다. ¶下边～一块板子; 밑에 판자를 한 장 깔다. ④동 (바탕을 배경으로) 돋보이게 하다. ¶衬～; 두드러지게 하다 / 烘云～月; 〖美〗 주위에 구름을 바림하여〔그려〕 달을 돋보이게 하는 수법(후에 문학·예술에서 정면으로 묘사하지 않고 측면에서 주요 사물을 부각시키는 수법을 일컬음). ⑤동 손으로 밀어 올리다. ¶向上～起; 위로 밀어 올리다 / 下巴掉了, 用手一～就好; 아래턱이 빠지면 손으로 밀어 올리면 된다. ⑥명양 〖物〗 토르(torr)(압력의 단위. 옛날에는, '乇'로도 썼음). =〔乇tuō〕 B) 동 ①핑계삼다. 구실을 붙이다. ¶～故不来; 일을 핑계삼고 오지 않다 / ～病缺席; 병을 핑계삼아 결석하다. ②위탁하다. 의탁하다. 맡기다. ¶～儿所; ⇩ / ～身; ⇩ ③부탁하다. 의뢰하다. ¶～他买东西; 그에게 부탁하여 물건을 사다 / ～他办; 그에게 해 달라고 부탁하다.
〔托办〕 tuōbàn 동 일의 처리를 위탁하다.
〔托保〕 tuō.bǎo 동 보증을 의뢰하다. ¶托您给我做个保; 당신에게 저의 보증을 부탁드립니다.
〔托庇〕 tuō.bì 동 ①비호를 받다. ¶～于尊长; 윗사람의 비호를 받다. ②덕을 보다. ¶打的既有名, 被打的就～有了名《鲁迅 阿Q正傳》; 때린 사람이 유명하니까, 맞은 사람도 덕택에 유명해졌다.
〔托病〕 tuōbìng 동 병을 핑계삼다. ¶～离席; 병을 핑계삼아 이석하다 / ～在家纳福; 병이라 칭하고 집에서 한가하게 지내다.
〔托船〕 tuōchuán 명 ⇨〔拖船①〕
〔托床(儿)〕 tuōchuáng(r) 명 썰매.
〔托词〕 tuōcí 동 구실을 만들다. 핑계대다. ¶～谢绝; 핑계대고 사절하다. 명 구실. 변명. ¶他说有事, 这是～, 未必真有事; 그는 볼일이 있다고 하는데, 그것은 구실이고, 정말 그렇다고는 하기 어렵다. ‖=〔托辞〕〔设shè辞〕 →〔借口〕
〔托辞〕 tuōcí 동명 ⇨〔托词〕
〔托大〕 tuōdà 동 ①(연령·지위·학문 따위를) 자랑하다. 뽐내다. 거만하게 굴다. ¶首长们也平易近人, 丝毫不～; 장관들도 허물이 없어 조금도 잘난 체하지 않는다. ②소홀히 하다. 부주의하다.
〔托底〕 tuō.dǐ 동 ①마음의 의지로 삼다. 마음을 가라앉히다. ¶心里更加～了; 마음이 한층 가라앉았다. ②비호하다. ③내막이나 경위를 잘 알다. ¶那件事我～, 你不用和别人打听去; 그 일이라면 내가 내막을 잘 알고 있다. 너는 남에게 들으러 갈 필요가 없다.
〔托地〕 tuōdi 부 〈文〉 갑자기. 느닷없이. ¶～跳将过去; 갑자기 뛰어넘었다.
〔托儿费〕 tuō'érfèi 명 ①탁아비. ②탁아 보조비(근무하고 있는 직장에 탁아소가 없어 외부에 아이를 맡길 경우, 직장에서 지급하는 수당).
〔托儿所〕 tuō'érsuǒ 명 탁아소. ¶现在在中国, 到处有～; 지금 중국에는 도처에 탁아소가 있다 / ～阿姨āyí; 보모.
〔托尔斯泰〕 Tuō'ěrsītài 명 〖人〗 〈音〉 톨스토이(Leo Nikolaevich Tolstoy)(러시아의 소설가. 1828～1910).
〔托匪〕 Tuōfěi 명 트로츠키스트를 욕하는 말.
〔托讽〕 tuōfěng 동 풍자하다. ¶白乐天好作～诗; 백낙천은 즐겨 풍자시를 짓는다.
〔托夫〕 tuōfū 명 〈音〉 토플(TOEFL)(미국 유학을 희망하는 외국인의 영어 학력 테스트). =〔托福〕
〔托福〕 tuō.fú 동 ①〈套〉 덕분에 (잘 지냅니다. 잘 되었습니다). ¶托您的福, 一切都很顺利! 덕분에 모든 것이 잘 돼 가고 있습니다! ②은혜를 입다. =〔托福托福〕 ‖ =〔搭帮④〕 ⇒ tuōfú
〔托福〕 tuōfú 명 〈音〉 토플(TOEFL). ⇒ tuō.fú
〔托付〕 tuōfù 동 부탁하다. 위촉하다. ¶家里的事都～你了! 집안의 모든 일은 당신에게 부탁하겠습니다!
〔托购〕 tuōgòu 명동 위탁 구입(하다). =〔托买〕
〔托孤〕 tuōgū 동 탁고하다. 고아를 부탁하다. 사후의 일을 부탁하다.
〔托故〕 tuōgù 동 핑계삼다. ¶～不答应; 핑계삼고 승낙하지 않다.
〔托管〕 tuōguǎn 동 ①관리를 위탁하다. 신탁 관리하다. ¶～理事会; (유엔의) 신탁 통치 이사회. ②후견하다. 보호하다. 명 ①후견. 보호. ②신탁 관리. 신탁 통치. 위임 통치.
〔托管制〕 tuōguǎnzhì 명 〖政〗 위탁 관리제. 신탁 통치제. ¶通过～临时解决国际问题; 신탁 관리제에 의해서 국제 문제를 일시적으로 해결하다.
〔托吼人儿〕 tuōhǒurénr 명 ①'托吼戏'(인형극)에 쓰이는 인형. ②남에게 이용당하는 사람.
〔托灰板〕 tuōhuībǎn 명 (미장이의) 흙받기. →〔泥ní板〕〔泥刀〕
〔托疾〕 tuōjí 동 〈文〉 병을 핑계삼다. ¶～不问世

事; 병을 핑계삼아 세상일에 상관하지 않다.
〔托迹〕 tuōjì 동 행동을 어떤 일에 의탁하다. ¶～在诗书画上; (속세의 일을 피하여) 시·서예·그림 등에 의지하여 살아가다 / ～江湖; 세상을 방랑하다.
〔托寄〕 tuōjì 동 ①위탁하여 보내다. ¶～一笔钱; 송금을 의뢰하다. ② ⇨〔托身〕
〔托架〕 tuōjià 명 (선반의) 까치발. 선반받이. =〔托座〕〔丁dīng字架〕〔夹叉①〕
〔托交〕 tuōjiāo 동 친구가 되다. 교분을 맺다. =〔结交〕
〔托剧〕 tuōjù 명 토키(talkie). =〔有声电影〕
〔托卡塔〕 tuōkǎtǎ 명《樂》〈音〉 토카타(toccata). =〔托卡他〕〔多卡达〕
〔托靠〕 tuōkào 동 맡기다. 의탁하다. 의지하다. ¶～朋友; 친구에게 의지하다. =〔托赖〕
〔托拉火姆〕 tuōlāhuǒmǔ 명《醫》〈音〉 트라코마(trachoma). =〔沙眼〕
〔托拉机〕 tuōlājī 명 트랙터.
〔托辣斯〕 tuōlàsī 명《經》〈音〉 트러스트(trust). 독점적 기업 합동. ¶汽车～; 자동차 트러스트. =〔托辣苏〕〔合同企业〕〔托拉斯〕〔拖拉斯〕〔企业合同〕
〔托赖〕 tuōlài 동 ⇨〔托靠〕
〔托懒儿〕 tuō,lǎnr 동 게으름 부리다. =〔躲懒(儿)〕
〔托累〕 tuōlèi 동 ①번거러움을 당하다. 거치적거리다. ¶有家室～; 가정을 가지면 번거롭다. ②상관(相關)이 되다. 파급되다. ¶这案子～不少人; 이 사건은 많은 사람에게 파급된다.
〔托里拆利真空〕 Tuōlǐchāilì zhēnkōng 명《物》〈音〉 토리첼리(Torricelli)의 진공. =〔托里切利真空〕
〔托利党〕 Tuōlìdǎng 명《史》 토리당(Tory黨).
〔托领〕 tuōlǐng 명 어깻바대《중국옷의 깃 아래에 따라 옷의 안쪽에 둥글게 대는 폭 5,6센티의 천》. =〔托襟〕〔领盘儿〕
〔托洛茨基〕 Tuōluòcíjī 명《人》〈音〉 트로츠키(Trotskii)《러시아의 혁명가, 1879～1940》. ¶～派=〔托派〕; 트로츠키파(派). 트로츠키스트 / ～主义; 트로츠키주의.
〔托马斯〕 Tuōmǎsī 명《貿》 토머스 방식. ¶～欠额; 토머스 방식에 의한 보증 수출 부족액 / 反～; 역(逆)토머스 방식. =〔托马斯方式〕〔先行出口方式〕
〔托门子〕 tuō ménzi (주로 나쁜 일로) 연줄을 찾아 부탁하다. 빽(back)을 찾다. ¶～, 拉关系; 연줄을 찾아 관계를 맺다.
〔托梦〕 tuō,mèng 동 현몽(現夢)하다. 현몽하여 알려 주다.
〔托名〕 tuō,míng 동 ①남의 명성의 덕을 보다. ¶给大人物当秘书～而成名; 큰 인물의 비서로 있으면 그 사람의 명성 덕택으로 이름이 난다. ②남의 이름을 사칭하다. ¶～行伪; 가짜 이름으로 사기를 치다.
〔托墨〕 tuōmò 동 (종이에) 먹이 잘 먹다. ¶宣纸～; 선지는 먹이 잘 먹는다.
〔托偶〕 tuō'ǒu 명 (막대기로 조정하는) 꼭두각시. 인형. =〔杖zhàng头木偶〕 동 인형을 부리다. 꼭두각시를 조종하다.
〔托派〕 Tuōpài 명〈簡〉〈音〉 '托洛茨基派' (트로츠키파)의 약칭.
〔托盘〕 tuōpán 명 쟁반.
〔托其卡〕 tuōqíkǎ 명《軍》 토치카. =〔据点〕〔火力点〕
〔托枪〕 tuōqiāng《軍》 어깨에 총!《군대 구령》.
〔托腔〕 tuōqiāng 동 노래의 박자를 맞추다. ¶他的胡琴～托得极严《老舍 四世同堂》; 그의 호금은 박자 맞추는 법이 엄격하다.
〔托情(儿)〕 tuō,qíng(r) 동 정실(情實)로 부탁하다. 신신 부탁하다. ¶～弄纤qiàn; 〈成〉 인정이나 연고에 의지하다. =〔托人情〕
〔托球〕 tuōqiú 명《體》 (배구의) 토스. ¶～超过三次; 오버 타임.
〔托儿〕 tuōr 명 ①(상점 등의) 바람잡이. ② ⇨〔托子〕
〔托人〕 tuō,rén 동 남에게 부탁하다.
〔托人情〕 tuō rénqíng 신신 부탁하다. 인정에 호소하다. ¶那件事总算～办成了; 그 일은 그저 동정을 받아서 이루어진 것이다. =〔托情(儿)〕
〔托腮〕 tuōsāi 동 양손으로 턱을 괴다. =〔托腮颊〕
〔托身〕 tuōshēn 동 몸을 의탁하다〔맡기다〕. ¶托寄终身; 일생을 의탁하다 / ～之处; 몸을 의탁할 곳. =〔托寄②〕
〔托生〕 tuōshēng 동 ①《佛》 다시 태어나다. (사람·짐승이) 환생하다. ¶早死早～; 일찍 죽은 사람은 일찍 환생해서 태어난다. ②남에게 의탁해서 살다.
〔托实〕 tuōshí 동 까닭 없는 물건을 염치 없이 받다. ¶有人送礼来, 他都～照收, 从不拒绝; 선물이 있으면, 그는 무엇이든지 받고 사양한 적이 없다.
〔托始〕 tuōshǐ 명 일의 시작. 개시.
〔托收〕 tuōshōu 동《商》 은행에 의탁하여 상품 대금을 대신 징수하게 하다. 대금 추심 의뢰하다.
〔托收票举〕 tuōshōu piàojù 명《商》 대금 추심 어음.
〔托售〕 tuōshòu 동 판매를 위탁하다. 위탁 판매하다.
〔托熟〕 tuōshú 동 ①터놓고 지내는 사이로 예절에 구애되지 않다. 허물 없는 사이로 행동하다. ②그다지 친하지도 않은데 허물 없이 굴다.
〔托言〕 tuōyán 동 구실을 붙이다. 핑계삼다. 명 핑계. 구실.
〔托叶〕 tuōyè 명《植》 턱잎. 탁엽.
〔托运〕 tuōyùn 동 탁송하다. 운송을 위탁하다. ¶我替你到行李房去～; 내가 너 대신 화물 취급소에 가서 탁송하겠다. 명 탁송. ¶办理～; 탁송 절차를 밟다 / ～公司; 탁송 회사.
〔托兆〕 tuōzhào 명 일이 일어나기 전에 나타나는 조짐. 예감.
〔托之空言〕 tuō zhī kōngyán 쓸데없는 말을 늘어놓다. ¶～无济于事; 쓸데없는 말을 늘어놓아 보았자 소용이 없다.
〔托中〕 tuōzhōng 동 중개인에게 의뢰하다. ¶～介绍买卖房产; 중개인에게 의뢰하여 가옥을 매매하다.
〔托住〕 tuōzhù 동 손으로 떠받치다.
〔托子〕 tuōzi 명 (물건을 받치는) 받침. 받침대. ¶茶～; 찻잔 받침 / 枪～; 총대. 총상. =〔托儿②〕〔托台〕
〔托足〕 tuōzú 동〈文〉 얹혀 살다. 식객 노릇을 하다. ¶～友人之家; 친구네 집에 얹혀 살다. =〔托食〕

饦(飥) tuō (탁)

→〔馎bó饦〕

拕 tuō (타)

동 ⇨〔拖〕

拖 **tuō** (타)
동 ①질질 끌다. 잡아당기다. ¶把箱子～到墙角去; 상자를 벽쪽 구석까지 끌고 가다/～人下水引鬼上门; 사람을 물에 끌어넣고 귀신을 집안에 끌어들이다. 선인을 모함하고 악인을 두둔하다. ②(시간을) 끌다. 지연시키다. 미루다. ¶跟他们～; 그들에 대하여 우물쭈물 지연책을 쓰다/这件事应赶快结束, 不能再～; 이 일은 빨리 결말지어야 하며, 이 이상 늦출 수는 없다. ③뒤쪽으로 축 늘어지다. 뒤로 늘어뜨리다. ¶～着辫子; 변발을 늘어뜨리고 있다/～着个尾巴; 꼬리를 늘어뜨리고 있다. ‖=〔〈文〉拕〕

〔拖把〕 tuōbǎ 명 몹(mop). (자루 달린) 대걸레. =〔墩dūn布〕〔拖布〕〔拖粪〕

〔拖耙〕 tuōbà 명《農》써레. 해로(harrow).

〔拖板〕 tuōbǎn 명 ①새들(saddle). (자전거의) 안장. ②《機》새들《기계의 받침대 위를 움직이는 안장 모양의 공구 부분》. ‖=〔鞍板〕

〔拖驳〕 tuōbó 명 (예인선에 의해) 끌리어 가는 배.

〔拖长〕 tuōcháng 동 오래 끌다. 지연시키다. ¶～日子; 날짜를 끌다/谈判～了; 담판이 오래 끌었다.

〔拖车〕 tuōchē ① 명 트레일러. =〔挂guà车②〕 ② 명〈南方〉인력거. ③ 명 댄서(dancer). ④ 명 사교 댄스에서 여자가 남자를 리드하는 일. ⑤(tuō chē) 차를 끌다.

〔拖迟〕 tuōchí 동 ⇨〔拖延〕

〔拖船〕 tuōchuán ① 명 끌배. 예선. ¶～费; 예선료(曳船料). =〔拖轮〕〔托船〕 ② 명〈方〉거룻배. 예인선에 끌려 가는 목선. ③(tuō chuán) 배를 끌다.

〔拖船索〕 tuōchuánsuǒ 명 배를 끄는 밧줄.

〔拖床(儿)〕 tuōchuáng(r) 명 빙상(氷上) 썰매.

〔拖带〕 tuōdài 동 ①연루(連累)시키다. 관련되다. ②끌다. 견인하다. ¶这些车辆载量大, 而且～灵活, 平稳安全; 이 차량들은 적재량도 크고, 다른 차를 끄는 데도 기동성이 있으며, 안정(安定)되고 안전하다.

〔拖宕〕 tuōdàng 동 ⇨〔拖延〕

〔拖倒〕 tuōdǎo 동 잡아당겨 쓰러뜨리다.

〔拖渡〕 tuōdù 명동 나룻배(로 강을 건너다).

〔拖粪〕 tuōfèn 명 ⇨〔拖把〕

〔拖后〕 tuōhòu 동 지연시키다. 늦추다. ¶时间～了; 시간이 늦추어졌다.

〔拖后腿〕 tuō hòutuǐ ①(뒷)발을 끌다. ②〈轉〉제약(制約)하다. ¶他非但不帮忙, 还给我～; 그는 돕지 않을 뿐만 아니라, 나를 방해하고 있다/拖工业现代化的后腿; 공업의 현대화를 둔화시키다. ‖=〔扯后腿〕

〔拖回〕 tuōhuí 동 복귀하다. 되돌리다. ¶～原地; 원래의 장소로 복귀하다.

〔拖屐〕 tuōjī 명 나막신. =〔木mù屐(子)〕〔木履〕

〔拖脚鞋〕 tuōjiǎoxié 명 ⇨〔拖鞋〕

〔拖进〕 tuōjìn 동 끌어들이다. ¶把国家～了战争; 국가를 전쟁에 끌어들였다. =〔拖人〕

〔拖掘〕 tuōjué 동 대중을 동원하여 무리하게 계획을 실현시키다.

〔拖垮〕 tuōkuǎ 동 ①잡아당겨 넘어뜨리다. 잡아당겨져서 넘어지다. ②나쁜 원인 때문에 실패로 끝나다. ③(건강 따위를) 해치다. ¶你躺一会吧, 别～身子; 너는 잠시 누워 있어라, 몸을 해쳐서는 안 된다.

〔拖拉〕 tuōlā 동 ①연루(連累)되다. 연좌하다. ②(일을) 끌다. 연기하다. 어물어물하다. 잡아 끌다. ¶～作风; 일을 질질 끄는 작태/办事拖拖拉拉的; 일을 질질 끌며 지연시키다.

〔拖拉车〕 tuōlāchē 명 트랙터의 견인차(牽引車).

〔拖拉机〕 tuōlājī 명 트랙터. ¶开～; 트랙터를 운전하다/手推～; (손으로 미는) 수동식 트랙터/水田～; 무논용 트랙터/～站; 트랙터 센터〔스테이션〕. =〔火犁〕〔牵引车〕〔牵引机〕〔曳引机〕

〔拖拉斯〕 tuōlāsī 명 ⇨〔托辣斯〕

〔拖累〕 tuōlěi 동 ①누를 끼치다. 번거롭게 하다. ¶被家务～; 가사로 번거롭게 되다. ②신세지다. 의지하다. ¶一家老小～了他; 가족 전체가 그를 의지했다〔그에게 매달려 산다〕. ⇒tuōlèi

〔拖累〕 tuōlèi 명 부담. 무거운 짐. ¶妇女们的家庭～减轻了; 여성의 가정에서의 부담이 경감되었다/解脱了孩子的～; 자식이라는 무거운 짐으로부터 풀려났다. ⇒tuōlěi

〔拖轮〕 tuōlún 명 ⇨〔拖船chuán①〕

〔拖泥带水〕 tuō ní dài shuǐ〈成〉(말·문장이) 간결하지 않거나 일하는 것이 시원스럽지 못하다. 일을 맺고 끊는 맛이 없다. ¶这篇文章写得～; 이 문장은 간결하지 못하게 쓰여졌다.

〔拖疲〕 tuōpí 동 오래 끌어서 지치다. ¶战争把双方都～了为止; 전쟁은 양쪽이 완전히 지칠 때까지 한다.

〔拖欠〕 tuōqiàn 동 빚을 갚지 않고 미루다. ¶房钱～三个月了; 집세가 석 달 밀렸다.

〔拖枪鸭〕 tuōqiāngyā 명《鳥》〈南方〉고방오리.

〔拖人〕 tuōrù 동 ⇨〔拖进〕

〔拖伤〕 tuōshāng 동 옆사람에게 폐를 끼치다.

〔拖实〕 tuōshí 동 사양하지 않다. 제맘대로 행동하다.

〔拖税〕 tuōshuì 동 세금이 밀리다. 세금을 체납하다.

〔拖沓〕 tuōtà 형 (처리 방식이) 어물어물하여 시원찮다. ¶他做事太～; 그는 일을 너무 꾸물댄다. 동 어물거리고 지연시키다.

〔拖脱了事〕 tuōtuō liǎoshì 지연시켜 흐지부지해 버리다.

〔拖网〕 tuōwǎng ① 명 저인망(底引網). 트롤(trawl)망. ¶～船 =〔～渔轮〕; 트롤선. ②(tuō wǎng) 그물을 끌다.

〔拖尾巴〕 tuō wěiba 꼬리를 질질 끌다. ¶拖着尾巴; 꼬리를 뒤로 늘어뜨려 끌고 있다.

〔拖下水〕 tuō xiàshuǐ 못된 패거리에 끌어들이다. ¶企图把大量外国人～; 많은 외국인을 못된 일에 끌어들이려고 기도하다.

〔拖鞋〕 tuōxié 명 슬리퍼(slipper). =〔拖脚鞋〕〔趿tā拉儿〕

〔拖延〕 tuōyán 동 지연시키다. 질질 끌다. ¶～时日; 시기를 늦추다. 기일을 질질 끌다/～战术; 지연 전술. =〔拖迟〕〔拖宕〕〔推tuī延〕

〔拖曳〕 tuōyè 동 끌다. 견인하다. ¶～运输机;《機》드래그 컨베이어(drag conveyor).

〔拖油瓶〕 tuō yóupíng 의붓자식(을 데리고 오다). =〔托油瓶〕

〔拖运〕 tuōyùn 동 끌어서 나르다.

〔拖债〕 tuō zhài 동 빚의 변제를 미루다. (tuōzhài) 명 체납한 세금.

〔拖住〕 tuōzhù 동 잡아당겨(움직이지 않도록) 두다. ¶～后腿; 뒷발을 잡아당겨 누르다/～敌人; 적을 견제해 놓다.

〔拖子〕 tuōzi 명 물건을 싣고 끄는 도구《짐 싣는 썰매 같은 것》.

侻 **tuō** (탈)
형〈文〉①간단하다. ②적당하다. ⇒tuì

挩 tuō (탈)
동 ①방면하다. 풀어 주다. ②누락되다.

脱 tuō (탈)
①동 고기에서 뼈를 바르다. ②동 붙어 있는 것을 떼내다. ③동 (옷·신·모자를) 벗다. 제거하다. ¶～衣裳; 옷을 벗다/～鞋; 신을 벗다. ↔〔穿〕 ④동 (털이) 빠지다. (피부가) 벗어지다. ¶爷爷的头发都～光了; 할아버지의 머리는 다 빠졌다/脸晒shài～皮了; 얼굴이 햇볕에 타서 벗겨졌다. ⑤동 이탈하다. 벗어나다. 모면하다. ¶走不～; 빠져 나오지 못하다/摆～; 빠져 나가다〔도망하다〕/～险; ⇓/～缰jiāng之马; ⇓/～王法; 국법의 그물을 벗어나다. ⑥동 탈락하다. 떨어지다. 빠뜨리다. ¶～了树叶; 나뭇잎이 떨어진다/这中间～去了几个字; 이 사이에 몇 자 빠져 있다/原稿有～误; 원고에 탈락이나 오자가 있다. ⑦동 팔아 버리다. ⑧동〈文〉가볍게 보다. 마음이 들떠 있다. ⑨접〈文〉만일 …이라면. ¶～有遗漏, 必致误事; 혹시 유루가 있으면 반드시 일을 그르친다. =〔倘tǎng若〕 ⑩명 성(姓)의 하나.

〔脱案〕 tuō'àn 동《法》소송 사건이 종결되다.

〔脱靶〕 tuō·bǎ 동 과녁을 벗어나다. (tuōbǎ) 명《體》(사격 경기에서) 실중(失中).

〔脱班〕 tuō·bān 동 ①반·그룹에서 빠지다. ②(기차·버스 등을) 시간이 늦어 놓치다. ③정기편을 일부 중지하다. ④(열차 등이) 연착하다. ⑤교대 시간에 지각하다.

〔脱膊〕 tuōbó 동 웃통을 벗다. ¶～上身, 在树下乘凉; 웃통을 벗고, 나무 아래서 시원한 바람을 쐬다.

〔脱不了〕 tuō bu liǎo 빠져 나갈 수 없다. 벗어날 수 없다. ¶～关系; 관계를 끊을 수 없다. ↔〔脱得了〕

〔脱碴(儿)漏空〕 tuōchá(r) lòukòng 누락시키다. 소홀해서 빠진 것이 있다. 실수하다. 실수가 있다. ¶趁着～的机会逃走了; 부실한 데가 있는 것을 노려 도주했다/谁能保一辈子永远没有～的事呢; 누가 평생 실수를 하지 않는다고 보증할 수 있나.

〔脱产〕 tuō·chǎn 동 ①재산을 내놓다. ¶～离乡; 재산을 내놓고 고향을 떠나다. ②생산 작업에서 떠나가다. 직장에서 떠나다. ¶～学习; 직장을 떠나 오로지 학습에 종사하는 것/～干部; 생산에 종사하지 않는 전종(專從) 간부.

〔脱肠〕 tuōcháng 명《醫》탈장.

〔脱出〕 tuōchū 명 ①탈출하다. ②손을 떼다. 손에서 놓다. ¶那本书他很珍爱, 绝对不肯～手的; 저 책은 그가 무척 좋아하므로 절대로 놓으려 하지 않는다.

〔脱除〕 tuōchú 동 ①(옷을) 벗다. ②(짐을) 내리다. 부리다. ③청산하다. ④떼어내다.

〔脱党〕 tuōdǎng 명동 탈당(하다). ¶宣布～; 탈당을 선포하다/～分子比跨kuà党分子好些; 탈당자가 이중 당적자보다는 좀 낫다.

〔脱档〕 tuōdàng 동 생산이 중단되다. 품절이 되다.

〔脱掉〕 tuōdiào 동 ①탈락하다. 낙오하다. ②벗어 버리다. 벗겨 내다.

〔脱度〕 tuōdù 동《佛》제도(濟度)하다. ¶～苦海; 고해를 제도하다.

〔脱发〕 tuōfà 동《醫》대량으로 머리가 빠지다. 탈모하다. →〔脱毛〕

〔脱服〕 tuōfú 명 탈상(脫喪). 복상(服喪) 기간이 끝나는 일. 동 탈복하다. ¶穿满一年孝, 该～了; 1년 동안 복상했으니까 탈상해야 한다.

〔脱肛〕 tuō·gāng 동《醫》탈항하다. (tuōgāng) 명 탈항.

〔脱稿〕 tuō·gǎo 동 탈고하다.

〔脱根(人)〕 tuōgēn(rén) 명〈南方〉찰나주의의 사람. 순간순간의 환락에 빠지는 사람.

〔脱钩〕 tuō·gōu 명 연결을 풀다〔끄르다〕.

〔脱谷〕 tuō·gǔ 동 ⇨〔脱粒〕

〔脱骨换胎〕 tuō gǔ huàn tāi〈成〉①큰 병을 앓은 후에 딴 사람처럼 건강해지다. ②⇨〔脱胎换骨〕

〔脱光〕 tuōguāng 동 발가벗다. 발가벗기다. ¶～脊梁; 웃통을 모두 벗다.

〔脱轨〕 tuō·guǐ 동 탈선하다. ¶火车～了; 기차가 탈선했다/做事情～; 일이 궤도를 벗어나다.

〔脱耗〕 tuōhào 명동 (상품의 무게가 줄거나 부패하여) 감모(減耗)(하다).

〔脱滑(儿)〕 tuōhuá(r) 동 핑계를 대고 달아나다. ¶上学途中不许～; 학교에 가는 도중에 빠져 달아나면 안 된다.

〔脱化〕 tuōhuà 동 모습을 바꾸어 다른 사물로 변화하다. 탈화하다. ¶由道德经～出来的; 도덕경에서 변화한 것이다.

〔脱环儿〕 tuō huánr 관절이 퉁겨지다.

〔脱换〕 tuōhuàn 동 (옷을) 갈아 입다. ¶要是衣服脏了, 就马上～下来; 혹시 옷이 더러워졌거든 곧 갈아 입어라.

〔脱货〕 tuōhuò 동 상품을 팔다〔판매하다〕. ¶年关迫近, 各公司不得不～求现; 세밑이 닥쳤으므로 각 회사에서는 상품을 팔아서 현금화하지 않으면 안 된다.

〔脱机〕 tuōjī 명 ⇨〔脱线〕

〔脱籍〕 tuōjí 동 옛날, 기녀(妓女)가 낙적하다. 기적에서 몸을 빼내다.

〔脱肩〕 tuōjiān 동 책임을 회피하다. ¶官僚们都是溜肩儿, 一出事就要～; 관료들은 모두 책임을 지지 않고, 무슨 문제가 생기면 책임을 회피하려 한다.

〔脱监〕 tuōjiān 동 탈옥하다.

〔脱缰〕 tuō·jiāng 동 (말 따위가) 고삐가 풀려 달아나다.

〔脱缰之马〕 tuō jiāng zhī mǎ〈成〉고삐풀린 말《자유분방한 사람〔사물〕》.

〔脱胶〕 tuō·jiāo 동 ①(아교질이) 벗겨지다. 떨어지다. ¶橡皮雨衣～了; 고무 비옷의 이음매가 떨어졌다. ②《化》(식물 섬유에 붙어 있는) 아교질을 제거하다.

〔脱节〕 tuō·jié 동 ①《醫》탈구(脫臼)하다. 관절이 빠지다. =〔脱位〕 ②〈比〉엇갈리다. 분리되다. 연관성을 잃다. 조화가 안 되다. 어울리지 않다. ¶理论与实践不能～; 이론과 실천은 연관성을 잃으면 안 된다/管子焊得不好, 容易～; 파이프의 용접이 나빠서 쉽게 떨어진다/生产和消费不能～; 생산과 소비가 어긋나서는 안 된다.

〔脱节现象〕 tuōjié xiànxiàng 명 불균형 상태. 부조화 상태.

〔脱臼〕 tuōjiù 동 ⇨〔脱位〕

〔脱开〕 tuōkāi 동 ①빠져 나가다. ¶脱不开身子; 손을 뗄 수 없다. 손이 나지 않다. ②(어떤 장소에서) 이탈하다. 벗어나다. ¶～政治, 专心治学; 정치에서 떠나 학문에 전심하다.

〔脱壳〕 tuō·ké 동〈方〉①탈각하다. 껍질을 제거하

다. ¶～核桃; 껍질 벗긴 호두 / ～机; 탈곡기. ②(뱀·매미 등이) 허물〔껍질〕을 벗다.
〔脱空〕 tuō.kōng 동 ①허사가 되다. 틀어지다. ¶半生所做的事都～了; 반생의 일이 허사가 되었다. =〔落luò空〕 ②거짓말로 모면하다. 거짓말하다. ¶他说的话都是～的; 그가 한 말은 모두 거짓이다.
〔脱口〕 tuōkǒu 동 무심코 말하다. 까딱 입을 잘못 놀리다. ¶我～叫了一声; 나도 모르게 한 번 소리를 질렀다 / ～而出; 〈成〉 ⓐ무심코 말하다. 입에서 나오는 대로 말하다. ⓑ즉석에서 대답하다 / ～成章; 〈成〉 말한 것이 그대로 문장을 이루다. 글재주가 뛰어나다.
〔脱懒(儿)〕 tuō.lǎn(r) 동 ⇨〔躲duǒ懒(儿)〕
〔脱了旧鞋穿新鞋〕 tuōle jiùxié chuān xīnxié 〈歇〉 헌 신을 벗고 새 신을 신는다《못된 일에서 발을 빼다》.
〔脱了裤子放屁〕 tuōle kùzi fàng pì 〈歇〉 바지를 벗고 방귀를 뀌다《쓸데없이 이중으로 수고하다》.
〔脱累〕 tuōlèi 동 계루(繫累)에서 벗어나다.
〔脱离〕 tuōlí 동 이탈하다. 떠나다. 관계를 끊다. ¶～关系; 관계를 끊다 / ～群众; 대중으로부터 유리되다 / ～生产; 생산에서 떠나다 / 他们俩声明～夫妇关系了; 그들 두 사람은 이혼했음을 성명했다 / ～接触; 접촉을 끊다.
〔脱离苦海〕 tuōlí kǔhǎi 고해에서 벗어나다. =〔跳tiào出火坑〕
〔脱离文盲〕 tuōlí wénmáng 글자를 익혀 문맹에서 벗어나다. ¶凡是能读三千字以上的人算脱离了文盲; 3천 자 이상을 읽을 줄 아는 사람은 문맹을 벗어났다고 본다. =〔脱盲〕
〔脱粒〕 tuō.lì 동 탈곡하다. ¶～机; 탈곡기. =〔脱谷〕
〔脱笼〕 tuōlóng 동 도망치다. 탈주하다. ¶～之鸟; 〈成〉 조롱에서 탈출한 새《자유롭게 된 몸. 자유스러운 몸》.
〔脱漏〕 tuōlòu 동 빠뜨리다. 빠뜨리고 말하다〔쓰다〕. 빠뜨리고 생각하다. 명 유루. 빠뜨림. ¶就是怎么细心校对, 也不免有所～; 아무리 주의하여 교정을 보아도 빠뜨리는 것은 면하기 어렵다.
〔脱略〕 tuōlüè 형 〈文〉 의젓하다. 작은 일에 구애되지 않다. 소탈하다. ¶为人～不俗; 성격이 의젓해서 속되지 않다.
〔脱落〕 tuōluò 동 빠지다. 떨어지다. ¶毛发～; 머리털이 빠지다 / 牙齿～; 이가 빠지다 / 树叶～; 나뭇잎이 떨어지다.
〔脱盲〕 tuō.máng 동 ⇨〔脱离文盲〕
〔脱毛〕 tuō.máo 동 (새·짐승의) 털이 빠지다. (tuōmáo) 명 (새·짐승의) 털갈이. 탈모. =〔脱羽〕
〔脱卯〕 tuōmǎo 동 ①탈락하다. 벗겨지다. 느슨해지다. ¶书中有个老大～; 책 속에 크게 탈락된 곳이 있다. ②출근 시간에 늦다. ¶赶不上这趟车就要～了; 이 차를 놓치면 지각한다. →〔点diǎn卯〕
〔脱帽〕 tuōmào 동 〈敬〉 탈모하다. 모자를 벗다. ¶～致敬; 모자를 벗고 경의를 표하다.
〔脱敏疗法〕 tuōmǐn liáofǎ 명 〖醫〗 탈감작(脫感作) 요법.
〔脱名〕 tuōmíng 동 명예를 버리다. 명성을 문제시하지 않다. ¶～之士; 명리(名利)를 돌보지 않는 사람.
〔脱难〕 tuō.nàn 명 재난〔곤란·어려움〕에서 벗어나다. ¶那轮船在海上遇风, 可是全船的人都～得救了; 저 기선은 해상에서 바람을 만났지만, 전원이 난을 벗어나 구조되었다.
〔脱坯〕 tuō.pī 동 ①(벽돌을 만들 때) 틀로 찍다. ②틀로 흙벽돌을 찍어 내다. (tuōpī) 명 틀 흙벽돌.
〔脱皮〕 tuō pí ①탈피하다. 허물을 벗다. ②껍질이 벗겨지다. 혼나다. ¶吃上这场官司, 不死也脱一层皮; 이번에 송사에 걸리면 죽지는 않는다 하더라도 혼은 난다. ③(tuōpí) 명 탈피. 허물벗기.
〔脱坡〕 tuō.pō 동 (제방·경사면이) 물로 무너지다. 물에 씻기다.
〔脱期〕 tuō.qī 동 ①(정기 간행물 등이) 연기되어 발행되다. ②예정된 기일보다 늦다. 기한을 어기다.
〔脱然〕 tuōrán 형 〈文〉 ①구속받지 않다《계루(繫累)가 없는 모양》. ②느긋하다.
〔脱洒〕 tuōsǎ 형 소탈하다. 의젓하다. ¶风度～; 풍격이 소탈하다. →〔洒脱①〕
〔脱三换四〕 tuōsān huànsì 옷을 이것저것 갈아입다. ¶一天～也穿不完的衣服; 하루에 수없이 갈아 입어도 다 입을 수 없는 옷.
〔脱色〕 tuō.sè 동 ①퇴색하다. 빛이 바래다. =〔退色tuìshǎi〕 ②탈색하다. 색깔을 빼다.
〔脱涩〕 tuō.sè 동 (감의) 떫은 맛을 없애다〔제거하다〕.
〔脱闪〕 tuōshǎn 동 몸을 옆으로 피하다. 몸을 비켜 피하다. ¶～不开叫车撞了; 미처 피하지 못하고 차에 부딪혔다.
〔脱身(儿)〕 tuō.shēn(r) 동 몸을 빼내다. 이탈하다. ¶事情太多, 不能～; 할 일이 너무 많아서, 거기서 몸을 뺄 수 없다 / ～之计; 몸을 빼내는 계책. =〔拔身〕
〔脱生〕 tuōshēng 동 목숨을 건지다. 목숨이 구조되다. ¶从惊涛骇浪里～; 파도가 심한 바다에서 조난했지만 목숨을 건졌다.
〔脱生〕 tuōsheng 명 환생. 화신(化身).
〔脱手〕 tuō.shǒu 동 ①방매(放賣)하다. 매각하다. ¶我那所儿房子已经～了; 저기 내 집은 벌써 팔았다. ②손에서 빠져 나가다. ¶用力一扔, 石块～飞出去; 힘껏 던지니까, 돌은 손에서 빠져 나가 날아갔다.
〔脱售〕 tuōshòu 동 팔아 버리다. 처분하다. ¶廉价～; 싼 값에 팔다. =〔出chū脱③〕
〔脱水〕 tuō.shuǐ 동 ①〖醫〗 탈수하다. ②탈수하다. 건조하다〔시키다〕. ¶～蔬菜; 건조 야채. ③〈方〉 (가뭄으로 논에) 물이 없어지다〔마르다〕. (tuōshuǐ) 명 탈수 증상.
〔脱死逃生〕 tuōsǐ táoshēng 목숨을 건지다.
〔脱俗〕 tuō.sú 동 ①탈속하다. 세속을 떠나다. ②형식적인 예절을 벗어나다. ¶老朋友相处, 自然～; 옛 친구를 만나면, 물론 세속적인 예절은 필요가 없다. ‖ =〔脱套〕
〔脱素〕 tuōsù 형 산뜻하다. 상쾌하다.
〔脱粟〕 tuōsù 명 현미. =〔糙米〕
〔脱胎(儿)〕 tuō.tāi(r) 동 ①탄생하다. 태어나다. 다시 태어나다. ¶七世轮回～成人; 칠세의 윤회에 의해 인간으로 환생하다. ②남의 것을 모방하여 표면·형식만 바꾸다. ③(칠기 제법에서, 틀에 얇은 명주나 삼베를 부치고 그 위에 옻칠하여 광을 낸 후) 틀을 빼내다. 탈태를 만들다. (tuōtāi(r)) 명 ①환생. ②모방한 형식·체재.
〔脱胎换骨〕 tuō tāi huàn gǔ 〈成〉 ①남의 시문(詩文) 등을 모방하여 형식을 바꿔 자작처럼 꾸미

다. ②몸과 마음을 완전히 바꾸다. 몸과 마음이 완전히 바뀌다. ‖ =〔换骨脱胎〕〔脱骨换胎②〕
〔脱逃〕 tuōtáo 동 도주하다. 튀다. ¶临阵～; 적전(敵前)에서 도망하다.
〔脱套〕 tuō,tào 동 ⇨〔脱俗〕
〔脱套儿〕 tuōtàor 동 포박을 풀다. 포승을 풀다. ¶犯人～跑了; 범인이 포승을 풀고 달아났다.
〔脱体〕 tuōtǐ 동 ①몸에서 이탈하다. ¶经名医一治, 老病根儿都～了; 명의의 치료를 받았더니 고질병이 깨끗이 완치되었다. ②《佛》 육체를 벗어나다. ¶佛称～道称羽化; 불교에서는 '脱体'라 하고, 도교에서는 '羽化'한다고 한다.
〔脱兔〕 tuōtù 명 달아나는 토끼《민첩한 것에 비유함》. ¶静如处女, 动如～; 조용할 때는 처녀와 같고, 움직이면 달아나는 토끼와 같다.
〔脱位〕 tuōwèi 명 《醫》 탈구(脫臼). (tuō,wèi) 동 《醫》 탈구하다. =〔脱节①〕 ‖ =〔脱臼〕
〔脱误〕 tuōwù 명 탈자(脫字)와 오자(誤字). ¶三次校对还是有所～; 세 번 교정을 봐도 아직 탈자·오자가 있다. 동 빠지다. 거르다. ¶轮船～了班期; 기선이 한번 결항했다.
〔脱屣〕 tuōxǐ 동 〈文〉 ①신을 벗다. =〔脱躧〕 ②〈轉〉 아낌없이 사물을 포기하다. ¶富贵浮云, 视官爵财物如～; 부귀는 뜬구름과 같아서, 관작이나 재물 보기를 헌 신짝 보듯 한다.
〔脱弦的箭〕 tuōxiánde jiàn 시위를 떠난 화살. ¶像～飞步前进; 쏜살같이 돌진하다.
〔脱险〕 tuō,xiǎn 동 위험을 벗어나다.
〔脱线〕 tuōxiàn 명 《電算》 (컴퓨터의) 오프 라인《데이터 처리에서 주컴퓨터에 직결되어 있지 않음》. =〔脱机〕 ↔〔联线〕
〔脱销〕 tuō,xiāo 동 ①다 팔리다. 매진되다. ¶市场～了; 시장의 물건이 매진되었다 / 商品～, 物价高涨; 상품은 품절되고 물가는 앙등하다. ②물자 부족으로 충분히 판매할 수 없다. 판매 시기에 맞추지 못하다. ¶早装了会积压资金, 迟装了又会发生～; 일찍 적재하면 자금을 묵히게 되고, 늦게 적재하면 판매 계절에 대지 못하게 된다.
〔脱孝〕 tuō,xiào 동 탈상하다. ¶本来应当穿三年的孝, 可是在这非常时期遵慈命过了断七就～; 본래는 3년상으로 모셔야 하나, 이 비상시에 어머님 분부로 49일이 지나면 탈상합니다.
〔脱卸〕 tuōxiè 동 ①(책임을) 모면하다. 피하다. ¶～责任; 책임을 모면하다. =〔摆脱〕〔推卸〕 ②차·배 등에서 짐을 부리다.
〔脱卸〕 tuōxiè 동 ①차 또는 배 따위에서 짐을 부리다〔내리다〕. ②책임을 회피하다.
〔脱心净儿〕 tuōxīnjìngr 안일 무사주의로 책임을 다하지 않음. 번거로운 속사(俗事)를 벗어나 오로지 조용한 생활을 함.
〔脱氧〕 tuōyǎng 명동 《化》 탈산(脫酸)(하다).
〔脱业〕 tuōyè 동 토지·가옥을 매각하다. 명 팔아버린 토지·가옥. ¶这所房子是我家旧日的～; 이 가옥은 내가 전에 팔아 버린 것이다.
〔脱衣舞〕 tuōyīwǔ 명 스트립 쇼(strip show). =〔裸luǒ体舞〕〔四sì脱舞〕
〔脱易〕 tuōyì 형 수월하다. 까다롭지 않다. 스스럼없다. ¶他为人～, 极好相交; 그는 까다롭지 않은 사람이라 사귀기가 쉬운 사람이다.
〔脱因〕 tuōyīn 명 〈音〉 톤(ton). =〔一千公斤〕〔公镦〕
〔脱颖〕 tuōyǐng 동 〈文〉 자루 속의 송곳 끝이 삐죽이 나오다《재능이 자연히 나타나다. 두각을 나타내다》. ¶有～之才; 남달리 뛰어난 재주가 있다. =〔颖脱〕
〔脱颖而出〕 tuō yǐng ér chū 〈成〉 재능이 나타나다. 두각을 나타내다.
〔脱羽〕 tuōyǔ 동 (조류가 봄가을에) 털갈이하다.
〔脱责〕 tuōzé 동 책임을 벗어나다. 책임을 벗다. ¶这件事已经办完了我可以～了; 이 일은 이미 끝냈으므로, 나는 더 이상 책임을 지지 않아도 된다.
〔脱证〕 tuōzhèng 동 《漢醫》 (병으로 위독할 때) 생명 유지에 필요한 정력을 다 소모해 버리다. 기력이 다하다.
〔脱脂〕 tuō,zhī 동 탈지하다. ¶～奶粉 =〔～乳〕; 탈지 분유.
〔脱脂棉〕 tuōzhīmián 명 탈지면. =〔吸xī水棉〕〔药yào棉〕〔药棉花〕

驮(馱〈駄〉) tuó (태)

동 ①(짐승의) 등에 지다. 싣다. ¶骆驼～煤; 낙타가 석탄을 실어나르다 / 快～起来; 빨리 짐을 실어라. ②등에 업다. ¶他～着我过了河; 그는 나를 업고 강을 건넜다. ③병을 견디어 내다. ⇒duò
〔驮脚〕 tuójiǎo 명 ①가축(주로 당나귀)을 쓰는 화물 운반업자. ②짐말의 운임. 태가(馱價).
〔驮轿〕 tuójiào 명 노새나 말 등 위에 놓는 짐상자. 북방에서 노새나 말이 끄는 가마 모양의 수레.
〔驮筐〕 tuókuāng 명 (말 따위의 등 위에 얹는) 짐상자.
〔驮骡〕 tuóluó 명 짐을 나르는 노새.
〔驮马〕 tuómǎ 명 태마. 짐말.
〔驮运〕 tuóyùn 동 짐승의 등에 실어 나르다. 짐말로 짐을 실어나르다.
〔驮载〕 tuózài 동 가축의 등에 물건을 싣다. 가축으로 물건을 운송하다. =〔驮负〕

佗 tuó (타)

①동 〈文〉 등에 지다. 지우다. 동물의 등에 얹다〔싣다〕. ②인명용 자(字). ¶华Huà～; 《人》 화타《삼국(三國) 시대의 명의(名醫)》 / 华huá～膏; 유명한 무좀약.

陀 tuó (타)

①명 바위 산의 경사면. 언덕길. 험한 길. ②→〔头陀〕 ③→〔陀螺〕
〔陀螺〕 tuóluó 명 팽이. ¶打～ =〔抽～〕; 팽이를 치다. =〔独dú乐〕
〔陀螺仪〕 tuóluóyí 명 자이로스코프(gyroscope). 회전의(回轉儀).

沱 tuó (타)

①명 〈方〉 배가 정박할 수 있는 강의 후미. ②명 하천의 지류. ¶～江Tuójiāng; 《地》 퉈장(沱江) 강《쓰촨 성(四川省)에 있는 창장(長江)의 지류》. ③지명용 자(字). ¶朱家～Zhūjiātuó; 주자퉈(朱家沱)《쓰촨 성(四川省)에 있는 땅 이름》 / 金刚～Jīngāngtuó; 진강퉈(金剛沱)《쓰촨 성(四川省)에 있는 땅 이름》.
〔沱茶〕 tuóchá 명 찻잔 모양으로 압축한 차《윈난(雲南)·쓰촨 성(四川省)산》.

坨 tuó (타)

①동 삶은 면류(麪類)가 덩어리지다. ¶面条～了; 국수가 덩어리져 붙었다. ②(～儿, ～子) 명 (둥근) 덩어리·더미. ¶泥～子; 흙덩어리 / 盐～; 소금 더미. ③명 〈古白〉 야적(野積)한 소금. ④지명용 자(字). ¶王庆～Wángqìngtuó; 왕칭퉈(王慶坨)《허베이 성(河北省)에 있는 땅 이름》.

〔坨膑儿〕 tuóluor 명 임시로 설치한 취사장.
〔坨子〕 tuózi 명 ①덩어리. ¶糖汁凝固成~; 설탕즙이 엉겨서 덩어리가 되었다 / 泥ní~; 진흙 덩어리. ②더미.

驼(駝〈駞〉) **tuó** (타) ①명 《動》 낙타. ¶~峰; ⇩ / 单峰~ =〔独峰~〕; 단봉 낙타 / 双峰~; 쌍봉 낙타. =〔骆驼〕 ②→〔驼子〕 ③동 짐승에 짐을 지우다. ④형 (등이) 굽다. ¶老爷爷的背都~了; 할아버지의 등은 완전히 굽었다.
〔驼背〕 tuóbèi 명 곱사등이. =〔驼子②〕〔曲背〕 (tuó,bèi) 동 등을 구부정하게 구부리다.
〔驼打〕 tuódǎ 동 구타당해도 참다. ¶他是一位能忍受得住~的好汉; 그는 구타를 당해도 항복하지 않는 사나이다.
〔驼驮子〕 tuóduòzi 명 낙타에 실은 짐.
〔驼峰〕 tuófēng 명 ①낙타의 육봉(옛날에는 진귀한 식품). ¶熊掌~珍馐美味; 곰 발바닥, 낙타의 육봉 등의 진수 진미. ②《工》 조차장(操車場)의 험프(hump).
〔驼负〕 tuófù 동 ⇨〔驼载〕
〔驼户〕 tuóhù 명 ①낙타를 사육하는 사람. ②낙타로 짐을 운반하는 사람.
〔驼鹿〕 tuólù 명 《動》 엘크(elk)(가장 큰 사슴의 일종으로, 뿔은 주걱 모양이며 가지가 갈라져 있음). =〔〈方〉 犴hān〕〔罕hǎn达犴〕〔堪kān达罕〕
〔驼毛〕 tuómáo 명 낙타의 털.
〔驼绒〕 tuóróng 명 ①낙타털. ②낙타털로 짠 나사.
〔驼色〕 tuósè 명 《色》 낙타색. 엷은 다갈색.
〔驼弯〕 tuówān 동 구부러지다. 휘다. ¶一只只金黄的橘柑, ~了树的枝丫; 하나하나의 황금색 밀감이 나뭇가지를 휘고 있었다.
〔驼员〕 tuóyuán 명 낙타를 부리는 사람.
〔驼载〕 tuózài 동 낙타 등에 싣다〔실어 나르다〕. =〔驼负〕
〔驼子〕 tuózi 명 〈口〉 ①《動》 낙타. ¶~作揖; 낙타가 절을 하다(쓸데없는 일) / 这叫做~作揖的; 이것이야말로 쓸데없는 참견이다. ②〈比〉 곱사등이. =〔驼背〕

柁 **tuó** (타) 명 《建》 〈文〉 가옥의 들보. ¶房~; 들보. 대들보. ⇒ '舵' duò

砣〈鉈〉① **tuó** (타) ①(~子) 명 천칭〔천평〕의 분동(分銅). ②명 맷돌. ③동 (백옥·비취·황옥 등을) 세공하다. ¶~一个玉杯; 백옥 그릇을 갈아서 세공하다. ⇒ '铊' tā

鸵(鴕) **tuó** (타) 명 《鳥》 타조. ¶~鸟政策 =〔~鸟办法〕; 자기 기만의 정책. 현실 도피 정책. 현실을 바로 볼 줄 모르는 자위적(自慰的) 방식. 눈 가리고 아웅. =〔鸵鸟niǎo〕

酡 **tuó** (타) 형 〈文〉 술에 취하여 얼굴이 붉다.
〔酡颜〕 tuóyán 명 취안(醉顔). 술에 취해 붉어진 얼굴.

跎 **tuó** (타) →〔蹉cuō跎〕

鼧 **tuó** (타) →〔鼧鼥〕
〔鼧鼥〕 tuóbá 명 《動》 마멋(marmot). =〔〈俗〉 土拨鼠 tǔbōshǔ〕

陁 **tuó** (타) →〔盘pán陁〕

堶 **tuó** (타) 명 〈文〉 벽돌.

橐〈槖〉 **tuó** (탁) ①명 〈文〉 전대(가운데에 구멍이 있어 양쪽에 물건을 넣음). →〔囊橐〕 ②〈擬〉 저벅저벅. 뚜벅뚜벅(발자국 소리).
〔橐驼〕 tuótuó 명 ①《動》 〈文〉 낙타. ②〈轉〉 곱사등이.
〔橐橐〕 tuótuó 〈擬〉 저벅저벅. 뚜벅뚜벅(신발 소리). ¶~的皮鞋声; 저벅저벅하는 구두 소리.
〔橐吾〕 tuówú 명 《植》 털머위.
〔橐籥〕 tuóyuè 명 풀무. =〔风箱〕

鼍(鼉) **tuó** (타) 명 《動》 양쯔 강(揚子江)에 사는 악어. =〔〈俗〉 土龙①〕〔鼍龙〕〔猪zhū婆龙〕〔扬yáng子鳄〕

妥 **tuǒ** (타) 형 ①적당하다. 타당하다. 온당하다. ¶稳~; 온당하다 / 不~; 적당하지 않다 / 用字欠~; 글자 사용이 적당하지 않다 / ~为保存; 적절하게 보존하다. ②(동사의 보어로 쓰여) (일이) 결말이 나다. 잘 되어 있다. ¶办~了; 잘 처리했다 / 商量~了; 잘 타결되었다 / 款已备~; 돈을 벌써 다 준비했다.
〔妥办〕 tuǒbàn 동 온당하게 처리하다. 잘못이 없도록 처리하다.
〔妥保〕 tuǒbǎo 명 확실한 보증(인)〔담보〕 ¶把疑犯交付~假释; 혐의범을 확실한 보증인을 세워 가석방하다.
〔妥便〕 tuǒbiàn 형 ⇨〔妥贴〕
〔妥筹〕 tuǒchóu 동 단단히 계획하다. ¶~政策cè; 대책을 짜다.
〔妥当〕 tuǒdang 형 적당하다. 타당하다. 합당하다. ¶请考虑一下~的方法! 제발 타당한 방법을 생각해 보시오! 注 흔히, 직접 보어로도 씀. ¶收拾~; 가지런하게 정돈하다. =〔定当〕
〔妥定〕 tuǒdìng 동 주도(周到)하게 결정하다. ¶~计划; 계획을 빈틈없게 세우다.
〔妥而当之〕 tuǒ ér dāng zhī 〈成〉 지극히 타당하다. ¶真是一个~的好办法; 매우 타당하고 좋은 방법이다.
〔妥结〕 tuǒjié 동 타결하다. 적당히 결말을 짓다. ¶在卖契上具个~; 매도 증서에 원만히 동의한다는 뜻을 기입하다.
〔妥靠〕 tuǒkào 형 확실하고 믿을 만하다. ¶~的保人; 확실하고 신뢰할 수 있는 보증인.
〔妥洽〕 tuǒqià 동 의견이 일치하다. 의견이 통일되다. ¶这件事已经~好了; 이 사건은 이미 합의가 잘 되었다.
〔妥善〕 tuǒshàn 형 타당하다. 적당하다. 완전하다. ¶商量一个~办法; 타당한 방법을 의논하다 / ~处理; 적절히 처리하다.
〔妥商〕 tuǒshāng 동 합의하다. 상담을 매듭짓다.
〔妥实〕 tuǒshí 형 확실하다. 신뢰할 수 있다. ¶~铺保; 확실한 보증인(점포 소유자) / 他为人很~; 그는 사람됨이 확실하다.
〔妥帖〕 tuǒtiē 형 적당하다. 알맞다. =〔妥贴〕
〔妥贴〕 tuǒtiē 형 온당하고 적절하다. 매우 알맞

다. ¶～匀称chèn; 균형이 잘 잡혀 있다/办法想得很～; 하는 방식이 온당하고 적절하다/屋子里的家具, 配得很～; 실내의 가구는 주위와 매우 잘 조화되어 있다. =〔妥便〕〔妥帖〕〔妥协〕

〔妥妥儿〕 tuǒtuǒr 형 적당하다. 타당하다. ¶和他说得～的; 그와 이야기가 잘 되었다.

〔妥为…〕 tuǒ wéi… 알맞게 …하다. 주도 면밀하게 …하다. ¶事前～筹备, 临时不致着慌; 사전에 주도 면밀하게 준비해 두면, 그 때 가서 허둥대지 않아도 된다.

〔妥协〕 tuǒxié 동 타협하다. ¶毫不～的斗争; 추호도 타협할 수 없는 투쟁. 명 타협. ¶准备作出～; 타협하려고 하다/达成了～; 타협이 성립되었다. 형 ⇨〔妥贴〕

〔妥议〕 tuǒyì 동 충분히 상의하다. ¶～出一个好规则来; 충분히 상의하여 좋은 규칙을 만들어 내다.

〔妥员〕 tuǒyuán 명 적당한 인원. 적임자. ¶派～到海外去视察侨务工作; 적임자를 해외에 파견하여 교포의 정황을 시찰케 하다.

庹 tuǒ (타, 탁)
①양 발(두 팔을 펴서 벌린 길이. 약 5척). ②명 성(姓)의 하나.

椭(橢) tuǒ (타)
→〔椭圆〕

〔椭圆〕 tuǒyuán 명 《數》 ①타원. =〔鸭圆儿〕〔鸭蛋圆〕 ②타원체.

〔椭圆轮〕 tuǒyuánlún 명 《機》 타원형 바퀴.

〔椭圆体〕 tuǒyuántǐ 명 《數》 타원체.

鬌 tuǒ (타)
→〔鬌wǒ鬌〕

拓 tuò (탁)
①동 손으로 밀다. ②동 (토지·도로 등을) 개척하다. 개간하다. 확충하다. ¶～荒; ⇩/～地; ⇩/开～; 개척하다/公路～宽工程; 도로 확장 공사. ③명 성(姓)의 하나. ⇒tà

〔拓跋〕 Tuòbá 명 복성(複姓)의 하나. ¶～魏; 《史》 후위(後魏). =〔托tuō跋〕

〔拓边〕 tuòbiān 동 변방을 개척하다.

〔拓地〕 tuòdì 동 ①영토를 확장하다. ②토지를 개척하다.

〔拓都〕 tuòdū 명 〈音〉 토털(total).

〔拓荒〕 tuòhuāng 동 (황무지를) 개간하다. 개척하다. ¶～者; 개척자.

〔拓宽〕 tuòkuān 동 넓히다. 확장하다. ¶～视野; 시야를 넓히다/～路面; 도로를 넓히다.

〔拓扑学〕 tuòpūxué 명 〈音義〉 토폴로지(topology). ①《數》 위치 기하학. 위상 기하학. ②지명(地名) 연상(聯想) 기억법. ③지형 조사. 풍토 연구.

〔拓土开疆〕 tuòtǔ kāijiāng 새로운 땅을 개척하다. 신경지를 개척하다.

〔拓温〕 tuòwēn 명 〈音〉 타운(town).

〔拓展〕 tuòzhǎn 동 넓히다. 확장하다.

〔拓殖〕 tuòzhí 동 척식하다. 황무지를 개척하여 이주시키다.

柝〈欜〉 tuò (탁)
명 〈文〉 (야경꾼의) 딱따기.

跅 tuò (탁)
→〔跅弛〕

〔跅弛〕 tuòchí 형 〈文〉 방탕하다. 단정하지 못하다. 방자하다.

萚 tuò (탈)
→〔活huó萚〕

萚(蘀) tuò (탁)
명 〈文〉 (풀·나무의) 낙엽이나 벗겨 떨어진 나무 껍질.

箨(籜) tuò (탁)
명 죽순 또는 대나무의 껍질. =〔竹皮〕

唾 tuò (타)
①명 침. 타액. ¶～腺; ⇩/～壶; 타구. ②동 침을 뱉다. ¶～了唾沫; 침을 뱉었다. ③동 침을 뱉고 경멸의 뜻을 나타내다. ¶～弃; ⇩/～面自干; ⇩

〔唾骂〕 tuòmà 동 침을 상대방에게 뱉어 가며 욕하다. 입정 사납게 욕하다. 맞대 놓고 욕하다.

〔唾面〕 tuòmiàn 동 남의 얼굴에 침을 뱉다. 〈比〉 사람을 극도로 모욕하다.

〔唾面自干〕 tuò miàn zì gān 〈成〉 ①얼굴에 침을 뱉어도 닦지 않고 저절로 마르기를 기다리다(모욕을 당해도 상대하지 않다. 인내심이 몹시 강함). ¶有～的涵养工夫; 얼굴에 침을 뱉어도 아무렇지도 않게 여기는 강한 인내의 수양이 되어 있다. ②기력이 너무 없는 모양.

〔唾沫〕 tuòmo 명 침. ¶吐～; 침을 뱉다/～盒儿; 타구/～星儿; 침방울/馋得他直咽～; 욕심나서 자꾸만 침을 삼키다.

〔唾沫星子〕 tuòmo xīngzi 명 튀는 침. ¶话说急了～四溅; 조급하게 말을 하면 침이 사방에 튄다.

〔唾弃〕 tuòqì 동 타기하다. 증오하고 싫어하다. 배척하다. →〔鄙弃〕

〔唾拳磨掌〕 tuò quán mó zhǎng 〈成〉 주먹에 침을 뱉고 손을 비비다. 일을 당하여 분발하는 모양. 싸움이나 힘드는 일을 시작하기 전의 동작.

〔唾手〕 tuòshǒu 동 ①손에 침을 바르다. ②〈比〉 일이 매우 쉽다. ¶～可得 =〔～可取〕; 쉽게 얻을 수 있다. =〔唾掌〕

〔唾腺〕 tuòxiàn 명 《生》 침샘. 타액선.

〔唾液〕 tuòyè 명 타액. 침. →〔〈文〉 津液〕

〔唾液酶〕 tuòyèméi 명 《化》 프티알린(ptyalin).

〔唾余〕 tuòyú 명 ①잔재(殘滓). 찌꺼기. ②〈比〉 하찮은 언론이나 의견. ¶拾人～; 남의 하찮은 언론이나 의견을 받아들이다.

魄 tuò (탁)
'落luò魄'의 '魄'의 우음(又音). ⇒bó pò

W

WA ㄨㄚ

凹 **wā** (요)
뜻은 '洼'와 같으며, 지명용 자(字)로 쓰임. ¶核桃～; 허타오와(核桃凹)《산시 성(山西省)에 있는 땅 이름》. ⇒āo

穵 **wā** (알)
동 ⇨〔挖wā〕

挖 **wā** (알)
동 ①파다. 후비다. 긁어 내다. ¶～耳; 귀를 후비다 / ～个坑; 구멍을〔구덩이를〕 파다 / ～个槽儿; 도랑을 파다. ②꺼내다. 발굴하다. ¶～潜力; 잠재력을 캐내다. ③퍼내다. 떠내다. ¶本来我的饭还不够吃呢, 他抢着～了一碗去; 내 밥이 가뜩이나 부족한데 그는 억지로 한 공기 퍼 가 버렸다. ④빼가다. 빼내다. 빼돌리다. ¶从我们手里～去了专家; 우리들에게서 전문가를 빼갔다. ‖ =〔穵〕

〔挖棒锤〕 wā bàngchuí 〈北方〉 약용 인삼을 캐다.

〔挖鼻子搗眼〕 wā bízi dǎo yǎn 〈京〉 가차없이 남을 책(망)하다. 호되게 꾸짖다. ¶你这么～地数shǔ落人, 反倒不能让人信服你; 그렇게 심하게 사람을 나무라면, 오히려 사람들이 믿고 따르지 않게 된다.

〔挖裱〕 wābiǎo 명 표장(表裝)을 도려 내어 서화(書畫)를 나타내는 표구(表具)의 한 방법.

〔挖补〕 wābǔ 동 좋지 않은 데를 없애고 새 재료로 깁다. 도려 내어 고치다. 기워서 이어 대다. ¶这个布鞋能～一下吗? 이 헝겊 신발을 수선해 주실 수 있겠습니까? / 这个字我写错了得děi～; 이 글자를 잘못 썼으니까 오려서 다시 붙여야 한다.

〔挖藏〕 wācáng 동 매장된 재물을 파내다.

〔挖草皮〕 wā cǎopí (농장의) 제초를 하다. 김을 매다.

〔挖嗤〕 wāchi 동 (여기저기) 들쑤시다. 쑤석거리다.

〔挖单〕 wādān 명 ①겹으로 된 보자기 모양의 무명천《옷 보관용》. =〔哇单〕 ②요술 보자기. ③앞치마식의 냅킨(napkin).

〔挖地洞〕 wā dìdòng 굴을〔방공호를〕 파다.

〔挖垫〕 wādiàn 명 여성 수예의 일종《천에서 각종 무늬를 오려 내어 뒷면에 여러 색천을 대어서 만듦》.

〔挖洞〕 wādòng 동 땅굴을 파다. ¶深～、广积粮、不称霸; 땅굴을 깊게 파서 널리 식량을 비축하고, 패권을 장악하지 않는다.

〔挖肚肠〕 wā dùcháng 내장을 파내다《매우 고심하다》.

〔挖耳(朵)〕 wā ěr(duo) ①귀를 후비다. 귀지를 파내다. ②(wā'ěr(duo)) 명 귀후비개. 귀이개. =〔耳挖子〕

〔挖方〕 wāfāng 양 《工》 토목 공사에서 파낸 흙과 돌을 입방 미터로 계산하는 단위.

〔挖费〕 wāfèi 명 중개 수수료. 구전(口錢). ¶这个东西我可以替你找, 不知道你出多少～; 이것은 내가 네 대신 찾아올 수 있는데, 사례비〔수고비〕는 얼마를 내겠느냐.

〔挖改〕 wāgǎi 동 ①(판목 따위를) 도려 내어 오자(誤字)를 고치다. ②낡은 것을 없애고 개혁하다.

〔挖革改〕 wā gé gǎi 명 잠재적 능력을 개발하여 혁신하고 개조하는 일.

〔挖根(儿)〕 wā,gēn(r) 동 ①뿌리를 파내다. ¶～盘底; 시시콜콜히 캐묻다. ②뿌리를 뽑다. 근절하다. ③근본 원인을 없애다. 화근을 제거하다.

〔挖沟〕 wāgōu 동 도랑을 파다. ¶～机; 도랑 파는 기계.

〔挖货〕 wāhuò 동 ①물건 중 좋은 것을 골라 갖다. ¶现在却是裕昌祥来～; 지금 유창상이 와서 좋은 물건만을 골라 갔다. ②품귀 상품을 강점하다.

〔挖窖〕 wājiào 동 땅광〔움〕을 파다.

〔挖井〕 wā,jǐng 동 우물을 파다. =〔打dǎ井〕〔凿záo井〕

〔挖掘〕 wājué 동 파다. 캐내다. 발굴하다. ¶～潜qián力; 잠재력을 발굴하다 / ～地下的财富; 지하자원을 캐내다.

〔挖掘机〕 wājuéjī 명 굴착기. 토사 굴착기. 동력삽.

〔挖刻〕 wākè 동 새기다. 조각하다. ¶这张桌子, 要是～点儿花纹, 就好看了; 이 탁자는 무늬라도 좀 조각하면 보기 좋아질 것이다. 형 〈比〉 인색하다.

〔挖坑〕 wākēng 동 구덩이를〔함정을〕 파다.

〔挖空〕 wākōng 동 ①파서 비우다. 남김없이 파내다. ②좋은 것만을 골라 내다.

〔挖空心思〕 wā kōng xīn sī 〈成〉 모든 지혜를 짜내다. 고심 참담하다. (…에) 열중〔헌신〕하다.

〔挖剜〕 wākū 동 ⇨〔挖苦〕

〔挖窟〕 wākū 동 ⇨〔挖苦〕

〔挖窟窿〕 wā kūlong (벽 따위에) 구멍을 뚫다.

〔挖酷〕 wākù 동 ⇨〔挖苦〕

〔挖苦〕 wāku 동 ①(지독한 말로) 웃음거리로 만들다. 놀리다. 빈정대다. ¶你别～人; 사람을 놀리면 못 쓴다 / 这不是～我吗? 이건 나를 놀리고 있는 게 아닌가? / 你这是说我好, 还是～我? 자네, 이건 나를 칭찬하는 건가 빈정거리고 있는 건가? ②헐뜯다. 약올리다. 흠을 들춰내다. ‖ =〔挖剜〕〔挖窟〕〔挖酷〕

〔挖矿〕 wā,kuàng 동 (광산을) 발굴하다. 채굴하다. ¶上南非挖金矿去; 남아프리카로 금광을 캐러 가다.

〔挖拉〕 wāla〔wàla〕 동 〈京〉 찾다. 구하다. ¶～工作; 일자리를 찾다 / 这是个稀罕儿, 叫我再上哪儿～去; 이건 아주 드문 건데, 어디 가서 또 구해 오라는 건가.

〔挖煤〕 wāméi 동 석탄을 캐다.

〔挖门子〕 wā ménzi 소개〔알선〕하다. ¶这部书我不知道哪儿有, 你替我挖挖门子可以不可以? 이 책이 어디에 있는지 모르겠는데, 갖고 있는 사람이 있다면 소개해 주시겠소?

〔挖泥〕 wāní 동 진흙〔흙〕을 파다. 감탕흙을 치다. 준설하다.

〔挖泥船〕 wāníchuán 명 준설선(浚渫船). =〔浚jùn泥船〕

〔挖泥机〕 wāníjī 명 준설기(浚渫機). =〔浚jùn河

机〕〔疏shū浚机〕
〔挖弄〕 wānòng 동 후비다. 후벼 파다. ¶有些人虽然鼻子不痒也喜欢～鼻子; 코가 근지럽지도 않은데 코 후비기를 좋아하는 사람이 있다.
〔挖潜〕 wāqián 동 잠재력을 발굴하다. 숨은 여력(餘力)을 캐내다.
〔挖潜革新〕 wāqián géxīn 잠재력을 발굴하고, 기술 혁신을 행하다.
〔挖潜力〕 wā qiánlì 잠재력을 발굴하다.
〔挖墙脚〕 wā qiángjiǎo 〈口〉 발판을 무너뜨리다. 실각시키다. 설 자리를 잃게 하다. =〔拆台〕
〔挖穷根〕 wā qiónggēn 가난의 근본 원인을 제거하다.
〔挖肉补疮〕 wā ròu bǔ chuāng 〈成〉 살을 도려내어 상처에 붙이다《발등의 불을 끄는 데 급급하다》. =〔剜wān肉医疮〕
〔挖软泥〕 wā ruǎnní (상대의 비위를 건드리지 않으려고) 조심조심〔어련무던하게〕 대하다. 부드럽게 나오다. ¶他知道奶奶唠叨起来就没完没了, 只好～了; 할머니가 불평하기 시작하면 한이 없다는 것을 알고 있었으므로 그저 어련무던하게 넘길 수밖에 없었다.
〔挖算〕 wāsuàn 동 수판을 꼼꼼하게 튀기다. 꼼꼼하게 계산하다. ¶光是这一项的～, 一年所省也不在少数; 이 항목만 꼼꼼하게 계산하기만 해도, 1년간에 절약할 수 있는 액수는 적지 않다.
〔挖土〕 wā,tǔ 동 흙을 파다. =〔掘jué土〕
〔挖土机〕 wātǔjī 명 ①《農》 리스터(lister)《쟁기의 일종으로, 경작·파종·흙뿌리기 등의 일을 하는 기계》. ¶水田用圆锥～; 수전용(水田用) 원추 리스터. ②《機》 동력삽. =〔掘土机〕
〔挖箱底〕 wā xiāngdǐ 〈比〉 철저히 하다. 꼼꼼히 하다. ¶通过～, 对传统剧目分批进行鉴定; 상자 바닥을 후비듯이 전통 극목(劇目)을 구분하여 감정(鑑定)을 진행시키다.
〔挖心肝〕 wā xīngān 〈比〉 진심을 피력하다. 흉금을 털어놓다.
〔挖心儿的〕 wāxīnrde 형 가운데가 오목하다.
〔挖心思〕 wā xīnsī (여러 가지) 생각에 잠기다. 궁리하다.
〔挖心战〕 wāxīnzhàn 명 심리전(心理戰).
〔挖眼〕 wā,yǎn 동 ①눈알을 뽑아 내다. =〔挖眼睛〕 ②감쪽같이 속이다. 감쪽같이 당하다〔속다〕. ③구멍을 뚫다.
〔挖眼睛〕 wā yǎnjing ⇨〔挖眼①〕
〔挖眼剖心〕 wāyǎn pōuxīn 눈알을 도려내고 가슴을 쪼개다.
〔挖一块补一块〕 wā yī kuài bǔ yī kuài 〈成〉 임시 방편을 하다.
〔挖凿机〕 wāzáojī 명 굴착기. ¶汽力～; 증기 굴착기/水力～; 수력 굴착기.
〔挖抓〕 wāzhuā 동 방법을 짜내어 손에 넣다. 궁리해서 입수하다.

坬
wā (와)
명 〈方〉 산의 경사면. 산허리. 산의 중턱. ¶阳yáng～; 산의 앞면/背bèi～; 산의 배면(背面).

窊
wā (와)
뜻은 '洼'와 같으며, 지명용 자(字)로 쓰임. ¶南～子Nánwāzi; 난와쯔(南窊子)《산시 성(山西省)에 있는 땅 이름》.

畖
wā (알)
지명용 자(字). →〔畖底〕

〔畖底〕 Wādǐ 명 《地》 와디(畖底)《산시 성(山西省)에 있는 땅 이름》.

洼(窪)
wā (와)
①(～儿) 명 움푹 파인 곳. ¶水～儿; 물 웅덩이. ②형 움푹 패다. 움푹 들어가다. 지대가 낮다. ¶这地太～; 이 곳은 매우 패어 있다/眼眶～进去; 눈자위가 움푹 꺼져 있다.
〔洼处〕 wāchù 명 우묵한 곳. 움푹 팬 곳.
〔洼地〕 wādì 명 우묵한 땅. 저지(低地). =〔凹āo地〕
〔洼淀〕 wādiàn 명 〈文〉 물이 고인 저지(低地).
〔洼孔眼〕 wākǒngyǎn 명 옴팡눈.
〔洼水〕 wāshuǐ 명 괸 물.
〔洼田〕 wātián 명 낮은 땅에 있는 논.
〔洼下〕 wāxià 형 움푹 꺼져 있다. 지대가 낮다.
〔洼陷〕 wāxiàn 동 (땅이) 움푹 들어가다. 꺼지다.
〔洼心脸(儿)〕 wāxīnliǎn(r) 명 한가운데가 쑥 들어간 얼굴.
〔洼子〕 wāzi 명 ①낮은 땅. 옴폭 들어간 곳. ②《鳥》 물떼새의 일종. ¶白～; 백로. 해오라기.

哇
wā (와)
〈擬〉 ①엉엉. 앙앙《울음소리》. ¶～的一声哭了; 엉엉하고 울음이 터졌다. ②와와. 왝왝《떠들거나 토하거나 고함치는 소리》. ¶～地一声吐了一地; 왝 하고 바닥에 온통 토해 놓았다/别那么～～地吵, 我觉都睡不着了; 그렇게 와글와글 떠들지 마라, 잘 수가 없다. ⇒wa
〔哇单〕 wādān 명 ⇨〔挖wā单①〕
〔哇啦〕 wālā 〈擬〉 ①와와 시끄럽게 떠드는 소리. ¶你～～地吵些什么? 자넨 무엇 때문에 와와〔시끄럽게〕 떠들고 있는 건가? ②웅얼웅얼《크지만 분명치 않은 목소리》.
〔哇啦哇啦〕 wālā wālā 〈擬〉 와글와글. 왁자지껄《떠들어 대는 소리》. 꽥꽥《우는 소리》. ¶不像平日那么～的, 用低微的声音回答; 늘 하듯이 왝왝거리지 않고, 낮은 목소리로 대답했다/别～! 시끄러워!
〔哇勒因酸〕 wālèyīnsuān 명 《化》 올레 산(oleic酸). 유산(油酸).
〔哇哇〕 wāwā 〈擬〉 ①옹알옹알《말을 배우기 시작할 무렵의 갓난아기의 소리》. ②응아응아《갓난아기의 우는 소리》. ③엉엉《크게 우는 소리》. ④까악까악《까마귀가 우는 소리》.
〔哇哇〕 wāwa 명 ⇨〔娃wá娃〕
〔哇呀呀〕 wāyāyā 〈擬〉 와아와아《울부짖는 소리》. ¶气得～乱叫; 화가 나서 와아와아 울부짖다.

蛙〈鼃〉
wā (와)
명 《動》 개구리. ¶青～; 청개구리/牛～; 황소개구리/土～ =〔蛤蟆háma〕; 두꺼비.
〔蛙步〕 wābù 명 개구리와 같은 걸음걸이. ¶～行; 개구리가 걷듯이 몸을 좌우로 흔들며 천천히 걷다.
〔蛙鼓〕 wāgǔ 명 개구리의 울음소리.
〔蛙夯〕 wāhāng 명 ⇨〔蛙式打夯机〕
〔蛙鸣蝉噪〕 wāmíng chánzào 개구리와 매미가 시끄럽게 울다. 〈比〉 많은 사람들이 와글와글 떠들다.
〔蛙人〕 wārén 명 ①〈比〉 헤엄을 잘 치는 사람. ¶他是～; 그는 수영을 잘한다. ②〈俗〉 다이버(diver). 잠수부.
〔蛙声〕 wāshēng 명 ①개구리 울음소리. ②최음악(催淫樂)의 하나.
〔蛙市〕 wāshì 명 〈文〉 개구리 떼가 시끄럽게 울어

대는 것.
〔蛙式打夯机〕 wāshì dǎhāngjī 명《機》프로그래머(frog rammer)《튀면서 전진하는, 대형의 자동 달구질 기계》. =〔蛙夯〕
〔蛙式游泳〕 wāshì yóuyǒng 명 ⇨〔蛙泳〕
〔蛙泳〕 wāyǒng 명《體》개구리헤엄. 평영. ¶一百公尺～; 100미터 평영. =〔蛙式游泳〕

娲(媧)
wā (와, 왜)
→〔女Nǚ娲〕

娃
wá (와, 왜)
①(～儿, ～子) 명 갓난아기. 아이. ¶女～～儿; 여자 아기. ②명〈方〉나서 얼마 안 되는 동물의 새끼. ¶鸡jī～; 병아리 / 猪zhū～; 새끼 돼지. ③명〈文〉미녀(美女). ④형 아름답다. 곱다.
〔娃娃〕 wáwa 명 ①〈方〉(갓난)아기. ¶小～; 갓난아기. 유아 / 胖pàng～; 토실토실한 아기 / ～戏xì; 어린이 연극. ②인형. ¶洋yáng～; 서양 인형. ③젊은이. ¶现在的～, 又会念书, 又会种田, 真是可爱; 현재의 젊은이는, 공부도 잘하고 농사도 지을 줄 알아서 정말이지 사랑스럽다. ‖=〔哇哇wa〕
〔娃娃兵〕 wáwabīng 명 소년병.
〔娃娃脸儿〕 wáwaliǎnr 명 ①동안(童顏). 어려 보이는 얼굴. ②최상등의 산호. ③일종의 윤기가 도는 붉은 자기(瓷器)의 일컬음.
〔娃娃生〕 wáwashēng 명《劇》연극에서 '生角'의 일종으로, 아역(兒役)(의 배우).
〔娃娃戏〕 wáwaxì 명 어린이극. 아동극.
〔娃娃鱼〕 wáwayú 명《動》〈俗〉도롱뇽.
〔娃子〕 wázi 명 ①〈方〉갓난아기. 작은 어린이. ②〈方〉태어난 지 얼마 안 되는 동물의 새끼. ③옛날, 량산(凉山) 등의 소수 민족 지역의 노예.

瓦
wǎ (와)
①명 기와. ¶琉璃～; 청기와. ②명 (유약을 입히지 않은) 초벌구이한 토기(土器). ③명 호(弧)를 그린 형태의 것. ④명양《電》〈簡〉〈音〉와트(watt). =〔瓦特〕 ⑤명〈比〉계집애. ¶弄nóng～; 계집아이를 낳다. ⑥명〈文〉기루(妓樓). 기생 집. ⑦명 고대의 방추(紡錘). 실패. ⇒wà
〔瓦波尔〕 wǎbō'ěr 명〈音〉베이퍼(vapor). =〔蒸发〕〔喷雾〕
〔瓦钵〕 wǎbō 명 질그릇 사발. 옹기 대접.
〔瓦卜〕 wǎbǔ 명 와복《기와를 깨뜨려 그 갈라진 금·깨진 균열을 보고 길흉을 점치는 일》.
〔瓦碴儿〕 wǎchár〔wǎchàr〕 명 토기(土器)의 파편. 기왓장의 조각. =〔瓦茬儿〕
〔瓦岔子〕 wǎchàzi 명 ①기와 조각. ②기와의 맞물리는 부분.
〔瓦城〕 wǎchéng 명《樂》만돌린.
〔瓦当〕 wǎdāng 명 와당. 기와의 마구리.
〔瓦当文〕 wǎdāngwén 명 '瓦当'에 새겨진 문자.
〔瓦刀〕 wǎdāo 명 (미장이가 쓰는) 흙손.
〔瓦顶〕 wǎdǐng 명 용마루 기와를 얹은 기와 지붕의 꼭대기.
〔瓦杜兹〕 Wǎdùzī 명《地》〈音〉파두츠(Vaduz)《'列Liè支敦士登'(리히텐슈타인: Liechtenstein)의 수도》.
〔瓦垛〕 wǎduò 명 작은 기와 더미.
〔瓦房〕 wǎfáng 명 기와집. =〔瓦舍①〕〔瓦屋〕
〔瓦缝儿〕 wǎfèngr 명 (지붕의) 기와 이음매.
〔瓦缶〕 wǎfǒu 명 잿물을 입히지 않고 구운 단지. 질항아리.
〔瓦釜雷鸣〕 wǎ fǔ léi míng〈成〉벽돌 솥이 울리다《소인이 뜻을 얻다. 평범한 자가 좋은 지위에 앉다》.
〔瓦工〕 wǎgōng 명 ①기와장이의 일《벽돌 쌓기·기와 이기·칠 따위의 일》. ②기와장이. 미장이. 벽돌공.
〔瓦沟〕 wǎgōu 명 와구. 기왓고랑. =〔瓦桁héng〕
〔瓦狗〕 wǎgǒu 명 질흙으로 만든 개《장난감》.
〔瓦管〕 wǎguǎn 명 토관(土管). 노깡.
〔瓦罐〕 wǎguàn 명 잿물을 안 입히고 구운 단지〔항아리〕. ¶～不离井上破, 将军难免阵上亡;〈諺〉물동이는 결국 우물에서 깨지고, 장군은 언젠가는 전쟁터에서 죽는다《모든 사물은 언젠가는 그 본분 안에서 결말을 짓게 되는 것이다》/ ～鼻; 항아리의 손잡이.
〔瓦罐车〕 wǎguànchē 명 액체를 담아 나르는 관 모양의 수레. 수조차(水槽車).
〔瓦桁〕 wǎhéng 명 ⇨〔瓦沟〕
〔瓦胡岛〕 Wǎhúdǎo 명《地》〈音〉오아후(Oahu) 섬《하와이 제도 북부의 주요 섬》.
〔瓦灰〕 wǎhuī 명《色》짙은 회색.
〔瓦鸡陶犬〕 wǎjī táoquǎn 질흙으로 구워 만든 닭이나 개.〈比〉형상만 갖추었을 뿐 쓸모없는 것.
〔瓦脊梁〕 wǎjǐliáng 명 기와지붕의 용마루.
〔瓦加杜古〕 Wǎjiādùgǔ 명《地》〈音〉와가두구(Ouagadougou)《'布其纳法索'(부르키나파소: Burkina Faso)의 수도》.
〔瓦匠〕 wǎjiàng 명 ①〈俗〉미장이. 기와장이. =〔泥ní瓦匠〕 ②계집아이를 많이 난 사람을 농으로 일컫는 말.
〔瓦解〕 wǎjiě 동 와해되다〔시키다〕. 붕괴되다〔시키다〕. ¶土崩bēng～;〈成〉흙이 무너지고 기와가 산산조각이 되다《깡그리 붕괴하다》/ 冰消～;〈成〉붕괴 소멸하다 / ～敌人; 적을 와해시키다.
〔瓦坑铁〕 wǎkēngtiě 명 지붕 이는 골함석. =〔瓦纹片〕〔瓦纹锌铁〕
〔瓦口〕 wǎkǒu 명 처마 끝의 기와의 틈《석회를 채워 넣는 곳》.
〔瓦块鱼〕 wǎkuàiyú 명 크게 자른 생선 토막《요리 용어》.
〔瓦拉〕 wǎlā 명《機》밸브. =〔瓦路〕
〔瓦剌〕 Wǎlà 명《史》〈音〉오이라트(Oirat)《몽골의 한 부족. 명대(明代)에는 중국 서(西) 몽골의 각부를 지칭했음. 청대(清代)에는 '卫拉特'·'额鲁特'·'厄è鲁特'라고 했음》.
〔瓦蓝〕 wǎlán 명《色》짙은 남색.
〔瓦楞〕 wǎléng 명 ⇨〔瓦垄(儿)〕
〔瓦楞帽〕 wǎléngmào 명 옛날에, 서민이 쓰던 모자의 일종.
〔瓦楞纸〕 wǎléngzhǐ 명 골판지.
〔瓦楞子〕 wǎléngzi 명《貝》꼬막. 살조개.
〔瓦利塔〕 Wǎlìtǎ 명《地》〈音〉발레타(Valleta)《'马Mǎ你他'(몰타: Malta)의 수도》.
〔瓦砾〕 wǎlì 명 깨어진 기와와 자갈.〈比〉가치 없는 것. ¶成了一片～场; 잡동사니 쓰레기장이 되었다. 온통 폐허가 되고 말았다.
〔瓦垄(儿)〕 wǎlǒng(r) 명 (기와지붕의) 물결처럼 이어진 기와의 이랑. =〔瓦楞〕
〔瓦垄板〕 wǎlongbǎn 명 파형철(波形鐵). =〔瓦垄铁皮〕
〔瓦垄铁皮〕 wǎlǒngtiěpí 명 ⇨〔瓦垄板〕
〔瓦垄子〕 wǎlǒngzi 명《貝》피안다미조개. 새고막.
〔瓦路〕 wǎlù 명 ⇨〔瓦拉〕

〔瓦面纸〕 wǎmiànzhǐ 명《建》지붕 이는 데 쓰는 펠트(felt). ¶双层~; 지붕 이는 데 쓰는 이중 펠트.
〔瓦模〕 wǎmú 명 기와 찍어 내는 틀. =〔瓦筒〕
〔瓦木作〕 wǎmùzuō 명 목수이면서 미장이를 겸한 사람. 건축업자.
〔瓦努阿图〕 Wǎnǔātú 명《地》〈音〉 바누아트(Vanuatu)《수도는 '维Wéi拉港'(빌라: Vila)》.
〔瓦盘〕 wǎpán 명 큰 질그릇 접시.
〔瓦盆〕 wǎpén 명 질자배기. 질대접. ¶这~有个罅xià眼, 直渗shèn水; 이 자배기에 금이 가서 자꾸 물이 샌다.
〔瓦坯(子)〕 wǎpī(zi) 명 ⇨〔瓦胎tāi〕
〔瓦片(儿)〕 wǎpiàn(r) 명 ①기와 (조각). ②〈比〉 가옥. ¶吃~; 집을 세주어 생활하다. ③(밀가루 반죽을) 네모지게 얇게 늘여서 기름에 튀긴 과자.
〔瓦器〕 wǎqì 명 질그릇. 토기.
〔瓦圈〕 wǎquān 명 (자전거의) 림(rim). (타이어를 끼우는) 바퀴 테.
〔瓦全〕 wǎquán 동 〈比〉 절개를 굽혀, 구차하게 목숨을 부지하다. ¶宁nìng为玉碎, 不为~; 차라리 정의를 위해 몸을 희생시킬지언정 절개를 굽혀 구차히 살아남으려는 일은 하지 않는다. ↔〔玉碎〕
〔瓦雀〕 wǎquè 명《鳥》참새.
〔瓦舍〕 wǎshè 명 ①〈文〉 기와집. ¶~千间; 〈比〉 광대한 건물. =〔瓦房〕 ②기루(妓樓). ¶史进转入城中, 径到西~李瑞兰家; 사진은 성안으로 들어가 서쪽 유곽 지역에 있는 이서란의 집으로 향했다. =〔瓦子zǐ〕
〔瓦时〕 wǎshí 양《電》와트시(watt時). ¶千~; 킬로와트시.
〔瓦兽〕 wǎshòu 명 지붕 끝에 장식하는 짐승 모양의 토기 또는 기와.
〔瓦斯〕 wǎsī 명 〈音〉 가스. 기체(氣體). ¶~爆炸; 가스 폭발. =〔嘎gā斯〕
〔瓦松〕 wǎsōng 명《植》지부지기. =〔昨叶何草〕
〔瓦胎〕 wǎtāi 명 아직 굽지 않은 자기로, 자토(磁土)의 품질이 조악한 것. =〔瓦坯pī(子)〕
〔瓦特〕 wǎtè 명양《電》〈音〉 와트(watt). ¶~计; 와트미터 / 启罗~; 킬로와트. =〔瓦④〕 (Wǎtè) 명《人》제임스 와트(James Watt)《영국의 기계 기사, 1736~1819》. =〔华huá德〕
〔瓦特曼〕 wǎtèmàn 명 〈音〉 와트만(whatman) 종이. =〔画特曼纸〕
〔瓦筒〕 wǎtǒng 명 ⇨〔瓦模mú〕
〔瓦头〕 wǎtóu 명 처마 끝의 기와. 막새기와.
〔瓦韦〕 wǎwéi 명《植》다시마일엽초.
〔瓦文萨〕 Wǎwénsà 명《人》〈音〉 바웬사《폴란드의 노동 운동가》.
〔瓦纹片〕 wǎwénpiàn 명 ⇨〔瓦坑铁〕
〔瓦纹锌铁〕 wǎwén xīntiě 명 ⇨〔瓦坑铁〕
〔瓦瓮〕 wǎwèng 명 토기 항아리. 질항아리.
〔瓦屋〕 wǎwū 명 ⇨〔瓦房〕
〔瓦藓〕 wǎxiǎn 명《植》지부지기의 근연종(近緣種)《돌나물과의 식물》.
〔瓦砚〕 wǎyàn 명 궁전(宮殿)의 오래된 기와로 만든 벼루.
〔瓦窑〕 wǎyáo 명 ①기와 굽는 가마. ②〈比〉 여자 아이만을 낳은 여자를 놓으로 이르는 말.
〔瓦有翻身之日〕 wǎ yǒu fānshēn zhī rì 〈諺〉 엎어진 기와도 때로는 잦혀질 수도 있다《쥐구멍에도 볕들 날이 있다》.
〔瓦砖〕 wǎzhuān 명 기와와 벽돌.
〔瓦子〕 wǎzǐ 명 ⇨〔瓦舍②〕
〔瓦作〕 wǎzuō 명 미장이. =〔泥水匠〕

佤 Wǎ (와)

명《民》와 족(佤族)《중국 소수 민족의 하나. 본래는 '佧kǎ~族'이라고 했음. 윈난 성(雲南省)에 삶》.

瓦 wà (와)

동 〈京〉 기와를 이다. ¶~了三十块瓦wǎ; 30장의 기와를 이었다. ⇒wǎ
〔瓦刀〕 wàdāo 명 미장이의 흙손. =〔泥ní刀〕
〔瓦瓦〕 wà.wǎ 동 지붕에 기와를 이다.

袜(襪〈韈, 韤〉) wà (말)

(~子) 명 양말. 버선. ¶~底(儿); 양말〔버선〕 바닥 / 尼ní龙~; 나일론 양말 / ~筒(儿); ⇩ / 短~; 짧은 양말 / 长~; 스타킹 / 线xiàn~; 면양말. ⇒mò
〔袜板儿〕 wàbǎnr 명 양말을 기울 때 속에 대는 받침판. =〔袜子板(儿)〕
〔袜帮儿〕 wàbāngr 명 양말·버선의 등 부분.
〔袜厂〕 wàchǎng 명 양말 공장.
〔袜穿鞋绽〕 wà chuān xié zhàn 〈成〉 양말〔버선〕에 구멍이 뚫리고 신발이 해지다. (여기저기) 뛰어다니느라고 몹시 지치다.
〔袜船〕 wàchuán 명 〈方〉 목 부분이 없는 무명제의 양말〔버선〕《모양이 '便鞋' 비슷함》.
〔袜带(儿)〕 wàdài(r) 명 양말 대님〔밴드〕.
〔袜底(儿)〕 wàdǐ(r) 명 양말의 바닥 부분. ¶光着~就下了地; 양말만 신은 채로 땅바닥에 내려섰다 / 上个~再穿结实; 양말 바닥에 바대를 덧대어 신으면 튼튼하다.
〔袜号〕 wàhào 명 양말의 크기〔사이즈〕.
〔袜后跟儿〕 wàhòugēnr 명 양말〔버선〕의 뒤꿈치. =〔袜拄跟儿〕
〔袜口儿〕 wàkǒur 명 양말의 목.
〔袜脸儿〕 wàliǎnr 명 버선〔양말〕 등 부분의 솔기.
〔袜绒儿〕 wàróngr 명《紡》우스티드(worsted). 모직물의 일종.
〔袜套(儿)〕 wàtào(r) 명 양말 커버. 덧양말. 덧버선. =〔袜罩〕
〔袜统〕 wàtǒng 명 ⇨〔袜筒(儿)〕
〔袜筒(儿)〕 wàtǒng(r) 명 양말의 발목 윗부분. 양말의 목. =〔袜统〕〔袜靿(儿, 子)〕
〔袜头(儿)〕 wàtóu(r) 명 〈京〉 삭스. 구식의 양말.
〔袜线〕 wàxiàn 명 〈比〉〈謙〉 취할 데가 없는 범물(凡物). 비재(菲才). ¶兄弟是~铅刀毫无长处; 저는 둔재로서 아무 쓸모없는 사람입니다. =〔袜线铅刀〕〔袜线之才〕
〔袜靿(儿, 子)〕 wàyào(r, zi) 명 ⇨〔袜筒(儿)〕
〔袜罩〕 wàzhào 명 ⇨〔袜套(儿)〕
〔袜拄跟儿〕 wàzhǔgēnr 명 ⇨〔袜后跟儿〕
〔袜子〕 wàzi 명 양말. =〔足衣〕
〔袜子板(儿)〕 wàzibǎn(r) 명 ⇨〔袜板儿〕

嗢 wà (올)

→〔嗢噱〕
〔嗢噱〕 wàjué 동 〈文〉 크게 웃다. 매우 즐거워하다. ¶执书~, 不能离手; 책을 든 채로 크게 웃으며 손에서 놓지 못하다.

腽 wà (올)

→〔腽肭〕〔腽肭脐〕〔腽肭兽〕
〔腽肭〕 wànà 형 〈文〉 비대한 모양. 살찐 모양. 명 해구(海狗)의 별칭.
〔腽肭脐〕 wànàqí 명《藥》해구신(海狗腎). 물개의

음경(배꼽과 연결되어 있으며 그것을 떼어 호르몬제를 만듦).
〔腽肭兽〕wànàshòu 명 《動》 물개. =〔海狗〕〔海熊〕

哇 wa (와)
조 감탄의 어기사(語氣詞)(「啊a」의 변음(變音)). 注 「啊a」 바로 앞의 음절이 -ao, -ou, -u인 경우 「啊a」는 wa가 되어 흔히 「哇」로 씀. ¶好～! 眼看这座楼盖成了; 좋다! 이 빌딩은 곧 준공된다. ⇒wā

WAI ㄨㄞ

咼(喎) wāi (와)
형 입이 비뚤어져 있다. ¶口眼～斜xié; (안면 신경이 마비되어) 입이나 눈이 일그러져 있다.

歪 wāi (왜, 외, 의)
① 형 비뚤어지다. 비뚤어져 있다. 비스듬해지다. 기울(어져 있)다. ¶～戴着帽子; 모자를 비스듬히 쓰고 있다/这张画挂～了; 이 그림은 비뚤어지게 걸려 있다/一溜～斜; 비스듬히 미끄러져 떨어지다. ↔〔正zhèng①〕 ② 동 기울이다. 비스듬히〔비뚤어지게〕 하다. ¶～着头; 고개를 갸웃거리다. ③ 형 바르지 않다. 그릇되다. ¶走～道儿; 바르지 못한 길을 가다/人很正派, 没有邪xié的～的; 사람됨이 매우 올바르고, 나쁜 데가 없다. ④ 동 몸을 실리어〔기울여〕 기대다. (쉬기 위해) 눕다. ¶在沙发上～一会儿; 소파 위에 잠시 누워 쉬다. ⑤ 동 〈北方〉 중상〔모함〕하다. 없는 죄를 뒤집어씌우다. 나쁘게 말하다. ¶你别～人家; 남을 중상〔비방〕하지 마라/我一清二白, 不怕谁～我; 나는 결백하니까 누가 뭐라고 하든 두렵지 않다. ⑥ 형 〈方〉 좋지 않다. 나쁘다. ¶想～; 오해하다/～说好说, 他才算答应了; 백방으로 설득해서야 그는 겨우 승낙했다. ⑦ 동 〈俗〉 시간이 지나다. ¶晌午～了; 정오가 지났다. ⇒wǎi

〔歪霸横梁〕wāibàhéngliáng 형 ⇨〔歪脖横狼〕
〔歪鼻子〕wāibízi 명 코삐뚤이.
〔歪憋〕wāibiē 동 ①되는 대로 하다. ②무턱대고 떠들다. 불평하다. ¶那学生又～起来了; 저 학생은 또 불평하기〔떠들기〕 시작했다. ③휘젓다. 교란하다. 소란을 피우다.
〔歪脖横狼〕wāibóhéngláng 형 무질서한 모양. 단정하지 못한 모양. 흩어져 있는 모양. ¶在大槐树底下, 小崔的车～的放着《老舍 四世同堂》; 회화나무 노목 밑에는 소최의 수레가 아무렇게나 놓여 있다. =〔歪霸横梁〕〔歪不横楖〕
〔歪脖儿〕wāibór 명 비뚤어진 목. 동 고개를 갸웃하다. ‖=〔歪脖子〕
〔歪脖儿树〕wāibórshù 명 목이 구부러진 나무. 휘어진 나무.
〔歪脖子〕wāibózi 명동 ⇨〔歪脖儿〕
〔歪不横楖〕wāibuhéngláng 형 ⇨〔歪脖横狼〕
〔歪才〕wāicái 명 사특한 재주. 못된 꾀.
〔歪缠〕wāichán 동 ①끈질기게 붙어 다니다. 성가시게 달라붙다. ¶他和她～不休; 그는 추근추근 그녀를 따라다니는 짓을 그치지 않는다. ②어거지를 쓰다. 트집을 잡다. ‖=〔歪厮缠〕
〔歪词儿〕wāicír 명 남을 헐뜯는 말. 남에게 죄를 뒤집어씌우는 말. 사리에 벗어난 말.
〔歪打正着(儿)〕wāi dǎ zhèng zháo(r) 〈成〉 뜻밖의 공명(功名)〔행운〕. 어쩌다 들어맞음. ¶我还为这事耽心, 没想到～; 이 일로 걱정하고 있었는데, 뜻밖에 이렇게 잘 되다니.
〔歪戴〕wāidài 동 (모자 등을) 비스듬히 쓰다. 비뚜로 쓰다. ¶～着帽子; 모자를 비스듬히 쓰고 있다.
〔歪道〕wāidào 명 바르지 않은 길. 사도(邪道). 부정한 수단.
〔歪点子〕wāidiǎnzi 명 비뚤어진 생각. 옳지 못한 방법. ¶这个家伙尽是出～; 저놈은 언제나 잘못된 짓을 한다.
〔歪风邪气〕wāi fēng xié qì 〈成〉 비뚤어진 풍습과 좋지 않은 기풍.
〔歪拐子〕wāiguǎizi 명 다리가 휜 절름발이.
〔歪好〕wāihǎo 부 ①아주 잘. =〔好好的〕 ②좋든 나쁘든 간에. 어떻든 간에. →〔好歹〕
〔歪话〕wāihuà 명 도리에 어긋나는 말. 불합리한 이야기. 지겨운 이야기.
〔歪货〕wāihuò 명 ①좋지 않은 물건. 저질품. ②하찮은〔시시한〕 것. ③〈罵〉 닳고 닳은〔굴러먹은〕 여자.
〔歪角齿轮〕wāijiǎo chǐlún 명 《機》 베벨 기어(bevel gear).
〔歪盔子〕wāikuīzi 명 〈比〉 트집. 핑계. ¶抓zhuā～; 트집을 잡다. 핑계를 삼다.
〔歪剌〕wāilà 형 (언행이) 못되다. 나쁘다. 사악하다. 정직하지 않다. ¶～货huò =〔～骨〕; 못된 놈. =〔歪辣〕
〔歪辣〕wāilà 형 ⇨〔歪剌〕
〔歪棱〕wāileng 동 기울이다. 갸웃하다. ¶～着脑袋; 머리를 갸웃하고 있다.
〔歪理〕wāilǐ 명 억지(이론). 강변(強辯). ¶讲～; 억지 이론을 펴다. 강변하다/不听他的～; 그의 억지를 듣지 않다.
〔歪毛儿〕wāimáor 명 ①머리 한가운데의 머리털을 작게 묶어 늘어뜨린 머리형(型). ②〈轉〉 개구쟁이. 선머슴. ‖=〔歪桃儿〕
〔歪毛儿淘气儿〕wāimáor táoqìer 명 ①개구장이. ②불량배. 깡패. ¶交了一把子～; 불량배들과 사귀었다.
〔歪煤〕wāiméi 명 좋지 않은 석탄. 저질탄.
〔歪门(儿)〕wāimén(r) 명 틀린〔잘못된〕 방향. 그릇된 길. 사도(邪道). ¶这～万万走不得! 이 그릇된 길을 걸어서는 절대 안 된다!
〔歪门邪道〕wāimén xiédào 명 사특한 일이나 흉계.
〔歪面〕wāimiàn 명 찡그린 얼굴. 불쾌한 표정의 얼굴.
〔歪泥〕wāiní 결과가 나쁘다. ⇒wǎiní
〔歪拧〕wāinǐng 형 ⇨〔歪扭〕
〔歪扭〕wāiniǔ 형 옳지 않다. 비뚤어지다. 일그러지다. ¶他只会写几个～的字; 그는 비뚤비뚤한 글씨를 조금 쓸 수 있을 뿐이다. =〔歪拧〕
〔歪派〕wāipaì 동 〈京〉 ①(남을) 오해하다. 나쁘게 생각하다. ¶他脾气不好, 常爱～; 그는 못된 성질이 있어서 걸핏하면 남의 말을 나쁘게 해석한다. ②잘못 생각〔비난〕하다. ③조작〔날조〕하다. 모함〔중상〕하다. ¶你可别～我, 咱们找大伙儿说说; 나를 중상하지 말고, 여러 사람이 있는 곳에 가서 따져 보자.
〔歪撇〕wāipiě 형 ①(성질이) 비뚤어져〔빙퉁그러져〕 있다. ②악랄하다.
〔歪七扭八〕wāiqī niǔbā 〈成〉 ①비뚤어진 모양. 휘어진〔뒤틀린〕 모양. ②정직하지 못한 모양.

〔歪曲〕 wāiqū 동 (사실이나 내용을) 왜곡하다. ¶～事实; 사실을 왜곡하다 / 你不要～我的话! 내가 한 이야기를 왜곡하지 말아 주게!
〔歪人〕 wāirén 명 (마음이) 비뚤어진 사람. 좋지 못한 사람.
〔歪诗〕 wāishī 명 ①형식에 맞지 않는 시. ②불평 불만의 뜻을 숨긴 시. 반동적인 시.
〔歪事〕 wāishì 명 나쁜 일. 못된 짓.
〔歪手歪脚〕 wāi shǒu wāi jiǎo 비뚤어져 있는 모양.
〔歪说好说〕 wāi shuō hǎo shuō 〈成〉 백방으로 설득하다. ¶～, 他才答应了; 이런저런 설득을 받아 그는 겨우 승낙했다.
〔歪厮缠〕 wāisīchán 동 ⇨〔歪缠〕
〔歪桃儿〕 wāitáor 명 ⇨〔歪毛儿〕
〔歪头〕 wāi.tóu 동 머리를 갸우뚱하다. (wāitou) 명 기울어진 머리.
〔歪头菜〕 wāitóucài 명 〖植〗 나비나물.
〔歪歪〕 wāiwai 형 〈俗〉 비뚤어져 있다. 옳지 않다. ¶～事不能做, ～道儿不能行; 옳지 않은 짓을 해서는 안 되며, 바르지 않은 길은 가지 말아야 한다.
〔歪歪拧拧〕 wāiwainǐngnǐng 형 ⇨〔歪歪扭扭〕
〔歪歪扭扭〕 wāiwainiǔniǔ 형 형편없이 구부러진〔비뚤어진〕 모양. 단정치 못한 모양. ¶他衣服穿得～的; 그는 옷의 입음새가 단정치 않다. =〔歪歪拧拧〕
〔歪歪儿〕 wāiwair 동 (쉬기 위해) 잠깐 눕다. ¶回头还得忙呢, 让我先抓空儿～; 나중에 또 바빠질 테니, 우선 틈이 있을 때 잠깐 누워 쉬어야겠다.
〔歪文〕 wāiwén 동 신통치 않은 글. 시시한 문장.
〔歪下〕 wāixià 동 드러눕다. 아무렇게나 눕다.
〔歪斜〕 wāixié 동 일그러지다. 비뚤어지다. 형 일그러져〔비뚤어져〕 있다. ¶口眼～; 입과 눈이 일그러져 있다.
〔歪心〕 wāixīn 명 사특한 마음. 못된〔나쁜〕 마음.
〔歪着〕 wāizhe 동 (휴식을 위해 잠깐) 눕다. ¶你～一会儿吧! 잠시 드러누워 쉬십시오!
〔歪嘴〕 wāizuǐ 명 비뚤어진 입. 동 입을 비쭉 내밀다. ¶～吹喇叭, 一团邪气; 〈歇〉 입을 비쭉 내밀고 나팔을 불면, 공기가 비뚜로만 불어넣어진다 / ～蛤há蟆; 〈罵〉 개자식.

喎 wāi (왜)
감 어이. 이봐. 여보(세요)《부르는 말》. ¶～, 你是哪儿? 여보세요, 누구십니까?《전화에서 상대를 확인할 때 쓰임》/ ～, 你住在哪儿? 이봐, 넌 어디 살고 있지? / 听见了没有? ～! 들렸니, 이봐!

歪 wǎi (왜, 외, 의)
동 (발목이나 손목을) 삐다. 접질리다. ¶～了脚了; 발목을 접질렸다. =〔崴③〕 ⇒wāi
〔歪脚〕 wǎi.jiǎo 동 발을 삐다〔접질리다〕.
〔歪泥〕 wǎi.ní 동 ①〈京〉 진흙탕에 빠지다. ②〈轉〉 하기 어렵게 되다. 난관에 부딪히다. ¶这活儿有些～; 이 일은 하기가 좀 어렵다. ‖ =〔掴泥〕〔崴泥〕 ⇒wāiní

掴 wǎi (왜)
→〔掴咕〕〔掴泥〕〔掴着〕
〔掴咕〕 wǎigu〔wěigu〕 동 〈京〉 ①손을 대다. 만지다. ¶这个收音机没什么大毛病, ～～就好了; 이 라디오는 별다르게 큰 고장은 없으니 좀 만지면 된다. ②(일을) 생각하다. ¶这件事可是没法～; 이 일은 도무지 생각할 방도가 없다.
〔掴泥〕 wǎi.ní 동 〈京〉 ①진흙탕에 빠지다. ②〈比〉 난관에 부딪히다. 못쓰게 되다. 낭패 보다. ¶地里活儿这么忙, 这两天偏偏下雨, ～不～! 가뜩이나 농사일이 바쁜데 이렇게 이틀씩이나 비가 와서야 정말이지 낭패다! / 兔儿爷掏耳朵, ～; 〈歇〉 흙으로 만든 토끼 인형이 귀를 후비다《낭패가 되다》. ‖ =〔歪泥〕〔崴泥〕
〔掴着〕 wǎizhe 동 〈京〉 (물건을) 팔꿈치에 걸치다. ¶你拿着包袱, 我给你～篮子; 넌 보따리를 들어라. 바구니는 내가 (팔꿈치에 걸쳐) 들어 줄 테니까. =〔挎kuà着〕

崴〈踒〉③④ wǎi (위)
①명 〈方〉 산길 · 강의 굽이진 곳《지명용 자(字)로 쓰임》. ¶三边～子; 싼벤와이쯔(三邊崴子)《지린 성(吉林省)에 있는 땅 이름》/ 海Hǎi参～; 하이선와이(海參崴)《블라디보스토크의 별칭》. ②형 (산길이) 울퉁불퉁하다. ③동 발을 삐다. 접질리다. ¶把脚给～了; 발을 접질렸다. =〔歪wǎi〕 ④〈轉〉 진창에 빠지다. 혼나다. ⇒wēi
〔崴泥〕 wǎi.ní 동 ⇨〔歪泥〕

外 wài (외)
①명 바깥. 밖. ¶往～看一眼; 밖을 보다. ②…이외. …외에. ¶除…～; …을 제외하고 (그 밖에). …이외는 / 此～; 이(것) 외에. ③(수사(數詞) 뒤에 와서) 그 이상(되는 곳). ¶三十里～; 30리 밖. ④부 그 위에. 아울러. …한〔인〕 외에. ¶不但聪明, ～带勤快; 총명할 뿐 아니라 게다가 부지런하다 / 此～更要锻炼身体; 이 밖에 또 몸의 단련이 필요하다. ⑤자기 쪽이 아닌 것. ⑥명 외국. ¶对～贸易; 대외 무역. ⑦형 친밀하지 않다. 소원(疎遠)하다. 낯설다. ¶见～; 남처럼 대하다. 서먹서먹하게 굴다 / 都不是～人; 모두 낯선〔서름한〕 사람들은 아니다 / 没有～客; 낯선 사람은 없다. ⑧접두 어머니 · 딸 · 자매 쪽의 친척을 나타내는 말. ¶～祖母; 외할머니 / ～孙(子); 외손자. ⑨명 〖劇〗 늙은 남자역(役). ⑩명 오른쪽. ¶往～拐; 오른쪽으로 돌다. ⑪아내가 남편을 부르는 칭호. ⑫형 정식이 아닌. 정규가 아닌. ⑬형 교제 폭이 넓다. 세상 물정에 통하다.
〔外阿婆〕 wài'āpó 명 〈南方〉 외할머니.
〔外奥林〕 wài'àolín 명 〖樂〗 〈音〉 바이올린.
〔外班〕 wàibān 명 옛날, 지방관의 별칭.
〔外版〕 wàibǎn 명 타사(他社)의 출판물.
〔外办〕 wàibàn 명 〈簡〉 '外事办公室' (외사 사무실)의 약칭.
〔外帮〕 wàibāng 명 ①타지(他地)에서 온 상인 단체. =〔客帮〕 ②다른 단체〔조합〕.
〔外包〕 wàibāo 명동 하청〔하도급〕(을 주다). 외주(外注)(하다). ¶～工人; 하청공. =〔转zhuǎn包〕
〔外暴〕 wàibào 동 〈文〉 폭로하다.
〔外币〕 wàibì 명 외국 화폐. 외화(外貨). ¶兑换～; 외화를〔로〕 바꾸다. =〔外钞chāo〕
〔外币股〕 wàibìgǔ 명 〖經〗 외환으로 구입한 주식 또는 외환의 형식으로 참가한 주식 지분.
〔外边(儿)〕 wàibian(r) 명 ①밖. 바깥(쪽). ¶～有人敲门; 밖에서 누가 문을 노크하고 있다 / 站在最～; 가장 바깥쪽에 서다. =〔外面(儿)①〕 ②외지(外地). 타향. 다른 곳. ¶她儿子在～工作; 그 여자의 아들은 타지에서 일하고 있다. =〔外地〕 ③표면. 겉. 거죽. ¶行李卷儿～再加一层油布; 싸맨 짐짝 표면을 방수포(防水布)로 덮어 가리다 / 假装～; 겉을 꾸미다. 注 ①②는 '最' '稍微' 따

위의 수식을 받음. ‖ =〔外厢〕
〔外表〕 wàibiǎo 명 겉. 표면. 외모. ¶你竟看～可不行; 너, 겉만을 보아선 안 된다.
〔外宾〕 wàibīn 명 외빈. 외국(으로부터)의 빈객. 외국인 빈객.
〔外擘〕 wàibò 명 새을변 '乙'《한자 부수의 하나》.
〔外部〕 wàibù 명 ①외부. ㉠어떤 일정한 범위 밖. ㉡겉. 표면. 거죽. ¶形式主义者只看到事物的～标志; 형식주의자는 그저 사물의 겉면 모양만을 볼 뿐이다. ②〈簡〉 '外交部'(외무부)의 약칭. ③청대(清代), 내무부(內務部) 이외의 여러 관아(官衙).
〔外埠〕 wàibù 명 자기 고장 이외의 개항장〔도시〕. 딴 도시. 다른 땅. ¶～付款票据; 타처(他處) 지급 어음. ↔〔本běn埠〕
〔外才〕 wàicái 명 표면만의 재능. 외모. 겉(보기). →〔内nèi才〕
〔外财〕 wàicái 명 ①본업 이외에서의 수입. 뜻하지 않은〔임시〕 수입. 부수입. ¶人不得～不富; 일정 수입만으로는 부자가 못 된다. ②분수 밖의 돈. 정당하지 못한 수입에 의한 돈. ¶～不富命穷人; 〈諺〉 분수에 맞지 않는 돈이 생겨도 부자가 되지 않는 것은 그 사람의 운명이다. ‖ =〔外快(儿)〕
〔外层〕 wàicéng 명 (층을 이루고 있거나 겹쳐 있는 것의) 바깥쪽. 표층(表層).
〔外层空间〕 wàicéng kōngjiān 명 우주 공간. 대기권 밖. ¶～应该供gōng和平用途; 대기권 밖은 평화적 용도에 써야 한다.
〔外层硬化钢〕 wàicéng yìnghuà gāng 명《工》 표피〔표면〕 경화강(case hardening steel).
〔外差〕 wàichā 명《電》 헤테로다인(heterodyne). ⇒wàichāi
〔外差〕 wàichāi 명 옛날, 지방 관청 근무. ⇒wàichā
〔外场〕 wàicháng 명형 〈俗〉 처세(를 잘 하다). 세재(世才)(가 있다). 사교(가 능하다). ¶～的高手; 교제에 능한 사람 / 人家多～呀! 给他办点儿什么事儿, 他一定送点儿礼来; 저 사람은 정말 물정에 밝은 교제가이다, 무엇을 좀 봐 주면 꼭 선물을 들고 온다 / 不能不顾点儿～; 조금은 사교적인 면도 고려해야 한다. ⇒wàichǎng
〔外场劲儿〕 wàichángjìnr 명 세상 물정에 밝은 태도. 세상사를 분별할 줄 아는 태도. 능란한 사교적인 재능. ¶久经世故还能没点儿～! 산전수전 다 겪은 사람이 그만한 물정을 모르겠느냐!
〔外场人(儿)〕 wàichángrén(r) 명 빈틈없는 사람. 세상 물정을 아는 사람. 쓴맛 단맛 다 겪은 사람. ¶您是～, 能见死不救吗! 당신은 도리를 잘 아는 사람인데, 곤경에 처해 있는 사람을 보고도 도와주지 않을 수 있습니까!
〔外场〕 wàichǎng 명 ①옥외의 광장. ②《體》 (야구의) 외야. ¶～线; 파울 라인(foul line). ↔〔内nèi场②〕 ③옥외에서 하는 실기(實技) 시험. ④악한. 무뢰한. ⑤밖으로 나도는 일. 외근(外勤). ¶他只能张罗～, 内场要她一人招呼; 그는 바깥 일만 할 수 있을 뿐, 집안일은 그녀 혼자 애쓰고 있다. ⇒wàicháng
〔外钞〕 wàichāo 명 외국 화폐. 외화(外貨). =〔外币〕
〔外朝〕 wàicháo 명 외조《고궁(故宮) 가운데, 의식(儀式) 등을 행하는 부분》.
〔外臣〕 wàichén 명 〈文〉 외신《옛날, 한 나라의 신하가 다른 나라의 군주에 대하여 일컫던 비칭(卑稱)》.
〔外城〕 wàichéng 명 외성. 내성 밖의 성곽.
〔外弛内张〕 wài chí nèi zhāng 〈成〉 밖은 눈이 녹는 봄이 왔는데, 안은 여전히 생활고에 허덕인다.
〔外出〕 wàichū 동 ①외출하다. 출타하다. ¶白天～开会; 낮에는 회의로 인해 외출한다. ②출장(出張) 가다. ¶他是采购员, ～的机会多; 그는 구매계이므로 출장 기회가 많다. ③겉에 나오다. ¶～血; 《醫》 외출혈.
〔外出谋生〕 wàichū móushēng 고향을 떠나〔버리고〕 타관에 돈벌이하러 가다. ¶背bèi井离乡, ～; 고향을 떠나 타관에 돈벌이 가다.
〔外出人员〕 wàichū rényuán 명 ①타향에 머물고 있는 사람. ②외출한 사람.
〔外出息〕 wàichūxi 명 ⇨〔外快(儿)〕
〔外串的堂会〕 wàichuànde tánghuì 명 옛날, 개인 저택에 초청되어 연극을 상연하는 것을 '堂会'라 하고, 보통 그 극단 사람만으로 공연하는데, 여기 다른 극단원이 참가하여 하는 것을 '外串'이라 하였음.
〔外错角〕 wàicuòjiǎo 명《數》 외(外)엇각.
〔外大父〕 wàidàfù 명 ⇨〔外祖父〕
〔外大衣〕 wàidàyī 명 외투. 오버 코트(over coat).
〔外带〕 wàidài 명 ①'外胎'(타이어)의 통칭. ②〈俗〉 배우의 역(役) 이름. 접 (～着) 그 위에. 게다가. 더욱이. ¶他进厂当学徒～上夜校念书; 그는 공장에 견습공으로 다니고, 게다가 야학에 다니며 공부하고 있다 / 他不但懒惰, 还～着倚老卖老; 그는 게으름을 필 뿐 아니라, 나이 먹었다는 것을 내세워 우쭐해 있다. 동 그 밖에 …가 붙다〔딸리다. 따르다〕. …을 겸하다. ¶除了他之外, ～俩小孩儿; 그 사람 외에 두 아이가 딸리다 / 新式的澡堂～(着)理发馆; 신식 목욕탕은 이발소를 겸하고 있다.
〔外旦〕 wàidàn 명 배우의 역 이름《원곡(元曲) 중의 배역으로 '贴tiē旦(보조역)'과 '彩cǎi旦(여자 어릿광대역)'의 중간의 것》.
〔外道〕 wàidào 명 ①동업자 이외의 사람. →〔外行②〕 ②《佛》 외도.
〔外道〕 wàidao 형 〈方〉 (예의가 지나쳐) 어색하다. 서먹서먹하다. 남 대하듯 하다. ¶这么说就～了, 咱们穷人是一根蔓上的瓜, 咱不帮谁帮? 이런 이야기는 남의 말을 하듯 하는 것 같다, 우리들 가난뱅이는 한덩굴의 오이다, 우리가 돕지 않으면 누가 도와 줄 것인가?
〔外道(儿)〕 wàidào(r) 명 외도(外道). 이단. 불법(佛法)에서 벗어난 교의(教義). ¶他有了～了; 그는 나쁜 놀음에 빠졌다.
〔外敌〕 wàidí 명 외적. 밖에서 쳐들어오는 적.
〔外底票〕 wàidǐpiào 명 ⇨〔提单〕
〔外地〕 wàidì 명 외지. ①원적지(原籍地) 이외의 고장. ②자기가 사는 땅 이외의 고장. 타향. ③외국. ‖ =〔外边(儿)②〕
〔外弟〕 wàidì 명 ①〈文〉 아버지가 다른〔각성바지〕 아우. ②(내외종) 사촌 동생.
〔外典〕 wàidiǎn 명《佛》 외전《불교 이외의 종파·종교의 학설·서적》.
〔外电路〕 wàidiànlù 명《電》 외부 회로.
〔外调〕 wàidiào 동 (물자나 인원을) 외부의 장소나 단위로 옮기다. 딴 곳으로 전임하다〔시키다〕. ¶～物资; 딴 곳으로 할당된 물자 / 肥猪～任务; 돼지를 외부로 수송하는 임무. 명동 (타처로 가서 어떤 사건이나 관계자에 대한) 외부 조사(를 하다). 탐문 조사(를 하다). ¶派人～他的历史问题;

사람을 외부에 보내서 그의 경력 관계를 조사하다.
〔外动词〕 wàidòngcí 명 《言》 타동사.
〔外对角〕 wàiduìjiǎo 명 《數》 엇각. 착각(錯角).
〔外耳〕 wài'ěr 명 《生》 외이. 겉귀.
〔外藩〕 wàifān 명 ①청대(清代), 몽골·티베트·칭하이(青海) 등의 속령지(屬領地). ②〈文〉 봉토(封土)가 있는 왕이나 제후(의 영지). ③〈文〉 외국.
〔外方〕 wàifāng 명 ①외부. 밖. ②먼 곳.
〔外放〕 wàifàng 명 옛날, 경관(京官)이 지방관으로 임명되어지는 일.
〔外分泌腺〕 wàifēnmìxiàn 명 《生》 외분비선.
〔外夫〕 wàifū 명 샛서방. 정부(情夫). 간부(姦夫).
〔外稃〕 wàifū 명 《植》 밀 따위의 꽃을 싼 겉껍질.
〔外敷〕 wàifū 동 (고약 따위를) 바르다. 외용(外用)하다. ¶～膏药一张; 고약을 한 장 붙이다. ↔〔内nèi服〕 명 외용약. =〔外敷药〕
〔外父〕 wàifù 명 〈文〉 ⇨〔岳父〕
〔外妇〕 wàifù 명 정부(情婦).
〔外附〕 wàifù 명 옛날, 가숙(家塾)에 다른 집안에서 의뢰되어 함께 공부하는 학생.
〔外感〕 wàigǎn 명 ①《漢醫》 바람·한서(寒暑)·습기 따위로 인한 질병. ②외부로부터의 자극으로 일어나는 감각. 외부 감각.
〔外港〕 wàigǎng 명 외항. ↔〔内nèi港〕
〔外工〕 wàigōng 명 외부로부터의 노동(자). ¶自己动手, 不找～; 자기 스스로 하고 외부로부터의 일손을 구하지 않다.
〔外公〕 wàigōng 명 〈方〉 ⇨〔外祖父〕
〔外公切线〕 wàigōngqiēxiàn 명 《數》 공통 외접선(共通外接線).
〔外功(儿)〕 wàigōng(r) 명 근육·뼈·피부 따위의 외면을 단련하는 무술.
〔外购〕 wàigòu 명동 외부 구입(하다).
〔外姑〕 wàigū 명 장모. =〔丈zhàng母娘〕
〔外骨骼〕 wàigǔgé 명 《生》 외골격.
〔外褂〕 wàiguà 명 청대(清代)에 '袍' 위에 입던 예복.
〔外拐子〕 wàiguǎizi 형 ①(성미가) 괴팍하다. ②(일의 결과·품질이) 나쁘다.
〔外官〕 wàiguān 명 옛날 지방관. =〔外任〕
〔外观〕 wàiguān 명 외관. 외견(外見).
〔外馆〕 wàiguǎn 명 청대(清代)에 베이징(北京) 교외(郊外) 더성 문(德勝門) 밖이나 안딩 문(安定門) 밖에서 몽골 사람과 물물 교환을 하던 가게나 상인.
〔外光剧场〕 wàiguāng jùchǎng 명 노천 극장. =〔露lù天剧场〕
〔外鬼〕 wàiguǐ 명 ①남의 집 망령(亡靈). ②다른 곳의 악인(惡人). ¶没有家鬼不引～; 집 안에 나쁜 놈이 없으면, 외부의 나쁜 놈이 들어오지 않는다.
〔外柜〕 wàiguì 명 가게의 외무 사원. 외판원.
〔外国〕 wàiguó 명 외국. ¶～侨民; 외국인 거류자 / ～专家; 외국인 전문가.
〔外国汇兑〕 wàiguó huìduì 명 ⇨〔外汇〕
〔外国流子〕 wàiguóliúzi 명 〈俗〉 ①부정한 인간. ②가만히〔몰래〕 하는 행위. ‖ =〔外五六〕
〔外海〕 wàihǎi 명 《地》 외해. 영해 밖의 바다.
〔外行〕 wàiháng 형 생무지〔아마추어〕이다. 서투르다. ¶唱戏他并不～; 그는 연극에서 결코 아마추어가 아니다 / 种庄稼他可不～; 농사일에 대해서 그는 결코 문외한이 아니다 / ～话; 잘모르(고 하)는 말. 명 ①아마추어(amateur). 무경험자. 풋내기. 문외한. =〔外教②〕 ②거래소의 동업자 이외의 사람.
〔外号(儿)〕 wàihào(r) 명 별명. ¶给他起～; 그에게 별명을 붙이다.
〔外呼吸〕 wàihūxī 명 《生》 외호흡.
〔外话(儿)〕 wàihuà(r) 명 ①시정(市井)의 비속한 말. 상스러운 말. (상류층 말에 대한) 시정아치의 말. ¶听见人说句～, 他都不懂; 남이 시정배의 말로 지껄이는 것을 들으면 그는 도무지 알아들을 수가 없다. ②〈方〉 남을 대하듯이 하는 서먹서먹한〔쌀쌀맞은〕 말.
〔外怀里〕 wàihuáili 명 ① ⇨〔外手(儿)〕 ②바깥쪽. 맞은쪽. ¶桌子放在～; 탁자를 바깥쪽에 놓다.
〔外踝〕 wàihuái 명 《生》 바깥쪽의 복사뼈.
〔外欢〕 wàihuān 명 ⇨〔外遇yù〕
〔外患〕 wàihuàn 명 〈文〉 외환. 외부나 외국으로부터의 침략〔압력〕. ¶内忧～; 내우 외환 / ～罪; 외국과 내통하여 본국에 위해를 끼치는 범죄.
〔外汇〕 wàihuì 명 외국환(換). 외화(外貨). ¶～行情; 환시세 / ～管制; 환관리 / ～储备; 외화 준비 / ～官价; 외화 공정 레이트(rate) / ～挂牌; 외화 공정시세. =〔外国汇兑〕
〔外汇券〕 wàihuìquàn 명 〈簡〉 외국 태환권.
〔外活(儿)〕 wàihuó(r) 명 〈方〉 ①공장·수공업자가 하는 하청〔하도급〕. ②(가정 주부가 하는) 바느질·뜨개질 따위의 부업. 내직(內職).
〔外货〕 wàihuò 명 외국품. 외제품. 외국 상품.
〔外祸〕 wàihuò 명 외환(外患). 외국의 침략. ¶内战愈多～愈至; 내전이 많으면 많을수록 밖으로부터의 재난이 더욱 많이 몰려온다.
〔外集〕 wàijí 명 정집(正集)에서 빠진 필기(筆記)·논문 등을 편집한 것.
〔外籍〕 wàijí 명 외국 국적. ¶～工人; 외국인 노동자.
〔外籍兵团〕 wàijí bīngtuán 명 외인 부대(外人部隊).
〔外寄生〕 wàijìshēng 명 《動·植》 외부 기생.
〔外加〕 wàijiā 동 거기다 다시 더하다. ¶三个苹果～少许香蕉和橘子; 사과 세 개와 그 밖에 약간의 바나나와 귤 / 雨如倾盆, ～核hé桃大的雹báo子; 비는 억수로 퍼붓고, 게다가 호두만한 크기의 우박도 섞였다.
〔外家〕 wàijiā 명 ① ⇨〔外祖zǔ家〕 ②옛날, 첩의 집. 첩. ¶他安了一份儿～; 그는 작은집을 차렸다 / 这个女人就是他新近弄的～; 이 여자가 바로 그가 요즘 들인 첩이다 / 有个女儿, 唤做婆惜, 典于宋押司做～《水滸傳》; 딸이 하나 있어 이름을 파석이라 했는데, 송 압사에게 팔려 첩이 되었습니다. =〔〈文〉 外宅②〕
〔外间〕 wàijiān〔wàijian〕 명 ①연속된 방 중 직접 밖으로 통해 있는 방. =〔外屋〕〔外间屋子〕 ②〈文〉 바깥 세상. 외부. 외계. 세간. ¶～传闻, 不可尽信; 외부로부터 전해 들은 말을 모조리 믿어서는 안 된다 / ～传chuán说…; 세상에서 …라고들 하고 있다.
〔外艰〕 wàijiān 명 〈比〉 부친상(父親喪). ↔〔内nèi艰〕
〔外兼〕 wàijiān 동 그 밖에 겸하다. ¶他的房子是俱乐部、学习室、～岁把几个月毛娃娃的小厕所; 그의 집은 클럽, 학습실 외에 한 살도 안 된 아기의 변소까지 겸하고 있다.
〔外江〕 wàijiāng 명 ①〈方〉 양쯔 강(揚子江) 일대 및 그 북부의 각 성(省). ¶～老; 다른 성(省) 사람 / ～虎和地头蛇; 〈比〉 중앙에서 파견된 패거리

와 그 지방 출신의 패거리 / ~客商; 타지방 출신의 상인. ②《劇》 상하이파(上海派)《경극(京劇)의 일파(一派)》. =〔海派①〕

〔外交〕 wàijiāo 명 외교. ¶~官; 외교관 / ~部; 외교부. 외무부 / ~辞令; 외교 사령 / ~家; 외교가 / ~部长; 외교 부장. 외무부 장관 / ~团; 외교단.

〔外交人士〕 wàijiāo rénshì 명 외교 관계자. ¶消息灵通的~; 소식에 정통한 외교계 인사. 외교 소식통.

〔外交特权〕 wàijiāo tèquán 명 외교 특권. =〔外交豁免权〕

〔外角〕 wàijiǎo 명 ①《數》 외각. ②《體》 (야구의) 외각. ¶~好球; 외각 스트라이크. ‖↔〔内nèi角〕

〔外脚背踢球〕 wàijiǎobèi tīqiú 명《體》 (축구의) 아웃사이드 킥.

〔外叫〕 wàijiào 동 ①밖에서 불러오다. ②밖으로부터 시키다〔주문하다〕. ¶~的菜; 밖에서 시켜 온 요리.

〔外教〕 wàijiào 명 ①《佛》 외교. 불교 이외의 종교. ¶~的人; 외교인. 이교도. ②⇨〔外行háng①〕 ③외국에서 온 종교.

〔外接(多边)形〕 wàijiē(duōbiān)xíng 명《數》 외접 다변형. =〔外切多边形〕

〔外接圆〕 wàijiēyuán 명《數》 외접원. =〔外切球〕〔外切圆〕↔〔内nèi接圆〕

〔外界〕 wàijiè 명 ①외계. 외부. ¶向~征求意见; 외부에 의견을 구하다 / 飞机的机身必须承受住~的空气压力; 비행기의 기체는 반드시 외부의 공기 압력에 견딜 수 있어야 한다. ②국외(局外). ¶~人士不明真相; 외부 인사는 진상을 모른다.

〔外借〕 wàijiè 명동 외부 대출(하다). ¶阅览室的书一律不能~; 열람실의 도서는 일절 외부 대출이 되지 않는다.

〔外襟〕 wàijīn 명 겉섶의 깃. 바깥쪽 깃.

〔外精内拙〕 wài jīng nèi zhuō 〈成〉 겉만 좋고 속은 나쁘다. 빛 좋은 개살구.

〔外景〕 wàijǐng 명 (무대나 영화의) 오픈 세트(open set). 야외 신(scene). ¶~拍摄; 로케이션 / 拍摄~; 로케이션(location)을 하다.

〔外净〕 wàijìng 명《劇》 희극 배역의 일종.

〔外敬菜〕 wàijìngcài 명 서비스로 제공하는 공짜 요리. =〔敬菜②〕

〔外舅〕 wàijiù 명 〈文〉 장인. 아내의 아버지. =〔岳yuè父〕

〔外卡(钳)〕 wàikǎ(qián) 명《機》 (외경(外徑)을 재는) 측경기(測徑器).

〔外科〕 wàikē 명《醫》 외과. ¶~器材; 수술용 기재.

〔外壳(儿)〕 wàiké(r) 명 바깥쪽. 겉껍데기. 딱지. 케이스. ¶表的~上长了锈了; 시계의 딱지〔케이스〕에 녹이 슬었다.

〔外客〕 wàikè 명 ①낯선 손님. 별로 깊은 교제가 없는 손님. ¶我们都是自己人吃便饭, 没有~; 우리는 모두 허물없는 (친한) 친구들끼리만 밥을 먹기 때문에, 낯선 손님은 없다. ②직업을 달리하는 사람. 문외한. 미숙한 사람. ¶你是~, 怎么能知道我们同行的苦楚呢; 너는 문외한인데 어떻게 우리 동업자의 고심을 알 수 있겠는가.

〔外口袋〕 wàikǒudai 명 바깥 호주머니.

〔外寇〕 wàikòu 명 외구. 외적. 외국의 침략자.

〔外快〕 wàikuài 명 쓸데없는 말. ¶不用说~的话, 干脆说得dé了; 쓸데없는 군소리는 할 필요가 없다. 시원스럽게 말하면 된다. 형 비열(卑劣)하다. 천하다. ¶这孩子, 一嘴的~, 要好好地教育教育; 이 아이가 하는 말은 정말 상스러워, 교육을 잘 시켜야 한다.

〔外快(儿)〕 wàikuài(r) 명 ①임시 소득. 가외 수입. 부수입. ¶这种教师都是利用空余的时间赚zhuàn些~; 이런 교사는 모두 여가를 이용하여 가외 수입을 벌고 있다. ②〈轉〉 부당하게 얻은 돈. 뇌물. ¶捞~; 부당한 돈을 긁어모으다. ‖=〔外财〕〔外出息〕〔外落〕〔外钱〕

〔外来〕 wàilái 동 밖으로부터〔외부로부터〕 오다. ¶是固有的, 还是~的? 고유의 것인가 외래의 것인가? / ~人; 외래자 / ~语 =〔~词〕;《言》 외래어 / ~干涉; 외부로부터의 간섭 / ~财; 수월한 (돈)벌이 / 捞一把~财; 한밑천 잡다. 손쉽게 벌다.

〔外来干部〕 wàilái gànbù 명 다른 고장에서 온 간부. =〔外区干部〕↔〔本地干部〕

〔外来户〕 wàiláihù 명 타관〔외부〕 사람.

〔外力〕 wàilì 명《物》 외력. 외부로부터의 힘.

〔外连〕 wàilián 동 바깥 사람과 결탁하다. 외부와 연결되다. ¶里钩gōu~; 한패끼리 짜고 외부와 내통하다.

〔外恋〕 wàiliàn 명 ⇨〔外遇yù〕

〔外流〕 wàiliú 동 (인구·재산 등이) 타지나 외국으로 유출되다. ¶美元~; 달러의 국외 유출 / 劳动力~; 노동력이 유출되다.

〔外路〕 wàilù〔wàilu〕 명형 외지(外地)(에서 들어온). 다른 지방(의). ¶~货; 외래품. 외지에서 온 물건.

〔外路的〕 wàilude 명 ⇨〔外路人(儿)〕

〔外路人(儿)〕 wàilurén(r) 명 ①다른 지방 사람. ¶因为是~不会土炕盘腿儿; 다른 지방 사람이라서 온돌에 올라와 책상다리하고 앉지를 못한다. ②직업을 달리하는 사람. ‖=〔外路的〕

〔外轮〕 wàilún 명 외국 기선(汽船).

〔外螺纹〕 wàiluówén 명 볼트 등의 외면에 새겨진 나선 홈. =〔螺丝牙〕

〔外落〕 wàiluò 명 ⇨〔外快(儿)〕

〔外妈〕 wàimā 명 ⇨〔外祖母〕

〔外貌〕 wàimào 명 외모. 외관. 겉보기.

〔外面(儿)〕 wàimian(r) 명 ①밖. 바깥 (쪽). ¶窗户~儿有棵梧桐树; 창 밖에 벽오동나무 한 그루가 나 있다 / 这台机器看~还不错, 不知用起来怎么样; 이 기계는 보기에 꽤 좋은데, 실제 써 보면 어떨는지. =〔外边(儿)①〕 ②세상. ¶他不懂得~; 그는 세상일을 모른다. ③세상 물정에 밝은 사람. ¶他是个~的; 그는 세상 물정에 밝은 사람이다.

〔外面(儿)光〕 wàimiàn(r) guāng 형 겉이 번지르르하다. 외견(外見)이〔겉보기가〕 좋다. ¶这个人做事~, 你可要小心; 이 사람이 하는 일은 겉은 번지르르하지만 주의해야 한다 / 那个人是驴粪球, ~; 그는 실속은 없고 겉만 번지르르하다. 명 겉치레.

〔外面(儿)架子〕 wàimiàn(r) jiàzi 명 겉만 번드르르한 사람. 겉모습을 꾸미는 사람.

〔外面(儿)皮儿〕 wàimiàn(r) pír 명 표면. 겉.

〔外母〕 wàimǔ 명 장모. =〔丈zhàng母娘〕

〔外奶奶〕 wàinǎinai 명 〈方〉 외조모. 외할머니《호칭으로 부르는 말》.

〔外男〕 wàinán 명 ⇨〔外甥①〕

〔外袍〕 wàipáo 명 겉옷 위에 입는 두루마기 모양의 옷.

〔外胚层〕 wàipēicéng 명《生》 외배엽(外胚葉).

〔外皮〕 wàipí 명 ①외피. ②겉포장. ③뚜껑. 커버.
〔外片〕 wàipiān 명 〈簡〉 외국 영화 필름(‘外国片子’의 약칭).
〔外撇子〕 wàipiězi 명 〈俗〉 따돌림을 받는 사람. 비뚤어진〔빙퉁그러진〕 사람.
〔外婆〕 wàipó 명 〈方〉 ⇨〔外祖母〕
〔外婆家〕 wàipójiā 명 ⇨〔外祖家〕
〔外戚〕 wàiqī 명 ①〈文〉 황제의 모친, 황후의 친척. ②외가나 처가의 일족. ‖ =〔外亲②〕〔外舍〕〔外属②〕
〔外企〕 wàiqǐ 명 《經》 외국 자본 기업.
〔外气〕 wàiqi 〈方〉 동 사양하다. 형 (잘 모르는 사람이어서) 스스럽다. 서먹서먹〔서름서름〕하다. ¶ 谁都不用～; 아무도 어려워할 것은 없다.
〔外签〕 wàiqiān 명 책의 표제(表題).
〔外钱〕 wàiqián 명 ⇨〔外快(儿)〕
〔外欠〕 wàiqiàn 명 ①꾸어 준〔빌려 준〕 돈. ¶～草账; 외상 장부〔매출장〕. ②꾸어 준〔빌려 준〕 돈의 잔액. 외상 잔액. ¶除收若干, ～若干; 조금 받은 이외에, 받을 돈이 약간 남아 있다. ③다른 사람에게서 꾼 돈.
〔外腔〕 wàiqiāng 명 타지방의 사투리.
〔外强中干〕 wài qiáng zhōng gān 〈成〉 겉은 강해 뵈지만 속은 빔. 굴퉁이. 횃대밑 사내.
〔外侨〕 wàiqiáo 명 외국인 거류민.
〔外切多边形〕 wàiqiē duōbiānxíng 명 《數》 원에 외접하는 다각형. =〔外接(多边)形〕
〔外切球〕 wàiqiēqiú 명 ⇨〔外接圆〕
〔外切形〕 wàiqiēxíng 명 《數》 원에 외접하는 삼각형 이상의 다각형.
〔外切圆〕 wàiqiēyuán 명 ⇨〔外接圆〕
〔外亲〕 wàiqīn 명 ①여계(女系)의 혈통에 속하는 친족. =〔外属①〕 ② ⇨〔外戚qī〕
〔外勤〕 wàiqín 명 ①외근. ¶跑～; 밖으로 나돌다. 외근을 하다 / ～记者; 외근 기자. ②외근자.
〔外勤工作〕 wàiqín gōngzuò 명 ⇨〔外业〕
〔外倾〕 wàiqīng 명동 외향(하다).
〔外请的〕 wàiqǐngde 명 얻어 기른 자식. 양자.
〔外请着〕 wàiqǐngzhe 동 〈俗〉 밖으로 나가 주십시오. 저리로 가 주십시오(친절한 말투로 사람을 쫓아보내는 표현). ¶别在这儿嚷嚷rāngrāng, ～吧; 여기서 와글와글하지 말고, 저리로 가십시오.
〔外区干部〕 wàiqū gànbù 명 ⇨〔外来干部〕
〔外曲线球〕 wàiqūxiànqiú 명 《體》 (야구의) 아웃커브(out curve).
〔外燃汽锅〕 wàirán qìguō 명 외연 보일러.
〔外人〕 wàirén 명 ①모르는 사람. 남. 제삼자. ¶也不是～; 남이라고 할 수도 없다 / 今天没有～, 都是自己人; 오늘은 제삼자는 없다, 모두 동료이다 / 不可与～道; 모르는 사람〔남〕에게는 말할 수 없다. ②외국인. =〔外国人〕 ③외부 사람. 관계없는 사람. ④타지 사람. ‖ =〔外头人〕
〔外任〕 wàirèn 명 ⇨〔外官〕
〔外丧〕 wàisāng 명동 〈俗〉 객사(하다).
〔外纱〕 wàishā 명 외국제 면사(綿絲).
〔外伤〕 wàishāng 명 《醫》 외상.
〔外商〕 wàishāng 명 외상. 외국 상인.
〔外设〕 wàishè 명 《電算》 주변 기기.
〔外舍〕 wàishè 명 ⇨〔外戚qī〕
〔外身〕 wàishēn 명 몸의 외용(外容). 몸의 겉모양.
〔外肾〕 wàishèn 명 《生》 (남자의) 고환. 불알. =〔睾gāo丸〕
〔外生〕 wàishēng 명 생질(甥姪). 누이의 아들.
〔外省〕 wàishěng 명 ①다른 성(省). ②수도가 있는 성(省) 이외의 성.
〔外甥〕 wàisheng 〔wàishēng〕 명 ①생질. 자매의 아들. ¶～女儿; ⓐ생질녀. ⓑ외손녀 / ～女婿; 외손녀 사위(딸의 사위). =〔外男〕 ②시누이의 아들. ③외손자. =〔外孙(子)〕
〔外史〕 wàishǐ 명 ①주대(周代), 지방에 공포하는 왕명(王命)이나 지방지(誌) 등을 쓰던 관리. ②옛날의 야사(野史)·소설류(類). ③문인(文人)이 흔히 쓰는 별호의 일종(‘○○～’처럼 씀).
〔外事〕 wàishì 명 ①외교 사무. ¶～机关; 외교 사무 기관 / ～工作; 외교 사업 / ～办公室; 외사 사무실 / ～处chù; (조직·기관의) 외사계. ②바깥일. 남의 일. 남의 집 일. ③분수에 맞지 않는 일. ¶不贪tān～; 분수에 안 맞는 일은 하지 않는다.
〔外势〕 wàishì 명 ①〈文〉 외세. 외부의 세력. ② ⇨〔外头①〕
〔外饰〕 wàishì 〈文〉 동 외식하다. 겉을 꾸미다. 명 외모. 외관.
〔外室〕 wàishì 명 〈文〉 자기 집 밖에서 사는 정부(情婦). 첩(妾).
〔外手(儿)〕 wàishǒu(r) 명 (차의 운전이나 기계의 조종을 할 때, 차나 기계의) 오른쪽. =〔外怀里①〕
〔外首〕 wàishǒu 명 〈方〉 ⇨〔外头①〕
〔外书房〕 wàishūfáng 명 ‘外院①’에 있는 서재(書齋).
〔外属〕 wàishǔ 명 ① ⇨〔外亲①〕 ② ⇨〔外戚〕
〔外水〕 wàishuǐ 명 ①뜻밖의 이익. 부수입. ②커미션. 뇌물.
〔外四路儿〕 wàisìlùr 명 ①남이 싫어하는 사람. (남에게) 소외되는〔따돌림을 받는〕 사람. ②관계가 먼 사람. 소원한 사람.
〔外送〕 wàisòng 동 밖으로 보내다. 배달하다. ¶～的菜饭; 배달 도시락.
〔外宿〕 wàisù 명동 외박(하다). ¶外出、～、旅行的自由; 외출·외박·여행의 자유.
〔外祟〕 wàisuì 명 ①자기 집 사람 이외의 망령(亡靈). ②밖으로부터의 재앙. ③귀찮게 달라붙는 것. 집념이 강한〔앙심 깊은〕 사람.
〔外孙女(儿)〕 wàisūnnǚ(r) 명 외손녀.
〔外孙(子)〕 wàisūn(zi) 명 출가한 딸의 아들. 외손자. ¶～女; 출가한 딸의 딸 자식. 외손녀. =〔外甥③〕
〔外胎〕 wàitāi 명 (자전거·자동차의) 타이어. →〔外带①〕〔内胎〕〔整胎〕
〔外滩〕 Wàitān 명 《地》 와이탄(상하이(上海)의 황푸 강안(黄浦江岸) 일대의 땅 이름).
〔外逃〕 wàitáo 동 ①〈文〉 외국으로 달아나다. ② ⇨〔外溢yì②〕
〔外套(儿)〕 wàitào(r) 명 ①외투. 오바. →〔大衣〕 ②반코트. ③청조(清朝)의 예복.
〔外厅〕 wàitīng 명 로비(lobby).
〔外听道〕 wàitīngdào 명 《生》 외이도(外耳道).
〔外头〕 wàitou 명 ①외부. 밖. ¶～屋子; 바깥 방 / ～院儿; 바깥 마당. =〔〈方〉 外势②〕〔〈方〉 外首〕 ②바깥쪽.
〔外头撑着〕 wàitou chēngzhe 체면을 차리다. 외관을 꾸미다. 겉모양을 보기 좋게 하다. ¶那个人虽然～很有钱的样子, 其实内瓤很穷; 저 사람은 겉모양은 돈이 대단히 많아 보이지만, 실은 아주 궁하다.

〔外头的〕 wàitoude 명 〈方〉 남편. 바깥 양반. ¶打算替我们~买一件毛衣; 우리 바깥 양반한테 스웨터를 하나 사 드릴 생각이다. ↔〔里lǐ头的〕
〔外头人〕 wàitourén 명 ⇨〔外人〕
〔外王父〕 wàiwángfù 명 ⇨〔外祖父〕
〔外王母〕 wàiwángmǔ 명 ⇨〔外祖母〕
〔外围〕 wàiwéi 명 ①주위. =〔周围〕 ②외곽. ¶~组织; 외곽 조직.
〔外围赛〕 wàiwéisài 명 《體》 원정 경기.
〔外文〕 wàiwén 명 외국어. ¶~排字机; 구문(歐文) 라이노타이프(linotype). 자동 외국어 식자기(植字機) / ~书店; 외국어 서적을 파는 서점.
〔外翁〕 wàiwēng 명 ⇨〔外祖父〕
〔外五六〕 wàiwǔliù 명 ⇨〔外国流子〕
〔外侮〕 wàiwǔ 명 외모. 외부로부터 받는 모욕〔치욕〕. ¶抵御~; 외국의 모욕과 압박에 저항하다.
〔外务〕 wàiwù 명 ①외무. 외국과의 교섭 사무. ②직무〔직권〕 외의 일. ③〈俗〉 외도. 난봉. 바람기. ¶他那么大年纪还有~, 真没法子说了; 저 사람은 그렇게 나이를 먹고도 아직까지 바람기가 있으니, 정말 할 말이 없다.
〔外骛〕 wàiwù 동 〈文〉 ①신분에 어울리지 않는 짓을 하다. 제 분수 밖의 일을 하다. ②마음이 흩어지다. 마음이 산만하다.
〔外弦〕 wàixián 명 '胡琴(儿)' 외측의 가는 현(弦).
〔外县〕 wàixiàn 명 타현(他縣). 다른 현. ¶他们都上~去了; 그들은 모두 다른 현으로 갔다.
〔外线〕 wàixiàn 명 ①《軍》 외선. ¶~作战; 외선 작전. 포위 작전. ②(전화 따위의) 외선. ¶你只要先拨一个'零'就接通~了; 먼저 '0' 번을 돌리시면 외선에 연결이 됩니다. ③《體》 아우트라인. 외곽선.
〔外乡〕 wàixiāng 명 타향. 딴 지방. ¶~口音; 딴 지방의 말씨.
〔外向坐〕 wàixiàngzuò 바깥쪽을 향해 앉다(방의 정면에 자리를 차지하다).
〔外项〕 wàixiàng 명 ①다른 수입. 별도 수입. ¶他的薪水虽然少, 可是~很多; 그의 봉급은 비록 적지만, 가외(加外) 수입은 대단히 많다. ②《數》 외항.
〔外销〕 wàixiāo 명 외국으로의 판로(販路). 국외 판매〔수출〕. ¶~物资; 국외 판매 물자 / ~市场; 외국 시장. 동 생산품을 외국이나 타지방으로 팔다.
〔外邪〕 wàixié 명 《漢醫》 심신을 해치는 외계의 사물. 외부로부터 오는 사악(邪惡).
〔外心〕 wàixīn 명 ①두 마음. 딴 마음. 배심(背心). ¶我相信她不会有~; 그녀가 변심하는 일 따위는 없으리라 믿는다. ②《數》 외심.
〔外姓〕 wàixìng 명 ①본종족(本宗族) 이외의 성(姓). 동성(同姓) 이외의 성. 다른 성. ¶女子总是~人; 여자는 모두 다른 집안 사람이다. ②성이 다른 사람.
〔外兄〕 wàixiōng 명 〈文〉 처의 오빠. 손위 처남.
〔外兄弟〕 wàixiōngdì 명 ①아버지가 다른〔각성바지〕 형제. ②아버지 자매 및 어머니 형제 자매의 아들.
〔外烟〕 wàiyān 명 외국 담배.
〔外延〕 wàiyán 명 《哲》 외연(개념이 미치는 범위).
〔外焰〕 wàiyàn 명 《化》 바깥 불꽃. 산화 불꽃.
〔外秧儿〕 wàiyāngr 명 ①자기의 단체〔동족〕 이외의 사람. ②타성(他姓)에서 양자로 들어온 자.
〔外扬〕 wàiyáng 동 (일이 외부에 널리) 전파되다. 퍼지다. 외부에 발설하다〔퍼뜨리다〕. ¶臭名~; 못된〔나쁜〕 평판이 밖에 퍼지다 / 家丑不可~; 집안의 좋지 않은 일은 외부에 퍼뜨려서는 안 된다.
〔外洋〕 wàiyáng 명 〈文〉 해외. 외국. ¶他是~留学生; 그는 외국 유학생이다.
〔外爷〕 wàiyé 명 ⇨〔外祖父〕
〔外业〕 wàiyè 명 출장해서 보는 업무. 외부 근무. =〔外勤工作〕
〔外衣〕 wàiyī 명 ①겉옷. 코트(coat). 상의. ¶他穿上了羊皮~; 그는 양가죽으로 만든 겉옷을 입었다. ②본질을 숨기는 것. 허울. 탈.
〔外医〕 wàiyī 명 외과 의사.
〔外溢〕 wàiyì 동 ①밖으로 넘쳐 나오다. ②국외로 유출하다. ¶过去是古物不断~; 이제까지는 옛 물건이 계속 국외로 유출되고 있었다 / 资金~; 자금이 외국으로 흘러나가다. =〔外逃②〕
〔外翳〕 wàiyì 명 《漢醫》 외장안(外障眼). 백내장.
〔外因〕 wàiyīn 명 《哲》 외인. 외부의 원인. 외적 요인. ↔〔内nèi因〕
〔外膺〕 wàiyīng 동 〈文〉 외부로부터 임명되다. 밖에서 추천되다.
〔外营〕 wàiyíng 명 옛날, 성 밖을 경비하는 무관 주재소(駐在所).
〔外用〕 wàiyòng 명 옛날, 관리가 지방관으로 임명되는 일. 명동 《藥》 외용(하다).
〔外用药〕 wàiyòngyào 명 《藥》 외용약.
〔外忧〕 wàiyōu 명 〈文〉 외우. 외부에서 오는 걱정.
〔外游〕 wàiyóu 동 외국을 유람하다. 외국에 유학하다. 외유하다. 명 외유.
〔外语〕 wàiyǔ 명 외국어. ¶~学院; 외국어 대학. =〔外文〕〔外国语〕
〔外域〕 wàiyù 명 〈文〉 외국.
〔外遇〕 wàiyù 명 〈文〉 ①정식이 아닌 남녀 관계. ②〈轉〉 정부(情夫·情婦). ‖ =〔外欢〕〔外恋〕
〔外圆角铣刀〕 wàiyuánjiǎo xǐdāo 명 《機》 모깎기 프레이즈반(fraise盤). 모따기 밀링 커터(corner rounding cutter).
〔外圆磨床〕 wàiyuán móchuáng 명 《機》 평연삭기(平研削機).
〔外圆内方〕 wài yuán nèi fāng 〈成〉 외유 내강(外柔內剛).
〔外援〕 wàiyuán 명 외부로부터의 원조. 외국으로부터의 원조.
〔外援球员〕 wàiyuán qiúyuán 명 《體》 (구기 종목에서의) 용병(傭兵).
〔外院〕 wàiyuàn 명 ①앞뜰('里院(儿)'에 대한 일컬음). ②〈簡〉 '外语学院' (외국어 대학)의 약칭.
〔外在〕 wàizài 명동 외재(하다). ¶~的原因; 외재적인 원인.
〔外贼好挡, 家贼难防〕 wàizéi hǎo dǎng, jiāzéi nán fáng 〈諺〉 밖으로부터의 도둑은 막기 쉬우나, 집안의 도둑은 막기 어렵다.
〔外赠〕 wàizèng 동 별도로 드리다. 덤으로 주다. 경품을 붙이다. ¶买百元之物, ~抽彩票一张; 백 원어치 사실 때마다 추첨권 한 장 증정.
〔外宅〕 wàizhái 명 ①집의 바깥 마당. ②⇨〔外家②〕
〔外债〕 wàizhài 명 외채. 외국으로부터의 차관(借款).
〔外展神经〕 wàizhǎn shénjīng 명 《生》 외전(外轉) 신경.
〔外栈〕 wàizhàn 명 ①타사(他社)의 창고. ②타사

창고에 보관시켜 둔 상품. ¶～单; (창고업자가 발행한) 보관 상품의 창고 증권.
〔外长〕 wàizhǎng 명 〈簡〉 외무 장관(‘外交部长’의 약칭). ¶～会议; 외상(外相) 회의.
〔外掌柜的〕 wàizhǎng guìde 명 가게의 외무원. 외무 사원의 우두머리.
〔外找(儿)〕 wàizhǎo(r) 명 ①정당한 수입 이외의 수입. 부수입. ②뇌물. 커미션. ¶我一个月还没你挣得多, 得吃得穿得养家, 就仗着点～《老舍 駱駝祥子》; 나는 한 달 벌이는 너만큼은 못 되지만, 먹고 입고 처자식을 부양해야 하니까, 얼마간의 뇌물에 의존하고 있지. ‖ =〔外找项〕 동 문 밖에서 누군가가 찾다.
〔外找项〕 wàizhǎoxiàng 명 ⇨〔外找(儿)〕
〔外罩(儿)〕 wàizhào(r) 명 옷 위에 걸쳐 입는 겉옷. 덧옷.
〔外症〕 wàizhèng 명 《醫》 피부병. 외증.
〔外侄〕 wàizhí 명 내외종 오촌 조카.
〔外痔〕 wàizhì 명 《醫》 외치. 수치질.
〔外传〕 wàizhuàn 명 외전(전기(傳記)의 일종. 일화 등을 중심으로 쓴 것).
〔外妆儿〕 wàizhuāngr 명 외관(外觀). 겉(보기). 겉모양.
〔外资〕 wàizī 명 외자. 외국의 자본.
〔外子〕 wàizǐ 명 〈文〉 ①(남에게 자기 남편을 가리켜) 우리 집 양반. 제 남편. ¶以～为例…; 제 남편을 예로 들면…. ②여성의 자칭. ③정부(情婦)가 낳은 자식.
〔外族〕 wàizú 명 〈文〉 ①외족. 종족(宗族)이 다른 사람. ②외국인. 본국인 이외의 사람. ③이민족. 타민족.
〔外祖〕 wàizǔ 명 외조. 외가 쪽의 조부모.
〔外祖父〕 wàizǔfù 명 외조부. 외할아버지. =〔外大父〕〔外公〕〔外王父〕〔外翁〕〔外爷〕〔大父②〕
〔外祖家〕 wàizǔjiā 명 외가. 어머니의 친정. =〔外婆家〕〔外家①〕〔姥姥lǎolao家〕
〔外祖母〕 wàizǔmǔ 명 외조모. 외할머니. =〔外妈〕〔外婆〕〔外王母〕
〔外祖姨母〕 wàizǔ yímǔ 명 이모할머니. 외조모의 자매.

咊 wài (외)
①대 〈方〉 저. 저것. ¶～样子; 저 모양. ②여보(시오). 이봐(말을 건넬 때나 사람을 부를 때 쓰는 말). ¶～! 敢跟我们比赛吗? 이봐! 감히 우리와 경쟁하겠다는 건가? ③조 문말(文末) 긍정의 어기사(語氣詞). ¶我把你说的这个道理都记下～; 난 당신이 말씀하는 이 도리란 것을 잘 기억해 두겠소/哎aī哟, ～! 어머나 저런!

WAN ㄨㄢ

弯(彎) wān (만)
①형 구부러져〔굽어져〕 있다. ¶树枝都被雪压～了; 나뭇가지가 눈의 무게로 휘어져 버렸다/～棍子; 구부러진 몽둥이/～道路; 굽은 길. ②동 구부리다. 굽히다. ¶～着身子; 몸을 구부리고 있다/～着指头算; 손꼽아 세다/把铁丝儿～过来; 철사를 구부리다. ③명 구부러져 있는 부분. 모퉁이. ¶转～抹角; ⓐ꼬불꼬불 길을 가다. ⓑ말을 에둘러서 하다. ④동 〈文〉 활을 당기다. ⑤동 정박(碇泊)하다. =〔湾③〕
〔弯把锯〕 wānbàjù 명 손으로 당겨 켜는 톱.
〔弯脖儿〕 wānbór 명 목이 굽은 것. ¶～喇叭; 양뿔 나팔. 동 목을 구부리다.
〔弯尺〕 wānchǐ 명 T자(字) 또는 L자형의 자. =〔矩jǔ尺〕
〔弯道〕 wāndào 명 ①굽은길. ②《體》 (육상 트랙의) 만곡된 부분. 커브(curve). 코너(corner). ¶速滑的～和直线技术; 스피드 스케이트의 커브와 직선 코스의 기술.
〔弯地〕 wāndì 명 굴곡되어 있는 땅.
〔弯耳刀(儿)〕 wān'ěrdāo(r) 명 병부절 ‘卩’(한자 부수의 하나).
〔弯弓〕 wāngōng 동 활을 당기다. (wāngōng) 명 (～儿) 만곡한 것. 휘어진 물건.
〔弯钩〕 wāngōu 명 갈고랑이.
〔弯管〕 wānguǎn 명 《機》 ①곡관(曲管). 앵글 파이프. 관(管) 연결쇠. ¶活节～; 소켓 파이프 이음관/回转～; U자형 관(管)이음. ②엘보(elbow). 벤드(bend). =〔弯头②〕
〔弯轨机〕 wānguǐjī 명 《機》 레일을 구부리는 기계.
〔弯回去〕 wānhuíqu 동 ①유턴(U-turn)하다. 되돌다. 되짚어 오다. ②뒷걸음질치다. ¶因为那件事他～了; 그 일로 그는 꽁무니를 뺐었다.
〔弯路〕 wānlù 명 구부러진 길. 우회로. 〈比〉 (방식을 몰라서) 일·학습 따위를 틀린 방법으로 함. ¶少走～; 되도록 우회로를 피하다.
〔弯眉〕 wānméi 명 초승달 모양의 눈썹. 가느다랗고 예쁜 눈썹.
〔弯曲〕 wānqū 형 만곡하다. 꼬불꼬불하다. 굽어 똑바르지 않다.
〔弯曲管缘机〕 wānqūguǎnyuánjī 명 《機》 관의 가장자리를 구부리는 도구.
〔弯曲喇叭〕 wānqū lǎba 명 《樂》 커브드 혼(curved horn).
〔弯曲曲(的)〕 wānqūqū(de) 형 꼬불꼬불 구부러진 모양. 만곡한 모양.
〔弯儿〕 wānr 명 굽어져 있는 곳. 모퉁이. 〈比〉 구부러져 복잡해서 알기 어려움. 엄펑소니. 속임수. 농간. ¶他弄出些个～来了; 그는 여러 수법을 썼다/总绕不过～来; ⓐ아무래도 모퉁이를 돌 수 없다. ⓑ무슨 얘기인지 모르겠다. =〔弯子〕〔湾子②〕
〔弯手〕 wān shǒu 동 ①손을 깍지끼다. 손을 굽히다. ②소매를 걷어올리다.
〔弯头〕 wāntóu 명 ①모퉁이. ② ⇨〔弯管②〕
〔弯弯扭扭〕 wānwanniǔniǔ 형 꾸불꾸불한 모양.
〔弯弯曲曲〕 wānwanqūqū 형 ①꼬불꼬불 꼬부라지다. ¶这条道路～的不好认; 이 길은 꼬불꼬불해서 찾기 어렵다. ②바로 이야기하지 않고 빙 둘러서 말하는 모양. ¶他那个人的心眼儿很多, ～的地方儿真多; 저 사람은 심보가 매우 음험해서 빙 둘러서 말하는 일이 대단히 많다. ③〈比〉 솔직하지 않다. 꽁한 감정이 있다. ¶他说话行事总是～的深沉难测; 그의 말이나 행동은 솔직하지 않아 추측하기 어렵다. ‖ =〔曲里拐弯〕〔曲流拐弯儿〕〔曲曲弯弯〕
〔弯弯折折〕 wānwanzhézhé 형 꾸불꾸불 굽은 모양.
〔弯腰〕 wān,yāo 동 ①허리를 구부리다. ¶他～捡jiǎn了一块石头; 그는 허리를 굽혀 돌을 하나 주웠다. ②허리를 굽혀 인사를 하다. ¶老头儿～了; 노인은 허리를 굽혀 절을 했다.

〔弯月〕 wānyuè 명 구붓하게 된 달(초승달·그믐달 따위).
〔弯转〕 wānzhuǎn 동 ①(탐색·찾는 데) 시간〔품〕을 들이다. 번거로운 일을 하다. ②도려〔에어〕 내다.
〔弯子〕 wānzi 명 ⇨〔弯儿〕
〔弯子转子〕 wānzi zhuǎnzi 명 이런저런 흉계. 남모르는 못된 꾀. ¶你得děi留神这个人, 他～的太多; 저 사람을 조심해라, 잔꾀가 너무 많으니까.

湾(灣) wān (만)
①명 물굽이. ¶河～; 강의 물굽이. ②명 만. 후미. ¶海hǎi～; 해안의 만/大连～; 다롄 만(大連灣). ③동 정박(碇泊)하다〔시키다〕. ¶把船～在那边; 배를 그 곳에 정박시키다/今天在这里～一天; 오늘은 여기서 하루 정박한다. =〔弯⑤〕
〔湾泊〕 wānbó 동 정박하다. =〔湾船〕
〔湾船〕 wānchuán 동 ⇨〔湾泊〕
〔湾舌头〕 wānshétou 명 〈南方〉 입에 발린 말을 잘 하는 것〔사람〕.
〔湾转〕 wānzhuǎn 동 여러 가지로 애를 써서 찾다. 여러 가지로 궁리해서 하다. ¶各处～; 찾아(서) 돌아다니다/别管是谁, 咱们都～的了来; 누구든 상관없다, 우리는 찾아 낼 수 있으니까.
〔湾子〕 wānzi 명 ①만. 후미. ②⇨〔弯儿〕

塆(壪) wān (만)
명 골짜기의 좁은 분지(盆地)(주로 지명으로 쓰임).

剜 wān (완)
동 ①날붙이로 도려 내다〔파다〕. ¶把木板～一个槽cáo儿; 판대기에 홈을 한 줄기 파다/拿匙子把瓤ráng儿～出来; 숟가락으로 오이 속을 도려 내다. ②삽으로 흙을 파 젖히다. ¶～地; 땅을 파 젖히다.
〔剜补〕 wānbǔ 동 한쪽을 도려 내어 다른 한쪽을 메우다.
〔剜菜〕 wāncài 동 야채를 캐내다.
〔剜刀〕 wāndāo 명 구멍을 넓히는 기구.
〔剜孔〕 wānkǒng 동 구멍을 뚫다.
〔剜门子〕 wān ménzi 연줄을 구하다〔찾다〕.
〔剜蛐蟮〕 wān qūshan 지렁이를 파내어 잡다.
〔剜肉剥皮〕 wān ròu bāo pí 〈成〉 살을 도려 내고 가죽을 벗기다(무자비하다).
〔剜肉补疮〕 wān ròu bǔ chuāng 〈成〉 살을 도려 내어 상처를 메우다. 임시 변통하다. ¶靠借债还债这是～的方法; 빚을 내어 빚을 갚는 것은, 살을 도려 내어 상처에 붙이는 것과 같다. =〔剜肉医疮〕〔挖肉补创〕
〔剜肉医疮〕 wān ròu yī chuāng 〈成〉 ⇨〔剜肉补疮〕
〔剜腾〕 wānteng 동 (여기저기) 찾다.
〔剜削〕 wānxiāo 동 깎아 내다. 도려〔에어〕 내다.
〔剜心眼儿〕 wān xīnyǎnr 마음을 세세한 데까지 쓰다.
〔剜眼剥皮〕 wān yǎn bāo pí 〈成〉 눈알을 도려 내고 살가죽을 벗기다(인정 사정 없는 가혹한 조치를 이름).
〔剜着疼〕 wānzheténg 도려 내듯이 아프다. ¶我的牙～; 나는 이가 쑤신다.
〔剜转〕 wānzhuǎn 동 ①도려〔에어〕 내다. 파내다. ②백방으로 손을 써서 찾아 내다. ¶这个稀罕物儿, 你从哪儿～来的? 이 희한한 것을 어디서 찾아 왔지?/你给我～一个合适的助手, 那才对工作有好处呢; 좋은 조수를 한 사람 물색해 주십시오, 그러면 일하는 데 도움이 되겠습니다.
〔剜转人情〕 wānzhuǎn rénqíng 인간사의 미묘한 움직임을 감지(感知)하다. 인정에 매달리다.

帵 wān (완)
→〔帵子〕
〔帵子〕 wānzi 명 〈方〉 옷을 마르고 남은 천조각. 자투리.

蜿 wān (원)
→〔蜿蜒〕〔蜿展喇叭〕
〔蜿蜒〕 wānyán 형 ①꿈틀거리며 가는 모양. ②〈轉〉 꾸불꾸불 이어진 모양. ¶一条～的小路; 꾸불꾸불하고 긴 한 줄기의 작은 길/溪水～而流; 계곡의 시냇물이 꾸불꾸불 흐른다.
〔蜿展喇叭〕 wānzhǎn lǎba 명 《樂》 플러링 혼(flurring horn).

豌 wān (완)
→〔豌豆〕
〔豌豆〕 wāndòu 명 《植》 완두. =〔戎róng菽〕
〔豌豆包儿〕 wāndòubāor 명 완두 껍질.
〔豌豆糕〕 wāndòugāo 명 완두 과자.
〔豌豆黄儿〕 wāndòuhuángr 명 완두떡(완두콩 가루와 설탕을 섞어 쪄서 만듦).
〔豌豆苗儿〕 wāndòumiáor 명 완두 싹.
〔豌豆象〕 wāndòuxiàng 명 《蟲》 완두 바구미.
〔豌花〕 wānhuā 명 《染》 쪽빛의 물감(윈난(雲南)·구이저우(貴州)에서 남).

丸 wán (환)
①(～儿, ～子) 명 작고 둥근 것. ¶弹dàn～; 탄알. ②명 환약. ¶木溜油～; 크레오소트 환약. =〔药丸〕 ③동 〈文〉 둥글게 만들다. ④양 알. 환(환약을 세는 단위). ¶一～药; 환약 한 알.
〔丸剂〕 wánjì 명 《藥》 환약. →〔片piàn剂〕
〔丸泥〕 wánní 명 ①〈文〉 둥글려 만든 하나의 진흙. ②〈轉〉 극히 적은 병력(兵力).
〔丸散膏丹〕 wán sǎn gāo dān 《藥》 약의 총칭(환약·가루약·고약·단약).
〔丸熊〕 wánxióng 명 《藥》 웅담(熊膽)의 환약.
〔丸药〕 wányào 명 《漢醫》 환약. 알약.
〔丸子〕 wánzi 명 ①둥글게 환친 것. ¶蜡～; 밀랍에 싼 알약. 밀랍을 둥근 단자 모양으로 뭉친 것. ②고기 다진 것을 가루에 섞어서 단자로 만든 것. ¶肉～; 고기 단자. 양 알. 환(환약을 세는 단위). ¶一次吃三～; 1회에 3알 먹다.

汍 wán (환)
→〔汍澜〕
〔汍澜〕 wánlán 형 〈文〉 눈물을 흘리며 우는 모양.

芄 wán (환)
→〔芄兰〕
〔芄兰〕 wánlán 명 《植》 〈文〉 박주가리. =〔萝luó藦〕

纨(紈) wán (환)
명 〈文〉 누빈 비단. 질 좋은 견직물. ¶～扇; ⇩
〔纨绔(子)〕 wánkù(zi) 명 ⇨〔纨袴〕
〔纨袴〕 wánkù 명 〈文〉 ①귀족 자제가 입었던 누빈 비단의 바지. 〈比〉 부자의 화려한 복장. ②〈轉〉 귀족의 자제. ¶～子弟; 〈成〉 세상일에 어두

운 상류 가정의 자제. 고생을 모르는 도련님. ‖ =〔纨裤〕〔纨绔(子)〕

〔纨裤〕 **wánkù** 명 ⇨〔纨绔〕

〔纨牛〕 **wánniú** 명 《動》 송아지.

〔纨扇〕 **wánshàn** 명 (고급 비단) 부채.

〔纨素〕 **wánsù** 명 누인 흰 비단.

刓 **wán** (완)
동 ①〈文〉 모서리를 깎아 내다. 목귀〔연귀〕를 내다. ¶ ～方以为圆兮; 네모진 것을 깎아서 둥글게 만들다. ②도려 내다. ¶ 黄杨根子整～的十个大套杯; 회양목의 뿌리를 곱게 에어서 만든 10개의 세트로 된 큰 술잔.

抏 **wán** (완)
동 〈文〉 ①(기세를) 꺾다. ②소모하다. 닳게 하다. 마멸시키다.

玩〈顽A), 翫B)〉 **wán** (완)
A) (～儿) 동 ①놀다. 장난치다. ¶ 做什么～? 무얼 하며 놀고 있니? / ～平转椅; 회전그네를 타고 놀다 / ～年年转儿; 팽이를 돌리고 놀다. ②놀이를〔게임을〕 하다. ¶ ～儿足球; 축구를 하다 / ～儿扑克; 카드 게임을 하다. ③(수단 등을) 부리다. 쓰다. ¶ ～手段; 수작을 부리다 / 不知～儿的是什么招儿? 무슨 농간을 부렸을까? ④객(客)이 되다. ¶ 有空请到我家来～; 틈이 있으시면 부디 저희 집에 놀러 오십시오. ‖ =〔顽④〕
B) ①동 완상(玩賞)〔관상〕하다. ¶ ～月; ⇩ / 游～; 유람하다. ②명 완상의 대상이 되는 것. ¶ 古～; 골동품. ③동 경시하다. 깔보다. 불성실한 태도로 대하다 / ～法; ⇩ ④놀잇감.

〔玩不得〕 **wánbude** ①농담해서는 안된다. ②가벼이 볼 수 없다.

〔玩不转〕 **wánbuzhuǎn** 동 미처〔일일이〕 대응을 못하다. 다 처리 못 하다.

〔玩法〕 **wánfǎ** 동 법을 경시(輕視)하다. ¶ ～的人迟早有一天自踏法网; 법을 우습게 아는 사람은 조만간 그 자신이 법망에 걸려든다.

〔玩杠子〕 **wángàngzi** 명 (기계 체조처럼) 봉(棒)에 매달려서 하는 곡예.

〔玩好〕 **wánhào** 명 애완물(愛玩物). 취미를 붙이고 있는 것.

〔玩猴儿〕 **wán hóur** 깔보다. 비웃다. 놀리다. 조롱하다.

〔玩忽〕 **wánhū** 동 경시하다. 등한히〔소홀히〕 하다. ¶ ～职守; 직무를 소홀히 하다. =〔顽忽〕〔忽视〕

〔玩花腔〕 **wán huāqiāng** ①묘한 말이나 색다른 짓을 하다. ②심술궂은〔짓궂은〕 짓을 하다.

〔玩花头〕 **wán huātou** ①여러 가지로 수단을 농(弄)하다. 책략〔트릭〕을 쓰다. ②새로운 것을〔색다르게〕 하다. 취향을 바꾸다. ‖ =〔玩花样〕

〔玩花样〕 **wánhuāyàng** ⇨〔玩花头〕

〔玩花招(儿)〕 **wán huāzhāo(r)** 교묘한 수단〔농간〕을 부리다. 책략을 쓰다.

〔玩话〕 **wánhuà** 명 농담(의 이야기). 우스갯소리. ¶ 不过是～, 不要信也; 농담으로 한 것에 불과하니 믿지 마라. =〔玩儿话〕

〔玩坏〕 **wánhuài** 동 가지고 놀다가 망가뜨리다. 장난쳐서 못 쓰게 만들다. =〔玩儿坏〕

〔玩火〕 **wán.huǒ** 동 불장난을 하다. 위험한 행위를 하다. ¶ 警告他国不要～; 불장난을 하지 말도록 타국에 경고하다 / ～行为; 불장난 행위.

〔玩火自焚〕 **wán huǒ zì fén** 〈成〉 불장난을 하여 스스로 타죽다. 자업 자득.

〔玩尖取巧〕 **wánjīan qǔqiǎo** 교활〔간사〕하다. ¶ 这么～, 这回可挖了根; 이렇게 교활하게 하다니 이번에는 뿌리를 뽑아야겠다.

〔玩景〕 **wánjǐng** 동 풍경을 즐기다.

〔玩具〕 **wánjù** 명 완구. (어린이의) 장난감.

〔玩抗〕 **wánkàng** 동 상명(上命)을 무시하고 거스르다.

〔玩乐〕 **wánlè** 명 놀이. 노는 일. 유흥. ¶ 只顾谈电影与～; 영화랑 노는 일을 이야기하는 데에만 정신을 팔다.

〔玩弄〕 **wánnòng** 동 ①가지고 놀다. ㉠우롱〔농락〕하다. 놀리다. 못된 장난을 하다. ¶ ～异性; 이성(異性)을 가지고 놀다. ㉡(이리저리) 만지작거리다. ¶ ～词句; 이리저리 말을 가지고 놀다 / ～诡辩; 궤변을 농하다 / 这篇文章除了～名词之外, 没有什么东西; 이 문장은 말장난을 하고 있을 뿐, 그 밖엔 아무것도 없다. ②부정한 수단·수법을 농하다. ¶ ～阴谋; 음모를 농하다 / ～花招; 술수를 부리다. =〔施展〕 ③까불다. 희롱거리다.

〔玩偶〕 **wán'ǒu** 명 어린애의 장난감 인형《천·흙·나무·플라스틱 따위로 만듦》. ¶ ～之家; 인형의 집《입센이 지은 희곡의 이름》.

〔玩皮〕 **wánpí** 형 장난꾸러기이다. 떼쟁이이다. 장난이 심하다. =〔顽皮〕

〔玩票(戏)〕 **wánpiào(xì)** 동 ⇨〔玩(儿)票〕

〔玩巧〕 **wánqiǎo** 형 솜씨가 교묘하다. 재주가 뛰어나다.

〔玩儿〕 **wánr** 동 ①놀다. ¶ 上海边儿上～去; 해안으로 놀러 가다 / 小孩子们在院子里～呢; 아이들이 뜰에서 놀고 있다 / ～高尔夫球; 골프를 치고 즐기다. ②가지고 놀다. 만지작거리다. ¶ 那不是随便～的东西; 저건 함부로 가지고 노는 물건이 아니다. ③희롱거리다. 까불다. 농(담)하다. ¶ 不是～的! 농담이 아니다! / 哪儿有出家人这么～的呢; 출가한 스님이 이런 엉터리짓을 하는 법이 있느냐. ④〈轉〉 (남녀가) 성교하다. 명 놀이. 장난. 농(담).

〔玩儿不开〕 **wánrbùkāi** (인원이 모자라거나 장소가 좁아서) 놀 수 없다.

〔玩儿不了〕 **wánrbùliǎo** 못 견디다. 견딜 수 없다. ¶ 这么冷的天气, 在外面站着真～; 이런 추운 날씨에 밖에 서 있다는 건 정말 견디지 못하겠다.

〔玩儿蛋去〕 **wánrdànqù** 썩 꺼져 버려라. 그만두어라. 죽어 버려라.

〔玩儿话〕 **wánrhuà** 명 ⇨〔玩话〕

〔玩儿坏〕 **wánrhuài** 동 만져〔만지작거려〕 망가뜨리다. 장난을 하여 일을 망치다. =〔玩坏〕

〔玩(儿)命〕 **wán(r)mìng** 동 〈口〉 목숨을 가볍게 보다. 죽음을 두려워하지 않는〔무모한〕 짓을 태연히 하다《해학의 뜻》.

〔玩儿屁〕 **wánrpì** 명동 괘사스러운 말〔짓〕(을 하다). 익살스러운 말〔짓〕(을 하다).

〔玩儿飘(儿)〕 **wánrpiāo(r)** 동 까불고 위태로운 짓을 하다. 익살을 떨다. ¶ 你拿那么多笼子, 别～, 留神掉地下; 너 그렇게 많은 접시를 들고 까불다가 떨어뜨리면 안 된다. =〔玩儿巧虚〕

〔玩(儿)票〕 **wán(r)piào** 동 ①여기(餘技)〔취미〕로 연극을 하다. ¶ ～戏; 취미로 하는 연극. 아마추어극. ②〈轉〉 무보수로 일을 하다. ‖ =〔玩票(戏)〕〔顽票〕

〔玩儿撇邪〕 **wánr piēxié** 장난치다. 까불다. 건방지게 굴다. 딴짓〔허튼짓〕하다.

〔玩儿巧虚〕 **wánr qiǎoxū** 동 ⇨〔玩儿飘(儿)〕

〔玩儿去〕 **wánrqù** 놀러 가다. 산책하러 가다.

〔玩(儿)完〕 wán(r)wán 동〈俗〉①못 쓰게 되다. 망치다. 실패하다. 잡치다(해학의 뜻을 포함). ¶不论什么要这么糟害也得～; 뭣이나 이렇게 마구잡이로 다루면 못 쓰게 된다. ②죽다.
〔玩儿鹞鹰〕 wánryàoyīng 해야 할 일을 하지 않고 빈둥빈둥 놀다.
〔玩(儿)硬〕 wán(r)yìng 동 강경 수단을 취하다. ¶不吃软的, 咱们就～的; 부드럽게 해서 듣지 않을 때에는, 우리는 강경한 방법으로 한다.
〔玩儿嘴〕 wánrzuǐ 동 ①말을 잘 하다. ②익살을 떨다. 재담을 하다.
〔玩山游水〕 wánshān yóushuǐ 산수를 유람하다. 관광 유람을 하다.
〔玩赏〕 wánshǎng 동 완상하다. 보고 즐기다. 관상(觀賞)하다. ¶园中有很多可供～的花木; 정원 안에는 관상용의 나무와 꽃이 많이 있다.
〔玩世〕 wánshì 동 ①세상을 농락하다. 세상을 우습게 여기다. ②세상의 일체의 형식을 경시(輕視)하다.
〔玩世不恭〕 wán shì bù gōng〈成〉세상에 불만을 품고 불성실하게 소극적인 태도를 취하다. =〔玩世不羁〕
〔玩视〕 wánshì 동 경시하다. 무시하다. ¶～警章; 경찰의 규칙을 무시하다.
〔玩耍〕 wánshuǎ 동 까불다. 희롱거리다. 놀다. 장난치다. ¶天热的时候, 孩子们喜欢在大树底下～; 날씨가 더운 때에는 아이들은 큰 나무 밑 그늘에서 놀기를 좋아한다. =〔顽耍〕
〔玩水枪〕 wán shuǐqiāng 물총을 가지고 놀다.
〔玩索〕 wánsuǒ 동 자세히 깊게 연구하다. 깊이 되씹어 참뜻을 찾다.
〔玩童〕 wántóng 명 개구쟁이. 장난꾸러기. =〔顽童〕
〔玩头〕 wántou 명 즐길거리. 놀거리.
〔玩违〕 wánwéi 동 (법령 따위를) 무시하다. ¶殊属～; 법령을 크게 위배하다〔어기다〕.
〔玩味〕 wánwèi 동 곰곰이 의미를 생각하다. 잘 음미하다. ¶他的话值得～; 그의 말은 잘 음미해〔되씹어〕 볼 만한 가치가 있다 / 这句俗语儿～一下子吧; 이 속담의 뜻을 한 번 잘 음미해 보시오.
〔玩物〕 wánwù 명 완상〔감상〕을 위하거나 즐거움을 주는 것.
〔玩物丧志〕 wán wù sàng zhì〈成〉좋아하는 것에 마음을 빼앗겨 진취적인 기개를 잃다. 신선 놀음에 도끼 자루 썩는 줄 모른다.
〔玩习〕 wánxí 동〈文〉잘 연구하여 실습하다.
〔玩戏〕 wánxì 동 장난치고 놀다. =〔顽戏〕
〔玩狎〕 wánxiá 동〈文〉허물 없이 갖고 놀다. 시시덕거리며 장난치다.
〔玩笑〕 wánxiào 명동 농담(하다). 장난(치다). ¶他开他们～; 그는 그들을 놀린다 / 他这是～, 你别认真! 그는 농담이니, 그렇게 정색할〔화낼〕 것 없네 / 开～; 까불다. 장난하다. 농하다. 놀리다. =〔顽笑〕
〔玩蝎子扒〕 wán xiēzipá〈比〉물구나무서서 걷다. 주저하다.
〔玩泄〕 wánxiè 동 시간을 허비하다.
〔玩延〕 wányán 동 질질 끌다. 망설이다. 태만하다.
〔玩艺儿〕 wányìr 명 ①⇨〔玩意儿〕 ②〈罵〉놈. 자식. ¶甘大伟是什么～! 감대위(甘大偉)라니 도대체 어느 개뼈다귀를 말하는 거야!
〔玩意儿〕 wányìr 명 ①〈口〉장난감. 취미로 갖고 노는 것. ②곡예. 기예. 놀이. ¶这个孩子已经会很多的～了; 저 아이는 이미 많은 재주를 부릴 줄 안다. ③물건. 것. 사물(어감이 가벼우며, 때로는 족히 문제삼을 것이 못 된다는 뜻을 내포함). ¶他手里拿的是什么～? 그가 손에 들고 있는 것이 무엇인가? / 这～不好对付; 이 물건은 주체스럽다 / 翻译文学不是简单的～; 문학의 번역은 간단한 일이 아니다 / 像照像机的那么个～; 사진기 같은 것 / 你歹什～? 너는 무얼 먹니? / 这～, 我可不能干! 이 따위 일은 나는 도저히 못 하겠단 말이야! ④흥미. 재미. 여흥(餘興). ¶唱～; 여흥의 노래를 부르다. ‖＝〔玩艺儿①〕〔顽意儿〕
〔玩月〕 wányuè 동 달구경하다.
〔玩主儿〕 wánzhǔr 명 애호가. 아마추어(amateur). ¶是～, 不是行háng贩; 취미로 하는 것이지, 장사는 아니다.

顽(頑) wán (완)

①형 어리석고 무지하다. 미련하다. ¶愚yú～; 우둔하다. ②형 고집스럽고 쉽게 변하지 않다. 완고하다. ¶～敌; 완강한 적. ③형 장난스럽다. 짓궂다. ¶～童; 장난꾸러기. 개구쟁이. ④동 ⇨〔玩A〕

〔顽痴〕 wánchī 형 완고하고 우둔하다.
〔顽敌〕 wándí 명 완강한 적.
〔顽钝〕 wándùn 형〈文〉①지둔(遲鈍)하다. 어리석고 재지(才智)가 무디다. ②의기 절조(意氣節操)가 없다. ③(칼이) 무디다. 예리하지 않다.
〔顽儿〕 wán'ér 명〈謙〉〈文〉어리석은 자식. 돈아(豚兒)(자기 아들을 낮추어 하는 말).
〔顽夫〕 wánfū 명〈文〉완고한 사람. 고집쟁이.
〔顽梗〕 wángěng 형 완미〔완고〕하다. ¶～不化; 완미하여 고칠 수가 없다.
〔顽固〕 wángù 〔wángu〕 형 ①완고하다. 완미하다. ¶老～; 벽창호 / ～不化; 융통성 없는 완고한 사람 / 脑筋～; 머리가 완고하다 / ～不变; 끝까지 고집을 버리지 않다 / 他很～, 不听别人的话; 그는 무척 완고해서 남의 말을 듣지 않는다 / 他这一次比任何一次都要～; 그는 이번에는 어느 때보다도 고집을 피우고 있다. ②완강하다. ¶～堡垒lěi; 견고한 보루. 〈比〉완강한 사람. ③반동적이다. 보수적이다. ¶～派; 보수 반동파.
〔顽忽〕 wánhū 동 소홀히 하다. ¶～职守; 직무를 소홀히 하다. =〔玩忽〕〔忽视〕
〔顽户〕 wánhù 명 ①벽창호. ②탐욕스러운 사람.
〔顽健〕 wánjiàn 형〈文〉〈謙〉건강하다(자신의 신체가 건강함을 낮추어 이름).
〔顽抗〕 wánkàng 동 완강히 저항하다. 완고하게 거부하다. 완강히 버티다. ¶他已经交代了, 你还要～? 그는 이미 말해 버렸는데, 넌 아직도 버티려는가? / 负隅～; 천험(天險)을 의지하여 완강히 저항하다. 어떤 조건을 믿고 끝까지 맞서다.
〔顽廉懦立〕 wán lián nuò lì〈成〉①완고 탐욕한 사람도 청렴해지고, 무기력한 사람도 발분하다(감화력이 크다). ②민중을 잘 지도하는 일.
〔顽劣〕 wánliè 형 완고하고〔고집스럽고〕 비열하다. ¶他～异常, 不喜读书; 그는 도무지 남의 말을 안 듣고 공부를 싫어한다.
〔顽陋〕 wánlòu 형 완고하고 야비하다. 우둔하고 비천하다.
〔顽鲁〕 wánlǔ 형 완미(頑迷)하고 우둔하다. 미련하다.
〔顽麻〕 wánmá 동〈文〉마비되다. 저리다.
〔顽昧〕 wánmèi 형 완고하고 사리에 어둡다.
〔顽民〕 wánmín 명〈文〉정부에 복종치 않는 백성. 완고하고 어리석은 백성.

〔顽冥〕 wánmíng 형 〈文〉 고집스럽고 사리에 어둡다.
〔顽驽〕 wánnú 형 〈文〉 ①융통성이 없다. ②쓸모없다.
〔顽皮〕 wánpí 형 장난이 심하다. 개구쟁이다. ¶那孩子～得了liǎo不得! 저 아이는 장난이 매우 심하다! / 你～什么? 넌 무엇을 장난치는 거지? / ～透顶; 몹시 떼쓰다. 응석이심하다. =〔玩皮〕
〔顽票〕 wánpiào 동 ⇨〔玩(儿)票〕
〔顽强〕 wánqiáng 형 ①완강하다. 어려움을 무릅쓰고 버티다. 끈덕지다. ②맹렬하다.
〔顽躯〕 wánqū 명 〈謙〉 어리석은 이 몸(자기의 몸을 낮추어 하는 말).
〔顽石〕 wánshí 명 색채가 없고 거친 돌. 하찮은 돌. 돌멩이.
〔顽石点头〕 wán shí diǎn tóu 〈成〉 돌멩이도 고개를 끄덕이다(설득력 · 감화력이 큼).
〔顽耍〕 wánshuǎ 동 ⇨〔玩耍〕
〔顽死〕 wánsǐ 동 죽음을 아무렇지도 않게 여기다. 죽음을 가벼이 보다. ¶～抵抗; 결사적인 저항을 하다.
〔顽铁〕 wántiě 명 가치 없는 쇠〔철〕.
〔顽童〕 wántóng 명 개구쟁이. 장난꾸러기. 선머슴. =〔玩童〕
〔顽徒〕 wántú 명 〈謙〉 못난 제자(자기의 제자나 문인(門人)을 낮추어 하는 말).
〔顽顽笑笑〕 wánwan xiàoxiào 동 놀고 다니다. 빈둥거리다. ¶他天天儿～; 그는 허구한 날 놀러 다닌다.
〔顽戏〕 wánxì 동 ⇨〔玩戏〕
〔顽笑〕 wánxiào 명동 ⇨〔玩笑〕
〔顽癣〕 wánxuǎn 명 〖漢醫〗 완선(백선 · 무좀 따위의 만성 또는 신경성 피부염).
〔顽意儿〕 wányìr 명 ⇨〔玩意儿〕
〔顽症〕 wánzhèng 명 완고한 병〔증상〕. 난치병. 고질병.

完 wán (완)
①형 완전히 갖춰져 있다. 완전〔완벽〕하다. 견고하다. ¶体无～肤; 온몸에 상처투성이다 / 准备得很～善; 준비는 더할 나위 없이 갖춰져 있다 / 城郭不～; 성은 완전히 견고하지 않다. ②동 다하다. 없어지다(보어(補語)용으로 흔히 '了'를 수반함). ¶用～了; 다 써 버리다. 다 써 없애다 / 事情做～了; 볼일은 다 끝났다. ③동 완성하다. 끝나다. 끝내다. 마치다. ¶～工; 일을 끝내다. 공사가 끝나다 / 还没办～; 아직 다 끝나지 않았다 / 信写～了吗? 편지는 다 썼느냐? / 吃～了饭了; 밥을 다 먹어 버렸다. ④동 완납(完納)하다. ¶将税款～清; 세금을 모두 납부하다. ⑤동 ('～了'로서) 못 쓰게 되다. 끝장나다. 잡치다. ¶他们的工厂全～了! 그들의 공장은 아주 끝장났다 / ～了, 只好从头儿做吧! 아뿔싸, 처음부터 다시 하는 수밖에 없다! ⑥명 (흔히, '没个～'로서) 끝. 한(限). ¶他说起话来没个～; 그는 이야기를 꺼냈다 하면 끝이 없다 / 意见没有个～; 의견은 끝이 없다.
〔完案〕 wán∙àn 동 사건의 결말을 짓다.
〔完备〕 wánbèi 형 완비되어 있다. 모두 갖추다. ¶有不～的地方, 请多提意见; 불비(不備)한 점이 있으면, 의견을 많이 내주십시오. =〔〈文〉 完具〕〔全quán备〕
〔完本〕 wánběn 명 ①파손된 곳이 없는 책. ②내용이 완전한 책. ③(전집물 등의) 전부 갖추어져 있는 책.
〔完毕〕 wánbì 동 완료〔완결〕하다(흔히 보어(補語)로 씀). ¶收拾～; 처리를 끝내다 / 工作～; 일이 끝나다 / 梳洗～; 몸치장이 끝나다 / 今天的播音都～了; 오늘의 방송은 전부 끝났습니다 / 考试～; 시험이 끝나다.
〔完璧〕 wánbì 명 〈比〉 완벽한 것. 완전 무결한 것.
〔完璧归赵〕 wán bì guī zhào 〈成〉 본디의 것을 그대로 임자에게 돌려 주다. 빌린 것을 돌려 갚다. ¶赴席的时候, 早先有把原请帖当面给主人～的风俗, 现在可没有了; 초대된 잔치에 출석할 때에는, 전에는 초대장을 주인에게 직접 돌려 주는 풍속이 있었지만, 지금은 그런 것이 없다. =〔璧还①〕〔璧回〕〔归赵〕〔返fǎn璧〕
〔完不成〕 wánbuchéng 완성할 수 없다. 완수 못하다. 다하지 못하다.
〔完成〕 wán∙chéng 동 완성하다. 끝내다. 마무리하다. 다하다. ¶～任务; 임무를 다하다 / ～了工程; 공사를 끝냈다 / 如期～; 기일대로 마치다 / 论文不久就可以～; 논문은 머지않아 완성된다 / ～了课题; 과제를 해결했다 / 提前三个月～了任务; 3개월 앞당겨서 임무를 완수했다.
〔完蛋〕 wán∙dàn 동 〈口〉 ①실패하다. 못 쓰게 되다. 끝장나다. 결딴나다. 거덜나다('完了'의 속된 표현). ¶我的计划～了! 내 계획은 다 틀렸다 / ～货; 〈罵〉 어쩔 수 없는〔싹수없는〕 녀석. ②뒈지다. 죽다. ¶脑袋上中了一枪还有不～的! 골통에 한 방 먹었으니 뒈지지 않을 리가 없다!
〔完灯〕 wándēng 명 음력 정월 16일에 등(燈)을 내리는 일. =〔座zuò灯〕
〔完肤〕 wánfū 명 ①상처 없는 (온전한) 피부. ¶体无～; 몸에 상처 없는 곳이 없다. 상처투성이다. ②〈轉〉 결점이 없는 곳.
〔完工〕 wán∙gōng 동 일을 끝내다. 마치다. 끝나다.
〔完固〕 wángù 형 완고하다. 완전하고 견고하다.
〔完好〕 wánhǎo 형 완전하다. 더할 나위 없다. ¶壁画保存基本～; 벽화의 보존 상태는 대체로 나무랄 데 없다 / ～如新; 신품이나 매한가지로 완전하다.
〔完婚〕 wán∙hūn 동 〈文〉 (남자가) 혼례를 마치다(주로 연상(年上)인 사람이 연하자(年下者)를 장가들여 주는 것). =〔完亲〕〔完娶〕〔完姻〕
〔完活〕 wán huó 일을 끝내다. ¶你先～吧; 우선 일을 끝내시오 / 工人都～了; 노동자는 모두 일을 끝냈다.
〔完计〕 wánjì 명 만전의〔빈틈없는〕 계책.
〔完缴〕 wánjiǎo 동 (세금 따위를) 다 납부하다. 완납하다.
〔完节〕 wánjié 동 절조〔절개〕를 끝까지 지키다.
〔完结〕 wánjié 동 완료하다. 완결하다. 낙착하다. =〔完讫〕〔讫qì了〕
〔完具〕 wánjù 형 〈文〉 ⇨〔完备〕
〔完聚〕 wánjù 동 〈文〉 가족이 한 곳에 모이다. 헤어졌던 가족이 다시 일당에 모이다. →〔团聚〕
〔完竣〕 wánjùn 동 (공사나 일정 규모의 일이) 끝나다. 준공하다. ¶整编～; 재편성이 끝났다 / 工程～了; 공사가 준공되었다.
〔完了〕 wánle ①끝났다. ¶已经～; 이미 끝났다. ②(실패하여) 희망이 없어지다. 못 쓰게 되다. 망쳐지다. 잡치다. ¶唷! ～我的衣裳; 어이구! 내 옷이 못 쓰게 됐네. ③생명이 가망 없게 되다. ④명예가 실추되어 어찌할 수 없게 되다. ⇒wánliǎo
〔完粮完草〕 wán liáng wán cǎo 〈成〉 조세를

다 납부하다.
〔完了〕 wánliǎo 명동 완료(하다). 끝(나다). ⇒ wánle
〔完卵〕 wánluǎn 명 ①온전한 알. ②〈比〉 완벽한 것.
〔完满〕 wánmǎn 형 결점이 없다. 원만하다. ¶问题已经～解决了; 문제는 이미 원만히 해결되었다 / 得到～的结果; 더없이 좋은 결과를 얻다. 명동 만료(하다). ¶功德～; 《佛》 불가(佛家)의 수업(修業)이 완결되다.
〔完美〕 wánměi 형 흠잡을 데가 없다. 완전하다. ¶～无疵; 완벽하여 나무랄 데가 없다 / ～无缺 =〔～无损〕; 완전무결하다. 더할 나위 없다 / ～的艺术形式; 완전한 예술 형식. →〔完善〕
〔完纳〕 wánnà 동 (세금을) 완납하다. ¶～税银出关栈起货报单; 납세필 수입품 출고 신고서.
〔完篇〕 wán piān (논문 따위의) 한 편을 완결하다.
〔完品〕 wánpǐn 명 ①완전 무결한 품질. ②완성품.
〔完讫〕 wánqì 동 ⇨〔完结〕
〔完(钱)粮〕 wán,(qián)liáng 동 조세를 완납하다. =〔完饷〕〔完银粮〕
〔完亲〕 wán,qīn 동 ⇨〔完婚〕
〔完清〕 wánqīng 동 ①모두 갚다. 죄다 청산하다. ②완결하다.
〔完娶〕 wán,qǔ 동 ⇨〔完婚〕
〔完全〕 wánquán 형 완전하다. 충분하다. ¶我的话还没有说～; 내 이야기는 아직 다 끝나지 않았다. 부 완전히. 전연. 전부. 전적으로. 아주. ¶这事～是他闹坏的; 이 일은 전적으로 그가 망친 것이다 / 你的病还没有～好; 너의 병은 아직 완전히 낫지 않았다 / ～一样; 완전히 같다 / ～相反; 전혀 반대이다 / ～支持; 전면적으로 지지하다.
〔完全变态〕 wánquán biàntài 명 《生》 완전 변태. 완전 탈바꿈. 갖춘 탈바꿈.
〔完全成本〕 wánquán chéngběn 명 상업 원가.
〔完全犯罪〕 wánquán fànzuì 명 완전 범죄.
〔完全小学〕 wánquán xiǎoxué 명 초급·고급 과정 양쪽을 갖춘 소학교(보통 '初小'가 4년, '高小'가 2년으로 되어 있음). =〔完小〕
〔完人〕 wánrén 명 ①인간으로서 결점이 없는 사람. (인격·도덕·지조·기능 등에 관하여) 완벽한 사람. ¶本来几乎是一个～了; 원래 거의 완벽한 인간이었다. ②더럽혀지지 않은 사람. 순결한 사람. ¶她虽然被诱惑, 仍为～; 그녀는 유혹을 받았지만, 여전히 순결한 몸이다.
〔完善〕 wánshàn 형 더할 나위 없이 완전하다('完美'가 뜻이 더 강함). ¶交通工具～了; 교통 기관이 완비되어 있다 / 设备～; 설비가 완비돼 있다 / 达到～地步; 더없는 경지에 달하다 / 这件事处理得很～; 이 사건의 처리는 완벽하다. →〔完美〕 동 완전한 것으로 만들다. ¶要～企业管理体制; 기업 관리 체제를 완전한 것으로 만들지 않으면 안 된다.
〔完上来〕 wánshanglai 없어지기 시작하다. (곧) 다 되다〔없어지다〕. (곧) 마지막이 되다. ¶茶叶～了; 찻잎이 떨어지기 시작했다.
〔完事〕 wán,shì 동 ①일이 완결〔종결〕되다. 일을 끝내다. ¶结账直到夜里十点才～; 결산은 밤 열 시가 되서야 겨우 끝났다. ②일이 완전히 실패하다〔틀어지다〕. ③사망하다.
〔完事儿〕 wánshìr 동 끝내다. (그것으로써) 끝이 되다. ¶不会把我们放在这样的地方～; 우리들을 이런 곳에 내버려 둔 채 할 일을 다 했다라고는 할 수 없다.
〔完税〕 wán,shuì 동 조세를 완납하다.
〔完饷〕 wán,xiǎng 동 ⇨〔完(钱)粮〕
〔完小〕 wánxiǎo 명 〈簡〉 ⇨〔完全小学〕
〔完颜〕 Wányán 명 복성(複姓)의 하나.
〔完姻〕 wán,yīn 동 ⇨〔完婚〕
〔完银粮〕 wán,yínliáng 동 ⇨〔完(钱)粮〕
〔完约〕 wán,yuē 동 약속을 이행하다.
〔完整〕 wánzhěng〔wǎnzheng〕 형 (있어야 할 것은) 다 갖춰져 있다. 완전 무결하다. 온전하다. ¶一切工具都～了; 모든 도구가 완전히 갖추어졌다 / 互相尊重领土～…; 상호 영토의 보전을 존중하여… / 保卫领土～; 영토 보전을 보장하다. 동 보전하다. 만전하게 하다.
〔完装〕 wánzhuāng 동 적재(積載)를 끝내다. 모두 싣다.

烷 **wán** (완)
명 《化》 ①포화(飽和) 고리 및 탄화 수소를 나타내는 접미자(接尾字). ②포화 환식(環式)〔지환(脂環)〕 탄화 수소. ¶环huán己～; 시클로헥산(cyclohexane) / 萘nài～; 데칼린(Decalin). ③세 개 이상 연속된 질소를 갖는 포화 고리 모양 화합물.
〔烷烃〕 wántīng 명 《化》 파라핀.

宛 **wǎn** (완)
①형 〈文〉 굽다. 구부러지다. 굽히다. →〔宛宛〕 ②부 〈文〉 마치. 흡사. 꼭. ¶音容～在; 그 사람이 마치 앞에 있는 것 같다. ③명 성(姓)의 하나. ⇒yuān
〔宛然〕 wǎnrán 부 〈文〉 마치. 흡사. ¶这里山清水秀, ～江南风景; 이 곳은 경치가 좋아서, 마치 강남의 풍경과 같다.
〔宛容〕 wǎnróng 명 〈文〉 부드러운 용모.
〔宛如〕 wǎnrú 동 흡사〔마치〕 …과 같다. ¶欢腾的人群～大海的波涛; 환희로 들끓는 사람의 무리가 대해(大海)의 파도와도 같다. =〔宛若〕〔宛似〕
〔宛若〕 wǎnruò 동 ⇨〔宛如〕
〔宛似〕 wǎnsì 동 ⇨〔宛如〕
〔宛宛〕 wǎnwǎn 형 〈文〉 ①구불구불한 모양. ②연약한 모양. ③온화한〔상냥한〕 모양.
〔宛延〕 wǎnyán 형 〈文〉 꾸불꾸불 길게 연속돼 있는 모양.
〔宛转〕 wǎnzhuǎn 동 〈文〉 전전(輾轉)하다. 누워서 이리저리 몸을 뒤척이다. 형 ⇨〔婉转〕
〔宛转周折〕 wǎnzhǎn zhōuzhé 우여곡절이 많다.
〔宛子城〕 wǎnzichéng 명 ⇨〔梁liáng山泊②〕

惋 **wǎn** (완)
동 〈文〉 놀라고 슬퍼하다. 한탄하다.
〔惋伤〕 wǎnshāng 동 슬퍼하고 마음 아파하다.
〔惋叹〕 wǎntàn 동 놀라 슬퍼하다.
〔惋惜〕 wǎnxī 동 (남의 불행이나 뜻밖의 일에) 슬퍼하고 애석해하다. 가엾게 여기다.

菀 **wǎn** (원)
→〔紫zǐ菀〕 ⇒yù

婉 **wǎn** (완)
형 ①완곡하다. 부드럽다. ¶委～; 정중〔공손〕하다. 완곡하다 / ～言相劝; 완곡하게 충고하다. ②〈文〉 아름답다. ③〈文〉 유순하다. 온순하다. 부드럽다. ¶态度温～; 태도가 온유하다.
〔婉词〕 wǎncí 명 ⇨〔婉辞〕
〔婉辞〕 wǎncí 명 〈文〉 완곡한 말. =〔婉词〕 동 완

곡히 거절하다.
〔婉达〕 wǎndá 동 〈文〉 (말을) 완곡하게 전하다.
〔婉复〕 wǎnfù 동 〈文〉 부드럽게 대답하다. 완곡하게 대답하다.
〔婉丽〕 wǎnlì 형 온유하고 아름답다.
〔婉求〕 wǎnqiú 동 완곡하게 부탁〔요구〕하다.
〔婉曲〕 wǎnqū 형 ①완곡하다. 노골적이 아니고 빙 둘러서 하다. ②〈文〉 얌전하고 모나지 않다. 유화(柔和)하다.
〔婉劝〕 wǎnquàn 동 완곡히 충고하다. 부드러운 말로 권(고)하다.
〔婉却〕 wǎnquè 동 완곡히 거절하다. ¶因此议决予以～; 그래서 완곡하게 거절하기로 결정했다.
〔婉容〕 wǎnróng 명 〈文〉 상냥한 얼굴. 얌전한 모습.
〔婉缛〕 wǎnrù 형 〈文〉 (문장이) 부드럽고 넉넉하다. ¶文章～; 문장이 부드럽고 여유가 있다.
〔婉商〕 wǎnshāng 동 〈文〉 완곡히 상의하다.
〔婉顺〕 wǎnshùn 형 〈文〉 온순하다. 유순하다.
〔婉娩〕 wǎnwǎn 형 (여자가) 유순하다. 얌전하다.
〔婉婉〕 wǎnwǎn 형 ①(여자가) 유순하다. ②구불구불하다. ③아름답다.
〔婉惜〕 wǎnxī 동 〈文〉 아까워하다. 아쉬워하다. ¶他的逝世令人～; 그의 서거는 사람들에게 아쉬움을 준다.
〔婉谢〕 wǎnxiè 동 ①정중하게 사례의 말을 하다. ②완곡히 거절하다.
〔婉言〕 wǎnyán 명 온화하게 에둘러 하는 말. 완곡한 말. ¶～相劝; 부드러운 말로 충고하다 / ～拒绝; 완곡하게 거절하다.
〔婉艳〕 wǎnyàn 형 (용모·모습 따위가) 아름답고 요염하다.
〔婉约〕 wǎnyuē 형 〈文〉 완곡하고 함축이 있다. ¶古人论词的风格, 分豪放和～两派; 고인은 사(詞)의 풍격을 논하여, 이를 '호방'과 '완약'의 두 갈래로 나누었다.
〔婉转〕 wǎnzhuǎn 형 ①온화하고 완곡하다. ¶措词～; 말의 표현이 완곡하다 / 他说的话很～; 그의 이야기는 매우 완곡하다. ②(노랫소리나 울음소리가) 아름답다. 구성지다. ‖ =〔宛转〕

琬 wǎn (완)
①명 아름다운 옥. ②명 (모서리가 없는) 옥으로 만든 홀(笏). =〔琬圭guī〕 ③인명용 자(字).

碗〈盌, 椀, 瓮〉 wǎn (완)
①(～儿, ～子) 명 공기·보시기 따위. ¶饭～; 밥공기 / 茶～; 찻종. 찻잔. ②명 공기 모양의 것. ¶橡～子; 도토리의 껍질. ③양 ㉠대접·주발을 세는 단위. ¶一～饭; 밥 한 사발. ㉡옛날, 심지를 사용하는 등불을 세는 데 쓰임. ¶唤一个庄客提～灯笼; 한 농부를 불러 등롱을 들게 했다.
〔碗帮子〕 wǎnbāngzi 명 사발의 측면.
〔碗包〕 wǎnbāo 명 여행용 식기(食器)를 담는 자루 또는 보따리.
〔碗边儿〕 wǎnbiānr 명 ⇨〔碗口儿〕
〔碗碴子〕 wǎncházi 명 사금파리.
〔碗橱〕 wǎnchú 명 식기(食器) 찬장.
〔碗大杓子有准儿〕 wǎn dà sháozi yǒuzhǔnr 〈諺〉 대접의 크기는 국자로 가늠할 수 있다《①사물에는 조화와 균형이 있다. ②상황을 판가름해 낼 수 있다》.
〔碗底(儿)〕 wǎndǐ(r) 명 ①공기〔보시기〕 바닥. ②공기 바닥에 남은 것.
〔碗碟〕 wǎndié 명 찻종이나 접시 따위.
〔碗柜〕 wǎnguì 명 그릇 찬장.
〔碗架〕 wǎnjià 명 식기를 얹어 두는 시렁.
〔碗金〕 wǎnjīn 명 금가루를 녹이는 데 쓰는 도가니.
〔碗口儿〕 wǎnkǒur 명 공기〔보시기〕의 가장자리. =〔碗边儿〕
〔碗筷〕 wǎnkuài 명 주발과 젓가락. ¶收拾～; 식사 후에 그릇을 치우다. 설겆이하다.
〔碗琴〕 wǎnqín 명 ⇨〔胡琴(儿)〕
〔碗青〕 wǎnqīng 명 《色》 화감청(花紺青).
〔碗儿〕 wǎnr 명 작은 보시기〔공기〕.
〔碗儿灯〕 wǎnrdēng 명 (기름을 부은 보시기에 심지를 뉘어서 켜는) 등(잔)불.
〔碗(儿)糕〕 wǎn(r)gāo →〔盆pén儿糕〕
〔碗儿酒〕 wǎnrjiǔ 명 사발 술. 대포(술). 잔술.
〔碗碗腔〕 wǎnwǎnqiāng 명 산시 성(陝西省) 웨이난(渭南)·다리(大荔)에서 행해지는 지방극의 이름. =〔阮ruǎn儿腔〕
〔碗银〕 wǎnyín 명 은가루를 녹이는 데 쓰는 도가니.
〔碗盏杯盆〕 wǎn zhǎn bēi pén 명 식기(食器)의 총칭. =〔碗盏杯盘〕〔碗盏碟子〕
〔碗盏家伙〕 wǎnzhǎn jiāhuo 명 식기류(類). =〔碗盏家具〕
〔碗子〕 wǎnzi 명 ①공기. 주발. ②주발·공기 모양의 것. ¶橡xiàng～; 도토리 깍지.
〔碗子青〕 wǎnziqīng 명 《染》 도토리 껍질을 삶아서 만든 물감.
〔碗足(儿)〕 wǎnzú(r) 명 공기 따위의 굽.

畹 wǎn (원)
①명 고대(古代)에 30'亩'를 1'畹'이라고 했음. ②지명용 자(字). ¶～町dīng; 완딩(畹町)《윈난 성(雲南省)에 있는 땅 이름》.

踠 wǎn (원)
동 〈文〉 다리가 굽어서 펴지지 않다. ¶挛luán～; 《漢醫》 손발이 구부러져 펴지지 않는 병.

莞 wǎn (완)
→〔莞豆〕〔莞尔〕〔莞纳〕 ⇒guān guǎn
〔莞豆〕 wǎndòu 명 《植》 완두콩.
〔莞尔〕 wǎn'ěr 형 〈文〉 생긋〔빙긋〕 웃는 모양. ¶～而笑; 생긋 웃다 / 不觉jué～; 무심코 생긋 웃다.
〔莞纳〕 wǎnnà 명동 〈翰〉 소납(하다)《남에게 선물할 때 하찮은 물건이지만 받아 달라는 뜻》. =〔莞存〕〔莞留〕

脘 wǎn (완)
명 《漢醫》 위(胃)의 내부. ¶上～; 분문(噴門) / 胃～不好; 위가 나쁘다. =〔胃脘〕

皖 Wǎn (환)
명 ①《地》 안후이 성(安徽省)의 별칭. ②《史》 춘추(春秋) 시대의 나라 이름.
〔皖北〕 Wǎnběi 명 《地》 안후이 성(安徽省)의 양쯔강(揚子江) 이북의 땅.
〔皖南〕 Wǎnnán 명 《地》 안후이 성(安徽省)의 양쯔 강(揚子江) 이남의 땅.
〔皖南花鼓戏〕 Wǎnnán huāgǔxì 명 지방극의 이름.
〔皖派〕 Wǎnpài 명 청대(清代), 한학(漢學)의 한 파《대진(戴震)을 우두머리로 단옥재(段玉裁) 등이 이 파에 속함》.

挽〈輓〉④ **wǎn** (만) 동 ①끌다. 당기다. ¶～车; 수레를 끌다 / ～弓; 활을 당기다. ②(옷을) 걷어올리다〔붙이다〕. ¶～起袖子; 소매를 걷다. =〔绾②〕 ③만회〔회복〕하다. ④죽은 이를 애도〔추도〕하다. ¶～歌; ⇓ / ～联; ⇓ ⑤농작물을 잡아 뽑다〔베다〕.

〔挽辫子〕 wǎn·biànzi 동 변발(辮髮)을 감아 올려 얹다.

〔挽车〕 wǎn·chē 동 수레를 끌다. ¶牛耕田马～; 소가 논밭을 갈고 말이 수레를 끌다. (wǎnchē) 명 영구차.

〔挽词〕 wǎncí 명 만사. 조사(弔詞).

〔挽兜〕 wǎndōu 명 〈俗〉 멜대로 메는 바구니.

〔挽对〕 wǎnduì 명 ⇨〔挽联〕

〔挽发〕 wǎn·fà 동 머리를 빗질하여 만지다. 머리를 묶다.

〔挽扶〕 wǎnfú 동 ①〈文〉 돕다. 조력하다. 부조하다. ②지지하다.

〔挽疙瘩〕 wǎn gēda 매듭을 짓다.

〔挽歌〕 wǎngē 명 영구차를 끄는 사람이 부르는 노래. 만가.

〔挽回〕 wǎnhuí 동 ①되찾다. (불리한 형세를) 만회하다. ¶～面子; 체면을 되찾다 / ～僵jiāng局; 교착 상태를 (유리한 방향으로) 바꾸다. ②(이권을) 회수하다. ¶～权利; 권리를 되찾다.

〔挽髻〕 wǎnjì 동 상투를 틀다. 쪽을 찌다.

〔挽近〕 wǎnjìn 명 ⇨〔晚近〕

〔挽柩〕 wǎn·jiù 동 영구(靈柩)를 끌다.

〔挽救〕 wǎnjiù 동 (위험 상태에서) 구제하다. 구하다. 살리다. ¶～祖国的危亡; 조국을 멸망의 위기에서 건지다 / ～灭亡; 멸망에서 구하다.

〔挽裤腿〕 wǎn kùtuǐ 바짓자락을 걷어올리다. ¶道儿不好走, 你～走吧; 길이 좋지 않으니, 바짓자락을 걷어올리고 걸으시오.

〔挽狂澜〕 wǎn kuánglán 〈比〉 만회하다. 원상으로 되돌리다. ¶～于既倒; 기울어진 대세를 다시 만회하다.

〔挽力〕 wǎnlì 명 (마소 · 나귀 · 노새 따위의) 가축이 농구 · 차량을 끄는 힘.

〔挽联〕 wǎnlián 명 죽은 사람을 애도하는 대련(對聯). =〔挽对〕

〔挽留〕 wǎnliú 동 만류하다. 못 가게 붙들다. ¶再三～, ～不住; 재삼 만류했으나 붙들 수가 없었다 / 他要辞职, 大家都～他; 그가 사직하려 하므로 모두가 만류했다. =〔挽劝〕

〔挽马〕 wǎnmǎ 명 수레를 끄는 말.

〔挽亲托友〕 wǎnqīn tuōyǒu 친척 · 친구에게 부탁하다〔의지하다〕.

〔挽劝〕 wǎnquàn 동 ⇨〔挽留〕

〔挽人说合〕 wǎnrén shuōhé 남을 끌어들여 중재시키다. 남에게 부탁해서 화해하다. ¶他们已经～了; 그들은 이미 남에게 부탁하여 화해를 했다.

〔挽诗〕 wǎnshī 명 조시(弔詩). 애도의 시.

〔挽手〕 wǎnshǒu ①명 칼자루. ②명 도구류(道具類)의 손잡이. ②(wǎn shǒu) 손을 끌다. 손에 손을 잡다. ¶～同行; 손에 손을 잡고 동행하다.

〔挽送〕 wǎnsòng 동 영구차를 끌고 죽은 사람을 보내다.

〔挽袖口(子)〕 wǎn xiùkǒu(zi) 소맷부리를 걷어올리다. ¶她～要洗衣服; 그녀는 소매를 걷어올리고 빨래를 하려 한다.

〔挽袖捋臂〕 wǎn xiù luō bì 〈成〉 소매를 걷어붙여 팔뚝을 드러내다(단단히 벼르는 모양).

〔挽袖子〕 wǎn xiùzi 소매를 걷어올리다. 팔을 걷어붙이다(일에 임함에 있어 벼르거나 기세를 보이다).

〔挽幛〕 wǎnzhàng 명 만장(초상 때에 보내는 베나 비단의 막(幕)).

娩 **wǎn** (면) 동 유순〔순종〕하다. 따르다. →〔婉wǎn娩〕 ⇒ miǎn

晚 **wǎn** (만) ①명 저녁때. 밤. ¶昨天～上; 지난 밤/ 从早到～; 아침부터 밤까지. ↔〔早①〕 ②형 밤〔저녁〕이 되다. ¶天～了; 날이 저물었다. ③형 (시각이) 늦다. 늦어지다. ¶来～了; 늦게 왔다 / 时间～了; 시간이 늦어졌다 / 时间没～; 시간은 늦(어지)지 않았다 / 从来没有～过一回; 지금까지 한 번도 늦은 적이 없다. ④형 끝〔마지막〕에 가까운. 끝〔말〕의. 만년〔늘그막〕의. ⑤형 세대 따위가 늦은. 뒤의. 나중에 온. 젊은 ¶～辈bèi; ⇓ / ～娘; ⇓ / 辈数～得利害; 훨씬 후배가 된다. ⑥명 선배에 대한 자칭(自稱).

〔晚安〕 wǎn'ān ①〈套〉 밤에 헤어질 때 쓰는 말. 안녕(히 주무세요). ¶说～; 밤 인사를 하다. ②〈翰〉 편지글의 인사말. ¶顺颂～; 안녕히 주무세요(밤에 쓴 편지의 말미에 하는 상투적인 인사말).

〔晚班(儿)〕 wǎnbān(r) 명 (하오 4시쯤의) 오후 근무〔출근〕. 오후 당직. ¶上～; 오후 근무하러 출근하다.

〔晚半晌(儿)〕 wǎnbànshǎng(r) 명 ⇨〔晚半天(儿)〕

〔晚半天(儿)〕 wǎnbàntiān(r)〔wǎnbantian(r)〕 명 〈口〉 땅거미질 무렵. (늦은) 오후. =〔晚半晌(儿)〕

〔晚报〕 wǎnbào 명 석간 신문. =〔〈南方〉 夜yè报〕 ↔〔早报〕〔晨报〕

〔晚辈〕 wǎnbèi 명 ①손아랫사람. 후배(後輩). =〔〈文〉 少shào辈〕 ↔〔前辈〕〔先辈〕 ②〈文〉 저. 소인(자신을 낮추어 일컫는 말).

〔晚不闪儿〕 wǎnbushǎnr 명 〈方〉 저녁(때). 어둠이 깔릴 무렵. 땅거미가 질 무렵.

〔晚参〕 wǎncān 명 《佛》 저녁에 하는 참선(參禪). ↔〔早zǎo参〕

〔晚餐〕 wǎncān 명 ⇨〔晚饭〕

〔晚蚕〕 wǎncán 명 만잠. 여름 누에. 늦게 치는 누에.

〔晚场〕 wǎnchǎng 명 (연극 · 영화 · 운동 경기의) 야간 공연〔경기〕. ¶～什么时候开始? 야간 공연은 언제 시작되는가? =〔夜场〕 ↔〔日rì场〕

〔晚车〕 wǎnchē 명 야간 열차. 밤차.

〔晚成〕 wǎnchéng 동 〈文〉 만성하다. 늦게 성취하다. ¶大器～; 〈成〉 대기 만성. =〔晚就〕

〔晚吹〕 wǎnchuī 명 〈文〉 저녁 바람.

〔晚翠〕 wǎncuì 형 식물이 추위 속에서도 변함 없이 푸르다. 〈比〉 늙어서도 절개를 잃지 않다.

〔晚达〕 wǎndá 동 ①늙어서 처음으로 임관(任官)하다. ②늦게서야 영달(榮達)하다.

〔晚到〕 wǎndào 동 늦게 도착하다. 늦게 오다. 지각하다. ¶他今天～两点钟; 그는 오늘 두 시간 늦게 도착했다.

〔晚稻〕 wǎndào 명 《農》 늦벼. =〔晚禾〕〔晚米〕

〔晚点〕 wǎn·diǎn 동 (교통 기관 등의 출발 · 운행 · 도착이) 늦어지다. ¶～四十多分钟; 40여 분이나 늦어지다.

〔晚豆〕 wǎndòu 명 늦콩.

〔晚饭〕 wǎnfàn 명 저녁밥. =〔〈文〉 晚餐〕〔〈方〉 夜饭〕〔〈文〉 晚膳〕↔〔早饭〕
〔晚福〕 wǎnfú 명 〈文〉 만복. 늘그막에 누리는 행복.
〔晚盖〕 wǎngài 동 〈文〉 뒤에 좋은 일을 하여 전에 저지른 죄를 씻다.
〔晚谷〕 wǎngǔ 명 ⇨〔晚庄稼〕
〔晚鼓〕 wǎngǔ 명 〈文〉 옛날, 저녁을 알리던 북(오후 네 시에 쳤음).
〔晚禾〕 wǎnhé 명 ⇨〔晚稻〕
〔晚会〕 wǎnhuì 명 이브닝 파티(evening party). 밤의 모임. ¶跳舞～; 댄스 파티 / 营火～; 캠프 파이어 / 联欢～; 교환(交驩)의 저녁 / 迎新～; 망년회.
〔晚会便服〕 wǎnhuì biànfú 명 (양복의) 턱시도(tuxedo). ¶晚会女便服; 칵테일 드레스. =〔晚礼服〕
〔晚婚〕 wǎnhūn 명동 만혼(하다). ↔〔早婚〕 (～儿) 명 재혼하는 여자. ¶娶～; 재혼하는 여자를 아내로 맞다.
〔晚季〕 wǎnjì 명 ①하반기. ②(벼 따위의) 만생종(晚生種). ¶抢种～的; 만생종을 서둘러 심다.
〔晚嫁儿〕 wǎnjiàr 동 여자가 재혼하다.
〔晚间〕 wǎnjiān〔wǎnjian〕 명 저녁. 밤.
〔晚节〕 wǎnjié 명 〈文〉 ①만절. 만년(晚年)의 절조(節操). ¶保持～; 늘그막에 절개를 지키다 / ～不终; 만년에 절조를 잃다. ②만년. 늘그막. ③어떤 시대(時代)의 끝무렵.
〔晚进〕 wǎnjìn 명 후진(後進). 신진(新進) 인사.
〔晚近〕 wǎnjìn 명 〈文〉 만근. 최근 수년래. ¶～的风俗和先前大不相同了; 요즈음의 풍속은 이전과는 많이 달라졌다. =〔挽近〕
〔晚景〕 wǎnjǐng 명 ①만경. 저녁 경치. ¶太阳快要落的时候那乡下的～真不错; 해질 무렵의 시골 저녁 경치는 무척 좋다. ②늘그막의 처지. ¶那位老者的～真不幸; 저 노인의 만년은 참으로 불행하다.
〔晚境〕 wǎnjìng 명 만경. 노경(老境).
〔晚就〕 wǎnjiù 동 ⇨〔晚成〕
〔晚局〕 wǎnjú 명 밤의 모임. 밤의 연회. =〔晚席〕↔〔早zǎo局〕
〔晚来〕 wǎnlái 동 늦게 오다. ¶～一天; 하루 늦게 오다 / ～的; 늦게 온 사람. 지각자. 〈轉〉 재혼한 사람. 명 저녁때. 해질녘.
〔晚礼服〕 wǎnlǐfú 명 턱시도(tuxedo)(야회(夜會)용 남자의 약식 예복). =〔晚会便服〕
〔晚米〕 wǎnmǐ 명 ⇨〔晚稻〕
〔晚明〕 Wǎnmíng 명 〈史〉 명말(明末)(시대).
〔晚明小品〕 Wǎnmíng xiǎopǐn 명 명말 만력(萬曆) 이후의 소품 문학 작품(구습(舊習)에 속박되지 않는 자유로운 표현을 쓰고 있음).
〔晚母〕 wǎnmǔ 명 ⇨〔晚娘〕
〔晚暮〕 wǎnmù 명 〈文〉 ①세모(歲暮). 세밑. ②나이 먹음. 만년(晚年). 노경(老境). ③늦음. ④시의(時宜)에 맞지 않음.
〔晚年〕 wǎnnián 명 만년. 늘그막. ¶度过～; 만년을 보내다. =〔晚岁〕〔晚涂〕
〔晚娘〕 wǎnniáng 명 〈方〉 계모. =〔继母〕〔后hòu妈〕〔晚母〕
〔晚妻〕 wǎnqī 명 후처.
〔晚期〕 wǎnqī 명 만기. 말기(末期). 후기. ¶十九世纪～; 19세기 말엽 / ～恶性肿瘤; 말기 악성 종양.
〔晚起〕 wǎnqǐ 동 늦잠을 자다. 늦게 일어나다.
〔晚晴〕 wǎnqíng 명 저녁때 갠 날씨.
〔晚秋〕 wǎnqiū 명 ①만추. 늦가을. ②늦가을 작물. =〔晚秋作物〕
〔晚秋作物〕 wǎnqiū zuòwù 명 늦가을 작물(밀이나 유채를 수확하고 나서, 만추에 재배하는 옥수수·고구마·감자·콩류 등). =〔晚秋②〕〔〈方〉 晚田〕
〔晚儿〕 wǎnr 명 ①때. ¶这～; 지금. 현재 / 那～; 그 때. ②밤. 야간. ¶耗hào～; 밤일을 하다. 밤 늦게까지 자지 않고 놀다 / 拉～; 인력거꾼이 밤에 일하다.
〔晚膳〕 wǎnshàn 명 ⇨〔晚饭〕
〔晚上〕 wǎnshang 명 밤. 저녁때. ¶～几点钟睡觉? 밤엔 몇 시에 주무십니까? / 咱们～还上长安戏院听戏去呢; 우리 오늘 밤 장안 극장에 경극을 보러 가잖아.
〔晚生〕 wǎnshēng 명 〈謙〉 만생(옛날, 후배가 선배에 대해 스스로를 낮춰 일컫는 말).
〔晚食〕 wǎnshí 명 늦은 식사. 배고플 때 먹는 밥.
〔晚食当肉〕 wǎnshí dāngròu 배고플 때 먹는 밥은 맛이 있다. 시장이 반찬이다.
〔晚世〕 wǎnshì 명 〈文〉 요즈음. 근세.
〔晚市〕 wǎnshì 명 《商》 (시장 시세의) 후장(後場). =〔后盘〕〔后市〕
〔晚熟〕 wǎnshú 명 만숙. 동 ①늦게 성숙하다. ②늦게 익다〔여물다〕.
〔晚霜〕 wǎnshuāng 명 《農》 만상(晚霜). 늦서리.
〔晚宋〕 Wǎnsòng 명 《史》 송조(宋朝)의 말기.
〔晚岁〕 wǎnsuì 명 ⇨〔晚年〕
〔晚唐〕 Wǎntáng 명 《史》 당(唐)나라의 말기.
〔晚田〕 wǎntián 명 ⇨〔晚秋作物〕
〔晚涂〕 wǎntú 명 ⇨〔晚年〕
〔晚席〕 wǎnxí 명 밤의 연석(宴席). =〔晚局〕
〔晚霞〕 wǎnxiá 명 저녁놀. ¶～行千里; 저녁놀이 진 이튿날은 날씨가 좋으므로 안심하고 여행할 수 있다. =〔夕xī霞〕↔〔早zǎo霞〕
〔晚香玉〕 wǎnxiāngyù 명 《植》 상사화(수선화과의 여러해살이 풀꽃). =〔月yuè下香〕
〔晚些时候〕 wǎn xiē shíhou 조금〔잠시〕 뒤. 나중(에 와서)(afterwards의 번역어).
〔晚学〕 wǎnxué 명 ①만학. ②〈俗〉 오후의 수업. ¶放～; 오후 수업을 끝내다 / 上～; 오후 수업에 나가다. ③⇨〔晚学生〕
〔晚学生〕 wǎnxuésheng 명 〈謙〉 후학(後學)(후배의 선배에 대한 겸칭). =〔晚学③〕
〔晚宴〕 wǎnyàn 명 저녁 연회.
〔晚爷〕 wǎnyé 명 〈南方〉 계부. 의붓아버지.
〔晚一辈〕 wǎnyībèi 한 대(代) 아래이다(자식·조카 따위). ¶比他～; 그보다도 한 세대 아래이다.
〔晚玉米〕 wǎnyùmǐ 명 《植》 늦옥수수.
〔晚育〕 wǎnyù 동 (결혼 후) 곧 아이를 낳지 않도록 하다. 출산을 늦추다.
〔晚运〕 wǎnyùn 명 만년의 운.
〔晚造〕 wǎnzào 명 《農》 2모작 작물 또는 2모작에 있어서 후기의 작물.
〔晚照〕 wǎnzhào 명 만조. 석양. 석조(夕照).
〔晚智〕 wǎnzhì 명 늦은 지혜. 늦꾀.
〔晚馔〕 wǎnzhuàn 명 〈文〉 만찬(晚餐). 저녁 식사.
〔晚庄稼〕 wǎnzhuāngjià 명 《農》 (늦벼 따위) 늦되는 농작물. =〔晚谷〕
〔晚走儿〕 wǎnzǒur 명 〈俗〉 재혼한 여자.

绾(綰) wǎn (관)

동 ①끈에 고를 지어 매다. ¶～一个扣; 끈에 고를 내어 매듭을 짓다 /

把头发～起来; 머리를 묶어서 틀다〔쪽찌다〕. ②(소매 등을) 걷어올리다. ¶～起袖子; 소매를 걷어올리다 / ～袖捋臂; 소매를 걷어붙여 팔꿈치를 드러내다《단단히 벼르는 모양》/ 把裤腿儿～起来; 바짓가랑이를 걷어올리다. =〔挽②〕 ③연락하다.

〔绾带子〕 **wǎn dàizi** 끈을 매다. ¶她现在～呢; 그녀는 지금 끈을 매고 있다.

〔绾毂〕 **wǎngǔ** 동〈文〉〈比〉 수레의 바퀴통이 바퀴살을 연결하듯 한 곳에 모이다《사방팔방으로 통하다》. ¶汉口～南北, 为华中重要市场; 한커우(漢口)는 남북으로 연결하는 중국 중부의 중요 시장이다.

〔绾结〕 **wǎnjié** 동〈文〉 묶다. 서리다.

〔绾绶〕 **wǎnshòu** 동〈文〉 ①인끈을 매다. 인수(印綬)를 차다. ②〈轉〉 임관되다.

〔绾线〕 **wǎn xiàn** 실을 감다. ¶那个小姑娘～呢; 저 소녀는 실을 감고 있다.

万(萬) **wàn** (만)

①수 만. ¶二～ =〔两～〕; 2만 / 五～五(千); 5만5천. 注 양사(量詞) 없이 바로 명사(名詞)를 취할 수 있음. ¶一～人; 1만의 사람. ②형〈比〉(매우) 많다. ¶～事; 만사 / ～能铣床; 《機》 만능 밀링머신(milling machine). ③부 극히. 매우. 아주. 결코. 절대로《흔히, 부정(否定)의 뜻을 세게 함》. ¶～不能行; 절대로 할 수 없다 / ～不可言; 절대로 말해서는 안 된다. ④형 모든 일에 걸치다. ¶～全; ⇓ ⑤《數》 분모가 1만. ¶～一; ⓐ만분의 1. ⓑ만일. 만에 하나. ⑥명 성(姓)의 하나. ⇒mò

〔万安〕 **wàn'ān** 동 안심하다. ¶请你～吧, 绝没有错儿; 안심해라, 절대 틀림이 없으니까 / 你～, 没有的事; 안심해라, 그런 일은 없다. 형 아주 안전하다. ¶～之计; 만전지계.

〔万把〕 **wànbǎ** 수 1만 쯤. ¶～两银子; 1만냥 쯤 되는 은.

〔万般〕 **wànbān** 명 만반. 모든 일. 온갖 것. ¶～皆下品, 唯有读书高; 〈諺〉 만사는 모두 상스러우며 고상한 것은 독서뿐이다 / ～皆有命, 半点不由人; 〈諺〉 만사는 운명이며 조금도 사람 마음대로 되지 않는다. 부 ①(부정문에서) 아무리 해도. 전혀. ¶～无奈; 전혀 어떻게도 할 수 없다 / ～无奈, 他决心卖掉自己的田; 어찌할 수 없어서, 그는 자기 밭을 팔 결심을 했다 / ～出于无奈就是了; 모두 부득이해서 한 일이다. ②(긍정문에서) 대단히. 무척.

〔万般起头难〕 **wànbān qǐtóu nán** 〈諺〉 무슨 일이나 시작이 어렵다. 처음이 중요하다.

〔万般有理〕 **wàn bān yǒu lǐ** 〈成〉 모두 다 이치가 있다. 모두 옳다.

〔万邦仰镜〕 **wàn bāng yǎng jìng** 〈成〉 만방이 거울삼아 우러러보다. 사방의 나라들이 모두 모범으로 존경하다.

〔万变〕 **wànbiàn** 동 여러 가지로 변화하다.

〔万变不离其宗〕 **wàn biàn bù lí qí zōng** 〈成〉 표면상으로는 여러 가지로 변화하지만 본질이나 목적은 바뀌지 않다《아무리 변해도 근본은 바뀌지 않는다》.

〔万不〕 **wànbù** 결(단)코〔절대로〕 …않다. ¶我从此以后～该他的钱; 나는 금후 절대로 그의 돈은 빌리지 않겠다.

〔万不得已〕 **wàn bù dé yǐ** 〈成〉 만부득이하다. =〔必bì不得已〕

〔万不断〕 **wànbùduàn** 명 ⇨〔卐字不断头〕

〔万不该〕 **wànbugāi** ①절대로〔결코〕 …해서는 안 된다. ¶你～打他; 너는 결코 그를 때려서는 안 된다. ②절대로 …하지 말았어야 한다.

〔万不可〕 **wànbukě** ①결코 …해서는 안 된다. ¶你～去; 너는 결코 가서는 안 된다. ②도저히 …할 수 없다.

〔万不可缓〕 **wànbukě huǎn** 결코 늦추어서는 안 된다. 단연코 연기할 수 없다.

〔万不可以〕 **wànbukěyǐ** 절대로 …할 수 없다. 절대로 …해서는 안 된다.

〔万不能〕 **wànbùnéng** 절대로 할 수 없다. 도저히 할 수 없다. ¶～的事; 도저히 할 수 없는 일.

〔万不失一〕 **wàn bù shī yī** 〈成〉 ⇨〔万无一失〕

〔万不行〕 **wànbuxíng** 절대로 안 된다. 결코 안 된다. ¶那么办～; 그렇게 하면 절대로 안 된다.

〔万不至于〕 **wànbuzhìyú** 결코 …하기에는 이르지 않다. 결코 …하게는 안 되다.

〔万绌〕 **wànchù** 형〈文〉 매우 부족하다. 대단히 결핍되다.

〔万次闪光(灯)〕 **wàncì shǎnguāng(dēng)** 명 《撮》 스트로보(Strobo). =〔电diàn子闪光器〕

〔万代〕 **wàndài** 명 만대. 만세.

〔万道丝儿裹着〕 **wàndàosīr guǒzhe** 비단옷으로 온몸을 감고 있다《호사스럽게 차리다》.

〔万端〕 **wànduān** 명형 다방면(이다). 여러 가지(이다). 갖가지(이다). 끝〔그지〕(없다)《흔히, 2음절의 동사·형용사 뒤에 옴》. ¶感慨～; 감개무량하다 / 头绪～; 일이 극히 얽혀 있다.

〔万吨轮〕 **wàndūnlún** 명 1만톤급의 배. ¶万吨级货轮; 1만톤급의 화물선.

〔万恶〕 **wàn'è** 명 극악. 더없이 큰 죄악. ¶～的旧社会; 극악한 구사회. 형 극악 무도하다. ¶～不赦; 〈成〉 극악 무도하여 용서할 수 없다 / ～滔天; 〈成〉 죄악에 차 있다.

〔万儿八千〕 **wànér bāqiān** 만 또는 그보다 약간 적음. 1만 가량.

〔万法〕 **wànfǎ** 명 《佛》 우주 만물.

〔万方〕 **wànfāng** 〈文〉 명 ①전국 각지. 세계 각지. ②여러 방면. ③여러 가지 수단〔방법〕. 형 아름답고 훌륭한 모양. ¶仪yí态～; 용모 태도가 훌륭하다.

〔万分〕 **wànfēn** 부 ①매우. 극히. 절대로. 충분히. ¶心里～的着zháo急; 마음이 매우 초조하다 / ～凑巧còuqiǎo; 아주 안성맞춤이다. ②(부정문에서) 절대로. 도무지. 도저히. ¶～无法 =〔～无奈〕; 도무지 방법이 없다 / ～不应该; 절대로 안 된다

〔万夫〕 **wànfū** 명〈文〉 많은 사내. 만인. ¶～不当之勇; 만 사람도 당해 내지 못할 용기《매우 용맹스러움》.

〔万福〕 **wànfú** ①〈套〉 복 많이 받으세요! ②명 옛날, 부녀자의 인사법《가볍게 쥔 두 주먹을 오른쪽 가슴 밑에서 포개어 아래 위로 움직임과 동시에 고개를 약간 숙임》. ③명 만복. 많은 복.

〔万福金安〕 **wànfú jīn'ān** 〈翰〉 그 동안 별고 없으십니까. ¶祖父母大人～; 조부모님께서는 그 동안 별고 없으셨습니까. =〔起qǐ居万福〕

〔万福流云儿〕 **wànfú liúyúnr** 명 구름과 박쥐를 그린 무늬.

〔万古〕 **wàngǔ** 명 만고. 영구. 영원. ¶～不变; 〈成〉 만고 불변. 부 영구히. 영원히. ¶～留名; 영원히 이름을 남기다 / ～长存; 〈成〉 영원히 남다.

〔万古得〕 **wàngǔdé** 명 《貨》〈音〉 구르드《아이티(Haiti)의 통화 단위》.

〔万古霉素〕 **wàngǔ méisù** 명 《藥》〈音義〉 반코

마이신(vancomycin)《스피로헤타에 듣는 항생 물질》.

〔万古千秋〕 wàn gǔ qiān qiū 〈成〉 만고 천추. 천년 만년. 영원히. 영구히. ¶这真是～的大事业; 이것은 정말 불후(不朽)의 대사업이다.

〔万剐凌迟〕 wànguǎ língchí 능지 처참의 형에 처하다.

〔万贯〕 wànguàn 명 만관의 동전(銅錢). 거액의 재산. 거만(巨萬)의 부(富). ¶～家财 =〔～家产〕〔～家私〕; 거만의 재산.

〔万国〕 wànguó 명 만국. 세계 각국. ¶～公法; 국제법 / ～通鉴; 만국사(史) / ～九州; 전세계 / ～公墓; 각 국민의 공동 묘지.

〔万国公制〕 wànguó gōngzhì 명 ⇨〔国际公制〕

〔万国童子军大会〕 wànguó tóngzǐjūn dàhuì 명 잼버리(jamboree)《국제 보이스카우트 대회》. =〔〈音〉强qiáng普利〕

〔万国语音学字母〕 wànguó yǔyīnxué zìmǔ 명 ⇨〔国际音标〕

〔万好〕 wànhǎo 형 매우 좋다.

〔万斛泉源〕 wànhú quányuán 만곡의 샘의 원천《곡은 10말》. 〈比〉 얼마든지 있음. 매우 풍부함. ¶吾文如～, 不择地而出《蘇軾文》; 나의 글은 만곡의 샘의 근원처럼 풍부하여 장소를 가리지 않고 나온다.

〔万户〕 wànhù 명 ①많은 집. ¶～侯; 1만호가 사는 토지를 소유하고 있는 제후(諸侯). 〈轉〉 고관(高官). ②원대(元代), 각지에 둔 군관(軍官).

〔万花筒〕 wànhuātǒng 명 ①만화경(萬華鏡). ②〈比〉 인생의 변화 무상.

〔万化〕 wànhuà 명 만물의 화육(化育). 동 여러 가지로 변하다. 만화하다. ¶千变～; 천변 만화하다.

〔万汇〕 wànhuì 명 〈文〉 만물. ¶～更新; 만물 갱신. 만물이 변하고 새로워지다.

〔万机〕 wànjī 명 천자가 통치하는 곳의 정무(政務). 천하의 정사(政事). ¶日理～; 〈轉〉 날마다 일상 실무를 처리하다. =〔万几〕

〔万急〕 wànjí 형 〈文〉 화급하다. 급급하다.

〔万家灯火〕 wàn jiā dēng huǒ 〈成〉 ①도시 야경(夜景)의 화려함의 형용. ②해가 져서 등불을 켤 무렵.

〔万家生佛〕 wàn jiā shēng fó 〈成〉 은덕이 널리 미치다.

〔万劫〕 wànjié 명 《佛》 만겁. 영겁. 끝없는 세월. 만세(萬世).

〔万劫不复〕 wàn jié bù fù 〈成〉 영원히 회복할 수가 없다. 영원히 돌아오지 않다.

〔万金〕 wànjīn 명 ①만금. 많은 돈. ②사내아이. ¶阁下添的是千金, 是～; 귀하께서 얻은 아기는 따님입니까 아드님입니까《옛날에는 사내아이를 '万金'에, 계집 아이를 '千金'에 비유했음》.

〔万金油〕 wànjīnyóu 명 ①《藥》 만금유. 만능약. =〔清凉油〕 ②〈比〉 무엇이건 대충 할 수 있으나, 이렇다 하게 뛰어난 것이 없는 사람.

〔万卷〕 wànjuàn 명 만 권의 책. 많은 책.

〔万钧〕 wànjūn 명 〈比〉 매우 무거움《30근을 1 '钧'이라 함》.

〔万克〕 wànkè 명 《度》 1만 그램. =〔公gōng衡〕

〔万籁〕 wànlài 명 〈文〉 각종의 소리. 온갖 음향. ¶～俱寂; 〈成〉 주위가 쥐 죽은 듯 고요하다.

〔万里长城〕 Wànlǐ chángchéng 명 ①《地》 만리 장성. ②(wàn lǐ cháng chéng) 〈成〉 나라가 믿고 의지하는 대장(大將). ‖ =〔〈簡〉长城〕

〔万里长空〕 wàn lǐ cháng kōng 〈成〉 넓디넓은 하늘·우주. ¶把人造地球卫星送上了～; 인공 위성을 우주에 띄웠다.

〔万里长征〕 wàn lǐ cháng zhēng 〈成〉 만 리나 되는 먼 곳으로 진군하다《장기간에 걸치는 어려운 사업》. ¶～走了第一步; 만리 장정의 첫걸음을 내디뎠다.

〔万里侯〕 wànlǐhóu 명 〈文〉 왕도(王都)로부터 멀리 떨어진 땅에 봉해진 제후.

〔万两〕 wànliǎng 명 만 냥. 많은 돈. ¶～黄金容易得, 知心一个也难求; 〈諺〉 돈은 얻기 쉽지만, 지우(知友)는 구하기 어렵다.

〔万流仰镜〕 wàn liú yǎng jìng 〈成〉 만인이 모두 숭배하다. =〔万流景仰〕

〔万隆〕 Wànlóng 명 《地》 반둥(Bandung)《인도네시아의 자바 섬 서부에 위치하는 도시》. ¶～会议; 《史》 반둥 회의《아시아 아프리카 회의. 1955. 4. 18～24》.

〔万隆精神〕 Wànlóng jīngshen 명 반둥 정신《반둥 회의에서 제기된 식민지주의 반대와 민족 자결 지지의 정신》. ¶本着～, 推进同亚洲国家的联系; 반둥 정신에 의거하여, 아시아 국가와의 연계를 추진하다.

〔万马奔腾〕 wàn mǎ bēn téng 〈成〉 기운이 왕성한 모양. 의기가 고양돼 있는 모양. 활기차고 모두가 약동하고 있는 모양.

〔万马皆喑〕 wàn mǎ jiē yīn 〈成〉 억압 밑에서 사람들이 침묵해 버리다. =〔万马齐喑〕

〔万米赛跑〕 wànmǐ sàipǎo 명 《體》 1만 미터 경주. =〔一万米赛跑〕〔一万公尺赛跑〕

〔万民伞〕 wànmínsǎn 명 옛날, 관리의 덕을 칭송하여 백성이 증정하던 큰 우산. =〔万名伞〕〔万年伞〕

〔万民衣〕 wànmínyī 명 옛날, 덕 있는 관리에게 백성이 선물하던 옷.

〔万目睽睽〕 wàn mù kuí kuí 〈成〉 군중이 눈을 부릅뜨고 바라보다《만민의 주시·감독을 받음》.

〔万难〕 wànnán 형 (…하기가) 극히 어렵다. ¶～照办; 지시대로 행하기가 어렵다 / ～挽回; 만회하기가 힘들다. (wànnàn) 명 많은 곤란. 여러 가지 어려움. 만난. ¶排除～; 만난을 배제하다.

〔万能〕 wànnéng 형 ①만능이다. 온갖 일에 능하다. ②만사에 효능이 있다. ¶～药; 만능약.

〔万能表〕 wànnéngbiǎo 명 ⇨〔万用电表〕

〔万能电波测验器〕 wànnéng diànbō cèyànqì 명 ⇨〔万用电表〕

〔万能电桥〕 wànnéng diànqiáo 명 《電》 만능 브리지(bridge).

〔万能(工具)磨床〕 wànnéng (gōngjù) móchuáng 명 《機》 만능 공구 연삭반.

〔万能工作台〕 wànnéng gōngzuòtái 명 《機》 만능 작업대.

〔万能六角车床〕 wànnéng liùjiǎo chēchuáng 명 《機》 만능 터릿(turret) 선반.

〔万能取景器〕 wànnéng qǔjǐngqì 명 《撮》 유니버설 파인더(universal finder).

〔万能铣床〕 wànnéng xǐchuáng 명 《機》 만능 프레이즈반(fraise盤). 만능 밀링 머신(milling machine).

〔万年〕 wànnián 명 만년. 영구(永久). ¶遗臭～; 영구히 오명(汚名)을 남기다.

〔万年灯〕 wànniándēng 명 천자(天子)의 능에 켜는 등불.

〔万年红(纸)〕 wànniánhóng(zhǐ) 명 대련(對聯)

등에 쓰는 붉은 종이의 일종.
〔万年历〕 wànniánlì 명 만세력(萬歲曆).
〔万年粮〕 wànniánliáng 명 옛날, 음력 정월 초하루부터 3일까지 실내에 장식하던 것(조리에 쌀을 담고 송백(松柏) 가지를 꽂음).
〔万年青〕 wànniánqīng 명 ①《植》 만년청. =〔千qiān年蒀〕 ② ⇨〔万年松①〕
〔万年松〕 wànniánsōng 명 《植》 ①부처손. =〔卷柏〕〔万年青②〕 ②뱀톱 근연종(近緣種).
〔万年枝〕 wànniánzhī 명 《植》 감탕나무.
〔万年总账〕 wànnián zǒngzhàng 명 외상 장부.
〔万匹机〕 wànpǐjī 명 《機》 1만 마력급(馬力級) 또는 그 이상의 선박용 디젤 엔진.
〔万品不齐〕 wànpǐn bùqí 십인 십색(十人十色). 각인 각색.
〔万千〕 wànqiān 수 수천 수만. ①수량이 많음을 형용. ②추상적 양태(樣態)가 다양함을 형용(흔히, 2음절 명사 뒤에 옴). ¶变化～; 변화가 다양하다.
〔万请〕 wànqǐng 〈文〉 아무쪼록 …해 주십시오. ¶～关照; 아무쪼록 잘 부탁합니다. =〔千qiān请〕
〔万顷琉璃〕 wànqǐng liúli 명 만경 유리(아름답고 잔잔한 바다).
〔万全〕 wànquán 형 만전하다. 조금도 실수가 없다. 완전하다. ¶～之策; 만전지책 / 计出～; 만전의 대책을 세우다. (Wànquán) 명 《地》 완취안(허베이 성(河北省) 장자커우 시(張家口市)에 있는 땅이름).
〔万人〕 wànrén 명 ①만인. 모든 사람. ¶～共目; 〈成〉 만인이 인정하는〔아는〕 바. ②많은 사람.
〔万人敌〕 wànréndí 명 ①한 사람이 만인(萬人)을 대적하는 것. 〈轉〉 병법(兵法). 군략(軍略). ② 〈比〉 1만의 군대에도 대항할 수 있는 지략과 힘을 가진 사람. ¶关羽、张飞皆～也; 관우와 장비는 모두 만인을 대적할 수 있는 무장이다.
〔万人坑〕 wànrénkēng 명 ①옛날, (전쟁 후) 많은 사자(死者)를 함께 묻은 곳. ②죄수의 시체를 묻은 묘지.
〔万人空巷〕 wàn rén kōng xiàng 〈成〉 사람들이 모두 거리로 나와 환영·축하하다.
〔万人迷〕 wànrén mí ①누구나 다 미혹되다. 많은 사람이 매혹되다. ②(wànrénmí) 명 누구나 모두 매혹될 만한 매력을 가진 사람〔것〕.
〔万人嫌〕 wànrén xián ①모든 사람이 싫어하다. 많은 사람으로부터 따돌림을 당하다. ②(wànrénxián) 명 모든 사람이 싫어하는 사람〔것〕. ¶他简直是～; 그는 완전히 모든 사람에게 따돌림을 당하고 있다.
〔万山千水〕 wàn shān qiān shuǐ 〈成〉 ①수많은 산과 강. ②노정(路程)이 멀고 험함. ‖ =〔千山万水〕〔万水千山〕
〔万生园〕 wànshēngyuán 명 옛날, '动dòng物园'의 별칭. =〔万牲园〕
〔万乘〕 wànshèng 명 만승. ①천자(天子)(의 자리)(주(周)나라 제도에, 천자는 지방 천 리(里), 병거(兵車) 만승을 낸다고 되어 있음). ②만 승의 병거. ¶～之国; 말 네 필이 끄는 병거를 1만 대나 소유하는 대국.
〔万世〕 wànshì 명 만세. ¶千秋～; 〈成〉 천추 만대 / ～师表; 〈成〉 만세의 사표.
〔万事〕 wànshì 명 만사. 모든 일. ¶～如意; 모든 일이 뜻대로 되다 / ～亨通; 만사 형통하다.
〔万事俱备, 只欠东风〕 wàn shì jù bèi, zhǐ qiàn dōng fēng 〈成〉 만사가 모두 갖춰졌으나, 다만 동풍만이 없다(거의 모두 구비되었으되, 다만 중요한 조건이 하나 부족하다).
〔万事起头难〕 wànshì qǐtóu nán 〈諺〉 만사는 그 첫 시작이 어렵다. =〔万事开头难〕
〔万事一揽子〕 wànshì yīlǎnzi 만사를 한 사람 또는 한 조직이 책임지다.
〔万寿〕 wànshòu 명 〈文〉 만수(주로 황제의 장수를 축수하는 말로 쓰임). ¶～无疆; 〈成〉 만수 무강.
〔万寿果〕 wànshòuguǒ 명 《植》 파파야(papaya). =〔番瓜②〕〔番木瓜〕
〔万寿菊〕 wànshòujú 명 《植》 만수국. 전륜화(轉輪花).
〔万寿山〕 Wànshòushān 명 《地》 만수산(베이징(北京)의 서북부에 있는 경승지(景勝地)).
〔万殊〕 wànshū 형 모든 것이 각각 같지 않다. 변화가 끝없이 많다.
〔万水朝宗〕 wàn shuǐ cháo zōng 〈成〉 모든 물이 한 곳을 향해 흐르다. 많은 강이 바다로 흘러들다(제후가 천자를 배알(拜謁)하다). 「万水」
〔万水千山〕 wàn shuǐ qiān shān 〈成〉 ⇨〔千山
〔万死〕 wànsǐ 동 목숨이 살아날 가망이 없다. 명 〈文〉 만사. 만 번 죽음. ¶罪该～; 죄는 만 번 죽어 마땅하다 / ～不辞; 만사도 사양치 않다.
〔万岁〕 wànsuì 명 ①만세(장구(長久)하기를 바라는 축복의 말). ¶韩中友好～! 한중 우호 만세! =〔万万岁〕 ②봉건 시대 신민의 황제에 대한 칭호.
〔万头攒动〕 wàn tóu cuán dòng 〈成〉 붐비어 군중의 머리가 끊임없이 움직이는 모양. 사람이 한 곳에 많이 모여 있음(군중의 열광적인 모양).
〔万万〕 wànwàn 수 〈俗〉 억(億). ¶七～; 7억. 부 ('～不'로서) 결(단)코. 절대로. ¶～不行; 절대로 안 된다 / ～不可粗心大意! 결코 방심해서는 안 된다! / ～想不到; 전혀 뜻밖이다. 형 ①매우 많다. 극히 많다. ¶～千千; 수천 수만. ②훨씬 낫다. 매우 뛰어나다.
〔万万岁〕 wànwànsuì 명 ⇨〔万岁①〕
〔万维网〕 wànwéiwǎng 명 《電算》 월드 와이드 웹(www).
〔万无〕 wànwú 동 〈文〉 만무하다. 절대로 없다. ¶～此理; 이럴 리는 절대로 없다. 그럴 리가 만무하다.
〔万无一失〕 wàn wú yī shī 〈成〉 만에 하나도 잘못이〔실수가〕 없다. =〔万不失一〕 →〔百无一失〕
〔万勿〕 wànwù 결코 …해서는 안 되다. 절대 …하지 마라.
〔万物〕 wànwù 명 만물. 우주간의 일체의 물건. ¶～有灵论 =〔精jīng灵论〕; 《哲》 만물 유심론.
〔万物之灵〕 wànwù zhī líng 명 만물의 영장(靈長). 인류.
〔万向接头〕 wànxiàng jiētóu 명 《機》 만능 자재(自在) 이음(universal coupling). =〔万向节十字头〕〔十shí字接头〕
〔万象〕 wànxiàng 명 ①만상. 온갖 사물. ¶～更新 =〔万物更新〕; 〈成〉 모든 것이 면목을 일신하다 / ～长春; 모든 것이 언제까지고 싱싱하다 / 包罗～; 만상을 망라하다. ②(Wànxiàng) 《地》 비엔티안(Vientiane)('老挝wō'(라오스: Laos)의 수도). =〔珍永〕
〔万幸〕 wànxìng 명형 천만다행(하다). ¶损失点儿东西是小事, 人没有压坏, 总算～; 물건을 조금 잃은 것쯤은 아무것도 아니다, 사람이 깔리지 않은 것이 우선 천만 다행이다 / 府上没遭池鱼之殃真是～; 댁이 불타는 것을 면한 것은 천만 다행이다 / ～的, 身上没受伤; 다행히 몸에 상처를 입지

않았다.
〔万姓〕 wànxìng 명 〈文〉 모든 백성. ¶～统谱; 《書》 만성 통보(명(明)나라 능적지(凌迪知)의 저서. 고금의 성씨에 관하여 상술함).
〔万雅老〕 Wànyǎlǎo 명 《地》〈音〉 메나도(Menado)(셀레베스 섬 북쪽 끝의 항구 도시).
〔万一〕 wànyī 수 일만분의 일. 극히 적은 것. 작은 일부분. ¶笔墨不能形容其～; 필설로는 그 만분의 일도 나타낼 수 없다. 접 만일. 만에 하나. ¶你最好多带几件衣服, 以免～天气变冷; 옷은 몇 벌 가지고 가게, 만일 추워지면 안 되니까 / ～失败, 那怎么办? 만에 하나 실패하면 어떻게 한다지? / ～他不同意呢? 만에 하나 그가 동의하지 않는다면 (어찌하죠)? 명 뜻밖의 일. 만일의 일. 만일. ¶准备～; 만일에 대비하다.
〔万应〕 wànyìng 형 모든 것에 적응하다. ¶～良药; 만능약. 만병 통치약.
〔万应灵丹〕 wàn yìng líng dān 〈成〉 ①만능약. 만병 통치약. ②무엇에나 소용이 닿는 것(흔히, 비아냥대는 뜻으로 쓰임).
〔万用电表〕 wànyòng diànbiǎo 명 《電》 만능 시험기. =〔万能表〕〔万能电波测验器〕
〔万有〕 wànyǒu 명 만물(萬物).
〔万有引力〕 wànyǒu yǐnlì 명 《物》 만유 인력. ¶～定律; 만유 인력의 법칙. =〔〈簡〉引力①〕
〔万愚节〕 wànyújié 명 만우절.
〔万元户〕 wànyuánhù 명 연수입이 1만 원(元)을 넘는 가정.
〔万缘〕 wànyuán 명 일체의 인연. 온갖 인연.
〔万丈〕 wànzhàng 명 만장(매우 높거나 매우 깊은 곳의 형용). ¶～深渊; 아주 깊은 늪 / ～高楼平地起; 〈諺〉 높은 누각도 지면에서부터 시작된다(사업은 작은 것부터 큰 것으로 이르게 된다. 모든 것은 기초부터 시작된다).
〔万钟〕 wànzhōng 명 〈文〉 매우 많은 양. 〈比〉 매우 많은 녹봉(祿俸). ¶～于我何加焉; 후한 녹봉이 내게 무슨 보탬이 되겠는가.
〔万众〕 wànzhòng 명 〈文〉 대중. 만백성. ¶～怒对; 대중이 성난 얼굴로 대하다 / 举国上下, ～欢腾; 전국 모든 사람들이 기쁨에 날뛰다.
〔万众一心〕 wàn zhòng yī xīn 〈成〉 만백성이 마음을 하나로 하다.
〔万状〕 wànzhuàng 명 온갖 모양. 만상(정도가 심함을 나타냄). ¶痛苦～; 몹시 고통스럽다 / 危险～; 위험 천만이다 / 狼狈～; 극도로 낭패하다 / 凄qī惨～; 매우 처참하다.
〔万紫千红〕 wàn zǐ qiān hóng 〈成〉 색깔이 다양함(사물이 풍부하고 다채로움). =〔千紫万红〕
〔万字不到头〕 wànzì bùdàotóu 명 ⇒〔卍字不断头〕
〔万字底〕 wànzìdǐ 명 짐승발자국유(한자 부수의 하나. '禺·离' 등의 '内'의 이름).
〔万字果〕 wànzìguǒ 명 《植》 호깨나무.
〔万子〕 wànzi 명 마작(麻雀) 패(牌)의 '万'자 기호가 있는 것.
〔万总归一〕 wànzǒng guīyī 세상 만사의 모든 이치는 결국 하나이다.

沥(漫)
wàn (만)
지명용 자(字). ¶～尾wěi; 광시 성(廣西省)에 있는 지명.

卐〈卍〉
wàn (만)
명 《佛》〈梵〉 만(萬)자(길상(吉祥)을 뜻함).
〔卐字不断头〕 wànzì bùduàntóu 명 완자문(卍字紋). =〔万不断〕〔万字不到头〕
〔卐字会〕 Wànzìhuì 명 도원(道院)의 외수(外修) 단체로, 자선 사업·사회 봉사 사업을 행함. ¶世界黄huáng～; '卐字会'의 한 파(派). =〔世shì界红卐字会〕
〔卐字锦〕 wànzìjǐn 명 완자문(紋)의 견직물.
〔卐字炕〕 wànzìkàng 명 완자 모양의 온돌 침대.
〔卐字栏杆〕 wànzì lángān 명 완자문(卍字紋)으로 짠 난간.
〔卐字儿〕 wànzìr 명 만자형(卍字形).

腕〈捥〉
wàn (완)
(～儿, ～子) 명 《生》 손목. 발목. ¶手shǒu～; 손목 / 脚～; 발목.
〔腕钏〕 wànchuàn 명 팔찌.
〔腕法〕 wànfǎ 명 완법(글씨를 쓸 때의 용필법(用筆法)).
〔腕骨〕 wàngǔ 명 《生》 완골(腕骨).
〔腕筋〕 wànjin 명 팔의 근육.
〔腕力〕 wànlì 명 완력. 팔의 힘.
〔腕子〕 wànzi 명 손목.
〔腕足〕 wànzú 명 《動》 (오징어·낙지 따위의) 다리.

蔓
wàn (만)
(～儿, ～子) 명 (식물의) 덩굴. ¶瓜guā～; 오이 덩굴. ⇒mán màn

WANG ㄨㄤ

汪
wāng (왕)
① 형 〈文〉 물이 깊고 넓은 모양. ¶～洋大海; 양양한 대해. ② 명 물웅덩이. ③ 동 물이 괴다. ¶地上～着水; 땅 위에 물이 괴어 있다 / 眼里～着眼泪; 눈에 눈물이 괴어 있다. ④(～儿, ～子) 양 괴어 있는 액체를 세는 단위. ¶一～眼泪; 그렁그렁한 눈물 / 一～血xiě; 질펀하게 괸 피. ⑤ 동 저장하다. 모이다. 쌓이다. ¶心里～了不满意; 마음 속에 불만이 쌓였다. ⑥〈擬〉 멍멍(개가 짖는 소리). ⑦ 명 성(姓)의 하나.
〔汪茫〕 wāngmáng 형 〈文〉 물이 넓고 큰 모양.
〔汪然〕 wāngrán 형 〈文〉 ①깊고 넓은 모양. ②눈물이 흐르는 모양. ¶～出涕; 주르르 눈물을 흘리다.
〔汪恕〕 wāngshù 동 〈翰〉 바다같이 넓은 마음으로 용서하다.
〔汪水〕 wāng.shuǐ 동 ①물이 넘치다. ②물이 괴다.
〔汪汪〕 wāngwāng ① 형 〈文〉 망망한 모양. ② 형 물방울 따위가 넘치는 모양. ¶眼泪～; 넘쳐 흐르는 눈물 / 绿～; 눈을 시원하게 하는 고운 녹색. ③〈擬〉 개의 짖는 소리. ¶狗～地叫; 개가 멍멍 짖는다.
〔汪洋〕 wāngyáng 형 〈文〉 ①수면이 넓어 끝이 없는 모양. ¶一片～; 수면이 넓고 넓어 끝이 없다 / ～大海; 양양한 대해. ②문세(文勢)가 웅장하고 큰 모양. ③〈比〉 도량이 넓은 모양.

尫〈尪, 尩〉
wāng (왕)
〈文〉 ① 형 여위고 약하다. ② 명 절름발이. ③ 명 곱사등이.

亡〈亾〉
wáng (망)
① 동 달아나다. ¶流～; 도망쳐 떠돌다 / 流～政府; 망명 정부. ② 동

잃다. ¶岐qí路~羊;〈成〉양 치는 사람이 갈림길에서 양을 잃다. 구도자가 길을 잃고 헤매다 / 唇~齿寒;〈成〉입술이 없으면 이가 시리다(이해가 밀접함을 이름). ③ 동 죽다. ¶阵~; 전사하다. ④ 형 고인이 된. 죽은. ¶~弟; 죽은 아우. ⑤ 동 (멸)망하다. 멸망시키다. ⇒wú

〔亡掉〕 wángdiào 동 멸망해 없어지다.

〔亡儿〕 wáng'ér 명 죽은 아들.

〔亡故〕 wánggù 〈文〉 동 죽다. 돌아가다. ¶他父母早已~; 그의 부모는 이미 돌아가셨다. 명 ①사망. ②고인. 죽은 사람.

〔亡国〕 wáng.guó 동 나라를 망하게 하다. 나라가 망하다. ¶~灭种; 나라를 망치고 민족을 멸망시키다. (wángguó) 명 망국. 멸망한 나라.

〔亡国奴〕 wángguónú 명 망국민.

〔亡户〕 wánghù 명 〈文〉 집을 버리고 도망간 자, 또는 그 일가.

〔亡化〕 wánghuà 동 〈古白〉 사망하다. 죽다. ¶夫主姓张, 早年间~已过; 남편은 성이 장씨였는데, 훨씬 이전에 죽었습니다.

〔亡魂〕 wánghún 명 망혼. 죽은 사람의 혼. ¶~皆冒; 혼비 백산하다(공포의 절규를 지를 때의 모양).

〔亡魂丧胆〕 wáng hún sàng dǎn 〈成〉 혼비 백산할 정도로 놀라다.

〔亡戟得矛〕 wáng jǐ dé máo 〈成〉 한편으로 잃고 한편으로 얻다. 득실이 같다.

〔亡荆〕 wángjīng 명 〈文〉 망처(亡妻). 죽은 아내. 「=〔亡室〕

〔亡灵〕 wánglíng 명 망령.

〔亡灭〕 wángmiè 동 〈文〉 멸망하다.

〔亡命〕 wángmìng 동 ①도망하다. 망명하다. ②목숨을 돌보지 않다. 목숨을 내걸다. ¶~徒; ⓐ목숨을 돌보지 않는 패거리. ⓑ망명자.

〔亡没〕 wángmò 동 〈文〉 ①멸망하다. ②사망하다.

〔亡女〕 wángnǚ 명 죽은 딸자식.

〔亡人〕 wángrén 명 〈文〉 ①망명자. ②죽은 사람. 망인.

〔亡失〕 wángshī 동 〈文〉 망실하다. 잃다. 없어지다.

〔亡室〕 wángshì 명 ⇨〔亡荆〕

〔亡我之心〕 wáng wǒ zhī xīn 〈成〉 자기편을 해치려는 속셈. 죽여 없애려는 마음.

〔亡阳〕 wángyáng 명 《漢醫》 망양증(과도의 발한·토사로 수분이 빠져서 일어나는 급성의 심장 쇠약).

〔亡羊补牢〕 wáng yáng bǔ láo 〈成〉 양이 달아난 뒤에 우리를 수리하다(일이 실패한 뒤에 구체적인 방법을 고안하여 보완하면 더는 손실을 받지 않게 됨). ¶亡羊而补牢, 未为迟也; 소 잃고 외양간 고치는 것이 뒷수습이지만, 늦은 것은 아니다.

〔亡羊得牛〕 wáng yáng dé niú 〈成〉 작은 것을 잃고 큰 것을 얻다. 보리로 잉어를 낚다.

〔亡佚〕 wángyì 동 〈文〉 망일하다. 산실(散失)하다.

〔亡者〕 wángzhě 명 〈文〉 망자. 죽은 사람.

芒 **wáng** (망)
'芒máng①'의 구어음(口語音). ¶麦~(儿); 보리의 까끄라기. ⇒máng

忘 **wáng** (망)
→〔忘八〕

〔忘八〕 wángba 명동 ⇨〔王八〕

王 **wáng** (왕)
① 명 왕. ¶帝dì~; 제왕 / 霸~; 패왕. ② 명 우두머리. 수령. ¶蜂fēng~; 꿀벌의 왕. 여왕벌 / 球~; 구계(球界)의 왕자 / 花中(之)~; 꽃의 왕(모란을 이름). ③존칭에 쓰는 말. ④ 형 〈文〉 큰. 연장(年長)의. 제일의. ¶~父; 조부 / ~蛇; 왕뱀. ⑤ 명 성(姓)의 하나. ⇒wàng

〔王八〕 wángba 명 ①《動》〈俗〉 거북. 자라. ¶~吃黄瓜;〈歇〉 거북이가 오이를 먹다. 빛깔이 같아서 어울리다. ②〈罵〉 간통하는 계집의 남편. 오쟁이진 남편. ③〈罵〉 철면피. 바보 자식. 동 〈俗〉 뒈지다. ¶~了三四个兵; 병정 서넛이 죽었다. ‖=〔忘八〕

〔王八辫儿〕 wángbabiànr 명 어린아이의 머리형의 일종(머리 주위의 여섯 군데에서 머리털을 땋아 묶는 것으로, 그 모양이 거북의 네 다리와 머리, 꼬리와 비슷하므로 이렇게 말함).

〔王八吃秤砣〕 wángbā chī chèngtuó 〈歇〉 자라가 저울추를 먹다. ¶~, 铁了心了; 자라가 저울추를 먹어, 배가 쇠가 되다(쇠를 먹은 것처럼 뜻을 굳히다).

〔王八蛋〕 wángbadàn 명 〈罵〉 멍청이. 바보. 개자식. =〔忘八蛋〕〔王八羔子〕〔忘八羔子〕

〔王八羔子〕 wángba gāozi 명 ⇨〔王八蛋〕

〔王八拉车〕 wángba lāchē 〈歇〉 자라가 수레를 끌다. ①용두사미로 끝나는 일. ¶~, 有前劲jìn没后劲; 용두사미격이다. 처음에는 힘이 나지만, 나중에는 힘이 없다. ②예의바르다. 규칙적이다. ¶~, 龟guī龟车jū车; 단정하고 예의바르기가 자라와 수레와 같다.

〔王八鱼〕 wángbayú 명 《魚》 갑옷새우.

〔王不留行〕 wángbùliúxíng 명 《植》 장구채.

〔王朝〕 wángcháo 명 왕조. ¶殷~; 은 왕조.

〔王城〕 wángchéng 명 ①천자의 도성(都城). 제도(帝都). ②(Wángchéng) 《地》 주(周)나라의 도성.

〔王储〕 wángchǔ 명 황태자. 왕세자.

〔王道〕 wángdào 명 왕도. ¶~本于人情; 왕도는 인정을 근본으로 한다.

〔王道〕 wángdao 형 〈方〉 격렬하다. 강하다. 지독하다. 무자비하다. 심하다. ¶药性~, 效率准确; 약의 성질이 강해서 효과도 확실하다 / 这风可真~; 이 바람은 정말 지독하다 / 他真~, 说话就瞪眼; 그는 아주 과격해서 뭐라고 하기만 하면 눈을 부라린다.

〔王法〕 wángfǎ 명 〈文〉 왕법. 국법. 제왕이 정한 법률. ¶~很严; 국법이 매우 엄하다 / 没~; 법을 지키지 않고 제멋대로 하다.

〔王府〕 wángfǔ 명 옛날, 황족의 저택.

〔王父〕 wángfù 명 조부. 할아버지. =〔祖父〕

〔王纲〕 wánggāng 명 〈文〉 천자의 정치와 교화(教化).

〔王公〕 wánggōng 명 왕공. ①〈文〉 천자와 제후(諸侯). ②옛날의, 왕과 공(公). 귀족. 〈轉〉 신분이 고귀한 사람. 귀현(貴顯). ¶~大人; 왕공 대인 / ~大臣; 귀족이나 대신들.

〔王宫〕 wánggōng 명 왕궁. 「②」

〔王姑〕 wánggū 명 대고모. 왕고모. =〔祖姑〕〔姑婆

〔王瓜〕 wángguā 명 《植》 ①〈俗〉 오이. =〔黄瓜〕 ②쥐참외.

〔王官〕 Wángguān 명 ①(wángguān) 〈文〉 왕조(王朝)의 벼슬아치. ②춘추 시대의 진(晉)나라의 땅. ③복성(複姓)의 하나.

〔王冠〕 wángguān 명 ①왕관. =〔〈文〉 王冕miǎn〕 ②〈比〉 왕권.

〔王国〕 wángguó 명 왕국. ¶瑞典~; 스웨덴 왕국.

〔王侯〕 wánghóu 명 왕후. 왕작(王爵)과 후작(侯爵)《널리 귀현(貴顯)의 작위》. ¶～将相; 왕후장상.
〔王后〕 wánghòu 명〈文〉왕후. 국왕의 아내.
〔王化〕 wánghuà 명〈文〉①군주의 덕화(德化). ②국왕의 정치.
〔王蔧〕 wánghuì 명《植》댑싸리.
〔王畿〕 wángjī 명 ①⇨〔畿内〕 ②(Wángjī)《人》명(明)나라 때의 학자, 1498～1556.
〔王迹〕 wángjì 명〈文〉제왕의 공업(功業). 왕업.
〔王浆〕 wángjiāng 명 로열 젤리(royal jelly).
〔王九蛋〕 wángjiǔdàn 명〈罵〉형편없는 자식.
〔王老五〕 wánglǎowǔ 명〈俗〉(짓눌린 역경을 벗어나지 못하는) 중년의 독신 남자《영화 '王老五'의 주인공 이름에서 유래함》.
〔王莲〕 wánglián 명《植》빅토리아 아마조니카(victoria amazonica).
〔王麻子剪子铺〕 wángmázi jiǎnzipù〈諺〉곰보 왕서방의 가위 가게《훌륭한 기술은 비밀로 해서 남에게 가르치지 않는 법이다》.
〔王帽〕 wángmào 명 제왕이 쓰는 모자. =〔唐táng帽〕
〔王冕〕 wángmiǎn 명 ⇨〔王冠guān①〕
〔王母〕 wángmǔ 명 ①왕모《조모에 대한 존칭》. ②(Wángmǔ)《人》〈簡〉서왕모《전설상의 선녀》. ¶～使者; 서왕모의 약상자를 지킨다고 하는 전설상의 새.
〔王母娘娘〕 Wángmǔ niángniang 명〈俗〉서왕모(西王母)《전설상의 선녀》.
〔王母珠〕 wángmǔzhū 명《植》꽈리.
〔王奶奶玉奶奶〕 wáng nǎinai yù nǎinai〈歇〉왕(王)할머니와 옥(玉)할머니《작은 차이》.
〔王女〕 wángnǚ 명〈文〉왕녀. 공주.
〔王牌(儿)〕 wángpái(r) 명 ①(카드놀이의) 으뜸패. 킹. ②〈比〉(아끼고 내놓지 않던) 비법. 가장 유력한 사람. 마지막 수(단). ¶抛pāo去～; 최후의 수단을 포기하다 / 打出～; 으뜸패를 내다. (아끼던) 최후의 수를 쓰다. ③〈比〉제1인자. ¶空军～; 공군의 제1인자. ④〈比〉생각. 의견. ¶他本来不想拿他的～; 그는 원래 그의 의견을 말하고 싶지 않았다. ⑤〈比〉가장 소중히 여기는 것.
〔王蛇〕 wángshé 명《動》큰 뱀. 이무기.
〔王室〕 wángshì 명〈文〉①왕실. ②조정. 국가.
〔王水〕 wángshuǐ 명《化》왕수. =〔硝xiāo盐酸〕
〔王孙〕 wángsūn 명 ①왕손. 귀족의 자손. ¶～公子; 귀족의 자제. ②《蟲》귀뚜라미의 별칭. =〔蟋xī蟀〕 ③《動》원숭이의 별칭. ④(Wángsūn) 복성(複姓)의 하나.
〔王条〕 wángtiáo 명 왕법. 국법. ¶血海～全不怕; 피바다도 국법도 모두 두렵지 않다.
〔王铜〕 wángtóng 명《鑛》황동(黃銅).
〔王学〕 wángxué 명 왕학. 양명학《명(明)나라의 왕양명(王陽明)의 학파와 학설을 말함》.
〔王鸭〕 wángyā 명《鳥》가창오리.
〔王业〕 wángyè 명〈文〉왕업. 제왕의 사업.
〔王爷〕 wángye 명〈敬〉봉건 시대 왕의 작위를 가진 사람에 대한 존칭.
〔王余鱼〕 wángyúyú 명《魚》가자미.
〔王杖〕 wángzhàng 명 천자가 70세가 된 늙은 신하에게 하사하는 지팡이.
〔王者〕 wángzhě 명〈文〉왕. 제왕. ¶～师; ⓐ제왕의 스승. ⓑ재능이 출중한 사람.
〔王子〕 wángzǐ 명 ①왕자. ②(Wángzǐ) 복성(複姓)의 하나.
〔王子〕 wángzi 명 ①〈俗〉왕공(王公). 왕후(王侯). ②왕. 우두머리. 두목. ¶蜜mì蜂～; 꿀벌의 왕 / 蚂mǎ蚁～; 개미의 왕.
〔王族〕 wángzú 명 왕족.
〔王佐〕 wángzuǒ 명〈文〉왕을 보필하는 중신. 국가의 중신(重臣). 재상. ¶～材; 재상이 될 만한 인재.

网(網〈綱〉) wǎng (망)

①(～子) 명 그물. ¶鱼～; 어망 / 撒sā～; 그물을 치다. ②명 그물 모양의 것. ¶发fà～; 헤어네트(hairnet) / 难逃法～; 법망을 빠져 나가기 힘들다 / 蜘zhī蛛～; 거미집 / 铁tiě丝～; 철조망. ③동 그물을 치다. 그물로 잡다. ¶～着了一条鱼; 그물로 고기 한 마리를 잡았다. ④동 그물코처럼 서다. ¶眼里～着红丝; 눈에 핏발이 서 있다. ⑤명 그물처럼 가로세로로 연락이 있는 조직. ¶商shāng业～; 상업망 / 通tōng迅～; 통신망 / 铁tiě路～; 철도망.
〔网吧〕 wǎngbā 명《電算》인터넷 카페.
〔网产〕 wǎngchǎn 명 한 그물의 어획량. ¶～万斤; 한 그물에 1만 근이 잡히다.
〔网车〕 wǎngchē 명 뒤쪽에 그물을 쳐 놓아, 물건을 싣도록 설비된 마차.
〔网虫〕 wǎngchóng 명《蟲》〈文〉거미.
〔网兜〕 wǎngdōu 명 그물 자루〔바구니〕.
〔网纲〕 wǎnggāng 명 그물의 벼리.
〔网巾〕 wǎngjīn 명 헤어네트(hairnet).
〔网开三面〕 wǎng kāi sān miàn〈成〉은덕이 금수(禽獸)에까지 미치다《관대하게 조처하다》.
〔网开一面〕 wǎng kāi yī miàn〈成〉그물의 한 쪽을 터 두다. 새 사람으로 돌아올 하나의 길을 열어 두다.
〔网筐〕 wǎngkuāng 명 새끼줄로 엮은 삼태기. =〔网篮②〕
〔网篮〕 wǎnglán 명 ①여행용 · 쇼핑용 손바구니《상면이 그물로 덮인 것》. ②⇨〔网筐〕
〔网利〕 wǎnglì 동〈文〉이익을 독점하다.
〔网漏吞舟〕 wǎng lòu tūn zhōu〈成〉그물은 배를 삼킬 만한 대어를 빠뜨리어 잡지 못한다《큰 죄인은 법망에 걸리지 않음》. ¶～之鱼; 〈比〉대악인(大惡人).
〔网罗〕 wǎngluó 명 ①〈文〉고기잡이 그물과 새잡이 그물. ②사람을 속박하는 사물. ¶冲破旧社会的～; 구(舊)사회의 속박을 타파하다. 동〈轉〉찾(아 구하)다. 망라하다. 널리 모으다. ¶～天下异能之士; 천하의 뛰어난 인사를 모으다.
〔网络〕 wǎngluò 명《電算》①네트워크(network). ②인터넷(internet).
〔网络浏览器〕 wǎngluò liúlǎnqì 명《電算》웹브라우저.
〔网民〕 wǎngmín 명《電算》네티즌(netizen).
〔网膜〕 wǎngmó 명《生》①대망막. ②망막.
〔网目〕 wǎngmù 명 그물눈. 그물코. ¶～版; 《印》망목판《사진판의 일종》. =〔网眼〕
〔网屏〕 wǎngpíng 명《印》스크린(screen). 망판(網版). ¶雕刻～; 조각 망판.
〔网球〕 wǎngqiú 명 ①《體》테니스(tennis). 정구. ¶打～; 테니스를 하다 / ～场; 테니스 코트 / ～比赛; 테니스의 경기. ②테니스 볼.
〔网球拍(子)〕 wǎngqiú pāi(zi) 명《體》테니스의 라켓.
〔网儿〕 wǎngr 명 작은 그물.

〔网纱〕 wǎngshā 명 배우가 쓰는 가발. =〔网子①〕
〔网衫〕 wǎngshān 명 그물 모양으로 만든 셔츠.
〔网上交易〕 wǎngshàng jiāoyì 명 《電算》전자 상거래. =〔电子商务〕
〔网绳〕 wǎngshéng 명 어망(漁網)에 쓰이는 로프.
〔网套〕 wǎngtào 명 (벌레 잡는) 그물. 포충망.
〔网纹腾〕 wǎngwénténg 명 《魚》 얼룩통구멍.
〔网线〕 wǎngxiàn 명 ①어망을 짜는 실. ②사진판 인쇄의 점의 조밀도.
〔网箱养鱼〕 wǎngxiāng yǎngyú 명 가두리 양어.
〔网眼〕 wǎngyǎn 명 ⇨〔网目〕
〔网页〕 wǎngyè 명 《電算》 웹페이지.
〔网油〕 wǎngyóu 명 돼지의 복부의 내장 사이에 있는 그물 모양의 지방.
〔网鱼〕 wǎng yú 그물로 물고기를 잡다.
〔网站〕 wǎngzhàn 명 《電算》 웹사이트. =〔网扯〕
〔网扯〕 wǎngzhǐ 명 ⇨〔网站〕
〔网柱〕 wǎngzhù 명 《體》 네트(net) 기둥.
〔网状脉〕 wǎngzhuàngmài 명 《植》 망상맥. 그물맥.
〔网子〕 wǎngzi 명 ①배우의 가발(假髮). ②그물. =〔网纱〕 ③그물 모양의 것.

罔〈囦〉 wǎng (망)

〈文〉 ① 동 가리다. 감추다. 속이다. 숨기다. ¶欺～; 속이다. ② 동 억울한 죄를 씌우다. ¶诬wū～; 없는 죄를 씌우다. ③ 동 없다. ¶药石～效; 약석 무효. 치료한 보람이 없다 / ～不率俾; 모두 복종하다. ④…아니하다. ¶罔若～闻; 조금도 귀를 기울이지 않다. ⑤ 형 실망하여 멍하다.
〔罔顾〕 wǎnggù 동 〈文〉 돌(아)보지 않다.
〔罔极〕 wǎngjí 형 〈文〉 망극하다. 한〔그지〕없다.
〔罔两〕 wǎngliǎng 형 〈文〉 근거가〔의지할 데가〕 없는 모양. 명 ①〈文〉 그림자 가장자리에 생기는 희미한 덧그림자. ②⇨〔魍魎〕
〔罔阆〕 wǎngliǎng 명 ⇨〔魍魎〕
〔罔然〕 wǎngrán 형 〈文〉 ①공허한 모양. ②망연한〔멍한〕 모양. ‖ =〔罔罔〕
〔罔替〕 wǎngtì 형 〈文〉 변함 없다. 불변하다.
〔罔闻〕 wǎngwén 동 〈文〉 듣지 않다. 들어도 모르다. ¶置若～; 〈成〉 못 들은 척하다.
〔罔知〕 wǎngzhī 동 〈文〉 모르다. ¶～所届jiè; 행방 불명.

惘 wǎng (망)

형 〈文〉 망연한〔실망한〕 모양. ¶怅chàng～; 실망하여 한탄하다. 아쉬워하다.
〔惘然〕 wǎngrán 형 〈文〉 망연한〔실의(失意)에 빠진〕 모양. ¶～若失 =〔～自失〕; 망연 자실함. =〔惘惘〕
〔惘惘〕 wǎngwǎng 형 ⇨〔惘然〕

辋(輞) wǎng (망)

명 수레바퀴의 테.
〔辋板〕 wǎngbǎn 명 수레바퀴의 나무테.

蝄 wǎng (망)

→〔蝄蜽〕
〔蝄蜽〕 wǎngliǎng 명 ⇨〔魍魎〕

魍 wǎng (망)

→〔魍魎〕
〔魍魎〕 wǎngliǎng 명 전설에 나오는 괴물(怪物). ¶魑魅chīmèi～; 온갖 도깨비. =〔罔阆〕〔罔两②〕

〔蝄蜽〕

往 wǎng (왕)

A) ① 동 가다. …로 향하다. ¶～南; 남(쪽)으로 가다 / 一来一～; 왔다갔다 / 徒步前～; 도보로 가다〔떠나다〕/ 这趟车开～台北; 이 열차는 타이베이(臺北)행이다. 注 전치사〔介詞〕를 수반하지 않으며 처소사(處所詞)를 목적어로 씀. ② 명형 예전(의). 이전(의). ③ 명 〈文〉 죽음. 죽은 사람. ¶送～事居; 죽은 사람을 보내고 산 사람을 섬기다. ④→〔往往(儿)〕 B) 개 ①…(쪽)으로. …로. ¶～南走; 남쪽으로 가다 / ～前看; 앞을 보다 / ～左转; 왼쪽으로 돌다 / ～何处去? 어디로〔를〕 가나? / 水～低处流; 물은 낮은 쪽으로 흐른다. =〔望⑤〕 ②…(쪽)으로〔하게〕 …(하다). 注 '～+형용사+(里)+동사'의 꼴로 쓰이며, 어느 한쪽으로 치우침을 나타내는 경우는 흔히 '里'를 수반하는데, 경성(輕聲)이므로 '～了'로도 표현함. ¶～好里(了)说; 좋은 쪽으로〔선의로〕 말하다 / ～大里迈; 성큼성큼 걷다 / ～回里走; 되돌아오다 / ～坏里改; 나쁘게 고치다. 개악하다 / ～简单里说; 간단히 말하면.
〔往常〕 wǎngcháng 명 평소. 평상시. ¶像～一样; 여느 때와 같이 / 今天因为有事, 所以比～回来得晚; 오늘은 일이 있어서 평소보다 늦게 왔다 / 他～不这样; 그는 평상시 이렇지는 않다.
〔往常间〕 wǎngchángjiān 부 이제까지〔평소에〕 죽. 평상시에. ¶～只有宝玉长谈阔kuò论《紅樓夢》; 평소에는 보옥만이 긴 이야기를 하고 많이 논했다 / ～庄上不曾见了; 평소에는 마을에서 본 적이 없었다. =〔往常时〕
〔往出〕 wǎng chū 밖으로 향하여 …(하다). ¶～拿钱; 돈을 꺼내다 / ～卖; 매출하다 / ～撮cuō雪; 눈을 퍼내다.
〔往出臭臭〕 wǎngchū chòuchou 〈北〉 집안의 수치를 밖으로 드러내다. ¶这些私事, 谁也没特意打听, 是他们自己～; 이런 사사로운 일들은 아무도 일부러 물은 것이 아니고, 그들이 스스로 소문을 퍼뜨린 것이다.
〔往而不来〕 wǎng ér bùlái 이쪽에서 방문해도 상대방이 답례하러 오지 않다. ¶礼尚往来, 来而不往, ～, 皆非礼也; 예는 본래 왕래하는 것이 중요하다. 상대방이 와 주었는데 답례하지 않는다든가, 이쪽에서 찾아갔는데 답례로 오지 않는 것은 모두 예에 어긋난다.
〔往返〕 wǎngfǎn 동 왔다갔다하다. 왕복하다. ¶～都乘火车; 왕복 모두 기차를 타다 / ～奔走; 왔다갔다 분주하게 돌아다니다. 명 왕복. ¶徒劳～; 왔다갔다 헛수고하다 / ～行程; 왕복의 행정 / ～车票 =〔来lái回票〕; 왕복표.
〔往访〕 wǎngfǎng 동 가서 방문하다.
〔往复〕 wǎngfù 동 ①왕복하다. 되풀이하다. ¶～运动; 왕복 운동 / 循环～, 以致无穷; 순환은 되풀이되고 그것이 끝없이 계속된다. ②교제하다. 사귀다.
〔往复泵〕 wǎngfùbèng 명 《機》 왕복 펌프.
〔往复式发动机〕 wǎngfùshì fādòngjī 명 《機》 왕복 (발동) 기관.
〔往复(式)阀〕 wǎngfù(shì)fá 명 《機》 왕복판(瓣). 리시프로케이팅 밸브(reciprocating valve).
〔往古〕 wǎnggǔ 명 옛날. 옛적.
〔往古来今〕 wǎng gǔ lái jīn 〈成〉 옛날부터 지금까지.
〔往后〕 wǎng hòu ①금후. 이후(로는). 앞으로. ¶～别这么着! 이후로는 이러지 마라! / ～ 可得小

心; 앞으로는 조심해라. 注 '以后'와는 달리 미래의 경우에 한하여 씀. ②뒤로. 후방으로. ¶～退; 후퇴하다 / ～改日子; 날짜를 뒤로 물리다.
〔往还〕 wǎnghuán 통 왕래하다. 교제하다. ¶他们两个经常有书信～; 그들 두 사람은 늘 편지를 주고받는다 / 我这几年与yǔ人极少～; 나는 요 몇 해 사람과 거의 교제가 없다.
〔往回(里)〕 wǎng huí(li) 돌아가는 방향으로. 본디 방향으로. ¶～打; 원점으로 되돌리다 / ～走; 되돌아오다〔가다〕 / ～赶; 급히 되돌아가다.
〔往回提〕 wǎnghuítí 맡긴 것을 찾다. ¶外边存着的钱不能～; 밖에 맡긴 돈을 찾을 수 없다.
〔往鉴〕 wǎngjiàn 명 과거의 본보기. 본보기가 될 만한 고사(故事).
〔往届〕 wǎngjiè 명 전번. 이전(以前). ¶比赛制度仍然按照～一样采取抽签办法; 시합 제도는 역시 이전과 마찬가지로 추첨 방법을 채용한다.
〔往开(里)〕 wǎng kāi(li) 밖으로. ¶把旗子～移一移; 기를 밖으로 옮겨라 / 两手～一伸, 就扑过去; 양손을 뻗어 곧 상대에게 덤벼들었다.
〔往来〕 wǎnglái 통 ①오가다. 왕래하다. ¶大街上～的人很多; 큰거리에는 오가는 사람이 매우 많다. ②(편지 따위를) 주고받다. ¶笔墨～; 편지의 왕래. ③서로 방문하다. 사귀다. 교제하다. ¶他们俩～十分密切; 그들 두 사람은 아주 친하게 사귀고 있다 / ～无白丁; 교제하고 있는 자에 평민은 없다《모두 명사다》. ④거래하다. ¶～厂商 =〔～店家〕; 거래선. 명 ①주고받음. 교제. ¶我跟他没有什么～; 나는 그와 별로 교제가 없다. ②거래. ¶同行háng的～; 동업자간의 거래. ③당좌 계정. ¶～存款; 당좌 예금 / ～存款户; 당좌 예금주 / ～抵押透支; 담보부 당좌 대월 / ～缺款; 당좌 대부 / ～缺息; 당좌 대부 이자 / ～透支; 당좌 대월 / ～帖tiě =〔～账〕〔～折zhé〕; 당좌 예금 통장.
〔往里〕 wǎng lǐ ①안(쪽)으로. ¶～搜索; 안쪽을 수색하다. ②(wǎnglǐ) 명 이내. 이하. ¶一千～; 천 이내.
〔往里搁人〕 wǎngli gērén 〈京〉 남을 꼼짝 못 하게 하다. 남을 억지로 끌어 들이다. ¶办这件事, 大家都心明眼亮, 谁也不许～; 이 일을 하는 데 모두 정정당당하게 하여, 누구도 남을 물고 늘어지는 일이 없도록 해라.
〔往里傻〕 wǎnglishǎ 멍청해 보이나 실은 영리하다. 의뭉스럽다. ¶他傻? 他～不往外傻, 你多咱见他吃亏来着? 그가 바보라고? 그는 멍청한 것같이 보이지만, 실은 머리가 좋단다. 그가 손해보는 것을 본 일이 있니?
〔往里伸腿〕 wǎng li shēn tuǐ 〈成〉 다른 사람 일에 끼여들다. ¶这件事没你, 别～; 이 일은 네가 나설 일이 아니니, 끼여들지 마라.
〔往脸上贴金〕 wǎng liǎn shàng tiē jīn 〈成〉 자랑하다. 칭찬하다. 자화자찬하다.
〔往年〕 wǎngnián 명 ①이전. 왕년. ②예년(例年). ‖ =〔往岁〕
〔往牛犄角里钻〕 wǎng niújījiǎoli zuān 〈比〉 쇠뿔 속으로 들어가다《비관적으로 사물을 생각하다. 속 좁게 생각하다》.
〔往起〕 wǎng qǐ 위(쪽으)로. 높은 쪽으로. ¶～提提裤子; 바지를 치켜올리다 / ～拿; 들어 올리다.
〔往起立〕 wǎng qǐ lì 일어서다. ¶钱先生要～, "钱先生! 坐着你的", 祁老人说; 전 씨가 일어서려 하자, "전 선생, 그냥 앉아 계시죠."라고 기노인은 말했다.
〔往前〕 wǎngqián ①명 이전. 예전. ②(wǎng qián) 앞〔전방〕으로. ¶下车再～走几步; 내려서 앞으로 조금 걸어서 / ～改日子; 날짜를 앞당기다.
〔往前跑〕 wǎng qián pǎo ①뛰어가다. 구보하다. ②앞쪽으로 내달리다.
〔往前走〕 wǎng qián zǒu ①앞으로 나아가다. 진보〔발전〕하다. ②앞으로 가!《구령》. ③(wǎngqiánzǒu) 통 〈俗〉 (여자가) 재혼하다.
〔往日〕 wǎngrì 명 지난날. 옛날. ¶～无冤近日无仇; 〈成〉 옛날이나 요즘이나 원한도 없고 원수도 없다.
〔往上〕 wǎng shàng 위(쪽으)로. ¶～瞧; 위를 보다.
〔往生〕 wǎngshēng 명통 《佛》 왕생(하다).
〔往圣〕 wǎngshèng 명 선철(先哲).
〔往时〕 wǎngshí 명 이전. 왕년.
〔往世〕 wǎngshì 명 옛날. 왕고(往古).
〔往事〕 wǎngshì 명 지난 일. ¶回忆～; 지난 일을 회상하다 / ～休提; 지난 일은 젖혀 두고.
〔往死里〕 wǎngsǐli 부 필사적으로. ¶～打; 죽어라고 때리다 / ～斗争; 필사적으로 투쟁하다.
〔往岁〕 wǎngsuì 명 ⇨〔往年〕
〔往外〕 wǎng wài ①밖을 향해. 밖으로. ¶～看; 밖을 보다. ②(wǎngwài) 명 이상. ¶一百元～; 백 원(元) 이상. ③(wǎngwài) 명 이외. ¶这里～; 여기 외(外).
〔往往(儿)〕 wǎngwǎng(r) 부 왕왕. 자주. (곧)잘. 자칫하면. 注 현재까지의 사실에 대한 총괄(總括)을 나타내기 때문에 미래의 사항이나 원망(願望)을 표현할 때는 '常常(儿)'을 씀. 또, 동작과 관계 있는 상황·조건·결과를 명시해야 함. ¶小刘～一个人上街; 유(劉)군은 자주 혼자서 거리로 나간다《'小刘～上街'로는 쓸 수 없으나 '小刘常常上街'는 쓸 수 있음》 / 人们～忽略这一点; 사람들은 왕왕 이 점을 소홀히 한다.
〔往昔〕 wǎngxī 명 옛날. 이전. ¶一如～; 아주 예전과 같다 / 忆～, 看现在, 望将来; 예전을 생각하며, 현재를 보며, 장래를 바라보다.
〔往下〕 wǎngxià ①명 금후. 장래. ②(wǎng xià) 아래(쪽으)로. ¶往掉下去; 아래로 떨어지다. ③(wǎng xià) (더) 계속해서. ¶一直地～念; 그대로 계속해서 읽다 / 往说下去吧; 이야기를 계속하시오 / ～数shǔ; 계속해서 세다.
〔往心里去〕 wǎng xīnli qù 마음에 두다. 개의(介意)〔괘념〕하다. 걱정하다. ¶他说的话, 您不要～; 그가 하는 말에 개의할 것 없습니다.
〔往这么来〕 wǎng zhème lái 그 뒤. 근래. 요즘. ¶他从前不要强, ～很好; 그는 이전에는 향상심(向上心)이 없었지만, 요즘은 대단히 나아졌다.
〔往嘴里拿的〕 wǎng zuǐli náde 먹을 것. 곡물.
〔往罪〕 wǎngzuì 명 기왕(既往)의 죄. 이미 저지른 죄.

枉 wǎng (왕)

〈文〉 ①형 구부러져〔일그러져〕 있다. 바르지 않다. ¶矫～过正; 〈成〉 교정이 도를 지나치다. ②통 일그러뜨리다. 구부리다. ③통 굽히다. 굴하다. ④형 억울하다. 원통하다. ¶战争贩子们驱使成万青年～死异乡; 전쟁 상인들은 다수의 청년을 내몰아 타향에서 억울하게 횡사케 했다. ⑤부 헛되이. 쓸데없이. ¶不～开这一次会; 이번 모임을 연 것은 헛되지 않았다 / 以前的努力并非～费; 이전의 노력은 결코 헛된 것이 아니다.
〔枉尺直寻〕 wǎng chǐ zhí xún 〈成〉 1 '尺'을 굽

혀 1'寻'을 고치다《약간의 양보로 큰 이득을 얻다》.

〔枉道〕 wǎngdào 동 (아첨하기 위하여) 도리를 어기다. ¶～而事人《論語 微子》; 도리를 어기고 남을 섬기다.

〔枉断〕 wǎngduàn 동 법을 굽혀 부정한 판단을 내리다.

〔枉法〕 wǎngfǎ 동 (멋대로) 법을 왜곡하다〔어기다〕. ¶贪赃～; 뇌물을 받고 법을 어기다.

〔枉费〕 wǎngfèi 동 헛되이 쓰다〔소비하다〕. 허비하다. ¶～工夫; 헛수고를 하다 / ～唇chún舌; 〈成〉 헛된 말을 하다. 말해도 소용 없다. →〔白费〕〔空费〕

〔枉费心机〕 wǎng fèi xīn jī 〈成〉 쓸데없이 애쓰다. 헛수고하다. ¶抗拒历史进程的任何企图都是～; 역사의 흐름에 항거하는 어떠한 기도도 모두 헛된 것이다. =〔枉劳心机〕〔枉用心机〕

〔枉顾〕 wǎnggù 동 ⇨〔枉驾〕

〔枉己正人〕 wǎng jǐ zhèng rén 〈成〉 자신은 올바르지 않은 주제에 남을 바로잡으려 하다. ¶吾未闻枉己而正人者也《孟子 萬章上》; 나는 아직 자신은 올바르지 못하면서 남을 바로잡았다는 사람을 들어 본 적이 없다.

〔枉驾〕 wǎngjià 동 〈文〉〈敬〉 왕림〔참석〕하여 주시다. ¶～光临! 〈翰〉 왕림해 주시기 바랍니다! =〔光顾guānggù〕〔枉屈〕〔枉顾〕〔枉临〕

〔枉口拔舌〕 wǎng kǒu bá shé 〈成〉 입에서 나오는 대로 마구 지껄이다. =〔妄wǎng口巴舌〕

〔枉劳心机〕 wǎng láo xīn jī 〈成〉 ⇨〔枉费心机〕

〔枉临〕 wǎnglín 동 ⇨〔枉驾〕

〔枉屈〕 wǎngqū 동 ⇨〔枉驾〕

〔枉去〕 wǎngqù 동 〈文〉 헛걸음하다.

〔枉然〕 wǎngrán 형 〈文〉 헛되다. 헛일이 되다. ¶坚持也～; 버티어도 헛일이다.

〔枉矢〕 wǎngshǐ 명 〈文〉 ①바르지 않은 화살. 구부러진 화살. ②《天》 별의 이름.

〔枉死〕 wǎngsǐ 동 횡사(橫死)하다. 한을 품고 죽다. ¶～城; 비명 횡사한 사람이 머무는 곳 / 他到了～城; 그는 비명 횡사했다.

〔枉威儿〕 wǎngwēir 형 〈京〉 헛되다. 허사이다. ¶试了多少次也～; 몇 번 시도했으나 헛일이었다 / 就是你亲身去也～; 설사 당신 자신이 가더라도 아무런 효과도 없습니다.

〔枉用心机〕 wǎng yòng xīn jī 〈成〉 ⇨〔枉费心机〕

〔枉有其名〕 wǎng yǒu qí míng 〈成〉 이름뿐이고 실속이 없다. 유명 무실하다.

〔枉罪〕 wǎngzuì 명 〈文〉 원죄(冤罪). 억울한 죄.

王 **wàng** (왕)
〈文〉 ①동 왕이 되다. 군림(君臨)하다. ②형 굉장하다. ⇒wáng

旺 **wàng** (왕)
형 ①성하다. 왕성하다. 한창이다. ¶火很～; 불이 활활 타오르고 있다 / 人口～; 가족이 많다 / 运气～; 장차의 운수가 좋다 / 生意兴～; 장사가 흥성하다 / 血气～; 혈기 왕성하다. ②(초목이) 무성하다. 많다. ¶院中的鸡冠花开得正～; 뜰에는 맨드라미꽃이 바야흐로 한창이다. ③(머리나 수염이) 많다. ¶胡子不～; 수염이 많지 않다.

〔旺产期〕 wàngchǎnqī 명 ⇨〔旺季〕

〔旺地〕 wàngdì 명 〈文〉 번창하고 있는 고장. 번영하는 땅.

〔旺发〕 wàngfā 동 왕성하다. 한창 때이다. ¶白鱼～时; 뱅어가 한창 나돌 때.

〔旺夫〕 wàngfū 명 (점치는 용어로) 남편의 운수가 좋아지는 것.

〔旺火〕 wànghuǒ 명 맹렬히 타오르는 불. 잘 타는 불. 강화(強火).

〔旺季〕 wàngjì 명 상품이 잘 팔리는 계절. 무엇이 한창 나도는 철. 최성기(最盛期). ¶捕鱼～; 고기잡이의 최성기 / 加以～到来, 上市量增多, 因而价格回落; 게다가 최성기가 되어, 출하량이 늘자, 값이 누그러졌다. =〔旺产期〕

〔旺盛〕 wàngshèng 형 번창하다. 왕성하다. 성하다. 무성하다. ¶士气～; 사기가 왕성하다. =〔旺壮〕

〔旺时〕 wàngshí 명 유행기. 한창 쏟아져 나올 때.

〔旺市〕 wàngshì 명 호황. 호경기.

〔旺台〕 wàngtái 형 〈廣〉 구경꾼으로 가득하다. ¶昨天篮球场～; 어제 농구장은 구경꾼으로 꽉 찼다.

〔旺相〕 wàngxiàng 형 ①성하다. ②(농산물 따위가) 한창이다. ¶梨正～; 배가 한창 출회(出廻)되고 있다. 명 운수가 좋은 상(相). ¶运气～; 운수가 좋다.

〔旺销〕 wàngxiāo 동 〈文〉 잘 팔리다.

〔旺月(儿)〕 wàngyuè(r) 명 수입이 많은 달. 거래가 많은 달. ↔〔淡dàn月〕

〔旺运〕 wàngyùn 명 〈文〉 좋은 운수. ¶走着～; 운이 트이어 있다.

〔旺壮〕 wàngzhuàng 형 ⇨〔旺盛〕

望 **wàng** (망)
①동 바라보다. 먼 데를 보다. ¶登高远～; 높은 곳에 올라 멀리 바라보다 / 一～无边; 일망 무제하여 끝없이 넓다. ②동 〈文〉 바라다. 희망하다. ¶大喜过～; 망외(望外)의 기쁨 / ～准时参加; 〈翰〉 그 시간에는 꼭 참가해 주십시오 / 丰收有～; 풍작이 기대되다. ③동 흠모하다. 감탄하다. ¶一时人～; 당시의 사람은 탄복했다. ④동 찾다. ¶你～～那个在哪里; 그게 어디 있는지 찾아봐라. ⑤개 …을 향하여. ¶～他说; 그에게 말하다 / ～我点点头; 나를 향해 인사했다 / 人～高处走; 사람은 모두 높은 곳을 향해 간다. 注 '望前看'(앞을 보다), '望东走'(동쪽으로 가다) 따위의 '望'은 흔히 '往'으로 씀. =〔往**B**〕① ⑥명 명망(名望). ¶威～; 위세와 덕망 / 德高～重; 〈成〉 덕망이 높다. ⑦동 방문하다. 뵙다. ¶看kàn～ =〔拜～〕; 뵙고 문안하다. ⑧명 음력 15일. 보름. ¶朔shuò～; 삭망. 초하루와 보름. ⑨동 원망하다. 불만스럽게 생각하다. ¶怨yuàn～; 원망하다. ⑩동 《漢醫》 시진(視診)하다. =〔望诊〕 ⑪명 성(姓)의 하나.

〔望安〕 wàng'ān 동 ①평안 무사를 빌다. ②안심하다. ¶您就～吧! 안심하십시오!

〔望八〕 wàngbā 명 여든을 바라보는 나이.

〔望巴巴〕 wàngbābā 동 〈古白〉 걱정하다. 걱정되다. 애타게 기다리다.

〔望板〕 wàngbǎn 명 《建》 산자널《서까래 위에 까는 판자》. 서까래 위에 까는 얇은 벽돌.

〔望不到〕 wàngbudào ①내다보이지 않다. 바라볼 수 없다. ¶一眼～边儿; 끝까지 내다보이지 않다. ②소망이 이루어지지 않다. 바라도 소용이 없다. ¶～大旱云霓; 큰 가뭄에 비구름을 바랄 수는 없다. ‖ =〔望不能〕

〔望不能〕 wàngbunéng ⇨〔望不到〕

〔望长久远〕 wàng cháng jiǔ yuǎn 〈成〉장기적으로 생각하다. 멀리 내다보다. ¶要打算～, 也须有个办法; 장기적으로 생각한다면, 무슨 방법이

있을지도 모른다.
〔望潮〕 wàngcháo 명 《動》 꽃뚜기. 명동 해조(海潮)(를 기다리다).
〔望尘不及〕 wàng chén bù jí 〈成〉 ⇨〔望尘莫及〕
〔望尘而拜〕 wàng chén ér bài 〈成〉 지위가 높은 사람을 맞이할 때의 비굴하게 아첨하는 태도 《아첨하며 상관을 섬기다》.
〔望尘莫及〕 wàng chén mò jí 〈成〉 발밑에도 못 따른다. 도저히 비교가 안 되다. ¶他的学问好极了, 我真是～; 그의 학문은 참으로 우수해서 나는 도저히 따를 수 없다. =〔望尘不及〕
〔望穿秋水〕 wàng chuān qiū shuǐ 〈成〉 안타깝게 기다리는 모양. 눈이 빠지도록 기다리는 모양.
〔望穿双眼〕 wàng chuān shuāng yǎn 〈成〉 ⇨〔望眼欲穿〕
〔望穿眼〕 wàngchuān yǎn (탐이 나서 또는 기대하여) 뚫어지게 보다.
〔望地〕 wàngdì 명 〈文〉 명망과 지위.
〔望断〕 wàngduàn 동 〈文〉 보이지 않게 되다. 멀리 사라지다.
〔望而却步〕 wàng ér què bù 〈成〉 뒷걸음질치다. 꽁무니를 빼다. ¶这鸡蛋, 呈奶白色淡而无味, 主妇们皆～; 이 달걀은 젖빛을 띠고 담박하여 맛이 없으므로 주부들은 모두 꽁무니를 뺀다.
〔望而生畏〕 wàng ér shēng wèi 〈成〉 바라만 보아도 두려워지다. 한눈에 겁이 나다. ¶对人的态度, 要和蔼可亲, 不要使人有～的感觉; 사람을 대하는 태도는 부드럽고 친근미를 갖게 해야지, 다른 사람에게 두려움을 느끼게 해서는 안 된다.
〔望烦〕 wàngfán 동 〈翰〉 번거로운 대로〔수고스럽지만〕…해 주시기 바랍니다.
〔望风〕 wàng.fēng 동 ①(간첩 · 도둑 등의 일당이) 망을 보다. ②형세를 보다. ¶～而逃; 〈成〉 상대의 기세 · 형세를 살피고 도망치다. 허둥지둥 달아나다 / ～披靡; 〈成〉 상대의 형세를 보고 전의(戰意)를 잃은 채 완전히 무너지다. ③〈文〉 멀리 우러러보고 그리다. 명망을 듣고 흠모하다.
〔望风扑影〕 wàng fēng pū yǐng 〈成〉 구름 잡는 격이다. 되는 대로 행동하다. ¶～地说; 근거 없이 되는 대로 지껄이다 / ～的哪里找得着? 막연하게 근거도 없는 것을 어디서 찾아 낼 수 있는가? =〔望风捉影〕〔望空扑影〕
〔望风捉影〕 wàng fēng zhuō yǐng 〈成〉 ⇨〔望风扑影〕
〔望竿〕 wànggān 명 목표가 되는 높은 장대. 푯대. ¶傍江竖着一根～; 강가에 푯대 하나가 서 있다.
〔望衡对宇〕 wàng héng duì yǔ 〈成〉 집들이 붙어 있다. 집이 바로 가까이에 있다.
〔望候〕 wànghòu 동 ①안부를 묻다. 문안드리다. ②기대하며 기다리다. ③은근히 기다리다.
〔望花甲〕 wànghuājiǎ 명 ⇨〔望六〕
〔望火的〕 wànghuǒde 명 화재를 감시하는 사람. 망화인(望火人).
〔望火楼〕 wànghuǒlóu 명 (소방서의) 망루(望樓). =〔望火台〕
〔望见〕 wàngjiàn 동 멀리 바라보다. 망견하다.
〔望江南〕 wàngjiāngnán 명 《植》 석결명(石决明). =〔羊角豆〕
〔望看〕 wàngkan 동 방문하다. 형편을 보다. ¶改天再～您去; 후일 또 찾아뵙겠습니다.
〔望空扑影〕 wàng kōng pū yǐng 〈成〉 ⇨〔望风扑影〕
〔望郎媳〕 wànglángxí 명 민며느리.
〔望六〕 wàngliù 명 예순을 바라보는 나이. ¶我是～的人; 나는 예순에 가까운 사람이다. =〔望花甲〕
〔望楼〕 wànglóu 명 망루.
〔望梅止渴〕 wàng méi zhǐ kě 〈成〉 공상에 의해 자기 만족을 하다.
〔望门(儿)妨〕 wàngmén(r)fāng 명 옛날, 결혼도 하기 전에 약혼 중의 상대가 죽는 일《결혼 전에 이미 상극(相剋)이 있었다는 생각에서 유래함》.
〔望门(儿)寡〕 wàngmén(r)guǎ 명 ①정혼(定婚)한 남자가 죽어서 그대로 수절하다. ②망문〔까막〕과부.
〔望门投止〕 wàng mén tóu zhǐ 〈成〉 사정이 절박하여 남의 집에 몸을 의지하다. 급히 남의 집에 피신하다.
〔望祈〕 wàngqí 동 〈翰〉 빌다. 희망하다. 바라다. ¶～复示; 답장해 주시기 바랍니다 / ～鉴jiàn原; 용서해 주시기 바랍니다. =〔望乞〕
〔望其项背〕 wàng qí xiàng bèi 〈成〉 목덜미와 등을 바라보다. 뒤에 따라가다. ¶不能～; 뒤를 따라갈 수가 없다.
〔望乞〕 wàngqǐ 동 ⇨〔望祈〕
〔望气〕 wàngqì 명 구름〔雲氣〕을 보고 전조(前兆)를 아는 일.
〔望桥〕 wàngqiáo 명 함교(艦橋).
〔望切〕 wàngqiè 동 〈翰〉 간절히 바라다.
〔望日〕 wàngrì 명 음력 보름.
〔望日葵〕 wàngrìkuí 명 《植》 해바라기.
〔望色〕 wàngsè 명 《漢醫》 환자의 얼굴빛을 보고 병의 증상을 헤아리는 일.
〔望山跑死马〕 wàng shān pǎo sǐ mǎ 〈諺〉 먼 산만 바라보고 말을 달리게 하면 말을 죽이게 된다《언뜻 보기에는 가까운 것 같아도 실제로 가 보면 멀다》.
〔望台〕 wàngtái 명 망대. 전망대.
〔望天〕 wàngtiān 동 하늘에 맡기다.
〔望天儿〕 wàngtiānr 명 《魚》 퉁방울이금붕어《금붕어의 한 품종》.
〔望天田〕 wàngtiāntián 명 천수답. 천둥지기.
〔望天种田, 靠天吃饭〕 wàng tiān zhòngtián, kào tiān chīfàn 〈諺〉 하늘에 맡겨 농사를 짓고, 하늘에 의지해서 생활하다.
〔望外〕 wàngwài 명 망외. 뜻밖. 의외. ¶喜出～; 〈成〉 뜻밖의 기쁨.
〔望望〕 wàngwàng 형 〈文〉 ①부끄러워하는 모양. ②아득히 바라보는 모양.
〔望望〕 wàngwang 동 〈古白〉 불쑥 방문하다.
〔望文生义〕 wàng wén shēng yì 〈成〉 문면으로 억측 판단하다. ¶二黄的台词比较浅近通俗, 后来还可以～地来一个一知半解; 이황의 대사는 비교적 통속적인 것이어서, 나중에는 글자만 보고 대강 뜻을 짐작하여 아는 체할 수 있게 되었다.
〔望闻问切〕 wàng wén wèn qiè 《漢醫》 4진(四診)《'望'은 시진(視診), '闻'은 환자의 말소리 · 기침 · 숨소리를 듣고 또한 환자의 구취 · 체취 등을 맡는 일, '问'은 자각 증상 · 병력 따위를 물어보는 일, '切'은 손으로 맥을 짚거나 복부를 눌러 진찰하는 일》.
〔望希〕 wàngxī 동 〈翰〉 바라다. 희망하다. ¶～速赐回音; 빨리 회답을 해 주시기 바랍니다.
〔望乡台〕 wàngxiāngtái 명 죽은 넋이 저승에서 고향이나 옛 집을 바라본다는 곳. ¶上～; 저승에 가다. 죽다.

〔望想〕 wàngxiǎng 동 그리워하다. 사모하다.
〔望眼欲穿〕 wàng yǎn yù chuān 〈成〉 ①간절히 바라는 모양. 몹시 탐〔욕심〕나는 모양. ②뚫어지게 보다. ③기다림에 지치다. ‖ =〔望穿双眼〕
〔望洋兴叹〕 wàng yáng xīng tàn 〈成〉 앞길의 요원함을 보고 탄식하다. 일이 쉽지 않아 속으로 한탄하다. 자기 능력의 부족을 개탄하다.
〔望影而逃〕 wàng yǐng ér táo 〈成〉 그림자만 보고도 달아나다.
〔望远镜〕 wàngyuǎnjìng 명 망원경. =〔千里镜〕
〔望月〕 wàngyuè 명 보름달.
〔望云〕 wàngyún 동 〈轉〉 고향의 부모를〔가족을〕 그리다. ¶～之情; 부모를〔가족을〕 그리는 심정.
〔望云霓〕 wàng yúnní 〈比〉 간절히 그리고 바라다. ¶若大旱之～; 큰 가뭄에 구름을 기다리듯 간절하게 바라다.
〔望子成龙〕 wàng zǐ chéng lóng 〈成〉 자식이 훌륭한 인물이 되기를 바라다. =〔望子成名〕
〔望子〕 wàngzi 명 그 가게가 어떤 업종에 해당하는지를 나타내는 간판(주로, 대나무에 매달아 문 앞에 높이 내걸어 잘 보이게 함).
〔望族〕 wàngzú 명 〈文〉 명문(名門). 명가(名家).

妄 **wàng** (망)
①형 망령되다. 터무니없다. ¶勿～言! 망언을 하지 마라!/狂kuáng～; 분별없다. ②부 함부로. 마구. 턱없이. ¶～加猜疑; 함부로〔턱없이〕 의심하다/～作主张; 함부로 주장하다.
〔妄称〕 wàngchēng 동 아무렇게나 말하다. 함부로 말하다.
〔妄诞〕 wàngdàn 형 황당무계하다. 터무니없다.
〔妄动〕 wàngdòng 명동 망동(하다). ¶轻举～; 〈成〉 경거 망동하다. =〔妄举〕
〔妄断〕 wàngduàn 동 경솔하게 결론내리다. 함부로 단정짓다.
〔妄费〕 wàngfèi 동 낭비하다. 마구〔되는 대로〕 쓰다. =〔妄花〕
〔妄告〕 wànggào 명동 무고(誣告)(하다). =〔妄控〕
〔妄花〕 wànghuā 동 낭비하다. ¶他一个钱不～; 그는 한푼도 낭비하지 않는다. =〔妄费〕
〔妄进〕 wàngjìn 동 무턱대고 나아가다.
〔妄举〕 wàngjǔ 명동 ⇨〔妄动〕
〔妄觉〕 wàngjué 명 망각.
〔妄控〕 wàngkòng 동 ⇨〔妄告〕
〔妄口巴舌〕 wàng kǒu bā shé 〈成〉 입에서 나오는 대로 지껄이다. =〔枉wǎng口拔舌〕
〔妄念〕 wàngniàn 명 망념. 망상.
〔妄评〕 wàngpíng 동 함부로 평하다.
〔妄求〕 wàngqiú 동 분수에 맞지 않는 요구를 하다. 무리하게 구하다.
〔妄取〕 wàngqǔ 동 허가 없이 마음대로 갖다. 멋대로 가져다 쓰다.
〔妄人〕 wàngrén 명 〈文〉 무지하고 일을 함부로 하는 사람. 사리를 모르는 사람.
〔妄认〕 wàngrèn 동 함부로〔무턱대고〕 인정하다.
〔妄生枝节〕 wàng shēng zhījié 함부로 가지나 마디를 나게 하다(쓸데없는 일을 공연히 일으키다).
〔妄说〕 wàngshuō 동 함부로 허튼소리를 하다. ¶无知～; 알지도 못하고 함부로 말하다.
〔妄谈〕 wàngtán 명동 〈文〉 망령된〔터무니없는〕 말(을 하다). ¶事关国政不敢～; 일이 국정에 관한 것이므로, 감히 함부로 말할 수 없다.
〔妄图〕 wàngtú 동 엉뚱한 음모〔흉계〕를 꾸미다. ¶～夺权; 엉뚱하게도 탈권(奪權)을 꾀하다/～在政治上卡住我们的脖子; 정치적으로 우리의 목을 죄려는 엉뚱한 흉계를 꾸미다.
〔妄为〕 wàngwéi 동 멋대로 행동하다. 망동하다. ¶胆大～; 간덩이가 커져서 제멋대로 굴다.
〔妄下雌黄〕 wàng xià cí huáng 〈成〉 ①문장·글자를 함부로 고치다. ②함부로 왈가왈부하다.
〔妄想〕 wàngxiǎng 명동 망상(하다). 공상(하다). ¶痴心～; 어리석은 마음으로 망상하다. 어리석은 생각을 하다/～狂; 《醫》 과대 망상증. 명 《佛》 옳지 않은 사유(思惟).
〔妄信〕 wàngxìn 동 무턱대로 믿다. 함부로 신용하다.
〔妄行〕 wàngxíng 동 함부로 행하다. 무턱대고 하다.
〔妄言〕 wàngyán 명동 터무니없는 말(을 하다). 망령된 말(을 하다). ¶～妄动; 망령된 언동. 망언망동.
〔妄议〕 wàngyì 명 〈文〉 망령된 의론.
〔妄语〕 wàngyǔ 명동 거짓말(을 하다). 망령된 말(을 하다).
〔妄证〕 wàngzhèng 명 거짓 증거.
〔妄自〕 wàngzì 부 함부로. 멋대로.
〔妄自菲薄〕 wàng zì fěi bó 〈成〉 함부로 자기(自己)를 낮추다. ¶不宜～; 지나치게 자기를 비하해서는 안 된다.
〔妄自尊大〕 wàng zì zūn dà 〈成〉 무턱대로 잘난 체하다. ¶～, 目空一切; 망자 존대하여 아무것도 안중(眼中)에 없다.
〔妄做〕 wàngzuò 동 함부로 하다. ¶～胡为; 제멋대로 굴다. =〔妄作〕

忘 **wàng** (망)
동 ①잊다. 注 구어(口語)에서는 '～了'·'没(有)'로 부정(否定)해도 '～了'를 수반할 때가 있음. ¶别～了拿书; 책 가져오는 것을 잊지 마라/把钥匙～在家里了; 열쇠를 잊어버리고 집에 두었다/～得一干二净; 깡그리 잊었다/把照相机～在这儿了; 카메라를 여기 둔 채 잊었다. ②소홀히〔등한히〕 하다. 무시하다. ¶只顾往前赶, ～了躲duǒ人; 오직 앞으로 나가기를 서둘기만 하여 사람을 피하는 것을 잊었다. ⇒wáng
〔忘本〕 wàng.běn 동 근본을 잊다(흔히, '옛날 처지를 잊다' 라는 뜻).
〔忘不了〕 wàngbuliǎo 잊혀지지 않다. 잊을 리가 없다. 잊을 수 없다. ¶喝hē水～掏tāo井的人; 물을 마실 때는 우물을 판 사람을 절대로 잊지 않는다. ↔〔忘得了〕
〔忘不下〕 wàngbuxià 잊을래야 잊을 수 없다.
〔忘餐〕 wàngcān 동 (일에 열중하여) 식사도 잊다.
〔忘掉〕 wàng.diào 동 잊어버리다. 망각하다.
〔忘恩〕 wàng'ēn 동 은혜를 잊다. ¶～负义; 〈成〉 배은 망덕.
〔忘乎所以〕 wàng hū suǒ yǐ 〈成〉 (우쭐한 나머지 너무 기뻐서) 왜 그런지를 잊다. 모든 것을 잊어버리다. 근본을 잊어버리다. ¶喜得～; 기뻐서 어찌할 줄을 모르다/我夸奖了几句, 他就高兴得～了; 좀 칭찬해 주었더니, 그는 어쩔 줄 모르고 기뻐했다. =〔忘其所以〕
〔忘怀〕 wànghuái 동 잊다. 잊어버리다. ¶使人不能～; 잊어버릴 수 없게 하다/这是最使我们难以～的; 이것은 내가 가장 잊기 어려운 것이다.
〔忘记〕 wàngjì 동 ①잊다. 잊어버리다. 기억에 없다. 注 단독으로 술어(述語)가 되는 일은 없음.

단, 의미상의 목적어(目的語)가 앞에 있으면 예외. ¶他说了许多话, 大家都～了; 그는 많은 말을 했지만, 모두들 그것을 전부 잊어버렸다/我们不会～; 잊지 않겠다. ②(뒤에 동사가 와서 해야 할·하고자 한 일을) 그만 잊어버리다. ¶～了带笔记本; 노트를 소지해야 할 것을 잊었다/我～了吃晚饭; 나는 저녁 먹는 것을 잊어버렸다.
〔忘记生辰八字〕 wàngji shēngchén bāzì 〈俗〉〈南方〉 본분을 잊다. 자중(自重)하지 않다.
〔忘净〕 wàngjìng 동 깨끗이〔다〕 잊어버리다.
〔忘旧〕 wàngjiù 동 (새로운 것 때문에) 옛 것을 잊다. (인정이 없어) 옛 친구를 잊어버리다.
〔忘倦〕 wàngjuàn 동 〈文〉 피로를 잊다. 지칠 줄 모르다.
〔忘劳〕 wàngláo 동 〈文〉 노고〔수고〕를 잊다. =〔忘劬qú〕
〔忘命〕 wàngmìng 목숨 걸고. 결사적으로. ¶全社的男子不论老少, 也都～地干了; 전체 공사의 남자들은 노소의 구별 없이 모두 목숨을 걸고 했다.
〔忘年(之)交〕 wàng nián (zhī) jiāo 〈成〉 나이의 차이를 초월해서 친하게 사귐. 또, 그 친구.
〔忘其所以〕 wàng qí suǒ yǐ 〈成〉 (너무 흥분하여) 그 일의 연유를 잊다. 본래의 직분을 잊다. 본분을 잊다. 우쭐해서 어찌할 바를 모르다. ¶初步成功了, 也别～, 骄傲自满; 초보적인 성공을 거두었다고 해서 우쭐해서 잘난 체해서는 안 된다. =〔忘乎所以〕
〔忘寝废食〕 wàng qǐn fèi shí 〈成〉 침식을 잊다 《어떤 일에 전심전력하다》.
〔忘情〕 wàngqíng 동 ①감정을 잊다〔뿌리치다〕. 감정에 사로잡히지 않다. 단념하다. 注 항상 부정(否定)으로만 쓰임. ¶不能～; (희로애락의) 정을 버릴 수가 없다/他还不～那个小姑娘; 그는 지금도 아직 그 처녀를 잊을 수 없다. ②감정을 누를 수가 없다. ¶她一高兴, ～地歌唱了; 그녀는 흥이 나서 억제하지 못하고 노래를 불렀다. ③자기(스스로)를 잊다. 감화가 복받치다.
〔忘劬〕 wàngqú 동 ⇨〔忘劳〕
〔忘筌〕 wàngquán 동 〈文〉 근본을 잊다. 은혜를 잊다. =〔得鱼忘筌〕
〔忘却〕 wàngquè 동 〈文〉 망각하다.
〔忘神〕 wàngshén 동 ①열중하다. ②멍청해지다.
〔忘说〕 wàngshuō 동 깜빡 할 말을 빠뜨리다. ¶把要紧的话～了; 중요한 말을 빠뜨리고 못 했다.
〔忘死〕 wàngsǐ 동 깨끗이 잊어버리다.
〔忘问〕 wàngwèn 동 빠뜨리고 묻지 못하다. ¶价钱～了; 값을 묻지 못했다.
〔忘我〕 wàng,wǒ 동 자신을 잊다. 자신을 희생하다. 헌신하다.
〔忘形〕 wàngxíng 동 〈文〉 ①(우쭐하거나 기쁜 나머지) 자신(自身)을 잊다. ¶得意～; 기뻐서 자기의 체면을 잊다. ②형식에 구애되지 않다. 스스럼없다. ¶～之交; 스스럼없는 교제.
〔忘形交〕 wàngxíngjiāo 명 형식에 구애받지 않는 친밀한 교제. 탁 털어놓은 사귐.
〔忘性(儿)〕 wàngxing(r) 명 건망증. ¶～脑子; 건망증(의 머리)/～很大; 건망증이 심하다/老是丢三落là四的, ～太大了; 늘 이것을 잊고 저것을 잊어 건망증이 무척 심하다.
〔忘忧〕 wàngyōu 명 《植》 '萱xuān草'(망우초)의 별칭. 동 〈文〉 근심을 잊다.
〔忘忧物〕 wàngyōuwù 명 〈文〉 망우물. 수심을 잊게 하는 것《술의 별칭》.
〔忘在脖子后头〕 wàng zài bózi hòutou ⇨〔忘在脑后〕
〔忘在九霄云外〕 wàng zài jiǔxiāo yúnwài ⇨〔忘在脑后〕
〔忘在脑袋后头〕 wàng zài nǎodài hòutou ⇨〔忘在脑后〕
〔忘在脑后〕 wàng zài nǎohòu 싹〔깡그리, 깨끗이〕 잊어버리다. ¶暑假作业～了; 여름 방학 숙제를 완전히 잊어버렸다. =〔忘在脖子后头〕〔忘在九霄云外〕〔忘在脑袋后头〕

WEI ㄨㄟ

危 wēi (위)
①명형 위험(하다). 위태(롭다). ¶转～为安; 위험이 사라지고 평온해지다. ↔〔安ān〕 ②명동 위태(롭게 하다). 위해(를 가하다). ¶～及生命; 위해가 생명에까지 미치다/～及家国; 위해가 집과 나라에 미치다. ③형 죽음에 직면하다. 위독〔위급〕하다. ¶临～; 임종. 빈사에 있다/病～; (병으로) 위독해지다. ④형 〈文〉 높다. 험하다. ¶～楼; 고루(高樓). ⑤형 〈文〉 바르다. 단정하다. ¶正襟～坐; 옷깃을 여미고 단좌(端坐)하다. ⑥명 《天》 이십팔수(二十八宿)의 하나. ⑦명 성(姓)의 하나.
〔危邦〕 wēibāng 명 〈文〉 위기에 처해 있는 나라. ¶～不入; 위험한 나라에는 들어가지 않는다.
〔危病〕 wēibìng 명 〈文〉 위독한 병. 중병.
〔危城〕 wēichéng 명 〈文〉 ①높이 솟아 있는 성. ②위태로운 성.
〔危辞〕 wēicí 명 〈文〉 과격한 말.
〔危殆〕 wēidài 형 〈文〉 (사태나 생명이) 위험하다. 위태롭다. ¶病势～; 병세가 악화하여 위독하다.
〔危地马拉〕 Wēidìmǎlā 명 《地》 〈音〉 과테말라(Guatemala) 《수도는 '危地马拉'(과테말라: Guatemala)》.
〔危笃〕 wēidǔ 형 〈文〉 (병세가) 위독하다.
〔危峰〕 wēifēng 명 〈文〉 험한 산봉우리.
〔危竿〕 wēigān 명 장대 위에 올라가서 하는 곡예.
〔危害〕 wēihài 동 위해를 가하다. 손상시키다. 해치다. ¶～人民的安全; 국민의 안전을 해치다/～植物的生长; 식물의 생장에 해를 끼치다. 명 해. 위해. ¶双方互不信任, 给工作带来了严重～; 쌍방이 서로 믿지 않아 작업에 중대한 지장을 가져오다.
〔危机〕 wēijī 명 ①위기. ¶～四伏; 〈成〉 위기가 도처에 숨어 있다/时局面临～; 시국은 위기에 직면해 있다. ②어려움이 생기는 근원. ③《經》 경제 공황. 경제 위기.
〔危机输出〕 wēijī shūchū 외국에 대하여 위기를 가져올 공작을 하는 일. 혁명 수출.
〔危机一发〕 wēi jī yí fà 〈成〉 위기 일발.
〔危及〕 wēijí 동 〈文〉 위험이 …에 미치다. ¶～国家安全; 위험이 국가의 안전에 미치다.
〔危急〕 wēijí 형 급박하다. 위급하다. ¶事情已经很～了, 您快拿主张啊; 일은 이미 급박해졌으니, 빨리 결단을 내리시오/～存亡之秋; 〈文〉 위급 존망지추. 국가의 존망에 관한 중요한 시기.
〔危径〕 wēijìng 명 〈文〉 험한 오솔길.
〔危境〕 wēijìng 명 〈文〉 위험한 지경. 위험 상태.
〔危局〕 wēijú 명 〈文〉 위국. 위험한 국면〔시국〕. 위기. ¶商界～; 상업계의 위기.

〔危惧〕 wēijù 동 〈文〉 위구하다. 두려워하다. ¶不胜～; 두려움을 억누를 수 없다.
〔危楼〕 wēilóu 명 〈文〉 위루. 높은 누각.
〔危难〕 wēinàn 명 〈文〉 위난. 위험과 재난. ¶救人于～之间; 사람을 위난에서 구하다.
〔危迫利诱〕 wēipò lìyòu 〈文〉 협박하고 달래고 하다.
〔危浅〕 wēiqiǎn 형 〈文〉 생명이 위태롭다. ¶人命～; 사람의 생명이 위태롭다.
〔危樯〕 wēiqiáng 명 〈文〉 높은 돛대.
〔危然〕 wēirán 형 〈文〉 단정한 모양. ¶～正坐; 단정하게 앉다.
〔危如累卵〕 wēi rú lěi luǎn 〈成〉 형세가 극히 위험함. 누란(累卵)의 위기.
〔危若朝露〕 wēi ruò zhāo lù 〈成〉 위태롭기가 아침 이슬과 같다(사람의 운명이 극히 위태로움). =〔危如朝露〕
〔危弱〕 wēiruò 형 〈文〉 아주 약하다.
〔危身〕 wēishēn 동 〈文〉 위험이 몸에 미치다.
〔危悚〕 wēisǒng 동 〈文〉 두려워 떨다. 두려워하다. 질겁하다. ¶闻言～; 말을 듣고 두려워하다.
〔危亡〕 wēiwáng 동 (국가 · 민족이) 멸망에 직면하다. 명 〈文〉 위급 존망(危急存亡)(의 때). ¶国濒～何忍坐视; 나라가 위급 존망에 처해 있는데, 어떻게 좌시할 수 있겠는가.
〔危险〕 wēixiǎn 명형 위험(하다). ¶别过来, 这边～呢; 오면 안 돼, 여긴 위험하다 / 冒着～; 위험을 무릅쓰고 / ～! 快躲开; 위험해, 빨리 피해.
〔危行〕 wēixíng 명 〈文〉 (시류에 영합하지 않는) 올바른 행동.
〔危崖〕 wēiyá 명 〈文〉 높은 절벽.
〔危言〕 wēiyán 명 〈文〉 정직한 말. 기탄없는 바른 말. ¶～进谏; 정론으로 간하다.
〔危言耸听〕 wēi yán sǒng tīng 〈成〉 일부러 남이 놀랄 만한 말을 하다. ¶他是故意～, 事实上没这么严重; 그는 고의로 사람을 놀래려 하고 있지만, 사실 그렇게 심하지 않다.
〔危言危行〕 wēi yán wēi xíng 〈成〉 바른 언행. 정직한 언행. ¶为人师者当～以示范; 남의 스승인 자는 올바른 언행으로 모범을 보여야 한다.
〔危语〕 wēiyǔ 명 〈文〉 남을 놀라게 하는 말.
〔危在旦夕〕 wēi zài dàn xī 〈成〉 위험이 눈앞에 박두해 있다.
〔危重〕 wēizhòng 형 〈文〉 위중하다. 위독하다.
〔危坐〕 wēizuò 동 〈文〉 단정히 앉다.

委 **wēi** (위)
→〔委蛇〕 ⇒wěi

〔委蛇〕 wēiyí 형 〈文〉 ①꾸불꾸불한 모양. ¶山路～; 산길이 꾸불꾸불하다. =〔逶迤〕 ②순순히 따르는 모양. ¶虚与～; 겉으로만 순순히 따르는 체하다.

逶 **wēi** (위)
→〔逶迤〕

〔逶迤〕 wēiyí 형 〈文〉 (길 · 산맥 · 강물 등이) 꾸불꾸불 길게 계속되는 모양. ¶山路～; 산길이 구불구불 이어져 있다.

痿 **wēi** (위)
동 ①초목이 시들다. ②병들다.

巍 **wēi** (외)
형 〈文〉 높고 큰 모양.

〔巍峨〕 wēi'é 형 산이나 건물이 높고 큰 모양. ¶～的群山; 웅대하게 우뚝 치솟은 산들 / ～的天安门城楼; 웅대한 천안문.
〔巍然〕 wēirán 형 ①높고 웅대한 모양. 우뚝한 모양. ¶～屹yìì立; 우뚝 치솟다. ②인물이 뛰어난 모양.
〔巍巍〕 wēiwēi 형 ①크고 높게 솟아 있는 모양. ¶～不动; 미동도 하지 않다. ②인물이 훌륭한 모양.

威 **wēi** (위)
① 명 위력. 위세. 세력. 권세. ¶助～; 조세(助勢)하다. 응원하다. ② 명 위엄. 존엄. ¶示～游行; 데모 행진. ③ 동 으르다. 위협〔협박〕하다. ④(Wēi) 명 《地》 웨이 현(威縣)(허베이 성(河北省)에 있는 현 이름). ⑤ 명 성(姓)의 하나.

〔威逼〕 wēibī 동 압박〔핍박〕하다. 위력으로 누르다. 협박〔위협〕하다.
〔威逼利诱〕 wēi bī lì yòu 〈成〉 위협하거나 이익으로 꾀거나 하다. 을렀다 달랬다 하다. =〔威迫利诱〕
〔威布〕 wēibù 명 《紡》 깅엄(gingham).
〔威朵〕 wēiduǒ 명 거부권.
〔威法饼〕 wēifǎbǐng 명 〈音〉 웨이퍼(wafer)(양과자의 한 가지). =〔威化饼〕〔胃化〕
〔威风〕 wēifēng 형 위풍이 있다. 위세가 좋다. ¶跟老百姓逞～; 민중에 대해 마구 뻐겨 대다 / 那时的游行多么～啊! 그 때의 데모는 얼마나 위세가 좋았던가! / 你～啊; 넌 위세가 당당하구나. 명 위풍. 위세. 뽐냄. 위엄. ¶该使点～就使点～吧! 뽐내 보여야만 한다면 뽐내 보이시오! / ～十足; ⓐ위풍이 주위를 압도하다. ⓑ크게 뽐내는 모양 / ～扫sǎo地; 〈成〉 위풍이 땅에 떨어지다.
〔威凤〕 wēifèng 명 ①(위엄 있는) 봉황새. ②〈比〉 현재(賢才). ¶～祥麟; 〈比〉 얻기 힘든 현재.
〔威服〕 wēifú 동 〈文〉 위복하다. 위력으로 복종시키다. ¶～四方; 사방을 위복하다.
〔威福〕 wēifú 명 〈文〉 ①권세와 위풍. 권위. ¶作～; 권력을 휘두르다. ②위력과 은혜(형벌을 가리킴).
〔威姑〕 wēigū 명 〈文〉 시어머니.
〔威吓〕 wēihè 동 (권력 따위를 등대고) 위협하다. ¶用手枪～; 권총으로 위협하다. =〔威喝〕〔威唬〕
〔威喝〕 wēihe 동 ⇨〔威吓〕
〔威唬〕 wēihu 동 ⇨〔威吓〕
〔威化(饼)〕 wēihuà(bǐng) 명 ⇨〔威法饼〕
〔威化纸〕 wēihuàzhǐ 명 ①셀로판지. ② ⇨〔米纸〕
〔威棱〕 wēiléng 명 〈文〉 ①황위(皇威). ②위세. 위풍.
〔威力〕 wēilì 명 위력. ¶慑shè于炮火的～; 포화의 위력을 두려워하다.
〔威烈〕 wēiliè 명 〈文〉 위열. 세찬 위세.
〔威洛锡特〕 wēiluòxītè 명 〈音〉 속력. 속도. =〔速度〕〔速率〕
〔威猛〕 wēiměng 형 용맹스럽다. 사납다. ¶来势～; 달려드는 기세가 사납다.
〔威名〕 wēimíng 명 〈文〉 명성. 위엄과 명성. 위광(威光)과 명예. ¶～远震; 위명이 널리 떨치다.
〔威命〕 wēimìng 명 〈文〉 엄명(嚴命). ¶～难违; 엄명을 거스르기 어렵다.
〔威末酒〕 wēimòjiǔ 명 〈音〉 베르무트 주(프 vermouth酒).
〔威尼斯〕 Wēinísī 명 《地》 〈音〉 베니스. 베네치아.
〔威虐〕 wēinüè 동 〈文〉 위력으로 학대하다. ¶敌军大肆～; 적군이 멋대로 학대를 하다.

〔威迫〕 wēipò 동 협박하다. 위압하다. ¶好好解说, 不要以强力～; 잘 타일러라. 힘으로 윽박지르지 말고. =〔威逼bī〕
〔威迫利诱〕 wēi pò lì yòu 〈成〉 윽박지르거나 이익으로 꾀거나 (하다). 으르고 달래다. ¶～, 纵横捭阖; 협박하거나 유혹하거나 하여, 온갖 공작을 다하다. =〔威逼利诱〕〔威胁利诱〕〔危迫利诱〕
〔威权〕 wēiquán 명 위력과 권세. 권위. ¶善用～才能使人心服; 위력과 권력을 선용해야 비로소 사람을 심복시킬 수 있다.
〔威容〕 wēiróng 명 〈文〉 위용. 위엄 있는 모습. ¶久仰将军～; 오래 전부터 장군의 위용을 사모하고 있었습니다.
〔威慑〕 wēishè 동 〈文〉 무력으로 위협하다. ¶～力量; 위협하는 힘. 억지력(抑止力) / 这是一种便于～当地人民的方式; 이것은 현지 인민을 위협하기에 좋은 하나의 방법이다.
〔威声〕 wēishēng 명 〈文〉 위엄과 명성. =〔声威〕
〔威士〕 wēishì 명 〈音〉 웨이스트(waste). 찌끼. 폐품(廢品).
〔威士忌〔酒〕〕 wēishìjì(jiǔ) 명 〈音〉 위스키(whisky). =〔威士吉〕〔威斯基〕〔卫wèi士忌(酒)〕〔维wéi司克〕
〔威势〕 wēishì 명 〈文〉 위세. 위력.
〔威妥玛式〕 Wēituǒmǎshì 명 토머스 웨이드식《중국어 발음 표기법의 하나》.
〔威望〕 wēiwàng 명 높은 명성과 명망. 위신. 신망. ¶保持～; 위신을 지키다 / 国际～空前提高了; 국제적 위신은 유례가 없을 만큼 높아졌다.
〔威武〕 wēiwǔ 명 위무. 권세와 무력. ¶～不能屈; 무력 권세로도 굴복시킬 수 없다. 형 힘이 세다. 위풍당당하다. 위엄 있고 씩씩하다. ¶那张骑马的照片显得很～; 저 말탄 사진은 매우 힘차다.
〔威胁〕 wēixié 명동 위협(하다). ¶氢qīng弹试验和原子战争的～; 수폭 실험과 원자 전쟁의 위협 / 在埃及发生的事件, 证明了殖民主义侵略的～; 이집트에서 발생한 사건은, 식민주의 침략의 위협을 증명했다.
〔威胁利诱〕 wēi xié lì yòu 〈成〉 ⇨〔威迫利诱〕
〔威信〕 wēixìn 명 위신. 신망. ¶在群众～很高; 대중 속에서 신망이 있다 / 提高了～; 위신을 높였다 / 丧sàng失～; 위신을 잃다 / 有损～; 위신에 관계되다 / ～扫地; 위신이 땅에 떨어지다.
〔威刑〕 wēixíng 명 〈文〉 위력과 형벌. ¶不可以～服人; 위력과 형벌로 사람을 복종시켜서는 안 된다.
〔威压〕 wēiyā 동 위압하다. 협박하다. 위력으로써 압박하다. ¶用军队来～人民; 군대를 써서 백성을 위압하다.
〔威严〕 wēiyán 형 위엄이 있다. 으리으리하다. 늠름하다. ¶水兵们～地站在甲板上; 수병들은 늠름하게 갑판에 서 있다. 명 위엄. 위풍.
〔威震八极〕 wēi zhèn bā jí 〈成〉 위세를 천하에 떨치다.
〔威震一时〕 wēi zhèn yī shí 〈成〉 위세가 일세를 풍미하다.
〔威尊命贱〕 wēi zūn mìng jiàn 〈成〉 군기(軍紀)를 목숨보다도 소중히 하다.

葳

wēi (위)
① →〔葳蕤〕 ② →〔紫zǐ葳〕
〔葳蕤〕 wēiruí 형 〈文〉 초목이 우거져 잎이 축 늘어진 모양. =〔萎蕤〕 명 《植》 '玉yù竹' (둥굴레)의 고칭(古稱).

搣

wēi (위)
동 〈北方〉 (가늘고 긴 것을) 구부리다. ¶把铁tiě筋～过来; 철근을 구부리다.

崴

wēi (위)
→〔崴嵬〕 ⇒wǎi
〔崴嵬〕 wēiwéi 형 〈文〉 산이 높고 험한 모양.

蝛

wēi (위)
→〔蛜yī蝛〕

偎

wēi (외)
동 〈文〉 (몸을) 바싹 붙(이)다. 꼭 달라붙다. 매달리다. ¶母亲～着小孩儿; 어머니가 아이에 꼭 붙어 있다 / 姊妹～在母亲的怀里; 누이동생은 어머니의 품에 안겨 있다.
〔偎爱〕 wēi'ài 동 〈文〉 서로 친근하게 지내며 사랑하다.
〔偎傍〕 wēibàng 동 〈文〉 곁에 바싹 다가가다. 붙어서다.
〔偎抱〕 wēibào 동 바싹 안다. 껴안다.
〔偎冬儿〕 wēidōngr 명 ①〈北方〉 (시골 따위에) 틀어박혀 겨울을 나는 것. ②동면. 겨울잠.
〔偎干就湿〕 wēigān jiùshī 진 자리 마른 자리 가려서 키우다. 〈比〉 어머니가 자식을 기르는 고생. =〔煨干避湿〕
〔偎咕〕 wēigū 동 ⇨〔委wěi咕〕
〔偎红倚翠〕 wēihóng yǐcuì 〈比〉 기녀와 놀다.
〔偎近〕 wēijìn 동 〈文〉 접근하다. 바싹 다가서다.
〔偎脸〕 wēiliǎn 〈文〉 서로 얼굴을 맞대다.
〔偎随〕 wēisuí 동 곁을 떠나지 않다. 달라붙다. 뒤를 좇다.
〔偎窝子〕 wēi wōzi 〈方〉 늦잠을 자다. 습관적으로 늦게 일어나다.
〔偎依〕 wēiyī 동 〈文〉 바싹 다가〔달라〕붙다. 가까이 기대다. 의지하다. ¶母女互相～着; 어머니와 딸이 서로 의지하고 있다. =〔偎倚〕
〔偎倚〕 wēiyǐ 동 〈文〉 ⇨〔偎依〕

隈

wēi (외)
명 〈文〉 산이나 강이 굽어 들어간 곳. 산굽이. 모퉁이. ¶山～; 산의 만곡된 곳 / 城～; 성 모퉁이. =〔廋sōu③〕

煨

wēi (외)
동 ①(불기 있는 잿속에 묻어) 굽다. ②뭉근한 불에 익히다. 약한 불에서 고다. ¶～鸡jī; 뭉근한 불에 닭을 삶다 / 牛肉～; 비프 스튜 / 把牛肉～烂了; 쇠고기를 뭉근한 불에 흐물흐물해질 때까지 고았다.
〔煨白薯〕 wēibáishǔ 동 고구마를 찌다. 명 찐 고구마.
〔煨干避湿〕 wēigān bìshī ⇨〔偎干就湿〕
〔煨烬〕 wēijìn 명 재. 잿더미.
〔煨烤〕 wēikǎo 동 음식을 뜨거운 재에 묻어 굽다.
〔煨(牛)肉〕 wēi(niú)ròu 명 뭉근한 불에 오래 곤 쇠고기.
〔煨汤〕 wēitāng 명 돼지고기·닭고기·뼈 등을 장시간 뭉근한 불에 곤 곰국.
〔煨芋〕 wēiyù 동 고구마나 감자를 찌다. 명 찐 감자. 찐 고구마.

椳

wēi (외)
명 〈文〉 문장부 구멍. 문둥개. =〔门枢shū〕

鳂(鰃)

wēi (외)
명 《魚》 금눈돔.

溦 **wēi** (미)
명 〈文〉 가랑비. =〔小雨〕

微 **wēi** (미)
①형 작다. 잘다. ¶细xì～; 미세하다 / 相差甚～; 그 차(差)는 극히 작다. ②부 조금. 약간. ¶～感不适; 좀 불쾌감을 느끼다. ③동 쇠(衰)하다. 떨어지다. ¶买卖～; 장사가 부진하다 / 价钱～下了; 가격이 떨어졌다 / 怎么～了? 累了吗? 왜 기운이 없느냐? 지쳤느냐? ④동 〈文〉 탐지〔염탐〕하다. 정찰하다. ¶～知其处; 그 곳을 찾아 내다. ⑤형 희미하다. 아련하다. ⑥형 심오하다. 미묘하다. ⑦부 몰래. 가만히. 은밀히. ⑧형 세지〔크지〕 않다. 약하디 약하다. ⑨동 세세한 데까지 미치다. ¶体贴人～; 남의 마음을 세세한 데까지 헤아리다. ⑩〈文〉 없다. …이 아니다. …없다면〔아니면〕. ¶～君之功, 不能获此大捷; 자네의 공적이 없었던들, 이 대승을 획득할 수는 없었네. ⑪양 《度》 미크로(micro). 마이크로(micro)《미터법 단위 이름에 붙여 백만분의 1》. ⑫형 〈文〉 신분·지위가 낮다. 비천하다. ¶人～言轻; 신분이 낮으면 하는 말도 무게가 없다. ⑬명 성(姓)의 하나.

〔微安〕 wēi'ān 양 《電》 마이크로 암페어(micro ampere). 전류의 세기의 실용 단위. =〔微安培〕
〔微辩〕 wēibiàn 동 〈文〉 에둘러 말하다. 완곡하게 말하다. 풍자하다.
〔微波〕 wēi'bō 명 《物》 마이크로 웨이브(micro wave). 극초단파. ¶～炉; 전자 레인지.
〔微薄〕 wēibó 형 〈文〉 매우 적다. 근소하다. ¶～的收入; 얼마 안 되는 수입.
〔微不足道〕 wēi bù zú dào 〈成〉 미세해서 족히 문제삼을 것이 못 되다. 작아서 하찮다. ¶把～的事情放在心里; 하찮은 일을 걱정하다.
〔微尘〕 wēichén 명 《佛》 미진. 지극히 작은 것.
〔微尘子〕 wēichénzi 명 《動》 물벼룩.
〔微忱〕 wēichén 명 〈文〉 〈謙〉 변변치 않은 작은 뜻. 성의. ¶聊liáo表～; 변변치 않은 작은 성의를 나타내다.
〔微程序〕 wēichéngxù 명 《電算》 마이크로 프로그램(micro program).
〔微处理机〕 wēichǔlǐjī 명 《電算》 마이크로프로세서(microprocessor).
〔微词〕 wēicí 명 ⇨〔微辞〕
〔微辞〕 wēicí 명 〈文〉 완곡한 비평. 에두른 비판. ¶虽然不明言责备, 但也不无～; 비록 드러나게 책망하고 있진 않지만, 완곡하게 암시하지 않은 것도 아니다. =〔微词〕
〔微吋〕 wēicùn 양 《度》 마이크로인치《100만분의 1인치》.
〔微得利害〕 wēide lìhai 몹시 기운이 없음. 몹시 쇠(衰)하다. (시세 등이) 몹시 떨어지다. ¶他这程子～是有病呢, 还是有心事; 그는 요즘 무척 기운이 없는데, 병 탓일까 아니면 걱정거리가 있는 것일까.
〔微电子学〕 wēidiànzǐxué 명 마이크로일렉트로닉스(microelectronics).
〔微独〕 wēidú 부 ⇨〔唯独〕
〔微法拉〕 wēifǎlā 양 《電》 마이크로패럿(microfarad).
〔微分〕 wēifēn 명 《數》 미분. ¶～学; 미분학.
〔微风〕 wēifēng 명 미풍. 산들바람.
〔微伏(特)〕 wēifú(tè) 양 《電》 마이크로 볼트(microvolt).
〔微服〕 wēifú 동 〈文〉 미복하다. 남루한 옷차림으로 남의 눈에 띄지 않게 하다.
〔微观〕 wēiguān 명 《物》 현미경적. 미시(微視)적. 마이크로스코픽(microscopic). ¶～世界; 미시적 세계. =〔微视〕
〔微官〕 wēiguān 명 〈文〉 미관. 하급 관리.
〔微管〕 wēiguǎn 명 《生》 모세관.
〔微亨利〕 wēihēnglì 양 《物》 마이크로 헨리(microhenry).
〔微乎〕 wēihū 명 〈文〉 조금. 약간.
〔微乎其微〕 wēi hū qí wēi 〈成〉 미세하여 보잘것 없다. 미미하다.
〔微火〕 wēihuǒ 명 약한 불. 뭉근한 불.
〔微积分〕 wēijīfēn 명 《數》 미적분. 미분과 적분.
〔微贱〕 wēijiàn 형 미천하다. 사회적 지위가 낮다.
〔微晶〕 wēijīng 명 《鑛》 미세한 결정.
〔微敬〕 wēijìng 명 작은 경의(敬意). 촌지(寸志).
〔微居里〕 wēijūlǐ 양 《電》 마이크로퀴리(microcurie).
〔微菌〕 wēijūn 명 《生》 세균. 박테리아.
〔微卡〕 wēikǎ 양 《物》 마이크로칼로리(microcalorie).
〔微疴〕 wēikē 명 ⇨〔微恙〕
〔微克〕 wēikè 양 《度》 마이크로 그램(microgram). 감마(γ).
〔微礼〕 wēilǐ 명 변변치 않은 선물. 촌지. ¶这点儿～实在拿不出手去; 이런 변변치 않은 선물은 정말 내놓기가 부끄럽습니다.
〔微力〕 wēilì 〈文〉 명 ①미력. 자그마한 힘. ②조그마한 수고. 형 세력〔힘〕이 없다.
〔微利〕 wēilì 명 〈文〉 조그마한 이익.
〔微粒〕 wēilì 명 《物》 미립자(微粒子).
〔微量〕 wēiliàng 명 미량. ¶～元素; 《化》 미량 원소.
〔微脉〕 wēimài 명 《漢醫》 맥상(脈象)이 극히 가늘고 약한 것《구허혈약(久虛血弱)의 징조로 침》.
〔微茫〕 wēimáng 형 〈文〉 희미하다. 어슴푸레하다. ¶月色～; 달빛이 희미하다.
〔微米〕 wēimǐ 양 《度》 미크롱(프 micron). 100만분의 1m.
〔微眇〕 wēimiǎo 형 〈文〉 ①경미(輕微)하다. ②미묘하다.
〔微秒〕 wēimiǎo 양 《度》 마이크로초. 100만분의 1초. 10^{-6}초.
〔微妙〕 wēimiào 형 미묘하다. ¶其中～的情感, 外人是捉摸不出来; 그 사이의 미묘한 감정은 다른 사람은 모른다.
〔微名〕 wēimíng 명 〈文〉 자그마한 명성.
〔微明〕 wēimíng 〈文〉 명 미명. 형 희미하게 밝다.
〔微末〕 wēimò 형 〈文〉 작다. 미세하다. 사소하다. 중요하지 않다. ¶～的成果; 조그마한 성과 / ～之员; 미관 말직. 하급 관리.
〔微欧(姆)〕 wēi'ōu(mǔ) 양 《電》 마이크로옴(microhm).
〔微气候〕 wēiqìhòu 명 《氣》 미기후.
〔微情〕 wēiqíng 명 〈文〉 ①미묘한 정취. ②조그마한 정(情).
〔微然〕 wēirán 부 〈文〉 살짝. 조금. 약간. ¶～一笑; 살짝 웃다.
〔微热〕 wēirè 명 《醫》 미열.
〔微软公司〕 Wēiruǎn gōngsī 명 마이크로소프트사(Microsoft社).
〔微弱〕 wēiruò 형 미약하다. 가냘프다. 연약하다. ¶气息～; 호흡이 미약하다.

〔微弱多数〕 wēiruò duōshù 명 미미한 다수. ¶ 经过激烈争论, 最后以～勉强通过; 격한 논쟁 끝에, 결국 미미한 다수로 겨우 통과했다.
〔微升〕 wēishēng 양 《度》 마이크로리터(microliter).
〔微生〕 Wēishēng 명 복성(複姓)의 하나.
〔微生物〕 wēishēngwù 명 미생물. 세균.
〔微视〕 wēishì 명 ⇨〔微观〕
〔微曙〕 wēishǔ 형 〈文〉 날이 밝아지다. ¶天将～; 날이 바야흐로 밝으려 하다.
〔微特〕 wēitè 부 ⇨〔唯wéi独〕
〔微调〕 wēitiáo 명 《電》 트리머(trimmer). 미조정(微調整). ¶～电容器; 트리머 콘덴서. 미조정 콘덴서.
〔微婉〕 wēiwǎn 형 〈文〉 부드럽고 완곡하다. ¶措cuò词～; 문장의 어휘 배치가 매우 완곡하다.
〔微微〕 wēiwēi 부 조금. 약간. ¶～一笑; 약간 웃다. 조금 미소짓다. =〔稍微〕〔略微〕 양 《度》 마이크로마이크로. 주(主)단위의 1조분의 1. ¶～法拉; 《電》 마이크로마이크로 패럿(micromicrofarad).
〔微微居里〕 wēiwēijūlǐ 양 마이크로마이크로퀴리(micromicrocurie). ¶一克重的骨头含有零点一～的铈; 무게 1그램의 뼈에는 0.1 마이크로마이크로퀴리의 세륨이 포함되어 있다.
〔微文深诋〕 wēi wén shēn dǐ 〈成〉 분명히 말하지는 않지만 그 뜻을 암시적으로 나타내어 비방하여 함정에 빠뜨리다.
〔微物〕 wēiwù 명 〈文〉 하찮은 것. ¶奉呈～; 〈翰〉 변변치 못한 것을 보내 드립니다.
〔微息〕 wēixī 〈文〉 명 가냘픈 숨. 형 가냘프다. 연약하다. 미약하다. ¶向来人家看着咱们娘儿们～, 不知都安着什么心; 이제까지 사람들은 우리 여자들의 가냘픈 것을 보아 왔으므로, 모두들 어떤 심정인지는 알 수 없다.
〔微细〕 wēixì 형 미세하다. 사소하다. ¶～的事情; 사소한 일. 명 천한 신분.
〔微嫌〕 wēixián 명 〈文〉 조그만 원한. 사소한 악감정(惡感情). ¶勿以～结怨; 사소한 감정으로 원한을 맺지 마라.
〔微小〕 wēixiǎo 형 〈文〉 미소하다. 미미하다.
〔微笑〕 wēixiào 명동 미소(하다).
〔微行〕 wēixíng 명동 〈文〉 미행(하다). 미복 잠행(微服潛行)(하다). ¶～暗访; 몰래 방문하다.
〔微型〕 wēixíng 형 소형의. ¶～汽车; 소형 자동차. 미니카(minicar) / ～电路; 마이크로 회로.
〔微型计算机〕 wēixíng jìsuànjī 명 《電算》 마이크로컴퓨터. =〔微型电子计算机〕〔微计算机〕〔微(型)电脑〕〔微(计)机〕
〔微血管〕 wēixuèguǎn 명 《生》 모세 혈관.
〔微醺〕 wēixūn 동 ⇨〔微醉〕
〔微言大义〕 wēi yán dà yì 〈成〉 미묘한 말과 함축된 깊은 뜻. 함축된 말 속의 깊은 도리.
〔微恙〕 wēiyàng 명 〈文〉 가벼운 병세. =〔微疴〕
〔微仪〕 wēiyí 명 〈文〉 변변치 못한 물건〔선물〕.
〔微音器〕 wēiyīnqì 명 《電》 마이크로폰(microphone). =〔送话器〕〔传chuán声器〕〔〈音〉 麦mài克风〕
〔微员〕 wēiyuán 명 〈文〉 말단 관리.
〔微旨〕 wēizhǐ 명 〈文〉 심오한 뜻.
〔微醉〕 wēizuì 동 〈文〉 술이 약간 취하다. =〔微醺〕

薇 wēi (미)

명 《植》 ①살갈퀴. =〔巢菜〕〔野豌豆〕 ②살갈퀴나 새완두 등의 완두류(類). ③고비. ¶～干; 말린 고비《식품》. ④→〔蔷qiáng薇〕
〔薇蕨〕 wēijué 명 《植》 〈文〉 고사리와 고비.

为(爲) wéi (위)

①동 하다. 행하다. 만들다. ¶执笔～文; 붓을 잡아 글을 짓다 / 事在人～; 일의 성사 여부는 하느냐 안 하느냐에 달렸다 / 所作所～; 하는 일 모두 / 与人～善; 남을 위해 선을 행하다. ②명 행위. 일할 능력. ¶青年有～; 청년은 발전 능력이 있다. ③동 …로 하다. …로 삼다. …라고 생각하다. 注 흔히, '以…～…' 의 꼴을 취하는데, '以' 는 종종 생략됨. ¶以劳动～贵; 노동을 귀하게 여기다 / 指鹿～马; 〈成〉 사슴을 가리켜 말이라고 하다《고의로 흑백을 전도하다》 / 四海～家; 사해〔온 천하〕를 집으로 삼다. ④동 (…이) 되다. (…으로) 변(화)하다. ¶与之～友; 이 사람과 벗이 되다 / 一分～二; 하나가 갈라져서 둘이 되다 / 十除以二～五; 10을 2로 나누면 5가 된다. ⑤동 …은 …이다. ¶十寸～一尺; 열 치는 1척(尺)이다 / 中华人民共和国首都～北京; 중화 인민 공화국의 수도는 베이징(北京)이다. ⑥개 (수동을 나타내어) …에게〔때문에〕 …(하게) 되다《흔히, '所' 와 호응함》. ¶敌人～我所败; 적은 우리 때문에 패했다. 注 이 때의 '为' 는 wèi로 발음되는 일도 있음. ⑦조 〈文〉 ('何' 와 호응하여) 질문·반문(反問)의 문말 어기사(語氣詞). ¶何自苦～? 어찌 스스로 고민하느냐? / 何以家～? 집을 어찌하려는 건가? / 敌未灭, 何以家～? 적이 아직 멸망하지 않았는데 집 같은 것을 어떻게 하자는 것이냐? ⑧부사 뒤에서 접사(接詞)적으로 쓰임. ¶稍～进步; 조금 진보하다 / 最～华丽; 가장 화려하다. ⑨일부의 단음절 형용사의 뒤에 붙어, 정도·범위를 나타내는 부사를 구성함. ¶大～高兴; 크게 기뻐하다 / 广～宣传; 널리 선전하다 / 深～感动; 깊이 감동하다. ⇒wèi
〔为不着〕 wéibuzháo …할 것까지도 없다. …할 가치가 없다. ¶一点儿小事～去那么多人; 사소한 일이니 저렇게 많은 사람이 갈 것까지도 없다. =〔犯fàn不上〕
〔为怅〕 wéichàng 형 〈文〉 유감스럽다. 미안하다.
〔为祷〕 wéidǎo 동 〈翰〉 빌다. 바라다. 기원하다. ¶务必届时光临～; 아무쪼록 그 때에는 왕림해 주시기 바랍니다.
〔为尔〕 wéi'ěr 형 〈文〉 여차〔여사〕하다. 이와 같다. →〔如rú此〕
〔为法〕 wéifǎ 동 〈文〉 법으로 삼다. 모범으로 하다.
〔为法自毙〕 wéi fǎ zì bì 〈成〉 제 손으로 법을 만들어 스스로 그 해를 입다. 자승자박.
〔为非做歹〕 wéi fēi zuò dǎi 〈成〉 온갖 못된 짓을 하다. 못된 짓만 골라 하다.
〔为富不仁〕 wéi fù bù rén 〈成〉 부자는 어질지가 않다. 부자에게는 피도 눈물도 없다.
〔为感〕 wéigǎn 동 ⇨〔为荷〕
〔为顾〕 wéigù 동 ⇨〔为护〕
〔为鬼为蜮〕 wéi guǐ wéi yù 〈成〉 음험하여 사람을 해치다.
〔为好〕 wéihǎo 형 (흔히, '还' 과 호응하여) …쪽이 좋다〔낫다〕. ¶还是商量商量～; 역시 상의〔의논〕하는 것이 좋다.
〔为荷〕 wéihè 동 〈翰〉 고맙게 생각하다. 감사하게 여기다. ¶祈赏收～; 소납(笑納)하여 주시면 감사하겠습니다 / 希准时出席～; 제시간에 출석해 주시면 고맙겠습니다. =〔为感〕
〔为护〕 wéihù 동 〈文〉 비호(庇護)하다. 두둔하다.

=〔为顾gù〕
〔为怀〕 wéihuái 통〈文〉 뜻을 삼다〔품다〕.
〔为间〕 wéijiàn 부〈文〉 조금 있다가. 잠시 후에. ¶夷子怃然～曰:命之矣《孟子 滕上》; 이자(夷子)는 크게 놀랐지만 잠시 후에 알겠다고 말했다.
〔为荐〕 wéijiàn 통〈文〉 추천하다. 소개하다.
〔为据〕 wéijù 통〈文〉 증거〔근거〕로 하다〔삼다〕. =〔为凭〕〔为照〕
〔为恳〕 wéikěn 통〈翰〉 간절히 바라다.
〔为叩〕 wéikòu 통〈翰〉 머리를 조아려 간청하다. 부탁드리다.
〔为力〕 wéilì 통〈文〉 애를〔힘을〕 쓰다. 힘이 되다. 진력하다. ¶易于～; 선뜻 힘을 써 주다 / 无能～; 어찌할 수가 없다 / 给我～; 나를 위하여 진력해 주십시오. =〔出力〕
〔为妙〕 wéimiào 형 (흔히, '还'과 호응하여) …하는 편이 좋다〔낫다〕. ¶还是不去～; 역시 가지 않는 것이 상책이다.
〔为难〕 wéi.nán 통 ①곤란하다. 곤란〔난처〕해지다. 곤란하게 하다. ¶叫人～; 남을 곤란하게 하다 / 觉着很～; 곤혹을 느끼다 / 为了他的事情, 我曾经很～; 저 사람 때문에 꽤 애먹었다 / ～招窄; 제 목을 죄다 / 这件事我很～; 이 사건으로 나는 매우 난처했다. ②트집을 잡다. 괴롭히다. ¶故意～; 일부러 트집을 잡다 / 你这不是～我吗? 자네 나를 괴롭히려는 게 아닌가?
〔为念〕 wéiniàn 통〈文〉 걱정하다. ¶未知往后如何变化～;〈翰〉 앞으로 어떻게 변할까 걱정하고 있습니다.
〔为盼〕 wéipàn 통〈翰〉 희망하다. ¶希赐复音～; 답장해 주시기를 바랍니다.
〔为佩为仰〕 wéipèi wéiyǎng〈文〉 탄복하고 앙모(仰慕)하다.
〔为凭〕 wéipíng 통〈文〉 증거로 삼다. 근거로 하다. =〔为据〕〔为照〕
〔为期〕 wéiqī 통〈文〉 …을 기한으로 하다. ¶～一年的贸易协定; 기한 1년의 무역 협정.
〔为期不远〕 wéi qī bù yuǎn〈成〉 예정일까지 얼마 남지 않다. 그 날이 멀지 않다.
〔为歉〕 wéiqiàn 통〈翰〉 유감으로 생각하다. ¶弟因事未得到站送行～; 소생은 사정이 있어 역까지 배웅도 못 하여 송구스럽다.
〔为然〕 wéirán 통〈文〉 그렇게 여기다. 찬성하다. ¶大家以此举～; 모두 이 계획에 찬성한다.
〔为人〕 wéirén ①명 위인. 사람됨. 인품. 인격. ¶～公正; 사람됨이 공정하다. ②사람이 되다. 사람으로서. ¶～不作亏心事, 半夜敲门心不惊;〈諺〉 사람으로서 양심에 거리끼는 일이 없으면, 야밤중에 문을 두드리는 사람이 있어도 놀라지 않는다. ③통 남과 잘 지내다〔어울리다. 사귀다〕. ¶他素日很～; 그는 평소 남과 매우 잘 교제한다.
〔为人道德〕 wéirén dàodé〈文〉 사람으로서 당연히 갖추어야 할 도덕.
〔为人之不齿〕 wéi rén zhī bù chǐ〈文〉 사람들이 상대해 주지 않다. =〔为人所不齿〕
〔为善〕 wéishàn〈文〉 선을 행하다. ¶～最乐; 선을 행하는 것이 가장 즐겁다.
〔为生〕 wéishēng 통 ①생활하다. ②생업으로 하다.
〔为时过早〕 wéi shí guò zǎo〈成〉 시기 상조.
〔为是〕 wéishì 통〈文〉 옳다고 여기다. 옳다. 좋다. ¶自认～; 제 스스로 옳다고 여기다 / 无论如何总是小心～; 어쨌든 조심하는 것이 좋다.
〔为首〕 wéishǒu 통 ('以…～'로서) (…을) 리더로 하다. 두목으로 하다〔이 되다〕. 주모자가 되다〔로 하다〕. 발기인이 되다. ¶以某某～的代表团; 모씨를 선두로 한 대표단. =〔为头(儿)〕
〔为数〕 wéishù〈文〉 그 수로 말할 것 같으면. 그 수. 그 금액. ¶～不多; 그 수라 했자 많지 못하다. 대단한 수가 못된다 / ～达八百万元; 그 액수는 800만 원에 달한다.
〔为数有限〕 wéi shù yǒu xiàn〈成〉 수로서는 한정이 있다.
〔为颂〕 wéisòng 통〈翰〉 축하드립니다.
〔为所欲为〕 wéi suǒ yù wéi〈成〉 제멋대로〔방자하게〕 굴다. 하고 싶은 대로 하다. ¶～, 无法无天; 멋대로 굴다.
〔为头(儿)〕 wéitóu(r) 통 ⇨〔为首〕
〔为慰〕 wéiwèi 통〈翰〉 안심하다. 기쁘게 생각하다.
〔为伍〕 wéiwǔ 통〈文〉 동료〔동반자〕가 되다. 동료〔동반자〕로 삼다. ¶羞xiū与～; 동료가 되는 것을 떳떳지 않게 생각하다 / 政府这次表示不与他们～; 정부는 이번에 그들과 동반자가 되지 않겠다고 표명했다.
〔为限〕 wéixiàn 통 ('以…～'로서) (…을) 기한으로 하다. 한도로 삼다. ¶以五十名～; 50명한(限).
〔为幸〕 wéixìng 형〈翰〉 ('请' 따위와 호응하여) 다행으로 여기다. 감사하다. ¶请从速答复～! 지급히 답장을 주시면 행심(幸甚)이겠습니다!
〔为学〕 wéixué 통〈文〉 학문을 하다. 배우다. ¶勤苦～; 부지런히 힘써 배우다.
〔为要〕 wéiyào 통〈文〉 ①필요로 하다. ②가장 중요〔긴요〕하다. ¶万分小心～; 충분한 주의가 가장 중요하다.
〔为由〕 wéiyóu 통〈文〉 이유로 삼다. 구실로 삼다《흔히, '以'와 함께 쓰임》.
〔为照〕 wéizhào 통 ⇨〔为据〕
〔为止〕 wéizhǐ 통〈文〉 …에서 그만하다. …까지만 하다. ¶今天谈到这儿～吧! 오늘의 이야기는 이쯤 해 둡시다! / 事情不是到此～呢! 일은 여기서 끝난 게 아닙니다 / 自正月一日起至十五日～; 정월 초하루부터 보름까지.
〔为质〕 wéizhì 통〈文〉 저당하다. 잡히다. ¶以不动产～, 抵押现金; 부동산을 담보로 하여 돈을 꾸다《흔히, '以'와 함께 쓰임》.
〔为主〕 wéizhǔ 통〈文〉 ('以…～'로서) …(위)주로 하다. …을 중시하다. ¶以农～; 농업을 주로 하다.

沩(溈) Wéi (위)

명《地》 웨이수이 강(溈水)《후난 성(湖南省)에 있는 강 이름》.

韦(韋) wéi (위)

명 ①〈文〉 무두질한 가죽. ②서적. ¶～编三绝;〈比〉 독서에 힘쓰다. ③성(姓)의 하나.
〔韦编〕 wéibiān 명〈文〉 위편. 책끈《죽간(竹簡)을 가죽끈으로 맨 것》. ¶读易, ～三绝《史記 孔子世家》; 역경(易經)을 읽고, 위편이 세 번 끊어지다《공자가 열심히 공부하는 모습》.
〔韦(伯)〕 wéi(bó) 양《物》 웨버(weber)《자속(磁束)의 단위》.
〔韦克岛〕 Wéikèdǎo 명《地》〈音〉 웨이크(Wake) 섬.
〔韦氏国际辞典〕 Wéishì guójì cídiǎn 명《書》 웹스터 대사전.
〔韦氏螺纹〕 wéishì luówén 명 인치 나사. 표준 나사.
〔韦斯敏斯德寺〕 Wéisīmǐnsīdésì 명《地》〈音〉 웨

스트 민스터 성당.
〔韦驮〕 Wéituó 명 《書》《佛》〈音〉 베다(Veda). =〔吠Fèi陀〕
〔韦衣〕 wéiyī 명 〈文〉 ①사냥복. ②수수한 옷.

沛(湋) wéi (위) 지명용 자(字). ¶～源; 웨이위안(湋源)《후베이 성(湖北省)에 있는 땅 이름》.

闱(闈) wéi (위) 명 ①고대 궁전의 협문〔쪽문〕. ¶宫～; 궁전내. 궁중의 내전. ②가정의 안방. ③과장(科場). 과거 시험장. ¶入～; 시험장에 들어가다.
〔闱门〕 wéimén 명 사원〔궁전〕의 소문(小門).
〔闱墨〕 wéimò 명 청대(清代), 과거(科擧)에서의 모범 문장.

违(違) wéi (위) 동 ①어기다. 지키지 않다. 따르지 않다. ¶～约; 약속을 어기다 / 不～农时; 농사 때를 어기지 않다 / 阳奉阴～; 〈成〉 표면으로는 복종하는 체하면서 내심(內心)으로는 배반하다. ②떨어지다. 멀어지다. ¶久～了; 오랫동안 만나지 못하다. 오래간만입니다.
〔违碍〕 wéi'ài 동 〈文〉 (당국자의) 기피에 저촉되다. 거슬리다. ¶～字句; 당국에 지장이 있는 자구 / ～书目; 금서(禁書) 서목 / 该书内容并无～之处, 何以禁止发行? 저 책의 내용은 전혀 저촉되는 데가 없는데, 어째서 발행 금지가 되었을까?
〔违拗〕 wéi'ào 동 (상부나 윗사람 생각에) 일부러 거스르다. 따르지 않다. ¶谁能～这个方向呢? 누가 이 방향에 거스를 수가 있을 것인가?
〔违背〕 wéibèi 동 위배하다. 어그러지다. ¶～章程; 규칙에 위반하다 / ～义务; 의무에 어긋나다 / ～时代的潮流; 시대적 조류에 어긋나다.
〔违悖〕 wéibèi 동 〈文〉 위배하다. 어긋나다. ¶违情悖理; 인정에 위배되고 도리에 어긋나다.
〔违错〕 wéicuò 명 〈文〉 착오. 잘못. 어긋남. ¶不敢稍有～; 감히 조금도 어긋나지 않다.
〔违贰〕 wéi'èr 동 〈文〉 두 마음을 품다.
〔违法〕 wéi.fǎ 동 위법하다. 법을 어기다. ¶～乱纪; 〈成〉 법을 어기고, 규율을 어지럽히다.
〔违反〕 wéifǎn 동 (규칙·법규 등에) 위반하다. 저촉되다. ¶～劳动纪律; 노동 규율에 위반하다 / ～交通规则; 교통 규칙을 위반하다.
〔违犯〕 wéifàn 동 (법률·규칙·원칙 따위에) 위반하다. 범하다《'违背' '违反' 보다 뜻이 강함》. ¶～法律; 법률을 위반하다 / ～校规; 교칙을 범하다.
〔违和〕 wéihé 동 〈文〉 앓다. 병이 나다. ¶总理政躬～, 将入院调治; 총리는 몸이 좋지 않아 입원 요양을 하려 하고 있다.
〔违惑〕 wéihuò 동 〈文〉 미혹되어 도리를 어기다.
〔违教〕 wéijiào 동 ①〈文〉 가르침에 어긋나다. ②〈翰〉 헤어지다. ¶～以来倏经半载; 헤어진 뒤 어느덧 반 년이 지났습니다.
〔违禁〕 wéijìn 동 금령(禁令)을 어기다. ¶～品; 금지품.
〔违禁取利〕 wéijìn qǔlì 제한을 초과하여 금리를 받다《명(明)·청(清)나라 시대에는, 금리는 한 달에 원금(元金)의 3분의 1을 초과할 수 없고, 또 오랜 세월에 걸치더라도 '一本一利'를 초과할 수 없는 것으로 규정되어 있었음》.
〔违警〕 wéijǐng 명 《法》 옛날, 경찰 조례(條例) 위반. ¶～律; 치안 경찰법. 경찰범 처벌령 / ～罪; 위경죄.
〔违抗〕 wéikàng 동 거스르다. 거역하다. ¶～意志; 의지에 거스르다 / 他的命令不能～; 그의 명령에는 거역할 수 없다.
〔违理〕 wéi.lǐ 동 〈文〉 도리에 어긋나다.
〔违例〕 wéilì 동 〈文〉 규칙에 위반되다.
〔违戾〕 wéilì 명동 〈文〉 위반(하다). 잘못(하다).
〔违令〕 wéi.lìng 동 〈文〉 명령에 따르지 않다. 명령을 어기다.
〔违慢〕 wéimàn 동 〈文〉 위반하고 소홀히 하다.
〔违命〕 wéimìng 동 〈文〉 명령을 어기다. =〔背bèi命〕
〔违难〕 wéinàn 명동 〈文〉 피난(하다).
〔违挠〕 wéináo 동 거스르다. 어기다. 거역하다. ¶干部们不好～他; 간부들은 그를 거스르지 못한다.
〔违逆〕 wéinì 동 〈文〉 위배하다. 반항하다. 거스르다.
〔违契不偿〕 wéiqì bùcháng (계약자가) 계약을 어기고 이행하지 않다.
〔违失〕 wéishī 〈文〉 명 과실. 허물. 동 실수로 빠뜨리다.
〔违忤〕 wéiwǔ 동 〈文〉 어기다. 거스르다. ¶岂敢～尊意? 어찌 감히 존의를 거스르겠습니까?
〔违误〕 wéiwù 동 〈公〉 명령을 좇지 않고 미적미적하다. 틀리다. 지체하다. ¶迅速办理, 不得～; 신속히 처리하여 지연시켜서는 안 된다.
〔违限〕 wéixiàn 동 지연하다. 기한을 어기다. ¶定当守约决不～; 반드시 약속을 지켜 결코 기한을 어기지 않겠습니다.
〔违宪〕 wéixiàn 명 《法》 ①위법(違法). ②헌법 위반. 위헌.
〔违心〕 wéi.xīn 동 본심이 아니다. ¶～地说; 본의 아니게 말하다 / ～话; 본의 아니게 하는 말 / ～应诺; 본의 아니게 동의하다.
〔违言〕 wéiyán 명 〈文〉 ①거스르는 말. 거역하는 말. ②불합리한 말.
〔违延〕 wéiyán 동 〈文〉 명령을 좇지 않고 꾸물거리다. ¶阵前～者斩; 적전(敵前)에서 명령을 거스르고 주저하는 자는 참한다 / 故意～; 고의로 명령을 따르지 않고 꾸물거리다.
〔违异〕 wéiyì 동 〈文〉 위배되다. 어긋나다. ¶～初旨; 최초의 취지에 어긋나다.
〔违远〕 wéiyuǎn 동 〈翰〉 멀리 떨어지다. 멀리 이별하다. ¶与君～已久, 近况奚似? 그대와 멀리 떨어진 지 이미 오래 되었는데 근황은 어떠한지요? / ～三载, 倍增思念; 헤어진 지 3년, 그리움이 점점 더해 갑니다.
〔违怨〕 wéiyuàn 동 〈文〉 마음 속에 원한을 품다. 속으로 원망하다.
〔违愿〕 wéiyuàn 동 〈文〉 바람에 어긋나다. 뜻대로 안 되다. ¶事与愿违; 일이 바라는 바와 다르다 / 今竟～能不扫兴? 이제 결국 뜻하는 바가 어긋났으니 흥이 깨지지 않을 수 있겠는가?
〔违约〕 wéiyuē 동 ①위약하다. 계약에 어긋나다. 조약에 위반하다. ¶因对方～, 事遂作罢; 상대방의 위약 때문에 일이 마침내 깨져 버렸다. ②약속을 깨다.
〔违章〕 wéi.zhāng 동 〈文〉 법규를 위반하다. ¶～建筑; 불법 건축 / ～行驶; 교통 규칙을 위반한 운전.

围(圍〈囲〉) wéi (위) ① 동 둘러싸다. 둘레를 막다. 에워싸다. ¶团团～住; 빙 둘러싸다. ② 동 두르다. ¶～围巾; 목도리를 두르다. ③ 명 둘레. 주위. ¶四～; 둘례. 주위. ④ 명 둘러막은 것. ¶土～子; 촌락 주위를 둘러 쌓은 토루(土壘) / 床～子; 침대의 커튼. ⑤ 명 에워쌈. 포위. ¶解～; 포위를 풀다 / 突～; 포위를 뚫다. ⑥ 명동 사냥(하다). ¶这趟～打了什么野牲口? 이번 사냥에서는 어떤 야수를 잡았나? ⑦ 양 집게뼘《양손의 엄지와 집게손가락을 편 길이의 단위. 5치〔寸〕》. ¶腰大十～; 허리 둘레가 열 뼘은 된다. ⑧ 양 아름《두 팔로 안은 만큼의 길이·크기의 단위》. ¶十～之木; 10아름의 나무.

〔围脖(儿)〕 wéibó(r) 명 〈方〉 목도리. 머플러. →〔围巾jīn〕

〔围捕〕 wéibǔ 동 포위하여 붙잡다. 에워싸서 잡다. ¶警探～盗犯; 경찰과 형사가 도둑을 포위하여 잡다.

〔围场〕 wéichǎng 명 (봉건 시대에 주위를 둘러막고 황제·귀족의 전용으로 한) 사냥터.

〔围城〕 wéi.chéng 동 (군대로) 도시를 포위하다. ¶～打援yuán; 〈成〉 성을 포위하고 원군을 치다. (wéichéng) 명 적군에 포위된 도시.

〔围尺〕 wéichǐ 명 줄자. =〔滩tān尺〕〔圆yuán尺〕

〔围得风雨不透〕 wéide fēngyǔ bùtòu 〈比〉 물샐틈없이 에워싸다. ¶看热闹的～; 구경꾼이 물샐틈없이 에워싸다.

〔围点打援〕 wéi diǎn dǎ yuán 〈成〉 거점을 포위하여 구원하러 온 적군을 치다.

〔围堵〕 wéidǔ 동 ①둘레를 둘러싸다. 봉쇄하다. ¶～政策; 봉쇄 정책. ②(진공하는 군대를) 포위하다.

〔围攻〕 wéigōng 명동 《軍》 포위 공격(하다). 동 모두가 한 사람을 공격하다. ¶对他嘲笑讽刺进行～; (여럿이) 그를 비웃고 놀리며 공격의 대상으로 만들었다. ‖ =〔围击〕

〔围郭〕 wéiguō 명 《軍》 요새를 둘러싸고 있는 성곽.

〔围裹〕 wéiguǒ 동 에워싸다. 포위하다.

〔围黑纱〕 wéi hēishā 상장(喪章)을 팔에 두르다.

〔围护〕 wéihù 동 둘러싸 호위하다.

〔围环〕 wéihuán 동 ⇨〔围绕rào〕

〔围击〕 wéijī 명동 ⇨〔围攻〕

〔围基〕 wéijī 명 둑으로 둘러싸인 지방〔곳〕.

〔围歼〕 wéijiān 명동 포위 섬멸(하다).

〔围剿〕 wéijiǎo 동 포위 토벌하다. ¶～残匪; 비적의 잔당을 포위하여 토벌하다.

〔围巾〕 wéijīn 명 목도리. 머플러. 스카프(scarf). ¶一条～; 머플러 한 개 / 围～ =〔带～〕; 목도리를 두르다 / 尼龙～; 나일론 스카프. →〔围脖(儿)〕

〔围襟〕 wéijīn 명 (어린아이의) 턱받이.

〔围垦〕 wéikěn 동 《農》 제방을 이용하여 간척하다. ¶近年在浙江的海岸和河岸～了几百万亩农田了; 근년에 저장 성(浙江省)의 해안과 강안(江岸)에 수백만 묘의 농지를 간척했다.

〔围困〕 wéikùn 동 《軍》 포위하여 외위(外圍)와의 연락을 끊다.

〔围廓〕 wéikuò 명 《軍》 시가지의 주위에 구축한 방어선.

〔围篱〕 wéilí 명 둘러싼 대울타리.

〔围猎〕 wéiliè 동 몰이 사냥하다.

〔围囹〕 wéilíng 명 《土》 물막이 지보(支保) 공사《강판(鋼板) 말뚝 따위로 물의 침입을 막아 교각을 만드는 공법》.

〔围拢〕 wéilǒng 동 둘러싸다. 주위에 모이다. ¶车站已经～了大堆人群; 정거장에는 이미 사람의 떼가 둘러싸고 있었다 / 人群立刻～了过来; 사람의 떼가 곧 에워쌌다.

〔围炉〕 wéilú 동 난로를 둘러싸다. ¶～共话; 〈文〉 난로를 둘러싸고 함께 이야기하다.

〔围木〕 wéimù 명 아름드리 큰 나무.

〔围幕〕 wéimù 명 둘러친 막. 장막.

〔围拿〕 wéiná 동 에워싸서〔포위해서〕 체포하다.

〔围殴〕 wéi'ōu 동 에워싸고 때리다. 포위하고 구타하다. ¶他们大家～了一个人; 그들 여럿이 한 사람을 둘러싸고 몰매를 안겼다.

〔围盘〕 wéipán 명 《機》 리피터(repeater)《강재(鋼材) 가공용》.

〔围炮台〕 wéipàotái 명 철갑으로 차폐(遮蔽)한 포대(砲臺).

〔围屏〕 wéipíng 명 병풍.

〔围棋〕 wéiqí 명 바둑. ¶下xià～ =〔围～〕; 바둑을 두다. =〔大dà棋〕

〔围墙〕 wéiqiáng 명 주위의 담. 둘러막은 것.

〔围裙〕 wéiqún 명 ①에이프런(apron). 앞치마《천·고무제》. ②(밑에까지 내려오는) 테이블보.

〔围绕〕 wéirào 동 〈文〉 둘러싸다. 위요하다. …을 중심에 놓다. ¶月亮～着地球旋xuán转; 달은 지구의 둘레를 돈다 / ～这个问题, 出现了两种意见; 이 문제를 둘러싸고 두 가지 의견이 나왔다. =〔围环〕

〔围绳〕 wéishéng 명 《體》 (권투의 링에 쓰이는) 로프(rope).

〔围随〕 wéisuí 동 좌우로 따라다니다. 에워싸고 따르다. ¶丫鬟们～小姐到花园去了; 하녀들은 아가씨의 곁을 따라 화원으로 갔다.

〔围田〕 wéitián 명 도랑으로 둘러싸인 논밭.

〔围网〕 wéiwǎng 명 선망(旋網). 후릿그물.

〔围魏救赵〕 wéi Wèi jiù Zhào 〈成〉 위(魏)나라를 포위하여 조(趙)나라를 구하다《한쪽을 견제해 두고 다른 한쪽을 구하다》.

〔围席〕 wéixí 동 거적으로 둘러싸다.

〔围涎〕 wéixián 명 (유아용의) 턱받이. ¶带～ =〔围～〕; 턱받이를 하다. =〔围嘴儿〕

〔围胸〕 wéixiōng 명 가슴두르개《부녀자가 몸에 두르는 배두렁이 모양의 것으로, 돈을 넣어 두기도 함》.

〔围堰〕 wéiyàn 명 댐. 둑. 방죽. 코퍼댐(cofferdam).

〔围腰(儿)〕 wéiyāo(r) 명 옛날, 부녀자가 허리에 두른 폭이 넓은 천.

〔围垣〕 wéiyuán 명 엔담. 둘러싼 담.

〔围闸〕 wéizhá 명 수문(水門).

〔围桌〕 wéizhuō 명 관혼 상제 때 탁자 앞면을 덮은 책상보《현재는 연극 따위에도 쓰임》.

〔围子〕 wéizi 명 ①촌락 주위의 토담. 또, 장애물. ¶土～; 촌락 주위의 토담 / 树～; 마을 주위의 보안림(保安林). =〔圩子〕 ②휘장. 커튼. =〔帷子〕

〔围嘴儿〕 wéizuǐr 명 (유아용의) 턱받이. ¶把～穿上; 턱받이를 채우다. =〔围涎〕

帏(幃) wéi (위)

명 ①(둘러치는) 막. 장막. =〔帷wéi〕 ②(옛날 사람들이 몸에 지니던) 향낭(香囊).

涠(潿) wéi (위)

지명용 자(字). ¶～洲岛; 웨이저우섬(潿洲島)《광시 성(廣西省) 좡족(僮族) 자치구에 있는 섬》.

圩 wéi (우)

명 ①(～子) 창장(長江)이나 화이허(淮河) 유역 낮은 지역 땅의 주위의 둑. ②둑으로 둘러싸인 지구. ¶盐yán～; 염밭의 둑. ③(～子) 촌락 주변을 둘러싸은 울 같은 것. ¶土～子; (촌락을 둘러싸은) 토루(土壘). ⇒xū
〔圩堤〕 wéidī 명 저습지의 둑.
〔圩田〕 wéitián 명 물을 막기 위하여 둑을 쌓은 땅의 논.
〔圩垸〕 wéiyuàn 명 하천호(河川湖)에 가까운 저지(低地)에 수해 방지를 위해 쌓은 둑《큰 것은 '圩', 작은 것은 '垸'》.

桅 wéi (외)
명 마스트(mast). 돛대. =〔船chuán桅〕
〔桅灯〕 wéidēng 명 ①돛대〔마스트〕 위에 달려 있는 등불. ②⇨〔风fēng雨灯〕
〔桅顶〕 wéidǐng 명 돛대〔마스트〕의 끝.
〔桅斗〕 wéidǒu 명 군함의 마스트 중간쯤에 만든 망대(望臺). 지령대(指令臺).
〔桅杆〕 wéigān 명 돛대. 마스트. =〔桅樯〕〔桅柱〕
〔桅樯〕 wéiqiáng 명 ⇨〔桅杆〕
〔桅梢〕 wéishāo 명 ⇨〔桅头〕
〔桅头〕 wéitóu 명 돛대〔마스트〕의 끝. ¶～旗; 돛대 끝에 다는 기. =〔桅梢〕〔桅尾〕〔桅顶〕
〔桅尾〕 wéiwěi 명 ⇨〔桅头〕
〔桅柱〕 wéizhù 명 ⇨〔桅杆〕

鮠(鮠) wéi (외)
명《魚》메기의 일종《양쯔 강(揚子江)에 많이 서식》.

惟 wéi (유)
①부 홀로. 다만〔단지〕 (…만이). 오로지. ¶～有他因病不能去; 다만 그만이 병으로 못 간다 / 该生学习成绩甚佳, ～身体稍差; 저 학생의 학업 성적은 매우 좋다. 다만, 몸이 좀 좋지 않다. =〔唯①〕 ②접 그러나. ¶雨虽止, ～路途仍泥泞; 비는 그쳤으나 길이 몹시 질척거린다. =〔唯②〕 ③조 문어(文語)의 조사(助詞)《연·월·일 앞에 쓰임》. 대저. ④동 생각하다. ¶思～; 사유(하다) / 退而深～; 물러나서 깊이 생각하다. ⑤〈文〉…때문에. ¶～汝之故, 吾不敢径去也; 너 때문에 나는 감히 가지 못하는 것이다. ⑥그렇다 치고. 그런데. 이만저만. ¶言之匪艰, 行之～艰; 말하기는 쉽되 행하기는 이만저만 어렵지 않다.
〔惟独〕 wéidú 부 유독. 오직. ¶人家都睡了, ～他还在那里工作; 사람들은 모두 잠들었으나, 그만은 아직도 거기서 일을 하고 있다. =〔单单〕〔唯独〕
〔惟恐〕 wéikǒng 동〈文〉다만 …만이 걱정이다. 오직 …을 두려워하다. ¶～落后; 낙후되지나 않을까 그것만이 걱정이다 / 他认真地听着, ～漏掉一个字; 그는 한 마디라도 못 듣고 놓치면 큰일날세라 열심히 듣고 있었다.
〔惟口兴戎〕 wéi kǒu xīng róng〈成〉진실한 사람은 말을 삼간다.
〔惟利是视〕 wéi lì shì shì〈成〉안중에 오직 이익만이 있을 뿐이다.
〔惟利是图〕 wéi lì shì tú〈成〉단지 이익만을 꾀하다. 이익 외에는 거들떠보지도 않는다. =〔唯利是图〕
〔惟妙惟肖〕 wéi miào wéi xiào〈成〉묘사나 모방이 핍진(逼眞)해 있는 모양. ¶这幅画把儿童活泼有趣的神态画得～; 이 그림은 아이의 활발하고도 즐거운 듯한 모습을 박진감 있게 그려 내고 있다. =〔维妙维肖〕
〔惟命是从〕 wéi mìng shì cóng〈成〉⇨〔惟命是听〕
〔惟命是听〕 wéi mìng shì tīng〈成〉시키는 대로 무조건 순종하다. 그저 네네 하며 명령에 따르다. =〔惟命是从〕〔唯命是听〕〔唯命是从〕
〔惟其〕 wéiqí 접〈文〉…(하기) 때문에. ¶～如此, 才需要你亲自去一趟; 그러니까 당신이 몸소 갈 필요가 있소.
〔惟神论〕 wéishénlùn 명《哲》신령 실체론(神靈實體論).
〔惟实论〕 wéishílùn 명《哲》실재론(實在論).
〔惟他是问〕 wéi tā shì wèn〈文〉오직 그만을 나무라다. 모두 그의 책임이다.
〔惟特〕 wéitè 부 ⇨〔唯独〕
〔惟我独尊〕 wéi wǒ dú zūn〈成〉유아 독존. =〔唯我独尊〕
〔惟我论〕 wéiwǒlùn 명《哲》①독재론(獨在論). 독아론(獨我論). 유아론. ②자리자애(自利自愛)를 행위의 기준으로 하는 설. 애기주의(愛己主義). ‖=〔唯我主义〕
〔惟一〕 wéiyī 형 ⇨〔唯一〕
〔惟有〕 wéiyǒu 부 단지. 다만. 오직. ¶大家都愿意, ～他不愿意; 사람들은 모두 희망했으나 그만은 그렇지 않았다. 접 ('才'와 호응하여) …함〔임〕으로써만. …이어서만. ‖=〔只有〕〔唯有〕

唯 wéi (유)
①부 다만. 오직. …뿐. ¶～恐落后; 다만 낙후하는 일을 두려워하다 / ～有一法; 다만 한 가지 방법이 있을 뿐. =〔惟①〕 ②접 단. 그러나. =〔惟②〕 ③감〈文〉네《대답의 말》. ¶对曰, ～! '네!' 하고 대답하다 / 询之～～而已; 그 사람에게 물었더니 다만 '네, 네'라고 할 뿐이다.
〔唯成分论〕 wéi chéngfèn lùn 명 ⇨〔唯阶级论〕
〔唯独〕 wéidú 부 유독. 다만. 단지. ¶别人都来了, ～他一个人还没有来; 다른 사람은 다 왔는데, 그 사람 혼자만 아직 안 왔다 / ～这个还可以用, 别的都不行; 다만 이것만은 쓸 수 있지만, 다른 것은 전부 못 쓴다. =〔惟独〕〔惟特tè〕〔微wēi独〕〔微特〕
〔唯读光碟〕 wéidú guāngdié 명《電算》CD-ROM.
〔唯阶级论〕 wéi jiējí lùn 명 본인의 출신을 비판이나 선발의 기준으로 삼고, 현재의 본인의 사상을 문제시하지 않는 방식. 출신 계급 제일주의. =〔唯成分论〕
〔唯理论〕 wéilǐlùn 명《哲》합리주의. 이성론(理性論).
〔唯利是图〕 wéi lì shì tú〈成〉이익만을 추구하다. 오직 사리(私利)를 도모하다. ¶资产阶级～的本质不是一个早上能改变过来的; 자산 계급의 이익만을 추구한다는 본질은 하루 아침에 고칠 수 있는 것이 아니다. =〔惟利是图〕
〔唯美主义〕 wéiměi zhǔyì 명 유미주의. 탐미파(耽美派).
〔唯名论〕 wéimínglùn 명《哲》유명론. 명목론(名目論). =〔唯名主义〕
〔唯名主义〕 wéimíng zhǔyì 명 ⇨〔唯名论〕
〔唯命是从〕 wéi mìng shì cóng〈成〉⇨〔唯命是听〕
〔唯命是听〕 wéi mìng shì tīng〈成〉절대 복종하다. 하라는 대로 하다. ¶～奉之如经典; 명령에 복종하여, 마치 경전처럼 받들다. =〔唯命是从〕〔惟命是从〕〔惟命是听〕
〔唯诺〕 wéinuò 동〈文〉응낙하다. 승낙하다.
〔唯生产力论〕 wéi shēngchǎnlì lùn 명 사회 발전에 관하여 생산력만을 중시하는 이론. 생산력

제일주의.
〔唯生主义〕 wéishēng zhǔyì 명 일종의 국가 사회주의적 사회관.
〔唯唯否否〕 wéi wéi fǒu fǒu 〈成〉(탈이 날까 두려워) 태도가 분명치 않다. ¶他对那件事是～, 一味推诿; 그는 그 일에 관해서 여전히 태도가 분명치 않고, 계속 책임을 회피하고 있다.
〔唯唯诺诺〕 wéi wéi nuò nuò 〈成〉 유유낙낙. 그저 남이 말하는 대로 순종하는 모양. =〔然rán然可可〕
〔唯我独尊〕 wéi wǒ dú zūn 〈成〉 유아 독존. ¶天上天下～; 천상 천하 유아 독존(석가모니가 태어났을 때 사방을 둘러보고 한 말). =〔惟我独尊〕
〔唯我主义〕 wéiwǒ zhǔyì 명 ⇨〔惟我论〕
〔唯武器论〕 wéi wǔqìlùn 명 무기 만능론(萬能論). 무기 제일주의.
〔唯物论〕 wéiwùlùn 명《哲》유물론. =〔唯物主义〕
〔唯物史观〕 wéiwù shǐguān 명《哲》유물 사관. 사적(史的) 유물론.
〔唯心论〕 wéixīnlùn 명《哲》유심론. 관념론. =〔唯心主义〕〔观guān念论〕
〔唯一〕 wéiyī 형 유일한. 단 하나뿐의. ¶～无二; 〈成〉유일 무이하다. 오직 하나뿐이고 둘은 없다 / ～(的)方法; 유일한 방법. =〔惟一〕
〔唯有〕 wéiyǒu 부 다만. 오직. ¶昨天都来了, ～你没到; 어제는 모두 왔는데, 너만이 오지 않았다. 접 오직 …하여야만(흔히, 뒤에 '才'와 호응함). ‖ =〔惟有〕〔只有〕

帷 wéi (유)
(～子) 명 (둘러치는) 막(幕). 장막. ¶车～子; 수레의 포장(布帳).
〔帷薄〕 wéibó 명〈文〉칸막이막(幕). 칸막이 커튼. ¶～不修; 〈成〉규방이 다스려지지 않다(부녀자의 행실이 좋지 않음). =〔帷屏〕
〔帷房〕 wéifáng 명〈文〉여성의 침실. 규방.
〔帷幔〕 wéimàn 명 ⇨〔帷幕〕
〔帷幕〕 wéimù 명〈文〉만막(幔幕). 당겨 여닫는 막. ¶缓和huǎnhé的～后面看到刀光剑影; 해이해진 장막 뒤에 살기에 찬 모양이 보인다 / 挡上～; 막을 치다. =〔帷幔〕
〔帷屏〕 wéipíng 명 ⇨〔帷薄〕
〔帷堂〕 wéitáng 명〈文〉(장례식 때) 휘장을 친 방.
〔帷幄〕 wéiwò 명〈文〉군중(軍中)의 장막. ¶夫运筹～之中, 快胜千里之外; 계획을 장막 안에서 세우고, 승리를 천리 밖에서 결정한다(전략 전술의 재능이 뛰어나다).
〔帷子〕 wéizi 명 커튼. 장막. ¶床～; 침대 주위를 둘러 친 커튼. =〔围子②〕

维(維) wéi (유)
①동 유지하다. 보전하다. ¶～持; ⇩ / 暂～秩序; 〈文〉잠시 질서를 유지하다 / 保全～护; 유지 보전하다. ②동 연결하다. 잇다. →〔维系〕 ③동 붙들어매다. 계류(繫留)하다. ¶～舟; 배를 붙들어[비끄러]매다. ④명 실처럼 가늘고 굵은 것. ⑤동 ⇨〔惟④〕 ⑥명《數》차원. ¶四～; 4차원. ⑦명 성(姓)의 하나.
〔维奥拉达摩尔〕 wéi'àolādámó'ěr 명《樂》비올라 다모레(이 viola d'amore).
〔维持〕 wéichí 동 ①유지하다. 보존하다. ¶～秩序; 질서를 유지하다. ②원조하다. 주선하다. 돕다. ¶有人找他求事, 他不～人家; 어떤 사람이 그에게 일을 부탁하러 갔는데, 그는 그 사람의 일을 도와 주지 않았다.
〔维斗〕 wéidǒu 명《天》〈文〉북두칠성의 별칭.
〔维多利亚〕 Wéiduōlìyà 명〈音〉빅토리아(Victoria)(인명 또는 지명). ¶～女王; 빅토리아 여왕.
〔维哦拉〕 wéi'élā 명《樂》비올라(viola). =〔中zhōng提琴〕〔次中音小提琴〕〔瑰娥拉〕〔维奥拉〕
〔维尔纽斯〕 Wéi'ěrniǔsī 명《地》〈音〉빌니우스(Vilnius)('立Lì陶宛'(리투아니아: Lithuania)의 수도).
〔维伐〕 wéifā 명〈音〉비바(viva). =〔万岁〕
〔维谷〕 wéigǔ 동〈文〉유곡에 빠지다. 사이에 끼여 꼼짝 못 하게 되다. ¶进退～, 难以决断; 진퇴유곡에 빠져 결단 내리기가 어렵다.
〔维管束〕 wéiguǎnshù 명《植》유관속. 관다발.
〔维护〕 wéihù 동 (파괴로부터) 지키다. 유지 보호하다. 옹호하다. ¶～了原则; (무너져 가는) 원칙을 지켰다 / ～路线; 노선을 지키다 / ～集体利益; 집단의 이익을 옹호하다 / ～他的面子; 그의 체면을 유지시켜 주다. 명 보수(保守).
〔维护者〕 wéihùzhě 명 옹호자.
〔维拉港〕 Wéilāgǎng 명《地》〈音〉빌라(Vila)('瓦Wǎ努阿图'(바누아투: Vanuatu)의 수도).
〔维纶〕 wéilún 명 ⇨〔维尼纶〕
〔维棉〕 wéimián 명《紡》비닐론과 면의 혼방.
〔维妙维肖〕 wéi miào wéi xiào 〈成〉⇨〔惟妙惟肖〕
〔维摩诘〕 Wéimójié 명《佛》유마 거사(석가모니가 사셨던 당시의 거사(居士)). =〔维摩居士〕
〔维纳斯〕 Wéinàsī 명〈音〉비너스(Venus)(미(美)와 사랑의 여신). =〔维那斯〕〔维娜〕
〔维尼龙〕 wéinílóng 명 ⇨〔维尼纶〕
〔维尼纶〕 wéinílún 명《紡》〈音〉비닐론(vinylon). =〔维纶〕〔聚乙烯醇缩纤维〕〔维尼龙〕〔维尼隆〕〔维里纶〕〔芬素〕
〔维那〕 wéinuó 명 사찰의 주관(主管).
〔维生〕 wéishēng 동〈文〉생활을 지탱하다.
〔维生素〕 wéishēngsù 명《化》비타민(vitamin). ¶～A =〔维生素甲〕; 비타민A / ～B_1 =〔硫胺素〕〔维生素乙一〕; 비타민B_1 / ～B_2 =〔核黄素〕〔维生素乙二〕; 비타민B_2 / ～C =〔维生素丙〕〔抗坏血酸〕〔丙种维生素〕; 비타민C. =〔〈音〉维他命〕
〔维数〕 wéishù 명《數·物》차원(次元).
〔维司克〕 wéisīkè 명〈音〉위스키(whisky). =〔威士尼〕
〔维斯可丝〕 wéisīkěsī 명《化》비스코스(viscose). 크산토겐산(xanthogen酸).
〔维苏威火山〕 Wéisūwēi Huǒshān 명《地》〈音〉베수비오 화산(이탈리아 남부, 나폴리 동남방에 있는 화산).
〔维他康腹〕 wéitākāngfù 명《藥》〈音〉비타캠퍼(vitacamphor).
〔维他命〕 wéitāmìng 명 비타민(vitamin). =〔维生素〕
〔维他命M〕 wéitāmìng M 명〈比〉머니. 돈(농담으로 이름). ¶我缺少～; 나는 돈이 모자란다.
〔维文〕 Wéiwén 명《言》위구르어(語). 위구르 문자.
〔维吾尔族〕 Wéiwú'ěrzú 명《民》웨이우얼 족(維吾爾族)(중국 소수 민족의 하나. 주로 신장(新疆) 자치구에 거주). =〔〈簡〉维族〕〔回纥〕〔回鹘〕
〔维系〕 wéixì 동〈文〉①유지하다. ¶～着紧密关系; 긴밀한 관계를 유지하다. ②붙들어매다[두다].
〔维新〕 wéixīn 동〈文〉정치를 새롭게 하다. 유신

하다. 명 ①유신. ②모던. 신식. ¶～话; 시체말/～人物rénwù; 새 인물. 진보적 인물. 형 혁신적이다. 진보적이다.
〔维新派〕 Wéixīnpài 명 《史》 청조(清朝) 말엽, 광서제(光緒帝)와 변법 자강책(變法自強策)을 강구하여 무술 정변(戊戌政變) 을 일으킨 유신파(維新派)를 말함.
〔维新人物〕 wéixīn rénwù 명 새로운 인물. 진보적 인물.
〔维修〕 wéixiū 동 (기계 따위를) 수리 유지하다. 보수하다. 손질하다. ¶～房屋; 집을 수리하다/机器～得好, 使用年限就能延长; 기계는 손보기를 잘 해 두면 그 수명을 연장할 수 있다. 명 보수(保守). 보전(保全). 메인트넌스.
〔维也纳〕 Wéiyěnà 명 《地》 〈音〉 빈(Vien). 비엔나(Vienna)《'奥地利'(오스트리아: Austria)의 수도》.
〔维政〕 wéizhèng 동 〈文〉 국정을 유지하다. 정사를 행하다. ¶～赖诸公; 정치는 제공에게 부탁한다.
〔维絷〕 wéizhí 동 〈文〉 만류하다. ¶三度上辞呈, 而长官仍～慰留; 세 차례 사표를 냈지만, 장관은 여전히 만류하여 붙잡아 두었다.
〔维字汽缸油〕 wéizì qìgāngyóu 명 V형 엔진 오일.
〔维族〕 Wéizú 명 〈簡〉 ⇨〔维吾尔族〕

潍(濰) Wéi (유)
명 《地》 웨이허(濰河). 웨이 현(濰縣)《산둥 성(山東省)에 있는 강 또는 현 이름》.

硙(磑) wéi (애)
→〔硙硙〕 ⇒ '磑' wèi

〔硙硙〕 wéiwéi 형 〈文〉 ①높은 모양. ②단단한 모양.

嵬 wéi (외)
형 〈文〉 산세가 높고 험한 모양. ¶崔cuī～; 높이 솟은 모양/～峨; 높이 솟은 모양. =〔巍wēi峨〕

伪(僞) wěi (위)
명형 ①거짓(의). 가짜(의). 허위(의). ¶～为不知; 허위로 모른다고 하다/去～存真; 거짓을 없애고 진실을 남기다. ↔〔真〕 ②비합법(의). 괴뢰(의). ¶敌～; 적군과 위군(僞軍).
〔伪本〕 wěiběn 명 ⇨〔伪书①〕
〔伪币〕 wěibì 명 ①위조 지폐. 위폐. =〔伪钞〕〔伪券〕 ②《史》 대일 항전(對日抗戰) 당시 피점령 지구에서 발행된 지폐.
〔伪钞〕 wěichāo 명 ⇨〔伪币①〕
〔伪朝〕 wěicháo 명 위조. 정당하지 않은 조정(朝廷).
〔伪充〕 wěichōng 동 ①흉내를 내다. ②가장하다. ¶～暗探诈取钱财; 기관원을 가장하여 금품을 사취하다.
〔伪工事〕 wěigōngshì 명 《軍》 위장 공사《적을 속이는 일》.
〔伪官〕 wěiguān 명 ①비합법 정부의 관리. ②관리를 사칭하는 자.
〔伪国〕 wěiguó 명 괴뢰(傀儡) 국가.
〔伪货〕 wěihuò 명 위조품. 모조품.
〔伪经〕 wěijīng 명 ①금문학가(今文學家)가 고문경서(古文經書)를 일컫는 말. ②《佛》 위작(僞作)의 불교 경전.
〔伪军〕 wěijūn 명 《軍》 비합법 정부의 군대. 괴뢰 정부의 군대.
〔伪君子〕 wěijūnzǐ 명 위군자. 위선자.
〔伪劣假冒〕 wěiliè jiǎmào 명 '伪造'(위조)·'劣质'(저질)·'虚假'(모방)·'冒牌'(상표 도용)(의 상품).
〔伪劣商品〕 wěiliè shāngpǐn 명 위조(상)품. 열등품.
〔伪满〕 Wěimǎn 명 만주 사변에 의해, 동북(東北) 4성(省)에 세워졌던 일본의 괴뢰 정부(1932～1945).
〔伪冒〕 wěimào 동 위조하다. 기만하다. 상표·명칭 따위를 사칭하다. ¶～本厂商标; 본공장의 상표를 도용하다.
〔伪票〕 wěipiào 명 위조 지폐. 위조 어음.
〔伪券〕 wěiquàn 명 ⇨〔伪币①〕
〔伪善〕 wěishàn 형 위선적이다. ¶～的面孔; 위선적인 얼굴.
〔伪书〕 wěishū 명 ①위서. 원본을 흉내내어 만든 책. =〔伪本〕 ②위조 서류.
〔伪托〕 wěituō 동 위작(僞作)하다.
〔伪妄〕 wěiwàng 〈文〉 명 거짓. 불실. 기만. ¶～不实; 기만 불실. 동 속이다. 거짓말하다.
〔伪学〕 wěixué 명 ①위학. 가짜 학문. ②주자(朱子) 등이 제창한 도학(道學)을 반대하던 자들이 일컫던 말.
〔伪造〕 wěizào 명동 위조(하다). 날조(하다). ¶～证件; 증거 서류를 위조하다.
〔伪诈〕 wěizhà 동 속이다. 협잡하다. ¶心怀～; 마음 속으로 속이려 하고 있다.
〔伪证〕 wěizhèng 명 《法》 위증.
〔伪政权〕 wěizhèngquán 명 《政》 괴뢰 정권. =〔傀kuǐ儡政府〕
〔伪装〕 wěizhuāng 명동 ①위장(하다). 가장(하다). 가면(을 쓰다). ¶～进步; 진보적인 체 가장하다/剥去～; 가면을 벗기다. ②《軍》 위장(하다). 명 위장에 쓰는 물건《나뭇가지 따위》.
〔伪足〕 wěizú 명 《生》 위족(僞足). 가족(假足).
〔伪足类〕 wěizúlèi 명 《動》 위족류《원생 동물의 일종》.
〔伪组织〕 wěizǔzhī 명 《政》 비합법 조직. 불법적인 반동 정치 집단.

苇(蔿) Wěi (위)
명 성(姓)의 하나.

伟(偉) wěi (위)
① 형 (인물·사업 따위가) 크다. 위대하다. ¶气象雄～; 기상이 크고 훌륭하다/魁kuí～; 크고 훌륭하다/～大的人物; 위대한 인물. ② 동 우수하다. 뛰어나다. 훌륭하다. ③ 명 성(姓)의 하나.
〔伟岸〕 wěi'àn 〈文〉 명 위용(偉容). 형 장대한 모양. 웅대한 모양. ¶姿质～; 기골이 장대하다.
〔伟才〕 wěicái 명 뛰어난 재주(를 가진 사람). ¶今得借重～, 实为幸事; 이제 위대한 인물의 힘을 빌릴 수 있게 되어 참으로 다행이다.
〔伟大〕 wěidà 형 위대하다.
〔伟哥〕 wěigē 형 《藥》 비아그라《발기 부전 치료제》.
〔伟绩〕 wěijì 명 〈文〉 위대한 사적(事績)〔업적〕. ¶丰功～; 풍부한 공로와 위대한 업적.
〔伟鉴〕 wěijiàn 〈翰〉 보옵소서《수신자의 이름 밑에 붙이는 말》. ¶某某先生～; 아무아무 선생님 보옵소서.
〔伟力〕 wěilì 명 위력. 거대한 힘. ¶战争～存在于民

从之中; 전쟁의 거대한 힘은 민중 속에 존재한다.
〔伟丽〕 wěilì 형 〈文〉 ①당당하고 아름답다. ②준수하다.
〔伟男〕 wěinán 명 〈文〉 훌륭한 남자. 위장부(偉丈夫).
〔伟器〕 wěiqì 명 〈文〉 위대한 인물.
〔伟士〕 wěishì 명 〈文〉 위인(偉人).
〔伟业〕 wěiyè 명 〈文〉 위대한 업적. 위업.
〔伟丈夫〕 wěizhàngfū 명 ①기골이 장대한 남자. 위장부. ②훌륭한 남자.

苇(葦) wěi (위)
명 《植》 갈대. =〔芦lú苇〕
〔苇箔〕 wěibó 명 (갈대로 짠) 거적. 발. 갈대발《지붕을 일 때 서까래 위에 깔고 진흙을 올려 기와를 이는 데 씀》.
〔苇串儿〕 wěichuànr 명 《鳥》 개개비.
〔苇刺〕 wěicì 명 ⇨〔苇锥锥〕
〔苇管儿〕 wěiguǎnr 명 갈대의 줄기《말려서 발을 엮는 데 씀》.
〔苇花〕 wěihuā 명 갈대꽃. 갈꽃.
〔苇坑〕 wěikēng 명 ⇨〔苇塘〕
〔苇笠〕 wěilì 명 ①갈삿갓. ②청대(淸代), 관리가 쓴 여름 모자.
〔苇帘(子)〕 wěilián(zi) 명 갈대(로 만든) 발.
〔苇芦〕 wěilú 명 《植》 갈대.
〔苇眉子〕 wěiméizi 명 갈대의 줄기.
〔苇笋〕 wěisǔn 명 ⇨〔苇锥锥〕
〔苇塘〕 wěitáng 명 갈대밭. =〔苇坑〕
〔苇汀〕 wěitīng 명 갈대가 자라는 물가.
〔苇席〕 wěixí 명 삿자리.
〔苇莺〕 wěiyīng 명 《鳥》 개개비.
〔苇樱〕 wěiyīng 명 《植》 왕벚나무.
〔苇龠〕 wěiyuè 명 갈피리《옛날의 악기》.
〔苇锥(子)〕 wěizhuī(zi) 명 ⇨〔苇锥锥〕
〔苇锥锥〕 wěizhuīzhuī 명 《植》 〈北方〉 ①갈대의 싹. ②줄의 줄기. ‖=〔苇刺〕〔苇笋〕〔苇锥(子)〕
〔苇子〕 wěizi 명 《植》 갈대.

纬(緯) wěi (위)
명 ①씨실. ②위서(緯書). =〔纬书shū〕 ③(세로에 대하여) 가로 된 것. ¶以声母为经, 以韵母为～; 성모(聲母)를 세로로 하고 운모(韻母)를 가로로 한다. ↔〔经jīng〕 ④위도(緯度). ¶北～三十八度; 북위 38도.
〔纬编〕 wěibiān 동 《紡》 씨실로 짜다.
〔纬道〕 wěidào 명 《地》 위도선(緯度線).
〔纬度〕 wěidù 명 《地》 위도. ↔〔经jīng度〕
〔纬卷线〕 wěijuǎnxiàn 명 《紡》 씨실을 감는 패. 웨프트 보빈(weft bobbin).
〔纬纱〕 wěishā 명 《紡》 씨실. ↔〔经jīng纱〕
〔纬纱库〕 wěishākù 명 《紡》 씨실을 감아놓는 틀. 매거진(magazine).
〔纬世〕 wěishì 동 〈文〉 천하를 다스리다. ¶～之才; 천하를 다스릴 만한 재능〔인재〕.
〔纬书〕 wěishū 명 위서《경서(經書)의 뜻에 가탁(假託)하여, 일의 길흉화복을 쓴 책》.
〔纬线〕 wěixiàn 명 ①《紡》 씨실. ②《地》 위도를 나타내는 가상선.

炜(煒) wěi (위)
①형 〈文〉 새빨갛다. ②형 분명한 모양. ③인명용 자(字).

玮(瑋) wěi (위)
①명 〈文〉 옥의 이름. ¶瑰guī～; 보옥의 아름다움을 이름. ②형 진귀하다.
〔玮宝〕 wěibǎo 명 〈文〉 진귀한 보배. ¶明珠～; 진귀한 보배처럼 소중히 여기다.

暐(暐) wěi (위)
형 〈文〉 번쩍번쩍 빛나는 모양.

韡(韡) wěi (위)
형 〈文〉 번쩍번쩍 빛나는 모양. 매우 아름다운 모양.

韪(韙) wěi (위)
명 〈文〉 옳은 것〔일〕. 바른 것〔일〕. 적당한 것〔일〕. 注 항상 부정사(否定詞)를 앞에 붙여 씀. ¶不～; 나쁜 일 / 冒天下之大不～; 천하가 크게 반대하는 것을 돌보지 않다.

尾 wěi (미)
①명 꼬리. ¶猪～巴; 돼지의 꼬리 / 交～; 교미〔흘레〕하다 / 摇头摆～; 머리를 흔들고 꼬리를 흔들다. ②명 끝. 말단. 말미. ¶排～; 열(列)의 맨 끝 / 有头无～; 시작이 있고 끝이 없다. ③명 주요 부분 이외의 곳. ¶掐qiā头去～; 불필요한 부분을 제거하다. ④동 뒤를 따라가다. ¶～其后; 뒤를 밟다. 미행하다. ⑤양 물고기를 세는 단위. 마리. ¶一～鱼; 고기 한 마리 / 鲤鱼两～; 잉어 두 마리. ⑥명 《天》 이십팔수(二十八宿)의 하나. ⑦(～子) 명 〈方〉 우수리. 나머지. ⇒yǐ
〔尾巴〕 wěiba 명 ①꼬리. 꽁지. ¶摇～; 꼬리를 흔들다 / ～顶尾儿; 한 사람 한 사람. 하나하나 / ～翎儿; 새 꽁지의 깃 / ～走出去; 하나하나 잇달아 나가다 / 夹着～逃走了 =〔夹起～跑〕; 꼬리를 말고〔참담하게, 꽁무니 빠지게〕 달아나다 / ～翘上了天; (우쭐하여) 콧대가 높아지다. 건방지다 / 夹紧～; 꼬리를 단단히 끼우다. 〈比〉 가만히 얌전하게 굴다. 뽐내지 않다. ②〈比〉 부속물. 추종자. ¶不留～; 뒤에 꼬리를 끌지 않다. 뒤에 문제를 남기지 않다 / 一个政党要有独立的政纲, 不能做人的～; 한 개의 정당은 독립적인 정치 강령을 갖고 있어야지, 추종자가 되어서는 안 된다. ③꼬리 모양의 것. 후미. ¶车～; 자동차의 후미 / 飞机～; 비행기의 꼬리 부분. ④〈比〉 미해결로 남겨진 문제. ¶留～; 문제를 남기다.
〔尾(巴)骨〕 wěi(ba)gǔ 명 《生》 미골. 미저골. =〔尾骶dǐ骨〕〔尾尻kāo骨〕〔尾闾lǘ骨〕〔尾椎zhuī骨〕〔后hòu座子〕
〔尾巴壶〕 wěibahú 명 꼭지 달린 주전자.
〔尾巴主义〕 wěiba zhǔyì 명 추종주의. 추수(追隨)주의《앞장 설 용기가 없이 남을 따르는 주의》. =〔自zì流主义〕
〔尾差〕 wěichā 명 《數》 나누어 떨어지지 않는 수. 나머지. ¶～多少? 나머지는 얼마냐?
〔尾车〕 wěichē 명 〈俗〉 마지막 열차. 막차. ¶～凌晨一时十五分开; 〈文〉 마지막 열차는 새벽 한 시 십오 분에 나간다.
〔尾大不掉〕 wěi dà bù diào 〈成〉 꼬리가 너무 커서 흔들 수가 없다《기구의 하부가 강하고 상부가 약함. 아래가 강해서 위의 컨트롤이 안 됨》. =〔末大不掉〕
〔尾灯〕 wěidēng 명 (자동차 · 열차의) 미등. 테일라이트(taillight). 테일 램프(taillamp).
〔尾渡〕 wěidù 명 마지막 나룻배. ¶～延至翌日凌晨三时; 마지막 나룻배는 다음 날 새벽 세 시까지 지연되었다.
〔尾跟〕 wěigēn 동 뒤따르다. ¶～着下去; 뒤따라가다.

〔尾花〕 wěihuā 명 신문·서적의 시문(詩文) 말미 따위의 빈 곳에 넣는 삽화.
〔尾击〕 wěijī 명동〈文〉추격(追擊)(하다).
〔尾架〕 wěijià 명《機》공작 기계의 심압대(心押臺).
〔尾奸〕 wěijiān 명 계간(鷄姦). 비역. =〔鸡奸〕
〔尾鹫〕 wěijiù 명《鳥》흰꼬리수리.
〔尾句〕 wěijù 명〈文〉결구(結句). 끝맺는 말.
〔尾闾〕 wěilǘ 명〈文〉①바닷물이 돌아가는 곳. ②〈比〉물건이 사방에서 모여드는 곳. 물건의 집합지. ¶香港是各国洋货的～; 홍콩은 각국으로부터 양품이 모여드는 곳이다.
〔尾轮〕 wěilún 명《農》(경운기의) 뒷바퀴. ¶～阻进器; 뒷바퀴 제동기.
〔尾末〕 wěimò 명〈文〉끝. 종말. 말미.
〔尾鳍〕 wěiqí 명 물고기의 꼬리지느러미.
〔尾欠〕 wěiqiàn 동 일부 미납(未納)으로 돼 있다. 미제 상환분(未濟償還分)이 있다. 명 미납·상환미필의 적은 부분. 미청산의 부분. ¶还有点～没还清; 아직 약간 청산되지 않은 부분이 남아 있다.
〔尾生之信〕 wěi shēng zhī xìn〈成〉미생지신. 작은 신의(信義). 고지식함.
〔尾声〕 wěishēng 명 ①'曲'의 마지막 말. 극(劇)의 마지막에 하는 말. ②〈轉〉마지막〔막판〕단계. ¶会谈已接近～; 회담은 이미 마지막 단계에 와 있다 / 辞典修订工作已接近～了; 사전 개정의 작업은 이미 종결 단계에 가까워졌다. ③〈轉〉결론. ④《樂》결미. 코다(coda).
〔尾食〕 wěishí 명 후식. 디저트. ¶甜味车厘酒通常是在吃～时喝的; 단맛의 셰리주(酒)는 보통 후식을 먹을 때 마시는 것이다.
〔尾数〕 wěishù 명《數》①소수점 이하의 수. ②(장부 결산시의) 끝수. 우수리. ¶～未清; 미제 계정(未濟計定). =〔尾子③〕 ③끝자리수.
〔尾随〕 wěisuí 동 뒤에 따르다. ¶孩子们～着军乐队走了好远; 아이들은 군악대를 뒤따라 꽤 멀리까지 갔다 / ～其后; 그 뒤를 따르다. 미행하다 / ～不舍; 끈질기게 미행하다.
〔尾穗苋〕 wěisuìxiàn 명《植》줄맨드라미.
〔尾尾蹭蹭〕 wěiwěi cèngcèng 꼬리치며 다가붙다. 아양 떨며 바싹 다가서다.
〔尾项〕 wěixiàng 명 우수리. 잔금. 남은 돈.
〔尾行〕 wěixíng 동〈文〉미행하다. ¶尾之而行; 미행하다.
〔尾宿〕 wěixiù 명《天》(이십 팔수의 하나인) 미수.
〔尾音〕 wěiyīn 명《言》말이나 글자의 끝음. 말음(末音).
〔尾蚴〕 wěiyòu 명《蟲》세르카리아(cercaria)《흡충류의 유충》.
〔尾追〕 wěizhuī 동 (바싹) 뒤좇다. ¶～逃犯; 달아난 범인을 추적하다.
〔尾子〕 wěizi 명〈方〉①사물의 맨 끝의 한 부분. (일·사무의) 나머지 부분. 잔무. ¶歌声的～还听得清清楚楚; 노래의 마지막 부분은 아직 귀에 뚜렷이 남아 있다 / 烟袋～; 담뱃대의 물부리. ②나머지. ¶伙食～; 식사의 나머지. ③⇨〔尾数②〕
〔尾座〕 wěizuò 명《機》심압대(心押臺).

娓

wěi (미)
→〔娓娓〕

〔娓娓〕 wěiwěi 형〈文〉흥미진진하다. 싫증나지 않다. ¶～动听;〈成〉샘솟듯 하는 말에 도취되어 듣다 / ～不倦;〈成〉이야기가 흥미진진해서 싫증이 나지 않다 / ～而谈;〈成〉흥미진진하게 이야기하다.

艉

wěi (미)
명〈文〉선미(船尾). 고물. =〔〈文〉艄shāo①〕↔〔艏shǒu〕

委

wěi (위)
①동 (일을) 맡기다. 위임하다. 위탁하다. ¶～以重任; 중임을 맡기다. ②동 버리다. 포기하다. ¶～而去之; 버리고 가다 / ～之于地; 땅에 버리다. ③동 덮어씌우다. 전가시키다. ¶推～; (허물을) 남에게 씌우다. (책임을) 전가하다. =〔诿③〕 ④동 기운이 없다. 풀이 죽다. 시들다. ⑤동〈文〉쌓이다. 퇴적하다. 모이다. ¶如土～地; 흙이 땅에 쌓이는 것과 같다. ⑥형 꾸불꾸불하다. 구부러지다. 간접적이다. ¶话说得很～婉; 이야기가 완곡하다. ⑦형 세세하다. ⑧명〈文〉끝. 결말. ¶原～; 본말. 경위 / 穷源竟～; 근원과 그 경과를 구명하다. ⑨명〈簡〉위원. 위원회의 약칭. ¶～员; 위원 / 常～; 상임 위원(회). ⑩부〈文〉확실히. 틀림없이. ¶～系…; 틀림없이 …이다 / ～系因病请假; 확실히 병가(病暇)이다. ⑪명 성(姓)의 하나. ⇒wēi

〔委办〕 wěibàn 동 처리를 위탁하다.
〔委查〕 wěichá 동 명(命)하여 조사시키다.
〔委的〕 wěide 부 ⇨〔委实〕
〔委点〕 wěidiǎn 명《物》항복점(降伏點).
〔委冬儿〕 wěidōngr 동〈北方〉겨울을 나다. 월동하다. ¶今年将就着在这儿～吧; 금년에는 그럭저럭 여기서 겨울을 나자. =〔痿冬儿〕
〔委顿〕 wěidùn 형〈文〉지치다. 쇠하다. 약해지다. 기운이 없다. ¶病痛倒是没有, 只是精神十分～; 병은 대단하지 않지만, 기운이 아주 없다.
〔委惰〕 wěiduò 형〈文〉게으르다. 태만하다. ¶常此～, 不思振作是不行的; 늘 이렇게 태만하고 분발하려 하지 않는 것은 좋지 않다.
〔委付〕 wěifù 동 맡기어 부탁하다. 위부〔위탁〕하다. 명《法》위부.
〔委咕〕 wěigu 동 ①〈京〉비벼대다. (눌러서) 구기다. ¶小孩儿把妈妈的新衣服都～绉了; 아이가 어머니의 새 옷에 몸을 비벼대어 구김살이 가게 만들었다. ②〈京〉달라붙어 치근대다. ¶别在大人身上～了; 어른에게 달라붙어 치근대지 마라. ③꿈틀거리다. 꾸물거리다. ¶他在床上～一早上了; 그는 침상에서 아침 내내 꾸물거렸다 / 一点儿事～这么半天; 대단찮은 일을 이렇게 한나절씩이나 붙들고 있다. ‖ =〔猥鼓〕〔偎wēi咕〕
〔委国〕 wěiguó 동〈文〉나라를 다른 사람에게 바치다. 나라를 남에게 맡기다. 무조건 항복하다. ¶求～为臣妾; 나라를 바쳐 신첩이 되기를 바라다.
〔委过〕 wěiguò 동 ⇨〔诿罪〕
〔委化〕 wěihuà 동〈文〉자연(의 변화)에 맡기다.
〔委会〕 wěihuì 명〈簡〉'委员会'(위원회)의 약칭. ¶省～; 성 위원회.
〔委交〕 wěijiāo 동 위탁하다. 위탁하여 넘기다. ¶该事已～有关部门办理了; 그 일은 이미 관계 부문에 위탁하여 처리했다.
〔委结〕 wěijié 동〈文〉한을 품다. ¶没想到这一点小过节儿他竟～在心; 이런 사소한 일로 그가 마음 속에 한을 품으리라고는 생각지 않았다.
〔委咎〕 wěijiù 동 ⇨〔诿罪〕
〔委决不下〕 wěijué bùxià〈文〉확실히〔정말〕결단할 수가 없다. 주저하고 결정을 못 하다. ¶踌躇多时, 仍自～; 오랫동안 주저하고 있어 좀처럼 결단을 내리지 못하다.
〔委陵菜〕 wěilíngcài 명《植》딱지꽃.
〔委靡〕 wěimǐ 형〈文〉기운이 없다. 의기 소침하

다. ¶神志～; 전혀 기운이 없다. 정신 상태가 부진하다 / ～状态; 의기 소침한 상태 / ～不振; 〈成〉 몹시 풀이 죽어 떨치지 못하다. =〔骫靡〕〔萎靡〕
〔委命〕 wěimìng 동 〈文〉 ①목숨을 내던지다. 목숨을 바치다. =〔效xiào命〕 ②운명에 맡기다.
〔委内瑞拉〕 Wěinèiruìlā 명 《地》〈音〉 베네수엘라(Venezuela)《수도는 '加拉加斯'(카라카스: Caracas). 남미 북단의 공화국》.
〔委派〕 wěipài 동 임명 파견하다. ¶请即日～专人前往接洽; 즉시 사람을 임명 파견하여 교섭하도록 해 주십시오.
〔委弃〕 wěiqì 동 〈文〉 저버리다. ¶～责任; 책임을 저버리다.
〔委曲〕 wěiqū 형 ①상세하다. 자세하다. ②꾸불꾸불하다. ¶～的溪流; 꾸불꾸불 흐르는 계류(溪流) / ～求合; 억지 합의로 파탄을 초래치 않도록 하다. 명 복잡한 곡절. 자세한 사정. ¶报～; 불평을 호소하다. ‖ =〔骫曲〕
〔委曲求全〕 wěi qū qiú quán 〈成〉 유연한 방식으로 목적을 이루다. 일을 이루기 위해 부드러운 태도를 취하다. ¶这件事总算是～的办好了, 可是心里老不痛快; 이 일은 그럭저럭 좋게 넘겨서 해냈지만, 기분은 아무래도 시원하지 못하다. =〔曲全〕
〔委曲婉转〕 wěi qū wǎn zhuǎn 〈成〉 완곡하고 상세하게 말하다. ¶经他～一说, 老先生算是答应了; 그가 자세히 완곡하게 설명했으므로, 노 선생은 결국은 승낙했다.
〔委屈〕 wěiqu 형 (억울한 죄·부당한 대우로) 억울하다. 분하다. 원망스럽다. ¶她辛苦了半天还受埋mái怨, 觉着很～; 그 여자는 열심히 애를 쓰고도 남에게 원망을 사서 매우 분했다. 동 억울한 죄를 씌우다. 부당하게 대하다. 억울하게 하다. ¶对不起, ～你了! 미안합니다, 괴롭혀 드려서! / 宁可自己受点累, 别～了孩子! 비록 자신이 좀 고생을 하더라도, 자식에겐 괴로운 경험을 하게 해서는 안 된다. 명 불평불만. 원망. 분함. ¶受～; 쓰라림〔분한 꼴〕을 당하다. 억울한 죄를 뒤집어쓰다 / 诉sù～; 불평을 호소하다.
〔委缺〕 wěiquē 동 (옛날, 결원된) 관리를 임용하다. ¶递上履历书, 等候～; 이력서를 제출하고 임용을 기다리다.
〔委任〕 wěirèn 동 위임하다. 맡기다. ¶～书; 위임장. →〔特tè任〕
〔委任统治〕 wěirèn tǒngzhì 명 《政》 신탁 통치. 위임 통치.
〔委软〕 wěiruǎn 동 시들다. ¶花草被烈日晒得～了; 화초가 뙤약볕을 받아 시들었다.
〔委身〕 wěishēn 동 〈文〉 몸을 맡기다. 헌신하다. ¶不得已只好～事人; 부득이 몸을 맡기어 남을 섬길 수밖에 없다.
〔委实〕 wěishí 부 정말로. 확실히. 실제로. ¶～没有; 정말 없습니다 / ～好个境界; 참 좋은 경계이다. =〔委的〕
〔委署〕 wěishǔ 동 〈文〉 위임하여 대리하게 하다.
〔委琐〕 wěisuǒ 형 〈文〉 ①작은 일에 구애되다. ¶凡事应往大处着zhuó眼, 不要委委琐琐; 무릇 일은 큰 눈으로 바라보고 해야지 작은 일에 구애되어서는 안 된다. ②뜻이 작고 행동이 옹졸하다. ¶形容～难成大器; 용모가 곰상스러우면 큰 그릇이 될 수 없다. =〔猥琐〕
〔委托〕 wěituō 명동 부탁(하다). 위임(하다). 의뢰(하다). 위탁(하다). ¶这件事就～你了; 이 건은 자네에게 맡긴다 / ～贸易; 위탁 무역 / 谢绝～; 의뢰를 사절하다.
〔委托商店〕 wěituō shāngdiàn 명 위탁 판매점.
〔委托商行〕 wěituō shāngháng 명 《經》 위탁 취급점. 위탁 판매점.
〔委婉〕 wěiwǎn 형 ①(말이) 완곡하다. ¶～地拒绝; 완곡히 거절하다 / 措词～; 말씨가 완곡하다. ②(노랫소리 따위가) 높낮이가 있고 아름답다.
〔委婉动听〕 wěi wǎn dòng tīng 〈成〉 선율이〔곡조가〕 아름답고 듣기에 좋다.
〔委婉曲折〕 wěi wǎn qū zhé 〈成〉 말이 매우 완곡하고 곡절이 있다.
〔委婉语〕 wěiwǎnyǔ 명 부드러운 말. 완곡한 말.
〔委窝子〕 wěiwōzi 동 잠자리에서 나오기 싫어하다.
〔委系〕 wěixì 〈文〉 틀림없이 …이다. ¶～某人所为; 틀림없이 아무개의 짓이다.
〔委细〕 wěixì 명 〈文〉 자세한 내용〔사정〕. 상세한 내용. ¶得知其中～; 그간의 상세한 사정을 알 수 있다.
〔委巷〕 wěixiàng 명 〈文〉 구불구불한 골목길.
〔委销〕 wěixiāo 동 위탁 판매하다.
〔委心任运〕 wěi xīn rèn yùn 〈成〉 운명에 맡기다. ¶从此～, 不再见异思迁了; 이제부터는 운명에 맡기고, 다시는 딴 생각을 하지 않겠다.
〔委因〕 wěiyīn 〈文〉 접 ①전적으로 …에 의하여. ¶～鼎力成全; 전적으로 당신의 힘에 의해 완성되었습니다. ②정말 … 때문에. 정말 …하여. ¶～有事不得不请假; 정말 볼일이 있어 휴가를 얻어야 한다. 동 책임을 전가하다. ¶将自己的失败～于他人; 자기 실패의 책임을 남에게 전가하다.
〔委用〕 wěiyòng 동 〈文〉 임용하다.
〔委员〕 wěiyuán 명 ①위원. ¶～会; 위원회 / 审查～; 심사 위원. ②옛날, 관명(官名)의 일종. ¶政府～; 정부 위원.
〔委嘱〕 wěizhǔ 동 위촉하다. 맡기다. ¶～他人办理; 남에게 위촉하여 처리하다.
〔委罪〕 wěizuì 동 ⇨〔诿罪〕
〔委座〕 wěizuò 명 〈敬〉 위원장.

诿(諉) wěi (위)

동 ①번거롭게 하다. 수고를 끼치다. ②빙자하다. ③(책임을) 남에게 씌우다〔전가하다〕. ¶互相推～; 서로 전가하다 / ～过于人; 잘못을 남에게 덮어씌우다 / 不能～之于客观原因; 이를 객관적 원인에 돌릴 수는 없다. =〔委③〕
〔诿过〕 wěiguò 동 ⇨〔诿罪〕
〔诿咎〕 wěijiù 동 ⇨〔诿罪〕
〔诿累〕 wěilěi 동 (사건 등에서) 다른 사람을 끌어들이다. ¶将来有什么不好, 由我承当就是了, 决不～别人; 장래에 무슨 좋지 않은 일이 있더라도 제가 책임을 지고, 결코 다른 사람에게 폐를 끼치지 않겠습니다.
〔诿为不知〕 wěi wéi bù zhī 〈成〉 핑계를 대고 모른 체하다. 남에게 미루고 시치미 떼다.
〔诿卸〕 wěixiè 동 책임을 (모)면하다. ¶失败了也不可～责任; 실패하면 책임을 면할 수 없다.
〔诿罪〕 wěizuì 동 죄·허물을 남에게 전가시키다. ¶错误该由自己负责, 不该～于人; 잘못은 의당 자기가 책임져야 하며, 남에게 죄를 전가시켜서는 안 된다. =〔诿过〕〔诿咎jiù〕〔委过〕〔委咎〕〔委罪〕

萎 wěi (위)

① 동 쇠하다. 쇠해져 있다. ¶～缩; 위축하다 / 气～; 기력이 쇠하다 / 买卖～了; 장사가 부진해졌다 / 行háng市～下来了; 시세는 약세가 되었다. ② 동 (초목 등이) 시들다. ¶枯kū～; 말라 시들다 / 叶子～了; 잎이 시들었다. ③ 명 ⇨

〔痿〕 ④ 동 〈比〉 사망하다. ¶哲人其～乎; 철인이 죽으려는가.
〔萎败〕 wěibài 동 시들다. ¶这盆花～了; 이 화분의 꽃이 시들었다.
〔萎顿〕 wěidùn 형 생기를 잃다. 시들다. ¶精神～了; 기운이 쇠(衰)했다.
〔萎黄〕 wěihuáng 형 (핏기가 없이) 누렇다. 창백하다. ¶面色～; 안색이 창백하다.
〔萎黄病〕 wěihuángbìng 명 《漢醫》 위황병(사춘기 여자 특유의 빈혈증).
〔萎绝〕 wěijué 동 시들다. 이울다. 조락하다.
〔萎落〕 wěiluò 동 위락하다. 시들어 떨어지다.
〔萎靡〕 wěimǐ 형 쇠미(衰微)하다. 기운이 없다. 기가 죽다. ¶～不振; 쇠(衰)하여 떨치지 못하다. =〔委靡〕
〔萎蔫〕 wěiniān 동 (분재·정원수가) 시들다. 이울다. 형 시들어 있다. 시들시들하다.
〔萎蕤〕 wěiruí 명 《植》 둥굴레.
〔萎缩〕 wěisuō 동 ①위축하다. 시들어 오그라들다. ¶肌肉～; 근육이 위축되다 / 他怕得～在一边儿, 脸色苍白; 그는 두려워서 구석에 웅크리고 있으며, 안색은 창백하다. ②(경제 등이) 부진하다. 쇠퇴하다. 활기를 잃다. ¶香港对外贸易续趋～; 홍콩의 대외 무역은 계속 부진하다.
〔萎陷疗法〕 wěixiàn liáofǎ 명 《醫》 허탈 요법. 위축 요법(폐결핵 치료법의 하나).
〔萎谢〕 wěixiè 동 (화초가) 말라 시들다. ¶昙花要在子夜才开放, 而且开放后三小时内就～; 우담화는 한밤중이 아니면 꽃이 피지 않으며, 게다가 꽃이 피고 세 시간 안에 시들어 버린다.

痿 wěi (위)
명 《漢醫》 (몸의 어떤 부분이) 마비·위축·기능을 잃음. 무력해짐. 또, 그 병. ¶下～; 하체가 마비되다 / 阴～; 음위. =〔萎③〕
〔痿痹〕 wěibì 동 〈文〉 마비되다. 저리다. 명 《漢醫》 팔다리가 마비되는 병.
〔痿躄〕 wěibì 명 《醫》 하반신 마비.
〔痿冬儿〕 wěidōngr 동 〈北方〉 (사람이나 벌레 따위가) 겨울을 나다. =〔委冬儿〕
〔痿弱〕 wěiruò 형 〈文〉 허약하다. 연약하다.
〔痿症〕 wěizhèng 명 《漢醫》 사지(四肢)의 운동 마비 증세.

洧 Wěi (유)
명 《地》 웨이수이(洧水)(허난 성(河南省)에 있는 강 이름).

痏 wěi (유)
명 〈文〉 흉터. 헌데.

鲔(鮪) wěi (유)
① 명 《魚》 다랑어. ¶～(鱼) =〔白卜～〕; 점다랑어. ②→〔鲟xún〕 ③→〔鳇huáng〕

隗 Wěi (외)
명 성(姓)의 하나. ⇒Kuí

嵬 wěi (외)
인명용 자(字). ¶慕容～; 서진(西晉) 말기의 센베이 족(鮮卑族)의 수령. ⇒guī

颜(頠) wěi (외, 위)
① 형 〈文〉 안정(安靜)하다. 조용하다. ②인명용 자(字).

猥 wěi (외)
① 형 섞이다. 잡다하다. ¶～杂; 잡다〔어수선〕하다. ② 형 천하다. 야비하다. 상스럽다. 추잡〔외설〕스럽다. ¶贪tān～; 탐욕스럽고 상스럽다. ③ 부 되는 대로. 함부로. 적당히. ¶竟不肯试, ～以他语拒绝之; 마침내 시험해 보지 않고 적당히 다른 말로 거절했다.
〔猥鄙〕 wěibǐ 형 〈文〉 야비하다. 저열하다. 비열하다. =〔猥陋〕
〔猥辞〕 wěicí 명 음란한 말. 저속한 말. 외설스러운 말. =〔猥词〕
〔猥獕〕 wěicuī 형 〈古白〉 풍채가 시원치 않다. 몰골 사납다. ¶他既是天师, 如何这等～; 그는 훌륭한 도사인데도 왜 이렇게 풍채가 시원찮으냐.
〔猥多〕 wěiduō 형 〈文〉 쓸데없이 많다. 잡다(雜多)하다.
〔猥鼓〕 wěigu 동 ①(서지도·앉지도·일어나지도·자지도 않고) 엉거주춤하다. 꾸물거리다. ②(일을 하는 데) 어물어물하다. 딱 잘라 하지 않다.
〔猥劣〕 wěiliè 형 비열하다. 천하다.
〔猥陋〕 wěilòu 형 ⇨〔猥鄙〕
〔猥琐〕 wěisuǒ 형 〈文〉 (용모·언동이) 상스럽고 좀〔곰상〕스럽다. =〔委琐②〕
〔猥芜〕 wěiwú 형 〈文〉 야비하고 속되다.
〔猥亵〕 wěixiè 형 〈文〉 외설하다. 저속하다. ¶该书内容～, 应予取缔; 저 책의 내용은 외설하다, 단속할 필요가 있다. 동 외설한 행위를 하다.
〔猥杂〕 wěizá 형 〈文〉 잡다(雜多)하다.

骩 wěi (위)
동 〈文〉 (뼈를) 휘다. 굽다. 굽히다.
〔骩骳〕 wěibèi 형 〈文〉 구부러지다.
〔骩骳〕 wěibì 형 〈文〉 문세(文勢)가 굴곡이 있어 이해하기 어렵다. ¶其文～; 그 글은 이해하기 어렵다.
〔骩法〕 wěi.fǎ 동 〈文〉 법을 굽히다〔왜곡하다〕. ¶骩天下正法; 천하의 정법을 굽히다〔왜곡하다〕.
〔骩丽〕 wěilì 형 〈文〉 좌우로 잇달아 연해 있는 모양. ¶～蒲柳之姿; 나긋나긋하고 연약한 모습.
〔骩靡〕 wěimǐ 형 ⇨〔委靡〕
〔骩曲〕 wěiqū 형명 ⇨〔委曲〕

薳 wěi (원)
명 성(姓)의 하나.

亹 wěi (미)
→〔亹亹〕 ⇒mén
〔亹亹〕 wěiwěi 형 〈文〉 ①힘써 지칠 줄 모르는 모양. ②시간이 지나〔흘러〕가는 모양.

卫(衛〈衞〉) wèi (위)
① 동 지키다. 보호〔방위〕하다. ¶保家～国; 집과 나라를 지키다. ② 동 경영하다. ③ 명 《史》 명대(明代) 요충지에 둔 병영(兵營)의 일컬음(지금도 지명에 남아 있음). ④(Wèi) 명 《地》 주대(周代)의 나라 이름(허베이 성(河北省) 남부 및 허난 성(河南省) 북부 일대). ⑤ 명 성(姓)의 하나.
〔卫兵〕 wèibīng 명 《軍》 위병.
〔卫从〕 wèicóng 명 호위(護衛). ¶国家的元首出门还是要带～; 국가 원수가 외출할 때에는 역시 호위를 대동해야 한다.
〔卫道〕 wèidào 동 길을 지키다. 낡은 도덕을 지키다. 지배적인 사상 체계를 옹호하다. ¶～者; 체제나 사조(思潮)의 옹호자.
〔卫队〕 wèiduì 명 《軍》 호위대.
〔卫国〕 wèiguó 동 〈文〉 나라를 지키다. ¶～捍hàn民; 나라를 지키고 백성을 지키다. (Wèiguó)

명《史》위나라(주(周)나라 때의 나라 이름).

〔卫国战争〕 wèiguó zhànzhēng 명 나라를 지키는 전쟁. 국가 방위 전쟁(주로, 항일(抗日) 전쟁을 가리켜 일컬었음). ¶发电能力超过了～前的六倍; 발전 능력은 국가 방위 전쟁 전의 6배를 넘었다.

〔卫护〕 wèihù 동 보호하다. 지키다.

〔卫拉特〕 Wèilātè 명《史》청(清)나라 때, '瓦剌Wǎlà'(오이라트)을 부르던 이름.

〔卫矛〕 wèimáo 명《植》화살나무. =〔鬼guǐ箭羽〕

〔卫冕战〕 wèimiǎnzhàn 명《體》타이틀 방어전.

〔卫身〕 wèishēn 동〈文〉몸을 지키다. 호신하다.

〔卫生〕 wèishēng 형 위생적이다. ¶喝生水, 不～; 생수를 마시는 것은 비위생적이다. 명 위생. ¶讲～; 위생에 조심하다 / ～家; ⓐ위생을 중시하는 사람. ⓑ양생가(養生家). ⓒ위생학자 / 安ān全～; (공장의) 안전 및 위생. 명동 청소(하다). ¶打扫～去; 청소를 하러 가다.

〔卫生城市〕 wèishēng chéngshì 명 위생 관련 각 항의 지표가 국가 기준에 달하는 도시. 위생 도시.

〔卫生带〕 wèishēngdài 명 생리〔월경〕대.

〔卫生间〕 wèishēngjiān 명 욕실·화장실의 총칭.

〔卫生裤〕 wèishēngkù 명 보온 메리야스 바지.

〔卫生筷(子)〕 wèishēngkuài(zi) 명 (일회용) 위생저. 소독저(消毒箸).

〔卫生麻将〕 wèishēng májiàng 명 (돈을 걸지 않는) 건전한 마작. =〔八圈消食〕〔卫生麻雀〕

〔卫生帽〕 wèishēngmào 명 겨울용 모자.

〔卫生球(儿)〕 wèishēngqiú(r) 명 (옷에 넣어 두는) 나프탈렌. =〔樟脑丸〕〔卫生丸(儿)①〕

〔卫生衫〕 wèishēngshān 명 메리야스. =〔卫生衣〕〔绒róng衣〕

〔卫生设备〕 wèishēng shèbèi 명 위생 설비(욕실이나 화장실 등의 설비를 말함).

〔卫生室〕 wèishēngshì 명 보건실. 의무실.

〔卫生所〕 wèishēngsuǒ 명 중간 규모의 진료소. 클리닉.

〔卫生丸(儿)〕 wèishēngwán(r) 명 ①⇨〔卫生球(儿)〕 ②〈俗〉총탄(해학적으로 말함). ¶吃了～了; 총알을 먹었다. 총살당했다.

〔卫生衣〕 wèishēngyī 명〈方〉메리야스. =〔卫生衫〕〔绒róng衣〕

〔卫生员〕 wèishēngyuán 명 ①병원의 잡역부(환자의 침대를 정돈하거나, 바닥 청소를 하는 사람). ②위생병.

〔卫生院〕 wèishēngyuàn 명 위생원. 보건소(기업이나 인민 공사 등의 의원(醫院)).

〔卫生站〕 wèishēngzhàn 명 소규모의 진료소.

〔卫生纸〕 wèishēngzhǐ 명 화장지. ¶旧中国连～也从国外进口; 옛 중국에서는 화장지까지도 외국에서 수입했다.

〔卫士〕 wèishì 명《軍》근위병(近衛兵). 옛날, 궁중 경호 병사.

〔卫士忌(酒)〕 wèishìjì(jiǔ) 명 ⇨〔威wēi士忌〕

〔卫戍〕 wèishù 동《軍》〈文〉병력으로 지키다. 방위하다. ¶～司令部; 방위 사령부.

〔卫送〕 wèisòng 동 호송하다. ¶～出境; 국외로 호송하다.

〔卫星〕 wèixīng 명 ①《天》위성. ¶人造～; 인공위성 / ～转播电视; 위성 중계 방송. ②〈比〉어떤 중심의 주위에 있어 종속적 관계에 있는 것. ¶～国家; 위성 국가. ③〈轉〉(사람들을 경탄케 하는) 신기록. 큰 업적. ¶小麦高产～; 밀 생산 다수확 신기록 / 文艺～; 문예상의 대업적.

〔卫星厂〕 wèixīngchǎng 명 부속 공장.

〔卫星城(市)〕 wèixīngchéng(shì) 명 ⇨〔卫星镇〕

〔卫星镇〕 wèixīngzhèn 명 위성 도시. =〔卫星城(市)〕

〔卫嘴子〕 wèizuǐzi 명〈貶〉톈진(天津) 사람을 낮추어 일컫는 말(톈진(天津) 사람이 말을 잘 하는 데서 유래). ¶京jīng油子、～、保定府的狗腿子; 교활한 베이징(北京) 사람. 수다스런 톈진(天津) 사람. 건달놈의 바오딩(保定) 사람.

为(爲) wèi (위)

① 개 (…을) 위하여. ¶～国民服务; 국민을 위해 봉사하다 / ～国致命; 나라를 위해 목숨을 바치다. ② 개 (흔히, '了'와 함께) …을 위하여(목적을 나타냄). ¶备战, 备荒, ～国民; 전쟁에 대비하고, 기근에 대비하며, 국민을 위한다 / ～传播这种思想; 이와 같은 사상을 전파하기 위해서. ③ 개 (원인·이유를 나타내어) …때문에(흔히, '是～'로 함). ¶～什么? 무엇 때문에? / 你不满意就是～这个吗? 자네가 불만인 것은 이 때문인가? ④ 개 (흔히, '所'와 호응, 피동을 나타내어) …에게〔에 의하여〕 …(하게) 되다. ¶敌人～我所败; 적은 우리에게 패배당했다. 注 이 때 '为'는 wéi로도 발음됨. ⑤ 개 …에게. (…에) 대하여. ¶且～诸君言之; 제군에게 몇 마디 하겠다. ⑥ 동〈文〉돕다. 지키다. ⇒wéi

〔为此〕 wèicǐ 접 이〔그〕 때문에. ¶～而感到悲伤; 이 때문에 슬픔을 느끼다 / ～只好反对; 이 때문에 할 수 없이 반대하다.

〔为的(是)〕 wèide(shì) ①…으로 인해서. …때문에. ¶一来～…, 二来～…; 첫째로는 …때문에, 둘째로는 …때문에. ②…을 위해서(이다). ¶我到中国来, ～是要学中文; 내가 중국에 온 것은 중국어를 배우기 위해서이다.

〔为…而…〕 wèi…ér… …을 위해서 …하다. ¶为反对而反对; 반대를 위해 반대하다 / 为促进两国文化而共同努力! 양국 문화의 촉진을 위해 함께 노력하지 않겠습니까! / 为诸位健康而干杯; 여러분의 건강을 위하여 건배합니다.

〔为国捐躯〕 wèi guó juān qū〈成〉⇨〔为国致命〕

〔为国致命〕 wèi guó zhì mìng〈成〉국가를 위하여 목숨을 바치다. =〔为国捐躯〕

〔为好〕 wèihǎo 친절하게. 잘 되게 하려고. 좋은 목적으로. ¶我～给他们说合的; 나는 잘되게 하려고 그들을 화해시켜 준 것이다.

〔为何〕 wèihé〈文〉⇨〔为什么〕

〔为虎傅翼〕 wèi hǔ fù yì〈成〉범에 날개를 붙이다(악인에 가담하여 그 세력이 강화됨).

〔为虎作伥〕 wèi hǔ zuò chāng〈成〉악한 자의 앞잡이가 되다. 악인을 돕다. ¶他们俩简直是～; 그들 두 사람은 한 마디로 나쁜 사람의 앞잡이이다.

〔为口丧生〕 wèi kǒu sàng shēng〈成〉생활을 위하여〔생계 때문에〕 목숨을 잃다.

〔为了〕 wèile 개 …을 위하여(바로 뒤에 오는 것이 다음 말하는 것의 목적임을 보임. 목적은 문장 첫머리에 오는 것이 보통이나, 주어(主語)가 뒤에 올 때도 있음). ¶～工作, 他连饭都忘了吃了; 일을 위해서 그는 식사하는 것도 잊고 말았다. 注1 어떤 일을 먼저 말하고, 그 목적으로 하는 바를 뒤에 가져올 때도 있음. 이 때에는 흔히 '为了' 앞에 '是'가 옴. ¶我这样作, 完全是～你; 내가 이렇게 하는 건 전적으로 자네를 위해서다. 注2

'目的～'라고도 하는데, 이 때는 새로운 표현으로 강조의 뜻이 가미됨. 注3 '为了'는 '因为' '由于'처럼 원인을 나타내지 않음. =[为着]

[为了打鬼, 借助钟馗] wèile dǎguǐ, jièzhù Zhōngkuí 〈諺〉 귀신을 잡는 데 종규(鍾馗)의 손을 빌리다(목적을 이루기 위해 힘 있는 자를 이용하다).

[为民请命] wèi mín qǐng mìng 〈成〉 국민을 위하여 탄원하다. ¶打着～的幌子; 인민의 대변자라는 허울을 쓰다.

[为人民服务] wèi rén mín fú wù 〈成〉 국민을 위하여 봉사하다.

[为人所不齿] wèi rén suǒ bù chǐ 〈成〉 남이 상대해 주지 않다. =[为人之不齿]

[为人一条路, 惹人一堵墙] wèi rén yī tiáo lù, rě rén yī dǔ qiáng 〈諺〉 남을 위해서 하면 제 길도 열리며, 남의 감정을 해치면 길을 막는 담장이 된다. 남을 성나게 하면 뒤에 좋지 않은 일이 생긴다.

[为人捉刀] wèi rén zhuō dāo 〈成〉 남을 대신해서 진력하다. 남에게 가세(加勢)하다. 남을 돕다.

[为人作嫁] wèi rén zuò jià 〈成〉 ①남을 위해 시집 갈 옷을 만들다. ②기껏 고생해서 남의 좋은 일만 하다. ‖ =[为他人作嫁衣裳]

[为啥] wèishá 대 〈方〉 왜. 어째서. ¶～说那样的话? 어째서 그러한 말을 하는가? =[为什么]

[为什么] wèishénme 대 무엇 때문에. 왜. 어째서. ¶～不来? 왜 안 오느냐? / 你～骂他呀? 무엇 때문에 그를 욕하느냐? / 你～昨天没来? 어째서 어제 오지 않았느냐? 注1 '为什么不…'은 항상 충고·설득의 기분을 지니며 '何不…'과 같음. 注2 목적을 나타냄. '做什么'는 동사 뒤에, '为什么'는 반드시 앞에 옴. ¶你～到这里来? 자넨 무엇하러 이 곳에 왔는가? =[为何][为啥]

[为…事] wèi…shì …하기 위한 것. …의 건(件)(포고·명령·신청 등의 모두에, 그 공문이 무엇 때문에 작성된 것인지를 나타냄). ¶为布告事; 포고의 건 / 为令知事; 명령 고지(告知)의 건 / 为呈请事; 신청의 건 / 为照复事; 조회에 대한 회답의 건.

[为他人作嫁衣裳] wèi tā rén zuò jià yī shang 〈成〉 ⇨[为人作嫁]

[为我] wèiwǒ 명 《哲》 전국(戰國) 시대 양주(楊朱)가 제창한 유아론(唯我論). 동 자기 만을 위하다.

[为项] wèixiang 명 원인. 이유. 까닭. ¶你们俩打架, 究竟有什么～呢? 너희 둘이 싸우는 것은 도대체 무슨 까닭에서냐?

[为小失大] wèi xiǎo shī dà 〈成〉 작은 일 때문에 큰 일을 그르치다.

[为要] wèiyào 개 ①('以…～'로써) (…하는 것이) 긴요하다. (…이) 중요하다. ¶万分小心～; 충분히 주의하는 것이 중요하다. ②…하기 위해(목적을 나타냄). ¶～理解他们必须深入他们; 그들을 이해하기 위해서 그들 속에 깊이 파고들어야 한다.

[为因] wèiyīn 개 …때문에. …의 이유로. ¶～收捕梁山泊失利, 待往青州投慕容知府《水滸傳》; 양산박의 포박 실패 때문에, 청주로 가서 모용 지사에게 몸을 의탁하려 한다 / ～改造生产环境…; 생산 환경을 개조하기 위하여….

[为有源源活水来] wèi yǒu yuán yuán huó shuǐ lái 〈成〉 ①상류에 수원(水源)이 있어서 물이 끊임없이 흘러온다. ②대중 속에 몸을 두어서만 활력이 생긴다.

[为渊驱鱼, 为丛驱雀] wèi yuān qū yú, wèi cóng qū què 〈成〉 수달이 물고기를 깊은 곳으로 몰고, 맹조가 참새를 대숲으로 내어몰듯 더욱 더 자기에게 불리하게 하다(폭군이 백성을 적 쪽으로 몲).

[为着] wèizhe 개 …을 위하여. ¶～公众利益放弃个人的打算; 공중의 이익을 위해서 개인의 타산(打算)을 버리다 / ～促进历史的进步, 必然要这种思想; 역사의 진보를 촉진시키기 위해서는 필연적으로 이러한 사상이 필요하다. =[为了]

[为之] wèizhī 접 〈文〉 이[그] 때문에. 이를 위해서(목적·원인을 나타냄). ¶大家全～一惊; 모두는 이 때문에 깜짝 놀랐다 / ～一新; 이 때문에 아주 새로워졌다.

[为嘴伤身] wèi zuǐ shāng shēn 〈成〉 입 때문에 몸을 해치다. ①먹는 데 칠칠해서 병이 나다. ②말이 많아 화를 부르다.

[为嘴头子食] wèizuǐtóuzishí 명 군음식. 주전부리. 단지 입이 심심해서 먹는 음식.

未 wèi (미)

①부 아직 …이 아니다[…않다]. ¶～到; 아직 도착하지 않았다 / 健康尚～恢复; 건강이 아직 회복되어 있지 않다 / 尚～达到目的; 아직 목적을 이루고 있지 않다. =[没有][不曾] ↔[已] ②부 …이 아니다. ¶～知可否; 좋은지 어떤지 모른다 / ～能出席; 출석 못 한다 / 油漆～干; 페인트 조심. ③…인지 어떤지(의문의 어기사(語氣詞)). ¶知其来～? 그가 왔는지 안 왔는지 알고 있나? / 君知其意～? 자넨 그 뜻을 알고 있나? ④명 〈轉〉 12지(支)의 제8번째. 양. ⑤명 〈文〉 미시(未時)(오후 1시부터 3시까지). ⑥명 6월. ⑦명 방위에서 남서(南西).

[未爆弹] wèibàodàn 명 《軍》 불발탄.

[未必] wèibì 부 반드시 …하지는 않다[…한[인] 것은 아니다]. (꼭) …하다고는 할 수 없다. ¶他～知道; 그가 알고 있다고는 할 수 없다 / 这消息～可靠; 이 소식은 반드시 믿을 수 있다고만은 할 수 없다 / ～尽然; 반드시 모두 그렇지는 않겠지. →[不一定]

[未便] wèibiàn …에는 편리하지 않다. …할 수는 없다. …하기 곤란하다. ¶～久候; 오래 기다릴 수는 없다 / ～照准; 신청한 건은 허가할 수 없다.

[未卜先知] wèi bǔ xiān zhī 〈成〉 점을 치지 않고도 앞일을 알다(앞을 내다보다).

[未曾] wèicéng 부 〈文〉 일찍이 …해 본 적이 없다. 아직 …한 일이 없다('曾经'의 부정(否定)). ¶历史上～有过的奇迹; 역사상 일찍이 없었던 기적 / 这一点～谈到; 이 점까지는 아직 이야기하지 않고 있다 / ～水来先迭dié坝; 〈諺〉 물이 오기 전에 둑을 쌓다. 유비무환(有備無患). =[未尝]

[未曾有] wèicéng yǒu 미증유의. 일찍이 없었던. ¶～过; 일찍이 없었던.

[未尝] wèicháng ①부 ⇨[未曾] 注 '没有+동사+过'에 상당. ¶终夜～合眼; 밤새도록 눈을 붙이지 못했다. ②결코 …이지 않다. …라고 말할 수 없다(부정사(不定詞) 앞에 와서 이중 부정을 만듦). ¶～有; 한 번도[전혀] …없다 / ～没有; 아니라는 것은 아니다 / ～不是喜欢; 기뻐하지 않는 것은 아니다 / ～没有缺点; 결점이 없는 것은 아니다 / 这～不是一条出路; 이것도 하나의 해결책이 아니라고는 할 수 없다.

[未成丁] wèichéngdīng 명 ⇨[未成年]

[未成年] wèichéngnián 명 미성년(자). =[未成丁][未冠][未及岁]

〔未达一间〕 wèi dá yī jiàn 〈成〉 조금밖에 떨어져 있지 않다. 조금만 더하면 도달한다.
〔未达账〕 wèidázhàng 명 《商》 미입금(未入金) 정리 장부.
〔未定草〕 wèidìngcǎo 명 ⇨〔未定稿〕
〔未定额保单〕 wèidìng'é bǎodān 명 《商》 금액 미상(未詳) 보험증.
〔未定稿〕 wèidìnggǎo 명 (원고의) 미정고. 미완성 원고. =〔未是shì草〕〔未定草〕
〔未定界问题〕 wèidìngjiè wèntí 명 미확정 국경 문제. ¶存在着历史上遗留下来的～; 역사상에 남겨진 미확정 국경 문제가 존재한다.
〔未付〕 wèifù 명동 미불(하다). 미지급(하다). ¶～股利; 미지급 주권(株券) 이자 / ～红利; 미지급 순이익 / ～股本 =〔未缴股款〕; 미지급 주금(株金).
〔未冠〕 wèiguàn 명 ⇨〔未成年〕
〔未遑〕 wèihuáng 동 ⇨〔未暇〕
〔未婚夫〕 wèihūnfū 명 (남자) 약혼자. ↔〔未婚妻〕
〔未婚妻〕 wèihūnqī 명 약혼녀.
〔未获〕 wèi huò 〈文〉 아직 …를 얻지 못하다. ¶～允准; 아직 인가(認可)를 얻지 못했다.
〔未及〕 wèi jí 〈文〉 아직 …할 틈이 없다. 아직 …하기까지에는 이르지 않다. 아직 …할 단계까지는 되어 있지 않다. ¶～面辞; 만나서 작별 인사를 드릴 틈이 없다 / ～详谈; 아직 자세한 이야기를 할 틈이 없다 / ～商妥; 상의가 타결되어 있지 않다 / ～完竣; 아직 준공 단계까지는 이르지 않고 있다.
〔未及岁〕 wèijísuì 명 ⇨〔未成年〕
〔未几〕 wèijǐ 〈文〉 부 얼마 안 되어〔있어〕. 이윽고. 형 많지 않다. 적다.
〔未见〕 wèi jiàn ①아직 만나지 못하다. ¶～其人; 아직 그 사람과 만나지 못했다. ②아직 받지 못하다. ¶～答复; 아직 회답을 받지 못하다.
〔未缴〕 wèijiǎo 형 미납의. 미불의. 미지급의. ¶～资本; 미불입 자본금 / ～股款; 미불입 주금(株金).
〔未尽〕 wèi jìn 〈文〉 아직 다하지 못하다. 아직 끝나지 않다. 완전히는 …하고 있지 않다. ¶言犹～; 〈成〉 아직 다 말하지 못하다. 말이 아직 생각한 바를 모두 나타내지 못하다.
〔未经〕 wèi jīng 〈文〉 아직 …을 하지 않다. 아직 …을 끝내지 않고 있다. ¶～完税; 아직 세금을 완납하지 못하고 있다 / ～核准; 아직 심사 인가를 받지 못하고 있다.
〔未竟〕 wèijìng 형 〈文〉 미완(未完)의. ¶～之业; 미완의 사업.
〔未决〕 wèijué 형 미해결의. ¶悬而～的重大问题; 현안인 채로 미해결인 중대 문제.
〔未可〕 wèikě 조동 …할 수 없다.
〔未可定〕 wèikě dìng 〈文〉 아직 정하지 못하다. …일〔인〕지도 모른다. ¶他也许还不答应～; 그는 아직 승낙을 안 하고 있는지도 모른다. =〔未可知〕
〔未可厚非〕 wèi kě hòu fēi 〈成〉 지나치게 책해서는 안 된다(결점은 있으되 용납할 수 있음을 나타냄). ¶情有可原, ～; 참작해야 할 점이 있어 딱 잘라 비난하기가 어렵다.
〔未可知〕 wèikězhī 〈文〉 ⇨〔未可定〕
〔未克〕 wèikè 〈文〉 아직 …할 수가 없다. ¶因病～出席; 병 때문에 아직 출석할 수가 없습니다.
〔未刻〕 wèikè 명 ⇨〔未时〕
〔未窥全豹〕 wèi kuī quánbào 아직 전체를 다 보지 못하다. ¶然因～, 所述未免有偏; 그러나 아직 전체를 보지 못했기 때문에, 서술에 편견이 있는 것은 부득이하다.
〔未来〕 wèilái 명 ①미래. ②멀지 않은 장래. 조만간. ¶～二十四小时内将有暴雨; 지금부터 24시간 내에 폭우가 올 전망이다.
〔未老先衰〕 wèi lǎo xiān shuāi 〈成〉 늙기도 전에 몸이 쇠하다. 애늙은이가 되다.
〔未冷先寒〕 wèi lěng xiān hán 〈成〉 아직 춥지도 않은데 추워하다(몸에 닥치지도 않았는데 두려워하다).
〔未了〕 wèiliǎo 동 끝나(있)지 않다. 완결되(어 있)지 않다. ¶～事项; 미결 사항 / 说话～; 이야기가 아직 끝나지 않다 / ～的心愿; 아직 이루지 못한 소원.
〔未了因〕 wèiliǎoyīn 명 《佛》 이승에서 다하지 못하고 내세까지 계속 맺어야 할 인연. =〔未了缘yuán〕
〔未领教〕 wèilǐngjiào 〈套〉 존함이 어떻게 되시는지요(초면일 때 상대의 성을 묻는 말). ¶贵姓? 敝bì姓黄, ～您呐? 성은 무엇입니까? 저는 황이라고 합니다. 당신의 성씨는 어떻게 됩니까?
〔未免〕 wèimiǎn 부 아무래도 …(을 면치 못)하겠다. …일 테죠. 아마 …하게 되다(상대에 대한 부동의(不同意)를 나타내나 어세는 부드러움). ¶～要受人家的批评! 아무래도 남의 비평을 면치 못할 테죠! / 你的话～多了些! 당신은 아무래도 수다떠는 것이 지나쳐! / 你～太好hào多说话了; 넌 너무 수다스러운 것 같다.
〔未磨印字纸〕 wèimó yìnzìzhǐ 명 《印》 무광택 인쇄 용지.
〔未能〕 wèinéng 조동 …할 수는 없다. …하지 못하다.
〔未能免俗〕 wèi néng miǎn sú 〈成〉 일반 풍습에서 아직 다 벗어나지 못하고 있다.
〔未起卸货物〕 wèi qǐxiè huòwù 명 《商》 선상(船上) 화물. 미하역(未荷役) 화물.
〔未然〕 wèirán 〈文〉 ①아직 그렇지 않다. 아직 …은 아니다. ¶～其说; 그 설에는 아직 찬성할 수 없다. ② 명 미연. ¶防患huàn～; 재해를 미연에 방지하다.
〔未入流〕 wèirùliú 명 옛날, 관위가 9품에 이르지 못한 자. 형 〈比〉 수준 미달이다.
〔未谉〕 wèishěn 동 ⇨〔未知〕
〔未识〕 wèishí 동 ⇨〔未知〕
〔未时〕 wèishí 명 미시(오후 1시에서 3시 사이). =〔未刻〕
〔未始不可〕 wèi shǐ bù kě 〈成〉 나쁜 것도 아니다. 안 될 것도 없다. =〔未尝不可〕
〔未遂〕 wèisuì 동 〈文〉 (목적이나 뜻을) 아직 이룰 수가 없다. ¶～其志; 그 뜻을 달성할 수가 없다.
〔未妥〕 wèituǒ 형 〈文〉 아직 타결되지 않다. 아직 완전하지 않다. ¶商议～; 협의가 아직 타결에 이르지 않다 / 筹chóu备～; 준비가 아직 충분하지 않다.
〔未亡人〕 wèiwángrén 명 〈文〉 미망인(과부의 자칭(自稱)).
〔未为〕 wèiwéi 동 〈文〉 아직 …이라고 할 수 없다. 아직 …이 아니다.
〔未为不可〕 wèi wéi bù kě 〈成〉 안 된다는〔좋지 않다는〕 것도 아니다. 나쁘다고 생각되지도 않다.
〔未悉〕 wèixī 동 ⇨〔未知〕
〔未暇〕 wèixiá 동 〈文〉 …할 겨를이 없다. ¶～兼顾; 겸행할 겨를이 없다. 양쪽을 고려할 틈이 없

다 / ～顾及到这样的小节了; 이런 사소한 일까지 돌볼 수 없다. =〔未遑〕
〔未详〕 wèixiáng 형 미상이다. 확실하지 않다. ¶ 作者～; 작자 미상.
〔未形〕 wèixíng 동 〈文〉 아직 …에 나타나지 않다. 표면화되지 않다. ¶消患于～; 환난이 표면화되기 전에 소멸시키다.
〔未央〕 wèiyāng 동 〈文〉 ①아직 반(半)에 이르지 않다. ②아직 다하지 않다.
〔未央宫〕 Wèiyānggōng 명 《史》 미앙궁(산시 성(陝西省) 창안 현(長安縣)의 서북에 있었던 궁전의 이름).
〔未易才〕 wèiyìcái 명 〈文〉 쉽게 얻기 어려운 인재.
〔未有〕 wèiyǒu 동 〈文〉 아직 …이 없다. ¶～头绪; 아직 단서가 없다.
〔未雨绸缪〕 wèi yǔ chóu móu 〈成〉 비가 오기 전에 집의 창문을 고치다. 유비무환(사전에 대비해 둠).
〔未遇〕 wèiyù 동 만나지 못하다. ¶造访～, 怅甚; 〈翰〉 방문하였으나(안 계셔서) 뵙지 못하여 매우 서운했습니다.
〔未臻〕 wèizhēn 동 〈文〉 아직 도달하지 않다. ¶～佳境; 아직 가경에 들지 않다.
〔未知〕 wèizhī 동 모르다. 알지 못하다. 미지이다. ¶～其中究竟; 궁극적인 것을 모르다. 영문을 모르다 / ～窍门; 요령을 모르다. 실마리를 잡지 못하다 / ～尊意如何; 의견은 어떠신지 모르겠습니다. =〔未谂shěn〕〔未识shí〕〔未悉xī〕
〔未知量〕 wèizhīliàng 명 《數》 미지의 양.
〔未知数〕 wèizhīshù 명 《數》 미지수. ↔〔已yǐ知数〕
〔未知元〕 wèizhīyuán 명 《數》 대수(代數)에서 미지수를 대표하는 x · y · z 등의 자모(字母).
〔未置可否〕 wèi zhì kě fǒu 〈成〉 좋다 나쁘다 말하지 않다.

味 **wèi** (미)
①(～儿) 명 맛. ¶带甜～儿; 감미가 있다 / 不得～; 맛이 없다〔나쁘다〕/ 菜做得很是～儿; 요리가 제법 맛있게 돼 있다. ②(～儿) 명 냄새. ¶臭～儿; 고약한 냄새. 구린내 / 香～儿; 좋은 향기 / 这种～好闻; 이 냄새는 좋은 냄새다. ③(～儿) 명 의미. 아취. 멋. 취미. 묘미. 기분. ¶趣～; 재미 / 没有人～的人; 인간적인 정이 없는 사람 / 言语无～; 말이 무미 건조하다. ④명 음미. ¶玩～; 음미하다. ⑤(～儿) 명 (…하는, …같은) 느낌. ¶很有中国的～儿; 매우 중국다운 느낌이 있다. ⑥동 〈文〉 맛보다. (깊이) 음미하다. ¶细～其言; 그 말을 잘 음미하다. ⑦양 약이나 먹을 것의 종류를 세는 단위. ¶一～药; 1 종류의 약 / 大dài夫开了几～药; 의사가 몇 종류의 약을 처방했다.
〔味噌草〕 wèicēngcǎo 명 《植》 된장풀.
〔味道〕 wèidao 명 ①맛. ¶这个菜～很好; 이 요리는 맛이 좋다. =〔味儿②〕 ②기분. 마음. ¶心里有一股说不出来的～; 무어라고 형언할 수 없는 기분이다 / 说话的～不对; 말투가 이상하다. ③흥취. 재미. ¶副业大有～; 부업은 매우 흥취가 있다.
〔味粉〕 wèifěn 명 〈廣〉 ⇨〔味精〕
〔味官〕 wèiguān 명 《生》 미관. 미각 기관.
〔味精〕 wèijīng 명 화학 조미료. =〔味素〕〔〈廣〉 味粉〕
〔味觉〕 wèijué 명 《生》 미각.
〔味蕾〕 wèilěi 명 《生》 미뢰. 미각아(味覺芽)(미각 신경의 말초).
〔味料〕 wèiliào 명 조미료. 양념.
〔味美思〕 wèiměisī 명 〈音〉 베르무트(프 vermouth)(술의 일종). =〔苦艾酒〕
〔味气〕 wèiqì 명 냄새. ¶跑了～; 냄새가 빠졌다 / 屋子里圈住了～; 방 안에 냄새가 가득 차 있다.
〔味儿〕 wèir 명 ①냄새. ¶闻～; 냄새를 맡다 / 走了～; 냄새가 빠졌다 / 香～; 향기 / 腥～; 비린내. =〔气味①〕 ②맛. =〔味道①〕 ③재미. 흥취. ¶唱得够～; 노래를 부르는 것이 매우 재미있다. ④태도. ¶他那种～, 我受不了! 그의 저 태도엔 내가 참을 수가 없다! ⑤〈俗〉 평판. 인기. ¶～正; 평판이 좋다. ⑥〈俗〉 세력. ¶～薄了; 세력이 떨어지다.
〔味儿冲〕 wèir chòng 맛이나 향기가 세다〔독하다〕. ¶白干儿酒～; 배갈은 냄새가 독하다.
〔味儿了劲儿的〕 wèirlejìnrde 〈京〉 뾰로통한 얼굴. 불만스러운 표정. ¶瞧你这么～, 谁惹你了? 이 뾰로통한 얼굴 좀 봐, 누가 너를 건드렸니?
〔味儿事〕 wèirshì 명 〈京〉 대수롭지 않은 일. 흔한 일. ¶竟是些～, 没多大意思; 다만 사소한 일로, 대단한 뜻은 없습니다.
〔味儿正〕 wèir zhèng 〈俗〉 ①인격이 높다. 평판이 좋다. ②향미가〔맛이〕 순수하다. ¶这个天然果汁～, 没加人工香料; 이 천연 과즙은 향기가 순수하다. 인공 향료는 첨가하지 않았다.
〔味如鸡肋〕 wèi rú jī lèi 〈成〉 (닭의 갈비처럼) 하찮지만 버리기는 아깝다(일에 대한 흥미가 적음. 실제의 혜택이 적음). =〔味同鸡肋〕
〔味素〕 wèisù 명 ⇨〔味精〕
〔味同嚼蜡〕 wèi tóng jiáo là 〈成〉 밀랍을 씹는 것 같은 찜찜한 맛(무미건조함). =〔味如嚼蜡〕

位 **wèi** (위)
①명 지위. 직위. 자리. ¶篡～; 왕위(王位)를 빼앗다 / 不计地～高低; 지위의 고하를 고려하지 않다. ②명 (있는) 곳. 위치. ¶部～; 부위 / 座zuò～; 좌석 / 岗gǎng～; 보초 서는 곳. ③명 방위. ④동 〈文〉 …에 있다〔위치하다〕. ¶我国～于亚洲东部; 우리 나라는 아시아의 동부에 있다. ⑤양 〈敬〉 분. 명(사람을 세는 단위). ¶诸～; 여러분 / 哪～? 누구요? / 两～人; 두 분 / 各～代表; 대표 각위. ⑥명 《數》 (수(數)의) 자리. ¶十～数; 열 자리의 수. ⑦명 《電算》 (컴퓨터에서) 비트(bit)(정보 전달의 최소 단위). ¶是8～作为1个字节; 8비트를 1바이트로 한다.
〔位卑言高〕 wèi bēi yán gāo 〈成〉 지위는 낮으나 하는 말은 훌륭하다.
〔位次〕 wèicì 명 ①등급. 순위. 석차. ¶争～; 순위 싸움을 하다. ②지위. ③자리 순서.
〔位大爵尊〕 wèi dà jué zūn 〈成〉 고위 고관 자리에 있다.
〔位分〕 wèifen 명 ①사회적 지위와 신분. ②관위(官位). ¶～一大, 就得有人随时保护; 관직이 높아지면 수시로 호위가 따른다.
〔位号〕 wèihào 명 옛날, 작위와 명호(名號).
〔位记〕 wèijì 명 옛날, 위기(位記)(벼슬아치의 품위를 적은 증서).
〔位能〕 wèinéng 명 《物》 위치 에너지. ¶在高处的物体也含有能, 当它落下时, 即将这能放出来, 这种能叫～; 높은 곳에 있는 물체는 에너지를 가지며, 그것이 낙하할 때, 이 에너지가 나오는데, 이를 위치 에너지라 이른다. =〔势shì能〕
〔位牌〕 wèipái 명 위패. =〔牌位(儿)〕
〔位票〕 wèipiào 명 플레이스(place)(2등한 말에 거는 마권(馬券)). ¶势均力敌的场合, 头马不易选,

不如买赢马与～; 세력이 백중하여, 우승마를 가리기가 어려울 때에는, 우승마와 플레이스를 사는 것이 좋다.
〔位态〕 wèitài 명 ⇨〔位相〕
〔位望〕 wèiwàng 명〈文〉위망. 지위와 명망. ¶～隆重; 지위와 인망이 모두 훌륭하다.
〔位相〕 wèixiàng 명《物·數》위상. =〔位态〕
〔位移〕 wèiyí 명《物》변위. ¶～电流; 변위 전류.
〔位于〕 wèiyú 동〈文〉…에 위치하다(나라·지구·산하·도시·대형 건축 따위에 한함). ¶北京大学～北京西郊; 북경 대학(北京大學)은 베이징(北京) 서쪽 변두리에 있다.
〔位置〕 wèizhì 명 ①위치. 장소. 자리. ¶大家都按指定的～坐了下来; 사람들은 지정된 자리에 앉았다. ②지위. 직위. ¶新文学中占有重要～; 신문학 속에서 중요한 지위를 차지하고 있다. 동 ①지위〔자리〕에 앉히다. 일자리를 알선해 주다. ¶请他给～一个事儿; 그에게 부탁해서 일자리를 얻다. ②놓다. ¶高自～; 스스로 거만을 피우다.
〔位子〕 wèizi 명 좌석. 자리. ¶教室的～; 교실의 좌석 / 她旁边空kòng出了一个～; 그녀 옆에 자리가 하나 났다.

濊 Wèi (예)
→〔濊貊〕⇒ huò
〔濊貊〕 Wèimò 명《史》예맥족(고구려의 전신(前身)으로 고조선 안에 있었던 한 나라).

畏 wèi (외)
동 ①두려워하다. ¶大无～精神; 아무것도 두려워하지 않는 정신 / 望而生～; 바라만 보고도 두려움이 생기다. ②존경하다. 외경(畏敬)하다. 심복하다. ¶后生可～; 〈成〉후배라도 가히 두려워할 만하다.
〔畏避〕 wèibì 동 두려워서〔무서워서〕 피하다. ¶人家～的事他偏要试一试; 다른 사람이 두려워서 피하고 있는 일을 그는 꼭 해 보려고 한다.
〔畏怖〕 wèibù 동 두려워하다. 공포에 질리다.
〔畏风〕 wèifēng 동 ①바람을 무서워하다. ②〈比〉비판을 두려워하다.
〔畏服〕 wèifú 동 두려워서 따르다. ¶令人～; 남으로 하여금 두려워서 따르게 만들다.
〔畏忌〕 wèijì 동 두려워하며 의심하다〔꺼리다〕.
〔畏惧〕 wèijù 동〈文〉두려워하다. 외구하다. ¶无所～; 두려워할 것 없다.
〔畏劳纱〕 wèiláoshā 명《紡》보일(voile).
〔畏难〕 wèinán 동 곤란을 두려워하다. ¶有些～情绪; 곤란을 두려워하는 기색이다 / ～消极; 곤란에 후퇴하여 소극적이 되다.
〔畏怕〕 wèipà 동 두려워하고 무서워하다.
〔畏强欺弱〕 wèi qiáng qī ruò〈成〉강자를 두려워하고 약자를 괴롭히다.
〔畏怯〕 wèiqiè 동 흠칫거리며 겁을 내다. 뒷걸음질치다. 두려워하다. ¶这孩子不认生, 从不～生人; 이 아이는 낯을 가리지 않아, 이제까지 낯선 사람을 무서워한 적이 없다.
〔畏士忌酒〕 wèishìjìjiǔ 명〈音〉위스키.
〔畏首畏尾〕 wèi shǒu wèi wěi〈成〉앞을 두려워하고 뒤를 무서워하다(소심해서 일을 함에 있어 몹시 겁을 냄). ¶不必～, 尽管勇往直前; 겁먹을 필요는 없다. 용감하게 똑바로 나아가라.
〔畏缩〕 wèisuō 동 두려워 위축하다〔움츠리다〕. 기가 꺾이다. 주춤하다. ¶那件事因为难办, 所以大家都～不前; 저 일은 어려워서 모두들 움츠러들어 꽁무니를 뺀다.
〔畏途〕 wèitú 명〈文〉싫고 무서워하는 길(위험한 방도. 무서운〔싫은〕 일). ¶视为～; 위험한 방도로 보다 / 把参加劳动视做～; 노동에 참가하는 것을 두려운 일이라고 생각하다.
〔畏吾尔〕 Wèiwú'ěr 명《史》〈音〉위구르(Uighur)족. =〔维吾尔族〕
〔畏恶〕 wèiwù 동〈文〉두려워하고 미워하다.
〔畏葸〕 wèixǐ 동〈文〉공포에 질리다. 두려워하다. ¶～不前; 〈成〉겁을 먹고 나아가지 않다 / ～踟蹰chíchú; 두려워서 주저하다.
〔畏夜眼〕 wèiyèyǎn 명 ⇨〔夜盲〕
〔畏疑〕 wèiyí 동〈文〉두려워하고 의심하다. ¶心里一～意志就动摇了; 두려워하고 의심하는 마음이 생기면, 의지가 동요된다.
〔畏友〕 wèiyǒu 명 외우. 존경하는〔경외하는〕 벗.
〔畏罪〕 wèi∥zuì 동 벌(받을 것)을 두려워하다. ¶～自杀; 죄에 대한 제재가 두려워 자살하다 / ～潜qián逃; 죄가 두려워 도망치다.

硙〈磑〉 wèi (외)
① 동〈方〉(맷돌로 곡물을) 빻다. ② 명 돌매. ¶推tuī～; 돌매를 밀다. ⇒ '硙' wéi

喂〈餵, 餧〉B) wèi (외)〈위〉
A) ① 감 여보. 야. 아이고! 예(부르거나 대답하는 말). ¶～, 是谁? 이봐, 누구지? / ～, 快来呀! 어이, 빨리 와! / ～, 你来呀; 이봐, 이리 와. ② 동 간장을 쳐서 묻어 놓은 불에 굷이다. ¶～鸭条; 오리를 위의 방법으로 삶은 요리. B) 동 ①(가축에) 먹이를 주다(가축을 기르다). ¶～鸡; 닭 모이를 주다. 닭을 치다 / ～牲口; 가축에 먹이를 주다. 가축을 치다 / ～狗; 개에게 밥을 주다. 개를 기르다. ②(사람에게 음식을) 먹여 주다. ¶～药; 약을 먹이다 / ～小孩儿; 어린 아이에게 먹이다 / 给病人～饭; 환자에게 밥을 먹여 주다 / 他病得连拿筷子的力气都没有, 得～饭; 그는 병이 들어 젓가락을 쥘 힘도 없어졌으므로 밥을 먹여 줘야만 한다.
〔喂饱〕 wèibǎo 동 잔뜩〔배불리〕 먹이다. ¶～了孩子, 又做工去了; 아이에게 배불리 먹이고 나서 다시 일하러 갔다.
〔喂不活〕 wèibuhuó ①먹여 키우지 못하다. ¶没有奶粉, 这么小的孩子就怕～; 분유가 없으면 이런 작은 아이를 먹여 키우지 못할지도 모른다. ②마음대로 안 되다. ③사용하기 어렵다. ¶材料不够, 机械～; 재료 부족으로 기계가 움직이지 않다.
〔喂汆儿〕 wèicuānr 명 돼지고기·양고기를 잘게 저며 기름 간장에 담갔다가 냄비에 찌는 요리법.
〔喂饭〕 wèi∥fàn 동 ①밥을 먹이다. ¶三岁的小孩子, 可以～了; 세 살 먹은 아이라면 밥을 먹여도 상관 없다. ②(밥을 먹여) 키우다.
〔喂肥〕 wèiféi 동 (가축 따위를) 먹여 살찌우다.
〔喂孩子〕 wèi háizi ①아이에게 먹이다. ②(젖가락으로) 아이에게 먹여 주다.
〔喂料〕 wèi∥liào 동 사료를 주다. ¶你要按时给马～; 시간에 맞춰 말에게 여물을 주어라. (wèiliào) 명 사료.
〔喂马〕 wèi∥mǎ 동 말에게 사료를 주다. 말을 키우다〔먹이다〕.
〔喂猫食〕 wèimāoshí 명 ①고양이에게 먹이는 먹이. ②〈比〉하찮은 것. =〔喂狗gǒu食〕
〔喂奶〕 wèi∥nǎi 동 젖을 먹이다. ¶怀抱儿的婴儿得～; 갓난아기는 젖을 먹여야 한다.
〔喂奶瓶〕 wèinǎipíng 명 젖병. 포유병(哺乳瓶).

〔喂脑袋〕 wèi nǎodài 〈俗〉 밥을 먹다. ¶天不早了, 先找个小馆喂喂脑袋吧; 날이 저물었으니, 먼저 밥집을 찾아 밥을 먹자.
〔喂上〕 wèishàng 동 ①먹을 것을 주다. 먹이를 주다. ¶～草; (먹이로서) 풀을 주다. ②사육하다. ¶～两头牲口; 두 마리의 가축을 사육하다.
〔喂牲口〕 wèi shēngkǒu 가축을 기르다. 가축에 먹이를 주다.
〔喂食〕 wèi.shí 동 음식을 먹이다. 먹이를 주다. 입에 넣어 주다.
〔喂眼〕 wèi.yǎn 동 눈요기하다. 눈을 즐겁게 하다.
〔喂羊〕 wèi.yáng 동 양을 치다〔키우다〕. (wèiyáng) 명 우리 안에서 키운 양.
〔喂养〕 wèi.yǎng 동 ①(먹이를 주어) 기르다. 사육하다. ②어린애를 기르다〔키우다〕.
〔喂足〕 wèizú 동 충분히 음식을 주다.

胃 **wèi** (위)
명 ①《生》 위. ②《天》 이십팔수(二十八宿)의 하나.
〔胃癌〕 wèi'ái 명 《醫》 위암. =〔胃膈gé〕〔胃疽jū〕〔胃瘤liú〕
〔胃病〕 wèibìng 명 《醫》 위병.
〔胃肠炎〕 wèichángyán 명 《醫》 위장염.
〔胃呆〕 wèidāi 명 《醫》 식욕 부진. =〔胃滞zhì〕
〔胃蛋白酵素〕 wèidànbái jiàosù 명 ⇨〔胃蛋白酶〕
〔胃蛋白酶〕 wèidànbáiméi 명 《化》 펩신(pepsin). =〔胃蛋白酵素〕〔胃朊酶〕〔胃液素〕〔蛋白酵素〕
〔胃风〕 wèifēng 명 《漢醫》 ①트림. =〔噫yī气〕 ②만성 위염.
〔胃膈〕 wèigé 명 ⇨〔胃癌〕
〔胃火〕 wèihuǒ 명 《漢醫》 위에서 생기는 열. 위열(胃熱). ¶据说口臭是由于～; 구취는 위열 때문이라고 한다.
〔胃加答儿〕 wèijiādá'ér 명 ⇨〔胃炎〕
〔胃经〕 wèijīng 명 《漢醫》 위경. 위에 딸린 경락. ¶～倒dǎo; 배탈이 나다.
〔胃痉〕 wèijìng 명 《醫》 위경련.
〔胃镜〕 wèijìng 명 《醫》 위내시경. ¶用～检查一下; 위내시경으로 검사 좀 합시다.
〔胃疽〕 wèijū 명 ⇨〔胃癌ái〕
〔胃口〕 wèikǒu 명 ①위. ¶我～痛; 나는 위가 아프다. ②위의 상태. 식욕. ¶～好; 식욕이 좋다 / ～不开 =〔没有～〕; 식욕이 없다 / ～大了; 식욕이 났다. ③〈比〉 흥미. 기호. ¶～小 =〔～软〕; 흥미가 없다 / 倒dǎo～; 식상하다 / 对于这种事没有～; 이런 일에는 흥미가 없다. ④(거래상의) 판로. 수요 공급.
〔胃口倒〕 wèi kǒu dǎo ①(먹은 것이) 위에 얹히다. 속이 거북하다. ②(장황해서) 진절머리가 나다.
〔胃溃疡〕 wèikuìyáng 명 《醫》 위궤양. =〔〈俗〉胃痈yōng〕
〔胃扩张〕 wèikuòzhāng 명 《醫》 위확장.
〔胃瘤〕 wèiliú 명 ⇨〔胃癌ái〕
〔胃气〕 wèiqì 명 《醫》 ①위(胃)의 상태. 위의 소화 기능. ¶～虚xū; 소화 기능 쇠약. ②위의 정기(精氣).
〔胃切除术〕 wèiqiēchúshù 명 《醫》 위절제술.
〔胃朊酶〕 wèiruǎnméi 명 ⇨〔胃蛋白酶〕
〔胃软〕 wèi ruǎn 위가 약하다. ¶我的～; 내 위는 약하다.
〔胃弱〕 wèiruò 명 《醫》 위약. 소화력이 약해지는 여러가지 위병.
〔胃酸〕 wèisuān 명 《生》 위산(위액의 한 성분).
〔胃痛〕 wèitòng 명 《醫》 위통.
〔胃脘〕 wèiwǎn 명 《漢醫》 위(의 내부). 위강(胃腔). ¶～痈yōng; 《漢醫》 위궤양.
〔胃下垂〕 wèixiàchuí 명 《醫》 위하수(증).
〔胃腺〕 wèixiàn 명 《生》 위선. 위샘.
〔胃炎〕 wèiyán 명 《醫》 위염. 위(胃)카타르(독 Katarrh). =〔〈音〉胃加答儿〕
〔胃液〕 wèiyè 명 《生》 위액.
〔胃液素〕 wèiyèsù 명 ⇨〔胃蛋白酶〕
〔胃痈〕 wèiyōng 명 〈俗〉 ⇨〔胃溃疡〕
〔胃脏〕 wèizàng 명 《生》 위장.
〔胃滞〕 wèizhì 명 ⇨〔胃呆〕

谓(謂) **wèi** (위)
① 동 말하다. ㉠…라고 하다. …라고 부르다〔일컫다〕. ¶称～; 호칭 / 可～神速; 가히 빠르다. 매우 빠르다고 할 수 있다 / ～予不信; 믿지 않는다고 한다면 / ～之大丈夫; 이를 대장부라고 한다 / 何～天; '天'이란 무엇인가. 무엇을 '天'이라고 하는가 / 这是～三段论法; 이것이 이른바 삼단 논법이다. ㉡알리다. 이르다. ¶人～予曰; 사람이 내게 이르되〔말하기를〕. ② 명 뜻. 의미. ¶无～; 의미가 없다 / 这种举动很无～; 이런 행동은 매우 의미가 없다 / 无～的言论; 의미 없는 언론. 시시한 언론. ③ 명 연유. 이유.
〔谓项〕 wèixiàng 명 빈사(賓辭).
〔谓语〕 wèiyǔ 명 《言》 술어(述語). ¶～部分; 술부(述部). =〔述语〕

渭 **Wèi** (위)
명 《地》 웨이수이(渭水)《산시 성(陝西省)에 있는 강 이름》.

猬〈蝟〉 **wèi** (위)
① 명 《動》 고슴도치. ¶刺cì～; 《動》 고슴도치. ② 동 〈比〉 모이다.
〔猬刺〕 wèicì 명 ⇨〔猬毛〕
〔猬合〕 wèihé 동형 ⇨〔猬集〕
〔猬集〕 wèijí 동 〈文〉 잡다하게 모이다. 군집〔위집〕하다. ¶诸事～; 많은 볼일이 한곳에 몰리다 / 俗事～, 不可分身, 以致不克赴宴为歉; 〈翰〉 속사 다망으로 몸을 뺄 수 없어, 그 때문에 연회에 참석하지 못하여 유감으로 생각합니다. 형 (일이 일시에 발생하여) 번잡하다. ¶公私～; 공사 다망(多忙). ‖ =〔猬合〕〔猬结〕
〔猬结〕 wèijié 동형 ⇨〔猬集〕
〔猬毛〕 wèimáo 명 〈比〉 많은 것. 많고 어지러운 것. ¶反者如～而起; 반역자들이 다수 봉기했다. =〔猬刺〕
〔猬起〕 wèiqǐ 동 〈比〉 사건이 분분하게 일어나다. 사단(事端)이 백출하다.
〔猬缩〕 wèisuō 동 〈文〉 ①고슴도치가 털을 오그리다. ②〈比〉 두려워서 위축되다. →〔畏缩〕
〔猬务〕 wèiwù 명 〈比〉 많은 볼일. 많은 일. 잡무. ¶～缠chán身不得摆脱; 잡무에 쫓기어 꼼짝 못하다.

尉 **wèi** (위)
① 명 《軍》 군인의 계급. 위관. ② 명 옛 관명(官名). ¶太～; 태위《옛 관명(官名)으로, 무관의 최고 직위》. ③ 동 ⇨〔慰①〕 ④ 명 성(姓)의 하나. ⇒yù
〔尉官〕 wèiguān 명 《軍》 위관.
〔尉荐〕 wèijiàn 명동 ⇨〔慰藉jiè〕
〔尉藉〕 wèijiè 명동 ⇨〔慰藉〕

蔚 **wèi** (위)
〈文〉 ① 형 초목이 무성하다((번)성하다). ¶ ～为大国; 〈成〉 번성하여 대국이 되다 / 草木蓊wěng～; 초목이 무성하다. ② 형 무늬가[빛깔이] 아름답다. ¶ 云蒸霞～; 〈成〉 구름이 떼지어 일고, 노을빛이 아름답다. ③ 형 문교(文教)가 널리 보급된 모양. ④ 명 《植》 제비쑥. =[牡mǔ蒿] ⇒Yù

[蔚成] wèichéng 동 〈文〉 모여서 …이 되다. ¶ 按月积少数余资, 经过相当时日, 即可～整笔; 매달 소액의 남은 돈을 저축해도, 상당한 시일이 지나면 목돈이 된다.
[蔚成风气] wèi chéng fēng qì 〈成〉 ⇒[蔚然成风]
[蔚尔] wèi'ěr 형 ⇒[蔚然]
[蔚蓝] wèilán 명 《色》 짙은 남빛. 맑은 하늘빛. ¶ ～的天空; 파란 하늘.
[蔚茂] wèimào 형 〈文〉 무성하게 우거진 모양.
[蔚起] wèiqǐ 동 〈文〉 융성하게 발전하다. 번성하다.
[蔚然] wèirán 형 〈文〉 무성하게 우거지는 모양. 왕성한 모양. ¶ ～成林; 매우 무성하여 숲을 이루었다. =[蔚尔]
[蔚然成风] wèi rán chéng fēng 〈成〉 좋은 기풍이 왕성해지다. 성(盛)해져서 하나의 풍조를 이루다. =[蔚成风气]
[蔚为大观] wèi wéi dà guān 〈成〉 (문물 따위가) 풍부하며 다채롭고 성한 모양. ¶ 展出的中外名画～; 출품된 내외의 명화는 풍부하고도 다채롭다.

慰 **wèi** (위)
동 ①위로하다. ¶ ～劳; 위로하다. 위문하다. =[尉③] ②마음이 편안해지다. 안심하다. ¶ 欣～; 기쁘고 마음이 편안해지다 / 尚堪告～; 〈翰〉 우선 안심하십시오.

[慰安] wèi'ān 동 〈文〉 위안하다.
[慰存] wèicún 동 ⇒[慰问]
[慰抚] wèifǔ 동 〈文〉 위무하다. 어루만지고 위로하다. ¶ ～遗族; 유족을 위무하다.
[慰荐] wèijiàn 명동 ⇒[慰藉]
[慰解] wèijiě 동 타일러 달래다. 쟁의 따위를 화해시키다. ¶ 经人～, 气忿fèn稍平; 남이 달래 주어서 화가 좀 풀렸다.
[慰藉] wèijiè 명동 〈文〉 위로(하다). 안심(시키다). ¶ 审视当前的现实情况, 都一定感到无比的光奋和～; 눈앞의 현실 상황을 자세히 보면, 모두가 반드시 비할 길 없는 흥분과 위안을 느낄 것이다. =[慰荐jiàn][尉荐][尉藉]
[慰劳] wèiláo 동 ①위문하다. ¶ ～伤兵; 부상병을 위문하다. ②다른 사람의 노고를 위로하고 어루만지다. 위로하다.
[慰劳品] wèiláopǐn 명 (노고를 위로하여 보내는) 「위문품.
[慰留] wèiliú 동 달래서 머무르게 하다. ¶ 他的辞意很坚决, 上级～也～不住; 그의 사의는 매우 굳어서, 상사가 말려도 붙들 수가 없었다.
[慰勉] wèimiǎn 동 〈文〉 위로하여 격려하다.
[慰情] wèiqíng 명 〈文〉 위안. 위로해 주는 인정.
[慰情胜无] wèi qíng shèng wú 〈成〉 위안을 받아 봤자 대수로울 것은 없지만, 위안을 받지 못하는 것보다는 낫다(불충분하지만 없는 것보다는 낫다).
[慰贴] wèitiē 동 기분이 가라앉다. 안심하다. ¶ 心里十分～; 마음이 어지간히 가라앉다.
[慰问] wèiwèn 동 위문하다. ¶ ～灾民; 이재민을 위문하다. =[慰存][慰询]
[慰询] wèixún 동 ⇒[慰问]
[慰唁] wèiyàn 동 〈文〉 (유족을) 조문하다.
[慰悦] wèiyuè 동 〈文〉 마음을 위로하여 기쁘게 하다.

罻 **wèi** (위, 울)
명 〈文〉 새그물. 덮치기.

霨 **wèi** (위)
형 〈文〉 구름이 뭉게뭉게 피어 오르는 모양.

鳚(鰃) **wèi** (위)
명 《魚》 농어목(目)·베도라치 아목(亞目)의 물고기(총칭). ¶ 云yún～; 베도라치 / 耶yē氏～; 청베도라치.

遗(遺) **wèi** (유)
동 〈文〉 증여(贈與)하다. ⇒yí

讆(讏〈躗〉) **wèi**(위)
형 〈文〉 잠꼬대처럼 분명치 않다.

[讆言] wèiyán 명 허튼 소리. 잠꼬대 같은 소리.

魏 **Wèi** (위)
① 명 《史》 위(주대(周代)의 나라이름). ② 명 《史》 위(삼국(三國)의 하나. A.D 220～265). ③(wèi) 형 〈文〉 높다. 높고 웅대하다. ④ 명 성(姓)의 하나.

[魏碑] wèibēi 명 《史》 북위(北魏)의 비(그 서법(書法)은 대체로 결구(結構)가 장엄하고 필력이 강건하여, 해서(楷書)의 기준으로 되고 있음).
[魏然] wèirán 형 〈文〉 홀로 선 모양. 높게 우뚝 서 있는 모양.
[魏魏] wèiwèi 형 〈文〉 높고 큰 모양.
[魏仙爷] wèixiānyé 명 미신에서, 고승도치가 겁(劫)을 지나 영력을 얻은 것. =[白bái仙]

WEN ㄨㄣ

温 **wēn** (온)
① 형 따뜻하다. 따스하다. ¶ ～带; 온대 / 把药晾liàng～了再吃; 약을 따뜻하게 해서 먹다. ② 명 온도. ¶ 气～; 기온 / 体～; 체온. ③ 동 데우다. ¶ ～酒; 술을 데우다. ④ 동 복습하다. ¶ 把算术～一～; 산수를 복습하다. ⑤ 형 〈文〉 온순[유화]하다. 온유[온화]하다. ¶ ～情; 온정 / ～言相慰; 부드러운 말로 위로하다. ⑥ 형 〈文〉 또깡또깡하지 않다. 덜 떨어지다. 뜨뜻미지근하다. 우유부단하다. ¶ 这个人太～; 이 사람은 너무나 우유부단하다. ⑦ 형 〈文〉 (연극 등이) 단조롭다. 예술성이 낮다. ¶ 这出戏太～; 이 연극은 너무 평범하다. ⑧ 명 《漢醫》 열병. 돌림병. =[瘟①] ⑨ 명 성(姓)의 하나.

[温白开] wēnbáikāi 명 (한 번 끓인) 밍근한 백비탕[맹물].
[温饱] wēnbǎo 명 의식(衣食)이 풍족한 생활. ¶ 得到～; 의식이 족하게 되다.
[温病] wēnbìng 명 《漢醫》 온병(못된 사기(邪氣)에 의해서 일어나는 급성 열병의 총칭).
[温伯格] Wēnbógé 명 《人》 〈音〉 와인버거(Caspar W. Weinberger)(미국의 정치가, 1917～).
[温差] wēnchā 명 온도차. ¶ ～大; 온도차가 크다 / ～电偶; 《機》 열전(기)쌍.

〔温差电堆〕 wēnchā diànduī 명 《物》 열전퇴(熱電堆).
〔温床〕 wēnchuáng 명 ①《農》 (식물 재배용의) 온상. ②〈比〉 (악(惡)의) 온상. ¶官僚主义是滋长违法乱纪现象的～; 관료주의는 법률·규율 위반의 현상을 키우는 온상이다.
〔温辞〕 wēncí 명 〈文〉 따뜻한 말. 상냥한 말.
〔温存〕 wēncún 동 ①지성껏 위로하다. 다정하게 마음을 쓰다. ¶～话儿; 상냥하게 위로하는 말 / 用软语～; 상냥한 말로 정성스럽게 설명하다. ②〈古白〉 몸조리하다. ¶～了一日, 又吃了一两剂药; 하루 보양하고 탕약을 한두 첩 먹었다. 형 (성질이) 부드럽다. 안존〔온화〕하다. ¶性格～; 성격이 온순하다.
〔温带〕 wēndài 명 온대(지방).
〔温读〕 wēndú 동 〈文〉 복습하여 읽다.
〔温度〕 wēndù 명 온도. ¶～计; 온도계. 한란계.
〔温风〕 wēnfēng 명 〈文〉 ①온풍. 따뜻한 바람. ②온화한 인품. 온건한 성격.
〔温服〕 wēnfú 동 《漢醫》 온복하다. 약을 데워서 복용하다.
〔温哥华〕 Wēngēhuá 명 《地》 〈音〉 밴쿠버(Vancouver).
〔温恭〕 wēngōng 형 〈文〉 온공하다. 온화하고 공손하다.
〔温故知新〕 wēn gù zhī xīn 〈成〉 온고지신(옛것을 연구하여 새로운 도리를 발견함. 과거를 돌이켜 현재를 이해함). ¶温故而知新《論語 爲政》; 전에 배운 바를 잘 공부하여 잊어버리지 않도록 하고, 또 모르는 바를 배워서 이것을 알다.
〔温和〕 wēnhé 형 ①(기후가) 온화하다. 따스하다. ¶昆明天气～, 四季如春; 쿤밍(昆明)은 기후가 온화해서 사철 봄과 같다. ②(성질이) 온순하다. 온화하다. (태도·말씨 등이) 온건〔온화〕하다. ¶～派; 온건파(부정적(否定的) 어감을 지닐 때도 있음). =〔温闻①〕 ⇒ wēnhuo
〔温和水〕 wēnheshuǐ 명 밍근한〔미지근한〕 물. 미온수.
〔温厚〕 wēnhòu 형 ①온후하다. 상냥하고 인정미가 있다. 부드럽고 너그럽다. ¶～和平; 온후하고 화평스럽다. ②풍족하다. 유복하다. ¶居皆～; 생활이 모두 유복하다.
〔温货〕 wēnhuò 명 《商》 〈京〉 좋지 않은 물건. 하등품.
〔温和〕 wēnhuo 형 ①(물체가) 따뜻하다. ¶粥还～呢, 快喝吧! 죽이 아직 식지 않았으니, 어서 먹어라. ②(태도가) 뜨뜻미지근하다. ⇒ wēnhé
〔温疾〕 wēnjí 명 《漢醫》 열이 있는 병. 열병.
〔温酒〕 wēn,jiǔ 동 술을 (알맞게) 데우다.
〔温旧情〕 wēn jiùqíng 옛정을 새로이하다.
〔温居〕 wēn,jū 동 〈文〉 이사한 사람을 방문하여 축하 인사를 하다. ¶您给他～去了吗? 그가 이사간 집에 집들이를 갔습니까?
〔温觉〕 wēnjué 명 《生》 온각.
〔温开水〕 wēnkāishuǐ 명 식혀서 밍근한 물. ¶～送下; 미지근한 물로 (약 따위를) 먹다.
〔温炕〕 wēnkàng 명 온돌. =〔火huǒ炕〕
〔温克〕 wēnkè 형 〈古白〉 얌전하다. 온순하다. 점잖다. ¶老身舍shě不得他好～性儿; 나는 그의 너무 온순한 성질을 내버려 둘 수는 없다.
〔温课〕 wēn,kè 동 학과의 복습을 하다.
〔温理〕 wēnlǐ 동 〈文〉 ①옛일을 정리하다. ②복습하고 정리하다.
〔温良〕 wēnliáng 형 얌전하다. 온순하다.
〔温令〕 wēnlìng 명 〈文〉 온화한 말로 하는 명령. ¶用～慰留; 부드러운 말로 만류하다.
〔温毛了〕 wēnmáole 동 (술을) 너무 데우다. ¶可小心他们～我的酒; 내 술을 너무 데우지 말도록 그들에게 주의를 주게.
〔温暖〕 wēnnuǎn 형 ①온난하다. (온도가) 따뜻하다. ¶东部的江淮流域, ～湿润; 동부 양쯔 강(揚子江) 화이허 강(淮河) 유역은 온난하고 습윤하다 / ～的光辉; 따뜻한 빛. ②(마음씨가) 따뜻하다. ¶感到无比的～; 비길 데 없는 따사로움을 느끼다 / 慈cí母般的～; 인자한 어머니와 같은 따스함. 동 따뜻하게 하다. ¶这个动人的故事～着千百万人的心; 이 감동적인 이야기는 몇천 몇백 명의 마음을 따뜻하게 해 주고 있다.
〔温疟〕 wēnnüè 명 《漢醫》 말라리아.
〔温朴〕 wēnpo 명 《植》 마르멜로(포 marmelo). =〔榅桲wēnpo〕
〔温情〕 wēnqíng 명 온정. 인정. 따뜻한 마음. ¶～脉脉; 〈成〉 온정이 넘쳐 흐르다 / ～主义; 온정주의.
〔温凊〕 wēnqìng 〈文〉 부모를 잘 섬기는 일. ¶冬温而夏凊; 겨울에는 따뜻하게, 여름은 시원하게 하여 효도를 다하다.
〔温泉〕 wēnquán 명 온천. ¶～浴; 온천욕. =〔汤tāng泉〕 ↔〔冷lěng泉〕
〔温热病〕 wēnrèbìng 명 《漢醫》 온열병. 유열성(有熱性) 질환의 총칭.
〔温柔〕 wēnróu 형 따뜻하고 상냥하다. 온유하다. ¶～典雅; 온유하고 우아하다.
〔温柔乡〕 wēnróuxiāng 명 ①색향. 환락경. 유흥장소. 화류계. ②사랑의 보금자리. 〈比〉 애정에 흠뻑 빠져 버린 환락 몰아(沒我)의 경지.
〔温润〕 wēnrùn 형 ①온화하다. ¶～的笑容; 온화〔상냥〕하게 웃는 얼굴. =〔温和wēnhé②〕 ②온난 습윤(溫暖濕潤)하다. ¶气候～; 기후가 온난 습윤하다.
〔温石〕 wēnshí 명 《鑛》 사문석(蛇紋石). =〔蛇shé纹石〕
〔温石绒〕 wēnshíróng 명 《鑛》 사문석(蛇紋石)의 일종(섬유상이며, 유연하고 광택이 있음).
〔温室〕 wēnshì 명 온실. =〔〈俗〉 花huā厢〕〔〈俗〉 热rè洞子〕
〔温室效应〕 wēnshì xiàoyìng 명 《氣》 온실 효과.
〔温书〕 wēn,shū 동 책을 복습하다.
〔温熟〕 wēnshú 동 충분히 복습하다. 복습하여 완전히 익히다. 복습하여 숙달하다.
〔温水〕 wēnshuǐ 명 온수. 미지근한 물. 미온탕(微溫湯). ¶～浴; 온수욕. (wēn,shuǐ) 동 물을 데우다.
〔温顺〕 wēnshùn 형 온순하다. 고분고분하고 얌전하다.
〔温汤〕 wēntāng 명 ①온탕. 따뜻한 물. ②〈文〉 온천.
〔温汤浸种〕 wēntāng jìnzhǒng 명 《農》 온탕 침법(살균을 위하여 따뜻한 물에 씨를 담그는 일).
〔温吞〕 wēntūn 형 〈方〉 ①미지근하다(뜨겁지도 차지도 않다). ¶这粥～了, 热热再吃吧; 이 죽은 미지근해졌으므로 데워서 먹자. ②(말이나 문장이) 산뜻하지 못하다. 명쾌하지 않다. ¶～之谈; 명쾌하지 않은 이야기. ‖ =〔温暾〕
〔温吞水〕 wēntunshuǐ 명 미지근한 물. ¶这杯咖啡, 喝起来有如～; 이 커피는 마셔 보니 미지근한 물 같다 / ～似的啤酒, 喝起来是最没味儿的;

미지근한 (물 같은) 맥주는, 마셔도 정말 맛이 안 난다.
〔温暾〕 wēntūn 형 ⇨〔温吞〕
〔温慰〕 wēnwèi 동 〈文〉 따뜻하게 위로하다.
〔温文〕 wēnwén 형 얌전하고 점잖다. ¶～有礼, 美丽迷人; 점잖고 예의바르며 황홀하게 아름답다.
〔温文尔雅〕 wēn wén ěr yǎ 〈成〉 태도가 온화하고, 행동이 우아하다.
〔温习〕 wēnxí 동 복습하다. ¶～功课; 수업의 복습을 하다. =〔温寻〕 →〔学习〕〔补习〕
〔温戏〕 wēnxì 명 〈俗〉 서투른 연극. 재미 없는 연극.
〔温恤〕 wēnxù 동 〈文〉 불쌍히 여겨 도와 주다.
〔温煦〕 wēnxù 형 〈文〉 온난하다. 따스하다.
〔温寻〕 wēnxún 동 ⇨〔温习〕
〔温驯〕 wēnxùn 형 〈文〉 유순하며 잘 길들여져 있다.
〔温雅〕 wēnyǎ 형 〈文〉 온화하고 우아하다.
〔温颜〕 wēnyán 명 〈文〉 부드럽고 온화한 얼굴.
〔温罨法〕 wēnyǎnfǎ 명 《醫》 온엄법. 더운 찜질. =〔热rè罨法〕
〔温药〕 wēnyào 명 《漢醫》 몸을 덥게 해 주는 약.

榅 wēn (올)
→〔榅桲〕
〔榅桲〕 wēnpo 명 《植》 ①마르멜로(포 marmelo). ¶～果; 마르멜로 열매. ②마르멜로 열매의 설탕 절임.

辒(轀) wēn (온)
→〔辒辌〕
〔辒辌〕 wēnliáng 명 옛날, 모로 누워 탈 수 있는 수레.

瘟 wēn (온)
①명 《漢醫》 급성 전염병. 유행병. ¶春～; 봄철 유행병 / 核hé子～ =〔鼠shǔ疫〕; 페스트 / 鸡～; 닭의 전염병. =〔温⑧〕 ②형 (연극 등이) 고빗사위가 없다. 단조롭고 재미 없다. ¶情节松, 人物也～; 줄거리에 짜임새가 없고, 인물도 부각되어 있지 못하다.
〔瘟病〕 wēnbìng 명 ⇨〔瘟疫yì〕
〔瘟官〕 wēnguān 명 〈文〉 악덕 관리. 탐관 오리.
〔瘟鬼〕 wēnguǐ 명 ⇨〔瘟神(爷)〕
〔瘟奴〕 wēnnú 명 〈罵〉 바보 (같은) 자식. ¶丈人大怒道 "～, 除非是你死了, 或是做了和尚, 这事才行得"; 장인이 크게 노하여 말했다. "바보 같은 놈아, 네놈이 죽거나, 아니면 중이라도 되기 전에는 이 일을 할 수 없다."
〔瘟疟〕 wēnnüè 명 《醫》 학질.
〔瘟气〕 wēnqì 명 〈俗〉 유행병. 계절병.
〔瘟丧〕 wēnsāng 명 불길한 일.
〔瘟痧〕 wēnshā 명 ⇨〔瘟疫〕
〔瘟神(爷)〕 wēnshén(yé) 명 역신(疫神)《역병을 일으키는 귀신》. ¶送～; 역신을 내보내다. 역귀(疫鬼)를 몰아 내다. =〔瘟鬼〕
〔瘟生〕 wēnsheng 명 ⇨〔冤yuān大头〕
〔瘟头瘟脑〕 wēntóu wēnnǎo ①무기력하고 변변치 않은 모양. 분명치 않은 모양. ②(머리가) 멍한〔흐리멍텅한〕 모양. 사물의 판단이 서지 않아 멍청히 있는 모양. ¶从此王胡～的许多日; 그로부터 며칠 동안이나 텁석부리 왕가는 멍청해져 있었다.
〔瘟腥烂臭〕 wēn xīng làn chòu 〈成〉 썩어 빠져 악취가 물씬물씬 풍기는 모양. ¶他们是听了那些～的故事学坏的; 그들은 귀에 담기조차 더러운 이야기를 듣고, 그 영향을 받아 나빠진 것이다.
〔瘟疫〕 wēnyì 명 《醫》 역병. 유행성 급성 전염병. ¶～大行; 전염병이 크게 유행하다. =〔瘟病〕〔瘟痧〕〔瘟症〕
〔瘟灾〕 wēnzāi 명 〈文〉 유행병의 재난.
〔瘟疹(子)〕 wēnzhěn(zi) 명 《漢醫》 발진을 수반하는 급성 전염병《성홍열·발진 티푸스 따위》.
〔瘟症〕 wēnzhèng 명 ⇨〔瘟疫〕

蕰 wēn (온)
→〔蕰草〕 ⇒yùn
〔蕰草〕 wēncǎo 명 〈方〉 솔잎말. 붕어마름. =〔金jīn鱼藻〕

鳁(鰮) wēn (온)
→〔鳁鲸〕
〔鳁鲸〕 wēnjīng 명 《動》 멸치고래.

文 wén (문)
①명 문자. 말. 언어. ¶甲骨～; 갑골 문자 / 英～; 영문. 영어 / 写什么～? 어떤 언어로 쓰는가? ②명 문장. 글. ¶散～; 산문 / 作zuò～; 작문하다. ③명 문화. 문명. ¶～化; ⇩ / ～明; ⇩ ④명 문장어. 문어. 문어체. ¶半～半白; 문어와 구어가 반반씩 섞이다. ↔〔白〕 ⑤명 (무(武)에 대한) 문. ¶～武全才; ⇩ ⑥명 문과(文科). ¶他在大学里是学～的; 그는 대학에서 문과쪽 공부를 한다. ⑦명 외관. 용자(容姿). ⑧명 (형식적인) 의식. 의례. ¶虚xū～; 허례 / 繁～缛节; 번거로운 허례와 의식. ⑨명 〈文〉 무늬. ¶花～; 꽃무늬. =〔纹〕 ⑩명 (천체·대지의) 현상. 상태. ¶天～; 천문. ⑪양 문《옛날, 동전을 세던 단위》. ¶一～钱; 돈 한 푼 / 一～不值; 한 푼의 값어치도 없다 / 不取分～; 돈은 한 푼도 안 받는다. ⑫동 〈文〉 꾸미다. 덮어 숨기다. ¶～过guò饰非; ⇩ ⑬형 온화하다. 부드럽다. 우아하다. ¶～雅; ⇩ / ～火; ⇩ / ～绉绉(的); ⇩ ⑭형 문어적이다. ¶这句话太～了, 不好懂! 이 말은 지나치게 문어적이어서, 잘 알 수가 없다. ⑮동 먹실을 넣다. 문신하다. ¶断发～身; 머리를 자르고 문신을 하다. ⑯명 성(姓)의 하나.
〔文安〕 wén'ān 동 〈翰〉 평안하심을 빕니다《문인 앞으로 보내는 편지 말미에 쓰는 상투어》. =〔文祺〕〔文祉〕〔撰zhuàn安〕〔撰祺〕
〔文案〕 wén'àn 명 ①문안. 문서의 입안(의 기록·부본). ¶～先生; 문서를 맡은 서기. ②옛날, 관청의 문서 기록 담당 관리. ¶～处; 관청의 문서 기록을 맡은 부문.
〔文霸〕 wénbà 명 문화계의 보스〔우두머리〕.
〔文白〕 wénbái 명 문어문과 구어문. 문언과 백화.
〔文贝〕 wénbèi 명 《貝》 자패(紫貝).
〔文本〕 wénběn 명 ①원본. 원문. ¶本合同两种～同等有效; 이 계약의 두 종류 원본은 모두 유효하다. ②문건.
〔文笔〕 wénbǐ 명 문장 중의 어구의 풍격(風格). 문장의 필치. ¶他的～不错; 그의 문장은 좋다.
〔文不对题〕 wén bù duì tí 〈成〉 이야기가 제목에서 벗어나 있다. 동문 서답하다.
〔文不加点〕 wén bù jiā diǎn 〈成〉 ①지우거나 고치거나 하는 일 없이 문장을 단숨에 쓰다. ②붓을 댈 여지가 없는 훌륭한 문장.
〔文才〕 wéncái 명 문재. 문학적 재능. ¶他有～; 그는 글재주가 있다.
〔文采〕 wéncǎi 명 ①문채. 화려한 색채. =〔风fēng采②〕 ②문학적 재능. 형 (문장이나 의복이)

아름답고 훌륭하다.
〔文草〕 wéncǎo 명 원고.
〔文昌鱼〕 wénchāngyú 명 《魚》 창고기. =〔蛞kuò蝓鱼〕
〔文场〕 wénchǎng 명 ①옛날, 관리 등용 시험의 시험장. ②《劇》 연극 반주의 관현 악기 부분. ③《劇》 베이징(北京)의 민간 악대의 일종(타악기를 주로 하고, 장례식에서 연주함). ④《劇》 구이린(桂林)·류저우(柳州) 일대에 전해지는 '曲qǔ艺'의 하나.
〔文抄公〕 wénchāogōng 명 남의 문장을 표절하는 사람(익살맞은 표현).
〔文池〕 wénchí 명 벼루의 별칭.
〔文丑(儿)〕 wénchǒu(r) 명 《劇》 연극의 어릿광대역(役).
〔文辞〕 wéncí 명 ①문장. ②문장 중의 자구(字句). 문사. ¶～虽然婉转, 但是有坚决的抗议之意; 자구는 비록 완곡하지만, 강경한 항의의 뜻이 있다. ‖=〔文词〕
〔文从字顺〕 wén cóng zì shùn 〈成〉 (글이) 매끄럽고 용어도 적절하며 논리적·어법적인 잘못이 없다.
〔文打〕 wéndǎ 동 (무기를 갖지 않고) 말싸움을 하다.
〔文旦〕 wéndàn 명 《植》 〈方〉 유자. =〔柚yòu子〕
〔文典〕 wéndiǎn 명 옛날, 문법책. 문전.
〔文定〕 wéndìng 동 옛날, 약혼하다.
〔文东武西〕 wéndōng wǔxī 옛날, 조정에서 문관은 천자의 왼쪽〔동쪽〕에, 무관은 오른쪽〔서쪽〕에 앉은 일.
〔文斗〕 wéndòu 동 말과 글로 투쟁〔설득〕하다. 명 말과 글로 하는 투쟁. ¶要用～, 不要用武斗; 설득에 의해야지 폭력을 써서는 안 된다.
〔文牍〕 wéndú 명 〈文〉 ①공용 문서. ¶～组; 문서계. ②〈轉〉 문서. ¶～员; 문서 기초를 전문으로 하는 직원.
〔文牍主义〕 wéndú zhǔyì 명 문서주의(공용문의 형식에만 구애되어 실제를 돌보지 않는 주의·방식).
〔文法〕 wénfǎ 명 ①《言》 문법. ¶汉语～; 중국어 문법. =〔语法〕 ②규칙. ¶不成～; 엉터리〔엉망〕이다.
〔文房〕 wénfáng 명 ①서재. =〔书shū房①〕 ②옛날, 문서를 담당하던 부서.
〔文房四宝〕 wén fáng sì bǎo 〈成〉 문방사우. 종이·붓·벼루·먹의 네 가지.
〔文风〕 wénfēng 명 〈文〉 ①문풍(文風). ¶整顿～; 문장을 쓰는 자세를 고치다. ②미풍(微風).
〔文风不动〕 wén fēng bù dòng 〈成〉 조금도 움직이지 않다. =〔纹丝(儿)不动〕
〔文府〕 wénfǔ 명 ①옛날, 도서나 문서를 보관하던 곳. ②《天》 28수(宿)의 하나. 벽성(璧星).
〔文稿〕 wéngǎo 명 문장·공문서의 초고.
〔文告〕 wéngào 동 문서로 통고하다. 명 통고한 문서. 공문서.
〔文革〕 Wéngé 명 〈簡〉 문화 대혁명의 약칭.
〔文蛤〕 wéngé 명 《貝》 대합.
〔文工队〕 wéngōngduì 명 〈簡〉 문예 공작대.
〔文工团〕 wéngōngtuán 명 〈簡〉 문화 선전 공작단. =〔文艺工作团〕
〔文攻武卫〕 wén gōng wǔ wèi 〈成〉 여론 따위로 반대파를 공격하고, 무력으로 자파를 방위하다.
〔文官〕 wénguān 명 문관. ↔〔武wǔ官〕
〔文官果〕 wénguānguǒ 명 ⇨〔文冠树〕
〔文冠果〕 wénguānguǒ 명 ⇨〔文冠树〕
〔文冠树〕 wénguānshù 명 《植》 문관수. 기름모과나무. =〔文官果〕〔文冠果〕
〔文轨〕 wénguǐ 명 〈文〉 천하의 통일.
〔文过饰非〕 wén guò shì fēi 〈成〉 과실을 감추다. 과실을 교묘히 숨기다.
〔文豪〕 wénháo 명 문호. =〔文雄〕
〔文虎〕 wénhǔ 명 음력 정월 보름이나 중추절 밤, 초롱에 수수께끼의 문답을 써 넣는 놀이. =〔灯dēng谜〕
〔文华殿〕 Wénhuádiàn 명 《史》 옛날, 베이징(北京) 쯔진청(紫禁城)의 둥화문(東華門) 안에 있던 궁전의 하나.
〔文化〕 wénhuà 명 ①문화. ¶龙山～; 용산(龍山) 문화 / ～交流日益广泛; 문화 교류가 점점 넓어지다. ②(초등 교육 정도의) 기초적 교양〔지식〕. ¶学习～; 기초 지식을 배우다 / 他的～很低; 그의 교육 정도는 낮다 / 你有几年～; 넌 몇 해나 공부를 했나〔교육을 받았나〕.
〔文化大革命〕 Wénhuà dàgémìng 명 《史》 문화 대혁명(1966년부터 1976년에 걸쳐 중국 전토를 흔들어 놓았던 정치·사상·문화 투쟁).
〔文化宫〕 wénhuàgōng 명 문화궁(여가에 학습·과학·오락·체육 등의 활동을 하기 위한 규모가 크고 설비가 잘된 종합 교육 센터).
〔文化买办〕 wénhuà mǎibàn 명 매판 문인.
〔文化人〕 wénhuàrén 명 ① '知zhī识分子'의 별칭. ②항일 전쟁 무렵, 문화 활동에 종사하던 사람.
〔文化水平〕 wénhuà shuǐpíng 명 ①문화〔교양〕 수준. ②보통 학과의 정도.
〔文化用品〕 wénhuà yòngpǐn 명 문방구.
〔文化娱乐〕 wénhuà yúlè 명 문화적인 오락.
〔文化站〕 wénhuàzhàn 명 문화 센터. ¶民办～; 민영 문화 센터.
〔文话(儿)〕 wénhuà(r) 명 ①⇨〔文言〕 ②고상한〔품위 있는〕 말.
〔文汇报〕 Wénhuìbào 명 문회보(1938년 상하이(上海)에서 창간된 중국의 유력 신문의 이름).
〔文汇阁〕 Wénhuìgé 명 《史》 문회각(사고 전서(四庫全書)를 보관하던 누각의 하나).
〔文火〕 wénhuǒ 명 약한 불. 뭉근한 불. ¶用～煮豆; 뭉근한 불에 콩을 삶다 / 把肉块放进锅中用～火焖mèn一小时; 고기를 냄비에 넣고 뭉근한 불에 한 시간쯤 삶는다. =〔缓huǎn火〕〔慢màn火〕
〔文几〕 wénjī 명 〈文〉 ①책상. ②〈翰〉 문인에 대한 경칭.
〔文籍〕 wénjí 명 〈文〉 ①문적. 책. 서적. ②문서. 서류.
〔文驾〕 wénjià 명 〈文〉 ①문인의 탈것. ②〈轉〉 귀하(옛날, 문인 또는 관리에 대한 경칭). ¶敬候～台临; 〈翰〉 귀하의 왕림을 기다리겠습니다.
〔文件〕 wénjiàn 명 ①(공)문서. 서류. ¶～纸; 서류용지. 증권 용지 / ～夹; 파일. ②정치 이론·시사 정책·학술 연구 따위에 관한 글·논문·문헌.
〔文件处理机〕 wénjiàn chǔlǐjī 명 ⇨〔文字处理机〕
〔文鉴〕 wénjiàn 〈翰〉 읽어 주십시오. 읽어 보시기 바랍니다(문인에 대하여 쓰는 말). =〔文览〕
〔文江学海〕 wénjiāng xuéhǎi 〈比〉 학문이나 문장의 범위가 넓고 깊다.
〔文教〕 wénjiào 명 문화와 교육. ¶～人员; 문화 교육 종사자 / ～用具; 학용품.
〔文津阁〕 Wénjīngé 명 《史》 문진각(사고 전서(四

庫全書)를 보관하던 누각의 하나).
〔文旌〕 wénjīng 명〈文〉①문인의 기치(旗幟). ②〈轉〉 여행중의〔행차중의〕 문인에 대한 경칭. ‖=〔文旆pèi〕
〔文静〕 wénjìng 형 (성격이) 고상하고 조용하다. 얌전하다. 침착하다. ¶～的声音; 정숙한〔조용한〕 목소리 / ～地坐着; 얌전히 앉아 있다 / 看见了一位很～的姑娘; 매우 얌전하고 정숙한 아가씨를 봤다.
〔文举〕 wénjǔ 명〈文〉 옛날, 문관의 거인(舉人).
〔文句〕 wénjù 명 문구. (문장의) 어구.
〔文具〕 wénjù 명 문방구. ¶～店; 문방구점.
〔文卷〕 wénjuàn 명 ①분류 보존되어 있는 서류. ②옛날, 시험의 답안.
〔文开〕 wénkāi 동 얼음이 서서히 녹아서 수로가 열리다.
〔文库〕 wénkù 명 ①책을 간직해 두는 곳. 서고(書庫). ②총서(叢書).
〔文侩〕 wénkuài 명 자구(字句)를 만지작거리며, 기회를 틈타 잘 처신하는 사람.
〔文莱〕 Wénlái 명《地》〈音〉 브루나이(Brunei)《수도는 '斯里巴加湾市'(반다르세리베가완: Bandar Seri Begawan)》.
〔文澜阁〕 Wénlángé 명《史》 문란각《사고 전서를 보관하던 누각의 하나》.
〔文览〕 wénlǎn〈翰〉⇨〔文鉴〕
〔文老生〕 wénlǎoshēng 명《劇》 중국 전통극에서, 충신·현상(賢相)·유장(儒將) 등으로 분장하는 배우.
〔文理〕 wénlǐ 명〈文〉①문장의 내용·논리·어구·어법의 조리. 문맥. ¶～通顺; 문맥이 잘 통하다 / ～不通; 글의 문맥이 잘 통하지 않다. ②문언문(文言文).
〔文林〕 wénlín 명〈比〉 문사(文士)의 모임.
〔文林(郎)果〕 wénlín(láng)guǒ 명《植》 능금(나무).
〔文卤〕 wénlǔ 명《貝》 홍합. =〔贻yí贝〕
〔文马〕 wénmǎ 명 털에 무늬가 있는 말.
〔文盲〕 wénmáng 명 문맹. 눈뜬 장님. ¶扫除～; 문맹을 퇴치하다 / 新～; 문혁세대(文革世代)로서 제대로 수업을 받지 못한 청년들.
〔文盲帽子〕 wénmáng màozi 명 문맹이라는 딱지. ¶经过六年扫盲之后, 到1957年底, 只有一百六十四人真正扫掉了～; 6년 동안의 문맹 퇴치 후, 1957년 말에 이르러, 단지 164명만이 문맹의 딱지를 진짜로 뗄 수가 있었다.
〔文貌〕 wénmào 명〈文〉 예의바른 태도.
〔文面〕 wénmiàn 동 (옛날 형벌의 하나로) 얼굴에 자자(刺字)하다. 명 얼굴에 자자(刺字)하는 것. 자자한 얼굴.
〔文庙〕 wénmiào 명 공자(孔子)의 묘(廟)〔사당〕.
〔文明〕 wénmíng 명 ①문명. 문화. ②모랄. 윤리 도덕. ¶～礼貌; 모랄(moral)과 에티켓(étiquette) / 他态tài度～; 그는 태도가 신사적이다. 형 ①(풍속·습관·사물이) 현대적 색채를 띠고 있는. 신식의. ¶～头; 하이칼라 머리 / ～结婚; 신식 결혼 / 说一口～词儿; 신식 말을 마구 쓰다. ②교양이 있다.
〔文明单位〕 wénmíng dānwèi 명 물질 문명과 정신 문명의 방면에서 일정한 표준에 다다른 기관〔단위〕. 문명 단위《일반적으로 상급 기관에서 조사한 후 표준에 달하면 이처럼 명명하고 이것이 씌여진 편액((扁額)을 수여하여 입구에 걸어 놓게 함》.
〔文明棍儿〕 wénmínggùnr 명〈俗〉 단장(短杖). 개화장. =〔文明杖〕〔洋yáng杖〕
〔文明戏〕 wénmíngxì 명《劇》(중국 전통극에 대한) 신극.
〔文明杖〕 wénmíngzhàng 명〈俗〉⇨〔文明棍儿〕
〔文摩兰〕 wénmólán 명 부메랑(boomerang). =〔飞镖〕〔飞去来器〕
〔文墨〕 wénmò 명 ①문장〔글〕을 쓰는 것. ¶粗通～; 조금은 글을 쓸 줄 안다 / 他肚子里没一点～; 그는 몸에 학문의 소양이라곤 전혀 없다. ②두뇌 노동을 하는 사람. 인텔리. 형 예의바르다. 점잖다.
〔文墨人儿〕 wénmòrénr 명 문인. 인텔리. ¶新时代～也喜爱劳动; 신시대에는 인텔리도 노동을 사랑한다.
〔文尼来脱〕 wénníláituō 명《化》〈音〉 비닐라이트(vinylite)《염화 비닐·질산 비닐의 중합체(重合體)》.
〔文尼熔接机〕 wénní róngjiējī 명《機》 비닐 용접기.
〔文鸟〕 wénniǎo 명《鳥》 문조.
〔文啮〕 wénniè 명《貝》 섭조개.
〔文旆〕 wénpèi 명 ⇨〔文旌jīng〕
〔文皮〕 wénpí 명 ①호피(虎皮). ②부드러운 가죽.
〔文痞〕 wénpǐ 명 문단(文壇) 깡패. 악덕 문사.
〔文贫〕 wénpín 명 가난한 문인.
〔文品〕 wénpǐn 명 학문과 품행. 학업과 조행(操行).
〔文凭〕 wénpíng 명 증서. ¶毕业bìyè～; 졸업 증서.
〔文祺〕 wénqí 동〈翰〉⇨〔文安〕
〔文绮〕 wénqǐ 명〈文〉 아름다운 무늬의 견직물〔비단〕.
〔文气〕 wénqì 명 ①(문장에 일관된) 박력. 문장의 기세. 문세. ②글의 일관성.
〔文气〕 wénqi 형〈方〉 조용하다. 침착하다. 온화하다.
〔文契〕 wénqì 명 옛날, 계약서.
〔文禽〕 wénqín 명 깃털에 아름다운 무늬가 있는 새《꿩·원앙 따위》.
〔文情〕 wénqíng 명〈文〉①문장과 정취. ¶～并茂; 문장과 내용이 모두 뛰어나다. ②문장의 풍치(風致).
〔文券〕 wénquàn 명 어음·증서·증권 따위.
〔文人〕 wénrén 명 문인. 문사.
〔文人画〕 wénrénhuà 명《美》 문인화.
〔文人相轻〕 wén rén xiāng qīng〈成〉 문인들이 서로 업신여기다.
〔文弱〕 wénruò 형〈文〉①문장이 미약하다. ②문약하다. ¶～书生; 문약한 서생.
〔文山会海〕 wénshān huìhǎi〈比〉 문서(文書)의 산과 회의(會議)의 바다. ¶走出～, 深入基层和群众; 산더미 같은 문서와 바다 같은 회의에서 나와 하부(下部)와 대중 속으로 깊이 들어가다.
〔文社〕 wénshè 명 문장·문학을 연구하는 동호인의 모임.
〔文身〕 wén,shēn 동〈文〉 문신하다. 자자(刺字)하다. =〔镂lòu身〕 (wénshēn) 명 문신. 자자.
〔文石〕 wénshí 명〈文〉①《鑛》 마노(瑪瑙). ②무늬 있는 돌.
〔文史〕 wénshǐ 명〈文〉①문학과 사학. ②문학사.
〔文事〕 wénshì 명〈文〉 문사. 학문과 예술에 관한 일.
〔文饰〕 wénshì 동 ①문식하다. ②(자기 과실을)

둘러대다. 덮어 감추다.

〔文书〕 wénshū 명 ①문서(공문서·계약서 따위). ¶～纸夹jiā; 서류 및 종이첩(帖). 파일(file). ②기록 담당. 서기. ¶他自己用的那支加拿大枪和子弹已交给了乡～; 그는 자기가 쓰고 있던 그 캐나다 총과 총알을 이미 고향의 서기에게 넘겼다.

〔文殊兰〕 wénshūlán 명 ⇨〔文珠zhū兰〕

〔文殊(师利)〕 Wénshū(shīlì) 명 《佛》 문수 보살. =〔文珠zhū〕

〔文疏〕 wénshū 명 〈文〉 진정서. 원서(願書).

〔文思〕 wénsī 명 〈文〉 ①문장의 구상. ¶～敏捷; 퍼뜩 글의 구상이 떠오르다. ②문장 속의 뜻〔사상〕.

〔文溯阁〕 Wénsùgé 명 《史》 문소각(사고 전서를 보관하던 누각의 하나).

〔文坛〕 wéntán 명 문단. 문학가·문필가의 사회. 문학계. =〔文囿〕

〔文特〕 wéntè 명 스파이 노릇을 하는 문인.

〔文体〕 wéntǐ 명 ①문체. ②〈簡〉 '文化(娱乐)体育'의 준말. ¶～活动; 문화 체육 활동.

〔文恬武嬉〕 wén tián wǔ xī 〈成〉 문관은 무사태평에, 무인(武人)은 놀이에 빠지다(벼슬아치들의 기강이 해이함을 말함).

〔文童〕 wéntóng 명 ①학자의 소년 사환. ②문학 소년. 문학 신동. ③ ⇨〔童生〕

〔文袜〕 wénwà 명 무늬 있는 양말.

〔文玩〕 wénwán 명 상완용(賞玩用)의 기물. 미술품. 골동품. ¶～橱; 문갑(文匣).

〔文王〕 Wénwáng 명 《人》 문왕(주(周)나라의 시조. 이름은 창(昌)).

〔文王课〕 wénwángkè 명 점술의 하나(돈으로 음양 동정(陰陽動靜)을 점치는 방법으로, 문왕이 창시했다고 함).

〔文无定法〕 wén wú dìng fǎ 〈成〉 문장에는 일정한 법칙이 없다.

〔文武〕 wénwǔ 명 ①문과 무. ②문인과 무인. ③(Wén Wǔ) 《人》 주대(周代)의 문왕과 무왕.

〔文武带打〕 wén wǔ dài dǎ 〈成〉 ①《劇》 무인역의 배우가 문인의 역도 하다(만능이다). ② ⇨〔文武全才〕

〔文武老生〕 wénwǔ lǎoshēng 명 《劇》 무인역과 문인역 양쪽을 다 연기하는 배우.

〔文武全才〕 wén wǔ quán cái 〈成〉 문무 모두에 뛰어나다. =〔文武双全〕〔文武带打②〕

〔文物〕 wénwù 명 문물. 문화재.

〔文戏〕 wénxì 명 《劇》 '唱工'(창)이나 '做工'(연기)을 주로 하는 극('武戏'와 구별됨).

〔文献〕 wénxiàn 명 문헌. 선인이 남긴 도서 문물. ¶党的十大～; 당의 십대 문헌/历史～; ⓐ역사학의 문헌. ⓑ역사적인 문헌.

〔文小生〕 wénxiǎoshēng 명 《劇》 중국 전통극의 젊은 남자역.

〔文雄〕 wénxióng 명 ⇨〔文豪〕

〔文修武备〕 wén xiū wǔ bèi 〈成〉 문치(文治)와 무비(武備)를 모두 갖추다.

〔文秀〕 wénxiù 형 〈文〉 고상하다. 우아하다.

〔文绣〕 wénxiù 명 〈文〉 곱게 수놓은 의복.

〔文选〕 wénxuǎn 명 선집(選集). ¶活页～; 루스리프식(looseleaf式)의 문장 선집.

〔文学报〕 Wénxuébào 명 문학 신문. 리테라트리나야가제타(소련(蘇聯) 작가 협회의 기관지).

〔文学革命〕 Wénxué gémìng 명 《史》 문학 혁명(중국 문학 근대화의 방향을 결정한 1910년대 후반에 일어난 문학 운동).

〔文学研究会〕 Wénxué yánjiūhuì 명 1920년 저우쭤런(周作人), 천옌빙(沈雁冰) 등이 베이징(北京)에서 창설한 문학단체('小说月报'를 기관지로 발행).

〔文学语言〕 wénxué yǔyán 명 ①《言》 (문장에서의) 표준어. ②문학 용어. =〔文艺语言〕

〔文雅〕 wényǎ 형 (말·행동거지가) 온화하고 예절 바르며 고상하다. ¶举止～; 행동이 우아하다/谈吐～; 말이 고상하다/用～的语言; 고상한〔점잖은〕 말을 쓰다.

〔文言〕 wényán 명 문어(文語)('五四运动' 이전의 고한어(古漢語)를 기초로 한 서면어(書面語)). =〔文话(儿)①〕 ↔〔白话báihuà①〕

〔文言文〕 wényánwén 명 문어문(文語文).

〔文妖〕 wényāo 명 글로써 남을 비방하고 현혹시키는 자. 사악한 문인.

〔文鳐鱼〕 wényáoyú 명 《魚》 날치. =〔鲏〕

〔文野〕 wényě 명 〈文〉 문명과 야만.

〔文移〕 wényí 명 〈文〉 공문서. 정부에서 발포한 포고문. 공고문.

〔文义〕 wényì 명 문의. 문자〔문장〕의 의미.

〔文艺〕 wényì 명 ①문예. 문학과 예술. ¶～工作者; 문학 예술 활동가. ②문학. ¶～作品; 문예 작품. ③연예. ¶～大队; 연예단/～会演; 연예 콩쿠르. 연예 경연 대회.

〔文艺表演会〕 wényì biǎoyǎnhuì 명 연예회.

〔文艺复兴〕 wényì fùxīng 명 《史》 문예 부흥. 르네상스(Renaissance).

〔文艺工作团〕 wényì gōngzuòtuán 명 ⇨〔文工团〕

〔文艺节目〕 wényì jiémù 명 각종 대회나 집회에 상연·상영되는 공연 종목.

〔文艺沙龙〕 wényì shālóng 명 문예 살롱. 조직적인 문예 좌담회.

〔文艺晚会〕 wényì wǎnhuì 명 문예 오락의 밤. =〔文娱晚会〕

〔文艺语言〕 wényì yǔyán 명 ⇨〔文学语言②〕

〔文囿〕 wényòu 명 ⇨〔文坛〕

〔文鱼〕 wényú 명 《魚》 ①금붕어. ②잉어. ③날치. ④장어의 일종.

〔文娱〕 wényú 명 〈簡〉 문화적 의의가 있는 오락. 레크리에이션(recreation)(연극 감상·영화 감상·노래·춤 따위). ¶亚洲～大会; 아시아 레크리에이션 대회.

〔文娱活动〕 wényú huódòng 명 《體》 레크레이션. 문예 오락 활동.

〔文娱节目〕 wényú jiémù 명 문예 오락 프로그램. ¶演出不少～; 많은 문예 오락 프로를 연출하다.

〔文渊阁〕 Wényuāngé 명 《史》 문연각(사고 전서를 보관하던 누각의 하나).

〔文元〕 wényuán 명 옛날, 과거 시험에서 18등 이하로 합격된 사람.

〔文源阁〕 Wényuángé 명 《史》 문원각(사고 전서를 보관하는 누각의 하나).

〔文苑〕 wényuàn 명 사림(詞林). 시문(詩文)을 모아서 엮은 책.

〔文约〕 wényuē 명 증서. ¶契据～; 계약서나 증서류.

〔文藻〕 wénzǎo 명 〈文〉 문조. 문장이나 말의 멋진 표현.

〔文责〕 wénzé 명 문책. 문장상의 책임. ¶～自负; 문책은 필자에게 있음.

〔文札〕 wénzhá 명 〈文〉 공용(公用) 서류.

〔文摘〕 wénzhāi 명 다이제스트(digest)(책 이름으로도 쓰임).

〔文章〕 wénzhāng 명 ①문장. ¶写～; 문장을 쓰다. ②〈轉〉 까닭. 연유. 속셈. ¶一定大有～; 반드시 무슨 까닭이 있다 / 宝玉听这话里有～, 不觉吃了一惊《紅樓夢》; 보옥은 이 이야기에 속셈이 있음을 알고 깜짝 놀랐다. ③〈轉〉 속뜻. 계책. ¶我的～作多了; 나는 계책을 많이 세워 놓았다. ④저작(널리 문자로 씌어진 것을 가리킴).
〔文章格子〕 wénzhāng gézi 명 문장을 쓸 때, 종이 밑에 까는 괘선지(罫線紙).
〔文章憎命〕 wén zhāng zēng mìng 〈成〉시문에 뛰어난 사람은 왕왕 명운(命運)이 좋지 않다(옛날, 훌륭한 문필과 좋은 처지는 양립하지 않음을 일컫는 말).
〔文职〕 wénzhí 명 문직. 문관의 직. ↔〔武wǔ职〕
〔文祉〕 wénzhǐ 동 ⇨〔文安〕
〔文质彬彬〕 wén zhì bīn bīn 〈成〉 겉보기와 실질이 알맞게 조화되어 있음. 문아(文雅)한 모양.
〔文治〕 wénzhì 명 〈文〉 문치. 무력에 의하지 않고 주로 문교(文教)로써 행하는 정치. ¶～派; ⓐ문치파. ⓑ문인 학자층(層).
〔文种〕 wénzhǒng 명 ①학자의 집안〔가문〕. ②(Wénzhǒng) 《人》 문종(주(周)나라 말기, 월(越)나라의 모신(謀臣). 구천(句踐)을 도와 오(吳)나라를 멸망시켰음).
〔文绉绉(的)〕 wénzhōuzhōu(de) 형 ①〈貶〉 (학자 티가 나고) 의젓하다. 점잖다. 우아하다. ②문장에서 문어(文語)가 많아 어렵다.
〔文珠〕 Wénzhū 명 ⇨〔文殊shū(师利)〕
〔文珠兰〕 wénzhūlán 명 《植》 문주란. =〔文殊兰〕
〔文竹〕 wénzhú 명《植》 문죽(관상용 아스파라거스). 플루모수스 아스파라거스(plumosus asparagus).
〔文字〕 wénzì 명 ①문자. 글자. ②언어. 말. ③문장.
〔文字处理机〕 wénzì chǔlǐjī 명 《電算》 워드 프로세서(word processor). =〔文件处理机〕〔语yǔ言电脑〕〔字组处理机〕
〔文字改革〕 wénzì gǎigé 명 ①문자 개혁. 국자(國字) 개량. ②(Wénzì gǎigé) 문자 개혁을 담당하는 중국 문자 개혁 위원회의 기관 잡지.
〔文字画〕 wénzìhuà 명 그림 문자(그림과 상형 문자의 중간 단계에 있는 문자).
〔文字交〕 wénzìjiāo 명 문자로 맺어진 교유(交遊)〔교분〕.
〔文字狱〕 wénzìyù 명 필화 사건.
〔文宗〕 wénzōng 명 〈文〉 문종(만인에게 스승으로서 존칭받는 문장의 대가). ¶一代～; 일대의 문종.
〔文宗阁〕 Wénzōnggé 명 《史》 문종각(사고 전서를 보관하던 누각의 하나).

纹(紋) wén (문)

명 ①문. 무늬. 결. ¶花～; 꽃무늬 / 指zhǐ～; 지문 / 木～; 나뭇결. ②(～儿) 줄. 금. 주름. ¶冰炸～; 얼음이 갈라진 균열 / 这个茶碗有两道～; 이 공기에는 금이 두 줄 가 있다. ⇒'璺' wèn
〔纹布〕 wénbù 명 《紡》 무늬를 넣은 면포.
〔纹车〕 wénchē 명 《機》 윈치(winch). 자아틀.
〔纹缎子〕 wénduànzi 명 《紡》 무늬 있는 공단의 일종.
〔纹枯病〕 wénkūbìng 명 《農》 문고병. 잎집무늬마름병. =〔烂lán脚病〕
〔纹理〕 wénlǐ 명 줄의 무늬. 결. ¶这木头的～很好看; 이 나무의 결은 아주 보기 좋다.
〔纹绺儿〕 wénliǔr 명 ⇨〔纹缕儿〕
〔纹溜儿〕 wénliur 명 ⇨〔纹缕儿〕
〔纹路儿〕 wénlur 명 ⇨〔纹缕儿〕
〔纹缕儿〕 wénlǚr 명 주름. 무늬. ¶脸上有～; 얼굴에 주름이 있다 / 皱zhòu出含笑的～; 주름을 지으며 웃다. =〔纹绺儿〕〔纹溜儿〕〔纹路儿〕〔细xì纹〕
〔纹罗丝车床〕 wénluósī chēchuáng 명 《機》 탭(tap) 따위를 써서 암나사를 만드는 공작 기계.
〔纹络〕 wénluò 명 줄무늬.
〔纹皮〕 wénpí 명 상질의 피혁(皮革).
〔纹水〕 wénshuǐ 명 《經》 옛날, 은을 교환할 때의 프리미엄.
〔纹丝(儿)〕 wénsī(r) 명 〈俗〉 약간. 조금.
〔纹丝(儿)不动〕 wén sī(r) bù dòng 〈成〉 조금도 움직이지 않다. 미동도 않다. 잔물결 하나 일지 않다. ¶连下几镐, 冻土～; 곡괭이를 계속 내리쳤지만, 얼어붙은 땅은 조금도 움직이지 않았다.
〔纹岩〕 wényán 명 《鑛》 분암(玢巖).
〔纹样〕 wényàng 명 무늬. 장식 무늬. 문양.
〔纹银〕 wényín 명 ①질 좋은 은. 말굽은. ¶十足～; 순질(純質)의 말굽은. ②장식용 은.
〔纹纸〕 wénzhǐ 명 무늬 종이. ¶仿～; 예스런 느낌의 무늬 종이.

炆 wén (문)

동 〈方〉 뭉근한 불에 장시간 끓이다. →〔煨wēi〕

蚊〈蟁, 螡〉 wén (문)

명 ①(～子) 《蟲》 모기(유충을 '孑jié孓jué' (장구벌레)라고 함). ¶疟nüè～; 학질모기 / 花～ =〔虎hǔ～〕; 각다귀. ②〈比〉 극히 작은 것.
〔蚊报〕 wénbào 명 군소 신문(群小新聞).
〔蚊虫〕 wénchóng 명 《蟲》 모기.
〔蚊厨〕 wénchú 명 ⇨〔蚊帐〕
〔蚊负〕 wénfù 동 〈比〉 역량은 작은데 임무가 크다. 미력한 몸으로 중책을 지다.
〔蚊睫〕 wénjié 명 모기의 속눈썹(극히 미세한 것).
〔蚊雷〕 wénléi 〈簡〉 '聚蚊成雷' 의 준말. 많은 모깃소리가 천둥처럼 들린다(여러 사람의 비방은 그 해가 크다).
〔蚊力〕 wénlì 명 〈比〉 극히 미약한 힘.
〔蚊母鸟〕 wénmǔniǎo 명 《鳥》 쏙독새. =〔夜yè鹰〕
〔蚊母树〕 wénmǔshù 명 《植》 조롱나무.
〔蚊鸟〕 wénniǎo 명 《動》 박쥐의 별칭.
〔蚊市〕 wénshì 명 (저녁의) 모기 떼.
〔蚊线香〕 wénxiànxiāng 명 ⇨〔蚊(烟)香〕
〔蚊(烟)香〕 wén(yān)xiāng 명 모기향. ¶薰～; 모기향을 피우다. =〔蚊线香〕〔蚊子香〕〔避bì蚊香〕
〔蚊帐〕 wénzhàng 명 모기장. =〔蚊厨〕〔帐子②〕
〔蚊帐纱〕 wénzhàngshā 명 《紡》 모기장용의 사(紗).
〔蚊阵〕 wénzhèn 명 모기 떼.
〔蚊子〕 wénzi 명 《蟲》 모기. ¶被～叮了; 모기에 물렸다.
〔蚊子香〕 wénzixiāng 명 ⇨〔蚊(烟)香〕
〔蚊嘴布〕 wénzuǐbù 명 《紡》〈俗〉 타월천.

雯 wén (문)

① 명 〈文〉 구름의 아름다운 무늬. 꽃구름. ¶赤chì～; 붉은 무늬의 구름. ②인명용 자(字).

鲛(鮫) wén (문)

명 《魚》 날치. =〔文鳐鱼〕

闻(聞) wén (문) ① 동 듣다. ¶耳～目睹dǔ; 귀로 듣고 눈으로 보다 / 耳～不如目见; 〈成〉 백문이 불여 일견. ② 동 들리다. ¶～见 = 〔～到〕; ⓐ들리다. ⓑ냄새 맡을 수 있다 / 听而不～; 듣고 있어도 들리지 않다. ③ 명 들은 것. 소식. 뉴스. 소문. ¶新～; 뉴스 / 要～; 중요한 소식. ④ 명 지식. 견문. ¶多～; 지식이 풍부하다. ⑤ 형 〈文〉 저명하다. 명망 있다. ¶～人; 유명인. ⑥ 명 명성. 평판. ¶令～; 좋은 평판. ⑦ 동 냄새를 맡다. ¶你～～这是什么味! 이것이 무슨 냄새인지 맡아 보게! / 这是什么味儿? 你～一～! 이것은 무슨 냄새인가. 맡아 보게! ⑧ 동 《漢醫》 환자의 음성·기침·숨소리를 듣고, 또, 입냄새·체취로써 진단하다. ¶～诊zhěn; ⇩ ⑨ 명 성(姓)의 하나.

〔闻不到〕 wénbudào ⇨〔闻不见〕

〔闻不见〕 wénbujiàn 코가 막히다. 냄새를 못 맡다. ¶～味儿; 냄새를 못 맡다 / 鼻子堵着了～; 코가 막혀 냄새를 못 맡다. =〔闻不到〕

〔闻达〕 wéndá 동 〈文〉 문달되다. 명성이 높아져서 등용되다. ¶不求～于诸侯; 제후에게 문달을 구하지 않다.

〔闻道〕 wéndào 동 〈文〉 도리를 듣다. 가르침을 청하다.

〔闻睹〕 wéndǔ 동 〈文〉 귀로 듣고 눈으로 보다.

〔闻风〕 wénfēng 동 소문〔풍문〕을 듣다. ¶～而起; 호응하다 / ～而至; 소문을 듣고 오다 / ～而动; 〈成〉 조그만 움직임에도 곧 반응하다 / ～丧胆; 〈成〉 풍문에 몹시 놀라다 / ～逃遁táodùn; 〈成〉 소문〔소식〕을 듣고 달아나다 / ～远扬yáng; 소문을 듣고 멀리 튀다.

〔闻过则喜〕 wén guò zé xǐ 〈成〉 남의 비판을 기꺼이 받아들이다.

〔闻鸡起舞〕 wén jī qǐ wǔ 〈成〉 뜻을 품을 자가 때에 응하여 분기하다《진(晉)의 조적(祖逖)과 유곤(劉琨)이 밤중에 닭 소리를 듣고, 뛰어 일어나 검무를 춘 고사에서 유래》.

〔闻见〕 wénjiàn 명 듣고 본 것. 견문. 동 들리고 보이다.

〔闻见〕 wénjian 동 냄새가 나다. 냄새를 맡다. ¶闻不见wénbujiàn; 냄새를 못 맡다 / 忽然～小手绢有一股香味儿; 홀연히 손수건에 뭔가 좋은 냄새가 난다고 느꼈다. 주 부정은 '没～'이며, 이 때는 'wénjiàn'으로 발음함.

〔闻雷失箸〕 wén léi shī zhù 〈成〉 깜짝 놀랐으나 다른 일을 들어 얼버무리다《유비(劉備)가 조조(曹操)의 영웅론을 듣고 젓가락을 떨어뜨렸는데, 그 때 마침 천둥이 쳤으므로 우레에 놀란 것으로 가장한 고사에서 유래》.

〔闻名〕 wénmíng 동 명성〔이름〕을 듣다. ¶～不如见面; (초면인 사람에게) 성함은 익히 들었습니다만, 이렇게 직접 뵙게 되니 반갑습니다. 형 유명하다. ¶～全国; 전국에 이름이 알려지다. =〔有名〕

〔闻人〕 wénrén 명 ①명사(名士). 유명인. 유행에 앞장 선 사람. ②복성(複姓)의 하나.

〔闻声相思〕 wén shēng xiāng sī 〈成〉 ①그 명성을 듣고 그 사람을 흠모하다. ②연상하다.

〔闻识〕 wénshí 명 〈文〉 들어서 알고 있는 것.

〔闻所未闻〕 wén suǒ wèi wén 〈成〉 지금껏 들어 보지 못한 것을 듣다. 새로운 것을 듣다.

〔闻听〕 wéntīng 동 〈文〉 듣다.

〔闻望〕 wénwàng 명 〈文〉 좋은 평판. 명망.

〔闻味儿〕 wén wèir 냄새를 맡다. ¶你闻闻味儿! 너, 냄새를 맡아 보아라!

〔闻问〕 wénwèn 명 〈文〉 소식. 기별. ¶不通～; 소식이 없다.

〔闻香〕 wénxiāng 동 향기를 맡다. ¶～队; 〈比〉 해방 초기에, 지주가 몰래 좋은 음식을 먹고 있는지 여부를 냄새 맡고 다닌 감시반.

〔闻香果〕 wénxiāngguǒ 명 《植》 돌배나무.

〔闻信〕 wénxìn 동 소식을 듣다. 기별을 듣다. =〔闻讯①〕

〔闻讯〕 wénxùn 동 ①소식을 듣다. ¶～赶来; 소식을 듣고 급히 달려오다. =〔闻信〕 ②물어 밝히다. 따져 묻다.

〔闻药〕 wényào 명 《漢醫》 냄새 맡는 약.

〔闻一知十〕 wén yī zhī shí 〈成〉 하나를 듣고 열을 알다.

〔闻诊〕 wénzhěn 명동 《漢醫》 문진(하다)《환자의 목소리·호흡 소리·기침 등을 듣거나, 입냄새·체취·대소변 등의 냄새를 맡고 병을 진단하는 일》.

〔闻知〕 wénzhī 동 〈文〉 문지하다. 듣다. 들어서 알다.

〔闻奏〕 wénzòu 동 〈文〉 천자에게 고하다. =〔奏闻〕

阌(閿) wén (문) 지명용 자(字). ¶～乡县; 원상 현(閿鄉縣)《허난 성(河南省)에 있었던 옛 현 이름》.

刎 wěn (문) 동 목을 베다. ¶自～; 스스로 목을 찔러 죽다.

〔刎颈〕 wěnjǐng 동 〈文〉 목을 베다. =〔刎首〕

〔刎颈(之)交〕 wěn jǐng (zhī) jiāo 〈成〉 생사를 같이할 정도의 친교.

〔刎首〕 wěnshǒu 동 ⇨〔刎颈〕

〔刎死〕 wěnsǐ 동 〈文〉 스스로 목을 베어 죽다.

吻〈脗〉 wěn (문) ① 명 입술. ② 명 말투. ③ 명 (동물의) 부리. 주둥이. ④ 동 입맞추다. ¶接jiē～; 입맞춤(하다). 키스(하다) / 在额上～了一下; 이마에 한 번 키스하다.

〔吻缝〕 wěnfèng 동 꼭 맞다.

〔吻合〕 wěnhé 동 〈文〉 서로 완전히 부합〔일치〕하다. ¶意见～; 의견이 완전히 합치되다.

〔吻兽〕 wěnshòu 명 《建》 궁전 따위의 용마루 끝에 장식으로 새겨 붙인 짐승상.

〔吻吮〕 wěnshǔn 명 〈文〉 입맞춤. 접문(接吻).

抆 wěn (문) 동 〈文〉 닦다. 훔치다. =〔揾③〕

〔抆泪〕 wěnlèi 동 눈물을 닦다〔훔치다〕《옛날, 근친의 사망 통지서에 비통한 정을 나타내어 쓴 말의 하나》.

紊 wěn〔舊 wèn〕 (문) 형 문란하다. 어지럽다. 혼란하다. ¶有条不～; 〈成〉 조리가 분명하고 조금도 흐트러짐이 없다.

〔紊乱〕 wěnluàn 형 어지럽다. 문란하다. ¶秩序～; 질서가 문란하다.

稳(穩) wěn (온) ① 형 안정되어 있다. 동요하지 않다. 견실하다. 안정되다. 확고하다. ¶站～; 굳게〔흔들림이 없이〕 서다 / 更～更快地做; 더욱 착실히 더욱 빠르게 하다 / 这个桌子

不～; 이 탁자는 삐뚝거린다. ②형〈比〉침착하다. 온건〔온화〕하다. 신중하다. ¶态度很～; 태도가 매우 온건〔침착〕하다/你的主意拿得很～; 당신의 사고 방식은 상당히 온당하다. ③형 틀림없다. 확실하다. ¶十拿九～; 십중팔구 확실하다/不过是乍zhà晴, 怕晴不～吧; 단지 잠시 맑아졌을 뿐이지, 확실히 맑지는 않을 것이다. ④동 그대로 놔 두다. 안착시키다. 진정시키다. ¶把人心～住; 인심을 가라앉히다/～了会子; 잠시 그대로 두다.

〔稳便〕 wěnbiàn 형 ①타당하다. 형편이 좋다. 온당하고 편리하다. =〔安稳方便〕 ②〈古白〉좋도록 하다. 마음대로 하다.

〔稳步〕 wěnbù 명 온건한 걸음. 점진적인 전진. ¶～前进; 〈成〉점진적으로 전진하다/～上升; 착실하게 상승하다.

〔稳操左券〕 wěn cāo zuǒ quàn〈成〉성공은 틀림없다고 느긋이 여유를 보이다. 승산이 있다.

〔稳碴儿〕 wěnchár 명 침착함.

〔稳产〕 wěnchǎn 명 안정 생산. ¶～高产; 안정다수확/绿肥作物种植比重较大的地区, 一向是我国农作物高产、～的地区; 녹비 작물을 심는 비중이 비교적 큰 지역은 줄곧 우리 나라에서는 농작물의 대량 생산 및 안정 생산 지역이었다.

〔稳吃三注〕 wěn chī sān zhù〈成〉악착같이 굴지 않고 유연한 생활을 하다. 힘 안 들이고 이득을 얻다.

〔稳打稳拿〕 wěn dǎ wěn ná〈成〉일을 착실 신중히 하다. 돌다리도 두드려 보고 건너다. 일을 한 걸음 한 걸음 착실히 진행시키다. ¶我赞成～, 量力而行; 나는 신중하게 역량을 잘 헤아려서 하는 것에 찬성한다.

〔稳当〕 wěndang 형 온당하다. 타당하다. =〔稳帖〕

〔稳钉〕 wěndīng 명 은혈못.

〔稳定〕 wěndìng 형 (국면·정황·정서 따위가) 안정되다. ¶物价～了; 물가가 안정되었다/情绪～; 기분이 안정되어 있다. 동 안정시키다. 가라앉히다. ¶～成长; 안정 성장/～物价; 물가를 안정시키다/～了情绪; 기분을 가라앉히다. 명형《化》안정(되어 있다). ¶～剂; 안정제.

〔稳(定)平衡〕 wěn(dìng) pínghéng 명《物》안정 평형.

〔稳固〕 wěngù 형 안정되어 있다. 튼튼하다. 든든하다. 착실하다. ¶基础～; 기초가 단단하다/政治情况～起来了; 정치 상황이 안정돼 가고 있다. 동 안정시키다. 굳히다. ¶～政权; 정권을 안정시키다.

〔稳健〕 wěnjiàn 형 ①믿음직하다. 차분하면서도 힘있다. ¶～的步子; 침착하며 묵직한 발걸음. ②온건하면서 침착하다.

〔稳军计〕 wěnjūnjì 명《軍》일시적으로 적을 방심하도록 만드는 계략. =〔稳中计〕

〔稳练〕 wěnliàn 형 (일하는 것이) 세심하고 익숙하다. 틀림없고 숙련되다. ¶他做事～; 그는 차분한 태도로 일을 하며 손익어 있다.

〔稳拿〕 wěnná 동 ①확실히 손에 들어오다. ②틀림없이 성공하다. ¶这回考试你一定～吧; 이번 시험에서 자네는 필시 확실하게 합격할 것이다.

〔稳婆〕 wěnpó 명 ①조산원(助産員). 산파. =〔接jiē生婆〕 ②〈北方〉옛날, 여자 검시인(檢屍人).

〔稳情〕 wěnqíng 부〈古白〉반드시. 꼭. ¶你～取功名科甲; 당신은 꼭 과거에 합격하실 겁니다.

〔稳如泰山〕 wěn rú Tài shān〈成〉태산처럼 안정되어 있다. =〔安如泰山〕

〔稳神(儿)〕 wěn·shén(r) 동 마음을 가라앉히다. ¶让他稳稳神, 养养劲儿! 그로 하여금 마음을 가라앉히고 힘을 기르도록 하시오!

〔稳实〕 wěnshí 형 ①온당 확실하다. 위험하지 않다. ②온건〔온화〕하고 착실하다.

〔稳睡〕 wěnshuì 동 안면(安眠)을 취하다. 편안히 잠을 자다.

〔稳帖〕 wěntiē 형 ⇨〔稳当〕

〔稳妥〕 wěntuǒ 형 온당〔타당〕하다. 확실하다. 안전하다. 위험한 데가 없다. ¶采取那样措施不～; 그러한 조치를 취하는 것은 온당치 못하다/一辈子的事, 是得～一点儿; 필생의 일이다, 위험하지 않도록 해야 한다.

〔稳稳当当(儿)〕 wěnwendāngdāng(r) 형 어렵지 않다. 손쉽다. ¶保管你～一百元到手; 필시 당신은 어렵지 않게 100원을 손에 넣을 겁니다.

〔稳稳(儿)地〕 wěnwěn(r) de 쉽게. 힘들이지 않고. 안전하게. ¶～人了腰包了; 손쉽게 내 것이 되었다.

〔稳下〕 wěnxià 동 ⇨〔稳住〕

〔稳性〕 wěnxìng 명 안정성. ¶新生的江亚轮的特点是全船有良好的～; 다시 태어난 강아호(江亞號)의 특징은, 배 전체가 양호한 안정성을 지니고 있다는 것이다.

〔稳堰堰〕 wěnyànyàn 형 당황치도 떠들지도 않다.

〔稳扎稳打〕 wěn zhā wěn dǎ〈成〉①착실히 뿌리를 내려 착실히 싸우다. ②일을 한 걸음 한 걸음 착실히 진행시키다. ¶他办这样大事, ～, 一步不乱; 그는 이런 큰 일을 착실히 진행시키고 있으며, 조금도 흐트러진 데가 없다. ‖ =〔稳做稳拿〕

〔稳中计〕 wěnzhōngjì 명 ⇨〔稳军计〕

〔稳重〕 wěnzhòng 형 (말·태도가) 중후하다. 드레지다. 침착하다. 관록이 있다. ¶年龄越大越～起来; 나이가 듦에 따라 중후해지다/为人～, 办事老练; 사람됨이 중후하고 일솜씨가 노련하다. =〔稳庄〕 ↔〔轻浮〕

〔稳住〕 wěnzhù 동 ①(발 밑·입장을) 단단히 굳히다. ¶～脚步; 발 밑이 흔들리지 않도록 하다. ②안정시키다. 진정시키다. ¶～, ～! 你还可以赶上去; 침착해라, 침착해. 아직 따라붙을 수 있다. ‖ =〔稳下〕

〔稳住架〕 wěnzhù jià 마음을 가라앉히다. 안정시키다. ¶～别慌, 看看情形再说; 진정하고 허둥대지 마라. 정세를 본 다음에 다시 논하자.

〔稳住劲〕 wěn(zhù) jìn (기분을) 억제하다. 가라앉히다. ¶要～呀, 不能打草惊蛇! 자중하셔야 합니다. 공연히 긁어 부스럼을 만들면 안 되지요!

〔稳庄〕 wěnzhuāng 형 ⇨〔稳重〕

〔稳准狠〕 wěn zhǔn hěn 자신 있게, 정확히, 철저히. ¶～地打击敌人; 자신 있게, 정확하게, 철저히 적을 쳐부수다.

〔稳坐〕 wěnzuò 동 조용히 앉다. 듬직하게 앉다. ¶～着吃; 가만히 앉아서 먹다.

〔稳坐钓鱼船〕 wěnzuò diàoyúchuán〈比〉①몸을 권외(圈外)에 두고, 외부 일에 냉담하다. ②어떠한 변동·변화에도 두려워하지 않다.

〔稳坐泰山〕 wěn zuò Tài shān 태산같이 앉아서 꿈쩍도 않다.

〔稳做稳拿〕 wěn zuò wěn ná〈成〉⇨〔稳扎zhā稳打〕

问(問) wèn (문)

①동 묻다. ㉠물어 보다. 질문하다. 허락을 얻다. ¶～问题; 질문하다/

答非所～; 묻지 않는 것을 대답하다. 엉뚱한 대답을 하다 / 有不明白的要～人; 모르는 게 있으면 남에게 물어야 한다 / 你～谁用的? 누구에게 묻고 쓰고 있는 것이냐? ㉡심문〔추궁〕하다. 책임을 묻다. 처벌하다. ¶胁从者不～; 협박을 받아 따른 자는 죄를 묻지 않는다 / ～口供; 심문하여 자백하게 하다 / 将来如有差错, 惟你是～; 장래에 잘못이 있으면 너의 책임이다 / 三推六～; 여러 모로 심문하다. ㉢위문하다. ¶～候; ⇩ / 存cún～; 위문하다. ② 통 판결을 내리다. ¶～成死罪; ⇩ ③ 통 관계〔간섭〕하다. 문제로 삼다. ¶不闻不～; 간섭〔간여〕치 않다 / 概不过～; 일체 간여〔상대〕하지 않다. ④ 개 …에게(서). ¶他～我要钱; 그는 내게 돈을 달라고 조른다. ⑤ 통 《漢醫》 (병의) 증세를 묻고 진단하다. =〔问诊〕 ⑥ 명 〈文〉 소식. 서신. ⑦ 통 시험해 보다. ¶这块石头可真不小, 等我～一～它; 이 돌은 상당히 크다. 잠깐 시험삼아 들어 올려 보자. ⑧ 명 성(姓)의 하나.

【问安】 wèn·ān 통 〈文〉 안부를 묻다. 문안을 드리다.

【问案】 wèn·àn 통 사건을 심문하여 조사하다.

【问板】 wènbǎn 명 (옛날, 용의자에게 자백을 강요할 때 사용하던) 고문 도구.

【问表】 wèn·biǎo 통 회중 시계를 보다.

【问病】 wèn·bìng 통 ①병상(病狀)을 묻다. 문병하다. ②진찰하다.

【问卜】 wènbǔ 통 (점쟁이에게) 점을 치다. ¶求神～; 신(神)에게 의지하거나 점을 치게 하다. =〔问卦〕

【问不出来】 wènbuchūlái 물어서 알아 내지 못하다. 조사가 안 되다. ¶这件事～; 이 사건은 조사가 안 된다.

【问不得】 wènbude 물을 것까지는 없다. 묻지 않아도 알고 있다. ¶他吃的亏很大的～; 그가 손실이 큰 것은 묻지 않아도 알고 있다.

【问不着】 wènbuzháo ①물어 알아 낼 수가 없다. ②관계를〔관련을〕 가질 수 없다.

【问长问短】 wèn cháng wèn duǎn 〈成〉 이것저것〔여러 가지로〕 묻다. ¶他们走到列车旁边, 用手摸摸, 用鼻子嗅嗅, ～; 그들은 열차 쪽으로 가서 손으로 더듬고, 코로 냄새를 맡으며, 이것저것 물었다.

【问成死罪】 wèn chéng sǐzuì 사형의 판결을 내리다.

【问出来】 wènchulai 물어서 알아 내다. 캐어서 알아 내다. ¶我已经～这个原因了; 나는 이미 이 원인을 물어서 알아 냈다.

【问搭】 wèndā 통 〈京〉 묻다. 알아보다.

【问答】 wèndá 명통 문답(하다). ¶～题; 기술식(記述式)〔문답식〕의 문제. 명 문제와 답안.

【问倒】 wèndǎo 통 ⇨〔问短〕

【问道】 wèndào 통 ①길을 묻다. ②진리를 찾다. ③묻다. 캐묻다.

【问道于盲】 wèn dào yú máng 〈成〉 소경에게 길을 묻다. 무식한 사람에게 무엇을 물어 보다. ¶我对于文学一窍儿不通, 这真是～了; 저는 문학에 관하여 아무것도 모릅니다. 이 질문은 완전히 소경에게 길을 묻는 것과 같습니다.

【问底细】 wèn dǐxì 자세한 것을 묻다. 내막을 묻다. =〔问细底〕

【问吊房】 wèndiàofáng 명 감옥 안의 교수형을 집행하는 방.

【问鼎】 wèndǐng 통 〈比〉 제위〔남의 지위〕를 노리다.

【问短】 wènduǎn 통 물어서 말이 막히게 하다. 다그쳐 묻다. ¶他被这句话～了; 그는 이 말에 대답이 궁해졌다 / 几句话把他～了; 두세 마디 말로 그를 대답이 궁하게 만들었다. =〔问倒〕〔问干〕〔问窘〕〔问穷〕〔问着zháo〕〔问住〕

【问对】 wènduì 명통 문답(하다).

【问干】 wèngān 통 ⇨〔问短〕

【问个底儿掉】 wènge dǐr diào 철저하게 추궁하다〔캐묻다〕. ¶我把他～; 나는 그를 철저하게 추궁했다.

【问根底】 wèn gēndǐ 근본을 묻다. 원인을 캐묻다. 연유를 묻다.

【问根问梢】 wèngēn wènshāo 〈比〉 꼼꼼히 따져 묻다.

【问剐】 wènguǎ 통 옛날, 과형(剮刑)에 처하다《사형에 처한 뒤에 살을 긁어 내는 형벌》.

【问卦】 wènguà 통 ⇨〔问卜bǔ〕

【问寒问暖】 wèn hán wèn nuǎn 〈成〉 남의 생활에 마음을 써서 관심을 갖고 이것저것 묻다.

【问好】 wèn·hǎo 통 안부를 묻다. ¶请向伯母～! 큰어머님께 안부 전해 주십시오! / 他托我问你好; 그가 안부 전해 달라고 하더군요 / 替我问他好; 그에게 안부 전해 주시오.

【问号】 wènhào 명 ①《言》 의문〔물음〕표《?》. ¶打～; 의문표를 찍다. =〔疑yí问号〕 ②의문. ¶今天晚上能不能赶到还是个～; 오늘 밤까지 따라붙을 수 있을지 어쩔지는 아직 의문이다.

【问候】 wènhòu 통 안부를 묻다. 문안드리다. ¶请代为～! 부디 안부 전해 주십시오! / 一回也没过来～老太太; 한 번도 할머니에게 문안을 드리러 오지 않았다. =〔问讯②〕〔道dào候〕〔望wàng候〕

【问话】 wènhuà 통 물어 보다. 명 묻는 말.

【问津】 wènjīn 통 〈文〉 ①나루터의 소재를 묻다. ②〈轉〉 학문의 길을 묻다. 학문의 문을 들어가다. ¶未尝～; 〈謙〉 아직 학문을 한 일이 없다. ③〈比〉 물어 밝히다. 관심을 갖다《값이나 정황을 묻는 것》. ¶此项货物, 无人～; 이 물건은 관심을 갖는 사람이 없다《아무도 손을 대려 하지 않다》 / 不敢～; 감히 물어 보지도 못하다.

【问荆】 wènjīng 명 《植》 쇠뜨기.

【问窘】 wènjiǒng 통 ⇨〔问短〕

【问柳寻花】 wèn liǔ xún huā 〈成〉 ①봄의 경치를 감상하다. ②화류항(花柳巷)에 놀다. ‖ =〔寻花问柳〕

【问路】 wènlù 통 길을 묻다.

【问毛】 wènmáo 통 ①물어서 약점을 드러내게 하다. ②물음을 받고 당황하다.

【问名】 wènmíng 명 문명《구식 결혼의 의례의 하나. 신랑 측에서 신부의 이름·생년월일을 묻는 절차》.

【问难】 wènnàn 통 논란(論難)하다《학술 연구에 관해서 말할 때가 많음》. ¶质疑～; 질의 논란하다.

【问牛知马】 wèn niú zhī mǎ 〈成〉 소값을 물어보고 말값을 추정하다《유추하여 실상을 알아 냄》.

【问暖叙寒】 wèn nuǎn xù hán 〈成〉 시후(時候)〔계절〕 인사를 하다.

【问聘】 wènpìn 통 청혼하다. ¶托人～; 사람을 넣어 청혼하다.

【问清】 wènqīng 통 분명히〔똑똑히〕 묻다. 물어서 분명히 하다. ¶来不及～, 就大声哭起来了; 분명히 물어 볼 틈도 없이, 큰 소리로 울기 시작했다.

【问穷】 wènqióng 통 ⇨〔问短〕

【问世】 wèn·shì 〈文〉 통 세간에 발표하다. 여론에 묻다. (wènshì) 명 저작을 출판함.

〔问事处〕 wènshìchù 명 안내소. 접수처.
〔问俗〕 wènsú 동 풍속을 묻다. ¶入国～ =〔入乡～〕; 〈成〉 그 나라에 들어가서는 그 풍속을 묻다. 입향 순속(入鄕循俗)하다.
〔问题〕 wèntí 명 ①(연구·토론을 필요로 하는) 문제. ¶思想～; 사상 문제 / ～的关键; 문제의 핵심. ②(해결을 요하는) 문제. ¶～成堆; 문제가 산적되어 있다. ③의외의 일〔사건〕. 사고. 고장. 말썽. ¶机器出了～了; 기계가 고장났다 / 他又出了什么～了; 그는 또 뭔가 문제를 일으켰다. ④(시험의) 문제. ¶这次考试一共有五个～; 이번 시험은 모두 다섯 문제다. =〔试shì题〕
〔问题剧〕 wèntíjù 명 《劇》 문제극. 현실의 사회 문제를 내용으로 하는 극.
〔问细底〕 wèn xìdǐ ⇒〔问底细〕
〔问仙〕 wènxiān 동 무당에게 집안 사람 중 죽은 사람의 저승 형편을 묻다.
〔问心〕 wèn,xīn 동 ①손을 가슴에 대고 왼발을 뒤로 빼면서 굽히는 자세로 예를 하다. ②마음〔양심〕에 묻다. ¶～无愧kuì; 〈成〉 마음에 물어 부끄러운 바가 없다.
〔问询〕 wènxún 동 ①소식을 묻다. 안부를 묻다. ¶他和你是田邻, 你也该过去～一声才是; 그와는 밭을 이웃하고 있는 사이이므로, 당신도 가서 안부를 물어 보는 게 좋을 것 같다. ②인사하다. ¶立起身来向前～; 일어서서 앞으로 나아가 인사하다. ③《佛》 합장하고 인사하다. ¶打～; 합장하고 인사하다.
〔问讯〕 wènxùn 동 ①묻다. 물어서 알아 보다. ¶～台 =〔～处〕; 문의처. 안내소. ②⇒〔问候〕 ③《佛》 중이 합장하고 절을 하다. =〔打问讯〕
〔问业〕 wènyè 동 〈文〉 스승 밑에서 학문을 배우다.
〔问医〕 wènyī 동 〈文〉 의사의 진찰을 받다. ¶～抓药; 의사의 진찰을 받고 약을 타다.
〔问斩〕 wènzhǎn 동 참형(斬刑)에 처하다.
〔问着〕 wènzháo 동 ⇒〔问短〕
〔问这问那〕 wènzhè wènnà 이것저것 묻다. ¶他只顾～; 그는 한결같이 이것저것 묻는다.
〔问诊〕 wènzhěn 동 ①《醫》 문진하다. ②진찰을 받다.
〔问住〕 wènzhù 동 ⇒〔问短〕
〔问罪〕 wèn,zuì 동 ①죄를 묻다. 판결하다. ¶兴师～; 군사를 내어 토벌하다. ②〈文〉 죄상을 들어 토의하다.

汶 **Wèn** (문)
명 《地》 원수이(汶水)(산둥 성(山東省)에 있는 강 이름). =〔汶河〕〔大汶河〕

揾 **wèn** (온)
동 〈文〉 ①손가락으로 누르다. ¶～电铃; 벨을 누르다 / ～风琴; 풍금을 치다. ②담그다. 물들이다. ③닦다. 문지르다. ¶淹yān不断眼中泪, ～不退脸上啼痕; 눈에서는 눈물이 넘치고, 얼굴의 눈물 흔적은 닦아도 없어지지 않는다. =〔抆wěn〕 ④〈方〉 찾다.
〔揾倒〕 wèndǎo 동 ⇒〔揾躺下〕
〔揾抐〕 wènnà 동 누르다. 막다. 억제하다. ¶谁也～不住他的火气; 아무도 그의 노여움을 눌러 가라앉힐 수 없다.
〔揾染〕 wènrǎn 동 물들이다. 착색하다.
〔揾躺下〕 wèntǎngxià 동 내리눌러 넘어뜨리다. ¶还没使劲儿就把给～了; 아직 힘을 쓰기도 전에 그를 넘어뜨렸다. =〔揾倒〕
〔揾下葫芦瓢起来〕 wènxia húlu piáo qǐlai 〈諺〉 (물에 엎어 놓은) 표주박을 눌렀더니 바가지가 떠오르다(산 넘어 산이다. 갈수록 태산이다). ¶一波未平, 又生一波, 事情实在难办, 真是～; 계속해서 어려운 문제가 속출하니, 그야말로 갈수록 태산이다. =〔摁èn下葫芦, 浮起来个瓢〕
〔揾着矮子揪帽子〕 wènzhe ǎizi jiū màozi 〈諺〉 키 작은 사람을 잡아 눌러 모자를 빼앗다(약한 자를 괴롭히다). ¶他就喜欢干那种～的事, 才不要脸呢! 저놈은 약한 자를 괴롭히는 것을 좋아하니, 정말 뻔뻔스런 놈이다.
〔揾住〕 wènzhù 동 억누르다. 내리누르다. ¶～了性子慢慢地讲; 감정을 억누르고 천천히 이야기하다.

璺〈纹〉 **wèn** (문)
①(～子) 명 (그릇 등에 간) 금. ¶瓶上有一道～; 병에 한 줄기 금이 가 있다. ② 동 금이 가다. 〈比〉 끝까지 캐묻다. ¶～到底; 철저하게 캐내다. ⇒'纹' wén

WENG ㄨㄥ

翁 **wēng** (옹)
명 〈文〉 ①노인. ¶渔yú～; 고기 잡는 노인 / 老～; 노옹. 늙은 남자. ②아버지. ¶乃nǎi～; 당신의 아버지. ③시아버지나 장인. ¶姑gū; 시부모 / ～婿; 옹서. 장인과 사위. ④〈轉〉 남자에 대한 존칭. ¶主人～; 주인공 / 李Lǐ～; 이옹. 이선생님. ⑤성(姓)의 하나.
〔翁媪〕 wēng'ǎo 명 〈文〉 노옹(老翁)과 노파.
〔翁姑〕 wēnggū 명 〈文〉 시부모. =〔翁婆〕
〔翁那尔〕 wēngnà'ěr 명 〈音〉 오너(honor). =〔荣誉〕〔名誉〕
〔翁婆〕 wēngpó 명 ⇒〔翁姑〕
〔翁司〕 wēngsī 명 《度》 〈音〉 온스(ounce). =〔盎àng司〕
〔翁婿〕 wēngxù 명 장인과 사위.
〔翁仲〕 wēngzhòng 명 동상(銅像) 또는 석조상(石彫像)(후에는 왕의 무덤 앞 석물을 가리킴).

滃 **Wēng** (옹)
명 《地》 웡강 강(滃江)(광둥 성(廣東省)에 있는 강 이름). ⇒wěng

嗡 **wēng** (옹)
①〈擬〉 웅웅. 붕붕(비행기·곤충 등이 나는 소리). ¶飞机～～响; (프로펠라) 비행기가 붕 소리를 내다 / 蜜蜂～～地飞; 꿀벌이 윙윙 날다. ② 동 소리를 지르며 떠들어 대다. 시끄럽게 말하다. ¶你们别～～这件事了; 자네들은 일을 시끄럽게 떠들어 대지 말게.

鹟(鶲) **wēng** (옹)
명 《鳥》 (솔)딱새. ¶鸟wū～; 쇠솔딱새.

鳋(鰯) **wēng** (옹)
명 《魚》 얼럭실용치. 옹어(연안에 서식하는 바닷물고기의 하나. 농어 아목(亞目)으로 몸은 측편하고, 입이 작음).

鞥 **wēng** (옹)
명 〈方〉 장화의 허리 부분. =〔靴鞥(儿)〕
〔鞥靴〕 wēngxuē 명 〈方〉 솜이 든 방한용 장화.

滃 **wěng** (옹)
형 〈文〉 ①물이 많이 흐르는 모양. ②구름이 뭉게뭉게 피어 오르는 모양. ⇒Wēng

塕 wěng (옹)
〈方〉① 형 티끌이〔먼지가〕 떠오르는 모양. ② 명 티끌. 먼지.

蓊 wěng (옹)
〈文〉① 형 초목이 울창한 모양. ②→〔蓊台〕

〔蓊菜〕 wěngcài 명 ⇨〔蕹wèng菜〕
〔蓊荟〕 wěnghuì 형 ⇨〔蓊葳〕
〔蓊台〕 wěngtái 명 꽃덮이에 잔잎이 종생한 것.
〔蓊葳〕 wěngwēi 형 〈文〉 초목이 무성한 모양. =〔蓊荟〕〔蓊蔚〕〔蓊郁〕
〔蓊蔚〕 wěngwèi 형 ⇨〔蓊葳〕
〔蓊郁〕 wěngyù 형 ⇨〔蓊葳〕

瓮〈甕, 罋①〉 wèng (옹)
①(~子) 명 항아리. 독. ¶水~; 물독/酒~; 술독/菜~; 김칫독. ②→〔瓮阔〕 ③ 명 성(姓)의 하나.

〔瓮鼻〕 wèngbí 명동 ⇨〔齆鼻儿〕
〔瓮菜〕 wèngcài 명 ⇨〔蕹菜〕
〔瓮城〕 wèngchéng 명 성문의 밖을 둘러싸고 있는 작은 성곽(방어용).
〔瓮底捉鳖〕 wèng dǐ zhuō biē 〈成〉 독 안의 자라를 잡다. 낭중 취물(囊中取物)(힘도 안 들이고 목적을 이룸). =〔瓮中捉鳖〕
〔瓮洞儿〕 wèngdòngr 명 〈俗〉 성(城)의 출입구.
〔瓮缸〕 wènggāng 명 큰 항아리.
〔瓮鸡〕 wèngjī 명 《蟲》 초파리.
〔瓮精〕 wèngjīng 명 〈比〉 술고래. 술독.
〔瓮阔〕 wèngkuò 형 극히 사치스럽다.
〔瓮里醯鸡〕 wèng lǐ xī jī 명 〈成〉 독 속의 투구벌레(세상 물정을 모르고 경험이 없음).
〔瓮门〕 wèngmén 명 ①옹성. 곱은성. ②(Wèngmén) 《地》 후베이 성(湖北省) 뤄톈 현(羅田縣)의 동북에 있는 진(鎭)의 이름.
〔瓮染草绿〕 wèngrǎn cǎolü 명 《色》 건염 녹색. 배트 올리브(vat olive).
〔瓮染大红〕 wèngrǎn dàhóng 명 《色》 건염 대홍색(建染大紅色).
〔瓮染橘黄〕 wèngrǎn júhuáng 명 《色》 건염 귤색. 배트 오렌지(vat orange).
〔瓮染染料〕 wèngrǎn rǎnliào 명 《染》 건염(建染) 물감. 배트(vat) 물감.
〔瓮染艳桃红〕 wèngrǎn yàntáohóng 명 《色》 배트 브릴리언트 핑크(vat brilliant pink).
〔瓮声瓮气〕 wèng shēng wèng qì 〈成〉 속에서 울리는 것 같은 굵고 낮은 목소리의 형용(독 속에 머리를 처박고 내는 것과 같은 말소리). ¶这个人说话~; 이 사람의 목소리는 굵고 거칠다.
〔瓮天〕 wèngtiān 명 〈比〉 좁은 견식. 우물 안 개구리와 같은 좁은 생각.
〔瓮牖〕 wèngyǒu 명 깨진 독의 주둥이를 끼워서 만든 창(窓). 〈比〉 가난한 집. ¶蓬péng户~; 매우 가난한 집.
〔瓮牖绳枢〕 wèng yǒu shéng shū 〈成〉 깨진 독의 주둥이로 만든 창과 새끼로 엮은 지도리(매우 가난한 모양).
〔瓮中之鳖〕 wèng zhōng zhī biē 〈成〉 독 안의 자라. 독 안에 든 쥐(달아날 수 없게 된 사람이나 동물).
〔瓮中捉鳖〕 wèng zhōng zhuō biē 〈成〉 독 안의 자라를 잡다(붙잡을 상대는 이미 손 안에 있어, 매우 자신이 있는 일). ¶~, 手到拿来; 독 안의 자라를 잡다. =〔瓮底捉鳖〕

蕹 wèng (옹)
→〔蕹菜〕

〔蕹菜〕 wèngcài 명 《植》 옹채(메꽃과의 1년초). =〔〈俗〉空kōng心菜〕〔蓊菜〕

齆 wèng (옹)
① 동 《漢醫》 코가 메다〔막히다〕. 코가 메어 발음이 똑똑지 않다. ¶他说话~声~气的; 그는 코맹맹이 소리를 한다. ② 명 코가 막힌 사람. 코맹맹이.

〔齆鼻儿〕 wèngbír 동 코가 막혀 발음이 똑똑지 않다. 명 코가 멘 사람. 코맹맹이. ‖ =〔瓮鼻〕

WO ㄨㄛ

挝(撾) Wō (과)
→〔老Lǎo挝〕 ⇒zhuā

倭 Wō (왜)
명 《史》 왜(옛날, 일본의 명칭).

〔倭刀〕 wōdāo 명 일본도(日本刀).
〔倭瓜〕 wōguā 명 〈北方〉 호박. =〔南nán瓜〕
〔倭瓜脑袋〕 wōguā nǎodai 〈方〉 ①납작하고 보기 흉한 머리. ②회전이 느린 머리. ¶真是~净是坎儿, 刚这么着行了, 那么着又不行了; 정말 돌대가리야, 이런 저런 딴 궁리로 생각이 확고하지 못해.
〔倭寇〕 Wōkòu 명 《史》 왜구.
〔倭兰〕 wōlán 명 《動》 〈音〉 오랑우탄(orangutan).
〔倭麻利斯〕 wōmálìsī 명 《植》 〈音〉 아마릴리스(amaryllis). =〔孤挺花〕〔宫人草〕〔赛番红花〕
〔倭囊〕 wōnáng 형 ⇨〔窝囊①〕
〔倭奴〕 wōnú 명 《史》 왜놈. 왜노. ¶~国; 왜놈나라. 왜국.
〔倭漆〕 wōqī 명 《史》 명(明)나라 때, 일본에서 전래된 칠기 공예 기법.
〔倭铅〕 wōqiān 명 '锌'(아연)의 고칭(古稱). =〔锌〕

踒 wō (와)
동 접질리다. 삐다. ¶我的脚~了; 나는 발을 삐었다/手~了; 손을 삐었다.

涡(渦) wō (와)
① 명동 소용돌이(치다). ¶水~ =〔漩xuán~〕; (물의) 소용돌이/卷入旋~; 소용돌이에 휩쓸려들다. ② 명 볼우물. ¶笑xiào~(儿) =〔酒jiǔ~(儿)〕; 보조개. ⇒Guō

〔涡虫〕 wōchóng 명 《蟲》 물매암이.
〔涡券卡盘〕 wōjuǎn qiǎpán 명 《機》 스크롤 척(scroll chuck).
〔涡流〕 wōliú 명 ①《物》 맴돌이. ②소용돌이. ③《電》 맴돌이 전류.
〔涡轮〕 wōlún 명 《機》 터빈(turbine). ¶汽~; 증기 터빈/水力~; 수력 터빈/~式增压器; 터빈식 증압기. =〔〈音〉透tòu平〕
〔涡轮发电机〕 wōlún fādiànjī 명 《電》 터빈 발전기.
〔涡轮螺旋桨〕 wōlún luóxuánjiǎng 명 《機》 터보프롭(turboprop). ¶~式飞机; 터보프롭 엔진 항공기.

〔涡轮压气机〕 wōlún yāqìjī 명 《機》 터보 압축기.
〔涡轮油〕 wōlúnyóu 명 터빈유(turbine 油).
〔涡盘〕 wōpán 명 ⇨〔涡旋〕
〔涡旋〕 wōxuán 명 《物》 (수류(水流)의) 소용돌이. ¶～层; 권운층(卷雲層). =〔涡盘pán〕

莴(萵) **wō** (와) →〔莴菜〕〔莴苣〕

〔莴菜〕 wōcài 명 ⇨〔莴苣〕
〔莴苣〕 wōjù 명 《植》 ①상추. =〔莴笋sǔn〕 ②레티스(lettuce). 양상추. ¶结jié球～; 결구 양상추. ‖ =〔莴菜〕

窝(窩) **wō** (와) ①(～儿, ～子) 명 (새·짐승·벌레 따위의) 집. 보금자리. ¶鸟niǎo～; 새집 / 蜂fēng～; 벌집 / 蚂mǎ蚁～; 개미굴 / 狗gǒu～; 개집. ②명 〈比〉 집. 거처. 소굴. ¶贼～; 도둑의 소굴 / 一～人口; 한 집의 식구수. ③(～儿, ～子) 명 〈方〉〈比〉 (사람·물건이 차지하는) 자리. 곳. ¶他躺在～儿; 그는 잠자리에 누워 있다 / 他不动～儿; 그는 자리를 옮기려고 하지 않는다 / 这炉子真碍事, 给它挪nuó个～儿; 이 난로는 거치적거린다, 자리를 옮기자. ④(～儿, ～子) 명 움푹 팬 곳. 우묵한 곳. ¶酒～儿; 보조개 / 夹gā肢～儿; 겨드랑이 / 心口～儿; 명치. ⑤양 배(동물이 새끼를 낳거나 알을 부화하는 횟수를 말함). ¶一～下了五只猪; 한 배에 5마리의 돼지를 낳았다. ⑥동 (범인 또는 장물을) 숨기다. 은닉하다. ¶～赃; 장물을 은닉하다 / 山里～着一帮儿土匪; 산 속에 일단의 비적이 숨어 있다. ⑦동 구부리다. ¶把软枝儿～过去; 부드러운 가지를 힘껏 휘다 / 把铁线～个圆圈; 철사를 구부려 둥글게 하다 / 杂技员把腰～得很弯; 곡예사가 허리를 활처럼 굽혔다. ⑧동 〈京〉 좌절되다. ¶～回去; 실패하고 돌아가다. ⑨동 막히거나 밀리어 움직이지 않게 되다. 참고 발산시키지 않다. ¶～着大批物资; 대량의 물자를 썩이고 있다 / ～着一肚子火; 속에 가득 찬 울분을 꾹 눌러 참다 / ～住了一辆车; 차가 (진흙탕에 빠져서) 움직이지 못하게 됐다.

〔窝摆〕 wōbǎi 형 신통치 않다.
〔窝伴〕 wōbàn 동 (사람을) 달래다. 위무(慰撫)하다.
〔窝憋憋(的)〕 wōbiēbiē(de) 형 기분이 울적한 모양. 답답한 모양.
〔窝憋〕 wōbie 형 〈京〉 ①(장소가 비좁아) 답답〔갑갑〕하다. ¶这间屋子显着～; 이 방은 무척 갑갑하다. ②〈京〉 기분이 우울하다. 기분이 언짢다. ¶这件事叫我好～, 说不出来道不出来; 이 일은 가슴이 미어지는 것 같지만, 이야기할 수도 없고 말할 수도 없다. ③반짝 띄지 않다. 보기 흉하다. 빠지다. 몰골스럽다.
〔窝脖儿〕 wōbór 〈京〉 명 짐꾼. (wō,bór) 동 창피를 당하다. 거절당하여 체면을 잃다. 무안을 당하다. ¶这件事可真让我来了个大～; 이 일로 크게 무안을 당했다. =〔窝脖子〕
〔窝脖子〕 wōbózi 동 ⇨〔窝脖儿〕
〔窝藏〕 wōcáng 동 (범인·금제품·장물 따위를) 숨기다. 감춰 두다. 은닉하다. ¶～不报; 숨겨두고 신고치 않다 / ～间谍; 간첩을 숨기다. =〔窝留〕
〔窝娼〕 wōchāng 동 옛날, 사창(私娼)을 두다. ¶～聚赌; 사창을 숨겨 두고 노름꾼을 모으다.
〔窝巢〕 wōcháo 명 ①둥우리. ②은신처. 소굴.
〔窝雏〕 wōchú 명 ①새 새끼. 병아리. ②〈比〉 풋내기. 햇병아리.
〔窝存〕 wōcún 동 장물을 숨겨 두다〔은닉하다〕. =〔窝赃〕
〔窝刀〕 wōdāo 명 상등품의 검은 여우 가죽.
〔窝盗〕 wō,dào 동 도둑을 숨기다.
〔窝斗眼〕 wōdòuyǎn 명 옴팡눈. =〔窝孔眼〕
〔窝赌〕 wōdǔ 동 노름꾼을 유숙시키다.
〔窝顿〕 wōdùn 동 ①기숙(寄宿)하다. 임시로 거처하다. ②살게 하다. 집을 세내어 주다.
〔窝匪〕 wō,fěi 동 비적을 은닉하다. 죄인을 숨기다.
〔窝忿〕 wōfèn 동 (집안끼리) 서로 증상하다.
〔窝风〕 wōfēng 형 통풍이 나쁘다. 바람이 빠질 수 없다. ¶这个院子很～; 이 정원은 통풍이 아주 좋지 않다.
〔窝工〕 wō,gōng 동 ①(자재 준비나 인원 배분이 적절치 않아서) 일이 정체되다. 일손을 놀리다. ¶那得窝多少工, 误多少时间? 그렇게 하면 얼마나 일이 더디고, 시간은 얼마나 손해를 보는가? / 因为厂里原料接不上, 工人们只好～了; 공장에서 원료 공급이 이어지지 않아 일꾼들은 할 수 없이 손을 놓고 기다리고 있다. ②일을 게을리하다. 태업하다.
〔窝弓〕 wōgōng 명 사냥용으로 설치한 일종의 덫〔활〕. ¶下～; 덫〔활〕을 놓다.
〔窝瓜〕 wōguā〔wōgua〕 명 《植》〈文〉 호박. =〔南nán瓜〕〔倭瓜〕
〔窝过来〕 wōguòlái 안쪽〔자기쪽〕으로 구부리다.
〔窝孩子〕 wō háizi 아기를 잠자리에 뉘다〔재우다〕.
〔窝狐〕 wōhú 명 《動》 담비.
〔窝回去〕 wōhuiqu 좌절하여 물러가다. 좌절하여〔꺾이어〕 물러가게 하다. ¶敌人三次冲都被～了; 적은 세 차례나 돌격했으나 모두 좌절하여 물러갔다.
〔窝火〕 wōhuǒ 명 마음 속의 분노. 내심의 불평불만. 울화. (wō,huǒ) 동 〈北方〉 마음 속으로 분노하다. 분노〔울화〕가 쌓이다. 분노를 억누르다. ¶生产队长心里窝着一肚子火, 要去找政府解决; 생산 대장은 속으로 화가 치밀어 정부에 해결을 부탁해야겠다고 생각했다.
〔窝集〕 wōjí 명 〈方〉 (우거진 숲·진창 등으로 인해 통행이 어려운) 삼림(森林) 지역.
〔窝家〕 wōjiā 명 범인을 숨기거나, 금제품·장물 따위를 은닉하는 사람·집.
〔窝践死〕 wōjiànsǐ 동 모멸(侮蔑)을 받아 죽다. 학대를 받아 죽다.
〔窝脚〕 wō,jiǎo 동 발을 움켜잡다〔잡아채다〕.
〔窝距〕 wōjù 명 《農》 파종 구멍 간의 거리.
〔窝聚〕 wōjù 동 깃들이다. ¶～在他们心头的忧烦和闷气, 都被驱散了; 그들의 마음 속에 자리잡아 떠나지 않던 걱정과 고민이 싹 가셔 버렸다.
〔窝坎〕 wōkǎn 명 몸을 겨우 의지할 만한 장소. 비를 겨우 피할 만한 장소. ¶有了～住处; 몸둘 만한 거처가 생겼다.
〔窝孔眼〕 wōkǒngyǎn 명 옴팡눈. =〔窝斗眼〕〔窝眍眼(儿)〕〔眍瞜kōulōu眼儿〕
〔窝眍眼(儿)〕 wōkōuyǎn(r) 명 ⇨〔窝孔眼〕
〔窝里炮〕 wōlipào 〈比〉 집안 싸움을 하다. 내부 분쟁을 벌이다. ¶两个人～, 先吵的合府都知道了《紅樓夢》; 두 사람의 집안 싸움에서, 먼저 싸움을 건 사람을 온 집안 사람이 모두 알고 있다.
〔窝里窝囊〕 wōli wōnáng 형 〈京〉 칠칠치 못한 모양. 주뼛거리고 있는 모양. 무기력한 모양. 구질구질한 모양.

〔窝留〕 wōliú 동 (범인·장물을) 감추다. 숨겨 두다. ¶～赃物; 장물을 은닉하다. =〔窝藏〕
〔窝炉管〕 wōlúguǎn 명 《機》 보일러관(管).
〔窝洛〕 wōluo 명 ①온돌. ②〈方〉 무덤. 묘(墓).
〔窝囊〕 wōnang 형 〈北方〉 ①(억눌려) 분하다. 울컥거리는 기분이 되다. ¶想起今年春天, 真够～的; 올봄의 일을 생각하면, 정말이지 속이 울컥거린다 / 咱不能受一辈子～; 나는 한평생 이대로 참을 순 없다. =〔倭囊〕 ②무능하다. 겁이 많다. 변변치 못하다.
〔窝囊洞儿〕 wōnangdòngr 명 소규모로 몰래 하는 옛날의 아편굴이나 도박장 등의 장소. =〔窝窝洞儿〕
〔窝囊废〕 wōnangfèi 명 〈京〉〈貶〉 등신. 변변치 못한 녀석. =〔窝囊费〕〔窝囊肺〕
〔窝囊气〕 wōnangqì 명 울분. 울화. ¶忍不下这个～; 이 울분을 참을 수 없다.
〔窝囊钱〕 wōnangqián 명 헛돈. 보람 없이 쓰는 돈. 억울한 돈. ¶我不能赔这份～; 이런 바보 같은 돈은 낼 수 없다.
〔窝脓〕 wōnóng 동 〈方〉 상처가 곪아서 몹시 아프다〔쑤시다〕.
〔窝盘〕 wōpán 동 대접하여 위안하다. 달래다. ¶招呼到后面～他, 叫他不要生气; 뒤쪽으로 그를 불러 달래어 화내지 않도록 했다.
〔窝棚〕 wōpeng 명 판잣집. 움막. 가건물. ¶搭～; 움막〔판잣집〕을 치다〔짓다〕. =〔窝铺①〕
〔窝铺〕 wōpù 명 ①⇨〔窝棚〕 ②〈文〉 성루(城樓) 위에 만든 망루(望樓).
〔窝囚〕 wōqiú 동 ①우울한 생각을 하다. 답답한 느낌이 들다. ②역경에서 헤어나지 못하다. 쪼들리다. 억눌리다.
〔窝儿〕 wōr 명 ①서 있는 장소. 앉아 있는 장소. ¶动～; 장소를 이동하다. ②움푹 팬 곳. 우묵한 곳.
〔窝儿忿〕 wōrfèn 명 ①마음 속의 분노〔울화〕. ②가정 불화.
〔窝儿老〕 wōrlǎo 명 〈北方〉 ①암띤〔내향적인〕 사람. 햇대밑 사내. ②안방 샌님. 세상 물정을 모르는 사람. 꽁생원. ¶这孩子～, 见了生人就说不出话来; 이 아이는 안방 샌님이라 낯선 사람을 보면 말도 못 한다. ③시골뜨기.
〔窝儿里反〕 wōrli fǎn (사소하게) 집안 싸움을 하다. 내분으로 패가 갈라지다. ¶自家人不要～; 집안 싸움은 그만둬라.
〔窝逃〕 wōtáo 동 도망자를 숨기다.
〔窝挑〕 wōtiāo 동 시사하다. 꼬드기다. 교사하다.
〔窝停主人〕 wōtíng zhǔrén 명 ⇨〔窝主〕
〔窝头〕 wōtóu 명 옥수수 가루나 수수 가루 따위를 반죽해서 원뿔꼴로 찐 것. =〔窝窝①〕〔窝窝头〕〔黄金塔①〕
〔窝头脑袋〕 wōtóu nǎodai 더럽고 인색한 성품. 쩨쩨한 성품.
〔窝囤〕 wōtún 동 (물건을) 은닉 저장하다.
〔窝窝〕 wōwo 명 ①=〔窝头〕 ②우묵 들어간〔팬〕 곳. ③은신처. 사는 집. 거처. ¶金窝银窝比不上家乡的穷～; 〈諺〉 금은으로 지은 궁전도 고향의 오두막보다 나은 것이 없다. ④솜으로 만든 방한화(防寒靴). 형 유감스럽다. 어처구니없다. 분하다. ¶那么做～了; 그건 아쉬운 일이다 / 死的～; 개죽음.
〔窝窝瘪瘪〕 wōwobiěbiě 형 주뼛주뼛하다. ¶～的老头儿; 주뼛거리는 노인 / 怎么这小孩儿老是～的没点大气样儿; 이 아이는 왜 언제나 주뼛거리기만 하고 기백이 조금도 없느냐.
〔窝窝洞儿〕 wōwodòngr 명 ⇨〔窝囊洞儿〕
〔窝窝囊囊〕 wōwonángnáng 형 〈北方〉 ①패기가 없다. 칠칠치 못하다. 기개가 없다. ②불행〔불우〕하다. ¶一辈子～没过着一天好日子; 평생 불우해서 하루도 좋은 날이 없었다.
〔窝窝儿〕 wōwor 명 (남을 빠뜨리는) 덫. 함정. ¶捏～; 덫에 걸리게 하다. 함정에 빠뜨리다.
〔窝窝头〕 wōwotóu ⇨〔窝头〕
〔窝销〕 wōxiāo 동 범인을 숨겨 주고 장물을 팔다.
〔窝心〕 wōxīn 형 〈方〉 ①(마음 속이) 평온치 않다. 불만을 풀 길이 없다. 울분이 쌓이다. 억울하다. ¶没考上真～; 낙방으로 분한 마음 달랠 길 없다 / 连媳妇儿都没娶就这么死了, 真～; 마누라도 얻지 못하고 이렇게 죽어 버린다면 참으로 억울하다. ②〈南方〉 기분이 좋다. 속으로 기쁘다. ¶奉承得真叫人～; 비위 맞추는 소리를 듣고 아주 기분이 좋아졌다.
〔窝心脚〕 wōxīnjiǎo 명 명치 언저리를 발로 차는 것. ¶踢了一～; 명치를 발길로 차다 / 不是我拦着, ～把你的肠子还窝出来呢; 내가 말리지 않았다면, 다리로 명치를 걷어차서 배에 구멍이 뚫릴 뻔했다.
〔窝心骂〕 wōxīnmà 명 애꿎은 욕. 억울한 욕. ¶挨了一肚子～; 애꿎은 욕을 잔뜩 먹었다.
〔窝心气〕 wōxīnqì 명 (내색할 수 없는) 분함. 분노. 풀 길 없는 불만.
〔窝檐铁〕 wōyántiě 명 아연판.
〔窝腰〕 wōyāo 명 무술(武術)의 기본 수련의 일종 《힘을 주어 허리를 앞뒤로 구부려 근육을 튼튼하게 하는 일》.
〔窝赃〕 wō,zāng 동 ⇨〔窝存〕
〔窝贼〕 wō,zéi 동 도적을 숨기다.
〔窝着喝〕 wōzhehē 동 〈京〉 다른 사람에게 말하지 않고 저 혼자서 몰래 하다. 몰래 숨어서 하다《대부분 비난의 뜻으로 씀》. ¶有事言语一声儿, 我们大伙儿帮忙, 别～地办; 일이 있거든 말해라. 모두 다 거들 테니까, 혼자서 우물우물하지 말고 / 我的车, 他一声不言语～就给骑走了; 그는 아무 말도 하지 않고 내 자전거를 몰래 타고 가 버렸다.
〔窝主〕 wōzhǔ 명 범인을 숨겨 두는 사람. 금제품(禁制品)이나 장물을 숨겨 두고 있는 사람. =〔窝停主人〕
〔窝子〕 wōzi 명 ①움푹 팬 곳. 우묵한 곳. ②집단 장소. 소굴. ¶拉车的有准～; 차부에게는 정해진 대기 장소가 있다. ③집. ¶～病; ⓐ온 집안이 앓는 병. ⓑ돌림병. ④거지의 세력 구역.
〔窝子狗〕 wōzigǒu 명 한 배에서 난 강아지. ¶这三条都是～; 이 세 마리는 모두 한 배에서 태어난 강아지다.
〔窝作死〕 wōzuòsǐ 동 불쌍하게 죽다. 실의(失意)에 빠져 죽다.

蜗(蝸) wō (와)
명 《蟲》 달팽이. =〔蜗牛儿〕〔〈俗〉水牛儿〕

〔蜗杆〕 wōgǎn 명 《機》 나사(螺絲).
〔蜗杆轴〕 wōgǎnzhóu 명 《機》 웜축(worm 軸).
〔蜗角〕 wōjiǎo 명 ①달팽이의 뿔. ②〈比〉 미세한 것. 극히 작은 것.
〔蜗居〕 wōjū 명 〈文〉〈謙〉 누옥(陋屋)《자기 집을 일컬음》. =〔蜗庐②〕〔蜗舍〕〔蜗屋〕
〔蜗庐〕 wōlú 명 ①원형의 초가집. ②⇨〔蜗居〕
〔蜗轮〕 wōlún 명 《機》 웜 기어(worm gear). ¶～机; 터빈(turbine) / 蒸气～; 증기 터빈 / ～联

动; 웜 기어(worm gear) 장치 / ～用油槽; 웜용(worm用) 오일 탱크 / ～轴; 웜 휠축(worm wheel軸). =〔蜗姆轮〕
〔蜗螺〕 wōluó 명 《貝》 다슬기. =〔蜗蠃〕
〔蜗蠃〕 wōluǒ 명 ⇨〔蜗螺〕
〔蜗牛〕 wōniú 명 《動》 달팽이. ¶～角上争; 〈比〉 하찮은 싸움. =〔〈俗〉 水shuǐ牛儿〕
〔蜗舍〕 wōshè 명 ⇨〔蜗居〕
〔蜗屋〕 wōwū 명 ⇨〔蜗居〕
〔蜗旋〕 wōxuán 명 나선. ¶～弹簧; 용수철(나선형) / ～楼梯; 나선 계단.
〔蜗腰〕 wōyāo 명 곱사등(이). =〔驼tuó背〕
〔蜗窄〕 wōzhǎi 형 〈文〉 옹색하다. 대단히 비좁다.
〔蜗篆〕 wōzhuàn 명 달팽이가 기어간 자국(전자(篆字)와 같은 모양).

喔 **wō** (악)
①〈擬〉 꼬끼오. 꼬꼬(닭의 울음소리). ¶公鸡～～地叫; 수탉이 꼬끼오 하고 울다. ②감 알았다는 뜻을 나타냄. ¶～, 我这才明白了; 오, 이제야 겨우 알았다 / ～! 原来是这么回事; 아, 난 또, 이런 것이었구나. ③감 놀람이나 고통의 뜻을 나타냄. ¶～嚄huò! 糟zāo了; 아, 저런 / ～! 你说什么; 어, 뭐라고 / ～, 好痛; 와, 아프다. ⇒ō '哦' ò
〔喔哝喔哝〕 wōnóng wōnóng 〈擬〉 웅얼웅얼(입이 잘 돌아가지 않아 말이 명료하지 않은 모양). ¶～地听不清; 말이 웅얼웅얼 분명하지 않아 잘 알아들을 수 없다.
〔喔喔〕 wōwō 〈擬〉 빵빵. ¶汽车喇叭～响; 자동차의 경적이 빵빵 울린다.
〔喔咿〕 wōyī 〈擬〉 닭이 우는 소리.

我 **wǒ** (아)
①명 나. 저. ↔〔你〕 注$_1$ 때로는 '我们' (우리)의 뜻을 가질 때도 있음. ¶～校; 우리 학교. 注$_2$ '우리측'의 뜻으로도 쓰임. ¶～军; 아군 / 阻～北上; 아군이 북상하는 것을 저지하다 / 人心向～; 인심이 우리 쪽으로 돌다. 注$_3$ '我'와 '你'를 대응시키면 상호간의 동작을 나타냄. ②자기. 자신. ¶我们应该做自～批评; 우리들은 자기비판을 하지 않으면 안 된다 / 忘～的精神; 망아의 정신. 注$_1$ 친척이나 친한 관계의 명사(名詞) 앞에 올 때 구어(口語)에서는 '的'가 불필요함. '我哥哥'(나의 형). '我邻居'(나의 이웃). 注$_2$ '家'·'家里'·'这里'·'那里'나 방위사(方位詞)의 앞에 올 때는 '的'가 필요 없음. '我背后有人'(내 배후에 사람이 있다). 注$_3$ '这〔那〕'+수량사(數量詞)의 앞에 올 때에는 '的'가 불필요함. '我那两个妹妹'(나의 저 두 누이동생). 注$_4$ '工厂'·'学校'·'机关' 등을 대외적으로 말할 때에는 '的'가 불필요하나 서면어(書面語)에서는 그 명사를 단음어(單音語)로 함. '我校'(우리 학교). '我厂'(저희 공장). 구어(口語)에서는 '我们'으로 함. 注$_5$ 자기의 이름이나 신분을 나타내는 명사(名詞)와 연용(連用)했을 때에는 '我'가 강조되어, 이 …인 '我'란 뜻이 됨.
〔我辈〕 wǒbèi 대 〈文〉 우리. 오인(吾人). =〔〈文〉 吾辈〕〔我曹〕
〔我曹〕 wǒcáo 대 ⇨〔我辈〕
〔我处〕 wǒchù 명 〈公〉 당방(當方). 우리 측.
〔我打幌子人卖酒〕 wǒ dǎ huǎngzi rén mài jiǔ 〈諺〉 내가 간판을 두드리고, 술은 남이 팔아 돈을 번다(남을 이용해 먹다. 남을 이용하여 돈을 번다).
〔我的〕 wǒde ①나의. ¶～帽子; 내 모자. ②내 것. ¶这是～; 이것은 내 것이다. ③친애의 뜻을 나타내는 말. ¶～姑娘; 우리 아가씨. 注 '我们的'라고 복수형으로 해도 마찬가지임. ¶～乖guāi; 착한 우리 애기(어린아이를 부르거나 어르는 말).
〔我的天〕 wǒde tiān 어때. 이봐. 아이쿠. 어머(나). 아뿔싸. 빌어먹을(과장해서 난체하는 때 외에, 놀람·절망감을 나타낼 때 쓰임).
〔我法〕 wǒfǎ 명 자기 멋대로의 방식. →〔我行我法〕
〔我方〕 wǒfāng 명 ①자기 쪽. 내 쪽. ②우리측. ¶～援军到了; 우리측 원군이 도착했다.
〔我耕人获〕 wǒgēng rénhuò 자기가 경작한 것을 남이 수확하다(일은 자기가 하고 이익은 남이 취하다).
〔我见〕 wǒjiàn 명 ①나의 견해. 사견(私見). ②《佛》 아집(我執).
〔我看〕 wǒkàn ⇨〔我瞧〕
〔我俩〕 wǒliǎ 명 저희 두 사람(흔히, 인쇄물의 결혼 공고에서 부부 자신을 말함). ¶～承某君介绍并得家长同意, 订于某日在某处举行婚礼; 우리 두 사람은 모씨의 중매로 가장의 동의를 얻어, 모일 모처에서 결혼식을 올립니다.
〔我每〕 wǒměi 대 〈古白〉 우리들. 우리. ¶可奈这和尚要打～《水滸傳》; 밉살스럽게도 이 중놈이 우리를 때리려고 한다.
〔我们〕 wǒmen 대 우리들. 우리('咱们'과 대조시켜 '我们'은 제1인칭과 제3인칭을 포함한 범위를 가리킴). ¶～的学校; 우리들의 학교 / ～大家; 우리 모두.→〔咱们zánmen〕 注$_1$ 북방(北方)에서는 단수 자칭에도 쓰임. ¶愿意不愿意, ～不敢说; 희망하는지 어떤지, 저는 말씀드릴 수 없습니다. 注$_2$ '我们'을 '你'·'你们'을 가리키는 경우에 쓰일 때도 있음. 이 때는 친밀감을 풍김.
〔我侬〕 wǒnóng 대 〈吳〉 나. 저.
〔我瞧〕 wǒqiáo 내가 본 바로는 (… 같다). 내가 보기에. …라고 생각한다. ¶～袖子太瘦; 내가 보기엔 소매가 너무 좁은 것 같다. =〔我看〕
〔我人〕 wǒrén 명 ①나 자신. 이 사람(나를 강조하는 말씨). ¶枪是我的命, ～不死, 枪就不能丢; 총은 내 생명이다, 내가 죽지 않는 한 총은 버릴 수 없다. ②우리 그이. 우리집 양반(아내가 남편을 이르는 말).
〔我日的〕 wǒrìde 〈方〉〈罵〉 개자식. 씹새끼. ¶～! 李德才老是想着欺侮小户人家; 이덕재란 개자식, 언제나 가난한 사람을 괴롭힌다. =〔狗gǒu养的〕
〔我生〕 wǒshēng 명 나의 생애.
〔我说〕 wǒshuō ①감 저(기). 거시기. (저) 말이지(상대방의 주의를 끌기 위해 쓰는 말). ②나는 …라고 생각하다. 내가 …라고 말하지 않았느냐. ¶～他怎么老不来; 나는 그가 어째서 오지 않는가 하고 생각했다.
〔我说(的)呢〕 wǒshuō(de)ne 그것 봐. 내가 뭐랬어. 그러면 그렇지. ¶～, 您怎么会来晚了呢; 그러면 그렇지요. 나는 당신이 왜 늦었나 생각했습니다 / ～, 敢情是这么回事啊; 그러면 그렇지, 사정이 그랬었군.
〔我说你干〕 wǒshuō nǐgàn 〈套〉 자신은 말하는 쪽이고, 상대방은 하는 쪽. 말〔명〕하는 것은 나, 하는 것은 당신.
〔我田引水〕 wǒ tián yǐn shuǐ 〈成〉 아전인수(자기에게 편리하게 말을 하거나 행동하는 일).
〔我相〕 wǒxiàng 명 《佛》 자기의 의견.
〔我行我法〕 wǒ xíng wǒ fǎ 〈成〉 자기 식으로 하다. 각자 멋대로 굴다.

〔我行我素〕 wǒ xíng wǒ sù〈成〉 남이 뭐라고 하든 자기는 자기식대로 하다. 제 길을 가다. =〔吾wú行吾素〕

〔我兄弟〕 wǒxiōngdì 대〈謙〉 저. 소제(少弟)《상대방에게 자기를 아우뻘로 낮추는 말》.

〔我自各儿〕 wǒzìgèr 명 ⇨〔我自己〕

〔我自己〕 wǒzìjǐ 명 나 자신. 저 자신. 나 혼자. 저 스스로. =〔我自各儿〕

䰀 **wǒ** (와)
→〔䰀鬌〕

〔䰀鬌〕 wǒtuǒ 형〈文〉 틀어 올린 머리가 아름다운 모양.

沃 **wò** (옥)
① 형 (땅이) 비옥하다. 기름지다. ¶～土; 옥토. 비옥한 땅. =〔肥féi沃〕 ② 동 (물 따위를) 붓다. 쏟다. 관개(灌漑)하다. ¶～田tián; 논에 물을 담다 / 如汤～雪;〈成〉 뜨거운 물을 눈에 쏟은 것 같다《간단히 처리됨》. ③ 형 윤기가 흘러 아름답다. 부드럽다. ④ 동 ⇨〔卧⑤〕 ⑤ 명 성(姓)의 하나.

〔沃地〕 wòdì 명 비옥한 땅.

〔沃碘仿姆〕 wòdiǎnfǎngmǔ 명《藥》〈音〉 요오드포름(iodoform).

〔沃度〕 wòdù 명《化》〈音〉 요오드. ¶～丁儿; 요오드팅크. 옥도 정기.

〔沃果儿〕 wòguǒr 명동 ⇨〔卧果儿〕

〔沃鸡子儿〕 wòjīzǐr 명 ⇨〔卧果儿〕

〔沃克须更气〕 wòkèxūgēngqì 명《化》〈音〉 옥시젠(oxygen). =〔氧气〕

〔沃壤〕 wòrǎng 명 옥토. 기름진 토양. =〔沃土〕

〔沃饶〕 wòráo 형 풍요롭다. 옥요하다.

〔沃土〕 wòtǔ 명 옥토. 비옥한 땅. =〔沃壤〕

〔沃野〕 wòyě 명 옥야. 비옥한 평야. ¶～千里; 비옥한 평야가 천 리나 뻗어 있다.

肟 **wò** (와)
명《化》 옥심(oxime). ¶酮tóng～; 케톡심(ketoxime).

卧〈臥〉 **wò** (와)
① 동 눕다. 누이다. ¶～床; ⇩ / 仰～; 반듯이 눕다 / 把小孩子～下; 어린애를 눕히다. ② 동 (동물이) 배를 깔고 엎드리다. ¶猫～在炉子旁边; 고양이가 난로 옆에 엎드려 있다 / 骆驼luòtuó～在砂上; 낙타가 모래 위에 배를 깔고 누워 있다. ③ 동 휴식하다. ④눕거나 휴식하는 데 관계 있는 것. ¶～车; 침대차. ⑤ 동〈方〉 알을 깨어서 끓는 물에 익히다. ¶～个鸡子儿; 수란을 뜨다. =〔沃④〕

〔卧碑〕 wòbēi 명《史》 명륜당(明倫堂)에 세워 학생이 지켜야 할 교령(教令)을 조목조목 새긴 비석.

〔卧病〕 wòbìng 동 와병하다. 병으로 몸져 눕다.

〔卧蚕〕 wòcán 명 눈 아래의 가장자리《관상가의 용어》. ¶～眉; 초승달 모양의 눈썹.

〔卧车〕 wòchē 명 ①침대차. ¶～票 =〔～床位票〕; 침대권. =〔寝车〕〔睡shuì车〕 ②세단차. 승용차. =〔轿车〕

〔卧床〕 wòchuáng 명 침대. 침상. 동 침상에 눕다. ¶～不起bùqǐ =〔卧病不起〕; 병상에 누운 채이다. 중병에 걸리다.

〔卧倒〕 wòdǎo 동 ①엎드리다. ¶～射击; 엎드려서 쏘다. ②《軍》 엎드려!《구령》.

〔卧底〕 wòdǐ 동〈方〉 (내통하기 위해) 잠입하다. 숨어들다. ¶有没有～的坏根? 잠입해 들어온 못된 놈이 있는가?

〔卧房〕 wòfáng 명 침실. =〔卧室〕

〔卧佛〕 wòfó 명《佛》 와불. 누워 있는 불상.

〔卧轨〕 wòguǐ 동 철길을 베개삼다. 철도 자살하다.

〔卧柜〕 wòguì 명 옆으로 길게 만든 장롱.

〔卧果儿〕 wò.guǒr 동〈方〉 달걀을 깬 채로 끓는 물에 넣어 삶다. ¶卧个果儿; 달걀을 깨어 알맹이를 끓는 물에 익히다. (wòguǒr) 명 깨어 익힌 달걀. =〔沃鸡子儿〕〔卧鸡子儿〕〔渥鸡子儿〕 ‖ =〔沃果儿〕

〔卧孩子〕 wò háizi 아이를 자리에 눕히다.

〔卧虎〕 wòhǔ 명〈文〉 ①엎드려 있는 범. ②〈比〉 용맹스러운 자〔것〕. ③〈比〉 횡포한 자〔것〕. ④〈比〉 관리의 준엄한 태도. ⑤〈比〉 남에게 알려지지 않은 기재(奇才).

〔卧护〕 wòhù 동 ⇨〔卧治〕

〔卧鸡子儿〕 wòjīzǐr 명 ⇨〔卧果儿wòguǒr〕

〔卧具〕 wòjù 명 침구(寢具)《기차·선박 등의 여객용》.

〔卧理〕 wòlǐ 동 ⇨〔卧治〕

〔卧龙〕 wòlóng 명 와룡《때를 못 만난 걸물》.

〔卧铺〕 wòpù 명 (열차·기선 따위의) 침대.

〔卧汽轮〕 wòqìlún 명《機》 증기 터빈(turbine).

〔卧人儿〕 wòrénr 명 사람인(人)변 '人'《한자(漢字) 부수의 하나》.

〔卧射〕 wòshè《軍》 엎드려 쏴.

〔卧式〕 wòshì 명형 (기계 등의) 수평식(의). ¶～热风炉; 수평식 열풍로.

〔卧式镗床〕 wòshì tángchuáng 명《機》 수평식 보링 머신(boring machine).

〔卧式铣床〕 wòshì xǐchuáng 명《機》 수평식 밀링 머신(milling machine).

〔卧室〕 wòshì 명 ⇨〔卧房〕

〔卧榻〕 wòtà 명〈文〉 침상. 베드. =〔卧床〕

〔卧榻之侧〕 wò tà zhī cè〈成〉 침상의 곁《자국의 영토·영역 내》. ¶～岂容他人鼾睡; 자기 침상 곁에 남을 재울 수는 없다. 제 세력 범위에 남의 침입을 용납지 않다. =〔卧榻之旁páng〕

〔卧席〕 wòxí 명 취침용 돗자리《침대 위에 까는 깔개》.

〔卧心儿〕 wòxīnr 명 마음심부 '心'《한자(漢字) 부수의 하나》.

〔卧薪尝胆〕 wò xīn cháng dǎn〈成〉 와신상담《월왕(越王) 구천(句踐)과 오왕(吳王) 부차(夫差)의 고사에서 나옴. 복수나 대망 달성을 위해 오랜 동안 괴롭고 어려움을 참고 견디는 일》. =〔尝胆〕

〔卧型〕 wòxíng 명형 수평식(의). ¶～三连动力喷雾机; 수평식 3연동력 분무기.

〔卧亚〕 Wòyà 명 ⇨〔果Guǒ阿〕

〔卧游〕 wòyóu 동〈文〉 재미있는 유기(遊記)나 사진·기록·영화 따위를 보다. 앉아서 유람을 즐기다.

〔卧鱼儿〕 wòyúr 명《劇》 중국 전통극에서의 동작의 하나《오른손을 땅에 짚고 버티며 몸을 가로 눕혀 뻗는 일》.

〔卧镇〕 wòzhèn 동 ⇨〔卧治〕

〔卧治〕 wòzhì 동〈文〉 힘들이지 않고 다스리다. =〔卧护〕〔卧理〕〔卧镇〕

偓 **wò** (악)
① 형〈文〉 사물〔일〕에 구애되다. 곰상스럽게 굴다. ② →〔偓佺〕

〔偓佺〕 Wòquán 명《人》 악전《전설 속의 선인(仙人)》.

渥 **wò** (악)
〈文〉 ① 형 진하다. ¶～味wèi; 진한 맛 / ～丹dān; 진한 빨강으로 물들이다. ② 동 (축촉히) 적시다. 잠〔담〕그다. 잠〔담〕기다. ③ 형 두텁다. ¶优～; 은혜가 두텁다. ④ 동 빠져 박히다. 빠지다. ⑤ 동 지체하다. 전진하지 않다. 머무르다.
〔渥赐〕 wòcì 명 〈文〉 융숭한 하사품. 정중한 선물.
〔渥丹〕 wòdān 명 〈比〉 짙은 적색. 심홍색. ¶颜如～; 얼굴이 새빨갛다.
〔渥恩〕 wò'ēn 명 〈文〉 두터운 은혜.
〔渥惠〕 wòhuì 명 〈文〉 두터운 은혜. 큰 혜택.
〔渥鸡子儿〕 wòjīzǐr 명 ⇨〔卧果儿 wòguǒr〕
〔渥脚〕 wò.jiǎo 동 발이 진흙 땅에 빠져서 움직일 수 없다.
〔渥酒〕 wòjiǔ 동 〈文〉 술을 데우다.
〔渥太华〕 Wòtàihuá 명 《地》〈音〉 오타와(Ottawa)(‘加拿大’(캐나다: Canada)의 수도).
〔渥味〕 wòwèi 명 〈文〉 짙은 맛. 진한 맛.
〔渥住〕 wòzhù 동 빠져서 움직일 수 없다. ¶车子慢慢地走着, 在一个泥洼子里～啦; 차가 느릿느릿 가다가, 진창에 빠져서 움직일 수 없게 되었다.

握 wò (악)
① 동 (손에) 쥐다. 꽉 쥐다. 장악하다. ¶～拳; ⇩ ② 동 악수하다. ¶如～; 〈翰〉 직접 뵈어 손을 맞잡고 말씀드리는 것과 똑같은 경의와 친애감으로 이 편지를 씁니다(구식 편지의 수신인 이름 밑에 씀). ③ 양 〈文〉 줌. 움큼. ¶一～之砂; 한 줌의 모래.
〔握别〕 wòbié 동 악수하고 헤어지다. 작별하다. ¶那个曾经和你们一次又一次～的地方, 已经变得更加美丽; 당신들과 몇 차례나 악수하고 헤어졌던 그 곳은 벌써 상당히 깨끗하고 아름다워졌습니다. =〔执zhí别〕
〔握柄〕 wòbǐng 명 《體》 (라켓의) 그립(grip). 손잡이.
〔握龊〕 wòchuò 형 ⇨〔龌龊〕
〔握定〕 wòdìng 동 확실히 잡다. 꼭 쥐다.
〔握发〕 wò.fà 동 ①머리카락을 움켜쥐다. ② (wòfà) 〈比〉 정성을 다하여 현인을 맞이하다(주공(周公)이 머리를 감고 있을 때, 현사(賢士)가 찾아오자 머리카락을 움켜쥔 채 마중 나갔다고 고사에서 유래). ¶一沐三～; 〈轉〉 어진 선비를 영접하는 것이 정성스러움.
〔握管〕 wòguǎn 동 붓을 잡다. 집필하다.
〔握汗〕 wò.hàn 동 (병이 났을 때) 땀을 내다. ¶吃剂解热药握点儿汗就好了; 해열제를 먹고 땀을 흘리면 곧 나아진다.
〔握紧〕 wòjǐn 동 꽉〔단단히〕 쥐다. ¶～拳头; 주먹을 꼭 쥐다.
〔握力〕 wòlì 명 악력(손으로 쥐는 힘).
〔握力计〕 wòlìjì 명 악력계.
〔握两手汗〕 wò liǎngshǒuhàn 양손에 땀을 쥐다. 놀라서 간담이 서늘하다.
〔握拍〕 wòpāi 명 《體》 ①(테니스 · 탁구 · 배드민턴 등의 라켓의) 손잡이. 그립(grip). ②라켓을 쥐는 방법.
〔握权〕 wòquán 동 권력을 쥐다.
〔握拳〕 wò.quán 동 주먹을 쥐다.
〔握拳透爪〕 wò quán tòu zhǎo 〈成〉 손톱이 살을 파고 들 정도로 주먹을 꽉 쥐다(후들후들 몸을 떨며 불처럼 노하는 모양).
〔握手〕 wò.shǒu 동 악수하다. ¶跟他～; 그와 악수하다. (wòshǒu) 명 악수.
〔握手言欢〕 wò shǒu yán huān 〈成〉 악수하고 담소하다. 화해(和解)하다. (경기에서) 비기다. ¶中国队和印度队比赛, 以一比一～; 중국 팀과 인도 팀이 대전하여 1대 1로 비겼다.
〔握腕〕 wòwàn 동 팔을 잡다. 〈比〉 친하게 지내다.
〔握眼儿〕 wò.yǎnr 동 (마차(馬車) 말 등의) 눈을 가리다.
〔握扬器〕 wòyángqì 명 《機》 그랩(grab)(석탄의 하역이나 진흙 따위를 준설할 때 씀). =〔攫jué扬器〕〔抓zhuā戽〕
〔握要〕 wòyào 동 요점을 잡다〔파악하다〕.
〔握有〕 wòyǒu 동 쥐고 있다. ¶他们～资本; 그들은 자본을 쥐고 있다.
〔握爪〕 wòzhǎo 명 손잡이. 그립(grip). 집게.
〔握着耳朵偷铃铛〕 wòzhe ěrduo tōu língdang 〈諺〉 손으로 귀를 덮고 방울을 훔치다(①결점의 일부만 감추고 다 감춘 것으로 여기다. ②자기를 속이다).
〔握住〕 wòzhù 동 꽉 쥐다. ¶紧紧～; 꽉 쥐다.
〔握攥〕 wòzuàn 동 꽉 쥐다. 움켜쥐다.

幄 wò (악)
명 〈文〉 옆으로 밀어서 여닫는 막.
〔幄舍〕 wòshè 명 〈文〉 제사 지낼 때, 야외에 막을 쳐서 만든 막사. =〔幄座zuò〕

龌(齷) wò (악)
→〔龌龊〕
〔龌龊〕 wòchuò 형 〈方〉 ①더럽다. 불결하다. ¶～钱; 부정한 돈 / 狗的身上～不堪; 개의 몸은 대단히 더럽다 / 衬衫～了, 换下来去洗一洗; 속옷이 더러워졌으니, 갈아 입고 빨아라. =〔肮脏〕 ②쩨쩨하다. 악착 같다. 곰상스럽다. ¶小人自～, 安知旷士怀; 소인은 스스로 안달하여 사소한 일에 얽매이니, 어찌 활달하고 관대한 사람의 마음을 알리요. =〔小气〕 ③천하다. 비열하다. ¶～行为; 비열한 행위. ④쓸모없다. 못쓰다. ‖=〔握龊〕

涴 wò (와)
동 〈方〉 더럽히다. (옷이나 기물에 기름이나 진흙 따위가 묻어) 더러워지다.

硪 wò (아)
(～子) 명 달구. ¶打～ =〔下～〕〔打夯hāng〕; 달구질하다 / 砸zá夯垫～; 달구질하다. 달구로 흙을 다지다.

斡 wò (알)
① 동 〈文〉 돌다. 빙빙 돌리다. ¶～流; 돌아 흐르다. ② 명 성(姓)의 하나.
〔斡开〕 wòkāi 동 비집어 열다.
〔斡流〕 wòliú 동 감돌아 흐르다.
〔斡旋〕 wòxuán 동 ①공전(公轉)하다. 빙빙 돌다. ¶日月～; 해와 달이 공전(公轉)하다. ②알선하다. 조정하다. ¶居中～; 사이에 들어 알선하다.
〔斡运〕 wòyùn 동 〈文〉 돌고 돌다. 회전 운행하다.

WU ㄨ

兀 wū (올)
→〔兀秃〕 ⇒wù
〔兀秃〕 wūtu 형 ⇨〔乌涂〕

乌(烏) wū (오)
① 명 《鳥》 까마귀. ¶月落～啼霜满天; 달은 지고 까마귀 울며 서리는

하늘에 가득하다. =〔乌鸦〕〔〈俗〉老鸦〕 ②형 검다. 까맣다. ¶～云; ⇓/红血变～了; 붉은 피가 까매졌다. ③동 검게 물들이다. ¶～发药; 머리 염색약. ④대 〈文〉 어찌. 어떻게. ¶～有此事? 어찌 이런 일이 있을 것인가?/～足道哉? 어찌 족히 말할 가치가 있으랴?/～能与此相比? 어떻게 이것과 비교할 수 있을 것인가? ⑤→〔乌孜别克族〕 ⑥명 〈比〉 태양. ¶金～; 금오. 해. ⑦명 성(姓)의 하나. ⇒wù
〔乌巴因〕 wūbāyīn 명 《藥》〈音〉 G 스트로판틴(strophantine)《와바인(ouabain)의 음역》. =〔〈音〉乌亦盆〕〔苦kǔ毒毛旋花子甙〕
〔乌玻璃〕 wūbōli 명 젖빛 유리.
〔乌哺〕 wūbǔ 동 〈文〉 까마귀는 다 크면 모이를 어미새의 입에 넣어 주어 먹인다. 〈比〉 부모에게 효도를 다하다.
〔乌鲳〕 wūchāng 명 《魚》 병치매가리.
〔乌绸〕 wūchóu 명 검은 비단.
〔乌爨〕 Wūcuàn 명 《民》 이족(彝族).
〔乌点〕 wūdiǎn 명 오점. 더럼. 얼룩.
〔乌爹泥〕 wūdiēní 명 《藥》 아선약(阿仙藥). =〔乌丁泥〕〔阿仙药〕
〔乌丁泥〕 wūdīngní 명 ⇨〔乌爹泥〕
〔乌鸫〕 wūdōng 명 《鳥》 검은지빠귀. =〔乌鹡jí〕
〔乌豆〕 wūdòu 명 《植》 검은콩.
〔乌发〕 wū,fà 동 〈文〉 머리를 검게 물들이다. ¶～药; 머리 염색약. (wūfà) 명 검은 머리.
〔乌饭草〕 wūfàncǎo 명 ⇨〔乌饭树〕
〔乌饭树〕 wūfànshù 명 《植》 모새나무. =〔乌饭草〕
〔乌飞兔走〕 wū fēi tù zǒu 〈成〉 세월이 빨리 흘러가다. =〔兔走乌飞〕
〔乌风蛇〕 wūfēngshé 명 ⇨〔乌(梢)蛇〕
〔乌干达〕 Wūgāndá 명 《地》〈音〉 우간다(Uganda)《수도는 '坎kǎn帕拉'(캄팔라: Kampala)》.
〔乌(骨)鸡〕 wū(gǔ)jī 명 《鳥》 오골계.
〔乌鹳〕 wūguàn 명 《鳥》 먹황새. =〔黑hēi鹳〕
〔乌龟〕 wūguī 명 ①《動》 거북. ¶背～; 수치(羞恥)를 지고 다니다. 변변치 못하다는 간판을 짊어지고 다니다/～爬门槛儿; 〈歇〉 거북이 문지방에 오르다. 잘 하면 넘을 수 있으나 실패하면 벌렁 나자빠진다《운을 하늘에 내맡기고 해 보다》/～忘八; 〈罵〉 개자식. ②옛날, 기루(妓樓)의 주인. 포주. ③음부(淫婦)의 서방. 오쟁이진 남편.
〔乌龟壳〕 wūguīké 명 ①거북 등딱지. ②〈轉〉 갑골문(甲骨文)의 속칭. ③〈比〉〈貶〉탱크. 장갑차.
〔乌龟头〕 wūguītóu 명 《機》 공작 기계의 심압대(心押臺).
〔乌龟子〕 wūguīzi 명 (못된) 불량배. 망나니.
〔乌鬼〕 wūguǐ 명 ①당대(唐代)에 남방 사람이 모시던 도깨비. ②《鳥》 민물가마우지. ③《動》〈四川〉 돼지. ④〈貶〉 흑인. 깜둥이.
〔乌合〕 wūhé 명 오합《까마귀처럼 규율도 조직도 없이 떼지어 모이는 것. 무질서하게 모이는 것》. ¶～之众; 〈成〉 오합지중. 오합지졸(烏合之卒).
〔乌黑〕 wūhēi 형 ①캄캄〔깜깜〕하다. ¶屋子里一片～; 방은 온통 캄캄하다. ②새까맣다. 시꺼멓다. ¶～油亮; 새까맣고 번질번질 윤이 나다/～的眼睛; 새까만 눈동자/薰得～; 그을어 새까매지다/烟囱里冒着～的浓烟; 굴뚝에서 시커먼 연기가 오르고 있다.
〔乌乎〕 wūhū 감동 ⇨〔呜呼〕
〔乌呼〕 wūhū 감동 ⇨〔呜呼〕
〔乌虖〕 wūhū 감동 ⇨〔呜呼〕
〔乌桓〕 Wūhuán 명 《史》 오환《한대(漢代), 동호족(東胡族)의 별종》. =〔乌丸〕
〔乌喙〕 wūhuì 명 ⇨〔乌头①〕
〔乌喙豆〕 wūhuìdòu 명 《植》 얼치기완두.
〔乌颊鱼〕 wūjiáyú 명 《魚》 감성돔.
〔乌焦巴弓〕 wū jiāo bā gōng 〈成〉 ①눌어붙다. 시커멓게 타서 보기 흉하다. ②어물어물하다. 흐지부지하다. ¶～地完了事了; 흐지부지 일을 끝냈다.
〔乌巾〕 wūjīn 명 ⇨〔乌纱(帽)①〕
〔乌金〕 wūjīn 명 《鑛》 ①오금《구리와 금의 합금》. ②먹 · 석탄 등의 별칭. ¶液体～; 석유(원유).
〔乌金丝〕 wūjīnsī 명 안경의 쇠테.
〔乌金纸〕 wūjīnzhǐ 명 검고 광택 있는 종이《약품 등의 포장용》.
〔乌韭〕 wūjiǔ 명 《植》 ①오구《양치류(羊齒類) 고란초과 식물》. =〔石发②〕 ②맥문동의 별칭.
〔乌臼〕 wūjiù 명 ①⇨〔乌桕〕 ②《鳥》 오구《제비 비슷하며 검은색이고 꼬리는 긺》.
〔乌桕〕 wūjiù 명 《植》 오구목. =〔乌臼①〕
〔乌匼〕 wūkē 명 ⇨〔乌纱(帽)①〕
〔乌克兰〕 Wūkèlán 명 《地》〈音〉 우크라이나(Ukraina)《수도는 '基jī辅'(키예프: Kiev)》.
〔乌克咧咧〕 wūkèliélié 명 《樂》〈音〉 우쿨렐레(ukulele)《기타 비슷한 4현의 현악기》.
〔乌矿〕 wūkuàng 명 ⇨〔钨矿〕
〔乌矿砂〕 wūkuàngshā 명 《鑛》 텅스텐. 중석(重石).
〔乌拉〕 wūlā 명 ①티베트에서 농노(農奴)가 주인이나 관청을 위해서 해야 했던 노역. ②티베트의 농노.
〔乌拉巴秃〕 wūlabātū 형 ⇨〔乌里乌涂〕
〔乌拉尔〕 Wūla'ěr 명 《地》〈音〉 우랄(Ural). ¶～山脉; 우랄 산맥.
〔乌拉乖〕 Wūlāguāi 명 ⇨〔乌拉圭〕
〔乌拉圭〕 Wūlāguī 명 《地》〈音〉 우루과이(Uruguay)《수도는 '蒙méng得维的亚'(몬테비데오: Montevideo)》. =〔乌拉乖〕
〔乌拉坦〕 wūlātǎn 명 《化》〈音〉 우레탄(Urethan). =〔氨ān基甲酸乙酯〕
〔乌兰〕 wūlán 명 (몽골어로) 홍색(紅色), 또는 붉은색. ¶～木伦; 붉은 강. =〔乌蓝〕
〔乌兰巴托〕 Wūlánbātuō 명 《地》〈音〉 울란바토르(Ulan Bator)《몽골의 수도》.
〔乌兰牧骑〕 wūlánmùqí 명 내몽고 자치구의 각지를 순회 공연하는 소규모의 문예 공작대.
〔乌榄〕 wūlǎn 명 《植》 오람. =〔木mù威子〕
〔乌鳢〕 wūlǐ 명 《魚》 가물치.
〔乌里巴涂〕 wūlibātú 형 ⇨〔乌里乌涂〕
〔乌里乌涂〕 wūliwūtú 형 이도 저도 아니고 어중간한 모양. 불분명한 모양. 흐지부지한 모양. =〔乌拉巴秃〕〔乌里巴涂〕
〔乌蔹莓〕 wūliǎnméi 명 《植》 거지덩굴. =〔五瓜龙②〕
〔乌亮〕 wūliàng 형 윤기 있게 검다. 검고 흠치르르하다. ¶～的头发; 검고 윤기가 도는 머리/油井喷出～的石油; 유정이 검고 윤이 나는 원유를 내뿜고 있다.
〔乌亮亮(的)〕 wūliàngliàng(de) 형 검고 윤기가 도는 모양. ¶～的眼睛; 까맣고 반짝이는 눈/～良质煤; 검고 윤이 도는 양질의 석탄.
〔乌绫〕 wūlíng 명 《紡》 검은색의 공단.
〔乌溜溜(的)〕 wūliūliū(de) 형 새까맣고 또렷한 모양. ¶睁着～的大眼睛; 검고 반짝이는 큰 눈을

반짝 뜨고 있다.
〔乌龙茶〕 wūlóngchá 명 오룡차. =〔青茶〕
〔乌鲁木齐〕 Wūlǔmùqí 명《地》〈音〉 우루무치(Urumchi)《신장(新疆) 위구르 자치구 중앙 북부에 위치하는 위구르 자치구의 성도(省都)》.
〔乌轮〕 wūlún 명 태양의 별칭. =〔金jīn乌〕
〔乌洛托品〕 wūluòtuōpǐn 명《藥》 우로트로핀(urotropine)《요로(尿路)의 전염성 질환의 치료약 등에 쓰임》. =〔环huán六亚甲基四胺〕〔六liù次甲基四胺〕〔乌罗刀平〕〔优洛托品〕
〔乌麻油〕 wūmáyóu 명 검은깨에서 짠 참기름.
〔乌麦〕 wūmài 명 ①《農》 밀의 깜부기병. ②《植》 메밀의 별칭.
〔乌帽〕 wūmào 명 은자(隱者)나 거사(居士)가 쓰던 검은 모자.
〔乌梅〕 wūméi 명《漢醫》 반황(半黃)의 매실을 훈제로 한 것. 오매《구충·해열제》. ¶～饼; 오매(烏梅)를 납작하게 눌러서 말린 것. =〔〈俗〉 酸梅〕
〔乌煤〕 wūméi 명 ①맥노(麥奴). 보리의 깜부기. ②〈比〉 쓸모없는 사람. 무능한 사람.
〔乌霉霉〕 wūméiméi 형 곰팡이가 핀 것처럼 거무칙칙하다.
〔乌米〕 wūmǐ 명《農》 수수〔고량〕의 깜부기병.
〔乌墨〕 wūmò 명 먹. ¶～漆黑; 새까맣다. 깜깜〔캄캄〕하다.
〔乌木〕 wūmù 명 ①《植》 흑단(黑檀). =〔乌文木〕 ②흑단의 목재. ③(널리) 단단하고 무거운 검은 목재를 가리킴.
〔乌娘〕 wūniáng 명《蟲》〈方〉 갓 부화한 누에. =〔蚕cán蚁〕
〔乌鸟之私〕 wū niǎo zhī sī 〈成〉 효도하는 마음.
〔乌七八糟〕 wūqībāzāo 형 ①정체를 알 수 없다. ②뒤죽박죽이다. 극도로 혼란하다〔뒤범벅이다〕. ¶～的传闻; (뒤얽혀) 도무지 갈피를 잡을 수 없는 소문 / ～的见闻; 두서 없는 견문. =〔污七八糟〕
〔乌栖一枝〕 wūqī yīzhī 〈比〉 부모와 자식이 한 집에서 같이 살다.
〔乌漆巴黑〕 wūqībāhēi 형 〈俗〉 ①칠흑같이 새까만 모양. ②명랑치 않고 어두운 모양. ¶～的一辈子; 그늘에서 사는 자의 일생. ③애매모호하다. 엉터리다. ‖ =〔乌漆麻黑〕〔乌漆沫黑〕〔乌漆墨黑〕
〔乌其仁〕 wūqírén 명 ⇨〔吴wú是公〕
〔乌气先生〕 wūqì xiānshēng 〈成〉 ⇨〔乌有先生〕
〔乌青〕 wūqīng 명《色》 포도 색깔. 검푸른 보랏빛. ¶冻得～的脸; 얼어서 검푸르게 된 얼굴.
〔乌鹊〕 wūquè 명 ①오작. 까마귀와 까치. ②〈俗〉 까치.
〔乌儿乌儿〕 wūrwūr 〈擬〉 ①큰 소리로 우는 모양. ②기적 소리.
〔乌沙来〕 wūshālái 명《鳥》 솔딱새.
〔乌纱(帽)〕 wūshā(mào) 명 ①오사모. 사모《옛날의, 관모(官帽)의 이름》. =〔乌巾〕〔乌匼〕〔唐táng巾〕 ②〈轉〉 관리의 직. 관직. ¶厅长难免丢掉～; 청장은 관직을 잃지 않을 수 없다 / 为保牢自己的～, 又在玩弄新的鬼花招了; 자기의 관직을 확보하기 위하여, 또 새로운 잔재주를 부리고 있다.
〔乌(梢)蛇〕 wū(shāo)shé 명《動》 오사. 누룩뱀. 먹구렁이. =〔乌风蛇〕
〔乌石〕 wūshí 명《鑛》 검은 다이아몬드.
〔乌私〕 wūsī 명 〈文〉 까마귀의 사사로운 정. 〈比〉 부모에 대한 효성.
〔乌斯库达〕 Wūsīkùdá 명《地》〈音〉 위스퀴다르(Usküdar)《터키의 보스포루스 해협에 임한 항구 도시》.
〔乌斯藏〕 Wūsīzàng 명《地》 티베의 고칭(古稱).
〔乌苏里江〕 Wūsūlǐ jiāng 명《地》〈音〉 우수리강(Ussuri江).
〔乌他〕 wūta 명 참마를 갈아서 설탕과 우유를 넣어 네모지게 굳힌 과자.
〔乌藤〕 wūténg 명 등나무 지팡이. ¶～菜cài; 《植》 삼잎방망이.
〔乌鹈〕 wūtí 명《鳥》 쇠가마우지. =〔海hǎi鸬鹚〕
〔乌铜〕 wūtóng 명《鑛》 오동. 적동(赤銅).
〔乌头〕 wūtóu 명 ①《植》 바곳. =〔乌喙〕 ②《魚》 숭어.
〔乌头白〕 wūtóu bái 까마귀 머리가 희다. 〈比〉 절대로 있을 수 없음. ¶～马生角; 까마귀의 머리가 희고, 말에 뿔이 난다《절대로 있을 수 없는 일》.
〔乌兔〕 wūtù 명 〈比〉 광음(光陰). 세월.
〔乌秃没咽〕 wūtu méi yàn 유야무야하게〔흐지부지〕 되다. 중동무이가 되다. 헛되이 되다. ¶一万块钱～就花没了, 这怎么能行; 만 원이나 되는 돈이 흐지부지 사라져 버렸는데, 이대로 그냥 넘길 수 있는 건가.
〔乌涂〕 wūtu 형 ①(물이나 술이) 미적지근하다. ¶～水不好喝; 미지근한 물은 맛이 없다. ②분명하지〔시원시원하지〕가 않다. 흐지부지하다. 진척이 잘 안되다. ¶这件事还～着呢! 이 일은 아직 분명하지가 않습니다! / 他们这场纠纷没听说怎么样, ～地就完了; 그들의 분규는 어찌 되었는지, 결국 유야무야로 끝나고 말았다. ③유리 따위가 흐려지다. ④칠칠치 못하다. ¶这个人真～, 见了人话都说不上来; 이 사람은 정말 칠칠치 못하다. 사람과 만나도 이야기도 하지 못한다. ‖ =〔乌秃〕〔兀秃〕
〔乌涂水〕 wūtushuǐ 명 〈俗〉 미지근한 물. ¶喝～; 남한테서 귀찮음을 당하다. =〔乌徒水〕
〔乌托邦〕 wūtuōbāng 명 ①〈音〉 유토피아(utopia). 이상향(鄕). ②실현되지 않는 계획. ‖ =〔乌有乡〕〔理lǐ想乡〕
〔乌丸〕 wūwán 명 ⇨〔乌桓〕
〔乌文木〕 wūwénmù 명《植》 흑단(黑擅). =〔乌木①〕
〔乌鹟〕 wūwēng 명《鳥》 솔딱새.
〔乌乌〕 wūwū 〈擬〉 ⇨〔呜呜〕
〔乌鞋布〕 wūxiébù 명《紡》 검은 능직 비단.
〔乌须〕 wūxū 〈文〉 동 수염을 검게 물들이다. 명 검은 수염.
〔乌靴〕 wūxuē 명 검은 가죽신.
〔乌鸦〕 wūyā 명《鳥》 까마귀. ¶～反哺; 안갚음함《효도》 / ～命; 〈比〉 불행한 운명 / ～嘴; 말이 많음. 수다스러움 / 粉洗～白不久; 하얀 가루로 까마귀를 목욕시켜도 잠깐만 흴 뿐이다《곧 본성이 드러난다》 / ～窝里出凤凰; 〈諺〉 개천에서 용 나다. =〔〈北方〉 老lǎo鸹〕〔〈南方〉 老鸦〕
〔乌烟〕 wūyān 명 ①카본 블랙. ②아편(阿片).
〔乌烟瘴气〕 wū yān zhàng qì 〈成〉 ①해가 어둡고 악한 기운이 자욱이 낀 모양《(사회 질서가) 혼란스럽다. (사회가) 암흑 상태에 있다》. ¶他大闹会场, 到处煽风点火, 又把全村搞得～; 그는 회장을 수라장을 만들고 이르는 곳마다 사람을 선동했으며, 또한 온 마을을 혼란에 빠뜨렸다. ②〈轉〉 오염된 공기. ¶没法忍受这样的～; 이 오염된 공기는 아무래도 못 참는다.
〔乌焉成马〕 wū yān chéng mǎ 〈成〉 '乌·焉' 자가 '马'로 잘못 씌어지다《옮겨 쓰면서 내용이 와전되다》. ¶书经三写～; 〈諺〉 서경을 세 번 옮겨 쓰다 보면 문자에 잘못이 생긴다.
〔乌眼〕 wūyǎn 명 구두끈을 꿰는 구멍. 또, 그 구

멍에 끼우는 쇠고리.
〔乌眼儿鸡〕 wūyǎnrjī 명 ①눈이 검은 닭. ②〈比〉 새까만 눈동자. ③질투하고 시기하는 사람. 동 〈京〉 원망하다. 분개하다. ¶天天他见了我就～似的; 매일 그는 나를 보고 원망하고 있는 눈치다.
〔乌药〕 wūyào 명 《植》 오약(녹나무과의 상록 관목).
〔乌亦盆〕 wūyìpén 명 ⇨〔乌巴因〕
〔乌银〕 wūyín 명 《鑛》 유황으로 그을려서 검게 한 은(銀).
〔乌油黑〕 wūyóuhēi 형 ⇨〔乌油油(的)〕
〔乌油油(的)〕 wūyōuyōu(de) 형 검고 윤기가 도는 모양. ¶～的头发; 윤기 있는 칠흑 같은 머리 / ～放光的眼睛; 검고 반짝이는 눈 / 泥土～的, 十分肥沃; 흙은 윤택하게 검고 매우 기름지다. =〔乌油黑〕
〔乌有〕 wūyǒu 〈文〉 어찌 (…한 일이) 있을 수 있겠는가. 무엇이 있겠는가. 없다. ¶化为～; 아무것도 없게 되다 / 子虚～; 실제는 없는 일.
〔乌有反哺之孝〕 wū yǒu fǎn bǔ zhī xiào 〈成〉 까마귀도 어릴 적 은혜를 잊지 않고 어미에게 모이를 물어다 주는 효심이 있다. 까마귀에도 반포지효가 있다.
〔乌有仁〕 wūyǒurén 명 ⇨〔吴wú是公〕
〔乌有先生〕 wū yǒu xiān shēng 〈成〉 오유 선생. 실재하지 않는 인물. =〔乌气先生〕
〔乌有乡〕 wūyǒuxiāng 명 ⇨〔乌托邦〕
〔乌鱼〕 wūyú 명 《魚》 〈俗〉 가물치. =〔鳢lǐ〕
〔乌鱼子〕 wūyúzǐ 명 숭어 · 방어 · 삼치 따위의 알집을 소금에 절여 말린 식품.
〔乌芋〕 wūyù 명 《植》 올방개.
〔乌原鲤〕 wūyuánlǐ 명 《魚》 가물치. =〔乌鲤鱼〕
〔乌云〕 wūyún 명 ①검은 구름. ¶满天～; 〈比〉 불경기의 징조 / ～遮不住太阳; 〈諺〉 검은 구름도 태양을 가릴 수 없다 / ～翻滚; 검은 구름이 하늘을 덮다. ②〈比〉 부녀자의 검은 머리.
〔乌云豹〕 wūyúnbào 명 사막 여우의 턱밑 가죽.
〔乌云之阵〕 wūyún zhī zhèn ①까마귀 떼처럼 흩어졌다가 구름처럼 모여들다. ②《軍》 〈轉〉 변화 무쌍한 포진(布陣).
〔乌杂〕 wūzá 명 오합지중. 형 어지럽고 질서가 없다.
〔乌枣〕 wūzǎo 명 《植》 검은 대추.
〔乌鲗〕 wūzé 명 ⇨〔乌贼〕
〔乌贼〕 wūzéi 명 《魚》 오징어. =〔乌鲗〕〔〈俗〉 墨mò鱼〕
〔乌樟〕 wūzhāng 명 《植》 녹나무.
〔乌痣〕 wūzhì 명 사마귀. 점. 흑자.
〔乌竹〕 wūzhú 명 《植》 오죽(烏竹).
〔乌蠋〕 wūzhú 명 《蟲》 나방이나 나비의 유충(녹색 · 흑색 · 갈색의 세 종류로, 식물의 잎을 먹는 해충).
〔乌孜别克〕 Wūzībiékè 명 《地》 우즈베크(Uzbek). ¶～族; 우즈베크 족. =〔乌兹别克〕〔乌兹碧克〕
〔乌鲻〕 wūzī 명 《魚》 숭어.
〔乌紫〕 wūzǐ 형 검붉다. ¶脸色～; 얼굴빛이 검붉다.
〔乌子〕 wūzi 명 ①《動》 뼈오징어. 갑오징어. ②점. 사마귀. ¶脸上长了～; 얼굴에 점이 생겼다. =〔污子〕
〔乌嘴〕 wūzuǐ 명 오구(烏口)(제도용(製圖用)). =〔鸭yā嘴〕

邬(鄔)
wū (오)
①지명용 자(字). ¶寻Xún～; 쉰우(尋鄔)(장시 성(江西省)에 있는 현 이름. 현재는 '寻乌'로 씀). ②명 성(姓)의 하나.
〔邬波斯迦〕 wūbōsījiā 명 〈梵〉 여자 불교도의 총칭.
〔邬波索迦〕 wūbōsuǒjiā 명 〈梵〉 남자 불교도의 총칭.

呜(嗚)
wū (오)
①〈擬〉 빵빵. 붕. 우(기적 · 경적 따위의 소리). ¶～的一声, 一辆汽车飞驶过去; 붕 소리를 내며 한 대의 차가 무서운 속도로 지나갔다. ②감 〈文〉 아아(슬픔 · 절망감 · 탄식 따위를 나타냄). ③〈擬〉 엉엉(우는 소리).
〔呜都都〕 wūdūdū 〈擬〉 뚜뚜('号hào角'(옛날의 나팔)를 부는 소리).
〔呜呼〕 wūhū 감 〈文〉 아아. 오호라(탄식을 나타냄). ¶～哀哉āizāi; 오호라 슬프다. 동 〈轉〉 죽다. ¶一命～; 〈成〉 죽어 버리다(제문(祭文)에 쓰이던 말. 현재는 악인이 죽다. 못된 일이 끝장나다의 뜻). ‖ =〔呜虖〕〔乌乎〕〔乌呼〕〔乌虖〕〔於wū呼〕〔於wū戏〕
〔呜虖〕 wūhū 감동 ⇨〔呜呼〕
〔呜呜〕 wūwū 〈擬〉 ①붕(붕). 웅. 윙윙(기계 소리 따위). ②목청을 돋구어 노래 부르는 소리. ③엉엉(우는 소리). ¶～大哭; 큰 소리로 슬프게 울다. ④뚜뚜(기적소리). ¶轮船上的汽笛～叫; 배의 기적이 뚜뚜 울리고 있다. ‖ =〔乌乌〕
〔呜呜咽咽〕 wūwūyèyè 형 ⇨〔呜咽〕
〔呜哑〕 wūyǎ 〈擬〉 까욱까욱(까마귀의 울음소리).
〔呜轧〕 wūyà 〈擬〉 붕붕(뿔피리의 소리).
〔呜噎〕 wūyē 동 〈文〉 근심하고 한탄하다.
〔呜咽〕 wūyè 동 흐느껴 울다. 훌쩍훌쩍 울다. 형 (피리나 흐르는 물 소리가) 쓸쓸하고 슬프다. =〔呜呜咽咽〕
〔呜哕〕 wūyuě 〈擬〉 우엑. 끄억(목구멍에서 나는 소리. 트림하는 소리).

钨(鎢)
wū (오)
명 《化》 텅스텐(tungsten).
〔钨钢〕 wūgāng 명 《鑛》 텅스텐강.
〔钨钢锯条〕 wūgāng jùtiáo 명 《機》 텅스텐강(鋼)으로 만든 톱날.
〔钨铬钴合金〕 wūgègǔ héjīn 명 《鑛》 스텔라이트(Stellite). =〔司sī太立合金〕
〔钨合金车刀〕 wūhéjīn chēdāo 명 《機》 텅갤로이드 바이트(tungalloyd bite). 소결(燒結) 탄화(炭化) 텅스텐 바이트.
〔钨锯刀〕 wūjùdāo 명 《機》 금속 절단용 텅스텐 톱날.
〔钨矿〕 wūkuàng 명 《鑛》 텅스텐 광석. =〔乌矿〕
〔钨砂〕 wūshā 명 《鑛》 정선(精選)한 텅스텐 광석.
〔钨丝〕 wūsī 명 《電》 텅스텐선(線).
〔钨丝电灯泡〕 wūsī diàndēngpào 명 《電》 텅스텐 전구.
〔钨铁〕 wūtiě 명 《鑛》 텅스텐 합금철. 페로텅스텐(ferrotungsten).

污〈汚, 汙〉
wū (오)
① 명 탁한 물. 더러워진 것. 오물. ¶血～; 피 묻은 오점. 핏자국. ② 형 더럽다. 불결하다. ¶～水; 오수. 더러운 물. ③ 동 더럽히다. ㉠더러운 것이 묻다. 더러워지다. ¶尘垢～人; 먼지나 때가 사람을 더럽게 한다 / 这件衣服已经～垢不堪; 이 옷은 이젠 때가 껴서 더러워 못 견디겠다 / 白衣服为煤烟所～; 흰 옷이 매연으로 더러워졌다. ㉡모

욕하다. ¶玷diàn～; 명예를 더럽히다. 여자를 능욕하다. ④형 (관리가) 청렴하지 않다. 부정하다. ¶贪～; 관리가 부정을 하다. ⑤동〈方〉광택이 없어지다. 흐려지다. ¶眼镜儿～了, 擦一擦吧; 안경 알이 흐려졌다, 닦아라.
〔污池〕 wūchí 명 물웅덩이. 오수(汚水) 구덩이.
〔污点〕 wūdiǎn 명 ①(옷 따위의) 더럼. 얼룩. ②불명예스러움. 오점(汚點).
〔污毒〕 wūdú 명 더러운 독. 더럽고 독이 있는 것.
〔污耳目〕 wū ěrmù 동 이목을 더럽히다. ¶我怕污了您的耳目; 당신의 눈과 귀를 더럽히지나 않았나 걱정입니다. (wū'ěrmù) 명 듣기〔보기〕 거북한 것. 귀〔눈〕에 거슬리는 것.
〔污垢〕 wūgòu 형 더럽다. 더러워져 있다. 명 ①(사람·물체에 낀) 때. 더러움. ¶指甲长了容易藏～; 손톱이 자라면 때가 끼기 쉽다. ②치욕. 부끄럼. 수치. ¶蒙着～; 창피를 무릅쓰다.
〔污黑〕 wūhēi 형 거무칙칙하다. 검게 더러워져 있다.
〔污痕〕 wūhén 명 얼룩. 더러움.
〔污秽〕 wūhuì 〈文〉 형 불결하다. 더럽다. ¶～的衣服; 더러워진 옷 / ～下流的行为; 더럽고 추잡한 행위. 명 더러운 것. 불결한 것.
〔污迹〕 wūjì 명 얼룩. ¶汗～; 땀 얼룩.
〔污漫〕 wūmàn 〈文〉 동 모욕하다. 더럽히다. 형 더럽다. 명 더러운 것.
〔污蔑〕 wūmiè 동 ①중상하다. (말·문장 따위로) 명예·명성을 더럽히다. =〔诬蔑〕 ②상처 입히다. 흠을 내다. 얼룩지게 하다. =〔玷污〕
〔污名〕 wūmíng 명 〈文〉 오명. 악명.
〔污泥浊水〕 wū ní zhuó shuǐ 〈成〉 온갖 낙후된 것. 썩어 빠진 세력 및 반동적인 것.
〔污泞〕 wūnìng〔wùneng〕 형 (위생을 지키지 않아) 불결하다. 더럽다. 때가 끼어 있다. ¶他这病都是平常太～了的原故; 그의 저 병은 모두 평소 비위생적인 데서 온 것이다.
〔污七八糟〕 wūqībāzāo 형 ⇨〔乌七八糟②〕
〔污儿鬼〕 wūrguǐ 명 무뢰한. 남이 싫어하는 사람.
〔污染〕 wūrǎn 동 오염시키다. 오염되다. 더러워지다. 더럽히다. ¶～水源; 수원을 오염시키다. 명 오염. ¶环境～; 환경 오염.
〔污辱〕 wūrǔ 동 ①모욕하다. =〔侮辱〕 ②상처를 입히다. ㉠더럽히다. 오점을 찍다. 욕보이다. ㉡(좋지 않은 언동으로) 남을 중상하다.
〔污水〕 wūshuǐ 명 오수. 더러운 물. 하수(下水). ¶～池; 오수지. 물웅덩이 / ～管; 오수관. 하수관.
〔污行〕 wūxíng 명 〈文〉 더러운 짓. 부정 행위. 부도덕한 행동.
〔污淫〕 wūyín 동 〈文〉 강간하다.
〔污痣〕 wūzhì 명 검은 점. →〔黑hēi痣〕
〔污浊〕 wūzhuó 명 오탁. 더러움. ¶洗去身上的～; 몸의 더러움을 씻어 버리다. 형 더럽다. 혼탁하다. ¶河水～, 不能饮用; 강물은 더러워서 마실 수 없다.
〔污子〕 wūzi 명 (피부의) 점. 사마귀. ¶红hóng～; 붉은 점.

圬〈杇〉 wū (오) 〈文〉 ①명 흙손. ②동 흙손으로 바르다. ¶粪fèn土之墙不可～也《論語 公冶長》; 더러운 흙담장은 흙손질할 수 없다.
〔圬工〕 wūgōng 명 ①미장이. ②미장이 일.
〔圬镘〕 wūmàn 명 ①흙손. ②미장이.
〔圬人〕 wūrén 명 〈文〉 미장이. =〔圬工〕〔圬官〕〔圬者〕

洿 wū (오) 〈文〉 ①명 땅의 움푹 팸〔팬 곳〕. ②동 (웅덩이를) 파다. 파내려 가다.
〔洿池〕 wūchí 명 〈文〉 못. 물웅덩이.

巫 wū (무) ①명 무당. ②지명용 자(字). ③명 성(姓)의 하나.
〔巫蛊〕 wūgǔ 동 〈文〉 무술(巫術)로 사람을 미혹하게 하다.
〔巫女〕 wūnǚ 명 무녀. 무당. =〔巫婆〕
〔巫婆〕 wūpó 명 무당. 무녀. ¶～神汉; 미신적인 굿이나 제사를 하는 사람. =〔巫女〕
〔巫人〕 Wūrén 명 말레이(Malay) 사람.
〔巫山〕 Wūshān 명 《地》 ①우산 현(巫山縣)《쓰촨 성(四川省)에 있는 현 이름》. ②우산(巫山)《우산 현(巫山縣) 남동에 위치한 산 이름》.
〔巫山之梦〕 Wū shān zhī mèng 〈成〉 남녀의 밀회《초(楚)나라 양왕(襄王)이 꿈 속에 무산(巫山)의 신녀(神女)와 밀회했다는 고사(故事)에서 유래》. =〔高唐梦〕
〔巫神〕 wūshén 명 〈方〉 무당. 박수. =〔巫师〕
〔巫师〕 wūshī 명 무술(巫術)을 행하던 사람. 박수《무당》. =〔巫神〕
〔巫术〕 wūshù 명 마술. 요술. 무술.
〔巫觋〕 wūxí 명 무격. 무당과 박수.
〔巫峡〕 Wūxiá 명 《地》 무협《양쯔 강(揚子江) 삼협(三峽)의 하나》.
〔巫医〕 wūyī 명 ①무술(巫術)로 병을 치료하는 무당. ②〈文〉 무당과 의사.
〔巫语〕 Wūyǔ 명 《言》 말레이(Malay).
〔巫咒〕 wūzhòu 동 주문(呪文)을 외다. 마법을 쓰다.

诬(誣) wū (무) 동 ①거짓말하다. 속이다. ¶其言不～; 그 말은 거짓이 아니다. ②없는 일을 있는 것같이 말하다. 모함하다. 생사람 잡다. ¶被人～陷; 남에게 모함을 받다.
〔诬扳〕 wūbān 동 무고한 죄를〔누명을〕 들씌우다. ¶被贼～; 악당 때문에 애매한 죄를 뒤집어쓰다.
〔诬谤〕 wūbàng 동 비방하다. =〔诬诋〕
〔诬诋〕 wūdǐ 동 ⇨〔诬谤〕
〔诬服〕 wūfú 동 〈文〉 (고문 따위로 인해) 있지도 않은 죄를 인정하다.
〔诬告〕 wūgào 명동 무고(하다). =〔诬控〕〔诬捏〕〔诬诉〕〔妄wàng告〕〔妄控〕
〔诬害〕 wūhài 동 없는 죄를 씌워 남을 해치다. 모함하다.
〔诬控〕 wūkòng 명동 ⇨〔诬告〕
〔诬赖〕 wūlài 동 모함하다. 무고〔애매한〕 죄를 뒤집어씌우다. ¶你别～好人; 착한 사람에게 무고한 죄를 씌워서는 안 된다. =〔图tú赖〕
〔诬良〕 wūliáng 동 양민에게 누명을 씌우다. 공연한 사람에게 죄를 뒤집어씌우다.
〔诬良为盗〕 wū liáng wéi dào 〈成〉 양민을 도둑으로 만들다. 죄상을 꾸며 착한 사람을 모함하다.
〔诬蔑〕 wūmiè 동 없는 일을 조작해서 명예를 손상하다. 중상〔비방〕하다. 트집을 잡다. 죄를 덮어씌우다. ¶受到人家的～; 사람들에게 중상당하다 / 造谣～; 사실 무근의 말로 중상당하다. 명 중상. 비방. 모욕.
〔诬捏〕 wūniē 명동 ⇨〔诬告〕
〔诬攀〕 wūpān 동 날조된 죄로 남을 연루시키다.

무고해서 연좌시키다.
〔诬杀〕 wūshā 동 무고(誣告)하여 사람을 죽이다.
〔诬诉〕 wūsù 명동 ⇨〔诬告〕
〔诬罔〕 wūwǎng 동 〈文〉 ①속이다. 기만하다. ¶ ～之辞; 거짓말. ②잘못하다.
〔诬枉〕 wūwǎng 동 죄 없는 사람을 무함〔모함〕하여 애매한 죄를 씌우다.
〔诬陷〕 wūxiàn 동 무함〔모함〕하다. 무고하여 죄에 빠뜨리다. =〔诬告陷害〕
〔诬栽〕 wūzāi 동 죄를 덮어씌우다. ¶ ～罪名; 죄명을 넘겨씌우다.
〔诬证〕 wūzhèng 동 위증(僞證)하다.

於 **wū** (오)
감 〈文〉 오. 아《찬탄을 나타내는 말》. ⇒Yū, '于' yú
〔於戏〕 wūhū 감동 ⇨〔呜呼〕
〔於呼〕 wūhū 감동 ⇨〔呜呼〕
〔於菟〕 wūtú 명 《動》〈文〉 호랑이《초(楚)나라 때 범을 일컫던 말》.

屋 **wū** (옥)
명 ①가옥. ¶ ～顶; ⇩ / 迭dié床架～; 〈成〉 이중의 수고를 하는 일. ②〈方〉 집. ③(～儿, ～子) 방. 거실. ¶ 里～; 뒷방. ④〈文〉 수레의 뚜껑.
〔屋背〕 wūbèi 명 집 뒤. 집 안.
〔屋顶〕 wūdǐng 명 ①지붕. ¶ 双坡～; 박공 지붕 / 世界的～; 세계의 지붕. ②옥상. ¶ ～花园; 옥상 가든〔화원〕.
〔屋顶(焦)油纸〕 wūdǐng(jiāo)yóuzhǐ 명 《建》 루핑(roofing)《아스팔트로 처리된 방수지》. =〔屋顶纸料〕〔屋面油纸〕
〔屋顶铁皮〕 wūdǐng tiěpí 명 《建》 지붕을 이는 함석판.
〔屋顶纸料〕 wūdǐng zhǐliào 명 ⇨〔屋顶(焦)油纸〕
〔屋荒〕 wūhuāng 명 주택난.
〔屋基〕 wūjī 명 ①(건물의) 부지(敷地). ②집터. 집이 있던 자리. ‖ =〔屋址〕
〔屋极〕 wūjí 명 ⇨〔屋脊〕
〔屋脊〕 wūjǐ 명 《建》 용마루. ¶ 帕米尔高原是世界的～; 파미르 고원은 세계의 지붕이다. =〔屋极〕〔屋山巅〕〔屋山(头)〕
〔屋际〕 wūjì 명 《建》 처마.
〔屋架〕 wūjià 명 《建》 들보. 트러스(truss).
〔屋里〕 wūli 명 ①실내. 방 안. =〔屋子里〕 ②아내. 처. 집사람. =〔屋里的〕〔〈方〉 屋里人〕
〔屋里的〕 wūlide 명 ⇨〔屋里②〕
〔屋里人〕 wūliren 명 ①〈方〉 마누라. 집사람. ¶ 俺ǎn那个～; 우리 마누라. =〔屋里②〕〔屋里的〕 ②(옛날의) 첩. ¶ 竟给薛大傻shǎ子作了～《紅樓夢》; 마침내 멍청이 설(薛)가의 첩이 되어 버렸다.
〔屋漏〕 wūlòu 동 지붕에서 비가 새다. ¶ ～更逢连夜雨; 집이 새는데 게다가 매일밤 비를 만난다《엎친 데 덮친다》. 명 옥내의 서북 구석에 있는 어두운 곳.
〔屋庐〕 wūlú 명 ①〈文〉 거실(居室). ②복성(複姓)의 하나.
〔屋门(儿)〕 wūmén(r) 명 방문. 도어. =〔房门〕
〔屋面〕 wūmiàn 명 《建》 지붕. ¶ 瓦～; 기와 지붕.
〔屋面油纸〕 wūmiàn yóuzhǐ 명 ⇨〔屋顶(焦)油纸〕
〔屋墙〕 wūqiáng 명 ①집의 담. ②방의 벽〔담벼락〕.
〔屋山巅〕 wūshāndiān 명 ⇨〔屋脊〕
〔屋山墙〕 wūshānqiáng 명 《建》 지붕보다 높이 쌓은 집의 양쪽 면의 벽.
〔屋山(头)〕 wūshān(tóu) 명 ⇨〔屋脊〕
〔屋上架屋〕 wū shàng jià wū 〈成〉 옥상 가옥 《①중복되어 헛된 일을 함. ②기구나 구조가 중복되어 있음》. =〔屋下架屋〕
〔屋社〕 wūshè 동 〈文〉 토지신의 사당을 덮다《망국(亡國)을 말함》. ¶ 清社既屋; 청(清)나라는 이미 멸망했다.
〔屋舍〕 wūshè 명 〈文〉 가옥. 주거(住居).
〔屋乌〕 wūwū ① 명 《鳥》〈文〉 까마귀. ② ⇨〔屋乌之爱〕
〔屋乌之爱〕 wū wū zhī ài 〈成〉 사랑하면 그 애인 집의 지붕에 앉은 까마귀까지 귀엽다《남을 사랑하는 마음이 그 주위의 것에까지 미침》. =〔屋乌②〕
〔屋下架屋〕 wū xià jià wū 〈成〉 ⇨〔屋上架屋〕
〔屋檐〕 wūyán 명 지붕. 처마. =〔房檐(儿)〕
〔屋翼〕 wūyì 명 지붕 처마가 잦혀진 곳.
〔屋游〕 wūyóu 명 옥상의 기와에 낀 이끼. =〔瓦藓〕
〔屋宇〕 wūyǔ 명 〈文〉 가옥. ¶ 锣鼓喧天, 声震～; 징이나 북이 울리고 그 소리가 집을 뒤흔들다. =〔房屋〕
〔屋址〕 wūzhǐ 명 ⇨〔屋基〕
〔屋子〕 wūzi 명 ①실(室). 방. ¶ 这间～太窄; 이 방은 너무 비좁다 / 一间～; 방 하나. =〔房间〕 ②〈南方〉 집. ¶ 有了～想炕kàng; 방이 완성되니 온돌을 생각한다《욕심에는 한이 없다》. =〔房子〕
〔屋租〕 wūzū 명 ①집세. ②방세.

恶(惡) **wū** (오)
〈文〉 ① 대 어찌(하여). 어떻게. ¶ ～有身为领导而一事不知者; 어찌 지도자 된 사람으로서 아무것도 모를 수 있는가. ② 감 아《놀람을 나타냄》. ¶ ～! 是何言也!《孟子公孫丑下》; 아아! 이게 무슨 말인가! ⇒ě è wù

亡〈亾〉 **wú** (무)
고서(古書)에서 '无亡'와 통함. ¶ ～虑lǜ; 아무 염려 없음 / ～状zhuàng; 무례한 행위 / ～是公; 무명씨. ⇒wáng

无(無) **wú** (무)
① 동 없다. ¶ 从～到有; 무(無)에서 유(有)가 되다 / 有则改之, ～则加勉; 결점이 있으면 고치고, 없으면 더 한층 힘쓰다. ↔〔有〕 ② 동 …하지 않다. …이 아니다. ¶ ～偏～倚; 치우치지 않다 / ～须乎这样; 그래야 할 필요가 없다 / ～妨试试! 한 번 시험해 보면 어떤가! ③ 부 …하지 마라. …하지 말아야 한다. ¶ ～多言; 쓸데없는 말을 하지 마라 / ～友不如己者; 나보다 못한 자를 친구로 삼지 마라. =〔毋〕 ④ …을 막론하고. …에 관계 없이. ¶ 事～大小, 都由他决定; 일의 대소를 막론하고 모두 그가 결정한다 / ～论是谁都得吃饭; 누구를 막론하고 밥은 먹어야 한다 / ～冬历夏, 叶子不掉; 겨울이나 여름이나 잎은 떨어지지 않는다. ↔〔不论〕 ⑤ 명 성(姓)의 하나. ⇒mó
〔无碍〕 wú'ài ①지장이 없다. 무방하다. ② 명 《佛》 무애《통달자재(通達自在)하여 장애나 가로막는 벽이 없는 일》.
〔无碍大局〕 wú'ài dàjú 대국에 영향이 없다.
〔无碍于〕 wú'àiyú (…에) 지장이 없다. ¶ ～大局; 대국에 지장〔영향〕이 없다.
〔无巴鼻〕 wúbābí 파악하지 못하다. 자기의 것이 되지 못하다. =〔无把柄〕

〔无把柄〕 wúbǎbǐng ⇨〔无巴鼻〕
〔无把握〕 wúbǎwò 자신이 없다. 승산이 없다. ¶不打～之仗; 승산 없는 싸움은 하지 않다.
〔无板腔〕 wúbǎnqiāng 명 〈比〉 장단〔가락〕이 맞지 않는 노래.
〔无伴奏合唱〕 wúbànzòu héchàng 명 《樂》 아카펠라(a cappella). 무반주 합창.
〔无保留〕 wúbǎoliú 형 보류하지 않는. 남김없는. ¶～地传授; 남김없이 전수하다.
〔无被花〕 wúbèihuā 명 《植》 무피화(無被花). 민덮개꽃. 나화(裸花).
〔无本生财〕 wúběn shēngcái 밑천없이 돈을 벌다.
〔无本之木〕 wúběn zhī mù 뿌리 없는 나무. 〈比〉 근거가 없는 일〔사물〕.
〔无比〕 wúbǐ 형 더없다. 비할 데 없다. ¶感到～高兴; 더없는 기쁨을 느끼다 / ～强大; 비할 바 없이 강대하다. =〔无俦〕〔无匹〕
〔无裨〕 wúbì 동 ⇨〔无补〕
〔无边〕 wúbiān 형 끝이 없다. 한없이 넓다. =〔无涯〕
〔无边风月〕 wú biān fēng yuè 〈成〉 끝없이 펼쳐진 아름다운 풍경.
〔无边无碍〕 wúbiān wú'ài 《佛》 자유자재하여 조금도 구속이 없는 경지. =〔无边无岸〕
〔无边无际〕 wúbiān wújì 끝없이 넓다. 무변무제하다.
〔无标题音乐〕 wúbiāotí yīnyuè 명 《樂》 표제 없는 음악.
〔无柄叶〕 wúbǐngyè 명 《植》 무병엽. 잎꼭지가 없는 잎.
〔无病呻吟〕 wú bìng shēn yín 〈成〉 병을 앓지 않는데 신음하다(감동 안 하면서 감동한 척하거나, 근심할 것도 없음에도 한숨을 짓거나 하다). ¶～, 小病大养; 병도 아닌데 신음을 하고, 대수롭지 않은 병에 야단스럽게 조섭한다.
〔无病是神仙〕 wúbìng shì shénxiān ①무병한 것은 신선이며, 사람에겐 병이 없는 자는 없다. ②〈轉〉 무병한 것이 무엇보다 행복하다.
〔无病休嫌瘦, 身安莫怨贫〕 wúbìng xiū xiánshòu, shēn'ān mò yuànpín 〈諺〉병이 없으면 몸이 야윈 것을 걱정하지 말고, 몸이 무사 평안하면 가난한 것을 원망하지 말라.
〔无补〕 wúbǔ 동 무익하다. 도움이 안 되다. 쓸모없다. ¶空谈～于实际; 공담은 실제상 도움이 안 된다 / ～于事; 일에 무익하다. =〔无裨bì〕
〔无不〕 wúbù ①예외 없이 …이다. 모두 …이다. ¶～从群众的立场出发作了适宜的解决; 예외 없이 대중적 입장에서 출발하여 적절한 해결을 했다 / ～如意; 마음에 안 드는 것이 하나도 없다 / ～为之感动; 이 일에 감동하지 않은 사람이 없다. ②없는 것도 아니다. ¶～小补; 다소의 보탬이 되지 않는 것도 아니다.
〔无不俱备〕 wúbù jùbèi ⇨〔无不俱全〕
〔无不俱全〕 wúbù jùquán 모두 갖추어 놓고 있다. =〔无不俱备〕〔无不齐备〕
〔无不可〕 wúbùkě 안 될 것이 없다. 아무런 지장도 없다. ¶我是～呀; 나는 아무런 지장도 없습니다.
〔无不齐备〕 wúbù qíbèi ⇨〔无不俱全〕
〔无猜〕 wúcāi 형 의심을 모르다. 천진하다. ¶两小～; 남녀 쌍방이 모두 어리고 천진난만하다.
〔无才〕 wúcái 명형 무능(하다).
〔无彩色影片〕 wúcǎisè yǐngpiàn 명 《映》 흑백영화. =〔黑白(电影)片〕
〔无差〕 wúchā 차이가 없다. 틀림이 없다. =〔无舛chuǎn〕 ⇒ wúchāi
〔无差〕 wúchāi 직장이 없다. 맡은 일이 없다. ⇒ wúchā
〔无产阶级〕 wúchǎn jiējí 명 무산계급. 프롤레타리아(독 proletariat). ¶～专政; 《政》 프롤레타리아 독재 / ～革命事业接班人; 프롤레타리아 혁명 사업의 후계자 / ～化; 프롤레타리아로 변하다. 프롤레타리아트의 특질을 갖추다.
〔无产无业〕 wúchǎn wúyè ①전혀 재산이 없다. ②재산도 직업도 없다.
〔无产者〕 wúchǎnzhě 명 〈文〉 무산자. 프롤레타리아트.
〔无长物〕 wú chángwù 쓸모없는 것〔방해되는 것〕이 없다. ¶身～; 〈比〉 맨주먹. 맨몸. 찰가난. 빈털터리.
〔无肠〕 wúcháng 〈比〉 의지가 약하다. 배짱이 없다.
〔无肠公子〕 wúcháng gōngzǐ 명 《動》 게의 별칭.
〔无偿〕 wúcháng 명형 《法》 무상(의). ¶～行为; 무상 행위 / ～劳动; 무보수 노동 / ～援助; 무상 원조.
〔无常〕 wúcháng 형 항상 변동하다. 정함이 없다. ¶变化～; 끊임없이 변화하다. 변화가 무상하다. 명 ①《佛》 무상. ②(미신에서) 저승 사자. 사신(死神). ¶一旦～万事休; 무상(無常)의 저승 사자에게 뀜을 당하면 만사는 끝이다. 동 〈婉〉 사람이 죽다.
〔无耻〕 wúchǐ 형 염치없다. 부끄러운 줄 모르다. ¶～勾当gòudang; 후안무치하다 / ～之尤; 뻔뻔하기 짝이 없다.
〔无冲突论〕 wúchōngtūlùn 명 사람과 자연간의 모순은 인정하나, 사람과 사람간의 모순은 근본적으로 없다고 보는 생각.
〔无俦〕 wúchóu 형 ⇨〔无比〕
〔无出其右〕 wú chū qí yòu 〈成〉 그 위에 설 자가 없다. 그보다 나은 자가 없다.
〔无处无之〕 wú chù wú zhī 〈成〉 없는 데가 없다. 어디든지 있다.
〔无舛〕 wúchuǎn ⇨〔无差chā〕
〔无疵〕 wúcī 형 ①과실이 없다. ¶～提单; 무고장 선하 증권. ②문장에 흠이 없다. ③완벽하다.
〔无从〕 wúcóng …할 방도가〔길이〕 없다. …할 도리가 없다. ¶～下手; 손을 댈 수가 없다 / ～解释; 설명할 도리가 없다 / ～解决; 해결할 길이 없다 / 心中千言万语, 一时～说起; 가슴 속에 할 말이 태산 같아서, 잠시 어떻게 말을 꺼내야 좋을지 모르겠다 / ～追穷; 추궁할 방도가 없다. =〔〈文〉无由〕〔无缘②〕
〔无存〕 wúcún 존재하지 않다. 없다. ¶～客气地说; 사양하지 않고 말하다.
〔无大无小〕 wúdà wúxiǎo 크고 작음을 따지지 않고. =〔无小无大〕
〔无裆裤〕 wúdāngkù 명 (어린아이가 입는) 개구멍바지.
〔无党派人士〕 wúdǎngpài rénshì 무당파 인사(어떤 당파에도 가입하지 않은 저명 인사).
〔无道〕 wúdào 형 무도하다. 도리에 어긋나다. 잔혹하다.
〔无得〕 wúdé …할 수는 없다. …해서는 안 되다. ¶～推诿; 책임을 전가할 수는 없다 / ～妄作胡为; 무책임한 짓을 해서는 안 된다.
〔无的怨〕 wúdeyuàn 원망할 바가 못 된다. 유감스럽다고 할 수 없다.

〔无敌〕 wúdí 형 무적이다. 필적할 자 없다. 대적할 수 없다. ¶所向～; 대적할 적이 없다 / ～于天下; 천하 무적이다.
〔无底〕 wúdǐ 형 밑이 없다. 끝이 없다. 〈轉〉(욕망 따위) 끝이 없다. 한이 없다. ¶～壑hè; 끝없이 깊은 골짜기 / ～囊náng; 바닥 없는 주머니. 〈比〉 매우 탐욕한 사람.
〔无底洞〕 wúdǐdòng 명 밑 없는 구멍《욕심 등이 끝이 없음》. ¶这战争是个～; 이 전쟁은 끝없는 굴이다.
〔无抵抗主义〕 wúdǐkàng zhǔyì 명 무저항주의.
〔无地〕 wúdì 동 몸둘 바가 없다. 어쩔 줄을 몰라하다. ¶羞愧～ =〔～自容〕; 부끄러워 구멍이 있으면 들어가고 싶을 정도이다 / 我感激至于～; 나는 감격하여 어찌해야 좋을지 몰랐다.
〔无地起楼台〕 wúdì qǐ lóutái 〈比〉 관리가 청렴해서 재산이 없다.
〔无的放矢〕 wú dì fàng shǐ 〈成〉 과녁도 없이 화살을 쏘다. 대상도 없이 논하다《목적·대상이 없이 무턱대고 행동·발언함》.
〔无冬苙夏〕 wúdōng lìxià 여름이나 겨울이나. 일 년 내내. ¶～地做苦工; 일 년 내내 고된 일을 하다. =〔无冬无夏〕
〔无冬无夏〕 wúdōng wúxià ⇨〔无冬苙夏〕
〔无动于衷〕 wú dòng yú zhōng 〈成〉 조금도 마음이 움직여지지 않다. 무관심〔무감동〕하다. ¶视若不见, ～; 보고도 못 본 체하고 태연하다 / 受了侮辱还～; 모욕을 받아도 동요하는 바가 없다 / 孩子大哭了一阵, 不过电车上的乘客却似乎～; 아이가 큰 소리로 한바탕 울었지만, 전차 승객은 아랑곳하지 않았다.
〔无独有偶〕 wú dú yǒu ǒu 〈成〉 (악인·못된 일에 관하여) 하나만이 아니다. 하나에 그치지 않다. 공범〔악행〕이 더 있을 법하다.
〔无毒〕 wúdú 형 〈文〉 무독하다. 독이 없다. ¶～不丈夫; 가차없이 해치우는 것이 진짜 남자이다. 정에 끌려 약한 태도를 보이지 않는 자야말로 대장부이다.
〔无度〕 wúdù 형 무절제하다. 절도가 없다. ¶花费～; 절도 없이 돈을 낭비하다.
〔无端〕 wúduān 부 이유〔까닭〕도 없이. ¶～生事; 이유〔까닭〕도 없이 사단을 일으키다 / ～发笑; 까닭도 없이 웃다 / ～无由; 이유도 없다 / 他～埋mái怨着自己; 그는 까닭도 없이 자기를 원망하고 있다. 형 〈文〉 한〔끝〕이 없다. ¶天圆而～; 하늘은 둥글고 끝이 없다.
〔无多有少〕 wúduō yǒushǎo 많고 적음에 관계없이. 얼마간. ¶～地赏些小费吧; 팁을 얼마간 주십시오 / 这个人很可怜, 你～给他几个得了; 이 사람은 몹시 불쌍하니, 얼마간 주어라.
〔无讹〕 wú'é 형 틀림없다. ¶表格上所填一切～; 서식(書式)에 적은 바는 전부 틀림이 없다.
〔无恶不作〕 wú è bù zuò 〈成〉 나쁜 짓이라면 어느 하나 안 하는 것이 없다. 나쁜 일이란 나쁜 일은 죄다 하다.
〔无儿不算富〕 wú'ér búsuànfù 자식이 없다면 부자라고 말할 수 없다.
〔无二〕 wú'èr 형 ①비할 바 없다. 무이하다. ②아주 비슷하다. 똑같다. ¶这画画得和真的一般～; 이 그림은 진짜와 정말 똑같다.
〔无二鬼〕 wú'èrguǐ 명 무뢰한. 파락호. 망나니.
〔无二无疑〕 wú'èr wúyí 조금도 의문이 없다. 의심의 여지가 없다.
〔无法〕 wúfǎ 동 (…할) 방도가〔길이〕 없다. ¶～知道; 알 방도가 없다 / ～阻止; 저지할 길이 없다 / ～满足; 만족시킬 방법이 없다 / ～可施; 베풀 도리가 없다 / ～应付; 대처할 방법이 없다 / ～挽回; 만회할 방도가 없다 / ～摆脱; 벗어날 도리가 없다. 형 무법이다. 난폭하다.
〔无法可依〕 wúfǎ kěyī 의지할 법률이 없다.
〔无法投递邮件〕 wúfǎ tóudì yóujiàn 명 배달 불능 우편물.
〔无法无天〕 wúfǎ wútiān ①법을 어기고 천리를 분별하지 못하다. 난폭한 짓을 하다. ¶那个孩子在家里～地闹, 老叫父母生气; 저 애는 집에서는 제멋대로 굴기 때문에 늘 부모를 화나게 한다. ②〈轉〉 무법자. 무법천지.
〔无方〕 wúfāng 명 (하는 방식이) 돼먹지〔돼있지〕 않다. 법식에 맞지 않다. ¶经营～; 경영이 돼먹지 않다. =〔不得法〕↔〔有方〕
〔无妨〕 wúfáng 동 무방하다. 방해가〔지장이〕 없다. 괜찮다. ¶一个人做也～; 혼자 해도 무방하다 / ～试一试; 어디 한 번 시험해 보는 게 어때 / ～一块儿散散步去! 어디 함께 산책 나가는 게 어때 / 你今天要是高兴, ～一同去玩玩; 당신 오늘 괜찮다면 함께 가서 놉시다.
〔无妨碍〕 wúfáng'ài 방해가 되지 않다. 지장이 없다.
〔无妨无碍〕 wúfáng wú'ài 조금도 방해가 없다. 조금도 지장이 없다.
〔无纺布〕 wúfǎngbù 명 《紡》 부직포(不織布).
〔无非(是)〕 wúfēi(shì) 다름 아닌 …이다. 그저 (…에) 지나지 않다. …에 불과하다. ¶菜～是豆腐; 반찬은 두부가 고작이다 / ～一杯淡酒, …; (아무 안주도 없는) 한 잔 술일 뿐입니다만… / 目的～是为了占有金钱; 목적은 돈을 제 것으로 하기 위한 것에 지나지 않는다 / ～借了这名目揣一揣; 이 구실을 꼬투리삼아 염탐하려는 게 틀림없다 / ～是白效劳; 어차피 보수 없이 하는 일이다.
〔无分彼此〕 wúfēn bǐcǐ ①이것저것의 구별이 없다. 같다. ②격의(隔意) 없다. 친밀하다. 한결같다.
〔无分畛域〕 wúfēn zhěnyù 구역의 구분이 없다.
〔无分〕 wúfèn 형 참가할 자격이 없다. 한 패가 되어 있지 않다. ¶党外群众是～的; 당외(黨外)의 군중은 참가할 자격이 없다.
〔无风〕 wúfēng 명 《氣》 무풍《초속 0.2미터 이하, 풍력 0의 바람》.
〔无风不起浪〕 wúfēng bù qǐlàng 〈諺〉 바람이 없으면 파도가 일지 않는다. 아니땐 굴뚝에 연기 날까《원인 없이 일은 일어나지 않는다》. =〔无风草不动〕
〔无风草不动〕 wú fēng cǎo bù dòng 〈諺〉 ⇨〔无风不起浪④〕
〔无风起浪〕 wú fēng qǐ làng 〈成〉 평지 풍파(平地風波)를 일으키다. 일부러 소동을 일으키다.
〔无风三尺土, 有雨一街泥〕 wú fēng sān chǐ tǔ, yǒu yǔ yī jiē ní 〈成〉 바람이 안 불면 석 자 먼지가 쌓이고, 비가 내리면 온 거리가 진창투성이다《옛날, 베이징(北京)의 거리 사정이 안 좋았음을 이르는 말》.
〔无缝钢管〕 wúfèng gāngguǎn 명 《機》 이음매 없는 강철관.
〔无缝可钻〕 wú fèng kě zuān 〈成〉 ⇨〔无隙可乘〕
〔无缝下蛆〕 wúfèng xiàqū 틈새가 없는데 구더기를 낳다《일부러 일을 시끄럽게 만들다. 평지풍파를 일으키다》.
〔无服之丧〕 wúfú zhī sāng 스승이나 제자에 대한 상(喪).

〔无服之殇〕 wúfú zhī shāng 〈文〉 무복지상(생후 3개월에서 8세까지의 어린이의 죽음).
〔无服族侄〕 wúfú zúzhí 상복을 입을 필요가 없는 (먼) 친척.
〔无幅轮〕 wúfúlún 명 살이 없는 바퀴.
〔无父无君〕 wúfù wújūn 아비도 없고 임금도 없다(윗사람을 존중하지 않다).
〔无干〕 wúgān 동 관계 없다. ¶与他～; 그와는 관계가 없다 / 这是我的错儿, 跟别人～; 이건 나의 잘못이며, 다른 사람과는 관계가 없다.
〔无告〕 wúgào ①호소할 데가 없다. 의지할 데가 없다. ¶～者; 의지할 데 없는 사람. ②〈轉〉 빈궁하다.
〔无根水〕 wúgēnshuǐ 명 《漢醫》 의약용 또는 음료수용으로 길어 온 우물물.
〔无根无蒂〕 wú gēn wú dì 〈成〉 뿌리도 없고 꼭지도 없다(근거가 없다. 의지할 데가 없다. 관계가 없다).
〔无公害蔬菜〕 wúgōnghài shūcài 명 무공해 채소.
〔无功受禄〕 wú gōng shòu lù 〈成〉 공 없이 녹을 먹다. 아무 하는 일 없이 급료를 받다.
〔无功无过〕 wúgōng wúguò 공로도 없고 과실도 없다.
〔无钩条虫〕 wúgōu tiáochóng 명 《蟲》민촌충. 무구조충.
〔无垢〕 wúgòu 형 무구하다. 순결하다. ¶～衣; 《佛》 승복 · 가사의 별칭.
〔无辜〕 wúgū 형 무고하다. 죄가 없다. 명 무고한 사람. ¶株连～; 〈成〉 무고한 사람을 끌고 들어가다.
〔无骨〕 wúgǔ 형 〈比〉 기백이〔패기가〕 없다.
〔无故〕 wúgù 부 이유 없이. 까닭 없이. ¶无缘～; 이유 없이 / 不得～缺席; 이유 없이 결석해서는 안 된다 / 不得～迟到早退; 이유 없이 지각 조퇴를 하지 말아야 한다.
〔无挂碍〕 wúguà'ài 형 마음에 둘〔괘념할〕 것이 없다. =〔无挂无碍〕
〔无挂无碍〕 wúguà wú'ài 형 ⇨〔无挂碍〕
〔无怪〕 wúguài 형 당연하다. 이상할 것 없다. ¶已经交小雪了, ～天气这么冷! 이미 소설이 되었으니, 추운 것은 당연하지! / 天气这么冷, ～下大雪; 이렇게 추우니 큰눈이 내리는 것도 당연하다.
〔无关〕 wúguān 동 〈文〉 서로 연대 관계가 없다. 무관하다. ¶～紧要; 〈成〉 대단한 일이 아니다. 중대하지 않다 / ～大局; 대국과 무관한 일이다. 대단한 일이 아니다 / ～宏旨; 주된 취지와는 관계가 없다. 대수로운 의미 또는 관계가 없다 / ～痛痒; 통양을 느끼지 않다. 중대 관계가 없다 / 与生产～的工作; 생산과 관계가 없는 일.
〔无官一身轻〕 wúguān yīshēn qīng 〈諺〉 벼슬을 살지 않는 몸의 홀가분함. 책임을 벗으니 마음이 홀가분하다. ¶当农民就可以～; 농민이 되면 벼슬 안 사는 몸의 홀가분함이 있다.
〔无光〕 wúguāng 동 ①광택이 없다. 빛이 안나다. ②위력이 없어지다. 체면 유지를 못하다. 망신하다. ¶还是想想再说, 免得叫驳回了, 面上～, 大家都不好意思; 반박을 당하고 체면을 잃어 모두 무안하지 않도록 역시 좀 생각한 다음에 하자.
〔无光探照灯〕 wúguāng tànzhàodēng 명 적외선을 이용한 탐조등.
〔无轨〕 wúguǐ 형 무궤도의. 무궤조(無軌條)의.
〔无轨电车〕 wúguǐ diànchē 명 트롤리 버스. 무궤도 전차.
〔无鬼论〕 wúguǐlùn 명 ⇨〔无神论〕
〔无过不及〕 wú guò bùjí 과부족이 없다. 많지도 적지도 않다.
〔无何〕 wúhé 〈文〉 ①머지 않다. 오래지 않다. ②아무 일도 없다. 아무렇지도 않다. ¶自度～; 아무 일도 없다고 생각하다. 아무런 사고도 없다고 생각하다.
〔无何有(之)乡〕 wú hé yǒu (zhī) xiāng 〈成〉 아무것도 없는 곳. 공허한 경지. 허무 무위의 선경. 이상향(理想鄕).
〔无恒〕 wúhéng 형 끈기가 없다. 의지가 약하다. 끝까지 관철할 의욕이 없다.
〔无后〕 wúhòu 형 후사(後嗣)가 없다. ¶不孝有三, ～为大; 불효에 세 가지가 있는데, 후사가 없는 것이 그 중 가장 큰 것이다.
〔无后坐力炮〕 wúhòuzuòlì pào 명 《軍》 무반동포. =〔无坐力炮〕
〔无狐魅不成村〕 wú húmèi bù chéng cūn 〈比〉 어디에나 교활한 놈은 있는 법이다.
〔无花〕 wúhuā 형 《紡》 무지(無地)이다. 무늬가 없다. ¶～(花)布; 평직면포 / ～毯tǎn; 무지 담요.
〔无花果〕 wúhuāguǒ 명 《植》 무화과. ¶～干; 건무화과.
〔无花植物〕 wúhuā zhíwù 명 《植》 무화 식물.
〔无华〕 wúhuá 형 화려하지 않다. 수수하다. ¶质朴～; 질박하고 꾸밈이 없다.
〔无化立〕 wúhuàlì 명 《動》 버팔로(buffalo). =〔水牛〕
〔无话不说〕 wúhuà bùshuō 무엇이든지 이야기하다. 이야기하지 않는 것이 없다. =〔无话不谈〕
〔无话可答〕 wúhuà kě dá 대답할 말이 없다.
〔无话可说〕 wúhuà kě shuō 할 말이 없다.
〔无患子〕 wúhuànzǐ 명 《植》 무환자(나무). =〔肥féi珠子〕
〔无毁无誉〕 wú huǐ wú yù 〈成〉 헐뜯을 일도 없고, 칭찬할 일도 없다.
〔无机化合物〕 wújī huàhéwù 명 《化》 무기 화합물.
〔无机酸〕 wújīsuān 명 《化》 무기산. =〔矿kuàng酸〕
〔无机物〕 wújīwù 명 《化》 무기물. ↔〔有机物〕
〔无稽〕 wújī 형 터무니없다. 황당무계하다. ¶～之谈; 터무니없는 말 / ～谰言; 〈成〉 터무니없이 남의 명예를 손상하는 말 / 荒诞～; 터무니없다. 황당무계하다.
〔无及〕 wújí 동 막급이다. 손쓸 수 없다. 되돌이킬 수 없다. ¶事到如今, 后悔～; 지금에 와서는 후회해도 소용이 없다.
〔无极〕 wújí 형 끝이 없다. 한이 없다. =〔无尽极〕
〔无极拳〕 wújíquán 명 무극권(무당파(武當派)의 조사(祖師) 장삼풍(張三豊)이 창시한 권법으로 도합 128수(手)가 있음).
〔无几〕 wújǐ 형 얼마 안 되다. 아주 적다. ¶所余～; 나머지는 얼마 안 된다. 부 오래지 않아. 이윽고.
〔无己〕 wújǐ 동 ⇨〔无我〕
〔无计可施〕 wú jì kě shī 〈成〉 베풀 방법이 없다. (어떻게) 손을 쓸 도리가 없다.
〔无计奈何〕 wú jì nài hé 〈成〉 ⇨〔无可奈何〕
〔无记名〕 wújìmíng 명 무기명. ¶～投票; 무기명 투표.
〔无记名背书〕 wújìmíng bèishū 명 《法》 무기명 배서. 백지식(白地式) 배서.

〔无记性〕 wújìxìng 명《佛》사물의 체성(體性)이 선도 아니고 악도 아닌 것《구사론(俱舍論)》.
〔无际〕 wújì 형 무제하다. 넓고 끝이 없다. →〔无边无际〕
〔无忌(惮)〕 wújì(dàn) 형 거리낌 없다. 기탄없다. ¶横行～; 거리낌 없이 제멋대로 행동하다.
〔无济于事〕 wú jì yú shì 〈成〉 ①아무 보탬도 안 되다. 아무런 도움도 안 되다. 아무 소용에도 닿지 않다. ¶任何妥协都～; 어떤 타협도 아무 소용없다. ②어찌할 도리 없다.
〔无既〕 wújì 형 〈文〉 끝없다. 무한하다. ¶感谢～; 더할 수 없이 감사하다. 감사해 마지않다.
〔无家可归〕 wú jiā kě guī 〈成〉 돌아갈 집이 없다.
〔无家无小〕 wújiā wúxiǎo 아내도 자식도 없다.
〔无家一身轻〕 wújiā yīshēn qīng 집이 없으면 책임이 가볍다.
〔无价之宝〕 wú jià zhī bǎo 〈成〉 둘도 없는 보물. 값을 따질 수 없는 보물.
〔无间〕 wújiān 명《佛》무간지옥. 지독한 고통을 받는 곳.
〔无坚不摧〕 wú jiān bù cuī 〈成〉 아무리 견고한 것이라도 쳐부수다〔깨뜨리다〕《힘이나 세력이 강대한 모양》.
〔无间〕 wújiàn 〈文〉 동 ①(사이가) 막힘이 없다. 무간하다. ¶亲密～; 〈成〉 아주 친밀하다. 무간하다. ②분별하지 못하다. 형 끊임없다. ¶他每天早晨练太极拳, 寒暑～; 그는 매일 아침 태극권(太極拳)의 연습을 하며, 추운 때나 더운 때나 멈추는 일이 없다.
〔无疆〕 wújiāng 형 〈文〉 ⇨〔无穷〕
〔无脚蟹〕 wújiǎoxiè 명 〈比〉 의지할 곳 없는 사람《고아·여자 등》.
〔无噍类〕 wújiàolèi 사람이 죽어 없어짐. 인류의 멸절(滅絶).
〔无尽极〕 wújìnjí 형 ⇨〔无极〕
〔无尽期〕 wújìnqī 명형 무기한(의).
〔无尽无休〕 wú jìn wú xiū 〈成〉〈貶〉 다하는 일이 없다. 끝이 없다.
〔无尽藏〕 wújìnzàng 명《佛》무진장《덕이 광대하여 끝이 없으며, 또 포함하지 않는 곳이 없다는 뜻》. 형 무진장하다.
〔无精打采〕 wú jīng dǎ cǎi 〈成〉 풀이 죽다. 멍하니 넋을 잃고 있다. 낙담하다. ¶你老这么～的有什么心病吗? 당신이 이렇게 기운이 없는 것은, 무슨 걱정이라도 있는 것입니까? =〔无精少彩〕〔无精失彩〕
〔无咎〕 wújiù 형 ①잘못이 없다. 장애가 없다. ②문책을 면하다. ③원망하고 책망할 수 없다.
〔无咎无誉〕 wú jiù wú yù 〈成〉 평판이 좋지도 나쁘지도 않다.
〔无拘无束〕 wú jū wú shù 〈成〉 구속되는 바가 없다. 자유자재〔마음대로〕이다. =〔无拘束〕
〔无可〕 wúkě (…할) 수가 없다《언제나 독립적으로는 쓰이지 않으며, 성어(成語)나 성어(成語) 형식의 말·관용어를 만듦》. ¶～避免; 불가피함. 피할래야 피할 수 없다 / ～辩驳; 반박할 수가 없다.
〔无可碍口〕 wúkě ài kǒu 말하는 데 꺼릴 필요는 없다.
〔无可比拟〕 wú kě bǐ nǐ 〈成〉 비교할 수가 없다. 비할 바 없다.
〔无可不可〕 wúkě bùkě ①감격이 북받치고 더할 나위 없이 기쁜 모양. ¶老太太见了这样, 乐得～; 할머니는 그 모습을 보고 기뻐 어쩔 줄을 몰랐다 / 欢喜得～; 기쁜 나머지 어찌할 바를 모르다. ②부득이. 할 수 없이. ¶只得向人家～地道个谢; 할 수 없이 상대방에게 감사의 말을 했다.
〔无可非议〕 wú kě fēi yì 〈成〉 비난·지탄할 데가 없다.
〔无可奉告〕 wú kě fèng gào 〈成〉 말씀드릴 것이 없다.
〔无可厚非〕 wú kě hòu fēi 〈成〉 ①덮어놓고 나무랄 수도 없다. ②지탄할 데가 없다. ‖ =〔未可厚非〕
〔无可救药〕 wú kě jiù yào 〈成〉 구제할 길이 없다. 만회할 방법이 없다.
〔无可奈何〕 wú kě nài hé 〈成〉 어쩔도리가 없다. 어찌할 방법이 없다. 부득이하다. ¶事到～的地步, 只好听天由命; 어쩔 도리가 없다면 천명에 맡길 따름이다 / 她～地走出去; 그녀는 할 수 없이 밖으로 나갔다 / ～花落去; ⓐ경치는 아까우나 그것이 사라지는 것을 막을 도리가 없다. ⓑ형세의 진전이 자신에게 불리해도 어쩔 수가 없다. =〔无计奈何〕〔无可如何〕
〔无可如何〕 wú kě rú hé 〈成〉 ⇨〔无可奈何〕
〔无可适从〕 wú kě shì cóng 〈成〉 어느 쪽을 따라야 할지 모르다. ¶阿Q～的站着; 아Q는 어느 쪽으로 따라가야 할지 몰라 계속 서 있었다.
〔无可逃避〕 wúkě táobì 달아나려 해도 달아날 수 없다.
〔无可无不可〕 wú kě wú bù kě 〈成〉 어느 쪽이건 상관 없다. ¶看戏也可以, 看电影也可以, 我是～; 연극을 보아도 좋고, 영화 관람도 좋다, 난 어느 쪽이건 상관 없다.
〔无可置疑〕 wú kě zhì yí 〈成〉 의심할 여지가 없다.
〔无空造有〕 wú kōng zào yǒu 날조하다. 있는 말 없는 말을 다 들어 말하다.
〔无孔不入〕 wú kǒng bù rù 〈成〉〈貶〉 기회만 있으면 놓치지 않고 못된 짓을 하다. 틈만 있으면 곧 이용하다.
〔无孔材〕 wúkǒng cái 명《植》침엽수.
〔无扣〕 wúkòu 동 할인(割引)하지 않다.
〔无苦痛致死术〕 wú kǔtòng zhìsǐshù 명 안락사(安樂死)시키는 법.
〔无愧〕 wúkuì 형 아무 부끄러운 데가〔것도〕 없다. ¶～于艺术家的称号; 예술가란 이름에 부끄럽지 않다 / 问心～; 마음속에 물어 부끄러운 데가 없다 / 当之～; 그 이름에 부끄럽지 않다.
〔无来由〕 wúláiyóu ①까닭〔이유〕 없이 하다. 되는 대로 하다. ¶～地骂人; 까닭 없이 남을 나쁘게 말하다 / 别～了, 说正经的吧; 터무니없는 소리 하지 마라. 진지하게 이야기해. ②(wúlaiyou) 떠돌이. ¶～的人; 무뢰한. ‖ =〔无赖尤〕
〔无赖〕 wúlài 형 ①의지할 데 없다. ¶穷极～; 궁해 빠져 결국은 의지할 데가 없다. ②교활하고 무리하다. 교활하고 도리를 모르다. ¶端～; 지르퉁하다 / 要shuǎ ～; 깡패 같은 짓을 하다. 생트집을 잡다. 명 무뢰한. 깡패.
〔无赖尤〕 wúlaiyou ⇨〔无来由〕
〔无赖子〕 wúlàizi 명 무뢰한. 부랑자. 깡패. =〔无赖汉〕
〔无泪可挥〕 wú lèi kě huī 〈成〉 닦을 눈물도 나지 않다. ¶伤心得～; 슬픈 나머지 눈물도 안 나오다.
〔无礼〕 wúlǐ 명형 무례(하다). 실례(가 되다).
〔无俚〕 wúlǐ 형 〈文〉 무료(無聊)하다. 심심하다.
〔无理〕 wúlǐ 형 무리하다. 이치에 맞지〔닿지〕 않

다. 도리를 분별 못 하다. ¶都是人, 不要～了! 모두 인간이다, 어거지는 부리지 마라! / ～的态度; 횡포한 태도 / ～的要求; 무리한〔이치에 안 닿는〕요구 / ～干涉; 불법으로 간섭하다 / ～打人; 부당하게 사람을 때리다 / ～取闹; 이유 없이 남과 말다툼하다. 터무니없이 떠들어 대다.
〔无理方程〕 wúlǐ fāngchéng 명《數》무리 방정식.
〔无理数〕 wúlǐshù 명《數》무리수.
〔无力〕 wúlì 형 ①무력하다. ¶～供孩子上大学; 무력해서 자식을 대학에 보낼 수 없다. ②힘이 없다. ¶身体衰弱, ～走路; 몸이 쇠약해서 걸어다닐 힘이 없다.
〔无立锥地〕 wú lìzhuī dì ①송곳을 꽂을 만한 넓이도 안 되는 좁은 땅. ②〈比〉극빈(極貧).
〔无廉无耻〕 wúlián wúchǐ 무렴무치하다. 철면피이다. 파렴치하다.
〔无脸见人〕 wúliǎn jiànrén ⇨〔无颜见人〕
〔无两〕 wúliǎng〈文〉단 하나이다. 유일(唯一)이다. =〔独dú一无二〕
〔无量〕 wúliàng 형 무량하다. 무한하다. 매우 많다. ¶～数; 무량수. 매우 많은 수 / 前途～; 전도가 양양하다 / 功德～; 공덕이 매우 크다.
〔无量寿佛〕 Wúliàngshòufó 명《佛》무량수불(아미타불의 별칭).
〔无聊〕 wúliáo 형 ①무료하다. 지루〔심심〕하다. ¶他一闲下来, 便感到～; 한가해지면 그는 곧 심심해진다 / 露出～的神气; 무료한 표정을 짓다. ②(이야기·행동이) 재미가 없다. 따분〔시시〕하다. 신물나다. ¶老谈吃穿, 太～了; 언제나 먹는 것 입는 것에 관한 이야기뿐이어서 정말 지겹다 / 他说的话非常～; 그의 이야기는 매우 따분하다 / 最～的, 无耻的快乐; 가장 하찮은 뻔뻔스런 쾌락. ③지질〔데데〕하다. 무기력하다. ④허전하다.
〔无聊赖〕 wú liáolài〈文〉①따분하여 마음을 달랠 수〔풀 길이〕없다. ②공허한 느낌으로 있다.
〔无漏子〕 wúlòuzi 명《植》대추야자.
〔无虑〕 wúlǜ〈文〉부 무려. 대충. 대략. 대개. ¶～万二千人; 대략 1만 2천 명. 형 근심이 없다.
〔无论〕 wúlùn 접 …에 불구하고〔막론하고〕. ¶～是谁都行; 누구든 좋다 / ～他怎么说, 我还是半信半疑; 그가 뭐라고 하든 나는 아직도 반신 반의다 / ～如何, 这个倾向是有的; 어쨌든 이런 경향은 있다 / ～谁拦, 我也要走; 누가 말려도 나는 간다.
〔无米为炊〕 wú mǐ wéi chuī〈成〉⇨〔无米之炊〕
〔无米之炊〕 wú mǐ zhī chuī〈成〉쌀도 없는 취사(필요한 조건이 갖춰져 있지 않으면 어쩔 도리가 없다). =〔无米为炊〕
〔无冕之王〕 wúmiǎn zhī wáng 명 ①무관(無冠)의 제왕. ¶曾经号称为～的新闻记者; 일찍이 무관의 제왕으로 일컬어졌던 신문 기자. ②〈比〉신문 기자.
〔无名〕 wúmíng 형〈文〉①이름 없다. ㉠알려지지 않은. 무명의. ¶～小卒; 무명 소졸. 이름도 없는 한 병졸〔평범한 사람〕. ㉡이름을 붙일 수 없는. 이름을 붙이지 않은. ¶～肿毒; 무어라고 이름 붙일 수 없는 악성 종기. ②왜 그런지 알 수 없다. 이유 없다(흔히, 불쾌한 일이나 정서를 가리킴). ¶～的悲哀; 까닭 모를 비애 / ～的恐惧; 왠지 모를 공포 / ～孽火 =〔～业火〕; 알 수 없이 불끈 치미는 분노 / ～损失; 엉뚱한 손실.
〔无名毒〕 wúmíngdú 명 이름을 알 수 없는 독.
〔无名鬼〕 wúmíngguǐ 명 무명씨(無名氏)(이름을 알 수 없는 사람을 홀(忽)하게 이르는 말).
〔无名(儿)少姓(儿)〕 wúmíng(r) shǎoxìng(r) 이름도 성도 없다. 이름도 알려지지 않다.
〔无名信〕 wúmíngxìn 명 익명의 편지.
〔无名异〕 wúmíngyì 명《鑛》소량의 산화철을 함유하는 천연산의 이산화 망간철. 무명이.
〔无名指〕 wúmíngzhǐ 명 무명지. 약손가락. =〔〈俗〉四(拇)指〕
〔无明火〕 wúmínghuǒ 명《佛》분노의 불. 모진 분노. 격노(激怒). ¶惹得他～; 그를 극도로 분노케 했다 / ～起三千丈; 불 같은 분노. 길길이 뛰고 노하다. =〔无多火〕
〔无模锻铁〕 wúmú duàntiě 명《工》자유 단조(自由鍛造).
〔无乃〕 wúnǎi〈文〉…하지 않은가. …이 아니겠는가. ¶老兄的议论～偏于一端吧; 귀형(貴兄)의 의론은 좀 한쪽으로 치우쳐 있지 않은지요.
〔无奈〕 wúnài〈文〉①어쩔 수 없다. 어찌할 도리가 없다. ¶出于～; 부득이〔어쩔 수 없이〕그렇게 되다 / 百般～; 어찌할 수 없다. =〔无奈何〕 ②어찌하랴(역접문(逆接文) 앞에 와서, 위에서 말한 의도가 아무리 해도 실현되지 않아 유감이란 마음을 나타냄). ¶星期天我们本想去郊游, ～天不作美下起雨来, 只好作罢了; 일요일날 우리는 소풍을 갈 예정이었지만, 어찌하리요 공교롭게 비가 와서, 부득이 그만둘 수밖에 없게 되었다. ‖ =〔无那nuò〕
〔无奈何〕 wúnàihé ⇨〔无奈①〕
〔无耐心烦〕 wúnài xīnfán (마음이) 안절부절못하여 견딜 수 없다. 속이 바작바작 타서 못 견디다. ¶等了个～; 기다리느라 애가 타다.
〔无能〕 wúnéng 형 무능하다. 재능이 없다. 능력이 없다. ¶软弱～; 패기가 없고 무능하다.
〔无能为力〕 wú néng wéi lì〈成〉일을 촉진하고 발전시킬 힘이 없다.
〔无年〕 wúnián 명〈文〉수확이 없는 해. 흉년.
〔无宁〕 wúnìng 부〈文〉오히려〔차라리〕…하는 편이 낫다. ¶不自由～死; 자유가 아니면 차라리 죽는 것이 낫다 / 这并不是低估他的价值, 事实上～正好相反; 이것은 결코 그의 가치를 낮게 평가하고 있는 것이 아니고 오히려 바로 그 반대이다. =〔毋wú宁〕
〔无那〕 wúnuò ⇨〔无奈〕
〔无牌〕 wúpái 형 무면허의. ¶～病院; 무면허 병원 / ～行医; 무면허 의사. 무면허 개업의(開業醫).
〔无匹〕 wúpǐ 형 ⇨〔无比〕
〔无偏无党〕 wú piān wú dǎng〈成〉무편무당하다. 공평하고 편파적이 아니다. =〔无私无党〕
〔无偏无倚〕 wú piān wú yǐ〈成〉치우치지 않다.
〔无凭无据〕 wú píng wú jù〈成〉아무 근거도 없다.
〔无期〕 wúqī 형 무기한의. 기한이 없는. ¶～徒刑;《法》무기 징역.
〔无奇不有〕 wú qí bù yǒu〈成〉온갖 기묘한 것이 있다. ¶真是五花八门, ～; 참으로 변화가 많고 진기한 것 투성이다.
〔无气无囊〕 wúqì wúnáng〈比〉패기가 없다. 기개가 없다.
〔无千代数〕 wú qiān dài shù〈成〉무수하다. 매우 많다. ¶现在闹百斯笃～的, 死了有一千多人; 지금 페스트의 유행으로 다수의 환자가 있으며, 죽은 자는 천여 명이나 된다 / ～的钱; 많은 금전. =〔无千带数〕〔无千代万〕
〔无千代万〕 wú qiān dài wàn〈成〉⇨〔无千代

数〕
〔无牵无挂〕 wú qiān wú guà 〈成〉 ①거치적거리는 것이 없다. ②마음에 걸리는 것이 없다.
〔无铅玻璃〕 wúqiān bōli 명 무연(無鉛) 유리.
〔无前〕 wúqián 형 ①전례가 없다. ¶豪迈～的号召; 전례가 없는 굉장한 선전〔호소〕. ②무적(無敵)이다. 비길 데가 없다. ¶一往～; 〈成〉 용왕매진(勇往邁進)하다.
〔无巧不成话〕 wú qiǎo bù chéng huà 〈成〉 불가사의한 것이 없으면 이야깃거리가 되지 않는다.
〔无巧不成书〕 wú qiǎo bù chéng shū 〈成〉 기우(奇遇)·우연이 없으면 야담이 안 된다. 사물이나 이야기에 우연은 꼭 따르는 법.
〔无巧不巧〕 wú qiǎo bù qiǎo 〈成〉 아주 공교롭다. 더 바랄 나위 없다.
〔无亲无故〕 wúqīn wúgù 친척도 없고 친구도 없다.
〔无亲无靠〕 wúqīn wúkào 친척이나 의지할 사람이 없다. 의지할 데가 없다.
〔无倾线〕 wúqīngxiàn 명 《物》 자기 적도(磁氣赤道).
〔无情〕 wúqíng 형 ①감정이 없다. 비정하다. 무정하다. ¶你也别说我～! 너도 내가 무정하다고 하지 마라! / 落花有意, 流水～; 낙화는 뜻이 있으나, 유수는 무정하다(짝사랑). ②무자비하다. 가차없다. ¶～的打击; 무자비한 타격 / 事实是～的; 사실은 냉혹한 것이다 / 水火～; 재난은 인정사정 없이 닥친다 / ～无义; 몰인정하다. 피도 눈물도 없다. ③이유가〔까닭이〕 없다.
〔无情白做〕 wúqíng báizuò 아무 원인〔이유〕도 없다. 새삼스럽다. ¶～地找碴chár儿; 아무 이유도 없이 남의 결점을 들추어 내다.
〔无情无理〕 wúqíng wúlǐ 정도 없고 의리도 없다.
〔无情无绪〕 wúqíng wúxù 슬퍼하고 근심하는 모양. 슬프고 따분한 모양.
〔无穷〕 wúqióng 형 끝이 없다. 한이 없다. =〔无疆〕
〔无穷大〕 wúqióngdà 명 《數》 무한대. =〔无限大〕
〔无穷尽〕 wúqióngjìn 끝이 없다. 한이 없다.
〔无穷无尽〕 wú qióng wú jìn 〈成〉 무궁무진하다. 무진장하다.
〔无穷小〕 wúqióngxiǎo 명 《數》 무한소. =〔无限小〕
〔无穷小数〕 wúqióng xiǎoshù 명 《數》 무한 소수.
〔无趣〕 wúqù 형 〈文〉 ①무취미하다. 재미없다. ②〈南方〉 세상 물정을 모르고 이해성이 없다.
〔无人〕 wúrén 형 ①무인의. 사람이 안 타는. ②셀프 서비스의. ③주민이 없는. ¶～区; 주민이 없는 지역.
〔无人飞机〕 wúrén fēijī 명 무인 비행기.
〔无人控制〕 wúrén kòngzhì 명 노맨 컨트롤(Nomen Control). 무인 조작.
〔无人售货〕 wúrén shòuhuò 명 무인 판매.
〔无人坦克〕 wúrén tǎnkè 명 《軍》 무인 탱크.
〔无人味〕 wú rénwèi 인정미가 없다.
〔无人问津〕 wú rén wèn jīn 〈成〉 돌아보는 사람이 없다. 상대해 주는 사람이 없다.
〔无任〕 wúrèn 〈文〉 부 매우. 대단히. ¶～感激; 매우 감격하다 / ～欢迎; 매우 환영하다. 동 그 임무를 감당 못 하다.
〔无任所大使〕 wúrènsuǒ dàshǐ 명 무임소 대사. 순회 대사.
〔无日〕 wúrì 〈文〉 ①하루도 (빠짐)없다. ¶～不…; …이 아닌 날이 하루도 없다 / ～不想念; 생각하지 않는 날이 하루도 없다. ②부 며칠 안 되어. 머지않아. 이윽고.
〔无日无之〕 wú rì wú zhī 〈成〉 없는 날이 하루도 없다. 하루도 없는 날이 없다.
〔无容讳饰〕 wúróng huìshì 숨기는 것은 허용되지 않다.
〔无如〕 wúrú ①어찌하랴. 어쩔 도리가 없다. ②그렇기는 하나. 그러나. ¶我们本当去看他, ～天色太晚了; 우리들은 본래 그를 찾아가야 하지만, 시간이 너무 늦었다.
〔无如之何〕 wúrú zhī hé 어찌할 수 없다.
〔无入而不自得〕 wúrù ér bùzìdé 들어가서 스스로 터득하지 않는 일이 없다(군자는 어떤 처지에 있더라도 스스로 만족하여 마음 편하게 있을 수 있다).
〔无色界〕 wúsèjiè 명 《佛》 무색계.
〔无色无主〕 wúsè wúzhǔ 너무 무서워 얼굴빛이 변하다. =〔失神无主〕
〔无啥〕 wúshà 〈南方〉 ①괜찮다. 그런대로 좋다. ¶聚jù秀堂里有个倌人叫陆秀宝, 倒～; 취수당에 육수보라는 기생이 있는데, 제법 괜찮다 / 就等一歇也～; 잠깐 기다려도 좋다. ②아무것도 아니다. ¶也～事体; 아무 일도 아니다.
〔无善可述〕 wú shàn kě shù 〈成〉 내세워 말할 만한 좋은 일도 아니다. 이야기할 만한 일이 아니다.
〔无伤〕 wúshāng 동 〈文〉 ①상처가〔흠이〕 없다. ②관계가 없다. 지장이 없다. ¶～大雅; 〈成〉 전반적으로 지장〔손색〕이 없다. ③방해가 없다.
〔无上〕 wúshàng 형 〈文〉 무상의. 최고의. ¶～上品; 최상품 / ～光荣; 더할 나위 없는 영광.
〔无涉〕 wúshè 형 〈文〉 관계가 없다. ¶所有以前人欠欠人各项账目, 统归出盘人自理, 与接盘人～; 모든 이전의 채권 채무는 모두 양도인이 처리했으며, 양수인과는 관계가 없다.
〔无神论〕 wúshénlùn 명 《哲》 무신론. =〔无鬼论〕 ↔〔有yǒu神论〕
〔无生界〕 wúshēngjiè 명 무생계. 생물이 아직 없었던 세계. =〔太tài古界〕
〔无声〕 wúshēng 형 (목)소리가 나지 않다. ¶悄然～; 조용하여 아무 소리도 나지 않다.
〔无声无息〕 wú shēng wú xī 〈成〉 ⇨〔无声无臭〕
〔无声无臭〕 wú shēng wú xiù 〈成〉 ①소리도 냄새도 없다. ②세상에 알려지지 않다. 명성이 없다. ¶在旧社会中他们都是～的人; 구(舊)사회에서 그들은 모두 세상에 알려져 있지 않은 사람들이었다. ③아무런 기척도 없다. ④울지도 않고 날지도 않다. ‖ =〔无声无息〕
〔无声(影)片〕 wúshēng(yǐng)piàn 명 《映》 무성영화(필름). =〔〈口〉 无声片儿piānr〕〔默mò片〕
〔无时或释〕 wúshí huòshì 〈翰〉 ⇨〔无时去怀〕
〔无时去怀〕 wúshí qùhuái 〈翰〉 잠시도 잊은 적이 없다. =〔无时或释〕
〔无时无刻〕 wú shí wú kè 〈成〉 (흔히, 바로 뒤에 '不'가 와서) 언제나. 끊임없이. ¶我们～不在想念着你; 우리는 언제나 당신을 마음 속에 생각지 않는 적이 없습니다.
〔无使亲痛仇快〕 wú shǐ qīn tòng chóu kuài 〈成〉 제편을 슬프게 하고 적을 기쁘게 하는 일을 하지 않다.
〔无始无边〕 wúshǐ wúbiān 시작도 끝도 없다. 유구하고 광대하다.
〔无事〕 wúshì 형 ①사건·일이 없다. ②불일·용

건이 없다. ¶～可做; 할 일이 없다.
〔无事不登三宝殿〕 wú shì bù dēng sān bǎo diàn 〈成〉 일이 없으면 삼보전〔불전〕에 오지 않는다(볼일이 있기에 찾아온다). ¶你是忙人, ～, 今天来, 一定有什么要紧事吧! 당신은 바쁜 사람이라, 일이 없으면 올 분이 아닌데, 오늘 오신 것을 보니 필시 무슨 긴요한 일이 있기에 찾아오신 것일 테죠! =〔无事不来〕
〔无事不来〕 wú shì bù lái 〈成〉 ⇨〔无事不登三宝殿〕
〔无势可乘〕 wúshì kěchéng 틈을 탈 기회가 없다.
〔无视〕 wúshì 동 무시하다. 도외시하다. ¶他们～舆论的反对; 그들은 여론의 반대를 무시한다.
〔无是公〕 wúshìgōng 명 ⇨〔昊是公〕
〔无是无非〕 wúshì wúfēi 시(是)도 없고, 비(非)도 없다. 옳은 것도 없고, 그른 것도 없다. 평범하다.
〔无殊〕 wúshū 형 구별이 없다.
〔无术〕 wúshù 형 도리가 없다. 방법이 없다. ¶束手～; 속수 무책이다.
〔无数〕 wúshù 형 ①무수하다. 매우 많다. ②정수(定數)가 없다. ③사정을 잘 모르다. 서투르다. ¶心中～; 확실히 알지 못하다.
〔无双〕 wúshuāng 형 〈文〉 무쌍하다. 둘도 없다. 비길 데 없다. ¶盖世～; 세상에 견줄 만한 것이 없다.
〔无霜期〕 wúshuāngqī 명 《氣》 서리 없는 계절(이른 봄의 늦서리가 내리고부터 늦가을의 첫서리가 내리기까지).
〔无水阿莫尼亚〕 wúshuǐ āmòníyà 명 《化》 〈音〉 암모니아 무수물. 무수 암모니아.
〔无水醋酸〕 wúshuǐ cùsuān 명 《化》 아세트산 무수물. 무수 초산.
〔无水硼酸〕 wúshuǐ péngsuān 명 《化》 붕산 무수물. 무수 붕산.
〔无水石膏〕 wúshuǐ shígāo 명 《鑛》 경석고(硬石膏).
〔无水酸〕 wúshuǐsuān 명 《化》 산무수물. 무수산.
〔无水碳酸〕 wúshuǐ tànsuān 명 《化》 이산화 탄소.
〔无水炭酸钠〕 wúshuǐ tànsuānnà 명 《化》 탄산 나트륨무수물. 무수 탄산 소다.
〔无水羊毛脂〕 wúshuǐ yángmáozhī 명 《化》 라놀린(lanoline) 무수물. 무수 라놀린.
〔无水氧化物〕 wúshuǐ yǎnghuàwù 명 《化》 산성 산화물.
〔无税口岸〕 wúshuì kǒu'àn 명 《經》 무세항(無稅港). 자유(무역)항.
〔无私〕 wúsī 형 무사하다. 사심이 없다. 자기 이익을 생각지 않다. ¶大公～; 〈成〉 공평 무사.
〔无私无弊〕 wú sī wú bì 〈成〉 공평 무사하다.
〔无私无党〕 wú sī wú dǎng 〈成〉 ⇨〔无偏无党〕
〔无私无偏〕 wú sī wú piān 〈成〉 편파적이 아니다. 중정(中正)을 지키고 한쪽으로 치우치지 않다.
〔无私有弊〕 wú sī yǒu bì 〈成〉 ⇨〔无私有意〕
〔无私有意〕 wú sī yǒu yì 〈成〉 공평 무사하기 때문에 오히려 다른 사람에게서 의심을 받기 쉽다. ¶他是梁山泊造反的人, 我如何与厮见, ～; 그는 양산박의 모반인인데, 내가 어떻게 그놈을 만날 수 있나, 남의 의심을 산다. =〔无私有弊〕
〔无思无虑〕 wú sī wú lǜ 〈成〉 ①사려(思慮)가 부족하다. ②마음에 걸리는 것이 없다. 고민(苦悶)할 일이 없다.
〔无似〕 wúsì 비할 바가 없다. …해 마지않다. ¶钦佩～; 존경하고 탄복해 마지않다.
〔无算〕 wúsuàn 형 다 헤아릴 수 없다. 무수하다. ¶损失～; 손실이 막대하다.
〔无梭织布机〕 wúsuō zhībùjī 명 《紡》 북이 없는 방직기(紡織機).
〔无所〕 wúsuǒ (조금도 …하는) 데가〔바가. 것이〕 없다. 별로 …하는 데가〔것이〕 없다(성어(成語)·성어 형식의 말·숙어를 만듦). ¶～逞伎 =〔～逞其伎〕; 조금도 솜씨를 발휘할 기회가 없다 / ～不到; ⓐ가지〔이르지〕 않은 곳은 없다. ⓑ극진하다. 더할 나위 없다.
〔无所不包〕 wú suǒ bù bāo 〈成〉 모든 것이 포함돼 있다.
〔无所不可〕 wú suǒ bù kě 〈成〉 안 될 것이 없다.
〔无所不能〕 wú suǒ bù néng 〈成〉 못할 것이 없다. 만능이다.
〔无所不为〕 wú suǒ bù wéi 〈成〉 〈貶〉 아무 짓이나 다 한다. 안 하는 짓이 없다(못된 짓은 고루 다함).
〔无所不用其极〕 wú suǒ bù yòng qí jí 〈成〉 〈貶〉 ①모든 면에서 전력을 다하다. ②나쁜 짓을 할 때에는 어떠한 극단적 수단이라도 쓰다.
〔无所不有〕 wú suǒ bù yǒu 〈成〉 없는 것이 없다.
〔无所不在〕 wú suǒ bù zài 〈成〉 있지 않은 데가 없다. 어디나 다 있다.
〔无所不至〕 wú suǒ bù zhì 〈成〉 ①못 가는 곳이 없다. 이르지〔미치지〕 않은 곳이 없다. ②〈貶〉 (못 하는 짓이 없이) 온갖 짓을 다하다. ¶威胁利诱～; 위협하고 회유하고 온갖 수법을 다하다.
〔无所措手足〕 wú suǒ cuò shǒu zú 〈成〉 어찌해 볼 도리가 없다. 어쩔 줄 모르다.
〔无所间然〕 wú suǒ jiàn rán 명 〈成〉 흠잡을 여지가 없다. 비난할 수 없다. 나무랄 데가 없다.
〔无所凭依〕 wú suǒ píng yī 〈成〉 의지할 곳이 없다.
〔无所事事〕 wú suǒ shì shì 〈成〉 아무 일도 하지 않다. ¶～不劳而食的社会寄生虫; 아무 일도 하지 않고 놀고 먹는 사회의 기생충.
〔无所适从〕 wú suǒ shì cóng 〈成〉 누구를 따라야 할지 모르다. 누구의 말을 믿어야 좋을지 모르다.
〔无所畏惧〕 wú suǒ wèi jù 〈成〉 조금도 두려워하는 법이 없다.
〔无所谓〕 wúsuǒwèi ①(…라고까진) 말할 수 없다. ¶只是家常便饭, ～请客; 평소 늘 집에 두고 먹는 것이므로 초청이라고까지는 할 수 없습니다만. ②개의치〔상관〕 않다. 아무래도 좋다. 관계가 없다. ¶今天去还是明天去, 我是～的; 오늘 가건 내일 가건 나는 아무래도 상관 없다 / 他装出～的样子向周围望了望; 그는 짐짓 아무렇지도 않다는 듯이 주위를 둘러보았다 / ～喜欢不喜欢; 별로 기쁘지도 싫지도 않다 / 我哪儿都～; 나는 어느 쪽이라도 괜찮다.
〔无所用心〕 wú suǒ yòng xīn 〈成〉 어떤 일에도 관심이 없다. 전혀 머리를 쓰지 않다. ¶饱食终日, ～; 하루 종일 포식하고 조금도 다른 일에는 관심이 없다.
〔无所作为〕 wú suǒ zuò wéi 〈成〉 아무것도 안 하다. 하려는 마음이 없다. 적극적으로 하는 바가 없다.

〔无他〕 wútā ①달리 없다. 다름 아니다. ¶这是什么理, ～…; 그것은 어떠한 이유냐 하면, 다름 아닌…. ②〈翰〉 별고 없으십니까《문안하는 말》. ③두 마음은 없다. 다른 마음을 품지 않다. ¶有死～; 죽어도 다른 마음을 품지 않는다.
〔无淘成〕 wútáochéng 형 〈南方〉 성실하지 않다. 무책임하다.
〔无题诗〕 wútíshī 명 무제시. '무제'라는 제목으로 하는 시.
〔无替〕 wútì 형 변함이 없다. 본디대로이다.
〔无条件〕 wútiáojiàn 형 무조건의. ¶～停战; 무조건 정전 / ～投降xiáng; 무조건 항복.
〔无条线儿〕 wútiáoxiànr 형 나체〔알몸〕이다. 실 한 오라기도 걸치지 않다. ¶浑身上下～; 알몸으로 실 한 오라기도 걸치지 않다.
〔无痛分娩〕 wútòng fēnmiǎn 명 《醫》 무통 분만.
〔无头〕 wútóu 형 〈文〉 ①두서가 없다. ②지명〔지목〕해 있지 않다. ③짐작이 가지 않다. 어림이 서지 않다.
〔无头榜〕 wútóubǎng 명 익명(匿名)의 방〔벽보〕.
〔无头告示〕 wútóu gàoshì 명 ①뜻이 명확하지 않은 게시. ②요령 부득의 형식적인 문장.
〔无头(公)案〕 wútóu(gōng)àn 명 실마리가 잡히지 않는 사건. 미궁에 빠진 사건. ¶这件～不知何日方得了结; 이 단서없는 사건은 언제 결말이 날지 모르겠다.
〔无头蒙〕 wútóuméng 명 〈罵〉 생각이 천박하고 쓸데없는 짓을 하는 자. 바보. 멍청이.
〔无头书〕 wútóushū 명 익명(匿名)의 편지. =〔无头信〕
〔无头无脑〕 wútóu wúnǎo ⇨〔无头无尾〕
〔无头无尾〕 wútóu wúwěi 난폭하고 질서가 없다. 사려가 모자라다. 엉망이다. ¶犯不着～生咱的气; 터무니없는 말을 해서 나를 화나게 만들지 않아도 되지 않느냐. =〔无头无脑〕
〔无头信〕 wútóuxìn 명 ⇨〔无头书〕
〔无投信〕 wútóuxìn 명 〈簡〉 배달 불능의 편지. =〔无法投递邮件〕
〔无徒〕 wútú 명 〈古白〉 건달. 불량배.
〔无万数〕 wúwànshù 형 무수하다. 매우 많다.
〔无往不利〕 wú wǎng bù lì 〈成〉 어느 곳이고 잘 되지 않는 데가 없다. 모든 것이 다 잘 되다. 하는 일마다 모두 잘 되다.
〔无往不胜〕 wú wǎng bù shèng 〈成〉 가는 곳마다 승리하다. 어디로 가나 이기다.
〔无往不是〕 wú wǎng bù shì 〈成〉 가는 곳마다 … 아닌 것이 없다. 도처가 …이다. ¶他们的生活～浪费; 그들의 생활은 가는 곳마다 낭비투성이다.
〔无枉无纵〕 wú wǎng wú zòng 〈成〉 억울한 죄를 씌우는 일도 없고, 죄 있는 자를 눈감아 주는 법도 없다.
〔无妄〕 wúwàng 동 〈轉〉 ①진실하여 거짓이 없다《역괘(易卦)의 이름》. ②생각지 않다. 명 의외. 뜻밖.
〔无妄之灾〕 wú wàng zhī zāi 〈成〉 뜻밖의 재난. 생각지 못한 재해. ¶遭受了～; 뜻밖의 재난을 만났다. =〔毋望之灾〕
〔无望〕 wúwàng 형 가망이 없다. 희망이 없다. ¶～其速成; 속성을 바라서는 안 된다. =〔无望头〕〔无想头〕
〔无望头〕 wúwàngtóu 명 ⇨〔无望〕
〔无微不至〕 wú wēi bù zhì 〈成〉 더할 나위 없다. 극진하다. ¶照顾得～; 보살핌이 극진하다《배려가 세세한 데까지 미치는 모양》/ 王先生～的关照, 我们是不会忘记的; 왕(王)선생의 극진한 보살핌은 정말 우리에게 잊혀지지 않는 것입니다.
〔无为〕 wúwéi 〈文〉 ①자연에 맡기고 작위(作爲)를 가하지 않다. ¶～而治; 아무 일도 하지 않으나, 천하가 다스려지다《고대 도가(道家)의 정치 사상》/ ～而无不做; 〈成〉 내버려 두어도 자연히 모두 되어 버린다. ②…하지 마라. 해서는 안 된다. ③《佛》 고요하고 헛되다. ¶～教; 정적교(靜寂教)《불교의 한 파》.
〔无尾晚礼服〕 wúwěi wǎnlǐfú 명 턱시도(tuxedo). =〔晚会便服〕
〔无味〕 wúwèi 형 〈文〉 ①맛이 없다. ¶食之～, 弃之可惜; 먹자니 맛이 없고, 버리기는 아깝다. ②흥미가 없다. 재미가 없다. 무미건조하다. ¶语言～; 말에 맛이 없다. 말이 재미없다 / 枯燥～; 무미건조하다.
〔无味奎宁〕 wúwèi kuíníng 명 《藥》 에틸 탄산 퀴닌.
〔无畏〕 wúwèi 형 두려움이 없다. 무서워하는 것이 없다. ¶～精神; 아무것도 두려워하지 않는 정신 / ～的勇士; 두려움을 모르는 용사 / ～舰jiàn; 초노급(超弩級) 전함. 명 《佛》 무소외(無所畏).
〔无谓〕 wúwèi 형 〈文〉 ①의미가 없다. 까닭이 없다. ¶～的话少说吧; 의미 없는 이야기는 그만두자. ②부당하다. 좋지 않다. ¶实在～; 실로 부당하다.
〔无文〕 wúwén 형 글을 모르다. 무식하다.
〔无我〕 wúwǒ 동 자기를 망각하다. =〔无已〕 형 무아의. 망아(忘我)의. 명 《佛》 무아.
〔无…无…〕 wú…wú… 두 개의 뜻이 같거나 가까운 단어나 형태소(形態素)의 앞에 쓰이어 '没有'(…이 없다)의 뜻을 강조함. ¶～影～踪; 자취도 없다 / ～拳～勇; 아무런 힘도 용기도 없다.
〔无误〕 wúwù 동 틀림없다. 확실하다. ¶兹收到壹千元整～; 일금 일천 원을 정히 영수하였습니다.
〔无息〕 wúxī 명 〈文〉 무이자.
〔无息贷款〕 wúxī dàikuǎn 명 무이식 차관. 무이자 대부.
〔无隙可乘〕 wú xì kě chéng 〈成〉 파고들 틈이 없다. ¶大家都提高了警惕tì, 坏分子便～; 모두가 경계심을 제고하면, 불량 분자가 파고들 틈이 없게 된다. =〔无缝可钻〕〔无机可乘〕
〔无隙生风〕 wú xì shēng fēng 〈成〉 문제가 발생할 약점이 없다. ¶这个谣言并不是～的; 이 풍문은 결코 문제가 될 만한 약점이 없는 것도 아니다《아니 땐 굴뚝에 연기 날까》.
〔无暇〕 wúxiá 동 틈이 없다. 시간이 없다. ¶～他顾; 다른 일을 생각할 겨를이 없다.
〔无限〕 wúxiàn 형 무한하다. 끝이 없다. ¶～上纲; 비평은 공평하지 않고 과장되었다 / ～(无)量; 끝이 없다. 한이 없다. =〔无垠〕
〔无限大〕 wúxiàndà 명 ⇨〔无穷大〕
〔无限公司〕 wúxiàn gōngsī 명 《經》 합명 회사(合名會社). 무한 책임 회사.
〔无限小〕 wúxiànxiǎo 명 ⇨〔无穷小〕
〔无线〕 wúxiàn 명형 《電》 무선(의). ¶～电通讯; 무선 전신 / ～电波; 전파.
〔无线电〕 wúxiàndiàn 명 ①무선 전신. ②⇨〔无线电收音机〕
〔无线电报话机〕 wúxiàndiàn bàohuàjī 명 휴대용 소형 무선 송수신기. =〔报话机〕
〔无线电传真〕 wúxiàndiàn chuánzhēn 명 전송

사진. =〔电传照片〕
〔无线电电子学〕 wúxiàndiàn diànzǐxué 명 전자 광학. =〔电子学〕
〔无线电定位(器)〕 wúxiàndiàn dìngwèi(qì) 명 무선 측위(測位). 레이더. =〔雷léi达〕
〔无线电发射机〕 wúxiàndiàn fāshèjī 명 무선 송신기. =〔发射机〕〔发送机〕
〔无线电收发报机〕 wúxiàndiàn shōufābàojī 명 트랜시버(transceiver). =〔(无线电) 收发两用机〕〔收发报机〕
〔无线电收音机〕 wúxiàndiàn shōuyīnjī 명 라디오 수신기. =〔〈俗〉无线电②〕
〔无线电台〕 wúxiàn diàntái 명 무선 전신국. =〔电台〕
〔无线电深测器〕 wúxiàndiàn tàncèqì 명 레이더(radar). 전파 탐지기.
〔无线电匣子〕 wúxiàndiàn xiázi 명 라디오 수신기의 구칭.
〔无想头〕 wúxiǎngtóu 형 ⇨〔无望〕
〔无效〕 wúxiào 형 ①무효하다. ¶过期～; 날짜가 지나면 무효(당일에만 유효함). ②효과가 없다. 효력이 없다. ¶医治～; 치료의 효과가 없다.
〔无懈可击〕 wú xiè kě jī 〈成〉 약점을 찔릴 만한 한 치의 틈도 없다.
〔无心〕 wúxīn 동 ①아무런 마음도 없이 하다. 아무 생각도 없이 하다. 무심코 하다. ¶这是我～说的话, 你别介意; 이것은 무심코 한 말이니, 신경 쓰지 마라. ②…할 기분〔생각〕이 없다. …하고 싶지 않다. ¶我～去做; 나는 하려는 생각이 없다. ③양심이 없다. 부끄러운 줄 모르다. ¶他是～的人什么羞耻都能忍; 그는 철면피다. 어떤 수치도 태연히 참는다. 명 《佛》 무심.
〔无心肝〕 wúxīngān 형 마음이 없다. 생각이 없다. 양심이 없다.
〔无心磨床〕 wúxīn móchuáng 명 《機》 무심 연마반. 센터리스(centerless) 연삭기(研削機).
〔无心少肺〕 wú xīn shǎo fèi 〈成〉 지각이 없다. 사물의 식별을 못 하다. 철이 없다. ¶我是～的人; 저는 철이 없는 인간입니다.
〔无心之过〕 wúxīn zhī guò 과실. 무심코 저지른 잘못.
〔无心之间〕 wúxīn zhī jiān 어느 사이에. 무심결에. 무의식중에.
〔无心中〕 wúxīnzhōng 부 무의식중에. 무심코. 아무 생각 없이. ¶这是～做的; 이것은 아무 생각 없이 한 일이다 / 我～碰了他一下儿; 나는 무심코 그와 부딪쳤다. =〔无意中〕
〔无行〕 wúxíng 형 〈文〉 선행(善行)이 없다. 행실이 좋지 않다.
〔无行为能力人〕 wúxíngwéinénglìrén 명 《法》 무능력자(미성년자나 금치산자 등을 가리킴).
〔无形〕 wúxíng 형 눈에 보이지 않는. 무형의. ¶～的枷锁; 눈에 보이지 않는 고랑〔구속〕 / ～战线; 눈에 보이지 않는 전선. 부 ⇨〔无形中〕
〔无形损耗〕 wúxíng sǔnhào 명 《經》 무형의 마모. 도덕적 마멸. 기능적 마멸. =〔精jīng神损耗〕
〔无形消灭〕 wúxíng xiāomiè 어느 틈에 소멸되다.
〔无形眼镜〕 wúxíng yǎnjìng 명 콘택트 렌즈. ¶装入～; 콘택트 렌즈를 끼다. =〔接jiē触眼镜〕〔隐yǐn形眼镜〕
〔无形中〕 wúxíngzhōng 부 모르는 사이에. 어느새. ¶～取消了; 눈에 띄지 않게 스러져 없어지다 / 他们的友谊～发展起来了; 그들의 우정은 자연히 깊어지게 되었다 / ～地停顿了; 어느 새 멈추었다. =〔无形〕
〔无形资本〕 wúxíng zīběn 명 《經》 무형 자본(전매권·저작권 등).
〔无性生殖〕 wúxìng shēngzhí 명 《生》 무성 생식.
〔无休止〕 wúxiūzhǐ 형 끊임없다. 끝이 없다. ¶～地争论; 끊임없이 논쟁하다.
〔无须〕 wúxū 부 …할 필요가 없다. (…할) 것까지는 없다. ¶～挂念; 걱정할 필요 없다 / ～多说; 많이 말할〔논술할〕 필요가 없다 / ～多问; 많이 물을 것까지도 없다 / ～大惊小怪; 작은 일을 초들어 떠들것은 없다 / 这张收条是本来～保存的; 이 영수증은 본래 보존할 필요가 없는 것이다 / ～乎客气; 사양할 필요 없다. =〔不用〕〔不必〕〔无需〕
〔无需〕 wúxū 부 ⇨〔无须〕
〔无涯〕 wúyá 형 〈文〉 끝이 없다. 한이 없다. =〔无边〕
〔无烟火药〕 wúyān huǒyào 명 《化》 무연 화약.
〔无烟煤〕 wúyānméi 명 《鑛》 무연탄. =〔硬煤〕〔无焰炭〕〔大碴〕
〔无言以对〕 wú yán yǐ duì 〈成〉 대답할 말이 없다. ¶他～, 悻悻而去; 그는 대답할 말이 없어, 화를 내며 가 버렸다.
〔无沿帽〕 wúyánmào 명 챙 없는 모자.
〔无沿软帽〕 wúyán ruǎnmào 명 베레모. =〔贝bèi雷帽〕
〔无盐〕 wúyán →〔钟zhōng离春〕
〔无盐不解淡〕 wú yán bù jiě dàn 〈成〉 소금이 없으면 싱거운 것을 해결할 수 없다(돈이나 물건을 쓰지 않으면 국면을 타개할 수 없다).
〔无颜见人〕 wúyán jiànrén 사람 대할 낯이 없다. ¶无颜见爹娘; 부모를 대할 낯이 없다. =〔无脸见人〕
〔无厌〕 wúyàn 형 〈文〉 물릴 줄을 모르다. 만족을 모르다. 지나치게 욕심부리다. ¶我还有个～之请; 욕심이지만 청이 또 하나 있습니다.
〔无焰炭〕 wúyàntàn 명 ⇨〔无烟煤〕
〔无央〕 wúyāng 형 끝이 없다. 무궁무진하다. 명 무진(無盡)(도가(道家)의 말. 불가의 무량과 같음).
〔无恙〕 wúyàng 형 〈文〉 무병하다. 건강하다. ¶别来～? 그 후 별고 없으십니까?
〔无业〕 wúyè 형 ①무직이다. 직업이 없다. ②재산이 없다.
〔无业游民〕 wúyè yóumín 명 무직의 유민(遊民). 실업자.
〔无一…〕 wúyī… 하나도 …인 것이 없다. 모두 …이다. ¶～可用; 〈成〉 하나도 쓸모 있는 것이 없다.
〔无一不备〕 wú yī bù bèi 〈成〉 무엇 하나 갖춰져 있지 않은 것이 없다. 무엇이나 다 갖춰져 있다. →〔应有尽有〕
〔无一不晓〕 wú yī bù xiǎo 〈成〉 모든 것에 환하다. 모르는 것이 하나도 없다.
〔无一不作〕 wú yī bù zuò 〈成〉 하지 않는 것이 하나도 없다. 무엇이나 하다.
〔无一漏网〕 wú yī lòu wǎng 〈成〉 한 사람〔하나〕도 그물에서 빠뜨리지〔놓치지〕 않다. 모조리 잡다.
〔无一是处〕 wú yī shì chù 〈成〉 좋은 점이 하나도 없다.
〔无依无靠〕 wú yī wú kào 〈成〉 후사(後嗣)나 친족이 없다. 의지가지 없다. =〔无倚yǐ无靠〕
〔无遗〕 wúyí 형 〈文〉 남김없다. 빠짐없다. ¶一

览～; 빠짐없이 일람했다. =〔无余〕
〔无疑〕 wúyí 형〈文〉 의심할 바 없다. ¶这～显示对外贸易衰缩; 이것은 의심할 바 없이 대외 무역의 쇠퇴를 나타내는 것이다/～地; 의심할 여지 없이. 물론.
〔无已〕 wúyǐ 형〈文〉 ①다함이 없다. …하여 마지않다. ¶～之至意; 끝없는 지극한 뜻. ②부득이하다.
〔无以〕 wúyǐ 부〈文〉 …할 수〔도리〕가 없다.
〔无以复加〕 wú yǐ fù jiā〈成〉 이 이상 더할 것이 없다. 이보다 심한 것은 없다.
〔无以为生〕 wú yǐ wéi shēng〈成〉 생계의 길이 없다.
〔无以自解〕 wú yǐ zì jiě〈成〉 울적한 기분을 풀 길 없다.
〔无异〕 wúyì 형 다르지 않다. 같다. …임〔음〕에 틀림없다. ¶这～是给了当时头脑烘烘的人们一帖清凉剂; 이것은 머릿속이 홧홧했던 당시 사람들에게 한 모금의 청량제가 되었음에 틀림없다/～是一种终身的刑罚; 일종의 종신 형벌과 다름이 없다.
〔无益〕 wúyì 형 무익하다. ¶纯系～之举; 순전히 무익한 행동이다.
〔无意〕 wúyì 동 …할 마음〔생각〕이 없다. ¶～出外; 딴 곳으로 갈 마음이 없다/～去玩; 놀러 갈 마음은 없다. 형 고의가 아니다. ¶碰你一下, 我可是～; 너에게 부딪쳤지만 고의는 아니였다. 부 무의식중에. 무심결에. 무심코. 뜻밖에(흔히, '～中', '～之中'의 형식으로 쓰이며 '～地'로 쓰이기도 함). ¶他～之中写错了两个字; 그는 무심결에 두 글자를 잘못 썼다/～中说的话成了问题; 무심코 한 말이 문제가 되었다/这句话是有意地讽刺他, 这是～地开开玩笑? 이 말은 고의로 그를 비꼰 것인가, 아니면 무심코 농담을 한 것인가?
〔无意犯〕 wúyìfàn 명《法》 과실에 의한 범죄. 과실범.
〔无意识〕 wúyìshi 명형 무의식(의). ¶～的举动; 무의식적 행동/这是一种～的盲动; 이것은 일종의 무의식적인 망동이다.
〔无意中〕 wúyìzhōng 부 ⇨〔无心中〕
〔无翼而飞〕 wú yì ér fēi〈成〉 ①한 말이 곧 전해져 감을 이름. ②발이라도 달린 듯 돈이 곧 나가는 것을 이름. ‖=〔不bù翼而飞〕
〔无翼鸟〕 wúyìniǎo 명《鳥》 키위(kiwi). =〔鹬鸵yùtuó〕〔〈俗〉几维鸟〕
〔无垠〕 wúyín 형 끝없다. 한없다. =〔无限〕
〔无影灯〕 wúyǐngdēng 명 무영등(의료 용구).
〔无影无踪〕 wú yǐng wú zōng〈成〉 그림자도 형체도 없다. 자취〔흔적〕도 없다.
〔无庸〕 wúyōng ⇨〔毋庸〕
〔无用〕 wúyòng 형 소용이 없다. 쓸모가 없다. ¶～的东西; 쓸모없는 물건 또는 사람/～的长cháng物; 무용지물/～之用; 쓸모없는 것이 오히려 요긴하게 쓰이다.
〔无忧无虑〕 wú yōu wú lǜ〈成〉 시름도 없고 근심도 없다.
〔无由〕 wúyóu ⇨〔无从〕
〔无有〕 wúyǒu 동 없다(흔히, 뒤에 부정사(否定詞)가 옴). ¶～不欢喜的; 기뻐하지 않는 사람은 없다/～比事; 이런 일은 없다/～已时; 그칠 때가 없다/～不验; 효험이 뚜렷하지 않음이 없다.
〔无余〕 wúyú 형 ⇨〔无遗〕
〔无虞〕 wúyú 동 걱정이 없다.
〔无与伦比〕 wú yǔ lún bǐ〈成〉 비할 데가 없다(긍정적인 어감).
〔无欲则刚〕 wú yù zé gāng〈成〉 욕심내는 바가 없으면 의연(毅然)해질 수 있다.
〔无冤无仇〕 wú yuān wú chóu〈成〉 한도 없고 원수도 없다. 아무런 원한도 없다.
〔无原则(的)〕 wúyuánzé(de) 형 무원칙적이다. 원칙이 없다. ¶～斗争; 일정한 방침·표준 없이 자기의 이익 중심으로 행하는 투쟁.
〔无缘〕 wúyuán ①동 인연이 없다. ¶两次造访, 都～得见; 두 차례 찾아갔었는데, 인연이 없어 뵙지 못했습니다. ②⇨〔无从〕
〔无缘无故〕 wú yuán wú gù〈成〉 아무 까닭〔이유〕도 관계도 없다. ¶你为什么～地骂人? 넌 왜 이유 없이 사람을 욕하느냐?
〔无源之水〕 wú yuán zhī shuǐ〈成〉 근원이 없는 물(기초 없는 대목(大木)이 튼튼히 뿌리박지 못함의 비유).
〔无约定出价〕 wúyuēdìng chūjià 명《商》 무조건 제공.
〔无灾无病〕 wú zāi wú bìng〈成〉 아무 재난도 없고 아무 병도 없다. 무병식재(無病息災)하다.
〔无灾无难〕 wú zāi wú nàn〈成〉 아무 탈 없이 무사하다.
〔无债一身轻〕 wú zhài yī shēn qīng〈諺〉 빚이 없으면 홀가분한 법이다.
〔无章〕 wúzhāng 형 질서가 없다. 무질서하다. ¶杂乱～; 난잡하고 무질서하다.
〔无朝无夕〕 wúzhāo wúxī 밤낮없이. 종종.
〔无照驾驶〕 wúzhào jiàshǐ 명 무면허 운전.
〔无针不引线, 无水不渡船〕 wú zhēn bù yǐn xiàn, wú shuǐ bù dù chuán〈諺〉 바늘이 없으면 실을 꿸 수 없고, 물이 없으면 배를 건네지 못한다(중개자가 없으면 잘 되지 않는다).
〔无政府主义〕 wúzhèngfǔ zhǔyì 명 무정부주의. =〔无治主义〕
〔无知〕 wúzhī 형 무지하다. 아는 것이 없다. ¶～妄做; 아무것도 모르는 주제에 함부로 행한다/～无识; 아무런 지식도 없다.
〔无治主义〕 wúzhì zhǔyì 명 ⇨〔无政府主义〕
〔无中生有〕 wú zhōng shēng yǒu〈成〉 ①조작〔날조〕하다. ②만유(萬有)는 무(無)에서 난다(도가의 말).
〔无主物〕 wúzhǔwù 명《法》 무주물(누구의 소유도 아닌 물건).
〔无状〕 wúzhuàng 형 ①형태가 없다. ②공적이 없다. ③선행(善行)이 없다. ④예의가 없다. ⑤돼먹지 않다. 난폭하다. ¶口言～; 말하는 것이 돼먹지 않다/醉后～; 술에 취해 추태를 부리다.
〔无著〕 wúzhuó ①⇨〔无着落〕 ②형《佛》 집착하지 않다.
〔无着〕 wúzhuó 형 목표가 없다. 자리잡을 데가 없다. 전망이 서지 않다. 결말이 나 있지 않다. ¶工作依然～; 일은 여전히 결말이 나 있지 않다.
〔无着落〕 wúzhuóluò ①결말이 나지 않다. 끝장을 내지 못하다. ②방도가 없다. ¶财源～; 재원을 마련할 방도가 없다. ‖=〔无著①〕
〔无资〕 wúzī 형〈文〉 대단히 값지다. 매우 고가(高價)이다.
〔无踪(迹)〕 wúzōng(jì) 동 행방을 알 수 없다. 종적이 없다.
〔无足轻重〕 wú zú qīng zhòng〈成〉 하찮다. 중대시할 것까지는 없다. ¶～的小事; 아무래도 좋은 일. =〔无足重轻〕〔不足轻重〕
〔无阻〕 wúzǔ 동 지장이 없다. 강행(強行)하다. ¶风雨～; 비바람에 관계 없이 실시하다.

〔无罪〕 wúzuì 명《法》무죄. 형 죄가 없다.

芜(蕪) **wú** (무)
〈文〉① 형 황폐하다. 쓸쓸하다. 잡초가 우거지다. ¶～城; 황폐한 성·도성(都城). ② 명 초원. 잡초가 우거진 곳. ¶平～; 잡초가 무성한 들. ③ 명《植》순무. ④ 형〈比〉(주로 문장이) 조리에 닿지 않다. ⑤자기에 관한 일을 겸손하여 쓰는 접두어(接頭語). ⑥ 형〈比〉난잡하다. ¶删shān汰繁～; 번잡한 것을 추려 내다.

〔芜驳〕 wúbó 형〈文〉조잡스럽다.

〔芜词〕 wúcí 명 ①〈文〉〈謙〉무사(蕪辭). (변변치 못한) 조잡한 말. 속된 말. ②지리멸렬(支離滅裂)한 말.

〔芜废〕 wúfèi 명형〈文〉황폐(하다). =〔芜旷〕

〔芜函〕 wúhán 명〈翰〉〈謙〉저의 편지. ¶月前寄奉～; 지난 달에 제가 편지를 드렸습니다.

〔芜荒〕 wúhuāng 형 황폐하다. 잡초가 무성하다.

〔芜秽〕 wúhuì 형〈文〉잡초가 우거져 있는 모양. ¶荒凉～; 황량〔쓸쓸〕하게 잡초가 우거져 있다.

〔芜菁〕 wújīng 명《植》순무. =〔〈方〉扁biǎn萝卜〕〔蔓mán菁〕

〔芜菁蜂〕 wújīngfēng 명《蟲》벌의 일종(파리 비슷하고, 황색임. 유충은 순무의 잎을 갉아먹음).

〔芜旷〕 wúkuàng 명형 ⇨〔芜废〕

〔芜俚〕 wúlǐ 형〈文〉비속(卑俗)하다. 조잡하고 속되다.

〔芜没〕 wúmò 동〈文〉잡초에 덮이다.

〔芜诗〕 wúshī 명〈謙〉시원찮은 시. 졸렬한 시.

〔芜杂〕 wúzá 형〈文〉(문장이) 난잡하다. 조리가 서 있지 않다.

〔芜章〕 wúzhāng 명〈謙〉저의 편지.

毋 **wú** (무)
① 부〈文〉…하지 마라. …해서는 안 된다. ¶～忘此仇; 이 원수를 잊지 마라 / 宁缺～滥; 함부로 하느니 차라리 그대로 놔 두다. (인재나 사물을 고를 때) 적당한 것이 없으면 결여(缺如)된 채 차라리 그대로 두는 게 낫다 / 临难～苟gǒu免; 곤란을 당하여 일시 모면을 하지 마라. =〔无③〕 ② 명 성(姓)의 하나.

〔毋必〕 wúbì 부 꼭 …하지는 않다. 반드시 …한 것은 아니다. …할 것까지는 없다. →〔不必〕

〔毋待〕 wúdài 부 …할 필요가 없다. ¶～赘zhuì言; 여러 말을 할 필요도 없다.

〔毋宁〕 wúnìng 부〈文〉⇨〔无宁〕

〔毋任〕 wúrèn〈文〉…해 마지않다. ¶～感荷;〈翰〉감사해 마지않다 / ～盼祷; 희망해〔바라〕마지않다.

〔毋望之灾〕 wú wàng zhī zāi〈成〉⇨〔无妄之灾〕

〔毋庸〕 wúyōng〈文〉…할 필요가 없다. ¶～讳言; 말하기를 꺼릴〔숨길〕필요는 없다 / ～挂虑; 걱정할 필요는 없다 / 应～议; 꼭 심의〔논의〕할 필요는 없다. =〔无庸〕

吾 **wú** (오)
① 대 나. 우리(들). ¶～日三省～身; 나는 하루에 여러 번 내 몸을 되돌아본다. ② 명 성(姓)의 하나.

〔吾爱〕 wú'ài〈文〉친애하는 사람. 나의 사랑하는 사람(‘my dear’를 의역(義譯)한 것임).

〔吾辈〕 wúbèi 대〈文〉우리. 우리들. =〔吾曹〕〔吾侪〕〔吾等〕〔吾人〕〔吾徒〕

〔吾曹〕 wúcáo 대 ⇨〔吾辈〕

〔吾侪〕 wúchái 대 ⇨〔吾辈〕

〔吾党〕 wúdǎng 명〈文〉우리 당. 우리 동지.

〔吾道东〕 wúdàodōng〈文〉나의 도(道)는 동쪽으로 갔도다(나의 가르침은 동쪽으로 갔다며, 후한(後漢)의 마융(馬融)이 제자 정현(鄭玄)이 동쪽 나라로 돌아가는 것을 애석히 여긴 말).

〔吾等〕 wúděng 대 ⇨〔吾辈〕

〔吾丘〕 Wúqiū 명 복성(複姓)의 하나.

〔吾人〕 wúrén 대 ⇨〔吾辈〕

〔吾舌尚存〕 wú shé shàng cún〈成〉아직도 입이 있다(아직 입이 있어 무언가 할 수 있다).

〔吾徒〕 wútú 명〈文〉나의 제자. 나의 문하생. ¶非～也; 나의 제자가 아니다. 대 ⇨〔吾辈〕

〔吾行吾素〕 wúxíng wúsù〈成〉⇨〔我wǒ行我素〕

〔吾兄〕 wúxiōng 명 ①〈文〉나의 형. ②〈轉〉오형. 귀형(貴兄)(친구에 대한 친근한 경칭).

〔吾伊〕 wúyī〈擬〉〈文〉글 읽는 소리. =〔伊吾〕

郚 **wú** (오)
지명용 자(字). ¶郚Táng～; 탕우(郚郚)(산둥 성(山東省)에 있는 땅 이름).

浯 **Wú** (오)
명《地》우허(浯河)(산둥 성(山東省)에 있는 강 이름).

捂 **wú** (오)
→〔枝zhī捂〕⇒wǔ

唔 **wú** (오)
①→〔咿yī唔〕 ②〈京〉…따위(의 것). …기타(의 것). 그 밖에. ¶牛和马～的; 소나 말 따위 / 桌子、椅子～的, 赶紧搬过来; 탁자랑 의자 따위를 빨리 날라 오너라 / 啥命呀～的, 那都是胡说; 운명이다 뭐다 하는 건 모두 터무니없는 말이다 / 你竟喝冰水～的, 留神坏了肚子; 자넨 빙수 따위만 먹으니, 배탈나지 않도록 조심하게 / 你不用怕, 咱们不打你, 也不～的; 넌 두려워하지 않아도 돼. 우린 너를 때리지 않을 것이며, 또 어쩌지도 않을 테니까. ③→〔唔笃〕⇒m̀ ‘嗯’ ńg

〔唔笃〕 wúdu 명〈南方〉자네들. 너희들. =〔你nǐ们〕

〔唔哩哇啦〕 wúliwālā〈擬〉재잘재잘. 와글와글(잘 지껄이는 소리).

峿 **Wú** (어)
명《地》산둥 성(山東省)에 있는 산 이름.

梧 **wú** (오)
①→〔梧桐〕 ②(Wú) 명《地》우저우(梧州)(광시좡 족(廣西壯族) 자치구에 있는 시 이름). ③ 형 몸이 당당하고 큰 모양.

〔梧槚〕 wújiǎ 명《植》벽오동과 개오동나무.

〔梧鼠〕 wúshǔ 명 ⇨〔鼯鼠〕

〔梧桐〕 wútóng 명《植》벽오동. ¶～子; 벽오동 열매 / ～瓢piáo儿; 벽오동 열매의 껍질 / 没有～树招不了凤; 벽오동나무가 없으면 봉황을 부를 수 없다(물건이 신통치 않으면 손님이 오지 않는다). =〔青相〕

铻(鋙) **wú** (오)
지명용 자(字). ¶锟Kūn～; 쿤우(錕鋙)(고서(古書)에 보이는 산 이름. 이 곳에서 명검(名劍)이 나왔다고 함).

鼯 **wú** (오)
→〔鼯鼠〕

〔鼯鼠〕 wúshǔ 명《動》하늘다람쥐. 오서. =〔梧鼠〕〔飞鼠①〕

吴 **Wú** (오)
명 ①《史》오(삼국(三國) 시대의 나라 이름, 222～280). ②《史》오(춘추 시대(春秋時

代)의 나라 이름, ?～B.C. 473). ③《史》 오(오대 십국(五代十國) 중의 하나, 902～937). ④《地》 장쑤 성(江蘇省) 남부와 저장 성(浙江省) 북부 일대. ⑤《地》 쑤저우(蘇州)의 별칭. ⑥성(姓)의 하나.
〔吴哥(窟)〕 Wúgē(kū) 명 《地》〈音〉 앙코르와트(Angkor Wat).
〔吴钩〕 wúgōu 명 반달꼴로 휘어진 칼.
〔吴姬〕 wújī 명 ⇨〔吴娃〕
〔吴牛喘月〕 Wú niú chuǎn yuè 〈成〉 오(吳)나라의 소는 달만 보고도 해로 여겨 헐떡인다(착각·지레 짐작으로 지나치게 두려워하다〔겁을 먹다〕).
〔吴侬〕 wúnóng 명 〈吳〉 ①오나라 사람. ②오나라 소리. ¶～软语; 〈成〉 부드러운 오어(吳語).
〔吴其人〕 wúqírén 명 ⇨〔吴是公〕
〔吴其仁〕 wúqírén 명 ⇨〔吴是公〕
〔吴市吹箫〕 Wú shì chuī xiāo 〈成〉 나그네길에 곤궁에 빠져 남에게 동냥함(춘추(春秋) 시대에 오(吳)나라의 명장 오자서(伍子胥)가 초(楚)나라를 탈출하여 능수(陵水) 지방에 이르러 의식(衣食)이 궁하여 오시(吳市)에서 피리를 불며 먹을 것을 청한 고사에서 유래).
〔吴是公〕 wúshìgōng 명 (있지도 않은) 가공(架空)의 인물. =〔吴有仁〕〔吴其人〕〔吴其仁〕〔乌其仁〕〔乌有仁〕〔无是公〕
〔吴头楚尾〕 Wú tóu Chǔ wěi 〈成〉 ①중간에 위치함. ②수미(首尾)가 일관됨. ‖ =〔楚尾吴头〕
〔吴娃〕 Wúwá 명 오(吳) 지방의 미인. =〔吴姬〕
〔吴下阿蒙〕 Wú xià Ā méng 〈成〉 무략(武略)은 있으나 학식(學識)이 없는 사람. 평범한 인간. ¶非复～; '이미 오(吳)나라에 있던 때의 아몽(阿蒙)은 아니다'에서, 과거에 보았던 눈으로 현재를 판단해서는 안 된다는 뜻.
〔吴羊〕 wúyáng 명 《動》 ①염소. ②면양(綿羊).
〔吴音〕 wúyīn 명 오어(吳語)의 발음.
〔吴有仁〕 wúyǒurén 명 ⇨〔吴是公〕
〔吴语〕 Wúyǔ 명 ①쑤저우(蘇州) 방언. =〔苏白〕 ②장쑤 성(江蘇省) 남부·저장 성(浙江省) 동부 일대의 방언.
〔吴越〕 Wúyuè 명 《史》 오월(왕조의 이름. 오대십국(五代十國)의 하나).
〔吴越同舟〕 Wú Yuè tóng zhōu 〈成〉 오월 동주(원수끼리 한 배 또는 동일한 장소에 함께 있는 일).
〔吴茱萸〕 wúzhūyú 명 《植》 오수유.
〔吴子〕 Wúzǐ 명 《書》 오자(주대(周代), 위(衛)나라 오기(吳起)의 저작으로 고대의 유명한 병서(兵書)).

蜈

wú (오)
표제어 참조.

〔蜈蚣〕 wúgong 명 《蟲》 지네. =〔百bǎi足〕〔〈文〉 蝍jí蛆〕
〔蜈蚣草〕 wúgongcǎo 명 《植》 단발고사리. =〔肾蕨〕
〔蜈蚣船〕 wúgongchuán 명 명대(明代), 지네 비슷한 배.
〔蜈蚣钉儿〕 wúgongdīngr 명 〈俗〉 호치키스 알맹이(연결되어 지네 같은 것). =〔钉dìng书钉〕
〔蜈蚣柳〕 wúgongliǔ 명 《植》 느티나무.
〔蜈蚣梯〕 wúgongtī 명 〈俗〉 줄사다리. =〔绳shéng梯〕

鹀(鵐)

wú (무)
명 《鳥》 검은머리노랑배멧새. ¶灰huī头～; 섬촉새 / 三sān道眉草～; 멧새.

午

wǔ (오)
① 명 십이지(十二支)의 제7. ② 명 오시(오전 11시부터 오후 1시까지). ③ 명 낮 열두 시. 정오. ¶下～; 하오. 오후. ④ 동 종횡(縱横)으로 교차하다. 뒤섞이다. ¶蜂～并起; 〈成〉 (영웅이) 벌떼처럼 뒤섞여 서로 싸우다. ⑤ 명 성(姓)의 하나.
〔午餐〕 wǔcān 명 ⇨〔午饭〕
〔午错〕 wǔcuò 명 정오가 좀 지났을 무렵(하오 두 시경). ¶吃过早饭, 于～方回; 아침밥을 먹은 다음 정오가 지나서야 겨우 돌아갔다.
〔午饭〕 wǔfàn 명 점심. =〔中饭〕〔〈北方〉 晌shǎng饭〕〔午餐〕〔〈文〉 午膳〕
〔午割〕 wǔgē 동 〈文〉 가로 세로로 자르다.
〔午后〕 wǔhòu 명 오후. =〔下xià午〕
〔午际〕 wǔjì 명 〈文〉 정오경. ¶正当～; 바로 정오 무렵에.
〔午尖〕 wǔjiān 명 여행지에서의 점심. 길 가다 도중에 먹는 점심. ¶打～; 여행지에서 점심을 먹다.
〔午觉〕 wǔjiào 명 오수. 낮잠. =〔〈方〉 晌shǎng觉〕
〔午节〕 Wǔjié 명 단오절(음력 5월 5일). =〔端Duān午(节)〕
〔午局〕 wǔjú 명 옛날, 점심 초대.
〔午刻〕 wǔkè 명 옛날의 오시(午時). =〔午时〕
〔午门〕 Wǔmén 명 왕성(王城)의 정문. 남문(南門).
〔午梦〕 wǔmèng 명 낮잠 잘 때 꾸는 꿈. 백일몽(白日夢).
〔午牌〕 wǔpái 명 청대(清代)에, 정오를 알리기 위하여 걸어 놓던 표찰. ¶～时分; 정오 무렵.
〔午炮〕 wǔpào 명 오포(정오의 시각을 알리는 대포). =〔午时炮〕
〔午前〕 wǔqián 명 오전. =〔上shàng午〕
〔午膳〕 wǔshàn 명 ⇨〔午饭〕
〔午上〕 wǔshàng 명 〈古白〉 대낮. 한낮. ¶我到～还来; 나는 한낮에 돌아오겠다.
〔午时〕 wǔshí 명 오시(오전 열한 시부터 오후 한 시까지). =〔午刻kè〕
〔午时茶〕 wǔshíchá 명 《藥》 광둥(廣東)에서 나는 감기약.
〔午时花〕 wǔshíhuā 명 《植》 금전화. 오시화. =〔夜yè落金钱〕
〔午时炮〕 wǔshípào 명 ⇨〔午炮〕
〔午收〕 wǔshōu 명 보리 수확 무렵. 맥추(麥秋)('午'는 '端午'를 가리킴).
〔午睡〕 wǔshuì 명동 오수(를 즐기다). 낮잠(을 자다). ¶大家都～了, 说话请小声一些; 모두들 낮잠을 자고 있으니, 작은 목소리로 이야기하시오.
〔午饷〕 wǔxiǎng 명 〈文〉 점심.
〔午歇〕 wǔxiē 명동 ⇨〔午休〕
〔午休〕 wǔxiū 명동 점심 후의 휴식(을 취하다). =〔午歇〕
〔午宴〕 wǔyàn 명 오찬회.
〔午夜〕 wǔyè 명 한밤중. 야밤.
〔午月〕 wǔyuè 명 음력 5월의 별칭.
〔午正〕 wǔzhèng 명 〈文〉 오시. 정오.

仵

wǔ (오)
① →〔仵作〕 ② 명 성(姓)의 하나.

〔仵工〕 wǔgōng 명 ①묘지기. ②화장터에서 시체를 태우는 사람.
〔仵作〕 wǔzuò 명 옛날, 검시관(檢屍官).

忤〈啎〉 wǔ (오) 동 거역[반항]하다. 거스르다. ¶～逆之子; 불효한 자식 / 与人无～; 남에게 거스르지 않다. =〔迕②〕〔啎〕
〔忤耳〕 wǔ'ěr 동〈文〉 귀에 거슬리다.
〔忤逆〕 wǔnì 동 ①거스르다. 거역하다. ②불효하다. ¶～儿; 불효자.
〔忤情〕 wǔqíng 동〈文〉 마음에 안 들다.
〔忤旨〕 wǔzhǐ 동〈文〉 황제의 명령에 위반하다.

迕 wǔ (오) 동〈文〉 ①만나다. 우연히 만나다. =〔遇见〕〔相迕〕 ②거스르다. 위배[위반]하다. 어긋나다. =〔忤〕

五 wǔ (오) ①수 다섯. 5. ②명 중국 민족 음악 악보의 음표의 하나(‘简谱’의 ‘6’에 해당). ③명 성(姓)의 하나.
〔五八三成金〕 wǔbāsān chéngjīn 명 14금(14/24, 곧 0.583 …의 순금을 함유한 금).
〔五百年前是一家〕 wǔbǎiniánqián shì yījiā 조상을 찾아 거슬러 올라가면 다 같은 가족이다. ¶别客气了! ～, 还分什么彼此呢; 사양하지 마십시오, 다 한 조상인데 무슨 구별을 할 필요가 있습니까.
〔五瓣蒜〕 wǔbànsuàn 명 ①다섯 쪽의 마늘. ②〈俗〉 발가락.
〔五保〕 wǔbǎo 명 의·식·주·의료·매장비 등을 보장하는 것. ¶～户; 생활 보호 세대(노인·병자·고아·과부·장애인 등).
〔五倍子〕 wǔbèizǐ 명《漢醫》 몰식자(沒食子). 오배자. ¶～树; 《植》 붉나무. =〔五棓子〕〔倍子〕
〔五倍子虫〕 wǔbèizǐchóng 명《蟲》 오배자벌레.
〔五棓子〕 wǔbèizǐ 명 ⇨〔五倍子〕
〔五兵〕 wǔbīng 명 ①퇴역한 전차병·기계병·공병·통신병·자동차병. ②다섯 가지 무기(과(戈)·수(殳)·극(戟)·추모(酋矛)·이모(夷矛)).
〔五不取〕 wǔbùqǔ 〈文〉 옛날, 아내로 맞아들이지 않는 다섯 가지 조건(역적 집안의 자식·화목하지 않은 집안의 자식·형벌을 받은 사람·못된 병이 있는 자·아비를 여읜 맏딸).
〔五步成诗〕 wǔ bù chéng shī 〈成〉 당(唐)의 사청(史青)이 다섯 걸음 걷는 사이에 시를 지었다는 고사(시재(詩才)에 뛰어남). ¶您别催, 我可没有～的本事, 总得想一想; 재촉하지 마시오. 난 사청(史青) 같은 재능은 없으니까 생각을 좀 해 봐야겠소.
〔五步蛇〕 wǔbùshé 명《動》 산무애뱀. 백화사(百花蛇).
〔五材〕 wǔcái 명 금(金)·목(木)·수(水)·화(火)·토(土)를 가리킴.
〔五采〕 wǔcǎi 명 ⇨〔五彩〕
〔五彩〕 wǔcǎi 명《色》 ①오색(청·황·적·백·흑의 다섯 가지 색). ②여러 가지[다채로운] 색조. ¶～片(子) =〔～影片〕〔～电影〕; 천연색 영화 / ～蜡笔; 크레용 / ～胶片 =〔～软片〕; 컬러 필름 / ～电视机; 컬러 텔레비전 / ～缤纷bīnfēn; 다섯 가지 색이 섞여 있는 모양. 울긋불긋하다. =〔五采〕
〔五钗松〕 wǔchāisōng 명《植》 참백송나무.
〔五常〕 wǔcháng 명〈文〉 ①인(仁)·의(義)·예(禮)·지(智)·신(信). ②부자유친·군신유의·부부유별·장유유서·붕우유신의 오륜(五倫). =〔五伦〕 ③아버지의 의(義)·어머니의 자애(慈愛)·형의 우(友)·아우의 공(恭)·자식의 효(孝).
〔五尘六欲〕 wǔchén liùyù 명《佛》 색(色)·성(聲)·향(香)·미(味)·촉(觸)의 오진(五塵)과, 색욕·형모욕(形貌欲)·위의자태욕(威儀姿態欲)·언어음성욕·세활욕(細滑欲)·인상욕(人相欲)의 육욕(六欲).
〔五成〕 Wǔchéng 명 5할. 10분의 5. 절반. ¶减～; 5할 할인하다 / 人只来了～; 사람은 겨우 절반밖에 오지 않았다 / 这事只有～把握; 이 일은 5할 정도밖에 자신이 없다.
〔五城〕 Wǔchéng 명《史》 옛날, 베이징(北京) 성내의 다섯 구획(동성(東城)·서성(西城)·북성(北城)·중성(中城)·남성(南城)). ¶～十坊; 옛날, 베이징 성(北京城)을 이름.
〔五城十二楼〕 wǔchéng shí'èrlóu 명 오성 십이루(옛날, 신선이 살았다는 거처).
〔五尺子〕 wǔchǐzi 명 건축용의 구식 5척짜리 나무자.
〔五齿子〕 wǔchǐzi 명《農》 써레.
〔五畜〕 wǔchù 명 오축(소·양·닭·개·돼지의 다섯 가지 가축).
〔五大行〕 wǔdàháng 명 옛날, 쌀가게·포목점·담뱃가게·술집·찻집의 다섯 가지 큰 장사.
〔五大件〕 wǔdàjiàn 명 ①손목시계·카메라·자전거·라디오·재봉틀. ②텔레비전·세탁기·테이프레코더·냉장고·소형 오토바이 등 다섯 종류의 고급 소비재.
〔五大三粗〕 wǔ dà sān cū 〈成〉 체격이 당당하다. 튼실하다. ¶这个青年长得～; 이 청년은 체격이 당당하다.
〔五大洲〕 wǔdàzhōu 명《地》 오대주.
〔五代〕 Wǔdài 명《史》 오대. ①당말(唐末)에서 송초(宋初)(907～960년)에 걸쳐 흥망한 후량(後梁)·후당(後唐)·후진(後晉)·후한(後漢)·후주(後周)를 가리킴. ¶～十国; 오대 십국. ②고대의 당(唐)·우(虞)·하(夏)·상(商)·주(周).
〔五代同堂〕 wǔ dài tóng táng 〈成〉 ⇨〔五世同堂〕
〔五带儿〕 wǔdàir 명 옛날, 허리띠에 매어달던 시계집·돈주머니·부채집·안경집·코담배 쌈지 등 다섯 가지의 주머니.
〔五道〕 wǔdào 명《佛》 오도, 또는 오취(五趣)(천상·인간·지옥·축생(畜生)·아귀(餓鬼)를 일컬음).
〔五道将军〕 wǔdào jiāngjūn 명 옛날 미신에서, 키 10척에 온몸에 검은 털이 난 흉악한 도깨비.
〔五狄〕 Wǔdí 명《民》〈文〉 옛날, 북방에 살고 있던 다섯 만족(蠻族)(월지(月氏)·예맥(穢貊)·흉노(匈奴)·선우(單于)·백옥(白屋)).
〔五斗柜〕 wǔdǒuguì 명 (옷을 넣어 두는) 서랍 다섯 개 달린 장. =〔五屉tì柜〕〔五筒tǒng柜〕〔五桶柜〕
〔五斗米〕 wǔdǒumǐ 명 다섯 말의 쌀(얼마 안 되는 봉록). ¶吾不为～折腰; 나는 얼마 안 되는 봉록 때문에 허리를 굽히지는 않는다.
〔五斗米道〕 Wǔdǒumǐ dào 명《宗》 오두미도(도교(道教)의 가장 오래 된 한 파). =〔天tiān师道〕
〔五都〕 Wǔdū 명 중국 각 시대의 대표적인 다섯 대도시. ①한(漢)나라 때는, 낙양(洛陽)·한단(邯鄲)·임치(臨淄)·완(宛)·성도(成都). ②한(漢)나라·위(魏)나라 때는, 장안(長安)·초(譙)·허창(許昌)·업(鄴)·낙양. ③당(唐)나라 때는 장안·낙양·봉상(鳳翔)·강릉(江陵)·태원(太原).
〔五毒〕 wǔdú 명 ①뱀·두꺼비·지네·전갈·도마뱀붙이의 독(毒). ②〈比〉 잔혹한 형벌. ③옛날,

자본가의 악습으로, 뇌물·탈세·국가 자재의 도용·원자재 사취 등의 속임수·국가 경제 정보 절취 누설의 다섯 가지.
〔五毒(儿)〕 wǔdú(r) 명《動》 전갈·뱀·지네·두꺼비·도마뱀의 다섯 동물(의 독)을 가리킴.
〔五毒(儿)饽饽〕 wǔdú(r)bōbo 명 단오절에 먹는 '饽饽'. 다섯의 독벌레 모양이 겉에 새겨져 구워 있음.
〔五短身材〕 wǔduǎn shēncái 명 사람의 키가 작음. 왜소한 체구. ¶只见来人生得～; 보니 저쪽에서 오는 사람은 체구가 작은 사람이었다.
〔五遁〕 wǔdùn 명 도가(道家)의 말로, 선인(仙人)의 다섯 가지 둔갑술(금둔(金遁)·목둔(木遁)·수둔(水遁)·화둔(火遁)·토둔(土遁)).
〔五多现象〕 wǔduō xiànxiàng 명 농촌 사업에 나타난 관료주의적 편향(偏向)의 다섯 가지 현상.
〔五方〕 wǔfāng 명 ①오방. 동서남북과 중앙의 다섯 방향. ②중국과 이(夷)·만(蠻)·융(戎)·적(狄). ③각처. 여기저기. ¶～杂处chǔ; 〈成〉 각 방면의 사람이 섞여 살다(도시 주민의 복잡하게 얽혀사는 모습).
〔五飞轮〕 wǔfēilún 명 (자전거의) 5단 기어.
〔五分(儿)〕 wǔfēn(r) 명 (5점 만점의) 만점.
〔五分明儿〕 wǔfenmíngr 명 (새벽에) 동녘 하늘이 희뿜해질 무렵. 동틀 무렵. ¶因为要赶早车～就起来了; 이른 아침 기차를 타기 때문에 동이 트자마자 일어났다.
〔五分四裂〕 wǔ fēn sì liè 〈成〉 ⇨〔四分五裂〕
〔五分像〕 wǔfēnxiàng ①명 반신상(像). ②(wǔfēn xiàng) 반쯤 닮다.
〔五分制〕 wǔfēnzhì 명 ⇨〔五级点数制〕
〔五分钟热度〕 wǔfēnzhōng rèdù 〈比〉 5분 동안의 열. 오래 가지 못함. 작심삼일(作心三日).
〔五风十雨〕 wǔ fēng shí yǔ 〈成〉 닷새에 한 번 바람이 불고, 열흘에 한 번 비가 온다(기후가 순조로움).
〔五服〕 wǔfú 명 오복(옛날, 시행된 복상(服喪)의 형식. 죽은 이와의 관계의 친소(親疎)에 따라 기간도 다르고, 입는 옷에도 다섯 단계의 구별이 있었으므로, 이렇게 말함).
〔五福〕 wǔfú 명 오복(수(壽)·부(富)·강녕(康寧)(건강)·유호덕(攸好德)(모든 일을 도덕적으로 함). 고종명(考終命)(장수를 누리고 안락하게 죽음)). ¶～临门; 〈成〉 모든 복이 그 집에 모이다.
〔五福捧寿〕 wǔfú pěngshòu 명 길상도(吉祥圖)의 이름(수(壽)자를 한가운데에 쓰고, 그 주위에 다섯 마리의 박쥐를 도안화해서 그린 것).
〔五改〕 wǔgǎi 명 다섯 가지 개량해야 할 것. ¶农村～; 농촌에서 개량해야 할 다섯 항목.
〔五更〕 wǔgēng 명 ①오경. 일모(日暮)부터 새벽까지(한밤을 오경, 곧 일경·이경·삼경·사경·오경으로 나눔). ②제오경. 오전 3시부터 5시. ¶起～; 첫새벽에 일어나다.
〔五供儿〕 wǔgòngr 명 제수(祭需)를 담는 다섯 가지 그릇. 제구(祭具). ¶桌上的锡蜡～擦得镜亮; 탁자 위의 주석 제사 용구는 반짝반짝 윤이 나게 닦아 놓았다.
〔五供托儿〕 wǔgòngtuōr 명 제사 용구를 담는 쟁반.
〔五谷〕 wǔgǔ 명《植》 오곡(벼·수수·보리·조·콩). ¶～丰登; 오곡 풍요/～满仓; 풍년으로 오곡이 곳집에 그득하다.
〔五谷不分〕 wǔ gǔ bù fēn 〈成〉 오곡의 구분도 못 하다(아무것도 모르다. 사물을 분별할 줄 모르다). =〔不辨菽麦〕
〔五谷虫〕 wǔgǔchóng 명《漢醫》 변소의 구더기.
〔五官〕 wǔguān 명 ①오관. 신체의 다섯 기관(일반적으로는 눈·귀·코·입·피부를 말함). ②〈轉〉 이목구비. 얼굴 생김새. ¶～端正; 이목구비가 단정하다. ③시각·청각·미각·후각·촉각. ④고대의 5가지 중요한 관직(사도(司徒)·사마(司馬)·사공(司空)·사사(司士)·사구(司寇)).
〔五官百骸〕 wǔguān bǎihái 명 〈文〉 몸 전체.
〔五官不正〕 wǔguān bùzhèng ①오관에 결함이 있다. 불구다. ②용모가 단정치 못하다.
〔五官挪位〕 wǔguān nuówèi 명 연회석 놀이의 일종(눈·귀 등 오관을 일부러 잘못 짚어서 놂).
〔五官四肢〕 wǔguān sìzhī 명 오관과 사지. 오체(五體). ¶匀称yúnchèn的～; 균형이 잡힌 몸.
〔五光十色〕 wǔ guāng shí sè 〈成〉 색깔이 다양하고 아름답다. 품목이 다채롭다. 종류가 가지각색이다. ¶百货公司里陈列得～鲜艳夺目; 여러 색깔의 물건이 눈이 부실 만큼 아름답게 진열되어 있다/社会上真是～无奇不有; 세상은 실로 가지각색이어서 어떤 색다른 것도 다 있다.
〔五鬼分尸〕 wǔ guǐ fēn shī 〈成〉 눈 깜짝할 사이에 많은 사람이 나누어 갖다.
〔五鬼闹判儿〕 wǔguǐ nào pànr ①단오절 때에 붙이는 액막이 그림. ②폭죽의 일종.
〔五鬼闹宅〕 wǔ guǐ nào zhái 〈成〉 불행이 계속 이어지다.
〔五果〕 wǔguǒ 명 오과(밤·자두·살구·복숭아·대추).
〔五行八作〕 wǔ háng bā zuō 〈成〉 각종의 상업 및 수공업. 온갖 직업. ¶这伙人中～要什么手艺的都有; 이 사람들 가운데에는 어떤 직업의 사람이나 다 있다.
〔五湖〕 Wǔhú 명《地》 오호. 태호(太湖)·팽려호(彭蠡湖)·파양호(鄱陽湖)·동정호(洞庭湖)·소호(巢湖)를 일컬음.
〔五湖四海〕 wǔ hú sì hǎi 〈成〉 전국 각지(때로 세계 각지를 가리킴). ¶结jié交～的英雄豪杰háojié; 천하의 영웅 호걸과 교분을 맺다.
〔五虎棍〕 wǔhǔgùn 명 곡예의 일종('彩衣'를 입은 다섯 남자가 봉(棒)을 들고 춤추는 것). =〔打dǎ路棍〕
〔五花八门〕 wǔ huā bā mén 〈成〉 다종 다양한 모양. 변화가 많고 다양한 모양. 이것저것 섞여 있는 모양. ¶名目繁多～; 명목이 여러 가지로 많고 아주 잡다하다/晚会的节目很多, 什么魔术啦, 相声啦, 真是～! 밤의 프로는 무척 많아서, 마술이라든지, 만담이라든지 아주 다채롭다!
〔五花绷裂〕 wǔhuā bèngliè 물건이 갈갈이 터짐〔찢김〕. 터져 산산이 흩어짐. ¶一凿子下去, 冰块立刻～; 끌을 한 번 푹 찌르니 얼음 덩이는 금세 산산조각으로 깨졌다.
〔五花肠子六花心〕 wǔhuā chángzi liùhuā xīn 〈比〉 마음이 변하기 쉽다. 변덕스럽다. ¶这样～的人, 哪里靠得住; 이렇게 마음이 잘 변하는 남자를 어떻게 믿을 수 있나.
〔五花骢〕 wǔhuācōng 명 ⇨〔五花马〕
〔五花大绑〕 wǔ huā dà bǎng 〈成〉 사람 묶는 방법의 하나(오라를 목에서 뒤로 돌려 뒷짐 결박을 지음). ¶把他捆上个～; 그를 꼼짝 못 하게 묶었다.
〔五花马〕 wǔhuāmǎ 명《動》 털빛이 푸르고 흰 잡색의 말. =〔五花骢〕
〔五花儿〕 wǔhuār 명 ⇨〔五花肉〕

〔五花肉〕 wǔhuāròu 명 삼겹살. 돼지 앞다리와 복부 사이의 살의 고기. =〔五花肋条〕〔夹心〕〔〈方〉五花儿〕〔五花三层〕
〔五花三层〕 wǔhuā sāncéng 명 ⇨〔五花肉〕
〔五铧犁〕 wǔhuálí 명 《農》 보습이 다섯 개 달린 경운기.
〔五环旗〕 wǔhuánqí 명 《體》 오륜기. 올림픽기.
〔五黄六月〕 wǔ huáng liù yuè 〈成〉 음력 5월·6월의 기후가 매우 더운 시기를 가리킴.
〔五荤〕 wǔhūn 명 ①《佛》 오훈채(五葷菜)(ˈ大蒜ˈ(마늘)·ˈ小蒜ˈ(중국 재래종 마늘)·ˈ兴渠ˈ(아위)·ˈ慈葱ˈ(당파)·ˈ茖ge葱ˈ(산마늘)). ②(도가에서의) ˈ韭ˈ(부추)·ˈ薤ˈ(염교)·ˈ蒜ˈ(마늘)·ˈ芸薹ˈ(평지)·ˈ胡荽ˈ(고수풀). ‖ =〔五辛〕
〔五积六受〕 wǔ jī liù shòu 〈成〉 ⇨〔五脊六兽〕
〔五级点数制〕 wǔjídiǎnshù zhì 명 5점 만점제. 5단계 평가제(학교 교육에서의 학생의 채점법). =〔五分制〕
〔五极管〕 wǔjíguǎn 명 《電》 오극관.
〔五脊六兽〕 wǔ jǐ liù shòu 〈成〉 ①궁전식 건물에 다섯 개의 마루가 있고, 네 귀퉁이에 장식으로 붙여 있는 여섯 개의 짐승 머리. ②황송하여 마음이 편치 못하다. 과분해서 안절부절못하다. 과분해서 불안해하다. ¶他折受得我～; 그가 너무 과분한 소리를 해서 나는 안절부절못하겠다. ③〈轉〉 기뻐서 어쩔 줄 모르다. ¶刚有了钱, 他就～了; 돈이 생겼다고 생각하자, 그는 기뻐서 어쩔 줄 모르고 가만히 있을 수 없었다. ‖ =〔五积六受〕
〔五加〕 wǔjiā 명 《植》 오갈피나무. ¶～皮酒; 오가피주.
〔五间〕 wǔjiàn 명 손자(孫子) 병법에서, 인간(因間)·내간(內間)·반간(反間)·사간(死間)·생간(生間)을 말함.
〔五匠〕 wǔjiàng 명 대장장이·은세공 장인·목수·석수·구리 세공 장인의 다섯 장인.
〔五角〕 wǔjiǎo 명 오각. ¶～星; 해방군의 모자에 단 빨간 별 모양의 기장 / ～形; 《數》 오각형.
〔五角大楼〕 Wǔjiǎo Dàlóu 명 〈義〉 펜타곤(Pentagon)(미국 국방성 건물).
〔五节〕 wǔjié 명 입춘(立春)·단오(端午)·중추(中秋)·동지(冬至)·세모(歲暮)의 다섯 절기.
〔五戒〕 wǔjiè 명 《佛》 오계(다섯 가지 계율, 곧 불살생(不殺生)·불투도(不偸盜)·불사음(不邪淫)·불망어(不妄語)·불음주식육(不飮酒食肉)).
〔五金〕 wǔjīn 명 ①《鑛》 금·은·동·철·주석. 철물(널리 쇠붙이를 가리킴). ¶～杂货; 철물 잡화 / ～店; 철물점 / ～工厂; 금속 공업 공장. ②《鑛》 배빗 메탈(Babbitt metal)〔합금〕. ③쇠장식. ¶自由装配～; 자유로이 떼었다 붙일 수 있는 쇠장식.
〔五金行〕 wǔjīnháng 명 금속업. 철물상.
〔五金奎〕 wǔjīnkuí 명 ⇨〔五魁(首)〕
〔五经〕 Wǔjīng 명 《書》 오경(역경(易經)·서경(書經)·시경(詩經)·예기(禮記)·춘추(春秋)). ¶～扫地; 〈成〉 성인의 도(道)가 땅을 쓸다〔완전히 쇠퇴하다〕.
〔五经魁〕 wǔjīngkuí 명 ⇨〔五魁(首)〕
〔五九六九河边看柳〕 wǔjiǔ liùjiǔ hébiān kàn liǔ 〈諺〉 동지 뒤 45일이나 54일경에는 버드나무가 싹튼다.
〔五角六张〕 wǔ jué liù zhāng 〈成〉 사물이 순조롭게 풀리지 않음. ¶这几天～得真倒dǎo霉; 요며칠 새 일이 어긋나는 게 많아, 정말 재수가 없다.
〔五扣〕 wǔkòu 명 5할 할인. 반액. ¶这本书可以打～卖; 이 책은 5할 할인해서 팝니다.
〔五苦〕 wǔkǔ 명 《佛》 ①오고. 생(生)·노(老)·병(病)·사(死)의 고통과 형벌의 괴로움. ②천도(天道)·인도(人道)·아귀도(餓鬼道)·축생도(畜生道)·지옥도(地獄道)의 고통.
〔五魁(首)〕 wǔkuí(shǒu) 명 과거(科擧) 향시(鄕試)의 수석에서 제5위까지의 일컬음. =〔五金奎〕〔五经魁〕〔五奎〕
〔五劳七伤〕 wǔ láo qī shāng 《漢醫》 〈成〉 몸이 허약하고 병이 많음.
〔五雷轰顶〕 wǔ léi hōng dǐng 〈成〉 아닌 밤중에 홍두깨로 몹시 놀람. 갑작스러운 이변으로 놀람. 청천벽력.
〔五类分子〕 wǔlèi fènzǐ 명 반동분자로 지목되고 있는 다섯 종류의 계층(지주·부농(富農)·반혁명(反革命)·우파(右派)·악질분자를 말함). =〔黑hēi五类〕
〔五厘行息〕 wǔlí xíngxī 5부 이자를 붙이다.
〔五里墩〕 wǔlǐdūn 명 옛날, 5리마다 있었던 흙무더기를 쌓아올린 이정표.
〔五里雾〕 wǔlǐwù 명 〈比〉 미궁. ¶如坠zhuì～中; 미궁에 떨어진 것 같다. =〔五里云雾〕
〔五里云雾〕 wǔlǐ yúnwù 명 ⇨〔五里雾〕
〔五敛子〕 wǔliǎnzi 명 《植》 오렴자(별 모양의 단면을 가진 새콤달콤한 열대성 과일. 인도 동부 및 중국 남부 ˈ两广ˈ 지방 원산). =〔阳桃〕
〔五粮液〕 wǔliángyè 명 쓰촨 성(四川省)에서 생산되는 소주(다섯 종류의 곡물을 원료로 하여 만들어짐).
〔五灵脂〕 wǔlíngzhī 명 《漢醫》 오령지(날다람쥐과의 동물〔또는 큰 박쥐〕의 똥으로, 검은 알갱이 모양. 주로 부인병에 씀). =〔灵脂〕
〔五零四散〕 wǔ líng sì sàn 〈成〉 뿔뿔이 헤어진〔흩어진〕 모양. ¶一个队伍弄得～了; 일개대(隊)가 사산(四散)되었다 / 好好的一家人被战争搞得～; 버젓한 한 집안이 전쟁 때문에 뿔뿔이 흩어졌다.
〔五绺须〕 wǔliǔxū 명 양 볼과 코 밑의 양쪽 및 턱의 다섯 군데에 난 수염.
〔五鹿〕 Wǔlù 명 복성(複姓)의 하나.
〔五路财神〕 wǔlù cáishén 명 조현단(趙玄壇)·초재(招財)·초보(招寶)·이시(利市)·납진(納珍)의 다섯 복신(福神). =〔五显财神〕
〔五伦〕 wǔlún 명 〈文〉 오륜(부자유친(父子有親)·군신유의(君臣有義)·부부유별(夫婦有別)·장유유서(長幼有序)·붕우유신(朋友有信)). =〔五常②〕
〔五马分尸〕 wǔ mǎ fēn shī 〈成〉 ①고대의 참혹한 형벌의 하나(말 다섯 마리를 죄인의 목과 사지에 연결시켜 찢어 죽임). ②〈比〉 하나로 된 것을 잘게 분할함.
〔五明〕 wǔmíng 명 오명(고대 인도의 다섯 가지 과학 이름).
〔五内〕 wǔnèi 명 〈文〉 오장(五臟). 마음속. ¶～如焚; 〈成〉 몹시 초조해하다. 몹시 상심하다. =〔五中〕
〔五七〕 wǔqī 명 ①오칠일(五七日)(사람의 사후(死後) 7일째마다 독경(讀經)하는 의식인데, 다섯 번째 제삿날로 35일째 되는 날을 가리킴). ¶亲大爷的孝才～, 侄儿娶亲, 这个礼, 我竟不知道; 큰아버지가 돌아가신 지 겨우 35일밖에 안 되었는데, 그 조카가 결혼식을 올린다니, 그런 예법은 난 도무지 모른다. ②(어림수의) 대여섯. 예닐

곱. ¶～天; 대엿새. 예니레/～杯酒; 대여섯 잔의 술.
〔五七指示〕 wǔqī zhǐshì 1966년 5월 7일에 발표한 마오 쩌둥(毛澤東)의 지시《전국 모든 부문은 공업과 농업을 아울러 행하고, 교양과 군사력을 아울러 높이는 학교를 만들고, 모든 이가 무산 계급의 정치적 자각을 지니면서 공산주의의 새 인간으로 육성되어야 한다는 것》.
〔五穷六绝〕 wǔqióng liùjué 〈比〉 도저히 헤어날 수 없는 상태.
〔五刃〕 wǔrèn 명 도(刀)·검(劍)·모(矛)·극(戟)·시(矢)의 다섯 가지 무기.
〔五日京兆〕 wǔ rì jīng zhào 〈成〉 ①재직 기간이 짧음의 비유. ②삼일천하(三日天下).
〔五日周〕 wǔrìzhōu 명 1주일을 5일로 하고, 그 중 하루를 휴일로 하는 제도.
〔五三事件〕 Wǔ-Sān Shìjiàn 명《史》1928년 5월 3일, 국민 혁명군의 북벌(北伐) 때, 지난(濟南)에서 일본·중국 양군이 충돌하여 일어난 사건. =〔五三惨案〕
〔五色〕 wǔsè 명《色》오색《'红'·'黄'·'青'·'白'·'黑'을 일컬음》. ¶～斑斓; 색채가 곱고 아름다운 모양/～缤纷; 많은 색이 섞여 있는 모양/～无主; 〈成〉 두려워서 심상치 않은 안색을 지음.
〔五声〕 wǔshēng 명 ①《言》중국어의 다섯 성조(聲調)《상평(上平)·하평(下平)·상성(上聲)·거성(去聲)·입성(入聲)》. ②⇨〔五音①〕
〔五胜〕 wǔshèng 명 오행(五行)의 상극(相剋)《수(水)·화(火)·목(木)·금(金)·토(土)의 오행(五行)의 각각의 승(勝)》.
〔五十步笑百步〕 wǔ shí bù xiào bǎi bù 〈成〉 오십보 백보《맹자(孟子)의 고사로, 전쟁터에서 50보 달아난 자가 100보 달아난 자를 비웃다》. 〈比〉 본질은 같되 정도의 문제이다.
〔五世其昌〕 wǔ shì qí chāng 〈成〉 자손 대대로 번창하다《결혼 축사에 곧잘 쓰임》.
〔五世同堂〕 wǔ shì tóng táng 〈成〉 조부모·부모·자신·자식·손자가 한 집에 살다《온 집안이 평화롭게 번영하다》. =〔五代同堂〕
〔五四运动〕 Wǔ-Sì Yùndòng 명《史》5·4 운동《제1차 세계 대전 후, 파리 평화 회의에서의 산둥(山東) 문제의 조치에 분개한 베이징(北京)의 학생 약 5천 명은, 1919년 5월 4일에, 베이징 전역에서 데모를 벌여, 정부에 대하여 평화 조약 비준의 거부, 책임자 처벌을 요구했으며, 이것이 전국적인 배일(排日) 운동·정치 운동으로 발전했음》.
〔五体〕 wǔtǐ 명 ①오체. 전신. 온몸. ②근(筋)·맥(脈)·육(肉)·골(骨)·모(毛), 또는 머리와 사지(四肢). ③불경을 배우는 다섯 가지 방법. ④서체의 다섯 가지《전(篆)·예(隸)·진(眞)·행(行)·초(草)》.
〔五体投地〕 wǔ tǐ tóu dì 〈成〉 ①오체투지《불교에서, 양손·두 무릎·머리를 바닥에 대고 하는 배례》. ②〈比〉 상대에게 완전히 압도되어 경복함. ¶佩pèi服得～; 무조건 탄복하다.
〔五屉柜〕 wǔtìguì 명 ⇨〔五斗柜〕
〔五停身儿〕 wǔtíngshēnr 명 다섯 폭을 합쳐서 꿰맨 것. ¶这个幔帐得～才够宽呢; 이 장막은 다섯 폭을 합쳐야 겨우 필요한 폭이 된다. =〔五挺身儿〕
〔五同〕 wǔtóng 명 ①식사·거주(居住)·노동·학습·오락을 함께 하는 것. ②'文化大革命' 중 식사·주거·노동·학습·'斗dòu私批修'를 함께 하는 것.
〔五桶柜〕 wǔtǒngguì 명 ⇨〔五斗柜〕
〔五筒柜〕 wǔtǒngguì 명 ⇨〔五斗柜〕
〔五味〕 wǔwèi 명 ①오미《'甜tián'(단맛)·'酸suān'(신맛)·'苦kǔ'(쓴맛)·'辣là'(매운맛)·'咸'(짠맛)》. ②〈轉〉 각종의 맛. 여러 가지 맛.
〔五味俱全〕 wǔ wèi jù quán 〈成〉 여러 가지 맛이 갖춰져 있다《만감이 교차하다》. ¶他心里万感交集真是～, 说不出是喜是悲; 그의 마음은 만감이 교차하여, 기쁜지 슬픈지 말로 표현할 수 없다.
〔五味子〕 wǔwèizǐ 명《植》오미자(나무). =〔北běi五味子〕
〔五无家庭〕 wǔwú jiātíng 명 파리·모기·쥐·빈대·바퀴벌레가 없는 가정. ¶她们决意把自己家庭变为无蝇、无蚊、无鼠、无臭虫、无蟑螂的; 그녀들은 자기의 가정을 '다섯 가지가 없는 가정'으로 만들자고 결의했다.
〔五显财神〕 wǔxiǎn cáishén 명 ⇨〔五路财神〕
〔五线谱〕 wǔxiànpǔ 명《樂》오선보.
〔五香〕 wǔxiāng 명 ①중국 음식에 양념으로 쓰이는 다섯 가지 향료《'花椒'(산초)·'八角'(팔각)·'桂皮'(계피)·'丁香花蕾'(정향나무 꽃봉오리)·'茴香'(회향)을 일컬음》. ②회향·산초 따위의 혼합 분말《튀김에 묻혀서 먹음》. =〔五香面儿〕
〔五项全能〕 wǔxiàng quánnéng 명 ⇨〔五项运动〕
〔五项原则〕 wǔxiàng yuánzé 명 (평화) 5원칙. ¶所谓～即互相尊重领土主权、互不侵犯、互不干涉内政、平等互利与和平共处; 이른바 평화 5원칙이란, 영토 주권의 존중, 상호 불가침, 내정 불간섭, 평등 호혜, 평화 공존의 다섯 가지이다.
〔五项运动〕 wǔxiàng yùndong 명《體》오종 경기. ¶～比赛定于5月25日举行; 오종 경기는 5월 25일에 열리게 되어 있다. =〔五项全能〕
〔五辛〕 wǔxīn 명 ⇨〔五荤〕
〔五星红旗〕 Wǔxīng hóngqí 명 오성 홍기. 중화 인민 공화국의 국기.
〔五星明儿〕 wǔxīngmíngr 명 새벽. 동틀녘. ¶等～我们再起身吧; 새벽이 된 다음에 우리 출발하자.
〔五刑〕 wǔxíng 명 주요한 다섯 가지 형벌. ①은(殷)·주대(周代)의 '墨'(문신)·'劓'(코베기)·'剕'(발 자르기)·'宫'(궁형)·'大辟'(사형)을 이름. ②수(隋)나라 이후의 '死'(사형)·'流'(유형)·'徒'(징역형)·'杖'(곤장형)·'笞'(태형)을 가리킴. ③현대에는 사형·무기 도형·유기 도형·금고·벌금.
〔五行〕 wǔxíng 명《哲》오행《고래로, 천지 만물을 형성하는 것으로 믿어졌던 '火', '水', '木', '金', '土'를 말함》. ¶～家; 오행에 의해서 운세 판단을 하는 사람.
〔五行生克〕 wǔxíng shēngkè 명 오행 생성과 오행 상극(相剋).
〔五颜六色〕 wǔ yán liù sè 〈成〉 빛깔이 가지각색이고 다채로운 모양. 화려하고 아름다운 모양. ¶女孩子们都穿～的新装; 계집아이들은 모두 색색 가지의 새 옷을 입는다.
〔五叶草〕 wǔyècǎo 명《植》벌노랑이.
〔五叶莓〕 wǔyèméi 명《植》거지덩굴.
〔五一节〕 Wǔyījié 명 노동절. 메이데이. =〔劳动节〕〔五一劳动节〕
〔五阴〕 wǔyīn 명《佛》오음《색(色)·수(受)·상(相)·행(行)·식(識)을 일컬음》.
〔五音〕 wǔyīn 명 ①《樂》중국 음악에서 5종의 음계. 5음 음계. =〔五声②〕 ②《言》음운학상의 성음(聲音)의 발음 부위에 따른 다섯 분류《후음(喉

音)·아음(牙音)·설음(舌音)·치음(齒音)·순음(脣音)).
〔五欲〕 wǔyù 명 《佛》 오욕. ①색욕(色欲)·성욕(聲欲)·향욕(香欲)·미욕(味欲)·촉욕(觸欲). ②재욕(財欲)·색욕(色欲)·명욕(名欲)·음식욕(飮食欲)·수면욕(睡眠欲).
〔五院〕 wǔyuàn 명 《政》 행정원(行政院)·입법원(立法院)·사법원(司法院)·고시원(考試院)·감찰원(監察院).
〔五月单五儿〕 wǔyuè dānwǔr 명 음력 5월 5일(의 단오절).
〔五月鲜(儿)〕 wǔyuèxiān(r) 명 5월에 나는 만물〔첫물〕. ¶～的玉米又嫩nèn又甜; 첫물 옥수수는 부드럽고 달다.
〔五岳〕 Wǔyuè 명 중국 역사상의 5대 명산(동악(東嶽)은 태산(泰山), 서악(西嶽)은 화산(華山), 남악(南嶽)은 형산(衡山), 북악(北嶽)은 항산(恒山), 중악(中嶽)은 숭산(嵩山)).
〔五脏〕 wǔzàng 명 오장(비장·폐·심장·간장·신장의 다섯 가지 내장). ¶麻雀虽小, ～俱全; 참새는 몸은 작지만, 오장 육부가 다 갖춰져 있다(규모는 작지만, 모든 것이 다 갖춰져 있다).
〔五脏六腑〕 wǔzàng liùfǔ 명 오장 육부(내장 전체의 일컬음).
〔五爪龙〕 wǔzhǎolóng 명 ①다섯 손가락. ¶没有筷子不要紧, 下手好了, ～比什么都方便; 젓가락이 없어도 괜찮다. 손을 쓰면 된다. 손가락이 무엇보다 편하다. ② ⇨〔乌wū蔹莓〕
〔五折〕 wǔzhé 명 5할 할인. 반값. ¶打～; 5할 할인하다 / 这个东西打～不好卖; 이것은 반값으로는 못 판다.
〔五指〕 wǔzhǐ 명 오지. 다섯 손가락. ¶漆黑的夜里, 伸手不见～; 캄캄한 밤에는, 손을 뻗쳐도 손가락이 안 보인다.
〔五中〕 wǔzhōng 명 〈文〉 오장(五臟) ¶铭míng感～; 〈成〉 마음 속 깊이 감격하다 / ～如焚fén; 〈成〉 오장이 타는 것 같다. 몹시 번민하다. ＝〔五内〕
〔五种经济〕 wǔzhǒng jīngjì 명 신중국에서의 다섯 가지 경제 체제(국영 경제·합작사(合作社) 경제·국가 자본주의 경제·자본주의 경제·개인 경제를 의미함).
〔五洲〕 wǔzhōu 명 오주. 세계 각지. ¶～四海; 〈成〉 전세계.
〔五爪龙〕 wǔzhuǎlóng 명 《植》 ①거지덩굴. ＝〔乌蔹莓〕 ②뱀혀. ＝〔蛇含委陵菜〕
〔五爪藤〕 wǔzhuǎténg 명 《植》 백련.
〔五子登科〕 wǔ zǐ dēng kē 〈成〉 다섯 아들이 과거에 합격하다(만사 대길〔형통〕하다).
〔五子棋〕 wǔzǐqí 명 (바둑의) 오목.
〔五族〕 Wǔzú 명 《民》 신해 혁명 후, 한족(漢族)·만족(滿族)·몽골족·위구르족·티베트 족의 오족을 일컬었음.

伍 wǔ (오)
①수 '五'의 갖은자. ②명 옛날, 군대의 최소 편성 단위(5인이 1伍가 됨). 〈轉〉 군대. ¶入～; 입대하다 / 落～; 낙오하다. ③명 (한)동아리. 패. ¶相与为～; 서로 한 패가 되다 / 岂能与此辈为～; 이러한 패거리와 한동아리가 될 수 있을 것인가. ④명 성(姓)의 하나.
〔伍伴〕 wǔbàn 명 〈文〉 동료. 동반자.
〔伍的〕 wǔde 조 〈方〉 …따위. 등. ¶桌子、椅子～; 탁자·의자 따위 / 喝酒～; 술 같은 것이나 마시고…. ＝〔等等〕〔之类〕〔什么的〕
〔伍间增加〕 wǔjiān zēngjiā 《軍》 산병선(散兵線) 사이에 지원군을 증가하다.
〔伍长〕 wǔzhǎng 명 〈文〉 한 오(伍)(병사 5명)의 우두머리.
〔伍作〕 wǔzuò 명 ⇨〔检jiǎn验员①〕

捂〈摀〉 wǔ (오)
동 ①꼭 덮다. 봉해 넣다. 덮다. 가리다. ¶用手～着嘴; 손으로 입을 가리다 / 放在罐子里～起来, 免得走了味; 향기가 빠지지 않도록 항아리 속에 넣어 밀봉하다 / ～口罩zhào; 마스크를 쓰다 / 用被～上; 이불을 뒤집어씌우다. ②가두다. 감금하다. ¶把他～起来! 그를 감금해라! ③(음식물을) 띄우다. 뜸들이다. ⇒wú
〔捂不过来〕 wǔbuguòlái 손으로 가릴 수 없다. ¶手大捂不过天来; 〈諺〉 아무리 손이 커도 하늘을 가릴 수는 없다(아무리 용을 써도 저마다의 능력 이상의 일을 할 수는 없다).
〔捂酦〕 wǔfā 동 뚜껑을 덮어 뜸을 들여 발효시키다.
〔捂盖子〕 wǔgàizi 동 ①덮다. ¶纸里包不住火, 长久捂不住盖子啊; 종이로 불을 쌀 수 없다고 하는데, 이대로 오래 지나면 숨기지 못하게 된다. ②(겉을 꾸려) 덮어 가리다. 숨기다. ¶幸亏您给～过去了, 不然可糟了; 다행히 당신이 숨겨 주셨는데, 만일 그렇지 않았더라면 큰일날 뻔했다.
〔捂过去〕 wǔguoqu 감추어 넘기다. 덮고 지나가다. ¶那件事, 你给我～就行了; 그 일은 네가 덮어만 주면 되는 거다.
〔捂汗〕 wǔ.hàn 동 (이불을 뒤집어써서) 땀이 나게 하다.
〔捂起来〕 wǔqilai ①손으로 가리다〔막다〕. 손바닥으로 누르다. ②감금하다. ③밀봉하다.
〔捂捂盖盖〕 wǔwugàigài 〈方〉 한사코 감추다.
〔捂眼〕 wǔyǎn 명 (말이나 당나귀의) 눈가리개. ¶戴～; 눈가리개를 하다. (wǔ.yǎn) 동 눈을 가리다.
〔捂着耳朵偷铃铛〕 wǔzhe ěrduo tōu língdang 〈諺〉 귀를 가리고 방울을 훔치다. 눈 가리고 아웅. 자기 기만. ¶以为人家不知道, 这才是～; 남이 모른다고 생각하니, 그야말로 눈 가리고 아웅하는 격이다. ＝〔掩yǎn耳盗铃〕
〔捂住〕 wǔzhù 동 (꼭) 덮어 가리다. ¶把嘴～; 손바닥으로 입을 가리다.

牾 wǔ (오)
동 〈文〉 반항하다. 거스르다. ＝〔忤〕

沅(潕〈潕〉) Wǔ (무)
명 《地》 우수이(潕水)(구이저우 성(貴州省)에서 후난 성(湖南省)으로 흘러드는 강 이름).

怃(憮) wǔ (무)
①형 실의(失意)에 빠진 모양. ¶～然良久; 꽤 오랫동안 무연(憮然)해 있었다. ②동 사랑하여 가엾이 여기다.
〔怃然〕 wǔrán 형 〈文〉 실망한 모양. 낙심한 모양. ¶大家都～没有话; 모두 낙심하여 아무 말도 없었다 / 他～有顷, 又兴致很好地笑了笑; 그는 잠시 실망한 모양이었지만, 다시 기분 좋게 싱긋 웃었다.

庑(廡) wǔ (무)
〈文〉 ①명 당(堂)집 주위의 복도. ②명 처마. ③형 우거지다. 무성하다.

妩(嫵〈娬〉) wǔ (무)
→〔妩媚〕

〔妩媚〕 wǔmèi 형 (여자·꽃·나무 따위가) 곱고 아름다운 모양.

〔妩媚柔软〕 wǔmèi róuruǎn 여자처럼 간들거리는 모양. 아들아들하고 나약한 모양. ¶我不爱那样～的人; 나는 저렇게 간들거리는 사람은 싫어.

武 wǔ (무)
①명 무. ¶文恬～嬉; 〈成〉 태평 무사에 익숙해져서 안일을 탐하다. ↔〔文〕 ②명 발자취. ¶绳其祖～; 조상의 업적을 계승하다. ③명 무력. 완력. ¶动～; 폭력을 쓰다. 손찌검을 하다/英雄无用～之地; 영웅도 힘을 떨칠 여지가 없다(손을 쓸 수가 없다). ④명 전투·격투에 관한 것. ¶好hào～; 전투적인 것을 좋아하다/比～大会; ⓐ무술대회. ⓑ생산·기술 등의 경쟁. ⑤형 용감[용맹]하다. ¶威～; 권위와 무력. 위엄이 있고 용감하다/英～; 뛰어나고 용감하다. ⑥형 세차다. 강하고 거세다. 격렬[맹렬]하다. ¶～火; ⇩ ⑦명 〈文〉 반 보(半步). 걸음. ¶行不数～; 몇 걸음도 못 나가서/脚～; 보조. 걸음걸이. ⑧명 성(姓)의 하나.

〔武把子〕 wǔbǎzi 명 무기(武技). 무술.

〔武备〕 wǔbèi 명 〈文〉 군비(軍備).

〔武弁〕 wǔbiàn 명 ①무인(武人)의 관(冠). ②〈轉〉 무인. 군인. ‖ =〔将jiàng弁〕

〔武不善坐(儿)〕 wǔ bù shàn zuò(r) 〈成〉 ①무인(武人)은 단정히 앉아 있는 것이 서투르다. 거친 것은 무인의 상사(常事)(흔히, '文不加鞭' 가 앞에 옴). ②거칠고 차분하지 않은 모양. ¶他说话总是～地摇头摇尾一大套; 그가 이야기를 할 때에는 언제나 거칠고 차분하지 않아 몸짓이 과장되어 있다.

〔武财神〕 wǔcáishén 명 복신(福神)의 하나(관우(關羽)를 본존으로 모신 것).

〔武昌起义〕 Wǔchāng Qǐyì 명 《史》 1911년 10월 10일 '反满兴汉' 을 슬로건으로 하여 우창(武昌)에서 일어난 무장 봉기.

〔武场〕 wǔchǎng 명 ①《劇》 중국 전통극 반주의 타악기 반주 부분. ②무관의 과거 시험장.

〔武吃〕 wǔchī 동 (야외에서) 재료를 그대로 내놓고 만들어 먹다('烤羊肉' 따위 야외 요리).

〔武痴〕 wǔchī 명 《漢醫》 광조증(狂躁症).

〔武丑〕 wǔchǒu 명 《劇》 무극(武劇)에 나오는 어릿광대. =〔开口跳〕

〔武打〕 wǔdǎ 명 《劇》 연극중의 난투 장면.

〔武大郎(儿)〕 Wǔdàláng(r) 명 ①《人》 무대(수호전(水滸傳)에 나오는 무송(武松)의 형. 독부(毒婦) 반금련(潘金蓮)의 남편. 절름발이에 못생긴 작은 남자). ②〈轉〉 몸집이 작고 못생기고 무기력한 사나이. ¶～玩夜猫子, 什么人儿玩什么鸟; 〈歇〉 사람마다 기호나 취미가 다르다/～攀杠子, 上下搆[够]不着; 〈歇〉 무대랑이 철봉에 뛰어오르다(능력이 미치지 못하다).

〔武旦〕 wǔdàn 명 《劇》 여자 무사로 분(扮)하는 배우.

〔武当山〕 Wǔdāngshān 명 후베이 성(湖北省)의 서북부, 한강(漢江)의 남쪽 기슭에 있는, 권법의 한 파. '内家(拳)' 의 발상지.

〔武道〕 wǔdào 명 무도.

〔武帝庙〕 Wǔdìmiào 명 관왕묘(關王廟)(관우(關羽)를 모시는 사당).

〔武斗〕 wǔdòu 동 무기로 싸우다. 폭력으로 싸우다. ↔〔文wén斗〕 명 무기·폭력에 의한 투쟁.

〔武断〕 wǔduàn 명동 독단(하다). 무단(하다). 형 독단적이다. 고압적이다. ¶只凭片面的反映就作决定, 太～了; 단지, 일방적인 의견만으로 결정하는 것은 횡포이다. 동 〈文〉 권세를 등에 업고 마음대로 시비를 판단하다. ¶～乡曲; 〈成〉 권세를 믿고 백성을 억압하다.

〔武二花〕 wǔ'èrhuā 명 《劇》 연극에서, 얼굴에 진한 청홍색선으로 분장하고 활극을 연기하는 배우. =〔工架〕〔武净〕

〔武夫〕 wǔfū 명 ①〈文〉 무인. 군인. ¶一介～; 일개 무인. ②용맹한 사람. ¶赳赳～; 늠름한 용사.

〔武工〕 wǔgōng 명 《劇》 극(劇) 중의 난투를 벌이는 연기. ¶他的～(儿)不错; 그의 무술 연기는 꽤 괜찮다. =〔武功④〕

〔武工队〕 wǔgōngduì 명 〈簡〉 무장 공작대.

〔武功〕 wǔgōng 명 ①〈文〉 군사면의 공적. =〔军jūn功〕 ②무술 (수련). ¶～片; 무술 영화. ③(Wǔgōng) 《地》 산시 성(陝西省)에 있는 현(縣) 이름. ④ ⇨〔武工〕

〔武官〕 wǔguān 명 ①《軍》 무관. ↔〔文wén官〕 ②(외교상의) 무관.

〔武汉三镇〕 Wǔhàn sānzhèn 명 한커우(漢口)·우창(武昌)·한양(漢陽)의 세 도시.

〔武行〕 wǔháng 명 《劇》 중국 전통극 중에서, 주로 무술을 연기하는 배역(흔히, 난투를 벌이는 장면에 출연).

〔武花脸〕 wǔhuāliǎn 명 《劇》 얼굴에 색화장을 하는 무극(武劇)의 배역.

〔武会〕 wǔhuì 명 신에게 사자(獅子)·개로(開路)·소림(少林)·쌍석두(雙石頭) 등의 잡기(雜技)를 봉납하는 모임.

〔武会试〕 wǔhuìshì 명 청대(淸代), 무관의 등용시험.

〔武火〕 wǔhuǒ 명 (야채를 볶거나 밥을 지을 때의) 센 불. ¶用～蒸三十分钟便成功; 화력이 센 불로 30분 동안 찌면 된다. =〔大dà火〕 ↔〔文wén火〕

〔武进士〕 wǔjìnshì 명 청대(淸代), 무술의 전시(殿試)에 합격한 사람.

〔武警〕 wǔjǐng 명 〈簡〉 무장 경찰(관) '人民武装警察' 의 약칭.

〔武净〕 wǔjìng 명 《劇》 난투 전문의 배역. =〔武二花〕〔跌diē打净〕〔摔shuāi打花〕

〔武举〕 wǔjǔ 명 ①무예에 의한 과거 시험. ②〈簡〉 '武举人' 의 약칭.

〔武举人〕 wǔjǔrén 명 청대(淸代), '武乡试' 에 합격한 사람.

〔武剧〕 wǔjù 명 ⇨〔武戏〕

〔武开〕 wǔkāi 동 〈比〉 강 얼음이 갑자기 녹다.

〔武科(甲)〕 wǔkē(jiǎ) 명 〈文〉 무과(과거 제도의 무관 등용 시험).

〔武库〕 wǔkù 명 《軍》 무기고.

〔武力〕 wǔlì 명 ①무력. 군사력. ¶和平谈判如果失败, 怕要～解决了; 평화 회담이 실패하면, 무력해결을 해야 할지도 모른다. ②완력(腕力). 폭력. ¶不能用～欺负人; 완력으로 사람을 괴롭혀서는 안된다.

〔武力政变〕 wǔlì zhèngbiàn 명 《政》 쿠데타. ¶伊拉克发生～; 이라크에 쿠데타가 일어났다. =〔武装政变〕〔武装起义〕〔军jūn事政变〕〔苛铁达〕〔苦推打〕

〔武庙〕 Wǔmiào 명 관우(關羽)의 묘(廟). 민국(民國) 초기에 관우(關羽)와 악비(岳飛)를 합사(合

祠)한 묘(당대(唐代)부터 원대(元代)까지는 여상(呂尙), 청대(淸代)에는 관우(關羽)를 모셨음).

〔武器〕 wǔqì 명 ①무기. 병기. ②(추상적인) 무기. 투쟁의 도구. ¶思想～; 사상 무기 / 掌握批评与自我批评的～; 비판과 자기 비판이라는 무기를 갖추다.

〔武人〕 wǔrén 명 〈文〉 무인. 군인. ¶～干政; 군인이 정치에 관여하다.

〔武生〕 wǔshēng 명 ①《劇》 주로 무극(武劇)을 하는 미남 배우. ②무관의 등용 시험을 치르던 사람.

〔武圣(人)〕 Wǔshèng(rén) 명 《人》〈敬〉 관우(關羽).

〔武士〕 wǔshì 명 ①위사(衛士)(옛날, 궁정 호위를 담당하던 군사). ②무사. 용사. ¶～道精神; (일본의) 무사도 정신.

〔武术〕 wǔshù 명 무술.

〔武王〕 Wǔwáng 명 《人》 무왕(주대(周代)의 군주. 성은 희(姬), 이름은 발(發)).

〔武卫〕 wǔwèi 명 무장자위(武裝自衛). 동 무력으로 자기 편을 방어하다.

〔武戏〕 wǔxì 명 《劇》 전쟁 연극. 무예와 싸움을 내용으로 한 연극. =〔武剧〕 ↔〔文戏〕

〔武侠〕 wǔxiá 명 협객(俠客). 무협.

〔武乡试〕 wǔxiāngshì 명 《史》 청대(淸代), 3년마다 각 성(省)에서 시행되었던 무인의 등용 시험.

〔武象〕 wǔxiàng 명 〈文〉 용맹스런 용모. ¶天生就的～; 타고난 용맹스러운 용모.

〔武小生〕 wǔxiǎoshēng 명 《劇》 청년 용사로 분장하는 배우.

〔武训〕 Wǔxùn 명 《人》 무훈(청(淸)나라 도광(道光) 연간에, 공맹(孔孟)의 가르침을 받들고 찢어진 모자에 남루한 옷으로, 각지를 두루 돌아다니며 의연금(義捐金)을 모아 의학(義學)을 몇 군데에 세웠음. 1838～1896).

〔武夷〕 Wǔyí 명 《地》 우이(푸첸 성(福建省) 충안현(崇安縣)의 남쪽에 있는 산의 이름).

〔武艺〕 wǔyì 명 무예. ¶～高强; 무예가 뛰어나다.

〔武职〕 wǔzhí 명 〈文〉 무관직. ↔〔文wén职〕

〔武装〕 wǔzhuāng 명 무장. 무력. ¶～力量; 무장 병력 / ～叛乱; 무장 봉기 / ～政变; 쿠데타 / ～工作队; 항일 전쟁 중의 무장 공작대. 동 무장하다. 무장시키다.

〔武装起义〕 wǔzhuāng qǐyì 명 ⇨〔武力政变〕

珷 wǔ (무)

→〔珷玞〕

〔珷玞〕 wǔfū 명 〈文〉 옥 비슷한 돌. 〈比〉 어리석은 사람. =〔碔砆〕

碔 wǔ (무)

→〔碔砆〕

〔碔砆〕 wūfū 명 ⇨〔珷玞〕

鹉(鵡) wǔ (무)

→〔鹦yīng鹉〕

侮 wǔ (모)

동 모멸하다. 멸시〔경멸〕하다. ¶不可～的力量; 얕볼 수 없는 힘 / 欺qī～; 업신여기다.

〔侮慢〕 wǔmàn 동 모욕하다. 우습게 보다. 비웃다. ¶肆意～; 함부로 (남을) 모욕하다 / 受不了这样的～; 이 같은 모욕은 받고 있을 수 없다.

〔侮弄〕 wǔnòng 동 모욕하고 가지고 놀다. 놀리다. 우습게 보다. ¶你干么随便～人? 자넨 어째서 함부로 남을 모멸하나? / 不要叫他～! 그에게 얕보이지 말게!

〔侮辱〕 wǔrǔ 동 모욕하다. =〔污辱①〕

〔侮笑〕 wǔxiào 동 비웃다. 조소하다. ¶如此任人～太可怜了; 이런 식으로 남한테 조롱을 받는다면 너무나 가엾다.

〔侮谑〕 wǔxuè 동 〈文〉 업신여기며 희롱하다. (말로써) 깔보다. ¶开玩笑得děi有分寸, ～就不行; 농담에도 한도가 있는 것이니, 업신여겨선 안 돼.

舞 wǔ (무)

① 명 춤. 무용. ¶巴蕾～; 발레 / 跳了一个～; 춤 한 번을 추다 / 跳狐hú步～; 폭스트롯을 춤추다 / 秧yāng歌～; 모내기춤. ② 동 춤추다. ¶手～足蹈; 〈成〉 덩실거리며 기뻐하다. ③ 동 날아오르다. 흩날리다. ¶杨花乱～; 버들개지가 어우러져 너울거리다 / ～龙飞凤; ⇩ / 笔势飞～; 필세가 분방(奔放)하다. 필세가 약동하다. ④ 동 (무엇을) 손에 쥐고 춤추다. ⑤ 동 휘두르다. ¶手～双刀; 쌍칼을 휘두르다. ⑥ 동 (수단·계교·재주 따위를) 부리다〔피우다〕. 가지고 놀다. ¶～文弄墨; 글재주를 부리다. ⑦ 동 〈方〉 하다. =〔搞gǎo〕〔弄nòng〕 ⑧ 명 성(姓)의 하나.

〔舞伴〕 wǔbàn 명 댄싱 파트너〔상대〕.

〔舞弊〕 wǔbì 명동 (직권·직위를 이용해서) 폐해(를 낳다). 부정한 짓(을 하다). ¶徇私～; 사리(私利)를 위해 부정을 하다.

〔舞抃〕 wǔbiàn 동 〈文〉 기뻐 날뛰다.

〔舞步〕 wǔbù 명 《舞》 (댄스의) 스텝(step).

〔舞草〕 wǔcǎo 명 《植》 춤싸리.

〔舞场〕 wǔchǎng 명 댄스 홀. 무도장. =〔舞厅〕〔舞院〕

〔舞池〕 wǔchí 명 댄스 홀의 플로어(floor). ¶活跃在～里; 댄스 홀에서 활발하게 춤추다.

〔舞刀弄棒〕 wǔ dāo nòng bàng 〈成〉 칼이나 막대기를 휘두르다. 폭력·완력(腕力)에 호소하다. ¶有话好好说, 不必～的; 불만이 있거든 잘 이야기하시오. 완력을 쓸 필요는 없습니다.

〔舞蹈〕 wǔdǎo 명동 무도(하다). 춤(추다). 댄스(를 하다). =〔跳舞〕

〔舞蹈病〕 wǔdǎobìng 명 《醫》 무도병.

〔舞蹈剧〕 wǔdǎojù 명 《舞》 무용극.

〔舞动〕 wǔdòng 동 ①휘두르다. ¶～木棍; 나무방망이를 휘두르다 / ～着拳头, 大声嚷嚷; 주먹을 휘두르며 큰 소리로 고함치다. =〔挥舞〕〔摇摆〕 ②흔들리다. ¶吹来一阵凉爽的风, 树枝微微～着; 시원한 바람이 솨 불어 와서 나뭇가지가 조금 흔들리고 있다.

〔舞会〕 wǔhuì 명 댄스 파티. 무도회.

〔舞剑〕 wǔ,jiàn 동 ①검무를 하다. 칼춤을 추다. ②칼을 휘두르다. (wǔjiàn) 명 칼춤. 검무.

〔舞剧〕 wǔjù 명 《舞》 (발레 등의) 무용극. ¶～团; 무용극단 / ～迷; 무용극의 팬.

〔舞客〕 wǔkè 명 댄스 홀의 손님.

〔舞龙〕 wǔlóng 명 《舞》 용춤(설날 민간에서 추는 춤). ¶～灯; 음력 정월 보름의 원소절(元宵節) 밤에 '舞龙'을 추며 거리를 누비고 다니는 일.

〔舞龙飞凤〕 wǔ lóng fēi fèng 〈成〉 용이 날고 봉황이 춤추는 것 같다(글씨의 필세가 분방하고 힘참).

〔舞弄〕 wǔnòng 동 〈文〉 ①제멋대로 법이나 문장을 농락하다. ¶～文黑; ⓐ문장을 가지고 남을 우롱하다. ⓑ문장 쓰는 것을 낙으로 삼다. ②우롱하다. 놀리다. ③휘두르다. 내젓다. ¶他们～着陈旧不堪的武器来攻击我们; 그들은 구닥다리 무기를 내두르며 우리를 공격하고 있다. ④〈方〉 …을 하

다〔만들다〕.
〔舞女〕 wǔnǚ 명 (댄스 홀의) 댄서. =〔跳tiào舞女〕
〔舞曲〕 wǔqǔ 명 《樂》 댄스 음악. 무곡.
〔舞台〕 wǔtái 명 ①무대. ¶初登～; 첫무대를 밟다 / ～本; 상연용 각본 / ～舞; 스테이지 댄스 / 在～上表演; 무대에서 연기하다. ②사람의 이목을 끄는 일이 벌어지는 곳. ¶政治～; 정치 무대 / 退出历史～; 역사의 무대에서 물러나다.
〔舞台面〕 wǔtáimiàn 명 무대에서 연출된 장면. ¶这张照片是茶花女第一幕的～; 이 사진은 춘희(椿姬)의 제 1막의 장면이다.
〔舞厅〕 wǔtīng 명 무도장. 댄스 홀. =〔舞场〕〔舞院〕
〔舞文弄法〕 wǔ wén nòng fǎ 〈成〉 ①법을 왜곡하여 부정한 짓을 하다. ¶如果不伸张正义反倒～, 那就是律师中的败类; 만일 정의를 신장시키지 않고, 반대로 문필을 농하여 법률을 우롱한다면, 그것은 변호사 중의 쓰레기이다. ②문장의 기교를 완롱(玩弄)하다. ‖ =〔舞文弄墨〕
〔舞文弄墨〕 wǔ wén nòng mò 〈成〉 ⇨〔舞文弄法〕
〔舞舞爪爪〕 wǔwu zhuǎzhuǎ 〈方〉 손짓 발짓으로. ¶看他在人群中～说得可来劲了; 그가 사람들 속에서 손짓 발짓으로 신명나서 말하고 있는 것을 봐라.
〔舞榭歌台〕 wǔxiè gētái 명 가무(歌舞) 음악의 장소. 무대.
〔舞星〕 wǔxīng 명 유명 댄서. 스타 무희(舞姬). ¶红～; 인기 있는 댄서.
〔舞艺〕 wǔyì 명 무기(舞技). 춤의 기예. 춤솜씨.
〔舞院〕 wǔyuàn 명 ⇨〔舞场〕
〔舞姿〕 wǔzī 명 춤추는 자태. ¶～翩翩; 춤추는 자태가 날아갈 듯하다.
〔舞钻〕 wǔzuàn 명 《機》 비비송곳.

兀 wù (올)
①형 〈文〉 우뚝 솟아 있으며 위가 평평한 모양. ¶突～; 높이 치솟다. ②형 〈文〉 산이 민둥민둥한 모양. 널리 벗어져 번번한 모양. ¶～鹫; ⇩ / 蜀山～, 阿房出; 촉(蜀) 땅의 산이 민둥산이 되고 아방궁이 생겼다. ③형 움직이지 않다. ④감 〈古白〉 이봐《원대(元代)의 희곡·소설에서 흔히 쓰임》. ¶～, 那汉子! 이봐, 이 사람아! ⑤부 〈古白〉 갑자기. 별안간. ⇒wū
〔兀傲〕 wù'ào 형 〈文〉 앙연(昂然)하여 속됨을 좇지 않다. ¶性情～; 성격이 거드럭거리고 세속을 따르지 않다.
〔兀般〕 wùbān 대 〈古白〉 그러한. 이런. 그 같은.
〔兀的〕 wùde 〈古白〉 (원곡(元曲)이나 원명대(元明代) 때 소설에서 흔히 볼 수 있는 말). 대 ①이것. 저것. 그것. ¶你本利少我四十两银子, ～是借钱的文书; 너는 내게 원리 합계 40냥의 은자를 빚졌는데, 이것이 차용증서이다. ②이. 그. ¶～后面一簇军马, 必然是追兵至也; 저 뒤에서 오는 한 무리의 군대는 필시 추격해 온 것이겠지. 부 ①문득. 갑자기. ¶～见一只船流将下来; 문득 보니, 배가 한 척 떠내려오고 있다. ②이〔저, 그〕렇게. 이〔저, 그〕토록. ¶～把春光断送; 이렇게 봄을 헛되이 보내다 / 这的般愁, ～般闷; 이토록 걱정하고 이토록 번민하다. ③아니. 어쩌면. ¶仆人顺手东指道: ～一座山门; 하인이 동쪽을 가리키며 말하기를, 아니, 산문입니다요. ‖ =〔兀底〕〔兀得〕
〔兀鹫〕 wùjiù 명 《鳥》 (대형) 독수리.
〔兀剌〕 wùlà 〈古白〉 ①접미 형용사의 접미자(接尾字). ¶软ruǎn～; 부드럽다. 연하다 / 莽mǎng～; 경솔하다. ②에. 저. 또《발어사(發語辭)의 일종. 현대 구두어(口頭語)에서 '这个' '那个' 등을 한국어의 '에또' '저' '그' 따위처럼 의미 없이 쓰는 것에 해당하는 용법》. ¶遥望见一点青山, ～却又早不见了; 멀리 푸른 산이 보이더니, 이내 또 보이지 않게 되었다. ‖ =〔兀良〕
〔兀了巴突〕 wùle bātū 형 〈北方〉 모호하다. 불분명하다. 흐지부지하다. ¶事情没结果～的就算完了; 일이 결말 없이 흐지부지 끝나 버린 꼴이다 / 办事～不干脆; 일하는 게 모호하고 깨끗하지 못하다 / 话说～; 말이 분명하지 않다 / 这水不冷不热, ～的真不好喝; 이 물은 차지도 뜨겁지도 않고 어중간해서 맛이 없다. =〔兀兀秃秃〕
〔兀立〕 wùlì 동 〈文〉 움직이지 않고 곧추 서다. ¶那里～着峭崖陡壁; 거기엔 험준한 벼랑이나 가파른 산벽(山壁)이 치솟아 있다. =〔直立〕
〔兀良〕 wùliáng 〈古白〉 ⇨〔兀剌〕
〔兀良合〕 Wùliánghé 명 《史》 명(明)나라 초기에, 몽골의 동부에 원(元)의 후예가 거주하던 곳. =〔兀良哈〕〔乌wū梁海〕
〔兀臬〕 wùniè 형 ⇨〔杌陧〕
〔兀鼿〕 wùniè 형 ⇨〔杌陧〕
〔兀然〕 wùrán 형 〈文〉 ①높이 우뚝 솟은 모양. ¶～在目; 눈앞에 우뚝 솟다. ②머리가 멍하다. 부 돌연. 갑자기.
〔兀突〕 wùtū 형 〈文〉 느닷없다. 갑작스럽다.
〔兀兀〕 wùwù 형 〈文〉 ①움직이지 않는 모양. ②한 가지 일에 몰두하여 힘쓰는 모양. ¶终日～; 종일 꾸준히 일하다 / ～读书, 心不二用; 열심히 독서하여 딴 생각을 하지 않다. ③(술에 취해) 머리가 멍한 모양.
〔兀兀秃秃〕 wùwù tūtū 형 ⇨〔兀了巴突〕
〔兀鹰〕 wùyīng 명 《鳥》 독수리. 콘도르.
〔兀峙〕 wùzhì 동 〈文〉 높이 솟다. =〔耸然兀峙〕
〔兀子〕 wùzǐ 부 ⇨〔兀自〕
〔兀自〕 wùzì 부 〈古白〉 역시. 여전히. 아직. ¶～不肯; 역시 수긍하지 않는다 / 你～赖哩; 너는 또 시치미를 떼는 거냐. =〔仍然〕〔兀子〕
〔兀坐〕 wùzuò 동 〈文〉 꼼짝 않고 앉아 있다. ¶正襟～; 옷깃을 여미고 꼿꼿이 앉다.

阢 wù (올)
→〔阢陧〕
〔阢陧〕 wùniè 형 ⇨〔杌wù陧〕

扤 wù (올)
동 〈文〉 흔들흔들 움직이다.

屼 wù (올)
형 〈文〉 산이 벌거숭이인 모양.

杌 wù (올)
①명 (등받이가 없는) 작은 걸상. =〔杌子〕〔杌凳〕 ②명 그루터기. ③형 불안한 모양. ¶～形势; 불안한 형세.
〔杌凳(儿)〕 wùdèng(r) 명 〈文〉 (등받이가 없는) 작은 네모진 걸상. =〔杌子〕
〔杌陧〕 wùniè 형 〈文〉 (형세·국면·심정 따위가) 불안하다. ¶～不安; 몹시 불안정하다 / ～形势; 불안한 형세 / 近来时局, 仍颇～; 요즘의 시국은 여전히 매우 불안하다. =〔阢陧〕〔兀臬〕〔兀鼿〕
〔杌子〕 wùzi 명 ⇨〔杌(凳儿)〕

卼 wù (올)
→〔鼿niè卼〕

靰 wù (올)
→〔靰鞡〕

〔靰鞡〕 wùlā 명 ⇨〔乌wù拉〕

乌(烏) wù (오)
→〔乌拉〕 ⇒wū

〔乌拉〕 wùla 명 중국 동북 지방에서 겨울에 신는 가죽신. =〔靰鞡〕
〔乌拉草〕 wùlacǎo 명《植》골풀 비슷한 초본 식물. =〔护腊草〕

坞(塢〈隖〉) wù (오)
명 ①〈文〉(방어용의) 작은 성채·보루. ¶郑家～; 성채 이름(저장 성(浙江省) 지 현(暨縣)). ②사면이 높고 중앙이 움푹 들어간 곳. ¶山～; 산간의 움푹 들어간 곳. 산간의 평지/花～; 꽃밭/船～; 선거(船渠). 도크/梅～; 매화나무가 심어져 있는 둑.

勿 wù (물)
부 ①…해서는 안 된다. …하지 마라. ¶请～动手! 손을 대지 마시오!/请～随地吐痰; 함부로[아무 데나] 침을 뱉지 마시오/闻声～惊; 평판에 놀라서는 안 된다. ②〈南方〉…아니하다. …하지 않다. ¶我～晓得; 나는 모른다/对～住! 미안합니다! =〔不bù〕

〔勿倒置〕 wùdàozhì ⇨〔不可倒放〕
〔勿论〕 wùlùn 부 논할 여지도 없이. 물론.
〔勿忘草〕 wùwàngcǎo 명《植》①물망초. ②왜지치.
〔勿药〕 wùyào 형〈文〉약이 필요 없다. 병이 완쾌하다. ¶祝早占zhān～;〈翰〉하루 속히 완쾌하시기를 빕니다/～之喜; 완쾌의 기쁨.
〔勿要〕 wùyào〈南方〉①필요 없다. ②…해서는 안 된다. ‖→〔不要〕
〔勿庸〕 wùyōng〈文〉…할 것까지는 없다. …할 필요는 없다. ¶～再议; 재의할 필요는 없다.

芴 wù (물)
명《化》플루오렌(fluorene).

物 wù (물)
①명 물건. 물체. 물질. ¶万～; 만물/动～; 동물/货～; 화물. 상품/～尽其用; 물질의 가치를 최대한으로 이용하다/～中zhòng主人意, 才是好东西;〈諺〉제 마음에 들어야 좋은 물건이다. ②명〈比〉구체적인 내용. 실질. ¶言之有～; 말하는 것에 구체적인 내용이 있다. ③명 '나'·'자기' 이외의 사람·것 또는 환경(흔히, 많은 사람을 가리킴). ¶受～议; 사람들로부터 이러니저러니 말을 듣다/～望所归; ⇩/待人接～;〈成〉사람과 교제하다. 처세하다. ④동 물색하다. 이리저리 찾다.

〔物标〕 wùbiāo 명 목표(물). ¶依赖～航行; 목표물을 좇아 항행하다.
〔物博〕 wùbó 형〈文〉물건이 풍족하다. ¶地大～; 땅이 넓고 물산이 풍족하다(흔히, 중국을 뜻함).
〔物产〕 wùchǎn 명 ①물산. 산물. ②물품과 재산.
〔物阜民丰〕 wù fù mín fēng〈成〉산물이 많고 민중의 생활이 풍부하다.
〔物故〕 wùgù 동〈文〉작고하다. 사망하다. ¶老先生已～多年; 노선생님이 돌아가신 지 벌써 오래됩니다. →〔去世〕
〔物怪〕 wùguài 명 물괴(物怪)(미신에서, 물체가 겁(劫)을 지나 천지의 정령(精靈)을 받고 자유 자재로 행동하는 힘을 갖게 된 것).
〔物归原主〕 wù guī yuán zhǔ〈成〉물건이 원 소유주의 손으로 돌아가다.
〔物候〕 wùhòu 명 생물의 주기적인 현상(식물의 싹틈·꽃핌·씨맺음, 철새의 오감, 동물의 동면 따위)과 기후의 관계. 생물과 기후와의 관계. ¶～学; 기상학.
〔物华〕 wùhuá 명〈文〉①그 때의 상황. ②만물의 정화. ③아름다운 경치.
〔物化〕 wùhuà 명 사물의 변화. 동〈轉〉천명(天命)을 마치고 죽다. ¶日前是鼎盛一时, 他日也将～; 지금은 한창 매우 성하지만, 언젠가는 역시 쇠퇴할 때가 온다.
〔物换星移〕 wù huàn xīng yí〈成〉상태가 변하고 별의 위치가 바뀌다. 계절이 한 바퀴 돌아서 바뀌다.
〔物极必反〕 wù jí bì fǎn〈成〉사물이 궁극(窮極)에 달하면 반드시 역(逆)의 방향으로 반전(反轉)하는 법이다.
〔物价〕 wùjià 명 물가. ¶～低廉; 물가가 저렴하다[싸다]/抬高～; 물가를 올리다/～稳定; 물가 안정/～飞涨; 물가가 급등하다/～波动; 물가가 올랐다 내렸다 하다.
〔物价补贴〕 wùjià bǔtiē 명《經》물가 수당.
〔物价指数〕 wùjià zhǐshù 명《經》물가 지수.
〔物件(儿)〕 wùjiàn(r) 명〈方〉물건. 물품(용구·도구류 따위 소모가 없는 또는 소모가 더딘 것). ¶随身～; 소지품. 휴대품.
〔物界〕 wùjiè 명 물질계(자연 과학 범위내의 세계).
〔物尽其用〕 wù jìn qí yòng〈成〉모든 것이 그 효용을 다하도록 이용하다. 모든 것을 최선을 다해서 최대한으로 이용하다. ¶～, 货畅其流; 물건을 그 효용을 최대한으로 다하고, 상품은 그 곬을 따라서 원활히 유통한다.
〔物竞〕 wùjìng 명동〈文〉생존 경쟁(을 하다). ¶～天择zé;〈成〉생존 경쟁과 자연 도태/在大都市中, ～现象尤为明显; 대도시에서는 생존 경쟁 현상이 특히 뚜렷하다.
〔物镜〕 wùjìng 명《物》대물(對物) 렌즈. =〔接jiē物镜〕
〔物类〕 wùlèi 명〈文〉물품의 종류.
〔物累〕 wùlèi 명〈文〉세상사의 번거로움. 외부 세계와의 관계.
〔物离乡贵〕 wù lí xiāng guì〈成〉물건은 그 생산지를 떠나면 값이 비싸진다.
〔物理〕 wùlǐ 명 ①물리(학). ¶～量;《物》물리적인 양/～性质;《物》물리적 성질/～学家; 물리학자. ②〈文〉사물의 도리. 만물의 이치.
〔物理疗法〕 wùlǐ liáofǎ 명《醫》물리 요법.
〔物力〕 wùlì 명 ①재력(財力). ②물력. ¶爱惜人力、～; 인력이나 물적 자원을 소중히 하다.
〔物料〕 wùliào 명 재료. 자재.
〔物论〕 wùlùn 명 ⇨〔物议〕
〔物美价廉〕 wù měi jià lián〈成〉물건도 좋고 값도 싸다. =〔价廉物美〕
〔物品〕 wùpǐn 명 물건. 물품. ¶贵重～; 귀중품/违禁的～一经查出就要充公; 금지된 제품은 발견되면 즉시 몰수된다.
〔物情〕 wùqíng 명 ①물정. 사물의 정상. ②세상의 형편. ¶～骚然; 세상이 시끄럽다.
〔物穷则变〕 wù qióng zé biàn〈成〉사물은 궁극에 다다르면 변화가 일어난다.
〔物如〕 wùrú 명《哲》물건 그 자체. 물자체(物自

體). =〔物自身〕
〔物色〕 wùsè 명 〈文〉 물체의 빛깔. 동 물색하다. (얻기 어려운) 인재나 물건을 찾다. ¶～人材; 인재를 찾다 / 我给你～一匹好马吧! 제가 좋은 말 한 필을 구해 드리지요! / 要有相当的人, 求您给～; 혹시 적당한 사람이 있거든 물색해 주십시오. →〔寻找〕
〔物伤其类〕 wù shāng qí lèi 〈成〉 동류가 서로 슬퍼하다. 토사호비(兔死狐悲).
〔物事〕 wùshì 명 〈文〉 ①일. 사정. ②〈吳〉 (유형의) 것. 물건. =〔东西〕
〔物外〕 wùwài 명 〈文〉 세상의 밖. ¶～桃源; 별천지(別天地) / ～交; 세속을 떠난 교제.
〔物望〕 wùwàng 명 〈文〉 물망. 인망.
〔物望所归〕 wù wàng suǒ guī 〈成〉 중망소귀(衆望所歸)(뭇 사람의 신망이 한 사람에게 쏠림).
〔物物〕 wùwù 명 〈文〉 물건과 물건. 여러가지 물건.
〔物象〕 wùxiàng 명 ①《物》 사물의 영상. ②조짐(날씨의 변화를 예측하는 데 쓰이는 현상).
〔物以类聚〕 wù yǐ lèi jù 〈成〉 동류는 동류끼리 모인다. ¶～, 人以群众; 유유상종(類類相從)(현재는 주로 못된 자끼리 서로 모임을 이름).
〔物以稀为贵〕 wù yǐ xī wéi guì 〈成〉 물건은 드문 것을 귀히 여긴다. 희귀한 것일수록 귀한 것이다.
〔物议〕 wùyì 명 〈文〉 사람들의 비난. 물의. ¶恐招～; 비난을 초래할까 두렵다 / 对于此事, 外界颇有～; 이 일에 대해서 세상에서는 매우 물의를 빚고 있다. =〔物论〕
〔物欲〕 wùyù 명 물욕.
〔物证〕 wùzhèng 명 《法》 물증. 물적 증거.
〔物质〕 wùzhì 명 ①《物》 물질. ¶～不灭律; 물질 불멸의 법칙. ②《哲》 의식으로부터 독립된 객관적 실재. ¶～是第一性的; 물질은 일차적인 것이다. ③금전. 소비 물자. ¶～生活; 물질 생활 / ～福利; 물질적 복지 / ～刺激; 물질적 포상(상품 또는 상금)을 줌으로써 직공의 생산성 향상을 유발하는 일.
〔物质损耗〕 wùzhì sǔnhào 명 《經》 유형적(有形的) 손해. =〔有形损耗〕
〔物质资料〕 wùzhì zīliào 명 《經》 재화(財貨). ¶在有商品生产的社会形态中, ～的分配是通过商品交换实现的; 상품 생산이 이루어지고 있는 사회형태에서, 재화의 배분은 상품 교환을 통해서 실현된다.
〔物种〕 wùzhǒng 명 《生》 종(생물 분류의 기초 단위). ¶～起源; 종의 기원.
〔物主〕 wùzhǔ 명 물건의 주인. 소유주.
〔物资〕 wùzī 명 물자. ¶～交流; 물자의 교류.
〔物自身〕 wùzìshēn 명 ⇨〔物如〕

务(務) wù (무)

① 명 일. 임무. 사무. 사정. ¶任～; 임무 / 医～; 의무 / 勤～; 근무(하다). ② 동 종사〔근무〕하다. 일하다. ¶不～正业; 〈成〉 정업(正業)에 종사하지 않다 / ～别人的田; 다른 사람의 전답을 갈다 / ～农; 농업에 종사하다. ③ 동 추구하다. 힘을 쏟다. ¶不要好hào高～远; 실제에서 동떨어진 실현 불가능한 일을 추구해서는 안 된다. ④ 부 아무쪼록. 꼭. 반드시. ¶～请准时出席! 모쪼록 정시에 나와 주십시오! / ～请回示; 〈翰〉 꼭 답장 주십시오 / 请您～必给带来; 아무쪼록 꼭 가지고 와 주십시오. ⑤ 명 옛날의 세관(稅關)(현재는 지명에만 쓰임). ¶曹家～; 차오자우(허베이 성(河北省)에 있음). ⑥ 명 성(姓)의 하나.
〔务本〕 wùběn 동 〈文〉 ①사물의 근본에 힘쓰다〔주력하다〕. ②농업에 주력하다.
〔务必〕 wùbì 부 반드시. 꼭. ¶～去一趟; 한 번 가지 않으면 안 되다 / ～早回来; 꼭 빨리 돌아오십시오. =〔必须〕〔务须〕
〔务成〕 Wùchéng 명 복성(複姓)의 하나.
〔务恳〕 wùkěn 〈文〉 ⇨〔务请〕
〔务末〕 wùmò 동 〈文〉 하찮은 일에 힘을 쏟다.
〔务农〕 wùnóng 동 〈文〉 농업에 종사하다. 농업을 하다.
〔务弄〕 wùnòng 동 〈方〉 열심히 일하다. =〔务劳láo〕
〔务期〕 wùqī 꼭〔반드시〕 …을 기(약)하다. ¶～必克; 필승을 기하다.
〔务祈〕 wùqí 〈文〉 ⇨〔务请〕
〔务乞〕 wùqǐ 〈文〉 ⇨〔务请〕
〔务请〕 wùqǐng 〈文〉 꼭 …해 주었으면 한다. 반드시 …하기를 바라다. ¶～拨冗出席! 부디 만사(萬事)를 제쳐 두고 참석해 주십시오! / ～代为吹嘘; 〈翰〉 꼭 선전해 주시기를 바랍니다. =〔务恳〕〔务祈〕〔务乞〕〔务望〕〔务要〕
〔务求〕 wùqiú 동 꼭 …할 것을 바라다. 꼭 …하도록 부탁하다. ¶此事～妥善解决; 이 일의 타당한 해결을 바랍니다.
〔务实〕 wù,shí 동 ①구체적인 일에 종사하다〔달려들다〕(1957～58년의 중국의 정풍(整風) 운동 때 흔히 쓰였음). ②구체적인 일에 대하여 연구 토론하다.
〔务使〕 wùshǐ 〈文〉 꼭 …되게 하다. ¶这件事～实现; 이 일을 꼭 실현시키도록 힘쓰다.
〔务书〕 wùshū 동 〈方〉 공부하다. 면학에 힘쓰다.
〔务望〕 wùwàng 〈文〉 ⇨〔务请〕
〔务须〕 wùxū 부 ⇨〔务必〕
〔务虚〕 wù,xū 동 ①어떤 일 · 활동의 정치 · 사상 · 정책 · 이론 방면에 관해서 연구 토론을 행하다. ②추상적인 일을 논하다〔왈가왈부하다〕.
〔务要〕 wùyào 〈文〉 ⇨〔务请〕
〔务艺〕 wùyì 동 〈方〉 재배하다.
〔务躁〕 wùzào 형 ⇨〔焐躁〕
〔务正〕 wùzhèng 동 〈文〉 정당한 생업〔직업〕에 종사하다(흔히, 부정형(否定形)으로 쓰임). ¶不～; 정업에 힘쓰지 않다.

雾(霧) wù (무)

명 ①안개. ¶下～; 안개가 발생하다 / ～大; 안개가 짙다. ②안개 같은 미세한 물방울. ¶喷pēn～器; 분무기 / 澡堂子里跟下阵～似的; 목간통 안은 마치 안개가 낀 것 같다.
〔雾霭〕 wù'ǎi 명 〈文〉 안개.
〔雾鬓风鬟〕 wù bìn fēng huán 〈成〉 부녀자의 머리털이 아름다움을 형용.
〔雾滴〕 wùdī 명 작은 물방울.
〔雾号〕 wùhào 명 〈文〉 무중(霧中) 신호.
〔雾化器〕 wùhuàqì 명 분무기(噴霧器).
〔雾里观花〕 wù lǐ guān huā 〈成〉 ⇨〔雾里看花〕
〔雾里看花〕 wù lǐ kàn huā 〈成〉 부옇게 흐리어 똑똑히 보이지 않다. 사물을 희미하게 보다. 요령부득하다. =〔雾里观花〕
〔雾沫〕 wùmò 명 비말. 물보라. ¶溅起～; 물보라가 치다.
〔雾气〕 wùqi 명 ①안개. ¶～笼罩; 안개가 자욱이 끼다. ②안개 무늬.

〔雾塞〕 wùsāi 형 똑똑하지〔분명하지〕 않다. 어렴풋하다. 어슴푸레하다.
〔雾淞〕 wùsōng 명 무송. 수빙(樹氷). 상고대. =〔树shù挂〕
〔雾翳〕 wùyì 명 (사진의) 핀트가 안 맞아 흐릿하게 나오는 것. ¶防fáng止～的发生; 사진이 흐릿하게 나오는 것을 방지하다.
〔雾燥〕 wùzao 형 ⇒〔焐躁〕
〔雾瘴〕 wùzhàng 명 장기(瘴氣)《독을 포함하고 있는 안개. 장려(瘴癘)의 기(氣)》.

戊 wù (무)
명 ①무. 십간(十干)의 다섯 번째. ②차례의 다섯째. ¶～种维生素 =〔维生素E〕; 비타민 E.
〔戊氨二酸〕 wù'ān'èrsuān 명 《化》 글루타민산(glutamic acid).
〔戊醇〕 wùchún 명 《化》 아밀 알코올(amyl alcohol).
〔戊二酸〕 wù'èrsuān 명 《化》 글루타르산(glutaric acid). =〔胶jiāo酸〕
〔戊酸〕 wùsuān 명 《化》 길초산(吉草酸). =〔缬xié草酸〕
〔戊烷〕 wùwán 명 《化》 펜탄(pentane).
〔戊戌变法〕 Wùxū biànfǎ 명 《史》 무술 변법. 백일 개혁《1898년에 일어난 개량 운동》.
〔戊夜〕 wùyè 명 무야. 새벽 3시부터 5시까지.

误(誤〈悮〉) wù (오)
① 동 잘못하다. 틀리다. ¶字～; 오자(誤字). 미스프린트 / 笔～; (붓으로) 잘못 쓰다 / 失～; 실책. 에러 / ～入歧途; 길을 잘못 들어 옆길로 빠지다. ② 동 시간에 늦다. 시간이 걸리다. ¶火车～点; 기차가 연착하다 / ～了上学可怎么办呢? 등교 시간이 늦었으니 어쩌지? / 定期不～; 기일대로 약속을 어기지 않는다. ③ 동 자기의 잘못으로 남에게 폐를 끼치다. 잘못되게 하다. 그르치다. 지장을 가져오다. ¶～人子弟; 남의 자제를 그르치다 / ～了火车; 기차를 놓치다 / 别闹! 别～了我的工作; 떠들지 마! 일을 방해하지 마. ④ 부 잘못하여. 우연히. 뜻하지 않게. ¶～伤; ⇓ ⑤ 동 시간을 보내다. ¶只～一天赚五升米; 단지 하루 시간을 보내기만 하면 쌀 5되를 벌 수 있다.
〔误笔〕 wùbǐ 명 잘못 쓴 글자. 동 글자를 잘못 쓰다.
〔误差〕 wùchā 명 《數》 오차《근사치와 참값의 차》.
〔误场〕 wù.chǎng 동 《劇》 배우가 등장해야 할 때 무대에 나오지 않다. 나갈 차례에 늦다.
〔误车〕 wù.chē 동 차를 놓치다.
〔误传〕 wùchuán 명 오보(誤報). ¶这消息是～, 靠不住; 이 뉴스는 오보라, 믿을 수 없다. 동 잘못 전하다.
〔误打误撞〕 wù dǎ wù zhuàng 〈成〉 목표도 없이 되는 대로 하다. 어쩌다가 들어맞다. ¶～找着了; 어쩌다가〔요행수로〕 찾아 냈다 / 找倒没找着, ～倒碰见了; 찾을 때에는 못 찾아 냈는데, 뜻밖에 마주쳤다.
〔误点〕 wù.diǎn 동 ①시간에 늦다. 늦게 도착하다. ¶飞机～了; 비행기가 연착했다. =〔晚wǎn点〕 ②시간이 걸리다. =〔误钟点〕 ③글의 단락을 잘못 짓다. ④잘못 지시하다. 명 틀린 곳. 오점.
〔误犯〕 wùfàn 동 실수하여 죄를 저지르다. ¶～规章; 실수하여 규칙을 어기다. 명 《法》 과실죄.
〔误告不实〕 wùgào bùshí 〈文〉 잘못해서 허위 고발을 하다. ¶据查～, 不予yǔ深究; 조사한 결과 잘못해서 허위의 고발을 한 것이 판명되었으므로, 깊이 추궁하지는 않는다.
〔误工〕 wù.gōng 동 ①일을 더디게 하다〔지체시키다〕. ¶修理起来, 又费钱又～; 수리를 한다면 돈도 들고, 또 일에도 지장이 있다 / 误得起工; 일을 늦추어도 지장이 없다. ②일을 쉬다.
〔误国害民〕 wù guó hài mín 〈成〉 나라를 그르치고 백성을 해치다.
〔误会〕 wùhuì 동 (상대의 마음을) 오해하다. ¶起～; 오해를 일으키다 / ～人的好意; 남의 호의를 오해하다 / 请不要～; 제발 오해하지 마십쇼. 명 (상대 마음에 대한) 오해. ¶这是个老大的～! 이건 엉뚱한 오해야! / 那是你的～; 그건 자네의 오해야.
〔误机〕 wù.jī 동 비행기를 놓치다.
〔误解〕 wùjiě 명동 오해(하다). ¶要不检点容易被人～; 주의 깊게 하지 않으면 남한테 오해 받기 쉽다.
〔误卯〕 wù.mǎo 동 〈文〉 점호(點呼) 시간에 늦다.
〔误谬〕 wùmiù 명 〈文〉 오류. 잘못. ¶仓卒中难免～; 허둥대고 있을 때는 잘못이 없을 수 없다.
〔误排〕 wùpái 명동 《印》 오식(誤植)(하다).
〔误期〕 wù.qī 동 ①약속 기한을 어기다. ②예정된 날짜에 늦다. ¶近时天气不定, 航行难免～; 요즘에는 날씨가 일정하지 않아서, 항행은 예정 날짜보다 늦을 수밖에 없다.
〔误人〕 wùrén 동 과실(過失) 때문에 남에게 손해를 끼치다. ¶庸yōng医～; 〈成〉 돌팔이 의사가 사람을 죽인다.
〔误人子弟〕 wù rén zǐ dì 〈成〉 남의 자제를 그르치게 하다〔잘못되게 하다〕《교사를 힐책하는 말》. ¶那种私塾真是～; 저런 사숙은 정말로 남의 자제를 그르치고 만다.
〔误认(为)〕 wùrèn(wéi) 동 오인하다. 잘못 생각하다.
〔误入歧途〕 wù rù qí tú 〈成〉 잘못하여 기로〔사도〕에 들다. ¶人千万不要～; 사람은 결코 옆길로 빗나가서는 안 된다.
〔误杀〕 wùshā 명동 《法》 과실 치사(過失致死)(하다). ¶～罪; 과실 치사죄. ↔〔故gù杀〕
〔误伤〕 wùshāng 명동 《法》 과실 상해(過失傷害)(하다).
〔误身〕 wù.shēn 동 〈文〉 ①몸〔일생〕을 그르치다. ②(일에 방해되어) 자유를 잃다.
〔误时〕 wùshí 동 시간에 늦다. 지각하다.
〔误事〕 wù.shì 동 ①지장을 가져오다. 일을 잘못〔실패〕하다. ¶你赶紧拾掇房子吧, 别误了事儿! 넌 곧 집을 치워라, 실수가 없도록! / 托付一个没有责任心的人不怕～吗? 책임감이 없는 사람에게 부탁하여 지장을 초래할 우려는 없는가? ②일을 지체케 하다.
〔误体〕 wùtǐ 명 틀린 자체(字體).
〔误投〕 wùtóu 동 〈文〉 (전보·편지를) 잘못 배달하다. ¶如此电报～, 请即退回来局! 이 전보가 잘못 배달되었을 시는 즉각 당 전보국에 되돌려 주실 것!
〔误信〕 wùxìn 동 오신하다. 그릇 믿다. ¶你不要～谗chán言; 너는 남을 헐뜯는 말을 곧이들어서는 안 된다.
〔误用〕 wùyòng 명동 오용(하다).
〔误炸〕 wùzhá 동명 오폭(誤爆)(하다).

悟 wù (오)
동 깨닫다. 알다. 이해하다. 눈뜨다. ¶～性xìng; ⇓ / ～出这个道理来; 이 도리를 깨닫다 / 恍然大～; 〈成〉 퍼뜩 깨닫다 / 执迷不～; 잘못에 집착하여 깨닫지 못하다 / 觉jué～; 깨우치다. 각성하다. =〔寤②〕

〔悟道〕 wùdào 동 《佛》 오도하다. 미혹을 풀고 불심(佛心)을 깨치다.

〔悟性〕 wùxìng 명 이해(理解). 사물을 보고 도리(道理)를 깨닫는 성질. ¶这孩子～好, 稍微地一讲, 他就明白; 이 아이는 이해가 빨라서. 조금만 가르치면 금세 깨친다.

焐 wù (오)
동 (알맞게) 데우다. 녹이다. 따뜻하게 하다. ¶用热水袋～一～手; 고무 탕파(湯婆)로 손을 따뜻하게 하다 / 把被bèi褥～热了; 이부자리를 따뜻하게 했다 / 用开水把酒～热了; 술을 따끈하게 데우다.

〔焐窠〕 wùkē 명 짚으로 엮어 만든 원통형의 보온기《강남 일대에서 씀》.

〔焐躁〕 wùzào 형 ①무덥다. 찐찐하고 찌무룩하다. 후덥지근하다. ¶这两天气压低, 人觉得说不出的～; 요 며칠 기압이 낮아서 말할 수 없이 후덥지근하다. ②〈轉〉 우물쭈물하며 분명치 않다. 답답하다. ¶他那个人办事真～; 저 사람은 일을 정말 답답하게 한다. ‖ =〔务躁〕〔雾躁〕

晤 wù (오)
동 만나다. 면회하다. ¶～面miàn; ⇩ / ～言yán; ⇩ / ～对duì; 대면하다 / 有暇xiá请来一～! 틈을 보아 한 번 와 주십시오!

〔晤会〕 wùhuì 동 ⇨〔晤面〕

〔晤面〕 wùmiàn 동 면회하다. 인터뷰하다. =〔晤会〕

〔晤期〕 wùqī 명 〈文〉 면회의 시기·일시. ¶～在迩; 만날 날이 가깝다〔가까운 것을 즐겁게 기다리다〕.

〔晤商〕 wùshāng 동 〈文〉 만나서 의논하다. 협의하다.

〔晤谈〕 wùtán 동 면담하다. =〔晤叙〕

〔晤谢〕 wùxiè 동 〈文〉 만나서 감사드리다.

〔晤叙〕 wùxù 동 ⇨〔晤谈〕

〔晤言〕 wùyán 동 〈文〉 면담하다.

痦〈疬〉 wù (오)
→〔痦子〕

〔痦子〕 wùzi 명 사마귀. =〔黑hēi痣〕

寤 wù (오)
동 ①〈文〉 잠에서 깨어나다. ¶～寐mèi思之; 〈成〉 자나깨나 그 일만 생각하다. ②깨닫다. =〔悟〕

恶(惡) wù (오)
동 ①미워하다. 싫어하다. ¶可～极了; 더없이 밉다 / 人皆有好hào～之心; 사람은 누구나 좋아하기도 하고 미워〔싫어〕하기도 하는 마음이 있다 / 深～痛绝; 〈成〉 극도로 통한하다. 몹시 미워〔싫어〕하다. ②노하게 하다. 비위를 건드리다. ⇒ě è wū

〔恶恶〕 wù'è 동 〈文〉 악을 미워하다. ¶善善不分, ～不知; 선을 선이라 여길 줄 모르고, 악을 미워할 줄 모른다.

〔恶恶从短〕 wù è cóng duǎn 〈成〉 남의 악행에 대해서 적당히 나무라다《나무라지만 불충분하다》.

〔恶风〕 wùfēng 명 《漢醫》 오풍증(惡風症). 악풍증.

〔恶寒〕 wùhán 명 《漢醫》 오한.

〔恶劳好逸〕 wù láo hào yì 〈成〉 노동을 싫어하고 안일을 좋아하다. ¶懒人都是～的; 게으른 사람은 모두 노동을 싫어하고 안일을 좋아한다.

〔恶热〕 wùrè 명 《漢醫》 오열《오한 뒤에 나는 열》.

〔恶湿居下〕 wù shī jū xià 〈成〉 습기를 싫어하면서 낮은 땅에 살다《나쁜 일을 피하는데, 그 방법을 잘못 취하다》.

〔恶食〕 wùshí 동 《漢醫》 음식을 혐오하다. ⇒èshí

〔恶苏〕 wùsū 동 〈文〉 싫어하다. 미워하다.

婺 Wù (무)
명 《地》 ①우장(婺江) 강《장시 성(江西省)에 있는 강 이름》. ②옛날의 우저우(婺州)를 가리킴《지금의 저장 성(浙江省) 진화(金華) 일대》.

〔婺辰〕 wùchén 명 〈文〉 여자의 생일.

〔婺剧〕 wùjù 명 《劇》 저장 성(浙江省)의 진화(金華)를 중심으로 하는 지방극. =〔金华剧〕

骛(騖) wù (무)
동 ①〈文〉 빨리 달리다. 질주하다. ¶时光若～; 〈成〉 시간이 지나는 것이 매우 빠르다. ②추구하다. 힘을 쏟다. ¶旁～ =〔外～〕; 다른 일에 마음이 가다 / 好hào高～远; 〈成〉 실제에서 동떨어진 고원한 일을 추구하다.

〔骛驰〕 wùchí 동 〈文〉 질주하다.

鹜(鶩) wù (목,무)
명 《鳥》 〈文〉 오리. ¶趋之若～; 오리처럼 떼지어 달려가다《여럿이 앞을 다투어 몰려가다》. =〔家鸭yā〕

鋈 wù (옥)
〈文〉 ①명 백색의 금속. ②동 도금(鍍金)하다.

X

XI ㄒㄧ

夕 **xī** (석)
① 명 저녁때. 해 질 녘. ¶朝zhāo～; 조석. 아침저녁 / 朝发～至; 아침에 떠나 저녁에 도착하다 / ～阳; ⇩ ② 명 밤. ¶前～; 전날 밤 / 除～; 제야(除夜). 섣달 그믐날 밤 / 经过一～的时间就变了; 하룻밤 사이에 변해 버렸다. ③ 형 비스듬하다. ④ 양 하룻밤. 한 번. ¶一～话; 하룻밤 이야기. 한 번 한 말.

〔夕法布〕 xīfǎbù 명 ⇨〔席xí法布〕
〔夕晖〕 xīhuī 명 〈文〉 석양(夕陽).
〔夕景〕 xījǐng 명 ①해질 무렵의 경치. ②저녁때. ¶已是～时分; 이미 저녁 무렵이다.
〔夕膳〕 xīshàn 명 저녁밥. =〔晚wǎn饭〕
〔夕霞〕 xīxiá 명 저녁놀. =〔晚wǎn霞〕
〔夕烟〕 xīyān 명 저녁 연기나 안개.
〔夕阳〕 xīyáng 명 〈文〉 ①석양. 저녁 해. ¶～西下; 저녁 해가 서쪽에 지다. 〈比〉 낙일(落日)의 형세 / ～返照; 〈成〉 낙일(落日)이 하늘에 되비추다(소멸 · 멸망 직전에 잠시 반짝함). ②사양(斜陽). 기우는 해. ¶～工业; 사양 공업 / ～无限好, 只是近黄昏; 석양의 경치는 한없이 좋지만, 다만 일몰이 가깝다. 〈比〉 현재 성(盛)하지만 쇠퇴는 목전에 있다. ③산의 서쪽. ④〈比〉 노년. ¶年届～爱子孙; 나이를 먹으면 자식이나 손자를 귀여워하게 된다.
〔夕阳产业〕 xīyáng chǎnyè 명 사양 산업(斜陽産業). ↔〔朝阳产业〕
〔夕照〕 xīzhào 명 석양(夕陽). 저녁 햇빛. ¶西湖在～中显得格外柔和; 저녁 해를 받은 서호(西湖)는 유달리 유화한 모습을 보이고 있다.

汐 **xī** (석)
명 저녁때의 썰물(아침의 조수는 '潮'). →〔潮cháo汐〕

穸 **xī** (석)
→〔窀zhūn穸〕

矽 **xī** (석)
명 《化》 '硅guī' (규소(Si: Silicon))의 구칭(舊稱).

〔矽肺病〕 xīfèibìng 명 《醫》 규소폐증.
〔矽钢〕 xīgāng 명 《機》 규소강(硅素鋼). =〔硅钢〕
〔矽化氢〕 xīhuàqīng 명 《化》 규화수소.
〔矽酸〕 xīsuān 명 《化》 규산(硅酸). =〔硅酸〕
〔矽炭〕 xītàn 명 《鑛》 규석(硅石).
〔矽铁齐〕 xītiěqí 명 《化》 페로 규소.

兮 **xī** (혜)
조 〈文〉 고어(古語)의 조사(助詞)(현대어의 '啊' 혹은 '呀'에 해당). ¶虞～虞～奈若何; 우아, 우아, 너를 어찌할꼬.

西 **xī** (서)
① 명 서쪽. 注 '往'과 연결된 때나 '东' 따위와 대조(對照)해서 쓰일 때는 독립함. ¶由东往～; 동에서 서로 가다 / ～房; 서쪽 방. 서쪽 동(棟). ② 명형 서양(의). ¶～元; 서력 기원 / ～法; 구미식(歐美式)〔서양식〕의 방법. ③(Xī) 명 《地》 스페인. ④ 명 성(姓)의 하나.

〔西阿派〕 Xī'āpài 명 《宗》 〈音〉 (이슬람교의) 시아파(Shiah 派). =〔什叶派〕
〔西班牙〕 Xībānyá 명 《地》 〈音〉 스페인(Spain)(수도는 '马Mǎ德里' (마드리드: Madrid)). =〔日Rì斯巴尼亚〕
〔西班牙港〕 Xībānyágǎng 명 《地》 포트오브스페인(Port of Spain)('特Tè立尼达和多巴哥' (트리니다드토바고 공화국: Trnidad and Tobago)의 수도).
〔西班牙辣椒〕 xībānyá làjiāo 명 《植》 피망. =〔柿shì(子)椒〕
〔西半球〕 xībànqiú 명 《地》 서반구.
〔西帮〕 xībāng 명 산시 상인. 산시 방(山西幇). ¶西北的汇兑, 多在～钱庄控制之下, 广帮宁帮都插不上手; 서북에 있어서의 환(換)거래는, 대개는 산시 상인의 '钱庄'에 좌우되고, 광둥(廣東) 상인이나 닝보(寧波) 상인 따위는 손을 대지 못한다.
〔西北〕 xīběi 명 ①서북. ②중국의 서북 지구(산시(陝西) · 간쑤(甘肅) · 칭하이(青海) · 닝샤(寧夏) · 신장(新疆) 등의 성(省) · 자치구를 포함함).
〔西边(儿)〕 xībian(r) 명 서. 서쪽. 서쪽 편. ¶太阳打～出来的事; 해가 서쪽에서 떠오르는 것과 같은 일(터무니없는 일).
〔西宾〕 xībīn 명 ⇨〔西席〕
〔西伯利亚〕 Xībólìyà 명 《地》 〈音〉 시베리아(Siberia). ¶西～平原; 서 시베리아 평원.
〔西部片〕 xībùpiàn 명 《映》 (미국의) 서부 영화.
〔西菜〕 xīcài 명 서양 요리. 양식. ¶～馆; 양식집. =〔西餐〕〔西洋菜①〕〔番fān菜〕〔蕃fán菜〕
〔西餐〕 xīcān 명 ⇨〔西菜〕
〔西成〕 xīchéng 명 〈文〉 가을의 수확. 가을걷이. 추수.
〔西窗〕 xīchuāng 〈文〉 명 ①서쪽을 향해 있는 창문. 서창. ②조용한 서재. 동 밀모(密謀)하다. ¶～事发; 밀의(密議)가 발각되다.
〔西窗剪烛〕 xī chuāng jiǎn zhú 〈成〉 재회(再會)를 기대하는 일.
〔西垂〕 xīchuí 명 〈文〉 서쪽 변경의 땅. 서방의 변경.
〔西德〕 Xīdé 명 《地》 서독. 독일 연방 공화국.
〔西点〕 xīdiǎn 명 ①서양 과자. 양과자. ②(Xīdiǎn) 《地》 〈義〉 웨스트포인트(West Point). ¶～军校; 미국 육군 사관학교.
〔西尔克特〕 xī'ěrkètè 명 《紡》 실켓(의견사(擬絹絲)로 천연 견사와 같은 광택이 나게 만든 직물).
〔西法〕 xīfǎ 명 서양식의 방법. 양식. ¶～洗染; 양식의 세탁과 염색 / 用～烹调; 서양식으로 조리하다.
〔西番〕 xīfān 명 ①옛날, 서양의 별칭. ②(Xīfān) 《民》 서역(西域)의 만족(蠻族).
〔西番莲〕 xīfānlián 명 《植》 ①달리아. =〔大dà丽花〕 ②시계초(時計草). =〔玉yù蕊花〕
〔西方〕 xīfāng 명 ①서쪽. 서방. ②《佛》 서방. ¶～净jìng土; 서방정토(서방 십만억토(十萬億土)에 있다는 극락세계). =〔西天②〕〔西土①〕 ③⇨〔西洋〕 ④복성(複姓)의 하나.

〔西非〕 Xīfēi 명 《地》 서아프리카.
〔西风〕 xīfēng 명 ①서풍. ②추풍(秋風). ③〈比〉 자유주의 진영의 힘.
〔西凤酒〕 xīfèngjiǔ 명 산시 성(陝西省) 펑샹 현(鳳翔縣) 류린 진(柳林鎭)에서 나는 소주(燒酒).
〔西凤莲〕 xīfènglián 명 《植》 달리아(dahlia). =〔大dà丽花〕
〔西服〕 xīfú 명 양복. 남성의 신사복. ¶～庄; 양복점/一套～; 양복 한 벌. =〔西装〕〔洋yáng服〕
〔西府海棠〕 xīfǔ hǎitáng 명 《植》 개아그배나무.
〔西格马〕 xīgémǎ 명 〈音〉 (그리스 문자) 시그마.
〔西根〕 xīgēn 명 《數》 (삼각 함수의) 시컨트(secant). =〔正zhèng割〕
〔西宫〕 xīgōng 명 ①〈文〉 옛날, 국왕·제후의 첩의 일컬음. =〔妃fēi嫔〕 ②복성(複姓)의 하나.
〔西贡〕 Xīgòng 명 《地》 사이공(Saigon)(‘越南’(베트남: Vietnam) 남부 최대의 도시, 1975년 4월의 해방 이후 ‘胡Hú志明市’(호치민 시: Ho Chi Minh City)로 개칭됨).
〔西谷〕 xīgǔ 명 〈音〉 사고야자의 수심(樹心)에서 채취한 쌀알만한 크기의 흰 전분. =〔西谷米〕〔西国米〕〔西米〕〔西米粉〕〔沙shā谷米〕
〔西谷米〕 xīgǔmǐ 명 ⇨〔西谷〕
〔西谷椰子〕 xīgǔ yēzǐ 명 《植》 사고야자(나무)(야자과의 상록수).
〔西瓜〕 xīguā 명 《植》 수박. ¶～芝麻一把抓; 닥치는 대로 집다. 좋은 것과 나쁜 것을 구별 못하다/无籽～; 씨 없는 수박.
〔西瓜皮〕 xīguāpí 명 수박 껍질.
〔西瓜子(儿)〕 xīguāzǐ(r) 명 수박씨.
〔西哈努克〕 Xīhānǔkè 명 《人》 〈音〉 시하누크(캄보디아의 정치가).
〔西汉〕 Xīhàn 명 《史》 서한(왕조 이름, 전한(前漢)). =〔前qián汉〕
〔西河大鼓〕 xīhé dàgǔ 명 산시 성(山西省) 펀양(汾陽) 지방의 노래.
〔西河之痛〕 xī hé zhī tòng 〈成〉 자식을 잃은 슬픔(옛날, 자공(子貢)이 서하에서 자식을 잃은 고사에 유래함).
〔西红柿〕 xīhóngshì 명 《植》 토마토. ¶～酱; 토마토케첩. =〔番fān茄〕
〔西湖〕 Xīhú 명 《地》 시후 호(항저우(杭州)에 있는 유명한 호수). =〔西子湖〕〔金Jīn牛湖〕〔钱Qián塘湖〕〔西子②〕〔明圣湖〕〔圣湖〕
〔西湖景〕 xīhújǐng 명 요지경(瑤池鏡). =〔西洋景〕〔西洋镜〕〔拉lā洋片〕
〔西湖藕粉〕 xīhú ǒufěn 명 항저우(杭州) 시후 호(西湖)에서 나는 연근에서 채취한 전분·갈분.
〔西湖色〕 xīhúsè 명 〈比〉 옥색. ¶这幅画要裱～的绫子; 이 그림은 옥색 능단(綾緞)으로 표구해야 한다.
〔西湖织锦〕 xīhú zhījǐn 명 《紡》 항저우(杭州)에서 나는 풍경을 짜 넣은 견직물.
〔西葫芦〕 xīhúlu 명 《植》 ①박. ②박의 열매. ③서양 호박.
〔西画〕 xīhuà 명 ⇨〔西洋画〕
〔西黄蓍胶〕 xīhuáng shījiāo 명 《藥》 트라가칸트(tragacanth). =〔黄蓍胶〕
〔西伙〕 xīhuǒ 명 〈廣〉 서양인 점원. ¶香港店内～和华人待遇的不平等已经普遍地引起了群众的公愤; 홍콩 상점의 서양인 점원과 중국인 점원의 대우가 불평등한 것은 이미 보편적으로 대중의 공분을 불러 일으켰다.
〔西货〕 xīhuò 명 〈文〉 박래품(舶來品). 양품. ¶～铺; 옛날의 양품점.
〔西籍〕 xījí 명형 서양 국적(의). ¶～男子; 서양 국적의 남자.
〔西家〕 xījiā 명 ①서쪽 이웃. ②하인. 사용인(使用人). ③ ⇨〔西席〕
〔西教〕 xījiào 명 서양의 종교(그리스도교를 가리킴). ¶信～的二毛子; 기독교를 믿는 서양물이 든 얼치기.
〔西晋〕 Xījìn 명 《史》 서진(삼국(三國) 중 위(魏)의 사마염(司馬炎)이 세운 나라, A.D.265～317).
〔西经〕 xījīng 명 《地質》 서경(본초 자오선을 0°로 하여 그 서쪽의 180°의 사이).
〔西口〕 xīkǒu 명 산시 성(山西省) 북부에서 장성(長城)의 여러 관문을 말함. ¶走～; 장성을 넘어〔바오터우(包頭) 근방으로〕 돈벌이하러 가다.
〔西口货〕 xīkǒuhuò 명 만리장성 서쪽에서 산출되는 피혁품(皮革品).
〔西牢〕 xīláo 명 주로 외국인을 수용하는 교도소.
〔西老〕 xīlǎo 명 ① ⇨〔老西儿〕 ②서양인.
〔西冷石〕 xīlěngshí 명 《鑛》 사파이어(sapphire). =〔蓝lán宝石〕
〔西冷印泥〕 xīlěng yìnní 명 항저우(杭州) 시후(西湖) 서냉인사(西冷印社)에서 만든 인주(印朱).
〔西里伯〕 Xīlǐbó 명 《地》 셀레베스(celebes) 섬(인도네시아 공화국을 구성하는 한 섬).
〔西力生〕 xīlìshēng 명 《藥》 세레산(ceresan)(농약의 일종).
〔西历〕 xīlì 명 ① ⇨〔公gōng元〕 ② ⇨〔阳yáng历〕
〔西凉〕 Xīliáng 명 《史》 서량(왕조의 이름, 진(晉)나라 때의 오호 십육국의 하나).
〔西林〕 xīlín 명 ⇨〔青qīng霉素〕
〔西陵〕 Xīlíng 명 ①베이징(北京)의 서쪽에 있는 청(淸)나라 황릉(皇陵)의 이름. ②복성(複姓)의 하나.
〔西轮〕 xīlún 명 〈文〉 외국 기선.
〔西曼谷〕 xīmàngǔ 명 ⇨〔西蔓谷〕
〔西蔓谷〕 xīmàngǔ 명 《植》 〈北方〉 조. 좁쌀. =〔西曼谷〕
〔西眉南脸〕 xī méi nán liǎn 〈成〉 옛날의 유명한 미인인 서시(西施)와 남위(南威)의 얼굴(미인의 형용). ¶～之美; 서시나 남위와 같은 미인.
〔西门〕 Xīmén 명 복성(複姓)의 하나.
〔西门土〕 xīméntǔ 명 시멘트. =〔水shuǐ泥〕
〔西门子〕 xīménzǐ 명 《電》 〈音〉 지멘스(도 Siemens).
〔西门子马丁炉〕 xīménzǐ mǎdīnglú 명 평로. =〔平píng炉〕
〔西蒙风〕 xīměngfēng 명 《氣》 〈音〉 아라비아와 아프리카의 사막에서 불어오는 바람.
〔西米〕 xīmǐ 명 〈音〉 사고(sago)야자의 녹말.
〔西面〕 xīmiàn 명 서쪽.
〔西明纳尔〕 xīmíngnà'ěr 명 〈音〉 세미나(seminar). =〔课kè堂讨论〕
〔西母〕 Xīmǔ 명 ⇨〔西王母①〕
〔西奈半岛〕 Xīnài Bàndǎo 명 《地》 〈音〉 시나이 반도(이집트 수에즈 운하 동부의 반도).
〔西南〕 xīnán 명 ①서남. ¶～非洲; 서남아프리카. ②중국의 서남 지구(쓰촨(四川)·윈난(雲南)·구이저우(貴州)·티베트 등의 성(省)·자치구를 포함함).
〔西尼拉马〕 xīnílāmǎ 명 《映》 〈音〉 시네라마(cinerama). =〔星涅拉马〕〔西尼拉玛〕〔新艺拉玛〕
〔西鸟尔〕 xīniǎo'ěr 명 〈音〉 세뇨르(스 señor). =〔先生〕

〔西欧〕 Xī'ōu 명 서구. 서유럽.
〔西欧共同市场〕 Xī'ōu gòngtóng shìchǎng 명 유럽 경제 공동체(E.E.C.).
〔西欧集团〕 Xī'ōu jítuán 명 《政》 마샬 계획에 참가한 16개국의 서유럽 국가 집단.
〔西皮〕 xīpí 명 ①《劇》 희곡(戲曲) 곡조의 하나(호궁(胡弓)으로 반주하며 '二黃'과 합해서 '皮黃'이라 칭함). ②산시 성(陝西省)산(産)의 모피(毛皮)).
〔西·其·爱司法〕 xī-qí-àisīfǎ 명 《物》 CGS (centimeter-gram-second) 단위계(單位系). =〔厘米克秒制〕
〔西迁〕 xīqiān 동 서쪽으로 옮기다. 명 ⇨〔二万五千里长征〕
〔西乾〕 xīqián 명 ⇨〔西天①〕
〔西羌〕 Xīqiāng 명 ①《民》 시창 족(西羌族). ②《地》 간쑤 성(甘肅省)의 별칭.
〔西人〕 xīrén 명 〈文〉 ①서인. 서양인. ②(Xīrén) 《史》 주(周)나라 도읍을 서도(西都)라 부르고 주나라 사람을 '西人'이라 불렀음. ③(Xīrén) 《史》 송(宋)나라 때, 서하(西夏) 사람을 '西人'라고 하였음. ④산시 성(山西省) 사람.
〔西戎〕 Xīróng 명 〈文〉 서융(중국 서쪽 변방의 오랑캐).
〔西萨摩亚〕 Xīsàmóyà 명 《地》 〈音〉 서사모아 (Western Samoa)(수도는 '阿皮亚'(아피아: Apia)).
〔西沙尔麻〕 xīshā'ěrmá 명 《植》 사이잘(sisal) 삼.
〔西沙群岛〕 Xīshā qúndǎo 명 《地》 서사 군도. 파라셀(Paracel) 군도.
〔西晒〕 xīshài 동 (오후가 되어) 서쪽〔저녁〕 햇살이 들다.
〔西山老虎也要吃人〕 xīshān lǎohǔ yě yào chī rén 〈諺〉 어느 곳의 호랑이나 호랑이는 호랑이다(나쁜 놈은 어디에서든지 사람을 해치려 들기 마련이다). =〔东山老虎吃人, 西山老虎也要吃人〕
〔西施〕 Xīshī 명 ①《人》 서시(월왕(越王) 구천(句踐)이 오왕부차(吳王夫差)에게 바친 미녀). =〔西子①〕〔先施〕 ②(xīshī) 〈比〉 미인. ¶情人眼里出～; 〈諺〉 반한 눈에는 곰보도 보조개.
〔西式〕 xīshì 명 양식(중국식은 '中式'). ¶～服装; 양장 / ～楼房; 서양식 층집.
〔西式菜〕 xīshìcài 명 서양 요리. 양요리.
〔西双版纳〕 Xīshuāng bǎnnà 명 《地》 윈난 성(雲南省) 남부에 있는 타이 족(族)을 주로 하는 소수 민족 자치주.
〔西天〕 xītiān 명 ①《佛》 서천(인도의 별칭). =〔西乾qián〕 ②⇨〔西方②〕 ③〈比〉 극점(極點). ¶送佛上～; 〈諺〉 좋은 일을 철저히 하다.
〔西头(儿)〕 xītóu(r) 명 서쪽 끝.
〔西土〕 xītǔ 명 ①⇨〔西方②〕 ②옛날, 간쑤(甘肅)·산시 성(陝西省)에서 나는 아편을 이렇게 불렀음.
〔西王母〕 Xīwángmǔ 명 ①《人》 서왕모(옛날 신화상(神話上)의 선녀). =〔西母〕 ②《地》 '西戎'에 있었던 땅 이름. ③(xīwángmǔ) 《植》 구기자나무.
〔西望长安〕 xīwàng cháng'ān 〈歇〉 ①서쪽 장안을 바라보다. ¶～不见家jiā; 서쪽 장안을 바라보니 인가는 보이지 않는다. ②좋지 않다. 좋은 일이 없다. ¶她的长相儿zhǎngxiàngr也是～吧; 그녀의 용모도 그다지 좋지 않겠지요.
〔西维因〕 xīwéiyīn 명 《化》 세빈(cevine). N-메틸카바미드산(carbamide 酸)·나프틸 쿠스파린 《농업용 살충제》.
〔西魏〕 Xīwèi 명 《史》 서위(북위(北魏)가 동·서로 나뉘었던 때 서쪽의 나라. A.D. 535～556).
〔西文〕 xīwén 명 〈文〉 서양 문자. 서양어.
〔西屋〕 xīwū 명 서쪽의 방. 서쪽편의 건물.
〔西夕〕 xīxī 명 〈文〉〈比〉 인생의 황혼기. ¶～垂暮(之)年; 만년. 늘그막.
〔西西〕 xīxī 양 《度》 〈音〉 입방 센티미터. 시시(cc: cubic centimeter). ¶一般是在皮下注射一～; 보통은 피하에 1cc주사한다. =〔毫升〕
〔西席〕 xīxí 명 막우(幕友)(옛날, 군대에 있어서 사적으로 고용한 고문)나 가정 교사를 칭하던 말. =〔西宾〕〔西家③〕〔宾bīn席〕
〔西夏〕 Xīxià 명 《史》 서하(왕조 이름. 1038～1227).
〔西厢房〕 xīxiāngfáng 명 서쪽의 곁채.
〔西厢记〕 Xīxiāngjì 명 《劇》 서상기(원(元)나라 때의 대표적인 희곡, 왕실보(王實甫)의 작품, 재자(才子)인 장생(長生)과 가인(佳人)인 앵앵(鶯鶯)이 서상(西廂)에서 애정을 맺고 대단원에 이르는 이야기).
〔西笑〕 xīxiào 동 〈文〉 서쪽을 향하여 즐거운 듯이 웃으며 본다. 별것 아닌 시시한 것을 즐기다(옛날, 장안 도읍에 갈 수 없는 사람이 서쪽을 향해 웃었다는 고사에 유래함).
〔西斜〕 xīxié 동 해가 서쪽에 기울다. 해가 지다. ¶太阳～了; 태양이 서쪽에 기울었다.
〔西学〕 xīxué 명 서학. 청(淸)나라 말기에, 서양의 학문을 일컬음.
〔西雅图〕 Xīyǎtú 명 《地》 시애틀(Seattle).
〔西亚〕 Xīyà 명 《地》 서아시아.
〔西烟〕 xīyān 명 〈文〉 외국 담배. 양담배.
〔西洋〕 xīyáng 명 서양. ¶～人; 서양인 / ～国家; 서양 여러 나라(특히 구미 각국을 가리킴) / ～史; 서양사. =〔西方③〕
〔西洋菜〕 xīyángcài 명 ①서양 요리. =〔西菜〕 ②셀러리(celery). =〔芹qín菜②〕
〔西洋肠子〕 xīyáng chángzi 명 소시지.
〔西洋甘菊〕 xīyáng gānjú 명 《植》 카밀레(kamille)(구풍제(驅風劑)·발한제로 씀). =〔加jiā密(尔)列〕
〔西洋画〕 xīyánghuà 명 《美》 서양화. 양화. ↔〔国guó画〕 =〔西画〕
〔西洋景〕 xīyángjǐng 명 ⇨〔西湖景〕
〔西洋镜〕 xīyángjìng 명 ⇨〔西湖景〕
〔西洋参〕 xīyángshēn 명 《植》 미국 인삼. 서양인삼. =〔广guǎng东人参〕〔花huā旗参〕〔洋参〕
〔西药〕 xīyào 명 양약. 서양약. ↔〔中zhōng药〕
〔西医〕 xīyī 명 ①서양 의학. 양의학. 근대 의학. ②(서양 의학을 배운) 의사. 양의. ‖↔〔中zhōng医〕
〔西印度群岛〕 Xīyìndù qúndǎo 명 《地》 서인도제도.
〔西游记〕 Xīyóujì 명 《書》 서유기(명(明)나라 때의 장편 소설. 오승은 (吳承恩)작).
〔西柚〕 xīyòu 명 《植》 크레이프프루츠. =〔酸suān柚〕
〔西域〕 Xīyù 명 《地》 서역(둔황(敦煌)의 서북 이서(以西)를 말함).
〔西元〕 xīyuán 명 서력 기원. =〔公gōng元〕
〔西乐〕 xīyuè 명 서양 음악. 양악. ↔〔中zhōng乐〕
〔西崽〕 xīzǎi 명 ①〈貶〉 서양 사람이 고용한 중국 남자 하인. =〔西者〕〔细xì崽〕 ②〈轉〉 외국인을

섬기는 노예 근성을 가진 사람. 매판노(買辦奴). ¶～文人; 노예 근성이 노골적인 문인.

〔西藏〕 Xīzàng 명 《地》 티베트(Tibet). ¶～军区; (인민 해방군의) 티베트 군사 구역 / ～自治区; 티베트 자치구. =〔土tǔ伯特〕

〔西照〕 xīzhào 명 〈文〉 석양. 지는 해. ¶～渔樵各赋归; 해가 서쪽으로 기울어 어부도 나무꾼도 집으로 돌아간다.

〔西者〕 xīzhě 명 ⇨〔西崽①〕

〔西直门〕 xīzhímén 명 베이징(北京) 내성(內城) 서북쪽에 있었던 성문의 이름.

〔西装〕 xīzhuāng 명 ⇨〔西服〕

〔西装料〕 xīzhuāngliào 명 양복감. 양복지.

〔西装呢〕 xīzhuāngní 명 ⇨〔西装绒〕

〔西装绒〕 xīzhuāngróng 명 모직 양복감. =〔西装呢〕

〔西子〕 Xīzǐ 명 ① ⇨〔西施①〕 ② ⇨〔西湖〕

〔西子湖〕 Xīzǐhú 명 ⇨〔西湖〕

〔西字脸〕 xīzìliǎn 명 넓적하고 네모난 얼굴. =〔同tóng字脸〕

恓

xī (서)
→〔恓惶〕〔恓恓〕

〔恓惶〕 xīhuáng 형 〈文〉 몹시 당황해하는 모양. ¶不听老人言, ～在眼前; 노인의 말을 듣지 않으면, 나중에 당황하게 될 것은 뻔하다.

〔恓恓〕 xīxī 형 〈文〉 쓸쓸하다. 적막하다.

茜

xī (천)
인명용 자(字)《주로 외국 여성 이름의 음역자(音譯字)》. ⇒qiàn

栖

xī (서)
→〔栖栖〕 ⇒qī

〔栖栖〕 xīxī 형 〈文〉 마음이 불안정한 모양.

牺(犧)

xī (희)
명 희생《종묘(宗廟)등의 제사에 쓰는 짐승》. ¶～牲shēng; ⇩

〔牺打〕 xīdǎ 명 《體》 (야구 따위의) 희생타. ¶～飞球; 희생 플라이.

〔牺牲〕 xīshēng 명 옛날, 신 앞에 바치던 희생. 명동 희생(하다). ¶～精神; 희생 정신 / ～太大; 희생이 너무 크다 / ～一切; 일체를 희생시키다 / 流血～; 피를 흘리고 희생하다 / 办了这件事～了休息时间; 이 일 때문에 휴식 시간을 희생했다.

〔牺牲节〕 xīshēngjié 명 ⇨〔宰zǎi牲节〕

〔牺牲品〕 xīshēngpǐn 명 희생. 희생물.

〔牺象〕 xīxiàng 명 주기(酒器)의 일종《소의 모양을 한 것을 희준(犧尊), 코끼리 모양을 한 것을 희상(犧象)이라 함》.

〔牺尊〕 xīzūn 명 고대 동기(銅器)의 일종으로, 당시 흔히 희생으로 바쳐졌던 소의 상(像)을 새김. =〔羲尊〕

氙

xī (서)
명 《化》 '氙xiān' (크세논(Xe: xenon))의 구칭(舊稱).

硒

xī (서)
명 《化》 셀렌(Se: selenium)《비금속 원소》.

〔硒酸〕 xīsuān 명 《化》 셀렌산.

〔硒整流器〕 xī zhěngliúqì 명 《電》 셀렌(도 selen) 정류기(整流器).

粞

xī (서)
명 ①〈文〉 싸라기. ②〈方〉 겉겨. 왕겨《사료로 함》.

舾

xī (서)
→〔舾装〕

〔舾装〕 xīzhuāng 명 ①의장품(艤裝品)《선박 운용에 필요한 여러 설비의 총칭》. ②의장 설비를 설치하는 일.

醯

xī (혜)
① 형 시다. ② 명 초. =〔醋〕 ③ 명 《化》 '酰xiān' (아실기(基))의 구칭.

吸

xī (흡)
동 ①(주로 기체를) 들이마시다. 빨아들이다. ¶～一口气; 숨을 한 번 들이쉬다 / ～烟; ⇩ / 呼～; 호흡(하다). ②흡수하다. ¶药棉花能～水; 탈지면은 물을 잘 흡수한다 / ～取经验; 경험을 흡수하다. ③달라붙게 하다. 끌어 당기다. ¶～铁石; 자석 / 磁能～铁; 자석은 쇠를 끌어당긴다 / ～地; (전기 청소기로) 바닥을 청소하다. ‖ =〔噏xī①〕

〔吸併〕 xībìng 동 〈文〉 병탄(併呑)하다.

〔吸尘器〕 xīchénqì 명 흡진기. 전기 청소기. ¶真空～; 진공 청소기.

〔吸虫〕 xīchóng 명 《蟲》 흡충류. ¶肺～; 폐흡충. 폐 디스토마 / 肝～; 간 디스토마. 간흡충 / 血～; 주혈(住血) 흡충.

〔吸顶灯〕 xīdǐngdēng 명 간접 조명(間接照明).

〔吸毒〕 xīdú 동 아편 따위를 피우다.

〔吸风饮露〕 xī fēng yǐn lù 〈成〉 여행의 고생스러움을 두루 맛봄. =〔餐cān风饮露〕

〔吸附〕 xīfù 명동 《化》 흡착(吸着)(하다). ¶～剂jì; 흡착제.

〔吸干〕 xīgān 동 빨아들이다. 다〔깨끗이〕 빨아들이다. ¶用粉笔把墨水～; 분필로 잉크를 빨아들이다.

〔吸管〕 xīguǎn 명 ①《機》 흡입관(吸入管: suction pipe). ② ⇨〔吸墨水管〕

〔吸哈〕 xīha 동 〈俗〉 ①맛보다. ②칭찬하다. ③(그 자리를) 얼버무리다.

〔吸浆虫〕 xījiāngchóng 명 《蟲》 진디.

〔吸角〕 xījiǎo 명 《醫》 흡각. 흡종(吸鐘).

〔吸进吐出〕 xījìn tùchū 동 ⇨〔吸吐〕

〔吸拉〕 xīlā 동 (진한 액체를) 훌쩍훌쩍 마시다. ¶～鼻涕; 콧물을 훌쩍이다.

〔吸力〕 xīlì 명 ⇨〔引力①〕

〔吸溜〕 xīliu 동 ①힘을 주어 들이쉬다. ¶不住地～气儿; 연해 숨을 들이쉬다. ②콧물을 들이마시다. ¶～了鼻涕; 콧물을 들이마시다.

〔吸龙〕 xīlóng 명 《物》 사이펀(siphon). =〔虹hóng吸(管)〕

〔吸墨水管〕 xīmòshuǐguǎn 명 (만년필의) 스포이트. =〔吸管②〕

〔吸墨纸〕 xīmòzhǐ 명 압지(壓紙). =〔吃chī墨纸〕〔印yìn水纸〕

〔吸奶器〕 xīnǎiqì 명 흡유기(吸乳器). 유축기.

〔吸泥泵〕 xīníbèng 명 《機》 준설 펌프(浚渫 pump).

〔吸泥船〕 xīníchuán 명 준설선.

〔吸泥机〕 xīníjī 명 《機》 준설기(浚渫機).

〔吸盘〕 xīpán 명 《動》 흡반. 빨판.

〔吸气〕 xī qì 숨을〔공기를〕 들이마시다. ¶吸一口气; ⓐ깜짝 놀라다. ⓑ덜컥 걱정이 되다 / ～筒; 《機》 공기 펌프 / ～音; 《言》 흡기음 / ～阀弹簧; 《機》 흡기판(瓣) 용수철.

〔吸取〕 xīqǔ 동 흡수하다. 받아들이다. ¶～经验教训; 경험과 교훈을 받아들이다 / 从植物上～营养; 식물에서 영양을 흡수〔섭취〕하다 / ～别人的长处;

타인의 장점을 취하다 / ～水分; 수분을 빨아들이다 / ～了他的意见; 그의 의견을 받아들였다.

〔吸热〕 xīrè 명동 흡열(하다). 열을 흡수(하다). ¶～反应; 흡열 반응.

〔吸入〕 xīrù 동 빨아들이다. 흡입하다. ¶～泵; 빨펌프. 흡입 펌프 / ～法; 《醫》 흡입법 / ～器; 《醫》 흡입기.

〔吸声砖〕 xīshēngzhuān 명 흡음 벽돌.

〔吸湿〕 xīshī 명동 흡습(하다). ¶～剂; 흡습제.

〔吸湿性〕 xīshīxìng 명 흡습성.

〔吸食〕 xīshí 동 (음식물·독물 등을) 빨아들이다. 들이 마시다. ¶～鸦yā片; 아편을 피우다.

〔吸收〕 xīshōu 동 ①흡수하다. ㉠빨아들이다. 섭취하다. ¶～灰尘; 먼지를 흡수하다 / 植物由根～养分; 식물은 뿌리로부터 양분을 흡수한다 / 种子～营养成长; 종자는 영양을 흡수하여 성장한다 / 隔音纸～声音; 방음지는 소리를 흡수한다. ㉡(추상적인 것을) 받아들이다. ¶批判地～; 비판적으로 흡수하다. ②조직이 외부의 사람을 끌어들이다. 개인을 구성원으로 받아들이다. ¶～青年人团; 청년을 입단시키다.

〔吸收口〕 xīshōukǒu 명 《蟲》 흡수구(곤충류의 입의 일종).

〔吸水泵〕 xīshuǐbèng 명 빨펌프.

〔吸水棉〕 xīshuǐmián 명 탈지면. =〔脱脂棉〕

〔吸吮〕 xīshǔn 동 빨아들이다. ¶～人民膏血; 백성의 고혈을 빨아들이다 / 我们如饥似渴地学习, 如同婴儿贪婪地～乳汁; 우리는 아이가 탐욕스럽게 젖을 빠는 것 같이 아주 절실하게 공부한다.

〔吸铁石〕 xītiěshí 명 자석(磁石). =〔磁cí铁〕

〔吸铁轧头〕 xītiě yàtou 명 자성 바이스(vice). =〔磁性卡盘〕

〔吸吐〕 xītù 동 (주식에서) 사고 팔다. =〔吸进吐出〕

〔吸血虫〕 xīxuèchóng 명 《蟲》 흡혈충.

〔吸血鬼〕 xīxuèguǐ 명 ①흡혈귀. ②〈比〉 대중의 피와 땀을 착취하여 기생적 생활을 하고 있는 자.

〔吸烟〕 xī.yān 동 ①담배를 피우다. =〔抽chōu烟〕〔吃chī烟〕 ②아편을 피우다.

〔吸液管〕 xīyèguǎn 명 ⇨〔吸移管〕

〔吸移管〕 xīyíguǎn 명 《化》 피펫(pipette). =〔吸液管〕〔移液管〕

〔吸引〕 xīyǐn 동 (다른 물체나 힘 또는 남의 주의를 자기쪽으로) 끌어 당기다〔들이다〕. 잡아끌다. 매료시키다. 유인하다. ¶～力; 흡인력 / ～顾客; 손님을 유인하다 / 被踏踏实实的手法～住了; 견실한 수법에 끌리었다 / 把敌人火力～过来; 적의 화력을 (이쪽으로) 끌어들이다 / ～人们的注意力; 사람들의 주의력을 끌다. 사람들의 주목을 모으다.

〔吸饮〕 xīyǐn 동 빨다. 빨아먹다.

〔吸针〕 xīzhēn 명 《物》 자침. =〔磁cí针〕

〔吸住〕 xīzhù 동 빨아당기다. 끌어당기다. ¶机关枪声把敌人的注意力全～了; 기관총 소리가 적의 주의력을 온통 끌어당겼다.

希 xī (희)

①동 바라다. 희망하다. ¶即～出席为幸; 부디 참석하여 주십시오 / ～读者指正; 독자의 비판을 바라다. ②동 〈文〉 동경하다. 사모하다. ③형 적다. 진귀하다. 드물다. ¶物以～为贵; 물건은 드물면 귀해진다. ④부 심히. 매우. ¶面和huò得～软; 밀가루를 아주 부드럽게 반죽하다 / 脸上～瘦; 얼굴이 무척 여위어 있다 / 驴lǘ～慢; 당나귀가 매우 느리다.

〔希伯来〕 Xībólái 명 《民》 〈音〉 헤브루(Hebrew) (종족 이름). ¶～语; 헤브라이어.

〔希宠〕 xīchǒng 동 〈文〉 상사의 마음에 들려고 하다. ¶谄媚～; 윗사람에게 아첨하여 마음에 들려고 하다.

〔希代〕 xīdài 형 ⇨〔稀代〕

〔希钝〕 xīdùn 형 (칼)날이 매우 무디다. ¶这把刀子～; 이 칼은 날이 매우 무디다. =〔精jīng钝〕

〔希风承旨〕 xī fēng chéng zhǐ 〈成〉 분부를 잘못 듣다. 명령을 잘못 알아듣다. ¶科长叫他招待招待客人, 他就～摆起宴席来了; 과장이 그에게 손님을 접대하도록 일렀는데, 그는 명령을 잘못 알아듣고 연회 준비를 하고 말았다.

〔希觏〕 xīgòu 형 〈文〉 ⇨〔稀觏〕

〔希古〕 xīgǔ 동 〈文〉 옛사람을 닮으려 하다. 옛 사람을 흠모하다.

〔希罕〕 xīhan 형 드물다. 진귀하다. =〔希奇〕〔稀罕〕 동 ①진중(珍重)히 여기다. 소중히〔귀하게〕 여기다. ¶我不～他; 나는 그를 중하게 여기지 않는다. ②부러워하다.

〔希罕儿〕 xīhanr 명 진기한 것. 진품(珍品). ¶看～; 진기한 것을 보다. 구경거리를 보다 / 拖拉机刚到农村的时候, 大家把它当成个～; 트랙터가 농촌에 갓들어 왔을 때에는 모두가 신기해 했었지.

〔希冀〕 xījì 동 〈文〉 간절히 바라다. 희망하다.

〔希客〕 xīkè 명 ⇨〔稀客〕

〔希腊〕 Xīlà 명 《地》 그리스(Greece)(수도는 '雅典'(아테네: Athene)). ¶～主义 =〔希腊文化〕〔希腊精神〕; 《史》 헬레니즘(Hellenism).

〔希腊正教〕 Xīlà zhèngjiào 명 《宗》 희랍 정교. =〔东Dōng正教〕

〔希腊字母〕 Xīlà zìmǔ 명 그리스 문자.

〔希烂〕 xīlàn 형 ⇨〔稀烂〕

〔希哩呼噜〕 xīlihūlū ①형 〈俗〉 어지러이 뒤섞인 모양. ②형 잡다(雜多)한 모양. ③〈擬〉 후루룩(죽 따위를 마실 때의 소리).

〔希玛格洛宾〕 xīmǎgéluòbīn 명 《生》 〈音〉 헤모글로빈(hemoglobin). =〔血红素〕〔血红蛋白〕

〔希慕〕 xīmù 동 〈文〉 덕있는 사람을 존경하고 흠모하다. ¶～盛德; 훌륭한 덕을 존경하고 흠모하다.

〔希奇〕 xīqí 형 진기하다. 색다르다. 희귀하다. ¶看～; 신기한 듯이 보다 / ～古怪; 진기하고 기괴하다. 진기하고 색다르다. =〔稀奇〕

〔希少〕 xīshǎo 형 ⇨〔稀少〕

〔希圣〕 xīshèng 동 〈文〉 성인이 되려 하다. 명 드물게 보는 성인. ¶他是圣贤之中也少有的～; 그는 성현 중에서도 드물게 보는 성인이다.

〔希世〕 xīshì 〈文〉 형 세상에 드물다. ¶～之珍; 세상에 드문 보물. 동 세상에 부화 뇌동하다.

〔希寿〕 xīshòu 명 ⇨〔稀寿〕

〔希碎〕 xīsuì 동 분쇄하다. ¶瓶子叫他打得～; 병은 그가 쳐서 깨졌다.

〔希特拉〕 xītèlā 명 《動》 〈音〉 히드라(hydra). =〔水螅〕

〔希特勒〕 Xītèlè 명 《人》 〈音〉 히틀러(Adolf Hitler)(나치스 독일의 총통. 1889～1945).

〔希图〕 xītú 동 (어떤 목적을 달성하려고) 꾀하다. 의도(意圖)하다. 희망하다. 바라다. ¶～暴利; 폭리를 취하려 하다 / ～蒙混一时; 잠시 속이려고 꾀하다 / ～侥幸; 요행을 바라다 / ～称霸全球; 전세계 제패를 노리다.

〔希望〕 xīwàng 동 희망하다. 바라다(동사·주술연어(主述連語)도 객어(客語)로 함). ¶～你成功; 너의 성공을 바란다 / ～您能到会! 당신의 내회(來會)를 희망합니다! / 我～明天不再下雨; 내일은 비가 또 오지 말았으면 싶다. 명 ①희망. 바람. ¶

这个～很难实现; 이 바람은 실현이 매우 어렵다. ②장래성. ¶没有～; 기대할 수 없다/他很有～; 그는 장래성이 있다. ③희망을 거는 대상(對象). ¶孩子是我们的～; 아이는 우리들의 희망이다/青年人是祖国的～; 청년은 나라의 희망이다.

〔希希罕儿〕 xīxīhǎnr 명 ⇨〔稀稀罕儿〕

〔希有〕 xīyǒu 형 진귀하다. 희귀하다. 드물다. ¶十月下雪在这儿不是～的事; 10월에 눈이 오는 것이 이곳에서는 드문 일이 아니다. =〔稀有〕

〔希脏粪臭〕 xīzāng fènchòu 매우 더럽다.

〔希旨〕 xīzhǐ 동 ⇨〔希指〕

〔希指〕 xīzhǐ 동 〈文〉 상사의 의향에 영합하다. ¶～上峰好作官; 상사의 비위만 잘 맞추면 관리 노릇도 하기 쉽다. =〔希旨〕

〔希志来〕 Xīzhìlái 명 《宗》〈音〉 헤지라(Hegira). 회교 기원. =〔希吉勒历〕〔回历〕

郗 Xī〔〈舊〉 Chī〕(치)
명 성(姓)의 하나.

浠 Xī (희)
명 《地》 시수이(浠水)《후베이 성(湖北省)에 있는 강 이름》.

唏 xī (희)
① 동 〈文〉 한탄하다. 탄식하다. ¶～嘘xū; ⇩ ② →〔唏啦哗啦〕 ③ 〈擬〉 헤헤《웃는 소리》.

〔唏啦哗啦〕 xīlahuālā 〈擬〉 쏴쏴. 좍좍. 와르르《비나 바람, 물건이 무너지거나 부서질 때의 소리》. ¶～地下了一阵大雨; 좍좍 큰비가 한바탕 내렸다.

〔唏啷哗啷〕 xīlanghuālāng 〈擬〉 절그럭절그럭. 우당탕와당탕. ¶～把门锁上了; 찰깍 하고 문에 자물쇠를 잠갔다.

〔唏哩哗啦〕 xīlihuālā ①〈擬〉 달그락달그락《그릇 따위가 부딪치는 소리. 마작의 패를 섞는 소리》. ② 형 부서져서 온통 흩어지고, 수습할 도리가 없다. ¶怎么闹成个～? 어쩌자고 이렇게 온통 흐트렸느냐?

〔唏淋唏淋〕 xīlīn xīlīn 〈擬〉 비가 질금질금 내리는 모양. 부슬부슬 내리는 모양. ¶～地又不大下又不住; (비가) 부슬부슬 내려 심해지지도 그치지도 않는다.

〔唏溜〕 xīliū 〈擬〉⇨〔唏留〕

〔唏留〕 xīliu 〈擬〉 ①추워서 씩씩 소리를 내며 숨을 들이쉬는 일. ¶冻得他直～; 추워서 그는 연해 씩씩거리고 있다. ②후르륵. 훌쩍훌쩍《국수를 먹거나 콧물을 들이마시는 소리》. ¶一～就是一碗; 후르륵하고 금세 한 그릇을 다 먹어 치웠다. ‖ =〔唏溜〕

〔唏唏〕 xīxī 〈擬〉 ⇨〔嘻xī嘻〕

〔唏唏哈哈〕 xīxihāhā 〈擬〉 ⇨〔嘻嘻哈哈〕

〔唏嘘〕 xīxū 동 〈文〉 ①탄식하다. ¶老夫妻贫病交加, 相对～; 노부부는 가난과 병에 시달려, 서로 마주보고 탄식하고 있다. ②흐느껴 울다. 훌쩍이다. ‖ =〔欷歔〕

〔唏响〕 xīxǔ 〈擬〉 목구멍에 가래가 끼어 그르렁거리는 소리를 내는 모양. ¶倒在病床上～不已; 병상에 누운 채 자꾸 목을 그르렁거리고 있다.

烯 xī (희)
명 《化》 에틸렌(Ethylene)계(系) 탄화수소. ¶异yì丁～; 이소부틸렌/丁二～; 부타디엔.

晞 xī (희)
동〈文〉 ①마르다. 건조되다. ¶晨露未～; 아침 이슬이 아직 마르지 않다《이른 아침》. ② (햇볕에) 말리다. ¶～发fà; 머리를 말리다. ③ (날이) 밝다. ¶东方未～; 동쪽은 채 밝지 않았다.

欷 xī (희)
→〔欷歔〕〔欷吁〕

〔欷歔〕 xīxū 명 〈文〉 흐느껴 울다. =〔唏嘘〕

〔欷吁〕 xīyū 동 〈文〉 휴 하고 한숨을 쉬다.

睎 xī (희)
동 〈文〉 ①조망하다. 바라보다. ②경모(敬慕)하다.

稀 xī (희)
① 형 드물다. 적다. ¶地广人～; 땅은 넓고 사람은 적다/～有金属; 희(소)금속/路静人～; 길은 조용하고 사람은 드물다. ② 형 성기다. 드문드문하다. ¶他的眉毛太～; 그의 눈썹은 몹시 성기다/月明星～; 달이 밝고 별은 드문드문하다. ↔〔密mì①〕 ③ 형 (농도가) 짙지〔진하지〕 않다. 묽다. 엷다. ¶这粥太～了; 이 죽은 너무 묽다. ↔〔稠chóu②〕 ④ 부 〈京〉 아주. 극히《'烂' '松' '软' '破' 등의 형용사와 합쳐 정도가 심함을 나타냄》. ¶一轴～破的旧画; 심하게 해진 한 축의 옛 그림. →〔稀烂〕〔稀松〕

〔稀巴糊〕 xībāhú 형 〈俗〉 뭉쳐 있지 않다. 덩어리져 있지 않다. 흩어져 있다. 부서져 있다.

〔稀巴烂〕 xībālàn 형 산산조각이 난 모양. 뿔뿔이 흐트러진 모양. 注 흔히 '儿化' 하므로 '稀巴拉儿' 이라고도 씀. ¶比把它炸个～不可! 그것을 산산이 폭파하고야 말겠다! =〔稀扒拉儿①〕

〔稀扒拉儿〕 xībālār 형 ①⇨〔稀巴烂〕 ②아주 드물다. 좀처럼 없다. ¶天上～地有了几颗星星; 하늘에 별이 드문드문 몇개 있다.

〔稀薄〕 xībó 형 (공기 · 아지랑이 또는 분위기가) 희박하다. 엷다. ¶空气很～; 공기가 매우 희박하다. ↔〔浓nóng厚〕

〔稀薄剂〕 xībójì 명 《化》 신나(thinner). =〔稀料〕〔信xìn那水〕

〔稀菜粥〕 xīcàizhōu 명 야채를 잘게 썰어 넣어 끓인 묽은 죽.

〔稀稠〕 xīchóu 명 묽고〔연하고〕 진함〔짙음〕. 진한 정도. 농도(濃度).

〔稀代〕 xīdài 형 희대의. 대대로 드문. 진기한. ¶～奇珍; 희대의 진귀한 것. =〔希代〕

〔稀钝〕 xīdùn 형 (날붙이가) 전혀 들지 않다.

〔稀饭〕 xīfàn 명 (쌀, 좁쌀 등으로 만든) 죽. →〔粥zhōu〕

〔稀觏〕 xīgòu 형〈文〉 드물다. 희귀하다. ¶～书; 희구서/这样的珍宝, 实在是世间～; 이와 같은 진귀한 보배는 정말 세상에 드물다. =〔希觏〕

〔稀罕〕 xīhan 형 ⇨〔希xī罕〕

〔稀乎儿乎儿〕 xīhūrhūr 형 (죽이나 즙 따위가) 묽은 모양. 싱거운 모양.

〔稀糊脑子烂〕 xīhú nǎozilàn 형태를 알아볼 수 없이 엉망인 모양. ¶把玻璃砸了个～; 유리를 산산조각 냈다/给搅了个～; 엉망진창으로 뒤섞였다.

〔稀袈裟布〕 xījiāshābù 명 ⇨〔稀洋纱〕

〔稀糨子〕 xījiàngzi 명 묽은 풀.

〔稀客〕 xīkè 명 진객(珍客). 좀처럼 오지 않는 귀한 손님. =〔希客〕

〔稀拉拉〕 xīlālā 형 드문드문하다. =〔稀剌剌〕

〔稀烂〕 xīlàn 형 ①(너무 삶아서) 흐물흐물하다. ¶煮zhǔ得～; 흠씬 삶다. ②엉망(진창)이다. ¶～八破; 갈가리 찢어진. 누더기의/路上～; 길이 진창이다. ③산산조각이 나다. 박살이 나다. ¶鸡

蛋掉在地上，摔了个～；계란이 바닥에 떨어져 박살이 났다 / 把它全都给撕了个～；그것을 모두 갈기갈기 찢어 버렸다. ‖ =〔希烂〕

〔稀烂八糟〕 xī làn bā zāo 〈成〉 ⇨〔稀乱八糟〕

〔稀郎〕 xīlǎng 동 (등불·별 따위가) 깜빡이다. ¶～的灯火；듬성듬성 밝은 등불. 깜빡이는 등불.

〔稀里呼噜〕 xīlihūlū 〈擬〉 후루룩. 쭈르룩. 후룩《죽이나 국수 등을 먹는 소리. 또, 종종걸음칠 때 나는 소리》. ¶～地喝了几口粥；후루룩 죽을 몇 모금 마셨다 / ～地小跑着；쭈르르 종종걸음으로 달리다.

〔稀里糊涂〕 xīlihútú 형 ①사물이 뭐가 뭔지 분명치 않은 모양. ②(무엇을 하는데) 멍하니 있는 모양. 구별을 못 짓는 모양. ‖ =〔稀里胡涂〕

〔稀哩哗啦〕 xīlihuālā 〈擬〉 ①와르르. ¶栅栏～地倒了下来；울타리가 와르르 쓰러져 내렸다. ②짤그락짤그락. ¶从口袋里～地掏出一把铜钱；호주머니에서 짤그락거리며 동전 한 움큼을 꺼내다.

〔稀料〕 xīliào 명 ⇨〔稀薄剂〕

〔稀溜溜(的)〕 xīliūliū(de) 형 ①(죽이나 국 따위가) 아주 묽은 모양. ¶把粥熬得～的才好喝呢；죽을 묽게 쑤면 마시기 좋다. ②녹아서 무른 모양.

〔稀乱八糟〕 xī luàn bā zāo 〈成〉 너저분하게 흐트러진 모양. 흐트러져서 손을 댈 수가 없는 모양. ¶把事情做得～；일을 엉망으로 만들어 버리다. =〔稀烂八糟〕

〔稀落〕 xīluo 형 성기다. 드물다. 드문드문하다. 조밀하지 않다. ¶响起了稀稀落落的掌声；산발적인 박수 소리가 울렸다 / 院子里稀稀落落的没有几个人；뜰에는 사람이 드물어 몇 사람 없다.

〔稀嘛拉儿〕 xīmalār 형 〈京〉 성기다. 드문드문하다. ¶天气冷，公园里只有～几个游人；날씨가 추워서 공원에는 사람의 그림자가 드문드문 있을 뿐이다.

〔稀密〕 xīmì 명 성기고 빽빽함. 성긴 정도.

〔稀嫩〕 xīnèn 형 대단히 부드럽다.

〔稀泥〕 xīní 명 흙탕물. ¶淋着雨水，踩着～…；비에 젖고 진창을 밟으며 ….

〔稀破〕 xīpò 형 (몹시) 너덜너덜하다. 몹시 부서져〔깨져〕 있다. 부서져 자취도 없다. ¶中间悬着一轴～的古画；가운데에는 몹시 너덜너덜한 옛 그림의 족자 한 폭이 걸려 있다.

〔稀奇〕 xīqí 형 진기하다. 희귀하다. =〔希xī奇〕

〔稀奇古怪〕 xīqí gǔguài 신기하고도 기괴하다. ¶这么～的东西，我还是初次看见；이렇게 기묘한 것을 나는 처음 보았다. =〔希奇古怪〕

〔稀奇罕儿〕 xīqíhǎnr 명 ⇨〔稀稀罕儿〕

〔稀缺〕 xīquē 동 적고 결여(缺如)되어 있다. ¶～材料；재료가 적고 결여되어 있다.

〔稀软〕 xīruǎn 형 ①매우 부드럽다. 흐물흐물하다. ②힘이 빠져서 녹초가 되다. 맥이 빠지다. ¶两只脚～；두 다리가 축 늘어져 있다.

〔稀软活软〕 xīruǎn huóruǎn 형 물렁물렁하다. 흐늘흐늘하다.

〔稀少〕 xīshǎo 형 희소하다. 적다. 드물다. ¶人烟～；인가(人家)가 드물다 / 街上行人～；거리를 오가는 사람이 적다 / ～之物；〈文〉 드문〔희소한〕 물건. =〔希少〕〔稀有〕〔希有〕

〔稀释〕 xīshì 동 《化》 희석하다. 묽게 하다. ¶～剂；희석제.

〔稀寿〕 xīshòu 명 70세. 희수. ¶年届～；나이가 70세가 되다. =〔希寿〕

〔稀瘦〕 xīshòu 형 깡마르다. 몹시 여위다.

〔稀疏〕 xīshū 형 성기다. 틈이 있다. (물체·음성 따위가) 공간·시간적으로 간격이 뜨다. 뜸하다. ¶禾苗出得～；볏모나온 것이 듬성듬성하다 / ～的头发；성긴 머리털 / 牧草长得～低矮；목초가 성기고 짧게 나 있다 / 枪声渐渐～下来了；총성이 점점 뜸해졌다.

〔稀松〕 xīsōng 형 ①성기다. 드물다. ¶～之处；인적이 드문 곳. ②신통치 않다. 마음이 내키지 않다. 재미없다. ③평범하다. 보통이다. 시시하다. 대수롭지 않다. 아무 것도 아니다. ¶～的事，不值得着急；시시하고 평범한 일에 조급할 필요는 없다 / 别把这些～的事放在心里！ 이런 사소한 일을 마음에 두실 것은 없습니다! ④정도가 낮다. 빠지다. 못하다. 떨어지다. ¶这所房子的木料不好，工也～；이 집의 재질(材質)은 좋지 않고 지음새도 형편없다 / 他们干起活来，哪个也不～；그들이 일을 시작하면 누구하나 남에게 빠지지 않는다. =〔差劲〕 ⑤마음이 산만하다. ⑥중간에 꺾이다. 기운이 빠지다. ¶事先喊得挺有劲，一上阵就～了；앞서는 꽤 기운차게 떠들어 댔으나 막상 일이 닥치자 스르르 기운이 꺾이고 말았다.

〔稀松平常〕 xī sōng píng cháng 〈成〉 평범하다. 시시하다. ¶我看他还是个～的人；저 사람은 역시 쓸모없는 평범한 사람이라고 생각한다.

〔稀酥绷脆〕 xīsū bèngcuì 만지면 곧 부서질 것같이 무르다. 바삭바삭하다.

〔稀碎〕 xīsuì 형 산산조각으로 부서지다. ¶砸zá了个～；산산조각으로 부서졌다〔깨졌다〕.

〔稀塌塌(的)〕 xītātā(de) 형 의기가 오르지 않는 모양. 침체돼 있는 모양. 힘이 빠진 모양. 게으름 피우는 모양.

〔稀糖〕 xītáng 명 물엿. =〔糖稀〕

〔稀土金属〕 xītǔ jīnshǔ 명 《化》 희토류 금속. 희토류 원소. =〔稀土原素〕

〔稀土原素〕 xītǔ yuánsù 명 ⇨〔稀土金属〕

〔稀稀罕儿〕 xīxihǎnr 명 신기한 것. 진귀한 물건. ¶有什么～快拿出来给大伙儿瞧瞧；무슨 진기한 것이라면 빨리 꺼내어 모든 사람에게 보여다오. =〔稀奇罕儿〕〔希希罕儿〕

〔稀稀拉拉〕 xīxi lālā 형 드문드문하다. 매우 엷다. 띄엄띄엄 있다. ¶头发秃得～没有几根；머리가 벗어져 머리카락이 몇 안된다 / ～的枪声；간간이 나는 총성. 단속적인 총성. =〔稀稀落落〕

〔稀稀落落〕 xīxiluòluò 형 ⇨〔稀稀拉拉〕

〔稀眼的〕 xīyǎnde 형 올이 성기다. ¶买十尺～冷布来糊窗户；발이 성긴 망사를 열 자 사서 창문에 바르다.

〔稀洋纱〕 xīyángshā 명 《紡》 머슬린(muslin). =〔稀袈裟布〕〔袈jiā裟布〕〔〈音〉 麦mài斯林纱〕〔软ruǎn棉布〕〔细xì洋布〕

〔稀有〕 xīyǒu 형 ⇨〔稀少〕

〔稀有金属〕 xīyǒu jīnshǔ 명 《化》 희유 금속.

〔稀有元素〕 xīyǒu yuánsù 명 《化》 희유 원소.

〔稀糟〕 xīzāo 형 〈方〉 매우 서투르다. 전연 되어먹지 않았다. 엉망이다. ¶这篇文章写得～，无从修改；이 문장은 엉망이어서 손을 댈 수가 없다 / 他把事情办得～；그는 엉망으로 일을 한다.

〔稀粥烂饭〕 xīzhōu lànfàn ①멀건 죽과 질게 된 밥. ②〈比〉 가난한 사람의 조식(粗食). 또, 그 생활.

豨 xī (희)

명 〈文〉 돼지. →〔豕shǐ〕〔猪zhū〕

〔豨苓〕 xīlíng 명 《植》 주령(朱苓). =〔猪zhū苓〕

〔豨莶(草)〕 xīxiān(cǎo) 명 《植》 털진득찰.

析 xī (석)
동 ①분석하다. 풀다. ¶～疑; 의문을 풀다/剖pōu～ =〔分～〕; 분석하다. ②쪼개다. 자르다. ¶～薪; 장작을 패다. ③나누다. 가르다. ¶全班～为三组; 전반을 3조로 나누다/条分缕lǚ～; 세분(細分)하다. ④(뿔뿔이) 흩어지다. ¶分崩离～; 〈成〉(국가나 집단이) 분열·와해되다.

〔析产〕 xīchǎn 동 〈文〉 재산을 나누다. ¶兄弟～; 형제가 재산을 나누다.

〔析出〕 xīchū 동 ①분석해 내다. ②《化》 추출하다. 석출하다. ¶～结晶; 결정을 석출하다.

〔析炊〕 xīchuī 동 〈文〉 식사를 따로 하다. 따로따로 생활하다. ¶虽然同住, 却是～; 동거는 하고 있지만 살림은 따로따로다.

〔析爨〕 xīcuàn 동 ⇨〔析居〕

〔析居〕 xījū 동 〈文〉 분가하다. 따로따로 살다. 살림을 따로 나다. =〔析爨〕〔析烟〕〔析箸〕

〔析象管〕 xīxiàngguǎn 명 《電》 해상관(解像管)《TV 카메라용의 진공관의 일종》.

〔析烟〕 xīyān 동 ⇨〔析居〕

〔析疑〕 xīyí 동 〈文〉 의문을 풀다.

〔析义〕 xīyì 동 〈文〉 의미를 풀어 밝히다. 해설하다.

〔析箸〕 xīzhù 동 ⇨〔析居〕

淅 xī (석)
①〈擬〉 부슬부슬. 살랑살랑. 팔랑팔랑《가랑비·눈·산들바람·낙엽 따위의 소리》. ¶雨声～沥; 빗소리가 부슬부슬 들린다. ②동 〈文〉 (쌀 따위를) 씻다. ③명 (Xī) 《地》 시수이(淅水)《허난 성(河南省)에 있는 강 이름》.

〔淅沥〕 xīlì 〈擬〉 부슬부슬. 우수수《눈·비 또는 낙엽의 소리》. ¶春雨～地下起来了; 봄비가 부슬부슬 내리기 시작했다.

〔淅飒〕 xīsà 〈擬〉 사각사각. 사락사락《눈이나 마른 잎이 내는 소리》.

〔淅淅零零〕 xīxilínglíng 형 ①뿔뿔이 흩어진 모양. ②비나 눈 따위가 무엇에 부딪치는 모양. ‖ 注 '淅零'으로는 쓸 수 없음.

晰〈晳〉 xī (석)
형 분명하다. 명백하다. ¶明～; 명석하다/清～; 명확하다. 분명하다/～眸～齿; 맑은 눈동자와 고운 이.

晳 xī (석)
형 〈文〉 (피부가) 희다.

蜥 xī (석)
→〔蜥虎〕〔蜥蜴〕

〔蜥虎〕 xīhǔ 명 《動》 수궁. =〔壁bì虎〕

〔蜥蜴〕 xīyì 명 《動》 도마뱀. =〔四脚蛇〕

昔 xī (석)
명 ①옛날. 이전. 과거. ¶今非～比; 현재는 예전에 비할 바가 아니다/今～对比; 옛날과 지금을 비교하다. ②어제. ③〈文〉 밤. ④건육(乾肉). ⑤끝.

〔昔尼克学派〕 Xīníkèxuépài 명 《哲》 〈音義〉 퀴닉(Kynik) 학파. =〔太儒学派〕〔昔匿克学派〕〔什匿克学派〕〔西尼克学派〕

〔昔日〕 xīrì 명 〈文〉 옛날. 예전. 지난날. 석일. ¶～的荒山, 今天已经栽满了果树; 예전 황폐했던 산이 오늘날엔 이미 과수가 온통 심어져 있다. =〔往日〕〔昔时〕〔昔者〕

〔昔时〕 xīshí 명 ⇨〔昔日〕

〔昔岁〕 xīsuì 명 〈文〉 작년. 지난해.

〔昔者〕 xīzhě 명 ⇨〔昔日〕

惜 xī (석)
동 ①아끼다. ㉠아까워하다. ¶不～力; 수고를 아끼지 않다/为了保卫祖国, 不～牺牲自己的生命; 조국 방위를 위하여 목숨을 바쳐도 아깝다고 여기지 않는다. ㉡소중히 여기다. ¶珍～; 진중(珍重)하다/爱～公物; 공공물을 아끼다. ②불쌍히〔가엾이〕 여기다. ¶怜～; 동정하다. 동정하여 아끼다. ③아쉬워〔섭섭해〕하다. 유감으로 여기다. ¶～别bié; ⇩/～未成功; 성공 못한 것을 못내 아쉬워하다. 애석하게도 아직 성공하지 못하다/可～我不能陪您去; 안 되었지만 당신을 모시고 갈 수 없습니다/可～他没这个力量; 애석하지만, 그에게는 이와 같은 힘은 없다.

〔惜别〕 xībié 동 석별하다. 이별을 아쉬어하다. ¶～之情; 석별의 정.

〔惜财〕 xīcái 동 금전을 아끼다.

〔惜饭有饭吃, 惜衣有衣穿〕 xī fàn yǒu fàn chī, xī yī yǒu yī chuān 〈諺〉 밥을 소홀히 하지 않으면 밥 걱정이 없으며 옷을 소중히 하면 입는 데 부족함이 없다《검약(儉約)하면 의식 걱정이 없음》.

〔惜福〕 xīfú 동 〈文〉 신분(身分)에 맞지 않는 복을 바라지 않다. 행복을 고맙게 여기다. 분수에 맞게 처신하다. ¶年轻人要～, 不可过于浪费; 젊은이는 분수에 맞게 살아야지, 너무 낭비해서는 안 된다.

〔惜老怜贫〕 xī lǎo lián pín 〈成〉 노인을 소중히 여기고 가난한 사람을 불쌍히 여기다. =〔怜贫惜老〕

〔惜力〕 xīlì 동 힘〔몸〕을 아끼다. ¶干活不～; 일을 하는 데 힘〔몸〕을 아끼지 않다/不～伺候他; 몸을 아끼지 않고 그에게 봉사하다.

〔惜吝〕 xīlìn 동 인색하다. 아까워하다. ¶持家要俭省, 待客不可～; 살림 맡을 때는 알뜰히 해야겠지만, 손님을 접대하는 데는 인색해서는 안 된다.

〔惜墨如金〕 xī mò rú jīn 〈成〉 먹을 금처럼 아끼다《(편지·글을) 함부로 쓰지 않음》. ¶老兄～, 半年也不来一封信; 자네는 먹을 황금 아끼듯 하여, 반년 동안에 편지 한 통도 보내지 않는군.

〔惜钱〕 xīqián 동 돈 씀씀이를 절약하다. 돈을 아끼다.

〔惜身〕 xīshēn 동 〈文〉 몸을 소중히 하다. ¶～自玉; 몸을 소중히 여기고 자애(自愛)하다.

〔惜售〕 xīshòu 동 〈文〉 매석(賣惜)하다. 파는 것을 아깝게 여기다.

〔惜岁〕 xīsuì 동 〈文〉 저물어가는 한 해를 아쉬워하다.

〔惜阴〕 xīyīn 동 〈文〉 시간을 아끼다.

〔惜玉怜香〕 xī yù lián xiāng 〈成〉 여자를 좋아하다. 여자에게 무르다.

〔惜指失掌〕 xī zhǐ shī zhǎng 〈成〉 손가락을 아끼다가 손바닥을 잃는다《소(小)로 인하여 대(大)를 잃는다. 기와 한 장 아끼다가 대들보 썩힌다》.

〔惜字纸〕 xīzìzhǐ 글자가 씌어 있는 종이를 함부로 하지 않다《문자에 대한 존엄성을 일반에게 알리려는 말》.

腊 xī (석)
〈文〉 ①동 햇볕에 쬐어 말리다. ②명 말린 고기. 건포(乾脯). ⇒ là

肸 xī (힐)
인명용 자(字). ¶羊舌～Yángshéxī; 양설힐《춘추(春秋) 시대 진(晉) 나라의 대부(大夫)》.

娭 xī (희)
동 ⇨〔嬉〕 ⇒ āi

息 xī (식)
①명 숨. ¶鼻～; 콧김 / 喘chuǎn～; ⓐ(숨이 차서) 헐떡이다. ⓑ천식 / 一～尚存; 미약하지만 아직 숨이 남아 있다 / 仰人鼻～; 남의 기분을 살피다. 남의 비위를 맞추다. ②명 〈文〉 자식. ¶～女; 우리 딸. =〔子息〕 ③명 이자. 이식(利息). ¶年～; 연리(年利). ④동 쉬다. 휴식하다. ¶安～; 휴식하다. 안식하다 / 按时作～; 시간대로 쉬다 / 稍～; 〖軍〗 쉬엇《구령》 / 休～时间; 휴식〔쉬는〕 시간. ⑤동 호흡하다. ⑥동 그만두다. 그치다. ¶～怒; 노염을 거두다 / 风～了; 바람이 그쳤다 / 自强不～; 스스로 노력하여 꾸준히 향상을 꾀하다 / 经久不～的掌声; 언제까지고 그치지 않는 박수 소리 / 暴风～了; 폭풍이 멎었다. ⑦명 소식. ¶信～; ⓐ소식. ⓑ정보. ⑧동 번식하다. 자라다. ¶蕃～; 번식하다 / 生～; 생식하다. ⑨명 성(姓)의 하나.

〔息兵〕 xī.bīng 동 〈文〉 싸움을 그치다. =〔〈文〉休xiū兵〕
〔息词〕 xīcí ⇨〔息讼罢词〕
〔息单〕 xīdān 명 ⇨〔息票〕
〔息灯〕 xīdēng 동 ⇨〔熄灯〕
〔息妇〕 xīfù 명 며느리. =〔媳xí妇〕
〔息工〕 xī.gōng 동 ①일손을 쉬다. ②(농한기에) 일이 없어지다.
〔息耗〕 xīhào 명 〈文〉 ①길흉. ¶问～; 길흉을 묻다. ②알림. 소식. ③손득(損得).
〔息火〕 xī.huǒ 동 ①노염이 가라앉다. ②(등불·난롯불 등이) 꺼지다. ③(등불·난롯불 등을) 끄다.
〔息肩〕 xījiān 동 〈文〉 ①어깨를 쉬다《잠시 휴식하다》. ¶把担子放下～; 짐을 내려놓고 어깨를 쉬다. ②〈比〉 직무를 떠나 어깨의 짐을 내려놓다. ¶等到孩子们都大学毕业时, 我也可以～了; 자식들이 모두 대학을 졸업하고 나면 나도 한시름 놓을 수 있다.
〔息交〕 xījiāo 동 사람과의 교제를 끊다.
〔息借〕 xījiè 동 〈文〉 이자가 딸린 돈을 빌리다.
〔息款〕 xīkuǎn 명 예금의 이식(利息)〔이자〕. ¶把～送来, 延期一个月归本; 이자를 보내고, 원금의 상환을 한 달 연기했다.
〔息辣〕 xīlà 명 ⇨〔新xīn加坡〕
〔息脉〕 xīmài 명 〖醫〗 맥박. 〈轉〉 생명. ¶～尚存, 奋斗到底; 목숨이 있는 한 반드시 최후까지 싸운다.
〔息灭〕 xīmiè 동 ⇨〔熄灭〕
〔息民〕 xīmín 동 〈文〉 백성을 편안하게 하다. ¶减税～; 감세하여 백성을 편안하게 하다.
〔息怒〕 xīnù 동 노염을 거두다. ¶请您～; 아무쪼록 화내지 마십시오.
〔息票〕 xīpiào 명 이표(利票). 이자표. =〔息单〕〔息券〕
〔息钱〕 xīqián 명 이식(利息). =〔利lì钱〕
〔息券〕 xīquàn 명 ⇨〔息票〕
〔息壤〕 xīrǎng 〈文〉 명 ①홍수 때문에 자연히 수북이 돋아오른 땅. ②(Xīrǎng) 〖地〗 전국(戰國)시대 진(秦)나라 무왕(武王)과 감무(甘茂)의 맹약을 맺은 곳《쓰촨 성(四川省)》. 동 〈轉〉 체맹(締盟)하다. ¶～止战; 동맹을 맺고 정전하다.
〔息肉〕 xīròu 명 ①〖醫〗 폴립(polyp). ②군살. 궂은살. ‖ =〔瘜肉〕
〔息事〕 xīshì 동 〈文〉 일을 낙착시키다. 결말을 짓다. 사태가 가라앉다.
〔息事宁人〕 xī shì níng rén 〈成〉 ①분쟁을 가라앉히고 쌍방을 화해시키다. ②스스로 양보하여 분쟁을 피하다.
〔息讼〕 xīsòng ⇨〔息讼罢词〕
〔息讼罢词〕 xīsòng bàcí 소송을 취하하다. ¶推事劝双方当事人～; 판사는 쌍방의 당사자에게 소송을 취하하도록 권고한다. =〔息词〕〔息讼〕〔息争报讼〕
〔息息〕 xīxī 한 숨 한 숨. 하나하나.
〔息息相关〕 xī xī xiāng guān 〈成〉 관계가 매우 밀접하다. ¶物价是与国民生活～的; 물가는 국민의 생활과 밀접히 연관돼 있다. =〔息息相通〕
〔息息相通〕 xī xī xiāng tōng 〈成〉 ⇨〔息息相关〕
〔息业〕 xīyè 동 ⇨〔休xiū业〕
〔息影〕 xīyǐng 동 〈文〉 은퇴하여 조용히 지내다. =〔息景〕〔息迹〕
〔息灾〕 xīzāi 명동 〖佛〗 식재(하다)《(부처의 힘으로) 일체의 재액을 없애다. 무사안태(無事安泰)하다》.
〔息债〕 xīzhài 명 이자를 물고 꾼 돈. 이자가 붙는 차용금. ¶把～还清就可以喘一口气了; 이자 붙는 돈을 갚아 버리면, 한 숨 돌릴 수 있다.
〔息争罢讼〕 xīzhēng bàsòng 싸움을 그만두고 소송을 취하하다. =〔息讼报词〕

熄 xī (식)
동 ①불이 꺼지다. 불을 끄다. ¶炉火已～; 난롯불은 이미 꺼졌다. ②멎다. ③망하다.

〔熄灯〕 xīdēng 동 등불·램프 따위를 끄다. ¶～就寝; 불을 끄고 잠을 자다. =〔息灯〕
〔熄风〕 xīfēng 동 〖漢醫〗 어지럼증·고열·경기(驚氣)·지랄병 등의 증세를 가라앉히다.
〔熄烽烟〕 xīfēngyān 동 ①봉화를 끄다. ②〈比〉 평화가 다시 오다. ¶万国同庆～; 모든 나라가 평화가 다시 온 것을 기뻐하다.
〔熄火〕 xī.huǒ 동 ①(등불이나 화로의 불을) 끄다. ②(엔진 등을) 정지하다. 끄다.
〔熄灭〕 xīmiè 동 ①(불이) 꺼지다. (불을) 끄다. ¶灯光～了; 등불이 꺼졌다. ②소멸하다. 소멸시키다. ¶～战火; 전쟁을 그만두다 / 大火已经～了; 큰 불은 이미 진화했다. ‖ =〔息灭〕

瘜 xī (식)
→〔瘜肉〕

〔瘜肉〕 xīròu 명 ⇨〔息xī肉〕

螅 xī (실)
→〔水shuǐ螅〕

奚 xī (해, 혜)
〈文〉 ①명 노예. 종. 하인. ②대 문어(文語)의 의문사(疑問詞). ㉠왜. 어째서. ¶～不去也? 왜 가지 않느냐? / 子～不为政? 당신은 왜 정치를 하시지 않습니까? =〔为什么〕 ㉡무엇. 어느. ¶子将～先? 당신은 무엇을 먼저 할 것입니까? =〔什么〕 ㉢어디. ¶水～自至? 물은 어디서 오는가? / 晨门曰, ～自? 子路曰, 自孔氏; 문지기 가로되, 어디서 오셨습니까? 자로가 대답하여 이르기를 공씨댁에서 왔습니다. =〔何处〕 ③명 성(姓)의 하나.

〔奚啻〕 xīchì 어찌 … 뿐이겠는가(… 정도가 아니다). ¶相去～天渊; 그 상위함은 하늘과 땅의 차이 정도가 아니다 / 以今比昔, ～霄壤; 오늘을 옛날에 비한다면 하늘과 땅의 차이도 이만저만한 것이 아니다.
〔奚儿〕 Xī'ér 명 〖史〗 동호(東胡)《옛날, 동북방의 이민족》. ¶不教～渡燕山; 동호로 하여금 연산(燕山)을 건너지 못하게 하다.
〔奚落〕 xīluò 동 ①(심한 말로) 놀리다. 조소〔조

롱]하다. 비웃다. 면박을 주다. 비난하다. ¶受到～; 희롱당하다. 면박을 받다 / 被他～了几句; 그에게 두세마디 희롱당했다 / 从没有～他, 更不必说动手了; 이제까지 그를 비웃어 본 적은 없으며, 하물며 손찌검은 말한 것도 없다 / 我本想挖苦他几句, 没想到反被他～了一番; 나는 본래 그에게 몇마디 비꼴려고 했는데 생각지도 못하게 오히려 그에게 한바탕 면박을 당했다. ②(남의 결점 따위를) 따지다〔힐난하다〕.

〔奚琴〕 xīqín 명《樂》 해금《옛날, 일종의 현악기》.

〔奚容〕 Xīróng 명 복성(複姓)의 하나.

〔奚事〕 xīshì 〈文〉 무엇 때문에. 어째서. ¶～烦恼; 왜 고민하는가. =〔什shén么事〕〔为wèi什么〕

〔奚奚〕 xīxī 형〈文〉 배가 (불룩) 큰 모양.

〔奚幸〕 xīxìng 동〈古白〉 ⇨〔傒倖〕

傒 xī (혜)
→〔傒倖〕

〔傒倖〕 xīxìng 동〈古白〉 마음 졸이다. 애태우다. 걱정하다. =〔奚幸〕

溪 xī〔〈舊〉 qī〕(계)
명 ①계류(溪流). 시내. ②골짜기. ‖=〔磎〕

〔溪菜〕 xīcài 명《植》 민물파래.

〔溪谷〕 xīgǔ 명 계곡.

〔溪壑〕 xīhè 명〈文〉골. 골짜기.

〔溪涧〕 xījiàn 명〈文〉 계간. 골짜기에 흐르는 시내. =〔涧溪〕

〔溪卡〕 xīkǎ 명〈音〉 장원(莊園)《티베트어(語)》.

〔溪流〕 xīliú 명 계류. 시냇물.

〔溪水〕 xīshuǐ 명 계수. 시냇물.

〔溪荪〕 xīsūn 명《植》 창포(菖蒲).

〔溪蟹〕 xīxiè 명《魚》 민물게의 일종.

〔溪鸭〕 xīyā 명 ⇨〔鸂鶒〕

徯 xī (혜)
〈文〉 ① 동 기다리다. ② 명 소로(小路). 오솔길. =〔蹊〕

〔徯径〕 xījìng 명〈文〉 오솔길.

磎 xī (계)
명 ⇨〔溪〕

螇 xī (혜)
《蟲》 ① 명 매미. ②→〔螇蚸〕

〔螇蚸〕 xīlì 명《蟲》 메뚜기.

蹊 xī (혜)
〈文〉 ① 명 소로(小路). 오솔길. ② 동 밟다. ⇒qī

〔蹊径〕 xījìng 명〈文〉 ①좁은 길. 오솔길. ②〈比〉(일을 진행시키는) 방법. 절차. 방책. ¶独辟～; 혼자의 힘으로 길을 개척하다 / 别开～; 따로 특별한 수법을 보이고 있다.

〔蹊跷〕 xīqiāo 명 자세한 내용. 숨겨져 있는 어떤 까닭. 수상쩍은 일. 이상한 일. ¶这件事有些～; 이 사건에는 좀 수상한 점이 있다 / 这总该有些～在里面; 여기에는 필시 무슨 곡절이 있음이 틀림없다. 형 괴상하다. 수상쩍다. ‖=〔跷蹊〕

谿 xī (계)
명〈文〉 계곡물. 시내. →〔溪xī①〕

〔谿壑〕 xīhè 명〈文〉 계곡. 골짜기.

〔谿卡〕 xīkǎ 명〈音〉 티베트의 관청이나 사찰 또는 귀족이 소유하던 장원(莊園).

〔谿刻〕 xīkè 형〈文〉 각박(刻薄)하다.

磎 xī (혜)
→〔勃bó磎〕

鸂(鸂) xī (계)
→〔鸂鶒〕

〔鸂鶒〕 xīchì 명《鳥》 비오리《원앙새 비슷하나 좀 큰 물새》. =〔紫鸳鸯〕〔溪鸭yā〕

鼷 xī (혜)
→〔鼷鼠〕

〔鼷鼠〕 xīshǔ 명《動》 생쥐. =〔〈文〉 甘gān鼠〕〔小家鼠〕

悉 xī (실)
① 동 알다. 상세히 알다. ¶熟～业务; 업무의 일을 잘 알고 있다 / 敬～一切; 일체의 사정을 잘 알았습니다. ② 동 다하다. ¶～力进行; 전력을 다해 진행하다. ③ 부 모조리. 죄다. ¶～数捐献; 전액(全額) 기부하다 / ～数购买公债; 전부〔모조리〕 공채를 사다. ④ 명 성(姓)의 하나.

〔悉力〕 xīlì 동〈文〉 온힘을 다하다. 전력을 기울이다〔쏟다〕. ¶～以赴; 있는 힘을 다 내다. 전력을 다해 일에 임하다.

〔悉尼〕 Xīní 명《地》 시드니(Sydney)《오스트레일리아의 항구 도시》. =〔雪xuě梨〕

〔悉尼先驱晨报〕 Xīní xiānqū chénbào 명 시드니 모닝 헤럴드《오스트레일리아의 신문 이름》.

〔悉数〕 xīshǔ 동〈文〉 전부 세다. 모두 열거(列擧)하다. ¶不可～; 전부 열거할 수는 없다. 셀 수가 없다. ⇒xīshù

〔悉数〕 xīshù 명〈文〉 전수(全數). 전부. 전액. ¶～奉还; 전액 반환하다 / ～都归国有; 모조리 국유로 돌아가다. =〔全quán数〕 ⇒xīshǔ

〔悉昙〕 xītán 명 ①〈梵〉〈音〉 실담(범 Siddam)《범어(梵語)의 자모(字母)》. ②길상 성취(吉祥成就)의 뜻.

〔悉听尊命〕 xītīng zūnmìng 만사 분부대로 하겠습니다.

〔悉悉索索〕 xīxisuǒsuǒ 〈擬〉 삭삭. 사각사각《종이 따위가 스치는 소리》.

〔悉心〕 xīxīn 동〈文〉 전심(專心)하다. 심혈을 기울이다. ¶～研究; 연구에 전심하다 / ～照料; 성심껏 돌보다.

窸 xī (실)
→〔窸窣〕

〔窸窣〕 xīsū 〈擬〉 바스락바스락. 사르륵사르륵《무엇이 서로 스치는 소리》. ¶窗边有～的声音, 看了就是有个虫子爬着呢; 창가에서 바스락 소리가 나서 보았더니 벌레가 기고 있었다.

蟋 xī (실)
→〔蟋蟀〕〔蟋蟀草〕

〔蟋蟀〕 xīshuài 명《蟲》 귀뚜라미. =〔〈方〉 蛐蛐儿qūqur〕〔趋趋qūqū〕〔促织cùzhi〕

〔蟋蟀草〕 xīshuàicǎo 명《植》 왕바랭이. =〔牛筋草〕

犀 xī (서)
① 명《動》 무소. 코뿔소. ② 형〈文〉 단단하다. 날카롭다. 견고하다. 예리하다. →〔犀利〕

〔犀兵〕 xībīng 명〈文〉〈比〉 정병(精兵).

〔犀带〕 xīdài 명 서대. 서각으로 장식한 허리띠《옛날, 관직에 있는 자가 패용했음》.

〔犀函〕 xīhán 명 ⇨〔犀甲〕
〔犀甲〕 xījiǎ 명〈文〉무소 가죽으로 만든 갑옷. =〔犀函〕
〔犀角〕 xījiǎo 명 무소의 뿔.
〔犀利〕 xīlì 형〈文〉(문장·말 따위가) 예리하다. (무기 등이) 날카롭다. ¶文wén笔～; 문장이 예리하다 / 目光～; 안광이 날카롭다 / 刀dāo锋～; 칼끝이 날카롭다 / ～的武器; 날카로운 무기 / 这是一把十分～的短剑; 이것은 매우 예리한 단검이다.
〔犀鸟〕 xīniǎo 명《鳥》코뿔새.
〔犀牛〕 xīniú 명《動》무소.

樨 **xī** (서)
→〔木mù樨〕

翕 **xī** (흡)
〈文〉①형 화합(和合)하다. ②동 따르다. ③동 합치다. 닫다. ¶一张一～; ⓐ하나는 열리고 하나는 닫혀져 있다. ⓑ열었다 닫았다 하다. ④동 (한 곳에) 모으다. 모이다. ⑤명 성(盛)한 모양.
〔翕动〕 xīdòng 동〈文〉(입술이) 열렸다 닫혔다 하다. =〔噏动〕
〔翕服〕 xīfú 동 모든 사람이 심복(心服)하다.
〔翕合〕 xīhé 동〈文〉합쳐 모이다. 끌어모으다. 규합하다.
〔翕赫〕 xīhè 형〈文〉성대한 모양.
〔翕然〕 xīrán 형〈文〉언론·행위가 일치되는 모양. 언행이 일치하는 모양.
〔翕受〕 xīshòu 동〈文〉모조리 받다. 합쳐 받다. 모아서 받다.
〔翕习〕 xīxí 형〈文〉①부드럽고 완만한 모양. ②배워 익숙해지다.
〔翕张〕 xīzhāng 동〈文〉닫았다 열었다 하다.

噏 **xī** (흡)
동 ①⇨〔吸xī〕 ②거두다. 수렴하다.
〔噏动〕 xīdòng 동 ⇨〔翕动〕

歙 **xī** (흡)
동〈文〉①숨을 들이쉬다. 빨다. ②모이다. ⇒Shè

裼 **xī** (석)
동〈文〉웃옷〔상반신〕을 벗다. =〔袒tǎn裼〕 ⇒tì

锡(錫) **xī** (석)
①명《化》주석(Sn: stannum). ②명 석장(锡杖)《중이 가지는 지팡이》. ③동〈文〉내려 주다. 하사하다. ¶～福; 복을 주다〔내리다〕/ ～恩ēn; 은혜를 주다〔베풀다〕. ④명 성(姓)의 하나.
〔锡安主义〕 Xī'ān zhǔyì 명〈音義〉시오니즘(Zionism). =〔西雄主义〕〔辑安主义〕〔犹yóu太复国主义〕
〔锡伯族〕 Xībózú 명《民》시보 족《중국 소수 민족의 하나》.
〔锡箔〕 xībó 명 ①석박. ②신불을 제사할 때 쓰는 소지(燒紙)의 하나로 납지(鑞紙)로 됨.
〔锡焊〕 xīhàn 명 납땜. =〔小焊〕
〔锡焊烙铁〕 xīhàn làotiě 명 납땜인두.
〔锡焊料〕 xīhànliào 명 땜납. =〔焊锡〕
〔锡壶〕 xīhú 명 주석제의 단지. 주석제의 주전자.
〔锡匠〕 xījiang 명 주석 세공인.
〔锡金〕 Xījīn 명《地》시킴(Sikkim)《인도 북동부의 주(州)의 이름》.
〔锡克教〕 Xīkèjiào 명《宗》〈音義〉시크교(sikhism). =〔西克教〕
〔锡镴〕 xīlà 명〈方〉①땜납. ②《化》주석.
〔锡兰〕 Xīlán 명《地》실론(Ceylon)《'斯sī里兰卡'(스리랑카)의 구칭(舊稱)》.
〔锡林〕 xīlín 명〈音〉실린더(cylinder). =〔圆柱(体)〕〔汽缸〕
〔锡奴〕 xīnú 명 탕파(湯婆). =〔汤tāng壶〕
〔锡器〕 xīqì 명 주석제의 기물. ¶～家伙; 주석제의 도구.
〔锡石〕 xīshí 명《鑛》석석. 주석석.
〔锡特〕 xītè 명〈音〉시티(city). =〔城市〕〔市〕
〔锡域尔律〕 xīyù'ěrlǜ 명《法》〈音〉시빌 로(civil law). =〔民法〕
〔锡杖〕 xīzhàng 명 석장. 탁발승이 짚는 지팡이.
〔锡纸〕 xīzhǐ 명 알루미늄박(箔). 은종이.
〔锡砖〕 xīzhuān 명 주석덩이.
〔锡嘴〕 xīzuǐ 명《鳥》콩새. =〔锡嘴雀〕〔〈方〉老lǎo锡儿〕

谑(譆) **xī** (희)
〈擬〉〈文〉한탄하고 슬퍼하는 소리. 아파서 신음하는 소리.

僖 **xī** (희)
〈文〉①형 기쁘다. 즐기다. =〔嬉〕〔喜xǐ〕 ②인명용 자.

嘻 **xī** (희)
①형 기뻐하는 모양. ¶～开嘴; 싱글싱글 입을 벌리다. ②형 놀라는 모양. ¶相视而～; 얼굴을 마주 보고 놀라다. ③감〈文〉아. 앗《놀라거나 분노·탄식·경멸할 때 내는 소리》. ¶～, 汝欲何为; 앗, 무엇을 하려는 것이냐. ④〈擬〉히히. 헤헤. 킥킥《웃는 소리》.
〔嘻和(儿)〕 xīhe(r) 명 상냥한 얼굴. 좋은 인상. ¶递～; (남에게) 상냥한 얼굴을 하다. 형 상냥하다. 붙임성이 있다. 인상이 좋다. ¶下个气儿和他们的管事的～～; 마음을 고쳐 먹고 상대방 집사에게 붙임성 있게 굴었다. ‖=〔嬉和(儿)〕〔嬉哈(儿)〕〔喜哈(儿)〕
〔嘻和蔼和〕 xīhe ǎihe〈京〉싱글싱글 기분좋게. 온화한 태도로. 붙임성 있는 태도로. ¶店员们～地都把买卖做成了; 점원들은 온화한 태도로 거래를 성사시켰다 / 他真是心宽, 无论多要紧的事都那么～地就办了; 그는 정말 마음이 넓은 사람이다. 아무리 중요한 일이라도 저렇게 싱글싱글 기분 좋게 처리한다.
〔嘻闹〕 xīnào 동 (아이들이) 떠들어 대다. 웃고 떠들다.
〔嘻皮笑脸〕 xī pí xiào liǎn〈成〉①생긋생긋 웃는 모양. ②히죽히죽하는 모양. 헤헤거리는 모양. ¶他～怪声贼气地向小兰说; 그는 히죽 히죽 웃으면서 징그러운 목소리로 소란에게 말했다. ‖=〔嬉皮笑脸〕
〔嘻天哈地〕 xī tiān hā dì〈成〉크게 기뻐하는 모양. ¶～地接过去了; 크게 기뻐하며 받았다.
〔嘻嘻〕 xīxī〈擬〉생글생글. 방긋방긋. 히죽히죽. ¶～地笑; 생글생글 웃다. 히죽히죽 웃다. =〔嬉嬉〕〔唏唏〕
〔嘻嘻嘎嘎〕 xīxī gāgā〈擬〉껄껄〔깔깔〕웃는 모양.
〔嘻嘻哈哈〕 xīxī hāhā〈擬〉우하하. 호호하다《거리낌없이 소리내어 웃는 모양》. ¶～地笑; 우하하하고 웃다. =〔嬉嬉哈哈〕〔唏唏哈哈〕
〔嘻笑〕 xīxiào 동 히히거리다. 장난치며 웃다. →〔笑嘻嘻(的)〕
〔嘻笑怒骂〕 xī xiào nù mà〈成〉⇨〔嬉笑怒骂〕
〔嘻嘴〕 xī,zuǐ 동 (입가에) 웃음짓다.

물 야적 곳간).
〔席法布〕 xífābù 명 《紡》 레프(rep)《외래 무명 직물의 일종. 삿자리 같은 무늬가 있으며 실내 장식으로 씀》. =〔夕xī法布〕
〔席丰履厚〕 xí fēng lǚ hòu 〈成〉 ①조상으로부터 물려 받은〔대물림된〕 재산이 있어 풍족함. ②환경이 좋아 행복함〔유복함〕. ¶享xiǎng受～的生活; 풍족한 생활을 누리다.
〔席间〕 xíjiān 명 〈文〉 (회의·연회 등의) 석상(席上).
〔席卷〕 xíjuǎn 동 석권하다. 휩쓸다. ¶～天下; 천하를 석권하다 / ～所有; 전체를 말끔히 거두어 가지다 / ～而逃; 하나도 남김없이 거두어 가지고 달아나다 / 暴风雪～草原; 심한 눈보라가 초원을 휩쓸다.
〔席面〕 xímiàn 명 연석(宴席)(에 차린 맛있는 음식〔요리〕). ¶～上的应酬话; 연회 석상에서 주고받는 말.
〔席篾〕 xímiè 명 ⇨〔细xì篾儿〕
〔席末〕 xímò 명 말석.
〔席片〕 xípiàn 명 거적. 자리.
〔席票〕 xípiào 명 한 테이블 이상의 연회석 요리의 초대권.
〔席铺〕 xípù 명 (거적자리 따위로) 둘러친 집.
〔席上〕 xíshang 명 석상. 집회의 자리. ¶在～发言; 집회 석상에서 발언하다.
〔席上之珍〕 xí shàng zhī zhēn 〈成〉 재주가 있으나 아직 사환(仕宦)하지 않은 사람《본래는 유학자의 학덕을 석상(席上)의 진품(珍品)에 비유한 말임》.
〔席位〕 xíwèi 명 자리. 지위. 의석(議席). ¶合法～; 합법적인 의석 / 在野党占百分之四十的～; 야당은 40%의 의석을 차지한다.
〔席仪〕 xíyí 명 연회석의 예의. ¶在酒会上注意～; 파티에서는 연회석에서 지켜야 할 예의를 주의해야 한다 / 赴国宴前在礼宾司演习～; 나라에서 베푸는 초대연에 나가기 전에 의전실(儀典室)에서 연회석의 예의를 연습한다.
〔席子〕 xízi 명 〈方〉 거적. 삿자리.

觋(覡) xí (격)
명 〈文〉 박수. 남자 무당. =〔男nán巫〕

袭(襲) xí (습)
①동 덮치다. 습격하다. ¶夜～; 야습 / 空～; 공습. ②동 〈轉〉 엄습하다. 파고들다. ¶寒气～人; 추위가 사람들을 엄습하다. ③동 관례대로 하다. 답습하다. ¶因yīn～; 인습 / 沿～; 관례를 답습하다. ④동 세습하다. 계승하다. ¶世～; 세습(하다). 대를 이어 계승하다. ⑤동 빼앗다. ¶抄chāo～; 표절하다. =〔袭取〕 ⑥동 거듭하다. 겹치다. ⑦양 벌. 습《옛날, 갖춰진 옷을 세는 단위》. ¶衣一～; 의복 일습〔한 벌〕. ⑧명 성(姓)의 하나.
〔袭步〕 xíbù 명 습보《(마술(馬術)의) 갤럽(gallop)》. =〔大跑〕
〔袭藏〕 xícáng 동 몇 겹으로 싸서 소중히 보존하다. 비장(秘藏)하다.
〔袭蹈〕 xídǎo 동 ⇨〔蹈dǎo袭〕
〔袭敌后路〕 xídí hòulù 적의 후방을 습격하다.
〔袭夺〕 xíduó 동 불의(不意)를 틈타서 빼앗다. 기습하여 탈취하다.
〔袭封〕 xífēng 동 옛날, 세습적으로 계승이 허용된 작위에 오르다. =〔袭爵〕
〔袭官〕 xíguān 동명 ⇨〔袭职〕
〔袭击〕 xíjī 명동 습격(하다). 기습(하다). ¶突然～; ⓐ기습 공격. ⓑ예고 없는 테스트.
〔袭爵〕 xíjué 동 ⇨〔袭封〕
〔袭取〕 xíqǔ 동 ①습격하여 탈취하다. ②그대로 이어받다. 답습하다.
〔袭扰〕 xírǎo 동 덮쳐서 교란시키다.
〔袭受〕 xíshòu 동 이어받다.
〔袭用〕 xíyòng 동 그전대로 답습하여 쓰다. 그대로 본따다.
〔袭占〕 xízhàn 동 습격하여 점령하다.
〔袭职〕 xízhí 동 관직을 계승하다. 명 세습의 관직. ‖ =〔袭官〕

媳 xí (식)
명 며느리. ¶婆pó～; 시어머니와 며느리. =〔儿媳〕
〔媳妇〕 xífù 명 ①며느리. ¶大～; 장남의 아내. 큰며느리 / 娶～; 며느리를 얻다 / ～好做, 婆婆难当; 〈諺〉 며느리 노릇은 쉽고, 시어머니 노릇은 어렵다 / 丑～怕见公婆; 〈諺〉 못생긴 며느리, 시부모 만나기 싫어한다. ②친족 중 항렬이 아래인 사람의 아내《앞에 친족 명칭을 붙임》. ¶侄zhí～; 질부 / 孙sūn～; 손부.
〔媳妇儿〕 xífur 명 〈方〉 ①아내. 색시. ¶他还没有娶～呢; 그는 아직 색시를 얻지 못하였다 / 我给你说好～; 자네에게 좋은 색싯감을 얻어주지. ②기혼(旣婚)의 젊은 여자. ↔〔闺女〕 ③젊은 아내. ¶大闺女和小～; 혼기가 찬 딸과 젊은 아내.

锶(鍶) xī (석)
명 《化》 스트론튬(Sr: strontium).

隰 xí (습)
명 〈文〉 ①저습(低濕)한 곳. 습지. ②(Xí) 《地》 시현(隰縣)《산시 성(山西省)에 있는 지명》. ③성(姓)의 하나.
〔隰草〕 xícǎo 명 저습한 땅에 나는 국화·쑥 따위의 풀.

檄 xí (격)
①명 격문. ¶向全国传～; 전국에 격문을 띄우다. =〔檄文〕〔檄书〕 ②동 〈文〉 격문을 띄우다〔돌리다〕.

洗 xǐ (세)
①동 씻다. ㉠(물이나 기름 따위로) 빨다. 깨끗이 하다. ¶干～; 드라이 클리닝(하다) / 水～; 물로 씻다〔빨다〕 / ～脸; ⇩ / ～澡; ⇩ ㉡억울한 죄·누명 따위를 벗다 / ～雪; ⇩ / 把大家～出来了; 여러 사람의 억울한 죄를 밝혔다. ②동 (필름·사진을) 현상하다. ¶～胶卷; 필름을 현상하다 / ～相片; 사진을 인화하다 / ～, 印, 放; 현상·인화·확대(DPE). =〔冲洗〕 ③동 (카드패 따위를) 뒤섞어 치다. ④동 없애다. 제거〔숙청〕하다. ¶把恶习～去; 악습을 제거하다 / 清～坏分子; 악질 분자를 숙청하다. ⑤동 (공락(攻落)한 지역 주민을) 대학살하다. 몰살하다. ¶～城; ⇩ / 敌寇把整个村子～了; 적이 한 마을 전체 주민을 살륙했다. ⑥동 샅샅이 찾다. 구석구석 뒤지다. 몸수색을 하다. ¶我要～你; 너의 몸수색을 해야겠다. ⑦동 옷을 벗겨 빼앗다. ⑧동 고쳐 써서 위조하다. ⑨명 세례(洗禮). ¶受～; 세례〔영세〕를 받다. ⑩명 물건을 씻는 그릇. ¶笔～; 필세. 붓 씻는 그릇. ⇒xiǎn
〔洗剥〕 xǐbāo 동 ①씻어 (껍질을) 벗기다. ②벗겨 빼앗다. 털다. ¶叫强盗～了; 강도에게 몸에 걸친 것을 몽땅 털렸다.
〔洗兵〕 xǐbīng 동 〈文〉 무기를 씻어서 치우다《평화

가 되어 다시는 전쟁을 하지 않음). =〔洗甲〕
〔洗不掉〕 xǐbùdiào 씻어도 지지 않다〔안 빠지다〕.
〔洗尘〕 xǐchén 동 잔치를 베풀어 원래(遠來)의 객(客)을 환영하다. ¶给他～; 그를 위해 환영회를 열다. =〔接jiē风〕〔洗泥〕
〔洗城〕 xǐ·chéng 동 전 도시의 주민을 몰살시키다. =〔屠tú城〕
〔洗池〕 xǐchí 명 부엌의 개수통〔설겆이대〕.
〔洗荡〕 xǐdàng 동 더러운 것을 씻어버리다.
〔洗涤〕 xǐdí 동 세정하다. 세척하다. ¶～丝织品; 견직물을 물에 빨다 / ～器; 세정기 / ～粉; 세척분. =〔选濯zhuó〕〔荡dàng涤〕
〔洗涤剂〕 xǐdíjì 명 세제. 세정제.
〔洗掉〕 xǐ·diào 동 씻어버리다. ↔〔洗不掉〕
〔洗耳〕 xǐ'ěr 동 ①경청하다. ②〈文〉 속세의 일을 듣지 않도록 노력하다.
〔洗耳恭听〕 xǐ ěr gōng tīng 〈成〉 귀를 씻고 공손히 듣다(남에게 이야기를 부탁할 때의 말). ¶请您就说吧, 我们大家都～! 바로 말씀해 주시지요, 저희들 모두 경청할 테니까요. 注 현재에는 흔히 풍자·농담기가 포함됨.
〔洗发〕 xǐ·fà 동 세발하다. 머리를 감다. ¶～粉; 가루 샴푸 / ～剂 =〔～精〕; 샴푸. =〔洗头〕
〔洗粉〕 xǐfěn 명 《化》 탄산 수소 나트륨. =〔梳shū打洗粉〕
〔洗垢求瘢〕 xǐ gòu qiú bān 〈成〉 일부러 흠을 들추어 내다. =〔洗垢索瘢〕
〔洗刮〕 xǐguā 동 긁어내고 씻다. ¶把刚宰好了的猪～干净, 再开膛; 갓 도살한 돼지는 털을 깨끗이 긁어내고 씻은 다음 칼질을 한다.
〔洗锅水〕 xǐguōshuǐ 명 사용한 솥을 씻은 물. ¶他们家的连～都好呢; 저 집의 것은 솥 씻은 물도 맛이 있다(먹는 것이 호사스럽거나, 또는 요리 솜씨가 좋은 일).
〔洗海(水)澡〕 xǐ hǎi(shuǐ)zǎo 해수욕을 하다.
〔洗甲〕 xǐjiǎ 동 〈文〉 ⇨〔洗兵〕 명 제광액(除光液).
〔洗碱〕 xǐ jiǎn (간척지 등에서) 소금기를 씻어 내다.
〔洗劫〕 xǐjié 동 아무것도 남기지 않고 빼앗다. 모조리 빼앗다. ¶～一空; 아무것도 남기지 않고 약탈하다 / ～村庄的骇hài人罪行; 촌락을 몽땅 약탈하는 놀라운 범죄 행위.
〔洗金〕 xǐjīn 동 도금하다.
〔洗净〕 xǐjìng 동 깨끗이 씻다. 세척하다. ¶～伤口; 상처를 씻어 깨끗이 하다 / ～剂; (금속의) 세척제.
〔洗礼〕 xǐlǐ 명 ①《宗》 세례. =〔点diǎn水礼〕〔圣shèng洗〕〔浸礼〕〔蘸礼〕 ②〈比〉 쏟아지는 공격·비난·제재 따위. ¶遭受血的～; 피의 세례를 받다.
〔洗脸〕 xǐliǎn 동 얼굴을 씻다. 세수하다. ¶～水; 세숫물 / ～间; 화장실.
〔洗脸架〕 xǐliǎnjià 명 세면대. =〔脸盆架子〕
〔洗练〕 xǐliàn 동 ①세련하다. ②(문장을) 퇴고(推敲)하다. 생각을 다듬다. 형 (문장 등이) 세련되다. 잘 다듬어져 있다. ‖ =〔洗炼〕
〔洗煤〕 xǐméi 명 《鑛》 세탄(洗炭). ¶～厂; 선탄장(選炭場). (xǐ·méi) 동 세탄하다.
〔洗脑〕 xǐnǎo 명동 사상(思想) 개조(를 하다). 세뇌(하다).
〔洗牌〕 xǐ·pái 동 (마작·트럼프 등의) 패를 섞다. ¶麻将是四个人一块儿～, 扑克牌是庄家～; 마작은 네 사람이 함께 패를 뒤섞고, 카드는 선이 패를 뒤섞는다.
〔洗盆子〕 xǐ pénzi ①욕조(浴槽)에서 목욕하다. ②(공동탕에서) 목욕하다.
〔洗瓶刷〕 xǐpíngshuā 명 병 씻는 솔. =〔洗瓶〕
〔洗漆水〕 xǐqīshuǐ 명 페인트·래커 등의 제거액(除去液).
〔洗气器〕 xǐqìqì 명 《機》 공기 세광기(洗鑛器).
〔洗清〕 xǐqīng 동 ①(더러움·오염 등을) 깨끗이 씻다. 씻어서 깨끗이 하다. ¶～罪名; 죄명을 깨끗이 씻다. ②일소(一掃)하다. 깨끗이 제거하다. 완전히 없애다.
〔洗清白〕 xǐ qīngbái 자신의 결백을 입증하다. ¶用事实～; 사실로써 결백을 입증하다.
〔洗染〕 xǐrǎn 동 옷을 빨아 재양치거나 염색을 하다. ¶～房; 세탁집.
〔洗染店〕 xǐrǎndiàn 명 세탁소. 세탁과 염색을 하는 가게.
〔洗三〕 xǐsān 명 옛날, 아기가 태어난 지 사흘째 되는 날에 아기를 목욕시키고 친척·친지를 불러 축하연을 벌이는 의식. =〔洗儿〕
〔洗沙〕 xǐshā 명 걸러서 곱게 만든 팥소. =〔澄dèng沙〕
〔洗身〕 xǐshēn 동 〈廣〉 목욕을 하다.
〔洗手〕 xǐshǒu 동 ①손을 씻다. ¶～间; 화장실. ②〈比〉 나쁜 일에서 손을 떼다. 올바른〔떳떳한〕 직업을 갖다. ¶～焚香; 기생이 기적(妓籍)에서 몸을 빼다. =〔洗手不干〕 ③〈比〉 (어떤 직업을) 그만두다. ④화장실에 가다.
〔洗漱用具〕 xǐshù yòngjù 세면용구. =〔洗漱用品〕〔牙具〕
〔洗刷〕 xǐshuā 동 ①씻어 깨끗이 하다. 씻고 닦다. ②(억울한 죄·치욕을) 벗다〔씻다〕.
〔洗头〕 xǐ·tóu 동 ⇨〔洗发〕
〔洗脱〕 xǐtuō 동 ①(죄명(罪名) 따위를) 씻어 없애다. ②변명하다. 책임 회피를 하다.
〔洗胃〕 xǐwèi 명 《醫》 위세척.
〔洗心〕 xǐxīn 동 개심(改心)하다. 잘못을 고치어 갱생하다.
〔洗心革面〕 xǐ xīn gé miàn 〈成〉 마음을 고쳐먹어 악(惡)에서 손을 떼다. 개과 천선(改過遷善)하다.
〔洗选〕 xǐxuǎn 동 물로 씻어 선별하다.
〔洗削〕 xǐxuē 동 ⇨〔洗雪〕
〔洗雪〕 xǐxuě 동 (누명·치욕·원한을) 씻다. ¶～耻辱; 치욕을 씻다. =〔洗削〕〔洗冤〕
〔洗眼〕 xǐyǎn 동 ①주의하여 보다. ¶～看; 주의하여 보다〔살피다〕. ②세안하다. ¶～杯; 《醫》 세안용 컵.
〔洗业〕 xǐ·yè 동 〈文〉 전의 죄업을 깨끗이 씻다. 속죄하다. ¶洗尽一生罪业; 일생의 죄업을 씻다.
〔洗衣〕 xǐyī 동 세탁하다. 빨래하다. ¶～房 =〔～局〕〔～铺〕; 세탁소.
〔洗衣板〕 xǐyībǎn 명 빨래판.
〔洗衣粉〕 xǐyīfěn 명 가루 비누.
〔洗衣机〕 xǐyījī 명 《機》 (전기) 세탁기.
〔洗衣夹〕 xǐyījiā 명 빨래 집게. =〔洗衣夹子〕
〔洗衣碱〕 xǐyījiǎn 명 세탁 소다. 세탁용 양재물.
〔洗衣匠〕 xǐyījiàng 명 옛날, 세탁공.
〔洗衣刷〕 xǐyīshuā 명 세정용 솔. 세탁 솔.
〔洗衣作〕 xǐyīzuō 명 〈文〉 옛날, 세탁소.
〔洗印〕 xǐyìn 동 (필름을) 현상·인화(印畫)하다. ¶～间; 인화실. 명 현상과 인화. ‖ =〔冲晒〕
〔洗浴〕 xǐyù 동 ⇨〔洗澡〕
〔洗冤〕 xǐyuān 동 ⇨〔洗雪〕
〔洗澡〕 xǐ·zǎo 동 목욕〔입욕〕하다. ¶洗冷水澡; 냉수욕을 하다 / ～间; 욕실. =〔洗浴〕

〔洗整〕 xǐzhěng 동 씻어 가지런히 하다. ¶社员们正在～新鲜蔬菜, 准备上市; 공사의 사원들은 신선한 야채를 씻어서 출하 준비를 하고 있다.
〔洗爪子〕 xǐ zhuǎzi 손톱을 씻다('손을 씻다'의 해학적 표현).
〔洗濯〕 xǐzhuó 동 ⇨〔洗涤〕

铣(銑) xǐ (선) 동 〔機〕 선반(旋盤) 따위로 철을 깎아 일정한 모양으로 만들다. ⇒ xiǎn
〔铣槽〕 xǐcáo 명 홈을 파는 일.
〔铣齿轮刀〕 xǐchǐ lúndāo 명 ⇨〔齿轮铣刀〕
〔铣床〕 xǐchuáng 명 〔機〕 프레이즈반. 밀링 머신.
〔铣刀〕 xǐdāo 명 〔機〕 프레이즈(fraise). 밀링 커터. ¶平面～; 단면(端面)〔평면〕 절삭(切削) / 侧cè面刃～; 측면 절삭.
〔铣刀杆〕 xǐdāogǎn 명 〔機〕 커터 아버축(cutter arbor軸).
〔铣工〕 xǐgōng 명 ①프레이즈반 작업. ②프라이즈반공(工).
〔铣面刀〕 xǐmiàndāo 명 〔機〕 정면(正面) 절삭기.
〔铣切〕 xǐqiē 동 밀링 머신으로 깎다. 절삭하다.
〔铣削〕 xǐxiāo 동 (금속을) 밀링 머신으로 가공하다.

枲 xǐ (시) 명 〔植〕 대마(大麻)의 수포기(꽃만 피고 열매를 맺지 않음). =〔枲麻〕〔花麻〕

玺(璽〈鉩〉) xǐ (새) 명 ①도장. 인장. ②인발. 인영(印影). ③천자(天子)의 인. 옥새.

葸 xǐ (사, 시) 동 〈文〉 ①흠칫거리다. 두려워하다. ¶畏wèi～不前; 두려워 뒷걸음질 치다. ②기뻐하지 않다. 불만으로 여기다. ¶言善而色～; 하는 말은 온건하지만 안색은 불만스러워 보인다.

徙 xǐ (사) 동 ①옮다. ②옮기다. 이동하다. ¶～居jū; 이사하다. ③넘다.
〔徙边〕 xǐbiān 동 범인을 변경으로 귀양 보내다. 유배하다.
〔徙贯〕 xǐguàn 동 〈文〉 ①적(籍)을 옮기다. ②전주(轉住)하다. 이사하다.
〔徙薪曲突〕 xǐ xīn qū tū 〈成〉 장작을 다른 데로 옮기고 굴뚝을 구부려서 화재 방비를 하다(화근을 미연에 방지하다). =〔曲突徙薪〕
〔徙倚〕 xǐyǐ 동 〈文〉 만보(漫步)하다. 배회하다.
〔徙宅忘妻〕 xǐ zhái wàng qī 〈成〉 집을 옮기고 아내는 그대로 둔 채 잊다(멍청이·정신 빠진 사람의 형용).
〔徙置〕 xǐzhì 명동 〈文〉 배치 전환(配置轉換)(하다). ¶～人数; 이동 인원수.

蓰 xǐ (사) ①명 〈文〉 다섯 곱. 5배. ¶倍～; 2배와 5배 / 其价或相倍～; 그 가격은 갑절 내지 5배나 한다. ②형 번거로운. =〔蓰蓰〕

屣 xǐ (사, 시) ①명 〈文〉 신발. ¶弃之若敝～; 헌신짝 버리듯 하다. ②동 신발을 걸치다. ¶倒dào～; 신발을 거꾸로 발에 걸치다(황급히 사람을 마중 나오는 모양).
〔屣履〕 xǐlǚ 동 (허둥지둥) 신을 걸치다〔끌다〕. ¶～起迎; 신을 걸친 채 일어나서 손님을 맞다. 황급히 손님을 맞이하다.

喜 xǐ (희) ①동 기뻐하다. 즐거워하다. ¶～出望外; 뜻밖의 기쁨 / 可～可贺; 경사를 축하드립니다 / 新～新～; 새해 복 많이 받으십시오. ②명 경사스러운 일(특히 결혼에 관한 일). ¶贺～; 경하하다 / 报～; 길보(吉報)를 알리다. ③명 〈口〉 임신. ¶害～; 입덧이 나다 / 不知道她是病还是～; 그녀가 병이 난 건지 임신을 한 건지 모르겠다. ④동 좋아하다. ¶好hào大～功; 큰 일을 해서 큰 공을 세울 것만 생각하다 / ～读书; 독서를 좋아하다 / 性～钻研; 본디 연구하기를 좋아한다. ⑤동 생물이 어떤 환경에 적응하다. ¶玉簪花～阴不～阳; 옥잠화는 그늘에서는 잘 자라고 양지에서는 자라지 않는다 ⑥동 어떤 물질이 다른 물질과 잘 맞는다. ¶海带～荤, 最好跟肉一起炖; 다시마는 육류와 맞으므로, 고기와 함께 끓이는 것이 제일이다. ⑦명 성(姓)의 하나.
〔喜爱〕 xǐ'ài 동 좋아하다. 호감을 갖다. 흥미를 느끼다. ¶逗人～; 남에게 호감을 갖게 하다〔주다〕 / 她从小就～音乐; 그녀는 어릴 적부터 음악을 좋아했다. =〔喜欢huan〕〔喜好hào〕〔爱〕
〔喜报〕 xǐbào 명 희소식. 기쁜 소식. 좋은 소식. 길보. 낭보. ¶立功～; 공을 세운 소식 / 试验成功了, 快出～! 시험은 성공이다, 빨리 기쁜 소식을 보내라!
〔喜报子〕 xǐbàozi 명 옛날, 관리 등용 시험의 합격 통지나 승진의 소식을 본인에게 통보하는 사적인 서찰.
〔喜病〕 xǐbìng 명 〔醫〕 입덧. ¶害～; 입덧을 하다.
〔喜布〕 xǐbù 명 혼례 당일에 신부의 어머니가 신부에게 주는 타월 크기의 흰 천. =〔喜巾〕〔喜帕〕
〔喜冲冲(的)〕 xǐchōngchōng(de) 형 기쁨을 누르지 못하는 모양. 기쁨에 넘쳐 있는 모양. ¶他～地走了进来; 그는 매우 기쁜 얼굴로 들어왔다.
〔喜出望外〕 xǐ chū wàng wài 〈成〉 ⇨〔喜自天来〕
〔喜词儿〕 xǐcír 명 축하 말.
〔喜戴高帽〕 xǐdài gāomào 〈比〉 아첨 받는 것을 좋아하다. 치살림에 쉽게 넘어가다. 허세부리기를 좋아하다.
〔喜蛋〕 xǐdàn 명 〈方〉 ⇨〔喜果(儿)②〕
〔喜对儿〕 xǐduìr 명 경사스러운 일이 있을 때, 써서 축하하는 문구의 대련(對聯).
〔喜房〕 xǐfáng 명 ①신혼 부부의 방. 신방. ②신식 결혼 때의 신부의 휴게실. ③신부 화장실.
〔喜封(儿)〕 xǐfēng(r) 명 옛날, 경사 때에 하인에게 주던 행하(行下)(붉은 봉투에 넣어서 줌).
〔喜歌儿〕 xǐgēr 명 ①경축의 말〔글귀〕. ②거지가 경사가 있는 집에 가서 돈을 얻어내려고 부르는 노래. ¶念～; 거지가 경사가 있는 집에 가서 돈을 얻으려고 노래를 부르다.
〔喜光植物〕 xǐguāng zhíwù 명 ⇨〔阳yáng性植物〕
〔喜果(儿)〕 xǐguǒ(r) 명 ①옛날, 약혼이나 결혼 때에 초대 손님·친척·친구에게 나누어 주던 건과(乾果)(땅콩·대추·밤 따위). ②〈方〉 아기를 낳았을 때 돌리는 빨갛게 칠한 삶은 계란. =〔红蛋〕〔喜蛋〕
〔喜哈(儿)〕 xǐhā(r) 명형 ⇨〔嘻xī和(儿)〕
〔喜好〕 xǐhào 동 ⇨〔喜爱〕
〔喜耗〕 xǐhào 명 기쁜 소식. 반가운 소식. ↔〔恶è耗〕

〔喜贺〕 xǐhè 동 축하하다.
〔喜红〕 xǐhóng 명 경사용의 빨간 종이.
〔喜欢〕 xǐhuan 동 ①기뻐하다. 즐거워하다. ②좋아하다. 애호하다. 호감을 갖다. 마음에 들다. ¶我不～他; 나는 그를 싫어한다/我～打网球; 나는 테니스를 좋아한다/你～吃什么? 자넨 무엇(을 먹는 것)을 좋아하나?/你～呢, 就买下; 마음에 드시면 사십시오/我～看电影儿; 나는 영화 보는 것을 좋아한다. 형 유쾌하다. 기쁘다. 즐겁다. ¶喜喜欢欢过春节; 즐겁게 구정(舊正)을 세다/～得不得了liǎo; 매우 기뻐하다.
〔喜轿〕 xǐjiào 명 (시집 가는) 신부가 타는 가마. =〔宝bǎo轿〕〔花huā轿〕
〔喜巾〕 xǐjīn 명 ⇨〔喜布〕
〔喜金〕 xǐjīn 명 ⇨〔喜钱〕
〔喜津津(的)〕 xǐjīnjīn(de) 형 기뻐서 싱글벙글하는 모양. 기쁨이 복받치는 모양.
〔喜近〕 xǐjìn 동 〈文〉 …과 친하다. …을 기꺼이 하다. 애호하다. ¶～文事; 문예에 관한 일을 가까이하다.
〔喜敬〕 xǐjìng 축결혼(혼례식의 부주를 싸는 종이에 쓰는 글자). =〔喜仪〕
〔喜酒〕 xǐjiǔ 명 ①축하술. ②결혼 축하술. 〈轉〉 결혼 축하연〔피로연〕. ¶喝～; ⓐ결혼의 잔치술을 마시다. ⓑ혼례에 참석하다.
〔喜剧〕 xǐjù 명 《劇》 희극. ¶～性; 희극적. 희극성. 코믹. =〔谐xié剧〕
〔喜聚不喜散〕 xǐjù bùxǐsàn 〈諺〉 사람이 모이는 것을 기뻐하고, 뿔뿔이 흩어지는 것을 싫어하다.
〔喜客〕 xǐkè 동 〈文〉 손님이 오는 것을 기뻐하다. 손님을 반기다.
〔喜蜡〕 xǐlà 명 ⇨〔喜烛〕
〔喜乐〕 xǐlè 동 기뻐하고 즐기다. 명 기쁨과 즐거움.
〔喜礼〕 xǐlǐ 명 축하 선물.
〔喜联〕 xǐlián 명 결혼할 때 쓰이는 대련(對聯).
〔喜溜〕 xǐliu 형 ①온화하여 호감을 주다. ②유쾌하다. 즐겁다. 명랑〔쾌활〕하다. ¶人尖子, 怪～的个人儿; 빼어나고 무척 유쾌한 사람이다.
〔喜马拉雅山〕 Xǐmǎlāyǎ shān 명 《地》〈音〉 히말라야(Himalaya) 산맥.
〔喜脉〕 xǐmài 명 임신 징후의 맥(3개월이면 나타남).
〔喜眉笑眼〕 xǐ méi xiào yǎn 〈成〉 희색이 만면한 얼굴(매우 기쁨).
〔喜梦〕 xǐmèng 명 길몽. 좋은 꿈.
〔喜咪咪(的)〕 xǐmīmī(de) 형 히죽히죽〔벙글벙글〕 웃는 모양. →〔笑嘻嘻(的)〕
〔喜面〕 xǐmiàn 명 경사 때 먹는 국수.
〔喜母〕 xǐmǔ 명 ⇨〔喜蛛〕
〔喜娘〕 xǐniáng 명 혼례 때 새색시를 따라가는 하녀(下女).
〔喜怒〕 xǐnù 명 희로. 기쁨과 노여움. ¶～无常; 〈成〉 기쁨과 노여움이 일정치 않다(매우 변덕스럽다).
〔喜怒哀乐〕 xǐ nù āi lè 〈成〉 희로애락.
〔喜帕〕 xǐpà 명 ⇨〔喜布〕
〔喜棚〕 xǐpéng 명 잔치 때, 발 따위를 쳐서 마당에 임시로 마련한 축하의 자리.
〔喜期〕 xǐqī 명 결혼 날짜.
〔喜气〕 xǐqì 명 ①희색. 기쁜 빛. 기쁨의 분위기. ¶～洋洋; 〈成〉 기쁨에 넘치는 모양/给他家带来一点～; 그의 집에 적이 기쁨을 가져다 주다/满脸～; 희색이 만연하다. =〔喜色〕 ②좋은 운수. 재수.
〔喜气扬眉〕 xǐqì yángméi 기쁨이 넘치고, 득의양양한 모양.
〔喜洽〕 xǐqià 형 기뻐하다. 온화하다. ¶模mú样儿十分～; 얼굴이 아주 온화하고 기쁨에 넘쳐 있다.
〔喜钱〕 xǐqián 명 옛날, 경사 때에 하인 등에게 주는 행하〔위로금〕. =〔喜封(儿)〕〔喜金〕〔喜赏〕
〔喜庆〕 xǐqìng 명 기쁨. 경사. 형 경사스럽다. ¶～日子; 경사스러운 날.
〔喜雀〕 xǐque 명 ⇨〔喜鹊〕
〔喜雀登枝〕 xǐquè dēngzhī ①경사스러운 일이 생길 조짐. ②관리가 되다. ③비위를 맞추어 좋은 자리를 맡다. ④발로 세게 걷어차는 무술 동작.
〔喜鹊〕 xǐque 명 《鳥》 까치. ¶～喳zhā喳叫; 까치가 짹짹 울다. =〔喜雀〕〔干gān鹊〕〔野yě鹊子〕
〔喜鹊鸭〕 xǐqueyā 명 ⇨〔鹊鸭〕
〔喜人〕 xǐrén 형 남을 기쁘게 하다. 믿음직하다. 흡족하다. ¶这里虽是久旱不雨, 庄稼长得仍是茁zhuó壮～, 丰收在望; 이곳은 가뭄이지만, 농작물은 잘 자라 만족스럽고, 풍작은 틀림없다/～景象; 흡족한 현상〔모습〕.
〔喜日〕 xǐrì 명 ①경사스러운 날. ②혼례일(婚禮日).
〔喜容(儿)〕 xǐróng(r) 명 ①생존중(生存中)의 초상화(肖像畫). ②기뻐하는〔즐거워하는〕 표정. =〔喜神②〕
〔喜色〕 xǐsè 명 희색. 기뻐하는 표정. ¶面有～; 기쁜 표정을 하고 있다. =〔喜气①〕
〔喜赏〕 xǐshǎng 명 ⇨〔喜钱〕
〔喜上加喜〕 xǐ shàng jiā xǐ 〈成〉 기쁨이 겹치다. 이중의 기쁨(이다).
〔喜舍〕 xǐshě 동 희사하다. 기꺼이 절에 기부하고, 가난한 자에게 베풀다.
〔喜神〕 xǐshén 명 ①길방(吉方)의 신(神). 재수를 맡는다는 신. ② ⇨〔喜容(儿)②〕
〔喜事〕 xǐshì 명 ①경사. 기쁜 일. ¶办～; 경사를 치르다. ②결혼. ‖ =〔红hóng事〕 ↔〔白事〕
〔喜寿〕 xǐshòu 명 결혼 축하와 생일 잔치.
〔喜堂〕 xǐtáng 명 결혼식장.
〔喜糖〕 xǐtáng 명 혼례 때에 사람들에게 나눠 주는 눈깔사탕. ¶什么时候给我吃～? 언제 결혼하니?/你别忘了请我吃～呀; 결혼식에 초대하는 것을 잊어선 안 된다.
〔喜帖〕 xǐtiě 명 결혼 청첩장.
〔喜闻乐见〕 xǐ wén lè jiàn 〈成〉 기꺼이 듣거나 보거나 하다. ¶这真是一件～的好事; 이것은 정말 들어서 기분좋은 일이다.
〔喜相〕 xǐxiàng 명 기쁜 표정. 애교 있는 용모. ¶这人虽然不怎么好看, 可是长的～; 이 사람은 별로 예쁘지는 않지만, 애교있게 생겼다.
〔喜笑〕 xǐxiào 동 희소하다. 기뻐서 웃다.
〔喜笑颜开〕 xǐ xiào yán kāi 〈成〉 얼굴에 웃음꽃이 피다(기뻐서 싱글싱글 웃는 얼굴의 형용).
〔喜新厌故〕 xǐ xīn yàn gù 〈成〉 ⇨〔喜新厌旧〕
〔喜新厌旧〕 xǐ xīn yàn jiù 〈成〉 새로운 것을 좋아하고, 옛 것을 싫어하다. 마음이 변하기 쉽다. 싫증을 잘 내다. ¶男人往往都有～的毛病, 总得上了当dàng才会回心转意; 남자란 것은 대개 싫증을 잘 내어, 골탕을 먹고 나서야 겨우 정신을 차린다. =〔喜新厌故〕〔厌故喜新〕〔得dé新厌旧〕
〔喜信〕 xǐxìn 명 기쁜 소식. 희소식. 낭보. ¶给你送个～吧; 네게 기쁜 소식을 알려 주마. =〔喜讯〕
〔喜形于色〕 xǐ xíng yú sè 〈成〉 기쁨이 얼굴에 나타나 있다. 희색이 만면하다.
〔喜性人〕 xǐxingrén 명 〈方〉 낙천가.
〔喜许〕 xǐxǔ 동 칭찬하는 마음을 갖고 있다. 마음

속으로 칭찬하다. ¶心中暗暗～; (입 밖으로 내지는 않지만) 마음 속으로 칭찬하고 있다.
〔喜雪〕 xǐxuě 명 희설. 때마침 내린 눈.
〔喜讯〕 xǐxùn 명 ⇒〔喜信〕
〔喜筵〕 xǐyán 명 ①결혼 피로연. ②축연. 축하 잔치.
〔喜洋洋(的)〕 xǐyángyáng(de) 형 기쁨에 넘쳐 있는 모양.
〔喜仪〕 xǐyí ⇒〔喜敬〕
〔喜逸恶劳〕 xǐyì wùláo 안일한 것을 좋아하고, 일하기를 싫어하다.
〔喜溢眉宇〕 xǐ yì méiyǔ 기쁨이 얼굴에 넘치다.
〔喜溢门庭〕 xǐ yì méntíng 기쁨이 문밖으로 넘쳐 흐르다.
〔喜雨〕 xǐyǔ 명 (가뭄에) 단비. 때맞춰 내리는 비. ¶普降～; 단비의 혜택을 고루 받다.
〔喜悦〕 xǐyuè 명 희열. 형 기뻐하다. 즐겁다. 기쁘다. 유쾌하다. ¶不胜～; 기쁨을 이기지 못하다.
〔喜跃〕 xǐyuè 동 매우 기뻐하다.
〔喜占勿药〕 xǐ zhān wù yào 〈成〉 기쁘게도 병이 나아 약을 먹을 필요가 없어졌다. ¶祝您～; 완쾌하신 것을 축하드립니다. ＝〔早zǎo占勿药〕
〔喜帐〕 xǐzhàng 명 결혼식에 친구나 친지가 보내는 견직물(絹織物). ＝〔喜幛〕
〔喜幛〕 xǐzhàng 명 ⇒〔喜帐〕
〔喜兆〕 xǐzhào 명 경사스러운 조짐. ＝〔瑞ruì应〕〔瑞兆〕
〔喜蜘蛛〕 xǐzhīzhu 명 ⇒〔喜蛛〕
〔喜祉〕 xǐzhǐ 〈翰〉 새해 복 많이 받으세요. ＝〔年nián祉〕
〔喜蛛〕 xǐzhū 명 《蟲》 갈거미. ＝〔喜母〕〔喜蜘蛛〕〔喜子〕〔蟢蛛〕〔〈文〉 蟏xiāo蛸〕
〔喜烛〕 xǐzhú 명 결혼식에 쓰는 초. ＝〔喜蜡〕
〔喜酌〕 xǐzhuó 명 결혼 축하연.
〔喜孜孜〕 xǐzīzī 형 기쁨에 넘쳐 어쩔 줄을 모르다《싱글싱글 기뻐하는 모양》. ¶脸上～的; 얼굴에 기쁜 빛이 가득하다 / ～地说; 기쁨에 겨워 말하다. ＝〔喜滋滋〕
〔喜滋滋(的)〕 xǐzīzī(de) 형 기쁨에 겨운 모양. 몹시 흐뭇한 모양. ＝〔喜孜孜(的)〕
〔喜字两个口〕 xǐzì liǎnggekǒu 희(喜)자에 두 개의 입구(口)자가 있다. ¶一个～总得双方都满意才行呀; '喜' 자에는 두 개의 입구(口)가 있듯이, 쌍방이 모두 동의하고 만족해야만 한다.
〔喜字儿〕 xǐzìr 명 마름모꼴 안에 '喜'·'囍'·'鸿喜' 등의 글자를 종이에 써서 붙이는 것.
〔喜自天来〕 xǐ zì tiān lái 〈成〉 뜻밖에 기쁜 일이 찾아오다《뜻밖의 기쁨》. ＝〔喜出望外〕
〔喜子〕 xǐzi 명 ⇒〔喜蛛〕

禧 xǐ (희)
명 (행)복. 길상(吉祥). ¶新～ ＝〔年～〕; 새해의 복. 새해에 복 많이 받으십시오 / 恭gōng贺新～; 근하 신년 / 新～新～! 새해 복 많이 받으십시오!

釐 xǐ (희)
명 행복. 복《'禧xǐ' 와 통용》. ⇒'厘' lí

蟢 xǐ (희)
→〔蟢蛛〕

〔蟢蜘蛛〕 xǐzhīzhu 명 ⇒〔蟢蛛〕
〔蟢蛛〕 xǐzhū 명 《蟲》 갈거미. ＝〔喜蛛〕〔喜子〕〔〈文〉 蟏蛸xiāoshāo〕〔蟢蜘蛛〕〔蟢子〕
〔蟢子〕 xǐzi 명 ⇒〔蟢蛛〕

鰓(鰓) xǐ (희)
명 《魚》 보리멸. ＝〔沙钻鱼〕

齂 xì (희)
① 명 코고는 소리. ② 동 콧물을 닦다.

卌 xì (십)
수 40. 사십.

戏(戲〈戲〉) xì (희)
① 명 연극. 곡예. 극. ¶看～; 연극을 보다 / 唱～; 가극을 하다 / 京～; 경극 / 演yǎn～; 연극을 상연하다 / 一出～; ⓐ한 막(幕)의 연극. ⓑ단막극 / 马mǎ～; 서커스. 곡마(曲馬). ② 명 장난. 농담. 놀이. 유희. ¶做猜cāi谜之～; 수수께끼 놀이를 하다 / 集体游～; 단체 놀이. ③ 동 놀(리)다. 장난하다. 익살 떨다. ④ 명 성(姓)의 하나. ⇒hū

〔戏班(儿)〕 xìbān(r) 명 '戏曲'(극단(劇團))의 구칭(舊稱).
〔戏包袱〕 xìbāofu 명 ①어떤 역(役)이든지 다 할 수 있는 배우. ②연극통(演劇通).
〔戏报子〕 xìbàozi 명 연극의 포스터. ＝〔海报〕
〔戏本(子)〕 xìběn(zi) 명 극본. 각본(脚本). ＝〔剧本〕
〔戏彩〕 xìcǎi 동 색동옷을 입고 어버이를 기쁘게 해드리다. ＝〔彩衣娱亲〕
〔戏场〕 xìchǎng 명 ⇒〔戏园(子)〕
〔戏出〕 xìchū 명 연극의 줄거리.
〔戏出儿〕 xìchūr 명 연극의 어떤 장면에서 취재(取材)한 그림이나 조소(彫塑)의 인물상(人物像).
〔戏词(儿)〕 xìcí(r) 명 희곡의 '唱词(노랫말)'과 '说白(대사)'의 총칭.
〔戏单(子)〕 xìdān(zi) 명 연극의 광고지. 프로그램.
〔戏旦〕 xìdàn 명 여자역을 하는 남자 배우.
〔戏法(儿)〕 xìfǎ(r) 명 요술. 마술. ¶变biàn～ ＝〔耍shuǎ～〕; 요술을 부리다. ＝〔魔mó术〕
〔戏房〕 xìfáng 명 배우 분장실.
〔戏份〕 xìfen 명 《劇》 옛날, 배우에게 지급하는 급료. 출연료.
〔戏馆(子)〕 xìguǎn(zi) 명 ⇒〔戏园(子)〕
〔戏规〕 xìguī 명 중국 전통극의 극장에서, 분장실에 놓인 그 날의 상연 종목을 써넣는 병풍의 일종.
〔戏价〕 xìjià 명 연극의 입장료.
〔戏界〕 xìjiè 명 극계. 연극계.
〔戏具〕 xìjù 명 도박이나 실내 게임에 쓰는 용구.
〔戏剧〕 xìjù 명 ①연극. 극. 드라마. ¶～性; 극적(劇的) / ～性的变化; 극적인 변화 / ～性地恢复了工作; 극적으로 활동을 회복했다. ＝〔大戏①〕 ②극본. 각본(脚本).
〔戏捐〕 xìjuān 명 극장세. 연극 관람세.
〔戏考〕 xìkǎo 명 극의 유래 또는 극의 언어를 연구한 책.
〔戏论〕 xìlùn 명 《佛》 희론《불법에 맞지 않는 모든 언론》.
〔戏码(儿)〕 xìmǎ(r) 명 연극의 한 막 한 막의 상연물(上演物). 레퍼토리(repertory). ＝〔〈文〉 戏目〕
〔戏迷〕 xìmí 명 연극광(狂).
〔戏面〕 xìmiàn 명 목각(木刻)의 탈.
〔戏目〕 xìmù 명 ⇒〔戏码(儿)〕
〔戏幕〕 xìmù 명 연극용의 무대막.

〔戏弄〕 xìnòng 동 희롱〔장난〕하다. 놀리다. ¶别看他老实就～他! 그가 순하다고 해서, 놀림감으로 삼아서는 안 된다! / 这个促狭鬼, 专爱恶作剧～人; 저 엉큼한 놈은 오직 나쁜 짓만 꾸며서 사람을 놀려주기를 좋아한다. =〔戏耍shuǎ〕
〔戏牌(子)〕 xìpái(zi) 명 연극 제목을 쓴 광고지《광고지 한 장에 한 종류씩 씀》.
〔戏癖〕 xìpǐ 명 연극광(狂). 연극팬.
〔戏票〕 xìpiào 명 연극표.
〔戏评〕 xìpíng 명 극평. 연극의 비평.
〔戏情〕 xìqíng 명 연극의 줄거리.
〔戏曲〕 xìqǔ 명 ①중국의 전통적인 연극 형식으로, 곤곡(昆曲)·경극(京劇) 및 각종의 지방극을 포함함《노래와 춤을 중심으로 함》. ②일종의 문학 형식으로, 잡극(雜劇)과 전기(轉奇) 중의 창사(唱詞)를 이름. 문학으로서의 희곡.
〔戏杀〕 xìshā 명 장난 끝에 실수로 저지른 살인.
〔戏衫〕 xìshān 명 ⇨〔戏衣〕
〔戏耍〕 xìshuǎ 동 ⇨〔戏弄〕
〔戏台〕 xìtái 명〈口〉(연극) 무대. ¶～底下流眼泪;〈歇〉무대 아래에서 눈물을 흘리다.〈比〉남을 위해서 쓸데없는 걱정을 하다 / 搭起～卖螃蟹;〈歇〉무대를 세워 게를 팔다.〈比〉작은 장사에 겉구조를 크게 하다. 내실(內實)도 없이 거물인 체하다.
〔戏谈〕 xìtán 명동 농담(을 하다). 농지거리(를 하다). =〔戏谑〕〔戏言〕
〔戏提调〕 xìtídiào 명 옛날, 연회의 여흥으로서 하는 연극인 '堂táng会'의 제목이나 배역 등을 정하는 책임자.
〔戏头〕 xìtóu 명〈文〉주연 배우.
〔戏玩〕 xìwán 동 장난치다.
〔戏文〕 xìwén 명〈文〉①남송(南宋)의 희곡(戲曲). =〔南戏〕②희곡. 연극. ¶瞅瞅热闹吧, 看这～怎落尾; 이 연극의 결말이 어떻게 될지 구경하자.
〔戏侮〕 xìwǔ 동 희롱하며 모욕하다.
〔戏匣子〕 xìxiázi 명 축음기. =〔留liú声机〕
〔戏狎〕 xìxiá 동 장난치다. 버릇없이 까불다.
〔戏箱〕 xìxiāng 명《劇》소품(小品) 상자. 의상 상자.
〔戏谑〕 xìxuè 동 유머가 있는 농담을 하다. 익살떨다. 장난치다. 놀리다. =〔戏谈〕
〔戏言〕 xìyán 명동 ⇨〔戏谈〕
〔戏衣〕 xìyī 명 연극용의 옷. 의상. =〔戏衫〕
〔戏园(子)〕 xìyuán(zi) 명 극장. =〔戏馆子〕〔戏场〕〔戏院〕
〔戏院〕 xìyuàn 명 ⇨〔戏园(子)〕
〔戏照〕 xìzhào 명 연극 분장을 하고 찍은 사진. 스틸(still) 사진.
〔戏中串戏〕 xìzhōng chuàn xì 극중극(劇中劇)을 하다.
〔戏装〕 xìzhuāng 명 배우의 무대 의상《구두나 모자를 포함한 전부》.
〔戏子〕 xìzi 명〈貶〉광대〔배우〕를 이르던 말.
〔戏座〕 xìzuò 명 극장의 좌석.

系(係B)① C), 繫B))

xì (계) A) 명 ①계통. 계열. ¶直～亲属; 직계 친족 / 一～列; 하나의 계열 / 派～; 파벌(派閥). ②대학의 학부. 학과. ¶有几个～? 학부〔학과〕가 몇 개 있느냐? / 语言～; 언어학과 / 大学的物理～; 대학의 물리학부. ③《地質》계《'纪'에 대응되는 말》. ¶寒武～; 캄브리아 계. B) 동 ①연결되다. 관련되다. ¶名誉所～; 명예에 관련되다 / 成败～于此举; 성패는 이 일에 달려 있다 / 联～群众; 대중과 연계를 가지다. ②마음에 걸리다. 근심하다. ¶～念; ⇩ / ～恋; ⇩ ③매달아 내리다〔올리다〕. ¶～下来; 매달아 늘어뜨리다 / 由城墙上把人～下来; 성벽에서 사람을 매달아 내리다. ④구금하다. ¶～狱yù; 감옥에 가두다. C) 동〈文〉…이다. ¶确què～事实; 확실한 사실이다 / 恐kǒng～误会; 아마 오해일 것이다 / 委～; 틀림없이 …이다. ⇒jì
〔系绊〕 xìbàn 명 기반. 굴레.
〔系船〕 xìchuán 동 배를 매다.
〔系词〕 xìcí 명 ①《言》(중국어 문법에서) 지정사. 연결 동사. =〔判pàn断词〕②계사(繫辭).
〔系风捉影〕 xì fēng zhuō yǐng〈成〉바람이나 그림자를 잡다《허망한 일. 말이나 일이 진실한 근거가 없다》. =〔捕风捉影〕
〔系怀〕 xìhuái 동〈文〉①걱정하다. 그리워하다. ②마음에 두다. 미련을 두다.
〔系扣(儿)〕 xìkòu(r) 동 매듭을 맺다〔짓다〕.
〔系缆〕 xìlǎn 동 밧줄을 매다. 배를 매다.
〔系累〕 xìlěi 동 얽어매다. 붙들어매다. ¶为家事所～; 가사에 얽매이다.
〔系恋〕 xìliàn 동〈文〉마음에 두다. 연모하다.
〔系列〕 xìliè 명 계열. 시리즈. ¶～(电视)片; 텔레비전 드라마 시리즈 / 一～的问题; 일련의 문제.
〔系铃人〕 xìlíngrén〔jìlíngrén〕 명 장본인. 일의 원인을 만든 사람. ¶解铃还得～;〈諺〉문제의 해결은 그 발단을 만든 사람이 해야 한다.
〔系马〕 xìmǎ 동 말을 매다.
〔系念〕 xìniàn 동〈文〉마음에 걸리다. 마음에 두다. 걱정하다. =〔挂guà念〕
〔系亲〕 xìqīn 명〈文〉친족 관계. 일가붙이.
〔系囚〕 xìqiú 명〈文〉옥에 갇힌 죄수.
〔系上〕 xìshang 동 매달다. ⇒jìshang
〔系世〕 xìshì 명 계보. 계도. 한 집안의 계통을 쓴 것.
〔系属〕 xìshǔ 동〈文〉…에 속하다. …이다.
〔系数〕 xìshù 명 ①《數》계수. ②《物》(팽창 계수 따위의) 계수. 율(率). ¶吸收～; 흡수율 / 反射～; 반사율 / 安全～; 안전 계수.
〔系孙〕 xìsūn 명〈文〉후예. 혈통이 먼 자손. =〔远yuǎn孙〕
〔系锁〕 xìsuǒ 동〈文〉중죄인의 목에 쇠사슬을 매놓다.
〔系统〕 xìtǒng 명 ①계통. 시스템. 체계. ¶～化; 계통화(하다) / 把对他的批判～化了; 그에 대한 비판을 계통화했다 / 商业～; 상업 계통 / 组织～; 조직 체계. ②일파(一派). 계열. 시리즈. 연속. ¶尼克松～; 닉슨(Nixon) 일파. ③조직. ¶民防～; 민방위 조직. ④체제. 조직. ¶防御～; 방어 체제. 형 계통적이다. 체계적이다. ¶～地研究; 체계적으로 연구하다 / ～地向观众作了介绍; 체계적으로 관객에게 설명했다 / 有～地进行教育; 계통적으로 교육을 진행시키다.
〔系统工程〕 xìtǒng gōngchéng 명 시스템 공학. ¶～师; 시스템 엔지니어.
〔系统设计〕 xìtǒng shèjì 명《電算》(컴퓨터의) 시스템 설계. =〔总zǒng体设计〕
〔系统选育〕 xìtǒng xuǎnyù 명 계통 육종법(育種法).
〔系腰〕 xìyāo 명 허리띠.
〔系爪〕 xìzhǎo 명 가조각(假爪角).
〔系争〕 xìzhēng 동 계쟁하다《어떤 일에 관하여 다투다》. ¶～物; 계쟁물《소송상의 목적물》.
〔系踵〕 xìzhǒng 동〈文〉연달아 오다.

〔系族〕 xìzú 명 계족. 혈족《같은 성의 동족(同族)》.

饩(餼) xì (희)
〈文〉 ① 명 곡물. 사료. ② 명 고대에, 제사 또는 증답용(贈答用)으로 쓰던 가축. 생육(生肉). 산재물. ¶～羊; 희생양. ③ 동 (음식을) 보내다.

〔饩廪〕 xìlǐn 동 〈文〉 곡물을 주다. 식량을 지급하다.

〔饩牵〕 xìqiān 명 (소·양·돼지 등의) 희생.

屃(屓〈屭〉) xì (희)
① 형 힘을 내는 모양. =〔赑bì〕〔屃屃〕 ② 형 크다. ③ →〔赑bì屃〕

细(細) xì (세)
형 ①세세하다. 가늘다. 잘다. ㉠알이 잘다. ¶～沙; 고운 모래 / ～末(子); 분말. 가루 / ～盐; 고운 소금. ㉡길고 직경이 작다. ¶～竹竿; 가는 대장대 / 她们纺的线又～又匀; 그녀들이 뽑은 실은 가늘고 고르다. ㉢폭이 좁다. ¶曲折的小河～得像腰带; 꾸불꾸불한 작은 강은 허리띠 정도로 가늘다 / 眉méi毛～; 눈썹이 가늘다 / 画～道儿; 가는 줄〔선〕을 긋다. ㉣세공(細工)·재질(材質)이 정교하다. 정밀하다. 섬세하다. 〈比〉 고급품〔상등품〕이다. ¶这块布真～; 이 천은 아주 상등이다 / 这张纸, 一面粗一面～; 이 종이는 한 면은 거칠고, 한 면은 매끄럽다. ㉤(목소리가) 가냘프다. ¶～嗓sǎng子; 가냘픈 목소리. ㉥면밀하다. 세밀하다. 상세하다. ¶胆大心～; 〈成〉 대담하고 세심하다 / 精打～算; 〈成〉 면밀히 계산하다 / 说得很～; 세밀한 것을 말하다. ↔〔粗〕 ②검소하다. 알뜰하다. ¶他过日子很～; 그는 생활이 매우 검소하다. ③자질구레하다. 사소하다. 미세하다. ¶～节; 세부(細部).

〔细按〕 xì'àn 동 ⇨〔细查〕

〔细胞〕 xìbāo 명 《生》 세포. ¶～核; 세포핵 / ～质; 세포질 / ～膜; 세포막.

〔细哔叽〕 xìbìjī 명 《紡》 서지(serge).

〔细辨〕 xìbiàn 동 자상하게 변별하다.

〔细辫〕 xìbiàn 명 보릿짚으로 엮은 납작한 끈.

〔细标布〕 xìbiāobù 명 《紡》 캘리코(calico). 옥양목.

〔细薄棉帆布〕 xìbómián fānbù 명 《紡》 즈크(네 doek)《평직(平織). 범포(帆布)의 일종. 면·아마·비닐론 등으로 짠 두껍고 질긴 직물. 보통 무명 범포를 말함》.

〔细不楞登〕 xìbùléngdēng 형 가늘다. ¶那块料子～的; 저 천은 발이 가늘다.

〔细布〕 xìbù 명 《紡》 ①발이 가는 무명천. ¶漂白或染色～; 표백 혹은 염색 셔츠천. ②옥양목. =〔衬chèn衫料子〕〔〈南方〉 恤xù纺〕

〔细部〕 xìbù 명 세부.

〔细查〕 xìchá 동 자세히 조사하다〔살피다〕. =〔细按〕〔细察〕

〔细察〕 xìchá 동 ⇨〔细查〕

〔细长〕 xìcháng 형 가늘고 길다. 호리호리하다. ¶～的手指; 갸름한 손가락.

〔细齿〕 xìchǐ 형 들쭉날쭉하다. ¶周围还有～; 둘레는 아직 들쭉날쭉하다. 명 《機》 톱니.

〔细吹细打〕 xìchuī xìdǎ (음악을) 조용히 연주하다.

〔细瓷〕 xìcí 명 치밀하고 질이 좋은 도자기. ↔〔粗cū瓷〕

〔细大不捐〕 xì dà bù juān 〈成〉 크고 작은 것을 빼놓지 않다. 모든 것을 포함하다.

〔细单〕 xìdān 명 명세서(明細書). =〔清qīng单〕

〔细旦〕 xìdàn 명 중국 전통극에서 여자 역으로 분장하는 남자 배우.

〔细底〕 xìdǐ 명 상세한 원인. 일의 전말〔내막〕.

〔细点心〕 xìdiǎnxīn 명 공들여 만든 고급 과자.

〔细钉〕 xìdìng 명 《印》 제본《가제본(假製本)이 아니고 정식으로 제본하는 일》.

〔细读〕 xìdú 명동 정독(하다).

〔细儿〕 xì'ér 명 유아. 어린이.

〔细法活〕 xìfǎhuó 명 자잘한 일.

〔细发〕 xìfà 명 결이 고운 머리털.

〔细发〕 xìfa 형 〈方〉 ①아주 가늘다. 섬세하다. ¶那家碾房磨出的面别提多～了; 저 제분소에서 빻은 밀가루가 고운 것은 두말할 필요가 없다. ②곱다. 촘촘하다.

〔细帆布〕 xìfānbù 명 《紡》 발이 고운 범포(帆布). ↔〔粗帆布〕

〔细纺〕 xìfǎng 명 《紡》 정방(精紡).

〔细纺呢〕 xìfǎngní 명 ⇨〔细毛绒〕

〔细肥〕 xìféi 명 상질(上質)의 비료.

〔细风〕 xìfēng 명 미풍(微風). 산들바람.

〔细缝〕 xìféng 동 촘촘하게 바느질하다. 명 촘촘한 바느질 땀.

〔细缝儿〕 xìfèngr 명 미세하게〔잘게〕 갈라진 틈.

〔细高〕 xìgāo 형 (사람·물건이) 늘씬하다. 홀쭉하다. ¶～个; 홀쭉한 사람. 깡마른 키다리.

〔细工〕 xìgōng 명 (공예품·수예품 따위의) 세공. =〔细活(儿)④〕

〔细故〕 xìgù 명 ①사소한〔하찮은〕 일. 지엽적인〔주요롭지 않은〕 일. ②작은 잘못. =〔细行〕

〔细挂面〕 xìguàmiàn 명 (건)소면.

〔细管喇叭〕 xìguǎn lǎba 명 《樂》 트롬본.

〔细核〕 xìhé 동 〈文〉 상세하게 대조하여 조사하다.

〔细话〕 xìhuà 명 ①속삭임. ②자잘한 이야기. 자세한 이야기.

〔细活(儿)〕 xìhuó(r) 명 ①세밀한 일. 잔손이 많이 가는 일《농촌에서는 특히 기술적인 일을 가리킴》. ↔〔粗活〕 ②부녀자의 섬세한 손일《신 만들기·옷짓기·멍석 짜기 따위》. ③치밀하게 하는 일. ↔〔笨bèn活(儿)〕〔糙cāo活(儿)〕 ④세공. =〔细工〕

〔细货〕 xìhuò 명 ①정제품(精製品). 정교한 물건. =〔精jīng货〕 ↔〔粗cū货〕 ②부드러운 것《견직물 따위》.

〔细讲〕 xìjiǎng 동 상세히〔자세히〕 설명하다.

〔细嚼烂咽〕 xì jiáo làn yàn 〈成〉 오래 잘게 씹고 천천히 삼키다《일을 차근차근하게 하다》.

〔细脚碎步〕 xìjiǎo suìbù 종종걸음을 하다.

〔细节〕 xìjié 명 자질구레한 일. 세부(細部). ¶不可忽略每一个操作过程中的～; 매 진행 과정 중의 세부 항목을 소홀히 해서는 안 된다.

〔细谨〕 xìjǐn 형 〈文〉 (지나치게 예절에 구애되어) 딱딱하다. 부드러운 맛이 없고 거세다.

〔细究〕 xìjiū 동 〈文〉 상세히 궁구(窮究)〔연구〕하다. 구명(究明)하다.

〔细局〕 xìjú 명 밀회 장소.

〔细君〕 xìjūn 명 〈文〉 처. 아내. =〔妻qī〕

〔细菌〕 xìjūn 명 《生》 세균류의 총칭. 박테리아. ¶～学; 세균학 / ～武器; 세균무기 / ～肥料; 세균비료 / ～性痢疾; 세균성 이질.

〔细看〕 xìkàn 동 자세히 보다. ↔〔粗cū看〕

〔细里〕 xìlǐ 명 자세한 내막. 구체적 사정. ¶你不要哄骗我, ～咱全清楚; 너는 속여도 소용없다. 자

세한 속사정은 다 알고 있다.
〔细粮〕 xìliáng 명 쌀·보리류(類). ↔〔粗cū粮〕
〔细溜溜(的)〕 xìliūliū(de) 형 가늘고 매끈한 모양. ¶～的面条; 면발이 가늘고 매끈한 국수.
〔细流〕 xìliú 명 작은 시내. 작은 개울.
〔细麻布〕 xìmábù 명〖紡〗론(lawn). 한랭사(寒冷紗).
〔细毛(儿)〕 xìmáo(r) 명 ①고급 모피(毛皮). ②고운 양털.
〔细毛绒〕 xìmáoróng 명〖紡〗저지(jersey). =〔平针织物〕〔细纺呢〕
〔细毛羊〕 xìmáoyáng 명〖動〗가는 털의 양.
〔细米〕 xìmǐ 명 정미(精米). 백미(白米).
〔细密〕 xìmì 형 ①(천의) 발이 곱다. ②(하는 일이) 거칠지 않다. 세밀[치밀]하다. 두루 미치다. ¶～的分析; 세밀한 분석.
〔细面〕 xìmiàn 명 ①고운 가루. ②밀가루.
〔细面条〕 xìmiàntiáo 명 ①가는 국수. ②스파게티(이 spaghetti). =〔意yì大利实心面〕
〔细篾儿〕 xìmièr 명 자리를 짜는 데 쓰는 재료로, 수수나 갈대 줄기를 가늘게 짼 것. =〔席xí篾〕
〔细民〕 xìmín 명 ①서민. ②빈민.
〔细磨〕 xìmó 동 곱게 갈다.
〔细末(子)〕 xìmò(zi) 명 분말(粉末).
〔细木工〕 xìmùgōng 명 ①소목일. ②소목장이.
〔细目〕 xìmù 명 ①세목. 세세한 조목. 세분(細分). ②자세한 조목.
〔细嫩〕 xìnèn 형 (피부·근육이) 보드랍다. 곱다. ¶鲥鱼的肉～可口; 준치의 살은 연하고 맛있다 / 皮肤～; 살결이 곱다 / 手感～; 감촉이 좋다.
〔细腻〕 xìnì 형 ①결이 곱다. 매끄럽다. ¶皮肤～; 살결이 곱다. ②(묘사·표현이) 정밀하고 세세하다. 섬세하다. ¶人物描写～而生动; 인물 묘사가 세밀하고도 생생하다 / 他的思想是～的; 그의 생각은 치밀하고도 세세하다 / 文章写得很～; 문장이 아주 치밀하게 묘사되어 있다.
〔细袅袅〕 xìniǎoniǎo 형 (몸매가) 날씬하다. ¶～的身材; 날씬한 몸매.
〔细皮白肉〕 xìpí báiròu 살결이 곱고 희다.
〔细皮嫩肉〕 xìpí nènròu 명 고운 살결.
〔细品〕 xìpǐn 명 우등품. 상등품.
〔细平布〕 xìpíngbù 명〖紡〗포플린.
〔细漆皮线〕 xìqīpíxiàn 명 에나멜선.
〔细巧〕 xìqiǎo 형 정밀하고 섬세하다. 정교하다. ¶～家伙; 정교하게 만든 도구. =〔精jīng细巧妙〕
〔细情〕 xìqíng 명 자세한 사정. (일의) 세부(細部). 상세한 내막.
〔细儿〕 xìr 명 정세함. 정밀하고 세세함.
〔细人〕 xìrén 명〈文〉①소인. 견식이 좁은 사람. ¶近～信谗臣; 소인을 가까이하고 참소를 잘하는 신하를 믿다. =〔细士〕 ②지위가 낮은 사람. ③고운 여자. ④〖佛〗원교(圓敎)〔대승 원만의 교〕 신자.
〔细绒线〕 xìróngxiàn 명 ⇨〔幼yòu冷〕
〔细软〕 xìruǎn 명 보석·귀금속·장신구·고급 의복 따위의 휴대하기 편리한 귀중품. ¶收拾～出奔; 돈이 될 물건을 수습하여 달아나다. =〔细软东西〕
〔细软洋布〕 xìruǎn yángbù 명 ⇨〔细稀纱〕
〔细润〕 xìrùn 형 결이 곱고 윤기가 나다. ¶脸上～; 안색이 윤기가 있다 / 瓷质～; 자기(瓷器)의 질이 곱고 광택이 있다.
〔细弱〕 xìruò 형〈文〉①가냘프다. 연약하다. ¶声音～; 목소리가 가냘프다 / ～的柳条垂在水面上; 가느다란 버들가지가 수면에 늘어지다. ②풍속이 천박하고 나약함. ¶其风～已甚; 그 풍속은 이미 매우 천박하고 나약해졌다. 명 ①유약자. ②〈比〉처자(妻子).
〔细纱〕 xìshā 명〖紡〗정방(精紡). 가는 면사(綿絲). ¶～锭; 가는 번수(番手)의 면사를 감는 가락. ↔〔粗cū纱〕
〔细纱机〕 xìshājī 명〖紡〗정방기(精紡機).
〔细纱间〕 xìshājiān 명〖紡〗(방적 공장의) 정방부(精紡部). ↔〔粗cū纱间〕
〔细砂(糖)〕 xìshā(táng) 명 극상품의 백설탕. =〔绵mián白(糖)〕
〔细筛〕 xìshāi 명 고운 체.
〔细商〕 xìshāng 동 주의깊게 의논하다. 자세히 상의하다.
〔细声儿细气儿〕 xìshēngr xìqìr 작은 목소리. 기운 없는 목소리. 의기 소침한 소리.
〔细绳〕 xìshéng 명 가는 끈.
〔细食〕 xìshí 명〈文〉공이 든 요리. 맛있는 요리.
〔细士〕 xìshì 명 ⇨〔细人①〕
〔细事〕 xìshì 명 세사. 자질구레한 일.
〔细手工〕 xìshǒugōng 명 잔손질이 많이 가는 세밀한 일.
〔细瘦〕 xìshòu 형 홀쭉하게 야위다.
〔细书〕 xìshū 명 ⇨〔细字〕
〔细术〕 xìshù 명〈文〉하찮은 술책.
〔细水长流〕 xì shuǐ cháng liú〈成〉①물건이나 인력(人力)을 절약하여 항시 떨어지지 않도록 하다. ¶要有一个～地使用石油的计划; 석유를 절약하여 오래 쓸 계획을 세워야 한다. ②일을 조금씩 행하여 끊임이 없도록 하다. ‖ =〔浅qiǎn浅水长长流〕
〔细说〕 xìshuō 동 자세히 설명하다. 상세히 이야기하다. ¶此话不必～; 자세한 설명이 필요없다. 명〈文〉소인의 말.
〔细丝〕 xìsī 명 ①〖紡〗생사《4～10가닥을 꼬지않고 정련한 부드러운 생사. 주로 자수용으로 씀》. ②가는 은실. 형 (실처럼) 가늘다.
〔细碎〕 xìsuì 형 ①잘다. ¶～的事情; 자질구레한 일. ②잘게 뗌. ¶传来～的脚步声; 잘게 떼는〔종종걸음치는〕 발소리가 들려 온다.
〔细谈〕 xìtán 동 자세히 이야기하다. ¶～细摆; 상세히 이야기하다.
〔细条〕 xìtiáo 명 가는 줄. ¶～灯心绒; 코르덴. 골무단.
〔细条〕 xìtiao 형 (몸의 근육·피부 등이) 단단해서 아름답다. 날씬하게 아름답다.
〔细条灯心绒〕 xìtiáo dēngxīnróng 명〖紡〗발이 고운 코르덴.
〔细挑〕 xìtiao 형 날씬하다. 호리호리하다. ¶～身材; 날씬한 몸매. =〔细条〕
〔细听〕 xìtīng 동 ①자세히 듣다. ②주의하여 듣다.
〔细微〕 xìwēi 형 미세하다. 잘다. ¶～的变化; 미세한 변화 / ～的区别; 미세한 구별 / 声音很～; 음성이 매우 희미하다. 명〈比〉작은 일.
〔细味〕 xìwèi 동〈文〉세세히 음미하다. ¶～其言, 果是有理; 자세히 음미하면 과연 이치가 있다.
〔细纹〕 xìwén 명 ⇨〔纹缕儿〕
〔细蚊仔〕 xìwénzǐ 명〖廣〗어린이《sāimànzái 처럼 발음함》.
〔细问〕 xìwèn 동 자세히 묻다.
〔细稀纱〕 xìxīshā 명〖紡〗평직(平織)의 얇은 천《마치 사붙이처럼 비쳐 보임》. =〔细软洋布〕
〔细细儿(的)〕 xìxìr(de) 형 ①아주 가늘다. 극히 가

늘다. ¶马尾儿yǐr那么～; 말꼬리처럼 가늘다. ②(소리가) 들릴락말락하다. ③상세하다. 치밀하다. 자세하다. ¶～地说给您听; 자세히 말씀드리겠습니다/～看看; 잘 보렴. ④알뜰하다. 검소하다.
〔细夏布〕 xìxiàbù 명 ⇨〔亚yà麻布〕
〔细苋〕 xìxiàn 명 《植》 개비름. =〔野yě苋〕
〔细线〕 xìxiàn 명 가는 끈.
〔细想〕 xìxiǎng 동 숙려(熟慮)하다. 세세히 생각하다. ¶～一下; 자세히 생각해 보다.
〔细小〕 xìxiǎo 형 ①작다. 미세하다. ¶～的眼睛; 조그만 눈/～的问题; 사소한 문제/～的雨点; 아주 작은 빗방울. ②영세하다. ¶～的小生产经济; 영세한 소생산 경제. ③면밀하다.
〔细斜纹布〕 xìxiéwénbù 명 《紡》 능직 옥양목 등의 능직 면포. 면모 교직포(綿毛交織布). ¶三页～ =〔〈音義〉仁rén斯布〕; 진(jeans)(질긴 능직 무명 천).
〔细心〕 xìxīn 형 세심하다. 주의 깊다. ¶～人; 주의 깊은 사람/～调查; 면밀히〔주의깊게〕 조사하다/凡事总要～; 무슨 일이나 세심해야 한다/～玩味; 세심하게 음미하다.
〔细辛〕 xìxīn 명 《植》 민족두리풀(뿌리와 근경을 약용함). =〔少shǎo辛〕〔小xiǎo辛〕
〔细行〕 xìxíng 명 〈文〉 사소한 과실. =〔细故②〕
〔细叙〕 xìxù 동 〈文〉 자세히 말하다.
〔细询〕 xìxún 동 자세히 묻다.
〔细牙儿〕 xìyár 명 어린이. ¶这么点儿大的～, 你打他受得了吗? 이런 작은 아이니, 얻어맞으면 견뎌 내겠느냐?
〔细验〕 xìyàn 동 〈文〉 ①자세히 검사하다. ②세밀히 실험하다.
〔细洋布〕 xìyángbù 명 《紡》 캘리코(calico). 발이 고운 옥양목. =〔稀xī洋纱〕
〔细腰鼓〕 xìyāogǔ 명 세요고(북의 일종. 북통의 양끝이 크고 중간이 잘록한 것).
〔细雨〕 xìyǔ 명 세우. 가랑비. ¶毛毛～; 실처럼 가는 비. 가랑비.
〔细语〕 xìyǔ 명 〈文〉 속삭임. 동 속삭이다.
〔细乐〕 xìyuè 명 관현 악기의 경쾌하고 밝은 음색을 말함.
〔细匀〕 xìyún 형 ①살결이 부드럽고 곱다. ②가늘다. 섬세하다.
〔细崽〕 xìzǎi 명 ⇨〔西xī崽①〕
〔细则〕 xìzé 명 세칙. ¶工作～; 업무상 세칙.
〔细账〕 xìzhàng 명 ①세밀한 계산. 약간의 손해나 이익. ¶讲起～来了; 세밀한 계산을 하기 시작했다(손해를 보았느니, 득을 보았느니 하며, 잔소리를 하기 시작했다). ②명세서. 세밀한 계산서.
〔细针密缕〕 xì zhēn mì lǚ 〈成〉 ①바느질이 섬세하다(솜씨가 정교하고 치밀한 모양). ②〈轉〉 일이 꼼꼼함. 면밀함. 빈틈없이 주도(周到)함. ¶这部小说结构严密, 处处都是～无懈可击; 이 소설은 구성이 치밀하여, 어디에도 흠잡을 데가 없다.
〔细支头〕 xìzhītou 명 《紡》 (방적(紡績))의 가는 번수(番手). ↔〔粗cū支头〕
〔细枝末节〕 xì zhī mò jié 〈成〉 지엽 말절(枝葉末節). 작은 부분. 또는 작은 일.
〔细纸〕 xìzhǐ 명 ①서화용의 고급 종이. ②기계로 만든 상질의 종이. ↔〔粗cū纸〕
〔细致〕 xìzhì 형 (성격·만듦새 따위가) 꼼꼼하다. 치밀하다. 섬세하다. ¶文章的构造很～; 문장의 짜임새가 매우 섬세하다/～地摹写; 세밀하게 모사(模寫)하다/～周到; 섬세하고도 치밀하게 두루 미치다/～入微; 미세한 데까지 (빼놓지 않고) 미치다/～手儿; 야무진 손끝. 기술이 뛰어난 사람.
〔细致致(的)〕 xìzhìzhì(de) 형 치밀한 모양. 섬세한 모양. 꼼꼼한 모양. ¶长得～; 선천적으로 살결이 곱다.
〔细柱柳〕 xìzhùliǔ 명 《植》 갯버들.
〔细字〕 xìzì 명 세자. 작은 글자. 잔 글씨. =〔细书〕
〔细作〕 xìzuò 명 〈文〉 간첩. 스파이. 첩자. 동 정성들여 만들다〔하다〕. ¶深耕～; 깊게 갈아서 정성껏 농작물을 재배하다/粗粮～; 옥수수·수수·조 따위를 쌀·밀가루같이 먹을 수 있도록 하다.

郤 xì (극)
①'隙xì'와 통용. ②명 성(姓)의 하나.

绤(綌) xì (격)
명 〈文〉 조악(粗惡)한 갈포(葛布). →〔絺chī①〕

咥 xì (질)
동 크게 웃다. ⇒dié

盻 xì (혜)
동 〈文〉 ①노려보다. ②원망스러운 눈초리로 보다. ③돌아보다.

阋(鬩) xì (혁)
동 〈文〉 서로 비난하고 다투다. 서로 원망하다. ¶兄弟～于墙, 外御yù其侮《詩經 小雅 常棣》; 형제가 서로 다투다가도 외부로부터의 모욕에 대해서는 협력해서 맞선다.
〔阋墙〕 xìqiáng 동 형제들이 집안에서 다투다. 〈比〉 내부의 불화. 내분(內紛).

隙〈隟〉 xì (극)
명 ①갈라진〔벌어진〕 틈. 틈새. ¶墙～; 담·벽의 틈새/门～; 문틈. ②감정의 금〔틈〕. ¶有～; 사이가 틀어져 있다. 불화하다/听小人之言, 与沛pèi公有～《史記 高祖本紀》; 소인의 말을 들어 패공과 사이가 틀어졌다. ③(시간적인) (빈)틈. 틈탈 기회. ¶无～可乘; 틈탈 기회가 없다/农～; 농한기. ④(공간적으로) 한가한 틈. 비어 있는 곳. 아무것도 없는 곳. ¶坐无～地; 앉을래도 빈 자리가 없다. ‖ =〔〈文〉 隟〕
〔隙地〕 xìdì 명 〈文〉 빈 터. 휴한지(休閑地).
〔隙角〕 xìjiǎo 명 《工》 틈새각(절삭 용구와 피절삭물 사이에 생기는 틈새의 각도).
〔隙驹〕 xìjū 〈成〉 시간이 빨리 지나가다. =〔隙駟〕〔白驹过隙〕
〔隙裂〕 xìliè 명 작은 금〔틈〕. (갈라진) 작은 균열.
〔隙末〕 xìmò 동 〈文〉 우의(友誼)를 온전히 다하지 못하다(나중에 사이가 틀어지다).
〔隙駟〕 xìsì 〈成〉 ⇨〔隙驹〕
〔隙透〕 xìtòu 명 (기체·액체 등의) 유출(流出). 분출(噴出). ¶～计; 가스 유출 비중계(比重計).
〔隙罅〕 xìxià 명 〈文〉 틈. 간극(間隙). 사이.
〔隙游尘〕 xìyóuchén 명 틈새에서 새어 들어오는 햇빛 속에 떠 보이는 먼지. =〔日rì光尘〕
〔隙子〕 xìzi 명 틈. 기회. ¶有～可乘; 틈 탈 기회가 있다.

虩 xì (혁)
→〔虩虩〕
〔虩虩〕 xìxì 형 〈文〉 황송해〔두려워〕하는 모양.

舄 xì (석)
명 ①신. =〔鞋〕 ②알칼리성의 땅. =〔潟卤lǔ〕 ③성(姓)의 하나.

〔舄卤〕 xìlǔ 명 ⇨〔潟卤〕

潟 **xì** (석)
명 〈文〉 소금물이 배어들어간 땅.

〔潟湖〕 xìhú 명 석호《외해(外海)와 분리되어 생긴 호소(湖沼)〔함수호〕》.

〔潟卤〕 xìlǔ 명 간석지《소금기를 다량으로 함유한 개펄》. =〔〈文〉舄卤〕

蕮 **xì** (석)
명 《植》 (질경이택사)의 옛 이름.

隙 **xì** (극)
명 ⇨〔隙xì〕

禊 **xì** (계)
명 〈文〉 사기(邪氣)를 쫓아내기 위해 봄 가을 두번 냇가에서 행하던 제사.

赩 **xì** (혁)
명 《色》〈文〉 심홍색.

衋 **xì** (혁)
동 〈文〉 슬퍼하며 애도하다.

XIA ㄒㄧㄚ

呀 **xiā** (하)
형 입을 벌린 모양. ¶饥jī虎~牙; 주린 호랑이가 입을 벌리고 있다/岩崖缺~; 낭떠러지가 이지러져 움푹 패어 있다. ⇒yā ya

呷 **xiā** (합)
① 동 〈方〉 입을 오므리고 마시다. 홀짝홀짝 마시다. ¶~茶; 차를 마시다/~一口酒; 술을 한 모금 마시다. ② 형 시끄럽다. ③ 동 당기다. ④〈擬〉 꽥꽥《오리 우는 소리》.

〔呷啜〕 xiāchuò 동 홀짝이다. 홀짝이며 들이마시다.

虾(蝦) **xiā** (하)
명 《動》 새우. ¶车~; 참새우/螯~; 가재. =〔蝦xiā②〕 ⇒há

〔虾兵蟹将〕 xiā bīng xiè jiàng 〈成〉 민간 전설에서 일컫는 용왕(龍王)의 장병(將兵)《오합(烏合)의 군세(軍勢)를 이름》.

〔虾饼〕 xiābǐng 명 새우의 껍질을 벗기고 빻은 다음, '绿豆粉' 등의 전분을 섞어 단자로 빚어 기름에 튀기거나 찐 요리.

〔虾潺〕 xiāchán 명 《魚》 물천구. =〔龙lóng头鱼〕

〔虾干(儿)〕 xiāgān(r) 명 말린 새우.

〔虾蛄〕 xiāgū 명 《動》 갯가재.

〔虾虎〕 xiāhǔ 명 《魚》 문절망둑.

〔虾荒蟹乱〕 xiā huāng xiè luàn 〈成〉 전란(戰亂)이 일어날 조짐. 천하가 어지러워질 전조(前兆)《새우·게가 크게 번식하면 전란이 일어난다는 미신에서 유래함》.

〔虾灰色〕 xiāhuīsè 명 《色》 엷은 회색〔쥐색〕.

〔虾酱〕 xiājiàng 명 새우젓(을 간 것). ¶把敌军打成烂~; 적군을 산산이 쳐부수다. =〔虾露〕

〔虾糠〕 xiākāng 명 새우 껍질을 가루로 한 것《비료로 쓰임》.

〔虾壳〕 xiāké 명 새우껍질.

〔虾露〕 xiālù 명 ⇨〔虾酱〕

〔虾蟆〕 xiāmá 명 ⇨〔蛤há蟆〕

〔虾米〕 xiāmi 명 ①건새우. =〔虾米仁儿〕〔海米①〕 ②〈方〉 작은 새우. =〔小虾〕

〔虾米皮〕 xiāmǐpí 명 ⇨〔虾皮①〕

〔虾皮〕 xiāpí 명 ①말리거나 쪄서 말린 작은 새우. =〔虾米皮〕 ②새우의 등딱지.

〔虾球〕 xiāqiú 명 ⇨〔虾丸子〕

〔虾仁(儿)〕 xiārén(r) 명 껍질 벗겨 말린 새우살《흔히, 요리 재료》.

〔虾色〕 xiāsè 명 《色》 푸르스름한 쇳빛.

〔虾丸子〕 xiāwánzi 명 새우살을 단자 모양으로 둥글게 빚어 조리한 요리의 이름. =〔虾球〕

〔虾蟹〕 xiāxiè 명 새우와 게.

〔虾须〕 xiāxū 명 ①새우의 수염. ②〈文〉 '帘子'(발)의 딴 이름.

〔虾腰〕 xiāyāo 동 허리를 굽히다. =〔哈hā腰〕 명 새우처럼 구부러진 허리.

〔虾油〕 xiāyóu 명 새우 기름《베이징(北京) 지방의 고급 조미료》.

〔虾仔〕 xiāzǎi 명 〈方〉 아이에게 붙이는 애칭《'仔'는 동물의 새끼 또는 일반적으로 작은 것을 이름》.

〔虾子〕 xiāzǐ 명 새우알《조미료》.

〔虾子〕 xiāzi 명 《魚》〈方〉 새우.

瞎 **xiā** (할)
① 명 소경. 장님. ② 동 실명하다. 눈이 멀다. 장님이 되다. ¶他的右眼~了; 그는 오른쪽 눈이 보이지 않게 되었다/~了一只眼了; 한쪽 눈이 보이지 않게 됐다. ③ 부 무턱대고. 마구(잡이)로. 덮어놓고. 함부로. 괜히. 헛되이. ¶~着急; 공연히 마음을 졸이다/~花钱; 돈을 함부로 낭비하다/~说; ⇩/~费劲儿; 헛수고 하다. ④ 동 〈方〉 (뒤죽박죽) 어지러워〔혼란해〕지다. 흐트러지다. ¶把线弄~了; 실을 헝클어뜨리고 말았다/道儿走~了; 길을 알 수 없게 됐다. 길이 헛갈린다. ⑤ 형 좋은 결과가 나오지 않다. 헛되다. ¶一连打了五口井, 都~了; 잇따라 다섯 개의 우물을 팠으나 모두 물이 안 나왔다. ⑥ 동 못쓰게 되다. 나빠지다. 망가지다. 결단나다《산둥(山東)·산시(陝西) 지방의 방언》. ¶庄稼都要~了; 농작물이 모두 못쓰게 되었다. ⑦ 동 (총·포탄·다이너마이트 따위가) 불발이 되다. 발화치 않다. ¶炮不~; 불발되는 것은 하나도 없다. ⑧ 동 〈北方〉 토지·경지가 거칠어지다. ¶地~了; 토지가 황폐해졌다.

〔瞎八八〕 xiābābā 동 ⇨〔瞎扯〕

〔瞎巴〕 xiāba 동 ①실명(失明)하다. ②쓸모없게 되다.

〔瞎掰〕 xiābāi 동 〈方〉 ①헛수고하다. ¶大局已定, 再说也~; 대국은 이미 정해졌으니까, 이 이상 말해도 소용없다/错误已经造成了, 再后悔也是~; 잘못을 저지르고 나서 후회해도 헛일이다. ②되는 대로〔함부로〕 말하다.

〔瞎白话〕 xiābáihuà 동 (남의 환심을 사기 위하여) 입에 발린 말을 하다.

〔瞎包儿〕 xiābāor 명 무지(無智)·무능한 녀석.

〔瞎编〕 xiābiān 동 멋대로 꾸며대어 말하다. 날조하다. 나오는 대로 지껄이다. ¶随口~; 입에서 나오는대로 멋대로 말하다.

〔瞎猜〕 xiācāi 동 ①턱없이 사추(邪推)하다. ②짐작해 말하다.

〔瞎吵〕 xiāchǎo 동 시끄럽게 말다툼하다. 함부로 큰소리로 떠들다. 법석을 떨다.

〔瞎扯〕 xiāchě 동 함부로 마구〔입에서 나오는 대

로] 지껄이다. 아무 근거도〔터무니〕 없는 소리를 하다. ¶～是非; 함부로 시비를 말하다 / ～! 我昨天一整天哪儿也没去呀; 거짓말 마, 난 어제 하루 종일 아무 데도 가지 않았다. =〔胡扯〕〔瞎八八〕

〔瞎踹子〕 xiāchuàizi 부 ⇨〔瞎胡〕

〔瞎闯〕 xiāchuǎng 동 ①무턱대고 돌진하다. ②(일정한 직업도 없이) 싸다니다.

〔瞎吹〕 xiāchuī 동 함부로 허풍떨다.

〔瞎打落〕 xiādǎlào 동 ⇨〔白打落〕

〔瞎大方〕 xiādàfang 형 돈의 씀씀이가 헤프다.

〔瞎叨叨〕 xiādāodao 동 ①공연히 투덜대다. 함부로 지껄이다. ②혼잣말을 하다.

〔瞎道儿〕 xiādàor 명 ①사도(邪道). ②쓸데없는 행동. 쓸모없는 방법.

〔瞎地〕 xiādì 명 불모지(不毛地).

〔瞎放炮〕 xiāfàngpào 동〈比〉목표도 없이 무작정 공격하다. ¶别向我～; (논쟁 따위에서) 나를 함부로 공격하지 마라.

〔瞎搞〕 xiāgǎo 동 계획도 순서도 없이 닥치는 대로 하다. 무턱대고 하다.

〔瞎姑儿〕 xiāgūr 명 고녀(瞽女). 소경 여자《악기를 치면서 노래를 부르는 여자 장님》.

〔瞎汉〕 xiāhàn 명 ①(남자) 장님. ②벽창호. ③문맹(文盲). ④무식한 사람.

〔瞎好〕 xiāhǎo 명〈方〉(곡물 작황 따위의) 좋고 나쁨. ¶～不一般; 좋고 나쁜 것이 고르지 않다.

〔瞎胡〕 xiāhú 부 아무렇게나. 함부로 하는. =〔瞎踹子〕

〔瞎(胡)闹〕 xiā(hú)nào 동 ①야단법석을 떨다. 쓸데없는 짓을 하다. ②빈둥거리다.

〔瞎话〕 xiāhuà 명〈方〉거짓말. 터무니없는 말. ¶～流舌儿; 교묘한 말로 남을 속이다 / 别跟我这么～流舌儿! 나를 이런 교묘한 말로 속이려는 짓일랑 말게!

〔瞎幌幌〕 xiāhuǎnghuǎng 동 거짓말을 늘어놓다. 허튼 소리를 하다. ¶～篓lǒu子;〈方〉거짓말쟁이.

〔瞎混〕 xiāhùn 동 되어 가는 대로 생활을 하다. 되는 대로 지내다. ¶不要让他再～, 免得两家失和气! 양가의 사이가 나빠지지 않도록, 그에게 다시는 더 되는 대로의 생활을 하지 않도록 해라! =〔瞎混日子〕

〔瞎火(儿)〕 xiāhuǒ(r) 명 불발(不發)의 폭죽(爆竹).〈比〉효력이 없는 것. 쓸모없는 것. ¶真可惜, 打了一枪～了; 정말 아쉽다, 한 방 쏘았더니 불발이 됐다.

〔瞎叽叽〕 xiājījī 동 허튼 소리를 하다.

〔瞎讲〕 xiājiǎng 동 허튼 소리를 하다.

〔瞎搅〕 xiājiǎo 동 함부로 떠들다. 부산떨다.

〔瞎赖〕 xiālài 동 함부로 조작하다. (죄를) 마구 덮어 씌우다. 까닭 없이 트집을 잡다.

〔瞎了眼瞎不了心〕 xiāleyǎn xiābuliǎoxīn〈諺〉눈은 멀어도 양심은 멀지 않는다.

〔瞎聊〕 xiāliáo 동 ①종작없이 지껄이다. (멋대로의) 짐작으로 지껄여대다. ②이런저런 세상 이야기를〔잡담을〕 하다. ③함부로 말을 터뜨리다. ¶您可千万别～啊; 절대로 말을 함부로 해서는 안된다.

〔瞎咧咧〕 xiāliélie 동 ⇨〔瞎诌zhōu〕

〔瞎溜〕 xiāliū 동 어슬렁어슬렁 걷다. 방황하다.

〔瞎忙〕 xiāmáng 동 ①헛수고를 하다. ②바빠서 이리뛰고 저리뛰고 하다. 야단 법석하다.

〔瞎猫碰死耗子〕 xiāmāo pèng sǐhàozi〈諺〉눈이 안 보이는 고양이가 죽은 쥐에 부딪치다《뜻밖에 좋은 일이 생기다. 요행수》.

〔瞎眯糊眼〕 xiāmī huyǎn 산뜻하지 않다. 보기 흉하다. ¶我衣裳破, ～的, 进不来呀! 내 옷은 남루해서, 아무래도 보기 흉하니까 못 들어가겠다!

〔瞎摸〕 xiāmō 동 함부로 더듬다.

〔瞎摸海〕 xiāmō hǎi〈比〉①일을 적당히〔되는 대로〕하다. 빗나간 짓을 하다. 엉뚱한〔턱없는〕 짓을 하다. ②(xiāmōhǎi) 명 엉뚱한 짓을 하는 사람. ③(xiāmōhǎi) 명 눈이 나쁜 사람. 장님.

〔瞎摸合眼〕 xiāmō héyǎn〈比〉①캄캄해서 아무것도 보이지 않는 모양. ②시력(視力)이 약한 것을 이르는 말. ③사태(事態)가 분명하지 않는 모양. ¶你看我这～的, 一会儿关城, 一会儿净街的; 난 아무래도 분명히 모르겠다. 방금 성문을 닫았는가 싶었는데, 교통 차단이야.

〔瞎摸乱闯〕 xiāmo luànchuǎng 무작정 돌진하다. 무턱대고 덤벼들다.

〔瞎奶(子)〕 xiānǎi(zi) 명 ①돌기(突起)하지 않은 젖꼭지. ②젖이 안나오는 젖꼭지.

〔瞎闹〕 xiānào 동 (야단) 법석을 떨다. 일을 되는 대로 하다. 쓸데없는 짓을 하다. =〔瞎(胡)闹〕

〔瞎弄〕 xiānòng 동 ①마구잡이로〔무턱대고〕 하다. ②마구 주물러 터뜨리다.

〔瞎跑〕 xiāpǎo 동 ①무턱대고 뛰다. ②뛰어다니다. ¶不要到处～! 아무데서나 뛰어다니지 말아라! ③(공연히) 바쁘게 뛰어다니다.

〔瞎炮〕 xiāpào 명〈俗〉불발탄. =〔〈俗〉哑yǎ炮〕〔〈俗〉臭chòu(炮)弹〕

〔瞎碰乱闯〕 xiāpèng luànchuǎng 무턱대고 돌진하다.

〔瞎铺排〕 xiāpūpái 형 엉터리다. 엉망진창이다.

〔瞎七搭八〕 xiāqī dābā〈南方〉엉망진창이다. 엉터리이다. 마구잡이다.

〔瞎起哄〕 xiāqǐhòng 동 마구 떠들다〔소란을 피우다〕.

〔瞎三话四〕 xiā sān huà sì〈成〉⇨〔瞎说八道〕

〔瞎屎蚵螂混推〕 xiā shǐkelàng hùntuī〈京〉책임을 서로 전가하다. ¶谁闯的祸谁认就是了, 甭～; 소란을 일으킨 장본인이 자백하면 되지, 책임을 서로 전가하지 마라.

〔瞎说〕 xiāshuō 동 아무렇게나 말을 하다. 허튼 소리를 하다. ¶你净～! 넌 허튼 소리만 한다!

〔瞎说八道〕 xiā shuō bā dào〈成〉입에서 나오는 대로 함부로 말을 하다. =〔胡说八道〕〔瞎三话四〕

〔瞎说一气〕 xiāshuō yīqì 마구 지껄이다. 되는 대로 말하다.

〔瞎疼〕 xiāténg 동 맹목적으로 귀여워하다. 익애(溺愛)하다. ¶～儿子; 아들을 분별없이 귀여워하다.

〔瞎喜欢〕 xiāxǐhuān 동 헛되이 기뻐하다. →〔空kōng欢喜〕

〔瞎想〕 xiāxiǎng 동 쓸데 없는 생각을 하다. 근거 없는 일을 생각하다.

〔瞎写〕 xiāxiě 동 아무렇게나 쓰다. 낙서하다.

〔瞎眼〕 xiāyǎn 명 장님. (xiā,yǎn) 동 장님이 되다. 눈이 멀다.

〔瞎凿〕 xiāzáo 동 쓸데 없는 일을 꼬치꼬치 캐다. 형 고집스럽다.

〔瞎扎伙〕 xiāzhāhuǒ 명 말뿐인 인간. 허풍선이. ¶你啥也不能办, 真～; 너는 아무것도 할 줄 모르면서, 말하는 것은 정말 허풍선이구나.

〔瞎诈庙〕 xiāzhà miào〈京〉공연히 소란을 피우다. 아무것도 아닌데 법석을 떨다. ¶什么事都没有, 你瞎诈什么庙? 아무것도 아닌데, 뭘 법석을

떠느냐? / 哪有什么着火的，你～；아무데도 불이 나지 않았는데，공연히 소란 피우지 마라.
〔瞎账〕 xiāzhàng 명 대손(貸損). 회수할 수 없는 돈. 떼인 돈.
〔瞎指挥〕 xiāzhǐhuī 명 터무니없는 명령.
〔瞎诌〕 xiāzhōu 동 〈方〉 터무니없는 이야기를 하다. 허튼 소리하다. =〔瞎咧咧〕
〔瞎诌胡咧〕 xiāzhōu húliē 허튼 소리를 하다.
〔瞎抓〕 xiāzhuā 동 ①함부로 잡다. ②닥치는 대로 하다. 계획도 없이 하다. ③(일정한 직업없이) 이것저것 손을 대어 돈을 벌어 생활하다. ④그날그날을 살아가다. 되어가는 대로 살아가다.
〔瞎撞〕 xiāzhuàng 동 ①(멋대로의) 짐작으로 해보다. 무턱대고〔목표도 없이〕 해보다. ②(일정한 직업도 없이) 빈둥대다. 여기저기 싸다니다.
〔瞎字〕 xiāzì 형 문자를 모르다.
〔瞎子〕 xiāzi 명 ①장님. 소경. ¶～点灯；〈歇〉 장님이 등(燈)을 켜다(쓸데없는 짓을 함) / ～吃馄饨；〈歇〉 장님이 훈탕을 먹다('心里有数'(마음 속으로 셈수를 치부하고 있다)라는 데서，남에게는 말하지 않으나 잘 알고 있다는 뜻) / ～带眼镜，多一层；〈歇〉 장님이 안경을 끼는 것은 군 일이라 아무런 이익도 없다. ②〈方〉 여물지 않고 시든 열매. 쭉정이.
〔瞎子帮忙〕 xiāzi bāngmáng 〈諺〉 장님이 거들어 주기. 달갑지 않은 친절.
〔瞎子放驴〕 xiāzi fànglǘ 〈歇〉 장님이 나귀를 방목하다. ①손을 놓지 않다. ②되어가는 대로 맡기다. ¶大伙不干，都说地里就一堆柴禾，～，随它去吧；모두가 일은 그만두겠다 하고，밭에는 땔감으로 할 짚밖에 없으니，될 대로 되라고 이구 동성으로 말했다.
〔瞎子摸象〕 xiā zi mō xiàng 〈成〉 장님이 코끼리를 더듬다. =〔盲máng人摸象〕
〔瞎子摸鱼〕 xiā zi mō yú 〈成〉 장님이 물고기를 걸터듬어 찾다. 멋대로의 짐작으로 하다.
〔瞎走〕 xiāzǒu 동 무턱대고 걷다.
〔瞎走乱撞〕 xiā zǒu luàn zhuàng 정처없이 돌아다니다. 여기저기 무턱대고 싸다니다.
〔瞎做〕 xiāzuò 동 되는 대로 하다. =〔胡hú做〕
〔瞎做作〕 xiāzuòzuo 동 흉내내다. …체하다.

鰕(鰕) xiā (하)
①→〔鰕虎鱼〕 ②명 새우. =〔虾〕
〔鰕虎鱼〕 xiāhǔyú 명 《魚》 문절망둑과의 총칭.

匣 xiá (갑)
(～儿，～子) 명 작은 갑. 작은 상자.
〔匣剑帷灯〕 xiá jiàn wéi dēng 〈成〉 상자 속에 있는 검(劍)과 유막(帷幕) 안의 등불(사실은 감추려고 해도 감출 수 없는 법).
〔匣枪〕 xiáqiāng 명 모제르총. =〔盒hé子枪〕

狎 xiá (압)
①형 친(숙)해지다. 낯익다. ¶～近jìn；친해지다. 낯익게 되다 / ～信xìn；⇩ ②동 버릇없이 너무 지나치게 친하다. 까불다. ¶～侮wǔ；무람없이 까불다 / 二人常相～；두 사람은 늘 시시덕거리고 있다. ③동 경질(更迭)되다.
〔狎妓〕 xiájì 동 기생을 데리고 놀다.
〔狎近〕 xiájìn 동 버릇없이 너무 친하다.
〔狎客〕 xiákè 명 〈文〉 ①친숙한 사람. 무람없는 사람. ②단골 손님. 탕객(蕩客).
〔狎昵〕 xiánì 형 〈文〉 (태도가) 무람없고 경박하다. 버릇없을 정도로 스스럼없다.
〔狎弄〕 xiánòng 동 친숙해져서 (무람없이) 까불다. 버릇없이 놀다. 놀리다. ¶他常常恶作剧～人；그는 늘 짓궂은 장난으로 남을 놀린다. =〔狎玩〕〔狎侮〕
〔狎玩〕 xiáwán 동 ⇨〔狎弄〕
〔狎侮〕 xiáwǔ 동 ⇨〔狎弄〕
〔狎邪〕 xiáxié 명 〈文〉 ⇨〔狭斜〕
〔狎信〕 xiáxìn 동 〈文〉 총애하여 믿어 버리다. 친압(親狎)하여 믿다. 친하게 지내어 믿다. 명 측근자. 심복.

柙 xiá (합)
명 〈文〉 짐승을 넣는 우리(중죄인(重罪人)을 가두는 데도 쓰였음). ¶出～之虎；우리에서 나온 호랑이.
〔柙床〕 xiáchuáng 명 작고 옹색한 나무 침대.

侠(俠) xiá (협)
명 ①사내다움. 의협(義俠). 협기. ¶武wǔ～；무협 / ～客kè；⇩ / ～义yì；의협심이 강하다 / ～义心肠；협기. 의협심. ②미인(美人). ③성(姓)의 하나.
〔侠肠〕 xiácháng 명 협기. 의협심.
〔侠骨〕 xiágǔ 명 의협적 기질. 협기.
〔侠棍〕 xiágùn 명 ①난폭한자. 깡패. ②협객(俠客).
〔侠客〕 xiákè 명 옛날, 협객.
〔侠气〕 xiáqì 명 협기. 의협심.
〔侠士〕 xiáshì 명 의협심이 많은 사람.

峡(峽) xiá (협)
명 ①골짜기. 산골짝의 내. ②양쪽의 산이나 육지가 사이에 물을 끼고 있는 좁은 곳. ¶长江三～；쓰촨 성(四川省)과 후베이 성(湖北省) 경계에 있는 삼협(三峽) / 海～；해협 / 地～；지협. ‖ =〔陜②〕
〔峡谷〕 xiágǔ 명 협곡. 골짜기. =〔峡中〕
〔峡湾〕 xiáwān 명 《地質》 협만. 피오르드(fiord). =〔飞fēi崖〕
〔峡中〕 xiázhōng 명 ⇨〔峡谷〕

狭(狹) xiá (협)
형 좁다. ↔〔广guǎng〕 =〔陜①〕
〔狭隘〕 xiá'ài 형 〈文〉 ①협애하다. 폭이 좁다. ¶～的山道；좁은 산길. ②(도량·견식 따위가) 좁다. ¶见闻～；견문이 좁다 / 心胸～；도량이 좁다 / ～的生活经验；한정된〔협소한〕 생활 경험.
〔狭长〕 xiácháng 형 좁고 길다.
〔狭道〕 xiádào 명 ⇨〔狭径〕
〔狭轨铁路〕 xiáguǐ tiělù 명 협궤 철도. =〔窄zhǎi轨铁路〕 ↔〔宽kuān轨铁路〕
〔狭径〕 xiájìng 명 〈文〉 소로(小路). 협로(狹路). =〔狭道〕
〔狭路〕 xiálù 명 협로. 좁은 길.
〔狭路相逢〕 xiá lù xiāng fēng 〈成〉 좁은 길에서 만나면 양보할 수가 없다. 서로 행동 범위가 좁으면 곧잘 충돌한다. ¶美苏两国～，在全世界展开激烈的争夺；미소(美蘇) 양국은 서로 으르렁 거리며 전세계에서 격렬한 쟁탈을 벌이고 있다.
〔狭乡〕 xiáxiāng 명 〈文〉 (당대(唐代)에) 땅은 좁고 사람이 많은 곳.
〔狭小〕 xiáxiǎo 형 ①(범위가) 좁다. 규모가 작다. ¶生产规模～；생산 규모가 작다. ②(도량 따위가) 좁다. ¶气量～；도량이 좁다 / 眼光～；시야가 좁다.
〔狭邪〕 xiáxié 명 ⇨〔狭斜〕
〔狭邪子〕 xiáxiézǐ 명 ①골목 안에 살면서 좀처럼 멀리 나가지 않는 사람. ②화류계의 단골 손님.

〔狭斜〕 xiáxié 명 〈文〉 좁고 구불구불한 골목. 〈轉〉 화류계. =〔狭邪〕〔狎邪〕
〔狭心症〕 xiáxīnzhèng 명 ⇨〔心绞痛〕
〔狭义〕 xiáyì 명 협의. 좁은 뜻. ¶～的文艺单指文学, 广义的文艺兼指美术、音乐等; 협의의 문예는 단지 문학만을 가리키며, 광의의 문예는 미술·음악 등까지 가리킨다.
〔狭韵〕 xiáyùn 명 (중국 음운학에서) 그 운에 속하는 문자가 적은 운.
〔狭凿〕 xiázáo 명 날이 좁은 끌. =〔〈北方〉尖jiān錾子〕
〔狭仄〕 xiázè 형 〈文〉 (갑갑스러울만큼) 비좁다. ¶地方～; 장소가 비좁다.
〔狭窄〕 xiázhǎi 형 ①좁다. 비좁다. ¶～的走廊; 좁은 복도 / ～的小胡同; 좁은 골목. ②(도량·견식 등이) 좁다. ¶心地～; 곰상스럽다.
〔狭窄性〕 xiázhǎixìng 명 협소성(狹小性). ¶他们具有农村社会中小生产者那种～的特点; 그들은 농촌 사회의 소생산자 특유의 협소성을 갖고 있다.

陜(陝) xiá (협)
①형 ⇨〔狭xiá〕 ②명 ⇨〔峡xiá〕

硖(硤) xiá (협)
지명용 자(字). →〔硖石〕
〔硖石〕 Xiáshí 명 〖地〗 샤스(硤石)《저장 성(浙江省)에 있는 지명(地名)》.

祫 xiá (협)
동 〈文〉 합사(合祀)하다《조상을 종묘(宗廟)에 모아 제사함》.

遐 xiá (하)
〈文〉 ①형 멀다. ¶～方; 먼 곳. ↔〔迩ěr①〕 ②형 오래다. 장구하다. ¶～龄; ⇩ ③동 죽다. ④부 어찌.
〔遐迩〕 xiá'ěr 명 〈文〉 원근(遠近). 〈轉〉 사방. ¶～闻名 =〔驰名～〕; 원근에 명성을 날리다. 널리 이름이 알리어지다.
〔遐方〕 xiáfāng 명 〈文〉 먼 곳. 먼 지방.
〔遐福〕 xiáfú 명 〈文〉 영원한 행복.
〔遐荒〕 xiáhuāng 명 〈文〉 멀리 떨어진 궁벽한 땅.
〔遐迹〕 xiájì 명 〈文〉 선인이 남긴 업적.
〔遐龄〕 xiálíng 명동 〈文〉 장수(하다). ¶克享～; 장수를 누리다.
〔遐弃〕 xiáqì 동 〈文〉 멀리하고 돌보지 않다. 내버려 두다. =〔遐遗〕
〔遐思〕 xiásī 동 〈文〉 (먼 곳에 있는 사람을) 그리워하다. ¶自别雅教时切～; 〈翰〉 헤어진 뒤로 늘 그리워하고 있습니다.
〔遐眺〕 xiátiào 동 먼 데서 바라보다. 멀리 바라보다.
〔遐想〕 xiáxiǎng 명 고원(高遠)한 착상. 고원한 이상. 동 ①먼 곳에 있는 사람을 생각하다. ②멀리 이것저것 생각하다. 깊이 사색하고 상상하다.
〔遐遗〕 xiáyí 동 ⇨〔遐弃〕
〔遐裔〕 xiáyì 명 〈文〉 후예(後裔).
〔遐远〕 xiáyuǎn 형 아득히 멀다.
〔遐胄〕 xiázhòu 명 〈文〉 혈통이 먼 자손.
〔遐陬〕 xiázōu 명 〈文〉 멀리 떨어진 곳.

煆 xiá (하)
①형 뜨겁다. ②동 마르다. 말리다. ③동 빛나다.

瑕 xiá (하)
명 ①옥의 티. 〈比〉 결점(缺點). 결함(缺陷). ¶白玉微～; 모처럼의 뛰어난 것에 약간의 결함이 있음. ②과실. 죄. ③성(姓)의 하나.
〔瑕不掩瑜〕 xiá bù yǎn yú 〈成〉 결점은 있으되 장점을 덮어 가릴 정도는 못된다. 장점이 결점보다 많다.
〔瑕疵〕 xiácī 명 〈文〉 흠. 사소한 결점.
〔瑕玷〕 xiádiàn 명 〈文〉 사소한 과실〔결점〕.
〔瑕吕〕 Xiálǚ 명 복성(複姓)의 하나.
〔瑕丘〕 Xiáqiū 명 ①〖地〗 옛 지명《현재의 산둥 성(山東省) 쯔양 현(滋陽縣)》. ②복성(複姓)의 하나.
〔瑕头〕 xiátóu 명 ⇨〔霞头〕
〔瑕衅〕 xiáxìn 명 〈文〉 ①틈. 짬. ②과실. 허물. ‖=〔瑕璺〕
〔瑕璺〕 xiáxìn 명 〈文〉 ⇨〔瑕衅〕
〔瑕瑜〕 xiáyú 명 〈文〉 옥의 티와 광택. 〈轉〉 장점과 결점. ¶～不掩; 〈成〉 아름다움도 추한 것도 감추지 않다《장점도 단점도 드러내다》.
〔瑕瑜互见〕 xiá yú hù jiàn 〈成〉 (문장 따위가) 장점도 있고 단점도 있는 것.
〔瑕谪〕 xiázhé 명 〈文〉 옥의 티. 〈轉〉 잘못. 과오.

暇 xiá (가)
①명 틈. 짬. 여가. 겨를. 여유. ¶得dé～; 짬을 얻다 / 无～; 짬〔틈〕이 없다 / 自顾不～; 자신의 일도 돌볼 틈이 없다 / 公余之～; 공무의 여가 / 无～兼顾; 둘을 다 돌볼 겨를이 없다. ②형 한가하다. ¶～日; ⇩ ③명 휴일(休日).
〔暇晷〕 xiáguǐ 명 〈文〉 틈. 짬. 여가. =〔暇景〕
〔暇景〕 xiájǐng 명 〈文〉 ⇨〔暇晷〕
〔暇日〕 xiárì 명 한가한 날. 한산한 날.

蕸 xiá (하)
명 〈文〉 연잎.

霞 xiá (하)
①명 놀. ¶朝zhāo～; 아침놀 / 晚wǎn～; 저녁놀. →〔彩cǎi霞〕 ②형 먼. 요원한.
〔霞光〕 xiáguāng 명 ①아침놀이나 저녁놀의 빛. ¶～万道; 하늘이 저녁놀〔아침놀〕로 새빨간 모양. ②갖가지의 아름다운 빛깔. 빛나는 오색 빛깔.
〔霞帔〕 xiápèi 명 ①옛날, 중국 여자의 예복의 일부로 숄(shawl) 비슷한 것. ¶凤fèng冠～; 여성의 예장(禮裝). ②도사가 착용하는 예복.
〔霞石〕 xiáshí 명 〖鑛〗 하석.
〔霞头〕 xiátóu 명 염색집 등에서 맡긴 손님을 식별하기 위하여 염색물에 붙이는 이름을 쓴 천조각. =〔瑕头〕

嗑 xiá (합)
→〔嗑嗑〕 ⇒ kē kè
〔嗑嗑〕 xiákè 형 ①잘 지껄이는 모양. ②웃음소리의 형용.

辖(轄〈舝, 鎋A)〉) xiá (할)
A) 명 차축(車軸) 끝의 비녀장. 쐐기. B) 동 관리하다. 관할하다. ¶直～; 직할하다 / 统tǒng～; 통할하다.
〔辖境〕 xiájìng 명 관할 구역. =〔辖区〕
〔辖制〕 xiázhì 동 단속하다. 감독하다. 관할하다.
〔辖治〕 xiázhì 명동 관할(하다). 관리(하다). ¶虽说是独立机构, 可是还得受上级机关的～; 독립된 기구가 되어 있다고는 하나 역시 상급 기관의 관리를 받아야 한다. 동 제어하다. 가라앉히다. 진정시키다. ¶和这两个丫头在卧房里大嚷大叫, 二姐竟不能～《紅樓夢》; 이 두 계집아이와 침실에서 소란을 피워도 둘째 누나는 어찌하지 못한다.

黠 xiá (할)
〈文〉① 형 간사하다. 교활하다. 꾀바르다. ¶外痴内~; 겉은 어리석어 보이지만 속은 교활하다 / 狡jiǎo~; 교활하다. ② 명 교활한 사람.

〔黠慧〕 xiáhuì 형 〈文〉 교활하다. 총명하다.

〔黠戛斯〕 Xiájiásī 명 《民》《史》 당(唐)나라 때의 소수 민족 이름.

〔黠吏〕 xiálì 명 〈文〉 교활한 관리.

下 xià (하)
A) 명 ①아래. 밑. ¶山~; 산 밑〔기슭〕/ 往~看; 아래쪽을 보다 / 在团长率领之~; 단장 인솔 아래. ②다음. 순서의 뒤. ¶~卷; 하권 / ~月; 다음 달 / ~半年; (한)해의 후반. 하반기. ③하급(下級). 저급(低級). ¶~级服从上级; 하급은 상급에 복종한다 / ~策; ⇩ / ~等; ⇩ ④신하. 부하. 수하. ¶臣~; 옛날, 신하가 군주 앞에서 자신을 낮춰 부른 말 / 他的部~没有几个人; 그의 부하는 몇 안된다 / 膝~有二男一女; 2남 1녀를 슬하에 두었다. B) 동 ①(…에서 …로) 내려가다〔오다〕. ¶~山; 하산하다. ②들어가다. ¶~狱; 감옥에 들어가다. ③끝나다. 파하다. ¶~班; 일이 끝나다. 퇴근하다. ④…에〔로〕 가다. ¶~乡; ⇩ ⑤보내다. 건네다. ¶~书; 편지를 보내다 / ~定; 납채(納采)를 보내다 / ~请帖; 청첩장을 보내다. ⑥내리다. 선포〔공포(公布)〕하다. ¶~令; 명령을 내리다 / ~通知; 통지를 내다 / ~战书; 선전 포고를 하다 / ~旗; 깃발을 내리다. ⑦넣다. 뿌리다. ¶~面条; 국수를 (냄비에) 넣다 / ~种; 씨를 뿌리다. ⑧(의견·판단 등을) 내다. 내리다. ¶~结论; 결론을 내다 / ~定义; 정의를 내리다 / ~注解; 주석을 달다. 注 전치사를 쓰지 않고 처소사(處所詞) 목적어로 취함. C) ①속에 있는 것을 나타냄. ¶言~; 말 속 / 心~; 마음속. 심중 / 都~; 도하. 서울 안. ②어떤 때에 해당함을 나타냄. ¶~半天; 오후 / 时~ =〔目~〕; 현재 / 节~; 명절 때. ③일정한 범위·상황·조건에 있음을 나타냄. ¶在这种情况~; 이러한 상황하에서. 이러한 때에. ④…쪽. …방면《수사(數詞)의 뒤에 붙여 방면·방향을 나타냄》. ¶两~里都同意; 쌍방이 모두 동의하다 / 往四~里一看; 주변을 보다 / 两~都愿意; 쌍방이 다 희망하고 있다. ⑤동사의 뒤에 붙어 관계를 나타냄. ¶培养(之)~; 육성하(育成下)에서 / 指导(之)~; 지도 아래서. ⑥동작·행위가 완성되고 그 결과가 남아 있는 일. ¶打~基础; 기초를 굳혀 놓다 / 准备~材料; 재료를 갖추어 놓다 / 做~一件要紧的事; 어떤 중요한 일을 이루어 놓다 / 这蛋是哪一只鸡~的? 이 알은 어느 닭이 낳은 것이냐? ⑦'来'·'去'와 연용(連用)하여 방향 또는 연속을 나타냄. ¶从空中掉~来; 공중에서 떨어져 내려오다 / 滑~去; 미끄러져 내려가다 / 慢慢停~来; 천천히 멎다 / 念~去; 계속해 읽다. ⑧들어갈 여지(餘地)가 있음을 나타냄. ¶坐得~; 앉을 수 있다. 앉을 여지가 있다. ⑨(~儿, ~子) '两'·'几'에 붙여 능력·기능을 나타냄. ¶他真有两~儿! 그는 아주 대단하다! / 就这么几~儿, 你还要逞能? 요까짓 정도를 가지고 솜씨 자랑을 하려 드는 건가? D) 동 ①(비·눈·서리 따위가) 내리다. ¶~雨; 비가 오다 / ~雪; ⇩ / ~霜; ⇩ ②줄이다. 감소시키다. ㉠내리다. ¶~货; 짐을 내리다. ㉡제거하다. 없애다. 거두어들이다. ¶把他的枪~了; 그의 총을 빼앗다 / ~泥; 흙을 털다. ③사용하다. 들이다. ¶~工夫; 시간을 들이다. 노력하다 / ~毒手; 잔인한 수법을 쓰다 / ~本钱; 자본을 투하하다. 밑천을 들이다. ④공략하다. 쳐서 함락시키다. ¶连~数城; 연이어 몇 개의 성을 함락시키다. ⑤양보하다. ¶各不相~; 서로 양보하지 않다. ⑥떼다. 따다. 뽑다. 수확하다. ¶新~树的果子; 새로 딴 과일 / 把螺丝~了; 나사못을 뽑았다. ⑦체제하다. 머무르다. ¶~饭店; 호텔에 묵다 / ~户; (그 고장에) 자리 잡고 살다. 토착하다. ⑧(동물이) 새끼를 낳다. ¶猫~小猫子; 고양이가 새끼를 낳았다 / ~蛋; 알을 낳다. ⑨어떤 수에 부족하다. ¶不~三百人; 300명을 밑돌지는 않는다. E) (~儿, ~子) 양 ①동작의 횟수를 나타내는 말. ¶说一~; 한 번 말하다 / 打一~; 한 번 때리다 / 摇了几~旗子; 몇 번인가 기를 흔들었다. ②기물(器物)의 용량(容量)을 나타내는 말. ¶瓶子里装着半~墨水; 병에 잉크가 반 가량 들어 있다 / 这么大的碗他足吃了三~; 이런 큰 사발로 그는 세 그릇이나 먹었다.

〔下把〕 xià.bǎ 동 〈俗〉 손을 뻗다. ¶~去抓; 손을 뻗어 잡다 / ~去捞; 손을 뻗어 뜨다. =〔伸shēn手①〕

〔下巴〕 xiàba 명 ①아래턱《'下颌'의 통칭》. ¶托着~; (손으로) 턱을 괴다. ②'颏'(턱)의 통칭.

〔下巴颏(儿)〕 xiàbakē(r) 명 (아래)턱. ¶摸~; 턱을 쓰다듬다. =〔下颏(儿)〕

〔下摆〕 xiàbǎi 명 (중국옷의) 앞자락의 폭. =〔底dǐ摆〕

〔下拜〕 xiàbài 동 절하다. 배례하다《몸을 굽혀 절을 하다》.

〔下班〕 xià.bān (~儿) 동 관청이나 회사가 파하다. 퇴근하다. ¶公司~了; 회사가 파했다. (xiàbān) 명 다음 조(組).

〔下板儿〕 xià.bǎnr 동 상점에서 아침에 문을 열다. 〈轉〉 영업을 시작하다. =〔下板子〕〔下门〕

〔下半辈子〕 xiàbànbèizi 명 후반생(後半生).

〔下半场〕 xiàbànchǎng 명 《體》 (축구·럭비 등의 구기(球技)에서) 후반(전).

〔下半截(儿)〕 xiàbànjié(r) 명 하반부.

〔下半年〕 xiàbànnián 명 후반년. 하반기《7월부터 12월까지》.

〔下半旗〕 xià bànqí 반기(半旗)를 달다. =〔降jiàng半旗〕

〔下半晌(儿)〕 xiàbànshǎng(r) 명 ⇨〔下半天(儿)〕

〔下半天(儿)〕 xiàbàntiān(r) 명 오후. =〔〈俗〉 下半晌(儿)〕〔〈方〉 下晌〕〔〈俗〉 晚wǎn半晌(儿)〕〔晚半天(儿)〕〔下午〕

〔下半夜〕 xiàbànyè 명 밤 12시부터 날이 새기까지의 사이.

〔下半月〕 xiàbànyuè 명 후보름《16일부터 월말까지》.

〔下雹子〕 xià báozi 우박이 내리다.

〔下保〕 xià.bǎo 동 보증하다.

〔下辈(儿)〕 xiàbèi(r) 명 ①자손(子孫). ↔〔上shàng辈〕 ②가족 중의 다음의 일대(一代). ③〈文〉 미천한 사람. ¶荐jiàn宠~; 미천한 사람을 연해 총애하다.

〔下辈子〕 xiàbèizi 명 ⇨〔下一辈子〕

〔下本儿〕 xià.běnr 동 자본을 들이다. 출자(出資)하다. 투자(投資)하다. ¶不~不能生利; 밑천을 들이지 않고는 이익을 낼 수 없다.

〔下笔〕 xià.bǐ 동 글을 쓰거나 그림 그리기를 시작하다. 붓을 들다. ¶~成章; 〈成〉 한번 붓만 잡으

면 순식간에 훌륭한 문장을 이룬다 / 感想很多, 不知从哪儿～; 감상이 많아 어디서부터 붓을 대야 할지 모르겠다. ↔〔搁笔〕=〔落luò笔〕
〔下币〕 xiàbì 명 《史》 상고(上古) 시대의 화폐.
〔下边(儿)〕 xiàbiān(r) 명 아래쪽. 아래. ¶我要吩咐～的人; 내가 아랫것에게 분부하겠습니다. ↔〔上shàng边(儿)①〕
〔下匾〕 xiàbiǎn 동 ①편액을 내리다《상점 혹은 의사가 영업 또는 진료를 그만두는 것》. ②간판을 내리다《간판을 내리고 그만두다》.
〔下膊〕 xiàbó 명 《生》 하박. =〔前qián臂〕
〔下不来〕 xiàbulái ①(내리려 해도) 내릴 수가 없다. ¶～马; 말에서 내릴 수 없다. ②겸연쩍다. 난처해지다. ¶脸上～; 대답에 궁하다. 난처하다. ③결말이 나지 않다. 해결할 수 없다. ¶那个东西拿了五十万也～了; 저것은 50만 원으로도 살 수 없다. ‖↔〔下得来〕
〔下不来台〕 xiàbulái tái ①대(臺)에서 내려올 수가 없다《결말이 나지 않음》. ②〈比〉 수습할 수 없다. 난처하다. ‖=〔下不了liǎo台〕
〔下不了〕 xiàbuliǎo ①절대로 비는 내리지 않는다. ②…이하는 아니다. …이하로 떨어지지 않다. ¶决～一千; 결코 천 이하로는 떨어지지 않는다.
〔下不了地了〕 xiàbuliǎo dì le 〈俗〉 땅에 내려올 수가 없다《병이 위중하게 되다》.
〔下不了台〕 xiàbuliǎo tái ⇨〔下不来台〕
〔下不去〕 xiàbuqù ①내려갈 수 없다. ②체면이 서지 않다. 입장이 난처하다. ¶你别让人～; 남을 난처하게 하면 안 된다. ③화를 내다. 기분이 상하다. ¶我跟他～; 나는 저놈 일로 기분이 상했다. ④(더러움이) 없어지지 않다. ¶鶇é涟～; 더러움〔얼룩〕이 빠지지 않는다. ⑤(속임수 등에) 넘어가지 않다. ¶你怎么搪táng塞我也～; 네가 아무리 속이려 해도 나는 넘어가지 않는다. ⑥(도리상) 용서할 수 없다. 계제가 나쁘다. 괘씸하다. ¶他今天又不来, 实在～; 그는 오늘도 오지 않았으니, 참 돼먹지 않았다.
〔下不为例〕 xià bù wéi lì 〈成〉 이후로는 이것을 보기〔예(例)〕로 하지 않는다. 이것으로 그만두다. 이것을 마지막으로 하다.
〔下部〕 xiàbù 명 ①하부. ②⇨〔阴yīn部〕
〔下才〕 xiàcái 명 〈文〉 범용한 재주.
〔下菜〕 xiàcài 명 ①변변치 않은 반찬. ②〈北方〉 술안주. ③〈南方〉 요리. 반찬. ④〈南方〉 야채. 동 요리를 내다.
〔下菜碟儿〕 xiàcàidiér (사람을) 대접하는 방법을 고르다. 접대하는 법을 정하다. ¶他都会看人～; 그는 사람에 따라서 접대하는 법을 완전히 터득하고 있다.
〔下操〕 xià.cāo 동 ①(체조 · 훈련하려고) 운동장 · 연습장에 나가다. ②(체조 · 훈련이) 끝나다. ¶他刚～回来; 그는 훈련을 마치고 막 돌아왔다.
〔下草鸡蛋〕 xià cǎojīdàn 〈方〉 (재래종의 닭이) 알을 낳다. 〈轉〉 책임을 질 기운이 없다.
〔下册〕 xiàcè 명 하권.
〔下策〕 xiàcè 명 하책. 서투른 계책. 현명하지 않은 계략. ↔〔上shàng策〕
〔下层〕 xiàcéng 명 ①하층. ¶柜子的～; 장롱의 아랫단. ②(기구 · 조직 · 계층 등의) 말단. 하부. 하층. ¶深人～; 하부에까지 깊이 들어가다.
〔下插带〕 xià chādài 옛날, 신랑 집에서 약혼 예물을 보내어 신부 될 사람에게 건네주다.
〔下茶〕 xià.chá 동 혼인할 때 신랑 측이 차를 보내다《차는 꽃이 피면 반드시 결실하는 데서 유래》.
〔下场〕 xià.chǎng 동 ①경기(競技)에 출장하다. ②옛날, 과거(科擧) 시험장에 들어가다. ¶他乡试下了多少场, 才中了举人; 그는 향시를 몇 번이나 치러 겨우 거인이 되었다. ③배우나 스포츠 선수가 퇴장하다. ¶～门; 관객석에서 보아 무대의 오른편의 출입구. 무대에서 퇴장하는 문 / ～诗; 중국 전통극에서, 배우가 퇴장할 때 말하는 대사. ④직을 떠나다. 은퇴하다. 결말(結末)이 나다.
〔下场〕 xiàchang 명 〈貶〉 종착점(終着點). 말로(末路). 일의 결과. 끝장. ¶～头; 결말. 끝장 / 这就是做官的～; 이것이 관리의 말로이다.
〔下车〕 xià chē ①차에서 내리다. ↔〔上车〕 ②관리(官吏)가 임지에 닿다. 부임(赴任)하다.
〔下车冯妇〕 xià chē féng fù 〈成〉 다시 나서다. 옛날 솜씨를 다시 보이다《일찍이 호랑이 사냥으로 이름난 풍부라는 사람이 은퇴한 후에, 사람들의 권유에 못 이겨 수레에서 내려 팔을 걷어붙이고 호랑이를 때려 잡았다는 고사에서》.
〔下车泣罪〕 xià chē qì zuì 〈成〉 위정자(爲政者)가 매우 인자하다《하(夏)나라 우왕(禹王)은 죄인을 보면 수레에서 내려 자기의 부덕 때문에 죄인이 생겼다고 울었음》.
〔下车伊始〕 xià chē yī shǐ 〈成〉 (관리가) 부임하자마자. 도착하기가 무섭게. ¶～哇啦哇啦发议论; 부임하자마자 이러쿵저러쿵 떠들어 대다.
〔下尘〕 xiàchén 명 ⇨〔下风〕
〔下臣〕 xiàchén 명 소신(小臣)《옛날, 신하가 군주에 대하여 썼던 자칭》.
〔下沉〕 xiàchén 동 가라앉다. 침하하다. ¶这范围内的土地正在～; 이 범위 안의 토지가 침하(沈下)하고 있다.
〔下沉球〕 xiàchénqiú 명 《體》 (야구 · 소프트볼의) 싱커(sinker).
〔下忱〕 xiàchén 명 〈文〉 미의(微意). 미충(微衷). ¶聊表～; 〈翰〉 약간의 성의를 표합니다.
〔下乘〕 xiàchéng 명 ①하등(下等). 하품(下品)《문학 예술 작품 따위》. ②《佛》 소승(小乘).
〔下程〕 xiàchéng 명 〈古白〉 전별(餞別). ¶～酒食; 전별의 주식 / ～茶果; 전별할 때의 다과.
〔下齿〕 xiàchǐ 명 《生》 아랫니. =〔牡mǔ齿〕
〔下齿龈〕 xiàchǐyín 명 ⇨〔下牙床〕
〔下厨(房)〕 xiàchú(fáng) 동 (손님을 환대하기 위하여) 부엌에 내려가 일하다. 손수 요리를 만들다.
〔下处〕 xiàchu 명 ①여관. 숙소. 휴게소. ¶早有张进宝等, 在德胜关一带预备下～; 장진보 등이 벌써 덕승관 근처에 숙소를 마련하였다. ②옛날, 하급의 기루(妓樓). ③옛날, 궁중(宮中)에서 신하가 황제를 알현할 때 휴식하던 곳. ④〈方〉 감옥.
〔下船〕 xià.chuán 동 ①배에서 내리다. 하선하다. 상륙하다. ②〈方〉 배에 타다.
〔下床〕 xiàchuáng 동 잠자리에서 일어나다. 기상(起床)하다.
〔下垂〕 xiàchuí 동 아래로 처지다〔늘어지다〕.
〔下垂球〕 xiàchuíqiú 명 《體》 (야구 등의) 드롭(drop).
〔下唇〕 xiàchún 명 아랫입술. =〔下嘴唇〕
〔下次〕 xiàcì 명 요다음. 차회(次回). 다음 번. ¶～什么时候试样子? 다음 가봉(假縫)은 언제입니까? =〔下回〕 ↔〔上次〕
〔下从〕 xiàcóng 명 〈文〉 종자(從者).
〔下存〕 xiàcún 명동 잔고(로 남기다〔남다〕). ¶还～一百元; 아직 100 元 의 잔고가 있다.
〔下达〕 xiàdá 동 하달하다. 명령을 하부에 전달하다. ¶～命令; 명령을 하달하다 / ～了紧急起飞命

令; 긴급 발진의 명령이 내려졌다.
〔下蛋〕 xià.dàn 동 알을 낳다.
〔下道〕 xiàdào 명 ①〈文〉 악(惡)의 길. ¶流为~; 타락하다. ②〈文〉 샛길. ¶避bì于~; 샛길로 난을 피하다. ③(~儿) 하품(下品). ④(작업에서) 다음 절차. ¶~工序; (작업에서) 다음 공정(工程).
〔下得〕 xiàde 동 〈古白〉 참다. 견디다. ¶虽是女婿恁地主张, 我终不成~将你来再嫁人; 비록 사위는 그렇게 주장하지만, 나는 무슨 일이 있어도 차마 너를 다른 사람한테 재혼시킬 수는 없다.
〔下得去〕 xiàdequ̇ ①참을 수 있다. 그런대로 괜찮다. 상당하다. ¶这个还~; 이건 그런대로 괜찮다 / 新开场的戏, 唱得还~; 이번에 막을 올린 연극은 상당히 괜찮다〔좋다〕. ②(도리에) 맞다. ¶人顾自己, 也得děi于理~; 사람은 자기를 비호하더라도, 도리에 맞아야 한다.
〔下等〕 xiàděng 형 하등의. ¶~动物; 하등 동물.
〔下底〕 xià.dǐ 동 ⇨〔下个底〕
〔下地〕 xià.dì 동 ①밭에 나가다. ¶~劳动; 밭에 나가 일하다 / 要说如今真好, 年轻媳妇没有不~的了; 정말 지금은 좋아졌다, 젊은 며느리들도 밭에 나가지 않는 사람이 없어졌으니까. =〔下田〕 ②마룻바닥에 내려서다. ③배우가 무대 벌이로부터 장돌뱅이 배우로 영락하다. ④병석에서 일어나다. ⑤정착(定着)하다. ⑥(배에서) 상륙하다. (xiàdì) 명 ①지면(地面)의 위. ②〈文〉 메마른 땅. =〔下则zé地〕 ③결혼식 후 신랑 집에서 신부의 친정 사람들과 술잔을 나누어 명실공히 부부가 되는 의식.
〔下地狱〕 xià dìyù ①지옥에 떨어지다. ②감옥에 들어가다.
〔下第〕 xià.dì 동 낙제하다. =〔落luò第〕 (xiàdì) 형 〈文〉 하등이다. 저급이다.
〔下店〕 xià.diàn 동 숙소를 잡다. 투숙하다. ¶~打尖; 숙소를 잡고 요기하다.
〔下跌〕 xiàdiē 동 하락하다. ¶近日印尼物价多告~; 최근에 인도네시아의 물가는 떨어진 것이 많다. =〔淡dàn跌〕〔下落〕 ↔〔涨zhǎng价〕
〔下定〕 xià.dìng 동 ①혼약(婚約)이 성립하여 신랑 쪽에서 신부 쪽에 납채(納采)를 보내다. =〔下订〕〔下聘〕 ②(결심 · 단정 등을) 내리다. 분명히 하다.
〔下定决心〕 xiàdìng juéxīn 결심을 굳히다.
〔下碇〕 xià.dìng 동 투묘(投錨)하다. 닻을 내리다. ¶那只船上午七时四十五分在港内~; 그 배는 오전 7시 45분 항구 안에 투묘한다.
〔下毒〕 xià.dú 동 독약을 타다〔넣다〕.
〔下毒手〕 xià dúshǒu 악랄한 수단을〔독수를〕 쓰다.
〔下肚〕 xià.dù 동 먹다. 마시다. 배를 채우다. ¶几杯酒~; 몇 잔의 술을 마시다 / 几天没有东西~; 며칠 동안 아무것도 먹지 않았다.
〔下端〕 xiàduān 명 하단. 아래쪽의 끝.
〔下短〕 xiàduǎn 명동 ⇨〔下欠qiàn〕
〔下蹲〕 xiàdūn 동 (몸을) 구부리다. 웅크리다.
〔下蹲式〕 xiàdūnshì 명 (역도 등의) 무릎을 구부린 자세.
〔下腭〕 xià'è 명 ⇨〔下颚①〕
〔下颚〕 xià'è 명 ①하악. 아래턱. =〔下腭〕〔《生》下颌〕 ②(특히 곤충의) 아래턱. =〔小xiǎo颚〕〔小腭〕
〔下颚骨〕 xià'ègǔ 명 하악골. =〔下牙床骨〕〔《生》下颌骨〕
〔下法〕 xiàfǎ 명 《漢醫》 완하제〔하제(下劑)〕를 쓰는 요법.
〔下发〕 xià.fà 동 체발하다. 머리를 깎다.
〔下凡〕 xià.fán 동 신선이 하계(下界)에 내려오다. =〔下界〕
〔下饭〕 xiàfan 명 〈方〉 (야채 · 계란 · 육류 등의) 부식품(副食品). 반찬. =〔下口〕 형 반찬으로 알맞다. (반찬에) 식욕을 돋우다. 반찬이 되다. ¶这个菜下酒不~; 이 요리는 술안주로는 좋으나 반찬은 안 된다. (xià.fàn) 동 반찬으로 먹다. 반찬과 함께 먹다. ¶没什么好吃的菜~; 반찬으로 먹을 만한 맛있는 것이 아무것도 없다. =〔过guò饭〕
〔下方〕 xiàfāng 명 〈文〉 ①아래(쪽). ②속세(俗世). ↔〔仙xiān境〕
〔下房〕 xiàfáng 명 ①⇨〔厢xiāng房〕 ②(~儿) 하인〔머슴〕들이 거처하는 방. 식모방.
〔下放〕 xiàfàng 동 ①중앙에서 (간부나 지식인들이) 각 지방의 현장(現場)으로 배치(配置)되어 재훈련을 받다. ②(어떤 권력을) 하부 기구(機構)에 분산 · 이관하다. ¶企业~; 기업을 하부 행정 기관의 소속으로 분산 · 이관하다. ③(기계 · 물자를) 농촌이나 생산 현장에 보내다.
〔下放干部〕 xiàfàng gànbù 농촌 · 공장 등에서 노동 단련을 하는 간부.
〔下飞机〕 xià fēijī 비행기에서 내리다.
〔下风〕 xiàfēng 명 ①바람이 불어 가는 쪽. ②〈轉〉 (경기나 전쟁 등에서의) 불리한 처지〔위치〕. 열세. ¶占~; 열세에 놓이다 / 甘gān拜~; 남의 밑에 있기를 감수하다. ‖ =〔下尘〕
〔下峰〕 xiàfēng 명 하급 관리. 말단.
〔下伏〕 xiàfú 명 말복(末伏).
〔下疳〕 xiàgān 명 《醫》 하감창(下疳瘡). 음식창(陰蝕瘡)(성병의 일종).
〔下岗〕 xià.gǎng 동 보초 시간을 마치고 철수하다.
〔下个底〕 xiàgedǐ 동 사전에〔미리〕 일의 내용 또는 처리 방법을 알리다. 솜씨를 보여 주다. 술법을 설명해 주다. =〔下底〕
〔下工〕 xià.gōng 동 ①(근로자가) 일을 끝내다. ¶工厂~了; 공장이 파했다. ②해고(解雇)하다. ¶被~; 해고당하다.
〔下工夫〕 xià gōngfu ①시간과 정력을 들이다. 노력하다. ¶下硬yìng工夫; 이를 악물고 노력하다. ②공부하다. =〔用功yònggōng〕 ‖ =〔下功夫〕
〔下攻〕 xiàgōng 동 《漢醫》 독이 몸 안으로 퍼지다. 내공(內攻)하다. =〔攻心②〕
〔下功夫〕 xià gōngfū ⇨〔下工夫〕
〔下顾〕 xiàgù 명 〈文〉 왕림. ¶如蒙~, 感谢莫名; 왕림해 주신다면 대단히 감사하겠습니다.
〔下官〕 xiàguān 명 ①옛날, 관리의 겸칭. 소관(小官). ②⇨〔下吏〕
〔下馆子〕 xià guǎnzi 음식점에 먹으러 가다.
〔下跪〕 xiàguì 동 무릎을 꿇다.
〔下锅〕 xià.guō 동 익힐 것을 냄비 속에 넣다.
〔下国〕 xiàguó 명 〈文〉 ①작은 나라, 또는 제후(諸侯)의 나라. ②자국(自國)의 겸칭.
〔下果子〕 xià guǒzi 과실을 따다.
〔下海〕 xià.hǎi 동 ①바다에 나가다. ②배를 바다에 띄우다. 진수(進水)하다. ③(어민이) 출어(出漁)하다. ④아마추어 배우가 직업 배우가 되다. 아마추어가 전문가가 되다. ¶女学生~伴舞; 여학생이 프로 댄서가 되다. ⑤(관리 · 기사 · 교수 등이 자기 의사에 반(反)하여) 기업으로 전직(轉職)하다.
〔下颌〕 xiàhé 명 ⇨〔下颚①〕
〔下颌骨〕 xiàhégǔ 명 ⇨〔下颚骨〕
〔下黑(里)〕 xiàhēi(lǐ) 명 밤. ¶~出去; 밤중에 밖에 나가다.

〔下户〕 xiàhù 동 (타향에) 자리잡고 살다. 정주(定住)하다. 명〈文〉빈민(貧民). ↔〔上shàng户〕
〔下话〕 xià.huà 동 미리 이야기〔귀뜀〕해 두다. 복선(伏線)을 깔다. ¶要不是您下了话了, 我就上他的当了; 당신이 미리 주의를 주지 않았더라면 그의 속임수에 걸릴 뻔했다.
〔下怀〕 xiàhuái 명〈謙〉저의 생각. 저의 마음. ¶正中zhòng～; 저의 생각과 꼭 같습니다. 제 마음과 맞습니다 / 深慰～; 대단히 안심됩니다.
〔下浣〕 xiàhuàn 명 ⇨〔下旬〕
〔下回〕 xiàhuí 명 다음 번. 차회. ¶～见面的时候, 再商量吧; 다음 번에 만났을 때 다시 의논합시다. =〔下次cì〕
〔下回分解〕 xiàhuí fēnjiě ①다음 번에 설명하겠습니다(ʻ章zhāng回小说ʼ 등에서, 그 장(章)의 끝에 넣어, 다음 장으로 계속하기 위한 상투어). ¶未知周进性命如何, 且听～《儒林外史》; 주진의 생명이 어찌 될는지, 그럼 다음 회에 말씀드리기로 하겠습니다. ②〈比〉일의 진행 상태·결과. ¶你先回去, 明天再听我的～; 우선 돌아가시오, 내일 다시 일의 상황을 말씀드리지요.
〔下婚〕 xiàhūn 명 옛날, 남녀의 성질이 맞지 않아 혼인을 맺는 데 부적당한 것.
〔下活〕 xià.huó 동 피고용자가 휴가를 받다.
〔下火〕 xià.huǒ 명《佛》다비(茶毘) 때, 불을 붙이다.
〔下火海〕 xià huǒhǎi 불바다에 뛰어들다. ¶～, 上刀山; 〈諺〉생명의 위험을 무릅쓰다.
〔下火线〕 xià huǒxiàn《軍》화선(火線)에서 퇴각하다.
〔下货〕 xià.huò 동 ①배에 짐을 싣다. ¶～单; 선적 증서. ②(수레나 선반 등에서) 상품을 내리다〔부리다〕.
〔下级〕 xiàjí 명 ①하급(자). ¶～官员; 하급 관원. ②하부 기관. ¶～服从上级; 하급 관리 또는 하부 기관이 그 상급에 복종하다. ③하료(下僚). ‖↔〔上shàng级〕
〔下剂〕 xiàjì 명 ⇨〔泻xiè药〕
〔下家〕 xiàjiā 명〈方〉〈謙〉저의 집.
〔下家(儿)〕 xiàjiā(r) 명 (마작·쌍륙(雙六)·주회(酒會) 따위에서) 다음에 순번이 돌아오는 사람. 다음 차례. =〔下手②〕
〔下家子〕 xiàjiāzi 명 미천한 자.
〔下架〕 xià.jià 동 시렁에 열린 과실·오이 따위를 거두어들이다. ¶葡萄～的八月; 포도를 수확하는 8월.
〔下嫁〕 xiàjià 동〈文〉신분이 낮은 사람에게 시집가다.
〔下剪子〕 xià jiǎnzi 재단하다. 마르다. ¶这件衣裳是新～做的; 이 옷은 새로 재단하여 만든 것이다.
〔下睑〕 xiàjiǎn 명《生》아래 눈꺼풀. =〔下眼皮(儿)〕
〔下贱〕 xiàjiàn 형 하등이다. 비천하다. 천하다. ¶～营生; 천한 영업 / ～猪狗; 〈罵〉쌍놈. 명 옛날, 출신·사회적 지위가 낮은 자. ¶～人; 천한 사람.
〔下键〕 xià jiàn ⇨〔下锁〕
〔下箭子〕 xià jiànzi 북채 다루다. ¶他～的干净巧妙是走李五的路子的; 그의 북채 다루는 솜씨가 깔끔하고 절묘한 것은 이오의 수법을 배운 것이다.
〔下江〕 xiàjiāng 동 강을 따라 내려가다. (Xiàjiāng) 명《地》①양쯔 강(揚子江)의 하류 지방(장쑤 성(江蘇省)). ②샤장(下江)(구이저우 성(貴州省)에 있는 현(縣) 이름).
〔下降〕 xiàjiàng 동 내리다. 내려가다. 줄다. 떨어지다. 낮아지다. ¶地壳～; 지반이 내려앉다 / 气温～; 기온이 내려가다 / 成本～; 밑천이 줄다.
〔下交〕 xiàjiāo 동〈文〉신분이 높은 사람이 미천한 사람과 사귀다.
〔下脚〕 xiàjiǎo 명 ①원재료를 가공하고 남은 부분. 폐물. 쓰다 남은 것. 팔다 남은 물건. ¶～茧; 지스러기 고치 / ～水; 폐수. =〔下脚料〕 ②기생집에서 심부름하는 하인 하녀에게 주는 팁.
〔下脚料〕 xiàjiǎoliào 명 ⇨〔下脚①〕
〔下脚(儿)〕 xià.jiǎo(r) 동 발을 디디다. 발을 들여놓다. ¶连个～的地方也没有; 발을 들여 놓을 자리도 없다.
〔下轿〕 xiàjiào 동 가마에서 내리다.
〔下街〕 xià.jiē 동 연예인·행상이 거리에 돈벌러 나가다. ¶下雨天儿不能～卖东西; 비 오는 날에는 거리에 나가 장사를 할 수가 없다.
〔下届〕 xiàjiè 명 다음 번. 차기(次期). ¶～的奥运会定在西尼举行; 다음 올림픽 대회는 시드니에서 열리기로 정해졌다.
〔下界〕 xiàjiè 명 하계. 인간 세계. (xià.jiè) 동 ⇨〔下凡〕
〔下劲(儿)〕 xià.jìn(r) 동 힘을 들이다. 노력하다. ¶他下得很～; 그는 대단히 노력을 하고 있다.
〔下酒〕 xià.jiǔ 동 ①(안주를 곁들여) 술을 마시다. ②술안주로 알맞게 하다. 술안주가 되다. (xiàjiǔ) 명 술안주. ¶拿什么做～; 안주는 무엇으로 할까. =〔下酒物〕
〔下酒物〕 xiàjiǔwù 명〈文〉안주. 술안주. ¶有如此～, 一斗不足多也《世說新語》; 이런 술안주만 있다면 (술은) 한 말이 있어도 부족하다. =〔下酒菜〕〔酒菜(儿)〕〔下酒〕
〔下开〕 xiàkāi 동 ⇨〔下列〕
〔下瞰〕 xiàkàn 동〈文〉⇨〔下瞩zhǔ〕
〔下颏(儿)〕 xiàkē(r) 명 ⇨〔下巴颏(儿)〕
〔下课〕 xià.kè 동 수업이 파하다. ¶刚才打了～钟了; 방금 수업 종료의 종이 울렸다. =〔下堂①〕 →〔上shàng课〕
〔下口〕 xià.kǒu 동 입에 넣다. 먹다. ¶日本的点心做得真好, 让人舍不得～; 일본의 과자는 정말 잘 만들어서, 먹기가 아깝게 한다. (xiàkǒu) 명 ⇨〔下饭〕
〔下库〕 xià.kù 동 돈을 금고에 넣다.
〔下筷子(儿)〕 xià.kuàizi(r) 동 젓가락을 대다. 먹다. ¶他叫了一些点心, 频频要李先生～; 그는 몇 가지 음식을 주문해 놓고 자꾸 이씨에게 먹으라고 권했다. =〔〈文〉下箸zhù〕
〔下款(儿)〕 xiàkuǎn(r) 명 남에게 서화나 물건을 선물할 때, 그 아래쪽에 쓰는 필자의 성명 또는 호나 보내는 이의 이름.
〔下来〕 xiàlai 동 ①내려오다. ¶他从山坡上～了; 그는 산비탈을 내려왔다. ②주인이나 손님이 방에서 나오다. ¶客人～了; 손님이 돌아가신다. ③(과일·제품 등이) 나오다. ¶现在正是葡萄～的时候; 지금은 바로 포도가 나오는 시기이다 / 大头鱼～的时候; 대구철. 대구가 잡히는 계절.
〔-下来〕 -xiàlai ①동사 뒤에 쓰이어, 높은 데서 낮은 데로, 또는 먼 데서 가까운 데로 오는 것을 나타냄. ¶河水从上游流～; 강물은 상류로부터 흘러온다. ②동사 뒤에 쓰이어, 과거로부터 현재까지 계속되고 있는 일, 또는 과거에 있던 일이 계속하고 있음을 나타냄. ¶古代流传～的故事; 옛날부터 전해 오는 이야기. ③동사 뒤에 쓰이어, 일정한

경과로 사물이 원래의 위치를 떠나, 동(動)에서 정(靜)으로, 또는 하나의 상황에서 반대의 상황으로 옮기고 그것이 완성 또는 결과가 나와 있음을 나타냄. ¶车渐渐停了～; 차는 천천히 멎었다/我终于把他告～了; 나는 마침내 그를 고소했다. ④(잊거나, 잃거나, 없어지지 않도록) 하여 둔다는 뜻을 나타냄. ¶把大家的意见都记～了; 여러 사람의 의견을 전부 기록하였다. ⑤(소극적인 뜻을 갖는) 형용사의 뒤에 쓰이어 행동이나 상태가 변화함을 나타냄. ¶天色渐渐黑～; 날씨가 점점 어두워지다/情形平静～了; 정세는 평정되었다. 注$_1$ '-起来'의 작용과 같으나 '-起来'에 붙는 형용사는 적극적인 뜻을 가진 것이 많음. 注$_2$ 단음절 동사·형용사의 뒤에 놓일 때는 -xialai. 복음절 동사·형용사의 뒤일 때는 일반적으로 -xiàlai. '得'·'不' 혹은 목적어를 동사와 '下来' 사이에 놓을 때는 -dexialái, -buxialái, -xia…lai.

〔下涝〕 xiàlào 동 비가 와서 물에 잠기다〔홍수가 나다〕. ¶雨～了; 비가 와서 홍수가 됐다.

〔下泪〕 xià,lèi 동 눈물을 흘리다.

〔下礼〕 xià,lǐ 동 선물을 보내다. =〔送sòng礼〕

〔下礼拜〕 xiàlǐbài 명 내주(來週). 다음 주. =〔下星期〕

〔下里巴人〕 xià lǐ bā rén 〈成〉 ①춘추 시대 초(楚)나라의 민간에 전해진 통속적인 노래의 이름《통속적 문예 작품에 비유함》. ②비속한 곡.

〔下力〕 xià,lì 동 애쓰다. 힘을 쓰다. 힘껏 일하다. ¶肯～; 수고를 아끼지 않다/～的人; 노동하는 사람. (xiàlì) 명 창고에서 화물을 반출하는 경비.

〔下吏〕 xiàlì 명 하리. 하급 관리. =〔下官②〕〔下僚〕

〔下痢〕 xiàlì 명 《醫》 설사. 이질.

〔下连当兵〕 xiàlián dāngbīng 사관이 중대에 가서 병졸로서 복역하다《병졸의 활동을 체험하여 통솔력을 높이기 위해서임》.

〔下联(儿)〕 xiàlián(r) 명 대련(對聯)의 하련(下聯). →〔对联(儿)〕

〔下脸(儿)〕 xiàliǎn(r) 동 (배우가) 무대 화장을 지우다.

〔下僚〕 xiàliáo 명 ⇨〔下吏〕

〔下料〕 xià,liào 동 ①재료를 넣다. ②거름을〔비료를〕 주다.

〔下列〕 xiàliè 동 아래에 열거하다. ¶如～; 하기(下記)와 같이/应注意～几点; 하기의 몇 가지에 주의할 것. =〔下开〕 →〔上shàng列〕

〔下陵上替〕 xiàlíng shàngtì 〈文〉 하급자가 상급자를 능가하고, 상급자의 위신을 떨어뜨리다. 하극상. ¶～, 海内寒心; 하급자의 위세가 윗사람을 능가하니, 천하가 모두 이를 우려했다.

〔下令〕 xià,lìng 동 명령을 내리다. ¶～逮捕; 체포하도록 명령을 내리다. 명령을 내려 체포하다.

〔下流〕 xiàliú 명 ①하류. 강 아래쪽. =〔下游①〕 ②〈比〉 천한〔낮은〕 지위. ③낙오된 상태. 형 천하다. 상스럽다. 비열하다. ¶～的人; 저속한 인간/～话; 상스러운 말/太～; 너무나도 비열하다. 동 (액체가) 밑으로 흐르다.

〔下楼〕 xià,lóu 동 위층으로부터 내려오다.

〔下露水〕 xià lùshuǐ 이슬이 내리다.

〔下落〕 xiàluò 명 ①행방. 소재. ¶不知～; 행방을 모르다/关于肇zhào事人的～, 目前的说法还不一致; 사건을 일으킨 사람의 행방에 관해서 현재의 설명은 아직 일치하지 않는다. ②결국. 결말. ¶～是怎么样? 결말은 어떻습니까? 동 강하(降下)하다. 하락하다. =〔下跌〕

〔下马〕 xià,mǎ 동 ①말에서 내리다. ¶～酒; 환영하는 연회(宴會). 전승(戰勝)의 축하주. ②〈比〉 체념하다. 포기하다. 취소하다. ③〈比〉 건설·생산 등을 도중에 그만두다. (xiàmǎ) 명 나쁜 말.

〔下马饭〕 xiàmǎfàn 명 (극장주가 베푸는) 새로 입단한 배우에 대한 환영 연회. =〔下马酒〕

〔下马风〕 xiàmǎfēng 주로 기업의 축소, 또는 중지할 움직임·풍조(風潮).

〔下马看花〕 xià mǎ kàn huā 〈成〉 철저히 조사 연구하다. ¶～当然比走马看花好, 下马就不会像走马那样仓促, 可以做一些比较细致、深入的调查研究; '말에서 내려 꽃구경 한다'는 당연히 '말을 달려 꽃구경 한다'보다 낫다. 말에서 내리면 말을 타고 달릴 때와 같이 황급하지 않고 소홀하지 않아, 보다 자세히 깊게 조사 연구할 수 있다. =〔下马观花〕

〔下马威〕 xiàmǎwēi 우선 처음부터 한바탕 위세를 보이다《전에, 신임 관원이 부임하여 말에서 내리기가 무섭게 우선 수하에게 호되게 위엄을 보인 일을 이름》. ¶他是在施～; 그는 처음부터 위엄을 보이고 있는 것이다.

〔下马席〕 xiàmǎxí 명 결혼하는 날에 중매인을 초대하여 노고를 치하하는 연회.

〔下忙〕 xiàmáng 명 옛날, 전조(田租) 징수의 하반기의 납세《8～11월》. ¶上～; 춘추 2기의 납세.

〔下锚〕 xià,máo 동 닻을 내리다. =〔抛pāo锚①〕

〔下门〕 xià,mén 동 ⇨〔下板儿〕 (Xiàmén) 명 복성(複姓)의 하나.

〔下米〕 xià,mǐ 동 쌀을 솥에 넣다〔안치다〕. 〈轉〉 밥을 짓다.

〔下面〕 xià,miàn 동 (끓이기 위해) 국수를 솥에 넣다. ¶锅guō里～; 냄비에 국수를 넣다.

〔下面(儿)〕 xiàmian(r) 명 ①아래. =〔下头①〕 ②다음. 이후(以後). 뒤. ③하급(下級). 하부(下部). =〔下头②〕 ④…상황 아래. ¶在这种情形～; 이와 같은 정황 아래.

〔下奶〕 xià,nǎi 동 ①젖이 잘 나오게 하다. =〔表奶〕〔催奶〕〔发奶〕 ②해산한 지 한 달 이내에 친척·친구가 계란이나 국수 따위를 산모에게 보내다. ③(산모가) 젖이 잘 나오다. ¶刚生孩子, 还没～; 아기를 막 낳아 아직 젖이 나오지 않는다.

〔下年〕 xiànián 명 다음해. 이듬해. →〔明míng年〕

〔下盘〕 xiàpán 명 《商》 후장(後場)의 매매 성립 가격.

〔下配〕 xiàpèi 동 나눠 주다. 분배해 주다.

〔下皮〕 xiàpí 명 ①⇨〔真zhēn皮〕 ②《植》 하피《표피 바로 아래의 후막(厚膜) 세포층》.

〔下贫〕 xiàpín 명형 극빈(極貧)(하다).

〔下品〕 xiàpǐn 형 하품이다. 하등이다. =〔下等〕 명 하등품.

〔下聘〕 xiàpìn 동 ⇨〔下定①〕

〔下平〕 xiàpíng 명 《言》 사성(四聲)의 제2성. =〔阳yáng平〕

〔下坡〕 xià,pō 동 ①고개를〔비탈·내리막을〕 내려오다. ②세력이 약해지다. 떨어지다. (xiàpō) 명 내리막. 약세. ¶物价日趋～; 물가가 나날이 내려가다.

〔下坡儿溜〕 xiàpōrliū 형 〈京〉 패기가 없다. 타락하다. 영락하다. ¶年轻轻的就这样～, 实在让人难过; 젊은 나이에 이렇게 패기가 없으니 정말 눈뜨고 볼 수 없다. =〔下坡子出溜〕

〔下坡容易, 上坡难〕 xiàpō róngyi, shàngpō

nán 〈諺〉 고개를 내려오는 것은 쉬우나 오르기는 어렵다(타락 · 퇴보는 쉬우나, 향상(向上) · 진보(進步)는 어렵다).

〔下坡子出溜〕 xiàpōzichūliū 형 〈京〉 ⇨〔下坡儿溜〕

〔下铺〕 xiàpù 명 2단식〔3단식〕 침대의 아랫단. ↔〔上shàng铺〕

〔下妻〕 xiàqī 명 〈文〉 첩.

〔下期〕 xiàqī 명 다음 번. 다음 기(期). 하반기.

〔下棋〕 xià.qí 동 바둑을 두다. 장기를 두다. =〔〈文〉 弈yì棋〕〔着zhuó棋〕〔下围棋〕〔走棋②〕

〔下气(儿)〕 xià qì(r) 동 ①마음을 진정(鎭靜)시키다. 마음을 누르다. ¶低声～; 소리를 낮추고 마음을 가라앉히다 / ～怡色; 〈成〉 마음을 진정시켜서 얼굴빛을 즐겁게 하다. ②《漢醫》 가스를 내보내다.

〔下欠〕 xiàqiàn 동 빚이 남다. 밀리다. 명 아직 남아 있는 빚. 미불 잔금. ¶～有多少? 미불은 얼마나 되느냐? ‖ =〔下短〕

〔下桥〕 xià.qiáo 동 ①다리에서 떨어지다. ②〈轉〉 영락(零落)하다. 타락하다. ¶假如三合祥也下了桥, 世界就没了; 삼합상마저 타락해 버린다면, 세상은 말세다.

〔下窍〕 xiàqiào 명 《漢醫》 음부(陰部)와 항문(肛門).

〔下妾〕 xiàqiè 명 〈文〉〈謙〉 소첩(여자가 자기를 낮추어 이르는 말).

〔下情〕 xiàqíng 명 ①하부(下部)의 사정. 민정(民情). ¶～不易上达; 아랫사람의 사정〔민정〕은 쉽게 위에 전해지지 않는다. ②〈謙〉 저의 사정〔마음〕(옛날, 남에게 호소할 때 이쪽 사정이나 마음을 낮추어 이르던 말).

〔下去〕 xià qu 동 ①내려가다. ¶你～看看; 내려가서 보시오. ②계속하다. ¶这么～; 이 상태로 밀고 나가다 / 吃不～; 이 이상 더 못 먹겠다. ③끝나다. 마치다. ¶～这个戏, 就是中轴子了; 이 한 막이 끝나면 막간극이다. ④쇠퇴하다. 가라앉다. ¶火～了; 불길이 가라앉다. ⑤없어져서 본디 상태가 되다. ¶中午吃的还没～呢; 낮에 먹은 것이 아직 소화되지 않았다.

〔-下去〕 -xià qu 발음에 대해서는 '-下来'에 준함. ①동사 뒤에 쓰이어 높은 곳에서 낮은 곳에, 또는 가까운 곳에서 먼 곳으로 감을 나타냄. ¶石头从山上滚～; 돌이 산 위에서 굴러 떨어지다 / 掉～; 아래로 떨어지다. ②동사 뒤에 쓰이어 어떤 힘이 가해짐을 나타냄. ¶把敌人的火力压～; 적의 화력을 누르다. ③동사 뒤에 쓰이어, 어떤 시점에서 계속되어 감을 나타냄(동사뿐 아니라 모양을 나타내는 '这样' · '那样'에도 붙음). ¶生活～; 생활해 가다. ④(소극적인 뜻을 갖는) 형용사의 뒤에 쓰이어 그 상태가 계속되는 또는 정도가 증가해 감을 나타냄. ¶那里还是穷～的人多; 그 곳에는 아직도 가난해져 가는 사람이 많다 / 天气可能再冷～; 날씨가 다시 추워질 것 같다. 注 ③④의 경우 '继续'을 동사〔형용사〕의 앞에 놓을 수도 있다.

〔下泉〕 xiàquán 명 ⇨〔黄huáng泉〕

〔下儿〕 xiàr 양 동작의 횟수를 나타내는 말.

〔下人〕 xiàrén 명 〈文〉 ①사용인. 하인. 고용인. ¶底～; 고용인. 하인. ②신분이 비천한 자. ③〈謙〉 소인(자기를 낮추어 이르는 말).

〔下三〕 xiàsān 명 ①도박 · 계집질 · 아편 흡입의 세 가지. ② ⇨〔下三烂〕

〔下三赖〕 xiàsānlài 명 ⇨〔下三烂〕

〔下三烂〕 xiàsānlàn 명 ①옛날, 최하층 계급의 사람('修xiū脚的' 발가락 손질을 하는 자, '剃tì头的'(거리의 이발사), '茶壶'(기둥 서방 · 유객꾼) 따위). ②건달. 방랑자. ③옛날, 가장 하치의 기녀(妓女). ④〈罵〉 쌍놈. ‖ =〔下三②〕〔下三赖〕〔下三流〕

〔下三连〕 xiàsānlián 명 한시(漢詩)의 근체시(近體詩)의 하삼자(下三字). '全平' 또는 '全仄'을 쓰는 것. =〔仄三连〕

〔下色〕 xiàsè 명 검은빛(옛날에, 일반 서민은 검은색 옷밖에 입지 못했음).

〔下殇〕 xiàshāng 명 〈文〉 하상. 요사(夭死).

〔下晌〕 xiàshǎng 명 〈方〉 ⇨〔下半天(儿)〕

〔下梢〕 xiàshāo 명 〈文〉 ①결말. 종국(終局). ②말미(末尾).

〔下梢子〕 xiàshāozi 명 ⇨〔下哨〕

〔下哨〕 xiàshào 동 보초 근무를 마치다. 명 외진 곳. =〔下梢子〕

〔下身〕 xiàshēn 명 ①하반신. =〔下体①〕 ② ⇨〔下身(儿)〕 ③ ⇨〔阴yīn部〕

〔下身(儿)〕 xiàshēn(r) 명 바지. =〔裤子〕〔下身②〕

〔下神〕 xiàshén 명 무당이 노래하고 춤추는 것. →〔跳tiào神(儿)〕

〔下生〕 xiàshēng 동 태어나다. 출생하다.

〔下乘〕 xiàshèng 명 ①《佛》 소승(小乘). ②〈轉〉 문학 예술이 범속(凡俗)한〔신통치 못한〕 것.

〔下剩〕 xiàshèng 동 〈口〉 남다. 남기다. =〔下余〕

〔下湿〕 xiàshī 형 저습하다. =〔低dī湿〕

〔下士〕 xiàshì 명 ①《軍》 하사. ②《佛》 하찮은 인간. 범인(凡人). ③〈文〉 우둔한〔어리석은〕 사람.

〔下世〕 xià.shì 동 〈文〉 ①세상을 하직하다. 사망하다. ②세력을 잃다. 운이 나빠지다. 쇠락하다. (xiàshì) 명 ①내세(來世). 후세(後世). =〔后世②〕〔来世②〕 ②다음의 한 세대.

〔下市〕 xià.shì 동 ①품팔이 노동자가 아침에 구직(求職)하러 한 곳에 모이다. ②시장에 내다 팔다.

〔下手〕 xiàshǒu 명 ①아랫자리. 말석. ② ⇨〔下家(儿)〕 ③〈口〉 ⇨〔下手(儿)〕 (xià.shǒu) 동 손을 대다. 착수하다. ¶从哪儿～? 어디서부터 손을 대야 할 것인가? =〔起手〕 →〔动手〕

〔下手活儿〕 xiàshǒuhuór 명 잡일. 허드렛일. ¶我去了不过是做点儿～, 是个可有可无的角色; 제가 갔어도 잡일이나 조금 했을 뿐, 있으나마나 한 역할이었습니다.

〔下手抛球〕 xiàshǒu pāoqiú 명 《體》 (야구에서) 토스(근거리에서 밑으로부터 던져 주는 공).

〔下手球〕 xiàshǒuqiú 명 《體》 (배드민턴에서의) 언더핸드 스트로크(underhand stroke).

〔下手(儿)〕 xiàshǒu(r) 명 〈口〉 조수(助手). 도와주는 사람. ¶您忙不过来, 我给您打～儿吧; 바빠서 손길이 미치지 못하는 것 같으니 제가 돕지요. =〔下手③〕

〔下首〕 xiàshǒu 동 고개를 푹 숙이다. 명 좌석 순위의 아랫자리 (사람)(보통 오른쪽이 아랫자리가 됨).

〔下书〕 xià.shū 동 〈文〉 편지를 띄우다.

〔下属〕 xiàshǔ 명 하급. 하급 관리. 아랫사람. 동 부속되다. 아래에 속하다.

〔下述〕 xiàshù 동 후술하다. 다음에 설명하다. ¶其成绩盖如～; 그 성적은 대충 아래와 같다. 명 후술 (내용).

〔下闩〕 xià.shuān 동 문빗장을 벗기다.

〔下涮〕 xiàshuàn 형 아랫도리가 시리다.

〔下霜〕 xià shuāng 서리가 내리다.

〔下水〕 xià.shuǐ 동 ①수류(水流)를 따라 내려가다. ②(배를) 진수(進水)하다. ¶～典礼; 진수식.

③물에 적시다. 세탁하다. ¶把新布～后再裁; 새 천을 물에 담구었다 재단하다. ④〈比〉악(惡)의 길에 들어서다〔끌어들이다〕. ¶～青少年; 비행 청소년. ⑤물에 들어가다. ⑥(희생을 무릅쓰고) 참가하다. ⑦물을 흘려 보내다. 방류하다. ¶东周欲为田, 西周不～; 동주에서는 논을 만들려고 생각하는데 서주 쪽에서 물을 내려보내 주지 않는다.

〔下水〕 xiàshui 명 (식용으로서의 양·돼지 등의) 내장. ¶坏～; 썩은 마음. 마음이 썩다.

〔下水船〕 xiàshuǐchuán 명 ①하류로 내려가는 배. ②〈比〉매우 문재(文才)가 있는 사람.

〔下水道〕 xiàshuǐdào 명 하수도.

〔下死的〕 xiàsǐde 부 전력을 다하여. 기를 쓰고. ¶～叫醒转来《紅樓夢》; 기를 쓰고 깨우려 했다. =〔下死命的〕

〔下死劲〕 xiàsǐjìn 동 전력을 다하다.

〔下死命的〕 xiàsǐmìngde 부 ⇨〔下死的〕

〔下驷〕 xiàsì 명 〈文〉 ①하급의 말. ②정도가〔수준이〕 낮은 사람〔물건〕. ↔〔上shàng驷〕 ③〈謙〉소인. 소생(小生).

〔下宿〕 xiàsù 동 ①숙박하다. ②잠잘 준비를 하다. 침실에 들다. ③혼례 등의 행렬 인부를 아침 일찍부터 밤까지 종일 고용하기로 정하다.

〔下锁〕 xià suǒ 자물쇠를 잠그다. =〔下键〕

〔下榻〕 xiàtà 동 〈文〉 ①(손님이) 묵다. 숙박하다. ¶当晚～在东方饭店; 그 날 밤 동방 호텔에 투숙했다. ②손님에게 숙소를 제공하다. 손님을 묵게 하다. ③가정 교사가 학생 집에서 숙식하다. ④침대에서 내려오다.

〔下胎〕 xiàtāi 명동 낙태(하다).

〔下台〕 xià.tái 동 ①무대〔연단〕에서 내려오다. ②하야(下野)하다. (정권에서) 퇴진(退陣)하다. (공직에서) 사퇴하다. ③사직하다. 퇴진하다. ¶要求～; 사직을 요구하다. ④궁상(窮狀)에서 벗어나다. 곤란한 경우에서 벗어나다. ¶～不去; 이러지도 저러지도 못하다.

〔下堂〕 xià.táng 동 ①(수업이 끝나) 교실(教室)을 나가다. 수업을 마치다. =〔下课〕 ②관청의 방을 나가다. ③〈文〉 아내와 이연(離緣)하다. ¶贫pín贱之交不可忘, 糟糠之妻不～; 가난했을 때의 친구는 잊어서는 안 되고, 고생을 같이한 아내는 버려서는 안 된다. (xiàtáng) 명 다음 시간. 다음 수업. ¶～课是算术课; 다음 시간의 수업은 산술이다.

〔下趟〕 xiàtàng 명 다음 번(주로 왔다갔다하는 동작을 대상으로 하여 쓰임).

〔下体〕 xiàtǐ 명 ①⇨〔下身①〕 ②식물의 뿌리 줄기. ③〈文〉 몸을 굽히고 내리는 일.

〔下田〕 xià.tián 동 들〔밭〕에 나가다. =〔下地①〕 명 〈文〉 하등전(下等田)(3년에 한 번 경작함).

〔下帖〕 xià.tiě 동 초대장을 보내다. =〔下请帖〕

〔下同〕 xiàtóng 이하 동. 이하 같음. ¶我国的工业总产值(不包括手工业产值～)…; 우리 나라의 공업 생산 총액(수공업의 생산액은 포함하지 않음. 이하 동)….

〔下透〕 xiàtòu 동 비가 충분히 내리다.

〔下头〕 xiàtou 명 ①⇨〔下面(儿)①〕 ②⇨〔下面(儿)③〕 ③하인. 고용인.

〔下土〕 xià.tǔ 동 ①〈北方〉 매장하다. 묻다. ②큰 바람에 불려 솟았던 황토(黃土)가 내려오다. (xiàtù) 명 〈文〉 시골. 농촌.

〔下晚儿〕 xiàwǎnr 명 〈口〉 황혼이 질 무렵. 해질 무렵. ¶昨天等了你一～; 어제 너를 해질 무렵까지 기다렸다. =〔黃huáng昏〕

〔下脘〕 xiàwǎn 명 《生》 유문. =〔幽yōu门〕

〔下网〕 xià wǎng 그물을 내리다. 그물을 치다. ¶～捞鱼; 그물을 쳐서 물고기를 잡다.

〔下围棋〕 xià wéiqí ⇨〔下棋〕

〔下帷〕 xiàwéi 동 〈文〉 ①막을 내리다. ②세상과의 교제를 끊고 학문에 전념하다. ¶～攻读; 들어앉아 오로지 연찬에 몰두하다 / ～宿学之人; 학문이 깊은 사람. ③글방을 열다.

〔下痿〕 xiàwěi 명 《漢醫》 하지(下肢)〔하반신〕의 마비.

〔下位〕 xiàwèi 명 ①낮은 지위. 미천한 관직. ②아랫자리. 하위. 말석. 동 자리에서 내려서다.

〔下文〕 xiàwén 명 ①(문장이나 책 속에서의) 이하의 글. 이하의 부분. ¶承上文启～; 앞의 문장을 이어서 뒤의 문장이 나온다. ②〈比〉 사물의 발전 또는 결과. 이어서 하는 말. ¶聚精会神地等着～; 정신을 집중하고 다음 말을 기다리다. ③다 끝내지 않음. 남아 있음.

〔下问〕 xiàwèn 동 (자기보다 나이·학문·신분이 낮은 사람에게) 묻다. 하문하다. ¶您要是不耻chǐ～的话, 我没有不贡献给您的; 만일 부끄러이 여기시지 않고 하문하신다면, 저로서는 무엇이라도 힘이 되어 드리겠습니다.

〔下屋〕 xiàwū 명 ⇨〔厢xiāng房〕

〔下午〕 xiàwǔ 명 오후. ¶～市; (시세의) 후장(後場). =〔〈俗〉下半晌(儿)〕〔下半天(儿)〕〔〈方〉下晌〕

〔下下〕 xiàxià 명 (시기에 관해서) 다음다음. ¶～回; 다음다음 번 / ～星期; 다음다음 주(週). ↔〔上shàng上②〕

〔下下月〕 xiàxiàyuè 명 다음다음 달. =〔后月〕 ↔〔上shàng上月〕

〔下弦〕 xiàxián 명 《天》 (달의) 하현. ¶～月; 하현달(음력 23일경의 달).

〔下限〕 xiàxiàn 명 하한. ¶溶液的比重不能低于～; 용액의 비중은 하한보다 낮을 수 없다.

〔下乡〕 xià.xiāng 동 ①시골〔농촌〕에 가다. ¶我们这次要～调查农村情况; 우리는 이번에 시골로 가서 농촌의 상황을 조사하려 한다. ②농촌에 내려가 농민 속에 파묻혀 일을 하다. ③(공산품 등을) 농촌에 공급하다. 농촌에 돌리다.

〔下小馆儿〕 xià xiǎoguǎnr 작은 음식점에서 간단한 주식(酒食)을 들다. ¶偶然邀一二知己, ～去喝一盅也是个乐事; 가끔 한두 사람의 친구를 초대하여, 작은 음식점에서 한 잔 하는 것도 즐거운 일이다.

〔下泄〕 xiàxiè 동 ⇨〔下泻〕

〔下泻〕 xiàxiè 동 ①《醫》 설사하다. ¶下吐～; 토하며 설사하다. ②값이 내리다〔하락하다〕. ¶公用事业服票均一致～; 공공 사업의 주권(株券)이 일제히 하락하다. ‖=〔下泄xiè〕

〔下心〕 xià.xīn 동 마음을 쓰다. 전념하다. 의도(意圖)하다. =〔用yòng心〕

〔下星期〕 xiàxīngqī 명 내주(來週). 다음 주. =〔下礼拜〕 ↔〔上星期〕

〔下行〕 xiàxíng 동 ①(열차가) 하행하다. ②위에서 아래로 내리쓰다(왼쪽에서 오른쪽으로 가로쓰기로 고치기 전의 방식). ③(공문서를) 상부에서 하부로 보내다. ¶～(公)文; 상급 관청에서 내려보내는 공문.

〔下行车〕 xiàxíngchē 명 하행 열차.

〔下行星〕 xiàxíngxīng 명 《天》〈文〉 수성(水星)과 금성(金星). 내행성(內行星).

〔下旋球〕 xiàxuánqiú 명 《體》 (탁구의) 커트볼(cut ball)(후진 회전이 되는 볼).

〔下学〕 xià⸱xué 동 ①학교가 파하다. 하교하다. =〔放学②〕 ②〈文〉 아랫사람에게 배우다. ¶不愧～; 아랫사람에게 배우는 것을 부끄러워하지 않는다.
〔下学期〕 xiàxuéqī 명 내학기. 다음 학기.
〔下雪〕 xià⸱xuě 동 눈이 오다. ¶～天; 눈 오는 날.
〔下旬〕 xiàxún 명 하순. =〔〈文〉 下浣huàn〕
〔下压〕 xiàyā 동 (아래쪽으로) 누르다. ¶～力; 《物》 아래로 누르는 힘.
〔下牙床〕 xiàyáchuáng 명 《生》 아랫잇몸. ¶～骨; 하악골의 구칭. =〔下齿龈〕
〔下焉者〕 xiàyānzhě 명 〈文〉 차등(次等)의 것〔사람〕. 그 다음 것〔사람〕.
〔下眼皮(儿)〕 xiàyǎnpí(r) 명 《生》 아랫눈꺼풀. =〔下睑〕
〔下咽〕 xiàyàn 동 삼키다. 넘기다.
〔下腰〕 xiàyāo 명 ①허리의 굵은 데. 히프 부분의 둘레. ②(윗몸을 뒤로 힘껏 젖히는) 무기(武技)〔무예〕의 일종.
〔下窑〕 xiàyáo 동 가마에 넣다. ¶癞lài泥～烧不成东西; 썩은 흙은 가마에 넣고 구어도 아무것도 구워 낼 수 없다.
〔下药〕 xià⸱yào 동 ①투약(投藥)하다. ¶给病人～; 환자에게 투약하다. ②독약을 쓰다. 독약을 넣다.
〔下野〕 xià⸱yě 동 하야하다. 관직에서 물러나다. 평민으로 돌아가다. 퇴진하다.
〔下夜〕 xià⸱yè 동 야경을 돌다. ¶～拿贼; 야경을 돌다가 도둑을 잡다.
〔下一辈子〕 xiàyībèizi 명 《佛》 내세. 내세에 다시 태어난 모습. =〔下辈子〕 ↔〔上(一)辈子〕
〔下一(世)代〕 xiàyī(shì)dài 명 다음 세대. 다음 세대의 사람들. ¶教jiào育～是我们全民的责任; 다음 세대 사람들을 육성하는 일은 우리 모두의 책임이다 / 我们绝不能让～再遭遇到战争; 우리는 절대로 다음 세대 사람들로 하여금 두 번 다시 전쟁을 겪게 할 수 없다 / 把希望寄托在～身上; 희망을 다음 세대에 걸다. =〔第dì二代〕
〔下衣〕 xiàyī 명 하의. 속옷.
〔下议院〕 xiàyìyuàn 명 《政》 (양원제의) 하원. =〔下院〕
〔下意〕 xiàyì 동 〈文〉 자기를 낮추다. 뜻을 굽히다. ¶卑节～以求仕; 절개를 굽히고 뜻을 굽혀 관직을 구하다. 명 아랫사람들의 의견. ¶～上达; 아랫사람들의 의견이 상부의 귀에 들어가다.
〔下意识〕 xiàyìshí 명 잠재 의식. ¶他～地咂着舌头; 그는 무의식적으로 혀를 차고 있다. =〔潜qián意识〕
〔下阴〕 xiàyīn 명 ⇨〔阴部〕
〔下音(儿)〕 xiàyīn(r) 명 ①말의 끝. ¶接着～说; 말의 끝을 이어서 말하다. ②결과.
〔下游〕 xiàyóu 명 ①하류(下流). =〔下流①〕 ②《商》 시세의 하락. ③〈比〉 낙후된 상태.
〔下余〕 xiàyú 동 〈口〉 ⇨〔下剩shèng〕
〔下愚〕 xiàyú 명 〈文〉 ①하우. 어리석은 자. ②〈謙〉 소인. 저.
〔下雨〕 xià⸱yǔ 동 비가 내리다. =〔〈南方〉 落luò雨〕
〔下语儿〕 xiàyǔr 명 말끝. 말꼬리. ¶他会接人的～; 그는 남의 이야기 끝을 잘 이어 나간다.
〔下狱〕 xià⸱yù 동 하옥하다〔되다〕. 옥에 가두다〔갇히다〕. ¶把贼都下了狱了; 도둑을 모두 하옥시켰다.
〔下元〕 xiàyuán 명 ①《漢醫》 신(腎)〔비뇨기·성기〕 또 그 기능. ②⇨〔下元(节)〕
〔下元(节)〕 xiàyuán(jié) 명 하원《음력 10월 15일. 이 날 아침 일찍 조상에게 제사를 지냄》. =〔下元②〕
〔下院〕 xiàyuàn 명 ⇨〔下议院〕
〔下月〕 xiàyuè 명 내달. 다음 달. ¶下～; 다음다음 달. =〔下个月〕〔〈俗〉 出chū月(儿)〕〔〈文〉 来lái月〕
〔下崽(子)〕 xià zǎi(zi) 동물이 새끼를 낳다.
〔下载〕 xiàzǎi 명동 《컴》 다운로드(download)(하다).
〔下载〕 xiàzài 동 ⇨〔下货①〕 ↔〔上载〕
〔下葬〕 xià⸱zàng 동 매장하다.
〔下遭〕 xiàzāo 명 다음 번. 요 다음.
〔下灶〕 xiàzào 명 음식점의 요리사. 숙수.
〔下站〕 xiàzhàn 명 다음 역(驛). 다음 정류장.
〔下诏〕 xiàzhào 동 조칙(詔勅)을 내리다.
〔下肢〕 xiàzhī 명 《生》 하지. 아랫도리.
〔下直〕 xiàzhí 동 당직(當直)을 마치고 물러나오다.
〔下中农〕 xiàzhōngnóng 명 하층 중농.
〔下种(子)〕 xià⸱zhǒng(zi) 동 씨를 뿌리다. 파종하다. =〔播bō种〕
〔下昼〕 xiàzhòu 명 오후 2시경. 정오를 조금 지났을 무렵. ¶～点心; 오후의 간식.
〔下瞩〕 xià⸱zhǔ 동 〈文〉 내려다보다. =〔下瞰kàn〕
〔下注〕 xià⸱zhù 동 ①도박에 돈을 걸다. ¶另一种～的对象是以球员签字隶属何队来作为赌盘; 또 한 가지 노름에 거는 대상으로 삼은 것은 선수가 어느 팀에 서명하고 소속되느냐 하는 것이다. ②〈轉〉 미리 자금을 투입하다.
〔下箸〕 xià⸱zhù 동 ⇨〔下筷子(儿)〕
〔下装〕 xià⸱zhuāng 동 무대 의상을 벗다. =〔卸xiè装〕
〔下状〕 xià⸱zhuàng 동 소장을 제출하다. 고소하다. ¶我要去官司～又没个钱《清平山堂話本》; 관청에 고소하려 해도 돈이 없다.
〔下坠〕 xiàzhuì 동 ①《醫》 (분만이 임박한 임산부(姙産婦)나 장염 환자 등이) 복부가 답답하고 변의(便意)를 느끼는 듯한 감을 갖다. ②〈文〉 (권세 등이) 떨어지다. ③(사물이) 늘어지다.
〔下子〕 xiàzǐ 동 ①씨를 뿌리다. 씨를 심다. ②(곤충이) 알을 낳다. ③바둑돌을 놓다. 바둑을 두다.
〔下子〕 xiàzi 양 번. 회(回)《동작의 횟수를 나타냄》. ¶打了一～; 한 번 때렸다 / 咬yǎo了一～; 한 입 물었다. →〔下儿〕
〔下走〕 xiàzǒu 명 ①〈翰〉〈文〉 심부름꾼. ②〈轉〉〈謙〉 저. 소인.
〔下足〕 xiàzú 명 〈文〉 미천한 사람〔것〕.
〔下嘴〕 xià⸱zuǐ 동 ①말참견하다. ②물다. 물어뜯다. ¶做得太好看, 舍不得～; 너무 곱게 만들어 놓았으므로 차마 먹을 수가 없다.
〔下嘴唇〕 xiàzuǐchún 명 ⇨〔下唇〕
〔下座〕 xiàzuò 명 중이 불경을 외고 자리를 떠나는 것.
〔下作〕 xiàzuo 형 ①천하다. 상스럽다. 품위가 없다. ¶这个人太～! 이 사람은 너무나도 품위가 없다! ②〈方〉 (먹는 모습이) 걸신들린 것 같아서 천하다. ¶见着吃的没命地抢太～了; 먹을 것을 보면 목숨을 걸고 빼앗으려 하니 너무나도 게걸스럽다. ③인색하다. 치사하다. 욕심이 많다.

吓(嚇) xià (하, 혁)

동 ①놀라다. 깜짝 놀라게 하다. ¶～了我一跳; 나를 깜짝 놀라게 했다 / 真～人; 정말 놀랐다 / ～了个没魂; 혼이 나갈 정도로 놀랐다 / 你别～坏了他; 너는 그를 너무 놀라게 하지 마라. =〔唬〕〔虩②〕 ②골내다. ⇒hè

〔吓呆〕 xiàdāi 동 놀라서 멍하니 있다. 놀라게 하여 멍하게 하다.
〔吓倒〕 xiàdǎo 동 깜짝 놀라다. 경도(驚倒)시키다. ¶被困难~; 곤란을 당해 깜짝 놀라다 / 吓不倒; 놀라게 할 수가 없다. 놀라지 않다.
〔吓喝〕 xiàhè 동 호통치다.
〔吓呼〕 xiàhū 동 ⇨〔吓唬〕
〔吓唬〕 xiàhu 동 〈口〉 위협하다. 두렵게 만들다. ¶别~小孩子! 어린아이를 놀라게 하지 마라! =〔吓呼〕
〔吓坏〕 xiàhuài 동 깜짝 놀라다. 놀라서 기겁을 하다. ¶你真把人~了; 너 정말 사람을 기겁하게 하는구나.
〔吓慌〕 xiàhuāng 동 놀라서 당황하다. ¶所有的人都~了; 모든 사람들이 놀라서 당황했다.
〔吓昏〕 xiàhūn 동 기절하다. 놀라서 정신을 잃다. 놀라 정신을 잃게 하다.
〔吓惊〕 xiàjīng 동 놀라다. 깜짝 놀라다.
〔吓哭〕 xiàkū 동 놀라서 울다. 놀라게 해서 울리다.
〔吓愣〕 xiàlèng 동 깜짝 놀라다. 놀라서 멍해지다. 놀라서 멍하게 하다. =〔吓傻〕
〔吓懵〕 xiàměng 동 놀라서 멍해지다. ¶这没头没脑的话, 把他~了; 이 엉뚱한 말은 그를 놀라서 멍하게 했다.
〔吓鸟的〕 xiàniǎode 명 새 쫓는 장치(허수아비나 딸랑이 따위).
〔吓跑〕 xiàpǎo 동 놀라서 도망가다.
〔吓破胆子〕 xiàpò dǎnzi 혼비 백산하다. 놀라서 간담이 서늘해지다.
〔吓人〕 xià.rén 동 남을 놀래다. 놀라다. ¶真~; 정말 깜짝 놀랐다.
〔吓杀〕 xiàshā 동 ⇨〔吓死〕
〔吓傻〕 xiàshǎ 동 ⇨〔吓愣〕
〔吓势势(的)〕 xiàshìshì(de) 형 〈方〉 놀라서 안절부절못하는 모양.
〔吓死〕 xiàsǐ 동 놀라서 죽다. 몹시 놀라다. 몹시 놀라게 하다. ¶~人; 사람을 몹시 놀라게 하다. =〔吓杀〕
〔吓醒〕 xiàxǐng 동 놀라서 깨다.
〔吓熊〕 xiàxióng 동 놀라서 멍해지다. 몹시 놀라다.
〔吓着〕 xiàzháo 동 ①놀라다. 깜짝 놀라다. 놀라게 하다. ②(어린아이가) 놀라서 병이 되다.
〔吓住〕 xiàzhù 동 몹시 위협하다. ¶这点困难吓不住我们; 이 정도의 곤란은 우리들을 놀라게 할 수 없다.

谑(謔)

xià (호)
동 ①큰 소리 치다. ② ⇨〔吓①〕

唬

xià (효)
동 ⇨〔吓〕 ⇒hǔ

夏

xià (하)
① 명 여름. ¶初chū~; 초하. 초여름. ② 명 (Xià) 《史》 하(우왕(禹王)이 세운 고대 왕조. 17주(主) 439년 동안 존속하였다 함). ③ 형 크다. 훌륭하다. ④ 명 성(姓)의 하나. ⇒jiǎ
〔夏安〕 xià'ān 〈翰〉 더위에 건강하십시오(옛 서간문의 맺음말). =〔夏祉〕
〔夏不夺扇〕 xià bù duó shàn 〈成〉 여름에는 부채를 뺏으면 안 된다(남에게 불리한 일이나 동정심이 없는 짓을 해서는 안 된다).
〔夏布〕 xiàbù 명 《紡》 모시.
〔夏蚕〕 xiàcán 명 하잠. 여름 누에. =〔二èr蚕〕
〔夏虫〕 xiàchóng 명 ①여름철의 벌레. ②〈比〉 세상 물정에 어두운 사람.
〔夏锄〕 xiàchú 명 여름에 밭을 가는 일. 여름의 농사일. 동 여름철에 김매다.
〔夏鼎〕 Xiàdǐng 명 ①우왕(禹王)이 천하의 황금을 모아서 만들게 한 종정(鐘鼎). ¶~商彝yí; 하(夏)나라의 종정(鐘鼎)과 은(殷)나라〔상(商)나라〕의 이(彝)(제기(祭器)). ②(xiàdǐng) 〈轉〉 골동품.
〔夏服〕 xiàfú 명 ⇨〔夏装〕
〔夏管〕 xiàguǎn 명 여름의 농사일.
〔夏侯〕 Xiàhóu 명 복성(複姓)의 하나.
〔夏后氏〕 Xiàhòushì 명 《人》 우(禹). 하우씨('舜shùn' 임금한테서 선양을 받아 하(夏)나라를 세운 고대 제왕의 이름). =〔夏禹〕
〔夏候鸟〕 xiàhòuniǎo 명 하조(夏鳥). 여름새.
〔夏荒〕 xiàhuāng 명 여름철 작물의 흉작.
〔夏季〕 xiàjì 명 하계. 여름(입하(立夏)에서 입추(立秋)까지의 기간). ¶~天(儿) =〔夏景天(儿)〕; 〈方〉 여름철. =〔夏令②〕
〔夏见天(儿)〕 xiàjiantiān(r) 명 ⇨〔夏景天(儿)〕
〔夏节〕 xiàjié 명 ①단오. ② ⇨〔夏至〕
〔夏桀〕 Xià Jié 명 《人》 걸왕(하(夏)나라의 마지막 제왕. '殷' 나라의 탕왕(湯王)에 의해 멸망됨).
〔夏景天(儿)〕 xiàjingtiān(r) 명 〈方〉 하계. 여름철. =〔夏季〕〔〈方〉 夏见天(儿)〕
〔夏橘〕 xiàjú 명 《植》 여름 밀감.
〔夏枯草〕 xiàkūcǎo 명 《植》 꿀풀.
〔夏乐宫〕 Xiàlègōng 명 《建》 샤이요 궁(宮)(파리 센 강가에 있는 궁전). ¶人民日报评巴黎会议, 东风吹进了~, 国际形势有利于和平; 인민 일보는 파리 회의를 평하여, 동풍이 샤이요 궁에 불어 들어 국제 정세가 평화에 유리해졌다고 했다.
〔夏历〕 xiàlì 명 음력. 구력(舊曆). ↔〔阳历〕
〔夏粮〕 xiàliáng 명 여름에 수확하는 식량.
〔夏令〕 xiàlìng 명 ①여름의 날씨. ②하계(夏季). =〔夏季〕
〔夏令时(间)〕 xiàlìng shí(jiān) 명 서머 타임(summer time). ¶~将在明晨四时开始; 서머 타임은 내일 아침 4시부터 개시된다.
〔夏令营〕 xiàlìngyíng 명 하계 훈련 캠프. 임간(林間) 학교. 임해(臨海) 학교. 서머 스쿨.
〔夏炉冬扇〕 xià lú dōng shàn 〈成〉 여름의 화로와 겨울의 부채(철에 맞지 않는 불필요한 물건).
〔夏眠〕 xiàmián 명 하면. 여름잠.
〔夏日〕 xiàrì 명 〈文〉 ①여름(철). ②여름의 태양.
〔夏日可畏〕 xià rì kě wèi 〈成〉 인물이 엄하여 두렵고 어려움('赵盾, 夏之日也' (조순(趙盾)은 여름날의 태양처럼 엄하고 격렬하다)고 나와 있는 데서 유래).
〔夏时制〕 xiàshízhì 명 서머 타임(summer time)제.
〔夏收〕 xiàshōu 명 여름철의 수확(물). ¶~分配; 여름철의 수확을 분배하다 / ~作物; 여름에 수확하는 작물. 동 여름걷이를 하다.
〔夏收预分〕 xiàshōu yùfēn 여름 작물의 수확을 (연말까지 기다리지 않고) 미리 분배하다.
〔夏熟作物〕 xiàshú zuòwù 명 여름에 수확하는 작물.
〔夏税秋粮〕 xiàshuì qiūliáng 여름과 가을 두 차례에 내는 조세.
〔夏天〕 xiàtiān 명 여름.
〔夏娃〕 Xiàwá 명 《人》 〈音〉 이브(Eve). 하와('亚

当Yàdǎng(아담)의 갈비뼈로 만든 여자).
〔夏威夷〕 Xiàwēiyí 명《地》〈音〉하와이. ¶～衫=〔～恤xù〕; 알로하 셔츠.
〔夏五郭公〕 xià wǔ guō gōng〈成〉사서(史書)의 궐문(闕文)《춘추 속에, '夏五月'(여름 5월)이라 해야 할 '月'이 빠져, '夏五'로 되어 있는 대목이 있고 '郭公'이라고 인명만 나오고 그 다음에 이어져야 할 기재(記載)가 빠져 있는 대목이 있는 데서 '阙quē文'(궐문, 글의 탈루(脫漏))의 뜻으로 씀》.
〔夏衣〕 xiàyī 명 ⇨〔夏装〕
〔夏意〕 xiàyì 명 여름의 기분. 여름다운 맛.
〔夏营地〕 xiàyíngdì 명 여름철에 가축을 방목하는 땅. =〔夏窝wō子〕
〔夏雨雨人〕 xià yǔ yù rén〈成〉여름에 비가 내려 사람을 시원하게 하다《알맞은 시기에 알맞은 혜택을 베풂》.
〔夏禹〕 Xiàyǔ 명 ⇨〔夏后氏〕
〔夏至〕 xiàzhì 명 하지. ¶～有风三伏热, 重阳无雨一冬干; 하지에 바람이 불면 삼복 더위가 심하고, 중양절에 비가 없으면 겨우내 비나 눈이 내리지 않는다. =〔夏节②〕〔北至①〕
〔夏至线〕 xiàzhìxiàn 명《天》하지선. 북회귀선의 별칭. =〔昼zhòu长圈〕〔北回归线〕
〔夏种〕 xiàzhòng 동 여름에 씨를 뿌리다〔심다〕. 명 여름철의 파종.
〔夏装〕 xiàzhuāng 명 여름옷. 하복. =〔夏服〕〔夏衣〕

厦〈廈〉 Xià (하)
→〔厦门〕 ⇒shà

〔厦门〕 Xiàmén 명《地》아모이(Amoy). 샤먼(廈門)《푸젠 성(福建省)에 있는 시(市) 이름》.

罅 xià (하)
명〈文〉①틈(새). ¶老松盘屈, 生于石～; 노송이 구불구불 바위 틈에서 자라고 있다. ②질그릇의 깨진 금. ③유실. 실수. 누락. ¶论证尚有疏～; 논증에는 아직도 불충분한 점이나 누락된 점이 있다.
〔罅裂〕 xiàliè 동〈文〉틈이 벌어지다. 짜개지다.
〔罅漏〕 xiàlòu 명〈文〉①기물의 균열. 틈새. ②〈比〉유루(遺漏). 실수. 누락. ¶～之处, 有待dài订补; 빠진 곳에 대해서는 추후 보정(補正)을 요(要)함. ③〈比〉일의 파탄.
〔罅隙〕 xiàxì 명〈文〉①틈새. ②기물의 갈라진 금. ③〈比〉일의 파탄. 유루(遺漏).
〔罅眼〕 xiàyǎn 명 갈라진 금.

XIAN ㄒㄧㄢ

仙〈僊〉 xiān (선)
①명 선인. 신선. ¶成chéng～; 선인이 되다. ②양《貨》〈音〉센트(cent)《미국의 화폐 단위의 하나. 달러의 100분의 1》. =〔〈音〉生shēng脱〕 ③명〈轉〉범속을 초월한 사람. ¶酒jiǔ～; 주선. 주호/诗shī～; 시선《당(唐)나라의 이백(李白)을 말함》. ④명 성(姓)의 하나.
〔仙笔〕 xiānbǐ 명〈文〉뛰어난 시문이나 서화.
〔仙才〕 xiāncái 명〈文〉비범한 재능. 준재(俊才).
〔仙菜〕 xiāncài 명《植》비단풀. =〔海hǎi发〕
〔仙草〕 xiāncǎo 명《植》선초. =〔仙人冻〕〔凉粉草〕
〔仙氅〕 xiānchǎng 명 ①신선이나 은자(隱者)가 입는 옷. ②주술자(呪術者)의 옷.
〔仙丹〕 xiāndān 명 ①선단. 먹으면 신선이 된다는 영약. 선인의 약. ②〈比〉효능이 현저한 약.
〔仙方儿〕 xiānfāngr 명 ①선인의 처방. ②신에게서 받은 약 처방.
〔仙风〕 xiānfēng 명 ①높은 산으로부터 불어 오는 시원한 바람. ②신선 같은 풍격(風格).
〔仙风道骨〕 xiān fēng dào gǔ〈成〉신선 같은 풍채. 비범(非凡)한 풍격.
〔仙姑〕 xiāngū 명 ①선녀. ②점을 치거나 신(神)에게 발원(發願)하는 것을 업으로 하는 여자. =〔道dào姑〕
〔仙骨〕 xiāngǔ 명 ①선골. ②〈比〉비범한 성질〔풍채〕.
〔仙鹤〕 xiānhè 명《鳥》〈文〉①학. 두루미. =〔丹顶鹤〕 ②(신화나 전설상의) 신선이 기르는 흰 학. ‖ =〔〈文〉仙禽〕
〔仙后座〕 xiānhòuzuò 명《天》카시오페이아자리(Cassiopeia).
〔仙界〕 xiānjiè 명 선계. 선경(仙境). 〈比〉경치가 아름답고 그윽한 곳. =〔仙境〕〔仙乡〕
〔仙境〕 xiānjìng 명 ⇨〔仙界〕
〔仙客来〕 xiānkèlái 명《植》〈音〉시클라멘(cyclamen). =〔报春花〕
〔仙灵脾〕 xiānlíngpí 명《植》음양곽. =〔淫羊藿〕
〔仙露明珠〕 xiān lù míng zhū〈成〉①서법이 원활하다. ②풍모가 수려하다.
〔仙茆〕 xiānmáo 명《植》눈갓나무《뿌리는 청향(淸香)이 있으며, 약용함》.
〔仙茅〕 xiānmáo 명《植》선모《국화과의 다년초. 잎은 새와 비슷함》.
〔仙女(儿)〕 xiānnǚ(r) 명 ①(젊은) 선녀. ②〈比〉매우 아름다운 여자.
〔仙品〕 xiānpǐn 명〈文〉세속적인 냄새가 안 나는 서화(書畫).
〔仙禽〕 xiānqín 명 ⇨〔仙鹤〕
〔仙去〕 xiānqù 동 ⇨〔仙逝shì〕
〔仙人〕 xiānrén 명 선인.
〔仙人担〕 xiānréndàn 명《體》바벨. =〔举jǔ重哑铃〕
〔仙人冻〕 xiānréndòng 명 ⇨〔仙草〕
〔仙人盖〕 xiānréngài 명《生》머리뼈. =〔脑盖子〕
〔仙人脚〕 xiānrénjiǎo 명《植·漢醫》천마. 적전(赤箭)의 뿌리. =〔天tiān麻〕
〔仙人帽〕 xiānrénmào 명 그물버섯. 투망버섯. =〔竹zhú荪〕
〔仙人拳〕 xiānrénquán 명《植》선인장의 일종《구형이며, 세로로 십여 개의 능선(稜線)이 있는 것》. =〔仙人球〕
〔仙人绦〕 xiānréntāo 명《植》줄비늘석송.
〔仙人桃〕 xiānréntáo 명《植》쥐참외 모양의 복숭아《서리가 내릴 무렵에 익음》. =〔西xī王母桃〕
〔仙人跳〕 xiānréntiào 명 미인계. =〔美měi人计〕
〔仙人余粮〕 xiānrén yúliáng 명《植》죽대의 뿌리. =〔黄huáng精〕
〔仙人掌〕 xiānrénzhǎng 명《植》선인장.
〔仙逝〕 xiānshì 동〈文〉사망하다. 서거하다. =〔仙去〕〔仙游〕
〔仙鼠〕 xiānshǔ 명 박쥐. =〔蝙biān蝠〕
〔仙童〕 xiāntóng 명 선동《선인을 섬기는 동자》.
〔仙童仙女〕 xiāntóng xiānnǚ 명 소년 소녀의 종

이 인형(장례식에 쓰임). =〔童男童女③〕
〔仙脱〕 xiāntuō 양《貨》〈音〉 센트(cent)(미국의 화폐 단위). =〔生脱〕
〔仙驼〕 Xiāntuó 명 켄타우로스(그 Kentauros)(그리스 신화에 나오는 괴물). =〔神驼〕
〔仙乡〕 xiānxiāng 명 ⇨〔仙界〕
〔仙游〕 xiānyóu 동 ⇨〔仙逝〕 (Xiānyóu) 명《地》 셴유(푸젠 성(福建省)에 있는 현(縣) 이름).
〔仙乐〕 xiānyuè 명 선악(신선이 올리는 음악).
〔仙术〕 xiānzhú 명《植》 삽주. =〔苍cāng术〕
〔仙姿〕 xiānzī 명 선자. 〈比〉 신선과 같은 빼어난 모습.
〔仙子〕 xiānzǐ 명 ①선녀. ②〈比〉 미녀. ③선인(仙人).

氙 xiān (서)
명《化》 크세논(Xe: Xenon)(‘氙xī’는 고칭(古稱)).
〔氙气灯〕 xiānqìdēng 명 크세논 아크등.

籼〈秈〉 xiān (선)
명 알이 잘고 찰기가 적은 벼.
〔籼稻〕 xiāndào 명《植》 메벼.
〔籼米〕 xiānmǐ 명 가늘고 길며 두 끝이 뾰족한 쌀. =〔机米②〕

先 xiān (선)
①명 이전. 옛적. ¶现在的生活比～强多了; 지금의 생활은 전보다 훨씬 좋아졌다. ②명 선조. 조상. ¶～人; ⇓ / 祖～; 선조. ③명〈敬〉 고인(故人)(죽은 사람에 대한 존칭). ④명 선생(先生). ¶～生; ⇓ ⑤명《貨》〈音〉 실링(shilling). =〔先令〕 ⑥명 (시간·순서상의) 먼저. 앞. 앞장. 선두. 선수(先手). ¶首～; 우선 첫째로 / 争～恐后; 〈成〉 앞을 다투다 / 捷jié足～登; 〈成〉 행동이 민첩해야 먼저 목적을 달성한다 / 事～已做了准备; 사전에 미리 준비하였다 / 占zhàn～; 선수를 치다. ⑦부 우선. 먼저. ¶～这么办罢; 우선 이렇게 합시다. ⑧부 이전에. 앞서. ⑨부 미리. ¶你～怎么不告诉我? 왜 미리 나에게 말하지 않았느냐? ⑩부 일에 앞서. ¶我～谢谢您! 먼저 감사 말씀을 드립니다! ⑪명 성(姓)의 하나.
〔先辈〕 xiānbèi 명 ①뛰어난 업적을 올린 고인. 모범으로 삼을 만한 선인. 선구자. ¶继承～的事业; 선인의 사업을 잇다. ②연장자. 연상자.
〔先妣〕 xiānbǐ 명〈文〉 ⇨〔先母〕
〔先鞭〕 xiānbiān 동〈文〉 ①남보다 한 발 앞서 공을 세우다. ②남보다 먼저 착수하다. 기선을 제압하다. ¶先吾着鞭; 남에게 선수를 빼앗기다. (xiānbiān) 명 선수.
〔先病服药〕 xiān bìng fú yào 〈成〉 병들기 전에 약을 먹다(유비무환).
〔先伯〕 xiānbó 명 망백부(亡伯父). 돌아가신 큰아버지.
〔先不先〕 xiānbùxiān 부〈方〉 우선 먼저. 무엇보다도 먼저. ¶～, 老王就很看不起; 무엇보다도 먼저 왕군은 몹시 얕보고 있다. =〔首shǒu先①〕
〔先出后进〕 xiānchū hòujìn 명《商》 토머스(Thomas) 방식. 수출 선행. ↔〔先进后出〕
〔先慈〕 xiāncí 명 ⇨〔先母〕
〔先大夫〕 xiāndàfū 명 ⇨〔先父〕
〔先导〕 xiāndǎo 명 길 안내. 선도자. ¶错误常常是正确的～; 착오는 항상 정확의 선도자이다. 명동 지도(하다). 선도(하다). 안내(하다). ‖ =〔先引〕
〔先德〕 xiāndé 명〈文〉 ①유덕(有德)한 선배. ②〈敬〉 남의 조상에 대한 존칭.
〔先睹为快〕 xiān dǔ wéi kuài 〈成〉 맨 먼저 보고〔읽고〕 만족감을 얻(으려 하)다. ¶红旗创刊号出版了, 每个人都想～; ‘红旗’의 창간호가 출판되자, 누구나 맨 먼저 읽고 싶다고 생각한다.
〔先端〕 xiānduān 명《植》 (잎·꽃·과실 등의) 끝. 선단부.
〔先发制人〕 xiān fā zhì rén 〈成〉 선수를 써서 남을 제압하다. 기선을 제압하다. ¶～, 后发制于人; 선수를 쓰면 남을 제압할 수 있고, 뒤지면 남에게 제압당한다 / 我倒防着楼上那一个会～; 나는 오히려 위층의 그 사람이 기선을 제압하고 덤벼들지 않을까 근심하고 있다.
〔先锋〕 xiānfēng 명 ①선봉. 선봉 부대. ②솔선해서 하는 사람. ¶打～; 선봉을 담당하다.
〔先锋队〕 xiānfēngduì 명 전위대. 선두 부대. ¶群众的～; 대중의 선봉대.
〔先锋主义〕 xiānfēng zhǔyì 명 급진적 사상으로 앞지른 행동을 하여 대중과 유리된 그릇된 주의.
〔先锋作物〕 xiānfēng zuòwù 명《農》 품종 개량의 기본적 작물.
〔先锋作用〕 xiānfēng zuòyòng 명 선봉적 역할(대중이 혁명을 위하여 무산 계급의 선두에 서도록 지도 교육하는 활동).
〔先夫〕 xiānfū 명 망부(亡夫).
〔先府君〕 xiānfǔjūn 명 ⇨〔先父〕
〔先父〕 xiānfù 명 망부(亡父). 선친. =〔先考〕〔先严〕〔先大夫〕〔先府君〕〔先君①〕〔先人②〕
〔先付〕 xiānfù 명동 선불(하다). ¶～运费; 운임 선불. =〔预yù付〕
〔先公后私〕 xiān gōng hòu sī 〈成〉 공사(公事)를 먼저 하고, 사사(私事)로운 일을 뒤로 미루다.
〔先河〕 xiānhé 명〈比〉 일의 맨 처음. 효시. 시작(옛날 중국의 제왕은 강을 바다의 본원(本源)으로 생각하여, 먼저 황허 강(黄河)을 제사 지내고, 다음에 바다를 제사지내었다는 데서 유래).
〔先后〕 xiānhòu 명 선후. 전후. ¶要办的事情很多, 应该分个～缓急; 할 일이 많으므로 차례를 정해 놓아야 한다. 부 전후해서. 뒤이어. ¶～发表了两篇社论; 연이어 두 편의 사설이 발표되었다.
〔先后脚儿〕 xiānhòujiǎor 부 이어서. 전후하여. 잇달아. ¶这些铺子全～关了门; 이들 가게는 잇달아 모두 문을 닫았다. =〔相继地〕
〔先花后果(儿)〕 xiān huā hòu guǒ(r) 〈成〉 처음에는 딸을 낳고, 후에 아들을 낳다. =〔先开花儿后结jiē果儿〕
〔先己后人〕 xiān jǐ hòu rén 〈成〉 남의 일보다 우선 자기 일을 생각하다.
〔先见〕 xiānjiàn 명 선견. 예견(豫見).
〔先见之明〕 xiān jiàn zhī míng 〈成〉 선견지명. ¶有～; 선견지명이 있다 / 缺乏～; 선견지명이 결여되다.
〔先交〕 xiānjiāo 명동 전도(前渡)(하다). ¶～款项; 전도금.
〔先进〕 xiānjìn 명 앞선 사람. 선진적인 모범. →〔前辈〕 형 선진적이다. 진보적이다. 남보다 앞서다. ¶～分子; 선진적인〔진보적인〕 사람 / ～技术; 선진 기술 / ～生产者; 선진 기술의 생산자 / ～思想; 진보적인 사상 / 学习～技术; 선진 기술을 배우다.
〔先进后出〕 xiānjìn hòuchū 명《商》 역(逆)토머스(Thomas) 방식. ↔〔先出后进〕
〔先倨后恭〕 xiān jù hòu gōng 〈成〉 처음에는

오만하고 나중에는 겸손하다.

〔先决〕 xiānjué 명 전제(前提). ¶～条件; 전제 조건. 형 우선적이다. 선결적이다.

〔先觉〕 xiānjué 명 선각자. 동 먼저 깨닫다. ‖＝〔先醒〕

〔先君〕 xiānjūn 명 ①⇨〔先父〕 ②〈文〉자손이 조상을 이르는 말. ¶～孔子, 生于周末; 선조인 공자는 주(周)나라의 말기에 태어났다. ③선대의 군주. 전의 군주. ＝〔先侯〕

〔先君子, 后小人〕 xiān jūnzǐ, hòu xiǎorén 〈諺〉 처음에는 군자의 태도를 취해도 (거기에 무리나 부자연한 점이 있으면), 나중에는 소인이 하는 짓을 해야 하는 결과가 된다.

〔先开花儿后结果儿〕 xiān kāi huār hòu jiē guǒr 〈成〉⇨〔先花后果(儿)〕

〔先考〕 xiānkǎo 명 ⇨〔先父〕

〔先来后到(儿)〕 xiānlái hòudào(r) 선착순(先着順). ¶大家别挤, 按着～排队吧; 여러분 밀지 마시고, 오신 순서대로 줄을 섭시다.

〔先礼后兵〕 xiān lǐ hòu bīng 〈成〉 우선 예를 다하여 대하고, 그것이 안될 때 무력을 쓴다.

〔先例〕 xiānlì 명 선례. 전례. ¶史无～; 역사에 그 선례가 없다.

〔先烈〕 xiānliè 명 〈文〉 ①선인〔고인〕의 용렬(勇烈). ②〈敬〉 순국선열.

〔先灵〕 xiānlíng 명 선령. 조상의 영혼.

〔先零〕 xiānlíng 양 ⇨〔先令〕

〔先令〕 xiānlìng 양 《貨》〈音〉 실링(shilling)《영국 옛 보조 화폐 단위의 하나》. ＝〔先零〕

〔先马〕 xiānmǎ 명 ①앞장서 가는 말. ②〈轉〉 선구자.

〔先民〕 xiānmín 명 〈文〉⇨〔先贤〕

〔先母〕 xiānmǔ 명 〈文〉 ①망모(亡母). ②선조의 부인. ‖＝〔先妣bǐ〕〔先慈〕

〔先农〕 Xiānnóng 명 《人》 신농씨(神農氏). ＝〔神农(氏)〕

〔先偏〕 xiānpiān ⇨〔偏过〕

〔先期〕 xiānqī 부 〈文〉 ①예정일 이전에. 예정 기일에 앞서서. 사전에. 미리. ¶部分项目～在别处举行; 일부 스케줄은 예정 기일에 앞서 다른 장소에서 거행된다. ②조속히. ¶欲购某货即请～送来; 어떤 물품을 사고 싶으니 빨리 보내 주시오.

〔先起头〕 xiānqǐtóu 명 〈方〉 처음. 당초. ＝〔当dāng初〕

〔先前〕 xiānqián 부 이전. ¶～我和他同过学; 전에 나와 그는 동급생이었다. →〔从前〕〔以前〕 주 '以前'은 동사 뒤에 '吃饭以前, 要洗手'와 같이도 사용되지만, '先前'에는 이런 용법이 없음.

〔先钱后酒〕 xiānqián hòujiǔ 〈轉〉 대금 선불. 먼저 값을 치르고 나중에 물품을 받는 일.

〔先遣〕 xiānqiǎn 동 선견하다. 먼저 파견하다. ¶～队; 선견대. 선발팀.

〔先遣部队〕 xiānqiǎn bùduì 명 《軍》 선견 부대.

〔先亲后不改〕 xiānqīn hòubùgǎi 〈諺〉 ①일반 친척간의 관계는 처음에 발생한 것을 기준으로 하고, 그 뒤 친척 관계가 새로이 생겨도 이 기준은 바꾸지 않음. ②고유의 친척간 교분은 단절하지 않음. ¶常言～, 莫因咱家孩儿没了, 就断礼不送了; 고유한 친척간의 교분은 단절하지 않는다고 하거니와, 우리들 자식이 죽어 버린 지금에 와서 예물을 보내지 않는다는 것은 좋지 않다.

〔先秦〕 Xiānqín 명 《史》 선진《진(秦)나라 이전을 말하며, 보통 춘추 전국 시대를 가리킴》.

〔先驱〕 xiānqū 동 선도(先導)하다. 명 선구자. 선각자.

〔先驱论坛报〕 Xiānqū lùntánbào 명 〈義〉 뉴욕 헤럴드 트리뷴. ＝〔纽约先驱〕

〔先取特权〕 xiānqǔ tèquán 명 《法》 선취 특권.

〔先人〕 xiānrén 명 〈文〉 ①조상. 선조. ②⇨〔先父〕 ③⇨〔先贤〕

〔先人夺人〕 xiān rén duó rén 〈成〉 남보다 앞서 그 사람의 마음을 빼앗다《적보다 앞서 적의 간담을 서늘하게 하다》.

〔先容〕 xiānróng 동 ①〈文〉 갑옷을 만들기 위해 우선 인형(人型)을 만들다. ②〈轉〉 미리 소개하고 추천하다. ¶有人～; 미리 소개해 주는 사람이 있다.

〔先儒〕 xiānrú 명 〈文〉 선유. 전대(前代)의 유자.

〔先入为主〕 xiān rù wéi zhǔ 〈成〉 선입관에 사로잡히다.

〔先润后墨〕 xiān rùn hòu mò 〈成〉 집필료(執筆料)를 먼저 받고 나서 쓰는 일.

〔先上马, 后加鞭〕 xiān shàng mǎ, hòu jiā biān 〈成〉 일을 당하면 우선 현재의 조건에서 할 수 있는 범위 안에서 착수하고, 그 뒤 차츰 장애를 극복하면서 나아가다.

〔先声〕 xiānshēng 명 선성. 예고. 발단. 서막. ¶这就是日后辛亥革命的～; 이것이야말로 후일의 신해혁명의 예고였다.

〔先声夺人〕 xiān shēng duó rén 〈成〉 큰 소리를 질러 남의 정신을 빼다. 남의 기세를 꺾다. ¶他的态度似乎想～; 그의 태도는 선수를 써서 기선을 제압하려고 하는 것 같다.

〔先声后实〕 xiān shēng hòu shí 〈成〉 먼저 말로써 놀라게 하고, 실력은 뒤에 가서 보여 주다.

〔先圣〕 xiānshèng 명 공자를 가리키는 말. ＝〔先师②〕

〔先生〕 xiānsheng 명 ①선생《교사 · 지식인에 대한 호칭》. ¶男～; 남선생/女～; 여선생. ②씨. 선생《성인 남자에 대한 존칭》. ¶孙中山～; 손문 선생/鲁迅～; 노신 선생. ③바깥양반. 남편《아내가 남에게 대하여 자기의 남편을 또는 남의 남편을 가리켜 부르는 말》. ¶她～出差去了; 그녀의 남편은 출장 갔다/等我们～回来, 我让他马上去找您; 우리 집 남편이 돌아오면 바로 당신을 찾아가 보라고 하겠습니다. ④부모 특히 어머니가 자기의 성인(成人)된 아들을 가리켜 부르는 말. ⑤여보세요. 선생님《성명에 붙이지 아니하고 단독으로 남에게 말을 건넬 때에 쓰는 말》. ⑥〈方〉 의사. ¶请～看病; 의사를 불러 진찰을 받다. ⑦지관(地官) · 관상쟁이 · 점쟁이 등의 호칭. ¶风水～; 지관/算命～; 점쟁이. ⑧옛날, 상점의 출납담당〔회계원〕. ¶在商号当～; 상점에서 출납을 담당하고 있다. ⑨옛날, 기녀(妓女)를 일컬음.

〔先师〕 xiānshī 명 ①〈文〉 선사. 돌아가신 선생님. ②⇨〔先圣〕

〔先施〕 xiānshī 동 〈文〉 먼저 베풀다. 먼저 선물을 보내다. 명 ⇨〔西xī施①〕

〔先史时代〕 xiānshǐ shídài 명 《史》 선사 시대.

〔先世〕 xiānshì 명 〈文〉 ①전세. 전대(前代). ②조상. 선조. ＝〔祖先〕

〔先事〕 xiānshì 동 일에 앞서다. 부 사전에. 미리. ¶～预防; 미리 예방하다/～筹措; 미리 준비하여 조치를 강구하다. 미리 계획하다.

〔先室〕 xiānshì 명 〈文〉 ①전처(前妻). ②망처(亡妻).

〔先是〕 xiānshì 부 먼저. 처음에는. ¶他～反对, 后来同意了; 그는 처음에는 반대하였다가 후에 동의하였다.

〔先手〕 xiānshǒu 명 (바둑·장기의) 선수.
〔先说下〕 xiānshuōxia 동 미리 말해 두다.
〔先天〕 xiāntiān 명형 ①선천(적인). ¶～病; 선천병 / ～性免疫; 선천적 면역. 자연 면역. ②《哲》 선험적(先驗的)(인). ¶～的; 선천적. 아 프리오리(라 a priori). ‖↔〔后hòu天①〕
〔先天不足〕 xiān tiān bù zú 〈成〉 ①선천적으로 허약하다. ②사물의 기초가 모자라다.
〔先天下之忧而忧, 后天下之乐而乐〕 xiān tiān xià zhī yōu ér yōu, hòu tiān xià zhī lè ér lè 〈成〉 세상의 걱정에는 앞서서 걱정하고, 세상의 즐거움에는 남보다 늦게 즐거워하다.
〔先甜后辣〕 xiān tián hòu là 처음에는 달고 나중에는 맵다. 〈比〉 처음에는 좋다가 나중에는 나쁘다.
〔先头〕 xiāntóu 명 ①선두. ¶～部队; 선두 부대. 앞쪽 / ～骑兵连; 선두 기병 중대. ②전방. 전면. ¶一切结论生于调查情况的末尾, 而不是在它的～; 모든 결론은 상황을 조사한 끝에 나오는 것이지, 그 전에 생기는 것이 아니다. ③(시간적으로) 먼저. 이전. 앞서. ¶～出发; 먼저 출발하다. =〔先头里〕
〔先头里〕 xiāntóuli 명 ⇨〔先头①〕
〔先途〕 xiāntú 명 〈文〉 상대방. 상대편 사람. ¶～尚未回复; 상대방에게서는 아직 답장〔회답〕이 없다.
〔先物契约〕 xiānwù qìyuē 명 《商》 선물 계약.
〔先下手为强〕 xiān xià shǒu wéi qiáng 〈成〉 먼저 손을 쓰는 쪽이 유리하다(선수를 치면 남을 누를 수 있음). ¶～, 后下手遭殃; 〈諺〉 선수를 치면 유리하고, 후수로 돌면 피해를 입는다.
〔先贤〕 xiānxián 명 〈文〉 선현. 전대(前代)의 현자(賢者). =〔先民〕〔先人③〕
〔先小人, 后君子〕 xiānxiǎorén, hòujūnzǐ 〈諺〉 처음에는 소인이지만 나중에는 군자가 된다(나중에 말썽의 씨가 될 일은, 모가 나더라도 처음에 분명하게 이야기를 해 두어야 한다). ¶～, 我敢问你, 你这个钱, 你要拿什么做押呢? 나중에 이야기에 착오가 나지 않도록 묻는데, 이 돈(을 빌리는 데)에 대하여 너는 무엇을 저당하려하느냐? / 我们先讲好了条件吧! ～!; 먼저 조건을 분명하게 의논해 두자. 나중에 말썽이 나지 않도록 처음부터 확실히 해 두어야 하니까!
〔先刑后闻〕 xiān xíng hòu wén 〈成〉 ①형을 먼저 집행하고 나중에 임금에게 아뢰다(허가를 기다리지 않고 실행한 뒤에 보고하다). ②〈轉〉 사후 보고(하다). ‖=〔先斩后奏〕
〔先行〕 xiānxíng 〈文〉 동 ①앞서서 가다. 선행하다. ②미리〔앞서서〕 행하다. ¶～者; 선창자(先唱者). 선구자. 부 미리. 우선. 먼저. ¶～通知; 미리 알리다.
〔先行官〕 xiānxíngguān 명 사령관을 위하여 먼저 가서 준비하는 관리. 〈轉〉 중요한 사업을 위한 준비 공작을 하는 사람. ¶运输部门为工程当好～; 운수 부문이 가장 중요한 공사를 위한 준비자로서의 임무를 다하다.
〔先行者〕 xiānxíngzhě 명 선행자. 선구자. ¶革命～; 혁명의 선구자.
〔先兄〕 xiānxiōng 명 〈文〉 선형. 망형(亡兄).
〔先绪〕 xiānxù 명 〈文〉 조상의 유업(遺業).
〔先严〕 xiānyán 명 ⇨〔先父〕
〔先验〕 xiānyàn 명 《哲》 선험. ¶～论; 선험론. ↔〔后hòu验〕
〔先意承志〕 xiān yì chéng zhì 〈成〉 ①먼저 부모의 그 뜻을 헤아려 그것에 맞는 일을 하다. ②널리 남의 마음을 헤아려 그것에 극력(極力) 영합(迎合)하다. 아첨하여 영합함. ‖=〔先意承旨zhǐ〕
〔先引〕 xiānyǐn ⇨〔先导〕
〔先茔〕 xiānyíng 명 〈文〉 선영. 조상의 묘지.
〔先忧后乐〕 xiān yōu hòu lè 〈成〉 ①선우후락(천하의 우려(憂慮)에 앞서 우려하고, 천하의 즐거움에는 나중에 즐기다). ②〈轉〉 먼저 괴로운 일이 있으면, 나중에 즐거움이 있다.
〔先猷〕 xiānyóu 명 〈文〉 조상의 공업(功業).
〔先泽〕 xiānzé 명 〈文〉 조상·선인이 남긴 은택.
〔先斩后奏〕 xiān zhǎn hòu zòu 〈成〉 ⇨〔先刑后闻〕
〔先占〕 xiānzhàn 명 《法》 선점(무주물(無主物)에 대하여, 다른 사람보다 먼저 점유하는 일).
〔先着〕 xiānzhāo 명 선수(先手). ¶抢个～; 선수를 빼앗다.
〔先兆〕 xiānzhào 명 징조. 조짐.
〔先哲〕 xiānzhé 명 선철. =〔往wǎng哲〕
〔先知〕 xiānzhī 〈文〉 명 ①선각자. =〔先知先觉〕 ②《宗》 (기독교·유태교의) 예언자. 동 예지(豫知)하다. 미리 알다.
〔先祖〕 xiānzǔ 명 〈文〉 돌아가신 조부(祖父).

酰 xiān (선)

명 《化》 아실기(acyl基)(「醯xī」는 구칭). ¶苯běn甲～; 벤조일(benzoil) / 碳tàn～基; 카르보닐기(carbonyl基) / ～肼jǐng; 하이드라지드(hydrazide).
〔酰胺〕 xiānàn 명 《化》 산(酸)아미드.
〔酰胺纤维〕 xiānàn xiānwéi 명 《紡》 나일론.

纤(纖〈繊〉) xiān (섬)

① 명 섬유. ¶～维工业; 섬유 공업 / 人造～维; 인조 섬유 / 化～制品; 화학 섬유 제품. ② 형 잘다. 가늘다. 섬세하다. ¶不差～毫; 조금도 틀리지 않다. =〔孅xiān〕 ③ 형 부드럽다. ¶～弱; 부드럽고 가냘프다. =〔孅xiān〕 ④ 형 구두쇠이다. 인색하다. ⑤ 명 《度》 밀리미크론(10억분의 1을 나타냄). ⇒qiàn
〔纤尘〕 xiānchén 명 〈文〉 자디잔 티끌. 미진(微塵). ¶～不染; 〈成〉 조그만 티끌도 묻지 않다.
〔纤度〕 xiāndù 명 《紡》 섬도(천연사(天然絲)나 인공 섬유의 굵기).
〔纤阿〕 xiān'ē 명 〈文〉 우아한 미녀.
〔纤儿〕 xiān'ér 명 〈文〉 어린이. 아이.
〔纤匐枝〕 xiānfúzhī 명 《植》 포복지. 기는 줄기. 스톨론(stolon).
〔纤毫〕 xiānháo 명 〈文〉〈比〉 매우 미세한 것〔부분〕. =〔纤介〕〔纤芥〕
〔纤介〕 xiānjiè 명 〈文〉〈比〉 ⇨〔纤毫〕
〔纤毛〕 xiānmáo 명 《生》 섬모.
〔纤毛虫〕 xiānmáochóng 명 《動》 섬모충.
〔纤巧〕 xiānqiǎo 형 〈文〉 ①가냘프다. 부드럽다. ②(만듦새가) 섬세하고 정교하다.
〔纤人〕 xiānrén 명 〈文〉 ①나약한 사람. ②난쟁이.
〔纤弱〕 xiānruò 형 섬약하다. 가냘프다.
〔纤手〕 xiānshǒu 명 ①가냘픈 손. ②〈比〉 미인의 손. ‖=〔纤纤〕
〔纤维〕 xiānwéi 명 ①섬유. ¶～植物; 섬유 식물. ②섬유질. 파이버. =〔纤维质〕〔〈南方〉 纸zhǐ柏〕
〔纤维板〕 xiānwéibǎn 명 텍스(tex)(식물 섬유를 압착하여 만든 널빤지).
〔纤维蛋白〕 xiānwéi dànbái 명 《生》 섬유소. 피브린(fibrin).

〔纤维胶〕 xiānwéijiāo 명 《化》 비스코스.
〔纤维素〕 xiānwéisù 명 섬유질. 셀룰로오스.
〔纤维纸料〕 xiānwéi zhǐliào 명 ⇨〔纸浆〕
〔纤维质〕 xiānwéizhì 명 ⇨〔纤维②〕
〔纤悉〕 xiānxī 형 〈文〉 상세하다. 자세하다. ¶～一切内情; 일체의 내막을 자세히 알고 있다.
〔纤悉无遗〕 xiān xī wú yí 〈成〉 조금도 빠뜨린 것이 없다. 조금도 유루(遺漏)가 없다.
〔纤细〕 xiānxì 형 섬세하다. 극히 가늘다. =〔纤小〕
〔纤纤〕 xiānxiān 명 〈文〉 ⇨〔纤手〕 형 ①가늘고 뾰족한 모양. ②가늘고 긴 모양.
〔纤小〕 xiānxiǎo 형 ⇨〔纤细〕
〔纤屑〕 xiānxiè 형 〈文〉 가늘다. 미세하다.
〔纤妍〕 xiānyán 형 〈文〉 작고 곱다.
〔纤腰〕 xiānyāo 명 가는 허리. =〔柳腰〕
〔纤玉〕 xiānyù 명 〈文〉 가늘고 고운 여자의 손. 섬섬 옥수.
〔纤指〕 xiānzhǐ 명 〈文〉 가느다란 손가락. =〔削xuē葱〕

忺 xiān (흔)
형 기쁘다. 기분이 좋다. 마음에 들다.

掀 xiān (흔)
동 ①열다. 넘기다. 젖히다. 감아올리다. ¶～开锅盖; 냄비 뚜껑을 열다 / ～帘子; 발을 걷어서 열다 / 把这一页～过去; 이 페이지를 넘기다. ②(말·당나귀 등이 놀라거나 날뛸 때처럼) 갑자기 뛰어오르다. 솟구쳐 오르다. ¶把个骑驴的～了下来; 나귀에 탄 사람을 흔들어 떨어뜨렸다. ③뒤흔들다. ¶～起了巨大的波澜; 큰 파란을 일으켰다. ④젖혀지다. ¶鼻子往上～着; 코가 들창코다.
〔掀鼻子〕 xiānbízi 명 사자코. 들창코.
〔掀不开锅〕 xiānbukāi guō 끼니를 거르다. (가난해서) 먹을 것이 없다.
〔掀动〕 xiāndòng 동 ①(전쟁·소동을) 일으키다. 이르집다. ¶～风潮; 소동을 일으키다. ②흔들다. 나부끼다. 움직이게 하다.
〔掀翻〕 xiānfān 동 ①뒤집히다. (페이지 등을) 넘기다. ②(추상적인 것을) 북돋우다. 끓어오르게 하다.
〔掀风鼓浪〕 xiān fēng gǔ làng 〈成〉 풍파를 일으키다. 선동하여 소란〔분쟁〕을 일으키다. =〔掀风播浪〕
〔掀开〕 xiānkāi 동 열다. 젖히다. 벗기다. =〔掀腾teng〕
〔掀毛〕 xiānmáo 동 (책장을 넘겨서 종이가) 보풀이 일다. 구겨지다.
〔掀起〕 xiānqǐ 동 ①넘기다. 열어 젖히다. ¶～盖子; 뚜껑을 열다. ②(물결이) 일다. 넘실거리다. ¶大海～巨浪; 바다에는 큰 파도가 넘실거린다. ③(운동 등이 크게) 일어나다. 일으키다. ¶～了新高潮; 새로운 고조를 일으켰다.
〔掀书〕 xiān shū 책장을 넘기다.
〔掀腾〕 xiānténg 동 ①(물결·흐름·풍조 등이) 들끓다. 소용돌이〔용솟음〕치다. ②뒤집어엎다.
〔掀腾〕 xiānteng 동 ⇨〔掀开〕
〔掀天〕 xiāntiān 동 〈文〉 ①파도가 하늘 높이 솟아오르다. ②〈轉〉 기세가 대단하다. ¶～揭地; 〈成〉 천지가 뒤집힐 듯한 소동.
〔掀肿〕 xiānzhǒng 동 《漢醫》 (살갗이) 부어 오르다.

锨(鍁〈杴, 枚〉) xiān (흔)
명 《農》 가래. 삽. ¶铁tiě～; 쇠삽 / 木mù～; 나무삽.

祆 xiān (현)
→〔祆道〕〔祆教〕
〔祆道〕 Xiāndào 명 ⇨〔祆教〕
〔祆教〕 Xiānjiào 명 《宗》 조로아스터교(Zoroaster教). 배화교(拜火教)《고대 페르시아 사람 조로아스터(Zoroaster)가 그 시조로, 남북조(南北朝) 시대 중국에 들어왔음》. =〔祆道〕

恡(憸) xiān (섬, 험)
〈文〉 ①동 아첨하다. 입담이 좋다. ②형 마음이 비뚤어지다. ③형 기울어지다.
〔恡佞〕 xiānnìng 형 〈文〉 빈말 잘하고 간사하다. =〔恡壬〕
〔恡壬〕 xiānrén 형 ⇨〔恡佞〕

莶(薟) xiān (렴)
→〔豨xī莶(草)〕 ⇒ lián

铦(銛〈錟〉①) xiān (섬)
〈文〉 ①형 (날붙이 등이) 날카롭다. 예리하다. ¶足爪长且～; 발톱이 길고 날카롭다. ②명 작살《고기잡이 도구》. ③명 성(姓)의 하나. ⇒ '锬' tán

跹(躚) xiān (선)
형 〈文〉 ①빙 돌아서 가는 모양. ②비슬거리는 모양. ¶蹁～; 비틀거리는 걸음.
〔跹跹〕 xiānxiān 〈擬〉〈文〉 너울너울《아름답게 춤추는 모양》. ¶～起舞; 너울너울 춤추다.

鲜(鮮) xiān (선)
①명 수산물. ②명 새·짐승의 날고기. ¶这是～的, 不是咸的; 이 물고기는 생선이지, 자반이 아니다. ③형 신선하다. ¶～奶; ⇩ / ～啤酒; ⇩ ④형 (색채가) 선명하다. ⑤형 맛있다. ¶这汤真～; 이 국은 참 맛있다 / 鱼汤很～; 생선국이 매우 맛있다 / 味道～; 맛이 좋다. ⑥명 첫물. 진귀한 것. 맏물. ¶时～; 계절의 첫물 / 尝cháng～儿; 맏물을 맛보다. ⑦명 성(姓)의 하나. ⇒ xiǎn
〔鲜卑〕 Xiānbēi 명 ①《民》 중국 고대의 소수 민족 이름《현재의 동북(東北)·내몽고 일대에 거주한 퉁구스계의 민족》. ②《地》 내몽고에 있는 산 이름. ③복성(複姓)의 하나.
〔鲜菜〕 xiāncài 명 신선한 야채. →〔生shēng菜〕
〔鲜蛋〕 xiāndàn 명 날계란.
〔鲜冻〕 xiāndòng 동 날것으로 냉동하다.
〔鲜冻肉〕 xiāndòngròu 명 냉동육.
〔鲜菇〕 xiāngū 명 생버섯《총칭》.
〔鲜果(子)〕 xiānguǒ(zi) 명 신선한 과일.
〔鲜红〕 xiānhóng 명 《色》 선홍색. ¶～的朝霞; 새빨간 아침놀.
〔鲜花(儿)〕 xiānhuā(r) 명 생화(生花). ¶一束～; 한 다발의 생화 / ～插在牛粪上; 〈比〉 미녀가 추남(醜男)에게 시집 가는 일. ↔〔假jiǎ花〕
〔鲜货〕 xiānhuò 명 ①맏물. ②신선한 식료품.
〔鲜活〕 xiānhuo 형 ①싱싱하다. 신선하다. ②〈京〉 빛깔이 선명하고 윤기가 돌다. ¶这块花布真～; 이 무늬 있는 천은 참으로 선명하고 곱다.
〔鲜姜〕 xiānjiāng 명 날생강.
〔鲜介〕 xiānjiè 명 《動》 갑각류(甲殼類). 조개류.
〔鲜橘汁〕 xiānjúzhī 명 생오렌지 주스.
〔鲜亮〕 xiānliang 형 〈方〉 선명(鮮明)하다. ¶幼苗

绿得～; 볏모가 선명한 녹색이다.

〔鲜亮亮(的)〕 xiānliàngliàng(de) 형 선명한 모양. 신선한 빛깔을 하고 있는 모양.

〔鲜泠〕 xiānlíng 형 싱싱하고 아름답다. ¶这把花儿真～; 이 꽃다발은 정말 싱싱하고 곱다. =〔鲜灵〕

〔鲜溜溜(的)〕 xiānliūliū(de) 형 신선하고 싱싱한 모양. ¶～的水果; 신선하고 싱싱한 과일.

〔鲜眉亮眼〕 xiānméi liàngyǎn 눈썹과 눈매가 곱고 아름답다. 〈比〉 아름다운 용모.

〔鲜美〕 xiānměi 형 ①(요리·안주·과일 등이) 대단히 맛이 있다. ②〈文〉 선명하고 아름답다.

〔鲜明〕 xiānmíng 형 ①(색채가) 선명하다. 산뜻하고 곱다. ②명확하다. 선명하다. ¶主题～; 테마가 명확하다 / ～的对比; 명확한 대비 / 立场～; 입장이 분명하다.

〔鲜奶〕 xiānnǎi 명 (생)우유. ¶～油; 생크림. =〔牛niú奶〕

〔鲜嫩〕 xiānnèn 형 신선하고 연하다. 새롭고 싱싱하다. ¶碧bì绿～的菜; 푸르고 신선하며 연한 채소.

〔鲜皮〕 xiānpí 명 생가죽.

〔鲜啤酒〕 xiānpíjiǔ 명 생맥주. =〔生shēng啤酒〕

〔鲜气〕 xiānqì 형 산뜻하다. 선명하다. 싱싱하다.

〔鲜肉(儿)〕 xiānròu(r) 명 신선한 고기. 생고기.

〔鲜肉儿〕 xiānròur 명 상처에서 노출된 속살.

〔鲜食〕 xiānshí 명 ①생선이나 자라류(類). ②신선한 식품. ③조수(鳥獸)나 어육(魚肉).

〔鲜味(儿)〕 xiānwèi(r) 명 ①좋은 맛. ②신선한 맛.

〔鲜虾〕 xiānxiā 명 생새우.

〔鲜血〕 xiānxuè 명 선혈.

〔鲜妍〕 xiānyán 형 〈文〉 선명하고 아름답다.

〔鲜艳〕 xiānyàn 형 (빛깔이) 선명하다. 산뜻하고 아름답다. 곱다. 화려하다. ¶花样很～; 무늬가 곱다 / 颜色～; 색이 산뜻하고 예쁘다 / ～夺duó目; 아름다움에 넋을 빼앗기다.

〔鲜艳玫瑰精〕 xiānyàn méiguijīng 명 《染》 홍색(紅色) 안료(顔料)의 일종. ¶盐基～; 염기성 홍색 염료 로다민(rhodamine)의 일종.

〔鲜艳青莲〕 xiānyàn qīnglián 명 《色》 브릴리언트 바이올렛(brilliant viloet)의 일종.

〔鲜阳〕 Xiānyáng 명 복성(複姓)의 하나.

〔鲜于〕 Xiānyú 명 복성(複姓)의 하나.

〔鲜鱼〕 xiānyú 명 선어. 생선.

〔鲜鱼行〕 xiānyúháng 명 생선 가게. =〔〈京〉 鱼床子〕

骞(騫)

xiān (헌)
형 〈文〉 새가 나는 모양.

暹

xiān (섬)
① 동 〈文〉 해가 떠오르다. ② 동 〈文〉 전진하다. ③ →〔暹罗〕

〔暹罗〕 Xiānluó 명 《地》 시암(Siam)(태국(泰國)의 구칭).

孅

xiān (섬)
형 ⇨〔纤②③〕

闲(閑^B)〈閒〉^A))

xián (한)
A) ① 형 한가하다. ¶我现在～着哪; 나는 지금 한가하다 / 有～太太; 한가한 마담 / 要劳动, 不要～着; 빈둥거리지 말고 일하시오. ② 동 (기계·집 따위를) 놀려 두다. 안쓰고 내버려 두다. ¶机器别～着; 기계를 놀리지 마라 / 3楼35号房间还～着呢; 3층 35호실이라면 아직 비어 있습니다 / ～房; 빈 집 / 置～; (공장의 기계를) 운전하지 않고 놀려 두다. ③ 명 틈. 짬. ¶农～; 농한기 / 忙里偷～; 〈成〉 바쁜 중에 여가를 내다 / 近来总不得～; 최근에는 도무지 짬이 없다. ④ 형 관계 없다. 쓸데없다. 그다지 중요하지 않다. ¶～人免进; 관계자외 출입금지 / ～话少说, 谈点儿正事吧; 잡담은 그만 하고, 본론을 좀 이야기합시다. ⑤ 형 〈文〉 조용하다. 평온하다. B) 〈文〉 ① 명 마구간. 울타리. ② 동 방지하다. 방어하다. ¶防fáng～; 방어하다. ⇒'间' jiān jiàn

〔闲白儿〕 xiánbáir 명 잡담. 쓸데없는 말. ¶扯～; 잡담하다.

〔闲步〕 xiánbù 명동 산보(하다).

〔闲不住〕 xiánbuzhù ①한가한 때가 없다. 틈이 없다. ②안이하게 있을 수 없다. 가만히 있지 못하다. ¶手脚总是～; 아무래도 가만히 있을 수 없다. ③늘 일이 있다.

〔闲茶闷酒〕 xián chá mèn jiǔ 〈成〉 한가한 때에는 차, 시름을 풀려면 술.

〔闲常〕 xiáncháng 명 평소. 평상시. 늘.

〔闲扯〕 xiánchě 동 잡담을 하다.

〔闲传〕 xiánchuán 동 함부로 소문을 퍼뜨리다.

〔闲串〕 xiánchuàn 동 일없이 이리저리 수다 떨며 다니다. =〔串门子〕

〔闲打落儿〕 xiándǎlàor 잡담을 하다.

〔闲打牙〕 xián dǎyá 한담하다.

〔闲当儿〕 xiándāngr 명 한가한 때.

〔闲荡〕 xiándàng 동 ⇨〔闲逛〕

〔闲的儿〕 xiánder 명 직업이 없어 생계가 어려운 자. 실직자. 비렁뱅이. =〔闲等儿〕〔闲丁儿〕

〔闲得慌〕 xiándehuang 한가해서 견딜 수 없다.

〔闲等儿〕 xiánděngr 명 ⇨〔闲的儿〕

〔闲地〕 xiándì 명 공지. 빈터. 휴한지(休閑地).

〔闲丁儿〕 xiándīngr 명 직업이 없는 사람. 밥 빌어 먹는 사람. =〔闲的儿〕〔闲等儿〕

〔闲东西〕 xiándōngxī 명 한가한 사람. 게으름뱅이.

〔闲哦〕 xián'é 동 ⇨〔闲吟〕

〔闲饭〕 xiánfàn 명 일하지 않고 먹는 밥. ¶吃～; 무위 도식하다.

〔闲房〕 xiánfáng 명 빈 방. 빈 집. =〔闲屋子〕

〔闲工〕 xiángōng 명 자질구레한 일(본직 이외의 일). ¶女人们打柴担dān水, 男人少误多少～; 여자들이 땔나무를 하고 물을 긷고 하므로, 남자들은 잡다한 일을 잘 할 수 있었다.

〔闲工夫(儿)〕 xiángōngfu(r) 명 틈. 한가한 시간. 비어 있는 시간. =〔闲里当〕

〔闲官〕 xiánguān 명 한관. 옛날, 한직(閑職)에 있는 관리.

〔闲逛〕 xiánguàng 동 한가할 때 밖에 나가 빈둥거리다. 심심풀이로 놀러 다니다. =〔闲荡〕

〔闲聒〕 xiánguō 동 잡담을 하다.

〔闲汉〕 xiánhàn 명 ①한가한 사람. ②하찮은 사람. ③불량배.

〔闲花〕 xiánhuā 명 쓸모 없는 꽃. 호박꽃. ¶她还算是花, 尽管是一朵～; 그녀 또한 꽃이라 할 수 있다, 설사 호박꽃이긴 하지만.

〔闲花野草〕 xián huā yě cǎo 〈成〉 기녀. 창기. 기생. 유녀(遊女). ¶家中妻子丑陋, 便去搭撒那～; 마누라가 못생겨서, 그 창녀에게 빠졌다. =〔野草闲花〕

〔闲话〕 xiánhuà 명 ①쓸데없는 이야기. 잡담. ②군말. ③험담. 남의 뒷말. 함부로 지껄이는 무책임한 이야기. ¶说他～; 그 사람에 대하여 험담하

다/落了～; 남의 입에 오르내리다. 구설수에 들다. 동 〈文〉 한담하다.

〔闲话不提〕 xián huà bù tí 〈成〉 쓸데없는 말을 그만두다. 여담을 그만두다. =〔闲话休题xiūtí〕

〔闲晃〕 xiánhuàng 동 배회하다. 일없이 쏘다니다. ¶在大街上～; 큰 길을 배회하다.

〔闲货〕 xiánhuò 명 필요하지 않은 물건. 〈比〉 쓸모없는 인간.

〔闲饥难忍〕 xián jī nán rěn 〈成〉 심심함과 배고픔은 참기 어렵다.

〔闲经儿难忍〕 xiánjīngr nán rěn 〈方〉 심심해서 견딜 수 없다.

〔闲居〕 xiánjū 동 〈文〉 ①일이 없어 집에 있다. 한거하다. ¶小人～为不善; 〈成〉 소인은 한거하면 나쁜 짓을 한다. ②세속을 떠나 조용히 살다.

〔闲磕打牙(儿)〕 xiánkēdǎyá(r) 〈方〉 잡담하다. 한담하다. ¶他等着你, 你还坐着～; 그가 기다리고 있는데, 너는 아직도 앉아서 노닥거리고 있구나. =〔闲打落儿〕〔闲磕牙(儿)〕〔拉lā管儿〕

〔闲磕牙(儿)〕 xiánkēyá(r) 〈方〉 ⇨〔闲磕打牙(儿)〕

〔闲空(儿)〕 xiánkòng(r) 명 틈. 짬. 겨를. ¶一～, 连阿Q都早忘却《鲁迅 阿Q正傳》; 한가하면 아Q의 일도 잊어버린다. =〔空儿kòngr〕〔闲暇〕

〔闲款〕 xiánkuǎn 명 놀고 있는 돈. 융통할 수 있는 돈. ¶～可存银行里; 노는 돈은 은행에 맡기면 된다. =〔闲钱〕〔闲银〕

〔闲懒〕 xiánlǎn 형 ①놀면서 빈둥거리다. ②게으르다.

〔闲里当〕 xiánlidāng 명 ⇨〔闲工夫(儿)〕

〔闲聊〕 xiánliáo 동 잡담하다. ¶和乡亲们～; 고향 사람들과 잡담하다.

〔闲溜〕 xiánliū 동 빈둥빈둥 돌아다니다. 배회하다. ¶有一个多月, 领了工资不做活, 到处～; 1개월 이상의 임금까지 받고도 일은 하지 않고 여기저기 돌아다니고 있었다.

〔闲民〕 xiánmín 명 무직자. 실업자. 유민(遊民).

〔闲排(儿)〕 xiánpái(r) 명 〈京〉 쓸데없는 겉치레. 허례허식. 쓸데없는 허영. ¶这么忙的时候哪有工夫闹这些～; 이렇게 바쁜 때에 어찌 한가하게 그런 쓸데없는 겉치레를 할 틈이 있겠는가.

〔闲盘儿〕 xiánpánr 명 ①시시한 일. 쓸데없는 일. ¶他顾不得留神这些～; 그는 이런 쓸데없는 일에까지 신경을 쓸 수가 없었다. ②쓸데없는 말. 시시한 이야기《책망하는 어기(語氣)를 가짐》. ¶金三爷不想扯什么～, 而愿直截了当的作些事《老舍 四世同堂》; 김삼야는 쓸데없는 말을 지껄이고 싶은 게 아니라, 단도직입적으로 뭔가 일을 하고 싶었다.

〔闲篇(儿)〕 xiánpiān(r) 명 ①〈方〉 잡담. ¶我正忙着呢, 没工夫跟你扯～儿! 나는 지금 바빠서 너하고 잡담할 시간이 없단 말이다!/咱们先搁开～, 说入正题; 우리 우선 잡담은 그만두고, 본론으로 들어가자. ②있으나마나 한 글. 의미 없는 글.

〔闲气(儿)〕 xiánqì(r) 명 이유 없는〔공연한〕 분노. 쓸데없는 것에 대한 분노. ¶受～; 엉뚱한 분풀이를 당하다/生～; 사소한 일로 화내다/逗dòu～; 공연한 시비를 걸다/何必因不值当的事, 怄òu～呢; 공연히 하찮은 일로 화낼 필요가 있을까.

〔闲钱〕 xiánqián 명 ⇨〔闲款〕

〔闲情〕 xiánqíng 명 한가로운 마음. 느긋한 마음. ¶～逸致; 〈成〉 한가로운 마음과 한적한 정취.

〔闲人〕 xiánrén 명 ①한가한 사람. ②용무가 없는 사람. ¶～莫人 =〔～免进miǎnjìn〕〔～勿人〕〔～止步〕; 일 없는 사람은 들어오지 마시오.

〔闲散〕 xiánsǎn 형 ①한산하다. 고요하다. ②할 일이 없어 한가하다. 매이지 않고 자유롭다. ¶闲闲散散; 한가한 모양/～人; 한가한 사람. 무용자(無用者). ③(직무가) 중요하지 않다. ④(쓰이지 않고) 놀고 있다. (인원·물자 등을) 놀리고 있다. ¶～资金; 유휴 자금.

〔闲神野鬼〕 xián shén yě guǐ 〈成〉 엉터리 같은 신이나 망령. 〈轉〉 실없는 인간.

〔闲时〕 xiánshí 명 한가할 때. 아무 일도 없을 때. ¶～不烧香, 急时抱佛脚; 〈諺〉 한가할 때는 향을 피우지 않다가 급하면 부처님 다리에 매달리다《발등에 불이 떨어져야 안다》.

〔闲时作下忙时用〕 xiánshí zuòxia mángshí yòng 〈諺〉 한가한 때에 준비해 두었다가 바쁜 때에 유용하게 써라.

〔闲事〕 xiánshì 명 쓸데없는 일. 자기와 상관없는 일. ¶少管～; 쓸데없는 일에 끼어들지 마라. 공연히 참견 마라/狗拿耗子, 多管～; 〈歇〉 개가 쥐를 잡는 것처럼 쓸데없는 짓을 하다.

〔闲适〕 xiánshì 형 한가하고 편안하다. ¶～的心情; 한가로운 기분.

〔闲是闲非〕 xián shì xián fēi 〈成〉 관계없는 시비선악(是非善惡). 쓸데없는 시비. ¶外人说的～都不要听; 남이 문제 삼고 있는, 자기와는 관계없는 일 같은 것은 들을 필요가 없다.

〔闲手(儿)〕 xiánshǒu(r) 명 한가한 사람.

〔闲书〕 xiánshū 명 〈文〉 심심파적으로 읽는 책. 오락책.

〔闲耍〕 xiánshuǎ 동 ①심심파적하다. 기분 전환하다. ②빈둥빈둥 놀다. ‖=〔闲玩(儿)〕

〔闲谈〕 xiántán 명 잡담. 실없는 이야기. ¶这不过是～罢了; 이것은 잡담에 불과하다. 동 세상 이야기를 하다. 잡담을 하다.

〔闲天(儿)〕 xiántiān(r) 명 잡담. 쓸데없는 이야기. ¶谈～ =〔聊liáo～〕; 잡담을 하다.

〔闲田〕 xiántián 명 휴한지(休閑地).

〔闲庭〕 xiántíng 명 조용한 뜰. 한적한 정원.

〔闲玩(儿)〕 xiánwán(r) 동 ⇨〔闲耍〕

〔闲屋子〕 xiánwūzi 명 ⇨〔闲房〕

〔闲习〕 xiánxí 동 숙달하다. 숙련하다.

〔闲暇〕 xiánxiá 명 〈文〉 틈. 짬. =〔闲空(儿)〕

〔闲下〕 xiánxià 동 ①한가하게 되다. ¶今儿～了吗? 오늘은 한가하십니까? ②내버려 두다. 쓰지 않고 버려두다.

〔闲心〕 xiánxīn 명 한가한 마음. 한가로운 기분. ¶虽然是星期日, 因为家里有病人, 也就没有～去钓鱼了; 비록 일요일이지만 집에 환자가 있어서 낚시하러 갈 만큼 한가한 기분이 아니다.

〔闲寻气恼〕 xián xún qì nǎo 〈成〉 한가하게 이런저런 일을 생각하다가 화를 내다.

〔闲雅〕 xiányǎ 형 〈文〉 ⇨〔娴雅〕

〔闲言〕 xiányán 명 ①실없는 말. 쓸데없는 이야기. 필요 없는 말. ¶～少叙xù =〔少说～〕; 쓸데없는 이야기는 하지 말자. ②욕. 험담. 불평. ¶不听人家的～; 남의 험담은 듣지 않는다.

〔闲言碎语〕 xián yán suì yǔ 〈成〉 ⇨〔闲言闲语〕

〔闲言闲语〕 xián yán xián yǔ 〈成〉 뒷소리. 뒷공론. =〔闲言碎语〕

〔闲逸〕 xiányì 형 〈文〉 속세를 떠나 유유자적하다.

〔闲吟〕 xiányín 동 시가를 읊조리다. =〔闲哦é〕

〔闲银〕 xiányín 명 ⇨〔闲款〕

〔闲语〕 xiányǔ 동 〈文〉 조용히 이야기하다. 속삭

이다. ¶夜深人静～时; 밤은 깊어 사람은 조용해지고 속삭이기 좋은 때. 명 쓸데없는 이야기. 잡담. 세상 이야기. 뒷소리. ¶～是非多; 남의 뒷공론은 문제를 일으키는 수가 많다 / 张家长李家短的闲言～我不爱听; 남에 대한 뒷공론은 듣고 싶지 않다.

〔闲员〕 xiányuán 명 〈文〉 용원(冗員). 쓸데없는 인원. =〔冗员〕

〔闲月(儿)〕 xiányuè(r) 명 농한기(農閑期).

〔闲云野鹤〕 xián yún yě hè 〈成〉 아무런 속박도 없이 마음 내키는 대로 이곳저곳으로 다니다. =〔闲云孤鹤〕

〔闲杂〕 xiánzá 형 일정한 직무가 없는. 어떤 일과 관계가 없는.

〔闲杂人(等)〕 xiánzárén(děng) 명 무용자(無用者). 한가한 사람. ¶不准寺里～驻脚; 절 안에는 무용자의 출입을 금함.

〔闲杂人员〕 xiánzá rényuán 명 ①일정한 직업이 없는 사람. ②(회사 안에서) 고정된 직책이 없는 사람.

〔闲在〕 xiánzai 동 한가하다. 일이 없이 편안히 있다. 빈둥거리다. ¶今天她怎么那么～了? 오늘은 그녀가 왜 저렇게 한가할까?

〔闲张事〕 xiánzhāngshì 명 쓸데없는 일.

〔闲章(儿)〕 xiánzhāng(r) 명 정식 인감이 아닌 것(별호나 격언 등의 문자를 새긴 도장).

〔闲着〕 xián.zhe 동 ①비어 있다. ②한가하게 놀고 있다. 빈둥빈둥 지내고 있다. ¶我天天光闲来着? 내가 매일 아무것도 하지 않고 빈둥거리고 있다고?

〔闲职〕 xiánzhí 명 한직.

〔闲置〕 xiánzhì 동 쓰지 않고 두다. 놀려 두다. ¶～不用; 쓰지 않고 놀려 두다 / ～设备; 유휴 설비.

〔闲住〕 xiánzhù 동 ①한가하게 있다. 아무것도 안 하고 있다. ②직업 없이 빈둥거리고 있다.

〔闲坐〕 xiánzuò 동 ①아무것도 하지 않고 멍하니 앉아 있다. ②볼일도 없는데 친구를 찾아가서 잡담하다.

娴(嫻〈嫺〉) **xián** (한) 형 〈文〉 ①우아하다. 고상하다. ②정숙하다. 얌전하다. ③숙달되다. 노련하다. 익숙하다. ¶～于辞令 =〔善shàn于辞令〕; 응대에 익숙하다. 변설이 뛰어나다 / ～于绘画; 그림을 잘 그리다.

〔娴静〕 xiánjìng 형 조용하다. 얌전하다. 고상하고 차분하다.

〔娴熟〕 xiánshú 형 숙련되다. 익숙〔능숙〕하다. ¶画得又朴素又～; 소박하고도 익숙한 솜씨로 그려져 있다.

〔娴习〕 xiánxí 동 〈文〉 익숙해지다. 숙련되다.

〔娴雅〕 xiányǎ 형 〈文〉 (여성이) 정숙하다. 고상하다. 우아하다. ¶举止～; 행동거지가 우아하다. 언행이 얌전하다 / 谈吐～; 말솜씨가 고상하고 품위가 있다. =〔闲雅〕

痫(癇) **xián** (간) 명 《醫》 경련(痙攣). 지랄병. 간질. =〔痫症〕〔癫diān痫〕〔〈俗〉 羊痫风〕〔〈俗〉 羊角风〕

鹇(鷳〈鷴〉) **xián** (한) 명 《鳥》 백한.

弦〈絃〉② **xián** (현) 명 ①활시위. ¶离～之箭; 시위를 떠난 화살 / 弓～; 활시위. ②(～儿, ～子) 악기의 현. ¶老～; 첫째 줄 / 琴～; 거문고 줄. ③달의 현. ④《數》 직각삼각형의 사변(斜邊). ⑤처(妻). ¶断～; 아내를 여의다 / 续～; 남자의 재혼. ⑥〈方〉 시계의 태엽. ¶表～断了; 시계의 태엽이 끊어졌다. ⑦성(姓)의 하나.

〔弦歌〕 xiángē 동 ①현악에 맞추어 노래 부르다. ②〈比〉 교화하다.

〔弦脉〕 xiánmài 명 《漢醫》 강하고 팽팽한 맥박.

〔弦索〕 xiánsuǒ 명 ①현악기. ②현악기의 줄.

〔弦外有音〕 xián wài yǒu yīn 〈成〉 현외(絃外)에 음(音)이 있다(말하고 싶은 것이 언외(言外)에 있다. 언외에 뜻이 있다). ¶老太爷马上听出来～; 큰 어른께서는 곧 말의 속뜻을 이해했다. =〔弦外之音〕

〔弦外之音〕 xián wài zhī yīn 〈成〉 ⇨〔弦外有音〕

〔弦月〕 xiányuè 명 초생달('上弦' 상현달. '下弦' 하현달).

〔弦乐〕 xiányuè 명 현악곡. ¶～队; 현악대 / ～四重奏; 현악 4중주 / ～器; 《樂》 현악기.

〔弦柱〕 xiánzhù 명 《樂》 현악기의 줄을 고르는 데 쓰는 기러기발.

〔弦子〕 xiánzi 명 《樂》 삼현금(몸체가 뱀가죽으로 되어 있고, 현이 세 개인 현악기).

舷 **xián** (현) 명 뱃전. ¶左zuǒ～; 좌현 / 右yòu～; 우현.

〔舷边〕 xiánbiān 명 현측. 뱃전.

〔舷窗〕 xiánchuāng 명 현창(기선이나 비행기의 옆에 있는 둥근창).

〔舷门〕 xiánmén 명 현문(기선의 좌우의 오르내리는 입구에 있는 문).

〔舷梯〕 xiántī 명 (기선·비행기의) 트랩(trap).

贤(賢) **xián** (현) ① 형 덕이 있다. 현명하다. 재능이 있다. ¶任人唯～; 덕과 재능으로 사람을 임용하다 / 不分好歹～愚; 선악 현우를 가리지 않다. ② 명 현명한 사람. 훌륭한 사람. 재능 있는 사람. ¶圣～; 성현 / 选～举能; 현인을 가리고 재능 있는 사람을 등용하다 / 敬～; 성현을 존경하다. ③ 명 〈敬〉 동배(同輩)나 젊은 사람에 대한 경칭. ¶～弟; ⇩ / ～侄; ⇩ ④ 명 성(姓)의 하나.

〔贤伯〕 xiánbó 명 〈敬〉 ①백부에 대한 경칭. ②아버지보다 손위인 사람에 대한 경칭.

〔贤不肖〕 xián bùxiào 명 현자와 불초〔어리석은 자〕.

〔贤才〕 xiáncái 명 〈文〉 현재. 뛰어난 인재. 현명하고 어진 인재. =〔贤材〕〔贤能〕

〔贤材〕 xiáncái 명 ⇨〔贤才〕

〔贤从〕 xiáncóng 명 〈敬〉 남의 종형제(從兄弟)에 대한 경칭.

〔贤达〕 xiándá 명 현명 달식(達識). 재능·덕망이 있는 사람. ¶社会～; 사회의 저명 인사.

〔贤德〕 xiándé 형 ⇨〔贤慧〕 명 훌륭한 덕행. 어진 덕행.

〔贤弟〕 xiándì 명 〈敬〉 현제(자기의 아우·연소한 친구 또는 제자에 대한 경칭).

〔贤惠〕 xiánhuì 형 ⇨〔贤慧〕

〔贤慧〕 xiánhuì 형 (부녀자가) 현명 유덕(有德)하다. 선량하고 덕행이 있다. 현모 양처이다. =〔贤德〕〔贤惠〕

〔贤家〕 xiánjiā 명 〈古白〉 〈敬〉 그분. 저분.

〔贤姐〕 xiánjiě 명 〈文〉 〈敬〉 상대방의 누이. 손위 여자.

〔贤昆仲〕 xiánkūnzhòng 명 〈文〉 〈敬〉 남의 형제

에 대한 경칭.
〔贤郎〕 xiánláng 명 〈文〉〈敬〉 아드님(상대방의 아들에 대한 존칭). =〔令lìng郎〕
〔贤劳〕 xiánláo 동 〈文〉 공사(公事)를 위해 근로(勤劳)하고 노력하다.
〔贤良〕 xiánliáng 명 현량. 유덕한 사람. 형 현명하고 선량하다. 재덕(才德)을 겸비하다.
〔贤良方正〕 xián liáng fāng zhèng ①〈成〉 현명하고 선량하며 품행 방정하다. ②(xiánliángfāngzhèng) 명 한대(漢代), 인재 선발 과목의 하나('贤良文学' 와 함께 후세에도 임시로 베풀어졌음).
〔贤路〕 xiánlù 명 〈文〉 덕망과 능력이 있는 사람이 관리(官吏)에 임용되는 기회.
〔贤虑〕 xiánlǜ 명 〈文〉〈敬〉 고견(高見)(남의 의견·고려에 대한 경칭).
〔贤妹〕 xiánmèi 명 〈文〉〈敬〉 자기의 누이동생에 대한 경칭.
〔贤明〕 xiánmíng 형 현명하다. 재지가 뛰어나고 도리에 밝다.
〔贤内助〕 xiánnèizhù 명 〈敬〉 ⇨〔贤妻〕
〔贤能〕 xiánnéng 명 〈文〉 ⇨〔贤才〕
〔贤妻〕 xiánqī 명 〈敬〉 현처(아내의 미칭(美稱)). =〔贤内助〕〔巧妻〕
〔贤妻良母〕 xián qī liáng mǔ 〈成〉 현모 양처.
〔贤契〕 xiánqì 명 〈文〉〈敬〉 자기의 제자. 친구의 자식·생질에 대한 경칭.
〔贤倩〕 xiánqiàn 명 〈敬〉 ⇨〔贤婿〕
〔贤人〕 xiánrén 명 ①〈文〉 현인. 유덕(有德)한 사람. =〔贤彦〕 ②〈比〉 탁주(濁酒).
〔贤甥〕 xiánshēng 명 〈敬〉 생질에 대한 경칭.
〔贤叔〕 xiánshū 명 〈文〉〈敬〉 ①아버지의 아우. 곧, 숙부에 대한 경칭. ②아버지보다 연하인 사람에 대한 경칭.
〔贤淑〕 xiánshū 형 〈文〉 현숙하다. 현명하고 정숙하다.
〔贤息〕 xiánxī 명 〈敬〉 현식. 영식. 자제분.
〔贤孝〕 xiánxiào 형 현명하고 효성스럽다.
〔贤孝(牌)坊〕 xiánxiào(pái)fāng 명 부녀자의 효도를 표창하는 일종의 패방(牌坊).
〔贤婿〕 xiánxù 명 〈敬〉 현서. 서랑. 사위. =〔贤倩〕
〔贤彦〕 xiányàn 명 ⇨〔贤人①〕
〔贤哲〕 xiánzhé 명 〈文〉 현철. 현명한 사람.
〔贤者〕 xiánzhě 명 현자. 덕행이 있는 사람.
〔贤者多劳〕 xián zhě duō láo 〈成〉 유능한 사람일수록 많은 일을 한다. =〔能néng者多劳〕
〔贤侄〕 xiánzhí 명 〈敬〉 상대방 조카에 대한 경칭.
〔贤姊〕 xiánzǐ 명 〈文〉〈敬〉 자기의 손위 누이에 대한 경칭.

涎

xián (연)
① 명 (흘러 나오는) 침. 군침. ¶垂chuí～三尺; 〈成〉 침을 석 자나 흘리다(몹시 탐을 내어 군침을 삼키다). =〔涎沫mò〕〔〈俗〉唾沫〕〔〈俗〉口kǒu水〕 ② 동 뻔뻔스럽게 굴다.
〔涎布〕 xiánbù 명 턱받이.
〔涎邓邓〕 xiándèngdèng 형 〈古白〉 ⇨〔涎瞪瞪〕
〔涎瞪瞪〕 xiándèngdèng 형 〈古白〉 피곤해서 눈이 떠지지 않는 모양. ¶一径把那双～的眼睛看着他; 피곤하여 떠지지 않는 눈으로 물끄러미 그를 보고 있다. =〔涎邓邓〕
〔涎脸〕 xiánliǎn 형 ①뻔뻔스럽다. 입살스럽다. ②(어린아이의 거동이) 침착성이 없다. 경망하다. ‖ =〔涎脸皮〕
〔涎沫〕 xiánmò 명 침. 군침.
〔涎牛〕 xiánniú 명 《動》 괄태충(括胎蟲). =〔蛞kuò蝓〕
〔涎皮赖脸〕 xián pí lài liǎn 〈成〉 뻔뻔스럽게 남에게 달라붙는 모양. =〔涎脸赖皮〕
〔涎水〕 xiánshuǐ 명 〈方〉 (흘러 나오는) 침. 군침.
〔涎着脸(儿)〕 xiánzhe liǎn(r) 〈方〉 뻔뻔스럽게 달라붙다. 기어오르다(특히, 아이들의 경우에 씀).

挦(撏)

xián (잠)
동 (털을) 잡아뜯다. 뽑다. ¶鸡身上的毛都～净了; 닭털을 하나도 남김없이 깨끗이 뽑았다 / ～毛; 털을 뽑다.
〔挦扯〕 xiánchě 동 ①잡아 뽑다. ②꽉 쥐다. 붙들다. ¶这事必得～住他, 向他个水落石出才行; 이 일은 그를 붙잡아 두고, 진상이 드러날 때까지 캐물어야 한다. ③(성가신 일에) 관계되다.

咸(鹹)[B)]

xián (함)
A) ① 부 〈文〉 모두. 전부. ¶～受其益; 모두 그 이익을 받다. ② 명 성(姓)의 하나. B) ① 명 염분(鹽分). 소금기. ② 명 짠맛. ③ 형 짜다. 소금기가 있다. ¶菜太～了; 음식이 너무 짜다. ④ 동 짜게 담그다.
〔咸饼干〕 xiánbǐnggān 명 짭짤한 비스킷. 크래커(cracker).
〔咸不唧儿〕 xiánbujīr 형 〈方〉 짭짤하다(맛이 있다는 뜻). =〔咸不叽儿〕
〔咸不滋儿〕 xiánbuzīr 형 〈方〉 간이 맞아서 맛이 있다. ¶～的好吃; 간간하고 맛있다('甜不滋儿' 는 '달다' 는 뜻, '酸不滋儿' 는 '시다' 는 뜻).
〔咸菜〕 xiáncài 명 ①김치. ¶～甏bèng; 〈方〉 김칫독 / ～饭; 김치만으로 먹는 간단한 식사. ②소금에 절인 야채. 짠지.
〔咸菜疙瘩〕 xiáncài gēda 명 갓의 소금절이(이른 봄에, 번개칠 때 비로소 병(瓶)을 열어 먹으므로 '雷léi击疙瘩' 라고도 함). →〔疙瘩③〕〔咯哒①〕
〔咸草〕 xiáncǎo 명 《植》 ①갯강활. ②알방동사니.
〔咸豉〕 xiánchǐ 명 소금간을 하여 발효시킨 콩.
〔咸带鱼〕 xiándàiyú 명 자반 갈치.
〔咸淡(儿)〕 xiándàn(r) 명 짠맛과 싱거움. 〈轉〉 음식의 간. ¶～不好掌握; 간을 맞추기가 어렵다 / ～正合适; 간이 알맞다.
〔咸蛋〕 xiándàn 명 ①⇨〔咸鸡子儿〕 ②⇨〔咸鸭蛋〕
〔咸点心〕 xiándiǎnxin 명 달지 않은 디저트('虾xiā饺' (새우 만두), '馄hún饨' (혼돈자) 따위).
〔咸法饼〕 xiánfǎbǐng 명 크래커(cracker).
〔咸干〕 xiángān 명 소금에 절여 말린 것.
〔咸瓜子儿〕 xiánguāzǐr 명 간을 한 수박씨〔호박씨〕.
〔咸湖〕 xiánhú 명 《地質》 함호. =〔咸水湖〕〔大dà洋湖〕〔卤lǔ湖〕〔盐yán湖〕
〔咸鸡蛋〕 xiánjīdàn 명 ⇨〔咸鸡子儿〕
〔咸鸡子儿〕 xiánjīzǐr 명 날계란을 소금에 절인 것. =〔腌yān鸡子儿〕〔腌(鸡)蛋〕〔咸蛋①〕〔咸鸡蛋〕
〔咸津津(儿的)〕 xiánjīnjīn(rde) 형 간이 잘 맞다. ¶五香瓜子儿～儿的, 吃着有味儿; 오향 수박씨는 간이 맞아서 맛이 있다 / ～, 喝粥有味儿; 소금간이 잘 되어 죽이 맛있다. =〔咸浸浸的〕
〔咸劲儿〕 xiánjìnr 명 짠맛.
〔咸拉八唧〕 xiánlā bājī 형 매우 짜다.
〔咸辣白菜〕 xiánlà báicài 명 배추 김치의 일종(호배추·소금·고춧가루·산초 등으로 만듦).
〔咸萝卜〕 xiánluóbo 명 무 절임. ¶～干; 소금에 절인 무말랭이.
〔咸牛肉〕 xiánniúròu 명 소금에 절인 쇠고기. 콘비프.

〔咸青鳞鱼〕 xiánqīnglínyú 명 자반 청어.
〔咸肉〕 xiánròu ①명 소금에 절인 고기. ②(xián ròu) ‖ =〔腌yān肉〕
〔咸肉庄〕 xiánròuzhuāng 명 ①소금에 절인 고기를 파는 가게. ②〈南方〉 옛날의 사창굴.
〔咸沙门鱼〕 xiánshāményú 명 자반 연어.
〔咸湿〕 xiánshī 형 ①소금기가 있다. ②음란한. 음탕한. ¶～电影; 에로 영화.
〔咸食〕 xiánshi 명 소금에 절인 식품(‘咸肉’나 ‘咸鱼’ 따위).
〔咸水〕 xiánshuǐ 명 함수. 짠물. 소금물. ¶～鱼yú; 바닷고기.
〔咸水歌〕 xiánshuǐgē 명 (옛날의 수상 생활을 하던 민족의) 민요.
〔咸水湖〕 xiánshuǐhú 명 ⇨〔咸湖〕
〔咸水妹〕 xiánshuǐmèi 명 〈廣〉 옛날, 외국인 전문의 기녀.
〔咸酸〕 xiánsuān 명 짠맛과 신맛.
〔咸笋〕 xiánsǔn 명 소금에 절인 죽순.
〔咸土〕 xiántǔ 명 알칼리성의 토양. 염분을 함유하고 있는 토양.
〔咸潟〕 xiánxì 명 알칼리성으로 경작에 적합하지 않은 물가의 땅.
〔咸鸭蛋〕 xiányādàn 명 소금에 절인 오리알. =〔咸鸭子儿〕〔咸蛋②〕
〔咸盐〕 xiányán 명 (보통의 정제한) 소금.
〔咸宜〕 xiányí 형 〈文〉 모두가 알맞다. 모두 타당하다. 적당하다.
〔咸鱼〕 xiányú 명 소금에 절인 생선. 자반. =〔腌yān鱼①〕
〔咸猪肉〕 xiánzhūròu 명 베이컨(bacon). =〔腊là猪肉〕〔熏xūn猪肉〕

衔(銜〈啣〉A))

xián (함)
A) 동 ①입에 물다. 머금다. ¶燕子～泥筑巢; 제비가 입에 진흙을 물고 와서 집을 만들다 / 他嘴里老～着烟卷; 그의 입에는 항상 담배가 물려 있다. ②(명령 등을) 받들다. 받다. ¶～命; ⇩ / ～接; ⇩ ③마음에 품다. ¶～恨; ⇩ ④바로 뒤에 따르다. 계속되다. 잇다. ¶前后相～; 앞뒤가 서로 계속되다 / ～尾; ⇩ B) 명 ①계급. 직함. 등급. ¶头～; 두함. 직함(職銜) / 学～; 학위 / 大使～; 대사급(級). ②(말의) 재갈. ¶放～纵马; 재갈을 풀고 말을 놓아 주다.
〔衔哀〕 xián'āi 동 〈文〉 부모의 상중(喪中)에 있다.
〔衔恨〕 xiánhèn 동 〈文〉 ①마음 속에 원한을 품다. ②회한(悔恨)의 마음을 품다.
〔衔华佩实〕 xián huá pèi shí 〈成〉 외관과 내용이 함께 갖추어져 아름답다.
〔衔环〕 xián huán 동 〈比〉 은혜에 보답하다(한(漢)나라의 양보(楊寶)가 제비를 구해 주었는데, 후에 백환(白環) 네 개를 물어다 주었다는 고사에서 유래). →〔衔结〕
〔衔级〕 xiánjí 명 관직의 위계(位階).
〔衔接〕 xiánjiē 동 연결하다. 접속(接續)하다. 연관되다. ¶这篇文章前后不～; 이 문장은 앞뒤가 연결되지 않는다 / ～国民经济各部门; 국민 경제의 각 부문을 연결 시키다. 명 연결. 접촉. 이음.
〔衔结〕 xiánjié 동 〈比〉 은혜에 보답하다(‘衔环’와 ‘结草’를 아울러 이르는 말). →〔衔环〕
〔衔勒〕 xiánlè 명 ①〈文〉 말의 재갈. ②〈比〉 통제. 제어.
〔衔令〕 xiánlìng 동 ⇨〔衔命〕
〔衔略〕 xiánlüè 동 〈公〉 직함을 생략하다(명령문 등을 발표한 관리·관청의 이름을 생략하는 일).
〔衔枚〕 xiánméi 동 〈文〉 ①하무를 물다(옛날에, 군대가 비밀 행동시 병사의 입에 젓가락 모양의 나무를 물려서 소리가 나지 않게 하였음). ②입을 다물다. ¶一队人马～, 悄悄下山; 일단의 인마가 몰래 산에서 내려가다.
〔衔枚勒甲〕 xián méi lè jiǎ 〈成〉 소리가 나는 것을 막기 위해 하무를 물리고, 갑옷을 동여매다.
〔衔名〕 xiánmíng 명 관직명(官職名).
〔衔命〕 xiánmìng 동 〈文〉 명령을 받들다. =〔衔令〕
〔衔辔〕 xiánpèi 〈文〉 동 재갈을 물리다. 명 〈比〉 법률. 법규. ¶乃缓其～; 그 법규를 완화하다.
〔衔泣〕 xiánqì 동 〈文〉 흐느껴 울다.
〔衔铁〕 xiántiě 명 《電》 아마추어(armature) 전기자(電機子). (발전기의) 발전자. (전동기의) 전동자. (회전 변류기의) 유전자(誘傳子).
〔衔头〕 xiántóu 명 직함(관직이나 학위 따위의 경우). =〔头衔〕
〔衔尾〕 xiánwěi 동 처음과 끝이 이어지다. 뒤를 바싹 따라가다. ¶～相随; 〈成〉 말의 재갈이 말꼬리에 이어지다(한 줄로 죽 서서 가다) / 他立刻截了一辆车～追赶; 그는 곧 차 한 대를 불러 세워 뒤를 바싹 따라갔다.
〔衔恤〕 xiánxù 동 〈文〉 ①근심하다. ②친상(親喪)을 입다.
〔衔冤〕 xiányuān 동 〈文〉 억울한 죄를 지다.
〔衔之刺骨〕 xián zhī cì gǔ 〈成〉 뼈에 사무치게 원망하다. 남을 몹시 원망하다.

鲔(鰔)

xián (함)
명 《魚》 동갈양태과(科)의 물고기. ¶美尾～; 꽁지 양태.

嫌

xián (혐)
①동 싫어하다. 불만스럽게 생각하다. 꺼리다. ¶他～工作累lèi, 辞了; 그는 일이 고되어 그만두어 버렸다 / 要是～颜色太浅, 可以换深色的; 만약 색깔이 너무 옅어서 싫다면, 짙은 색으로 바꿀 수 있다. ②동 의심하다. ③명 의심. 혐의. ¶避bì～; 혐의를 받지 않도록 하다. ④명 원한. 증오. 미움. ¶消释前～; 옛날의 원한을 풀다 / 挟～扳复; 옛날의 원한이 다 풀어졌다.
〔嫌败兴〕 xián bàixìng 흥이 나지 않다. 흥이 깨질까 두려워하다. 마음이 내키지 않다. ¶无论怎么说他也～, 死不赞成; 아무리 말해도 그는 내키지 않는다며 죽어도 찬성하지 않는다.
〔嫌猜〕 xiáncāi 동 혐오하다. 몹시 싫어하다.
〔嫌疵〕 xiáncī 동 싫어하다. 불만스럽게 생각하다. ¶您不～饭不好, 就请吃过再走; 대단한 것은 아닙니다만, 모쪼록 드시고 가십시오.
〔嫌多〕 xiánduō 동 너무 많다고 불평을 호소하다.
〔嫌恨〕 xiánhèn 동 ⇨〔嫌忌〕
〔嫌乎〕 xiánhū 동 싫어하다. 꺼리다.
〔嫌唬〕 xiánhǔ 동 〈方〉 싫어하다. ¶就怕你～这寒伧; 이렇게 초라한 것은 네가 싫어할 것 같아 걱정된다.
〔嫌忌〕 xiánjì 동 몹시 싫어하다. 마음에 들어하지 않다. =〔嫌恨〕
〔嫌冷〕 xiánlěng 동 추워하다. ¶烤着火盆还～; 화로를 쬐고 있으면서 아직도 추워하고 있다. 형 추위에 약하다.
〔嫌冷嫌热〕 xián lěng xián rè 〈成〉 이것도 저것도 마음에 들지 않다. 아무것도 마음에 안 들다.
〔嫌脸〕 xiánliǎn 동 ①(사람을) 싫어하다. ¶作风不好, 人家要～的; 태도가 나쁘면 남이 싫어한다. ②미움을 받다.

〔嫌名〕 xiánmíng 명 음(音)이 비슷해서 헷갈리기 쉬운 이름.

〔嫌频〕 xiánpín 형 거듭되어〔번잡하여〕 귀찮다.

〔嫌气细菌〕 xiánqì xìjūn 명 《生》 혐기성 세균.

〔嫌弃〕 xiánqì 동 싫어하여 가까이하지 않다. ¶别～我啊! 나를 싫어하지 마! / 您不～就请常过来坐坐儿; 싫지 않으시다면 언제라도 방문하여 주십시오.

〔嫌少〕 xiánshǎo 동 적다고 탈을 잡다.

〔嫌恶〕 xiánwù 동 싫어하다. 혐오하다. 미워하다. ¶他们都～她太唠叨; 그들 모두 그녀가 수다스럽다고 싫어한다. =〔嫌厌〕

〔嫌隙〕 xiánxì 〈文〉 명 (서로 상대방을 불만스럽게 생각하거나 의심하여 생긴) 나쁜 감정. 혐오감. 동 (의견이 맞지 않아) 원수로 여기다. 사이가 나빠지다.

〔嫌羞〕 xiánxiū 동 부끄럽게 생각하다.

〔嫌厌〕 xiányàn 동 ⇨〔嫌恶〕

〔嫌疑〕 xiányí 명 의심. 혐의. ¶不避～; 혐의받는 것을 겁내지 않다 / 担～; 의심을 받다 / ～犯; 《法》 용의자(容疑者). 피의자 / 这件事他有点～; 이 일에 관해서는 그에게 좀 혐의가 있다.

〔嫌怨〕 xiányuàn 명 원한. 앙심. 동 혐오하다. 원한을 갖다. 원망하다. ‖ =〔嫌冤〕

〔嫌脏怕累〕 xiánzāng pàlèi 더러워지는 것을 싫어하고 힘들다고 꽁무니를 빼다《고된 육체 노동을 싫어하는 모양》.

〔嫌憎〕 xiánzēng 동 (불만으로) 미워하다. 싫어하다.

冼 Xiǎn (현)
명 성(姓)의 하나.

洗 Xiǎn (선)
명 성(姓)의 하나. ⇒xǐ

毨〈毨〉 xiǎn (선)
형 〈文〉 (새나 짐승의 새로 난 깃이나 털이) 아름답게 다듬어지다. 함치르르하다.

铣(銑) xiǎn (선)
명 광택 있는 금속. ⇒xǐ

〔铣铁〕 xiǎntiě 명 선철. 무쇠. =〔〈俗〉 生shēng铁〕〔铸zhù铁〕

筅〈筅〉 xiǎn (선)
→〔筅帚〕

〔筅帚〕 xiǎnzhǒu 명 〈方〉 그릇솔《대나무를 가늘게 쪼개어 묶은 것으로 통이나 냄비를 씻는 도구》. =〔炊帚〕

跣 xiǎn (선)
〈文〉 ①명 맨발. ¶～足zú; 맨발. ②동 맨발로 걷다. ¶～着腿; 허벅다리를 내놓고.

猕(獮) xiǎn (선)
〈文〉 ①동 죽이다. ②명 옛날의 가을 사냥.

险(險) xiǎn (험)
①형 험하다. ②명형 위험(하다). 위태(하다). ¶冒mào～; 모험하다 / 脱～; 위험을 벗어나다. ③명 요해(要害). 요새. ¶天～; 천험. 천연의 요해 / 无～可守; 의지하여 방어할 만한 요새가 없다. ④형 사악(邪惡)하다. 험악하다. 음험하다. ⑤부 하마터면. 조금 잘못 했더라면. 자칫하면. ¶～遭毒手; 하마터면 독수에 걸릴 뻔했다. ⑥명 〈簡〉 보험. ¶保什么～? 어떤 보험을 들 것이냐? / 火～; 화재 보험 / 人寿～; 생명 보험.

〔险隘〕 xiǎn'ài 명 요해(要害). 요새.

〔险道〕 xiǎndào 명 위험한 길. 위태로운 다리. ¶咱颠颠簸簸走一辈子～; 우리는 엎어지고 자빠지며 평생토록 위태로운 다리를 건너고 있다.

〔险道神〕 xiǎndàoshén 명 ①옛 풍속에서, 발인할 때에 맨 앞에서 길을 안내하는 신상(神像). ②〈比〉 키다리. 꺽다리. ‖ =〔险路神〕

〔险地〕 xiǎndì 명 ①요해(要害). 위험한 장소. ②위험한 경지〔처지〕.

〔险点〕 xiǎndiǎn 부 ⇨〔险些(儿)〕

〔险恶〕 xiǎn'è 형 ①음흉하다. ¶用心～; 속셈이 음흉하다. ②(상황·지세가) 험악하다. 위험하다. 위태롭다. ¶山势～; 산세가 험하다 / 病情～; 병세가 위태롭다 / 他的病势显得更加～了; 그의 병세는 한층 위험한 상태에 있다.

〔险风恶浪〕 xiǎn fēng è làng 〈成〉 맹렬한 바람과 사나운 파도. 광풍 노도《커다란 곤란》.

〔险峰〕 xiǎnfēng 명 험준한 산봉우리.

〔险工〕 xiǎngōng 명 위험한 공사.

〔险固〕 xiǎngù 명 형세가 험하고 수비가 견고함. 험고. 형 험고하다.

〔险乎〕 xiǎnhū 부 ⇨〔险些(儿)〕

〔险棘〕 xiǎnjí 형 〈文〉 험조(險阻)하고 가시가 많다. 〈比〉 앞길이 험하고 난관이 많다.

〔险将〕 xiǎnjiāng 부 ⇨〔险些(儿)〕

〔险劲〕 xiǎnjìn 명 남을 놀라게 하는 필력(筆力). 기발한 필법(筆法).

〔险境〕 xiǎnjìng 명 위험한 장소. 위지(危地). ¶脱离～; 위지를〔위험한 지경을〕 벗어나다.

〔险句〕 xiǎnjù 명 험구. 어려운 글귀.

〔险谲〕 xiǎnjué 형 〈文〉 ⇨〔险诈zhà〕

〔险峻〕 xiǎnjùn 형 〈文〉 험준하다. 험조(險阻)하다. =〔陡dǒu峻〕〔陡峭〕

〔险路神〕 xiǎnlùshén 명 ①장례식 때 선도자(先導者)가 메는 신상(神像). ②〈比〉 키다리. ‖ =〔险道神〕

〔险桥〕 xiǎnqiáo 명 위태로운 다리. 떨어질 것 같은 다리. ¶修复了～; 위험한 다리를 고쳤다.

〔险峭〕 xiǎnqiào 명 〈文〉 정상적인 방법을 쓰지 않고 남을 놀래는 글. 기발한 글.

〔险情〕 xiǎnqíng 명 위험한 상태〔상황〕.

〔险球〕 xiǎnqiú 명 《體》 (테니스 등에서) 받아 넘기기가 어려운 공.

〔险区〕 xiǎnqū 명 위험한 구역.

〔险涩〕 xiǎnsè 형명 ⇨〔险阻〕

〔险胜〕 xiǎnshèng 《體》 동 간신히 이기다. 신승하다. ¶韩国排球队以三比二, ～日本排球队; 한국 배구 대표팀은 일본 배구 대표팀에 3대 2로 신승했다. 명 신승(辛勝).

〔险死还生〕 xiǎnsǐ huánshēng 구사 일생하다. ¶他曾被匪徒四次殴打, ～; 그는 깡패들로부터 네 차례나 얻어맞고, 구사일생한 적이 있다.

〔险滩〕 xiǎntān 명 위험한 여울.

〔险巇〕 xiǎnxī 형 〈文〉 산길이 험함의 형용. 〈比〉 널리 길을 가는 것이 고생스러움을 이름. =〔崄巇〕

〔险象〕 xiǎnxiàng 명 위험한 현상〔징조〕. ¶中东地区～环生; 중동 지구는 위험한 징조가 도처에 발생하고 있다. =〔险状〕

〔险些(儿)〕 xiǎnxiē(r) 부 자칫 잘못했더라면. 아슬아슬하게도. 하마터면. ¶方才～掉在河里; 방금 하마터면 강에 빠질 뻔했다 / ～出了事; 하마터면

사고를 낼 뻔했다. 注 '差一点儿' 와는 달리, 발생하는 것이 바람직하지 않을 때에 쓰임. 긍정으로 쓰거나 부정으로 써도 좋음. =〔险点〕〔险一险儿〕〔险乎〕〔险将〕〔堪火〕

〔险要〕 **xiǎnyào** 형 험요하다. 험준하고 중요하다. 명 요해(要害)의 땅. 요충지.

〔险一险儿〕 **xiǎnyīxiǎnr** 부 ⇨〔险些(儿)〕

〔险易〕 **xiǎnyì** 명 ①길이 험함과 평탄함. ②〈比〉 난(亂)과 치(治). 어지러움과 잘 다스려짐.

〔险语〕 **xiǎnyǔ** 명 ①놀라게 하는 말. ②이해하기 어려운 말.

〔险韵〕 **xiǎnyùn** 명 험운(險韻). 난운(難韻). =〔尖jiān叉〕

〔险诈〕 **xiǎnzhà** 형 〈文〉 음험하고 간사하다. ¶为wéi人~; 성격이 음험하고 간사하다. =〔险谲〕〔倾危②〕

〔险症〕 **xiǎnzhèng** 명 위험한 병증세.

〔险妆〕 **xiǎnzhuāng** 명 〈文〉 기발한 복장.

〔险状〕 **xiǎnzhuàng** 명 ⇨〔险象〕

〔险阻〕 **xiǎnzǔ** 형 ①길이 험해서 쉽게 지나갈 수 없다. ¶崎岖~的山路; 울퉁불퉁한 험한 산길. ②〈比〉(일이) 어렵다. 힘들다. 명 장애. 위험. 험난한 길. ¶不怕任何艰难~; 어떤 위험과 어려움도 두려워하지 않다. ‖ =〔险涩〕

猃(獫)

xiǎn (험)
①명 〈文〉 입이 긴 개. ②→〔猃狁yǔn〕

〔猃狁〕 **Xiǎnyǔn** 명 《民》 북적(北狄)《옛날, 중국 서북 지방에 거주하던 부족으로 춘추(春秋) 시대에는 '狄dí'·'戎róng'이라고 불렀음》. =〔獯狁〕

显(顯)

xiǎn (현)
①형 분명하다. 똑똑히 보이다. 뚜렷하다. 명백하다. 명확하다. ¶~而易见; 〈成〉 분명해서 쉽게 볼 수 있다. 명백히 알 수 있다 / 不加改革, ~然不成; 개혁을 하지 않으면, 분명히 안 된다 / 这道裂纹, 看来非常明~; 이 갈라진 틈이 매우 똑똑히 보인다. ②동 나타내다. 나타나다. 발휘하다. ¶没有高山, 不~平地; 〈諺〉 높은 산이 없으면 평지는 두드러지지 않는다 / ~本事; 솜씨를 보이다 / 大~身手; 〈成〉 자신의 솜씨를 충분히 발휘하다 / 首都一年比一年~着繁盛了; 수도가 해마다 눈에 띄게 번창해 갔다. ③(~得, ~着) 동 (…처럼) 생각되다. 느껴지다. 보이다. ④형 명성이 높다. 지위가 높다. ⑤명 자식이 돌아간 부모를 가리킴. ¶~考; 망부(亡父). 선친. ⑥동 훌륭하게 보이다. ¶一天到晚老说别人不行, 就~了你啦? 하루 종일 남의 흉만 보면, 네가 잘나 보이냐?

〔显白〕 **xiǎnbai** 동 〈方〉 자랑하여 보이다. 일부러 드러내다. 과시하다. ¶他都说不贵, 那是他~有钱; 그는 무엇이나 싸다고 말하는데, 그것은 돈깨나 있다는 것을 자랑하는 것이다 / 他打扮起来是故意~他的新衣服; 그는 한껏 모양을 내어 일부러 자기의 새 옷을 남에게 자랑하여 뽐내고 있다. =〔显摆〕〔显排〕〔显派〕〔显弄〕

〔显摆〕 **xiǎnbai** 동 〈方〉 ⇨〔显白〕

〔显鼻子显眼〕 **xiǎnbízi xiǎnyǎn** 매우 분명하여 한눈에 알 수 있다. 매우 뚜렷하다.

〔显妣〕 **xiǎnbǐ** 명 〈敬〉 현비. 망모(亡母)의 경칭.

〔显敞〕 **xiǎnchǎng** 형 〈文〉 지세(地勢)가 널찍하다.

〔显出〕 **xiǎnchū** 동 환히 나타나다〔드러나다〕.

〔显达〕 **xiǎndá** 동 현달하다. 입신 출세하다《옛날, 관직에 나아가 영달함을 말함》. ¶~门庭; 〈成〉 가문의 명예를 높이다. 가문이 번영하다.

〔显得〕 **xiǎnde** 동 …인 것이 두드러지다. …처럼 보이다. 분명히 …이다. ¶这样~不好看; 이런 모양은 더 꼴사나워 보인다 / 穿这样华丽的衣服更~年轻; 이러한 화려한 옷을 입으니 훨씬 젊어 보인다.

〔显而易见〕 **xiǎn ér yì jiàn** 〈成〉 똑똑하게 보이다. 분명하게 알 수 있다.

〔显干〕 **xiǎngān** 동 바싹 마르다.

〔显官〕 **xiǎnguān** 명 현관. 고위 고관. 고위 관리. =〔显宦〕

〔显贵〕 **xiǎnguì** 명 옛날, 고위 고관의 명망가(名望家). 형 지위가 높고 귀하다. 현귀하다.

〔显赫〕 **xiǎnhè** 형 (권세·명성 등이) 혁혁하다. ¶~的名声; 혁혁한 명성 / ~一时的人物; 당세에 혁혁한 명성이 있었던 인물.

〔显花植物〕 **xiǎnhuā zhíwù** 명 《植》 현화 식물. 종자 식물. 꽃식물. =〔管guǎn生植物〕

〔显怀〕 **xiǎnhuái** 동 배가 (임신하여) 배부른 것이 눈에 띄다. 임신하다.

〔显宦〕 **xiǎnhuàn** 명 ⇨〔显官〕

〔显晦〕 **xiǎnhuì** 명 〈文〉 명암(明暗). 세상에 알려짐과 알려지지 아니함.

〔显豁〕 **xiǎnhuò** 형 분명하다. 명백하다. 뚜렷하다. ¶内容~; 내용이 분명하다.

〔显见〕 **xiǎnjiàn** 동 분명히 알 수 있다. ¶~他的话不可靠; 그의 말이 믿을 수 없다는 것을 분명하게 알 수 있다.

〔显教〕 **Xiǎnjiào** 명 《佛》 현교. →〔显密〕

〔显晶质〕 **xiǎnjīngzhì** 명 《鑛》 현정질.

〔显爵〕 **xiǎnjué** 명 현작. 귀현의 관작.

〔显考〕 **xiǎnkǎo** 명 〈敬〉 ①망부(亡父)의 경칭. ②고조 할아버지의 경칭.

〔显老〕 **xiǎn.lǎo** 동 늙어 보이다. ¶同样年龄的人, 有的~, 有的却看上去比实际年龄更年轻; 같은 연령의 사람이라도, 어떤 사람은 늙어 보이고, 어떤 사람은 실제 나이보다 훨씬 젊어 보인다.

〔显粒岩〕 **xiǎnlìyán** 명 《鑛》 육안 또는 확대경으로 그 성분을 식별할 수 있는 암석.

〔显亮〕 **xiǎnliàng** 형 ①밝다. ②명백하다.

〔显灵〕 **xiǎn.líng** 동 영험을 나타내다. 신통력을 발휘하다.

〔显灵应儿〕 **xiǎnlíngyìngr** 동 영험(靈驗)을 나타내다.

〔显灵助顺〕 **xiǎn líng zhù shùn** 〈成〉 ①신불 영혼은 올바른 사람을 돕는다. ②신불 영혼은 간절히 비는 사람을 모두 순조롭도록 도와 준다.

〔显露〕 **xiǎnlù** 동 나타나다. 나타내다. 드러나다. ¶~原形; 정체를 나타내다 / 脸上~出激动的表情; 얼굴에 강렬한 격동의 표정이 드러나 있다. 형 분명하다. 명확하다. 명백하다. ¶意义~, 一看就懂得; 뜻이 명확하여 한 번 보면 바로 알 수 있다.

〔显密〕 **Xiǎn Mì** 명 《佛》 현교와 밀교《천태(天台)·화엄(華嚴)·선(禪)·정토(淨土)의 여러 종파와 밀교(진언종(眞言宗))를 말함》.

〔显明〕 **xiǎnmíng** 형 명백하다. 현저하다. 뚜렷하다. ¶~的对照; 명백한 대조 / 事实~, 没有置辩的余地; 사실이 명백하여 변명의 여지가 없다. 명 〈文〉 ①해돋이. ②《佛》 오염되어 있지 않은 것.

〔显目〕 **xiǎnmù** 형 ⇨〔显眼〕

〔显能〕 **xiǎn.néng** 동 능력을 뽐내다. 과시하다. 거드럭거리다. ¶这活儿谁都能做, 用不着你来~; 이런 일은 누구라도 할 수 있는 것이니, 네가 과시할 필요 없다 / 你在行家面前显什么能! 너 전문가 앞에서 뭘 그렇게 뻐기냐!

〔显弄〕 **xiǎnnòng** 동 ⇨〔显白〕

〔显派〕 xiǎnpai 동 ⇨〔显白〕
〔显排〕 xiǎnpai 동 ⇨〔显白〕
〔显撇〕 xiǎnpie 동 〈俗〉 ①자신을 자랑하다〔과시하다〕. ②자기의 소유물을 자랑스럽게 내보이다.
〔显齐儿〕 xiǎnqír 동 표리(表裏)가 다른 태도를 취하다. 남의 앞에서 잘 보이려고 꾸미다.
〔显勤儿〕 xiǎn·qínr 동 친절한 척하고 아첨하다. 비위를 맞추다. 부지런히 일하는 체하다. ¶在父母眼前撒娇～; 부모 앞에서 일부러 애교를 부리고 비위를 맞춘다.
〔显青〕 xiǎnqīng 명 《色》 벽록색(碧綠色).
〔显然〕 xiǎnrán 형 분명하다. 명백하다. ¶那～不是好办法; 그것은 분명히 좋은 방법은 아니다.
〔显身手〕 xiǎn shēnshǒu 본령(本領)을 나타내다. 솜씨를 보이다. 능력을 보이다. 수완을 나타내 보이다.
〔显圣〕 xiǎn·shèng 동 신이 모습을 나타내어 사람에게 보이다.
〔显士〕 xiǎnshì 명 〈文〉 명사(名士). 저명한 인사.
〔显示〕 xiǎnshì 동 분명히〔뚜렷히〕 나타내다. 과시하다. ¶～了优越性; 우월성을 분명히 나타냈다 / ～装置; 《電算》 표시 장치 / 老～自己多不好意思! 언제나 자기를 과시하기만 하면 부끄럽지 않을까! / ～信息处理机; 《電算》 디스플레이 인포메이션 프로세서.
〔显示器〕 xiǎnshìqì 명 《機》 모니터. 지시 계기.
〔显手段〕 xiǎn shǒuduàn ①기교를 발휘하다. 솜씨를 보이다. ②수단을 명시하다.
〔显微镜〕 xiǎnwēijìng 명 현미경. ¶～载物台; 마이크로스코프 캐리어.
〔显微透影机〕 xiǎnwēi tòuyǐngjī 명 《機》 현미경용 프로젝터.
〔显微影片〕 xiǎnwēi yǐngpiàn 명 마이크로 필름. =〔缩suō微照片〕
〔显微阅读器〕 xiǎnwēi yuèdúqì 명 마이크로 필름 리더(microfilm reader).
〔显微照相机〕 xiǎnwēi zhàoxiàngjī 명 마이크로 촬영기.
〔显微照象〕 xiǎnwēi zhàoxiàng 명 마이크로 사진.
〔显现〕 xiǎnxiàn 동 현현하다. 나타나다. 드러나다. ¶他～出一脸的不悦; 그는 얼굴에 온통 불쾌함을 나타냈다 / 眼前～出一片光明的前景; 눈앞에 환한 전경이 펼쳐진다.
〔显像〕 xiǎnxiàng 동명 ⇨〔显影〕
〔显像管〕 xiǎnxiàngguǎn 명 브라운관. =〔阴yīn极射线管〕
〔显形(儿)〕 xiǎn·xíng(r) 동 본래의 모습을 똑똑히 나타내다. 정체를 드러내다. 진상이 밝혀지다.
〔显学〕 xiǎnxué 명 〈文〉 유명한 학설이나 학파.
〔显颜色〕 xiǎn yánsè 솜씨를 보이다. 능력 발휘를 하다. ¶上海队周末一～, 提高战意, 打败北京队; 상하이 팀은 주말에 솜씨를 발휘하여 전의(戰意)를 높여, 베이징 팀을 패배시켰다.
〔显眼(儿)〕 xiǎnyǎn(r) 형 ①눈에 띄다. 두드러지다. ¶这么老大的东西～着呢! 이렇게 아주 큰 물건은 눈에 잘 띄지요! / 这种弊病闹得太～了; 이런 종류의 폐해는 매우 두드러진다. ②훌륭하다. 모양이 좋다. ¶这份礼物很～; 이 선물은 매우 모양이 좋다. ‖ =〔显目〕
〔显扬〕 xiǎnyáng 동 ①표창하다. ②명성을 드러내다.
〔显要〕 xiǎnyào 명 옛날에, 관직이 높고 권세가 있는 일〔사람〕. 형 지위가 높고 권세가 크다.
〔显耀〕 xiǎnyào 동 ①(명성·권력 등이) 높고 빛나다. ¶～一时; 한때 명성을 드날리다. ②자랑하다. 뽐내다.
〔显影〕 xiǎn·yǐng 《撮》 동 현상하다. (xiǎnyǐng) 명 현상. ¶～黑; 현상 잉크. ‖ =〔显像〕
〔显猷〕 xiǎnyóu 명 〈文〉 밝고 큰 모계(謨計).
〔显章〕 xiǎnzhāng 동 〈文〉 분명하게 나타내다. 발표하다.
〔显者〕 xiǎnzhě 명 ①부귀한 사람. ②저명한 사람.
〔显着〕 xiǎnzhe 〈北方〉 나타나다. 나타내다. 두드러지게 …이 되다. 몹시 …을 느끼다. ¶市面上更～热闹了; 길거리는 더욱 두드러지게 번화해졌다 / 没有辞典～不方便; 사전이 없으면 몹시 불편함을 느낀다 / 病势～好转; 병세가 눈에 띄게 좋아지다.
〔显证〕 xiǎnzhèng 명 〈文〉 확실한 증거. 확증. →〔明证〕
〔显著〕 xiǎnzhù 형 현저하다. 두드러지다. 눈길을 끌다. ¶取得～的成就; 현저한 성과를 올리다.
〔显祖〕 xiǎnzǔ 명 선조. 조상. 동 조상의 이름을 높이 드러내다.

猃(玁) xiǎn (험)
→〔猃狁yǔn〕

〔猃狁〕 Xiǎnyǔn 명 ⇨〔獫xiǎn狁〕

蚬(蜆) xiǎn (현)
명 《貝》 바지락조개. 가막조개.

〔蚬蝶〕 xiǎndié 명 《蟲》 부전나비. =〔小xiǎo灰蝶〕
〔蚬壳油公司〕 Xiǎnké yóu gōngsī 명 〈音義〉 셸(shell) 석유 회사(미국 국적의 기업).
〔蚬鸭〕 xiǎnyā 명 《鳥》 검은머리 흰죽지. =〔斑bān背潜鸭〕〔铃líng鸭〕

鲜(鮮〈尟, 尠〉) xiǎn (선)
형 적다. 드물다. ¶～有; 매우 드물다. 희귀하다. ⇒xiān

藓(蘚) xiǎn (선)
명 《植》 이끼. ¶水shuǐ～; 수태. 물이끼.

〔藓斑〕 xiǎnbān 명 암석에 듬성듬성 난 이끼 반점.
〔藓盖〕 xiǎngài 명 《植》 선개(이끼류의 포자낭(胞子囊)의 주둥이를 덮고 있는 뚜껑 모양의 것).
〔藓帽〕 xiǎnmào 명 《植》 선모(선개(藓盖)의 위쪽에 붙어 있는 모자 모양의 부속 기관).
〔藓书〕 xiǎnshū 명 바위 위에 낀 이끼의 모양이 문자처럼 되어 있는 것.

燹 xiǎn (선)
명 〈文〉 ①들불. 야화(野火). ②〈轉〉 전화(戰火). ¶兵bīng～; 전화.

幰 xiǎn (헌)
명 〈文〉 수레에 치는 휘장.

〔幰弩〕 xiǎnnǔ 명 의장용(儀仗用) 장막을 씌운 노궁(弩弓).

见(見) xiàn (현)
동 〈文〉 ①나타나다. ¶发～; 발현하다 / ～龙在田; 유덕한 선비가 마침내 활동기에 들어갈 기운(機運)에 있다 / 虹霓～于雨后; 무지개는 비 온 후에 나타난다. =〔现①〕 ②현존하다. ¶仓无～谷; 창고에는 현물 곡식

이 없다. ⇒jiàn
〔见齿〕 xiànchǐ 동 〈文〉 이를 드러내고 웃다.
〔见粮〕 xiànliáng 명 〈文〉 현재 갖고 있는 양식. =〔现粮〕
〔见钱〕 xiànqían 명 현금. =〔现钱〕
〔见头角〕 xiàn tóujiǎo 〈文〉 두각을 나타내다.

苋(莧) xiàn (현) 명 《植》 비름.

〔苋菜〕 xiàncài 명 《植》 비름. ¶野yě～; 개비름.
〔苋陆〕 xiànlù 명 ①《植》 자리공. =〔商shang陆〕 ②《漢醫》 상륙(商陸). 자리공의 뿌리.

岘(峴) xiàn (현) ① 명 〈文〉 작고 험한 산. ② →〔岘山〕

〔岘山〕 Xiànshān 명 《地》 션 산(岘山)(후베이 성(湖北省)에 있는 산 이름).

现(現) xiàn (현) ① 동 나타나다. 드러내다. ¶发～; 발현하다 / 表～; 나타내다. 표현하다 / 出～; 출현하다 / 脸上～了笑容; 얼굴에 미소가 나타났다 / 雨后的天空～出彩虹; 비 갠 하늘에 무지개가 뜨다 / ～了原形; 정체를 드러냈다. =〔见xiàn①〕 ② 명 옥(玉)의 빛. ③ 명 현재. 목하. 지금. ¶～有图书一千余种; 지금 1천여 종의 책이 있다. ④ 명 현금. ¶兑～; 현금으로 바꾸다 / 贴～; (어음을) 할인하다. ⑤ 동 현재 지니고 있다. 이미 준비되어 있다. ¶～钱买～货; 현금으로 현물을 사다. ⑥ 부 그 자리에서. 임시로. 곧. ¶～编; 그 자리에서 짜다 / 临时～想就来不及了; 때가 닥쳐서야 생각하면 늦는다 / 你～要, 也不一定有; 네가 그 자리에서 갖고 싶다고 해도 반드시 있는 것은 아니다 / 到了拐弯儿的地方～问; 길모퉁이에 다다르자 곧 물었다. ⇒jiàn

〔现把嘎〕 xiànbǎgā 〈俗〉 현금을 주다. ¶最好是～; 현금을 주는 것이 가장 좋다.
〔现报〕 xiànbào 명 《佛》 이 세상에서 저지른 선악의 과보를 이 세상에서 받는 일. =〔现世报〕〔现世现报〕
〔现场〕 xiànchǎng 명 ①(사건의) 현장. ¶保护～; 현장을 보존하다 / ～直播; 생중계(하다). ②(생산 등의) 작업 현장. 현지. ¶～参观; 현장 견학〔참관〕.
〔现场会(议)〕 xiànchǎng huì(yì) 명 현장 회의. 직장 집회.
〔现钞〕 xiànchāo 명 현금(통용되고 있는 지폐).
〔现成(儿)〕 xiànchéng(r) 형 ①기성(既成)의. ¶～的西服; 기성 양복. →〔定做〕 ¶～饭; ⓐ이미 지어 놓은 밥. ⓑ〈比〉 힘 안 들이고 얻은 이익. ②언제든지 이용할 수 있다. ¶两样钱都不～; 두 가지 돈 모두 다 쓸 수 없다. ③쉽다. 간단하다. ¶那是～的; 그것은 손쉬운 일입니다. ④유루 없이 다 되다. ¶准备都～了; 만반의 준비는 갖춰졌다. ⑤무책임하다. 그 자리에서만 끝나다. ¶～话; 즉흥적인 무책임한 발언.
〔现吃现做〕 xiàn chī xiàn zuò 〈成〉 그때 그때 임시 변통하다.
〔现出〕 xiànchū 동 나타나다. 나타내다.
〔现存〕 xiàncún 동 현존하다. 명 현재 잔액. =〔现存额é〕
〔现代〕 xiàndài 명 ①《史》 (시대 구분의) 현대(중국에서는 보통 '五wǔ四运动' 이후 현재까지를 가리킴). ¶～汉语; 현대 중국어 / ～舞; 모던 댄스 / ～剧 =〔～戏〕; 현대극 / ～修正主义 =〔〈俗〉老修〕; 현대 수정주의. ②사회주의의 시대. ¶～工业; 근대 공업 / ～化; 근대화(하다). 현대화(하다).
〔现代主义〕 xiàndài zhǔyì 명 모더니즘(modernism). ①(철학·미학·문학상의) 현대주의. ②현대풍. 최신 유행을 좇는 풍조.
〔现当〕 xiàndāng 명 목하. 지금.
〔现兑传票〕 xiànduì chuánpiào 명 《經》 현금 출금 전표.
〔现兑钱庄〕 xiànduì qiánzhuāng 명 옛날의 환전을 업으로 하던 '钱庄'(금융 기관).
〔现趸现卖〕 xiàndǔn xiànmài 그 자리에서 사들여 그 자리에서 팔다. 〈轉〉 당장 남의 말을 자기의 생각인 것처럼 받아 옮기다. ¶他说的这些话都是从报纸上～的; 그가 한 말 모두 신문지상에서 보고 그대로 모방한 것이다.
〔现而今〕 xiàn'érjīn 명 ①이 시대. ¶也就是～哪! 역시 시대가 시대입니다그려! ②현재. 요즈음. 목하. ¶～的青年男女们; 요즘 청춘 남녀들.
〔现付〕 xiànfù 동 즉시 지불하다. 현금으로 지불하다. 명 현금 지불.
〔现购〕 xiàngòu 동 현금 구매하다. 현금으로 사들이다. 명 현금 구입. ‖ =〔现进〕
〔现汇贸易〕 xiànhuì màoyì 명 《商》 현금 무역.
〔现惠〕 xiànhuì 명 현금 증여(贈與). 동 현금을 주시다.
〔现货〕 xiànhuò 명 《商》 ①현품. 현물. ②현금. 맞돈.
〔现货买卖〕 xiànhuò mǎimài 명 ⇨〔现期买卖〕
〔现活〕 xiànhuo 형 아름답고 곱다. 남의 눈을 끌다. 눈이 반짝 뜨이다. ¶颜色配得真～; 색채 배합이 눈이 반짝 뜨일 정도로 잘 되어 있다.
〔现交〕 xiànjiāo 동 그 자리에서 넘겨 주다. 명 현금 거래.
〔现阶段〕 xiànjiēduàn 명 현단계.
〔现今〕 xiànjīn 명 〈文〉 현금. 현재.
〔现金〕 xiànjīn 명 《商》 ①현금. 시재(時在) 자금. ¶～交易; 현금 거래 / 付～; 현금으로 지불하다. ②(은행의) 금고에 보관되어 있는 현금. ‖ =〔现款〕
〔现金集中〕 xiànjīn jízhōng 명 《經》 현금 집중.
〔现金买卖〕 xiànjīn mǎimài 명 《商》 현금 매매.
〔现金输送点〕 xiànjīn shūsòngdiǎn 명 《經》 현금 수송점.
〔现金账〕 xiànjīnzhàng 명 현금 출납장.
〔现金准备〕 xiànjīn zhǔnbèi 명 《經》 현금 준비. 정화(正貨) 준비.
〔现进〕 xiànjìn 동명 ⇨〔现购〕
〔现局〕 xiànjú 명 현재의 국면.
〔现款〕 xiànkuǎn 명 ⇨〔现金〕
〔现款二厘法〕 xiànkuǎn èrlífǎ 명 《經》 현물 인도 1주일 이내에 현금 지불할 경우, 가격의 100분의 2를 깎아 주는 거래 방법.
〔现况〕 xiànkuàng 명 현황.
〔现露〕 xiànlù 동 나타나다.
〔现买〕 xiànmǎi 명 현금 매입. 동 ①필요할 때 그 자리에서 사다. ②현물을 사다.
〔现买现卖〕 xiànmǎi xiànmài ①현금으로 매매하다. ②사는 즉시 팔다. ③(지식·의견을) 그대로 받아서 옮기다.
〔现米〕 xiànmǐ 명 《商》 현미. 쌀의 현물.
〔现弄〕 xiànnong 동 드러내다. 나타내다. ¶每每要在我们面前～～; 늘 우리가 보는 앞에서 자랑삼아 내보이려 한다.

〔现盘〕 xiànpán 명 매일의 시세.
〔现批〕 xiànpī 동 현금으로 많이 사들이다.
〔现期〕 xiànqī 명 현재의 시기.
〔现期买卖〕 xiànqī mǎimài 명《經》현물 매매. =〔现货买卖〕
〔现钱〕 xiànqián 명〈口〉현금. ¶～交易 =〔～现货〕; 현금 거래. =〔见xiàn钱〕
〔现钱不赊〕 xiànqián bùshē 현금 지불이며 외상 판매는 하지 않다.
〔现钱闲的儿〕 xiànqiánxiánder 명 날품팔이.
〔现任〕 xiànrèn 동 현재 …을 담당하고 있다. ¶他～委员; 그는 현재 위원으로 있다. 형 현재의 …. 현직의 …. ¶～主席是个贫农出身; 현임(現任) 주석은 빈농 출신이다.
〔现如今〕 xiànrújīn 명 지금. 목하. 현재.
〔现身〕 xiànshēn 명《佛》①현생(現生)의 몸. ②부처가 화현(化現)한 여러 가지 모습. 동 (부처가) 현신하다.
〔现身说法〕 xiàn shēn shuō fǎ《佛》〈成〉①부처가 현세에 여러 형태로 나타나 사람들을 설법한다는 뜻으로, 부처의 힘의 광대함을 이름. ②자기의 경력이나 경우를 예로 들어 도리를 설명하다. ¶我就来个～吧; 저는 지금 자신의 경험에 따라 이야기하겠습니다.
〔现生〕 xiànshēng 명 ⇨〔现世〕
〔现时〕 xiànshí 명 현시점. 당면(當面). 지금. ¶～正是农忙时节; 지금이 바로 농번기이다.
〔现实〕 xiànshí 명 현실. ¶～交付;《法》현실 교부 / ～性;《哲》현실성 / ～主义;《哲》현실주의. 리얼리즘. 형 현실에 꼭 맞다. 현실적이다. ¶这是一个比较～的办法; 이것은 비교적 현실적인 방법이다 / ～意义; 현실적인 의미.
〔现世〕 xiànshì 명 현세. 살고 있는 이 세상. =〔现生〕 동〈俗〉체면을 손상하다. 추태를 보이다. ¶亏你还有脸说…哎, 别在我跟前死～; 뻔뻔스럽게도 그런 말을 하다니, 내 앞에서 이 이상 추태를 부리지 말아 다오. =〔现眼〕〔出丑〕
〔现世宝〕 xiànshìbǎo 명 쓸모없는 놈. 변변치 않은 사람.
〔现世报〕 xiànshìbào 명 ⇨〔现报〕
〔现世现报〕 xiànshì xiànbào 명 ⇨〔现报〕
〔现势〕 xiànshì 명 현재의 정세.
〔现售〕 xiànshòu 명 현금 판매.
〔现说现讲〕 xiànshuō xiànjiǎng 그때 그때에 따라서 이야기하다.
〔现天信用状〕 xiàntiān xìnyòngzhuàng 명《商》일람불 신용장(L/C).
〔现务〕 xiànwù 명 현재의 사무.
〔现物〕 xiànwù 명 현물.
〔现物地租〕 xiànwù dìzū 명《經》현물 지대(地代).
〔现物工资〕 xiànwù gōngzī 명 현물 급여(給與).
〔现下〕 xiànxià 명〈口〉현재. 목전(目前).
〔现…现…〕 xiàn…xiàn… 그 자리에서 …하고 그 자리에서 …하다(동사를 각각 한두 개 뒤에 놓고 어떤 목적을 위해 그 장소 그 때에 어떤 행동을 행함을 나타내며, 성어(成語)·성어(成語) 형식의 말·숙어를 만듦). ¶现趸dǔn现卖; 그 자리에서 사서 그 자리에서 팔다.〈轉〉남의 말을 자기 생각인 양 받아 옮기다 / 现吃现做;〈成〉그때 그때 만들어 먹다(임시 변통하다).
〔现象〕 xiànxiàng 명 ①《哲》현상. ¶～界; 현상계 / ～论; 현상론. ②관찰할 수 있는 외부의 현상. ¶最近日元出现了升值的～; 최근에 일본 엔(円)에 엔고(円高) 현상이 나타났다.
〔现行〕 xiànxíng 형 현행의. 현재 행해지고 있는. ¶～法;《法》현행법. 동 현재 행동을 하고 있다. 실행중이다. ¶～犯; 현행범 / ～反革命(分子); 해방 후에 반혁명적인 죄를 범한 자.
〔现形〕 xiànxíng 명 현상(現狀). =〔现状〕(xiànxíng) 동 원형을 드러내다. 정체를 나타내다.
〔现眼〕 xiàn.yǎn 동〈方〉여러 사람 앞에서 부끄럼을 당하다. 체면을 손상하다. 추태를 보이다. ¶你给我现了眼! 너는 사람들 앞에서 나를 망신시켰다! / 在众人面前～多丢人; 여러 사람의 면전에서 추태를 보이다니 체면이 정말 말이 아니다. =〔现世〕
〔现洋〕 xiànyáng 명 옛날의 '大dà洋'(일원(一元) 은화로) 현금. 현찰. ¶～交易; 현금으로 거래하다. =〔现银〕
〔现役〕 xiàyì 명《軍》현역. ¶～军人; 현역 군인.
〔现银〕 xiànyín 명 ⇨〔现洋〕
〔现用现买〕 xiàn yòng xiàn mǎi〈成〉그때 그때 필요에 따라 사다.
〔现有〕 xiànyǒu 형 현유의. 현존의. 현재 갖고 있는. ¶～材料; 현존 재료 / 以家里～的东西吃一顿饭; 집에 있는 것으로 한 끼 밥을 먹다.
〔现在〕 xiànzài 명 지금. 현재. =〔见在〕 부 이와 같이. 바로. ¶你说他不欺负人, ～昨天就打伤了我; 너는 그가 사람을 괴롭히지 않는다고 하지만, 이처럼 어제 나를 때려서 다치게 만들었다. 동 지금 존재하다.
〔现赃现证〕 xiàn zāng xiàn zhèng 틀림없는 장물과 증거.
〔现账〕 xiànzhàng 명 ①현금 출납(出納). ②현금 지불. ¶付～; 현금 지불을 하다.
〔现正〕 xiànzhèng 부 바로. 바로 지금. 지금 막. ¶～商议中; 바로 지금 상의중입니다.
〔现值〕 xiànzhí 동 지금 마침 …에 상당하다. 목하 …에 즈음하다. 명 현재의 값. 지금의 가치.
〔现职〕 xiànzhí 명 현직.
〔现钟〕 xiànzhōng 명 ①현재 있는 종(鍾). ¶～不打, 更去炼铜;〈諺〉지금 있는 종을 치지도 않고, 다시 동(銅)을 제련하다. 쉬운 일을 어렵게 해결하다. ②〈比〉완성된 사물.
〔现种现吃〕 xiàn zhòng xiàn chī〈成〉①경작하여 수확한 것만 먹어 버리다. ②양식을 비축하지 않다. 하루 벌어 하루 살다.
〔现抓〕 xiànzhuā 동 그때 그때 되어 가는 대로 하다.
〔现做〕 xiànzuò 동 그 자리에서 만들다. 그때 그때 만들다.

晛(睍)

xiàn (현)
동〈文〉해가 뜨다.

县(縣)

xiàn (현)
명 현(행정 구획의 이름. 성(省) 밑에 속함). ¶～里的人; 현(縣)의 관리 / 他在～里; 그는 현공서(縣公署)에 있습니다. ⇒xuán
〔县丞〕 xiànchéng 명 옛날, 현지사(縣知事)의 보좌관. 부지사. =〔县佐〕
〔县城〕 xiànchéng 명 현(縣)의 행정 기관이 있는 도시. 현정부(縣政府) 소재지.
〔县分(儿)〕 xiànfèn(r) 명 현(縣)(고유 명사는 앞에 올 수 없음). ¶小～; 작은 현(縣). =〔县份(儿)〕
〔县父母〕 xiànfùmǔ 명〈敬〉옛날, 현지사를 존중해서 부르던 칭호.

〔县(公)署〕 xiàn(gōng)shǔ 명 옛날, 현청(縣廳).
〔县官(儿)〕 xiànguān(r) 명 ①옛날, 현지사(縣知事). ②한대(漢代), 천자의 별칭. ¶今暑热～年少《漢書 東平王宇傳》; 지금은 덥고, 천자는 연소하다.
〔县级〕 xiànjí 명 현급. 현 클라스.
〔县考〕 xiànkǎo 명 청대(淸代), 현(縣)에서 치르던 과거.
〔县里〕 xiànli 명 ①현내(縣內). ②옛날, 현의 관청.
〔县令〕 xiànlìng 명 옛날, 현지사(縣知事).
〔县上〕 xiànshang 명 현정부(縣政府). 현당국(縣當局). 현측(縣側).
〔县署〕 xiànshǔ 명 현공서(縣公署).
〔县太爷〕 xiàn tàiyé 명 〈俗〉 옛날, 현지사의 속칭.
〔县委〕 xiànwěi 명 〈簡〉 (중국 공산당) 현위원회.
〔县尉〕 xiànwèi 명 《史》 옛날, 각 현에 둔 경찰·감옥을 관장하는 속관(屬官).
〔县学〕 xiànxué 명 옛날, 부(府)·주(州)·현(縣)에 설치되었던 학교.
〔县衙门〕 xiànyámen 명 '县(公)署'의 속칭.
〔县长〕 xiànzhǎng 명 옛날, 현장(縣長). 현지사. 한 현의 행정 장관. =〔县知事〕
〔县镇〕 xiànzhèn 명 ①현과 동(洞). ②현내의 동.
〔县政府〕 xiànzhèngfǔ 명 현정부. 현청(縣廳).
〔县知事〕 xiànzhīshì 명 ⇨〔县长〕
〔县志〕 xiànzhì 명 현지(縣誌)《현(縣)의 역사·지리·풍속 따위를 기록한 책》.
〔县治〕 xiànzhì 명 옛날, 현정부(縣政府)의 소재지.
〔县尊〕 xiànzūn 명 〈敬〉 현존《옛날, 현지사에 대한 존칭으로 '邑yì侯'와 같음》.
〔县佐〕 xiànzuǒ 명 ⇨〔县丞〕

限 xiàn (한)

①명 기한. 한도. 한계. ¶至十号为～; 10일까지로 하다／展～; 기한을 연장하다／时间有～; 시간이 별로〔얼마〕 없다／无～光荣; 무한한 영광／权quán～; 권한／给他五天～; 5일간의 기한을 그에게 주다／持用免费券, 以本人～; 무료승차권의 사용은 본인에 한함. ②명 경계(境界). ③명 정도. ④명 〈文〉 문지방. ¶户～; 문지방. ⑤동 제한하다. 지정하다. 범위를 정하다. ¶作这篇文章～用五百字, 文体不～; 이 문장의 자수(字數)는 500자 이내로 제한되며, 문체는 지정하지 않는다.
〔限碍〕 xiàn'ài 동 (제한·속박 따위를 가하여) 자유를 구속하다. 방해(妨害)하다.
〔限棒〕 xiànbàng 명 《史》 옛날, 포리(捕吏)가 범인 체포를 기한 안에 해결하지 못했기 때문에 받는 몽둥이 형벌. ¶我们为他, 正不知吃了多少～; 우리는 그 사람 때문에 얼마나 많은 몽둥이 벌을 받았는지 모른다.
〔限次〕 xiàncì 명 〈文〉 기한(期限).
〔限定〕 xiàndìng 동 한정하다. ¶～承认; 《法》 한정 승인／～参观人数; 참관자의 수를 한정하다.
〔限度〕 xiàndù 명 한도. 한계. 일정한 범위 수량. ¶保证最大～地满足需要; 최대 한도로 수요를 충족시킬 것을 보증한다／我们的忍耐是有～的; 우리의 인내에는 한계가 있다.
〔限兑〕 xiànduì 명 《經》 태환 제한(兌換制限).
〔限额〕 xiàn'é 명 ①정액(定額). 규정된 수량이나 액수. ②《經》 투자 기준액. 기준 범위. ¶…由～以上的六百九十四个建设单位组成的工业建设; …기준이 되는 한도 이상인 694개의 건설 단위로 이루어지는 공업 건설. (xiàn,é) 동 수량이나 액수를 규정하다.
〔限购〕 xiàngòu 동 구입을 제한하다. 제한 구입을 하다. 명 구입 제한.
〔限规〕 xiànguī 명 《機》 한계 게이지《최대 제한 치수 및 최소 제한 치수의 두 가지 계측면(計測面)을 갖춘 측경기(測徑器)》.
〔限价〕 xiànjià 동 가격을 제한하다. 명 ①제한 가격. 가격 제한. ¶改～为议价; 제한 가격을 협의 가격으로 고치다. ②지정 가격.
〔限界〕 xiànjiè 명 한계. 경계.
〔限量〕 xiànliàng 동 양(量)을 한정하다. 한(限)하다. ¶他的将来不可～; 그의 장래는 양양하여 헤아릴 수가 없다. 명 한도. ¶有～; 한도가 있다. 대단한 일은 아니다.
〔限令〕 xiànlìng 동 〈文〉 기한부로 명령을 실행시키다. ¶～二十四小时内修好; 24시간 안에 완전히 수리하도록 명하다.
〔限期〕 xiàn,qī 동 기일을 정하다. ¶～报到; 기한까지 도착 신고를 하다. (xiànqī) 명 기한. 지정 기일(指定期日). ¶三天的～; 3일간의 유예〔기한〕.
〔限日〕 xiànrì 동 기일을 정하다. 명 정한 기일〔날〕.
〔限时〕 xiànshí 동 시간을 제한하다〔정하다〕. =〔限时限刻〕
〔限时保险单〕 xiànshí bǎoxiǎndān 명 《商》 정기 보험 증권.
〔限田〕 xiàntián 명 《法》 법률에 의해서 개인의 토지 소유권 또는 사용권에 일정 제한이 가해지고 있는 논밭.
〔限于〕 xiànyú 동 〈文〉 (…에) 한하다. (어떤 범위 내에) 한정되다. (어떤 조건이나 상황의) 제한을 받다. ¶～有下列资格者; 다음 자격을 가진 자에 한(限)한다／这种句子只能～口号; 이와 같은 문구는 오직 슬로건에 불과하다.
〔限止〕 xiànzhǐ 명동 제한(하다).
〔限制〕 xiànzhì 동 ①제한〔한정〕하다. ¶～参观; 참관·견학을 제한하다. ②속박하다. 제약〔규제〕하다. 명 제한. 한정. 속박. 제약. ¶文章的字数不加～; 문장의 자수에 제한이 없음／没有年龄的～; 연령의 제한은 없다.
〔限制线〕 xiànzhìxiàn 명 《體》 (배구의) 어택(attack) 라인.
〔限状〕 xiànzhuàng 명 《法》 판결에 의해서 일정한 기한이 주어진 서장(書狀).

线(綫[A])〈線〉 xiàn (선)

A) ①명 줄. ②(～儿) 명 실. 섬유. ¶棉mián～; 무명실／麻má～; 삼실／毛～; 털실. ③명 가늘고 긴 실 모양의 것. 선. ¶光～; 광선／裸铜～; 나동선(裸銅綫)／镍niè铬～; 니크롬선／漆qī包～; 에나멜선. ④명 《數》 선. ¶直～; 직선. ⑤명 실마리. ¶～索; ⇩／案子的～儿断了; 사건의 실마리를 놓쳤다. ⑥명 경계선(境界綫). ¶防～; 방위선／海岸～; 해안선／吃水～; 흘수선. ⑦명 교통 노선. ¶航～; 항로. ⑧명 (상황·상태 등의) 한계. ¶生命～; 생명선／饥jī饿～; 기아선／水平～; 수평선／平行～; 평행선／地平～; 지평선. ⑨양 줄기. 가닥《추상적인 사물의 앞에 놓여, 극소(極小〔少〕)를 나타냄. 보통 '一'과 함께 쓰임》. ¶一～希望; 일루의 희망／一～光明; 한 줄기 광명. ⑩명 정치상·사상상의 노선. ¶上纲上～; 정치적 강령·노선의 수

준에서 판단하다. B) 명 성(姓)의 하나.
〔线板儿〕 xiànbǎnr 명 실패《판 모양의 실 감는 틀》. ¶一个～上绕着各色的线; 실패 하나에 갖가지 빛깔의 실이 감겨져 있다.
〔线包〕 xiànbāo 명 (발전기·전동기·변압기 등의 내부의) 코일. =〔绕rào组〕
〔线报〕 xiànbào 명 ①실마리. ¶警方接获～, 侦查之下, 遂破获此案; 경찰측이 실마리를 잡고, 조사한 결과 마침내 이 사건을 해결했다. ②밀정(密偵)의 보고.
〔线虫〕 xiànchóng 명 《蟲》 선형동물의 총칭. 선충류. 네마토다(Nematoda). =〔线儿虫子〕
〔线绸〕 xiànchóu 명 《紡》 호박단. =〔塔tǎ夫绸〕〔线缎〕
〔线春〕 xiànchūn 명 봄 옷감으로, 기하학적 무늬가 있는 견직물《항저우(杭州)산(産)이 유명함》. =〔春绸〕
〔线电压〕 xiàndiànyā 명 선로 전압.
〔线店〕 xiàndiàn 명 실 가게.
〔线段〕 xiànduàn 명 《數》 직선상의 임의의 두 점 사이의 부분. 선분.
〔线缎〕 xiànduàn 명 ⇨〔线绸〕
〔线方程式〕 xiàn fāngchéngshì 명 《數》 '一次方程式'(일차 방정식)의 구칭.
〔线粉〕 xiànfěn 명 중국식의 녹두 가루로 가늘게 만든 국수.
〔线工〕 xiàngōng 명 밀정(密偵). 탐정. 스파이. =〔线人〕〔线手〕
〔线毂辘儿〕 xiàngūlur 명 ⇨〔线轴儿〕
〔线管安设权〕 xiànguǎn'ānshèquán 명 《法》 공중 이익을 위한 전선·수도관·가스관 등을 타인 소유의 토지의 상하에 설치할 수 있는 권리.
〔线桄(子)〕 xiànguàng(zi) 명 ①실을 감는 나무관. 베틀의 잉앗대. 실패(회전해서 실을 감는 축). ②실꾸리. 실타래. ¶这铺子的线比别家的～长; 이 가게의 실은 딴 가게의 실타래보다 길다.
〔线规〕 xiànguī 명 《機》 와이어 게이지(wire gauge). =〔〈北方〉号hào规〕
〔线脚〕 xiànjiǎo 명 〈方〉 바늘땀. ¶～很密; 바느질이 촘촘하다. =〔针脚〕
〔线卷〕 xiànjuǎn 명 《電》 코일. =〔绕rào组〕
〔线路〕 xiànlù 명 ①《電》 회로. ¶集成～; 아이시 회로. ②노선. ¶公共汽车～; 버스 노선. ③좁은 길. 오솔길.
〔线麻〕 xiànmá 명 《植》 대마. 삼.
〔线门柱子〕 xiànmén zhùzi 명 《體》 골대. 골포스트.
〔线内〕 xiànnèi 명 《體》 (구기(球技)의) 인사이드.
〔线呢〕 xiànní 명 《紡》 면(綿)으로 짠 나사.
〔线膨胀〕 xiànpéngzhàng 명 《物》 선팽창.
〔线坯子〕 xiànpīzi 명 《紡》 슬라이버(sliver)《무명실·털실·견모(絹毛) 방적 등의 중간 제품의 하나. 꼬지 않은 굵은 끈 모양의 것. 이것을 꼬아서 면·모·견 등의 실이 됨》. =〔线批子〕〔线披子〕〔线皮子〕
〔线皮子〕 xiànpízi 명 ⇨〔线坯子〕
〔线圈〕 xiànquān 명 《電》 절연(絶緣) 코일. ¶感应～; 감응 코일.
〔线人〕 xiànrén 명 탐정(探偵). 밀정. =〔线工〕〔线手〕
〔线衫〕 xiànshān 명 면셔츠.
〔线绳〕 xiànshéng 명 무명실로 만든 줄〔끈〕.
〔线手〕 xiànshǒu 명 ⇨〔线人〕
〔线速度〕 xiànsùdù 명 선속도.
〔线索〕 xiànsuǒ 명 ①〈比〉 실마리. 단서. ¶寻找～; 단서를 찾다 / 找到了破案的～; 사건 해결의 실마리를 찾았다. ②사물이 발전해 가는 순서. 대략의 줄거리.
〔线毯〕 xiàntǎn 명 ①면사로 짠 깔개. ②면담요.
〔线膛〕 xiàntáng 명 《軍》 나선(螺旋)이 있는 총강(銃腔).
〔线条〕 xiàntiáo 명 ①《美》 (회화(繪畫)에 있어서의) 선. ¶这幅画, ～很有力量; 이 그림의 선은 매우 힘이 있다. ②(인체·공예품의) 윤곽의 선. ¶～美; 각선미. ③실이나 선 모양의 물건.
〔线条美〕 xiàntiáoměi 명 곡선미. ¶～是以健康为基础的; 곡선미는 건강을 기초로 하는 것이다.
〔线头(儿)〕 xiàntóu(r) 명 ①실마리. 실의 끝. ②실오라기. ③〈比〉 사건의 단서(端緖). 실마리. ¶找到了～; 실마리를 잡았다 / 这件案子总算有个～了; 이 사건은 마침내 단서가 잡힌 셈이다. ‖ =〔线头子〕
〔线袜〕 xiànwà (～子) 명 목양말.
〔线纹毛葛〕 xiànwén máogé 명 《紡》 코드 포플린(corded poplin). 줄지게 짠 포플린.
〔线香〕 xiànxiāng 명 선향.
〔线形叶〕 xiànxíngyè 명 《植》 선형 잎《벼과 식물의 잎 따위》.
〔线性〕 xiànxìng 명 《數》 선형. ¶～方程; 일차 방정식 / ～函数; 일차 함수.
〔线衣〕 xiànyī 명 굵은 무명실로 짠 웃옷.
〔线轴儿〕 xiànzhóur 명 ①축(軸) 모양의 실패. ②축 모양의 실패에 감은 실. ‖ =〔线毂辘儿〕
〔线绉〕 xiànzhòu 명 《紡》 연사직(撚絲織)의 견직물의 일종.
〔线装〕 xiànzhuāng 명 ①중국의 전통적인 책의 장정법. ↔〔洋装〕 ②〈轉〉 고서(古書).
〔线装书〕 xiànzhuāngshū 명 선장본(線裝本). ¶他的藏书有～、杂志、报纸, 每一部书上都盖有雕刻精美的图章; 그의 장서에는 선장본, 잡지, 신문 등이 있으며, 모든 책마다 정교하고 아름다운 도장이 찍혀 있다.

宪(憲) xiàn (헌) 명 ①법령. ②헌법. ③지켜야 할 일. ④책력(冊曆). ⑤〈文〉〈敬〉 상사. 상관.
〔宪兵〕 xiànbīng 명 《軍》 헌병(憲兵).
〔宪典〕 xiàndiǎn 명 국가의 법전.
〔宪法〕 xiànfǎ 명 《法》 ①헌법. ②법도. 규칙.
〔宪纲〕 xiàngāng 명 법률의 조문.
〔宪禁〕 xiànjìn 명 《法》 규정. 규칙.
〔宪令〕 xiànlìng 명 《法》 법규. 법령.
〔宪书〕 xiànshū 명 달력. 책력. =〔历lì书〕
〔宪台〕 xiàntái 명 〈文〉〈敬〉 ①상관에 대한 경칭. ②상관. =〔上shàng台〕
〔宪网〕 xiànwǎng 명 〈文〉 법망(法網).
〔宪则〕 xiànzé 명 법제(法制). 법도(法度). 규칙.
〔宪章〕 xiànzhāng 동 〈文〉 (보고) 배우다. 명 ①헌장. ¶～运动; 《史》 (영국의) 차티즘(Chartism). ②장전(章典) 제도.

陷 xiàn (함) ① 동 함락하다〔당하다〕. ¶攻城～阵; 성을 공격하여 적진을 함락시키다. ② 동 빠지다. 빠뜨리다. 떨어뜨리다. ¶～在泥里; 흙탕 속에 빠지다 / ～人于罪; 〈成〉 남을 죄의 구렁에 빠뜨리다 / ～于可耻的失败; 창피한 실수를 하다. ③ 동 함몰(陷沒)하다. 움푹 패다. ¶病了几天, 眼睛都～进去了; 며칠 앓았더니, 눈이 움푹 들어갔다.

④명 함정. ⑤명 결점. ¶缺～; 결함.
〔陷车〕 xiànchē 명 범인 호송차. ¶若要活的, 便着一辆～解上京《水浒傳》; 살려 둘 필요가 있는 자는, 곧 호송차로 서울에 보낸다.
〔陷敌〕 xiàndí 동 적진을 함락시키다. =〔陷阵〕
〔陷害〕 xiànhài 동〈文〉모함에 빠뜨려 해치다.
〔陷坚〕 xiànjiān 동〈文〉견고한 진지를 함락시키다.
〔陷经〕 xiànjīng 명《漢醫》(병(病)이나 유산에 의한) 자궁의 대출혈(大出血). =〔血xuè崩〕
〔陷阱〕 xiànjǐng 명 ①함정. ②동물 따위를 사로잡는 허방다리. 올가미. ③〈比〉(적의) 계략. 함정. 올가미. ‖=〔陷坑〕
〔陷坑〕 xiànkēng 명 ⇨〔陷阱〕
〔陷落〕 xiànluò 동 ①〈文〉함몰하다. ¶～地震;《地質》함몰 지진. ②(영토가 적에게) 점령되다. 함락되다.
〔陷马坑〕 xiànmǎkēng 명 적의 기마병을 빠뜨리기 위한 방어호(防禦壕). =〔绊bàn马坑〕
〔陷没〕 xiànmò 동 ①함몰하다. 두려빠지다. ②공략당하다. 점령되다.
〔陷溺〕 xiànnì 동 ①물이 괸 함정에 빠지다. ②(주색(酒色) 따위에) 빠지다.
〔陷人以罪〕 xiàn rén yǐ zuì〈成〉남에게 죄를 씌우다.
〔陷入〕 xiànrù 동 ①(불리한 상황에) 빠져들다. 빠지다. ¶～危机; 위기에 빠져들다 / ～进退两难的境地; 진퇴양난에 빠지다. ②〈比〉몰두하다. 열중하다. ¶～沉思; 생각에 몰두하다.
〔陷身囹圄〕 xiàn shēn líng yǔ〈成〉옥중(獄中)의 사람이 되다. 잡힌 몸이 되다.
〔陷腿〕 xiàntuǐ 동〈文〉실각(失脚)하다. ¶再不觉悟不知～到那一天哩; 아직도 깨닫지 못한다면 언제 실각할지 모른다.
〔陷于〕 xiànyú 동〈文〉(…에) 빠지다. 빠져들다. ¶～孤立; 고립되다.
〔陷阵〕 xiànzhèn 동 적진을 함락시키다. ¶冲锋～;〈成〉돌격하여 적진을 함락시키다. =〔陷敌〕
〔陷中〕 xiànzhōng 명《漢醫》누르면 근육이 움푹 들어가는 곳(골간(骨幹)을 지칭함).

馅(餡) xiàn (함)

명 ①(～儿, ～子) '饺子'·'包子' 등의 소(고기·팥·야채 따위를 모두 가리킴). ¶饺jiǎo子～; 교자의 소 / 豆沙～的包子; 팥소를 넣은 만두 / 枣泥～的月饼; 대추 소를 넣어 만든 월병. ②(～儿, ～子) 속. 표면에 나오지 않는 것. 이면(裏面) 사정. ¶露出～儿来; 이면이 드러나다.
〔馅儿饼〕 xiànrbǐng 명 중국식 미트 파이(meat pie)(밀가루를 반죽해서 얇게 빚어, 그 속에 고기와 양념 따위를 섞은 소를 넣어 싸서 굽거나 기름에 지진 식품).
〔馅子〕 xiànzi 명 ①(떡·만두 따위에 넣는) 소. ②〈比〉사물(事物)의 중심.

羡〈羨〉 xiàn (선)

①동 부러워하다. ¶歆xīn～; 부러워하다. ②동 가지고 싶어하다. 바라다. ¶获得无上荣誉, 深为众人所～; 더없는 영광을 얻어, 많은 사람들이 모두 부러워하다. ③명〈文〉나머지. 잉여. 여유. ¶以～补不足; 남는 것으로 부족한 것을 보충하다. ④명 성(姓)의 하나.
〔羡妒〕 xiàndù 동 질투하다. 선망하다. 부러워하다.
〔羡慕〕 xiànmù 형 부럽다. 동 부러워하다. 흠모하다. ¶～得垂一尺长的涎水; 침이 질질 나올 만큼 부러워하다.
〔羡余〕 xiànyú〈文〉동 원가보다 값이 오르다. 명 초과 징수된 세금.

献(獻) xiàn (헌)

①동 바치다. 드리다. ¶捐～; 헌납하다. 기부하다 / 把青春～给祖国; 청춘을 조국에 바치다 / 他把自己的一切～给了人民; 그는 자기의 일체를 인민에게 바쳤다. ②동 (연기 따위를) 보여드리다. ③동 남의 눈에 띄게 하려고 …하다. ④동 손님에게 술을 권하다. ⑤명 현인(賢人).
〔献宝〕 xiàn.bǎo 동 ①귀중한 물건을 바치다. ②〈比〉(귀중한 경험이나 의견을) 제공하다. ¶穗工商界青年举行～大会; 광저우(廣州) 상공업계의 청년이 물건이나 기술의 헌납 대회를 열었다. ③〈比〉(자신이 가지고 있는 귀중한 것을) 과시(誇示)하다.
〔献策〕 xiàn.cè 동 헌책하다. 계책을 올리다. 대책을 내놓다. ¶人人献计献策; 모두가 지혜를 짜내다. =〔献计〕
〔献茶〕 xiàn.chá 동 차를 드리다〔권하다〕.
〔献酬〕 xiànchóu 동〈文〉(손님과) 술잔을 주고받고 하다.
〔献丑〕 xiàn.chǒu 동〈謙〉서투른 재주를 보여 드리다. 보기 흉한 것을 보여 드리다(자기의 기능이나 문장 능력을 겸손하게 말할 때 쓰임). ¶我不会唱, 只好～吧; 나는 노래를 못 부르지만, 변변치 않은 솜씨나마 해 보이겠다.
〔献出〕 xiànchū 동 바치다(흔히, 추상적인 것을 이름). ¶～全部能力; 전 능력을 바치다.
〔献春〕 xiànchūn 명〈文〉음력 정월. =〔孟mèng春〕
〔献词〕 xiàncí 명동 축사(를 하다). 인사(를 하다).
〔献豆〕 xiàndòu 명《史》옛날, 신에게 바친 술잔.
〔献俘〕 xiànfú 명〈文〉개선한 뒤에, 포로를 종묘(宗廟)에 바치는 일.
〔献赋〕 xiànfù 동 부(賦)를〔감상문을〕 지어 바치다.
〔献给〕 xiàngěi 동 (…에) 바치다. ¶他们把一切都～了国家; 그들은 모든 것을 국가에 바쳤다 / 把儿女～祖国; 자녀를 조국에 바치다.
〔献工〕 xiàn.gōng 동 노력(努力)을 바치다. 무보수로 노동하다. 근로 봉사하다. ¶早上班, 晚下班, 自动～; 아침 일찍 출근하고 밤 늦게 돌아오면서, 자발적으로 근로 봉사를 하다.
〔献功〕 xiàngōng 동 공무(公務)에 힘을 다하다.
〔献馘〕 xiànguó 동〈文〉적의 목이나 왼쪽 귀를 바치다.
〔献哈达〕 xiàn hǎdá 티베트〔또는 몽골의 일부〕에서, 진귀한 손님이나 신불에게 경의〔축하〕를 표하여 황색이나 백색의 얇은 비단을 바치는 일.
〔献花〕 xiànhuā 동 헌화하다. 꽃을 바치다. 꽃을 보내다. ¶～圈; 화환을 바치다.
〔献计〕 xiàn.jì 동 ⇨〔献策〕
〔献计定策〕 xiànjì dìngcè 헌책하다. 방도를 내놓다. ¶向政府～; 정부에 대하여 헌책하다.
〔献技〕 xiàn.jì 동 기예(技藝)를 연기하여 보이다. 재주를 피로(披露)하다. =〔献艺〕
〔献祭〕 xiànjì 동 공양(供養)하다.
〔献捷〕 xiànjié 동〈文〉①천자에게 전승을 아뢰다. ②포로나 전리품을 바치다.
〔献经取宝〕 xiàn jīng qǔ bǎo〈成〉자기의 경험을 남에게 전하고 남의 경험을 받아들이다(서로

경험을 교환함).
〔献捐〕 xiànjuān 동 헌납하다.
〔献可替否〕 xiàn kě tì fǒu 〈成〉 좋은 것을 권장하고 나쁜 것을 그만두게 하다.
〔献款〕 xiàn.kuǎn 명동 헌금(하다).
〔献礼〕 xiànlǐ 명 축하의 헌상물(獻上物). (xiàn.lǐ) 동 선물을 바치다. ¶为了向全国运动会~, 他将发奋努力打破世界记录; 전국 운동회에 바치는 선물로서, 그는 발분 노력하여 세계 기록을 깨려 하고 있다.
〔献媚〕 xiànmèi 동 아양떨다. 아첨하다. ¶~取宠; 아첨하여 총애를 얻다.
〔献梦〕 xiànmèng 동 옛날, 군신(群臣)의 길몽을 왕에게 바치다.
〔献曝〕 xiànpù 동 〈文〉〈轉〉 어리석은 의견을 아뢰다. 보잘것 없는 뜻을 바치다《남에게 의견이나 물건을 바칠 때의 겸양어(謙讓語). 송(宋)나라의 농부가 햇볕을 쬐는 효용(效用)을 임금에게 아뢴 고사》. =〔曝献〕
〔献旗〕 xiàn.qí 동 기를 바치다〔헌상하다〕. 페난트를 단체나 개인에게 증정하여, 경의나 사의를 표하다. (xiànqí) 명 기념으로 나누어 주는 기.
〔献芹〕 xiànqín 동 〈謙〉 변변치 못한 물건을 보내다. =〔芹献〕
〔献勤〕 xiàn.qín ⇨〔献殷勤〕
〔献身〕 xiàn.shēn 동 헌신하다. 한 몸을 바치다. 희생이 되다. ¶~社会; 사회를 위하여 목숨을 바치다.
〔献神〕 xiànshén 동 신에게 제물을 바치어 제사 지내다《음력 8월 초순 수확 후에 행함》.
〔献岁〕 xiànsuì 명 〈文〉 신년. 연초.
〔献笑〕 xiànxiào 동 〈文〉〈謙〉 웃음거리가 될 말씀이지만 여쭙겠습니다《자기의 의견을 전하는 경우》.
〔献血〕 xiànxuè 명동 헌혈(하다). =〔捐juān血〕
〔献眼〕 xiànyǎn 동 결점을 드러내다. 헛점을 노출시키다.
〔献疑〕 xiàn.yí 동 〈文〉 의문을 제시하다.
〔献艺〕 xiànyì 동 ⇨〔献技〕
〔献殷勤〕 xiàn yīnqín 알랑거리다. 비위를 맞추다. 아첨하다. ¶对上~, 对下摆架子; 윗사람에게는 아첨하여 비위를 맞추고, 아랫사람에 대해서는 허세를 부리다. =〔献勤〕
〔献状〕 xiànzhuàng 동 진술서를 제출하다.
〔献拙〕 xiànzhuō 동 〈謙〉 서투른 솜씨지만 보내드리겠습니다《자신이 만든 시·그림 등을 선사할 때에 쓰임》.

腺 xiàn (선)
명 《生》 선. 샘. ¶汗~; 한선. 땀샘 / 淋巴~; 임파선. 림프샘 / 扁biǎn桃~; 편도선.
〔腺病〕 xiànbìng 명 《醫》 선병. ¶~质; 선병질.
〔腺瘤〕 xiànliú 명 《醫》 아데노마(Adenoma). 선종(腺腫).
〔腺毛〕 xiànmáo 명 《植》 선모《표피 세포가 변형하여 모용(毛茸) 꼴을 이루고, 털끝에서 액체를 분비하는 것》.
〔腺鼠疫〕 xiànshǔyì 명 《醫》 선페스트(腺pest).
〔腺细胞〕 xiànxìbāo 명 《生》 분비선. 선세포.

镍(鋧) xiàn (선)
명 금속의 선. ¶漆包~; 에나멜선(線).

霰 xiàn (산)
명 싸라기눈. =〔雹子〕〔〈方〉 雪子〕〔〈方〉 雪糁xuěshēn〕〔〈俗〉 冰bīng疙瘩儿〕〔地dì穿甲〕〔〈文〉 雪珠〕 ¶下~; 싸라기눈이 내리다.
〔霰弹〕 xiàndàn 명 《軍》 유산탄(榴散彈).
〔霰粒〕 xiànlì 명 싸라기눈.
〔霰石〕 xiànshí 명 《鑛》 화산(火山) 부근의 광석.

XIANG ㄒㄧㄤ

乡(鄉) xiāng (향)
명 ①촌. 시골. ¶城~交流; 도시와 농촌과의 교류. ↔〔城chéng③〕 ②고향. ¶回~; 귀향하다 / 家~; 고향 / 还huán~; 귀향하다 / 老~; 동향 사람. ③향《행정 구획의 하나. '县xiàn' 아래에 있음》.
〔乡巴佬〕 xiāngbalǎo 명 ⇨〔乡下佬儿〕
〔乡兵〕 xiāngbīng 명 향병. 그 고장 사람을 선발하여 훈련시켜 향토 방위에 충당하는 군사.
〔乡财主〕 xiāngcáizhǔ 명 토착 지주. =〔土tǔ财主〕
〔乡场〕 xiāngchǎng 명 ⇨〔乡试〕
〔乡愁〕 xiāngchóu 명 향수병. 향수. =〔怀huái乡病〕
〔乡村〕 xiāngcūn 명 촌락. 시골. 농촌.
〔乡党〕 xiāngdǎng 명 ⇨〔乡里①②〕
〔乡弟〕 xiāngdì 명 동향 사람에 대한 자기의 겸칭.
〔乡董〕 xiāngdǒng 명 시골에 사는 명망가. 시골의 신사.
〔乡风〕 xiāngfēng 명 〈文〉 향풍. 그 고장 고유의 풍속.
〔乡歌〕 xiānggē 명 (한국의) 향가.
〔乡姑〕 xiānggū 명 시골 처녀.
〔乡关〕 xiāngguān 명 〈文〉 고향.
〔乡馆〕 xiāngguǎn 명 옛날, 마을의 글방.
〔乡规民约〕 xiāngguī mínyuē 명 농촌 사회에 있어서의 지역의 규약.
〔乡国〕 xiāngguó 명 〈文〉 고향.
〔乡户〕 xiānghù 명 그 지방에 토착하는 사람. 마을의 주민. 토착민.
〔乡宦〕 xiānghuàn 명 〈文〉 옛날, 관직에 있었던 그 고장 사람.
〔乡间〕 xiāngjiān 명 시골. 촌.
〔乡荐〕 xiāngjiàn 동 〈文〉 향시(鄕試)에 합격하다.
〔乡井〕 xiāngjǐng 명 〈文〉 향리. 고향. ¶背离~; 향리를〔고향을〕 떠나다.
〔乡老〕 xiānglǎo 명 향촌의 장로. 마을의 어른.
〔乡佬儿〕 xiānglǎor 명 촌뜨기. 촌사람.
〔乡里〕 xiānglǐ 명 ①고향. 향리. =〔乡党〕 ②동향(同鄕) 사람. =〔乡党〕 ③처(妻). 아내.
〔乡邻〕 xiānglín 명 이웃 사람.
〔乡闾〕 xiānglǘ 명 〈文〉 향리(鄕里). 마을.
〔乡民〕 xiāngmín 명 촌민. 시골의 주민. 마을 사람.
〔乡末〕 xiāngmò 명 〈文〉 동향 선배에 대한 자칭.
〔乡脑瓜子〕 xiāngnǎoguāzi 명 시골 사람. 촌뜨기. ¶~也开窍了; 촌뜨기도 머리가 깨었다.
〔乡僻〕 xiāngpì 형 (도시에서 멀리 떨어져) 외지다. 촌구석이다.
〔乡气〕 xiāngqì 명 시골티. 촌티. 형 시골티가 나다. 수수하다. 촌스럽다. ¶这身打扮在上海看起来太~了; 이와 같은 차림은 상하이(上海)에서는 너무나 촌스럽다.
〔乡亲〕 xiāngqīn 명 ①동향 사람. 동향의 친한 사

람. ②동네 사람. ③동향 사람들이 서로 부르는 호칭(呼稱).
〔乡曲〕 xiāngqū 명 〈文〉 벽촌. 시골 구석.
〔乡人〕 xiāngrén 명 ①시골 사람. 촌사람. ②동향 사람. ¶素为～拥戴; 원래 동향인으로부터 추대되었다. ③견문이 좁은 사람. 교양이 없는 사람. 무식하고 어리석은 사람.
〔乡绅〕 xiāngshēn 명 시골 신사(은퇴한 퇴직 관리로서 그 지방의 명사).
〔乡试〕 xiāngshì 명 명·청대(明淸代)에, 과거(科擧)의 첫 단계 시험(성성(省城)에서 치름). →〔殿试〕 =〔乡场〕〔秋qiū榜〕〔秋贡〕〔秋试〕〔秋闱wéi〕〔大比〕
〔乡书〕 xiāngshū 명 고향에서 온 편지. =〔家jiā信〕
〔乡思〕 xiāngsī 명 고향 생각. 노스탤지어. 홈식(home sick).
〔乡俗〕 xiāngsú 명 시골 풍속.
〔乡谈〕 xiāngtán 명 시골 사투리. 고향 말. ¶二人打起～更谈得投机; 두 사람은 고향 사투리로 이야기를 시작하자, 더욱 의기 투합해졌다.
〔乡土〕 xiāngtǔ 명 향토. ¶～观念; 향토 관념 / ～风味; 향토색. 고향의 맛.
〔乡团〕 xiāngtuán 명 옛날의, 향촌에서의 자위 민병단.
〔乡望〕 xiāngwàng 명 고향에서의 명망. ¶老先生～甚隆; 노선생은 고향에서는 매우 명망이 있다.
〔乡味〕 xiāngwèi 명 ①고향·시골의 풍미(風味). 고향의 맛. ¶到了异地就不易尝到～了; 타고장에 가면 고향의 풍미를 맛보기가 힘들다. ②고향의 음식.
〔乡下〕 xiāngxia 명 〈口〉 시골. 지방.
〔乡下佬儿〕 xiāngxialǎor 명 시골뜨기. 촌놈. ¶～进城开了眼了; 촌놈이 도회지에 나가 (여러 가지 신기한 것을 보고) 눈이 트였다 / ～宁可露怯lòuqiè, 不会拐弯; 촌놈은 외곬이라 실수를 하여 웃음거리가 될지언정, 임기 응변의 조치를 취할 줄 모른다〔생각을 바꿀 줄 모른다〕. =〔乡巴佬〕〔乡佬儿〕〔乡下愣儿〕
〔乡下愣儿〕 xiāngxialèngr 명 ⇨〔乡下佬儿〕
〔乡下脑颏〕 xiāngxia nǎoké 명 촌놈의 머리. 촌뜨기 생각.
〔乡下人(儿)〕 xiāngxiarén(r) 명 촌사람.
〔乡谊〕 xiāngyì 명 〈文〉 동향의 정분〔우의〕.
〔乡音〕 xiāngyīn 명 고향의 사투리. 시골 말투. ¶他说话带有～; 그의 말에는 고향 사투리가 있다.
〔乡勇〕 xiāngyǒng 명 향용. 향토 방위를 위하여 징모(徵募)한 민병.
〔乡邮〕 xiāngyóu 동명 시골 읍내에서 우편물을 배달하다〔배달하는 일〕. ¶～站; 시골에서 우편 업무를 보는 곳(개인이나 상점 등에 위탁하는 수가 많음).
〔乡愚〕 xiāngyú 명 〈文〉 시골의 어리석은 백성. 시골 고라리.
〔乡愿〕 xiāngyuàn 명 〈文〉 겉보기에는 충성스럽고 조심성이 있어 보이지만, 실제는 세상을 기만하는 위선자. ¶～, 德之贼也; 덕이 있는 듯이 보이는 위선자는 덕을 해치는 자이다.
〔乡约〕 xiāngyuē 명 옛날, 마을에서 공공 사무를 담당하던 촌장.
〔乡长〕 xiāngzhǎng 명 ①동향의 선배. ②향장. 고을의 우두머리.
〔乡镇〕 xiāngzhèn 명 ①'乡'과 '镇'. 촌과 읍내. 시골과 읍내. ②조그만 시골 도시(장이 서는 곳).
〔乡侄〕 xiāngzhí 명 〈謙〉 옛날, 동향 선배에 대한 겸칭.
〔乡中〕 xiāngzhōng 명 동향 사람. 동향 지간(同鄕之間). ¶俺和他是～; 나와 그와는 동향 지간이다.
〔乡庄〕 xiāngzhuāng 명 촌.
〔乡梓〕 xiāngzǐ 명 〈文〉 고향. ¶服务～; 고향을 위해 애쓰다.

芗(薌) xiāng (향)
① 명 〈文〉 고서(古書)에서 조미용(調味用)의 향초(香草)를 가리킴. ② 형 ⇨〔香③〕
〔芗江〕 Xiāngjiāng 명 《地》 상장 강(薌江)(주룽 강(九龍江) 중류 지대에 있는 강 이름).
〔芗剧〕 xiāngjù 명 《劇》 지방극의 이름(푸젠 성(福建省) 남부의 민난(閩南)의 민간 예능).
〔芗泽〕 xiāngzé 명 ⇨〔香泽〕

相 xiāng (상)
① 부 서로. 같이. 함께. ¶～亲～爱; 서로 사랑하다 / 情意～投; 의기 투합하다 / 互～; 서로 / 不～上下; 우열이 없다 / 言行～符; 언행이 일치하다. ②〈轉〉 일정한 대상에 대하여 일방적인 동작에 붙이는 말. ¶我不～信; 나는 믿지 않는다 / 实不～瞒; 정말 속이지 않다 / 我有点事～烦; 폐를 끼칠 일이 조금 있습니다 / 好言～劝; 부드러운 말로 충고하다. ③ 명 본질. 바탕. ④ 동 보다. 선보다. 품평(品評)하다. ¶～亲; ⇩ / 左～右看; 각 방면으로부터 잘 관찰하다 / 老太太～媳妇儿; 어머니가 며느리감을 선보다. ⑤ 명 성(姓)의 하나. ⇒xiàng
〔相爱〕 xiāng'ài 동 서로 사랑하다.
〔相安〕 xiāng'ān 형 〈文〉 함께 사이좋게 지내다.
〔相安无事〕 xiāng ān wú shì 〈成〉 함께 평온하게 지내다. 풍파 없이 사이좋게 지내다.
〔相伴〕 xiāngbàn 동 상대가 되다. 동반하다 ¶一个人太孤单了, 要有人～才好; 혼자서는 너무나도 쓸쓸하니, 누군가 상대가 되는 사람이 있으면 좋겠다.
〔相帮〕 xiāngbāng 동 〈南方〉 ①돕다. 원조하다. 돌봐 주다. ¶我来～你; 제가 거들어 드리죠. ② 상부 상조하다.
〔相比〕 xiāngbǐ 동 비교하다.
〔相差〕 xiāngchà 동 〈文〉 서로 다르다. 차이가 있다. 간격이 있다. 명 차이. 거리. ¶～无几; 별로 차이가 없다 / ～悬殊xuánshū; 차이가 매우 크다.
〔相称〕 xiāngchèn 형 서로 걸맞다. 조화되다. …에 상당하다. 어울리다. 균형이 잡혀 있다. ¶人品服饰很～; 인품과 복장이 대단히 잘 어울린다 / 这件衣服跟他的年龄不大～; 이 옷은 그의 나이에 그리 어울리지 않는다. ⇒xiāngchēng
〔相称〕 xiāngchēng 동 서로 부르다. ¶以同志～, 以同志相待; 서로 동지라 부르고, 동지로서 대하다. ⇒xiāngchèn
〔相成〕 xiāngchéng 동 서로 돕고 협력해서 일을 성취시키다. 서로 도와 성공시키다.
〔相持〕 xiāngchí 동 대치(對峙)하다. 쌍방이 대립한 채 물러서지 않다. ¶敌我～; 적과 아군이 서로 대치하다.
〔相持不下〕 xiāng chí bù xià 〈成〉 다투면서 서로 양보하지 않는다.
〔相处〕 xiāngchǔ 동 ①동거하다. 함께 지내다. ¶～得很好; 함께 잘 지내고 있다 / 大家～多年, 情谊深厚; 모두들 오랫동안 함께 지내서 대단히 친밀하다. ②같이 일을 하다.
〔相传〕 xiāngchuán 동 ①(…라고) 전해지다.

¶这种风俗～已经有五、六百年的历史; 이런 풍속은 5,600년의 역사를 지니고 있다고 전해지고 있다. ②차례차례 전하다. 전수하다. ¶一脉～; 면면이 전하다 / 以秘法～; 비법을 전수하다.

〔相次〕 xiāngcì 부 〈文〉 차례로. ¶～前往; 차례로 가다.

〔相打〕 xiāngdǎ 〈南方〉 동 ①서로 때리다. ②다투다. 명 다툼. 싸움.

〔相待〕 xiāngdài 동 〈文〉 대우하다. 대접하다. ¶～甚厚; 대접이 매우 융숭하다.

〔相当〕 xiāngdāng 형 ①적당하다. 알맞다. 마땅하다. ¶要有～的人, 请你给介绍; 혹시 적당한 사람이 있거든 소개해 주십시오. ②상당하다. 상응하다. ¶实力～; 실력이 대체로 같다 / ～于专业演员的水平; 직업 배우의 수준에 상당하다. ③마땅히 …하여야 하다. ④(가치 · 조건 · 상황 · 수량 등이) 필적(匹敵)하다. 대등하다. 엇비슷하다. ¶旗鼓～; 병력이 서로 필적하다. 실력이 백중하다. 부 상당히. 무척. ¶～重要的决定; 상당히 중요한 결정.

〔相当行为〕 xiāngdāng xíngwéi 명 《法》 법률의 요구에 맞는 행위.

〔相得〕 xiāngdé 동 ①서로 마음이 맞다. 서로 의기 투합하다. ¶彼此处chǔ得很～; 서로 마음이 통해 잘 지내고 있다. ②서로 이익을 얻다. ③서로 돕다. ④어울리다. 서로 걸맞다.

〔相得益彰〕 xiāng dé yì zhāng 〈成〉 상부상조하여 쌍방이 더욱 훌륭해지다.

〔相等〕 xiāngděng 형 (숫자 · 분량 · 정도 따위가) 같다. 동등〔대등〕하다. ¶要找和这个～的很不容易; 이것과 같은 것을 찾기는 쉽지 않다.

〔相抵〕 xiāngdǐ 동 상쇄하다. 서로 필적하다. ¶收支刚好～; 수지의 균형이 잘 맞고 있다.

〔相对〕 xiāngduì 동 ①마주 대하다. 상대하다. ②서로 대립이 되다. 형 《哲》 상대적이다. ¶人与人的关系是～的, 不是绝对的; 사람과 사람의 관계는 상대적인 것이며 절대적인 것은 아니다. 부 비교적. 상대적으로. ¶～稳定; 비교적 안정되어 있다.

〔相对高度〕 xiāngduì gāodù 명 《測》 상대적 높이.

〔相对价值形式〕 xiāngduìjiàzhi xíngshì 명 《經》 상대적 가치 형태. ¶通过另一种商品表现自己价值的商品处于～中; 다른 상품을 통하여 자기의 가치를 나타내는 상품은 상대적 가치 형태에 있다.

〔相对人〕 xiāngduìrén 명 《法》 상대방.

〔相对湿度〕 xiāngduì shīdù 명 《物》 상대 습도.

〔相对性〕 xiāngduìxìng 명 상대성.

〔相对真理〕 xiāngduì zhēnlǐ 명 상대적 진리.

〔相烦〕 xiāngfán 동 〈文〉 수고를 끼치다. 번거롭게 하다. 부탁을 하다. ¶有事～; 부탁할 것이 있다.

〔相反〕 xiāngfǎn 동 상반되다. 반대이다. 역(逆)이다. 정반대이다. 모순되다. ¶利害～; 이해가 상반하다 / 我们和他们完全～; 우리는 그들과는 전혀 반대이다 / 甚至还可能起～的作用; 반대 작용을 일으키게 될지도 모른다. 부 역(逆)으로. …에 반하여. ¶～地; 반대로. 역으로 / 他不但没被困难吓倒, ～地, 意志越来越坚强了; 그는 그런 어려움에 놀라지 않았을 뿐더러, 오히려 의지는 더욱 굳건해졌다.

〔相反相成〕 xiāng fǎn xiāng chéng 〈成〉 ①서로 상반되고 모순되어 있는 것이, 일정 조건하에서는 플러스로 작용되어 생성 발전하다. ②상반되는 것에도 동일성이 있다.

〔相仿〕 xiāngfǎng 형 엇비슷하다. 대체로 같다. ¶外貌～; 생김새가 비슷하다 / 这些杂志内容大致～; 이들 잡지의 내용은 대체로 비슷한 것이다. =〔相仿佛〕

〔相仿佛〕 xiāngfǎngfu 형 ⇨〔相仿〕

〔相逢〕 xiāngféng 명동 상봉(하다). ¶萍水～; 〈成〉 우연히 알게 되다〔만나다〕.

〔相符〕 xiāngfú 형 서로 부합(符合)하다. 서로 일치하다. ¶名实～; 명실 상부하다.

〔相辅相成〕 xiāng fǔ xiāng chéng 〈成〉 서로 보완하며 도와서 발전하다. 서로 영향을 미치면서 협력하여 일을 잘 이행해 나가다.

〔相干〕 xiānggān 명동 관계(하다). 상관(하다). 관련(되다). ¶这事跟我不～! 이 일은 나와는 관계가 없다! / 他去不去跟你有什么～? 그가 가든 안 가든 너와 무슨 관계가 있는가?

〔相隔〕 xiānggé 동 (시간 · 거리의) 간격이 있다. (사이가) 벌어지다.

〔相关〕 xiāngguān 동 서로 관련되다. 관계하다.

〔相好〕 xiānghǎo 형 사이가 좋다. ¶～的; 우인(友人). =〔要好〕 명 정부(情夫). 정부(情婦). 명동 연애(하다)《흔히, 떳떳지 못한 경우에 쓰임》. ¶小毛儿跟红妹～已经二三年了; 사오마오얼(小毛兒)과 홍메이(紅妹)는 벌써 이삼년간이나 연애하는 사이다. ‖ =〔相善〕

〔相互〕 xiānghù 명형 상호(의)《형용사성 수식어로서 쓰이는 일이 많음》. ¶～关系; 상호 관계 / ～作用; 상호 작용 / ～制约又～促进; 서로 제약하고 서로 촉진하다.

〔相会〕 xiānghuì 동 만나다. 해후(邂逅)하다. ¶两个人约好星期日在公园～; 두 사람은 일요일에 공원에서 만나기로 약속했다.

〔相继〕 xiāngjì 동 연달다. 잇따르다. 연잇다. ¶父母～去世了; 양친은 잇따라 세상을 떠나셨다 / ～发言; 잇따라 발언하다.

〔相煎太急〕 xiāng jiān tài jí 〈成〉 ①형제간의 피비린내 나는 싸움. ②다급해져서 몹시 서두름.

〔相减〕 xiāngjiǎn 동 상쇄하다. 상계(相計)하다. ¶把明细账的额和总账的数～; 명세서의 잔액과 총계정 원장의 액수를 상계하다.

〔相见〕 xiāngjiàn 동 ①면회하다. 대면하다. 만나다. ¶本刊定于明年改版, 以崭新的面貌与读者～; 이 간행본은 내년에 개정될 예정이니, 참신한 모습으로 독자 여러분과 만나겠습니다. ②맞선을 보다.

〔相见恨晚〕 xiāng jiàn hèn wǎn 〈成〉 일찍 만나지 못하였음을 한탄하다. 일찍 만났더라면 좋았을 것이라고 여기다.

〔相间〕 xiāngjiàn 동 〈文〉 번갈다. 서로 뒤섞이다. ¶舞蹈和歌唱～; 노래와 춤이 번갈아 나오다 / 沿岸～地栽着桃树和柳树; 연안에는 복숭아나무와 버드나무가 번갈아 심어져 있다.

〔相交〕 xiāngjiāo 동 〈文〉 ①교차하다. ¶两线～于一点; 두 선은 한 점에서 교차한다. ②교제하다. ¶～有年; 여러 해에 걸쳐 교제하고 있다.

〔相较〕 xiāngjiào 동 〈文〉 비교하다. ¶如以双方实力～, 甲方定可获胜; 쌍방의 실력으로 말할 것 같으면, 갑쪽이 반드시 승리할 것이다.

〔相接〕 xiāngjiē 동 〈文〉 상접하다. 맞이하다. ¶宾主以礼～; 주객이 예의를 갖추어 만나다.

〔相近〕 xiāngjìn 형 ①매우 닮다. 차이가 작다. 엇비슷하다. 거의 비슷하다. ¶大家的意见很～; 모두의 의견은 매우 가깝다. ②(거리가) 가깝다. ¶住宅与学校～; 주택과 학교는 가깝다. 명 〈方〉 부근. 인근.

〔相惊伯有〕 xiāng jīng bó yǒu 〈成〉 놀라서 스스로 소란을 피워 댐(백유는 춘추(春秋)시대 정(鄭)나라 대부(大夫)인 양소(良霄)의 호로, 정나라 사람에 의하여 살해된 뒤에 역병(疫病)을 퍼뜨리는 귀신으로 변했는데, 정나라 사람은 이 귀신에 놀라 다투어 피했다는 고사에서 온 말).

〔相敬如宾〕 xiāng jìng rú bīn 〈成〉 부부가 서로를 손님처럼 존경하는 마음이 있음(너무 가까워져서 존경심이 없어지지 않도록 애씀을 이름).

〔相距〕 xiāngjù 동 (거리나 시간이) 떨어지다. 명 서로 떨어진 거리. ¶我们住的地方～很近; 우리가 거주하는 곳의 거리는 꽤 가깝다.

〔相看〕 xiāngkàn 동 ①서로 보다. 서로 살피다. ②서로 돌봐 주다. 서로 관심을 가지다. ③선을 보다. ¶打扮得这么漂piào亮是～去吗? 그렇게 곱게 차리고 선이라도 보러 가는 겁니까? ‖ =〔相xiàng亲①〕

〔相克〕 xiāngkè 동 상극이다. 궁합이 맞지 않다. ¶按过去的迷信说命相～不能婚配; 종래의 미신으로 말하면, 궁합이 맞지 않으면 결혼할 수 없다. ↔〔相生〕

〔相暌〕 xiāngkuí 동 〈文〉 맞지 않다. 서로 반목하다. ¶性情～; 성격이 맞지 않다.

〔相礼〕 xiānglǐ 동명 ⇨〔襄xiāng礼〕

〔相连〕 xiānglián 동 서로 연결되다. 계속되다.

〔相骂〕 xiāngmà 동 서로 욕하다〔매도하다〕. ¶～无好言, 相打无好拳; 〈諺〉 욕에는 고상한 말이 없고, 싸움에는 좋은 주먹이 없다.

〔相能〕 xiāngnéng 형 〈南方〉 서로 뜻이 맞다. 서로 허용하다. 사이가 좋다. ¶双方不～; 쌍방이 사이가 좋지 않다 / 其实举人老爷和赵秀才素不～; 그러나 거인 나리와 조 수재와는 평소에 사이가 좋지 않다.

〔相配〕 xiāngpèi 형 적당하다. 잘 어울리다. ¶新夫妇很～; 신혼 부부는 매우 잘 어울린다.

〔相扑〕 xiāngpū 명동 씨름(을 하다).

〔相契〕 xiāngqì 형 의기 투합하다. 사이가 좋다. ¶两家素来～; 두 집안은 원래 친하다.

〔相强〕 xiāngqiǎng 동 강요하다. ¶你要是真不会喝, 我不敢～了; 당신이 정말 못 마신다면 강요하지 않겠습니다.

〔相亲〕 xiāngqīn 동 ①서로 친하게 지내다. 서로 사이가 좋다. ②선을 보다. ⇒xiàngqīn

〔相求〕 xiāngqiú 동 부탁하다. 바라다. ¶这是不好开口～的; 이것은 부탁드리기가 거북합니다만.

〔相去〕 xiāngqù 명 서로 차이가 남. 그 거리〔차이〕. ¶～很远; 그 차는 매우 크다. 대단한 차이다. =〔相差〕

〔相觑〕 xiāngqù 동 〈文〉 서로 마주보다. ¶面面～ =〔面面相觑〕; 얼굴을 서로 쳐다보다.

〔相劝〕 xiāngquàn 동 ①충고하다. ¶好言～; 좋은 말로 권고하다. ②권하다.

〔相扰〕 xiāngrǎo 동 ①서로 염려를 끼치다. 서로 방해를 놓다. ¶各不～; 서로 방해를 놓지 않다. ②〈套〉 폐를 끼치다. ¶无事不敢～; 공연히 폐를 끼칠 수 없습니다(거절할 때의 완곡한 말씨).

〔相稔〕 xiāngrěn 동 〈文〉 서로 잘 알고 있다.

〔相容〕 xiāngróng 동 서로 상대방을 인정하다. 허용하다. ¶这两种思想是水火不～的; 이 두가지 사상은 물과 불처럼 서로 근본적으로 용납될 수 없는 것이다.

〔相容性〕 xiāngróngxìng 명 《電算》 (컴퓨터 등의) 호환성. =〔兼容性〕

〔相若〕 xiāngruò 형 〈文〉 서로 비슷하다. 구별할 수 없다. ¶二人年龄～; 두사람은 나이가 비슷비슷하다.

〔相善〕 xiāngshàn ⇨〔相好〕

〔相商〕 xiāngshāng 동 협의하다. 의논하다. ¶有要事～; 의논할 일이 있다.

〔相生〕 xiāngshēng 동 상생하다. 궁합이 잘 맞다. ↔〔相克kè〕

〔相识〕 xiāngshí 명 〈文〉 아는 사이. 지인(知人). ¶老～; 오래 전부터 알고 지낸 사람 / 从此便成了～; 그 이후 서로 아는 사이가 되었다. 동 서로 알다. ¶素sù不～; 전혀 알지 못하다.

〔相率〕 xiāngshuài 동 〈文〉 줄줄이 잇따르다. 연잇다. ¶与yù会的宾客遂～离座; 참석한 손님들도 잇따라 자리를 떴다.

〔相思〕 xiāngsī 동 서로 그리다. 상사하다. ¶～病; 상사병.

〔相思草〕 xiāngsīcǎo 명 《植》 추해당(秋海棠)의 별칭.

〔相思子〕 xiāngsīzǐ 명 ①《植》 홍두(紅荳)(동인도 원산의 콩과의 만생 식물). ②고서(古書)에서 팥이 상애(相愛)를 나타낸다는 데서 '红hóng豆(儿)'(팥)의 별칭.

〔相似〕 xiāngsì 동 〈文〉 서로 닮다. 비슷하다. ¶～情况; 비슷한 상황 / 孪luán生子的面貌多是～的; 쌍둥이는 생김새가 많이 닮았다. 명 《數》 상사. ¶～形; 상사형.

〔相提并论〕 xiāng tí bìng lùn 〈成〉 개괄(概括)해서 논하다. 동렬(同列)로 논하다(대개, 부정형으로 쓰임). ¶汉语语法的体系虽不能和俄语～, 但是安排的方式还可以效法的; 한어(漢語) 어법의 체계는 러시아어와 함께 논할 수는 없지만, 배열의 방법은 따라도 된다.

〔相贴〕 xiāngtiē 동 거의 스칠 정도로 가까이 맞닿다. 닿을락말락하다. ¶两车～而过; 두 대의 수레가 스치듯이 지나가다.

〔相通〕 xiāngtōng 동 서로 마음이 통하다. ¶我和她的心是～的; 나와 그녀의 마음은 서로 통한다.

〔相同〕 xiāngtóng 형 같다. 상동하다. ¶这两篇文章的结论是～的; 이 두 편의 결론은 같다.

〔相投〕 xiāngtóu 동 (생각·마음 따위가) 투합(投合)하다. 의기(意氣) 투합하다. ¶兴趣～; 취미가 서로 맞다 / 气味～; 〈成〉 의기 투합하다.

〔相托〕 xiāngtuō 동 ①의뢰하다. 부탁하다. 맡기다. ②신용하다. ¶只恁nèn地～得过; 이만큼만 신용할 수가 있다.

〔相忘于江湖〕 xiāngwàng yú jiānghú 서로 특별한 용무가 없어 잊고 지냄.

〔相望〕 xiāngwàng 동 서로 마주보고 있다. 엎드러지면 코 닿을 데에 있다. ¶镇海同巨济岛隔海～; 거제도와 진해는 바다를 사이에 두고 서로 마주 보고 있다.

〔相违〕 xiāngwéi 동 서로 어긋나다. 엇갈리다. ¶双方意见～; 쌍방의 의견이 서로 어긋나다.

〔相向〕 xiāngxiàng 동 마주보다. ¶二人～无语; 두 사람은 마주보고 말이 없다.

〔相像〕 xiāngxiàng 동 서로 닮다. ¶他们的面貌很～; 그들의 용모는 매우 닮았다.

〔相信〕 xiāngxìn 동 믿다. 신용하다. ¶你～不～? 너는 믿느냐?

〔相形见绌〕 xiāng xíng jiàn chù 〈成〉 다른 것과 비교해 보면 못한 것이 드러나다. ¶跟劳模们一比, 才～, 显出自己的工作太差劲chàjìn了; 모범 노동자들과 비교해 봐야 자신의 일하는 것이 얼마나 신통치 못한지 분명히 드러난다.

〔相形之下〕 xiāngxíng zhī xià 쌍방을 비교해 보니. ¶～自觉惭愧cánkuì; 비교해 보니 부끄러워진다.
〔相叙〕 xiāngxù 동 〈文〉 서로 이야기하다. ¶～家常; 일상사를 이야기하다.
〔相沿〕 xiāngyán 동 〈文〉 답습하다. ¶～成俗; 〈成〉 답습되어 풍속이 되다.
〔相验〕 xiāngyàn 동 〈文〉 검사하다. ¶报请海关～; 세관에 검사를 신청하다.
〔相邀〕 xiāngyāo 동 초대하다. ¶连日承友好～; 매일 친구들로부터 초대를 받다.
〔相依〕 xiāngyī 동 서로 의지하다. ¶唇齿～; 〈成〉 서로 긴밀하게 의지하다.
〔相依为命〕 xiāng yī wéi mìng 〈成〉 서로 의지하며 살아가다. 생사를 같이하다. ¶解放前我母女二人～, 共同度过那艰难的岁月; 해방 전에는 우리 두 모녀가 서로 의지하며 그 어려운 세월을 보냈다.
〔相宜〕 xiāngyí 형 적당하다. 적합하다. ¶他做这种工作很～; 그는 이런 종류의 일을 하는 데는 매우 적당하다 / 这么安排很～; 이렇게 안배하면 매우 알맞다 / 西湖的风景, 不但是春花秋月的时节, 而且可以说是四时都～了; 서호의 경치는 봄가을뿐만 아니라 사철 언제나 좋다고 할 수 있다. =〔适宜〕
〔相议〕 xiāngyì 동 협의하다.
〔相应〕 xiāngyīng 조동 〈公〉 …하여야 한다. …하기 바라다. ¶以上各节～函复; 이상 각 건에 관해서는 마땅히 답신을 올려야 함. ⇒xiāngyìng
〔相迎〕 xiāngyíng 동 〈文〉 마중나가다. 환영하다. ¶降阶～; 돌층계를 내려가 맞이하다.
〔相应〕 xiāngyìng 동 상응하다. 호응하다. ¶这篇文章前后不～; 이 문장은 앞뒤가 맞지 않는다 / 要～地发展轻工业; 그에 상응해서 경공업을 발달시킬 필요가 있다. ⇒xiāngyīng
〔相应〕 xiāngying 형 〈方〉 값이 싸다. ¶价钱～; 값이 싸다. 명 보람. 효과. ¶去也没有什么～; 가도 간 만큼의 보람은 없다.
〔相映〕 xiāngyìng 동 서로 어울리다.
〔相映成趣〕 xiāng yìng chéng qù 〈成〉 서로 빛을 받아 아름다운 경치를 만들다. 멋있는 대조를 이루다.
〔相与〕 xiāngyǔ 동 〈文〉 교제하다. 사귀다. ¶～之道; 교제의 길 / 和坦率的人好～; 솔직한 사람과는 사귀기 쉽다. 명 친구. ¶～满天下, 知心有几人; 친구는 천하에 가득하지만, 지기(知己)는 몇사람 없다 / ～无不称道; 친구치고 칭찬하지 않는 자는 없다. 친구는 모두 칭찬하다. 형 사이가 좋다. 부 함께. 어울려서. ¶～登山; 함께 등산하다 / ～大笑; 다같이 어울려서 크게 웃다.
〔相遇〕 xiāngyù 동 〈文〉 만나다. ¶偶然～于途中; 우연히 도중에서 만나다.
〔相约〕 xiāngyuē 동 약속하다.
〔相争〕 xiāngzhēng 동 다투다.
〔相知〕 xiāngzhī 〈文〉 동 서로 잘 알다. 친분이 두텁다. ¶～有素; 평소부터 잘 알고 있다. 명 ①친구. 지기. ¶贵～; 댁의 친구. ②단골 기생(妓生).
〔相中〕 xiāngzhòng 동 ①〈方〉 보아서 마음에 들다. 보고 반하다. ¶～了他的手艺; 그의 솜씨에 반했다. ②선을 보고 마음에 들다.
〔相嘱〕 xiāngzhǔ 동 〈文〉 부탁하다. 의뢰하다. ¶谆zhūn谆～; 간절하게 부탁하다.
〔相助〕 xiāngzhù 동 돕다. 거들다. ¶～一臂之力; 조그마한 힘을 모아 돕다.
〔相左〕 xiāngzuǒ 동 〈文〉 ①길이 서로 엇갈리다. ②어긋나다. 일치하지 않다. ¶意见～; 의견이 엇갈리다. ③잘못되어 있다.
〔相坐〕 xiāngzuò 명 연좌(連坐)하다.

厢〈廂〉 xiāng (상)

명 ①안마당의 동서에 맞대하여 선 집채. 곁채. 옆채(‘东～房’·‘西～房’이 있음). ¶一正两～; 정방(正房) 하나에 곁채가 둘인 집. ②성벽에 접한 성 밖의 지구. ¶关～; 성문 밖의 거리 / 城内～外; 성의 내외. ③극장의 특별석. ④〈古白〉 부근. 방면(方面). 쪽. ¶这～; 여기. 이 쪽 / 两～; 양쪽. 양측. ⑤차의 사람이나 물건을 싣는 곳.
〔厢房〕 xiāngfáng 명 곁채. ¶东～; 동측에 있는 집채 / 西～; 서측에 있는 집채. =〔厢屋〕〔〈文〉两liǎng厦〕〔配pèi房〕〔下房①〕〔下屋〕
〔厢屋〕 xiāngwū 명 ⇨〔厢房〕

湘 Xiāng (상)

명 《地》 ①샹장 강(湘江)《광시 성(廣西省)에서 발원하여, 후난 성(湖南省)을 지나 둥팅호(洞庭湖)에 흘러드는 강 이름》. ②후난 성(湖南省)의 별칭.
〔湘妃床〕 xiāngfēichuáng 명 문죽(紋竹)으로 만든 침대.
〔湘妃竹〕 xiāngfēizhú 명 《植》 반죽(班竹). 문죽(紋竹). =〔湘竹〕〔泪lèi竹〕
〔湘剧〕 xiāngjù 명 《劇》 후난 성(湖南省)의 지방극.
〔湘军〕 Xiāngjūn 명 《史》 상군《태평천국(太平天國)의 난 때, 증국번(曾國藩)이 후남(湖南)의 의용병을 모집하여 훈련시킨 군대》. =〔湘勇〕
〔湘帘〕 xiānglián 명 문죽(紋竹)으로 엮은 발.
〔湘莲〕 xiānglián 명 후난(湖南)에서 나는 연밥《후난 성(湖南省)의 특산》.
〔湘(省)〕 Xiāng(shěng) 명 《地》 후난 성(湖南省)의 별칭.
〔湘绣〕 xiāngxiù 명 후난 성(湖南省)산(産)의 자수(刺繡) 제품.
〔湘勇〕 Xiāngyǒng 명 ⇨〔湘军〕
〔湘竹〕 xiāngzhú 명 ⇨〔湘妃竹〕

葙 xiāng (상)

→〔青qīng葙〕

缃(緗) xiāng (상)

명 〈文〉 ①담황색. ②담황색의 견직포.
〔缃缥〕 xiāngpiǎo 명 〈文〉 ①담청색(淡青色)과 담황색의 천으로 만든 옷. ② ⇨〔缃帙〕
〔缃帙〕 xiāngzhì 명 담황색의 천으로 만든 책갑. 〈轉〉 책. 서적. =〔缃缥②〕

箱 xiāng (상)

명 ①궤. 상자《약간 큰 것으로 뚜껑이 있고 자물쇠가 달린 것》. ¶皮～; 가죽 트렁크 / 书～; 책장. 책궤. ②쌀광. 미창(米倉). ③찻간의 사람이 타는 부분. ¶车～; 수레의 몸체. 차체. ④상자같이 생긴 것. ¶风～; 풀무.
〔箱橱〕 xiāngchú 명 책장 따위.
〔箱底(儿)〕 xiāngdǐ(r) 명 ①궤의 밑·내부. ②평소 잘 안 쓰는 재물. ¶～厚; 수중에 가진 재산이 많다. ③《劇》 극단의 중견(中堅) 이하의 단원. 엑스트라. ④ ⇨〔压箱底儿(的)钱〕
〔箱房〕 xiāngfáng 명 장롱·옷장·이불장 따위를 놓는 방.

〔箱盖〕 xiānggài 명 상자나 트렁크 등의 뚜껑.
〔箱柜〕 xiāngguì 명 궤짝. 궤.
〔箱环子〕 xiānghuánzi 명 ⇨〔箱子把bà儿〕
〔箱夹板(儿)〕 xiāngjiābǎn(r) 명 트렁크 따위의 거죽에 댄 판자(운반할 때 파손을 방지하기 위한 것).
〔箱架〕 xiāngjià 명 (방습을 위해서) 상자 밑을 괴는 틀[받침].
〔箱笼〕 xiānglǒng 명 (여행용 옷 따위를 넣는) 궤. 트렁크.
〔箱匣〕 xiāngxiá 명 상자류의 총칭. ¶陪嫁至少也是两箱两匣; 혼수품은 적어도 큰 것이 두 상자, 작은 것이 두 상자쯤 있어야 한다.
〔箱只〕 xiāngzhī 명 〈文〉 상자.
〔箱子把柄〕 xiāngzibabǐng 명 ⇨〔箱子把儿〕
〔箱子把儿〕 xiāngzibàr 명 상자의 손잡이. =〔箱环子〕〔箱子把柄〕〔箱子提手〕
〔箱子提手〕 xiāngzitíshǒu 명 ⇨〔箱子把儿〕

香

xiāng (향)
①명 향기. 향내. ¶这是什么～, 你闻得出来吗? 이게 무슨 향기인지 냄새를 맡아 알겠니? ②명 향. 선향(線香). ¶蚊～; 모기향 / 烧shāo～; 향을 피우다 / 檀tán～; 단향목 / 棒bàng～; 막대향. ③형 향기롭다. ¶～水; 향수. =〔芗②〕 ↔〔臭〕 ④형 맛이 좋다. 맛있다. 식욕이 나다. ¶吃得很～; 아주 맛있게 먹는다 / 这杯酒很～; 이 술은 맛이 좋다 / 菜炒得很～; 요리를 맛있게 볶았다 / 这两天吃饭不～; 요즈음은 입맛이 없다. =〔好吃〕 ⑤형 좋은 느낌이다. 기분이 좋다. ¶亲戚远来～; 친척이 멀리서 찾아와 주니 좋다 / 睡shuì得正～; 기분 좋게 자고 있다. ⑥형 사이가 좋다. ¶他们三个人原来～得不得了liǎo; 그들 세 사람은 본래 사이가 무척 좋았다 / 他们俩有时候～, 有时候臭; 그들 둘은 어떤 때에는 사이가 좋았다가 어떤 때에는 나빠진다. ⑦형 환영받다. 인기 있다. ¶这种货在中国～得很; 이런 종류의 상품은 중국에서는 굉장히 환영받는다. ⑧형 곱다. 멋지다. ⑨명 여자에 딸린 물건에의 아칭(雅稱). ¶～柬; 여자의 편지. 내간(內簡) / ～房; 여자의 거실 / ～腮sāi; 미인의 뺨 / ～奁lián; 화장 상자 / ～消玉殒yǔn; ⇩ ⑩형 (예술품·문예 작품 등이) 긍정적(肯定的)이다. ⑪명 영광. 명예. ¶留得姓名～; 훌륭한 이름을 남겼다. ⑫명 성(姓)의 하나.

〔香案〕 xiāng'àn 명 향로(香爐)를 올려놓는 긴 책상. =〔香儿〕
〔香柏〕 xiāngbǎi 명 《植》 측백나무.
〔香包〕 xiāngbāo 명 ⇨〔香(荷)包〕
〔香宾〕 xiāngbīn 명 〈音〉 ①샴페인. ②챔피언(champion). ¶～赛; 타이틀 매치. 우승권. ‖ =〔香槟〕〔香滨〕
〔香滨〕 xiāngbīn 명 〈音〉 ⇨〔香宾〕
〔香槟〕 xiāngbīn 명 〈音〉 ⇨〔香宾〕
〔香槟酒〕 xiāngbīnjiǔ 명 〈音義〉 샴페인(champagne). =〔香宾酒〕〔三鞭酒〕〔槟酒〕
〔香饼(儿)〕 xiāngbǐng(r) 명 향피우는데 쓰는 납작한 숯.
〔香波〕 xiāngbō 명 〈音〉 샴푸(shampoo). =〔洗发剂〕〔洗发粉〕
〔香饽饽(儿)〕 xiāngbōbo(r) 명 〈比〉 ①친애하는 사람. ②모두에게서 사랑을 받는 인기 있는 사람. ¶大伙儿都喜欢你, 你倒成了～; 모두 너를 좋아하고 있으니, 너는 완전히 여러 사람이 사랑하는 인기 있는 사람이 되었다.
〔香菜〕 xiāngcài 명 《植》 '芫荽yánsui'(고수. 중국 파슬리(parsley))의 통칭. =〔胡荽húsui〕〔香荽〕
〔香草〕 xiāngcǎo 명 ①향내가 좋은 꽃. ②긍정적(肯定的)인 문예(文藝) 작품.
〔香草花〕 xiāngcǎohuā 명 《植》 향등골나물.
〔香草醛〕 xiāngcǎoquán 명 《化》 바닐린(vanillin). =〔香兰素〕
〔香插〕 xiāngchā 명 향꽂이.
〔香茶〕 xiāngchá 명 ①상등의 차를 가루로 하여 향료·찹쌀 등을 섞어서 죽을 만든 다음 헝겊에 싸 가지고 석판(石板) 위에다 찧어서 만든 것. ②향기가 산뜻한 차. ③ ⇨〔香片piàn〕
〔香柴〕 xiāngchái 명 향나무('檀tán香'의 목질부를 가늘게 쪼갠 것).
〔香肠(儿)〕 xiāngcháng(r) 명 중국식 소시지.
〔香巢〕 xiāngcháo 명 사랑의 보금자리. ¶暗筑～; 남몰래 사랑의 보금자리를 만들다.
〔香车宝马〕 xiāng chē bǎo mǎ 〈成〉 매우 훌륭한 거마(車馬).
〔香尘〕 xiāngchén 명 ⇨〔香灰〕
〔香橙〕 xiāngchéng 명 《植》 유자(나무).
〔香臭〕 xiāngchòu 명 ①향기와 악취. ②〈比〉 좋은 것과 나쁜 것. ¶不知～; 〈成〉 좋은 것과 나쁜 것을 모르다. 사지 구별을 못 하다.
〔香串(儿)〕 xiāngchuàn(r) 명 ⇨〔香珠〕
〔香椿〕 xiāngchūn 명 ①《植》 참죽나무. =〔椿①〕 ②참죽나무의 새싹(식용).
〔香袋(儿)〕 xiāngdài(r) 명 ⇨〔香(荷)包〕
〔香稻米〕 xiāngdàomǐ 명 좋은 냄새가 풍기는 상등(上等)의 쌀.
〔香灯〕 xiāngdēng 명 불전에 밤낮으로 켜두는 등불. 등명(燈明). =〔长cháng命灯〕
〔香斗〕 xiāngdǒu 명 ⇨〔香炉〕
〔香豆面子〕 xiāngdòumiànzi 명 향료 가루와 콩가루를 섞어 만든 것으로, 목욕할 때 목욕물에 풀어서 쓰는 향료.
〔香豆素〕 xiāngdòusù 명 《化》 쿠마린(cumarin)(바닐린(vanillin)과 함께 가장 흔히 쓰이는 향료의 하나).
〔香豆酮胶〕 xiāngdòutóngjiāo 명 《化》 쿠마론 수지(coumarone樹脂).
〔香肚〕 xiāngdǔ 명 돼지의 방광을 깨끗이 씻어, 향료를 섞어서 소금에 절인 돼지고기를 채우고, 주둥이를 매어서 말린 것(난징(南京)의 명산물. 몇 달 동안 저장할 수 있음. 지름 7,8센티의 구형(球形)으로 얇게 썰어 먹음).
〔香墩儿〕 xiāngdūnr 명 선향(線香)을 꽂는 대(臺)(선향을 꼽는 구멍이 뚫어진 평평한 모양의 것).
〔香饵〕 xiāng'ěr 명 향기로운 미끼. 〈轉〉 사람을 유혹하는 수단.
〔香发膏〕 xiāngfàgāo 명 포마드(pomade).
〔香房〕 xiāngfáng 명 ①〈比〉 부녀자의 방. ②선향(線香) 제조업자.
〔香肥皂〕 xiāngféizào 명 ⇨〔香皂〕
〔香粉〕 xiāngfěn 명 분. 파우더. ¶擦～; 분을 바르다 / ～盒; 콤팩트(compact).
〔香分〕 xiāngfèn 명 남한테서 받는 등불의 기름값이나 향값. ¶得人家油钱～也不计其数; 남한테서 받는 등불의 기름값이나 선향값도 셀 수 없이 많았다.
〔香馥馥(的)〕 xiāngfūfū(de) 형 〈文〉 방향(芳香)이 가득 차 있는 모양. 매우 향기로운 모양.

〔香干(儿)〕 xiānggān(r) 명 향료를 첨가하여 훈제(燻製)로 만든 두부 식품.
〔香港〕 Xiānggǎng 명 《地》 홍콩(Hong Kong).
〔香港脚〕 xiānggǎngjiǎo 명 〈方〉 (발의) 무좀. ¶在医学上, '～'本称脚癣, 脚癣也称'新加坡脚'; 의학상 '홍콩 다리'라는 것은 무좀을 이르며, 또 '싱가포르 다리'라고도 이른다.
〔香港衫〕 xiānggǎngshān 명 알로하셔츠(aloha shirts). 홍콩 셔츠. =〔夏xià威夷恤〕
〔香格里拉〕 xiānggélǐlā 명 〈音〉 가공적 이상향(Shangri La). =〔世外桃源〕
〔香粳〕 xiānggēng 명 멥쌀의 일종. 저장(浙江) 지방에서 나는 향기 높은 쌀.
〔香公〕 xiānggōng 명 사원(寺院)의 하인. =〔庙miào役〕
〔香姑〕 xiānggū 명 ⇨〔香菇〕
〔香菇〕 xiānggū 명 《植》 표고버섯. ¶先将～泡上; 우선 표고버섯을 물에 담근다. =〔香菰〕〔冬菇〕〔香姑〕〔香菌〕〔香信〕〔香蕈xùn〕
〔香菇盒〕 xiānggūhé 명 조미료를 친 잘게 썬 고기를 표고버섯 안쪽에 채우고, 찌거나 기름에 튀긴 요리.
〔香瓜(儿)〕 xiāngguā(r) 명 ⇨〔甜tián瓜〕
〔香瓜子〕 xiāngguāzǐ 명 맛과 향을 첨가하여 볶은 수박씨.
〔香闺〕 xiāngguī 명 〈文〉 여성의 방(房).
〔香国〕 xiāngguó 명 ①《佛》 불국(佛國)의 별칭. ②꽃이 많은 곳. 꽃의 나라.
〔香(荷)包〕 xiāng(hé)bāo 명 향주머니. 향낭《여름에 차고 다녀 땀내를 없앰》. =〔香袋(儿)〕〔香面儿口袋〕〔香囊náng〕〔香包〕
〔香盒〕 xiānghé 명 향합.
〔香花〕 xiānghuā 명 ①부처에게 올리는 향과 꽃. ②향기로운 꽃. ③〈比〉 백성에게 유익한 언론이나 작품.
〔香黄色〕 xiānghuángsè 명 《色》 조청빛. 투명한 암황색(暗黃色).
〔香灰〕 xiānghuī 명 향불이 타고 난 재. =〔香尘〕
〔香灰色〕 xiānghuīsè 명 《色》 회갈색.
〔香会〕 xiānghuì 명 옛날, 사원(寺院) 등을 참예(參詣)하기 위해 조직된 민간 단체.
〔香火〕 xiānghuǒ 명 ①신불(神佛)에 공양하는 선향(線香)과 촛불 따위. ②사당(祠堂) 안에서 '香火'를 관리하는 사람. =〔庙miào祝〕 ③자손이 조상을 제사 지내는 행사. ④〈轉〉 (제사를 지내는 자로서의) 자손.
〔香火道〕 xiānghuǒdào 명 사당이나 불당 따위의 향촉을 돌보는 사람. =〔庙miào祝〕
〔香火(儿)〕 xiānghuǒ(r) 명 ①선향(線香)《담뱃불을 붙이기 위해 태우는 선향》. ②소용돌이 모양의 선향 불.
〔香火誓〕 xiānghuǒshì 명 〈文〉 향을 피우고 신 앞에서 한 맹세.
〔香火因缘〕 xiāng huǒ yīn yuán 《佛》 〈成〉 향을 피우고 신에게 맹세하여 의형제가 될 전생의 인연.
〔香火院〕 xiānghuǒyuàn 명 개인이 세운 사당. ¶浩家～; 호씨 집안의 개인 사당.
〔香几〕 xiāngjī 명 ⇨〔香案〕
〔香枧〕 xiāngjiǎn 명 ⇨〔香皂〕
〔香胶〕 xiāngjiāo 명 《化》 발삼(balsam). 발삼유(油). =〔香脂〕
〔香蕉〕 xiāngjiāo 명 《植》 바나나. =〔甘蕉〕〔香牙蕉〕
〔香蕉苹果〕 xiāngjiāo píngguǒ 명 《植》 인도사과.
〔香蕉水〕 xiāngjiāoshuǐ 명 《化》 신나(thinner). =〔甘蕉〕〔香牙蕉〕〔信xìn那水〕
〔香精〕 xiāngjīng 명 (향료의) 에센스. ¶香草～; 바닐라 에센스.
〔香菌〕 xiāngjùn 명 ⇨〔香菇〕
〔香客〕 xiāngkè 명 (절·사당에의) 참예인. 참배자. ¶～们进香朝cháo拜; 참배자들은 향을 피우고 예배한다.
〔香口胶〕 xiāngkǒujiāo 명 껌. =〔口香糖〕〔香口珠〕
〔香口珠〕 xiāngkǒuzhū 명 ⇨〔香口胶〕
〔香蜡铺〕 xiānglàpù 명 선향·초·비누·화장품 등을 파는 가게.
〔香蜡纸马〕 xiānglà zhǐmǎ 명 신불(神佛)께 제사 지낼 때 쓰는 선향·양초·지전·종이로 만든 말. =〔香烛纸马〕
〔香兰素〕 xiānglánsù 명 ⇨〔香草醛〕
〔香狸〕 xiānglí 명 《動》 사향고양이의 별칭. =〔麝shè香猫〕
〔香奁〕 xiānglián 명 화장 상자. 장렴(粧匳).
〔香料〕 xiāngliào 명 향료. ¶～厂; 향료 공장.
〔香料店〕 xiāngliàodiàn 명 ①화장품·비누 등을 파는 가게. ②향료를 파는 가게.
〔香炉〕 xiānglú 명 향로. =〔香斗dǒu〕
〔香炉瓜〕 xiānglúguā 명 《植》 (참외)의 일종《주황색의 납작한 원형이며 그 모양이 향로와 비슷함》.
〔香鹿〕 xiānglù 명 ⇨〔香獐(子)〕
〔香麦〕 xiāngmài 명 《植》 귀리. =〔燕yàn麦〕
〔香茅〕 xiāngmáo 명 《植》 ①레몬 그래스(lemon grass). ②시트론.
〔香茅醛〕 xiāngmáoquán 명 《化》 시트로넬랄(citronellal)《레몬 향기가 남》.
〔香茅油〕 xiāngmáoyóu 명 시트로넬라유(citronella 油).
〔香绵子〕 xiāngmiánzi 명 여름옷의 겨드랑이 부분에 대는 향료에 적신 솜《땀을 흡수하고 향기를 냄》.
〔香面儿口袋〕 xiāngmiànr kǒudài 명 ⇨〔香(荷)包〕
〔香蘑菇〕 xiāngmógu 명 《植》 표고(버섯).
〔香末子〕 xiāngmòzi 명 향 가루.
〔香木〕 xiāngmù 명 향목. 향나무. 향기가 나는 나무.
〔香囊〕 xiāngnáng 명 ⇨〔香(荷)包〕
〔香柠檬油〕 xiāngníngméng yóu 명 베르가모트유(bergamote油). =〔佛手(柑)油〕〔巴机密油〕
〔香盘子〕 xiāngpánzi 명 나선형의 선향을 피우는 쟁반.
〔香喷喷(儿的)〕 xiāngpēnpēn(rde) 형 ①향기롭다. 향기가 코를 찌를 듯 짙다. ¶这盆茉莉花一开, 满屋子～的; 재스민이 피면 온 방 안이 좋은 향기로 가득 찬다. ②기분이 좋은 모양.
〔香片〕 xiāngpiàn 명 차(茶)의 이름《찻잎에 향료(주로 재스민)를 섞어 밀봉(密封)하여 만든 차》. =〔香片茶〕〔香茶③〕〔花茶②〕
〔香蒲〕 xiāngpú 명 《植》 부들《성숙한 부들의 이삭을 '蒲棒'이라고 하며, 베개에 넣음》. =〔甘gān蒲〕
〔香气(儿)〕 xiāngqì(r) 명 향기. 좋은 냄새. ¶这～太冲; 이 향기는 너무 독하다.
〔香钱〕 xiāngqián 명 ①향전(香奠). ②보시(布施). ③⇨〔油香钱〕‖=〔香资〕

〔香儿〕 xiāngr 명 향기. ¶闻wén～; 향내를 맡다.
〔香染〕 xiāngrǎn 명 《佛》 다갈색(건다라수(乾陀羅樹)의 즙으로 물들인 것으로, 가사(袈裟)의 본래의 빛깔).
〔香肉〕 xiāngròu 명 개고기. =〔三sān六香肉〕
〔香薷〕 xiāngrú 명 《植》 향유.
〔香三臭俩〕 xiāng sān chòu liǎ 〈成〉 어느 누구와의 교제도 오래 지속되지 못함. ¶他向来跟人来往都是～, 好不了十天; 그는 이제까지 다른 사람과 교제하는데 언제나 진득하지 못해, 채 열흘도 못 간다.
〔香色〕 xiāngsè 명 ①향기와 색깔. ②다갈색.
〔香蛇麻〕 xiāngshémá 명 《植》 호프(hop). =〔忽hū布(花)〕
〔香市〕 xiāngshì 명 ①신불에게 재를 올리는 날. 잿날. ②사찰에 참예하는 사람에게 선향을 파는 가게.
〔香水(儿)〕 xiāngshuǐ(r) 명 향수. ¶～精; 향수의 엑스.
〔香水梨〕 xiāngshuǐlí 명 ⇨〔消xiāo梨〕
〔香苏〕 xiāngsū 명 《植》 석잠풀. =〔水shuǐ苏〕
〔香酥鸡〕 xiāngsūjī 명 닭튀김(요리 이름).
〔香荽〕 xiāngsuī 명 ⇨〔香菜〕
〔香甜〕 xiāngtián 형 ①맛있다. 맛나다. ¶很饿的时候, 吃什么也～; 몹시 배가 고플 때에는 무엇을 먹어도 맛이 있다. ②(잠이) 달다. 달콤하다. ¶睡得～; 기분 좋게 자다. 달게 자다.
〔香亭〕 xiāngtíng 명 향을 피우기 위해 장식된 향로를 설치한 작은 정자(제사·장례식 때 씀).
〔香筒〕 xiāngtǒng 명 선향을 넣어 두는 대나무통.
〔香头〕 xiāngtóu 명 ①향불을 관리하는 사람. =〔看kān香火的〕 ②'香会'의 우두머리.
〔香头〕 xiāngtou 명 향기. 좋은 냄새.
〔香头儿〕 xiāngtóur 명 ①선향(線香)의 끝(불을 붙이는 곳). ②선향의 타다 남은 것.
〔香围粉阵〕 xiāngwéi fěnzhèn 〈比〉 미인들 속. 미인에 둘러싸이다. ¶整天混hùn在～里; 종일 미인에 둘러싸여 (태평하게 지내고) 있다.
〔香味儿〕 xiāngwèir 명 좋은 냄새. 향기. ¶闻～; 좋은 냄새를 맡다.
〔香消玉殒〕 xiāng xiāo yù yǔn 〈成〉 ①부녀자의 죽음. ②미인의 죽음.
〔香信〕 xiāngxìn 명 ⇨〔香菇〕
〔香雪兰〕 xiāngxuělán 명 《植》 프리지어(freesia). =〔小xiǎo苍兰〕
〔香蕈〕 xiāngxùn 명 ⇨〔香菇〕
〔香牙蕉〕 xiāngyájiāo 명 ⇨〔香蕉〕
〔香烟〕 xiāngyān 명 ①궐련. =〔纸烟〕〔〈北方〉烟卷儿〕 ②향의 연기. ③자손이 조상을 제사 지냄. 〈轉〉 자손. 후손.
〔香艳〕 xiāngyàn 형 〈比〉 사조(詞藻)가 요염하고 아름다운 시문(詩文)의 형용. 또는 내용이 호색적(好色的)인 시문의 형용. 또, 정사(情事)를 취급한 소설·영화 등을 형용함. ¶电影上出现了一个～的镜头; 영화에 선정적인 장면이 나왔다.
〔香洋〕 xiāngyáng 명 홍콩 달러. =〔港gǎng币〕
〔香仪〕 xiāngyí 명 부의(賻儀). =〔奠diàn敬〕
〔香胰子〕 xiāngyízi 명 ⇨〔香皂〕
〔香迎〕 xiāngyíng 동 〈北方〉 환영하다. ¶风闻驾到准备～; 오신다는 소식을 듣고 환영 준비를 했습니다.
〔香应〕 xiāngying 명 이익. ¶他的生意很占zhàn～; 그의 장사는 크게 이익을 올리고 있다 / 这件事于我有～; 이 일은 내게는 득이 있다.
〔香油〕 xiāngyóu 명 ①향기로운 기름의 총칭. ②참기름. =〔芝麻油〕〔麻油〕 ③선향(線香)과 등명유(燈明油).
〔香油虫〕 xiāngyóuchóng 명 《植》 노래기. =〔马mǎ陆〕
〔香油钱〕 xiāngyóuqián 명 선향과 등불 밝히는 데에 쓰는 돈.
〔香鱼〕 xiāngyú 명 《魚》 은어. ¶小～; 새끼은어.
〔香圆〕 xiāngyuán 명 《植》 탱자나무. 또, 그 과실(과피를 약용함).
〔香橼〕 xiāngyuán 명 《植》 시트론(citron). 또, 그 과실. =〔枸jǔ橼〕
〔香云拷〕 xiāngyúnkǎo 명 엷은 비단. =〔拷绸〕
〔香云纱〕 xiāngyúnshā 명 《紡》 광둥(廣東)산의 무늬있는 얇은 고급 견직물(흑색). =〔点diǎn梅纱〕
〔香糟〕 xiāngzāo 명 상등의 사오싱 주(紹興酒) 제조시에 나오는 술지게미. ¶～肉; 술지게미에 절인 돼지고기.
〔香皂〕 xiāngzào 명 세수〔화장〕 비누. =〔〈北方〉香胰子〕〔香肥皂〕〔〈廣〉香枧〕
〔香泽〕 xiāngzé 명 〈文〉 ①머리에 바르는 향유. ②향기. ‖=〔芳fāng泽〕〔芗xiāng泽〕
〔香獐(子)〕 xiāngzhāng(zi) 명 《動》 사향사슴의 통칭. =〔香鹿〕
〔香脂〕 xiāngzhī 명 ⇨〔香胶〕
〔香纸〕 xiāngzhǐ 명 ①선향(線香)과 지전(紙錢). ②향기나게 만든 종이. 향수지.
〔香珠〕 xiāngzhū 명 향나무로 만든 염주. =〔香串(儿)〕
〔香烛〕 xiāngzhú 명 조상이나 신불(神佛)에게 제사 지낼 때 쓰는 향(香)과 양초.
〔香烛纸马〕 xiāng zhú zhǐ mǎ 명 선향·초·지전(紙錢)·종이에 인쇄한 신상(神像) 등(부처를 공양할 때에 씀). =〔香蜡纸马〕
〔香主〕 xiāngzhǔ 명 ①상주(喪主). ②대(代)를 이을 사람.
〔香篆〕 xiāngzhuàn 명 향으로 전자체(篆字體)의 문자를 만들어, 불을 붙여서 그 탄 양에 의해서 시간을 재는 것.
〔香资〕 xiāngzī 명 ①향전(香奠). ②보시(布施). ‖=〔香钱〕
〔香子兰〕 xiāngzǐlán 명 《植》 바닐라(난초과의 만성 다년초).

麘

xiāng (향)
→〔麝shè麘〕

襄

xiāng (양)
①동 〈文〉 돕다. ¶～办; ⇩ / 共～义举; 함께 의거를 돕다. ②동 오르다. ③동 치우다. 제거하다. ④동 찬성하다. ⑤동 이룩하다. ⑥명 탈것. ⑦명 성(姓)의 하나.
〔襄办〕 xiāngbàn 동 〈文〉 협력하여 처리하다. 조력하다.
〔襄礼〕 xiānglǐ 동 혼례·장의(葬儀)·제사 등을 주재(主宰)하다. 명 혼례·장의·제사의 진행 담당. ‖=〔相xiāng礼〕
〔襄理〕 xiānglǐ 동 〈文〉 협력하여 처리하다. 명 (비교적 규모가 큰 은행이나 기업의) 부사장. ‖=〔相礼〕
〔襄赞〕 xiāngzàn 동 〈文〉 ⇨〔襄助〕
〔襄助〕 xiāngzhù 동 〈文〉 돕다. 협력하다. =〔襄赞〕

勷 xiāng (양)
동 〈文〉 돕다. ⇒ráng

骧(驤) xiāng (양)
동 ①〈文〉 말이 머리를 쳐들고 질주(疾走)하다. ②(머리를) 쳐들다.

镶(鑲) xiāng (양)
동 ①끼워 박다. 상감(象嵌)하다. ¶～玻璃; 유리를 끼우다 / 金～玉嵌; 금이나 옥을 상감하다 / 戒指上～一块宝石; 반지에 보석을 하나 끼워 넣다. ②가에 선을 두르다. 테를 두르다. ¶拿红纸～上; 붉은 종이로 테를 두르다 / 在衣服上～一道红边儿; 옷에 빨간 테를 두르다.

〔镶白旗〕 xiāngbáiqí 명 청대(淸代)에 있던, 주위를 흰색으로 테를 두른 황룡기(黃龍旗)(‘八旗’ 중의 하나).

〔镶板〕 xiāngbǎn 명 ①베니어 합판(合板). ②문이나 천장 따위에 끼우는 반반하고 큰 널빤지.

〔镶边(儿)〕 xiāngbiān(r) 명 (재봉의) 테〔가선〕(두르기). (xiāng,biān(r)) 동 테를〔가선을〕 두르다. ¶镶花边儿; 옷에 레이스를 두르다〔붙이다〕.

〔镶工〕 xiānggōng 명 상감 세공(인).

〔镶工具〕 xiānggōngjù 명 상감(象嵌) 공구.

〔镶轨石头〕 xiāngguǐ shítou 명 철길 자갈. =〔路lù基石〕

〔镶木〕 xiāngmù 명《美》 모자이크. =〔剪jiǎn嵌〕

〔镶砌〕 xiāngqì 동 끼워 넣는 식으로 쌓다. ¶洞壁用砖头～得坚固; 동굴 벽은 벽돌을 끼워 넣어 견고하게 구축되어 있다.

〔镶嵌〕 xiāngqiàn 동 끼워 박다. 상감하다. ¶～工; 상감공.

〔镶色〕 xiāngsè 동 (자수 따위에서) 색을 짜 넣다. 테를 색깔 있는 것으로 두르다.

〔镶条〕 xiāngtiáo 명《機》 요자형(凹字型)의 쐐기. =〔〈北方〉 夹jiā条〕〔〈南方〉 煞shā铁〕〔〈北方〉 哨shào铁〕

〔镶牙〕 xiāngyá 명 의치(義齒). (xiāng,yá) 동 이를 씌우다. 이를 해 박다.

〔镶眼〕 xiāng,yǎn 동 의안(義眼)을 넣다. (xiāngyǎn) 명 의안.

〔镶住〕 xiāngzhù ①(빠지거나 움직이지 않도록) 끼워 넣다. ②〈比〉 인정이나 예절에 구애되어 어찌할 수 없게 되다.

详(詳) xiáng (상)
①형 소상하다. 상세하다. ¶～加说明; 상세하게 설명하다 / ～～细细地告诉我; 좀더 자세히 내게 이야기해라 / 记载zǎi不～; 기록이 상세하지 않다. ②동 상세히 설명하다. 상술(詳述)하다. ¶内～; 자세한 것은 안에 적었다. ③형 (일 따위가) 분명하다. 확실하다. ¶内容不～; 내용이 분명하지 않다. ④동 해몽(解夢)을 하다. ⑤동명 〈公〉 상급 관청에 보고하여 지시를 받는 공문(을 보내다). ¶～文; 상급(기관)에 보고하는 공문 / 等～了上司才定; 공문을 받고서야 상관이 결정하다. ⑥형 경사스럽다.

〔详报〕 xiángbào 동 자세하게 알리다. 상세히 보고하다. 명 상세한 보고.

〔详禀〕 xiángbǐng 동 〈文〉 상세히 상신하다.

〔详查〕 xiángchá 동 (상세하게) 조사하다.

〔详察〕 xiángchá 동 자세히 조사하다.

〔详单〕 xiángdān 명 명세서(明細書).

〔详复〕 xiángfù 동 상세히 회답하다.

〔详告〕 xiánggào 동 상세히 고하다〔알리다〕.

〔详核〕 xiánghé 동 상세히 조사〔검토〕하다. ‘详加审核’의 준말. ¶此款已经～准予报销; 이 금액은 이미 상세히 심사하시어 보고 수리가 끝난 것으로 되어 있습니다.

〔详加〕 xiángjiā 동 상세히 …하다(뒤에 2음절어를 놓음). ¶～解释; 상세히 해석하다.

〔详硷〕 xiángjiǎn 명《化》 중탄산 나트륨.

〔详解〕 xiángjiě 동 자세하게 해석하다. 명 상세한 해석. 상해(책의 제목 등에 씀).

〔详尽〕 xiángjìn 형 자세하다. 누락됨이 없이 상세하다. ¶～的记载; 전체에 걸친 상세한 기록 / 因为时间短促, 无法～; 시간이 촉박하여, 상세하게 할 방법이 없다.

〔详练〕 xiángliàn 동 〈文〉 숙련하다. 숙달하다.

〔详略〕 xiánglüè 명 상세함과 간략함. ¶无分～, 均颇扼要; 상세함과 간략함의 구별없이 어느것이나 모두 중요하다.

〔详论〕 xiánglùn 명 상론. 동 자세히 논하다.

〔详梦〕 xiángmèng 명동 〈文〉 해몽(하다). =〔解jiě梦〕〔原yuán梦〕

〔详密〕 xiángmì 형 주도 면밀하다. 매우 상세하며 빠뜨림이 없다.

〔详明〕 xiángmíng 형 자세하고 알기 쉽다. ¶讲解～; 강의가 상세하고 분명하여 알기 쉽다.

〔详情〕 xiángqíng 명 자세한 사정〔상황〕. ¶这谈话的～将在报上发表; 이 담화의 자세한 상황은 곧 신문지상에 발표된다.

〔详实〕 xiángshí 형 ⇨〔翔实〕

〔详述〕 xiángshù 동 상술하다. 상세히 진술하다.

〔详谈〕 xiángtán 동 상세하게 이야기하다. ¶～细讲; 〈成〉 자세히 이야기하다.

〔详图〕 xiángtú 명 자세한 그림. 상세도.

〔详悉〕 xiángxī 동 상세히 알고 있다. 형 상세하고 완전하다〔빠짐없다〕.

〔详细〕 xiángxì 형 상세하다. ¶～推tuī究 =〔细究〕; 상세하게 구명하는 일. 세세히 추구하다.

〔详详细细〕 xiángxiangxìxì 형 매우 상세하다. ¶他把始末经过～地说了一遍; 그는 자초지종을 자세하게 한바탕 이야기했다.

〔详叙〕 xiángxù 동 〈文〉 자세하게 서술하다. ¶～内情; 속사정을 자세히 이야기하다.

〔详雅〕 xiángyǎ 형 〈文〉 찬찬하고 단아하다. ¶安ān详文雅; 자상하고 단아하다 / 风度～; 풍채가 단아하다.

〔详章〕 xiángzhāng 명 〈文〉 세칙(細則). 상세한 규칙. ¶另备～供gōng人索阅; 따로 세칙을 마련하여 희망자에게 제공한다.

〔详注〕 xiángzhù 〈文〉 동 상세하게 기입하다〔주를 달다〕. ¶有关各节～于后; 관계 있는 사항은 뒤에 상세하게 기입되어 있다. 명 상주. 상세한 주석.

庠 xiáng (상)
명 〈文〉 옛날 시골 학교. ¶郡jùn～; 군의 학교 / 邑yì～; 읍의 학교.

祥 xiáng (상)
①형 상서롭다. ¶不～; 불길(不吉)하다 / 吉jí～; 경사스럽다. 상서롭다. ②명 (길흉(吉凶)의) 징조. 전조(前兆). ③명 성(姓)의 하나.

〔祥金〕 xiángjīn 명 고대(古代)의 동기(銅器).

〔祥麟〕 xiánglín 명 기린(麒麟)의 별칭.

〔祥瑞〕 xiángruì 명 〈文〉 상서. 길조. ¶红烛高烧一片～之气; 빨간 초가 높다랗게 밝혀져 있어 상서로운 분위기가 가득 차 있다.

〔祥云〕 xiángyún 명 〈文〉 상서로운 구름. 서운(瑞

雲).
〔祥兆〕 xiángzhào 명 〈文〉 상서로운 징조. 서조(瑞兆). 길조(吉兆).

翔 **xiáng** (상)
①동 날다. 활공하다. ¶飞～; 비상하다 / 滑huá～机; 글라이더. 활공기. ②형 〈文〉 상세하다. ¶本书内容～实; 이 책의 내용은 상세하고 확실하다. ③동 돌다.
〔翔贵〕 xiángguì 동 〈文〉 물가가 등귀하다.
〔翔集〕 xiángjí 동 ①새가 선회하면서 앉을 곳을 확인한 후에 내려앉다. 상집하다. ②〈轉〉 널리 조사하여 수집하다.
〔翔实〕 xiángshí 형 〈文〉 상세하고 정확(精確)〔확실〕하다. ¶～的材料; 상세하고 정확한 자료. =〔详实〕

降 **xiáng** (항)
동 ①항복하다. 귀순(歸順)하다. 투항하다. ¶宁死不～; 죽어도 항복하지 않다 / 喊话劝～; 큰 소리로 항복을 권고하다. ②제압(制壓)하다. 눌러 버리다. 방제(防除)하다. ¶猫～得住耗子; 고양이는 쥐를 제압할 수 있다 / 这种虫子要用猛烈的杀虫剂才能～得住; 이런 종류의 벌레는 강력한 살충제를 써야만 방제할 수 있다 / ～龙伏虎的本事; 강대한 세력을 이길 만한 기량. ③길들이다. ⇒jiàng
〔降表〕 xiángbiǎo 명 〈文〉 항복 문서.
〔降得住〕 xiángdezhù 제압하다. 방제하다.
〔降敌〕 xiángdí 동 적에게 항복하다.
〔降伏〕 xiáng.fú 동 순종시키다. 길들이다. ¶没有使过牲口的人, 连个毛驴也～不了; 가축을 다루어 보지 않은 사람은, 당나귀 새끼조차도 부릴 수 없다.
〔降伏点〕 xiángfúdiǎn 명 《物》 항복점. =〔屈qū服点〕
〔降服〕 xiángfú 동 항복하다. 굴복하다. =〔归guī降〕 ⇒jiàngfú
〔降附〕 xiángfù 동 항복하여 귀속되다.
〔降户〕 xiánghù 명 항복한 적의 가옥. 또는 그 가족.
〔降龙伏虎〕 xiáng lóng fú hǔ 〈成〉 법력(法力)으로 용호(龍虎)를 항복시키다《힘을 휘둘러 강한 것에 이기다》.
〔降魔〕 xiángmó 동 악마를 항복시키다.
〔降旗〕 xiángqí 명 항복의 표시로 올리는 깃발. 백기.
〔降顺〕 xiángshùn 동 〈文〉 항복하고 귀순하다. 항복하여 순종하다.

栙 **xiáng** (항)
→〔栙双〕
〔栙双〕 xiángshuāng 명 〈文〉 (대나무 발로 만든) 배의 돛.

享 **xiǎng** (향)
동 ①받다. (혜택을) 누리다. 향유하다. ¶坐～其成; 〈成〉 일하지 않고 남의 성과를 향유하다 / 分～快乐; 〈成〉 즐거움을 나누다 / 有福同～; 〈成〉 복이 있으면 같이 누리다. ②〈文〉 (옛날, 물건 등을) 바치다. ③신(神)에게 제(祭) 지내다.
〔享殿〕 xiǎngdiàn 명 ⇨〔享堂〕
〔享福〕 xiǎng.fú 동 복을 누리다. 행복하게 살다. ¶一人吃苦, 万人～; 〈諺〉 한 사람의 노고로 만인이 행복하게 되다 / 老太太在家里～; 할머니는 집에서 평안하게 지내신다. =〔受福〕
〔享国〕 xiǎngguó 동 〈文〉 군주 또는 제후가 재위(在位)하다. 명 재위 기간.
〔享祭〕 xiǎngjì 동 〈文〉 제물을 바쳐 신을 제사 지내다.
〔享客〕 xiǎngkè 동 〈文〉 손님을 접대하다. ¶以咖啡～; 커피로 손님을 대접하다.
〔享乐〕 xiǎnglè 명동 향락(하다). ¶不能只顾～; 즐겁게 놀고만 있을 수 없다 / ～思想; 향락 사상 / ～主义; 향락주의.
〔享年〕 xiǎngnián 명 〈敬〉 (주로, 노인의) 향년. 평생을 살아 누린 나이. ¶～八十四岁; 향년 84세. =〔行年②〕
〔享寿〕 xiǎngshòu 동 오래 살다. 장수하다. ¶积德才能～; 덕을 쌓아야만 오래 살 수 있다. 명 향년. =〔享年〕
〔享受〕 xiǎngshòu 동 (은혜 · 이익을) 받다. (물질적 · 정신적인) 만족을 얻다. 향수하다. 누리다. ¶～鸿福; 큰 행복을 누리다 / ～权利; 권리를 향수하다. 명 향락. 즐김. ¶只顾个人～; 개인의 향락만을 염두에 두다 / 懒人只贪图～; 게으른 자는 향락만 탐한다.
〔享堂〕 xiǎngtáng 명 조상의 위패를 안치해 두는 곳. =〔享殿〕
〔享现成〕 xiǎng xiànchéng (수고하지 않고) 기왕에 있는 것으로 편안히 지냄.
〔享用〕 xiǎngyòng 동 (어떤 것을 사용하여, 물질적 또는 정신적인) 만족을 얻다. 복을 받다. 누리다. 맛보다. ¶～了名果; 명과를 맛보았다 / 好东西留待大家共同～; 좋은 물건은 모든 사람들이 공동으로 누리도록 남겨 두다.
〔享有〕 xiǎngyǒu 동 (권리 · 명예 · 인망 따위를) 지니다. 향유하다. ¶～盛名; 명성을 얻고 있다 / ～很高的荣誉; 매우 높은 영예를 누리다.
〔享誉〕 xiǎngyù 동 영예를 누리다.

飨(饗) **xiǎng** (향)
〈文〉 ①동 술과 음식을 대접하다. 향응을 베풀다. ¶以酒食～客; 주식을 손님에게 대접하다 / 宴～贵宾; 잔치를 베풀어 귀빈을 접대하다. ②동 〈轉〉 남을 만족시키다. 남의 요구에 부응하다. ③명 융숭한 잔치. ④동 음식에 초대받다. ⑤동 제사(祭祀)(지내다). 신불(神佛) 앞에 제물을 올리다. ¶～茔yíng; 조상의 묘에 제사 지내다. ⑥동 받다. 누리다. ¶～福; 행복을 누리다. =〔享〕

响(響) **xiǎng** (향)
①(～儿) 명 (목)소리. 울림. ¶没听见～儿; (목)소리가 들리지 않았다. ②형 소리가 크다. 우렁차다. ¶请您说得～一些; 좀 큰 소리로 말씀해 주십시오 / 号声真～; 나팔 소리가 정말 우렁차다 / 他说话的声音很～; 그의 말하는 소리는 정말 크다. ③(～儿) 명 대답의 소리. 반향(反響). ¶如～斯应; 즉시 반응하다. ④동 말하다. ¶一声不～; 한 마디도 말을 하지 않다. ⑤동 씨부렁거리다. ¶不要～; 잠자코 있어! 아가리 닥쳐. ⑥동 (소리가) 울리다. 소리를 내다. ¶这个铃真～; 이 벨은 소리가 잘 난다 / 吃东西, 筷子、碗不要～; 음식을 먹을 때, 젓가락이나 공기 소리를 내서는 안 된다 / 钟～了; 종이〔시계가〕 울렸다. ⑦동 반응이 있다. 반향이 있다. ¶说什么也不～; 무슨 말을 해도 반향이 없다 / ～应; ⇩ / ～应祖国的号召; 조국의 부름에 응하다 / 他到哪儿都叫得～; 그는 어디로 가나 반향을 불러일으킨다. ⑧양 발《총탄 등의 발사 소리를 셈》. ¶二十～的驳bó壳枪; 20발들이의

모젤 권총.
〔响板〕 xiǎngbǎn 명 《樂》 캐스터네츠(castanets).
〔响梆儿〕 xiǎng bāngr 엄지손가락과 가운뎃손가락을 튀겨서 소리를 내다. =〔打dǎ榧子〕
〔响鼻(儿)〕 xiǎngbí(r) 명 (말 따위 동물의) 코뚜레질.
〔响鞭〕 xiǎngbiān 명 채찍 소리만 내어, 말을 달리게 하는 기술. =〔爆bào花鞭〕
〔响彻〕 xiǎngchè 동 (소리가) 드높이 울리다. 울려퍼지다.
〔响彻云霄〕 xiǎng chè yún xiāo 〈成〉 드높이 창공에 울려 퍼지다. ¶广场上掌声雷动, 音乐声与口号声～; 광장에서 박수 소리가 우레처럼 울리고, 음악 소리나 슬로건을 부르짖는 소리가 구름을 통하여 공중에 울려 퍼지고 있다.
〔响尺〕 xiǎngchǐ 명 옛날, 장례 때, '杠gàng头'(상여꾼의 우두머리)가 상여의 진행 등을 지시할 때에 쓰는 딱딱이 모양의 두 개의 막대.
〔响当当(的)〕 xiǎngdāngdāng(de) 형 ①잘 울리는 모양. (말 따위가) 분명한 모양. ②〈比〉 뛰어나다. 명성이 천하에 울려 퍼지다. ¶～的人; 잘 알려진 사람. 이름이 알려진 사람.
〔响动(儿)〕 xiǎngdong(r) 명 ①(사물의) 소리. ¶除了远处的汽车喇叭, 一点～也没有; 멀리서 들려오는 자동차의 경적(警笛) 외에는 아무 소리도 나지 않는다. ②기척. 움직임. 동정(動靜). ¶你如果听见有什么～赶快叫我; 네가 만약 무슨 소리를 듣는다면 빨리 나를 불러라.
〔响遏行云〕 xiǎng è xíng yún 〈成〉 드높은 노랫소리가 하늘까지 울려 퍼져서 가는 구름도 멈추게 할 정도임.
〔响房〕 xiǎng.fáng 동 옛날 결혼식날, 신부를 맞으러 가는 신랑의 가마가 집을 나가기 전에 음악을 연주하다.
〔响鼓不用重锤敲〕 xiǎng gǔ bùyòng zhōngchuí qiāo 잘 울리는 북은 무거운 채로 칠 필요가 없다(①작은 일을 크게 벌일 것이 못 됨. ②재능 있는 사람은 큰 일을 쉽게 해낸다).
〔响话〕 xiǎnghuà 명 분명한〔똑똑한. 단호한〕 이야기. 논리 정연한 이야기. ¶连一句～都没有; 한 마디도 시원한 이야기를 해 주지 않는다.
〔响唤〕 xiǎnghuàn 동 ①(사물이) 소리를 내다. ¶这玩意儿会～; 이 장난감은 소리가 난다. ②(동물이) 소리를 내다.
〔响箭〕 xiǎngjiàn 명 우는 살. 명적(鳴鏑)(날면서 소리가 나는 화살).
〔响炕〕 xiǎngkàng 명 안팎 모두 벽돌로 쌓고, 안에 불고래를 남겨 놓은 '炕'(온돌).
〔响亮〕 xiǎngliàng 형 ①(목)소리가 높이 울려 퍼지다. 소리가 높고 크다. ¶歌声～; 노랫소리가 드높다 / 人民要求禁止核武器的呼声更加～; 핵무기 금지를 요구하는 인민의 구호 소리가 더욱 높아지다. ②(명성이) 알려지다. ③(성격이) 뚜렷하고 통쾌하다. ¶～人; 시원스럽고 활달한 사람. 명 울림. 소리.
〔响铃儿〕 xiǎnglíngr 명 방울. 초인종. 벨. ¶按～; 벨을 누르다.
〔响铃猪〕 xiǎnglíngzhū 명 《動》 호저. =〔豪háo猪〕
〔响锣〕 xiǎng luó 징을 울리다. 〈比〉 (시합·회의 등을) 개막하다. 개시하다(징을 울려 시작의 신호로 사용하는 데서 유래). ¶那比赛在当地时间下午四时～; 그 시합은 현지 시간으로 오후 4시에 시작된다.
〔响螺〕 xiǎngluó 명 《魚》 소라고둥.
〔响马〕 xiǎngmǎ 명 옛날, 북방의 마적. 노상 강도(먼저 '响箭'를 쏜 다음 나타났다고 함). ¶放fàng～; 노상 강도질을 하다.
〔响木〕 xiǎngmù 명 설화인(說話人)〔이야기꾼〕이 쓰는 나무 토막. =〔醒xǐng木〕
〔响排〕 xiǎngpái 동 음악 반주를 곁들여서 하는 무대 연습을 하다.
〔响器〕 xiǎngqì 명 징·큰북·꽹과리 따위의 비교적 단순한 타악기의 총칭. 악기. ¶一百天之内, 不许动～; 백 일 동안 연주 금지.
〔响晴〕 xiǎngqíng 형 구름 한 점 없이 개다. 쾌청하다. ¶～的天; 쾌청한 날씨. =〔响天大日〕
〔响儿〕 xiǎngr 명 〈方〉 소리. ¶别弄出～; 소리를 내지 마라. →〔声shēng儿〕
〔响杓〕 xiǎng.sháo 동 (요리사가 요리가 다 되었음을 알리기 위해) 국자로 냄비를 두드리다.
〔响舌儿〕 xiǎng.shér 동 (쳇 하고) 혀를 차다. 혀를 울리다. ¶嘴上打着～说: "啧zé, 啧, 失手了, 失手了!" 혀를 차며 말했다. 쯧쯧 아뿔싸!
〔响声(儿)〕 xiǎngshēng(r) 명 ①소리. 반향(反響). ¶听不见～了; 소리가 들리지 않게 되었다. ②큰 소리. 쩌렁쩌렁한 목소리. ¶打个～; 큰 소리를 지르다. =〔响儿〕
〔响天大日〕 xiǎng tiān dà rì 〈成〉 맑게〔활짝〕 갠 모양.
〔响铁〕 xiǎngtiě 명 정련된 쇠.
〔响铜〕 xiǎngtóng 명 정련한 동(악기를 만드는 구리).
〔响头〕 xiǎngtóu 명 옛날, '磕kē头'의 예를 할 때 머리를 땅에 부딪쳐 소리가 나게 하는 경우. ¶磕了个～; 머리를 부딪쳐서 소리가 나는 큰 절을 했다.
〔响尾蛇〕 xiǎngwěishé 명 《動》 방울뱀. ¶～式导弹; 사이드 와인더(side winder) 미사일.
〔响杨〕 xiǎngyáng 명 《植》 은백양. =〔毛máo白杨〕
〔响音〕 xiǎngyīn 명 《言》 모음(母音)과 악음적(樂音的) 성질을 갖는 자음(子音)(m, n, l 따위. 또, 오로지 악음적 성질을 갖는 자음을 가리킴).
〔响应〕 xiǎngyìng 명동 공명(共鳴)(하다). 공감(하다). 호응(하다). 응답(하다). ¶～号召; 부름에 응하다 / 获得了广大国民的～; 광대한 국민의 호응을 얻었다.

饷(餉〈饟〉) xiǎng (향)

① 명 군량(軍糧). ¶军～; 군비. ② 명 〈口〉 군의 급여. 병사의 급료. ¶发～; 급여를 지급하다 / 关～; 급여를 수령하다. ③ 명 경찰관의 급여. ④ 동 〈文〉 남에게 음식이나 물건을 선사하다.
〔饷宾〕 xiǎngbīn 동 〈文〉 손님을 접대하다. =〔饷客〕
〔饷给〕 xiǎngjǐ 동 〈文〉 병사에게 배급하는 식량〔급여〕. ¶～不继; 급여가 계속되지 않다.
〔饷捐〕 xiǎngjuān 명 옛날, 군량미를 충당하기 위한 세금.
〔饷客〕 xiǎngkè 동 〈文〉 ⇨〔饷宾〕
〔饷馈〕 xiǎngkuì 명 〈文〉 병량(兵糧). 군수품. 군량(軍糧).
〔饷遗〕 xiǎngwèi 동 〈文〉 남에게 물건을 보내다〔선사하다〕. ¶送往迎来, 庆吊～都是人情常礼; 송영(送迎)이나 경조사의 선물 같은 것은 모두 인정으로서 상례적인 예의다. =〔馈kuì赠〕
〔饷银〕 xiǎngyín 명 급료. 봉급. 군비(軍費). ¶这

次加税是为了筹募～; 이번의 증세는 군비 조달을 위해서이다.

蚼 **xiǎng** (향)
→〔蚼虫〕

〔蚼虫〕 xiǎngchóng 명 〈方〉 멸구·강충이 등 벼의 해충.

想 **xiǎng** (상)
① 동 생각하다. ¶敢～, 敢说, 敢做; 대담하게 생각하고, 대담하게 발언하며, 대담하게 실행하다 / ～起什么是什么; 생각나는 대로 마구 행동하다 / 你～～对不对; 옳은지 어떤지 생각해 보아라. ② 조동 …하고 싶다. …하려 하다. ¶不～吃, 就是渴; 먹고 싶은 생각은 없고, 다만 목이 마르다 / 我～抽烟; 나는 담배를 피우고 싶다 / 我倒～吃, 就是吃不起; 나는 먹고 싶은데 (비싸서) 먹을 수 없다. ③ 동 바라다. ¶我～钱; 나는 돈이 필요하다. ④ 동 예상하다. …이라고 추측하다. ¶不～居然成功了; 의외로 성공했다 / ～不到会有这样儿的变化; 이와 같은 변화가 있으리라고는 예상치 못했다 / 谁～到…; 누가 예상했으리요. ⑤ 동 걱정하다. 근심하다. 마음에 두다. ¶妈妈～你呢! 어머니가 걱정하고 계시다. ⑥ 동 몹시 생각하다. 간절하게 그리워하다. ¶他还年轻, 竟～母亲; 그는 아직 나이가 어려 어머니를 그리워하고만 있다 / 大家都～你; 모두들 당신을 그리워한다 / 我很～他; 나는 그를 그리워하고 있다 / 真怪～的; 정말 그립다 / 父母～念儿女; 부모가 자녀들을 그리워하다. ⑦(～着) 동 잊지 않고 기억하고 있다. 마음에 두고 잊지 않고 있다. ¶你～着带来吧; 잊지 말고 가지고 오너라 / 你到了那儿～着给我信吧; 그쪽에 닿거든 잊지 말고 제게 편지를 주셔요. ⑧ 명 생각. 사고. ⑨(～儿) 명 〈方〉 희망. 가망. ¶没～儿; 가망이 없다.

〔想必〕 xiǎngbì 부 꼭. 반드시. 틀림없이. ¶这事～你知道; 이 일은 네가 꼭 알 거라고 생각한다 / ～不小心在半路上掉了; 필시 부주의해서 도중에 떨어뜨렸겠지.

〔想遍〕 xiǎngbiàn 동 여러 방면으로 생각해 보다. 남김없이〔두루〕 생각하다. ¶什么办法都～了; 무슨 방법이나 다 생각해 보았다.

〔想不出〕 xiǎngbuchū 생각이 나지 않다. ¶还～好主意; 아직 좋은 생각이 떠오르지 않는다.

〔想不到〕 xiǎngbudào 미처 생각지도 못하다. 뜻밖이다. ¶梦也～; 꿈에도 생각하지 못하다 / 这是～的事; 이것은 뜻밖의 일이다 / ～出这样的怪事; 이런 괴상한 일이 일어나리라고는 미처 생각하지 못했다. ↔〔想得到〕

〔想不开〕 xiǎngbukāi 이것저것 생각하고 괴로워하다. 여의치 않은 일에 대해 생각을 떨쳐 버리지 못하다. 꽁하다. ¶人迟早都要死的, 别～; 사람은 조만간 모두 죽는 것이니, 단념해라. ↔〔想得开〕

〔想不起来〕 xiǎngbuqǐ.lái 생각해 내지 못하다. 머리에 떠오르지 않다. ¶～在哪儿见过面; 어디에서 만났었는지 생각이 나지 않습니다 / 怎么也～; 어떻게 해도 생각이 나지 않는다.

〔想不通〕 xiǎngbutōng 생각이 개운치 않다. 생각해 보아도 납득〔이해〕할 수가 없다. ↔〔想得通〕

〔想碴儿〕 xiǎng.chár 동 곰곰이 생각하다. 반성하다. 사후에 검토하다. ¶事情过去了, 他还在那里～呢; 다 지나간 일을 그는 여전히 곰곰이 검토하고 있다.

〔想差〕 xiǎngchà 동 잘못 생각하다. ¶是我～了; 내가 생각을 잘못했다. =〔想错〕

〔想出〕 xiǎng.chū 동 생각해 내다. ¶～好办法; 좋은 방법을 생각해 내다.

〔想出来〕 xiǎng.chu.lai 생각해 내다. ¶想了半天才～; 한참 궁리하고 나서야 겨우 생각이 났다 / 想出好办法来; 좋은 방법을 생각해 냈다.

〔想错〕 xiǎngcuò 동 잘못 생각하다. 착각하다.

〔想当年〕 xiǎng dāngnián 옛날을 생각하다('옛날에는 말이야 …'라고 말하며 과거와 현재를 비교하는 일). ¶～, 他还是我的学生, 现在连他的孩子都上大学了; 옛날엔 말이야, 그는 내 학생이었는데, 지금은 그의 아들이 대학에 진학했다.

〔想当然〕 xiǎng dāngrán 당연히 그러리라고 생각하다. 주관적인 추측으로 으레 그러려니 여기다. ¶靠～办事; 추측으로 일을 처리하다.

〔想到〕 xiǎng.dào 동 생각나다. 생각이 미치다. ¶那件事我真没～; 나는 그 일을 정말로 생각하지 못했다.

〔想得到〕 xiǎngdedào 예상되다. 생각해 낼 수 있다. 예상할 수 있다(흔히, 반어로 쓰임). ¶谁～…? …이라고 누가 생각이나 할 수 있겠는가? ↔〔想不到〕

〔想得开〕 xiǎngdekāi 작은 일에 끙끙거리지 않고 대범하게 생각하다. 미련 없이 깨끗이 단념하다. 마음에 두지 않다. ¶他能～, 不会把这件事放在心上; 그는 마음이 대범해서, 그런 일 따위에는 신경을 쓸 리가 없다. ↔〔想不开〕

〔想法〕 xiǎngfǎ 동 (어떻게든) 방법을 생각하다. ¶～解决问题; 어떻게든 해서 문제를 해결하다.

〔想法〕 xiǎngfa 명 사고방식. 생각. 의견. ¶这个～不错; 이것은 좋은 생각이다 / 这种～是错误的; 이 사고방식은 잘못된 것이다.

〔想法子〕 xiǎng fǎzi ①방법을 생각하다. 궁리하다. ②궁리해서. 어찌어찌해서. ¶～把工作做好; 어찌어찌 궁리해서 일을 완성하다. ‖ =〔想方设法〕

〔想方设法〕 xiǎng fāng shè fǎ ⇨〔想法子〕

〔想过味儿来〕 xiǎngguò wèir lai 후회하다. (과거에 한 일이 잘못이었다고) 깨닫다〔뉘우치다〕. ¶大家忽然～, 几乎是一齐的: "得了, 祥子, 逗着你玩呢!"《老舍 駱駝祥子》; 모두들 갑자기 깨닫고 거의 일제히 "됐어, 상자야, 농담이라구."라고 말했다.

〔想家〕 xiǎng.jiā 동 집을 그리워하다. 홈식(homesick)에 걸리다. 집의 일이 걱정되다. ¶初到外地不免～; 처음으로 외지에 나가면 집이 그리워지지 않을 수 없다.

〔想家病〕 xiǎngjiābìng 명 홈식(homesick). 망향병. 향수병.

〔想家子儿〕 xiǎngjiāzǐr 명 〈北方〉 집 생각하는 사람. ¶他们哥儿俩都是～没有一个废物; 그들 두 형제는 모두 집 생각을 하는 자들로, 한 사람도 쓸모없는 놈은 없다.

〔想见〕 xiǎngjiàn 동 추측해서 알다. 짐작이 가다. 미루어 알다. ¶～是你不对; 자네가 잘못이라는 것을 알고 있네. =〔可见〕

〔想绝〕 xiǎngjué 동 (이것저것) 다 생각해 보다. 끝까지 생각하다. ¶法子都～了; 방법은 다 생각해 보았다.

〔想开〕 xiǎngkāi 동 ①생각을 넓게 가지다. 달관(達觀)하다. 깨끗이 단념하다. 체념하다. ¶想不开; 단념하지를 못하다 / 你～了吧; 단념해라. ②생각을 정리하다. 생각하기 시작하다. (갑자기) 머리에 떠오르다. ¶现在～了, 怨咱不干活, 不怨人家拿着不当人; 이제야 알았어. 내가 일하지 않

는 게 잘못이지, 남한테 사람 대접을 못 받는 것도 할 수 없는 일이라는 걸.

〔想来〕 xiǎnglái [부] 생각건대. 아마. ¶他这话～是不错的; 그 사람의 이 말은 옳다고 생각합니다/～可以办得到; 아마 해낼 수 있겠죠.

〔想来想去〕 xiǎnglái xiǎngqù 되풀이해서 생각하다. (한 가지 일을) 여러 가지로 생각하다. ¶～, 总没有好办法; 여러 가지 생각을 해 보았으나, 결국 좋은 방법은 없다.

〔想念〕 xiǎngniàn [동] 생각하다. 그리워하다. ¶～远方的战友; 먼 곳에 있는 전우를 그리워하다/老人～远地的儿女; 노인이 먼 곳에 있는 자녀를 그리워한다. [명] 생각.

〔想拧〕 xiǎngnǐng [동] 착각하다. 잘못 생각하다. ¶还是你～了; 역시 네가 잘못 생각했다.

〔想偏〕 xiǎngpiān [동] 치우쳐서 생각하다. 일방적으로 생각하다. ¶～了心; 너무 생각〔마음〕이 한쪽으로 치우쳤다.

〔想起〕 xiǎngqǐ [동] 상기하다. 떠올리다. ¶～旧事, 就满腹牢骚; 옛날 일을 떠올리면 곧 가슴 가득 불만이 인다.

〔想起什么是什么〕 xiǎngqǐ shénme shì shénme 생각나는 대로 행동하다. 생각한 일을 (그대로) 하다. ¶又不是小孩子, 哪能～; 애들도 아닌데, 어떻게 생각나는 대로 할 수 있겠느냐/这么～的, 可太任性了; 생각나는 대로 하다니, 너무나도 제멋대로다.

〔想起一出儿是一出儿〕 xiǎngqǐ yī chūr shì yī chūr 무엇이든지 생각이 떠오르면 즉시 그것을 하다. 하고 싶은 대로 하다.

〔想钱儿〕 xiǎng.qiánr [동] 돈을 갖고 싶어하다. 돈벌이를 생각하다. 이익을 보려고 하다.

〔想情度理〕 xiǎngqíng duólǐ 정리(情理)에 따라 생각하다.

〔想儿〕 xiǎngr [명] 〈方〉 희망. ¶有～; 희망이 있다/没了～了; 희망이 없어졌다.

〔想入非非〕 xiǎng rù fēi fēi 〈成〉 망상에 빠지다. 비현실적인 생각에 빠지다. 종잡을 수 없는 일을 생각하다. ¶切合实际做打算吧, 别～了; 실제와 들어맞는 생각을 해라. 엉뚱한 일을 생각해서는 안 된다.

〔想是〕 xiǎngshi [부] 생각건대. ¶他～有数的了; 그는 아마도 속셈이 있을 것이다.

〔想死〕 xiǎngsǐ [동] ①애태우다. ¶天天盼着你回来, 都把人～了; 몹시 보고 싶어하다. 매일 당신이 돌아오기를 기다리며, 애가 타서 죽을 지경이다. ②끝까지 생각하다. 골똘히 생각하다.

〔想通〕 xiǎng.tōng [동] 생각해서 납득하다. 생각해서 통하다. 생각해서 (다른 의견·생각 따위에) 도달하다.

〔想透〕 xiǎngtòu [동] 숙고(熟考)하다. 깊이 생각하다. ¶老大娘可把你～了; 할머니는 네 일을 깊이 생각하신다.

〔想头〕 xiǎngtou [명] 〈口〉 ①생각. ¶他是个多心的, 很有些～; 그는 의심이 많은 사람이라, 여러 가지 생각이 있다. =〔想法〕 ②희망. ¶有～; 가망이 있다/没～; 가망이 없다/那件事死了心吧, 没～了; 그 일은 단념해라, 가망이 없다. ③이익. 좋은 벌이를 해 보려는 생각.

〔想望〕 xiǎngwàng [명][동] 기대(하다). 희망(하다). ¶长期以来的～; 오랜 기간의 바람〔희망〕/不要灰心, 还有～呢; 낙심하지 마세요, 아직 희망이 있어요. [동] 동경하다. 경모(敬慕)하다.

〔想像〕 xiǎngxiàng [명][동] 상상(하다). ¶不难～; 상상하기 어렵지 않다/～不出; 상상할 수 없다/不可～; 상상조차 할 수 없다/～力; 상상력/～不到; 상상하지 못하다.

〔想要〕 xiǎng yào …하려고 하다. ¶我～定做一套衣服; 나는 옷을 한 벌 맞추려고 한다/你～走不想? 너는 가고 싶으냐 (가고 싶지 않으냐)?/他～到中国去; 그는 중국에 가려고 한다.

〔想一想〕 xiǎngyīxiǎng 생각하다. 고려하다. ¶～再决定; 잘 생각하고 결정하다.

〔想着〕 xiǎngzhe [동] 생각하고 있다. 염두에 두다. 〈轉〉 잊지 않고 …하다. ¶这事你～点儿, 别忘了; 이 일은 잘 생각하고 잊지 마시오/你～来; 잊지 말고 오너라.

鲞(鯗) xiǎng (상)

[명] 건어(乾魚)《배를 갈라 펴서 말린 물고기》. ¶～鱼yú; 건어/白～; 굴비/鳓lè～; 말린 준치.

向(嚮)①②③ xiàng (향)

A) ①[명] 방향. 목표. ¶风～; 풍향/意～; 의향/这么一走我转zhuàn了～儿了; 그런 식으로 걸어갔더니 방향을 틀리고 말았다. ②[개] …을 향하여. ¶葵花～着太阳开; 해바라기는 태양을 향해 꽃이 핀다/两人相～而行; 두 사람이 마주 향해 걷다/～我国进攻; 우리 나라를 향하여 쳐들어오다. ③[동] 〈文〉 다가가다. 가까이 가다. 근접하다. ¶～晚; 저녁때/～晓; 날샐녘/至今已～百载; 지금에 와서는 벌써 100년이나 된다. ④[동] 기울다. 편들다. 두둔하다. 지지하다. ¶一部分的人～着反对的意见; 일부분의 사람은 반대 의견으로 기울어져 있다/～着穷人; 가난한 사람의 편을 들다/她～着母亲; 그녀는 어머니편이다/他说话～着他的孩子; 그는 그의 아이를 편들며 말하고 있다. ⑤[부] 이전부터 죽. 여태까지. 원래부터. ¶～来; 이제까지. 평소. 늘/我一～不吸烟; 나는 원래 담배는 피우지 않는다. ⑥[개] …에게서. …으로 《동작이 향하는 방향 대상을 나타냄》. ¶～前看; 앞을 보다/～左转zhuǎn; 왼쪽으로 돌다/～老师借了一本书; 선생님에게서 책을 한 권 빌렸다/～他借钱; 그에게 돈을 빌리다/飞～东南; 동남쪽으로 날다/从胜利走～胜利; 승리에서 승리로 나아가다. ⑦[명] 〈文〉 창(窓). ⑧[접] 〈文〉 만일. 가령. ¶～使; ⇓ ⑨[명] 성(姓)의 하나.

〔向背〕 xiàngbèi [명] 〈文〉 ①향배. ②앞과 뒤. ③지지(支持)와 반대. 복종과 이반(離反). ¶人心的～; 인심이 향하는 곳.

〔向壁虚构〕 xiàng bì xū gòu 〈成〉 벽을 향하여 제멋대로 상상을 하다《근거 없는 허구(虛構)를 만들어 내다》. =〔向壁虚造〕

〔向壁虚造〕 xiàng bì xū zào 〈成〉 ⇨〔向壁虚构〕

〔向晨〕 xiàngchén [명] 새벽.

〔向当儿〕 xiàngdangr [명] (생계 유지의) 방법. 방도. ¶他窘jiǒng得很, 一点儿～没有; 그는 매우 곤궁해서 살아나갈 방법이 전혀 없다. =〔项当儿〕

〔向导〕 xiàngdǎo [명] 안내자. 선도자. ¶作为我们行动的～; 우리의 행동의 향도〔길잡이〕가 되다. [동] 인도하다. 안내하다. =〔带dài路〕

〔向风〕 xiàngfēng [동] 〈文〉 풍모를 우러러보다. ¶天下学士, 靡然～; 천하의 학자는 모두 그 학풍(學風)을 우러러 흠모하였다.

〔向风针〕 xiàngfēngzhēn [명] 풍향계. 풍신기(風信器).

〔向干禁例〕 xiànggān jìnlì 〈文〉 종래부터 금령에 위반하고 있었다. 종래부터 금지되어 있었다. ¶

此事～，碍难照准; 이것은 종래부터 금지되어 있었던 것으로, 허가를 내려줄 수 없다.
〔向光性〕 xiàngguāngxìng 명 《植》 향광성.
〔向好〕 xiànghǎo 동 좋은 방향으로 발전하다. ¶澳门经济～的主要因素; 마카오 경제가 좋아지는 주요 원인.
〔向后〕 xiànghòu 명 향후. 앞으로, 이제부터.
〔向后转〕 xiànghòuzhuǎn 《軍》 뒤로 돌아!
〔向虎谋皮〕 xiànghǔ móupí 〈諺〉 호랑이한테 가죽을 달라 한다(이룰 수 없는 상담을 함. 무모한 요구를 함). ¶向那个苛啬鬼kēsèguǐ募损不是～吗? 저 구두쇠한테 기부를 부탁하다니, 호랑이에게 가죽을 내놓으라고 말하는 것과 뭐가 다른가? =〔与yǔ狐谋皮〕〔与虎谋皮〕
〔向火〕 xiàng.huǒ 동 〈方〉 불을 쬐다.
〔向来〕 xiànglái 부 종래. 이제까지. 줄곧. ¶～如此; 이제까지 내내 이런 식이다/他做事～认真; 그는 이제까지 일관하여 일을 열심히 해 왔다. →〔素来〕〔从来〕〔一向〕
〔向例〕 xiànglì 명 종래의 관례. 전례. 통례. ¶打破～; 이제까지의 관례를 깨다. 부 관례대로. 습관적으로. ¶我们这里～起得早; 이 곳에서는 관례대로 일찍 일어납니다.
〔向量〕 xiàngliàng 명 《物》 벡터(vector).
〔向明〕 xiàngmíng 명 〈文〉 새벽녘.
〔向慕〕 xiàngmù 동 〈文〉 존경하다. 사숙(私淑)하다.
〔向内跳水〕 xiàngnèi tiàoshuǐ 명 《體》 뒤로 뛰어들기(다이빙의 한 가지).
〔向盘〕 xiàngpán 명 나침반. =〔罗luó盘〕〔指zhǐ南针〕
〔向平之愿〕 xiàng píng zhī yuàn 〈成〉 자녀(子女)의 혼사(에 대한 걱정). ¶如今儿女均已婚嫁，了liǎo了我～了; 애들도 다 치웠으니 나도 자식들 혼사에 대해 한시름 놓았다.
〔向前看〕 xiàngqiánkàn ①《軍》 바로!(구령에서 앞(쪽)을 보라의 뜻). ②앞을 보고 생각하다.
〔向前跳水〕 xiàngqián tiàoshuǐ 명 《體》 앞으로 뛰어들기(다이빙의 한 가지).
〔向儿〕 xiàngr 명 ①방향. ¶不知～; 방향을 모르다/转zhuàn～; 방향을 돌리다. 방향을 모르게 되다. ②방침. 방도(方途). ¶定个～; 방침을 정하다.
〔向日〕 xiàngrì 명 〈文〉 이전. 종래. 종전. ¶～都是如此; 이전에도 이러했다.
〔向日大红〕 xiàngrì dàhóng 명 《染》 헬리언 스칼릿(heliane scarlet).
〔向日黄〕 xiàngrìhuáng 명 《染》 헬리언 옐로(heliane yellow).
〔向日葵〕 xiàngrìkuí 명 《植》 해바라기. =〔朝阳花〕〔葵花〕〔望wàng日葵〕〔向阳花〕
〔向日性〕 xiàngrìxìng 명 《植》 향일성. 해바라기성. ↔〔背bèi日性〕
〔向荣〕 xiàngróng 동 〈文〉 ①번영으로 향하다. ②성장 발전하다. ¶欣欣～; 성장·발전의 기운이 힘찬 모양.
〔向上〕 xiàngshàng ①명동 향상(하다). 발전(하다). 진보(하다). ¶有心～; 향상심이 있다/一心～; 열심히 향상을 위해 노력하다. ②(xiàng shàng) 위로 향하다.
〔向使〕 xiàngshǐ 접 〈文〉 만일 …이라면. =〔果guǒ使〕
〔向水性〕 xiàngshuǐxìng 명 《生》 향수성. 향습성(向濕性).
〔向外〕 xiàngwài 명 …이상. ¶他有七十岁～; 그는 70세를 넘었다/美妇人我见过万千～; 미인은 수천 수만명도 넘게 보았다.
〔向晚〕 xiàngwǎn 명 〈文〉 저녁때. 해질녘.
〔向往〕 xiàngwǎng 동 동경하다. 사모하다. ¶对于中国非常～; 중국에 대해서는 대단한 동경심을 갖고 있다/衷心～; 마음 속으로부터 사모하다. 명 앞날. 장래. ¶远景的～; 먼 장래.
〔向午〕 xiàngwǔ 명 점심 때. 낮.
〔向先〕 xiàngxiān 명 이전. 옛날. =〔早zǎo先〕
〔向晓〕 xiàngxiǎo 명 〈文〉 새벽녘.
〔向心力〕 xiàngxīnlì 명 《物》 구심력. =〔求qiú心力〕 ↔〔离lí心力〕
〔向学〕 xiàngxué 동 학문에 뜻을 두다. ¶专心～; 전심해서 학문에 힘쓰다.
〔向阳〕 xiàngyáng 명 남향(南向). 양지. 동 해를 향하다. 남향(南向)하다. ¶这间屋子～，所以暖和; 이 방은 남향이어서 따뜻하다.
〔向阳花〕 xiàngyánghuā 명 ⇨〔向日葵〕
〔向阴〕 xiàngyīn 명 북향(北向).
〔向右成横队走〕 xiàngyòu chénghéngduì zǒu 《軍》 우로 방향 바꿔 가!
〔向右看齐〕 xiàngyòu kànqí ①우로 나란히(구령). ②본받다. ¶虽然不愿意也得～; 내키지 않더라도 본받아야 한다.
〔向右转〕 xiàngyòu zhuǎn 우향우(右向右)(구령).
〔向右转弯走〕 xiàngyòu zhuǎnwān zǒu 《軍》 우향앞으로 가!(체육 구령).
〔向隅〕 xiàngyú 동 〈文〉 친구들에게서 따돌림을 받다. 외토리로 남겨지다. 기회를 잃고 실망하다. ¶～而泣; 〈成〉 (친구에게) 따돌림을 받고 슬퍼하다. 고립되어 괴로운 지경에 처하다.
〔向者〕 xiàngzhě 명 〈文〉 전에, 이전에. =〔从cóng前〕
〔向着〕 xiàngzhe 동 ①(…으로) 향하다. ¶葵花～太阳; 해바라기는 태양을 향하고 있다. ②〈口〉 편을 들다. 두둔하다. ¶你说他好，那是～他; 네가 그를 좋게 말하는 것은 그를 두둔하고 있는 것이다. =〔偏袒〕
〔向住〕 xiàngzhù 동 마주 대하다. 우연히 마주치다. ¶俩人走～了; 두 사람은 걸어가다가 우연히 마주쳤다.
〔向左转〕 xiàngzuǒ zhuǎn 좌향좌(左向左)(구령).

巷 **xiàng** (항)

명 ①(～儿, ～子) 골목(길). ¶大街小～; 큰길과 골목길/陋～; 누추한 골목. 누항/一条小～; 한 가닥 작은 골목/街头～尾; 한길과 골목. =〔衖①〕 ②촌. 마을. ③항간(巷間). ⇒hàng
〔巷口〕 xiàngkǒu 명 골목 어귀.
〔巷陌〕 xiàngmò 명 〈文〉 길거리와 골목의 통칭.
〔巷儿〕 xiàngr 명 ⇨〔巷子〕
〔巷说〕 xiàngshuō 명 항설. 세상의 풍설. 거리의 소문.
〔巷尾〕 xiàngwěi 명 골목의 막다른 곳. 골목이 막힌 곳.
〔巷议〕 xiàngyì 명 항간에 떠도는 소문. 항담(巷談). =〔巷说〕
〔巷战〕 xiàngzhàn 명 시가전(市街戰).
〔巷子〕 xiàngzi 명 골목. =〔巷儿〕

项(項) **xiàng** (항)

①명 후두부(後頭部). 목(덜미). ¶长脖细～; 호리호리한 목/～强

qiáng;《漢醫》목이나 어깨의 결림. 항강증. ② 명 금전. 경비. ¶官～; 관금/进～; 수입(收入)/用～; 경비. 비용/存cún～; 예금/欠qiàn～; 빚/公～; 공금. ③명 조목. 항목. 가지. 항. ¶十～运动; 십종 경기. ④명〈簡〉금액. 수량. ⑤양 사건 또는 금전을 나타내는 단위. ¶一～交易; 한 건의 거래/这～工作; 이런(종류의) 일/一～新产品; 한 종류의 신제품. ⑥형 크다. ⑦명《數》항. ⑧명 성(姓)의 하나.

〔项背〕 xiàngbèi 명 (사람의) 뒷모습. ¶不可望其～; 도저히 못 미치다. 도저히 당할 수 없다.

〔项背相望〕 xiàng bèi xiāng wàng〈成〉①앞뒤 사람이 서로 마주 쳐다보는 일. ②〈轉〉왕래가 빈번한 일. ¶前往参观的人众～不绝于途; 참관하러 가는 사람이 꼬리에 꼬리를 물고 끊임이 없다.

〔项当儿〕 xiàngdangr 명 ⇨〔向当儿〕

〔项颈〕 xiàngjǐng 명〈方〉목. =〔脖子〕

〔项炼(儿)〕 xiàngliàn(r) 명 ⇨〔项链(儿)〕

〔项链(儿)〕 xiàngliàn(r) 명 ①목걸이. 네크리스(necklace)(사슬 모양의 것). ②목에 매어 두르는 배두렁이의 끈. ‖=〔项练(儿)〕〔项炼(儿)〕〔脖bó链儿〕〔颈jǐng链〕

〔项领〕 xiànglǐng 명 ①목(덜미). ②옷깃 언저리. ③〈比〉요충지.

〔项目〕 xiàngmù 명 항목. 종목. 사항. 프로젝트. ¶按着～查点一下儿; 항목의 순으로 조사하다/技术～; 기술 프로젝트. =〔项头〕

〔项圈〕 xiàngquān 명 (여자·아이들의) 목걸이·네크리스(necklace)(테 모양의 것).

〔项缩〕 xiàngsuō 동〈文〉목을 움츠리다.〈轉〉부끄러워하다.

〔项头〕 xiàngtóu 명 ⇨〔项目〕

〔项窝〕 xiàngwō 명 목덜미 중앙에 움푹 패어진 부분. =〔后hòu项窝〕

〔项下〕 xiàngxià …항목 안에서. …항목 안에. ¶这项款子应该在未收入股款～处理; 이 돈은 미수입 주금(株金) 항목에서 처리해야 한다/由交际费～拨用; 교제비 항목에서 유용하다.

〔项庄舞剑, 意在沛公〕 Xiàng Zhuāng wǔ jiàn, yì zài Pèi Gōng〈成〉항장(項莊)이 검무(劍舞)를 춘 것은 패공(沛公)을 죽이려고 한 때문이다(목적은 딴 곳에 있음).

相 xiàng (상)

①(～儿) 명 형상. 용모. 외모. 생김새. ¶长zhǎng～儿; 외모. 용모/聪明儿～; 총명해 보이는 얼굴 생김새/真～; 진상/照～; 사진(을 찍다). ②동〈文〉보조(補助)하다. 돕다. ¶吉人天～; 착한 사람에게는 하늘의 도움이 있다(불운한 사람을 위로하는 말)/～夫教子; 남편을 돕고 자식을 가르치다. ③명 모양. ④명 대신(大臣). 재상. ¶首shǒu～; 수상. 총리/将jiāng～; 장상. 대장과 대신/宰zǎi～; 재상. ⑤명 지지(地支). 십이지(十二支). ⑥동 관상을 보다. 점치다. ¶人不可以貌～; 얼굴 모습으로 그 인물을 판단해서는 안 된다. ⑦동 관찰하다. 보고 우열을 정하다. ¶～机行事; 기회를 보아서 하다. ⑧명 장기의 말 이름의 하나. ⑨명 시중 드는 사람. ⑩명《物》상(相)(물질의 어떠한 특정한 상태를 말함). ⑪명《地質》속상(屬相)(지층이 생길 때의 조건이나 환경을 나타내는 여러 특징). ⑫명《言》상. 어스펙트. ⑬명 성(姓)의 하나. ⇒xiāng

〔相本儿〕 xiàngběnr 명 ⇨〔相册〕

〔相册〕 xiàngcè 명 앨범. =〔贴tiē相册〕〔相本儿〕〔相片儿本子〕〔照zhào相簿〕

〔相法〕 xiàngfǎ 명 상법. 관상술. ¶那位先生精通～; 저 분은 관상술에 정통하다.

〔相风〕 xiàngfēng 명 풍향계. =〔相风竿〕〔相风(铜)乌〕〔相乌〕

〔相风竿〕 xiàngfēnggān 명 ⇨〔相风〕

〔相风(铜)乌〕 xiàngfēng(tóng)wū 명 ⇨〔相风〕

〔相夫〕 xiàngfū 동〈文〉남편을 돕다. ¶～教子; 남편을 돕고 자식을 교육하다.

〔相公〕 xiànggōng 명〈敬〉재상(宰相). 대신.

〔相公〕 xiàngong 명 ①〈敬〉아내의 남편에 대한 경칭. ②〈敬〉부호의 자제. ③남창(男娼). ④젊은 선비의 일컬음. 귀공자. 도령. 상공.

〔相公帽〕 xiànggōngmào 명《魚》귀상어. =〔双shuāng髻鲨〕

〔相骨学〕 xiànggǔxué 명 골상학(骨相學).

〔相国〕 xiàngguó 명〈文〉상국. 대신. 재상.

〔相乎〕 xiànghu 동 가늠을 보다. 보고 적당히 하다. ¶～着做吧! 가늠을 해보고 하자! 부〈轉〉대략. 거의. ¶看太阳影子, ～有三点多钟; 그림자를 보니 대략 세 시가 좀 지난 것 같다. ‖=〔像乎〕

〔相机〕 xiàngjī 명〈簡〉카메라. 동 기회를 보다. 찬스를 엿보다.

〔相机行事〕 xiàngjī xíngshì〈文〉기회를 보아 일을 행하다.

〔相机(子)〕 xiàngjī(zi) 명 사진기. 카메라. =〔照zhào相机〕

〔相角儿〕 xiàngjiǎor 명 포토 코너(photo corner)(사진의 네 귀퉁이에 붙여 고정시키는 것).

〔相脚头〕 xiàng jiǎotóu 도둑이 침입하려는 집을 미리 답사하는 일. ¶张我庄内做什么, 莫不是来～; 우리 집을 엿보고 뭘하는 거냐, 사전 답사를 하러 온 건 아니겠지.

〔相里〕 Xiànglǐ 명 복성(複姓)의 하나.

〔相马〕 xiàngmǎ 동 상마하다. 말의 우열을 분간하다. 말을 감정하다.

〔相马以舆, 相士以居〕 xiàng mǎ yǐ yú, xiàng shì yǐ jū〈成〉말의 우열을 분별하려면 끌고 있는 마차를 보면 되고, 사람의 품격과 행동을 보려면 그의 주거를 보면 된다.

〔相貌〕 xiàngmào 명 용모(容貌). ¶～平常; 평범한 용모/～魁伟kuíwěi; 용모가 훌륭하다/～不扬; 용모가 빈약하다. =〔形xíng貌〕〔容róng貌〕〔像貌〕

〔相门有相〕 xiàng mén yǒu xiàng〈成〉재상의 집에서 재상이 나온다. 명가는 반드시 명사를 낸다.

〔相面〕 xiàng.miàn 동 관상을 보다. ¶～先生; 관상가. =〔看kàn相〕

〔相女配夫〕 xiàng nǚ pèi fū〈成〉딸에 맞는 사위를 고르다(모든 일은 서로 어울려야 한다).

〔相片儿〕 xiàngpiānr 명 ⇨〔相片〕

〔相片儿本子〕 xiàngpiānr běnzi 명 ⇨〔相册〕

〔相片〕 xiàngpiàn 명 사진(일반적으로 현상·인화(印畫)한 것). ¶～簿; 앨범. =〔〈俗〉相片儿〕〔〈南方〉照zhào片〕

〔相片纸〕 xiàngpiànzhǐ 명 인화지. =〔晒shài相纸〕

〔相其皮毛〕 xiàng qí pí máo〈成〉겉만을 관찰하다. 피상적으로 보다. ¶只～是不能彻底了解的; 겉만 보고는 충분히 이해할 수 없다.

〔相亲〕 xiàngqīn 동 ①⇨〔相xiāng看〕 ②서로 친하다. ⇒xiāngqīn

〔相儿〕 xiàngr 명〈北方〉용모. 상태. ¶长zhǎng

～; 용모.
〔相声(儿)〕 xiàngsheng(r) 명 ①만담(漫談). ¶对duì口～; 둘이서 하는 만담/说～; 만담을 하다. ②성대모사. ‖ =〔相相儿〕
〔相士〕 xiàngshì 명 관상가(손금·얼굴·골격 따위를 보고 남의 운명을 판단하는 사람).
〔相手术〕 xiàngshǒushù 명 수상술(手相術). =〔手相术〕
〔相书〕 xiàngshū 명 ①〈方〉 성대모사(聲帶模寫). =〔口kǒu技〕 ②관상서(觀相書).
〔相术〕 xiàngshù 명 상술. 관상술.
〔相乌〕 xiàngwū 명 ⇨〔相风〕
〔相匣子〕 xiàngxiázi 명 '照zhào相机'(카메라)의 구칭.
〔相相儿〕 xiàngxiangr 명 ⇨〔相声(儿)〕
〔相印〕 xiàngyìn 명 재상(宰相)의 인(印). ¶佩六国之～; 육국 재상의 인수(印綬)를 허리에 차다.
〔相印法〕 xiàngyìnfǎ 명 고대의 인감(印鑑)의 전문(篆文)의 자획으로 길흉을 판단하는 법.
〔相宅〕 xiàngzhái 동 가상(家相)을 보다. 집의 방위의 길흉을 보다. =〔看kàn风水〕
〔相纸〕 xiàngzhǐ 명 인화지. =〔像纸〕

象 xiàng (상)

① 명《動》코끼리. ¶小～; 작은 코끼리/～牙筷子; 상아 젓가락. ② 명 '象牙'(상아)의 약칭. ③ 명 모습. 형상. 모양. 형태. 상태. ¶景～; 모양. 모습. 현상. ④ 명 법. 법칙. ⑤ 동 본뜨다. 모방하다.
〔象鼻〕 xiàngbí 명 코끼리의 코.
〔象鼻虫〕 xiàngbíchóng 명《蟲》바구미.
〔象(鼻)鱼〕 xiàng(bí)yú 명《魚》다치철갑상어. →〔鲟xún〕
〔象齿焚身〕 xiàng chǐ fén shēn〈成〉코끼리는 상아 때문에 죽는다(사람은 재물 때문에 화를 초래한다).
〔象床〕 xiàngchuáng 명 상아의 장식이 있는 침상. 상아로 만든 침상.
〔象个人儿似的〕 xiànggerénr shìde 명〈方〉단정한 모습. ¶今天他倒穿得～; 오늘 그의 복장은 말쑥하다. 형 어지간하다. 웬만큼 편하다.
〔象姑〕 xiànggu 명 옛날, 남창(男娼).
〔象龟〕 xiàngguī 명《動》코끼리 거북.
〔象话〕 xiàng.huà 형 말이 조리가 닿다. 도리에 맞다(긍정적으로는 거의 쓰이지 않음). ¶不～; 이치에 맞지 않다. 말이 안되다. 엉터리이다/象什么话; 가당치도 않은 일이다. =〔象事〕
〔象回事儿〕 xiànghuíshìr 모양을 갖추고 있다. 꼴좋다. 볼품이 있다(흔히, 부정이나 반어적(反語的)으로 쓰임. '回'는 양사(量詞)). =〔象一回事儿〕
〔象教〕 xiàngjiào 명 불교의 별칭.
〔象拉屎〕 xiàng lāshǐ〈歇〉코끼리가 똥을 누다(거드름을 피우며 뻐기다). ¶～, 大劲儿; 코끼리가 똥을 누느라고 뒤로 몸을 젖혀 야단스러운 몸짓을 하다. 거드름을 피우다.
〔象奴〕 xiàngnú 명 코끼리 부리는 사람. =〔象仆〕
〔象皮〕 xiàngpí 명 ①⇨〔橡皮擦〕 ②코끼리 가죽.
〔象皮病〕 xiàngpíbìng 명《醫》〈方〉 상피병. =〔丝虫病〕
〔象皮纸〕 xiàngpízhǐ 명 도화 용지. 그림 그리는 데 쓰는 종이.
〔象皮肿〕 xiàngpízhǒng 명 '象皮病'에 의해서 생기는 증상. =〔《漢醫》大dà脚风〕
〔象片〕 xiàngpiàn 명 사진. ¶象片纸zhǐ =〔晒shài相纸〕; 사진 인화지. =〔相片(儿)〕
〔象仆〕 xiàngpú 명 ⇨〔象奴〕
〔象棋〕 xiàngqí 명 장기(將棋). ¶下～; 장기를 두다.
〔象阙〕 xiàngquè 명〈文〉궁문(宮門).
〔象儿〕 xiàngr 명 ①용모. 상태. ②엄한 수단. ¶你敢不听话, 我就给你一个～瞧; 말을 듣지 않으면 혼내 줄 테다.
〔象生花〕 xiàngshēnghuā 명 조화(造花).
〔象生儿〕 xiàngshēngr 명 일부러 꾸미는 태도. ¶你不用做这些～了; 자네 그렇게 일부러 태도를 꾸밀 필요는 없네.
〔象声词〕 xiàngshēngcí 명《言》의성어(擬聲語). =〔拟nǐ声词〕
〔象声音〕 xiàngshēngyīn 명 의음(擬音).
〔象事〕 xiàngshì 형 ⇨〔象话〕
〔象是〕 xiàngshi (아무래도) …같다. ¶他～不愿意去; 그는 어쩐지 가고 싶지 않은 것 같다.
〔象戏〕 xiàngxì 명 장기의 속칭.
〔象限〕 xiàngxiàn 명《數》사분면(四分面). 상한. 사분 공간.
〔象限仪〕 xiàngxiànyí 명《機》상한의(물체의 고도를 재는 측량 기계).
〔象形〕 xiàngxíng 명 육서(六書)의 하나(한자 구조법의 하나). 상형. ¶～文字; 상형 문자.
〔象牙〕 xiàngyá 명 상아. ¶～雕刻; 상아 조각.
〔象牙筷子〕 xiàngyá kuàizi 명 상아 젓가락. =〔象箸〕〔牙箸〕
〔象牙之塔〕 xiàngyá zhī tǎ 명 상아탑. =〔象牙宝塔〕
〔象牙质〕 xiàngyázhì 명 상아질. =〔牙本质〕
〔象眼儿〕 xiàngyǎnr 명〈方〉사방형(斜方形). 마름모꼴. =〔斜xié象眼儿〕〔菱形〕
〔象样(儿)〕 xiàngyàng(r) 형 ⇨〔像样(儿)〕
〔象意〕 xiàngyì 동 마음에 들다. 납득하다.
〔象赞〕 xiàngzàn 명 초상화에 제목으로 붙인 문장.
〔象章〕 xiàngzhāng 명 배지(badge). ¶挂～; 배지를 달다.
〔象征〕 xiàngzhēng 명 상징. 심볼. ¶鸽子是和平的～; 비둘기는 평화의 상징이다. 동 상징하다(흔히, '～着'으로 씀). ¶白色～着纯洁; 백색은 순결을 상징한다.
〔象箸〕 xiàngzhù 명 ⇨〔象牙筷子〕
〔象箸玉杯〕 xiàng zhù yù bēi〈成〉상아 젓가락과 옥으로 된 잔(사치는 하기 시작하면 한이 없음. 또, 사치스러운 생활을 시작함).

像 xiàng (상)

① 명 형태. ② 명 초상(肖像). ③ 동 사진. ¶照～; 사진을 찍다. =〔相xiàng〕 ④ 동 마치 …와 같다(단정을 주저하여 말함). ¶好～一只鸟儿似的飞着; 마치 새처럼 날고 있다/好～在哪儿见过他; 어딘가에서 그를 만났던 것 같다/刚才～是有一阵铃声; 방금 벨이 울린 것 같다. ⑤ 형 어울리다. 알맞다. ¶还～什么工会干事呢! 그래 가지고 노조(勞組)의 간사로 적당하다고 할 수 있겠는가! ⑥ 동 …와 같다(예를 들 때에 씀). ¶～他这样的人真是难得dé; 그와 같은 사람은 정말 얻기 어렵다/～今天的事, 便是一个好的例子; 오늘과 같은 일은 하나의 좋은 예이다/～铅笔、毛笔、水彩什么的, 哪家铺子里都卖; 연필, 붓, 수채화 도구 같은것들은 어느 가게에서나 판다. ⑦ 동 닮다. 비슷하다. 그럴듯하다. ¶他很～他哥哥; 그는 그의 형을 무척 닮았다/水晶jīng～玻璃; 수정은 유리와 비슷하다/他～他母亲; 그는

어머니와 닮았다.
〔像差〕 xiàngchā 명《物》수차(收差).
〔像乎〕 xiànghu 동부 ⇨〔相xiàng乎〕
〔像话〕 xiàng.huà 형 (언어·행동이) 도리〔이치〕에 맞다. 말의 줄거리가 통하다. 말이 되다《흔히, 반어적으로 쓰임》. ¶不~; 돼먹지 않았다. 꼴불견이다. 부당하다. 말도 되지 않는다.
〔像机(子)〕 xiàngjī(zi) 명 사진기. =〔照zhào相机〕
〔像框(儿)〕 xiàngkuàng(r) 명 사진〔초상화〕의 액자.
〔像貌〕 xiàngmào 명 ⇨〔相xiàng貌〕
〔像模像样〕 xiàng mú xiàng yàng 〈成〉 제대로 갖춰지다. 정상적이다. ¶这样才叫做~; 이 정도는 되어야 비로소 제대로 되었다고 할 수 있다.
〔像片〕 xiàngpiàn 명 사진. =〔相片piàn〕
〔像煞有介事〕 xiàng shà yǒu jiè shì 〈成〉〈方〉 과연 있을 법한 일이다. 그럴듯하다. =〔煞有介事〕
〔像是〕 xiàngshi (아무래도) …같다. ¶他~不愿意去; 그는 어쩐지 가고 싶지 않은 것 같다.
〔像似〕 xiàngsì 비슷하다. …와 같다. ¶他~韩国人; 그는 한국인과 비슷하다.
〔像样(儿)〕 xiàng.yàng(r) 형 ①형태가 닮다. 비슷하다. ②맵시 있다. 그럴듯하다. ¶~的经济理论家; 훌륭한 경제 이론가/要做一件~的西服, 至少得花一百多块钱; 그럴듯한 양복 한 벌 하려면 적어도 백 원 정도를 써야 한다. ③체면이 서다. 잘되다. ¶过得~; 그저 그런대로 잘 지내다. ‖=〔象样(儿)〕

橡 **xiàng** (상)
명《植》①도토리나무. 떡갈나무. 상수리나무. ②칠엽수(七葉樹). ③고무나무.
〔橡胶〕 xiàngjiāo 명 고무. 생(生)고무. ¶~管; 고무관(管)/~液; 《化》라텍스(latex)/海棉~; 폼 러버(foam rubber)/天然~; 천연고무/硬yìng~; 에보나이트/翻fān造~; 재생고무. =〔烟胶①〕
〔橡胶糊〕 xiàngjiāohú 명 고무풀.
〔橡胶皮带输送机〕 xiàngjiāo pídài shūsòngjī 명 고무 벨트 컨베이어.
〔橡栗〕 xiànglì 명 ⇨〔橡子〕
〔橡皮〕 xiàngpí 명 ①지우개. =〔象皮〕〔橡皮擦〕 ②고무《황화(黃化) 고무의 통칭》. ¶~手套; 고무장갑/~里胎 =〔~内胎〕; 튜브/碰了~钉子; 〈比〉 부드럽게 거절당하다.
〔橡皮版〕 xiàngpībǎn 명 ①탁상용 고무판. ②《印》 오프셋용 인쇄판. ‖=〔胶jiāo版〕
〔橡皮绷带〕 xiàngpí bēngdài 명《體》(운동선수가 착용하는) 서포터(supporter).
〔橡皮擦〕 xiàngpícā 명 고무지우개. ¶~头儿; (연필에 붙어 있는) 지우개. =〔象皮①〕
〔橡皮车胎〕 xiàngpí chētāi 명 고무 타이어. =〔橡皮轮胎〕
〔橡皮船〕 xiàngpíchuán 명 고무보트. =〔橡皮艇〕
〔橡皮带〕 xiàngpídài 명 고무 밴드. 고무벨트.
〔橡皮钉子〕 xiàngpí dīngzi 명 〈比〉 고무 못.
〔橡皮膏〕 xiàngpígāo 명 반창고. =〔绊bàn创膏〕
〔橡皮弓〕 xiàngpígōng 명 고무총.
〔橡皮管〕 xiàngpíguǎn 명 고무관. 고무호스.
〔橡皮胶带〕 xiàngpíjiāodài 명 고무테이프.
〔橡皮筋(儿)〕 xiàngpíjīn(r) 명 ①⇨〔橡皮圈(儿)〕 ②고무.
〔橡皮拍〕 xiàngpípāi 명 (탁구의) 러버 라켓(rubber racket).
〔橡皮球〕 xiàngpíqiú 명 고무공.
〔橡皮圈(儿)〕 xiàngpíquān(r) 명 고무 밴드. ¶跳tiào~; 고무줄 놀이(를 하다). =〔橡皮筋(儿)①〕〔牛皮筋儿〕
〔橡皮树〕 xiàngpíshù 명《植》 인도고무나무《관상용 식물》. =〔印yìn度橡胶树〕
〔橡皮糖〕 xiàngpítáng 명 껌. =〔口kǒu香糖〕
〔橡皮套鞋〕 xiàngpí tàoxié 명 고무로 만든 오버슈즈. 고무 덧신.
〔橡皮艇〕 xiàngpítǐng 명 ⇨〔橡皮船〕
〔橡皮(图)章〕 xiàngpí(tú)zhāng 명 고무도장. ¶这机关的文件, 很多都盖上'秘密'的~; 이 기관의 문서에는 '비밀'이라는 고무도장이 아주 많이 찍혀 있다.
〔橡皮鞋〕 xiàngpíxié 명 고무신. =〔胶jiāo(皮)鞋〕
〔橡皮靴〕 xiàngpíxuē 명 고무장화.
〔橡皮鱼〕 xiàngpíyú 명《魚》 쥐치.
〔橡皮指套〕 xiàngpí zhǐtào 명 고무 사크(sac).
〔橡实〕 xiàngshí 명 ⇨〔橡子〕
〔橡实管〕 xiàngshíguǎn 명《電》 에이콘관(acorn管).
〔橡碗子〕 xiàngwǎnzi 명 ⇨〔橡子〕
〔橡子〕 xiàngzǐ 명 ①도토리. 상수리. ¶~面; 도토리를 빻은 가루. 상수리쌀/~眼; 퉁방울눈. 또, 그런 눈의 사람. ②칠엽수(七葉樹) 열매. ‖=〔橡实〕〔〈方〉橡碗子〕〔橡栗〕〔栎lì实〕〔皂zào斗〕

衖 **xiàng** (항)
명 ①⇨〔巷xiàng①〕 ②⇨〔弄lòng④〕

缿〈銗〉 **xiàng** (항)
명〈文〉 옛날, 주둥이가 작고 통이 큰 그릇《저금통, 투서함 따위》.

曏 **xiàng** (향)
〈文〉 ① 명 이전. 옛날. 종전. ¶~曾来此; 이전에 여기에 온 적이 있다. ② 동 밝히다. 표명하다. 분명하게 나타내다.

XIAO ㄒㄧㄠ

肖 **Xiāo** (초)
명 성(姓)《'萧'의 속자(俗字)》. ¶~山鸡 shānjī; 닭의 일종《저장 성(浙江省) 북부 샤오산 산(肖山)에서 남》. ⇒xiào

削 **xiāo** (삭)
동 ①깎다. 엇베다. (껍질 따위를) 벗기다. 까다. ¶~铅笔; 연필을 깎다/把梨皮~掉; 배의 껍질을 벗기다/切~; (공작 기계로) 금속류를 절삭하다/~去不通的词句; 통하지 않는 문구를 삭제하다/~切掉恶势力; 나쁜 세력을 제거해 버리다/冻dòng得~脸; 추워서 얼굴이 떨어질 듯하다. ②삭감하다. 제거하다. ¶~本卖; 원가 이하로 팔다. 注 단독 또는 일부 구어에서 복음절어(複音節語)로 쓰일 경우는 'xiāo'로 발음됨. ⇒xuē
〔削薄〕 xiāobáo 형 연약하다. 취약하다. =〔脆cuì弱〕
〔削除〕 xiāochú 동 삭제하다. 제거하다. 깎아 내다.
〔削伐〕 xiāofá 동 (도박·술·여자 따위로) 건강을 해치다. 몸을 망가뜨리다. ¶为贪酒色~了身体; 주색을 탐해서 몸을 망쳤다/这两日手指头儿~

了; 요 며칠 손가락이 무뎌졌다.
〔削发〕 xiāo·fà〔xuē·fà〕 동 머리를 깎다. 삭발하다. 출가(出家)하다. ¶～为僧; 삭발하고 중이 되다.
〔削割性〕 xiāogēxìng 명《工》절삭 성질. =〔切qiē削性〕
〔削瓜〕 xiāoguā 동 참외 껍질을 깎다《안색이 껍질을 벗긴 '瓜'처럼 창백하고 나쁜 모양》. 명 껍질 벗긴 참외. ¶皋陶之状色如～; 고요의 안색이 껍질 벗긴 참외 같다.
〔削尖〕 xiāojiān 동 (끝을) 깎아서 뾰족하게 하다. ¶～一枝红蓝铅笔; 적청(赤靑)의 2색 연필의 끝을 뾰족하게 깎다.
〔削肩膀儿〕 xiāo jiānbǎngr 책임을 회피하는 태도.
〔削肩细腰〕 xiāojiān xìyāo 명〈比〉매끄럽게 흘러내린 어깨와 가는 허리《미인의 형용》.
〔削脚的〕 xiāojiǎode 명 발가락 손질 따위를 직업으로 하는 사람.
〔削码〕 xiāomǎ 동 ⇨〔削xuē价〕
〔削面光〕 xiāo miànguāng〈南方〉남의 체면을 손상시키다. ¶我介绍你去, 你不要做使我～的事; 내가 너를 소개했으니, 내 체면이 깎이는 짓은 하지 말아 다오.
〔削皮〕 xiāo·pí 동 ①껍질을 벗기다. ¶苹果不～就那么吃的也有, 桔子可是没有不剥皮吃的; 사과는 껍질을 깎지 않고 먹는 사람도 있지만, 귤은 껍질을 까지 않고 먹는 사람이 없다. ②남의 것을 빼앗다.
〔削球〕 xiāo·qiú 동 (테니스·탁구에서) 공을 깎아 치다. (xiāoqiú) 명 깎아 친 공. 커트 볼. ¶发～; 커팅 서비스.
〔削去〕 xiāoqù 동 ①삭제하다. 깎아 내다. 벗겨 내다. ¶把两端～, 只留中间的一段; 양끝을 제거하고 가운데 한 단만 남긴다. ②떼어 버리다. 잘라 버리다. ¶～零头; 단수〔우수리〕를 잘라 버리다.
〔削缘机〕 xiāoyuánjī 명《機》에지 플레이너(edge planer).

消 **xiāo** (소)
동 ①꺼져 없어지다. 사라지다. ¶烟～火灭; 연기가 사라지고 불이 꺼지다. ②녹다. ¶冰～; 얼음이 녹다. ③상처나 종기가 차차 낫다. ¶红肿已～; 부기가 이미 빠졌다. ④팔다. =〔销xiāo③〕 ⑤시간을 빈둥빈둥 보내다. 시간이 지나다. ¶只～四小时; 네 시간밖에 안 걸리다. ⑥〈方〉필요로 하다. ¶不～说; 말할 나위 없다 / 何～发誓; 맹세 같은 것을 할 필요는 없다. =〔须要〕 ⑦없애다. 제거하다. ¶～毒; 소독하다 / 请您～～气; 아무쪼록 노염을 푸십시오 / ～根; 원한을 없애다.
〔消薄〕 xiāobáo 형 ①(시장(市場) 등이) 쇠퇴하다. 장사가 부진하다. ②(천 따위가) 얇다. ③(토지가) 메마르다. 척박하다.
〔消差〕 xiāo·chāi 동 임무를 다하다. 임무가 끝나다. =〔销差〕
〔消场〕 xiāochǎng 명 ⇨〔销场〕
〔消沉〕 xiāochén 형 (의기)소침하다. 원기가 없다. (국민의 경제력이) 떨어지다. 사기가 오르지 않다. ¶～斗志; 투지를 잃다.
〔消愁〕 xiāochóu 동 시름을 풀다. 울적함을 풀다. 근심을 없애다. ¶～解闷mèn; 근심을 없애고 울적함을 풀다.
〔消除〕 xiāochú 동 삭제하다. (부정적인 것을) 제거하다. 일소(一掃)하다. 해소하다. 풀다. ¶～顾虑; 걱정·불안을 없애다 / ～了紧张局势; 긴장된 정세를 해소하였다.
〔消磁〕 xiāocí 동《物》소자하다. =〔去qù磁〕
〔消荡〕 xiāodàng 동 평정(平定)하다.
〔消导〕 xiāodǎo 동《漢醫》소화 불량을 고치다.
〔消毒〕 xiāo·dú 동 ①소독하다. ¶～药; 소독약 / 病房已经消过毒了; 병실은 이미 소독을 끝냈다. ②해독을 없애다.
〔消发定〕 xiāofādìng 명《藥》〈音〉설퍼딘. 설퍼미딘. 설퍼메타딘. =〔消发灭定〕
〔消发困乃定〕 xiāofākùnnǎidìng 명《藥》술파구아니딘(sulfaguanidine). =〔磺huáng胺胍〕
〔消发灭定〕 xiāofāmièdìng 명 ⇨〔消发定〕
〔消防〕 xiāofáng 명동 소방(하다). ¶～车; 소방차 / ～船; 소방정(艇) / ～梯; 소방용 사다리 / ～设备; 소방 설비 / ～泵 =〔救火泵〕; 소방펌프.
〔消防队〕 xiāofángduì 명 소방대. ¶～员; 소방대원. =〔救火队〕
〔消防水带〕 xiāofáng shuǐdài 명 소화 호스. =〔水龙带〕〔灭miè火喉〕〔消防水龙〕
〔消费〕 xiāofèi 명동 소비(하다). ¶节约～; 소비를 줄이다 / ～税; 소비세 / ～物; 소비 물자 / ～品; 소모품 / ～者; 소비자.
〔消费合作社〕 xiāofèi hézuòshè 명 옛날의 소비조합.
〔消费资料〕 xiāofèi zīliào 명《經》소비재. =〔生活资料〕〔消费品〕
〔消光〕 xiāo·guāng 동 광택을 없애다. (xiāoguāng) 명 광택 없애기. ¶～系数; 흡광(吸光)계수.
〔消寒会〕 xiāohánhuì 명 겨울에, 친구들이 모여 음식을 먹고 즐기는 모임.
〔消寒图〕 xiāohántú 명 81송이의 매화가 그려진 그림《옛날, 동지(冬至)로부터 81일째 되는 날이면 추위가 사라진다는 데서 유래》. =〔九jiǔ九消寒图〕
〔消耗〕 xiāohào 동 ①모르는 사이에 점점 없어지다. 소모하다. ¶～精力; 정력을 소모하다. ②소모시키다. ¶～敌人的有生力量; 적의 병원(兵員)을 소모시키다. ③(부당하게 많이) 사용하다. 헤프게 쓰다. 낭비하다. ¶无故～了药品; 까닭 없이 약품을 낭비하다. 명 소모. 소비. ¶减少煤的～; 석탄의 소비를 줄이다. ‖ =〔销耗〕
〔消耗儿〕 xiāohàor 명 편지. 소식. 통지. ¶查不出～来; 소식을 알아낼 수 없다.
〔消耗热〕 xiāohàorè 명《醫》소모열.
〔消化〕 xiāohuà 명동《生》소화(하다). ¶～道; 소화관(管) / ～系统; 소화 계통 / ～酶; 소화 효소(酵素). 디아스타아제 / ～不动; 소화가 안되다. 동〈轉〉(지식을) 소화하다. ¶一次讲得太多, 学生～不了liǎo; 한 번에 너무 많이 가르쳐도, 학생이 미처 다 소화하지 못한다.
〔消魂〕 xiāohún 동 넋이 나가다. 넋을 잃다. =〔销魂〕
〔消火〕 xiāohuǒ 명 소화(하다). 불을 끄다. ¶～剂jì; 소화제 / ～栓shuān =〔消防龙头〕; 소화전.
〔消货〕 xiāo·huò 동 ⇨〔销货〕
〔消极〕 xiāojí 형 소극적이다. 부정적이다. 수동적이다. ¶～情绪; 소극적인 정신 상태〔기분〕/ ～言论; 소극적인 언론 / ～影响; 나쁜 영향 / ～因素; 부정적 요소.
〔消减〕 xiāojiǎn 동 적어지다. 감소하다. ¶近来年成～了; 근년에는 수확이 감소했다.
〔消脚〕 xiāojiǎo 동 일단락되다. 한가해지다.
〔消解〕 xiāojiě 동 (의심이나 우려 등이) 풀리다.

없어지다.
〔消渴〕 xiāokě 명 《漢醫》 당뇨병 또는 이와 유사한 질병. =〔渴病〕(xiāo.kě) 동 갈증을 없애다.
〔消梨〕 xiāolí 명 《植》 배의 일종《모양이 둥글고 빛깔은 붉음》. =〔香水梨〕
〔消流〕 xiāoliú 동 잘 팔리다. 팔다.
〔消路〕 xiāolù 명 ⇨〔销路〕
〔消闷〕 xiāo.mèn 동 기분 전환을 하다. 갑갑증을 풀다. =〔解jiě闷(儿)〕
〔消糜〕 xiāomí 동 소모하다. 소비하다.
〔消弭〕 xiāomǐ 동 제거하다. 없애다. ¶～内战; 내전을 끝내다 / ～水患; 수해(水害)를 없애다 / ～恶习惯; 나쁜 습관을 없애다.
〔消弭无形〕 xiāomǐ wúxíng 깨끗이 없애다〔제거하다〕.
〔消灭〕 xiāomiè 동 ①소멸하다. ¶许多古生物已经～了; 많은 고생물은 벌써 없어졌다. ②섬멸하다. 박멸하다. ¶彻底～剥削和贫困; 철저하게 착취와 빈곤을 일소하다 / ～蚊蝇; 모기나 파리를 박멸하다.
〔消磨〕 xiāomó 동 ①닳다. 소모하다. 소비하다. ¶～意志; 패기가 없어지다. ②시간을 헛되이 보내다. 날을 보내다. ¶～岁月; 헛되이 세월을 보내다 / 把有限的光阴都～在娱乐上头; 한정된 시간을 오락에만 소비하다.
〔消票〕 xiāo.piào 동 표를 팔다. ¶～并不畅旺; 표가 별로 팔리지 않는다.
〔消气(儿)〕 xiāo.qì(r) 동 노염을 풀다〔가라앉히다〕. 마음을 진정하다. ¶你别生气, 把气消消吧; (그렇게) 화내지 말고 마음을 가라앉혀라 / 痛痛快快儿地骂了他一顿, 这才消消气儿了; 그 놈을 되게 욕해 주었더니 이제 좀 가슴이 후련해졌다〔기분이 가라앉았다〕. =〔消性(儿)〕
〔消遣〕 xiāoqiǎn 동 ①빈둥빈둥 시간을 보내다. ¶看电影儿～; 영화 구경을 하며 시간을 보내다. ②기분 전환을 하다. ¶为～搞音乐; 기분 전환으로 음악을 하다. ‖=〔消闲〕 명 기분 전환. 위안. 심심풀이. ¶明天星期日, 您打算做什么～呢? 내일 일요일에는 무엇을 하고 지내실 계획입니까? ‖=〔消闲〕
〔消却〕 xiāoquè 동 없애다. 해소시키다. ¶～前嫌; 앞서의 원한을 해소시키다.
〔消热〕 xiāo.rè 동 ①열을 식히다〔내리다〕. ②⇨〔消暑〕
〔消融〕 xiāoróng 동 ①(얼음이나 눈이) 녹다. ②(서로 다른 것이) 융화되다. ¶～异见; 이견을 융화시키다.
〔消散〕 xiāosàn 동 (연기·안개·냄새·열 및 추상적인 사물이) 서서히 없어지다. 흩어져 없어지다. ¶睡了一觉, 疲劳完全～了; 한잠 잤더니 피로가 깨끗이 가셨다.
〔消声匿迹〕 xiāo shēng nì jì 〈成〉 소리도 내지 않고 모습도 드러내지 않다. 모습〔종적〕을 감추다. =〔销声匿迹〕〔销声敛迹〕
〔消失〕 xiāoshī 동 소실하다. 사라지다.
〔消石〕 xiāoshí 명 ⇨〔硝酸钾〕
〔消石灰〕 xiāoshíhuī 명 《化》 소석회.
〔消食(儿)〕 xiāo.shí(r) 동 소화(消化)를 돕다. 음식물을 소화시키다. ¶～化滞; 식체(食滞)를 해소하다 / 饭后做会儿运动～; 식후에 운동을 조금하여 소화를 돕는다.
〔消逝〕 xiāoshì 동 사라지다. ¶天上的极光一闪一闪地变了几次颜色, 又完全～了; 하늘의 오로라는 번쩍번쩍 몇 번이나 빛이 변하더니, 또 완전히 사라져 버렸다.
〔消释〕 xiāoshì 동 ①(의혹·혐오·고통 등이) 없어지다. 풀리다. ¶误会～了; 오해가 풀렸다 / ～疑虑; 의혹을 풀다. ②〈文〉 문제점을 해명하여 없애다. ¶～经文难义; 경문의 어려운 뜻을 풀다.
〔消受〕 xiāoshòu 동 ①받다. 누리다. 향수(享受)하다. ¶无福～; 받을 복이 없다. 행복을 향수할 운이 없다 / ～富贵; 부귀를 누리다. ②걸맞다. 상응(相應)하다. ¶每天吃这样的菜真～不起; 매일 이런 요리를 먹다니 (내겐) 과분하다 / 我穿这么好的衣裳, 实在～不起; 내가 이렇게 좋은 옷을 입으면 정말 분수에 걸맞지 않는다. 注 흔히, 부정 형식으로 쓰임. ③참다. 견디다. ¶怎生～; 어떻게 참을 수 있으랴. =〔忍受〕〔禁受〕
〔消售〕 xiāoshòu 동 ⇨〔销售〕
〔消瘦〕 xiāoshòu 동 야위다. 수척해지다. ¶过了一个春天往往～了好几磅; 봄 한철이 지나면 늘 몇 파운드 야윈다.
〔消暑〕 xiāo.shǔ 동 더위를 견뎌내다〔피하다〕. =〔消热②〕〔消夏〕
〔消损〕 xiāosǔn 동 ①(물체의 구성 물질이) 서서히 감소하다. ②소모되어 없어지다.
〔消停〕 xiāotíng 〈方〉 동 ①휴식하다. ②안정되다. 한가하게 되다. ¶消消停停的过; 유유히 살아가다 / 今天事情～多了; 오늘은 일이 꽤 한가해졌다. ③일단락되다. 낙착(落着)되다. ¶等～了再说; 일이 일단락 되거든 다시 얘기합시다. ④〈方〉 그만두다. 멈추다. 형 ①평온하다. 조용하다. ¶近来又不～了; 요즘 다시 불안정해졌다. ②편안하다. 쾌적(快適)하다.
〔消退〕 xiāotuì 동 감퇴하다. 점점 없어지다. 쇠퇴하다.
〔消褪〕 xiāotùn 동 (색깔이) 바래다. 퇴색하다.
〔消亡〕 xiāowáng 동 소멸하다. 없어지다.
〔消息〕 xiāoxi 명 ①소식. 뉴스. 정보. ¶报纸的头条～; 신문의 톱기사 / 得到母亲去世的～, 我很悲痛; 어머니가 돌아가셨다는 소식을 받고, 무척 슬펐다. ②편지.
〔消息报〕 Xiāoxībào 명 이즈베스티야(러 Izvestia)《소련 정부의 기관지》.
〔消息灵通人士〕 xiāoxilíngtōng rénshì 명 소식통.
〔消息儿〕 xiāoxir 명 ①〈方〉 (숨겨 놓은 간단한) 장치. ②비결. ③남을 빠뜨리는 함정. ¶一脚登在～上, 人就掉下去了; 함정 장치에 한 발 내딛자마자 밑으로 떨어졌다.
〔消夏〕 xiāoxià 동 ⇨〔消暑〕
〔消闲〕 xiāoxián 동 ⇨〔消遣〕
〔消歇〕 xiāoxiē 동 그치다. 멎다. ¶风雨～了; 비바람이 그쳤다.
〔消性(儿)〕 xiāoxìng(r) 동 ⇨〔消气(儿)〕
〔消旋体〕 xiāoxuántǐ 명 《化》 라세미체(體) (racemic body).
〔消炎〕 xiāo.yán 동 《醫》 소염하다. 염증을 없애다. 염증이 가시다. ¶～药品; 소염제.
〔消炎片〕 xiāoyánpiàn 명 《藥》 소염제《술폰아미드류(類) 정제(錠劑)의 총칭》.
〔消遥〕 xiāoyáo 동 ①이리저리 거닐다. 산책하다. ②유유히 지내다. 아무런 구속도 받지 않다. ¶～自在; 제멋대로 하여 아무 걱정이 없다. 유유자적(하다) / ～学派; 소요학파《그리스 철학의 한 파》 / ～法fǎ外; 〈成〉 법적 제재에서 자유 자재로 행동하다. ‖=〔逍遥〕
〔消夜〕 xiāoyè 〈方〉 명 야식. 밤참. ¶熬áo夜得děi

预备点儿～; 철야하려면 야식을 좀 준비하지 않으면 안 된다. 동 밤참을 먹다. ‖ =〔宵夜〕〔夜消(儿)〕〔夜宵(儿)〕

〔消云〕 xiāoyún 동 구름을 흩어지게 하다. ¶人工降雨和人工～的实验, 已经得到比较满意的结果; 인공으로 비를 내리게 하거나, 인공으로 비를 멎게 하는 실험은 이미 비교적 만족스러운 결과를 얻고 있다.

〔消灾〕 xiāo‧zāi 동 재액을 면하다. 액막이 하다. ¶～免祸; 재앙을 없애고 화를 면하다. =〔销灾〕

〔消赃〕 xiāozāng 동 장물을 매각하다·처분하다.

〔消长〕 xiāozhǎng 명 소장. 성쇠. 증감. ¶力量的～; 힘〔역량〕의 증감.

〔消震〕 xiāozhèn 동 충격을 없애다. ¶～剂; 《化》 안티노크제(antiknock劑) / ～橡胶; 《機》 완충고무.

〔消治龙〕 xiāozhìlóng 명 《藥》 술파피리딘(sulfapyridine). =〔磺huáng胺噻唑〕

〔消肿〕 xiāo zhǒng ①《醫》 부기가 가라앉(게 하)다. ②〈比〉 인원을 감축하고 기구를 간소화하다. ¶在调整中, 各部门要自行～; 조정하는 데 있어서 각 부문은 스스로 인원을 감축하고 간소화하여야 한다.

〔消字〕 xiāo‧zì 동 ①도장을 새기다. 도장을 파다. ②글자를 지우다. ¶～药水; 잉크 지우는 약.

〔消罪〕 xiāo zuì ①죄를 용서하다. 사면하다. ②죄가 없어지다.

宵 xiāo (소)
①명 밤. ¶中～; 야반 / 通～; 온밤. 철야. 밤샘 / 忙了一通～; 밤새도록 분주했다. ②형 〈文〉 작다.

〔宵旰〕 xiāogàn 〈成〉 ⇨〔宵衣旰食〕

〔宵锦〕 xiāojǐn 〈文〉 비단옷을 입고 밤나들이하다《출세를 했는데도 고향 사람에게 알려지지 않음》.

〔宵禁〕 xiāojìn 명 야간 통행 금지. 야간 계엄.

〔宵类〕 xiāolèi 명 〈文〉 ①⇨〔宵小〕 ②비슷한 사람. 동류(同類).

〔宵人〕 xiāorén 명 〈文〉 ①소인(小人). ②악당. 심술쟁이.

〔宵小〕 xiāoxiǎo 명 〈文〉 ①도둑. 야도(夜盜). 밤도둑. ②악인. ‖ =〔宵类①〕〔霄小〕

〔宵行〕 xiāoxíng 〈文〉 동 밤길을 걷다. 밤길을 가다. 명 《蟲》 개똥벌레의 애벌레.

〔宵夜〕 xiāoyè 명동 ⇨〔消夜〕

〔宵衣旰食〕 xiāo yī gàn shí 〈成〉 날이 새기 전에 옷을 입고, 날이 저물어서야 겨우 식사하다《정무(政務)에 근면함을 비유한 말》. =〔宵旰〕

逍 xiāo (소)
동 ①이리저리 떠돌며 놀다. ②마음 내키는 대로 자적(自適)하다.

〔逍遥〕 xiāoyáo 동 ⇨〔消遥〕

〔逍遥子〕 xiāoyáozi 명 대로 만든 가마. =〔竹zhú舆〕

绡(綃) xiāo (초)
명 〈文〉 ①생사. =〔生丝〕 ②생사로 짠 직물.

〔绡头〕 xiāotóu 명 옛날에, 머리를 묶는 데 쓴 비단천. =〔绡纱〕

硝 xiāo (초)
①명 《鑛》 초석(硝石). ②동 가죽을 무두질하다. ¶已～狗皮; 무두질한 개의 모피.

〔硝化〕 xiāohuà 명동 《化》 니트로화(化)(하다).

〔硝化甘油〕 xiāohuà gānyóu 명 《化》 니트로글리세린(nitroglycerine). =〔炸zhà油〕

〔硝化纤维(素)〕 xiāohuà xiānwéi(sù) 명 《化》 니트로셀룰로스.

〔硝基〕 xiāojī 명 《化》 니트로기(基). ¶～酚fēn; 니트로페놀 / ～染料; 니트로 염료.

〔硝基苯〕 xiāojīběn 명 《化》 니트로벤젠(nitrobenzene). =〔人造扁桃油〕

〔硝棉漆〕 xiāomiánqī 명 니트로셀룰로스 래커.

〔硝皮(子)〕 xiāopí(zi) 동 모피를 무두질하다. ¶硝皮工厂; 피혁 공장. 명 무두질한 가죽. 유피(鞣皮).

〔硝片〕 xiāopiàn 명 니트로셀룰로스제(製) 필름.

〔硝镪水〕 xiāoqiángshuǐ 명 ⇨〔硝酸〕

〔硝石〕 xiāoshí 명 ⇨〔硝酸钾〕

〔硝酸〕 xiāosuān 명 《化》 질산(窒酸). ¶～钠nà; 질산 나트륨 / ～银yín; 질산은 / 甘gān油三～酯zhǐ; 트리니트로글리세린. =〈俗〉 硝镪qiáng水〕〔硝酸酦〕〔氮dàn酸〕

〔硝酸醋酸纤维素〕 xiāosuān cùsuān xiānwéisù 명 니트로아세틸셀룰로스. 솜화약. 무명 화약. 면화약.

〔硝酸酦〕 xiāosuānfā 명 ⇨〔硝酸〕

〔硝酸钾〕 xiāosuānjiǎ 명 《化》 질산 칼륨. 초석(硝石). 은초(銀硝). =〔硝石〕〔消石〕〔火huǒ硝〕〔钾jiǎ硝〕〔洋yáng硝〕

〔硝酸氧铋〕 xiāosuānyǎngbì 명 《化》 염기성 질산 비스무트. =〔碱式硝酸铋〕

〔硝纤象牙〕 xiāoxiān xiàngyá 명 《化》 셀룰로이드.

〔硝酰基〕 xiāoxiānjī 명 《化》 니트로소기(nitroso基).

〔硝烟〕 xiāoyān 명 화약의 연기. 초연《전장(戰場)을 이름》. ¶～弥漫; 화약 연기가 자욱하다《격렬하게 총포를 쏘아대는 전쟁터의 형용》.

〔硝盐〕 xiāoyán 명 거친 돌소금. =〔土tǔ盐〕

〔硝盐酸〕 xiāoyánsuān 명 《化》 왕수. =〔王wáng水〕

〔硝制〕 xiāozhì 동 (모피 등을) 무두질하다.

〔硝子液〕 xiāozǐyè 명 《生》 초자체. 유리체. =〔玻bō璃液〕

销(銷) xiāo (소)
①동 (금속을) 녹이다. 용해하다. ¶百炼不～; 아무리 해도 녹일 수가 없다. ②동 취소하다. 제거하다. 해제하다. ¶取qǔ～; 취소하다 / 勾gōu～; 지워 버리다. 그어 버리다 / 撤chè～; 철회하다. 취소하다. ③동 팔다. ¶行～; 팔림새. 매상(賣上) / 滞zhì～; 팔리지 않고 남다 / 畅～; 잘 팔리다 / 这个货～得慢; 이 물건은 팔림새가 느리다. ④(～子) 명 기계에 부착되어 있는 못 비슷한 부품. 플러그. ¶插chā～; (전등의) 플러그 / ～钉; ⇩ ⑤동 (플러그를) 끼우다. ⑥동 금종이를 오려서 꿰매 붙이다. ¶～一块幛子; 경조 선물용의 장막에 금자를 오려서 붙이다 / ～金字儿; 금자를 오려서 꿰매어 붙이다.

〔销案〕 xiāo‧àn 동 ①소송을 취하하다. ¶～放人; 소송을 취소하고 피고를 석방하다. ②사건을 낙착시키다. 사건의 결말을 짓다.

〔销册〕 xiāo‧cè 동 ①장부의 기록을 지우다. ②등록을 취소하다. (xiāocè) 명 결산서(決算書).

〔销差〕 xiāo‧chāi 동 임무가 끝나다. 임무를 완수하다. 임무가 끝난 것을 복명(復命)하다.

〔销场〕 xiāochǎng 명 ①시장. 소비 지대. ②〈方〉 상품의 판로. ③팔림새. ‖ =〔消场〕

〔销沉〕 xiāochén 동 소침하다. 조용해지고 쇠퇴하

다. ¶～堕落; 소침하고 낙담〔타락〕하다.
〔销除〕 xiāochú 동 삭제하다. ¶～股份; 주식 소각(消却).
〔销档〕 xiāodàng 동 ①호적에서 삭제하다. ②관공서의 기록에서 삭제하다.
〔销钉〕 xiāodīng 명 (기계를 연결시키는) 핀.
〔销额〕 xiāo'é 명 ⇨〔销数①〕
〔销废戳〕 xiāofèichuō 명 중요 서류의 폐기인(廢棄印).
〔销号〕 xiāohào 동 등록 따위를 취소하다.
〔销耗〕 xiāohào 동명 ⇨〔消耗〕
〔销毁〕 xiāohuǐ 동 소각하다. 녹여서 폐기하다. ¶～铜元; (폐기하기 위해) 동화(銅貨)를 녹이다 / ～证据; 증거를 태워 없애다 / 主张禁止和～原子武器和核武器; 원자 무기와 핵무기의 금지와 폐기를 주장하다.
〔销魂〕 xiāohún 동 넋을 잃다. 혼(魂)이 빠지다 《극도의 슬픔·고통·놀람·기쁨 등의 형용》. ¶～桥; 저승에 있다는 다리. =〔消魂〕〔断duàn魂〕
〔销货〕 xiāo.huò 동 상품을 팔다. ¶～折扣; 할인판매 / ～确què认书; 매약(賣約) 확인서. =〔消货〕
〔销货结单〕 xiāohuò jiédān 명 위탁 판매에서, 상품의 판매가 완료되지 않은 상태에서 위탁자에게 제출하는 가(假)계산서.
〔销货金额〕 xiāohuò jīn'é 명 매상 금액.
〔销货退回簿〕 xiāohuò tuìhuíbù 명 반품 기입장.
〔销货账〕 xiāohuòzhàng 명 매상 장부. 매출장(賣出帳).
〔销货折扣〕 xiāohuò zhékòu 명 판매 상품의 할인.
〔销价〕 xiāojià 명 판매가.
〔销假〕 xiāo.jià 동 ①출근하여 상사에게 휴가 기간이 끝난 것을 알리다. ②휴가를 취소하다.
〔销金〕 xiāojīn 동 ①〈文〉 금전을 소비하다. ②도금하다. 금박을 입히다. ③금을 녹이다. 명 녹인 금. ‖ =〔炫xuàn金〕
〔销金帐〕 xiāojīnzhàng 명〈文〉 금실 장식이 달린 '床chuáng帐' 곧 침대 주위에 치는 휘장. 화려한 모기장.
〔销禁〕 xiāojìn 동 가두다. 갇히다. ¶～在冰川中的淡水; 빙하에 갇힌 담수.
〔销路〕 xiāolù 명 판로. 팔림새. ¶～很好 =〔～很快〕; 팔림새가 양호하다 / 没有～; 판로가 없다 / ～清淡; 판매가 부진하다 / 推广～; 판로를 넓히다. =〔销市〕〔销途〕〔消路〕
〔销路大畅〕 xiāolù dàchàng 판매 증진. 아주 잘 팔리다.
〔销路凋零〕 xiāolù diāolíng 상품 판매의 정체.
〔销码〕 xiāomǎ 동 가격을 내리다. =〔削xuē价〕
〔销卖〕 xiāomài 동 팔다. =〔销售〕
〔销纳〕 xiāonà 명 팔림새. 매가. ¶香港已成为韩货～第三市场; 홍콩은 이미 한국 제품 판매의 세번째 시장이 되었다.
〔销清〕 xiāoqīng 동 다 팔다. 매진하다.
〔销熔〕 xiāoróng 동 용해하다.
〔销声匿迹〕 xiāo shēng nì jì 〈成〉 ⇨〔消声匿迹〕
〔销蚀〕 xiāoshí 동 부식하다. ¶～作用; 부식 작용 / ～剂; 부식제(劑).
〔销市〕 xiāoshì 명 ⇨〔销路〕
〔销售〕 xiāoshòu 동 팔다. 판매하다. ¶～货物; 상품을 팔다 / ～额; 매상고. =〔销卖〕〔消售〕
〔销数〕 xiāoshù 명 ①판매고. 매상고. ¶～不昧; 판매가 시원치 않다. =〔销额〕 ②판매 개수.
〔销头(儿)〕 xiāotóu(r) 명 상품의 팔림새. 상품 판매 상황. ¶～好; 잘 팔리다.
〔销途〕 xiāotú 명 ⇨〔销路〕
〔销往〕 xiāowǎng 동명 ⇨〔销行〕
〔销胃〕 xiāowèi 명 시장의 상품 소화력.
〔销销儿〕 xiāoxiāor 명 옛날, 천정을 달아 매어 놓았다가, 떨어뜨려 밑에 있는 사람을 죽이게 한 장치. ¶您放心往里走吧, 这儿没～; 안심하고 안으로 들어가십시오, 사람을 죽이는 장치 같은 것은 없으니까요《해학적으로 씀》.
〔销行〕 xiāoxíng 동 판매하다. (물품이) 팔리다. ¶瑞Ruì士制的钟表～满世界; 스위스제 시계는 전 세계에 팔린다. 명 판로(販路). 팔림새. ¶～不广; 판로가 넓지 않다. ‖ =〔销往〕
〔销用〕 xiāoyòng 동 소비하다. ¶～食物; 식량을 소비하다 / ～家; 소비자.
〔销约〕 xiāoyuē 동 약속을 취소하다.
〔销灾〕 xiāo.zāi 동 ⇨〔消灾〕
〔销赃〕 xiāozāng 동 훔친 물건을 처분하다. ¶～人; 장물아비.
〔销账〕 xiāo.zhàng 동 삭치다. 탕치다. 장부에서 지워버리다.
〔销幛子〕 xiāozhàngzi 경조사에 예물로 보내는 글씨가 들어간 '幛子'(기막(旗幕))을 만드는 일.
〔销滞〕 xiāozhì 동 ①상품이 체화(滯貨)하다. ②시장 시세가 불투명하다. 상품 판매가 부진하다.
〔销字〕 xiāozì 동 '刻字铺'(도장포)에서 경조사용의 '幛zhàng子'(기막(旗幕))을 만들기 위하여 금종이를 오려서 만든 글씨를 붙이다.
〔销子〕 xiāozi 명《機》(기계를 결합하는 데 쓰이는) 핀.
〔销(子)槽〕 xiāo(zi)cáo 명 열쇠의 홈. =〔键jiàn槽〕

蛸 xiāo (초)

① →〔螵piāo蛸〕 ② 명《動》 낙지. =〔章zhāng鱼〕 ⇒ shāo
〔蛸枕〕 xiāozhěn 명《魚》 해연(海燕)《섬게의 일종》.

霄 xiāo (소)

명 ①하늘. ¶重～; 높은 하늘 / 后来就把这重要的事情忘在九～云外去了; 나중에는 이 중요한 일을 까맣게 잊어버리고 있었다. ②구름.
〔霄汉〕 xiāohàn 명〈文〉 하늘. 천공(天空). ¶气凌～; 〈成〉 의기 충천하다 / 陵líng～, 出宇宙之外; 하늘을 지나 우주 밖으로 나가다.
〔霄壤〕 xiāorǎng 명 ①하늘과 땅. ②〈比〉 많은 차이가 있음. ¶～之别; 천양지차 / 一比上他就有～之别了; 그 사람에 대면 그것은 하늘과 땅 차이가 있다.
〔霄小〕 xiāoxiǎo 명〈文〉 ⇨〔宵小〕
〔霄雪〕 xiāoxuě 명〈文〉 진눈깨비. =〔霙yīng〕〔冷lěng子〕
〔霄夜〕 xiāoyè 명동 ⇨〔消夜〕

魈 xiāo (소)

→〔山shān魈〕

枭(梟) xiāo (효)

①명《鳥》 올빼미. =〔鸮〕〔鸱chī鸮〕 ②명 효수(梟首). ③명 두목. ④명 소금 밀매자(密賣者). =〔盐yán枭〕〔私枭〕 ⑤형 웅건(雄健)한. 사납고 힘센. ¶～将; ⇓
〔枭刀子〕 xiāodāozi 명 목을 베는 관리(官吏). 사

형을 집행하는 망나니.
〔枭匪〕 xiāofěi 명 (탈세한 소금을) 몰래 운반해서 판매하는 악당. 소금 밀매업자.
〔枭将〕 xiāojiàng 명 용맹스러운 대장.
〔枭獍〕 xiāojìng 명〈文〉불효자. 은혜를 모르는 자.
〔枭卢〕 xiāolú 명 주사위의 눈(주사위의 1을 '幺' 또는 '枭'라고 하고, 6을 '卢'라고 함).
〔枭乱〕 xiāoluàn 동 휘저어 어지럽히다. 심하게 어지럽히다.
〔枭鸟〕 xiāoniǎo 명《鳥》〈文〉올빼미.
〔枭骑〕 xiāoqí 명〈文〉용맹스러운 기병.
〔枭示〕 xiāoshì 동〈文〉효시하다.
〔枭首〕 xiāoshǒu 명동〈文〉효수(하다). ¶～之刑; 효수형 / ～示众; 효수하여 대중에게 보이다. →〔号令〕
〔枭雄〕 xiāoxióng 명〈文〉효웅. 횡포한 야심가.
〔枭张〕 xiāozhang 형 횡포하다. 함부로 뽐내다. ¶他太～了, 谁也不爱和他共事; 그는 너무 횡포하여서 아무도 그와 함께 일하기 싫어한다.

哓(嘵) xiāo (효)
형 불평 불만을 늘어놓는 모양. ¶～～不休;〈成〉ⓐ계속해서 불평을 늘어놓다. ⓑ계속 아옹다옹하다.
〔哓咋〕 xiāozhà 동 공갈하다. 위협하다.

骁(驍) xiāo (효)
①명 좋은 말. 준마. ②형 용감하고 굳세다. 용맹하다. ¶～将; ⇩
〔骁悍〕 xiāohàn 형 ①매우 용맹하다. ②흉악하다.
〔骁将〕 xiāojiàng 명 효장. 용맹스럽고 사나운 장수. 용장. =〔枭将〕
〔骁名〕 xiāomíng 명〈文〉용명(勇名).
〔骁骑〕 xiāoqí 명〈文〉용맹스러운 기병. ¶～将jiāng军; 고대 무관명의 하나. =〔枭骑〕
〔骁卫〕 xiāowèi 명《史》궁중의 금위군(禁衛軍)의 구칭.
〔骁骁〕 xiāoxiāo 형〈文〉용맹하게 앞으로 나아가는 모양.
〔骁勇〕 xiāoyǒng 형〈文〉용맹스럽다. ¶～善战; 용맹스러우며 전투에 능숙하다.

枵 xiāo (효)
형〈文〉①텅 비다. 공허하다. 허무하다. ②감소(減少)하다. ③주리다. ④천이 얇다.
〔枵薄〕 xiāobáo 형 성기고 얇다. 가볍다. 약소하다. ¶这块布太～了; 이 천은 대단히 얇다. =〔萧薄〕
〔枵腹〕 xiāofù 명 공복(空腹). 주린 배. ¶～从公; 주린 배를 움켜잡고 공무(公務)에 진력하다. 싼 월급으로 일하다 / ～高谈; 빈 배를 움켜쥐고 큰 소리치다.

鸮(鴞) xiāo (효)
명《鳥》올빼미. ¶红角～; 부엉이 / 褐应～; 솔부엉이 / 长耳～; 칡부엉이. →〔枭xiāo〕〔鸱chī鸮〕

虓 xiāo (효)
〈文〉①동 맹호(猛虎)가 노해서 으르렁거리다. ②동 두들기다. ③형 용맹하다. 용감하다.

猇 xiāo (효)
①〈文〉호랑이가 사람이나 다른 동물을 습격할 때에 내는 소리. ②→〔猇亭〕
〔猇亭〕 Xiāotíng 명《地》샤오팅(猇亭)(지금의 후베이 성(湖北省) 이두 현(宜都縣)의 옛 지명).

萧(蕭) xiāo (소)
①명《植》쑥. ②형 쓸쓸하다. 호젓하다. ¶气象～森; 주위의 분위기가 고요하다. ③형 성기다. 드문드문하다. ¶秋林～疏; 가을 숲이 성기다. ④명 성(姓)의 하나. ⑤(Xiāo) 명《地》장쑤 성(江蘇省)에 있는 현(縣) 이름.
〔萧艾〕 xiāo'ài 명〈文〉①쑥. ②〈轉〉쓸모없는 놈. 불초(不肖). 소인(자신을 비하(卑下)해서 하는 말).
〔萧规曹随〕 Xiāo guī Cáo suí〈成〉다음 대의 사람이 전대의 사람이 하던 방법을 답습하여 일을 행함(소하(蕭何)가 정한 법령 제도를 조삼(曹參)이 그대로 따른 데서 유래).
〔萧寂〕 xiāojì 형〈文〉적적하다. 쓸쓸하다.
〔萧墙〕 xiāoqiáng 명〈文〉①대문을 들어간 바로 안쪽에 밖에서 보이지 않도록 세운 벽(壁). ②〈比〉집안. 측근. 내부. ¶祸起～;〈成〉집안 싸움을 하다. 재앙이 내부에서 일어나다 / ～之忧; 신변에 있는 걱정거리 / ～之祸; 한 집안의 불화. 내란.
〔萧然〕 xiāorán 형〈文〉①숙연한 모양. 죽은 듯이 고요하고 쓸쓸한 모양. ②텅 비어 있는 모양. ③시끄러운 모양. ¶北边～若兵; 북방이 시끄러워져서 장병을 괴롭혔다.
〔萧飒〕 xiāosà〈文〉동 초목이 마르다〔시들다〕. 형 가을 바람이 상쾌하다.
〔萧散〕 xiāosǎn 형 ①드문드문하다. ②한산하다.
〔萧瑟〕 xiāosè〈文〉①〈擬〉휘휘. 솨솨(나무에 부는 쓸쓸한 바람 소리). ¶秋风～; 가을 바람이 휘휘 불다. ②형 (풍경(風景)이) 쓸쓸하다. 적막하다. 스산하다.
〔萧疏〕 xiāoshū 형〈文〉적적하다. 쓸쓸하다.
〔萧索〕 xiāosuǒ 명형 ⇨〔萧条〕
〔萧条〕 xiāotiáo 형 적적하다. 쓸쓸하다. 생기가 없다. ¶～的晚秋气象; 쓸쓸한 늦가을의 분위기. 명형《經》불황(不況)(이다). 불경기(이다). 부진(不振)(하다). ¶交易～; 거래가 불황이다 / 买卖～; 매매가 부진하다. ‖ =〔萧索〕
〔萧萧〕 xiāoxiāo〈文〉〈擬〉①히잉(말이 우는 소리). ¶～马鸣; 히잉 하고 말이 운다. ②솨솨. 휘휘(바람 소리). ③우수수(바람에 나뭇가지가 흔들리거나 나뭇잎이 떨어지는 소리). ¶风飒飒兮木～; 바람은 솨솨 불고 나무는 와삭거린다.

揀(攄〈攎〉) xiāo (숙)
동〈文〉치다. 두드리다.

潇(瀟) xiāo (소)
①형〈文〉물이 깊고 맑다. ②형 비바람이 세참. ③(Xiāo) 명《地》샤오수이 강(瀟水)(후난 성(湖南省)에 있는 강 이름). =〔泥江〕
〔潇洒〕 xiāosǎ 형 (행동 거지·모습이) 자연스럽다. 세련되다. 스마트하다. 시원스럽고 대범하다. 소탈하다. ¶他一举一动都是那样地～; 그의 거동은 일거수 일투족이 세련되어 있다.
〔潇潇〕 xiāoxiāo 형〈文〉①비바람이 심한 모양. ¶风雨～; 비바람이 세차게 몰아친다. ②이슬비가 내리는 모양.

箫(簫) xiāo (소)
명《樂》퉁소. =〔洞dòng箫〕〔箫管guǎn〕

蟏(蠨) xiāo (소)
→〔蟏蛸〕
〔蟏蛸〕 xiāoshāo 명《蟲》갈거미(길조(吉兆)의 것이라 함). =〔喜xǐ蛛〕〔蟢子〕

翛

xiāo (소)
형 〈文〉 자유자재한 모양. (방해받는 것 없이) 제마음대로인 모양. ¶～然而往; 망설이거나 지체 않고 척척 가다.

〔翛翛〕 xiāoxiāo 형 〈文〉 날개가 찢겨져 있는 모양.

嚣(嚻〈𡅅〉)

xiāo (효)
① 형 시끄럽다. ② 형 많다. ③ 명 시끄러운 장터.
⇒Áo

〔嚣谤〕 xiāobàng 동 〈文〉 여럿이 입을 모아 비방하다.

〔嚣尘〕 xiāochén 〈文〉 형 떠들썩하고 어수선하다. 명 어지럽고 시끄러운 속세. ¶甚～上; 세상에서 시끄럽게 논의되고 있다. 세간에 문제가 되어 있다.

〔嚣风〕 xiāofēng 형 〈文〉 세상이 어수선한 모양. ¶于是～遂行, 不可抑止; 이에 정세는 소연해지고, 억압할 수 없게 됐다.

〔嚣浮〕 xiāofú 〈文〉 형 피상적(皮相的)이다. (조심성이 없고) 경박하다. ¶人心～轻巧; 인심은 경조부박(輕佻浮薄)하다. 명 속세(俗世). 덧없는 세상.

〔嚣竞〕 xiāojìng 동 〈文〉 많은 사람들이 밀치락달치락하며 서로 경쟁하다.

〔嚣然〕 xiāorán 형 〈文〉 ①굶주린 모양. ¶终朝zhāo未餐cān, 则～思食; 아침 나절에 식사를 안 했더니 배가 고파서 뭘 먹고 싶어졌다. ②여러 사람들이 근심스러운 얼굴을 하는 모양. ¶～丧sàng其乐生之心; 모두들 걱정스러워져서 삶을 즐긴다는 심정을 상실하고 말았다.

〔嚣嚣〕 xiāoxiāo 형 〈文〉 ①무욕(無慾)에서 자득(自得)한 모양. 초연한 모양. ②많은〔시끄러운〕 모양.

〔嚣尹〕 Xiāoyǐn 명 복성(複姓)의 하나.

〔嚣张〕 xiāozhāng 동 ①(나쁜 세력·기염(氣焰)·사기(邪氣) 등이) 굉장하다. 성(盛)하다. 판을 치다. ¶～一时; 갑자기 만연되다/气焰～; 기고만장하다. ②야단스럽게 떠들어 대다. ③멋대로 세력을 부리다. 거만하게 행동하다. 사납게 날뛰다.

洨

xiáo (효)
→〔洨水〕

〔洨水〕 Xiáoshuǐ 명 《地》 샤오수이 강(洨水)《허베이 성(河北省)에 있는 강 이름》. =〔洨河hé〕

筊

xiáo (교)
명 〈文〉 대나무로 꼰 줄〔끈〕.

淆〈殽〉

xiáo (효)
① 동 뒤섞다. 어지럽히다. 혼합되다. ¶混～不清; 뒤섞여서 분명치 않다. ② 형 혼잡하다. 어지럽다. ¶～杂; 혼잡하다. =〔淆乱〕〔混hùn淆〕

〔淆舛〕 xiáochuǎn 동 〈文〉 뒤섞여 잘못되다.

〔淆惑视听〕 xiáo huò shì tīng 〈成〉 ①이목을 혼란시켜서 현혹하게 하다. ②유언비어를 퍼뜨려 대중을 현혹시키다.

〔淆乱〕 xiáoluàn 동 어지럽히다. 혼란시키다. ¶～是非; 선과 악을 혼란시키다/歪曲消息, ～视听; 뉴스를 왜곡하여 세상의 이목을 어지럽히다. 형 난잡하다. 어지럽다.

崤

Xiáo (효)
명 《地》 샤오산 산(崤山)《허난 성(河南省) 루오닝 현(洛寧縣) 서북에 있는 산 이름》.

小

xiǎo (소)
① 형 (면적·크기·소리·용량 등이) 작다. ¶～山; 작은 산/风～了一点儿; 바람이 조금 잦아들었다/～型企业; 소규모의 기업. ② 형 나이가 젊다〔어리다〕. ¶她比我～一岁; 그녀는 나보다 한 살 아래다/～通信员; 젊은 통신원. ③ 형 (장소 등이) 좁다. ¶地方很～; 장소가 매우 좁다. ④ 형 간단하다. 손쉽다. ¶～吃; ⇩/～字典; 소사전. ⑤ 부 잠깐. 잠시 동안. ¶～住; 잠시 머물다/～睡; 잠깐 잠자다. ⑥ 형 소수이다. ¶～队; 소대/价钱～; 값이 싸다/数目～; 수가 적다. ⑦ 형 도량이 좁다. ¶度量～; 도량이 좁다/心眼儿～; 식견이 좁다. ⑧ 접두 〈謙〉 자기의 겸칭. ¶～弟; 저/～号; 우리 가게. ⑨ 명 첩(妾). ¶讨～; 첩을 두다/聚～; 첩을 얻다. ⑩ 접두 성(姓)·이름 또는 형제의 순서를 나타내는 수사(數詞) 앞에 붙여서 호칭어로 함. ¶～王; 왕군. 왕씨/～苹; 평군. ⑪ 동 작아지다. 작게 하다. ⑫ 동 〈文〉 경시하다. ¶众以此～之; 모두들 이 때문에 그를 경멸했다/～不了他; 그를 경시할 수 없다. ⑬ 형 거의 가까운. ¶～五十岁的人; 50에 거의 가까운 사람/时候儿已经～十二点了; 시각은 벌써 12시 가깝다. ⑭ 형 정도가 얕다. ¶学问～; 학문이 얕다. ⑮ 명 자녀. 어린이. ¶一家老～; 한 집안의 노인과 어린이/上有老, 下有～; 위로 노인이 있고, 아래로는 어린아이가 있다. ⑯ 명 〈簡〉 소학교〔초등 학교〕의 약칭. ¶初～; 초급 소학교/高～; 고등 소학교.

〔小矮人〕 xiǎo'ǎirén 명 난쟁이.

〔小袄儿〕 xiǎo'ǎor 명 짧은 솜옷 또는 겹옷.

〔小八路〕 xiǎobālù 명 팔로군의 소년 병사.

〔小巴豆〕 xiǎobādòu 명 《植》 속수자. =〔续xù随子〕

〔小把戏〕 xiǎobǎxì 명 〈方〉 어린이. ¶我都想过了, 就是'～'没有地方去呀; 나도 그렇게 생각했지만, 아이가 갈 곳이 없잖으냐.

〔小白〕 xiǎobái 명 ⇨〔小白脸(儿)〕

〔小白菜(儿)〕 xiǎobáicài(r) 명 김치를 담그는 배추류(類)《'大白菜(결구 배추)'와 구별함》. =〔青松①〕〔油菜②〕

〔小白脸(儿)〕 xiǎobáiliǎn(r) 명 미소년(美少年). 미끈한 미남자. 얼굴이 희고 잘생긴 남자. 기생오라비《다소 경멸의 뜻으로 쓰임》. =〔小白〕

〔小白萝卜〕 xiǎobáiluóbo 명 《植》 네덜란드 무《가는 무. 1,2월경에 시장에 나오는 길이 20센티 가량의 것》.

〔小百货〕 xiǎobǎihuò 명 일용 잡화.

〔小摆设〕 xiǎobǎishè 명 (책상이나 선반 등에 진열해 놓는) 감상용 미술품·장식품.

〔小班(儿)〕 xiǎobān(r) 명 ①유치원의 3~5살까지의 반. ②옛날, 북경(北京)의 가장 고급스런 기루(妓樓). =〔清qīng吟小班〕

〔小班大儿的〕 xiǎobāndàrde 명 〈俗〉 젊은이《노인·선배가 연하자를 부르는 말》.

〔小板凳儿〕 xiǎobǎndèngr 명 작은 나무 걸상.

〔小板子〕 xiǎobǎnzi 명 작은 널. 쪼갠 대나무. 태장(笞杖). 매《옛날의 형구(刑具)》.

〔小半(儿)〕 xiǎobàn(r) 명 절반 가량《절반이 안 되는 정도》.

〔小半大儿〕 xiǎobandàr 명 ①애늙은이. ②나이가 같은 또래의 청소년〔젊은이〕. ¶～里头数shǔ他好; 젊은 아이들 중에서는 그가 낫다.

〔小包〕 xiǎobāo 명 ①인민 공사가 공사원에 대하여 주요 생활 필수품은 실물로 주고, 그 밖에는

현금으로 지급하는 방식. ②소포.
〔小包被〕 xiǎobāobei 명 아기 이불.
〔小宝宝〕 xiǎobǎobao 명 아가. 아기. 귀염둥이(애칭).
〔小刨床〕 xiǎobàochuáng 명 《機》 형삭반(形削盤). 셰이퍼(shaper).
〔小报(儿)〕 xiǎobào(r) 명 ①작은 신문. 소형 신문. 타블로이드판의 신문. ②옛날에, 불행이 있을 경우 '讣fù闻'(부고)보다 먼저 그 집의 하인의 이름으로 보내는 일종의 사망 통지. ③마작에서 특별히 끼워 넣은 한 장의 패.
〔小报告儿〕 xiǎobàogàor 명 ①비밀경찰에 의한 개인에 관한 보고. ¶政府接到了许多关于他的～; 정부는 그에 관한 많은 보고를 접수했다. ②밀고장(密告狀). ¶也不知道是谁打了我的～; 누가 나를 밀고했을까. ③고자질. 밀고. ¶打～; 고자질하다.
〔小辈〕 xiǎobèi 명 ①(～儿) 손아랫사람. ②무능한 자.
〔小本〕 xiǎoběn 명 ①소자본(小資本). ② ⇨〔小本(儿,子)〕
〔小本本〕 xiǎoběnběn 명 ⇨〔小本(儿,子)〕
〔小本经营〕 xiǎoběn jīngyíng 명 소자본 영업. 소규모의 장사.
〔小本(儿,子)〕 xiǎoběn(r,zi) 명 ①수첩. ¶抄在～儿上; 수첩에 베끼다. ②팸플릿(pamphlet). ‖＝〔小本②〕〔小本本〕
〔小蹦子儿〕 xiǎobèngzir 명 작은 동전(銅錢).
〔小屄〕 xiǎobī 명 〈罵〉 (젊은) 여자를 욕하는 외설적인 말. ＝〔小嫩屄〕〔小死屄〕〔落luò血的屄〕
〔小婢〕 xiǎobì 명 ①하녀. ②〈謙〉 자기 집 하녀.
〔小便〕 xiǎobiàn 명동 소변 (보다). 명 남성의 성기. 자지.
〔小便斗〕 xiǎobiàndǒu 명 나팔꽃 모양의 남성용의 소변기.
〔小辫儿〕 xiǎobiànr 명 ①짧게 땋아 늘인 머리. ②변발(辮髮).
〔小辫子〕 xiǎobiànzi 명 〈比〉 약점. ¶抓～; 약점을 잡다.
〔小标题〕 xiǎobiāotí 명 소표제. 작은 표제. 소제목.
〔小瘪三〕 xiǎobiēsān 명 〈南方〉 조무래기. 망나니. 비행 소년.
〔小别〕 xiǎobié 명 잠시 동안의 이별.
〔小冰疙瘩〕 xiǎobīnggēda 명 작은 우박.
〔小兵〕 xiǎobīng 명 (장교에 대하여) 졸병. ¶～小将; 〈比〉 어중이떠중이. 조무랭이.
〔小钹〕 xiǎobó 명 《樂》 구리로 만든 심벌즈 비슷한 악기로, 두 짝을 마주쳐서 울리는 것.
〔小檗〕 xiǎobò 명 《植》 매자나무속(屬) 식물의 총칭.
〔小檗碱〕 xiǎobòjiǎn 명 《藥》 베르베린(berberin). ＝〔贝bèi百林〕
〔小补〕 xiǎobǔ 명 작은 보탬. 작은 이익. ¶不无～; 약간은 보탬이 된다.
〔小不点儿〕 xiǎobudiǎnr 〈方〉 형 ①(나이가) 매우 어리다. ②(키가) 매우 작다. 명 가장 어린 아이. 꼬마. 제일 젊은 사람.
〔小不了〕 xiǎobùliǎo ①작을 리가 없다. ②작아지지는 않다. ③체면을 손상시킬 만한 일은 없다. 위신을 손상시킬 일은 없다. ¶～你; 너의 체면을 손상시킬 만한 일은 없다.
〔小布〕 xiǎobù 명 ①(～儿) 폭이 좁은 천. 폭이 좁은 무명천. ②《史》 옛 화폐 이름(한(漢)나라 시대에, 신(新)의 왕망(王莽) 때에 주조된 것. 겉에 '小布一百'이라는 문자가 있어, 이 이름이 있음. '布'는 '钱'의 뜻).
〔小布尔乔治〕 xiǎobù'ěrqiáozhì 명 ⇨〔小资产阶级〕
〔小步〕 xiǎobù 동 느리게 걷다. ＝〔缓huǎn步〕
〔小步舞曲〕 xiǎobùwǔqǔ 명 《樂》 미뉴에트(minuet) 무곡.
〔小部分〕 xiǎobùfen 명 소부분.
〔小簿子〕 xiǎobùzi 명 수첩.
〔小菜〕 xiǎocài 명 ①(손쉽게 만든, 손쉽게 먹을 수 있는) 간단한 요리·반찬. ②간단한 연석(宴席). ↔〔大菜〕 ③〈方〉 생선·고기·야채 등. ④〈口〉〈比〉 쉬운 일. 식은 죽 먹기. ⑤〈轉〉 사람한테 업신여김을 받는 사람. 무기력한 사람. ¶谁都欺qī负他, 简直地成了～了; 누구나 그를 업신여기니, 정말이지 천덕꾸러기가 돼 버렸어.
〔小菜场〕 xiǎocàichǎng 명 〈南方〉 야채 시장. ¶虹hóng口区三角地～; (상하이(上海)의) 홍구구(虹口區)의 삼각지 시장.
〔小菜饭〕 xiǎocàifàn 명 간단한 식사. 간소한 식사. ¶每日两餐～是不可少的; 매일 두 끼의 간소한 식사는 거를 수 없다.
〔小菜茅〕 xiǎocàimáo 명 《植》 '荸荠bíqí'(올방개)의 일종(식품).
〔小菜儿钱〕 xiǎocàirqián ⇨〔小账(儿)〕
〔小苍兰〕 xiǎocānglán 명 《植》 프리지어(freesia). ＝〔香xiāng雪兰〕
〔小草〕 xiǎocǎo 명 《植》 ①원지. 영신초(靈神草). ②로마자 소문자의 필기체.
〔小册子〕 xiǎocèzi 명 ①팸플릿. ②수첩.
〔小差(儿)〕 xiǎochāi(r) 명 ⇨〔小差事(儿)〕
〔小差事(儿)〕 xiǎochāishi(r) 명 하찮은〔지위가 낮은〕 직책. ＝〔小差(儿)〕
〔小产〕 xiǎochǎn 명동 〈俗〉 유산(流産)(하다). ＝〔小喜〕〔小月子(儿)〕〔丢胎〕
〔小娼妇〕 xiǎochāngfù 명 〈罵〉 똥갈보년!(여자를 욕하는 말).
〔小肠〕 xiǎocháng 명 《生》 소장.
〔小肠串气〕 xiǎocháng chuànqì 명 ⇨〔小肠气〕
〔小肠气〕 xiǎochángqì 명 탈장(脫腸). ＝〔小肠串气〕〔小肠疝〕〔小肠(疝)气〕
〔小肠窄肚〕 xiǎocháng zhǎidù 〈比〉 통이 작다. 속이 좁다.
〔小抄儿〕 xiǎochāor 명 〈口〉 커닝(cunning) 쪽지. ¶打～; 커닝 페이퍼를 만들다 / 考试要凭实力, 不能带～; 시험은 실력으로 봐야지, 커닝 페이퍼를 갖고 있으면 안된다.
〔小巢菜〕 xiǎocháocài 명 《植》 새완두. ＝〔翘摇②〕
〔小朝廷〕 xiǎocháotíng 명 ①《史》 속국(屬國)의 조정. ②분파(分派)의 근거지.
〔小车(儿)〕 xiǎochē(r) 명 ①손으로 미는 일륜차(一輪車). ＝〔〈方〉 鸡jī公车〕〔老lǎo虎车〕〔手shǒu车〕〔手推车〕 ②상자 모양의 작은 승용차. 세단(sedan). ③새끼 꼬는 틀.
〔小车输送机〕 xiǎochē shūsòngjī 명 《工》 판자(板子) 컨베이어.
〔小称〕 xiǎochēng 명 애칭. ¶～叫做三毛; 애칭은 '三毛'라고 한다.
〔小成〕 xiǎochéng 명동 〈文〉 작은 성공(을 하다). 소성(하다).
〔小乘〕 xiǎochéng 명 《佛》 소승.
〔小吃〕 xiǎochī 명 ①(분량이 적고 값이 싼) 간단한 음식. ¶经济～; 값이 싼 간단한 음식. ②음식점에서 파는 '粽子'·'元宵'·'年糕'·'油茶' 등

의 총칭. ③서양 요리의 전채(前菜). 오르되브르(hors-d'oeuvre). ④〈謙〉 변변치 않은 음식《음식을 선사할 때 쓰는 말》. ¶不过是～; 변변치 않은 음식입니다.
〔小吃部〕 xiǎochībù 명 간단한 식사를 파는 식당〔매장〕.
〔小吃店〕 xiǎochīdiàn 명 간이식당. 스낵《간단한 식사나 술 따위를 팖》. =〔小吃铺〕
〔小吃铺〕 xiǎochīpù 명 ⇨〔小吃店〕
〔小池子〕 xiǎochízi 명 구식 무대의 에이프런 스테이지 양쪽의 좌석.
〔小赤佬〕 xiǎochìlǎo 명 〈方〉 ⇨〔小孩(儿,子)〕
〔小重阳〕 xiǎochóngyáng 명 음력 9월 10일《'重阳'(중양절)의 다음날》.
〔小绸子(儿)〕 xiǎochóuzi(r) 명 폭이 좁은 고급 견직물.
〔小丑(儿)〕 xiǎochǒu(r) 명 ①《劇》 연극의 어릿광대. 피에로. ②〈比〉 사람을 잘 웃기는 사람. ③소인(小人). 쓸모없는 놈. ¶跳梁～; 〈成〉 촐랑대고 있는 하찮은 놈들.
〔小除〕 xiǎochú 명 선달 그믐날의 전날. 또, 그 날을 축하하는 식사.
〔小除夕〕 xiǎochúxī 명 '除夕'(섣달그믐날)의 전날. =〔小过年〕〔小节夜〕〔小年夜〕
〔小雏儿〕 xiǎochúr 명 ①새의 새끼. 병아리. ②〈比〉 생무지. 풋내기. 햇병아리. ③〈比〉 견식이 부족한 사람.
〔小畜生〕 xiǎochùsheng 명 〈罵〉 꼬마 녀석. 계집년《나이 어린 사람을 욕하는 말》.
〔小川马〕 xiǎochuānmǎ 명 《動》 노새. =〔骡luó〕
〔小船(儿)〕 xiǎochuán(r) 명 소선. 작은 배.
〔小船跑顺风〕 xiǎochuán pǎo shùnfēng 〈比〉 조그만 배가 순풍을 타고 달리다. 기회를 틈타서 하다.
〔小春〕 xiǎochūn 명 ① ⇨〔小阳春①〕 ② ⇨〔小春(作物)〕
〔小春(作物)〕 xiǎochūn (zuòwù) 명 가을에 씨를 뿌리고 이른 봄에 수확하는 작물《남방에서는, 밀·보리·완두 등을 말함》. =〔小春②〕
〔小词〕 xiǎocí 명 《論》(논리학의) 소명사(小名詞).
〔小葱(儿)〕 xiǎocōng(r) 명 봄·여름에 나는 실파.
〔小葱拌豆腐〕 xiǎocōng bàn dòufu 〈歇〉 파를 두부에 섞다. ¶～, 一清二白; 실파를 두부에 섞은 것처럼, 명명백백하다. =〔葱拌豆腐〕〔豆腐炒韭菜〕〔菠bō菜煮豆腐〕〔韭jiǔ菜拌豆腐〕〔青qīng葱拌豆腐〕
〔小聪明(儿)〕 xiǎocōngming(r) 명 약삭빠른 행위. 잔꾀. ¶耍shuǎ～; 약삭빠르게 굴다.
〔小矬个儿〕 xiǎocuógèr 명 마르고 키가 작은 체격. 또, 그런 사람.
〔小打〕 xiǎodǎ 명 잡일을 하는 허드레꾼. 몸종.
〔小打扮儿〕 xiǎodǎbànr 명 ①몸에 붙는 짧은 옷. 경장(輕裝). ¶铜匠脱了个"～"重又举起油锤; 대장장이는 "경장"을 벗고는 또 해머를 들었다. ②육체노동자.
〔小大姐〕 xiǎodàjiě 명 옛날, 젊은 하녀.
〔小大由之〕 xiǎo dà yóu zhī 〈成〉 크거나 작거나 마음대로 쓸 수 있음.
〔小胆子的〕 xiǎodǎnzide 명 〈俗〉 겁쟁이. 담이 적은사람.
〔小旦〕 xiǎodàn 명 《劇》 중국의 전통극에서, 젊은 처녀의 역(役). =〔闺guī门旦〕
〔小蛋儿〕 xiǎodànr 명 어린아이의 불알.
〔小当家〕 xiǎodāngjiā 명 젊은 주인.
〔小刀(儿, 子)〕 xiǎodāo(r, zi) 명 주머니칼. 조그만 나이프.
〔小刀会〕 Xiǎodāohuì 명 《史》 소도회(청대(清代)에 활동한 비밀 결사의 이름). ¶～起义; 1853년 태평천국군(太平天國軍)에 호응하여 일으킨 무장봉기.
〔小刀儿面〕 xiǎodāormiàn 명 칼국수.
〔小盗〕 xiǎodào 명 ⇨〔小偷(儿)〕
〔小道〕 xiǎodào 명 ①(보잘것없는) 기예(技藝). ②유학(儒學) 이외의 학문. ③도사(道士)의 자칭.
〔小道儿〕 xiǎodàor 명 ①소로(小路). 오솔길. ②지름길. ③〈轉〉 뇌물을 쓰는 등의 부정한 수단〔방법〕. ¶中zhòng与不中, 各由天命, 不走～; 합격하고 못하고는 천명에 달려 있으니, 부정한 방법은 쓰지 않겠다. ④〈轉〉 도둑질. ¶～货; 도품(盗品) / 这件东西怕是～货, 我不便买; 이 물건은 아마도 장물인 것 같아 나는 사기가 곤란하다.
〔小道(儿)消息〕 xiǎodào(r) xiāoxī 명 거리의 소문. 하찮은 뉴스. 주워들은 소식.
〔小德〕 xiǎodé 명 〈文〉 사소한 일. ¶大德不逾yú闲, ～出入可也; 중대한 사항만 법을 넘지 않으면 사소한 일은 다소 출입이 있어도 상관 없다.
〔小底〕 xiǎode 명 ⇨〔小人③〕
〔小的(儿)〕 xiǎode(r) 명 〈俗〉 ①(사물의) 작은 것. ②어린아이. 꼬마. 막내. ③저. 나. 소인. ④동물의 새끼. ¶下了～了; 새끼를 낳았다.
〔小的儿〕 xiǎoder 명 〈北方〉 ①작은〔어린〕 아이. ¶～还在怀抱儿呢; 제일 작은 아이는 아직 젖을 먹고 있습니다 / 有三个～; 어린 것이 셋 있습니다 / 做～的得孝顺; 자식된 자는 부모에게 효도를 해야 한다. ②작은 것. 작은 물건. ③한 세대 아래의 사람. 후배. ④ ⇨〔小老婆〕
〔小得溜儿〕 xiǎodeliūr 부 〈方〉 조금. 약간.
〔小登科〕 xiǎodēngkē 명 〈俗〉 결혼.
〔小笛〕 xiǎodí 명 피리《'梆子'의 반주의 쓰임》. =〔梆bāng笛〕
〔小弟〕 xiǎodì 명 ①막냇동생. ②〈謙〉 소생. 저《동배(同輩)에 대한 자기의 겸칭》.
〔小弟弟〕 xiǎodìdi 명 ①작은 동생. 어린 동생. 귀여운 동생. ②꼬마 친구《사내아이에 대한 애칭》.
〔小点点〕 xiǎodiǎndiǎn 형 ⇨〔小丁点儿〕
〔小点子〕 xiǎodiǎnzi 명 〈方〉 첩.
〔小电影儿〕 xiǎodiànyǐngr 명 포르노 영화. 도색영화. =〔黄huáng色电影〕
〔小店〕 xiǎodiàn 명 ①작은 상점. ②〈謙〉 폐점(弊店). 저희 가게. ③작은 여인숙.
〔小店儿〕 xiǎodiànr 명 싸구려 여인숙《잠만 잘 수 있고 식사는 제공되지 않는 여관》. =〔小火店儿〕
〔小调〕 xiǎodiào 명 ①《樂》 단조(短調). 단음계. ¶C～; C단조. ↔〔大dà调〕 ② ⇨〔小调(儿)〕
〔小调(儿)〕 xiǎodiào(r) 명 《樂》 속요(俗謠) 등 각 지방의 독특한 민간 속곡. ¶扬州～; 양저우(揚州) 속요 / 时调小曲(儿); 유행가. =〔小曲(儿)〕〔俚lǐ曲〕〔小调②〕
〔小爹〕 xiǎodiē 명 숙부(叔父). 감 저런! 어머나! 《놀랐을 때 내는 소리》. ¶天哪! ～呀! 아이고머니!
〔小碟子〕 xiǎodiézi 명 작은 접시.
〔小丁点儿〕 xiǎodīngdiǎnr 형 사소한. 극히 작은. 약간의. ¶～的事情; 사소한 일. =〔小点点〕
〔小钉〕 xiǎodīng 명 징. 압정(押釘).
〔小定(儿)〕 xiǎodìng(r) 명 옛날, 혼인할 때, 남

녀의 '八bā字(儿)' 납폐((생년월일 간지)를 교환하고 쌍방이 모두 이의가 없을 경우에, 약속한다는 뜻으로 신랑집에서 신부집으로 보내는 '首shǒu饰'을 말함). ¶放～; 납폐(納幣)를 보내다. =〔小定礼〕
〔小定礼〕 **xiǎodìnglǐ** 명 ⇨〔小定(儿)〕
〔小东家〕 **xiǎodōngjiā** 명 가게 주인의 아들. 젊은 주인. 도련님.
〔小冬日〕 **xiǎodōngrì** 명 ⇨〔小至〕
〔小东西〕 **xiǎodōngxi** 명 ①작은 것. 작고 귀여운 물건. ②〈謙〉 하찮은 것.
〔小动作〕 **xiǎodòngzuò** 명 ①작은 동작. ②〈轉〉 잔재주. ¶搞～; 잔재주를 부리다.
〔小斗车〕 **xiǎodǒuchē** 명 광차(鑛車).
〔小豆(儿)〕 **xiǎodòu(r)** 명 ①팥. ②〈比〉 자그맣고 보잘것 없는 것〔일〕. 하찮은 것〔일〕. ¶～似的东西; 팥알만한 사소한〔작은〕 것.
〔小豆腐儿〕 **xiǎodòufur** 명 '小米'(좁쌀)가루를 풀처럼 쑨 것에 야채의 잎이나 줄기를 넣고 끓인 것 (북방의 음식). ¶～屋子; '小豆腐儿' 등을 파는 음식점.
〔小读者〕 **xiǎodúzhě** 명 어린이 독자(讀者).
〔小犊子〕 **xiǎodúzi** 명 ①송아지. ②〈罵〉 애송이. 풋내기.
〔小肚儿〕 **xiǎodǔr** 명 (식품명) 돼지 위.
〔小肚鸡肠〕 **xiǎo dù jī cháng** 〈成〉 도량이 좁다. =〔鼠shǔ肚鸡肠〕
〔小肚子〕 **xiǎodùzi** 명 《生》〈口〉 아랫배. =〔小腹〕〔小肚dù儿〕〔少shào腹〕
〔小蠹虫〕 **xiǎodùchóng** 명 《蟲》 나무좀. =〔木mù蠹〕
〔小队〕 **xiǎoduì** 명 소대. ¶派pài一～骑兵; 기병 1개 소대를 파견하다.
〔小恩小惠〕 **xiǎo ēn xiǎo huì** 〈成〉 작은 선심. 사소한 빚. ¶我受了他的～; 그에게는 신세를 좀 졌다 / 给个～; 작은 선심을 쓰다.
〔小儿〕 **xiǎo'ér** 명 ①아이. 소아(小兒). ②〈謙〉 내 자식. ③〈罵〉 꼬마. 쪼그만 자식. ⇒xiǎor
〔小而全〕 **xiǎo ér quán** 작고 고르다. 아담하다. ¶小而精; 작지만 훌륭하다.
〔小二〕 **xiǎo'èr** 명 여관이나 술집의 심부름꾼. =〔小二哥〕
〔小二哥〕 **xiǎo'èrgē** 명 ⇨〔小二〕
〔小二仙草〕 **xiǎo'èrxiāncǎo** 명 《植》 개미탑.
〔小贩〕 **xiǎofàn** 명 소규모의 행상인. 소자본의 상인. =〔〈文〉稗bài贩〕〔〈文〉肩jiān贩〕
〔小方格纸〕 **xiǎofānggézhǐ** 명 방안지(方眼紙). 모눈종이. =〔图tú解纸〕
〔小方脉科〕 **xiǎofāngmàikē** 명 《漢醫》 소아과(小兒科). ¶专看～; 소아과를 전문으로 하고 있다. =〔幼科〕
〔小房儿〕 **xiǎofángr** 명 작은 집. 비좁은 집. =〔小房子①〕
〔小房子〕 **xiǎofángzi** 명 ①⇨〔小房儿〕 ②옛날, 첩의 집. 적은 집.
〔小仿〕 **xiǎofǎng** 명 작은 글씨의 글씨본.
〔小纺〕 **xiǎofǎng** 명 (안감으로 쓰는) 얇은 견직물.
〔小费〕 **xiǎofèi** 명 팁. 행하. =〔小账(儿)〕
〔小分队〕 **xiǎofēnduì** 명 ①소부대. ¶这支～战斗在敌人的后方; 이 소부대는 적의 후방에서 싸운다. ②선전대(宣傳隊). ¶文艺～; 간단한 노래나 춤·연극을 하는 선전대.
〔小粉〕 **xiǎofěn** 명 (밀가루) 전분. →〔淀diàn粉〕
〔小粉蝶〕 **xiǎofěndié** 명 《蟲》 기생나비.
〔小份子(钱)〕 **xiǎofènzi(qián)** 명 사사로이 모은 돈〔재물〕.
〔小风儿〕 **xiǎofēngr** 명 미풍(微風).
〔小夫妻〕 **xiǎofūqī** 명 젊은 부부.
〔小夫人〕 **xiǎofūren** 명 제 2 부인. 첩. =〔〈文〉侧cè夫人〕〔〈文〉如rú夫人〕
〔小妇〕 **xiǎofù** 명 첩. 작은 마누라.
〔小妇人〕 **xiǎofùrén** 명 〈謙〉 소첩(여자가 자기를 일컫는 비칭. 옛 백화 소설에 흔히 쓰임).
〔小腹〕 **xiǎofù** 명 아랫배. =〔〈口〉小肚子〕
〔小嘎〕 **xiǎogá** 명 〈方〉 사내 아이. =〔小圪gē〕
〔小改小革〕 **xiǎogǎi xiǎogé** 소규모의 개혁. 부분적 또는 응급적인 개혁.
〔小概念〕 **xiǎogàiniàn** 명 《論》 (논리학 상의) 소개념.
〔小干〕 **xiǎogàn** 동 조금만 하다. 곤란(困難)을 두려워하여 하지 않다.
〔小高炉〕 **xiǎogāolú** 명 《工》 작은 용광로.
〔小圪〕 **xiǎogē** 명 ⇨〔小嘎〕
〔小疙瘩户〕 **xiǎogēdahù** 명 〈俗〉〈比〉 ①가난한 집. ②가문도 재산도 없는 집.
〔小哥们儿〕 **xiǎogēmenr** 명 동년배(同年輩)의 청년 남자들. 젊은이들. =〔小哥儿们〕
〔小哥儿〕 **xiǎogēr** 명 〈敬〉 도련님. ¶～十三岁的人就如此晓事; 13세의 도련님이 이렇게 사리를 잘 알고 있다 / ～, 你只在这一带顽耍; 도련님, 이 근처에서만 놀아야 됩니다 / ～们 =〔小哥们儿〕; (같은 연배의) 젊은이들. =〔小少爷〕〔〈古白〉小相公①〕
〔小哥儿俩〕 **xiǎogēr liǎ** 명 ①나이 어린 두 형제. ②젊고 가족 안에서 항렬이 같은 또래의 두 남자. ③같은 또래의 나이 어린 두 남자 아이를 아울러 부르는 말. ‖→〔小姐儿俩〕
〔小歌剧〕 **xiǎogējù** 명 《劇》 오페레타(이 operetta).
〔小个子(儿)〕 **xiǎogèzi(r)** 명 ①(키가) 작음. 작은 체격. ②몸집이 작은 사람. ③자그마한 것.
〔小跟班儿的〕 **xiǎogēnbānrde** 명 옛날, 주인 집의 안일을 보던 어린 하인.
〔小工〕 **xiǎogōng** 명 ①대단치 않은 일. 임시의 일. ②미숙련공. 견습공.
〔小工(儿, 子)〕 **xiǎogōng(r, zi)** 명 육체 노동자. 잡역부(雜役夫).
〔小工艺〕 **xiǎogōngyì** 명 수공업적인 공예.
〔小工子〕 **xiǎogōngzi** 명 허드렛일을 하는 사람. 심부름꾼.
〔小功〕 **xiǎogōng** 명 옛날 행해졌던 다섯가지 상복(喪服)중의 하나.
〔小恭〕 **xiǎogōng** 명 소변. ¶出chū～去; 소변 보러 가다. →〔大恭〕
〔小狗(子)〕 **xiǎogǒu(zi)** 명 ①강아지. 〈轉〉 어리석은 자. ¶～拜西方; 〈比〉 소인은 아부만 한다. ②〈罵〉 이놈의 새끼. 개자식.
〔小狗儿的〕 **xiǎogǒurde** 명 이놈. 이 새끼(어린아이에 대하여 장난조로 또는 친근감을 담은 말).
〔小构树〕 **xiǎogòushù** 명 《植》 닥나무.
〔小姑(儿)〕 **xiǎogū(r)** 명 ①시누이. =〔小姑(子)〕 ②(아버지의 자매)인 고모로 나이어린 사람. 작은 고모. =〔小姑姑〕〔小娘儿〕〔姑儿①〕 ③가시내. 계집애(어린 여자아이를 놀리어 이르는 말). =〔姑儿②〕
〔小姑姑〕 **xiǎogūgu** 명 ⇨〔小姑(儿)②〕
〔小姑娘(儿)〕 **xiǎogūniang(r)** 명 소녀. 여자 아이. 계집애.
〔小姑(子)〕 **xiǎogūzi** 명 ⇨〔小姑(儿)①〕

〔小孤孀〕 xiǎogūshuāng 명 젊은 과부. 청상 과부.
〔小股〕 xiǎogǔ 명 《經》 불입 주금(株金). ¶～凭píng票; 주금 불입 증서.
〔小鼓〕 xiǎogǔ 명 《樂》 ①소고. ②작은북. ③사이드 드럼(side drum).
〔小鼓捣油儿〕 xiǎogǔ dǎo yóur ①영세한 장사(를 하다). 소규모의 장사(를 하다). ¶没有多少本钱, 只可～; 밑천이 적어서, 소규모로 할 수 밖에 없다. ②약간의 이익을 얻다. 약간의 수지를 맞추다. ③잔재주를 부리다.
〔小褂(儿, 子)〕 xiǎoguà(r, zi) 명 중국(中國)식의 여름에 입는 홑상의.
〔小乖子〕 xiǎoguāizi 명 사랑스러운〔귀여운〕 애. ¶～, 你可真惹人疼; 귀여운 녀석, 정말 귀여워 죽겠다.
〔小官〕 xiǎoguān 명 ①'茶chá馆(儿)'(중국의 구식 다방)의 사환. ②소관《관리의 비칭(卑稱), 옛 백화 소설 등에서 자주 쓰이고 있음》.
〔小官儿〕 xiǎoguānr 명 〈俗〉 소관. 미관(微官). =〔小吏〕〔〈文〉 少shào吏〕
〔小官人〕 xiǎoguānrén 명 젊은 주인. 도련님《옛 백화 소설·희곡 등에서 자주 쓰임》.
〔小官衣〕 xiǎoguānyī 명 보통의 야회복. →〔夜yè礼服〕
〔小馆儿〕 xiǎoguǎnr 명 규모가 작은 음식점.
〔小广播〕 xiǎoguǎngbō 명 〈比〉 ①소문을 퍼뜨리는 것. 뒤에서 쑥덕거리는 것. ¶你们有什么意见要公开地提出来, 搞～不行; 너희들 의견이 있으면 공개적으로 제기해야지 뒷전에서 쑥덕거리는 것은 안 된다. ②소문을 퍼뜨리는 사람.
〔小规模〕 xiǎoguīmó 명형 소규모(이다).
〔小鬼〕 xiǎoguǐ 명 ①요놈. 요 꼬마 녀석《주로 아이에 대하여 친근하게 농조(弄調)로 하는 말》. =〔小鬼头〕 ②노랑이. 구두쇠. ③저승 사자. ¶阎yán王爷不在家, ～造反; 〈諺〉 염라 대왕이 집에 없으면 저승 사자가 반란을 일으킨다《무서운 사람이 없을 때 저 하고 싶은 대로 하다》.
〔小鬼头〕 xiǎoguǐtóu 명 ⇨〔小鬼①〕
〔小柜〕 xiǎoguì 명 '立柜' 위에 놓는 작은 궤.
〔小柜儿〕 xiǎoguìr 명 ⇨〔小账(儿)〕
〔小锅饭〕 xiǎoguōfàn 명 ⇨〔小灶饭〕
〔小过〕 xiǎoguò 명 ①작은 과실. ②사소한 과실에 대한 벌. ¶记～; 경고를 해두다.
〔小过节儿〕 xiǎoguòjiér 명 작은 일. 사소한 점.
〔小过门儿〕 xiǎoguòménr 명 《劇》 중국 전통극에서, '唱'의 마디와 마디 사이《음악이 들어가고 연기자는 호흡을 가다듬음》.
〔小过年〕 xiǎoguònián 명 ⇨〔小除(夕)〕
〔小孩(儿, 子)〕 xiǎohái(r, zi) 명 〈口〉 어린애. ¶～车; 유모차 / ～脾气; 어린애 같은 태도나 버릇 / ～嘴里讨实话; 〈諺〉 애들은 정직하다. =〔小赤佬〕
〔小孩子家〕 xiǎoháizijiā 명 어린것들. 애들《다소 경멸 또는 자조(自嘲)의 뜻》. ¶哪里有我们～说话的地方儿; 어디 우리 같은 애들이 이야기에 끼어들 여지가 있겠는가.
〔小寒〕 xiǎohán 명 소한《'二十四节气'의 하나》.
〔小寒食〕 xiǎohánshí 명 한식 다음날 또는 한식 전날.
〔小汉仗儿〕 xiǎohànzhàngr 명 ⇨〔小汉子①〕
〔小汉子〕 xiǎohànzi 명 ①작은 사내. =〔小汉仗儿〕 ②소년.
〔小焊〕 xiǎohàn 명 납땜. ↔〔大dà焊〕
〔小行〕 xiǎoháng 명 〈謙〉 저희 상점. 폐점. =〔敝bì号〕〔小号①〕
〔小行行子〕 xiǎohánghángzi 명 ⇨〔小行子〕
〔小行子〕 xiǎohángzi 명 젊은이. 젊은것(들). ¶那几个～靠不住; 저 젊은것들은 믿을 수가 없다. =〔小行行子〕
〔小号〕 xiǎohào 명 ①⇨〔小行〕 ②⇨〔小字①〕 ③작은 사이즈(size). ④《樂》 트럼펫.
〔小合适〕 xiǎohéshì 명 ①잠깐의 기회. ②조그마한 이익〔편의(便宜)〕.
〔小和尚〕 xiǎohéshang 명 《佛》 어린 중. =〔小沙弥〕〔小陀〕
〔小和尚念经〕 xiǎohéshang niànjīng 〈歇〉 사미승(沙彌僧)이 경(經)을 읽다《①건성일 뿐으로 정성이 없음. ②말뿐이고 진심이 어려 있지 않음》.
〔小荷才露尖尖角, 早有蜻蜓立上头〕 xiǎo hè cái lòu jiān jiān jiǎo, zǎo yǒu qīng tíng lì shàng tou 〈成〉 자그마한 연(蓮)이 잎사귀를 삐죽이 내밀자 재빠르게 잠자리가 그 위에 앉다《신생(新生)의 사물이 나타나자마자 벌써 기르려고 하는 기풍이 나와 있음》.
〔小红肠〕 xiǎohóngcháng 명 비엔나 소시지. =〔小肠子〕
〔小红花〕 xiǎohónghuā 명 ①《植》 샐비어《차조기과의 관상용 풀》. =〔朱唇②〕 ②〈比〉 귀염둥이《초등학교 학생 이하의 어린이를 말함》.
〔小猴子〕 xiǎohóuzi 명 ①새끼 원숭이. ②〈比〉 (개구쟁이) 아이. ¶那郓yùn哥得了这话, 谢了阿叔指教, 这～提了篮儿, 一直望紫石街步来《水滸傳》; 운가는 그 얘기를 듣고 아저씨에게 고맙다고 인사를 했다. 그리고 그 꼬마는 바구니를 들고 곧장 자석가로 왔다. =〔小猢狲〕 ③몹시 여윈 사람.
〔小后方制度〕 xiǎohòufāng zhìdù 명 병력 및 군수 물자를 작전 지방에서 조달하는 방식. ↔〔大dà后方制度〕
〔小后生〕 xiǎohòushēng 명 어린아이. 젊은이.
〔小胡〕 xiǎohú 명 마작에서 가장 낮은 점수로 나는 일. ¶和hú了个～; 가장 낮은 점수로 났다.
〔小胡儿〕 xiǎohúr 명 코밑에 조금 기른 수염.
〔小壶儿〕 xiǎohúr 명 찻주전자. 찻병. =〔茶chá壶〕
〔小猢狲〕 xiǎohúsūn 명 〈比〉 ⇨〔小猴子②〕
〔小户〕 xiǎohù 명 ①가난하고 세력도 없는 집. 비천한 집. ②식구가 적은 세대(世帶). ③술을 (잘) 못 하는 사람.
〔小花行〕 xiǎohuāháng 명 옛날, 농가로부터 직접 목화를 사들이는 소상인.
〔小花脸〕 xiǎohuāliǎn 명 중국 전통극의 광대역. =〔小花面〕
〔小花面〕 xiǎohuāmiàn 명 ⇨〔小花脸〕
〔小划(子)〕 xiǎohuá(zi) 명 작은 배.
〔小滑头儿〕 xiǎohuátóur 명 어린아이의 약빠른 것을 욕하는 말. 뺀질뺀질한 놈.
〔小话剧〕 xiǎohuàjù 명 촌극(寸劇).
〔小话儿〕 xiǎohuàr 명 ①부탁의 말. ②잔소리. 험담. 욕설. ¶专在背后说人～, 真没人格; 늘 뒷전에서 남의 험담을 하니, 정말 못쓸 놈이다.
〔小鬟〕 xiǎohuán 명 〈文〉 하녀.
〔小皇帝〕 xiǎohuángdì 명 〈比〉 꼬마 황제《응석받이로 자란 외동 아들·외동딸을 일컫는 말》.
〔小黄鸟〕 xiǎohuángniǎo 명 《鳥》 카나리아. =〔金jīn丝雀〕
〔小黄鱼〕 xiǎohuángyú 명 《魚》 참조기.
〔小灰蝶〕 xiǎohuīdié 명 《蟲》 부전 나비. =〔蚬xiǎn蝶〕

〔小回转障碍降下〕 xiǎo huízhuǎn zhàng'ài jiàngxià 명 (스키의) 회전. 슬라롬(slalom).
〔小惠〕 xiǎohuì 명 조그마한 은혜.
〔小荤〕 xiǎohūn 명 ①육류를 조금만 써서 만든 음식. ②파·마늘 등을 넣어 만든 음식. ③닭고기·계란·생선 등.
〔小火〕 xiǎohuǒ 명 ①작은 화재. ¶～警; 작은 화재〔불〕/ 发生～; 작은 화재가 나다. ②약한 불. =〔文wén火〕
〔小火店儿〕 xiǎohuǒdiànr 명 ⇨〔小店儿〕
〔小火轮〕 xiǎohuǒlún 명 론치(launch). 소형 기선(汽船). 기정(汽艇).
〔小伙计儿〕 xiǎohuǒjìr 명 나이 어린 점원.
〔小伙子〕 xiǎohuǒzi 명 〈口〉 젊은이. 총각. =〔青年男子〕
〔小鸡(儿)〕 xiǎojī(r) 명 ①병아리. =〔〈方〉鸡仔zǎi〕 ②닭. 닭고기《요리의 경우》. ③⇨〔小家雀儿②〕 ④여윈 모양.
〔小集〕 xiǎojí 명 ①작은 모임. ②소규모의 정기 시장.
〔小集体〕 xiǎojítǐ 명 소집단. =〔小集团〕
〔小己〕 xiǎojǐ 명 〈文〉 ①일개인. 개인. =〔个gè己〕 ②나 한 개인.
〔小麂〕 xiǎojǐ 명 《動》 대만 애기사슴. =〔黄huáng猄〕
〔小蓟〕 xiǎojì 명 《植》 소계. 조방가새. =〔刺cì儿菜〕
〔小加九儿〕 xiǎojiājiǔr 명 ①주산의 가법(加法)을 연습하는 구구(九九). ②계획. 타산. 속셈. ¶他心里早有个～; 그는 마음 속에 이미 속셈이 있었다.
〔小夹剪〕 xiǎojiājiǎn 명 '药yào材'(약재)를 써는 데 쓰는 가위.
〔小家〕 xiǎojiā 명 ①(～儿) 가난한 집. ¶～碧玉; 〈比〉 가난한 집의 예쁜 딸. =〔小户人家〕 ②〈比〉 우리 집. 자신. ¶舍shě～顾大家; 개인을 버리고 모두의 일을 생각하다. ③식구가 적은 가정.
〔小家伙〕 xiǎojiāhuo 명 ①작은 도구. ②〈俗〉 자식. 녀석. 놈.
〔小家雀儿〕 xiǎojiāqiǎor 명 ①참새. ②〈俗〉 고추. 찌찌《어린이의 음경을 이름》. =〔小鸡(儿)③〕
〔小家庭〕 xiǎojiātíng 명 핵가족. ¶经营起～来了; 핵가족 생활을 시작했다. ↔〔大dà家庭〕
〔小家子〕 xiǎojiāzi 명 ①가난한 집. =〔小户人家〕 ②식구가 적은 집.
〔小家子气〕 xiǎojiāzi qì 궁상맞다. 곰상스럽고 옹졸하다. ¶就送这么点东西, 不显着～吗? 요정도의 물건을 보내는 것은, 좀 다라워 보이지 않을까?
〔小价钱〕 xiǎojiàqián 명 싼 값. 염가.
〔小间〕 xiǎojiān 명 (공장 등의) 변소. ¶上～的工夫都没有; 소변보러 갈 틈조차 없다.
〔小茧蜂〕 xiǎojiǎnfēng 명 《蟲》 고치벌. =〔马mǎ尾蜂〕
〔小简〕 xiǎojiǎn 명 〈文〉 간단한 편지.
〔小件〕 xiǎojiàn 명 자질구레한 짐.
〔小建〕 xiǎojiàn 명 ⇨〔小尽〕
〔小贱〕 xiǎojiàn 형 비천하다.
〔小将〕 xiǎojiàng 명 꼬마 장수〔장군〕. 작은 용사《어린이에 대해 칭찬하는 말》.
〔小角度射门〕 xiǎo jiǎodù shèmén 명 《體》 (핸드볼의) 사이드 슛(side shoot).
〔小角门〕 xiǎojiǎomén 명 통용문(通用門).
〔小角儿〕 xiǎojiǎor 명 낮은 신분. 지체 낮은 사람.
〔小角子〕 xiǎojiǎozi 명 옛날에 쓰이었던 '一角'(10전)짜리 은화.
〔小脚(儿)〕 xiǎojiǎo(r) 명 전족(纏足). ¶～女人; ⓐ전족을 한 여성. ⓑ낡은 습관을 버리지 못한 여자 / ～小双, 眼泪一缸; 전족을 한 두 발 때문에 흘리는 눈물은 물독으로 하나 가득. =〔缠chán脚〕
〔小轿(儿, 子)〕 xiǎojiào(r, zi) 명 가마. ¶二人～; 두사람이 메는 가마.
〔小轿车〕 xiǎojiàochē 명 세단형 소형 승용차《오픈카를 '敞chǎng车'라 함》.
〔小街儿〕 xiǎojiēr 명 뒷골목. 골목길.
〔小节〕 xiǎojié 명 ①사소한 일. 지엽적(枝葉的)인 일. ②《樂》 마디. 소절.
〔小节夜〕 xiǎojiéyè 명 ⇨〔小除(夕)〕
〔小结〕 xiǎojié 명동 부분적인 결론(을 내리다). 중간 결산(을 하다).
〔小解〕 xiǎojiě 명동 소변(을 보다).
〔小价〕 xiǎojiè 명 〈謙〉 우리 집의 고용인《전에, 고용인을 '价'라 하고, 남의 집의 고용인을 '贵guì价'라 하였음》.
〔小姐〕 xiǎojie 명 ①아가씨. ②미스. ¶王～; 미스 왕. ③직업 여성을 부르는 말. ¶广guǎng播～; 여자 아나운서 / 接jiē线～; 전화 교환양 / 空kōng中～; 스튜어디스(stewardess).
〔小姐们儿〕 xiǎojiěmenr 명 동년배의 여자들. 같은 또래의 처녀들.
〔小姐儿俩〕 xiǎojiěr liǎ ①나이가 비교적 어린 두 자매. ②어리고 가족 중 항렬이 아래인 두 여자. ③가족 중 항렬이 같은 또래의 젊은 부녀를 아울러 부르는 말. ‖→〔小哥儿俩〕
〔小解〕 xiǎojiě 명동 소변(小便)(보다). →〔大dà解〕
〔小金豆子儿〕 xiǎojīndòuzir 명 〈俗〉 영리하고 부지런한 사람. 튼튼하고 일 잘하는 사람.
〔小金莲〕 xiǎojīnlián 명 전족(纏足).
〔小襟〕 xiǎojīn 명 중국옷의 섶. =〔底dǐ襟(儿)〕
〔小谨不大立〕 xiǎo jǐn bù dà lì 〈成〉 작은 일에 집착하는 사람은 큰 성적을 올릴 수 없다.
〔小尽〕 xiǎojìn 명 음력에서 29일 있는 달. 작은 달. ¶月二十九日为～; 한 달이 29일인 달을 '小尽'이라 한다. =〔小建〕〔小月〕 ↔〔大dà尽〕
〔小妗子〕 xiǎojìnzi 명 손아래 처남의 아내.
〔小京官〕 xiǎojīngguān 명 수도〔북경〕에서 근무하던 하급 관리.
〔小经〕 xiǎojīng 명 소경《그다지 중요하지 않은 경서》.
〔小净〕 xiǎojìng 명 《劇》 '昆kūn曲'에서, 악역(惡役)을 말함.
〔小径〕 xiǎojìng 명 소경. 작은 길. 오솔길.
〔小九归〕 xiǎojiǔguī 명 《數》 나눗셈 구구. 구귀제법(九歸除法).
〔小九九(儿)〕 xiǎojiǔjiǔ(r) 명 ①주판의 승법(乘法)의 구결(口訣). 구구단. 구구법. ②〈方〉 계산이나 견적(見積). 속셈. 타산. ¶依我看, 算个～还是不去报告吧; 내 생각으로는, 헤아려 보니 역시 보고하러 가지 않는 편이 좋을 것 같다. ‖=〔小九数〕
〔小九数〕 xiǎojiǔshù 명 ⇨〔小九九〕
〔小酒〕 xiǎojiǔ 명 봄부터 가을에 걸쳐 빚어 이내 파는, 오래 보존할 수 없는 술.
〔小臼齿〕 xiǎojiùchǐ 명 《生》 소구치. 앞어금니.
〔小舅子〕 xiǎojiùzi 명 ①처남. ¶～媳妇; 처남의 댁. =〔内nèi弟〕〔妻qī弟〕 ②막내 처남. ③이 녀석《사람을 놀리는 말로 쓰이는 수가 있음》. ¶揍你个～; 이 녀석 때려 줄 테야.
〔小居里〕 xiǎojūlǐ 명 《物》 마이크로퀴리(micro-

curie). =〔微wēi居里〕
〔小局〕 xiǎojú 명 옛날, 기루(妓樓)에서 시간제로 노는 일.
〔小脚色〕 xiǎojuésè 명 ①《劇》 단역(端役). ②하찮은 자.
〔小军〕 xiǎojūn 명《劇》 연극에서 기(旗)를 드는 역〔단역〕. 말단 배우.
〔小军鼓〕 xiǎojūngǔ 명《樂》 작은북. →〔小鼓〕
〔小卡〕 xiǎokǎ 명《物》 소(小)칼로리(small calorie). 그램 칼로리(gram calorie).
〔小开〕 xiǎokāi 명〈南方〉 가게의 젊은 주인〔도련님〕(가게 주인의 아들).
〔小楷〕 xiǎokǎi 명 ①세자(細字)의 해서(楷書). ②알파벳의 인쇄체 소문자. ‖ =〔小字②〕〔小字儿〕
〔小看〕 xiǎokàn 동〈口〉 얕보다. 깔보다. ¶他有~人的毛病; 그는 남을 얕보는 결점이 있다. =〔看轻qīng〕〔轻视〕〔小瞧〕〔小觑qù〕〔小视〕
〔小康〕 xiǎokāng 형 중류(中流)의 생활 수준을 유지하고 있다. 먹고 살 만하다. ¶~人家 =〔~之家〕; 살림살이가 중류 정도의 집. 소시민의 가정. 명〈文〉 상황이 다소 진정되어 있는 상태. 소강 상태.
〔小考〕 xiǎokǎo 명 임시 시험('大考'에 대하여). =〔小试〕
〔小可〕 xiǎokě 명 보통. 심상(尋常). ¶非同~; 보통과는 다르다. 심상치 않다. 대〈古白〉〈謙〉 저. 소생. ¶~不知道; 저는 모릅니다.
〔小可可的〕 xiǎokěkěde 형 작아서 다루기가 알맞다. 작고 예쁘다. 작고 적당하다.
〔小刻啬〕 xiǎokèsè 명형 ⇨〔小抠kōu儿〕
〔小客车〕 xiǎokèchē 명 소형 승용차(보통 8인승 이하의 것).
〔小锞〕 xiǎokè 명 옛날에, 통화로서 쓰이었던 만두 모양의 은괴(銀塊)로 무게 50돈 내외의 것.
〔小空〕 xiǎokōng 명《撮》(사진 용어) 공백 부분이 적은 일.
〔小孔〕 xiǎokǒng 명 핀홀. 바늘 구멍.
〔小孔不补, 大孔叫苦〕 xiǎokǒng bùbǔ, dàkǒng jiàokǔ〈諺〉 일이 작을 때 손을 쓰지 않고, 커진 다음에 허둥대다(호미로 막을 것을 가래로 막다).
〔小抠儿〕 xiǎokōur 명〈北方〉 구두쇠. 형 인색하다. 쩨쩨하다. ¶他就是那~脾气, 专门大处不算小处算; 그는 그렇게 인색한 성미라, 언제나 대국은 보지 않고 작은 이해 타산만 생각하고 있다. ‖ =〔小刻啬〕〔小扣(儿)〕
〔小口(儿)〕 xiǎokǒu(r) 명 입구변(한자 부수의 하나; '叩·叫' 등의 '口'의 이름).
〔小口径〕 xiǎokǒujìng 명 소구경. ¶~步枪; 소구경 소총.
〔小口径速射手枪〕 xiǎokǒujìng sùshè shǒuqiāng 명《體》 소구경 속사 권총.
〔小扣(儿)〕 xiǎokòu(r) 명형 ⇨〔小抠儿〕
〔小跨院〕 xiǎokuàyuàn 명 별채의 안뜰.
〔小快步〕 xiǎokuàibù 명 종종걸음.
〔小块钢坯〕 xiǎokuài gāngpī 명《工》 빌렛(billet). 강철 빌렛. 소강편(小鋼片).
〔小款〕 xiǎokuǎn 명 소액의 돈. 소액의 차관.
〔小来〕 xiǎolái 명〈北方〉 소년 시절. 〈轉〉 소년.
〔小郎〕 xiǎoláng 명 ①⇨〔小叔(子)〕 ②⇨〔小爷①〕 ③심부름꾼. ④(닝보(寧波) 방언으로) 어린이.
〔小老妈儿〕 xiǎolǎomār 명 젊은 하녀(下女).
〔小老婆〕 xiǎolǎopo 명〈俗〉 첩. =〔小老婆子②〕〔小的儿④〕〔小女人〕〔小婆儿〕〔小婆子〕〔幺老婆〕
〔小老婆子〕 xiǎolǎopózi 명 ①〈罵〉 이년. 이놈의 여편네(부인을 욕하는 말). ②⇨〔小老婆〕
〔小老儿〕 xiǎolǎor 명 ①노인의 자칭(중고 시대의 희곡·소설 속에서 쓰이고 있음). ②막내 아들.
〔小老头儿〕 xiǎolǎotóur 명 애늙은이. 겉늙은 사람.
〔小类〕 xiǎolèi 명 ①세밀한 분류. ②하위(下位)의 분류.
〔小礼拜〕 xiǎolǐbài 명 ①'礼拜三'(수요일)의 별칭. ②일요일을 격주 휴업하는 경우, 쉬지 않는 일요일. ¶~制; 일요일 격주 휴업 제도.
〔小俚戏儿〕 xiǎolǐxir 명 ⇨〔小俚嬉儿〕
〔小俚嬉儿〕 xiǎolǐxir 명 가벼운 농담. 유머. ¶过~; 농담을 하다. =〔小俚戏儿〕
〔小力苯儿〕 xiǎolìbènr 명〈方〉 풋내기. 바보(악의 없이 하는 베이징(北京) 사람 특유의 욕).
〔小立〕 xiǎolì 동〈文〉 잠깐 멈춰서다.
〔小吏〕 xiǎolì 명 소리. 말단 관리. =〔小官儿〕〔少吏〕
〔小李〕 xiǎoli 명〈方〉 ⇨〔小绺〕
〔小狸〕 xiǎoli 명〈方〉 ⇨〔小绺〕
〔小(连)翘〕 xiǎo(lián)qiáo 명《植》 ①까치수염. ②고추나물. ③물레나물. ④산씀바귀(국화과).
〔小殓〕 xiǎoliàn 명 소렴. 사람이 죽은 이튿날에 '寿shòu衣(儿)'(수의)를 입히는 의식.
〔小梁梁儿〕 xiǎoliángliángr 명 나지막한 언덕〔고개〕. ¶翻过这个~就到; 이 나지막한 언덕을 넘으면 금방이다.
〔小两〕 xiǎoliǎng 양 한 근의 16분의 1.
〔小两口(儿)〕 xiǎoliǎngkǒu(r) 명〈口〉 젊은 부부. =〔小俩口儿〕
〔小量〕 xiǎoliàng 명 소량. 적은 수량.
〔小菱角嘴儿〕 xiǎolíngjiǎozuǐr 명 입귀가 치켜올라간 입.
〔小零儿〕 xiǎolíngr 명 ①끝수. 단수(端數). ②거스름돈.
〔小领(儿)〕 xiǎolǐng(r) 명 일반 의복(깃이 작은 옷).
〔小令〕 xiǎolìng 명 ①짧은 사곡(詞曲). ②'散曲' 중에서, 조곡(組曲)되어 있지 않은 짧은 것.
〔小绺〕 xiǎoliǔ 명〈方〉 소매치기. ¶谨防~; 소매치기에 주의. =〔扒pá手〕〔小李〕〔小狸〕〔小掳〕〔小掠〕〔小摸手〕
〔小六壬〕 xiǎoliùrén 명 점의 일종('大安', '留liú连', '速sù喜', '赤chì口', '小吉', '空kōng亡'의 육신(六辰)을 월·일·시에 배열하여 길흉을 점침).
〔小龙〕 xiǎolóng 명 십이지의 '巳sì'(사)에 대한 속칭. ¶我是属~的; 저는 뱀띠입니다.
〔小龙牙〕 xiǎolóngyá 명《植》 뱀혀(뱀딸기의 일종). =〔蛇shé含〕
〔小笼包子〕 xiǎolóngbāozi 명 소형의 고기만두.
〔小喽罗〕 xiǎolóuluo 명 ①(도둑 등의) 부하. 졸개. ②명령대로 움직이는 사람. 심부름꾼.
〔小炉块儿〕 xiǎolúkuàir 명 난로용으로 적당한 크기로 부숴 놓은 석탄.
〔小炉儿匠〕 xiǎolúrjiàng 명 ①깨진 도자기를 '锔jū子'(거멀)을 써서 이어 붙여 수리하는 장인. =〔锔碗儿的〕〔巧qiǎo炉儿匠〕 ②땜장이. 또는 땜질 가게.
〔小鲈〕 xiǎolú 명《魚》 농어 새끼.
〔小掳〕 xiǎolǔ 명〈方〉 ⇨〔小绺〕
〔小吕宋〕 Xiǎolǚsòng 명《地》 마닐라(Manila). =〔〈音〉 马mǎ尼拉〕
〔小鹿儿〕 xiǎolùr 명〈比〉 새끼 사슴이 뛰듯이, 마

음이 두근두근 뛰는 일. ¶按àn不住～掬jū掬地跳; 가슴이 콩닥콩닥 뛰는 것을 누를 길 없다.
〔小路货〕 xiǎolùhuò 명 훔친 물건. 장물.
〔小掠〕 xiǎolüè 명 〈方〉 ⇨〔小绺〕
〔小轮〕 xiǎolún 명 열차나 버스 안에서 훔치는 소매치기.
〔小萝卜(儿)〕 xiǎoluóbo(r) 명 《植》 껍질이 빨간 무. 래디시(radish). =〔〈北方〉水shuǐ萝卜〕
〔小锣(儿)〕 xiǎoluó(r) 명 지름 세 치 정도의 징. =〔手shǒu锣〕
〔小妈〕 xiǎomā 명 남자가 여자 친구의 말을 고분고분 듣는 경우에, 그 여자를 남자의 '小妈'(작은 엄마)라 함.
〔小马〕 xiǎomǎ 명 작은 말. 망아지. ¶～乍行嫌路窄; 〈諺〉 신출내기가 자만하여 자기의 능력을 발휘할 곳이 없다고 불평하다.
〔小马架子〕 xiǎomǎjiàzi 명 〈比〉 판잣집.
〔小买卖(儿)〕 xiǎomǎimai(r) 명 자그마한 장사. 소자본으로 하는 장사.
〔小麦〕 xiǎomài 명 《植》 소맥. 밀.
〔小卖(儿)〕 xiǎomài(r) 명 ①(간단히 요기할 수 있는) 식당의 일품 요리(一品料理). ¶应时～; 갓 나온 계절 음식. ②간단한 식품.
〔小卖部〕 xiǎomàibù 명 매점. 구매부.
〔小满〕 xiǎomǎn 명 소만('二èr十四节气'(24절기)의 하나. 양력 5월 21일 또는 22일).
〔小猫(儿)〕 xiǎomāo(r) 명 ①고양이. 집고양이(애정이 담긴 말로 사람을 일컬음. '小猫子'라고 하면 혐오감이 포함된 표현이 됨). ¶今天的集会, 真是～三只四只; 오늘 집회에는 사람이 아주 적었다. ②새끼고양이.
〔小猫熊〕 xiǎomāoxióng 명 《動》 레서 판다(lesser panda). =〔小熊猫〕
〔小毛(儿)〕 xiǎomáo(r) 명 ①소액의 은화(銀貨). ②단모(短毛)의 모피 의료(衣料). ¶～皮袄; 털이 짧은 모피를 안에 댄 웃옷.
〔小毛孩子〕 xiǎomáoháizi 명 풋내기. 애송이. =〔小毛毛〕〔小毛头〕
〔小毛毛〕 xiǎomáomao 명 어린애. 갓난 아기. =〔小毛头〕
〔小毛头〕 xiǎomáotou 명 ⇨〔小毛毛〕
〔小毛贼(儿)〕 xiǎomáozéi(r) 명 ⇨〔小偷(儿)〕
〔小帽(儿)〕 xiǎomào(r) 명 중국 고유 모자의 일종. =〔瓜guā皮帽(儿)〕
〔小媒〕 xiǎoméi 명 옛날, 혼담의 처음 단계에서 주선하는 중매인. 처음 혼담을 제기한 사람.
〔小妹〕 xiǎomèi 명 〈謙〉 저의 누이 동생. =〔舍shè妹〕
〔小妹妹〕 xiǎomèimei 명 꼬마 아가씨(여자애에 대한 애칭). ¶～! 去刘村怎么走呀; 꼬마 아가씨! 유촌에는 어떻게 갑니까.
〔小闷头〕 xiǎomēntóu 명 재산이 조금 있으면서 남의 눈에 띄지 않게 생활하는 사람. 내복(內福)한 사람.
〔小门生〕 xiǎoménshēng 명 문하생. 문하생의 자칭.
〔小门小户〕 xiǎomén xiǎohù 명 가난한 집. 천출(賤出).
〔小蒙蒙雨〕 xiǎoméngméngyǔ 명 〈俗〉 이슬비.
〔小米(儿)〕 xiǎomǐ(r) 명 좁쌀. ¶～粥; 조죽. =〔小米子〕
〔小米草〕 xiǎomǐcǎo 명 《植》 현삼과 좁쌀풀의 근연종(近緣種).
〔小米面〕 xiǎomǐmiàn 명 ①좁쌀가루. ②〈方〉 수수·콩·옥수수를 섞어서 빻은 가루.
〔小米子〕 xiǎomǐzi 명 ⇨〔小米(儿)〕
〔小苗儿〕 xiǎomiáor 명 아직 자라지 않은 작물.
〔小庙〕 xiǎomiào 명 작은 사당. ¶～的鬼, 没见过大香火; 〈歇〉 작은 사당의 귀신은 많은 제물을 본 적이 없다(세상 물정을 잘 모르다).
〔小蠛蠓儿〕 xiǎomièměngr 형 〈比〉 대단히 작다.
〔小民〕 xiǎomín 명 빈민. 세민(細民).
〔小名(儿)〕 xiǎomíng(r) 명 ①유명(幼名). 아명. =〔乳rǔ名〕 ②〈謙〉 자기 이름.
〔小名家〕 xiǎomíngjiā 명 약간 이름난 사람. 조금 알려진 사람.
〔小名气〕 xiǎomíngqi 명 변변치 않은 명성. 약간의 명성. ¶他有点儿～; 그는 약간의 명성이 있다.
〔小命儿〕 xiǎomìng(r) 명 〈貶〉 조그마한 목숨. 보잘것 없는 목숨. ¶送条～不算可惜, 遗臭万年是非同小可的; 하찮은 목숨 같은 것을 잃어도 별로 아깝지 않지만, 악명을 남긴다는 것은 이만저만한 일이 아니다.
〔小摸手〕 xiǎomōshǒu 명 〈方〉 ⇨〔小绺〕
〔小摩托车〕 xiǎomótuōchē 명 스쿠터. =〔小型摩托车〕〔轻qīng便摩托车〕
〔小末〕 xiǎomò 명 중국 전통극의 단역.
〔小末因由儿〕 xiǎomòyīnyóur 명 작은 일. 지엽말절. =〔小磨浸油儿〕
〔小磨浸油儿〕 xiǎomojìnyóur 명 ⇨〔小末因由儿〕
〔小模样儿〕 xiǎomúyàngr ①가련한 모양. ②소극적인 모양. ③깜찍한 모양.
〔小母狗眼(儿)〕 xiǎomǔgǒuyǎn(r) 명 〈比〉 작고 가는 눈. 또, 그런 눈의 사람.
〔小木匠〕 xiǎomùjiàng 명 ⇨〔小器作〕
〔小拇哥(儿)〕 xiǎomugē(r) 명 ⇨〔小(拇)指〕
〔小拇指〕 xiǎomuzhǐ 명 〈口〉 새끼손가락. =〔〈方〉小拇哥(儿)〕〔小拇指头〕〔小指头(儿)〕〔〈文〉季jì指〕
〔小拇指头〕 xiǎomuzhǐtou 명 ⇨〔小(拇)指〕
〔小拿儿〕 xiǎonár 명 ⇨〔小喃儿〕
〔小奶奶〕 xiǎonǎinai 명 ①아가씨. 아씨(연장자가 젊은 처녀를 좀 높여서 이르는 말). ②첩(妾).
〔小囡帽〕 xiǎonānmào 명 〈南方〉 아이 모자.
〔小男妇女〕 xiǎonánfùnǚ 명 〈文〉 젊은 남녀.
〔小南强〕 xiǎonánqiáng 명 《植》 말리화. =〔茉mò莉花〕
〔小喃儿〕 xiǎonánr 명 〈北方〉 구식 장례식 때, 하인이 죽은 사람이 생존시의 옷이나 신변에 두고 사용하던 물건들을 손에 들고 곡하면서 상주의 뒤를 따르는 일을 말하는데, 일설에는, 그 인원수는 8명으로 되어 있었다 함. =〔小拿儿〕
〔小脑〕 xiǎonǎo 명 《生》 소뇌.
〔小嫩屄〕 xiǎonènbī 명 〈罵〉 ⇨〔小屄〕
〔小妮子〕 xiǎonīzi 명 ①젊은 여자. 여자 아이. ②〈方〉 젊은 하녀. ③〈罵〉 계집년.
〔小泥鬼〕 xiǎoníguǐ 명 몹시 더러운 아이. 불결한 아이. ¶她不再是个受气包儿与～; 그녀는 이제 천덕꾸러기나 더러운 아이가 아니다.
〔小鲵〕 xiǎoní 명 《動》 도롱뇽. =〔短尾鲵〕
〔小年〕 xiǎonián 명 ①(과일 따위의) 농사가 안 된 해. 흉작 든 해. ②〈文〉 짧은 수명. ③음력에서 12월이 29일인 해. ④절계(節季)의 제일(祭日)(12월 23일 또는 24일. 이 날에 부뚜막의 신에게 제를 지냈다고 함). ⑤⇨〔幼年〕
〔小年夜〕 xiǎoniányè 명 ⇨〔小除(夕)〕
〔小年朝〕 xiǎoniánzhāo 명 정월 초사흗날.
〔小娘〕 xiǎoniáng 명 〈文〉 ①어린 낭자. 어린 계집아이. ②기녀. =〔妓jì女〕

〔小娘货〕 xiǎoniánghuò 명 깨지기 쉬운 물건.
〔小娘们儿〕 xiǎoniángmenr 명 계집아이《다소 경멸의 뜻을 담고 있다》.
〔小娘儿〕 xiǎoniángr 명 작은 고모.
〔小娘子〕 xiǎoniángzi 명 ①(자기의·남의) 딸. ②낭자《옛날, 백화 소설·희곡 등에서 자주 쓰이는 딸·소녀의 뜻》.
〔小鸟(儿)〕 xiǎoniǎo(r) 명 작은 새. ¶～依人; 여자·어린이가 쭈뼛거리고 귀여운 모양. 어리광부리고 귀여운 모양.
〔小妞儿〕 xiǎoniūr 명 계집애. 소녀.
〔小牛皮〕 xiǎoniúpí 명 송아지 가죽. 카프(calf).
〔小牛熟皮〕 xiǎoníu shúpí 명 가공한 송아지 가죽.
〔小农〕 xiǎonóng 명 소농. ¶～制; 소농제 농업. 집약(集約) 농업 / ～经济; 합작화(合作化) 이전의 한 세대 한 집이 생산 단위가 되어 생산이 개별적으로 이루어지던 농업 경제.
〔小女〕 xiǎonǚ 명 〈謙〉 내 딸. 우리 집 여식《남에게 자신의 딸을 말할 때》.
〔小女儿〕 xiǎonǚr 명 제일 어린 딸. 막내딸.
〔小女人〕 xiǎonǚrén 명 〈俗〉 ⇨〔小老婆〕
〔小女婿子〕 xiǎonǚxùzi 명 〈謙〉 (저의) 서랑. 사위.
〔小爬虫〕 xiǎopáchóng 명 ①소형의 파충류. ②주구. 앞잡이. =〔走zǒu狗〕
〔小牌(儿)〕 xiǎopái(r) 명 ①판돈이 적은 도박. ¶打～; 돈을 조금 걸고 마작을 하다. ②약한 패.
〔小螃蟹〕 xiǎopángxiè 명 《動》 작은 게.
〔小跑〕 xiǎopǎo 명 ①(～儿) 종종걸음. ¶～溜丢地; 종종걸음으로. ②분주하게 애써 주는 사람. 명동 (말의) 속보(速步)(로 달리다).
〔小朋友〕 xiǎopéngyou 명 ①아동. ②꼬마 친구《어른이 어린애를 부르는 말》. ③어린 친구.
〔小便宜儿〕 xiǎopiányir 명 약간의 벌이. 작은 이익. 눈앞의 이익. ¶有些人常爱贪点儿～; 일부의 사람은 늘 조그만 이익을 탐한다 / 他爱～; 그는 눈앞의 이익을 바란다 / 占～吃大亏; 〈諺〉 작은 이익을 얻으려다가 큰 손해를 보다.
〔小票(儿)〕 xiǎopiào(r) 명 ①소액의 '纸zhǐ币' (지폐)나 '公gōng债券' (공채) 따위. ↔〔大dà票〕 ②(옛날 철도의) 4등표. ¶～车chē; 4등차. ③'绑bǎng票(儿)的' (유괴범)이 유괴해온 아이.
〔小贫〕 xiǎopín 명 곰상스럽고 쩨쩨한 사람. 다라운 일. 인색함.
〔小品〕 xiǎopǐn 명 ①(문예 작품의) 단편. 소품. ¶～文; 소품문. 콩트. ②《佛》 소품 반야바라밀경(小品般若波羅蜜經).
〔小评论〕 xiǎopínglùn 명 짧은 논평.
〔小坡(儿)〕 xiǎopō(r) 명 완만한 언덕. ↔〔陡dǒu坡(儿)〕 =〔小坡子〕〔慢màn坡(儿)〕
〔小坡子〕 xiǎopōzi 명 ⇨〔小坡(儿)〕
〔小婆儿〕 xiǎopór 명 ⇨〔小老婆〕
〔小婆子〕 xiǎopózi 명 ⇨〔小老婆〕
〔小铺(儿)〕 xiǎopù(r) 명 ①작은 가게. ②〈謙〉 폐점. 저희 가게.
〔小妻〕 xiǎoqī 명 작은 마누라. 첩.
〔小气〕 xiǎoqi 형 ①〈方〉 소심하다. 좀스럽다. 도량이 좁다. ¶～劲; 소심함. ②〈方〉 옹졸하다. ③인색하다. 쩨쩨하다. ¶你怎么说出这样～的话来呢; 왜 그렇게 쩨쩨한 소리를 하느냐. =〔吝lìn啬〕
〔小气候〕 xiǎoqìhòu 명 《天》 미기후(微氣候). 좁은 지역 내의 기후《동굴·가옥·식물의 군락(群落)·숲·도시의 기후 따위》.
〔小汽车〕 xiǎoqìchē 명 ①소형차. 소형 자동차. ②승용차. ¶开～出去兜dōu风; 승용차를 타고 드라이브 나가다.
〔小器作〕 xiǎoqìzuō 명 소목장이 목공소. =〔小木匠〕
〔小憩〕 xiǎoqì 명 〈文〉 소게. 잠깐 쉼. =〔小息〕
〔小千世界〕 xiǎoqiān shìjiè 명 《佛》 소천 세계.
〔小前提〕 xiǎoqiántí 명 《論》 (논리학 상의) 소전제. 제 2명제(命題). =〔第dì二命题〕〔后hòu提〕
〔小钱〕 xiǎoqián 명 ①(명(明)나라·청(淸)나라 때의) '制zhì钱(儿)' 보다 작은 단위의 동전. ②적은 돈. 잔돈. ¶说大话, 使～; 큰 소리는 하면서 돈은 조금밖에 내놓지 않는다. ③뇌물로 쓰는 소액의 돈. ¶在旧社会要对衙门提出什么请求, 非使几个～不可; 구사회에서는 관청에 무슨 청원을 하려면, 아무래도 얼마간의 코아래 진상을 할 필요가 있다.
〔小钱不去, 大钱不来〕 xiǎoqián bùqù, dàqián bùlái 〈諺〉 적은 돈을 아끼면 큰 돈이 들어오지 않는다. 작은 것을 버리지 않고서는 큰 것이 생길 수 없다.
〔小钱儿〕 xiǎoqiánr 명 ①적은 돈. 소액의 돈. ②⇨〔小账(儿)〕
〔小枪〕 xiǎoqiāng 명 피스톨(pistol). 권총. =〔手shǒu枪〕
〔小瞧〕 xiǎoqiáo 동 ⇨〔小看〕
〔小巧〕 xiǎoqiǎo 형 ①작고 정교하다. ¶～之物; 정교한 세공물(細工物) / ～玲líng珑; 〈成〉 ⓐ깜찍하고 정교(精巧)하다. ⓑ재치 있다. ②약삭빠르다. 민첩하다. ¶他做事～; 그는 하는 짓이 약아빠졌다. 명 〈文〉 5월의 별칭.
〔小茄〕 xiǎoqié 명 《植》 좀가지풀. 또 그 근연종(近緣種).
〔小窃〕 xiǎoqiè 명 〈文〉 좀도둑. =〔鼠shǔ窃〕
〔小青瓦〕 xiǎoqīngwǎ 명 보통의 중국식 기와. =〔蝴hú蝶瓦〕
〔小请儿〕 xiǎoqǐngr 명 ①작은 연회. ②옛날, 관을 대문에서 한길까지 메어 나르기 위한 대(臺).
〔小秋收〕 xiǎoqiūshōu 명 ①논밭 이외의 야외에서의 가을 수확《나무 열매·작은 동물 등》. ②가을 추수 때의 이삭 줍기.
〔小球藻〕 xiǎoqiúzǎo 명 《植》 클로렐라(chlorella).
〔小曲(儿)〕 xiǎoqǔ(r) 명 ⇨〔小调(儿)〕
〔小觑〕 xiǎoqù 동 ⇨〔小看〕
〔小圈圈〕 xiǎoquānquān 명 ①작은 그룹. ②작은 동그라미. 작은 점.
〔小圈子〕 xiǎoquānzi 명 ①좁은 범위. 작은 테두리. ¶走出家庭的～; 가정의 좁은 울타리에서 벗어나다. ②(개인의 이익을 위한) 작은 그룹. ¶不要搞～; 개인의 이익을 위해 작은 그룹을 만들지 마라.
〔小犬〕 xiǎoquǎn 명 〈文〉 ①강아지. ②〈謙〉 우식(愚息)《자기 아들을 일컬음》. =〔犬子〕
〔小雀〕 xiǎoquè 명 《鳥》 (북방)쇠박새《박새과의 작은 새》.
〔小儿〕 xiǎor 명 ①유년(幼年) 시대. 어린 시절. ¶从～; 어릴 때부터. ②사내아기. ¶～卫生方便袋; 기저귀 커버. ⇒xiaǒ'ér
〔小人〕 xiǎorén 명 ①(춘추 전국 시대의) 노예. ②서민(庶民). ③〈謙〉 저. 소인《남이나 지위(地位)가 높은 사람에 대한 겸칭》. ¶～听大人吩咐; 주인 어른, 소인에게 분부 내리십시오. =〔小底〕 ④

(～儿) 난쟁이. 소인. ¶～国; 소인국. ⑤소인(인격이 비천한 사람). ¶～得志; 〈成〉 소인이 뜻을 이루다 / ～气人有, 笑人无; 소인은 남이 가지고 있으면 샘을 내고, 남이 가지고 있지 않으면 비웃는다. ⑥때려 부수기(를 하는 자). ¶好好一档子事, 想不到犯～; 제대로 잘 되어 가고 있던 일이 엉망이 되다니.
〔小人家〕 xiǎorénjiā 명 가난한 집.
〔小人儿〕 xiǎorénr 명 ①인형. ②〈俗〉〈方〉 결혼 당사자. ¶～愿意, 爹妈也点头, 这件婚事就算成了; 본인이 희망하고 있고 양친도 승낙하고 있으니, 이 혼담은 성사된 셈이다. ③〈方〉 젊은이. 어린 사람(노인이 젊은이에 대하여 쓰는 애칭. 사랑스러운 젊은이라는 뜻). ¶找个合适的～嫁出去; 적당한 젊은이를 골라서 출가시키다 / 我看～挺不错; 내가 보기에 (이) 젊은이는 상당히 괜찮다. ④난쟁이. =〔小人〕
〔小人儿精〕 xiǎorénrjīng 명 영리한 아이.
〔小人儒〕 xiǎorénrú 명 자기의 이득을 위해 학문을 하는 덕이 낮은 학자.
〔小人书〕 xiǎorénshū 명 ①〈口〉 '漫màn画'(만화)나 '连lián环(图)画'(연속 그림책 · 그림 얘기책) 등을 가리킴. =〔小人儿书〕 ②옛날의 소설.
〔小人物(儿)〕 xiǎorénwù(r) 명 변변치 못한 사람. 소인물.
〔小日月〕 xiǎorìyuè 명 단시일(短時日). ¶～庄稼; 단시일에 수확하는 농작물.
〔小日子(儿)〕 xiǎorìzi(r) 명 ①가족 구성이 단순한 가정 (생활). 부부만의 가정(생활). ¶他们成亲后, ～过得挺和美; 그들은 결혼 후 부부간에 매우 정답게 살고 있다. ②검소한 생활. 만사 조심스럽게 사는 생활. 변변치 못한 살림살이.
〔小绒〕 xiǎoróng 명 《紡》 플란넬(flannel). 네루. 융.
〔小软儿〕 xiǎoruǎnr 명 약자(弱者). ¶何苦来拿着我们～出气呢? 무엇 때문에 하필 우리같은 약자에게 화풀이를 하느냐?
〔小三儿〕 xiǎosānr 명 멋쟁이 아가씨.
〔小嗓儿〕 xiǎosǎngr 명 《劇》 ① '花huā旦' 으로 분장하는 배우. ②가성(假聲)(경극(京劇)이나 곤곡(崑曲) 등의 여자역의 남자 배우의 목소리).
〔小僧〕 xiǎosēng 명 〈謙〉 소승.
〔小沙弥〕 xiǎoshāmí 명 ⇨〔小和尚〕
〔小衫(子)〕 xiǎoshān(zi) 명 속옷 종류.
〔小扇子〕 xiǎoshànzi 명 ①작은 부채. ②〈轉〉 선동(煽動). 부채질.
〔小扇子儿〕 xiǎoshànzir 명 〈比〉 선동하는 사람. 부추기는 사람. ¶他向来可很阴险, 你得留神他那～; 저놈은 원래 매우 음험한 놈이니까, 그의 선동에는 조심하지 않으면 안된다.
〔小商贩〕 xiǎoshāngfàn 명 ①소상인. ②노점 상인이나 행상인.
〔小商品〕 xiǎoshāngpǐn 명 일용 잡화. 일용품.
〔小商品经济〕 xiǎoshāngpǐn jīngjì 명 《經》 소상품 경제.
〔小商品生产〕 xiǎoshāngpǐn shēngchǎn 명 《經》 단순 상품 생산.
〔小商人〕 xiǎoshāngrén 명 소상인.
〔小晌午〕 xiǎoshǎngwǔ 명 정오 무렵(오전 10시경부터 정오경까지의 시간).
〔小烧饼〕 xiǎoshāobǐng 명 한 쪽면에 깨를 뿌린 작은 빵.
〔小少爷〕 xiǎoshàoye 명 ⇨〔小哥儿〕
〔小舌〕 xiǎoshé 명 ①《植》 소설(보리 · 밀 등의 엽초(葉鞘)에 있어 물의 침입을 막는 작은 돌기). ②⇨〔小舌儿〕
〔小舌儿〕 xiǎoshér 명 《生》 목젖. =〔小舌②〕〔悬壅垂〕〔小舌头儿〕
〔小舌头儿〕 xiǎoshétóur 명 ⇨〔小舌儿〕
〔小舍〕 xiǎoshè 명 〈謙〉 저의 집.
〔小婶(儿, 子)〕 xiǎoshen(r, zi) 명 손아래 동서(시동생의 아내).
〔小生〕 xiǎoshēng 명 ①《劇》 희곡(戲曲)의 '生' 역(役)의 하나(청년 남자로 분(扮)함). ②소생(인텔리 청년의 자칭). ③젊은 후학(後學)의 사람. ④〈文〉 애송이. 풋내기. ¶～何足道; 애송이 따위는 말할 필요가 없다.
〔小生产〕 xiǎoshēngchǎn 명 소생산(생산 수단 사유제 밑에서의 개인 경영에 의한 생산). ¶～者; 소생산자(개체 농민이나 수공업자).
〔小生利〕 xiǎoshēngli 명 ⇨〔小生意〕
〔小生理〕 xiǎoshēngli 명 ⇨〔小生意〕
〔小生日〕 xiǎoshēngrì 명 매년의 생일. ↔〔整zhěng生日〕〔散sǎn生日〕
〔小生意〕 xiǎoshēngyi 명 소매상. 소규모의 영업. =〔小生理〕〔小生利〕
〔小声儿〕 xiǎoshēngr 명 작은 목소리. ¶～说, 怕小孩子醒来; 애가 깨면 안되니까 작은 소리로 얘기해라.
〔小牲畜〕 xiǎoshēngchù 명 닭 · 개 · 돼지 같은 작은 가축.
〔小时〕 xiǎoshí 명 ①시간. ¶一～ =〔一个钟头〕; 1시간 / 每个～; 매시. 시간마다. ②⇨〔小时候(儿)〕 ③《物》 아워(hour). ¶安倍～; 《電》 암페어아워 / 瓦特～; 와트시(時) / 千瓦(特)～; 킬로와트시.
〔小时候(儿)〕 xiǎoshíhou(r) 명 〈口〉 어릴 적. ¶这是他～的相片; 이것은 그의 어릴 때의 사진입니다. =〔小时②〕
〔小时了了〕 xiǎoshí liǎoliǎo 어렸을 적에 총명하다.
〔小食〕 xiǎoshí 명 ①간식. 주전부리. ②《佛》 선종(禪宗)에서, 아침의 가벼운 식사.
〔小史〕 xiǎoshǐ 명 〈文〉 ①소사. 약사(略史). ②주대(周代), 나라의 기록이나 계보 등을 맡은 관리. ③하급 관리. ④시동(侍僮). =〔侍shì僮〕
〔小使〕 xiǎoshǐ 명 〈文〉 ①신분이 낮은 사자(使者). ②심부름꾼. 소사.
〔小市(儿)〕 xiǎoshì(r) 명 옛날, 소소한 고물이나 잡다한 물건을 파는 저자[시장].
〔小市民〕 xiǎoshìmín 명 ①소시민. ②〈轉〉 속물.
〔小事〕 xiǎoshì 명 ①하찮은 일. 작은 일. =〔小事由儿〕 ②〈謙〉 볼일.
〔小事情〕 xiǎoshìqing 명 ①사소한 일. 소소한 일. ②사소한 업무.
〔小事由儿〕 xiǎoshìyóur 명 ⇨〔小事①〕
〔小试〕 xiǎoshì 명 ⇨〔小考〕 동 〈文〉 조금 시험하다. ¶～锋芒; 〈成〉 솜씨를 조금 시험해 보다.
〔小视〕 xiǎoshì 동 ⇨〔小看〕
〔小手〕 xiǎoshǒu 명 ①작은 손. ②쩨쩨한 수단[생각]. ③남의 눈을 속여 후무리는 사람. 간사한 짓을 하는 사람.
〔小手扶拖拉机〕 xiǎo shǒufú tuōlājī 명 《機》 손으로 미는 트랙터.
〔小手工业者〕 xiǎoshǒugōngyèzhě 명 작은 규모의 수공업자.
〔小手小脚〕 xiǎo shǒu xiǎo jiǎo 〈成〉 ①인색하다. 쩨쩨하다. ②소심하다.

〔小受大走〕 xiǎo shòu dà zǒu 〈成〉 작은 벌은 받으나, 큰 벌을 주면 도망간다(사소한 일은 참는다).
〔小书儿〕 xiǎoshūr 명 옛날, '三sān字经' '百bǎi家姓' '千qiān字文' 등 어린이가 처음 글을 배울 때 꼭 읽어야 하는 책.
〔小叔(子)〕 xiǎoshū(zi) 명 〈口〉 시동생. =〔小郎①〕
〔小暑〕 xiǎoshǔ 명 소서('二èr十四节气' 24절기의 하나. 양력 7월 7일 또는 8일에 상당함).
〔小数〕 xiǎoshù 명 《數》 소수. ¶带dài～; 《數》 대소수/～点; 소수점.
〔小水〕 xiǎoshui 명 《漢醫》 소변. 오줌('小便' 보다 약간 점잖은 말). ¶见～了没有? 소변 보셨습니까?/多吃西瓜利～; 수박을 많이 먹으면 이뇨에 좋다. =〔《漢醫》小溲sōu〕
〔小水鸭〕 xiǎoshuǐyā 명 《鳥》 쇠오리. 상오리. =〔绿lǜ翅鸭〕
〔小说(儿)〕 xiǎoshuō(r) 명 ①소설. ¶看～; 소설을 보다/～书; 〈口〉 소설책. ②옛날, 가담항설(街談巷說)을 재정리한 것.
〔小说家〕 xiǎoshuōjiā 명 ①소설가. 소설 작가. ②소설가(10대 학파중의 하나).
〔小私有制〕 xiǎosīyǒuzhì 명 소생산 양식. 소규모의 사유제. ¶一方面是以个人劳动为基础的农民和手工业者的～; 한편은, 개인 노동을 기초로 한 농민이나 수공업자의 소규모 사유제이다.
〔小厮〕 xiǎosī 명 ①심부름꾼 아이. 사환. =〔小童①〕〔小童儿②〕〔小僮〕〔小幺yāo儿〕〔使shǐ唤小子〕 ②자기 하인을 제삼자에게 말할 때의 비칭(卑稱).
〔小死屄〕 xiǎosǐbī 명 〈罵〉 ⇨〔小屄〕
〔小死才〕 xiǎosǐcái 명 〈罵〉 뒈질놈. =〔小死鬼〕
〔小溲〕 xiǎosōu 명 ⇨〔小水〕
〔小苏打〕 xiǎosūdá 명 《化》 중탄산 소다. =〔食shí粉〕〔碳tàn酸氢钠〕〔梳shū打食粉〕
〔小蒜〕 xiǎosuàn 명 《植》 중국 재래종의 마늘.
〔小算盘儿〕 xiǎosuànpanr 명 〈比〉 인색한 타산. 얄팍한 이해 타산. 멋대로 하는 계산. ¶你不要总打个人的～, 要多想想大家! 늘 개인의 이익만 생각하지 말고 여러 사람을 더 많이 생각해라!
〔小岁〕 xiǎosuì 명 '腊là八(儿)'의 이튿날(곧 음력 12월 8일의 이튿날).
〔小孙孙〕 xiǎosūnsūn 명 어린 손주.
〔小太太〕 xiǎotàitai 명 첩(妾).
〔小摊〕 xiǎotān 명 작은 노점(露店).
〔小糖子〕 xiǎotángzi 명 물엿. 조청. =〔饧xíng糖〕
〔小桃红〕 xiǎotáohóng 명 《植》 봉선화. =〔凤fèng仙(花)〕
〔小套机〕 xiǎotàojī 명 ①대소(大小)의 쌍으로 된 탁자에서 작은 탁자. ②사이드 테이블.
〔小提琴〕 xiǎotíqín 명 《樂》 바이올린. =〔梵哑铃〕〔浮胡琴〕
〔小题大做〕 xiǎo tí dà zuò 〈成〉 조그마한 일을 과장해서 허풍을 떨다〔말하다〕. 침소 봉대(針小棒大)하다. =〔小题大作〕
〔小蹄骆驼〕 xiǎotí luòtuo 명 《動》 발이 빠른 낙타의 일종. =〔明míng驼〕
〔小蹄子〕 xiǎotízi 명 〈罵〉 계집년(구소설에 흔히 나오는 젊은 여자를 욕하는 말).
〔小条儿〕 xiǎotiáor 명 가늘고 긴 족자. =〔小挑儿〕
〔小挑儿〕 xiǎotiǎor 명 ⇨〔小条儿〕
〔小帖(儿)〕 xiǎotiě(r) 명 사주단자. =〔庚gēng帖〕
〔小铁钉〕 xiǎotiědīng 명 징. 리베트(revet).
〔小铁路〕 xiǎotiělù 명 광차용 철도. 경편(輕便)철도.
〔小铜角〕 xiǎotóngjiǎo 명 《樂》 코넷(cornet).
〔小铜子儿〕 xiǎotóngzǐr 명 ⇨〔小子儿〕
〔小童〕 xiǎotóng 명 ①⇨〔小厮①〕 ②고대에, 제후의 부인의 자칭. 또, 왕이 상중(喪中)에 있는 자신을 말함.
〔小童儿〕 xiǎotóngr 명 ①어린이. 아이. ②⇨〔小厮①〕
〔小僮〕 xiǎotóng 명 ⇨〔小厮①〕
〔小偷(儿)〕 xiǎotōu(r) 명 좀도둑. 도둑놈. =〔小毛贼(儿)〕〔小贼(儿)〕〔小盗〕
〔小头发儿〕 xiǎotóufàr 명 아이들이 앞이마에 가지런하게 늘어뜨린 짧은 앞머리. =〔刘liú海儿(发)〕
〔小头小脸儿〕 xiǎotóu xiǎoliǎnr 명 좀스럽게 생긴 용모.
〔小徒〕 xiǎotú 명 〈謙〉 도제(徒弟)나 견습생. 사환.
〔小土联〕 xiǎotǔlián 명 소형이며 재래의 방법을 쓰는 철강 콤비나트(Kombinat).
〔小土特〕 xiǎotǔtè 명 소소한 토산물. 특산물.
〔小团体主义〕 xiǎo tuántǐ zhǔyì 명 종파주의. 분파주의. =〔宗zōng派主义〕
〔小腿〕 xiǎotuǐ 명 종아리. ¶～肚子; 장딴지.
〔小腿扭不过大腿去〕 xiǎotuǐ niǔbuguò dàtuǐ qù 〈諺〉 강한 자에게는 이길 수 없다. 강자에게는 굴복하라.
〔小陀〕 xiǎotuó 명 ⇨〔小和尚〕
〔小娃娃〕 xiǎowáwa 명 어린아이. 갓난 아기.
〔小玩艺儿〕 xiǎowányìr 명 ①작은 장난감. 미니어처(miniature). ②하찮은 재주. 잡기(雜技). ③보잘것 없는 것. ④본래의 것에서 갈라져 나간 것. ‖=〔小玩意儿〕
〔小王爷儿〕 xiǎowángyér 명 ①왕자. ②젊은 나이에 행세하는 자에 대한 풍자적인 호칭.
〔小窝(里)掏大螃蟹〕 xiǎowō(li) tāo dàpángxie 〈諺〉 작은 구멍에서 (의외로) 큰 게가 잡혔다. 〈比〉 언뜻 보아 보잘것 없는 데서도 뜻밖의 수확이 있음.
〔小我〕 xiǎowǒ 명 《哲》 소아. ¶牺牲～; 자기를 희생하다. ↔〔大dà我〕
〔小乌龟子〕 xiǎowūguīzi 명 하찮은 놈. 졸때기.
〔小乌拉雨〕 xiǎowūlāyǔ 명 가랑비. 보슬비.
〔小巫见大巫〕 xiǎo wū jiàn dà wū 〈成〉 선무당이 노련한 무당을 만나다(①자기보다 뛰어난 상대를 만나 실력 발휘를 하지 못하다. 임자 만나다. ②실력 차이가 너무 커서 비교할 수 없다).
〔小五短儿〕 xiǎowǔduǎnr 명 몸이 작은 사람. 몸집이 작음. ¶别看他是个～, 劲头可大着的呢; 그의 몸집 작은 것만 보아서는 안 된다. 힘은 무지무지하게 세단다.
〔小五金〕 xiǎowǔjīn 명 쇠장식(건축용·가정용의 쇠장식 '钉子'·'螺丝'·'铁丝'·'销'·'合页'·'插销' 등). ↔〔大dā五金〕
〔小五套〕 xiǎowǔtào 명 《劇》 무술극(武術劇)에 필요한 다섯 가지 기본 훈련.
〔小息〕 xiǎoxī 명 ⇨〔小憩qì〕
〔小媳妇儿〕 xiǎoxífur 명 젊은 아내.
〔小喜〕 xiǎoxǐ 명동 〈俗〉 ⇨〔小产〕
〔小戏(儿)〕 xiǎoxì(r) 명 ①규모가 크지 않은 간단한 연극. ②값싼 연극. ¶闷mèn得慌, 可以听听～; 심심하고 답답할 때에는, 값싼 연극이라도

구경하러 가면 좋다.
〔小先生〕 xiǎoxiānsheng 명 ①성적이 좋아 동급생의 공부를 돕는 학생. ②한편으로는 선생에게 배우고, 한편으로는 가르치는 사람. 전달 학습을 하는 사람.
〔小先生制〕 xiǎoxiānsheng zhì 명 1930년대에, 타오 싱즈(陶行知)가 창도(唱導)한 일종의 아동 교육법으로, 어린이를 교수자의 입장에서 생각하고 행동하게 하는 방법. 또, 어린이가 선생이 되어 어른 문맹자를 가르치는 방법.
〔小鲜〕 xiǎoxiān 명 〈文〉 잔 생선. ¶治zhì大国若烹～; 큰 나라를 다스리는 것은 잔 생선을 삶듯이 해야지 너무 휘저으면 망쳐버린다.
〔小闲〕 xiǎoxián 명 ①〈文〉 소한(잠깐의 겨를). ②쇤네(측근에서 시중드는 하인). ¶～寻思有一计, 使衙内能够得他; 쇤네에게 좋은 생각이 있는데, 꼭 도련님이 저 여자를 손에 넣게 해 드리겠습니다.
〔小嫌〕 xiǎoxián 명 〈文〉 사소한 감정상의 금. 약간의 꺼림.
〔小线(儿)〕 xiǎoxiàn(r) 명 〈方〉 여러 가닥으로 꼰 끈.
〔小香蒲〕 xiǎoxiāngpú 명 《植》 부들의 일종(부들보다 작고 가는 것).
〔小香鱼〕 xiǎoxiāngyú 명 《魚》 작은 은어.
〔小祥〕 xiǎoxiáng 명 소상(1주기(周忌)만의 제사).
〔小巷〕 xiǎoxiàng 명 좁은 길. 골목길. ¶～人物; 골목의 주민. =〔胡同〕
〔小相公〕 xiǎoxiànggong 명 ①⇨〔小哥儿〕 ②마작에서 손에 든 패가 한 장 적어지는 것.
〔小像〕 xiǎoxiàng 명 ⇨〔小照〕
〔小小不言(的)〕 xiǎoxiǎo bùyán(de) 〈口〉 사소해서 말할 나위도 없다. 하찮다. ¶～的事儿, 不必计较; 사소한 일로 다툴 필요는 없다.
〔小小说〕 xiǎoxiǎoshuō 명 콩트(프 conte). 장편(掌篇) 소설. =〔微型小说〕〔一分钟小说〕
〔小小子(儿)〕 xiǎoxiǎozi(r) 명 〈口〉 사내 아이(‘小小子’일 때는 ‘개구쟁이’를 뜻함).
〔小孝儿〕 xiǎoxiàor 명 교대(絞帶)(상복(喪服)에 띠는 띠).
〔小蝎子〕 xiǎoxiēzi 명 작은 전갈. =〔火huǒ蝎子〕
〔小鞋(儿)〕 xiǎoxié(r) 명 ①작은 신. ②〈比〉 궁지. ¶穿～; 들볶다. 괴롭히다. 궁지에 몰아넣다.
〔小鞋子〕 xiǎoxiézi 명 옛날, 전족(纏足)한 여자가 신는 신.
〔小写〕 xiǎoxiě 명 ①(알파벳) 소문자. ↔〔大写〕 ②‘壹贰参’ 등에 대하여 ‘一二三’의 숫자. ③외국 상사(商社)의 서기(書記).
〔小心〕 xiǎoxīn 동 ①조심하다. ¶～油漆; 페인트 주의 / ～火烛; 인화물 조심. ②마음을 쓰다. ¶陪～; 비위를 맞추다. 형 조심성 있다. 세심하다. ‖↔〔大意〕
〔小心无过逾〕 xiǎoxīn wú guòyú 〈諺〉 조심은 지나침이 없다. 돌다리도 두드려보고 건너다.
〔小心眼儿〕 xiǎoxīnyǎnr 형 소심하다. 옹졸하다. 속이 좁다.
〔小心翼翼〕 xiǎo xīn yì yì 〈成〉 ①엄숙하고 경건하다. ②행동이 신중하다. ¶我平常～地办事, 还恐怕有错误; 나는 평소에 조심스럽게 신경을 써서 일을 하고 있지만, 그래도 실수가 있지 않을까 걱정이다.
〔小辛〕 xiǎoxīn 명 《植》 세신. =〔细xì辛〕
〔小星〕 xiǎoxīng 명 ①〈文〉 작은 별. ②첩.
〔小行星〕 xiǎoxíngxīng 명 《天》 소행성.
〔小型〕 xiǎoxíng 명형 소형(의). ¶～汽车; 소형(자동)차 / ～摩托车; 스쿠터 / ～工厂; 소규모 공장.
〔小型变压器〕 xiǎoxíng biànyāqì 명 《電》 소형 변압기.
〔小型电子计算机〕 xiǎoxíng diànzǐ jìsuànjī 명 《電算》 컴퓨터. 전자 계산기. =〔电子计算机〕
〔小型软片〕 xiǎoxíng ruǎnpiàn 명 ⇨〔小型影片〕
〔小型摄影机〕 xiǎoxíng shèyǐngjī 명 마이크로 사진 촬영기.
〔小型影片〕 xiǎoxíng yǐngpiàn 명 마이크로 필름. =〔小型软片〕
〔小性(儿)〕 xiǎoxìng(r) 명 〈方〉 도량이 좁음. 소심함. 불끈하는 성미. ¶好闹个～; 툭하면 불끈하다.
〔小兄〕 xiǎoxiōng 명 〈謙〉 동배의 친구로 손아래인 자를 부를 때 쓰는 말.
〔小熊猫〕 xiǎoxióngmāo 명 ⇨〔小猫熊〕
〔小熊座〕 xiǎoxióngzuò 명 《天》 작은 곰자리.
〔小修〕 xiǎoxiū 명 《工》 기계 등의 작은 수리.
〔小序〕 xiǎoxù 명 ①시·글의 앞에 붙인 서문. ②‘诗shī经’(시경)의 각 편 머리에 붙어 있는 서문의 하나.
〔小婿〕 xiǎoxù 명 ①〈謙〉 (저의) 사위. ②사위의 자칭(自稱).
〔小学〕 xiǎoxué 명 ①소학교. 초등 학교. ¶～教师; 초등 학교 교사 / ～校长; 초등 학교의 교장. ②〈文〉 문자학(文字學)(자서(字書)·훈고(訓詁)·운서(韻書) 따위). ③일상 생활에 꼭 필요한 기술이나 예의 범절.
〔小学生〕 xiǎoxuéshēng 명 소학생. 초등학교 학생.
〔小学生〕 xiǎoxuésheng 명 ①작은〔어린〕 학생. 몸집이 작은 학생. ②〈方〉 아가.
〔小雪〕 xiǎoxuě 명 ①소설(‘二十四节气’(24절기)의 하나. 양력 11월 22일 또는 23일에 상당함). ②조금 내린 눈.
〔小循环〕 xiǎoxúnhuán 명 《生》 소순환. 폐(肺) 순환.
〔小丫鬟〕 xiǎoyāhuán 명 몸종. 젊은 하녀. =〔小丫头②〕
〔小丫头〕 xiǎoyātóu 명 ①소녀. 계집애. =〔小丫头片子〕 ②몸종. 계집아이종. =〔小丫鬟〕
〔小丫头片子〕 xiǎoyātóu piànzi 명 ⇨〔小丫头①〕
〔小押(儿)〕 xiǎoyā(r) 명 옛날, 소규모의 무허가 전당포(기간이 아주 짧고 이자도 매우 높았음). =〔小押当〕〔小押典〕〔小押局〕〔押(当)铺〕
〔小押当〕 xiǎoyādàng 명 ⇨〔小押(儿)〕
〔小押典〕 xiǎoyādiǎn 명 ⇨〔小押(儿)〕
〔小押局〕 xiǎoyājú 명 ⇨〔小押(儿)〕
〔小亚细亚〕 Xiǎo Yàxìyà 명 《地》 소아시아.
〔小研墩儿〕 xiǎoyàdūnr 명 땅딸보(키가 작고 뚱뚱한 사람을 놀리는 말).
〔小焉者〕 xiǎoyānzhě 명 〈文〉 이보다 작은 것. 일부분. ¶以上事实, 还只是侵略者暴行的～; 이상의 사실은 다만 침략자의 폭행의 일부분에 불과하다.
〔小言〕 xiǎoyán 명 ①중요하지 않은 말. ②짧은 평론.
〔小盐〕 xiǎoyán 명 거친 돌소금. =〔土tǔ盐〕
〔小眼犄角(儿)〕 xiǎoyǎnjījiǎo(r) 명 ⇨〔小眼角(儿)〕
〔小眼角(儿)〕 xiǎoyǎnjiǎo(r) 명 눈초리. 눈꼬리. =〔小眼犄角(儿)〕
〔小阳春〕 xiǎoyángchūn 명 ①소춘(小春)(음력

10월의 일컬음). =〔〈方〉小春①〕 ②음력 10월의 따뜻한 날씨.
〔小羊皮〕 xiǎoyángpí 명 새끼양 가죽. 램스킨(lambskin).
〔小洋〕 xiǎoyáng 명 옛날, 통용된 10전·20전짜리 작은 은화. ¶～贴tiē水; '小洋'을 '大洋'으로 바꿀 때의 환전료.
〔小洋群〕 xiǎoyángqún 명 외국 방식에 따라 집중적으로 건설된 소형 공장 설비.
〔小恙〕 xiǎoyàng 명 소양. 미양(微恙). 가벼운 병.
〔小样(子)〕 xiǎoyàng(zi) 명 ①작은 견본(見本). ②《印》 신문의 한 편의 문장·기사의 게라쇄(刷).
〔小样儿〕 xiǎoyàngr 명 (어린이의) 천진 난만한 모습.
〔小幺儿〕 xiǎoyāor 명 ⇨〔小厮①〕
〔小药儿〕 xiǎoyàor 명 ①바로 먹을 수 있게 만들어진 매약(賣藥). ¶咳嗽不要紧, 吃点～就好了; 기침은 대수롭지 않으니, 매약을 좀 먹으면 곧 낫는다. ②〈北方〉 어린아이의 상복약. 어린이 약. ¶小孩子平常有点儿停食着凉, 吃点～就好了; 아이가 평소에 소화가 안되거나 감기가 들었을 때는 어린이 약을 먹으면 금세 낫는다.
〔小爷〕 xiǎoyé 명 ①막내 도련님《막내 아들에 대한 존칭》. =〔小郎②〕 ②젊은 주인. 서방님《옛날, 고용인이 젊은 주인에 대한 경칭》.
〔小叶〕 xiǎoyè 명 《植》 소엽《겹잎을 이루는 작은 잎》.
〔小叶儿〕 xiǎoyèr 명 차의 어린 잎.
〔小叶儿茶〕 xiǎoyèrchá 명 상등품 차《어린 잎으로 만든 고급차》. ¶我给您沏qī碗～去; 상등품의 차를 달여 드리겠습니다.
〔小叶杨〕 xiǎoyèyáng 명 《植》 당버들.
〔小业冤〕 xiǎoyèyuān 명 ⇨〔小业种〕
〔小业种〕 xiǎoyèzhǒng 명 ①조그만 인과(因果)(의 씨). 더러운 인연. ②아이. 어린아이. ③사랑스러운 상대를 가리켜서 말함. 애인. ¶单是这～好孤悽; 〈古白〉 다만 이 아이만으로는 너무 외롭다. ‖ =〔小业冤〕〔小冤家〕
〔小夜曲〕 xiǎoyèqǔ 명 《樂》 세레나데. 소야곡.
〔小一半(儿)〕 xiǎoyībàn(r) 명 (둘로 나눈 경우의) 작은 쪽의 절반.
〔小衣(儿)〕 xiǎoyī(r) 명 〈方〉 ①바지. ¶红绸子～; 붉은 비단 바지. =〔裤kù子〕 ②팬티. 속바지. =〔衬chèn裤〕
〔小衣裳(儿)〕 xiǎoyīshang(r) 명 ①속내의(차림). ②갓난아기나 어린이의 옷.
〔小姨夫〕 xiǎoyífū 명 ⇨〔小姨丈〕
〔小姨奶奶〕 xiǎoyínǎinai 명 〈口〉 첩(妾).
〔小姨儿〕 xiǎoyír 명 ①⇨〔小姨(子)〕 ②막내 이모.
〔小姨丈〕 xiǎoyízhàng 명 처제의 남편. 아랫동서. =〔小姨夫〕
〔小姨(子)〕 xiǎoyí(zi) 명 처제. ¶～奶孩子; 〈歇〉 처제가 아이에게 젖을 먹이다《양쪽 다 바보짓을 하다》. =〔小姨儿①〕〔姨妹〕
〔小遗〕 xiǎoyí 명동 〈古白〉〈文〉 소변(보다). 배뇨(排尿)(하다). ¶因要～, 起身道, "我去净手了来"; 오줌이 마려워 일어나서 '화장실에 갔다 오겠습니다'고 말했다.
〔小艺道〕 xiǎoyìdao 명 ①잔꾀. 농간. ¶要是再用点～买一买小户, 小户也就不说话了; 다시 잔꾀를 부려서 가난한 사람을 매수하면, 그놈들은 아무 소리 못하게 된다. ②잔재주.
〔小意见〕 xiǎoyìjian 명 ①사소한 말다툼. 사소한 의견 충돌. ¶闹nào了点儿～; 사소한 말다툼을 했다. ②〈謙〉 우견(愚見). 저의 의견. ¶贡gòng献一点儿～; 대단찮은〔변변치 않은〕 의견을 제출하다.
〔小意儿〕 xiǎoyìr 명 〈古白〉 아첨. 알랑거림. ¶献个～; 아첨하다. 비위를 맞추다. =〔小殷勤〕
〔小意思(儿)〕 xiǎoyìsi(r) 명 ①〈謙〉 촌지(寸志). 작은 마음의 표시. ¶这不过是我的～; 이것은 그저 저의 조그마한 성의에 불과합니다 / 这是点儿～, 请您赏收; 이것은 조그만 마음의 표시이니, 제발 받아주십시오. ②대단찮은 것. 별 것 아닌 것. ¶眼前这点困难算不了什么, 完全是～; 지금 겪는 이 정도의 곤란 따위는 아무것도 아니다. 정말 대수롭지 않다.
〔小音阶〕 xiǎoyīnjiē 명 《樂》 단음계(短音階). =〔短duǎn音阶〕↔〔大dà音阶〕
〔小殷勤〕 xiǎoyīnqin 명 〈古白〉 ⇨〔小意儿〕
〔小引〕 xiǎoyǐn 명 소인《책·문장의 첫머리에 쓰는 일종의 서문》.
〔小饮〕 xiǎoyǐn 명 ⇨〔小酌zhuó〕
〔小印〕 xiǎoyìn 명 사인(私印). 개인 도장.
〔小印子(儿)〕 xiǎoyìnzi(r) 명 일수《고리 대금의 일종》.
〔小影〕 xiǎoyǐng 명 ①⇨〔小照〕 ②작은 그림자.
〔小用项儿〕 xiǎoyòngxiangr 명 작은 비용.
〔小友〕 xiǎoyǒu 명 젊은 벗〔친구〕.
〔小鱼〕 xiǎoyú 명 《魚》〈方〉 송사리. =〔青鳉qīngjiāng〕
〔小雨(儿)〕 xiǎoyǔ(r) 명 소우. 조금 오는 비. 가랑비.
〔小语〕 xiǎoyǔ 동 작은 소리로 말하다. 소곤소곤 말하다. =〔低dī语〕
〔小寓〕 xiǎoyù 명 〈謙〉 (누추한) 저의 집. =〔舍shè下〕
〔小冤家〕 xiǎoyuānjiā 명 ⇨〔小业种〕
〔小元宝〕 xiǎoyuánbǎo 명 《史》 '元宝'의 소형의 것으로, 무게 400그램 정도의 은괴(銀塊) 화폐.
〔小月子(儿)〕 xiǎoyuezi(r) 명 ①유산(流産)의 통칭. ②사산(死産). =〔小产〕
〔小运〕 xiǎoyùn 명 한 해 동안의 운수.
〔小韵〕 xiǎoyùn 명 심약(沈約)이 제창한 시(詩)의 '八病'의 하나.
〔小杂粮〕 xiǎozáliáng 명 생산량〔취급량〕이 적은 잡곡.
〔小杂种〕 xiǎozázhǒng 명 〈罵〉 ⇨〔小崽子〕
〔小崽子〕 xiǎozǎizi 명 〈罵〉 개자식. =〔小杂种〕
〔小灶(儿)〕 xiǎozào(r) 명 ①작은 부뚜막〔아궁이〕《온돌의 한쪽에 붙여 만들어, 이 화력을 온돌에도 쓰는 부뚜막》. ②⇨〔小灶饭〕 ③(공동 취사·집단 급식에서) 특별 식사. 고급 식사.
〔小灶饭〕 xiǎozàofàn 명 작은 부뚜막에서 짓는 밥. 〈轉〉 특별한 대우《특별히 만든 (고급의) 요리》. ¶不因家属来队开～; 가족이 부대를 찾아왔다고 해서 특별한 요리를 만들지 않는다 / 他今天之所以小有名气, 成为技术骨干, 是因为吃了不少～; 그가 오늘날 젊어서 명성을 얻어 기술의 중견이 될 수 있었던 것도 특별한 대우를 받은 결과이다. =〔小灶(儿)②〕〔小锅饭〕
〔小贼(儿)〕 xiǎozéi(r) 명 ⇨〔小偷(儿)〕
〔小炸食儿〕 xiǎozháshír 명 기름에 튀긴 간단한 음식.
〔小张〕 xiǎozhāng 형 폭이 좁은. ¶～的纸; 폭이 좁은 종이.
〔小账(儿)〕 xiǎozhàng(r) 명 〈口〉 팁. 행하. =

〔小菜儿钱〕〔小费〕〔小柜儿〕〔小钱儿②〕
〔小照〕 xiǎozhào 명 소형의 얼굴 사진〔독사진〕. =〔小像〕〔小影①〕
〔小折刀〕 xiǎozhédāo 명 접(摺)칼.
〔小侄〕 xiǎozhí 명 ①조카. ②〈謙〉 아버지 친구에 대한 자칭(自稱).
〔小纸团儿〕 xiǎozhǐtuánr 명 종이 뭉치.
〔小指〕 xiǎozhǐ 명 새끼손가락. 새끼발가락.
〔小指头〕 xiǎozhǐtou 명 새끼손가락.
〔小趾〕 xiǎozhǐ 명 새끼발가락.
〔小至〕 xiǎozhì 명 '冬dōng至'(동지)의 전날. =〔小冬日〕
〔小制钱儿〕 xiǎozhìqiánr 명 옛날의 엽전. =〔制钱(儿)〕
〔小诸葛〕 xiǎozhūgě 명 〈比〉 지모(知謀)가 있는 사람. 지혜가 뛰어난 사람.
〔小株密植〕 xiǎozhū mìzhí 명 《農》 소주 밀식《모의 포기 사이를 좁게 하고 한 포기의 모 수를 적게 하는 일》.
〔小住〕 xiǎozhù 동 잠시 묵다. 명 《佛》〈貶〉 절의 주지.
〔小注(儿)〕 xiǎozhù(r) 명 잔주. 할주(割注). =〔注儿〕
〔小筑〕 xiǎozhù 명 〈文〉 작은 건물. 아담하고 품위 있는 집.
〔小砖头〕 xiǎozhuāntou 명 벽돌 조각.
〔小传〕 xiǎozhuàn 명 소전. 약전(略傳). 간단한 전기(傳記).
〔小篆〕 xiǎozhuàn 명 소전《진(秦)나라의 이사(李斯)가 만들었다는 서체(書體)》. →〔大篆〕〔秦qín篆〕
〔小酌〕 xiǎozhuó 명 ①술을 간단히 한 잔 마시는 것. ②〈謙〉 소연(小宴). 조촐한 연회. ¶先生如肯赏光, 定请来寒舍～; 〈翰〉 제 체면을 살려주시려면 저의 집에 마련한 조촐한 연회에 참석해 주십시오. ‖ =〔小饮〕
〔小资产阶级〕 xiǎo zīchǎn jiējí 명 프티 부르주아. 중산 계급. =〔〈音義〉小布尔乔治〕
〔小子〕 xiǎozǐ 명 연하(年下)의 사람. 후배.
〔小子〕 xiǎozi 명 〈口〉 ①사내아이. ¶大～; 장남 / 胖～; 뚱뚱한 사내아이 / 添tiān了个～; 사내아이가 태어났다. ②녀석. 놈《젊은 사람에 대한 친근미를 나타낸 호칭》. ③요놈의 새끼. ④사내 하인. ⑤선배에 대한 자칭(自稱).
〔小子儿〕 xiǎozǐr 명 옛날, 《이전(二錢)짜리 동전에 대한》 일전(一錢)짜리 동전(銅錢). =〔小铜子儿〕〔单子儿〕
〔小字〕 xiǎozì 명 ①〈謙〉 저의 자(字). =〔小号②〕 ② ⇨〔小楷kǎi〕
〔小字报〕 xiǎozìbào 명 종이 쪽지에 쓴 의견서《의견을 낸 자가 직접, 책임자에게 건넴》.
〔小字号〕 xiǎozìhào 명 ①연하자(年下者). ②후배. ③작은 가게.
〔小字儿〕 xiǎozìr 명 ⇨〔小楷kǎi〕
〔小龇牙儿〕 xiǎoziyár 명 〈北方〉 사소한 옥신각신〔분쟁(紛爭)〕. ¶他俩有个～; 그들 둘 사이에는 약간의 옥신각신이 있다. =〔〈京〉过guò节儿〕
〔小宗〕 xiǎozōng 명 ①중요하지 않은 것. 중요치 않은 물건. ②적손(嫡孫)이 아님. 세력이 없는 집.
〔小宗派〕 xiǎozōngpài 명 소수 그룹. ¶我们不是一个自以为是的～; 우리는 혼자서 자기 만족하고 있는 소수 그룹은 아니다.
〔小租(儿)〕 xiǎozū(r) 명 〈南方〉 집세 보증금.
〔小卒(儿)〕 xiǎozú(r) 명 ①졸병. 병졸. 〈比〉 범인. 보잘것 없는 자. ¶无名～; 축에도 못드는 하찮은 자. ②〈比〉 졸개.
〔小组〕 xiǎozǔ 명 적은 인원으로 조직하는 공작 단위. 그룹. 서클. ¶互助～; 상조반(相助班) / ～会; 그룹 모임 / ～讨论; 그룹 토론 / ～委员会; 분과 위원회. 소위원회.
〔小祖宗〕 xiǎozǔzōng 명 연장자가 후배를 욕하는 말.
〔小嘴敲梆子〕 xiǎozuǐ qiāo bāngzi 말을 빨리 하는 모양.
〔小作〕 xiǎozuò 동 ①작게 만들다. ②소규모로 하다.
〔小坐〕 xiǎozuò 동 잠시 걸터앉다.
〔小座车〕 xiǎozuòchē 명 소형 승용차.
〔小做活的〕 xiǎozuòhuóde 명 소년 잡역부. 어린 하인. 어린 심부름꾼〔사용인〕.

晓(曉) xiǎo (효)

① 명 새벽. ¶破～; 날이 새다 / 公鸡报～; 수탉이 새벽을 알리다 / 拂～; 불효. 동틀 무렵. 새벽녘. ② 동 분명하게 되다. 이해하다. 알다. ¶不～是谁的; 누구의 것인지 모른다 / 通～俄语; 러시아 어에 정통하다. 러시아 어를 환히 알고 있다. ③ 동 다른 사람에게 알리다. 깨우치다. ¶揭～; 게시하여 알리다 / ～以大义; 대의를 알려 주다 / 明白～谕; 확실히 알게 하다. ④ 동 타이르다. ⑤ 형 분명하다.
〔晓畅〕 xiǎochàng 형 문장이 달의(達意)하다. 명쾌하고 매끄럽다. 동 통효(通曉)하다. 철저하게 이해하다. 정통하다.
〔晓旦〕 xiǎodàn 명 〈文〉 이른 아침. 새벽녘. 불효.
〔晓得〕 xiǎode 동 알다. ¶我不～他是谁; 나는 그가 누구인지 모른다. =〔知zhī道〕
〔晓风〕 xiǎofēng 명 〈文〉 새벽녘의 바람.
〔晓炮〕 xiǎopào 명 새벽을 일반에게 알리기 위해 쏘던 호포(號砲).
〔晓人〕 xiǎorén 〈文〉 명 사리를 분별할 수 있는 사람. 사리에 밝은 사람. 동 사람을 깨우치다. 사람에게 알리어 이해시키다.
〔晓市〕 xiǎoshì 명 새벽(시)장.
〔晓示〕 xiǎoshì 동 명시하다. 게시하다. ¶事情的结果已经～于众; 일의 결과는 이미 여러 사람에게 공표됐다.
〔晓事〕 xiǎoshì 형 사리를 잘 이해하다. 사리에 밝다. ¶老年～的人; 나이 많고 사리에 밝은 사람.
〔晓天〕 xiǎotiān 명 〈文〉 효천. 새벽. 이른 아침.
〔晓通〕 xiǎotōng 동 잘 알다. 완전히 알다.
〔晓悟〕 xiǎowù 동 〈文〉 ①분명하게 깨닫다. 잘 이해하다. ②효유하다. 알아듣게 타이르다.
〔晓行夜宿〕 xiǎo xíng yè sù 〈成〉 아침 일찍 떠나서 밤에 숙소에 닿다《①여행이 고됨. ②길을 서두름》.
〔晓谕〕 xiǎoyù 동 〈文〉 (상급자가) 훈시(訓示)하다. 효시하다. ¶明白～; 확실히 훈시하다.
〔晓钟〕 xiǎozhōng 명 〈文〉 효종. 새벽종.

𫍲(謏) xiǎo (소)

형 〈文〉 적다. 작다.
〔𫍲才〕 xiǎocái 명 변변치 않은 재능. 잔재주.
〔𫍲闻〕 xiǎowén 명 대수롭지 않은 명성.

筱〈篠〉 xiǎo (소)

① 형 작다《주로 인명에 쓰임》. ② 명 《植》〈文〉 조릿대. 가느다란 대나무.

肖 **xiào** (초)
명 ①닮다. ¶子～其父; 아들은 그 아버지를 닮는다 / 语声颇～其兄; 목소리가 매우 그 형을 닮았다 / 惟妙惟～;〈成〉(닮은 것이) 핍진하다. ②본뜨다. ¶用动物来～十二支; 동물로써 십이지를 본뜨다. ⇒Xiāo
〔肖邦〕 Xiàobāng 명《人》쇼팽《폴란드의 작곡가·피아니스트, 1810～1849》.
〔肖兰〕 xiàolán 명〈音〉쇼랜(shoran)《항공 용어》. =〔肖仑〕
〔肖似〕 xiàosì 동〈文〉닮다.
〔肖像〕 xiàoxiàng 명 ①사진의 초상. =〔肖照〕 ② 그림이나 조각의 초상. ¶～画; 초상화.
〔肖照〕 xiàozhào 명 사진(의 초상).

孝 **xiào** (효)
① 명 효도. 효성. ¶尽～; 효도를 다하다 / 百善～当先;〈諺〉백행(百行)에 효를 첫째로 친다 / ～顺; ⇩ ② 명 복상(服喪). ¶正在～中; 지금 상중에 있다. ③ 동 효도하다. ④ 명 상복(喪服). ¶穿～; 상복을 입다 / 戴～; 상장(喪章)을 달다. ⑤ 명 성(姓)의 하나.
〔孝慈〕 xiàocí 동〈文〉효자하다. 부모에게 효도하고, 자식에게 인자하게 대하다.
〔孝带〕 xiàodài 명 상복(喪服)의 허리띠.
〔孝道〕 xiàodào 명〈文〉효도.
〔孝服〕 xiàofú 명 ①상복. =〔孝衣〕〔孝褂子〕〔孝袍(儿)〕 ②〈文〉상중(喪中). 복상 기간. ¶～已满; 탈상하다.
〔孝袱子〕 xiàofúzi 명 여자가 상중에 머리에 쓰는 「것.
〔孝妇〕 xiàofù 명 ①〈文〉효부. 효성스러운 여자. ②상중에 있는 여자.
〔孝褂子〕 xiàoguàzi 명 ⇨〔孝服①〕
〔孝家〕 xiàojiā 명 복상(服喪)하고 있는 사람. ¶我们姑娘是～, 不亲递茶了; 우리 딸은 상중이라 직접 차를 따라 드리지는 않습니다.
〔孝经〕 Xiàojīng 명《書》효경《공자가 증자(曾子)를 위하여 효도에 대하여 가르친 말을 모은 책》.
〔孝敬〕 xiàojìng 동 ①웃어른에게 공경의 뜻으로 물건을 증정(贈呈)하다. ¶他带了些南边土产来～老奶奶; 그는 남쪽 토산 물을 가지고 와서 할머니께 인사로 드렸다. ②손윗사람을 잘 섬기고 공경하다. ¶～爹娘; 부모에게 효도하다.
〔孝廉〕 xiàolián 명 효렴. ①효성스럽고 청렴한 사람. ②과거(科擧)에서 '举jǔ人'(거인)의 별칭. ③한대(漢代), 효행과 청렴한 자로서 각 군(郡)에서 추천을 받은 인재.
〔孝廉方正〕 xiàolián fāngzhèng 명 청대(清代), 지방관의 천거를 받아 예부(禮部)에 보내져 시험을 거친 뒤에 임용된 사람.
〔孝陵〕 Xiàolíng 명 효릉. ①명태조(明太祖)의 능《난징(南京)의 종산(鍾山)에 있음》. ②청(清)나라 세조(世祖)의 능《허베이 성(河北省) 준화 현(遵化縣)에 있음》.
〔孝履〕 xiàolǚ 명〈翰〉상중에 있는 사람에게 보내는 편지의 끝말.
〔孝满〕 xiàomǎn 명동 탈상(脫喪)(하다).
〔孝幔〕 xiàomàn 명〈文〉관(棺) 앞에 치는 만막(幔幕).
〔孝帽(子)〕 xiàomào(zi) 명 상중에 있는 자가 쓰는 흰 천으로 만든 모자.
〔孝男〕 xiàonán 명 ①〈文〉효성스러운 남자. ②상중의 남자. ③돌아가신 부모에 대한 남자의 자칭.
〔孝鸟〕 xiàoniǎo 명《鳥》효조. (까마귀)의 별칭《까마귀에게는 반포(反哺)하는 효성이 있다고 함》. =〔孝乌wū〕〔慈cí乌〕〔慈鸦〕
〔孝女〕 xiàonǚ 명 효녀. ①효성스러운 여자. ②상중의 여자. ③돌아가신 부모에 대한 여자의 자칭.
〔孝袍(儿)〕 xiàopáo(r) 명 ⇨〔孝服①〕
〔孝褥子〕 xiàorùzi 명 부모의 상에, 그 자식이 영전에 무릎꿇고 절할 때에 까는 방석.
〔孝顺〕 xiàoshùn 동 효도하다. ¶～父母; 부모에게 효양(孝養)을 다하다. 형 효성스럽다. ¶他很～; 그는 매우 효성스럽다.
〔孝孙〕 xiàosūn 명 효손. ①〈文〉조부모에 효도하는 손자. ②상중의 손자.
〔孝堂〕 xiàotáng 명 ①(의식을 행하기 위해) 사자(死者)를 두는 당(堂). 영구(靈柩)를 안치하는 방. ②상가에 둘레치는 흰 장막.
〔孝悌〕 xiàotì 형〈文〉부모에 효도하고 형을 잘 섬기다.
〔孝悌忠信礼义廉〕 xiào tì zhōng xìn lǐ yì lián〈罵〉뻔뻔한 놈. 무치(無恥)한 놈《여덟째 자에 '耻'를 붙여야 하는데 빠졌기 때문에 '无耻'의 뜻이 된다》.
〔孝头〕 xiàotóu 명 조문객에 대한 상주측의 배례. =〔丧sāng头〕
〔孝乌〕 xiàowū 명 ⇨〔孝鸟niǎo〕
〔孝心〕 xiàoxīn 명 ①효심. ②〈轉〉(상사에 대한) 충성심. ③선물을 보내어 나타내는 성의.
〔孝行〕 xiàoxíng 명〈文〉효행. 효성스러운 행실.
〔孝养〕 xiàoyǎng 동 ①〈文〉효양하다. 부모를 효성스럽게 모시다. ②《佛》돌아가신 부모에게 추선 공양(追善供養)하다.
〔孝衣〕 xiàoyī 명 상복(喪服). =〔孝服fú〕
〔孝友〕 xiàoyǒu 형〈文〉효우하다. 부모에게 효도하고 형제간에 우애있게 하다.
〔孝帐〕 xiàozhàng 명 상중의 장막.
〔孝竹〕 xiàozhú 명《植》조릿대. =〔慈cí竹〕
〔孝子〕 xiàozǐ 명 ①효자. ②친상(親喪)에서의 상주(喪主). 부모상(喪)을 입고 있는 사람.
〔孝子贤孙〕 xiào zǐ xián sūn〈成〉①효성스럽고 현명한 자손. =〔孝子顺孙〕 ②〈比〉충실한 후계자.

哮 **xiào** (효)
동 ①소리 높이 부르짖다. ¶咆páo～; ⓐ(맹수가) 으르렁거리다. ⓑ물 소리가 크게 나다. ②그르렁거리며 숨을 쉬다.
〔哮喘〕 xiàochuǎn 명《醫》천식(喘息). ¶患huàn～的人; 천식을 앓고 있는 사람. =〔痰tán喘〕
〔哮吼〕 xiàohǒu 동〈文〉포효하다. 사납게 외치다.
〔哮虎〕 xiàohǔ 명〈文〉포효하는 범.〈比〉용맹한 장사. =〔唬hǔ虎〕〔虓虎〕
〔哮阚〕 xiàokàn 형〈文〉맹수가 성이 나서 으르렁거리는 모양.

校 **xiào** (교)
명 ①학교. ¶成人夜～; 성인의 야간 학교. ②장교의 계급. ¶上～; 대령 / 将jiàng～; 장교 / 中～; 중령 / 少shào～; 소령. ⇒jiào
〔校厂〕 xiàochǎng 명〈簡〉학교 안에 설치된 공장. 학교 부속의 공장.
〔校车〕 xiàochē 명 통학 버스.
〔校董〕 xiàodǒng 명 학교의 이사(理事).
〔校风〕 xiàofēng 명 교풍. 학교의 기풍.
〔校服〕 xiàofú 명 교복. 학교의 제복.
〔校歌〕 xiàogē 명 교가.
〔校工〕 xiàogōng 명 (학교의) 사무 보조원. =〔校役〕
〔校官〕 xiàoguān 명《軍》영관(領官).

〔校规〕 xiàoguī 명 학교의 규칙. 학칙.
〔校花〕 xiàohuā 명 〈比〉 미스 캠퍼스(학교에서 제일 아름다운 여학생).
〔校徽〕 xiàohuī 명 학교의 휘장.
〔校际〕 xiàojì 명 학교간. ¶建立～交流合作关系; 학교간의 교류·협력 관계를 만들다.
〔校际竞技〕 xiàojìjìngjì 명 ⇨〔校际赛〕
〔校际赛〕 xiàojìsài 명 《體》 학교 대항 경기. =〔校际竞技〕
〔校刊〕 xiàokān 명 학교의 간행물.
〔校历〕 xiàolì 명 학사 일정.
〔校门〕 xiàomén 명 교문.
〔校牌〕 xiàopái 명 학교 이름이 써여있는 학교 교문의 현판.
〔校旗〕 xiàoqí 명 교기.
〔校庆〕 xiàoqìng 명 학교 창립 기념일. 개교 기념일. ¶～的节jié目; 개교 기념일의 행사 프로그램. =〔校庆日〕
〔校舍〕 xiàoshè 명 교사.
〔校史〕 xiàoshǐ 명 학교의 역사.
〔校外〕 xiàowài 명 교외. ¶～活动; 교외 활동 / ～指导; 교외 지도 / ～辅导员; 교외 보도원.
〔校外教授〕 xiàowài jiàoshòu 명 교외 교수.
〔校务〕 xiàowù 명 교무. ¶～委员会; 교무 위원회.
〔校训〕 xiàoxùn 명 교훈.
〔校医〕 xiàoyī 명 교의(校醫).
〔校役〕 xiàoyì 명 ⇨〔校工〕
〔校友〕 xiàoyǒu 명 교우. ¶～会; 교우회.
〔校园〕 xiàoyuán 명 교정(校庭). 학교 부지. 캠퍼스.
〔校园文化〕 xiàoyuán wénhuà 명 캠퍼스 문화.
〔校章〕 xiàozhāng 명 학교의 규칙〔장정(章程)〕.
〔校长〕 xiàozhǎng 명 ①총장. ②교장.
〔校政〕 xiàozhèng 명 학교 행정. 교무(教務).
〔校址〕 xiàozhǐ 명 학교 소재지.

效〈傚[B)], 効[C)]〉 xiào (효)

A) 명 효과. 성과. 효능. 효력. ¶见～; 효과가 나타나다 / 有～; 유효(하다) / 无～; 무효(이다). **B**) 동 모방하다. 흉내내다. 본받다. ¶仿fǎng～; 본받아 배우다 / ～法; ⇩ **C**) 동 진력하다. 힘을 다하다. ¶报～; 은혜에 대하여 미력을 다하다 / ～劳; ⇩ / ～命; ⇩
〔效诚〕 xiàochéng 동 〈文〉 정성을〔성의를〕 다하다.
〔效恶〕 xiào'è 동 〈文〉 나쁜 것을 흉내내다.
〔效法〕 xiào·fǎ 동 본받다. 배우다. 모방하다. ¶这种勇于承认错误的精神值得～; 용기 있게 잘못을 인정하는 이러한 정신은 본받을 만하다.
〔效仿〕 xiàofǎng 동 흉내내다. 모방하다. =〔仿效〕
〔效功〕 xiàogōng 명 〈文〉 공적(功績).
〔效果〕 xiàoguǒ 명 ①효과. 성과. ¶收到～; 성과를 거두다. ②《劇》 효과(음향·조명 따위).
〔效劳〕 xiào·láo 동 진력하다. 힘을 다하다. 봉사하다. ¶为祖国～; 조국을 위해서 진력하다 / ～赎shú罪; 힘을 다해 속죄하다 / 效犬马之劳; 견마지로를 다하다.
〔效力〕 xiàolì 명 효력. 효과. ¶药的～很大; 약의 효력이 매우 크다. (xiào·lì) 동 힘을 다하다. 봉사하다. 진력하다. =〔效劳〕
〔效率〕 xiàolǜ 명 ①(기계 등의) 효율. ②(작업 등의) 능률. ¶提高～; 능률을 높이다 / 工gōng作～; 작업 능률.
〔效率折〕 xiàolǜzhé 명 메리트(merit) 계산.
〔效命〕 xiào·mìng 동 목숨을 바치다. 목숨을 아끼지 않다. ¶为国～; 국가를 위해 목숨을 바치다.
〔效模〕 xiàomó 명동 〈文〉 모방(하다).
〔效能〕 xiàonéng 명 효능. 효과. 효력. ¶深翻土地, 才能充分发挥水利和肥料的～; 땅을 깊게 갈아야 비료나 수리(水利)의 효과가 올라간다 / 增进～; 효능을 증진하다.
〔效颦〕 xiàopín 동 남의 결점을 장점인 줄 알고 본뜨다. =〔东dōng施效颦〕
〔效时派〕 xiàoshípài 명 유행을 따르는 사람들.
〔效死〕 xiàosǐ 동 사력(死力)을 다하다. 목숨 바쳐 일하다.
〔效验〕 xiàoyàn 명 효험. 효과. ¶药吃下去, 还没见～; 약을 먹었지만, 아직 효험은 나타나지 않는다 / ～卓著zhù; 효과가 뚜렷하다.
〔效样〕 xiào·yàng 동 〈文〉 모방하다. (모양을) 본뜨다.
〔效益〕 xiàoyì 명 효과와 이익. ¶充分发挥水库的～; 댐의 효과와 이익을 충분히 발휘하다.
〔效应〕 xiàoyìng 명 《物·生》 반응. 효과. ¶～器; 《生》 반응기. 반사 기관(反射器官) / 热～; 열효과.
〔效应器〕 xiàoyìngqì 명 《生》 반사 기관(器官).
〔效用〕 xiàoyòng 명 효용. 가치. ¶～渐jiàn减律; 효용 체감의 법칙.
〔效用论〕 xiàoyònglùn 명 《經》 효용 가치설.
〔效尤〕 xiàoyóu 동 나쁜 짓을 본뜨다. 잘못된 줄 알면서 그 흉내를 내다. ¶以儆jǐng～; 이로써 나쁜 짓을 모방하는 자를 경계한다.
〔效忠〕 xiàozhōng 동 충성을 다하다.

笑〈咲〉 xiào (소)

①동 웃다. ¶哄hōng堂大～; 〈成〉 장내가 떠들썩하게 웃다 / ～掉下巴颏儿; 웃어서 턱이 빠지다 / 微wēi～; 미소(짓다) / 奸jiān～; 간사하게 웃다. 간사한 웃음 / 狂kuáng～; 미친 듯이 웃다 / 憨hān～; 멍청하게 웃다. 멍청한 웃음 / 冷～; 냉소(하다). ②동 꽃이 피다. ③동 조소(嘲笑)하다. ¶别～他! 그를 비웃지 마라 / 惹rě人～; 남의 냉소를 사다 / ～话人; 남을 비웃다 / 耻～; 비웃다. 조소하다. ④동 웃음 띤 얼굴을 하다. ¶～着说; 웃음을 띠고 말하다. ⑤(～儿) 명 웃음(거리). ¶取个～; 비웃다. 웃음거리로 삼다.
〔笑敖〕 xiào'áo 동 〈文〉 웃으며 쾌사를 떨다.
〔笑抃〕 xiàobiàn 동 〈文〉 손뼉을 치며 웃다.
〔笑柄〕 xiàobǐng 명 웃음거리. ¶传chuán为～; 웃음거리로 전해지다 / 也不过是一个～; 한낱 웃음거리에 지나지 않는다.
〔笑存〕 xiàocún 동 ⇨〔笑纳〕
〔笑道〕 xiàodào 동 〈文〉 웃으며 말하다.
〔笑掉大牙〕 xiàodiào dàyá 〈比〉 크게 웃다. 박장대소하다.
〔笑断肚肠〕 xiàoduàn dùcháng 배가 아프도록 웃다.
〔笑哈哈〕 xiàohāhā 형 하하 웃다(크게 웃는 모양). =〔笑呵呵〕
〔笑呵呵〕 xiàohēhē 형 ⇨〔笑哈哈〕
〔笑话〕 xiàohua 명 (～儿) 우스운 이야기. 우스갯소리. 웃음거리. ¶算是没弄出～来; 웃음거리가 되지 않아도 되었다 / 我不懂上海话, 初到上海时净闹～; 나는 상하이어(上海語)를 모르므로, 상하이에 막 왔을 무렵에는 늘 우스운 꼴이 되었었다 / 闹～; 웃음거리가 되다 / 你们都来看我的～呀! 당

신네들은 모두 나를 웃음거리로 만들려고 온 것이지! / 会说~; 우스운 이야기를 잘하다. 동 비웃다. 웃음거리로 삼다. 냉소하다. 조롱하다. ¶招人~; 남의 웃음거리가 되다 / ~人; 남을 비웃다. 형 우습다. 가소롭다. ¶太~了; 너무 가소롭다.

〔笑疾〕 xiàojí 명 쓸데없이 웃는 버릇. 실없이 잘 웃는 사람.

〔笑匠〕 xiàojiàng 명 희극 배우. 피에로(pierrot). ¶伟大的~查利卓别林; 위대한 피에로 찰리 채플린.

〔笑剧〕 xiàojù 명《劇》 소극. 파스(farce).

〔笑科〕 xiàokē 명《劇》 웃기는 동작〔연기〕.

〔笑口〕 xiàokǒu 명〈文〉 웃을 때 벌리는 입. ¶~常开; 〈成〉 항상 명랑하고 싱글벙글하다 / ~吟yín吟; 싱글벙글하다. 빙그레 미소짓다.

〔笑里藏刀〕 xiào lǐ cáng dāo〈成〉 겉으로는 온화한 체하고 속으로는 음흉하다. =〔笑中刀〕

〔笑(里)引笑〕 xiào(lǐ) yǐnxiào 웃음이 웃음을 낳는다. 한 사람이 웃으면 모두 따라 웃는다.

〔笑脸(儿)〕 xiàoliǎn(r) 명 웃는 얼굴. 웃음 띤 얼굴. =〔笑面〕〔〈文〉笑靥yè②〕

〔笑料〕 xiàoliào 명 우스갯거리. 개그(gag).

〔笑骂〕 xiàomà 동 ①조소(嘲笑)하고 매도(罵倒)하다. ¶~由他~, 好官我自为之; 비웃고 욕하려거든 해라, 나는 이래봬도 훌륭한 관리라고 생각하고 있으니까《관료(官僚)가 수치를 모르는 것을 풍자한 말》. ②농담으로 욕하다.

〔笑眯虎儿〕 xiàomīhǔr 온 얼굴에 활짝 웃음을 머금다. 만면에 웃음을 띠다.

〔笑眯眯(的)〕 xiàomīmī(de) 형 눈을 가늘게 뜨고 미소짓는 모양. 우스워서 눈을 가늘게 뜨는 모양. =〔笑迷迷〕〔笑眯嘻儿〕〔笑眯悠儿〕〔笑模悠悠儿〕

〔笑面〕 xiàomiàn 명 ⇨〔笑脸(儿)〕

〔笑面观〕 xiàomiànguān 명 장난감의 이름《상자의 앞면·옆면에 거울이 있어, 앞면에서 보면 납작하게 보이고 옆면에서 보면 길쭉하게 보임》. =〔百bǎi面相箱〕

〔笑面虎(儿)〕 xiàomiànhǔ(r) 명 ①겉으로는 부드러우나 내심 음험한 사람. 웃는 얼굴의 악인. ②늘 웃고 있는 사람.

〔笑面老虎白面狼〕 xiàomiàn lǎohǔ báimiànláng〈比〉 겉은 좋게 보여도 실상은 흉포함.

〔笑纳〕 xiàonà 동〈翰〉〈套〉 소납하다《남에게 선물할 때나 편지에 쓰는 인사말》. ¶务祈~; 소납하시기 바랍니다. =〔笑存〕〔哂shěn纳〕〔哂收〕

〔笑闹〕 xiàonào 동 웃다가 떠들다가 하다. 까불며 떠들다. =〔笑笑闹闹〕

〔笑鸥〕 xiào'ōu 명《鳥》 붉은부리갈매기.

〔笑片〕 xiàopiàn 명《映》 희극 영화.

〔笑破唇〕 xiàopòchún 동 크게 웃다.

〔笑气〕 xiàoqì 명《化》 소기. 일산화 이질소(一酸化二窒素). 아산화 질소.

〔笑容〕 xiàoróng 명 웃는 얼굴〔표정〕. ¶~可掬jū; 〈成〉 넘칠 듯한 웃음을 머금고 있는 모양 / ~满面; 얼굴에 웃음이 가득하다. =〔笑面miàn〕

〔笑杀〕 xiàosha 동 우스워 죽겠다.

〔笑声〕 xiàoshēng 명 웃음소리.

〔笑耍〕 xiàoshuǎ 동 웃으며 장난치다. 놀리다.

〔笑死〕 xiàosǐ 동 우스워서 못 견디다. 우스워 죽다. ¶~我了; 우스워 죽겠네.

〔笑谈〕 xiàotán 명 웃음거리. 우스갯소리. 동 담소하다.

〔笑疼〕 xiàoténg 동 웃어서 배가 아프다. ¶肚子都~了; 뱃가죽이 아플 정도로 웃었다. =〔笑痛〕

〔笑痛〕 xiàotòng 동 ⇨〔笑疼〕

〔笑头(儿)〕 xiàotou(r) 명 ①웃음거리. ②우스운 일. 웃을 만한 것. ¶没什么~; 별로 우스운 일이 없다. 注 '有~', '没有~'의 형식으로 쓰임.

〔笑纹〕 xiàowén 명 웃을 때 잡히는 주름. 웃음. ¶鼻子上拧起一旋xuán~; 웃을 때 코에 소용돌이 모양의 주름살이 생긴다.

〔笑窝(儿)〕 xiàowō(r) 명 보조개. =〔笑涡(儿)〕〔酒jiǔ窝(儿)〕〔笑靥①〕

〔笑嘻嘻(的)〕 xiàoxīxī(de) 형 미소를 머금고 있는 모양.

〔笑笑闹闹〕 xiàoxiaonàonào 동 ⇨〔笑闹〕

〔笑颜〕 xiàoyán 명 웃는 얼굴. ¶~常开; 언제나 웃는 얼굴이다.

〔笑靥〕 xiàoyè 명 ①⇨〔笑窝(儿)〕 ②⇨〔笑脸(儿)〕

〔笑靥花〕 xiàoyèhuā 명《植》 조팝나무.

〔笑矣乎〕 xiàoyǐhū 명《植》 독버섯의 일종《먹으면 취해서 미친 듯이 웃음》.

〔笑吟吟〕 xiàoyínyín 형 웃는 모양. ¶~地骑着黄牛; 싱글싱글 웃으며 황소를 타고 있다.

〔笑引笑〕 xiào yǐn xiào 웃음이 웃음을 낳다. 모두 이끌려 웃다. =〔笑里引笑〕

〔笑盈盈〕 xiàoyíngyíng 형 웃음을 함빡 머금고 있는 모양. 환하게 웃고 있는 모양.

〔笑语〕 xiàoyǔ 명 웃음소리와 이야깃소리.

〔笑中刀〕 xiàozhōng dāo〈成〉⇨〔笑里藏刀〕

〔笑逐颜开〕 xiào zhú yán kāi〈成〉 얼굴에 웃음꽃이 활짝 피다. 싱글벙글 웃다.

啸(嘯〈歗〉) xiào (소)

① 동 (짐승이나 새가) 길게 울다. ¶虎hǔ~; 호랑이가 울다. ② 동 휘파람을 불다. ¶打口~; 휘파람을 불다. ③ 형 바람·비행기·총알 등의 소리의 형용. ¶风~; 바람의 휙휙 부는 소리 / 枪弹的~声; 퓽하는 총알 소리 / 飞机尖~着飞过顶空; 비행기가 쌩 하고 (소리를 내며) 상공을 날아가다.

〔啸傲〕 xiào'ào 형〈文〉 사물에 구애되지 않다. 분방(奔放)하다.

〔啸歌〕 xiàogē 동〈文〉 목소리를 길게 뽑아 시가를 읊조리다. =〔啸咏〕

〔啸集〕 xiàojí 동 ⇨〔啸聚〕

〔啸聚〕 xiàojù 동〈文〉 일당(一黨)을 규합하다. 패거리를 불러서 모으다《주로 도적을 일컬음》. =〔啸集〕

〔啸鸣〕 xiàomíng 동 짖다. 으르렁거리다. 울다. 명 높고 긴 소리.

〔啸诺〕 xiàonuò 동 ①앉아서 휘파람이나 불고 서명이나 하다. ②〈比〉 관리가 성실하게 집무하지 않다. ‖ =〔坐zuò啸画诺〕

〔啸咏〕 xiàoyǒng 동 ⇨〔啸歌〕

敩(斆) xiào (효)

동〈文〉 가르쳐 이끌다. ⇒ xué

XIE ㄒㄧㄝ

些 xiē (사)

① 양 얼마간. 몇《개략의 수를 가리키는 말》. ¶一~人在下棋, 一~人在散步; 몇 사람은

바둑을 두고 있고, 몇 사람은 산책하고 있다 / 这〔那〕～东西; 이들〔저들〕 물건(단순한 복수) / 有～工人; 소수의 노동자 / 买～东西; 물건을 좀 사다 / 快～走; 조금 빨리 걷다 / 有～(个)人还没到; 몇몇 도착하지 않은 사람도 있습니다 / 前～日子, 他来过一趟; 며칠 전, 그는 한 번 온 적이 있다. ②양 얼마쯤. 조금. 약간(형용사 뒤에 놓임). ¶快～回来; 좀 빨리 돌아오다 / 方便～; 약간 편리하다. =〔一点儿〕 ③양 '好'·'这么'·'那么' 등과 결합하여 수량이 큼을 나타냄. ¶好～日子我没有看他去; 오랜 동안 그를 방문하고 있지 않다 / 好～个; 많은 수의. 많은 / 这么～日子; 이만한 장시일(長時日) / 这么～钱我拿不出手去; 이렇게 많은 돈은 난 낼 수 없다 / 那么～人口, 他们国家也养活不起; 저렇게 많은 인구를 그들 나라는 먹여 살릴 수 없다. ④조〈文〉고문(古文)에 쓰이었던 문말 조사(文末助詞). ¶归来归来, 恐危身～; 돌아와라, 돌아와라, 가면 아마도 몸을 위험에 빠뜨리게 될 것이다. ⇒suò

〔些个〕 xiēge 양〈口〉몇 개. 좀. 약간. ¶好～; 많은 / 这么～; 이렇게 많이.

〔些来小去〕 xiēlái xiǎoqù 시시하다. 취할 바가 못 되다. ¶～的事, 不必再议了; 시시한 일이니 다시 의논할 필요가 없다.

〔些利酒〕 xiēlìjiǔ 명 ⇨〔雪xuě利酒〕

〔些儿〕 xiēr 명 적은 시간. ¶～来迟; 조금 늦게 오다. 부 조금. 약간. =〔一点儿〕

〔些日子〕 xiērìzi 명 며칠. =〔几天〕

〔些少〕 xiēshǎo 형 ⇨〔些须〕

〔些时〕 xiēshí 명 잠시. 잠깐. =〔片piàn时〕

〔些微〕 xiēwēi 형 조금의. 약간의. 부 조금. 약간. ¶～有点儿痛; 조금 아프다. 注 주로, '有点儿' '一点儿' 등과 연용(連用)됨. →〔稍微〕

〔些小〕 xiēxiǎo 형 작다. 사소하다. ¶～事情; 사소한 일 / ～微意; 조그마한 뜻〔성의〕. 부 약간. 조금. ¶～感慨; 약간 감개하다.

〔些些〕 xiēxiē 양〈文〉조금. 조금쯤. ¶窗外雨～; 창밖에는 비가 조금 내리고 있다.

〔些须〕 xiēxū 형〈古白〉약간의. 조금의. 대수롭지 않은. ¶～礼物; 약간의 선물. =〔些许〕〔些少〕

〔些许〕 xiēxǔ 형 ⇨〔些须〕

〔些子〕 xiēzi 양〈方〉약간. 조금. ¶今日理会～, 明日理会～, 久则自贯通; 매일 조금씩 이해해 나가면, 오랜 동안에는 자연히 모두 알게 되는 것이다.

〔些子景〕 xiēzijǐng 명 조화(造花)나 주옥(珠玉)으로 만든 나무·꽃 따위를 꽂아 놓은 화분.

揳 xiē (설)
동 ①〈方〉(못이나 쐐기를) 박다. ¶把桌子～一～; 테이블에 못을 박다 / 墙上～个钉子; 벽에 못을 하나 박다. ②쳐서 소리내다.

楔 xiē (설)
명 ①(～儿, ～子) 쐐기. 틈에 메우는 나뭇조각. =〔〈文〉櫼jiān〕〔尖劈jiānpī〕〔屑xiè子〕 ②(～儿, ～子) (벽에 박아서 물건을 거는 나무나 대나무) 못. ③(～子) 잡극(雜劇)에서 제1막의 앞에 놓는, 혹은 2막 사이에 넣는 소단(小段). ④(～子) (소설의) 서문(序文).

〔楔瘪〕 xiēbiě 동 혼내주다.

〔楔紧〕 xiējǐn 동 쐐기를 단단히 박다. 쐐기를 박아서 조이다.

〔楔开〕 xiēkai 동 쐐기를 박아서 틈을 벌리다.

〔楔平〕 xiēpíng 동 쐐기를 박아 평평하게 하다. =〔楔正〕

〔楔入〕 xiērù 동 쐐기를 박아 넣다.

〔楔形文字〕 xiēxíng wénzì 명 설형 문자. =〔箭jiàn形文字〕

〔楔正〕 xiēzhèng 동 쐐기를 박아 (비뚤거나 느슨해진 것을) 고치다.

〔楔子〕 xiēzi 명 ①쐐기. ②설자(옛소설에서 흔히 볼 수 있는 것인데, 어떤 사건을 이끌어내기 위한 이야기 부분으로, 본문 앞에 놓임). ③《劇》원곡(元曲)에서, 이야기의 본줄거리에 삽입된 가벼운 한 막. ‖ =〔楔儿〕

歇 xiē (헐)
①동 휴식하다. 쉬다. ¶～一会儿; 잠시 쉬다 / 大礼拜的还不～会儿? 일요일인데도 쉬지 않느냐? ②동〈方〉자다. ¶安～; 안면하다 / 晚上什么时候～? 밤에는 몇 시쯤 잡니까? ③동 쉬게 하다. ④동 그만두다. 정지하다. ¶老鸦叫个不～; 까마귀가 쉴새없이 운다. ⑤동 숙박하다. 묵다. ¶～了一宿xiǔ; 하룻밤 묵었다. ⑥양 횟수(回數)를 나타내는 말. ¶两三～; 두세 번. ⑦부〈南方〉잠깐 동안. ¶一～; 잠시. 잠깐 / 等一～我去; 잠깐 있다가 갈게.

〔歇班(儿)〕 xiē∙bān(r) 동 비번이 되다. ¶今天晚上该他～; 오늘 밤은 그가 비번이다.

〔歇泊〕 xiēbó 동 정박하다. =〔停tíng泊〕

〔歇处〕 xiēchù 명 거주하는 곳. ¶宋江叫把花荣老小安顿一所～; 송강은 화영의 가족들을 한 군데에 자리잡고 살게 했다.

〔歇掉〕 xiēdiào 동 일〔영업〕을 중지하다〔그만두다〕.

〔歇顶〕 xiē∙dǐng 동 머리숱이 적어지다. 머리가 벗어지다. =〔卸xiè顶〕〔谢xiè顶〕

〔歇乏〕 xiē∙fá 동 (일한 뒤에 잠시) 휴식하다. 한숨 돌리다.

〔歇伏〕 xiē∙fú 동〈俗〉삼복 중에 휴업하다. ¶天气太热连农民都要～; 날씨가 너무 더워 농민도 삼복 더위에는 쉬려고 한다. (xiēfú) 명 삼복 중의 휴업.

〔歇工〕 xiē∙gōng 동 휴업하다. 일을 쉬다.

〔歇后〕 xiēhòu 동 마지막 글자를 숨겨 놓고, 그 뜻을 암시하다.

〔歇后语〕 xiēhòuyǔ 명《言》헐후어. 말의 후반을 말하지 않고 전반만 말하여 뜻을 암시하는 일종의 은어(隱語), 또는 멋으로 하는 말('外甥点灯笼'(조카가 등롱에 불을 켜다)라고 하면, '照旧'(언제나 같다)의 뜻이 됨).

〔歇虎〕 xiēhu 형 ①지독하다. ¶好～; 아주 심하다. =〔邪乎〕〔利害〕 ②드물다. ③말투가 어마어마하다.

〔歇活儿〕 xiē huór 일을 쉬다.

〔歇肩〕 xiē∙jiān 동 (어깨의 짐을 내려놓고) 한숨 돌리다. 어깨를 쉬다.

〔歇脚(儿)〕 xiē∙jiǎo(r) 동 (길가는 도중에) 발을 멈추어 쉬다. =〔歇腿(儿)〕

〔歇觉〕 xiē∙jiào 동 자다. 잠자다. ¶歇一小觉儿; 한잠 자다.

〔歇劲(儿)〕 xiējìn(r) 동 ⇨〔泄xiè劲(儿)〕

〔歇困〕 xiēkùn 동 휴식하다.

〔歇凉〕 xiē∙liáng 동〈方〉(여름에) 서늘한 바람을 쐬며 더위를 식히다.

〔歇马〕 xiēmǎ 동 ①말에서 내려 쉬다. ②〈轉〉일손을 놓다. 일을 중지하다.

〔歇气(儿)〕 xiē∙qì(r) 동 호흡을 멈추다. 긴장을 늦추다. 쉬다.

〔歇钱〕 xiēqián 명 ①숙박료. ②옛날, 유곽의 숙박비.

〔歇晌(儿)〕 xiē,shǎng(r) 동 점심 시간에 쉬다. (xiēshǎng(r)) 명 점심 시간의 휴식.
〔歇晌觉〕 xiē shǎngjiào ⇨〔歇中觉〕
〔歇手〕 xiē,shǒu 동 손을 멈추다. 잠시 중지하다.
〔歇斯底里〕 xiēsīdǐlǐ 〈音〉 명 《醫》 히스테리(독 hysterie). 형 히스테릭하다. ‖ =〔歇斯的里〕〔歇斯迭里〕〔比斯的里〕〔协识脱离〕
〔歇宿〕 xiēsù 동 유숙하다. 숙박하다. =〔住zhù宿〕
〔歇腿(儿)〕 xiē,tuǐ(r) 동 다리를 쉬다. 잠시 휴식하다. =〔歇脚(儿)〕
〔歇窝(儿)〕 xiē,wō(r) 동 (새가) 깃들이다.
〔歇午〕 xiēwǔ 동 낮잠을 자다. 명동 점심 시간의 휴식(을 하다).
〔歇午觉〕 xiē wǔjiào ⇨〔歇中觉〕
〔歇息〕 xiēxi 동 ①휴식하다. 쉬다. =〔休xiū息〕 ②숙박하다. 묵다. ③자다. ¶早些～; 조금 일찍 자다.
〔歇夏〕 xiē,xià 동 하기(夏期) 휴업하다.
〔歇闲〕 xiēxián 동 쉬다. 휴식하다. ¶他一天到晚不～; 그는 온종일 쉬지 않는다.
〔歇歇儿〕 xiēxier 동 잠시 휴업하다. 잠깐 쉬다.
〔歇心〕 xiē,xīn 동 ①마음을 편하게 하다. ②〈方〉 단념하다. 체념하다.
〔歇业〕 xiē,yè 동 ①휴업하다. ¶歇一天业; 하루 휴업하다. ②가게를 닫다. 폐업하다.
〔歇荫〕 xiē,yìn 동 〈方〉 나무 그늘에서 쉬다. =〔歇荫凉〕
〔歇佣〕 xiēyōng 동 〈文〉 해고하다.
〔歇仗〕 xiē,zhàng 동 전투를 정지하다. (xiēzhàng) 명 전투 정지.
〔歇枝(儿)〕 xiē,zhī(r) 동 《農》 과수(果樹) 따위가 열매를 많이 맺은 다음 해, 또는 그 후의 수 년 동안 열매를 조금 또는 전혀 맺지 않다. (xiēzhī(r)) 명 ①열매를 잘 맺지 못한 가지. ②흉작의 해. ‖ =〔养树〕
〔歇止〕 xiēzhǐ 동 〈文〉 그만두다. 휴지(休止)하다.
〔歇中觉〕 xiē zhōngjiào 낮잠자다. =〔歇晌(儿)〕〔歇晌觉〕〔歇午〕〔歇午觉〕
〔歇嘴〕 xiē,zuǐ 동 입을 다물다. 이야기를 그만두다. ¶他不～尽说话; 그는 입을 다물지 않고 쉴새 없이 지껄인다.
〔歇坐〕 xiēzuò 명 〈文〉 연회의 중간 휴식.

蝎〈蠍〉 xiē (갈)

(～子) 명 《動》 전갈. ¶全～; 전갈 말린 것(약용함) / ～螫zhē狗咬当日之灾; 전갈에 쏘이거나 개에 물리는 것은 그 날 운수가 나빠서이다 / ～螫石崇chóng挤破门; 석숭과 같은 큰 부자를 전갈이 쏘면 문을 밀어 넘어뜨릴 정도로 문병객이 온다(부귀에 아부하는 것은 인지상정이다).
〔蝎毒〕 xiēdú 명 전갈의 독.
〔蝎虎〕 xiēhǔ 명 《動》 도마뱀붙이. =〔蝎拉虎子〕 형 ①〈北方〉 심하다. 지독하다. 사납다. ¶这回的台风比上回还～; 이번 태풍은 지난번보다 심하다. ②악랄하다. 잔혹하다. ¶打得～; 몹시 때리다 / 哼! 赵玉林可是掌上了印, 那劲头比满洲国的警察还～; 흥! 조옥림 놈이 출세하면, 기세가 만주족 경찰보다 사나워질 껄. 동 〈方〉 깜짝 놀라 법석을 떨다. 신기하게 여기다. ¶他初见那拖拉机, 显出一付～的样子; 그는 처음으로 트랙터를 보더니 신기해 하는 표정을 지었다.
〔蝎虎(子)〕 xiēhǔ(zi) 명 ①《動》 도마뱀붙이. =〔壁虎〕 ②전갈처럼 혐오(嫌惡)당하는 자(者).
〔蝎拉虎子〕 xiēlahǔzi 명 ⇨〔蝎虎hǔ〕
〔蝎蛉〕 xiēlíng 명 《蟲》 밑들이벌레. =〔蝎蝇yíng〕〔举jǔ尾虫〕
〔蝎蝇〕 xiēyíng 명 ⇨〔蝎蛉〕
〔蝎子妈〕 xiēzimā 명 어미 전갈. 〈比〉 (전갈보다도 더) 잔인하고 감히 손을 댈 수 없는 여자. 박정(薄情)한 여자.

叶 xié (협)

동 조화하다. 화합하다. ⇒yè
〔叶和〕 xiéhé 동 ⇨〔协和〕
〔叶韵〕 xiéyùn 명 〈文〉 협운(시문의 평측(平仄)을 정리하기 위하여 고음(古音)에서 동일운에 속하지 않는 문자를 동일의 운으로 하여 서로 통용시킨 것을 말함).

协(協) xié (협)

동 ①협력하다. 힘을 합치다. ¶齐心～力; 합심 협력하다 / 万民相～; 만민이 마음을 합치다. ②보좌하다. ③부드러워지다. ¶～风; ⇓ ④심복(心服)하다. ⑤조화(調和)하다. 어울리다. ¶音律颇～; 음율이 잘 조화하다 / 音调和～; 음조가 어울리다 / 韵脚不～; (시구의) 운이 맞지 않다.
〔协办〕 xiébàn 동 ①협력하여 행하다. ②참여하다.
〔协拨银〕 xiébōyín 명 청대(清代), 이웃 성(省)을 구제할 돈.
〔协定〕 xiédìng 명동 협정(하다). ¶细目～; 세목의 협정 / 军事～; 군사 협정 / 支zhī付～; 지불 협정 / 应该～一个共同纲领; 공동 강령을 협정해야 한다.
〔协定税率〕 xiédìng shuìlǜ 명 《經》 협정 세율. 가트(GATT) 세율.
〔协风〕 xiéfēng 명 산들바람. 부드러운 바람.
〔协服〕 xiéfú 동 〈文〉 기꺼이 복종하다. 기꺼이 따르다.
〔协和〕 xiéhé 동 〈文〉 협력하다. 화합하다. 협조하다. =〔叶和〕
〔协会〕 xiéhuì 명 협회. ¶韩国中国友好～; 한중 우호 협회.
〔协缉〕 xiéjī 동 〈文〉 협력하여 체포하다.
〔协济〕 xiéjì 동 〈文〉 힘을 빌려 구제하다.
〔协解〕 xiéjiè 동 청대(清代), 이웃 성(省)을 구제할 돈을 그 성으로 수송하다.
〔协款〕 xiékuǎn 명 〈文〉 재정 원조로 보내는 돈.
〔协理〕 xiélǐ 동 〈文〉 협력하여 일을 처리하다. ¶～家务; 가사에 협력하다. 명 (옛날, 큰 은행·기업 등의) 부(副)사장. 부지배인. 부책임자(현재에는 보통 '副经理'라 함). ¶曾任职本埠某食品公司～; 일찍이 시내 모 식품 회사의 부지배인을 역임했다.
〔协力〕 xiélì 명동 협력(하다). 협동(하다). ¶同心～; 합심 협력하다 / ～作战; 협동 작전.
〔协洽〕 xiéqià 동 〈文〉 협의(協議)하다.
〔协商〕 xiéshāng 명동 협의(하다). 협상(하다). ¶用～方法解决; 협상으로 해결하다.
〔协税小组〕 xiéshuì xiǎozǔ 명 작은 일종의 납세조합(1952년 이후 상공업 사기업(私企業)의 노동 직원이 조직한 것으로, 정부의 징세(徵稅) 활동을 원조 합리화한 것).
〔协调〕 xiétiáo 동 ①(의견을) 조정하다. ¶～政府的意见; 정부의 의견을 조정하다. ②공동 보조를 취하다. 균형이 잡혀 있다. 균형을 잡다. ¶国民经济各部门的发展必须互相～; 국민 경제 각 부문

의 발전은 서로 조화가 되어야 한다.
〔协同〕 xiétóng 동 협동하다. 협력하다. ¶～办理; 협동하여 일을 처리하다 / 各军兵种～作战; 각 군의 병종이 협동 작전을 취하다 / ～工作; 협력하여 일을 하다 / 很不～; 협동이 극히 저조하다.
〔协饷〕 xiéxiǎng 명동 옛날, 한 성(省)의 재정이 수지 균형을 맞추지 못하거나, 병란(兵亂)·천재(天災) 등 때문에 경비 부족이 되었을 때, 이웃 성에서 이를 보조 공급하는 돈〔원조하다〕.
〔协谐〕 xiéxié 형 〈文〉 ①(소리가) 잘 조화되다. ②(마음이) 화합하다.
〔协议〕 xiéyì 동 상의하다. 협의하다. ¶双方～; 쌍방이 협의하다. 명 협정. 약속. ¶条约草案已达成～; 조약 초안은 이미 의견 일치를 보았다 / 你应该遵守我们达成的～; 당신은 우리들이 정한 것을 지켜야 한다.
〔协议离婚〕 xiéyì líhūn 명 《法》 협의〔합의〕 이혼.
〔协意〕 xiéyì 동 〈文〉 마음을 합치다.
〔协翼〕 xiéyì 동 ⇨〔协赞〕
〔协约〕 xiéyuē 명동 협약(하다).
〔协赞〕 xiézàn 동 〈文〉 협찬하다. =〔协翼〕
〔协助〕 xiézhù 동 협조하다. 협력하여 원조하다. 명 도움. 조력. ¶给以适当的～; 적절한 조력을 주다.
〔协奏曲〕 xiézòuqǔ 명 《樂》 협주곡. 콘체르토.
〔协作〕 xiézuò 동 협력하다. 협업하다. 명 협력. 협업. 협력 관계. ¶加强～; 협력 관계를 강화하다 / 为了避免远程运输, 首先在各个经济地区的范围内组织企业～; 원거리 수송을 피하기 위하여, 먼저 각 경제 지구의 범위 안에서, 기업의 협업 관계를 조직하다.

恊

xié (협)
동 ①공갈하다. ②기세가 꺾이다.

胁(脅〈脇〉)

xié (협)
① 명 《生》 옆구리. ¶左～疼téng痛; 왼쪽 옆구리가 결리다. ② 명 곁. ③ 동 위협하다. 협박하다. ¶威wēi～; 위협하다 / 裹～; 협박하여 나쁜 일에 가담케 한다. ④ 동 책(責)하다. 꾸짖다. ⑤ 동 움츠리다. ¶～肩; ⇓ ⑥ 동 (성장·발전을) 억제하다.
〔胁产〕 xiéchǎn 명동 인공 출산(하다). 제왕(절개) 수술(하다). =〔剖pōu腹产〕
〔胁持〕 xiéchí 동 ⇨〔挟持〕
〔胁从〕 xiécóng 동 (강압에 못 이겨 주모자에) 협력하다. ¶首恶必办, ～不问, 立功受奖; 두목은 필히 처벌하고, 강압에 못이겨 따른 자는 그 죄를 묻지 않으며, 공을 세운 자는 상을 받는다.
〔胁骨〕 xiégǔ 명 《生》 늑골. 갈빗대. =〔胁(条)骨〕
〔胁吓〕 xiéhè 동 〈文〉 위협하다. =〔胁喝〕
〔胁喝〕 xiéhè 동 ⇨〔胁吓〕
〔胁肩〕 xiéjiān 동 어깨를 움츠리다.
〔胁肩谄笑〕 xié jiān chǎn xiào 〈成〉 어깨를 움츠리고 아첨하는 웃음을 웃다《아양을 떠는〔아첨하는〕 모양》.
〔胁肩累足〕 xié jiān lěi zú 〈成〉 무서워서 어깨를 움츠리고 발을 멈추다.
〔胁迫〕 xiépò 동 협박하다.
〔胁士〕 xiéshì 명 협사《불상의 양측에 서 있는 보살(菩薩)》.
〔胁(条)骨〕 xié(tiáo)gǔ 명 ⇨〔胁骨〕
〔胁痛〕 xiétòng 명 《醫》 〈俗〉 늑막염.
〔胁息〕 xiéxī 동 〈文〉 겁내어 숨을 죽이다.
〔胁阋〕 xiéxì 동 〈文〉 두려워하다.
〔胁制〕 xiézhì 동 (남의 잘못을 기화로 또는 권세를 믿고) 상대방을 억누르다. 위협하다. 위압 제지(制止)하다.

邪

xié (사)
① 형 간사하다. 사악하다. ¶改～归正; 악을 고치고 정도(正道)로 돌아가다 / 他人了～道儿了; 그는 나쁜 길로 들어섰다. ② 명 마(魔). ¶避～; 액막이. ③ 명 《漢醫》 질병을 일으키는 환경이나 요소. ¶风～; 감기 / 寒～; 오한(惡寒). ④ 명 비스듬함. 어긋남. ⑤ 명 악인. ⑥ 형 부정하다. ⑦ 형 이상하다. 분별이 없다. ¶～, 这倒是个怪人; 참 이 사람 괴상한 작자로군 / 他要真能办到才～呢; 그가 만일 진짜로 해낸다면 그것이야 말로 이상하다 / 不知哪儿来的一股子～劲儿; 어디서 왔는지 모를 이상한 힘. =〔邪门〕 ⇒yé
〔邪不侵正〕 xié bù qīn zhèng 〈成〉 삿된 것은 올바름을 이기지 못한다. =〔邪不(能)胜正〕
〔邪财〕 xiécái 명 〈方〉 부정하게 얻은 재물. ¶～理无久享; 〈諺〉 부정한 돈은 오래 못 간다 / 卖力气挣钱既是那么不容易, 人人盼望发点～《老舍 駱駝祥子》; 막일로 돈을 벌기란 본디 쉽지 않으므로, 모두가 부정한 돈이 좀 생겼으면 하고 바란다.
〔邪茬儿〕 xiéchár 명 ⇨〔斜茬儿〕
〔邪碴儿〕 xiéchár 명 ①⇨〔邪门(儿)〕 ②(도리에 맞지 않는) 트집. 생트집.
〔邪臣〕 xiéchén 명 〈文〉 사신. 악신(惡臣). 영신(佞臣).
〔邪辞〕 xiécí 명 〈文〉 불성실한 말.
〔邪道(儿)〕 xiédào(r) 명 악의 길. 사도(邪道). ¶引向～; 사도에 끌어넣다. =〔邪法①〕
〔邪道〕 xiédao 형 기괴하다. 이상하다. 좋지 않다. ¶～味儿; 나쁜 냄새. 이상한 냄새.
〔邪的歪的〕 xiéde wāide 〈方〉 정체(正體)를 알 수 없는 것. 정상적이 아닌 것. 미신적인 것.
〔邪恶〕 xié'è 형 사악하다. ¶怀有～之念; 사악한 생각을 먹다〔품다〕 / ～和善良; 사악과 선량.
〔邪法〕 xiéfǎ 명 ①⇨〔邪道(儿)〕 ②사법. 사술. =〔邪术〕
〔邪风〕 xiéfēng 명 〈文〉 악습(惡習).
〔邪鬼〕 xiéguǐ 명 악귀. 악마.
〔邪蒿〕 xiéhāo 명 《植》 털기름나물의 근연종(近緣種).
〔邪乎〕 xiéhū 형 〈京〉 ①대단하다. 정도가 심하다. ¶冷得～; 대단히 춥다. =〔斜活〕 ②잔혹하다. =〔斜活〕 동 작은 일로 소란을 피우다. ‖=〔邪忽〕〔邪活〕〔斜乎〕
〔邪许〕 xiéhǔ 〈擬〉 영차《무거운 것을 멜 때 내는 소리》.
〔邪忽〕 xiéhu 형동 ⇨〔邪乎〕
〔邪活〕 xiéhuo 형동 ⇨〔邪乎〕
〔邪计〕 xiéjì 명 ⇨〔邪谋〕
〔邪教〕 xiéjiào 명 사교. 부정한 종교.
〔邪谲〕 xiéjué 형 〈文〉 사악하고 교활하다.
〔邪路〕 xiélù 명 〈文〉 옳지 않은 길. 부정.
〔邪媚〕 xiémèi 동 아첨하다. 아양 떨다.
〔邪魅〕 xiémèi 명 ⇨〔邪魔〕
〔邪门(儿)〕 xiémén(r) 〈京〉 형 이상하다. 괴상하다. 불가사의하다. ¶你看多么～! 참 불가사의한 일이 아니냐! / 这事有点儿～; 이것은 좀 이상하다. =〔奇怪〕 명 기괴한 일. 불가사의한 일. ‖=〔邪碴儿①〕〔斜门儿〕
〔邪门歪道〕 xié mén wāi dào 〈成〉 (방법이) 정당하지 않은 일. 정정당당하지 않은 일.

〔邪谬〕 xiémiù 명 〈文〉 잘못. 오류.
〔邪魔〕 xiémó 명 ①《佛》 사마. 악마. ¶～外道 ＝〔邪门外道〕; 나쁜 길. 정당하지 못한 길〔방법〕. ②〈比〉 부정(不正). 부당(不當). 부도덕. ③방해. 장애. ‖＝〔邪魅〕
〔邪谋〕 xiémóu 명 〈文〉 사모. 나쁜 계책. ＝〔邪计〕
〔邪念〕 xiéniàn 명 사념. 사악한 생각. ¶怀有～; 사념을 품다.
〔邪佞〕 xiénìng 명 〈文〉 영인(佞人). 사악한 소인.
〔邪僻〕 xiépì 형 ⇨〔邪曲〕
〔邪气〕 xiéqì 〈南方〉 명 ①좋지 못한 기풍. 나쁜〔사악한〕 기운. ②(부정적인 뜻의) 수완(手腕). 동 깜짝 놀라다. 부 대단히. 지독하게. ¶～坏; 대단히 나쁘다 / 今儿冷得～; 오늘은 대단히 춥다.
〔邪曲〕 xiéqū 형 〈文〉 사곡하다. 부정하다. ＝〔邪僻〕〔邪枉〕
〔邪世〕 xiéshì 명 〈文〉 사악한 세태〔세상〕.
〔邪事〕 xiéshì 명 〈文〉 사악한 일. 부정한 일.
〔邪视〕 xiéshì 동 〈文〉 얕보다. 곁눈질하다.
〔邪术〕 xiéshù 명 사법(邪法). 사술. 요사스런 술법. ＝〔邪法②〕
〔邪说〕 xiéshuō 명 〈文〉 사설. 올바르지 않은 논설.
〔邪祟〕 xiésuì 명 ①앙화(殃禍). ¶驱除～; 앙화를 없애다. ②악마. 악령. 귀신. ¶～附了体; 악마가 들리다. ＝〔鬼祟〕
〔邪枉〕 xiéwǎng 형 ⇨〔邪曲〕
〔邪物〕 xiéwù 명 〈文〉 부정한 물건. 바르지 않은 것.
〔邪心〕 xiéxīn 명 〈文〉 사심. 부정한 마음. 사념(邪念).
〔邪行〕 xiéxíng 명 〈文〉 옳지 않은 행위. 비행(非行). 사악(邪惡)한 행동.
〔邪行〕 xiéxing 형 ①〈京〉 지독하다. 유난하다. 특별하다. ¶你就说, 事情有多么～; 어떻습니까, 정말 심하지 않습니까 / 这事透着～; 이것은 특히 심하다 / 那位太太脾气～; 저 부인은 성질이 지독하다. ②이상하다. ¶这话问得有点儿～; 이 말을 묻는 말투가 아무래도 이상하다. 부 매우. 지독히. 턱없이. ¶天气冷得～; 지독하게 춥다 / 雨下得～; 비가 터무니없이 (많이) 내리다 / 今天热得～; 오늘은 되게 덥다 / 今年雨多得～; 금년에는 비가 매우 많다. ‖＝〔邪兴〕〔邪性〕
〔邪兴〕 xiéxing 형부 ⇨〔邪行xing〕

挟(挾) xié (협)

동 ①겨드랑이 밑에 끼다. ¶～泰山超北海, 是诚不能也《孟子》; 태산을 겨드랑이에 끼고 북해를 뛰어넘는다는 것은 정말 불가능한 일이다 / 持弓～矢; 활을 들고 화살을 옆구리에 끼다. ②몸에 지니다. 휴대하다. ¶～带违禁物品; 금지품을 휴대하다 / ～尾wěi; 꼬리를 사리다. 꽁무니를 빼다. ③(원한 따위를) 마음에 품다. ¶～嫌; ⇩ ④(어떤 힘을 믿고) 남을 협박하여 복종시키다. ¶要yāo～; 강박(強迫)하다. 강요하다 / ～天子以令诸候; 천자를 믿고〔수호하고〕 제후에게 호령하다 / ～贵而问; 고위 고관을 등에 업은 것 같은 태도로 묻다. ⑤옆에서 부축하다. 의지하다. ⇒'夹' jiā
〔挟持〕 xiéchí 동 ①양팔을 겨드랑이 밑으로 넣어 꼼짝 못 하게 죄다. ②따르도록 강박(强迫)하다. ‖＝〔胁持〕
〔挟仇〕 xié.chóu 동 원한을 품다. 적의(敵意)를 품다.
〔挟带〕 xiédài 동 몰래 지니다. ¶考试的时候, 他常常～小抄; 시험 볼 때 그는 항상 커닝 쪽지를 숨겨 가지고 있다. ＝〔夹带〕
〔挟告〕 xiégào 동 〈文〉 고소하다.
〔挟和〕 xiéhé 동 〈文〉 협박하여 억지로 화목케 하다.
〔挟恨〕 xié.hèn 동 〈文〉 마음속에 원한을 품다. ¶～捏niē控 ＝〔诬wū告〕; 원한을 품고 무고하다. ＝〔挟仇〕〔挟嫌〕〔挟怨〕
〔挟击〕 xiéjī 동 〈文〉 협격〔협공〕하다《구두어(口頭語)에서는 '夹jiā攻'》.
〔挟剑豆〕 xiéjiàndòu 명 《植》 작두콩. ＝〔刀dāo豆〕
〔挟款〕 xié.kuǎn 동 〈文〉 돈을 갖고 도망치다.
〔挟磨〕 xiémó 동 입장을 난처하게 만들다. 못 살게 굴다. 트집을 잡다. ¶～人; 남을 난처하게 만들다.
〔挟山超海〕 xié shān chāo hǎi 〈成〉 태산(泰山)을 살짝 겨드랑이에 끼고 바다를 건너다《불가능한 일을 감히 하다》.
〔挟势〕 xiéshì 동 〈文〉 세력에 의지하다.
〔挟书律〕 xiéshūlǜ 명 《史》 진대(秦代), 시황제가 정한 금서령(禁書令).
〔挟细鬼儿〕 xiéxìguǐr 명 구두쇠. 노랑이. ＝〔吝lìn啬鬼〕
〔挟嫌〕 xiéxián 동 원한을 품다. ¶～报复; 원한을 품고 앙갚음하다.
〔挟义〕 xiéyì 동 〈文〉 정의에 입각하다. 정의를 의지하다. ¶～诛伐; 정의에 입각하여 역적을 주벌하다.
〔挟怨〕 xiéyuàn 동 ⇨〔挟恨〕
〔挟长〕 xiézhǎng 동 〈文〉 연장자(年長者)임을 내세워 뻐기다〔남을 업신여기다〕.
〔挟制〕 xiézhì 동 (힘이나 남의 약점을 가지고) 협박하다. ¶他那个火暴性情, 哪儿肯受人～; 그의 그 사나운 성미로는, 도저히 협박은 먹혀들지 않는다. ＝〔胁制〕

谐(諧) xié (해)

①동 화합하다. 알맞게 조화되다. ¶色彩调tiáo～; 색채가 조화되다 / 声音和～; 목소리가 어울리다. ②동 공평하게 평가하다. ③명 익살. 해학. 골계(滑稽). ¶诙huī～; 해학 / 有庄有～; 위엄이 있고 익살스런 면도 있다. ④동 (교섭이) 성립되다. 성공하다. (일이) 잘 타협되다. ¶事不～矣; 일이 성사되지 않다. ⑤명 성(姓)의 하나.
〔谐臣〕 xiéchén 명 옛날, 궁중에 고용된 배우.
〔谐附〕 xiéfù 동 아부하다.
〔谐和〕 xiéhé 형 ①조화를 이루다. ②사이가 좋다. ‖＝〔谐缉〕
〔谐缉〕 xiéjī 형 ⇨〔谐和〕
〔谐价〕 xiéjià 동 〈文〉 값을 흥정하다.
〔谐剧〕 xiéjù 명 《劇》 희극. ＝〔喜xǐ剧〕
〔谐角〕 xiéjué 명 〈文〉 어릿광대.
〔谐模诗文〕 xiémó shīwén 명 패러디(parody). ＝〔讽fěng刺诗文〕
〔谐声〕 xiéshēng 명 《言》 형성. ＝〔形xíng声〕
〔谐戏〕 xiéxì 명동 해학(諧謔)(적이다). ＝〔谐谑〕
〔谐协〕 xiéxié 동 〈文〉 조화되다.
〔谐谑〕 xiéxuè 명 해학. 농담. 유머. 형 익살떨다. 해학적이다. ＝〔〈文〉谐戏〕
〔谐易〕 xiéyì 형 〈文〉 재미있고 한가하다.
〔谐音〕 xiéyīn 동 ①음(音)을 맞추다. ②소리를 흉내내다. ③한자음(漢字音)이 같거나 닮다.
〔谐振〕 xiézhèn 명 《物》 공진(共振).

偕 **xié** (해)
① [부] 같이. 함께. ¶ ～行xíng; 함께 가다 / ～老; 해로하다 / 相～而至; 함께 동행하여 오다 / ～眷juàn属来京; 가족을 데리고 수도로 오다. ② [형] 강한. 풍성한. ③ [동] 갖추어지다. ④ [동] 같이하다.

〔偕老〕 xiélǎo [동] 해로하다. 부부가 화합하여 늙을 때까지 함께 살다.

〔偕老同穴〕 xiélǎo tóngxué [명] 《動》 오웨니(oweni) 바다수세미(수세미꼴의 해면(海綿) 동물). [동] 백년 해로(百年偕老)하다.

〔偕乐〕 xiélè [동] 〈文〉 해락하다. 함께 즐기다.

〔偕同〕 xiétóng [동] 동반하다(주로 부사적으로 쓰임). ¶ ～前往; 같이 가다 / ～高级将领前往wǎng慰劳; 고급 장교와 함께 가서 위로하다.

〔偕行〕 xiéxíng [동] 함께 가다. 같이 가다.

〔偕终〕 xiézhōng [동] 〈文〉 끝까지 같이 있다. 최후까지 함께 하다.

斜 **xié** (사)
① [형] 비스듬하다. 기울어져 있다. ¶ ～三角形; 부등변 삼각형 / 歪～; 비뚤어져〔일그러져〕 있다 / 这块木板锯jù～了; 이 판자는 비뚤어지게 켜졌다. ② [동] 기울(이)다. ¶ 太阳～过去了; 해가 기울었다 / 日已西～; 해는 이미 서쪽으로 기울었다 / 倾～; 기울다 / ～着身子坐下; 몸을 비스듬히 하고 앉다.

〔斜白眼〕 xiébáiyǎn [명] 사시(斜視). 사팔뜨기.

〔斜半签(儿)着〕 xiébànqiān(r)zhe [동] 비스듬하게 하다. ¶ ～坐下来; 비스듬히 앉다 / 让了半天他才斜签着坐下来; 한참 권해서, 겨우 그는 비스듬히 앉았다. =〔斜乜阡儿〕〔斜签〕

〔斜边〕 xiébiān [명] 《數》 (삼각형의) 사변. 빗변.

〔斜柄钻头〕 xiébǐng zuàntóu [명] 《機》 테이퍼(taper) 자루 드릴. 테이퍼 생크 드릴(taper shank drill).

〔斜布〕 xiébù [명] ⇨〔斜(纹)布〕

〔斜槽〕 xiécáo [명] 《機》 경사 홈통. =〔斜沟〕〔溜liū槽〕

〔斜茬儿〕 xiéchár [명] ①(비스듬히) 갈라진 것. (경사지게) 쪼개진 것. ¶ 这个～的木头, 怎么能做桌椅; 이 비스듬히 갈라진 재목으로 어떻게 책상이나 의자 같은 것을 만들 수 있느냐. ②(언동의) 가시. ¶ 老刘今天说话有点儿～, 大伙儿别理他; 유군은 오늘 말투에 가시가 있으니 모두 그를 상대하지 않는 것이 좋겠다. ③불합리한 일. 잘못된 일. ¶ 心想挑tiāo个～把大家逊xùn出去; 불합리한 일들을 집어내어 모두를 꼼소리 못하게 몰아붙여 주어야겠다고 생각했다. ④엉뚱한 트집. ¶ 找zhǎo～; 터무니없는 트집을 잡다. ‖ =〔斜槎儿〕〔邪茬儿〕

〔斜槎儿〕 xiéchár [명] ⇨〔斜茬儿〕

〔斜碴儿〕 xiéchár [명] ①비스듬히 갈라진 것. ②찌그러진 모양의 것. ③(말의) 가시. ④엉뚱한 트집. ⑤기묘(奇妙)한 일. 불합리한 일.

〔斜长石〕 xiéchángshí [명] 《鑛》 사장석.

〔斜撑〕 xiéchēng [명] 《建》 건축물의 내진(耐震)·내풍력(耐風力)을 갖게 하기 위해서 기둥과 기둥 사이에 비스듬히 댄 목재〔버팀목〕.

〔斜尺〕 xiéchǐ [명] 대각선 자. =〔对duì角线尺〕

〔斜齿轮〕 xiéchǐlún [명] 《機》 베벨 기어. =〔伞sǎn齿轮〕

〔斜刺〕 xiécì [명] 비스듬한 옆쪽. ¶ ～里冲chōng来; 비스듬한 옆쪽에서 돌진해 오다.

〔斜打〕 xiédǎ [동] 《體》 (탁구·테니스 등에서) 공을 커트하다.

〔斜道〕 xiédao [형] 바르지〔옳지〕 않다. =〔邪道〕

〔斜道味儿〕 xiédaowèir [명] 고약한 냄새. 악취(惡臭). 기묘(奇妙)한 냄새.

〔斜度〕 xiédù [명] 경사도. 물매. 구배(勾配). ¶ ～标; (철도 선로 등의) 경사 표지〔구배표(勾配標)〕.

〔斜度规〕 xiédùguī [명] 테이퍼 게이지(taper gauge). =〔锥zhuī度规〕

〔斜断〕 xiéduàn [동] 비스듬히 절단하다.

〔斜对〕 xiéduì [명] 비스듬히 마주보이는 곳. =〔斜对过儿〕〔斜对门〕〔斜对面〕

〔斜对过儿〕 xiéduìguòr [명] ⇨〔斜对面〕

〔斜对面〕 xiéduìmiàn [명] ⇨〔斜对〕

〔斜方〕 xiéfāng [명] 《數》 평행 사변형.

〔斜方柱〕 xiéfāngzhù [명] 《數》 사방주.

〔斜风〕 xiéfēng [명] 옆으로 들이치는 바람. 비스듬히 부는 바람. ¶ ～细雨; 옆으로 부는 바람과 가랑비(비바람이 부는 날이 계속됨의 뜻으로도 씀).

〔斜高〕 xiégāo [명] 《數》 사고.

〔斜勾勾(的)〕 xiégōugōu(de) [형] 몹시 휘어진 모양. 비스듬히 걸려 있는 모양.

〔斜沟〕 xiégōu [명] ⇨〔斜槽〕

〔斜汉〕 xiéhàn [명] 《天》 은하수.

〔斜横〕 xiéhéng [명] 구배(勾配). 물매.

〔斜乎〕 xiéhu [형][동] ⇨〔邪乎〕

〔斜辉〕 xiéhuī [명] ⇨〔斜照〕

〔斜辉石〕 xiéhuīshí [명] 《鑛》 사휘석.

〔斜活〕 xiéhuo [형] ⇨〔邪乎〕

〔斜角〕 xiéjiǎo [명] 《數》 사각. 빗각. ¶ ～柱 =〔斜棱柱体〕; 사각주. 빗각기둥.

〔斜角儿〕 xiéjiǎor [부] 〈俗〉 비스듬히. 어슷하게. ¶ 院子里～种zhòng着两棵树; 정원에는 비스듬히 두 그루의 나무가 심어져 있다.

〔斜角子地〕 xiéjiǎozidì [명] 삼각형의 땅.

〔斜街〕 xiéjiē [명] 비스듬히 뻗은 거리. ¶ 杨梅竹～; 베이징(北京) 시내의 거리 이름.

〔斜金旁(儿)〕 xiéjīnpáng(r) [명] 쇠금변(한자 부수의 하나; '银·铜' 등의 '钅'의 이름).

〔斜井〕 xiéjǐng [명] (광산 등의) 사갱(斜坑).

〔斜径〕 xiéjìng [명] 〈文〉 비스듬히 난 오솔길. 골목길.

〔斜据〕 xiéjù [동] 〈文〉 비스듬히 기대다.

〔斜口钳〕 xiékǒuqián [명] 《機》 빗각〔빗날〕 니퍼(nipper).

〔斜棱〕 xiéleng [동] 기울이다. ¶ ～着眼看; 곁눈질하다.

〔斜棱柱体〕 xiéléng zhùtǐ →〔斜角〕

〔斜愣〕 xiéleng [동] 비스듬히 하다. ¶ 飞机～着身子飞; 비행기가 기체를 비스듬히 하고 날다 / ～眼; 사시(斜視). 사팔뜨기. =〔斜楞〕

〔斜愣着眼儿〕 xiélèngzhe yǎnr 곁눈질로. ¶ 干么～瞧人! 왜 곁눈질로 사람을 보느냐! / 歪戴着帽子, ～, 肩膀上扛káng着蓝布衫儿; 모자를 비스듬히 쓰고, 흘끔 곁눈질을 하며, 어깨에는 파란 셔츠를 걸치고 있다.

〔斜路〕 xiélù [명] 샛길. 잘못된 길. 〈比〉 사도(邪道). 악(惡)의 길. 이단(異端)의 길. ¶ 走到～上去; 사도에 발을 들여 놓다. =〔邪道(儿)〕

〔斜率〕 xiélǜ [명] 《數》 경사도(度). 경사비(比).

〔斜轮〕 xiélún [명] 《機》 베벨(bevel) 바퀴. ¶ ～联动机; 베벨 기어(bevel gear). =〔歪wāi角齿轮〕

〔斜眉搭眼〕 xié méi dā yǎn 〈成〉 ①곁눈으로 흘김. ②넌지시 눈짓함.

〔斜门儿〕 xiéménr [형][명] ⇨〔邪门(儿)〕

〔斜面〕 xiémiàn 명 사면. 빗면.
〔斜乜阡儿〕 xiémiēqiānr 동 ⇨〔斜半签(儿)着〕
〔斜目旁儿〕 xiémùpángr 명《言》넉사밑《한자 부수의 하나. '罪·罚' 등의 '罒'의 이름》.
〔斜睨〕 xiénì 동 〈文〉 곁눈질하다. →〔斜视〕
〔斜坡(儿)〕 xiépō(r) 명 언덕(길). 슬로프(slope). ¶~路; 언덕길.
〔斜签〕 xiéqiān 동 ⇨〔斜半签(儿)着〕
〔斜绒〕 xiéróng 명《紡》캐시미어(cashmere). =〔开kāi士米〕
〔斜闪〕 xiéshǎn 형 (가옥 따위가) 기울어져 틈새가 나다.
〔斜射〕 xiéshè 동 (광선이) 비스듬히 비추다.
〔斜视〕 xiéshì 명《醫》사시. 사팔뜨기. =〔斜眼(儿)①〕〔《漢醫》偏piān视〕 동 곁눈질로 (흘끗) 보다. 흘겨 보다. ¶目不~; 곁눈질로 (사람을) 보면 안 된다.
〔斜躺〕 xiétǎng 동 비스듬하게 눕다.
〔斜体字〕 xiétǐzì 명《印》이탤릭(italic)체 활자.
〔斜条〕 xiétiáo 명 양재에 쓰이는 바이어스 (테이프).
〔斜歪〕 xiéwāi 형 비뚤어진. 일그러진.
〔斜纹〕 xiéwén 명《紡》능직(綾織).
〔斜(纹)布〕 xié(wén)bù 명《紡》진. 드릴(drill) 등 능직 면포·마포·면모 교직포(綿毛交織布). ¶本色~; 원색 진. 드릴 / 斜纹粗布; 올이 굵은 능직 천 / 粗~; 두꺼운 능직 천. =〔斜布〕
〔斜纹呢〕 xiéwénní 명《紡》개버딘(gabardine). =〔华huá达呢〕
〔斜线〕 xiéxiàn 명 사선. 빗금. =〔偏piān线〕
〔斜象眼儿〕 xiéxiàngyǎnr 명〈方〉마름모꼴. ¶切成~的块儿; 마름모꼴로 자르다. =〔菱líng形〕〔象眼(儿)〕
〔斜销〕 xiéxiāo 명《經》덤핑. ¶~政策; 덤핑 정책.
〔斜眼儿〕 xiéyǎnr 명 ①⇨〔斜视〕 ②사시(斜視)인 눈. ③사시인 사람.
〔斜阳〕 xiéyáng 명 ①저녁 해. =〔夕照xīzhào〕 ②〈比〉세력이 쇠퇴한 것.
〔斜羊头(儿)〕 xiéyángtóu(r) 명《言》한자 부수의 '⺶'. =〔斜羊旁(儿)〕
〔斜玉旁(儿)〕 xiéyùpáng(r) 명《言》구슬옥변《한자 부수의 하나. '珠·理' 등의 '王'의 이름》.
〔斜照〕 xiézhào 명〈文〉사조. 사양(斜陽). 저녁 해. =〔斜辉〕 →〔斜阳〕 동 비스듬히 비추다.

颉(頡) xié (힐)
동〈文〉새가 날아오르다. ⇒jié

〔颉颃〕 xiéháng 〈文〉 동 새가 날아올랐다 내려앉았다 하다. 형〈比〉우열을 가리기 어렵다. ¶二人技艺相~; 두 사람의 기량은 비등하여 우열을 가리기 어렵다. →〔不相上下〕
〔颉颃戏〕 xiéhángxì 명 시소(seesaw).

撷(擷) xié (힐)
동〈文〉①뽑다. 뜯다. 따다. 캐다. ②옷자락을 걷어올려서 물건을 싸다. =〔襭②〕

缬(纈) xié (힐)
〈文〉①명 무늬 있는 견직물. ②동 홀치기 염색을 하다. ¶~夹jiā; 무늬를 판 판자에 끼워서 물을 들인 견직물 / 蜡là~; 《染》밀랍(密蠟)을 칠하여 무늬를 염색한 견직물. ③형 눈이 아른아른하다.
〔缬草〕 xiécǎo 명《植》쥐오줌풀. =〔穿chuān心排草〕
〔缬草酸〕 xiécǎosuān 명《化》길초산(valeric acid). =〔戊wù酸〕

襭(襭) xié (힐)
동〈文〉①옷자락을 허리띠에 지르다. 걷어올리다. ②옷자락을 걷어 올려 물건을 싸다. =〔撷②〕

絜 xié (혈)
동 ①(물체 둘레의 길이를) 재다. ②헤아리다. 고려하다. ⇒jié

携〈攜, 擕〉 xié (휴)
동 ①손에 가지다. 손에 들다. 휴대하다. ¶~款赴津; 현금을 갖고 톈진(天津)에 가다. ②손을 잡다. ¶扶老~幼; 늙은이와 어린아이를 동반하다 / ~起手来, 给国家出力; 손에 손을 잡고 국가를 위하여 힘쓰다. ③〈文〉떨어지다. ¶~贰; 사이가 나쁘다. 딴 마음을 품다.
〔携带〕 xiédài 동 ①휴대하다. ¶~方便; 휴대하기 편리하다 / 随身~; (몸에 지니고) 휴대하다. ②돌보아 주다. ¶承您~; 돌보아 주셔서 고맙습니다. ③거느리다. 인솔하다. ¶~家眷; 가족을 거느리다 / ~全班同学参观去; 반 전체의 학생을 데리고 참관하러 가다.
〔携带式计算器〕 xiédàishì jìsuànqì 명 휴대용 계산기.
〔携带用电动研磨机〕 xiédàiyòng diàndòng yánmójī 명《機》휴대용 전동 연마기.
〔携儿带女〕 xié ér dài nǚ 〈成〉자식들을 동행하다《자식들을 데리고 유랑할 때에 쓰임》.
〔携扶〕 xiéfú 동〈文〉서로 손을 잡고 돕다. 조력하다.
〔携家带口〕 xié jiā dài kǒu 〈成〉가족을 거느리는 일《주로 딸린 식구가 있음을 가리켜 말함》.
〔携眷〕 xiéjuàn 동 가족을 동반하다. 가족을 거느리다. ¶您~去吗? 당신은 가족을 데리고 가십니까?
〔携手〕 xié.shǒu 동 ①손에 손을 맞잡다. ②〈比〉서로 돕다.
〔携械〕 xiéxiè 동 무기를 몸에 지니다. ¶~匪徒; 무기를 지닌 도둑의 무리.
〔携养〕 xiéyǎng 명 덤받이. 의붓자식.

嗋 xié (협)
동〈文〉①숨쉬다. ②허풍으로 위협하다.

〔嗋吓〕 xiéhè 동〈方〉허풍으로 위협하다.
〔嗋呷〕 xiéxiā 동〈文〉숨쉬다.

勰 xié (협)
〈文〉① 형 마음〔뜻〕이 맞다. ②인명용 자(字).

鲑(鮭) xié (해)
명〈文〉물고기 요리의 총칭. ⇒guī

鞋〈鞵〉 xié (혜)
명 신. 신발. 구두. ¶球qiú~; (구기용의) 운동화 / 跳tiào~; 스파이크 슈즈(spike shoes) / 一双~; 신발 한 켤레 / 一只~; 신발 한 짝 / 拖tuō~; 슬리퍼 / 你竟给我小~儿穿; 너는 결국 나를 궁지에 몰아넣는구나 / 脱~; 신을 벗다 / 穿~; 신을 신다 / ~的楦木; 구두의 골 / 抹上~油擦擦; 구두약을 칠해서 닦아라 / 坤~; 여자 구두. →〔靴xuē〕
〔鞋拔(子)〕 xiébá(zi) 명 구둣주걱.
〔鞋帮(儿, 子)〕 xiébāng(r, zi) 명 신발의 바닥

이외의 부분(때로는 양측면부(兩側面部)만을 가리킴).
〔鞋布〕 xiébù 명 《紡》 헝겊신을 만드는 천.
〔鞋带(儿, 子)〕 xiédài(r, zi) 명 구두끈. ¶系jì～; 구두끈을 매다.
〔鞋底(儿, 子)〕 xiédǐ(r, zi) 명 구두 바닥. 구두창.
〔鞋底鱼〕 xiédǐyú 명 《魚》 서대기. =〔牛niú舌鱼〕〔箬鳎ruòtǎ鱼〕
〔鞋垫(儿)〕 xiédiàn(r) 명 구두 바닥에 까는 깔개.
〔鞋钉(儿, 子)〕 xiédīng(r, zi) 명 구두 바닥에 박는 징.
〔鞋跟(儿)〕 xiégēn(r) 명 ⇨〔鞋后跟〕
〔鞋后跟〕 xiéhòugēn 명 신의 뒤축. 구두 뒤축. ¶提上～; (신을 신으려고) 뒤축을 잡아 올리다. =〔鞋跟(儿)〕 →〔高gāo跟(儿)鞋〕
〔鞋匠〕 xiéjiang 명 제화공. 구둣방.
〔鞋金〕 xiéjīn 명 중매 수수료. 커미션. =〔鞋钱〕
〔鞋窠旯儿〕 xiékēlar 명 구두의 속(발을 넣는 공간).
〔鞋口〕 xiékǒu 명 신목. 신아가리.
〔鞋扣〕 xiékòu 명 구두의 단추〔호크〕.
〔鞋里(儿)〕 xiélǐ(r) 명 중국신의 안쪽.
〔鞋脸(儿)〕 xiéliǎn(r) 명 '鞋帮(儿, 子)'의 상부(上部)와 전부(前部).
〔鞋梁〕 xiéliáng 명 '布bù鞋'(중국식 헝겊신)의 운두 앞쪽에서 중앙의 솔기 부분.
〔鞋履〕 xiélǚ 명 〈文〉 신발류의 총칭.
〔鞋帽〕 xiémào 명 신발과 모자. ¶～部; 신발과 모자를 파는 백화점 매장(賣場).
〔鞋帽店〕 xiémàodiàn 명 모자·구두를 파는 가게.
〔鞋面〕 xiémiàn 명 구두의 울. 또는 신창 이외의 전부. ¶～皮; 구두의 갑피.
〔鞋铺〕 xiépù 명 신발 가게.
〔鞋钱〕 xiéqián 명 ⇨〔鞋金〕
〔鞋湿了, 蹚吧〕 xiéshīle, tāngba 〈諺〉 신을 적셔 버렸으니, 차라리 강을 맨발로 걸어서 건너자(한번 잘못을 저지르고 나면 어떤 못된 짓도 서슴지 않는다).
〔鞋刷(儿, 子)〕 xiéshuā(r, zi) 명 구둣솔.
〔鞋趿拉儿〕 xiétālar 명 슬리퍼. =〔趿拉儿〕
〔鞋套〕 xiétào 명 오버슈즈(overshoes). 덧신. =〔套鞋〕
〔鞋袜〕 xiéwà 명 양말.
〔鞋鞋脚脚〕 xiéxié jiǎojiǎo 〈比〉 각기 제멋대로 행동하는 모양.
〔鞋楦(儿, 子)〕 xiéxuàn(r, zi) 명 구두의 나무골. 신골.
〔鞋样(儿)〕 xiéyàng(r) 명 신발의 견본.
〔鞋油(儿)〕 xiéyóu(r) 명 구두약.

写(寫) xiě (사)

동 ①글씨를 쓰다. ¶他会～字; 그는 글씨를 쓸 줄 안다. 글씨를 잘 쓴다. ②실물이나 그림을 모사(模寫)하다. ¶伯年～于沪; 백년(伯年)이 상하이(上海)에서 그리다. ③기장(記帳)하다. ¶今天的这个饭算我请的, 可以～我; 오늘 요리는 제가 초대한 것으로 하고 제 앞으로 달아 놓으십시오. ④ ⇨〔泄xiè④〕 ⑤세(貰) 또는 고용의 계약을 맺다. ⑥배·비행기표를 사다. ¶～船票; 배표를 사다. ⑦(문학 작품을) 쓰다. 짓다. ¶～诗; 시를 쓰다 / 这篇小说是～先进工人创造新纪录的过程; 이 소설은 선진 노동자가 신기록을 만드는 과정을 그리고 있다. ⑧〈文〉 없애다. 제거하다. ¶以～我忧; 그것으로써 나의 근심을 없애다. ⇒xiè
〔写本〕 xiěběn 명 사본. 베낀 책. ↔〔印yìn本〕
〔写波器〕 xiěbōqì 명 《物》 오실로그래프(oscillograph). =〔示shì波器〕
〔写不出〕 xiěbuchū (글귀가 떠오르지 않아) 쓸 수 없다. ↔〔写得出〕
〔写不通〕 xiěbutōng 뜻이 통하게 쓸 수 없다. ↔〔写得通〕
〔写不下〕 xiěbuxià 계속 쓸 수 없다. 쓸 스페이스가 없다. ↔〔写得下〕
〔写错〕 xiěcuò 동 잘못 쓰다. 틀리게 쓰다.
〔写法〕 xiěfǎ 명 문장·글씨 쓰는 법.
〔写稿〕 xiě,gǎo 동 원고〔초고〕를 쓰다.
〔写黑信〕 xiěhēixìn 동 투서를 쓰다.
〔写景〕 xiě,jǐng 동 경치를 묘사하다. 경치를 기록하다.
〔写捐〕 xiě,juān 동 ①기부장(寄附帳)에 기록하다. ②의연금을 걷다. ③모금에 응하다.
〔写留路斯〕 xiěliúlùsī 명 《化》 〈音〉 셀룰로오스(cellulose). =〔纤维素〕〔纤维质〕
〔写明〕 xiěmíng 동 분명하게 적다. 명기하다.
〔写上〕 xiěshàng 동 기입하다. ¶请～你的详细住址! 당신의 자세한 주소를 써 주십시오!
〔写生〕 xiěshēng 명동 《美》 사생(하다). ¶～画; 스케치 / ～簿; 스케치북.
〔写实〕 xiěshí 동 있는 그대로를 쓰다. 명 사실. ¶～主义; 사실주의. 리얼리즘.
〔写下〕 xiěxià 동 ①써〔적어〕 두다. ②(여백(餘白)에) 쓰다.
〔写写记记〕 xiěxie jìji 적거나 기록하다.
〔写信〕 xiě,xìn 동 편지를 쓰다.
〔写形〕 xiěxíng 동 〈文〉 모습을 그리다. ¶～宁nìng写心; 모습을 그리는 것은 마음을 그리느니만 못하다. 명 《漢醫》 병자의 용태(容態)를 보고 진찰하는 일. 망진(望診).
〔写意〕 xiěyì 형 ①아무런 구속도 받지 아니하고 쾌적(快適)하다. ②태연하다. 유연(悠然)하다. 옹졸하지 않다. ③마음을 편히 가지다. ④기품이 있어 느낌이 좋다. 명 《美》 화법(畫法)의 한 가지로 형식에 구애되지 아니하고 정신을 살려 내는 방법. 동 ①(사물의 생동적인 곳을) 표현하다. ②뜻을 전하다. ⇒xièyì
〔写忧〕 xiěyōu 동 시름을 풀다. ¶登高台而～; 높은 누(樓)에 올라 시름을 풀다.
〔写约〕 xiěyuē 동 계약서를 쓰다.
〔写在瓢底下〕 xiězai piáodǐxia 〈京〉 바가지 밑바닥에 글씨를 쓰다(실행하지 못할 약속을 함). ¶你那天说的话, 又～; 네가 그 날 한 말도 실행하지 못할 말이었구나.
〔写账〕 xiě,zhàng 동 ①기장(記帳)하다. ②외상으로 하다〔긋다〕. =〔记jì账〕 명 회계 담당원.
〔写照〕 xiězhào 명동 (사실(寫實)을) 묘사(描寫)(하여 그리다). ¶这首诗也可以说是今日资本主义社会的～; 이 시도 오늘의 자본주의 사회의 사실을 묘사하였다고 말할 수 있다 / 秋水饰演的角色, 大都是～穷人的; 추수가 연기하는 역할은 대부분 가난한 사람을 묘사하는 것이다.
〔写真〕 xiězhēn 동 사람의 모습이나 상(像)을 그리다. 명 ①초상(화). ②진실한 묘사.
〔写真版〕 xiězhēnbǎn 명 《印》 사진판(사진 제판으로 만든 인쇄판).
〔写正〕 xiězhèng 동 똑바로 쓰다.
〔写字〕 xiě,zì 동 글씨를 쓰다. ¶～桌 =〔～台〕; 사무용 책상 / ～纸; 습자지 / 写好字; 글씨를 잘

쓰다. (xiězì) 명 숫자.
〔写字间〕 xiězìjiān 명 〈方〉 사무실.
〔写字楼〕 xiězìlóu 명 〈廣〉 사무실. →〔办bàn公室〕
〔写字儿〕 xiě.zìr 동 ①계약하다. ②글씨를 쓰다. ¶～纸; 필기 용지.
〔写字台〕 xiězìtái 명 〈南方〉 사무용 책상. =〔写字桌〕
〔写作〕 xiězuò 동 글을 짓다. ¶写日记可以练习～; 일기 쓰기는 작문 연습이 된다. 명 (문예) 창작(創作). 글을 씀. ¶～方法; 창작 방법.
〔写作教学法〕 xiězuò jiàoxuéfǎ 명 문장 교육법의 일종《속성 식자법(識字法)을 떼고도 문장은 좀처럼 쓸 수 없으므로, 우선 배우는 이에게 그 경력을 말하게 하고 '스스로 자기 자신을 쓰는' 일부터 시작하여, 차츰 제재(題材)를 밖으로 돌리게 하고, 단어 등을 필기하게 하는 방식》.

血 xiě (혈)
명 〈口〉 피. ¶刮破了皮, 出了～了; 살갗이 찢기어 피가 났다. ⇒xuè
〔血肠〕 xiěcháng 명 양순대《양의 창자에 피를 채운 것으로, 식용함》.
〔血赤糊拉〕 xiěchìhūlā 형 ⇨〔血丝糊拉〕
〔血道子〕 xiědàozi 명 ①피부에 있는 가느다란 상처 자국. ②(지렁이 모양으로) 길게 부르튼 자리.
〔血点儿红〕 xiědiǎnrhóng 명 새빨간 빛깔. →〔血xuè红〕
〔血嘎巴儿〕 xiěgābār 명 피가 응고된 것. →〔血xuè疙瘌儿〕
〔血乎〕 xiěhu 형 ⇨〔血活〕
〔血虎〕 xiěhu 형 ⇨〔血活〕
〔血活〕 xiěhuo 형 〈京〉 ①과장이 심하다. 호들갑스럽다. 허풍이 세다. ¶他竟～; 그는 허풍만 떤다. ②정도가 심하다. ¶这几天的情况可～啦; 요 며칠 동안의 상황은 정말로 긴박하다. ‖=〔血乎〕〔血虎〕
〔血津儿〕 xiějīnr〔xuèjīnr〕 명 살갗이 벗겨졌을 때 나오는 피. =〔血xuè筋儿〕→〔血xuè饼〕
〔血块子〕 xiěkuàizi 명 핏덩어리.
〔血料〕 xiěliào 명 가축의 피를 풀처럼 굳힌 것《칠에 씀》.
〔血淋淋(的)〕 xiělīnlīn(de)〔xuèlínlín(de)〕 형 ①핏방울이 뚝뚝 떨어지는 모양. ②〈比〉 참혹한 모양.
〔血迷〕 xiěmí 명 분만(分娩) 때의 인사 불성. ⇒xuèmí
〔血沫子〕 xiěmòzi 명 피의 거품.
〔血儿〕 xiěr 명 피《대수롭지 않은 출혈》.
〔血人儿〕 xiěrénr 명 피투성이. 피투성이의 사람.
〔血色儿〕 xiěshǎir 명 혈색.
〔血水〕 xiěshuǐ 명 ①혈액. ②피가 섞인 물. ‖=〔血xiě汤子〕
〔血丝(儿)〕 xiěsī(r) 명 핏발. ¶带～的眼; 핏발 선 눈. =〔血丝络子〕
〔血丝糊拉〕 xiěsī hūlā 형 〈俗〉 ①피가 줄줄 흐르는 모양. ②지나칠 정도로 붉은 모양. ‖=〔血赤糊拉〕〔血滋糊拉〕
〔血丝络子〕 xiěsīluòzi 명 ⇨〔血丝(儿)〕
〔血汤子〕 xiětāngzi 명 ⇨〔血水〕
〔血心〕 xiěxīn 명 진심(眞心).
〔血晕〕 xiěyùn 명 (타박(打撲) 등으로 생긴) 적자색(赤紫色)의 반점. ⇒xuèyùn
〔血债〕 xiězhài〔xuèzhài〕 명 ①피맺힌 부채《동포·육친을 살해한 죄》. ②전쟁이나 착취로써 빼앗긴 손실.
〔血滋糊拉〕 xiězī hūlā 형 ⇨〔血丝糊拉〕

写(寫) xiè (사)
→〔写意〕 ⇒xiě
〔写意〕 xièyì 형 ①〈南方〉 속박되지 않다. 마음 편하다. 안락하다. 편안하다. ¶～过活; 마음 편하게 지내다 / 写写意意地; 마음 편하게 / 人家急得了不得, 他倒很～; 다른 사람은 걱정이 되어 안절부절못하는데 그는 도리어 태평스럽다 / 事情完了, 可以～一会儿了; 일이 끝났으니 얼마 동안 편안하게 지낼 수 있다. ②〈方〉 품위가 있고 기분〔느낌〕이 좋다. ¶这件衣裳真～; 이 옷은 정말 품위가 있고 느낌이 좋다. ⇒xiěyì

泻(瀉) xiè (사)
동 ①빠르게 흘러내리다. ¶倾qīng～; 기울여서 흐르게 하다 / 一～千里之势; 〈成〉 일사천리의 기세 / 把存着的水往坑kēng里～去吧; 고여 있는 물을 갱(坑) 안으로 흘러들어가게 하자. ②설사하다. ¶上吐tù下～; 토사하다. 게우고 설사하다 / 水～; 설사하다. ③시세가 떨어지다.
〔泻肚(子)〕 xiè.dù(zi) 동 〈俗〉 ①설사하다. =〔〈文〉 腹fù泻〕〔破肚〕 ②〈比〉 (열등한 것을) 내보내다. 도태(陶汰)하다. ¶用～的办法将他们赶出学校; 도태시키는 방법으로 그들을 학교에서 내쫓다.
〔泻火〕 xiè huǒ 《漢醫》 화를 삭이고 열과 독을 제거하여 체액을 보존함.
〔泻(利)盐〕 xiè(lì)yán 명 〈俗〉 ⇨〔泻盐〕
〔泻卤〕 xièlǔ 명 〈文〉 불모(不毛)의 알칼리성 토지.
〔泻气〕 xièqì 형동 ⇨〔泄xiè气〕
〔泻水〕 xiè.shuǐ 동 ①물을 쏟다〔부어넣다〕. ②물이 빠지다. ¶那个水沟往哪里～? 저 도랑의 물은 어디로 빠집니까?
〔泻吐〕 xiètù 동 설사하고 토하다.
〔泻盐〕 xièyán 명 〈俗〉 함수(含水). 황산 마그네슘. =〔泻(利)盐〕〔硫liú酸镁〕
〔泻药〕 xièyào 명 《藥》 설사약. ¶剧jù～; 준하제(峻下劑) / 轻qīng～; 완하제. =〔下剂〕

灺〈炨〉 xiè (사)
명 〈文〉 양초의 타고난 나머지.

泄〈洩〉 xiè (설)
① 동 (액체·기체를) 배출하다. 빼다. ¶排～; 배설〔배출〕하다 / 水～不通; 〈成〉 물이 흐르지 않다. 물샐 틈도 없다《혼잡하거나 경계가 엄중한 모양》 / 围wéi得水～不通; 주위를 둘러싸 물샐 틈도 없을 정도이다. ② 동 설사하다. ③ 동 (비밀 따위가) 새다. 누설하다. 누설시키다. ¶事～; 일이 누설되다. 탄로나다. ④ 동 발산하다. 토로하다. ¶～愤; 분을 풀다. =〔写xiě④〕 ⑤ 동 짙은 액체가 묽어지다. 진한 액체를 묽게 하다. ¶粥zhōu～了; 죽이 묽어졌다 / 把浆jiàng子～稀; 풀을 묽게 만들다. ⑥ 명 성(姓)의 하나.
〔泄底〕 xiè.dǐ 동 ①비밀을 누설하다. ②본성을 드러내다. ③(남의 전력(前歷)등을) 폭로하다. ¶给它泄了底了; 그것을 폭로했다 / 他的秘密都给我泄了底了; 그의 비밀은 모두 내가 폭로시켰다. →〔根底(儿)⑤〕
〔泄愤〕 xiè.fèn 동 ⇨〔泄恨〕
〔泄恨〕 xiè.hèn 동 울분을 터뜨리다〔풀다〕. =〔泄愤〕
〔泄劲(儿)〕 xiè.jìn(r) 동 자신〔힘〕을 잃다. 낙심하다. 실망하다. 해이해지다. ¶坏份子打算趁机泄大

伙的劲; 불량 분자는 이 기회에 모든 사람의 기세를 꺾어 주려 하고 있다. =〔歇xiē劲(儿)〕〔谢劲儿〕〔懈劲儿〕

〔泄力〕 xièlì 동 ①힘을 빼다. 힘을 없애다. ②힘이 빠지다. 명《電》〈俗〉전압 강하용 변압기.

〔泄利〕 xièlì 명 ⇨〔泄痢〕

〔泄痢〕 xièlì 명《醫》설사. =〔泄利〕〔水shuǐ泻〕

〔泄量〕 xiè.liàng 동 감량하다. 양을 줄이다.

〔泄漏〕 xièlòu 동 (비밀 등을) 새게 하다. 누설하다. ¶～秘密; 비밀을 누설하다 / ～天机; 천기를 누설하다 / 天机不可～; 천기는 누설할 수 없다 / 这是机密的事, 不要把它～了; 이것은 비밀이니까 누설해서는 안 된다 / 防止～国家的机密; 국가의 기밀을 누설하는 것을 방지하다. =〔泄露lù〕

〔泄露〕 xièlù 동 ⇨〔泄漏〕

〔泄密〕 xiè.mì 동 비밀이 새다. 비밀을 누설하다.

〔泄气〕 xiè.qì 동 ①울분을 터뜨리다. 화풀이하다. ②맥이 빠지다〔풀리다〕. 해이해지다. 낙담하다. ¶～话; 정떨어지는 말. 맥빠지는 소리 / 泄了军人的气; 군인의 의기를 상실시켰다 / 失败不要紧, 不能～; 실패해도 상관 없으니, 낙심하지 마라. ③펑크나다. 바람이 빠지다. ¶后车胎泄了气; 뒤쪽 타이어가 펑크났다. (xièqì) 형 무기력하다. 아무지지 못하다. 한심하다. ¶三十里地一天还走不到, 你也太～了! 30'里' 길을 하루가 걸려도 못 가다니 너도 참 한심하구나! / 这篇文章写得太～; 이 문장은 정말 한심하게 씌어졌다. ‖ =〔泻气〕

〔泄水〕 xiè shuǐ ①물이 새다. ②배수(排水)하다. ¶～沟; 배수구 / ～闸; 배수용 수문 / ～孔; 배수공. 여분의 물의 배출구.

〔泄私愤〕 xiè sīfèn 개인적인 노여움을 풀다.

〔泄泻〕 xièxiè 명《漢醫》배탈 설사(물똥이 나오는 것을 '泄'라 이르고, 심한 설사를 '泻'라 함).

〔泄殖腔〕 xièzhíqiāng 명《動》배설강(排泄腔).

绁(紲〈絏, 緤〉) **xiè** (설) 〈文〉①명 밧줄. ¶缧léi～; 옛날에, 죄인을 묶은 밧줄. 포승. ②명 고삐. ③동 붙들어매다. 묶다.

渫 **xiè** (설) 〈文〉①동 제거하다. 치우다. ②동 멈추다. 그만두다. ③동 흐트러뜨리다. ④동 더럽히다. ⑤명 성(姓)의 하나.

屟〈屧〉 **xiè** (섭) 명〈文〉①나무로 만든 신발. ②신창.

媟 **xiè** (설) 동 버릇없다. 친압하다.

卨(禼〈离〉) **xiè** (설) 인명용 자(字).

卸 **xiè** (사) 동 ①(운송물을 차나 배에서) 내리다. 짐을 부리다. ¶装～; (짐을) 싣고 내리다 / 货都～到栈房里; 짐을 모두 부려서 창고에 넣었다 / ～里档dàng; 접안중(接岸中)의 본선에서 안벽(岸壁) 쪽으로 짐을 부리는 일 / ～外档; 배의 바깥쪽〔바다 쪽〕으로 짐을 부리다 / 实～; 부린 짐의 총수(總數). ②떼어 내다. 뜯어 내다. ¶把车～了; (마차에서) 수레를 풀었다 / 交～; (사무를) 인계하다 / 推～; (책임을) 전가하다. ③직무를 해임하다. ④벗다. 풀어 놓다. ⑤오므라들다. 시들다. ⑥분해하다. 해체하다. ¶这台机器～得下来吗? 이 기계는 분해할 수 있느냐? / 大拆大～; 산산이 분해하다.

〔卸剥〕 xièbāo 동 뼈에서 고기를 발라내다.

〔卸车〕 xiè.chē 동 ①수레에서 짐을 내리다. ②마차에서 가축을 풀다. =〔卸牲口〕 ③〈俗〉일이 끝나다. ④해산(解産)하다.

〔卸除〕 xièchú 동 해제하다. 벗(기)다. ¶～武装; 무장을 해제하다 / ～责任; 책임을 해제하다. =〔卸却〕〔卸去②〕

〔卸存〕 xiècún 동 짐을 부려 창고에 넣다.

〔卸顶〕 xièdǐng 동 (정수리 부분의) 머리털이 적어지다. =〔歇xiē顶〕〔谢顶〕

〔卸工〕 xiègōng 동 (노동자가) 퇴직하다. ¶～津jīn贴; (공원의) 퇴직 수당.

〔卸函〕 xièhán 명〈文〉사례 편지.

〔卸黄(儿)〕 xiè huáng(r) 노른자가 부서지다. ¶这个鸡蛋～了; 이 달걀은 노란자위가 부서졌다.

〔卸货〕 xièhuò 명 짐풀기. ¶～费; 양륙비(揚陸費). →〔起货〕 (xiè.huò) 동 실은 짐을 내리다. 짐을 부리다.

〔卸甲〕 xièjiǎ 동 갑옷을 벗다. ¶丢盔～; 〈成〉갑옷과 투구를 벗다. 〈轉〉일이 실패하다.

〔卸肩〕 xièjiān 동 ⇨〔卸责〕

〔卸交〕 xièjiāo 동 〈文〉화물을 인도하다〔건네 주다〕.

〔卸开〕 xièkāi 동 ①(조립한 것을) 떼다. 분해하다. ¶～机器零件; 기계의 부품을 떼다. ②(조직 등을) 해체하다.

〔卸马〕 xiè.mǎ 동 말을 마구(馬具)에서 풀어 주다. ↔〔套tào马〕

〔卸磨杀驴〕 xiè mò shā lǘ 〈成〉가루를 다 빻고 나면 당나귀를 죽인다(필요할 때는 쓰다가 쓰고 나면 버린다).

〔卸去〕 xièqù 동 ①내리다. ② ⇨〔卸除〕

〔卸却〕 xièquè 동 ⇨〔卸除〕

〔卸任〕 xiè.rèn 동〈文〉해임되다. 사임하다. ¶～交印; 사직하여 사무를 인계하다. =〔卸仕〕〔卸印〕

〔卸牲口〕 xiè shēngkou ⇨〔卸车②〕

〔卸仕〕 xièshì 동 ⇨〔卸任〕

〔卸头〕 xiètóu 동 여성이 머리 장식을 떼다.

〔卸脱〕 xiètuō 동 떼어 내다. 벗어 버리다. 면하다. ¶～责任; 책임을 벗어나다.

〔卸下〕 xièxià 동 내리다. 떼다. 벗기다.

〔卸下来〕 xièxialai 내리다. 벗기다. ¶把车轮～看看吧! 바퀴를 빼서 보자!

〔卸印〕 xièyìn 동 ⇨〔卸任〕

〔卸载〕 xièzài 명 짐풀기와 짐싣기. 동 짐을 부리다.

〔卸载单〕 xièzàidān 명 운송품의 양륙(揚陸) 전표.

〔卸责〕 xièzé 동 ①책임을 남에게 전가하다. ②책임을 회피하다. ③〈轉〉사직하다. ‖ =〔卸肩〕

〔卸妆〕 xiè.zhuāng 동 ①화장을 지우다. ②여자가 몸의 장식을 떼어 내다.

〔卸装〕 xiè.zhuāng 동 배우가 의상(衣裳)을 벗거나 화장을 지우다. =〔下xià装〕

〔卸罪〕 xiè.zuì 동 죄를 남에게 덮어씌우다.

契〈偰〉 **Xiè** (설) 명《人》설(상조(商朝)의 조상. 순(舜)임금의 신하였다고 전해짐). ⇒ qì

屑 **xiè** (설) ①명 찌꺼기. 부스러기. ¶煤méi～; 석탄부스러기. 석탄이 탄 찌꺼기 / 木～; 나무 부스러기 / 铁～; 쇠 부스러기. ②형 하찮다. 시시하다. ¶琐suǒ～; 하찮다. 사소하다. ③형 깨끗하다. 떳떳하다. ④형 안달복달하다. ⑤형 근면하다. 부지런하다. ⑥동 부수다. 두드려 깨뜨리다. ⑦동 경시(輕視)하다. ⑧동 떳떳하게 여기다. 가치가 있다고 여기다. ¶他不～于做这件事; 그는 이 일을 할 만한 가치가 있다고 생각하지 않는다 / 不～和他争论; 그와 논쟁할 가치가 있다고 여기지 않는다. ⑨부 부지런히. ⑩형 얇디얇다.

〔屑尘〕 xièchén 〈文〉 명 먼지같이 작은 것. 형 미세하다.

〔屑窣〕 xièsū 〈擬〉〈文〉 가랑비나 낙엽이 떨어지는 희미한 소리.

〔屑涕〕 xiètì 동 〈文〉 눈물이 뚝뚝 떨어지다.

〔屑屑〕 xièxiè 형 〈文〉 ①사소하다. 자질구레하다. ¶～不足道; 사소한 일로 일부러 말할 것도 없다. ②곰상스럽다. 경솔하다. ③근면하다.

〔屑意〕 xièyì 동 ⇨〔介jiè意〕

〔屑于〕 xièyú 동 〈文〉 (…을) 떳떳하게 생각하다《흔히, 부정형(不定形)으로 쓰임》. ¶不～求援; 원조를 바라는 것을 떳떳하다고 생각지 않는다.

〔屑子〕 xièzi 명 쐐기. =〔楔①〕

械 xiè (계)

①명 기계. ②명 기구. ③명 병기(兵器). ¶军～; 병기 / 枪qiāng～; 총기 / 持～匪徒; 흉기를 든 비적 / 缴jiǎo～; 무장 해제. ④명 〈文〉 형구(刑具)《고랑·차꼬·칼 따위》. ⑤명 속임수. 기교(技巧). ⑥동 구속하다.

〔械斗〕 xièdòu 동 흉기를 갖고 집단으로 투쟁하다.

〔械劫〕 xièjié 동 〈文〉 흉기를 갖고 강탈하다. ¶～银行; 은행 강도짓을 하다.

〔械系〕 xièxì 동 〈文〉 범인에게 형구(刑具)를 채우다.

亵(褻) xiè (설)

①형 버릇없이 굴 만큼 친하다. 허물없다. ¶狎xiá～; 친근하여 버릇없이 굴다. 압설하다. ②형 음란하다. 음탕하다. ¶猥wěi～; 외설하다. ③동 더럽혀지다. 더럽히다. ④동 경시(輕視)하다. 깔보다. ⑤명 일상복. 평복. ⑥명 속옷.

〔亵渎〕 xièdú 동 〈文〉 ①모독하다. 얕보고 깔보다. ¶统治阶级借口他～了天主而对他加以迫害; 통치계급은 그가 신을 모독했다는 구실로 그에 대해 박해를 가했다 / ～圣域; 신성한 장소를 모독하다. ②(남을) 번거롭게 하다. 무람없이 굴다. ¶你要是不嫌我～, 我就不客气地麻烦您了; 만일 저의 무람없음을 싫어하지 않으신다면 염치 불구하고 당신께 폐를 끼치겠습니다.

〔亵器〕 xièqì 명 〈文〉 변기(便器).

〔亵玩〕 xièwán 동 〈文〉 서로 시룽거리다. 버릇없이 희롱하다.

〔亵衣〕 xièyī 명 속옷. →〔内nèi衣〕

〔亵语〕 xièyǔ 명 음담(淫談). 버릇없는 말.

〔亵尊〕 xièzūn 동 ①억지로 참고 …하다. ②〈敬〉 참고 견디다. ‖ =〔屈qū尊〕

谢(謝) xiè (사)

①명동 감사(하다). 사례(하다). ¶感gǎn～; 감사(하다) / 道dào～; 감사하다는 말을 하다 / 多～; 대단히 고맙습니다 / 那算什么呢, 不值一～; 그거 뭐 별것도 아닌데, 고마워할 것도 못 됩니다 / ～了他一百块钱; 그에게 백 원을 사례로 보내다. ②동 시들다. 쇠하다. ¶花儿～了; 꽃이 시들었다 / 新陈代～; 신진 대사 / 凋diāo～; 시들다 / ～了瓤ráng儿了; (수박 등이) 너무 익어서 속이 곯았다 / ～了瓣bàn儿了; 꽃잎이 졌다. ③동 사과하다. 미안함을 표시하다. ¶～过; 잘못을 사과하다. ④동 사퇴하다. 거절하다. 사양하다. ¶闭门～客; 문을 닫고 면회를 사절하다 / 他约我, 我已经～了; 그는 나를 초청했지만, 나는 이미 거절했다 / 辞～; 사퇴하다. ⑤동 잘못을 인정하다. ⑥동 물러나다. ⑦명 성(姓)의 하나.

〔谢豹〕 xièbào 명 《鳥》 두견새.

〔谢表〕 xièbiǎo 명 ①사표. 옛날, 군주의 은혜를 감사하는 상주서(上奏書). ②옛날, 승직(昇職)이나 하사(下賜) 등의 경우에 올리는 사은(謝恩)의 글. ‖ =〔谢章〕

〔谢病〕 xièbìng 동 〈文〉 ①병(病)을 이유로 사퇴하다. 병으로 퇴관(退官)하다. ②병을 구실로 사절하다.

〔谢步〕 xièbù 동 방문을 받은 답례로 왕방하다. ¶今天我～来了; 저는 오늘 답례로 왔습니다. →〔回拜huíbài〕

〔谢忱〕 xièchén 명 〈文〉 사의(謝意). ¶表示～; 사의를 나타내다. =〔谢悃〕

〔谢承〕 xièchéng 동 ⇨〔谢贺〕

〔谢词〕 xiècí 명 감사의 말. 사사(謝辭).

〔谢顶〕 xièdǐng 동 (정수리 부분의) 머리털이 적어지다. =〔歇xiē顶〕〔卸xiè顶〕

〔谢恩〕 xiè,ēn 동 사은하다. 은혜에 감사하다. (xiè'ēn) 명 옛날, 신하가 군주의 은혜에 감사하여 행한 의례.

〔谢过〕 xièguò 동 사과하다. 잘못을 사죄하다.

〔谢贺〕 xièhè 동 감사하다. ¶～老天; 하늘에 감사하다. =〔谢荷〕〔谢承〕

〔谢荷〕 xièhe 동 ⇨〔谢贺〕

〔谢候〕 xièhou 동 사례하다. 감사의 인사를 드리다. ¶真太叫您费心了, 改天再到府上～您去; 정말 크게 신세를 졌습니다. 일간 다시 댁에 인사를 드리러 가겠습니다.

〔谢惠〕 xièhuì 동 ⇨〔谢赏〕

〔谢金〕 xièjīn 명 사례금.

〔谢劲儿〕 xièjìnr 동 마음이 해이해지다. 느슨해지다. =〔泄劲(儿)〕〔懈劲(儿)〕〔歇xiē劲(儿)〕

〔谢绝〕 xièjué 동 사절하다. 거절하다. ¶～参观; 참관을 사절하다.

〔谢绝问候〕 xièjué wènhòu 면회 사절(하다). ¶病房内必须肃静, ～; 병실 안은 정숙을 요하므로 면회는 사절합니다.

〔谢客〕 xiè,kè 동 ①손님을 거절하다. ¶托病～; 병을 빙자하여 손님을 거절하다. ②손님 쪽으로 가서 고맙다는 인사를 하다. ③면회를 사절하다. ¶闭门～; 문을 닫고 면회를 사절하다.

〔谢悃〕 xièkǔn 명 ⇨〔谢忱〕

〔谢劳〕 xièláo 동 신세진 것을 감사하다. 노고를 위로하다.

〔谢老〕 xièlǎo 동 나이가 많아 사직하다.

〔谢礼〕 xièlǐ 명 사례하는 선물. =〔谢仪〕

〔谢媒茶〕 xièméichá 명 결혼 중매의 노고를 감사하기 위한 술잔치. ¶喝定了～; 이 혼담은 꼭 성사됩니다《이 혼담은 반드시 성사시켜 감사 잔치를 치르도록 하겠다》.

〔谢幕〕 xiè,mù 동 앙코르에 답하다. 폐막 후 관중의 박수에 맞춰서 출연자가 무대에 나와서 관중에게 답례 인사하다. ¶每一个节目都受到热烈的鼓掌欢迎, ～都在五次以上; 어느 극이나 모두 열렬한 박수 갈채를 받아 다섯 차례 이상 앙코르에 답례했다. (xièmù) 명 출연자의 답례 인사를 요청하는 박수.

〔谢启〕 xièqǐ 명 〈文〉 사례를 표시하는 글.

〔谢亲〕 xièqīn 명 혼례 후에, 신랑이 신부의 집으

로 인사차 가는 일.
〔谢丘〕 Xièqiū 명 복성(複姓)의 하나.
〔谢秋〕 xièqiū 동 가을에 연극을 봉헌(奉獻)하여 신에게 풍년을 감사드리다.
〔谢却〕 xièquè 동 사절하다.
〔谢扰〕 xièrǎo 동 폐를 끼쳤거나 음식 대접을 받고서 사례하다.
〔谢肉节〕 xièròujié 명 사육제.
〔谢赏〕 xièˌshǎng 동 선물을 받는 데 대한 사례를 하다. =〔谢惠〕
〔谢神〕 xièˌshén 동 ①신에게 감사하다. ②신에게 제사 지내다《그 때, 연극 등을 봉헌(奉獻)하는 일》. ③연말에 시중의 상인이 휴업하다.
〔谢师〕 xièshī 명 ①사은 봉사《옛날 '学xué徒'(도제(徒弟))가 수습 기간이 끝나 독립할 수 있게 된 뒤, 보은하는 뜻으로 얼마 안 되는 임금을 받고 일하는 것을 말함》. ¶～年限; 사은 봉사 기간. ②스승에게 사례의 선물을 하다. ¶～宴; 사은회.
〔谢世〕 xièshì 동 〈文〉 세상을 떠나다.
〔谢暑〕 xièshǔ 명 〈文〉 한풀 꺾인 더위.
〔谢天地〕 xiè tiāndì 천지 신명에게 감사하다.
〔谢天谢地〕 xiè tiān xiè dì 〈成〉 고마움이 이루 말할 수 없다. 감지덕지하다. ¶只要老二不再常常来讨厌, 老大便～; 오직 둘째가 다시는 자주 와서 귀찮게 않는다면, 장남은 감지덕지할 것이다.
〔谢条〕 xiètiáo 명 약식의 예장(禮狀).
〔谢帖〕 xiètiě 명 선사품에 대한 간단한 예장(禮狀).
〔谢委〕 xièwěi 명 옛날, 임관되었을 때, 장관을 만나 감사하다는 인사를 아뢰는 일.
〔谢孝〕 xièˌxiào 동 조문객(弔問客)에 인사를 하다《특히, 탈상 후에 조문객에 인사하는 일》.
〔谢谢〕 xièxie ①〈套〉 고맙습니다. ¶～, 我刚吃完; 고맙습니다, 저는 방금 먹었습니다/～你提醒了我; 깨우쳐 주셔서 감사합니다. ② 동 사례의 말을 하다. ¶这可怎么～你呀; 당신에게 어떻게 감사드려야 할지 모르겠습니다/快～阿姨; 어서 누님에게 고맙다고 인사를 드려라
〔谢仪〕 xièyí 명 ⇨〔谢礼〕
〔谢意〕 xièyì 명 사의. 감사의 뜻. ¶表示～; 감사의 뜻을 나타내다.
〔谢章〕 xièzhāng 명 ⇨〔谢表〕
〔谢政〕 xièzhèng 동 〈文〉 벼슬을 그만두다. =〔致zhì仕②〕
〔谢中酒〕 xièzhōngjiǔ 명 중개의 노고를 치사하는 주연(酒宴).
〔谢妆〕 xièzhuāng 명 신부의 집에서 혼수를 보내어 왔을 때, 신랑이 신부의 집에 가서 사례 인사를 하는 일.
〔谢罪〕 xièˌzuì 동 사죄하다. 사과하다.
〔谢坐〕 xièzuò 〈套〉 감사합니다《앉으라는 권유를 받고 고맙다는 인사를 할 때에 쓰임》.

塮 xiè (사)
명 《農》 가축의 분뇨에 흙·잡초를 섞은 비료. 두엄.

榭 xiè (사)
명 지붕이 있는 정자(亭子). 높은 대(臺) 위에 있는 정자. ¶水～; 물가에 세운 정자/歌台舞～; 가무를 공연하는 정자.

齘(齛) xiè (계)
〈文〉 ① 동 이를 갈다. 〈轉〉 분해 하다. ② 형 가지런하지 않다.

解 xiè (해)
① 동 〈口〉 명확〔분명〕해지다. 알다. 이해하다. ¶～不开这个道理; 이 도리를 잘 이해할 수 없다. ②(Xiè) 명 《地》 세 지(解池)《산시 성(山西省)에 있는 호수 이름》. ③(Xiè) 명 《地》 세현(解縣)《산시 성(山西省)에 있는 현 이름》. ④ 명 성(姓)의 하나. ⇒jiě jiè
〔解数〕 xièshù 명 (무예가나 선인 등의) 적의 무술을 간파하는 기술. 〈轉〉 수단. 솜씨. ¶施展浑身～; 혼신의 솜씨를 발휘하다.

澥 xiè (해)
① 형 〈方〉 (풀 따위의) 농도가 엷다〔묽다〕. ¶糨jiàng糊～了; 풀이 묽어졌다. ② 동 (풀 따위에) 물을 섞어 묽게 하다. ¶粥太稠, 加点儿水～一～; 죽이 너무 되니 물을 부어서 묽게 하여라. ③지명용 자(字). ¶渤～Bóxiè; 보세(渤澥)《옛날의 발해(渤海)를 이르던 말. 또는 바다의 별칭》.

懈 xiè (해)
형 게으르다. 해이하다. 태만하다. ¶夙sù夜匪～; 아침 일찍부터 밤까지 태만하지 않다/始终不～; 시종 태만하지 않다/无～可击; 일격을 가할 빈틈이 없다.
〔懈弛〕 xièchí 동 〈文〉 해이해지다. 소홀히 하다.
〔懈怠〕 xièdài 형 ①게으르다. 태만하다. ②경솔하다. ‖=〔懈松②〕 동 게으름피우다. 게을리하다. ¶这样～下去, 什么事情也做不成; 이렇게 게으름을 피우다가는 아무 일도 이루지 못한다/～鬼儿; 게으름뱅이.
〔懈淡〕 xièdàn 형 《商》 (시장에) 활기가 없다. (장사가) 시원치 않다. 한산하다.
〔懈惰〕 xièduò 동 〈文〉 태만하다. 게을리하다. ¶祸生于～; 재앙은 태만에서 생긴다.
〔懈劲(儿)〕 xièˌjìn(r) 동 해이해지다. 느슨해지다. ¶我们不能～, 还得干下去! 우리들은 늦출 수 없다, 아직 계속해서 해야 한다! =〔泄劲(儿)〕〔谢劲儿〕〔歇劲(儿)〕
〔懈慢〕 xièmàn 형 〈文〉 태만하고 무례하다. ¶常多～; 평소 게으르고 거만한 점이 많다.
〔懈松〕 xièsōng 형 ①견고하지 못하다. 야무지지 못하다. ② ⇨〔懈怠〕
〔懈忒〕 xiètè 동 게으름피우다가 실수하다.
〔懈意〕 xièyì 명 나태한 마음.

廨 xiè (해)
명 옛 관공서의 통칭(通稱).

邂 xiè (해)
→〔邂逅〕〔邂后〕〔邂逅〕
〔邂逅〕 xiègòu 동 〈文〉 ⇨〔邂逅〕
〔邂后〕 xièhòu 동 〈文〉 ⇨〔邂逅〕
〔邂逅〕 xièhòu〔xiègòu〕 동 〈文〉 우연히 만나다. 맞닥뜨리다. 해후하다. ¶昨与张君～于途; 어제 장군과 길에서 우연히 만났다. =〔邂逅〕〔邂后〕〔解xiè后〕

嶰 xiè (해)
명 〈文〉 골짜기. ¶幽yōu～; 깊은 골짜기. =〔嶰壑hè〕

獬 xiè (해)
→〔獬叭狗〕〔獬豸〕〔獬廌〕
〔獬叭狗〕 xièbagǒu 명 ①발바리. 삽살개. ②〈比〉 아첨하는 놈. ‖=〔哈hǎ吧狗(儿)〕〔狮子狗〕
〔獬豸〕 xièzhì 명 해치. 해태《전설상의 괴수(怪獸)로, 시비·선악을 가릴 줄 알며 사람을 보면 돌진하여 뿔로 받아서 죽인다고 함》. =〔獬廌〕
〔獬廌〕 xièzhì 명 ⇨〔獬豸〕

蟹〈蠏〉 **xiè** (해)
명 《動》 게. ¶一~不如一~; 〈成〉 점점 뒤떨어지다. 점점 나빠지다 / 醉~; 새끼게의 술지게미절이. =〔螃páng蟹〕

〔蟹螯〕 xiè'áo 명 게의 집게발. =〔蟹夹子〕〔蟹钳〕
〔蟹杯〕 xièbēi 명 ①게딱지로 만든 술잔. ②금은 따위로 게 모양으로 만든 술잔.
〔蟹洞〕 xièdòng 명 게 구멍. ¶~透蛇洞; 게 구멍과 뱀 구멍이 통해 있다. 〈比〉 나쁜 놈끼리 몰래 서로 통하다.
〔蟹簖〕 xièduàn 명 게를 잡기 위해 물속에 세우는 대나무 울짱. =〔蟹帘〕〔蟹断〕
〔蟹厄〕 xiè'è 명 게에 의한 벼의 해.
〔蟹粉〕 xièfěn 명 〈方〉 요리에 쓰거나 소로 쓰는 게의 살이나 '蟹黄(儿)'. ¶~包; 게만두《게살을 소로 한 만두》.
〔蟹羹〕 xiègēng 명 겟국.
〔蟹户〕 xièhù 명 게를 잡는 어부의 집.
〔蟹黄(儿)〕 xièhuáng(r) 명 해황《게의 난소(卵巢)와 소화선(消化腺)으로 맛이 좋음》.
〔蟹火〕 xièhuǒ 명 밤에 게를 잡기 위한 횃불.
〔蟹夹(子)〕 xièjiā(zi) 명 ⇨〔蟹螯〕〔蟹螯áo〕
〔蟹酱〕 xièjiàng 명 게장. =〔蟹胥〕
〔蟹匡〕 xièkuāng 명 게딱지.
〔蟹帘〕 xièlián 명 ⇨〔蟹簖〕
〔蟹獴〕 xièměng 명 《動》 몽구스(mongoose)의 일종《물가의 구멍에 살며, 물에 잘 들어가서 작은 물고기, 개구리, 게 등을 잡아먹음. 몽구스와는 별종임》. =〔猫māo鼬〕〔石shí獴〕〔盲猫〕〔食蟹獴〕〔猸子〕
〔蟹面〕 xièmiàn 명 게를 넣고 끓인 국수.
〔蟹奴〕 xiènú 명 《蟲》 게의 배에 붙어 사는 기생충의 이름.
〔蟹钳〕 xièqián 명 ⇨〔蟹螯áo〕
〔蟹青〕 xièqīng 명 게딱지 같은 회색(灰色)에 청색을 띤 빛깔. 회청색.
〔蟹肉〕 xièròu 명 게살. ¶炒chǎo~; 게살을 볶은 요리 / ~干gān; 게살 말린 것.
〔蟹行〕 xièxíng 동 게걸음치다. ¶~文字; 옛날, 구미(歐美)의 가로쓰는 글자를 가리켜 다소 경멸적으로 이렇게 일컬었음.
〔蟹胥〕 xièxū 명 ⇨〔蟹酱〕
〔蟹眼〕 xièyǎn 명 〈比〉 (끓어서 생기는) 물거품.
〔蟹爪〕 xièzhǎo 명 게의 발톱 모양을 한 그림붓.
〔蟹爪胡子〕 xièzhǎo húzi 명 팔자수염.

薤 **xiè** (해)
명 《植》 염교. ¶野yě~; 염교의 야생종 / 醋cù~头; 식초에 절인 염교《광둥(廣東) 지방의 식품》. =〔藠jiào头〕〔火huǒ葱①〕〔荞qiáo葱〕

瀣 **xiè** (해)
→〔沆hàng瀣一气〕

燮〈爕〉 **xiè** (섭)
①동 〈文〉 화합하다. 조화하다. ② 명 성(姓)의 하나.

〔燮和〕 xièhé 명 〈文〉 조화(調和). 섭화.
〔燮理〕 xièlǐ 동 〈文〉 조화를 취해서 처리하다. 잘 다스리다. ¶~阴阳; 〈成〉 음양의 조화를 잘 다스리다.

躞 **xiè** (섭)
〈文〉 ①→〔躞蹀〕 ② 명 족자(簇子)의 축(軸).

〔躞蹀〕 xièdié 동 〈文〉 ①종종걸음치다. ②배회하다. 왔다갔다 하다. ‖ =〔蹀躞〕

XIN ㄒㄧㄣ

心 **xīn** (심)
명 ①마음. ¶谈~; 마음을 털어놓다 / 良~; 좋은 마음씨. 양심 / 歹dǎi~; 나쁜 마음. 악심(惡心) / 全~全意; 성심성의 / 用~; 마음을 쓰다. 열심히 노력하다 / 放~; 안심하다 / 专~; 전심하다 / 粗~; 부주의하다 ②《生》 심장. ¶~脏zàng; 심장. ③느낌. 기분. ¶散sàn~; 기분전환을 하다 / 平~静气; 기분을 가라앉히다. 평정한 기분. ④생각. 지혜. ¶~眼儿活; 머리가 잘 돌아가다 / ~灵; 영리하다. ⑤중심. 중앙. 가운데 부분. ¶江~; 강의 한가운데 / 枕~; 베갯속 / 核hé~; 핵심 / 街~; 거리의 중심부 / 手~; 손바닥의 중심부. 장심(掌心) / 空~砖zhuān; 블록 / 铅笔~(儿); 연필이나 샤프 펜슬의 심 / 射中zhòng红~; (과녁의) 빨간 중심부를 쏘아 맞히다 / 树~有虫; 나무 중심에 벌레가 있다. ⑥근본. ⑦가슴 속, 또는 위(胃). ¶~闹; 속이 메스껍다. 마음이 불안하고 가라앉지 않다. ⑧성심. 충심(衷心). ⑨의지(意志). 원망(願望). 염원. ¶有~人; 적극적인 의지가 있는 사람 / 决~; 결심하다. 뜻을 정하다. ⑩《天》 이십팔수(二十八宿)의 하나.

〔心爱〕 xīn'ài 동 마음으로부터 사랑하다〔아끼다〕. 애지중지하다. ¶~的人; 마음으로부터 좋아하는 사람 / ~的词典; 소중한 사전.
〔心安理得〕 xīn ān lǐ dé 〈成〉 하는 것이 이치에 맞아서 마음이 편하고 유연(悠然)하다. 마음에 아무 거리낌이 없다. ¶他~地把礼物接受了; 그는 아무 거리낌 없이 선물을 받았다 / 人生在世, 只求~就好了; 사람이 세상을 사는데에는 올바른 행동을 하여 마음이 편안하도록 노력하면 된다.
〔心版〕 xīnbǎn 명 〈文〉 마음속. ¶永镌juān~; 〈成〉 오래도록 마음에 새겨 잊지 않다 / 她的影子已经深深地刻在我的~上; 그녀의 모습은 이미 내 가슴에 깊이 새겨졌다.
〔心包〕 xīnbāo 명 《生》 심낭(心囊).
〔心笨〕 xīnbèn 형 미련하다.
〔心兵〕 xīnbīng 명 ①《佛》 사물에 느끼어 일어나는 욕망. ¶感物动~; 사물을 보고 욕망을 일으키다 / 酒色财气惹~; 주색이나 금전욕, 감상(感傷)은 욕망을 불러일으킨다. ②〈比〉 마음에 품은 살기. ¶按不下怒火, 陡dǒu的起了~; 분노를 누르지 못하고 갑자기 살의를 일으켰다.
〔心病〕 xīnbìng 명 ①(울)화병. ②말 못할 근심. 걱정. 약점. ¶~话; 걱정거리 / ~还从心上医; 〈諺〉 마음의 병은 마음가짐부터 고치지 않으면 안 된다 / 说中zhòng了他的~; 그의 아픈 데를 찔렀다 / 嘴里还不住地嘟囔, 像有点~似的; 입 안에서 중얼거리고 있는데, 뭔가 걱정거리라도 있는 모양이다. ③《醫》 위통. 위경련. =〔心疼病〕 ④(신경과민으로 인한) 의심병. ¶怎么你还不相信我, 又犯了~了; 왜 너는 아직도 나를 믿지 않느냐, 또 의심병이라도 들었느냐. =〔疑病〕〔疑yí心病〕
〔心搏〕 xīnbó 명 《生》 심박. 심장 박동. =〔心动〕
〔心不落窝〕 xīn bù luò wō 〈成〉 집에서 자리잡고 있을 수 없다. 마음이 집에 있지 않다.
〔心不死〕 xīnbùsǐ 단념〔절망〕하지 않다. ¶虽然大家都觉得这事没多大希望, 可是他还是~; 이 일은

별로 희망을 가질 수 없다고 모두 느끼고 있지만, 그는 아직도 단념하지 않고 있다 / 腊月的葱, 根枯叶黄, ～; 〈歇〉 12월의 파. 뿌리는 시들고 잎은 누래져도 '심'은 죽지 않았다(「芯」을 「心」에 엇걸었음). ↔〔心死①〕

〔心不在焉〕 xīn bù zài yān 〈成〉 건성이다. 정신을 딴 데 팔다. ¶两眼发呆dāi, 一副～的样子; 눈이 멍청해져 있어 마치 정신 나간 모습이었다 / 听他所答非所问, 才知道原来他早已～了; 그가 횡설수설 대답하고 있는 것을 듣고 그가 이미 정신을 딴 데 팔고 있음을 알았다.

〔心不自主〕 xīn bù zì zhǔ 〈成〉 마음이 생각대로 안 되다. 저도 모르게 마음이 움직이다. ¶听他这么说, 就～地跟着去了; 그가 그렇게 말하는 것을 듣더니, 저도 모르게 뒤좇아갔다.

〔心材〕 xīncái 명 심재(나무 중심부의 목질(木質)이 단단한 부분). =〔心木〕

〔心裁〕 xīncái 명 마음 속의 계획. 복안(腹案). 구상(構想)(시문(詩文)·미술·건축 등에 관한 구상). ¶独出～ =〔别出～〕; 〈成〉 독창적인 생각을 내다.

〔心惭〕 xīn cán 마음에 부끄럽게 여기다. ¶～不～? 마음속으로 부끄럽지 않느냐? / 看到人家的成绩, 不免有点儿～; 다른 사람의 성적을 보니, 좀 부끄러워진다.

〔心肠〕 xīncháng 명 ①생각. 마음씨. 심정. ¶你的～真不错; 네 마음씨는 정말 착하다 / 猜猜他的～; 그의 생각을 헤아려 봐라 / ～鬼诈; 생각이 음흉하다 / ～多恨; 그 얼마나 잔인한 마음씨란 말인가 / 好～; 좋은 마음씨. ②성격. ¶铁石～; 〈比〉 냉혹한 성질. 쉽게 다른 사물의 영향을 받지 않는 성질. ③정. 애정. ¶公母俩情投意合, 十几年来～不变; 부부는 마음이 잘 맞아, 십여 년째 애정은 변하지 않았다. ④걱정. 마음에 걸리는 일. ¶请你把～放下吧; 부디 안심하십시오. ⑤고충. ¶他有不得已的～; 그는 어쩔 수 없는 고충이 있다. ⑥음모. ¶这人已经别具～, 恐怕要叛变了; 이 남자는 이미 다른 음모를 갖고 있다. 아마도 모반할 것이다.

〔心肠〕 xīnchang 명 〈方〉 재미·즐거움 따위의 기분. ¶到了这种地步, 他哪有～陪你看电影; 이 지경이 됐는데 어떻게 그가 너와 같이 영화 볼 기분이 나겠니 / 我没～用功; 나는 공부할 마음이 들지 않는다 / 家里乱嘈嘈的, 没有～办事; 집 안이 어수선해서 일할 기분이 안 난다.

〔心潮〕 xīncháo 명 〈比〉 마음의 일렁임. ¶～澎湃péngpài; 마음이 들뜨다 / ～来潮; 심중에 생각이 번뜩이다.

〔心尘〕 xīnchén 명 마음의 더러움(정욕 따위). →〔心肠〕

〔心撑钉〕 xīnchēngdīng 명 《機》 채플릿 네일(chaplet nail).

〔心秤〕 xīnchèng 명 마음의 저울. 공평한 마음. ¶您把这事搁在～上掂一掂, 就知道谁对谁错了; 당신은 이것을 마음의 저울에 달아 보신다면 누가 옳고 누가 옳지 않은지 금세 알게 됩니다.

〔心程〕 xīncheng 명 기분. 의욕. 내키는 마음. ¶有～玩儿, 没～念书; 노는 것은 마음이 내키지만, 공부하는 것은 마음이 내키지 않는다.

〔心传〕 xīnchuán 명 ①《佛》 선종(禪宗)에서 말하는 이심전심(以心傳心). ②학술·기술을 전수(傳授)하는 일. ③비결. ¶深得老师的～; 스승으로부터 비결을 충분히 전수받았다.

〔心慈面软〕 xīn cí miàn ruǎn 〈成〉 마음씨가 자비롭고 표정이 부드러워서, 쉽게 동정하고 쉽게 끌려가다. 정에 약하다. ¶他是～的老实人; 그는 인정 많은 성실한 사람이다 / 老先生～, 一求就答应; 노선생은 정에 약해서 부탁하면 무엇이든지 응해 주신다.

〔心慈手软〕 xīn cí shǒu ruǎn 〈成〉 마음이 어질어 남을 모질게 대하지 못하다. ↔〔心狠手辣〕

〔心粗〕 xīn cū 경솔하다. 소홀하다. ¶你怎么这么～呢? 너는 어째서 이렇게 경솔하냐?

〔心粗气浮〕 xīn cū qì fú 〈成〉 주의력이 모자라고 덜렁덜렁하다.

〔心粗性急〕 xīn cū xìng jí 〈成〉 주의력이 부족하고 성급하다. ¶～难免要闯chuǎng祸; 부주의하고 성급하면 잘못을 저지르기 쉽다.

〔心胆〕 xīndǎn 명 ①심장과 담낭. ②〈比〉 의지와 담력. 배짱. 의기. ¶吓xià得～俱裂; 놀라서 간이 떨어지다 / 是个有～的人; 배짱이 두둑한 사람.

〔心荡〕 xīndàng 동 ①심장의 고동이 보통 때보다 심하여 가슴이 두근거리다. ¶忽然间～而死; 갑자기 심장이 두근거려서 죽었다. ②마음이 흔들리다. 가슴이 두근거리다. ¶见了美女就～神移; 미녀를 보면 마음을 빼앗긴다 / 青年人读了这一类诲淫小说, 怎么能不～起来; 청년이 이런 음란한 소설을 읽으면 마음이 흔들리지 않을 수 없다.

〔心荡神驰〕 xīn dàng shén chí 〈成〉 마음이 동요되어 안정되지 못하다. ¶自从离别以后, 早晚都～; 작별한 후로, 아침 저녁으로 생각이 나서 마음이 안정되지 않습니다. =〔心荡神移〕

〔心荡神移〕 xīn dàng shén yí 〈成〉 ⇨〔心荡神驰〕

〔心到神知〕 xīn dào shén zhī 〈成〉 마음을 다하면 상대방도 자연히 알게된다. ¶你既是有这个意思, 就是不挂在嘴上, 也就～了; 당신이 그런 생각이라면 말씀하시지 않아도 통합니다.

〔心得〕 xīndé 동 마음으로 이해하다(깨닫다). 명 경험. 터득한 지식·기술·인식 등. ¶参观的～; 견학하여 얻은 지식·견식 따위 / 看完了这个电影, 同志们要发表个人的～; 이 영화를 보고나서 여러분의 감상을 발표하십시오.

〔心灯〕 xīndēng 명 《佛》 심등. 〈比〉 심령(心靈). ¶只要～不灭, 工夫到了, 自然彻悟; 심령만 멸하지 않고, 수행이 경지에 이르면 자연히 깨달을 수 있다.

〔心地〕 xīndì 명 ①마음. 마음씨. ¶～光明; 마음에 사기(邪氣)가 없다 / ～龌龊wòchuò; 마음에 응어리가 있다. 마음씨가 깨끗하지 못하다. ②본성. 성품. 성질. ¶～善良; 본성이 선량하다. ③자질. 재능. ¶他有天赋的～; 그는 천부의 재능을 가지고 있다.

〔心电感应〕 xīndiàn gǎnyìng 명 텔레파시.

〔心电描记器〕 xīndiàn miáojìqì 명 《機》 심전계(心電計).

〔心电图〕 xīndiàntú 명 《醫》 심전도.

〔心定自然凉〕 xīndìng zìrán liáng 마음이 안정되면 자연히 시원해진다. 〈比〉 어떤 고난이 있어도 이것을 초월하여 염두에 두지 않으면 괴로움을 느끼지 않는다.

〔心动〕 xīndòng 동 ①가슴이 두근거리다(설레다). ②마음이 움직이다. 마음이 내키다. ¶见财～; 돈을 보고 마음이 동요하다. 명 심장의 박동. ¶～周期; 심박동 주기. =〔心搏〕

〔心毒手辣〕 xīn dú shǒu là 〈成〉 성격이 음흉하고 하는 짓이 악랄하다. ¶江湖上多是～的人, 处处要小心; 세상에는 악랄한 놈이 많으니까 늘 조심해야 한다. =〔心狠手辣〕 ↔〔心慈手软〕

〔心多〕 xīn duō (마음 속에 한 가지 속셈이 있어) 마음을 쓰다. 의심이 많다. 시기심이 강하다. ¶他是个～的人, 还是少说话为妙; 그는 의심이 많은 사람이니, 역시 말을 적게 하는 것이 상책이다.

〔心恶面善〕 xīn è miàn shàn 〈成〉 음험한 사람은 겉보기에는 사뭇 착한 사람처럼 가장하고 있는 법이다.

〔心耳〕 xīn'ěr 명 《生》 심이(심장 내강(內腔)의 상반부, 좌(左)심이·우심이로 나뉘어져 있음).

〔心法〕 xīnfǎ 명 ①《佛》 심법. 경전에 의하지 않고 마음에서 마음으로 전수된 불법(佛法). ¶～相传; 마음에서 마음으로 전수되다. ②스승과 제자가 수수(授受)하는 정신.

〔心烦〕 xīnfán 형 ①번민하다. 마음이 답답하다. ②싫증이 나다. 물리다. 짜증나다. ¶天气热得叫人～; 더워서 짜증이 나다/孩子是他的解～; 어린이는 그의 자극제이다.

〔心烦意乱〕 xīn fán yì luàn 〈成〉 마음이 번거롭고 정신이 산란하다.

〔心房〕 xīnfáng 명 ①《生》 심방. ②가슴. 심장. ¶吓得～乱跳; 놀라서 심장이 마구 뛴다.

〔心飞肉跳〕 xīn fēi ròu tiào 〈成〉 가슴이 두근거리다. 근심스럽고 불안하다. ¶我这两天有点儿～, 疑虑不安; 나는 요 며칠 가슴이 두근거리고 근심으로 불안하다. =〔心惊肉颤〕〔心惊肉跳〕

〔心扉〕 xīnfēi 명 마음의 문. ¶打开～; 마음의 문을 열다.

〔心肺〕 xīnfèi 명 ①심장과 폐장. ②〈轉〉 마음. 양심. ¶这事这么办, 过得去过不去, 问你的～吧; 이 일을 이런 식으로 해도 상관없을지, 네 양심에 물어 봐라.

〔心风〕 xīnfēng 명 《漢醫》 실의(失意)·우울로 일어나는 일종의 정신병.

〔心服〕 xīn.fú 동 심복하다.

〔心服口服〕 xīn fú kǒu fú 〈成〉 마음속으로부터 경복(敬服)하다. 심복하다. ¶剑波～地承认; 검파는 마음속으로부터 경복하여 승인했다.

〔心服情愿〕 xīn fú qíng yuàn 〈成〉 마음으로부터 경복하고 자진해서 바라다. ¶从此～地为长官效力; 그로부터는 마음속으로부터 경복하여, 자진해서 장관을 위하여 진력했다.

〔心浮〕 xīn.fú 형 마음이 들뜨다. ¶～气躁; 〈成〉 마음이 들뜨고 조급하다.

〔心腹〕 xīnfù 명 〈文〉 ①진심. 성의. ¶一腔qiāng～; 성심성의로/敢gǎn布～; 감히 성의를 피력하다. ②〈比〉 깊이 신뢰하는 사람. 심복. ¶在座都是我的～; 이 자리에 있는 사람은 모두 나의 심복이다/连夜召集～, 研究对策; 매일밤 심복을 소집하여 대책을 연구하다. ③심장과 배. 〈比〉 중요한 일〔것〕. 요충. 요해(要害). ¶～地带; 중요지대/古巴问题等于在美国的～上戳chuō了一刀; 쿠바 문제는 미국의 심장이나 배에 칼을 찌른 것과 같은 것이다. ‖=〔腹心〕

〔心腹话〕 xīnfùhuà 명 ①마음 속에 간직한 생각. ¶～轻易不肯对人说; 마음 속의 말을 좀처럼 남에게 하려 하지 않는다. ②마음 속으로부터 우러나오는 말. =〔心内话〕

〔心腹人〕 xīnfùrén 명 심복. ¶部下都用可靠的～; 부하는 모두 확실한 심복을 쓴다.

〔心腹事〕 xīnfùshì 명 마음에 품고 있을 뿐 다른 사람에게 이야기하지 않는 일. 남에게 말 못할 근심거리.

〔心腹之患〕 xīn fù zhī huàn 〈成〉 심복지환. 내부에 숨어 있는 치명적인 우환. 중대한 재앙.

〔心甘〕 xīngān 동 마음으로부터 원하다. 기꺼워하다. 달가워하다.

〔心甘情愿〕 xīn gān qíng yuàn 〈成〉 마음 속으로부터 바라다. (고통스러운 것이나 손실 등을) 달게 받다. 기꺼이 원하다. ¶婚姻大事不要勉强, 还是二人～的好; 결혼이라는 대사는 무리해서는 안되며, 역시 두 사람이 마음속으로부터 원하는 것이어야 한다. =〔甘心情愿〕

〔心肝〕 xīngān 명 ①심장과 간장(肝臟). ②패기. 기백. ③생각. 뜻. ¶有～的人; 확고한 생각을 가진 사람. ④마음씨. ¶～不好; 마음씨가 나쁘다. ⑤양심. 인정. 인간미(人間美). ¶全无～; 전연 양심이 없다.

〔心肝儿〕 xīngānr 명 가장 마음으로부터 사랑하는 사람을 칭(稱)함. 애지중지하는 사람에 대한 호칭. ¶～的肉亲; 친애하는 사람/小～; 귀여운, 사랑스러운(어린아이를 이름)/～宝贝; 목숨보다도 귀한 보물(자녀).

〔心肝(儿)肉〕 xīngān(r)ròu 명 친애를 나타내는 말(자기의 심장이나 간처럼 소중한 것의 뜻). ¶孩子就是她的～; 자식은 그녀의 목숨처럼 소중한 것이다.

〔心高〕 xīn gāo 〈文〉 ①희망〔포부〕가 원대하다. ②우월감이 세다.

〔心高气傲〕 xīn gāo qì ào 〈成〉 거만하다. 자부심이 강하다. ¶她们大都是～, 嘴巴上不肯吃亏的; 그녀들은 대개는 자부심이 강해서, 말로는 절대로 지기 싫어하는 편이다.

〔心工儿〕 xīngōngr 명 속셈. 심산(心算). 계획. 타산(打算). ¶斗～; 생각이나 궁리를 경쟁하다/他很有～; 그는 매우 빈틈이 없다.

〔心骨〕 xīngǔ 명 기골. ¶～不凡; 기골이 비범하다/是个有～的人; 기골이 있는 사람이다/你来作我的主～; 네가 내 마음의 지주가 되어 다오.

〔心广体胖〕 xīn guǎng tǐ pán 〈成〉 ①마음이 너그럽고 몸이 편안하다. ②마음이 편해서 몸이 살찌다. ¶不拘什么事, 总是逆来顺受, 渐渐地～起来; 무슨 일이나 거스르지 말고 유연하게 받아넘기면, 점점 느긋해지고 몸도 살찐다. ‖=〔心宽体胖〕

〔心寒〕 xīn hán ①무서워서 떨다. ②으스스하게 느끼다. ③흥이 깨지다. 마음이 내키지 않다. ④낙심하다.

〔心狠〕 xīn hěn ①마음이 흉악하다. 잔인하다. 심지가 고약하다. ②인색하다.

〔心狠手辣〕 xīn hěn shǒu là 〈成〉 ⇨〔心毒手辣〕

〔心狠意毒〕 xīn hěn yì dú 〈成〉 악랄하다. 사납고 악독하다. ¶社会上有不少～的人, 可要小心啊; 세상에는 악랄한 놈이 많으니까 조심해라.

〔心红手巧〕 xīn hóng shǒu qiǎo 〈成〉 사상적으로 확고하고 기술도 뛰어나다.

〔心花(儿)〕 xīnhuā(r) 명 〈文〉 마음의 꽃. 〈比〉 기쁨. 유쾌한 마음. ¶～怒nù放; 〈成〉 누르고 있던 기쁨이 한꺼번에 나타나다/人逢喜事～开; 사람은 경사스런 일이 있으면 마음이 활짝 핀다.

〔心话〕 xīnhuà 명 진심이 담긴 이야기. 진지한 말.

〔心怀〕 xīnhuái ①명 〈文〉 생각. 회포. ¶～叵pǒ测; 〈成〉 마음속을 헤아리기 어렵다/～鬼胎; 〈成〉 마음속에 흉계를 품다. 속셈이 있다. ②(xīn huái) 마음에 품다.

〔心慌〕 xīn huāng ①마음이 흐트러지다. 당황하여 침착하지 못하다. ②(병·공복 때) 동계(動悸)가 멎지 않다.

〔心慌胆怯〕 xīn huāng dǎn qiè 〈成〉 당황하여 겁을 내는 모양. ¶小偷听见人咳嗽就～起来了; 좀도

둑은 사람의 기침소리를 듣고 겁을 먹기 시작했다.

〔心慌意乱〕 xīn huāng yì luàn 〈成〉 당황하여 허둥거리다. 당황하여 어쩔 줄을 모르다.

〔心灰意懒〕 xīn huī yì lǎn 〈成〉 실망으로 의기소침하다. ¶经过这次打击就～不问世事了; 이번 타격으로 의기소침하여, 세상사를 묻지 않게 되었다. =〔心灰意冷〕〔意懒心灰〕

〔心回意转〕 xīn huí yì zhuǎn 〈成〉 ①생각〔마음〕을 바꾸다. 다시 생각하다. ¶说得他～; 그를 설득하여 마음을 바꾸게 했다. ②고집 부리는 것을 그만두다.

〔心魂〕 xīnhún 명 심혼. 마음. 혼. ¶喜得他～荡漾; 기뻐서 그는 마음이 녹아나는 것 같았다 / 吓得他～俱丧; 놀라서 그는 완전히 넋이 나갔다. =〔心魄〕

〔心活〕 xīnhuó 동 (마음이 흔들려) 주장을 바꾸다. 마음을 바꾸다. ¶在利欲熏心之下, 他也渐渐～了; 이욕의 유혹으로, 그도 점점 마음이 바뀌었다.

〔心活耳软〕 xīn huó ěr ruǎn 〈成〉 가볍게 남의 말을 곧이듣다. 마음이 흔들리고 귀가 얇다.

〔心火〕 xīnhuǒ 명 ①《漢醫》 몸 속의 열《초조함·갈증·삭맥(數脈)·혀의 통증 따위》. ②(마음 속에서 치미는) 울화. ¶上了～; 속에서 울화가 치밀었다 / 念得他～上攻; 그것을 읽자 몸 안의 분노가 치밀어 올랐다.

〔心机〕 xīnjī 명 심기(心機). 생각. 마음. 꾀. ¶枉费～; 헛되이 생각하다 / 费尽～; 몹시 머리를 쓰다.

〔心肌〕 xīnjī 명 《生》 심근(心筋). ¶～炎; 《醫》 심근염.

〔心肌梗死〕 xīnjī gěngsǐ 명 《醫》 심근 경색. =〔心肌梗塞sè〕

〔心急〕 xīn jí 마음이 조마조마하다. 초조하다. 조바심나다. ¶～腿慢; 〈成〉 마음은 급한데 발이 말을 안 듣는다. →〔着急〕

〔心疾〕 xīnjí 명 《醫》 ①심질. 걱정으로 생기는 병. 울화병. ②정신병.

〔心计〕 xīnjì 명 ①암산(暗算). 속셈. ②계책. 기지(機智). 임기응변의 책략. ¶他是一个工～的人; 그는 빈틈없이 잘 생각해서 행동하는 사람이다. 그는 재치있는 사람이다. ‖ =〔心略〕

〔心记〕 xīnjì 동 마음에 기억해 두다. 가슴에 간직하다.

〔心记儿〕 xīnjìr 명 기억력.

〔心迹〕 xīnjì 명 생각. 본심(本心). 속마음. ¶表明～; 본심을 밝히다 / 起誓shì明～; 맹세하고 참뜻을 표명하다.

〔心悸〕 xīnjì 명 《生》 심계. 심장의 동계(動悸). 동 〈文〉 두려워하다. ¶见了这般骇hài人的情况, 不觉～; 이렇게 무시무시한 상황을 보자 저도 모르게 가슴이 두근거린다.

〔心尖〕 xīnjiān 명 ①(～儿, ～子) 〈方〉 애지중지하는 자식·애인·물건 따위. =〔心头肉〕 ②《生》 심첨. 심장의 끝. ¶被剜wān了～似的难受; 심장을 도려 내는 것처럼 괴롭다. ③마음속. 심중.

〔心匠〕 xīnjiàng 명 〈文〉 심혈. 궁리(窮理). 고안(考案). ¶运用～; 구상력(構想力)을 구사(驅使)하다. 심혈을 기울이다.

〔心焦〕 xīnjiāo 형 초조하다. 애타다. ¶回信老不来, 等得好不～; 답장이 좀처럼 오지 않아, 애타게 기다리다.

〔心绞痛〕 xīnjiǎotòng 명 《醫》 협심증. =〔狭xiá心症〕〔《漢醫》 真zhēn心痛〕〔心痛〕

〔心解〕 xīnjiě 동 마음 속으로 깨닫다. ¶聪明的她, 眼珠一转, 已～其意; 영리한 그녀는 눈을 한 번 굴리더니, 벌써 그 뜻을 깨달았다.

〔心劲(儿)〕 xīnjìn(r) 명 의기(意氣). 의욕. 패기. ¶～大, 底子薄; 패기는 왕성하나 저력(底力)이 부족하다.

〔心经〕 Xīnjīng 명 《佛》 반야심경《'般bō若波罗密多心经'의 준말》.

〔心经〕 xīnjing 명 마음. 기분. 염두. 사려. ¶说话不走～, 自己还不知道呢, 就把人得罪了; 이야기를 하는데 생각없이 아무렇게나 지껄이면 스스로는 깨닫지 못해도 남에게 폐를 끼치는 꼴이 된다.

〔心惊〕 xīnjīng 동 깜짝 놀라다.

〔心惊胆战〕 xīn jīng dǎn zhàn 〈成〉 전전 긍긍하다.

〔心惊肉颤〕 xīn jīng ròu chàn 〈成〉 ⇨〔心惊肉跳〕

〔心惊肉跳〕 xīn jīng ròu tiào 〈成〉 (불길한 예감 등으로) 가슴이 두근거리다. 근심스럽고 불안하다. =〔心惊肉颤〕〔心飞肉跳〕

〔心净〕 xīnjìng 형 마음이 편안하다. 기분이 개운하다. ¶到山里住几天, 图个～; 산 속에 들어가서 며칠 지내면서 산뜻한 기분이 되고 싶다.

〔心境〕 xīnjìng 명 심경. 기분. ¶～小说; 신변 소설.

〔心静〕 xīnjìng 형 기분이 가라앉다. 마음이 평온하다.

〔心距〕 xīnjù 명 초점 거리.

〔心坎(儿)〕 xīnkǎn(r) 명 ①명치. =〔心口(儿)①〕 ②마음 속. ¶这些话句句都打中了我的～; 이 말들은 한 마디 한 마디마다 모두 내 가슴을 울렸다. ③눈에 넣어도 아프지 않은 사람. 애지중지하는 사람〔물건〕. ¶姊妹两个都是他～上的人; 두 자매는 그가 애지중지하는 사람이다.

〔心肯〕 xīnkěn 동 마음속으로 승낙하다. ¶虽然口头没答应, 可是已经～了; 입으로 대답은 하지 않지만, 벌써 마음속으로 승낙했다.

〔心肯意肯〕 xīn kěn yì kěn 〈成〉 진심으로 희망하다. ¶这头亲事女方早已～了; 이 혼담은 신부쪽에서는 벌써 기꺼이 바라고 있습니다.

〔心孔〕 xīnkǒng 명 지혜. 기지(機智). 슬기.

〔心口(儿)〕 xīnkǒu(r) 명 ①《生》 가슴팍. 명치. ¶～疼; 명치가 아프다 / 飞起一脚, 踢中tīzhòng他的～; 다리를 번쩍 들어 그의 명치를 걷어찼다. =〔心坎(儿)①〕 ②마음과 말. ¶～两样; 말과 마음이 다르다 / ～如一; 〈成〉 생각하고 있는 것과 말하는 것이 일치하다.

〔心口相对〕 xīn kǒu xiāng duì 〈成〉 마음과 입이 일치하다. 마음에 없는 말을 하지 않다. →〔嘴zuǐ对着心〕

〔心宽出少年〕 xīnkuān chū shàonián 〈諺〉 마음이 활달하면 언제까지나 젊다.

〔心宽体胖〕 xīn kuān tǐ pán 〈成〉 ⇨〔心广体胖〕

〔心旷神怡〕 xīn kuàng shén yí 〈成〉 마음이 명랑하고 상쾌하다. 마음이 열리고 기분이 유쾌하다.

〔心亏〕 xīn kuī 양심의 가책을 받다. 면목없게 생각하다.

〔心懒〕 xīnlǎn 형 마음이 내키지 않다.

〔心劳〕 xīnláo 동 걱정하다. 노심초사하다.

〔心劳日拙〕 xīn láo rì zhuō 〈成〉 ①이것저것 흉계를 꾸며도 오히려 입장이 더욱 괴롭게 되다. ¶他们的破坏手段, 虽然费了不少苦心, 无奈～; 그들의 파괴 활동은 적잖이 고심을 했지만, 결국 헛고생으로 끝났다. ②아무리 심로(心勞)해도 사태

가 더욱 나빠지다.

〔心劳意攘〕 xīn láo yì rǎng 〈成〉 일이 번잡하고 마음이 어수선하다.

〔心理〕 xīnlǐ 명 심리. ¶～学; 심리학 / ～战; 심리전 / ～分析; 심리 분석.

〔心力〕 xīnlì 명 ①사고력(思考力). 정신력. ②사고와 힘. 정신력과 체력. 기력. ¶费尽～; 기력을 다 써 버리다 / ～衰竭shuāijié; 〖醫〗 심장 쇠약. 심부전(心不全) / ～交瘁; 〈成〉 정신력과 체력이 모두 극도로 피로하다.

〔心里〕 xīnli 명 ①마음 속. 심중(心中). ¶～没底; 아무 주장도 없다. 확신(確信)이 없다 / ～话; 진심으로 하는 이야기 / ～难过; 마음 속으로 괴로워하다. =〔心头〕〔心内〕〔心下〕 ②가슴. 가슴 속. ¶～乱跳; 가슴이 마구 두근거리다. ③두뇌. ¶～透亮; 두뇌가 명석하다.

〔心里不搁事〕 xīnli bùgēshì ①속이 좁다. 도량이 좁다. ¶这么点儿事就睡不着了, 你真是～; 이만한 일로 잠을 못자다니, 너는 정말 도량이 좁다. ②만사 태평하다. ¶他～, 上床闭眼就睡着; 그는 무사 태평이어서, 침대에 올라가 눈만 감으면 곧 잠든다.

〔心里不痛快〕 xīnli bùtòngkuài ⇨〔心里不自在〕

〔心里不自在〕 xīnli bùzìzài 마음이 무겁다〔언짢다. 개운찮다〕. ¶见学生不用功就～; 학생이 열심히 공부하지 않는 것을 보면, 마음이 편안치 않다. =〔心里不痛快〕

〔心里吃了凉柿子了〕 xīnli chīle liángshìzile 〈比〉 안심하다. 마음을 놓다. ¶一听她答应了, 我～似的; 그녀가 승낙하는 것을 듣자 마음이 놓였다.

〔心里打鼓〕 xīnli dǎgǔ 〈比〉 가슴이 두근거리다. 걱정하다.

〔心里打乱钟〕 xīnli dǎluànzhōng 〈比〉 가슴이 몹시 두근거리다. 걱정하다. ¶他去了这么些日子也没个信儿, 我～了; 그가 간 뒤 이렇게 오랫동안 아무 소식도 없어서 나는 매우 걱정했다.

〔心里分〕 xīnlifēn 마음속으로 알고 있다. 속으로 이해하다. ¶这事咱们好歹～, 大家走着瞧就是了; 이 일의 좋고 나쁨은 우리가 속으로 다 알고 있으니, 다들 두고 보면 된다. =〔心照〕

〔心里劲儿〕 xīnlijìnr 속에서 나는 화. (겉으로 나타내지 않으나) 심중이 불쾌한 상태. ¶政党里大家都在斗～; 정당에서는 모두 마음 속으로 으르렁거리고 있다.

〔心里难斗〕 xīnli nán dòu 심술궂다. ¶看那个人的外面儿很老实似的, 其实～; 저 사람은 겉보기에는 진실한 것 같지만, 실제로는 심술궂다.

〔心里说〕 xīnlishuō 동 ⇨〔心说〕

〔心里有底〕 xīnli yǒu dǐ ⇨〔心里有数〕

〔心里有鬼〕 xīnli yǒu guǐ 몰래 나쁜 꾀를 품고 있다.

〔心里有事〕 xīnli yǒu shì 마음에 걸리는 데가 있다.

〔心里有数〕 xīnli yǒu shù 마음 속으로 생각이 있다. 심중에 다른 생각이 있다. ¶他虽然不公然反对, 可是～; 그는 비록 공공연히 반대하지는 않지만, 속으로는 다 생각이 있다. =〔心里有底〕〔心中有数〕

〔心里长牙〕 xīnli zhǎng yá 〈比〉 마음이 잔인하다. ¶这小子～, 又狠又厉害, 可得防着他; 이 녀석은 잔인하고 모질며 독하니 조심해야 한다.

〔心连心〕 xīn lián xīn 마음과 마음이 이어지다. 마음이 통하다.

〔心灵〕 xīnlíng ①명 마음. 정신. 영혼. ②명 지혜. 슬기. ③(xīn líng) 지혜롭다. 영리하다. ¶那孩子～极了; 저 애는 매우 총명하다.

〔心灵手巧〕 xīn líng shǒu qiǎo 〈成〉 머리가 좋고 손재주도 있다. ¶传说女孩儿七夕拜月就会～; 전설에서는, 계집아이가 칠석날에 달에게 빌면 영리하고 재주가 있게 된다고 한다.

〔心领〕 xīnlǐng 동 ①〈套〉 고맙습니다《남의 선사를 사양하고 그 호의만을 받는다는 뜻》. ¶～谢谢; 고마운 뜻만은 받겠습니다. 고맙습니다 / 您这一份盛情我～就是了; 당신의 호의만은 고맙게 받겠습니다. ②마음 속에 깨닫다. 마음 속으로 이해하다.

〔心领意会〕 xīn lǐng yì huì 〈成〉 마음 속으로 충분히 잘 이해하다. ¶看见他使眼色就～了; 그가 눈짓하는 것을 보고 금세 의사가 통했다. =〔心领神会〕

〔心路(儿)〕 xīnlù(r) 명 ①계책. 꾀. 기전(機轉). 기지(機智). ¶我再活十年也没你这个～; 내가 10년을 더 살아도 너만큼 재치는 없을 것이다. ②도량(度量). ③마음가짐. 마음씨.

〔心路(儿)〕 xīnlu(r) 명 사고 방식.

〔心膂〕 xīnlǚ 명 〈文〉 ①가슴과 등뼈. ②〈轉〉 가장 소중한 것. 가장 믿는 사람. 심복.

〔心略〕 xīnlüè 명 ⇨〔心计〕

〔心马〕 xīnmǎ 〈成〉 ⇨〔心猿意马〕

〔心满意足〕 xīn mǎn yì zú 〈成〉 매우 만족하다. 아무런 불만이 없다. ¶他只要有酒喝就～了; 그는 오직 술이 있어 마실 수만 있으면 바로 만족하였다. =〔意满心足〕

〔心忙〕 xīnmáng 형 가슴이 두근거리다. 명 〖漢醫〗 동계(動悸)로 인사 불성이 되는 병.

〔心忙意乱〕 xīn máng yì luàn 〈成〉 마음이 초조하다. 애가 타다.

〔心迷〕 xīnmí 동 마음이 미혹되다. ¶被财物弄得～了; 재물에 마음이 미혹되었다.

〔心苗〕 xīnmiáo 명 마음. 기분. 생각. ¶二人一见钟情, 种下了～; 두 사람은 한눈에 반해, 애정의 싹이 텄다.

〔心明眼亮〕 xīn míng yǎn liàng 〈成〉 심지가 뚜렷하고 보는 눈도 확실하다. 사물을 확실히 인식하고 시비를 분별하다.

〔心木〕 xīnmù 명 ⇨〔心材〕

〔心目〕 xīnmù 명 ①(감상하는 사람의) 눈. ¶以娱～; 보는 눈을 즐겁게 하다. ②기억. 인상. ¶犹在～; 아직 기억에 남다 / 刻印在～中; 마음 속에 새기다. ③(흔히, '在～里(中)'으로) 생각. 염두(念頭). 안중(眼中). ¶他～中没有你; 그의 안중에는 너 따위는 없다.

〔心慕手追〕 xīn mù shǒu zhuī 〈成〉 마음으로 흠모하고 손으로 흉내내다《문예 작품을 좋아하고 배우려 함을 형용》.

〔心内〕 xīnnèi 명 마음 속. ¶～话 =〔心腹话〕; 마음 속의 말. 본심에서 우러나온 말. 은밀한 이야기. =〔心里①〕

〔心平气和〕 xīn píng qì hé 〈成〉 마음이 평온하고 온화하다. ¶凡事做退一步想, 也就～了; 무슨 일이나 한걸음 물러서서 생각하면 마음의 평정을 유지할 수 있다.

〔心魄〕 xīnpò 명 ⇨〔心魂〕

〔心期〕 xīnqī 동 충심으로 기대하다. 명 ①충심으로 바라는 바. ②마음 속으로부터의 이해.

〔心气儿〕 xīnqìr 명 ①기분. 심기. 마음. 심정. ¶家里乱哄哄的, 没～做事; 집이 와글와글 시끄러우므로 일할 기분이 안 난다. ②생각. ③기개(氣概). 패기. ¶是个有～的好男子; 패기가 있는 훌륭한 사나이이다. ④도량(度量). ¶他的～窄, 说

不通; 그는 도량이 좁아서 말이 통하지 않는다. ⑤심보. 마음 씀씀이.

〔心契〕 xīnqì 명 〈文〉 심계. 진실한 벗. ¶相知遍四海, ～唯一人; 서로 아는 사람은 사해에 가득 차 있지만, 진실한 벗은 오직 한 사람이다.

〔心腔〕 xīnqiāng 명 마음. 심리. ¶好狠的～; 아주 잔인한〔지독한〕 마음.

〔心窍〕 xīnqiào 명 〈文〉 마음의 눈. 심안(心眼). 지혜(인식과 사유(思惟)의 능력). ¶打开了～; 심안을 열었다 / ～玲珑剔透; 총명하다 / ～比人多一孔; 대단히 의심이 많다.

〔心切〕 xīn qiè 마음이 절실하다. 심정이 절박하다.

〔心怯〕 xīn qiè 겁이 많다.

〔心情〕 xīnqíng 명 심정. 심경. 마음. 기분. ¶～舒畅; 기분이 상쾌하다 / 愉快的～; 유쾌한 기분 / 你的～可以理解; 네 심정은 이해할 수 있다 / 国事到了这步田地, 哪有～游戏? 나라가 이런 지경에 이르렀는데 놀 기분이 나겠니? / 要是彼此有～, 终究还能相会; 만일 서로 마음이 있다면, 언제가는 또 만날 수 있다. =〔胸xiōng情〕

〔心屈〕 xīn qū 억울하다. 분하다. ¶～命不屈; 〈成〉 분하지만 할 수 없이 참다. 억울하다고 생각하지만 그것이 운명이라고 생각하다 / 我～命不屈, 队长, 你们说你们的吧; 난 분하지만 참고 있소. 대장님, 당신네들의 것을 탁 털어놓으시지.

〔心曲〕 xīnqū 명 〈文〉 생각. 의중(意中). 마음속. ¶借尺素一通～; 편지로 마음을 통하다.

〔心儿里〕 xīnrli 명 ①마음 속. ¶她～不定想什么呢; 그녀는 마음 속으로 무엇을 생각하고 있는지 모르겠다. ②심(芯). 속. ¶这个梨～烂了; 이 배는 속이 썩었다.

〔心热〕 xīn rè ①친절하다. 동정심이 많다. 정열적이다. ②부럽다.

〔心热面红〕 xīn rè miàn hóng 〈成〉 성실하고 열정이 있다.

〔心如刀割〕 xīn rú dāo gē 〈成〉 칼로 베는 것처럼 마음이 아프다. 가슴을 에는 듯하다. ¶听见恶耗, 真是～; 비보를 들으니 참으로 가슴을 에는 듯하다.

〔心软〕 xīn ruǎn 마음이 약하다〔여리다〕. ¶～得像个佛爷似的; 마음이 여리기가 부처님 같다.

〔心赛刀〕 xīn sài dāo 칼날처럼 마음이 음험하고 악랄하다. 계략이 악독함이 전갈과 같고, 음모는 칼처럼 음흉하다.

〔心上〕 xīnshang 명 마음속. ¶放在～ =〔搁在～〕; 염두에 두다 / ～人 =〔心中人〕; 의중(意中)의 사람. 사랑하는 사람 / ～长草似的; 〈比〉 기분이 울적하다.

〔心神〕 xīnshén 명 ①정신. ②기분. 마음.

〔心神不定〕 xīnshén bùdìng 마음이 안정되지 않다. 안절부절못하다. ¶他一会儿坐下, 一会儿又站了起来, ～: 그는 잠깐 앉았다 싶으면 다시 일어나 안절부절못하고 있다.

〔心声〕 xīnshēng 명 마음 속에서 우러나는 소리. 속말. ¶发出内心深处的～; 마음 깊숙한 곳에서 목소리를 짜내다 / 引起～的共鸣; 마음 속으로부터의 공감을 불러일으키다 / 吐tǔ露～; 진심을 토로하다.

〔心室〕 xīnshì 명 《生》 심실.

〔心事〕 xīnshì 명 ①걱정거리. 걱정. 시름. ¶两方的～凑合; 쌍방의 걱정하는 바가 일치되다 / ～重重; 걱정 거리가 많다. ②마음 속의 희망. 염원. ¶儿女的婚姻是他一件未了的～; 자녀들의 결혼은 그가 아직 이루지 못한 염원이다. ③생각. 마음. ¶～不投; 마음이 맞지 않다.

〔心手相应〕 xīn shǒu xiāng yìng 〈成〉 ①생각대로 일이 잘 돼 가다. 생각한 일을 그대로 해 나갈 수 있다. ②글을 잘 쓰게 되다. ¶文思敏捷～; 발상은 기민하며, 붓은 종횡으로 달린다.

〔心术〕 xīnshù 명 ①심술. 심보(흔히, 나쁜 뜻으로 쓰임). ¶～不正; 심보가 나쁘다. ②계책. 계략. ¶他是个有～的人; 그는 지모가 있는 사람이다.

〔心数〕 xīnshù 명 생각. 분별. ¶没～的人; 분별이 없는 사람. 철이 없는 사람 / 你这么一说我就有～了; 네가 그렇게 말하면 나도 생각이 있다.

〔心顺〕 xīn shùn 기분이 좋다. 마음이 누그러져 있다. ¶趁着老板～的时候要yāo求加薪升级; 지배인이 기분 좋을 때 봉급 인상이나 승급을 요구한다.

〔心说〕 xīnshuō 동 마음 속으로 말하다. …이라 생각하다. ¶他的谎话, 不便当面揭破, ～你别装蒜了; 그의 거짓말을 까발릴 수도 없어서, 마음 속으로 이놈 본심을 숨기고 있구나 하고 생각했다. =〔心里说〕〔心想〕

〔心思〕 xīnsī 명 생각. 머리. 지력(智力). ¶～灵巧; 머리가 잘 돌아간다.

〔心思〕 xīnsi 명 ①생각. 염두. ¶花～ =〔费～〕; 여러 가지로 궁리를 하다. ②기분. 마음. ¶没～看电影; 영화를 볼 기분이 안 난다 / 我没～去听戏; 나는 연극을 보러 갈 기분이 나지 않는다 / 你还有～笑呢? 웃을 기분이 나느냐? 동 작정을 하다. …하려고 생각하다. ¶我～多干点活; 나는 더 일을 할 작정이다.

〔心死〕 xīn sǐ ①단념하다. 절망하다. ↔〔心不死〕 ②양심을 없애다.

〔心酸〕 xīn suān 슬프다. ¶我很～; 나는 매우 슬프다 / 这么悲惨的事, 听见也觉～; 이런 비참한 일은 듣기만 해도 슬프다.

〔心算〕 xīnsuàn 명동 암산(하다). =〔眼yǎn算〕

〔心碎〕 xīn suì 가슴이 찢어질 듯하다. (슬퍼서) 가슴이 터질 것 같다.

〔心态〕 xīntài 명 심리 상태.

〔心疼〕 xīnténg 동 ①귀여워하다. 몹시 아끼다. →〔心爱〕 ②애석히〔아깝게〕 여기다. ¶～钱, 舍不得花; 돈이 아까워, 좀처럼 쓰려고 하지 않는다. =〔肉痛〕 ③마음 아프다. ¶我能不～吗? 내 마음이 아프지 않을 리 있겠소? =〔肉痛〕

〔心疼病〕 xīnténgbìng 명 《醫》 위경련. 위통. ⇨〔心病③〕

〔心疼肝疼〕 xīn téng gān téng 〈成〉 마음 속으로 아까워서 못 견뎌 하는 모양. ¶看着砸碎的玉杯, 不住地～; 깨진 옥 술잔을 보고 자꾸 아까워하다. =〔心疼胆疼〕

〔心田〕 xīntián 명 ①흉중. 내심. ②마음씨. ¶别看人粗鲁, ～不错! 사람은 무뚝뚝하지만 마음씨는 괜찮습니다!

〔心甜意恰〕 xīn tián yì qià 〈成〉 도취된 듯 기분이 좋다. ¶几句好话说得她～, 情投不已; 몇 마디 좋은 말에 그녀는 기분이 좋아서, 아주 친해졌다.

〔心跳〕 xīntiào 동 동계(動悸)하다. 가슴이 뛰다. ¶我有些～, 怕是病了; 가슴이 조금 두근거리는데 병이 아닐까 / ～不齐; 《醫》 심계 항진. 부정맥(不整脈).

〔心跳口跳〕 xīn tiào kǒu tiào 〈成〉 흥분해서 어쩔 줄 몰라 하는 모양.

〔心贴心〕 xīn tiē xīn 서로 마음이 맞다.

〔心痛〕 xīntòng 형 아쉽다. 마음이 아프다. 속이 쓰리다. ¶输了一点儿也不～; 좀 잃어도 아쉽지

않다. 명 ⇨〔心绞痛〕
〔心头〕 xīntóu 명 마음. ¶记在～; 마음에 새기다. =〔心里①〕
〔心头恨〕 xīntóuhèn 명 마음 속의 원한.
〔心头火起〕 xīntóu huǒ qǐ〈比〉화가 치밀다. 화가 나다.
〔心头肉〕 xīntóuròu 명 ⇨〔心尖①〕
〔心投意合〕 xīn tóu yì hé〈成〉의기 상통〔투합〕하다.
〔心土〕 xīntǔ 명《農》심토《표토와 저토 사이의 토양》.
〔心往一处想, 劲往一处使〕 xīn wàng yīchù xiǎng, jìn wàng yīchù shǐ〈諺〉모두가 일치 협력하다.
〔心胃〕 xīnwèi 명 ①심장과 위. ②기질. 성미. 배짱. ¶合了他的～; 그의 배짱에 맞았다.
〔心窝(儿, 子)〕 xīnwō(r, zi) 명 ①가슴의 한복판. 심장 근처. ¶后～; 등쪽의 심장 부근. ②내심. 본심. ¶把掏～的话, 都告诉您了; 본심에서 우러나오는 얘기를 당신에게 모두 했습니다.
〔心无二用〕 xīn wú èr yòng〈成〉동시에 두 가지 일에 마음 쓰지 않다. 한 가지 일에 전념하다. ¶读书要～, 方能记牢; 독서는 집중하지 않으면 단단히 기억할 수 없다.
〔心系儿〕 xīnxìr 명〈俗〉심장을 매달고 있는 근육〔힘줄〕. ¶吓得～一紧; 놀라서 가슴이 철렁하다 / 正正打在他的心脏一边, 差一点没打断了～; 바로 그의 심장 옆에 맞아, 하마터면 목숨이 끊어질 뻔했다.
〔心细〕 xīn xì 세심하다. ¶胆dǎn大～;〈成〉대담하고 세심하다.
〔心下〕 xīnxià 명 ⇨〔心里①〕
〔心下悸〕 xīnxiàjì 명《漢醫》심하부(心下部)의 동계(動悸).
〔心闲手敏〕 xīn xián shǒu mǐn〈成〉일에 숙달되고 손이 민첩하다. ¶纱厂里的女工～驾轻就熟; 방적 공장의 여공은 일이 숙달되어 쉽게 해낸다.
〔心弦〕 xīnxián 명 심금(心琴). ¶动人～; 심금을 울리다.
〔心香〕 xīnxiāng 명《佛》〈比〉(부처에 대한) 경건한 마음. ¶致上一片～; 경건한 마음을 올리다〔바치다〕.
〔心想〕 xīnxiǎng 동 ⇨〔心说〕
〔心向〕 xīnxiàng 동 ①사모하다. 마음이 향하다〔기울다〕. ¶他～着中国; 그는 중국에 호의를 갖고 있다. =〔心向往之〕 ②호의(好意)를 갖다. 감싸 주다. 두둔하다.
〔心像〕 xīnxiàng 명 심상《의식 중에 재현된 과거의 이미지》.
〔心心念念〕 xīn xīn niàn niàn〈成〉마음속에 그것만 생각하고 있다. ¶这位老太太～她的小孙子; 이 할머니는 어린 손자 생각만 한다.
〔心心相印〕 xīn xīn xiāng yìn〈成〉마음이 서로 통하다. 서로 깊이 이해하고 있다. =〔心印〕
〔心心意意〕 xīnxin yìyì 마음으로부터. 전심(專心)으로. 열심히.
〔心形轮〕 xīnxínglún 명《機》심형륜. =〔葵kuí轮〕
〔心型〕 xīnxíng 명《工》심. 코어(core).
〔心性〕 xīnxìng 명〈文〉①마음씨. 심성. ②성질. 기질.
〔心胸〕 xīnxiōng 명 ①가슴속. 포부. ¶他有～, 有气魄; 그는 포부도 있고 기개도 있다. ②도량. ¶～开阔; 도량이 크다 / ～狭窄; 도량이 좁다. ③마음.
〔心秀〕 xīnxiù 형 (보기와는 달리) 현명하고 지혜롭다. ¶别看他不出声儿, 可是～; 그는 늘 아무 말이 없지만, 제법 영리하고 속셈이 있다.
〔心虚〕 xīn xū ①켕기다. 양심에 찔리다. ¶做贼的～; 도둑이 제 발이 저리다. ②자신이 없다. 불안하다. ¶对于这种生疏的工作, 我感到～; 이런 생소한 일에 대해서는, 나는 좀 자신이 없다. ③마음이 공허하다. ④(xīnxū)《漢醫》심허. 심장의 기혈(氣血)의 부족을 말함.
〔心虚胆怯〕 xīn xū dǎn qiè〈成〉켕기는 데가 있어서 겁을 내다.
〔心许〕 xīnxǔ 동 ①심허하다. 무언 중에 허락하다. ②좋아서 칭찬하다. 찬미〔찬양〕하다. ¶这种高度艺术为大众所～; 이런 종류의 고도의 예술은 대중의 찬사를 받는다.
〔心绪〕 xīnxù 명 마음. 기분. ¶没有～做事; 일할 마음이 없다 / ～不宁níng; 마음이 가라앉지 않다 / ～乱如麻; 마음이 심란하다. =〔意yì绪〕〔情qíng怀〕
〔心血〕 xīnxuè 명 심혈. 온 정신. ¶白费～; 헛수고하다 / 费尽～; 심혈을 다 쏟다.
〔心血来潮〕 xīn xuè lái cháo〈成〉마음속에 갑자기 무슨 생각이 떠오르다. 언뜻 생각이 나다. ¶忽然～, 想起一件要紧的事来; 갑자기 중요한 일 한 가지를 상기했다.
〔心眼儿〕 xīnyǎnr 명 ①마음. 마음씨. 기분. ¶好～; 착한 마음씨 / 使～; ⓐ배려하다. 걱정하다. ⓑ좋지 못한 계략을 꾸미다 / 有～; ⓐ심지가 착실하다. ⓑ꾀가 많다. 머리가 잘 움직이다 / 一个～; 융통성 없는. 고지식한 / 小～; 마음이 좁다 / 对～; 의사가 상통하다. ②생각. ¶坏～; 좋지 못한 생각. 나쁜 마음 / 说话办事都有～; 말이나 행동이나 모두가 약삭빠르다. ③기질(氣質). ¶他～并不坏; 그는 기질은 나쁘지 않다. ④마음속. 내심. ⑤(남에 대해 불필요한) 고려〔배려〕. 근심. ¶他人倒不错, 就是～多! 그는 사람은 좋은데 쓸데없는 걱정이 많단 말야! ⑥도량(度量). 마음. ¶～小; 도량이 좁다. 마음이 작다 / 他～窄, 受不了委屈; 그는 도량이 좁아서 억울함을 참지 못한다. ⑦기지(機智). 눈치. 총기. 판단력. ¶～快; 머리 회전이 빠르다.
〔心痒〕 xīn yǎng (일을) 하고 싶어 못 견디다. 좀이 쑤시다. ¶～欲试; 하고 싶어 안달이 나다 / 他看见人家得了头奖, 也觉～, 就去买张彩票试试运气; 그는 남이 1등에 당첨한 것을 보고서는 자신도 근지러워 복권을 한 장 사서 운을 시험해 보았다.
〔心痒难挠〕 xīnyǎng nánnáo〈比〉(어떤 일이 하고 싶어) 몹시 애가 타다.
〔心药〕 xīnyào 명 마음의 병을 고치는 약.〈比〉걱정거리를 없애는 방법. ¶心病还须～医; 마음의 병은 마음의 약으로 다스려야 한다.
〔心仪〕 xīnyí 동〈文〉마음속에서 모범으로 삼다. 마음속으로〔충심으로〕 경모(敬慕)하다. ¶～良友; 좋은 벗을 경모하다 / ～已久; 마음속으로 흠모한 지 이미 오래다.
〔心意〕 xīnyì 명 ①생각. 의향(意向). ¶我们因为语言不通, 只好用手势来表达～; 우리는 말이 통하지 않아서, 할 수 없이 손으로 의사를 표시한다 / 尊重您的～; 당신의 뜻을 존중합니다. ②성의. 마음.
〔心音〕 xīnyīn 명《生》심음. 심장 뛰는 소리.
〔心印〕 xīnyìn 동 서로 마음이 통하다. ¶一对情人, ～已久; 애인끼리 서로 마음이 통한지 오래다. =〔心心相印〕 명《佛》문자·언어에 의하지

않은 불타 내심의 실증(實證).

〔心影〕 xīnyǐng 명 인상(印象).

〔心硬〕 xīn yìng ①결심이 단단하다. ②정(情)에 쏠리지 않는다. 인정이 없다. 냉정하다. 마음이 모질다.

〔心硬手黑〕 xīnyìng shǒuhēi 무자비하고 수단이 악랄하다. ¶强盗～, 劫财害命; 강도는 잔인 흉악하여, 돈을 빼앗고 살인까지 하였다.

〔心有灵犀一点通〕 xīn yǒu líng xī yī diǎn tōng 〈成〉 암암리에 서로 마음이 통하다('灵犀'는 일종의 영수(靈獸)로, 뿔로 마음이 통함).

〔心有余而力不足〕 xīn yǒu yú ér lì bù zú 〈成〉 ⇨〔心余力绌〕

〔心有余悸〕 xīn yǒu yú jì 〈成〉 동계(動悸)가 가라앉지 않다. 걱정이 남아 있다. 겁을 먹고 있다.

〔心余力绌〕 xīn yú lì chù 〈成〉 잘 하려고는 하나 힘이 따르지 못하다. 하려는 마음은 있으나 역부족(力不足)이다. =〔心有余而力不足〕

〔心猿意马〕 xīn yuán yì mǎ 〈成〉 ①마음이 들떠 종작없는 모양. 마음이 산란한 모양. ¶今天干这个, 明天干那个, ～的, 什么也干不好; 오늘은 이것, 내일은 저것이라는 식으로 마음이 안정되어 있지 않으면 아무것도 잘 해낼 수 없다. ②욕정. ¶他～的再也按捺不住了; 그는 욕정이 일어나 더 이상은 억누를 수 없게 됐다. ‖ =〔心马〕〔意马心猿〕

〔心远〕 xīn yuǎn ①소원하다. 쌀쌀하게 대하다. ¶你为什么跟我～着? 너는 어째서 나한데 그렇게 쌀쌀하게 대하느냐? ②〈文〉 뜻을 원대하게 가지다.

〔心愿〕 xīnyuàn 명 심원. 염원. 소망. ¶～未了 liǎo, 总是安不下心来; 소망이 이루어지지 않으면 아무래도 마음이 안정되지 않는다 / 初一、十五吃素是她许的～; 초하루와 보름에 소식(素食)을 하는 것은 그녀가 세운 염원이다. =〔愿心(儿)〕

〔心悦诚服〕 xīn yuè chéng fú 〈成〉 충심으로 기꺼이 심복하다. ¶批评要摆事实, 讲道理, 才能使被批评者～; 비판하는 데에는 사실을 들고 이치를 설명해야만이 비로소 비평받는 사람을 심복케 할 수 있다.

〔心杂音〕 xīnzáyīn 명 《醫》 심잡음.

〔心脏〕 xīnzàng 명 ①《生》 심장. ¶～起搏器; 심장 페이스메이커. ②〈比〉 중심부. ¶～地带; 중심 지역. 중핵(中核) 지구.

〔心脏病〕 xīnzàngbìng 명 《醫》 심장병.

〔心窄〕 xīn zhǎi ①마음이 좁다. 도량이 좁다. 옹졸하다. ¶这样儿的事还放在心上实在太～了; 이런 일을 마음에 두고 있다니 정말 옹졸하구나. ②비관(悲觀)하다. ¶一时～, 自寻短见; 갑자기 비관하여 자살하다.

〔心战〕 xīnzhàn 동 벌벌 떨리다. ¶吓得～不已; 두려워서 자꾸 떨리다. 명 심리 작전. ¶阵前喊话的女广播员是属于～部的; 전선에서 고함을 지르고 있는 여자 방송원은 심리 작전부에 속해 있는 사람이다.

〔心照〕 xīnzhào 동 서로 마음으로 이해하다. 마음속으로 알고 있다. ¶诸惟～; 〈翰〉 모두 양찰해 주시기 바랍니다 / ～不宣; 〈翰〉 마음 속에서 이해하고 있어서 새삼스럽게 말할 필요가 없다. =〔心里分〕

〔心折〕 xīnzhé 동 크게 경복하다. ¶读了您的文章不禁大为～; 당신의 문장을 읽고 크게 경복했습니다.

〔心正不怕影儿邪〕 xīnzhèng bùpà yǐngr xié 〈比〉 마음에 떳떳하면 남의 비평 같은 것은 걱정할 필요가 없다.

〔心证〕 xīnzhèng 명 ①마음에 받는 인상. ②《法》 심증(재판관이 소송 사건 심리에서, 그 심중(心中)에 얻은 인식이나 확신).

〔心之官则思〕 xīn zhī guān zé sī 〈成〉 머리의 기능은 생각하는 것이다(사람은 머리를 써서 잘 생각해야 한다).

〔心知〕 xīnzhī 동 알다.

〔心知其意〕 xīn zhī qí yì 〈成〉 마음 속으로 그 뜻을 알다.

〔心织笔耕〕 xīnzhī bǐgēng 〈比〉 매문(賣文) 생활을 하다. ¶我本是爬格子动物, 以～为生; 나는 본래 원고 용지에 매달려 있는 동물〔작가〕로, 글을 팔아 생활하고 있다.

〔心直口快〕 xīn zhí kǒu kuài 〈成〉 마음먹은 것을 바로 입 밖에 내어 말하다. 성격이 솔직해서 입바른 소리를 잘하다. ¶您可别怪我～; 내가 입바른 소리 한다고 탓하지 마십시오.

〔心志〕 xīnzhì 명 심지. 의지. 정신. ¶不怕事不成, 就怕～不坚定; 성공하지 못할까 걱정하기보다, 정신이 확고히 되어 있는가를 걱정하라.

〔心中〕 xīnzhōng 명 마음속. 심중. ¶～无数 =〔胸中无数〕; 〈成〉 일에 대한 자신이 없다. 성산(成算)이 없다 / ～有鬼; 마음속에 악마가 있다(숨겨진 동기 또는 떳떳하지 못한 양심을 가리킴).

〔心中忐忑〕 xīnzhōng tǎntè 가슴이 두근거리다. 불안을 느끼다.

〔心中有数〕 xīn zhōng yǒu shù 〈成〉 ⇨〔心里有数〕

〔心重〕 xīn zhòng 걱정하다. 마음에 두다. 마음이 무겁다. ¶小孩子人家, 你何必这么～呢! 어린애 일인데 그렇게 마음에 둘 필요 없다!

〔心轴〕 xīnzhóu 명 《機》 아버(arbor). 축(軸).

〔心柱〕 xīnzhù 명 ①《植》 중심주. ②마음의 중심. 마음 붙일 곳. ¶你一走, 我就失去～, 没人给我拿主意了; 당신이 가 버리면, 나는 의지할 데가 없어져 누구한테도 기댈 수 없게 된다.

〔心子〕 xīnzi 명 ①(물체의) 중심. ②〈方〉 식용으로서의 동물의 심장. ③요리 따위의 속에 채운 것.

〔心钻〕 xīnzuàn 명 《機》 가운데 구멍과 못대가리 구멍을 동시에 뚫는 공구.

〔心醉〕 xīnzuì 동 심취하다. 경모하다. 반하다. ¶～于西洋习俗; 서양의 풍습에 심취하다.

芯

xīn (심)

명 《植》 골풀의 속. 등심초의 심. →〔灯dēng芯〕〔灯草〕 ⇒xìn

忻

xīn (흔)

①형 ⇨〔欣xīn〕 ②(Xīn) 명 《地》 신 현(忻縣)(산시 성(山西省)에 있는 현 이름). ③명 성(姓)의 하나.

炘

xīn (흔)

형 〈文〉 열기(熱氣)가 왕성하다. 뜨겁다.

昕

xīn (흔)

①명 〈文〉 새벽. 해가 나올 무렵. ②지명용자(字).

〔昕水河〕 Xīnshuǐhé 명 《地》 신수이허(산시 성(山西省)에 있는 강 이름).

〔昕夕〕 xīnxī 명 〈文〉 아침 저녁. 조석.

欣〈訢〉

xīn (흔)

형 기쁘다. 흐뭇하다. 즐겁다. ¶～逢佳节; 가절(佳節)〔명절〕을 기쁘게 맞다 / 欢～鼓舞; 〈成〉 기뻐서 춤추다. 매우 기뻐하다. =〔忻xīn①〕

〔欣忭〕 xīnbiàn 동 〈文〉 손뼉을 치며 기뻐하다.

〔欣戴〕 xīndài 동 〈文〉 기꺼이 추대하다. ¶为众人

所～; 많은 사람에게서 기꺼이 추대되다.
〔欣逢〕 xīnféng 동 기쁘게도 …을 만나다. 기꺼이 맞이하다. ¶今日～老伯六秩寿庆; 오늘은 춘부장의 환갑을 맞이하여 축하드립니다.
〔欣服〕 xīnfú 동 〈文〉 기꺼이 복종하다.
〔欣欢〕 xīnhuān 동 〈文〉 기뻐하다.
〔欣界〕 xīnjiè 명 《佛》 기꺼이 왕생하기를 바라는 정토(淨土).
〔欣乐〕 xīnlè 동 기뻐하고 즐기다.
〔欣企〕 xīnqǐ 동 기꺼이 우러러보다.
〔欣庆〕 xīnqìng 동 〈文〉 경하하다. 기쁘게 축하하다. ¶～百年好合; 결혼을 기꺼이 축하하다.
〔欣然〕 xīnrán 부 〈文〉 기꺼이. 선뜻. 흔쾌히. ¶～接受; 기꺼이 받아들이다 / ～允yǔn诺; 흔연히 승낙하다 / ～命笔; 흔쾌히 붓을 휘두르다〔휘호하다〕.
〔欣赏〕 xīnshǎng 동 ①감상(鑑賞)하다. ¶～文学; 문학 감상 / 表示～; 기쁘게 생각하다. 만족의 뜻을 나타내다. ②아름답다고〔좋다고〕 생각하다. 마음에 들어하다. ¶他很～这个建筑的独特风格; 그는 이 건축의 독특한 양식이 매우 아름답다고 생각한다.
〔欣慰〕 xīnwèi 형 기쁘고 위안이 느껴지다. 기쁘고 안심되다. ¶他的脸上露出～的微笑; 그의 얼굴에 기쁨과 안도의 미소가 떠올랐다.
〔欣悉〕 xīnxī 동 〈文〉〈翰〉 알고 나서 기뻐하다《상대방에 경사가 있을 경우》. ¶～嫂夫人生下男孩; 부인께서 사내아이를 출산하셨다는 소리를 들어 기뻤습니다.
〔欣喜〕 xīnxǐ 동 기뻐하다. ¶～若狂; 〈成〉 기뻐 날뛰다.
〔欣羡〕 xīnxiàn 동 〈文〉 부러워하다.
〔欣欣〕 xīnxīn 형 ①기뻐하는 모양. ¶～然有喜色; 희색이 넘치다. ②초목이 무성한 모양. ③득의(得意)의 모양. ③점점 번영하는 모양. ¶～向荣; 〈成〉 활기차게 번영하는 모양.
〔欣幸〕 xīnxìng 형 〈文〉〈翰〉 기쁘고 다행스럽다. ¶感到非常～; 매우 기쁘게 생각하다.
〔欣跃〕 xīnyuè 동 기뻐서 깡충깡충 뛰다. ¶儿童～而来; 아이가 기뻐서 깡충깡충 뛰어오다.

辛 xīn (신)

①형 맵다. ②명 매운 맛. ③명 고생. 고통. 곤란. ④형 마음 아프다. 괴롭다. ⑤형 새롭다. ⑥명 십간(十干)의 여덟째. ⑦명 배열 순서의 여덟번째. ⑧명 성(姓)의 하나.
〔辛酬〕 xīnchóu 명 약소한 사례의 물품. =〔薄谢〕
〔辛丑和约〕 Xīnchǒu héyuē 명 《史》 신축 조약《의화단(義和團) 사건의 강화 조약. 1901년〔청나라 광서(光緖) 27년〕, 베이징(北京)에서 영국·미국·프랑스·러시아·일본·이탈리아 등 11개국과 맺은 조약》.
〔辛楚〕 xīnchǔ 명 〈文〉 신초. 괴로움. 고초(苦楚).
〔辛狄开〕 xīndíkāi 명 ⇨〔辛迪加〕
〔辛狄克〕 xīndíkè 명 ⇨〔辛迪加〕
〔辛迪加〕 xīndíjiā 명 《經》〈音〉 신디케이트(syndicate). =〔辛迪卡〕〔新狄开〕〔辛狄克〕〔新迪加〕〔银公司〕
〔辛二酸〕 xīn'èrsuān 명 《化》 코르크산(酸). =〔栓shuān酸〕
〔辛俸〕 xīnfèng 명 ⇨〔薪俸〕
〔辛亥革命〕 Xīnhài gémìng 명 《史》 신해 혁명《1911년〔청나라 선통(宣統)3년〕 10월 10일(음력으로 신해년 8월 19일)의 무창(武昌) 봉기로 비롯된 민국 혁명》.
〔辛金〕 xīnjīn 명 ⇨〔薪金〕
〔辛可芬〕 xīnkěfēn 명 《藥》 키노펜(Chinofene). =〔阿ā妥芬〕
〔辛苦〕 xīnkǔ ①명동 고생(하다). 수고(하다). ¶受了千辛万苦才有今日; 천신 만고 끝에 겨우 오늘이 있게 되었다. ②형 고생스럽다. 고되다. ③〈套〉 수고하셨습니다. ¶太～了! 정말 수고가 많았습니다! / 您多～了! 정말 수고하셨습니다! / 请你再～一趟吧; 다시 한 번 수고해 주십시오 / ～众位; 여러분 수고하십니다.
〔辛辣〕 xīnlà 형 ①(맛이 얼얼하게) 맵다. ②(말·문장이) 예리하고 신랄하다. ¶～的讽刺; 신랄한 풍자.
〔辛劳〕 xīnláo 동 애쓰다. 고생하다. ¶日夜～; 밤낮으로 고생하다 / ～成疾; 고생한 나머지 병에 걸리다. 명 고생. 노고(勞苦). ¶一天的～; 하루의 노고.
〔辛力钱〕 xīnlìqián 명 심부름 삯. =〔力钱〕
〔辛勤〕 xīnqín 형 근면하다. 부지런하다. ¶～劳动; 근면하게 노동하다 / ～建设, 不分昼夜; 낮이나 밤이나 부지런히 건설에 힘쓰다.
〔辛酸〕 xīnsuān 명 ①맵고 심. 〈比〉 쓰라리고 고됨. 고되고 슬픈 일. ②《化》 카프릴산(酸). =〔羊脂酸〕
〔辛烷〕 xīnwán 명 《化》 옥탄(octane).
〔辛烷数〕 xīnwánshù 명 ⇨〔辛烷值〕
〔辛烷值〕 xīnwánzhí 명 《化》 옥탄가(octane價). =〔辛烷数〕
〔辛辛苦苦〕 xīnxīnkǔkǔ 형 고생하는 모양. ¶～地做事; 고생고생하며 일을 하다.
〔辛夷〕 xīnyí 명 《植》 신이《백목련의 하나》. =〔辛雉〕〔木mù笔〕〔女nǚ郎花〕〔紫zǐ玉兰〕
〔辛雉〕 xīnzhì 명 ⇨〔辛夷〕

莘 xīn (신)

지명용 자(字). ¶～庄; 신장(莘莊)《상하이시(上海市)에 있는 땅 이름》. ⇒ shēn

锌(鋅) xīn (신)

명 《化》 아연(亞鉛)(Zn: zinc). ¶硫liú酸～; 황산아연 / 氯lǜ化～; 염화 아연 / 氧化～; 산화 아연. =〔〈俗〉 白bái铅〕〔亚yà铅〕〔倭wō铅〕
〔锌白〕 xīnbái 명 ⇨〔锌华〕
〔锌板〕 xīnbǎn 명 《印》 아연판. =〔锌片〕
〔锌版〕 xīnbǎn 명 《印》 아연판《인쇄판의 일종》.
〔锌钡白〕 xīnbèibái 명 《化》 리소폰(lithopone). =〔立lì德粉〕
〔锌锭〕 xīndìng 명 아연괴(亞鉛塊).
〔锌华〕 xīnhuá 명 《化》 산화 아연(Z_nO). 아연화. =〔氧yǎng化锌〕〔锌氧粉〕〔锌白〕
〔锌氯〕 xīnlǜ 명 ⇨〔氯化锌〕
〔锌片〕 xīnpiàn 명 ⇨〔锌板〕
〔锌铁矿〕 xīntiěkuàng 명 《鑛》 아연 철광.
〔锌洋漆〕 xīnyángqī 명 아연 니스.
〔锌氧粉〕 xīnyǎngfěn 명 ⇨〔锌华〕

新 xīn (신)

①형 새롭다. 새로운. ¶～办法; 새로운 방법. ②형 아직 쓰지 않은. 새. ¶～房子; 새 집. ③명 새로 온 사람. 또는 새 것. ¶迎～送旧; 새 사람을 맞이하고 옛 사람을 보내다 / ～人～事; 새 시대 인물의 새로운 사적(事績) / 尝～; 맏물〔햇것〕을 먹다. ④형 신혼의. ¶～郎; 신랑 / ～房; 신혼 부부의 침실. ⑤부 새로이. 금방. ¶我是～来的; 나는 지금 막 온 사람이다. 나는 신참(新參)이다 / 这本书是我～买的; 이

책은 내가 새로 산 책이다 / ～出来的书; 새로 나온 책. ⑥(Xīn) 명 《地》〈簡〉'新疆维吾尔自治区'(신강 위구르 자치구)의 약칭. ⑦ 동 새롭게 하다. 일신하다. ¶革gé～; 혁신하다 / 改过自～; 잘못을 고치고 심기(心機) 일신하다. ⑧(Xīn) 명 《史》신(한(漢)나라의 왕망(王莽)이 세운 나라). ⑨ 명 성(姓)의 하나.

〔新阿斯凡纳明〕 xīn āsīfánnàmíng 명 ⇨〔新洒尔佛散〕

〔新八股〕 xīnbāgǔ 명 (팔고문(八股文)과 같은) 형식적이고 내용이 없는 글. ¶这就是教条主义, 这就是公式和～; 이것이 바로 교조주의이며, 이것이 바로 공식적이고 새로운 팔고문적 문장이다.

〔新白金〕 xīnbáijīn 명 백동·니켈의 별칭.

〔新报〕 xīnbào 명 ①새로운 보도〔소식〕. ②신문.

〔新兵〕 xīnbīng 명 ①신병. ②신인.

〔新产品〕 xīnchǎnpǐn 명 신제품.

〔新潮〕 xīncháo 명 새로운 풍조. 새 경향. ¶～式样; 새로운 경향의 디자인.

〔新陈不接〕 xīn chén bù jiē 〈成〉 ①춘궁기. 보릿고개. ②인력·물자 따위의 공백 상태. ‖ =〔青qīng黄不接〕

〔新陈代谢〕 xīn chén dài xiè 신진 대사. ①〈成〉 낡은 것이 차차 사라지고 새 것이 이에 대신하는 일. ②(xīnchén dàixiè) 명 《生》노폐물을 배제하고 영양을 흡수하는 교호(交互) 작용.

〔新仇旧恨〕 xīn chóu jiù hèn 〈成〉 옛날 원한에 새로운 원한이 겹치다(쌓이고 쌓인 원한).

〔新出蒙儿的〕 xīn chūméngrde 사회에 갓 나온 사람. 신출내기. ¶这个少爷是～雏儿chúr好hǎo胡弄得很; 이 도련님은 갓 걷기 시작한 병아리니까 마음대로 조종하는 것은 아무것도 아니다.

〔新出手儿〕 xīnchūshǒur 명 ①지도자·스승 밑을 갓 떠나온 사람. ②⇨〔新手(儿)〕

〔新出土儿(的)〕 xīnchūtǔr(de) 명 ①금방 캐낸 채소(감자 따위). ¶～的花生; 햇 땅콩. ②새로 발굴한 것(옛 토기(土器) 따위). ¶中国在新建设的过程中所发现的～有二三十万件; 중국이 신건설의 과정에서 발견한 새 출토품은 2,30만 점이나 된다.

〔新创〕 xīnchuàng 동 새로 발명하다. 창조하다. 독창(獨創)하다. ¶～的设计; 독창적인 설계 / 这种设计是他独出心裁所～的; 이런 종류의 설계는 그가 독창적으로 발명한 것이다.

〔新春〕 xīnchūn 명 ①신춘. 음력 설날 이후의 10일간. 또는 20일간을 가리킴. ②신년. 새해. ¶一声爆竹迎～; 폭죽 소리로 새해를 맞다.

〔新簇簇〕 xīncùcù 형 아주 새롭다. ¶～的衣服; 아주 새 옷.

〔新村〕 xīncūn 명 새로운 주택 지구. ¶工人～; 새로운 노동자 주택 지구.

〔新大陆〕 Xīndàlù 명 《地》신대륙(아메리카 대륙의 별칭).

〔新到〕 xīndào 동 갓 도착하다. 새로 도착하다. ¶～的货; 새로 도착한 물건 / 这些货物都是～的; 이 상품들은 모두 새로 도착한 것이다.

〔新到任〕 xīn dàorèn 새로 부임하다. ¶王先生是～的科长; 왕씨는 신임 과장이다.

〔新稻〕 xīndào 명 햅쌀. ¶～上市了; 햅쌀이 시장에 나왔다.

〔新德里〕 Xīn délǐ 명 《地》〈音義〉 뉴델리(New Delhi)('印yìn度'(인디아: India)의 수도).

〔新迪加〕 xīndíjiā 명 ⇨〔辛xīn迪加〕

〔新丁〕 xīndīng 명 〈文〉 ①올해에 태어난 사내아이. ¶恭喜府上添～; 아드님을 보셨다니 축하드립니다. ②신병(新兵). ¶欢迎～入伍做新兵; 신병의 입영을 환영하다.

〔新动向〕 xīndòngxiàng 명 신동향. 새로운 동향.

〔新发于硎〕 xīn fā yú xíng 〈成〉 막 숫돌에 간 칼날처럼 날카롭게 사물을 처리하다. =〔新硎初试〕

〔新法〕 xīnfǎ 명 신법. 새로운 방법.

〔新房〕 xīnfáng 명 ①신축한 집. ②신방. 신혼 부부의 침실. =〔洞dòng房〕〔新人房〕

〔新风俗〕 xīnfēngsú 명 새로운 풍습.

〔新妇〕 xīnfù 명 ⇨〔新娘(子)〕

〔新高潮〕 xīngāocháo 명 새로운 고조.

〔新功〕 xīngōng 명 새로운 공적. ¶立～; 새로운 공적을 세우다.

〔新姑娘〕 xīngūniang 명 ⇨〔新娘(子)〕

〔新姑爷〕 xīngūyé 명 신랑. =〔新郎①〕

〔新官〕 xīnguān 명 ⇨〔新贵①〕

〔新官上任三把火〕 xīnguān shàngrèn sān bǎ huǒ 〈諺〉 새로 취임한 관리는 세 개의 횃불과 같다(새 사람은 기운차게 일에 임하나, 곧 의욕을 상실한다. 새 비는 잘 쓸어진다).

〔新鬼〕 xīnguǐ 명 장사지내고 얼마 안 된 사자(死者).

〔新贵〕 xīnguì 명 ①옛날, 신임 관리. =〔新官〕②〈文〉 새로 사귄 친구. ¶旧谊～; 옛 친구와 새로운 벗.

〔新赫布里底群岛〕 Xīn hèbùlǐdǐ qúndǎo 명 《地》〈音義〉 뉴헤브리디스 제도(New Hebrides 諸島).

〔新户〕 xīnhù 명 ①타지(他地)에서 새로 온 이주자. ②새로 개설한 계좌. ¶在中国银行开个～; 중국 은행에 새 계좌를 개설하다.

〔新花样〕 xīnhuāyàng 명 ⇨〔新文①〕

〔新华半月刊〕 Xīnhuá bànyuèkān 명 ⇨〔新华月报〕

〔新华社〕 Xīnhuáshè 명 신화사(중국 국영의 통신사 이름. 1938년 옌안(延安)에서 창립되었음. 중국에서 가장 큰 통신사). =〔新华通讯社〕

〔新华书店〕 Xīnhuá shūdiàn 명 신화 서점(일반적으로 국내의 신간 서적을 파는 서점. 지명이나 번호를 앞에 붙여서 말함).

〔新华通讯社〕 Xīnhuá tōngxùnshè 명 ⇨〔新华社〕

〔新华月报〕 Xīnhuá yuèbào 명 《書》신화 월보(1949년 11월 창간. 새로운 중국에서의 종합적 문헌 자료를 집성한 잡지로, 내외의 정치·군사·경제·사회·문예 등 각 부문을 망라함). =〔新华半月刊〕

〔新欢〕 xīnhuān 명 새로운 정부(情婦·情夫). 새 애인. ¶另结～; 따로 새 애인을 만들었다.

〔新婚〕 xīnhūn 명형 신혼(의).

〔新机纱〕 xīnjīshā 명 《紡》장시(江西)에서 나는 모시의 일종.

〔新纪录〕 xīnjìlù 명 신기록. ¶创～; 신기록을 만들다〔세우다〕.

〔新纪元〕 xīnjìyuán 명 신기원. 〈比〉 모든 일의 개시·출발. ¶步上一生事业的～; 라이프워크의 스타트를 끊다.

〔新加坡〕 Xīnjiāpō 명 《地》〈音〉 싱가포르(Singapore)(수도는 '新加坡' (Singapore: 싱가포르)). =〔新嘉坡〕〔星嘉坡〕〔星加坡〕〔星州(府)〕〔星岛〕〔旧柔佛〕〔狮子城〕〔息辣〕

〔新嫁娘〕 xīnjiàniáng 명 ⇨〔新娘(子)〕

〔新交(儿)〕 xīnjiāo(r) 명 새로운 친구. ¶您问的这朋友是我的～, 我还摸不准他的脾气呢; 당신이 말

씀하시는 이 친구는 새로운 친구라서, 성질은 아직 잘 모릅니다.

〔新教〕 Xīnjiào 명 《宗》 (그리스도교)의 신교. 프로테스탄트. =〔耶Yē稣教〕

〔新节〕 xīnjié 명 정월 대보름날.

〔新金山〕 Xīnjīnshān 명 《地》 '墨Mò尔本' (멜보른: Melbourne)의 별칭.

〔新进〕 xīnjìn 명형 신진(의).

〔新近〕 xīnjìn 명 근래. 최근. ¶～办的训练班还有空名额吗? 최근에 개설한 훈련반은 정원에서 아직 남은 자리가 있느냐? →〔近来〕

〔新经济政策〕 xīn jīngjì zhèngcè 명 《經》 네프(NEP). 신경제 정책.

〔新旧儿〕 xīnjiùr 명 새롭고 낡은 정도. ¶那件衣裳的～怎么样? 그 옷의 낡은 정도는 어떠냐?

〔新居〕 xīnjū 명 새로 이사한 집. ¶温～去; 이사 축하하러 가다.

〔新剧〕 xīnjù 명 《劇》 화극(話劇)의 구칭.

〔新聚烯〕 xīnjùxī 명 《化》 네오플렌(합성고무의 일종). =〔氯lǜ化(丁二烯)橡胶〕

〔新喀里多尼亚岛〕 Xīn kālǐduōníyà dǎo 명 《地》 뉴칼레도니아(New Caledonia) 섬. 누벨 칼레도니(Nouvelle Calédonie).

〔新卡波来特有光剂〕 xīn kǎbōláitè yǒuguāngjì 명 《化》 〈音義〉 네오카볼라이트 시너.

〔新开剪〕 xīnkāijiǎn 형명 새로 맞춘 (옷). ¶～头次下身的崭zhǎn新的衣服; 새로 맞추어 처음 입은 새 옷.

〔新刊〕 xīnkān 명형 신간(의). ¶～书; 신간서.

〔新科〕 xīnkē 명 (과거에서) 그 해에 합격한 사람.

〔新坑〕 xīnkēng 명 옛날 사람들은 죽은 사람의 입·귀·코·항문에 구슬을 끼웠는데, 후대의 사람이 이를 발굴하여 출토 연대가 새로운 것을 '新坑'이라 하고, 오래 된 것을 '旧坑'이라 했음.

〔新来〕 xīnlái 동 이제 막 오다. 새로 오다. ¶～的人儿摸不着门儿; 이제 막 온 사람이라 갈피를 못 잡다. 명 요즘. 근래. =〔近jìn来〕

〔新来乍到〕 xīn lái zhà dào 〈成〉 (다른 곳에서) 갓 오다.

〔新郎〕 xīnláng 명 ①신랑. =〔新姑爷〕 ②당대(唐代), 새로 과거에 합격한 사람.

〔新郎官〕 xīnlángguān 명 신랑. 새신랑(옛날, 결혼식날에 신랑을 부르는 말).

〔新浪漫主义〕 xīn làngmàn zhǔyì 명 〈音義〉 (문예상의) 네오로맨티시즘(Neo Romanticism).

〔新历〕 xīnlì 명 태양력. 양력. =〔阳yáng历〕

〔新链霉素〕 xīn liànméisù 명 《藥》 네오마이신(neomycine).

〔新罗松〕 xīnluósōng 명 《植》 홍송. =〔红hóng松〕

〔新莽〕 Xīnmǎng 명 《史》 왕망(王莽)이 한(漢)나라를 찬탈하여 세운 나라('新'이라 칭했음).

〔新玫瑰〕 xīnméiguì 명 《植》 네오머스캣(neomuscat).

〔新面貌〕 xīnmiànmào 명 신국면. 새로운 국면.

〔新民主主义革命〕 Xīn mínzhǔzhǔyì gémìng 명 식민지·반(半)식민지에 있어서 프롤레타리아트가 지도하는 민주주의 혁명.

〔新名词〕 xīnmíngcí 명 신어(新語)(새로이 쓰기 시작한 말. 명사에 국한되지 않으며, 일반 어휘로 편입된 전문용어가 많음).

〔新年〕 xīnnián 명 신년. 새해. 연초. ¶～好; 새해 복 많이 받으십시오.

〔新娘(子)〕 xīnniáng(zi) 명 새색시. 신부. ¶～三日无大小; 〈諺〉 신부가 신혼 3일간은 손위 손아래의 구별을 못 해도 허물이 아니다. =〔新媳妇儿〕〔新妇〕〔新姑娘〕〔新嫁娘〕

〔新派儿〕 xīnpàir 명 신파. 새로운 한 파.

〔新篇章〕 xīnpiānzhāng 명 (추상적 의미에서) 새로운 장(章). ¶打开两国关系史上的～; 양국 관계 사상의 새로운 장을 열다.

〔新瓶装旧酒〕 xīnpíng zhuāng jiùjiǔ 〈比〉 새 병에 묵은 술을 담다(형태는 바뀌어도 본질은 변하지 않다).

〔新奇〕 xīnqí 형 ①아주 새롭다. 신기하다. ¶他看见了许多～的东西; 그는 많은 신기한 물건을 보았다 / ～别致的; 신기하고 특별한 재미가 있는 것. ②이상하다. 불가사의하다.

〔新气象〕 xīnqìxiàng 명 신기상. 새로운 기운.

〔新欠〕 xīnqiàn 명 새로 진 빚. ¶旧债没还, 又拉上了～; 묵은 빚을 갚기 전에, 또 새로운 빚을 졌다. 동 새로 빚지다.

〔新亲〕 xīnqīn 명 갓 결혼해서 생긴 친척. 새 사돈.

〔新青年〕 Xīnqīngnián 명 《書》 신청년(천두슈(陳獨秀)가 주동이 되어 편집하여 1915～1921년 상하이(上海)에서 발행된 신문화 운동의 잡지로 민주와 과학을 제창함).

〔新区〕 xīnqū 명 〈簡〉 토지 개혁을 마친 농촌 지구(제 3차 국내 혁명 전쟁 후에 해방된 지구를 말함. '新解放区'의 준말).

〔新人〕 xīnrén 명 ①신임자(新任者). ②새로이 두각을 나타내기 시작한 자. 신인. 뉴 페이스(new face). ¶～新作选; 신인 작가의 신작 문예 작품 선집. ③새색시. ④신랑 신부. ¶一对～; 한 쌍의 신랑 신부. ⑤형(刑)을 마치고 갱생(更生)하는 사람. ¶～习艺所; 형(刑)을 마친 사람의 직업 보도소. ⑥새로운 세대의 사람들. 새로운 타입의 사람.

〔新洒尔佛散〕 xīnsǎ'ěr fósǎn 명 《藥》 〈音義〉 네오살바르산(독 Neosalvarsan)(상표명). =〔新胂凡纳明〕〔新阿斯凡纳明〕〔新胂苯〕

〔新色〕 xīnsè 명형 새로운 타입(의). 신식(의). 새로운 스타일(의). 신형(의).

〔新胂苯〕 xīnshènběn 명 ⇨〔新洒尔佛散〕

〔新生〕 xīnshēng 형 새로 생긴. 갓 생겨난. ¶～力量; 신생 역량 / 大量地培养～力量; 대량으로 새로운 힘을 양성하다. 명 ①새 생명. ②신입생. ¶招考～; 신입생 모집(을 하다).

〔新生代〕 xīnshēngdài 명 《地質》 신생대.

〔新生活运动〕 Xīnshēnghuó yùndòng 명 신생활 운동(1935년〔민국 22년〕 장 제스(蔣介石)가 처음으로 난창(南昌)에서 제창하여, 전국적으로 전개한 사회 사상 운동).

〔新诗〕 xīnshī 명 신시(5·4 운동 이래의 백화시(白話詩). 신체시(新體詩)).

〔新石器时代〕 xīnshíqì shídài 명 신석기 시대.

〔新式〕 xīnshì 명형 신식(의). 신형(의). ¶～服装; 뉴모드의 복장 / ～农具; 신형의 농구.

〔新式样〕 xīnshìyàng 명 새로운 양식. 새로운 형. 새로운 스타일. ¶你们店里有～的大衣吗? 이 가게에는 신형의 외투가 있습니까?

〔新手(儿)〕 xīnshǒu(r) 명 신참자. 신출내기. 초심자. ¶～不如行家; 초심자는 전문가보다 못하다 / 教练员培养了许多～; 코치는 많은 신인(新人)을 양성했다. =〔生手(儿)〕〔新出手儿②〕

〔新书〕 xīnshū 명 ①현대의 서적. ②신간서. 특히 초판본(初版本). ③새 책.

〔新司的明〕 xīn sīdìmíng 명《藥》〈音義〉 네오스티그민(neostigmine). =〔新斯的明〕

〔新四件〕 xīnsìjiàn 명 '电视机'(텔레비전), '电(风)扇'(선풍기) 또는 '电冰箱'(냉장고), '录音机'(테이프 레코더), '洗xǐ衣机'(세탁기).

〔新四军〕 Xīnsìjūn 명 신사군《중공 항일군 주력(主力)의 하나》.

〔新四清运动〕 Xīn sìqīng yùndòng 명 신사청운동《1970년에 전개된 경제·정치·조직·사상의 숙청 운동》.

〔新屉儿〕 xīntìr 형명 새로 찐 (음식). 막 쪄낸 (음식). ¶伙计吆唤着说刚蒸得dé的~咧; 점원이 갓 쪄낸 따끈따끈한 것이라고 외치고 있다.

〔新文〕 xīnwén 명 ①새로운 종류의 것. 새로운 생각. ¶这会子我又兴出~来, 熬什么燕窝粥; 이번에 저는 또 새로운 것을 생각해내어, 제비집 죽 같은 것을 쑤었거든요. =〔新花样〕 ②새로운 이야기. 새소식. =〔新闻②〕

〔新文化运动〕 Xīnwénhuà yùndòng 명 신문화운동《1919년의 '五四运动'을 계기로 일어난 학술 사상계의 혁신 운동》. =〔五wǔ四文化革命〕

〔新文学〕 Xīnwénxué 명 신문학《오사(五四) 문화혁명 이후의 진보적 백화문체(白話文體)의 문학》. =〔新文艺〕

〔新文艺〕 xīnwényì 명 ⇨〔新文学〕

〔新文字〕 xīnwénzì 명《言》 중국어 표음(表音) 로마자(字).

〔新闻〕 xīnwén 명 ①뉴스. ¶看~; 뉴스를 보다/~工作者; 저널리스트/~广播; 뉴스 방송/现在报告~; 뉴스를 전해 드리겠습니다/~公报; 신문 방송을 통한 성명(聲明)/~秘书; 보도관(報道官)/~发言人; 대변인. ②전대 미문의 신기한 일. 처음 듣는 이야기. 새 소식. ¶报上有什么~没有? 신문에 뭐 새로운 소식은 없느냐? =〔新文②〕

〔新闻记事报〕 Xīnwén jìshì bào 명 뉴스 크로니클《영국의 신문 이름》.

〔新闻记者〕 xīnwén jìzhě 명 신문 기자.

〔新闻片〕 xīnwénpiàn 명 뉴스 영화.

〔新闻人物〕 xīnwén rénwù 명 뉴스 중에서 사람들에게 알려진 인물. 화제의 인물. ¶事情一发生, 他马上成了~; 그 사건이 일어나더니, 그는 곧 화제의 인물이 되었다.

〔新闻司〕 xīnwénsī 명 정보국. ¶外交部~; 외무부 정보국.

〔新闻眼〕 xīnwényǎn 명 신문기자적 견식〔안목〕. ¶他有极敏锐的~, 当新闻记者最合适; 그는 극히 날카로운 신문 기자적 안목을 갖고 있어, 신문 기자로서 최적임자다.

〔新闻纸〕 xīnwénzhǐ 명 신문 용지. 인쇄 용지. =〔白bái报纸〕

〔新闻中心站〕 xīnwén zhōngxīn zhàn 명 뉴스 센터.

〔新闻周刊〕 Xīnwén zhōukān 명 뉴스위크(Newsweek)《미국의 주간지》.

〔新闻主义〕 xīnwén zhǔyì 명 신문의 사상성을 중시하지 않고, 다만 독자의 흥미 본위로 편집하는 방식. 옐로우 저널리즘(yellow journalism).

〔新西伯利亚〕 Xīn xībólìyà 명《地》〈音義〉 노보시비르스크(Novosibirsk). =〔诺nuò沃西比尔斯克〕

〔新西兰〕 Xīnxīlán 명《地》〈音義〉 뉴질랜드(New Zealand)《수도는 '惠灵顿'(웰링턴: Wellington)》.

〔新媳妇儿〕 xīnxífur 명 ⇨〔新娘(子)〕

〔新禧〕 xīnxǐ 명 신년의 복〔기쁨〕《새해 인사말로 쓰임》. ¶~~! 새해에 복 많이 받으세요! =〔新釐xǐ〕

〔新戏〕 xīnxì 명《劇》 ①신극. 새로운 연극. ②대사·복장 등을 개량하고, 현실적 통속적으로 꾸민 구극(舊劇). 또, 연출에 신기축(新機軸)을 가미한 구극. ¶吉祥~; 신극《광고 중의 문구》.

〔新下案儿〕 xīnxià'ànr 명 갓 완성된 일〔물건〕. 갓 지은 옷. ¶裁缝说, 这件衣裳~, 就给您送来了; 재봉사가 말하기를, 이것이 갓 지어낸 옷인데, 곧 보내드리겠습니다라고 했다.

〔新下剪(儿, 子)〕 xīnxiàjiǎn(r, zi) 명 갓 지은 의복.

〔新下树儿〕 xīnxiàshùr 명 갓 딴 과일. ¶~的桃子; 갓 딴 복숭아.

〔新鲜〕 xīnxiān〔xīnxian〕 형 ①신선하다. 싱싱하다. ¶~的水果; 신선한 과일/呼吸~空气; 신선한 공기를 호흡하다/就爱吃点儿~蔬菜; 신선한 야채를 먹는 것을 좋아하다. ②(사물이) 새롭다. 진기하다. 희귀하다. ¶报上有什么~的消息吗? 신문에 무언가 새로운 기사라도 나왔습니까?/我对于这个不怎么~; 내게 이런 것은 신기하지도 않다. ③취향을 바꾸다. 변화를 주다. ¶偶尔穿西装~~; 가끔은 양복을 입고 기분을 새로이 하다. ④당치도 않다. ¶我给他赔错儿? ~; 내가 그에게 사과한다고? 어림없다.

〔新鲜话儿〕 xīnxiānhuàr 명 신기한 일. 귀가 솔깃해지는 이야기. ¶当做~去学舌讨好; 또 마치 신기한 말이나 되는 것처럼 고자질해서 비위를 맞춘다.

〔新鲜季儿〕 xīnxiānjìr 명 만물. 첫물. ¶爱吃~的四时瓜果; 철마다 만물 과일을 즐겨 먹는다.

〔新鲜劲儿〕 xīnxiānjìnr 명 무엇이나 신기한 것을 좋아하는 것. 신기함. ¶三天半的~; 사흘 반의 신기함. 쉽게 싫증을 냄/过了~就没意思了; 신기함이 없어지면 재미가 없다.

〔新鲜物儿〕 xīnxiānwùr 명 ①만물. 첫물. 햇것. ¶这是新上市的~; 이것은 시장에 갓 나온 만물입니다. ②진기한 것. 좀처럼 볼 수 없는 신기한 것. ¶这倒是一个从来没见过的~; 이것은 이제까지 보지 못했던 신기한 것이다.

〔新鲜样儿〕 xīnxiānyàngr 명 ①새로운 양식. 신형. 새로운 스타일. ¶穿着、打扮都是些~; 옷이랑 화장이랑 모두 새로운 스타일이다. ②신기한 것. 기발한 것. 엉뚱한 것. ¶怎么好好儿地又出了~了; 어쩌자고 또 엉뚱한 짓을 벌였니.

〔新新〕 xīnxin 감 신기하다. 묘하다. 재미있다. ¶~! 有这么不讲理的人吗! 참 신기하군! 이렇게 엉터리 같은 놈도 다 있으니!

〔新新儿(的)〕 xīnxīnr(de) 형 아주 새롭다. 참신하다. ¶~的帽子, 叫风给吹掉在泥土上了; 새 모자가 바람에 날려 진흙땅 위에 떨어져 버렸다.

〔新兴〕 xīnxīng 형 신흥의. 새로 일어난. ¶~的工业城市; 신흥 공업 도시.

〔新兴国〕 xīnxīngguó 명 신흥국. ¶重视和亚非~的邦交; 아시아·아프리카 신흥국과의 국교를 중시하다.

〔新兴力量运动会〕 Xīnxīng lìliang yùndònghuì 명 신흥국 경기 대회. 가네포(GANEFO). =〔新运会〕

〔新星〕 xīnxīng 명 ①《天》 신성《갑자기 반짝거리기 시작하였다가 다시 점점 희미해지는 항성(恒星)》. =〔暂zàn星〕 ②신인 스타.

〔新型〕 xīnxíng 명 신형. 새로운 타입.

〔新硎初试〕 xīn xíng chū shì 〈成〉 ⇨〔新发于硎〕

〔新血〕 xīnxuè 명 ①새로운 피. ②〈比〉 후계자. 신인. ¶因为获得政府的大力栽培, ～日多, 水平也不断提高; 정부의 강력한 양성의 노력에 힘입어, 신인이 날로 늘고, 그 수준도 부단히 향상되고 있다. ‖ =〔新血液〕
〔新样儿〕 xīnyàngr 명 신식. 신형. 새로운 유행. ¶这是今年最流行的～; 이것은 금년에 가장 유행하고 있는 신형이다.
〔新医〕 xīnyī 명 ①옛날, 양의(洋醫). ②양의사(洋醫師). ‖ =〔西xī医〕
〔新艺综合体〕 xīnyì zōnghétǐ 명《撮》 시네마스코프. ¶用彩色～摄制的中国风景; 컬러 시네마스코프로 촬영한 중국 풍경.
〔新异〕 xīnyì 형 진귀하다. 신기하다. ¶日新月异; 〈成〉 일진월보(日進月步).
〔新颖〕 xīnyǐng 형 새롭고 독특하다. 신선하고도 탁월하다. 참신하다. ¶～醒目; 눈이 반짝 뜨일 정도로 참신하다 / 花样～; 디자인이 참신하다 / 题材～; 제재가 참신하다 / 式样～; 스타일이 참신하다.
〔新犹〕 xīnyóu 명 〈文〉 새로운 사업. 새로운 계획. =〔新猷〕
〔新雨〕 xīnyǔ 명 〈文〉 ①초봄에 오는 비. ②방금 내린 비. ¶～初霁; 막 오던 비가 개다. ③〈比〉 새로운 친구. ¶旧知～; 옛 친구와 새로운 친구.
〔新月〕 xīnyuè 명 ①초승달. =〔月牙(儿)①〕〔娥月〕 ②《天》 신월. 삭월. =〔朔shuò月②〕
〔新月派〕 Xīnyuèpài 명 신월파《1928년 창간된 잡지 '新月'에 모인, 후 스(胡適)·수 즈모(徐志摩)·원 이둬(聞一多)·량 스추(梁實秋) 등 주로 구미(歐美)에서 돌아온 문학자 그룹》.
〔新运会〕 Xīnyùnhuì 명 〈簡〉 ⇨〔新兴力量运动会〕
〔新仔〕 xīnzǎi 명《廣》 신출내기. 신참.
〔新崭崭〕 xīnzhǎnzhǎn 형 아주 새롭다. 아주 참신하다. ¶～的衣裳; 아주 새로운 옷.
〔新战友〕 xīnzhànyǒu 명 새로운 전우. 〈轉〉 (대학의) 신입생.
〔新张〕 xīnzhāng 명동 신장개업(하다). ¶～其内, 九折优待; 신장 개업 기간 중에는 1할 할인 우대 / ～之喜; 신장 개업 축하.
〔新章〕 xīnzhāng 명 새로운 규칙.
〔新正〕 xīnzhēng 명 음력 정월.
〔新知〕 xīnzhī 명 〈文〉 ①새로운 친구. ②신지식.
〔新知故交〕 xīnzhī gùjiāo 새 친구와 옛 친구. ¶～都来道喜; 새로 사귄 친구나 옛 친구나 모두 축하하러 오다. =〔新知旧好〕
〔新知旧好〕 xīnzhī jiùhǎo ⇨〔新知故交〕
〔新殖民主义〕 xīnzhímín zhǔyì 명 신식민지주의. 네오콜로니얼리즘(neocolonialism).
〔新址〕 xīnzhǐ 명 이전 장소. 새로운 주소. →〔地dìzhǐ〕
〔新主意〕 xīnzhǔyi 명 새로운 생각. 신기축(新機軸). ¶这是谁出的～? 이것은 누가 생각해 낸 새로운 생각이냐?
〔新姿〕 xīnzī 명 새로운 진용(陣容). ¶展～; 새로운 진용이 짜여지다.

薪 xīn (신)
명 ①땔나무. 풋나무. 장작. ¶柴chái～; 땔나무. ②봉급(俸給). ¶月～; 월급 / 发～; 급료를 지불하다 / 领～; 급료를 받다 / 年终双～; 연말 상여.
〔薪传〕 xīnchuán 동 〈文〉 스승이 제자에게 학예(學藝)를 전수하다.
〔薪俸〕 xīnfèng 명 봉급. 급여. ¶～生活者; 샐러리 맨. 봉급 생활자. =〔辛俸〕〔辛金〕〔薪给jǐ〕〔薪金〕〔薪水〕
〔薪工〕 xīngōng 명 임금. 급료.
〔薪桂〕 xīnguì 명 물가의 고등(高騰).
〔薪桂米珠〕 xīn guì mǐ zhū 〈成〉 일용품의 값이 높다. =〔米珠薪桂〕
〔薪火〕 xīnhuǒ 명 〈文〉 땔나무. 장작. ¶～相传; 장작은 떨어져도 불은 전해진다《사제 상전(師弟相傳)》.
〔薪金〕 xīnjīn 명 봉급. 급여. ¶～制; 월급제. =〔辛俸〕〔辛金〕〔薪俸〕〔薪水〕〔薪给jǐ〕
〔薪津〕 xīnjīn 명 봉급과 수당.
〔薪尽火传〕 xīn jìn huǒ chuán 〈成〉 타던 불이 꺼지면 이미 뒤에 넣은 나무에 불이 붙어 언제까지나 불은 꺼지지 않음《스승에서 제자에게로 전수되어 학문이 대대로 전해짐》.
〔薪水〕 xīnshuǐ 명 땔나무와 물. 〈轉〉 봉급. 급료. ¶吃～; 월급으로 생활하다 / ～阶级; 샐러리맨 계급. =〔薪金jīn〕〔薪给〕〔薪俸〕〔辛俸〕〔辛金〕
〔薪炭林〕 xīntànlín 명 땔감을 얻기 위한 잡목림(雜木林).
〔薪饷〕 xīnxiǎng 명 급료. 급여《군인·경찰의 경우》. ¶～制; 급여제.
〔薪资〕 xīnzī 명 임금. 노임. =〔工gōng资〕

歆 xīn (흠)
동 〈文〉 ①부러워하다. →〔歆羡〕 ②신(神)이 제사 지내는 음식 기운을 먹다. 흠향(歆饗)하다. ③감복하다.
〔歆羡〕 xīnxiàn 동 〈文〉 부러워하다. ¶闻新大厦落成不胜～; 〈翰〉 신축 낙성하셨다니, 부럽기 짝이 없습니다. =〔歆艳〕
〔歆艳〕 xīnyàn 동 ⇨〔歆羡〕

馨 xīn (형)
〈文〉 ① 명 멀리서 풍겨 오는 방향(芳香). ¶如兰之～; 난초 향기와 같다. ② 형 향기롭다. ③〈古白〉 이런. 저렇게《조사(助詞)의 일종》. ¶宁níng～; 이와 같이. ④ 명 〈比〉 명성. 명예.
〔馨香〕 xīnxiāng 명 〈文〉 ①방향(芳香). ¶～扑pū鼻; 향기가 코를 찌르다. ②향을 피우는 냄새. 동 선향(線香)을 피우다.

鑫 xīn (흠)
형 홍(興)하다. 많은 돈이 들어 오다《가게 이름 또는 사람 이름으로 많이 쓰임》.

镡(鐔) xín (심)
명 〈文〉 ①날밑《칼날과 자루 사이에 돌출된 부분》. 칼자루 끝. ②옛날의 단검. ⇒Chán Tán

伈 xǐn (심)
→〔伈伈〕
〔伈伈〕 xǐnxǐn 형 〈文〉 무서워하는 모양.

囟〈顖〉 xìn (신)
명 《生》 숫구멍. 정문(頂門).
〔囟门(儿)〕 xìnmén(r) 명 갓난아이의 숫구멍. ¶～还没长zhǎng好的孩子; 숫구멍이 아직 완전히 닫혀지지 않은 아이. =〔囟脑门〕
〔囟脑门〕 xìnnǎomén 명 ⇨〔囟门(儿)〕

芯 xìn (심)
명 ①(～子) 양초의 심지. ②(～子) 뱀의 혀. 양의 혀. ¶长虫吐～; 뱀이 혀를 내밀다. ③《機》 기계의 중심부. ¶电动机中的铁～叠片; 전동기의 고정자(固定子) 철심. ④사물의 중심 부분. ¶球～儿; 구체(球體)의 중심부 / 矿

kuàng～; 광석의 심 / 煤méi～; 석탄의 심. ‖ =〔信⑮〕⇒xīn

〔芯子〕 xìnzi 명 ⇨〔信子〕

信 xìn (신)
①형 확실하다. 진실하다. ②명 성실. 신용. ¶失～; 신용을 잃다 / 守～; 약속〔신용〕을 지키다. ③동 신용하다. 믿다. ¶这话我不～; 나는 이 말을 믿지 않는다 / ～不～由你; 믿고 안 믿고는 너의 자유다. ④(～儿) 명 소식. 정보. ¶口～儿; 전언(傳言) / 喜～儿; 길보(吉報). ⑤명 공(公)적으로 정한 기호나 증거. ¶印～; 인감. ⑥명 편지. 서신. ¶寄一封～; 편지를 한 통 부치다 / 给他写一封～; 그에게 편지를 한 통 보내다. ⑦명〈文〉 사자(使者). ⑧동 …에 맡기다. ¶～步(儿); ⇩ / ～步到郊外去; 발길 가는 대로 교외로 나가다. ⑨명〈俗〉 비석(砒石)의 속칭. ⑩동〈文〉 알다. ⑪부〈文〉 참으로. 정말. 참말로. ¶～为难能可贵; 정말 대단하구나. ⑫동 (종교를) 믿다. 신봉하다. ¶善男～女; 《佛》 선남 선녀. ⑬명 (탄환의) 신관(信管). ⑭명 성(姓)의 하나. ⑮명 ⇨〔芯〕

〔信笔〕 xìnbǐ 동 붓에 맡기다. 붓 나가는 대로 쓰다(주로 부사성 수식어로 쓰임). ¶～写了一首诗; 붓에 맡겨 시 한 수를 지었다.

〔信标灯〕 xìnbiāodēng 명 수로(水路)〔항공. 교통〕 표지등(標識燈).

〔信步(儿)〕 xìnbù(r) 동 발길 향하는 대로 걷다. 어슬렁어슬렁 목적도 없이 걷다(주로 부사성 수식어로 쓰임). ¶～走; 발길 가는 대로 걸어가다.

〔信簿子〕 xìnbùzi 명 서신 접수부. ¶请您在～上盖个章, 把信收下; 서신 접수부에 날인하고 편지를 받아 주십시오.

〔信不过〕 xìnbuguò 믿을 수 없다. 신용 못 하다(가능성을 표시함). ¶我～他; 난 저 사람을 믿을 수 없다. ↔〔信得过〕

〔信不及〕 xìnbují 믿을 수 없다. 신용할 수 없다(믿는 정도가 높지 않음을 표시함). ↔〔信得及〕 注 '信及'란 말은 없음.

〔信不着〕 xìnbuzháo (그것까지는) 신용할 수 없다. 신용할 수 있는 데까지는 이르지 못하다. ¶叫人冤了几次, 谁都～了; 몇 번 어처구니없는 일을 당하면 누구라도 믿을 수 없게 된다. ↔〔信得着〕

〔信不住〕 xìnbuzhù 믿을 수 없다. ¶我对这个人的话～; 나는 이 사람의 말을 믿을 수 없다. ↔〔信得住〕

〔信不准〕 xìnbuzhǔn 믿을 수 없다. 확실히 신용할 수 없다. ¶群众～他; 대중은 그를 믿을 수가 없다.

〔信差〕 xìnchāi 명 ①옛날, 공문서 보낼 때에 파견된 사람. ②우편 배달인. 집배원. 우체부.

〔信车〕 xìnchē 명 우편차.

〔信宠〕 xìnchǒng 동 믿고 총애하다. 명 신임과 총애를 받고 있는 사람. ¶他巴结到了长官的～; 그는 장관의 신임과 총애를 받는 자에게 환심을 샀다.

〔信从〕 xìncóng 동 믿고 따르다. ¶你～他就没错儿; 너는 그를 믿고 따르면 틀림 없다.

〔信贷〕 xìndài 명《經》(은행의) 신용. 크레딧(credit)(예금이나 대부·대출 따위). ¶紧缩～; 금융 긴축(을 하다) / 财政～; 재정과 금융 / 欧洲支付同盟的目的在于对发生贸易逆差的西欧国家给予～; 유럽 지불 동맹의 목적은, 무역상 수입 초과를 발생시킨 서유럽 국가에 융자를 해 주는 일이다.

〔信贷评估公司〕 xìndài pínggū gōngsī 명 신용대출 평가 기관.

〔信袋〕 xìndài 명 편지통. 우편함(函).

〔信道〕 xìndào 동 ①〈古白〉 알다. ¶～若说一夕话, 胜读十年书; 하룻밤 이야기를 할 수 있다면, 그것은 10년 동안 독서한 것보다 낫다는 것을 알게 된다. ②종교를 믿다.

〔信得过〕 xìndeguò 신용할 수 있다. ¶你要是～, 就可以交给我, 要是信不过也就算了; 네가 나를 믿을 수 있다면 주어도 좋지만, 만약 믿을 수 없다면 그만 둬라.

〔信底(儿,子)〕 xìndǐ(r,zi) 명 ①편지의 초고. ②편지의 부본(副本).

〔信而有征〕 xìn ér yǒu zhēng〈成〉 믿을 수 있는데다 증거도 있다.

〔信幡〕 xìnfān 명 옛날, 관리가 사용한 기(旗)로, 거기에 자기의 벼슬 이름을 적은 것.

〔信访〕 xìnfǎng 명 (대중으로부터의) 투서. ¶～工作; 고충 처리. 투서 혹은 불만 신고를 받아들여 처리하는 일 / ～处chù; 고충 처리 담당.

〔信风〕 xìnfēng 명《氣》①무역풍. =〔贸易风〕 ②동북풍. ③계절풍.

〔信封(儿)〕 xìnfēng(r) 명 편지 봉투. =〔信皮(儿)〕

〔信奉〕 xìnfèng 동 ①(종교 등을) 신봉하다. ¶～耶苏教; 기독교를 믿다. ②믿고 그대로 행하다.

〔信孚〕 xìnfú 명〈文〉 신용. ¶那家公司～卓著; 저 회사는 신용이 두텁다.

〔信服〕 xìnfú 동 신복하다. 신용하다. ¶他的为人真叫人～; 그의 인격에 참으로 신복한다 / 我真～这宗药了; 나는 이 약을 믿고 있다. =〔折服②〕

〔信稿儿〕 xìngǎor 명 편지의 초고. ¶打～; 편지의 초고를 쓰다.

〔信鸽〕 xìngē 명《鳥》 전서구(傳書鳩). ¶中国～协会; 중국 전서구 협회. =〔传chuán信鸽〕

〔信鼓〕 xìngǔ 명 신호의 북.

〔信管〕 xìnguǎn 명 신관(탄환 등에 장치하여 폭약을 터뜨리는 도화관). =〔引yǐn信〕

〔信柜〕 xìnguì 명 사서함. =〔邮yóu政信箱〕

〔信函〕 xìnhán 명 편지. 우편물.

〔信号〕 xìnhào 명 ①신호. ②《電》 신호 전파.

〔信号弹〕 xìnhàodàn 명 신호탄.

〔信号灯〕 xìnhàodēng 명 신호등. 시그널. 교통 신호등.

〔信号灯语〕 xìnhào dēngyǔ 명 발광(發光) 신호.

〔信号旗〕 xìnhàoqí 명 수기(手旗). 신호기.

〔信号枪〕 xìnhàoqiāng 명 출발용 권총. 신호총.

〔信汇〕 xìnhuì 명 ①우편환(郵便換). ②송금 수표.

〔信及豚鱼〕 xìn jí tún yú〈成〉 신실(信實)하면 돼지나 물고기 같은 미물도 이것을 느낀다(성실과 신용을 존중해야 함을 말함).

〔信笺〕 xìnjiān 명 ⇨〔信纸〕

〔信件〕 xìnjiàn 명 우편물. 注 총칭(總稱)이므로 '一封～'이라고는 쓰지 않음. =〔函hán件〕

〔信教〕 xìn.jiào《宗》동 신교하다. 종교를 믿다. (xìnjiào) 명 신교.

〔信借〕 xìnjiè 명 신용 대차(貸借).

〔信局〕 xìnjú 명 민신국(옛날, 사설 우체국). =〔民mín(信)局〕

〔信口〕 xìnkǒu 동〈文〉 입에서 나오는 대로 말하다. 아무 분별 없이 함부로 말하다. =〔讯xùn口〕〔信嘴〕

〔信口雌黄〕 xìn kǒu cí huáng〈成〉 입에서 나오는 대로 비평하다. 입에서 나오는 대로 마구 비난하다. ¶必须出言有据, 不得～; 발언은 근거가 있어야 하며, 입에서 나오는 대로 함부로 비평해

서는 안 된다.
〔信口胡说〕 xìn kǒu hú shuō 〈成〉 입에서 나오는 대로 엉터리 말을 하다. =〔信口胡诌〕
〔信口胡诌〕 xìn kǒu hú zhōu 〈成〉 ⇨〔信口胡说〕
〔信口(儿)开河〕 xìn kǒu(r) kāi hé 〈成〉 입에서 나오는 대로 지껄여 대다. ¶他喝了两杯酒, 就~起来了; 그는 두세잔 마시고는 함부로 지껄여대기 시작했다. =〔信口开合〕
〔信赖〕 xìnlài 명동 신뢰(하다). ¶母亲~我; 어머니는 나를 신뢰하신다.
〔信马由缰〕 xìn mǎ yóu jiāng 〈成〉 말을 타고 목적 없이 걷다. ①정견(定見) 없이 남이 하라는 대로 하다. ¶他向来没主见, 老是~地随环境而转移; 그는 원래 주견이 없이 언제나 형편대로 환경의 추이에 따르고 있다. ②구속하지 않고 마음대로 하도록 내버려 두다.
〔信那水〕 xìnnàshuǐ 명 《化》〈音義〉 시너(thinner). =〔冲chōng淡剂〕〔稀xī薄剂〕〔稀料〕〔稀释剂〕〔香xiāng蕉水〕
〔信念〕 xìnniàn 명 신념.
〔信鸟〕 xìnniǎo 명 《動》 철새. =〔候hòu鸟〕
〔信女〕 xìnnǚ 명 《佛》 신녀. 선녀(善女). ¶善shàn男~; 선남 선녀.
〔信牌〕 xìnpái 명 ①옛날, 군중(軍中)에서 전령에게 전하게 한 일종의 문서함《안에 문서를 담고, 또 회신용의 지필묵을 담았음》. =〔排单〕 ②옛날, 관리가 지방을 순시할 때 휴대하던 신분 증명서.
〔信炮〕 xìnpào 명 신호로 쏘는 대포《옛날, 군대에서 응원의 신호로서 쏘는 대포. 또는 관서(官署)나 군대에서 새벽이나 정오를 일반에게 알리기 위해서 쏘았음》.
〔信皮(儿)〕 xìnpí(r) 명 〈口〉 ⇨〔信封(儿)〕
〔信片(儿)〕 xìnpiàn(r) 명 엽서. =〔明信片(儿)〕
〔信票〕 xìnpiào 명 〈俗〉 우표. =〔邮yóu票〕
〔信凭〕 xìnpíng 동 믿고 의지하다. 신뢰하다. ¶您要是~我, 就交给我办吧; 당신이 만일 저를 신뢰하신다면 저에게 맡겨 주십시오.
〔信儿〕 xìnr 명 소식. 편지. 소문. 신호. ¶送个~; 편지를 하다. 신호를 하다 / 给他带个~; 그에게 소식을 전했다 / 那家银行有~要倒; 저 은행은 망할 것 같다는 소문이 있다.
〔信然〕 xìnrán 〈文〉 부 참으로. 진실로. 형 사실이다. 그렇다. ¶斯言~; 이 말은 사실이다.
〔信瓤儿〕 xìnrángr 명 〈方〉 (봉투에 대하여) 편지의 알맹이. ¶我要知道他的住址, 只要信皮儿, 不要~; 저는 그의 주소를 알고 싶어서 그러니, 봉투만 있으면 되고, 알맹이는 필요없습니다.
〔信人〕 xìnrén 명 성실한 사람. (xìn.rén) 동 사람을 신용하다.
〔信任〕 xìnrèn 명동 신임(하다). 신뢰(하다). ¶对他很~; 그를 신임한다 / 得到大家的~; 여러 사람의 신임을 얻다 / 我决不辜负大家对我的~; 여러 사람의 신뢰를 배신하는 일은 하지 않겠습니다 / 他深得上级的~; 그는 상사로부터 신임을 많이 받고 있다.
〔信任投票〕 xìnrèn tóupiào 명 신임 투표.
〔信任状〕 xìnrènzhuàng 명 신임장. ¶呈递~; 신임장을 제정(提呈)하다.
〔信赏必罚〕 xìn shǎng bì fá 〈成〉 신상 필벌《상벌을 분명히 하다》. ¶~, 务求公允; 상벌을 분명히 하고, 애써 공평을 기하다.
〔信石〕 xìnshí 명 《化》 비석. =〔砒pī石〕
〔信实〕 xìnshí 형 신실하다. 성실하다. ¶他真是一位~君子; 그는 정말 성실한 군자이다 / ~可靠; 신실하여 의지가 된다 / 您给我留俩定钱, 要取个~; 틀림없다는 표시로 약간의 착수금을 주십시오.
〔信史〕 xìnshǐ 명 〈文〉 기록이 정확한 사서(史書). 확실한 역사.
〔信使〕 xìnshǐ 명 ①사자(使者). 사절(使節). ②쿠리에(Courier)《외교 용어》. ③심부름꾼.
〔信士〕 xìnshì 명 ①《佛》 신사《남자 불교 신자》. ②성실한 사람.
〔信誓旦旦〕 xìn shì dàn dàn 〈成〉 맹세의 말이 성실하고 믿을 만하다.
〔信手(儿)〕 xìnshǒu(r) 동 손에 맡기다. 무의식적으로 손을 움직이다. 손 가는 대로 하다. ¶~写; 손 가는 대로 쓰다.
〔信手拈来〕 xìn shǒu niān lái 〈成〉 닥치는 대로 가져오다《흔히 저작할 때의 어구(語句)·재료가 풍부함을 형용함》.
〔信守〕 xìnshǒu 동 성실히 지키다. ¶~不渝; 성실하게 변함없이 지켜 나가다.
〔信水〕 xìnshuǐ 명 ①월경(月經). ¶这个月没见~来, 必是有喜了; 이 달에는 월경이 없으니 꼭 임신일 것입니다. ②황허(黃河)의 증수(增水)《입춘 후 1 '寸' 의 증수가 있으면, 여름에는 1 '尺' 이 증수하는 것처럼 매우 규칙적이므로》.
〔信宿〕 xìnsù 동 〈文〉 계속 이틀밤을 묵다. ¶流连~; 이틀밤을 계속 머무르다. 명 이틀밤에 상당하는 시간. ¶~可至; 이틀밤이면 도달할 수 있다.
〔信天翁〕 xìntiānwēng 명 ①《鳥》 신천옹. =〔布bù袋鹅〕〔海hǎi鹅〕 ②〈轉〉 자연에 맡기고 유유자적하는 사람. ¶老兄乃是~, 悠然自适任西东; 당신은 말하자면 신천옹처럼 유유자적, 바람부는 대로 물결치는 대로 맡겨두는 사람이다.
〔信天游〕 xìntiānyóu 명 《樂》 민요의 일종으로, 산시 성(陝西省) 북부의 '山shān歌' 의 총칭.
〔信条〕 xìntiáo 명 신조.
〔信筒(子)〕 xìntǒng(zi) 명 우체통. ¶把信扔~里去; 편지를 우체통에 넣다. =〔邮yóu筒〕
〔信徒〕 xìntú 명 ①《宗》 신도. 신자. ¶基督教~; 기독교 신자. ②신봉자. ¶他是孙文的~; 그는 쑨원(孫文)의 신봉자이다.
〔信托〕 xìntuō 동 ①믿고 맡기다. ¶既然已经~你, 你就做主安排一下好了; 네게 맡겼으니까, 네 재량대로 처리하면 된다. ②위탁 판매 업무를 운영하다. ¶~部; 위탁 판매부 / ~公司; 신탁 회사.
〔信委〕 xìnwěi 동 신용하여 위탁하다. ¶承蒙经理~, 我一定尽力把事办好; 지배인의 신임 위탁을 받은 이상, 저는 반드시 전력을 다해서 이 일을 성사시키겠습니다.
〔信物〕 xìnwù 명 증거물. 증거로 삼는 것. 성실을 맹세하는 표시로 주는 선물. ¶他买了一个金戒指送给她作为定亲的~; 그는 금반지를 사서 그녀에게 약혼 증표로 삼았다.
〔信息〕 xìnxī 명 ①기별. 소식. 뉴스. ¶~灵通; 소식통이다. 귀가 빠르다. ②정보(情報). ¶汉字~处理; 한자 정보 처리 / ~处理系统; 정보 처리 시스템. ③전령(傳令). ¶~核糖核酸; 전이(轉移) 리보 핵산. ④정보에 쓰는 기호 또는 문자.
〔信息产业〕 xìnxī chǎnyè 명 정보 산업.
〔信息化〕 xìnxīhuà 명 정보화.
〔信息论〕 xìnxīlùn 명 ①정보 이론. ②사이버네틱스(cybernetics). =〔控制论〕
〔信香〕 xìnxiāng 명 《佛》 ①선향(線香). ②승려가 다른 곳에 갈 때 받아가는 스승의 이름이 든〔상자에 적혀 있는〕 선향.
〔信箱〕 xìnxiāng 명 ①우체국 내 또는 공공 기관

내에 설치된 전용 우체통. ②개인 집의 수신함(函). ③우체국의 사서함. ‖＝〔邮箱〕

〔信心〕 xìnxīn 명 ①신앙심. ②자신. 확신. ¶全没～; 전연 자신이 없다/树立～; 자신을 굳히다. 신념을 굳히다/有坚强的～; 굳은 신념을 가지다/满怀～地说; 자신만만하게 말하다. ③신용(信用). 믿는 마음. ¶许多人对纸币失去了～; 많은 사람들이 지폐에 대해서 신용을 잃어버렸다.

〔信行〕 xìnxíng 명 〈文〉 성실한 행위.

〔信行(儿)〕 xìnxing(r) 명 〈文〉 ①증서류(類)(주로 계약서를 가리킴). ¶立个～作为双方履约的根据; 계약서를 작성하여 쌍방의 계약 이행의 근거로 합시다. ②신용의 담보가 되는 것. 담보〔저당〕물.

〔信言〕 xìnyán 명 성실한 말. ¶～不美, 美言不信; 〈諺〉 성실한 말은 꾸밈이 없으며, 꾸민 말은 믿을 수 없다.

〔信仰〕 xìnyǎng 명 신앙. 신조. 신봉하고 실천할 준칙. ¶中韩两国的政治～和社会制度是不同的; 중한 양국의 정치 신조와 사회 제도는 같지 않다. 동 신앙하다. 신봉하다.

〔信仰主义〕 xìnyǎng zhǔyì 명 승려주의(권위에 맹종하는 태도). ＝〔僧sēng侣主义〕

〔信义〕 xìnyì 명 신의. ¶守～; 신의를 지키다/不讲～的人; 신의를 존중하지 않는 사람/违背～; 신의에 위배되다.

〔信意儿〕 xìnyìr 부 임의로. 동 마음대로 하다.

〔信用〕 xìnyòng 명동 신용(하다). ¶讲～; 신용을 중하게 여기다/有～的商家; 신용 있는 상점/～卓著; 대단히 신용이 있다. 명 ①〖經〗 신용. ¶不守～; 신용을 어기다. ¶～卡; 신용 카드. ②〖商〗 신용 판매. 신용 구매. 신용 대부.

〔信用贷款〕 xìnyòng dàikuǎn 명 〖經〗 신용 대부. ＝〔放fàng期账〕

〔信用合作社〕 xìnyòng hézuòshè 명 〖經〗 신용 조합.

〔信用货币〕 xìnyòng huòbì 명 〖經〗 신용 화폐.

〔信用交货押汇单〕 xìnyòng jiāohuò yāhuìdān 명 〖商〗 인수도(引受渡) 어음.

〔信用膨涨〕 xìnyòng péngzhàng 명 〖經〗 통화 팽창 때문에 대출액을 증액하는 일. 신용 인플레이션.

〔信用票〕 xìnyòngpiào 명 ⇨〔信用状〕

〔信用票据〕 xìnyòng piàojù 명 ①환어음 · 약속어음 · 수표 · 대체 어음의 총칭. ②신용 어음. ＝〔清qīng洁票据〕

〔信用社〕 xìnyòngshè 명 신용 협동 조합.

〔信用证〕 xìnyòngzhèng 명 ⇨〔信用状〕

〔信用证券〕 xìnyòng zhèngquàn 명 〖經〗 신용 증권.

〔信用状〕 xìnyòngzhuàng 명 〖商〗 L/C(신용장). ¶不能撤销～; 취소 불능 신용장/可转让的～; 양도 가능 신용장/指定结汇银行～; 어음 결제 은행 지정 신용장/进口～; 수입 신용장/货物押汇～; 화환(貨換) 신용장/转用～; 회전 신용장/开～; 신용장을 발행하다. ＝〔信用票〕〔信用证〕〔支zhī银凭信〕

〔信誉〕 xìnyù 명 신용과 명예. 위신. 신망. ¶～卓著; 신망이 매우 높다/～一落千丈; 위신이 폭락하다.

〔信札〕 xìnzhá 명 편지.

〔信着〕 xìnzhao 동 신용하다. 신뢰를 두다. ¶别～嘴巧的人! 말을 잘하는 사람을 신용하지 마라!/他们～咱们, 咱们更得好好地干; 그들이 우리를 신용하고 있으니, 우리는 더한층 열심히 해야 한다.

〔信纸〕 xìnzhǐ 명 편지지. ＝〔信笺jiān〕〔鱼yú笺〕〔便笺①〕

〔信主的人〕 xìnzhǔderén 명 〖宗〗 예수를 믿는 사람. 기독교 신자.

〔信资〕 xìnzī 명 ⇨〔邮yóu资〕

〔信子〕 xìnzi 명 ①뱀의 혀. ②소 · 양의 혀(요리 재료). ③기물(器物)의 중심에 붙어 있는 종이로 꼰 끈 모양의 것(양초의 심지 따위). ‖＝〔芯子〕

衅(釁) xìn (흔)

①동 〈文〉 피를 제기(祭器)에 발라 신에게 제사 지내다. ②동 향료를 몸에 바르다. ③명 간격. 틈새. 틈. 짬. ¶乘chéng～; 틈을 타다. ④명 죄(罪). ⑤명 징후. 징조. 조짐. ⑥명 불화(不和). ¶挑tiǎo～; 도전하다. 싸움을 걸다. ⑦동 움직이다. ⑧명 성(姓)의 하나. ‖＝〔舋〕

〔衅鬯〕 xìnchàng 명 시신(屍身)에 바르는 향유(香油).

〔衅端〕 xìnduān 명 〈文〉 싸움의 원인. ¶挑起～; 싸움을 도발하다. 싸울거리를 만들다.

〔衅隙〕 xìnxì 명 사이가 틀어짐. 불화(不和). ¶你以前和他有过什么～吗? 너는 전에 그와 무슨 불화가 있었느냐?

〔衅钟〕 xìnzhōng 동 〈文〉 희생의 피를 종에 바르고 신에게 제사 지내다.

焮 xìn (흔)

동 ①〈北方〉 종기가 충분히 곪기 전에 무리하게 짜서 더욱 심하게 붓다. ¶～肿zhǒng了; 피부에 염증이 생겨 붓고 아프다. ②〈文〉 불이 한창 타오르다. 작열하다. ¶火炎～天; 화염이 충천하다.

舋 xìn (흔)

동명 ⇨〔衅xìn〕

XING ㄒㄧㄥ

兴(興) xīng (흥)

①동 〈文〉 잠에서 깨어나다. 일어나다. ¶夙sù～夜寐mèi; 〈成〉 아침 일찍 일어나고 밤늦게 자다. ②동 (사업 따위를) 일으키다. 시작하다. 거행하다. ¶～工; 공사를 시작하다/振～重工业; 중공업을 진흥시키다. ③동 끌어올려 쓰다. 발탁하다. ④동 성하게 되다. 널리 행하여지다. 유행하다. ¶时～的样子; 유행하는 형/现在正～穿翻领衬衫; 지금은 깃이 붙어 있는 와이셔츠가 유행하고 있다/这个风俗已经～开了; 이런 풍속은 이미 유행하였다. ⑤동 이루다. 이루어지다. ⑥동 〈方〉 허가하다. ¶不～老百姓说话; 일반 민중의 발언을 허가하지 않다/不～胡闹; 함부로 까불면 안 된다/不～这么没规矩的样儿; 이런 버릇없는 꼴은 허락할 수 없다/都是你～的他; 모두 당신이 허락해서 시킨 일이다. ⑦〈方〉 …일지도 모른다. ¶也～那样; 어쩌면 그럴지도 모른다/明天也～来, 也～不来; 내일 올지도 모르고, 또 오지 않을지도 모른다. ⑧명 (Xīng) 〖地〗 싱 현(興縣)(산시 성(山西省)에 있는 현(縣) 이름). ⑨동 발명하다. 고안하다. ¶～主意; 고안하다/这是谁～出来的好法子? 이것은 누가 고안한 좋은 방법인가? ⑩명 성(姓)의 하나. ⇒xìng

〔兴办〕 xīngbàn 동 ①진흥(振興)시키다. 일으켜 시작하다. ②(사업을) 일으키다. 창설하다. ¶～福利事业; 복리 사업을 시작하다〔일으키다〕.
〔兴兵〕 xīngbīng 동 거병하다. 군사를 일으키다. ¶先～的是战犯; 먼저 군사를 일으킨 쪽이 전범이다.
〔兴出〕 xīngchū 동 새로 만들어 내다. ¶他～这个规矩来了; 그는 이 규칙을 새로 만들었다.
〔兴辞〕 xīngcí 동〈文〉일어나서 작별 인사를 하다. ¶～而归; 인사를 하고 돌아가다.
〔兴都库什山脉〕 Xīngdūkùshí shānmài 명〖地〗〈音〉힌두쿠시(Hindu Kush) 산맥《파밀 고원에서 남서쪽으로 뻗는 남아시아의 큰 산맥》.
〔兴都斯坦〕 Xīngdūsītǎn 명〖地〗〈音〉힌두스탄(Hindustan). ①인도 반도를 말함. ②갠지스강 상류의 지역 이름.
〔兴发〕 xīngfā 동 …을 일으키다. …을 자아내다. ¶对这本小说～出无限的兴xìng味; 이 소설에 대해 무한한 흥미를 느낀다.
〔兴废〕 xīngfèi 명 흥폐. 흥망.
〔兴奋〕 xīngfèn 명동 흥분(하다). 감격(하다). ¶令人～的消息; 감격적인 소식. 명〖生〗흥분《자극에 의해서 일어나는 감각 세포나 신경 단위의 상태 변화》. 동 흥분시키다.
〔兴奋剂〕 xīngfènjì 명 ①흥분제. ②정신을 분기(奮起)시키는 자극이 되는 것.
〔兴风作浪〕 xīng fēng zuò làng〈成〉소동을 불러 일으키다. ¶只是给予捣乱份子以借端～的机会; 그것을 계기로 하여 소동을 일으킬 기회를 교란분자에게 줄 뿐이다.
〔兴复〕 xīngfù 동 부흥하다. 부흥시키다. ¶～汉室; 한실(漢室)을 부흥시키다.
〔兴革〕 xīnggé 동〈文〉새로운 것을 일으키고 낡은 것을 개혁하다. ¶提出了几件～事项; 신설과 개량 사항을 몇 건 제출했다.
〔兴工〕 xīngˌgōng 동 기공(起工)하다. 공사를 일으키다. ¶破土～; 첫삽질을 하여 공사를 시작하다 / 在一九五五年开始～, 大约在～后三个月就可以完成; 1955년 공사를 시작하여, 기공 후 3개월이면 완성될 것이다.
〔兴功〕 xīnggōng 동 공로있는 사람을 발탁하다. ¶王科长得了勤劳奖, 咱们给他庆～去; 왕과장이 근로상을 탔으니, (발탁된 것을) 축하하러 가자.
〔兴回来〕 xīnghuílai 이전 것이 다시 유행되기 시작하다. ¶从前的旗袍兴矮领子, 现在又～了; 이전의 원피스 식의 중국 부인복은 깃이 작았는데, 요즘 다시 그것이 유행되기 시작했다.
〔兴建〕 xīngjiàn 동 건설하다. 창설하다. ¶～钢铁基地; 철강 기지를 건설하다 / 工厂已经开始～了; 공장은 이미 건축이 시작됐다.
〔兴居〕 xīngjū 명〈文〉기거(起居). ¶～安迪;〈翰〉기거 만복(萬福)을 축원하옵니다.
〔兴举〕 xīngjǔ 동 추거하다. 추대하다. ¶～一位领袖出来领导大家; 영수를 추거하여 모두가 지도를 받다.
〔兴嗟〕 xīngjuē 동〈文〉탄성(歎聲)을 내다. 탄식하는 소리를 내다. ¶中秋节想到家离人散sàn便对月不由～起来; 중추절을 맞이하여 고향을 떠나 집안 식구가 뿔뿔이 흩어져 있는 것을 생각하며 달을 바라보니 저도 모르게 탄성이 나온다.
〔兴开〕 xīngkāi 동 널리 행하여지다. 유행〔성행〕하다. ¶这种风俗已经～; 이러한 풍속은 이미 널리 퍼졌다 / 这种帽子还是最近才～的; 이런 모자는 최근에 비로소 유행하기 시작했다.
〔兴利除弊〕 xīng lì chú bì〈成〉이로운 것을 일으키고 폐해를 제거하다. ¶他一上任, 就为地方做了几件～的事; 그는 취임하자마자 지방을 위해 몇 가지 이익되는 사업을 일으키고, 폐단을 제거하는 사업을 시작했다.
〔兴隆〕 xīnglóng 동 번창하다. 융성하다. 흥하다. ¶生意～; 장사가 번창하다.
〔兴隆票〕 xīnglóngpiào 명 출세급(出世給) 차용증.
〔兴灭继绝〕 xīng miè jì jué〈成〉없어진 것을 일으키고 끊어진 것을 계승하다. 망한 나라를 일으켜 세우다.
〔兴起〕 xīngqǐ 동 ①흥기하다. 일으키다. 일어나다. ¶在犹太人中～一位救世主; 유대인 속에 한 구세주가 일어섰다. ②〈文〉감동하여 분기하다. ¶闻风～;〈成〉소문을 듣고 떨쳐 일어나다.
〔兴寝〕 xīngqǐn 명〈文〉기거(起居). ¶祝先生～吉祥;〈翰〉기거 만안하심을 축하드립니다. →〔兴居〕
〔兴戎〕 xīngróng 동 거병(擧兵)하다. 군사를 일으키다. ¶～启衅xìn; 군사를 일으켜 전쟁을 도발하다. →〔兴兵〕
〔兴盛〕 xīngshèng 형 흥성하다. ¶国家～; 나라가 흥성하다 / 他的事业非常～; 그의 사업은 대단히 번창하고 있다. 「다.
〔兴师〕 xīngˌshī 동〈文〉출병하다. 군사를 일으키다.
〔兴师动众〕 xīng shī dòng zhòng〈成〉①군대나 인원을 동원하다. 많은 인원을 동원하여 일을 치르다. ②일부러 떠들어대다. 일을 떠벌려서 하다.
〔兴师问罪〕 xīng shī wèn zuì〈成〉군사를 일으켜 죄를 묻다.
〔兴时〕 xīngshí 동 유행하다. ¶这件衣裳已经不～了; 이 옷은 이제 유행에 뒤졌다.
〔兴衰〕 xīngshuāi 명 흥쇠. 흥륭과 쇠미(衰微).
〔兴讼〕 xīngsòng 동〈文〉소송을 일으키다. ¶除非迫不得已, 谁也不愿意～; 부득이한 경우가 아니라면, 아무도 소송을 바라는 사람은 없다.
〔兴腾〕 xīngténg 형 활발하다. 활기가 있다. ¶事业～起来了; 사업이 활발해지기 시작했다.
〔兴亡〕 xīngwáng 명 흥망. 흥기와 멸망《흔히, 국가의 경우에 씀》. ¶国家～, 匹pǐ夫有责; 국가의 흥망은, 일개의 필부에게도 책임이 있다.
〔兴旺〕 xīngwàng 형 성대하다. 번창하다. 흥성하다. ¶买卖～起来了; 장사가 번창하기 시작했다 / 一团和气就是～之象; 화기애애한 모습은 번창하고 있다는 표시이다.
〔兴无灭资〕 xīng wú miè zī〈成〉무산 계급을 일으키고, 자산 계급을 없애다. =〔灭资兴无〕
〔兴心〕 xīngxīn 동 마음을 일으키다. 마음을 먹다. ¶这位先生很老实, 决不会～害人的; 이 사람은 매우 성실해서, 결코 남을 해치는 마음을 일으킬 리가 없다.
〔兴修〕 xīngxiū 동 (규모가 큰) 공사를 일으키다. 건조(建造)하다. ¶～铁路; 철도를 부설하다 / ～寺院; 사원을 건립하다 / ～水利; 수리공사를 일으키다.
〔兴许〕 xīngxǔ 부〈方〉어쩌면. 혹시. ¶今天～他不来了; 오늘 어쩌면 그가 안 올 지도 모른다 / 看他横眉立目的样子, ～不是好人; 저 녀석의 성난 표정을 보니, 좋은 인간이 아닐 지도 모른다. =〔也yě兴〕 동 허용되다. 할 수 있다. ¶～你打人, 就不～我骂人? 네가 사람을 때리는 것은 괜찮고, 내가 사람을 욕하는 것은 안 된다는 거냐? ‖ =〔行xíng许〕
〔兴学〕 xīngxué 동 교육 사업을 일으키다. 학교를 세우다. ¶捐款～; 자금을 기부하여 학교를 짓다.

〔兴言及此〕 xīngyán jící 이 일에 언급하다.
〔兴扬〕 xīngyáng 동 (기분이) 고양(高陽)되다. (기분을) 고양시키다. ¶～斗志; 투지를 고양하다/听了那煽动性的演讲，士兵里～起一片斗志; 그 선동적인 연설을 들은 병사들 사이에서는 투지가 앙양되었다.
〔兴扬儿〕 xīngyángr 동 한창이다. 유행하다. ¶现在烤羊肉正在～; 요사이 칭기즈칸 요리는 한창 성할 때이다/现在五彩电影正在～; 지금 천연색 영화가 유행하고 있다.
〔兴妖作怪〕 xīng yāo zuò guài 〈成〉 못된 짓을 하여 나쁜 영향을 끼치다.
〔兴雨〕 xīngyǔ 동 비가 내리기 시작하다. ¶乌云上来，快要～了; 먹구름이 나타났으니, 곧 비가 내리겠다.
〔兴中会〕 Xīngzhōnghuì 명 《史》 흥중회(1892년 쑨 원(孫文)이 조직한 멸만 흥한(滅滿興漢)을 목적으로 하는 비밀 결사).
〔兴筑〕 xīngzhù 동 축조하다. ¶～铁路; 철도를 부설하다. →〔营yíng造〕
〔兴作〕 xīngzuò 동 ①일을 시작하다. ②건축하다.

星 xīng (성)
명 ①《天》 (지구·달·태양을 포함한) 별. 천체(天體). ¶山～ =〔惑～〕; 행성. ②《天》 (지구·달·태양을 제외한) 별. ¶彗huì～; 혜성/月明～稀; 〈成〉 달이 밝아 별이 드물다. ③저울에 새겨 있는 눈. ④점성술(占星術). ⑤(～儿, ～子) 극히 미세(微細)한 것. 가루가 된 작은 입상(粒狀)의 것. ¶火～儿; 불씨/油～水点; 옷의 작은 얼룩/急得眼里冒金～儿; 화가 나서 마치 눈에서 불꽃이 튀는 것 같다/唾沫～子; 침방울/一～半点儿; 약간. 조금. ⑥《樂》 술잔 모양의 놋쇠로 된 타악기(두 개를 맞부딪쳐서 소리를 냄). ⑦《天》 이십팔수(二十八宿)의 하나. ⑧성(姓)의 하나.
〔星奔〕 xīngbēn 동 별 밑에서 뛰어다니다(밤에도 쉬지 않고 분주하게 뛰어다님).
〔星卜〕 xīngbǔ 명 별점. 점성(占星). ¶～家; 점성술사. 별점보는 사람. =〔星命〕 동 별점을 치다.
〔星布〕 xīngbù 형 총총하다. 빽빽하다. ¶有许多小岛～在南海; 수많은 작은 섬들이 남해에 빽빽이 흩어져 있다. =〔星敷〕
〔星彩〕 xīngcǎi 명 《鑛》 성채(광물에 빛을 비춰 보았을 때 나는 별과 같은 빛). ¶这颗金钢钻的～发黄，所以不大好; 이 다이아몬드의 빛은 황색을 띠고 있어 별로 좋지 않다.
〔星辰〕 xīngchén 명 별(총칭). ¶日月～; 일월성신. 태양과 달과 별.
〔星驰〕 xīngchí 동 〈文〉 ①밤을 새워 달려오다. ②질주하다.
〔星虫〕 xīngchóng 명 《動》 성충. 별벌레. =〔沙shā虫〕
〔星次〕 xīngcì 명 《天》 성차. 별의 위치. ¶按照～寻找北斗位置，就可以确定方向; 성좌에서 북두의 위치를 찾으면 방향을 정할 수 있다.
〔星岛〕 Xīngdǎo 명 ⇨〔新Xīn加坡〕
〔星等〕 xīngděng 명 《天》 등성(等星). 광도(光度) 계급. ¶视～; 육안으로 본 광도 계급(光度階級).
〔星斗〕 xīngdǒu 명 별의 총칭. ¶满天～; 온 하늘에 가득한 별.
〔星敷〕 xīngfū 형 ⇨〔星布〕
〔星官〕 xīngguān 명 ①별(총칭). ②점성술사(占星術師). ③옛날, 천문(天文)을 담당하던 관리.
〔星光〕 xīngguāng 명 성광. 별빛. ¶～闪闪; 별이 반짝이다.
〔星海〕 xīnghǎi 명 ①은하수. ②영화계.
〔星汉〕 xīnghàn 명 ⇨〔天河〕
〔星号〕 xīnghào 명 별표. 아스테리스크(asterisk). =〔星标〕
〔星河〕 xīnghé 명 ⇨〔天河〕
〔星回〕 xīnghuí 동 〈文〉 별이 원위치로 돌아가다. 〈比〉 해가 바뀌다. ¶～更岁又一年; 별이 돌고 해가 바뀌니 또 한 해가 바뀌었다.
〔星火〕 xīnghuǒ 명 ①유성(流星)의 광염(光焰). 〈比〉 매우 급박(急迫)함. ¶急如～; 매우 절박하다. ②작은 불. 불꽃. 불티. ¶就靠这点儿～取暖; 요만한 불로 몸을 녹이다. ③극히 근소함.
〔星火燎原〕 xīng huǒ liáo yuán 〈成〉 ⇨〔星星xīngxīng之火，可以燎原〕
〔星级〕 xīngjí 명 호텔·식당·영빈관 등의 국제 통용 표준 등급. ¶四～豪华饭店; 4성급의 호화 호텔.
〔星际〕 xīngjì 명 《天》 천체와 천체 사이. 행성간(行星間). ¶～旅行; 우주 여행/～空间; 우주 공간.
〔星际飞船〕 xīngjì fēichuán 명 ⇨〔星际艇〕
〔星际航行〕 xīngjì hángxíng 명 우주 비행. ¶利用火箭在真空中作～; 로켓을 이용해서 우주 공간을 항행하다.
〔星际艇〕 xīngjìtǐng 명 우주 비행선. =〔星际飞船〕
〔星加坡〕 Xīngjiāpō 명 〈音〉 ⇨〔新Xīn加坡〕
〔星鲛〕 xīngjiāo 명 ⇨〔星鲨〕
〔星离雨散〕 xīng lí yǔ sàn 〈成〉 순식간에 흩어지다. 신속하게 분산하다. ¶分手不一会儿就～各自回家了; 헤어지자 곧 뿔뿔이 흩어져 각자 집으로 돌아갔다.
〔星流〕 xīngliú 명 유성. 신속한 일. 동 별똥이 떨어지다(빠른 것을 형용). ¶京釜线的列车像～似的转眼飞过去了; 경부선 열차는 별똥별처럼 눈 깜짝할 사이에 지나갔다.
〔星罗〕 xīngluó 형 〈文〉 별처럼 늘어서다. 총총히 늘어서다.
〔星罗棋布〕 xīng luó qí bù 〈成〉 하늘의 별이나 바둑판의 돌처럼 흩어져 있다(사방에 널리 분포됨). ¶小型工厂在全国各地～，到处可见; 소형 공장이 전국 각지에 분포되어 있어서 도처에서 볼 수 있다.
〔星鳗〕 xīngmán 명 《魚》 붕장어.
〔星芒〕 xīngmáng 명 〈文〉 성망. 별빛.
〔星命〕 xīngmìng 명 ⇨〔星卜〕
〔星眸〕 xīngmóu 형 미목 수려하다. ¶～如珠; 미목이 옥처럼 아름답다. 구슬같이 반짝이는 눈. 명 여자의 발그레 상기된 눈매. 별처럼 반짝이는 눈. ¶她那一对媚人的～中蕴藏了多少智慧; 그녀의 저 한쌍의 매혹적인 눈에는 대단한 지혜를 숨기고 있다.
〔星涅拉马〕 xīngnièlāmǎ 명 《映》 〈音〉 시네라마. →〔立lì体电影〕
〔星期〕 xīngqī 명 ①〈簡〉 '星期日'(일요일)의 약칭. ¶～休息; 일요일은 휴일이다. =〔星期日〕〔星期天〕〔礼拜日〕〔礼拜天〕 ②주(週). 주일(週日). ¶下～; 내주/下下～; 다음다음 주/一个～; 1주일. ③요일. ¶今天～几? 오늘은 무슨 요일입니까?/～一; 월요일. ‖ =〔礼拜〕
〔星期日电讯报〕 Xīngqīrì diànxùnbào 명 선데이 텔리그래프(오스트레일리아의 신문 이름).
〔星球〕 xīngqiú 명 《天》 별. 천체.
〔星散〕 xīngsàn 동 〈文〉 별처럼 흩어지다. 이산(離

散)하다. 뿔뿔이 흩어지다. ¶一毕业, 同学们都～了; 졸업하자 학우들은 모두 뿔뿔이 흩어졌다.
〔星鲨〕 xīngshā 명《魚》별상어. =〔星鲛〕〔白bái点鲨〕〔沙shā皮〕〔白斑星鲨〕
〔星蚀〕 xīngshí 명《天》성식.
〔星术〕 xīngshù 명 점성술《성상(星像)에 의해 길흉 화목을 점치는 술법》.
〔星霜〕 xīngshuāng 명〈文〉(1년의) 세월. 성상. ¶几度～; 다년. 여러 해.
〔星速〕 xīngsù 형〈文〉빠르다. 신속하다. ¶接到电报就～赶来; 전보를 받자마자 빨리 달려왔다.
〔星算〕 xīngsuàn 명 천문과 산술.
〔星堂〕 xīngtáng 명《樂》호리병 모양의 쇠테 안의 아래쪽에는 징을 달고, 위에는 방울을 단 고대의 악기.
〔星体〕 xīngtǐ 명《天》천체《보통, 태양·달·화성·북극성 등 개개의 별을 가리켜서 말함》.
〔星天牛〕 xīngtiānniú 명《蟲》하늘소.
〔星条旗〕 Xīngtiáoqí 명 성조기. 미국 국기.
〔星图〕 xīngtú 명《天》성도. 항성도(恒星圖).
〔星团〕 xīngtuán 명《天》성단. 성군(星群).
〔星位〕 xīngwèi 명 ⇨〔星座〕
〔星系〕 xīngxì 명《天》〈簡〉'恒héng星系'(항성계)의 준말.
〔星暹日报〕 Xīngxiān rìbào 명 태국의 화교 신문 이름.
〔星相〕 xīngxiàng 명 점성과 관상. →〔星卜〕
〔星象〕 xīngxiàng 명《天》성상. 별에 나타나는 갖가지 현상.
〔星星〕 xīngxīng 명 작은 점. 얼룩. ¶～渔火映江干; 고기잡이 불이 점점이 강가에 비추고 있다.
〔星星〕 xīngxing 명〈口〉별. ¶满天都是～; 하늘에 별이 총총하다/天上的～; 하늘의 별.
〔星星点点〕 xīngxīng diǎndiǎn 형 ①듬성듬성하다. 매우 적다. ¶春天刚到, 树上不过～开了几个花儿而已; 막 봄이 되었기 때문이니까 나무에는 드문드문 꽃이 피어 있을 뿐이다. ②촘촘하다. 빽빽하다. ¶衣服～地沾上了许多红颜色; 옷에 온통 빨간색이 빽빽하게 튀었다.
〔星星之火, 可以燎原〕 xīng xīng zhī huǒ, kě yǐ liáo yuán〈成〉작은 불똥도 광야를 태울 수 있다《새로 생긴 작은 것이 머지않아 큰 세력으로 성장함의 비유》. ¶小心～, 也许会闹大呢; 성냥개비 하나가 화재의 근원이니, 큰 일이 되지 않게 조심해라. =〔星火燎原〕
〔星行〕 xīngxíng 동〈文〉주야 겸행으로〔밤낮을 가리지 않고〕가다.
〔星宿〕 xīngxiù 명 ①《天》성좌(星座). ②〈比〉운수. ¶～不利; 운수가 나쁘다/有～照命; 본명성(本命星)의 해를 만나다.
〔星宿菜〕 xīngxiùcài 명《植》물까치수염.
〔星旋〕 xīngxuán 동〈文〉서둘러 돌아오다〔돌아가다〕.
〔星学〕 xīngxué 명 ①《天》성학. 성상(星象)을 연구하는 학술. ②별점을 보는 사람.
〔星眼〕 xīngyǎn 명 (여자의) 시원스럽고 아름다운 눈. ¶～顾盼; 여성이 예쁜 눈으로 돌아보다.
〔星夜〕 xīngyè 명 (야외 활동에서의) 밤. 별밤. 야간. ¶～行军; 야간 행군/～奔忙; 한밤중에도 바쁘게 뛰어다니다.
〔星移斗转〕 xīng yí dǒu zhuǎn〈成〉①세월이 흐르고 해가 바뀌다. ②날이 밝으려 하다. ③변화가 일어나려 하다. ④계절이 바뀌다.
〔星鱼〕 xīngyú 명《動》불가사리. =〔海hǎi盘车〕
〔星云〕 xīngyún 명《天》성운.
〔星陨〕 xīngyǔn 동 ①유성〔별똥별〕이 떨어지다. ②〈比〉훌륭한 사람이 죽다.
〔星州(府)〕 Xīngzhōu(fǔ) 명 ⇨〔新Xīn加坡〕
〔星州日报〕 Xīngzhōu rìbào 명 싱가포르에 있는 후 원후(胡文虎)계(系)의 신문 이름.
〔星主〕 xīngzhǔ 명 옛날, 소설 중의 중요 인물을 어떤 별의 정기를 받아서 태어났다는 뜻으로 부르던 말《수호전에 송강(松江)은 천괴성(天魁星), 노지심(魯智深)은 천고성(天孤星)을 타고났다고 함》.
〔星子〕 xīngzi 명 방울. 부스러기.
〔星座〕 xīngzuò 명《天》성좌. 별자리. =〔星位〕→〔星宿①〕

惺 xīng (성)
①형 현명〔총명〕하다. ②동 깨닫다.
〔惺松〕 xīngsōng 형 ①잠이 덜 깨어 몽롱한 모양. ¶睡眼～; 잠이 덜 깬 눈으로 몽롱해 있는 모양. ②분명하다. 명석(明析)하다. ③흔들리어 결정을 못 하다.
〔惺悟〕 xīngwù 동 깨닫다. 각성하다.
〔惺惺〕 xīngxīng 형 ①머리가 산뜻하다. 의식이 똑똑하다. 머리가 맑다. ②총명하다. 재치가 있다. ¶耍shuǎ～; 잔꾀를 부리다. ③⇨〔假惺惺(的)〕 명 총명한 사람.
〔惺惺惜惺惺〕 xīng xīng xī xīng xīng〈成〉총명한 자는 총명한 자를 아낀다. =〔惺惺相惜〕
〔惺惺作态〕 xīng xīng zuò tài〈成〉마음에도 없는 말을 하거나 행동을 하다. …을 가장하다.

猩 xīng (성)
명 ①《動》성성이. 오랑우탄. =〔猩猩〕②《色》진홍색.
〔猩唇〕 xīngchún 명 성성이의 입술《요리》.
〔猩红〕 xīnghóng 명 ①《色》진홍색. 선홍색. =〔大红①〕〔绯红〕〔猩色〕〔腥红〕 ¶～的榴火; 새빨간 석류꽃. ②《鑛》진사(辰砂). 주사(朱砂). =〔银朱〕
〔猩红热〕 xīnghóngrè 명《醫》성홍열. =〔风fēng疮〕〔红痧〕
〔猩儿活〕 xīngrhuó 명〈方〉겉꾸밈. 거짓. 거드름 피움. ¶他那份的亲热都是～, 你别当真呢; 그의 저런 붙임성 있는 태도는 모두 가장이니, 진실로 여기지 마라.
〔猩色〕 xīngsè 명 ⇨〔猩红①〕
〔猩猩〕 xīngxing 명《動》오랑우탄. 성성이. ¶大～; 고릴라/黑～; 침팬지(chimpanzee). =〔猩①〕
〔猩猩木〕 xīngxingmù 명《植》포인세티아(poinsettia). =〔一品红〕
〔猩血色〕 xīngxuèsè 명《色》검붉은색.

腥 xīng (성)
①명 (날고기·생선 등의) 비린것. ②명 생선·고기 따위의 상한 냄새. 누린내. 비린내. ¶土～味儿; 흙내가 나다/荤hūn～; 비린내 나는 음식/血～气; 피비린내. ③형 비리다.
〔腥臭〕 xīngchòu 형 ①비리고 퀴퀴하다. ¶这条鱼已经～了, 不能吃了; 이 생선은 냄새가 나서, 먹을 수 없다. =〔腥气〕②(하는 짓 등이) 비리다. 추잡하다. 평판이 나쁘다. ¶名声～; 평판이 아주 나쁘다/衣冠整齐掩yǎn不住两手～; 옷차림으로는 양손의 비린내를 속일 수 없다.
〔腥德〕 xīngdé 명〈文〉악덕. 배덕(背德).
〔腥赌〕 xīngdǔ 명 사기 도박. ¶叫～害得倾家荡产; 사기 도박에 걸려 재산을 날렸다. =〔醒赌〕

〔腥风〕 xīngfēng 명 피비린내 나는 바람. 〈比〉 전장(戰場)의 바람. ¶血雨～ =〔～血雨〕; 〈成〉 피비린내 나는 전장.
〔腥黑穗病〕 xīnghēisuìbìng 명 《農》 보리 등의 흑수병.
〔腥红〕 xīnghóng 명 ⇨〔猩红①〕
〔腥秽〕 xīnghuì 형 비린내가 나고 더럽다. ¶跟坏人交往, 沾惹了～的人格; 나쁜 놈과 사귀어 추잡한 인격에 물들었다.
〔腥活〕 xīnghuó 명 (도박에서 쓰는) 속임수. ¶他们打牌竟使～; 그들은 마작할 때 속임수만 쓴다.
〔腥架子〕 xīngjiàzi 명 역겹고 건방진 태도〔거드름〕. ¶他摆～; 그는 역겹게 거드름을 피운다.
〔腥腻〕 xīngnì 형 비린내가 나고 기름에 찌들다. ¶那厨子一身的～; 저 요리사는 온 몸이 기름에 찌들고 비린내투성이다.
〔腥气〕 xīngqi 명 비린내. =〔腥味(儿)〕 형 비리다. =〔腥臭①〕
〔腥肉〕 xīngròu 명 비린내나는 날고기.
〔腥臊〕 xīngsāo 형 ①(냄새가) 비리고 구리다. ②(방법이) 악랄하다. ¶施展～的政治手腕; 악랄한 정치 수완을 발휘하다.
〔腥膻〕 xīngshān 형 비리고 노리다. 비린내와 노린내가 나다.
〔腥味(儿)〕 xīngwèi(r) 명 악취. 비린내. ¶菜里用料酒把～去掉; 요리에 술을 넣어 비린내를 없애다. =〔腥气〕
〔腥闻〕 xīngwén 명 〈文〉 추문(醜聞). ¶～传千里; 추문은 천 리에 전해진다.
〔腥油〕 xīngyóu 명 돼지 기름. 라드(lard).

骍(騂) **xīng** (성)
① 명 〈文〉 소·말의 붉은 털. ¶～马; 절따말. ② 명 털이 붉은 말. 털이 붉은 소. ③인명용 자(字).

箵 **xīng** (성)
→〔笭líng箵〕

刑 **xíng** (형)
① 명 《法》 형벌. ¶徒tú～; 징역 / 死～; 사형 / 缓huǎn～; 집행 유예 / 判pàn～; 형을 선고하다. ② 명 고문. 체벌. ③ 명 규율. 규칙. ④ 명 형구(刑具). ¶动～; 형구를 써서 고문하다. ⑤ 동 처형하다. ⑥ 명 성(姓)의 하나.
〔刑毙〕 xíngbì 동 고문하여 죽게 만들다.
〔刑柄〕 xíngbǐng 명 형벌권. ¶～在握, 掌生杀之权; 형벌권을 쥐고, 생살 여탈권을 관장하다.
〔刑部〕 xíngbù 명 형부《청조(清朝)의 관제로 '六部'의 하나로서 사법 행정을 관장한 곳》. ¶～尚书; 형부 상서. =〔秋曹qiūcáo〕
〔刑场〕 xíngchǎng 명 옛날의 사형장. =〔法fǎ场①〕
〔刑臣〕 xíngchén 명 옛날, 궁중의 환관(宦官).
〔刑惩〕 xíngchéng 동 형벌을 가하여 징계하다.
〔刑典〕 xíngdiǎn 명 《法》 형전.
〔刑罚〕 xíngfá 명 ①《法》 형벌. ¶为了保障人权, 警察侦查案件, 不得滥用～; 인권 보장을 위해서 경찰이 사건 수사를 하는 경우, 형벌을 남용해서는 안 된다. ②괴로움. 고통. ¶白天累一天, 晚间还要工作, 简直是受～呢; 낮에는 하루 종일 피곤하고, 밤에는 또 할 일이 있으니, 정말 괴롭다.
〔刑法〕 xíngfǎ 명 《法》 ①형법. ¶～典; 형법전. ②행형(行刑)의 방법. ¶这种～可厉害; 이와 같은 형의 집행 방법은 가혹하다.
〔刑房〕 xíngfáng 명 ①옛날, 형사의 문서를 다루던 관원(官員). ②고문실(拷問室). ¶私设～; 몰래 고문실을 만들다.
〔刑官〕 xíngguān 명 형사 집행의 관리.
〔刑家〕 xíngjiā 명 〈文〉 수형자(受刑者)의 가족.
〔刑教〕 xíngjiào 명 형벌과 교화.
〔刑劫〕 xíngjié 동 〈文〉 피치자(被治者)가 치자에게서 함부로 처벌받다. 형벌권을 남용하다.
〔刑警〕 xíngjǐng 명 형사(刑事).
〔刑鞫〕 xíngjū 동 고문(拷問)하다.
〔刑具〕 xíngjù 명 형구. 형벌에 쓰는 도구.
〔刑克〕 xíngkè 명 〈文〉 운명의 상극. 궁합이 맞지 않는 일. ¶命里犯～; 성격〔궁합〕이 맞지 않다.
〔刑戮〕 xínglù 동 형에 처하다. ¶～不宜太过; 형벌을 너무 무겁게 하는 것도 좋지 않다.
〔刑律〕 xínglǜ 명 《法》 〈文〉 형률. 형법. →〔刑法①〕
〔刑满释放〕 xíngmǎn shìfàng 명 《法》 만기 석방.
〔刑名〕 xíngmíng 명 〈文〉 ①법률. ¶～之学; 법학. ②형벌의 명칭. 형명. ③청대(清代)에, 형법에 관한 일을 주관하던 사람. ¶～师爷shīyé; 법정의 서기.
〔刑期〕 xíngqī 명 《法》 형기.
〔刑赏〕 xíngshǎng 명 상벌. ¶～宜求公允; 상벌은 공평함을 존중해야 한다.
〔刑事〕 xíngshì 명 《法》 형사. ¶～案(件); 형사 사건 / ～犯; 형사범(인).
〔刑书〕 xíngshū 명 〈文〉 법률.
〔刑网〕 xíngwǎng 명 형법(刑法).
〔刑问〕 xíngwèn 명동 형구를 써서 심문(하다). 고문(하다). ¶～的口供无效; 고문에 의한 진술은 무효이다 / 法治国家反对～制度; 법치 국가에서는 고문 제도에 반대한다 / ～逼供; 고문하여 억지로 자백시키다. =〔刑讯〕
〔刑讯〕 xíngxùn 명동 ⇨〔刑问〕
〔刑于〕 xíngyú 동 〈文〉 부부가 서로 존경하다《시경(詩經)의 '刑于寡妻'에서 나온 말》. ¶～之化; 부부가 화합함.
〔刑余〕 xíngyú 명 〈文〉 전과자. 석방된 죄인.
〔刑章〕 xíngzhāng 명 〈文〉 형법. ¶触犯～; 형법을 어기다.
〔刑杖〕 xíngzhàng 동 태형(笞刑)을 행하다. 명 형장.

邢 **Xíng** (형)
명 ①《地》 옛 지명《지금의 허베이 성(河北省) 싱타이 현(邢臺縣) 일대》. ②성(姓)의 하나.

形 **xíng** (형)
①(～儿) 명 형(形). 형태. 형상. 모양. ¶地～; 지형 / 三角～; 삼각형 / ～胜; ⇩ ② 명 실체(實體). 본체. 형체. ¶有～; 형체가 있다 / ～影不离; ⇩ ③ 동 비교하다. 대조하다. ¶相～之下; 쌍방을 비교하여 보면. 목하의 상황으로 보면. ④ 동 나타나다. 나타내다. ⑤ 동 묘사하다. 형용하다. ⑥한 자(字)의 부사성(副詞性) 말을 앞에 놓고 뒤의 2음절어의 말을 수식함《이 때에 앞의 두 개의 말의 연결을 하나의 부사로 보아도 됨》. ¶益～顺利; 점점 순조롭다 / 愈～微妙; 더욱더 미묘하다.
〔形变〕 xíngbiàn 명 《物》 변형.
〔形成〕 xíngchéng 동 형성하다. 되다. 구성하다. 이루고 있다. ¶雨点在空中遇冷～冰雹; 비가 공중에서 낮은 온도를 만나면 우박을 형성한다.
〔形成层〕 xíngchéngcéng 명 《植》 형성층.
〔形存实亡〕 xíng cún shí wáng 〈成〉 형태만 있고 내용이 없다. →〔名míng存实亡〕
〔形单影只〕 xíng dān yǐng zhī 〈成〉 형태도 하나, 그림자도 하나《외톨이가 된 모양. 고독한 모

양).
〔形而上〕 xíng'érshàng 명 《哲》 형이상. ¶～学; 형이상학.
〔形而下〕 xíng'érxià 명 《哲》 형이하. ¶～学; 형이하학.
〔形格势禁〕 xíng gé shì jìn 〈成〉 정세(情勢)에 따라서 지장을 주다. 정세·환경의 제약을 받다. ¶由于～, 有本事也使不出来; 환경의 제약 때문에 능력을 발휘할 수 없다.
〔形骸〕 xínghái 명 〈文〉 형해. 사람의 몸.
〔形秽〕 xínghuì 형 〈文〉 옷차림이 초라하다. ¶自惭cán～; 옷차림이 초라해서 열등감을 느끼다.
〔形迹〕 xíngjì 명 ①형식. 의례(儀禮). ¶拘jū～; ⓐ형식에 구애하다. ⓑ사양하다 / 不拘～才好; 개의치 마십시오. 사양 마세요. ②행동거지. 형적. 기색. ¶～可疑; 〈成〉 행동거지가 수상하다 / 不露～; 기색을 나타내지 않다.
〔形家〕 xíngjiā 명 지관(地官). 토지나 가옥의 상(相)을 보는 사람. ¶安坟上宅之前要请一位～来看风水; 무덤을 만들고 집을 짓기 전에 지관을 불러 방위·가상(家相) 등을 보게 해야 한다. =〔〈俗〉风fēng水先生〕
〔形解〕 xíngjiě 동 《佛》 천화(遷化)하다. 입적(入寂)하다. ¶修行十年～而去; 10년 동안 수행하여 입적하다.
〔形景(儿)〕 xíngjǐng(r) 명 ①상황. 정세. 모습. ¶看～行事; 정세를 보고 일을 하다. ②용모(容貌).
〔形劳〕 xíngláo 동 몸이 피로하다. ¶日日～; 매일 힘든 일을 하다.
〔形满〕 xíngmǎn 명 《漢醫》 종창(腫脹). ¶涂熊胆以解～; 웅담을 발라 부기를 가라앉히다.
〔形气〕 xíngqì 명 《漢醫》 ①육체와 정신. ②육체 내의 기혈(氣血).
〔形儿〕 xíngr 명 ①모양. 모습. 형체. ¶这位妇人流产了一个已经成了～的胎儿, 实在可惜得很; 이 부인은 이미 형체를 갖추고 있는 태아를 유산하였으니, 정말 애석하다. ②형적(形跡). ¶她已经有了人了, 只是没有露～; 그녀는 이미 상대가 생겼지만, 입 밖에 내지 않고 있을 뿐이다.
〔形容〕 xíngróng 명 〈文〉 형상. 용모. ¶～憔悴; 얼굴이 초췌하다〔여위다〕. 동 ①형용하다. 묘사하다. ¶不可以言语～; 말로 표현할 수 없다. ②놀리다. 조롱하다. ¶说笑话来～他; 우스운 이야기를 하여 그를 놀리다.
〔形容词〕 xíngróngcí 명 《言》 형용사. →〔定语〕〔表biǎo(白)词〕〔静jìng字〕
〔形容尽致〕 xíngróng jìnzhì 충분히 형용하다. 생생하게 표현하다. ¶那演员把经理的丑态～; 저 배우는 지배인의 추태를 생생하게 연기한다.
〔形色〕 xíngsè 명 ①형색. 안색. ②모양. 모습. ¶～慌张; 당황한 모습이다.
〔形声〕 xíngshēng 명 《言》 형성《육서(六書)의 하나》. ¶～字; 형성자. =〔谐xié声〕
〔形胜〕 xíngshèng 형 지세(地勢)가 뛰어나다. 차지한 땅의 위치가 유리하다. ¶～之地; 지세가 뛰어난 땅.
〔形式〕 xíngshì 명 형식. 일정한 틀. 외관. ¶～主义; 형식주의 / 在～上保持外交关系; 형식적인 외교 관계를 유지하다.
〔形式逻辑〕 xíngshì luóji 명 《哲》 형식 논리.
〔形势〕 xíngshì 명 ①(흔히 군사상의) 지세(地勢). ¶～险要; 지세가 험요하다. ②형세. 정세. ¶政治～; 정치 정세 / 市场～; 시황(市況) / 客观～; 객관적 정세 / ～大好; 정세는 아주 좋다.
〔形势逼人〕 xíng shì bī rén 〈成〉 대세(大勢)에 떠밀리어, 그렇게 하지 않을 수 없게 되다. ¶全民大跃进, ～, 我再也不能安居中游了; 국민 전체가 대약진을 하고 있어, 대세에 밀려 나도 이 이상 미온적인 태도로 편안히 놀고만 있을 수는 없다.
〔形似〕 xíngsì 동 외모〔몸매〕가 비슷하다. 모습이 닮다. ¶二人～; 두 사람은 몸매가 비슷하다 / ～而貌异; 몸매는 비슷하지만 용모는 닮지 않았다.
〔形态〕 xíngtài 명 ①사물의 형상. 표현된 형식. ¶意识～; 이데올로기. ②표정 태도. ③《生》(생물의) 형태. ④《言》 단어의 어형(語形) 변화 형식. ¶～论; 품사론.
〔形态学〕 xíngtàixué 명 ①《生》 형태학. ②《言》 형태론. 어형론(語形論).
〔形体〕 xíngtǐ 명 ①형체. 모양. 형상. ¶文字的～; 문자의 형상 / ～变化; 형체 변화. ②(인간의) 몸. 육체. 신체.
〔形同水火〕 xíng tóng shuǐ huǒ 〈成〉 물과 불의 관계와 같다. 서로 용납하지 않다.
〔形象〕 xíngxiàng 명 형상. 모습. 양상. 상(像). 이미지. ¶鲁迅在小说里所描写的人物～; 노신이 소설에서 묘사한 인물상 / 英雄～; 영웅상. 형 구체적이다. 여실하다. ¶～地描绘了出来; 구체적으로〔여실히〕 묘사해냈다.
〔形销骨立〕 xíng xiāo gǔ lì 〈成〉 여위어 뼈만 앙상하다. ¶病得～, 瘦成人干儿了; 병을 앓아 야위어 뼈가 앙상하여 마치 인간을 말려 놓은 것 같다.
〔形形色色〕 xíngxíngsèsè 형 형형색색의. 가지각색의. ¶店里摆满了～的物品; 가게에는 갖가지 상품이 진열되어 있다.
〔形影〕 xíngyǐng 명 ①형영. 형체와 그림자. ②몸. ¶～孤单; 혈혈 단신. 혼자몸의 쓸쓸한 모양.
〔形影不离〕 xíng yǐng bù lí 〈成〉 그림자가 형체에 따르는 것처럼 조금도 떨어지지 않는다《매우 사이가 좋다》. ¶相亲相爱～; 서로 사랑하고 있어 한시도 떨어지지 않는다. =〔形影相随〕
〔形影相吊〕 xíng yǐng xiāng diào 〈成〉 외롭고 허전한 모양. 동반자도 공명자(共鳴者)도 없이 고독한 모양.
〔形影相射〕 xíng yǐng xiāng shè 〈成〉 서로 경계〔훈계〕하다.
〔形影相随〕 xíng yǐng xiāng suí 〈成〉 ⇨〔形影不离〕
〔形影相同〕 xíng yǐng xiāng tóng 〈成〉 형체의 곡직(曲直)에 따라 그림자도 또한 곡직을 이룬다《마음의 선악이 겉으로 드러난다》.
〔形藏〕 xíngzàng 명 《漢醫》 ①위장·방광 따위를 말함. ②양미간(兩眉間)·귀·눈·입·이·가슴속 등을 말함.
〔形制〕 xíngzhì 동 지형으로써 제압하다. ¶金陵地势如龙盘虎踞, ～四方; 난징(南京)의 지세는 용이 서리고 호랑이가 웅크리고 있는 형세로 사방을 제압하고 있다. 명 (기물이나 건물의) 모양과 구조.
〔形质〕 xíngzhì 명 ①형질. 형체와 실질. ¶精神是没有～的; 정신이란 형체가 없는 것이다. ②형상과 재질(材質). ¶这个学生, 无论在形、质哪方面看, 都是可造之材; 이 학생은 형과 질의 어느 면으로 보아도 유망한 인재이다.
〔形状〕 xíngzhuàng 명 물체의 모양〔외관〕. 형상.
〔形踪〕 xíngzōng 명 행방. 형적. 발자취.
〔形左实右〕 xíng zuǒ shí yòu 〈成〉 형식은 좌익이지만 실제는 우익이다.

型 xíng (형)
명 ①《工》 모형. 주형(鑄型). 본. ¶砂shā～; 모래 거푸집 / 浇jiāo～; 거푸집에 쇳물을 부어 넣다. ②양식. 유형(類型). ¶小～汽车; 소형 자동차 / 血～; 혈액형 / 新～拖tuō拉机; 신형 트랙터 / 脸～; 얼굴형.

〔型锻〕 xíngduàn 동《機》 형철(型鐵)로 구부리다. 본에 박아서 만들다.

〔型范〕 xíngfàn 명 전형적인 모범.

〔型钢〕 xínggāng 명 형강(形鋼). =〔构gòu造型钢〕

〔型工〕 xínggōng 명《工》 주형(鑄型) 제작. =〔造型①〕

〔型号〕 xínghào 명 사이즈. 형. 형식 번호(기기·농기구 등의 성능·규격·치수. 혈액형도 포함됨). ¶质量、～、价格和其他条件都合适; 품질, 사이즈, 가격 및 그 밖의 조건이 모두 적합하다.

〔型模〕 xíngmú 명 형. 주형(鑄型). 거푸집.

〔型砂〕 xíngshā 명《機》 주형사. =〔造zào型砂〕

〔型箱〕 xíngxiāng 명 주형. 틀.

〔型心〕 xíngxīn 명《機》 주물(鑄物)의 심형(心型). =〔型芯〕

〔型压玻璃〕 xíngyā bōli 명 압형(壓型) 유리.

〔型砧〕 xíngzhēn 명 구멍이 여러 개 있는 모루. =〔花huā砧(子)〕

钘(鈃) xíng (형)
명 ①옛날, 술을 담는, 목이 긴 그릇(인명용 자(字)로도 씀). ②⇨〔铏〕

硎 xíng (형)
〈文〉 ① 명 날붙이를 가는 돌. 숫돌. ¶新发于～; 〈成〉 민첩하고 능력이 있어 마치 막 갈아 놓은 칼 같다. ② 동 갈아서 만들다.

铏(鉶) xíng (형)
명 〈文〉 옛날에 '羹(뜨거운 국)'을 담던 그릇. =〔钘②〕

行 xíng (행)
① 동 걷다. 가다. ¶～百里者半九十; ⇩ / 上～列车; 상행 열차 / 人～道; 인도. 보도 / 通～; 통행하다. 통용하다 / 飞～; 비행하다. ② 명형 여행(의). ¶启qǐ～; (여행을) 떠나다 / 送～; 송별하다 / 不虚xū此～; 이번 여행은 헛되지 않았다. ③ 동 유행〔유통〕하다. 널리 퍼뜨리다. ¶推～; 퍼뜨리다 / ～销; ⇩ / 风～一时; 〈成〉 일세(一世)를 풍미(風靡)하다. ④ 동 행하다. 실행하다. ¶实～; 실행하다 / 举～; 거행하다 / 执zhí～; 집행하다 / ～举手礼; 거수 경례를 하다 / 先～调查; 먼저 조사를 하다 / 施～; 시행하다 / 所～不端; 하는 짓이 바르지 않다. ⑤ 명 행위. 행동. ¶罪～; 범죄 행위 / 兽shòu～; 짐승과 같은 행위 / 品pǐn～; 품행 / 你看他那个德～; 저놈의 낯가죽이 두꺼운 꼴을 봐. ⑥ 명형 임시(의). 이동식(의). ¶～宫; ⇩ / ～营; ⇩ ⑦ 형 능력이 있다. 수완이 있다. 훌륭하다. 대단하다. ¶这年轻人～啊, 真有两下子; 이 젊은이는 대단해. 정말 능력 있어 / 你～; 너 대단하다. ⑧ 형 (사태가 호전할 경우에) 좋다. 문제 없다. ¶～了, 别再说了; 됐어, 더이상 얘기 하지 말자 / ～了, 有了万能磨床我们的生产就快多了; 좋다, 만능 연삭반이 생겼으니 우리의 생산은 훨씬 빨라지게 됐다 / 这天气～了, 不至于再下雨了; 이런 날씨는 괜찮다, 비는 다시 오지 않는다 / ～了, 别再添了; 이제 됐다, 더 이상 보태지 마라 / ～了, 我们就散会吧; 이제 됐다, 우리 이제 산회하자 / ～了, 修好了; 됐어, 수리 다 끝났다. ⑨ 형 지장 없다. 충분하다. ¶这样做～不～? 이렇게 하면 지장 없겠습니까? / 不加油不～; 분발하지 않으면 안 된다. ⑩ 부 〈文〉 이제 곧. 머지않아. ¶～将竣工; 이제 곧 준공한다. ⑪ 부 혹은. …가 했더니. …는지 아닌지. ¶～去～不去, 赶紧给我个回音儿吧; 가는지 안 가는지 빨리 회답해 주십시오 / ～哭就笑; 울고 있나 했더니, 또 금세 웃는다. ⑫ 명 고시(古詩)의 한 형식. ¶琵琶～; 비파행. ⑬ 명 성(姓)의 하나. ⇒háng hàng héng

〔行百里者半九十〕 xíng bǎilǐzhě bàn jiǔshí 〈諺〉 백 리를 가려고 하는 사람은 구십 리를 반으로 잡는다(일을 완성할때까지는 끝까지 마음을 늦추어서는 안 됨).

〔行包〕 xíngbāo 명 여행 때의 짐. →〔行装〕

〔行不出去〕 xíngbuchū.qù 실행해 낼 수 없다. 해낼 수 없다. ¶不合理的办法一定～的; 불합리한 방법으로는 반드시 실행할 수 없을 것이다.

〔行不到〕 xíngbudào 구석구석까지 미치지 않다. ¶中央的命令～边疆; 중앙의 명령이 변경에까지 미치지 않다.

〔行不得〕 xíngbude ①해서는 안 된다. ¶这件事～; 이것은 해서는 안 된다. ②지나가면 안 된다. 통행할 수 없다. ¶这条路～; 이 길은 통행할 수 없다.

〔行不得也哥哥〕 xíng bu de yě gē ge 〈成〉 그대여 제 곁을 떠나서는 안 돼요(여로(旅路)의 곤란한 점).

〔行不开〕 xíngbukāi ①(장애가 있어) 자유롭게 갈 수 없다. ②보급시킬 수 없다. ¶他们这种习惯虽好, 在我们这儿是～的; 그들의 이와 같은 습관은 좋지만, 우리에게는 보급될 수 없다.

〔行不去〕 xíngbuqù 갈 수 없다. 통행할 수 없다. ¶山路险阻～; 산길이 험해서 갈 수 없다. ↔〔行得去〕

〔行不通〕 xíngbutōng ①길이 통하지 않다. 통행할 수 없다. ②통용되지 않다. 실행할 수 없다. ¶办法～; 방법이 통하지 않다 / 骗人的事终久还是～的; 사기 행위는 결국 통용되지 않는다.

〔行不下去〕 xíngbuxià.qù 계속 행할 수 없다. 속행할 수 없다. 계속되지 않다. ¶这样辣手的行为我实在～了; 이런 지독한 행위를 나는 계속할 수 없다.

〔行藏〕 xíngcáng 명 〈文〉 ①(출처(出處)·진퇴(進退)·명예·체면에 관계되는 일에서) 처신하는 방법. ¶君子的～任凭当局的取舍而不强求; 군자의 진퇴는 책임자의 선택에 맡기고, 무리하게 요구하지는 않는다. ②행적(行蹟). 내력. 내막. ¶露～; 내력이 밝혀지다. 정체가 드러나다 / 查查他的～; 그의 행적을 조사하다 / 识破～; 내막을 간파하다.

〔行茶〕 xíngchá 동 약혼하다. ¶挑个好日子给姑娘～; 길일을 택해서 딸을 약혼시키다.

〔行常〕 xíngcháng 부 보통 때. 평소. 일상. ¶～不见他来, 今日难得光顾; 그는 보통 때 오지 않는데, 오늘 왔다니 희한하다. →〔平píng常〕

〔行车〕 xíngchē 명《機》 천정(天井) 크레인. 동 차를 통과시키다. 차가 통과하다. ¶此处不准～; 이 곳은 차량 통행 금지.

〔行程〕 xíngchéng 명 ①일정(日程). ¶他的～安排如下; 그의 일정은 다음과 같이 정해졌다 / ～表; 일정표. ②노정. 도정(道程). ③⇨〔冲chōng程〕 동 출발하다. ¶请师父便可～; 스승님에게 부탁하면 곧 출발할 수 있습니다.

〔行持〕 xíngchí 동 (책임자가 되어 일을) 집행하다.

¶今天放焰口的法事是由老和尚～的; 오늘의 독경 예불은 노스님이 집행합니다.
〔行饬〕 xíngchì 동 〈翰〉 명령을 통달하다. ¶～部属, 一体凛遵; 소속 각 부국에 통보하여 준수 집행케 하다.
〔行筹〕 xíngchóu 동 〈文〉 대나무나 종이의 표로 투표하여 다수결을 꾀하다. ¶用～的方法解决纠纷; 투표의 방법으로 분규를 해결하다.
〔行船〕 xíngchuán 동 ①배를 내다. 배를 젓다. ¶南方人善于～; 화남 사람들은 배를 다루는 것이 능숙하다. ②배가 통행할 수 있다. ¶西江下流可以～; 서강의 하류는 배가 다닐 수 있다 / ～条约; 선박 항행 조약.
〔行床〕 xíngchuáng 동 ⇨〔行房(事)〕 명 ⇨〔行军床〕
〔行春〕 xíngchūn 동 ①옛날, 관리가 봄에 각지를 순찰하다. ②봄의 행락을 하다. ¶在园中摆酒～; 뜰에 술상을 차려 놓고 봄을 즐기다.
〔行次〕 xíngcì 명 여행 도중. ¶上南京的～中认识了一个新朋友; 난징(南京) 여행 중에 새 친구가 생겼다.
〔行刺〕 xíng.cì 동 (흉기로 중요 인물을) 암살하다. ¶最近企图～总统的主谋者, 今天早晨被捕了; 최근에 대통령 암살을 기도한 주모자가 오늘 아침 체포되었다.
〔行当〕 xíngdāng 동 〈文〉 ①당연히 해야 하다. ¶～如此; 당연히 이래야 한다. ②마침 …의 때에 해당하다. 만나다. ¶～太平盛世; 마침 태평 성대에 태어나다.
〔行道〕 xíngdào 동 ①자기의 이념·주장을 실행하다. ¶替天～; 하늘에 대신하여 자신의 주장을 실행하다. ②의술을 행하다. 의료에 종사하다. =〔行医〕 명 〈文〉 길.
〔行道树〕 xíngdàoshù 명 (인도의) 가로수.
〔行得去〕 xíngdeqù 갈 수 있다. 지나갈 수 있다. ↔〔行不去〕
〔行得通〕 xíngdetōng ①통행할 수 있다. ②통용되다. 실행할 수 있다. ‖↔〔行不通〕
〔行灯〕 xíngdēng 명 〈方〉 휴대용 램프. 동 음력 정월 보름 원소절(元宵節)밤 등롱 구경 가다. ¶今天是元宵节吃完了晚饭到街上去～去; 오늘은 원소절이니까 저녁을 먹고 거리로 등롱 구경을 가자.
〔行抵〕 xíngdǐ 동 〈文〉 도착하다. ¶～天津; 톈진에 도착하다.
〔行动〕 xíngdòng 동 걷다. 움직이다. ¶病刚好一点儿, 不宜～; 막 완쾌되었기 때문에, 움직이는 것이 좋지 않다. 명동 행동(하다). 활동(하다). ¶采cǎi取～; 행동을 취하다 / 敌dí对～; 적대 행동 / 共gòng同～; 행동을 함께 하다 / 付诸～; 이것을 행동에 옮기다 / 注意他的～; 그의 행동에 주의하다. 명 동작. ¶老人家～不便; 노인은 동작이 불편하다.
〔行动邮局〕 xíngdòng yóujú 명 이동 우체국.
〔行动指南〕 xíngdòng zhǐnán 명 행동 지침.
〔行动坐卧〕 xíngdòng zuòwò 명 행위 행동. 기거 동작. ¶他的～跟他父亲一样; 그의 행동거지는 그 아버지를 꼭 닮았다 / 看他的～也知道一定是个老实人; 행동거지로 보아, 그는 성실한 사람임이 틀림없다.
〔行都〕 xíngdū 명 옛날, 임시 수도《중일 전쟁 중에는 충칭(重慶)을 말했음》.
〔行短〕 xíngduǎn 형 ①행동이 비굴하다. ¶恶人先告状是他的～; 악인이 먼저 소송을 일으키는 것은 비굴한 행동이다. ②방법이 서투르다. ¶智拙～; 생각은 졸렬하고 방법이 서투르다. 동 자살하다. ¶因穷困而一时心窄～; 가난 때문에 마음이 약해져서 자살했다.
〔行贩〕 xíngfàn 명 ⇨〔行商〕
〔行方便〕 xíng fāngbian ①(남의 곤란에 동정하여) 편의를 도모해 주다. 융통해 주다. 은혜를 베풀다. ¶我一天没吃饭了, 求您行个方便吧; 전 하루 종일 밥을 못 먹었습니다, 제발 은혜를 베풀어 주십시오. ②《佛》 희사(喜捨)하다. ¶太～广积善缘; 크게 희사하면 널리 좋은 인연을 쌓게 된다.
〔行房(事)〕 xíng.fáng(shì) 동 행방하다. 방사를 하다. =〔行床〕〔行阴〕〔入rù房〕
〔行复〕 xíngfù 동 〈文〉 답장을 내다.
〔行宫〕 xínggōng 명 〈文〉 행궁. 행재소(行在所). =〔〈文〉 车chē宫〕
〔行贾〕 xínggǔ 명 ⇨〔行商〕
〔行好〕 xíng.hǎo 동 ①은혜를 주다. 자비를 베풀다. ¶您行行好吧! 동정을 베풀어 주십시오! ②기부하다. ¶这点钱就算你～了吧; 이 만한 돈은 네가 기부하는 셈 쳐라.
〔行化〕 xínghuà 동 ①약효가 나다. ¶等一会儿药力～开了, 就好了; 잠시 후에 약효가 나기 시작하면 곧 좋아진다. ②음식물이 소화되다.
〔行贿〕 xíng.huì 동 뇌물을 쓰다. ¶～求官, 真是可耻; 뇌물을 써서 관직을 얻는 것은 부끄러운 일이다. ↔〔受shòu贿〕
〔行货〕 xíng.huò 동 ①상품을 유통시키다. 행상을 하다. ¶～为商, 屯tún货为贾gǔ; 행상하는 일을 '상(商)'이라 하고, 상품을 쌓아 두고 파는 것을 '고(賈)'라 한다. ②뇌물을 쓰다. ¶贪官勒索～; 탐관이 뇌물을 강요하다.
〔行迹〕 xíngjì 명 ①행적. 행동거지. 행동. 행실. ¶～可疑; 행동이 수상하다. ②형식. 예절. 예의범절. ¶不拘～; 예절 등의 형식에 구애되지 않다 / 咱们是脱略～的朋友; 우리는 예의범절 같은 것은 문제삼지 않는 친구다. ③행방. 자취. 꼬리. ¶～无定; 행방을 모르다 / 心里不知怎样打算, 外表一点不露～, 这种人真可怕; 뱃속에서는 무엇을 생각하고 있는지 모르고, 겉으로 보기에 도무지 꼬리를 드러내지 않는, 이런 사람은 정말 무섭다 / 露lòu了～, 叫人逮dǎi住了; 꼬리를 밟혀서 체포되었다.
〔行奸〕 xíngjiān 동 행간하다. 간통하다.
〔行检〕 xíngjiǎn 동 행동을 신중히 하다. ¶品高～; 품격이 고상하고 행동이 신중하다. →〔行为〕
〔行见〕 xíngjiàn 동 〈文〉 머지않아 …을 보게 되다. 점점 …이 되다. ¶此事真相不久就可～分明; 이 일의 진상은 머지않아 밝혀진다 / ～天下太平; 점차 천하가 태평해질 것이다.
〔行将〕 xíngjiāng 부 〈文〉 바야흐로. 머지않아. 곧. ¶～就木; 〈成〉 죽음 직전에 있다. 목숨이 얼마 남지 않았다 / ～就道; 막 길을 떠나려 한다.
〔行脚〕 xíngjiǎo 동 행각하다. 여기저기 돌아다니며 수행하다. ¶～僧; 행각승.
〔行街纸〕 xíngjiēzhǐ 명 〈廣〉 통행증.
〔行劫〕 xíngjié 동 강탈하다. 강도짓을 하다. ¶拦路～; 길을 막고 노상 강도짓을 하다.
〔行进〕 xíngjìn 동 ①《軍》 행진하다. ②전진하다.
〔行经〕 xíngjīng 동 (여행 등의 행정(行程)에서) 통과하다. ¶～香港; 홍콩을 경유하다 / ～苏州下车观光; 쑤저우(蘇州)를 통과하므로 하차하여 구경하다. 명동 월경(月經)(하다). ¶这个月～不顺; 이 달에는 월경이 불순이다.
〔行旌〕 xíngjīng 명 〈翰〉 여행길. 출장《남이 여행

길에 오르는 것을 공경하여 이름). ¶欢送～; 출발〔여행길〕을 환송하다. →〔征zhēng旆〕
〔行径〕 xíngjìng 명 ①〈貶〉 행위. 거동. ¶无耻～; 부끄러움을 모르는 행위 / ～大背世俗; 행동이 세속과 크게 어긋나 있다. ②〈文〉 작은 길. 좁은 길. ¶～通幽; 오솔길이 깊숙한 곳으로 통해 있다.
〔行酒〕 xíngjiǔ 동 손님에게 술을 권하다.
〔行酒令(儿)〕 xíngjiǔlìng(r) 동 '酒令' 놀이를 하다. =〔行令②〕
〔行具〕 xíngjù 명 행구. 여행 용구. 행장(行裝).
〔行军〕 xíng.jūn 동 ①《軍》 행군하다. ¶常～; 평상 행군 / 强～; 강행군 / 急～; 급행군. ②군대를 출동시키다. 용병(用兵)하다. ¶～贵乎神速; 용병은 신속한 것을 존중한다.
〔行军虫〕 xíngjūnchóng 명 《蟲》 거염 벌레. =〔粘nián虫〕
〔行军床〕 xíngjūnchuáng 명 여행용 휴대 침대. 경편한 조립식 침대. 야전 침대. ¶客来搭个～给他睡; 손님이 오면 경편한 조립식 침대를 조립해서 재운다. =〔行床〕〔帆fān布床〕
〔行看子〕 xíngkànzi 명 (글씨나 그림의) 두루마리. =〔手shǒu卷〕
〔行客〕 xíngkè 명 행객. 여행자. 나그네. ¶～拜坐客; 타곳에서 온 나그네 쪽에서 먼저 그 고장에 있는 사람을 방문하는 것이 예이다 / ～手面大; 여행자는 손이 크다. 나그네는 후하다 / 单身～; 혼자 여행하는 나그네.
〔行潦〕 xínglǎo 명 〈文〉 행료. 길바닥에 괸 물.
〔行乐〕 xínglè 동 〈文〉 행락하다. 즐겁게 놀다. ¶及时～; 그때 그때 시기를 놓치지 않고 즐기다.
〔行乐图〕 xínglètú 명 ①행락도. ② '春chūn宫'(춘화)의 별칭.
〔行礼〕 xíng.lǐ 동 ①경례하다. 인사하다. ②〈方〉 선물하다.
〔行立〕 xínglì 동 걷고 멈춰서다. ¶～坐卧; 행주좌와(行住坐臥). 일상의 기거 동작.
〔行李〕 xíngli 명 여행짐. 수화물. ¶打好了～就上了路; 짐을 꾸려 가지고 여행을 떠났다 / 解～; 짐을 풀다.
〔行李房〕 xínglifáng 명 화물 취급소.
〔行李架〕 xínglijià 명 (열차 안의) 그물 선반.
〔行李卷儿〕 xínglijuǎnr 명 여행용의 이불을 둘둘 만것. =〔铺pū盖卷儿〕
〔行猎〕 xíngliè 동 〈文〉 사냥하다.
〔行令〕 xíng.lìng 동 ①명령을 내리다. ②⇨〔行酒令(儿)〕
〔行路〕 xínglù 동 길을 걷다. 길을 가다. ¶～的; 여행자. 명 ①도로. ②세상살이. 처세.
〔行路歌儿〕 xínglùgēr 명 노정(路程)을 기억하기 위한 노래.
〔行路轿〕 xínglùjiào 명 여행용의 가마.
〔行侣〕 xínglǚ 명 길동무. 여행의 동행자.
〔行旅〕 xínglǚ 명 ①여행. ¶祝君～安绥; 여행의 안전을 기원합니다. ②여행자. 나그네. ¶人生如～; 인생은 나그네와 같다 / ～往来; 나그네가 오가다.
〔行略〕 xínglüè 명 ⇨〔行述〕
〔行秘书〕 xíngmìshū 명 〈文〉 살아있는 사전. 박식한 사람. =〔活huó字典〕
〔行囊〕 xíngnáng 명 ①〈文〉 행낭. 여행 용품을 넣는 주머니. ②여행할 때 지니는 지갑. 여비. 노자. ¶我这次出来～不大充裕; 이번 여행은 여비가 충분하지 않다.
〔行年〕 xíngnián 명 ①행년. 그 사람의 현재의 나이. ¶～五十; (현재) 나이 50세 / ～七十而犹有婴儿之色; 70세가 되었는데도 아직 갓난아기와 같은 안색이다. ②⇨〔享xiǎng年〕
〔行骗〕 xíng.piàn 동 사기 행위를 하다.
〔行聘〕 xíngpìn 동 〈文〉 약혼 예물을 보내다. 딸을 약혼시키다.
〔行期〕 xíngqī 명 출발 기일〔날짜〕. ¶现在～又改了; 지금 출발 기일을 또 변경하였다.
〔行棋〕 xíng.qí 동 바둑·장기를 두다. ¶我已经下过子儿, 该你～了; 나는 벌써 두었으니, 이번에는 네가 둘 차례다.
〔行乞〕 xíngqǐ 동 구걸하다.
〔行钱的〕 xíngqiánde 명 거지. ¶因为不努力, 竟在街上沦落为～了; 노력하지 않았으므로, 마침내 영락하여 거지가 되었다.
〔行遣〕 xíngqiǎn 동 〈古白〉 처치하다. 처리하다.
〔行腔〕 xíngqiāng 동 《劇》 연극 배우가 곡에 대한 개인적인 해석에 의해서 자기 나름의 가락으로 노래하다.
〔行窃〕 xíngqiè 동 훔치다. 절도짓을 하다.
〔行箧〕 xíngqiè 명 〈文〉 행낭(行囊).
〔行求〕 xíngqiú 동 〈文〉 뇌물을 쓰다.
〔行人〕 xíngrén 명 ①행인. 통행인. ②여행자.
〔行人情〕 xíng rénqíng 길흉(吉凶)의 인사를 하러 가다. ¶行的是什么人情? 어떤 길흉 인사를 하러 가십니까? / 给亲戚～去; 친척 집에 인사를 차리러 가다.
〔行若无事〕 xíng ruò wú shì 〈成〉 (위험이나 나쁜 일에 대하여) 태연하고 전혀 개의치 않다. 아무 일도 없는 듯이 행동하다. ¶我真佩服他那～的镇静态度; 나는 그가 아무 일도 없는 것처럼 태연한 데 탄복한다.
〔行散〕 xíngsàn 동 〈文〉 (근심 따위를) 풀다. ¶～心中的闷mèn气; 마음속의 시름을 풀다.
〔行色〕 xíngsè 명 ①행색. 여행길·집을 떠날 때의 모습 또는 분위기. ¶～匆匆; 출발 전의 바쁜 모양 / 为您饯行, 以壮～; 당신을 위해 송별회를 열어, 출발을 축하한다 / 军队出发的～真够雄壮的; 군대 출발의 모습은 정말 웅장하다. ②안색. 표정. ¶看他那副～张惶的样子, 一定出了什么事儿了; 저 당황해하는 모습을 보니 필시 무슨 사건이 일어난 모양이다.
〔行善〕 xíng.shàn 동 선을 행하다. 적선을 하다.
〔行商〕 xíngshāng 명 행상(인). ¶少数必需的外来品如食盐、铁器、最初由～供gōng应; 식염이나 철기와 같은, 소수의 필수 외래품은, 맨 처음에는 행상인에 의해서 공급되었다. =〔行贩〕〔行贾〕 ↔〔坐zuò商〕
〔行商坐贾〕 xíngshāng zuògǔ 명 행상인과 좌고.
〔行觞〕 xíngshāng 동 〈文〉 술을 권하다. ¶主人依次～敬酒; 주인이 차례로 술을 권한다.
〔行神〕 xíngshén 명 행신. 도신(道神). 도로의 수호신.
〔行省〕 xíngshěng 명 성. 중국의 행정 구역.
〔行尸走肉〕 xíng shī zǒu ròu 〈成〉〈罵〉 걸어가는 송장과 달리는 육체《산송장처럼 무위(無爲)하게 그날 그날을 보내는 사람》. ¶官场上都是一群～, 国家怎么能弄得好呢; 관계(官界)는 무능한 자들의 집단이니, 국가가 어떻게 잘 되어 나갈 수 있겠나.
〔行时〕 xíngshí 동 ①유행하다. 인기가 있다. ¶好像那种主义～了一阵, 现在就不那么～了; 그 주의(主義)는 한때 대단히 유행되었던 모양이지만, 지

금은 그렇게 인기가 없다. ②세력을 얻다. ③운이 트이다. 좋은 운을 만나다.

〔行食〕 xíngshí 동 ①〈文〉 놀고 먹다. ②잡담이나 산책을 하여 소화(消化)를 돕다. ¶贾母便下地, 和王夫人说闲话～; 가모는 마루에 내려와, 왕부인과 잡담을 하여 소화를 시켰다. →〔溜liū食〕

〔行使〕 xíngshǐ 동 (직권을) 행사하다. ¶～否决权; 거부권을 행사하다 / 旧币现在已经不再～了; 구화폐는 지금은 더 이상 못씁니다.

〔行驶〕 xíngshǐ 동 (차 · 배 따위가) 다니다. 통행하다. 운항하다. ¶列车向南～; 열차가 남쪽으로 달리다 / 禁止车辆～; 차량 통행 금지.

〔行事〕 xíngshì 명 행위. 행동. ¶他～为人都叫人佩服; 그의 행위나 사람됨은 다른 사람의 존경을 받고 있다. 동 ①실행하다. 처리하다. ¶看人～; 상대를 보고 손을 쓰다 / 按道理～; 도리에 따라 일을 처리하다 / 看交情～; 교분에 따라 실행하다 / 秘密～; 비밀리에 행하다. ②교제를 잘 하다. 손님을 잘 다루다〔다루는 솜씨〕. 수완을 부려 잘 대처하다. ¶这位太太真不会～, 人家老远地来了, 也不知留人吃顿饭; 이 부인은 정말 손님 대접이 소홀하다. 손님이 먼 곳에서 찾아왔는데 붙잡아 식사 대접을 할 줄도 모른다 / 他真会～, 几句话把王三支走, 然后才告诉李四这些事; 그는 능숙한 손님 접대의 솜씨가 있어, 두세 마디 말로 왕삼을 용케 속여 쫓아내고, 그런 다음에 이 일을 이사에게 이야기 했다.

〔行书〕 xíngshū 명 행서(서체의 일종). ¶～字儿; 행서체의 글씨.

〔行署〕 xíngshǔ 명 ⇨〔行政公署〕

〔行述〕 xíngshù 명 행장(行狀)(죽은 이의 생전의 사적을 기술한 글). ¶治丧委员会请一位学者给死者作了一篇～; 장의 위원회는 어떤 학자에게 부탁하여 고인의 행장을 한 편 쓰게 했다. =〔行略〕〔行状①〕

〔行水〕 xíng·shuǐ 동 〈文〉 여자가 청결을 위해 뒷물을 하다. =〔用yòng水②〕

〔行台〕 xíngtái 명 ①임시 관서(官署). ②임시로 가설된 무대. ¶搭上～唱戏; 가설 무대를 만들어 극을 공연하다.

〔行唐〕 xíngtáng 명 《植》 사리풀. =〔莨làng菪〕

〔行堂〕 xíngtáng 명 사원 안의 행자(行者)의 숙사.

〔行同狗彘〕 xíng tóng gǒu zhì 〈成〉 하는 짓이 개 돼지 같다(하는 짓이 수치심(羞恥心)도 없고 사람이라고 할 수 없다).

〔行头〕 xíngtou 명 ①〈劇〉 배우가 무대에서 입는 의상(때로는 소품(小品)도 포함됨). ②〈轉〉 (널리) 복장(服裝)(해학적인 뜻이 있음). ③송대(宋代), 축국(蹴鞠)에 쓰는 가죽공. ④옛날의 여행용품.

〔行为〕 xíngwéi 명 행위. ¶～不检; 행동이 신중하지 못하다.

〔行文〕 xíng·wén 동 ①공문서를 보내다. 문서로 교섭하다. ¶～到各机关去调查一下; 각 관청에 공문을 보내어 조사하다. ②문장을 짓다. ¶～如流水; 술술 막힘없이 글을 짓다.

〔行文组〕 xíngwénzǔ 명 문서 담당. 문서계. ¶这个～, 由十四个人组成, 专为公文服务; 이 문서계는 14명으로 조직되어, 주로 공문 관계의 사무를 맡는다.

〔行无所事〕 xíng wú suǒ shì 〈成〉 빈둥거리며 제대로 일을 하지 않다. ¶终日闲荡～; 하루 종일 빈둥거리며 제대로 일을 하지 않다.

〔行务〕 xíngwù 명 일. 근무. ¶样样～有条不紊; 일이 하나하나 질서정연하여 흐트러짐이 없다.

〔行息〕 xíngxī 동 이자를 붙이다. 이자를 물다. ¶这笔借款每月按二厘～; 이 차관은 매달 1000분의 2의 이율로 이자를 붙인다.

〔行匣〕 xíngxiá 명 여행 · 외출용의 찬합. ¶带着～去吃野餐; 찬합에 음식을 싸가지고 소풍을 가다.

〔行香〕 xíngxiāng 동 향불을 피우고 예배하다.

〔行箱〕 xíngxiāng 명 연극용 소품을 담는 상자.

〔行销〕 xíngxiāo 명 상품의 팔림새. 동 상품을 (각지에) 판매하다. 매출하다. ¶～全世界; 전세계에 판로를 넓히다.

〔行星〕 xíngxīng 명 《天》 행성(行星). 유성(遊星). ¶人造～; 인공 행성. =〔惑huò星〕〔游yóu星〕

〔行星齿轮〕 xíngxīng chǐlún 명 《機》 유성 기어(遊星 gear).

〔行星际站〕 xíngxīng jìzhàn 명 행성간 정거장.

〔行刑〕 xíng·xíng 동 《法》 행형하다. 형을 집행하다(흔히 사형의 경우를 가리킴).

〔行行好〕 xíngxínghǎo ①공덕(功德)을 베풀다. 착한 일을 하다. ②…을 부탁하오. 미안하지만 …해 주십시오(남에게 부탁할 때 하는 말). ¶你～, 替我寄这封信; 미안하지만, 저대신 이 편지를 부쳐 주십시오.

〔行凶〕 xíng·xiōng 동 행흉하다. 흉악한 행동을 저지르다. 살해하다. 폭력을 휘두르다. ¶～作恶; 흉악한 짓을 저지르다 / ～肇事; 폭행을 저질러 사건을 일으키다.

〔行许〕 xíngxǔ 부동 ⇨〔兴xīng许〕

〔行血器〕 xíngxuèqì 명 《生》 순환기. =〔循xún环器〕

〔行药〕 xíngyào 동 (흡수를 돕기 위해) 약을 먹은 후에 산책하다.

〔行业〕 xíngyè 명 《佛》 행업. ⇒hángyè

〔行夜〕 xíngyè 명 《蟲》 먼지벌레. =〔气蠜〕

〔行医〕 xíng·yī 동 행의하다. 의술로서 업을 삼다. ¶以～济世; 의술로써 세상을 구제하다. =〔行道②〕

〔行易知难〕 xíng yì zhī nán 〈成〉 행하기는 쉽고 알기는 어렵다.

〔行阴〕 xíngyīn 동 ⇨〔行房(事)〕

〔行营〕 xíngyíng 명 ①행영. 옛날, 출정시의 군영. =〔行辕〕 ②막사. ¶童子军在山上扎了一个～; 보이스카우트가 산 위에 막사를 한 채 세웠다.

〔行营司令部〕 xíngyíng sīlìngbù 명 《軍》 야전(野戰) 사령부.

〔行辕〕 xíngyuán 명 ⇨〔行营①〕

〔行远自迩〕 xíng yuǎn zì ěr 〈成〉 먼 곳에 가려면 가까운 곳부터 시작함(천릿 길도 한 걸음부터).

〔行云流水〕 xíng yún liú shuǐ 〈成〉 자연스럽고 구애됨이 없는 일. 사물에 따라 자유로이 변하는 일(흔히 문장이 막힘없음을 말함). ¶我在山野自由惯了, 如同～; 나는 산과 들에서 자유로움에 익숙해져서, 자연스럽고 구애됨이 없는 생활을 하고 있습니다.

〔行在(所)〕 xíngzài(suǒ) 명 행재소.

〔行灶〕 xíngzào 명 조리장(調理場)에 임시로 마련한 화덕(음식점에 출장하여 조리할 때 쓰는 이동 취사장). =〔聋lóng灶〕〔〈方〉 坨tuó腘儿〕

〔行诈〕 xíngzhà 동 사기치다. 속이다. ¶这人常做～的事; 이 사람은 늘 사기를 친다.

〔行者〕 xíngzhě 명 ①《佛》 장로(長老)의 시자(侍者). ②《佛》 행각승. 불도의 수행자. ③〈文〉 여행자. 나그네. 통행인.

〔行(着)眼〕 xíng(zhe)yǎn ①멍하니 쳐다보다. ②멀리 경치를 바라보며 쉬다.
〔行针〕 xíngzhēn 동 침으로 병을 치료하다.
〔行政〕 xíngzhèng 명 ①(국가의) 행정. ¶～机构; 행정 기구 / ～机关; 행정 기관. ②(관청·기업·단체 등의) 관리. 운영. ¶～人员; 관리 직원 / ～费用; 사무비. 업무 관리비.
〔行政处分〕 xíngzhèng chǔfèn 명《法》행정 처분.
〔行政村〕 xíngzhèngcūn 명 (자연촌에 대한) 행정촌《말단의 행정 단위. 산구(山區)에서는 몇 개의 자연 마을로 조직됨》.
〔行政方面〕 xíngzhèng fāngmiàn 명 ①국가 기관 곧 관청 또는 단체의 관리 부문. ②기업의 업무관리 부문. 기업 관리부. 경영자측. 사용자측.
〔行政公署〕 xíngzhèng gōngshǔ 명 ①해방전에, 또는 건국 직후에 설치된 지방 행정 기구. ②관리가 출장나간 곳에 설치한 임시 관청. ‖ =〔行署〕
〔行政区〕 xíngzhèngqū 명 ①국가급(級)의 행정 단위. ②(지구급(地區級)의) 행정 단위.
〔行政区划〕 xíngzhèngqūhuà 명 행정 구획.
〔行政三联制〕 xíngzhèng sānliánzhì 명 계획·집행·감사가 서로 연계되어 있는 행정 제도.
〔行止〕 xíngzhǐ 명〈文〉①거취. 행방. ②거동. 행실. ¶～不检; 행동이 신중하지 못하다. ③일을 처리하는 방법. ¶等他来时再定～; 그가 온 다음에 다시 방법을 정한다 / 共商～; 함께 방법을 의논하다. ④전진(前進)과 정지.
〔行舟〕 xíngzhōu 동〈文〉배를 나아가게 하다. ¶学如逆水～, 不进则退;〈比〉학문은 배로 강을 거슬러 올라가는 것과 같아서 진보하지 않으면 퇴보한다.
〔行装〕 xíngzhuāng 명 행장. 여장. ¶整理～; 여장을 갖추다. 길떠날 준비를 하다.
〔行状〕 xíngzhuàng 명 ①죽은 이의 생전의 언행을 기술한 문장. ¶读了这篇～, 知道了死者夫妻感情很笃厚, 非常惋惜; 그의 행장〔언행록〕을 읽고 부부의 정이 매우 두터웠음을 알게 되어 무척 애석하게 느낀다. =〔行述〕 ②행장. 언행. ¶连他先前的～也渺茫; 그의 전의 경력도 확실하지 않다.
〔行咨〕 xíngzī 명 옛날, 공문 가운데의 '咨文' 곧 동급 기관 사이에 왕복되는 공문.
〔行资〕 xíngzī 명 행자. 노자. 여비.
〔行子〕 xíngzǐ 명〈文〉나그네. 여행자.
〔行踪〕 xíngzōng 명 행동. 행방. 행선. 소재. ¶他的～绝对保守秘密; 그의 소재는 절대 비밀로 되어 있다 / ～诡guǐ秘; 행동이 기괴하고 은밀하다.
〔行走〕 xíngzǒu 동 ①걷다. ¶～速度; 보행 속도. ②왕래하다. 교제하다. ¶两家～了好几年, 连孩子们也都熟识了; 두 집안은 오랜 교제로, 아이들까지도 잘 알고 있다. 명 옛날, 전임관(專任官)을 두지 않은 곳에서 근무하는 일. 또는 겸임하는 업무.

陉(陘) xíng (형)
〈文〉① 명 산맥이 잘리는 곳. 산길의 초입. →〔山口〕 ②지명용 자(字). ¶井～县; 징싱 현(縣)《허베이 성(河北省)에 있는 현(縣) 이름》.

荥(滎) xíng (형)
지명용 자(字). ¶～阳Xíngyáng县; 싱양 현(滎陽縣)《허난 성(河南省)에 있는 현 이름》. ⇒yíng

饧(餳) xíng (당)
① 명〈文〉진득진득한 엿. 물엿. ② 형 끈적거리다. ③ 형 눈이 몽롱〔흐리멍텅〕하다. ¶眼睛发～; 눈이 풀려 있다. ④ 동 밀가루 반죽 등을 젖은 헝겊에 싸서 고루 보드랍게 만들다. ⇒táng
〔饧涩〕 xíngsè 형 눈이 풀려 있다〔거슴츠레하다〕. ¶眉眼～; 눈이 개개풀려 있다〔거슴츠레하다〕.
〔饧糖〕 xíngtáng 명 물엿. =〔小xiao糖子〕

省 xǐng (성)
동 ①반성하다. ¶内～; 내성하다 / 吾日三～吾身;〈成〉나는 하루에 세 번씩 나 자신을 반성한다. ②안부를 묻다. 귀성하다. ¶回家～亲; 집에 돌아가 부모를 뵙다〔부모의 안부를 묻다〕. ③자세히 보다. ④분별하다. 깨닫다. 자각하다. ¶发人深～;〈成〉남에게 깊은 자각을 촉구하다 / 不～人事 =〔人事不～〕; 인사불성(이 되다) / 口不能言, 心～; 입으로는 말할 수 없지만, 마음 속으로는 잘 알고 있다. ⑤〈文〉생각해 내다. ¶往事重～; 옛일을 생각해 내다. ⇒shěng
〔省察〕 xǐngchá 동 ①주의하여 고찰하다〔조사하다〕. ②성찰하다. (자기의 행위를) 반성하여 검토해 보다.
〔省方〕 xǐngfāng 동〈文〉지방민의 생활을 순시하고 다니다.
〔省耕〕 xǐnggēng 동〈文〉천자가 농사 형편을 순시하고 다니다.
〔省见〕 xǐngjiàn 동〈文〉알려지다. 주목을 받다. ¶未得～; 아직 알려져 있지 않다.
〔省觉〕 xǐngjué 동 ⇨〔省悟〕
〔省墓〕 xǐngmù 동〈文〉성묘하다.
〔省亲〕 xǐngqīn 동 귀성해서 부모님께 문안드리다. =〔归省〕〔看亲〕
〔省事〕 xǐngshì 동 ①남의 마음을 빨리 알아차리고 잘 대처한다. ②일을 분별하다. →〔懂事〕 ⇒shěng,shì
〔省视〕 xǐngshì 동〈文〉찾아가 보다. 방문하다. 위문하다. ¶司令员亲自～住院治疗的兵士; 사령관은 친히 입원 치료 중인 병사를 위문했다.
〔省问〕 xǐngwèn 동〈文〉성문하다. 안부를 묻다. 위문하다.
〔省悟〕 xǐngwù 동 각성하다. 깨닫다. =〔省觉〕

醒 xǐng (성)
① 동 (취기·마취가) 깨다. (취기·마취를) 깨우다. ¶喝碗茶来～酒; 차를 마셔 취기를 깨우다 / ～过酒来; 술이 깨다. ② 동 잠에서 깨어나다. ¶我还～着呢; 난 아직 깨어 있다 / ～～吧; 잠을 깨라. ③ 동 각성하다. 깨닫다. 미몽(迷夢)에서 깨어나다. ¶警jǐng～; 경성하다. 타일러 깨우치다 / 提tí～; 주의를 환기시키다. ④ 동 남의 눈을 끌다. ⑤(～子) 명 자명종. ⑥ 형 또렷하다. ¶～目; ⇩
〔醒赌〕 xǐngdǔ 명 ⇨〔腥xīng赌〕
〔醒盹儿〕 xǐng,dǔnr 동〈方〉졸다가 깨어나다.
〔醒过来〕 xǐngguolai ①제정신으로 돌아오다. 각성하다. ②잠에서 깨어나다.
〔醒豁〕 xǐnghuò 형〈文〉말이 또렷하다. (생각·뜻이) 분명히 표현되어 있다. ¶一经老师指点, 就顿时～; 선생님한테 지적을 받아 곧 똑똑히 알게 됐습니다.
〔醒酒〕 xǐng,jiǔ 동 취기를 깨우다. 술이 깨다. ¶柿子可以～; 감을 먹으면 취기가 깬다 / ～花;《植》모란(牡丹) / 吃个梨醒醒酒; 배를 먹어 취기를 깨워야겠다.
〔醒觉〕 xǐngjué 동 ⇨〔醒悟〕
〔醒狂〕 xǐngkuáng 동 맨정신으로 큰소리치다. 취한 척하고 날뛰다. ¶饱学而不得志的人, 有时变

为～; 학문이 깊어도 뜻을 얻지 못한 사람은 때로 취하지 않아도 큰소리치는 사람이 된다.

〔醒来〕 xǐnglái 동 잠이 깨다. ¶醒不来; 잠이 깨지 않다.

〔醒木〕 xǐngmù 명 이야기꾼이 책상을 두드리어 청중의 주의를 끄는 데 쓰는 나무 토막. ¶说书的把～一拍, 小徒弟拿着笸箩pǒluo就敛liǎn钱; 이야기꾼이 탁자를 치자, 제자가 버들가지로 엮은 소쿠리를 들고 돌아다니며 돈을 거둔다. =〔响xiǎng木〕

〔醒目〕 xǐngmù 동 ①눈을 뜨다. 잠이 오지 않다. ¶～常不眠; 눈이 말똥말똥하여 잠들지 못한다. ②주목을 끌다. 눈에 띄다. ¶她穿了一件～的大红旗袍; 그녀는 눈에 확 뜨이는 빨간 '旗袍'를 입었다.

〔醒脾〕 xǐngpí 동 ①심심풀이로 즐기다. 기분 전환하다. ¶闲着没事看小说～; 한가할 때에는 소설을 읽어 시간을 보낸다. ②(남을) 비웃다. 웃음거리로 삼다. 놀리다. ¶你别拿我～; 절 놀리지 말아 주세요. ③남을 웃기다.

〔醒腔〕 xǐng.qiāng 동 ①퍼뜩 깨닫다. 눈이 뜨이다. ¶再三劝, 他还是不～; 재삼 충고했지만, 그는 여전히 깨닫지 못한다. ②남의 마음을 파악하다.

〔醒然〕 xǐngrán 형 깨닫는 모양. 눈뜨는 모양. ¶～觉悟; 분명히 깨닫다.

〔醒世〕 xǐngshì 동 세상을 깨우치다. ¶曹雪芹一生虽然没做什么, 把一生的事情写下来也足以～; 조설근은 일생 동안 별로 한 일이 없지만, 일생의 일들을 쓴 것은 세상을 깨우치기에 충분한 것이었다.

〔醒睡〕 xǐngshuì 형 잠귀가 밝다. ¶我一向是很～的, 一点儿小动静我就会醒过来; 나는 언제나 매우 잠귀가 밝아 조그만 소리에도 곧 잠이 깬다.

〔醒透〕 xǐngtòu 동 완전히 깨다. ¶酒已经～了; 술은 벌써 완전히 깼다.

〔醒悟〕 xǐngwù 동 미혹에서 깨어나 깨닫다. 눈뜨다. ¶等到受骗, 才～过来; 속고 나서 비로소 깨달았다 / 人谁无过, 只要能～就好; 잘못이 없는 사람은 없으니, 깨닫기만 하면 된다 / 傻shǎ子也有～的时候; 바보라도 깨달을 때가 있다. =〔醒觉〕

〔醒眼〕 xǐngyǎn 동 〈方〉 눈길을 끌다. 눈에 뜨이다. ¶那墙上挂着的粉红头巾真～; 저 벽에 걸려 있는 연분홍색 네커치프는 정말 눈길을 끈다.

〔醒药〕 xǐngyào 명 《藥》 각성제.

〔醒钟〕 xǐngzhōng 명 자명종 시계. =〔醒子钟〕〔闹nào钟〕

擤〈揞〉

xǐng (형)

동 (손으로) 코를 풀다. ¶～鼻bí涕; (손으로) 코를 풀다 / 把鼻涕ti～了; 손으로 코를 풀었다.

〔擤齉〕 xǐngnàng 동 코를 풀다.

兴(興)

xìng (흥)

① 명 흥미. 재미. ¶乘～而来, 败～而去; 흥이 나서 왔지만, 불쾌해져서 가다 / 他高～做这个; 그는 기꺼이 이것을 한다 / 扫sǎo～; 흥을 깨뜨리다. ② 명 성욕(性慾). ③ 형 좋아하다. 기뻐하다. ④ 명 〈文〉 시(詩)의 한 체로, 시경(詩經) 육의(六義)의 하나《물건을 빌려 비유함》. ⇒xīng

〔兴冲冲(的)〕 xìngchōngchōng(de) 형 기뻐서 행동이 빨라지는 모양. 신이 난 모양. ¶同学们～地提出举行新年联欢会的建议; 학생들은 신이 나서 신년 축하회의 거행을 건의했다.

〔兴匆匆(的)〕 xìngcōngcōng(de) 형 기뻐서 덤비는 모양. ¶她～地跑来找我谈话; 그녀는 기쁜 듯이 달려와서 나에게 말을 걸었다.

〔兴高采烈〕 xìng gāo cǎi liè 〈成〉 극히 유쾌하다. 기뻐 어찌할 바를 모르다. 신바람 나다. ¶孩子们一听要上公园, 就～地准备起来; 아이들은 공원에 간다는 말을 듣고 곧 신이 나서 준비를 했다.

〔兴会〕 xìnghuì 명 (우연한) 흥미. ¶这篇文章是乘一时的～, 信手写出的; 이 글은 한때의 흥(興)에서 쓴 것이다 / 跳舞已经开始, 现在正是大家～正好的时候儿; 춤도 벌써 시작되고, 지금은 한창 모두 흥겨워하고 있는 참이다.

〔兴趣〕 xìngqù 명 ①흥미. 관심. 흥취. 취미. ¶我对下棋不感～; 나는 장기에는 흥미가 없다 / 我的～就是打网球; 저의 관심은〔취미는〕 테니스예요. ②재미. ¶这本书既有～又有实益; 이 책은 재미도 있고 실익도 있다. ③의향. 의욕.

〔兴趣小组〕 xìngqù xiǎozǔ 명 취미 활동을 위한 서클. ¶目前全校已有国乐、口琴、集邮等30多个～; 지금 전교에는 이미 민족 음악·하모니카·우표 수집 등 30여개의 문화 서클이 있다.

〔兴头(儿)〕 xìngtou(r) 명 ①흥미. 흥. 재미. ¶因此说话的～就上来了; 그래서 이야기의 흥미가 돋구어지게 되었다 / 正在～上; 한창 흥이 오르다 / 打～; 흥을 깨뜨리다 / 由他去吧, 不要拦了他的～; 내버려 둬라, 그의 흥이 깨지게 말고. ②원기(元氣). 패기. ¶他那老人家很有～儿; 저 노인은 매우 건강하다. 형 〈方〉 즐겁다. 유쾌하다. 기쁘다. ¶有了好消息, 大家都比往常～些了; 좋은 소식이 있어 모두들 여느때보다 다소 유쾌했다〔활기에 넘쳤다〕.

〔兴头头(的)〕 xìngtóutóu(de) 형 기뻐서 기운이 나는 모양. 온통 즐거운 모양. 기분 좋은 모양. ¶～地跑来要去溜冰; 신이 나서 달려와서는 스케이트 타러 가잔다.

〔兴味〕 xìngwei 명 흥미. ¶～索然; 〈成〉 전혀 흥미가 없다 / 我对于赌博性娱乐没有～; 나는 도박성 오락에는 흥미가 없다.

〔兴致〕 xìngzhì 명 흥미. 재미. ¶助～; 흥을 돋구다 / 唱歌助～; 노래를 불러 흥을 돋구다 / 谁有～和我下棋? 누구 나와 바둑 둘 사람 없느냐?

杏

xìng (행)

명 《植》 ①살구나무. ②(～儿) 살구. ¶～子酱 =〔黄huáng梅酱〕; 살구잼. =〔〈方〉 杏子〕〔杏实〕

〔杏熬窝瓜〕 xìng áo wōgua 살구와 호박을 삶다. 〈轉〉 같은 색이 되다. 모두 같다.

〔杏脯〕 xìngfǔ 명 ①말린 살구를 꿀에 잰 것. ¶～桃干儿; 살구 정과(正果)와 복숭아 정과. ②말린 살구. ‖ =〔杏干(儿)〕

〔杏干(儿)〕 xìnggān(r) 명 ⇨〔杏脯〕

〔杏核(儿)〕 xìnghé(r) 명 살구의 씨.

〔杏核皮粉〕 xìnghé pífěn 명 분말 행인. 살구씨 분말.

〔杏核儿眼〕 xìnghér yǎn 명 〈比〉 살구씨와 닮은 동그랗고 큰 여인의 눈. 〈轉〉 아름다운 눈. ¶气得她圆睁～, 倒竖柳叶儿眉; 그녀는 화가 나서 눈을 동그랗게 부릅뜨고 눈썹을 곤두 세웠다. =〔杏眼〕

〔杏红〕 xìnghóng 명 《色》 황색에 붉은 색이 섞인 색.

〔杏花(儿)〕 xìnghuā(r) 명 살구꽃. =〔及jí弟花〕

〔杏花村〕 xìnghuācūn 명 행화촌. 살구꽃이 많이〔활짝〕 핀 마을《봄경치를 서술하는 글에 흔히 쓰임》.

〔杏黄〕 xìnghuáng 명 《色》 살구색. 연한 황색.

호박(琥珀)색. 등황색. ¶～色; 살구색 / 花园～柳绿; 화원의 살구는 노랗게 익고, 버들은 푸르다.

〔杏酪〕 xìnglào 명 ① ⇨〔杏仁(儿)茶〕 ② '杏仁(儿)' 을 가루내어 풀같이 만든 식품.

〔杏脸〕 xìngliǎn 명 여자의 용모. ¶～含羞; 여성이 수줍어하다.

〔杏林〕 xìnglín 명 ①살구나무의 숲. ②〈轉〉 의사를 칭찬하는 말(삼국 시대의 명의(名醫) 동봉(董奉)이 치료비는 받지 않고 그 대신 살구나무를 심게 한 결과 수년 후 10만여 주로 된 데서 유래). ¶～春满 =〔誉满～〕; 〈比〉 의술이 높음. ③〈比〉 학교. ¶～得意; 〈比〉 진사에 급제하는 일.

〔杏露〕 xìnglù 명 ①행인수(약용 · 요리용). →〔杏仁水〕 ② ⇨〔杏仁(儿)茶〕

〔杏梅〕 xìngméi 명 《植》 ①맛이 살구 비슷한 매실(梅實)의 일종. ②살구와 매화. ¶～争春; 살구꽃과 매화가 봄을 다투다.

〔杏年玉貌〕 xìngnián yùmào 명 〈比〉 묘령의 미소녀(美少女).

〔杏仁(儿)〕 xìngrén(r) 명 살구씨(식용 또는 기침약 · 가래 삭이는 약으로 쓰임). =〔苦kǔ杏仁〕

〔杏仁饼〕 xìngrénbǐng 명 행인을 넣어 구운 과자.

〔杏仁(儿)茶〕 xìngrén(r)chá 명 살구씨의 가루에 찹쌀이나 설탕 따위를 섞어서 끓인 음료. =〔杏酪①〕〔杏露②〕

〔杏仁儿粉〕 xìngrénrfěn 명 행인 가루. →〔杏仁(儿)茶〕

〔杏仁水〕 xìngrénshuǐ 명 《藥》 행인수(행인에서 뽑아낸 약. 무색 혹은 담황색의 액체로, 주요 성분으로 청산(青酸)을 함유하며 진해 거담(鎭咳祛痰)의 효능이 있음). ¶喝一碗～治咳嗽; 행인수 한잔을 먹으면 기침이 낫는다.

〔杏仁酥〕 xìngrénsū 명 살구씨의 가루를 넣어 만든 쿠키류(cookie類)의 과자.

〔杏仁油〕 xìngrényóu 명 살구씨 기름. ¶苦～; 고편도유(苦扁桃油) / 甜～; 감(甘)편도유.

〔杏参〕 xìngshēn 명 제니. 모싯대. =〔荠jì苨〕

〔杏实〕 xìngshí 명 살구. =〔杏子〕

〔杏树〕 xìngshù 명 살구나무.

〔杏坛〕 Xìngtán 명 ①《地》 행단(공자(孔子)가 학문을 강의한 곳). ②(xìngtán) 〈轉〉 학교. ¶～讲学; 학교에서 강의하다.

〔杏眼〕 xìngyǎn 명 〈文〉〈比〉 (여성의) 아름다운 크고 둥근 눈. ¶～媚人; 아름다운 눈으로 아양을 떨다.

〔杏眼桃腮〕 xìng yǎn táo sāi 〈成〉 동그란 눈과 탐스러운 뺨. 미모. ¶那位小姐长得～, 好不可爱! 저 처녀는 동그란 눈에 탐스러운 뺨을 가진 것이, 정말 귀엽다!

〔杏叶沙参〕 xìngyè shāshēn 명 《植》 당잔대(초롱꽃과의 다년초).

〔杏靥〕 xìngyè 명 ①살구꽃. ②여성의 아름다운 용모. ¶～迎人; 고운 얼굴로 사람을 맞이하다.

〔杏月〕 xìngyuè 명 음력 2월의 별칭. →〔如rú月〕

〔杏子〕 xìngzi 명 ⇨〔杏实〕

性

xìng (성)

① 명 타고난 성품. 천부의 기질. ¶民族～; 민족성 / 阶级～; 계급성 / 此花～畏寒; 이 꽃의 특성은 추위에 약하다 / 天～; 천성 / 个～; 개성. ② 명 물질에 구비된 성질. ¶碱～; 알칼리성 / 向日～; 향일성 / 展～; 전성. ③ 명 효력. 효능. 힘. ¶药～猛烈; 약의 효력이 강렬하다 / 那酒～太暴; 저 술은 매우 독하다. ④(～儿, ～子) 명 성질. 특성. ¶榆木的木～坚韧; 느릅나무의 특성은 단단하다 / 这种布的布～爱抽; 이런 천의 성질은 줄어들기 쉽다. ⑤ 명 성분. ¶松木里有油～; 소나무에는 기름 성분이 있다 / 咸～太大了; 소금기가 너무 강하다. ⑥ 명 성격. 성질. 성벽. ¶～忠实; 성품이 충실하다 / 好～儿; 좋은 성격 / 做事有耐～; 일을 하는 데 인내심이 강하다 / 那匹马～子大; 저 말은 성질이 사납다. ⑦ 동 화내다. ¶一时～起; 벌컥 화 내다 / 骒kè子犯了～了; 암말이 성이 났다. ⑧ 명 흥미의 방향. 기호. 취미. ¶～好洁; 깨끗한 것을 좋아하는 성격이다 / ～喜动; 가만히 있지 못하는 성격 / 任～; 제멋대로. 선뜻 / 由～儿玩; 제멋대로 놀다. ⑨흔히, 명사 뒤에 붙어 사상 · 감정 등을 한정함. ¶冒险～; 모험성 / 斗争～; 투쟁성 / 发挥积极～; 적극성을 발휘하다. ⑩흔히, 명사 뒤에 붙어 범위 · 방식 등을 한정함. ¶全国～; 전국적 / 时间～; 시간적 / 综合～; 종합적. ⑪ 명 남녀의 성별. ¶男～; 남성 / 女～; 여성. ⑫ 명 《言》 (언어학, 문법상의) 성. ¶阳～; 남성 / 阴～; 여성 / 中～; 중성. ⑬ 명형 성(의). 생식(의). →〔性交〕

〔性傲〕 xìng'ào 명 오만한 성질. ¶他是天生的～, 您别怪他; 그는 천성이 오만하니, 과히 나무라지 마시오. 형 성질이 오만하다.

〔性别〕 xìngbié 명 성별.

〔性别歧视〕 xìngbié qíshì 명 성차별.

〔性病〕 xìngbìng 명 《醫》 성병. =〔花huā柳病〕〔淋lìn病〕〔梅méi毒〕〔软ruǎn下疳〕

〔性不长〕 xìng bù cháng 끈기가 없다. ¶他～, 做什么都是三天半的新鲜; 그는 끈기가 없어서 무엇을 하든 곧 싫증을 낸다.

〔性地〕 xìngdì 명 마음씨. 천성. ¶～豪爽; 성질이 호탕하고 시원스럽다.

〔性恶说〕 xìng'èshuō 명 《哲》 성악설(순자(荀子)가 주장한, 사람의 본성은 원래 악하다는 설).

〔性发〕 xìngfā 동 ①화내다. ¶你别欺负人, 老牛也有～的时候; 너 사람 우습게 보지 마, 소도 화를 낼 때가 있어. ②성욕을 일으키다. ¶为了怕青年们看金瓶梅看得～起来, 所以列入禁书; 청년들이 금병매를 보고 성욕을 일으킬까 두려워 금서에 넣었다.

〔性分〕 xìngfen 명 성정(性情). 성품. ¶您别生气, 他就是那～; 당신 너무 화내지 마시오, 그는 저런 성품이니까요. =〔性情〕

〔性感〕 xìnggǎn 명 성적인 매력. 육감. 성감(부도덕한 느낌이 있음). ¶这个电影明星富于～; 이 영화 스타는 섹시하다.

〔性刚〕 xìnggāng 명형 〈文〉 강직(하다). 강의(剛毅)(하다). ¶他生来耿gěng直～, 不肯向人低头; 그는 천성이 강직하여, 남에게 머리를 숙이는 짓은 안한다.

〔性格(儿)〕 xìnggé(r) 명 (사람의) 성격.

〔性根〕 xìnggēn 명 《佛》 사람의 마음의 본원(本源)을 말함. 근성. 본성. ¶～灵慧; 본성이 총명하고 영리하다.

〔性缓〕 xìnghuǎn 형 ⇨〔性宽〕

〔性激素〕 xìngjīsù 명 《生》 성 호르몬.

〔性急〕 xìngjí 형 성급하다. 괄괄하다. ¶做大事, 别～! 큰 일을 하려면 성급하면 안 된다! / 过马路千万别～; 한길을 건널 때에는 결코 성급해서는 안 된다. ↔〔性慢〕

〔性交〕 xìngjiāo 명동 성교(하다). →〔房fáng事〕〔交jiāo媾〕

〔性教育〕 xìngjiàoyù 명 성교육.

〔性快〕 xìngkuài 형 성미가 급하다.

〔性宽〕 xìngkuān 형 ①마음이 너그럽다. ¶～度量大; 마음이 너그럽고 도량이 크다. ②도량이 크다. ‖ =〔性缓〕
〔性理〕 xìnglǐ 명 〈文〉 타고난 성질. 천성.
〔性灵〕 xìnglíng 명 ①타고난 훌륭한 본성. 성정. ¶他是个～慧巧的好孩子; 그는 총명한 좋은 아이다. ②〈文〉 혼(魂). 정신. ¶多读些培养～的作品, 对于身心的休养很有帮助; 정신 수양이 되는 작품을 많이 읽으면 심신의 휴양에 매우 도움이 된다.
〔性慢〕 xìngmàn 형 유장(悠長)하다. (성격이) 느리다. ¶什么事他都不着急, 这么～的人, 我还是头一回见到; 무슨 일에도 그는 조금도 허둥대지 않는데, 이렇게 느긋한 사람은 난 처음 봤다. ↔〔性急〕
〔性命〕 xìngmìng 명 성명. 목숨. 생명. ¶～攸关 =〔～交关〕; 〈成〉 인명에 관계되다. 관계가 중대하고 긴요하다 / 今天的好日子是那些革命英雄破～换来的; 지금의 이 좋은 날은 그들 혁명 영웅들이 목숨을 내던져서 얻어진 것이다.
〔性能〕 xìngnéng 명 (기계 · 기구 등의) 성능. ¶构造简单, ～良好; 구조는 간단하고 성능은 좋다.
〔性癖〕 xìngpǐ 명 성벽. 타고난 버릇. ¶生性乖癖; 비뚤어진 성벽.
〔性起〕 xìngqǐ 동 발끈하다. 화를 내다. ¶一时～, 压不住怒火, 就打起来了; 버럭 화가 나서 분노를 억누르지 못하고 싸움을 시작했다.
〔性气〕 xìngqì 명 ①성정(性情). 성격. ②성질. 성깔. ¶有～; 성깔이 있다 / 他没有一点～; 그는 성깔이 조금도 없다. ③의지(意志). 뜻.
〔性器〕 xìngqì 명 《生》 성기.
〔性器官〕 xìngqìguān 명 《生》 사람 및 고등 동물의 생식기.
〔性情〕 xìngqíng 명 성품. 성질. 성격. →〔性子〕
〔性儿〕 xìngr 명 ①성격. 성질. ¶～良善; 성질이 선량하다. ②기분. 생각. 마음. ¶由着～吃; 실컷 먹다.
〔性色〕 xìngsè 명 《動》 동물의 자웅 성별의 색채.
〔性善说〕 xìngshànshuō 명 《哲》 성선설《맹자가 주장한, 사람의 천성은 선하다는 설》.
〔性生活〕 xìngshēnghuó 명 성생활.
〔性识〕 xìngshí 명 정신 작용. 의지. ¶倔jué强～; 강한 의지.
〔性体〕 xìngtǐ 명 타고난 성품. 마음씨. ¶～温和的姑娘; 마음씨가 고운 아가씨.
〔性天〕 xìngtiān 명 타고난 성격. 천성. =〔天性〕
〔性味〕 xìngwèi 명 〈比〉 성격. 성미. 기풍.
〔性腺〕 xìngxiàn 명 《生》 성선. 생식선.
〔性相〕 xìngxiàng 명 《佛》 성상《성(性)이란 제법(諸法)의 실상을 말하며, 상(相)이란 나타난 모습을 말함》.
〔性行〕 xìngxíng 명 성격과 행위.
〔性欲〕 xìngyù 명 성욕. →〔肉ròu欲〕
〔性真〕 xìngzhēn 명 《佛》 본성.
〔性征〕 xìngzhēng 명 성질. 특징.
〔性质〕 xìngzhi 명 성질. 천성. ¶～不一; 타고난 성질은 같지 않다 / 弄清问题的～; 문제의 성질을 분명히 하다.
〔性状〕 xìngzhuàng 명 성상. 성질과 상태.
〔性子〕 xìngzi 명 ①천성. 성질. 성품. ¶这匹马～大; 이 말은 성질이 사납다 / 使～; 골내다 / ～急; 성질이 급하다 / ～上来; 기분이 울적해지다. ②(술 · 약 등의) 성질. ¶这药～平和; 이 약은 순하다.

姓 xìng (성)
①명 성(姓). ¶复～; 복성. 두 자의 성. ②명 백성. ③명 자손. ④동 (…이라는) 성이다. …을 성으로 하다. ¶～王的; 왕씨 / 不～张; 장가가 아니다 / 你～什么? 당신은 성이 무엇이오? / 我～马, 不～牛; 나는 마씨다, 우씨가 아니다.
〔姓名〕 xìngmíng 명 성명. =〔姓字〕
〔姓什名谁〕 xìngshén míngshuí 성은 무엇이고, 이름은 무엇인가. ¶你也不问问他～, 就请他进客厅里坐下, 真太荒唐; 너는 그의 성명도 묻지 않고 응접실에 안내하다니 정말 멍청하구나. =〔姓字名谁〕
〔姓氏〕 xìngshì 명 ①성씨《하 · 은 · 주(夏殷周) 삼대 이전에는, 성씨를 둘로 나눠, 부계(父系)는 '氏', 모계는 '姓'이었음. 귀한 사람만이 '氏'가 있고, 천한 사람에게는 '氏' 없이 '名' 뿐이었음. 후에 '姓氏'라 함은 오로지 성(姓)을 가리킴》. ②성(姓).
〔姓系〕 xìngxì 명 씨족(氏族)의 계통.
〔姓字〕 xìngzì 명 ⇨〔姓名〕
〔姓字名谁〕 xìngzì míngshuí 성은 무엇이고 이름은 무엇인가. =〔姓什名谁〕
〔姓族〕 xìngzú 명 명망가(名望家). 명족(名族).

幸〈倖〉⑤ xìng (행)
①명 행복. ¶荣róng～; 영광. 광영. ②동 〈文〉 원하다. 바라다. ③명 천자(天子)의 행차. 거둥. ¶驾～御花园; 어가(御駕)가 궁정 꽃밭으로 행차하다. ④동 (행복에 겨워) 기뻐하다. ¶欣～之感; 기쁜 마음. →〔幸灾乐祸〕 ⑤명동 〈文〉 총애(寵愛)(하다). 은총(을 내리다). ¶得～; 총애를 받다 / 把他～得这个样儿! 그를 이토록 총애하는구나! ⑥부 다행히. ¶～免于难nàn; 다행히 난을 면하다 / 侥jiǎo～; 요행(으로) / ～有栏杆挡住, 才没有跌下去; 다행히 난간으로 차단되어 떨어지지 않았다. ⑦명 성(姓)의 하나.
〔幸草〕 xìngcǎo 명 〈文〉 들판의 타다 남은 풀. ¶～茁zhuó长; 타다 남은 풀이 쑥쑥 자라다.
〔幸臣〕 xìngchén 명 〈貶〉 행신. 총신《비방하는 뜻으로 씀》.
〔幸得〕 xìngdé 부 다행히. 동 다행히 …을 얻다. ¶当我危难时～他援助; 내가 위급할 때 그의 도움을 받았다.
〔幸而〕 xìng'ér 부 다행히도. 운 좋게. ¶～没受伤; 다행히도 상처를 입지 않았다.
〔幸而免〕 xìng'érmiǎn 동 운 좋게 면하다. ¶～了一场灾难; 한 차례의 재해를 운 좋게 면했다.
〔幸福〕 xìngfú 동 행복하다. ¶你有这么个好父亲, 真～; 너는 이렇게 훌륭한 아버지가 계셔서 정말 행복하겠다. 명 행복. ¶祝你一生～; 당신의 일생의 행복을 빕니다 / ～连索; 행운의 편지.
〔幸福院〕 xìngfúyuàn 명 경로원. =〔敬jìng老院〕
〔幸福主义〕 xìngfúzhǔyì 명 《哲》 쾌락주의 · 공리주의를 포함하는 행복 지상주의.
〔幸好〕 xìnghǎo 부 ⇨〔幸亏〕
〔幸会〕 xìnghuì 〈套〉 다행히 뵙게 되었습니다. 뵙게 되어 기쁩니다. ¶久仰大名, 今日方得～; 고명하신 이름은 익히 듣고 있었습니다만, 오늘 뵙게 되어 정말 기쁩니다.
〔幸亏〕 xìngkuī 부 다행히. 운 좋게. 요행으로. ¶～没有第三人知道; 다행히 제삼자는 아무도 모른다 / ～带钱, 否则会出丑了; 돈을 가지고 있었으니 망정이지, 그렇지 않았으면 창피를 당할 뻔했

다. =〔幸而〕〔幸喜〕〔〈方〉得děi亏〕〔幸好〕
〔幸临〕 xìnglín 명 천자의 임행(臨幸). 동 〈翰〉 고맙게도 왕림해 주시다.
〔幸免〕 xìngmiǎn 동 행면하다. 다행이 면하다. ¶ ~于难nàn; 다행히 난을 면하다. →〔幸而免〕
〔幸民〕 xìngmín 명 〈文〉 요행을 바라는 사람. 요행을 바라고 생업에 힘쓰지 않는 백성.
〔幸甚〕 xìngshèn 형 〈翰〉 행심이다. 매우 다행하다. ¶如蒙准许, 则国家~, 人民~; 허가를 해 주신다면 국가의 다행이며, 백성에게도 큰 다행이겠습니다(옛날, 정부에 대한 신청서의 맺는 말의 하나).
〔幸事〕 xìngshì 명 〈文〉 다행스러운 일. 기쁜 일.
〔幸位〕 xìngwèi 명 요행으로 얻은 지위. 덕 없이 녹을 먹는 자. ¶我哪里配作官? 不过是~罢了! 제가 이렇게 관리가 되다니 (그런 자격은 없습니다), 다만 요행히 얻은 지위일 뿐이지요!
〔幸勿〕 xìngwù 제발 …하지 않으시도록. ¶~推辞; 〈翰〉 제발 물리치지 마시기를.
〔幸喜〕 xìngxǐ 부 ⇨〔幸亏〕
〔幸运〕 xìngyùn 명 행운. 형 운이 좋다.
〔幸运儿〕 xìngyùn'ér 명 운이 좋은 사람. 행운아.
〔幸运奖〕 xìngyùnjiǎng 명 행운상. '奖券'(복권)의 일종. ¶抽~; 행운상을 뽑다/得~; 행운상에 당첨되다.
〔幸灾乐祸〕 xìng zāi lè huò 〈成〉 남의 재화(災禍)를 기뻐하다.
〔幸子鱼〕 xìngziyú 명 〖魚〗 날개횟대.

悻 **xìng** (행)
형 원망하다. 성내다.

〔悻然〕 xìngrán 형 화내는 모양. 성난 모양.
〔悻悻〕 xìngxìng 형 화내는 모양. ¶~然; 잔뜩 골을 내고 있다/~地望了他一眼; 잔뜩 화가 나서 그를 힐끗 노려 보았다.

婞 **xìng** (행)
형 〈文〉 강직하다.

〔婞直〕 xìngzhí 형 〈文〉 강직하다.

荇〈莕〉 **xìng** (행)
→〔荇菜〕

〔荇菜〕 xìngcài 명 〖植〗 순채. =〔金丝荷叶〕〔凫葵〕

莕 **xìng**
지명용 자(字). ¶~花; 싱화(莕花)(광둥 성(廣東省) 평촨 현((封川縣)에 있는 땅 이름). =〔杏〕 ⇒ tán

XIONG ㄒㄩㄥ

凶〈兇〉B) **xiōng** (흉)
A) ① 명형 불행(하다). 불길(하다). ¶占卜zhānbǔ吉~; 길흉을 점치다. ② 형 작황이 나쁘다. 흉작이다. ¶~年; ⇩ B) ① 형 흉악하다. 사납다. ¶穷~极恶; 흉악하기 짝이 없다/那个人~得厉害; 저 사람은 무척 사납다. ② 형 심하다. 지독하다. 지나치다. ¶这个酒很~; 이 술은 독하다/病势很~; 병세가 몹시 심하다. ③ 명 악인. 흉악한 놈. ¶元~ =〔祸首〕; 원흉. 장본인.
〔凶暴〕 xiōngbào 형 흉포하다. 흉악하고 잔인하다. 명 흉악한 성격〔사람〕.
〔凶悖〕 xiōngbèi 형 〈文〉 ⇨〔凶逆〕
〔凶变〕 xiōngbiàn 명 〈文〉 흉변. 천재지변 및 장례식.
〔凶残〕 xiōngcán 형 흉악하고 잔인하다. ¶~成性; 성격이 흉악 잔인해지다. 명 〈文〉 흉악 잔인한 사람.
〔凶党〕 xiōngdǎng 명 〈文〉 ①흉당. 흉악한 무리. ②무뢰배.
〔凶刀〕 xiōngdāo 명 흉행에 쓸 칼.
〔凶德〕 xiōngdé 형 〈文〉 흉악하고 덕과 예의에 어긋나다.
〔凶地〕 xiōngdì 명 〈文〉 ①풍수가 좋지 않은 땅. ②태평스럽지 못한 곳.
〔凶毒〕 xiōngdú 형 흉독하다. 흉악하고 독하다. ¶怎么这么~啊! 어쩌면 이렇게도 지독〔잔인〕할까!
〔凶多吉少〕 xiōng duō jí shǎo 〈成〉 십중팔구는 좋지 않다. 절망적이다. ¶年老得这个病, 恐怕~; 늙어서 이런 병에 걸렸으니 아마도 절망이겠지.
〔凶恶〕 xiōng'è 형 흉악하다.
〔凶犯〕 xiōngfàn 명 흉악범. 살인범.
〔凶房〕 xiōngfáng 명 옛날, 흉가. 불길한 집. ↔〔吉jí房〕
〔凶风〕 xiōngfēng 명 ①〖漢醫〗 사람에게 해로운 동북풍. ②〈文〉 흉악 살벌한 기풍.
〔凶服〕 xiōngfú 명 〈文〉 상복(喪服).
〔凶关〕 xiōngguān 명 액운(厄運). 불길한 고비. ¶渡过~; 액운을 넘기다.
〔凶棍〕 xiōnggùn 명 〈比〉 흉악한 놈. 나쁜 놈.
〔凶悍〕 xiōnghàn 형 흉맹(凶猛)하다. 흉악하고 사납다.
〔凶耗〕 xiōnghào 명 〈文〉 흉보(凶報). 부고(訃告). ¶~传来, 不胜震惊; 부보가 전해져서 놀라움을 금할 수 없다.
〔凶狠〕 xiōnghěn 형 흉악하고 사납다. ¶~险毒; 음험하고 악랄하다.
〔凶横〕 xiōnghèng 형 흉악하고 횡포하다. ¶他这个人太~了, 你别跟他交朋友了; 저놈은 무척 흉악한 놈이니, 너 저놈과 사귀지 마라.
〔凶荒〕 xiōnghuāng 명 〈文〉 흉작. 흉년.
〔凶狡〕 xiōngjiǎo 형 교활하고 흉악하다.
〔凶纠纠〕 xiōngjiūjiū 형 흉악하고 악착스럽다(흉악한 모양).
〔凶咎〕 xiōngjiù 명 〈文〉 재앙. 과실. 재난.
〔凶具〕 xiōngjù 명 〈文〉 관(棺).
〔凶寇〕 xiōngkòu 명 〈文〉 강도. 흉악한 도적.
〔凶礼〕 xiōnglǐ 명 〈文〉 장례. 장의. =〔丧sāng礼〕
〔凶戾〕 xiōnglì 형 〈文〉 흉포하다. 포악하다.
〔凶门〕 xiōngmén 명 ①상중(喪中)인 집(백지에 써서 문전에 붙이거나 세워 둠). ②〈罵〉 몹쓸 놈〔집안〕.
〔凶猛〕 xiōngměng 형 흉맹하다. ¶来势~; 기세가 사납다/虎豹都是~的野兽; 호랑이나 표범은 사나운 야수다.
〔凶命〕 xiōngmìng 명 〈文〉 악운. 흉악한 운수.
〔凶木〕 xiōngmù 명 ①관을 만들 때 쓰는 목재. ②위패를 만드는 목재. =〔神shén木〕
〔凶逆〕 xiōngnì 형 〈文〉 흉포하고 도리에 어긋나다. =〔凶悖〕
〔凶年〕 xiōngnián 명 흉년. =〔〈文〉 凶岁〕〔歉qiàn年〕
〔凶虐〕 xiōngnüè 형 〈文〉 잔인하다. 흉포하고 잔학하다.
〔凶气〕 xiōngqì 명 흉악한 기풍〔모양〕.

〔凶器〕 xiōngqì 명 흉기. 사람을 살상하는 데 쓰는 기구.
〔凶人〕 xiōngrén 명 흉인. 악인.
〔凶杀〕 xiōngshā 동 살인하다. 학살하다. ¶～案; 학살 사건. 살인 사건.
〔凶煞〕 xiōngshà 명 ①흉마(凶魔). 흉귀(凶鬼). ¶他真跟～一样; 저놈은 정말 흉악한 귀신 같다. ②사기(邪氣). 흉살. ¶你也许遇见～了; 넌 흉살을〔흉악한 운수를〕 만났는지도 모른다.
〔凶神〕 xiōngshén 명 흉신. 악마. 악귀. 흉물스러운〔악귀같은〕 사람. ¶～恶煞; 살인마들.
〔凶事〕 xiōngshì 명 〈文〉 ①흉사. 불행한 일. ②병란(兵亂). ③살상 사건.
〔凶手〕 xiōngshǒu 명 (살인·상해(傷害)의) 범인. 하수인(下手人).
〔凶首〕 xiōngshǒu 명 악당의 괴수.
〔凶死〕 xiōngsǐ 동 살해되다. 자살하다. 횡사(横死)하다.
〔凶岁〕 xiōngsuì 명 ⇨〔凶年〕
〔凶徒〕 xiōngtú 명 〈文〉 악당의 무리. 폭도.
〔凶顽〕 xiōngwán 형 〈文〉 흉포하고 완미(頑迷)하다. 명 흉악 완미한 적.
〔凶险〕 xiōngxiǎn 형 ①(정세가) 위험하기 짝이 없다. 위태하다. 위독하다. ¶病情很～; 병세가 위독하다. ②운세가 나쁘다. ¶他走了～运了; 그는 운이 나쁘다. ③간사하다. 음험하다. ¶这个人很～不大好相交; 이 사람은 매우 음험해서 교제하기 힘들다.
〔凶相〕 xiōngxiàng 명 ①흉상. 나쁜 인상. ¶～毕露; 〈成〉 음흉한 정체가 낱낱이 드러나다. ②횡사할 상. ¶一脸的～; 분명히 얼굴에 나타나 있는 불길한 인상(人相).
〔凶邪〕 xiōngxié 명형 〈文〉 흉사(하다). 사악(하다).
〔凶心〕 xiōngxīn 명 흉심. 흉악한 마음. ¶～毕露; 흉악한 마음을 완전히 드러내다 / 收拾起～来, 从新做人; 완전히 뉘우치어 새 사람이 되다.
〔凶信(儿)〕 xiōngxìn(r) 명 불길한 소식. 죽음의 소식. ¶收到～立刻奔丧; 흉보를 받자 곧 장례 등의 처리를 위해 집으로 돌아갔다.
〔凶星〕 xiōngxīng 명 흉성. 불길한 별.
〔凶焰〕 xiōngyàn 명 흉악한 기염. ¶你这么姑息他, 更增长了他的～; 그를 이렇게 제멋대로 하게 내버려두면, 흉악한 기세를 더욱 키워주게 된다.
〔凶样儿〕 xiōngyàngr 명 〈文〉 흉악한 모습. 무시무시한 모양. 처참한 모양.
〔凶宅〕 xiōngzhái 명 흉가. 불길한 집. →〔鬼guǐ屋〕
〔凶兆〕 xiōngzhào 명 흉조. 나쁜 조짐. 불길한 조짐.
〔凶终隙末〕 xiōng zhōng xì mò 〈成〉 친우(親友)가 변해서 원수가 되다《우정은 늘 같을 수만은 없다》.

讻(訩〈詾, 哅〉) xiōng (흉)

형 〈文〉 떠들썩〔와자지껄〕하다. =〔恟②〕
〔讻讻〕 xiōngxiōng 형 〈文〉 와자지껄 떠드는 모양.

匈 xiōng (흉)

①(Xiōng) 명 〖地〗 헝가리. =〔匈牙利〕 ②명 ⇨〔胸①〕 ③→〔匈奴〕
〔匈奴〕 Xiōngnú 명 〖民〗 흉노족(匈奴族)《중국 고대 민족의 하나로서, 전국 시대에 연(燕)·조(趙)·진(秦) 이북에서 유목 생활을 하였음》.
〔匈牙利〕 Xiōngyálì 명 〖地〗 〈音〉 헝가리(Hungary)《수도는 '布达佩斯' (Budapest: 부다페스트)》.

汹〈洶〉 xiōng (흉)

①동 〈文〉 용솟음치다. ¶气～的; 가슴 속이 울컥거리다. ②형 왁자하게 떠들어 대는 모양.
〔汹汹〕 xiōngxiōng 형 〈文〉 ①거센 파도 소리의 형용. ②〈貶〉 세력이 왕성한 모양. ¶来势～; 밀려오는 기세가 대단하다. ③쟁론(爭論)하고 있는 모양. 분규(紛糾)가 일어난 모습의 형용. ¶天下～; 세상이 분규하다 / 议论～; 의론이 분분하다.
〔汹涌〕 xiōngyǒng 동 (물이) 세차게 치솟다. ¶波涛～; 파도가 세차게 서로 부딪다《노도와 같은 힘》 / ～澎湃; 〈成〉 물결이 세차게 출렁이다《기세가 막을 수 없이 세차다》.

恟〈忷〉 xiōng (흉)

형 〈文〉 ①두려워서 부들부들 떨다. ②⇨〔讻xiōng〕

胸〈胷〉 xiōng (흉)

①명 가슴. ¶挺tǐng～; 가슴을 펴다《의기가 높은 모양》. =〔匈②〕 ②명 마음. 의지. 뜻. ¶心～; 가슴 속. 심흉 / ～怀; ⇩ ③동 품다.
〔胸板〕 xiōngbǎn 명 가슴(의 전면). 가슴팍.
〔胸痹〕 xiōngbì 명 〖漢醫〗 흉비《폐기종·늑막염·심장병 등, 가슴과 등이 아프고, 가슴이 답답하고 기침과 가래가 많은 병》.
〔胸部〕 xiōngbù 명 〖生〗 흉부. 가슴.
〔胸次〕 xiōngcì 동명 ⇨〔胸怀〕
〔胸腹〕 xiōngfù 명 〈文〉 ①가슴과 배. ②〈文〉 도량. ¶行政首长要有容人之～; 행정 장관은 사람을 포용하는 도량이 있어야 한다. ③〈轉〉 중앙의 중요한 곳. 요해처(要害處). ¶魏天下之～; 위나라는 천하의 중앙 요해처이다.
〔胸膈〕 xiōnggé 명 ①〖生〗 격막(膈膜). =〔膈膜〕 ②〈比〉 감정. 내심. 포부. ¶～相关; 〈成〉 서로 마음을 잘 알다.
〔胸骨〕 xiōnggǔ 명 〖生〗 흉골.
〔胸挂式手摇撒粉机〕 xiōngguàshì shǒuyáosāfěnjī 명 가슴에 걸고 작동하는 수동 살포기(撒布機). 휴대용 핸드더스터.
〔胸管〕 xiōngguǎn 명 〖生〗 흉관. 가슴관. =〔左总淋巴管〕
〔胸海〕 xiōnghǎi 명 〈文〉 가슴 속.
〔胸呼吸〕 xiōnghūxī 명 〖生〗 흉식(胸式) 호흡.
〔胸怀〕 xiōnghuái 동 가슴에 품다. 속으로 생각하다. 명 ①가슴 속. 마음 속. 흉금. ¶畅叙～; 가슴 속의 생각을 마음껏 이야기하다 / 胸中怀刀; 〈成〉 가슴에 칼을 품고 있다《음흉함》. ②기개와 도량. 기량(器量). ¶～太窄; 기량이 너무 좁다. ③생각. 포부. ¶您的话正中我的～; 당신의 말은 바로 내 생각과 같습니다. ‖ =〔胸次〕〔胸襟〕〔胸宇〕〔胸中〕
〔胸肌〕 xiōngjī 명 〖生〗 가슴의 근육. =〔胸筋jīn〕
〔胸脊〕 xiōngjǐ 명 용골 돌기《조류의 가슴뼈의 중앙에 있는 큰 돌기》.
〔胸筋〕 xiōngjīn 명 ⇨〔胸肌〕
〔胸襟〕 xiōngjīn 명 ⇨〔胸怀〕
〔胸坎儿〕 xiōngkǎnr 명 가슴 속. 마음. ¶～开阔; 마음이 활달하다〔넓다〕. =〔胸坎子〕
〔胸口(儿)〕 xiōngkǒu(r) 명 〖生〗 명치.
〔胸口针〕 xiōngkǒuzhēn 명 깃에 꽂는 핀.

〔胸廓〕 xiōngkuò 명 《生》 흉곽.
〔胸膜〕 xiōngmó 명 《生》 늑막. ¶～炎 =〔肋膜炎〕〔《俗》 胁xié痛〕; 늑막염. =〔肋lèi膜〕
〔胸脯(儿)〕 xiōngpú(r) 명 가슴. 흉부. ¶挺起～; 가슴을 펴다 / 为什么不也拍拍～宣布停止核武器试验呢; 왜 가슴을 탁 두드리고 핵무기 실험 정지를 선포하지 않는가. =〔胸脯子〕〔胸头〕
〔胸脯子〕 xiōngpúzi 명 ⇨〔胸脯(儿)〕
〔胸前〕 xiōngqián 명 앞가슴. ¶她～挂着一串珍珠项圈; 그녀는 가슴에 진주 목걸이를 걸고 있다.
〔胸腔〕 xiōngqiāng 명 《生》 흉강. ¶～外科; 흉부외과.
〔胸墙〕 xiōngqiáng 명 《軍》 흉장. 참호 앞에 쌓아 올린 흙. =〔战zhàn壕丘〕
〔胸情〕 xiōngqíng 명 심정. 기분. 마음. =〔心xīn情〕
〔胸射水轮〕 xiōngshè shuǐlún 명 흉사식 물레방아《물레방아 바퀴의 반쯤 높이 되는 곳에 물을 끌어, 반은 물의 충격으로, 반은 물 무게로 물레방아를 돌리는 설비》.
〔胸撕撞〕 xiōngsīzhuàng 명 마주치는 순간 부딪침. 정면으로부터 부딪침〔마주침〕. ¶奔上楼来, 正和他碰个～; 2층으로 뛰어올라 오다가, 마침 그와 정면으로 부딪쳤다.
〔胸膛〕 xiōngtáng 명 가슴. ¶坦着～; 가슴을 풀어 헤치고 뽐내는 모양. =〔胸脯pú〕
〔胸头〕 xiōngtou 명 ⇨〔胸脯(儿)〕
〔胸围〕 xiōngwéi 명 바스트《(양재의) 가슴둘레》.
〔胸无城府〕 xiōng wú chéng fǔ 〈成〉 마음에 숨기고 있는 것이 없음. 선입관이 없고 솔직 담백함. ¶他并不是一个率直～的人, 他的言行也不可能完全没有矫揉造作和虚伪之处; 그는 결코 솔직 담백한 사람은 아니어서, 그의 언행도 완전히 허식이나 허위가 없다고 할 수는 없다.
〔胸无点墨〕 xiōng wú diǎn mò 〈成〉 교양의 정도가 낮다. 무학(無學)이다.
〔胸无宿物〕 xiōng wú sù wù 〈成〉 성격이 솔직하고 시원스럽다. ¶为人爽直～; 성격이 서글서글하고 시원스럽다.
〔胸像〕 xiōngxiàng 명 흉상.
〔胸行〕 xiōngxíng 동 가슴으로 기어가다. ¶～动物; (뱀처럼) 가슴으로 기어가는 동물.
〔胸压钻架〕 xiōngyā zuànjià 명 《機》 브레스트 드릴(breast drill).
〔胸衣〕 xiōngyī 명 브래지어(brassiere). =〔胸罩〕
〔胸臆〕 xiōngyì 명 내심. 가슴 속. 품고 있는 생각 또는 말. ¶直zhí抒～; 생각한 것을 거침없이 말하다.
〔胸有成竹〕 xiōng yǒu chéng zhú 〈成〉 이미 속에 성산(成算)이 있다. 이미 가슴 속에 생각이 작정되어 있다. ¶好学生把考试题目打开一看, 便～地放心解答下去; 잘 하는 학생은 시험 문제를 열어 한 번 보면 곧 성산이 있어 안심하고 해답을 써 내려가기 시작한다. =〔成竹在胸〕
〔胸有朝阳〕 xiōng yǒu zhāo yáng 〈成〉 상대방에 대해 진심을 가지고 있음. 충성의 한 마음으로 가슴을 불태움.
〔胸宇〕 xiōngyǔ 명동 ⇨〔胸怀〕
〔胸罩〕 xiōngzhào 명 브래지어. =〔胸衣〕
〔胸针〕 xiōngzhēn 명 브로치(brooch). ¶她别上一枝翡翠～; 그녀는 비취 브로치를 달고 있다.
〔胸中〕 xiōngzhōng 명동 ⇨〔胸怀〕
〔胸中甲兵〕 xiōng zhōng jiǎ bīng 〈成〉 가슴 속에 용병(用兵)의 지략이 있다. ¶～足以破敌; 마음 속에 있는 지략은 적을 무찌르기에 충분하다.
〔胸中鳞甲〕 xiōng zhōng lín jiǎ 〈成〉 속이 검음. 음험하고 잔인함.
〔胸中无数〕 xiōng zhōng wú shù 〈成〉 (일에 대한 이해가 부족해서) 자신이 없다. (실제의 상황에 대해) 속에 무르익은 생각이 없다. 성산(成算)이 없다. 목표가 서 있지 않다. ↔〔胸中有数〕
〔胸中有数〕 xiōng zhōng yǒu shù 〈成〉 마음속에 계산이 있다. 속으로 다른 생각이 있다. =〔心xīn里有数〕
〔胸椎〕 xiōngzhuī 명 《生》 흉추.

兄 xiōng (형)

명 ①형. ¶～弟; 형제 / 令～; 〈敬〉 영형《다른 사람에 대하여 그 형을 이름》 / 家～; 〈謙〉 저의 형 / 先～; 망형(亡兄). ②〈敬〉 손위의 동배(同輩)에 대한 경칭. ¶老～; 친한 연장자에 대한 호칭. 노형 / 李～; 이씨. 이형 / 我～; 귀형. 인형. ③친척에서, 자기와 같은 항렬의 연상(年上)의 남자를 가리킴. ¶堂～; 사촌형. 아버지 형제의 아들 / 表～; 친사촌 이외의 사촌형.
〔兄伯〕 xiōngbó 명 〈文〉 시숙. 시아주버니.
〔兄弟〕 xiōngdì 명 ①형과 동생. ②형제. ¶～俩; 형제 두 사람 / ～般的; 형제와 같은.
〔兄弟〕 xiōngdi 〈口〉 명 ①동생. ②손아래의 친한 사람에 대한 호칭《사촌 동생을 가리킬 때에도 쓰임》. 대 〈謙〉 저《자기 동년배나 여러 사람 앞에서 자신을 낮추는 말》.
〔兄弟党〕 xiōngdìdǎng 명 형제당《우호 관계에 있는 다른 나라의 (공산)당을 말함》.
〔兄弟民族〕 xiōngdì mínzú 명 중국 국토 내의 소수 민족을 친근하게 부르는 호칭.
〔兄弟媳妇(儿)〕 xiōngdixífu(r) 명 제수. 동생의 아내.
〔兄弟阋墙〕 xiōng dì xì qiáng 〈成〉 내부의 싸움. 집안 싸움.
〔兄宽弟让〕 xiōng kuān dì ràng 〈成〉 형은 관대하고 아우는 양보함《형제간의 본연의 자세》.
〔兄嫂〕 xiōngsǎo 명 형과 형수.
〔兄台〕 xiōngtái 명 〈翰〉 〈敬〉 귀하. 족하. 귀군.
〔兄长〕 xiōngzhǎng 명 〈敬〉 〈文〉 형. 형장《남자 선배나 친구에 대한 경칭》.

芎 xiōng〔qiōng〕 (궁)

→〔芎蕉〕〔芎䓖〕
〔芎蕉〕 xiōngjiāo 명 《植》 바나나.
〔芎䓖〕 xiōngqióng 명 《植》 천궁이. =〔穹穷〕〔鞠jū䓖〕

雄 xióng (웅)

① 명형 수컷(의). ¶～鸡; ⇩ / ～狗; 수캐 / ～蕊ruǐ; 《植》 수술 / 雌～同株; 자웅 동주. ② 형 씩씩하다. 당당하다. ¶～心; ⇩ ③ 형 강하다. 강력〔강대〕하다. ¶健～; 용감하다. ④ 명 강력한 사람〔국가〕. ¶战国七～; 전국 시대의 7개의 강국(強國) / 英～; 영웅 / 两～不并立; 〈成〉 두 영웅은 양립할 수 없다. ⑤ 동 호통치다. 꾸짖다. ¶把他～了一顿; 그를 한바탕 꾸짖었다. ⑥ 명 성(姓)의 하나.
〔雄辩〕 xióngbiàn 명 웅변. ¶事实胜于～; 사실은 웅변보다 낫다. 형 설득력 있다. ¶～的事实; 설득력이 있는 사실.
〔雄才大略〕 xióng cái dà lüè 〈成〉 뛰어난 재지(才智)와 원대한 계획.
〔雄长〕 xióngcháng 〈文〉 형 강하고 뛰어나다. 동 일세(一世)에 패권을 장악하다.

〔雄儿〕 xióng'ér 명 〈文〉 호한(好漢). 뛰어나고 훌륭한 남자.
〔雄飞〕 xióngfēi 동 ①웅비하다. ②크게 세력을 떨치다.
〔雄风〕 xióngfēng 명 〈文〉 위풍(威風).
〔雄蜂〕 xióngfēng 명 《蟲》 웅봉. 수펄. =〔游yóu蜂〕
〔雄厚〕 xiónghòu 형 (인력 · 자금 등이) 충분히 있다. 풍부하다. ¶～实力; 충실한 실력 / 资本～; 자본이 풍부하다.
〔雄虎刺〕 xiónghǔcì 명 《植》 갯대추나무.
〔雄花〕 xiónghuā 명 《植》 수꽃.
〔雄黄〕 xiónghuáng 명 《鑛》 (석)웅황. 계관석(鷄冠石). =〔雄精〕〔鸡jī冠石〕〔石shí黄〕
〔雄黄酒〕 xiónghuángjiǔ 명 웅황주《석웅황의 가루와 부들 뿌리를 잘게 썬 것을 소주에 담근 것》.
〔雄黄香〕 xiónghuángxiāng 명 옛날, 석웅황으로 만든 선향《독성이 매우 강하며, 액막이 · 방충용으로 씀》.
〔雄黄油〕 xiónghuángyóu 명 참기름에 '雄黄'을 녹인 것《벌레 물린 데 효력이 있음》.
〔雄浑〕 xiónghún 형 (시문의 기세가) 힘차고 웅장하다. ¶笔力～; 필력이 웅혼하다.
〔雄鸡〕 xióngjī 명 수탉. =〔公gōng鸡〕
〔雄健〕 xióngjiàn 형 웅건하다. 웅장하다. ¶～的斗士; 웅장한 투사.
〔雄精〕 xióngjīng 명 ⇨〔雄黄〕
〔雄劲〕 xióngjìng 형 〈文〉 (서법이) 힘차다. ¶落笔～; 글씨가 힘차다.
〔雄纠纠〕 xióngjiūjiū 형 억세고 용감하다. 씩씩하다. ¶～的武官; 용맹한 무관 / 士兵们列队正步～气昂昂地走过检阅台前举手敬礼; 사병들이 바른 걸음으로 보무도 당당히 사열대 앞을 통과하면서 거수 경례를 한다. =〔雄赳赳〕
〔雄劣〕 xiónglìè 명 〈文〉 우열(優劣). ¶运动场上的裁判品评～; 운동장에서의 심판은 우열을 가른다.
〔雄气〕 xióngqì 명 〈文〉 씩씩하고 웅장한 기개.
〔雄蕊〕 xióngruǐ 명 《植》 수술. 수꽃술. ↔〔雌cí蕊〕
〔雄师〕 xióngshī 명 정병(精兵). ¶～百万; 정병 백만.
〔雄狮〕 xióngshī 명 《動》〈文〉 수사자.
〔雄图〕 xióngtú 명 웅도. 웅대한 계획.
〔雄伟〕 xióngwěi 형 (자연이나 건축물 등이) 웅위하다. 장대하다. 웅장하다. ¶～的天安门; 웅장한 천안문. →〔宏hóng伟〕
〔雄文〕 xióngwén 명 웅문. 힘이 있고 박력이 뛰어난 문장.
〔雄武〕 xióngwǔ 형 씩씩하다.
〔雄蟹〕 xióngxiè 명 《動》 수게. =〔尖jiān脐蟹〕↔〔雌cí蟹〕
〔雄心〕 xióngxīn 명 웅장한 뜻. 야심. ¶～壮志; 대망 장지(壯志). 웅대한 이상과 포부 / ～勃勃; 대단한 기개. 용감한 기상이 가득 차 있다 / 他有周游世界的～; 그는 세계 일주의 야심을 품고 있다.
〔雄雄〕 xióngxióng 형 〈文〉 위세가 당당한 모양.
〔雄刈萱〕 xióngyìxuān 명 《植》 개솔새.
〔雄甾酮〕 xióngzāitóng 명 《藥》 안드로스테론(androsterone)《남성 호르몬의 일종》.
〔雄张〕 xióngzhāng 형 기세가 등등한 모양. 횡포한 모양. ¶我看不惯他那付～的样子, 非给他一次教训不可; 그의 그 횡포가 눈에 거슬려서, 아무래도 한번 혼을 내 줘야겠다.
〔雄长〕 xióngzhǎng 명 일방(一方)으로 패권을 장악하는 사람.
〔雄镇〕 xióngzhèn 명 〈文〉 ①세력 있는 제후(諸侯). ②요충지. 요해처. 동 확고하게 제압하다. ¶掌握兵权, ～一方; 병권을 장악하고 한쪽을 확고하게 제압하다.
〔雄壮〕 xióngzhuàng 형 씩씩하다. 웅장하다. ¶歌声～, 响彻云霄; 노랫소리가 웅장하여 구름 위까지 울려퍼진다.
〔雄姿〕 xióngzī 명 웅자. 웅대하고 장려한 모습. ¶～英发; 웅대한 모습이 뛰어나다.

熊 xióng (웅)

① 명 《動》 곰. ¶人～; 큰곰 / 狗～ =〔黑～〕; 흑곰 / 白～; 백곰 / 大猫～; (자이안트) 판다. ② 동 〈方〉 야단치다. 욕지거리하다. 꾸짖다. ¶把儿子～了一顿; 아이를 한바탕 야단쳤다. =〔骂〕 ③ 동 유린하다. 깔보다. 병신 취급하다. =〔欺负〕〔欺侮〕 ④ 형 기백이 없다. 벌벌 떨다. 쭈뼛쭈뼛하다. ¶咱们这里没有～的; 우리에게는 패기 없는 자는 없다 / 瞧敌人被俘后的～像儿; 포로가 된 적의 저 기백이 없는 꼴이란. ⑤ 형 무능하다. 어리석다. ⑥ 형 칠칠치 못하다. 변변치 않다. ⑦ 동 속임수에 옭아 넣다. ⑧ 형 불길이 활활 타오르는 모양. ⑨ 명 성(姓)의 하나.
〔熊白〕 xióngbái 명 ⇨〔熊脂〕
〔熊包〕 xióngbāo 명 ①〈方〉 무능한 사람. 쓸모없는 인간. 무용지물. ②패기 없는〔무기력한〕 사람. ‖ =〔熊货〕〔熊蛋〕〔熊等儿〕
〔熊胆〕 xióngdǎn 명 웅담. ¶～是治痄zhà腮的好药; 웅담은 유행성 이하선염〔항아리손님〕의 묘약이다.
〔熊蛋〕 sǒngdàn 명 ⇨〔熊包〕
〔熊等儿〕 sǒngděngr 명 ⇨〔熊包〕
〔熊蜂〕 xióngfēng 명 《蟲》 어리호박벌.
〔熊骨头〕 sǒnggǔtou 명 〈方〉 용기가 없는 사람. 기력이 없는 사람. 졸장부. 옹졸한 사람. ¶你这～! 怎么没胆子去呢; 이 무골충이야! 어째서 망설이고 가지 않는거냐.
〔熊果叶〕 xióngguǒyè 명 《藥》 우바 우르시(Uva Ursi)《이뇨제의 일종》.
〔熊虎〕 xiónghǔ 명 ⇨〔熊虎将〕
〔熊虎将〕 xiónghǔjiàng 명 맹장(猛將). =〔熊虎〕
〔熊话〕 xiónghuà 명 약한 소리. ¶可哪次任务也没说过～; 무슨 일에나 약한 소리를 하지 않았다.
〔熊货〕 sǒnghuò 명 ⇨〔熊包〕
〔熊柳〕 xióngliǔ 명 《植》 청사초《덩굴성 낙엽 관목》.
〔熊猫〕 xióngmāo 명 《動》 판다(panda). =〔猫熊〕
〔熊罴〕 xióngpí 명 ①〈文〉 곰과 큰곰. ②〈比〉 무사(武士). 용사.
〔熊罴入梦〕 xióng pí rù mèng 〈成〉 곰이 배에 든 꿈을 꾸다. ①존귀한 아이가 태어날 전조. ②남의 아들 출산을 축하하는 말.
〔熊人〕 xióngrén 명 무기력한 사람. 옹졸한 사람. (xióng.rén) 동 야단치하다. 책망하다.
〔熊心豹胆〕 xióng xīn bào dǎn 〈成〉 대담하다. ¶我就是有～也不敢做这坏事; 내가 아무리 대담하다 해도 이런 나쁜 짓은 할 수 없다 / 吃了～的人; 〈諺〉 대담한 사람. 무모한 사람. =〔熊心狗胆〕
〔熊熊〕 xióngxióng 형 발갛게 불이 타는 모양. ¶火焰～腾起; 불길이 활활 타오르다 / ～烈火; 활활 타고 있는 불.
〔熊样子〕 xióngyàngzi 형 〈方〉 쭈뼛쭈뼛하는 모양. 매조지가 없는 모양. 기백이 없는 모양. ¶瞧那俘虏怕死的～; 저 포로가 죽는 것이 무서워서

벌벌 떨고 있는 꼴 좀 봐라. =〔熊样儿〕
〔熊蚁〕xióngyǐ 명《蟲》개미의 일종.
〔熊鱼〕xióngyú 명 (고급 요리 재료인) 곰 발바닥과 물고기. 〈比〉양쪽 다 얻을 수는 없음. 엉거주춤한 상태. ¶此事取舍未决, 犹在～之间; 이것은 취사 여부가 아직 결정되지 않아 아직 어느 쪽도 아니다.
〔熊掌〕xióngzhǎng 명 곰 발바닥(진귀한 식품).
〔熊脂〕xióngzhī 명 곰 등〔背〕의 기름. 웅지(빛은 구슬같이 희며 약용함). =〔熊白〕

诇(詗) xiòng (형)
동〈文〉살피다. 염탐하다.
〔诇察〕xiòngchá 동〈文〉탐색하다. 탐정하다. ¶～军情; 군정을 정찰하다.

敻 xiòng (형)
형〈文〉멀다. 아득하다. ¶～古gǔ =〔～远〕; 아득히 먼 옛날.

XIU ㄒㄧㄡ

休 xiū (휴)
①동 쉬다. 휴식하다. ¶退tuì～; (정년) 퇴직하다 / 告～; 사직을 청원하다 / 不眠不～; 자지도 않고 쉬지도 않다(쉴새없이 일하다). ②동 그만두다. 정지하다. ¶问个不～; 자꾸 묻다 / 争论不～; 언제까지나 논쟁하다 / 万事～矣; 만사가 끝이다 / 誓shì不甘～; 절대로 단념하지 않다. ③동 끝나다. 실패하다. 숨이 끊어지다. ④동 이혼(離婚)하다. 쫓아내다. ⑤동 관직을 그만두다. ⑥명〈文〉기쁨. 경사. 기쁜 일. ¶～戚; ⇓ / ～咎jiù; ⇓ ⑦형〈文〉아름답다. 좋다. 훌륭하다. ⑧〈古白〉…하지 마라. ¶～要这样性急; 그렇게 조급히 굴지 마라 / 这个病如不割治, ～想根除; 이 병은 절개 수술을 하지 않고서는 근치될 수 있다고 생각하지 마라 / 闲话～提; 한담을 그만두어라. =〔不要〕〔别〕
〔休班〕xiūbān 명 비번(非番). ¶～便装警员; 비번의 사복 경찰관. (xiū∙bān) 동 비번이 되다. ¶我要休两天班; 나는 이틀간 근무를 쉬려한다.
〔休兵〕xiūbīng 동〈文〉싸움을 멈추다. 정전(停戰)하다. =〔息xī兵〕
〔休当〕xiūdàng …라고 생각지 마라. …라고 생각해서는 안 된다. ¶～我不知道; 내가 모르는 줄로 생각해서는 안 된다.
〔休告〕xiūgào 명 사직원. ¶因病提出～; 병 때문에 사직원을 내다〔제출하다〕. →〔告休〕
〔休耕地〕xiūgēngdì 명 휴경지.
〔休耕制〕xiūgēngzhì 명《農》휴경제. 대전식(代田式) 농법의 일종(토지가 토박해지면 휴경하고, 딴 곳에서 경작하는 방식).
〔休怪〕xiūguài〈古白〉나쁘게〔언짢게〕생각하지 마라. ¶～我翻脸无情; 내가 모르는 체한다고 무정하다고 생각지 마시오.
〔休回〕xiūhuí 동〈文〉아내와 이혼하고 (친정으로) 돌려 보내다. ¶把妻子～去了; 아내와 이혼하여 친정으로 돌려 보냈다.
〔休会〕xiū∙huì 동 휴회하다. ¶暂zàn时～等下次开会再讨论; 잠시 휴회하고 다음번에 개회할 때 다시 토론한다. (xiūhuì) 명 휴회.
〔休火山〕xiūhuǒshān 명 휴화산.
〔休假〕xiū∙jià 동 휴가를 얻다〔보내다〕. ¶到这儿来～的; 휴가를 보내기 위해 이곳에 왔다.
〔休假日〕xiūjiàrì 명 ⇒〔休息日〕
〔休咎〕xiūjiù 명〈文〉길흉(吉凶). ¶占卜～; 길흉을 점치다.
〔休刊〕xiū∙kān 동 휴간하다. (xiūkān) 명 휴간. 출판 간행 정지. ‖ =〔停tíng版〕
〔休克〕xiūkè 명〈音〉쇼크(shock). ¶胰yí岛素～; 인슐린 쇼크. =〔昏hūn厥〕〔晕yūn厥〕동 쇼크가 일어나다. 쇼크를 일으키다.
〔休老〕xiūlǎo 동〈文〉①노년이 되어 은퇴하다. ②늙어 휴양하다. ¶回乡～; 늙어 고향으로 돌아가 휴양하다.
〔休粮〕xiūliáng 동 ①식량이 떨어지다. ②절식(絶食)하다. ‖ =〔断duàn谷〕〔绝jué粮〕
〔休粮僧〕xiūliángsēng 명 단식승.
〔休烈〕xiūliè 명〈文〉훌륭한 공적.
〔休眠〕xiūmián 명동《生》휴면(하다). 동면(하다). ¶～期; 휴면기 / ～芽; 휴면눈.
〔休沐〕xiūmù 동〈文〉휴가를 얻다. ¶～日; 휴가.
〔休否〕xiūpǐ 명〈文〉운의 좋고 나쁨.
〔休妻〕xiū∙qī 동 아내와 이혼(離婚)하다. =〔出chū妻〕
〔休戚〕xiūqī 명〈文〉휴척. 기쁨과 근심. 화복(禍福).
〔休戚相关〕xiū qī xiāng guān〈成〉서로의 기쁨과 근심, 화복이 관련되다(흔히 서로의 이해가 일치함을 형용함). =〔休戚相同〕
〔休戚相同〕xiū qī xiāng tóng〈成〉⇒〔休戚相关〕
〔休戚与共〕xiū qī yǔ gòng〈成〉동고동락(同苦同樂). =〔同tóng甘共苦〕
〔休弃〕xiūqì 동〈文〉버리다. 그만두다.
〔休憩〕xiūqì 동 쉬다. 휴게하다.
〔休手〕xiū∙shǒu 동〈文〉①쉬다. ②중지하다.
〔休书〕xiūshū 명〈文〉이혼장. ¶立了一纸～与她; 이혼장을 써서 그녀에게 주었다. =〔离lí书〕
〔休说〕xiūshuō 말하지 마라. …은 커녕…. ¶～一万块钱, 就是一千块钱我也拿不出来; 1만원은 커녕 천원도 나는 못 내놓는다.
〔休提〕xiūtí〈文〉말 마라. 말을 꺼내지 마라. ¶～旧事; 지나간 일은 말하지 마라.
〔休息〕xiūxi 명동 ①휴식(하다). 휴게(하다). ¶我们～一会儿再走吧; 조금 쉬었다가 떠나자 / 今天我～; 오늘 나는 쉽니다 / 找个地方～～; 장소를 찾아 좀 쉬자 / 明天我想～一天; 내일 하루 저는 쉬고 싶습니다. ②휴업(하다). ¶本公司每逢礼拜一～; 폐사(弊社)는 매주 월요일에는 휴업합니다. ③(기계·차 등의) 운행을 잠시 멈춤〔멈추다〕. ¶让车～一会儿吧; 잠시 정차합시다. ‖ =〔休歇〕
〔休息日〕xiūxirì 명 휴일. =〔休假jià日〕〔假日〕
〔休息室〕xiūxishì 명 휴게실. 대기실.
〔休息字〕xiūxizì 명 1920년대에 후난(湖南)의 농민 협회가 협회를 비방하는 언동을 한 자에게 쓰게 한 '사과문'.
〔休闲〕xiūxián 동 ①〈文〉한가하여 빈둥거리다. 한가하게 지내다. ¶难得～; 이렇게 한가한 적은 좀처럼 없다. ②《農》(논밭 따위를) 묵히다. 휴경하다. ¶～地; 휴한지. 유휴지.
〔休闲产业〕xiūxián chǎnyè 명 레저(leisure) 산업. =〔余暇产业〕
〔休想〕xiūxiǎng 터무니없는 생각을 하지 않다. 쓸데없는 생각을 마라. 생각해도 소용 없다. ¶～

逃脱! 도망치려는 생각 같은 것은 하지도 마라! / 癞蛤蟆làihámа想吃天鹅肉, 我劝你还是~吧; 분수를 모르는구나, 내가 보기엔 역시 단념하는 게 좋겠다.
〔休歇〕 xiūxiē 명동 ⇨〔休息xi〕
〔休休〕 xiūxiū 형 〈文〉 ①마음이 누긋하고 즐기며 절도가 있는 모양. ②마음이 너그러운 모양. 동 ①은퇴하다. 본직에서 물러나 쉬다. ②검박하다.
〔休休有容〕 xiū xiū yǒu róng 〈成〉 느긋하고 침착하여 다그치지 않다(도량이 큼).
〔休絮〕 xiūxù 동 한 말을 뇌고 뇌다. 우물쭈물 말하다. 장황하게 말하다.
〔休学〕 xiū,xué 동 휴학하다. (xiūxué) 명 휴학.
〔休养〕 xiūyǎng 명동 휴양(하다). 정양(하다). 섭생(하다). ¶~地; 보양지 / ~所; 요양소 / 病既然好了, 再~一阵子自然就复原了; 병은 이제 나았으니까, 조금만 더 휴양하면 원상태로 된다. 동 (국가나 국민의 경제력이) 회복하고 발전하다.
〔休养生息〕 xiū yǎng shēng xī 〈成〉 휴양하여 예기(銳氣)를 기르다.
〔休要〕 xiūyào 조동 〈文〉 …하지 마라. …해서는 안 된다. ¶~这样性急! 그렇게 조급히 굴지 마라! =〔不要〕〔别〕
〔休业〕 xiū,yè 동 ①휴업하다. 영업 정지하다. ¶本公司每逢礼拜日~; 저희 회사는 일요일마다 휴업합니다. ②(학교에서) 한 단계의 학습을 마치다. ‖ =〔息xī业〕〔歇xiē业〕
〔休应〕 xiūyìng 동 〈文〉 상서로운 징조가 있어 그대로 실현되다.
〔休战〕 xiū,zhàn 동 휴전하다. (xiūzhàn) 명 휴전. 정전. ‖ =〔停tíng战〕
〔休整〕 xiūzhěng 동 (군대가) 휴양하며 정비하다.
〔休职〕 xiūzhí 명동 휴직(하다).
〔休止〕 xiūzhǐ 동 휴지하다. 쉬어 그치다. ¶汉拏山是一座~状态的火山; 한라산은 휴지 상태의 화산이다.
〔休止符〕 xiūzhǐfú 명 ①《樂》 쉼표. 휴지부. ¶四分之一~; 4분 쉼표. ②(일의) 종지부.
〔休致〕 xiūzhì 동 〈文〉 연로(年老)하여 은퇴하다.

庥 xiū (휴)
〈文〉 ① 명 나무 그늘. ② 명동 〈轉〉 비호(庇護)(하다). 보호(하다). ③ 동 쉬다. 휴식하다. =〔休〕 ④ 동 뒤덮다.

咻 xiū (휴)
① 동 〈文〉 큰 소리로 마구 떠들어 대다. ② →〔咻咻〕
〔咻咻〕 xiūxiū 〈擬〉 ①씩씩(허덕이며 신음하는 소리). ¶气得他~地说不上话来; 그는 화가 나서 씩씩대며 말도 못 한다. ②꽉꽉. 꽥꽥(짐승이 우는 소리). ¶小鸭~地叫着; 오리 새끼가 꽉꽉 울고 있다.

鸺(鵂) xiū (휴)
→〔鸺鹠〕〔鸱chī鸺〕
〔鸺鹠〕 xiūliú 명 《鳥》 부엉이. →〔鸮xiāo〕〔枭xiāo〕

貅 xiū (휴)
→〔貔pí貅〕

髹〈髤〉 xiū (휴)
〈文〉 ① 명 적흑색의 옻(칠). ② 동 (옻)칠을 하다. ¶门窗漆~一新; 문과 창을 새롭게 칠하다.

修 xiū (수)
① 동 수리하다. 정리하다. ¶~房; 집을 수리하다 / ~车; 차를 수리하다 / 汽车大~; 자동차의 대수리. ② 동 건조(建造)하다. 부설하다. 건축하다. ¶兴~水力工程; 수력 공사를 일으키다 / ~铁路; 철도를 부설하다. ③ 동 수식하다. 꾸미다. 장식하다. ¶~饰; ⇩ ④ 동 저작하다. 편찬하다. ¶~史; ⇩ / ~文; ⇩ ⑤ 동 학습하다. 연구하다. ¶自~; 자습하다 / ~业; ⇩ ⑥ 동 깎다. (가위로 잘라) 가지런히 하다. 다듬다. ¶~铅笔; (칼, 연필깎이로) 연필을 깎다 / ~指甲zhǐjia; ⇩ ⑦ 동 덕을 쌓다. 공덕을 베풀다. 수양하다. ¶~到一个好女婿; 공덕을 베풀었으므로 좋은 사위를 얻다 / ~福~德的人; 복덕을 쌓은 사람. ⑧ 형 〈文〉 길다. ¶茂林~竹; 무성한 숲과 길게 자란 대나무 / ~髯rán; 긴 구레나룻. ⑨ 명 〈简〉 수정주의(修正主義). ¶反~; 수정주의를 반대하다. ⑩ 동 (종교 등을) 수행(修行)하다. 도를 닦다.
〔修版〕 xiū,bǎn 동 사진 원판을 수정하다. ¶这张照片你要给我好好地~, 然后再洗像; 이 사진은 잘 수정한 다음에, 인화해 주세요.
〔修笔刀〕 xiūbǐdāo 명 연필깎는 칼.
〔修匾〕 xiūbiǎn 동 편액을 만들다.
〔修补〕 xiūbǔ 동 ①수리하여 손질하다. 보수하다. ¶~渔网; 어망을 손질하다 / ~重zhòng于购买; 〈文〉 보수는 구매보다 중요하다 / ~如新; 보수하여 새것처럼 만들다. =〔修修补补〕 ②《生》 유기체 내에서 담백질로 손상 소모된 부분을 보충하다.
〔修长〕 xiūcháng 형 길쭉하다. 가늘고 길다. 호리호리하다. 높다〔크다〕. ¶身材~; 몸매가 호리호리하다.
〔修楮〕 xiūchǔ 동 편지를 쓰다. =〔修牍〕〔修书〕
〔修辞〕 xiūcí 동 말을 수식하다. 명 《言》 레토릭(rhetoric). 수사. ¶~格; (언어학에서) 수사격(格) / ~学; 수사학. ‖ =〔修文〕
〔修道〕 xiū,dào 동 ①도로를 수리하다. 도로 공사를 하다. 길을 내다. ②《宗》 수행(修行)하다. 수도하다. ¶~院; 수도원.
〔修德〕 xiūdé 동 덕을 닦다〔쌓다〕.
〔修订〕 xiūdìng 동 수정하다. ¶~条文; 조문을 수정하다.
〔修订版〕 xiūdìngbǎn 명 개정판.
〔修牍〕 xiūdú 동 ⇨〔修书①〕
〔修短〕 xiūduǎn 명 〈文〉 길이. 장단(長短). ¶~合度; 장단이 적당하다 / ~不齐; 길고 짧은 것이 가지런하지 않다. 들쭉날쭉하다. 형 가늘고 짧다.
〔修佛〕 xiūfó 동 불사(佛事)에 힘쓰다.
〔修福〕 xiūfú 동 공덕을 쌓다. 행복하기 위해 덕행을 닦다.
〔修福修寿〕 xiūfú xiūshòu 복과 덕을 닦으면〔쌓으면〕 장수하는 과보(果報)가 있다.
〔修复〕 xiūfù 동 ①수복하다. 복원하다. ¶~河堤; 둑을 수복하다. ②〈文〉 편지로 회답하다. ③《生》 수복하다. 재생하다(훼손된 조직을 신생 조직이 보충하여 원상태로 회복하다).
〔修改〕 xiūgǎi 동 수정하다. 개정하다. ¶~草案; 초안을 수정하다 / ~时间表; 시간표를 개정하다. 명 수정.
〔修盖〕 xiūgài 동 건축하다. 짓다. ¶~合乎要yāo求的牛舍; 요구〔필요〕에 알맞은 외양간을 짓다.
〔修函〕 xiūhán 동 ⇨〔修书①〕
〔修好〕 xiūhǎo 명 〈文〉 수호. 국가 사이의 친선우호. (xiū,hǎo) 동 ①〈文〉 국가간의 친선을 도

모하다. ②〈方〉 선행(善行)을 쌓다.
〔修好得好〕 xiūhǎo déhǎo 선을 행하면 반드시 좋은 보답이 있다. =〔善shàn有善报〕
〔修候〕 xiūhòu 동 〈翰〉 편지를 써서 안부를 묻다. ¶久未～; 오랫동안 격조하였습니다.
〔修积〕 xiūjī 동 〈文〉 덕을 쌓아 선과(善果)를 바라다. ¶我没～个儿子罢了; 나는 아들 낳을 만한 덕은 쌓지 못했나 보지요.
〔修剪〕 xiūjiǎn 동 (나뭇가지나 손톱 따위를) 가위로 잘라 가지런히 하다. 전지하다.
〔修建〕 xiūjiàn 동 건설하다. 부설(敷設)하다. 건립하다. ¶～宝塔; 보탑을 건립하다 / 这条公路是一九五八年～的; 이 도로는 1958년에 만들어졌다.
〔修脚〕 xiū.jiǎo 동 발가락 손질을 하다《발의 못을 떼거나 발톱을 깎는 일》. ¶～的; 돈을 받고 목욕 후에 발가락 손질을 해 주는 사람. =〔刮guā脚〕〔扦qiān脚〕
〔修金〕 xiūjīn 명 교사(教師)에게 주는 사례(謝禮)〔보수〕. =〔修敬〕〔修仪〕
〔修敬〕 xiūjìng 명 수업료. 교사에 대한 보수. =〔修金〕〔修仪〕
〔修旧利废〕 xiū jiù lì fèi 〈成〉 낡은 것을 수리하고 폐물을 이용하다.
〔修浚〕 xiūjùn 동 하천을 준설 수리하다. ¶～河道; 강을 준설하다.
〔修理〕 xiūlǐ 명동 수리(하다). 수선(하다). ¶～厂; 수리 공장. =〔修缮〕 동 가위로 자르다. 전정(剪定)하다.
〔修炼〕 xiūliàn 명동 수련(하다). 수양 단련(하다).
〔修龄〕 xiūlíng 명 〈文〉 장수(長壽).
〔修路〕 xiū lù 수로하다. 도로를 수리하다.
〔修路机〕 xiūlùjī 명 도로 개수에 쓰이는 기계. 스팀 롤러(steam roller).
〔修罗〕 xiūluó 명 《佛》 아수라. =〔阿ē修罗〕
〔修面〕 xiū.miàn 동 얼굴을 면도하다. =〔刮guā脸〕
〔修庙〕 xiū.miào 동 사원을 건립하다.
〔修明〕 xiūmíng 형 〈文〉 (정치가) 공명하다.
〔修睦〕 xiūmù 동 〈文〉 화목하게 지내다. ¶和邻邦～敦好; 이웃나라와 화목하게 지내다.
〔修女〕 xiūnǚ 명 《宗》 수녀.
〔修配〕 xiūpèi 명 수리와 부품의 교환이나 보충. ¶～厂; (기계의) 정비 공장. 동 수리하다. 조립하다.
〔修齐〕 xiūqí 명 수신제가(修身齊家)의 준말. 동 몸을 닦고 집안을 다스리다.
〔修齐治平〕 xiū qí zhì píng 〈成〉 수신제가 치국평천하(修身齊家治國平天下).
〔修葺〕 xiūqì 동 ①풀로 지붕을 이다. ¶屋顶每年～一回; 지붕은 매 해 갈아 인다. ②건물의 수리를 하다. 개축하다.
〔修桥〕 xiū.qiáo 동 다리를 놓다. 다리를 수리하다.
〔修桥补路〕 xiū qiáo bǔ lù 〈成〉 ①도로나 다리의 개수(改修)를 하다. ②〈轉〉 대중에게 유익한 일을 하다.
〔修容〕 xiūróng 동 〈文〉 ①용의(容儀)를 단정히 하다. ¶整衣～出见客人; 옷차림을 가다듬고 몸단장을 가지런히 하고 손님을 만나다. ②(얼굴을) 화장하다.
〔修润〕 xiūrùn 동 가필(加筆)하다. 윤색하다. ¶这篇稿子请您给～～; 이 문장을 손보아 주십시오.
〔修善〕 xiūshàn 동 공덕을 쌓다.
〔修缮〕 xiūshàn 동 (건조물 등을) 수리하다. ¶～工事; 수리 공사. 개축 공사. =〔修理lǐ〕
〔修身〕 xiūshēn 동 수신하다. 몸을 닦다. ¶不～，就不能齐家，更谈不到治国; 수신하지 않으면 집안을 다스릴 수 없으며, 나라를 다스린다는 것은 더더욱 말할 수 없다.
〔修史〕 xiūshǐ 동 역사를 편찬하다.
〔修士〕 xiūshì 명 ①〈文〉 몸가짐이 순결한 선비. ②수사. 수도사.
〔修饰〕 xiūshì 동 ①마무리를 하다. 꾸미다. 수식하다. ¶～工gōng; 마무리공. ②꾸미다. 단장하다. 멋을 부리다. ¶她～得很漂亮; 그녀는 아주 곱게 단장했다. ③손을 보다. 잘 고치다. ¶这篇文章恐怕有错儿，请您给～～; 이 문장은 잘못이 있을지도 모르니, 손을 보아 주십시오.
〔修饰边幅〕 xiū shì biān fú 〈成〉 외관을 꾸미다. 멋을 내다. ¶他自从交了女朋友注意起～来了; 그는 여자 친구가 생기고 나서 치장하는 일에 신경을 쓰게 되었다. ↔〔不bù修边幅〕
〔修书〕 xiū.shū 동 〈文〉 ①편지를 쓰다. =〔修楮〕〔修牍〕〔修函〕 ②책을 편찬하다.
〔修通〕 xiūtōng 동 (철도 등이) 개통되다. ¶湘桂铁路已经～了; 상계 철도는 벌써 개통됐다.
〔修文〕 xiūwén 동 글쓰기를 배우다. 문학을 공부하다. ¶偃武～; 〈文〉 무술을 그만두고 글공부를 하다. 동명 ⇨〔修辞〕 명 송대(宋代), 구양수(歐陽修)의 문학.
〔修五脏庙〕 xiū wǔzàngmiào 〈比〉 실컷 먹고 마시다. ¶吃了几天素，我肚子里没油水，该～了; 며칠 동안 채식만 해서 뱃속의 기름기가 떨어졌으니, 실컷 먹어야겠다.
〔修禊〕 xiūxì 동 목욕 재계하다. 액막이를 하다.
〔修下〕 xiūxià 동 파다. 파서 남기다. ¶当初井是大伙～的; 처음에 우물을 모두가 파서 남긴 것이다.
〔修仙〕 xiūxiān 동 도사(道士)가 신선의 술법을 닦다.
〔修心积德〕 xiūxīn jīdé 마음을 닦고 덕을 쌓다. 다른 사람의 괴로움을 돕고 공덕을 베풀다.
〔修行〕 xiūxíng 동 (불교 또는 도교의) 수행하다. 도를 닦다. ¶人山～去了; 산에 들어가 수행하다.
〔修修补补〕 xiūxiū bǔbǔ 동 ⇨〔修补①〕
〔修学〕 xiūxué 동 수학하다. 학문을 학습하다.
〔修养〕 xiūyǎng 명동 수양(하다). ¶他的～真好，要是我早就忍不住了; 그의 수양은 대단하다. 나 같으면 진작에 견뎌내지 못했을 것이다 / 共产党员的～; 공산당원의 수양. 명 교양. ¶有很深的～; 깊은 교양이 있다 / 文学～; 문학적 교양.
〔修业〕 xiūyè 동 ①학술·기예 등을 닦고 연구하다. 수업하다. ¶～期满; 수업 기간이 끝나다〔차다〕. ②몸을 닦고 학문을 쌓다.
〔修仪〕 xiūyí 명 ⇨〔修敬〕
〔修阴功〕 xiū yīngōng 음덕을 쌓다. ¶救人也是一件～的事; 남을 돕는 것도 음덕을 쌓는 일의 하나다.
〔修远〕 xiūyuǎn 형 〈文〉 멀다. ¶道路～; 길이 멀다.
〔修造〕 xiūzào 동 ①건조(建造)하다. ¶～厂房; 공장 건물을 짓다. ②수리하여 제조하다. ¶～农具; 농기구를 수리 건조하다.
〔修整〕 xiūzhěng 명동 수선(修繕)(하다). 수리(하여 완전하게 하다). 손질(하다). ¶～汽车; 자동차의 손질을 하다 / ～果树; 과수를 전정하여 가꾸다.
〔修正〕 xiūzhèng 동 수정하다. ¶把它～好了再印出来; 그것을 수정하고 인쇄하자 / ～案; 수정안.
〔修正主义〕 xiūzhèng zhǔyì 명 수정주의《마르크

스의 이론을 수정하여 해석하는 형식을 취한, 마르크스주의에 적대하는 일체의 학설과 운동). ¶～者; 수정주의자 / ～路线; 수정주의 노선 / 苏联～ =〔苏修〕; 소련 수정주의 / 现代～ =〔〈俗〉老修〕; 현대 수정주의.

〔修指甲〕 xiūzhǐjia 손톱을 손질하다.

〔修趾甲〕 xiūzhǐjiǎ ① 명 페디큐어(pedicure). ②(xiū zhǐjiǎ) 발톱을 손질하다.

〔修治〕 xiūzhì 동 〈文〉 ①수리하다. ②《漢醫》 생약을 치료에 알맞게 조제하다.

〔修竹〕 xiūzhú 명 〈文〉 긴 대나무. 길게 자란 대. ¶茂林～; 무성한 숲과 대나무.

〔修筑〕 xiūzhù 동 수축하다. 축조하다. ¶～机场; 비행장을 건설하다 / ～铁路; 철도를 부설하다.

〔修撰〕 xiūzhuàn 동 저작하다. 편찬하다.

〔修阻〕 xiūzǔ 형 〈文〉 멀리 떨어져 막혀 있다. ¶山河～; 〈成〉 산하가 멀리 막혀 있다.

脩 xiū (수)
A) 명 ①말린 고기. ②〈轉〉 교사(敎師)에의 사례(謝禮). →〔束shù脩〕 B) '修xiū'와 통용.

〔脩金〕 xiūjīn 명 월사금. 사례금. =〔脩敬〕

蓨〈蓚〉 xiū (수)
①→〔蓨酸〕 ② 명 《植》 '酸模'(수영)의 옛 명칭. ⇒Tiáo

〔蓨酸〕 xiūsuān 명 《化》 수산《보통 '草cǎo酸'이라고 함》.

羞 xiū (수)
① 명 치욕. 부끄러움. ¶没～! 이 염치 없는 놈아! / 一洗国家百年之～; 국가 백 년의 치욕을 씻다. ② 명 맛있는 것. 진미. ③ 형 부끄럽다. 수줍다. ¶～得面红耳赤; 부끄러워 얼굴과 귀가 빨개지다 / ～得她一溜烟跑了; 부끄러워서 그녀는 슬쩍 달아나 버렸다. ④ 동 부끄럽게 하다. 무안〔난처〕하게 하다. ⑤ 동 권(勸)하다. ⑥그만 두라니까! ¶～! 还说呢! 그만두래도 글쎄! 또 뇌까리는 거야!

〔羞不答(儿)〕 xiūbudā(r) 형 부끄럽다. ¶～的样子; 수줍어하는 모양.

〔羞惭〕 xiūcán 동 수줍어하다. 창피해하다. ¶这件事我做错了, 觉得非常～; 나는 이 일을 잘못하여, 대단히 부끄럽게 생각한다.

〔羞草〕 xiūcǎo 명 《植》 함수초. 미모사. =〔含hán羞草〕

〔羞耻〕 xiūchǐ 명 수치. 부끄럼. ¶别不知～; 부끄러움을 알아야 한다.

〔羞答答(的)〕 xiūdādā(de) 형 부끄러워하는 모양. 수줍어 머뭇거리는 모양. ¶～扭过头去; 수줍어서 외면하다 / 羞人答答的; 부끄러워하다. 수줍어하다. =〔羞剌剌〕〔羞羞答答〕

〔羞刀懒入鞘〕 xiū dāo lǎn rù qiào 〈成〉 ⇨〔羞刀难入〕

〔羞刀难入〕 xiū dāo nán rù 〈成〉 한번 뺀 칼은 도로 넣기 힘들다《이미 저지른 일은 원상태로 돌이킬 수 없음》. ¶～, 既然已经发动了, 就是失败也得干下去; 일단 뽑은 칼은 다시 넣기 어려우니, 기왕에 시작한 이상 실패하더라도 계속해야 한다. =〔羞刀难入鞘〕〔羞刀懒入鞘〕

〔羞刀难入鞘〕 xiū dāo nán rù qiào 〈成〉 ⇨〔羞刀难入〕

〔羞愤〕 xiūfèn 명 수치와 분노. 동 부끄러운 나머지 분개하다.

〔羞花闭月〕 xiū huā bì yuè 〈成〉〈比〉 꽃도 수줍어할 미인. ¶有～之貌; 절세의 미모를 지니고 있다.

〔羞愧〕 xiūkuì 동 참괴(慚愧)하다. 부끄러워하다. ¶被指出错误而感觉～; 잘못을 지적받고 부끄러워하다 / 他认识到自己的错误, 心里十分～; 그는 자기의 잘못을 깨닫고 마음 속으로 아주 부끄러워했다.

〔羞剌剌〕 xiūlālā 형 ⇨〔羞答答(的)〕

〔羞明〕 xiūmíng 명 《漢醫》 수명《광선 공포증》.

〔羞赧〕 xiūnǎn 형 〈文〉 부끄러워 얼굴을 붉히다. ¶些微薄礼, 不成敬意, 乃蒙言谢, 益增～; 〈翰〉 변변치 못한 선물이어서 결례인 것 같은데, 사례를 하시니 부끄럽기 그지 없습니다.

〔羞恼成怒〕 xiū nǎo chéng nù 〈成〉 부끄럽고 분한 나머지 성을 내다. =〔恼羞成怒〕

〔羞怯〕 xiūqiè 형 부끄러워서〔겸연쩍어서〕 주저주저하다.

〔羞怯怯〕 xiūqièqiè 형 부끄러워서 멈칫거리는 모양. ¶老师一问, 答不上来总不免～的; 선생님의 질문에 대답을 못 하면 쭈뼛쭈뼛해진다.

〔羞人〕 xiū,rén 동 부끄러워하다. 부끄럽게〔난처하게〕하다. ¶羞死人了; 부끄러워 죽겠다 / 您别～了, 还谢什么; 부끄럽게 이러지 마세요, 무슨 고마울 게 있다고요. (xiūrén) 형 부끄럽다. 창피하다. 미안하다.

〔羞容〕 xiūróng 동 치욕을 참고 견디다. ¶不得已只好～了; 부득이 치욕을 참고 견디었다. 명 수줍어하는 모습. ¶～尤增三分媚; 수줍어하니 한층 더 요염해 보인다.

〔羞辱〕 xiūrǔ 동 치욕을 주다. 욕보이다. ¶你敢～我; 감히 날 깔보는 거냐. 명 치욕. 모욕. ¶宁死不受～; 죽을지언정 치욕을 당하지 않겠다.

〔羞臊〕 xiūsào 동 부끄러워하다. ¶怎么这么不知～! 어째서 그토록 철면피이냐!

〔羞涩〕 xiūsè 형 ①부끄럼을 타고 망설이다. (부끄러워) 태도가 부자연스럽다. ¶言语～; 수줍어서 말이 부자연스럽다 / 举止～; 주눅이 들어서 쭈뼛거리고 있다. ②호주머니가 넉넉지 않다. =〔钱囊羞涩〕

〔羞煞〕 xiūshà 형 ⇨〔羞死〕

〔羞手羞脚〕 xiū shǒu xiū jiǎo 〈成〉 부끄러워 망설이는 모양. 주눅이 들어 우물쭈물하는 모양. ¶身上没带着钱总是～的; 수중에 가진 돈이 없으면 주눅이 든다.

〔羞死〕 xiūsǐ 형 매우 부끄럽다. ¶万一失败, 岂不叫人～; 만약 실패하면 얼마나 부끄러울까. =〔羞煞〕

〔羞恶〕 xiūwù 동 〈文〉 자기의 선하지 못한 것을 부끄럽게 여기고, 남의 선하지 못함을 미워하다. ¶无～之心, 非人也; 수오지심이 없으면 사람이 아니다.

〔羞削〕 xiūxiāo 동 손가락으로 상대방 볼을 가볍게 어루만져 조롱하여 수치를 주다. ¶你不许这样～我; 날 그렇게 놀리는 게 아니다.

〔羞羞〕 xiūxiū 부끄럽지도 않느냐. 창피하지도 않느냐《친한 사람이 작은 과실을 범했을 때에 그것을 나무라고 또는 훈계하기 위해서 쓰는 말》. ¶～! 叫人比下去了! 그것 봐! 업신여김을 받지 않았느냐! / ～! 还说呢! (아이들을 보고) 이러지 마라〔바보 같은 짓 하지 마라. 부끄럽지도 않으냐〕 다시 한 번 말한다!

〔羞羞惭惭〕 xiūxiu cáncán 형 부끄럽다. 창피스럽다. ¶这次失败以后大家见了面都是～的; 이번에 실패하고 나서는 모두 얼굴을 마주치면 누구나 부끄러워한다.

〔羞羞答答〕 xiūxiu dādā [형] ⇨〔羞答答〕
〔羞痒觉〕 xiūyǎngjué [명] 간지러운 감각〔느낌〕. ¶小孩儿最怕～; 아이들은 간지럼을 잘 탄다.
〔羞与哙伍〕 xiū yǔ kuài wǔ 〈成〉 ⇨〔羞与为伍〕
〔羞与为伍〕 xiū yǔ wéi wǔ 〈成〉 어떤 사람과 일을 하는 것이 창피하게 여기다. 일을 같이 하는 것이 떳떳하지 않다고 생각하다. ¶他老是觉得～, 倒不如辞职了干净; 그는 늘 다른 사람과 함께 일하기를 떳떳하지않게 여기며, 아예 사직해 버리는 편이 낫다고 생각했다. =〔羞与哙伍〕

馐(饈) **xiū** (수) 〈文〉 ① [명] 진미(珍味). 맛있는 음식. ② [동] 권하다. 드리다. =〔羞⑤〕
〔馐善嘉肴〕 xiūshàn jiāyáo [명] 맛있는 음식. 진미.

朽 **xiǔ** (후) [동] ①썩다. 부패하다. ¶在柱子底下涂上煤黑油, 免得变～; 기둥 밑동이 썩지 않도록 콜타르를 바르다 / 永垂不～; 〈成〉 사업이나 명성이 길이 세상에 남다. ②쇠퇴(衰退)하다. ¶腐～; 썩다 / 老～; 노쇠하다. ③멸망하다.
〔朽败〕 xiǔbài [동] 부패하다. 썩어 못 쓰게 되다.
〔朽材〕 xiǔcái [명] ①〈文〉 썩은 재목. ②〈比〉 쓸모없는 것.
〔朽蠹〕 xiǔdù [동] 〈文〉 ①썩다. ②벌레에 먹히다. 좀먹다. [명] 해충. ¶我们不能做社会的～; 우리는 사회의 해충이 될 수 없다.
〔朽腐〕 xiǔfǔ [동] 〈文〉 썩다. 부패하다. [명] 썩은 것〔자〕. ¶～之人不足与言; 부패한 인간은 더불어 이야기할 상대가 못된다.
〔朽坏〕 xiǔhuài [동] 썩어 부서지다. ¶房屋～; 집이 썩어 무너지다 / 政治～; 정치가 부패하다.
〔朽烂〕 xiǔlàn [동] 썩어 문드러지다.
〔朽迈〕 xiǔmài [형] 낡다. 늙어 쓸모없게 되다.
〔朽木〕 xiǔmù [명] 후목. 썩은 목재. 〈轉〉 쓸모없는 인간. ¶～不可雕也, 粪土之墙不可圬wū也; 썩은 나무는 조각할 수 없고, 썩은 흙을 바른 담장은 흙손질할 수 없다.
〔朽木虫〕 xiǔmùchóng [명] 《蟲》 썩덩벌레.
〔朽木粪土〕 xiǔ mù fèn tǔ 〈成〉 쓸모없는 인간. ¶这种～的人, 把牛教精了, 也教不好他; 이런 인간은 소가 깨우칠 정도로 가르쳐도, 잘 가르칠 수 없다.
〔朽壤〕 xiǔrǎng [명] 〈文〉 부토(腐土).
〔朽物〕 xiǔwù [명] ①폐물. ②〈罵〉 무능력자. [형] 무능하다. ‖ =〔废fèi物〕

宿〈宿〉 **xiǔ** (숙) [양] 밤을 세는 말. ¶住了一～; 하룻밤 묵었다 / 他也忙了一～; 그도 밤새도록 바빴었다 / 二天一～; 1박 2일 / 整～没睡; 밤새도록 자지 않았다. ⇒sù xiù

滫 **xiǔ** (수) →〔滫瀡〕
〔滫瀡〕 xiǔsuǐ [명] 〈文〉 쌀뜨물에 음식물을 담가 떫은 기를 빼는 조리법의 하나.

秀 **xiù** (수) ① [형] 우수하다. 뛰어나다. 아름답다. ¶眉清目～; 미목 수려하다 / 挺tǐng ～; 뛰어나게 우수하다 / 俊jùn～; 준수하다. ② [형] 눈치 빠르다. 기민하다. 민활하다. ③ [동] 벼꽃이 피다. 벼가 익다. 이삭이 패다. ¶麦子已经～穗儿了; 보리 이삭이 패었다 / 六月六, 看谷～; (음력) 6월 6일에는 곡식의 이삭이 팬 것을 볼 수 있다. ④ [명] 우수한 것. ⑤ [명] 뛰어난 사람. ⑥ [명] (벼)이삭.
〔秀拔〕 xiùbá [형] 아름답고 빼어나다(흔히 서법(書法)의 미(美)를 말함). ¶墨迹～; 먹의 흔적이 아름답다.
〔秀才〕 xiùcai [명] ①수재. 재능이 우수한 자. ②과거(科擧) 시험 과목의 이름. =〔秀士②〕 ③과거 응시자(송조(宋朝)). ④'院考'에 합격하여 부(府)·주(州)·현(縣)의 학교에 입학한 자(명·청조(明淸朝)). →〔举人〕〔进士〕 ⑤서생(書生)의 통칭.
〔秀才人情纸半张〕 xiùcái rénqíng zhǐbànzhāng 〈諺〉 ①서생의 선물은 종이 반장 정도의 것이다('자그마한 선물입니다만'이라고 말할 때 쓰임). ¶～, 还求您不要嫌菲薄才好; 자그마한 선물입니다만, 너무 보잘것 없는 것이라고 탓하지 말아 주십시오. ②인정이 엷음.
〔秀才造反三年不成〕 xiùcái zàofǎn sānnián bùchéng 〈諺〉 독서인의 모반은 3년이 지나도 이루어 지지 않는다.
〔秀出〕 xiùchū [동] 발군(拔群)하다. 빼어나다. ¶他在众人之中总算是一个～的; 그가 여러 사람 중에서 빼어난 것은 틀림없다.
〔秀达〕 xiùdá [형] 〈文〉 수일(秀逸)하다. 우수하다. ¶学生里头他是一个～的; 학생 가운데 그는 우수한 사람이다.
〔秀顶〕 xiùdǐng [명] 대머리. (xiù.dǐng) [동] 머리가 벗어지다.
〔秀而不实〕 xiù ér bù shí 〈成〉 꽃은 피었으나 열매 맺지 못하다(①입문(入門)은 했으나 오의(奧義)를 궁구(窮究)하지 못했음. ②전도유망한 사람이 요절함).
〔秀发〕 xiùfā 〈文〉 [형] 용모가 매우 수려(秀麗)하다. [동] 꽃이 만발하다. ⇒xiùfà
〔秀发〕 xiùfà [명] 〈文〉 여자의 머리카락. ⇒xiùfā
〔秀甲〕 xiùjiǎ [명] 〈文〉 우수하며 무리에서 뛰어난 자. ¶一班上的～; 반에서 뛰어난 수재.
〔秀丽〕 xiùlì [형] 수려하다. 곱다. 빼어나게 아름답다. ¶长得～; 용모가 수려하다 / 字体～; 자체〔필체〕가 곱다 / 那个女子长得还算～; 저 여자는 그런대로 예쁜 편이다.
〔秀眉〕 xiùméi [명] 노인의 긴 눈썹. =〔寿shòu眉〕
〔秀美〕 xiùměi [형] 〈文〉 뛰어나게 아름답다. ¶长得相当～; 용모가 상당히 아름답다 / 插花插得很～; 꽃꽂이가 매우 아름답다.
〔秀女〕 xiùnǚ [명] (명·청(明淸) 때에) 궁중에 뽑히어 들어온 궁녀. ¶选～; '秀女'를 뽑는 일.
〔秀气〕 xiùqì [명] 〈文〉 수려하고 뛰어난 기(氣).
〔秀气〕 xiùqi [형] ①아름답다. 청수하다. =〔清秀〕 ②(말·거동·글씨 등이) 고상하다. 우아하다. 품위가 있다. ¶样子～; 모습이 고상하다 / 文章～; 문장이 고상하다. ③(물건이) 깜찍하고 쓰기 편하다. ④(값이) 싸다. ¶价钱～; 값이 싸다. ⑤이익이 있다. [명] 뛰어난 곳. ¶不要光看他外面, ～都在内里藏着呢; 그의 겉만 보아서는 안 된다. 훌륭한 점은 모두 속에 숨어 있다.
〔秀(球)〕 xiù(qiú) [명] 《體》 〈方〉 슛(shoot). =〔投篮〕
〔秀色可餐〕 xiù sè kě cān 〈成〉 (여성의 용모나 경치의) 아름다움이 넘칠 듯하다. 아름다움이 가득 차 있다.
〔秀士〕 xiùshì [명] ①〈文〉 덕행이 뛰어난 사람. ② ⇨〔秀才②〕
〔秀穗(儿)〕 xiù suì(r) 이삭이 패다.
〔秀外慧中〕 xiù wài huì zhōng 〈成〉 뛰어난 용

모와 총명한 자질.
〔秀颖〕 xiùyǐng 형 〈文〉 준수하다. ¶～的青年; 준수한 청년.
〔秀油〕 xiùyóu 명 쓰촨 성(四川省)에서 나는 동유(桐油).

绣(綉〈繡〉) xiù (수) ① 명 자수(刺繡). 수놓기. ¶绒～; 색실 자수. ② 동 자수하다. 수놓다. ③ 명 수놓은 옷감. ¶苏～; 쑤저우(蘇州)의 자수/锦～山河; 〈成〉 금수강산. 아름다운 국토. ④ 명 성(姓)의 하나.
〔绣被〕 xiùbèi 명 수놓은 이불.
〔绣补〕 xiùbǔ 명 옛날 조복(朝服)에 달던 자수가 있는 '补子④'《관위(官位)를 표시하는 장식》.
〔绣次〕 xiùcì 명 〈翰〉 〈敬〉 귀하《편지에서 상대편 여성을 높이기 위한 호칭》. =〔妆zhuāng次〕
〔绣墩〕 xiùdūn 명 북 모양의 정원용 사기 의자《보통은 화려한 무늬가 그려져 있으며, 겨울에는 수놓은 모자 같은 덮개를 씌우므로 이렇게 부름》.
〔绣房〕 xiùfáng 명 〈文〉 옛날, 젊은 여자의 방〔거실〕. ¶闺阁～; 규방. 여자의 거실. =〔绣阁〕〔绣户〕〔绣楼〕
〔绣阁〕 xiùgé 명 〈文〉 ⇨〔绣房〕
〔绣工(儿)〕 xiùgōng(r) 명 자수 작업. 수놓는 일.
〔绣户〕 xiùhù 명 〈文〉 ⇨〔绣房〕
〔绣花(儿)〕 xiù,huā(r) 동 (그림·도안 등을) 수놓다. 자수하다. ¶～线; 수실. (xiùhuā(r)) 명 수놓은 것. 자수. ¶～鞋; 수놓은 (부인용) 신.
〔绣花枕头〕 xiùhuā zhěntou 〈歇〉 수놓은 베개《겉만 번드르르한 것. 보기에는 훌륭하지만 내용〔돈이나 재주·학문〕이 따르지 않는 것》. ¶别瞧他外表服装华丽, 其实不过是个～罢了; 저 남자는 외관과 복장 같은 것은 화려하지만, 실은 겉만 번드르르할 뿐이다.
〔绣花作〕 xiùhuāzuō 명 수예점. 자수 제품을 만드는 곳.
〔绣画〕 xiùhuà 명 자수의 그림.
〔绣活〕 xiùhuó 명 수놓는 일.
〔绣货〕 xiùhuò 명 수놓은 물건.
〔绣口〕 xiùkǒu 명 〈文〉 문재(文才)가 있는 사람.
〔绣楼〕 xiùlóu 명 〈文〉 ⇨〔绣房〕
〔绣品〕 xiùpǐn 명 자수 제품.
〔绣球〕 xiùqiú 명 ①수를 놓은 공 모양의 장식물. ②《植》 수구화(繡球花). 수국(水菊). ¶～风; 《漢醫》 습진·영양 불량·곰팡이 등으로 생기는 음낭 부의 피부가 가렵게 되는 병. =〔八bā仙花〕〔粉fěn团花〕〔紫zǐ阳花〕
〔绣像〕 xiùxiàng 명 ①자수(刺繡)의 인물상. ②세세하게 정성들여 그린 사람의 상(像). ¶～小说; 권두(卷頭)에 위와 같은 삽화가 들어간 통속 소설.
〔绣鞋〕 xiùxié 명 수놓은 여성용 신.
〔绣心锦口〕 xiù xīn jǐn kǒu 〈成〉 문재(文才)가 풍부함. 훌륭한 물필의 재능.
〔绣眼鸟〕 xiùyǎnniǎo 명 《鳥》 동박새. =〔白bái眼儿〕〔绣眼(儿)〕
〔绣衣〕 xiùyī 명 수놓은 옷.

琇 xiù (수) ① 명 〈文〉 옥 비슷한 돌. ②인명용 자(字).

锈(銹〈鏽〉) xiù (수) ① 명동 녹(綠) (이 슬다). ¶长zhǎng～; 녹슬다/铁～; 쇠의 녹/防～; 방수(防銹)하다/～上了; 녹이 슬었다. ② 명 《農》 식물에 생기는 녹병. ¶小麦杆～菌; 밀의 녹균/赤～病; 적수병.
〔锈斑〕 xiùbān 명 ①(금속 기물의) 녹 얼룩. ②(식물의) 녹병으로 생긴 반점.
〔锈病〕 xiùbìng 명 《農》 녹병. 수병.

岫 xiù (수) 명 〈文〉 ①산의 동굴. ②산봉우리. ¶重峦luán叠dié～; 겹겹이 겹쳐 있는 산봉우리.

袖 xiù (수) ①(～儿, ～子) 명 소매. ¶长～汗衫; 긴소매 속옷〔셔츠〕/长～善舞, 多钱善贾gǔ; 〈諺〉 긴소매가 달린 옷을 입은 사람은 춤을 잘 추고 많은 돈을 가진 사람은 장사를 잘 한다《뒤가 든든해야 성공하기 쉽다는 뜻》. ② 동 소매 속에 집어넣다. ¶把钱包～了, 出去散步; 지갑을 소매 속에 넣고〔몸에 지니고〕 산책하러 나가다/～着手; 손을 소매 속에 넣은 채/～着一本书; 책 한 권을 소매 속에 넣다/～手旁观; 수수 방관하다.
〔袖标〕 xiùbiāo 명 완장(腕章). 상장(喪章).
〔袖长〕 xiùcháng 명 소매길이.
〔袖出〕 xiùchū 동 〈文〉 소매 속에 넣어 둔 것을 손을 뻗어 끄집어 내다. ¶～手枪; 소매에 숨기고 있던 권총을 끄집어 내다.
〔袖刺〕 xiùcì 동 〈文〉 명함을 소매 속에 넣다.
〔袖搭(儿,子)〕 xiùdā(r,zi) 명 옛날, 옷소매는 두 폭의 천을 맞추어 기웠는데, 그 소맷부리 쪽에 가까운 반 쪽을 이름.
〔袖管〕 xiùguǎn 명 〈方〉 소매.
〔袖箭〕 xiùjiàn 명 옛날, 용수철 장치로 발사하는 화살《원통에 넣어 소맷자락 속에 감춤》.
〔袖交〕 xiùjiāo 동 〈文〉 만나서 건네 주다《남에게 대신 건네 준 것을 의뢰할 때에 봉투 표면에 쓰는 문구》. ¶敬烦某某～×××先生; 〈翰〉 아무개께서 ×××선생님에게 손수 건네어 주시도록 부탁합니다. =〔手shǒu交〕
〔袖口(儿)〕 xiùkǒu(r) 명 ①소맷부리. 소맷부리의 넓이. ②커프스.
〔袖口纽儿〕 xiùkǒuniǔr 명 커프스 단추. =〔袖扣〕〔袖钮〕
〔袖口儿里头〕 xiùkǒur lǐtou 명 ⇨〔袖里〕
〔袖扣(儿)〕 xiùkòu(r) 명 커프스 단추. =〔袖钮〕
〔袖宽〕 xiùkuān 명 소매의 폭〔넓이〕.
〔袖里〕 xiùli 명 소맷자락 속. 〈轉〉 비밀리(秘密裡)에. ¶～有鬼; 소매 속에서 바스락거리고 있다《남몰래 계략을 꾸미고 있다》/～成交; 소매 속에서 손을 잡고 손가락으로 수를 가르쳐 주어 거래를 하다/～神通; 〈比〉 뇌물의 효력이 있다. =〔袖口儿里头〕
〔袖里春秋〕 xiùlǐ chūnqiū 〈比〉 비밀 수단. 계획. ¶两派竞选, 各有其～; 양 파가 선거에서 맞서고 있는데, 각기 비술(秘術)을 갖고 있다.
〔袖里乾坤〕 xiùlǐ qiánkūn 〈比〉 ①세상을 마음대로 할 수 있는 역량. ②무예(武藝)의 일종《상대의 눈을 속이어 어떤 물건을 다른 물건처럼 보이게 하는 것》.
〔袖钮〕 xiùniǔ 명 ⇨〔袖口纽儿〕
〔袖刃〕 xiùrèn 동 〈文〉 칼붙이를 소매 속에 숨겨 지니다. ¶～寻仇; 비수를 품고 원수를 찾다.
〔袖手〕 xiù,shǒu 동 팔짱을 끼다. 손을 내지 않다. ¶～旁观; 〈成〉 모르는 체하고 방관하다. =〔褪tùn手〕
〔袖套〕 xiùtào 명 소매 커버. 소매 토시.
〔袖筒儿〕 xiùtǒngr 명 소매. ¶～里过钱; 뇌물을 쓰다. 코아래 진상을 하다.
〔袖头儿〕 xiùtóur 명 ①소매 토시. 덧 소매. ②소

맷부리.

〔袖香〕 xiùxiāng 명 ①여자 옷소매의 향기. ②소매 속의 손수건. ③첩. 작은마누라. =〔妾qiè①〕

〔袖章〕 xiùzhāng 명 완장(腕章). =〔臂bì章〕

〔袖珍〕 xiùzhēn 형 소형(小型)의. 포켓형의. ¶～字典; 포켓 자전 / ～收音机; 휴대용 라디오 / ～电视; 소형 텔레비전 / ～录音机; 소형 테이프 리코더.

〔袖子〕 xiùzi 명 소매.

〔袖走〕 xiùzǒu 동 소매에 넣어 가다. 훔쳐서 도망치다.

臭 xiù (취)
〈文〉 ① 명 냄새. ¶空气是无wú色无～的气体; 공기는 무색 무취의 기체이다 / ～味相投; 〈成〉〈貶〉 취미가 같아 의기 투합하다. 결탁하다 / 乳～未干; 〈成〉 젖내가 가시지 않다. ② 동 냄새 맡다. =〔嗅〕 ⇒ chòu

溴 xiù (취)
명 ①수기(水氣). ②《化》 브롬(Br: Brom).

〔溴化铵〕 xiùhuà'ǎn 명《化》 브롬화 암모늄.

〔溴化钙〕 xiùhuàgài 명《化》 브롬화 칼슘. 취화(臭化)칼슘.

〔溴化钾〕 xiùhuàjiǎ 명《化》 브롬화 칼륨.

〔溴(化)钠〕 xiù(huà)nà 명《化》 브롬화 나트륨. 취화(臭化)나트륨. =〔溴钠〕

〔溴化银〕 xiùhuàyín 명《化》 브롬화(化)은. 취화은.

〔溴钠〕 xiùnà 명 ⇨〔溴(化)钠〕

〔溴水〕 xiùshuǐ 명《化》 브롬수. 취소수(臭素水).

嗅 xiù (후)
① 동 냄새 맡다. =〔闻wén〕 ② 명 후각(嗅覺).

〔嗅觉〕 xiùjué 명《生》 후각. 냄새 감각. ¶政zhèng治～灵敏; 정치적 후각이 예민하다.

〔嗅神经〕 xiùshénjīng 명《生》 후각 신경. 후신경. 냄새 신경.

宿〈宿〉 xiù (수)
명《天》 옛날 천문학에서의 몇 개의 별의 집합체. ¶星～; 성수. 진수 / 二十八～; 28수. ⇒ sù xiǔ

褎〈褏〉 xiù (수)
〈文〉 ① '袖xiù'와 통용됨. ② →〔褎然〕

〔褎然〕 xiùrán 형 성장(盛裝)한 모양.

XU ㄒㄩ

讦(訏) xū (우)
〈文〉 ① 동 과장해서 말하다. 허풍 떨다. ② 형 크다.

圩 xū (우)
명 〈方〉 푸젠(福建)·광둥(廣東) 등지에서 '集市'(장)을 이름. ¶～场cháng; 정기 시장. ⇒ wéi

吁 xū (우)
〈文〉 ① 동 탄식하다. ¶长cháng～短叹; 〈成〉 길게 한숨 쉬고 짧게 탄식하다. 장탄식. ② 감 아아《탄식을 나타냄》. ¶～! 君何见之晚也《史記》; 아! 어찌 그대를 이렇게 늦게야 만났는고〔좀더 일찍 만났더라면 좋았을걸〕. ③ 〈擬〉 하하《숨이 나오는 소리》. ¶喘chuǎn～～; 하하 숨을 헐떡이다. ⇒ yū yù

〔吁嗟〕 xūjuē 동 〈文〉 한숨 쉬며 탄식하다.

〔吁气〕 xū.qì 동 〈文〉 후 하고 (안도의) 한숨을 쉬다. ¶吁一口气; 후유 하고 한숨 돌리다.

盱 xū (우)
① 동 〈文〉 눈을 부릅뜨다. ② 동 〈文〉 근심하다. 한탄하다. ③ 동 거짓말하다. 속이다. ④(Xū) 명《地》 쉬장 강(盱江)《장쑤 성(江蘇省)에 있는 강 이름》.

〔盱衡〕 xūhéng 동 〈文〉 ①눈썹을 치키고 보다. ②관찰하고 분석하다. 살피다.

〔盱眙〕 Xūyí 명《地》 쉬이(盱眙)《장쑤 성(江蘇省)에 있는 현(縣)의 이름》.

戌 xū (술)
명 ①술《십이지(十二支)의 열한째. 띠로는 개》. ②술시(戌時)《오후 7시부터 9시까지》. ③옛날, 서북(西北) 방위. ⇒ qu

欻 xū (훌)
① 부 갑자기. ¶～黑; 갑자기 어두워지다. ② 형 어둡다. 새까맣다. ¶～地里; 몰래. 살그머니 / 满屋～黑, 并未点灯《紅樓夢》; 온 방이 캄캄한데, 아직 등불을 켜지 않았다.

呴 xū (구)
동 〈文〉 숨을 내뿜어 따뜻하게 하다. ¶众～漂山; 〈比〉 군중의 힘이 큼을 이름.

须(須, 鬚B)) xū (수)
A) ① 조동 반드시 …하여야 한다. 꼭 …하지 않으면 안 된다. ¶务～注意; 노력해서 주의해야 한다 / 无～费事; 귀찮은 일을 할 필요는 없다. 注 이 '须'의 부정(否定)은 '不必'·'无须'를 사용하여야 하며, '不须'라고는 안 함. →〔必须〕〔必得děi〕〔应当〕 ② 동 〈文〉 기다리다. ¶～我片刻; 잠시 기다려 주게. ③ 〈古白〉 ㉠반드시. 틀림없이. ¶我和你～是亲兄弟; 나와 너는 틀림없이 친형제이다. ㉡원래. 본디부터. ¶俺～是亲手足; 우리는 원래가 친형제이다. ㉢드디어. 결국. 마침내. ¶今番～瞒过他也; 이번에 마침내 그를 속여 넘겼다. ㉣절대로 그러나《어세(語勢)를 바꿀 때나 강조 할 때 씀》. ¶这～不是我妬他, 是自做出来的; 이것은 절대로 내가 그를 질투한 것이 아니라, 그가 스스로 한 일이다. ㉤…이지만. ¶梧桐树～大, 里空虚, 井水～深, 里无鱼; 벽오동은 크지만 속이 비었고, 우물물은 깊어도 고기가 없다. ㉥필시는. ¶你两个～是孙提辖的弟兄? 당신 두 사람은 필시 손제할(孫提轄)의 형제이지요? ④ 명 성(姓)의 하나. **B**) 명 ①(턱)수염. ¶胡hú～; 수염 / ～发皆白; 수염과 머리털이 다 희다. ②동물의 촉각(觸角)〔촉수(觸手)〕. 식물의 화수(花鬚). ¶胡蝶～; 나비의 촉수 / 花～; 꽃술.

〔须不是〕 xūbùshì 〈古白〉 ①절대로〔오히려〕 그렇지 않다. ②원래 그런 것이 아니다. ¶～我倚强凌弱; 원래 내가 강한 자를 등에 업고 약한 자를 괴롭히고 있는 것은 아니다.

〔须疮〕 xūchuāng 명《漢醫》 피부병의 일종.

〔须待〕 xūdài 동 〈文〉 ①기대하다. ¶我有所～也; 내가 기대하는 바가 있다. ②기다려야 한다.

〔须当〕 xūdāng 동 〈文〉 마땅히 …하여야 한다. ¶大丈夫～如此; 대장부란 마땅히 이와 같아야 한다 / 作事～光明正大; 일은 공명 정대하여야 한다.

〔须得〕 xūdé〔xūděi〕 조동 필요로 하다. 꼭 …하지 않으면 안 된다. ¶～小心; 조심해야 한다.

〔须根〕 xūgēn 명 ①《植》 수근. 수염뿌리. =〔复

fù根〕〔须子〕 ②수염의 뿌리. ¶气得他～倒竖; 화가 나서 수염뿌리가 곤두섰다.
〔须老〕 xūlǎo 동 〈文〉 조용히 여생을 보내다. 조용히 만년을 지내다.
〔须弥座〕 xūmízuò 명 《佛》 수미좌. 수미단(壇)《부처의 좌석의 뜻》.
〔须面〕 xūmiàn 명 텁석부리. ¶几天不刮脸, 赛过刺猬的～真不好看; 며칠 동안 수염도 깎지 않아, 고슴도치보다도 심한 텁석부리가 되어 정말 볼품없다.
〔须摩提〕 xūmótí 명 〈梵〉 서방 극락 세계. =〔须摩〕
〔须菩提〕 Xūpútí 명 《佛·人》 수보리. 서방 극락의 별칭.
〔须儿〕 xūr 명 ⇨〔须子〕
〔须髯如戟〕 xūrán rújǐ 명 ①미늘창처럼 센 수염을 지닌 자. ②〈轉〉 당당한 남자.
〔须生〕 xūshēng 명 재상·충신·학자 따위의 중년 이상 남자로 분장한 배우. =〔老lǎo生〕
〔须是〕 xūshì 〈古白〉 ①꼭 …하여야 한다. ¶有几句紧要话, ～便来; 중요한 이야기가 있으니 곧 와야 한다 / ～他来, 才有办法; 그가 오지 않으면 어쩔 수가 없다. ②아마 반드시 …일 것이다.
〔须梳〕 xūshū 명 수염을 빗는 빗.
〔须索〕 xūsuǒ 부 〈古白〉 반드시. 꼭. ¶这封信～交到本人面收; 이 편지는 반드시 본인에게 직접 건네 주어야 한다 / 若东吴兴兵寇蜀, 吾～速回也《三國志演義》; 만일 동오가 군사를 일으켜 촉을 침공한다면, 나는 반드시 곧 돌아온다.
〔须暇〕 xūxiá 명 〈文〉 촌가(寸暇). 잠깐 사이. ¶争取片刻～来读一点书; 촌가를 틈타서 독서를 하다.
〔须要〕 xūyào 조동 ①반드시 …해야 한다. …할 필요가 있다. ②필요하다. ¶教育儿童～耐心; 아동을 교육하기 위해서는 인내가 필요하다. →〔需要〕
〔须臾〕 xūyú 명 〈文〉 순간. 잠시. 잠깐. ¶～不可离; 잠시도 떨어질 수 없다. 한순간이라도 떼어 놓지 못하다 / 原子弹在～之间就杀了几十万人; 원자 폭탄은 잠깐 사이에 수십만 명을 죽였다. =〔片刻〕
〔须知〕 xūzhī 명 알고 있어야 할 (일). 주의 사항. 안내(案內). ¶投考～; 수험(受驗) 안내. 수험생 주의 사항 / 开信用状～; 신용장 개설 주의 사항. 동 꼭 알아야 한다. ¶～稼穡之不易; 농사가 쉽지 않음을 반드시 알아야 한다.
〔须至〕 xūzhì 〈公〉 공문의 말미에 붙여서 반드시 수신인에게 도달해야 한다는 뜻을 나타냄. ¶～照会者; 이로써 조회를 대신합니다 / ～咨复者; 이상과 같이 회답합니다.
〔须着〕 xūzhuó 조동 〈古白〉 반드시 …하여야 한다. 당연히 …하여야 한다. ¶知与行工夫～并到《朱子全書》; 지와 행의 수련은 병행하지 않으면 안 된다.
〔须子〕 xūzi 명 《植》 (근채류의) 수염뿌리. ¶参shēn～; 인삼의 수염뿌리. 미삼(尾蔘)《약용함》. =〔须儿〕〔须根〕

媭(嬃) xū (수)
명 〈文〉 누나《옛날, 초(楚)나라 사람들이 누나를 일컫던 말》. ¶女～; 〈文〉 누나. =〔姐姐〕

胥 xū (서)
〈文〉 ① 부 모두. 전부. ¶诸事～备矣; 모든 일이 다 준비되다. →〔皆〕〔齐〕 ② 명 옛날에, 문서를 다루던 하급 관리. ③ 명 게를 소금에 절인 것. 게장. 게젓. ④ 동 기다리다. ¶～命mìng; 명령을 기다리다 / 少～; 잠시 기다리다. ⑤ 동 멀리하다. ⑥지명용 자(字). ¶～湖; 쉬 호(胥湖)《타이 호(太湖) 주변에 있는 호수로 오호(五湖)의 하나》. ⑦ 명 성(姓)의 하나.
〔胥后命〕 xū hòumìng 〈文〉 다음 명령을 기다리다. ¶～而发; 다음 명령을 기다려서 출발하다.
〔胥吏〕 xūlì 명 〈文〉 서리. 옛날, 문서를 관장한 하급 구실아치.
〔胥头〕 xūtóu 명 옛날, 여자의 작게 결발(結髮)한 머리형(型).

谞(諝) xū (서)
〈文〉 ① 명 명지(明智). 재지(才知). 재주와 슬기. ② 동 꾀하다. 계략을 꾸미다.

湑 Xū (서)
명 《地》 쉬수이(湑水)《한강(漢江)의 지류. 산시 성(陝西省)을 흐름》. ⇒xǔ

砉 xū (획)
〈擬〉〈文〉 썩썩《식칼로 가죽을 고기에서 발라 내는 소리》. ¶～然响然; 살 바르는 소리가 썩썩 하고 들린다. ⇒huā

顼(頊) xū (욱)
①인명용 자(字). ¶颛Zhuān～; 전욱《옛날의 황제명》. ② 명 성(姓)의 하나.

虚 xū (허)
① 명 공허(空虛). 틈. 빈 곳. ¶乘～而入; 허를 틈타서 들어가다. ② 형동 비(우)다. ¶～无缥缈; 〈成〉 허무맹랑하다 / ～位以待; 〈成〉 좌석을 비워 두고 기다리다 / ～个坐位; 자리를 하나 비워 두다. ③ 명형 허위(의). 거짓(의). ④ 형 겸허하다. 허심(虛心)하다. ¶～心接收别人的意见; 겸허하게 남의 의견을 받아들이다. ⑤ 형 허약하다. ¶～身子; 약질의 몸. 약골 / 他这样发～该吃补药了; 그는 이렇게 허약하니 보약을 먹어야 한다. ⑥ 형 헛되이 하다. ¶休～他的美意; 그의 호의를 헛되이 해서는 안 된다. ⑦ 동 무(無)로 하다. 아무 소용 없게 만들다. ¶不～此一行; 모처럼 간 것이 헛되지는 않았다 / ～有其表; ⇩ ⑧ 명 《天》 허수(虛宿)《28수의 하나》. ⑨ 형 내성적이다. 조마조마하다. 소심하다. 자신이 없다. ⑩ 동 자식이 없다. ¶膝下尚～; 아직 아이가 없다. ⑪ 명 성(姓)의 하나.
〔虚白〕 xū bái 〈成〉 마음을 비우면 저절로 진리에 도달함. =〔虛室生白〕
〔虚谤〕 xūbàng 동 아무 근거도 없는 중상(中傷)을 하다. ¶舞文～, 扰乱社会; 붓을 함부로 놀려 터무니없는 말을 퍼뜨려서 사회를 어지럽히다.
〔虚报〕 xūbào 명동 거짓 보고(를 하다). ¶会计～开支; 회계가 출납을 거짓 보고하다.
〔虚报军功〕 xūbào jūngōng 군공을 과장해서 보고하다.
〔虚传〕 xūchuán 동 허전. 잘못 전해지다. ¶名不～; 명불허전이다. 명성 그대로다 / ～老兄阵亡, 如今安全归来, 实在可喜; 당신이 전사하셨다고 잘못 전해졌는데, 지금 무사히 돌아오시니 정말 기쁩니다. ⇒xūzhuàn
〔虚船〕 xūchuán 명 〈文〉 사람없는 배. 빈 배《마음 속에 흉계가 없음에 비유함》.
〔虚词〕 xūcí 명 ①《言》 허사《부사·개사(介詞)·접속사·조사·간투사·의성어》. ②헛소리. 거짓말.
〔虚辞〕 xūcí 명 허사. ①허언(虛言). 거짓말. ②공문(空文).

〔虚诞〕 xūdàn 형 터무니없다. 황당무계하다. ¶不要看~的鬼故事; 황당무계한 괴기 소설 따위는 읽지 마라.
〔虚抵〕 xūdǐ 동 구실을 붙여서 슬쩍 넘기다. 일시 모면의 말을 하다. ¶你告诉我哪一天可以还债, 不要拿假话来~我; 언제 갚을 건지 말해다오, 거짓 말을 해서 어물어물 넘기면 곤란하다.
〔虚定〕 xūdìng 명 대체적인 예정. 예상. ¶港商要求每年订出一个~输出额; 홍콩 상인이 매년 수출 예상액을 정해 달라고 요구했다.
〔虚度〕 xūdù 동 헛되이 세월을 보내다(자기의 나이를 말할 때도 쓰임). ¶~光阴; 헛되이 세월을 보내다 / 我~了四十岁; 저는 마흔 살입니다.
〔虚发〕 xūfā 동 헛되이 쏘다. 화살이 빗맞다. 헛방을 놓다. ¶弹dàn不~; 헛방을 놓지 않는다. 백발 백중.
〔虚费〕 xūfèi 동 허비하다. 낭비하다. ¶节撙~; 낭비를 절약하다. =〔虚糜〕
〔虚浮〕 xūfú 형 부박(浮薄)하다. 피상적이다. 착실하지 않다. ¶要脚踏实地不可做~的事; 착실하게 발을 땅에 붙이고, 부박한 짓을 해서는 안된다 / ~不实; 〈成〉 부박하고 성의가 없다 / ~的计划; 착실하지 않은〔피상적인〕 계획.
〔虚浮少年〕 xūfú shàonián 명 불량 소년. ¶这些油头粉面的~, 不许你跟他们来往; 이런 뺀질뺀질한 불량 소년과 상종해서는 안된다.
〔虚根〕 xūgēn 명 《數》 허근.
〔虚恭〕 xūgōng 명동 겉으로만의 존경(을 하다). 거짓 경의(敬意)(를 하다). ¶~而心不诚; 겉으로만 공손하고 마음속은 진실성이 없다. 명 방귀('放fàng屁' 곧 방귀 뀌는 것을 '出~'이라 함).
〔虚构〕 xūgòu 명 허구. 픽션(fiction). ¶纯属~; 완전히 허구이다. 동 상상에 의해 만들어 내다. 날조하다. ¶幻想中~出来的故事; 환상 속에서 꾸며낸 이야기.
〔虚喊〕 xūhǎn 동 빈 구호만 외치다. ¶运动的关键在于实干, 不应该~; 운동의 관건은 실제로 행하는 것이지, 빈 구호로 끝나게 해서는 안 된다.
〔虚汗〕 xūhàn 명 ①식은땀(뇌빈혈·쇼크·급성 쇠약시 등의 병적 발한). ②(잠잘 때 흘리는) 식은땀. 허한. =〔盗dào汗〕
〔虚好好儿〕 xūhǎohǎor 듣기 좋은 말로 구슬러 넘기다. 너스레를 떨어 속이다. ¶~地把他敷衍回去了; 듣기 좋은 말로 그를 구슬러 되돌려 보냈다.
〔虚好看儿〕 xūhǎokànr ①허세를 부리다. ¶你别净顾~, 也得务点儿实际才行呀; 겉만 꾸미려 하지 말고, 조금은 착실하게 해야 한다. ②겉만 번지르르함. ¶我们家也不过是~罢了, 一点儿家底子也没有; 저의 집도 겉으로만 번드르르할 뿐, 재산 같은 건 조금도 없어요.
〔虚耗〕 xūhào 동 허비하다. 헛되이 소모하다. ¶~了半辈子精力, 仍是一事无成; 반평생의 정력을 소비했어도 아직 한 가지 일도 성취하지 못했다.
〔虚喝〕 xūhè 동 큰 소리로 위협하다. ¶我~了一声, 小偷儿就吓跑了; 내가 한 번 큰 소리로 위협했더니, 좀도둑은 놀라서 달아나 버렸다.
〔虚话〕 xūhuà 명 ①거짓말. 허언. ¶说~; 거짓말을 하다. ②사양하는 말. ¶咱们是老朋友了, 用不着说~, 你有什么困难尽管直接了当地说出来吧; 우리는 오랜 친구이니, 사양하지 말고, 너한테 뭔가 어려운 일이 있으면 털어놓고 말해라.
〔虚怀若谷〕 xū huái ruò gǔ 〈成〉 허심 탄회하게 크게 포용함. 대단히 겸허함. ¶我们这样批评他, 他还是~地接受了; 우리가 이렇게 그를 비평해도, 그는 여전히 겸허하게 받아들였다.
〔虚幻〕 xūhuàn 형 ⇨〔虚霍〕
〔虚火〕 xūhuǒ 명 ①(믿고 기댈 수 있는 남의) 세력. 권세. ¶仗着谁的~这么欺负人? 도대체 누구의 세력을 믿고 이렇게 사람을 괴롭히는 거냐? ② 《漢醫》 몸이 허약해져서 불안감에 싸이게 되거나, 또는 발열(發熱)하거나 하는 증상. ¶成天关在家里, 闷出一肚子~来; 하루 종일 집 안에 있으니 답답해서 피가 머리로 올라올 것 같다.
〔虚祸〕 xūhuò 명 확실성이 없는 재앙. 과연 일어날지 안 일어날지 모르는 재해. ¶台风转向了, ~解除了; 태풍이 비켜가서 (걱정되던) 재해는 면했다 / 你别太担心, 也许只是一场~而已; 과히 걱정하지 마시오. 단순한 기우일지도 모르니까.
〔虚霍〕 xūhuò 형 허망하다. 공허하다. ¶争什么酒色财气, 到头来都是~; 주색이니, 재산이니, 패기니 하고 다투어봐도 결국은 모두 허망한 것일 뿐이다. =〔虚幻〕
〔虚己〕 xūjǐ 동 〈文〉 자기를 희생하다. 사욕을 버리다. ¶~待人; 사욕을 버리고〔자기를 낮추어〕 남을 대하다 / ~以听; 〈成〉 마음을 비우고 남의 의견에 귀를 기울이다.
〔虚假〕 xūjiǎ 명형 허위(의). 거짓(의). ¶揭穿了他的~面目; 그의 가면을 들춰 냈다 / 话里有些~; 말에 약간의 거짓이 있다. =〔虚诈〕
〔虚价〕 xūjià 명 에누리해서 더 부르는 값. ¶别说~! 到底多少钱你卖; 에누리해서 더 부르지 마시오! 결국 얼마면 팔겠소. =〔二èr价〕〔谎huǎng价〕
〔虚架子〕 xūjiàzi 명 ①겉만 크고 튼튼하지 못한 사람. ¶别看他个子大, 不过是个~, 经常这儿疼那儿疼的; 그는 허우대만 컸지 실상은 약골이야. 늘 여기가 아프다느니 저기가 아프다느니 하고 있다. ②허식. 겉치레. ¶没事可做了, 还支撑什么~? 실직했다면서 무엇을 그렇게 허세를 부리느냐?
〔虚骄〕 xūjiāo 형 자부하다. 자만하다. ¶少年得志, 切忌~; 젊은 사람이 뜻을 얻었을 때는 자만심을 조심해야 된다.
〔虚骄恃气〕 xū jiāo shì qì 〈成〉 경박하고 교만하고 제멋대로임. ¶凡是~, 自以为了不起的人, 就很难有进步; 무릇 천박하고 오만하고 제멋대로 하며 자신을 대단한 인간인 것처럼 우쭐대는 자는 진보는 바랄 수 없다.
〔虚金本位制〕 xūjīnběnwèizhì 명 금환 본위제(金换本位制). =〔金汇兑本位制〕
〔虚惊〕 xūjīng 동 깜짝 놀라다. 실없이 놀라다. ¶昨天贵处附近失火, 府上各位都受了~吧; 어제 댁의 근처에 불이 나서, 댁의 여러분께선 공연히 놀라셨지요.
〔虚空〕 xūkōng 형 공허하다. (꼭꼭 채우지 않고) 푸하게 해 두다. ¶实力~; 실력이 없다 / ~着搁; (꼭꼭 채우지 않고) 엉성하게 담다〔넣다〕. 명 창공. 하늘. 허공.
〔虚夸〕 xūkuā 동 과장하다. 허풍치다.
〔虚诳语〕 xūkuángyǔ 명 거짓말. 남을 속이는 말.
〔虚劳〕 xūláo 명 《漢醫》 허로. 오랜 병으로 체력이 쇠약한 증세. 동 헛수고하다. ¶叫您~一阵, 实在不过意; 헛수고를 시켜서 대단히 미안합니다.
〔虚痨〕 xūláo 명 《漢醫》 결핵을 앓아 쇠약이 심한 상태(보통은 폐결핵을 말함).
〔虚礼〕 xūlǐ 명 허례.
〔虚量〕 xūliàng 명 《數》 가정량(假定量).
〔虚龄〕 xūlíng 명 ⇨〔虚岁〕
〔虚笼笼〕 xūlónglóng 형 흐트러져 있다(느슨해진

모양). ¶早上忙得头发～的就出门了; 아침에 바빠서 흐트러진 머리로 외출했다.
〔虚糜〕 xūmí 동 ⇨〔虚费〕
〔虚面子〕 xūmiànzi 명 (남과의 교제에서) 겉만의 친절함. 겉꾸밈. 겉치레. 체면치레. ¶为了～, 欠了一屁股债; 겉치레 때문에 많은 빚을 졌다.
〔虚名(儿)〕 xūmíng(r) 명 허명. 겉으로만 번지르르한 평판. ¶徒有～, 并无实学; 허명뿐이지 실제 학문도 없다 / 我这点儿～还不是靠大家捧场吗? 저의 이 보잘것없는 명성은 다 여러분이 성원해 주신 덕분 아니겠습니까? =〔浮名〕〔浮誉〕
〔虚拟〕 xūnǐ 동 가정(假定)하다. 가설하다. (…라고) 생각해 두다. ¶我姑且～一个办法出来, 给大家作个参考; 한 가지 방법을 가설해 보고, 여러분이 참고가 되도록 하겠습니다. 형 가상〔가설〕적인. 명동 허구(하다).
〔虚拟存储器〕 xūnǐcúnchǔqì 명 《電算》 가상 메모리(假想 memory).
〔虚拟空间〕 xūnǐ kōngjiān 명 《電算》 사이버스페이스. 가상 공간.
〔虚拟现实〕 xūnǐ xiànshí 명 가상 현실. =〔虚拟实境〕
〔虚拟资本〕 xūnǐ zīběn 명 《經》 의제(擬制) 자본.
〔虚捏〕 xūniē 명동 날조(하다). ¶～了一篇谎话; 거짓말을 꾸며냈다.
〔虚胖〕 xūpàng 형 살이 무르게 뚱뚱하다. 포동포동하게 살이 찌다. 명 《醫》 종창(腫脹).
〔虚胖子〕 xūpàngzi 명 비곗덩어리. 피둥피둥 살찐 사람.
〔虚抛〕 xūpāo 동 〈文〉 헛되이 보내다. 허비하다. ¶光阴不能～; 시간을 허비해서는 안 된다.
〔虚脾〕 xūpí 명 겉치레의 인사. 인사치레로 하는 호의. ¶别信他那套～; 그의 간살을 믿지 마라.
〔虚飘〕 xūpiāo 형 ①들뜨다. 둥둥 뜨다. ②종잡을 수 없다.
〔虚飘飘〕 xūpiāopiāo 형 ①경조 부박한 모양. 경박한 모양. ¶他是一位～脚不站地儿的幻想家; 그는 마음이 들떠 발이 땅에 붙어 있지 않은 환상가이다. ②걸음이 흔들리는 모양. ¶病还没全好, 下床来身子有些～的; 병이 아직 덜 나아서, 침대에서 일어나면 몸이 약간 비틀거린다.
〔虚气平心〕 xū qì píng xīn 〈成〉 마음을 가라앉히고 감정에 사로 잡히지 않다. =〔平心静气〕
〔虚器〕 xūqì 명 ①빈 그릇. ②신분에 걸맞지 않는 쓸모없는 물건.
〔虚钱实契〕 xūqián shíqì 명 허위 계약서(실제로는 금전 수수가 없이 마치 금전 수수가 있는 것처럼 작성된 계약서). ¶恶霸～, 强夺了我的房产; 악질 토호(土豪)가 실지로 돈을 주지 않고 작성한 허위 계약서로 우리 집을 강탈했다.
〔虚怯〕 xūqiè 형 벌벌 떨다. 두려워하다. 기가 꺾여 있다. 흠칫흠칫하다.
〔虚情假意〕 xū qíng jiǎ yì 〈成〉 겉치레의 호의. ¶她的男朋友多得很, 对你不过是～罢了; 그녀의 남자 친구는 매우 많다. 너한테 대해서는 겉치레만의 호의이겠지 / ～地应酬一番; 겉으로만 정중히 접대하다. =〔虚心假意〕
〔虚缺〕 xūquē 명 관직의 빈자리. 공석. 결원. ¶眼下各机关都没有～; 현재로는 각 기관에 결원이 없다 / ～号; 문자의 결락(缺落)을 나타내는 □표.
〔虚让〕 xūràng 동 형식적으로 사양하다. 형식적으로 남에게 권하다. ¶主人请他上座, 他～了一下, 老实不客气地就坐到首座上去了; 주인이 그에게 상좌를 권하자, 그는 형식적으로 한번 사양하더니 서슴지 않고 상좌에 앉았다.
〔虚荣〕 xūróng 명 허영. ¶他被～心害苦了; 그는 허영심 때문에 곤욕을 치렀다.
〔虚弱〕 xūruò 형 ①(몸이) 허약하다. 쇠약하다. ¶病后身子～; 앓고 난 후 몸이 쇠약해졌다. ②(국력·병력이) 약하다.
〔虚设〕 xūshè 동 (기구·직위 등이) 실질이 없고 형식상 설치되다. 명 형식적인 존재. ¶形同～; 이른바 이름뿐인 존재이다.
〔虚声〕 xūshēng 명 ①허성. 실속없는 헛된 명성. ②→〔虚张声势〕 ③관중이 배우의 연기에 대하여 불만이 있는 경우에 내는 우우 하는 소리. ¶她一出场, 台下观众就报以一片～; 그녀가 등장하자 관람석의 관중이 일제히 우하고 야유를 보냈다. =〔斥chì声〕
〔虚实〕 xūshí 명 허실. 공(空)과 실(實). 허위와 성실. ¶探听～; 정황을 살피다〔염탐하다〕.
〔虚士〕 xūshì 명 이름뿐이고 실력이 따르지 않는 사람. 과대 평가를 받고 있는 사람.
〔虚室生白〕 xū shì shēng bái 〈成〉 ⇨〔虚白〕
〔虚数〕 xūshù 명 ①《數》 허수. ②거짓 숫자. 실재하지 않는 수.
〔虚死〕 xūsǐ 동 색에 탐닉하여 몸을 망쳐 죽다.
〔虚岁〕 xūsuì 명 세는나이(태어나자마자 한 살로 치는 나이 계산법). ¶计算年龄并没有明文规定, 有照足龄计算的, 有照～计算的; 나이를 세는 방식에 관해서는 특별히 명문 규정이 없어서, 만으로 세기도 하고, 세는나이로 세기도 한다. =〔虚龄〕
〔虚损〕 xūsǔn 동 정력(精力)이 없어지다. 쇠약해지다.
〔虚谈〕 xūtán 동 잡담하다. 한담하다. ¶客来～半晌, 白耽误不少时间; 손님이 와서 오래 잡담을 하느라 적지 않은 시간을 허비했다.
〔虚套子〕 xūtàozi 명 ①겉치레. 쓸데없는 체면. ¶你别跟我来～了, 有什么话直截了当地说吧; 나에게 쓸데없는 체면은 차리지 말고, 할 말이 있으면 툭 털어놓고 해라. ②형식만 갖춘 제도. ¶无关紧要的～; 별로 중요하지 않은 공문. ‖ =〔虚文〕
〔虚体面〕 xūtǐmiàn 명 허례. 겉치레. ¶既然在社会上做事, 就不能不顾到一点～; 사회 생활을 하는 한, 조금은 겉치레도 할 줄 알아야 한다.
〔虚头(儿)〕 xūtóu(r) 명 ①과장(誇張). ②거짓. ¶我说的都是实话没有一点～; 제가 하는 말은 모두 사실로, 조금도 거짓은 없습니다. ③겉치레. 허세.
〔虚头巴脑〕 xū tóu bā nǎo 〈成〉 진심이 아닌 모양. 성의가 없이 겉으로만 꾸미는 모양.
〔虚土〕 xūtǔ 명 〈方〉 밭을 갈아 파 헤쳐진 부드러운 흙.
〔虚托〕 xūtuō 동 거짓으로 핑계대다. ¶～有事, 脱身走开; 거짓으로 일을 핑계삼아 빠져나왔다.
〔虚脱〕 xūtuō 명동 《醫》 허탈(상태에 이르다)(병자의 심장이 갑자기 쇠약해져서, 체온이 내려 가고 맥박이 미약해지는 현상). ¶病人出汗太多～了; 환자가 땀을 많이 흘려 허탈 상태에 빠졌다. 명 《醫》 병적인 유정(遺精). =〔脱精〕〔阳yáng脱〕
〔虚妄〕 xūwàng 명 거짓. 엉터리.
〔虚伪〕 xūwěi 명 허위. 거짓. ¶他对人老是那么诚恳亲切, 没有一点儿～; 그는 사람들에게 늘 성의껏 친절히 대하며, 조금도 거짓이 없다. 형 위선적이다. 진실하지 못하다.
〔虚伪拍卖〕 xūwěi pāimài 야바위쳐서 상품을 투매하는 일.

〔虚位以待〕 xū wèi yǐ dài 〈成〉 ⇨〔虚座以待〕
〔虚文〕 xūwén 명 ①형식적이고 내용이 없는 글·말. =〔具文〕 ②소용 없는 체면치레. 무의미한 의례. ¶～浮礼; 형식적이고 무의미한 의례. ③공문(空文). 실행이 뒤따르지 않는 형식뿐인 법률·규정·문장 따위.
〔虚诬〕 xūwū 동 거짓말을 해서 남을 무고하다.
〔虚无〕 xūwú 명 허무. ¶～主义; 허무주의.
〔虚无缥渺〕 xū wú piāo miǎo 〈成〉 허무맹랑하다. 헛되고 실속없다. ¶～不着边际; 허무맹랑해서 종잡을 수 없다.
〔虚席以待〕 xū xí yǐ dài 〈成〉 ⇨〔虚座以待〕
〔虚衔〕 xūxián 명 실제가 없는 이름뿐인 직책·직함. ¶这不过是～罢了, 哪儿有什么责任呢; 이것은 빈 직함일 뿐인데 무슨 책임 같은 것이 있겠습니까.
〔虚线〕 xūxiàn 명 ①점선. 파선(破線). ②《數》 허수를 포함하는 방정식의 그래프.
〔虚想〕 xūxiǎng 명동 공상(空想)(하다). ¶千年来人类上太空去的～, 居然可以实现了; 천 년 동안 인류가 하늘로 올라가려는 꿈은 마침내 실현되게 되었다.
〔虚像〕 xūxiàng 명 《物》 허상.
〔虚心〕 xūxīn 형 허심하다. 겸허하다. ¶～学习; 겸허하게 학습하다 / ～受教; 남의 충고를 겸허하게 듣다 / ～容纳大家的意见; 여러 사람의 의견을 허심 탄회하게 받아들이다 / ～使人进步, 骄傲使人落后; 허심은 사람을 진보하게 만들고, 오만한 마음은 사람을 퇴보시킨다.
〔虚心假意〕 xū xīn jiǎ yì 〈成〉 ⇨〔虚情假意〕
〔虚心平意〕 xū xīn píng yì 〈成〉 애증(愛憎)과 호오(好惡)의 마음이 없이 공평 무사한 태도. ¶～地讨论问题; 허심하게 문제를 토론하다.
〔虚心坦怀〕 xū xīn tǎn huái 〈成〉 허심 탄회하다.
〔虚心下气〕 xūxīn xiàqì ①마음을 가라앉히다. ②겸손하다. 겸허하다.
〔虚心眼儿〕 xūxīnyǎnr 형 (두려움·놀라움으로) 마음이 안정되지 않다. 가슴이 두근두근하다.
〔虚悬〕 xūxuán 동 ①결원이 나다. 공석인 채로 있다. ¶秘书长的职位, 长久～, 总不是办法; 비서장의 직위가 오랫 동안 결원인 채로 있는 것은 아무래도 타당하지 않다. ②공상하다.
〔虚言〕 xūyán 명 〈文〉 ①허언. 거짓. 진실이 아닌 말. ②(실질·실행이 따르지 않는) 말뿐. 빈말.
〔虚掩〕 xūyǎn 동 문이나 옷을 조금 맞추어 놓았을 뿐 열쇠를 잠그거나 띠를 매거나 하지 않다. ¶～着门; (자물쇠를 잠그지 않고) 문을 닫아만 놓다.
〔虚应故事〕 xū yìng gù shì 〈成〉 ①마지못해 하다. 형식적으로 하다. 적당히 대강하다. ¶王伯申既有命令, 梁子安只好～走一趟; 왕백신에게 명령을 받았으므로 양자안은 마지못해 나서 보았다. ②구습에 얽매이다. ¶这个法子行来已久, 未免～; 이 방법은 오랫동안 해온 것으로, 구습에 얽매이고 있다.
〔虚有其表〕 xū yǒu qí biǎo 〈成〉 겉만 번드르르하다. 겉뿐이고 내실(內實)은 없다. ¶～而无其实; 겉으로만 번지르르하고 내용이 없다.
〔虚与委蛇〕 xū yǔ wēi yí 〈成〉 겉으로만 추종하다. 흥미와 공감(共感)을 가진 체하다. ¶三国故事, 蒋干过江想叫周瑜投降曹操, 周瑜～, 反使蒋干中了他借刀杀人之计; 삼국의 고사에, 장간은 강남으로 가서 주유를 조조에게 항복시키려 했으나, 주유는 겉으로만 추종하는 체하여 속이고, 도리어 장간을 적의 칼로 적을 죽이는 계략에 빠지게 했다.
〔虚愿〕 xūyuàn 명 헛된 소원. ¶竟成～; 마침내 헛된 소원이 되고 말았다.
〔虚诈〕 xūzhà 명형 ⇨〔虚假〕
〔虚诈不实〕 xūzhà bùshí 거짓을 말하고 진실을 말하지 않다. ¶被告的口供～, 请庭长传讯证人; 피고의 공술(供述)은 거짓이므로, 재판장께 증인을 환문(喚問)할 것을 청구합니다.
〔虚张〕 xūzhāng 동 과장하다. 허세를 부리다. ¶他说得过于～; 그의 말은 과장이 심하다.
〔虚张声势〕 xū zhāng shēng shì 〈成〉 허장 성세하다. 허세를 부리다. ¶别看那家公司宣传做得大, 其实全是～, 没有什么实力; 저 회사는 대대적인 선전을 하고 있지만, 실은 완전히 허세이고 아무런 실력이 없다 / 他～地喊捉贼, 其实自己心里怕得不得了; 그는 허세를 부리고 도둑을 잡으라고 소리쳤지만, 사실 속으로는 무척 두려워했다.
〔虚症〕 xūzhèng 명 《漢醫》 허증《체질이 허약한 사람의 전신(全身) 허탈이나 식은 땀 등의 증상》.
〔虚掷〕 xūzhì 동 헛되이 하다. 허비하다. ¶觉得自己的一世劳碌并没有～; 자기의 평생 고생이 결코 헛되지는 않았다고 느꼈다.
〔虚中〕 xūzhōng 명 〈文〉 공복(空腹). 형 속이 비다. 내용이 없다.
〔虚衷〕 xūzhōng 형 〈文〉 허심하다. 동 실망하다. ¶先生不肯赐教, 令我～怅然; 당신한테 가르침을 못 받아, 실망하고 있습니다.
〔虚肿〕 xūzhǒng 명 부종. 부기. 동 붓다.
〔虚传〕 xūzhuàn 명 허구적 전기(傳記). ¶鲁迅给阿Q作了一篇～, 可把阿Q写活了; 노신은 아Q에게 허전을 지어 주고, 아Q를 생생하게 묘사했다. ⇒ xūchuán
〔虚字〕 xūzì 명 (구(舊)문법 용어) 명사로서 쓰이는 글자 이외의 글자. =〔虚字眼儿〕
〔虚字眼儿〕 xūzìyǎnr 명 ⇨〔虚字〕
〔虚子〕 xūzi 명 〈文〉 ①허영심이 많은 사람. 겉치레를 하는 사람. ②난봉꾼. 건달.
〔虚足〕 xūzú 명 《生》 허족. 원생 동물의 위족(僞足).
〔虚左〕 xūzuǒ 〈成〉 ⇨〔虚左以待〕
〔虚左以待〕 xū zuǒ yǐ dài 〈成〉 상좌를 비워 놓고 유능한 사람을 기다림《'左'는 상좌를 뜻함》. ¶承先生俯允屈就, 我等～; 당신의 취임 승낙을 얻었으므로, 저희들은 상좌를 비우고 기다리고 있었습니다. =〔虚左〕
〔虚座以待〕 xū zuò yǐ dài 〈成〉 자리를 비워 놓고 기다리다. ¶您来了, 我们～; 어서 오십시오, 자리를 비워 두고 기다리고 있었습니다. =〔虚位以待〕〔虚席以待〕

墟 xū (허)
①명 폐허(가 된 도시나 촌락). ¶废～; 폐허 / 殷～; 은허. ②명 큰 언덕. ③명 〈方〉 시장(市場). ④지명용 자(字).
〔墟里〕 xūlǐ 명 〈南方〉 촌락. 마을. =〔墟落〕
〔墟落〕 xūluò 명 ⇨〔墟里〕
〔墟市〕 xūshì 명 옛날의 시장(市場).

嘘 xū (허)
①동 천천히 숨을 내쉬다. 입김을 불다. ¶把手～暖了; 입김을 불어 손을 녹이다. ②동 불 또는 증기(蒸氣)나 열기(熱氣)에 데다. ¶小心别～着手; 손을 데지 않게 주의해라. ③동 불에 가까이 대어 데우거나 가볍게 굽다. ¶把紫菜在火上拿高了再～一～; 김을 불에서 높이 들고 좀 구워라. ④동 선전하여 소문을 내다. 연해 칭찬하

다. ⑤동 탄식하다. ¶仰天而～; 하늘을 우러러 탄식하다. ⑥동〈方〉쉬쉬〔우우〕하며 소리 내어 제지하거나 가축 따위를 쫓다. ¶把他～下台去; 우우하며 야유하여 그를 무대에서 내려오게 하다. ⑦감 쉬! 조용히! ¶～! 轻一点, 屋里有病人! 쉬 조용히! 방에 환자가 있단 말야! 注 이 때는 흔히 shī로 발음함. ⇒shī

〔嘘寒问暖〕xū hán wèn nuǎn〈成〉(남의 생활에) 깊이 배려를 함. 친절하게 돌봄. ¶他经常关心同志们的生活～, 无微不至; 그는 평소 동지들의 생활에 관심을 갖고 더우면 더울세라 추우면 추울세라 조그만 데까지 신경을 쓰고 있다.

〔嘘呼〕xūhū〈擬〉후《내쉬는 숨소리》.

〔嘘枯〕xūkū ①시든 것을 입김을 불어 소생시키다. ②〈比〉실각한 사람을 칭찬하여 다시 훌륭한 사람이 되게 하다. ¶行将倒闭的事业, 在他努力经营之下, 又～复生了; 쓰러져 가던 사업이 그의 경영 노력의 결과, 다시 부활했다.

〔嘘枯吹生〕xū kū chuī shēng〈成〉입김을 불어 넣어 죽은 것을 되살아나게 하다. ¶媒婆的两片嘴真能～, 把死的都能说活了; 매파의 말솜씨는 정말 능숙해서 죽은 자도 살릴 정도이다.

〔嘘气〕xū,qì 동 숨〔입김〕을 내뿜다. ¶冻得向两手～; 추워서 양손에 입김을 내뿜다.

〔嘘声〕xūshēng 명 불만이 있거나 업신여길 때 내는 소리. ¶听众不断向他发出～; 청중들은 그에게 계속해서 야유를 보냈다.

〔嘘手〕xū,shǒu 동 손에 입김을 불어 녹이다.

〔嘘唏〕xūxī 동〈文〉흐느껴 울다.

歔 xū (허)
동 ①코로 숨을 내쉬다. ②훌쩍거리며 울다.

〔歔欷〕xūxī 동〈文〉훌쩍훌쩍 울다. ¶～不已; 연신 훌쩍거리고 울다 / ～带喘地忙了一阵; 코를 훌쩍거리고 숨을 헐떡이도록 한바탕 바빴다. =〔哽咽〕〔抽吠〕

欻〈歘〉 xū (훌)
부〈文〉갑자기. 느닷없이. ¶风雨～至; 비바람이 갑자기 닥쳐오다. =〔忽hū〕⇒chuā

需 xū (수)
①동 구하다. 요구되다. 필요하다. ¶～款; 돈을 필요로 하다. 필요한 돈 / ～索; ⇩ / ～款甚巨; 거액의 돈을 필요로 하다 / 农民～要新农具; 농민은 새로운 농기구를 필요로 한다. ②동 주저하다. 기다리다. ③명 수요. 필수품. ¶军～; 군수 / 不时之～; 불시의 필요 / 以应yìng急～; 급한 수요에 대비하다.

〔需本〕xūběn 명 필요한 자본.

〔需次〕xūcì 동 ①순서를 따라 결원을 보충하다. ②〈比〉후보관(候補官)에서 본관(本官)이 되다.

〔需费〕xūfèi 명 비용. 경비.

〔需工数〕xūgōngshù 명 필요 노동력〔노동량〕.

〔需求〕xūqiú 명《經》수요. 요구. ¶人们对商品的～越来越高; 사람들의 상품에 대한 수요가 점점 높아진다. 동 요구되다. 필요로 하다.

〔需索〕xūsuǒ 동 (정당치 않은 수단으로) 조르다. 요구하다. ¶～钱财; 돈을 요구하다 / 官僚～银钱; 관료가 뇌물을 우려 내다.

〔需氧细菌〕xūyǎng xìjūn 명《生》호기성(好氣性) 세균.

〔需要〕xūyào 명 수요. 필요. 요구. 욕구. ¶不能满足儿童的～; 아동의 욕구를 만족시키지 못하다 / 从四个现代化的～出发; 네 가지 근대화의 필요에서 출발하다 / 适应国家的～; 국가의 요구에 부응하다 / ～量太多; 필요로 하는 양은 너무나도 많다. 동 필요하다. 필요로 하다. ¶不～复fù杂的手续; 까다로운 절차는 필요치 않다. 조동 …해야 한다. ¶～我们去解决; 우리가 해결하지 않으면 안된다.

〔需用〕xūyòng 동 필요로 하다. 소용되다. ¶～物品; 필수품 / 天天～的东西; 그날 그날 필요로 하는 물건 / ～日繁; 필요한 것이 나날이 많아지다.

〔需用经费〕xūyòng jīngfèi 명 필요 경비.

繻(繻) xū (수)
명 ①〈文〉얇고 고운 비단. 색(色)무늬 있는 비단. ②옛날, 부신(符信)으로 씌어진 견직물.

徐 xú (서)
①부〈文〉느릿느릿하게. 천천히. ¶～步bù; 천천히 걷다 / 火车～～地开动了; 기차가 천천히 움직이기 시작했다 / 清风～来, 水波不兴; 바람은 부드럽게 불고 물결은 일지 않다. ②부 조용히. ③형 느린. 완만한. ④명 성(姓)의 하나.

〔徐顾〕xúgù 동〈古白〉①유의하다. ②배려하다.

〔徐光启〕Xú guāngqǐ 명《人》서광계《명(明)나라 말기의 사람. 상하이(上海) 출생. 자(字)는 자선(子先). 이탈리아 사람 이마두(利馬竇)(마테오릿치)에게 천문학·수학·무기학(武器學)을 배움. 1562～1633》.

〔徐缓〕xúhuǎn 형 천천하다. 느릿하다.

〔徐疾自如〕xújí zìrú 빠르고 느림이 자유자재이다. ¶这架机器的转动率, 可以调节而～; 이 기계의 회전 속도는, 빠르게도 느리게도 자유자재로 조절 할 수 있다.

〔徐娘〕xúniáng 명〈簡〉곱게 생긴〔멋진〕중년 부인. ¶～半老, 风韵犹存; 중년 여인인데도 성적 매력은 아직 남아 있다. =〔徐娘半老〕

〔徐娘半老〕xúniáng bànlǎo 명 ⇨〔徐娘〕

〔徐庶进曹营〕xúshù jìn cáoyíng〈歇〉(삼국지연의(三國志演義)에서) 서서(徐庶)가 조조(曹操)의 군영(軍營)에 가다《한 마디도 말하지 않는다》. ¶～一语不发; 서서가 조조의 군영에 갔을 때처럼, 한마디도 말을 하지 않다《쓰다 달다 말이 없다》.

〔徐行〕xúxíng 명동 서행(하다).

〔徐徐〕xúxú 부〈文〉천천히. 서서히. ¶幕～启; 서서히 막이 열리다.

〔徐言无大差〕xúyán wú dàchà〈諺〉천천히 말을 하면 큰 실수는 없다.

〔徐雨〕xúyǔ 명〈文〉부슬부슬 내리는 비. 가랑비.

许(許) xǔ (허)
①동 허가하다. 승낙하다. 허락하다. ¶允yǔn～; 허락하다 / 不～他去; 그가 가는 것을 허락하지 않다. ②동 바치다. 주다. ¶以身～国; 몸을 나라에 바치다. ③동 기대하다. ④동 신불(神佛)에게 서원(誓願)하다. ¶～了一个愿; 하나의 서원(誓願)을 세우다. ⑤동 (여자가) 약혼하다. ¶原来～给茂三; 원래 '茂三'에게 시집 보내기로 작정되어 있었다. ⑥동 미리 승낙해 주다. 미리 약속하다. ¶去年～过请他一顿饭, 今天才请; 작년에 식사(食事) 초대를 약속해 놓고, 오늘에야 겨우 초대했다. ⑦동 훌륭한 점을 인정하다. 칭찬하다. ¶～为佳作; 가작이라 하여 칭찬하다 / 称chēng～; 칭찬하다 / 推～; 찬양하다. ⑧부 아마. 혹시. ¶他今天～不来; 그는 오늘 안 올지도 모른다. ⑨부 약(約).

쯤. 가량. ¶六时～; 6시경/送到若～货物; 많은 물건을 보내 왔다/可容三千～人; 3천 명 가량 수용할 수 있다. ⑩ 부 대단히. 매우. ¶等了他～久; 오랫동안 그를 기다렸다. ⑪ 부 이렇게. 이처럼. 이와 같이. ¶水清如～; 물이 이처럼 맑다. ⑫ 명 〈文〉 곳. 장소. ¶先生不知何～人也; 선생은 어느 곳 사람인지 모른다. ⑬(Xǔ) 명 《史》 주대(周代)의 나라 이름《지금의 허난 성(河南省) 쉬창 현(許昌縣)의 동쪽 일대》. ⑭ 명 성(姓)의 하나. ⇒hǔ

〔许不许〕 xǔbuxǔ …일지도 모른다《주로 문말(文末)에 '呢'를 동반함》. ¶～下雨呢; 비가 올지도 모른다.

〔许成〕 xǔchéng 동 〈文〉 약속하다. 계약을 맺다. ¶两下里～佳偶; 쌍방이 부부의 약속을 하다.

〔许大〕 xǔdà 형 이처럼 크다. ¶我～年纪难道还会说谎吗? 내가 이렇게 나이를 먹었는데, 어찌 거짓말 같은 걸 할 수 있겠습니까? =〔如rú此大〕

〔许多〕 xǔduō 형 ①(양적으로) 대단히 많다. 허다하다. ¶～东西; 많은 물건. ②(정도를 나타내어) 좋다. 상당하다《주로 형용사 뒤에 쓰여 보어로써 '꽤'·'상당히' 등의 뜻을 나타냄》. ¶经过休息, 好了～; 휴식했더니 매우 좋아졌다/增加了～; 많이 증가했다.

〔许国〕 xǔguó 동 〈文〉 국가를 위하여 신명(身命)을 바치다. ¶以身～; 나라를 위하여 몸을 바치다.

〔许婚〕 xǔhūn 동 허혼하다. 결혼 신청〔청혼〕에 응하다.

〔许假〕 xǔjià 동 휴가를 허가하다. ¶上级～三天; 상부에서 사흘 동안의 휴가를 승인해 주었다.

〔许嫁〕 xǔjià 동 약혼하다《신부 쪽에서 말함》. =〔许配〕〔许聘〕〔许婆家〕〔许字〕

〔许久〕 xǔjiǔ 형 (시간이) 매우 오래다. ¶他～没来了; 그는 오랫동안 오지 않았다/～没见; 오래간만이다. →〔好久〕

〔许可〕 xǔkě 동 허가하다. …해도 괜찮다《'允许'보다 딱딱한 표현》. ¶决不～摆架子! 결코 건방지게 굴면 안 된다! 명 허가. ¶～证; 허가증.

〔许诺〕 xǔnuò 동 허락하다. 승낙하다.

〔许配〕 xǔpèi 동 ⇨〔许嫁jià〕

〔许聘〕 xǔpìn 동 ⇨〔许嫁〕

〔许婆家〕 xǔpójiā 동 ⇨〔许嫁〕

〔许身〕 xǔshēn 동 ①몸을 바치다. ¶～报国; 몸을 바쳐 나라에 보답하다. ②시집갈 것을 승낙하다.

〔许是〕 xǔshì 아마〔혹시〕 …일지도 모른다. ¶～我记错了; 아마 제가 잘못 기억한 것이겠죠. =〔许着〕

〔许下〕 xǔxià 동 허락하다. 약속하다. 소원 성취를 빌다. ¶这件事我已经～来了; 이 일을 나는 이미 약속했다/～一条心愿; 한 가지 소원을 빌었다/～诺nuò言; 공약(公約)하다.

〔许信〕 xǔxìn 동 신용하다. ¶承您～我, 我一定努力报答; 당신의 신임을 얻었으니, 저는 열심히 노력하여 꼭 보답하겠습니다.

〔许愿〕 xǔyuàn 동 ①신불에 소원을 걸다. =〔拜bài愿〕 ②〈俗〉 허락을 약속하다. 승낙하다. ¶谁叫你当初～的, 到时候就得还huán愿; 누가 너더러 애초에 약속을 하라고 했느냐, 기한이 오면 그것을 이행해야 한다.

〔许约〕 xǔyuē 동 약속을 하다. ¶既然～在先, 就不要事后翻悔; 먼저 약속했으니, 나중에 후회하지 마라.

〔许着〕 xǔzhe ⇨〔许是〕

〔许字〕 xǔzì 동 ⇨〔许嫁〕

浒(滸) xǔ (호)
지명용 자(字). ⇒hǔ

〔浒浦〕 Xǔpǔ 명 《地》 쉬푸(滸浦)《장쑤 성(江蘇省)에 있는 땅 이름》.

〔浒墅关〕 Xǔshùguān 명 《地》 쉬수관(滸墅關)《장쑤 성(江蘇省)에 있는 땅 이름》.

〔浒湾〕 Xǔwān 명 《地》 쉬완(滸彎)《장시 성(江西省)에 있는 땅 이름》.

许(鄦) Xǔ (허)
《地》 지금의 허난 성(河南省) 쉬창 현(許昌縣)에 있었던 춘추(春秋) 시대의 나라 이름《'许'로 쓰기도 함》.

诩(詡) xǔ (후)
동 〈文〉 큰소리치다. 과장(誇張)하다. ¶自～; 〈文〉 자랑하다. 자만하다/自～为第一; 첫째라고 자만하다/自～有能; 스스로 유능하다고 자랑하다.

栩 xǔ (허)
① 명 《植》 상수리나무. ② →〔栩栩〕

〔栩栩〕 xǔxǔ 형 ①기뻐하는 모양. ②생기가 있는 모양. ¶这座石膏像做得～如生; 이 석고상은 살아 있는 것처럼 생생하다/～双蝶, 穿花飞舞; 너울너울 두 마리의 나비가 꽃 사이를 춤추듯 날아다니고 있다/～的动作; 발랄한 동작.

姁 xǔ (후)
→〔姁姁〕

〔姁姁〕 xǔxǔ 형 〈文〉 화기 넘치며 여유작작한 모양. 즐겁고 온화한 모양.

湑 xǔ (서)
〈文〉 ① 명 (거른) 청주. ② 형 왕성하다. 무성하다. ⇒Xū

糈 xǔ (서)
명 〈文〉 곡물. 양식. ¶饷xiǎng～; 옛날, 군대의 양식.

醑 xǔ (서)
명 ①《藥》 〈簡〉 주정제(酒精劑)《휘발성 약품의 알코올 용액》. ¶芳fāng香氨～; 방향 암모니아정(精)/樟zhāng～; 캠퍼 정기/茴huí香氨～; 회향정. ②〈文〉 미주(美酒). 맛있는 술.

盨(盨) xǔ (수)
명 주대(周代)의 식기용 청동기.

旭 xù (욱)
① 명 해돋이. ② 명 〈文〉 방금 솟은 아침해. ¶～日东升; 동쪽 하늘에 아침 해가 떠오른다/犹yóu如～日东升, 欣欣向荣; 욱일 승천(旭日昇天)의 기세로 죽죽 뻗어 번영하다. ③ 형 환하다. ④ 명 성(姓)의 하나.

〔旭氏硬度〕 xùshì yìngdù 명 《物》 쇼(shore). =〔萧xiāo氏硬度〕

〔旭蟹〕 xùxiè 명 《動》 바늘꽃방석게.

序 xù (서)
① 명 순서. 차례. ¶工～; 공사 진행의 순서. 공정/前后有～; 전후 순서가 명확하다/以长幼为～; 나이로 순서를 정하다. ② 명 서문(序文). ¶作一篇～; 서문을 한 편 짓다. ③ 명 옛날, 지방의 학교. ④ 명 '正房'의 동서 양쪽 방의 벽(壁). ⑤ 동 설명하다. 말하다. ⑥ 형 처음의. 정식으로 시작하기 전의. ¶～幕; 서막/～论; 서론. ⑦ 명 성(姓)의 하나.

〔序跋〕 xùbá 명 서문(序文)과 발문(跋文)《저서의

권두(卷頭)에 쓴 글을 '序', 권말의 것을 '跋'라 함).
〔序齿〕 xùchǐ 명 연령순. ¶按～定座位; 연령순으로 자리를 정하다.
〔序次〕 xùcì 명 순서. 순번. =〔次序〕
〔序号〕 xùhào 명 순번. 서열(번호).
〔序列〕 xùliè 명 서열. ¶战斗～; 전투 서열.
〔序论〕 xùlùn 명 서론.
〔序幕〕 xùmù 명 ①서막. 프롤로그. ②〈比〉 중대한 일의 시작. 시초. 발단.
〔序曲〕 xùqǔ 명 ⇨〔前qián奏曲〕
〔序时账〕 xùshízhàng 명 일기장. 일일 출납부(出納簿).
〔序数〕 xùshù 명 《數》 서수(중국어의 서수의 표시는 정수(整數) 앞에 '第'를 붙이는 것이 보통임. 예컨대 '第一'·'第二十三' 따위. 그 밖에 습관적인 표시법으로서는 '头一回'·'末一次'·'正月'·'初一'·'大女儿'·'小儿子' 등이 있음. 또, 서수의 뒤에 직접 양사(量詞) 혹은 명사가 이어질 때는 '第'를 생략해도 좋음. 예컨대, '二等'·'三号'·'四楼'·'五班'·'六小队' 따위).
〔序文〕 xùwén 명 서문. =〔叙文〕
〔序言〕 xùyán 명 서언. 머리말. =〔叙言〕
〔序战〕 xùzhàn 명 《軍》 서전(緖戰). =〔初chū战〕
〔序传〕 xùzhuàn 명 저서(著書)의 경위를 적은 글. 저자의 자서전(自敍傳).

芧 xù (서)
명 《植》 〈文〉 상수리. 상실(橡實). =〔芧栗〕 ⇒zhù

垿 xù (서)
①명 〈文〉 건축물의 동서의 벽. ②인명용 자(字).

叙〈敍, 敘〉 xù (서)
①동 말하다. 이야기하다. ¶～家常; ⇩/当面详～; 면전에서 자세히 말하다/请来一～; 〈翰〉 오셔서 이야기나 합시다/洁樽候～; 〈翰〉 술잔을 깨끗이 씻어 놓고 오시기를 기다리고 있었습니다. ②동 위계(位階)·관직을 수여하다. ¶～用; ⇩/奖～; 공로를 기리어 영전(榮典)을 내리다. ③명동 서문(을 쓰다). ④명동 순서(를 정하다). ⑤동 기술하다. ¶记～; 기술하다. ⑥명 단서. ⑦명 연회(宴會).
〔叙别〕 xùbié 동 이별을 고하다. =〔话别〕
〔叙功〕 xùgōng 동 〈文〉 공로가 있는 사람을 표창하다.
〔叙寒温〕 xù hánwēn ⇨〔叙寒暄〕
〔叙寒暄〕 xù hánxuān 계절 인사를 하다. 문안하다. =〔叙寒温〕
〔叙话〕 xù.huà 동 담화하다. (일의 경과를) 말하다. ¶叙了一天话; 하루종일 이야기하다. (xùhuà) 명 담화. ‖=〔叙谈〕
〔叙记〕 xùjì 명 〈文〉 기사문체(記事文體).
〔叙家常〕 xù jiācháng 일상사를 이야기하다. 세상 이야기를 하다.
〔叙阶〕 xùjiē 동 등급을 정해서 주다.
〔叙旧〕 xù.jiù 동 옛일을 이야기하다.
〔叙旧话儿〕 xù jiùhuàr 옛날 이야기를 하다. ¶老人最爱和朋友～; 노인은 친구와 옛날 이야기를 하는 것을 제일 좋아한다.
〔叙阔〕 xùkuò 동 〈文〉 격조했던 인사를 하다. 격조했음을 사과하다. =〔阔叙〕
〔叙礼〕 xùlǐ 동 인사하다.
〔叙利亚〕 Xùlìyà 명 《地》 〈音〉 시리아(Syria)(수도는 '大马士革'(다마스커스: Damascus)).
〔叙明〕 xùmíng 동 분명히 쓰다. 똑똑히 말하다. ¶在信里～; 편지 속에 분명하게 말하다.
〔叙情〕 xùqíng 동 심정을 이야기하다. ¶和老友～旧话, 也是人生一乐; 옛 벗과 심정을 서로 이야기하고, 옛날 이야기를 하는 것도 인생의 한 낙이다/～诗; 서정시.
〔叙事〕 xùshì 동 일의 경과를 이야기하다. ¶～诗; 서사시.
〔叙授〕 xùshòu 동 관직을 내리다〔제수하다〕.
〔叙述〕 xùshù 명동 (글로 또는 구두로) 서술(하다). 설명(하다). ¶～事情经过; 사건의 경과를 서술하다.
〔叙说〕 xùshuō 동 서술하다. 구술(口述)하다.
〔叙谈〕 xùtán 동명 ⇨〔叙话〕
〔叙天伦〕 xù tiānlún 골육의 도타운 정을 나타내다. ¶能在父母面前～之乐也是福气; 부모 앞에서 혈육의 도타운 정을 나타낼 수 있는 것도 행복이다.
〔叙文〕 xùwén 명 서문. =〔序文〕
〔叙姓名〕 xù xìngmíng 이름을 대다.
〔叙勋〕 xùxūn 동 서훈(敍勳)하다.
〔叙言〕 xùyán 명 ⇨〔序言〕
〔叙用〕 xùyòng 동 관직을 주어 등용하다. ¶退役官兵由各机关尽量～; 퇴역 장병은 각 기관에서 극력 등용한다/着令各机关永不～; 각 기관에 영을 내려 영구히 등용하지 않도록 하다.

溆 xù (서)
명 ①〈文〉 물가. 해변. ②(Xù) 《地》 쉬수이강(溆水)(후난 성(湖南省)에 있는 강 이름).

洫 xù (혁)
명 〈文〉 밭의 수로(水路). ¶沟gōu～; 밭도랑.

恤〈卹, 賉〉 xù (휼)
①동 〈文〉 걱정하다. 슬퍼하다. ②동 우려하다. ¶内省xǐng不疚jiù, 何～人言? 마음 속으로 반성하여 부끄러움이 없다면 남의 말 따위를 어찌 우려하겠는가? ③동 물건을 주어 가난한 사람을 구제하다. ¶抚～; 위로하여 구제하다. ④동 불쌍하게 여기다. 동정하다. ¶～其孤苦; 외롭고 고달픔을 동정하다/体～; 이해하고 동정하다. ⑤명 성(姓)의 하나.
〔恤兵〕 xùbīng 동 휼병하다. 일선의 병사들에게 금품·위문품을 보내어 위로하다.
〔恤病〕 xùbìng 동 〈文〉 병자를 위문하다.
〔恤典〕 xùdiǎn 명 〈文〉 나라를 위하여 목숨을 바친 사람에게 주는 은상(恩賞)〔특전〕.
〔恤孤〕 xùgū 동 고독한 사람을 가엾이 여기고 돕다. ¶～怜贫; 고독한 사람이나 가난한 사람을 구휼하다/开个孤儿院来～; 고아원을 열어 고아를 무육(撫育)하다.
〔恤荒〕 xùhuāng 동 〈文〉 기근(飢饉)을 구하다.
〔恤金〕 xùjīn 명 구휼금(救恤金). 유족 위로금. 보조금. ¶产母～; 출산 부조금. =〔恤款〕
〔恤款〕 xùkuǎn 명 구휼금.
〔恤老〕 xùlǎo 동 무의탁 노인을 불쌍히 여겨 구제하다.
〔恤怜〕 xùlián 동 불쌍히 여기다. 동정하다.
〔恤民〕 xùmín 동 〈文〉 백성을 불쌍히 여기다. 백성의 곤란에 대하여 마음을 쓰다.
〔恤悯〕 xùmǐn 동 불쌍히 여기다. 동정하다.
〔恤贫〕 xùpín 동 빈민을 구제하다.
〔恤衫〕 xùshān 명 〈廣〉 〈音義〉 셔츠. ¶运动～; 러닝 셔츠/～布; 옥양목. 셔츠 천〔감〕.

〔恤刑〕 xùxíng 동 〈文〉 형(刑)의 적용을 신중히 하다.

昫 xù (후)
① '煦xù' 와 통용. ②인명용 자(字).

煦 xù (후)
〈文〉 ① 형 따뜻하다. 훈훈하다. ¶春风和～; 봄바람이 솔솔 불어 따뜻하다. ② 형 인정 깊다. 다정하다. ③ 동 은혜를 베풀다. ④ 동 따뜻하게 데우다. ¶这个馒头不太凉, 在火上稍微～火～火就行了; 이 '馒头' 는 그리 차지 않으니 불에 잠시 데우면 된다.

〔煦伏〕 xùfú 동 〈文〉 새가 알을 품듯이 자녀 또는 인재를 육성하다.

〔煦火〕 xūhuǒ 동 〈方〉 살짝 굽다〔데우다〕. ¶稍微在火上～～可别烤煳了; 불에 살짝 구워라, 태우지 말고.

〔煦仁孑义〕 xùrén jiéyì 작은 인의(仁義).

〔煦煦〕 xùxù 형 〈文〉 ①따뜻한 모양. ②자그마한 은혜를 베푸는 모양.

畜 xù (축)
동 〈文〉 ①조수(鳥獸)를 기르다. 가축을 치다. 방목하다. ¶～产; 축산 / ～牧事业; 목축 사업 / 牧mù～; 방목하다. ②〈文〉 (가족을) 부양하다. ¶仰事俯～; 위로 부모를 섬기고 아래로 처자식을 부양하다. ③포용하다. 용납하다. ④저장하다. =〔蓄xù〕 ⇒ chù

〔畜产〕 xùchǎn 명 축산(畜産). ¶～品; 축산품.

〔畜牧〕 xùmù 명동 목축(하다). ¶～场; 가축 사육장 / ～业; 목축업 / ～兽医站; 수의(獸醫) 센터 / 从事～; 목축에 종사하다.

〔畜养〕 xùyǎng 동 (동물을) 기르다. 치다. ¶～牲口; 가축을 기르다. =〔饲养〕

滀 xù (축)
지명용 자(字). ¶～仕Xùshì; 쉬스(滀仕) 《월남(越南)에 있는 땅 이름》. ⇒ chù

蓄 xù (축)
① 동 여축하다. 보존하다. 쌓아두다. 저장하다. 모으다. ¶储chǔ～; 저축(하다). 저장(하다). ② 동 (머리 · 수염 등을) 기르다. ¶～发; 머리를 기르다. ③ 명 저장품. ④ 동 마음에 품다. 마음에 간직하다. ¶～意; 오래 마음에 품고 있는 생각 / 该犯～意破坏, 已非一日; 이 범인은 오래 전부터 파괴 의사를 품고 있었다.

〔蓄艾〕 xù'ài 명 〈文〉 ①미리 여축해 두는 쑥《병 고치는 쑥은 오래 건조될수록 효험이 많다고 함》. ②〈比〉 평소부터 준비해 두는 것.

〔蓄财〕 xùcái 동 축재하다.

〔蓄电池〕 xùdiànchí 명 〖電〗 축전지. 배터리. =〔电瓶〕〔积jī电瓶〕

〔蓄发〕 xùfà 동 머리를 기르다. ¶～还huán俗; 머리를 기르고 환속하다.

〔蓄恨〕 xùhèn 명 쌓인 원한.

〔蓄洪〕 xùhóng 명 유수지(遊水池)《홍수에 의한 재해를 막기 위해 하천의 배설 능력을 초과하는 수량(水量)을 일정한 지구(地區)에 저수함》.

〔蓄积〕 xùjī 명동 저축(하다). =〔储chǔ蓄〕 동 축적하다. 모으다. ¶水库可以～雨水; 댐은 빗물을 모아둘 수 있다.

〔蓄积物〕 xùjīwù 명 〖地質〗 하천의 충적물(沖積物).

〔蓄力器〕 xùlìqì 명 (축전지 따위처럼) 어떤 종류의 능력을 비축해 두는 기물.

〔蓄谋〕 xùmóu 동 은밀히 계략을 꾸미다. 음모를 꾸미다. ¶～已久; 오래 전부터 음모를 꾸미고 있었다.

〔蓄念〕 xùniàn 명 전부터의 생각. 속셈. =〔蓄意〕 동 오래 전부터 생각을 품다. 속셈을 품다. 계획적으로 하다. ¶～已久; ⓐ속셈을 품은 지 오래다. ⓑ벌써부터 염원하고 있었다.

〔蓄锐〕 xùruì 동 〈文〉 예기(銳氣)를 축적하다.

〔蓄水〕 xù.shuǐ 동 저수하다.

〔蓄水池〕 xùshuǐchí 명 저수지.

〔蓄泄〕 xùxiè 명 축적과 분산(分散).

〔蓄血〕 xùxuè 동 〖漢醫〗 어혈이 지다. 멍이 들다. =〔瘀yū血〕

〔蓄养〕 xùyǎng 동 (힘 따위를) 모아 기르다. 길러 양성하다.

〔蓄意〕 xùyì 명 ⇨〔蓄念〕

〔蓄怨〕 xùyuàn 명 쌓이고 쌓인 원한. 동 원한이 쌓이다. 원한을 품다.

〔蓄志〕 xùzhì 명 전부터 품고 있는 뜻이나 원망(願望). 숙망(宿望). 숙원(宿願). 동 오래전부터 뜻을 품다.

勖〈勗〉 xù (욱)
동 〈文〉 노력(하게) 하다. 격려하다. 고무하다. ¶以努力学习, 锻炼身体相～; 학습에 노력하고, 몸을 단련하며 서로 고무 격려하다.

〔勖励〕 xùlì 동 〈文〉 힘쓰다. 격려하다.

〔勖勉〕 xùmiǎn 동 〈文〉 ①노력하다. ¶不怕死～; 죽음도 두려워하지 않고 노력하다. ②격려하다. ¶～有加; 되풀이하여 격려하다. =〔勉励〕

绪(緒) xù (서)
① 명 실마리. 실의 끝. ¶理～; 실마리를 가지런히 하다. ② 명 〈比〉 일의 실마리. 처음. 시초. 발단. ¶头～ =〔端～〕; 단서 / 事已就～; 〈成〉 일은 이미 실마리가 잡혔다 / 留具端～; 〈成〉 거의 실마리가 잡혔다 / 千头万～; 〈成〉 일이 복잡하게 얽혀 있는 모양. ③ 명형 〈文〉 나머지(의). 잔여(殘餘)(의). ¶～风; ⇩ ④ 명 사업. 위업. ¶续未竟之～; 완수하지 못한 사업을 계속하다. ⑤ 명 마음. 기분. 생각. 정서. ¶情～高; 의욕이 고조되어 있다. 기운이 넘쳐 있다. =〔心绪〕 ⑥ 명 성(姓)의 하나.

〔绪风〕 xùfēng 명 〈文〉 서풍(緖風). 남은 바람.

〔绪论〕 xùlùn 명 서론. '本论' 의 단서가 되는 논의.

〔绪言〕 xùyán 명 책의 머리말. 발단이 된 말.

〔绪业〕 xùyè 명 〈文〉 서업. 시작한 일.

〔绪余〕 xùyú 명 〈文〉 잔여. 나머지.

〔绪战〕 xùzhàn 명 〖軍〗 서전.

续(續) xù (속)
① 동 계속하다. 계속되다. 이어지다. ¶～合同; 계약을 계속하다 / ～招; 계속 모집하다 / 明日～演; 내일도 계속 상연한다. ② 동 잇다. 계승하다. ③ 동 들어 있는 데에 같은 것을 더 넣다. 더 채워 넣다. 보충하다. ¶水少了再～上点吧; 물이 적어졌으니 조금 더 부어 넣으시오 / 炉子该～煤了; 난로에 석탄을 더 넣야 겠다 / 茶乏了, ～上茶叶吧; 차가 우러나지 않는다. 찻잎을 더 넣어라. →〔倒dào②〕 ④ 동 후처를 얻다. ⑤ 명 성(姓)의 하나.

〔续版〕 xù.bǎn 동 판(版)을 거듭하다. 속판하다. (xùbǎn) 명 중판(重版). 속판.

〔续办〕 xùbàn 동 사업을 계속하다.

〔续备兵〕 xùbèibīng 명 〖軍〗 예비역. =〔续役〕

〔续到〕 xùdào 동 계속 도착하다.

〔续登〕 xùdēng 동 연재(連載)하다.
〔续貂〕 xùdiāo 동 〈文〉 ①작위(爵位)를 함부로 수여하다. ②〈謙〉 훌륭한 것에 하찮은 것이 뒤를 잇다《남의 일을 인계받을 때 겸손하여 하는 말》. ¶这篇小说很动人, 我读了以后, 也写了一篇～集; 이 소설이 매우 감명 깊어서 나는 읽고 나서 졸작이나마 속편을 썼다.
〔续跌〕 xùdiē 동 계속 하락하다. 속락(續落)하다.
〔续订〕 xùdìng 동 ①추가로 주문하다. ②예약을 계속하다.
〔续断〕 xùduàn 명 《植》 속단《골절 치료에 효과가 있다고 하여 '续断'이라고 함》.
〔续饭〕 xù fàn 밥을 더 담아 주다.¶再给你～吧! 밥을 더 담아 줄께! =〔添饭〕
〔续根草〕 xùgēncǎo 명 《植》 향부자. 사초. =〔莎suō草〕
〔续航〕 xùháng 명동 속항(하다). 항행을 계속(하다). ¶这种飞机不但速度远超过一般客机, ～时间也很长; 이 비행기는 일반 여객기 속도를 훨씬 능가할 뿐만 아니라, 항속 시간도 퍽 길다.
〔续航力〕 xùhánglì 명 항속력.
〔续后〕 xùhòu 명 〈古白〉 이후. 그 뒤.
〔续集〕 xùjí 명 속집. 속편.
〔续假〕 xù·jià 동 계속해서 휴가를 취하다. 휴가를 연장하다. ¶因病未愈, ～三天; 병이 아직 낫지 않았으므로, 계속해서 사흘 동안 휴가를 얻다.
〔续借〕 xùjiè 동 계속해서 빌리다. ¶到期也可以～; 기한이 되어도 계속 빌릴 수 있다.
〔续麻〕 xùmá 명 민간에서 부르는 가요의 일종《가사가 모두 앞 구의 끝을 이어받아 어조를 맞춤》.
〔续命缕〕 xùmìnglǚ 명 옛날, 5월 5일에 아이에게 오래 살라고 걸어 주는 네크리스(necklace) 같은 것.
〔续命汤〕 xùmìngtāng 명 기사 회생의 효험이 있는 약.
〔续母〕 xùmǔ 명 계모. =〔继jì母〕
〔续派〕 xùpài 동 ①증파(增派)하다. ¶～一位秘书, 助理业务; 비서를 한 사람 증파해서 업무를 보좌케 하다. ②바로 이어 후임자를 파견하다. ¶～一位继任大使; 바로 이어 후임 대사를 파견하다.
〔续祁〕 Xùqí 명 복성(複姓)의 하나.
〔续娶〕 xùqǔ 동 후처를 얻다. 재취하다. =〔胶jiāo续〕〔续弦〕〔后续〕
〔续上〕 xùshang 동 ①더 부어 넣다. 잇다. 더 보태다. =〔续③〕 ②(금전을) 이월(移越)하다.
〔续水〕 xù shuǐ (물·차(茶) 등을) 더 부어 넣다.
〔续随子〕 xùsuízi 명 《植》 속수자《종자를 이뇨제·하제(下劑)로 쓰고, 또 기름을 채취함》. =〔小xiǎo巴豆〕
〔续添〕 xùtiān 동 추가하다.
〔续完〕 xùwán 명 속완. 연속물의 끝.
〔续闻〕 xùwén 명 뒷소문. 후문(後聞).
〔续弦〕 xù·xián 동 후처(後妻)를 얻다. =〔续娶qǔ〕
〔续续〕 xùxù 부 속속. 계속해서. 쉬지 않고.
〔续役〕 xùyì 명 ⇨〔续备兵〕
〔续约〕 xùyuē 동 계약을 계속하다. 명 보족(補足) 계약.

聟

xù (서)
명 ⇨〔婿xù〕

酗

xù (후)
동 (술)주정하다. ¶～酒jiǔ滋事; 주정하여 사고를 일으키다.

〔酗酒〕 xùjiǔ 동 형편없이 술에 취하다. 취해서 난폭하게 굴다. ¶～恣性; 술에 취해 난폭하게 굴다 / 没有不满二十一岁青年的～数字可资考据; 21세 미만 청년의 술취해 일으킨 사고에 관한 숫자적 참고 자료가 없다.
〔酗讼〕 xùsòng 동 〈文〉 술에 취해 다투다.

鲊(鱮)

xù (서)
명 '鲢lián鱼'(연어)의 고칭(古稱).

婿〈壻〉

xù (서)
명 ①사위. ¶翁wēng～; 장인과 사위 / ～有半子之劳; 〈諺〉 사위도 반 자식이다. ②아내가 남편을 부르던 말. ¶夫～; 남편 / 妹～; 매부. ‖ =〔〈文〉 聟〕

絮

xù (서)
① 명 (씨를 빼고 푹신하게 한) 솜. ¶被～; 이불솜. ② 명 식물의 씨에 붙어 있는 털. ¶柳～; 유서. 버들개지 / 芦～; 갈대 꽃의 솜털. ③ 명 옛날에, 막솜을 이르던 말. ④ 명 눈송이. ⑤ 동 옷이나 이불에 솜을 두다. ¶～棉被; 이불에 솜을 두다. ⑥ 동 차례로 죽 이어서 끊어지지 않다. ⑦ 동 깔다. ¶～在…底下; …의 밑에 깔다. ⑧ 동 뇌고 뇌다. ¶～～不休; 계속 중얼거리다 / 别再～烦了; 이 이상 번거롭게 말하지 마라. ⑨ 형 싫증나다. 물리다. ¶吃～; 먹어서 물리다 / 听～; 들어서 싫증이 나다.

〔絮搭〕 xùda 동 지껄이다. 수다떨다. ¶跟街坊天天在一块儿～; 이웃 사람과 매일 수다를 떨고 있다. =〔絮答〕
〔絮答〕 xùda 동 ⇨〔絮搭〕
〔絮叨〕 xùdao 형 수다스럽다. 시시콜콜하다. ¶他说话就有个～劲儿, 没完没了liǎo; 그의 말은 수다스러워서 끝이 없다 / 用不着zháo絮絮叨叨地说; (그렇게) 수다떨 필요 없다. 동 귀찮게 잔소리하다. 뇌고 뇌다. ‖ =〔絮道〕
〔絮叨叨(的)〕 xùdāodāo(de) 형 장황하게 지껄이는 모양. 수다스러운 모양.
〔絮烦〕 xùfan 형 ①귀찮다. 번거롭다. ¶家务事最～不过; 집안일처럼 귀찮은 것은 없다. ②물리다. 지겹다. ¶这个菜我吃～了; 이 요리는 이제 물렸다 / 这出戏我都听～了; 이 연극은 난 이제 지겹다.
〔絮锅儿〕 xùguōr 명 노름에 앞서 각자 돈을 내어 한데 모은 후 노름을 시작하여 이긴 자가 그 중에서 빼어 가도록 하여 그 돈이 없어질 때까지 하는 도박의 일종.
〔絮聒〕 xùguō 형 장황하게 말하다. ¶陈谷啦, 烂芝麻的, ～没完; 좁쌀이 묵었네, 깨가 썩었네 하며 쓸데없는 일을 주절거려 끝이 없다. 동 수고를 끼치다. (사람을) 성가시게 하다. ‖ =〔聒絮〕
〔絮花〕 xùhuā 명 면화(綿花).
〔絮棉〕 xùmián 동 솜을 틀다〔타다〕. 명 (옷이나 이불 등에 두는) 솜. ¶～票; 솜 구입권(購入券).
〔絮棉花〕 xù miánhua 솜을 두다.
〔絮絮〕 xùxù 형 뇌고 뇌다. 지루하게 지껄이다《재잘거리는 모양》. ¶～不断地说着; 끊임없이 수다를 떨고 있다.
〔絮絮叨叨〕 xùxudāodāo 형 수다스럽다.
〔絮语〕 xùyǔ 동 되뇌어 말하다. 수다떨다. 명 장황한 이야기. 잔소리.

蓿

xù (숙)
→〔蓿草〕

〔蓿草〕 xùcǎo 명 《植》 자주개자리.

XUAN ㄒㄩㄢ

轩(軒) **xuān** (헌)
①명 대부(大夫) 이상이 타는 수레. 초헌(軺軒). ②명 차량(車輛). ③명 창문이 있는 복도 혹은 집. ¶小～; 작은 집/来今雨～; 베이징(北京) 중산 공원(中山公園) 안에 있는 다관(茶館). ④명 난간(欄干)의 널. 헌함(軒檻). ⑤형 웃는 모양. ⑥형〈文〉높다. ¶气概～昂; 기개가 드높다/风神～举; 풍채가 훌륭하다/～敞chǎng; ⇓ ⑦명〈文〉창(窓). 문. ⑧명 성(姓)의 하나.

〔轩昂〕 xuān'áng 형 ①높이 오르다. 기개가 드높다. ¶气宇～; 기개가 드높다. ②번성하다. 왕성하다. ¶雇佣庄客有千人, 家眷～, 女使儿童难计数; 고용인이나 머슴이 천 명이나 되고, 가족은 번성하며, 하녀나 시동은 헤아릴 수 없다.

〔轩敞〕 xuānchǎng 형〈文〉(건물이) 높고 널찍하다. ¶公会堂的大厅真够～的; 공회당의 대강당은 참으로 높고 널찍하다.

〔轩豁〕 xuānhuò 형〈文〉(건물이) 탁 트이고 널찍하다.

〔轩驾〕 xuānjià〈翰〉상대방의 행차·방문 등에 씀. ¶～光临之日, 祈先函示, 以便迎迓;〈翰〉왕림하실 날짜는 아무쪼록 미리 알려주십시오. 마중 나가겠습니다. =〔台tái驾〕

〔轩槛〕 xuānjiàn 명〈文〉헌함. 난간. ¶主席在二楼阳台～前面会见群众; 주석은 2층 발코니의 난간을 사이에 두고 군중과 만났다.

〔轩举〕 xuānjǔ〈文〉헌거롭다. 풍채가 당당하다. ¶仪态～; 풍채가 당당하다.

〔轩朗〕 xuānlǎng 형〈文〉시원스럽다(명랑한 모양). ¶～的性格; 명랑한 성격.

〔轩眉〕 xuānméi 동〈文〉눈썹을 올리다. 형〈比〉마음이 편안하다(마음이 느긋한 모양).

〔轩冕〕 xuānmiǎn 명 ①대부(大夫)의 수레와 의복. ②귀현(貴顯). 대작.

〔轩丘〕 Xuānqiū 명 복성(複姓)의 하나.

〔轩渠〕 xuānqú 형〈文〉유쾌하게 웃는 모양. ¶～大笑; 유쾌하게 웃다.

〔轩然〕 xuānrán 형〈文〉①유쾌하게 웃는 모양. ¶～大笑; 큰 소리로 웃다. ②높이 오르는 모양. ¶～大波;〈成〉높은 파도. 큰 풍파. 큰 분쟁.

〔轩秀〕 xuānxiù 형〈文〉특히 뛰어나다.

〔轩序〕 xuānxù 명〈文〉처마와 차양.

〔轩轩〕 xuānxuān 형 ①득의양양한 모양. ¶～自得; 득의양양하다. ②춤추는 모양. ③높이 오르는 모양.

〔轩辕〕 xuānyuán 명 ①'黄huáng帝'의 이름. ②별의 이름(17개의 별이 있으며, 북두칠성의 북쪽에 있음). ③복성(複姓)의 하나.

〔轩轾〕 xuānzhì 명〈文〉높은 곳과 낮은 곳. 고저(高低). 경중. 우열. ¶不分～; 고저(高低) 우열을 가릴 수 없다. 비슷비슷하다/对于他的褒贬bāobiǎn, 议论～, 尚待盖棺论定; 그에 대한 비판은 논의에 큰 차가 있어 확실치 않아, 사후가 아니면 결정을 내릴 수 없다.

宣 **xuān** (선)
①동 발표하다. 공개하다. 널리 일반에게 고하다. ¶心照不～; 속으로 이해하여 말할 필요가 없다/～誓; ⇓ ②동 널리 퍼뜨리다. 선전하다. ③동 할 말을 다하다. ④형〈方〉말랑거리다. 푹신푹신하다. 부드럽다. ¶这馒头又大又～; 이 찐빵은 크고 말랑말랑하다. ⑤동 (비밀을) 누설하다. ¶我打算暂且瞒他, 你别～了; 나는 잠시 그를 속일 작정이니까, 너는 입 밖에 내서는 안돼/这个谜儿我猜不着, 请您～了吧; 이 수수께끼는 저로선 풀 수가 없으니, 제발 말씀해 주십시오. ⑥동 진력하다. 애쓰다. ¶～力; ⇓ ⑦동 배수(排水)가 잘 되게 하다. 물길을 트다. 소통시키다. ⑧명 성(姓)의 하나.

〔宣布〕 xuānbù 동 선포하다. 공표하다. 선언하다. 말을 퍼뜨리다. 발표하다. ¶得děi守机密的事, 他给～了; 지켜야 할 비밀을 그는 발표해 버렸다.

〔宣称〕 xuānchēng 동 선전하다. 공언(公言)하다. 발표하다. ¶她无耻地～'你们不听我的话, 就是不听老师的话'; 그녀는 뻔뻔스럽게도 '너희들이 내 말을 듣지 않는 것은 곧 선생님의 말씀을 듣지 않는 것과 같다.'라고 공언하였다.

〔宣传〕 xuānchuán 명동 선전(하다). ¶～口号; 캐치프레이즈/～活动; 캠페인/～工具; 선전 도구. 매스컴/～品; 선전물/～机器; 선전 기관. 매스컴/他们的买卖大半仰赖～的力量; 그들의 장사는 대부분 선전의 힘에 의지하고 있다.

〔宣传画〕 xuānchuánhuà 명 슬로건 등을 적은 포스터. =〔标biāo语画〕〔街jiē头画〕〔招zhāo贴画〕

〔宣导〕 xuāndǎo 동〈文〉선전하고 지도하다. ¶在民众间起了～作用; 민중 사이에서 선전 지도의 역할을 하고 있다.

〔宣底〕 xuāndǐ 명〈文〉조서(詔書)의 부본. 동 (비밀·내막을) 드러내다. 폭로하다. =〔泄xiè底〕

〔宣地〕 xuān.dì 동 논밭의 흙을 보드랍게 하다.

〔宣读〕 xuāndú 동 (결의문·지원서·판결문 등을) 대중 앞에서 낭독하다. ¶当众～; 대중 앞에서 낭독하다/～判决主文; 판결 주문을 낭독하다.

〔宣分〕 xuānfèn 형 ('不'와 함께 써서 부정(否定)적 의미로) 좋지 않다. 마음에 내키지 않다.

〔宣分〕 xuānfen 형 말랑말랑하다. 푹신푹신하다. 부드럽다. ¶这个馒头蒸得真～; 이 찐빵은 아주 말랑하게 쪄졌다. 동 말하여 퍼뜨리다. 선전하다. ¶芝麻大的小事～得人人皆知; 깨알만한 일을 퍼뜨려 놓아 모든 사람이 알게 되었다. =〔宣嚷〕

〔宣抚〕 xuānfǔ 동 선무(宣撫)하다. 백성을 위문하고 돕다. ¶派侨务要员到各地去～华侨; 화교 사무 요원을 각지에 파견하여, 재외 중국인을 선무하다.

〔宣付〕 xuānfù 동〈文〉군명(君命)으로써 교부하다. ¶功劳极大, ～国史馆编入青史; 공로가 극히 크므로, 군명으로써 국사관에 넘겨서 역사에 편입시켰다.

〔宣告〕 xuāngào 동 선고하다. 발표하다. 알리다. 고하다. ¶～戒严; 계엄을 선포하다/冰雪开始融化, ～春天已经到来; 눈과 얼음이 녹기 시작하여, 봄이 이미 왔음을 알리고 있다.

〔宣剂〕 xuānjì 명《漢醫》방향이나 자극성이 있어 가슴이나 위의 답답한 증세를 푸는데 쓰는 약(예를 들면 생강·귤껍질 따위).

〔宣讲〕 xuānjiǎng 동 공중 앞에서 강연하다. ¶～所; 옛날, 대중을 모아 법령의 설명 또는 통속적인 강연 등을 한 곳.

〔宣教〕 xuānjiào 명 선전과 교육. ¶～委员; 선전 교육 위원. 동 선전하고 교육하다.

〔宣教师〕 xuānjiàoshī 명 선교사. 목사.
〔宣卷〕 xuānjuàn 명 불교의 사적(事跡)을 강석(講釋)하는 일.
〔宣科〕 xuānkē 동 〈文〉 경문을 읽다. ¶也不用僧人持咒zhòu, 道士～; 스님에게 주문을 외어 달래거나 도사에게 경을 읽어 달래거나 할 필요 없다.
〔宣劳〕 xuānláo 동 ①위로하다. ¶长官们都到前线去～士兵; 장관들은 모두 전선에 가서 병사들을 위로했다. ②남을 위해 열심히 노력하다.
〔宣力〕 xuānlì 동 〈文〉 남을 위해서 열심히 힘쓰다.
〔宣连〕 xuānlián 명 《漢醫》 안후이 성(安徽省) 쉬안청(宣城)에서 나는 황련(黃連).
〔宣楼船〕 xuānlóuchuán 명 장식을 한 여객선.
〔宣炉〕 xuānlú 명 명(明)나라 선덕(宣德) 연간에 주조된, 구리로 만든 향로.
〔宣命〕 xuānmìng 명 칙명(勅命). (xuān.mìng) 동 칙명을 전하다.
〔宣募〕 xuānmù 동 〈文〉 공개 모집하다.
〔宣判〕 xuānpàn 동 《法》 판결을 언도하다. ¶～无罪; 무죄를 선고〔언도〕하다.
〔宣嚷〕 xuānrǎng 동 ⇨〔宣分〕
〔宣赦〕 xuān.shè 동 대사〔일반 사면〕·특사를 선포하다.
〔宣示〕 xuānshì 동 ①《法》 선고하다. ¶～判决; 판결을 선고하다. ②공시(公示)하다. 공표(公表)하다.
〔宣誓〕 xuān.shì 동 선서하다. ¶～就职; 선서하고 취임하다 / 举手～; 손을 들고 선서하다.
〔宣腾〕 xuānteng 동 사방으로 전해지다. 소문이 자자하다. ¶这个消息已经在市上～开了; 이 소식은 이미 시중에 널리 퍼지기 시작했다.
〔宣土(儿)〕 xuāntǔ(r) 명 보드라운 흙.
〔宣腿〕 xuāntuǐ 명 윈난 성(雲南省) 쉬안웨이(宣威)에서 생산되는 햄.
〔宣泄〕 xuānxiè 동 ①(괴어 있는 물을) 배출시키다. 배수하다. ¶污水都～了; 오수는 모두 배수되었다. ②(마음의 울분을) 풀다. 발산하다. ¶写篇文章骂骂他～怒气; 글을 써서 그를 욕하고 울분을 풀다. ③(비밀 등을) 누설하다.
〔宣叙调〕 xuānxùdiào 명 《樂》 서창(叙唱). 레치타티보(이 recitativo).
〔宣言〕 xuānyán 명동 ①선언(하다). ¶和平～; 평화 선언. ②선고(하다). 성명(하다).
〔宣扬〕 xuānyáng 동 ①선양하다. ¶～盛德; 훌륭한 덕을 기리어 널리 알리다 / 大肆～; 마구 (나쁜 일을) 선전하다. ②말을 퍼뜨리다. 떠벌리다. ¶幸好他不知道, 否则～出去就更糟糕zāogāo了; 다행히 그는 모르고 있지만, 그렇지 않고 소문이 났다면 더욱 난처해졌을 것이다.
〔宣窑〕 xuānyáo 명 명(明)나라 선덕(宣德) 연간의 관요(官窯)(에서 만든 자기).
〔宣淫〕 xuānyín 동 〈文〉 공공연히 음란한 짓을 하다.
〔宣猷〕 xuānyóu 동 〈文〉 널리 여러 사람과 꾀하다.
〔宣战〕 xuān.zhàn 동 ①선전 포고하다. ②격렬한 투쟁을 벌이다.
〔宣召〕 xuānzhào 동 〈文〉 천자가 신하를 불러서 만나다.
〔宣诏〕 xuānzhào 동 조칙(詔勅)을 내리다. =〔宣旨〕
〔宣旨〕 xuānzhǐ 동 ⇨〔宣诏〕
〔宣纸〕 xuānzhǐ 명 화선지《안후이 성(安徽省) 쉬안청 현(宣城縣)에서 나는 서화 용지》.

萱〈萲,藼,蘐,蕿〉 xuān (훤) 명 ①《植》 망우초(忘憂草). 원추리《'金针草' '黄花菜' 라고도 함》. =〔萱草〕 ②→〔萱堂táng〕
〔萱草〕 xuāncǎo 명 《植》 훤초. 원추리《백합과의 다년초. 뿌리를 약용하며, 꽃봉오리를 식용함》. =〔谖草〕〔丹dān棘〕〔疗liáo愁(草)〕〔忘wàng忧〕
〔萱堂〕 xuāntáng 명 〈文〉 훤당. 자당《남의 어머니에 대한 존칭》. =〔堂萱〕

揎 xuān (선) 동 ①소매를 걷어올리다. ¶～拳捋luō袖; 〈成〉 소매를 걷어붙이고 팔을 드러내다《싸울 태세를 갖추다》 / 有话好说, 干吗这么～拳捋袖的; 할 말이 있으면 말로 하지, 굳이 팔을 걷어붙일 것까지는 없지 않으냐. ②〈方〉 손으로 밀다. ¶～开大门; 대문을 밀어 열다.

喧〈諠〉 xuān (훤) ①형 소란하다. 떠들썩하다. 시끄럽다. ¶鼓乐声～; 음악 소리가 시끄럽다. ②동 큰 소리로 말하다.
〔喧宾夺主〕 xuān bīn duó zhǔ 〈成〉 주객(主客)이 전도되다. ¶他一到这里就～地指挥起来; 그는 이 곳에 오자, 곧 주객이 전도되어 지휘를 했다.
〔喧嘈〕 xuāncáo 형 떠들썩하다. 시끄럽다.
〔喧吵〕 xuānchǎo 동 시끄럽게 굴다. 떠들어 대다. =〔喧嚷〕
〔喧聒〕 xuānguō 형 시끄럽다. 떠들썩하다.
〔喧哗〕 xuānhuá 형 (목소리가) 시끄럽다. 떠들썩하다. ¶笑语～; 웃음소리 말소리가 왁자지껄하다. 동 시끄럽게 떠들다. ¶请勿～; 떠들지 마시오《게시 용어》.
〔喧闹〕 xuānnào 동 왁자지껄 떠들다. 형 떠들썩하다. ¶声音太～; 목소리가 너무 시끄럽다.
〔喧嚷〕 xuānrǎng 동 큰 소리로 떠들어 대다. 시끄럽게 굴다. =〔喧吵〕
〔喧扰〕 xuānrǎo 동 시끄럽게 하다. 혼란시키다. 소란 피우다. =〔喧嚷扰乱〕
〔喧腾〕 xuānténg 형 왁자지껄하다. 시끌벅적하다. ¶浪在～; 파도가 밀어닥치다 / 广场上群众的欢呼声～起来了; 광장에서는 군중의 환호성이 들끓었다.
〔喧天〕 xuāntiān 형 굉장히 시끄러운〔소란스러운〕 모양. ¶锣luó鼓～; 징이며 북 소리가 요란스럽다.
〔喧阗〕 xuāntián 형 〈文〉 떠들썩하게 북적이다. 시끌벅적하다.
〔喧嚣〕 xuānxiāo 형 떠들썩하다. 시끄럽다. ¶～的车马声; 시끄러운 수레와 말의 소리. 동 시끄럽게 떠들어 대다. ¶～鼓噪; 귀찮게 떠들어 대다 / ～一时; 한바탕 떠들어 대다. =〔叫嚣〕〔喧嚷〕
〔喧喧扬扬〕 xuānxuanyángyáng 형 큰 소리를 지르며 떠들썩하다.

煊 xuān (훤) 형 〈文〉 (태양이) 따스하다. =〔暄②〕
〔煊赫〕 xuānhè 형 명성이 뜨르르하다. 명성을 떨치다.

瑄 xuān (선) ① 명 옛날의, 제례용 큰 벽옥. ②인명용 자(字).

暄 xuān (훤) 형 ①따뜻하게 하다. 따스해지다. ②햇살이 따뜻하다. ¶负～; 햇볕을 쬐다 / 叙xù寒～;

날씨가 춥고 따뜻한 데 관한 인사를 하다. ③〈方〉 푹신푹신하다. 말랑말랑하다. ¶这馒头真~; 이 만두는 정말 말랑말랑하다 / ~土(儿); 부드러운 흙. ④〈方〉 표면이 부풀다. 푸하다. ¶肿得脸都~了; 부어서 얼굴이 떴다.

〔暄风〕 xuānfēng 명〈文〉 따뜻한 바람. 봄바람.

〔暄凉〕 xuānliáng 명동 인사말(을 나누다). =〔寒hán暄〕

〔暄腾〕 xuānteng 형〈方〉 물렁물렁하면서도 탄력이 있다. 말랑말랑하다. ¶这馒头蒸得~; 이 만두는 말랑말랑하게 쪄졌다.

〔暄妍〕 xuānyán 형〈文〉(어떤 고장이) 온난하고 경치가 아름답다.

谖(諼) **xuān** (훤)
〈文〉 ① 동 잊어버리다. ¶永矢弗~; 언제까지나 잊지 않으리라 맹세하다. ② 동 속이다. ③ →〔谖草cǎo〕

〔谖草〕 xuāncǎo 명 ⇨〔萱草〕

煖 **xuān** (훤)
형〈文〉 따뜻하다. ⇒'暖' nuǎn

谖(譞) **xuān** (현)
형〈文〉 지혜롭다. 슬기롭다.

儇 **xuān** (현)
형〈文〉 ①경박하다. ②민첩하다. 약삭빠르다.

〔儇薄〕 xuānbó 명형〈文〉 경박(하다).

懁 **xuān** (환)
형〈文〉 성질이 급하다.

翾 **xuān** (현)
동〈文〉 공중을 선회하다.

禤 **Xuān** (현)
명 성(姓)의 하나.

玄 **xuán** (현)
① 형 검다. ② 형 심오하다. 심원하다. ¶~妙; 심오하고 미묘하다. ③ 명 하늘. ④ 형〈口〉 허황하다. 허무 맹랑하다. 터무니없다. 믿을 수 없다. ¶大得真~; 터무니없이 크다 / 这个问题~了去了; 이 문제는 미묘하고 알쏭달쏭해졌다 / 这话真~不能信; 이 말은 전혀 엉터리로서 믿을 수 없다 / 越说越~了; 점점 이야기가 허무맹랑해지다. ⑤ 명 교활한 수단. →〔玄虚〕 ⑥ 형〈方〉 위험하다. ¶好~; 매우 위험하다.

〔玄裳〕 xuáncháng 명〈文〉 ①검은 치마〔옷〕. ②상복(喪服).

〔玄德〕 xuándé 명〈文〉 현덕. 심원한 덕. 현묘한 공덕.

〔玄蛤〕 xuángé 명《貝》 바지락조개. =〔蛤仔〕

〔玄关〕 xuánguān 명 ①《佛》 불도에 들어가는 입구〔관문〕. ②〈文〉 집의 입구. 현관.

〔玄鹤〕 xuánhè 명《鳥》 검은목두루미. =〔鸧cāng鸹〕〔仓庚②〕〔灰鹤①〕

〔玄狐〕 xuánhú 명《動》 은호(銀狐). =〔银yín狐〕

〔玄狐蜂〕 xuánhúfēng 명《蟲》 먹뒝벌.

〔玄胡索〕 xuánhúsuǒ 명《植》 현호삭. =〔延yán胡索〕

〔玄乎〕 xuánhu 형 ①〈北方〉 위험하다. ¶你也太~了, 差点儿没掉下去; 너도 정말 위험했다. 하마터면 떨어질 뻔했어. =〔危险〕〔悬乎〕 ②〈口〉 심오해서 헤아리기 어렵다.

〔玄乎其玄〕 xuán hū qí xuán〈成〉 ①극히 현묘하다. ②위험하기 짝이 없다.

〔玄黄〕 xuánhuáng 명〈文〉 ①검은 하늘빛과 누른 땅 빛. 〈轉〉 천지(天地). ¶天地~; 천지현황《천자문(千字文)의 첫 구절》. ②질병.

〔玄机〕 xuánjī 명 (도가에서 말하는) 심원하고 미묘한 도리.

〔玄教〕 xuánjiào 명 도교(道教)의 별칭.

〔玄精石〕 xuánjīngshí 명《鑛》 현정석.

〔玄了〕 xuánle 형〈俗〉 ①신비적(神秘的)이다. 현묘(玄妙)하다. 불가사의하다. ¶这事儿可真~, 我从来没听说过; 이 일은 정말 불가사의하다. 난 이제까지 들어 본 적이 없다. ②위험하다. ¶一看~, 转身就跑; 위험하다는 것을 알아채고는 몸을 돌려 도망쳤다. ⇒xuánliǎo

〔玄理〕 xuánlǐ 명〈文〉 심원한 이론. 심오한 도리.

〔玄了〕 xuánliǎo 동〈文〉 완전히 깨닫다. ¶听读之书, 均能~; 읽은 책은 모두 철저히 이해할 수 있다. ⇒xuánle

〔玄门〕 xuánmén 명 ①《佛》 불법(佛法)《불교에서 현묘(玄妙)한 법문(法門)》. ②도교(道教)의 별칭.

〔玄妙〕 xuánmiào 형 현묘하다. 심원하고 미묘하다.

〔玄明粉〕 xuánmíngfěn 명《漢醫》 ①현명분《완전히 풍화(風化)된 망초(芒硝)》. ②망초(芒硝)에 극히 소량의 감초(甘草)를 배합하여 달여서 만든 흰 가루《설사·이뇨(利尿) 및 종기·염증에 효험이 있음》.

〔玄谋〕 xuánmóu 명 심원한 모략.

〔玄青〕 xuánqīng 명《色》 검은색. =〔元yuán青〕

〔玄穹〕 xuánqióng 명〈文〉 하늘.

〔玄色〕 xuánsè 명 광택 없는 검정색.

〔玄参〕 xuánshēn 명《植》 현삼.

〔玄孙〕 xuánsūn 명 현손. 증손의 아들. =〔元yuán孙〕〔〈俗〉耷dā拉孙儿〕

〔玄天上帝〕 Xuántiān shàngdì 명 도가(道家)의 천제(天帝).

〔玄武〕 xuánwǔ 명 ①거북. ②《天》 이십팔수 가운데 북쪽의 칠 수(七宿)의 합칭(合稱). ③도교(道教)에서 신봉하는 북방(北方)의 신(神).

〔玄武岩〕 xuánwǔyán 명《鑛》 현무암.

〔玄虚〕 xuánxū 형 막막해서 종잡을 수 없다. 허황하다. ¶事情过于~, 令人难以置信; 일이 너무나 허황하여 도저히 믿기 어렵다. 명 교활한 수단. ¶弄~; 교활한 수법을 쓰다 / 故弄~; 아주 현묘하고 불가사의하여 종잡을 수 없는 말을 해서 사람을 현혹시키다. ‖ =〔悬虚〕

〔玄学〕 xuánxué 명 ①도가(道家)의 심오한 학문. ¶~鬼; 도가(道家)의 학문에 빠진 사람. ②불교학(佛教學). ③《哲》 형이상학(形而上學).

〔玄之又玄〕 xuán zhī yòu xuán〈成〉 ①매우 심오(深奧)하여 헤아리기 어렵다. ②《哲》 관념론·형이상학·스콜라 철학을 가리킴.

〔玄旨〕 xuánzhǐ 명〈文〉 심원한 도리. ¶领会书中的~; 서적 속의 심원한 도리를 깨닫다.

〔玄宗〕 xuánzōng 명 ①불교의 별칭. ②(Xuánzōng) 당(唐)나라의 제 6대 황제의 이름.

痃 **xuán** (현)
명《醫》 가래톳《'下xià疳'(하감창)으로 일어나는 서혜(鼠蹊) 임파선 염증의 종기로, 음부에 생기는 성병》.

县(縣) **xuán** (현)
'悬xuán'의 고체(古體). ⇒xiàn

〔县磬〕 xuánqìng ①동 경석(磬石)(돌로 만든 일종의 악기)을 매달다. ②〈轉〉 가진 것이 아무것도 없는 일. 가난함.

悬(懸) xuán (현)
①동 걸어 놓다. 매달다. ¶～灯结彩; ⇓/如解倒dào～; 거꾸로 매달려 괴로워하고 있는 것을 풀어 주는 것과 같다. ②동 (공개적으로) 게시(揭示)하다. ¶～为历禁; 공개적으로 게시하여 엄격히 금지하다. ③동 미해결로 있다. 현안으로 남아 있다. ¶那件事还～着呢; 그 사건은 아직 미해결이다/案～未决; 사건은 현안으로 남아 있고 아직 해결되지 않았다. ④동 동요하여 안정이 안 되다. ¶行市太～; 시세의 변동이 심하다. ⑤형 빈 채로의. 비어 있다. 결원(缺員)인 채. ⑥형 거리가 멀다. 차이가 크다. ¶这个人长得样样都大, 大得真～; 이 사람은 모두가 큼직큼직해서 남달리 몸집이 크다/～隔; ⇓ ⑦동 올리다. ¶写大字时最好把腕子～起来; 큰 글씨를 쓸 때는 팔을 들고 쓰는 것이 좋다. ⑧형 걱정하다. 괘념(掛念)하다. ⑨형 가공적이다. 근거 없다. ¶～想; ⇓/～拟nǐ; ⇓ ⑩형 〈方〉 위험하다. ¶在薄冰上走真～; 살얼음판을 걷는 것은 매우 위험하다.

〔悬案〕 xuán'àn 명 현안. 미해결의 사건. ¶解jiě决～; 현안을 해결하다.

〔悬臂〕 xuánbì 명《機》 기중기〔공작 기계〕의 지브(jib). =〔起qǐ重臂〕

〔悬匾谢医〕 xuánbiǎn xièyī 병이 완쾌하여 주치의에게 액자를 사례로 보내다.

〔悬肠挂肚〕 xuán cháng guà dù 〈成〉 걱정스러워 견딜 수 없다. 마음에 걸리다. ¶只为父亲这一事～, 坐卧不安; 오직 그저 아버지의 그 일만이 몹시 걱정되어, 앉으나 서나 불안하다.

〔悬揣〕 xuánchuǎi 동 어림짐작하다. ¶不能凭～办事; 어림짐작으로 처리할 수는 없다.

〔悬揣臆断〕 xuánchuǎi yìduàn 짐작으로 억단하다.

〔悬垂〕 xuánchuí 명《體》 턱걸이.

〔悬鹑〕 xuánchún 명 〈文〉 누더기. 해진 옷.

〔悬胆〕 xuándǎn 동 〈文〉 온갖 고초를 참고 견디며 원수를 갚으려 하다. 명 〈比〉 단정하게 생긴 코. ¶鼻如～脸若银盆; 코는 담낭을 매달아 놓은 듯 단정하고, 얼굴은 은쟁반처럼 늠름하다.

〔悬宕〕 xuándàng 〈成〉 ⇨〔悬而未决〕

〔悬灯结彩〕 xuán dēng jié cǎi 〈成〉 축하를 위해 등롱(燈籠)을 매달고 오색(五色)의 천을 둘러치다. ¶～庆新年; 등을 매달고 오색 천으로 화려하게 꾸며서 새해를 축하하다.

〔悬地方〕 xuándìfang 명 〈方〉 위험한 곳. ¶快点儿离开这个～; 빨리 이런 위험한 곳에서 떠나라.

〔悬断〕 xuánduàn 명동 〈文〉 근거없는 억측(을 하다).

〔悬而未决〕 xuán ér wèi jué 〈成〉 미해결(未解決)이다. 현안(懸案)이 되어 있다. 결말이 나지 않았다. ¶所有～的申请国家都应该加入联合国; 현안이 되어 미해결인 채로 있는(UN 가입) 신청국은 모두 UN에 가입시켜야 한다. =〔悬宕〕

〔悬浮〕 xuánfú 명《物》 현탁(고체 미립자의 부유 상태). ¶～胶体; 현탁 콜로이드.

〔悬隔〕 xuángé 형 현격하다. 멀리 떨어져 있다. ¶两地～; 두 지역이 멀리 떨어져 있다.

〔悬钩子〕 xuángōuzi 명《植》 수리딸기. 또, 이들의 헛열매의 이름(약용으로 함). =〔山shān莓〕

〔悬挂〕 xuánguà 동 걸다. 걸어 놓다. ¶～国旗; 국기를 걸다〔달다〕.

〔悬河〕 xuánhé 명 ①급류. ②〈比〉 거침없는 웅변. ¶口若ruò～; 〈成〉 변설이 술술 막힘이 없어 청산 유수와 같다.

〔悬红〕 xuánhóng 동 ⇨〔悬赏〕

〔悬弧〕 xuánhú 동 〈轉〉 사내아이를 낳다. 명 〈轉〉 사내아이의 생일.

〔悬壶〕 xuánhú 동 〈文〉 의사가 간판을 내걸고 개업하다. ¶～行医; 의사가 간판을 걸고 개업하다/～济世; 의사가 개업하여 세상을 구제하다.

〔悬乎〕 xuánhu 형 〈方〉 ①위험하다. ②마음에 걸리다. 불안하다. 마음이 가라앉지 않다.

〔悬金〕 xuánjīn 동 ⇨〔悬赏〕

〔悬金征求〕 xuánjīn zhēngqiú 명동 현상 모집(하다).

〔悬劲儿〕 xuánjìnr 명 위험한 상태. ¶瞧这个～! 이건 위험하구나!

〔悬旌〕 xuánjīng ①명 매달려 늘어진 기(旗). ②〈轉〉 마음이 흔들리어 안정되지 않음. ¶心如～; 마음은 늘어진 깃발처럼 안정되지 않다.

〔悬绝〕 xuánjué 형 〈文〉 현절하다. 격차가 매우 심하다. ¶贫富～; 빈부의 격차가 너무 심하다.

〔悬军〕 xuánjūn 동 〈文〉 연락도 구원도 받을 수 없는 곳으로 깊이 군대를 보내다. ¶～万里; 원정하다/～敌后; 적의 후방 깊숙이 군대를 진입시키다.

〔悬空〕 xuánkōng 동 ①공중〔허공〕에 뜨다. 〈轉〉 실제로부터 동떨어져 착실하지 못하다. ¶两脚～; 두 다리가 허공에 떠 있다. ②덮어 누르듯이 우뚝 솟다. ¶～的石崖yá; 우뚝 솟은 절벽.

〔悬空电车〕 xuánkōng diànchē 명 공중 케이블카. 로프웨이. =〔悬空缆车〕〔电动吊车〕〔空中缆车〕

〔悬梁〕 xuánliáng ①목매달아 죽다. ¶为生活所迫一时短见竟～了; 생활고에 시달려 일순간의 짧은 소견으로 목을 매달아 죽었다. ②상투를 들보에 매달아 졸음을 쫓고 공부하는 일.

〔悬铃木〕 xuánlíngmù 명《植》 플라타너스. =〔法fǎ国梧桐〕〔洋yáng枫〕〔洋(梧)桐〕

〔悬拟〕 xuánnǐ 동 〈文〉 잠정적으로 가정하다. 사실이 아닌 것을 사실처럼 조작하다. 근거 없이 추측하다.

〔悬念〕 xuánniàn 동 걱정하다. ¶～思远人; 멀리 떨어져 있는 사람을 그리며 걱정하다. =〔挂guà念〕 명 근심. 염려.

〔悬瀑〕 xuánpù 명 〈文〉 폭포. =〔悬泉〕

〔悬欠〕 xuánqiàn 동 빚진 채로 있다. 미불(未拂)인 채로 있다. 명 오래 끌어 온 빚. ¶讨回～, 消除呆dāi账; 오래 끌어 온 빚을 되찾아 대손(貸損)을 없이하다.

〔悬桥〕 xuánqiáo 명 현수교(懸垂橋). =〔飞fēi桥〕

〔悬磬〕 xuánqìng 형 경쇠를 매달아 놓은 것처럼 서까래나 들보가 허공에 매달려 있는 모양. 〈比〉 가난하여 집안에 아무것도 없다.

〔悬泉〕 xuánquán 명 〈文〉 ⇨〔悬瀑〕

〔悬缺〕 xuánquē 명 아직 후임자가 정해져 있지 않은 공석(空席).

〔悬赏〕 xuánshǎng 동 현상금을 걸다. ¶～寻人; 현상금을 걸어 사람을 찾다. =〔悬红〕〔悬金〕〔悬赏格〕

〔悬赏格〕 xuán shǎnggé 현상금을 걸다.

〔悬式瓷瓶〕 xuánshì cípíng 명《電》 현수 애자(懸垂碍子). 특별 고압용 핀(pin)애자.

〔悬事(儿)〕 xuánshì(r) 명 ①위험한 일. ¶别干gàn～; 위험한 일을 하지 마라. ②〈文〉 미해결

의 일.
〔悬首〕 xuánshǒu [동] 죄인을 처형하여 대중에게 보이다.
〔悬殊〕 xuánshū [동] 큰 차가 있다. 대단히 동떨어져 있다. ¶众寡～; 인원(人員)의 차가 크다 / 南北气候～; 남북의 기후는 큰 차이가 있다. [명] 격차. 차이(差異).
〔悬丝诊脉〕 xuánsī zhěnmài [동]《漢醫》사맥(絲脈)을 보다《병자의 팔에 맨 실에 전해지는 맥박으로 진찰하다. 옛날에, 고귀한 부인을 진찰할 때 썼음》.
〔悬思〕 xuánsī [동] ⇨〔悬想〕
〔悬索桥〕 xuánsuǒqiáo [명] 현수교(懸垂橋). 적교(吊橋).
〔悬榻〕 xuántà [동]〈文〉예로써 현자(賢者)를 환영하다.
〔悬梯〕 xuántī [명] 걸쳐 놓고 쓰는 줄사닥다리.
〔悬驼就石〕 xuán tuó jiù shí〈成〉낙타를 매달아 숫돌에 대다《일을 하는 데 경중(輕重)을 전도(顚倒)함》.
〔悬腕〕 xuán,wàn [동] 현완 직필로 (붓)글씨를 쓰다《현완 직필은 서법의 하나로 팔을 책상에서 떼고 손등과 팔굽을 같은 높이로 하여 쓰는 법》. =〔悬肘〕
〔悬望〕 xuánwàng [동] 희망을 걸다. 걱정하여 기다리다. 진력이 나도록 기다리다.
〔悬席〕 xuánxí [명]〈文〉공석(空席).
〔悬想〕 xuánxiǎng [동] 이것저것 상상하여 생각하다. 억측하다. =〔悬思〕
〔悬心〕 xuán,xīn [동] 걱정하다. 근심하다. 마음이 안정되지 않다. ¶～吊胆 =〔提心吊胆〕; 마음을 졸이다.
〔悬虚〕 xuánxū [명][형] ⇨〔玄虚〕
〔悬悬〕 xuánxuán [형]〈文〉걱정하는 모양. ¶心中～; 마음속으로 걱정하다〔조마조마하다〕.
〔悬崖〕 xuányá [명] 현애. 낭떠러지. 벼랑. ¶～绝壁; 단애 절벽.
〔悬崖勒马〕 xuán yá lè mǎ〈成〉깎아지른 낭떠러지에 이르러 말을 세우다《위험에 임하여서야 정신을 차리고 돌아서다》. ¶～翻fān然觉悟; 위험한 지경에서 문득 깨닫다.
〔悬崖峭壁〕 xuányá qiàobì [명] 단애 절벽. 깎아지른 듯한 절벽. =〔悬崖陡壁〕
〔悬雍垂〕 xuányōngchuí [명]《生》현옹수. 구개수(口蓋垂). 목젖. =〔小xiǎo舌儿〕
〔悬有重赏〕 xuán yǒu zhòngshǎng 많은 상금이 걸려 있다.
〔悬针〕 xuánzhēn [명] ①《動》올챙이. =〔蝌kē蚪〕 ②서법에서 내리긋는 획《이를테면, '年'의 '丨'》.
〔悬肘〕 xuán,zhǒu [동] ⇨〔悬腕〕
〔悬浊液〕 xuánzhuóyè [명]《化》현탁액.

旋 xuán (선)

①[동] 되돌아가다〔오다〕. 돌아가다〔오다〕. ¶～里; ⇩ / 凯kǎi～; 개선하다. ②[동] 빙빙 돌다. 선회하다. 회전하다. ¶天～地转zhuàn; 천지가 빙빙 돌다 / 拧nǐng～得太紧, 不能～开; 너무 꽉 죄어 놓아서 다시 돌려서 풀 수 없다. ③[동] 방향을 바꾸다. ④[명] 나선. ¶阳螺～; 볼트 / 阴螺～; 너트. =〔螺旋①〕 ⑤[부]〈文〉오래지 않아. 이윽고. 그 후 얼마 있다가. 곧. ¶此病～发～愈; 이 병은 갑자기 발병했다가 갑자기 낫는다. ⑥(～儿) [명] 소용돌이. 원(圓). 동그라미. ¶老鹰在空中打～儿; 매가 공중에서 원을 그리며 날다. ⑦(～儿) [명] (머리의) 가마. ¶人的头顶上都有一个～儿; 사람의 머리 꼭대기에는 모두 가마가 하나 있다. ⑧(Xuán) [명] 성(姓)의 하나. ⇒xuàn

〔旋臂钻床〕 xuánbì zuànchuáng [명]《機》레이디얼 드릴링 머신(radial drilling machine).
〔旋刀块〕 xuándāokuài [명] 돌리면서 썰거나 난도질한 것.
〔旋复花〕 xuánfùhuā [명]《植》금불초(金佛草). =〔盗dào庚〕〔滴dī滴金〕
〔旋光性〕 xuánguāngxìng [명]《物》선광성.
〔旋花〕 xuánhuā [명]《植》메(꽃). =〔鼓gǔ子花〕
〔旋回〕 xuánhuí [명]《地質》윤회(輪廻).
〔旋即〕 xuánjí [부] 이어서. 곧. 이윽고 곧. 오래지 않아. ¶货艇倾斜～沉下去了; 화물 운송선은 기울자 곧 침몰하였다.
〔旋京〕 xuánjīng [동]〈文〉귀경(歸京)하다.
〔旋开桥〕 xuánkāiqiáo [명]《建》선개교.
〔旋里〕 xuánlǐ [동]〈文〉귀향(歸鄕)하다. ¶辞职～; 사직하고 귀향하다.
〔旋律〕 xuánlǜ [명]《樂》선율. 멜로디.
〔旋轮〕 xuánlún [동] ⇨〔旋转〕
〔旋毛〕 xuánmáo [명] 가마. 가마 모양으로 난 털.
〔旋毛虫〕 xuánmáochóng [명]《蟲》선모충.
〔旋磨〕 xuánmò [동] 맷돌을 돌리다.
〔旋钮〕 xuánniǔ [명]《機》(라디오·TV 등의) 조정 스위치. ¶调tiáo频pín率～; 주파수 조절 스위치.
〔旋乾转坤〕 xuán qián zhuǎn kūn〈成〉천지(天地)를 바꿔 놓다《국면을 근본적으로 전환시킴. 자연을 개조하는 힘이나 규모가 위대함》.
〔旋儿〕 xuánr [명] ①⇨〔字解⑥〕 ②⇨〔字解⑦〕
〔旋绕〕 xuánrào [동] 회전하다. 돌다. ¶炊烟～; 부뚜막의 연기가 하늘하늘 피어 오른다. =〔缭绕〕
〔旋塞〕 xuánsāi [명] 콕(cock). 전(栓). 꼭지. ¶消火～; 소화전 / 滑脂～; 그리스(grease) 주입콕 / 放出～; 방출콕 / 阀fá～; 밸브콕. =〔塞门〕〔活huó栓〕〔活嘴〕〔〈音〉卡kǎ克〕〔〈音〉考kǎo克〕
〔旋速计〕 xuánsùjì [명]《機》태코미터(tachometer).
〔旋梯〕 xuántī [명] 회전 사다리.
〔旋纹〕 xuánwén [명] 소용돌이 무늬. 나선 무늬. 와문(渦紋). ¶你看手指头上的～, 有几个簸箕几个斗; 지문에 궁상(弓狀) 지문이 몇 개, 둥근 지문이 몇 개 있는지 보아라.
〔旋涡(儿)〕 xuánwō(r) [명] ①소용돌이. ¶在河里游泳要小心别叫～卷了去; 강에서 헤엄칠 때에는 소용돌이에 말려들지 않도록 조심해라. ②〈比〉남의 일에 말려듦. ‖=〔漩涡〕
〔旋涡星云〕 xuánwō xīngyún [명]《天》나선(螺旋) 성운. 와상(渦狀) 성운.
〔旋翼飞机〕 xuányì fēijī [명] 헬리콥터(helicopter). =〔直zhí升(飞)机〕
〔旋凿〕 xuánzáo [명] 드라이버(driver). =〔改gǎi锥〕
〔旋踵〕 xuánzhǒng [동]〈文〉뒤꿈치를 빙 돌리다. 〈比〉극히 짧은 시간. 눈 깜짝할 사이. ¶～即逝; 눈 깜짝할 사이에 없어지다.
〔旋转〕 xuánzhuǎn [명][동] 회전(하다). 선회(하다). ¶～机; 로터리 엔진 / ～冷凝器; 로터리 콘덴서 / ～症;《醫》전회성(轉回性) 현기증. =〔旋轮〕
〔旋转泵〕 xuánzhuǎnbèng [명] 로터리 펌프.
〔旋转发动机〕 xuánzhuǎn fādòngjī [명] 로터리 엔진(rotary engine). =〔转zhuàn缸发动机〕
〔旋转耕种机〕 xuánzhuǎn gēngzhòngjī [명]《農》동력 경운기.

〔旋转乾坤〕 xuán zhuǎn qián kūn 〈成〉 천지를 뒤집어 놓다. 천하의 형세를 일변시키다. =〔旋乾转坤〕
〔旋转球〕 xuánzhuǎnqiú 명 〔體〕 회전이 들어간 공《드라이브 서브·슬라이스 서브 등》.
〔旋转式〕 xuánzhuǎnshì 명 회전식.
〔旋转松土刀〕 xuánzhuǎn sōngtǔdāo 명 〔農〕 경운기의 회전 쇄토(碎土) 경운날.
〔旋转碎土轮〕 xuánzhuǎn suìtǔlún 명 〔農〕 경운기의 회전 쇄토 차륜.
〔旋转体〕 xuánzhuǎntǐ 명 〔數〕 회전체.

漩 xuán (선)
(~儿) 명 소용돌이. ¶水打~儿; 물이 소용돌이치고 있다.
〔漩儿〕 xuánr 명 소용돌이. =〔漩涡〕
〔漩涡〕 xuánwō 명 ①(~儿) 소용돌이. ¶叫~给卷juǎn了去; 소용돌이에 말려들어갔다. =〔漩儿〕 ②〈比〉 분규. ¶卷人政治~; 정치적 분규에 말려들다 / 在~里打过滚儿的人总有三分经验; 분규 속에서 괴로움을 겪어 온 사람은 어쨌든 상당한 경험이 있는 것이다.

璇〈璿〉 xuán (선)
〈文〉 ① 명 아름다운 구슬〔옥〕. ② →〔璇玑〕
〔璇玑〕 xuánjī 명 ①옛날의 천문 관측의기(觀測儀器)《혼천의(渾天儀)에 해당됨》. ②옛날, 북두칠성의 제 1에서 제 4까지의 별 이름. =〔奎kuí星〕

选(選) xuǎn (선)
① 동 고르다. 선택하다. ¶挑tiāo~; 가려내다. 선택하다 / ~材料; 재료를 고르다. ② 동 선발하다. 선거하다. ¶~代表; 대표를 뽑다 / 当~; 당선하다. ③ 명 작품을 골라 모은 책의 일컬음. ¶诗~; 시선. ④ 명 〈文〉 골라 낸 것〔사람〕. 정선된 것〔사람〕. ¶上~; 선별한 최상의 것 / ~栗lì; 선별한 상등품의 밤. ⑤ 동 뽑혀서 관직을 받다. ¶他~的是一个外官; 그가 임명된 것은 지방관의 직이다. ⑥ 부 〈文〉 잠시 동안. ¶少~; 잠깐 동안. 잠시 동안. ⑦〈文〉 옛날에 만(萬) 이상의 수를 매우 많다는 뜻으로 쓰던 말. ¶青钱万~; 동전 기만(幾萬).
〔选拔〕 xuǎnbá 동 선발하다. ¶~人才; 인재를 선발하다 / ~干部; 간부를 선발하다 / ~赛; 선발시합. =〔拔选〕
〔选本〕 xuǎnběn 명 본래의 저작(著作)에서 일부분을 골라서 편집한 책. 다이제스트판(版).
〔选插〕 xuǎnchā 동 〈文〉 선발 배치하다. ¶各出色球将分别~在各队中; 각각 뛰어난 선수를 선발해서 각 팀에 배치하다.
〔选场〕 xuǎnchǎng 명 옛날, 관리 등용의 시험장.
〔选出〕 xuǎnchu 동 선출하다.
〔选登〕 xuǎndēng 동 뽑아서 게재(揭載)하다.
〔选调〕 xuǎndiào 동 ①뽑아서 전용(轉用)하다. 선택하여 (다른 데로) 돌리다. ②인선(人選)하여 전근시키다.
〔选定〕 xuǎndìng 동 선정하다.
〔选读〕 xuǎndú 동 발췌하여 읽다.
〔选锋〕 xuǎnfēng 명 〈文〉 선발된 정병(精兵). 동 정병을 선발하다.
〔选购〕 xuǎngòu 동 선택 매입하다. ¶新到各种花布, 欢迎~; 새로 갖가지 화포가 도착했으니, 여러분 마음대로 골라 사십시오.
〔选官〕 xuǎnguān 동 옛날, 관리를 선고(選考)하다. 명 관리 선고를 맡은 관리.
〔选官图〕 xuǎnguāntú 명 쌍륙의 일종. 승경도(陞卿圖). =〔升shēng官图〕
〔选集〕 xuǎnjí 명 선집.
〔选家〕 xuǎnjiā 명 옛날, 민간에서 과거의 답안인 팔고문(八股文) 따위를 선집 간행하여 수험자의 참고로 했는데, 이 같은 편집인을 일컫는 말. ¶二位是浙江二十年的老~; 두 분은 저장(浙江)의 20년대의 노(老)편집인이다.
〔选间〕 xuǎnjiān 명 잠깐. 잠시 동안.
〔选就〕 xuǎnjiù 동 선정(選定)하다.
〔选举〕 xuǎnjǔ 명동 선거(하다). 선출(하다). ¶~了代表; 대표를 선출했다 / 社员大会上~会计; 사원 대회에서 회계 담당을 선거하다 / ~者; 선거인.
〔选举权〕 xuǎnjǔquán 명 선거권. ¶年满十八岁的公民, 都有~和被~; 만 18세에 달한 공민은 모두 선거권과 피선거권을 갖는다.
〔选课〕 xuǎnkè 명 수강 신청. (xuǎn,kē) 동 수강 신청을 하다. →〔选修〕
〔选矿〕 xuǎnkuàng 명동 〔鑛〕 선광(하다).
〔选粒机〕 xuǎnlìjī 명 미곡 선별기.
〔选录〕 xuǎnlù 동 ①선택하여 기재〔기록〕하다. ②선고(選考)한 뒤에 채용하다.
〔选美〕 xuǎnměi 명 미인 콘테스트. ¶~大会; 미인 선발 대회.
〔选民〕 xuǎnmín 명 선거권·피선거권이 있는 사람. 유권자. ¶~名册; 선거인 명부 / ~证; 투표 통지서.
〔选模〕 xuǎnmó 동 모범이 되는 사람을 선정하다.
〔选派〕 xuǎnpài 동 ①뽑아서 파견하다. ¶另行~负责人士; 책임자를 따로 선출하여 파견하다. ②발탁하여 임명하다.
〔选票〕 xuǎnpiào 명 투표 용지.
〔选区〕 xuǎnqū 명 선거구.
〔选曲〕 xuǎnqǔ 명동 선곡(하다).
〔选取〕 xuǎnqǔ 동 골라서 가지다.
〔选任〕 xuǎnrèn 동 선발 임용하다.
〔选士〕 xuǎnshì 명 〈文〉 우수한 학생. 동 학덕이 있는 사람을 선발하(여 임관시키)다.
〔选事〕 xuǎnshì 명 〈文〉 ①좋은 일. ②(관리를) 선고(選考)〔전형〕하는 일. ③선거 사무.
〔选手〕 xuǎnshǒu 명 ①선수. ②〈古白〉 덕택. 여택(餘澤). 국물. 벌이. ¶饭钱草料, 些微有些~就罢; 밥값이나 마초값 같은, 약간의 벌이만 되면 그것으로 좋다.
〔选线机〕 xuǎnxiànjī 명 라디오의 선파기(選波器). 튜너(tuner).
〔选修〕 xuǎnxiū 동 선택 이수(履修)하다. ¶他~的是中文; 그가 선택 과목으로 택한 것은 중국어다 / ~俄é文; 러시아 어를 선택 학습하다 / ~科; 선택 과목.
〔选样〕 xuǎnyàng 동 견본(見本)을 (검토하여) 고르다. ¶~定型; 견본을 골라서 모양을 정하다.
〔选油站〕 xuǎnyóuzhàn 명 집유소(集油所)《원유(原油)의 불순물(不純物)을 분리하는 곳》.
〔选择〕 xuǎnzé 동 선택하다. ¶~对象; 결혼 상대를 고르다 / ~地点; 장소를 선택하다 / 没有~的余地; 선택의 여지가 없다.
〔选种〕 xuǎn,zhǒng 동 〔農〕 선종하다《종자를 정선하다. 종축(種畜)을 고르다》. (xuǎnzhǒng) 명 〔農〕 선종.
〔选中〕 xuǎnzhòng 동 바로 뽑다. 선택하다.
〔选准〕 xuǎnzhǔn 동 정확히 고르다. ¶送热风的时机必须~, 不要急于送风; 열풍을 보내는 시기는 반드시 정확히 선택해야지, 서둘러서 송풍해서

는 안 된다.
〔选自〕 xuǎnzì 동 〈文〉 (…에서) 고르다〔뽑다〕.

烜 **xuǎn**〔xuān〕 (훼, 훤)
형 〈文〉 ①불이 활활 타다. ②(세력이나 명성이) 빛나다. ¶～赫hè; 명성이나 세력이 크다.

晅 **xuǎn** (훤)
〈文〉 ① 명 햇빛. ② 형 (햇빛이) 밝다. ③ 동 건조시키다.

癣(癬) **xuǎn** (선)
명 《醫》 사상균(絲狀菌)에 의해 생기는 피부병의 총칭《백선(白癬)·건선·개선(疥癬) 따위》. ¶脚～ =〔香港脚〕; (발의) 무좀.
〔癣疥〕 xuǎnjiè 명 《醫》 백선(白癬). 버짐. ¶～之疾; 〈成〉 대국(大局)에 관계 없는 작은 과실·실패. 작은 문제.

券 **xuàn** (권)
명 《建》 아치. 홍예(虹霓). =〔碹〕 ⇒quàn

泫 **xuàn** (현)
동 〈文〉 물방울이 떨어지다. ¶花上露犹～; 꽃잎 위의 이슬 방울이 떨어질 듯하다.
〔泫然〕 xuànrán 형 〈文〉 물방울이 뚝뚝 떨어지는 모양. ¶～流涕; 눈물을 흘리다.

炫〈衒〉B) **xuàn** (현)
A) 동 〈文〉 반짝반짝 빛나다. 밝게 비치다. ¶～目; 눈이 부시다. B) 동 〈文〉 뻐기다. 자기 선전을 하다. 과시하다. ¶以技术相～; 기술을 서로 뽐내다 / ～鬻yù; 자랑하다. 자기 선전을 하다 / 好hào～耀的人; 뽐내기를 좋아하는 사람.
〔炫惑〕 xuànhuò 동 〈文〉 현혹하다. 자랑스럽게 뽐내어 뭇사람을 미혹시키다.
〔炫金〕 xuànjīn 동 ①금박을 입히다. ②금전을 소비하다. ③금을 녹이다. 명 녹인 금. ‖ =〔销xiāo金〕
〔炫卖〕 xuànmài 동 〈文〉 ①(물건이 좋다고) 선전하여 팔다. ②자랑하면서 강매(強賣)하다.
〔炫目〕 xuànmù 동 〈文〉 눈부시게 하다.
〔炫女〕 xuànnǚ 명 〈文〉 예쁘다는 것을 자랑으로 삼는 여자.
〔炫奇〕 xuànqí 동 〈文〉 별난 것을 자랑하다. ¶～立异yì; 괴이(怪異)함을 자랑하려 엉뚱한 설을 내세우다.
〔炫示〕 xuànshì 동 〈文〉 (자기의 훌륭한 곳을) 남 앞에서 과시하다. 자랑삼아 보이다.
〔炫天炫地〕 xuàntiān xuàndì 〈比〉 크게 뽐내다. 과장해서 말하다. 허풍을 크게 떨다. ¶别听他～的胡说八道; 그의 허풍떠는 엉터리없는 말을 곧이 들어서는 안 된다.
〔炫耀〕 xuànyào 동 ①눈부시게 비치다. ②뽐내다. 자랑하다. ¶～于人; 남에게 과시하다 / ～自己的功劳; 자기의 공로를 자랑하다 / ～武力; 무력을 과시하다. =〔夸耀〕
〔炫异〕 xuànyì 동 〈文〉 별난 것을 남에게 자랑하다.
〔炫玉贾石〕 xuàn yù gǔ shí 〈成〉 옥(玉)이라고 선전하고 돌을 팔다《양두구육(羊頭狗肉)》.
〔炫玉求售〕 xuàn yù qiú shòu 〈成〉 재능을 과시하며 관직(官職)에 오르려 하다.
〔炫晕〕 xuànyùn 형 〈文〉 눈부시다.

昡 **xuàn** (현)
명 〈文〉 햇살. 햇빛.

眩 **xuàn** (현)
〈文〉 ① 동 눈이 침침하다. ¶头晕yùn目～; 어지럽고 눈이 침침하다. ② 형 정신이 빠지다. 현혹되다. ¶～于名利; 명예와 이익에 현혹되다 / 勿为甘言所～; 감언에 홀리지 마라. ③ 명 현기증.
〔眩晃〕 xuànhuàng 동 〈文〉 ①(빛 때문에) 눈이 부시다. ②눈이 어질어질하다.
〔眩目〕 xuànmù 형 〈文〉 눈이 어지럽다. 동 눈을 어지럽게 하다.
〔眩人心目〕 xuàn rén xīn mù 〈成〉 남의 눈을 속이다. 남의 눈을 현혹시키다.
〔眩晕〕 xuànyùn 명동 《醫》 현기증(이 나다).

铉(鉉) **xuàn** (현)
① 명 〈文〉 정(鼎)의 귀의 구멍에 끼워 손으로 들게 한 고리. ②인명용자(字).

绚(絢) **xuàn** (현)
형 (색깔·무늬가) 화려하다.
〔绚烂〕 xuànlàn 형 현란하다. 화려하다. 찬란하다. ¶～的朝霞; 찬란한 아침 노을 / 联欢会上有许多人穿着～多彩的民族服装; 친목회에 참석한 많은 사람들은 화려한 민속 의상을 입고 있다.
〔绚丽〕 xuànlì 형 눈부시게 화려하다. 휘황찬란하다. ¶～斑斓lán的色彩; 휘황찬란한 색채. =〔灿烂美丽〕
〔绚丽多彩〕 xuànlì duōcǎi 눈부시게 아름답고 다채롭다. 현란하고 색채가 다양하다.

眴 **xuàn** (현)
〈文〉 ① 동 눈을 깜박거리다. ② 동 눈짓을 하다. ③ 형 눈이 어질어질하다.

旋〈鏇〉B) **xuàn** (선)
A) ① 명 문(門)이나 다리의 아치. ②빙빙 틀어 돌린 형상의 것《보조개·회오리바람·머리의 가마 따위》. ¶水打～; 물이 소용돌이치다. ③ 부 〈方〉 그 자리에서 즉시. …하면서 연이어. ¶～吃～做 =〔～做～吃〕; 제때 제때 만들어 먹다. B) ① 동 (선반(旋盤)으로) 빙빙 돌리면서 깎다. 돌리면서(칼 따위로 껍질을) 벗기다. ¶用车床～零件; 선반으로 부품을 깎다 / 把梨皮～下去; 배 껍질을 (빙글빙글 돌려서) 깎다. ②(～子) 명 술 데우는 제구. ③ 동 술을 데우다. ④(～子) 명 원통형의 놋그릇. ⑤ 동 굴대를 빙빙 돌리면서 나무를 갈리다. ⑥ 동 날붙이로 깎다. ⇒xuán
〔旋冲〕 xuànchōng 동 (비행기가) 나선형 회전 강하를 하다.
〔旋床〕 xuànchuáng 명 《機》 선반. =〔车chē床〕
〔旋床子〕 xuànchuángzi 명 ①《機》 녹로(轆轤). ②녹로를 돌려 세공물을 만드는 가게.
〔旋翻〕 xuànfān 명 (체조의) 비틀기와 공중 제비.
〔旋风〕 xuànfēng 명 《氣》 선풍. 회오리바람.
〔旋风脚〕 xuànfēngjiǎo 명 무예의 하나《발을 높이 차 올리기. 중국 전통극에서는 차올린 발을 손으로 두드려 소리를 냄》.
〔旋风儿转〕 xuànfēngrzhuàn 동 빙빙 돌다. ¶他饭也不吃, 药也不喝, 简直急得我～; 저 사람이 밥도 먹지 않고 약도 먹지 않아서, 난 마음이 조려 어쩔 줄 모를 뿐이다.
〔旋工〕 xuàngōng 명 선반공.
〔旋盘〕 xuànpán 명 《機》 선반. =〔车chē床〕
〔旋片机〕 xuànpiànjī 명 회전 커터.
〔旋子〕 xuànzi 명 ①구리로 만든 쟁반. ㉠술 데우

는 도구(밑이 둥글고 평평하며 전은 밑과 직각임). ㉡'粉fěn皮(儿)'을 만드는 도구(뜨거운 물 위에 띄워 놓고 돌리면서 녹말을 부어 넣으면 둥글고 엷은 막이 생기는데, 이를 '粉皮(儿)'이라 하며, 벗겨서 잘게 썰어 요리의 재료로 함). ②무예(武藝)의 일종으로 재주넘기의 일컬음. ¶打dǎ～; 재주넘기를 하다.

渲 xuàn (선)
명《美》선염법(渲染法).

〔渲染〕 xuànrǎn 명《美》선염(화면에 물을 칠하고 채 마르기 전에 채색하여 몽롱한 맛을 나타내는 화법). 동〈比〉①사실보다 크게 말하다. 과대하게 선전하다. ¶～这个改变具有高度的戏剧性; 이 개변(改變)은 고도의 극적 성격을 갖는 것이라고 과장하여 자랑하다. ②색채(色彩)로 두드러지게 하다. 꾸미다. 윤색(潤色)하다.

〔渲刷〕 xuànshuā 동 농담(濃淡)을 고르게 하다. 바림을 하다.

〔渲泄〕 xuànxiè 동 ①새게 하다. ②배수(排水)하다.

楦〈楥〉 xuàn (원)
①명 (구두나 모자의) 골. ②동 구두의 골을 박아서 늘리다. ¶新上的鞋要～一～; 새 구두는 골을 끼워서 넓혀야 한다. ③〈方〉틈새에 물건을 쟁여 넣다. ¶把瓷器箱～好; 자기 상자를 꽉 채우다. ④명동 ⇨〔碹〕

〔楦空〕 xuànkōng 명 (다리·문 등의) 아치. ¶桥qiáo的～; 다리의 아치. =〔月洞yuèdòng〕→〔旋xuàn〕

〔楦门子〕 xuànménzi 명 아치 모양의 문.

〔楦头〕 xuàntou 명 (구두나 모자 제조용의) 골. ¶这双鞋穿着紧一点, 得拿～再排pǎi一排; 이 구두는 조금 빡빡하니 구두골로 좀더 넓혀야 한다. =〔楦桩〕〔楦子〕

〔楦桩〕 xuànzhuāng 명 ⇨〔楦头〕

〔楦子〕 xuànzi 명 ⇨〔楦头〕

碹〈鏇〉 xuàn (선)
①명 홍예(돌·벽돌 따위로 쌓은 원형 또는 호형(弧形)의 건물. 곧은 샘의 통벽(筒壁)·호형의 돌다리·반원형 갱구(坑口)의 석벽 또는 벽돌벽 따위를 말함). ②동 홍예 공사를 행하다. ‖=〔楦④〕

〔碹胎〕 xuàntāi 명 '碹①'을 축조할 때의 나무틀.

礵 xuàn (선)
명 아치.

颴 xuàn (선)
명 회오리바람.

XUE ㄒㄩㄝ

削 xuē (삭)
〈文〉①동 깎다. 베어 내다. 삭제하다. ¶删shān～; (문자를) 삭제하다. ②동 빼앗다. 강탈하다. ¶剥bō～; 착취하다. ③형 마르다. 여위다. =〔瘦shòu削〕 ‖注 (보통 복음절어(複音節語)만 xuē로 발음함). ⇒xiāo

〔削壁〕 xuēbì 명 (깎아지른) 듯한 절벽. ¶悬崖～; 〈成〉단애 절벽.

〔削草〕 xuēcǎo 동 (비밀을 위해) 문서(文書)의 원고를 처분하다. 초고(草稿)를 파기하다.

〔削葱〕 xuēcōng 명 가느다란 손가락. =〔纤xiān指〕

〔削地〕 xuē,dì 동〈文〉①땅을 빼앗다〔빼앗기다〕. ②땅을 나누어 주다. 땅을 나누어 받다. ¶～而封; 토지를 나누어 봉(封)하다.

〔削夺〕 xuēduó 동〈文〉침탈하다. 침략하여 탈취하다.

〔削发〕 xuē,fà 동 삭발하다. 머리를 깎고 출가하다. ¶～为尼; 머리를 깎고 비구니가 되다.

〔削稿〕 xuēgǎo 동〈文〉문장을 지은 뒤에, 초고를 파기(破棄) 또는 정정하다. =〔削草〕

〔削籍〕 xuējí 동 ①관직을 박탈하다. 면직시키다. 삭탈 관직하다. ¶～归农; 면직되어 귀농하다. =〔削职〕②본적·국적을 삭제하다. ¶她因嫁了外国人而～; 그녀는 외국인과 결혼하여 국적을 잃게 되었다.

〔削价〕 xuējià 동 가격을 내리다. ¶快下市的货物一律～出售; 팔리지 않고 남은 물건은 전부 값을 내려 팔다. =〔削xiāo码〕〔销码〕

〔削减〕 xuējiǎn 동 삭감하다. 깎아 줄이다. ¶～预算; 예산을 삭감하다/～不必要的开支; 불필요한 지출을 깎다/～课程; 학과를 줄이다.

〔削木为兵〕 xuē mù wéi bīng〈成〉나무를 깎아서 무기(武器)로 만들다(민중이 봉기(蜂起)함).

〔削木为吏〕 xuē mù wéi lì〈成〉잔학하고 가공(可恐)할 옥리를 일컬음.

〔削平〕 xuēpíng 동 ①깎아서 판판하게 하다. ②(부정적인 것을) 뿌리째 뽑다. ③〈文〉난(亂)을 평정하다. ¶～叛乱; 반란을 평정하다.

〔削弱〕 xuēruò 동 (세력 따위가) 약해지다. (세력 따위를) 약하게 하다. 감쇠(減衰)하다. 꺾다. ¶～力量; 힘을 약화시키다/～战斗力; 전투력을 약화시키다/购买力～; 구매력이 약화되다/～敌人势力; 적의 세력을 약화시키다.

〔削正〕 xuēzhèng 동〈文〉시문 첨삭을 다른 사람에게 부탁하다. ¶恭请～; 부디 첨삭을 부탁드립니다. =〔削政〕〔斧fǔ正〕

〔削足适履〕 xuē zú shì lǚ〈成〉발을 깎아서 신발에 맞추다(불합리한 방법을 억지로 적용하다). ¶不顾具体情况, 机械地搬用别人的经验, 这是～的办法; 구체적인 정황을 돌아보지 않고, 기계적으로 다른 사람의 경험을 적용하는 것은, 발을 깎아서 신에 맞추는 것과 같다. =〔削趾zhǐ适屦〕〔削趾适履〕〔削足适屦〕〔刖yuè趾适屦〕〔截趾适履〕

靴〈鞾〉 xuē (화)
(～子) 명 장화(長靴)·편상화(編上靴) 따위. ¶高靿yào儿～; 장화. 부츠/马～; 승마 구두. →〔鞋〕

〔靴弟〕 xuēdì 명 '靴子②' 중의 아랫 사람. →〔靴子②〕

〔靴夹〕 xuējiā 명 청대(淸代), 명함·서류 따위를 넣던 지갑으로, 장화의 동부(胴部) 부분에 끼우는 것. =〔鞋掖儿〕

〔靴匠〕 xuējiàng 명 제화공.

〔靴纽理论〕 xuēniǔ lǐlùn 명《物》부트스트랩(bootstrap).

〔靴铺〕 xuēpù 명 구둣방. 신발가게.

〔靴衫〕 xuēshān 명 옛날, 승마복.

〔靴筒〕 xuētǒng 명 장화의 목.

〔靴头儿〕 xuētóur 명 단화(短靴).

〔靴兄〕 xuēxiōng 명 '靴子②' 중의 연장자. →〔靴子②〕

〔靴楦子〕 xuēxuànzi 명 구두골.
〔靴靿(儿)〕 xuēyào(r) 명 ①장화의 목. =〔靴筒〕 ②장화〔구두〕의 등.
〔靴掖儿〕 xuēyēr 명 ⇨〔靴夹〕
〔靴油〕 xuēyóu 명 구두약. ¶黄~; 빨간 구두약.
〔靴友〕 xuēyǒu 명 방탕한 친구.
〔靴子〕 xuēzi 명 ①장화(長靴). ②옛날, 한 기녀가 몇 명의 손님과 관계가 있는 경우를 말하며, 또 그들 중의 손위 사람을 '靴兄', 손아래 사람을 '靴弟'라 함. ¶割gē~; 친구의 애기(愛妓)에 손을 대다.

薛 xuē (설)
명 ①《植》 쑥. ②(Xuē) 《史》 설(주대(周代)의 나라 이름. 전국 시대(戰國時代) 제(齊)나라에게 멸망당함). ③성(姓)의 하나.
〔薛涛笺〕 xuētāojiān 명 중국 특유의 8행의 붉은 괘(罫)를 친 편지지(당(唐)나라 때의 기녀 설도(薛濤)가 창안한 것이라 함).

穴 xué (혈)
①명 동굴. (짐승이나 악인의) 소굴. 구멍. ¶虎hǔ~; 범의 굴 / 巢cháo~; 소굴 / 树~; 나무의 구멍. ②명 묘혈(墓穴). ③명 《漢醫》 신체의 급소. 혈(穴). ¶太阳~; 태양혈 / 经~; 침구의 '혈'. 경혈 / 腰~; 허리의 혈. ④동 ⇨〔䀫〕 ⑤명 성(姓)의 하나.
〔穴宝盖儿〕 xuébǎogàir 명 구멍혈(한자 부수의 하나. '空'·'窗' 등의 '穴'의 이름). =〔穴字头儿〕
〔穴壁〕 xuébì 동 〈文〉 벽에 구멍을 뚫다. ¶~藏金; 벽에 구멍을 뚫고 돈을 간수하다 / ~供光; 〈成〉 벽에 구멍을 뚫고 이웃집의 불빛으로 책을 읽다(가난해도 향학심이 강한 일) / ~之徒; 좀도둑.
〔穴虫〕 xuéchóng 명 《動》 쥐. =〔老lǎo鼠〕
〔穴出〕 xuéchū 동 (어두운 곳에서) 갑자기 나타나다. ¶打墙犄角儿~一个人来把我吓xià了一跳; 담 모퉁이에서 갑자기 사람이 튀어나왔으므로 깜짝 놀랐다.
〔穴处〕 xuéchǔ 명동 혈거(하다). 동 〈轉〉 은거하다. ¶我喜欢~田野的生活; 나는 시골의 은거 생활이 즐겁다.
〔穴道〕 xuédào 명 ①《漢醫》 혈(穴). 경혈(經穴). ¶按~针灸jiǔ; 혈에 침을 놓고 뜸을 뜨다. ②(신체의) 급소. ¶被人点了~; 급소를 찔리다 / 点开他的~; (급소를 찔려 기절하거나 몸을 움직일 수 없게 된 사람에게) 활력을 불어넣다. ③매장(埋葬)에 적합한 방위(方位).
〔穴洞〕 xuédòng 명 굴. 동굴.
〔穴肥法〕 xuéféifǎ 명 그루의 둘레에 구멍을 파고 비료를 주는 방법.
〔穴见〕 xuéjiàn 명 좁은 견문〔시야〕.
〔穴居〕 xuéjū 명동 혈거(하다). →〔窑yáo洞〕 동 도망쳐 숨다. ¶这小子躲债不知跑到哪儿~去了; 이놈이 빚장이를 피해 도망쳐서 어디에 숨었을까.
〔穴居野处〕 xué jū yě chǔ 〈成〉 ①원시생활을 하다. 야수(野獸)와 같은 생활을 하다. ¶人类的祖先过的是~的生活; 인류 조상의 생활은 혈거(穴居)나 들판에서의 원시생활이었다. ②〈轉〉〈謙〉 은거하여 검소한 생활을 하다.
〔穴居知雨〕 xué jū zhī yǔ 〈成〉 (개미처럼) 땅속에 서식하는 동물은 그 해의 강우량을 예지(豫知)한다.
〔穴情〕 xuéqíng 명 묘지의 지상(地相). ¶这里的~好, 是个旺子孙的风水; 이 곳 묘지의 지상은 좋아서, 자손이 번성할 상이다.
〔穴施〕 xuéshī 명 ⇨〔点diǎn施〕
〔穴位〕 xuéwèi 명 《漢醫》 침구의 혈. 경혈(經穴). =〔穴道〕
〔穴茔〕 xuéyíng 명 〈文〉 묘지.
〔穴字头儿〕 xuézìtóur 명 ⇨〔穴宝盖儿〕

茓 xué (혈)
(~子) 명 〈方〉 수수깡이나 갈대 오리로 만든 삿자리로 둘러친 원통형의 곡물 저장기(貯藏器). =〔踅④〕 →〔囤dùn〕

䀫 xué (혈)
동 〈京〉 흘끗 보다. 잠시 찾다. =〔穴④〕
〔䀫拉〕 xuéla 동 ⇨〔䀫目〕
〔䀫溜〕 xuéliu 동 ⇨〔䀫目〕
〔䀫瞜〕 xuélou 동 ⇨〔䀫目〕
〔䀫落〕 xuéluo 동 ⇨〔䀫目〕
〔䀫摸〕 xuémo 동 ⇨〔䀫目〕
〔䀫目〕 xuému 동 〈京〉 찾다. 물색하다. ¶掉了的螺丝钉, 我~半天也~不出来; 떨어뜨린 나사못을 오랫동안 찾았지만 찾아내지 못했다 / 那本书, 我赶明儿到旧书铺里~~去; 그 책은 일간 헌 책사에 가서 찾아보겠다. =〔䀫拉〕〔䀫溜〕〔䀫瞜〕〔䀫落〕〔䀫摸〕〔寻xún溜〕〔寻搂〕

峃(嶨) xué (학)
지명용 자(字). ¶~口Xuékǒu; 쉐커우(嶨口)(저장 성(浙江省) 원청 현(文城縣) 남쪽에 있는 땅 이름).

学(學〈斈〉) xué (학)
①명 학교. ¶中~; 중학교 / 上~; ⓐ학교에 들어가다. 입학하다. ⓑ등교하다. ②명 학문. 학술. 학과. ¶才疏~浅; 천학비재(淺學菲才)하다 / 博~多能; 박학하고 다재다능하다 / ~有专长; 전문적인 학문을 지니고 있다 / 才~; 재능과 학식. ③동 배우다. 학습하다. 공부하다. ¶~会; ⇩ / ~不好; (배워도) 향상되지 않다 / ~技术; 기술을 배우다. ④동 흉내내다. 그대로 실연(實演)하다. ¶你别再跟她~; 너 또다시 그 계집애의 흉내를 내서는 안 된다 / 八哥能~人说话; 구관조는 사람의 말을 흉내낼 수 있다 / 他竟跟人家~; 그는 남의 흉내만 내고 있다. ⑤명 체계적인 지식. ¶哲~; 철학.
〔学安〕 xué'ān 〈翰〉 안녕히(학생에게 보내는 편지 말미에 쓰는 말). =〔砚yàn安〕
〔学案〕 xué'àn 명 학파(學派)의 원류를 기재한 책의 통칭.
〔学班〕 xuébān 명 학생의 반. 학급.
〔学伴儿〕 xuébànr 명 학교 친구.
〔学报〕 xuébào 명 학보. ¶物理~; 물리학보.
〔学报子〕 xuébàozi 명 옛날, 서당의 학생 모집 광고. ¶在电线杆上贴~; 전주에 학생 모집 광고를 붙이다.
〔学本事〕 xué běnshì 기술을 습득하다. 기능을 배우다. ¶长大了出门儿去~; 크면 사회에 나가 기능을 배운다. =〔学能耐〕
〔学博〕 xuébó 명 옛날, 주현(州縣) 학교의 교관.
〔学步〕 xuébù 동 걷는 연습을 하다. ¶这孩子刚满周岁就连滚带爬地~了; 이 아이는 막 돌이 지나자, 넘어지고 엎어지고 하면서 걸음마를 배우고 있다.
〔学步邯郸〕 xué bù hán dān 〈成〉 남을 따라 배우다가 이를 성취하기도 전에 자기 본래의 것을 잊어버리다. ¶欧风东渐, 国人~, 弄得不伦不类; 서구 풍조가 동방에 차차 밀려들자, 국민들은 그것을 모방하다가 자기 본래의 것마저 잃고, 뒤죽

박죽이 되었다. =〔邯郸学步〕
〔学部〕 xuébù 명 청대(清代), 전국의 교육 사무를 통할하는 기관《현재의 교육부에 상당함》.
〔学潮〕 xuécháo 명 ①학생 운동. 학원 시위. 학원 분쟁(紛爭). ¶闹nào～; 학생 운동이 일어나다. ②학계의 소동.
〔学程〕 xuéchéng 명 ①학문 연구의 과정. ②학업의 코스·단계.
〔学呆子〕 xuédāizi 명 공부 벌레. 독서광. =〔书shū呆子〕
〔学得来〕 xuédelái 배울 수 있다. 익힐 수 있다. 흉내 낼 수 있다. ¶这种本事不是每个人都能～的; 이런 기술은 누구나 다 익힐 수 있는 것은 아니다.
〔学店〕 xuédiàn 명 옛날, 영리를 목적으로 하는 서당·학교를 비난하는 말. ¶不讲实质, 唯利是图的～, 真是误人子弟啊; 실질적인 것은 가르치지 않고, 오직 영리만을 목적으로 하는 학교는, 정말 남의 자제를 그르치는 곳이다. =〔学房铺〕
〔学董〕 xuédǒng 명 (사립) 학교의 이사(理事).
〔学额〕 xué'é 명 학생 정원(定員). ¶本学期已经没有～了; 이번 학기는 이미 결원이 없다.
〔学而不厌〕 xué ér bù yàn 〈成〉 배워 싫증이 나지 않다. 싫증 내지 않고 배우다. ¶对自己～, 对别人诲人不倦; 자기에 있어서는 배움에 싫증내지 않고, 남에 대해서는 참을성 있게 가르친다.
〔学而优则士〕 xué ér yōu zé shì 〈成〉 배우고 남은 힘이 있으면 벼슬을 한다. 공부를 해서 우수하면 곧 벼슬을 한다.
〔学阀〕 xuéfá 명 학벌.
〔学法〕 xué.fǎ 동 방법을 배우다. 모범으로 삼다. ¶他这种苦干的精神是值得青年们～的; 그의 이러한 각고 면려의 정신은 청년의 모범으로 삼을 만하다. (xuéfǎ) 명 배우는 방법. 학습 방법. ¶填鸭式的～不对, 还是采用渐进式的～吧; 주입식 학습법은 좋지 않으니 역시 점진적인 방법을 채용하자.
〔学房〕 xuéfáng 명 옛날, 사숙(私塾)·가숙(家塾)의 속칭. 사설 글방. ¶自从鲁迅提倡打倒孔家店以后, ～也渐渐地少起来了; 노신이 공가점(孔家店) 타도를 제창하고 나서, 사설 글방은 점점 적어졌다. =〔学馆〕
〔学房铺〕 xuéfángpù 명 ⇨〔学店〕
〔学匪〕 xuéfěi 명 ①불량 학생. ②악덕 학자.
〔学费〕 xuéfèi 명 ①학자금. 학비. 학교에 납입하는 비용《수업료 따위로서 식비·잡비는 포함치 않음》. ¶交～; 수업료를 내다. ②원래는 학교 경영의 경비를 가리켰으나 지금은 '学款'이라 함.
〔学分〕 xuéfēn 명 (학교의) 규정된 청강 시간. 학점. ¶～制; 학점제 / 你今年拿到几个～? 够不够? 너는 올해에 몇 학점을 땄니? 학점은 충분하냐?
〔学风〕 xuéfēng 명 ①학풍. 학문 상의 경향. ②학교내의 풍습.
〔学府〕 xuéfǔ 명 ①〈文〉 박학한 이에 대한 호칭. ¶先生乃是当代～文宗; 선생은 당대의 석학(碩學) 문호이다. ②학부. 학문 연구의 장소. 대학. ¶最高～; 최고 학부.
〔学宫〕 xuégōng 명 ①국자감. =〔国guó子监〕 ②웅장하고 아름다운 대학·연구소·도서관 등을 말함.
〔学乖〕 xué.guāi 동 요령을 배우다. 교활함을 배우다. 배워서 영리해지다. ¶我上了几次当dàng以后也～了; 나는 몇 차례나 속은 후 요령을 터득했다.
〔学官〕 xuéguān 명 옛날, 교화(敎化)를 담당한 관리.
〔学馆〕 xuéguǎn 명 ⇨〔学房〕
〔学规〕 xuéguī 명 학칙. 교칙. =〔学章〕
〔学好〕 xuéhǎo 동 ①착한 사람이나 착한 일을 본떠서 배우다. ¶～不易, 学坏不难; 〈諺〉 좋은 것을 배우기는 쉽지 않지만, 나쁜 일은 금세 배운다. ②잘 배우다. 배워서 완전히 자기 것으로 하다. ¶我一定要把中国话～; 나는 꼭 중국어를 마스터할 것이다.
〔学话〕 xué.huà 동 ①어학을 공부하다. 말을 배우다. ②말을 흉내내다.
〔学坏〕 xué.huài ① 동 나쁜 것을 배우다. 배워서 나빠지다. ②(xuéhuài) 배워서 나빠지다.
〔学会〕 xuéhuì 동 배워서 알다. 습득하다. 명 학회. 학술상의 단체. ¶中国法～; 중국 법학회.
〔学级〕 xuéjí 명 학급. 클라스(class). =〔班bān级〕
〔学籍〕 xuéjí 명 학적. ¶开除～; 제적하여 퇴학시키다.
〔学监〕 xuéjiān 명 옛날, 학생감. 학감.
〔学界〕 xuéjiè 명 학계. 교육계. ¶我虽然在～服务, 朋友可是商界的人多; 나는 교육계에서 일하고 있지만, 친구는 상인계에 많이 있다.
〔学究〕 xuéjiū 명 ①학구. ¶不愧kuì为～; 학구로서 부끄럽지 않다. ②옛날의 사숙(私塾)의 선생. ③당대(唐代)의 과거에, 한 종류의 경서만 전공하는 '～一经'이라는 과목이 있는데, 이 수험생을 말함. 〈轉〉 세상물정에 어두운 인텔리. ¶老～; 시대에 뒤떨어진 고리타분한 학자.
〔学科〕 xuékē 명 학과. ①학문의 성질에 따라 구분되는 것. ②학교 교육 과목으로서의 학과. ③군사·체육 훈련 중에서 실기에 상대하여 말함. ↔〔术shù科〕
〔学理〕 xuélǐ 명 학리. 학문 상의 원리나 이론.
〔学力〕 xuélì 명 학력. ¶没有毕业证书的也可以用同等～参加考试; 졸업증이 없는 자도 동등한 학력이 있는 자로서 시험을 치를 수 있다.
〔学历〕 xuélì 명 학력.
〔学联〕 xuélián 명 〈簡〉 중화 전국 학생 연합회. =〔中zhōng华全国学生联合会〕
〔学龄〕 xuélíng 명 학령. 취학 연령. ¶对～前儿童的广播; 학령 전의 아동을 위한 방송.
〔学买卖〕 xué mǎimai 장사를 배우다. 상점의 계시〔도제(徒弟)〕가 되다. ¶～的; 장사를 배우는 사람. 가게의 점원. =〔学生意〕
〔学买卖的〕 xué mǎimaide 명 ⇨〔学徒〕
〔学满〕 xuémǎn 동 제자가 제 구실을 하게 되다. 수습 기간이 차다. ¶～三年可以出师; 3년의 수습기가 지나면 독립한다. =〔满徒〕
〔学氓〕 xuémáng 명 옛날, 교육 사업을 빙자하여 나쁜 짓을 하는 괴수. 정치 자금 등을 받아 교내에서 풍파를 일으키는 학생. ¶小心别叫～混hùn进学校来捣乱; 악당들이 학교에 잠입하여 소란을 일으키지 않도록 조심하시오.
〔学庙〕 xuémiào 명 공자묘(孔子廟).
〔学名〕 xuémíng 명 학명. 학문상의 명칭. =〔训名〕
〔学名儿〕 xuémíngr 명 아이가 학교에 들어갈 때 정식으로 붙이는 이름《그 때까지의 이름을 '乳rǔ名'이라 함》.
〔学能耐〕 xué néngnai ⇨〔学本事〕
〔学年〕 xuénián 명 학년.
〔学派〕 xuépài 명 학파. 학술 상의 유파.
〔学期〕 xuéqī 명 학기.
〔学前教育〕 xuéqián jiàoyù 명 학령 전의 교육.

유치원 교육.
〔学前期〕 **xuéqiánqī** 명 3세에서 초등 학교 전까지의 시기.
〔学人〕 **xuérén** 명 〈文〉 학자.
〔学人儿〕 **xué.rénr** 동 남의 흉내를 내다. ¶那个说相xiàng声儿的～的样子真学得像极了; 저 재담꾼의 흉내내는 모습은 정말 흡사하다.
〔学舌(儿)〕 **xué.shé(r)** 동 ①입내를 내다(자기의 주장이 없이 남에게 따라감). ¶我什么都不会, 要叫我跑腿～, 可以给您办得好好儿的; 저는 아무것도 할 줄 모르지만, 시키는 심부름은 하라는 대로 잘 해드릴 수 있을 겁니다. ②〈口〉 잘 일러바치다. 여기저기 말을 퍼뜨리고 다니다. ¶这孩子会～, 惹出不少是非; 이 애는 쓸데없는 말을 남에게 옮기므로 적잖이 시비를 일으킨다.
〔学生〕 **xuésheng** 명 ①학생. 생도. ¶～装; 학생복/～腔; 학생 말씨〔말투〕. ②〈謙〉 선배. 스승에 대한 학생의 자칭. ③가게의 심부름꾼 아이. ④〈方〉 사내아이. ⑤선생이나 선배에게 배우는 사람. 제자.
〔学生意〕 **xué shēngyi** ⇨〔学买卖〕
〔学识〕 **xuéshí** 명 학식. ①학문과 식견. ②학문상의 식견.
〔学时〕 **xuéshí** 명양 수업 시간(보통은 45분～50분). ¶专业的物理化学科, 应当上一百个～; 전공 분야에 있어서의 물리화학은 100시간의 수업을 받아야 한다.
〔学时髦〕 **xué shímao** 유행을 좇다. =〔学时样〕
〔学时样〕 **xué shíyàng** ⇨〔学时髦〕
〔学士〕 **xuéshì** 명 ①학문을 연구하는 사람. ②학사(대학 졸업자에게 주어지는 칭호). ¶～帽; 대학 졸업자가 쓰는 학사 모/～头; 앞머리를 길게 한 상고머리.
〔学疏才浅〕 **xué shū cái qiǎn** 〈成〉 천학 비재이다.
〔学术〕 **xuéshù** 명 학술. ¶～会议; 학술 회의/～界; 학술계/～性刊物; 학술적 간행물/～委员会; 학술 위원회.
〔学说〕 **xuéshuō** 명 학설. 동 남의 말을 그대로 말하다. ¶这一篇话, 他都～给我听了; 이 이야기는 그가 죄다 그대로 내게 이야기해 주었다/小燕的哥哥～刚才的经过; 소연의 형은 방금 있었던 일을 고스란히 이야기했다.
〔学台〕 **xuétái** 명 ⇨〔学政〕
〔学堂〕 **xuétáng** 명 ①학당. 학교의 구칭. ②관상가가 귀 언저리를 가리켜서 말함(총명의 상(相)을 보는 부위).
〔学田〕 **xuétián** 명 ①학교 유지를 위한 관전(官田). ②일족의 교육비를 위하여 설치한 전지(田地).
〔学通〕 **xuétōng** 동 배워서 통효(通曉)〔통달〕하다. ¶～政策; 정책을 배우고 정책에 통효하다.
〔学童〕 **xuétóng** 명 학동.
〔学头〕 **xuétou** 명 배울 만한 가치.
〔学徒〕 **xué.tú** 동 견습공이 되다. 도제(徒弟)가 되다. ¶学了三年的徒; 3년간의 수습 고용살이를 했다. (**xuétú**) 명 도제. 견습생. 수습공. =〔学买卖的〕〔学员③〕
〔学徒工〕 **xuétúgōng** 명 수습공(修習工). ¶我们是新分配来的～; 저희들은 새로 배치되어 온 수습공입니다.
〔学位〕 **xuéwèi** 명 학위. ¶获得～; 학위를 취득하다〔따다〕. =〔学衔〕
〔学文化〕 **xué wénhuà** 읽기 · 쓰기 · 셈을 배우다. 교양을 높이기 위해 배우다.
〔学问〕 **xuéwèn** 명 ①학문. ②도리. 이치. 지식. ¶这水乡的水里有这么大～呢; 이 수향(水鄕)의 물속에는, 이렇게 깊은 이치가 있다/有～; 지식이 있다. 학문이 있다.
〔学无止境〕 **xué wú zhǐ jìng** 〈成〉 학문에는 끝이 없다. ¶因为～, 所以活到老, 学到老, 还是学个没完; 학문에는 끝이 없으므로, 살아 있는 한 배워야 하며, 그래도 다 배울 수 없다.
〔学习〕 **xuéxí** 동 ①공부하다. 학습하다. ¶～中文; 중국어를 공부하다. ②일을 견습하다. 명 학습. 공부. ¶～迷; 공부만을 들이파는 사람/～辅导员; 학습 지도원. ‖ =〔习学〕
〔学衔〕 **xuéxián** 명 ⇨〔学位〕
〔学校〕 **xuéxiào** 명 학교. ¶～教育; 학교 교육.
〔学行〕 **xuéxíng** 명 〈文〉 학행. 학문과 품행. ¶～兼优; 학문과 품행이 모두 뛰어나다.
〔学兄〕 **xuéxiōng** 명 〈敬〉 학형(동창에 대한 경어).
〔学养〕 **xuéyǎng** 명 〈文〉 학식과 교양. 학문 상의 조예.
〔学样儿〕 **xué.yàngr** 동 (남의 모양이나 하는 짓을) 흉내내다. ¶我跟他～; 나는 그를 흉내낸다.
〔学业〕 **xuéyè** 명 학업. ¶～成绩; 학업〔학교〕 성적.
〔学艺〕 **xué.yì** 동 예능을〔기예를〕 배우다. (**xuéyì**) 명 학예.
〔学益〕 **xuéyì** 명 학문상의 이익. ¶～甚多; 배우는 데 매우 유익하다.
〔学油子〕 **xuéyóuzi** 명 뺀질뺀질한 학생. 불량 학생.
〔学友〕 **xuéyǒu** 명 학우. 동급생.
〔学园〕 **xuéyuán** 명 학원. 아카데미. ¶这里真是一个理想的～哪; 이 곳은 정말 이상적인 학원이군요.
〔学员〕 **xuéyuán** 명 ①학생. ↔〔教jiào员〕 ②수강생. ③ ⇨〔学徒〕
〔学院〕 **xuéyuàn** 명 ①대학의 학부(學部). ¶北大文～; 베이징(北京) 대학 문학부. ②사숙(私塾). ③단과 대학. ¶外国语～; 외국어 학원〔대학〕/钢铁～; 강철 학원〔대학〕/石油～; 석유 학원〔대학〕. ④아카데미.
〔学运〕 **xuéyùn** 명 〈簡〉 '学生运动'의 생략.
〔学章〕 **xuézhāng** 명 ⇨〔学规〕
〔学长〕 **xuézhǎng** 명 ①〈文〉〈敬〉 선배(자기보다 뛰어난 연상의 동창(同窓)에 대한 존칭). ②옛날, 대학의 각 분과(分科)의 장. 학과장.
〔学者〕 **xuézhě** 명 ①학문하는 사람. ②학자.
〔学政〕 **xuézhèng** 명 청대(淸代), 각 성(省)의 교육 행정 장관. =〔学台〕
〔学制〕 **xuézhì** 명 학제. 학교 교육 제도.
〔学子〕 **xuézǐ** 명 〈文〉 학생.
〔学足三余〕 **xué zú sān yú** 〈成〉 야간 · 동계(冬季) · 우천(雨天)을 이용해서 보습(補習)함. ¶我这个笨脑子, 就是～也还是赶不上别人; 나는 머리가 둔해서 온갖 여가를 이용하여 보습해도 다른 사람을 따라잡을 수 없다.
〔学嘴学舌〕 **xué zuǐ xué shé** 〈成〉 ①입내내다. ¶养了一只～的八哥儿; 사람의 입내를 낼 수 있는 구관조(九官鳥)를 한 마리 기르고 있다. ②수다스럽게 지껄이다. 이곳 저곳 수다떨며 다니다. ¶这位太太到处～, 造成许多口舌是非; 이 부인은 가는 곳마다 수다를 떨고 다녀 많은 말썽을 일으키고 있다.

鸴(鷽) xué (학)
명《鳥》피리새. 멋쟁이새. =〔拙zhuō老婆〕

敩(斆) xué (효)
'学xué' 와 통용. ⇒xiào

踅 xué (설)
①동 서성거리다. 왔다갔다 하다. ¶他在大门口～来～去; 그는 대문 앞에서 왔다갔다 하고 있다. ②동 횡단하다. ¶～过马路去; 큰 길을 건너가다. ③동 되돌아오다. 되돌아가다. ④명 →〔茓〕

〔踅回〕 xuéhuí 동 중도에서 되돌아오다〔되돌아가다〕.

〔踅溜风〕 xuéliufēng 명 작은 회오리바람.

〔踅门了户〕 xuémén liǎohù 좀도둑질을 하러 들어가다. 빈집털이를 하다. ¶傍晚儿要小心别让～的溜进来; 저녁 나절에는 좀도둑이 들어오지 못하도록 조심해야 한다.

〔踅摸〕 xuémo 동 ①싼 물건을 찾다. 진귀하고 싼 물건을 찾다. ¶提着马灯到晓市去～东西; 휴대용 석유등을 들고 새벽 시장(옛날 선무문(宣武門) 안에 열렸던 이른바 '벼룩 시장')에 가서 싼 물건을 찾다. =〔眑目〕 ②몰래 들어오다. ¶有溜门子的～进来了; 빈집털이가 슬그머니 들어왔다.

〔踅探〕 xuétàn 동 염탐하다. 정탐하다. ¶～军情; 군의 상황을 염탐하다 / 你鬼头鬼脑地～个什么东西? 너는 살금살금 무엇을 염탐하고 있는 거냐?

〔踅转〕 xuézhuǎn 동 몰래 빙 돌아서 가다. 우회하다. ¶花荣也引军向右边～山坡去了; 화영도 군사를 거느리고 오른쪽으로 산비탈을 돌아서 갔다.

噱 xué (갹)
동〈方〉웃다. ¶发～;〈方〉웃음을 터뜨리다. 크게 웃다. ⇒jué

〔噱头〕 xuétóu〈南方〉명 ①익살. 우스개. ②그럴듯한 수단. 술수. ③재미. 웃음. ¶有啥～? 무엇이 우습냐? 형 익살스럽다. 우습다. ¶很～ =〔～极了〕; 정말 우습다. ‖ =〔血xuè头〕

雪 xuě (설)
①명 눈. ¶下～; 눈이 내리다 / ～下得很大; 큰 눈이 내렸다. ②형 (눈처럼) 희다. ¶～白; ⇩ / ～鱼; ⇩ ③명〈方〉얼음. ④동 (수치·원한·무고한 죄를) 씻다. 풀다. ¶沉冤昭～; 사무친 원한을 깨끗이 씻다 / 报仇～恨; 원수를 갚고 원한을 풀다. ⑤명 성(姓)의 하나.

〔雪案〕 xuě àn〈成〉진(晉)나라의 손강(孫康)이 창가에 쌓인 눈의 빛으로 독서하며 공부했다는 고사《가난 속에서 학문에 힘쓰는 일》. ¶～读书; 빈궁 속에서도 학문에 힘쓰다. =〔雪窗〕

〔雪白〕 xuěbái 형 설백하다. 눈처럼 희다. →〔漆黑〕〔通红〕

〔雪板〕 xuěbǎn 명 스키(판(板)). ¶穿～; 스키를 신다. =〔滑huá雪板〕

〔雪豹〕 xuěbào 명《動》스노 레오파드(snow leopard).

〔雪崩〕 xuěbēng 명 눈사태. =〔雪塌〕

〔雪菜〕 xuěcài 명 ⇨〔雪里红〕

〔雪藏〕 xuěcáng 동 ①〈廣〉냉동하다. ¶～猪肉; 냉동 돼지고기. ②〈比〉동결(凍結)하다. ¶把球员～起来, 以后不许出赛sài; 구기 선수의 활동을 동결하여, 앞으로 시합에 출장하는 것을 허락지 않다.

〔雪车〕 xuěchē 명 썰매. ¶拉～; 썰매를 끌다.

〔雪耻〕 xuě·chǐ 동 치욕을 씻다. ¶报仇～; 원수를 갚고 치욕을 씻다. =〔刷shuā耻〕

〔雪窗〕 xuě chuāng〈成〉⇨〔雪案〕

〔雪刺〕 xuěcì 명〈比〉짧은 흰 머리. ¶那老头儿一脑袋～; 저 노인은 머리가 온통 새하얗다.

〔雪地〕 xuědì 명 눈이 쌓인 곳. 눈 위. ¶～上发现了狐狸的脚印; 눈 위에서 여우의 발자국을 발견했다.

〔雪洞儿〕 xuědòngr 명 설동(雪洞). ¶把屋子糊hú了个～白; 방을 눈을 파서 만든 굴처럼 새하얗게 (벽이나 천장을) 도배했다.

〔雪堆〕 xuěduī 명 눈이 쌓인 산. 눈더미.

〔雪儿〕 xuě'ér 명〈文〉가희(歌姬). 가녀(歌女). 예기(藝妓).

〔雪耳〕 xuě'ěr 명《植》흰참나무버섯. =〔银yín耳〕

〔雪纺绸〕 xuěfǎngchóu 명《紡》시퐁(프 chiffon). =〔希丰〕

〔雪佛兰〕 Xuěfólán 명〈音〉시보레(Chevrolet)《미국제의 자동차 이름》.

〔雪肤〕 xuěfū 명〈文〉설부. 눈처럼 흰 살갗. =〔雪肌jī〕〔玉yù肤〕

〔雪糕〕 xuěgāo 명〈方〉아이스크림. =〔冰bīng淇淋〕〔冰结淋〕

〔雪姑〕 xuěgū 명 ①《鳥》할미새의 별칭. ②백설공주.

〔雪瓜〕 xuěguā 명 둔황(敦煌) 지방에서 나는 수박.

〔雪柜〕 xuěguì 명〈方〉냉장고. =〔冰bīng柜〕

〔雪海〕 xuěhǎi 명 설원(雪原). ¶林海～; 숲의 바다와 설원. =〔雪原〕

〔雪恨〕 xuě·hèn 동 원한을 풀다.

〔雪红〕 xuěhóng 명《色》산호주(珊瑚珠)빛. 분홍색.

〔雪鸿遗迹〕 xuě hóng yí jì〈成〉눈 위의 기러기의 발자국《어떤 사람이나 지난 일의 흔적》. ¶我这本著作, 不过是在人生过程中, 留些～而已; 나의 이 저작은 인생 행로에서 약간의 흔적을 남기는 것일 따름이다. =〔雪泥鸿爪〕

〔雪湖〕 xuěhú 명 자색을 띤 청색. 등자색(藤紫色).

〔雪花〕 xuěhuā 명 ①(6모지고 꽃에 흡사하므로) 설화. 눈송이. ¶～粉; 배니싱 크림(vanishing cream). ②과자(菓子) 이름.

〔雪花菜〕 xuěhuācài 명 비지.

〔雪花膏〕 xuěhuāgāo 명 화장용 크림.

〔雪花酪〕 xuěhuālào 명 셔벗(sherbet)《빙과자》. ¶冰淇淋来! ～! 又甜又凉来! 尝尝口道! 아이스크림, 셔벗, 달고 시원합니다, 한번 맛을 보십시오《아이스크림 장수가 외치는 소리》.

〔雪肌〕 xuějī 명〈文〉⇨〔雪肤〕

〔雪茄〕 xuějiā 명〈音〉시가(cigar). 여송연(呂宋煙). =〔雪茄烟yān〕 →〔烟卷儿〕

〔雪窖〕 xuějiào 명 눈 저장고. 빙고(氷庫).

〔雪窖冰天〕 xuě jiào bīng tiān〈成〉얼음과 눈으로 뒤덮인 곳. 몹시 추운 곳. =〔冰天雪地〕

〔雪景〕 xuějǐng 명 설경. 눈 경치.

〔雪克斯金细呢〕 xuěkèsījīn xìní 명〈音〉샤크스킨(sharkskin). =〔鲨皮布〕

〔雪客〕 xuěkè 명《鳥》백로(白鷺).

〔雪莱〕 Xuělái 명《人》셸리(Shelley)《영국의 서정시인, 1792～1822》.

〔雪梨〕 xuělí 명 ①《植》과육(果肉)이 눈처럼 부드러운 일종의 배. =〔乳rǔ梨〕 ②(Xuělí)《地》〈音〉'悉Xī尼' 시드니(Sydney)의 구역명(舊譯名). =〔雪尼〕

〔雪梨纸〕 xuělízhǐ 명 캐나다 지폐(紙幣).
〔雪里红〕 xuělǐhóng 명 《植》 갓. =〔雪里蕻〕〔雪菜〕
〔雪里蕻〕 xuělǐhóng 명 ⇨〔雪里红〕
〔雪里送炭〕 xuě lǐ sòng tàn 〈成〉 ⇨〔雪中送炭〕
〔雪利酒〕 xuělìjiǔ 명 〈音義〉 셰리주(sherry酒). =〔雪丽酒〕〔雪醴酒〕〔沙厘酒〕〔舍利酒〕〔些利酒〕
〔雪连纸〕 xuěliánzhǐ 명 종이의 일종(한쪽 면이 매끈하며 편지지·광고·포스터 등에 쓰임).
〔雪亮〕 xuěliàng 형 ①번쩍번쩍 빛나다. 눈부시게 빛나다. ¶电灯～; 전등이 눈부시다 / 擦cā得～; 반짝반짝하게 닦다. ②분명하다. 빛나다. ¶人民的眼睛是～的; 인민의 눈은 속일 수 없다.
〔雪亮亮(的)〕 xuěliàngliàng(de) 형 ①눈이 부시게 흰 모양. ②시퍼렇게[번쩍번쩍] 빛나는 모양.
〔雪柳〕 xuěliǔ 명 ①장례식 때 관 앞에 놓거나 출관(出棺) 의식에 쓰이는 물건(가늘고 긴 종이로 만들어 나무 막대기 위에 닮). ②《植》 조팝나무. =〔稻树〕〔珍珠花〕
〔雪盲〕 xuěmáng 명 《醫》 설맹.
〔雪米皮〕 xuěmǐpí 명 〈音〉 섀미 가죽(미 chamosi).
〔雪末籽〕 xuěmòzǐ 명 〈方〉 해바라기의 씨.
〔雪尼〕 Xuění 명 ⇨〔雪梨②〕
〔雪虐风饕〕 xuě nüè fēng tāo 〈成〉 풍설(風雪)이 세차고 추위가 지독함(고생이 심하다).
〔雪片〕 xuěpiàn 명 ①눈송이. 〈比〉 대단히 많고 잦은 모양. ¶函电如～飞来; 〈文〉 편지나 전보가 펄펄 날리는 눈송이처럼 끊임없이 오다. ② 감자의 일종.
〔雪橇〕 xuěqiāo 명 썰매. =〔雪车〕
〔雪青〕 xuěqīng 명 《色》 연보랏빛. 헬리오트로프(heliotrope). ¶直接～; 《染》 디아민 헬리오트로프(diamine heliotrope).
〔雪球〕 xuěqiú 명 '打dǎ雪仗'(눈싸움)에 쓰는 눈덩이.
〔雪人(儿)〕 xuěrén(r) 명 ①설인. ②눈사람. ¶堆～; 눈사람을 만들다.
〔雪乳酥胸〕 xuěrǔ sūxiōng 〈比〉 여성의 가슴이 희고 풍만한 모양. 보동보동한 여성의 가슴.
〔雪上加霜〕 xuě shàng jiā shuāng 〈成〉 설상가상. 눈 위에 서리가 덮이다(재앙이 겹치다. 엎친데 덮치다). ¶台风、地震使居民更～了; 태풍에 이은 지진으로 주민은 엎친데 덮친 격이 되었다.
〔雪糁〕 xuěshēn 명 싸라기눈. =〔雪珠〕〔雪子〕
〔雪首〕 xuěshǒu 명 흰 머리. ¶～白须的老先生; 백발에 흰 수염의 노인.
〔雪水〕 xuěshuǐ 명 설수. 눈석임물.
〔雪丝黛〕 xuěsīdài 명 〈音〉 시스터(sister). =〔姊妹〕
〔雪松鸡〕 xuěsōngjī 명 《鳥》 뇌조(雷鳥).
〔雪塌〕 xuětā 명 눈사태. =〔雪坠〕〔雪崩〕
〔雪糖〕 xuětáng 명 설탕. 최상급의 흰 설탕. =〔一级白糖〕
〔雪条〕 xuětiáo 명 〈南方〉 아이스 케이크. =〔冰bīng棍(儿)〕
〔雪铁龙〕 Xuětiělóng 명 〈音〉 시트로엥(Citroën)(프랑스의 자동차명).
〔雪腿〕 xuětuǐ 명 ①여성의 흰 다리의 형용. ¶歌舞场中～与粉臂齐飞; 댄스홀에서는 하얀 다리와 하얀 팔이 날아다니고 있다. ②햄(ham). =〔火huǒ腿〕
〔雪窝(子)〕 xuěwō(zi) 명 바람에 날려 쌓인 눈. 눈 구덩이.
〔雪鹀〕 xuěwú 명 《鳥》 흰멧새.
〔雪洗〕 xuěxǐ 동 (억울함 따위를) 깨끗이 씻다. ¶～冤屈; 억울한 죄를 깨끗이 씻다.
〔雪线〕 xuěxiàn 명 《地質》 설선(쌓인 눈이 녹지 않는 부분과 녹는 부분의 경계선).
〔雪香色〕 xuěxiāngsè 명 《色》 뽀얀 살색.
〔雪鞋〕 xuěxié 명 눈 속에 빠지지 않게 신밑에 대는 물건. 눈 속에서 신는 짚신.
〔雪燕〕 xuěyàn 명 (요리용의) 흰제비집.
〔雪意〕 xuěyì 형 눈이 올 듯한 모양. ¶阴云密布, 天上有了～; 검은 구름이 잔뜩 낀 하늘에서 눈이 올 듯해졌다.
〔雪鱼〕 xuěyú 명 《魚》 푸젠 성(福建省)에서 나는, 농어 비슷하고 맛이 있으며, 빛깔은 눈처럼 흰 겨울 물고기.
〔雪冤〕 xuěyuān 동 원통함을 씻다.
〔雪原〕 xuěyuán 명 설원. =〔雪海〕
〔雪灾〕 xuězāi 명 설해. 눈에 의한 재해.
〔雪仗〕 xuězhàng 명 눈싸움. ¶打～; 눈싸움하다.
〔雪杖〕 xuězhàng 명 《體》 스톡(stock). 스키 스틱(ski stick). ¶两liǎng根～; 두 개의 스톡.
〔雪兆丰年〕 xuě zhào fēngnián 〈諺〉 눈은 풍년의 징조.
〔雪中送炭〕 xuě zhōng sòng tàn 〈成〉 설중(雪中)에 탄(炭)을 보냄(역경에 처한 사람에게 원조의 손을 뻗침. 적당한 시기에 원조를 함). =〔雪里送炭〕
〔雪珠〕 xuězhū 명 ⇨〔雪糁〕
〔雪坠〕 xuězhuì 명 눈사태. =〔雪塌〕
〔雪子〕 xuězǐ 명 ⇨〔雪糁〕

鳕(鱈) **xuě** (설)
명 《魚》 대구. =〔大dà口鱼〕〔大头鱼〕
〔鳕肝油〕 xuěgānyóu 명 대구 간유. =〔鳘mǐn鱼肝油〕
〔鳕鱼子〕 xuěyúzi 명 대구알.

血 **xuè** (혈)
〈文〉 ① 명 피. ¶为国流～; 나라를 위하여 피를 흘리다 / 要检查一下～; 혈액 검사를 해야 한다 / 输～; 수혈하다 / 用～汗换来的; 피땀으로 얻어 온 것. ② 명 월경. ¶～来; 월경이 시작되다. ③ 명 혈연 관계가 있음을 나타내는 말. 조상이 같음을 나타내는 말. ¶～亲; ⇩ ④ 형 〈比〉 외곬이고 정의감이 강하다. 강렬하다. ¶热～青年; 열혈 청년. ⑤ 명 〈轉〉 돈. ¶袋里没有～的穷光蛋; 낭중 무일푼인 찰가난. ⇒xiě
〔血案〕 xuè'àn 명 살인 사건. 유혈 사건.
〔血薄〕 xuèbáo 명 ⇨〔血虚〕
〔血本〕 xuèběn 명 고생 끝에 얻은 자본·밑천. ¶要是亏了～买卖就不好支持下去了; 밑천을 날리면, 장사를 제대로 유지해 나가기가 어렵다.
〔血崩〕 xuèbēng 명 《漢醫》 자궁 출혈. =〔血山崩〕
〔血便〕 xuèbiàn 명 《醫》 혈변.
〔血饼〕 xuèbǐng 명 《生》 혈병(혈액이 액체와 분리 축소된 고형물). =〔血块〕
〔血沉〕 xuèchén 명 혈침. 적혈구 침강 속도.
〔血忱〕 xuèchén 명 ⇨〔血诚〕
〔血诚〕 xuèchéng 명 지성(至誠). =〔血忱〕
〔血赤素〕 xuèchìsù 명 ⇨〔血红蛋白〕
〔血仇〕 xuèchóu 명 깊은 원한.
〔血防〕 xuèfáng 명 〈簡〉 '주혈흡충병(住血吸蟲病)을 예방하다'의 준말.
〔血粉〕 xuèfěn 명 혈분(비료로 함).
〔血粉戏〕 xuèfěnxì 명 《劇》 칼싸움. 활극(活劇).
〔血(分)〕 xuè(fen) 명 월경의 별칭.

〔血疙痂儿〕 xuègējiār 명 상처의 피가 엉켜서 된 딱지. =〔血痂〕
〔血蛊〕 xuègǔ 명 《漢醫》 ①좌상(挫傷)·타박 등에 의해 울혈이 되어 복부가 부어오르는 병. ②자궁근종 등 부인과 복강 내종병(腹腔內腫病).
〔血管(儿)〕 xuèguǎn(r) 명 《生》 혈관.
〔血光之灾〕 xuèguāng zhī zāi 명 ①죽은 자가 피에 더럽혀져, 극락으로 갈 수 없게 되는 재앙《사람이 죽을 때 그 집에서 출산이 있으면, 그 피가 망자에게 뿌려져 망자는 삼도(三途) 내를 건너지 못한다는 미신》. ②피비린내나는 사건. ¶目下不出百日之内, 必有～《水滸傳》; 백 일도 되기 전에 피비린내나는 사건이 꼭 일어난다.
〔血海〕 xuèhǎi 명 ①중대함. 깊음. 심각함. ¶～冤yuān仇 =〔～深仇〕; 깊은 원한 / 有着～的关系; 중대한 관계가 있다. ②《漢醫》 혈해.
〔血汗〕 xuèhàn 명 피와 땀. 〈比〉 노력. ¶～钱; 피땀 흘려 번 돈. =〔汗血〕
〔血汗工资制度〕 xuèhàn gōngzī zhìdù 명 임금 착취 제도.
〔血红〕 xuèhóng 형 새빨갛다. 피처럼 빨갛다. 명 새빨간색.
〔血红蛋白〕 xuèhóng dànbái 명 《生》 헤모글로빈. =〔血赤素〕〔血色素〕〔血红朊〕
〔血红朊〕 xuèhóngruǎn 명 ⇨〔血红蛋白〕
〔血红素〕 xuèhóngsù 명 《化》 헴(haem).
〔血后〕 xuèhòu 명 사후(事後)에 살해되는 것.
〔血忽淋剌〕 xuè hū línlà 피가 줄줄 흐르는 모양. ¶棒子着zháo处～, 肉绽皮开; 몽둥이가 닿는 곳마다 피가 줄줄 흐르고 살이 터지고 살갗이 찢어졌다. =〔血胡淋剌〕
〔血胡淋剌〕 xuèhūlínlà ⇨〔血忽淋剌〕
〔血糊糊(的)〕 xuèhúhú(de) 형 피가 흠뻑 묻어 있는 모양. 피범벅이 된 모양. ¶面颊上～一片; 온 볼에 피가 흠뻑 묻어 있다.
〔血花(儿)〕 xuèhuā(r) 명 흩뿌려진 피.
〔血积〕 xuèjī 명 《醫》 충혈(充血).
〔血忌〕 xuèjì 명 옛날, 미신에서 살생을 꺼린 날.
〔血迹〕 xuèjì 명 혈흔. 핏자국. ¶～斑斑; 혈흔이 점점이 묻어 있다. 피투성이가 되다.
〔血祭〕 xuèjì 명 희생물을 죽여 그 피를 신에게 바치는 일. =〔血祀〕
〔血痂〕 xuèjiā 명 ⇨〔血疙痂儿〕
〔血箭〕 xuèjiàn 명 《漢醫》 림프관(管)의 염증으로 발의 털구멍에서 피가 뿜어 나오는 병.
〔血浆〕 xuèjiāng 명 《生》 혈장.
〔血竭〕 xuèjié 명 기린혈(麒麟血). =〔麒qí麟竭〕
〔血津(儿)〕 xuèjīn(r) 명 까져서〔긁혀서〕 벌겋게 벗겨진 살갗. =〔血筋(儿)〕
〔血筋(儿)〕 xuèjīn(r) 명 살갗이 벗겨져 피가 맺힌 부분.
〔血经〕 xuèjīng 명 《生》 월경. =〔月yuè经〕
〔血晶〕 xuèjīng 명 《鑛》 홍수정(紅水晶).
〔血口喷人〕 xuè kǒu pēn rén 〈成〉 악랄한 말로 남을 중상함.
〔血枯病〕 xuèkūbìng 명 《漢醫》 중증의 빈혈.
〔血库〕 xuèkù 명 《醫》 ①병원의 수혈용 혈액 보존소. ②혈액 은행.
〔血块〕 xuèkuài 명 ⇨〔血饼〕
〔血亏〕 xuèkuī 명 ⇨〔血虚〕
〔血痨〕 xuèláo 명 《漢醫》 각혈성 결핵.
〔血泪〕 xuèlèi 명 ①혈루. 피눈물. ②〈比〉 비참한 처지. ¶～家史; 비참한 가족사.
〔血泪仇〕 xuèlèichóu 명 ⇨〔血泪帐〕
〔血泪帐〕 xuèlèizhàng 명 피눈물을 삼킬 깊은 원한. 육친이 죽음을당한 원한. =〔血泪仇〕
〔血沥沥〕 xuèlìlì 형 핍살스러운 듯이. 무시무시한 표정으로. ¶李传驿丞指天画地, ～的发咒; 역참(驛站) 관리인인 이가는 거리낌없이 무시무시한 몰골로 주문을 외었다. =〔血淋淋②〕
〔血淋淋〕 xuèlínlín 형 ①피가 낭자한 모양. =〔血渌渌〕 ② ⇨〔血沥沥〕
〔血淋〕 xuèlìn 명 《醫》 혈림《오줌에 피가 섞여 나오고, 배뇨할 때에 하복부에 찌르는 듯한 통증이 있는 병증. 임질은 아님》.
〔血流成河〕 xuè liú chéng hé 〈成〉 피가 흘러 강이 되다《전쟁 등 대량 살륙의 형용》.
〔血流漂杵〕 xuè liú piāo chǔ 〈成〉 피가 흘러 방패가 떠내려가다《사상자가 많은 모양》.
〔血流如注〕 xuè liú rú zhù 〈成〉 피가 줄줄 흐르다. 피가 콸콸 쏟아지다.
〔血瘤〕 xuèliú 명 《醫》 혈류. 동맥류. =〔血肿〕〔跳tiào血囊〕
〔血渌渌〕 xuèlùlù 형 ⇨〔血淋淋①〕
〔血路〕 xuèlù 명 혈로. 위급한 경우를 벗어나는 어려운 고비의 길. ¶打开～; 혈로를 타개하다.
〔血轮〕 xuèlún 명 ⇨〔血球〕
〔血骂〕 xuèmà 동 신랄하게 욕하다.
〔血脉〕 xuèmài 명 ①《漢醫》 혈맥. 혈관. 또는 혈액 순환. ②혈통.
〔血迷〕 xuèmí 명 출산할 때 의식을 잃는 것. ⇒ xiěmí
〔血盆〕 xuèpén 명 〈比〉 입을 뻐끔히 벌린 모습. ¶～似的大嘴; 뻐끔히 벌린 큰 입.
〔血盆大口〕 xuè pén dà kǒu 〈成〉 (야수 등의) 크게 벌린 입.
〔血泊〕 xuèpō 명 괴어 있는 피. 피바다《대량으로 흐른 피가 괴어있는 것》.
〔血珀〕 xuèpò 명 《鑛》 심홍색의 호박.
〔血气〕 xuèqì 명 ①〈文〉 혈기. 육체의 기능. ¶凡有～者, 莫不尊亲; 무릇 피가 돌고 숨이 통하고 있는 자로서 부모를 존중하지 않는 자는 없다. ② ⇨〔血性②〕 ③도리에 맞지 않고 앞뒤를 가리지 않는 행위의 형용. ¶～之勇; 혈기지용. 혈기찬 기운으로 뽐내는 용맹 / ～方刚; 〈成〉 혈기가 왕성함.
〔血亲〕 xuèqīn 명 육친(肉親).
〔血清(儿)〕 xuèqīng(r) 명 《生》 혈청. ¶～疗法; 혈청 요법 / ～病; 혈청병 / ～反应; 혈청 반응.
〔血球〕 xuèqiú 명 《生》 혈구. ¶红hóng ～; 적혈구. =〔血轮〕
〔血肉〕 xuèròu 명 ①피와 살. ¶～之躯; 육체 / ～模糊; 피투성이(가 되다). ②혈육. 육친. 골육(骨肉). 특별히 친밀한 관계. ¶中韩人民～相连; 중한 국민은 끊을래야 끊을 수 없는 사이다.
〔血肉横飞〕 xuè ròu héng fēi 〈成〉 피와 살이 사방으로 흩어지다《격전 또는 격투의 참혹한 모양》.
〔血肉相连〕 xuèròu xiānglián 혈연 관계가 있다. 〈比〉 밀접한 관계가 있다.
〔血色〕 xuèsè 명 ①혈색. 핏기. ②붉은색. 핏빛.
〔血色素〕 xuèsèsù 명 ⇨〔血红蛋白〕
〔血山崩〕 xuèshānbēng 명 ⇨〔血崩〕
〔血参〕 xuèshēn 명 《植》 인삼. =〔人rén参〕
〔血史〕 xuèshǐ 명 참사. 비참한 역사. =〔惨cǎn史〕
〔血书〕 xuèshū 명동 혈서(를 쓰다).
〔血属〕 xuèshǔ 명 ⇨〔血族〕

〔血栓〕 xuèshuān 명 《醫》 혈전.
〔血栓症〕 xuèshuānzhèng 명 《醫》 혈전증.
〔血丝虫病〕 xuèsīchóngbìng 명 《醫》 주혈. 사상충병. 필라리아증(filaria症). =〔丝虫病〕
〔血祀〕 xuèsì 명 ⇨〔血祭〕
〔血嗣〕 xuèsì 명 혈통. ¶～断了; 혈통이 끊어졌다. =〔血胤〕
〔血尿〕 xuèsuī 명 《醫》 혈뇨.
〔血痰〕 xuètán 명 《醫》 혈담.
〔血糖〕 xuètáng 명 《生》 혈당.
〔血统〕 xuètǒng 명 혈통.
〔血头〕 xuètóu 명형 ⇨〔噱xué头〕
〔血污〕 xuèwū 명 피얼룩. 피 묻은 곳.
〔血吸虫〕 xuèxīchóng 명 《蟲》 주혈흡충. ¶～病; 주혈흡충병.
〔血纤维素〕 xuèxiānwéisù 명 《化》〈音〉 헤민(hemin).
〔血像〕 xuèxiàng 명 《醫》 혈액상.
〔血小板〕 xuèxiǎobǎn 명 《醫》 혈소판.
〔血心〕 xuèxīn 명 열렬한 마음. 정의감.
〔血腥〕 xuèxīng 명형 피비린내(나다). ¶～统治; 피비린내나는 지배 / ～镇压; 피비린내나는 탄압.
〔血腥气〕 xuèxīngqì 명 피비린내.
〔血行器〕 xuèxíngqì 명 《生》 순환기. =〔循xún环器〕
〔血型〕 xuèxíng 명 혈액형. ¶你是什么～? 혈액형은 무슨 형입니까?
〔血性〕 xuèxìng 명 의협심. 사내다움. 혈기. ①기개. 혈기. ¶他是个～汉子, 向来见义勇为; 그는 기개가 있는 대장부여서 전부터 의를 보면 용감하게 행동했다. ②의협심. 협기. 정의감. =〔血气〕 ③격하기 쉬운 기질.
〔血虚〕 xuèxū 명 《漢醫》 빈혈증. =〔血薄〕〔血亏〕
〔血循环〕 xuèxúnhuán 명 《生》 혈액 순환.
〔血压〕 xuèyā 명 혈압. ¶～高; 혈압이 높다 / ～计; 혈압계.
〔血液〕 xuèyè 명 ①《生》 혈액. ②〈比〉 주요 성분. 힘. ¶石油是工业的～; 석유는 공업의 혈액이다.
〔血衣〕 xuèyī 명 피 묻은 옷.
〔血印〕 xuèyìn 명 핏자국.
〔血胤〕 xuèyìn 명 ⇨〔血嗣〕
〔血友病〕 xuèyǒubìng 명 《醫》 혈우병.
〔血余〕 xuèyú 명 혈여. (한방약에서) 사람의 머리털을 찐 것. =〔血余炭〕
〔血雨腥风〕 xuè yǔ xīng fēng 〈成〉 뿜어나온 피가 비 같고, 바람 속에서 피비린내가 나다(전쟁터의 처참한 모양).
〔血缘〕 xuèyuán 명 혈연. ¶～社会; 혈연 사회 / ～关系; 혈족 관계.
〔血晕〕 xuèyùn 명 《漢醫》 산후에 출혈 과다로 인한 빈혈 증상. 혈훈. ⇒xiěyùn
〔血债〕 xuèzhài 명 혈채. 피의 보상. 피맺힌 원수. ¶～累累; 많은 백성을 살해한, 겹겹이 쌓인 피비린내나는 죄악 / 这笔～我们一定要侵略者以血来偿cháng还; 이 핏값은 무슨 일이 있어도 침략자에게 피로 갚아 주어야 한다.
〔血战〕 xuèzhàn 명동 혈전(하다). 격전(하다). ¶～到底; 끝까지 목숨을 걸고 싸우다.
〔血站〕 xuèzhàn 명 혈액 센터. 혈액 은행.
〔血痔〕 xuèzhì 명 《醫》 혈치. 출혈이 심한 치질.
〔血痣〕 xuèzhì 명 피멍. 피 섞인 물집.
〔血肿〕 xuèzhǒng 명 《醫》 혈종.
〔血槠〕 xuèzhū 명 《植》 북가시나무.
〔血渍〕 xuèzì 명 핏자국.
〔血族〕 xuèzú 명 혈족. ¶～结婚; 근친 결혼. =〔血属〕

谑(謔) xuè (학)

동 〈文〉 ①희롱하다. ②농담하다. 익살부리다. ¶谐xié～; 해학 / 他说的话真逗dòu～; 그의 말은 정말 우스꽝스럽다.
〔谑而不虐〕 xuè ér bù nüè 〈成〉 놀리기는 해도 도를 지나쳐서 감정을 상하게 하지는 않는다〔말아야 한다〕. ¶饭后说个～的笑话也无伤大雅啊; 식후에 가벼운 농담을 해도 별로 품위가 손상되는 것은 아니다.
〔谑而近虐〕 xuè ér jìn nüè 〈成〉 농담이기는 하나 짓궂게 괴롭힌다는 느낌이 강하다. 농담이 지나치다. ¶你这玩笑开得太长了, 未免～啦; 너의 이 농담은 너무 심해. 농담치고는 좀 지나치다.
〔谑浪〕 xuèlàng 형 마구 희롱거리다. 익살스럽다. ¶我不喜欢现代歌曲里的～声调; 나는 현대 가곡의 경박한 가락이 싫다 / 战后道德低落, 到处弥漫着～的淫风; 전후는 도덕이 타락해서, 도처에 시시덕거리는 음탕한 풍조가 가득 차 있다.
〔谑碌〕 xuèlù 동 〈俗〉 목청을 가늘게 하여 일부러 교성(嬌聲)을 내다. ¶～着嗓子哭起来; 목청을 가늘게 하여 슬픈 듯이 울기 시작했다.
〔谑亲〕 xuèqīn 명 결혼식날 밤 친구들 여럿이 신부를 놀리는 일. ¶～也要有分寸, 不可过火儿; 신부를 놀리는 것도 분수가 있어야지, 너무 도를 지나쳐서는 안 된다. =〔谑情〕
〔谑情〕 xuèqíng 명 ⇨〔谑亲〕
〔谑人〕 xuè·rén 동 놀리다. 희롱하다. ¶你真会～, 我说不过你; 너는 정말 사람을 잘 놀리는 구나. 나는 너한테 당할 수가 없다. (xuèrén) 명 농담을 잘 하는 사람. 재미있는 사람. 유쾌한 사람. ¶张三是个～, 他一来就谈笑风生, 把沉闷的空气吹散了; 장삼은 유쾌한 사나이야. 그가 오면 이야기가 활기를 띠어 무거운 분위기가 싹 사라진다.
〔谑谈〕 xuètán 명 농담. 희문(戱文). ¶他发表了一篇幽yōu默的～; 그는 재미있는 희문 한 편을 발표했다.
〔谑谑〕 xuèxuè 형 유쾌한 모양. ¶来宾都～地笑起来; 내빈은 모두 유쾌하게 웃기 시작했다.

XUN ㄒㄩㄣ

勋(勛〈勳〉) xūn (훈)

명 ①공적. ¶屡建奇～; 여러 차례 큰 공을 세우다. ②상대방의 행위를 공경해서 붙이는 말.
〔勋臣〕 xūnchén 명 공신.
〔勋阀〕 xūnfá 명 훈벌. 공로가 있는 집안. 공신의 문벌.
〔勋功〕 xūngōng 명 훈공. 공훈. 공로.
〔勋官〕 xūnguān 명 훈관. 옛날, 훈공에 의해서 주어진 명의상(名義上)의 관직.
〔勋贵〕 xūnguì 명 훈귀. 공훈이 있는 귀족.
〔勋绩〕 xūnjì 명 훈적. 공적.
〔勋旧〕 xūnjiù 명 훈구. 대대로 이어 오는 공로자.
〔勋爵〕 xūnjué 명 ①훈작. 훈공에 의한 작위. ②(영국의) 나이트(knight). 훈공작(勳功爵).
〔勋劳〕 xūnláo 명 훈로. 공로. 공적. ¶卓著～; 탁월한 공로.
〔勋烈〕 xūnliè 명 훈공이 있는 충렬한 선비.

〔勋门〕 xūnmén 명 훈공이 있는 가문.
〔勋启〕 xūnqǐ 〈翰〉 뜯어봐 주십시오《옛날, 관리 앞으로 보내는 봉서(封書)의 수신인 이름 아래 쓰는 상투어》.
〔勋业〕 xūnyè 명 〈文〉 훈업. 훈공. 공업(功業). ¶不朽的～; 후세에까지 남을 훌륭한 공적과 사업.
〔勋荫〕 xūnyìn 명 조상의 공업으로 얻는 관위·재산·명예 따위.
〔勋章〕 xūnzhāng 명 훈장. ¶授予国家的～; 국가의 훈장을 수여하다.
〔勋状〕 xūnzhuàng 명 전공을 기리어 주는 문서. 감사장.

埙(壎〈壎〉)

xūn (훈)
명 〖樂〗 훈《옛날의 토제(土製) 악기로, 달걀꼴에 5-6개의 구멍이 있고 앞에 부는 구멍이 있음》.

荤(葷)

xūn (훈)
→〔荤粥〕 ⇒hūn

〔荤粥〕 Xūnyù 명 훈위(葷粥)《중국 고대의 북방 민족 이름》. =〔獯鬻Xūnyù〕

焄

xūn (훈)
〈文〉 ① 동 불꽃이 타오르다. ② 명 향기.

熏〈燻〉

xūn (훈)
A) ① 동 그을다. 그을리게 하다. 그슬리다. ¶烟把墙～黑了; 연기 때문에 벽이 꺼멓게 그을렸다/顶棚被烟～黑了; 천장이 연기로 그을러 거매졌다. ② 동 냇내 나다. ③ 명 훈제(燻製). ¶～鱼; ⇓ ④ 동 향기를 쐬게〔향기가 배게〕 하다. ¶用茉莉花～茶叶; 찻잎에 자스민 향을 배게 하다. ⑤ 동 평판 등이 나빠지다. ¶他的字号已经～上来了; 그의 평판은 이미 나빠지기 시작했다. ⑥ 동 악취가 코를 찌르다. =〔臭气熏人〕 ⑦ 명형 ⇨〔曛〕 ⑧ 동 증기로 찌다. 훈증하다. ¶热气～蒸; 뜨거운 증기로 훈증하다. B) ① 동 단단히 야단치다. ¶～儿ér子一顿; 아들을 호되게 야단치다/今天他～了我一顿; 나는 오늘 그에게 심하게 야단맞았다. ② 형 따뜻하다. ¶～风; 〈文〉 따뜻한 남풍(南風). ③ 동 영향을 받다. 물들다. ④ 동 〈文〉 향기가 나다. ¶陌上草～; 논두렁길의 풀이 향기롭다. ‖=〔薰B)〕 ⇒xùn

〔熏草〕 xūncǎo 명 〖植〗 ①영릉향(零陵香). =〔蕙huì草〕 ②광명자. =〔罗luó勒〕 ‖=〔薰草〕
〔熏肠〕 xūncháng 명 순대를 설탕을 태우는 연기로 훈제하여 말린 것.
〔熏蛋〕 xūndàn 명 훈제 달걀.
〔熏豆腐(干儿)〕 xūndòufu(gānr) 명 훈제 두부.
〔熏毒法〕 xūndúfǎ 명 〖農〗 훈증(燻蒸) 소독법.
〔熏肥〕 xūnféi 명 잡초 따위를 쪄서 만든 비료. (xūn,féi) 동 잡초 따위를 비료로 쓰기 위하여 찌다.
〔熏风〕 xūnfēng 명 〈文〉 ①남풍. ②온화한 바람. 춘풍. 봄바람.
〔熏腐〕 xūnfǔ 명 ⇨〔宫gōng刑〕
〔熏黑〕 xūnhēi 동 그을려서 검게 하다〔거매지다〕.
〔熏花茶〕 xūnhuāchá 명 ⇨〔花茶①〕
〔熏化〕 xūnhuà 동 훈화하다. 훈도(薰陶)하여 감화시키다. 감화를 받다. ¶受老师的～; 선생님의 훈도 감화를 받다.
〔熏鸡〕 xūnjī ① 명 훈제(燻製) 닭고기. ②(xūn jī) 닭을 훈제로 만들다.
〔熏腊〕 xūnlà 명동 ⇨〔熏肉〕
〔熏笼〕 xūnlóng 명 '熏炉'(훈로)에 씌우는 바구니 모양의 덮개. =〔宫gōng熏〕
〔熏炉〕 xūnlú 명 향을 피우는 화로. 향로.
〔熏陆香〕 xūnlùxiāng 명 ⇨〔乳rǔ香〕
〔熏沐〕 xūnmù 동 향료를 태워서 몸에 배게 하다.
〔熏炮〕 xūnpào 명 〈俗〉 '氯lǜ气炮'(독가스포)의 속칭.
〔熏青豆〕 xūnqīngdòu 명 풋콩의 콩깍지를 벗겨 삶은 뒤, 소금을 뿌려 훈제한 것.
〔熏青鱼〕 xūnqīngyú 명 훈제 청어. 훈제한 민물 청어.
〔熏染〕 xūnrǎn 동 (주로 나쁜 것을) 배워 물들다. 영향을 받다. ¶～了不良嗜好; 나쁜 도락에 물들었다.
〔熏肉〕 xūnròu 명 훈제(燻製) 고기《주로 돼지고기》. (xūn,ròu) 동 돼지고기를 훈제하다. ‖=〔熏腊〕
〔熏生〕 xūnshēng 동 다른 사람의 비밀을 폭로하다. 남의 나쁜 소문을 퍼뜨리다.
〔熏死〕 xūnsǐ 동 연기에 그슬려서 죽다. 연기에 심하게 그슬리다.
〔熏陶〕 xūntáo 동 훈도하다. 영향을 받다. ¶在父母的～下, 他从小喜爱音乐; 부모님의 영향으로, 그는 어릴적 부터 음악을 좋아했다.
〔熏陶渐染〕 xūntáo jiànrǎn 감화·영향을 받아 점점 물들다. ¶接近君子受其～; 군자를 가까이 접하여 그 훈도를 받다.
〔熏天〕 xūntiān 형 (나쁜 기운이) 하늘을 덮다《세력이 강대함을 형용하는 말》. ¶热气～; 열기가 하늘을 덮다.
〔熏透〕 xūntòu 동 ①냄새가 깊이 배다. ¶身上～了猪的气味儿; 몸에 돼지냄새가 잔뜩 배었다. ②훈제가 잘 되다. ¶这只熏鸡还没有～; 이 훈제 닭은 아직 훈제가 덜 되었다. ③평판이 매우 나쁘다. ¶他的名誉yù～了; 그의 평판은 매우 나빠졌다.
〔熏蚊子〕 xūn wénzi 모깃불·모기향을 피워서 모기를 쫓다〔잡다〕. ¶点蚊香～; 모기향을 피워서 모기를 쫓다〔죽이다〕.
〔熏习〕 xūnxí 동 〖佛〗 세습(世習)에 물들다. 영향을 받다. ¶青年们看了电视, 受眼下社会风气的～; 청년들은 텔레비전을 보고 현재의 사회 풍조에 물든다.
〔熏香〕 xūnxiāng 명 ①마취력을 가진 향. =〔熏药〕 ②〈比〉 남의 나쁜 소문. ¶他到处给人洒～; 그는 가는 곳마다 남이 싫어하는 일이나 나쁜 소문을 퍼뜨리고 다닌다.
〔熏心〕 xūnxīn 동 남을 현혹시키다. 마음을 흐리게 하다. ¶利欲～; 〈成〉 이욕은 마음을 현혹시킨다.
〔熏穴求君〕 xūnxué qiújūn 강제적으로 출마시켜 요직에 앉히다. ¶军阀们用～的态度, 强迫他出来作官, 维持地方秩序; 군벌들은 그를 출마시켜 지방의 질서를 유지하게 했다.
〔熏鸭〕 xūnyā 명 훈제 오리.
〔熏药〕 xūnyào 명 ⇨〔熏香①〕
〔熏衣草〕 xūnyīcǎo 명 〖植〗 라벤더(lavender). ¶～油; 〖藥〗 라벤더 유.
〔熏衣服〕 xūn yīfu 옷에 향기를 배게 하다.
〔熏银〕 xūnyín 명 유황으로 표면을 그슬린 은. ¶～器皿mǐn; 유황으로 표면을 그슬린 은으로 만든 그릇.
〔熏鱼〕 xūnyú ① 명 훈제(燻製) 생선. ②(xūn yú) 생선을 훈제로 만들다.
〔熏蒸〕 xūnzhēng 형 찌는 듯이 덥다. ¶暑气～; 한증막에 들어간 것처럼 찌는 듯이 덥다. 동 훈증

하다. ¶～火腿; 햄을 만들다.
〔熏制〕 xūnzhì 명 훈제. 연기로 그슬림. =〔熏炙〕
〔熏炙〕 xūnzhì 명 ⇨〔熏制〕
〔熏肘子〕 xūnzhǒuzi 명 훈제 족발. 「xián猪肉〕
〔熏猪肉〕 xūnzhūròu 명 베이컨(bacon). =〔咸

薰 xūn (훈)
A) 명 〈文〉 ①향초(香草). ②〈轉〉 화초의 향기. B) ⇨〔熏〕
〔薰染〕 xūnrǎn 동 영향을 받다. 악습(惡習)에 물들다. ¶～上不良嗜好; 나쁜 도락에 물들다.
〔薰莸〕 xūnyóu 명 ①〈文〉 향초와 악취나는 풀. ②〈轉〉 선과 악. 미와 추(醜). 군자와 범인. ¶机关里的公务员很多, 难免～不齐; 관청의 공무원도 매우 많으니까, 자연히 좋은 사람도 있고 나쁜 자도 있다.
〔薰莸不同器〕 xūn yóu bù tóng qì 〈比〉 향기를 풍기는 풀과 악취가 나는 풀은 같은 그릇에 넣어 둘 수는 없다《선인과 악인은 더불어 일을 할 수 없음》.

獯 xūn (훈)
→〔獯鬻〕
〔獯鬻〕 Xūnyù 명 훈위(獯鬻)《하(夏)대의 북방 종족, 곧 진(秦)·한(漢)대의 흉노(匈奴)》. =〔荤粥 Xūnyù〕

纁(纁) xūn (훈)
명 〈文〉 엷은 적색.

曛 xūn (훈)
〈文〉 ① 명 지는 햇빛의 여광(餘光). ② 명 황혼. ③ 형 어둑어둑하다. ¶天色～黑; 하늘빛이 희미해져 어두워지다. ‖=〔熏A)⑦〕
〔曛黄〕 xūnhuáng 명 〈文〉 황혼 무렵. 해질녘.
〔曛夕〕 xūnxī 명 〈文〉 저녁때. 해질녘.
〔曛旭〕 xūnxù 명 〈文〉 저녁때와 아침.

醺 xūn (훈)
동 술에 취하다. ¶喝得醉～～的; 곤드레만드레 취하다 / 醉～～; 몹시 취한 모양.
〔醺然大醉〕 xūnrán dàzuì 곤드레만드레 취한 모양. ¶喝得～; 술을 마시고 대단히 취했다.
〔醺醺〕 xūnxūn 형 거나하게 취하다. 얼근하다. ¶有一年的春天, 他醉～的在街上走; 어느 해 봄, 그는 얼근히 취해서 거리를 걷고 있었다.

窨 xūn (음)
동 향기나 연기가 배어들게 하다. 꽃으로 찻잎을 훈제(燻製)하다. ¶茉mò莉花儿～的茶叶; 재스민으로 훈제한 찻잎. →〔熏xūn④〕 ⇒yìn

旬 xún (순)
① 명 10일간《1개월 안에는 '三～'이 있으며, 각각 '上～' '中～' '下～'이라 부름》. ¶卧wò病经～; 〈文〉 몸져 누운 후 벌써 열흘이 지났다 / 兼～; 20일 동안. ② 명 10년《흔히, 노인의 연령에 씀》. ¶九～老人; 아흔 살의 노인 / 年过六～; 나이 60을 지나다 / 六～寿辰; 육순 생일. ③ 부 널리. ④ 동 고르다. 같다. ⑤ 동 차다. ⑥ 명 만 1년. =〔旬年nián〕
〔旬报〕 xúnbào 명 순보《열흘에 한 번 발행하는 신문 또는 보고서》.
〔旬刊〕 xúnkān 명 순간.
〔旬年〕 xúnnián 명 ①만 1년. ②10년간.
〔旬日〕 xúnrì 명 10일간.
〔旬朔〕 xúnshuò 명 ①10일. ②1개월.
〔旬岁〕 xúnsuì 명 ①만 1년. ②만 10년.
〔旬外〕 xúnwài 명 10일 이상. ¶您裱的字画总得～才能做好; 당신이 표구하실 그림은 아무래도 열흘 이상 걸립니다.
〔旬月〕 xúnyuè 명 ①만 1개월. ②만 10개월.

询(詢) xún (순)
동 ①묻다. 의견을 구(求)하다. ¶探tàn～; 탐문(探聞)하다. ②《貿》 조회(照會)하다. ¶查～货价; 값의 확인 문의를 하다 / 探～资信; 자본 신용 등을 조회하다. ③상의하다.
〔询查〕 xúnchá 동 문의하여 조사하다.
〔询复〕 xúnfù 동 문의하여 대답하다.
〔询及〕 xúnjí 동 (…을) 문의하다. ¶兹承～用特布复; 〈翰〉 문의하셨기에 특별히 회답해 드립니다.
〔询价〕 xúnjià 명 상품 가격 조회. ¶～单; 상품 가격 조회서(書). 동 상품 가격을 조회〔문의〕하다.
〔询诘〕 xúnjié 동 힐문하다. 따져 묻다.
〔询明〕 xúnmíng 동 물어서 밝히다. ¶～究jiū竟; 도대체 어떻게 된 것인지 물어서 밝히다.
〔询盘〕 xúnpán 동 시장 가격을 문의하다.
〔询商〕 xúnshāng 동 상담하다. 의논하다. 교섭하다.
〔询问〕 xúnwèn 동 문의하다. 질문하다. ¶～处; 안내소 / 回答记者的～; 기자의 질문에 답하다.

郇 Xún (순)
명 ①《地》 주대(周代)의 나라 이름《주(周)의 문왕(文王)의 봉지(封地)로 산시 성(山西省) 이스 현(猗氏縣)의 서남쪽》. ②성(姓)의 하나. ⇒Huán
〔郇厨〕 xúnchú 명 당(唐)나라 위척(韋陟)은 순공(郇公)에 봉해졌는데, 그의 주방에는 온갖 진수성찬을 갖추었으므로 사람들이 포식했음. 〈比〉 성대한 연회. ¶饱饫～, 无任感谢; 〈翰〉 성대한 연회로 융숭한 대접을 받아, 감사하기 짝이 없습니다.

洵 xún (순)
① 부 〈文〉 진실로. 참으로. ¶～属可敬; 참으로 존경할 만한 일이다. ② 형 멀다. ③ 명 소용돌이치는 물. ④(Xún) 명 《地》 쉰 허《산시 성(陝西省)에 있는 강 이름》.

恂 xún (순, 준)
① 형 〈文〉 진심이 어린 모양. ¶～～如; 얌전한 모양. ② 부 돌연. 갑자기. ③ 형 무서워하다. ④ 형 신실(信實)하다. 성실하다.
〔恂栗〕 xúnlì 동 〈文〉 무서워서 벌벌 떨다.

荀 xún (순)
명 ①일종의 풀(草). ②(Xún) 《地》 춘추 전국(春秋戰國) 시대의 나라 이름. ③성(姓)의 하나.

峋 xún (순)
→〔嶙lín峋〕

珣 xún (순)
명 〈文〉 구슬〔옥〕의 일종.

栒 xún (순)
→〔栒邑〕
〔栒邑〕 Xúnyì 명 《地》 쉰이(栒邑)《산시 성(陝西省)에 있는 현(縣) 이름. 지금은 '旬邑, 旬阳'으로 씀》. =〔栒阳〕

巡〈廵〉 xún (순)
① 동 순찰〔순시〕하다. ¶～街; ⇩ / ～夜; ⇩ ② 동 널리 순력(巡歷)하다. ③ 양 바퀴. 일순(一巡)《술잔이 모든 좌석을

한 바퀴 도는 것을 세는 말). ¶一～; 한 바퀴/酒过三～; 모두에게 술이 세 순배 돌았다.
〔巡杯〕 xún·bēi 동 순배하다. 연회 때, 주인이 차례로 손님에게 술을 권하다.
〔巡边员〕 xúnbiānyuán 명 《體》 축구의 선심(線審). ¶比赛裁判员跟～; 시합의 심판과 선심. =〔司sī线员〕
〔巡兵〕 xúnbīng 명 순찰병. 순라병.
〔巡捕〕 xúnbǔ 명 ①⇨〔巡警 jǐng〕. ②청대(清代)의 총독·순무(巡撫) 등의 지방 장관의 수종(隨從) 관리. ③외국 조계(租界) 안의 경찰.
〔巡捕房〕 xúnbǔfáng 명 옛날, 외국 조계(租界)의 경찰서. =〔捕房〕
〔巡查〕 xúnchá 명동 순찰(하다). 순시(하다).
〔巡船〕 xúnchuán 명 수상(水上) 감시선.
〔巡防〕 xúnfáng 동 순찰하여 지키다.
〔巡风〕 xúnfēng 동 ⇨〔寻风〕
〔巡凫〕 xúnfú 명 ⇨〔白bái眉鸭〕
〔巡抚〕 xúnfǔ 동 각지를 돌아 백성을 위무하고 편안케 하다. 명 ①명대(明代)에 임시로 지방에 파견하여 순시하던 대신. ②청대(清代)에 총독(總督) 다음 가는 성(省)의 행정 장관. →〔抚〕
〔巡更〕 xúngēng 명동 야경(夜警)(을 돌다).
〔巡更钟〕 xúngēngzhōng 명 야경의 순회 시간을 나타내는 장치를 단 벽시계. 순라용 타임 리코더.
〔巡官〕 xúnguān 명 '巡警'(경찰)의 장(長).
〔巡壶儿〕 xúnhúr 명 차례대로 돌려서 술을 따르는 술병(아가리가 길쭉함). ¶请把这～传过去自斟自酌; 이 술병을 돌려 각자 자작하여 주십시오. (xún·hur) 동 차례로 술병을 돌리다.
〔巡划〕 xúnhuá 명 수상(水上)을 순회하는 세관의 작은 배〔감시선〕.
〔巡回〕 xúnhuí 동 순회하다. ¶～图书馆; 이동〔순회〕 도서관/～演出; 순회 공연. 이동 공연/～医疗队 =〔循环医疗队〕; 순회 의료진.
〔巡缉〕 xúnjī 동 순찰하여 체포하다. ¶～私货; 순찰하여 밀수출입을 단속하다.
〔巡街〕 xúnjiē 동 거리를 순시하다. 순찰하다.
〔巡警〕 xúnjǐng 명 옛날, 경관. 순경. =〔巡捕①〕 →〔警察〕
〔巡警阁子〕 xúnjǐnggézi 명 옛날, 파출소. →〔派pài出所〕
〔巡礼〕 xúnlǐ 동 ①성지(聖地)를 순례하다. ②명승고적을 구경하고 다니다.
〔巡逻〕 xúnluó 동 순찰하여 경계하다. 명 순라. ¶～艇; 초계정.
〔巡哨〕 xúnshào 동 ①돌아보다. ②《軍》 순라(巡邏)하다. ¶～船; 수상 경비정.
〔巡视〕 xúnshì 동 순시하다. (순찰하기 위해) 돌아다니다. 시찰하다.
〔巡锡〕 xúnxī 동 《佛》 승려가 각지를 돌며 가르침을 넓히다.
〔巡行〕 xúnxíng 동 순행하다. 행진하다. 순라하다.
〔巡幸〕 xúnxìng 동 순행하다. 옛날, 천자가 각지를 돌아다니며 시찰하다.
〔巡洋舰〕 xúnyángjiàn 명 《軍》 순양함.
〔巡夜〕 xúnyè 동 야간 순찰하다. 야경돌다. =〔〈文〉巡更〕
〔巡弋〕 xúnyì 동 수상(水上)을 순시하다.
〔巡游〕 xúnyóu 명동 순유(하다).
〔巡长〕 xúnzhǎng 명 옛날, 경장(警長).
〔巡指间〕 xúnzhǐjiān 부 잠깐 사이에. 어느 틈엔가. ¶～又到了新年; 어느덧 또 새해가 되었다.

寻(尋〈尋〉) xún (심)

①동 찾다. ¶～人; ⇓/～一个地方儿; 장소를 찾다/～着头绪了; 실마리를 찾았다. 윤곽이 잡혔다. ②동 탐색하다. 더듬다. ③부 〈文〉 계속해서. 잇달아. ¶存问相～; 잇달아 인사하러 오다. ④부 〈文〉 오래지 않아. 이윽고. ⑤형 보통의. ⑥양 《度》 심(길이의 단위. 8'尺' 또는 6'尺'). ¶千～高岭; 천 길 높이나 되는 산봉우리. ⑦동 〈京〉 조금 융통해 받다. ¶你用不着, ～给我吧; 네가 필요 없다면 내게 융통해 다오. ⑧명 성(姓)의 하나.
〔寻宝〕 xún·bǎo 동 ①광맥(鑛脈)을 찾다. ②쓸모가 있는 금속류(金屬類)를 찾다.
〔寻查〕 xúnchá 동 찾다. 조사하여 찾다.
〔寻常〕 xúncháng 형 평범하다. 보통이다. 예사롭다. =〔行xíng常〕 양 고대의 길이의 단위(8척을 1'寻' 그 배를 1'常'이라 함).
〔寻常电(报)〕 xúncháng diàn(bào) 명 보통 전보.
〔寻嗔〕 xúnchēn 동 〈文〉 화낼 거리를 찾아서 화내다. →〔寻闹〕
〔寻趁〕 xúnchèn 동 ①〈南方〉 돈을 벌 궁리를 하다. ¶～钱; 애써 돈을 벌다. ②잘못을 찾아 나무라다. ¶你心里不高兴不要～我; 네가 기분이 나쁘다고 내게 트집을 잡지 마라.
〔寻的导弹〕 xúndì dǎodàn 명 《軍》 자동 지향(指向) 장치 미사일.
〔寻短见〕 xún duǎnjiàn〔xín duǎnjiàn〕 스스로 목숨을 끊으려 하다. 자살을 기도하다. =〔寻短路〕
〔寻芳〕 xúnfāng 동 ⇨〔寻花〕
〔寻访〕 xúnfǎng 동 심방하다. 탐방하다. ¶～朋友; 친구를 찾아가다.
〔寻风〕 xúnfēng 동 망보다. 정세를 살피다. ¶～的; 망보는 역을 맡은 도둑/两个进去抢qiǎng, 一个在门口儿～; 둘이 안으로 들어가서 강도질을 하고, 한 사람이 문 앞에서 망을 보다. =〔巡风〕〔把bǎ风〕
〔寻根〕 xúngēn 동 ①근원을 찾다. 기원을 찾다. ②조상을 찾다. 혈통을 찾다. 뿌리를 캐다.
〔寻根究底〕 xún gēn jiū dǐ 〈成〉 꼬치꼬치 캐묻다〔따지다〕. ¶似你这样～, 便是刻舟求剑, 胶柱鼓瑟了; 너처럼 이렇게 꼬치꼬치 캐묻는 것은 어리석고 융통성 없는 짓이다. =〔寻根问底〕
〔寻行数墨〕 xún háng shǔ mò 〈成〉 자구(字句)에 구애되어 중요한 뜻을 궁구(窮究)하지 못함. ¶读书不求甚解, 光是～有什么用? 책을 읽으면서 내용을 깊이 연구하지 않고 자구에만 얽매이니, 무슨 소용이 있겠느냐?
〔寻呼〕 xúnhū 동 (무선 호출기로) 호출하다.
〔寻花〕 xúnhuā 동 꽃을 찾다. 〈轉〉 화류계를 찾아다니다. ¶～问柳 =〔问柳寻花〕〔赏花阅柳〕; 〈成〉 기생집에〔화류계를〕 드나들다. =〔寻芳〕〔寻香〕
〔寻获〕 xúnhuò 동 수사하여 포박하다.
〔寻机〕 xúnjī 동 기회를 찾다.
〔寻究〕 xúnjiū 동 추구하다. ¶～出一个结果来; 끝까지 추구하여 결과를 보았다〔사정이 명백해졌다〕.
〔寻开心〕 xún kāixīn 〈方〉 남을 놀림감으로 하여 즐기다. 재미삼아 남을 조롱하다. ¶别拿我～; 나를 놀리지 마.
〔寻乐〕 xúnlè 동 즐거움을 찾다.
〔寻溜〕 xuéliu 동 ⇨〔踅xué目〕
〔寻搂〕 xuélou 동 ⇨〔踅xué目〕
〔寻门路〕 xún ménlù ①단서〔실마리〕를 찾다. ②

연줄을 찾다. ¶～给他托情去吧; 연줄을 찾아 그를 위해 부탁하러 가자. ‖ =〔找zhǎo路子〕
〔寻盟〕 xúnméng 동 옛 맹약을 돈독히 하다. 수교(修交)하다. ¶派pài友好大使来贵国～; 우호 대사를 귀국에 파견하여 옛 맹약을 돈독히 하겠습니다.
〔寻觅〕 xúnmì 동 ①찾다. ②〈方〉(가벼운 마음으로) 찾아보다.
〔寻摸〕 xúnmō 동 ①찾다. ②탐구하다. 더듬어 구하다. ¶老师就是我们～学问的一盏灯; 선생님은 우리가 학문을 탐구할 때의 등불이다.
〔寻闹〕 xúnnào 동 소동을 일으키다. 트집을 잡다. 싸움을 걸다.
〔寻气〕 xúnqì 동 마구잡이로 화풀이하다. 좌충우돌하다. ¶没人惹他, 是他自己在～相闹; 누가 어떻게 한 것도 아닌데, 그가 제 풀에 화풀이하고 있는 것이다.
〔寻钱〕 xúnqián 동 돈을 얻다〔타다〕. ¶跟人～多难看啊! 手背朝下的事我实在干不来; 남한테 돈을 얻는다는 것은 얼마나 보기 흉하냐! 손을 벌리는 짓은 난 정말 못 하겠다.
〔寻钱的〕 xúnqiánde 명 거지. =〔讨tǎo饭的〕
〔寻求〕 xúnqiú 동 탐구하다. 추구하다. ¶～真理; 진리를 탐구하다 / ～知识; 지식을 추구하다.
〔寻人〕 xúnrén 명 사람을 찾는 일(보통, 신문 등의 광고에 '人'자를 거꾸로 씀).
〔寻生活〕 xún shēnghuó 〈南方〉 ①살다. 지내다. 생계를 유지하다. ¶到上海去～; 상하이에 가서 살다. ②생트집을 잡다. 흠을 들추어내다. ¶你心里不开心, 自己去散散闷, 不要寻人家生活; 기분이 울적하면 스스로 풀면 되지, 남에게 생트집을 잡지 마라.
〔寻事〕 xún·shì 동 일을 일으키다. 일부러 시비를 걸다. 트집을 잡다. ¶～生非; 〈成〉 고의(故意)로 잘못을 찾아 내어 떠들다. 고의로 사건을 일으키다.
〔寻丝觅缝〕 xúnsī mìfèng 모든 수단을 강구하다. 팔방으로 손을 쓰다. ¶何必～地挤对人; 굳이 온갖 방법을 다 써서 사람을 궁지에 몰 필요가 있는가.
〔寻思〕 xúnsī 동 생각하다. 궁리하다. ¶独自～; 혼자서 곰곰이 생각하다 / 我～七十二行庄稼为强, 还是地里的活儿实在; 나는 생각해 보았지만, 여러 가지 업종 중에 농사일이 제일이야. 역시 밭일이 확실하거든.
〔寻死〕 xún·sǐ 동 자살을 기도하다. 자살하다.
〔寻死觅活〕 xún sǐ mì huó 〈成〉 필사적이 되다. 죽네사네 하면서 소란을 피우다. ¶她为丈夫讨小老婆的事～地大闹一顿; 그녀는 남편이 첩을 얻었다고 죽느니사느니 하면서 큰 소란을 피웠다.
〔寻宿儿〕 xún·sùr 동 숙소를 찾다.
〔寻讨〕 xúntǎo 동 찾다. 구하다.
〔寻碗正经茶饭〕 xúnwǎn zhèngjìng cháfàn 정당한 생업으로 생활하다. ¶老二也不小了, 该～去了; 둘째도 이제 애들이 아니니까 정당한 일자리를 찾아 자활해야 한다.
〔寻味〕 xúnwèi 동 뜻을 음미하다. 의미를 깨닫다. ¶耐人～; 매우 의미가 있다. 깊은 뜻이 있다 / 这个消息公布后, 美国军方的反应是颇堪～的; 이 뉴스가 발표된 뒤, 미국 군부에 일어난 반응은 매우 의미 심장한 바가 있다.
〔寻隙〕 xúnxì 동 〈文〉 흠을 찾다. 트집을 잡다. 싸움을 걸다. ¶他是来～的, 我们要尽量容忍, 避免引起争端; 그는 생트집을 잡으러 온 것이니까, 우리는 가능한 한 참고 사단을 일으키지 않도록 해야 한다.
〔寻香〕 xúnxiāng 동 ⇨〔寻花〕
〔寻衅〕 xúnxìn 동 도전(挑戰)하다. 고의적으로 시비 걸다.
〔寻绎〕 xúnyì 동 되풀이하여 음미하고 연구하다.
〔寻幽〕 xúnyōu 동 ①명승지를 찾다. ②심원한 이치를 깊이 연구하다.
〔寻章摘句〕 xún zhāng zhāi jù 〈成〉 문장의 편언 척자(片言隻字)를 끄집어 내다(문장에 독창성이 없다). ¶诗词到了末流, 便成了知识分子～的文字游戏; 시사는 말류에 이르러 지식 분자의 독창성이 없는, 문자의 유희가 되고 말았다.
〔寻找〕 xúnzhǎo 동 찾다. ¶～失物; 분실물을 찾다 / ～真理; 진리를 탐구하다.
〔寻字头(儿)〕 xúnzìtóu(r) 명 돼지머리계(한자 부수의 하나로 '彗·帚' 등의 '彐'의 이름).

郇(鄩) **Xún** (심) 지명용 자(字).

浔(潯) **xún** (심) 명 ①〈文〉 물가. ¶江～; 강가. ②(Xún) 《地》 장시 성(江西省)의 주장 강(九江)의 별칭.

荨(蕁〈薚〉) **xún** (심) →〔荨麻〕〔荨麻疹〕 ⇒qián

〔荨麻〕 xúnmá 명 《植》 쐐기풀.
〔荨麻疹〕 xúnmázhěn 명 《醫》 두드러기. =〔风fēng疹〕〔风(疹)块〕〔〈方〉 鬼guǐ风疙瘩〕

㖊(噚) **xún** (심) 명 《度》 패덤(fathom)(야드 파운드법(法)의 수심(水深)을 재는 단위. 1 '㖊'은 6피트에 해당함).

燖 **xún** (심, 섬) 동 ①식은 것을 다시 데우다. ②끓는 물에 고기를 넣다. ③더운 물에 담갔다 꺼내다. 삶다. ④더운 물을 끼얹어서 털을 뽑다.

珣(璕) **xún** (심) 명 〈文〉 아름다운 돌의 일종.

鲟(鱘〈鱏〉) **xún** (심) 명 《魚》 용상어. =〔鲟鱼〕〔鲟鳇鱼〕

〔鲟骨〕 xúngǔ 명 용상어의 머리 연골(요리에 씀).

紃(紃) **xún** (순) 명 〈文〉 둥글게 꼰 끈.

循 **xún** (순) ①동 (규칙·순서 따위에) 좇다. 의하다. 따르다. ¶遵zūn～命令; 명령을 따르다 / ～路前进; 길을 따라 전진하다. ②동 구습을 좇아 미루적거리다. ¶因～; 낡은 습관을 좇다. 구습을 따르다. 인순하다. ③동 돌다. 순환하다. ④형 질서가 정연한 모양. ¶～～善诱; 〈成〉 정연히 순서를 세워 선도하다.

〔循便〕 xúnbiàn 동 〈文〉 편의(便宜)대로 일을 하다.
〔循从〕 xúncóng 동 좇다. 따르다. ¶～命令; 명령을 따르다.
〔循法〕 xúnfǎ 동 ①법률에 따르다. ②일정한 방법에 의하다. ¶～炮制; 일정한 방법에 따라 조제하다.
〔循分〕 xúnfèn 동 분수를 지키다. ¶～度日; 분수에 맞게 조촐하게 살다. =〔安ān分〕

〔循规蹈矩〕 xún guī dǎo jǔ 〈成〉 규율을 잘 지키다. 꼼꼼하다.
〔循环〕 xúnhuán 명동 순환(하다). ¶～系统; 순환 계통/因果～; 〈成〉 원인과 결과는 돌고돈다/～制zhì; 《體》 리그전(league戰)제도. =〔轮lún环〕
〔循环论证〕 xúnhuán lùnzhèng 명 (논리학의) 순환 논증.
〔循环器〕 xúnhuánqì 명 《生》 순환기《혈액의 순환을 맡은 기관. 척추 동물에서는 심장·동맥·정맥·모세관 등》. =〔行xíng血器〕〔血xuè行器〕
〔循环赛〕 xúnhuánsài 명 《體》 리그전(league戰). =〔联lián赛〕↔〔淘táo汰赛〕
〔循环小数〕 xúnhuán xiǎoshù 명 《數》 순환 소수《무한 소수의 하나. 소수점 이하의 어느 자리 뒤에서, 약간의 같은 수가 같은 순서로 한없이 되풀이 되는 소수》.
〔循环医疗队〕 xúnhuán yīliáoduì 명 순회 의료진. =〔巡回医疗队〕
〔循环引擎〕 xúnhuán yǐnqíng 명 《機》 사이클 엔진.
〔循环资本〕 xúnhuán zīběn 명 유통 자본. 회전 자본.
〔循阶〕 xúnjiē 동 순차〔차례〕로 지위를 올리다. ¶～晋级; 순차〔차례〕로 진급하다.
〔循理〕 xún.lǐ 동 도리에 따르다. ¶要是～来讲, 仍是你的不是; 순리에 따라 말한다면, 역시 네 잘못이다.
〔循吏〕 xúnlì 명 순리. 규칙을 잘 지키는 선량한 관리.
〔循例〕 xún.lì 동 전례에 좇아 하다. 관례에 따르다. ¶～办理; 전례에 따라 처리하다.
〔循良〕 xúnliáng 형 온순하다. 선량하다. ¶他真～很赛sài过小绵羊; 그는 정말 면양보다도 얌전하다.
〔循流〕 xúnliú 동 흐름에 따르다. 대세에 순응하다.
〔循名责实〕 xún míng zé shí 〈成〉 그 이름에 어울리게 내실(內實)을 갖추다《명실 상부함》. ¶～你应当做得比这更好才对; 명실 상부하게 하려면 너는 이보다 더 잘 해야 한다.
〔循默〕 xúnmò 동 〈文〉 남의 의견에 따르고 발언하지 않다. ¶人家都热心讨论, 唯独他～无言; 모두들 열심히 토론하고 있는데 그만 혼자 잠자코 있다.
〔循情〕 xúnqíng 동 ⇨〔徇xùn情〕
〔循顺〕 xúnshùn 동 ①따르다. ¶～这条路走; 이 길을 따라서 가다. ②준수하다. ¶学生们都～校规; 학생은 모두 학교 규칙을 준수한다.
〔循俗〕 xúnsú 동 세속에 따르다. 세속의 흐름에 맞추다. ¶他一向言行～, 从不标新立异; 그의 언행이 줄곧 세속을 따를 뿐, 도무지 새로운 말은 하지 않는다.
〔循序〕 xúnxù 동 순서〔차례〕에 따르다. ¶～渐进; 차례를 따라 전진하다.
〔循照〕 xúnzhào 동 …대로 하다. ¶～旧例; 구례대로 하다.

训(訓) xùn (훈)

①명 교훈. 경계. 금제(禁制). ¶不足为～; 교훈으로 삼을 만한 것은 아니다/遗yí～; 유훈. 옛 사람이 남긴 가르침/校～; 교훈. ②명 주해(注解). 주석. ③동 가르치고 타이르다. 가르쳐 인도하다. ¶～他一回才好; 그에게 한 차례 타일러야겠다. ④동 따르다. 좇다. ⑤동 주석을 달다.

〔训斥〕 xùnchì 동 훈계 견책(譴責)하다. 나무라다. 질책(叱責)하다. ¶外面又被地保～了一番; 밖에서, 또 치안 담당관에게 한바탕 설교를 들었다.
〔训饬〕 xùnchì 동 〈公〉 훈령하다. ¶～部属, 一体凛遵; 소속 기관에게 훈령을 내려, 일률적으로 준수하도록 하시오.
〔训辞〕 xùncí 명 훈사. 훈시. ¶校长致～; 교장이 훈시를 하다.
〔训导〕 xùndǎo 동 훈도하다. 가르쳐 인도하다. ¶～处; 학생과. 훈육과/～主任; 훈육 주임. 학생 과장.
〔训迪〕 xùndí 동 〈文〉 가르치고 계발하다. 가르쳐 깨우치다.
〔训诂〕 xùngǔ 명 훈고《현대어로 고서를 해석함》. =〔训故〕
〔训故〕 xùngù 명 ⇨〔训诂〕
〔训话〕 xùnhuà 명 훈화. 훈계. 훈시. (xùn.huà) 동 훈계〔훈시〕하다.
〔训诲〕 xùnhuì 동 〈文〉 훈회하다. 어린 사람을 가르쳐 인도하다. ¶不要忘记老师的～; 선생님의 훈계를 잊어서는 안 된다.
〔训诫〕 xùnjiè 동 훈계하다. 가르쳐 경계하다. 명 《法》 훈계(처분). =〔训戒〕
〔训练〕 xùnliàn 명동 훈련(하다). ¶军事～; 군사 훈련.
〔训令〕 xùnlìng 명동 훈령(하다)《상급 기관이 하급 기관에 대하여 교도적 의미가 있는 일을 명령하는 일. 또는 그 명령》.
〔训蒙〕 xùnméng 동 훈몽하다. 어린이를 가르쳐 인도하다.
〔训勉〕 xùnmiǎn 동 가르쳐 격려하다. ¶毕业生接受师长的～; 졸업생은 선생님의 격려를 받았다.
〔训名〕 xùnmíng 명 ⇨〔学名〕
〔训人〕 xùn.rén 동 설교(說敎)하다. 잘 타이르다. 훈계하다.
〔训示〕 xùnshì 명 훈시. 지시. ¶我一定遵照您的～去办; 나는 반드시 당신의 지시대로 하겠습니다.
〔训诱〕 xùnyòu 동 가르쳐 이끌다. ¶把顽皮的学生～上一条正路来; 비뚤어지고 난폭한 학생을 가르쳐 인도하여 바른 학생으로 만들었다.
〔训育〕 xùnyù 명동 훈육(하다)《옛날, 학교에서의 도덕 교육을 가리킴》.
〔训喻〕 xùnyù 동 〈文〉 훈유하다. 가르쳐 깨우치다. =〔训谕〕
〔训政时期〕 xùnzhèng shíqī 명 ①청대(淸代), 상황(上皇) 또는 황태후가 정무를 본 일. ②→〔军jūn政时期〕
〔训子〕 xùnzǐ 동 자식의 버릇을 가르치다.

讯(訊) xùn (신)

①동 물어 밝히다. 캐묻다. 심문(審問)하다. ¶审shěn～; 심문하다. ②동 나무라다. ③동 묻다. 문의하다. ④명 심문. 신문(訊問). ⑤명 소식. 음신(音信). ¶通～; 통신(하다)/张垣～; 장가구발(張家口發) 통신/电～; 전신. 전보에 의한 뉴스/通～社; 통신사/新华社～; 신화사 통신.

〔讯办〕 xùnbàn 동 신문(訊問)하여 처벌하다. ¶把被告传来～; 피고를 소환하여 신문하고 처벌하다.
〔讯断〕 xùnduàn 동 신문하여 판결을 내리다.
〔讯访〕 xùnfǎng 동 심방하다. 찾아가다. 방문하다.
〔讯供〕 xùngòng 동 신문(訊問)하여 자백시키다.
〔讯棍〕 xùngùn 명 옛날, 신문할 때 쓰던 곤봉. ¶

且打这断一百～; 우선 이놈에게 곤장을 백대 안겨라.
〔讯号〕 xùnhào 명 신호. ¶灯光～; 등불 신호.
〔讯检〕 xùnjiǎn 동 신문 및 증거 조사를 하다.
〔讯结〕 xùnjié 동 신문 완료하다. ¶这个案子～了没有? 이 사건의 신문은 끝났느냐?
〔讯究〕 xùnjiū 동 신문하여 취조하다.
〔讯鞫〕 xùnjū 동 신문하다.
〔讯口〕 xùnkǒu 동 아무렇게나 지껄이다. =〔信口〕
〔讯听〕 xùntīng 동 ①탐색하다. ②묻다.
〔讯问〕 xùnwèn 동 ①⇨〔审shěn问〕 ②안부를 묻다. ¶～病况; 병세를 묻다.
〔讯息〕 xùnxī 명 소식. 기별.

汛 **xùn** (신)
①명 하천의 계절마다의 증수(增水). ¶桃花～ =〔春～〕; 3,4월 복숭아꽃 필 무렵의 눈석임의 증수 / 秋～; 가을의 증수 / 潮cháo～; 대조(大潮) / 防～; 홍수(洪水)를 막다. ②동 물을 뿌리다〔끼얹다〕. ③명 어떤 물건이 많이 나는 계절. ¶渔yú～; 어획기 / 茧jiǎn～; 고치를 짓는 시기. ④명 월경. ⑤명 계절.
〔汛期〕 xùnqī 명 (정기적인) 증수기(增水期). ¶长cháng江～; 양쯔 강(揚子江)의 증수기.

迅 **xùn** (신)
형 빠르다. ¶光阴～速; 세월이 빨리 지나가다.
〔迅电〕 xùndiàn 명 번쩍 번득이는 번개. ¶来如～; 오는 것이 번개처럼 빠르다. 명동 급전(急電)(을 치다). ¶前方吃紧, ～后方驰援; 전선이 긴박했으므로, 급전을 쳐서 후방으로 구원을 부탁했다.
〔迅风〕 xùnfēng 명 질풍. 세찬 바람.
〔迅即〕 xùnjí 부 곧. 즉시. ¶～答复切莫迟延; 〈翰〉 즉시 답장을 보내어, 지연되지 않도록 간절히 부탁드립니다.
〔迅急〕 xùnjí 형 ⇨〔迅速〕
〔迅疾〕 xùnjí 형 빠르다. 신속하다.
〔迅捷〕 xùnjié 형 ⇨〔迅速〕
〔迅雷〕 xùnléi 명 신뢰. 갑작스러운 우레.
〔迅雷不及掩耳〕 xùn léi bù jí yǎn ěr 〈成〉 ①갑작스러운 천둥으로 귀를 막을 틈도 없다. ②전광 석화(電光石火). 순식간. 질풍 신뢰(疾風迅雷)의 기세.
〔迅流〕 xùnliú 명 급류.
〔迅猛〕 xùnměng 형 급격하다. 신속하고 세차다. ¶～地发展; 급격히 발전하다.
〔迅速〕 xùnsù 형 신속하다. 재빠르다. ¶动作～; 동작이 신속하다 / ～前进; 신속하게 전진하다. =〔迅急〕〔迅捷〕

驯(馴) **xùn** (순)
①형 (사람에) 길이 들어 순하다. ¶～马; 얌전한 말. ②동 (기르며) 길들이다. ¶调～鸟兽; 새나 짐승을 길들이다. ③부 점차(로). ¶～至于此; 점차 이 지경까지 이르다. ④형 〈文〉 착하다.
〔驯畜〕 xùnchù 명 사람을 잘 따르는 축류〔가축〕. ¶牛羊都是～; 소나 양은 사람을 잘 따르는 가축이다. 동 가축을 길들이다. ¶他是一位～专家; 그는 조련사이다.
〔驯服〕 xùnfú 형 말을 잘 듣다. 얌전〔온순〕하다. ¶猫是很～的; 고양이는 매우 얌전한 동물이다 / ～工具; 〈比〉 온순한 사람. 동 말을 잘 듣게 만들다. 길들이다. ¶好容易才把它～下来; 겨우 그것을 길들였다.
〔驯悍〕 xùnhàn 동 (길러서) 길들이다.
〔驯和〕 xùnhé 형 ①(성질이) 얌전하다. ②잘 길들어 있다.
〔驯化〕 xùnhuà 동 (야생 동물을 사육하여) 길들이다. 조교(調敎)하다.
〔驯良〕 xùnliáng 형 ①얌전하고 선량하다. 다소곳하다. ②길들여져 있다. 따르고 있다.
〔驯鹿〕 xùnlù 명 《動》 순록(사슴의 일종. 북반구의 추운 땅에서 삶).
〔驯善〕 xùnshàn 형 순하다. 얌전하다. ¶我爱这～的小猫儿; 나는 이 온순한 작은 고양이가 좋다.
〔驯熟〕 xùnshú 동 완전히 익숙하다. 충분히 길들이다. 형 온순하다.
〔驯顺〕 xùnshùn 형 유순(柔順)하다. 얌전하다. 고분고분하다.
〔驯养〕 xùnyǎng 동 길러 길들이다. ¶～老虎; 호랑이를 길러 길들이다.
〔驯至〕 xùnzhì 동 점차 …에 이르다. 익숙해지다.

逊(遜) **xùn** (손)
①형 겸손하다. 자기를 낮추다. ¶出言不～; 말하는 것이 건방지다 / 傲慢不～; 오만 불손하다. ②동 제위(帝位)를 물러나다. 퇴위하다. ③형 떨어지다. 못하다. ¶稍～一筹; 약간 떨어지다 / 较jiào比远～; 이에 비해 훨씬 떨어지다. ④명 성(姓)의 하나.
〔逊遁〕 xùndùn 동 사양하여 피하다. 열등감을 느끼어 달아나다. ¶自知没有济世之能, 所以～不为官; 세상을 구제할 능력이 없음을 자각하고 사양하여 관직에 취임하지 않다.
〔逊国〕 xùnguó 동 〈文〉 ①나라를 양도하다. ②〈比〉 국무 총리 자리를 사직하다.
〔逊尼派〕 Xùnnípài 명 《宗》 〈音〉 (이슬람교의) 수니파(Sunni派). =〔散那派〕
〔逊清〕 xùnqīng 명 민국(民國) 이후 만주 황족 및 유민(遺民)을 호의적으로 이르는 말. ¶～遗老; 청조(清朝)의 노유신(老遺臣).
〔逊让〕 xùnràng 동 겸허하게 양보〔사양〕하다.
〔逊色〕 xùnsè 형 열등하다. 뒤떨어지다. ¶国产品和舶bó来品比较, 一点儿也不～; 국산품은 수입품과 비교해도 조금도 손색이 없다.
〔逊顺〕 xùnshùn 형 겸손하고 온순하다. ¶学者的态度非常～; 학자의 태도가 매우 겸손하다.
〔逊位〕 xùnwèi 동 자리를 물려주다. 퇴위하다. ¶～以荐jiàn贤者; 퇴직하고 현자를 추천하다.
〔逊谢〕 xùnxiè 동 겸손하게 사퇴하다. 좋게 거절하다. ¶～一切的应酬; 일체의 교제를 사양하다 / 送去的礼物他再三～璧还; 보내 온 선물을 그는 재삼 사양하고 그냥 돌려 보냈다.
〔逊愿〕 xùnyuàn 형 겸손하고 조심스럽다. 명 겸손하고 삼가함. ¶我实在不能受这份厚礼, 求您成全了我的～吧; 저는 이렇게 정중한 선물을 받을 수는 없습니다. 아무쪼록 저의 이 사양을 양해하여 주십시오.
〔逊政〕 xùnzhèng 명 ①옛날, 행정 단위 수장(首長)의 사직을 기리어서 이르는 말. ②옛날, 당선한 의원이 당의 지시에 따라 사퇴하는 것을 칭찬하는 말.
〔逊志时敏〕 xùn zhì shí mǐn 〈成〉 겸허하게 배우고 항상 스스로 노력하다.

徇〈狥〉 **xùn** (순)
동 ①〈文〉 따르다. 굽히고 좇다. 바치다. ¶贪夫～财, 烈士～名; 탐욕한 사내는 재물을 따르고, 열사는 명예를 따른다 / ～情; ⇓ ②대중에게 가르쳐 보이다. ③돌다. 돌리다. ④…을 위해 목숨을 바치다.
〔徇庇〕 xùnbì 동 〈文〉 정실에 사로잡혀 편애하며 비호하다.
〔徇从〕 xùncóng 동 정실(情實)에 사로잡혀 좇다.
〔徇节〕 xùn∙jié 동 ⇨〔殉节〕
〔徇名〕 xùn∙míng 동 ⇨〔殉名〕
〔徇难〕 xùn∙nàn 동 국난(國難)에 몸을 바치다. 난을 당해 죽다. =〔殉难〕
〔徇情〕 xùnqíng 동 〈文〉 사정(私情)에 얽매이다. ¶～枉法; 사사로운 정에 사로잡혀 법을 어기다 / 切莫～宽贷; 절대로 사사로운 정에 얽매어 용서해서는 안 된다. =〔循xún情〕
〔徇求〕 xùnqiú 동 정실(情實)에 매달려 부탁하다.
〔徇私〕 xùnsī 동 사정(私情)에 얽매여 옳지 못한 일을 하다. ¶～舞弊; 사사로운 정에 구애되어 제멋대로 행동하다. →〔徇情〕
〔徇通〕 xùntōng 형 〈文〉 구석구석까지 미치다. 두루 미치다. ¶思虑～; 생각이 주도하다.
〔徇义〕 xùnyì 동 〈文〉 몸을 바쳐 정의를 따르다. ¶舍shě身～; 정의를 위하여 몸을 바치다.
〔徇隐〕 xùnyǐn 동 〈文〉 은폐하다. 은닉하다. 감싸고 숨기다.
〔徇于货色〕 xùnyu huòsè 금전 재물이나 여색에 빠지다. ¶官吏～就会做出贪污的事来; 관리가 재물이나 여색에 빠지면 독직 사건을 일으키게 된다.
〔徇葬〕 xùnzàng 동 ⇨〔殉葬〕
〔徇纵〕 xùnzòng 동 정실에 얽매어 묵인하다. 인정에 끌리어 너그러이 봐 주다. ¶～部下舞弊的应与渎dú职同罪; 부하의 부정을 정실에 얽매이어 묵인한 자는 독직과 같은 벌을 받아야 한다.

殉〈徇〉② **xùn** (순)
동 ①순사(殉死)하다. 순장(殉葬)하다. ②…에 몸을 바치다.
〔殉财〕 xùn∙cái 동 재물 때문에 목숨을 버리다.
〔殉道〕 xùn∙dào 동 도의를 위하여 죽다.
〔殉国〕 xùn∙guó 동 순국하다. 나라를 위하여 목숨을 바치다.
〔殉教〕 xùn∙jiào 동 순교하다.
〔殉节〕 xùn∙jié 동 ①순절하다. 절개·절의를 위하여 목숨을 바치다. ¶文天祥是一个为国～的好男子; 문천상은 나라를 위하여 순절한 쾌남아다. ②옛날, 부녀자가 절개를 지키고 죽다. ③옛날, 아내가 죽은 남편을 따라 죽다. ‖ =〔徇节〕
〔殉利〕 xùn∙lì 동 이(利)를 꾀하느라 목숨을 돌보지 않다. 재물 때문에 몸을 망치다.
〔殉名〕 xùn∙míng 동 명예를 위해서 죽음을 택하다. ¶为爱名而～; 명예를 사랑하기 때문에 명예를 위해 목숨을 바치다. =〔徇名〕
〔殉难〕 xùn∙nàn 동 난(難)을 당해 죽다. ¶飞机失事, 全员～; 비행기가 사고를 일으켜서 전원 순직했다. =〔徇难〕
〔殉情〕 xùnqíng 동 사랑을 위해 죽다.
〔殉求〕 xùn∙qiú 동 추구하다. ¶以死来～真理的实现; 죽음으로써 진리의 실현을 추구하다.
〔殉色〕 xùn∙sè 동 색정(色情) 때문에 몸을 망치다. ¶这件轰动社会的桃色凶杀案, 是为青年们～之戒; 사회를 놀라게 만든 이 도색 흉악 살인 사건은, 청년들이 색정 때문에 몸을 망치지 않도록 하는 교훈이 되기에 충분하다.
〔殉身〕 xùn∙shēn 동 어떤 일을 위하여 목숨을 바치다.
〔殉葬〕 xùnzàng 동 ①순장하다. 순사자를 함께 장사지내다. ②옛날, 죽은 이가 생전에 아끼고 좋아하던 물건을 죽은이와 함께 묻다. ¶～品; 부장품. ‖ =〔徇葬〕
〔殉职〕 xùn∙zhí 동 순직하다. ¶因公而～; 공무 때문에 순직하다.

浚〈濬〉 **Xùn** (준)
명 《地》 쉰 현(濬縣)《허난 성(河南省)에 있는 현 이름》. ⇒jùn

巽 **xùn** (손)
①명 팔괘(八卦)의 하나. ②명 〈文〉 손방(巽方). 동남방. ③형 〈文〉 공손하다. 상냥하다. ¶～言yán; 부드러운 말. ④동 양보하다. ⑤음역자(音譯字). ¶～他tā群岛; 《地》 순다(Sunda) 군도.

噀〈潠〉 **xùn** (손)
①동 〈文〉 물을 뿜어 뿌리다. ¶含水～人; 물을 입에 물고 사람에게 뿜다. ②명 《魚》 해삼의 일종. ¶沙shā～; 해삼. =〔海参hǎishēn〕

熏 **xùn** (훈)
동 ①〈方〉 가스에 질식(窒息)·중독되다. ¶被煤气～着zháo了; 가스에 중독됐다. ②〈京〉 평판이 나쁘다. ¶他的名声～透了; 그의 평판은 극도로 나쁘다 / 走一处～一处; 가는 곳마다 평판이 나쁘다. ③뒤에서 험담하다. ¶他已经没饭吃了, 别～他了; 그는 이제 밥도 못 먹게 되었으니, 욕하는 것은 삼가해라. ⇒xūn
〔熏倒〕 xùndǎo 동 질식해 쓰러지다.
〔熏死〕 xùnsǐ 동 질식해 죽다. 가스 중독으로 죽다.

蕈 **xùn** (심)
명 《植》 버섯. ¶松sōng～; 송이버섯 / 香xiāng～; 표고. →〔菌jùn〕
〔蕈毒碱〕 xùndújiǎn 명 《藥》 머스카린(muscarine).

Y

YA ㄧㄚ

丫 yā (아)
명 ①물건의 아귀. ¶脚～缝; 발샅. 발가락 사이. 발새. ②가장귀. ¶～杈; ⇓ ③총각머리(두 가닥으로 땋아 좌우에 늘어뜨린 아이의 머리). ④주음 자모의 운모의 하나. 병음자모의 'a'에 상당함.

〔丫巴儿〕 yābar 명 〈方〉 아귀. ¶树～; 나무의 가장귀. 나뭇가지 / 手～; 손샅. 손가락 사이.

〔丫杈〕 yāchà 명 가장귀. 형 가장귀 진. ‖ =〔丫叉〕〔桠杈〕

〔丫蛋子〕 yādànzi 명 계집애(여자아이를 욕하거나 농담으로 부르는 말).

〔丫鬟(儿)〕 yāhuan(r) 명 옛날, (미혼의) 하녀. 계집종. =〔鸦鬟〕〔丫嬛(儿)〕〔丫头①〕

〔丫髻〕 yājì 명 ⇨〔髽zhuā髻〕

〔丫头〕 yātou 명 ①⇨〔丫鬟(儿)〕 ②여자를 경멸하여 일컫는 말. ③나이 먹은 친척이 계집아이를 부르는 친근한 칭호. ¶傻～; (계집아이에 대하여) 애. ‖ =〔鸦头〕

〔丫头片儿〕 yātoupiànr 명 ⇨〔丫头片子〕

〔丫头片子〕 yātoupiànzi 명 계집아이(애칭). =〔丫头片儿〕

〔丫头养的〕 yātou yǎngde 명 〈京〉〈罵〉 종놈의 새끼(하녀에게 낳게 한 자식의 뜻으로, 옛날, 어린아이를 욕하는 말). =〔丫头养子〕

〔丫头养子〕 yātou yǎngzi 명 ⇨〔丫头养的〕

〔丫枝〕 yāzhī 명 가장귀진 가지. =〔桠枝〕

〔丫子〕 yāzi 〈京〉 명 수족(手足). ¶撒开～跑了; 부리나케 달아났다. =〔脚丫子〕 접미 손·발·입 등의 명사 뒤에 붙음. ¶咀～; 입 / 脚～; 다리 / 手～; 손 / 打你～; 〈罵〉 바보 자식. 맞을래.

吖 yā (아)
명 《化》 탄소환(環) 중에 질소를 포함하는 복소환(複素環) 화합물의 접두자의 하나.

〔吖啶〕 yādìng 명 《化》 아크리딘(acridine)(황색 염료나 의약품의 기본체의 하나).

〔吖啶黄〕 yādìnghuáng 명 《化》 아크리플라빈(acriflavine).

压(壓) yā (압)
동 ①위에서 세게 내리누르다. ¶用铜尺把纸～住; 문진으로 종이를 눌러 놓다 / ～得慌; 눌려서 견딜 수 없다. 무거워서 참을 수 없다 / ～碎; 눌러 찌부러뜨리다〔부수뜨리다〕 / 身上～着一块大石头; 몸에 큰 돌이 무겁게 덮쳐 누르고 있다. ②압박하다. 위력으로 누르다. ¶别拿大帽子～人! 어마어마한 이름을 붙여서 사람을 짓누르지 마라 / 镇～反革命; 반혁명을 진압하다. ③압도하다. ¶我的哭声被妈妈的～下去了; 내 울음소리는 어머니의 울음소리에 압도되고 말았다 / ～倒一切; 일체를 압도하다 / ～人一头; 다른 사람을 뛰어넘다. 남보다 뛰어나다. ④가라앉히다. 제지(制止)하다. ¶喝口水～咳嗽; 물을 한 모금 마셔 기침을 가라앉히다 / 一～～气; 마음을 가라앉히다. 화를 진정시키다. ⑤움직이지 않게 잘 놓다. 잘 처리하다. ⑥다가오다. 가까이 오다. ¶太阳～树梢; 해가 나무 끝에 걸리다 / 大军～境; 대군이 국경까지 접근하다. ⑦압운(押韻)하다. ⑧옛날, (노름에서) 어떤 수에 걸다. ¶我～六; 나는 6에 건다. ⑨방치하다. 쓰지 않고 놀려 두다. ¶你别把钱白～着, 借给我用吧; 돈을 아깝게 놀리지 말고 제게 빌려 주시오 / 把信件～下了不送; 편지를 깔고앉아 부치지 않다 / 不～一吨货; 1톤의 상품도 그냥 방치해 두지 않다. ⇒yà

〔压班〕 yābān 명동 옛날, 일시(一時) 해고(시키다). =〔压停工〕〔派停工〕

〔压板〕 yābǎn 명 《機》 크램프(cramp). 꺾쇠. 죔쇠. =〔压铁〕

〔压板儿〕 yābǎnr 명 ⇨〔跷qiāo跷板〕

〔压宝〕 yā·bǎo 동 야바위 노름을 하다. 검정 항아리 속에 있는 주사위의 끗수를 알아맞히는 노름에 돈을 걸다. (yābǎo) 명 야바위. 주사위 노름. ‖ =〔押宝〕

〔压本钱〕 yā běnqián ⇨〔压本儿〕

〔压本儿〕 yā·běnr 동 밑천이 갇혀 있다. (팔리지 않아) 자금 회전이 원활치 못하다. =〔压本钱qián〕

〔压鬓〕 yābìn 명 ①살쩍. 귀밑머리. ②살쩍을 눌러 놓는 빗.

〔压不垮〕 yābukuǎ 억누르지 못하다. ¶～, 吓不倒; 억압도 위협도 통하지 않다.

〔压不住〕 yābuzhù ①억누를 수 없다. ¶他岁数太小～人吧! 그는 너무 젊어서 다루기가 힘들 것이다! ②버거워서 압도되다. 짐이 너무 무겁다. ¶他～这个新头衔; 그에게는 이 새 직함이 벅차다 / 这一份富贵他简直～; 이와 같은 부귀는 그에게는 무거운 짐이 되고 있다. ③받을 수 없다. ¶这份荣誉我简直～; 이 영예는 나로선 도저히 받을 수 없다.

〔压舱货〕 yācānghuò 명 바닥짐. 밸러스트(ballast).

〔压舱水〕 yācāngshuǐ 명 밸러스트(ballast). ¶排出～申请书; 밸러스트 배수(排水) 신청서.

〔压车〕 yā·chē 동 ⇨〔押车〕

〔压成本〕 yā chéngběn ①자본을 묶어두다〔썩혀두다〕. ②자금 회수에 시간이 걸리다〔애를 먹다〕.

〔压秤〕 yāchèng 형 (달아 보니) 무게가 나가다(주로 부피에 대하여 이름). ¶劈柴太湿, ～; 장작이 너무 눅눅해서 무게가 나간다. =〔压分两〕〔压平头〕

〔压尺〕 yāchǐ 명 ⇨〔压纸〕

〔压带轮〕 yādàilún 명 《機》 기관차나 신식 농기구의 보조 바퀴. =〔导轮〕

〔压担子〕 yādànzi 명 중임(重任)을 맡다. ¶不～, 就得不到一定的锻炼; 중임을 맡지 않으면 단련이 되지 않는다.

〔压倒〕 yā·dǎo 동 압도하다. 능가하다. ¶～一切; 모든 것을 압도하다. 무엇보다도 중요하다 / ～优势; 압도적 우세 / ～元白; 당대의 유명한 작가를 압도하다('元白'은 원진(元稹)과 백거이(白居易)) / 西风～东风; 서풍이 동풍을 압도하다(자유 진영이 공산 진영을 압도하다).

〔压道车〕 yādàochē 명 (위험 유무를 확인하기 위한) 시운전차.
〔压道机〕 yādàojī 명 ⇨〔压路机〕
〔压低〕 yādī 동 낮추다. 억제하다. 줄이다. ¶～生活; 살림을 줄이다 / ～物价; 물가를 낮추다 / ～成本; 생산 원가를 낮추다.
〔压电现象〕 yādiàn xiànxiàng 명 《物》 압전기. 피에조(piezo) 전기.
〔压顶〕 yādǐng 동 머리를 내리누르다. ¶泰山～, 不低头; 태산에 머리를 내리눌려도 머리를 숙이지 않다.
〔压兜儿〕 yādōur 명 비상금(호주머니가 완전히 비지 않게 남겨둔 돈).
〔压锻〕 yāduàn 명 《工》 프레스 단조. 압단. ¶～法; 압단법. 프레스 단조법.
〔压队〕 yā,duì 동 (대열의 후부에 위치하여) 앞의 부대를 감시·독려하다. =〔押队〕
〔压耳毛〕 yā'ěrmáo 명 귓속에 난 털이 위쪽으로 길게 자란 것.
〔压分两〕 yāfēnliǎng 형 무겁다. 무게가 나가다. ¶劈柴太湿, ～; 장작이 많이 젖어서 무게가 나간다. =〔压秤〕〔压平头〕
〔压风机〕 yāfēngjī 명 콤프레서. 공기 압축기.
〔压弗杀〕 yāfúshā 명 《機》 잭(jack). =〔千斤①〕〔千斤顶〕〔千斤扳子〕
〔压伏〕 yā,fú 동 압복시키다. 힘으로 굴복시키다. ¶以武力～; 무력으로 굴복시키다 / 要人家服, 只能说服, 不能～; 사람을 복종시키려면 말로 설득해야지 힘으로 굴복시켜서는 안된다. =〔压服〕
〔压服〕 yā,fú 동 ⇨〔压伏〕
〔压杠子〕 yāgàngzi 명 ⇨〔轧yà杠子〕
〔压搁〕 yāgē 동 방치해 두다. 내버려 두고 처리하지 않다.
〔压孤丁〕 yā gūdīng 노름에서 돈을 걸 때, 단 한 군데에만 계속 걸다(위험도 많지만 따면 크게 번다).
〔压管〕 yāguǎn 동 내리누르다. 압박하여 구속하다. ¶教谁～着也得吃饭; 어떤 놈에게 구속을 당하더라도 밥은 먹지 않을 수 없다.
〔压柜子〕 yāguìzi 명 상점의 금고 속에 보관해 놓기만하고 쓰지 않는 돈. =〔押柜子〕
〔压害〕 yāhài 동 압박하여 해를 주다. 박해하다. ¶新社会不容许有人～人的事; 새로운 사회에는 사람이 사람을 박해하는 일은 허용되지 않는다.
〔压合座〕 yāhézuò 명 ⇨〔压配合〕
〔压虎子〕 yāhǔzi 명 미신에서 자다가 악몽을 꾸는 것. '～'의 탓이라고 여겨지고 있음. ¶昨儿晚上～压住了; 어젯밤에 가위눌렸다.
〔压机〕 yājī 명 《機》 프레스(press). =〔压力机〕
〔压挤〕 yājǐ 동 ①압착하다. ②양쪽에서 밀다.
〔压挤机〕 yājǐjī 명 《機》 압출기. =〔压出机〕
〔压价〕 yā,jià 동 (무리하게) 값을 내리게 하다. 가격을 억제하다. ¶～出售; 값을 내려 팔다 / ～收购; 값을 깎아서 사다 / 买方总是极力～; 사는 사람은 꼭 억지로라도 값을 깎으려 한다.
〔压肩叠背〕 yā jiān dié bèi 〈成〉 어깨가 맞닿을 정도로 붐비는 모양. ¶江州府看的人, 真乃～, 何止一二千人; 장저우 부(江州府)에서는 구경꾼이 붐볐는데, 1,2천 명 정도가 아니었다.
〔压角子〕 yājiǎozi 명 목재 운반용의 기구(器具).
〔压金线〕 yājīnxiàn 명 ⇨〔平金②〕
〔压惊〕 yā,jīng 동 (위험을 당한〔놀란〕 사람에게) 음식을 대접하여 위로하다. ¶他脱险归来, 所以我今天给他～去了; 그가 위기를 모면해서 돌아왔으므로, 오늘 위로차 갔습니다.
〔压惊避邪〕 yājīng bìxié 벽사하다. 사귀(邪鬼)를 물리치다. =〔压邪〕
〔压井〕 yā,jǐng 동 석유 가스의 분출을 막다.
〔压境〕 yājìng 동 경계선까지 밀어닥치다. ¶敌军～; 적군이 국경까지 밀어닥치다.
〔压静〕 yājìng 동 조용히 하다. ¶列公～, 听说书的慢慢道来; 여러분 조용히 해 주시고, 제가 차차 말씀드리는 것을 들어 주십시오 / 你们～点儿, 别吵; 너희들 좀 조용히 해라. =〔押静〕
〔压卷〕 yājuàn 명 〈文〉 압권(다른 작품보다 단연 뛰어남). ¶这篇文章真是～之作; 이 문장은 단연 압권의 작품이다.
〔压孔机〕 yākǒngjī 명 《機》 천공(穿孔) 프레스.
〔压垮〕 yākuǎ 동 ①짓누르다. 압박하여 쓰러뜨리다. ¶天大的困难也压不垮我们; 어떠한 곤란도 우리를 짓누를 수는 없다. ②(조직 등을) 힘으로 눌러 부수다. ¶妄图～国家的企图遭到失败; 국가를 궤멸시키려는 기도는 실패로 돌아갔다.
〔压款〕 yākuǎn 명 ⇨〔押款〕
〔压力〕 yālì 명 ①《物》 압력. ②(추상적인 뜻에서의) 압력. 힘. 완력. ¶动～; 완력을 쓰다 / 给他们施加～; 그들에게 압력을 가하다 / 我感到有～; 나는 무겁게 내리누르는 것이 있음을 느꼈다 / 因为有上头的～, 不能不承认; 상부의 압력 때문에 승인하지 않을 수 없다. ③ ⇨〔冲chòng床〕
〔压力表〕 yālìbiǎo 명 《機》 압력 게이지. 압력계. =〔压力规〕〔压力计〕
〔压力规〕 yālìguī 명 ⇨〔压力表〕
〔压力机〕 yālìjī 명 《機》 프레스 기계. ¶用～轧yà平; 프레스로 압연(壓延)하다. =〔压机〕〔冲床〕
〔压力计〕 yālìjì 명 ⇨〔压力表〕
〔压力浇铸〕 yālì jiāozhù 명 《工》 다이캐스팅(die casting). =〔压铸〕
〔压裂〕 yāliè 명 압축 파열.
〔压路〕 yālù 동 도로를 롤러로 다지다.
〔压路机〕 yālùjī 명 《機》 로드 롤러(road roller). =〔压道机〕〔压动机〕〔辊gǔn道机〕〔辊路机〕〔押道机〕
〔压滤机〕 yālǜjī 명 《機》 필터 프레스(filter press).
〔压轮机〕 yālúnjī 명 《機》 휠 프레스(wheel press).
〔压马路〕 yā mǎlù 〈俗〉 산책하다. 이성(異性)과 거리를 돌아다니다.
〔压木法〕 yāmùfǎ 명 휘묻이의 방법(식물의 이랫가지를 땅속에 묻어서 분주(分株)하는 법). =〔压条〕〔压枝〕
〔压派〕 yāpai 동 위협하여 복종시키다. ¶拿话～人; 말로 을러서 사람을 굴복시키다 / ～着小学生读经; 초등학교 학생에게 무리하게 경서를 읽히다 / 饶ráo生了气还拿话～我; 나를 화나게 하고, 말로 협박하다.
〔压配合〕 yāpèihé 명 《工》 압입(壓入) 끼워맞춤. 프레스 끼워맞춤(press fit). =〔压合座〕〔压人配合〕
〔压平〕 yāpíng 동 눌러서 평평하게 하다.
〔压平头〕 yāpíngtóu 형 ⇨〔压分两〕
〔压迫〕 yāpò 명동 압박(하다). 억압(하다). 위압(하다). ¶被～民族; 피압박 민족 / 肿瘤～神经; 종양이 신경을 압박하다 / ～者; 억압자.
〔压气(儿)〕 yā,qì(r) 동 ①기분을 가라앉히다. ¶你喝杯茶压压气吧; 차라도 마시면서 기분을 가라앉히십시오. ②노염을 억누르다. ¶说几句好话给他压压气儿! 좀 듣기 좋은 말을 해서 그가 노여움을

가라앉히게 해 주려무나! ③숨을 죽이다.
〔压气凡尔〕 yāqì fán'ěr 명 ⇨〔保安阀〕
〔压气缸〕 yāqìgāng 명 《機》 공기통. =〔风缸〕
〔压气机〕 yāqìjī 명 《機》 공기 압축기. 에어 컴프레서(air compressor).
〔压强〕 yāqiáng 명 《物》 압력도(단위 면적 주변에 받는 압력). 압력의 강도. ¶～计; 《機》 압력계.
〔压青〕 yāqīng 동 《農》 녹비 작물 또는 풀·나뭇잎을 밭에 주어 비료로 하다.
〔压人〕 yā·rén 동 사람을 압박하다. 남을 억압하다. ¶这是变着法儿～的; 이것은 사람을 억압하는 계략이다. (yārén) 형 답답하다. 압박감이 있다.
〔压人一头〕 yārén yītóu 남보다 뛰어나다. 남을 억누르다. =〔压头〕
〔压入〕 yārù 명 압입.
〔压入配合〕 yārù pèihé 명 ⇨〔压配合〕
〔压山〕 yā·shān 동 해가 산 너머로 지려 하다. ¶太阳～时, 他才回到家里; 해가 산너머로 지려 할 때에야 그는 집에 돌아왔다.
〔压声儿〕 yā·shēngr 동 목소리를 죽이다. ¶请你压着点儿声儿; 좀 목소리를 작게 해 주십시오.
〔压石〕 yāshí 명 누름돌. 눌러놓는 돌.
〔压事〕 yā·shì 동 분규를 수습하다. 사건을 가라앉히다. ¶他老人家德高望重很能～; 저 노인장은 덕망이 높아서 분규를 잘 진정시킨다.
〔压水机〕 yāshuǐjī 명 《機》 (수압) 펌프(pump). ¶压～; 펌프를 틀다.
〔压岁〕 yāsuì 동 섣달 그믐날에 어린이에게 과자·돈 등을 주다. 세찬을 주다. =〔押岁〕
〔压岁钱〕 yāsuìqián 명 ①섣달 그믐날 돈을 끈에 꿰어서 용(龍)의 모양을 만들어 이불 밑에 놓아두는 돈. ②섣달 그믐날 밤 아이들에게 주는 용돈. 세뱃돈. ③무급 견습공(無給見習工)이 연말·월말에 타는 용돈을 스스로 조롱하여 일컫는 말.
〔压缩〕 yāsuō 동 ①압축하다. ¶～空气; 압축 공기. ②축소하다. 줄이다. ¶～开支; 지출을 축소하다 / 把文章～一下; 문장을 줄여 주십시오.
〔压塌〕 yātā 동 눌러 무너뜨리다.
〔压胎机〕 yātāijī 명 《機》 타이어 프레스(tire press).
〔压台戏〕 yātáixì 명 ⇨〔大轴子〕
〔压坍〕 yā·tān 동 눌러 쓰러뜨리다〔찌부러뜨리다〕. ¶仿佛一座大山压上去, 也压不坍他的肩膀; 커다란 산이 덮쳐 눌러도, 그의 어깨를 찌부러뜨리지는 못할 것 같다.
〔压堂〕 yātáng 동 《劇》 (배우가 등장하여) 장내가 조용해지다.
〔压条〕 yā·tiáo 동 《農》 압조〔취목(取木)·휘묻이〕 하다. (yātiáo) 명 ⇨〔压木法〕
〔压铁〕 yātiě 명 ⇨〔压板〕
〔压停工〕 yātínggōng 명동 ⇨〔压班〕
〔压痛〕 yātòng 명 《醫》 압통(손가락으로 가볍게 몸의 부분을 눌렀을 때에 느끼는 통증).
〔压头〕 yātóu ⇨〔压人一头〕
〔压土机〕 yātǔjī 명 《機》 롤러(roller).
〔压腿〕 yātuǐ 명 한 발을 책상에 올려 놓고 몸을 그 위에 내리누른 다음, 머리가 발끝에 닿게 하는 일.
〔压腕〕 yāwàn 명 《體》 손목에 힘이 들어가게 하는 동작.
〔压蔓(儿)〕 yā·wàn(r) 동 《農》 (지면을 타고 뻗는 참외나 오이 등의) 덩굴을 일정한 간격으로 흙을 덮어 눌러 주다.
〔压尾〕 yā·wěi 동 후미(後尾)를 맡다. 뒤따라가다. ¶我带头, 你～; 내가 앞장 서고 네가 뒤를 맡는다. (yāwěi) 명 끝. 종말. 결말.
〔压尾儿〕 yāwěir 명 ①마지막의 것. ②끝. 종말.
〔压息〕 yāxī 동 〈文〉 압력을 넣어 그만두게 하다.
〔压膝〕 yāxī 명 ⇨〔轧yà杠子〕
〔压线〕 yāxiàn 동 《體》 (육상의) 피니시. 결승 테이프를 끊다(골 지점에서 가슴을 펴는 동작).
〔压箱底儿〕 yāxiāngdǐr ①시집갈 때, 지참금을 상자에 넣어 주다. ②〈比〉 함부로 쓰지 않고 간직해 두다. ¶～的钱; 비상금 / ～的本事; 비장의 솜씨 / ～的戏都唱了, 也没讨出好儿来; 비장의 연극까지 공연했지만 갈채를 받지 못했다 / 连～的家当也折腾完了; 마지막 남은 재산까지 몽땅 써 버렸다.
〔压箱底儿(的)钱〕 yāxiāngdǐr(de)qián 명 소중히 간직해 둔 돈. 만일의 경우에 쓸 돈. 비상금. =〔箱底(儿)④〕〔看家的钱〕
〔压箱子〕 yāxiāngzi 명 장 속에 넣어놓고 잘 입지 않는 옷.
〔压邪〕 yāxié ⇨〔压惊避邪〕
〔压压插插〕 yāya chācha 형 붐비다. 꽉 차 있다. 가득하다. ¶果子～地结jiē满在树上; 과일이 나무에 주렁주렁 달려 있다.
〔压压实实〕 yāya shíshí 형 꽉 차 있는 모양. ¶～地一箱子衣服; 장에 잔뜩 차 있는 옷.
〔压延〕 yāyán 명동 《工》 압연(하다). ¶～机; 압연기 / ～金属; 압연 금속.
〔压檐墙〕 yāyánqiáng 명 건축물의 외벽이 지붕을 넘어선 부분.
〔压样片机〕 yāyàngpiànjī 명 형판(型板) 프레스.
〔压腰〕 yāyāo 명 노인들이 평소 돈주머니 속에 넣어 놓고 별로 쓰지 않는 돈. ¶我知道您不用钱, 这五块钱是给您～的; 당신이 돈이 필요하지 않은 것은 잘 알고 있지만, 이 5원은 주머니 속에 넣어 두시지요.
〔压一注〕 yā yīzhù (도박 용어에서) 돈을 걸다. 〈比〉 도박하다.
〔压抑〕 yāyì 동 억누르다. 속박하다. 꼼짝 못 하게 하다. ¶～感情; 감정을 억누르다 / ～不住心头的悲痛; 가슴 속의 비통한 생각을 억누를 수 없다. 명 억압. ¶胸口感到～; 명치에 압박감이 있다. 형 거북스럽다. 의기가 오르지 않다. 답답하다.
〔压油槽〕 yāyóucáo 명 압유 탱크.
〔压韵〕 yā·yùn 동 ⇨〔押韵〕
〔压载〕 yāzài 동 배에 (짐을) 싣다. ¶船上～得满满的; 배에는 짐이 가득 실려 있다.
〔压载舱〕 yāzàicāng 명 밸러스트 탱크(ballast tank)(배의 바닥짐을 싣는 곳).
〔压载铁〕 yāzàitiě 명 배의 밸러스트용(ballast用) 쇳덩이. =〔铁砖②〕
〔压载物〕 yāzàiwù 명 각하(脚荷). 바닥짐.
〔压榨〕 yāzhà 동 ①압착하다. 눌러서 짜내다. ¶用甘蔗制糖, 一般分～和煎熬两个步骤; 사탕수수로 설탕을 만드는 과정은, 일반적으로 압착과 조리 두 단계로 나뉜다. ②〈比〉 억압하고 착취하다.
〔压榨器〕 yāzhàqì 명 《機》 압착기.
〔压寨夫人〕 yāzhài fūrén 명 산적 두목의 아내. =〔押寨夫人〕
〔压镇〕 yāzhèn 동 〈文〉 진압하다. 억압하다.
〔压枝〕 yāzhī 명 ⇨〔压木法〕
〔压纸〕 yāzhǐ 명 서진(書鎭). 문진. =〔压尺〕〔镇zhèn尙〕〔镇纸〕
〔压制〕 yā·zhì 동 ①압제하다. 억압하다. 간섭하여

마음대로 못 하게 막다. ¶～批评; 비평을 억누르다 / ～不同意见; 다른 의견을 억압하다 / ～爷们; 남자를 깔고 뭉개다. ②프레스로 제작하다. 압연하다. 명 압제. 억압.
〔压胄子〕 yāzhòuzi 명 ⇨〔压轴子〕
〔压轴戏〕 yāzhòuxì 명 ⇨〔压轴子〕
〔压轴战〕 yāzhòuzhàn 명 (게임의) 최후의 일전. ¶按照原定赛程, 这是中国队在印尼的～; 처음에 정한 경기 일정표에 따르면, 이것이 중국 팀의 인도네시아에서의 최후의 일전으로 되어 있다.
〔压轴子〕 yāzhòuzi 명 《劇》 (중국 전통극 등의 연극에서) 끝에서 두 번째로 나오는 공연(맨 마지막의 것은 '大轴子'). ¶明儿晚上拿'空城计'来～; 내일 밤에는 '空城计'를 끝에서 두 번째로 상연한다. =〔压轴戏〕〔压胄子〕
〔压竹花〕 yāzhúhuā 명 《植》 아네모네.
〔压住〕 yā,zhù 동 ①(단단히) 누르다. ¶用石头～; 돌로 (꽉) 누르다. ②가라앉히다. 진정시키다. ¶～怒火; 분노를 억제하다 / 他唱得不好, 压不住人, 听众都走了; 그는 노래가 서툴러, 사람을 진정시키지 못하고 청중은 모두 돌아가 버렸다.
〔压铸〕 yāzhù 명 ⇨〔压力浇铸〕
〔压砖机〕 yāzhuānjī 명 《機》 벽돌 찍는 기계.
〔压桌〕 yāzhuō 명동 ①중국 요리에서, 연회가 시작되기 전부터 탁자에 죽 늘어놓는 음식물. 또 그 음식물을 늘어놓고 연회석을 준비하다. ¶客人不少, 再压上几桌吧; 손님이 많으니까 좀더 탁자를 늘리자. ②연회석에서, 마지막까지 남아서 먹다〔먹는 사람〕.
〔压桌菜〕 yāzhuōcài 명 음식상에서 가장 주된 요리.
〔压子息〕 yāzǐxī 명 자식이 없는 사람이 남의 집의 아이를 양자로 들이면, 자기 아이가 태어난다고 해서 데려다 키우는 양자.

呀
yā (하)
①감 아이쿠! 이키!(놀라는 기분을 나타냄). ¶～, 这怎么办! 이걸 어쩌지! / ～, 他又来了? 어머, 그가 또 왔니? / 哎～! 不好了! 아! 이거 큰일이다! ②〈擬〉 삐걱. 삐거덕. ¶门～的一声开了; 문이 삐걱 소리를 내고 열렸다. 注 감탄사·의성어이므로 반드시 뚜렷한 성조로 발음되는 것은 아님. ⇒xiā ya

鸦(鵶〈鴉〉)
yā (아)
명 ①《鳥》 까마귀. =〔老鸹guā〕 ②흑색(黑色). ‖=〔雅〕
〔鸦胆子〕 yādǎnzǐ 명 《植》 고삼(苦蔘)(콩과의 식물).
〔鸦鬟〕 yāhuan 명 ⇨〔丫鬟(儿)〕
〔鸦口子地〕 yākǒuzidì 명 두 개의 산 사이에 끼여 있는 땅. =〔山shān牙口地〕
〔鸦默雀静儿〕 yāmò qiǎojìngr 쥐죽은 듯이 고요한 모양. ¶四周～一点声音也没有; 주위는 쥐죽은 듯이 고요하여 소리 하나 없다 / 众人都～地等待听他发言; 모두들 조용히 그의 발언을 기다리고 있다. =〔哑默悄静儿〕
〔鸦片〕 yāpiàn 명 아편. =〔啊ā片〕〔雅yǎ片〕
〔鸦片战争〕 Yāpiàn zhànzhēng 명 《史》아편 전쟁(청조(清朝)가 대영(對英) 무역에서 아편의 수입을 금지함으로써 일어난 전쟁. 1840～1842)).
〔鸦片罪〕 yāpiànzuì 명 《法》 아편이나 모르핀의 단속에 위반한 죄. =〔毒dú案〕
〔鸦青〕 yāqīng 명 《色》 아청색. 흑록색.
〔鸦雀无声〕 yā què wú shēng 〈成〉 쥐죽은 듯 고요한 모양. 깊은 밤에 모든 것이 다 자는 듯이 고요하다. ¶孩子们都～地睡了; 아이들은 소리 없이 잠들어 버렸다. =〔鸦雀无闻〕
〔鸦雀无闻〕 yā què wú wén 〈成〉 ⇨〔鸦雀无声〕
〔鸦色〕 yāsè 명 《色》 감색. 홍청색.
〔鸦头〕 yātou 명 ⇨〔丫头〕
〔鸦轧〕 yāyà 〈擬〉 삐걱삐걱. 끽끽 하는 소리(물건이 서로 스치는 소리).
〔鸦嘴笔〕 yāzuǐbǐ 명 ⇨〔鸭嘴笔〕
〔鸦嘴锄〕 yāzuǐchú 명 곡괭이. (까마귀 주둥이 모양의) 쟁기. =〔镐gǎo头〕

雅
yā (아)
명 ⇨〔鸦〕 ⇒yǎ

押
yā (압, 갑)
①동 물건을 저당 잡히다〔저당하다〕. ¶做～; 저당 잡히다 / 抵～品; 저당품 / 以提货单做～; 창고 증권〔화물 상환증〕을 담보로 하다. ②동 구류하다. 구금(拘禁)하다. ¶看kān～; 유치 관찰하다. 감치(監置)하다. ③동 호송하다. ¶～车; ⇩ / ～运货物; 화물을 호송하다. ④동 운(韻)을 밟다. ¶～韵; ⇩ ⑤동 내리누르다. ⑥동 억지로 …시키다. ¶～他作; 그에게 무리하게 시키다. ⑦동 서명하다. 사인을 하다. 수결 두다. ¶签qiān～; (책임을 가지고) 서명하다. ⑧명 성(姓)의 하나.
〔押板金〕 yābǎnjīn 명 추천인이 고용주에게 내는 보증금.
〔押办〕 yābàn 동 구치하여 처분하다.
〔押宝〕 yā,bǎo 명동 ⇨〔压宝〕
〔押标金〕 yābiāojīn 명 입찰 보증금.
〔押差〕 yāchāi 명 옛날, 죄인을 호송하는 관리.
〔押车〕 yā,chē 동 차를 호송하다. 화물차 위에 타고 가다. ¶搬家的时候得děi有人～; 이사할 때는 차를 따라갈 사람이 있어야 한다. =〔压车〕
〔押船〕 yā,chuán 동 선박을 관리·감독하다.
〔押带〕 yādài 동 (범인을) 호송하다.
〔押当〕 yā,dàng 동 저당〔전당〕 잡히다. (yādàng) 명 소규모의 전당포.
〔押当铺〕 yādàngpù 명 옛날, 소규모의 무허가 전당포. =〔小押(儿)〕〔押铺〕
〔押道机〕 yādàojī 명 ⇨〔压路机〕
〔押抵〕 yādǐ 동 저당하다. 전당 잡히다.
〔押地〕 yā,dì 동 토지를 저당잡히다. ¶～据jù; 토지 저당 계약서.
〔押典〕 yādiǎn 동 담보로 하다. 저당 잡히다. ¶把房子～给人家; 집을 다른 사람에게 저당잡히다. 명 담보. 저당. 전당. ‖=〔押质〕
〔押店〕 yādiàn 명 소규모의 전당포.
〔押队〕 yā,duì 동 ⇨〔压队〕
〔押发〕 yāfā 동 호송하다. ⇒yāfà
〔押发〕 yāfà 명 머리 그물. ⇒yāfā
〔押番〕 yāfān 명 옛날, 죄인을 호송하던 하급 관리.
〔押犯〕 yāfàn 명 수용된 범인.
〔押放〕 yāfàng 명 저당을 잡고 대부하는 돈. 동 저당을 잡고 돈을 꾸어 주다.
〔押封〕 yāfēng 동 압류하여 봉인(封印)하다. ¶把财产～听候处分; 재산을 차압하여 봉인(封印)하고 처분을 기다리다.
〔押缝〕 yāfèng 동 계인(契印)〔간인〕을 찍다(여러 장을 철한 공문의 앞의 한장과 다음 한장에 걸쳐서 날인하는 일).

〔押柜〕 yāguì 명 보증금《옛날에, 피고용자가 고용주에게 내던 돈》.
〔押柜子〕 yāguìzi 명 ⇨〔压柜子〕
〔押后阵〕 yāhòuzhèn 동 후군(後軍)이 되다. 후위(後衛)가 되다. 후미(後尾)로 돌다. =〔押伍〕〔押阵〕
〔押候〕 yāhòu 동 ①《法》 수감하여 재판을 기다리(게 하)다. ②보류하다. ¶议决～至明年二月才提出研究; 내년 2월까지 보류하고, 다시 제출하여 연구하기로 의결했다.
〔押候监房〕 yāhòu jiānfáng 명 유치장.
〔押花会〕 yāhuāhuì 명 〈南方〉 도박의 일종.
〔押汇〕 yāhuì 명 《商》 화환(貨換) 어음. ¶～人; 화환 어음 발행인. 동 화환 어음을 취결(就結)하다.
〔押价〕 yājià 명 저당 가격.
〔押缴〕 yājiǎo 동 ⇨〔押追〕
〔押解〕 yājiè 동 (범인·포로들을) 호송하다.
〔押金〕 yājīn 명 보증금. 담보금.
〔押静〕 yājìng 동 ⇨〔压静〕
〔押空地〕 yā kōngdì 〈俗〉 도박에서, 예상이 빗나가다. 예측이 빗나가다.
〔押款〕 yā,kuǎn 동 담보부(擔保付) 대부를 받다. (yākuǎn) 명 저당. 담보를 내고 꾼 돈. =〔压款〕
〔押牌宝〕 yā páibǎo '天tiān九(牌)' 나 '压yā宝' 따위의 노름을 하다. ¶假使有钱, 他便去～; 돈이 있어도, 그는 금세 노름에 써버리고 만다.
〔押票〕 yāpiào 명 ①《法》 구류장(拘留狀). =〔拘留证〕 ②《經》 화환(貨換) 어음.
〔押品〕 yāpǐn 명 담보품.
〔押铺〕 yāpù 명 ⇨〔押当铺〕
〔押期〕 yāqī 명 저당의 기한.
〔押身子〕 yāshēnzi 동 몸을 저당잡히다《흔히 구(舊)사회에서 창기가 사창가에 들어가는 일에 썼음》.
〔押署〕 yāshǔ 동 수결을 두다. 서명하다.
〔押死〕 yāsǐ 동 《法》 유질(流質)되다.
〔押送〕 yāsòng 동 ①(포로 등을) 호송〔압송〕하다. ¶～犯人; 범인을 호송하다. =〔解jiè送〕〔起qǐ解〕 ②(화물을) 호송하다. ¶～一批pī现款; 현금을 호송하다. =〔押运〕
〔押岁〕 yāsuì 동 ⇨〔压岁〕
〔押岁钱〕 yāsuìqián 명 섣달 그믐날 밤에 가장(家長)이 집안 식구에게 나누어 주는 돈. =〔压岁钱〕
〔押题〕 yā,tí 동 (시험 등에서) 이런 문제가 나올 것이라고 예상하여 점찍다.
〔押头〕 yātou 명 ①〈方〉 저당(抵當). 전당물. ¶拿什么做～? 무엇을 저당잡힐 것인가? ②옛날, 이졸(吏卒)의 우두머리.
〔押尾〕 yā,wěi 동 서류·계약서에 서명하거나 기호를 적다. (yāwěi) 명 ①서류·계약서의 서명. 기호. ②말미. 끝.
〔押伍〕 yāwǔ 동 ⇨〔押后阵〕
〔押箱钱〕 yāxiāngqián 명 시집갈 때 주는 돈《영구히 상자에 보관하고 쓰지 않음》. =〔压箱钱〕
〔押运〕 yāyùn 동 (화물을) 호송하다. ¶～货物; 화물을 호송하다. =〔押送②〕
〔押韵〕 yā,yùn 동 압운하다. 시부(詩賦)의 끝 글자에 운을 달다. =〔压韵〕
〔押寨夫人〕 yāzhài fūrén 명 ⇨〔压寨夫人〕
〔押账〕 yā,zhàng 동 저당잡히고 빚을 얻다. (yāzhàng) 명 저당.
〔押阵〕 yāzhèn 동 뒷배를 봐 주다. 후군(後軍)이 되다. =〔押后阵〕
〔押质〕 yāzhì 명동 저당(잡히다). 전당(잡히다). =〔押典〕
〔押追〕 yāzhuī 동 구금하여 장물을 반환하게 하다. =〔押缴jiǎo〕
〔押子〕 yāzi〔yázi〕 명 서명. 사인.
〔押走〕 yāzǒu 동 호송하여 (데리고) 가다.
〔押租〕 yāzū 명 땅이나 집을 세낼 때의 보증금.

鸭(鴨) yā (압)

명 《鳥》 ①물오리. ¶板bǎn～; 소금에 절여 말린 오리. =〔野yě鸭〕 ②집오리. =〔家鸭〕
〔鸭翅席(儿)〕 yāchìxí(r) 명 오리 및 상어 지느러미를 주된 요리로 하는 연회 요리.
〔鸭蛋〕 yādàn 명 ①오리알. =〔鸭子儿〕 ②뒤꿈치. ③〈俗〉 (득점의) 영점. 빵점. ¶得了～; 빵점 받았다. =〔零蛋〕
〔鸭蛋脸儿〕 yādànliǎnr 명 갸름하고 포동포동한 얼굴.
〔鸭蛋青〕 yādànqīng 명 《色》 엷은 푸른 색.
〔鸭蛋圆〕 yādànyuán 명 타원형. =〔鸭圆儿〕〔椭tuǒ圆①〕
〔鸭鹘〕 yāgǔ 명 ⇨〔游yóu隼〕
〔鸭虎〕 yāhǔ 명 ⇨〔游yóu隼〕
〔鸭黄〕 yāhuáng 명 《動》 〈方〉 갓 깬 오리 새끼.
〔鸭脚(树)〕 yājiǎo(shù) 명 ⇨〔银yín杏(树)〕
〔鸭客〕 yākè 명 새끼 오리를 대량으로 키워서 거래처로 이동해 가며 파는 업자.
〔鸭梨〕 yālí 명 ⇨〔鸭儿梨〕
〔鸭炉〕 yālú 명 오리 모양의 향로.
〔鸭绿江〕 Yālùjiāng 명 《地》 압록강《물색이 오리 대가리처럼 푸르다 해서 이 이름이 있음》.
〔鸭蹼〕 yāpǔ 명 오리의 물갈퀴.
〔鸭儿〕 yār 명 ⇨〔鸭子〕
〔鸭儿广(梨)〕 yārguǎng(lí) 명 《植》 베이징(北京) 부근에서 나는 배의 일종. 또, 그 나무《'广'은 '黄'의 와음(訛音)》. =〔广梨〕〔烟yān儿广梨〕
〔鸭儿梨〕 yārlí 명 《植》 원추형의 큰 배. 또, 그 나무. =〔鸭梨〕
〔鸭儿芹〕 yārqín 명 《植》 파드득나물.
〔鸭茸毛〕 yāróngmáo 명 오리의 부드러운 깃털.
〔鸭绒〕 yāróng 명 (가공한) 오리의 가슴털《이불속으로 쓰임》. ¶～枕心; 오리털 베개 / ～被; 오리털 이불.
〔鸭臊〕 yāsāo 명 오리 궁둥이.
〔鸭舌〕 yāshé 명 (식용의) 오리의 혀.
〔鸭舌草〕 yāshécǎo 명 《植》 물달개비《논에 나는 1년초. 짙은 청색으로, 관상용이 됨》.
〔鸭舌帽〕 yāshémào 명 헌팅캡.
〔鸭条〕 yātiáo 명 가늘고 길게 자른 오리 고기.
〔鸭洗〕 yāxǐ 명 통째로 조리한 오리 고기를 담아 내는 큰 사기 접시.
〔鸭圆儿〕 yāyuánr 명 〈俗〉 타원형. =〔鸭蛋圆〕〔椭圆①〕
〔鸭掌〕 yāzhǎng 명 오리의 물갈퀴《요리의 재료》.
〔鸭胗〕 yāzhēn 명 ⇨〔鸭肫〕
〔鸭跖草〕 yāzhícǎo 명 《植》 닭의장풀. =〔蓝lán姑草〕
〔鸭跩鹅行〕 yā zhuǎi é xíng 〈成〉 걸음걸이가 오리나 거위가 걷는 것처럼 뒤뚱거리는 우스운 모양.
〔鸭肫〕 yāzhūn 명 요리 재료로서의 오리의 밥통《난징(南京)의 특산품》. =〔鸭胗〕
〔鸭子〕 yāzi 명 《鳥》 〈口〉 오리. ¶～房; 오리를

길러 파는 가게 / 打～上架; 불가능한 일을 강제로 시키다 / ～踢死人; 〈比〉 오리가 사람을 걷어차 죽이다(있을 수 없는 일) / ～吃食; ⓐ오리가 먹이를 먹다. ⓑ〈比〉 (오리가 먹이를 먹을때와 같이) 궁둥이는 치켜들다. =〔鸭儿〕
〔鸭子草〕 yāzicǎo 명 ⇨〔眼yǎn子草〕
〔鸭子放账〕 yāzi fàng zhàng 〈歇〉 오리가 돈놀이를 하다(원금을 까먹다. 받지도 못할 돈을 꾸어주다).
〔鸭子儿〕 yāzǐr 명 〈口〉 ⇨〔鸭蛋dàn①〕
〔鸭嘴笔〕 yāzuǐbǐ 명 오구(烏口)(제도용구). =〔鸦嘴笔〕
〔鸭嘴兽〕 yāzuǐshòu 명 《動》 오리너구리.

哑(啞) yā (아, 액)
〈擬〉 까마귀 우는 소리. 아기의 옹알거리는 소리. ⇒yǎ
〔哑吧儿地〕 yābārde ⇨〔哑yǎ吧得儿地〕
〔哑模悄声〕 yāmoqiǎoshēng 명 소곤소곤 속삭이는 목소리. ¶～说; 소곤소곤 속삭이는 목소리로 말하다.
〔哑默悄静儿〕 yāmoqiǎojìngr ⇨〔鸦默雀静儿〕
〔哑默音儿地〕 yāmoyīnrde 몰래. 살며시. 슬그머니. ¶他～走了; 그는 살며시 가 버렸다.
〔哑呕〕 yā'ōu 〈擬〉〈文〉 ①아기가 옹알거리는 소리. ②노 젓는 소리.
〔哑哑〕 yāyā 〈擬〉 ①깍깍(까마귀가 우는 소리). ②옹알옹알(어린아이의 더듬거리는 목소리). ¶～学语; 옹알옹알 말을 배우다. ③삐걱삐걱(수레 소리). →〔轧yà轧〕
〔哑咽〕 yāyè ①동 흐느껴 울다. ②〈擬〉 응애응애(어린아이가 우는 소리).
〔哑咤〕 yāzhà 〈擬〉〈文〉 ①까마귀가 우는 소리. ②왁자지껄(시끄러운 말소리).
〔哑子嘎儿地〕 yāzigárde 〈京〉 몰래. 살그머니. 무단히. 아무에게도 말하지 않고. ¶咱们俩～听戏去好不好? 우리 둘이 몰래 연극 구경가지 않을래?

桠(椏〈枒〉) yā (아)
명 나뭇가지. 가장귀. 아귀.
〔桠杈〕 yāchà 명형 ⇨〔丫杈〕
〔桠枝〕 yāzhī 명 가장귀진 가지. =〔丫枝〕

牙 yá (아)
①명 이. 치아. ¶一颗～; 이 한 대 / 生～ =〔出～〕; 이가 나다 / 掉diào～; 이가 빠지다 / 虎hǔ～; 송곳니 / 刷shuā ～; 이를 닦다 / 槽～ =〔大～〕; 어금니 / 智～ =〔尽头～〕; 사랑니 / 爆bào～; 뻐드렁니 / 装假～; 틀니를 끼우다 / 镶～; 이를 해 박다 / 拔bá～; 이를 뽑다 / 恒～; 영구치. 간니. ②명 톱니바퀴 따위의 이. ¶～轮; 톱니바퀴 / 螺丝～; 나사산 / ～距; ⇩ ③명 상아(象牙). ¶～章; ⇩ / ～雕; 상아 조각. ④명 물건의 돌출한 부분. ¶桌～子; 테이블에 장식으로 붙인 조각 부분. ⑤명 중매인(仲買人). 거간꾼. ⑥형 약다. 극히 총명하다. ¶这孩子真～; 이 아이는 참말 영리하다. ⑦〈擬〉 옹알옹알(어린아이의 소리). ¶～～学语; 옹알옹알 하며 말을 배워 익히다. ⑧명 성(姓)의 하나.
〔牙白口清〕 yá bái kǒu qīng 〈成〉 말이 분명하다. 이야기에 모호한 데가 없다. 딱 잘라 말하다. ¶说得～的, 怎么会不来呢? 분명히 말했는데, 어찌 오지 않을 리가 있겠는가? / 怎当得十三妹定要问他个～; 십삼매는 무슨 일이 있어도 분명히 따지겠다니 어쩔 수가 없다. =〔牙清口白〕
〔牙板〕 yábǎn 명 《機》 ①래크(rack). =〔齿条〕〔百脚牙〕〔牙条〕 ②상아제(製)의 '拍板'(타악기의 하나. 박자를 맞추는 판대기).
〔牙帮骨〕 yábānggǔ 명 〈俗〉 위턱뼈와 아래턱뼈.
〔牙帮儿〕 yábāngr 명 〈俗〉 약삭빠른 놈. 빈틈없는 놈. =〔牙帮子〕
〔牙保〕 yábǎo 명 ⇨〔牙子①〕
〔牙本质〕 yáběnzhì 명 ⇨〔象xiàng牙质〕
〔牙拨〕 yábō 명 상아로 만든 3현 악기의 채.
〔牙车〕 yáchē 명 ⇨〔牙床①〕
〔牙碜〕 yáchen 형 ①지금거린다. 모래가 씹히다. ¶菜没有洗干净, 有点～; 야채가 잘 씻기지 못하여 지금거린다 / 这饭吃着～, 许有沙子吧? 이 밥은 지금거린다, 모래가 들어 있는 게 아냐? / 这窝头太～了, 真没法吃; 이 옥수수 찐빵은 몹시 지금거려서 아무래도 먹지 못하겠다. ②〈比〉 (말투가 야비(野卑)해서) 듣기 거북하다. ¶亏你不怕～, 说这些话; 이런 쌍스런 말을 하다니 겁도 없구나. ③〈比〉 (끔찍한 소리를 듣고) 소름이 끼치다(못 따위로 유리를 긁을 때와 같은 경우). ¶他的那些恭维话, 真叫人～; 그의 아첨하는 말은 듣기가 거북해 소름이 끼친다. ④〈比〉 기분이 나쁘다. ¶看着真～! 보고 있자니 정말 기분이 나쁘다!
〔牙城〕 yáchéng 명 〈文〉 아성. 대장이 있는 성.
〔牙齿〕 yáchǐ 명 ①이. ¶～打鼓 =〔～相打〕; 떨리어서 이가 맞부딪치다 / 笑掉～; 크게 웃다 / 武装到～; 빈틈없이 무장하다. 완전 무장하다 / ～捉捉齐; 말에 책임을 지다 / ～上刮下来的钱; 먹을 것도 변변히 먹지 않고 모은 돈. ②〈比〉 비밀. ¶在～之内; 비밀로 하고 있다.
〔牙齿草〕 yáchǐcǎo 명 ⇨〔眼yǎn子草〕
〔牙虫〕 yáchóng 명 ①〈俗〉 충치의 벌레. ②《蟲》 물땅땅이.
〔牙筹〕 yáchóu 명 상아로 만든 산가지.
〔牙船〕 yáchuán 명 〈文〉 대장이 타고 있는 배. 기함(旗艦).
〔牙床〕 yáchuáng 명 ①《生》〈口〉 잇몸. ¶上～; 윗잇몸. =〔《漢醫》 牙车〕〔〈方〉 牙肉〕〔《醫》 齿龈chǐyìn〕〔牙巴子〕〔〈方〉 牙床子〕 ②윗잇몸 언저리의 턱. ③상아(象牙) 세공의 침대. =〔象xiàng床〕
〔牙瓷〕 yácí 명 (이의) 법랑질.
〔牙大夫〕 yádàifu 명 ⇨〔牙科大夫〕
〔牙带〕 yádài 명 《魚》 갈치.
〔牙倒〕 yádǎo 동 이가 들뜨다〔흔들리다〕. ¶咬住了青杏子, 真是～, 肚子酸哪! 풋살구를 깨물었더니, 이가 시리고, 뱃속까지 쓰리다.
〔牙纛〕 yádào 명 옛날, 대장군의 기(旗).
〔牙雕〕 yádiāo 명 상아 세공. 상아 조각.
〔牙儿〕 yá'ér 명 〈文〉 갓난아이. ⇒yár
〔牙粉〕 yáfěn 명 치마분(이를 닦을 때 칫솔에 묻혀 쓰는 가루 치약). ¶牙刷子上蘸～; 칫솔에 치약을 묻히다. =〔刷shuā牙粉〕
〔牙风〕 yáfēng 명 《漢醫》 치통.
〔牙缝儿〕 yáfèngr 명 이와 이 사이의 틈〔간격〕. 잇새.
〔牙干口臭〕 yá gān kǒu chòu 〈成〉 (심하게 달리거나 하여) 입이 마르고 단내가 나다.
〔牙疳〕 yágān 명 ①⇨〔牙周病〕 ②⇨〔走马牙疳〕
〔牙膏〕 yágāo 명 연(煉)치약. ¶挤～; ⓐ치약을 짜내다. ⓑ〈比〉 고통을 주어 자근자근 불게〔실토하게〕 만들다. 꼼짝 못 하게 자근자근 고통을 주다.
〔牙根〕 yágēn 명 《生》 이뿌리. 치근(齒根). 이촉.
〔牙狗〕 yágǒu 명 〈方〉 수캐.

〔牙垢〕 yágòu 명 ⇨〔牙花(儿)①〕.
〔牙骨〕 yágǔ 명 《生》 턱뼈. 악골(顎骨).
〔牙关〕 yáguān 명 아래턱뼈. ¶咬着～; 이를 악물고 / 咬紧～坚持到底; 이를 악물고 끝까지 버티다 / ～紧闭; ⓐ턱뼈가 단단히 물리다. 이를 악물다. ⓑ《醫》 저작근(咀嚼筋) 경련.
〔牙行〕 yáháng 명 옛날 중매인(운송·여관을 겸하기도 함).
〔牙户〕 yáhù 명 ⇨〔牙子①〕
〔牙花(儿)〕 yáhuā(r) 명 〈方〉 ①이똥. 치구(齒垢). =〔牙垢〕 ②《生》 치은. 잇몸. =〔牙龈〕 ‖=〔牙花子〕
〔牙花子〕 yáhuāzi 명 ⇨〔牙花(儿)〕
〔牙黄〕 yáhuáng 명 ⇨〔牙色〕
〔牙慧〕 yáhuì 명 〈文〉 ①이똥. 치석. ②〈比〉 남이 한 말. ¶拾shí人～; 〈成〉 남의 말을 그대로 자기의 것처럼 써 먹다.
〔牙祭〕 yájì 명 〈比〉 목구멍의 때를 벗기는 일(맛있는 것을 먹는 일). ¶打～; 맛있는 것을 먹다.
〔牙简翅〕 yájiǎnchì 명 일본산 상어 지느러미의 일종.
〔牙匠〕 yájiàng 명 상아 세공인.
〔牙节〕 yájié 명 《機》 피치(pitch). =〔牙距〕
〔牙具〕 yájù 동 ⇨〔洗xǐ漱用具〕
〔牙距〕 yájù 명 ⇨〔牙节〕
〔牙科〕 yákē 명 치과. ¶～病院; 치과 의원.
〔牙科大夫〕 yákē dàifu 명 치과 의사. =〔牙大夫〕〔牙医(生)〕
〔牙科器材〕 yákē qìcái 명 치과용 기자재.
〔牙克西〕 yákèxī ⇨〔雅yǎ克西〕
〔牙口〕 yákou 명 ①가축의 나이(이의 수로 나이를 헤아림). ¶这匹马四岁～; 이 말은 4살이다. ②말이나 소의 치열(齒列).
〔牙口儿〕 yákour 명 노인의 이로 깨무는 힘. 노인의 치아 상태. ¶人老了, ～不济了; 사람은 나이를 먹으면 이의 힘이 약해진다 / 您老人家的～还好呢? 노인장께서는 치아가 튼튼하시겠죠?
〔牙侩〕 yákuài 명 ⇨〔牙子①〕
〔牙鹿〕 yálù 명 수사슴.
〔牙轮〕 yálún 명 《機》 기어(gear). =〔齿轮〕
〔牙买加〕 Yámǎijiā 명 《地》 〈音〉 자메이카(Jamaica)(서인도 제도에 있는 독립국. 수도는 '金斯敦'(Kingston: 킹스턴)).
〔牙门〕 yámén 명 ①〈文〉 군영의 문. 아문. ②⇨〔衙门①〕
〔牙牌〕 yápái 명 ①골패. 마작패. =〔骨牌①〕 ②'推牌九'(일종의 화투놀이)의 패. ③상아로 만든 패. ④옛날에, 관위(官位)를 적은 패.
〔牙偏〕 yápiān 명 《魚》 넙치.
〔牙婆〕 yápó 명 옛날, 직업적인 뚜쟁이.
〔牙旗〕 yáqí 명 〈文〉 ①제왕의 기(상아로 꾸밈). ②진지에 세우는 삼각기. 페넌트(pennant).
〔牙签〕 yáqiān 명 ①메뚜기('书shū套' 서갑을 채우기 위해 달아놓은 상아 또는 뼈로 만든 작은 조각). ②⇨〔牙签(儿)〕
〔牙签(儿)〕 yáqiān(r) 명 이쑤시개. ¶处理食物嵌塞最常用的～, 是我们最古老的洁牙用具; 잇새에 낀 음식을 제거하는 데 가장 흔히 쓰이는 이쑤시개는, 우리가 예로부터 쓰고 있는 이의 손질 도구이다. =〔剔tī牙签儿〕〔牙签②〕
〔牙签筒〕 yáqiāntǒng 명 이쑤시개통.
〔牙钱〕 yáqián 명 옛날, '牙侩'에게 주던 수수료. 구전. →〔佣yòng钱〕
〔牙钳子〕 yáqiánzi 명 곤충류의 이(귀뚜라미의 이따위).
〔牙嵌〕 yáqiàn 명동 상감(象嵌)(하다).
〔牙清口白〕 yá qīng kǒu bái 〈成〉 ⇨〔牙白口清〕
〔牙球〕 yáqiú 명 상아공(당구에 쓰는 홍백의 상아공).
〔牙儿〕 yár 명 ①〈俗〉 아기. 갓난애. ②〈方〉 아이. ⇒yá'ér
〔牙人〕 yárén 명 ⇨〔牙子①〕
〔牙肉〕 yáròu 명 ⇨〔牙床①〕
〔牙色〕 yásè 명 《色》 상아색. 담황색. =〔牙黄〕
〔牙扇〕 yáshàn 명 부채살을 상아로 만든 부채.
〔牙石〕 yáshí 명 치석. ¶～是沉积在牙齿和齿龈之间的石灰性的硬物质; 치석은 이와 잇몸 사이에 끼는 석회성의 단단한 물질이다.
〔牙刷(儿, 子)〕 yáshuā(r, zi) 명 칫솔. =〔刷牙子〕
〔牙髓〕 yásuǐ 명 《生》 치수. =〔齿chǐ髓〕
〔牙条〕 yátiáo 명 ⇨〔牙板①〕
〔牙锈〕 yáxiù 명 이에 달라붙은 누런 이똥.
〔牙牙〕 yáyá 〈擬〉 〈文〉 어린애가 말을 흉내내는 소리. ¶～学语; 옹알옹알하며 말을 흉내내다.
〔牙痒痒(的)〕 yáyǎngyǎng(de) 형 이가 갈리다. 치가 떨리다. ¶真叫人恨得～; 이가 갈릴 정도로 화가 난다.
〔牙医(生)〕 yáyī(shēng) 명 ⇨〔牙科大夫〕
〔牙音〕 yáyīn 명 《言》 (중국 음운학에서) 아음(표준어의 'g, k, ng' 등 설근음(舌根音)에 상당함).
〔牙龈〕 yáyín 명 ⇨〔牙花(儿)②〕
〔牙印(儿, 子)〕 yáyìn(r, zi) 명 잇자국. ¶咬上～; 물어서 잇자국을 내다.
〔牙应〕 yáyīng 명 《鳥》 저광수리.
〔牙营〕 yáyíng 명 〈文〉 아영. 본진(本陣). 본영(本營).
〔牙釉质〕 yáyòuzhì 명 ⇨〔釉质〕
〔牙章〕 yázhāng 명 상아 도장.
〔牙爪〕 yázhǎo 명 ⇨〔爪牙〕
〔牙质〕 yázhì 명 ①상아제(製). ②⇨〔釉yòu质〕
〔牙周病〕 yázhōubìng 명 《醫》 치조농루(齒槽膿漏). =〔牙疳①〕
〔牙猪〕 yázhū 명 돼지 새끼.
〔牙箸〕 yázhù 명 ⇨〔象xiàng牙筷子〕
〔牙子〕 yázi 명 ①옛날, 중매인(仲買人). 지간꾼. ¶房～; 집주릅 / 马～; 마도위. =〔牙保〕〔牙户〕〔牙侩〕〔牙人〕〔市shì牙〕〔市侩①〕 ②일에 정통한 사람. …통(通). ¶古玩玉器的～; 골동품 전문가. ③교활한 사람. ¶那个人真～; 저 사람은 정말 교활하다. ④〈口〉 고급 가구(家具)류의 가에 붙인 조각(彫刻) 따위의 장식(裝飾).

伢 yá (아)
〈方〉 ①(～儿, ～子) 명 아이. 어린이(장쑤(江蘇) 북부·안후이(安徽) 북부에서 사용됨). ¶小～子; 젊은이. ②대 그(산시(山西) 우샹(武鄉) 지방에서 사용됨). →〔他〕

芽 yá (아)
명 ①(～儿, ～子) 싹. ¶麦子发～儿了; 보리가 싹텄다. ②〈文〉 〈比〉 사물의 시초〔발단〕. ③(～儿, ～子) 〈轉〉 싹 비슷한 것. ¶肉～; 육아. 새살 / 银～; 은광맥.
〔芽孢〕 yábāo 명 ①《生》 포자(胞子). =〔芽胞〕 ②《醫》 아포(芽胞)(주로 간균체(桿菌體)내에 생기는 특수한 구상체(球狀體)).
〔芽变〕 yábiàn 명 《植》 눈 돌연변이. 아조변이(芽條變異).
〔芽菜〕 yácài 명 콩나물. =〔豆dòu芽(儿)〕

〔芽茶〕 yáchá 명 어린 싹으로 만든 가늘고 질이 좋은 차.
〔芽豆〕 yádòu 명 물에 담가 싹이 조금 튼 잠두콩.
〔芽甲〕 yájiǎ 명《植》 자엽(子葉)《어린 싹을 감싸는 잎》.
〔芽接〕 yájiē 명《植》 아접《접목법의 하나》.
〔芽韭〕 yájiǔ 명 어린 부추《요리 용어》.
〔芽鞘〕 yáqiào 명《植》 자엽초(子葉鞘). 유아초(幼芽鞘). =〔胚pēi芽鞘〕
〔芽生法〕 yáshēngfǎ 명《植》 아생법. 출아법(出芽法). 발아법(發芽法).
〔芽笋〕 yásǔn 명 큰 죽순의 밑동에 나는 작은 죽순.
〔芽体〕 yátǐ 명《生》 아상체(芽狀體). 싹움.
〔芽眼〕 yáyǎn 명《植》(감자 따위 구근(球根)의 싹이 나오는) 눈.
〔芽枝虫〕 yázhīchóng 명《蟲》 거염벌레. 야도충.

岈 yá (하)
지명용 자(字). ¶嵖Chá～; 차야(嵖岈)《허난 성(河南省)에 있는 산 이름》.

玡〈琊〉 yá (야)
지명용 자(字). ¶琅Láng～; 랑야(琅玡)《산둥 성(山東省)에 있는 산 이름》.

铓(鋣) yá (야)
'镆āi'의 구칭(舊稱).

蚜 yá (아)
명《蟲》 진디. 진딧물.
〔蚜虫〕 yáchóng 명《蟲》 진딧물. =〔腻nì虫〕
〔蚜狮〕 yáshī 명《蟲》 풀잠자리《'蚜虫'(진딧물)의 천적인 데서 나온 이름》. =〔草蜻蛉〕

涯 yá (애)
명 ①물가. ②막바지. ③한. 끝. 가장자리. ¶天～海角; 하늘 끝 바다 끝. 멀리 떨어진 외딴 곳/一望无～; 일망 무애. 아득히 끝이 없다/其乐无～; 그 즐거움은 끝이 없다.
〔涯岸〕 yá'àn 명 ①애안. 물가. ②《轉》 한계. 끝. =〔涯际〕
〔涯分〕 yáfèn 명〈文〉 신분에 알맞은 정도. 본분.
〔涯际〕 yájì 명〈文〉 애제. 한계. 끝. =〔涯岸②〕
〔涯田〕 yátián 명 물가의 논밭.

崖〈崕, 厓〉 yá〔ái〕 (애)
①명 산 가. ②명 낭떠러지. ③명 끝. 가. ④형〈文〉 높고 험하다. ¶悬xuán～勒马; 절벽 끝에서 말을 세우다《마지막 고비에서 뜻을 바꾸다》.
〔崖岸〕 yá'àn 명 깎아지른 듯한 물가. 벼랑가. 형 오만하다. 뽐내다. 모가 나서 남과 화합하지 못하다.
〔崖壁〕 yábì 명 절벽. 낭떠러지.
〔崖略〕 yálüè 명〈文〉 개략(概略).
〔崖岩绝壑〕 yáyán juéhuò 명〈文〉 깎아지른 듯한 절벽.
〔崖盐〕 yáyán 명 암염. 돌소금.

睚 yá (애)
→〔睚眦〕
〔睚眦〕 yázì 명〈文〉 화가 나서 노려보는 눈. 쌍심지를 켠 눈. 〈比〉 사소한 원한. ¶～之怨; 사소한 원한/～必报; 사소한 원한이라도 꼭 갚다.

衙 yá (아)
명 ①관청. ②궁전. ③성(姓)의 하나.
〔衙吏〕 yálì 명 관청의 하급 관리. 구실아치.
〔衙门〕 yámen 명 ①관공서. =〔衙署〕〔牙门②〕 ②경찰.
〔衙内〕 yánèi 명〈文〉 ①(당나라 때에) 경비를 맡은 관원. ②대신(大臣)의 자제. 관료〔귀족〕의 자제. ¶～且宽心; 도련님, 일단 안심하십시오.
〔衙署〕 yáshǔ 명 ⇨〔衙门①〕
〔衙役〕 yáyi 명 관청의 최하급 고용원《청대(清代)에 각 관청에서 허드렛일이나 남의 조수가 되어 일하는 남자의 총칭》.

哑(啞) yǎ (아, 액)
①명 벙어리. ¶聋～; 귀머거리와 벙어리. 농아자. ②동 목이 잠겨 말이 안 나오다. 목이 쉬다. ¶嗓子喊～了; 큰 소리를 질러 목이 쉬었다/声音沙～; 목이 쉬다. ③형 소리가 안 나다. ¶～铃; ⇩ ④동 (포탄 등의) 불발하다. ¶～鱼雷; 불발 어뢰. ⑤〈擬〉〈文〉 웃음소리. ‖ =〔瘂〕⇒yā
〔哑巴〕 yǎba 명 벙어리. ¶～得儿; 한 마디도 말을 걸지 않다. =〔哑叭〕〔哑子〕〔哑吧〕
〔哑叭〕 yǎba 명 ⇨〔哑吧〕
〔哑吧〕 yǎba 명 벙어리. =〔哑巴〕〔哑叭〕〔〈方〉 哑子〕 형 끽소리도 못 하다. 별수없이 참아야 하다. 어처구니없다. ¶吃～亏; 어쩔 수 없이 손해를 보다. 어이없는 꼴을 당하다.
〔哑吧爱说话〕 yǎba ài shuōhuà 벙어리가 수다를 떨고 싶어하다. 〈比〉 하지도 못하는 주제에 나서고 싶어하다.
〔哑吧吃黄连〕 yǎba chī huánglián〈歇〉 벙어리가 황련을 먹다. ¶～, 有苦说不出; 벙어리가 황련을 먹고 써도 말을 못하는 괴로움《어쩔 수 없이 참아야 하는 괴로움》.
〔哑吧吃饺子〕 yǎba chī jiǎozi〈歇〉 벙어리가 교자를 먹다. ¶～, 肚子里有数儿; 벙어리가 교자를 먹고 나서, 입으로 말하지는 않지만 속으로는 먹은 숫자를 알고 있다. 말은 안해도 속셈은 있다.
〔哑吧蛋〕 yǎbadàn 명 ①무정란(無精卵). ②〈比〉 말이 막힘. 대답이 궁함. ¶他吃了～; 그는 대답이 궁해졌다.
〔哑吧得儿地〕 yǎbadérde 슬그머니. 몰래. ¶半夜里有个贼进来把东西～拿去了; 밤중에 도둑이 들어 물건을 몰래 가져갔다. =〔哑yā吧儿地〕
〔哑吧干儿〕 yǎbagānr 형 ①쓰다달다 말이 없다. ¶也没听见俩人说什么, ～的就打起来了; 두 사람은 쓰다달다 말도 없이 갑자기 치고 받기 시작했다. ②몰래하다. 말없이 하다. 슬그머니 하다. ¶那个人～地走了; 그 사람은 슬그머니 가버렸다.
〔哑吧苦子〕 yǎbakǔzi 명 입 밖에 낼 수 없는 괴로움. 별 수 없이 참아야 하는 괴로움. ¶吃了一个～; 남에게 말할 수 없는 고통을 입었다.
〔哑吧亏〕 yǎbakuī 명 입 밖으로는 내지 않는 손실〔고통〕. 어이없게 입은 손실. ¶吃～; 어이없게 손해를 당하다. 어이없는 꼴을 당하다.
〔哑板〕 yǎbǎn 명 옛날, 은화가 사용되던 때, 소리가 둔탁한 은화 또는 위조 화폐를 이렇게 불렀음. =〔闷mēn板〕
〔哑场〕 yǎ.chǎng 동 아무도 발언하지 않다. 입 다물고 있다. ¶一时间哑了场, 空气变得紧张了; 잠시 그 자리는 침묵이 이어지고, 공기가 갑자기 긴장되었다. (yǎchǎng) 명 대사 없이 연기하는 장면. 침묵이 흐르는 장면.
〔哑弹〕 yǎdàn 명 ⇨〔哑炮〕
〔哑光〕 yǎguāng 형 광택이 없다. ¶～双股快把纱; 무광택의 두 가닥으로 된 스프실.

〔哑号儿〕 yǎhàor 명 비밀 사인〔부호〕.
〔哑静〕 yǎjìng 동 〈俗〉 조용히 하다. ¶众位~吧! 여러분 조용히 해 주십시오! 형 조용하다. 고요하다.
〔哑酒〕 yǎjiǔ 명 조용히 마시는 술. ¶喝~; 조용히 술을 마시다.
〔哑剧〕 yǎjù 명《劇》무언극. 팬터마임. ¶在~竟赛中杜近芳的'拾玉镯'获金质奖章; 팬터마임 콩쿠르에서는 두진팡의 '옥팔찌를 줍다'가 금상을 탔다. =〔默mò剧〕
〔哑口〕 yǎkǒu 동 입 다물고 말을 하지 않다. ¶这些话把他驳得~; 이런 말들로 반박을 받아 그는 한 마디도 말을 못 했다 / ~无言; 〈成〉 벙어리처럼 말을 못하다《질문이나 반박 등에 말문이 막히다》.
〔哑铃〕 yǎlíng 명《體》아령《운동 기구의 하나》. ¶~体操; 아령 체조 / 举重~; 역기. 바벨.
〔哑谜〕 yǎmí 명 수수께끼. ¶打~; 수수께끼를 풀다 / 这个~不容易猜; 이 수수께끼는 좀처럼 풀 수 없다.
〔哑密密(的)〕 yǎmìmì(de) 형 잠자코 있는 모양. 쓰다 달다 말이 없는 모양.
〔哑炮〕 yǎpào 명 〈俗〉 불발된 폭약이나 폭죽. =〔哑弹〕
〔哑屁〕 yǎpì 명 소리 없는 방귀.
〔哑然〕 yǎrán 형 〈文〉 ①아연하다. ¶事出意外, 不觉~无声; 뜻밖의 일로, 나도 모르게 아연해서 소리도 나오지 않았다. ②조용한〔무언(無言)인〕 모양. ③웃음소리의 형용. ¶~失笑; 〈成〉 저도 모르게 소리를 내며 웃다.
〔哑嗓(儿, 子)〕 yǎsǎng(r, zi) 명 쉰 목소리. 허스키한 목소리.
〔哑鱼雷〕 yǎyúléi 명 불발 어뢰.
〔哑语〕 yǎyǔ 명 수화(手話). =〔手shǒu语〕
〔哑子〕 yǎzi 명 〈方〉 ⇨〔哑巴yǎba〕

瘂(瘂) yǎ (아)
'哑yǎ'와 통용.

雅 yǎ (아)
① 형 우아하다. 점잖다. 고상하다. ¶他人很~; 그는 인품이 매우 점잖다/ 文~; 우아하다. 문아하다. ② 형 〈文〉 바른. 정통의. ¶~言; ⓐ표준적인 말. 정통의 언어. ⓑ바른〔옳은〕 말. ③〈敬〉 상대방의 언동을 나타내는 말에 붙여 경의를 표함. ¶~教; ⇩ / 久违~教; 오랫동안 격조하였습니다. ④ 부 〈文〉 대단히. 극히. ¶~不欲辨; 전혀 마음이 내키지 않다 / ~非所愿; 결코 바라는 바가 아니다 / ~以为美; 대단히 아름답다고 생각하다. ⑤ 명 〈文〉 교제. ¶无一日之~; 일면식도 없다. ⑥ 명 〈文〉 평소. 원래. ¶~善鼓琴; 원래 거문고를 잘 탔다. ⑦ 명 시가(詩歌)의 한 분류. ⑧ 명 〈文〉 주기(酒器). 술그릇. ⑨ 명 성(姓)의 하나. ⇒yā
〔雅爱〕 yǎ'ài 동 애고(愛顧)하다. 돌봐주다.
〔雅典〕 Yǎdiǎn 명《地》〈音〉 아테네(Athene)《'希腊xīlà'(그리스: Greece)의 수도》.
〔雅度〕 yǎdù 명 〈文〉 고상한 태도. ¶怀思~, 时切葭思; 〈翰〉 당신의 고아한 풍모를 떠올리며 간절한 그리움에 잠겨 있습니다.
〔雅尔塔会议〕 Yǎ'ěrtǎ huìyì 명 〈音〉 얄타 회담.
〔雅各宾党〕 Yǎgèbīn dǎng 명 〈音〉 (프랑스 혁명 때의) 자코뱅 당.
〔雅故〕 yǎgù 명 〈文〉 ①바른 뜻. 바른 해석. ②옛 벗. ③평소. 평상시.
〔雅观〕 yǎguān 형 보기에 고상하다《흔히 부정문(否定文)에 쓰임》. ¶要叫人看见, 不大~; 남보기에 별로 볼품이 없다 / 室内布置很~; 실내 배치가 매우 우아하다.
〔雅翰〕 yǎhàn 명 〈翰〉 혜한(惠翰). 혜서.
〔雅号〕 yǎhào 명 ⇨〔雅篆〕
〔雅好〕 yǎhào 명 〈文〉 고상한 기호. 풍아한 취미.
〔雅虎〕 Yǎhǔ 명《電算》〈音〉 야후(Yahoo)《인터넷 관련 회사명. 인터넷 검색 엔진 중의 하나》.
〔雅怀〕 yǎhuái 명 〈翰〉 고상한 생각. 당신의 생각〔심정. 기분〕.
〔雅会〕 yǎhuì 명 〈文〉 풍류스러운 모임. =〔雅集〕
〔雅诲〕 yǎhuì 명 〈翰〉 가르치심. 교시(教示).
〔雅集〕 yǎjí 명 〈文〉 ⇨〔雅会〕
〔雅加达〕 Yǎjiādá 명《地》〈音〉 자카르타(Jakarta)《'印度尼西亚'(인도네시아: Indonesia)의 수도》. =〔八bā打威〕〔巴塔维亚〕〔吧城〕〔吧地〕〔日rì惹〕〔绒róng扎加太〕〔椰yē城〕
〔雅健〕 yǎjiàn 형 〈文〉 문장이 깨끗하고 힘이 있다.
〔雅鉴〕 yǎjiàn 동 〈翰〉 고람(高覽)하다. 존람(尊覽)하다.
〔雅教〕 yǎjiào 명 〈翰〉〈敬〉 교시(教示). ¶久违~憾甚; 오래 교시를 받지 못하여〔뵈옵지 못하여〕 유감으로 생각합니다 / 趋候~; 찾아뵙고 가르침을 받고자 합니다.
〔雅静〕 yǎjìng 형 아늑하고 고상하다. ¶室内整洁~; 실내는 차분하고 우아하다.
〔雅克式战斗机〕 Yǎkèshì zhàndòujī 명《軍》(소련의) 야크(Yak) 전투기. 「→〔鄂E温克族〕
〔雅克特〕 Yǎkètè 명《民》〈音〉 야쿠트(Yakut)족.
〔雅克西〕 yǎkèxī (위그르어로) 좋다. 훌륭하다. 근사하다의 뜻. =〔牙yá克西〕
〔雅客〕 yǎkè 명 〈文〉 ①《植》수선화의 별칭. ②풍류인.
〔雅库次克〕 Yǎkùcìkè 명《地》〈音〉 야쿠츠크(Yakutsk)《'雅克特自治共和国'(야쿠트자치 공화국: Yakut)의 수도》.
〔雅利安族〕 Yǎlì'ān zú 명《民》〈音〉 아리아인《유럽 3대 종족의 하나》.
〔雅量〕 yǎliàng 명 〈文〉 ①아량. 관대한 도량. ②주량이 많음.
〔雅鲁藏布江〕 Yǎlǔzàngbùjiāng 명《地》야루창포 강(Yartsangpo 江)《티베트에 있으며, 인도양으로 흘러듦》.
〔雅皮士〕 yǎpíshì 명 〈音〉 여피 족(yuppie族)《고학력으로 직업상의 전문적인 기술을 지니고, 도시에 살며, 높은 소득을 올리고 있는 젊은 엘리트》.
〔雅片〕 yǎpiàn 명 ⇨〔阿ā片〕
〔雅情〕 yǎqíng 명 〈翰〉 두터운 정. 후정(厚情).
〔雅趣〕 yǎqù 명 풍아한 정취. 아치(雅致). ¶这个庭园布置得很有~; 이 정원은 배치 모양이 매우 풍취가 있다.
〔雅人〕 yǎrén 명 아인. 풍류인. 풍아한 사람.
〔雅士〕 yǎshì 명 〈文〉 풍아한 선비. 고상한 사람. ¶文人~的谈吐tǔ自然不俗; 문인 아사가 하는 말은 자연히 고상하다.
〔雅司病〕 yǎsībìng 명《醫》〈音〉 열대 프램비지아(熱帶frambesia). 딸기종(腫)《일종의 피부 전염병》.
〔雅俗共赏〕 yǎ sú gòng shǎng 〈成〉 (문예 작품 등이) 아름답고 알기 쉬워 모든 사람이 감상할 수 있다.
〔雅玩〕 yǎwán 명 〈文〉 풍아한 놀이.
〔雅望〕 yǎwàng 명 〈文〉 ①고아한 명망. ②〈翰〉 희망하시는 바. ¶有负~, 憾甚; 희망하시는 바에

어긋나게 되어 죄송합니다.
〔雅温得〕 Yǎwēndé 명 《地》〈音〉 야운데(Yaoundé)(‘喀Kā麦隆’(카메룬: Cameroon)의 수도).
〔雅相〕 yǎxiàng 명 고상한 얼굴.
〔雅兴〕 yǎxìng 명 우아[고상]한 취미. ¶～不浅; 취미가 고상하다/无此～; 이런 고상한 취미는 없다.
〔雅驯〕 yǎxùn 형 〈文〉 문장이 전아(典雅)하다.
〔雅筵〕 yǎyán 명 〈文〉 풍류스러운 연회.
〔雅谊〕 yǎyì 명 〈文〉 후의(厚意).
〔雅意〕 yǎyì 명 〈文〉 ①고아(高雅)한 마음. ②〈敬〉 생각하시는 바. 귀의(貴意). ¶副～; 귀의에 맞다.
〔雅乐〕 yǎyuè 명 〈文〉 아악. ①옛날, 종묘 제례·조회(朝會) 등에 연주되었던 음악. ②(서양 음악에 대하여) 국악(國樂)을 말함.
〔雅韵〕 yǎyùn 형 ⇨〔雅致〕
〔雅正〕 yǎzhèng 형 ①〈文〉 모범적이다. ②정의감이 강하다. ③점잖고 솔직하다. 동〈套〉 질정(叱正)〔가르침〕을 바랍니다(남에게 시문·서화를 보낼 때 낙관 위에 쓰는 말).
〔雅郑〕 yǎzhèng 명 옛날, 아악과 정성(鄭聲). 〈比〉 바른 음악과 음탕한 음악.
〔雅致〕 yǎzhi 형 풍류스럽다. 품위 있다. 고상하다. ¶这个花样很～; 이것은 극히 고상한 무늬입니다. =〔雅韵〕
〔雅嘱〕 yǎzhǔ 명 〈文〉 풍아한 위촉.
〔雅篆〕 yǎzhuàn 명 〈敬〉 아호(雅號). ¶～是哪俩字? 당신의 아호는 어떻게 되십니까? =〔雅号〕〔台tái篆〕〔尊zūn篆〕〔台甫〕
〔雅座(儿)〕 yǎzuò(r) 명 (요릿집·술집 등의) 아담한 별실. ¶内有～; 안에 별실 있음(간판의 문구).

轧(軋) yà (알)

① 동 롤러로 밀다. ¶把马路～平了; 롤러로 길을 반반하게 다졌다. ② 동 차로 치다. ¶叫电车～死; 전차에 치여 죽다. ③ 동 맷돌로 타다. ¶～成面; 맷돌로 타서 가루로 만들다. ④ 동 〈方〉 밀치다. ¶倾qīng～; 사람을 밀치다. ⑤ 동 배척하다. ¶倾～; 사람을 배척하다. ⑥〈擬〉 달달(마찰하는 소리). ¶缝纫机～～～地响着; 재봉틀이 달달 소리를 내고 있다. ⑦ 동 꽉차다. 붐비다. ⇒gá zhá
〔轧板机〕 yàbǎnjī 명 《機》 맹글(mangle). 압착롤러.
〔轧毙〕 yàbì 동 차에 치여 죽다. =〔轧死〕
〔轧场〕 yàchǎng 명 방앗간.
〔轧道机〕 yàdàojī 명 〈方〉 로드 롤러(road roller). =〔压yā路机〕〔压道机〕
〔轧洞机〕 yàdòngjī 명 《機》 천공기(어음의 폐기 등의 경우에 씀).
〔轧发刀〕 yàfàdāo 명 ⇨〔剪jiǎn发刀〕
〔轧发器〕 yàfàqì 명 ⇨〔剪jiǎn发刀〕
〔轧杠子〕 yàgàngzi 명 압슬 막대기(고문 용구의 일종으로, 범인을 쇠사슬 위에 무릎 꿇리어, 오금에 막대기를 끼우고 그 막대기를 무거운 물건을 얹거나 사람이 올라타서 압력을 가함). =〔踩cǎi杠子〕〔压yā膝〕〔压杠子〕
〔轧根儿〕 yàgēnr 부 〈口〉〈京〉 전혀. 원래. 아예. 도무지(주로 부정문에 사용함). ¶他～就不知道; 그는 애초부터 모른다/～没动; 전연 착수하지 않다/这话我～没说; 나는 이 일을 본래 얘기한 적이 없다. =〔压yà根儿①〕〔作zuò根儿〕
〔轧光〕 yàguāng 동 《紡》 (종이·천을) 광택을 내다. ¶～机; 광택기.
〔轧辊〕 yàgǔn〔zhágǔn〕 명 《機》 압연 롤러.
〔轧滚〕 yàgǔn 동 롤러로 밀다.
〔轧花〕 yàhuā 동 솜을 타다. =〔轧棉花〕
〔轧花厂〕 yàhuāchǎng 명 조면(繰綿) 공장.
〔轧花机〕 yàhuājī 명 《紡》 코튼진(cotton gin)(조면기의 일종으로, 면 섬유에서 씨를 분리하는 기계).
〔轧剪〕 yàjiǎn 명 ⇨〔剪发刀〕
〔轧轹〕 yàlì 동 〈文〉 ①차〔수레〕가 삐걱거리다. ②으르렁거리다. 불화하다. 반목하다. 분쟁하다.
〔轧亮〕 yàliàng 동 압력을 가하여 광택을 내다(미장할 때 마지막으로 흙손으로 눌러 광택을 내는 일).
〔轧马路〕 yà mǎlù ①도로를 롤러로 다지다. ②〈轉〉 거리를 어슬렁어슬렁 걸어다니다.
〔轧米〕 yà,mǐ 동 ①쌀을 찧다. ②줄을 서서 쌀을 사다.
〔轧棉厂〕 yàmiánchǎng 명 조면(繰綿) 공장.
〔轧棉车〕 yàmiánchē 명 《紡》 씨아. 조면기.
〔轧棉(子)机〕 yàmián(zi)jī 명 ⇨〔纺fǎng棉机〕
〔轧面机〕 yàmiànjī 명 《機》 국수 기계. 제면기.
〔轧碾〕 yàniǎn 명 맷돌.
〔轧票机〕 yàpiàojī 명 《機》 티켓 펀치(ticket punch). 개찰기.
〔轧票钳〕 yàpiàoqián 명 ⇨〔剪jiǎn票铗〕
〔轧伤〕 yàshāng 동 ①차에 치여 다치다. ②치어 부상시키다.
〔轧死〕 yàsǐ 동 차에 치여 죽다. 치어 죽이다. =〔轧毙〕
〔轧碎机〕 yàsuìjī 명 《機》 파쇄기. 크러셔(crusher). =〔破pò碎机〕
〔轧象机器〕 yàxiàng jīqì 명 사진의 광택을 내는 기계.
〔轧轧〕 yàyà 〈擬〉 덜덜. 덜컹덜컹(차·기계·배의 노·비행기 소리 등의 형용). ¶车声～; 차 소리가 부릉부릉거리다/机声～; 기계 소리가 윙윙거리다.
〔轧腰葫芦〕 yàyāo húlú 명 가운데가 잘록한 호리병.

亚(亞) yà (아)

① 명 〈簡〉〈音〉 아시아. ¶东南～; 동남아시아. ② 형 제2의. 다음의. 버금가는. ③ 형 못하다. 뒤떨어지다. ¶不～; 뒤떨어지지 않는/你的体力并不～于他; 너의 체력은 결코 그에게 뒤지지 않는다. ④ 명 《化》 아(亞). ¶～硫酸; 아황산.
〔亚氨基〕 yà'ānjī 명 《化》 이미노기(Imino基).
〔亚比〕 yàbǐ 명 〈文〉 비류(比類). 같은 무리〔종류〕.
〔亚庇〕 Yàbì 명 《地》 코타키나바르(Kota Kinabalu)(말레이시아의 사바주(Sava州) 북서부의 항구 도시로 주도(州都)).
〔亚当〕 Yàdāng 명 《人》〈音〉 아담(Adam).
〔亚当氏气〕 yàdāngshìqì 명 《軍》〈音〉 애덤사이트(adamsite).
〔亚得里亚海〕 Yàdélǐyà Hǎi 명 《地》〈音〉 아드리아 해(Adria海).
〔亚的斯亚贝巴〕 Yàdìsīyàbèibā 명 《地》〈音〉 아디스아바바(Addis Ababa)(‘埃塞俄比亚’(에티오피아: Ethiopia)의 수도). =〔亚提司亚拔拔〕
〔亚碘酰苯〕 yàdiǎn xiānběn 명 《化》 요도소벤젠(iodosobenzene).
〔亚丢〕 yàdiū 명 〈音〉 아듀(adieu). →〔再见〕

〔亚尔巴尼亚〕 Yà'ěrbāníyà 명 ⇨〔阿Ā尔巴尼亚〕
〔亚尔迭海特〕 yà'ěrdiéhǎitè 명 《化》〈音〉 알데히드(aldehyde).
〔亚尔加里〕 yà'ěrjiālǐ 명 《化》〈音〉 알칼리(alkali).
〔亚尔然丁〕 Yà'ěrrándīng 명 《地》〈音〉 아르헨티나. =〔阿Ā根廷〕
〔亚非〕 Yà Fēi 명 〈簡〉 아시아 아프리카(‘亚州·非州’의 생략). ¶～集团; 아아 그룹.
〔亚非会议〕 Yà Fēi Huìyì 명 아시아 아프리카 회의. AA 회의(1955년 4월 18～24일 인도네시아의 반둥 시에서 개최됨). =〔万隆会议〕
〔亚非拉〕 Yà Fēi Lā 명 〈簡〉 아시아·아프리카·라틴 아메리카.
〔亚非人民团结委员会〕 Yà Fēi Rénmín Tuánjié Wěiyuánhuì 명 아시아 아프리카 연대 위원회.
〔亚非新闻工作者协会〕 Yà Fēi Xīnwén Gōngzuòzhě Xiéhuì 명 아시아 아프리카 저널리스트 회의.
〔亚砜〕 yàfēng 명 《化》 술폭시드(sulfoxide). 술폭시화물(化物).
〔亚根地纱〕 yàgēndì shā 명 《紡》〈音〉 오건디(organdy)(얇은 면모슬린의 일종).
〔亚急性〕 yàjíxìng 명 《醫》 아급성.
〔亚甲基〕 yàjiǎjī 명 《化》 메틸렌기(methylene基).
〔亚甲(基)蓝〕 yàjiǎ(jī)lán 명 《化》 메틸렌 블루(methylene blue). =〔次cì甲蓝〕
〔亚将〕 yàjiàng 명 〈文〉 부장(副將).
〔亚胶〕 yàjiāo 명 젤라틴(gelatine).
〔亚姐〕 Yàjiě 명 〈簡〉 미스아시아(아시아 태평양 지역 30여개 나라가 공동으로 거행하는 미인 선발의 영예로운 칭호). =〔亚洲小姐〕
〔亚军〕 yàjūn 명 (운동 경기의) 제2위. 준우승. ¶篮球比赛结果, 我校为～; 농구 시합 결과, 우리 학교는 준우승이 되었다. →〔冠军〕
〔亚拉伯〕 Yàlābó 명 《地》〈音〉 아라비아. =〔阿拉伯〕
〔亚剌伯(树)胶〕 yàlàbó(shù) jiāo 명 ⇨〔阿ā拉伯胶〕
〔亚剌伯乳香〕 yàlàbó rǔxiāng 명 《化》〈音〉 테레빈유(terebin 油). =〔阿ā拉伯乳香〕
〔亚里士多德〕 Yàlǐshìduōdé 명 《人》〈音〉 아리스토텔레스(Aristoteles)(그리스의 철학자·과학자, B.C384～322). =〔亚里斯sī多德〕
〔亚历山大大帝〕 Yàlìshāndà Dàdì 명 《人》〈音〉 알렉산더 대왕.
〔亚历山大里亚〕 Yàlìshāndàlǐyà 명 《地》〈音〉 알렉산드리아(Alexandria)(이집트의 북쪽 해안 지중해에 임한 항구).
〔亚林匹克〕 Yàlínpǐkè 명 ⇨〔奥Ào林匹克运动会〕
〔亚流〕 yàliú 명 아류.
〔亚硫酸〕 yàliúsuān 명 《化》 아황산. ¶～盐yán; 아황산염 / ～酯zhǐ; 아황산 에스테르 / ～钾jiǎ; 아황산 칼륨 / ～氢qīng钾; 아황산 수소 칼륨 / ～氢钠; 아황산 수소 나트륨 / ～(盐)纸浆; 아황산 펄프.
〔亚麻〕 yàmá 명 《植》 아마. ¶～厂; 아마 방적 공장.
〔亚麻布〕 yàmábù 명 《紡》 아마포. 린네르. =〔细xì夏布〕
〔亚麻仁油〕 yàmárényóu 명 ⇨〔亚麻(子)油〕
〔亚麻(子)油〕 yàmá(zǐ)yóu 명 아마인유(亞麻仁油). =〔亚麻仁油〕〔胡hú麻(子)油〕
〔亚马丘亚〕 yàmǎqiūyà 명 《電》〈音〉 아마추어(armature)(계전기(繼電器) 등의 자극에 접촉하는 조그만 쇳조각). →〔电枢〕〔转子〕
〔亚马孙河〕 Yàmǎsūn Hé 명 《地》〈音〉 아마존강(Amazon江).
〔亚美利加〕 Yàměilìjiā 명 〈音〉⇨〔阿Ā美利加〕
〔亚美尼亚〕 Yàměiníyà 명 《地》〈音〉 아르메니아(Armenia). ¶～苏维埃社共和国; 아르메니아 공화국(수도는 ‘埃Āi里温’(예레반:Erevan)).
〔亚莫尼亚〕 yàmòníyà 명 《化》〈音〉 암모니아(ammonia).
〔亚黏土〕 yàniántǔ 명 《地質》 점토. =〔亚砂土〕
〔亚平宁山脉〕 Yàpíngníng Shānmài 명 《地》〈音〉 아펜니노(Apennino)산맥(이탈리아 반도를 종주(縱走)하는 산맥).
〔亚铅〕 yàqiān 명 《化》 아연(Zn).
〔亚铅华〕 yàqiānhuá 명 ⇨〔氧化锌〕
〔亚乔木〕 yàqiáomù 명 《植》 아교목(亞喬木).
〔亚如〕 yàrú 〈文〉 …와 같다. …을 닮다〔비슷하다〕. 마치 …인 것 같다. ¶～天女一般; 마치 천녀 같다 / 他的话～军令一般; 그의 이야기는 마치 군대의 명령인 것 같다.
〔亚赛〕 yàsài 명 〈文〉 …와 같다. …와 비슷하다. …에 필적하다. ¶他～当年楚霸王; 그는 당년의 초패왕과 같다. =〔亚似〕
〔亚砷酸钾溶液〕 yàshēnsuānjiǎ róngyè 명 《化》 아비산(亞砒酸) 칼륨액(液). 파울러 수(Fowler 水). =〔佛fó来氏液〕
〔亚圣〕 Yàshèng 명 《人》 아성(‘孟子’에 대한 호칭).
〔亚述〕 Yàshù 명 《地》〈音〉 아시리아(Assyria).
〔亚似〕 yàsì 〈文〉 …와 같다. …와 비슷하다. ¶沙果～苹果; ‘沙果’는 사과와 대체로 비슷하다. =〔亚赛〕
〔亚松森〕 Yàsōngsēn 명 《地》〈音〉 아순시온(Asunción)(‘巴Bā拉圭’(파라과이: Paraguay)의 수도).
〔亚速而群岛〕 Yàsù'ér Qúndǎo 명 《地》〈音〉 아조레즈(Azores) 제도.
〔亚速海〕 Yàsù Hǎi 명 《地》〈音〉 아조프해(Azov海)(흑해 북방 크림 반도 동쪽의 바다. 케르히(Kerch) 해협에 의해 흑해와 이어짐).
〔亚太地域〕 Yà Tài dìyù 명 아시아 태평양 지역.
〔亚太经合会组织〕 Yà Tài Jīnghéhuì Zǔzhī 명 APEC(아시아 태평양 경제 협력체).
〔亚提司亚拔拔〕 Yàtísīyàbábá 명 〈音〉 ⇨〔亚的斯亚贝巴〕
〔亚铁〕 yàtiě 명 《化》 제 1철.
〔亚铁氰化钾〕 yàtiěqínghuàjiǎ 명 《化》 황혈염. =〔黄血盐〕
〔亚铁氰化钠〕 yàtiěqínghuànà 명 《化》 페로시안화 소다. 페로시안화 나트륨. 황혈(黃血) 소다.
〔亚脱拉斯〕 Yàtuōlāsī 명 《人》〈音〉 (그리스 신화의) 아틀라스(Atlas). =〔阿月之辣斯〕
〔亚硒酸〕 yàxīsuān 명 《化》 아(亞)셀렌산.
〔亚硒酸钠〕 yàxīsuānnà 명 《化》 아셀렌산 나트륨.
〔亚细亚〕 Yàxìyà 명 《地》〈音〉 아시아. ¶～洲zhōu; 아시아주.
〔亚硝胺〕 yàxiāo'àn 명 《化》 니트로사민(nitrosamine).
〔亚硝基〕 yàxiāojī 명 《化》 니트로기(nitro基).
〔亚硝酸〕 yàxiāosuān 명 《化》 아질산(亞窒酸).
〔亚硝酸钠〕 yàxiāosuānnà 명 《化》 아질산 나트륨.
〔亚硝酸乙酯酯〕 yàxiāosuān yǐzhǐxǔ 명 《藥》 감초 석정(甘草石精). 아질산 에틸.
〔亚音速〕 yàyīnsù 명 《物》 아음속. ¶～飞机; 아

음속 비행기.
〔亚于〕 yàyú 〈文〉 …에 다음 가다. …에 뒤떨어지다. …보다 못하다. ¶你写的字并不~他; 네가 쓴 글씨는 결코 그만 못하지 않다 / 我的体力~他; 내 체력은 그에 버금 간다.
〔亚运〕 Yàyùn 명 아시아 경기 대회. ¶~村; 아시아 경기 대회 선수촌. =〔亚运会〕 →〔世运〕
〔亚运会〕 Yàyùnhuì 명 ⇨〔亚运〕
〔亚洲〕 Yàzhōu 명 《地》〈簡〉 아시아. ¶~运动会 =〔亚运会〕; 아시안 게임.

垭(埡) yà (아)
명 〈方〉 두 개의 산으로 둘러싸인 좁은 곳《흔히, 지명에 쓰임》. ¶黄桷~; 《地》 황줴야《충칭 시(重慶市)에 있는 땅 이름》 / 柏树~; 《地》 바이수야《쓰촨 성(四川省)에 있는 땅 이름》 / 轿子~; 《地》 자오쯔야《후난 성(湖南省)에 있는 땅 이름》.

挜(掗) yà (아)
동 〈方〉 강제로 물건을 안기다. 강매하다.

娅(婭) yà (아)
명 〈文〉 동서《아내의 자매의 남편》. =〔连lián襟(儿)〕

氩(氬) yà (아)
명 《化》 아르곤(Ar:argon).

垭(錏) yà (아)
명 ①철(鐵)의 유연화(柔軟化). ② 《化》 '铵ān' (암모늄)의 구칭(舊稱).

讶(訝) yà (아)
동 〈文〉 ①괴이쩍게 여기다. ②마중 나가다.
〔讶异〕 yàyì 동 의심하고 이상하게 생각하다. =〔疑yí讶〕

迓 yà (아)
동 〈文〉 마중 나가다. 영접하다. ¶失~为缺 =〔失迎〕; 집에 없어서 실례하였습니다 / ~之于门; 문에서 마중하다 / 迎~; 맞다. 영접하다.

砑 yà (아)
동 ①(돌로 가죽·천 따위를) 문지르다. →〔碾niǎn〕〔磨mó〕 ②문질러 닦아 윤을 내다.
〔砑箔〕 yàbó 명 맷돌로 주석을 눌러 주석박(箔)을 만드는 일.
〔砑坊〕 yàfáng 명 종이·천 따위의 윤을 내는 공장.
〔砑光〕 yàguāng 동 제지·직물 등의 광택을 내다. ¶~机; 캘린더 롤러(calendar roller) / ~纸; 광택지.
〔砑金〕 yàjīn 명 기물(器物)에 금을 입혀 연마하여 광을 낸 것.
〔砑亮〕 yàliàng 동 맷돌·롤러 등으로 눌러서 광택을 내다.
〔砑螺〕 yàluó 명 ⇨〔紫zǐ贝〕
〔砑石〕 yàshí 명 천·종이 등에 광택을 내는 맷돌.

压(壓) yà (압)
→〔压道车〕〔压根儿〕 ⇒yā
〔压道车〕 yàdàochē 명 시운전 열차.
〔压根儿〕 yàgēnr 부 〈俗〉 ①전연. 도무지《흔히, 부정문에 쓰임》. ¶他全忘了, 好像~没有这回事; 그는 완전히 잊어버리고 있었다, 마치 그런 일이 없었던 것처럼 / 他~就不知道; 그는 전연 모른다. =〔轧根儿〕 ②이제까지 죽. ¶我不是新搬来的, 我是~就住在这儿的; 나는 이번에 이사해 온 것이 아닙니다. 죽 이 곳에 살고 있는 사람입니다.

揠 yà (알)
동 〈文〉 뽑다. ¶~旗息鼓; 깃발을 말고 소리 없이 숨을 죽이다.
〔揠苗助长〕 yà miáo zhù zhǎng 〈成〉 알묘 조장《빨리 자라라고 싹을 뽑아 늘린다는 뜻으로, 일을 서둘러 도리어 실패함의 비유》. =〔拔bá苗助长〕

猰〈貏〉 yà (알)
→〔猰貐〕
〔猰貐〕 yàyǔ 명 《動》 알유《옛날 전설상의, 사람을 잡아먹는다는 짐승의 이름》.

聐 yà (알)
→〔聐聒〕
〔聐聒〕 yàguō 동 〈文〉 (장황하게 사람을) 꾸짖다. (사람에게) 원망을 늘어놓다.

呀 ya (하)
조 ①의문·권유·감동·명령·기원(祈願) 따위의 문말 어기사(文末語氣詞)《앞의 음절의 운모(韻母)가 a, e, i, o, ü로 끝날 경우의 啊의 변음》. ¶(是)谁~? 누구요? / 快来~! 빨리 오너라! ②구(句) 안에 쓰이어 어기(語氣)를 강하게 하는 말. ¶你~, 活活的是个半疯子; 너는 말이야. 틀림없는 반미치광이야 / 这个瓜~, 甜得很; 이 오이는 말이지, 무척 달단다 / 你怎么不学一学~? 넌 왜 배우려 하지 않느냐? ⇒xiā yā

YAN ㄧㄢ

奄 yān (엄)
①→〔奄奄〕 ②동 〈文〉 머무르다. ¶~迟; ⇩ ③동 〈文〉 거세하다. =〔阉①〕 ⇒yǎn
〔奄迟〕 yānchí 동 〈文〉 오래 머물러 정체하다.
〔奄宦〕 yānhuàn 명 〈文〉 ⇨〔阉宦〕
〔奄留〕 yānliú 동 〈文〉 ⇨〔淹留〕
〔奄冉〕 yānrǎn 동 〈文〉 우물쭈물하다. 꾸물거리다. 되는 대로 하다. 형 〈文〉 임염(荏苒)하다《세월이 지나가는 모양》.
〔奄人〕 yānrén 명 ⇨〔阉人①〕
〔奄息〕 yānxī 동 멈추다. 정지하다.
〔奄奄〕 yānyān〔yǎnyǎn〕 형 숨이 간들간들하다《숨이 곧 끊어질 듯한 모양》. ¶气qì息~; 기식엄엄. 숨이 곧 끊어지려 하다 / ~一息; 〈成〉 곧 끊어지려 하는 숨.

淹〈渰〉 yān (엄) 〈염〉
A) 동 물에 잠기다. ¶庄稼都给水~了; 농작물이 온통 물에 잠겼다. B) ①동 스미다. ¶眼药把眼睛~得生疼; 안약이 눈에 스며들어 아주 쓰라리다 / 胳gē肢窝被汗~得难受; 겨드랑이가 땀에 끈적거려 못 견디겠다. ②형 〈文〉 깊다. ③동 〈文〉 오랜 시간이 지나다. 오래 머무르다.
〔淹败〕 yānbài 동 물에 잠겨 못 쓰게 되다. ¶落水的行xíng李都~了; 물 속에 빠뜨린 짐이 모두 망가졌다.
〔淹毙〕 yānbì 동 ⇨〔淹死〕
〔淹博〕 yānbó 형 〈文〉 (학식 따위가) 깊고 넓다.

〔淹缠〕 yānchan 동 ①오래 앓다. ②(사람에게) 성가시게 매달리다. 끈질기게 물고 늘어지다. 형 질질 끌다. 끈덕지다. =〔淹沉chen〕
〔淹沉〕 yānchen 형 ⇨〔淹缠〕
〔淹赅〕 yāngāi 동 〈文〉 해박하다(깊고 넓게 학문에 통하고 있음).
〔淹贯〕 yānguàn 형 〈文〉 깊이 통달하다. 학식이 매우 심원하다. ¶～群书; 많은 책에 깊이 통달하고 있다.
〔淹灌〕 yānguàn 명 《農》 무논처럼 물을 넣어 둔채 하는 관개법. ¶～法; 저류(貯留) 관개법(논에 관개하는 법)
〔淹坏〕 yānhuài 동 ①수해로 파괴되다. ②물에 잠겨 못 쓰게 되다.
〔淹荒〕 yānhuāng 명 수해에 의한 흉작.
〔淹煎〕 yānjiān 동 안달하다. 걱정하다. 초조해하다. ¶把我～得不得了liǎo; 나를 정말 애태우게 한다.
〔淹蹇〕 yānjiǎn 동 행동이 순조롭지 않다. 머물러 움직이지 않다. ¶他在上海因为朋友的事情～住了; 그는 상하이(上海)에서 친구 때문에 머무를 수밖에 없게 되었다.
〔淹践〕 yānjian 동 물에 잠겨 엉망이 되다. ¶好好的东西让你给～了; 훌륭한 물건을 너 때문에 물에 적셔 버렸다 / 这一场大雨把早稻都～了; 이번 큰비로 올벼가 모두 물에 잠겨 못 쓰게 됐다.
〔淹留〕 yānliú 동 〈文〉 체재〔체류〕하다. 오래 머무르다. ¶从那天～至今; 그 날부터 지금까지 체류하고 있다. =〔奄留〕
〔淹没〕 yānmò 동 ①물에 빠지다. 물에 잠기다. ¶河里涨水, 小桥都～了; 냇물이 넘쳐 조그만 다리가 몽땅 물에 잠겼다 / 他被水～了以后, 又叫渔夫给救活了; 그는 물에 빠졌지만 어부에게 구조되어 살았다. ②〈比〉 파묻히다. 소용 없게 되다. ¶他的讲话为掌声所～; 그의 강연은 박수 소리에 지워지고 말았다 / 半生～; 반평생을 묻혀 살다 / ～了人才; 인재가 묻혀 버리고 말았다〔빛을 못 보게 됐다〕/ 我这一片好心, 全让他～了; 나의 호의도 그 때문에 헛일이 되었다.
〔淹溺〕 yānnì 동 물에 빠지다.
〔淹年〕 yānnián 동 해를 거듭하다. 명 오랜 세월. ¶～累月; 오랜 세월.
〔淹润〕 yānrùn 동 (부녀자가) 수줍어하다. 부끄러워하는 표정을 짓다. ¶女孩子脸皮儿～; 계집아이의 얼굴은 수줍은 듯했다.
〔淹湿〕 yānshī 동 물에 잠기다. 흠뻑 젖다. ¶那晚上波涛汹涌, 风浪大作, 一船的货物都被～了; 그 날 밤은 파도가 거칠어 뱃짐은 전부 물에 젖었다.
〔淹识〕 yānshí 형 〈文〉 견식이 깊고 넓다. 박식하다. ¶有～的长者; 깊고 넓은 견식을 가진 노인.
〔淹熟〕 yānshú 동 (물이나 약에) 담가 부드럽게 하다. (가죽을) 무두질하다. ¶把剥下来的皮子用硝～了; 벗겨 낸 가죽을 초석(硝石)으로 무두질하다.
〔淹水〕 yānshuǐ 동 물에 흠뻑 젖다. 물에 빠지다.
〔淹死〕 yānsǐ 동 익사하다. ¶～鬼; 익사자 / ～是会水的; 〈諺〉 익사하는 사람은 헤엄을 잘치는 사람이다. 원숭이도 나무에서 떨어진다. =〔〈文〉 淹毙〕〔〈文〉 溺nì死〕
〔淹通〕 yāntōng 동 〈文〉 정통하다. 통달하다. ¶～博悟; 깊이 통달하고 넓게 깨닫다.
〔淹心〕 yānxīn 동 견딜 수 없다. 괴롭다. 난처하다. ¶这件事让我～; 이 일로 나는 정말 난처하다 / 老这么下雨真叫人～; 언제까지나 이렇게 비가 내리니 정말 견딜 수 없다.
〔淹恤〕 yānxù 동 〈文〉 오래 외국에 도피해 있다.
〔淹雅〕 yānyǎ 형 〈文〉 박학하고 고아(高雅)하다. ¶一乡之人无不敬君～; 온 고을 사람이 너의 박학고아함에 경복하지 않는 사람은 없다.
〔淹淹一息〕 yān yān yī xī 〈成〉 기식 엄엄. 죽을 지경에 이르고 있음. ¶我得到他患病的消息, 赶看他时, 他已经～了; 나는 그가 앓고 있다는 소식을 듣고 급히 가 보았더니 이미 위중한 상태였습니다.
〔淹眼睛〕 yān yǎnjing (약 따위로) 눈이 쓰리다〔아프다〕. ¶点眼药总要觉得～的; 안약을 넣으면 눈이 쓰리다.
〔淹月〕 yānyuè 동 〈文〉 1개월을 경과하다. ¶基隆大雨～不停; 지룽(基隆)의 큰 비는 한 달이 지나도 그치지 않는다.
〔淹滞〕 yānzhì 동 ①장기간 체류하다. ②능력은 있지만 운이 나빠서 낮은 지위에 썩고 있다. ¶～屈才; 낮은 지위에서 재능을 발휘하지 못하다.

阉(閹) yān (엄)

① 동 거세(去勢)하다. ¶～鸡; ⇓ =〔奄②〕 ② 명 〈文〉 환관(宦官).
〔阉割〕 yāngē 동 ①거세하다. =〔阉刻〕 ②〈比〉 (문장·이론의 주요 내용을) 빼 버리다. ¶把具体内容～一空; 구체적 내용을 몽땅 빼 버리다.
〔阉官〕 yānguān 명 〈文〉 환관(宦官). =〔奄宦〕
〔阉鸡〕 yānjī 명 거세한 닭. =〔羯jié鸡〕
〔阉九〕 yānjiǔ 명 ⇨〔烟九日〕
〔阉刻〕 yānkè 동 (남성·수컷을) 거세하다. ¶～了的嫩鸡, 一个月就长了三斤多; 거세한 영계는 한 달에 세 근 남짓이나 살이 쪘다. =〔阉割①〕
〔阉马〕 yānmǎ 명 거세된 말. =〔骟shàn马〕
〔阉人〕 yānrén 명 ①거세한 사람. 고자. 〈轉〉 환관. =〔奄人〕 ②옛날, 광대.
〔阉寺〕 yānsì 명 〈文〉 환관.
〔阉刑〕 yānxíng 명 옛날, 남자의 생식기를〔음경을〕 잘라내는 형벌.
〔阉猪〕 yānzhū 동 돼지를 거세하다〔불까다〕. 명 불깐 돼지.
〔阉猪割耳朵〕 yān zhū gē ěrduo 〈歇〉 돼지를 불까는데 귀를 베내다(무익한 짓을 하다. 헛다리 짚다).

崦 yān (엄)

→〔崦嵫〕
〔崦嵫〕 Yānzī 명 ①《地》 옌쯔(간쑤 성(甘肅省)에 있는 산 이름). ②옛날에, 해가 지는 장소. ¶日薄～; 해가 기울어 산 너머로 졌다.

腌〈醃〉 yān (엄)

동 ①절이다. ¶用盐yán～; 소금에 절이다. ②(생강·마늘 등을) 설탕에 절이다. ③(액체 등이 스며들어) 자극을 주어 아프다. ¶～眼睛; 눈이 아프다. ⇒ā
〔腌菜〕 yāncài ① 명 김치. 절인 채소. ¶～缸; 김칫독. ②(yān cài) 김치를 담그다.
〔腌鸡子儿〕 yānjīzǐr ① 명 날계란을 소금에 절인 것. =〔腌(鸡)蛋〕〔咸鸡蛋〕〔咸鸡子儿〕〔咸蛋①〕 ②(yān jīzǐr) 날계란을 소금에 절이다.
〔腌肉〕 yānròu ① 명 소금에 절인 고기. 베이컨. ②(yān ròu) (돼지)고기를 소금에 절이다. ‖ =〔咸肉〕
〔腌咸菜〕 yān xiáncài ①야채를 소금에 절이다. ②(yānxiáncài) 명 소금에 절인 채소.
〔腌鱼〕 yānyú ① 명 (생선의) 자반. =〔咸鱼〕 ②

(yān yú) (생선을) 소금에 절이다.
〔腌制〕 yānzhì 동 소금에 절여 만들다.

恹(懨〈懕〉) yān (염)
→〔恹恹〕

〔恹恹〕 yānyān 형 〈文〉 병을 앓아 지친 모양.

咽〈嚥〉 yān (인) 〈연〉
명 ①《生》 목구멍. 인두. ②《商》 포인트《물가나 주식(株式)의 단위 명목》. ¶美汇～涨两半; 대미환(對美換)은 2포인트 반 앙등했다. ③요해지. 요충. ⇒yàn yè
〔咽喉〕 yānhóu 명 ①《生》 인후. 목. ¶～痛; 목이 아프다. ②〈比〉 요해지. 요충. ¶此地乃通往南京的～; 이 곳은 난징(南京)으로 통하는 요충지이다.
〔咽喉重地〕 yānhóu zhòngdì 명 〈比〉 요충지(要衝地). ¶不可失去～; 요충지를 잃어서는 안 된다.
〔咽塞〕 yānsāi 동 목이 메다〔막히다〕.
〔咽头〕 yāntóu 명 《生》 인두.
〔咽峡〕 yānxiá 명 《生》 구협(口峽). 연구개와 혀뿌리의 사이. ¶～炎; 인두염.

烟〈煙, 菸③〉 yān (연)
①(～儿) 명 연기. ¶冒mào～; 연기가 뿜어 나오다 / 炊chuī～; 취사하는〔밥 짓는〕 연기. ②동 연기가 눈을 자극하다. ¶～了眼睛了; 연기로 눈이 쓰리다. ③명 담배. ¶吃～ =〔抽～〕〔吸～〕; 담배를 피우다 / 种几亩～; 담배를 몇 무(畝) 심다. ④명 아편(阿片). ¶禁～; 아편을 금지하다. ⑤(～子) 명 그을음. ¶锅～子; 냄비의 검댕. ⑥명 연기처럼 생긴 것. 운무. 안개. ⇒yīn
〔烟霭〕 yān'ǎi 명 〈文〉 ①연기와 안개. ②〈轉〉 구름이 자욱한 모양.
〔烟案〕 yān'àn 명 아편에 관한 범죄 사건.
〔烟包儿〕 yānbāor 명 담뱃갑. 담배 쌈지.
〔烟波〕 yānbō 명 연파. 연기가 드리운 듯한 파도 위. ¶～浩渺的海面; 안개 자욱한 너른 해면.
〔烟菠箩〕 yānbōluó 명 〈方〉 (등이나 버들고리로 엮어 만든) 살담배합.
〔烟不出火不进〕 yān bùchū huǒ bùjìn 〈比〉 요령 부득이다. 분명하지 않고 투미하다. 꾸물거리다. ¶你这个人真奇怪, 叫你十声九不应, ～得真让人着急; 넌 정말 이상한 놈이구나, 몇 번이나 불러도 대답도 없고, 공연히 새치름하여 참 답답하게 한다 / 这么～的颟顸mānhan脾气真把人急死了; 이렇게 요령 부득의 미적지근한 태도는 정말 사람을 답답하게 만든다.
〔烟草〕 yāncǎo 명 《植》 (식물로서의) 연초. 담배. ¶～是一年生草本, 夏日开淡红色的花, 叶子做烟料; 담배는 1년생 풀로, 여름에 담홍색 꽃이 피고, 잎은 흡연의 재료가 된다. =〔〈音〉 淡dàn巴菰〕
〔烟(草)夜蛾〕 yān(cǎo)yè'é 명 《蟲》 담배밤나방. =〔烟(草)青虫〕
〔烟尘〕 yānchén 명 ①연진. 연기와 먼지. ②횃불의 연기와 전쟁터의 먼지. 〈比〉 전쟁. ③〈比〉 화류계. ¶落入～; 창녀로 전락하다. 유녀가 되다. ④옛날, 인가의 밀집 지대를 가리켰음.
〔烟冲〕 yānchōng 명 ⇨〔烟筒〕
〔烟虫子〕 yānchóngzi 명 〈比〉 골초. 담배를 많이 피우는 사람.
〔烟窗〕 yānchuāng 명 연기를 내보내는 창. 연기를 내보내기 위해 지붕에 낸 창.
〔烟床〕 yānchuáng 명 아편을 피울 때 쓰는 침대. =〔烟榻tà〕
〔烟囱〕 yāncōng 명 〈方〉 ⇨〔烟筒tong〕
〔烟袋〕 yāndài 명 담뱃대. ¶～杆儿; 담배 설대 / ～锅儿〔子〕; 담배통 / ～荷包; (담뱃대를 넣게 된) 담배 쌈지 / ～油子; 담뱃대의 진 / ～嘴儿; 담뱃대의 물부리 / ～打狗; 〈歇〉 담뱃대로 개를 때리다《일이 틀어지다〔깨지다〕》. =〔烟管〕〔烟斗①〕
〔烟灯〕 yāndēng 명 연등. 아편 흡연용의 작은 등잔. ¶对着～抽大烟; 아편 담뱃대를 연등에 대고 아편을 피우다. =〔灯花盒儿〕
〔烟蒂〕 yāndì 명 ⇨〔烟头(儿)〕
〔烟蒂巴〕 yāndìba 명 ⇨〔烟头(儿)〕
〔烟店〕 yāndiàn 명 ⇨〔烟铺〕
〔烟碟儿〕 yāndiér 명 재떨이.
〔烟蔸〕 yāndōu 명 담배 줄기의 밑동을 포함한 뿌리. 담배의 그루터기.
〔烟斗〕 yāndǒu 명 ①⇨〔烟袋〕 ②아편 피우는 담뱃대의 대통.
〔烟斗丝〕 yāndǒusī 명 살담배. =〔斗烟丝〕
〔烟毒〕 yāndú 명 아편의 독. ¶中了～上起瘾来了; 아편 중독 증상이 나타났다.
〔烟赌〕 yāndǔ 명 아편과 도박. ¶我一向是～不来的; 나는 원래 아편과 노름은 하지 않습니다 / 叫～害得倾家败产; 아편과 도박 때문에 집안이 망하고 재산을 날리다.
〔烟兑业〕 yānduìyè 명 담배 소매 겸 환전업(換錢業).
〔烟墩〕 yāndūn 명 봉화대.
〔烟犯〕 yānfàn 명 아편 단속법의 위반자.
〔烟匪〕 yānfěi 명 아편 장사꾼.
〔烟粉〕 Yānfěn 명 《書》 송(宋)나라 때의 구어(口語) 소설의 하나《재자가인(才子佳人)을 다룬 것》.
〔烟杆儿〕 yāngǎnr 명 담뱃대. 담배설대.
〔烟杆子〕 yāngǎnzi 명 아편장이. 아편 흡연자.
〔烟膏〕 yāngāo 명 고약 모양의 생아편.
〔烟梗〕 yāngěng 명 담배 줄기.
〔烟馆〕 yānguǎn 명 옛날, 아편을 피우게 하는 것을 업으로 한 가게.
〔烟管〕 yānguǎn 명 ⇨〔烟袋dài〕
〔烟鬼〕 yānguǐ 명 ①아편쟁이. ¶大～, 怎么得, 细脖儿, 细腿儿, 大脑壳; 아편쟁이는 어쩔 수가 없어, 목은 가늘고 다리도 가늘고, 머리통만 커. ②골초. ¶你一天抽那么多香烟, 真是个～; 하루에 그렇게 많은 담배를 피우다니, 넌 정말 골초구나.
〔烟锅(子)〕 yānguō(zi) 명 ①〈方〉 담배통. ②담뱃대.
〔烟海〕 yānhǎi 명 안개나 이내가 자욱한 바다. ¶浩如～; 〈成〉 망망한 바다처럼 크다《책이나 자료가 매우 많음에 비유함》.
〔烟荷包〕 yānhébāo 명 담배 쌈지《허리에 차는 것》
〔烟盒(儿)〕 yānhé(r) 명 담배합. 담뱃갑.
〔烟壶〕 yānhú 명 코담배 단지《지금은 골동품으로 진귀하게 여김》.
〔烟花〕 yānhuā 명 ①〈文〉 봄 경치. ②번화. ¶富贵如过眼～, 转眼成空; 부귀는 번화한 것을 흘끗 보는 것과 같아서, 눈을 돌리면 헛것이 된다. ③기녀. 창녀. ¶不幸坠落～, 倚门卖笑; 불행하게도 영락해서 창녀가 되어, 문에 기대어 웃음을 판다. =〔烟花女〕 ④불꽃. 폭죽.
〔烟花场〕 yānhuāchǎng 명 화류계. ¶～中无情义; 화류계에는 인정도 의리도 없다.
〔烟花鬼〕 yānhuāguǐ 명 기녀(妓女). ¶别迷恋～,

那都是红粉骷髅; 기녀에게 넋을 잃지 마라. 그건 모두 분을 바른 해골들이야.

〔烟花浪子〕 yānhuā làngzǐ 명 방탕자. ¶～败产伤身; 방탕자는 재산을 없애고 몸을 망친다.

〔烟花(柳)巷〕 yānhuā(liǔ)xiàng 명 화류계. 홍등가.

〔烟花癖〕 yānhuāpǐ 명 ①아편 흡연의 나쁜 버릇. 아편벽(癖). ②산수(山水)를 즐기는 성격.

〔烟鬟〕 yānhuán 명 여성의 아름다운 검은 머리.

〔烟灰〕 yānhuī 명 ①아편을 태운 찌끼. ②담뱃재. ¶～缸 =〔～盘〕〔～碟子〕; 재떨이.

〔烟火〕 yānhuǒ 명 ①연기와 불. ¶动～; 취사하다. 밥짓다. ②인가(人家). ¶走了儿里都不见～; 몇 십 리를 가도 인가가 보이지 않다. ③봉화. ④화기. 불기. ¶建筑工地严禁～; 공사 현장이므로 화기 엄금. ⑤(도교에서) 불에 익히거나 구운 보통 음식. ¶不食人间～; 속세의 불에 익혀 만든 음식을 먹지 않다.

〔烟火〕 yānhuo 명 불꽃. 폭죽. ¶放～; 불꽃을 터뜨리다〔올리다〕/搭架～; 고정식 불꽃(공중에 쏘아 올려 꽃·글씨 등을 나타내는 것).

〔烟火气〕 yānhuǒqì 명 속인의 기분. 속기(俗氣). 속세. ¶这个人一身～, 没什么大出息; 이 남자는 속기가 분분하고, 별로 쓸모가〔장점이〕 없다/风度高雅, 没有一点儿人间～; 풍격이 고상하여, 조금도 속된 티가 없다.

〔烟火中人〕 yānhuǒzhōng rén 명 〈比〉 속세의 사람. ¶咱们这些～怎么能跟仙家比清高呢? 우리들 속세의 인간이 어찌 신선처럼 청고할 수 있으리오?

〔烟夹子〕 yānjiāzi 명 담뱃갑(고무줄 등으로 고정시키게 되어 있음).

〔烟家伙〕 yānjiāhuo 명 아편 도구의 총칭.

〔烟碱〕 yānjiǎn 명 《化》 니코틴(nicotine). ¶为了保障人体安全, ～质必须尽量减少; 인체의 안전을 보장하기 위하여 니코틴은 되도록 줄여야 한다. =〔〈音〉 尼ní古丁〕

〔烟碱酸〕 yānjiǎnsuān 명 ⇨〔烟酸〕

〔烟胶〕 yānjiāo 명 ①⇨〔橡xiàng胶〕 ②쇠가죽을 불에 그을려 무두질할 때, 가죽에서 배어나오는 진(두창(頭瘡) 등에 바름).

〔烟禁〕 yānjìn 명 아편의 금제.

〔烟晶〕 yānjīng 명 〈鑛〉 연수정(煙水晶).

〔烟景〕 yānjǐng 명 〈文〉 ①훌륭한 경치. 좋은 풍경. ¶现在正是旅行的时候儿, 别辜负这三春～! 지금은 마침 여행의 계절이다, 이 봄날의 좋은 풍경을 헛되이해서는 안 된다. ②운무(雲霧)가 자욱한 모양.

〔烟九日〕 yānjiǔrì 명 옛날, 음력 정월 19일. ¶～赶早儿上白云观会神仙去; 정월 19일 아침 일찍 백운관에 신선을 만나러 간다. =〔阉九〕〔燕九(儿)〕

〔烟酒〕 yānjiǔ 명 담배와 술. ¶～店; 담배와 술을 파는 가게/～公卖; 담배와 술의 공매/我是在家理的, ～不动; 저는 재리회(在理會) 교도라 술담배는 하지 않습니다.

〔烟酒不分家〕 yānjiǔ bù fēn jiā 술담배는 누구하고도 차별을 두지 않는다. 술담배는 누구한테도 얻어먹을 수 있다. ¶～, 管它是你的我的呢, 您尽管喝吧; 술담배는 집안을 가르지 않으니, 뭐 네것 내것의 구별이 있나요, 마음껏 드십시오.

〔烟酒牌照税〕 yānjiǔ páizhào shuì 명 담배·술 판매의 영업세.

〔烟具〕 yānjù 명 흡연 용구. 아편 용구.

〔烟捐〕 yānjuān 명 ⇨〔烟税〕

〔烟卷阁子〕 yānjuǎngézi 명 담배 판매대.

〔烟卷儿〕 yānjuǎnr 명 시가레트(cigarette). 지궐련. ¶～夹 =〔～盒子〕; 시가레트 케이스. =〔香烟①〕

〔烟卷头儿〕 yānjuǎntóur 명 ⇨〔烟头(儿)〕

〔烟(卷)纸〕 yān(juǎn)zhǐ 명 라이스 페이퍼. 담배 마는 종이.

〔烟客〕 yānkè 명 〈文〉 선인(仙人). 신선.

〔烟窟〕 yānkū 명 아편굴.

〔烟岚〕 yānlán 명 산 속에 피어오르는 구름 기운.

〔烟淋子〕 yānlìnzi 명 아편을 끓이는 도구.

〔烟流子气〕 yānliúziqì 명 연기 냄새.

〔烟煤〕 yānméi 명 유연탄(갈탄·역청탄 따위). =〔烟儿煤〕〔〈俗〉 黑hēi煤〕〔沥lì青煤〕〔沥青炭〕 ↔〔无wú烟煤〕

〔烟苗〕 yānmiáo 명 《植》 양귀비 싹.

〔烟末(儿)〕 yānmò(r) 명 가루 담배.

〔烟幕〕 yānmù 명 ①《軍》 연막. ②《農》 연무(煙霧)(방충 및 서리 방제 등에 씀). ③〈比〉 허위 선전. ¶他说这话的意思就是放～迷惑人呢, 你别上当才好; 그가 이 이야기를 하는 뜻은, 연막을 쳐서 사람을 속이려는 것이니, 그 수에 놀아나서는 안된다.

〔烟幕弹〕 yānmùdàn 명 ①《軍》 연막탄(연막을 치기 위해 발사되는 포탄). ②〈比〉 진의를 숨긴채 교묘하게 하는 말이나 행동. ¶小心别叫他的～给骗过去; 조심하고 그의 연막 전술에 속지 마시오.

〔烟腻子〕 yānnìzi 명 아편 상용자. 아편쟁이. 심한 니코틴 중독자.

〔烟农〕 yānnóng 명 담배 경작 농가.

〔烟盘〕 yānpán 명 아편 도구를 담는 쟁반.

〔烟泡〕 yānpào 명 담뱃대에 넣어 피울 수 있도록 알을 지어 뭉친 아편. ¶烧～; ⓐ위의 아편을 피우다. ⓑ위의 아편을 만들다.

〔烟篷〕 yānpéng 명 작은 증기선의 지붕(평평하게 되어 있어 삼등석 손님을 태우는 곳).

〔烟癖〕 yānpǐ 명 아편 흡연의 습관.

〔烟屁股〕 yānpìgu 명 ⇨〔烟头(儿)〕

〔烟飘土升〕 yānpiāo tǔshēng 연기와 먼지가 뒤섞여서 피어오르다. 〈比〉 몹시 혼잡하게 북적거리다. ¶他们在这儿闹得～的真不像话; 그들이 여기서 북적거리고 있다니 정말 말도 안된다.

〔烟铺〕 yānpù 명 담뱃가게. =〔烟店〕

〔烟气〕 yānqì 명 ①연무(煙霧). 이내. ¶～笼罩着和平的山村; 이내가 평화로운 산촌을 뒤덮고 있다. ②연기 냄새. ¶～熏人; 연기 냄새가 코를 찌른다/～腾腾; 연기가 자욱하게 낀 모양. ③아편이나 니코틴의 독이 얼굴에 나타나 있는 것. ¶脸上带～; 얼굴에 니코틴 독이 나타나 있다. =〔烟色〕

〔烟签〕 yānqiān 명 ⇨〔烟扦子〕

〔烟扦子〕 yānqiānzi 명 아편을 피울 때 쓰는 가는 쇠꼬챙이. =〔烟签〕

〔烟钱铺〕 yānqiánpù 명 담배 소매와 환전을 겸한 가게.

〔烟枪〕 yānqiāng 명 아편 흡연대(길고 굵은 죽제의 것이 많음).

〔烟青虫〕 yānqīngchóng 명 《蟲》 담배밤나방.

〔烟圈(儿)〕 yānquān(r) 명 도너츠 모양의 담배연기.

〔烟儿〕 yānr 명 모닥불 연기.

〔烟儿广梨〕 yānrguǎnglí 명 ⇨〔鸭yā儿广(梨)〕

〔烟儿煤〕 yānrméi 명 ⇨〔烟煤〕

〔烟肉〕 yānròu 명 베이컨(bacon). ¶切片～; 얇게 썬 베이컨.
〔烟色〕 yānsè 명 ⇨〔烟气③〕
〔烟屎〕 yānshǐ 명 담배를〔아편을〕 피우고 남은 찌꺼기. 꽁초.
〔烟士披利纯〕 yānshìpīlìchún 명 〈音〉 인스피레이션(inspiration). 영감(靈感). =〔烟士披里纯〕〔烟士披离纯〕
〔烟视媚行〕 yān shì mèi xíng 〈成〉 수줍어서 조용히 행동하는 모양. ¶那位女歌手～地走到舞台边; 그 여가수는 얌전히 무대 쪽으로 갔다.
〔烟水〕 yānshuǐ 명 물빛과 하늘이 이루는 경치.
〔烟税〕 yānshuì 명 담배 영업세. =〔烟捐〕
〔烟丝(儿)〕 yānsī(r) 명 ①(곧게 위로 올라가는) 담배 연기. ②살담배.
〔烟酸〕 yānsuān 명 《化》 니코틴산(酸). ¶～胺; 니코틴산 아미드. =〔烟碱酸〕〔尼古丁酸〕
〔烟榻〕 yāntà 명 ⇨〔烟床〕
〔烟炱〕 yāntái 명 검댕. 그을음. ¶积～; 검댕이 쌓이다.
〔烟摊〕 yāntān 명 담배 파는 노점(露店).
〔烟碳〕 yāntàn 명 가스 카본(gas carbon).
〔烟腾〕 yānténg 동 연기가 피어 오르다.
〔烟筒〕 yāntong 명 굴뚝. 연통. ¶～倒烟; 굴뚝이 막혀 연기가 안 빠지다 / ～里冒着烟; 굴뚝에서 연기가 나오고 있다. =〔烟冲〕〔烟突〕〔烟囱〕
〔烟筒帽〕 yāntongmào 명 굴뚝 고깔. 굴뚝의 집풍기(集風器).
〔烟筒子〕 yāntǒngzi 명 이어 맞춘 연통의 낱낱의 통.
〔烟头(儿)〕 yāntóu(r) 명 담배 꽁초. ¶捡～; 담배 꽁초를 줍다 / 乱丢～; 함부로 꽁초를 버리다 / 由于～引起火灾; 담배 꽁초로 인해 불이 나다 / 由～引起火灾; 담배 꽁초에서 불이 나다. =〔烟蒂〕〔烟蒂dìE〕〔烟卷头儿〕〔烟屁股〕〔烟尾巴〕
〔烟突〕 yāntū 명 ⇨〔烟筒〕
〔烟土〕 yāntǔ 명 생아편《정제(精製)하지 않은 아편》.
〔烟尾巴〕 yānwěiba 명 ⇨〔烟头(儿)〕
〔烟雾〕 yānwù 명 연기와 안개. 스모그(smog).
〔烟雾腾天〕 yān wù téng tiān ①안개가 피어오르다. ②전진(戰塵)이 일다. ¶双方打得～的; 쌍방이 전진을 일으키며 싸웠다. ③공황(恐慌)을 일으키다. ④분주하게 허둥지둥 법석을 떨다. ¶他家闹家务, 弄得～, 还是没法解决; 그의 집은 집안에 말썽이 있어, 법석을 떨었는데, 아직 해결할 방법이 없다.
〔烟霞〕 yānxiá 명 ①(연기와 같은) 안개와 노을. ②산수(山水) 경치의 형용.
〔烟霞痼疾〕 yān xiá gù jí 〈成〉 ①산수(山水)를 무턱대고 좋아하는 버릇. ¶历尽名山大川以疗我～; 명산 대천을 두루 돌아다니며 나의 산수를 즐기는 병을 달랜다. ②아편쟁이《아편 애호자를 비방하는 말》.
〔烟霞癖〕 yānxiápǐ 명 〈文〉 ①여행을 즐기는 버릇. 여행하기 좋아하는 습성. ¶此地秋色正好, 有～者曷兴乎来; 이곳의 가을 경치는 한창 좋은 때여서 여행을 좋아하는 사람들이 계속해서 찾아온다. ②아편을 즐겨 피우는 습성.
〔烟消火灭〕 yān xiāo huǒ miè 〈成〉 연기나 불같이 사라져 없어지다. 〈轉〉 일이 종식되다. ¶雷大雨点儿小, 这件惊人的大事, 已经～了; 요란하게 세상을 놀라게 한 이 큰 사건도 이제 가라앉았다.
〔烟消云散〕 yān xiāo yún sàn 〈成〉 형적도 없이 사라지다. ¶一天大事化作～; 일대 사건이 흔적도 없이 사라졌다. =〔云消雾散〕
〔烟心〕 yānxīn 동 (뜻대로 되지 않아) 끙끙 앓다. 속을 태우다. 명 맺힌 마음. ¶看见老朋友过着～的日子, 心里很难过; 친구가 울적한 나날을 보내고 있는 것을 보고 마음이 언짢다.
〔烟熏〕 yānxūn 동 연기로 그을리다. 연기를 쐬다. ¶他的脸像～的一般; 그의 얼굴은 마치 연기에 그을린 것 같다.
〔烟熏火燎〕 yānxūn huǒliáo 연기로 그슬리고 불로 눌리다.
〔烟熏鱼〕 yānxūnyú 명 훈제한 물고기. =〔熏鱼〕
〔烟蚜〕 yānyá 명 ①담배로 검어진 이. ②《蟲》 복숭아붉은진디. ‖=〔烟牙〕
〔烟眼睛〕 yān yǎnjing 연기로 눈을 맵게 하다. 맵게 만들다. 연기가 눈에 스미다. ¶烟冒得直～; 피어오르는 연기가 정말 맵다〔눈에 스민다〕.
〔烟叶(子)〕 yānyè(zi) 명 엽초. 담배잎.
〔烟瘾〕 yānyǐn 명 아편 중독. 담배 중독. ¶上～; 담배 중독이 되다 / 把～戒掉了; 담배〔아편〕 중독을 끊었다. 금연하다 / ～发了; 담배〔아편〕 중독 증상이 일어났다.
〔烟油(子)〕 yānyóu(zi) 명 담뱃진. 아편의 진. ¶带～的牙; 담뱃진〔아편진〕으로 거메진 이 / 他蘸一点烟袋里的～, 给搽一搽; 그는 담뱃대 속의 진을 (긁힌 상처에) 발라 주었다.
〔烟友(儿)〕 yānyǒu(r) 명 담배 피우는 사람. 애연가. 아편쟁이. ¶～不可一日无此君; 담배를 피우는 사람은 하루도 이것 없이는 못 산다.
〔烟雨〕 yānyǔ 명 이슬비. 안개비. 무우(霧雨). ¶～霏霏fēifēi; 안개비가 계속 되는 모양.
〔烟云供养〕 yān yún gòng yǎng 〈成〉 그림의 정취가 사람의 정신을 상쾌히 하고 장수하게 한다《그것은 그림 속의 연기나 구름의 공양 덕분이라고 함》. ¶南画家靠～而长寿; 남화가는 그림의 정취에 의해서 정신을 산뜻하게 하고 장수를 누린다.
〔烟云过眼〕 yān yún guò yǎn 〈成〉 금세 사라지다. 흔적도 없이 지나가 버리다. ¶万事都如～, 历久而痕路不留; 만사는 무릇 연기와 구름이 눈앞을 스쳐 지나가듯 오래 되면 흔적도 남지 않는다. =〔过眼云烟〕
〔烟仔〕 yānzǎi 명 〈方〉 궐련.
〔烟仔纸〕 yānzǎizhǐ 명 〈廣〉 담배 마는 종이.
〔烟瘴〕 yānzhàng 명 중국 남부 산림 지대의 악성 말라리아. 장기(瘴氣). 장려(瘴癘). =〔瘴气〕
〔烟支〕 yānzhī 명 담배의 낱개. ¶～粗大, 味道纯正; 담배가 굵고 맛이 순수하다.
〔烟纸店〕 yānzhǐdiàn 명 담배·잡화를 파는 가게.
〔烟柱〕 yānzhù 명 (화재에서 생기는) 높이 세차게 오르는 연기.
〔烟嘴儿〕 yānzuǐr 명 지궐련에 붙어 있는 물부리. 담배 물부리. 담배 파이프. ¶象牙～; 상아 파이프. =〔烟嘴子〕
〔烟嘴子〕 yānzuǐzi 명 ⇨〔烟嘴儿〕

胭〈臙〉 yān (연, 인)

명 ①연지. 루즈. ②목구멍.

〔胭粉〕 yānfěn 명 연지와 분.
〔胭粉小说〕 yānfěn xiǎoshuō 명 인정 소설. 에로 소설.
〔胭脂〕 yānzhi 명 연지. ¶点～ =〔擦～〕; 연지를 바르다. =〔焉支〕〔燕支①〕〔燕脂〕
〔胭脂虫〕 yānzhichóng 명 《蟲》 연지 벌레.

〔胭脂粉〕 yānzhifěn 명 ①연지와 분. ②화장품.
〔胭脂膏子〕 yānzhigāozi 명 (고약 형태의) 연지.
〔胭脂红〕 yānzhihóng 명《色》 카민(carmine). 심홍색. =〔洋yáng红〕
〔胭脂红酸〕 yānzhihóngsuān 명《藥》 카민산(Carmine酸).
〔胭脂虎〕 yānzhihǔ 명〈比〉 표독스러운〔억센〕 여자. 한부(悍婦).
〔胭脂花〕 yānzhihuā 명 ⇨〔紫zǐ茉莉〕
〔胭脂痣〕 yānzhizhì 명《生》 붉은 사마귀. 붉은 점.

殷 yān (안)
명《色》〈文〉 검붉은 빛. ¶～红的血迹; 거무칙칙한 핏자국 / ～红的鸡冠子; 검붉은 볏. ⇒yīn yǐn

阏(閼) yān (연)
→〔阏氏〕 ⇒è

〔阏氏〕 Yānzhī 명 한대(漢代)에 흉노(凶奴)가 정실(正室)을 부르던 칭호.

焉 yān (언)
〈文〉 ①여기에. 이보다. 그보다. ¶殆有甚～; 대개는 이보다 더 심할 것이다 / 乐莫大～; 이보다 더 큰 낙은 없다. ②접 이에. 비로소. 그래서. ¶必知疾之所自起, ～能攻之; 병이 생기는 원인을 알아야 비로소 고칠 수 있다. ③대 어째서(주로 반어로 쓰임). ¶～能如此? 어찌 이와 같을 수 있을까? →〔怎么〕 ④대 어디. ¶其子～往? 그분은 어디로 가는가? / 予将～往; 당신은 어디에 가시오. →〔哪里〕 ⑤대 누구. ¶汝将～依; 당신은 누구를 의지하여 가는가. ⑥대 무엇. ¶予能如此, 吾复～求; 당신이 이러한 이상, 나는 이상 무엇을 바라랴. ⑦조 문말 어기사(文末語氣詞). ¶因以为号～; 그리하여 이를 호로 하고 있다 / 少～, 月出于东山之上; 잠시 후 달이 동쪽 산 위에 떴다 / 又何虑～; 무슨 걱정이 있으랴. ⑧대 이 곳. 이것. 저것. ¶往观～; 가서 이것을 보았다.
〔焉敢〕 yāngǎn 어찌 감히 …하랴. 감히 …하지 않다.
〔焉可〕 yān.kě 어찌 …할 수 있으랴.
〔焉乌〕 yānwū 〈比〉 서로 비슷하여 구별하기 쉽다(글자 모양이 비슷하여 틀리기 쉽기 때문). ¶～难弁; 아주 비슷하여 구별하기 힘들다.
〔焉支〕 yānzhī 명 ⇨〔胭脂〕
〔焉支山〕 Yānzhīshān 명《地》 옌즈 산(간쑤 성(甘肅省) 단 현(丹縣)의 동남쪽에 있는 산 이름). =〔大dà黄山〕〔删shān丹山〕
〔焉知〕 yānzhī 어찌 …알랴.

鄢 yān (언)
①→〔鄢陵〕 ②(Yān) 명《史》 주(周)대의 나라 이름(후세의 '郑'의 땅, 현재의 허난 성(河南省) 옌링 현(鄢陵縣)의 땅에 있었음). ③성(姓)의 하나.
〔鄢陵〕 Yānlíng 명《地》 옌링(허난 성(河南省)에 있는 현 이름).

嫣 yān (언)
형〈文〉 ①(웃음이) 아리땁고 곱다. ②(빛이) 산뜻하다.
〔嫣红〕 yānhóng 명《色》〈文〉 선홍색. ¶姹chà紫～; 아름다운 보랏빛 산뜻한 빨강(갖가지 아름다운 꽃을 형용함).
〔嫣然〕 yānrán 형〈文〉 싱긋〔생긋〕 웃는 모양. ¶～一笑; (여자가 애교 있게) 생긋 웃다.

湮 yān (연)
동〈文〉 ①매몰되다. 멸망하다. ¶～灭; 흔적도 없이 사라지다. ②가라앉다. ③막다. 막히다. ⇒'洇' yīn
〔湮沈〕 yānchén 형 의기 소침하다.
〔湮沦〕 yānlún 동 ⇨〔湮灭〕
〔湮灭〕 yānmiè 동 인멸하다. 멸망하다. 없애다. ¶古迹和历史上的古物已经都～了; 고적과 역사적 유물은 이미 모두 없어지고 말았다 / ～了犯罪的证据; 범죄의 증거를 인멸하였다 / 不要湮没了他的功劳; 그의 공로를 묻어버리면 안된다. =〔湮沦〕〔湮没①〕
〔湮没〕 yānmò 동 ①인멸하다. 멸망시키다. ¶～罪证; 범죄의 증거를 인멸하다. =〔湮灭〕〔湮沦〕 ②《物》 소멸하다. ¶～光子; 소멸 광자. 명《物》 대소멸(對消滅).
〔湮没无闻〕 yān mò wú wén 〈成〉 파묻혀 버려 이름도 알 수 없다〔알려지지 않다〕. ¶要不是老兄提拔, 恐怕我已经～了; 당신이 발탁하여 주지 않았다면 저는 묻혀 버려 알려지지 않았을 것입니다.
〔湮圮〕 yānpǐ 동〈文〉 썩어 망그러져 없어지다.
〔湮替〕 yāntì 명〈文〉 쇠퇴하다. 멸망하다. ¶历代兴亡～; 역대의 흥망성쇠.

燕 Yān (연)
명 ①《史》 연(주대(周代)의 나라 이름, ?～B.C. 222. 허난 성(河北省) 북부와 랴오닝 성(遼寧省) 남부 일대). ②《地》 허베이 성(河北省)의 별칭. ③《地》〈轉〉 베이징(北京)의 별칭. ¶～迷mí; '北京'에 매료된 사람(외국인에 대하여 일컬음). ④성(姓)의 하나. ⇒yàn
〔燕都〕 Yāndū 명 ⇨〔燕京〕
〔燕京〕 Yānjīng 명 베이징(北京)의 고칭. =〔燕都〕
〔燕云〕 Yānyún 명〈文〉 ①허베이 성(河北省)의 별칭. ②(yānyún) 베이징(北京)의 하늘. ③〈比〉 베이징(北京).
〔燕支〕 yānzhi 명 ①⇨〔胭脂〕 ②〈比〉 여자. ¶男人有几个不怜惜～的; 남자 중에 여자를 싫다는 자가 몇이나 되느냐. ‖ =〔燕脂〕
〔燕脂〕 yānzhi 명 ⇨〔燕支〕
〔燕脂关〕 yānzhiguān 명 미인계(美人計). =〔美人关〕

延 yán (연)
①동 잡아늘이다. 연장하다. ¶蔓～; 만연하다. ②동 미루다. 늦추다. 연기하다. ¶遇雨顺～; 회합 당일에 비가 오면 그 다음 날로 연기하는 일 / 迟～; 오래 끌다. 지연하다. ③동〈文〉 초빙하다. ④동 파급되다. 미치다. ⑤동 물리치다. ⑥명 성(姓)의 하나.
〔延挨〕 yán'āi 동 (시간을) 질질 끌다. 어물어물 미루다.
〔延安〕 Yán'ān 명《地》 옌안(중국의 산시 성(陝西省) 북부에 있음).
〔延边儿〕 yánbiānr ⇨〔沿边儿〕
〔延宾〕 yánbīn 동〈文〉 손님을 초대하다.
〔延缠〕 yánchán 동형 ⇨〔粘nián缠〕
〔延长〕 yáncháng 동 (시간·거리를) 연장하다. 늘이다. ¶会议～了三天; 회의는 사흘 동안 연장되었다 / ～期限; 기한을 연장하다 / ～公路线; 자동차 도로를 연장하다 / ～一百公里; 100킬로미터 연장하다. (Yáncháng) 명《地》 옌창 현(산시 성(陝西省)에 있으며, 석유를 산출함).
〔延长弹性〕 yáncháng tánxìng 명《物》 지연(遲延) 탄성. 연장 탄력성.
〔延迟〕 yánchí 동 연기하다. 미뤄지다. ¶公开展览的日期～了; 전시 공개의 날짜가 연기되었다 / 大

会～召开; 대회의 개회가 늦어지다 / ～到下周; 다음 주로 연기하다 / ～婚期; 결혼식을 연기하다.
〔延促〕 yáncù 명 노랫소리의 장단. ¶歌声～抑扬; 노랫소리의 장단·억양.
〔延宕〕 yándàng 동 오래 걸리다. 날짜를 끌다. ¶～一些日子; 조금 날짜를 미루다 / 不得～; 질질 끌어선 안 된다 / 所有问题应从速解决切勿～时日; 모든 문제를 빨리 해결해야지, 결코 시일을 끌어서는 안 된다. =〔延挂〕
〔延点〕 yándiǎn 동 시간을 연장하다. 명 노동 시간의 연장.
〔延订〕 yándìng 동 ⇨〔延聘〕
〔延吨公里〕 yándūn gōnglǐ 양 (철도 용어) 연(延) 톤킬로(화물 운수 톤수와 킬로수의 연(延) 계산 단위). =〔载zài重吨公里〕
〔延搁〕 yángē 동 질질 끌다. 결단을 안 내리고 우물쭈물하다. 연기하다. ¶～时间; 시간을 늦추다 / ～误时; 하루하루 미루어 기일에 늦다 / 公事快办, 不得～; 공무는 재빨리 처리해야 하며 지체해서는 안 된다.
〔延挂〕 yánguà 동 ⇨〔延宕〕
〔延胡索〕 yánhúsuǒ 명 《植》 현호색. 연호색. =〔玄xuán胡索〕〔元yuán胡〕
〔延胡(索)酸〕 yánhú(suǒ)suān 명 《化》 푸마르산(fumaric acid). =〔反fǎn丁烯二酸〕
〔延缓〕 yánhuǎn 동 연기하다. 늦추다. 미루다. ¶千方百计地～汉字发展的进程; 온갖 수를 써서 한자 발전의 진도를 늦추다 / 这笔债务请您准我～三个月, 一定本息奉还; 이 채무는 제발 3개월 연장하는 것을 인정해 주십시오. 꼭 원금과 이자를 갚겠습니다.
〔延会〕 yánhuì 동 (출석자의 법정수에 미달할 때나 그 밖의 이유로) 개회 날짜를 연기하다.
〔延见〕 yánjiàn 동 인견(引見)하다. 불러들여 만나다.
〔延接〕 yánjiē 동 손님을 접견하다〔접대하다〕. ¶～来宾; 내빈을 접대하다.
〔延颈企踵〕 yán jǐng qǐ zhǒng 〈成〉 목을 빼고 발돋움하여 기다리다(학수고대하다). ¶大家都～地仰望您, 您要是不肯出山, 天下苍生可怎么办好呢; 모두가 목을 길게 빼고 발돋움하여 당신을 바라보고 있습니다. 만일 출사(出仕)하시지 않는다면, 천하의 백성을 어떻게 하면 좋겠습니까 / 先生何时到敝国来, 我们正～以待; 선생님은 언제 우리나라에 오십니까. 저희들은 모두 목을 길게 빼고 기다리고 있습니다. =〔延颈举踵〕〔延企〕
〔延久〕 yánjiǔ 동 오래 끌다. 지연되다.
〔延揽〕 yánlǎn 동 ①초빙하여 자기 편으로 끌어들이다. ¶～天下英雄豪杰; 천하의 영웅호걸을 초청하다. ②초청하다. 초치하다.
〔延累〕 yánlěi 동 ①폐를 끼치다. ②말려들다. 연루되다.
〔延历〕 yánlì 동 ⇨〔延年〕
〔延龄〕 yánlíng 동 ⇨〔延年〕
〔延龄草〕 yánlíngcǎo 명 《植》 연령초.
〔延蔓〕 yánmàn 동 ①만연하다. ¶墙上的喇叭花儿～到隔壁儿去了; 담장의 나팔꽃이 이웃집까지 뻗어 갔다. ②계속하여 끊임이 없다. ¶我国的铁路～千里; 우리 나라의 철도는 장장 몇천 리나 이어져 있다.
〔延袤〕 yánmào 동 〈文〉 길게 이어지다. ¶～不绝; 길게 이어져 끊임이 없다.
〔延命菊〕 yánmìngjú 명 《植》 데이지(daisy).
〔延纳〕 yánnà 동 〈文〉 접견하다. 접대하다. ¶～宾客; 빈객을 접대하다.
〔延年〕 yán.nián 동 수명을 연장시키다. 장수하다. ¶～驻颜; 불로 장수 / 松鹤～; 〈成〉 소나무나 두루미처럼 매우 장수하다. =〔延历〕〔延龄〕〔延寿〕
〔延年益寿〕 yán nián yì shòu 〈成〉 연년 익수. 더욱더욱 수명이 늘다(축수하는 말). ¶高丽人参有～的效力; 고려 인삼은 장수의 효험이 있다. =〔延年延寿〕〔延年驻颜〕〔益寿延年〕
〔延聘〕 yánpìn 동 〈文〉 초빙하다. ¶～一位先生; 선생 한 분을 초빙하다 / ～一些学者来讲学; 학자분들을 초빙하여 강의를 부탁하다. =〔延订〕〔延请〕〔延致〕
〔延期〕 yán.qī 동 연기하다. ¶～举行; 거행을 연기하다 / ～炸弹zhàdàn; 목표에 맞은 뒤 정해진 시간이 지나야 폭발하는 폭탄 / ～罚款; 계약품 인도 지연에 대한 위약금. 연체료.
〔延期日息〕 yánqī rìxī 명 하루 연체 이자.
〔延企〕 yánqǐ 동 〈文〉 ⇨〔延颈企踵〕
〔延欠〕 yánqiàn 동 지불을 미루다〔연기하다〕. 명 미불(未拂) 대금.
〔延请〕 yánqǐng 동 ⇨〔延聘〕
〔延人公里〕 yánrén gōnglǐ 양 (철도 용어) 연(延)인원 킬로(승객과 거리와의 연(延)계산의 단위. 보통, 한사람을 1km운송하는 것을 1 '～'라 함). =〔旅lǚ客公里〕
〔延烧〕 yánshāo 동 연소하다. 불이 번지다. ¶大火～了好几家; 큰불이 많은 집에 연소했다.
〔延伸〕 yánshēn 동 ①연장하다. 뻗다. ¶这条铁路一直～到国境线; 이 철도는 곧장 국경선까지 뻗쳐 있다. ②(의미가) 확대되다. ¶～义; 확대된 뜻.
〔延师〕 yán.shī 동 〈文〉 스승을 초빙하다. ¶～任教; 스승을 모셔다가 강의를 맡기다.
〔延首〕 yánshǒu 동 목을 길게 빼다. ¶～以待; 목을 길게 빼고 기다리다.
〔延寿〕 yán.shòu 동 ⇨〔延年〕
〔延寿客〕 yánshòukè 명 《植》 국화의 별명. =〔延年客〕
〔延髓〕 yánsuǐ 명 《生》 연수. 숨골.
〔延眺〕 yántiào 동 〈文〉 (목을 길게 빼고) 먼 곳을 바라보다.
〔延玩〕 yánwán 동 (고의로) 질질 끌다. 일부러 지연시키다.
〔延误〕 yánwù 동 질질 끌어 시기를 놓치다. ¶～生产季节; 생산 시기를 놓치다 / ～时日; 늦어서 시기를 놓치다 / ～抢救时间; 급히 구할 때를 놓치다 / ～了期限; 오래 끌어 기한에 늦다. =〔迟延耽误〕
〔延禧〕 yánxǐ 동 기쁨을 맞이하다. 행복을 불러 오다(길상(吉祥)의 말로 흔히 벽 위에 씌어짐).
〔延线〕 yánxiàn 명 《數》 연장선.
〔延性〕 yánxìng 명 《物》 연성. ¶研究钢铁的～; 강철의 연성을 연구하다.
〔延庥〕 yánxiū 동 〈翰〉 평안하시기를 빕니다.
〔延续〕 yánxù 명동 연장(하다). 계속(하다). ¶子孙就是生命的～; 자손은 생명의 연속이다 / 不能让这种状况～下去; 이런 상황이 계속 되게 해서는 안 된다 / 会谈～了两个小时; 회담은 두 시간 연장되었다.
〔延医〕 yányī 동 〈文〉 의사를 부르다. ¶～诊治; 의사를 불러 진찰을 받다.
〔延役〕 yányì 동 군대 복무나 재직 기간을 연장하다.
〔延誉〕 yányù 동 〈文〉 좋은 평판이 멀리 퍼지다. ¶～于外邦; 명성이 외국에까지 퍼지다.

〔延缘〕 yányuán 형 〈文〉 머뭇거리며 나아가지 않는 모양. 오래 머무르는 모양.

〔延展〕 yánzhǎn 동 ①(금속 따위를) 펴 넓히다. 펴다. ¶ ～性; 《物》 전연성(展延性). ②연기하다. ¶ ～开幕的日期; 개막 기일을 연기하다.

〔延致〕 yánzhì 동 ⇨〔延聘〕

〔延属〕 yánzhǔ 동 오래 계속되어 끊이지 않다. ¶车辆～不断; 차가 꼬리를 물고 길게 이어지다.

〔延伫〕 yánzhù 동 〈文〉 목을 길게 빼고 기다리다. ¶ ～等候先生; 목을 길게 빼고 당신을 기다리고 있습니다.

〔延驻〕 yánzhù 명 〈簡〉 불로 장수('延年驻颜'의 준말). ¶多吃青菜水果是～的好法子; 야채나 과일을 많이 먹는 것은 불로장수의 좋은 방법이다.

埏 yán (연)

명 〈文〉 ①넓은 땅의 끝. ¶八～; 팔방. ②묘에 이르는 길. ⇒shān

蜒 yán (연)

① 형 꾸불꾸불 긴 모양. ②→〔蚰蜒yóuyan〕 ③→〔蜿蜒wānyán〕

〔蜒蜒〕 yányán 형 구불구불 굴곡되어 있는 모양. 꾸불꾸불 나아가는 모양.

〔蜒蚰〕 yányóu 명 《動》 〈方〉 활유. 괄태충. =〔蛞蝓kuòyú〕

筵 yán (연)

명 ①댓자리. 거적. ②주연(酒宴). 주석(酒席). ¶喜xǐ～; 축하연 / 寿shòu～; 수연. 생일 축하 잔치.

〔筵席〕 yánxí 명 ①〈文〉 깔개. ②〈轉〉 주연의 자리. 술자리. ¶摆bǎi～; 주연의 자리를 마련하다. 주연을 베풀다.

严(嚴) yán (엄)

① 형 엄하다. ¶规矩很～; 규칙이 엄하다 / 要求很～; 요구가 엄하다 / 学生录取得很～; 학생의 입학 허가는 매우 엄격하다. ② 형 지독하다. 모질다. 심하다. ¶ ～寒; 엄한. ③ 형 빈틈없다. ¶把罐子盖～了; 통에 뚜껑을 꼭 덮었다 / 房上的草都长zhǎng～了; 지붕에 풀이 잔뜩 났다 / 他很嘴～; 그는 입이 무겁다 / 人都挤～了; 사람이 꽉 들어찼다 / 你嘴～, 能保密; 당신은 입이 무거우니, 비밀을 지킬 수 있다. ④ 명 (남에 대해) 우리 아버지. ¶家～; 우리 아버지. 가친. ⑤ 명 경계. 경비. ¶解～; 계엄령 해제 / 戒jiè～; 계엄. ⑥ 명 성(姓)의 하나.

〔严办〕 yánbàn 동 ①엄중히 처치하다. ②엄벌에 처하다. ¶照章～; 규칙에 따라 엄벌에 처하다 / 要求～凶手; 범인을 엄중히 처분하도록 요구했다.

〔严参〕 yáncān 동 〈文〉 엄히 규탄하다. ¶ ～污吏; 탐관 오리를 엄히 규탄하다.

〔严查〕 yánchá 동 엄중히 조사하다〔문초하다〕. ¶ ～法办; 엄중히 문초하여 법에 따라 처벌하다.

〔严察〕 yánchá 동 엄밀히 정찰하다. ¶ ～究竟; 끝까지 엄밀하게 살피다.

〔严惩〕 yánchéng 동 엄벌에 처하다. ¶ ～不贷; 〈成〉 용서 없이 엄중히 처벌하다 / ～刁diāo民; 교활한 백성을 엄벌하다.

〔严程〕 yánchéng 동 엄중히 날짜를 정하다. ¶ ～送到; 날짜를 정하여 급히 보내다.

〔严饬〕 yánchì 동 엄하게 타이르다. 엄히 명령하다. ¶ ～部属; 부하에게 엄명하다.

〔严词〕 yáncí 명 엄한〔심한〕 말. ¶ ～拒绝; 엄한 말로 거절하다 / ～责备; 엄한 말로 나무라다.

〔严慈〕 yáncí 명 〈簡〉 부모('严父慈母'의 준말).

〔严冬〕 yándōng 명 엄동. 한겨울.

〔严督〕 yándū 동 엄히 감독하다. ¶ ～部下; 부하를 엄히 감독하다.

〔严恶〕 yán'è 형 매우 엄하다. ¶工头管得太～了; 공장장의 감독은 매우 엄하다.

〔严防〕 yánfáng 동 엄중히 방비하다. ¶ ～偷漏; 탈세·부정 신고 등을 엄히 방지하다 / ～布署; 엄중히 배치하여 방비하다.

〔严父〕 yánfù 명 〈敬〉 엄부. 엄한 아버지. ¶ ～出孝子; 엄한 아버지 밑에 효자가 난다 / ～慈母; 엄부 자모. 부모.

〔严格〕 yángé 형동 엄하다. 엄격히 하다. ¶ ～要求自己; 자기 자신에 엄격히 하다 / ～遵守; 엄격히 지키다 / ～区分; 엄밀하게 나누다 / 进行～的检验; 엄격하게 검사하다 / ～的纪律; 엄한 규율 / ～训练; 엄격하게 훈련하다 / ～的科学态度; 엄격한 과학적 태도 / 他做事一向很～; 그는 시종 무슨 일에나 엄격하다.

〔严更〕 yángēng 동 〈文〉 야경을 엄하게 하다. ¶ ～戒备; 야경을 엄하게 하여 경비하다.

〔严鼓〕 yángǔ 동 〈文〉 맹렬히 북을 치다. ¶像密雨似的～敲个不停; 억수같이 쏟아지는 비처럼 계속 요란하게 북을 울리다.

〔严寒〕 yánhán 명 엄한. 심한 추위. 혹한. 형 추위가 심하다. ¶天气～; 날씨가 몹시 춥다.

〔严缉〕 yánjī 동 엄중히 포박〔체포〕하다. ¶ ～逃犯; 도주 범인을 엄중 포박하다.

〔严加告诫〕 yánjiā gàojiè 엄히 훈계하다.

〔严加管束〕 yánjiā guǎnshù 엄히 단속하다.

〔严谨〕 yánjǐn 형 ①엄격하다. 신중하다. ¶他为人～; 그는 인품이 엄격하다 / ～的科学态度; 신중한 과학적 태도. ②꽉 짜여 있다. 빈틈없다. ¶文章结构～; 문장의 구성이 빈틈없다.

〔严禁〕 yánjìn 동 엄금하다. 엄격히 금하다. ¶ ～烟火; 화기 엄금.

〔严紧〕 yánjin 형 ①경계에 빈틈이 없다. ¶关防～; 엄중히 방어하다. ②꼭 맞아 빈틈이 없다. ¶门关得～; 문이 꼭 잠겨 있다 / 窗户糊得挺～; 창문에는 빈틈없이 종이가 발라져 있다.

〔严究〕 yánjiū 동 엄중히 조사하다. ¶下令～; 엄중 조사를 명하다.

〔严究不贷〕 yánjiū bùdài 철저히 조사하여 용서하지 않다.

〔严君〕 yánjūn 명 〈文〉 〈敬〉 아버지.

〔严峻〕 yánjùn 형 ①위엄 있다. ②엄하다. 가혹하다. ¶ ～的考验; 가혹한 시련.

〔严可严儿〕 yánkěyánr 〈京〉 〈俗〉 빠듯하여 여분이〔여유가〕 없다. 융통의 여지가 없다. ¶你赶火车, 怎么～的时间才来呀; 기차 시간에 대려면서 어째 빠듯한 시간에야 오느냐 / 这场戏座上的～, 一张票都匀不出来了; 이 연극은 자리가 꽉 차서 표를 한 장도 융통할 수 없다.

〔严刻〕 yánkè 형 가혹하다. 엄하다. ¶ ～的责罚; 엄히 꾸짖어 처벌하다. =〔严厉苛刻〕

〔严酷〕 yánkù 형 ①엄하다. ¶ ～的教训; 엄격한 교훈 / ～的处分; 엄한 처분 / ～的现实; 냉엄한 현실. ②잔인하다. 냉혹하다. ¶ ～的压迫; 잔혹한 압박 / ～的剥削; 냉혹한 착취. ③〈文〉 험악하다.

〔严勒〕 yánlè 동 엄히 억누르다〔통제하다〕. ¶ ～子女的言行; 자녀의 언행을 엄히 억누르다.

〔严冷〕 yánlěng 명 엄한(嚴寒). 형 엄격하고 인정미가 적다. 차갑다. 냉정하다. ¶为人～孤僻; 사람됨이 차갑고 완고하다.

〔严厉〕 yánlì 형 (얼굴빛·태도·수단·처분 등이) 엄하다. 매섭다. ¶～禁止; 엄하게 금지시키다/先生对我们很～; 선생님은 우리들에게 무척 엄격하시다/舆论的～谴责; 여론의 준엄한 규탄/～的批评; 엄한 비판.
〔严丽〕 yánlì 형〈簡〉 장엄하고 아름답다(′庄严美丽′의 준말). ¶迎面是金璧辉煌的～大殿; 전면은 금벽이 휘황한 장엄하고 아름다운 큰 전당이다.
〔严令〕 yánlìng 동 엄하게 명령하다. ¶～缉jī拿归案; 엄명에 의해서 포박하고 사건을 해결하다.
〔严密〕 yánmì 형 ①치밀하다. 딱 맞다. 빈틈없다. ¶～防守; 엄하게 지키다/这瓶酒封装得很～; 이 술은 단단히 밀봉되어 있다/消息封锁得很～; 소식이 단단히 봉쇄되다. ②엄하다. 자세하다. 주도면밀하다. ¶～地注视; 빠짐없이 모조리 주시하다/～监视; 엄밀히 감시하다.
〔严明〕 yánmíng 형 공정하다. 엄정하다. ¶纪律～; 규율이 엄격 공정하다/赏罚～; 상벌이 엄정하다.
〔严命〕 yánmìng 명〈文〉 아버지의 명령. ¶奉～来访父挚zhì; 아버지의 명을 받아 아버지의 친구를 찾아 가다. 명동 엄명(하다). ¶～缉查; 체포 조사를 엄명하다.
〔严拿〕 yánná 동 엄하게 잡아들이다. 엄중히 일러서 잡게 하다. ¶～恶棍; 악한을 가차없이 잡아들이다.
〔严切〕 yánqiè 동 엄하게 질책하다. 형 심하다. 엄하다. ¶父亲管我们管得很～; 부친은 우리를 매우 엄하게 가르쳤다.
〔严实〕 yánshi 형〈方〉 ①긴밀하다. 단단하다. ¶门关得挺～; 문은 매우 단단히 잠겨 있다/用布严严实实包起来; 무명으로 단단히 싸다. ②안전하게 숨겨 놓고 있다. ¶游击队把粮食藏～了才转移; 유격대는 식량을 안전하게 감추고 나서 겨우 이동하다. ③(일처리 따위가) 빈틈없다. 치밀하다. ¶～合缝; (계획·생각이) 치밀하다. 조금도 허술한 데가 없다.
〔严守〕 yánshǒu 동 ①엄격히 준수하다. ¶～纪律; 규율을 엄격히 지키다. ②엄밀하게 지키다. ¶～机密; 기밀을 단단히 지키다.
〔严霜〕 yánshuāng 명 ①된서리. ②〈比〉 엄함. ¶像～似的冷面孔; 서리처럼 찬 얼굴/～出毒日; 된서리가 내리는 날은 햇볕이 따갑다.
〔严丝合缝〕 yánsī héfèng 빈틈없이 꼭 들어맞다. ¶两只眼闭得～; 두 눈은 꼭 감겨져 있다/他把事情办得～的, 一点儿漏洞也没有; 그는 일을 야무지게 처리하므로 추호의 빈틈도 없다.
〔严肃〕 yánsù 형 ①엄숙하다. 엄하다. ¶一脸～的样子; 몹시 엄숙한 태도/～的表情; 엄숙한 표정/气氛很～; 분위기가 엄숙하다/你～点儿; 얌전히 굴어라. ②진지하다. 허술한 데가 없다. ¶青年人应该～地对待婚姻问题; 젊은이들은 결혼 문제를 진지하게 다뤄야 한다.
〔严肃主义〕 yánsù zhǔyì 명《哲》 극기자제(克己自制)로써 인도의 목적을 삼는 윤리주의.
〔严限〕 yánxiàn 동 기한을 엄격히 한정하다. ¶～三天之内做完; 엄격히 3일 내에 완성하도록 정하다.
〔严刑〕 yánxíng 명 엄형. 혹형(酷刑). ¶～峻法; 〈成〉 과혹한 형벌과 법률/～拷究; 모진 고문을 하다/～拷究出来的口供, 不得作为裁判之根据; 모진 고문에 의한 진술은 재판의 근거로 삼을 수 없다.
〔严训〕 yánxùn 명 ①엄한 훈계. ②교훈. ¶服从师长的～; 선생이나 선배의 교훈에 복종하다.
〔严严(的)〕 yányán(de) 형 빈틈없다. 엄중하다. ¶遮得～的; 빈틈없이 덮어 놓았다.
〔严阵以待〕 yán zhèn yǐ dài 〈成〉 진용을 갖추고 대기하다.
〔严整〕 yánzhěng 형 (대열·문장 등이) 매우 정연하다. ¶这篇文章很～, 没有增删的余地; 이 문장은 완벽하여 첨삭의 여지가 없다/秩序～; 질서가 정연하다.
〔严正〕 yánzhèng 형 ①엄정하다. 절대로 치우치지 않다. ¶～的立场; 엄정한 입장/～声明; 엄정한 성명. 엄정하게 성명하다/～不阿ē; 엄정하여 아첨하지 않다/～局外中立; 엄정한 국외 중립. ②혹독하다. 신랄하다. ¶～指责; 혹독하게 지적하여 나무라다/～警告; 매우 엄하게 경고하다.
〔严重〕 yánzhòng 형 중대하다. 심각하다. 엄중하다. ¶脸色～; 안색이 엄숙하다/～的地步; (극히) 중대한 단계/～的灾害; 중대한 재해/病情～; 병세가 위독하다/事情已经弄到～程度; 사태는 이미 심각한 단계에 이르렀다/遭受了～的打击; 심한 타격을 받았다/～的缺点; 중대한 결점/国际局势日趋～; 국제 정세는 나날이 긴박해지고 있다.
〔严重反规〕 yánzhòng fǎnguī 명《體》 (수구(水球)의) 메이저 파울(major foul).
〔严妆〕 yánzhuāng 명동 ⇨〔严装〕
〔严装〕 yánzhuāng 명동 깔끔한 복장(으로 차리다). 정장(하다). ¶大家都～出席盛大的国庆晚会; 모두가 정장을 하고 성대한 국경일 만찬회에 출석하다/军队～待发; 군대는 무장을 갖추고 대기하고 있다. ＝〔严妆〕

阽 yán (염)
′阽diàn′의 우음(又音).

芫 yán (원)
→〔芫荽〕 ⇒yuán

〔芫荽〕 yánsuī 명《植》 고수. ＝〔香菜〕

妍 yán (연)
〈文〉 ① 명 아름다움. ② 형 아름답다. 요염하다. ¶百花争～; 〈成〉 온갖 꽃이 다투어 피다/～皮不里媸骨; 아름다운 피부는 추한 뼈를 싸지 않는다(표리 일치)/争～斗艳; 〈成〉 아름다움을 다투고 요염함을 다투다. 매우 아름답고 요염한 일/不辨～媸; 〈成〉 아름다움과 추함을 분별하지 못하다.
〔妍芳〕 yánfāng 형〈文〉 아름답고 향기롭다.
〔妍好〕 yánhǎo 형 아름답다.
〔妍丽〕 yánlì 형〈文〉 아름답고 곱다. ¶百花～; 온갖 꽃이 아름답게 피다. ＝〔妍美〕
〔妍毛〕 yánmáo 명〈文〉 솜털. ＝〔寒hán毛〕
〔妍美〕 yánměi 형 ⇨〔妍丽〕
〔妍皮〕 yánpí 형 겉보기가 아름답다.
〔妍艳〕 yányàn 형 요염하다. ＝〔妍冶〕
〔妍冶〕 yányě 형 ⇨〔妍艳〕
〔妍妆〕 yánzhuāng 명〈文〉 고운 화장. 동 곱게 화장하다.

研 yán (연)
동 ①갈다. ¶～成细末; 갈아서 잔가루로 만들다. ②닦다. ③연구하다. ¶钻zuān～; 학문을 연구하다. ⇒yàn
〔研钵〕 yánbō 명 막자 사발. ＝〔乳rǔ钵〕
〔研齿床〕 yánchǐchuáng 명《機》 (톱니바퀴용

(用)의) 래핑 머신(lapping machine).
〔研船〕 yánchuán 명 약연(藥碾).
〔研读〕 yándú 동 (책을 읽어) 연구하다.
〔研粉〕 yánfěn 동 갈아서 가루로 만들다.
〔研核〕 yánhé 동 〈文〉 정밀히 고구(考究)하다. ¶～是非; 시비를 잘 조사하다.
〔研诘〕 yánjié 동 〈文〉 구문(究問)하다. 심문(審問)하다. 엄히 힐책하다. =〔研鞫〕
〔研究〕 yánjiū 명동 ①연구(하다). ¶～历史; 역사를 연구하다 / 科学～; 과학 연구 / ～所; 연구소. ②검토(하다). 논의(하다). ¶～一下吧; 검토해 봅시다 / 我去找指导员～～; 나는 지도원과 검토해 보겠습니다 / 这个问题领导上正在～; 이 문제는 지금 지도부에서 검토중입니다.
〔研究生〕 yánjiūshēng 명 (대학 혹은 연구 기관의) 연구생. 대학원생.
〔研究员〕 yánjiūyuán 명 (과학 연구 기관의) 연구원(대학 교수에 상당함).
〔研鞫〕 yánjū 동 ⇨〔研诘〕
〔研考〕 yánkǎo 동 고구(考究)하다. 연구하고 생각하다. =〔考研〕
〔研摩〕 yánmó 동 연구하여 본으로 삼다.
〔研磨〕 yánmó 동 ①연마하다. ¶～粉; 연마 가루. ②(먹을) 갈다. ③갈아서 가루로 만들다. ¶把药物放在乳钵里～; 약물을 막자 사발로 갈아 가루를 만들다.
〔研墨〕 yán.mò 동 먹을 갈다.
〔研求〕 yánqiú 동 연구하다. 탐구하다.
〔研桑心计〕 yán sāng xīn jì 〈成〉 경영이 능해 재산을 모으다('研'은 '计研', '桑'은 '桑弘羊'으로 둘 다 이재(理財)에 밝은 사람).
〔研讨〕 yántǎo 동 연구 토의하다. 검토하다. ¶～问题; 문제를 연구 토론하다 / ～一下再回答; 검토하고 나서 회답하다.
〔研习〕 yánxí 동 깊이 연구하다. ¶这课书我得回去～～; 이 과목은 내가 돌아가서 잘 연구해야겠다.
〔研寻〕 yánxún 동 끝까지 파고들다. 연구하다.
〔研讯〕 yánxùn 동 상세히 조사하다.
〔研制〕 yánzhì 동 ①연구 제작하다. ¶～各种新型飞机; 각종의 신형 비행기를 연구 제작하다. ②(약을) 갈아서 만들다. 명 ①연구 제작. ¶～活动; 연구 제작 활동. ②연마 제조.
〔研钻〕 yánzuān 동 연찬하다. 깊이 연구하다. ¶求学总得不停的～才行; 학문은 반드시 쉬지 않고 연찬하는 것이 필요하다.

言 **yán** (언)
①명 언어. 말. ¶闭口无～; 입을 다물고 말을 하지 않다 / 发～; 발언(하다). ②명 한자(漢字) 한 자의 일컬음. ¶五～诗; 오언시. ③동 말하다. 이야기하다. ¶总而～之; 요컨대 / 知无不～; 알고 있는 것은 모두 말하다 / 难～之隐; 말할 수 없는 비밀 / 畅chàng所欲～; 〈成〉 하고 싶은 말을 다 털어놓다. ④조 〈文〉 이에(어기 조사(語氣助詞)). →〔言归于好〕 ⑤명 말. 말마디(이야기의 양(量)). ¶一～难尽; 한 마디로는 다 말할 수 없다 / 一～为定; 한 마디로 결정하다. ⑥명 성(姓)의 하나.
〔言必信, 行必果〕 yán bì xìn, xíng bì guǒ 〈成〉 말을 하면 꼭 실천하고, 실천하면 꼭 과단성 있게 하다.
〔言必有中〕 yán bì yǒu zhòng 〈成〉 입을 열었다 하면 적절한 말을 한다.
〔言不二价〕 yán bù'èrjià 에누리 없음. 정찰 판매(광고 문구). =〔言无二价〕
〔言不顾行〕 yán bù gù xíng 〈成〉 말 뿐이지 실행이 따르지 않다. ↔〔言行相顾〕
〔言不及义〕 yán bù jí yì 〈成〉 말이 이치에 맞지 않다. 시시한 소리만 하다. 허튼 소리만 하다.
〔言不尽意〕 yán bù jìn yì 〈成〉〈翰〉 말로 충분히 심중을 나타낼 수 없다.
〔言不应点〕 yán bùyìngdiǎn 말에 신용이 없다. 말을 믿을 수 없다. ¶他说的话都是～的, 不能再信他了; 그의 말은 모조리 신용할 수가 없으니, 이 이상 그를 믿을 수가 없다. =〔信不应典〕
〔言不应口〕 yán bù yìngkǒu 말이 다르다. 약속을 어기다.
〔言不由衷〕 yán bù yóu zhōng 〈成〉 진심에서 우러나온 말이 아니다. ¶一个～专说假话的人, 怎么能给学生以正确的历史知识呢? 진심에서 우러나와 이야기하는 것이 아니라, 오로지 겉발림의 말을 하는 사람이 어떻게 정확한 역사 지식을 학생에게 전달할 수 있겠는가?
〔言差语错〕 yán chā yǔ cuò 〈成〉 말이 어긋나다. 잘못 말하다. ¶～越说越拧; 말의 엇갈림으로 하면 할수록 더 틀리게 된다.
〔言出法随〕 yán chū fǎ suí 〈成〉 법령을 낸 뒤 곧 그것에 의거하여 집행하다.
〔言传〕 yánchuán 동 ①〈方〉 이야기하다. 지껄이다. ②말로 전하다. ¶可以意会, 不可～; 마음속으로 이해가 되어도 말로 전할 수가 없다. =〔口传②〕
〔言传身教〕 yán chuán shēn jiào 〈成〉 말로 전하고, 몸으로 본을 보여 가르치다.
〔言词〕 yáncí 명 ①언사. ¶～恳切; 언사가 간절하다. =〔言辞〕 ②구두(口頭).
〔言词辩论〕 yáncí biànlùn 명《法》 구두 변론. ¶推事宣布～终结; 판사는 구두 변론의 종결을 선고했다.
〔言辞〕 yáncí 명 ⇨〔言词①〕
〔言道〕 yándào 동 이야기하다. 말하다. =〔言说〕
〔言订〕 yándìng 동 ⇨〔言定〕
〔言定〕 yándìng 동 〈文〉 ①약속하다. ¶～每月利息一分待至来春即将本利一并还清; 매달의 이자는 1할로 하고, 내년 봄에는 원금과 이자를 갚기로 약속했다. ②단언하다. ¶事先～; 사전에 약속해 놓다. ‖ =〔言订〕
〔言动〕 yándòng 명 언동. 언어 동작.
〔言多语失〕 yán duō yǔ shī 〈成〉 말이 많으면 실수하기 쉽다. ¶～还是少说话为妙; 말이 많으면 실수하게 되므로 역시 말은 적은 편이 낫다. =〔言多必失〕
〔言而无信〕 yán ér wú xìn 〈成〉 말뿐이지 실천이 따르지 않다. 약속을 지키지 않다.
〔言而有信〕 yán ér yǒu xìn 〈成〉 약속을 지키다. 말한 이상 신용을 지킨다.
〔言符其实〕 yán fú qí shí 〈成〉 말이 사실과 일치하다.
〔言符其行〕 yán fú qí xíng 〈成〉 말과 행동이 일치하다. 언행 일치하다.
〔言副其实〕 yán fù qí shí 〈成〉 말이 사실과 부합되다.
〔言官〕 yánguān 명 〈文〉 언관. 천자의 시정(施政)·언행에 대하여 충언을 하는 관리.
〔言归〕 yánguī 동 〈文〉 돌아가다. 돌아오다. ¶即日～; 당일로 돌아오다. =〔言旋〕 →〔言归于好〕
〔言归于好〕 yán guī yú hǎo 〈成〉 (이에) 원만히 해결되다. 화해하다. 오해가 풀리다. ¶双方

～, 又握手言欢了; 쌍방이 화해하여, 악수하고 즐겁게 이야기를 나누었다.

〔言归正传〕 yán guī zhèng zhuàn 〈成〉 각설하고, 본론으로 돌아갑니다《옛 소설의 상투적인 문구》.

〔言规行矩〕 yán guī xíng jǔ 〈成〉 언행이 매우 진실〔단정〕하다.

〔言过其实〕 yán guò qí shí 〈成〉 말이 과장되어 실지에 맞지 않다. 허풍을 떨다. ¶～, 终无大用; 과장된 말은 결국 별로 쓸모가 없다.

〔言合意顺〕 yán hé yì shùn 〈成〉 말이 맞고 의기 투합하다.

〔言和〕 yánhé 동 〈文〉 강화〔화해〕하다. ¶握手～; 악수하고 화해하다.

〔言欢〕 yánhuān 동 〈文〉 서로 즐겁게 이야기하다. ¶握手～; 손을 잡고 즐겁게 이야기하다.

〔言及〕 yánjí 동 〈文〉 언급하다.

〔言简意赅〕 yán jiǎn yì gāi 〈成〉 말은 간결하지만, 말하고자 하는 바는 충분히 표현되어 있다.

〔言教〕 yánjiào 동 말로 가르치다. ¶～身带; 말로 타이를 뿐 아니라 행동으로 인도하다 / 不仅要～, 更要身教; 말로 가르칠 뿐 아니라 행동으로 가르치는 것이 필요하다 / ～不如身教; 실제적으로 모범을 보이는 것이 훈계보다 낫다.

〔言近旨远〕 yán jìn zhǐ yuǎn 〈成〉 말은 평이하나 뜻은 깊다. =〔言近指远〕

〔言路〕 yánlù 명 〈文〉 정부에 진언하는 길. ¶广开～; 언로를 널리 열다.

〔言论〕 yánlùn 명 언론. ¶～自由; 언론의 자유.

〔言浅意深〕 yán qiǎn yì shēn 〈成〉 말은 간단하나 뜻은 깊다. →〔言近旨远〕

〔言情〕 yánqíng 동 〈文〉 애정을 묘사하다. ¶～小说; 연애 소설.

〔言泉〕 yánquán 명 〈文〉 말의 샘. 거침없이 말이 나오는 것. ¶～流于唇齿; 변설이 뛰어남. 청산유수처럼 말을 잘함.

〔言人人殊〕 yán rén rén shū 〈成〉 각자 의견을 달리하다. 말하는 것이 사람에 따라 다르다. ¶～不知以何者为准; 각자 말하는 바가 달라 어느 것을 표준으로 생각해야 좋을지 모른다.

〔言如金石〕 yán rú jīn shí 〈成〉 말이 금석처럼 확실하다. 결코 틀림이 없다.

〔言如其人〕 yán rú qí rén 〈成〉 말은 그 사람을 나타낸다. 그 사람다운 말이다.

〔言三语四〕 yán sān yǔ sì 〈成〉 이러쿵저러쿵 말하다. 의론이 분분하다. ¶别～地乱批评人; 이러쿵저러쿵 남을 비평하지 마라. =〔言三道西〕

〔言身寸〕 yán shēn cùn 〈俗〉 '谢'(감사하다)의 파자(破字). ¶少不得～; 감사하지 않을 수 없다.

〔言说〕 yánshuō 동 ⇨〔言道〕

〔言谈〕 yántán 명 언사. 말씨. 말하는 투. ¶～举止, 非常潇洒; 말이나 행동거지가 대단히 세련되어 있다 / 于世路上好机变, ～去得; 세상 살아가는 데 임기응변도 능하고, 말도 잘한다.

〔言听计从〕 yán tīng jì cóng 〈成〉 어떤 말이나 계획이라도 다 들어 주다《신임이 두텁다》.

〔言妥〕 yántuǒ 동 〈文〉 이야기가 수습되다. 이야기를 매듭짓다.

〔言外〕 yánwài 명 언외. ¶意在～; 뜻은 언외에 있다.

〔言外之意〕 yán wài zhī yì 〈成〉 언외의 뜻. 암시적인 말. ¶我是个实心眼儿的人, 实在猜不出他的～来; 나는 고지식해서 그의 수수께끼같은 말을 도저히 풀 수가 없다 / ～以有所指; 언외의 뜻은 뭔가 가리키는 바가 있는 것같다. =〔言下之意〕

〔言为心声〕 yán wéi xīn shēng 〈成〉 말은 마음의 표현이다.

〔言文〕 yánwén 명 ①구어와 문어. ②말과 문장.

〔言文一致〕 yán wén yī zhì 〈成〉 언문일치. 구두어와 문장어의 일치. ¶合同的内容和咱们所商量的必须～; 계약서의 내용은 우리들이 의논한 것과 말과 글이 일치해야 한다.

〔言无不尽〕 yán wú bù jìn 〈成〉 남김없이 모두 말해 버리다. ¶知无不言, ～; 알고 있는 바는 모두 말하고, 말을 하면 남김없이 해 버리다.

〔言无二价〕 yán wú èr jià 〈成〉 에누리 없음. 정찰제《광고 문구》. =〔言不二价〕

〔言下见意〕 yán xià jiàn yì 〈成〉 말하면 곧 뜻을 알 수 있다. ¶语言必得是～的交际工具; 말은 입에 올리면 곧 알 수 있는 전달 수단이어야 한다.

〔言下之意〕 yán xià zhī yì 〈成〉 ⇨〔言外之意〕

〔言行〕 yánxíng 명 언행. 말과 행동. ¶～一致; 언행일치 / ～不一 =〔说shuō一套做一套〕; 언행불일치.

〔言行录〕 Yánxínglù 명 《書》 언행록《덕행 있는 사람의 좋은 말과 착한 행실을 기록한 책》.

〔言行相顾〕 yán xíng xiāng gù 〈成〉 언행이 일치하도록 하다. 말한 것은 실행하다. ↔〔言不顾行〕

〔言旋〕 yánxuán 동 〈文〉 ⇨〔言归〕

〔言犹在耳〕 yán yóu zài ěr 〈成〉 남이 한 말이 여전히 귀에 쟁쟁하다.

〔言语〕 yányǔ 명 〈文〉 ①언어. 말. ¶～粗鲁; 말이 거칠다 / ～无味, 面目可憎; 말씨도 단조롭고, 얼굴에도 호감을 가질 수 없다. ②소문. ¶村上～很多; 마을에서는 소문이 자자하다.

〔言语〕 yányu 동 〈方〉 말하다. 注 목적어를 취하지 않으며, 북경음으로는 'yuányi'라고도 발음한다. ¶怎么不～呢? 어쩌자고 아무 말도 않고 있느냐? / 你走的时候～一声儿! 떠나실 때 한 마디 말씀 건네어 주십쇼! →〔说〕

〔言语道断〕 yán yǔ dào duàn 《佛》 〈成〉 ①언어도단이다. ②말로 형언할 수 없이 심오한 진리.

〔言语妙天下〕 yán yǔ miào tiān xià 〈成〉 말이 극히 아름답다. 말재간이 매우 뛰어나다. ¶幽默大师～; 유머 도사로 말이 교묘하기가 아무도 따를 사람이 없다.

〔言语支离〕 yányǔ zhīlí 말이 조리가 없다. ¶看他～的样子恐怕有点不实吧; 그의 말에 조리가 없는 것을 보니 실답지 않는 점이 있는 것 같다.

〔言喻〕 yányù 동 비유하다.

〔言责〕 yánzé 명 ①옛날에, 신하의 임금에 대한 진언(進言)의 책임. ¶有～者, 不得其言则去; 진언의 책임을 진 자는 그 진언이 받아들여지지 않으면 그 지위를 떠나야 한다. ②말에 대한 책임. ¶你公然毁谤人是要负～的; 네가 공공연히 사람을 비방했으니 책임을 져야 한다. ③민의를 대표하는 자의 책임《지도자나 문필가 등》.

〔言者无罪, 闻者足戒〕 yán zhě wú zuì, wén zhě zú jiè 〈成〉 말한 사람을 책할 수 없으며, 듣는 사람은 그것을 경계로〔교훈으로〕 삼아야 한다.

〔言之不预〕 yán zhī bù yù 〈成〉 예고 없이 불쑥 말하다. ¶勿谓～; 미리 몰랐다고는 말하지 못하렷다.

〔言之成理〕 yán zhī chéng lǐ 〈成〉 이야기에 일리가 있다《보통 '持之有故'(의견 · 주장에는 근거가 있다)로 이어짐》.

〔言之过早〕 yán zhī guò zǎo 〈成〉 발언이 시기상조이다.
〔言之无文, 行而不远〕 yán zhī wú wén, xíng ér bù yuǎn 〈成〉 글이나 말이 아름답지 않으면 멀리 전해지지 않는다.
〔言之无物〕 yán zhī wú wù 〈成〉 (언론·저작에) 알맹이가 없다.
〔言之有据〕 yán zhī yǒu jù 〈成〉 말에 근거가 있다.
〔言之有理〕 yán zhī yǒu lǐ 〈成〉 말에 이치가 있다.
〔言之有物〕 yán zhī yǒu wù 〈成〉 이야기에 알맹이가〔근거·내용이〕 있다.
〔言之在先〕 yán zhī zài xiān 〈成〉 ①사전에 이야기해 두다. ②사전에 약속이 되어 있다.
〔言之凿凿〕 yán zhī záo záo 〈成〉 이야기가 확실하다. 이야기에 거짓이 없다. 말이 명백하다.
〔言中无物〕 yán zhōng wú wù 〈成〉 말에 근거가 없고 내용이 없다.
〔言重〕 yánzhòng 형 ①말씨가 정중하다. ¶老兄～了, 我实在不敢当; 정중하신 말씀, 정말 송구스럽습니다. ②〈謙〉 말이 어마어마하다. 말이 과분하다. 말이 지나치다《칭찬 받았을 때 씀》. ¶您太～了; 너무 정중하게 말씀하시니〔칭찬하여 주시니〕 황송합니다.
〔言状〕 yánzhuàng 동 〈文〉 말로 형용하다. ¶不可以～; 말로 표현할 수 없다.
〔言字旁〕 yánzìpáng 명 《言》 말씀언변《'讠'》.

沿〈㳂〉 yán (연)
①동 따라〔끼고〕…하다《흔히, '～着'로 씀》. ¶～河边走; 강가를 따라 걷다 / ～着墙根种上一行鸡冠花; 담을 끼고 맨드라미가 죽 심어져 있다 / ～着马路走; 도로를 따라 걷다. →〔靠kào〕 ②개 …에 따라서. …을 끼고. ③동 옛날부터 전해 내려온 것을 고치지 않다. 답습하다. ¶相～成习; 전해져 내려가는 사이에 습관이 되다 / 这是多少年～下来的风俗; 이것은 오랜 세월 관습으로 되어 있는 풍속이다. ④(～儿) 명 가. 변두리. ¶炕kàng～儿; 온돌의 가장자리. ⑤동 가선을 두르다. ¶～花边儿; 레이스를 달다 / 袖口上～一道边儿; 소맷부리에 가선을 두르다. ⑥명 물가. ¶河～(儿); 강변 / 沟gōu～儿; 도랑가.
〔沿岸〕 yán'àn 명 연안. (yán.àn) 동 물가를 따라가다.
〔沿岸贸易税〕 yán'àn màoyìshuì 명 《商》 연안 무역세. 국내 항구 사이에 국산품 거래세. =〔转zhuǎn口税〕
〔沿岸平原〕 yán'àn píngyuán 명 해안 평야. =〔海hǎi岸平原〕
〔沿边〕 yánbiān 명 ①가. 테두리. ②(지역적) 경계. ¶～不靖; 국경이 불안하다.
〔沿边儿〕 yán biānr ①가선을 두르다. 레이스를 대다. ¶在旗袍上沿一道边儿; '旗袍'(원피스 모양의 중국 전통복)에 레이스로 가선을 두르다. ②실로 옷이나 이불의 가장자리를 꿰매다. ‖ =〔延边儿〕
〔沿波讨源〕 yán bō tǎo yuán 〈成〉 (단서에 의해서) 철저하게 근원을 캐다. ¶对学问要～地研究出它的真理来; 학문에는 철저하게 연구하여 그 진리를 파악하는 것이 필요하다.
〔沿才授职〕 yán cái shòu zhí 〈成〉 재능에 의해서 직무를 부여하다.
〔沿创〕 yánchuàng 명 〈文〉 옛 것의 답습과 새 것의 창조.
〔沿道(儿)〕 yándào(r) ①명 연도. ¶～都种着花草; 연도에는 모두 화초가 심어져 있다. ②(yán dào(r)) 길을 따르다. ¶沿着道儿站; 길을 따라 서다. ‖ =〔沿路〕〔沿途〕
〔沿港〕 yángǎng 명 항구 근처. 부둣가.
〔沿革〕 yángé 명 연혁. 변천의 역정(歷程). ¶社会风俗的～; 사회 풍습의 연혁. =〔因yīn革〕
〔沿海〕 yánhǎi ①명 연해. 연안. ¶～城市; 연해 도시 / ～地区; 연해 지구 / ～货轮; 연안 화물선. ②(yán hǎi) 바다에 연하다.
〔沿河〕 yánhé ①명 강가에 벌여 있는 땅. ②(yán hé) 강에 연하다.
〔沿洄〕 yánhuí 동 물 흐름을 따라 오르내리다. ¶重庆和汉口之间的商船～不绝; 충칭(重慶)·한커우(漢口) 간의 상선은 물길을 따라 쉴새없이 왕복하고 있다.
〔沿江〕 yánjiāng ①명 강(특히 양쯔 강(揚子江))의 연안 지대. ②(yán jiāng) 강에 연하다.
〔沿阶草〕 yánjiēcǎo 명 《植》 소엽맥문동.
〔沿街〕 yánjiē ①명 (번화한) 연도. 도로변. 길가. ②(yán jiē) 길〔거리〕에 연하다.
〔沿街穿巷〕 yánjiē chuānxiàng 큰길이나 골목길을 왔다갔다 하다. 거리에서 거리로 걸어다니다.
〔沿街往返〕 yánjiē wǎngfǎn 거리를 왔다갔다 하다.
〔沿篱豆〕 yánlídòu 명 《植》 강낭콩. =〔扁豆①〕
〔沿例〕 yán.lì 동 전례를 따르다. ¶既然有例可援就～而行吧; 참작할 만한 전례가 있다면 전례에 따라 처리합시다.
〔沿路〕 yánlù ①명 연도. ¶～站满了欢迎的群众; 연도는 환영 인파로 꽉 찼다. ②(yán lù) 길에 연하다. ‖ =〔沿道(儿)〕〔沿途〕
〔沿门〕 yán mén 한 집 한 집 따라서. 집집마다. ¶～访问; 한 집 한 집 찾아가다 / 送报的人～送报也够累的; 신문 배달부가 집집마다 신문을 배달하는 것도 어지간히 힘이 들다.
〔沿门托钵〕 yán mén tūo bō 〈成〉 ①중이 집집마다 시주를 구하다. ②걸식하다.
〔沿脑盖子〕 yánnǎogàizi 명 이마.
〔沿儿〕 yánr 명 가. 가장자리. =〔沿子〕
〔沿溯〕 yánsù 동 물길을 따라가다.
〔沿条儿〕 yántiáor 명 〈方〉 바이어스 테이프(bias tape).
〔沿习〕 yánxí 동 예로부터의 관습에 따르다. 구습을 좇다. ¶世代～祭祀, 维修陵庙; 대대로 내려오는 관습대로 제사를 올리고 묘(廟)를 유지했다.
〔沿袭〕 yánxí 동 관행을 답습하다. 전통에 따라 하다. ¶～旧例; 구례를 답습하다.
〔沿线〕 yánxiàn 명 연선. ¶铁路～的村镇; 철도 연선의 마을과 읍.
〔沿用〕 yányòng 동 (과거의 방법이나 제도·법령 등을) 원용하다. 계속해서 사용하다. ¶～原来的名称; 원래의 명칭을 원용하다 / ～旧制; 구제도를 원용하다 / ～旧俗; 옛 습관을 따르다 / ～成规; 종래의 규정대로 하다.
〔沿着〕 yánzhe …을 끼고. …을 따라서. ¶～那条路走; 그 길을 따라 걷다 / ～一定的方针做; 일정한 방침에 따라 하다.

铅(鉛) yán (연)
→〔铅山〕 ⇒qiān
〔铅山〕 Yán shān 명 《地》 옌산(鉛山)《장시 성(江西省)에 있는 현(縣) 이름》.

岩〈巖, 嵒〉 **yán** (암) ① 명 바위. 암석. ¶花岗～; 화강암 / 火成～; 화성암. ② 명 높은 산(흔히, 바위가 돌출한 것). ③ 명 암혈(巖穴). 산의 동굴. ④ 형 높고 험하다. ⑤ 명 성(姓)의 하나.
〔岩壁〕 yánbì 명 암벽.
〔岩层〕 yáncéng 명 《地質》 암층. 층을 이룬 암석.
〔岩床〕 yánchuáng 명 《地質》 암상. =〔层céng状侵入体〕
〔岩洞〕 yándòng 명 산 속의 동굴. 암굴. =〔岩穴〕
〔岩高兰〕 yángāolán 명 《植》 시로미.
〔岩桂〕 yánguì 명 《植》 금계(金桂).
〔岩浆〕 yánjiāng 명 《地質·鑛》 암장. 마그마. ¶古代火山喷出的～; 고대 화산이 폭발한 용암.
〔岩居穴处〕 yán jū xué chǔ 〈成〉 암굴에 숨어 살다. 은둔 생활을 하다.
〔岩羚〕 yánlíng 명 《動》 샤무아(프 chamois).
〔岩流〕 yánliú 명 《地質》 용암류(溶岩流).
〔岩鹨〕 yánliù 명 《鳥》 바위종다리.
〔岩盘〕 yánpán 명 《地質》 암반(지질).
〔岩墙〕 yánqiáng 명 〈文〉 높고 위태로운 담. ¶是故知命者不立乎～之下; 그러므로 명을 아는 자는 높고 위태로운 담 밑에는 서지 않는다.
〔岩泉〕 yánquán 명 암천. 바위 틈에서 흘러나오는 샘.
〔岩溶〕 yánróng 명 《地質》 카르스트(독 karst) 지형('桂林' 부근에서 많이 볼 수 있음).
〔岩石〕 yánshí 명 암석.
〔岩头〕 yántóu 명 바위 모서리.
〔岩心〕 yánxīn 명 《地質·鑛》 암심(기둥꼴의 암석 표본). =〔岩芯〕
〔岩穴〕 yánxué 명 ⇨〔岩洞〕
〔岩岩〕 yányán 형 ①〈文〉 높고 험하다. 험준하다. ②암석을 높게 쌓아올린 모양.
〔岩盐〕 yányán 명 《鑛》 암염. =〔矿kuàng盐〕〔石shí盐〕
〔岩羊〕 yányáng 명 《動》 암양(산악 지대에 사는 야생양).
〔岩邑〕 yányì 명 험하고 중요한 요새. 험요한 마을.
〔岩嶂〕 yánzhàng 명 〈文〉 깎아지른 듯한 산봉우리.

炎 **yán** (염) ① 명 불꽃. 화염. ② 형 몹시 덥다. 무덥다. 뜨겁다. ③ 명 염증(炎症). ¶发～; 염증을 일으키다 / 肺～; 폐렴 / 盲máng肠～; 맹장염.
〔炎魃〕 yánbá 명 〈文〉 한발. ¶～肆虐; 가뭄이 마구 잔학하게 극성을 부리다. =〔炎旱〕
〔炎方〕 yánfāng 명 ①염열(炎熱)의 땅. ②〈轉〉 남방.
〔炎官〕 yánguān 명 불을 관장하는 신(神). ¶～发威; 불의 신이 위세를 부리다. 〈比〉 화재를 일으키다.
〔炎汉〕 YánHàn 명 《史》 한(漢)나라의 별칭.
〔炎旱〕 yánhàn 명 〈文〉 ⇨〔炎魃〕
〔炎荒〕 yánhuāng 명 〈文〉 남방의 황야. 남방의 황폐하고 먼 곳.
〔炎黄子孙〕 YánHuáng zǐsūn 명 염제와 황제의 자손. 곧 중국인〔한민족〕.
〔炎精〕 yánjīng 명 〈比〉 태양.
〔炎凉〕 yánliáng 명 ①염량. 더위와 신선함. ②〈比〉 기후의 변화. 인정의 후하고 박함. 사람의 성쇠(盛衰). ¶世态～; 〈成〉 염량세태. 세속의 형편의 변천. 세정(世情)의 변천.
〔炎热〕 yánrè 형 무덥다. 찌는 듯하다. ¶～难当; 〈成〉 염열을 당하기 어렵다. 못 견디게 덥다.
〔炎日〕 yánrì 명 여름의 더운 날.
〔炎暑〕 yánshǔ 명 염서. ¶～蒸人; 염서가 사람을 찌다. 찌는 듯 무덥다.
〔炎天〕 yántiān 명 ①염천. 염열(炎熱)의 날씨. 여름날. ②〈文〉 남방(南方).
〔炎夏〕 yánxià 명 〈文〉 염하. 한여름.
〔炎炎〕 yányán 형 타오르는 모양. 기세가 성한 모양. ¶赤日～; 붉은 태양이 이글이글 타오르고 있다 / 其势～; 그 기세는 불이 맹렬히 타오르는 것 같다.
〔炎阳〕 yányáng 명 〈文〉 ①여름의 태양. ②6월의 더운 볕. 불볕. ¶～天小心中zhòng暑; 불볕이 내리쬐는 날씨에 더위 먹지 않도록 조심하라.
〔炎症〕 yánzhèng 명 《醫》 염증.
〔炎肿〕 yánzhǒng 명 《醫》 열이 나고 붓는 병.

盐(鹽) **yán** (염) 명 ①소금. ¶放些～; 소금을 조금 넣다 / 一颗～; 한 알의 소금 / 海～; 해수염 / 井～; 쓰촨(四川)·윈난(雲南) 등의 염정(鹽井)에서 나는 소금 / 撒～; 소금을 뿌리다. ②《化》 염(鹽). ¶酸式～; 산성염. ③성(姓)의 하나. ⇒yàn
〔盐巴〕 yánbā 명 〈四川〉 소금. 식염.
〔盐巴〕 yánba 형 조금 짜다. =〔盐盐巴巴〕
〔盐剥〕 yánbō 명 《化》 염소산칼륨. =〔氯lǜ酸钾〕
〔盐菜〕 yáncài 명 소금에 절인 야채.
〔盐厂〕 yánchǎng 명 ①소금 저장소. ②제염소(製鹽所). ‖=〔盐场〕
〔盐场〕 yánchǎng 명 ⇨〔盐厂chǎng〕
〔盐炒〕 yánchǎo 동 소금으로 볶다.
〔盐豉〕 yánchǐ 명 옛날, 간장처럼 쓴 양념.
〔盐池〕 yánchí 명 염분을 포함한 못. 함수호.
〔盐地〕 yándì 명 염전. =〔盐田〕〔盐塘〕
〔盐肤木〕 yánfūmù 명 《植》 붉나무.
〔盐肤子〕 yánfūzǐ 명 《漢醫》 붉나무의 열매 또는 씨(약용으로 함). =〔酸suān桶〕
〔盐赋〕 yánfù 명 ⇨〔盐税〕
〔盐工〕 yángōng 명 제염 노동자.
〔盐湖〕 yánhú 명 《地質》 염호. 함수호.
〔盐户〕 yánhù 명 제염업자.
〔盐花〕 yánhuā 명 ①(～儿) 극히 소량의 소금. ¶汤里搁点儿～儿; 국에 소금을 약간 넣다. ②〈方〉 미역 등의 거죽에 돋은 소금. =〔盐霜〕
〔盐基〕 yánjī 명 《化》 염기.
〔盐基性〕 yánjīxìng 명 《化》 알칼리성. 염기성.
〔盐碱地〕 yánjiǎndì 명 알칼리 토양의 논밭. =〔卤地〕
〔盐斤〕 yánjīn 명 소금.
〔盐井〕 yánjǐng 명 염수가 나오는 우물('四川·云南' 등지에 있음).
〔盐课〕 yánkè 명 〈文〉 소금세(稅).
〔盐粒儿〕 yánlìr 명 막소금. 굵은 소금.
〔盐卤〕 yánlǔ 명 소금 간수. =〔苦汁〕〔卤水②〕
〔盐绿〕 yánlǜ 명 《漢醫》 옛날의 광물약(鑛物藥)의 이름(페르시아·신장(新疆)에서 나며 산화 구리를 함유함. 눈병 치료에 썼음).
〔盐梅〕 yánméi 명 소금기와 매실의 신 맛(옛날에, 조미료로 썼음).
〔盐民〕 yánmín 명 ①제염업자. ②제염 노동자.
〔盐硇〕 yánnáo 명 《化》 염화 암모늄.
〔盐汽水〕 yánqìshuǐ 명 염분을 품은 사이다.

〔盐泉〕 yánquán 명 염류천(염분을 많이 함유하는 샘).
〔盐儿〕 yánr 명 (미량 또는 고운) 소금.
〔盐商〕 yánshāng 명 옛날, 소금 장수.
〔盐霜〕 yánshuāng 명 소금쩍. 다시마 등의 표면에 배어나온 소금. =〔盐花②〕
〔盐水〕 yánshuǐ 명 염수. 소금물. 브라인(brine).
〔盐水番话〕 Yánshuǐ fānhuà 명 〈南方〉 ⇨〔洋Yáng泾浜话〕
〔盐水笋〕 yánshuǐsǔn 명 소금물에 절인 죽순.
〔盐水选种〕 yánshuǐxuǎnzhǒng 명 《農》 염수선(소금물에 종자를 넣어 가라앉은 것을 골라 내는 방법).
〔盐税〕 yánshuì 명 염세. =〔盐赋〕
〔盐酸〕 yánsuān 명 《化》 염산. =〔氢qīng氯酸〕
〔盐酸苯海拉明〕 yánsuān běnhǎilāmíng 명 《藥》 염산 디펜하이드라민(diphenhydramine). 베나드릴(benadryl)(항(抗)히스타민제(劑)의 일종). =〔苯那坐尔〕
〔盐酸吡哆醇〕 yánsuān bǐduōchún 명 《化》 염산 피리독신(pyridoxine). =〔盐酸吡哆辛〕〔羟qiǎng甲吡啶二甲醇〕
〔盐酸吡哆辛〕 yánsuān bǐduōxīn 명 ⇨〔盐酸吡哆醇〕
〔盐酸金霉素〕 yánsuān jīnméisù 명 《藥》 오레오마이신(aureomycin).
〔盐酸硫胺素〕 yánsuān liú'ànsù 명 비타민 B_1 (염산 티아민). =〔维wéi生素B_1〕〔硫胺(素)〕
〔盐酸帕帕非林〕 yánsuān pàpàfēilín 명 ⇨〔盐酸罂粟碱〕
〔盐酸普鲁卡因〕 yánsuān pǔlǔkǎyīn 명 《藥》 염산 프로카인(procaine). 노보카인(novocaine). =〔〈音〉奴佛卡因〕〔〈音〉奴夫卡因〕
〔盐酸四卡因〕 yánsuān sìkǎyīn 명 《藥》 테트라카인. 판토카인(pantocaine). =〔〈音〉潘pān妥卡因〕
〔盐酸氧苯胂〕 yánsuān yǎngběnshèn 명 《藥》 염산 옥소페나르신(oxophenarsine)(마파르졸: Mapharsol). =〔氧苯胂〕〔马mǎ法胂〕〔马法生〕
〔盐酸乙基吗啡〕 yánsuān yǐjīmǎfēi 명 《藥》 염산 에틸모르핀. =〔狄dí奥宁〕
〔盐酸罂粟碱〕 yánsuān yīngsùjiǎn 명 《藥》 염산 파파베린(papaverine). =〔盐酸帕帕非林〕
〔盐滩〕 yántān 명 염전 지대.
〔盐塘〕 yántáng 명 ⇨〔盐地〕
〔盐田〕 yántián 명 ⇨〔盐地〕
〔盐铁〕 yántiě 명 염철. 소금과 쇠. 제염과 제철. ¶ ～之利; 염철의 이익.
〔盐铁使〕 yántiěshǐ 명 염철사(옛날, 염철에 관한 세금을 관장하던 벼슬 이름).
〔盐坨(子)〕 yántuó(zi) 명 노천에 쌓아 놓은 소금 더미.
〔盐圩〕 yánwéi 명 염전 지구.
〔盐枭〕 yánxiāo 명 옛날, 소금 밀매자(흔히, 무장하고 있었음).
〔盐硝〕 yánxiāo 명 《化》 유산 나트륨.
〔盐腌〕 yányān 동 소금에 절이다.
〔盐引〕 yányǐn 명 (명(明)나라·청(淸)나라 시대의) 식염의 판매 허가증.
〔盐余〕 yányú 명 옛날, 염세(鹽稅) 수입 중에서 각종 차관(借款)·이식 등을 지불하고 남은 돈
〔盐灶〕 yánzào 명 소금을 끓이는 아궁이.
〔盐煮笋〕 yánzhǔsǔn 명 죽순을 소금물에 끓인 것.
〔盐砖〕 yánzhuān 명 소금을 굳혀서 벽돌 모양으로 만든 것.

阎(閻〈閆〉②) yán (염)

명 ①〈文〉 마을 가운데의 문(門). ¶闾lǘ～; 마을 어귀의 문. ②성(姓)의 하나.
〔阎君〕 yánjūn 명 ⇨〔阎罗〕
〔阎罗〕 Yánluó 명 〈簡〉 염마. 염라 대왕. =〔阎君〕〔阎魔罗阇〕〔阎魔〕〔阎王(爷)①〕〔阎罗王〕
〔阎罗包老〕 Yánluó Bāolǎo 명 《史·人》 염라 대왕 같은 포씨(包氏)(송(宋)나라의 포증(包拯)의 일컬음). 〈轉〉 강직한 재판관. ¶有～在, 谁也不敢贪污; 강직한 재판관이 있으면, 아무도 감히 탐관오리 노릇을 안 한다.
〔阎罗王〕 yánluówáng 명 ⇨〔阎罗〕
〔阎魔〕 yánmó 명 ⇨〔阎罗〕
〔阎王〕 Yánwang 명 염라 대왕. ¶见～去了; 염라 대왕을 만나러 갔다(죽었다) / ～鼻子; 위험하기 짝이 없는 장소나 사물 / ～殿; 지옥의 염라 대왕이 생사를 결정하는 곳.
〔阎王好见小鬼难缠〕 yánwáng hǎojiàn xiǎoguǐ nánchán 〈諺〉 염라 대왕은 면회하기 쉽지만, 잡귀를 상대하기가 어렵다. 〈比〉 윗사람은 이해가 빠르지만, 아랫것들이 애를 먹인다. ¶～, 咱们还是直接找上头说话吧; 염라 대왕은 좋은데, 조무래기 잡귀는 다루기가 어렵다는 말이 있듯이, 우리 역시 직접 높은 사람과 이야기하자.
〔阎王老婆〕 yánwang lǎopo 명 염라 대왕의 마누라. 〈比〉 억센 마누라.
〔阎王利息〕 yánwang lìxi 명 염라 대왕의 이자. 〈比〉 지독한 이자.
〔阎王(爷)〕 yánwáng(yé) 명 ①⇨〔阎罗〕 ②〈比〉 성질이 포학한 사람. 흉악한 사람. ¶活～; 매우 흉악한 사람 / 赛～; 염라 대왕에 필적하다. 염라 대왕에 필적할 만한 사람.
〔阎王债〕 yánwangzhài 명 〈比〉 포학한 채권. 고리 대금. ¶～可千万借不得, 那是上刀山下油锅的钱啊; 고리 대금은 절대로 빌려서는 안된다. 그것은 마치 칼산에 오르고, 기름 솥에 들어가는 거나 같은 돈이다.
〔阎王账〕 yánwangzhàng 명 〈口〉 고리 대금. 높은 금리의 돈. ¶放～是缺德事; 고리 대금을 놓는 것은 몰인정한 짓이다.

颜(顏) yán (안)

명 ①얼굴. ¶和～悦色; 〈成〉 온화하고 기쁜 얼굴 / 容～; 모습. 용모 / 朱～; 붉은 얼굴 / 开～一笑; 활짝 웃다. ②면목. ¶无～见人; 볼낯이 없다 / 喜笑～开; 활짝 웃는 얼굴을 하다 / 此人厚～, 常喜自夸; 이 사람은 뻔뻔스러워 항상 거드름을 피우고 있다. ③색(色). ¶五～六色; 각양 각색. 다채로움. ④성(姓)의 하나.
〔颜厚〕 yánhòu 형 낯가죽이 두껍다. 뻔뻔스럽다. ¶～不知羞; 뻔뻔스러워 부끄러운 줄 모르다.
〔颜筋柳骨〕 Yán jīn Liǔ gǔ 〈成〉 안진경(顔眞卿)과 유공권(柳公權)의 글씨가 힘참을 나타내는 말.
〔颜料〕 yánliào 명 도료. 안료. 물감.
〔颜面〕 yánmiàn 명 ①얼굴. 얼굴 모습. ¶～骨; 《生》 안면골. 안면의 뼈. ②체면. 명예. ¶～攸yōu关; 명예에 관계되는 바 / 顾全～; 체면을 존중하다.
〔颜面神经〕 yánmiàn shénjīng 명 《生》 안면 신경.

〔颜色〕 yánsè 명 ①색. ¶上～; 색깔을 칠하다/落～; 색이 바래다〔빠지다〕/变～; 사람이 변질하다. 정권이나 사회 체제가 본질적으로 달라지다/走～; 빛이 바래다. =〔〈京〉颜色儿〕 ②안색. 용모. ¶这个女子长得有几分～; 이 여자는 상당히 예쁘다. ③〈俗〉 신통한 점. 무서운 구석. ¶给侵略者一点～看看; 침략자에게 따끔한 맛을 보여 주다. ⇒yánshai

〔颜色笔〕 yánsèbǐ 명 크레용(프 crayon). =〔蜡là笔〕

〔颜色点染法〕 yánsè diǎnrǎnfǎ 명 《美》 중국화의 화훼(花卉) 화법의 하나《윤곽을 그리지 않고 바로 안료로 그리는 법》.

〔颜色〕 yánshai 명 〈口〉 안료. 염료. ⇒yánsè

〔颜色儿〕 yánshair 명 ⇨〔颜色sè①〕

〔颜字〕 yánzì 명 당(唐)나라 안진경(顔眞卿)의 서체. ¶他是个写～的; 그는 안진경체의 글씨를 쓴다. =〔颜体〕

沇 yán (연)

① 명 ⇨〔兖〕 ② →〔沇水〕

〔沇水〕 yánshuǐ 명 《地》 연수《옛 하천의 이름. '济jǐ水'의 별칭》

檐〈簷〉 yán (첨)

명 ①(～儿, ～子) 처마. 차양. ¶房～儿; 처마/前～儿; 집의 남쪽 처마. ②(～儿) 물건을 덮는 것의 가장자리 또는 돌출 부분. ¶帽mào～儿; 모자 차양.

〔檐蝙蝠〕 yánbiānfú〔yànbianfú〕 명 《動》 박쥐. =〔燕蝙蝠〕

〔檐滴〕 yándī 명 처마에서 떨어지는 낙숫물.

〔檐铎〕 yánduó 명 ⇨〔檐铃〕

〔檐沟〕 yángōu 명 〈方〉 처마의 홈통. =〔檐溜②〕〔承chéng溜〕〔水shuǐ蛤蜊〕〔水溜〕〔〈方〉水落〕

〔檐际〕 yánjì 명 처마 끝.

〔檐口〕 yánkǒu 명 ⇨〔檐头〕

〔檐铃〕 yánlíng 명 처마 끝에 다는 풍경. =〔檐铎duó〕〔檐马mǎ〕〔檐铁〕

〔檐溜(儿)〕 yánliú(r) 명 ①처마에서 떨어지는 낙숫물. =〔檐滴dī〕 ②⇨〔檐沟〕

〔檐马〕 yánmǎ 명 ⇨〔檐铃〕

〔檐铁〕 yántiě 명 ⇨〔檐铃〕

〔檐头〕 yántóu 명 처마 끝. =〔檐口〕

〔檐下〕 yánxià 명 처마 밑.

〔檐牙〕 yányá 명 처마 끝에 뾰족하게 내민 장식.

〔檐子〕 yánzi 명 〈口〉 처마. 챙.

兖 Yǎn (연)

명 ①《地》 옛날의 연주부(兖州府)《현재의 산둥 성 서남십현(山東省西南十縣)의 지역》. ②엔저우(兖州). ⓐ옛날 구주(九州)의 하나. ⓑ산둥 성(山東省)에 있는 현 이름. ‖ =〔沇①〕

奄 yǎn (엄)

① 동 〈文〉 덮다. 싸다. ¶～有四方; 사방을 모두 점유하다. ② 부 〈文〉 홀연히. =〔奄忽〕 ③(Yǎn) 명 《史》 엄《옛 나라 이름. 은(殷)의 주왕(紂王)을 도왔으므로 주(周)에게 멸망당함》. ⇒yān

〔奄忽〕 yǎnhū 부 〈文〉 대번에. 재빨리.

〔奄然〕 yǎnrán 부 〈文〉 갑자기. 별안간.

掩〈揜〉 yǎn (엄)

동 ①덮다. 덮어 가리다. ¶～口而笑; 입을 가리고 웃다/衣裳可以～形御寒; 옷을 입고 몸을 가려서 추위를 막다. ②닫다. ¶把门～上; 문을 닫다. ③〈方〉 (문·창문·상자 등을 닫을 때 물건이) 사이에 끼이다. ¶关门～住手了; 문을 닫을 때 손이 끼였다/叫门～住衣服了; 문에 옷이 끼였다. ④〈文〉 갑자기 덮치다.

〔掩鼻〕 yǎn∙bí 동 ①코를 막다. ¶～而过; 코를 막고 지나가다. 불결하고 냄새나는 것을 싫어함. ②냄새가 나서 참을 수 없다.

〔掩闭〕 yǎnbì 동 가리다. 숨기다. 닫다. ¶把门～起来; 문을 닫다.

〔掩蔽〕 yǎnbì 동 《軍》 숨기다. 엄폐하다. 차폐하다. ¶～服装; 위장복(僞裝服)/找个～的地方; 몸 숨길 데를 찾다/把他～起来; 그를 숨기다. 명 차폐물(遮蔽物). 은신처.

〔掩鬓〕 yǎnbìn 명 〈文〉 비녀.

〔掩膊〕 yǎnbó 명 〈文〉 갑옷의 팔덮개〔토시〕.

〔掩捕〕 yǎnbǔ 동 붙잡다. 체포하다.

〔掩藏〕 yǎncáng 동 숨기다. 싸 감추다. ¶从内心发出的喜悦是～不住的; 내심에서 우러나는 기쁨은 숨길 수 있는 것이 아니다/一人～, 十人难找; 〈諺〉 한 사람이 감추면 열 사람이 찾아 내지 못한다/把东西～起来; 물건을 감추다.

〔掩耳〕 yǎn∙ěr 동 귀를 가리다. 귀를 막다. ¶～不闻; 귀를 막고 듣지 않다.

〔掩耳盗铃〕 yǎn ěr dào líng 〈成〉 귀를 막고 방울을 훔치다《자신을 속이다》. ¶你这不是～, 自己骗自己吗? 너, 이것은 귀를 막고 방울을 훔치는 격으로 스스로를 속이는 짓 아니냐?/这种～的事能瞒得了谁? 이러한 눈 가리고 아웅하는 식으로 누구를 속일 수 있겠느냐?

〔掩敷〕 yǎnfū 동 (고약 따위를) 붙이다. ¶～膏药; 고약을 붙이다.

〔掩盖〕 yǎngài 동 ①(구체적인 것을) 가리다. 은폐하다. 감추다. ¶大雪～着田野; 큰 눈이 들판을 덮고 있다/用毯子～起来; 담요로 덮어씌우다. ②(추상적인 것을) 숨기다. 숨기어 속이다. ¶～矛盾; 모순을 덮어 가리다/撒谎～不了liǎo事实; 거짓말로는 사실을 숨기지 못한다.

〔掩护〕 yǎnhù 동 《軍》 ①엄호하다. 감싸다. ¶在炮兵～之下攻击敌阵; 포병의 엄호 아래 적진을 공격하다. ②몰래 보호하다. 명 차폐물. 몸을 숨기는 데에 쓰는 것. ¶～职业; 본색을 감추기 위한 직업. 표면적인 직업/以开茶馆为～; 다방을 차려 몸 숨길 데로 삼다.

〔掩护工作〕 yǎnhù gōngzuò 명 엄호 공작. ¶特务无孔不入, 拿什么职业当～的都有; 간첩은 온갖 방법을 다 쓰니까, 어떤 직업이라도 엄폐 수단으로 삼는다.

〔掩护职业〕 yǎnhù zhíyè 명 위장하기 위한 직업. 표면상의 직업. ¶开酒店是他的～, 其实他是个干特务的; 술집을 내고 있는 것은 그의 표면상의 일이고, 실은 첩자다.

〔掩怀(儿)〕 yǎn∙huái(r) 동 (단추를 채우지 않고) 옷을 몸에 걸치다. ¶～哺bǔ乳; 가슴팍 단추를 끌러서 젖을 먹이다.

〔掩击〕 yǎnjī 동 〈文〉 불의에 적을 엄습하여 치다. 기습하다. ¶虚晃一掌, ～过去; 유인하여 허를 찌르다.

〔掩戢〕 yǎnjí 동 〈文〉 감추다. ¶万方～; 백방으로 손을 써서 감추다.

〔掩襟〕 yǎnjīn 명 중국옷의 옷깃.

〔掩卷〕 yǎnjuàn 동 〈文〉 책을 덮다. ¶读到好处不禁～长叹; 책을 읽다 좋은 대목에 이르면 책을 덮고 장탄식을 금치 못한다.

〔掩口〕 yǎn∙kǒu 동 ①뚜껑을 덮다. ②손으로 입을

가리다(웃다). ¶说到妙处, 大家都～笑起来; 이야기가 가경에 이르자, 모두 입을 가리고 웃기 시작했다.
【掩口葫芦】 yǎn kǒu hú lú 〈成〉 입을 다물고 말을 하지 않다. ¶在武力威胁之下, 有政治卓见的人也都作了～; 무력 협박 아래에서는 정치에 탁견을 가진 사람도 모두 입을 가리고 말하지 않는다.
【掩泪】 yǎn·lèi 동 〈文〉 눈물을 감추다. 눈물을 참다. ¶气得她～不语; 화가 나서 그녀는 눈물을 참고 말하지 않는다.
【掩埋】 yǎnmái 동 ①묻다. 덮다. ②매장(埋葬)하다.
【掩袂】 yǎnmèi 동 옷소매로 얼굴을 가리다.
【掩门】 yǎn mén 문을 닫다. 문을 잠그다. ¶虚掩着门儿; (빗장을 걸거나 자물쇠를 잠그지 않고) 문을 지치다.
【掩面】 yǎn·miàn 동 〈文〉 얼굴을 가리다. 얼굴을 손으로 가리다. ¶～而泣; 얼굴을 가리고 울다.
【掩目捕雀】 yǎn mù bǔ què 〈成〉 눈을 감고 참새를 잡다(실제를 무시하고 자신을 속이다). ¶你这么盲干瞎来, 岂不是～吗? 네가 이렇게 되는 대로 하는 것은 자신을 속이는 짓이 아니냐?
【掩旗息鼓】 yǎn qí xī gǔ 〈成〉 ⇨〔偃旗息鼓〕
【掩泣】 yǎnqì 동 〈文〉 얼굴을 가리고 울다. ¶她一时羞愧交加不禁～起来; 그녀는 일시에 부끄럼과 뉘우침이 뒤엉켜 얼굴을 가리고 울 뿐이었다.
【掩取】 yǎnqǔ 동 〈文〉 불의에 잡다. ¶～禽兽; 짐승을 뜻밖에 잡다.
【掩人耳目】 yǎn rén ěr mù 〈成〉 세상 사람의 이목을 가리다(세상을 속이다). ¶恶霸的伪善行为不过是～而已; 왕초의 위선 행위는 다만 세상을 속이려는 데 불과하다.
【掩入】 yǎnrù 동 〈文〉 슬그머니 들어가다. 몰래 숨어 들어가다.
【掩杀】 yǎnshā 동 〈文〉 기습하다. ¶～过来; 쇄도해 오다 / 出其不意一阵～; 허를 틈타 습격하다.
【掩饰】 yǎnshì 동 (부정·결점 등을) 숨기다. 꾸미다. 속이다. ¶～真相; 진상을 감추어 속이다 / ～自己的短处; 자기의 단점을 숨기다 / ～地说; 속여 말하다. 그 자리를 얼버무려 말하다 / 我知错了, 回头上头查问下来, 求您给我～～吧; 제가 잘못했음을 인정합니다. 나중에 상사한테 추궁을 당하면 제발 저를 감싸 주십시오.
【掩手】 yǎn shǒu 손을 끼우다. ¶留神门～; 문에 손이 끼이지 않도록 조심하다.
【掩死】 yǎnsǐ 동 살해하다. 모살(謀殺)하다.
【掩体】 yǎntǐ 명 〖軍〗 엄체(대포 등의 차폐물).
【掩头儿】 yǎntóur 명 중국옷·바지를 입을 때 겹치는 허리의 앞부분. ¶～大; 바지의 겹치는 부분이 크다.
【掩土】 yǎn·tǔ 동 흙을 덮다. 묻다. ¶撒了种子以后再～; 씨를 뿌린 뒤에 흙을 덮다 / 棺材下到穴里以后再～; 관을 구덩이 속에 내리고 나서 흙을 덮다.
【掩尾巴】 yǎn wěiba 〈俗〉 꼬리를 감춰라(문을 닫지 않은 것을 주의 주는 말).
【掩我】 yǎnwǒ 동 〈北方〉 남에게 모욕을 당하다.
【掩袭】 yǎnxí 동 〈文〉 엄습하다. ¶率领一军～敌营; 일군을 거느리고 적의 진영을 급습하다.
【掩心】 yǎnxīn 명 갑옷의 금속제의 가슴 호구(護具).
【掩袖】 yǎn xiù 소매로 얼굴을 가리다.
【掩眼】 yǎn·yǎn 동 눈을 가리다. ¶～法; 사람의 눈을 속이는 법.
【掩衣】 yǎnyī 명 〖佛〗 가사(袈裟)의 별칭.
【掩映】 yǎnyìng 동 〈文〉 ①서로 대조(對照)를 이루다. ¶桃红柳绿相互～; 복숭아꽃의 분홍색과 버드나무의 초록색이 서로 대조를 이룬다. ②표면에 나서지 않고 서로를 돋보이게 하다.
【掩遮】 yǎnzhē 동 은폐하다. ¶用窗帘～起来; 커튼으로 가리다. =〔掩盖gài〕
【掩着怀】 yǎnzhehuái (단추나 끈 따위를 쓰지 않고) 손으로 옷을 누르다. ¶你怎么～就出来了; 너는 어째서 단추도 안 채우고 나왔느냐.
【掩执】 yǎnzhí 동 〈文〉 붙잡다. 잡다. ¶巡捕打后头跑过来～着犯人的手; 조계(租界)의 순경이 뒤쪽에서 뛰어와 범인의 손을 잡았다.
【掩至】 yǎnzhì 동 불의에 치다. 갑자기 공격하다. ¶大军突然～; 대군이 갑자기 쳐들어오다.
【掩捉】 yǎnzhuō 동 (양손으로 덮쳐서) 붙잡다. ¶～小鸟; 양손으로 덮쳐서 새를 붙잡다.

晻 yǎn (암, 엄)
형 어둡다. 어둠침침하다. ⇒ àn

【晻暧】 yǎn'ài 형 〈文〉 어두운 모양.
【晻晻】 yǎnyǎn 형 〈文〉 햇빛이 희미하다. 어둡다.

罨 yǎn (엄)
〈文〉 ①동 덮다. 씌우다. ¶冷～法; 냉찜질법 / 热～法; 더운 찜질법. ②명 뚜껑. 밸브. ¶活～; 밸브(valve). ③명 덮어씌워 물고기를 잡는 그물.

俨(儼) yǎn (엄)
〈文〉 ①동 엄숙하다. 정중하다. ②부 마치. 꼭. 흡사 …(과 꼭 같다). ¶～如白昼; 꼭 대낮 같다 / 他们俩手拉着手, ～若夫妇; 그들 두 사람은 손에 손을 잡고, 마치 부부 같다.
【俨乎】 yǎnhū 형 엄한 모양.
【俨然】 yǎnrán 형 〈文〉 ①엄숙하고 위엄이 있다. ¶道貌～; 도의(道義)를 갖춘 사람의 모습은 엄숙하다. ②가지런히 정돈되어 있다. ¶屋舍～; 집들이 잘 정돈되어 있다. ③마치 …과 같다. 꼭 …과 같다. 흡사하다. ¶装扮起来, ～是一个老头儿; 분장하니까 마치 노인 같다.

弇 yǎn (엄)
〈文〉 ①동 씌우다. 덮다. ¶～陋; 식견이 얕다. ②명 아가리가 좁고 몸체가 큰 그릇.

衍 yǎn (연)
동 〈文〉 ①만연되다. ②가득 차 널리 퍼지다. ¶推～; 널리 퍼지게 하다 / 曼～; 만연하다. ③넘치다. 남다. 잘못 끼여든 불필요한 자구(字句). ④풍부하다. ¶军食丰～; 군량이 풍부하다.
【衍变推移】 yǎnbiàn tuīyí 동 변화 발전하다. 바뀌어 변하다.
【衍成】 yǎnchéng 동 〈文〉 넓혀지다. 발전하여 이루어지다.
【衍曼】 yǎnmàn 동 〈文〉 만연하다. =〔曼衍〕
【衍射】 yǎnshè 명동 〖物〗 회절(回折)(하다). =〔绕rào射〕
【衍生】 yǎnshēng 동 〈文〉 파생하다. ¶从拉丁语～出来的词; 라틴어에서 파생한 단어.
【衍生物】 yǎnshēngwù 명 〖化〗 유도체.
【衍文】 yǎnwén 명 〈文〉 연문(책 속의 군 자구(字句)).
【衍绎】 yǎnyì 동 부연하다. 의의를 펴 넓히다.
【衍溢】 yǎnyì 동 〈文〉 ⇨〔衍盈〕

〔衍盈〕 yǎnyíng 동 〈文〉 가득차서 넘치다. =〔衍溢〕

〔衍字〕 yǎnzì 명 〈文〉 연자. 글 가운데의 군 글자.

䶮(龑) yǎn (엄) 인명용 자(字). ¶刘～; 《人》 오대(五代)의 남한(南漢) 사람.

剡 yǎn (염) 〈文〉 ①형 날카롭다. ②동 깎다. 자르다. 날카롭게 하다. ⇒shàn

扊 yǎn (염) →〔扊扅〕

〔扊扅〕 yǎnyí 명 〈文〉 (문의) 빗장.

琰 yǎn (염) ①명 〈文〉 옥(玉)의 일종. ②인명용 자(字).

棪 yǎn (염) 인명용 자(字).

厣(厴) yǎn (염) 명 ①〈方〉 게의 복부 딱지(삼각형임). ②(우렁이·다슬기·소라 따위의) 권패(卷貝)의 패각 뚜껑.

魇(魘) yǎn (염) 동 ①가위 눌리다. ¶叫梦婆婆给～住了; 꿈을 꾸어 가위눌렸다. =〔发魇〕〔梦魇〕 ②요술로 인심을 현혹시키다. 요술로 사람을 죽이다. =〔魇魅mèi〕 ③〈方〉 잠꼬대를 하다.

〔魇虎子〕 yǎnhǔzi 명 미신에서, 사람이 잠을 잘 때 엄습하여 가위눌러 괴롭힌다는 요물. ¶叫～魇上了; 악몽에 시달렸다.

〔魇魅〕 yǎnmèi 동 요술로 사람을 죽이다. 주술로 사람을 죽이다.

〔魇魔〕 yǎnmó 명 가위(자는 사람을 놀라게 하는 귀신).

黡(黶) yǎn (염) (～子) 명 〈文〉 (피부의) 사마귀.

匽 yǎn (언) ①동 엎드리다. 감추다. 숨다. ②명 도랑.

偃 yǎn (언) ①동 〈文〉 뒤로 자빠지다. ②동 〈文〉 정지시키다. 그만두다. ③동 쓸리다. ④(Yǎn) 명 성(姓)의 하나.

〔偃傲〕 yǎn'ào 동 〈文〉 오만하다. 거들먹거리다.

〔偃草〕 yǎncǎo 동 ①풀이 바람에 쓰러지다. ②〈比〉 백성을 교화(教化)하다.

〔偃戈〕 yǎngē 동 〈文〉 ⇨〔偃武〕

〔偃革〕 yǎngé 동 〈文〉 ⇨〔偃武〕

〔偃甲〕 yǎnjiǎ 동 〈文〉 ⇨〔偃武〕

〔偃蹇〕 yǎnjiǎn 형 〈文〉 ①뽐내다. 으스대다. ②높다.

〔偃仆〕 yǎnpū 동 〈文〉 엎어지다.

〔偃旗息鼓〕 yǎn qí xī gǔ 〈成〉 ①깃발을 쓰러뜨리고 북치기를 그만두다(적이 눈치채지 않게 진군시키다). ②일을 중도에 포기하거나 도중에 기세가 약해짐을 이름. ¶买卖做得好好地, 怎么忽然～关门大吉了? 장사가 잘 되고 있었는데, 왜 갑자기 그만두고 가게를 닫았나? / 我从此～不再过问政事了; 나는 이제부터는 다시는 정치에 참견하지 않겠다. ③휴전하다. 정전하다. ¶双方～罢战三天; 쌍방이 3일 동안 휴전하다. ‖ =〔掩旗息鼓〕

〔偃师〕 yǎnshī 명 ①《人》 주(周)나라 때의 목각사(木刻師)의 이름. ②〈轉〉 인형 다루는 사람. 꼭두각시 놀리는 사람. ③《地》 허난 성(河南省)에 있는 현(縣)의 이름.

〔偃鼠〕 yǎnshǔ 명 《動》 두더지. =〔鼹鼠〕

〔偃松〕 yǎnsōng 명 《植》 오엽송. 잣나무.

〔偃卧〕 yǎnwò 동 〈文〉 바로 드러눕다.

〔偃武〕 yǎnwǔ 동 〈文〉 전쟁을 그만두다. 평화가 찾아오다. =〔偃戈〕〔偃革〕〔偃甲〕

〔偃武修文〕 yǎn wǔ xiū wén 〈成〉 무기를 창고에 넣어 두고 문교(文教)를 진흥시키다.

〔偃息〕 yǎnxī 동 쉬다. 휴식하다. ¶～自由; 옛날, 관리가 안일을 꾀하고 근무에 힘쓰지 않다.

〔偃仰〕 yǎnyǎng 동 〈文〉 엎드렸다 올려다보다 하다. 부침(浮沈)하다. 진퇴(進退)하다. ¶与世～; 세상과 더불어 부침하다.

〔偃月〕 yǎnyuè 명 ①초승달. ②반월형.

〔偃月刀〕 yǎnyuèdāo 명 언월도(긴 자루가 달린 초승달 모양의 큰 칼).

郾 yǎn (언) 지명용 자(字). ¶～城县; 《地》 옌청 현(郾城縣)(허난 성(河南省)에 있는 현 이름).

蝘 yǎn (언) 명 《蟲》 〈文〉 매미 종류.

〔蝘蜓〕 yǎntíng 명 《動》 도마뱀붙이. 수궁. =〔守宫〕〔壁虎〕

眼 yǎn (안) ①명 눈. ¶一双～; 양눈 / 一只zhī～; 외눈. 한쪽 눈 / ～花了; 눈이 흐릿해졌다〔침침해졌다〕 / 眯mī～; 눈을 가늘게 뜨다 / 亲～看; 친히 보다 / 瞪dèng～; 눈을 부릅뜨다 / 闪shǎn～; 흘끔 보다 / 碍ài～; 눈에 거슬리다. ②명 시력. 안력. ¶～拙zhuō; ⇩ / ～光高; 견식〔안목〕이 높다 / ～生; ⇩ ③(～儿) 명 작은 구멍. ¶耳朵～儿; 귓구멍 / 针～儿; 바늘 구멍 / 拿针扎一个～儿; 바늘로 구멍을 하나 뚫다 / 网wǎng～; 그물눈 / 肚脐～; 배꼽 / 鼻子～; 콧구멍. ④명 꿰뚫어보는 힘. →〔窟窿kūlong〕 ⑤(～儿) 명 요점(要點). 관절. ¶节骨～儿; 중요한 때. 중대한 포인트 / 腰～儿; 허리의 척추골의 양쪽 부분. 잔허리. ⑥중국 음악의 가락으로 '板'과 '板'과의 사이의 박자. ¶唱错了～了; 박자가 틀렸다. ⑦명 둥근 반점(斑點). ⑧명 바둑판의 눈. (바둑의) 목. ⑨조금. ¶加～; 조금 보태다. =〔点diǎn〕 ⑩양 우물·구멍·눈으로 보는 횟수를 세는 단위. ¶一～井; 우물 하나 / 看了一～就走了; 흘끔 한 번 보고 이내 가 버렸다.

〔眼巴巴(的)〕 yǎnbābā(de) 형 ①탐내는 모양. ¶～地看着橱窗里诱人的大蛋糕; 먹고 싶은 듯, 사람의 눈을 끄는 쇼 윈도 안의 커다란 카스텔라를 보고 있다. ②고대하고 있다. 애타게 기다리고 있다. ¶大家～地等着他回来; 모두들 하루가 천추 같은 생각으로 그가 돌아오기를 기다리고 있었다 / 老的在家里～地望着你; 부모들이 집에서 네가 돌아오기를 눈이 빠지게 기다리고 계시다. ③애석한 듯이 보고 있는 모양. ¶他～地看着猫把小鸡拖走了; 그는 고양이가 병아리를 채어 가는 것을 애석한 듯이 보고 있다.

〔眼白〕 yǎnbái 명 〈方〉 (눈알의) 흰자위. =〔巩gǒng膜〕

〔眼胞〕 yǎnbāo 명 ⇨〔眼泡pāo儿〕〔眼睑jiǎn〕

〔眼边(儿)〕 yǎnbiān(r) 명 눈언저리. 눈가. ¶～红; 눈언저리가 빨갛다 / 烂làn～; 진무른 눈.

〔眼波〕 yǎnbō 명 (흔히 여성의) 물처럼 맑은 눈. ¶～流转; 맑은 눈이 움직이다.
〔眼不错〕 yǎnbùcuò 눈을 떼지 않다. 눈도 깜박이지 않다. ¶～地看; 뚫어지게 보다.
〔眼不见为净〕 yǎn bù jiàn wéi jìng〈成〉보지 않으면 약. ¶这些儿女小冤家, 走得越远越好, ～, 省得惹我心烦; 이런 개구쟁이들은 멀리 가면 갈수록 좋다. 보지 않는 것이 약이라고, 내 걱정이 덜린단 말이야.
〔眼不见心不烦〕 yǎn bù jiàn xīn bù fán〈成〉보지 않으면 마음 썩일 일도 없다. 모르는 게 약. ¶～, 他不在我身边儿, 我也省了事了; 보지 않으면 걱정할 것도 없다. 그가 내 곁에 없으니 나도 마음이 가볍다.
〔眼不前儿〕 yǎnbùqiánr 명 ①눈앞. ②현재. 목하. 당면. ‖＝〔眼前〕
〔眼叉黑〕 yǎnchāhēi 날이 저물어 어두워져서 보이지 않는다. ¶～的时候; 어두컴컴할 때. ＝〔眼楂chá黑〕
〔眼插棒槌〕 yǎn chā bàngchuí 똥구멍에 북채를 찔러 박다(꼼짝 못 하게 만들다).
〔眼岔〕 yǎnchà 동 ①무엇을 보고 놀라다. 무엇에 겁을 내다(흔히, 뒤에 '了'를 수반함). ¶马忽然惊起来了, 许是～了吧; 말이 갑자기 놀라서 날뛰었는데, 아마 뭔가를 보고 놀랐던 것 같다 / 一时～把它摔下了; 뭔가에 놀라서 그것을 떨어뜨려 부쉈다. ②잘못 보고 착각을 일으키다. ¶刚才看见的不是蝎子, 是我～了; 아까 본 것은 전갈이 아니다. 내가 잘못 보았다.
〔眼馋〕 yǎnchán 동 보면 갖고 싶어하다. 부러워하다. ¶～不到嘴; 보면 먹고 싶어지지만 입에는 안 들어온다 / 看东西～; 물건을 보면 곧 갖고 싶어진다 / 你看我对他好就～是怎么着? 내가 그에 대해서 잘 해 주면 부러워하는데, 대관절 왜 그러느냐?
〔眼馋肚饱〕 yǎn chán dù bǎo〈成〉배가 부른데도 욕심이 나다〔먹고 싶어지다〕. ¶你点了这么多的菜, 不过是～, 其实是吃不下去的; 이렇게 많은 요리를 주문해도, 그냥 볼 뿐이지 실은 다 먹을 수 없다.
〔眼眵〕 yǎnchī 명 눈곱. ¶出～; 눈곱이 나오다. ＝〔〈俗〉眼屎〕〔〈文〉眼渣〕〔目mù屎〕
〔眼虫〕 yǎnchóng 명《動》연두벌레. 유글레나(Euglena).
〔眼瞅着〕 yǎnchǒuzhe〈俗〉보고 있는 사이에. 뻔히 보면서. ¶刚钓上一条鱼, 又～叫它跑了真可惜啊; 겨우 물고기를 한 마리 낚았는데, 뻔히 보면서 놓쳤으니, 정말 아깝다. ＝〔眼看着〕
〔眼穿〕 yǎnchuān 동 절실히 바라다. 고대하다. 몹시 기다리다. ¶盼你来信都望到～了; 당신의 편지를 고대하고 있습니다.
〔眼疮儿〕 yǎnchuāngr 명《醫》눈 가장자리에 난 종기.
〔眼错〕 yǎncuò 동 잘못 보다. 착각하다. ¶校对员一时～没校正出这个字来; 교정자가 잠깐 잘못보고 이 글자를 잡지 않았다〔교정하지 못했다〕.
〔眼错不见〕 yǎncuò bùjiàn 깜빡 눈을 떼다. 주의를 소홀히 하다. ¶～他就偷嘴吃; 그는 눈을 떼면 금세 훔쳐 먹는다.
〔眼大胆大〕 yǎn dà dǎn dà〈成〉견식이 넓으면 배짱도 두둑해진다.
〔眼大无神〕 yǎndà wúshén 생기없는 큰 눈. 보기에는 크지만 힘이 없는 눈.
〔眼大心肥〕 yǎn dà xīn féi〈成〉⇨〔眼空心大〕
〔眼丹〕 yǎndān 명《醫》다래끼. ＝〔针zhēn眼〕
〔眼底〕 yǎndǐ 명 ①눈 아래. ¶～风光; 눈아래 펼쳐지는 풍경 / 登楼一望, 全城景色尽收～; 누다락에 올라가서 바라보면 전 시가지의 경치가 한눈에 들어온다. ②《醫》안저. ¶～出血xuè; 안저 출혈.
〔眼底无人〕 yǎn dǐ wú rén〈成〉⇨〔眼中无人〕
〔眼底下〕 yǎndǐxia 명 ①눈앞. ¶他的眼睛近视得利害, 放到象～才看得清; 그의 눈은 심한 근시여서 눈앞에 갖다 놓아야만 똑똑히 알아본다. ②목전. 당면(當面). ¶以后的事以后再说, ～的事要紧; 나중 일은 나중에 하자. 당면한 일이 중요하다. ③〈比〉…의 비호. …의 영향하. ¶我不能在他的～讨生活; 나는 그의 밑에서 살길을 찾을 수는 없다.
〔眼点〕 yǎndiǎn 명《生》안점(하등 생물의 감각기관).
〔眼钉着看〕 yǎndīngzhe kàn 응시하다. 뚫어지게 보다. 주시하다. ¶你别～她; 그녀를 뚫어지게 주시하면 안된다.
〔眼毒〕 yǎndú 형 ①눈매가 험상궂다. 눈에 악의가 있다. ②눈빛이 날카롭다. 눈총기가 있다. ¶他～, 看一回永远忘不了; 그는 눈이 날카로워 한 번 보면 영원히 잊지 않는다. 동 질시하다. ¶招人～; 질시를 받다. 눈총맞다.
〔眼钝〕 yǎndùn 형 ①시력이 약하다. ¶请恕我～, 再请教一次尊姓大名; 제가 눈이 어두운 것을 용서하시고 다시 한 번 성함을 가르쳐 주십시오. ②눈에 총기가 없다.
〔眼发乱〕 yǎn fāluàn 눈이 피로하여 어질어질해지다. 현기증이 나다. →〔眼晕〕
〔眼风〕 yǎnfēng 명 곁눈질. 흘끗보는 시선. ¶飞个～给他; 흘끗 그에게 시선을 던지다. 그에게 잠깐 눈짓하다 / 看～行事; 눈짓에 따라 일을 하다.
〔眼缝儿〕 yǎnfèngr 명 눈을 가늘게 떴을 때의 눈시울의 사이.
〔眼福〕 yǎnfú 명 눈요기. ¶～不浅; 크게 눈요기가 되었다 / 以饱～; 실컷 눈요기하다. ＝〔眼睛福〕
〔眼盖〕 yǎngài 명 ⇨〔眼睑jiǎn〕
〔眼高〕 yǎngāo 형 ①눈이 높다. 인식이 높다. ②자부심이 강하다. 모든 것을 얕잡아 보다. ¶～于顶; 거만하여 안하무인이다 / 少年气性, ～一切; 젊은이의 성품은 자부심이 강해서, 뭣이나 대단치 않게 본다.
〔眼高手低〕 yǎn gāo shǒu dī〈成〉안식은 있지만 실제로 해보면 서투르다. 눈만 높고 실력이 따르지 않다. 비평은 잘하지만 실지로는 잘하지 못하다. ¶你别净～, 不信做做试试看; 입만 쓰고 실제는 잘하지 못한다면 안되지, 믿어지지 않는다면 한번 시험해 보아라. ＝〔眼高手生〕
〔眼高手生〕 yǎn gāo shǒu shēng〈成〉⇨〔眼高手低〕
〔眼格〕 yǎngé 명〈方〉시야(視野).
〔眼观八方〕 yǎn guān bā fāng〈成〉⇨〔眼观六路〕
〔眼观鼻〕 yǎnguānbí 동〈比〉눈을 내리깔다. 고개를 숙이다. ＝〔鼻观心〕
〔眼观鼻鼻观心〕 yǎn guān bí bí guān xīn ①규율이 바른 모양. ②《佛》좌선 관법(坐禪觀法)의 하나. ¶～地打座; 시선을 내리깔고, 코의 중심을 보고 좌선하다.
〔眼观鼻, 鼻观眼〕 yǎn guān bí, bí guān yǎn ①눈으로 코를 보고, 코로 눈을 보다(눈과 코 사이에 있다. 규칙적인 모양). ②《佛》시선을

내리깔고 하는 좌선법의 일종.
〔眼观六路〕 yǎn guān liù lù 〈成〉 사방을 구석구석까지 보다(무예 수련의 기술). ¶～, 耳闻八方; 눈으로 육방을 보고, 귀로 팔방을 듣는다. =〔眼观八方〕
〔眼光〕 yǎnguāng 명 ①눈. 시선. 눈매. ¶大家的～都集中到他身上; 모든 사람의 눈이 그에게 집중되어 있다 / ～慈祥; 눈매가 부드럽다 / ～霍霍; 안광이 날카롭다. ②안식. 착안(着眼). 예견(豫見). ¶～短浅; 보는 눈이 없다. 식견이 얕다 / ～狭小; 시야가 좁다 / 不对他的～; 그의 안식에는 못 당한다. ③〈比〉 생각. 취미. ¶这样的东西怕不对他的～; 이런 물건은 그의 취미에 맞지〔마음에 들지〕 않을 것이다.
〔眼黑〕 yǎnhēi 형 ①〈轉〉 탐욕스럽다. ¶～手辣; 탐욕스럽고 악랄하다. ②눈앞이 캄캄하다. ¶头晕yūn～; 머리가 어지럽고 눈앞이 캄캄하다.
〔眼红〕 yǎnhóng 형 ①물건을 보고 갖고 싶어지다. 부럽다. ②화가 나서 눈에 핏발이 서다. ¶仇人见面, 分fèn外～; 〈成〉 원수를 만나면 울컥 화가 치민다. ③부러워하다. 갖고 싶어하다. ¶他听到这个消息, 又～人家; 그는 이 소식을 듣자, 그 사람을 부러워하였다.
〔眼花〕 yǎnhuā 형 눈이 흐려지다. 눈이 어질어질하다. ¶头昏～; 머리가 핑 돌고 눈이 가물가물해지다 / 见利～; 이익에 눈이 어둡다 / 我老了, 已经～了; 나는 늙었다. 이제 눈이 아물아물하게 됐다.
〔眼花耳热〕 yǎn huā ěr rè 〈成〉 ①눈이나 귀에 번거롭다. ②보고 싶고 듣고 싶어 안절부절못하다.
〔眼花缭乱〕 yǎn huā liáo luàn 〈成〉 다채로워 눈이 어지럽다. ¶城里五光十色, 让人看得～; 거리의 찬란한 아름다움을 보니 눈이 어지러울 정도다.
〔眼花儿〕 yǎnhuār 명 〈比〉 무척 사랑하는 것. ¶看着他女儿好像～似的; 그는 딸에 대해서는 눈에 넣어도 아프지 않은 모양이다.
〔眼犄角儿〕 yǎnjījiǎor 명 〈方〉 눈초리. ¶别拿～看人; 사람을 흘겨보지 마라〔곁눈질로 보지 마라〕. =〔眼角(儿)〕〔〈文〉 眼眦zì〕
〔眼疾〕 yǎnjí 명 《醫》 안질. 눈병.
〔眼疾手快〕 yǎn jí shǒu kuài 〈成〉 (동작이) 기민하다. 재빠르다. ¶他～, 抓住一缕草缨子才脱了险; 그는 날쌔게 한 가닥의 덩굴을 잡아 간신히 위험을 벗어났다. =〔手疾眼快〕
〔眼尖〕 yǎnjiān 형 ①안광이 날카롭다. ②눈이 빠르다. ¶小孩子很～; 어린아이는 눈치가 빠르다 / ～耳灵; 눈이 빠르고 귀가 밝다. 민감하다. ‖ =〔眼快〕
〔眼尖手快〕 yǎn jiān shǒu kuài 〈成〉 눈치가 빠르다. 매우 민첩하다. ¶干活儿～一会儿就做完了; 일을 민첩하게 해서 금방 끝내다. =〔眼明手快〕
〔眼尖腿快〕 yǎn jiān tuǐ kuài 〈成〉 발이 날쌔다. 동작이 민첩하다. ¶各位都够～的, 一见有好事儿就都跑来了; 여러분은 매우 민첩하여 좋은 일이 있다는 것을 알면 곧 달려온다. =〔眼尖足捷〕〔眼快足捷〕
〔眼尖足捷〕 yǎn jiān zú jié 〈成〉 ⇨〔眼尖腿快〕
〔眼睑〕 yǎnjiǎn 명 《生》 눈꺼풀. =〔眼胞〕〔眼盖〕
〔眼见〕 yǎnjiàn 동 눈앞에 보다. 선히 보다. 직접 보다. ¶～为真; 제 눈으로 보는 것이 확실하다.
〔眼见得〕 yǎnjiànde 〈方〉 분명히. 순식간에(흔히, 상황이 나쁜 경우를 말함). ¶病人～不行了; 병자는 누가 봐도 가망이 없는 것으로 생각되었다 / ～又不成了; 빤히 보면서 또 잡쳤다.
〔眼见活见〕 yǎn jiàn huó jiàn 〈成〉 눈으로 직접 보다. ¶这是我～的事, 能假jiǎ得了liǎo吗? 이것은 내가 직접 본 일이야. 거짓말일 수가 있니? =〔眼见目睹〕
〔眼见目睹〕 yǎn jiàn mù dǔ 〈成〉 ⇨〔眼见活见〕
〔眼见是实, 耳闻是虚〕 yǎnjiàn shì shí, ěrwén shì xū 〈諺〉 소문으로 들은 것은 믿을 수 없지만, 직접 본 것은 확실하다. ¶～, 你又没看见, 怎么能说他胡说呢? 본 것은 확실하지만, 소문은 믿을 수 없다는 속담이 있다. 하물며 넌 보지 않았지 않아. 어떻게 그가 터무니없는 소리를 하고 있다고 말할 수 있느냐? =〔耳听为虚, 眼见为实〕
〔眼角(儿)〕 yǎnjiǎo(r) 명 눈초리. ¶用～瞟了瞟我; 곁눈질로 흘끔 나를 보았다 / 连～都没扫过他; 그를 거들떠보지도 않았다. =〔眼犄jī角儿〕
〔眼睫睫(的)〕 yǎnjiéjié(de) 형 눈을 크게 뜨고 보고 있다. ¶～地看着我; 눈을 말똥말똥 뜨고 나를 보고 있다.
〔眼睫毛〕 yǎnjiémáo 명 〈口〉 속눈썹. =〔〈京〉 眼眨毛〕〔睫毛〕
〔眼界〕 yǎnjiè 명 안력이 미치는 곳. 눈에 보이는 한도. 안계. 시야. ¶～不宽; 안계가 좁다 / 到外国去开开～; 외국에 가서 시야를 넓히다.
〔眼精〕 yǎnjīng 형 눈이 밝다〔날카롭다〕. 눈치가 빠르다. ¶行家～, 打不了眼; 장사꾼은 눈치가 빨라서 잘 못 사는 일은 없다.
〔眼镜(儿)〕 yǎnjìng(r) 명 안경. ¶戴～; 안경을 쓰다 / 配～; 안경을 맞추다〔사다〕 / ～字儿; 〈俗〉 안경의 도(度) / ～框kuàng儿 =〔～架〕; 안경테 / ～光儿; 안경알 / ～片; 안경 렌즈 / ～套儿; 안경집 / ～腿儿; 안경 다리 / 太阳～; 선글라스 / 老花～; 노안경. 돋보기 / 有色～; 색안경 / 无形～ =〔接触～〕〔隐形～〕; 콘택트 렌즈.
〔眼镜蛇〕 yǎnjìngshé 명 《動》 코브라(독사).
〔眼睛〕 yǎnjing 명 ①눈알. 눈. ¶～珠儿; 안구 / ～福; 눈요기. 눈의 복 / 你～长在后脑勺上啦! 네 눈은 어디 붙어 있는 것이냐! / 睁大～看; 눈을 크게 뜨고 보다 / ～出火; 눈에 노기를 나타내다. ②안중. 보는 눈. ¶有～的人; 사람을 보는 눈〔안목〕이 있는 사람.
〔眼睛狸鸡子似的〕 yǎnjing líjīzi shìde 눈이 너구리나 닭 같다. 〈比〉 눈을 두리번거리다. ¶他～嘀溜儿转zhuàn, 不定想什么鬼主意呢; 그는 눈을 두리번거리며 침착하지 않은 것을 보니, 아마도 어떤 못된 음모를 꾸미고 있는 것 같다.
〔眼睛皮直打架〕 yǎnjingpí zhí dǎjià 눈꺼풀이 연해 싸움을 하다. 〈比〉 자꾸 졸음이 오다. ¶困得我～; 졸려 죽겠다.
〔眼睛生在额角头〕 yǎnjing shēngzai éjiǎotóu 〈比〉 오만하여 남을 깔보다.
〔眼开〕 yǎnkāi 동 ①눈이 뜨이다. ②방긋 웃다. ¶见钱～; 돈을 보고 방긋 웃다.
〔眼看〕 yǎnkàn 동 눈으로 보다(강조하는 말). ¶我～着他长大的; 나는 이 눈으로 그가 성장하는 것을 보았다. 부 ①금세. 곧. 삽시간에. ¶～就要冻死; 금세 얼어죽을 것 같다 / ～就要过年了; 이제 곧 정월이다 / ～就要下雨了; 곧 비가 온다 / 墙～就要塌了; 담이 당장 무너질 것 같다. ②그냥. 빤히 보고도(흔히, '着'을 수반함). ¶～让小偷儿跑掉了; 빤히 보고도 도둑을 놓쳤다 / 我们不

能～着庄稼干死; 우리는 농작물이 말라 죽는 것을 그냥 가만히 보고만 있을 수는 없다 / 这么重要的事, 我怎么能～着不管; 이렇게 중요한 일을 내가 어떻게 뻔히 보고 상관하지 않을 수 있겠느냐. =〔眼瞧着〕

〔眼科〕 yǎnkē 명 〖醫〗 안과.

〔眼空四海〕 yǎn kōng sì hǎi 〈成〉 안하 무인이다. 무서운 것이 없다. ¶少年人刚学了两手儿就～, 那不是自讨苦吃吗? 나이도 어린 젊은이가 두세 수 배웠다고 벌써 안하무인의 태도니, 스스로 고생을 자초하는 일이 아닌가?

〔眼空心大〕 yǎn kōng xīn dà 〈成〉 우쭐하다. ¶人要是～, 他的前途就到此为止了; 만일에 사람이 거만해지면, 그 사람의 앞날은 이미 그것으로 끝장이다. =〔眼大心肥〕

〔眼孔〕 yǎnkǒng 명 ①〖生〗 안공. 눈구멍. ②안계(眼界). 식견. 견해. 시야. ¶～浅; 견식이〔시야가〕 좁다.

〔眼库〕 yǎnkù 명 안구 은행. ¶设立～; 안구 은행을 설립하다.

〔眼快〕 yǎnkuài 형 ⇨〔眼尖〕

〔眼快足捷〕 yǎn kuài zú jié 〈成〉 ⇨〔眼尖腿快〕

〔眼宽〕 yǎnkuān 형 ①시야가 넓다. 견식이 높다. ②안면이 넓다.

〔眼眶〕 yǎnkuàng 명 ①눈가. 눈 언저리. ¶～里含着泪水; 눈가에 눈물이 배어 있다 / ～发青; 눈언저리가 거멓다 / 他揉了揉～; 그는 눈가를 비볐다 / ～陷下去了; 눈 언저리가 쑥 들어갔다. ②〈轉〉 거만. 거드름. ¶～大; 거만하다. 건방지다 / 你别那么～大; 그렇게 거만하게 굴지 마라.

〔眼眶窝〕 yǎnkuàngwō 명 눈이 움푹 들어간 곳.

〔眼蓝〕 yǎnlán 형 허둥대는 모양. 당황해하는 모양. ¶他为这件事正急得～; 그는 이 일 때문에 마침 당황하고 있는 판이다.

〔眼泪〕 yǎnlèi 명 〈口〉 눈물. ¶流着～; 눈물을 흘리고 있다 / ～疙瘩; 눈물 방울 / ～汪汪; 눈물이 하염없이 흐르는 모양 / ～围着眼圈儿转; 글썽거리는 눈물을 꾹 참다 / ～扑簌pūsù =〔～扑撒pūsā〕; 눈물을 글썽거리다 / 笑出～来; 너무 우스워 눈물이 난다.

〔眼离〕 yǎnlí 동 〈方〉 환각을 일으키다. 놀라서 눈이 휘둥그래지다. ¶牲口一～就惊了; 가축은 놀라자 갑자기 날뛰었다.

〔眼力〕 yǎnlì 명 ①안력. 시력. ¶～差了; 시력이 떨어졌다. ②안식. 안목. 감별력. ¶有～; 안식이 높다. 보는 눈이 있다 / 先生好～, 我实在佩服; 선생은 안목이 높으십니다. 저는 정말 감탄합니다.

〔眼力见儿〕 yǎnlìjiànr 명 눈치 빠름. ¶这孩子很有～; 이 애는 눈치가 빠르다.

〔眼里〕 yǎnli 명 안중(眼中). 눈 속. ¶他～没我; 그의 안중에는 나는 없다. 그는 나를 문제시하지 않는다 / 在她～, 我还是个孩子; 그녀가 볼 때, 나는 여전히 아이일 뿐이다 / 看在～, 记在心里; 눈에 새겨두고 마음 속에 기억해 두다.

〔眼里不揉沙子〕 yǎnli bù róu shāzi 눈 속의 모래는 비빌 수 없다. 〈比〉 속임을 당하지 않는다. ¶光棍～, 你骗piàn我可不成; 사내 대장부는 속거나 하진 않으니, 너는 나를 속이려 해봤자 소용없다.

〔眼里插棒槌〕 yǎnli chā bàngchui 눈속에 몽둥이나 망치를 집어 넣다. 〈比〉 일이 매우 분명한 것. ¶你甭在我头里耍shuǎ花招儿, ～, 我看得可清楚得很呢; 너는 내 눈앞에서 속임수를 쓸 필요는 없다. 일은 빤해, 나는 똑똑히 알고 있다.

〔眼里见儿〕 yǎnlijiànr 눈치가 빠르다. 재치가 있다. ¶我那个听差的很有～, 无论什么事情, 我还没有吩咐他, 他会早办好了; 내가 데리고 있는 애는 아주 눈치가 빨라, 무슨 일이든 내가 시키기 전에 미리 잘 처리한다. =〔眼力见儿〕

〔眼里冒金星〕 yǎnli mào jīnxīng 눈이 어른거리다. 현기증이 나다. ¶气得我～; 화가 나서 눈에서 불이 난다 / 一拳打得我～; 주먹으로 한대 맞고 눈에서 불꽃이 튀었다.

〔眼里没人〕 yǎnli méirén 안하무인이다. 거만하다. =〔眼中无人〕

〔眼里没水〕 yǎnli méishuǐ 사물을 분간할 눈〔안목〕이 없다. 생각이 없다. ¶可是有的人～, 硬是瞧不起你; 하지만 사물을 분간할 안목이 없어서, 아무래도 너를 깔보려는 축도 있는 것이다.

〔眼里揉沙子〕 yǎnli róu shāzi 눈에 모래를 비벼 넣다(남의 눈을 속이다). ¶谁想往我～, 那才是做梦哩! 누구든 내 눈을 속이려 든다는 것은, 망령된 생각이다! / 眼里不揉沙子; 눈 안에서 모래를 비빌 수는 없다(속아 넘어가지 않는다).

〔眼帘〕 yǎnlián 명 ①〖生〗 홍채막(紅彩膜). ②〈轉〉 (문학적 묘사에서) 눈. 시야. ¶一片丰收的景色映入～; 한 편의 풍작의 풍경이 눈에 비친다 / 遮挡～; 시야를 가리다 / 那时候的情形, 现在还映在我的～呢; 그 때의 상황은 지금도 내 눈에 선합니다.

〔眼亮〕 yǎnliàng 형 ①(사람·사물에 대하여) 견식이 있다. ¶～心明; 시비를 잘 분간하다. ②잘 보이다. 전망이 좋다. ¶村边～的地方; 마을 변두리의 전망이 좋은 데. ③남에게 속아 넘어가지 않다. 약빠르다.

〔眼毛〕 yǎnmáo 명 〈吳〉 속눈썹.

〔眼眉〕 yǎnméi 명 〈方〉 눈썹. ¶～前; 눈앞. 직접. 친히. =〔眉毛máo〕

〔眼蒙〕 yǎnméng 명 ⇨〔眼罩〕

〔眼迷心乱〕 yǎn mí xīn luàn 〈成〉 심신(心神)이 산란하다.

〔眼面前(儿)〕 yǎnmiànqián(r) 형 〈方〉 흔하다. ¶～的话; 일상 쓰는 말. 명 외관. 겉모양. ¶好hào做～的; 겉으로 꾸미기를 좋아한다 / ～很勤谨; 보기엔 근면하다.

〔眼明〕 yǎnmíng 형 눈이 밝다. ¶～心亮; 〈成〉 ⓐ눈도 마음도 밝다. ⓑ〈方〉 보고 몹시 갖고 싶어지다.

〔眼明手快〕 yǎn míng shǒu kuài 〈成〉 ⇨〔眼尖手快〕

〔眼目〕 yǎnmù 명 ①요점. 안목. ¶问题的～就在这里; 문제의 요점은 여기에 있다. ②눈. 시선. ¶避人～; 남의 눈을 피하다 / 强烈的灯光眩人～; 강렬한 불빛이 눈에 부시다. ③〈轉〉 밀정. 간첩. ¶在公司里要安个～; 회사 안에 밀정을 들이다 / 给敌人当～; 적을 위해 스파이가 되다.

〔眼目下〕 yǎnmùxià 명 〈文〉 지금. 현금(現今). 목하.

〔眼幕〕 yǎnmù 명 〈文〉 시계(視界). 시야.

〔眼泡儿〕 yǎnpāor 명 윗눈꺼풀. ¶～哭肿了; 울어서 눈이 부었다 / 肉～; 두툼한 윗눈꺼풀. =〔上眼皮〕〔眼胞〕

〔眼皮(儿)〕 yǎnpí(r) 명 ①〈口〉 눈꺼풀. ¶双～; 쌍꺼풀눈 / 睐～; 눈을 깜박거리다 / ～打架; 졸리다. 졸려서 눈이 감기다 / 翻fān着上～看人; 눈을 치뜨고 사람을 보다. ②〈轉〉 안계〔시야〕 견식. 교제의 범위. ¶～高; 품격이 높다. 착안점(着眼

點)이 높다 / ～薄; 시야가 좁다 / ～杂; 교제가 넓다. 얼굴이 넓다 / ～底下的事都顾不过来, 哪里还有时间管闲事? 눈앞의 일조차 돌아보지 못하는데 쓸데없는 일에 매달릴 틈이 어디 있어?
〔眼皮儿尖〕 yǎnpírjiān 눈이 날카롭다. 예리하다. 잘 식별하다. ¶这些知识分子～, 什么都瞒不了他们; 이 인텔리들은 눈이 날카로워, 무슨 일이나 속일 수가 없다.
〔眼皮儿宽〕 yǎnpírkuān ①교제가 넓다. 아는 사람이 많다. ¶您～, 我求您给我打听点儿事儿; 당신은 안면이 넓으니까, 제발 알아봐 주십시오. ②도량이 넓다. ¶好在您～, 就饶他这一回吧; 다행히 당신은 도량이 넓으니까, 이번만은 그를 용서해 주십시오.
〔眼皮子〕 yǎnpízi 명 눈꺼풀. ¶困得～都睁不开了; 졸려서 눈을 뜰 수 없다. =〔眼皮(儿)〕
〔眼皮(子)底下〕 yǎnpí(zi) dǐxià 명 ①곁. 앞. 눈앞. ¶别在我～说大话; 내 앞에서 허풍떨지 마라 / 你怎么连～这点事儿都办不了? 너는 목전의 이런 일도 처리하지 못하느냐? ②〈比〉견식. ¶他就是器量小, ～容下得人; 그는 기량이 작아 사람을 포용하는 견식이 없는 것이 결점이다.
〔眼皮子浅〕 yǎnpíziqiǎn 생각이 얕다. 보는 눈이 천박하다. ¶他～, 贪小便宜; 그는 안목이 짧아 눈앞의 작은 이익만 탐낸다.
〔眼气〕 yǎnqì 동 ①탐내다. 부러워하다. ¶父母给姐姐买嫁妆, 妹妹看得直～; 부모가 언니에게 혼수를 사 주었더니, 동생이 보고 자꾸 부러워하고 있다. ②수긍하다. 찬성하다. 동의하다. ¶虽没表示, 那样子却十分～; 견해를 표명하지 않고 있지만, 그 모양으로는 대개는 찬성인 것 같다.
〔眼前〕 yǎnqián 명 ①눈앞. ¶～利益; 눈앞의 이익 / 他的～是一片金黄色的麦田; 그의 눈앞에는 일면의 황금색 보리밭이다 / 东西就在你～; 물건은 바로 당신의 눈앞에 있다. ②현재. 목전. ¶决定～的目标; 당장의 목표를 정하다 / 只顾～, 不思日后; 다만 눈앞의 일만을 생각하고, 장래의 일은 생각지 않는다.
〔眼前花(儿)〕 yǎnqiánhuā(r) 명 눈앞의 꽃. 〈比〉자녀. ¶儿女都跟～似的, 可爱是可爱, 一大就都散sàn了; 자녀는 눈앞의 꽃과 같은 것. 귀엽기는 귀엽지만, 크면 다 떠나 버린다.
〔眼前欢〕 yǎnqiánhuān 명 ①눈앞의 쾌락. 일시적 쾌락. ¶为了～欠下终身债; 한 때의 쾌락을 위해서 평생의 빚을 남긴다 / 只图～不管将来; 다만 일시의 쾌락을 도모하고 장래를 생각지 않는다. ②가장 사랑하는 사람. 눈에 넣어도 아프지 않은 사람. ¶他就是我的～; 그는 내가 가장 사랑하는 사람이다.
〔眼前亏〕 yǎnqiánkuī 명 눈앞의 손실. 바로 닥친 손실. ¶明白人不吃～; 도리를 아는 사람은 지금 당장 신상에 닥칠 손실은 입지 않는다.
〔眼浅〕 yǎnqiǎn 형 생각이 얕다. 식견이 좁다.
〔眼瞧着〕 yǎnqiáozhe 부 ⇨〔眼看②〕
〔眼球〕 yǎnqiú 명 《生》 안구. 눈알.
〔眼圈〕 yǎnquān (～儿, ～子) 명 눈 언저리. 눈가. ¶一夜没睡好, ～发黑; 하루 밤새 잠을 못 자서 눈가가 거멓다 / ～一红落下泪来; 눈 언저리가 붉어지며 눈물을 흘렸다.
〔眼儿〕 yǎnr 명 ①구멍. ¶鼻子～; 콧구멍 / ～～; 구멍《어린이말》/ 钮niǔ子～; 단춧구멍. ②요점. 요소. ③〈俗〉 기회. 틈. ¶见～就钻; 틈을 보아 아첨하다 / 这家伙见～就钻zuān, 没人格儿透了; 이놈은 기회만 보면 사람에게 빌붙으니, 인격이라곤 찾아볼 수도 없다. ④어린아이가 눈을 깜박거림. ¶～一个! (아기에게) 눈을 깜박거려 보렴! ⑤눈.
〔眼儿猴了〕 yǎnr hóule 〈俗〉 잡치다.
〔眼儿热〕 yǎnrrè 동 부러워하다《비꼬는 기분이 담김》
〔眼热〕 yǎnrè 동 ①(물건을 보고) 몹시 갖고 싶어 하다. 부러워하다. ¶我没有什么值得你～的财产的; 나는 네가 눈을 밝히고 부러워할 정도의 재산을 갖고 있지 않다 / 看人有好东西就～; 남이 좋은 물건을 갖고 있는 것을 보고 부러워하다. ②부럽다. ¶我看人家念书很～; 나는 남이 공부하고 있는 것을 보면 부럽다. 注 '眼儿热'로 하면 비꼬는 뜻이 가미됨.
〔眼软〕 yǎnruǎn 형 눈물이 헤프다. 툭하면 눈물을 보이다. ¶～的老婆婆; 눈물이 헤픈 할머니.
〔眼色〕 yǎnsè 명 ①눈의 힘. 보는 눈. ¶他是有～的人; 그는 잘 깨닫는 사람이다 / 没～; 임기 응변책이 없다. ②눈으로 뜻을 나타냄. 눈짓. 눈빛. ¶使shǐ～; 눈짓하다.
〔眼梢(儿)〕 yǎnshāo(r) 명 〈方〉 눈초리. ¶～眉角儿带出点儿喜意来; 눈초리나 눈썹 부근에 기쁜 표정이 떠오르다.
〔眼神〕 yǎnshén 명 ①눈매. 눈씨. 눈의 표정. ¶～阴险; 눈매가 험악하다 / 使～ =〔递～〕; 눈짓하다 / ～温和; 눈길이 부드럽다 / 那～好像埋怨着他; 그 눈의 표정은 그를 원망하고 있는 것 같다. ②생기가 있는 눈빛. ¶没有～; 눈에 생기가 없다. ③(～儿)〈方〉 시력. ¶老人～散sǎn了; 노인이 시력이 약해졌다.
〔眼神儿〕 yǎnshenr 명 〈方〉 ①눈매. 시선. ②눈짓. ¶使～; 눈짓하다. ③시력. ¶我～不好, 天一黑就看不清了; 나는 눈이 좋지 않아 해가 지면 잘 보이지 않는다.
〔眼生〕 yǎnshēng 형 눈에 설다. ¶这个字我看着～; 이 글자가 나는 낯설다 / 几年不到这儿来, 连从前最熟的路也～了; 몇 해 이 곳에 오지 않았으므로 전에 잘 알던 길도 생소해지고 말았다.
〔眼时〕 yǎnshí 명 〈方〉 지금. 목하. ¶从前兴xīng～不兴了; 전에는 홍성했는데, 지금은 성하지 못하다. 부 곧. 즉시. ¶我～就去吧; 나는 곧 가겠습니다.
〔眼屎〕 yǎnshǐ 명 ⇨〔眼眵chī〕
〔眼熟〕 yǎnshú 형 눈에 익다. 잘 알고 있다. 본 기억이 있다. ¶这人看着很～, 可想不起来; 이 사람은 어디선가 만난 적이 있는 것 같은데, 기억이 나지 않는다. →〔眼生〕
〔眼竖眉横〕 yǎn shù méi héng 〈成〉 눈을 치뜨고 눈썹을 치켜올리다《험악한 표정. 성난 시선의 비유》. ¶看你那副～的样子! 在尊长面前怎么可以这样; 그 노한 표정은 뭐냐! 윗사람 앞에서 그래도 되는 거냐.
〔眼丝〕 yǎnsī 명 도둑을 쫓는 사람. 포졸.
〔眼丝儿〕 yǎnsīr 명 극히 적은 것《뒤에 부정사(否定詞)가 옴》.
〔眼算〕 yǎnsuàn 명동 암산(하다). =〔心xīn算〕
〔眼跳〕 yǎntiào 동 눈꺼풀이 파르르 떨리다《불행이 있을 조짐이라 함》.
〔眼跳心惊〕 yǎn tiào xīn jīng 〈成〉 눈꺼풀이 파르르 떨리고 가슴이 두근거리다. ¶我这两天～, 别是要出什么事儿吧; 나는 요 2,3일 눈꺼풀이 파르르 떨리고 가슴이 뛰는데, 무슨 불행이라도 일어나지 않으면 좋겠는데.
〔眼同〕 yǎntóng 부 〈文〉 함께. 같이. 입회(立會)

하여. ¶这笔财物我已经～证人点交给他了; 이 재산은 이미 증인 입회하에 조사해서 그에게 인도했다.

〔眼头里〕 yǎntóuli 명 ①전방. 눈앞. ②가까운 곳. 손이 미치는 범위. ¶店里缺头寸, ～就过不去, 还等得到年关吗? 가게는 돈줄이 막혀 지금 당장 지낼 수 없는 지경인데, 어찌 연말까지 지탱할 수 있겠는가?

〔眼突〕 yǎntū 형 눈치 빠르다.

〔眼窝(儿)〕 yǎnwō(r) 명 안와(眼窩). 눈구멍. ¶～都深深地陷了进去; 눈이 휑 들어가다 / 睡眠不足, ～发黑; 수면 부족으로 눈 언저리가 거멓게 됐다.

〔眼窝儿浅〕 yǎnwōr qiǎn ①견식이 얕다. ¶到底是年轻人～, 见识不够; 아무래도 아직 젊어 견식이 부족하다. ②〈比〉 눈물이 헤프다. 동정심이 강하다. ¶这孩子是个泪包儿, 一碰就哭, ～极了; 이 아이는 울보라 조금만 건드려도 금세 운다. 정말 눈물이 헤프다.

〔眼瞎〕 yǎnxiā 동 눈이 안 보이다. 장님이다. ¶这位先生～心不瞎, 他那个心呀, 可灵得很呢! 이 분은 눈은 보이지 않지만 마음은 멀지 않아, 아주 눈치가 빠릅니다.

〔眼下〕 yǎnxià 명 〈文〉 목하. 현재. ¶只是～且难得这一个替考的人; 다만, 현재는 잠깐 대리 시험을 봐 줄 사람을 물색하기가 어렵다. 형 못하다. ¶我看比你这个高中生不～; 너와 같은 고교생보다 못하지 않다고 생각한다.

〔眼下饭〕 yǎnxiàfàn 명 남의 밥. 남에게 얻어먹는 밥. ¶吃～; 남에게 얻어먹다 / 吃人家的～, 受人家的脚板气; 남의 밥을 먹으려면 모욕도 당해야 한다.

〔眼线〕 yǎnxiàn 명 ①시선. ②밀정(密偵). 감시(자). ¶城里都布上～了; 거리에 온통 감시자를 배치했다 / 顺着～追缉jī; 정찰 결과를 더듬어 추적 체포하다 / 派～侦察去; 탐정을 보내어 정찰하다. =〔内nèi线〕

〔眼斜〕 yǎnxié 명형 사시(이다). 사팔뜨기(이다). ¶～心不正鼻歪意不端; 〈諺〉 눈이 바르지 못하면 마음이 바르지 않고, 코가 비뚤어지면 생각이 단정하지 않다.

〔眼饧骨软〕 yǎn xíng gǔ ruǎn 〈成〉 눈은 풀어지고 뼈는 흐늘흐늘하다(주책없이 기뻐하는 모양).

〔眼眩〕 yǎnxuàn 형 눈부시다.

〔眼压〕 yǎnyā 명 《醫》 안압. 안내압(眼內壓). =〔眼内压〕

〔眼药〕 yǎnyào 명 안약. ¶上～(水); 안약을 넣다 / ～膏gāo; 안연고.

〔眼语〕 yǎnyǔ 명 〈文〉 눈빛으로 의사를 통함. ¶～心通; 눈으로 마음이 통하다.

〔眼晕〕 yǎnyùn 동 어지럽다. 현기증이 나다. ¶～昏花; 현기증이 나서 어지럽다.

〔眼渣〕 yǎnzhā 명 ⇨〔眼眵〕

〔眼眨毛〕 yǎnzhamáo 명 〈京〉 속눈썹. =〔眼睫jié毛〕〔睫毛〕

〔眼罩〕 yǎnzhào 명 안대(眼帶). (말 따위의) 눈가리개. ¶给马带上～好叫它拉车往前走; 말에 눈가리개를 씌우는 것은 수레를 끌고 앞으로 달리게 하기 위해서다. =〔眼蒙〕

〔眼睁睁(的)〕 yǎnzhēngzhēng(de) 형 ①눈을 멀뚱멀뚱 뜨고 있는 모양. ¶～地把他放跑了; 빤히 보면서 놓쳐 버렸다 / 他又～没事干了; 그는 또다시 눈을 멀뚱멀뚱 뜨고서 일을 놓쳤다. ②〈古白〉 주시(注視)하는 모양. ¶～难辨西东; 〈古白〉 자세히 봐도 동서를 분간하기 어렵다.

〔眼中刺〕 yǎnzhōngcì 명 눈엣가시. 방해물. 눈위의 혹(몹시 싫어하는 것에 비유함). ¶他嫉妒我, 恨不能立刻拔掉这根儿～似的; 그는 나를 질투하고 있어, 이 눈엣가시를 당장에라도 뽑아버리고 싶어하는 것 같다.

〔眼中钉〕 yǎnzhōngdīng 명 〈比〉 눈엣가시. 보기 싫은 사람. 방해되는 사람. ¶自古忠奸势不两立, 你已经成了他们的～了; 자고로 충신과 간신은 양립하지 않으니, 당신은 이미 그들에게는 눈엣가시이다.

〔眼中钉, 肉中刺〕 yǎn zhōng dīng, ròu zhōng cì 〈成〉 눈엣가시. ¶后娘把我看成～, 恨得牙痒痒yǎngyang; 계모는 나를 눈엣가시로 여겨 이를 갈고 있다.

〔眼中人〕 yǎnzhōngrén 명 마음 속의 사람. 연인. ¶～怎么还不来啊, 可把我盼死了! 그이는 왜 안 올까. 난 애가 타서 죽을 것만 같은데!

〔眼中无人〕 yǎn zhōng wú rén 〈成〉 안하무인(오만한 일). ¶须知人外有人, 天外有天, 可不能～啊; 사람 위에 사람이 있고 하늘 위에 하늘이 있음을 알아야 하며, 오만해서는 안 된다. =〔眼底无人〕〔眼里没人〕

〔眼珠儿〕 yǎnzhūr 명 ①〈俗〉 눈알. 안구. ¶转～; 눈알을 굴리다 / 白～; 눈의 흰자 / 黑～; 눈의 검은자. =〔眼珠子①〕 ②안광. 안력. 견식. ¶你交这样儿的朋友, 真是没～; 너 이런 친구와 사귀다니, 정말 보는 눈이 없구나 / 他真没～, 瞧不出事来; 그는 정말 안목이 없어 일을 분별하지 못한다.

〔眼珠子〕 yǎnzhūzi 명 〈口〉 ①⇨〔眼珠儿①〕 ②〈比〉 소중한 것. 귀여운 것. ¶独有这么个～似的闺女; 눈에 넣어도 아프지 않은 딸 하나가 있을 뿐이다.

〔眼拙〕 yǎnzhuō 〈套〉 알아보지 못하다. 눈총기가 없다. ¶恕我～, 您贵姓? 알아뵙지 못해 죄송합니다만, 어느 분이십니까? / 我实在～, 忘了您是谁; 실례지만 누구시더라.

〔眼眦〕 yǎnzì 명 〈方〉 ⇨〔眼犄角儿〕

〔眼子〕 yǎnzi 명 구멍. ¶扎zhā～; 구멍을 뚫다.

〔眼子菜〕 yǎnzicài 명 ⇨〔眼子草〕

〔眼子草〕 yǎnzicǎo 명 《植》 가래. =〔眼子菜〕〔鸭子yāzi草〕〔牙yá齿草〕

〔眼子钱〕 yǎnziqián 명 헛된 돈〔지출〕. ¶花～; 헛된 돈을 쓰다 / 你为什么替他给呀, 这不是～吗? 넌 왜 그를 대신해서 지불하느냐. 그건 헛된 돈을 쓰는 게 아닌가?

演

yǎn (연)

동 ①상연하다. ②분장하여 연기하다. ¶～什么角色? 어떤 역(役)으로 나오느냐? / 那个～员～得挺不错; 저 배우의 연기는 정말 훌륭하다 / 他～曹操～活了; 그가 연기한 조조는 박진감이 있었다. ③상영하다. ¶～电影; 영화를 상영하다 / 这个电影还没～过; 이 영화는 아직 상영되지 않았다. ④연습하다. →〔演算〕〔演习〕 ⑤뜻을 유추하여 넓히다. →〔演说〕〔演绎〕 ⑥부단히 변화하다. →〔演化〕〔演变〕

〔演变〕 yǎnbiàn 명 진전. 변화. ¶注视事态的～; 사태의 추이를 주목하다 / 宇宙间一切事物都是不断～的; 우주간의 일체의 사물은 모두 끊임없이 변해 간다. 동 변천〔변전, 발전, 변화〕하다.

〔演兵〕 yǎnbīng 명 《軍》 연병. 군대의 연습(演習). 교련.

〔演播室〕 yǎnbōshì 명 (TV의) 스튜디오(studio).
〔演操〕 yǎncāo 동 조련하다. 연습하다.
〔演唱〕 yǎnchàng 동 (사람 앞에서) 노래를 부르다《가곡이나 연극의 노래》. ¶中国青年为韩国客人们～韩国歌曲; 중국 청년은 한국 손님들을 위하여 한국 노래를 불렀다.
〔演出〕 yǎnchū 명동 상연(하다). 흥행(하다). ¶戏xì剧观摩节目汇报～; 연극 콩쿠르 작품의 상연 / ～戏剧; 극을 공연하다 / 到农村～; 농촌에 가서 공연하다 / ～活动; 공연 활동 / 我们赶到会场, ～已经开始了; 우리가 회장에 도착했을 때에는, 연기는 이미 시작되었다. →〔表biǎo演〕
〔演词〕 yǎncí 명 연설문. 연설의 말.
〔演对手戏〕 yǎn duìshǒuxì 〈比〉 경쟁하다. 겨루다. ¶他在这个片子中, 和猴子～; 그는 이 영화에서 원숭이와 연기를 겨루고 있다.
〔演化〕 yǎnhuà 동 진전 변화하다《자연계의 변화를 가리킴》. 명 진전 변화. ¶生物的～; 생물의 진화 / ～论; 진화론.
〔演技〕 yǎnjì 명 연기. ¶～精湛; 연기가 섬세하고 훌륭하다.
〔演讲〕 yǎnjiǎng 명동 강연(하다). 연설(하다). ¶～员; 강연자 / ～比赛sài; 웅변 대회 / 巡回～; 순회 강연.
〔演进〕 yǎnjìn 동 (시대와 더불어) 진전하다. 진화하다.
〔演剧〕 yǎn.jù 동 연극을 (상연)하다. →〔演戏〕
〔演角儿〕 yǎnjuér 명 연극 배우.
〔演练〕 yǎnliàn 동 연습하고 훈련하다. ¶运动员们正在～各种技巧动作; 운동 선수들이 각종 무예 동작을 연습하고 있다. 명 훈련.
〔演马〕 yǎnmǎ 명동 마술(馬術)의 연습(을 하다).
〔演拳棒〕 yǎn quánbàng 권법(拳法)과 봉술(棒術)을 연습하다.
〔演撒〕 yǎnsā 동 희롱거리다. 익살 떨다.
〔演揲儿法〕 yǎnshérfǎ 명 《佛》 홍교 라마(紅敎喇嘛)의 환희 비불(歡喜秘佛)의 법을 말함.
〔演射〕 yǎnshè 명동 사격 연습(을 하다).
〔演史〕 yǎnshǐ 명 역사적 사실을 부연(敷衍)하여 기술한 책.
〔演示〕 yǎnshì 동 실연〔실험〕해 보이다. (실물이나 도표 등으로) 사물의 발전 과정을 설명하다. ¶老师给学生～了液体中压力传播的情况; 선생님은 학생들에게 액체 속에서 압력이 전달되는 모습을 실험해 보였다. 명 실연.
〔演试〕 yǎnshì 동 익혀서 실지로 해보다.
〔演说〕 yǎnshuō 동 그 설을 널리 퍼뜨리어 설하다. 부연(敷衍)하여 설명하다. 명동 연설(하다). ¶～家; 연설자. 변사. 능변가(能辯家).
〔演算〕 yǎnsuàn 동 어떤 것을 기초로 하여, 그것을 계산하다. 연산하다. 운산(運算)하다. ¶一道数学题把我难住了, 我算了半天得不出答案, 但我坚决不看做好的答案, 直到自己～出来为止; 수학 한 문제 때문에 애먹어 좀처럼 답이 나오지 않았지만, 절대로 해답을 보지 않고, 자신이 계산해 낼 때까지 그만두지 않았다. 명 연산.
〔演替〕 yǎntì 명동 《生》 (어느 지역의 생물의) 자연 갱신(更新)(을 하다).
〔演武〕 yǎnwǔ 동 연무하다. 무예를 닦다. 무예 연습을 하다. ¶～场; 연무장. 연병장 / ～厅; 실내 연무장.
〔演习〕 yǎnxí 명동 연습(하다). 실지 훈련(을 하다)《세미나의 뜻은 없음》. ¶军事～; 군사 연습 / 实弹～; 실탄 연습 / 消防～; 소방 훈련 / 防灾～; 방재 훈련. →〔课kè堂讨论〕
〔演戏〕 yǎn.xì 동 ①연기하다. ¶他～演得很好; 그는 연기를 잘 한다. ②〈比〉 꾸며대다. 연극하다. ¶你再～也骗不了liǎo人了; 네가 이 이상 연극을 해도 이제는 남을 속일 수 없다.
〔演夜潜遁〕 yǎn yè qián dùn 〈成〉 밤을 틈타 도망하다. 야간 도주하다.
〔演义〕 yǎnyì 명 사실(史實)에 근거한 소설. 대중 역사 소설. 연의 소설. →〔章zhāng回小说〕 동 원뜻을 부연하다. ¶用老百姓的话～一番; 대중이 알기 쉬운 말로 이치를 타일러 주었다.
〔演义〕 yǎnyi 동 (사실을) 과장하다. 과대하게 평가하다. ¶你说他的本领这么大, 未免有点～了; 너는 그의 재능을 그토록 어마어마하게 말하는데, 그것은 좀 과장이 심하다.
〔演绎〕 yǎnyì 명동 《論》 연역(하다). =〔〈文〉 抽chōu演〕 ↔〔归guī纳〕
〔演员〕 yǎnyuán 명 배우. 연기자. 출연자. ¶电影～; 영화 배우 / 男～; 남우 / 女～; 여우 / 临时～; 엑스트라(extra) / 配音～; 번역 대사 녹음 성우.
〔演乐〕 yǎnyuè 동 음악을 연주하다.
〔演奏〕 yǎnzòu 명동 연주(하다).

缜(縯) yǎn (연)
동 〈文〉 연장(延長)하다.

巘(巘) yǎn (헌)
명 산봉우리. ¶绝～; 높은 산의 꼭대기.

甗 yǎn (언)
명 옛날, 시루《쌀 등을 찌는 도기(陶器)》. ¶～锜qí; 시루나 가마솥과 같은 모양을 말함.

鼹〈鼴〉 yǎn (언)
→〔鼹鼠〕

〔鼹鼠〕 yǎnshǔ 명 《動》 두더지. =〔偃鼠〕〔田鼠②〕

厌(厭) yàn (염)
동 ①싫어하다. 미워하다. ¶讨tǎo～; 싫어하다 / 不要惹人～; 남에게 미움받을 짓을 해서는 안 된다 / 不～其详; 상세한 설명을 싫어하지〔마다하지〕 않다. =〔不喜欢〕 ②싫증나다. 물리다《흔히, '～了'로 보어(補語)로 쓰인다》. ¶吃～了; 많이 먹어 물렸다 / 看～了; 보는 데 질력이 났다. ③만족하다. ¶贪得无～; 〈成〉 욕심에는 한이 없다.
〔厌饱〕 yànbǎo 형 〈文〉 배가 부르다.
〔厌薄〕 yànbó 동 〈文〉 싫어서 멀리하다. 경멸하다. 업신여기다. ¶他很～现代的青年; 그는 현대 청년을 매우 경멸하고 있다.
〔厌旦〕 yàndàn 명 〈文〉 동틀녘. 새벽녘.
〔厌烦〕 yànfán 동 귀찮아하다. 싫어하다. ¶服务员毫不～地回答顾客的问题; 종업원은 조금도 귀찮아하지 않고 손님의 질문에 대답한다 / 他那付邋遢lāta样儿, 到处惹人～; 그의 저 깔끔하지 못한 꼴은 어디서나 지탄을 받는다.
〔厌故喜新〕 yàn gù xǐ xīn 〈成〉 옛 것을 싫어하고 새 것을 좋아하다. =〔厌旧jiù喜新〕
〔厌嫉〕 yànjí 동 귀찮다. 마음에 들지 않다. ¶我～了现代社会的一切; 나는 현대사회의 모든 것이 마음에 들지 않는다.
〔厌倦〕 yànjuàn 동 물려서 싫증이 나다. ¶下围棋, 他早就～了; 그는 바둑에 싫증난 지 오래다 / 怎样用功也不～; 아무리 공부해도 싫증이 나지 않는다 / ～自己的工作; 자기의 일에 싫증이 나

다.
〔厌绝〕 yànjué 동 싫어져서 절교하다. ¶这个朋友我已经深痛～了; 이 친구는 진작에 싫어져서 절교하고 말았다.
〔厌目〕 yànmù 형 〈文〉 눈을 가리다. 보는 것을 떳떳하게 여기지 않다. ¶～之事; 보고 싶지 않은 일.
〔厌腻〕 yànnì 동 질력이 나다. ¶废话连篇使人～; 장황한 이야기로 사람을 진절머리나게 만든다.
〔厌弃〕 yànqì 동 싫어하여 돌보지 않다. ¶～战争; 전쟁에 염증을 느껴 포기하다 / 你为什么～他呢; 넌 왜 그를 싫어하느냐.
〔厌气〕 yànqi 형 ①진절머리가 나다. 싫다. 혐오감이 나다. ¶老说这一句, 多么～! 밤낮 같은 소리만 해서 정말 진절머리가 난다! / 那个人～得很; 저 사람은 지겹다. ②(음식에 대하여 게걸거려서) 추접스럽다. ¶你瞧他吃饭的样子多～; 저놈의 밥 먹는 꼴은 얼마나 보기 싫으냐.
〔厌儿恶〕 yànrwù 동 〈口〉 놀리다. 깔보다. ¶你～他, 他也不在乎; 네가 놀려도 그는 아무렇지도 않게 생각한다.
〔厌人〕 yànrén 형 싫다. 지긋지긋하다. 동 싫어하게 만들다.
〔厌胜〕 yànshèng 동 〈文〉 주문(呪文)으로 복종시키다.
〔厌世〕 yànshì 동명 현세를 싫어하다〔하는 일〕. 세상이 싫어지다〔싫어지는 일〕. ¶～主义 =〔悲bēi观主义〕; 염세주의. 페시미즘(pessimism).
〔厌术〕 yànshù 명 〈文〉 주문(呪文).
〔厌套〕 yàntào 형 진부하다. 평범하다.
〔厌恶〕 yànwù 동 싫어하다. 혐오하다. ¶～包子; 짓궂은 녀석. 말썽꾸러기 타입 / 他抑制着～的心情冷静地观察着对方; 그는 혐오감을 억누르고 냉정하게 상대방을 관찰하고 있었다 / 我最～这些陈礼俗套; 나는 이러한 허례허식이 가장 싫다.
〔厌嫌〕 yànxián 동 싫어하다. 혐오하다. 못마땅하게 여기다. ¶我不知道为什么他这么～我; 나는 어째서 그가 이토록 나를 싫어하는지 모르겠다.
〔厌氧菌〕 yànyǎngjūn 명 《生》 염기균(厭氣菌).
〔厌氧微生物〕 yànyǎng wēishēngwù 명 《生》 혐기성(嫌氣性) 생물.
〔厌饫〕 yànyù 동 〈文〉 ⇨〔餍饫〕
〔厌战〕 yànzhàn 동 염전하다. 전쟁을 혐오하다. ¶～情绪; 염전 사상.
〔厌足〕 yànzú 동 〈文〉 물리다. 질력나다. 흡족하다. ¶人心是没有～的; 사람의 마음은 만족할 줄을 모른다.

餍(饜) yàn (염)
동 〈文〉 ①만족하다. ¶贪tān得无～; 욕심을 내어 만족할 줄 모르다. →〔厌③〕 ②배불리 먹다. ¶～饱; 포식하다. 물리다 / 必～酒食; 반드시 주식(酒食)에 물린다.
〔餍饱〕 yànbǎo 동 포식하다. 잔뜩 먹다. 물리다.
〔餍饕〕 yàntāo ⇨〔餍我老饕〕
〔餍望〕 yànwàng 명 〈文〉 욕망의 충족. 흡족함. ¶人的～是不会满足的; 사람의 욕망은 만족이라는 것이 있을 수 없다.
〔餍我老饕〕 yàn wǒ lǎo tāo 〈成〉 실컷 자기의 식욕을 채우다. =〔餍饕〕
〔餍饫〕 yànyù 동 〈文〉 실컷 먹어 물리다. =〔厌饫〕
〔餍足〕 yànzú 동 〈文〉 ①물리도록 먹다. ②배불리 먹어 만족하다. 흡족하다. 충분히 만족하다. ¶人心无～; 인간의 마음은 만족이란 없다.

咽〈嚥〉 yàn (연)
동 ①삼키다. ¶～唾沫tuòmo; 침을 삼키다 / 细嚼烂～; 〈成〉 잘 씹어 삼키다 / 狼吞虎～; 〈比〉 게걸스럽게 먹다 / 这个丸药子太大, 我～不下去; 이 알약은 너무 커서 삼킬 수가 없다. ②말을 삼키다. 거두어들이다. ¶这口气我实在～不下去; 이 분노를 정말 삼킬 수 없다 / 把要说的话又～回去了; 할 말을 또 삼키고 말았다. ⇒yān yè
〔咽气〕 yàn,qì 동 숨을 거두다. 죽다. ¶～之后办后事; 숨을 거둔 다음에 장례식 준비를 하다 / 我去的时候儿他早就咽了气了; 내가 갔을 때는 그는 이미 죽어 있었다.

彦 yàn (언)
명 ①〈文〉 재덕을 겸비한 의젓한 남자. ¶一时英～; 당대의 영재. ②성(姓)의 하나.
〔彦圣〕 yànshèng 형명 〈文〉 뛰어나고 현명하다〔현명한 인물〕.
〔彦士〕 yànshì 명 〈文〉 뛰어난 인물. 우수한 선비.

谚(諺) yàn (언)
명 속담. 이언(俚諺). ¶农nóng～; 농업에 관한 속담 / 古～; 옛 속담 / 越yuè～; 저장 성(浙江省)의 사오싱(紹興) 일대의 속담. =〔谚语yǔ〕
〔谚儿咕〕 yànrgu 동 〈口〉 헐뜯다. ¶他就是嘴损, 竟～人; 저놈은 입이 험해서, 언제나 남을 헐뜯고 있다.
〔谚语〕 yànyǔ 명 속담. 이언(俚諺). →〔成chéng语(儿)〕〔俗sú语〕

喭 yàn (안, 언)
①형 〈文〉 저속하다. 투박하다. ②동 ⇨〔唁〕

研 yàn (연)
'砚yàn' 과 통용. ⇒yán

砚(硯) yàn (연)
명 ①벼루. ¶端duān～; 단계연(광둥 성(廣東省) 돤시(端溪)산의 벼루). ②〈轉〉 동창. 동문. →〔砚兄〕〔砚友〕
〔砚安〕 yàn'ān 〈翰〉 학문에 정진하기를 빈다(학생에게 보내는 편지의 맺음말). =〔学安〕
〔砚池〕 yànchí 명 ①연지. 연해(硯海). ¶～之交; 옛날, 동창의 일컬음. ②벼루.
〔砚(池)滴〕 yàn(chí)dī 명 ⇨〔砚水壶儿〕
〔砚弟〕 yàndì 명 옛날, 손아래 학우(學友). →〔学xué兄〕
〔砚耕〕 yàngēng 명 〈文〉 문필에 의한 생활.
〔砚屏〕 yànpíng 명 연병(벼루 머리에 치는 조그만 병풍).
〔砚室〕 yànshì 명 ⇨〔砚台盒〕
〔砚水盒〕 yànshuǐhé 명 ⇨〔砚水壶儿〕
〔砚水壶儿〕 yànshuǐhúr 명 연적(硯滴). =〔砚(池)滴〕〔砚水盒〕〔砚水盂〕
〔砚水盂〕 yànshuǐyú 명 ⇨〔砚水壶儿〕
〔砚台〕 yàntai 명 벼루.
〔砚台盒〕 yàntaihé 명 연상. 벼룻집. 연갑(硯匣). =〔砚室〕
〔砚田〕 yàntián 명 〈比〉 문필 생활. ¶依～为生; 문필로 생활하다 / ～无凶岁; 문필 생활에는 흉년이 없다.
〔砚席〕 yànxí 명 〈文〉 ⇨〔砚友〕
〔砚兄〕 yànxiōng 명 옛날, 나이가 많은 동학(同學).

〔砚友〕 yànyǒu 명 〈文〉 학우. 동창 친구. =〔砚席〕

艳(豔〈豓〉) yàn (염) ①형 곱다. 요염하다. 색이 선명하다. ¶这布的花色太~了; 이 천의 무늬는 너무 화려하다 / ~雪晶莹; ⇩ / 百花争~; 온갖 꽃들이 아름다움을 다투다 / 她美是够美的, 可是不够~; 그녀는 아름답기는 아름답지만 요염함이 부족하다. ②형 말이나 글이 아름답다. ¶词不~不工; 글은 아름답지 않으면 정교하다고 할 수 없다. ③형 남녀의 정사에 관한. 사랑의. ¶香~; (시문·소설·영화 등이) 애정 묘사가 많다/ ~史; 로맨스 / 这个故事好~啊; 이 이야기는 매우 색정적이다. ④동 〈文〉 부러워하다. =〔艳羡〕 ⑤형 광채가 현란하다. ¶色彩鲜~; 색채가 현란하고 아름답다 / 鲜~夺目; 눈이 아찔할 정도로 현란하다.

〔艳称〕 yànchēng 동 〈文〉 칭찬하다. 격찬하다. ¶他品学兼优, 乡里皆~之; 그는 인품과 학문이 모두 뛰어나, 향리 사람은 모두 칭찬하고 있다.

〔艳词〕 yàncí 명 염사. 색정적인 말. ¶我很爱读'花间集'里的~, 因为它含而不露, 意而不淫; 나는 '花間集' 속의 염사 읽기를 좋아하는데, 그것은 함축이 있어 노골적이지도 않고, 뜻이 있어도 품위를 유지하고 있기 때문이다.

〔艳段〕 yànduàn 명 염단(송(宋)나라의 잡극(雜劇)의 형식으로, 본제(本題)에 들어가기 전에 보통의 숙어(熟語) 한 대목을 가지고 시작함. 이를 '~'이라 함).

〔艳服〕 yànfú 명 〈文〉 화려한 옷. 요염한 의복. ¶~出场; 화려한 옷을 입고 출장하다.

〔艳福〕 yànfú 명 〈文〉 ①염복. 여복. ¶~不浅; 염복이 있다. 여복이 있다. ②미모의 아내. ¶家有~一枝花; 집에는 미모의 아내가 한 사람 있다. =〔艳妻〕

〔艳妇〕 yànfù 명 〈文〉 아름다운 부인. 미인.

〔艳歌〕 yàngē 명 염가. 연가(戀歌). 사랑의 노래. ¶~飘香; 연가가 들려오다. =〔艳曲〕

〔艳红〕 yànhóng 명 《色》 〈文〉 산뜻한 진홍색. ¶~的花朵; 진홍색 꽃.

〔艳绝〕 yànjué 형 매우 아름답다. ¶~人寰; 절세의 아름다움〔미(美)〕.

〔艳丽〕 yànlì 형 〈文〉 산뜻하다. 요염하고 아름답다. ¶~的彩虹; 산뜻한 무지개 / ~多姿; 요염하고 아리땁다 / ~夺目; 눈을 사로잡을 만큼 빛깔이 선명하다 / ~无比; 아름답기가 비길 데 없다 / ~五彩; 눈이 부시도록 아름답다.

〔艳慕〕 yànmù 동 ⇨〔艳羡〕

〔艳妻〕 yànqī 명 〈文〉 미모의 아내. ¶家有~一枝花; 집에는 미모의 아내가 한 사람 있다.

〔艳妻美妾〕 yàn qī měi qiè 〈成〉 아름다운 처첩.

〔艳情〕 yànqíng 명 염정. 연정(戀情). ¶~小说; 연애 소설 / 恋恋于旧日的~; 지난날의 깊은 애정에 연연하다.

〔艳曲〕 yànqǔ 명 ⇨〔艳歌〕

〔艳容〕 yànróng 명 〈文〉 요염한 모습. 매력있는 모습. ¶有艳色~; 절세의 미모와 매력적인 자태를 지니다.

〔艳色〕 yànsè 명 염색. 아리따운 색. 〈比〉 미인.

〔艳尸〕 yànshī 명 〈文〉 미녀의 시체. ¶旅馆浴室发现一具~. 自杀? 他杀? 尚待法医剖验; 여관의 욕실에서 여자의 벌거벗은 시체가 발견되었다. 자살인지 타살인지는 법의의 해부 결과를 기다린다.

〔艳诗〕 yànshī 명 연애시.

〔艳史〕 yànshǐ 명 염사. 로맨스. ¶老王的~我早就知道; 왕씨의 로맨스는 나는 일찍부터 알고 있었다.

〔艳事〕 yànshì 명 염문. 정담(情談). 정사(情事). 정사에 관한 이야기. ¶他天生的色迷眼, 到处都留点儿风流~; 그는 타고난 호색한으로 가는 곳마다 염문을 남기고 있다.

〔艳饰〕 yànshì 동 〈文〉 화려하게 꾸미다.

〔艳思遐想〕 yàn sī xiá xiǎng 〈成〉 멀리 연정을 보내다. ¶每逢佳节不免~, 终身难忘; 명절이 닥칠 때마다 사모하는 마음이 더욱 간절해지니 평생 잊을 수 없다.

〔艳文〕 yànwén 명 〈文〉 ①글귀가 매우 아름다운 문장. ②연애 편지. 염문.

〔艳羡〕 yànxiàn 동 〈文〉 선망하다. 대단히 부러워하다. ¶您的福气是大家都很~的; 당신의 행복에 대해서 모두 대단히 선망하고 있습니다. =〔艳慕〕

〔艳雪晶莹〕 yànxuě jīngyíng 〈比〉 여자의 피부가 희고 부드러우며 매우 아름다운 모양. 옥부(玉膚). 옥기(玉肌).

〔艳阳〕 yànyáng 명 화창한 풍광(風光).

〔艳阳天〕 yànyángtiān 〈成〉 화창한 봄날. ¶风和日丽~; 바람이 부드럽고 날씨 화창한 봄날.

〔艳冶〕 yànyě 형 〈文〉 아리땁고 곱다. ¶容貌~; 용모가 요염하고 아름답다.

〔艳遇〕 yànyù 명 〈文〉 애정 이야기. 사랑 이야기. ¶一次的~; 하나의 연애 이야기.

〔艳妆〕 yànzhuāng 명 〈文〉 화려한 화장. ¶~浓抹nóngmǒ =〔浓妆艳抹〕; 화려한 짙은 화장.

滟(灩〈灔〉) yàn (염) ①형 물이 흐르는 모양. 물이 넘치는 모양. =〔潋liàn滟〕 ②지명용 자(字). ¶~滪堆Yànyùduī; 옌위두이(滟滪堆)(쓰촨 성(四川省) 취탕 협(瞿唐峡) 어귀에 있는 큰 바위. 부근은 물살이 급함. 현재는 제거되었음).

宴 yàn (연) ①명 연회. ¶设~; 주석(酒席)을 마련하다 / 赴fù~; 연회에 가다 / 设~招待; 술자리를 베풀어 접대하다. ②동 연회를 열다. ‖ =〔燕 **B**)①〕 ③동 〈文〉 편안히 하다. 쉬다. 즐기다. =〔燕 **B**)②〕 ④동 함께 모여 식사하다.

〔宴安〕 yàn'ān 명동 〈文〉 안일(을 추구하다). 방탕(하다). ¶~逸乐; 방탕하다.

〔宴安鸩毒〕 yàn ān zhèn dú 〈成〉 안일을 탐하는 것은 침독을 먹는 것과 같다(쾌락은 몸을 망친다). ¶~, 所以古人以宴安为戒; 안일은 침묵과 같다. 그러므로 옛사람은 안일을 경계했다.

〔宴尔新婚〕 yàn ěr xīn hūn 〈成〉 신혼을 축하하다. =〔新婚宴尔〕〔宴尔之喜〕〔燕尔新婚〕

〔宴贺〕 yànhè 동 〈文〉 축하 잔치를 열어 축하하다.

〔宴会〕 yànhuì 명 연회. ¶举行~; 연회를 베풀다 / 参加~; 연회에 참석하다 / ~厅tīng; 연회장.

〔宴寂〕 yànjì 명동 《佛》 평안히 입적(入寂)(하다).

〔宴客〕 yànkè 동 〈文〉 손님을 불러 연회를 베풀다.

〔宴请〕 yànqǐng 동 연회를 베풀어 손님을 초대하다. ¶~宾客; 빈객을 초대하다 / ~朋友; 친구를 초대하다.

〔宴无好宴〕 yàn wú hǎo yàn 〈成〉 연회는 무사히 좋게 끝나기가 어렵다. ¶~, 会无好会; 잔치에 즐거운 잔치 없고, 모임에 즐거운 모임 없다.

〔宴席〕 yànxí 명 연석.
〔宴飨〕 yànxiǎng 명〈文〉①천자가 군신과 함께 하는 연회. ②신(神)이 흠향(歆饗)하는 일. ‖=〔燕享〕〔燕飨〕
〔宴饮〕 yànyǐn 동〈文〉연회를 베풀다.
〔宴娱〕 yànyú 동〈文〉주연(酒宴)을 베풀어 즐기다.

堰 yàn (언)
명 둑. ¶打~; 둑을 쌓아 막다 / 塘táng~; 언제(堰堤) / ~闸zhá; ⇩ / 修了两条~; 두 줄기의 둑을 쌓았다.
〔堰堤〕 yàndī 명 언제. 방죽. ¶修筑~; 언제를 쌓다.
〔堰沟〕 yàngōu 명 소수(疏水).
〔堰门〕 yànmén 명 수문.
〔堰塘〕 yàntáng 명 관개 저수용의 못.
〔堰闸〕 yànzhá 명 수문(水門).

唁 yàn (언)
동 조문하다. 조상하다. ¶~电; ⇩ / ~函; ⇩ =〔喭②〕
〔唁词〕 yàncí 명〈文〉애도의 말. 조사(弔詞). ¶致~; 조사를 하다.
〔唁电〕 yàndiàn 명 애도의 전보. 조전(弔電).
〔唁吊〕 yàndiào 동 문상하다. 조문하다.
〔唁函〕 yànhán 명 애도의 편지.
〔唁劳〕 yànláo 동〈文〉조문하여 위로하다. 문상하다.
〔唁信〕 yànxìn 명〈文〉애도의 편지. 조문하는 편지.

验(驗〈騐〉) yàn (험)
①동 증험해 보다. 시험하다. ¶检~; 시험하다. ②동 검사하다. 조사하다. ③명 시험. 검사. ④명 효과. =〔效验〕 ⑤형 효과가 있다. ¶屡试屡~; 몇 차례 시험해 봐도 늘 효과가 있다 / 应yīng~; 예언의 효과가 나타나다 / 灵líng~; 영험. =〔应验〕
〔验便〕 yàn·biàn 동 검변(檢便)하다. ¶验大便 =〔检jiǎn验大便〕; 대변을 검사하다 / 验小便 =〔检验小便〕; 소변 검사를 하다. (yànbiàn) 명 검변.
〔验病〕 yànbìng 명동 ⇨〔验疫〕
〔验查〕 yànchá 동 검사하다. 조사하다.
〔验冲击机〕 yànchōngjījī 명《機》충격 시험기.
〔验单〕 yàndān 동 서류를 검사하다. ¶~员; 검표원 / ~放行; 서류를 조사하여 통과를 허가하다. 명 검사 필증. 검사표.
〔验电器〕 yàndiànqì 명《機》테스터(tester). ¶单相功率~; 단상 파워 테스터.
〔验方〕 yànfāng 명《醫》유효하다는 것이 증명되고 있는 처방. 잘 듣는 처방. ¶单方~; 민간 처방과 효과가 있는 처방.
〔验放〕 yànfàng 동〈文〉검사한 뒤에 통과시키다. ¶~行人; 통행인을 검사하여 통행을 허가하다.
〔验复〕 yànfù 동〈文〉조사하고 회답하다. ¶请贵局查照~;〈翰〉귀국에서 조사한 뒤에 회답을 바랍니다.
〔验工〕 yàn·gōng 동 공사·공정을 검사하다. 준공 검사를 하다. (yāngōng) 명 검사공(工).
〔验关〕 yànguān 명동 세관의 검사(를 받다). ¶海关~; 세관 검사 / 报关~是旅客到港后必经的手续; 세관에 신고하고 검사를 받는 것은 여객이 착항(着港) 후의 필수의 절차이다.
〔验官〕 yànguān 명 검사관.
〔验光〕 yàn·guāng 동 (안경 따위의) 도수(度數)를 검사하다. ¶买眼镜先得děi~; 안경을 사려면 먼저 도수를 검사해야 한다 / ~配镜; 도수를 검사하여 안경 렌즈를 맞추다.
〔验规〕 yànguī 명 ⇨〔测cè规〕
〔验货〕 yàn·huò 동 (세관 등에서) 짐〔물품〕을 검사하다. ¶~单; 상품 검사필 증명서.
〔验看〕 yànkàn 동 ①관찰하다. ②검사하다. ¶来货和样品对不对, 还得děi开箱~一下; 착화와 견본이 같은지 어떤지 상자를 열어 한번 검사해야 한다.
〔验明〕 yànmíng 동〈文〉조사하여 밝히다. ¶~正身, 绑赴刑场执行; 범인이 틀림없음을 조사하여 밝힌 뒤에, 형장에 호송하여 형을 집행하다.
〔验牌〕 yànpái 동 감찰(鑑札)을 검사하다. ¶核对~; 대조하여 감찰을 검사하다.
〔验票〕 yànpiào 명 검사 필증. 검표. 동 검표하다.
〔验讫〕 yànqì 명 검사필. ¶检查过了的都要盖上~的戳chuō子; 검사가 끝난 것은 모두 검사필 스탬프를 찍어야 한다.
〔验契〕 yànqì 동 민간에 있는 '买契'(부동산 매매 계약) 또는 '典diǎn契'(부동산 저당 계약)을 검사하다. ¶~税; 부동산 매매 계약이나 부동산 전당 계약을 검사할 때 징수하는 세금.
〔验伤〕 yàn·shāng 동 상처를 검사하다. ¶检验吏~; 검사관이 상처를 조사하다 / 张三挨ái了打, 跑到大夫那儿去~, 拿了一张~单, 准备打官司呢; 장삼은 얻어맞았으므로 의사한테 달려가서, 진단서를 받아 소송 준비를 하고 있다.
〔验墒〕 yàn·shāng 동《農》밭의 수분(水分)을 검사하여 측정하다. 흙의 습도를 조사하다.
〔验尸〕 yàn·shī 동 검시하다. ¶法医来~, 要是看出有什么可疑的地方, 还得解剖; 법의가 와서 검사를 하여 혹시 의심스러운 데가 있으면, 다시 해부해야 한다. (yànshī) 명 검시. ‖=〔验死〕
〔验收〕 yànshōu 동 검수(檢收)하다. 검사하여 받아들이다. ¶交给国家~; 국가에 넘겨서 검수를 받다.
〔验税〕 yàn·shuì 동 세관 검사 뒤에 세금을 내다.
〔验死〕 yànsǐ 명동 ⇨〔验尸〕
〔验算〕 yànsuàn 명동 검산(하다).
〔验讨〕 yàntǎo 동 대조하여 확인하다.
〔验温表〕 yànwēnbiǎo 명《醫》체온계.
〔验问〕 yànwèn 동〈文〉사문(査問)하다. 조사하다. 신문하다.
〔验效〕 yànxiào 명 효험. 효력. ¶吃了药也不见~; 약을 먹었지만 효력이 없다.
〔验血〕 yàn·xuè 동 혈액 검사를 하다. (yànxuè) 명 혈액 검사.
〔验压调查机〕 yànyā diàochájī 명《機》검압기(檢壓機). 압력 시험기.
〔验疫〕 yànyì 명동 검역(하다). ¶港口检疫所派人来~; 항구의 검역소는 사람을 보내어 검역한다. =〔验病〕
〔验照〕 yàn·zhào 동 여권(旅券) 검사를 하다. ¶~放行; 여권을 조사하여 통과시키다.
〔验证〕 yànzhèng 동 검증하다. ¶~理论; 이론을 검증하다 / 课外活动可以~课堂学习的知识; 과외 활동은 교실에서 배운 지식을 확인할 수 있다.
〔验左〕 yànzuǒ 명〈文〉증거. 증좌.

盐(鹽) yàn (염)
동 소금에 절이다. ⇒yán

晏 yàn (안)
①형 늦다. ¶～起; ⇩/～歇; 〈廣〉 조금 때가 지나다. 얼마 있다가. ②형 편안히 하다. 즐기다. ¶海内～如; 천하가 평안하다. =〔宴③〕 ③형 맑다. 깨끗하다. ¶河清海～; 강은 깨끗하고 바다는 맑다/天清日～; 하늘은 맑고 해는 밝다《천하가 태평한 모양》. ④명 성(姓)의 하나.
〔晏驾〕 yànjià 동 〈文〉 안가하다. 늦게 수레를 내다《천자의 붕어(崩御)를 기(忌)하여 하는 말》.
〔晏乐〕 yànlè 명 〈文〉 안락(安樂).
〔晏起〕 yànqǐ 동 〈文〉 늦잠자다. 늦게 일어나다.
〔晏寝废食〕 yàn qǐn fèi shí 〈成〉 침식을 잊다. ¶我为这件事真有点儿～了; 나는 이 일 때문에 완전히 침식을 잊고 있다.
〔晏然〕 yànrán 형 안연하다. 안한(安閑)하다. 평안하다.
〔晏食〕 yànshí 명 〈文〉 ①저녁밥. ②늦은 식사.
〔晏温〕 yànwēn 형 〈文〉 날씨가 맑고 기온이 따뜻하다.
〔晏晏〕 yànyàn 형 〈文〉 평온하다. 화기애애하다. ¶言笑～; 이야깃소리나 웃음소리가 화기애애하다.

鴳(鷃〈鴳〉) yàn (안)
명 《鳥》 메추라기의 일종. ¶～雀què; 〈文〉 작은 새의 일종.

雁〈鴈〉 yàn (안)
명 《鳥》 기러기. ¶终日打～, 叫～啄zhuó了(扦了)眼; 종일 기러기 사냥을 하여, 기러기 부리에 눈을 쪼이다《익숙한 일도 때로는 실패하는 수가 있다》. =〔大雁〕〔鸿hóng雁〕
〔雁便〕 yànbiàn 명 〈文〉 ⇨〔雁帛〕
〔雁帛〕 yànbó 명 〈文〉 서신. 편지《한(漢)나라의 소무(蘇武)의 고사에 유래함》. =〔雁便〕〔雁书〕〔雁素〕〔雁信〕
〔雁齿〕 yànchǐ 형 〈比〉 기러기가 가지런히 줄지어 날아가는 모양. 명 《植》 양치류(羊齒類).
〔雁翅〕 yànchì 명 기러기의 날개. ¶排成～的阵地; 기러기가 날개를 편 모양으로 진을 침.
〔雁鹅〕 yàn'é 명 기러기와 거위.
〔雁过拔毛〕 yàn guò bá máo 〈成〉 날아가는 기러기의 깃을 뽑다. 자빠져도 그냥은 일어나지 않는다《탐욕스럽다》.
〔雁过留声, 人过留名〕 yàn guò liú shēng, rén guò liú míng 〈諺〉 ①기러기는 날아갈 때 소리를 남기고, 사람은 죽으면 이름을 남긴다. ②〈比〉 사람은 죽으면 이름을 남긴다. ③〈俗〉 부모는 자손에게 걸맞은 것을 남겨 주어야 한다.
〔雁行〕 yànháng 명 ①〈文〉 안행(雁行). ②〈比〉 형제의 총칭. ¶～折翼; 형제 중의 한 사람이 죽다. ‖ =〔雁序〕
〔雁户〕 yànhù 명 〈文〉 타지방에서 온 유민(流民).
〔雁叫一声, 穷汉一惊〕 yàn jiào yī shēng, qiónghàn yī jīng 〈諺〉 기러기 소리로 가을이 온 것을 알게 되면, 가난한 사람은 흠칫 놀란다《겨우살이는 힘들다는 것에서 유래》.
〔雁来红〕 yànláihóng 명 《植》 색비름. →〔鸡jī冠花〕〔老小年②〕
〔雁来雁去〕 yàn lái yàn qù 〈成〉 달이 가고, 해가 가다.
〔雁落沙滩〕 yànluò shātān 명 《樂》 장례식 등에서 연주하던 슬픈 가락의 노래.
〔雁皮〕 yànpí 명 《植》 안피 또 그와 같은 속(屬)의 식물《산닥나무과의 낙엽 관목. 나무 줄기의 속껍질로 안피지(紙)를 만듦》.
〔雁书〕 yànshū 명 〈文〉 ⇨〔雁帛〕
〔雁素〕 yànsù 명 〈文〉 ⇨〔雁帛〕
〔雁塔〕 Yàntǎ 명 《史》 안탑《탑의 이름. 당(唐)나라의 현장(玄奘)법사가 조영(造營)한 것으로, 산시 성(陕西省) 서안(西安)의 자은사(慈恩寺) 안에 있음》. ¶～题名; 〈成〉 진사가 되어 안탑에 이름을 적어 넣다《당(唐)나라 때에 새로 진사가 된 사람을 곡강연(曲江宴)이 끝난 뒤에 안탑에 자기의 이름을 써 넣는 관습이 있었음》.
〔雁头〕 yàntóu 명 《植》 가시연밥. =〔芡qiàn实〕〔雁啄〕
〔雁信〕 yànxìn 명 〈文〉 ⇨〔雁帛〕
〔雁序〕 yànxù 명 ⇨〔雁行〕
〔雁柱〕 yànzhù 명 《樂》 (거문고 등의) 기러기발.
〔雁啄〕 yànzhuó 명 ⇨〔雁头〕
〔雁字〕 yànzì 명 〈文〉 '一' 또는 '人' 자를 가리키는 말《기러기가 날아가는 모양에서 나옴》.

赝(贋〈贗〉) yàn (안)
〈文〉 ①명 가짜. →〔赝品〕 ②형 거짓의. 부정한.
〔赝本〕 yànběn 명 위조 서화. ¶这幅画是～; 이 그림은 가짜다.
〔赝币〕 yànbì 명 〈文〉 위폐《흔히, 위조 동전을 가리킴》.
〔赝鼎〕 yàndǐng 명 ①위조한 세발솥. ②〈比〉 위조품.
〔赝碱〕 yànjiǎn 명 《化》 알칼로이드(alkaloid).
〔赝品〕 yànpǐn 명 위조품. 가짜 물건.
〔赝造〕 yànzào 동 〈文〉 안조하다. 가짜를 만들다. 위조하다.

焱 yàn (염)
〈文〉 ①명 불꽃. ②형 불길이 굉장히 성한 모양.

焰〈燄〉 yàn (염)
명 ①불길. ¶烟yān～弥mí漫; 〈成〉 연기와 화염이 가득 차다. =〔火苗〕 ②〈轉〉 기세. 기염. ¶气～万丈; 기염 만장. 기세가 하늘을 찌르다.
〔焰火〕 yànhuǒ 명 ①〈方〉 불꽃. ¶放～; 불꽃을 올리다. ②불길.
〔焰口〕 yànkou 명 《佛》 아귀(餓鬼)가 굶주려서 입으로 불길을 내뿜음. ¶放fàng ～; 승려가 아귀에게 음식을 베풀다〔베풂〕.
〔焰口经〕 yànkǒujīng 명 《佛》 아귀(餓鬼)에게 시주를 올리는 경.
〔焰色〕 yànsè 명 《化》 염색. 불꽃의 빛깔.
〔焰心〕 yànxīn 명 염심. 불꽃심.

烟(爓) yàn (염)
명 〈文〉 화염. =〔焰yàn〕

酽(釅) yàn (엄)
형 (술이나 차 따위가) 진하다《북방에서 많이 쓰이며, 남방에서는 '浓nóng'을 흔히 씀》. ¶这碗茶太～; 이 차는 너무 진하다. →〔浓〕
〔酽茶〕 yànchá 명 진한 차.
〔酽儿咕〕 yànrgu 동 ①(차가 너무 우러나서) 몹시 쓰다. ②〈比〉 풍자하다. 빈정대다. ¶谁招你了, 你怎么竟说～话; 누가 널 화나게 만들었는지는 모르지만, 넌 왜 빈정대기만 하느냐/咱们不过这

个, 你别～我; 피차 그런 짓을 하지 않는 사이이다. 그렇게 빈정대지 마.

谳(讞) **yàn** (언, 얼) 통 〈文〉 재판하여 형을 정하다. ¶定dìng～; 판결하다.

〔谳牍〕 yàndú 명 〈文〉 재판 기록.

〔谳官〕 yànguān 명 〈文〉 재판관.

燕〈鷰[A)], 讌[B)], 醼[B)①]〉 **yàn** (연) A) (～儿, ～子) 명 《鳥》 제비. ¶小～儿; 제비. 작은 제비. B) ① ⇨〔宴①②〕 ② ⇨〔宴③〕 ⇒Yān

〔燕草〕 yàncǎo 명 《植》 영릉향. 혜초. =〔零líng陵香〕

〔燕巢幕上〕 yàn cháo mù shàng 〈成〉 장막 위에 제비가 집을 짓다(위험한 처지에 있다). ¶犹燕之巢于幕上; 제비가 장막 위에 보금자리를 트는 것과 같아 위험한 것이다.

〔燕翅席〕 yànchìxí 명 제비집과 상어 지느러미가 나오는 중국 요리(최고급의 연회석).

〔燕出〕 yànchū 통 〈文〉 천자가 미행(微行)하다. ¶谏臣多言～之害; 간신으로 천자 미행의 해로움을 말하는 자가 많았다.

〔燕疮〕 yànchuāng 명 《漢醫》 구순포진(口唇疱疹) (입술 주위에 나는 피부병의 일종). =〔燕口疮〕〔燕口吻疮〕〔紧jǐn唇〕

〔燕儿鱼〕 yàn'éryú 명 《魚》 ①날치. ②갯장어.

〔燕尔新婚〕 yàn ěr xīn hūn 〈成〉 ⇨〔宴尔新婚〕

〔燕服〕 yànfú 명 〈文〉 사복(私服). 미복(微服). =〔燕衣〕

〔燕盖〕 yàngài 명 (요리에 쓰이는) 완전한 형태의 제비 둥지. →〔官guān燕〕

〔燕颔〕 yànhàn 명 살찐 턱.

〔燕颔虎颈〕 yàn hàn hǔ jǐng 〈成〉 ①무장의 늠름한 용모. ②고귀한 상(相). ‖ =〔燕颔虎头〕

〔燕好〕 yànhǎo 형 〈比〉 부부 금슬이 좋다. ¶夫妇～ =〔闺guī房～〕; 부부 금슬이 좋다 / ～百年; 오래도록 부부 사이가 좋다 / ～之乐; 부부 화합의 즐거움 / ～之喜; 부부 화합의 기쁨.

〔燕贺〕 yànhè 통 〈文〉 (다른 사람의 집의) 신축 낙성을 축하하다('燕雀相贺' 의 준말).

〔燕鸻〕 yànhéng 명 《鳥》 제비물떼새. =〔水燕子〕〔土tǔ燕〕

〔燕侣〕 yànlǚ 명 〈比〉 부부. ¶～双飞; 부부가 협동해서 하다. 맞벌이하다.

〔燕麦〕 yànmài 명 《植》 연맥. 귀리. ¶野yě～; (야생의) 메귀리. =〔铃líng铛麦〕〔皮pí燕麦〕〔香xiāng麦〕

〔燕麦片粥〕 yànmàipiàn zhōu 명 오트밀(oatmeal). =〔麦(片)粥〕〔牛niú奶麦粥〕

〔燕谋〕 yànmóu 통 〈文〉 ⇨〔燕翼〕

〔燕雀〕 yànquè 명 《鳥》 되새(참새의 일종). ¶～安知鸿鹄之志; 〈比〉 범인(凡人)은 큰 인물의 뜻을 이해하지 못한다.

〔燕儿鱼〕 yànryú 명 《魚》 ①날치. ②갯장어.

〔燕雀处堂〕 yàn què chǔ táng 〈成〉 안거(安居)하여 재앙을 잊어버리는 일(위험에 처하고도 깨닫지 못하다).

〔燕雀相贺〕 yàn què xiāng hè 통 〈文〉 ⇨〔燕贺〕

〔燕瘦环肥〕 yàn shòu huán féi 〈成〉〈比〉 마른 사람이나 살찐 사람. 여러 모습의 미녀(美女). ¶进了舞厅见了那么多～的舞女, 不知道挑tiāo哪个好; 댄스 홀에 들어가 많은 각양 각색의 아름다운 댄서를 보았더니, 누구를 골라야 할지 모른다.

〔燕梳〕 yànshū 명 〈廣〉〈音〉 보험(insurance). ¶～费; 보험료.

〔燕说〕 yànshuō 명 〈文〉 억지로 맞춘 이야기. →〔郢yǐng书燕说〕

〔燕隼〕 yànsǔn 명 《鳥》 새호리기(북방에서는 '儿ér隼' '蚂mǎ蚱鹰', 남방에서는 '虫chóng鹞' 라고도 함). =〔青qīng条子〕〔土tǔ鹘〕

〔燕尾草〕 yànwěicǎo 명 《植》 쇠귀나물의 별칭.

〔燕尾服〕 yànwěifú 명 연미복. →〔礼服〕

〔燕尾青〕 yànwěiqīng 명 《色》 ①윤이 나는 검정색. ②청자색(青紫色).

〔燕尾洲〕 yànwěizhōu 명 제비꼬리처럼 두 가닥으로 된 주(洲)〔모래섬〕.

〔燕窝〕 yànwō 명 제비 집. ¶～羹gēng; 제비집을 닭과 함께 끓인 국 / ～汤; 제비집으로 만든 수프(고급 요리) / ～粥zhōu; 제비집을 넣어 끓인 죽.

〔燕(窝)菜〕 yàn(wō)cài 명 제비집 요리.

〔燕(窝)席〕 yàn(wō)xí 명 제비집 요리가 나오는 고급 연회석. →〔燕翅席〕

〔燕乌〕 yànwū 명 《鳥》 갈가마귀.

〔燕享〕 yànxiǎng 명 〈文〉 ⇨〔宴飨〕

〔燕飨〕 yànxiǎng 명 〈文〉 ⇨〔宴飨〕

〔燕鳐〕 yànyáo 명 《魚》 갯장어.

〔燕鳐鱼〕 yànyáoyú 명 《魚》 날치.

〔燕衣〕 yànyī 명 〈文〉 ⇨〔燕服〕

〔燕尾儿〕 yànyǐr 명 ⇨〔后hòu押〕

〔燕翼〕 yànyì 통 〈文〉 자손을 위해서 잘 도모하다. 자손을 생각하다. ¶～子孙 =〔为儿孙～〕; 자손을 위해서 잘 도모하다. =〔燕谋〕

〔燕饮〕 yànyǐn 통 〈文〉 연회를 베풀다. =〔宴饮〕

〔燕鱼〕 yànyú 명 《魚》 삼치. =〔鲅bà〕

〔燕语〕 yànyǔ 명 〈文〉 ①제비 소리. ②〈比〉 여자의 수다. ¶～呢喃nínán; 〈比〉 여자가 재잘재잘 수다를 떨다. 통 허물없이 이야기하다.

〔燕语莺声〕 yàn yǔ yīng shēng 〈成〉 제비의 울음소리와 꾀꼬리의 지저귀는 소리(한가로운 모양).

〔燕脂〕 yànzhī 명 연지.

〔燕子〕 yànzi 명 《鳥》 제비.

〔燕子花〕 yànzihuā 명 《植》 ①제비붓꽃. ②참제비고깔.

〔燕子矶〕 Yànzijī 명 《地》 연자기(난징 성(南京城) 북쪽의 관인 산(觀音山) 위에 있으며, 양쯔 강(揚子江)을 내려다보는 경치 좋은 곳. 또, 옛날부터 자살자가 많은 곳으로 유명함). ¶～救人牌; 연자기의 투신 자살 방지의 팻말('想一想, 死不得' (잘 생각하라, 죽으면 안 된다)의 여섯 글자가 씌어 있었다고 함).

〔燕子窠〕 yànzikē 명 옛날, 아편 흡연관의 별칭. ¶你私开～, 该当何罪? 너는 아편굴을 허가없이 열었는데, 어떤 처벌을 받게 될지 알고 있느냐?

YANG ㄧㄤ

央 **yāng** (앙) ① 명 중앙. 중심. ¶水中～; 강·호수 등의 한가운데. ② 통 구하다. 간청하다. 부탁하다. ¶～人帮忙; 남에게 원조를 구하다 / 只好～人去找; 남에게 부탁해서, 찾으러 가 달랄 수밖에 없다. ③ 통 〈文〉 끝나다. 다하다(주로 '未央' '无

央'으로 사용됨). ¶夜未～; 밤이 아직 밝지 않다/长乐未～; 즐거움이 끝없다/未～宫; 한대(漢代)의 궁전 이름.
〔央告〕 yānggao 동 간원〔부탁〕하다. 졸라대다. ¶～了半天, 他还是不去; 오랜 시간을 들여 부탁했지만, 그는 역시 가려 하지 않는다. =〔央求〕〔央请〕〔央及〕
〔央及〕 yāngji 동 ⇨〔央告〕
〔央饯〕 yāngqiang 형 (질병·사업 등으로) 간신히 지탱하고 있다. 겨우 꾸려 나가고 있다. ¶这个买卖～着, 说不定哪天就关了; 이 장사는 겨우겨우 견뎌 나가고 있지만, 언제 가게를 닫을지도 모른다/他的病～一天是一天罢了; 그의 병은 하루하루 겨우 지탱해 나가고 있다. =〔央央饯饯〕
〔央请〕 yāngqǐng 동 ⇨〔央告〕
〔央求〕 yāngqiú 동 간청하다. 애원하다. ¶我再三～, 他才答应; 내가 몇 번이나 부탁드리자, 겨우 그는 승낙했다/～母亲给买一双鞋; 어머니께 신발을 사 달라고 졸라 대다. =〔央告〕
〔央人〕 yāng.rén 동 (윗)사람에게 부탁하다. ¶～作保; 보증인이 되어 달라고 부탁하다/～说合; 남에게 중재를 부탁하다/～求告; 남에게 간절히 부탁하다.
〔央托〕 yāngtuō 동 의뢰하다. 부탁하다. ¶我好容易才～了一人, 把这事办了; 나는 간신히 어떤 사람에게 청탁해서 이 일을 처리했다.
〔央央〕 yāngyāng 형 〈文〉 ①선명한 모양. 깃발이 나부끼는 모양. ②음성이 부드러운 모양. ¶和铃～; 조용히 방울이 울리고 있다. ③널찍한 모양.
〔央央饯饯〕 yāngyang qiāngqiāng 형 ⇨〔央饯〕
〔央元音〕 yāngyuányīn 명 중앙 모음《혀의 중앙부에서 나는 모음. 표준어의 'a' 따위》.
〔央中〕 yāngzhōng 동 〈公〉〈翰〉 중개를 부탁하다. ¶～说合; 중개인을 부탁하여 타협을 보게 하다.

泱 yāng (앙)
형 〈文〉 물이 깊고 넓은 모양. →〔泱泱〕
〔泱泱〕 yāngyāng 형 〈文〉 ①물이 깊고 넓다. ②(기개가) 장대하다. ¶～大国; 세력이 강대한 대국.

殃 yāng (앙)
①명 화. 재앙. 재난. ¶遭zāo～; 재앙을 만나다. ②동 화를 주다. 해치다. ¶祸huò国～民; 〈成〉 나라와 국민에게 화를 가져오다.
〔殃榜〕 yāngbǎng 명 ⇨〔殃书〕
〔殃打了〕 yāngdǎle 동 (미신에서) 죽음의 신이 들다. ¶你怎么这么没精神呢, 简直像～似的; 넌 왜 이렇게 생기가 없느냐. 꼭 죽음의 신이 들린 것 같구나.
〔殃害〕 yānghài 명 재해. ¶农作物受了～; 농작물이 재해를 만났다.
〔殃祸〕 yānghuò 명 재난. 재앙.
〔殃及〕 yāngjí 동 재앙이 미치다. 걸려들어 봉변을 당하다. ¶～于身; 화가 몸에 미치다.
〔殃及池鱼〕 yāng jí chí yú 〈成〉 죄없이 재앙을 받다. 까닭없이 화를 당하다. ¶城门失火, ～; 〈成〉 성문이 불타서 연못의 물고기에게 재앙이 미치다.
〔殃尽必昌〕 yāng jìn bì chāng 〈成〉 재난 뒤에는 번영이 온다. 불난 집이 일어난다. →〔苦kǔ尽甜来〕
〔殃咎〕 yāngjiù 명 〈文〉 재난. 재앙. 화(禍).
〔殃气〕 yāngqi 명 (죽은 사람의) 악기(惡氣). 사기(邪氣).
〔殃煞〕 yāngshà 동 도사(道士) 등이 사람의 사망일시를 예측하다.
〔殃书〕 yāngshū 명 사람이 죽었을 때 음양가에게 부탁하여 출관(出棺)의 일시·망자의 생년월일 및 사망 연월일 따위를 써 받은 것. =〔殃榜〕〔丧sāng榜〕
〔殃子〕 yāngzi 명 〈罵〉 바보. 놈. 녀석. ¶这天打雷劈的～, 可把我害苦了; 이 형편없는 등신이 나를 마냥 괴롭혔다.

秧 yāng (앙)
①(～儿) 명 볏모. ¶插chā～; 모를심다. ②(～儿, ～子) 명 모종. 묘목. ¶树～; 묘목/花～; 화초 모종/葡萄～; 포도 묘목. ③(～子) 명 어떤 식물의 줄기. ¶黄瓜～; 오이 덩굴/白薯～; 고구마 줄기. ④(～子) 명 갓난 동물. ¶鱼～子; 치어(稚魚)/一只猪～; 돼지 새끼 한 마리. ⑤동 〈北方〉 기르다. 양육하다. 재배하다. ¶～一棵花; 한 포기의 꽃을 가꾸다/～几棵树; 나무를 몇 그루 재배하다/他～了一池鱼; 그는 연못 가득 물고기를 사육했다. =〔养活〕 ⑥동 〈北方〉 (성질이) 비뚤어지다. ¶这个人越劝越～, 等会儿他自己就会明白过来; 이 사람은 말리면 말릴수록 비뚤어지는데, 나중에 스스로 깨닫게 되겠지.
〔秧歌〕 yānggē 명 모내기 노래. ¶～戏; '秧歌'를 부르며 하는 연극/～舞; 모내기 노래의 춤/扭niǔ～ =〔闹nào～〕; 모내기 노래의 춤을 추다. =〔插chā秧歌〕
〔秧鸡〕 yāngjī 명 《鳥》 흰눈썹뜸부기(과의 총칭). ¶普通～; 흰눈썹뜸부기.
〔秧荐〕 yāngjiàn 명 돗자리.
〔秧脚〕 yāngjiǎo 명 〈方〉 모의 밑동.
〔秧龄〕 yānglíng 명 《農》 묘령(苗齡).
〔秧苗〕 yāngmiáo 명 모종. 모. 새싹. ¶青少年就是国家的～; 청소년은 바로 나라의 어린 싹이다.
〔秧擎〕 yāngqing 동 〈京〉 ①(병을) 느긋이 요양하다. ¶我这病三天好两天坏就这么～着吧; 내 병은 시름시름 앓아 이렇게 요양 중이다. ②잘 보살펴 가꾸다. ¶这棵小树苗真叫你～大了; 이 나무의 모종은 네 손으로 크게 키워진 것이다.
〔秧田〕 yāngtián 명 ①못자리. 모판. ②모내기 한 논.
〔秧针〕 yāngzhēn 명 볍씨에서 돋은 바늘같이 섬세한 움. ¶秧田里长出一排排嫩绿的～; 모판에는 여린 초록 새싹이 줄지어 움터 있다.
〔秧子〕 yāngzi 명 ①→〔字解②③④〕 ②〈京〉 세상 물정 모르는 도련님. ¶吃chī～ =〔架jià～〕; 슬슬 구슬러서 양갓집의 도령을 봉(鳳)으로 삼다/哄～; 듣기 좋은 말을 하여 사람을 속이다. ③〈罵〉 바보. ¶这群～啊! 不骗他们骗谁? 이 바보들아! 그놈들을 속여 먹지 않고 누굴 속일래?/你别拿我当～; 나를 바보로 여기지 마. ④아이. 조무래기. ¶这野～也得算一户; 이 개구쟁이도 한 가족으로 계산한다.

鸯(鴦) yāng (앙)
명 《鳥》 원앙새《수컷은 '鸳', 암컷은 '鸯'》.

鞅 yāng (앙)
① 명 마소의 목 밑에 대는 가죽끈. 가슴걸이. ②동 등에 지다. ¶～掌zhǎng; ⇩ ③동 〈轉〉 종사하다. ⇒yàng
〔鞅鞅〕 yāngyāng 형 〈文〉 ⇨〔怏yàng怏〕
〔鞅掌〕 yāngzhǎng 동 등에 메고 손에 들다《바쁘게 일하는 모양》.

扬(揚〈敭〉) yáng (양) ① 동 올리다. ¶趾zhǐ高气～; 발을 높이 올리고 의기양양해하고 있다《오만한 태도를 이름》/ ～脖bó儿; 머리를 들다 / ～旗; ⇩ =〔举起〕② 동 (공중에서) 펄럭이다. 오르다. 피어오르다. ¶尘土飞～; 먼지가 피어오른다. ③ 동 나타나다. 세상에 널리 퍼지게 하다. 선전하다. ¶宣～; 일반에게 널리 알리다. ④ 동 칭송하다. ¶表～ =〔颂～〕; 칭송하다. ⑤ 동 키질하다. 키로 까부르다. 위로 흩뿌려 날리다. ¶拿簸bò箕～糠; 키로 겨를 까불러 내다. ⑥→〔扬扬〕⑦(Yáng) 명《地》양(揚)《장쑤 성(江蘇省) 양저우(揚州)에 있는 땅 이름》. ¶淮huái～菜; 양저우(揚州) 일대의 요리. ⑧ 명 성(姓)의 하나.

〔扬梆〕 yángbāng 형 ①고자세이다. 거만하다. ② 태연하다. 문제시하지 않다.

〔扬鞭催马〕 yángbiān cuīmǎ 채찍질하여 말을 달리게 하다.

〔扬波〕 yángbō 동 물결이 높이 일다. ¶海不～; 〈成〉 천하가 태평하다.

〔扬簸〕 yángbǒ 동 ⇨〔簸扬〕

〔扬簸箕〕 yángbòji 명 풍구.

〔扬长〕 yángcháng 부 시치미 떼고. 태연히. ¶～而去; 유유히 사라지다.

〔扬场〕 yáng//cháng 동《農》(겉겨를 제거하기 위해 탈곡한 곡류를 넉가래·풍구 등으로) 마당질하다. 넉가래질하다(‘东北’ 지방의 농사 풍습). ¶～锨; ‘扬场’에 쓰는 넉가래. →〔扬净〕 (yángcháng) 명 탈곡장.

〔扬程〕 yángchéng 명 양정. 리프트《펌프로 물을 올릴 수 있는 높이》.

〔扬帆〕 yáng//fān 동〈文〉 돛을 올려 출범하다. 돛을 올리다. ¶～出海; 돛을 올리고 바다로 나가다.

〔扬幡招魂〕 yáng fān zhāo hún 〈成〉 기를 내걸어 죽은 사람의 혼을 되부르다《몰락해 버린 것이나 부정적인 것을 되살아나게 하다》.

〔扬饭〕 yáng//fàn 동 더운 밥을 식히다.

〔扬芳〕 yángfāng 동〈文〉 명성이 오르다.

〔扬花〕 yáng//huā 동 작물이 개화하여 꽃가루가 흩날리다. ¶抽穗～; 이삭이 패어 꽃가루를 날리다.

〔扬基〕 yángjī 명 ⇨〔美měi国佬〕

〔扬净〕 yángjìng 동 풍구로 겉겨를 날려 버리다. →〔扬场〕

〔扬剧〕 yángjù 명《劇》 난징(南京)·양저우(揚州)·전장(鎮江) 일대의 지방극.

〔扬厉〕 yánglì 동〈文〉 용왕매진하다(‘发fā扬蹈厉’의 약칭). ¶铺张～; 야단스럽게 과장하다.

〔扬卤池〕 yánglǔchí 명 염전 안의 제 2 증발지(蒸發池).

〔扬眉〕 yáng//méi 동 눈썹을 치켜올리다. ¶他一～, 毫迈地说; 그는 눈썹을 치켜올리고는, 겁내지 않고 말했다.

〔扬眉吐气〕 yáng méi tǔ qì 〈成〉 크게 기염을 토하다. =〔吐气扬眉〕

〔扬名〕 yáng//míng 동〈文〉 명성을 떨치다.

〔扬旗〕 yáng qí ①기를 올리다. ② (yángqí) 명 (철도의 까치발식) 신호기(機).

〔扬气〕 yángqì 형 으스대다《장사치의 교만한 태도를 이르는 말》. ¶发点儿小财有什么了不得, 别那么～, 好不好? 돈 좀 벌었다고 그까짓 게 뭐 대단해. 그렇게 우쭐대지 좀 말지 그래? / 这家买卖做得～, 货物出门不换, 价钱一点儿也不让; 이 집의 장사 태도는 오만해서, 물건을 교환해 주지 않고, 값도 한 푼도 깎아 주지 않는다.

〔扬弃〕 yángqì 명《哲》 지양(止揚). 아우프헤벤(Aufheben). 동 버리다. 포기하다. ‖ =〔止zhǐ扬〕

〔扬琴〕 yángqín 명《樂》 양금. =〔洋琴〕

〔扬清激浊〕 yáng qīng jī zhuó 〈成〉 ⇨〔激浊扬清〕

〔扬榷古今〕 yáng què gǔ jīn 〈成〉 고금의 예에서 인용하여 말하다.

〔扬嚷〕 yángrǎng 동 무책임하게 말을 퍼뜨리다.

〔扬人抑己〕 yáng rén yì jǐ 〈成〉 남을 기리고 자신은 겸손함.

〔扬撒〕 yángsǎ 동 확 흩뿌리다. ¶～车上的黄土; 수레 위의 황토를 흩뿌리다.

〔扬扇〕 yángshàn 명《農》 풍구. =〔扬簸箕〕

〔扬声〕 yángshēng 동 ①이름을 날리다. ②큰 소리로 외치다.

〔扬声器〕 yángshēngqì 명 확성기. 스피커. ¶整座～; 한 벌의 확성기 / 电磁式～; 마그네틱 스피커(magnetic speaker) / ～装zhuāng置; 스피커 장치. =〔话筒④〕

〔扬手〕 yáng//shǒu 동 손을 높이 올리다.

〔扬水〕 yáng shuǐ (펌프로) 물을 퍼올리다.

〔扬水池〕 yángshuǐchí 명 염전.

〔扬水站〕 yángshuǐzhàn 명 관개용 펌프장. =〔抽chōu水站〕

〔扬汤止沸〕 yáng tāng zhǐ fèi 〈成〉 끓는 물을 휘저어 끓는 것을 막으려고 하다. 임시변통으로 때우려 하다. ¶与其～, 不如釜底抽薪; 끓는 물을 휘저어 식히기보다는 장작을 제거하는 편이 근본적이다 / ～使不燋jiāo烂; 〈比〉 일시적인 구제책은 어쩔 도리가 없게 되는 것을 막기 위해서다.

〔扬土〕 yángtǔ 동 먼지를 일으키다.

〔扬威〕 yángwēi 동 으스대다. 허세를 부리다. ¶耀yào武～; 〈文〉 무력을 과시하고 위세를 부리다.

〔扬尾〕 yáng wěi 꼬리를 흔들다.

〔扬言〕 yángyán 동 (소리 높여) 말을 퍼뜨리다. 큰소리 치다. ¶放出风声, ～要暗杀吴起; 소문을 퍼뜨리어 오기(吳起)(전국 시대 위(衛)나라의 병법가)를 암살하겠다고 떠벌리다.

〔扬扬〕 yángyáng 형 ①득의만만하다. ¶～得意 =〔得意～〕; 우쭐해 있다. 득의양양하다. ②바람에 나부끼는 모양.

〔扬扬不睬〕 yáng yáng bù cǎi 〈成〉 ①득의만면(得意滿面)하다. ②거만하다. 거만하여 다른 사람은 안중에 없다. ¶跟他说话他也～, 不是生气就是骄傲吧; 그에게 말을 걸어도 상대도 하지 않는 것은 화가 나 있거나 거만하거나 둘 중의 하나이다.

〔扬州〕 Yángzhōu 명《地》 양주. ①옛날, 구주(九州)의 하나. 지금의 장쑤(江蘇)·안후이(安徽)·장시(江西)·저장(浙江)·푸젠(福建) 여러 성 일대의 지역. ②장쑤 성(江蘇省)에 있는 도시 이름. ¶～菜cài =〔淮huái扬菜〕; 양저우 요리.

〔扬庄夏布〕 yángzhuāng xiàbù 명《紡》 장쑤(江蘇)에서 나는 삼베. 두껍게 짜고 폭이 넓은 것.

〔扬子鳄〕 yángzǐ'è 명《動》 양쯔 강 악어. 중국 악어.

〔扬子江〕 Yángzǐjiāng 명《地》 양쯔 강《장쑤 성(江蘇省)의 장두(江都)에서 전장 강(鎮江)에 이르기까지의 ‘长cháng江’을 말함》.

炀(煬) yáng (양) 〈文〉 ① 형 화력(火力)이 왕성하다. ② 동 〈方〉 금속을 (불로) 녹이다.

→〔烊yáng〕

玚(瑒) **yáng** (창, 양) ①명 옛날에, 종묘(宗廟) 제사에 쓰인 옥그릇. ②인명용 자(字). ⇒ chàng

杨(楊) **yáng** (양) 명 ①《植》 미루나무속(屬) 식물의 총칭. ¶山～; 사시나무 / 小叶～; 당버들 / 青～; 긴잎황철나무 / 辽～; 황철나무 / 钻天～; 포플러 / 水～ =〔蒲pú柳〕; 냇버들 / 垂chuí～柳; 수양버들 / 赤～; 오리나무. ②성(姓)의 하나.

〔杨白头〕 yángbáitóu 명 ⇨〔羊白头〕

〔杨曹〕 yángcáo 명 ⇨〔水shuǐ杨酸钠〕

〔杨妃色〕 yángfēisè 명 《色》 연분홍. 핑크색.

〔杨妃舌〕 yángfēishé 명 《貝》 가리비의조개 관자. 패주.

〔杨贵妃〕 Yángguìfēi 명 《人》 양귀비《당(唐)나라 현종(玄宗)의 총희(寵姬). 미인의 대표로 꼽힘》.

〔杨花〕 yánghuā 명 《植》 버들개지《버드나무의 솜비슷한 씨》. ¶二月～满路飞; 2월의 버들개지가 길을 메우고 난다 / 水性～; 〈比〉 여자의 바람기. =〔柳liǔ絮〕

〔杨基〕 yángjī 명 〈罵〉 양키(Yankee). =〔美国佬〕〔扬基〕〔洋基〕

〔杨戬〕 yángjiǎn 명 이랑신의 별칭(別稱). =〔二èr郎神〕

〔杨瘌子〕 yánglázi 명 ⇨〔洋剌子②〕

〔杨柳〕 yángliǔ 명 《植》 ①냇버들과 버드나무(‘杨’은 잎이 크고 ‘柳’는 작음). ②버들. ¶～腰; 날씬한 허리 / ～依依惜别; 이별을 아쉬워하는 일.

〔杨柳枝〕 yángliǔzhī 명 ①버드나무의 가지. ②《佛》 구세(救世)의 상징《관음보살이 손에 든 정병(淨甁)에 꽂힌 버드나무 가지는 물을 뿌려 세상을 구하는 뜻을 나타낸 것으로 봄》.

〔杨栌〕 yánglú 명 《植》 골병꽃나무의 근연종(近緣種)《인동과의 낙엽 관목》.

〔杨莓〕 yángméi 명 《植》 〈方〉 딸기. ¶～酱; 딸기잼.

〔杨梅〕 yángméi 명 ① 《植》 소귀나무. 양매. ¶～酒; 양매주. ②〈方〉 딸기. ③〈方〉 매독.

〔杨梅(疮)〕 yángméi(chuāng) 명 《醫》 매독의 종기. =〔大dà疮〕〔广guǎng疮〕〔落luò地梅〕〔时shí疮〕〔落luò地梅〕

〔杨梅青〕 yángméiqīng 명 양매청. 공청. =〔空kōng青〕

〔杨木〕 yángmù 명 백양나무 재목《목질이 물러 용재(用材)로는 쓰이지 않음》.

〔杨氏模数〕 yángshì móshù 명 《物》 영률(young率). 영 탄성률(彈性率).

〔杨树〕 yángshù 명 《植》 백양나무. 사시나무.

〔杨树串儿〕 yángshùchuànr 명 백양나무 꽃《갈색 털로 덮힌 둥글고 갸름한 꽃이 꼬치 모양을 이루고 있음》.

〔杨桃〕 yángtáo 명 《植》 ①오렴자. =〔五wǔ敛子〕 ②다래. =〔猕mí猴桃〕

〔杨桐〕 yángtóng 명 ①《植》 비쭈기나무. ②남천죽. =〔南nán天竹〕

〔杨枝(净)水〕 yángzhī(jìng)shuǐ 명 《佛》 ①옛날에, 석륵(石勒)의 아들이 병들어 죽게 되었을 때, 석륵에게 초대되어 묵고 있던 천축(天竺)의 부처 도징(圖澄)이 버드나무 가지를 꺾어 물에 축여서 뿌렸더니 소생했다는 고사《인도에는 빈객을 맞이할 때 먼저 버드나무 가지와 향수를 보내어 건강을 축수하는 풍습이 있음》. ②〈轉〉 기사회생의 감로수.

〔杨枝鱼〕 yángzhīyú 명 《魚》 실고기.

旸(暘) **yáng** (양) 〈文〉 ①동 해가 뜨다. ②명 청천(晴天).

〔旸谷〕 yánggǔ 명 〈文〉 해가 뜨는 곳《고서(古書)에서》.

飏(颺) **yáng** (양) 동 ①바람에 불려 올라가다. =〔飘piāo飏〕 ②피어 오르다. ③도망치다. ¶闻风远～; 소문을 듣고 멀리 달아났다. ④풍채가 유난히 빛나다. ⑤키질하다. 키로 까부르다.

疡(瘍) **yáng** (양) 명 《醫》 ①종기. ¶溃kuì～; 궤양 / ～医; 외과 의사 / 胃溃～; 위궤양. ②뾰루지. ③상처.

钖(鍚) **yáng** (양) 명 〈文〉 당로(當盧)《옛날, 말의 이마에 단 장식물》.

阳(陽) **yáng** (양) ①명 《哲》 역학상(易學上)의 양. →〔阴〕 ②명 《物》 전기의 양극. ¶～电diàn; 양전기. ③명 태양. ¶朝～; 아침 해 / ～光; 태양 광선 / 太～历; 태양력. ④명 산(山)의 남쪽. ¶山的～坡; 산의 남쪽 사면 / 向～; 남향. ⑤명 강의 북쪽 언덕. ¶洛～; 땅 이름《허난 성(河南省)의 뤄수이 강(洛水) 북쪽에 있음》 / 向～; 남향. ⑥명 남근(男根). ⑦명 양지. ⑧형 밝다. 밝고 개방적이다. ¶～明; ⇩ / ～间; ⇩ ⑨동 돌기(突起)되어 있다. 밖으로 드러나 있다. ¶～文的图章; 양각(陽刻) 도장. ⑩명 성(姓)의 하나.

〔阳报〕 yángbào 명 ①현세에서의 응보. ②표면에 드러난 분명한 응보. ¶有阴德者必有～; 음덕이 있는 사람에겐 반드시 양보가 있다.

〔阳场子〕 yángchǎngzi 명 너른 공터.

〔阳成〕 Yángchéng 명 복성(複姓)의 하나.

〔阳春〕 yángchūn 명 ①양춘. 봄. 봄날. ¶十月小～; 10월의 봄같은 날. →〔阳月〕 ②〈比〉 은혜. 은택. ¶德政如～; 덕으로 다스리는 정치는 봄의 은혜로움과 같다. ③(Yángchūn) 《地》 광둥 성(廣東省)에 있는 현 이름.

〔阳春白雪〕 yáng chūn bái xuě 〈成〉 ①춘추(春秋) 시대 초(楚)나라의 고상하고 아름다운 가곡의 이름. 고원하고 통속적이 아닌 문학이나 예술 작품. ②덕행이 높음의 비유. ¶～曲高和寡, 您的德行不是一般人所能理解的; ‘阳春白雪’은 곡이 고상하여 화창(和唱)할 수 있는 사람은 적다. 당신의 덕행은 (매우 높으므로) 일반 사람에게는 이해가 안 되는 것입니다.

〔阳春面〕 yángchūnmiàn 명 〈南方〉 소면(素麵). →〔光guāng面(儿)①〕

〔阳道〕 yángdào 명 ①〈文〉 양도. 군주의 도리. 아버지의 도리. 남편의 도리《곧, 주된 도리》. ②《天》 태양의 궤도. ③⇨〔阳物〕

〔阳德〕 yángdé 명 ①양덕. 남자가 지켜야 할 길. ②양기(陽氣).

〔阳地植物〕 yángdì zhíwù 명 ⇨〔阳性植物〕

〔阳电〕 yángdiàn 명 《物》 양전기. ¶～荷; 양전하 / ～子; 양전자. =〔正zhèng电〕 ↔〔阴yīn电〕〔负fù电〕

〔阳风〕 yángfēng 명 (‘刮～’으로 쓰여) 당당하게 긍정적인 언동을 하는 것.

〔阳奉阴违〕 yáng fèng yīn wéi 〈成〉 겉으로는 복종하는 체하고, 뒤로는 배신 행위를 하다. 면종

복배(面從復背)하다. ¶部下对长官的命令都是～, 这样的部门永远好不了; 부하가 장관의 명령에 대하여 모두 면종복배한다면, 이러한 부서는 영원히 잘 되어 나갈 수 없다.
〔阳沟〕 yánggōu 명 개수로. 위를 가리어 덮지 않은 도랑. =〔羊沟〕〔明沟〕〔明渠〕 →〔阴yīn沟〕
〔阳关〕 Yángguān 명《地》양관(현재의 간쑤 성(甘肅省) 땅에 있으며, 한(漢)나라 때 관문이 있던 곳. 옥문관(玉門關)의 남쪽에 있었으므로 '～'이라 불리었음).
〔阳关道〕 yáng guān dào 〈成〉 사통팔달의 대도. 한길. 올바른 길. ¶你走你的～, 我走我的独木桥; 너는 너의 큰 길을 가고, 나는 나대로 외나무다리를 건는다(서로 자기의 길을 간다). =〔阳关大道〕
〔阳关三迭〕 yáng guān sān dié 〈成〉 송별의 노래(당(唐)나라의 왕유(王維)의 시 '西出阳关无故人'(서쪽으로 양관 나서면 친구조차 없으려니)의 한 귀절).
〔阳光〕 yángguāng 명 양광. 태양 광선. ¶～普照; 두루 비추다. =〔日rì光〕
〔阳光雨露〕 yáng guāng yǔ lù 〈成〉 태양의 빛과 우로(雨露)(만물을 키우는 것).
〔阳和〕 yánghé 명〈文〉봄기운이 화창한 일. ¶春日～; 봄날씨가 화창하다.
〔阳极〕 yángjí 명《物》양극. =〔正zhèng极〕 ↔〔阴yīn极〕
〔阳间〕 yángjiān 명 현세. 이승. ¶～地狱; 이승의 지옥. =〔阳世shì〕
〔阳具〕 yángjù 명 ⇨〔阳物〕
〔阳狂〕 yángkuáng 동〈文〉⇨〔佯狂〕
〔阳离子〕 yánglízǐ 명《物》양이온. =〔阳向离子〕〔阳游子〕〔〈音義〉阳伊yī洪〕
〔阳历〕 yánglì 명 양력. 태양력. =〔国guó历〕〔太tài阳历〕〔西xī历②〕〔新xīn历〕 ↔〔阴历〕
〔阳螺旋〕 yángluóxuán 명《機》볼트(bolt). ↔〔螺丝母〕
〔阳面儿〕 yángmiànr 명형 양성적인 (성격). 개방적인 (성격). 명 ①정면. 표면. ¶铜子儿的～是字儿, 阴面儿是闷儿; 동전의 겉은 글씨이고, 이면은 문양이다. ↔〔阴yīn面(儿)〕 ②〈比〉명랑. 숨김이 없는 행동. ¶他是个～的朋友, 一向不使阴毒损坏; 그는 양성적인 사람으로, 이제까지 음험하게 남을 해친 적이 없다.
〔阳明〕 yángmíng 형〈文〉빛나고 밝다. 명《漢醫》경파(經派)의 이름의 하나.
〔阳明学派〕 Yángmíngxuépài 명《哲》양명학파(명(明)나라 왕수인(王守仁)(호는 양명)이 수립한 학문, 곧 '王学'의 한파, 지행합일(知行合一)을 주창함).
〔阳谋〕 yángmóu 명 숨김이 없는 음모(비밀로 세운 계획이 아닌, '阴谋'와 대비한 뜻).
〔阳畔〕 yángpàn 명 남쪽의 뚝〔제방〕. 「=〔下平〕
〔阳平〕 yángpíng 명《言》현대 중국어의 제 2성.
〔阳畦〕 yángqí 명《農》양지쪽에 만든 묘상(苗床).
〔阳起石〕 yángqǐshí 명《鑛》양기석. =〔光线石〕
〔阳气〕 yángqì 명 양기(만물을 낳아 기르는 기운).
〔阳伞〕 yángsǎn 명 양산. =〔洋伞〕〔〈方〉旱伞〕〔〈方〉凉liáng伞〕
〔阳声(韵)〕 yángshēng(yùn) 명《言》(중국 음운학에서) 비음(鼻音)('-m, -n, -ng'으로 끝나는 자음(字音)).
〔阳世〕 yángshì 명 현세. 이승. ¶～三间; 이 세상. =〔阳间〕↔〔阴yīn世〕
〔阳事〕 yángshì 명〈文〉교합(交合).
〔阳寿〕 yángshòu 명〈文〉수명. ¶续了～; 이승의 수명이 연장되었다.
〔阳遂足〕 yángsuìzú 명《動》'海hǎi盘车'(불가사리)의 일종(몸이 둥글고 납작하며, 회색·갈색의 반점이 있고, 다섯 개의 팔이 가늘고 길며, 얕은 바다의 돌 사이에 있음).
〔阳燧〕 yángsuì 명 옛날에, 햇빛을 이용하여 불을 일으키는 도구(구리로 만들어 거울 모양 비슷함).
〔阳台〕 yángtái 명 ①베란다(veranda). 발코니(balcony). ②물건 말리는 대. ¶赴～; 남녀가 교합(交合)하다. =〔晒shài台〕
〔阳桃〕 yángtáo 명 ⇨〔五wǔ敛子〕
〔阳天〕 yángtiān 명〈文〉동남방.
〔阳脱〕 yángtuō 명 ⇨〔虚xū脱〕
〔阳洼〕 yángwā 명 양지바른 웅덩이.
〔阳瓦〕 yángwǎ 명 (지붕을 이는) 수키와.
〔阳痿〕 yángwěi 명《醫》음위(陰痿). 성교불능증. =〔阴痿〕
〔阳文〕 yángwén 명 양각한 무늬나 문자. ¶～花; 돋을새김 무늬 / ～图章; 양각 도장 / 雕diāo～; 돋을무늬를 새기다. =〔阳识〕〔阳字〕 →〔阴文〕
〔阳物〕 yángwù 명 양물. 남자의 생식기('阴茎'의 별칭). =〔阳道③〕〔阳具〕
〔阳向离子〕 yángxiànglízǐ 명 ⇨〔阳离子〕
〔阳性〕 yángxìng 명 ①《物》(전극(電極)·화학 시험지·세균 시험 등의) 양성. ②(언어학에서의) 남성. ③태양. ④《醫》(투베르쿨린. 바세르만 반응 등의) 양성. ‖↔〔阴yīn性〕
〔阳性植物〕 yángxìng zhíwù 명《植》양지 식물(양지에서 잘 자라는 식물). =〔阳地植物〕〔喜xǐ光植物〕 ↔〔阴yīn性植物〕
〔阳虚〕 yángxū 명《漢醫》양허. 양기가〔활력이〕 부족한 상태(안색이 창백하고 땀이 잘 나며 입맛이 없는 따위). →〔阴yīn虚〕
〔阳言〕 yángyán 동 ⇨〔佯言〕
〔阳伊洪〕 yángyīhóng 명 ⇨〔阳离子〕
〔阳游子〕 yángyóuzǐ 명 ⇨〔阳离子〕
〔阳月〕 yángyuè 명 양월. 음력 10월.
〔阳韵〕 yángyùn 명《言》고한어 운모(古漢語韻母)의 한 가지로, 각운(脚韵)이 "m · n · ng"인 것을 말함(각운이 "b · d · g"인 것 및 '阳韵' 이외의 자를 '阴yīn韵'이라 함).
〔阳宅〕 yángzhái 명〈文〉(음양가가 말하는) 사람 사는 집. 주거. 주택('阴yīn宅'(무덤)에 대해서 말함).
〔阳症〕 yángzhèng 명《漢醫》양증(병의 증상이 적극적 발양적(發揚的)이며 열성(熱性)을 띠는 것). ↔〔阴yīn症〕
〔阳识〕 yángzhì 명 ⇨〔阳文〕
〔阳字〕 yángzì 명 ⇨〔阳文〕

羊 **yáng** (양)

①명《動》양. ¶公～; 숫양 / 母～; 암양 / 一只～; 한 마리의 양 / 不许在我面前装～; 내 앞에서 양의 탈을 쓰고 양순한 체하는 것은 용서하지 않는다. ②〈文〉'祥xiáng', '徉yáng'과 통용. ③명 성(姓)의 하나.
〔羊哀〕 yáng'āi 명《漢醫》양 특히 산양의 밥통 속에 있는 소화되지 않은 풀(굳어져서 동그랗게 되어 있는 것으로, 약용됨).
〔羊白头〕 yángbáitóu 명《醫》백납(색소 부족 때문에 생긴 흰 반점). =〔杨白头〕
〔羊伴〕 yángbàn 명〈南方〉세상 물정에 어두운 무골 호인. →〔洋盘〕

〔羊草〕 yángcǎo 명 ①개보리풀. =〔碱jiǎn草〕 ②띠. =〔蓑suō(衣)草〕

〔羊肠〕 yángcháng 명 ①양의 창자. ②〈比〉 꼬불꼬불한 소로. ¶～小道 =〔～鸟道〕; 꾸불꾸불한 작은 길《흔히 산길》/通过一条～小路; 꾸불꾸불한 오솔길을 지나다.

〔羊城〕 Yángchéng 명 광저우 시(廣州市)의 별칭. =〔五Wǔ羊城〕

〔羊齿〕 yángchǐ 명 《植》 양치류. 고비·고사리 따위. 注 '蕨jué类植物'의 구칭.

〔羊灯〕 yángdēng 명 ⇨〔羊角灯〕

〔羊癫风〕 yángdiānfēng 명 ⇨〔羊角疯〕

〔羊顶架〕 yáng dǐng jià ①머리를 낮추고 전력으로 달리다. ②〈比〉 머리를 낮추고 들이밀다. ③〈比〉 정면으로 맞서다.

〔羊痘〕 yángdòu 명 《醫》 양의 급성 전염병《물집이 생기고 고름이 나며, 딱지 자국이 남음》.

〔羊肚〕 yángdǔ 명 양의 내장.

〔羊肚儿手巾〕 yángdǔr shǒujīn 명 〈方〉 수건. 타월. =〔毛máo巾〕

〔羊肚蕈〕 yángdǔxùn 명 《植》 삿갓버섯《식용》. =〔编biān笠菌〕〔羊肚菜〕〔羊肚菌jūn〕

〔羊肝色〕 yánggānsè 명 《色》 적갈색.

〔羊肝石〕 yánggānshí 명 《鑛》 항저우(杭州) 린핑산(臨平山)의 시리 동(細礪洞)에서 나는 숫돌.

〔羊羔(儿)〕 yánggāo(r) 명 ①새끼 양. ¶献上赎罪的小～; 속죄하기 위한 새끼 양을 바치다. ②뱃속에 들어 있는 양 새끼. ③〈比〉 기독교도《낮추어 이르는 말》.

〔羊羔(酒)〕 yánggāo(jiǔ) 명 산시 성(山西省)의 명주(銘酒).

〔羊羔子〕 yánggāozi 명 새끼 양.

〔羊羹〕 yánggēng 명 ①〈文〉 양의 고기와 간을 사용한 국〔요리〕의 하나. ②양갱.

〔羊工〕 yánggōng 명 ①양치기. ② →〔磨mó洋工〕

〔羊公鹤〕 yánggōnghè 명 〈比〉 소문만 요란한 사람. 헛된 명성만 있는 사람. ¶我的嗓子跟～似的, 名不符实; 나의 목소리는 소문만큼 대단하지 않아, 명실이 상부하지 않는다.

〔羊沟〕 yánggōu 명 ⇨〔阳沟〕

〔羊倌(儿)〕 yángguān(r) 명 양치기. =〔羊官〕

〔羊毫〕 yángháo 명 양털로 촉을 만든 붓. 양호필.

〔羊狠狼贪〕 yáng hěn láng tān 〈成〉 ①사람이 비정하고 권세욕이 강함. ②착취 억압의 극심함.

〔羊胡子草〕 yánghúzicǎo 명 《植》 황새풀.

〔羊犄角蜜〕 yángjījiǎomì 명 《植》 단 참외의 일종《빛깔은 담황색에 맛이 매우 닮》.

〔羊胛熟〕 yángjiǎshú 〈比〉 시간이 짧고 빠르다. ¶时间像～似的, 过得真快啊; 시간은 양의 견골(肩骨)을 삶듯 정말 빨리 지나간다.

〔羊角〕 yángjiǎo 명 양뿔. ¶～锤; 노루발장도리.

〔羊角辫〕 yángjiǎobiàn 명 양뿔처럼, 양쪽 귀 위에서 묶은 소녀의 짧은 머리 모양.

〔羊角菜〕 yángjiǎocài 명 ⇨〔白bái花菜〕

〔羊角葱〕 yángjiǎocōng 명 '小xiǎo葱(儿)'의 일종《잎이 작은 파》.

〔羊角灯〕 yángjiǎodēng 명 양각등. =〔羊灯〕

〔羊角豆〕 yángjiǎodòu 명 ⇨〔望wàng江南〕

〔羊角(儿)风〕 yángjiǎo(r)fēng 명 ①회오리바람. ② ⇨〔羊角疯〕

〔羊角疯〕 yángjiǎofēng 명 《漢醫》 간질. ¶抽～; 간질을 일으키다/他发～, 躺在地上打滚儿, 直吐白沫子; 그는 간질 발작을 일으켜 땅 위를 뒹굴며 흰 게거품을 뿜었다. =〔洋角癫diān〕〔羊癫风〕〔羊角(儿)风②〕〔羊痫xián病〕

〔羊角碾〕 yángjiǎoniǎn 명 《機》 시프 푸트 롤러(sheep's foot roller)《양뿔 모양의 돌기가 많이 달린 롤러》. =〔洋角碾〕

〔羊韭〕 yángjiǔ 명 《植》 맥문동.

〔羊酒〕 yángjiǔ 명 양고기와 술《옛날의 선물용품》.

〔羊圈〕 yángjuàn 명 ⇨〔羊栏〕

〔羊角〕 Yángjué 명 복성(複姓)의 하나.

〔羊蜡酸〕 yánglàsuān 명 ⇨〔癸guǐ酸〕

〔羊栏〕 yánglán 명 양 우리. =〔羊圈〕

〔羊酪〕 yánglào 명 치즈.

〔羊陆之交〕 yáng lù zhī jiāo 〈成〉 양륙지교《진(晉)나라의 양호(羊祜)가 원정하여 오(吳)를 칠 때에, 오나라의 육항(陸抗)이 방어했는데, 서로 적이 되어서도 덕과 신의를 존중했음. 후세에, 양국의 장수가 적으로 만나도 두터운 정의(情誼)를 유지하는 일을 말함》. ¶～, 各为其国; 양륙지교는, 각각 자기 나라를 위해서 한다.

〔羊麻〕 yángmá 명 ⇨〔蔓màn于〕

〔羊麻草〕 yángmácǎo 명 《植》 누린내풀.

〔羊马城〕 yángmǎchéng 명 성 밖으로 10보 떨어진 해자 안에 세워진 작은 성.

〔羊毛〕 yángmáo 명 양모. ¶～蜡; 울 왁스/～排笔; 페인트 붓/～标志; 울 마크.

〔羊毛出在羊身上〕 yángmáo chūzài yángshēnshang 〈諺〉 ①양털은 양의 몸에서 얻어진다. ②〈比〉 근본을 따지면 자기 몸에서 나온 것이다. 자신은 아무런 손해가 없다. ¶政府加税, 商人就加价, 反正～, 消费者倒霉就是了; 정부가 세금을 높이면 상인들도 값을 올리니 따지고 보면 결국 소비자들만 골탕을 먹게 된다.

〔羊毛疔〕 yángmáodīng 명 《漢醫》 가슴이 몹시 아프고, 가슴과 등에 흡각(吸角)을 댄 뒤에, 은침으로 후비면 양모와 같은 것이 나오는 병《처음에 머리가 아프고, 오한과 열이 나며, 중증은 한 두 시간, 가벼운 것은 하루 이틀에 죽음》.

〔羊毛衫〕 yángmáoshān 명 털 셔츠. 털 내의.

〔羊毛脂〕 yángmáozhī 명 《化》 양모 그리스. 라놀린.

〔羊膜〕 yángmó 명 《生》 양막《태아의 바깥쪽을 싸고 있는 막》.

〔羊奶〕 yángnǎi 명 양젖.

〔羊奶子〕 yángnǎizi 명 《植》 볼레나무.

〔羊皮〕 yángpí 명 양피. 양의 모피. ¶狼披着～; 늑대가 양가죽을 쓰다. 〈比〉 위선(자).

〔羊皮纸〕 yángpízhǐ 명 ①양피지. ¶假～; 황산지. 모조 양피지/红～; 붉은 양피지/白～; 흰 양피지. ②황산지.

〔羊婆奶〕 yángpónǎi 명 《植》 '沙shā参'(잔대)의 별칭.

〔羊栖菜〕 yángqīcài 명 《植》 녹미채《갈조류의 해조》. =〔鹿lù尾菜〕

〔羊群里出骆驼〕 yángqún lǐ chū luòtuo ①〈諺〉 양 떼에서 낙타가 나다. ②〈比〉 평범한 것 중에서 비범한 것이 나오다. ¶～他们兄弟中就是他一个人出色; 양 무리 가운데의 낙타로, 그들 형제 중에서 그만이 혼자 빛나고 있다.

〔羊绒〕 yángróng 명 《紡》 양모. 캐시미어(cashmere). ¶～线; 모사/～围巾; 캐시미어 숄/～衫裤; 캐시미어 셔츠와 아랫도리 속옷.

〔羊肉〕 yángròu 명 양고기. ¶～包子打狗; 〈歇〉 양고기 만두를 개에게 내던지다. 먹어 버리고 그만이다. 함흥차사/～吃不上, 空落一身膻气; 〈諺〉

양고기를 얻어먹지도 못하고 공연히 온몸에 누린내만 묻힌다(욕심부리다가 아무것도 얻지 못하다).
〔羊肉床子〕 yángròu chuángzi 명 ⇨〔羊肉铺〕
〔羊肉铺〕 yángròupù 명 양고기를 파는 가게. =〔〈俗〉羊肉床子〕
〔羊乳〕 yángrǔ 명 ①양젖. ②《植》 더덕.
〔羊入虎口〕 yáng rù hǔ kǒu 〈成〉 위험한 곳에 들어가 살아올 가망이 없음. 사지에 빠짐.
〔羊上树〕 yáng shàngshù 양이 나무 위에 오르다(분수를 모르고 우쭐대다. 독선적으로 굴다. 비뚤어지게 나가다). ¶他就是～的脾气, 越劝越拧; 그는 성질이 비뚤어져서 타이르면 타이를수록 엇나간다.
〔羊舌〕 Yángshé 명 복성(複姓)의 하나.
〔羊霜肠〕 yángshuāngchang 명 양 순대(양의 창자에 양의 피나 골을 채워서 삶은 식품). →〔灌guàn肠〕
〔羊水〕 yángshuǐ 명 양수(뱃속에서 태아를 감싸고 있는 액체). ¶产妇的～出来了, 马上要生产了; 산부의 양수가 나왔으니, 곧 출산할 것이다. →〔羊膜〕
〔羊踏破菜园〕 yáng tàpò càiyuán 양이 채소밭을 짓밟아 망치다. 〈比〉 평소에 잘 먹지 못하던 사람이 좋은 음식을 배불리 먹어 창자가 깜짝 놀랐다는 뜻.
〔羊桃〕 yángtáo 명 《植》 ①양도. 오렴자. =〔五wǔ敛子〕 ②〈方〉 다래. =〔猕mí猴桃〕
〔羊蹄〕 yángtí 명 《植》 참소리쟁이. =〔牛niú舌菜〕〔败bài毒菜〕〔水shuǐ黄芹〕〔秃tū菜〕
〔羊头〕 yángtóu 명 양의 머리. ¶挂～, 卖狗肉; 〈成〉 양의 머리를 내걸고 개고기를 팔다. 겉만 훌륭하고 내용이 따르지 못함 / 他把式不兴撞～; 권술(拳術)에서는 머리로 받아서는 안 된다 / 太太带着一群女将, 把丈夫的小公馆, 打了个烂～似的; 마나님이 여자 장사를 데리고 가서, 첩의 집을 산산이 때려 부수었다.
〔羊腿〕 yángtuǐ 명 양의 넓적다리 고기.
〔羊驼〕 yángtuó 명 《動》 알파카. ¶～呢ní; 《紡》 알파카 직물.
〔羊栖菜〕 yángxīcài 명 《植》 녹미채.
〔羊痫病〕 yángxiánbìng 명 ⇨〔羊角疯〕
〔羊痫风〕 yángxiánfēng 명 《醫》 간질.
〔羊眼睛〕 yángyǎnjing 명 옛날, 음구(淫具)의 하나(양의 눈과 눈썹을 한데 잘라서 말린 것. 《金瓶梅》에 나옴).
〔羊油酸〕 yángyóusuān 명 ⇨〔己jǐ酸〕
〔羊有跪乳之恩〕 yáng yǒu guì rǔ zhī ēn 양이 어려서 무릎꿇고 먹던 은혜를 안다. 양도 부모의 은혜를 안다.
〔羊杂〕 yángzá 명 양의 내장.
〔羊崽子〕 yángzǎizi 명 《動》 새끼양.
〔羊枣〕 yángzǎo 명 ⇨〔君jūn迁子〕
〔羊只〕 yángzhī 명 《動》 양(총칭).
〔羊脂酸〕 yángzhīsuān 명 ⇨〔辛xīn酸②〕
〔羊脂玉〕 yángzhīyù 명 양지옥(양의 기름 덩이 같은 빛으로 반투명의 옥).
〔羊踯躅〕 yángzhízhú 명 《植》 연꽃진달래의 근연종(近緣種). =〔〈方〉闹nào羊花〕
〔羊质虎皮〕 yáng zhì hǔ pí 〈成〉 ①겉으로는 강해 보이지만, 내실은 약하다(이불 안에서 활개치다). ②형식뿐 실상이 없음(겉으로만 번드레하다).
〔羊撞篱笆〕 yáng zhuàng líba 양이 울타리에 부딪치다(진퇴양난이다). ¶这档子事儿闹得我像～似的, 不知道怎么办好了; 이번 일은 이러지도 저러지도 못한다. 어찌했으면 좋을지 모르겠다.

佯 **yáng** (양)
①동 속이다. ②동 거짓 …체하다. ¶～作不知; 모르는 체하다. 시치미떼다 / 装zhuāng～; 가장하다. 거짓으로 꾸미다. =〔假装jiǎzhuāng〕 ③→〔倘佯〕 ④명 《民》 중국의 소수 민족의 하나. =〔佯僙huáng〕
〔佯称〕 yángchēng 동 〈文〉 사칭하다. 거짓으로 일컫다.
〔佯动〕 yángdòng 명동 〈文〉 견제(하다). 명 양동작전(陽動作戰).
〔佯攻〕 yánggōng 동 《軍》 양동 작전을 취하다. 명 ①《體》 위장 공격. ②《體》 (탁구의) 페인트.
〔佯狂〕 yángkuáng 동 〈文〉 미친 체하다. =〔阳狂〕
〔佯狂避世〕 yáng kuáng bì shì 〈成〉 미치광이 흉내를 내며 세상을 피해 살다. 미친 척하며 현실을 도피하다.
〔佯名〕 yángmíng 동 〈文〉 이름을 속이다. →〔假jiǎ名〕
〔佯输诈败〕 yáng shū zhà bài 〈成〉 패배한 체하다.
〔佯死〕 yángsǐ 동 〈文〉 죽은 체하다. →〔假jiǎ死〕
〔佯笑〕 yángxiào 명동 〈文〉 억지웃음(을 짓다). 거짓웃음(을 웃다).
〔佯言〕 yángyán 동 〈文〉 거짓말하다. =〔阳言〕
〔佯装〕 yángzhuāng 동 〈文〉 체하다. ¶～气恼; 화난 체하다 / 他想～糊涂, 应付过去; 그는 짐짓 시치미를 떼고 얼버무리려 했다.
〔佯醉〕 yángzuì 동 〈文〉 취한 체하다.
〔佯作不知〕 yáng zuò bù zhī →〔字解②〕

洋 **yáng** (양)
①명 큰 바다. ¶海～; 해양 / 太平～; 태평양. ②명 외국. ¶出～; 외국에 가다. →〔中〕〔东〕 ③명 은화(銀貨). ¶现～; 현금. ④형 바다 따위가 한없이 넓다. 양양하다. ⑤형 외국의. ¶～装; 양복. 注 현재는 '西洋'이라는 말보다 흔히 부정적(否定的)임. ⑥명 근대적 · 서구적인 것. ¶～办法; 현대적인 수법 / 土～结合; 중국 전통의 방법과 근대적인 방법을 결합하다. ⑦형 성대하다. ¶～～大观; ⇩ ⑧형 종잡을 수 없다. 터무니없다. ¶～话; 종잡을 수 없는 말.
〔洋八股〕 yángbāgǔ 명 무턱대고 외래어를 수용한 서양투의 문장(새로운 '팔고문(八股文)'의 뜻. 5 · 4 운동(五四運動) 이후의 지식인의 문장을 노신(魯迅)이 일컫은 말).
〔洋白〕 yángbái 명 〈方〉 은화.
〔洋白菜〕 yángbáicài 명 《植》 〈俗〉 양배추. =〔卷juǎn心菜〕
〔洋白面〕 yángbáimiàn 명 ⇨〔机jī器面①〕
〔洋白薯〕 yángbáishǔ 명 《植》 〈俗〉 감자.
〔洋白铜〕 yángbáitóng 명 ⇨〔白铜〕
〔洋板绫〕 yángbǎnlíng 명 《紡》 림 브릭(Lim brich).
〔洋版(儿)〕 yángbǎn(r) 명 《印》 활판(목판 · 동판에 대한 말). ¶～书; 활자본.
〔洋办法〕 yángbànfǎ 명 현대적〔근대적〕인 방법. ↔〔土tǔ办法〕 →〔洋法〕〔土法〕
〔洋本本〕 yángběnběn 명 〈貶〉 외국책. 양서.
〔洋笔〕 yángbǐ 명 ⇨〔钢gāng笔①〕
〔洋标(布)〕 yángbiāo(bù) 명 《紡》 외래 옥양목. =〔洋扣布〕

〔洋表古纸〕 yángbiǎogǔzhǐ 명 포장 용지.
〔洋兵〕 yángbīng 명 외국병(外國兵).
〔洋布〕 yángbù 명《紡》①옥양목. ↔〔土tǔ布〕 ②캘리코(calico). ¶花～; 사라사(포 sarasa).
〔洋财〕 yángcái 명 ①외국인을 끼고 번 돈. 외국과 장사하여 번 돈. ②떼돈 (벌기). ¶发～; 떼돈을 벌다.
〔洋菜〕 yángcài 명〈俗〉한천. 우뭇가사리. =〔洋粉〕〔琼胶〕〔石shí花胶〕〔琼qióng脂〕
〔洋舱〕 yángcāng 명 옛날, 배의 특별 1등실. →〔房fáng舱〕〔官guān舱〕〔统tǒng舱〕
〔洋操〕 yángcāo 명 양식 체조. 양식 훈련.
〔洋草果〕 yángcǎoguǒ 명《植》유칼립투스.
〔洋檫木〕 yángchámù 명《植》사사프라스(sassafras)나무(향유를 채취함). =〔黄huáng樟〕
〔洋拆〕 yángchāi 명 ⇨〔银yín拆〕
〔洋场〕 yángchǎng 명 옛날, 외국인이 많은 도시(흔히, '上海'(상하이)를 가리킴). ¶～恶少èshào; 서양물이 든 불량 소년.
〔洋车〕 yángchē 명〈俗〉인력거. ¶～夫; 인력거꾼. =〔东洋车〕〔〈方〉黄包车〕〔〈方〉胶皮车〕〔〈廣〉车仔〕〔人力车①〕
〔洋铳〕 yángchòng 명 ⇨〔样yàng铳〕
〔洋绸〕 yángchóu 명 외제 견직물. ¶～缎; 외제 견직물과 공단. →〔洋绉zhòu〕
〔洋船〕 yángchuán 명 ①외국선. →〔洋轮〕 ②외국으로 가는 배.
〔洋瓷〕 yángcí 명〈口〉법랑 그릇. ¶～盆; 법랑 입힌 세숫대야.
〔洋葱〕 yángcōng 명《植》〈口〉양파. =〔洋葱头〕〔葱头〕〔圆yuán葱〕
〔洋葱头〕 yángcōngtóu 명 ⇨〔洋葱〕
〔洋大人〕 yángdàrén 명〈貶〉외국 양반.
〔洋大蒜〕 yángdàsuàn 명《植》리크(leek). =〔韭jiǔ葱〕
〔洋大头〕 yángdàtóu 명《植》'菊jú芋'(뚱딴지)의 속칭.
〔洋刀〕 yángdāo 명 사벨(네 sabel). 서양풍의 칼.
〔洋倒爷〕 yángdǎoyé 명 중국에 상품을 사러 오는 외국인 암거래 상인.
〔洋盗〕 yángdào 명 해적.
〔洋灯〕 yángdēng 명 램프(lamp). ¶～罩zhào; 전등갓.
〔洋地黄〕 yángdìhuáng 명《植》디기탈리스(digitalis). ¶～酊dīng; 디기탈리스 팅크 / ～粉fěn; 디기탈리스 엽말(葉末). =〔毛máo地黄〕〔〈音〉实shí芰答里斯〕
〔洋地黄毒甙〕 yángdìhuáng dúdài 명《藥》디기톡신(digitoxin).
〔洋靛〕 yángdiàn 명 ⇨〔洋蓝〕
〔洋钉〕 yángdīng 명 못(옛날, 재래식 제법으로 만든 못에 상대하여 이름).
〔洋冬至〕 yángdōngzhì 명 크리스마스(christmas). =〔圣shèng诞节〕
〔洋缎〕 yángduàn 명《紡》인조 공단. 양단(비스코스(viscose)·벰베르크(독 Bemberg)·나일론(nylon) 등 인조 견사로 만든 공단을 총칭함). ¶～面子; (일산 따위의 겉을) 양단을 씌운 것.
〔洋法〕 yángfǎ 명 서양식의 방법. ¶在生产技术方面应当实行土法生产和～生产相结合的原则; 생산 기술의 면에서는 재래 방식에 의한 생산과 현대적인 방식에 의한 생산을 결부시키는 원칙을 실행해야 한다.
〔洋番薯〕 yángfānshǔ 명《植》〈方〉감자.
〔洋房〕 yángfáng 명 양옥. 양관.
〔洋粉〕 yángfěn 명 ⇨〔洋菜〕
〔洋粉连〕 yángfěnlián 명《植》〈方〉수국의 일종.
〔洋枫〕 yángfēng 명《植》플라타너스(platanus). =〔悬xuán铃木〕
〔洋服〕 yángfú 명 ⇨〔西xī服〕
〔洋袱〕 yángfu 명〈方〉손수건. =〔手绢(儿)〕
〔洋干漆〕 yánggānqī 명 ⇨〔虫chóng胶(片)〕
〔洋干油〕 yánggānyóu 명 ⇨〔乳rǔ化油〕
〔洋橄榄〕 yánggǎnlǎn 명《植》'齐qí墩果'(올리브)의 별칭.
〔洋镐〕 yánggǎo 명 곡괭이(중국 재래의 것은 '鹤嘴hèzuǐ').
〔洋狗〕 yánggǒu 명 ①서양개. ②〈罵〉서양물이 든 인간.
〔洋鼓〕 yánggǔ 명《樂》드럼(drum).
〔洋拐棍〕 yángguǎigùn 명 ①외국 지팡이. ②〈轉〉외국 의존. ¶丢掉～; 외국 의존을 없애다.
〔洋关〕 yángguān 명 옛날, 개항장에 설치한 세관. →〔海hǎi关〕
〔洋广货〕 yángguǎnghuò 명 ①양품. ¶洋广杂货; 양품 잡화. ②수입품(전에 광둥(廣東)을 거쳐 수입되었다).
〔洋鬼〕 yángguǐ 명〈罵〉서양놈. 양키. ¶东～; 쪽발이. =〔洋鬼子〕
〔洋行〕 yángháng 명 중국에 있는 외국인 상사·상점. 외국 상인과 주로 거래하는 상사.
〔洋毫子〕 yángháozi 명 옛날, 통용된 2각(角), 1각(角)짜리 등의 작은 은화. =〔银yín角子〕
〔洋号〕 yánghào 명《樂》트럼펫(trumpet).
〔洋诃子〕 yánghēzi 명《植》가리륵. →〔诃子〕
〔洋红〕 yánghóng 명 ①《染》카민·푹신(fuchsine) 따위의 홍색 염료를 이름. ②《色》담홍색. 도홍색. 장밋빛.
〔洋后门〕 yánghòumén 명 외국인의 연줄을 탄 입학. ¶走～; 외국인의 연줄로 유학하다.
〔洋化肥〕 yánghuàféi 명 새로운 (수입) 화학 비료. →〔土tǔ化肥〕
〔洋话〕 yánghuà 명〈俗〉'外国话'의 속칭.
〔洋槐〕 yánghuái 명《植》아카시아. =〔刺cì槐〕
〔洋灰〕 yánghuī 명〈俗〉시멘트. ¶～地; 콘크리트 바닥 / ～路lù; 콘크리트 포장 도로 / ～铁筋; 철근 콘크리트 / ～胶泥; 시멘트 모르타르. =〔水泥〕
〔洋灰花砖〕 yánghuī huāzhuān 명《建》타일.
〔洋灰瓦〕 yánghuīwǎ 명 시멘트 기와.
〔洋荤〕 yánghūn 명 처음 겪는 일. 신기한 일. ¶开～吃了西餐; 처음으로 양요리를 먹었다.
〔洋火〕 yánghuǒ 명 ①〈口〉성냥. ¶～盒儿; 성냥갑 / ～棍儿; 성냥개비. =〔火柴〕 ②스토브. =〔洋火炉子〕
〔洋货〕 yánghuò 명 외래품. ¶～铺; 양품점 / 抵制～; 외래품을 배척하다. ↔〔国guó货〕
〔洋碱〕 yángjiǎn 명〈方〉비누. =〔肥féi皂〕
〔洋姜〕 yángjiāng 명《植》〈口〉뚱딴지. 돼지감자. =〔菊jú芋〕
〔洋酱油〕 yángjiàngyóu 명 소스(sauce). =〔辣là酱油〕
〔洋糨子〕 yángjiàngzi 명 고무풀.
〔洋角碾〕 yángjiǎoniǎn 명 ⇨〔羊角碾〕
〔洋教〕 yángjiào 명《宗》외국 종교(일반적으로 기독교를 가리킴).
〔洋教条〕 yángjiàotiáo 명 ⇨〔洋框框〕
〔洋芥末〕 yángjièmo 명 양겨자. 머스터드(mus-

tard).
〔洋金〕 yángjīn 명 구리와 금의 합금(금의 함유량은 극히 적음. 장식품에 쓰임).
〔洋金花〕 yángjīnhuā 명《植》흰독말풀의 꽃(한약에 씀).
〔洋泾浜〕 Yángjīngbāng 명《地》옛날, 상하이(上海)의 프랑스 조계(租界)와 공동 조계의 경계를 이루고 있던 지점. 또는, 상하이 조계의 총칭.
〔洋泾浜话〕 Yángjīngbāng huà 명〈南方〉피진 잉글리시(Pidgin English)(옛날, 중국인이 영어 단어를 중국어의 어법에 따라 배열하여 외국인과의 거래에 쓴 일종의 영어. '洋泾浜'은 당시 상하이(上海)의 상업 중심 지구였음). =〔〈廣〉盐Yán水番话〕
〔洋泾浜章程〕 Yángjīngbāng zhāngchéng 명《史》옛날, 상하이(上海) 조계 장정(租界章程)(1868년).
〔洋井〕 yángjǐng 명 ①기계로 판 우물('管井'의 구칭). ¶打～; 기계로 깊은 우물을 파다. ②펌프로 길어 올리는 우물('机井'의 구칭).
〔洋镜片〕 yángjìngpiàn 명 (연극용 의상에 붙이는 반짝이 쇠붙이) 스팽글.
〔洋酒〕 yángjiǔ 명 양주.
〔洋菊〕 yángjú 명《植》양국. 달리아. =〔大dà丽花〕
〔洋扣布〕 yángkòubù 명 ⇨〔洋标(布)〕
〔洋款〕 yángkuǎn 명 외자(外資). 외채(外債).
〔洋框框〕 yángkuāngkuang 명 외국 숭배·의존에서 오는 제약이나 속박. ¶受～的束缚; 외국 숭배의 테두리에 속박당하다. =〔洋教条〕
〔洋葵〕 yángkuí 명《植》양아욱. =〔天tiān竺葵〕
〔洋剌子〕 yánglázi 명 ①유리병. ②《蟲》노랑쐐기나방의 유충. =〔洋辣子〕
〔洋蜡〕 yánglà 명 양초. =〔洋蜡烛〕〔石shí蜡〕
〔洋蓝〕 yánglán 명《染》양람(안료·염료의 일종). =〔洋靛〕
〔洋捞〕 yánglāo 명〈北方〉①전리품. ②외국인으로부터의 벌이. ③예상 밖의 벌이. ¶你得了～了; 떼돈 벌었구나. ‖=〔洋落儿〕
〔洋落儿〕 yánglàor 명 ⇨〔洋捞〕
〔洋厘〕 yánglí 명 옛날, 은원(銀圓)과 은냥(銀兩)과의 환전 시가(市價)(민국 22년(1934), 정부는 은 1원에 대하여 순은 0.715냥의 비율로 정함).
〔洋梨〕 yánglí 명《植》서양배.
〔洋里洋气〕 yángli yángqì 완전히 양풍이다. 서양물이 들다. →〔土tǔ里土气〕
〔洋连史纸〕 yángliánshǐzhǐ 명 모조지.
〔洋流〕 yángliú 명《地》해류(海流).
〔洋楼〕 yánglóu 명 ①빌딩. ②2층 이상의 양옥집.
〔洋炉(子)〕 yánglú(zi) 명 서양식 난로. 스토브.
〔洋路线〕 yánglùxiàn 명 서양인에 의존하여 생활하는 일·사람. ¶他是个走～的; 그는 외국인 관계의 일로 생활하고 있다.
〔洋驴〕 yánglǘ 명〈方〉자전거. =〔自行车〕
〔洋轮〕 yánglún 명 외국 기선.
〔洋罗〕 yángluó 명《紡》브로케이드(brocade).
〔洋麻〕 yángmá 명 ①외국산 삼. ②양마. 케나프(kenaf).
〔洋马〕 yángmǎ 명 ①서양산의 말. ②자전거. =〔自zì行车〕
〔洋码子〕 yángmǎzi 명〈方〉①아라비아 숫자. =〔阿拉伯数字〕②알파벳.
〔洋毛边〕 yángmáobiān 명 유광지(油光紙).
〔洋毛子〕 yángmaózi 명〈貶〉서양 사람. 코쟁이.
〔洋莓〕 yángméi 명 ⇨〔荷hé兰莓〕
〔洋迷〕 yángmí 명 외국에 심취한 사람.
〔洋蜜〕 yángmì 명《化》글리세린(glycerine).
〔洋面〕 yángmiàn 명 ①해양면(海洋面). ¶～运费; 해양 운임. ②(재래의 구식 제분에 대하여) 기계로 뽑은 밀가루.
〔洋蘑菇〕 yángmógu 명《植》양송이. 서양종의 송「이 버섯.
〔洋墨水〕 yángmòshuǐ 명 잉크.
〔洋牡丹〕 yángmǔdān 명《植》달리아(dahlia). 양국. =〔大dà丽花〕
〔洋囡囡〕 yángnānnan 명〈南方〉서양 인형.
〔洋呢〕 yángní 명 (외제) 플란넬. 융.
〔洋奴〕 yángnú 명 외국인에게 고용된 사람. 서양 숭배주의자. 서양 추종자. ¶～才; 외국의 앞잡이 / ～哲学; 서양 숭배주의. 외국 지상주의.
〔洋盘〕 yángpán 명〈南方〉풋내기. 문외한. 촌놈(도시의 일반적인 것 또는 유행의 사물에 대해 경험이 없는 자). ¶连仿绸你都看不出来? 你怎么这么～啊; 인조견조차 분간을 못 하느냐, 넌 완전히 촌놈이구나.
〔洋炮〕 yángpào 명 옛날, 외국제 대포에 대한 일컬음.
〔洋琵琶〕 yángpípa 명 ⇨〔曼màn德林〕
〔洋片〕 yángpiàn 명 ①외국 영화. ②요지경. =〔拉lā洋片〕
〔洋瓶〕 yángpíng 명 병. 유리병.
〔洋漆〕 yángqī 명 니스. =〔凡fán立水〕〔凡立司〕〔假jiǎ漆〕〔泡pào立水〕〔泡立司〕
〔洋气〕 yángqì〈貶〉명 서양 바람. 형 서양 바람이 들어 있다. 서양 냄새가 풍기다. ¶有点儿～; 양풍이 배어 있다 / 穿戴～的人; 양풍이 풍기는 옷차림을 한 사람.
〔洋钱〕 yángqián 명 ①옛날, 통용되었던 은원(銀元)의 속칭(처음에 멕시코에서 수입한 은화가 쓰이었기 때문에 이런 이름이 있음). →〔银yín洋〕②외국 돈.
〔洋枪〕 yángqiāng 명 외국제 소총.
〔洋枪队〕 yángqiāngduì 명《軍》양총에 의해서 훈련된 군대(특히 태평천국(太平天國)의 상승군(常勝軍)을 말함).
〔洋腔〕 yángqiāng 명 ①외국어풍의 말투. ②〈俗〉외국어.
〔洋茄酱〕 yángqiéjiàng 명 토마토케첩·토마토 퓌레 등의 구칭(舊稱). =〔番茄酱〕
〔洋芹(菜)〕 yángqín(cài) 명《植》셀러리(celery). =〔旱hàn芹(菜)〕〔荷hé兰鸭儿芹〕
〔洋琴〕 yángqín 명《音》①양금(현악기의 일종). =〔扬琴〕〔打dǎ琴〕〔〈廣〉蝴hú蝶琴〕〔铜tóng丝琴〕 ② ⇨〔钢gāng琴〕
〔洋情〕 yángqíng 명 옛날, 외국 사정.
〔洋秋海棠〕 yáng qiūhǎitáng 명《植》베고니아(begonia). →〔秋海棠〕
〔洋取灯儿〕 yángqǔdēngr 명〈俗〉'火huǒ柴'(성냥)의 속어(옛날, 베이징(北京)의 방언).
〔洋人〕 yángrén 명 양인(옛날, 외국인을 가리킴). ¶西～; 서양인.
〔洋乳香〕 yángrǔxiāng 명 ⇨〔乳香〕
〔洋伞〕 yángsǎn 명 ①박쥐 우산. ②양산. =〔阳伞〕
〔洋桑葚儿〕 yángsāngrènr 명〈俗〉소귀나무의 열매.
〔洋嗓子〕 yángsǎngzi 명 서양식 발성법으로 부르는 창법.
〔洋纱〕 yángshā 명 ①옛날, 기계제의 면사(綿糸). ②옛날, 아주 가는 면사로 짠 천(여름용).

〔洋山芋〕 yángshānyù 명《植》〈方〉 감자. =〔马mǎ铃薯〕
〔洋商〕 yángshāng 명 옛날, 중국에서 상업을 영위한 외국 상인.
〔洋参〕 yángshēn 명 ⇨〔西xī洋参〕
〔洋什〕 yángshí 명 양품 잡화. ¶这些日货以棉织品、～、五金、水泥等为主; 이들 일본 상품은 면직물·양품 잡화·철물류·시멘트 등을 주로 한다.
〔洋式〕 yángshì 명 양식. 서유럽풍의 양식(樣式). =〔西式〕
〔洋式摔跤〕 yángshì shuāijiāo 명《體》 레슬링.
〔洋柿子〕 yángshìzi 명《植》〈方〉 토마토. =〔洋茄子〕〔西红柿〕〔番fān茄〕
〔洋手巾〕 yángshǒujīn 명 옛날, 손수건.
〔洋水龙〕 yángshuǐlóng 명〈俗〉 옛날, 양수기(揚水機).
〔洋水仙〕 yángshuǐxiān 명 ⇨〔风fēng信子〕
〔洋松〕 yángsōng 명《植》 미송(美松). =〔美měi松〕
〔洋素绸〕 yángsùchóu 명《紡》 폰지(pongee). 작잠견(柞蠶絹). 견주(繭綢). 산동주(山東綢).
〔洋锁〕 yángsuǒ 명 서양식의 자물쇠.
〔洋台〕 yángtái 명〈方〉 베란다(veranda).
〔洋钿〕 yángtián 명〈南方〉 은화(銀貨).
〔洋铁〕 yángtiě 명〈俗〉 양철. 생철. 함석. ¶～罐子; 생철통 / ～镀瓷器; 양재기 / ～桶; 양동이.
〔洋铁罐〕 yángtiěguàn 명 통조림용의 깡통. =〔铁听〕
〔洋铁桶〕 yángtiětǒng 명 양동이.
〔洋桐〕 yángtóng 명 ⇨〔悬xuán铃木〕
〔洋土各货〕 yángtǔ gèhuò 외제품 및 국산품.
〔洋土结合〕 yángtǔ jiéhé 외국식 방법과 중국 재래의 토종 방식과의 결합.
〔洋腿〕 yángtuǐ 명 서양식 햄(('火腿'(중국식 햄)에 상대되는 말)).
〔洋娃娃〕 yángwáwa 명 서양 인형. 프랑스 인형.
〔洋袜子〕 yángwàzi 명 양말.
〔洋晚香玉〕 yángwǎnxiāngyù 명《植》 프리지어(freesia).
〔洋为中用, 古为今用〕 yáng wéi zhōng yòng, gǔ wéi jīn yòng〈成〉 외국 것을 중국에서 유용하게 쓰고, 옛것을 현재에 유용하게 받아들이다.
〔洋味〕 yángwèi 명〈貶〉 서양 냄새. 서양티.
〔洋文〕 yángwén 명 외국어. =〔外wài文〕
〔洋(梧)桐〕 yáng(wú)tóng 명 ⇨〔悬xuán铃木〕
〔洋务〕 yángwù 명 ①대외 교섭. 외국 관계 사무. ¶办～; 섭외 활동을 하다. ②외국인 상대의 서비스업.
〔洋线〕 yángxiàn 명 (재봉틀실·가스실 등의) 외제 실.
〔洋香菜〕 yángxiāngcài 명 ⇨〔洋芫荽〕
〔洋箱〕 yángxiāng 명 트렁크(trunk).
〔洋相〕 yángxiàng 명 꼴불견. 추태. →〔出chū洋相〕
〔洋硝〕 yángxiāo 명 ⇨〔硝酸钾〕
〔洋箫〕 yángxiāo 명 ⇨〔单dān簧管〕
〔洋兴〕 yángxīng 동 (부정적인 뜻으로) 신나다. 경기가 좋아지다.
〔洋性〕 yángxìng 명 색다른 성질. 유별난 성질.
〔洋绣球〕 yángxiùqiú 명《植》 서양 수국. =〔天竺葵〕
〔洋学堂〕 yángxuétáng 명〈史〉 청말(清末)에 세워진 외국식 학교.
〔洋芫荽〕 yángyánsui 명《植》 파슬리(parsley). 양미나리. =〔洋香菜〕〔荷hé兰芹〕
〔洋洋〕 yángyáng 형 ①수가 많은 모양. 성대한 모양. ¶～万言; 문장이 매우 길고 많은 말 / ～大文; 방대한 문장. ②자신만만하다. ¶～得意; 득의양양함. =〔扬扬①〕
〔洋洋大观〕 yáng yáng dà guān〈成〉 매우 많은 볼거리가 있다. 방대하다. ¶创造发明真是～; 창조와 발명은 참으로 방대하다.
〔洋洋洒洒〕 yáng yáng sǎ sǎ〈成〉 대문장을 술술 씀.
〔洋药〕 yángyào 명 ①외국 약. =〔西xī药〕 ②외국 아편.
〔洋溢〕 yángyì 동 차고 넘치다. 충만하다. ¶礼堂里～着一团喜气; 식장에는 기쁨이 차고 넘쳐 있다 / 歌声～; 노랫소리가 널리 퍼지다 / 豪爽气象～在眉宇间; 호쾌한 기상이 양미간에 넘쳐 있다 / 声名～于中国; 명성이 중국에 널리 퍼지다.
〔洋银〕 yángyín 명 ⇨〔白bái铜〕
〔洋油〕 yángyóu 명 ①〈方〉 석유. =〔煤méi油〕 ②외국에서 수입한 석유·가솔린 등.
〔洋芋〕 yángyù 명《植》〈方〉 감자. =〔马mǎ铃薯〕
〔洋譜荽〕 yángyuánsuī 명《植》 파슬리. =〔洋香菜〕
〔洋樟脑〕 yángzhāngnǎo 명《化》 나프탈린. =〔萘nài〕
〔洋杖〕 yángzhàng 명 ⇨〔文wén明棍儿〕
〔洋针〕 yángzhēn 명 양침. 서양 바늘.
〔洋纸〕 yángzhǐ 명 양지.
〔洋绉〕 yángzhòu 명 오글쪼글한 주름 비단.
〔洋烛〕 yángzhú 명 양초.
〔洋专家〕 yángzhuānjiā 명〈俗〉 ①외국인 전문가·기술자. ②서양 기술을 익힌 전문가. ③〈貶〉(외국 기술 등을) 책으로만 배운 대학 졸업자.
〔洋庄(儿)〕 yángzhuāng(r) 명 무역상(貿易商). 수출상.
〔洋装〕 yángzhuāng 명 ①양복. 신사복. =〔西xī服〕 ②(책의) 양장. =〔包bāo背装〕
〔洋字码(儿)〕 yángzìmǎ(r) 명 아라비아 숫자.
〔洋钻〕 yángzuàn 명 인조 다이아몬드((주로 공업용)).
〔洋罪〕 yángzuì 명 (서양의 풍속 습관·생활 양식을 흉내내어 당하는) 횡액. 애매하게 당하는 고역. ¶受～; 호된 봉변을 당하다.

垟 yáng (양)
명〈方〉 논밭((흔히, 지명에 쓰임)). ¶翁Wēng～; 웡양(翁垟)((저장 성(浙江省)에 있는 지명)). =〔田地〕

徉 yáng (양)
동〈文〉 ①이리저리 헤매다. ②마음이 가라앉지 않다.

烊 yáng (양)
동〈方〉 ①금속을 녹이다. ¶～金; 쇠 녹인 물. ②〈轉〉(물건을) 녹이다. 녹다. ¶糖～了; 설탕이 녹았다 / 冰～了; 얼음이 녹았다. ⇒ yàng

蛘 yáng (양)
(～子) 명《蟲》〈方〉 바구미.

仰 yǎng (앙)
① 동 머리를 쳐들다. 올려다보다. ¶～着搁; 위를 향하게 해 놓다 / ～起头来; 머리를 젖히다 / 人～马翻;〈成〉 사람은 쓰러지고 말은 나가동그라지다((형편 없는 패배의 형용. 어지럽게 흐트러져 건잡을 수 없음의 비유)). ② 동 우러러

보다. 존경하다. ¶久～大名; 오랫동안 존함을 우러러 사모하고 있었습니다(초대면의 인사말) / 人所共～; 사람들이 모두 존경하고 있다 / 敬～; 경모(敬慕)하다. ③ 동 의뢰하다. 간청하다. 의지하다. 기대다. ¶～君协助; 군의 협조를 바란다. ④〈翰〉〈公〉…할 것. …하시기 바람(옛날에, 하급 기관에서 상급 기관에 내는 문서에서는 '请' '祈' '恳' 등의 말 앞에 놓아 부탁한다는 뜻을 나타내고, 상급에서 하급으로 내리는 문서에서는 명령할 때 썼음). ¶～即遵照; 즉시 지시대로 행할 것. ⑤ 명 성(姓)의 하나.

〔仰八叉(儿)〕 yǎngbachā(r) 동 큰대(大)자로 벌렁 자빠지다. 벌렁 드러눕다. ¶闹了个～; 넘어져서 벌렁 나자빠졌다 / ～下蛋; 〈歇〉 벌렁 드러누워서 알을 낳다(바보 · 얼간이다) / ～地躺在床上, 睡相太不好; 큰대자로 벌렁 침대에 누워 있다. 잠이 험하다. =〔仰八脚儿〕〔仰巴脚儿〕〔仰搬脚儿〕

〔仰板〕 yǎngbǎn 명 천장널. =〔仰棚〕〔天tiān花板〕

〔仰鼻〕 yǎngbí 명 들창코. 사자코. 형 콧대가 높다. ¶我一见他那副～的骄傲样儿就讨厌; 난 저놈의 콧대 높은 거만한 꼴을 보면 진저리가 난다.

〔仰成〕 yǎngchéng 동 〈文〉 ①앉아서 성공을 기다리다. ②선인의 유업을 계승하여 성공하다. ¶～祖业; 조상의 사업을 이어 나가다.

〔仰承〕 yǎngchéng 동 〈文〉 ①의지하다. 기대다. ¶～你的关照; 배려해 주신 덕분에. …덕분에. ②〈敬〉(상대의 의도를 따라) 받들다. ¶～嘱托, 立即着手; 〈翰〉 당신의 부탁을 받들어 즉시 착수하겠습니다.

〔仰承鼻息〕 yǎng chéng bí xī 〈成〉 남의 눈치를 살피다. 남의 안색을 살피다.

〔仰毒〕 yǎngdú 명동 음독(하다). ¶～自尽; 독약을 먹고 죽다.

〔仰放〕 yǎngfàng 동 위로 향하게 하여 놓다.

〔仰感〕 yǎnggǎn 동 우러러 두터운 은덕에 감사드리다. ¶～大恩; 큰 은혜에 우러러 감사드리다.

〔仰观〕 yǎngguān 동 우러러보다. ¶～天文; 천문을 우러러 보다 / ～天时俯fǔ察民情; 우러러 천시를 보고, 굽어서 민정을 살피다.

〔仰光〕 Yǎngguāng 명 《地》 양곤(Yangon)('缅miǎn甸联邦'(미얀마 연방: Myanmar)옛 버마의 수도).

〔仰即〕 yǎngjí 〈公〉 …하게 하다. …할 것. …하기 바람(전에 상급 기관에서 하급에 명령하는 경우에 씀). ¶～知照; 즉시 통지할 것 / ～遵照为理; 즉시 명령대로 처리하기 바람.

〔仰给〕 yǎngjǐ 동 〈文〉 ①공급을 바라다. ¶～于人; 남의 도움〔공급〕을 바라다. ②남이 양육해 주다.

〔仰角〕 yǎngjiǎo 명 《數》 앙각. ↔〔俯fǔ角〕

〔仰镜〕 yǎngjìng 동 거울로 삼다. 본보기로 삼다. 모범으로 하다. ¶万流～; 만인이 본보기로 삼다.

〔仰颏儿〕 yǎng.kér 동 〈京〉 몸을 젖히며 뒤로 벌렁 쓰러지다. ¶摔了个～; 벌렁 자빠지다 / 一出门就来了个大～; 문에서 나오자마자 벌렁 나자빠졌다 / ～睡觉; 벌렁 드러누워 잠을 자다.

〔仰恳〕 yǎngkěn 동 〈文〉 간청하다. 간절히 바라다. ¶～赐助; 원조를 간절히 바라다.

〔仰赖〕 yǎnglài 동 바라다. 의지하다. ¶～别人的补助; 남에게 보조를 바라다 / ～大力; 큰 힘에 의존하다.

〔仰脸〕 yǎng.liǎn 동 얼굴을 쳐들다. 위를 보다. ¶～叹口气; 위를 쳐다보고 안도의 한숨을 쉬다. (yǎngliǎn) 명 ①문미(門楣)에 기울이어 다는 거울. ②방 입구의 위에 거는 폭 1척 정도의 장식용 천.

〔仰脸儿刀〕 yǎngliǎnrdāo 명 고기 써는 식칼.

〔仰恋〕 yǎngliàn 동 우러러 사모하다. 우러러 그리워하다.

〔仰眄〕 yǎngmiǎn 동 〈文〉 우러러보다. =〔仰视〕

〔仰面〕 yǎng.miàn 동 뒤로 젖혀 위를 보다〔향하다〕. ¶～跟头; 공중제비하여 벌렁 나자빠지다.

〔仰面朝天〕 yǎngmiàn cháotiān 벌렁 드러눕다. 큰대자로 자빠지다. ¶摔了个～; 벌렁 나자빠졌다 / ～打哈欠; (뒤로 젖혀) 큰대자로 누워 하품을 하다.

〔仰慕〕 yǎngmù 동 ①경모(敬慕)하다. ②고인을 추모하다. ‖ =〔仰企②〕〔企qǐ慕〕

〔仰攀〕 yǎngpān 동 ①기어오르다. ②윗사람에게 아첨하다. (연줄을 대어) 윗사람에게 접근하다.

〔仰棚〕 yǎngpéng 명 ⇨〔仰板〕

〔仰企〕 yǎngqǐ 동 ①앙청(仰請)하다. 학수고대하다. ② ⇨〔仰慕〕

〔仰钦〕 yǎngqīn 동 〈文〉 우러러 존경하다. 우러러 기뻐하다.

〔仰求〕 yǎngqiú 동 〈文〉 앙원(仰願)하다. 바라다. 부탁하다. ¶我直～他, 可是他还没有答应; 나는 쭉 부탁하고 있는데, 그는 아직 승낙하지 않고 있다.

〔仰人鼻息〕 yǎng rén bí xī 〈成〉 남의 눈치를 살피다. ¶有出息的总是不愿意～的; 기골이 있는 사람은 남의 눈치를 살피는 짓은 하지 않는다. =〔仰息〕

〔仰韶文化〕 Yǎngsháo wénhuà 명 《史》앙소 문화. 중국의 신석기 시대의 문화(허난 성(河南省) 멘츠 현(澠池縣) 양사오 촌(仰韶村)에서 발견되었음). =〔彩陶文化〕

〔仰摄〕 yǎngshè 명 앙각(仰角) 촬영.

〔仰身儿〕 yǎngshēnr 동 ①몸이 젖혀지다. ¶迎头中了一枪～倒下去; 만나자마자 한방을 맞고 벌렁 자빠졌다. ②얼굴을 쳐들다. 얼굴을 위로 젖히다. ¶蹲在高粱地里等他走近, ～站起迎头就是一棍; 수수밭 속에 웅크리고 앉아 그가 가까이 오기를 기다렸다가, 얼굴을 들고 일어나자마자 몽둥이로 한 대 갈겼다.

〔仰食〕 yǎngshí 동 〈文〉 기식(寄食)하다(다른 사람에 의지하여 생활하는 일).

〔仰式〕 yǎngshì 명 《體》 배영(背泳).

〔仰事俯畜〕 yǎng shì fǔ xù 〈成〉 부모를 섬김과 동시에 처자식을 기르다(집안 살림을 꾸려 나가다〔유지하다〕).

〔仰视〕 yǎngshì 동 〈文〉 ⇨〔仰眄〕

〔仰首伸眉〕 yǎng shǒu shēn méi 〈成〉 목을 들고 눈썹을 펴다(강경한 모양). ¶～地提出抗辩; 강경하게 항변하다.

〔仰叹〕 yǎngtàn 동 하늘을 우러러보며 탄식하다.

〔仰天〕 yǎng.tiān 동 ①하늘을 우러러보다. ¶仰不愧kuì于天, 俯不怍zuò于人; 천지에 부끄럽지 않다 / ～大笑; 앙천대소하다. ②외면하다. ¶我只怕她一～把工作误了; 나는 단지 그녀가 외면하여 일을 그르칠까 걱정이다. ③벌렁 젖혀지다. ¶～倒了下去; 벌렁 쓰러졌다.

〔仰头老婆揿头汉〕 yǎngtóu lǎopo qìntóu hàn 고개를 쳐들고 있는 아내에 머리 눌린 남편(엄처시하(嚴妻侍下)).

〔仰瓦〕 yǎngwǎ 명 암키와. →〔阴yīn瓦〕

〔仰望〕 yǎngwàng 동 ①우러러보다. ¶～天文; 천

문을 보다 / ～苍天; 하늘을 우러러보다. ②존경하며 따르다. ③〈文〉 바라다. 삼가 기다리다. ¶～颁布; 반포하기를 바라다.
〔仰卧〕 yǎngwò 동 벌렁 눕다. ¶～蹬dēng; 벌렁 큰대자로 쓰러지다 / ～式过杆; 《體》 웨스턴 롤(Western roll). ↔〔仆pū卧〕
〔仰屋兴嗟〕 yǎng wū xīng jiē 〈成〉 하늘을 우러러 몰래 탄식하다《살림을 꾸려 나갈 방도가 없음의 비유》. =〔仰屋窃叹〕〔闭bì门仰屋〕
〔仰屋著书〕 yǎng wū zhù shū 〈成〉 저술에 힘쓰는 수고로움의 형용.
〔仰息〕 yǎngxī ⇨〔仰人鼻息〕
〔仰药〕 yǎngyào 동 음독하다. ¶～自杀; 음독 자살하다.
〔仰泳〕 yǎngyǒng 명 《體》 배영(背泳). 송장 헤엄. ¶他自由式、～都不错; 그는 자유형, 배영 모두 능하다 / 100公尺～; 100미터 배영.
〔仰瞻〕 yǎngzhān 동 ⇨〔瞻仰〕
〔仰仗〕 yǎngzhàng 동 의지하다. 바라다. ¶对石油的需要已经不须～进口了; 석유의 수요는 수입에 의존할 필요가 없게 되었다 / ～指教; 지도를 바랍니다 / 国家岁人～关税; 국가의 세입은 관세에 의존하고 있다.

养(養) yǎng (양)

①동 기르다. 키우다. 부양하다. ¶抚fǔ～; (자식을) 소중히 키우다 / 供gòng～; 부모를 봉양하다. ②동 (가축·새 등을) 사육하다. 치다. ¶～鸡; 닭을 키우다. ③동 출산하다. 낳다. ¶生～; 낳다. 태어나다 / ～儿女; 자녀를 낳다 / ～了两个女孩儿; 딸을 둘 낳았다. ④동 (초목을) 가꾸다. 배양하다. ¶～花; 꽃을 가꾸다. ⑤동 (머리나 수염을) 기르다. ¶近来, 不但青年人, 就是小孩子～长了头发的也不少; 요즘은 청년뿐 아니라 아이들까지도 머리를 기르는 일이 적지 않다. ⑥동 요양하다. 휴양하다. ¶住院～病; 입원하여 요양하다 / 保～; 보양하다. ⑦명 영양. 자양. ¶营～失调tiáo; 영양 실조. ⑧동 보호·보수·보전하다. ¶～路; 도로·철도 등의 유지·보수를 하다. ⑨동 함양·수양하다. ¶学～功深; 학문·인격 수양의 노력을 쌓고 있다 / ～成良好的习惯; 좋은 습관을 기르다. ⑩형 핏줄이 아닌. 데려다 기른. →〔养女〕〔养子〕 ⑪명 ⇨〔氧〕 ⑫동 육성·조성하다. ¶以农～牧, 以牧促农; 농업으로 축산업을 육성하고, 축산업으로 농업의 발전을 촉진하다. ⑬명 성(姓)의 하나.
〔养兵〕 yǎng.bīng 동 군대를 기르다. 양병하다. 병비(兵備)를 갖추다.
〔养兵千日, 用在一朝〕 yǎngbīng qiānrì yòngzai yīzhāo 〈諺〉 평소부터 오랜 시일을 걸려서 병사를 길러 두는 것은 하루 아침에 유사시에 쓰기 위한 것이다. ¶李固便道, 小人近日有些脚气的症候, 十分走不得多路, 庐俊义听了大怒道"～"; 이고는 말하기를 나는 요즘 각기 증상이 있어 아무래도 먼길을 걸을 수는 없다고 하자, 노준의는 그 말을 듣고 크게 노하여 "무릇 군대란 일단 유사시를 위해서 평소에 준비해 두는 것이 아니냐"고 말했다.
〔养病〕 yǎng.bìng 동 요양하다. ¶他在医院里～; 그는 병원에서 요양하고 있다.
〔养不教〕 yǎngbùjiào 〈文〉 자식을 기르되 가르치지 않다. ¶～, 父之过; 자식을 낳아 교육하지 않는 것은 아버지의 잘못이다.
〔养不住〕 yǎngbuzhù ①기를 수 없다. ¶热带动物来到寒地, 一定～; 열대 동물이 추운 땅에 오면 기를 수 없을 것은 정한 이치다. ②보수가 적어서 붙들어 두고 일을 시킬 수 없다. ¶这点薪水一定～他; 요만한 급료로는 그를 붙들어 둘 수 없을 것이 뻔하다.
〔养材(儿)〕 yǎngcái(r) 동 옛날에, 남의 딸을 데려다가 길러서 집에서 부리거나 기생으로 만들다.
〔养蚕〕 yǎngcán 명동 양잠(하다).
〔养成〕 yǎngchéng 동 ①양성하다. ¶～工; 양성공 / 技术员～所; 기술원 양성소. ②몸에 갖추다. ¶～了骄气了; 교만한 태도가 몸에 배었다 / ～好习惯了; 좋은 버릇이 붙었다.
〔养成工〕 yǎngchénggōng 명 양성공. 견습공. 수습공.
〔养大〕 yǎngdà 동 키우다. 길러서 자라게 하다.
〔养地〕 yǎngdì 명 《史》 영지(領地).
〔养儿〕 yǎng'ér 동 자식을 두다. 자식이 생기다. ¶～方知父母恩; 자식을 둬 봐야 부모의 은혜를 안다 / ～防老, 积谷防饥; 자식을 키워 노후에 대비하고, 곡식을 쌓아 굶주림에 대비한다《사전에 준비하다》.
〔养肥〕 yǎngféi 동 (가축을) 키워서 살찌게 하다. 〈轉〉 사복(私服)을 채우다. ¶他们用各种各样的办法吸吮着人民的血液, ～了他们自己; 그들은 여러 가지 방법으로 백성의 피를 빨아먹고 그들 자신의 사복을 채웠다.
〔养分〕 yǎngfèn 명 양분. 영양분. ¶食物中的～在肠子里被吸收; 음식물 속의 영양분은 장에서 흡수된다.
〔养蜂〕 yǎng.fēng 동 양봉하다. 꿀벌을 치다.
〔养父〕 yǎngfù 명 양부. 양아버지.
〔养高〕 yǎnggāo 동 〈文〉 지조를 높게 가지다. 높은 지조와 절개를 지키다.
〔养狗〕 yǎng.gǒu 동 개를 기르다.
〔养孩子〕 yǎng háizi ①아이를 낳다. ¶她养了三个男孩了; 그녀는 사내아이를 셋 낳았다. ②아이를 기르다.
〔养汉〕 yǎng.hàn 동 서방질하다. ¶～老婆; ⓐ서방질한 유부녀. ⓑ남의 아내를 욕하는 말.
〔养虎〕 yǎnghǔ 동 호랑이를 기르다《장래의 화근을 기르다》. ¶～自害 =〔～伤身〕; 〈成〉 악인을 믿어 해를 입다《기르던 개에게 물리다》/ ～食人; 〈成〉 호랑이를 길러 사람을 잡아먹게 하다《못된 군대를 양성하여 백성을 희생시키다》.
〔养虎遗患〕 yǎng hǔ yí huàn 〈成〉 양호유환. 호랑이를 키워 후환을 남기다《적을 살려 두어 재앙을 부르다》.
〔养户〕 yǎnghù 명 ⇨〔养主(儿)〕.
〔养护〕 yǎnghù 동 ①(어린이를) 양육 보호하다. ②(철도·도로 등을) 보수하다. ¶公路～工作; 자동차 도로 보수 작업.
〔养花天〕 yǎnghuātiān 명 〈文〉 봄에 꽃필 무렵의 흐린 날씨.
〔养化〕 yǎnghuà 명 ⇨〔氧化〕
〔养晦〕 yǎnghuì 동 〈文〉 물러나서〔은퇴하여〕 시기를 기다리다. 종적을 감추고 덕을 길러 시기를 기다리다. ¶韬tāo光～; 재능을 감추고 물러나서 시기를 기다리다.
〔养活〕 yǎnghuo 동 ①〈口〉 기르다. 부양하다. ¶～妻子; 처자를 부양하다. ②사육하다. 가꾸다. ¶～鸡子; 닭을 기르다 / ～草花; 화초를 가꾸다. ③배양하다. ¶～精神; 원기를 배양하다. ④낳다. 낳아 키우다. ¶她～了一个大胖小儿; 그녀는 통통하게 살찐 아이를 낳았다. ⑤〈方〉 사서 잘 간수〔보관〕해 두다.

〔养活不起〕 yǎnghuóbuqǐ ①(가난해서) 부양할 수 없다. ②고용할 수 없다. ¶这四百人家的大屯了, 连一个农会主任也～; 이 400호나 되는 큰 마을에서 농회 주임 한 사람도 고용할 수 없느냐.
〔养济〕 yǎngjì 동 ①정양하다. ¶病是好了, 还得～～; 병세는 좋아졌지만 아직 섭생을 잘 해야 한다. ②구제하다. ¶～院; 빈민 구제를 하는 곳.
〔养家〕 yǎng.jiā 동 가족을 부양하다. ¶～之费; 가족 부양의 비용 / ～的汉儿; 낭비하지 않고 조신한 남자 / 他已经能够～了; 그는 이미 한 집안 식구를 부양할 수 있게 되었다 / ～肥己; 〈比〉 사복을 채우다 / ～一样, 道路各别; 가족을 부양하는 것은 누구나 같지만, 그 방도는 사람에 따라 다르다 / ～活口; 식구를 부양하며 생활하다 / ～不致气, 致气不～; 한 집안을 꾸려 나가려면 화를 내서는 안 된다. 화를 내면 집안은 꾸려 나가지 못한다.
〔养家人〕 yǎngjiārén 명 ①책임지고 가족을 부양해 나갈 사람. 한 집안의 기둥. ¶吴教授是个～; 오교수는 집안의 기둥이다. ②〈古白〉 우리집 양반. 주인(아내가 남편을 말함). ＝〔当dāng家的〕
〔养精蓄锐〕 yǎng jīng xù ruì 〈成〉 예기(銳氣)를 배양하고 힘을 기르다. 정예를 양성하다. 실력을 길러 전쟁 준비를 하다. ¶～以逸待劳; 실력을 배양하여 느긋하게 지친 적을 기다리다.
〔养静〕 yǎngjìng 동 정양하다. 조용히 마음을 수양하다. 명 도사(道士)에게 그 거처를 묻는 말.
〔养疴〕 yǎngkē 동 〈文〉 병으로 요양하다.
〔养口〕 yǎngkǒu 동 생활하다. ¶弟兄两个只得山中寻讨些野味来～; 두 형제는 하는 수 없이 산 속에서 사냥을 하며 생활하고 있다.
〔养寇〕 yǎngkòu 동 〈文〉 원수를 길러 화근을 키우다. ¶～成患; 원수를 길러 화근이 되다. →〔养虎〕
〔养老〕 yǎng.lǎo 동 ①노인을 봉양하다. 노인을 모시다. ¶～送终; 노인을 잘 섬기고, 사망 후에 정중히 장사지내다. ②노후를 편안히 보내다. ¶居家～; 집에서 노후를 편안히 보내다.
〔养老待遇〕 yǎnglǎo dàiyù 명 양로 수당. 양로 연금.
〔养老费〕 yǎnglǎofèi 명 ①양로비. ¶好在有这笔钱, 还够家母的～; 다행히 이 돈이 있으니까 어머니 양로비는 충분합니다. ②양로 연금.
〔养老金〕 yǎnglǎojīn 명 양로금. 퇴직금(노년 퇴직자에 대한 생활비).
〔养老女婿〕 yǎnglǎo nǚxù 명 데릴사위.
〔养老送终〕 yǎng lǎo sòng zhōng 〈成〉 ⇨〔养生送死〕
〔养老院〕 yǎnglǎoyuàn 명 양로원. ＝〔敬jìng老院〕
〔养廉〕 yǎnglián 동 청렴결백한 품성을 기르다.
〔养乐多〕 Yǎnglèduō 명 요구르트(상표명). ＝〔益yì力多〕
〔养廉〕 yǎnglián 동 청렴결백한 품성을 기르다.
〔养廉(银)〕 yǎnglian(yín) 명 ①관리의 가급봉(加給俸). ②〈俗〉 노후의 비용. ¶过于低薪不足以～; 급료가 아주 적어 노후의 비용에는 부족하다. ‖＝〔公gōng廉〕
〔养料〕 yǎngliào 명 ①자양물. 양분. ¶吸收～; 양분을 흡수하다. ②사료(飼料).
〔养瘤成患〕 yǎng liú chéng huàn 〈成〉 혹을 길러 우환이 되다. 〈比〉 나쁜 것을 남겨 두었다가 그로 해서 재앙을 당하다. ¶现在不除根将来必～; 지금 뿌리를 뽑지 않으면 장차 반드시 그 때문에 재앙을 입게 된다.
〔养路〕 yǎng.lù 동 철도·도로를 보수 유지하다. ¶～处; 보선과(保線課) / ～工; 보선공 / ～费; 철도 유지비 / ～工作; 보선 공사. 도로 정비를 하는 일.
〔养苗〕 yǎng miáo ①모를 키우다. ②치어(稚魚)를 기르다.
〔养命〕 yǎng.mìng 동 ①수명을 연장하다. 오래 살다. ¶注射葡萄糖可以给人～; 포도당을 주사하면 목숨을 연장할 수 있다. ②양생(養生)하다.
〔养母〕 yǎngmǔ 명 ①양모. 양어머니. ② ⇨〔鸨bǎo母〕
〔养目镜〕 yǎngmùjìng 명 ①눈의 피로를 방지하기 위하여 쓰는 안경. 보안경. ②노안경. 돋보기. ＝〔老lǎo光眼镜〕
〔养娘〕 yǎngniáng 명 ①옛날, 하녀. ¶买了四五个～扶持; 네댓 명 하녀를 사서 데리고 있다. ②유모.
〔养女〕 yǎngnǚ 명 양녀. (yǎng.nǚ) 동 딸을 낳다. ¶～是赔钱货; 딸애는 돈이 들게 마련이다.
〔养气〕 yǎng.qì 동 〈文〉 ①(유가(儒家)에서) 수양하다. ¶我善养吾浩然之气《孟子 公孫丑上》; 나는 호연지기를 잘 기른다. ②(도가에서) 기력을 단련하다. 명 ⇨〔氧〕
〔养气瓶〕 yǎngqìpíng 명 '氧气瓶'(산소통)의 구칭.
〔养器〕 yǎngqì 동 〈文〉 덕(德)을 쌓다.
〔养赡〕 yǎngshàn 동 〈文〉 부양하다. ¶～父母; 부모를 부양하다 / ～家口; 가족을 부양하다.
〔养伤〕 yǎng.shāng 동 상처를 치료하다.
〔养身〕 yǎngshēn 동 보양하다. 양생(養生)하다. ¶～之法; 양생법.
〔养身父母〕 yǎngshēn fùmǔ 명 양부모('生身父母'(친부모)의 반대말). ¶这是你生身父母, 我是～; 이쪽은 너를 낳은 친부모고, 나는 너를 키운 양부모다.
〔养参〕 yǎngshēn 명 재배한 인삼.
〔养神〕 yǎng.shén 동 ①휴양하다. 정양하다. ②《佛》 정신을 수양하다. ¶打坐～; 《佛》 좌선하여 정신을 수양하다.
〔养生〕 yǎngshēng 동 보양하다. 양생하다. ¶～有术; 법도에 맞는 양생을 하고 있다. 명 위생(衛生).
〔养生送死〕 yǎng shēng sòng sǐ 〈成〉 윗사람에 대하여 생전에는 잘 섬기고 사후에는 정중히 장사지내다. 부모가 살아 있을 때나 죽은 후에나 효도를 다하다. 또, 한 집안의 생활을 유지하다. ＝〔养老送终〕
〔养视〕 yǎngshì 동 양육하다.
〔养熟〕 yǎngshú 동 길들이다.
〔养树〕 yǎngshù 명동 ⇨〔歇xiē枝(儿)〕
〔养天地正气〕 yǎng tiāndì zhèngqì 천지의 정기를 기르다(훌륭한 인격을 형성시킴). ¶～, 法古今完人; 천지의 정기를 기르며, 고금의 완전한 사람을 본보기로 삼다.
〔养头〕 yǎngtóu 명 양육비. 보조금.
〔养望〕 yǎngwàng 동 〈文〉 명망이 높아지도록 노력하다.
〔养胃〕 yǎngwèi 동 위를 튼튼하게 하다. ¶～药; 건위제.
〔养息〕 yǎngxī 동 양생(養生)하다. ¶我被他殴打的创伤都不能～; 나는 그에게 얻어 맞은 상처를 치료할 수도 없었다.
〔养媳(妇)〕 yǎngxí(fù) 명 ⇨〔童tóng养媳〕

〔养小叔子〕 yǎng xiǎoshūzi 시동생과 사통(私通)하다.
〔养心〕 yǎngxīn 동 자기의 본심을 닦다. 정신 수양을 하다. ¶～莫善于寡欲; 마음을 닦는 데에는 욕심이 적은 것보다 나은 것이 없다.
〔养性〕 yǎngxìng 동 천성을 함양하다. =〔养真〕 →〔养心〕
〔养须〕 yǎngxū 동 〈文〉 수염을 기르다. →〔留liú胡子〕
〔养痈〕 yǎngyōng 종기〔생명에 관계되는 종기〕를 앓으면서도 내버려두어 마침내 큰 화가 됨을 말함.
〔养痈成患〕 yǎng yōng chéng huàn 〈成〉 조그만 재앙을 내버려 둔 탓으로 큰 재앙이 되다(나쁜 사람이 나쁜 짓을 하는 것을 눈 감아 주다가 결국 큰 화를 당하다). =〔养痈遗患〕
〔养鱼池〕 yǎngyúchí 명 양어장. =〔鱼池〕
〔养育〕 yǎngyù 동 양육하다. 키우다. 기르다. ¶～婴孩; 아이를 양육하다 / 不忘父母～之恩; 부모가 양육해 준 은혜를 잊지 않다. 명 양육. ¶受到父母的～成长起来; 부모의 양육으로 성장하다.
〔养真〕 yǎngzhēn 동 ⇨〔养性〕
〔养殖〕 yǎngzhí 동 양식하다. ¶水产资源越来越少, 将来的渔业不能不向～渔业发展; 수산 자원이 점점 적어지고 있으므로, 장래의 어업은 양식 어업으로 나아가야 한다 / ～业; 양식업.
〔养志〕 yǎngzhì 동 〈文〉 지조를 기르다.
〔养主(儿)〕 yǎngzhǔ(r) 명 가축의 사육주. =〔养户〕
〔养拙〕 yǎngzhuō 동 〈文〉 단점을 감추다. 결점을 보여 주지 않다.
〔养子〕 yǎngzǐ 명 양자. (yǎng·zǐ) 동 자식을 낳다. 자식을 기르다. ¶未有学～而后嫁者也; 아이 낳는 법을 배우고 나서 시집 가는 사람은 없다.
〔养尊处优〕 yǎng zūn chǔ yōu 〈成〉〈貶〉 생활이 매우 풍족하다. 잘 먹고 잘 산다.

瀁 yǎng (양)
형 〈文〉 (물이) 끝없이 깊고 넓은 모양. ¶沆hàng～ =〔莽mǎng～〕; 물이 끝없이 넓다.

氧 yǎng (양)
명 《化》 산소(O). ¶臭chòu～; 오존. =〔氧气〕〔〈俗〉养气〕〔养⑪〕
〔氧苯胂〕 yǎngběnshèn 명 ⇨〔盐yán酸氧苯胂〕
〔氧割〕 yǎnggē 명동 산소 절단(을 하다).
〔氧化〕 yǎnghuà 명 《化》 산화(酸化). =〔养化〕
〔氧化钡〕 yǎnghuàbèi 명 《化》 산화 바륨.
〔氧化铋〕 yǎnghuàbì 명 《化》 산화 비스머스.
〔氧化氮〕 yǎnghuàdàn 명 《化》 일산화 질소.
〔氧化氘〕 yǎnghuàdāo 명 ⇨〔重zhòng水〕
〔氧化钙〕 yǎnghuàgài 명 《化》 산화 칼슘. 생석회.
〔氧化铬〕 yǎnghuàgè 명 《化》 산화 크롬.
〔氧化汞〕 yǎnghuàgǒng 명 수은의 산화물. =〔汞氧〕
〔氧化钴〕 yǎnghuàgǔ 명 《化》 산화 코발트.
〔氧化硅胶〕 yǎnghuàguījiāo 명 ⇨〔硅胶〕
〔氧化剂〕 yǎnghuàjì 명 《化》 산화제.
〔氧化乐果〕 yǎnghuàlèguǒ 명 ⇨〔乐果〕
〔氧化硫〕 yǎnghuàliú 명 《化》 아황산 가스.
〔氧化镁〕 yǎnghuàměi 명 《化》 산화 마그네슘. =〔苦kǔ土〕
〔氧化镍〕 yǎnghuànié 명 《化》 산화 니켈.
〔氧化硼〕 yǎnghuàpéng 명 《化》 산화 붕소.
〔氧化铅〕 yǎnghuàqiān 명 《化》 산화연. →〔铅丹〕〔密mì陀僧〕
〔氧化碳(气)〕 yǎnghuàtàn(qì) 명 ⇨〔一yī氧化碳(气)〕
〔氧化锑〕 yǎnghuàtī 명 《化》 산화 안티몬.
〔氧化铁〕 yǎnghuàtiě 명 《化》 산화철.
〔氧化铜〕 yǎnghuàtóng 명 《化》 산화동.
〔氧化物〕 yǎnghuàwù 명 《化》 산화물.
〔氧化锡〕 yǎnghuàxī 명 《化》 산화 주석. =〔锡石〕
〔氧化锌〕 yǎnghuàxīn 명 《化》 아연화. 산화 아연. =〔锌白〕〔锌华〕〔锌氧粉〕〔亚yà铅华〕
〔氧化焰〕 yǎnghuàyàn 명 《化》 산화염.
〔氧化银〕 yǎnghuàyín 명 《化》 산화은.
〔氧化铀〕 yǎnghuàyóu 명 《化》 산화우라늄.
〔氧茂〕 yǎngmào 명 《化》 〈音〉 푸란(furane). =〔呋fū喃〕
〔氧气〕 yǎngqì 명 《化》 산소(가스)('氧'의 통칭). ¶～机; 산소 가스 발생기 / ～瓶; 산소 봄베.
〔氧气鼓风法〕 yǎngqì gǔfēngfǎ 명 산소 압입법(壓入法). ¶炼钢炉采用先进的～; 연강로에는 진보된 산소 압력법을 채용하고 있다.
〔氧炔吹管〕 yǎngquē chuīguǎn 명 산소 아세틸렌 취관(吹管).
〔氧炔焊接〕 yǎngquē hànjiē 명 《工》 산소 아세틸렌 용접. 가스 용접. =〔〈俗〉气qì焊〕
〔氧石灰〕 yǎngshíhuī 명 《化》 생석회.
〔氧芴〕 yǎngwù 명 《化》 산화 디페닐렌(diphenyleneoxide). 디벤조푸란(dibenzofuran).
〔氧茚〕 yǎngyìn 명 쿠마론(coumarone).

痒(癢) yǎng (양)
형 가렵다. 근질거리다. ¶蚊子咬得身上直～～; 모기에 물려 몸이 막 가렵다 / 痛～相关; 아픔과 가려움을 서로 느끼다(이해 관계를 같이하는 밀접한 사이) / 不堪技～; 솜씨를 보이고 싶어 손이 근질근질하다 / 皮肤发～; 피부가 가렵다 / 心～难抓; 〈比〉 욕망을 만족시킬 수 없다 / 你的骨头～了吗? 너 뼈가 근질근질하냐?(너 얻어맞고 싶으냐?) / 用不求人搔sāo～了; 효자손으로 가려운 데를 긁다. =〔痒痒①〕
〔痒处〕 yǎngchù 명 ①가려운 데. ¶搔搔～; 가려운 데를 긁다 / 搔到～; 가려운 데에 손이 닿다. ②〈比〉 하고 싶어 근질근질함. 안타까움. ¶一句话搔中zhòng了他的～使他高兴起来; 한 마디로 그의 가려운 데를 긁어 주어 그를 기쁘게 했다.
〔痒刺刺(的)〕 yǎngcìcì(de) 형 가렵기도 하고 아프기도 한 모양.
〔痒麻〕 yǎngmá 형 근질근질하다.
〔痒酥酥(的)〕 yǎngsūsū(de) 형 몹시 가렵다. ¶澡堂子里捏脚的给捏得～的, 好舒服; 목욕탕의 다리 주물러 주는 때밀이가 가려운 데를 꼬집어 주면 기분이 좋다. =〔痒苏苏〕
〔痒痒〕 yǎngyang 형 〈口〉 ①가렵다. ¶挠náo～; 가려운 데를 긁다 / 他这个人没有～肉儿; 그는 간지럼을 안 탄다. ②근질근질하다. ③〈轉〉 안타깝다. 시원스럽지 않다. ¶我听您说得我心里～起来了; 나는 당신의 이야기를 듣고 마음이 안타까워졌다 / 头上场两手就～; 출장하기 전부터 양손이 근질거려 가만히 있을 수 없다 / 你身上也～吗? 너도 몸이 근질근질하냐?(너 맞고 싶으냐?).
〔痒痒筋(儿)〕 yǎngyangjīn(r) 명 간지럼을 잘 타는 곳. 〈轉〉 가장 마음에 드는 곳. ¶可正弹在安老爷的～上了; 그런데 바로 안노인을 가장 기쁘게 할 말을 했다 / 说中他的～了; 그의 의도를 딱 알아맞췄다. →〔痒痒肉(儿)〕

〔痒痒劲儿〕 yǎngyangjìnr 명 가려움. ¶有个～; 가렵다.
〔痒痒挠儿〕 yǎngyangnáor 명 효자손. 등긁이. =〔痒痒耙〕〔不bù求人(儿)〕〔老lǎo头(儿)乐①〕〔扒pá手儿〕
〔痒痒耙〕 yǎngyangpá 명 ⇨〔痒痒挠儿〕
〔痒痒肉(儿)〕 yǎngyangròu(r) 명 간지럼을 잘 타는 곳《발바닥 · 겨드랑밑 따위》. ¶他这个人没有～; 그는 조금도 간지럼을 안 탄다.
〔痒抓抓(的)〕 yǎngzhuāzhuā(de) 형 ①간지러워〔가려워서〕 못 견디다. ②안타까워 못 견디다.

怏 yàng (앙)
형 불쾌하다. 석연치 않다. 불만스럽다. ¶～然不悦; 불만스러운 듯이 시무룩해 있다.
〔怏怏〕 yàngyàng 형 〈文〉 불쾌하다. 기분이 울적하다. ¶～不乐; 불쾌하여 시무룩해 있다 / ～地走开了; 불쾌한 듯이 떠나갔다. =〔鞅yāng鞅〕

鞅 yàng (앙)
→〔牛鞅〕 ⇒yāng

烊 yàng (양)
→〔打烊〕 ⇒yáng

恙 yàng (양)
명 〈文〉 ①병. 탈. ¶贵～; 병환 / 偶然微～; 몸이 좀 불편하다 / 抱～; 병에 걸리다 / 安然无～; 별 탈 없다. 무사하다. ②걱정거리.
〔恙虫〕 yàngchóng 명 《蟲》 리케차병을 옮기는 진드기의 일종.
〔恙虫病〕 yàngchóngbìng 명 《醫》 리케차병《전에 홍수가 진 다음에 발생했으므로 '洪hóng水热' 이라고도 함》.
〔恙忧〕 yàngyōu 명동 〈文〉 걱정(하다). 우려(하다).

样(樣) yàng (양)
①(～儿, ～子) 명 꼴. 모양. ¶图～; 도면. 도안. 카탈로그 / 这～; 이와 같은. 이와 같이 / 新～儿的; 신형의 / 你看这个～儿! 이 꼴을 봐라! ②(～儿) 양 사람 · 사물의 종류를 세는 단위. ¶一～(儿)货; 한 종류의 상품. 같은 종류(의) / ～～儿都行; 어느 것이나 모두 좋다 / 两～儿; 두 종류(의). 다른 종류(의) / 各～点心; 여러 가지 과자 / 各式各～(儿)的花草; 각종의 화초 / 宗zōng宗～～; 각종. 각양. ③(～儿, ～子) 명 견본. 본. 모형. ¶照～儿做; 견본대로 만들다 / 货～; 상품 견본 / 榜～; 본. 본보기. 모범 / 大～子; 실물 크기 견본 / 花～儿; 무늬 / 图～儿; 도안(圖案). 무늬.
〔样板〕 yàngbǎn 명 ①형판(型板). 본. ②계기(計器). 게이지(gauge). =〔测cè规〕 ③〈比〉 학습의 모범. ¶～方; 전형적인 토지《용수로 · 논밭 등의 배치가 잘 되어 있는》. ④판상(板狀)의 견본.
〔样板刀〕 yàngbǎndāo 명 《機》 성형(成形) 바이트(forming tool). =〔成chéng形刀〕
〔样板饭〕 yàngbǎnfàn 명 다른 것의 본보기가 될 만한 식사. 모범식(模範食).
〔样板戏〕 yàngbǎnxì 명 모범극.
〔样本〕 yàngběn 명 ①카탈로그(catalogue). 목록. ¶附呈～一册; 카탈로그 1부를 함께 드립니다 / ～卡kǎ; 샘플 카드 / 染rǎn彩～; 색상 견본. ②견본. 상품 견본. ¶来货和～不符; 도착한 물건은 견본과 다르다. ③《印》 출판물의 견본쇄(刷).
〔样本买卖〕 yàngběn mǎimài 명 《經》 견본 매매.
〔样册子(儿)〕 yàngcèzi(r) 명 ①수본(繡本) 책. ②(재봉용의) 본. ③견본첩(帖).
〔样车〕 yàngchē 명 장례 행렬에 끌고 가는 죽은 사람이 생전에 애용한 수레의 모형《가마 · 말의 경우는 '样轿jiào' · '样马mǎ' 라 함》.
〔样铳〕 yàngchòng 명 《機》 센터링 펀치(centering punch). =〔洋yáng铳〕
〔样铳眼〕 yàngchòngyǎn 명 ⇨〔中zhōng心眼〕
〔样单〕 yàngdān 명 견본용 광고지.
〔样法〕 yàngfǎ 명 방법. 방식.
〔样货〕 yànghuò 명 ①견본품. →〔样品〕 ②견본과 상품. ¶～不符; 견본과 실물이 일치하지 않다.
〔样机〕 yàngjī 명 ①(비행기의) 원형(原型). ②견본 기계.
〔样轿〕 yàngjiào 명 ⇨〔样车〕
〔样马〕 yàngmǎ 명 ⇨〔样车〕
〔样貌〕 yàngmào 명 〈文〉 양상(樣相).
〔样品〕 yàngpǐn 명 견본품. 샘플. ¶索～; 견본을 청구하다 / ～邮件; 견본 우편물. =〔货huò样〕〔样头〕
〔样儿〕 yàngr 명 ①모양. 모습. 꼴. ¶你没改～; 너는 (모습이) 변하지 않았다. ②안색. 표정. ③태도. 거동《선악(善惡) 양쪽 다 씀》. ¶他真有个～; 그는 상당하다 / 瞧他那个～; 저 꼴은 뭐냐. 양 종류를 세는 말. ¶两～办法; 두 가지 방법. →〔样子〕
〔样式〕 yàngshì 명 ①견본. ¶～房; 모델하우스. ②모양. 꼴. 형식. 양식. ¶照这个～订做一双鞋; 이 모양대로 구두 한 켤레를 주문하여 만들다 / 各种～的羊毛衫; 여러 모양의 양모 셔츠. ③디자인. ¶新～的帽子; 새로운 형의 모자.
〔样数(儿)〕 yàngshù(r) 명 물건의 종류.
〔样头〕 yàngtou 명 ⇨〔样品〕
〔样相〕 yàngxiàng 명 양상. 꼴.
〔样型〕 yàngxíng 명 모형.
〔样样(儿)〕 yàngyàng(r) 형형색색. 각종. 무엇이나 모두. ¶～全有; 무엇이든지 있다 / ～都能行; 무엇이든지 할 수 있다 / ～见效; 모두 효과가 있다 / ～齐全; 여러 가지 모두 갖춰져 있다.
〔样样宗宗(儿)〕 yàngyàng zōngzōng(r) 명 각양각색. 형형 색색.
〔样张〕 yàngzhāng 명 《印》 ①교정쇄(校正刷). 준장(準張). =〔校jiào样〕 ②견본쇄(刷).
〔样纸〕 yàngzhǐ 명 ①견본쇄(見本刷)의 페이지. ②견본쇄.
〔样子〕 yàngzi 명 ①꼴. 모양. 형(型). 체재(體裁). ¶这件衣服～很好看; 이 옷은 모양이 아주 좋다 / 不像～ =〔不成～〕; 꼴이 아니다. 엉망이다. 볼꼴 사납다. 어울리지 않다. ②안색. 표정. 기색. ¶高高兴兴的～; 아주 기쁜 듯한 모습 / 故意作生气的～; 일부러 화가 난 표정을 지었다 / 愁眉苦脸的～; 수심에 찬 얼굴 표정 / 显出担心的～; 걱정스런 얼굴을 하다. ③견본. 표본. 샘플. 본. ¶照～做; 견본대로 만들다 / ～货; ⓐ상품 견본. ⓑ(비유적인 의미의) 장식품. ④〈口〉 형세. 추세. (되어 가는) 형편. ¶天好像要下雨的～; 비가 올 것 같다. ⑤모범. 본보기. ¶他做了～领了头; 그는 모범을 보이며 앞장 섰다 / 他是青少年的好～; 그는 청소년의 좋은 본보기이다. ⑥가량. 쯤. ¶不到二里地的～, 就到了大道了; 2리도 채 가기 전에 큰길로 나왔다.
〔样子间〕 yàngzijiān 명 견본 진열실. 쇼룸(showroom).

漾 yàng (양)
①[동] (물이) 출렁대다. 물결에 흔들리다. ¶荡～; 물이 넘실거리다 / 小船在水面上荡～; 작은 배가 수면에서 물결 따라 출렁거리고 있다. ②[동] 토하다. ¶孩子～奶了; 아이가 젖을 게웠다. ③[동] 넘치다. 넘쳐 흐르다. (웃음이) 떠오르다. ¶脸上～出了笑容; 얼굴에 웃음을 띄웠다 / 河水都～到岸上了; 강물이 강가에 넘쳤다 / 来晚了的人们都从园里往外～; 늦게 온 사람들은 모두 정원 밖에 넘쳐 있다. ④[동] (부드럽고 긴 물건을) 흔들어 던지다. ⑤[명]〈方〉작은 호수·못《주로 호수·못 이름에 쓰임》. ¶北马～Běimǎyàng; 베이마양(北馬漾)《장쑤 성(江蘇省)에 있는 호수 이름》. ⑥(Yàng) [명]〖地〗산시 성(陝西省)에 있는 강 이름.

〔漾出〕 yàngchū [동] 넘치다. ¶啤酒～杯子来; 맥주가 잔에서 넘친다.

〔漾过去〕 yàng guo qu 흔들어 던지다. ¶登山队在悬崖上～一条绳索; 등산대는 절벽에 한 줄의 로프를 흔들어 던졌다.

〔漾开〕 yàngkai [동] ①떠돌아 번지다. ②(사방에) 넘치다.

〔漾奶〕 yàng·nǎi [동] (아기가 너무 먹어서) 젖을 토하다. 젖을 넘기다. ¶小孩儿～了, 快给他擦干净吧; 아기가 젖을 토했으니, 빨리 깨끗이 닦아 주어라.

〔漾水〕 yàngshuǐ [동] 물이 넘치다. ¶打沟里往外～; 도랑에서 물이 넘쳐 흘러 나온다.

〔漾漾〕 yàngyàng [형] 물이 출렁거리는 모양. ¶湖水～地现出一些波纹; 호수의 물이 출렁이어 파문을 일으키다.

YAO ㄧㄠ

幺〈么〉 yāo (요)
①[수] 일(一)《'七'의 음과의 혼동을 피하여 구어(口語)의 경우 '一'의 대신으로 전화 번호 등에 쓰이기도 함. 또, 단용(單用)되어 복합어가 되지 않으며, 양사(量詞)가 붙지 않음》. ¶掉diào～; 외톨이가 되다. 낙오하다. 따돌림을 당하다 / 大家一块儿逃走, 就是他一个人掉了～儿了; 모두 다 도망갔는데, 그만 혼자 남았다. ②[형]〈南方〉제일 작은. ¶～兄弟; 막내 동생 / ～儿; 막내 / ～妹; 막내 누이동생. ③[형] 홀로 있다. ④[명] 성(姓)의 하나. ⇒'么' má, '吗' '嘛' ma, '么' me

〔幺爸〕 yāobà [명]〈南方〉막내삼촌. ¶刘文辉是刘湘的～; 유문휘는 유상의 막내숙부이다.

〔幺二〕 yāo'èr [명] ①마작의 득점 계산법의 하나. ②〈南方〉옛날, 2급 기녀를 일렀음.

〔幺九牌〕 yāojiǔpái [명] 마작의 1,9패와 쯔파이(字牌)를 말함《13종 52매가 있음》.

〔幺老婆〕 yāolǎopo [명] ⇨〔小xiǎo老婆〕

〔幺妹〕 yāomèi [명]〈方〉막내누이.

〔幺麽〕 yāomó [형]〈文〉작은. 미소(微小)한. 미미하여 보잘것 없는. ¶～小丑;〈成〉미미하고 하찮은 악한(惡漢) / 这几个～小丑没多大蹦儿bèngr, 派一排兵一阵机关枪就可以把他们扫荡完了; 이들 쥐새끼들은 별것 아니다. 1개 소대를 풀어 기관총을 한바탕 쏘면 소탕할 수 있다.

〔幺叔〕 yāoshū [명] 막내삼촌.

〔幺小〕 yāoxiǎo [형] 작다. 잘다. 어리다. ¶请恕他～无知; 이 아이는 아직 어려서 아무것도 모르니 용서해 주세요 / 这幺～的个东西; 이런 작은 것〔물건〕.

〔幺幺儿〕 yāoyaor [명] 막내 동생. ¶他是我们家的小～; 그는 우리집 막내입니다.

吆〈吆〉 yāo (요)
[동] ①큰 소리로 부르다. 소리 지르다. =〔喓②〕 ②(소리를 질러) 쫓다.

〔吆号子〕 yāohàozi [명] 달구질할 때 장단 맞추는 소리.

〔吆喝〕 yāohe [동] ①외치며 부르다《행상이 물건을 팔려고 외치거나, 가축을 쫓거나, 큰 소리로 나무라거나, 명령하는 경우》. ¶外头～着的是卖什么的? 밖에서 외치며 팔고 있는 사람은 무엇을 파는 장수인가? / 你～牲口叫快点儿走; 가축에게 소리를 질러 조금 빨리 달리게 해라 / ～着卖; 소리치고 다니며 팔다. ②소리 지르다. 선전하다. 전해서 퍼뜨리다. ¶这事只有咱俩知道, 你可不能～出去! 이 일은 우리 둘만 알고 있으니까, 너는 퍼뜨리지 마라! [명] 외치며 물건을 파는 장수. ¶～货; 물건을 외치며 파는 장사치의 상품. ‖=〔吆呼〕〔吆唤〕

〔吆呼〕 yāohu [명][동] ⇨〔吆喝〕

〔吆唤〕 yāohuan [명][동] ⇨〔吆喝〕

〔吆三喝二〕 yāo sān hè èr〈成〉①제각기 이러니저러니 하고 떠들다. ②시끄럽게 소리쳐 부르다. ‖=〔吆五喝六〕

〔吆五喝六〕 yāo wǔ hè liù〈成〉⇨〔吆三喝二〕

夭〈殀〉 yāo (요)
A) [동] 요사〔요절〕하다. 일찍 죽다《yǎo라고도 읽음》. B) [형] ①〈文〉초목이 우거진 모양. ¶～桃táo; 어리고 싱싱한 복숭아.〈轉〉젊은 여인의 얼굴. ②아름답다. ③부드러워진 모양.

〔夭矫〕 yāojiǎo [형]〈文〉①나무가 무성한 모양. ¶～婆娑的大树; 무성한 큰 고목. ②굴신(屈伸)이 자유롭다. ③만곡되어 있다.

〔夭娜〕 yāonuó [형] 요염하다. 아리땁다.

〔夭殇〕 yāoshāng [동] ⇨〔夭折①〕

〔夭逝〕 yāoshì [동] ⇨〔夭折①〕

〔夭寿〕 yāoshòu [명]〈文〉단명(短命)과 장수(長壽).

〔夭死〕 yāosǐ [동] 요사〔요절〕하다. =〔夭折〕〔夭亡〕

〔夭桃秾李〕 yāo táo nóng lǐ〈成〉여성의 용모가 아름다움의 비유《어여쁜 신부》.

〔夭亡〕 yāowáng [동] ⇨〔夭折①〕

〔夭夭〕 yāoyāo [형]〈文〉①방긋 웃는 모양. ②젊고 아름답다.

〔夭折〕 yāozhé [동] ①〈文〉요절하다. =〔夭亡〕〔夭札〕〔夭殇〕〔短duǎn折〕〔夭逝〕 ②〈比〉일이 중도에서 실패하다. 조기(早期)에 붕괴하다. ¶谈判中途～; 교섭은 중도에서 실패했다.

妖 yāo (요)
①[명] 귀신. 요괴. ¶～魔鬼怪; ⇩ ②[형] 사람을 홀리다. ¶～术; ⇩ ③[형] (주로 여자의 복장·표정·태도가) 정상이 아니다. ¶～里～气; ⇩ ④[형] 요염하다. =〔妖娆〕

〔妖道〕 yāodào [명] ①요술을 쓰는 도사. ②사람을 현혹시키는 요사스런 도(道).

〔妖调〕 yāodiào [형] 요염하다. 매력적이다. 괴이하다.

〔妖法〕 yāofǎ [명] 마법(魔法).

〔妖氛〕 yāofēn [명]〈文〉상서롭지 못한 기운. 요사

스러운 기운.

〔妖风〕 yāofēng 명 ①신화(神話)에서 요괴가 일으키는 괴이한 바람. ②〈轉〉 괴이한 사회 기풍. ¶～邪气; ⓐ괴이한 기운. ⓑ사악한 풍조·기운. 인심을 혼란시키는 언행.

〔妖服〕 yāofú 명 〈文〉 요염한 의복.

〔妖妇〕 yāofù 명 요부. 요염한 자태로 사람을 호리는 여자.

〔妖怪〕 yāoguai 명 요괴.

〔妖惑〕 yāohuò 동 괴이한 말로 사람을 미혹시키다. ¶拿话～人; 괴이한 말로 사람을 미혹시키다.

〔妖姬〕 yāojī 명 〈文〉 요염한 여자.

〔妖精〕 yāojing 명 ①괴물. 요괴. ②〈比〉 요부. 추한 여자. ¶不打扮还好，看打扮起来简直成了～了; 치장을 안 하면 그런대로 괜찮지만, 치장을 하면 꼭 도깨비 같다.

〔妖丽〕 yāolì 형 〈文〉 요염하고 수상하다.

〔妖里妖气〕 yāoliyāoqì 요염하다. 요사스럽다. 요기가 풍기다. ¶打扮得～; 요염하게 치장하다.

〔妖媚〕 yāomèi 형 요염하다. 성적 매력이 있다.

〔妖魔〕 yāomó 명 요괴. 악마.

〔妖魔鬼怪〕 yāo mó guǐ guài 〈成〉 요괴와 악마. 〈比〉 악당. 적(敵). 각종 사악한 세력.

〔妖孽〕 yāoniè 명 〈文〉 ①불길한 것. ②〈比〉 악한. 재앙을 일으키는 자. 남을 해치는 자.

〔妖女〕 yāonǚ 명 〈文〉 요녀. 요사스러운 여자.

〔妖气〕 yāoqì 형 요염하다. 요염하고 아름다운 기색이 있다. ¶那位太太很～; 저 부인은 아주 요염하다. 명 요기. 수상한 기미. 으시시한 기분. ¶进到鬼房里去觉着有～; 귀신집에 들어가면 섬뜩하다.

〔妖娆〕 yāoráo 형 〈文〉 요염하다. ¶～作态; 요염하게 애교를 부리다 / ～女子; 매혹적인 여자. =〔妖态②〕

〔妖人〕 yāorén 명 요사스런 말로 사람을 미혹하게 하는 자.

〔妖声怪气〕 yāo shēng guài qì 〈成〉 (여자의 언행이) 경박함. 상스러움.

〔妖声媚气〕 yāo shēng mèi qì 〈成〉 음탕한 언행. 요염한 모양.

〔妖声妖气〕 yāo shēng yāo qì 〈成〉 목소리·자태(姿態)가 매력적인 모양. 요염한 모양.

〔妖术〕 yāoshù 명 요술. 마법.

〔妖术邪法〕 yāoshù xiéfǎ 명 요술.

〔妖态〕 yāotài 형 ①교태를 부리는 모양. ②⇨〔妖娆〕

〔妖物〕 yāowù 명 요물. 도깨비.

〔妖相〕 yāoxiàng 명 괴이한 몰골.

〔妖星〕 yāoxīng 명 혜성(彗星).

〔妖形怪状〕 yāo xíng guài zhuàng 〈成〉 기묘한 생김새. 기묘한 복장이나 모양.

〔妖言〕 yāoyán 명 요언. 요사스러운 말. ¶～惑众; 〈成〉 요사스러운 말로 대중을 미혹시키다.

〔妖艳〕 yāoyàn 형 요염하다.

〔妖妖调调〕 yāoyaodiàodiào 형 요염한 모양. 매력적인 모양. =〔妖妖娇娇〕

〔妖妖娇娇〕 yāoyaojiāojiāo 형 ⇨〔妖妖调调〕

〔妖冶〕 yāoyě 형 요염하다.

〔妖异〕 yāoyì 형 괴이하다. 이상하다.

约(約)

yāo (약)

동 〈口〉 저울로 달다. ¶你～～有多重! 무게가 얼마나 되는지 달아 보렴! / 光荣这玩艺儿不能论斤～; 영예란 무게로 잴 수 있는 것이 아니다 / 给我～二斤肉; 고기 두 근을 달아 주시오. =〔邀③〕 ⇒yuē

要

yāo (요)

①동 (강경하게) 요구하다. 구하다. =〔邀⑤〕 ②동 협박하다. 으르다. ¶～盟; 협박하여 맹약을 맺다. ③동 〈文〉 잠복하고 기다리다. ¶～于途中; 도중에서 잠복하고 기다리다. =〔邀⑥〕 ④동 〈文〉 총괄하다. 매듭을 짓다. ¶～之，以根绝剥削为目的; 이것은 요컨대, 착취를 근절할 것을 목적으로 하는 것이다. ⑤명동 〈文〉 약속(하다). 맹세(하다). ¶久～不忘平生之言; 훨씬 이전의 약속이라도, 평소 말하고 있던 약속의 말을 잊지 않다. ⑥동 고대하다. ⑦〈文〉 옛날, '腰'와 통용 자(字). ⑧명 성(姓)의 하나. ⇒yào

〔要功〕 yāo·gōng 동 〈文〉 공을 자랑하여 보상을 요구하다. ¶～求赏; 공적을 자랑하고 상을 바라다.

〔要击〕 yāojī 동 〈文〉 중도에서 습격하다. 요격하다.

〔要劫〕 yāojié 동 〈文〉 노상 강도짓을 하다.

〔要勒〕 yāolè 동 〈文〉 강요하다. ¶～财物; 재물을 강요하다.

〔要买〕 yāomǎi 동 〈文〉 환심을 사다. 영합하다. ¶～人心; 남에게 영합하다. 남의 환심을 사다.

〔要买人心〕 yāomǎi rénxīn 〈文〉 인심을 거두어 수습하다. 남의 환심을 사다.

〔要盟〕 yāoméng 동 〈文〉 맹약을 맺을 것을 강요하다. ¶订dìng立城下～; 강요에 의해 성 밑에서 굴욕적인 맹약을 체결하다.

〔要请〕 yāoqǐng 동 초청하다.

〔要求〕 yāoqiú 동 요구하다. 요망하다. 요청하다. ¶同意～; 요망에 동의하다 / 满足～; 요구를 만족시키다 / 严格～自己; 자신을 엄하게 다루다. 명 요구. 요망. 요청. (요구하는) 기준·조건·정도. (관철해야 할) 방침. ¶降低～; 요구의 정도를 낮추다 / 离党的～还差得远; 당의 요구에는 아직도 멀었다.

〔要说儿〕 yāoshuōr 동 (보수·돈을) 요구하다. ⇒yàoshuōr

〔要索〕 yāosuǒ 동 〈文〉 요구하다. ¶～钱财; 금전과 재물을 강요하다.

〔要挟〕 yāoxié 동 협박하다. 강요하다. ¶你越～我，我越不答应; 네가 협박하면 할수록 나는 승낙하지 않겠다 / 不甘心受人～; 순순히 공갈에 넘어가 빼앗기지는 않는다 / 借词～是一种不高尚的行为; 생트집을 잡아 사람을 협박하는 것은 고상하지 못한 행위이다.

〔要约〕 yāoyuē 동 ①〈文〉 결속하다. ¶～天下; 천하를 결속하다. ②요약하다. 문장 등의 대의를 간추리다.

〔要斩〕 yāozhǎn 동 ⇨〔腰斩〕

〔要之〕 yāozhī 요컨대. 결국.

〔要旨〕 yāozhǐ 명 요지. 요점.

〔要子〕 yāozi 명 ①(벼·야채 등을 묶는) 꼰 새끼(끈처럼 씀). ②짐꾸리기에 쓰는 가늘고 긴 것. ¶铁～; 쇠테.

墺

yāo (요)

지명용 자(字).

喓

yāo (요)

①→〔唷yō〕 ②→〔吆①〕 ③〈擬〉 앵앵(벌레 우는 소리). =〔喓喓〕

〔喓喝〕 yāohe 동 ①큰 소리로 외치다. =〔吆喝〕 ②(모기가) 앵앵 울다.

腰 yāo (요)
①명 허리. ¶弯～ =〔哈hā～〕; 허리를 굽히다 / 双手叉～; 두 손을 허리에 대다 / 撑chēng～; 허리를 받쳐 주다. 뒤를 밀어 주다 / 水蛇～; 가냘픈 허리. ②명 중국 바지의 허리 부분. ¶红裤子绿～; 빨간 바지에 녹색 허리 둘레. ③명 허리에 차는 주머니. 호주머니. ¶～里没钱; 호주머니에 돈이 없다 / 我～里还有些钱, 足够用; 내 호주머니에는 돈이 얼마간 있으니까, 쓰기에 족하다 / 钱都进了他们的～里了; 돈을 모두 그의 호주머니 속으로 들어가 버렸다. →〔腰包〕 ④명 사물의 중간. ¶山～; 산허리. ⑤명 중간이 잘록하게 된 지형. ¶土～; 지협 / 海～; 해협. ⑥명 중도. 중간. ¶这篇小说从故事的中～开头儿; 이 소설은 이야기의 중간에서 시작되고 있다. ⑦(～儿, ～子) 명〈俗〉(식품으로서의 돼지·소·양 따위의) 콩팥. 조류의 정소(精巢). 신장(腎臟). ¶猪zhū～; 돼지의 콩팥. ⑧동 옷의 허리 부분을 줄이다. ¶大褂儿长, 得～上; 웃옷이 기니까, 허리 부분을 줄여야 한다. ⑨명 (허리처럼 생긴) 요해(要害)의 땅. ⑩명 성(姓)의 하나.

〔腰板(儿)〕 yāobǎn(r) 명 ①허리에서 등에 이르는 부분《자세》. ¶挺着～; 허리를 곧게 펴다 / ～挺直了; 허리가 곧게 되었다 / 快七十了, ～不弯, 拿起腿还走个十里二十里的; 70에 가까운 나이지만, 허리는 굽지 않았고, 걸으면 10리, 20리는 아직 걸을 수 있다. ②체격. ¶他虽然六十多了, ～倒还挺硬朗的; 그는 60여 세가 되었으나, 아직 꼬장꼬장하다 / ～硬实; 훌륭한 체격을 하고 있다.

〔腰板脖硬〕 yāobǎn bóyìng 허리나 목이 굳어 자유롭게 굽혀지지 않다. 〈比〉 무뚝뚝하다. 퉁명스럽다.

〔腰包〕 yāobāo 명 허리춤에 차는 돈주머니. ¶掏～; ⓐ(남 또는 공용을 위해) 자기 돈을 들이다. ⓑ소매치기하다 / ～软; 돈이 적다 / ～硬; 돈이 많다 / 这笔钱将落到他们的～; 이 돈은 그들 주머니에 들어갈 것이다.

〔腰背〕 yāobèi 명 허리와 등. 허리의 등쪽 부분. ¶～也湿得比前几年弯曲了; 허리나 등도 수 년 전보다 굽었다.

〔腰别〕 yāobié 명〈北方〉 단도. ¶张富英腰里别个小～; 장부영은 허리에 작은 칼을 찼다.

〔腰部〕 yāobù 명 요부. 허리.

〔腰缠〕 yāochán 명 갖고 있는〔가지고 다니는〕 돈. 동 허리에 차다. 몸에 간직하다. ¶～万贯, 不如一技在身; 〈諺〉 허리에 1만 관의 돈을 차는 것보다, 몸에 한 가지 재주를 지니는 것이 낫다.

〔腰粗脖奘〕 yāocū bózhuǎng 〈比〉 돈이 생기면 목이 굵어진다《고개를 쳐들고 으스대며 길을 가는 모양》.

〔腰带〕 yāodài 명 ①→〔腰带(子)〕 ②골반.

〔腰带(子)〕 yāodài(zi) 명 허리띠. ¶系xì～; 허리띠를 매다.

〔腰刀〕 yāodāo 명 요도《옛날, 허리에 차던 칼》.

〔腰房〕 yāofáng 명 중국 가옥의 가운뎃방이 뒤로 통하게 되었을 때, 그 양쪽 방을 이름.

〔腰干〕 yāogān 동 월경이 멎다. 형 빈털터리이다. ¶～手净; 한 푼도 없다 / 花得～手净; 한 푼 남김없이 다 쓰다.

〔腰杆儿〕 yāogǎnr 명 사물에 대한 자세. 태도. ¶～软; 일하는 태도가 흔들리고 있다 / 挺起～; 허리를 곧게 펴다. (일에 대하여) 꿋꿋한 태도를 취하다 / 我们过日子也觉得～硬; 우리가 살아가는 데에도 든든하게 느낀다 / ～硬了, 斗志更旺盛, 更坚强了; 자세가 꿋꿋하고, 투지는 더욱 왕성하여, 가일층 확고해졌다.

〔腰杆子〕 yāogǎnzi 명 ①허리. ¶挺着～; 허리를 곧게 펴다. ②〈比〉 뒷배. 의지가 될 만한 데. 후원. ¶～硬; 강력한 배경이 있다 / 撑～; 뒤를 밀어 주다. ③→〔腰杆儿〕

〔腰骨〕 yāogǔ 명《生》 요골. 허리뼈.

〔腰鼓〕 yāogǔ 명 ①《樂》 허리에 차고 치는 북. =〔花鼓①〕 ②《舞》 허리에 찬 북을 두드리고 추는 민간 무용.

〔腰鼓队〕 yāogǔduì 명 남녀 모두 허리에 갸름한 북을 차고, '秧yāng歌队'와 비슷한 화려한 차림으로, 10～20명, 많으면 50～100명의 조를 짜고, 지휘자의 지휘 아래 북을 치며 거리를 행진하는 무리. →〔秧歌队〕

〔腰柜〕 yāoguì 명〈俗〉 자기의 주머니. (몸의) 돈을 넣어 두는 곳. ¶放人～中; 자기 주머니에 넣다 / 把人家的钱人了他的～了; 그는 남의 돈을 자기 호주머니에 넣어 버리고 말았다.

〔腰果〕 yāoguǒ 명 ①《植》 캐슈(cashew). ②캐슈너트(cashew nut).

〔腰花(儿)〕 yāohuā(r) 명 돼지나 양의 콩팥에 잘게 칼집을 낸 것. ¶炒chǎo～; 요리의 이름《돼지 콩팥을 볶은 것》.

〔腰脊骨〕 yāojǐgǔ 명《生》 척추골.

〔腰脚不便〕 yāojiao bùbiàn 기동을 못하다. ¶病得利害, ～; 병이 중하여 기동을 못 하다.

〔腰筋〕 yāojīn 명 허리 부분의 근육.

〔腰根〕 yāokèn 명 ⇨〔腰围①〕

〔腰宽〕 yāokuān 명 옷의 허리 품. →〔腰围①〕

〔腰烂〕 yāolàn 명《醫》 담배의 역병(疫病).

〔腰里横〕 yāo li hèng 허리(에 찬 지갑)에 돈을 많이 갖고 있다. 주머니 사정이 든든하다. ¶在旧社会里, ～到处受欢迎; 옛 사회에서는 돈이 있으면 어디서나 환영을 받았다 / 等着我多咱～的时候也逛一趟去; 언젠가 돈이 생기면 한 번 구경하러 갑시다.

〔腰里软〕 yāo li ruǎn 호주머니가 허전하다.

〔腰里硬〕 yāoliyìng ①명 단단하게 짠 허리띠의 일종. =〔板bǎn带〕 ②허리에 돈을 차고 있다. 호주머니가 든든하다. ¶他～; 그는 부자다.

〔腰领〕 yāolǐng 명 허리와 깃《의복의 주요한 부분》. 〈轉〉 요점. 주지(主旨). →〔要yào领〕

〔腰门儿〕 yāoménr 명 중문《대문을 들어간 다음의 문》. 담에 낸 임시 출입문. =〔二èr门〕〔重chóng门〕

〔腰牌〕 yāopái 명 요패. 문감(門鑑)《옛날, 허리에 찼던 문의 출입증》.

〔腰铺〕 yāopù 명 ①길가의 작은 가게. ②(Yāopù)《地》 야오푸. ⓐ안후이 성(安徽省) 화현(和縣)의 서쪽에 있음. ⓑ안후이 성(安徽省) 추현(滁縣)의 남쪽에 있음.

〔腰儿〕 yāor 명 ①→〔字解⑦〕 ②허리. ¶柳liǔ～; 〈比〉 여자의 가는〔날씬한〕 허리.

〔腰扇〕 yāoshàn 명 가운데가 잘록한 부채.

〔腰身〕 yāoshen 명 ①요부. 허리. ②허리 둘레《길이》. ¶～粗(细); 허리가 굵다(가늘다).

〔腰栓儿〕 yāoshuānr 명 ⇨〔腰堂〕

〔腰酸腿疼〕 yāo suān tuǐ téng 〈成〉 허리가 시큰거리고 다리가 아프다.

〔腰堂〕 yāotáng 명 정방(正房) 뒤에 '后hòu罩房'이 두 채가 겹쳐 있는 경우(정방과 함께 세 채) 가운데의 '穿堂' 곧 한가운데를 지나갈 수 있는

집의 양옆의 집을 말함. =〔腰栓儿〕
〔腰疼〕 yāoténg 동 허리가 아프다. 명 요통.
〔腰腿(儿)〕 yāotuǐ(r) 명 허리와 다리(활동 능력). ¶～很灵; 허리와 다리가 잘 움직이다 / 年纪虽老, ～还好; 나이는 먹었지만, 다리와 허리는 아직 튼튼하다.
〔腰弯儿〕 yāowānr 명 양고기 로스.
〔腰围〕 yāowéi 명 ①(양장의) 웨이스트(waist). ¶用卷尺量liáng～; 자로 허리둘레를 재다. =〔腰身②〕〔腰裉〕 ②허리를 죄는 띠.
〔腰窝〕 yāowō 명 옆구리.
〔腰窝儿〕 yāowōr 명 양의 허리고기〔등심살〕.
〔腰穴〕 yāoxué 명 ①아랫배의 옆부분(맹장 부근). ② ⇨〔腰眼①〕
〔腰眼〕 yāoyǎn 명 ①허리의 뒷부분. 척추골의 양쪽. =〔腰穴②〕 ②〈比〉 급소. 포인트. ¶事儿做在～上, 钱花在刀口儿上; 일은 요점을 찌르고, 돈은 요소에 사용되어야 한다. ③〈比〉 의지가 될 만한 것. 유력자. ¶仗着谁的～这么胡作非为? 누구를 믿고 이렇게 함부로 못된 짓을 하느냐?
〔腰圆〕 yāoyuán 형 허리(둘레)가 굵다. ¶膀bǎng阔～ =〔～背原〕; 어깨가 넓고 허리가 굵다(체격이 다부짐).
〔腰圆膀粗〕 yāo yuán bǎng cū 〈成〉 튼튼한 허리와 억센 팔. 늠름한 체격.
〔腰斩〕 yāozhǎn 동 〈文〉 ①베어 버리다. 허리를 베다. ②〈比〉 둘로 쪼개어 놓다. ¶～黄河; 황허(黄河)를 둘로 자르다 / 不管历史有多大的变化, 一个民族文化的发展从内容到形式都不会被～成为两截; 역사가 아무리 변화하더라도, 한 민족 문화의 발전은 내용과 형식 모두 두 동강으로 분리할 수 없다. ‖ =〔要斩〕
〔腰站儿〕 yāozhànr 명 도중의 휴식처. 중간역. ¶打～; 도중에서 휴식하다.
〔腰肢〕 yāozhī 명 ①허리 부위. 요부. ②뒷배. 후원자. ¶他的～不稳; 그의 후원자들도 위태롭게 되었다.
〔腰奘〕 yāozhuǎng 형 ①허리통이 크다. 허리가 굵다. ②돈이 있다. ¶他的～; ⓐ그의 허리통은 크다. ⓑ그는 부자다.
〔腰椎〕 yāozhuī 명 《生》 요추. ¶～间盘突出症; 《醫》 요추 간판 헤르니아(腰椎間板 hernia).

邀 yāo (요)

동 ①맞다. 마중하다. 초대하다. ¶特～; 특별히 초대하다 / ～他来谈谈! 그를 불러 와서 이야기해 보자! / 应yìng～访问中国; 초대를 받아 중국을 방문하다. ②〈文〉 받다. 구하다. 얻다. ¶～赏; 상을 타다 / ～准; 허가를 얻다 / 谅～同意; 동의하실 것으로 생각합니다. ③저울로 달다. ¶拿称chèng～一～有多重; 무게가 얼마나 되나 저울로 달아 보자 / 这橘子一斤～几个? 이 귤은 한 근에 몇 개나 되느냐? =〔约yāo〕 ④가로막다. ¶中途～截; 중도에서 저지하다. →〔邀击〕 ⑤ ⇨〔要yāo①〕 ⑥ ⇨〔要yāo③〕
〔邀宠〕 yāochǒng 동 아첨하다. 비위를 맞추다.
〔邀恩〕 yāo'ēn 동 은혜를 입다.
〔邀功〕 yāo.gōng 동 〈文〉 남의 공로를 가로채다. ¶～请赏 =〔～过赏〕; 남의 공로를 가로채어 은상(恩賞)을 청하다 / 一个人～; 공로를 독점하려고 하다.
〔邀功图赏〕 yāo gōng tú shǎng 〈成〉 공을 세워 상을 타려고 안달하다.
〔邀喝〕 yāohè 명 (옛날, 관리 또는 귀인이 외출할 때의) 벽제(辟除).
〔邀伙〕 yāohuǒ 동 (일 따위를) 함께 어울려서 하다.
〔邀击〕 yāojī 명동 요격(하다). =〔要击〕
〔邀集〕 yāojí 동 사람을 불러모으다. 맞아 모으다. 소집하다. ¶今天～大家来开个座谈会; 오늘 모두를 불러 좌담회를 연다.
〔邀驾〕 yāojià 〈翰〉 왕림하시기를 기다리겠습니다.
〔邀劫〕 yāojié 명동 노상 강도(를 하다).
〔邀截〕 yāojié 동 가로막다. 저지하다. ¶～敌人; 적을 저지하다.
〔邀斤〕 yāojīn 동 무게를 달다. →〔压yā分两〕
〔邀客〕 yāo.kè 동 손님을 초대하다.
〔邀买〕 yāomǎi 동 영합하다. 환심을 사다. 매수하다. ¶～人心; 환심을 사다. 남을 매수하다. =〔要yāo买〕
〔邀请〕 yāoqǐng 명동 초빙〔초청〕(하다). ¶～专家; 전문가를 초빙하다.
〔邀请赛〕 yāoqǐngsài 명 《體》 초청 경기. ¶东方队参加下届的华协杯四强～; 동방팀은 다음 번 중화 체육 협회 배 쟁탈 4강 초청 경기에 참가한다.
〔邀请信〕 yāoqǐngxìn 명 초대장. 초청장(국제 회의 용어).
〔邀赏〕 yāoshǎng 동 바라던 상을 받다.
〔邀饮〕 yāoyǐn 동 〈文〉 손님을 초대하여 주연을 베풀다.
〔邀约〕 yāoyuē 동 〈文〉 초대하다. =〔约请〕
〔邀遮〕 yāozhē 동 중도에서 막다〔가로막다〕.
〔邀足〕 yāozú 동 무게를 충분히 달다. 무게를 넉넉히 달다. ¶～斤量; 근수를 넉넉히 달다.

爻 yáo (효)

명 효(팔괘에서 가로 근 획). ¶摆设不合～象; 꾸밈새가 균형이 맞지 않다. →〔八bā卦〕
〔爻辞〕 yáocí 명 효를 해석한 말.
〔爻卦〕 yáoguà 동 효로 점치다.
〔爻乱〕 yáoluàn 형 〈文〉 혼란하다.
〔爻象〕 yáoxiàng 명 효의 표상(表象).
〔爻象〕 yáoxiang 명 (지상(地相)·가상(家相) 등의) 방위(方位). ¶这屋子布置的不合～; 이 방의 배치는 방위에 맞지 않는다.

尧(堯) yáo (요)

① 명 전설 속의 황제 이름. ② 형 〈文〉 높다. ③ 명 성(姓)의 하나.
〔尧舜〕 Yáo Shùn 명 ①《人》 요순(중국의 옛 모범적인 성천자(聖天子) 요와 순). ②(yáoshùn) 〈轉〉 성인.
〔尧天舜日〕 Yáo tiān Shùn rì 〈成〉 태평성대. 성세(聖世). ¶兵荒马乱的日子太久了, 什么时候才盼得到～啊? 병마에 짓밟힌 날이 오래니, 언제야 태평성세를 볼 수 있으리오?

侥(僥) yáo (요)

→〔僬jiāo侥〕 ⇒jiǎo

峣(嶢) yáo (요)

형 〈文〉 (산의) 높은 모양. →〔嶕jiāo峣〕

肴〈餚〉 yáo (효)

명 〈文〉 생선·고기로 만든 요리. ¶菜～; 요리 / 美酒佳～; 맛있는 술에 좋은 안주〔요리〕 / ～肉; 소금에 절인 고기(장쑤 성(江蘇省)에 전장(鎮江)산이 유명함).

洮 Yáo (조)

명 《地》 야오후(洮湖)(장쑤 성(江蘇省)에 있는 호수 이름). ⇒Táo

姚 yáo (요)
①〈文〉 아름답다는 뜻으로, 지명용 자(字). ② 형 아득하다. ③ 명 성(姓)의 하나.

珧 yáo (요)
→〔江jiāng珧〕〔江珧柱〕

铫(銚) yáo (요)
명 ①《農》 옛날의 큰 보습. 쟁기. ② 성(姓)의 하나. ⇒ diào

垚 yáo (요)
① 형 〈文〉 높다. ②인명용 자(字).

轺(軺) yáo (요)
→〔轺车〕

〔轺车〕 yáochē 명 옛날의, 관리 승용 마차.

陶 yáo (요)
인명용 자(字). ¶ 皋Gāo～; 상고 시대의 인명. ⇒ táo

窑〈窯, 窰〉 yáo (요)
명 ①벽돌·기와·도자기 등을 굽는 가마. ¶ 瓦wǎ～; 기와 가마. 기와 공장 / 砖zhuān～; 벽돌 가마〔공장〕/ 石灰～; 석회 가마 / 木炭～; 숯가마. ②탄갱. =〔煤méi窑〕 ③산허리를 파서 주택으로 한 횡혈(橫穴). ¶ 前～; 횡혈 안의 앞쪽 방 / 中～; 횡혈 안의 중간 방. ④(～子) 〈方〉 기루(妓樓). ¶ ～姐儿; 창기(娼妓).

〔窑底砖〕 yáodǐzhuān 명 가마 밑에 깔려 너무 구워진 벽돌.

〔窑顶砖〕 yáodǐngzhuān 명 가마 윗부분에 놓여져 덜 구워진 벽돌. =〔窑墁子〕

〔窑洞〕 yáodòng 명 (산시(山西)·산시(陝西)·간수(甘肅) 등지에 있는) 동굴의 주거. 혈거(穴居). =〔土tǔ窑〕

〔窑夫〕 yáofū 명 ⇨〔窑工①〕

〔窑工〕 yáogōng 명 ①도공(陶工). =〔窑夫〕 ②채탄부. =〔〈俗〉 窑黑儿〕〔窑黑子〕

〔窑黑儿〕 yáohēir 명 ⇨〔窑工②〕

〔窑黑子〕 yáohēizi 명 ⇨〔窑工②〕

〔窑户〕 yáohù 명 ①요업자. ②탄갱 소유자.

〔窑花子〕 yáohuāzi 명 (옛날) 광산 노동자를 낮추어 부른 말.

〔窑货〕 yáohuò 명 도자기·기와·벽돌류.

〔窑妓〕 yáojì 명 〈方〉 창기(娼妓). 기생.

〔窑匠〕 yáojiàng 명 도자기 장인. 도공(陶工).

〔窑坑〕 yáokēng 명 벽돌 구울 흙을 파낸 구덩이.

〔窑炉〕 yáolú 명 도자기 가마. =〔窑灶〕

〔窑墁子〕 yáomànzi 명 ⇨〔窑顶砖〕

〔窑门〕 yáomén 명 가마의 문.

〔窑痞〕 yáopǐ 명 옛날, 화류계의 건달. 화류계의 불량배.

〔窑碎儿〕 yáosuìr 명 ①가마 속의, 깨어진 도자기 조각. ②옛날, 유곽의 심부름꾼. =〔王八〕

〔窑桶子〕 yáotǒngzi 명 ⇨〔窑筒子〕

〔窑筒子〕 yáotǒngzi 명 탄갱의 갱도. =〔窑桶子〕

〔窑窑儿〕 yáoyaor 명 〈方〉 ⇨〔窑子①〕

〔窑业〕 yáoyè 명 요업. 도자기 제조업.

〔窑灶〕 yáozào 명 ⇨〔窑炉〕

〔窑柱〕 yáozhù 명 갱목(坑木)《광산의 갱도에 쓰이는 버팀기둥》.

〔窑子〕 yáozi 명 〈方〉 ①청루. 유곽. 기생집. ¶ 逛～; 기생 집을 기웃거리다. 기생을 불러서 놀다. =〔窑窑儿〕 ②갈보.

谣(謠) yáo (요)
명 ①노래. 가요. 민요. ¶ 民～; 민요 / 歌～; 가요 / 童tóng～; 동요. ②사실 무근한 이야기. ¶ 造～; 헛소문을 퍼뜨리다 / 辟pì～; 헛소문을 밝혀 내다. 헛소문임을 변명하다. ‖ =〔繇②〕

〔谣传〕 yáochuán 동 헛소문을 퍼뜨리다. 풍설로 전해지다. ¶ ～不实; 거짓말을 퍼뜨리다. 명 헛소문. 루머.

〔谣风〕 yáofēng 명 〈文〉 한창 퍼져 있는 풍설. ¶ 行为端正则～自灭; 행위가 바르면 헛소문도 자연히 소멸한다.

〔谣歌〕 yáogē 명 속요. 민요.

〔谣谎山〕 yáohuǎngshān 명 허풍선이. 거짓말쟁이. ¶ 这位长舌妇是个～, 不光爱说是非, 还专门造谣呢; 이 말많은 여자는 거짓말쟁이로 이것저것 지껄이기를 좋아할 뿐만 아니라, 주로 헛소문을 퍼뜨린다.

〔谣言〕 yáoyán 명 ①헛소문. 풍설. ¶ 造～ =〔制造～〕 유언비어를 퍼뜨리다 / ～惑众; 헛소문이 사람들을 어지럽게 하다 / 别信那些～; 그런 헛소문을 믿어서는 안 된다 / ～怪语; 루머성(性)의 이상한 이야기 / 人云亦云, 无意中做了～传播者; 남이 말하는 대로 이야기하다 보니, 모르는 사이에 헛소문을 퍼뜨리는 자가 되고 말았다. ②풍속가요. =〔风fēng谣〕

〔谣谚〕 yáoyàn 명 이언(俚諺).

〔谣诼〕 yáozhuó 명 〈文〉 ①중상 모략. ②풍설. 풍문. 동 헛소문을 퍼뜨려 중상하다.

遥 yáo (요)
형 (시간 또는 거리가) 멀다. 아득하다. ¶ 路～知马力; 길이 멀면 말의 힘을 알 수 있다《실제로 부딪쳐 봐야 비로소 진가를 알 수 있다》/ 千里之～; 아득히 멀리 떨어진 저쪽.

〔遥测〕 yáocè 명 원격 측정. ¶ ～计; 《電》 텔레미터. 원격 측정기 / ～信号; 《電》 텔레미터리 신호. 원격 측정 신호 / ～仪; 《電》 원격 측정기.

〔遥感〕 yáogǎn 명 《電》 원격 검출.

〔遥控〕 yáokòng 명 원격 조작. 리모트 컨트롤(remote control). =〔远yuǎn距离操纵〕

〔遥控设施〕 yáokòng shèshī 명 원격 조종 장치. 리모콘 장치. =〔远yuǎn距离操纵设施〕

〔遥钦裔采〕 yáoqīn yùcǎi 〈翰〉 멀리서 늠름한 모습을 흠모하다.

〔遥世界〕 yáoshìjiè 명 넓은 세계〔세상〕. ¶ 这些～也找不到的好人; 넓은 세상에서도 찾아볼 수 없는 이들 호인.

〔遥望〕 yáowàng 동 〈文〉 멀리 바라다보다.

〔遥相呼应〕 yáoxiāng hūyìng 서로 멀리서 호응하다〔대답하다〕.

〔遥遥〕 yáoyáo 형 ①거리가 먼 모양. 아득한 모양. ¶ ～相对; 아득히 멀리 떨어져 마주 대하다 / ～领先; 단연 앞서다〔리드하다〕. ②시간이 긴 모양. ¶ ～无期; 전도 요원하다.

〔遥夜〕 yáoyè 명 〈文〉 긴 밤. ¶ ～深思; 긴긴 밤에 깊이 생각하다.

〔遥远〕 yáoyuǎn 형 요원하다. 아득히 멀다. ¶ 路途～; 노정은 아득히 멀다 / ～的将来; 아득히 먼 미래.

摇 yáo (요)
① 동 (옆으로) 흔들다. 흔들리다. 움직이다. ¶ ～铃; ⇩ / ～纺车; 물레를 돌리다. ② 동 (흔들어서) 만들다. ¶ ～煤球儿; 조개탄을 만들다. ③ 동 (전화를) 걸다. =〔摇电话〕 ④ 동 (노

로) 배를 젓다. =〔摇船〕 ⑤ 명 성(姓)의 하나.
〔摇把(儿)〕 yáobà(r) 명 《機》 회전 핸들. 기계의 크랭크(crank). =〔摇柄〕〔摇杆〕〔摇手柄〕
〔摇摆〕 yáobǎi 동 ①(왔다갔다 하며) 움직이다. 흔들거리다. 흔들어 움직이다. ¶池塘里的荷叶迎风～; 연못의 연잎이 바람에 흔들거리고 있다. ②(입장·의지·감정이) 동요하다. 흔들리다. ¶立场坚定, 从不～; 입장이 확고하여 동요한 적이 없다 / ～不定; ⓐ동요하여 멎지 않다. ⓑ(태도 등이) 흔들흔들하다. ③거드름 피우며 몸을 흔들다. 젠체하다. ¶三仙姑是后庄于福的老婆, 每月初一十五都要顶着红布摇摇摆摆装扮天神; 삼선고는 뒷마을의 우복의 마누라로, 매달 초하루와 보름에는 으레 붉은 천을 머리에 올려놓고 거드름을 피우며 천신의 행세를 한다.
〔摇摆舞〕 yáobǎiwǔ 명 고고(gogo)춤. 로큰롤 댄스(rock'n'roll dance).
〔摇板〕 yáobǎn 명 중국 전통극의 박자의 일종(느릿느릿한 긴 박자).
〔摇宝〕 yáobǎo 동 '压yā宝'의 도박에서 '宝盒儿'을 흔들다.
〔摇笔杆儿〕 yáo bǐgǎnr 붓을 놀리다. 문서를 작성하다. 원고를 쓰다. ¶靠～过日子; 원고를 쓰며 날을 보내다. 원고를 써서 생활하다 / 他是个～的; 그는 작가다 / 我一～往衙门里一捅, 就够他受的; 내가 고소장을 써서 관청에 고소하면, 그는 혼날 것이다.
〔摇笔即来〕 yáobǐ jílái 붓을 잡았다하면 바로 문장이 된다.
〔摇臂销〕 yáobìxiāo 명 《機》 진자 핀(振子pin).
〔摇表〕 yáobiǎo 명 ⇨〔高gāo阻表〕
〔摇柄〕 yáobǐng 명 《機》 (손으로 돌리는) 핸들.
〔摇波棱盖〕 yáo bōlénggài 무릎을 흔들다. 발을 까불다. ¶别～!把人都摇穷了; 발을 까불지 마라. 우리까지 가난해지겠다(무릎을 흔드는 것은 궁상을 떠는 표시). →〔摇腿〕
〔摇彩〕 yáocǎi 동 ⇨〔摇奖〕
〔摇车(儿)〕 yáochē(r) 명 ①요람. ¶～里的爷爷, 拄拐棍儿的孙子; 요람 속의 할아버지, 지팡이를 짚고 있는 손주(옛날, 대가족 제도에서의 기현상(奇現象)의 표현). =〔摇篮①〕 ② ⇨〔婴儿车〕
〔摇车子〕 yáochēzi 명 〈方〉 (온돌 앞의 가로대에 매다는) 요람의 일종.
〔摇船〕 yáo.chuán 동 (노로) 배를 젓다.
〔摇串铃儿的〕 yáochuànlíngrde 명 옛날, 떠돌이 의사.
〔摇床〕 yáochuáng 명 요람(搖籃)(식 침대).
〔摇唇鼓舌〕 yáo chún gǔ shé 〈成〉 조잘거리며 지껄이는 모양. 떠들어 대는 모양. ¶专会～, 拨弄是非; 구변만 좋을 뿐이고 억지를 쓰다.
〔摇旦〕 yáodàn 명 《劇》 연령이 비교적 많은 여자로 분장한 어릿광대.
〔摇荡〕 yáodàng 동 흔들흔들 움직이다. 흔들다. ¶河边的杨柳, 迎着春风微微～; 강변의 버드나무가 봄바람에 한들한들 흔들리다.
〔摇颠〕 yáodiān 동 약간 흔들리다. ¶小船～不已; 작은 배가 자꾸 흔들리다 / 一到家小狗儿就～着尾巴来欢迎我; 집에 돌아오니 강아지가 꼬리를 흔들며 나를 반갑게 맞는다.
〔摇电箱〕 yáodiànxiāng 명 ⇨〔高gāo阻表〕
〔摇动〕 yáodòng 명 동요. (yáo.dòng) 동 동요하다. 움직이게 하다. 흔들거리다. ¶风刮得树都～; 바람이 불어서 나무가 흔들리고 있다 / 他的信用～了; 그의 신용이 흔들리기 시작했다.
〔摇杆〕 yáogǎn 명 ⇨〔摇把儿〕
〔摇疙疸儿〕 yáogēdanr ⇨〔摇咯哒儿〕
〔摇咯哒儿〕 yáogedar 〈京〉 옥수수 가루를 반죽하여 동글게 뭉친 음식. =〔摇疙疸儿〕〔摇嘎嘎儿〕
〔摇鼓(儿)〕 yáogǔ(r) 명 땡땡이(장난감). =〔波bō浪鼓(儿)〕
〔摇鼓儿的〕 yáogǔrde 명 옛날의 천을 팔러 다니는 행상인(땡땡이 북을 치며 수레를 밀고 천을 팔러 다녔음). =〔推车儿卖布的〕
〔摇撼〕 yáohan 동 (나무·기둥·건물 등을) 흔들어 움직이다. (뒤)흔들다. ¶被暴风骤雨～着; 폭풍·소나기에 흔들리고 있다 / 像蜻蜓撼石柱似的～不动他; 잠자리가 돌기둥을 흔드는 격으로, 그를 움직일 수는 없다.
〔摇晃〕 yáohuang 동 흔들리다. 흔들거리다. 흔들어서 움직이다. ¶道儿不好汽车～; 길이 나빠서 자동차가 모두 흔들리다 / ～下来; 흔들려 떨어지다 / 我写字呢, 你别～桌子; 나는 글씨를 쓰고 있어. 책상을 흔들지 마.
〔摇会〕 yáohuì 명 계의 일종. ¶跟请会的会头商量, 多出点儿利息, 这个月的～归咱们使吧; 계주에게 의논하여, 이자를 조금 많이 내면, 이 달치는 우리에게 떨어질 거예요.
〔摇惑〕 yáohuò 동 혹란(惑亂)시키다. 흔들리게 하다. 생각을 흔들리게 하여 미혹시키다. ¶别造谣言～人心; 헛소문을 퍼뜨려서 인심을 미혹시키지 마라.
〔摇奖〕 yáojiǎng 동 제비 또는 경품의 당첨권을 추첨기를 흔들어 나오게 하다. ¶彩票儿时～? 복권은 언제 추첨합니까? =〔摇彩〕
〔摇来晃去〕 yáo lái huàng qù 〈成〉 이리저리 흔들리는 모양. ¶有的喝得醉醺醺的～; 몹시 취하여 흔들거리는 사람도 있다.
〔摇篮〕 yáolán 명 ①요람. =〔摇车(儿)①〕 ¶～歌 =〔～曲〕; 자장가. ②유년 또는 청년 시대의 생활 환경. ③〈轉〉 (문화·운동 등의) 발상지. ¶黄河流域是中国古代文化的～; 황허(黃河) 유역은 중국 고대 문화의 발상지이다.
〔摇铃〕 yáolíng 명 요령. (yáo.líng) 동 방울을 흔들다〔울리다〕.
〔摇铃儿的〕 yáolíngrde 명 옛날, 베이징(北京)에서 방울을 흔들며 화장품이나 장신구 따위를 팔러 다니던 행상인.
〔摇耧〕 yáo.lóu 동 《農》 '耧'(파종기의 일종)을 흔들면서 씨를 뿌리다.
〔摇橹〕 yáo.lǔ 동 노를 젓다.
〔摇落〕 yáoluò 동 조락(凋落)하다.
〔摇煤〕 yáo.méi 동 ⇨〔摇煤球儿〕
〔摇煤球儿〕 yáo méiqiúr 조개탄을 만들다. =〔摇煤〕
〔摇蜜〕 yáo.mì 동 (양봉에서 원심 분리기에 넣어) 꿀을 분리하다. 꿀을 채취하다.
〔摇木马〕 yáomùmǎ 명 흔들목마. 로킹 호스.
〔摇旗呐喊〕 yáo qí nà hǎn 〈成〉 옛날에 전쟁에서 뒤에서 기를 흔들고 함성을 질러 전선을 돕다. 기세를 올리다. 응원하다. 앞잡이 노릇을 하다. ¶在一旁～地给人助威; 곁에서 기세를 올려 응원하다 / 他不是正犯, 不过是个～的罢了; 그는 정범이 아니고 종범(從犯)에 불과하다.
〔摇钱树〕 yáoqiánshù 명 ①신화(神話)에서, 흔들면 돈이 떨어져 나온다는 나무(후에는 재화를 얻는 사람이나 물건). ¶你当dàng我是～呢? 常来要钱! 내가 무슨 돈나무냐? 걸핏하면 돈을 달라니! =〔钱树子〕 ②옛날 돈·'天宝'·석류꽃 등을

단 소나무 가지《섣달 그믐날 병에 꽂아 장식함》. ③〈貶〉 옛날, 여자에 대한 비칭(卑稱)《팔면 돈이 된다는 뜻》.
〔摇儿晃儿(的)〕 yáorhuàngr(de) 형 ①안절부절 못하는 모양. ②흔들흔들 움직이는 모양. 거들먹거리며 걷는 모양. ¶他腰里掖俩钱儿就～, 真沉不住气; 그는 돈이 조금만 있으면 득의양양해져서, 거들먹거리며 도무지 기분을 가라앉히지 못한다.
〔摇溶〕 yáoróng 명 《化》 틱소트로피(thixotropy). 요변성(搖變性).
〔摇色子〕 yáo shǎizi ⇨〔摇骰tóu子〕
〔摇舌〕 yáoshé 동 〈貶〉 혀를 잘 놀리다. 구변이 좋다. (설득하기 위해) 지껄이다.
〔摇身〕 yáoshēn 동 몸을 흔들다.
〔摇身一变〕 yáo shēn yī biàn 〈成〉〈貶〉 (언행이) 돌변하다. 표변하다. 악한이 변신하여 나타나다.
〔摇手〕 yáo·shǒu 동 손을 가로젓다《저지·부정(否定)의 뜻》. ¶～示意; 손을 흔들어 (안 된다는) 뜻을 나타내다 / 药王摆手, 无可救药; 〈歇〉 약의 신 신농(神農)이 손을 젓다. 글렀다. 이제 가망이 없다. =〔摆bǎi手(儿)〕 (yáoshǒu) 명 (손으로 돌리는 기계의) 핸들.
〔摇手柄〕 yáoshǒubǐng 명 ⇨〔摇把儿〕
〔摇手车〕 yáoshǒuchē 명 ⇨〔轮lún椅〕
〔摇首〕 yáo·shǒu 동 ⇨〔摇头(儿)〕
〔摇摊〕 yáotān 명 옛날, 도박의 일종《우선 탁상에 '幺yāo' (곧 '一') '二' '三' '四'의 네 대상을 정하고 각기 돈을 태운 후, 주사위 넷을 오지 단지에 넣어 흔들고, 그 합계 점수를 4로 나누어, 나누어질 때는 '四'가 이기고 나누어지지 않을 때에는 나머지 수 여하로 '幺yāo' '二' '三'의 어느 쪽이 이기게 됨》.
〔摇头(儿)〕 yáo·tóu(r) 동 머리를 가로젓다《부정(否定)·저지·불가》. ¶～摆脑; 머리를 가로젓는 모양 / 直～不敢应; 자꾸 머리를 가로젓고 승낙하지 않다. =〔摇首〕↔〔点diǎn头〕
〔摇头摆尾〕 yáo tóu bǎi wěi 〈成〉 ①아첨하다. ¶我最看不上他那副～穷巴结人的狗相; 나는 그가 저렇게 열심히 알랑거리는 추태가 제일 싫다. ②기뻐서 어쩔 줄을 모르다. 득의양양하다. ¶他作了几首歪诗, 就～地得意起来了; 그는 서툰 시를 몇 수 짓고 벌써 득의양양해졌다.
〔摇头疯〕 yáotóufēng 명 《醫》 자꾸 머리를 흔드는 중풍병. 체머리.
〔摇头晃脑〕 yáo tóu huàng nǎo 〈成〉 ①머리를 흔들다《의기양양한 모양》. ¶～地吟诗; 머리를 흔들며 시를 읊조리다. ②침착하지 못한 태도. ¶你～地臭美个什么劲儿? 너는 대관절 뭘 그렇게 우쭐거리고 있느냐?
〔摇头儿不算点头儿算〕 yáotóur bùsuàn diǎntóur suàn 머리를 가로 젓는 것은 거절한다는 뜻이며, 끄덕이는 것은 승낙한다는 뜻이다. ¶我看这样儿吧, 姑娘怕羞, 别难为她, 咱们就来个～得了; 이렇게 하면 어떻습니까. 아가씨가 부끄럼을 타니, 곤란하게 하지 말고, 머리를 가로 저으면 거절한다는 것이고, 끄덕이면 승낙한다는 표시로 하지요.
〔摇骰子〕 yáo tóuzi 주사위를 흔들다〔던지다〕. =〔摇色shǎi子〕→〔掷zhì骰子〕
〔摇腿〕 yáotuǐ 동 다리를 떨다. 무릎을 까불다. =〔摇膝〕→〔摇波棱盖〕
〔摇尾〕 yáowěi 동 꼬리를 흔들다. =〔摆bǎi尾〕
〔摇尾乞怜〕 yáo wěi qǐ lián 〈成〉〈比〉 꼬리치며 동정을 구함. 비굴하게 동정을 구함. ¶他这份儿～的样子真是不堪入目; 그가 이렇게 사람에게 알랑거리고 동정을 구하는 태도는 정말 보기 흉하다.
〔摇蚊〕 yáowén 명 《蟲》 모기붙이.
〔摇屋动瓦〕 yáowū dòngwǎ 〈比〉 큰 소리로 떠들어 대다. ¶给运动员助威的拉拉队, ～地大声喊"呼雷"; 선수를 응원하는 응원단은 큰 소리로 "후레이 후레이"하며 큰 소리로 외치고 있다.
〔摇膝〕 yáoxī 동 ⇨〔摇腿〕
〔摇下〕 yáoxià 동 흔들어 떨어뜨리다. ¶～树上的果子; 나무에 열린 과일을 흔들어 떨어뜨리다.
〔摇醒〕 yáoxǐng 동 사람을 흔들어 깨우다.
〔摇摇〕 yáoyáo 형 흔들흔들〔건들건들〕하다《침착하지 못한 모양》.
〔摇摇摆摆〕 yáoyao bǎibǎi ①좌우로 흔들리다. ②〈比〉 득의양양해서 걷는 모양. 팔을 크게 휘저으며 걷는 모양. ¶～地像个鸭子走路似的; 뒤뚱뒤뚱 오리가 걷고 있는 것 같다 / ～地神气活现; 의기양양한 태도로 신이 나다.
〔摇摇晃晃〕 yáoyao huànghuàng 형 흔들흔들하다. 흔들거리다. ¶～地要翻船了; 배가 흔들거려 뒤집힐것 같다.
〔摇摇欲坠〕 yáo yáo yù zhuì 〈成〉 이제 막 쓰러지려 하고 있다. 곧 붕괴할 것 같다. 붕괴 직전이다. ¶～的政权; 붕괴 직전의 정권. =〔摇摇欲倒〕
〔摇曳〕 yáoyè 동 〈文〉 흔들거리며 꼬리를 끌다. 흔들흔들 움직이다. ¶池边垂柳, ～生姿; 연못가의 수양버들이 한들거리며 운치 있는 모양을 보이고 있다 / 白烟～机体坠落; 기체는 꼬리에 흰 연기를 길게 뿜으며 추락했다 / 灯火～; 등불이 흔들거리다. =〔摇荡〕〔摇动〕
〔摇椅〕 yáoyǐ 명 흔들의자. 로킹 체어.
〔摇晕〕 yáoyùn 동 배나 차 등이 흔들려 멀미가 나다. 흔들려서 현기증이 나다. ¶因为浪太大, 所有的船客都～了; 풍랑이 심했기 때문에 배에 탄 사람이 모두 멀미를 했다.
〔摇轴〕 yáozhóu 명 《機》 요동축(搖動軸). 로킹 샤프트(rocking shaft).
〔摇转〕 yáozhuǎn 명 《體》 스케이트 회전의 로킹 턴(rocking turn). ⇒yáozhuàn
〔摇转〕 yáozhuàn 동 (기계의 손잡이를) 돌리다. ⇒yáozhuǎn

徭〈傜〉 yáo (요) 명 부역(賦役). ¶～役地租; 부역과 지조 / ～役劳动; 부역 노동 / ～役经济; 부역 경제. =〔繇〕
〔徭役〕 yáoyì 명 노역. 부역(賦役).

猨 yáo (요) →〔黄猨〕

瑶 yáo (요) ①〈文〉 (옥 다음 가는) 아름다운 돌의 뜻으로 인명용 자(字). ②형 고운. 훌륭한. ¶～函; ⇩ ③→〔珧〕 ④→〔瑶族〕
〔瑶池〕 Yáochí 명 ①신선이 있는 곳. 선경《전설에서, 서왕모(西王母)가 살던 곳》. ¶驾返～; 〈翰〉 남의 모친의 죽음을 애도하는 말. ②옛날의 지명《현재의 신장(新疆) 위구르 자치구 푸캉 현(阜康縣)》.
〔瑶函〕 yáohán 명 〈翰〉 귀한(貴翰). 혜서(惠書)《남의 편지에 대한 존칭》. ¶拜诵～; 보내 주신 편지 잘 읽었습니다. =〔瑶缄〕

〔瑶缄〕 yáojiān 명 ⇨〔瑶函〕
〔瑶琴〕 yáoqín 명 '瑶①'를 박아 장식한 금(琴).
〔瑶台〕 yáotái 명 〈文〉 ①옥으로 꾸민 누대(樓臺). ②신선이 있는 곳. ¶携手同登～共效于飞之乐; 두 사람은 손을 잡고 침대에 올라, 함께 남녀의 잠자리를 즐겼다.
〔瑶族〕 Yáozú 명 《民》 야오 족《중국 소수 민족의 하나. 주로 광시(廣西) 좡 족(壯族) 자치구·후난(湖南)·윈난(雲南)·광둥(廣東)·구이저우(貴州) 등의 각 성에 분포함》. =〔傜族〕

飖(颻) yáo (요) 동 바람에 흔들리다. =〔飘飖〕

繇 yáo (요) 명 ①⇨〔徭〕 ②⇨〔谣〕 ⇒yóu zhòu

鳐(鰩) yáo (요) 명 《魚》 ①목탁가오리. ②날치.

杳 yǎo (묘) 형 〈文〉 ①깊숙하고 멀어서 알 수 없는 모양. 형적도 안 보일 정도로 먼 모양. ②소식이 전혀 없는 모양. ¶～无音信 =〔音信～然〕; 소식이 묘연하다.
〔杳眇〕 yǎomiǎo 형 ⇨〔杳渺〕
〔杳渺〕 yǎomiǎo 형 〈文〉 멀고 아득하다. 멀리 떨어져서 알 수 없다. ¶～无凭; 〈成〉 묘연하여 알 수 없다. 막연하다. 행방 불명이다/他这一走竟～无凭, 连个信都没有; 그는 이번에 간 후로 죽 행방불명이어서 편지 한 통 없다. =〔杳眇〕
〔杳然〕 yǎorán 형 묘연하다. 심원(深遠)해서 잘 알 수 없다.
〔杳如黄鹤〕 yǎo rú huáng hè 〈成〉 (옛날 이야기의) 황학같이 묘연하고 행방 불명이다. 함흥 차사. ¶～一去无踪; 황학과 같아 가 버린 뒤에 종적이 묘연하다.
〔杳无音信〕 yǎo wú yīn xìn 〈成〉 소식이 감감이다. ¶他走以后就～, 如石沉大海一般; 그가 떠난 뒤로 소식이 감감하여, 마치 돌이 큰 바다에 가라앉은 것 같다.
〔杳杳无踪〕 yǎo yǎo wú zōng 〈成〉 묘연하여 종적을 알 수 없다. ¶一去～; 여기에서 나가고서는 전혀 소식을 알 수 없다.

咬〈齩, 齼〉 yǎo (교) 동 ①물다. ¶～了一口馒头; 찐 만두를 한 입 베물었다/叫蚊子～了; 모기에 물렸다/那条狗～人; 저 개는 사람을 문다/让蛇～了一口; 뱀에 물렸다/这块肉太硬, ～不动; 이 고기는 질겨서 씹을 수가 없다. ②(집게 등으로) 집다. (톱니바퀴를) 맞물리다. (볼트에 너트를) 죄다. ¶螺丝母𪘏yì了, ～不住; 나삿니가 닳아서 죄어지지 않는다/用钳子～住; 펜치로 꽉 물다. ③붙어 있다. 접근하다. ¶一辆～着一辆; 한 량 한 량 붙어 있다. ④무고하다. 죄를 씌우다. ¶他被贼～了一口; 그는 도둑에 의해서 한패로 무고당했다. ⑤이를 악물다. ⑥입술을 깨물고 웃음을 참다. ¶～着下唇不敢大乐; 아랫입술을 깨물고 웃음을 참다. ⑦단언하다. 잘라 말하다. ¶一口～定; 한 마디로 단언하다. 끝까지 우겨대다. ⑧개가 짖다. ¶鸡叫狗～; 닭이 울고 개가 짖는다/昨儿夜里狗～得厉害; 어젯밤에 개가 몹시 짖었다. ⑨(자음(字音)을) 정확히 발음하다. ¶这个字我～不准; 나는 이 글자를 정확히 읽을 줄 모른다. ⑩(옷 따위가) 해지다. ¶衣服刚穿没有几天～成这个样子, 你周身都是牙是怎么着? 옷을 며칠 입었을 뿐인데 이렇게 닳았다. 네 온몸에 이가 박혀 있는 것도 아닐 텐데. ⑪〈方〉 옻타다. 옻오르다. ¶叫漆～了; 옻이 올랐다. ⑫〈京〉 빈정대다. 희롱하다. 괴롭히다. ¶别～老实人; 착실한 사람을 괴롭히지 마라/祥子觉出大家是～他; 상자는 모두들 자기를 놀리고 있다고 느꼈다. ⑬〈俗〉 사내를 끌어들이다. ⑭속이다.
〔咬不动〕 yǎo bu dòng 단단하여 못 깨물다. 상대할 도리가 없다. ¶太硬了～; 매우 단단해서 베물 수 없다.
〔咬不清〕 yǎo bu qīng 발음이 정확하지 않다. ¶他咬字都～, 怎么能当语文老师呢?그는 글자 발음도 정확하지 않은데 어떻게 국어 교사가 될 수 있습니까?
〔咬菜根〕 yǎo càigēn 야채 뿌리를 깨물다《가난하고 고된 생활을 하다. 빈곤을 견디어 내다》. ¶人能～, 什么事都可做; 곤궁함을 견디어 낼 수 있는 사람은 무슨 일이든지 할 수 있다.
〔咬扯〕 yǎochě 동 ①트집을 잡아 괴롭히다. ¶我是清清白白的, 你别～我; 나는 결백하다. 날 괴롭히지 마라. ②고집부리다. 억지를 쓰다. ¶明明儿没理, 偏要瞎～; 이치가 닿지 않는 것이 명백한데 덮어놓고 억지를 쓴다. ‖=〔咬吃〕
〔咬吃〕 yǎochi 동 ⇨〔咬扯〕
〔咬哧〕 yǎochi 동 이야기하여 울분을 풀다. 희롱하다. ¶别～我! 나를 놀리지 마라! =〔咬扯〕〔咬吃〕
〔咬出同伙〕 yǎochū tónghuǒ 동료의 비밀을 말하다. 집안의 비밀을 외부에 누설하다. ¶被告禁jīn不住检察员连骗带吓唬竟～来了; 피고는 검사가 달래고 으르는 데 견디지 못하고 동료의 비밀을 이야기하고 말았다.
〔咬穿〕 yǎochuān 동 물어뜯어 구멍을 내다.
〔咬春〕 yǎochūn 명 베이징(北京)에서 입춘날에 무를 먹는 풍습. ¶～的萝卜赛过梨; 입춘 때 먹는 무는 배보다 맛있다. 동 입춘에 '饼'을 먹다《북방의 풍습》.
〔咬唇〕 yǎo·chún 동 ①입술을 깨물다. ②입맞추다. 키스하다.
〔咬得住〕 yǎodezhù 이를 악물고 참고 견디다. ¶虽然用'踩杠子'、'灌凉水'各种严刑拷打, 革命志士还是～, 绝对不招; '踩杠子'나 물고문 같은 각종 고문을 당했으나 혁명 동지는 이를 악물고 참아, 절대로 자백하지 않았다.
〔咬鸟〕 yǎo·diǎo ⇨〔咬鸡巴〕
〔咬屌〕 yǎo·diǎo ⇨〔咬鸡巴〕
〔咬定〕 yǎodìng 동 단언(斷言)하다. 잘라 말하다. ¶你又没证据, 怎么能一口～是我做的呢; 너는 증거도 없는데, 어째서 내가 했다고 단언할 수 있느냐.
〔咬定牙根〕 yǎodìng yágēn 이를 악물고 꾹 참다. ¶～立志做人; 이를 악물고 훌륭한 사람이 되려는 뜻을 세우다.
〔咬断〕 yǎoduàn 동 물어끊다. 물어뜯다.
〔咬耳朵〕 yǎo ěrduo 〈口〉 귀엣말을 하다. ¶我怕人听见, 咱们上一边儿～去吧; 남이 들으면 안 되니까 한쪽에 가서 몰래 이야기하자/有话大声儿说, 干么má～呀; 할 말이 있으면 큰 소리로 말해라. 어째서 소곤소곤 이야기하느냐.
〔咬钢截铁〕 yǎogāng jiétiě 〈比〉 결연〔의연〕해 있다. 단호히 하다. ¶他～地拒绝了我, 我再也不能和他好了; 그는 결연히 나를 거절했으니까, 다시

는 그와 사이가 좋아질 수 없게 되었다.
〔咬乘乘〕 yǎo guāiguai 〈京〉〈俗〉(아이에게) 볼을 비비거나 입을 맞추다. ¶抱着个白胖儿的小孩儿～; 희고 통통한 아이를 안고 입맞춤하다 / 好来坞的电影儿净是～的镜头; 헐리웃의 영화는 전부 키스신뿐이다. =〔要yào乖乖〕〔要嘴儿〕
〔咬恨〕 yǎohèn 동 이를 악물고 원망하다〔화내다〕. 이를 갈다. ¶把人欺qī负头儿了, 可真令人～; 사람을 멸시해도 분수가 있지. 정말 이가 갈린다.
〔咬鸡巴〕 yǎo jība 〈罵〉 남자의 성기를 물다. (여자가) 간음하다. ¶你干么这横hèng想～是怎么着; 너는 어째서 그렇게 난폭하냐, 발정이라도 한거냐 / 你这么凶, 是吃了横hèng人肉了, 还是想～啊; 네가 이렇게 난폭한 것은 흉악한 놈의 고기를 먹은 때문이냐, 아니면 독이 오른거냐. =〔咬屌diǎo〕〔咬鸟〕
〔咬嚼〕 yǎojiáo 동 ①씹다. ¶～着口香糖; 껌을 씹고 있다. ②〈轉〉 문장을 자세히 음미하다. ¶～文字的意味; 문자의 뜻을 자세히 음미하다 / 仔细～话里的滋味; 이야기의 재미를 자세히 음미하다.
〔咬筋〕 yǎojīn 명 《生》 교근《저작근(咀嚼筋)의 하나》. ¶吃铁蚕豆把我的～都嚼酸了; 딱딱한 잠두콩을 먹었더니 턱이 시큰하다.
〔咬紧〕 yǎojǐn 동 악물다. 꼭 깨물다. ¶～牙关; 이를 악물다 / 把螺丝钉～了; 나사못을 단단히 조이다.
〔咬紧牙关〕 yǎojǐn yáguān 〈比〉 이를 악물고 참다. ¶不管怎么打他, 他还是～, 坚不吐tǔ实; 아무리 때려도, 그는 오직 이를 악문 채 절대로 실토하지 않는다 / 虽然没钱, ～就挺过去了; 돈이 없어도 이를 악물고 참았다.
〔咬劲儿〕 yǎojìnr 명 씹는 맛〔느낌〕(이 있다). ¶这块烤鱿鱼真筋道, 有个～, 您尝尝吧; 이 구운 오징어는 쫄깃쫄깃해서 씹는 맛이 있으니, 먹어 보아라 / 小米饭顶利俚, 没有～; 조밥은 퍼슬퍼슬해서 씹는 맛이 없다. =〔嚼jiáo头〕
〔咬破〕 yǎopò 동 ①물어 뜯(어 찢)다. ¶狗把我的衣服～了; 개가 내 옷을 물어 뜯었다. ②⇨〔磨mó破〕 ③폭로하다. 들추어 내다. ¶我们的秘密叫他给～了; 우리의 비밀은 그에 의해 폭로되었다. =〔揭jiē破〕
〔咬秋〕 yǎoqiū 동 입추날에 오이를 먹다. ¶咬春萝luó卜, ～瓜; 〈諺〉 입춘에는 무를 먹고 입추에는 오이를 먹는다.
〔咬群〕 yǎo·qún 동 ①〈比〉 동료를 헐뜯다. ¶他～咬得起了公愤了; 그가 동료를 헐뜯어서 모두 분개하였다 / 你这人真是害群之马, 好好儿地为什么要～; 너란 놈은 정말 전체에 해를 끼치는 놈이다. 왜 까닭 없이 동료를 씹느냐. ②독점하다. 남 몰래 앞질러 하다. ¶跑合儿的买卖, 有一个算一个, 大家都有分儿, 就是忌讳～; 브로커 노릇은 모두에게 혜택이 돌아가야 한다. 독불 장군은 가장 미움을 받는다. ③가축이 서로 싸우다.
〔咬群架〕 yǎo qúnjià 좌충우돌하다. ¶～的疯狗走了, 剧场才恢复了平静; 아무에게나 덤비는 미친 개같은 놈이 가 버리자, 극장은 겨우 평정을 되찾았다.
〔咬伤〕 yǎoshāng 동 물어서 상처를 내다. ¶被狗～; 개에게 물려 상처가 났다.
〔咬舌儿〕 yǎo shér A) 〈轉〉 혀가 잘 돌지 않다. ¶他说话有点儿～; 그는 이야기할 때 약간 혀짤배기 소리를 낸다 / 那个大舌头, 说话～, 发音不清; 저 혀가 긴 친구는 혀가 잘 돌아가지 않아, 말할 때 발음이 확실치 않다. B) (yǎoshér) 명 ①혀짤배기. ②혀꼬부라진 사람. 어눌한 사람. ‖=〔咬舌子〕
〔咬舌头〕 yǎo shétou ①혀를 깨물다. ②〈轉〉 혀가 잘 돌아가지 않다. ¶饱～, 饿咬腮; 〈諺〉 배가 부르면 혀를 깨물고, 배가 고플 때는 볼을 깨문다. →〔大dà舌头〕 ③쌍방에 고자질을 하여 말썽을 일으켜서 이간질하다. ¶是谁这么爱～, 在老板前头说我的坏话了? 도대체 누가 이렇게 고자질을 좋아해서, 주인에게 내 험담을 했지?
〔咬舌子〕 yǎoshézi⇨〔咬舌儿〕
〔咬手〕 yǎo·shǒu 동 〈俗〉 ①추위가 손을 바늘로 찌르듯이 느껴지다. ¶戴上手套儿吧, 小心冷风～; 장갑을 끼어라. 찬바람이 닿으면 손이 시리니까. ②값을 올려서 사지 못하게 하다.
〔咬手指头〕 yǎo shǒuzhǐtou 손가락을 빨다. 손가락을 입에 물다. ¶小孩儿～; 아이가 손가락을 빨다.
〔咬死〕 yǎosǐ 동 물어 죽이다.
〔咬尿脬〕 yǎo suīpāo 〈比〉 기쁨이 보람없이 되다《개가 방광(膀胱)을 얻어도 질겨서 먹을 수 없는 데서 나온 말》. ¶狗～, 空欢喜; 〈歇〉 개가 오줌통을 물다. 질겨서 씹지 못하다《헛된 기쁨의 뜻으로 씀》.
〔咬碎〕 yǎosuì 동 씹어〔깨물어〕 으깨다.
〔咬疼〕 yǎoténg 동 고통을 참다. ¶他真能～, 开刀都不上麻药的; 그는 정말 고통을 잘 참아서 수술할 때 조차 마취를 하지 않았다.
〔咬尾〕 yǎo·wěi 동 ①(잠자리가) 교미하다. =〔蜻蜓咬尾〕 ②미행하다. 뒤따라가다. ¶～成行háng; 계속 뒤를 이어 줄짓다 / 他往哪边儿去了, 你赶紧～去吧; 그는 어느 쪽으로 갔느냐. 곧 뒤를 밟아라 / 我又没犯去, 你干么咬我的尾巴啊; 나는 법을 어기지 않았는데 왜 미행하느냐.
〔咬文嚼字〕 yǎo wén jiáo zì 〈成〉 자구(字句)의 뜻에 지나치게 구애되다. 문어(文語)를 쓰면서 학문이 있는 체하다. ¶要领会文章的精神实质, 切忌～; 문장의 정신을 터득해야지 개개의 자구에 구애되어서는 안 된다 / 孔乙己说话老是～叫人半懂不懂的; 공을기의 이야기는 언제나 문자만을 쓰니, 듣는 이로 하여금 알 듯 모를 듯하게 만든다. =〔咬言嚼字〕〔咬言咂字儿〕〔咬文咂字儿〕
〔咬文咂字儿〕 yǎo wén zā zìr 〈成〉 ⇨〔咬文嚼字〕
〔咬刑〕 yǎoxíng 동 고문을 견디다. ¶这条汉子真能～, 怎么打都不开口; 이 남자는 고문을 잘 견디어내어, 아무리 때려도 입을 열지 않는다.
〔咬牙〕 yǎo yá ①(자면서) 이를 갈다. ¶不是～就是说梦话; 이를 가는가 했더니 잠꼬대를 한다. ②(성난 나머지) 이를 갈다. ¶～发狠; 이를 갈고 분노하다 / ～切qiè齿; 〈成〉 격분하여 이를 갈다. 격노하다 / ～搓手; 이를 갈고 분해하는 모양 / ～跺脚; 발을 동동 구르고 이를 갈다. ③이를 악물고 참다. ¶～忍痛; 이를 악물고 아픔을 참다 / 明明知道吃亏, 还是～答应了; 손해 볼 것은 뻔하지만 참고 승낙했다. ④버티다. 강경하다. 단호한 태도를 취하다. ¶他一死儿～不卖; 그는 끝까지 버티고 절대로 팔지 않는다 / 他要一～, 咱们可没办法了; 그가 단호한 태도를 취한다면 우리는 정말 어쩔 도리가 없다. ⑤지나치게 결백하다. 융통성이 없다. ¶他为人向来很～, 别人的一些错儿也不原谅; 그는 성격이 그전부터 완고해서, 남의 사소한 잘못도 용서하지 않는다.
〔咬牙切齿〕 yǎo yá qiè chǐ 〈成〉 격분해서 이를

갈다. 격노하다. ¶恨得他～; 분해서 이를 갈다. =〔切qiè齿②〕
〔咬言咂字儿〕 yǎo yán zā zìr 〈成〉 ⇨〔咬文嚼字〕
〔咬一口〕 yǎo yīkǒu 한 입 먹다. 한 입 깨물다. ¶他俩一边观赏那湖光山色, 一边拿出野餐, 我～你～地吃起来; 두 사람은 호수의 경치를 보면서 도시락을 꺼내어, 내가 한 입, 네가 한 입 하면서 먹기 시작했다 / 被疯狗突然地咬了一口; 갑자기 미친 개한테 꽉 물렸다 / 贼～, 入骨三分; 〈諺〉 도둑에게 (거짓 증언으로 공범으로) 몰리면 벗어나기 힘들다.
〔咬着不撒嘴〕 yǎozhe bù sā zuǐ ①물고 늘어지다. ②〈轉〉 자기 생각을 강경하게 고집하다.
〔咬住〕 yǎozhù 동 ①꽉 물고 놓지 않다. ¶狗～不撒嘴; 개가 물고 놓지 않다 / 衣角儿叫机器～了; 옷자락이 기계에 말려 들어갔다 / 别老～我那句话不放; 자꾸 내 말을 물고 늘어지지 마라. ②입을 다물다. 실토하지 않다. 자백하지 않다. ¶犯人～不说; 범인이 입을 다물고 자백하지 않는다.
〔咬住劲〕 yǎozhùjìn 꾹 참다. 이를 악물고 참다. ¶他可真咬得住劲, 从没听他叫过苦; 그는 정말 잘 견뎌낸다. 이제까지 괴롭다는 소리를 하는 것을 들은 적이 없다.
〔咬字儿〕 yǎozìr 명동 〈俗〉 발음(하다)《자음(字音)을 정확히 읽다》. ¶唱戏念道白, ～最要紧; 노래나 대사나 발음이 중요하다 / 这个无线电广播员的报告～真清楚; 이 라디오 아나운서의 방송은 발음이 아주 정확하다.
〔咬字眼儿〕 yǎo zìyǎnr 말꼬리를 잡다. =〔挑tiāo字眼儿〕
〔咬子〕 yǎozi 명 ①갓난아이에게 빨리는 젖꼭지. ②〈俗〉 이나 빈대. 물것. 동 (물고기가) 교미하다. =〔鱼咬子了〕
〔咬嘴〕 yǎozuǐ 명 (담뱃대의) 물부리. ¶叼diāo着个～抽香烟头儿; 물부리를 입에 물고 꽁초를 피우다.

舀

yǎo (요)
①동 국자 따위로 뜨다. ¶～水; 물을 뜨다 / 拿舀子～水浇菜; 물바가지로 물을 퍼서 야채에 끼얹다. ②(～子) 명 국자. 물건을 떠내는 기구. ¶水～子; 국자 / 大海架不住瓢儿～; 〈諺〉 큰 바다의 물도 국자로 다 풀 수 있다. ③동 (소량의 액체를) 뜨다〔푸다〕. ¶用汤匙～汤; 숟갈로 국을 뜨다. ④동 고체 또는 고체꼴의 물건을 뜨다. ¶用匙chí子～糖; 숟가락으로 설탕을 뜨다 / 用粪勺子～粪; 똥바가지로 똥을 푸다.
〔舀酒〕 yǎojiǔ 동 술을 푸다.
〔舀勺〕 yǎosháo (～儿, ～子) 명 구기·국자의 총칭.
〔舀水〕 yǎoshuǐ 동 물을 푸다.
〔舀汤〕 yǎotāng 동 국을 뜨다.

窅

yǎo (요)
형 ⇨〔窈①〕

窈

yǎo (요)
형 〈文〉 ①심원(深遠)한 모양. ¶～深; 깊숙하다 / ～冥míng; 깊숙하고 컴컴하다. =〔窅〕 ②→〔窈窕〕
〔窈蔼〕 yǎo'ǎi 형 〈文〉 그윽하다. 심원〔심오〕하다.
〔窈冥〕 yǎomíng 형 깊숙하고 컴컴하다.
〔窈窕〕 yǎotiǎo 형 〈文〉 ①(궁실이나 산수(山水)가) 깊숙하고 조용한 모양. ②(여자가) 아름답고 정숙한 모양.

乐(樂)

yào (요)
동 〈文〉 좋아하다. 애호하다. ¶智者～水, 仁者～山; 지자는 물을 좋아하고, 인자는 산을 좋아한다. ⇒lè yuè

疟(瘧)

yào (학)
명 〈俗〉 학질. 말라리아《의미는 '疟'와 같으나, '～子'에 한하여 'yào'로 읽음》. ¶发～子 =〔打摆子〕; 말라리아 증세가 나다. ⇒nüè

药(藥)

A)C) yào (약)
A) ①명 약. ¶一服～; 한 봉의 약 / 一剂～; 배합한 한 봉의 약 / 吃chī～; 약을 먹다 / 三分吃chī～, 七分养; 〈諺〉 약 3할, 몸조리 7할 / 配pèi～; ⓐ약을 조합하다. ⓑ(처방전대로) 약을 지어 받다. ②명 독약. ¶杀虫～; 살충제 / 耗hào子～; 쥐약. ③명 일정한 작용을 지닌 화학 제품. ¶火～ =〔炸zhà～〕; 화약 / 焊hàn～; 납땜용 페이스트. ④동 〈文〉 약으로 치료하다. ¶不可救～; 고칠〔구할〕 길이 없다. ⑤동 독살하다. 약을 놓아서 죽이다. ¶～了一个耗子; 쥐약을 놓아 쥐를 잡았다 / 铜锈能～死人; 구리의 녹은 사람을 죽게 하는 작용이 있다. B) 명 《植》 약(葯). 꽃밥《수술 꼭대기의 꽃가루가 붙어 있는 부분의 일컬음》. C) 명 성(姓)의 하나.
〔药包儿〕 yàobāor 명 ①약 도매상. 〈比〉 언제나 약을 마시고 있는 병약자. ¶他就是个～, 成年病歪歪的, 老离不开药罐子; 그는 약 없이 못 사는 병약한 사람이라, 1년 내내 골골하고, 늘 약탕관을 떼어 놓은 적이 없다. =〔药罐子②〕 ②약봉지.
〔药饼〕 yàobǐng 명 ⇨〔药片〕
〔药不对症〕 yào bù duì zhèng 〈成〉 ①약이 증상에 맞지 않다. ②대상에 딱 맞지 않다.
〔药布〕 yàobù 명 ①붕대. ②가제.
〔药材〕 yàocái 명 약재. 제약 원료. 약종(藥種). ¶～学; 생약학(生藥學).
〔药材行〕 yàocáiháng 명 약종상. 약재상.
〔药草〕 yàocǎo 명 약초. 약용 식물.
〔药叉〕 yàochā 명 ⇨〔夜yè叉①〕
〔药厂〕 yàochǎng 명 제약 공장.
〔药船〕 yàochuán 명 약연(藥碾). =〔药碾子〕
〔药单〕 yàodān 명 처방전. ¶开～; 처방전을 쓰다.
〔药到〕 yàodào 동 독약으로 새·짐승을 잡다. ¶第二天算是天老爷不昧mèi苦心人, ～一只野鸡, 一家正吃着; 이튿날은 하늘도 가난한 사람을 못본체 할 수 없었던지, 꿩 한마리가 잡혀, 온 식구들이 먹을 수 있었다 / 野鸡没～, 三天揭不开锅盖; 꿩을 잡지 못해, 사흘 동안은 냄비 뚜껑을 못 열었다〔먹을 것이 없었다〕.
〔药到病除〕 yào dào bìng chú 〈成〉 ①약을 먹으면 병이 곧 낫는다. ②약효가 빠름.
〔药典〕 yàodiǎn 명 《藥》 약전. 약국방. ¶～飞龙; 병으로 홀쭉 여윈 사람.
〔药店〕 yàodiàn 명 약국. 약방.
〔药吊子〕 yàodiàozi 명 약탕관. 약탕기.
〔药锭〕 yàodìng 명 ⇨〔药片〕
〔药饵〕 yào'ěr 명 〈文〉 약이. 자양 강장제.
〔药方(儿)〕 yàofāng(r) 명 《藥》 약의 처방. 처방전. ¶开～; 처방을 쓰다 / 这是那位大dài夫开的～; 이것은 저 의사 선생님이 쓴 처방전이다. =〔药方(子)〕
〔药房〕 yàofáng 명 ①약방《양약》. →〔药铺〕 ②병원·진료소의 약국.

〔药(肥)皂〕 yào(féi)zào 명 약용 비누. =〔药胰子〕
〔药费〕 yàofèi 명 약값. =〔药钱〕
〔药粉〕 yàofěn 명 가루약. =〔药面〕
〔药膏(子)〕 yàogāo(zi) 명 《藥》 연고.
〔药盏子〕 yàogǔzi 명 약을 달이는 운두가 높은 냄비.
〔药罐(子)〕 yàoguàn(zi) 명 ①약탕관. ¶～都用沙锅; 약탕관은 모두 질냄비를 쓴다. ②병약한 사람. 약보인 사람. ¶他老吃药成了～了; 그는 늘 약을 먹어서 약보가 되었다.
〔药锅子〕 yàoguōzi 명 약을 달이는 냄비.
〔药行〕 yàoháng 명 약종상. 약도매상.
〔药衡〕 yàohéng 명 《度》 조제 도량법(약을 잴 때의 무게의 기준).
〔药剂〕 yàojì 명 약제. ¶～师; 약제사. 약사 / ～拌种; 종자 살균제에 의한 종자 소독법.
〔药剂子〕 yàojìzi 명 약의 분량. ¶～大; 약의 분량이 많다.
〔药箭〕 yàojiàn 명 독시(毒矢). 독화살. ¶放～; 독시를 쏘다 / 非洲土人用毒药喂wèi过的～来射野兽; 아프리카 원주민은 독약을 바른 독화살로 야수를 쏜다.
〔药劲儿〕 yàojìnr 명 약의 힘. 약의 효력(效力). ¶～一过, 又疼起来了; 약기운이 떨어지자, 또 아프기 시작했다.
〔药敬〕 yàojìng 명 약값. 의사에게 주는 사례금. =〔药礼〕
〔药酒〕 yàojiǔ 명 약술(고량주에 각종 한약재를 넣어 만든 술. '玫méi瑰露'(해당화 꽃을 넣고 만든 술)·'五加皮酒'·'虎hǔ骨酒'(범의 경골(脛骨)을 담근 술) 등).
〔药局方〕 yàojúfāng 명 ⇨〔局方〕
〔药局(子)〕 yàojú(zi) 명 약국. 약방.
〔药喇叭根〕 yàolǎbagēn 명 《藥》 할라파(jalapa) 뿌리(동부 멕시코산의 메꽃과 식물 할라파의 괴근. 건조시켜 하제로 씀).
〔药礼〕 yàolǐ 명 ⇨〔药敬〕
〔药理〕 yàolǐ 명 약리. ¶～学; 약리학.
〔药力〕 yàolì 명 약력. 약의 효능. ¶～发作; 약기운이 돌다.
〔药料〕 yàoliào 명 약재(藥材).
〔药笼中物〕 yào lóng zhōng wù 〈成〉 (약농에 든 약과같이) 필요할 때 곧 이용할 수 있고, 마음대로 할 수 있는 것〔인물〕. 약농중물.
〔药露〕 yàolù 명 《藥》 증류(蒸溜)하여 만든 약.
〔药棉〕 yàomián 명 ⇨〔脱tuō脂棉〕
〔药棉棒〕 yàomiánbàng 명 ⇨〔棉花签〕
〔药棉棍〕 yàomiángùn 명 ⇨〔棉花签〕
〔药棉(花)〕 yàomián(hua) 명 《藥》 약솜. 탈지면.
〔药面〕 yàomiàn (～儿, ～子) 명 가루약. =〔散sǎn药〕〔药粉〕〔药末〕〔药散〕〔粉fěn药〕
〔药名〕 yàomíng 명 약명. 약의 이름.
〔药末儿〕 yàomòr 명 《藥》 가루약. =〔药面〕
〔药捻儿〕 yàoniǎnr 명 ①→〔药捻子〕 ②(폭약 등의) 도화선. ¶爆竹的～叫水冲湿了不响; 폭죽의 도화선이 물에 젖어 터지지 않다. =〔药线〕
〔药捻子〕 yàoniǎnzi 명 《藥》 약을 바른 지노 또는 가제.
〔药碾子〕 yàoniǎnzi 명 ⇨〔药船〕
〔药农〕 yàonóng 명 ①약초를 경작하는 농민. ②약초에 밝은 농민.
〔药片(儿)〕 yàopiàn(r) 명 《藥》 정제. ¶苏化太先～; 술파다이아진정(錠). =〔药饼(儿) bǐng(r)〕〔药锭〕
〔药品〕 yàopǐn 명 약품.
〔药瓶〕 yàopíng 명 약병.
〔药婆〕 yàopó 명 옛날, 돌팔이 여의사.
〔药铺〕 yàopù 명 한약방. ¶到～去抓zhuā药; 한약방에 가서 약을 조제해 받다. →〔药房①〕
〔药签〕 yàoqiān 명 ⇨〔棉mián花签〕
〔药钱〕 yàoqián 명 ⇨〔药费〕
〔药芹菜〕 yàoqíncài 명 《植》 ①셀러리(celery). =〔芹菜〕〔野芹〕 ②중국 미나리.
〔药曲〕 yàoqū 명 약용 누룩.
〔药师〕 yàoshī 명 ①약사. 약제사. ②〈文〉 의사의 별칭. ③《佛》 약사여래.
〔药石〕 yàoshí 명 〈文〉 ①약과 돌침. ②〈轉〉 약. 약물. ¶～罔效; 약석(藥石)의 효과도 없다 / 病入膏肓huāng～无效; 병이 중하여 약이 듣지 않는다. ③〈轉〉 충고. 충언. ¶进～之言; 충언을 드리다.
〔药石成仇〕 yào shí chéng chóu 〈成〉 충고 때문에 원망을 받다. ¶我已经劝他劝得太多了, ～, 他不听, 有什么法子呢? 나는 이미 그에게 여러 차례 충고했지만, 듣지 않고 오히려 원망을 듣는 형편이니 무슨 방법이 있겠는가?
〔药水(儿)〕 yàoshuǐ(r) 명 물약. 약액. ¶发现病情就打～; 병상(病狀)을 알아 내고서 곧 약액을 주사하다 / ～棉花; 탈지면.
〔药(水)针〕 yào(shuǐ)zhēn 명 ①주사기. ②주사약. ¶打了一针止痛～; 진통 주사를 한 대 놓았다〔맞았다〕.
〔药死〕 yàosǐ 동 독살하다. ¶～耗子; 쥐약을 놓(아 잡)다.
〔药膛〕 yàotáng 명 《軍》 총의 약실(藥室).
〔药糖〕 yàotáng 명 당의정(糖衣錠). →〔糖衣〕
〔药筒〕 yàotǒng 명 ①《軍》 약협(藥莢). 탄피. ②약봉지.
〔药土〕 yàotǔ 명 ⇨〔阿ā片〕
〔药丸(儿, 子)〕 yàowán(r, zi) 명 환약.
〔药王〕 Yàowáng 명 약의 신(神)(신농씨(神農氏)를 이름). ¶～庙; 신농씨의 사당 / ～摆bǎi手, 无可救药; 〈歇〉 신농씨가 손을 흔든다. 글렀다. 구할 길이 없다.
〔药味〕 yàowèi 명 하나의 처방에 쓰이는 약의 종류. ¶那个大夫的～太多; 저 선생님의 처방은 약의 종류가 대단히 많다.
〔药味(儿)〕 yàowèi(r) 명 약의 맛이나 냄새. 약의 성질. ¶这～太苦; 이 약은 매우 쓰다 / 这～是寒性的; 이 약의 성질은 열을 없애는 것이다.
〔药喂的〕 yàowèide 명 독약을 바른 물건. 독약을 넣은 물건. ¶～箭头儿; 독약을 바른 화살촉.
〔药物〕 yàowù 명 약물. ¶～学; 약물학 / ～过敏; 약물 알레르기.
〔药线〕 yàoxiàn 명 ⇨〔药捻儿②〕
〔药箱〕 yàoxiāng 명 약통. 구급 가방.
〔药效〕 yàoxiào 명 약효. 약의 효과.
〔药械〕 yàoxiè 명 약을 살포하는 기계.
〔药性〕 yàoxìng 명 약의 성질.
〔药性气〕 yàoxìngqi 명 약의 냄새. ¶这个盒子有～; 이 상자는 약 냄새가 난다.
〔药衣子〕 yàoyīzi 명 환약의 당의(糖衣). 코팅.
〔药胰子〕 yàoyízi 명 ⇨〔药(肥)皂〕
〔药引子〕 yàoyǐnzi 명 《漢藥》 한약이 더욱 효과 있도록 병용하는 부약(副藥). =〔引子〕
〔药用炭〕 yàoyòngtàn 명 약용탄. 활성탄(活性炭).

〔药用植物〕 yàoyòng zhíwù 명 약용 식물.
〔药鱼草〕 yàoyúcǎo 명 《植》 팥꽃나무.
〔药玉米〕 yàoyùmǐ 명 《植》 율무.
〔药渣(子)〕 yàozhā(zi) 명 약을 달인 뒤의 찌꺼기.
〔药栈〕 yàozhàn 명 옛날의 약종상〔약 도매상〕.
〔药疹〕 yàozhěn 명 《藥》 약진《약제의 중독에 의한 발진(發疹)》.
〔药中甘草〕 yào zhōng gān cǎo 〈成〉 대단한 인재는 아니지만 필요한 사람. 중요할 정도는 아니지만 없어서는 안 되는 것. 약방에 감초. ¶他是～, 搁在什么位置上都合适; 그는 약방의 감초격이어서 어떤 지위도 어울린다.
〔药珠〕 yàozhū 명 분말로 하여 약용이 되는 진주.
〔药资〕 yàozī 명 〈文〉 약값. →〔药钱〕

要 yào (요)
①형 중요하다. 중대하다. 요긴하다. ¶～事; ⇩ / ～务; 중요한 임무. 요긴한 일. ②명 요점. 대요(大要). ¶择～记录; 요점만 기록하다. ③동 필요로 하다. 갖고 싶다. 구하다. ¶我～这一本书; 나는 이 책을 갖고 싶다 / 大家都～和平; 모든 사람은 평화를 바라고 있다 / 你～什么; 너는 무엇이 필요하냐. ④동 요구하다. 청구하다. 재촉하다. ¶小弟弟跟姐姐～钢笔用; 동생이 누님에게 만년필을 달라고 조르다 / 向他～账; 그에게 외상값을 청구하다. ⑤동 주문하다. ¶～酒～菜; 술과 요리를 주문하다. ⑥동 얻다. ¶跟他～; 그에게서 얻다. ⑦동 원하다. 당부하다. (…하도록) 요구하다. ¶她～我替她写信; 그녀는 나에게 편지 대필을 부탁했다 / ～成功先得吃苦; 성공하려면 우선 고생을 겪어 봐야 한다 / 他～我替他写文章; 그는 내게 글을 쓰도록 부탁했다. ⑧조동 …을 하고 싶어하다. …할 의사가 있다. ¶他～学溜冰; 그는 스케이트를 배우고 싶어한다. ↔〔不想〕 ⑨조동 …하지 않으면 안 된다. …하여야만 된다. ¶～努力学习; 학습에 힘써야 한다 / ～注意这个问题; 이 문제에 주의해야 한다. =〔应该〕〔必须〕 ↔〔不用〕〔不必〕〔用不着〕 ⑩조동 …하려 하고 있다. …할 듯하다. ¶天～黑了; 날이 저물려 하고 있다 / ～下雨了; 비가 올 것 같다 / 我们～去美国了; 우리는 미국에 가게 되었다 / 这棵树～死了; 이 나무는 말라 죽을 것 같다 / 王先生今天～来的; 왕씨는 오늘 올 것이다. =〔将要〕〔将〕 注 문말에 '了'를 두면 어떤 동작·행위·상태 등이 행하여지고, 또는 실제로 그와 같이 되어 있음을 나타냄. ⑪조동 비교에 대한 결과의 긍정적 어기(語氣)를 강조하는 말. ¶屋子里太热, 树阴底下～凉快得多; 방 안은 몹시 더우나, 나무 그늘은 반드시 훨씬 시원하리라 생각한다. ⑫접 만일. ¶明天～下雨, 必就不去了; 내일 만일 비가 오면 나는 가지 않겠다 / ～不快做就赶不上了; 급히 서둘러 하지 않으면 제때에 대지 못하오. =〔要是〕〔若〕〔如果〕 ⑬접 (연용(連用)하여 '就'를 받아서) …하든지 …하든지 하다. 혹은 …일 것이고 혹은 …일는지도 모른다. ¶～就去听戏, ～就去溜冰, 别再犹豫了! 서둘러서 연극을 보러 가든지, 스케이트 타러 가든지 해라. 이젠 꾸물거리고 있을 수 없다! =〔要么〕 ⑭조동 (다음 문장에서 '就'를 받아) 하려면. 하려고 하면《'～'로 해야 할 일을 말하고, '就'로 이것을 완성하는 데 필요한 조건을 이끎. '就' 뒤에는 흔히 '必须'나 '应该'를 씀》. ¶～学好外文, 就应该多听、多说、多读、多写; 외국어를 마스터하려면, 많이 듣고, 많이 말하고, 많이 읽고, 많이 써야 한다. ⑮조동 …을 습관으로 하고 있다. ¶每天到了十点钟就～睡; 매일 10시에 자는 것을 습관으로 하고 있다〔자기로 하고 있다〕 / 他天天儿～走这条路; 그는 매일 이 길을 지나는 것을 습관으로 하고 있다. ⇒yāo
〔要隘〕 yào'ài 명 〈文〉 요해지(要害地). ¶防守～; 요해지를 지키다.
〔要案〕 yào'àn 명 〈文〉 중대한 사건.
〔要便〕 yàobiàn 부 …인가 했더니 곧 또. 갑자기. ¶这些日子天气没准儿, 晴了～又下雨; 요즘은 날씨가 고르지 않아서, 개었나 싶으면 어느 새 비가 온다.
〔要不〕 yàobù 접 ①만일 그렇지 않으면. ¶幸亏还没有外人听见呢, ～会说我们两个人都在发痴了; 다행히 다른 사람이 듣지 않았기에 망정이지, 그렇지 않았던들 우리 두 사람 모두 어떻게 된 것이 아닌가라는 말을 들었을 뻔했다. =〔要不然〕〔否则〕 ②('～…～…'로 호응하여) …이 아니면 …하다. 혹은 … 혹은 …. ¶你这个人真怪, ～就钻到屋里不闻不问, ～就泼冷水; 너는 참 이상한 사람이다. 방에 들어와서 잠자코 있는가 했더니, 냉수를 끼얹는 것 같은 말을 한다. ③뭣하면. ¶～, 让我试一试吧; 뭣하면 내가 시험해 보겠소. ④그러기 때문에. ¶她就是嘴不好, ～怎么不招人疼呢; 그녀는 입이 매우 걸지. 그러기에 남에게 귀여움을 받지 못하는 거야.
〔要不的〕 yàobude ⇨〔要不得〕
〔要不得〕 yàobude ①받을 수 없다. 받아서는 안 된다. ②〈方〉 못 쓰게 되다. 쓸모 없다. 나쁘다. ¶这饭馊了, ～; 밥이 쉬어서 못 먹겠다 / 那时我家穷得～; 그 무렵 우리 집은 어떻게 할 수 없을 정도로 가난했다 / 隔夜的菜已经臭了, ～了; 하룻밤을 넘긴 요리가 냄새가 나서 못 쓰게 됐다. ③〈套〉〈方〉 안 돼《반대의 뜻》. ¶～, 你自己去拿吧; 안 돼, 네 자신이 가지러 가거라 / 这种作风～; 그런 방식은 좋지 않다. ④필요 없다. ¶这个东西～; 이것은 필요 없다. ‖ =〔要不的〕
〔要不就…〕 yàobujiu …이 아니면. …이나 …이나 어느 한쪽. ¶～洗海水浴, ～晒日光浴; 해수욕을 하든가 일광욕을 하든가 어느 한쪽이다.
〔要不亏〕 yàobukuī 만일 …하지 않았으면. ¶～他来, 我早就没命了; 만일 그가 오지 않았다면, 나는 벌써 목숨을 잃었을 것이다.
〔要不起〕 yàobuqǐ (돈이 없어) 살 수 없다. ¶东西太贵我～; 너무 비싸서 나는 살 수 없다.
〔要不然〕 yàobùrán 접 (전문(前文)의 내용을 받아서) …이 아니면. 만일 그렇지 않으면. ¶读过的东西要时常温习, 时常用, ～就会忘记; 배운 것은 늘 복습하고, 항상 쓰도록 해야 한다. 그렇지 않으면 잊어버리게 된다. =〔要不①〕
〔要不是〕 yàobùshì 접 만일 …이 아니었더라면. 만일 …이 없었더라면. ¶～他, 还有谁办得这么完美; 저 사람이 아니었더라면 누가 이렇게 훌륭히 완수할 수 있었겠는가 / ～落在一棵树杈上, 早就粉身碎骨了; 만일 나뭇가지에 아귀에 떨어진 것이 아니었더라면, 진작에 몸이 산산조각이 났을 것이다.
〔要不怎么〕 yào bu zěnme 혹시 괜찮다면. 지장이 없으면. ¶～咱们这就去吧; 별일 없으면 당장 갑시다.
〔要菜〕 yàocài ①동 공을 들이다. 음미하다. 잔소리하다. 사치를 하다. 젠체하다. ¶将就点儿吧, 别～了; 참고 있어, 너무 잔소리하지 마라. ②(yào cài) 요리를 주문하다. (음식점 등에서)

요리를 먹다.

〔要差〕 yàochāi 명 중요한 직분. 요직. ¶出任～; 요직에 임명되다.

〔要吃鱼泅深潭〕 yào chī yú qiú shēn tán 〈諺〉 물고기를 먹고 싶으면, 깊은 못에서 헤엄을 쳐라.

〔要冲〕 yàochōng 명 중요한 곳〔지점〕. ¶这里是本地的交通～; 이 곳은 이 고장의 교통의 요지이다.

〔要大价儿〕 yào dàjiàr 높은 값을 부르다. ¶好容易才碰个买主儿, 别跟他～, 小心要崩了; 겨우 작자를 만났는데, 높은 값을 불러 허사가 되지 않도록 조심해라.

〔要道〕 yàodào 명 ①중요한 도로. ¶丰台是出人北京的～; 펑타이는 베이징(北京)으로 출입하는 중요한 도로이다. ②사람이 걸어야 할 중요한 길. ¶你要记得这些人生～; 이것들은 인생의 중요한 길이라는 것을 잘 기억해 두어라.

〔要得〕 yàodé 〈南方〉 형 ①좋다. 훌륭하다. 굉장하다. ¶这个计划～, 我们就这样办! 이 계획은 좋다, 우리는 이대로 하자! / 你这两手儿真～; 네 이 생각은 정말 대단하다 / 日子越过越～; 생활은 점점 좋아진다. ↔〔要不得②〕 ②쓸 수 있다. 쓸모 있다. ¶这个东西还～; 이 물건은 아직 쓸 수 있다 / 他们俩～; 그들 두 사람은 쓸모가 있다. ↔〔要不得②〕 ③〈套〉 좋아. 좋다《동의하는 대꾸》. ¶～, 就这么办吧! 좋아, 그대로 하자! →〔要不得③〕

〔要地〕 yàodì 명 요지. ¶历史上的军事～; 역사상의 군사 요지.

〔要点〕 yàodiǎn 명 ①요점. ¶把握住事情的～; 일의 요점을 확실히 파악하다. =〔要端〕 ②《軍》 중요한 거점. ¶战略～; 전략(상의) 요점.

〔要端〕 yàoduān 명 ⇨〔要点①〕

〔要短儿〕 yào.duǎnr 동 약점을 잡다. ¶他爱跟人～; 그는 남의 약점 잡기를 좋아한다.

〔要多…有多…〕 yàoduō…yǒuduō… 이 이상의 …은 없다. 더할 나위 없다. ¶一家人要多高兴有多高兴; 온 집안이 더할 나위 없이 기뻐했다 / 要多痛快有多痛快; 통쾌하기 그지없다 / 他的心上要多难受有多难受; 그의 마음은 더할 수 없이 괴로웠다 / 要多难看有多难看; 더할 수 없이 꼴불견이다.

〔要犯〕 yàofàn 명 중요 범인.

〔要饭〕 yào.fàn 동 ①밥을 얻다. ②(밥을) 구걸하다. ¶～的; 거지 / ～的起五更; 〈歇〉 거지가 일찍 일어나다. '穷忙'(가난뱅이는 바쁘기만 하다)의 뜻 / ～讨生; 얻어먹으며 살아가다. 구걸하여 살아가다. ‖ =〔讨tǎo饭〕

〔要公〕 yàogōng 명 옛날, 소중한 일. 중요한 공무.

〔要乖乖〕 yào guāiguāi 입맞추다. =〔咬yǎo乖乖〕

〔要过来〕 yàoguolái 받다. 요구하다. 외상값을 거두다. 수금하다. ¶昨天要账去了, 可是～的不过是几家; 어제 외상값을 받으러 갔지만, 받아낸 것은 몇 집뿐이다.

〔要害〕 yàohài 명 ①(군사상의) 요해. ¶守～之处; 요해를〔중요 지점을〕 지키다. ②〈比〉 (인체의) 급소. ¶打中了～ =〔击中了～〕; 급소에 명중했다. ③(사물의) 치명적인 곳. 급소. ¶尖锐地指出了这个问题的～; 이 문제의 급소를 날카롭게 지적했다.

〔要好〕 yàohǎo 형 ①사이가 좋다. 친밀하다. ¶跟他～; 그와 사이가 좋다 / 她们两人从小就很～; 그녀들 두 사람은 어렸을 때부터 매우 친했다 / ～的朋友; 친한 친구. ②좋게 되려고 노력하다. 향상 하려고 하다. 오기가 있다. ¶这孩子很～, 从来不肯无故耽误功课; 이 아이는 향상심이 강해서 이제껏 이유 없이 공부를 소홀히 한 적이 없다. ③친해지려고 하다.

〔要好好劲儿〕 yào hǎohaojìnr 참을 수 없다. 못견디다. 어쩔 수 없다. 움직일 수 없다. 진퇴유곡이다. ¶你别要我的好好劲儿; 너 나를 괴롭히지 마라.

〔要好看(儿)〕 yào hǎokàn(r) 난감하게 만들다. 면목을 잃게 하다. 추태를 부리게 하다. 수치를 당하게 하다. ¶你这么办, 可是要他的好看; 당신이 이렇게 하면, 그의 체면이 깎인다.

〔要好儿〕 yào.hǎor 동 체면을 세우다.

〔要核儿钱〕 yàohúrqian 명 〈京〉 ①헐값. 싼값. ¶蜜桃味儿的大杏儿来lei! ～来lei! 수밀도 같은 맛있는 살구요! 아주 쌉니다!《살구 장수의 외치는 소리》. ②〈比〉 가장 기본적인 것. 최후의 것. ¶这么点儿事会没办好, 这不是要我的核儿钱吗! 이런 일을 잘 처리하지 못한대서야 사나이 체면이 말이 아니다!

〔要谎〕 yào.huǎng 동 〈方〉 에누리하여 부르다. ¶本店向来不跟人～; 당점(當店)은 전부터 에누리는 하지 않습니다.

〔要回〕 yàohuí 동 되찾다. 되돌려 받다. ¶你把那本书跟他～来吧! 너는 그 책을 그에게서 돌려받아 가지고 와라!

〔要价(儿)〕 yàojià(r) 명 청구 가격. ¶～不大; 요구액은 많지 않다. (yào.jià(r)) 동 대가를 요구하다. ¶瞒mán天～, 就地还钱; 터무니없는 값을 불러 최저 한도로 깎다 / ～还huán价(儿); ⓐ에누리를 하거나 값을 깎거나 하다. ⓑ이러니저러니 하고 교묘히 응대하다. ⓒ교묘히 대꾸하다.

〔要件〕 yàojiàn 명 ①요건. 중요한 사항. 주요〔중요〕한 조건. ¶婚姻与事业为人生之～; 결혼과 사업은 인생의 중요한 일이다. ②중요한 서류.

〔要键〕 yàojiàn 명 요지(要旨). 요점. ¶稳重就是交涉的～; 온건하고 신중한 것은 교섭의 중요한 요점이다.

〔要节〕 yàojié 명 대강(大綱). 요령. ¶摘录～; 요점을 발췌 기록하다 / 临危不变志是男儿～; 위기에 처하여도 뜻을 바꾸지 않는 일이야말로 남아(男兒)의 본령(本領)이다.

〔要津〕 yàojīn 명 ①교통상의 요지. =〔要路②〕 ②〈比〉 높고 중요한 지위. ¶位居～, 身负重任; 높은 지위에 있어 중책을 맡고 있다.

〔要紧〕 yàojǐn 형 ①소중하다. 중요하다. 긴요하다. ¶这个山头～得很, 一定要守住; 이 산은 매우 중요하니까, 끝까지 지켜 나가야 한다 / 有什么～呢; 별로 대수로울 것이 없잖아. ②심하다. 중하다. ¶他只受了点儿轻伤, 不～; 그는 조금 다쳤을 뿐이고, 대단치는 않다. ③〈南方〉 서두르고 있다. 당황하고 있다. 조급히 굴고 있다. ¶我～进城, 来不及和他细说; 나는 서둘러 시내에 가야 하니까, 그와 자세히 이야기할 틈이 없다 / ～起来去; 부랴부랴 일어나서 가다 / ～把情况告诉大家; 열심히 상황을 모두에게 이야기했다.

〔要劲(儿)〕 yào.jìnr 동 ①분발하다. 분기(奮起)하다. ¶小伙子挺～; 이 젊은이는 향상심이 강하다. ②고집을 부리다. ③경쟁하다. 오기를 부리다. ¶他跟我要上劲儿了; 그는 나와 맞겨루려고 했다.

〔要近〕 yàojìn 명 옛날, 천자(天子)의 측근자.

〔要就〕 yàojiù 접 …하거나 …하다. ¶他们～撒手不管, ～一律取缔; 그들은 손떼고 내버려 두든

지, 일률적으로 단속하든지 둘 중의 하나다.
〔要诀〕 yàojué 명 요결. 비결.
〔要角儿〕 yàojuér 명 ①주역(主役). ②중요 인물. 거물. ¶他是政治舞台上的~; 그는 정치 무대의 주요 인물이다.
〔要口〕 yàokǒu 명 〈文〉 요해처. 요충지.
〔要脸〕 yào.liǎn 동 체면을 중히 여기다. ¶要他的脸; 그의 체면을 세워 주다 / 不~; 몰염치하다. 뻔뻔스럽다 / 你做这样的事~不~啊; 넌 이런 짓을 하고 부끄럽지 않으냐. =〔要脸面〕〔〈南方〉要面孔〕〔要面子〕
〔要脸面〕 yào.liǎnmiàn 동 ⇨〔要脸〕
〔要领〕 yàolǐng 명 ①요점. ②(체육·군사 교련의) 요령. ¶掌握~; 요령을 파악하다.
〔要路〕 yàolù 명 ①당국자. ¶当权~; 권력을 잡고 있는 당국자. ②교통상의 요지. ¶必经之~; 반드시 통과해야 할 요지. =〔要津①〕
〔要路口儿〕 yàolùkǒur 명 장소. 중요한 장소〔땅〕.
〔要略〕 yàolüè 명 요략. 대요(大要). 개요. ¶念书要读通了全篇~; 책을 읽으려면 우선 전편의 대요를 통독할 필요가 있다.
〔要忙儿〕 yào.mángr 동 서두르게 하다. 다그치다. ¶我这儿没工夫, 你别~; 나는 지금 짬이 없단 말이다, 다그치지 마라.
〔要么〕 yàome 접 ①혹은. …일지도 모른다. ¶~是没人接, ~是机器有毛病; 혹시 (전화를) 받는 사람이 없거나, 혹은 기계가 망가졌겠지 / ~你根本没有带上; 본래 내가 갖고 있지 않았는지도 모른다 / 我们的大炮~不张嘴, 一张嘴就…; 우리네 대포는 혹 쏘지 않을 때도 있지만, 한번 쏘았다 하면…. =〔要末〕 ②…하든지 또는 …하다(연용(連用)함). ¶~他来, ~我去, 明天总得当面谈一谈; 그가 오든지, 내가 가든지, 어차피 내일은 만나서 이야기해야 한다.
〔要面孔〕 yàomiànkǒng 동 ⇨〔要脸〕
〔要面子〕 yàomiànzi 동 ⇨〔要脸〕
〔要命〕 yào.mìng 동 ①목숨을 요구하다. 목숨을 빼앗다. ¶~有命就是没钱, 有也不给你; 목숨은 있지만 돈은 없다. 있어도 너에게 주지 않겠다 / 不~的人; 무모한 사람. ②난처해지다. 질려 버리다(초조하거나 원망스러운 경우). ¶这人真~, 火车都快开了, 他还不来; 저놈한테는 두 손 들었어. 기차는 벌써 떠나는데, 아직도 안 오다니 / 眼看着到年下了, 一点儿进项也没有, 可真~; 머지않아 세밑인데, 조금도 수입이 없어 정말 곤란하다. 형 심하다. 견딜 수 없다. ¶好得~; 대단히 훌륭하다 / 疼得~; 못 견디게 아프다 / 穷得~; 매우 가난하다. =〔要死〕 부 아무리 해도. ¶要了命也过不去; 아무리 해도 지나갈 수 없다.
〔要命鬼(儿)〕 yàomìngguǐ(r) 명 ①벽창호. 골칫거리. ②〈罵〉 애물(아이를 욕할 때 등에 쓰며, 어기(語氣)는 강하지 않음). ¶这孩子, 夜里老不叫人睡觉, 实在是~; 이 애는 밤에 잠을 못 자게 하니, 참 애물이다. ③살인자. 액신(厄神). ¶这讨债的~又来了; 이 역귀(疫鬼) 같은 빚쟁이가 또 왔다.
〔要命有命〕 yàomìng yǒumìng 목숨을 가져갈테면 가져가라 (그러나 돈은 없다). ¶~就是没钱, 有也不给你; 목숨이라면 있지만 돈은 없다. 있어도 너한테는 주지 않겠다 / 要钱没钱, ~; 돈은 없으나, 목숨이라면 있다.
〔要目〕 yàomù 명 〈文〉 요목. 중요한 항목.
〔要嫩〕 yàonèn 동 극단적으로 싼 값을 요구하다. ¶你才和他说这么个价儿, 这不是~了吗? 넌 지금 그에게 이런 값을 말했는데, 이것은 터무니없이 싼 값이 아니냐?
〔要便宜〕 yào piányi 공짜로 먹으려 하다. 재미를 보려 하다. 교활하다. ¶你这是~, 说的是一斤, 给的是一磅bàng; 너는 얌체야, 한 근이라고 말하고는 준 것은 1 파운드가 아니냐.
〔要强〕 yàoqiáng 동 ①지지 않으려고 노력하다. 분발하다. 향상하려고 하다. ¶~的人; 오기 있는 사람. 노력가 / …以自己的~, 会让人当dàng作猪狗…恐怕自己一辈子不会再有什么起色了; 자신의 이 경쟁심 강한 오기로도 다른 사람한테 돼지나 개처럼 취급받다니 …내 평생도 대수로운 일은 못하겠구나. ②향상심이 있다. ③경쟁심이 강하다. 오기가 있다. ④마음이 굳세다. 긴장하고 있다. ¶你太~了, 人生的旅途是漫长的, 一步一步走吧! 너는 너무 긴장하고 있다, 인생이라는 여로는 긴 것이니까, 한 걸음씩 건도록 해라!
〔要缺〕 yàoquē 명 중요한 관직의 결원. ¶政府里出了~, 好些人都在钻zuān营活动; 정부에 요직의 결원이 생겨, 많은 사람이 운동을 하고 있다.
〔要人〕 yàorén 명 요인. 중요한 지위에 있는 사람. ¶政府~; 정부 요인.
〔要塞〕 yàosài 명 요새. 험하고 중요한 곳.
〔要事〕 yàoshì 명 중요한 일〔사람〕.
〔要是〕 yàoshi 접 만일. ¶他有那本小说, ~你去跟他借, 他一定肯借给你; 그는 이 소설을 갖고 있다. 네가 빌리러 가면, 반드시 승낙하여 빌려 줄게다 / 你~不懂, 就去问他; 만일 모르겠거든, 그에게 물어보면 된다. =〔如果〕〔若ruò是〕
〔要说儿〕 yàoshuōr 동 트집 잡다. 조건을 붙이다. 요구할 것이 있다. ¶我明白了, 他不是不给办, 是~呢; 잘 알았소. 그는 해 주지 않겠다는 것이 아니라, 조건이 있는 것이오. ⇒yāoshuōr
〔要死〕 yàosǐ 형 (좋은 일에나 나쁜 일에나) 죽을 지경이다. 심하다. 심히 …이다. ¶怕得要死, 恨得要命; 몹시 두려워하고, 몹시 원망하다. =〔要命〕
〔要死要活〕 yàosǐ yàohuó 〈南方〉 죽느니 사느니 하고 떠들다. 필사적인 몸부림. 허둥지둥하다. ¶~地乱闹; 죽기 살기로 소란을 피우다.
〔要素〕 yàosù 명 요소. 요인. 인자(因子).
〔要天许半边〕 yào tiān xǔ bànbiān 〈諺〉 아이가 하늘을 갖고 싶다고 하면 반은 승낙한다(자녀를 지나치게 사랑함).
〔要闻〕 yàowén 명 〈文〉 중요한 뉴스. 중대 뉴스.
〔要项〕 yàoxiàng 명 〈文〉 요항. 중요한 사항.
〔要小钱的〕 yàoxiǎoqiánde 명 거지. →〔要饭的〕
〔要言不烦〕 yào yán bù fán 〈成〉 말이 요약되어 있다. (이야기·문장 등이) 짜임새가 있고 번거롭지 않다. ¶这个话抓住了问题的中心, 真是~; 이 말은 문제의 중심을 확실히 파악하고 있어, 그야말로 요약되어 있어 장황하지 않다. =〔要言不繁〕
〔要言不繁〕 yào yán bù fán 〈成〉 ⇨〔要言不烦〕
〔要样(儿)〕 yào.yàng(r) 동 〈方〉 체면을 중히 여기다. 체면을 차리다. 허세를 부리다. ¶他爱面子充场chǎng面, 办起事来就是喜欢~; 그는 체면이나 겉치레를 중하게 여기는 편이어서, 무언가 어떤 단계가 되면 그야말로 체면을 차리고 싶어한다.
〔要义〕 yàoyì 명 요의. 요지.
〔要用〕 yàoyòng 명 필요(必要). 형 필요하다.
〔要员〕 yàoyuán 명 요원. 중요한 인원.

〔要张年儿〕 yào zhāngniánr 생떼를 쓰다. 난감해지게 만들다. ¶要叫我唱戏, 不是要我的张年儿吗? 나에게 창극에서 노래를 부르게 하는 따위는 나를 너무 들볶는 일 아닌가?
〔要账〕 yào,zhàng 동 ①외상값을 받다〔재촉하다〕 외상값을 청구(請求)하다. ¶三节～; 섣달 그뭄·단오·중추의 세 명절에 외상값을 청구하다. ②은혜를 갚게 하다. 빚을 갚게 하다.
〔要这要那〕 yàozhè yàonà ①이것도 필요하고 저것도 필요하다. ②이것저것을 갖고 싶어하다.
〔要职〕 yàozhí 명 요직. 중요한 직위. ¶身居～; 요직을 맡고 있다.
〔要旨〕 yàozhǐ 명 요지. 주요한 의미. 주지(主旨).
〔要着〕 yàozhuó 명 〈文〉 중요하고 실제적인 방책.
〔要子〕 yàozi 명 ①매끼. ②물건을 묶거나 포장하는데 쓰는 끈.
〔要嘴吃〕 yào zuǐ chī (입정 사납게) 먹을 것을 달라고 조르다.
〔要嘴儿〕 yào zuǐr 입맞추다.

钥(鑰) yào (약)
명 열쇠. ¶锁suǒ～; ⓐ자물쇠와 열쇠. ⓑ해결점. ⓒ〈比〉 국방의 요지. 중요한 곳 / 北门锁～; 북방의 중진(重鎭) / 车～; 차의 키. ⇒yuè
〔钥匙〕 yàoshi 명 〈文〉 열쇠. ¶一把～; 열쇠 한 개 / ～环 =〔～(挂)圈儿〕; 열쇠 고리. 키 홀더 / 一串chuàn(儿)～; 한 묶음의 열쇠 / 用～开锁; 열쇠로 자물쇠를 열다. =〔锁匙〕
〔钥匙头儿〕 yàoshitóur 명 ①열쇠의 끝. ¶把～拧折了, 锁还没开开; 열쇠 끝이 부러져서, 자물쇠가 아직도 열리지 않는다. ②문제 해결의 열쇠. ¶他看父亲这里不是个～; 그는 아버지에게서 문제를 해결할 수 없다는 것을 알아차렸다.

袎 yào (요)
명 ⇨〔靿yào〕

靿 yào (요)
(～儿, ～子) 명 장화 또는 긴 양말의 목에서 윗부분. =〔袎〕 ¶长～子的靴子; 목 긴 구두. 장화 / 高～儿袜子; 긴 양말. 스타킹.

鹞(鷂) yào (요)
→〔鹞子〕
〔鹞子〕 yàozi 명 ①《鳥》 '鹞鹰'(새매)의 통칭. ②〈方〉 연. ¶放～; 연을 날리다.
〔鹞子翻身〕 yàozi fānshēn 명 새매가 선회하는 듯한 산뜻한 몸짓《중국 전통극에서 상체를 극도로 뒤로 젖히면서 빙그르르 도는 동작. 취태(醉態)를 나타낼 때 등에 함》.

曜 yào (요)
〈文〉 ①명 일광. ②명 7요(曜). 요일. ③동 비추다. 빛나다. =〔耀①〕

耀〈燿〉 yào (요)
①동 번쩍이다. 비추다. ②동 분명하다. ③동 나타내 보이다. 과시(誇示)하다. =〔炫xuàn耀〕 ④동 빛이 눈부시다. ¶光～夺目; 햇빛에 눈이 부시다. ⑤명 영광. 영예. =〔荣耀〕 ⑥명 성(姓)의 하나.
〔耀斑〕 yàobān 명 《天》 태양면 폭발. 백반(白斑).
〔耀花〕 yàohuā 동 눈이 부셔서 안 보이다. ¶眼都被～了; 빛이 눈부셔서 완전히 보이지 않았다.
〔耀武〕 yàowǔ 동 무력을 과시하다.
〔耀武扬威〕 yào wǔ yáng wēi 〈成〉 무력을 과시하고 위풍을 보이다《득의양양한 모양》.
〔耀眼〕 yàoyǎn 형 눈부시다. ¶～的太阳普照大地; 눈부신 태양이 대지를 비추고 있다 / ～增光; 〈成〉 빛이 눈부신 모양 / 光芒～; 햇빛이 눈부시다. =〔曜眼〕
〔耀祖显亲〕 yào zǔ xiǎn qīn 〈成〉 부모 조상의 이름을 들날리다.

YE ㄧㄝ

耶 yē (야)
①→〔耶yé ①〕 ②음역용 자(音譯用字). ⇒yé
〔耶诞〕 Yēdàn 명 그리스도 탄신일. 크리스마스. =〔耶稣圣诞节〕 →〔圣shèng诞节〕
〔耶和华〕 Yēhéhuá 명 《宗》 〈音〉 여호와(Jehovah). =〔上帝〕〔主〕
〔耶教〕 Yējiào 명 ⇨〔耶稣教〕
〔耶路撒冷〕 Yēlùsālěng 명 《地》 〈音〉 예루살렘.
〔耶司脱〕 yēsītuō 명 ⇨〔酯zhǐ〕
〔耶稣〕 Yēsū 명 《宗》 예수.
〔耶稣会〕 Yēsūhuì 명 《宗》 예수회.
〔耶稣教〕 Yēsūjiào 명 《宗》 (기독교의) 신교. 프로테스탄트. =〔耶教〕 →〔基Jī督教〕
〔耶稣圣诞节〕 Yēsū shèngdànjié 명 ⇨〔耶诞〕
〔耶提〕 yētí 명 ⇨〔雪xuě人〕
〔耶悉茗花〕 yēxīmínghuā 명 《植》 말리(茉莉).

椰 yē (야)
(～子) 명 《植》 야자(나무). =〔椰子树〕
〔椰杯〕 yēbēi 명 야자열매 껍질을 잘라, 주석·은 따위를 씌워 만든 술잔.
〔椰菜〕 yēcài 명 《植》 ①양배추. ②화야채. ¶～花; 콜리플라워(cauliflower). 꽃양배추.
〔椰城〕 Yēchéng 명 ⇨〔雅Yǎ加达〕
〔椰干〕 yēgān 명 코프라(copra)《야자씨의 배유(胚乳)를 말린 것. 채유 원료(採油原料). 그 기름으로 비누·인조 버터 등을 만듦》. =〔干椰(子)肉〕
〔椰花菜〕 yēhuācài 명 ⇨〔花(椰)菜〕
〔椰壳(儿)〕 yēké(r) 명 야자의 껍질〔외피(外皮)〕. ¶～做的饭勺子; 야자 껍질로 만든 밥주걱.
〔椰揽油〕 yēlányóu 명 올리브유(油).
〔椰缆〕 yēlǎn 명 야자 껍질 섬유로 만든 로프.
〔椰蓉〕 yēróng 명 〈廣〉 야자 과육을 으깨어, 팥소 모양으로 만든 것《월병(月餅)에 잘 씀》. ¶～包子; 으깬 야자 과육을 소로 넣은 만두 / ～月饼; 으깬야자 과육을 소로 넣은 월병. →〔月yuè饼〕
〔椰肉〕 yēròu 명 야자의 과육(果肉).
〔椰水〕 yēshuǐ 명 야자열매의 투명한 액체. ¶喝～清凉去火; 야자열매의 즙을 마시면 시원하고 열기가 가신다. =〔椰子汁〕
〔椰衣〕 yēyī 명 야자 껍질의 섬유질 부분.
〔椰雨蕉风〕 yē yǔ jiāo fēng 〈成〉 야자의 비, 파초의 바람《열대 지방의 기후와 풍물의 형용》.
〔椰枣〕 yēzǎo 명 《植》 대추야자. =〔海hǎi枣〕
〔椰子〕 yēzi 명 《植》 야자. ¶～干肉 =〔～核〕; 코프라 / ～糖; 코코넛 캔디.
〔椰子饼〕 yēzibǐng 명 야자유 깻묵.
〔椰子果〕 yēziguǒ 명 코코넛(coconut).
〔椰子酱〕 yēzijiàng 명 코코넛 잼.
〔椰子壳〕 yēziké 명 코코넛의 껍질.

〔椰(子)瓢〕 yē(zi)piáo 명 야자 껍질을 반으로 쪼개어 만든 바가지. ¶拿～当水舀yǎo子; 야자 껍질을 반으로 쪼갠 것을 물바가지로 쓴다.
〔椰(子)油〕 yē(zi)yóu 명 야자유.
〔椰子汁〕 yēzizhī 명 코코넛 속의 유액(乳液).

掖 yē (액)
동 ①좁은 곳에 밀어넣듯이 넣다. ¶腰里～着刀; 허리에 칼을 차고 있다 / 把书～在怀里; 책을 호주머니에 찔러 넣다 / 把东西～在怀里; 물건을 품에 끼다. ②(옷자락 등을) 걷어올리다. ¶把裤子～起来; 바지를 걷어올리다 / 把衣裳襟儿～起来; 옷깃을 안으로 꺾어 넣다. ③숨기다. ¶不瞒着, 不～着, 有什么说什么; 속이거나 숨기지 말고 사실대로 말을 해라 / 我托他, 带一点儿东西给某人, 他把东西给～起来了; 그에게 부탁하여 아무개에게 물건을 보냈는데, 그는 그것을 가로채었다. ⇒yè
〔掖藏〕 yēcáng 동 꽂아 넣어서 숨기다. 겨드랑이에 끼다. 찔러 넣다. ¶你把钱都～在哪儿了? 너는 돈을 어디에 숨겼느냐?
〔掖根〕 yēgēn 명 신 뒤축에 대는 천.
〔掖咕〕 yēgu 동 〈京〉 ①둔 곳을 깜빡 잊다. 물건 치우는 것을 잊다. 끼워 넣은 곳을 잊다. ②끼워 두다. 끼워 놓다. ¶那封信, 我～在哪儿了? 그 편지를 어디에 끼워 두었을까?
〔掖起〕 yēqǐ 동 겨드랑이에 끼다. 찔러 넣다. 걷어 올리다. ¶把带子～来; 허리띠를 찌르다 / ～衣裳; 옷을 걷어올리다 / ～裤子; 바지를 걷어올리다 / 托他带个好儿, 他把好儿给～来, 忘了说了; 당신에게 안부를 전해달라고 그에게 말해 두었는데, 그는 깜빡 잊고 말하지 않았다.
〔掖起来〕 yēqǐlái ①안아 올리다. ②빼앗다. 가로채다. ¶上回人家给的钱, 叫管事的～了; 앞서 남한테서 받은 돈을 지배인에게 가로채이고 말았다.
〔掖食罐儿〕 yēshíguànr 명 옛날, 죽은이의 영전에 올린 빈 도기(陶器) 항아리.
〔掖掖盖盖〕 yēyegàigài 동 (보이지 않게) 감추다. ¶当dàng铺门口有个人提着包袱～地往前走; 전당포 입구에 보따리를 들고 남의 눈에 띄지 않게 들어가는 사람이 있었다.

暍 yē (갈)
동 〈文〉 더위 먹다.

噎 yē (열)
동 ①음식이 목에 걸려 막히다. ¶吃得太快～住了; 너무 빨리 먹어서 목이 메었다 / 慢点儿吃, 别～着; 목이 메지 않게 천천히 먹어라. ②〈方〉 맞바람이 세게 쳐서 숨이 막히다. ¶顶着大风走, ～得说不出话来; 강풍을 안고 가면, 숨이 막혀 말을 할 수 없다 / 风大, ～得气也透不过来; 바람이 세어 (숨이 막혀서) 호흡도 할 수 없다. ③〈方〉 상대방의 말을 막다. 말허리를 꺾다. 상대방의 말을 막아 입을 다물게 하다. ¶有话好好儿说, 不要～人! 할 이야기가 있으면, (이상한 소리를 하지 말고) 분명히 이야기해야지, 남의 말 허리를 꺾는 게 아냐! / 一句话把人～到南墙根儿去; 한 마디로 다른 사람을 끽 소리도 못 하게 만들다.
〔噎脖子〕 yē bózi 목이 메다. 〈轉〉 참을 수 없다. ¶他爱说叫人～的话; 그는 남의 말문을 막히게 하는 말을 즐겨한다.
〔噎膈〕 yēgé 동 음식물이 목에 메다. 막히다. 명 ⇨〔膈证〕
〔噎喉〕 yēhóu 동 목이 메다. ¶喝口水舒开～; 물을 마셔서 메인 목구멍을 통하게 하다.
〔噎呕〕 yēǒu 동 목이 메어 구토하다. ¶吃得都～了, 还舍不得放下筷子; 목이 메어 토할 정도로 먹었으면서도, 아직도 젓가락을 놓지 않는다. 명 웃음소리. ¶笑喜～; 기쁜 웃음소리.
〔噎人〕 yē rén 말을 할 수 없게 만들다. 말을 가로막다. 말문을 막히게 하다. ¶他一句话能把人噎死; 그의 말 한마디는 상대방의 말문을 막히게 한다.
〔噎塞〕 yēsāi 동 음식을 삼킬 수가 없다. ¶气得他一口气～着答不上话来了; 너무 화가 나서, 그는 목이 메어 대답할 수 없었다. =〔阴yīn噎〕 →〔噎住〕
〔噎食〕 yēshí 동 음식이 목에 걸리다. 목에 가득 차다. ¶这小子是饿死鬼托生的, 吃没个吃相, 一会儿一～, 真丢人啊; 이 아이는 아귀가 환생한 것인지, 음식을 먹는데 예절바르지 못하고, 음식물이 자주 목에 걸리니 정말 창피하다.
〔噎死鬼〕 yēsiguǐ 명 목이 메어 죽은 자. ¶慢点吃, 小心别当～; 천천히 먹어라. 목이 메어 죽지 않게.
〔噎住〕 yēzhù 동 목이 메다. 막히다. ¶他看见儿女不成材, 一口气～, 差chà点儿没死过去; 그는 애들이 형편없는 것을 보고, 갑자기 숨이 막혀 죽을 지경이었다. →〔噎塞〕

爷(爺) yé (야)
①〈方〉 아버지. →〔爷娘〕 ②〈方〉 할아버지《부계(父系)》. ¶～～奶奶; 할아버지와 할머니. →〔爷爷〕〔老lǎo爷〕 ③아저씨. 선생님《연상의 남자에 대한 경칭 또는 친근하게 부르는 말》. ¶张大～; 장씨 아저씨 / 李四～; 이씨《4남인 사람에 대한 호칭》. ④주인 어른. 나리 마님《옛날, 주인·관리·지주·부자나 그의 아들에 대한 경칭》. ¶王～; 왕족. 친왕(親王) / 老～; 주인. 나리 / 少shào～; 도련님. ⑤신(神). ¶土地～; 토지의 신.
〔爷老子〕 yélǎozi 명 〈方〉 아버지. 부친.
〔爷们〕 yémen 명 〈方〉 ①남자《단수(單數)에도 씀》. ¶你白是个～啦, 一点儿骨气都没有; 당신은 조금도 기개가 없어, 남자로 태어난 보람이 없다. ②남편. ¶我们～; 우리집 양반 / 穷～; 가난뱅이 / 她的～; 그녀의 남편.
〔爷娘〕 yéniáng 명 부모. 양친《호칭으로도 씀》. ¶不闻～唤女声; 부모가 너를 부르는 소리는 들리지 않는다. =〔耶娘〕
〔爷儿〕 yér 명 〈口〉 ①손위 남자와 손아랫사람을 합쳐서 일컫는 말《부자(父子). 부녀(父女). 백부나 숙부와 사촌. 조부와 손자 또는 손녀. 사람 수에 따라 '～俩liǎ'(부자 두 사람 등), '～仨sā'(삼부자 등)으로 말함》. ②〈俗〉 남편《노부부 사이》. =〔爷爷儿〕
〔爷儿们〕 yérmen 명 〈口〉 연장자와 연소자를 합쳐서 일컫는 말로 남성을 가리킴. =〔〈方〉 爷们儿〕
〔爷爷〕 yéye 명 〈口〉〈敬〉 ①할아버지《호칭으로도 씀》. ②할아버지와 동년배의 남자에 대한 호칭. ③〈文〉 (일반적으로) 나이가 지긋한 사람에 대한 존칭.
〔爷爷公〕 yéyegōng 명 시할아버지.
〔爷有娘有不如自己有〕 yé yǒu niáng yǒu bùrú zìjǐ yǒu 〈諺〉 아버지나 어머니가 갖고 있는 것보다도 내가 갖고 있는 것이 가장 확실하다.

邪 yé (야)
① →〔莫mò邪〕 ② 조 〈文〉 의문의 어기사(語氣詞)《…이냐. …일까》. ¶是～非～;

시냐 비냐. 옳으냐 그르냐. →〔耶①〕⇒xié

〔邪许〕 yéhǔ 〈擬〉〈文〉 영차《무거운 것을 멜 때 내는 소리》.

耶 yé (야)

〈文〉 ① 조 의문·반문·추측·감탄 등의 어기사(語氣詞)《구어(口語)의 '吗'·'呢'·'啊'·'吧'·'呀' 등에 해당함》. ¶抑知而未能行～? 혹시 알고 있지만 아직 행할 수 없는 것인가?/是～非～? 옳은가 그른가?/知不足～; 족한 것을 모르느냐. ② '爷yé'와 통용. ¶～娘niáng; ⇩ ③→〔耶律〕⇒yē

〔耶律〕 Yélǜ 명 복성(複姓)의 하나.

〔耶娘〕 yéniáng 명 ⇨〔爷娘〕

揶 yé (야)

→〔揶揄〕

〔揶揄〕 yéyú 동 〈文〉 야유하다. 놀리다. ¶在旧社会里受尽了～欺辱; 구사회에서는 야유와 능욕을 받을 대로 받았다.

也 yě (야)

① 조 …도. …도 또한. …라 (해)도. ¶你去, 我～去; 네가 가면 나도 간다/～好, ～不好; 좋기도 하고 나쁘기도 하다/他做得到, 我～做得到; 그가 할 수 있는 일이라면 나라도 할 수 있다/原来这里～没有地方; 원래 여기에도 장소가 없습니다. ② 조 부정(不定)을 나타내는 의문사(疑問詞)에 붙어 그 중 어느 것을 들더라도 다 같음을 나타내는 말《부정문(否定文)에 쓰이어 흔히 전면 부정(全面否定)을 나타냄》. ¶什么～不会干; 아무것도 할 줄 모른다. ③ 조 '不但'·'虽suī然'·'就是'·'不管' 등의 접속사와 호응하여 복문(複文)을 만드는 말《'～'는 주문(主文)에 쓰임》. ¶就是工作再困难些, 他～不会退缩的; 가령 일이 더욱 곤란해지더라도 그는 물러나지 않을 것이다/不仅我不会拉胡琴, 他们俩个人～不会拉; 나만 호궁(胡弓)을 킬 줄 모르는 것이 아니라, 그들 두 사람도 킬 줄 모른다/我虽然没见过他, ～听人说过; 나는 그를 만난 적은 없지만, 다른 사람이 말하는 것을 들은 적은 있다. ④ 부 앞뒤로 병용(竝用)하여 나열한 사물이 서로 밀접하게 연관됨을 나타내는 말. ¶风～停了, 雨～住了; 바람도 자고 비도 멎었다. ⑤ 부 ('既'와 호응하여) …이기도 하고 …이기도 하다. …도 하고…도 하다. ¶我们既不相信他们的好话, ～不害怕他们的恐吓hè; 우리는 그들의 달콤한 말도 믿지 않으며, 그들의 위협도 두렵지 않다. ⑥ 부 역시. 그저《완곡한 어기(語氣)를 첨가하는 말》. ¶～只好如此; 그저 그렇게 할 수밖에 도리가 없다. ⑦ 부 그저 그런대로. 별로. ¶身体～没毛病; 몸에는 별로 이상이 없습니다. ⑧ 부 (…이기는 하나) 그래도. ¶事情虽多, ～该休息; 일이 많기는 하나 그래도 쉬어야만 한다/～犯不着气他们! 그들에게 화를 낼 것까지는 못 된다! ⑨ 조 불확실하고 모호한 기분을 나타내는 말. ¶～不知道够不够; 자랐는지 모자랐는지 모르겠다만. ⑩ 조 정도·중요성·가능성이 적은 것, 또는 전체 중에서 일부를 예로 들어 그 밖은 언외(言外)로 깨닫게 함을 나타내는 말. ¶这话一点～不错! 이 말은 조금도 틀리지 않았다!/再～不敢闹了! 다시는 떠들지 않겠습니다! ⑪ 접 ～할뿐더러 또한. ¶绝对不肯～不敢传达; 절대로 전달할 마음도 없고, 또 전달할 용기도 없다. ⑫ 조 〈文〉 문말에 쓰이는 어기사(語氣詞). ㉠결단을 나타냄. ¶行不得～; 할 수 없습니다/便来～; 곧 옵니다/此城可克～; 이 성은 함락시킬 수 있다. ㉡주의를 촉구함. ¶不可不慎shèn～; 삼가야 한다. ㉢감개(感慨)를 나타냄. ¶是可忍～; 참을 수 있다. ㉣의문을 나타냄. ¶此为谁～; 이게 누군가. ㉤정돈(停頓)을 나타냄. ¶斯人～, 诚笃好学; 이 인물로 말하자면, 성실하고 학문을 좋아한다. ⑬ 조 〈文〉 문중(文中)에서 정돈을 나타내는 '衬chèn字'(보충하는 자)로 씀. ¶你道苦～不苦? 괴롭다고 생각되는가, 아니면 괴롭지 않다고 생각되는가?/不知道是～不是; 그런지 그렇지 않은지 모른다.

〔也罢〕 yěbà A) 하는 수 없다. 그저 그걸로 괜찮다. …이라고 치자《체념·결단》. ¶～, 你一定要走, 我送你上车; 하는 수 없지, 네가 꼭 가겠다면. 내가 열차까지 바래다 줄께/～, 买新的吧; 좋아, 새것을 사거라/～, 我去就是了; 좋아, 내가 가지. B) 조 ①하여간. 괜찮겠지《용인(容認)·하는 수 없음을 나타내는 조사》. ¶这种事情不知道～, 知道了反倒难为情; 이러한 사정을 모르면 그뿐이지만, 알았으니까 오히려 겸연쩍다. ②둘 또는 그 이상의 사물을 병렬하여 제시한 것을 묻지 않음을 나타내는 조사. …이든 …이든. …하든 …하든. ¶你去～, 不去～, 反正是一样; 네가 가든 가지 않든 어차피 같다/听～看～, 都觉得没有兴趣; 듣는 쪽이건 보는 쪽이건 전혀 흥미는 없다.

〔也不见得〕 yěbùjiànde 그런 정도는 아니다. 그렇게 보이지는 않는다. ¶中国话难是难, ～太难; 중국어는 어렵기는 하나, 대단히 어렵다고 할 정도는 아니다.

〔也不是〕 yě bùshi 〈方〉 …(일)지도 모른다. ¶今儿个～要开什么会; 오늘은 어떤 회합에 나가야 할지도 모른다.

〔也不怎么〕 yě bù zěnme ①어쩐 일인지. ¶工厂～又变成了逆产; 공장은 어찌 된 일인지 피접수(被接收) 재산이 되어 버렸다. ②이렇다 할 일 없이. ¶～我就睡了; 이렇다 할 일 없이 나는 잠들어 버렸다. ③별로 …이 아니다. ¶这件衣服～好; 이 옷은 별로 좋다고 생각지 않는다.

〔也好〕 yě hǎo ①좋다. 지당하다. ¶说明一下～; 다만 조금 설명하는 편이 좋다. ②('…～…～'의 형태로) …이든 …이든. …하든 …하든. ¶你服气～, 不服气～, 作币终归是事实; 네가 승복하든 안 하든 간에, 부정한 짓을 한 것은 사실이다/学习～, 劳动～, 他都很积极; 그는 공부나 육체 노동이나 열심이다.

〔也就〕 yějiù 부 ①…도 또한. ¶那么咱们～随便坐下吧; 그러면 우리도 편한 대로 앉읍시다. ②이미. 벌써. ¶做官要做次长～算到头儿了; 관리도 차관이 되면 이미 정상(頂上)이다. ③여간. 꽤. ¶一月一百元的薪水～算不少了; 한 달 100원의 월급은 그다지 적다고 할 수 없다/比上不足, 比下有余, ～不错了; 위와 비교하면 부족하지만, 아래와 비교하면 나은 편이니 그래도 괜찮다. ④그래서 …때문에.

〔也就是〕 yě jiù shì ①겨우. 가까스로. 단지. ¶离过年～几天了; 새해도 이제 겨우 이삼일 남았다. ②단지 …만이 …이다. 단지 …이기 때문에 …이다. ¶～你肯答应, 要是我呀, 才不肯呢; 너니까 승낙했지, 나라면 도저히 승낙하지 않겠다.

〔也就是说〕 yě jiù shì shuō …이라고 (말)할 수 있다. 다시 말하면 …이기도 하다. 결국. ¶直译～逐字逐句的翻译法; 직역이란 결국 한 글자씩 한 문구씩의 번역법이다/胸有成竹, ～心里很有把握; '가슴에 성죽이 있다'는 말을 바꾸어 말하

면, 마음속에 대단히 자신이 있다는 것이다.
〔也可〕 yěkě ①몽골어로 '첫째'의 뜻. ¶～太傅; 제 1태부. =〔也克〕〔伊yī克〕 ②해도 괜찮다. …일 것이다. ¶办～, 不办～; 해도 괜찮고 안해도 괜찮다 / 对于电影我是看～, 不看～, 倒无所谓的; 영화는 나는 보아도 좋고 안보아도 좋다. 아무래도 괜찮다.
〔也克〕 yěkè ⇨〔也可①〕
〔也门〕 Yěmén 명《地》〈音〉 예멘(Yemen). =〔叶Yè门〕
〔也门共和国〕 Yěmén gònghéguó 명《地》 예멘(Yemen) 공화국《통칭 '南Nán也门', 수도는 '萨那'(사나: Sanaa)》.
〔也是〕 yěshi 역시. …도 …이다.
〔也司〕 yěsī 〈音〉 예스(yes). =〔是〕〔是的〕
〔也似〕 yěsì 〈文〉 …와 같다. …같다. ¶她一见着妈妈就飞～地跑过来; 그녀는 어머니를 보자, 곧 나는 듯이 달려왔다.
〔也未见得〕 yě wèi jiànde 〈文〉 대단치 않다. →〔也不见得〕
〔也未可定〕 yě wèi kě dìng 〈成〉 ⇨〔也未可知〕
〔也未可知〕 yě wèi kě zhī 〈成〉 ①…일지도 모른다《흔히 '恐怕'·'也许'·'或者' 등의 부사를 쓴 글 뒤에 두어 불확정성을 밝힘》. ¶恐怕断送了性命～; 목숨을 잃게 될지도 모른다 / 后来弄出大事业～; 장래에는 큰 사업을 할지도 모른다. ②아직 정할 수 없다. 어떨지 모른다. ¶现在有这个风声, 是真是假～; 지금 그런 소문이 있으나, 진위(眞僞)는 아직 모른다 / 事情成败～, 再等些日子就可见分明; 일의 성패는 아직 모른다. 좀더 기다리면 분명해진다. ‖ =〔也未可定〕
〔也兴〕 yěxīng 부 ⇨〔兴许〕
〔也行〕 yěxíng …라도 좋다. …해도 좋다. ¶你不来～; 너는 오지 않아도 된다 / 不用钢笔, 用铅笔写～; 만년필로 쓰지 않고 연필로 써도 괜찮다.
〔也许〕 yěxǔ 부 혹시 …일지도 모른다. ¶他明天～不来; 그는 내일 어쩌면 안 올지도 모른다 / ～是吧; 그럴지도 모른다 / ～要下雨吧; 어쩌면 비가 올지도 모른다. =〔〈方〉也兴〕
〔…也…也〕 …yě…yě ①…도 …도《사물의 병렬이나 대응을 나타냄. 일반적으로 동사의 경우에 쓰이며, 형용사의 경우는 '又…又…'를 씀》. ¶他～会种地～会打铁; 그는 들일도 할 줄 알고, 대장간 일도 할 줄 안다. ②같음을 나타냄. ¶你去我～去, 你不去我～去; 네가 가든 안 가든 나는 간다 / 他左想～不是, 右想～不是; 그는 이것도 아니고 저것도 아니라고 이리저리 궁리했다.
〔也只好…〕 yězhǐhǎo… 어쨌든 …하는 수밖에 없다. ¶～这么办吧; 어쨌든 이렇게 하는 수밖에 없을 것이다.

冶 yě (야)
①동 주조(鑄造)하다. ¶陶táo～ =〔锻duàn～〕; 뛰어난 대장장이. ②명 〈文〉 주조사. ¶良～; 뛰어난 대장장이. ③명 과다한 몸치장. (여자의 몸치장이) 요염함《비방하는 말》. ¶妖～; 요염하다 / 看山淡～; 〈比〉 봄산이 맑고 아름답다 / 这个女的打扮得很妖yāo～; 이 여인의 화장은 매우 요염하다(나쁜 뜻으로 이름). ④명 성(姓)의 하나.
〔冶步〕 yěbù 동 〈文〉 요염하게 걷다. ¶从cóng容～; 요염하게 천천히 걷다.
〔冶荡〕 yědàng 동 〈文〉 ⇨〔冶游〕
〔冶地经天〕 yědì jīngtiān 〈比〉 큰 사업을 할 수 있는 능력과 재능. ¶我举荐这个人有～之才; 이 사람은 큰 능력과 재능이 있으므로 추천합니다.
〔冶坊〕 yěfáng 명 철기(鐵器)나 동기(銅器) 주조 공장.
〔冶工〕 yěgōng 명 주물공. 대장장이. =〔冶匠〕
〔冶行〕 yěháng 명 〈文〉 대장간. →〔铁tiě匠〕
〔冶匠〕 yějiàng 명 ⇨〔冶工〕
〔冶金〕 yějīn 명동 야금(하다). ¶～电炉; 야금용 전기로 / ～焦; 야금용 코크스 / ～工厂; 금속 제련 공장 / 他在大学里是学～的; 그는 대학에서 야금을 배웠다. 명 〈轉〉 돈 버는 방법. 재산을 모으는 방법. ¶他在商场上～有术, 不几年就麦克麦克了; 그는 장사 해서 돈 버는 데에도 능숙해서 몇 해 안 돼서 큰 돈을 벌었다《'麦克'는 make의 음역》.
〔冶郎〕 yěláng 명 ⇨〔娈luán童〕
〔冶炼〕 yěliàn 동 제련하다. 용해하다. ¶～厂; 야금 공장. 제철소 / ～炉; 용광로.
〔冶容〕 yěróng 동 〈文〉 화려하게 꾸미다. 요염하게 차리다. ¶这位妇人工于～; 이 부인은 화장을 잘 한다. 명 요염한 용모. 짙게 화장한 얼굴.
〔冶艳〕 yěyàn 형 〈文〉 요염하다. ¶～如花; 꽃같이 아름답다.
〔冶夷〕 yěyí 형 〈文〉 요염한 모양. ¶容貌～; 용모가 요염하다.
〔冶游〕 yěyóu 동 ①남녀가 봄이나 명절에 야외로 나가 놀다. ②〈轉〉 화류계에서 놀다. 계집질하다. 오입질하다. 기생집에서 놀다. ¶性喜～; 타고난 오입쟁이 / 不要成天价在花街柳巷四处～; 하루 종일 화류계에서 놀고 다니지 마라. ‖ =〔冶荡〕
〔冶铸〕 yězhù 동 주물을 주조하다.

野〈埜, 壄〉 yě (야)
①명 교외. 동구 밖. ②명 들. 야외. ¶村的～的; 누구든지. 누구 할 것 없이. ③명 민간. ¶朝cháo～; 조야 / 在～; 재야. 민간에 있다. ↔〔朝〕 ④명 한계. 범위. ¶视～; 시야 / 分～; 분야. 구획. ⑤형 야비하다. 예의를 모르다. 난폭하다. ¶撒sā～; 야비〔난폭〕한 짓을 하다 / 他说话真～; 그의 얘기는 정말 상스럽다. ↔〔雅〕 ⑥명 자연 그대로의 것. 야생의 동식물. ¶～兔; ⇩ ⑦형 미개하다. 촌스럽다. ¶别自各儿zìgěr觉着怪不错的, ～的你呢; 저 혼자서 아주 대단한 것처럼 생각하고 있다니, 넌 멍청하구나. ⑧경멸하는 말. ¶～大夫; 돌팔이 의사. ⑨형 방자하다. 긴장이 풀려 있다. ¶放了几天假, 心都玩～了; 수일간 계속된 휴가로 긴장이 풀려, 일이 손에 잡히지 않는다 / 向来～惯了, 一时也管不好; 이제까지 제멋대로 하게 내버려 두었기 때문에 일시에는 단속이 안 된다. ⑩부 대단히. 매우. ¶天冷～了; 굉장히 춥다.
〔野艾蒿〕 yě'àihāo 명《植》 뺑대쑥.
〔野百合〕 yěbǎihé 명《植》 활나물.
〔野稗〕 yěbài 명《植》 개피《콩과의 1년초. 가장 일반적인 잡초의 하나. 가축의 사료가 됨》.
〔野扁豆〕 yěbiǎndòu 명《植》 석결명.
〔野菜〕 yěcài 명 ①산야에 저절로 나는 풀. ②산채(山菜). 산나물. ‖ =〔马mǎ兰〕〔马齿苋〕
〔野菜豆〕 yěcàidòu 명《植》 살갈퀴.
〔野餐〕 yěcān 동 야외에서 식사하다. 피크닉하러 가다. 명 야외 식사. 피크닉의 식사. ‖ =〔〈文〉野宴〕
〔野蚕〕 yěcán 명《蟲》 ①산누에. ¶～茧; 산누에 고치. ②야생 누에.

〔野蚕丝〕 yěcánsī 명 작잠사(柞蠶絲). 멧누에고치 실.
〔野操〕 yěcāo 명 야외 연습〔훈련〕. ¶打～; 야외 훈련을 하다 / 上～; 야외 훈련을 시작하다. =〔野外操演〕
〔野草〕 yěcǎo 명 들풀. 야초.
〔野草灰〕 yěcǎohuī 명 〈方〉 ①《動》 산토끼. ②〈罵〉 바보 녀석. ‖ =〔草灰羔子〕
〔野草闲花〕 yěcǎo xiánhuā 명 〈比〉 유녀(遊女). 기녀. =〔闲花野草〕
〔野茶馆(儿)〕 yěcháguǎn(r) 명 옛날, 들놀이나 낚시꾼을 손님으로 하여 야외에서 차를 팔던 찻집. =〔雨来散〕
〔野传〕 yěchuán 명 (야구에서) 폭투. ¶～球; 패스 볼.
〔野炊〕 yěchuī 동 야외 취사하다. 캠프 취사하다.
〔野次〕 yěcì 명 노숙(露宿).
〔野大豆〕 yědàdòu 명 《植》 돌콩.
〔野大夫〕 yědàifū 명 ⇨〔蒙měng古大夫〕
〔野刀板藤〕 yědāobǎnténg 명 《植》 작두콩. =〔刀豆〕
〔野的你呢〕 yědenǐne 〈罵〉 멍청하구나, 너는 멍텅구리.
〔野地〕 yědì 명 ①밭. ②들. 황야.
〔野刁〕 yědiāo 형 악랄하고 난폭하다. ¶这个流氓～得利害; 이 건달은〔불량배는〕 매우 난폭하다.
〔野调〕 yědiào 형 조야(粗野)하다. 품위가 없다.
〔野调无腔〕 yě diào wú qiāng 〈成〉 (말씨가) 난폭하고 무례하다. 야비하다. 퉁명스럽다. ¶她～惯了, 倒不在乎, 父母可是看着她心焦; 그녀는 외양에 개의치 않는데 익숙해서 아무렇지도 않게 생각하지만, 부모들은 그녀를 보고 안타까워한다 / 在国会里有些议员～地胡说乱道, 岂不是有失体统吗? 국회 안에는 방자하고 무례하게 함부로 말하는 의원도 있으니, 정말 체통을 잃은 것이 아닌가?
〔野蛾〕 yě'é 명 ⇨〔凤fèng蝶〕
〔野鹅〕 yě'é 명 (야생의) 거위. =〔驾jià鹅〕
〔野夫〕 yěfū 명 〈文〉 촌부. 시골 사람.
〔野服〕 yěfú 명 〈文〉 ①농사꾼의 옷. ②(관복에 대하여) 평민의 의복.
〔野扛〕 yěgàng 동 빈둥빈둥 놀러 다니다.
〔野鸽(子)〕 yěgē(zi) 명 《鳥》 양(洋)비둘기. =〔原鸽〕 →〔鸽子〕
〔野葛〕 yěgé 명 ①《植》 칡. ②⇨〔钩吻①〕
〔野狗〕 yěgǒu 명 《動》 들개. =〔野犬〕
〔野果〕 yěguǒ 명 야생의 과실.
〔野孩子〕 yěháizi 명 버릇없는 아이. 골목 대장.
〔野海〕 yěhǎi 명 이름모르는 바다. 어딘가에 있는 바다.
〔野汉子〕 yěhànzi 명 ①〈罵〉 샛서방. 간부(姦夫). ¶姘pīn～; 간부(姦夫)와 밀통하다. ②말뼈. 거칠고 촌스러운 남자. ③떠돌이 사나이. ④정체가 수상한 사나이.
〔野合〕 yěhé 동 야합하다. 사통(私通)하다.
〔野鹤〕 yěhè 명 ①야학. 들에 사는 두루미. ②〈比〉 은사(隱士).
〔野狐禅〕 yěhúchán 명 《佛》 야호선.
〔野胡椒〕 yěhújiāo 명 《植》 백동백나무.
〔野胡萝卜〕 yěhúluóbo 명 《植》 ①긴사상자. ②당근의 원생종.
〔野花(儿)〕 yěhuā(r) 명 ①들꽃. 야생화. ②〈轉〉 창부. 창기(娼妓). ¶家花不如～香, ～不如家花甜; 〈諺〉 아내는 창부의 호리는 솜씨에는 못 당하지만, 창부는 아내의 진실에 미칠 수 없다.
〔野茴香〕 yěhuíxiāng 명 ①'马mǎ蕲'(개회향)의 별명《미나릿과의 풀》. ②⇨〔蛇shé床〕
〔野火〕 yěhuǒ 명 ①야화. 들을 태우는 불. ¶～烧不尽, 春风吹又生; 〈成〉 들의 풀을 태워도 뿌리는 죽지 않고, 봄바람이 불면 다시 자라난다 / ～燎liáo原; 들불이 벌판을 태우다 / ～不及, 斧斤不至; 들불은 미치지 못하고, 나무꾼의 도끼는 이르지 못한다. 〈比〉 깊은 산의 형용. =〔野烧〕 ②도깨비불.
〔野火球〕 yěhuǒqiú 명 《植》 달구지풀. =〔野火萩〕〔野车轴草〕
〔野货〕 yěhuò 명 ①산이나 들에서 잡히는 새·짐승. ②〈俗〉 음탕한 여자. 난잡한 여자. ¶你到处去找～, 小心碰见放白鸽的; 너는 여기저기 여자를 꾀러 다니는데, 미인계에 걸리지 않도록 조심해라.
〔野鸡〕 yějī 명 ①《鳥》 꿩. ¶～膀子; 《植》 면마 / ～尾; 《植》 선바위고사리. =〔〈方〉 山shān鸡〕 ②〈轉〉 옛날, 매춘부. 밤거리의 여인. ③룸펜. ④〈轉〉 무허가. 잠상(潛商).
〔野鸡脖儿〕 yějībór 명 《植》 뿌리가 빨간 부추의 일종.
〔野鸡车〕 yějīchē 명 〈俗〉 옛날, 불법 운행을 하는 택시. ¶叫一辆～, 价钱便宜点儿, 可是靠不住; 불법 운행차를 부르면 값은 싸지만 믿을 수가 없다.
〔野鸡大学〕 yějī dàxué 명 〈俗〉 옛날, 엉터리 대학. 무허가 대학. ¶上～混张文凭, 总比上查礼顿大学好些; 엉터리 대학에서 제대로 공부도 하지 않고 졸업장을 받더라도 찰스턴 대학에 가는 것보다는 낫다《'查礼顿大学'는 '家里蹲dūn大学'(집에서 죽치고 있는 대학. 먹고 대학)을 영어식으로 비꼬아 흉내낸 말로, 전에, 베이징(北京)의 '相xiàng声'(만담) 등의 개그》.
〔野鸡店〕 yějīdiàn 명 ⇨〔野鸡小店儿〕
〔野鸡飞进饭锅里〕 yějī fēijìn fànguōli 〈諺〉 뜻밖의 횡재. 굴러온 떡.
〔野鸡冠(花)〕 yějīguān(huā) 명 《植》 개맨드라미. =〔青qīng葙〕
〔野鸡轮船〕 yějī lúnchuán 명 옛날, 허가 없는 임대 기선. ¶雇一条～偷渡过去; 임대 기선을 한 척 세내어 몰래 건너갔다.
〔野鸡小店儿〕 yějī xiǎodiànr 명 옛날, 무허가 여인숙. =〔野鸡店〕
〔野鸡小工〕 yějī xiǎogōng 명 옛날, 거지 품팔이꾼.
〔野鸡学校〕 yějī xuéxiào 명 옛날, 무허가 학교. →〔野鸡大学〕
〔野妓〕 yějì 명 옛날, 밤의 여인. 창녀. 가창(街娼).
〔野祭〕 yějì 동 ①산야(山野)에서 제사 지내다. ②청명절(淸明節)에 성묘하다.
〔野景(儿)〕 yějǐng(r) 명 야외의 경치. 교외의 풍경. 야경. ¶我就爱上郊外看个～什么的; 나는 교외에 나가 야외의 경치를 보는 것을 좋아한다.
〔野韭菜〕 yějiǔcài 명 《植》 산달래.
〔野菊〕 yějú 명 《植》 산국(山菊)《국화과의 산야에 나는 다년초, 꽃을 약용함》. =〔野菊花〕〔苦kǔ薏〕
〔野客〕 yěkè 명 ①〈文〉 산야(山野)에 사는 사람. 〈轉〉 퇴관(退官)한 사람. 재야의 정객(政客). ¶～骚人就爱谈虎论政; 재야의 정객이나 불평을 품고 있는 사람은 정치를 비평하거나 논하는 일을 좋아한다. ②⇨〔野蔷qiáng薇〕
〔野兰〕 yělán 명 야생의 난초.

〔野老〕 yělǎo 명 ①야로. 농촌에 사는 노인. ②거칠고 촌스럽고 예의를 모르는 노인. ③〈轉〉 노인 자신의 겸칭.
〔野陋〕 yělòu 형 〈文〉 조야하고 고루하다. 야비하다. ¶请恕我～寡闻; 나의 야비하고 무식함을 용서하여 주십시오.
〔野录〕 yělù 명 ⇨〔野史〕
〔野驴〕 yělǘ 명 ①《動》 야생 당나귀(티베트·몽골산(産)). =〔蒙měng驴〕 ②난폭한 녀석.
〔野驴子〕 yělǘzi 명 〈比〉 세상 물정을 모르는 야인. 벽창호. 〈罵〉 바보같은 놈〔자식〕. ¶这～不讲理, 跟他办事他就撂蹶子liàojuězi踢人; 이놈은 엉뚱해서, 겨우 일을 처리하면 곧 남을 뒷발로 걷어찬다.
〔野骡子〕 yěluózi 명 세상 물정을 모르는 야인. 완고한 사람(후난(湖南) 사람에 대한 야유의 말. 노새는 고통을 참고 무거운 물건을 날라 먼데까지 가지만, 성깔이 있는 동물). ¶他有个像～似的强jiàng脾气; 그는 완고해서 남의 말을 듣지 않는 버릇이 있다.
〔野麻〕 yěmá 명 ①《植》 야생의 삼의 총칭. ②⇨〔罗luó布麻〕
〔野马〕 yěmǎ 명 ①《動》 야생마(몽골 초원의 말). ②《動》 길들지 않은 말. ③〈比〉 거칠고 대담한 사람.
〔野马龙驹〕 yěmǎ lóngjū 명 길들지 않은 준마. 〈比〉 재주는 있으나 남의 말을 듣지 않는 거만한 사람. ¶他是个～, 只要驾驭得好, 会给你好好儿地做事的; 그는 재주는 있어도 오만한 인간이라, 잘만 통제하면 당신을 위해서 훌륭히 힘써줄 것이다.
〔野马式飞机〕 yěmǎshì fēijī 명 미국의 무스탕(mustang) 전투기.
〔野马脱缰〕 yěmǎ tuō jiāng 〈比〉 무서운 기세로 튀어나가는 일. 고삐 풀린 말. ¶一放学他就像～似地欢蹦乱跳着跑出去了; 수업이 끝나자 그는 고삐 풀린 말처럼 기뻐 날뛰며 뛰어나갔다.
〔野马无缰〕 yě mǎ wú jiāng 〈成〉 고삐 풀린 야생마. 방종하여 휘어잡을 수 없다. ¶你这么～地乱干可不成; 너 이렇게 수습할 수 없을 정도로 터무니없는 짓을 해서는 안된다.
〔野麦〕 yěmài 명 ⇨〔雀què麦〕
〔野蛮〕 yěmán 형 ①야만스럽다. 미개(未開)하다. ②잔인하다. 난폭하다. 상스럽다. ¶～的屠杀; 잔인한 대학살 / ～行为; 잔인한 행위.
〔野猫〕 yěmāo 명 ①《動》 너구리. ②《動》〈方〉 야생 토끼. ③《動》 도둑고양이. ④《動》 살쾡이. ⑤〈比〉 예의를 모르는 우악스러운 사람을 가리키는 말. ¶好人不当, 却当～到处偷食吃; 좋은 사람이 못 되고, 도둑고양이처럼 가는 곳마다 음식을 훔쳐 먹는다.
〔野棉花〕 yěmiánhuā 명 《植》 아네모네.
〔野木瓜〕 yěmùguā 명 《植》 멀꿀.
〔野苜蓿〕 yěmùxu 명 《植》 전동싸리.
〔野衲〕 yěnà 명 ①시골에 사는 중. ②〈謙〉 소승(小僧). 빈도(貧道).
〔野男人〕 yěnánrén 명 〈罵〉 ①쓸모없는 놈. ②샛서방. 정부(情夫). ¶一个女人在外面走, 一定想引诱～; 여자가 밖을 혼자서 걷는 것은 반드시 외간 남자를 끌어들이려는 것이다.
〔野娘们〕 yěniángmen 명 ①말괄량이. 왈가닥. ②행실이 나쁜 여자. ③매춘부.
〔野酿〕 yěniàng 명 〈比〉 박주. 변변치 않은 술.
〔野鸟〕 yěniǎo 명 야조. 야금(野禽). =〔野禽〕
〔野牛〕 yěniú 명 《動》 ①들소. ¶美洲～ =〔欧洲～〕; 《動》 바이슨(미국산·유럽산 들소의 총칭). ②길들지 않은 소. ③암무소.
〔野女人〕 yěnǚrén 명 정부(情婦). ¶我们清白世家, 不许把～带进门的; 우리의 깨끗한 가문에 정부를 데리고 들어오는 것을 용서하지 못합니다. →〔野男人〕
〔野牌货〕 yěpáihuò 명 ①조잡한 물건. ②위조품.
〔野盘儿〕 yěpánr 명 노숙(露宿). ¶打～; 노숙하다. 야영하다 / 扎zhā～露营; 야영하다. →〔野营〕
〔野炮〕 yěpào 명 《軍》 야포.
〔野葡萄〕 yěpútao 명 《植》 ①개머루. =〔蛇shé葡萄〕 ②까마귀머루(포도과의 덩굴풀). =〔蘡yīng薁〕
〔野漆树〕 yěqīshù 명 《植》 거망옻나무.
〔野畦〕 yěqí 명 〈文〉 논두렁. 두렁길.
〔野气〕 yěqì 명 〈俗〉 거칠 것이 없는 상태. 활발한 기운. ¶这些日子生意真是～; 요즘은 장사가 정말 확대 일로에 있다.
〔野蔷薇〕 yěqiángwēi 명 《植》 찔레나무. =〔多花蔷薇〕〔〈文〉 野客②〕
〔野禽〕 yěqín 명 ⇨〔野鸟〕
〔野情〕 yěqíng 명 ①산야 또는 시골의 정취. ②산야를 그리워하는 마음. ¶窗外碧绿绿的有点儿～; 창밖은 녹음이 푸릇푸릇하여 제법 시골 정취가 있다. ‖ =〔野意〕
〔野球〕 yěqiú 명 《體》 ①(럭비 등에서) 터치 라인 바깥에 나간 공. ②야구. =〔棒bàng球〕
〔野趣〕 yěqù 명 〈文〉 전원의 정취. ¶～横生; 전원의 정취가 물씬 풍기고 있다.
〔野犬〕 yěquǎn 명 ①⇨〔野狗〕 ②개의 일종(헤이룽 강(黑龍江) 부근에서 남).
〔野雀无粮天地宽〕 yěquè wúliáng tiāndì kuān 〈諺〉 들의 참새는 먹이가 없어도 천지의 광대함은 그들을 굶주리게 하는 일은 없다(세상은 넓어 어떻게든 살 수 있다). →〔老lǎo天饿不死人〕
〔野鹊子〕 yěquèzi 명 ⇨〔喜xǐ鹊〕
〔野人〕 yěrén 명 ①야인. 재야의 사람. 민간인. ¶～不问政; 야인은 정치를 묻지 않는다 / 无君子莫治～, 无～莫养君子; 군자가 없으면 평민을 다스릴 수 없고, 평민이 없으면 군자를 부양하지 못한다. ②미개인. ③순박한 사람. 시골 사람. 농민. ④오랑우탄. =〔猩xīng猩〕
〔野人头〕 yěréntóu 명 (겉보기뿐인) 가짜 물건.
〔野人献曝〕 yěrén xiànpù 촌사람이 따뜻한 햇살을 바치다. 〈謙〉 소박한〔어리석은〕 사람의 성의의 선물. ¶我就是像～似地贡献这点儿诚意; 저는 다만 촌사람이 햇살을 선물하는 것과 같은 작은 성의를 드릴 뿐입니다.
〔野人献芹〕 yěrén xiàn qín 〈謙〉 시골 사람이 미나리를 바치다(남에게 선물을 드리다).
〔野山参〕 yěshānshēn 명 《植》 야생 인삼. 산삼. →〔人rén参〕
〔野山药〕 yěshānyào 명 《植》 참마. =〔野薯蓣shǔyù〕
〔野山楂〕 yěshānzhā 명 《植》 산사나무.
〔野烧〕 yěshāo 명 ⇨〔野火①〕
〔野芍药〕 yěsháoyào 명 《植》 산작약.
〔野生〕 yěshēng 명동 (동물·식물이) 야생(하다). ¶～的花草; 야생의 화초.
〔野牲口〕 yěshēngkǒu 명 산〔들〕짐승. 길들이지 않은 가축.

〔野食儿〕 yěshír 명 ①산야(山野)에서 채취하는 음식. ¶打～; 조수(鳥獸)를 잡다 / 上外头打～吃; 밖에 나가 새나 짐승을 잡아먹다 / ～滋味美; 산짐승의 고기맛은 좋다. ②(조수의) 야외에서의 먹이. ③〈轉〉 본래의 직무 이외의 소득. 불시(不時)의 소득. ¶这顿～吃得不错; 이 뜻밖의 소득이 괜찮다. ④〈轉〉 유부녀가 외간 남자와 밀통함.
〔野史〕 yěshǐ 명 야사. ¶从～里找到许多珍贵的参考资料; 야사 속에서 많은 귀중한 참고 자료를 찾아 내다. =〔野录〕↔〔正zhèng史〕
〔野屎〕 yěshǐ 명 들에 눈 똥. ¶这是谁拉的～, 叫人踩cǎi了一脚; 이것은 누가 눈 똥이냐, 밟고 말았다. 동 〈比〉 함부로 빚을 지거나 금전 때문에 말썽을 일으키다. ¶他竟在外头拉～叫人给他收拾; 그는 밖에서 함부로 빚을 지고 다른 사람이 뒷수습을 하게 만들고 있다. →〔撒sā烂污〕
〔野事儿〕 yěshìr 명 ①오른 길에서 벗어난 일. 외도. ②〈轉〉 정사에 관한 이야기. 남자〔여자〕 관계. ¶他那些花花草草的～可多了; 그는 그런 정사에 관한 화제가 매우 많다.
〔野兽〕 yěshòu 명 야수. 들짐승. →〔野牲口〕
〔野蜀葵〕 yěshǔkuí 명 ⇨〔鸭yā儿芹〕
〔野鼠〕 yěshǔ 명 《動》 들쥐. =〔爬pá山鼠〕〔田鼠①〕
〔野薯蓣〕 yěshǔyù 명 ⇨〔野山药〕
〔野台子戏〕 yětáizixì 명 가설 무대 연극《거적으로 임시로 막을 치고 공연하는 연극》.
〔野摊儿〕 yětānr 명 노점(露店). ¶摆bǎi～; 노점을 내다.
〔野天门冬〕 yě tiānméndōng 명 ⇨〔百bǎi部〕
〔野头野脑〕 yě tóu yě nǎo 〈成〉 거칠고 촌스러운 모양. ¶北京饭店开跳舞会, 老五这么～的怎么能出场呢; 베이징(北京) 호텔에서 무도회가 열리는데, 노오는 이런 촌스러운 꼴로 어떻게 출장할 수 있겠는가.
〔野兔〕 yětù 명 《動》 산토끼.
〔野外〕 yěwài 명 야외. 교외. ¶～操演 =〔野操〕; 야외 연습 / ～工作; 야외에서 행해지는 일 / 去～考察; 야외에 고찰하러 가다.
〔野豌豆〕 yěwāndòu 명 《植》 ①갯완두. =〔海边香豌豆〕 ②살갈퀴. =〔野菜豆〕〔巢cháo菜〕
〔野味〕 yěwèi 명 사냥감.
〔野味肉〕 yěwèiròu 명 야생 조수(鳥獸)의 고기.
〔野梧桐〕 yěwútóng 명 《植》 예덕나무.
〔野西瓜苗〕 yěxīguāmiáo 명 《植》 수박풀.
〔野悉蜜花〕 yěxīmìhuā 명 《植》 말리화(茉莉花). =〔素sù馨花〕
〔野苋〕 yěxiàn 명 《植》 개비름《비름과의 1년초》. =〔细xì苋〕〔猪zhū苋〕
〔野苋豆〕 yěxiàndòu 명 《植》 개비름.
〔野小子〕 yěxiǎozi 명 〈罵〉 ①흐리터분한 놈. 무례한 놈. ②방자한 사내 녀석. 버릇없는 젊은이. ¶哪儿来的～在我们这儿撒村; 여기까지 와서 야비한 소리를 하고 있는 자는 어디서 굴러 온 놈이냐.
〔野心〕 yěxīn 명 ①야심. 흉계를 꾸미는 마음. 탐욕스럽고 도리에 어긋난 마음. 방자한 마음. ¶～勃勃; 〈成〉 야심만만 / 见财起～; 재물을 보고 야심을 일으키다 / ～狼; 늑대 같은 야심가. ②전원 생활에 취미를 갖는 마음.
〔野心家〕 yěxīnjiā 명 야심가. ¶有些国际～老盘算着怎么侵略别人; 국제적 야심가 가운데에는 어떻게 하면 남을 침략할까 항상 계획하고 있는 자가 있다.
〔野性〕 yěxìng 명 ①야성. 거친 성질. 방종한 성질. ②전원의 한적함을 즐기는 성질. 형 (성격이) 거칠다. 제멋대로이다.
〔野鸦椿〕 yěyāchūn 명 《植》 말오줌대.
〔野鸭(子)〕 yěyā(zi) 명 《鳥》 물오리. =〔水鸭〕
〔野亚麻〕 yěyàmá 명 《植》 개아마.
〔野燕〕 yěyàn 명 《鳥》 칼새.
〔野燕麦〕 yěyànmài 명 《植》 메귀리. (야생의) 귀리. →〔燕麦〕
〔野羊〕 yěyáng 명 ⇨〔山shān羊〕
〔野意〕 yěyì 명 ⇨〔野情〕
〔野意儿〕 yěyìr 명 〈謙〉 소박한 취향(趣向). ↔〔雅意yǎyì儿〕
〔野营〕 yěyíng 명동 야영(하다). 노숙(하다). 캠프(하다). ¶～训练; 야영과 야외 실지 훈련. →〔野盘儿〕
〔野芋〕 yěyù 명 《植》 '芋头'(토란)의 야생종.
〔野鸳鸯〕 yěyuānyāng 명 〈比〉 ①정식 결혼을 하지 않은 부부. 야합(野合)한 부부. ②밀통한 남녀. ¶一对～到旅馆开房间去了; 아베크가 여관에서 방을 빌려 밀회했다.
〔野葬〕 yězàng 명 야장《인도의 장례법의 하나로, 죽은 사람을 숲 속에 버려 금수로 하여금 먹게 하는 것》.
〔野灶〕 yězào 명 《軍》 야외에 임시로 만든 아궁이.
〔野战〕 yězhàn 명 《軍》 야전. ¶～军; 야전군 / ～炮; 야포 / ～队; 야전대 / ～医院; 야전 병원 / ～八方; 팔방으로 야전하러 가다.
〔野丈人〕 yězhàngrén 명 ⇨〔白bái头翁③〕
〔野芝麻〕 yězhīma 명 《植》 광대수염.
〔野种〕 yězhǒng 명 〈罵〉 ①아비 없는 후레자식. ②의붓자식. 타성(他姓)에 들여 온 양자.
〔野仲〕 yězhòng 명 〈文〉 악귀(惡鬼).
〔野猪〕 yězhū 명 《動》 멧돼지. ¶～鬃; 돼지털.
〔野馔〕 yězhuàn 명 〈謙〉 변변치 않은 음식. ¶只备了一点～, 请您尝尝, 真是不成敬意; 변변치 않은 음식입니다만 아무쪼록 맛이나 보십시오. 정말 예가 아닌 줄 압니다만. →〔便biàn饭〕
〔野籽〕 yězǐ 명 야생의 종자〔씨앗〕. ¶～野草样样是宝; 야생의 종자와 풀은 모두 귀중한 것이다.

叶(葉) yè (엽)

①(～儿, ～子) 명 잎사귀. ¶落luò～; 낙엽 / 桑sāng～; 뽕잎. ② 양 〈文〉 엽《잎사귀처럼 얇은 것을 세는 단위》. ¶一～扁舟; 일엽 편주. ③ 명 세(世). 시대. ¶奕yì～; 여러 세대. 누대 / 由十九世纪末～至二十世纪中～是伟大的历史时代; 19세기 말부터 20세기의 중엽까지는 위대한 역사 시대였다. ④ 명 패. 종이. ⑤ ⇨〔页〕 ⑥ 명 꽃잎. ¶千～莲; 천엽 연꽃 / 千～桃; 천엽 복숭아꽃. ⑦ 명 얇은 조각. ¶铁tiě～; 철판 / 百～窗; 블라인드 ⑧ 명 성(姓)의 하나. ⇒xié
〔叶斑病〕 yèbānbìng 명 《農》 (식물의) 흑반병(黑斑病).
〔叶柄〕 yèbǐng 명 《植》 엽병. 잎자루.
〔叶蝉〕 yèchán 명 《蟲》 멸구. 매미충. ¶黑尾～; 풀멸구. =〔〈俗〉 浮fú尘子〕
〔叶稻瘟〕 yèdàowēn 명 《農》 잎도열병.
〔叶底珠〕 yèdǐzhū 명 《植》 광대싸리.
〔叶蜂〕 yèfēng 명 《蟲》 잎벌.
〔叶公好龙〕 Yè gōng hào lóng 〈成〉 섭공 호룡. 표면상으로 애호할 뿐이고, 실제로는 애호하지 않음의 비유. 좋고 나쁨도 모르고 사랑함. ¶他交朋友就跟～似的, 真假不分, 好人也不来了; 그의 교우 관계는 섭공이 용을 좋아하는 것과 같아, 참된

친구나 엉터리 친구나 똑같이 대해서, 좋은 친구도 찾아오지 않게 되었다 / 现而今的社会像～的人多, 无非是自己骗自己罢了; 오늘날의 사회에는 섭공처럼 용을 좋아하는 이가 많지만, 스스로 자기를 속이고 있는 데 지나지 않는다.

〔叶红素〕 yèhóngsù 명 《化》 카로틴(carotin). =〔胡hú萝卜素〕

〔叶黄素〕 yèhuángsù 명 《化》 엽황소. 잎노랑이. 크산토필(Xanthophyll).

〔叶基〕 yèjī 명 ⇨〔叶脚〕

〔叶迹〕 yèjì 명 《植》 엽적(줄기에서 잎에 이르는 사이의 관다발〔유관속(維管束)〕).

〔叶脚〕 yèjiǎo 명 《植》 엽각(잎과 잎자루가 접하는 부분). =〔叶基〕

〔叶金〕 yèjīn 명 금박(金箔).

〔叶筋(儿)〕 yèjīn(r) 명 ⇨〔叶脉〕

〔叶卷虫〕 yèjuǎnchóng 명 《蟲》 엽권충(잎을 말아 그 속에 사는 습성을 가진 벌레의 총칭).

〔叶块繁殖〕 yèkuài fánzhí 《農》 엽아(葉芽) 번식. 잎꽂이(꺾꽂이의 하나).

〔叶蜡石〕 yèlàshí 명 《鑛》 엽납석.

〔叶列〕 yèliè 명 ⇨〔叶序〕

〔叶绿醇〕 yèlǜchún 명 《化》 피톨(phytol).

〔叶绿素〕 yèlǜsù 명 《植》 엽록소.

〔叶绿酸〕 yèlǜsuān 명 《化》 클로로필린.

〔叶绿体〕 yèlǜtǐ 명 《植》 엽록체.

〔叶轮〕 yèlún 명 《機》 날개 바퀴. ¶高速～; 고속도 날개 바퀴 / ～泵 =〔叶片泵〕; 윙 펌프.

〔叶落归根〕 yè luò guī gēn 〈成〉 잎은 떨어져서 뿌리로 돌아간다. 무슨 일이든지 정해진 귀결이 있음의 비유. 옛날에는 타향살이를 하는 사람도 결국은 고향으로 돌아가려고 함을 가리켰음. ¶不论问题怎么发展蔓延, ～总是要解决的; 문제가 아무리 커져도, 잎은 떨어져 뿌리로 돌아가는 것이어서, 결국은 해결되는 것이다.

〔叶落枝残〕 yè luò zhī cán 〈成〉 늙어서 용색(容色)이 쇠하다. 노쇠하다.

〔叶落知秋〕 yè luò zhī qiū 〈成〉 한 잎의 낙엽으로 가을을 알다. 미미한 것으로 큰 변화의 징조를 알다. ¶～, 他只开了一张空头支票, 我已经看出他们公司的信用不成了; 하나를 보면 열을 안다고, 그가 부도어음 한 장을 낸 탓에, 나는 이미 그들 회사의 신용이 없다는 것을 알았다. =〔一叶知秋〕

〔叶脉〕 yèmài 명 《植》 엽맥. 잎맥. =〔叶筋(儿)〕

〔叶面施肥〕 yèmiàn shīféi 명 《農》 엽면 시비. =〔根gēn外施肥〕

〔叶尼塞河〕 Yènísèhé 명 《地》 예니세이 강(江).

〔叶片〕 yèpiàn 명 ①《植》 엽편. 잎의 편평한 부분〔주요 부분〕. =〔叶身〕 ②《機》 (터빈·펌프 등의) 날개.

〔叶鞘〕 yèqiào 명 《植》 엽초. 잎집.

〔叶儿〕 yèr 명 《植》 잎.

〔叶肉〕 yèròu 명 《植》 엽육. 잎살.

〔叶身〕 yèshēn 명 ⇨〔叶片①〕

〔叶虱〕 yèshī 명 《蟲》 엽충. 잎벌레.

〔叶甜菜〕 yètiáncài 명 《植》 근대. =〔叶用菾菜〕〔〈方〉 牛皮菜〕〔厚皮菜〕

〔叶铁〕 yètiě 명 ⇨〔黑hēi铁皮〕

〔叶莴苣〕 yèwōjù 명 《植》 상추.

〔叶下珠〕 yèxiàzhū 명 《植》 여우구슬.

〔叶锈病〕 yèxiùbìng 명 《農》 (곡물의) 적수병(赤銹病).

〔叶序〕 yèxù 명 《植》 엽서. 잎차례. =〔叶列〕

〔叶芽〕 yèyá 명 《植》 엽아. 잎눈.

〔叶烟〕 yèyān 명 ①잎담배. ②살담배.

〔叶叶〕 yèyè 명 〈方〉 잎사귀.

〔叶腋〕 yèyè 명 엽액. 잎겨드랑이.

〔叶用菾菜〕 yèyòng tiáncài 명 《植》 근대. =〔叶甜菜〕〔菾菜①〕〔〈方〉 厚hòu皮菜〕〔〈文〉 牛niú皮菜〕

〔叶张〕 yèzhāng 명 페이지. ¶这本书里有的～脱落了; 이 책에는 페이지의 탈락이 있다(낙장(落張)이 있다).

〔叶针〕 yèzhēn 명 《植》 엽침.

〔叶枝〕 yèzhī 명 《農》 (목화나 과수의) 도장지(徒長枝).

〔叶子〕 yèzi 명 ①《植》〈俗〉 잎사귀. ②트럼프. 화투. ③금박(金箔). ④페이지. 면(面). =〔书页〕 ⑤(가루차(茶)에 대하여) 보통의 찻잎. ⑥〈簡〉 (말리기만 한) 잎담배. =〔叶子烟〕

〔叶子板〕 yèzibǎn 명 ⇨〔挡dǎng泥板〕

〔叶子戏〕 yèzixì 명 옛날, 도박 도구('纸牌'(카드)의 일종). =〔叶子②〕〔叶子格〕

〔叶子烟〕 yèziyān 명 햇볕에 말리거나 또는 특별한 건조법에 의해 건조시키고, 그 이상의 가공을 하지 않은 담배 잎.

业(業) yè (업)

①명 일. 업무. 영업. ¶农nóng～; 농업 / 停tíng～; 영업 정지하다 / 歇xiē～; 휴업하다. ②명 학업. ¶荒废学～; 학업을 게을리하다 / 肄yì～; 수업하다. 수료하다 / 毕bì～; 졸업(하다) / 始shǐ～; 학업을 시작하다. ③명 일. 직업. ¶职zhí～; 직업 / 专zhuān～; 전업 / 就～; 취업하다 / 转～; 전업하다. ④명 사업(事業). 공적. ¶～绩; ⇓ ⑤명 《佛》 과거의 악업(惡業). 죄업. ⑥동 …을 업으로 삼다. 종사하다. 경영하다. ¶～农; 농업을 경영하다. ⑦명 기술. ¶艺yì～; 기교. 기술 / ～精于勤; 기술은 근면에 의해서 향상된다. ⑧부 이미. ¶～得复信; 이미 답신은 받았다 / ～经整理; 이미 정리를 끝냈다. =〔业已〕〔已经〕 ⑨명 재산. 부동산. ¶家～; 가업. 가산(家産). / ～主; ⇓ ⑩→〔业业〕 ⑪명 성(姓)의 하나.

〔业报〕 yèbào 명 《佛》 업보. 악업의 되갚음. ¶他这样作恶, 难道不怕～吗? 그는 이런 나쁜 짓을 하고, 설마 업보를 두려워하지 않는 것은 아니겠지?

〔业簿〕 yèbù 명 《佛》 중생의 선악의 업을 기록한 저승의 장부.

〔业产〕 yèchǎn 명 부동산. 가산.

〔业尔仓巴〕 yè'ěrcāngbā 명 티베트의 양식(糧食)을 관장하던 관리.

〔业果〕 yèguǒ 명 《佛》 업과. 선업(善業)·악업(惡業)의 과보. 업보. ¶善人的～得善报, 恶人的～得恶报; 착한 사람의 업과는 선보(善報)를 얻고, 나쁜 사람의 업과는 악보(惡報)를 얻는다.

〔业海〕 yèhǎi 명 업해. 악업(惡業)의 바다. ¶可怜人们浮沉于～之中而不自知; 가련하구나, 사람들은 업해 속에 부침하면서 스스로는 모른다.

〔业户〕 yèhù 명 ①가옥·전지 등의 부동산의 소유자. ②영업자(營業者).

〔业荒于嬉〕 yè huāng yú xī 〈成〉 학문·기예 등은 놀고 있으면 퇴보한다. →〔业精于勤〕

〔业火〕 yèhuǒ 명 《佛》 업화. ①악업(惡業)의 갚음으로 받는 괴로운 응보(應報). 지옥의 사나운 불. ¶～烧身; 업화로 몸을 불사르다 / 无明～; 무명의 업화. ②공덕을 손상시키는 악업. ③〈比〉 불.

〔业绩〕 yèjì 명 업적. 성과. ¶他已有相当～, 够做

教授; 그는 교수가 될 만한 업적이 있다.
〔业经〕 yèjīng 부 〈文〉 이미. 벌써. ¶～呈报在案; 이미 신고가 끝나 등록되어 있다 / 此事～解决; 이 일은 이미 해결되었다. =〔〈文〉 业已〕
〔业精于勤, 荒于嬉〕 yè jīng yú qín, huāng yú xī 〈成〉 학문·기예는 근면하면 진보하고, 놀고 있으면 퇴보한다.
〔业镜〕 yèjìng 명 《佛》 업경《저승에서 중생의 선악을 비추는 거울》.
〔业农〕 yènóng 동 〈文〉 농사를 가업으로 삼다. ¶世代～; 대대로 농사를 업으로 하다.
〔业契〕 yèqì 명 토지 소유권 증명서.
〔业师〕 yèshī 명 〈文〉 (직업상의) 은사. 스승. ¶贵guì～; 〈敬〉 당신의 선생님 / 敝bì～; 〈謙〉 저의 선생님.
〔业务〕 yèwù 명 업무. 실제면의 일. 전문 업무. ¶～学习; 업무상의 학습 / ～挂帅; 업무 제일. 업무 우선 / 祝您～发达! 당신의 업무의 발전을 기원합니다! / 精通～; 업무에 정통하다 / 公司里～繁忙; 회사의 업무가 바쁘다 / 经理指导～方针; 지배인이 업무 방침을 지도하다.
〔业校〕 yèxiào 명 〈簡〉 ⇨〔业余(补习)学校〕
〔业业〕 yèyè 형 〈文〉 조심하고 삼가는 모양. ¶兢兢jīngjīng～; 조심스럽고 신중한 모양.
〔业已〕 yèyǐ 부 〈文〉 이미. ¶～调查属实; 이미 조사가 끝난 사실이다. =〔已经〕
〔业因〕 yèyīn 명 ⇨〔业缘〕
〔业余〕 yèyú 형 ①여가의. 근무 시간 외의. ¶～劳动; 아르바이트 / ～学校; 근로자가 노동 시간 외의 시간에 학습하는 학교. ②아마추어의. ¶～剧团; 아마추어 극단 / ～爱好者; 아마추어 / ～运动员; 아마추어 운동 선수 / ～无线电务员; 햄(ham). 아마추어 무선사 / ～资格; 아마추어 자격.
〔业余(补习)学校〕 yèyú (bǔxí) xuéxiào 명 노동자·농민이 일하는 틈틈이 공부하는 학교(‘业余初等学校’, ‘业余初等中学’, ‘业余高级中学’이 있으며, 대학에 진학할 수 있음). =〔业校〕
〔业余大学〕 yèyú dàxué 명 노동 시간외에 학습하는 대학. =〔业大〕
〔业余教育〕 yèyú jiàoyù 명 성인 교육. 업무외 교육.
〔业余文化补习学校〕 yèyú wénhuà bǔxí xuéxiào 명 (농촌이나 각 공장 부설의) 근무 시간외 문화 보습 학교.
〔业冤〕 yèyuān 명 〈文〉 죄장(罪障). 업원. ¶这孩子不听话, 真是我的～啊; 이 아이는 말을 듣지 않는데, 정말 내 인생의 업보이다.
〔业缘〕 yèyuán 명 《佛》 업인(業因). 업보의 인연. ¶生死所趣善恶～; 생사가 향하여 가는 곳은, 선악의 업인이니라 / 唉! 我跟你也不是前世修的什么～, 老是这么磕磕绊绊的; 이봐, 나와 너는 전생에 어떤 인연을 쌓았길래 늘 툭탁툭탁 싸움만 하고 있지 / 二人相会, 总是有个～的; 두 사람이 만난 것은 모두 인연이 있어서다. =〔业因〕
〔业障〕 yèzhàng 명 ①《佛》 업. 업장. 죄업. =〔孽障〕 ②〈罵〉 못난 자식. 애물. ③고아가 된 자식. ¶这孩子一没有亲妈, 成了～了; 이 아이는 부모가 세상을 뜬 뒤로 가엾은 고아가 되었다. ④육친간(肉親間)의 끊을 수 없는 지겨운 인연.
〔业种〕 yèzhǒng 명 〈罵〉 천벌을 받을 놈. 나쁜 놈. ¶你们这两个～啊, 可害苦了我了; 너희들 이 두 나쁜 놈들, 나를 괴롭히는구나.
〔业主〕 yèzhǔ 명 ①부동산의 소유자. ¶～不盖章, 所以我不能租他的地来盖房; 소유자가 도장을 찍지 않으므로, 나는 그의 땅을 빌려서 집을 지을 수가 없다. ②사업주. 기업주.

邺(鄴) Yè (업)

명 ①《史·地》 춘추 시대 제(齊)나라의 읍(邑). ②《地》 한(漢)나라 시대의 현(縣)의 이름(현재의 허베이 성(河北省) 임장 현(臨漳縣)의 서쪽. 삼국 시대 이후 두 개의 현(縣) 이름이 됨. 북성(北城)은 '②'와 같으며, 남성(南城)은 현재의 허난 성(河南省) 안양 현(安陽縣)임). ③성(姓)의 하나.

曳〈拽, 抴〉 yè (예)

①동 끌다. ¶～车; 수레를 끌다 / ～引机yǐnjī =〔拖拉机〕; 트랙터 / 老头儿～着车走; 늙은이가 수레를 끌고 간다. ②동 뒤에 질질 끌리게 하다. ¶～长裙而舞; 긴 치맛자락을 끌며 춤추다 / 弃qì甲～兵; 〈成〉 갑옷을 버리고 무기를 질질 끌면서 도망가다. ③ 형 고달프다. 지치다. ④ 동 키우다. (사업을) 육성하다. →〔曳把ba〕〔曳扯chě〕 ⑤동 〈俗〉 여기저기 뛰어다니다. ¶一天到晚苦～; 하루 종일 고되게 여기저기 뛰어다니다. ⇒'拽' zhuāi, zhuài
〔曳把〕 yèba 동 〈京〉 육성시키다. ¶我们好不容易白手起家把这个事业～起来了; 우리는 빈손으로 어렵게 시작하여 이 사업을 육성시켰다. =〔曳扯〕
〔曳扯〕 yèchě 동 〈京〉 ⇨〔曳把〕
〔曳裾王门〕 yè jū wáng mén 〈成〉 왕후(王侯)의 집에 기식(寄食)하다. =〔曳裾信门〕〔曳裾候门〕
〔曳绳钓〕 yèshéngdiào 동 흘림 낚시를 하다.
〔曳引〕 yèyǐn 동 끌다.
〔曳引机〕 yèyǐnjī 명 ⇨〔拖tuō拉机〕

页(頁) yè (엽)

①명 페이지. 면(面)(원래는 목판본처럼 단면(單面) 인쇄된 종이의 한 장). ¶活～; 루스 리프(looseleaf). ②명 머리. ③양 면(面). 페이지. ¶在书的第一～上; 책의 첫 페이지에. ‖ =〔叶yè⑤〕
〔页边〕 yèbiān 명 여백. 난외(欄外).
〔页码(儿)〕 yèmǎ(r) 명 페이지 수. 페이지 번호. ¶注明～; 페이지를 매기다. =〔页数〕
〔页数〕 yèshù 명 ⇨〔页码(儿)〕
〔页心〕 yèxīn 명 《印》 ①(책의) 판심(版心)(책장이 중앙에서 접힌 곳). ②판면(版面). 여백을 제외한 지면.
〔页岩〕 yèyán 명 《地質》 혈암. ¶油(母)～; 오일 셰일. 유모 혈암. →〔泥ní灰岩〕

夜〈亱〉 yè (야)

①명 밤. 심야. 밤중. ¶昼～不停; 밤낮없이. 밤이나 낮이나 / 半～; 야반. 밤중 / 夙sù兴～寐mèi; 〈成〉 아침 일찍 일어나고 밤 늦게 자다 / 熬áo～; 철야하다. ↔〔日rì④〕〔昼zhòu〕 ②동 〈文〉 밤길을 가다. ¶禁～; 야간 외출 금지. 야간 통행 금지.
〔夜班〕 yèbān 명 ①야근(夜勤). ¶碰巧这时又轮到她上～; 마침 또 이 때, 그녀는 야근 차례가 되었다 / 值zhí～; 야근에 배정되다 / 打个～; 야근하다 / 加～; 야간 잔업을 하다. ③자동차·기차·항공기 등의 야간편(夜間便).
〔夜班车〕 yèbānchē 명 ①야간 열차. =〔夜班火车〕 ②심야 버스. =〔通宵(汽)车〕
〔夜半〕 yèbàn 명 ①한밤중. 야반(밤 12시 전후). ¶～临深池; 한밤중에 깊은 못에 이르다. 〈比〉 아주 위험하다. =〔半夜〕 ②야심한 때. ‖ =〔夜上〕

〔夜中〕
〔夜报〕yèbào 명 ⇨〔晚wǎn报〕
〔夜不闭户〕yè bù bì hù 〈成〉 밤에도 문을 닫지 않는다(세상이 잘 다스려지고 인심이 좋다). →〔路lù不拾遗〕
〔夜不收〕yèbùshōu 명 《軍》〈文〉 정찰병.
〔夜怖〕yèbù 동 어린애가 한밤중에 놀라서 울다.
〔夜餐〕yècān 명 야식(夜食). 밤참.
〔夜草〕yècǎo 명 밤에 가축에게 먹이는 풀. ¶马不得～不肥, 人不得外财不富; 〈諺〉 말은 밤에 풀을 먹이지 않으면 살찌지 않고, 사람은 정해진 수입만으로는 부자가 될 수 없다.
〔夜叉〕yèchā 명 ①《佛》〈梵〉 야차. 악귀(惡鬼). ¶母～; 〈比〉 성질이 흉악한 여자. =〔夜叉鬼〕〔药叉〕 ②〈比〉 흉악하게〔험상궂게〕 생긴 사람. ¶长得跟～似的; 야차 같은 무서운 얼굴을 하고 있다.
〔夜叉鬼〕yèchāguǐ 명 ⇨〔夜叉①〕
〔夜查簿〕yèchábù 명 옛날, 숙박자 명부. ¶先看看～有没有可疑的人, 然后挨āi门检查; 우선 숙박자 명부를 보고 수상한 사람의 유무를 조사하고, 그런 다음에 각 방마다 검사한다.
〔夜察〕yèchá 명 밤순찰. 야간 순찰. 야경. =〔夜逻〕
〔夜长梦多〕yè cháng mèng duō 〈成〉 밤이 길어지면 꿈이 많아진다(시간을 오래 끌면 성가신 일이 생기기 쉽다). ¶这件事咱们得赶快去办, 省得～; 이 일은 오래 끌어 문제가 일어나지 않도록 빨리 해 치우는 것이 중요하다 / 趁热打铁, 省得～; 쇠는 달궈진 김에 두드려야 한다고, 일을 오래 끌면 마가 낀다.
〔夜场〕yèchǎng 명 야간 흥행〔공연〕. ¶～票piào; 야간 공연 입장권 / ～比赛; 야간 경기. =〔晚wǎn场〕
〔夜车〕yèchē 명 야간 열차. 밤차. ¶开～; 〈比〉 철야로 일하다. 밤샘 공부하다.
〔夜出动物〕yèchūdòngwù 명 야행(성) 동물.
〔夜春〕yèchūn 명 〈文〉 낮에 개었다가 밤에 비가 오는 것.
〔夜大学〕yèdàxué 명 야간 대학.
〔夜道儿〕yèdàor 명 ①밤길. ¶走～; 밤길을 가다. 야행하다. ②도적. 악인. ¶遭zāo了～; ⓐ도둑을 만나다. 나쁜 놈에게 당하다. ⓑ남에게 편취당하다.
〔夜读〕yèdú 동 밤공부를 하다. 명 야학.
〔夜度资〕yèdùzī 명 ⇨〔夜合钱〕
〔夜囮子〕yè'ézi 명 밤늦도록 안 자는 것〔사람〕. ¶睡觉去吧, 别在这儿～了! 가서 자라. 여기서 밤늦도록 있지 말고!
〔夜蛾〕yè'é 명 《蟲》 밤나방. ¶甘蓝～; 밤나방.
〔夜繁花〕yèfánhuā 명 ⇨〔紫zǐ茉莉〕
〔夜饭〕yèfàn 명 〈方〉 저녁밥. ¶～少吃口, 活到九十九; 〈諺〉 저녁밥을 적게 먹으면 장수한다. =〔晚餐〕〔晚饭〕〔晚膳〕
〔夜分〕yèfēn 명 〈文〉 밤중. 야반.
〔夜格〕yègé 명 〈京〉 ⇨〔夜儿(个)〕
〔夜个〕yège 명 〈京〉 ⇨〔夜儿(个)〕
〔夜工〕yègōng 명 야간 작업. 밤일. ¶做～ =〔打～〕; 야간 작업을 하다.
〔夜光〕yèguāng 명 형 야광(의). ¶～虫; 《蟲》 야광충 / ～石; 야광석(금강석의 별칭) / ～珠; 야광주. 명 ①월광(月光). ②〈轉〉 달. ③반딧불.
〔夜光杯〕yèguāngbēi 명 〈文〉 야광배(좋은 옥으로 만든, 밤중에 빛을 발하는 술잔).
〔夜光表〕yèguāngbiǎo 명 ⇨〔夜明表〕
〔夜光螺〕yèguāngluó 명 《貝》 야광패(貝).
〔夜航〕yèháng 명동 밤 항해(를 하다). 야간 비행(을 하다). ¶香港和九龙间的轮渡～到十二点半为止; 홍콩·주룽(九龍) 간의 야간 항행은 12시 30분까지다 / 大雾和没有月光的晚上船要敲钟～; 안개가 자욱하거나, 달빛없는 밤에 배는 종을 울리면서 항행해야 한다.
〔夜航船〕yèhángchuán 명 밤에 출범하는 배. 밤배. ¶乘～出发第二天一早就可以到岸; 밤배를 타고 가면 다음날 아침 일찍 도착한다.
〔夜号〕yèhào 명 야간 신호.
〔夜合〕yèhé 명 《植》 자귀나무.
〔夜合草〕yèhécǎo 명 《植》 네가래.
〔夜合钱〕yèhéqián 명 옛날, 기녀의 화대. =〔夜度资〕〔夜合资〕〔夜合费〕
〔夜合树〕yèhéshù 명 《植》 자귀나무. =〔合欢〕
〔夜黑〕yèhēi 형 밤이 어두워지다. 밤의 장막이 내리다. ¶～天; 캄캄한 밤. 명 〈方〉 어젯밤. =〔昨zuó天晚上〕〔昨晚〕
〔夜猴〕yèhóu 명 《動》 올빼미원숭이.
〔夜后晌〕yèhòushǎng 명 〈方〉 어젯밤. =〔昨zuó天晚上〕
〔夜壶〕yèhú 명 (남자의 야간용) 변기. =〔夜净儿〕〔便biàn壶〕〔溲sōu器〕〔尿niào鳖子〕〔尿别子〕〔尿壶〕→〔尿盆子〕
〔夜壶坐飞艇〕yèhú zuò fēitǐng 〈歇〉 요강이 비행선을 타다. ¶～, 抖dǒu起来了; 요강이 비행선을 타듯, 지체낮은 자가 벼락 출세하여 훌륭하게 되다.
〔夜话〕yèhuà 명 야화. =〔夜谈〕
〔夜会〕yèhuì 명 ①밤의 주연. ②밤의 모임. 밤의 집회.
〔夜活〕yèhuó 명 야간 작업. ¶干gàn～; 야간 작업을 하다. =〔夜作zuō〕
〔夜间〕yèjiān 명 야간. ¶～戒严; 야간 계엄. =〔夜晚〕→〔夜禁〕
〔夜交藤〕yèjiāoténg 명 (한방약) 하수오(何首烏).
〔夜紧〕yèjǐn 명 ①밤의 소란스러운 일. ②야간 도둑의 경비. ¶近来冬防～, 你要多小心点儿啊; 최근 겨울철 야간 경비를 하고 있으니, 너 단단히 주의해라.
〔夜禁〕yèjìn 명 야간 통행 금지. ¶天晚回家碰上了～; 밤늦게 집에 돌아가다 야간 통행 금지에 걸렸다. ↔〔放fàng夜〕
〔夜惊〕yèjīng 동 (어린애가) 자다가 놀라서 울다. ¶～症; 《醫》 야경증.
〔夜精怪〕yèjīngguài 명 밤늦게까지 자지 않는 사람. ¶支书是个～, 定还没有睡; 당지부 서기는 밤늦게까지 자지 않는 사람이니까, 아직 자지 않을 것이다.
〔夜景〕yèjǐng 명 야경. 밤의 경치.
〔夜净儿〕yèjìngr 명 ⇨〔夜壶〕
〔夜静更深〕yè jìng gēng shēn 〈成〉 심야의 형용. ¶等到～的时候, 就有宵小出来活动; 심야가 되기를 기다려 좀도둑이 활동을 시작한다.
〔夜聚明散〕yè jù míng sàn 〈成〉 한밤중에 모이고 새벽에는 흩어지다. 남의 눈을 피하여 모이다.
〔夜开花〕yèkāihuā 명 ⇨〔扁biǎn蒲〕
〔夜刊〕yèkān 명 석간(夕刊). ¶昨天的～; 어제의 석간. =〔晚wǎn报〕
〔夜客〕yèkè 명 ①밤에 오는 손님. ②〈轉〉 도둑. 밤손님.
〔夜课〕yèkè 명 야학. 야간 수업.
〔夜哭郎〕yèkūláng 명 자다가 우는 아이. 밤중에 자다가 놀라서 우는 아이. ¶天皇皇, 地皇皇, 我

家有个～; 하느님, 땅의 신령님, 저희 집에는 밤중에 자다가 놀라서 우는 아이가 있습니다《밤중에 자다가 놀라서 우는 어린아이를 달래는 주문의 말》.
〔夜来〕 yèlái 명 〈文〉 ①어제. ¶～老僧赴斋去, 不知曾有人来望老僧否; 어제 우승(愚僧)이 재회(齋會)에 갔었는데, 그 동안에 찾아온 사람은 없었는지 모르겠다. ②밤중. 야간. ¶～闹贼, 吃了一惊; 밤중에 도둑이 들어 깜짝 놀랐다.
〔夜来欢〕 yèláihuān 명 밤늦게까지 자지 않고 있는 일. ¶报馆的编辑当久了得了个～的毛病, 白天发困一到夜里就有精神; 신문사 편집을 오래 하다 보니 밤늦게까지 자지 않는 나쁜 버릇이 붙어 낮에는 졸리고, 밤이 되면 정신이 또렷해진다.
〔夜来香〕 yèláixiāng 명 《植》 금달맞이꽃. =〔夜兰香〕〔夜香花〕〔夜香树〕
〔夜兰香〕 yèlánxiāng 명 ⇨〔夜来香〕
〔夜阑〕 yèlán 명 〈文〉 심야(深夜). 한밤중. ¶开会一直到～人静的时候; 회의는 한밤중에 사람들이 잠들어 고요해질 무렵까지 계속되었다. 형 밤이 이슥해지다.
〔夜郎自大〕 Yè láng zì dà 〈成〉 분수도 모르고 거만떨다. 야랑 자대. ¶就～起来, 怎么能有进步呢; 분수도 모르고 거드름 피우다가는 진보 따위는 있을 수 없다.
〔夜冷生意〕 yèlěng shēngyì 명 야시(夜市). 야점(夜店). ¶人家都去睡了你还在做～; 사람들은 모두 자고 있는데, 너는 아직도 야시를 열고 있구나.
〔夜礼服〕 yèlǐfú 명 야회복. →〔小xiǎo官衣〕
〔夜里〕 yèli 명 밤중. ¶～失火了; 밤중에 불이 났다. ↔〔白bái天〕 →〔晚wǎn上〕
〔夜里个〕 yèlige 명 〈方〉 어제. ¶～才来; 어제 겨우 왔다. =〔夜儿(个)〕
〔夜里(头)〕 yèli(tou) 명 밤. 밤중《대체로 오후 10시 이후》. →〔白bái天〕〔晚wǎn上〕
〔夜凉如水〕 yè liáng rú shuǐ 〈成〉 밤이 싸늘하고 썰렁하다.
〔夜鹭〕 yèlù 명 《鳥》 해오라기. =〔〈俗〉 灰huī洼子〕
〔夜逻〕 yèluó 명 ⇨〔夜察〕
〔夜落金钱〕 yèluò jīnqián 명 ⇨〔午wǔ时花〕
〔夜盲〕 yèmáng 명 《醫》 야맹. 밤소경. =〔〈方〉 雀qiǎo盲眼〕〔畏wèi夜眼〕
〔夜猫虎〕 yèmāohǔ 명 ①《動》 박쥐. ②〈比〉 기회주의자. ‖ =〔蝙biān蝠〕
〔夜猫子〕 yèmāozi 명 〈方〉 ①《鳥》 올빼미. ¶～道喜; 〈歇〉 올빼미가 축하의 말을 하다. 명성을 잃다. 평판이 나빠지다《올빼미는 불길한 것으로 봄》. ②〈比〉 밤늦도록 안 자는 사람. 올빼미.
〔夜猫子进宅〕 yèmāozi jìnzhái 〈歇〉 올빼미가 집으로 들어오다. 언짢은 일이 있다. 불길한 일이 있을 조짐. ¶～, 无事不来; 부엉이〔올빼미〕가 찾아 온 격으로, 일없이는 오지 않는다. 신통한 일은 없겠다 / 他们是～, 无事不来; 그들이 왔으니〔오는 것은〕 심상치 않은 일이 있다.
〔夜猫子拉小鸡〕 yèmāozi lā xiǎojī 〈歇〉 부엉이〔올빼미〕가 닭을 채가다. ¶～, 有去无回; 부엉이〔올빼미〕가 닭을 채어가더니, 두 번 다시 돌아오지 않는다.
〔夜明表〕 yèmíngbiǎo 명 야광 시계. =〔夜光表〕
〔夜明砂〕 yèmíngshā 명 《漢醫》 야명사. 박쥐의 똥. =〔天tiān鼠屎〕
〔夜(明)珠〕 yè(míng)zhū 명 야명주《옛날 전설상의 야광 진주》.
〔夜幕〕 yèmù 명 밤의 장막.
〔夜尿症〕 yèniàozhèng 명 ⇨〔遗yí尿〕
〔夜盆儿〕 yèpénr 명 (여자용의) 요강. =〔关防盆儿〕〔尿niào盆(儿)〕
〔夜票〕 yèpiào 명 옛날, 야간용의 허가증. 야간 증명서.
〔夜禽类〕 yèqínlèi 명 《鳥》 야금류《올빼미 따위》.
〔夜勤〕 yèqín 명 야근. ¶值～; 야근 당번이 되다 / ～班; 야근반.
〔夜曲〕 yèqǔ 명 《樂》 야곡. 녹턴(nocturne). 야상곡.
〔夜儿(个)〕 yèr(ge) 명 〈京〉 어저께. ¶～黑地; 어젯밤 / 他～来的; 그는 어제 왔다. =〔昨天〕〔夜格〕〔夜个〕〔夜里个〕
〔夜色〕 yèsè 명 야색. 야경.
〔夜膳〕 yèshàn 명 〈文〉 저녁밥. 만찬. ¶我已经用过～了; 나는 벌써 저녁 식사를 마쳤습니다.
〔夜上〕 yèshàng 명 〈文〉 ⇨〔夜半〕
〔夜深人静〕 yè shēn rén jìng 〈成〉 밤이 이슥해지고 사람은 잠들어 고요하다.
〔夜市〕 yèshì 명 야시. 야시장.
〔夜室〕 yèshì 명 〈文〉 묘혈(墓穴).
〔夜思〕 yèsī 명 〈文〉 야사. 밤의 사색.
〔夜台〕 yètái 명 〈文〉 분묘. 무덤.
〔夜摊子〕 yètānzi 명 밤점포. 야점(夜店). 야시(夜市).
〔夜谈〕 yètán 명 〈文〉 ⇨〔夜话〕
〔夜啼〕 yètí 명 《醫》 야제병. 어린아이가 자다가 놀라서 우는 병. →〔夜怖〕
〔夜啼郎〕 yètíláng 명 ⇨〔夜哭郎〕
〔夜头〕 yètóu 명 〈南方〉 야간.
〔夜晚〕 yèwǎn 명 밤. =〔夜间〕
〔夜晚上〕 yèwǎnshàng 명 어젯밤.
〔夜雾〕 yèwù 명 밤안개.
〔夜袭〕 yèxí 명 《軍》 야습. 야간습격.
〔夜戏〕 yèxì 명 밤의 연극. 야간 연극.
〔夜下晚(儿)〕 yèxiàwǎn(r) 명 어젯밤.
〔夜香花〕 yèxiānghuā 명 ⇨〔夜来香〕
〔夜香树〕 yèxiāngshù 명 ⇨〔夜来香〕
〔夜消(儿)〕 yèxiāo(r) 명동 야식(을 먹다). 밤참(을 먹다). ¶吃～; 밤참을 먹다. =〔夜宵(儿)〕〔消夜〕〔宵夜〕
〔夜宵(儿)〕 yèxiāo(r) 명 ⇨〔夜消(儿)〕
〔夜校〕 yèxiào 명 야간 학교. 야학. ¶上～; 야학에 다니다 / 进～自修; 야학에 다녀 독학하다.
〔夜行〕 yèxíng 동 밤에 나돌아다니다. 밤외출하다. 명 밤길.
〔夜行军〕 yèxíngjūn 명 야간 행군.
〔夜行人〕 yèxíngrén 명 ①밤도둑. 야도(夜盜). ②옛날 소설에서, 밤중에 나오는 무협(武俠) 또는 도둑.
〔夜行衣〕 yèxíngyī 명 '夜行人'이 입는 옷. →〔夜行人〕
〔夜学〕 yèxué 명동 야학(에 다니다). ¶夜大学; 야간 대학 / 念～; 야학에서 공부하다. →〔夜校〕
〔夜巡〕 yèxún 동 야경 돌다.
〔夜眼〕 yèyǎn 명 ①〈俗〉 밤에도 볼 수 있는 눈〔사람〕. ¶有～; 어두운 곳에서 물건을 볼 수 있다. =〔夜游眼〕 ②말의 다리 관절부에 생기는 털이 없는 부분〔굳은살〕.
〔夜燕〕 yèyàn 명 《鳥》 쏙독새.
〔夜央〕 yèyāng 명 〈文〉 야반. 한밤중.
〔夜夜〕 yèyè 명 〈文〉 야야. 밤마다. 매일밤.
〔夜以继日〕 yè yǐ jì rì 〈成〉 밤낮없이 계속하다. ¶～地努力工作; 밤낮없이 노력하여 일을 하다. =〔日以继夜〕

〔夜莺〕 yèyīng 명 ①《鳥》 나이팅게일. ②(문학에서) '歌鸲'(사랑새)류의 새를 가리키는 말.
〔夜鹰〕 yèyīng 명 《鳥》 쏙독새. =〔夜游鸽〕〔蚊wén母鸟〕
〔夜营〕 yèyíng 명동 야영(하다).
〔夜油子〕 yèyóuzi 명 ⇨〔夜游子〕
〔夜游鸽〕 yèyóugē 명 ⇨〔夜鹰〕
〔夜游神〕 yèyóushén 명 ①밤중에 사람의 선악(善惡)을 알아보며 다닌다는 신. =〔游奕〕〔日游神〕 ②〈比〉 밤놀이를 좋아하는 사람. 밤에 자지 않고 여기저기 쏘다니는 사람. 올빼미. ¶闹～; 밤에 안 자고 놀러 다니다.
〔夜游眼〕 yèyóuyǎn 명 ⇨〔夜眼①〕
〔夜游子〕 yèyóuzi 명 밤늦게까지 잠을 자지 않고 일어나 있는 사람. ¶～越到夜里越精神; 밤늦게까지 자지 않고 일어나 있는 사람은 한밤중이 될수록 정신이 또렷해진다 / 一群～在一块儿聊夜天儿; 한 무리의 밤잠없는 사람들이 모여 앉아 잡담에 빠졌다. =〔夜油子〕
〔夜战〕 yèzhàn 명 ①《軍》 야간 전투. ¶炮火在～中进行轰击; 포화는 야간 전투 때에 포격을 한다. ②〈比〉 밤일. 철야 작업. ¶秋收忙碌, 大家挑灯～; 추수가 바빠져서, 여러 사람이 불을 밝혀 밤일을 하다. ③〈比〉 성교(性交). ¶～过度; 성교가 과도하다.
〔夜直〕 yèzhí 명 〈文〉 밤의〔야간〕 당직.
〔夜中〕 yèzhōng 명 ⇨〔夜半〕
〔夜住晓行〕 yè zhù xiǎo xíng 〈成〉 밤늦게 숙소에 도착하고 새벽에 나가다(여행을 서두름).
〔夜装〕 yèzhuāng 명 야회복. →〔夜礼服〕
〔夜总会〕 yèzǒnghuì 명 나이트 클럽. →〔晚wǎn会〕
〔夜作〕 yèzuò 명 야간 작업. ¶打～; 야간 작업을 하다. =〔夜活〕

液
yè (액)
명 액. 액체. ¶汁zhī～; 즙액. 액즙 / 血xuè～; 혈액 / 溶róng～; 용액. →〔浆jiāng〕〔汁zhī〕
〔液材〕 yècái 명 ⇨〔边biān材〕
〔液果〕 yèguǒ 명 ⇨〔多duō肉果〕
〔液化〕 yèhuà 동 ①《物》 액화하다. ¶～石油气; 액화 석유 가스. 엘피지(LPG) / ～天然气; 액화 천연 가스. 엘엔지(LNG). ②《醫》 액화하다.
〔液化酚〕 yèhuàfēn 명 석탄산수. →〔酚〕
〔液剂〕 yèjì 명 《藥》 액제.
〔液胶〕 yèjiāo 명 ⇨〔溶róng胶〕
〔液晶〕 yèjīng 명 액정.
〔液晶显视屏〕 yèjīng xiǎnshìpíng 명 《電》 액정 화면. LCD.
〔液冷〕 yèlěng 명 《機》 액랭. 액체 냉각.
〔液力〕 yèlì 명 《機》 유체력(流體力). ¶～制动器; 오일 브레이크.
〔液力活塞〕 yèlì huósāi 명 액체 피스톤.
〔液量〕 yèliàng 명 ①액량. 액체의 양. ②액량 단위(갈론·쿼트 따위).
〔液泡〕 yèpào 명 《生》 액포. 공포(空胞).
〔液态〕 yètài 명 《化》 액상(液狀). 액태. ¶～燃料; 액체 연료 / ～空气; 액화 공기(냉동용) / ～气体; 액화 가스.
〔液(态)氯〕 yè(tài)lǜ 명 《化》 액체 염소.
〔液体〕 yètǐ 명 《化》 액체.
〔液体比重计〕 yètǐ bǐzhòngjì 명 《物》 액체 비중계(액체의 비중을 재는 부칭(浮秤)).
〔液体丝袜〕 yètǐ sīwà 명 특별한 액체를 발라 비단양말처럼 보이게 하는 여성의 발화장.
〔液体乌金〕 yètǐ wūjīn 명 〈比〉 석유의 별칭.
〔液压〕 yèyā 명 액압. 정수압(靜水壓). ¶～传动; 액체 압력〔동력〕 전동(傳動). 액압 전동.
〔液压机〕 yèyājī 명 《機》 수압기. 수압 프레스.

掖
yè (액)
①동 (손으로 사람을) 부축하다. ¶～之使起; 손을 잡고 부축하여 일으키다 / 扶fú～; 부축하다. 부조하다. 북돋아 격려하다. ②동 원조하다. ③동 발탁하다. ¶奖jiǎng～; 장려하고 발탁하다. ④명 옆. 곁. ¶～门; ⇩ ⑤(Yè) 명 《地》 예 현(掖縣)(산둥 성(山東省)에 있는 현 이름). ⇒yē
〔掖门〕 yèmén 명 〈文〉 (궁전의) 협문(夾門).
〔掖庭〕 yètíng 명 〈文〉 후궁에 있는 비빈(妃嬪)의 궁전. →〔宫gōng掖〕

腋
yè (액)
명 ①《生》 겨드랑이. ¶～臭chòu; ⇩ ②생물체의 겨드랑이 모양의 부분. ③여우의 겨드랑이 아래의 부드러운 고급털.
〔腋臭〕 yèchòu 명 《生》 액취. 암내. =〔狐hú臭〕〔腋气〕
〔腋毛〕 yèmáo 명 《生》 액모. 겨드랑이에 난 털.
〔腋气〕 yèqì 명 ⇨〔腋臭〕
〔腋窝〕 yèwō 명 《生》 액와. 겨드랑이. =〔胳肢窝gāzhīwō〕
〔腋下腺〕 yèxiàxiàn 명 《生》 액하선. ¶把～割掉就没有狐臭了; 액하선을 떼어내면 암내가 없어진다.
〔腋芽〕 yèyá 명 《植》 액아. 겨드랑눈. =〔侧cè芽〕

擪(擫〈擨〉)
yè (엽)
①동 〈文〉 손가락으로 누르다. ¶～笛dí; 피리를 (손가락으로 누르고) 불다. ②동 끼워 놓다. ③동 걸레로 가볍게 눌러 물기를 훔쳐 내다. ④명 서예에서 집필법(執筆法)의 하나(엄지손가락 마디 끝으로 붓을 누르고 힘을 주어 씀).
〔擪起来〕 yèqilai 치우다. 안에 넣어 두다.
〔擪严〕 yèyán (이불 따위를) 단단히 여미다.
〔擪在怀里〕 yèzài huáili 품 속에 챙겨 넣다〔간직하다〕.

靥(靨)
yè (엽)
명 〈文〉 보조개. ¶～笑; ⇩ / 痘dòu～; 곰보. =〔笑靥〕〔靥辅〕〔酒窝儿〕
〔靥笑〕 yèxiào 동 〈文〉 보조개를 지으며 웃다. 명 보조개가 진 웃음. ¶迷人的～; 매혹적인 미소.
〔靥子〕 yèzi 명 뺨에 있는 까만 점. ¶嘴边儿长个俏qiào皮的～; 입가에 예쁜 검은 점이 있다.

射
yè (야)
→〔仆pú射〕 ⇒shè

咽
yè (열)
동 ①막히다. ②목메다. 오열하다. ¶呜wū～ =〔哽gěng～〕; 흐느껴 울다 / 悲bēi～; 슬퍼서 흐느끼다. ⇒yān yàn

烨(燁〈爗〉)
yè (엽)
〈文〉 ①형 불빛이 왕성한 모양. 해가 빛나는 모양. ②명 햇빛. 불빛.

晔(曄〈曅〉)
yè (엽)
①〈文〉 형 불빛이 번쩍이는 모양. ②명 빛. ③인명용 자(字).

谒(謁)
yè (알)
〈文〉 ①동 (귀인을) 알현하다. ¶求～; 알현을 원하다. ¶拜～; 면회하다. 배알하다 / 进～; 뵈러 가다 / ～见国家主

席; 국가 주석을 알현하다. ②동 고하다. 말씀드리다. ③동 참배하다. ④명 관등 성명을 적은 명함.
〔谒刺〕 **yècì** 명 〈文〉 명함. →〔名míng片(儿)〕
〔谒归〕 **yèguī** 동 〈文〉 사직(辭職)하고 돌아가다. ¶～故里; 사직하고 고향으로 돌아가다.
〔谒见〕 **yèjiàn** 동 알현하다.
〔谒陵〕 **yèlíng** 동 능에 참배하다. ¶春秋两季派人到黄帝陵去～; 봄과 가을 두 계절에는 사람을 보내어 황제의 능에 참배하게 했다.
〔谒庙〕 **yèmiào** 동 사묘(寺廟)에 참배하다. ¶到曲阜孔子庙去～; 취푸(曲阜)의 공자묘에 참배하러 가다.

馌(饁) **yè** (엽) 동 〈文〉 들일하는 사람에게 음식을 갖다 주다.

YI 丨

yī (일)

一 ① 수 1. 일. 하나. ¶～件事; 하나의 사건〔일〕/～～得dé～; 일일은 일(1×1=1)/～个; 한 개. ②명 (차례의) 첫째. ¶第～; 제1. 첫째/第～课; 제1과/第～卷; 제1권/星期～; 월요일. ③명〖樂〗옛날의 악보 음보의 하나(‘简谱’의 저음(低音) ‘7’에 해당함). ④형 하나의. 한결같은. ¶他都不管, 甩手～走; 그는 아무것도 상관치 않고 내동댕이치고 훌훌 가 버렸다/～心～意; 한 마음 한 뜻. ⑤형 모든. 온. 전. ¶出了～身汗; 온몸에 땀이 났다/～脸的雀斑; 온 얼굴의 주근깨/～生; 전생애. 일생. ⑥형 다른. 다른 하나의. ¶蝉～名知了liǎo; 매미는 일명 ‘知了’라 한다/番茄～名西红柿; 토마토는 일명 ‘西红柿’라 한다/玉蜀黍～名玉米; 옥수수는 별명을 ‘玉米’라 한다. ⑦형 같다. 동일하다. ¶大小不～; 크기가 각기 다르다/贵贱不～; 비싼 것도 있고, 싼 것도 있어 같지 않다/这不是～码事; 이것은 다른 일이다. ⑧부 앞의 문장과 뒤의 문장의 관계를 나타냄(‘就’와 호응(呼應)함). ㉠…하자마자. …하니 곧(전후의 동작·행위의 시간이 밀접함을 나타냄). ¶天～亮他就起来; 동이 트자마자 그는 일어난다/～看就明白; 보면 곧 안다/～听这话他就急了; 이 이야기를 듣자 그는 곧 당황했다. ㉡…하면(…하다)(그 때마다 그러하다라는 뜻을 나타냄). ¶他～回来就换衣裳; 그는 돌아올 때마다 옷을 갈아 입는다/～听见音乐就高兴; 음악을 들으면 즐거워진다. ⑨부 모두. 가득히(‘一’이 임시적인 양사(量詞)를 동반했을 때, 양사 뒤에 ‘的’을 놓을 수도 있음). ¶～身的汗; 온몸의 땀/～屋子的人; 방 안 가득한 사람. ⑩부 온통. 모두(양사(量詞)를 동반한 ‘一’이 ‘两’·‘三’…으로 바꿀 수 없을 때 쓰임). ¶说的是～口韩国话; 말하는 것은 모두 한국어다. ⑪저와 같이 하다〔하면〕. 이번에 …하면(‘这’와 동사의 사이에 ‘一’을 넣음). ¶他这～说, 大家都笑起来了; 그 사람이 이렇게 말하니까 모두 웃기 시작했다. ⑫의외로. 결국. ¶～至于此; 결국 이렇게 되고 말았다. →〔乃〕〔竟〕 ⑬동작·행위가 가볍게 행하여지는 것을 나타내는 말. ㉠겹친 동작 사이에 놓고 상대에게 동작·행위를 재촉하는 어감을 줌. ¶看～看; 좀 보다. 보아라/听～听; 좀 듣다. 들어 보아라. 注1 완료 때는 ‘看了～看’의 형태가 됨. 이 때에는 동작·행위를 스스로 하는 의지 및 가볍게 상대에게 재촉하는 어감은 없어짐. 注2 동작·행위 그 자체를 가볍게 하는 것이 아니고 어감 표출(語感表出)에 기울어지고 있으므로 ‘好好(地)’·‘仔细(地)’ 따위로 수식할 수 있음. ㉡동사의 뒤, 동량사(動量詞)의 앞에 놓음. ¶笑～声; 좀 웃다/看～眼; 흘끗 보다. ㉢동사 또는 동량사에 붙여 동작이 순식간에 또는 갑자기 행하여짐을 나타냄. ¶～跳跳了过去; 한 번으로 확 뛰어넘었다. ⑭‘何’ 앞에 놓아 정도가 심함을 나타냄. ¶～何悲! 얼마나 슬픈 일인가! 注 ㉠ 단독 혹은 단어·문장의 끝에 쓰일 경우 제1성으로 발음함. ㉡제4성 앞에서는 제2성으로 발음함. ㉢제1성·제2성·제3성 앞에서는 제4성으로 발음함.
〔一把〕 **yībǎ** 수량 ①한 줌. 한 움큼. ¶抓～土; 한 줌의 흙을 쥐다. ②한 자루(손으로 잡을 수 있는 자루 있는 도구를 세는 말). ¶～刀子; 칼 한 자루/～伞sǎn; 우산 한 자루. ③한 개(자루는 없지만, 손으로 잡을 수 있는 것을 세는 말). ¶～椅子; 의자 한 개. ④한 다발. 한 단(묶은 것을 세는 말). ¶～菠菜; 시금치 한 단/放～火; 불을 붙이다(옛날, 대나무를 묶어 불을 붙였던 것에서 유래). ⑤한몫. 한 가지(기술·기예 등을 세는 말). ¶～能手; 훌륭한 수예·재주 한 가지/～好手艺; 한 가지의 훌륭한 손재주. 동 ①힘껏 당기다. ¶他掉在坑里上不来, 你拉他～吧; 그는 구덩이에 빠져 올라올 수 없다. 네가 힘껏 당겨서 올려 줘라. ②붙잡다. 허둥지둥 손으로 움키다. ¶～没抓住, 让鸟飞了; 꽉 잡았지만 잡지 못하고 새는 날아갔다.
〔一把牢死拿(儿)〕 **yībǎ láosǐná(r)** ⇨〔一把死拿(儿)〕
〔一把牢死攥〕 **yībǎ láosǐzuàn** ⇨〔一把死拿(儿)〕
〔一把老死拿(儿)〕 **yībǎ lǎosǐná(r)** ⇨〔一把死拿(儿)〕
〔一把儿〕 **yībǎr** ① 수량 한 다발. 한 묶음. ¶～韭菜; 한 묶음의 부추. ② ⇨〔一把子②〕
〔一把手〕 **yībǎshǒu** 명 ①(활동에 참가하는 자(者)로서의) 일원(一員). ¶你也算上～; 너도 동료의 한 사람이다. ②〈比〉 수완가. 솜씨가 있는 사람. 유능한 사람. ¶他是我们厂里的～; 그는 우리 공장에서는 뛰어난 사람이다. =〔一把好手〕 ③(성(省)·현(縣)·공사(公社) 등의) 첫째 가는 지도자. ④도박을 할 때의 한 사람. ¶三个人缺～, 凑不成牌局; 한 사람이 빠져 세 사람으로는 마작을 할 수 없다.
〔一把死拿(儿)〕 **yī bǎ sǐ ná(r)** ①〈方〉 완고해서 융통성이 없다. 고집불통이다. ¶他以为自己的～值得佩服; 그는 자신의 외고집은 오히려 감탄할 만하다고 여기고 있다/只要一定规, 就～, 说什么他硬是不肯通融; 일단 결정한 이상 완고하게 그것을 고집하여, 무슨 소리를 해도 통하지 않는다/他把家产～, 谁也要不出一个镚子来; 그는 재산을 꽉 움켜쥐고 있어서, 아무도 동전 한 푼 얻어 내지 못한다. ②열심이다. 전심(專心)하다. ¶她过日子是～, 一个份外的钱也不花; 그녀는 열심히 살고 있으며, 한 푼의 돈도 헛되이 쓰지 않는다/你别看他说说笑笑, 对于工作可是～; 그를 실없는 사람으로 보지 마라. 그래도 그는 일에 대해서는 무척 진지하다. ③절약가. 생활이 건실한 사람. ¶这个人, 没看过他交朋友, 真是～; 이 사람은 친구와 어울리는 것을 본 적이 없다. 정말 살림꾼이다. ‖=〔一把牢死拿(儿)〕〔一把牢死攥〕〔一把老死

拿(儿)]〔一道箍儿②〕

〔一把抓〕 yībǎzhuā 동 ①무엇이나 자기 혼자 도맡다. 무슨 일이나 자기가 하지 않으면 속이 편하지 않다. ¶你还是老脾气, 什么事都～; 너는 늘 하는 버릇으로, 무슨 일이나 자기가 하지 않으면 만족하지 않는다. ②일을 순서를 헤아리지 않고 한꺼번에 하다. 크고 작은 일을 함께 하다. ¶眉毛胡子～; 〈比〉 작은 일 큰 일을 한번에 처리해 버리다 / 雇个老妈子粗细～; 하녀를 고용하여 거친 일, 자잘한 일을 모두 시키다.

〔一把子〕 yī bǎzi ①한 줌. 한 다발. ¶～钱; 한 줌의 돈 / ～韭菜; 부추 한 단. ②의형제. ¶我们异姓哥儿仨拜成～; 우리들 성이 다른 형제 세 사람이 의형제의 술잔을 나누었다. =〔一把儿②〕 ③10명 내외의 한 무리. 패거리. ¶这～人是素无正业的; 이 패거리들은 모두 평생 올바른 직업을 갖고 있지 않다. ④낙타 10두(頭).

〔一把(子)年纪〕 yībǎ(zi) niánjì 명 노령(50～60세 이상은 본래 턱수염이 한 줌인데서 유래). ¶你这～, 哪儿能走远路; 당신의 이 나이로는 먼길은 불가능합니다.

〔一霸〕 yībà 명 강호(强豪)의 한 사람. 거물. ¶他是我们村儿里的～; 그는 우리 마을의 거물이다.

〔一百百〕 yībǎibǎi 형 〈俗〉 완전 무결하다. 더할 나위 없다. ¶他为人真是～; 저 사람은 정말 완벽한 사람이다.

〔一百二十行〕 yībǎi'èrshí háng 각종 직업. 모든 분야. ¶～, 行外还有行; 별난 직업도 있는 법이다 / ～, 行行出状元; 〈諺〉 어떤 분야든 능수가 있게 마련이다. =〔一百两十行〕

〔一百公尺(赛跑)〕 yībǎigōngchǐ (sàipǎo) 명 《體》 100미터 경주. =〔(一)百米赛跑〕

〔一百两十行〕 yībǎiliǎngshí háng ⇨〔一百二十行〕

〔一百天〕 yībǎitiān 명 ①백일재(齋)(49재를 지내고, 100일째에 드리는 불공). ②백일 잔치(옛날, 아이가 태어나면 '洗xǐ三', '满mǎn月', '双shuāng满月' 등의 축하 잔치를 하는데, 부자는 100일째에도 잔치를 함. 그날을 '～'이라 함).

〔一百一〕 yībǎiyī ①110. ②〈比〉 충분하다. 나무랄 데 없다. 더할 나위 없다. ¶年终奖金这么多, 贵公司的待遇真是～了; 연말 상여금이 이렇게 많다니, 당신 회사의 대우는 정말 나무랄 데 없군요.

〔一百一十公尺高栏赛跑〕 yībǎiyīshígōngchǐ gāolán sàipǎo 명 《體》 110미터 하이허들(high hurdles). →〔高栏〕

〔一败如水〕 yī bài rú shuǐ 〈成〉 여지없이 참패하다.

〔一败涂地〕 yī bài tú dì 〈成〉 일패 도지하다. 여지없이 패하여 다시 일어날 수 없게 되다. ¶年轻时～还可以另干别的去, 老了要是栽个跟头, 可就没机会了; 젊을 때는 일패도지해도 또 다른 일을 할 수 있지만, 나이 먹어 실패하면 다시 기회가 없다.

〔一班〕 yībān 명 한 반. 한 클라스. (배우의) 일단. ¶～的学生, 要是过了五十个人, 那太多了; 한 반 학생이 50명을 넘으면 너무 많다 / 这～一共有几个演员? 이 극단에는 배우가 모두 몇 명입니까?

〔一班半点〕 yībān bàndiǎn 약간. 얼마간. ¶分给他～的利润, 省得他争吵; 말썽이 일어나지 않도록 약간 이윤을 그에게 나누어 주자.

〔一班人〕 yībānrén 명 한 그룹의 사람(특히 한 지도 그룹의 멤버를 가리킴).

〔一班制〕 yībānzhì 명 1교대제.

〔一般〕 yībān 형 ①같다. 엇비슷하다. ¶～大小; 같은 크기 / 死～的; 죽은 거나 마찬가지로 / 铁～的事实; 쇠처럼 확실한 사실. =〔一样〕〔同样〕 ②보통이다. 통상적이다. 일반적이다. ¶～人的心理; 보통 사람의 심리 / ～地说; 일반적으로 말하면 / 打扮得很～; 극히 보통의 차림이다. 수량 일종. 한 가지. ¶别有～滋味; 일종의 색다른 맛이 있다.

〔一般反规〕 yībān fǎnguī 명 《體》 (수구(水球)의) 오디너리 파울(ordinary foul).

〔一般化〕 yībānhuà 명동 일반화(하다).

〔一般见识〕 yī bān jiàn shí 〈成〉 같은 마음이 되다. 같은 생각이 되다. ¶你还跟他们～吗? 너까지 저놈들과 같은 (어리석은) 생각이냐?

〔一般生产价格〕 yībān shēngchǎn jiàgé 명 《經》 일반적 생산 가격.

〔一般无二〕 yībān wú'èr 동일하다. 같다. ¶赝品和真品简直～, 一点儿也看不出来; 가짜와 진짜가 같아서, 조금도 분간이 안 된다.

〔一般一配〕 yī bān yī pèi 〈成〉 ①필적하다. 어깨를 나란히 하다. 동등하다. ¶她虽名义上是妾, 却和大夫人～的; 그녀는 명색은 첩이지만, 본처와 어깨를 나란히 한다. ②잘 어울리다. 균형이 잡혀 있다. ¶这对儿新人倒是～的; 이 신혼 부부는 참 잘 어울린다 / 屋子里布置得～的, 非常匀饰; 이 방은 물건의 배치가 잘 조화되어 매우 가지런하다.

〔一斑〕 yībān 〈比〉 일부분. ¶很难了解全部, 只能略见～; 전부를 이해하기는 아주 어렵고, 단지 그 일부분을 알 수 있을 뿐이다.

〔一板〕 yībǎn 명 옷감〔피륙〕 한 필. ¶也有人拿回～～的土林布; 인단스렌 염색(染色)의 천을 몇필씩 갖고 돌아가는 사람도 있었다.

〔一板三眼〕 yībǎn sānyǎn ①(전통극이나 전통 음악의) 4박자('慢màn板'이라 하며, 4박자의 1～3박을 '单皮鼓'로 '拍板'를 가볍게 두드리고, 이것을 '眼'이라 하고, 제 4박자를 '拍板'으로 세게 침. 이것을 '板'이라 함). =〔三眼板〕 ②〈比〉 언동이 도리나 규칙에 맞다〔조리가 있다〕. →〔拍pāi板〕 ③〈比〉 일을 소홀히 하지 않다. ¶他办事向来是～的, 一点儿不马虎; 그의 일은 종래부터 매우 견실하여, 조금도 어물쩡 넘기지 않았다.

〔一板一眼〕 yībǎn yīyǎn ①(중국 전통극 음악에서) 2박자. ②〈比〉 (언어 · 행동이) 순서를 밟고 있다. 조리(條理)가 있다. 규칙에 따르고 있다. ¶把事情～地交待个一清二楚; 일을 조리 있게 정확히 보고했다 / 他说话不紧不慢, ～十分清楚; 저 사람의 말투는 빠르지도 느리지도 않고 한 마디 한 마디에 조리가 있고 매우 똑똑하다. ③단조롭다. 변화가 없다. ④옛것에 구애되다. 보수적이다. ¶干活儿不能～! 일을 하는 데 융통성이 없으면 안 된다! ‖ =〔一眼板〕

〔一…半…〕 yī…bàn… 동의어(同義語) 또는 유의어(類義語) 앞에 쓰여, 많지 않음 또는 길지 않음을 나타내며 성어나 성어 형식의 단어를 만듦. ¶一时半刻; 잠깐 동안 / 一量半点儿; 사소한. 약간의.

〔一半点儿〕 yībàndiǎnr 형 약간의. 아주 조금의. 대수롭지 않은.

〔一半(儿)〕 yībàn(r) 명 반. 중간. 절반. ¶～会儿的工夫; 적은 시간 / 吃～剩～; 반은 먹고 반은

남기다/这件衣料～是尼龙的, ～是线的; 이 옷감은 (재료의) 반은 나일론이고, 반은 실이다. →〔一半子〕〔半截(儿)〕

〔一半天〕 yībàntiān 명 하루나 이틀. 〈轉〉 바로. 짧은 기간. ¶过～就给你送去; 가까운 시일에 당신에게 보내겠습니다/我们～再见! 우리 곧 다시 만나자. =〔一两天〕

〔一半哲学〕 yībàn zhéxué 명 무슨 일이나 절반으로 만족하고, 극단으로 치닫는 것을 경계하는 철학.

〔一半子〕 yībànzi 명 개체의 절반. 반쪽. ¶打破了的这～归我, 好的那～归你; 부서진 이 반쪽은 내가 갖고, 멀쩡한 쪽 반은 네가 갖도록 하자.

〔一帮(儿)〕 yībāng(r) 명 한패. 동료. ¶他们都是～的; 그들은 모두 한패다.

〔一榜〕 yībǎng 명 같은 해에 합격한자《합격자 명단이 같은 게시에 발표된 자》. ¶他和我都是本年～考取的新生; 그와 나는 금년에 함께 합격한 신입생입니다.

〔一膀掀〕 yībǎngxiān 명 ①1년의 노임을 한꺼번에 받는 일. ¶干了一年苦活儿, 就盼望年底这～能买两件体面衣裳; 일년 동안 고생하며 일을 하는 것은 연말에 괜찮은 옷 한두 벌 사고 싶기 때문이다. ②권술(拳術)의 한 수. 손으로 치는 무술. ¶武功练得～能断碗粗的树枝; 무술로 단련한 솜씨는 사발만한 굵기의 나뭇가지를 쳐서 꺾을 수 있다.

〔一膀之力〕 yī bǎng zhī lì 〈成〉 ⇨〔一臂之力〕

〔一包(儿)〕 yībāo(r) ①한 보따리. 한 봉지. =〔一包子①〕 ②전부 통틀어서. =〔一包堆〕〔一包拢总〕

〔一包到底〕 yībāo dàodǐ 처음부터 끝까지 한 사람이 도맡아 하다. ¶这事儿就托您～了; 이 일은 처음부터 끝까지 당신에게 부탁합니다.

〔一包堆〕 yībāoduī 전부 뭉뚱그려서. 통털어서. ¶贼把他们家穿的用的～都偷走了; 도둑이 그들의 집의 옷이나 세간까지 전부 훔쳐갔다. =〔一包拢总〕〔一包(儿)②〕

〔一包拢总〕 yībāolǒngzǒng ⇨〔一包堆〕

〔一包在内〕 yī bāo zài nèi 〈成〉 모두 들어 있다. 전부 포함되어 있다. ¶房饭～; 방값·밥값이 전부 그 안에 포함되어 있다/学杂各费～; 학비·잡비가 전부 포함되어 있다.

〔一包子〕 yībāozi ①⇨〔一包(儿)①〕 ②전부의. ¶把封建时代所受的～委曲, 全给抖落出来了; 봉건 시대에 겪은 불평 전부를 떨쳐 버렸다.

〔一褒一贬〕 yībāo yībiǎn 칭찬했다 깎아 내렸다 하다.

〔一报还一报〕 yībào huán yībào 인과응보가 즉각 나타나다. ¶活该! 这是～! 꼴 좋다. 이야말로 인과응보다!

〔一抱〕 yībào 수량 한 아름. ¶拿了～书来; 한아름의 책을 갖고 왔다.

〔一背拉〕 yībèilā 부 〈京〉 함께 섞어서. 끼워서. ¶～买的; 끼워서 샀다. 동 평균하다. 계산하다. ¶拿算盘～, 赔了! 주판을 튀겨 보니 손실이었다.

〔一辈〕 yībèi 명 ①동배(同輩). 같은 또래. ¶我和他是～; 나와 그는 동연배이다. ②한 세대. ¶我们是父～子～的交情; 우리는 아버지 대로부터의 교분이 있습니다. ‖=〔一辈儿〕

〔一辈儿〕 yībèir 명 ⇨〔一辈〕

〔一辈子〕 yībèizi 명 〈口〉 한평생. ¶那是～忘不了的事; 그것은 한평생 잊지 못할 일입니다/～不愁吃喝了; 평생 먹는 걱정은 없다.

〔一本〕 yīběn 수량 ①한 권. ¶～书; 한 권의 책/～书主义; 한 책주의《저서를 한 책만 출판하면 이름을 날릴 수 있다는 사고 방식》. ②〈文〉 초목의 한 그루. 명 고서(古書)에서, '딴 판본(版本)'(다른 한 책)의 뜻으로 씀. ¶腰～作要; '腰' 자는 다른 판본에서는 '要'로 되어 있다. 형 근본이 같다.

〔一本三利〕 yī běn sān lì 〈成〉 얼마 안 되는 자본으로 큰 이득을 얻다. ¶美国投资拉丁美洲, ～; 미국은 라틴 아메리카에 투자하여, 작은 자본으로 큰 이익을 얻고 있다. =〔一本万利〕

〔一本万利〕 yī běn wàn lì 〈成〉 한정된 자본으로 갖가지 이익을 낳다. ¶敬祝贵公司～; 귀사가 큰 업적을 올리도록 기원합니다/～的买卖; 이익이 많은 장사. =〔一本三利〕

〔一本一利〕 yīběn yīlì 원리(元利)가 같은 액수가 되다. ¶这笔债务已经滚成～了; 이 채무는 벌써 원금과 이자가 같게 되었다.

〔一本正经〕 yī běn zhèng jīng 〈成〉 정색(正色)을 하는 모양. 진지한 모양. ¶～地说; 정색을 하고 말하다/不必那么～的; 그렇게 정색하지 않아도 된다/怪不得呢, 他～问长问短的, 原来是为了这个; 어쩐지 그가 정색을 하고 다그쳐서 이것저것 묻는구나 했더니, 이 때문이었구나.

〔一鼻孔出气〕 yī bíkǒng chū qì 〈貶〉 한패〔한통속〕이다. 기맥(氣脈)을 통하다. 한 동아리이다. ¶他们俩是～的; 저 두 사람은 한통속이다/你们～, 自然是护着他了; 너희들은 동류이니까, 당연히 그를 두둔한다. =〔一孔出气〕

〔一鼻子灰〕 yībízihuī 〈比〉 쌀쌀맞게 취급당하다. 무뚝뚝하게 거절당하다. 핀잔을 받다. 〈轉〉 체면이 깎이다. ¶开口借钱, 碰了～; 돈 얘기를 꺼냈다가 쌀쌀맞게 거절당했다.

〔一笔〕 yī bǐ 수량 ①(금전 따위의) 한 몫. ¶～账目; 한몫의 계정(計定)/～进项; 한몫의 수입. ②한자(漢字)의 일획(一畫). ③한 번《비로 한 번 쓰는 동작》. ¶拿着秃扫帚～～地扫个干净; 모지랑비로 한 번 깨끗이 쓸다. 명 일필. ¶～一画地写; 한 획 한 획 정성들여 쓰다/～写不出两个姓; 〈諺〉 한 붓으로 두 가지의 성(姓)은 쓸 수 없다《동족은 빈부·신분의 차가 없이 모두 한 집안 사람》.

〔一笔不苟〕 yī bǐ bù gǒu 〈成〉 일필도 소홀히 하지 않다. 쓰는 것이 정확하다.

〔一笔勾〕 yī bǐ gōu (지나간 일을) 일절 없었던 일로 하다. (전의 일을) 불문에 부치다. ¶这笔账早已～了; 이 빚은 벌써 청산했다/前仇旧恨～; 이전의 원한을 씻어 버리다. =〔一笔勾销〕

〔一笔勾销〕 yī bǐ gōu xiāo 〈成〉 ⇨〔一笔勾〕

〔一笔抹倒〕 yī bǐ mǒ dǎo 〈成〉 경솔하게 전부를 부정(否定)하다. 말살하다. ¶他想～事实, 那是办不到的; 그는 사실을 말살하려 하고 있지만, 그것은 안 될 말이다. =〔一笔抹杀〕〔一笔抹煞〕

〔一笔抹杀〕 yī bǐ mǒ shā 〈成〉 ⇨〔一笔抹倒〕

〔一笔抹煞〕 yī bǐ mǒ shā 〈成〉 ⇨〔一笔抹倒〕

〔一笔写不出俩理字〕 yìbǐ xiěbuchū liǎ lǐzì 〈諺〉 진리는 오직 하나다.

〔一笔一画〕 yībǐ yīhuà 한 획 한 획 또박또박 쓰다. ¶卷子上必得～地写清楚了; 답안은 한 획 한 획 똑똑히 써야 한다.

〔一碧万顷〕 yī bì wàn qǐng 〈成〉 만경창파. 바다가 한없이 넓은 모양.

〔一壁〕 yībì 명 ⇨〔一壁厢①〕

〔一壁厢〕 yībìxiāng ① 명 〈古白〉 한편. 다른 쪽.

¶～动起山寨中鼓乐; 한편에서는 산채의 고악(鼓樂)을 울렸다. =〔一壁〕〔一边厢〕 ②한편으로 …하고 한편으로는 …하다. …하면서 하다. ¶～说话, ～走路; 말하면서 걷다. ③ ⇨〔一旁páng〕

〔一臂之力〕 yī bì zhī lì 〈成〉 보잘 것 없는 힘. ¶助你～; 보잘 것 없는 힘이나 너를 돕겠다. =〔一膀之力〕

〔一边(儿)〕 yībiān(r) 명 ①일면(一面). 일방. 한쪽. 한편. ¶那～; 저편. 저쪽 / 这块木料有～不光滑; 이 목재는 한쪽이 매끄럽지 않다 / 我们和你们站在～; 우리는 너희들과 한편이다. ②곁. 옆. ¶躲在～; 옆으로 비키다. ③다른 곳. 딴 데. ¶去你～的吧! 〈罵〉 썩 꺼져라! / ～待dāi着去, 别在这儿惹我生气; 다른 곳으로 좀 가라. 여기서 날 화나게 하지 말고. 접 …하면서 …하다(한 동작과 다른 동작이 동시에 행하여짐을 나타냄). ㉠단용(單用)일 때. ¶他慢慢往前走, ～唱着歌儿; 그는 천천히 걸으면서 (한편으로는) 노래를 부른다. ㉡연용(連用)일 때. ¶～吃～看; 먹으면서 보다. 형 같다. ¶～高; 똑같이 높다 / 人人都～高; 누구나 다 평등하다.

〔一边倒〕 yībiāndǎo ①딴 것을 배제하고 일방의 세력에만 의지하다. ¶向俄～; 러시아 일변도로 나가다. ②큰 차가 나다. 한쪽으로 쏠리다. ¶今日的比赛呈～之势; 오늘 시합은 큰 차가 났다. ‖ =〔一面倒〕

〔一边厢〕 yībiānxiāng 명 ⇨〔一壁厢①〕

〔一鞭子一板子〕 yībiānzi yībǎnzi 회초리나 판자로 맞으면서 배우다. 혹독한 수련을 겪다. ¶这些老艺人都是解小儿叫师傅～磕打出来的; 이들 늙은 예능인은 어릴 적부터 스승에게 회초리나 판자로 맞으면서 배웠다 / 他这份手艺真是～学来的; 그의 기예는 호된 수련을 거쳐 익힌 것이다.

〔一表〕 yībiǎo 형 당당하다. 훌륭하다. ¶～人材 =〔～人物〕; 두드러지게 뛰어난 인물. 훌륭한 인물 / 我看他这人～非凡, 将来一定会发迹的; 그의 이 비범함으로 보아, 나는 그가 장래 반드시 대단한 사람이 되리라 생각한다. 명 '表兄弟' '表姐妹' 등 '사촌'의 친척 관계를 이름. 동 간단히 말하다〔서술하다〕. ¶把两家的渊源～而过; 두 집안의 뿌리를 간단히 말하고 넘어가다.

〔一表三千里〕 yībiǎo sānqiānlǐ '表…'로 일컬어지는 사촌·육촌은 대단히 넓고 많다. ¶家族大了, 这么多的远亲也算不出是什么关系来, 反正～, 咱们就是表兄弟吧; 가족이 많으면, 관계 같은 것은 정확히 캘 수 있는 것이 아니다. 어쨌든 사촌의 관계는 넓어 우리는 사촌 형제로 해두자.

〔一秉大公〕 yī bǐng dà gōng 〈成〉 행동이 공정무사하다.

〔一秉公心〕 yī bǐng gōng xīn 〈成〉 항상 공정한 마음을 지니다.

〔一并〕 yībìng 부 합쳐서. 같이. 모두. 전부. ¶～拿去; 같이 갖고 가다 / 到期本息～奉上; 기한이 되면 원금과 이자를 합쳐서 갚겠습니다.

〔一波〕 yībō 명 일파. 하나의 파란. ¶未平, ～又起; 한 파란이〔풍파가〕 아직 가라앉기 전에, 다시 한 파란이 일어났다.

〔一波三折〕 yī bō sān zhé 〈成〉 ①문장의 구성에 기복(起伏)이 있다. ②〈比〉 잇달아 문제가 일어나다. ③일에 우여곡절이 많다.

〔一拨(儿, 子)〕 yībō(r, zi) 명 한 조. 일대(一隊). ¶～工人放工了; 한 조의 직공이 일을 마쳤다 / ～人马, 匆匆过去; 한 무리의 인마가 분주하게 지나갔다.

〔一…不…〕 yī…bù… ①…하면 …(하지) 않다(두 개의 동사 앞에 쓰이어 동작 또는 상황이 한번 발생하면 다시 바뀌지 않음을 나타냄). ¶一定不易; 조리(條理)가 바뀌지 않다 / 一去不返; 가면 돌아오지 않다(함흥 차사(咸興差使)) / 一蹶不振; 한번 넘어져 다시 일어설 기력이 없다 / 一病不起; 병이 들자 일어나지 못하다. ②…도 …(하지) 않다(하나의 명사와 하나의 동사 앞에 쓰이어 강조 혹은 과장을 나타냄). ¶一言不发; 한 마디도 하지 않다.

〔一不拗众〕 yī bù niù zhòng 〈成〉 혼자서 다수의 사람을 꺾을 수는 없다. 중과부적이다. ¶在公理正义之下, 老板也得考虑～吧; 진리와 정의 아래에서는 지배인일지라도 중과부적이란 것을 생각해야 한다.

〔一不怕苦, 二不怕死〕 yī bù pà kǔ, èr bù pà sǐ 〈成〉 고통도 죽음도 두려워하지 않다.

〔一不上来〕 yībushànglái 첫째가 될 수 없다('一'을 동사로 한 유머러스한 말씨). ¶想考第一名, 老是～; (시험에서) 1등이 되려고 아무리해도 1등이 되지 못한다.

〔一不沾亲, 二不带故〕 yī bù zhān qīn, èr bù dài gù 〈成〉 친척 관계도 없고, 연고도 없다. ¶咱们～的, 我凭什么非帮你呢? 우리는 친척도 아니고 연고도 없는데, 어째서 너를 도와야 하느냐?

〔一不做, 二不休〕 yī bù zuò, èr bù xiū 〈諺〉 하지 않으려면 몰라도 할 바에는 철저하게 하다. 기왕 내친걸음이면 끝까지 하다. ¶～, 已就也已就了, 索性干到底吧; 한번 시작한 일은 끝까지 해야하니, 이렇게 된 이상 차라리 철저하게 하자.

〔一步倒不开〕 yībù dǎobukāi 〈比〉 돈의 변통이 안 되다. =〔周zhōu转不开〕

〔一步登天〕 yī bù dēng tiān 〈成〉 갑자기 출세하다. 갑자기 훌륭해지다. 벼락 부자가 되다. ¶半年不见他忽然～抖dǒu起来了; 반년이나 보이지 않더니 그는 갑자기 벼락 출세하여 거들먹거렸다.

〔一步儿〕 yī bùr ①일보(一步). 한 걸음. ¶我先走～了; 저는 좀 먼저 갑니다. ②(yībùr) 명 일의 일단락·정도. ¶高～; 한 단 높다 / 过了这～, 就没困难了; 이 고비를 넘기면 더 이상 어려운 일은 없다.

〔一步三摇〕 yībù sānyáo 한 걸음에 몸을 세 번 흔들다(거들먹거리며 걷는 모양). ¶他只要兜儿里有两个钱, 走路就～起来; 그는 주머니에 돈이 조금 있으면 걸음조차 거만해진다.

〔一步四方〕 yībù sìfāng →〔迈mài步(儿)〕

〔一步一层楼〕 yī bù yī céng lóu 〈比〉 한꺼번에 대폭(大幅)으로 상승하다. ¶生产～; 생산이 급속히 상승하다.

〔一步一个脚印儿〕 yībù yīge jiǎoyìnr 〈比〉 꼼꼼하다. 착실하다. 고지식하다. 책임감이 강하다. ¶人在社会上生活需要～地往前走; 사람이 사회에서 생활하려면 착실하게 앞으로 나아가는 것이 필요하다 / 谁还能～, 不歪一步吗? 어느 누가 조금도 실수없이 빈틈없이 할 수 있겠는가? =〔〈南方〉一步一脚窝〕

〔一步一鬼〕 yī bù yī guǐ 〈成〉 의심이 의심을 낳아 마음이 두렵고 불안하다.

〔一步一脚窝〕 yībù yījiǎo wō ⇨〔一步一个脚印儿〕

〔一部〕 yībù 수량 ①(책의) 한 벌. 한 질. ¶～书; 한 질의 책 / ～二十四史; 이십사사 한 질. ②영화 한 편. ③〈南方〉 (기계나 자동차의) 한 대.

¶叫～汽车来; 자동차를 한 대 불러라.
〔一部分〕 yībùfēn 명 일부분. 얼마간.
〔一槽儿烂〕 yīcáor làn 방치해서 곰팡이가 슬게 하다. 내버려 두어서 못쓰게 만들다(흔히 의복에 씀). ¶太太买那么多的衣服穿不了, 搁在那儿～不太可惜吗? 부인은 저렇게 많이 옷을 사서, 입지도 않고 내버려 두어 못쓰게 만드는 것이 아깝지 않습니까?
〔一层〕 yīcéng 수량 ①많은 일 중의 한가지 일. 일의 일단(一端). 일의 한 마디. ¶这～事; 이 일/还有～我得考虑的是…; 또 한가지 고려해야 할 것은 …. ②건물의 층. ③포개진 물건의 한 켜.
〔一蹭(儿)〕 yīcèng(r) 동 〈北方〉 문지르다. 비비다. 〈轉〉 잠깐 사이. ¶想不到～就破了皮; 좀 문질렀더니 껍질이 벗겨졌다/～就到年下了; 벌써 새해가 되었다.
〔一叉手〕 yīchāshǒu ⇨〔一插手(儿)〕
〔一差半错〕 yī chā bàn cuò 〈成〉 ⇨〔一差二错〕
〔一差二错〕 yī chā èr cuò 〈成〉 ①계속해서 실수하다. ¶她年轻时倒有人来提过亲, 越挑越眼花, ～地就成了老姑娘了; 그녀는 젊을 때에는 중매를 서는 사람도 있었지만, 고르면 고를수록 눈이 다른 쪽으로 쏠려, 어물어물하는 사이에 노처녀가 되어 버렸다. ②뜻밖의 생긴 일. 예상치 못한 나쁜 결과. ¶万一有个～, 请你马上通知我; 만일 무슨 일이 생기면 곧 알려 주십시오. ③자그마한 과실〔실수〕. ‖ =〔一差半错〕〔一差二误〕
〔一差二误〕 yī chā èr wù 〈成〉 ⇨〔一差二错〕
〔一插手(儿)〕 yīchāshǒu(r) ①시작. 처음. 최초. ¶这事～就办错了; 이것은 처음부터 잘못했다. ②손을 대다. 참가하다. ¶他要是～我就退出; 만일 그가 손을 댄다면 나는 탈퇴한다. ‖ =〔一叉手〕〔一入手〕〔一上手〕〔一着手〕
〔一茶间〕 yīchájiān 〈比〉 잠깐 사이.
〔一茶一房〕 yīchá yīfáng 명 보증금과 집세.
〔一刹那(间)〕 yīchànà(jiān) 〈比〉 극히 짧은 시간. 일순간. 찰나.
〔一刬〕 yīchàn 부 〈京〉 완전히. 모두. 일체. ¶～都是新的; 모조리 새 것이다.
〔一长两短〕 yī cháng liǎng duǎn 〈成〉 뜻밖에 생긴 일. 만일의 재난. ¶我劝您投保人寿保险, 万一有个～, 妻子儿女也可以得点儿帮助; 생명 보험에 가입하시도록 권합니다. 만일의 일이 있을 경우 가족분이 도움을 받게 되기 때문입니다.
〔一场〕 yīcháng 수량 한 번. 한 차례. ¶～雨; 한 차례의 비/～病; 한 차례의 병/下～大雪; 큰 눈이 한차례 내리다/头～雪; 첫눈/～官司; 한 차례의 소송/～大决斗; 일대 결전/～春梦; 〈成〉 일장춘몽. 인생의 덧없는 꿈/狐假虎威, 着实恐吓了他～; 남의 위세를 빌려 용케 그를 한 차례 위협했다/相好了～; 한 때 사이좋게 지냈다.
〔一场空〕 yīcháng kōng 헛되이 끝나다. 희망·노력이 허사가 되다.
〔一唱百和〕 yī chàng bǎi hè 〈成〉 한 사람의 호소에 많은 사람이 응하다. 동조하는 사람이 많다. =〔一倡百和〕
〔一唱一和〕 yī chàng yī hè 〈成〉 한 편에서 노래 부르면 다른 쪽에서 화답하다. 맞장구를 치다(비난하는 뜻이 있음).
〔一朝天子一朝臣〕 yīcháo tiānzǐ yīcháo chén 〈諺〉 한 왕조의 천자와 한 왕조의 신하(천자가 바뀌면 신하도 모두 바뀐다). ¶人事制度一确立, ～的风气就自然消灭了; 인사 제도가 확립되면 윗사람이 바뀜에 따라 아랫사람도 바뀌는 기풍도 자연히 없어진다.
〔一尘不染〕 yī chén bù rǎn 〈成〉 ①〖佛〗 수행하는 사람이 육진(六塵)(색(色)·성(聲)·향(香)·미(味)·촉(觸)·법(法))에 더럽혀지지 않음을 말하며 널리 순결하고 악습에 물들지 않음을 이름. ②환경이 매우 청결하다. ¶屋子里窗明几净, ～; 방이 밝고 매우 깨끗하다.
〔一成〕 yīchéng 명 1할. 10%. 10분의 1. ¶减价～; 1할 할인/有你～的好处; 당신은 10프로의 구전을 벌 수 있습니다. =〔一停儿〕→〔一扣〕〔一折〕
〔一成不变〕 yī chéng bù biàn 〈成〉 ①일정(一定)불변한 것. ¶任何事物都是不断发展的, 不是～的; 어떠한 사물도 끊임없이 발전하는 것으로 일정불변의 것은 없다. ②옛 법을 고수하여, 완고하게 그것을 고치려 하지 않다.
〔一程〕 yīchéng 명 ①한 정거장 거리(원래는 한 역참에서 다음 역참까지의 사이). 〈轉〉 막연히 한 구간의 거리를 말함. ¶送了～才依依不舍地分手了; 한 참을 배웅하고 나서 아쉬워하며 헤어졌다. ② ⇨〔一程子〕
〔一程儿〕 yīchéngr 명 〈方〉 ⇨〔一程子〕
〔一程子〕 yīchéngzi 명 〈方〉 잠깐 동안. 한때. 한동안. ¶回老家去住了～; 귀향해서 잠시 머물렀다/这～很忙; 요즈음은 대단히 바쁘다. =〔一程②〕〔一程儿〕
〔一瓻〕 yīchī 수량 〈文〉 술 한 병. 〈轉〉 (책을 한 번 빌려 본 경우의) 한 차례(옛날에, 빌린 책을 돌려 줄 때 술 한병으로 보답했음).
〔一尺的蝎子碰见丈八的蜈蚣〕 yīchǐde xiēzi pèngjian zhàngbāde wúgōng ⇨〔强qiáng中自有强中手〕
〔一尺十寸〕 yīchǐ shícùn 〈比〉 꼼꼼하다. ¶他为人又～; 그는 사람됨도 꼼꼼하다.
〔一冲一撞儿〕 yīchōng yīzhuàngr 앞뒤 가리지 않고 무턱대고 하다. 무작정 하다. ¶这个愣头青, ～硬干, 居然还成功了; 이 무모한 사나이는, 무턱대고 해 보았더니 뜻밖에도 성공했다.
〔一宠子性儿〕 yīchǒngzi xìngr ⇨〔一铳子性儿〕
〔一铳子性儿〕 yīchòngzi xìngr 고지식. 외곬으로 생각하는 성미. 불같은 성미. ¶年青人多半是～的; 젊은이는 태반이 외곬이다/犯了～, 自己也管不住; 불뚝거리는 성미가 나타나면 스스로도 그것을 억제하지 못한다. =〔一宠子性儿〕
〔一筹莫展〕 yī chóu mò zhǎn 〈成〉 한 가지 방책도 발휘하지 못하다. (어떻게) 손을 쓸 수가 없다. 해 볼 도리가 없다.
〔一出〕 yīchū 수량 ①(극의) 한 막. ¶～戏; 극 하나. ②한 차례.
〔一出子〕 yīchūzi 수량 한 차례. 한 번. ¶打～, 骂～, 就算完了; 한 차례 두들겨패고 호통치면 그것으로 끝난다.
〔一杵子买卖〕 yīchǔzi mǎimai 딱 한번의 거래. ¶商人如果不诚实, 就是～; 장사꾼이 만일 성실하지 않으면, 그야말로 딱 한 번의 거래가 되고 만다. =〔一锤子买卖〕
〔一处(儿)〕 yīchù(r) 부 함께. ¶～走; 함께 가다. 명 어느 곳. 수량 ①한 채(부속 건물도 합쳐서 이름). ¶～房屋; 한 채의 집. ②장소를 세는 말. ¶～地方; 한 곳.
〔一处不到一处迷〕 yīchù bùdào yīchù mí 〈諺〉 가 보지 않은 곳은 모른다(경험하지 않은 일은 모른다).
〔一触即发〕 yī chù jí fā 〈成〉 일촉 즉발(몹시 긴

장되어 위험한 상황이 벌어질 것 같음). ¶形势～; 일촉 즉발의 형세다.
〔一触即溃〕 yī chù jí kuì 〈成〉 부딪치자마자 맥없이 붕괴되고 말다. ¶敌军士气涣散, ～; 적군의 사기가 떨어져서, 접전하자마자 맥없이 패하고 말았다.
〔一传十, 十传百〕 yī chuán shí, shí chuán bǎi 〈成〉 일이 빨리 퍼져 나가다.
〔一串〕 yīchuàn 수량 한 꿰미. 일련(一連). ¶～钱; 한 꿰미의 돈 / ～珠子; 한 꿰미의 진주 / ～珠子似的歌声; 옥을 굴리듯한 노랫소리.
〔一床〕 yīchuáng 수량 이불 한 채. 한 벌. ¶～棉被; 솜이불〔무명〕이불 한 채.
〔一床多活〕 yīchuáng duōhuó 한 대의 기계로 많은 일을 하다(기계의 능률을 올리자고 호소한 슬로건).
〔一吹一捧〕 yīchuī yīpěng 한 사람은 허풍을 떨고, 한 사람은 추종하다. ¶你看他们～谈得多肉麻; 놈들이 지껄이며, 허풍과 추종을 번갈아 하니 정말 역겹다.
〔一锤定音〕 yī chuí dìng yīn 〈成〉 징을 한 번 쳐서 가락을 정하다(결정적인 말을 하다).
〔一锤子买卖〕 yīchuízi mǎimai ⇨〔一杵chǔ子买卖〕
〔一戳就破〕 yī chuō jiù pò 〈成〉 한 번 찌르니 곧 찢어지다. ¶纸老虎～; 종이 호랑이는 한 번 찌르면 금세 찢어진다. =〔一戳就穿〕
〔一戳腔儿〕 yīchuōqiāngr 〈比〉 도중에 변하지 않고 계속 해 나가다. 죽 계속해 나가다. ¶一个人做事要有长性, 瞧人家刘师傅～就干了四十年钳工; 사람은 일을 시작하면 참을성있게 해야한다. 저 유선생을 보아라. 40년이나 죽 조립공 일을 해오고 있다.
〔一次〕 yīcì 수량 한 번. ¶头tóu～; 처음으로. 제1회 / 这～; 이번.
〔一次革命论〕 yīcì gémìnglùn 명 1회 혁명론(‘继续革命论’(연속 혁명론)에 상대하여 말함).
〔一赐乐业教〕 Yīcìlèyèjiào 명 ⇨〔犹yóu太教〕
〔一从〕 yīcóng 개 ⇨〔自zì从〕
〔一蹴而就〕 yī cù ér jiù 〈成〉 한 걸음 내디디면 곧 성공한다(단숨에 성공하다. 손쉽게 이루어지다). ¶事有步骤zhòu, 不能～; 일에는 순서가 있는 것이어서, 단번에 이룰 수는 없다. =〔一蹴而成〕
〔一蹴可几〕 yī cù kě jī 〈成〉 단숨에 성공하다. 일이 간단히 이루어지다.
〔一寸光阴一寸金〕 yīcùn guāngyīn yīcùn jīn 〈諺〉 시간은 금이다. ¶～, 寸金难买寸光阴; 시간은 금이지만, 금으로 시간을 살 수는 없다.
〔一撮〕 yīcuō 수량 (가루·알갱이 모양의 것의) 한 줌. ¶～土; 한 줌의 흙 / ～茶叶; 찻잎 한 줌. ⇒yīzuǒ
〔一搭〕 yīdā 부 〈古白〉 함께. ¶两个人合个伙计～里买卖; 둘이 짝이 되어 함께 장사를 하다. 수량 ①한 무리. 다수. ¶这～人都是同伙的; 이 한 무리의 사람들은 모두 한 패거리다. ②한 뭉치. 한 묶음. ¶～五十张, 一共有八搭; 한 뭉치가 50매인데, 전부 여덟 뭉치 있다 / 有～没～地说着; 〈比〉 있는 말 없는 말 마구 지껄여 대다.
〔一搭两用(儿)〕 yī dā liǎng yòng(r) 하나로 두 가지 용도를 겸하다. 하나의 물건을 두 가지로 쓰다. ¶带件大衣比较方便, 白天穿, 晚上当被盖, ～; 외투를 갖고 가면 비교적 편리하다. 낮에는 입고 밤에는 덮어 이불의 대용이 되어서, 하나로 두 가지 용도를 겸할 수 있다 / 这个机器又能收音又能录音, ～, 倒真方便; 이 기계는 수신도 녹음도 되어, 두 가지 일을 하니까 아주 편리하다. =〔一打两用(儿)〕
〔一搭一挡〕 yī dā yī dǎng 명 만담 등에서 서로 번갈아가며 말하다. →〔一般一配〕〔搭当〕
〔一打〕 yīdá 수량 한 다스〔타〕. ¶～是十二个; 1다스는 12개다.
〔一打儿〕 yīdár 수량 종이의 한 뭉치. 한 묶음. ¶他攥zuàn着那～票子, 呆呆的看着她; 그는 그 (한 묶음의) 지폐를 쥐고 멍청히 그녀를 보고 있었다 / 桌儿上摆着～纸; 탁자 위에 종이가 쌓여 있다 / 手里拿着～钞chāo票; 손에 한 묶음의 지폐를 들고 있다. =〔一叠子〕〔一达子〕
〔一达子〕 yīdázi 수량 ⇨〔一打子〕
〔一答一和儿〕 yī dá yī hèr 〈成〉 서로 이야기하다. 서로 묻고 대답하다. ¶电视里出现两个人～地说着; 텔레비전에 두 사람이 나와서 서로 말을 주고받고 있다; 两个人～谈得别提多投缘了; 두 사람은 말을 주고받다가 의기투합했다. =〔一递一和(儿)〕
〔一叠子〕 yīdázi 수량 ⇨〔一打dá儿〕
〔一打趸(儿)〕 yīdǎdǔn(r) 명부 함께. 몽땅. 모두. 뭉뚱그려서. 전부. ¶这些货～都卖给你; 이 물건은 몽땅 당신에게 팔겠다 / 也不必马上就还礼, 等他们有事的时候儿～行人情也可以; 지금 당장 답례하지 않아도 좋다. 저쪽에 무슨 일이 있을 때 한데 몰아서 선물을 해도 된다. =〔一大趸(儿)〕
〔一打两用(儿)〕 yīdǎ liǎngyòng(r) ⇨〔一搭两用(儿)〕
〔一打三反〕 yīdǎ sānfǎn ‘一打’란 반(反)혁명 분자에게 타격을 주는 일. ‘三反’이란 독직·절도 행위에 반대하고, 낭비를 반대하는 일(1970년경부터 전개된 운동).
〔一打一拉〕 yīdǎ yīlā 때리고는 끌어당겨 안다. 병 주고 약주다. 강온(强穩) 양면책. ¶～的政策; 당근과 채찍의 정책(강경 정책과 유화 정책을 함께 쓰는 정책).
〔一大半〕 yīdàbàn 명 태반. 과반. ¶～是坏人; 태반은 악인이다.
〔一大堆〕 yīdàduī 산더미 같은 것. 산적(山積)한 것. ¶说了～友谊的话; 다정한 말들을 한 보따리 늘어놓았다.
〔一大趸(儿)〕 yīdàdǔn(r) 명부 ⇨〔一打趸(儿)〕
〔一大二公〕 yī dà èr gōng 첫째로 규모가 크고 종합적 생산 건설에 편리할 것, 둘째로 집단 소유제가 더욱 진전될 것(인민 공사의 주요 방침).
〔一大路〕 yīdàlù 대단히 많은 모양. ¶家里崽女～; 집에는 계집애들이 우글우글하다.
〔一大清早〕 yīdàqīngzǎo 명 조조(早朝). 이른 아침. =〔一清早(儿)〕〔一大早儿〕
〔一大三大〕 yī dà sān dà 〈成〉 하나를 크게 하면 다른 것도 그에 따라 크게 하지 않으면 안 된다. ¶大宅门儿里～, 要省也省不下来; 큰 저택에서는 하나를 크게 하면 그 밖의 것도 그에 따라 크게 하지 않으면 안되므로, 검약(儉約)하게 하려 해도 좀처럼 되지 않는다.
〔一大套〕 yīdàtào 명 일련(一連)의 대규모. ¶～计画; 일련의 대규모의 계획.
〔一大些儿〕 yīdàxiēr 형 ①(나이 등이) 조금 위다. (모양이) 조금 크다. ¶他岁数儿比我～; 그는 나보다 약간 연상(年上)이다 / 你们俩的身量差不了～; 너희들 두 사람의 키는 별로 차이가 안 난다. ②꽤 많다. ¶还有～工作没做呢; 아직 하지

않은 일이 많이 있다.

〔一大早儿〕 yīdàzǎor 명 ⇨〔一大清早〕

〔一代〕 yīdài 명 ①같은 세대. 동일 세대. ¶～新人; 새로운 세대/下～; 젊은 세대. ②(기간의) 대(代). ¶～新风; 그 시대의 새로운 정신.

〔一带〕 yīdài 명 일대. ¶这～也算是北京最热闹的地区; 이 일대는 베이징에서도 가장 번화한 지역인 셈이다.

〔一带而过〕 yī dài ér guò (문제·이야기 내용에) 가볍게 언급하기만 하고 앞으로 나아가다.

〔一袋烟〕 yī dài yān 담배 한 대. ¶～的工夫 =〔两liǎng袋烟的工夫〕; 담배 한 대 피울 동안. 잠깐 동안의 시간.

〔一箪一瓢〕 yī dān yī piáo 〈成〉 (밥을 담는 대나무 그릇 하나와 표주박 하나의) 가난한 선비의 생활(논어에 나오는 안회(顔回)의 고사).

〔一旦〕 yīdàn 명 ①하루 아침. ¶毁于～; 하루 아침에 무너지다. ②일정치 않은 시간. 어느 날. ㉠이미 일어난 갑작스러운 상황을 나타냄. ¶相处三年, ～离别, 怎么能不想念呢? 3년 교제 끝에 어느 날 갑자기 헤어졌으니 어찌 그리워하지 않으랴? ㉡아직 일어나지 않은 만일의 상황을 나타냄. ¶～误了大事, 你能担当得了吗? 한 번 대사를 그르치면 네가 책임질 수 있느냐?/～被蛇咬, 三月怕草绳; 〈諺〉 뱀에 물리면 새끼줄을 보고도 (뱀인 줄 알고) 놀란다. 注 ㉡은 가정문(假定文)에 쓰임.

〔一担儿挑〕 yīdànrtiāo 명 ⇨〔连lián襟(儿)〕

〔一党专政〕 yīdǎng zhuānzhèng 일당 독재.

〔一档〕 yīdàng 명 퍼스트 기어.

〔一档(儿, 子)〕 yīdàng(r, zi) 수량 ①한 건(사건·일 따위를 세는 말). ¶～买卖; 한 건의 장사/你说的跟他说的是～事儿; 네가 말하는 것과 그가 말하는 것은 한 가지 일이다. ②하나. 한 번(취미로 하는 예능의 종류를 세는 말). ¶唱～莲花落; '莲花落'을 한 곡조로 부르다.

〔一刀〕 yīdāo 수량 종이를 세는 말(보통 100장). →〔一令〕

〔一刀两断〕 yī dāo liǎng duàn 〈成〉 일도 양단. 딱 잘라 명확히 매듭을 짓다. 단호하게 관계를 끊다. ¶就是～, 也还免不了藕断丝连的; 설사 딱 잘라 매듭을 짓는다 해도, 역시 감정을 끊기가 어렵다. =〔一刀两段〕

〔一刀齐〕 yīdāoqí 간결하고도 정확하다.

〔一刀切〕 yīdāoqiē 〈比〉 일도 양단하다. 깨끗이 처리하다. 단번에 결정〔처리〕하다. ¶解决复杂的问题, 不能～; 복잡한 문제를 해결하는데는 단번에 처리해서는 안 된다/像那～的规矩不打破, 就会把大批顾客拒之门外; 저와 같은 완고한〔융통성이 없는〕 규칙을 타파하지 않으면, 많은 손님을 문밖으로 밀어 내게 되고 만다.

〔一刀一枪〕 yī dāo yī qiāng 〈成〉 혼자 힘으로 분투하다. ¶这分家业都是我～苦挣下来的; 이 재산은 모두 내가 혼자 힘으로 고생해서 번 것이다.

〔一道〕 yīdào 수량 한 줄기. 한 군데. 한 자루(가늘고 긴 것을 세는 말). ¶～河; 한 줄기 강/～口子; 상처 한 군데. 한 줄기의 터진 곳/～菜; 요리 하나/～水; 한 줄기의 수로(水路)〔강〕. 명 하나의 방법.

〔一道箍儿〕 yīdàogūr ①한 개의 테. ¶给他套上～; 그에게 테를 씌우다(그를 골치 아프게 하다). ② ⇨〔一把死拿(儿)〕

〔一道货〕 yī dāo huò ①같은 종류의 물품. ②(yīdào huò) 한동아리. 한패.

〔一道(儿)〕 yīdào(r) 부 함께. ¶～走; 함께 가다/跟他～去; 그와 함께 가다/～研究; 함께 연구하다. =〔一路①〕

〔一道烟(儿)〕 yīdàoyān(r) 한 줄기의 연기. ¶～似地跑了; 한 줄기의 연기처럼 사라져 버리다.

〔一道(子)〕 yīdào(zi) 수량 한 줄기〔가닥〕. ¶～光; 한 줄기의 빛/划了～; 줄을 한 줄 그었다.

〔一得〕 yīdé 명 이따금 떠오르는 좋은 생각. ¶～之见; 〈謙〉 우견(愚見). 좁은 소견/愚者千虑必有～; 〈諺〉 어리석은 자도 깊이 생각하면 반드시 좋은 생각이 있다.

〔一得之功〕 yī dé zhī gōng 〈成〉 자그마한 성공〔공로〕. ¶我们不能沾沾自喜于～, 一孔之见; 조그마한 성공에 자만하여 좁은 소견을 가져서는 안 된다.

〔一得之愚〕 yī dé zhī yú 〈成〉〈謙〉 우견(愚見). 우자(愚者)가 얻은 일득(一得). ¶这是我的～, 供你参考; 이것은 저의 좁은 소견입니다만 참고하시기 바랍니다.

〔一灯如豆〕 yīdēng rú dòu 콩알만한 등불. 〈比〉 정적이 깃들인 광경.

〔一等〕 yīděng 명 1등. 으뜸.

〔一等一〕 yīděngyī 극상(極上)이다. 최상등(最上等)이다. ¶他的人品真是～的; 그의 인품은 정말 훌륭하다.

〔一滴〕 yīdī 수량 한 방울. ¶～之功; 〈成〉 미미한 공적.

〔一滴滴儿〕 yīdīdīr 수량 ⇨〔一点点儿〕

〔一地里〕 yīdìli 〈古白〉 ①잠깐 동안. 잠시. ②외곬으로. 자꾸. 계속적으로.

〔一递一和(儿)〕 yī dì yī hè(r) 〈成〉 ⇨〔一答一和儿〕

〔一颠一倒〕 yīdiān yīdǎo 엎어지고 넘어지다.

〔一点〕 yīdiǎn ①한 점. ¶这～可要注意; 이 점은 주의를 요한다. ②1시(時). =〔一点钟〕 ③ ⇨〔一点儿〕

〔一点点儿〕 yīdiǎndiǎnr 수량 아주 조금('一点儿'을 다시 강조한 말). =〔一滴滴儿〕〔〈方〉 一丁点儿〕〔一丁锭儿〕〔一钉点(儿)〕〔一丢点儿〕〔一丢丢儿〕〔一抠抠儿〕

〔一点即透〕 yīdiǎn jítòu 아주 잘 깨닫다. ¶老奸巨滑的这个人, 遇事～; 교활하기 짝이 없는 이 남자는 일에 임해서는 아주 잘 깨닫는다〔머리가 잘 돌아간다〕. =〔一点就透〕

〔一点就透〕 yīdiǎn jiùtòu ⇨〔一点即透〕

〔一点就着〕 yīdiǎn jiù zháo ①조금 불을 댕기면 금방 붙는다. ②즉시 노하다. ¶我知道她的性子, ～; 그녀의 성미가 발끈하고 잘 노한다는 것을 나는 알고 있다.

〔一点论〕 yīdiǎnlùn 명 문제를 한쪽만 보고 절대적인 것으로 보는 사고 방식.

〔一点儿〕 yīdiǎnr 수량 ①조금(부정(不定)의 수량을 나타내며, 문장 앞머리에 쓰이지 않을 때는 '一'를 생략할 수 있음). ¶多吃～吧! 더 먹어라!/～水; 약간의 물/便pián宜～的; 좀 싼 것/念快～; 좀 빨리 읽다/有～事shì; 볼일이 좀 있다/这个菜咸～; 이 요리는 좀 짜다/他比谁都老实～; 그는 누구보다도 정직하다 =〔一点子〕 ②매우 작은〔적은〕 것을 나타냄('这么' 또는 '那么'와 함께 쓰임). ¶只有那么～, 够用吗? 그렇게 적은데 그것으로 충분하냐?/我以为有多大呢, 原来只有这么～; 얼마나 큰가 했더니 이렇게 작았구나. 注 '一'은 생략할 수 있음. ③('也'·'都'를 받아 그 뒤에 부정사(否定詞)를 놓고) 조금도 …

이 아니다. 전혀 …이 아니다. ¶这里头～道理都没有; 이 안에는 조금도 도리가 없다 / ～空儿kòngr都没有; 조금의 틈〔여가〕도 없다. ④'～着'·'～上'을 동반하여 동사·형용사 뒤에 놓고 가벼운 명령의 어기(語氣)를 더함. ¶快着～吧! 빨리 해라! 명 점(한자 부수의 '丶').

〔一点一滴〕 yī diǎn yī dī 〈成〉 조금씩. 아주 조금. ¶～地积累资料; 조금씩 자료를 그러모으다.

〔一点钟〕 yīdiǎn(zhōng) ⇨〔一点②〕

〔一点子〕 yīdiǎnzi 수량 ⇨〔一点儿①〕

〔一吊(钱)〕 yīdiào(qián) 명 옛날 1000전(錢)을 말했음(그 뒤 각지에서 이 말을 썼는데, 실질적으로는 일치하지 않았음. 베이징(北京)에서 제전(制錢)이었던 시대에는 100문(文)을, 민국에서는 동전 10장을 '～'이라 하였음).

〔一叠两折儿〕 yīdié liǎngzhér ①종이 같은 것을 두 겹으로 접다. 한 번 접다. ②〈比〉 보태어 둘로 나누는 식으로 처리하다.

〔一丁〕 yīdīng 명 한 글자(본래 '个'자의 잘못이라고 함). ¶不识～ =〔目不识丁〕; 낫 놓고 기역자도 모르다. 무식하다.

〔一丁点儿〕 yīdīngdiǎnr 수량 ⇨〔一点点儿〕

〔一丁丁〕 yīdīngdīng 〈方〉 아주 조금.

〔一丁锭儿〕 yīdīngdìngr 수량 ⇨〔一点点儿〕

〔一钉点(儿)〕 yīdīngdiǎn(r) 수량 ⇨〔一点点儿〕

〔一顶〕 yīdǐng 수량 한 개. ¶～帽子; 모자 하나 / ～轿子; 가마 한 채.

〔一定〕 yīdìng 부 반드시. 무슨 일이 있더라도. 꼭. ¶他～来; 그는 꼭 온다 / 我想他～不来; 나는 그가 반드시 오지 않는다고 생각한다 / ～得这个样子; 반드시 이와 같아야 한다. =〔必bì定〕 형 ①어느 정도의. 상당한. ¶他具有～的文化水平; 그는 어느 정도 학력이 있다 / 作出了～的成绩; 상당한 성적을 올렸다 / 有～的理由; 상당한 이유가 있다. ②특정되다. ¶一切文化属于～的阶级; 일체의 문화는 특정한 계급에 속해 있다. ③정해져 있다. 일정하다. 규칙적이다. ¶每天工作、学习和休息的时间都是～的; 매일 매일의 일이라 학습·휴식 시간은 각각 정해져 있다. ④고정 불변의. 필연의. ¶～的关系; 필연적인 관계.

〔一定不易〕 yī dìng bù yì 〈成〉 일정〔고정〕 불변. ¶～之真理; 고정 불변의 진리. =〔一定不移〕

〔一定之规〕 yīdìng zhī guī 〈文〉 정해진 규칙. 일정한 규칙. 〈比〉 이미 정해진 생각(문어식(文語式)을 비꼰 것). ¶你～要走, 我也没法拦你; 네가 꼭 가겠다면, 나도 말릴 수 없다.

〔一定准儿〕 yīdìngzhǔnr 명 일정한 기준. 일정한 방법. 부 꼭. 반드시.

〔一丢点儿〕 yīdiūdiǎnr 수량 ⇨〔一点点儿〕

〔一丢丢儿〕 yīdiūdiūr 수량 ⇨〔一点点儿〕

〔一动不动〕 yīdòng bùdòng 조금도 움직이지 않다. 미동〔옴쭉〕도 하지 않다. ¶～地忍耐; 꾹 참다.

〔一动不如一静〕 yīdòng bùrú yījìng 〈諺〉 쓸데없이 나서지 않는 것이 좋다. ¶～, 看看事态的发展再说; 지금은 조용히 있는 편이 낫겠으니, 사태의 추이를 지켜본 뒤 다시 말하자.

〔一动(儿)〕 yīdòng(r) 걸핏하면. 툭하면. ¶～就骂人; 툭하면 사람을 욕한다. →〔动不动(儿)〕〔〈文〉动辄zhé〕

〔一嘟噜〕 yīdūlu 수량 한 다발. 한 송이(다발이나 송이로 된 것을 세는 말). ¶～葡pú萄; 포도 한 송이.

〔一肚子〕 yīdùzi 뱃속 가득하다. 대단하다(흔히, 나쁜 일에 씀). ¶～牢骚; 뱃속 가득한 불평 / ～委屈; 대단히 억울한 일 / ～的坏主意; 아주 못된 궁리 / ～火儿 =〔～气〕; 대단한 분노.

〔一度〕 yī dù 〈文〉 ①일 회(一回). 일 장(一場). 한 차례. ¶一年～的春节又到了; 1년에 한 번 있는 구정이 또 돌아왔다 / 经过～激论之后, 对方终于沉默了; 한바탕 격론을 벌인 끝에, 상대방은 마침내 침묵했다. ②한동안. 한때. ¶～失业; 전에 한동안 실업한 적이 있다.

〔一端〕 yīduān 명 ①한 끝. 한 쪽. ②〈文〉 한 점〔면〕. ¶只此～就可明白其他了; 이 한 면으로 그 밖의 것도 알 수 있다. 수량 한 폭(족자 따위를 세는 말). ¶～屏; 병풍 한 폭 / ～喜幛; 축하 족자 한 점〔폭〕.

〔一段〕 yīduàn 수량 ①한 절(節)(문장·노래 등의 한 단락). ②(일·공정(工程)의) 일단락. ③(장소를 몇 개로 구분한) 한 구획〔구역〕. ¶这警察不管那～; 이 경찰은 저 구역을 관할하지 않는다. ④한 매듭. ¶～时期; 어느 시기. 어느 기간 / 送你～路; 거기까지 배웅하겠습니다.

〔一堆〕 yīduī 수량 한 무더기. ¶～花生; 한 무더기의 땅콩 / ～骗人的空话; 엄청나게 많은 기만적인 헛소리 / 脸上～笑容; 얼굴에 온통 웃음을 띠고 있다.

〔一堆人〕 yīduīrén 명 많은 사람. 군중. ¶～围着看耍猴儿; 군중이 둘러서서 원숭이의 재주를 보고 있다.

〔一对(儿)〕 yīduì(r) 명 ①쌍(雙)으로 된 것. ②〈比〉 부부(夫婦). 수량 한 쌍. ¶～花瓶; 한 쌍의 꽃병.

〔一对一〕 yī duì yī 1대 1. 같은 조건(으로).

〔一顿〕 yīdùn 수량 ①한 끼니. ¶我一天只吃～饭; 난 하루에 단 한 끼 밥을 먹을 뿐이다. ②한차례. 한 번. 한바탕. ¶骂了～; 한바탕 야단쳤다 / 打了～; 한 번 때렸다. 동 〈文〉 ①잠시 멈추다. ②한 번 쉬다.

〔一哆儿〕 yīduōr ⇨〔一哆子〕

〔一哆子〕 yīduōzi (걸쭉한 풀 상태의 것의) 한 방울. ¶～泥; 한방울 튄 진흙 / ～糨子; 풀 한 방울. =〔一哆儿〕

〔一朵〕 yīduǒ 수량 한 송이. ¶好～玫瑰花; 한 송이의 아름다운 장미꽃.

〔一朵鲜花插在驴头〕 yīduǒ xiānhuā chāzài lǘtóu 〈諺〉 한 송이 아름다운 꽃을 당나귀 머리에 꽂다(미녀가 추남한테 시집 감).

〔一垛〕 yīduò 한 더미. 한 무더기. ¶～铺盖; 한 더미의 이불.

〔一儿一女一枝花〕 yī'ér yīnǚ yīzhīhuā 〈諺〉 1남 1녀는 꽃과 같다. ¶～, 多儿多女多冤家; 1남 1녀는 꽃과 같고, 자식이 많은 것은 고생스럽다.

〔一…而…〕 yī…ér… 두 개의 동사 앞에 쓰이어, 앞의 동작이 매우 빠르게 결과를 낳음을 나타냄. ¶一哄而散; 와 하고 소리를 지르고 뿔뿔이 흩어지다 / 一挥而就; 재빨리〔단숨에〕 문장을 쓰다 / 一扫而光; 말끔히 쓸어 버리다 / 一怒而去; 화가 나서 가 버리다.

〔一而二, 二而一〕 yī ér èr, èr ér yī 〈成〉 형식은 달라도 취지는 같다.

〔一而再地〕 yī'érzàide 여러 번. 재차. 수차례. 거듭. ¶这种作法～违反了决议; 이와 같은 방식은 한두 번이 아니고 거듭하여 결의를 위반하고 있다.

〔一而再, 再而三〕 yī ér zài, zài ér sān 〈成〉 ⇨〔再三再四〕

〔一耳朵〕 yī'ěrduo 한쪽 귀. 〈比〉 언뜻 듣다. ¶孙七爷听到了～，赶紧说："四大妈！听！"; 손칠은 (그것을) 언뜻 듣자, 얼른 '넷째 할머니, 들으세요'라고 말했다 / 老太太爱叨叨，你就给她～不就完了吗？ 할머니는 수다떨기를 좋아하니까, 잠깐 들어 주면 되지 않느냐.

〔一二〕 yī'èr ①한두 개. 소수. 조금. ¶～知己; 한두 사람의 지기 / 略知～; 조금 알고 있을 뿐이다. ②(구령의) 하나 둘. ③대략.

〔一…二…〕 yī…èr… ①매우 …하다(어떤 종류의 2음절 형용사의 두 개의 형태소(形態素) 앞에 쓰이어 강조(強調)를 나타냄). ¶一干二净; 깨끗이. 모조리. ②…하고 …하다(두 가지 사항을 병렬시킴). ¶一无资料二无设备; 재료도 없고 설비도 없다.

〔一发〕 yīfā [부] ①⇨〔益发〕 ②한데 뭉뚱그려. 함께. ¶你先把这些急用的材料领走，明天～登记; 우선은 급히 쓸 재료를 받아 가고, 내일 한꺼번에 등록해라. [수량] (화살·총 따위의) 한 발.

〔一乏子〕 yīfázi [수량] 휴식 시간을 세는 말. [명] 한동안. 한참 동안. ¶这～; 요즈음 / 那～我们工作很紧张; 그 때 우리는 일이 무척 바빴다.

〔一罚百戒〕 yī fá bǎi jiè 〈成〉 일벌 백계.

〔一法通, 万法通〕 yīfǎ tōng, wànfǎ tōng 〈諺〉 한 가지 요령을 터득하면 만사가 통한다.

〔一发千钧〕 yī fà qiān jūn 〈成〉 한 가닥의 머리털로 3만 근의 물건을 끌다(매우 위험한 모양. 한퇴지(韓退之)가 맹상서(孟尚書)에게 보낸 편지 중의 '其危如一发引千钧'에 유래함). =〔千钧一发〕

〔一发之间〕 yīfà zhī jiān 간일발(間一髮). 잠깐 사이.

〔一帆风顺〕 yī fān fēng shùn 〈成〉 순풍에 돛을 달다(일이 순조롭게 진행되다). ¶谈判经过～; 교섭〔협상〕이 순조롭게 진행되다.

〔一番〕 yīfān [수량] 한번. 하나. 한 바탕(추상적인 것을 셈. 단, '二' 이상의 수사(數詞)를 쓰는 일은 없음). ¶～事业; 하나의 사업 / 显现了～热闹; 대단한 성황(盛況)이었다 / 另是～滋味; 이 또한 특별한 맛이 있다 / 要调查～; 한바탕 조사해 보다.

〔一翻〕 yīfān [수량] (마작에서, 약에 따라) 득점이 배가 되는 것('两翻'이라면 4배, '三翻'이라면 8배가 됨).

〔一反〕 yīfǎn …에 반하여. …와는 딴판으로. ¶～常态; 평소의 태도와 판이하다. 돌변하다 / 他的作风～旧日怠惰的风格，忽然勤快起来了; 그의 행동은 이전의 태만한 태도와는 달리, 갑자기 부지런해졌다.

〔一反往常〕 yī fǎn wǎng cháng 〈成〉 여느 때와 전혀 반대이다〔다르다〕. =〔一反常态〕

〔一饭不忘〕 yīfàn bùwàng 〈比〉 조그만 은혜도 잊지 않다.

〔一方〕 yīfāng [명] ①한 쪽. 일면. ②한 지방. ¶独霸～; 한 지방을 제패하다. [수량] 한 개. 한 덩이(모난 물건을 세는 단위).

〔一方地〕 yīfāngdì [수량] 옛날, 둥베이(東北) 지방에서의 토지의 면적 단위. 36 '天地'에 상당함.

〔一方面〕 yīfāngmiàn [명] 한편. 일면. ¶这只是事情的～; 이는 다만 사건의 일면일 뿐이다. [접] 한편으로는 …하면서 한편으로는 …하다. … 하면서 …하다('～…～…'형식으로 쓰임). ¶～工作，～学习; 일을 하면서 공부하다.

〔一方支付〕 yīfāng zhīfù 쌍방 중 한쪽만의 지불. ¶只有彼此进出口平衡，才能避免～的困难; 쌍방의 수출입의 균형이 있어야지, 비로소 일방 지불이라는 곤란을 면할 수 있다.

〔一飞冲天〕 yī fēi chōng tiān 〈成〉 한 번 했다 하면 굉장한 일을 한다.

〔一分〕 yīfēn [수량] ①(시간의) 1분. 1분간. ②1전(錢). →〔毛〕〔角〕〔块〕 [형] 약간의. 얼마간의.

〔一分钱一分货〕 yīfēn qián yīfēn huò ①1전에 대하여는 1전 짜리 물품(상품의 좋고 나쁨은 값에 달려 있다). ②타산적이다. ¶跟朋友办事，不能～; 친구와 함께 일을 하면서, 지나치게 타산적이어서는 안 된다.

〔一分为二〕 yī fēn wéi èr 〘哲〙 하나가 나뉘어서 둘이 되다. 두 측면에서 관찰하다(사물의 운동·발전에 있어서의 대립면(對立面)의 분열은 불가피하다는 사고 방식). ¶再淘气的孩子也是～的，要善于发现孩子身上的积极因素，加以诱导; 아무리 개구장이 아이라도 양면이 있으므로, 어린이의 적극적인 면을 발견하여 잘 인도해야 한다.

〔一分钟小说〕 yīfēnzhōng xiǎoshuō [명] ⇨〔小小说〕

〔一份(儿)〕 yīfèn(r) [수량] ①한 벌. 1부. ¶～报; 신문 1부. ②한 사람 몫. ¶～客饭; 손님상 1인분. ③전체 중의 일부분.

〔一风吹〕 yī fēng chuī 〈比〉 ①전부 없애 버리다〔취소하다〕 ②일률적으로 다루다.

〔一佛出世，二佛涅槃〕 yī fó chū shì, èr fó niè pán 〈諺〉 ①모진 고초를 당하다. 죽다 살아나다(반죽음 상태로 혼(魂)이 이미 몸에서 빠져나가 있음). ②모진 슬픔. ‖=〔一佛出世，二佛生天〕

〔一夫〕 yīfū [명] 〈文〉 ①한 사람. ②고독한 사나이. ③남편 하나. ¶～多妻制; 1부 다처의 혼인 제도 / ～一妻制 =〔～一妇制〕; 1부 1처의 혼인 제도.

〔一夫当关，万夫莫开〕 yī fū dāng guān, wàn fū mò kāi 〈成〉 한 병사가 관문을 지키고 있으면, 1만의 무리도 그것을 공략할 수 없다(극히 험준한 요해처).

〔一服〕 yīfú [수량] (약의) 한 봉지. ¶～药yào; 약 한 봉지. =〔一剂jì①〕 →〔一料〕

〔一付〕 yīfù [명] 한 봉지. 한 첩. 한 켤레(약이나 장갑 따위를 세는 말). ¶～药; 약 한 봉지〔첩〕 / ～手套; 장갑 한 켤레.

〔一副〕 yīfù [수량] ①한 쌍. 한 벌. ¶～对子; 한 쌍의 족자 / ～耳环; 귀걸이 한 쌍 / ～袜带; 양말 대님 한 쌍 / ～衣裳; 옷 한 벌 / ～光子; 안경알 한 쌍 / ～牙牌; 상아 골패 한 벌. ②하나(얼굴·용모 등에 쓰임). ¶～冷冰的面孔; 하나의 냉랭한 얼굴.

〔一改故辙〕 yī gǎi gù zhé 〈成〉 낡은 방법을 완전히 고치다.

〔一概〕 yīgài [부] ①모두. 일체. ¶～俱全; 일체가 구비되어 있다. ②전혀. 일절. ¶我～不知道; 나는 일절 모릅니다. ③몰아서. 뭉뚱그려서. 일률적으로. ¶～而论; 〈成〉 일률적으로 논하다.

〔一干〕 yīgān ①(그 사건에 관계 있는) 일련의. 일단(一團)의. ¶～人证; 일련의 증인들 / ～人犯; 범인 일당. ②(모양이 '千'과 비슷하여) '一千'(천)의 뜻으로 쓰임.

〔一干二净〕 yī gān èr jìng 〈成〉 깨끗이 모조리. 모두. ¶花了个～; 모두 써 버리다 / 把菜吃了个～; 요리를 깨끗이〔남김없이〕 먹어 치웠다 / 把责任推得～; 책임을 모조리 미루다. =〔溜liū干二净〕

〔一竿子插到底〕 yīgānzi chādàodǐ 〈比〉 초지 일

관해서 끝까지 해내다.
〔一赶三不买, 一赶三不卖〕 yīgǎn sānbùmǎi, yīgǎn sānbùmài 〈諺〉 파는 쪽이 비위를 맞추면 사는 쪽이 사지 않고, 사는 쪽이 비위를 맞추면 파는 쪽은 팔지 않는다.
〔一稿同画〕 yīgǎo tónghuà 한 장의 문서에 전원이 검인(檢印)하다. 책임소재가 불분명하다. ¶每件公文都要～, 谁也不负责, 造成了公文旅行; 어느 공문에나 전원이 검인하므로, 아무도 책임을 지지 않아, 공문이 마구 나돌아다니는 꼴이 되어 버렸다.
〔一合〕 yīgě 수량 1홉(10작(勺), 1/10 승(升)). ⇒yīhé
〔一个〕 yīge ①수량 하나. ¶～篱笆要打三个桩; 〈諺〉 하나의 울타리도 세 개의 말뚝을 박아야 한다(어떤 사람이라도 도와 주는 사람이 필요함). ②같은. 하나의. ¶都不～心; 여러 사람의 마음은 다 각각이다/他们俩是～心; 그들 두 사람은 같은 생각이다. ③전체를 가리키는 말. ¶～冬天…; 겨우내 …. ④…이라는 것은. 일개(가치나 성질을 강조). ¶～药…; 약이라는 것은 …/～打架有什么看头儿? 싸움 같은 것, 뭐 볼 게 있느냐? ⑤살짝. ¶～说不对劲儿; 슬쩍 상대방의 기분에 언짢은 말을 지껄이다. ⑥결과를 나타내는 보어(補語) 앞에 놓여 보어의 부분을 형상화함. ¶烧了～干净; 완전히 태우다/闹了～天翻地复; 천지가 뒤집힐 듯이 떠들다. 注 이 경우 '一'은 때때로 생략함.
〔一个巴掌拍不响〕 yīge bāzhǎng pāibuxiǎng 〈諺〉 외손뼉은 울지 못한다. ①상대가 움직이지 않으면 혼자 애써도 소용이 없다. 단독으로는 일은 성사되지 않는다. ②싸움은 혼자서는 일어나지 않는다. ‖=〔一只手掌拍不响〕
〔一个半个〕 yīge bànge 〈比〉 조금. 약간.
〔一个鼻孔出气(儿)〕 yīge bíkǒng chūqì(r) 〈諺〉 기맥이 통하다. 한패이다. 한통속이다. 같은 보조를 취하다. ¶他们向来是～的; 그들은 이전부터 한 통속이다.
〔一个槽里栓不下俩叫驴〕 yīge cáoli shuānbuxià liǎjiàolǘ 〈諺〉 구유 하나에 두 마리의 수나귀를 매어 둘 수 없다(두 세력이 공존할 수 없다).
〔一个大〕 yīgedà 명 옛날, 동전 한 닢. ¶～也不给; 한 푼도 주지 않다. =〔一个钱〕
〔一个点〕 yīgediǎn 〈方〉 줄곧. 한결같이. ¶近半夜了, 雨还是～地下着; 한밤중이 되어도 비가 줄곧 내렸다. =〔一个劲儿〕
〔一个个〕 yīgègè ①하나하나. 한 사람 한 사람. ¶他们家的小姐们～的人材出众; 저 집 딸들은 한 사람 한 사람〔누구나〕 재주가 출중하다. ②차례로. ¶封建皇帝～都倒了; 봉건 군주는 차례로 쓰러지고 말았다. =〔一个接一个〕
〔一个够〕 yīgegòu 충분히. 실컷. ¶吃了～, 外带包着回家; 실컷 먹은 후에, 또 집에 싸가지고 돌아갔다/闹了～, 才收兵会阵; 실컷 떠들다가, 겨우 돌아갔다. =〔一够〕〔一个不够〕
〔一个锅里不能煮出两样儿饭来〕 yīge guōli bùnéng zhǔchū liǎngyàngrfànlai 〈諺〉 한 솥에 두 종류의 밥을 지을 수는 없다(단체에서는 대우가 평등해야 한다).
〔一个过儿〕 yīgeguòr 대충. 한번. ¶把这封信看了～; 이 편지를 한 번 읽었다/把事情在心里掂了～; 일을 마음속으로 한 번 생각해 보았다/把煮熟了的面条儿搁在冷水里过～; 삶은 국수를 찬물에 한 번 헹구다. =〔一过儿②〕
〔一个和尚挑水吃〕 yīge héshang tiāoshuǐchī 〈諺〉 중이 하나면 물을 스스로 길어마신다(의지할 사람이 없으면 스스로 한다).
〔一个鸡算出四两骨〕 yīgejī suànchu sìliǎnggǔ 〈諺〉 닭 한 마리 뼈의 무게를 넉 냥으로 계산하고 나서 사다(아주 인색하다. 금전에 까다롭다). ¶他精明到～来; 그는 까다로워서 닭 한 마리 사는데도 뼈의 무게 4량을 계산해 낼 정도다.
〔一个箭步〕 yīgejiànbù 〈比〉 휙. 날쌔게. ¶小李～蹿cuān上正要开的火车; 이 군은 막 발차하려는 기차에 훌쩍 뛰어올라탔다. =〔一箭步〕
〔一个劲儿〕 yīgejìnr 시종일관. 한눈 팔지 않고. 열심히. 한결같이. 끊임없이. ¶～干到底; 마지막까지 해내다/～地纠缠不已; 끊임없이 성가시게 붙어 다니다/有几个小孩子饿得～哭着; 몇 명의 아이들이 배가 고파 끊임없이 울고 있다.
〔一个烂桃坏满筐〕 yīge làntáo huài mǎnkuāng 〈諺〉 썩은 복숭아 한 개가 온 광주리를 망치다(사소한 실수로 전체를 망치다).
〔一个雷天下响〕 yīge léi tiānxià xiǎng 〈比〉 큰 권세를 갖다. 큰 영향을 주다. ¶您是～的人, 可千万发不得怒啊; 당신은 큰 영향을 미칠 실력 있는 분이므로 화를 내선 안 됩니다.
〔一个萝卜一个坑儿〕 yīge luóbo yīge kēngr 〈諺〉 무 하나가 구멍 하나를 차지하다(각각 모두 제구실을 하다). ¶～, 共同努力完成任务; 각자의 위치를 지키고, 함께 임무를 완성하도록 노력하다.
〔一个你一个他〕 yīge nǐ yīge tā (애정을 담아서 꾸짖는 투로) 너희 두 사람. ¶～实在叫人不放心; 너희들 둘은 정말 사람을 걱정하게 만드는 놈들이다〔마음을 놓을 수 없다〕.
〔一个钱〕 yīgeqián 명 ⇨〔一个大〕
〔一个儿不个儿〕 yīgèr bùgèr 〈俗〉 하나도 없다. 아무것도 없다. ¶你还有几个? 我～了! 너는 또 몇 개 남았니? 나는 하나도 없다!
〔一个赛一个〕 yīge sài yīge 어느 것이나 모두 훌륭하다. ¶～地漂piào亮; 어느 것이나 모두 아름답다.
〔一个碗不响, 两个碗叮当〕 yīge wǎn bùxiǎng, liǎngge wǎn dīngdāng 〈諺〉 손뼉도 마주쳐야 소리가 난다. 한쪽만 나쁘다고 싸움이 나지는 않는다.
〔一个心眼(儿)〕 yīge xīnyǎn(r) ①전심 전력으로. 일심으로. ¶她是～的人; 그녀는 한 가지 일에 열중하는 성미의 사람이다. ②융통성이 없다. 고지식하다. ¶～的人爱认死扣子; 융통성이 없는 사람은 완고해지기 쉽다. ③같은 생각이다. 한 마음이다.
〔一个样(儿)〕 yīgeyàng(r) 같다. 꼭 닮다. 한가지다. →〔一样〕
〔一个钟头〕 yīge zhōngtou ⇨〔一小时〕
〔一根脖梁骨〕 yīgēn bóliánggǔ 〈京〉 자기의 생각만 고집하는 모양. 독선적인 모양. ¶办什么事应该多方面想想, 不能～只有自己想得对; 무슨 일을 하나 여러 방면으로 생각해야지, 자기 생각을 고집하여 독선적이 되어서는 안 된다.
〔一根寒毛也不拔〕 yīgēn hánmáo yě bùbá 〈諺〉 한 푼도 아까워서 내지 않다. 무척 인색하다.
〔一更〕 yīgēng 명 ⇨〔初chū更〕
〔一工〕 yīgōng 명 (일용 노동자의) 하루 일. 하루 품. ¶～活; 하루품이 드는 일.
〔一工儿〕 yīgōngr 명 ①자신 있는〔뛰어난〕 기예(技藝). ¶他还有～为他人所不能的; 그에게는 남이

못 하는 뛰어난 기예도 있다. ②(기예 등의) 한 종류·방법. ¶他的唱法是另～; 그의 창법은 특별하다.

〔一拱(儿)〕 yīgǒng(r) 동 공그르다《재봉 용어》. ¶这样娃娃的衣服, 还不是～就得? 이 인형의 옷 같은 것은 한 번 공그르면 되는 것 아니냐?

〔一共〕 yīgòng 명부 합계해서. 전부. ¶一年级～有多少学生? 1학년 학생은 전부 몇 명입니까? / ～有几个人? 전부 몇 사람 있습니까? 注 '一共' 과 '都' 와의 차이《'一共' 은 동류의 수의 총계로 항상 뒤에 양사(量詞)가 옴. '都' 도 총체(總體)를 나타내지만, 그 범위는 총괄(總括)이고 하나하나 셀 수 있는 것은 아님》. →〔共总〕

〔一够〕 yīgòu ⇨〔一个够〕

〔一骨碌〕 yīgūlu 〈擬〉 후다닥. 벌떡. ¶～翻身爬起来; 자다가 벌렁 몸을 뒤치더니 자리에서 일어났다. =〔一骨鲁〕

〔一古脑儿〕 yīgǔnǎor 부 일제히. 한꺼번에. 한데 몰아쳐서. 몽땅. 전부. ¶把所有的东西～全给了他; 가진 것을 모두 통틀어 그에게 주었다. =〔〈方〉一股脑儿〕〔一裹脑子〕

〔一股劲(儿)〕 yīgǔjìn(r) ①부 곧장. 냅다. 단숨에. 일거에. ¶～跑回; 쏜살같이 뛰어 돌아오다 / 向我们～开枪; 우리를 향해 냅다 발포했다. ②한 동아리. 한 패. 한통속.

〔一股拢总〕 yīgǔlǒngzǒng 부 〈方〉 하나로 뭉쳐서. 이것저것 일괄해서.

〔一股脑儿〕 yīgǔnǎor 부 ⇨〔一古脑儿〕

〔一股心〕 yīgǔxīn 부 오로지. 일념(一念)으로.

〔一股(子)〕 yīgǔ(zi) 수량 일루. 한 가닥. 한 줄기. ¶～烟儿; 한 가닥의 연기 / ～香味儿; 풍겨오는 향기 / ～邪气; 한줄기의 사기 / ～黑风; 한줄기의 좋지 못한 바람《악인이 나쁜 짓을 하려 하고 있는 일》 / ～勇气; 용기.

〔一鼓〕 yīgǔ 명 ⇨〔初chū更〕

〔一鼓再鼓〕 yīgǔ zàigǔ 여러번 용기를 떨쳐 일으키다. ¶～地坚持下去; 용기를 북돋우며 견지해 나가다.

〔一鼓作气〕 yī gǔ zuò qì 〈成〉 한 번 북을 울려 기운을 떨쳐 일으키다. 단숨에 일을 완성시키다. ¶～地办完了; 단 번에 해 버렸다.

〔一官半职〕 yī guān bàn zhí 〈成〉 대수롭지 않은 관직. ¶倘得～算是幸运; 혹 말단 관직이라도 하나 얻으면 행운이다. →〔一阶半级〕

〔一贯〕 yīguàn 동 일관하다. 일관하여 …하다. ¶中国人民～爱好和平; 중국 인민은 일관되게 평화를 사랑한다 / ～政策; 수미 일관된 정책. 수량 한 꿰미. ㉠끈 또는 꼬치에 꿴 한 꿰미. ㉡옛날, 천 전(千錢)을 '～(钱)' 이라 하였음.

〔一贯道〕 Yīguàndào 명 종교를 위장한 과거의 반동 비밀 결사의 하나. =〔中Zhōng华道德慈善会〕

〔一惯〕 yīguàn 형 종래(從來)의. 여느 때와 같은. 상투적인. 평소의. ¶那是他～的做法; 그것은 그의 상투적인 방법이다.

〔一轨〕 yīguǐ 명 같은 궤도. 일궤. =〔一辙〕 동 〈文〉 통일하다. ¶～天下; 천하를 통일하다.

〔一跪三叩〕 yīguì sānkòu 옛날, 신불에 참배할 때, 또는 연장자에게 새해 인사를 드릴 때 등의 정중한 예로, 두 무릎을 꿇고 세 번 머리를 숙여 절함.

〔一棍子打死〕 yī gùnzi dǎsǐ 가차없이 숨통을 끊다. 단칼에 죽여 없애다. 〈轉〉 조금도 취할 바가 없다고 보아 전면적으로 부정하다. ¶不要一犯错误就～! 잘못을 저질렀을 때, 불문 곡직하고 죽이면 안 된다.

〔一锅端〕 yī guō duān 냄비째 가져가다. 전부 해치우다《일의 분담 또는 이익 분배를 거절하다. 독점하는 것을 가리킴》. 〈轉〉 모조리. 전부. ¶来了个～; 모조리 말해 버리다.

〔一锅儿熬〕 yīguōr áo 〈比〉 함께 고생하다. ¶既然大家都穷, 咱们就～吧; 모두 가난하니까 함께 고생합시다.

〔一锅粥〕 yīguō zhōu 한 냄비의 죽. 〈比〉뒤섞임. 뒤죽박죽. 엉망. ¶孩子们又笑又嚷, 打打闹闹, 乱成～; 아이들이 웃고 떠들며 치고 받고 소란을 피워 뒤죽박죽이 되었다.

〔一锅煮〕 yī guō zhǔ 〈比〉 많은 일을 동시에 처리하다. 한데 묶어 하다. ¶本来有两个矛盾, 应该分开解决, 你却～了; 본디 두 가지 모순이 있어서 따로따로 해결해야 하는데, 너는 한데 묶어서 해 버렸다.

〔一国三公〕 yī guó sān gōng 〈成〉 (정권 등이) 통일되어 있지 않다. 의견이 구구하다. ¶出主意的人颇多, ～, 各有见解, 昨晚还未决定; 의견을 내는 사람이 상당히 많아 각각 구구하고 저마다 견해가 있어, 어젯밤에는 미처 결정짓지 못했다.

〔一裹脑子〕 yīguǒnǎozi 부 〈方〉 ⇨〔一古脑儿〕

〔一裹圆儿〕 yīguǒyuánr 명 '开衩'(옷단의 터놓은 곳)가 없는 옷. ¶冬天穿上～的袍子很暖和; 겨울에는 터진 곳이 없는 옷을 입으면 아주 따뜻하다. →〔开kāi衩(儿)〕

〔一过儿〕 yīguòr ①휙 지나가다. ¶由他门前～, 并没看清楚; 그의 집앞을 휙 지나갔기 때문에, 별로 자세히는 보지 않았다. ② ⇨〔一个过儿〕

〔一过眼儿〕 yīguòyǎnr 대충 훑어보다.

〔一行〕 yīháng 명 ①동업(同業). 같은 직업. ¶～人; 동업자. ②하나의 장사. 전문 분야. ¶他们这～, 现在很缺; 그들은 이 분야에 있어서 아직 매우 부족하다. 수량 일행(一行). 한 줄. ¶写～; 한 줄 쓰다 / ～树; 한 줄의 늘어선 나무 / ～庄稼; 한 이랑의 작물. ⇒yīxíng

〔一行儿〕 yīhángr 명 동업(同業).

〔一行…一行…〕 yīháng…yīháng… 한편에서는 … 한편에서는 …. ¶他一行说, 众人一行笑; 그가 이야기를 하면 모두가 웃는다.

〔一号电池〕 yīhào diànchí 명 단일형 건전지.

〔一号(儿)〕 yīhào(r) ①수량 (거래의) 한 건. ¶成交了～买卖; 거래한 건이 이루어졌다. ②명 〈俗〉 변소. ¶上～; 변소에 가다. ③(yī hào(r)) 일호(一號). ④(yī hào(r)) 1일.

〔一合〕 yīhé 수량 하나. ¶～门子; 하나의 출입구. ⇒yīgě

〔一何〕 yīhé 〈文〉 어쩌면. 실로《정도가 심함을 나타냄》. ¶～速也; 어쩌면 그렇게 빠르냐.

〔一黑早儿〕 yīhēizǎor 명 아직 날이 완전히 새지 않은 무렵. 새벽녘《흔히, 뒤에 '就' 를 수반》. ¶～就出发了; 날이 새기 전에 떠났다.

〔一狠百狠〕 yī hěn bǎi hěn 〈成〉 조그만 나쁜 짓을 하면, 큰 일도 쉽게 하게 된다. 점점 뻔뻔스러워지다. 점점 무자비해지다. ¶事已如此就～地狠下去了; 일이 여기까지 왔으니, 무자비하게 해 버리는 수밖에 없다.

〔一横〕 yīhéng 명 한자 필획의 가로획 '一'. ¶～一竖shù; 가로획과 세로획.

〔一哄而集〕 yī hōng ér jí 〈成〉 와 하고 모이다.

〔一哄而起〕 yī hōng ér qǐ 〈成〉 와 하고 떨쳐 일어나다《갑자기 집단 행동으로 들어가다》.

〔一哄而散〕 yī hōng ér sàn 〈成〉 와 소리를 지

르며 흩어지다.

〔一齁候儿〕 yīhōuhòur 〈京〉 조금. ¶就差chà～; 조금 다를 뿐이다.

〔一呼百诺〕 yī hū bǎi nuò 〈成〉 한 번 부르면 백 사람이 대답하다(부하나 하인이 많음).

〔一呼百应〕 yī hū bǎi yìng 〈成〉 한 사람이 제창하면 많은 사람이 거기에 찬성하다. 한 마디 하면 우르르 모이다. 한 사람이 외치는 소리에 많은 사람이 호응하다.

〔一呼一应〕 yīhū yīyìng 서로 호응하다.

〔一忽儿〕 yīhūr ⇨〔一会儿①〕

〔一狐之腋〕 yī hú zhī yè 〈成〉 진귀한 것(사기(史記)의 '千羊之皮不如'에 기인함. 본디는 여우의 겨드랑이 밑의 모피).

〔一壶千金〕 yī hú qiān jīn 〈成〉 쓸모없는 것이라도 때를 만나면 천금 값을 한다.

〔一花〕 yīhuā 수량 옛날, 돈 5문을 말함(돈을 셀 때에는 다섯 장씩 세었음).

〔一化作蚕〕 yīhuà zuòcán 명 한 잠잔 멧누에.

〔一还一报儿〕 yī huán yī bàor 〈成〉 보복을 받다. ¶骗人的人终究叫人骗了, 这也是～; 남을 속이는 사람은 결국 남에게 속기 마련인데, 이것도 인과응보이다.

〔一环扣一环〕 yīhuán kòu yīhuán 명 단단히 연결되어 있다.

〔一晃(儿)〕 yīhuǎng(r) 동 눈앞을 휙 스쳐 가다. ¶窗外有人～; 창 밖에 누군가 피뜩 보였다.

〔一晃〕 yīhuàng 부 잠깐 사이. 눈 깜짝할 사이. 어느 사이에. 어느 새. ¶～就是过年了; 어느 새 벌써 설이다 / ～有半年没见了; 잠깐 사이라 여기고 있는 중에 벌써 반 년이나 못 만났다.

〔一挥而就〕 yī huī ér jiù 〈成〉 한 번 붓을 놀리면 곧 훌륭한 문장이 된다(쉽게 성공하다). =〔一挥而成〕

〔一回〕 yīhuí ①수량 1회. 한 차례. ¶～生两回熟; 첫 번째는 생소하지만 두 번째는 익숙해진다. 횟수를 거듭할수록 점점 익숙해진다 / ～遭蛇咬, 二回不趱zǎn草; 한 번 뱀에 물린 자는 두 번 다시 풀숲 속으로 뛰어들지 않는다. ②잠시 동안. 잠깐 사이. ¶过了～; 좀 지나서 / ～明白～糊涂; 지금은 알고 있다고 생각한 것이 금세 모르게 되다.

〔一回事〕 yīhuíshì 명 ⇨〔一码mǎ事〕

〔一会〕 yīhuì 명 ①짧은 시간. ②시간. ¶好大～; 매우 긴 시간 / 不大～; 얼마 안 있어. 별로 길지 않은 시간.

〔一会儿〕 yīhuìr〔yìhuǐr〕 ①잠깐. 극히 짧은 시간. ¶等～; 잠시 기다리다. =〔一忽儿〕〔一歇〕 ②잠시 후에. 곧. ¶你妈妈～就回来了; 너의 어머니는 곧 돌아온다. ¶他～就回来; 그는 곧 돌아온다. ③두 개의 반의어(反義語) 앞에 겹쳐 쓰이어 두 개의 상황이 교대로 나타남을 이르는 말. ¶天气～晴～阴; 날씨가 개었다 흐렸다 하다 / ～明白～糊涂; 알 듯하더니 다시 영문을 모르게 되다. ④두 개의 동작이 이어져 그것이 전후하여, 또는 계속해서 짧은 시간 사이에 행하여짐을 나타냄. ¶～给他量体温, ～给他打针服药; 그의 체온을 재고 주사를 놓고 약을 먹이고 한다.

〔一会子〕 yīhuìzi〔yìhuǐzi〕 잠시 동안('一会儿'보다 상대적으로 긴 시간). ¶他来了～了; 그가 온 지 꽤 됐다.

〔一伙(儿)〕 yīhuǒ(r) 사람의 일단(一團). 한 무리. 한 패. ¶我不和他们～; 나는 그들과는 한 패가 아니다 / 他们俩～; 그들 둘은 한 패다 / 罢工的工人们东～西～地谈论着; 파업 중의 직공들은 여기에 한 무더기, 저기에 한 무더기를 이루어 담론하고 있다 / 逮着～贼; 일단의 도둑을 체포했다.

〔一机灵〕 yījīling 동 흠칫하다. 움찔 놀라다. ¶吓得我～; 나는 흠칫했다.

〔一级白糖〕 yījí báitáng 명 ⇨〔雪xuě糖〕

〔一己〕 yījǐ 명 자기. 자기 혼자. ¶～之私; 〈成〉 개인의 사사로운 일 / ～的荣誉; 자기 혼자의 영예.

〔一记耳光〕 yījì ěrguāng 따귀를 한대 갈기다.

〔一技独秀〕 yījì dú xiù 명 출중함. 발군(拔群).

〔一技之长〕 yī jì zhī cháng 〈成〉 뛰어난 재주. 장기.

〔一剂〕 yījì ①수량 약 한 첩. 약 1회분. ¶～药; 한 모금의 약. =〔一服fú〕 ②1종의 약제.

〔一家〕 yījiā 명 ①집 한 채. 일가(一家). 한 집안 식구. ¶～老小; 노인 어린이까지 한 집안 식구 모두 / ～饱暖千家怨; 〈成〉 한 집안이 따뜻한 옷을 입고 포식하면 천 집안의 원부(怨府)가 된다 / ～出一个人轮流站岗; 한 집에서 한 사람씩 나와 차례로 경비를 선다. ②한 조(組). ¶你们～, 我们～, 来几圈牌吧; 너희들이 한 조, 우리가 한 조가 되어 마작을 하자. ③한 사람. 각자. ¶大家坐好了, ～给一包糖果吃; 모두 자리에 앉으면 한 사람에 한 봉지씩 사탕을 주겠다.

〔一家亲〕 yījiāqīn 모두가 친척.

〔一家儿〕 yījiār 명 ①⇨〔一家子①〕 ②한 패. 동아리. 동료. ¶咱们俩～; 우리 둘은 한 패다.

〔一家人〕 yījiārén 명 ①한 집안 사람. ②같은 혈족〔성〕의 사람. 동족. ¶姓王的都是～; 왕이란 성을 가진 사람은 모두 동족이다. ③자기 편 사람. 동료. 한패.

〔一家人不说两家话〕 yījiārén bùshuō liǎngjiāhuà 〈諺〉 한 집안 식구처럼 스스럼없이 말하다〔대하다〕.

〔一家言〕 yījiāyán 명 일가(一家)를 이룬 저작〔학술〕.

〔一家一户〕 yījiā yīhù 명 한 가족 한 세대.

〔一家之言〕 yī jiā zhī yán 〈成〉 한 파의 언론. 일가견이 있는 언론.

〔一家子〕 yījiāzi 명 ①(한) 가정. (한) 집. ¶这～是由哪里搬来的? 이 집은 어디서 이사 왔습니까? =〔一家儿①〕 ②온 집안 식구. 온 가족. ¶他们～都出去了; 저 집은 가족 모두가 외출했습니다 / ～团圆; 일가가 단란하다.

〔一甲〕 yījiǎ 수량 지적(地積) 단위로 약 14.5묘(畝).

〔一甲子〕 yījiǎzǐ 명 60년.

〔一见即付〕 yījiàn jífù 명 《經》 일람 출급(一覽出給).

〔一见倾心〕 yī jiàn qīng xīn 〈成〉 한눈에 반하다. 첫눈에 반하다. ¶西厢记所描写的爱情是～式的爱情; 서상기에 묘사되어 있는 애정은 첫눈에 반하는 식의 애정이다. =〔一见生情〕〔一见钟情〕

〔一见如故〕 yī jiàn rú gù 〈成〉 첫대면에 옛 친구처럼 친해지다.

〔一见生情〕 yī jiàn shēng qíng 〈成〉 ⇨〔一见倾心〕

〔一见钟情〕 yī jiàn zhōng qíng 〈成〉 ⇨〔一见倾心〕

〔一箭道〕 yījiàndào 명 화살이 닿는 거리의 뜻(엎어지면 코 닿을 곳. 극히 가까운 곳). ¶往东去～, 就是舍下了; 동쪽으로 엎어지면 코 닿을 데가 우리집입니다. =〔一箭之地〕

〔一箭双雕〕 yī jiàn shuāng diāo 〈成〉 일석이조. ¶娶了这位阔小姐, 又得人, 又得财, 这可真是～了; 이 부잣집 따님과의 결혼으로, 아내와 동시에 재산을 얻은 셈이니, 이것은 그야말로 일석이조다. =〔一箭双鹏〕→〔一举两得〕

〔一箭双鹏〕 yī jiàn shuāng péng 〈成〉 ⇨〔一箭双雕〕

〔一箭五雕〕 yī jiàn wǔ diāo 〈成〉 일석오조. 한번에 여러가지 문제를 해결하다. ¶你别吹牛了, 哪儿有～这么便宜的事儿啊! 그렇게 허풍떨지마. 어디에 그런 좋은 일이 있겠느냐!

〔一箭之地〕 yī jiàn zhī dì 명 ⇨〔一箭道〕

〔一将功成万骨枯〕 yī jiàng gōng chéng wàn gǔ kū 〈成〉 한 장군의 공훈의 그늘에는 많은 병졸의 비참한 죽음이 있다.

〔一角〕 yījiǎo 수량 ①'元'(원)의 10분의 1(10전(錢)에 상당함). =〔一毛〕→〔块〕〔分〕 ②한 통. 한 건(공문(公文)을 세는 말). ¶～公文; 공문 한 통. ③한 쪽(대개는 둥근 것을 (지름을 따라) 몇 개로 잘랐을 때의 그 하나를 말함). 명 유니콜(고래의 일종인 일각(一角)의 엄니로 만든 건위제(健胃劑)).

〔一角儿〕 yījiǎor 명 ①물건의 한 모서리. 한 구석. ②일의 한 부분. ¶他割麦, 你送饭, 各抱～; 그는 보리를 베고, 너는 도시락을 갖다 주고, 각각 담당이 있다 / 一个人做～事, 合起来成功了; 각자가 각각 한 부분을 맡아 하여, 그것을 합치면 성사된다. ③물건의 4분의 1 또는 8분의 1. ‖ =〔一脚儿〕

〔一角商店〕 yījiǎo shāngdiàn 명 구멍가게(10전(錢) 균일점(均一店)).

〔一脚〕 yījiǎo 명 ①한쪽 발. 한 방면. ¶这笔生意你让我搭～吧; 이 장사에 나를 좀 끼워 다오. ②발 전체. ¶踩了～泥; 진흙탕에 빠져서 발이 진흙투성이가 되었다 / ～踢tī开; 아주 쉽게 걷어차다 / 他们～踢开了群众; 그들은 대중을 헌신짝 버리듯 걷어찼다.

〔一脚踩着两只船〕 yī jiǎo cǎizhe liǎng zhī chuán 〈諺〉 발을 배 두 척에 걸치다(양다리 걸치다. 두 길마 보기).

〔一脚儿〕 yījiǎor 명 ⇨〔一角儿〕

〔一脚踢〕 yījiǎotī 동 혼자 떠맡다. 전부 독점하다. ¶三块钱合一个月的工钱, 洗衣服、做饭、看门、带孩子都归你～; 한 달 3원의 월급으로, 세탁·밥짓기·집보기·애보기까지 모두 너 혼자서 도맡는 것이다.

〔一阶半级〕 yījiē bànjí 〈比〉 대수롭지 않은 관직. ¶在军队里混个～的也好哇; 군대에서 조그마한 관직에 종사하는 것도 그런대로 괜찮지. →〔一官半职〕

〔一街两巷〕 yījiē liǎngxiàng 이웃. 온 동네. ¶吵得～都知道了, 没人不笑; 소동은 이웃 사람한테도 모두 알려져서, 비웃지 않는 사람이 없다.

〔一节〕 yījié 수량 ①한 분기. ¶～结一回账; 한 분기에 한 번 결산하다. ②1시간(예를 들면 50분 수업 1회). ¶～课; 수업 한 시간 / 第～; 첫째 시간. ③(일의) 일부. ¶这～我没想到; 이 점에 있어 미처 생각이 미치지 못했다. ④(～儿, ～子) (물건의) 일부.

〔一截〕 yījié 명 사물의 한 단락〔마디〕. ¶说了前～就不说了; 앞 부분만 이야기하고 나머지는 이야기하지 않았다. →〔半bàn截(儿)〕

〔一介〕 yījiè 수량 〈文〉〈謙〉 한 사람. 일개. ¶～穷儒; 일개 가난한 유학자. 부 조금. 약간.

〔一紧一松〕 yī jǐn yī sōng 〈成〉 ⇨〔一张一弛〕

〔一劲儿〕 yījìnr 부 ①단숨에. 단번에. ¶～地说'好! 托福!'; 단숨에 '덕분에 잘 있습니다' 라고 말하다. ②계속하여. 줄곧. ¶～死干; 계속 죽어라고 했다 / ～地颤抖chàndǒu; 줄곧 떨고 있다. →〔一个劲儿〕

〔一经〕 yījīng ①부 (한번) …하면('就' 나 '便' 으로 호응함). ¶～解释, 就恍然大悟; 한번 설명하자 문득 크게 깨닫다 / ～变乱, 社会道德就低落下来; 일단 변란을 당하면 사회 도덕은 떨어진다. ②일종. ¶他的居心是另～; 그의 생각은 전혀 다르다.

〔一景(儿)〕 yījǐng(r) 명 정식의 일. 새삼스러운 일. ¶你别拿吃饭当～; 식사를 새삼스러운 일로 여겨서는 안 된다. 형 마찬가지의. 동일한.

〔一景(儿)心〕 yījǐng(r)xīn 부 아무런 생각없이. 멍하니. ¶她什么也不想, 就是～地过日子; 그녀는 아무 생각없이 그냥 멍하니 살고 있다.

〔一径〕 yījìng 부 ①똑바로. 곧장. ¶～找他来; 곧장 그를 찾아왔다 / ～地往前走; 곧장 앞으로 걸어갔다. ②종래(從來). ③줄곧. 꼼짝않고. ¶～瞅着他的队长; 줄곧 그의 대장을 쳐다보고 있다 / 她～在微笑; 그녀는 계속 미소를 짓고 있다.

〔一就〕 yījiù 부 ⇨〔一就手儿〕

〔一…就…〕 yī…jiù… …하자 곧 …하다. …하기만 하면 …하다(두 가지의 일이 시간적으로 전후 긴접(緊接)하고 있음을 나타냄). ㉠주어가 같을 경우. ¶一学就会; 배우면 곧 할 수 있다 / 一吃就吐; 먹으면 곧 토한다. ㉡주어가 다를 경우. ¶一教就懂; 가르치면 곧 안다 / 一推就倒; 밀면 곧 넘어진다.

〔一就事儿〕 yījiùshìr 부명 ⇨〔一就手儿〕

〔一就手儿〕 yījiùshǒur 부 계제에. …하는 김에. ¶这两封信, 你上街的时候～替我寄了吧; 이 두 통의 편지는 네가 거리에 나가는 김에 좀 부쳐다오. =〔一就〕 명 겸사겸사 하는 일. ‖ =〔一就事儿〕

〔一局〕 yījú 수량 ①(바둑 대국의) 한 판. 일국. ②바둑판 하나. ③(연회(宴會) 등의) 한차례. ¶今天的这～; 오늘의 이 연회. 명 하나의 국면.

〔一举〕 yījǔ 부 일거에. 단번에. ¶～成名; 〈成〉 일거에 성공해서 유명해지다 / ～消灭之; 일거에 그것을 소멸시키다. 명 하나의 동작. 한 번의 행동. ¶注意～一动; 일거일동에 주의해라.

〔一举两得〕 yī jǔ liǎng dé 〈成〉 일거양득. 일석이조. =〔一则两便〕→〔一箭双雕〕

〔一举手之劳〕 yī jǔ shǒu zhī láo 〈成〉 조그마한 수고.

〔一句话〕 yī jù huà ①한마디로 말하면. ②(yījùhuà) 명 꼭 받을 값. 에누리 없는 가격. ¶～多少钱? 에누리 없이 얼마요? =〔一口价儿〕

〔一决雌雄〕 yī jué cí xióng 〈成〉 자웅을 겨루다. 우열을 가리다.

〔一绝〕 yījué 형 유일무이하다. 절묘하다. ¶他的书法可以说是当代～了; 그의 서법은 당대 제일이라고 할 수 있다.

〔一蹶不振〕 yī jué bù zhèn 〈成〉 한 번의 좌절이나 실패로 일어설 수 없게 되다. ¶如果不能一鸣惊人的话, 那就也许～了; 만일 분발해서 사업을 시작하지 못한다면 두 번 다시 일어나지 못할 것이다.

〔一开始〕 yīkāishǐ 처음(부터). 첫머리(부터). 시작(부터). ¶把他～就写成软骨虫; 그를 첫머리부터 무기력한 인간으로 썼다 / 这事从～就错了; 이것은 처음부터 잘못되어 있었다.

〔一看二帮〕 **yī kàn èr bāng** 〈成〉 다른 사람의 행동을 관찰할 뿐만 아니라 조언(助言)하다. ¶对犯错的同志要～; 잘못을 저지른 사람에 대하여, 그의 잘못을 고치는 행동을 관찰할 뿐 아니라 조언도 해 주어야 한다.

〔一看就知〕 **yī kàn jiù zhī** 한눈에 곧 알다.

〔一刻〕 **yī kè** ①15분. 15분간. ¶差～十二点; 12시 15분 전. ②(yīkè) 명 근소한 시간. 짧은 시간. 잠시. 잠깐. ¶～也不应该放松; 한시도 늦춰서는 안 된다.

〔一刻千金〕 **yī kè qiān jīn** 〈成〉 일각이 천금이다. 짧은 시간도 매우 귀중하다.

〔一客不烦二主〕 **yīkè bùfán èrzhǔ** 〈諺〉 한 손님은 두 주인을 번거롭게 하지 않는다(두 사람을 번거롭게 할 필요는 없다. 한 사람이면 충분하다). ¶～, 您已经帮了这么大的忙, 剩下这点儿小事儿就求您一总成全了吧; 한 손님은 두 주인을 번거롭게 하지 않는다는데, 당신이 이미 이렇게 많은 원조를 주셨으니, 나머지 이런 작은 일은 아무쪼록 당신이 마저 도와 주십시오. →〔账zhàng走一家〕

〔一空〕 **yīkōng** 아무것도 없다. 텅 비다. ¶家里被贼搜劫～; 집은 도둑에게 털리어 아무것도 남지 않았다.

〔一空二尽〕 **yīkōng èrjìn** 완전히 없어지다. 빈털터리가 되다. ¶家里的存粮早就～了; 집에 비축해 둔 양식은 벌써 다 떨어져 버렸다/敌人的主要据点被我们摧毁得～了; 적의 주요한 거점은 우리에게 모조리 파괴되었다.

〔一孔出气〕 **yīkǒng chūqì** ⇨〔一鼻孔出气〕

〔一孔之见〕 **yī kǒng zhī jiàn** 명 〈成〉 좁은 식견. 좁은 소견. 편견(흔히 겸손하여 말함).

〔一抠抠儿〕 **yīkōukour** 수량 ⇨〔一点点儿〕

〔一口〕 **yīkǒu** (～儿) 수량 한 입. ¶把半碗酒～喝下了; 반 대접의 술을 한 모금에 마셨다. 형 (발음이나 말투가) 순수하다. ¶他说～地道的北京话; 그는 본바닥의 순 베이징(北京)말을 한다. 부 ①〈文〉 이구동성으로. 한결같이. ¶天下翕然, ～颂歌; 천하 사람이 이구동성으로 찬양하다. ②한마디로. 주저하지 않고. 쾌히 승낙하고 당장. ¶～否认; 딱 잘라 부인하다. 한마디로 부정하다.

〔一口承认〕 **yīkǒu chéngrèn** 한마디로 승낙〔인정〕하다. =〔一口答应〕〔一口应许〕

〔一口吃个胖子〕 **yīkǒu chīge pàngzi** 〈諺〉 첫술에 배부르랴. 일을 단번에 성사시키려 하거나 단숨에 배워 익히려 하다. ¶你总得慢慢儿地赚钱别竟想～; 천천히 돈을 벌어야 하지, 단번에 크게 벌려고 하지 마라. =〔一口吃成一个胖子〕

〔一口答应〕 **yīkǒu dāyìng** ⇨〔一口承认〕

〔一口道破〕 **yīkǒu dàopò** ⇨〔一口喝破〕

〔一口喝破〕 **yīkǒu hèpò** 한마디로 설파하다. 한마디로 진상을 폭로하다. ¶被人当面～, 他感觉十分难堪; 맞대놓고 급소를 찔러서 그는 매우 난감해하고 있다. =〔一口道破〕

〔一口价儿〕 **yīkǒujiàr** 명 에누리 없는 가격. 꼭 받을 값. =〔一句话〕

〔一口两舌〕 **yī kǒu liǎng shé** 〈成〉 ①수다스러움. ②한 입에 두 혀. ¶别信那些～的话; 저런 한 입으로 두 말하는 말을 믿지 마라.

〔一口气(儿)〕 **yī kǒu qì(r)** ①한숨. 단숨. 〈比〉 생명. ¶只要我还有～, 就要为国家; 나는 숨이 붙어 있는 한 나라를 위해 일을 할 것이다/我还有～在, 必不饶他; 내가 숨이 붙어 있는 한 절대로 그를 용서하지 않는다. ②분노. 울분. 원한. ¶出了～; 발끈 화를 내다/就因为～得的病; 분노 때문에 생긴 병. ③오기. 자존심. 경쟁심. ¶双方为了争～就打起官司来; 쌍방이 모두 오기로 소송을 했다. ④(yīkǒuqì(r)) 부 단숨에. ¶～跑到家; 단숨에 집까지 달려갔다/～把这篇文章念完; 단숨에 이 문장을 다 읽다.

〔一口吞个星星〕 **yīkǒu tūnge xīngxing** 〈歇〉 한 입에 별을 삼키다('想头不低'로 이어짐). ①멋진 생각이다. ②공상적이고 현실감이 없다.

〔一口咬定〕 **yī kǒu yǎo dìng** 〈成〉 ①끝까지 우겨 대다. ②단언(斷言)하다. ¶你又没有看见, 怎么能～地说他不好呢? 너는 보지도 않고 어떻게 그가 나쁘다고 한 마디로 단언할 수 있느냐? ③서로 맞물리다. 서로 얽히다. ¶竹子的根儿～长在青山上; 대나무의 뿌리가 서로 얽힌 채로 청산에 자라고 있다.

〔一口一块〕 **yīkǒu yīkuài** ①한 입에 하나씩. ¶一大盘饼干他～一会儿就吃完了; 큰 접시에 담긴 비스킷을 그는 한 입에 하나씩 잠깐 사이에 다 먹어 버렸다. ②듬성듬성. 군데군데. 드문드문((숲 따위가 꼴사납게) 잠식된 모양). ¶森林被伐得～的; 숲의 나무가 군데군데 꼴사납게 벌목되었다.

〔一口应许〕 **yī kǒu yīng xǔ** ⇨〔一口承认〕

〔一口钟〕 **yīkǒuzhōng** 명 〈方〉 망토(모양이 옛 악기의 종을 닮았다는 데서 나온 말).

〔一扣〕 **yīkòu** 명 전액의 십분의 일 가격. 9할 할인. ¶打～; 9할 할인하다. →〔一成〕〔一折〕

〔一块〕 **yīkuài** 수량 ①한 덩어리. ②둥근 것·대굴대굴한 것, 혹은 토지를 세는 말. ¶这(一)块地; 이 토지. 이 고장. ③1원. =〔一元yuán〕 →〔分〕〔毛〕〔角〕

〔一块堆儿〕 **yīkuàidūir** 명부 ⇨〔一块儿〕

〔一块儿〕 **yīkuàir** 명 ①같은 장소. 같은 곳. ¶想到～; 같은 데에 생각이 미치다. ②〈方〉 곁. 부근. ¶那～; 저 근처. 부 함께. ¶他们～上山去打猎; 그들은 함께 산에 올라 사냥을 했다/～工作; 같이 일을 하다/凑在～; 같이 모이다〔모으다〕. →〔一同〕 ‖ =〔一块堆儿〕

〔一块肉〕 **yī kuài ròu** ①〈比〉 태아(胎兒). ¶有喜五个月, 肚里的～已经会动了; 태기가 있은 지 5개월이 되어 뱃속의 태아가 이미 놀게 되었다. ②(돼지) 고기의 한 덩어리. ③〈比〉 유복자(遺腹子).

〔一块石头落地〕 **yīkuài shítou luòdì** 〈諺〉 걱정거리가 해결되다. 한숨 돌리다. 안심하다.

〔一匡天下〕 **yī kuāng tiān xià** 〈成〉 혼란한 전국의 정세를 안정시키다.

〔一拉溜儿〕 **yīlāliùr** 명 ①근처. 부근. ¶这～没有一个烟摊儿; 이 부근에는 담배 노점상이 한 집도 없다. ②한 줄. 일렬.

〔一来〕 **yīlái** ①한 번 오다. ②(일·상황이) …되면〔되자〕. ¶这么～事情就麻烦了; 이렇게 되면 일은 귀찮게 된다. ③첫째로는. ¶～…二来…; 첫째로는 … 둘째로는 …/～天气好, 二来是星期天, 去的人很多; 첫째로는 날씨가 좋았고, 둘째로는 일요일이어서 간 사람이 아주 많았다/～东西好, 二来价钱也便宜; 첫째는 물건이 좋고, 둘째는 값도 싸다. ④(행위 등을) …하자〔하면〕. ¶用手～, 门就开了; 손으로 슬쩍 미니 문이 열렸다.

〔一来二去〕 **yī lái èr qù** 〈成〉 (왕래(往來)·접촉하는 사이에) 점점. 차츰차츰. 이럭저럭하는 사이에. ¶今天也念, 明天也念, 日子多了, ～地就会了; 오늘도 읽고 내일도 읽어, 날수가 거듭되면 차츰 할 수 있게 된다.

〔一来一往〕 yīlái yīwǎng [명] 왔다갔다 하다. 교제하다. ¶～就成了好朋友了; 왔다갔다 하는 사이에 좋은 친구가 되었다.

〔一览〕 yīlǎn [명][동] 일람(하다). 편람(便覽)(하다). ¶文学系～; 문학부 편람.

〔一览表〕 yīlǎnbiǎo [명] 일람표. ¶行车时间～; 운행 시간 일람표.

〔一览无遗〕 yī lǎn wú yí 〈成〉 한 번 보았을 뿐인데 조금도 빠뜨린 데가 없다. 빠짐없이 훑어보다. 한눈에 모든 것이 보이다. =〔一览无余〕

〔一览无余〕 yī lǎn wú yú 〈成〉 ⇨〔一览无遗〕

〔一揽子〕 yīlǎnzi [형] 일괄의. 전부의. ¶～计划; 일체를 뭉뚱그린 계획 / ～建议; 일괄식 제안.

〔一浪高一浪〕 yīlàng gāo yīlàng 〈諺〉 일파일파 점점 높아지다. 점점 심해지다.

〔一劳永逸〕 yī láo yǒng yì 〈成〉 한 번 수고한 덕분에 오래도록 편안하다. 한 번 고생하면 나중에는 편하다.

〔一老一实〕 yīlǎo yīshí 매우 성실하다. ¶他是～的人, 硬叫他装胡涂, 也是办不到的; 그는 고지식한 사람이니까, 억지로 시치미떼게 하려 해 봤자 그것은 안 된다.

〔一垒〕 yīlěi [명] 〖體〗 (야구·소프트볼의) 1루. 퍼스트 베이스. ¶二垒(员); 2루수 / 三垒(员); 3루수.

〔一雷二闪〕 yīléi èrshǎn 〈京〉 날쌔게 몸을 피하다. 번개같이 비키다. ¶我瞧他来了, 就～地躲开了; 그가 오는 것을 보고, 번개같이 몸을 숨겼다.

〔一磊〕 yīlěi [수량] (수북이 쌓은) 한 무더기.

〔一类商品〕 yīlèi shāngpǐn [명] 〖經〗 일류 상품《국가가 통일 매입·통일 판매하고 있는 중요 상품. 곡물·식용유·목화·휘발유·석유 따위》.

〔一类社〕 yīlèishè [명] 1955년경 중국에서 비교적 운영이 잘 되던 농업 생산 합작사(合作社).

〔一类物资〕 yīlèi wùzī [명] 〖經〗 1류 물자《국가 계획 위원회가 통일 분배를 실행하고 있는 중요 물자. 강철재·석탄·중유·자동차 따위》. =〔国家统一分配物资〕〔统配物资〕〔计划分配物资〕

〔一冷一热〕 yī lěng yī rè 추워졌다 더워졌다 하다. ¶天气～的要当心感冒啊; 추웠다 더웠다 하니까 감기 조심해라.

〔一愣(儿)〕 yīlèng(r) [동] 놀라다. 깜짝 놀라다. 멍해지다. ¶这突如其来的消息, 使得大家都～; 이 갑작스런 소식에 모두 깜짝 놀랐다.

〔一理通百理彻〕 yī lǐ tōng bǎi lǐ chè 〈成〉 한 가지 도리에 통하면 나머지는 모두 알게 된다.

〔一力〕 yīlì [명] 전력(全力). 온 힘. ¶～成全; 온 힘을 기울여 성취시키다 / ～主持; 온 힘을 들여 주재(主宰)하다 / 这件事就求您～成全了吧; 이 일은 아무쪼록 극력 성사시켜 주십시오.

〔一力承担〕 yīlì chéngdān ①전력으로 떠맡다. ¶为儿女的学业, 不论怎么难, 也得～下来; 자녀의 학업을 위해서는 어떤 곤란에도 전력으로 떠맡아야 한다. ②전력을 다해 보증하다. ¶我那件案子要不是您～的话, 怎么也洗刷不清这嫌疑呢; 그 사건은 당신이 전력을 다해 보증해주지 않으면, 아무래도 혐의를 벗을 수 없다.

〔一历一历〕 yīlì yīlì [부] 점점. 차차. ¶打短工, 扛长活, 都挣不来多少钱, 人们～都不行了; 날품팔이 노동을 하고 장기간에 걸친 일도 했지만 어느 것이나 큰 돈은 벌지 못하고 모두 점점 어려워졌다.

〔一例〕 yīlì [명] 일례. 하나의 정례(定例). [부] 일률적으로.

〔一例看待〕 yī lì kàn dài 〈成〉 같은 것으로 취급하다. 일률적으로 대하다. ¶我对学生向来是～, 没有一点儿偏心; 나는 학생에 대해서 줄곧 똑같이 대했으며, 조금도 편애하지 않았다.

〔一连〕 yīlián [부] 계속해서. 잇달아. ¶～下了三天雨; 3일 동안 계속해서 비가 왔다. =〔〈方〉一连气儿〕 [수량] ⇨〔一令〕

〔一连串(儿)〕 yīliánchuàn(r) [형] 일련(一連)의. 연속적인. ¶～的问题; 일련의 문제 / ～的胜利; 잇단 승리 / 向我～提出了好多问题; 나에게 잇달아 많은 문제를 제출했다 / 电车猛一停, 乘客～地都倒下了; 전차가 급정거했으므로, 승객은 모두 우르르 쓰러졌다.

〔一连气儿〕 yīliánqìr [부] ⇨〔一连〕

〔一脸横肉〕 yīliǎn héngròu 무서운〔험상궂은〕 얼굴. ¶都是～, 怒目而视的看他; 모두가 무서운 얼굴을 하고 성난 눈으로 그를 보았다.

〔一两下子〕 yīliǎngxiàzi 솜씨가 있다. 여간 아니다. ¶这人是有～的; 이 사람은 솜씨가 있다〔허투루 대할 수 없다〕. →〔两下子〕

〔一了〕 yīliǎo [부] 이 때까지 쭉. 원래부터. 처음부터. ¶他～是个遵守纪律的人; 그는 원래부터 규율을 지키는 사람이다 / ～看出他的为人来; 처음부터 그의 사람됨을 알아보았다. [동] 주된 일이 끝나다. 처음 부분이 매듭지어지다.

〔一了百了〕 yī liǎo bǎi liǎo 〈成〉 중요한 일부가 해결되면 나머지 것은 전부 해결된다. 하나가 좋으면 만사가 형편이 좋다. ¶这些纠纷都没关系, 什么时候儿把债还清就～了; 이들 분규는 별문제가 아니다. 언제든 빚을 갚아 버리면 만사가 해결된다.

〔一料〕 yīliào [수량] 알약·가루약 등, 그냥 먹을 수 있게 되어 있는, 이른바 '成药'의 1회 복용하는 분량《초근 목피를 썰어 조제한 것은 '一服' '一剂'라 함》.

〔一鳞半爪〕 yī lín bàn zhǎo 〈成〉 자질구레한 사물의 한 부분. 단편(斷片)적인 것. ¶北京～; 베이징 단상(斷想). =〔一鳞一爪〕〔一鳞半甲〕〔东dōng鳞西爪〕

〔一零狗碎〕 yīlíng gǒusuì 자잘한 것이 너저분하게 널려 있어 난잡한 모양.

〔一零儿〕 yīlíngr [명] 〈方〉 극히 적은 수량. 우수리. 자투리. ¶我连～都没有; 나는 조금도 없다 / 我的学问连他～都跟不上; 나의 학문은 그의 발밑에도 미치지 못한다.

〔一令〕 yīlǐng [수량] 한 연(連). 일 연《인쇄 용지 500매》. =〔一领③〕〔一另〕〔一连〕 →〔一刀〕

〔一领〕 yīlǐng [수량] ①한 벌. 한 장《옷을 세는 말》. ②한 장《돗자리·담요 등을 세는 말》. ③⇨〔一令〕

〔一另〕 yīlìng [수량] ⇨〔一令〕

〔一流〕 yīliú [명] ①같은 종류. ¶他也是属于青红帮～的人; 그는 청방, 홍방과 같은 데에 속해 있는 사람이다. ②일류. 제 1등. ¶第～人物; 일류 인물.

〔一六〇五〕 yīliùlíngwǔ [명] 〖藥〗 폴리돌(Folidol). 파라티온《농약의 일종》.

〔一溜鞭光〕 yīliùbiānguāng 〈比〉 계속해서 날쌔게. ¶我～的给好几家拜年了; 나는 계속해서 몇집이나 세배를 다녔다 / 他把事儿办得～的可真麻利; 그는 계속해서 제꺽제꺽 일을 해치운다. 정말 날쌔다.

〔一溜风地〕 yīliùfēngde 한바탕 부는 바람처럼 빠르게. ¶她刚来一会儿又～跑了; 그녀는 방금 왔는

데, 다시 또 바람처럼 가 버렸다 / 这程子～时兴起尖头儿皮鞋来; 요즘 갑자기 끝이 뾰족한 구두가 유행하기 시작했다.

〔一溜儿〕 yīliùr 명 근처. 일대. ¶这～; 이 근처 / 这～有邮政局没有? 이 근처에 우체국은 없습니까? 수량 일렬(列). 한 줄. ¶这～十间房是集体宿舍; 이 죽 늘어선 10칸 방은 집단 숙사이다.

〔一溜歪斜〕 yīliù wāixié 〈方〉 비실비실 비틀거리며 걷는 모양. ¶她挑着一挑儿水～地从河边走上来; 그녀는 물 한 지게를 지고 비틀거리며 강변에서 올라왔다 / 年底的电车上竟是～的醉客; 연말에는 전차 안은 비틀거리는 취객 뿐이다.

〔一溜小跑〕 yīliù xiǎopǎo 잔달음질로 획 달리다. 재빠르게 종종걸음치다.

〔一溜烟(儿)〕 yīliùyān(r) 부리나케. 연기처럼 빠르게. 획. 휭허케. ¶～跑了; 부리나케 달아났다 / ～走; 급하게 총총히 가다 / 他说了一声再会, 就骑上车, ～地向东走了; 그는 한 마디 '안녕' 하고는 자전거에 올라, 휭허케 동쪽으로 사라졌다 / 他～溜liū出去了, 我们都没理会; 그는 슬쩍 빠져 나갔으므로, 우리는 아무도 눈치채지 못했다.

〔一龙一蛇〕 yī lóng yī shé 〈成〉 운이나 권세 등이 어떤 때는 성하고, 어떤 때는 쇠하다. 부침(浮沈)이 있다. ¶他这～的际遇, 令人很难下一个评定; 그의 이 부침있는 형편에 대해서는 평을 내리기가 곤란하다.

〔一龙一猪〕 yī lóng yī zhū 〈成〉 사람에는 현명한 자와 우둔한 자가 있다. ¶一门子弟都有～之别; 일문의 자제 가운데에도 잘난 자도 있고 쓸모없는 자도 있다.

〔一拢(儿)〕 yīlǒng(r) 동 ①대충 정리하다. ¶您先走一步, 我把东西～就去; 당신은 먼저 가십시오, 저는 옷을 대충 정리하고 곧 가겠습니다. ②머리를 대충 빗질하다. ¶把头发稍微～就整齐多了; 머리를 조금 빗질하니 말쑥해졌다.

〔一篓油〕 yīlǒuyóu 명 한 바구니의 기름. 〈比〉 뚱뚱보(뚱뚱한 사람을 놀리는 말).

〔一路〕 yīlù 부 ①함께('来'·'去'·'走' 등의 동사를 수식함). ¶我跟他～来的; 나는 그와 함께 왔습니다. =〔一道(儿)〕 ②줄곧. 연해. 명 ①(～儿) 한 종류. 같은 종류. ②도중(道中). 도중(途中). ¶～上大家有说有笑, 很热闹; 도중에 모두들 웃고 떠들며, 매우 흥겨웠다. 접 …하면서 …하다. ¶～走, ～说; 걸으면서 이야기하다.

〔一路福星〕 yī lù fú xīng 〈成〉 ⇨〔一路平安〕

〔一路货〕 yīlùhuò 명 같은 종류의 물건. ¶这个和那个是～; 이것과 저것은 같은 종류의 물건이다.

〔一路平安〕 yī lù píng ān 〈成〉 도중에 평안하시기를 빕니다(여행 떠나는 사람을 배웅할 때의 인사). ¶祝您～! 가시는 길이 평안하시기를 빕니다! =〔一路福星〕〔一路顺风①〕

〔一路顺风〕 yī lù shùn fēng 〈成〉 ① ⇨〔一路平安〕 ②만사 순조롭(길 바라)다.

〔一律〕 yīlǜ 형 일률적이다. 한결같다. ¶千篇～; 〈成〉 천편 일률. 부 한 가지로. 일률적으로. 모두. ¶～相待; 똑같이 대우하다 / ～平等; 일률적으로 평등하다.

〔一氯代苯〕 yīlǜdàiběn 명 《化》 모노클로로벤젠(monochloro-benzene). →〔苯〕

〔一氯化汞〕 yīlǜhuàgǒng 명 《化》 칼로멜. 감홍. 염화 제 1수은. =〔轻粉〕〔甘gān汞〕

〔一轮(儿)〕 yīlún(r) 수량 ①한 바퀴. 일주. ¶敬～酒; 손님에게 술을 한 순배 권하다 / 大家轮班值日, 已经过了～, 又轮到我了; 모두 차례로 당직하고 있는데, 벌써 한 바퀴 돌았으니, 차례가 또 내게 돌아왔다. ②일륜(태양이나 달 따위를 세는 말). ¶～明月; 일륜의 명월. 명 12세. ¶我的年纪比他小～; 내 나이는 그보다 12살 적다.

〔一落(儿)〕 yīluò(r) 수량 한 무더기. 한 더미(쌓아 놓은 물건을 세는 말). ¶这～碟子落得太高了, 小心别砸了; 이 한 무더기의 작은 접시는 너무 높이 쌓아 놓았으니, 깨지 않도록 조심해라 / 公事堆了一大落, 忙三天都办不完; 공무가 산더미처럼 밀려 있어, 사흘을 부지런히 해도 다 끝나지 않을 것이다.

〔一落千丈〕 yī luò qiān zhàng 〈成〉 급히 떨어지다. 급격히 전락하다. (값·인기 등이) 뚝 떨어지다. 폭락하다. ¶股票的行市～; 주식 시세가 폭락하다.

〔一马不备两鞍〕 yīmǎ bùbèi liǎng'ān 〈諺〉 한 필의 말에 안장을 두 개 얹지 않는다(열녀는 두 지아비를 섬기지 않는다. 충신은 두 임금을 섬기지 않는다). =〔一马不备双鞍〕

〔一马不备双鞍〕 yīmǎ bùbèi shuāng'ān 〈諺〉 ⇨〔一马不备两鞍〕

〔一马当先〕 yī mǎ dāng xiān 〈成〉 말 한 마리가 앞에 나서다(앞장서다). ¶为了了解情况, 他～飞也似地到现场去了; 상황을 이해하기 위해, 그는 앞장서서 날 듯이 현장으로 갔다.

〔一马两首〕 yī mǎ liǎng shǒu 〈成〉 한 필의 말에 머리가 두 개 있다(양다리 걸치다).

〔一马平川〕 yī mǎ píng chuān 〈成〉 말이 질주할 수 있는 평지. 끝없이 넓은 평원.

〔一马勺坏一锅〕 yīmǎsháo huài yīguō 〈諺〉 소수가 전체에 영향을 미치다. ¶咱们得把他轰出去, 省得让他～; 저놈 때문에 모두가 괴로움을 당하지 않도록, 저놈을 쫓아 내야 한다.

〔一马一鞍〕 yīmǎ yī'ān 〈諺〉 한 필의 말에 안장 한 개. 〈比〉 일부 일처. ¶这公母俩～的倒很般配; 이 부부는 매우 잘 어울린다.

〔一码〕 yīmǎ 한 조각의. 죽. ¶海底没礁石, ～平的沙板; 바다 밑은 암초가 없고 죽 평평한 모래땅이다.

〔一码事〕 yī mǎ shì ①동일한 일[것]. ¶你说的跟他讲的都是～; 네가 하는 말과 그가 하는 말은 전부 같다. ②같은 패. ¶我跟他不是～; 나는 그와 같은 패가 아니다. ③하나의 일[문제. 조건]. ¶主观愿望是～, 实际情况又是～; 주관적인 소원은 소원대로 하나의 일이고, 객관적 현실은 또 별개의 일이다. ‖ =〔一回事〕

〔一骂儿〕 yīmǎr 부 〈俗〉 아마. 필시.

〔一卖〕 yīmài 수량 음식 한 가지. 일인분(음식점에서 웨이터가 주방장에게 대해서 하는 말). ¶再来～凉拌海蜇; 해파리 냉채 한 접시 더.

〔一脉相承〕 yī mài xiāng chéng 〈成〉 같은 종지(宗旨)와 기풍을 계승하다. 같은 계통을 잇다. =〔一脉相传〕

〔一脉子〕 yīmàizi 수량 한 패. 한 무리(친척·친구를 가리킴). ¶这～老亲老友的, 又必须去应酬; 이들은 긴 세월에 걸친 친척·친구들이니 아무래도 얼굴을 내밀지 않으면 안 된다.

〔一毛〕 yīmáo 명 〈比〉 미세한 것. 하찮은 것. ¶九牛～; 〈成〉 구우일모. 비율이 극히 적다. 문제삼을 것이 못된다. 수량 (구두어(口頭語)에서 '块'(원)의 10분의 1(10 '钱'에 상당함). =〔一角①〕

〔一毛不拔〕 yī máo bù bá 〈成〉 털 한 가닥도 뽑지 않다((매우 인색해서) 한 푼의 돈도 선선히

내놓으려 하지 않다).
〔一冒儿〕 yīmàor 잠깐 나타나다〔얼굴을 내밀다〕. ¶金鱼浮到水面上来～就很快地沉下去; 금붕어는 떠올라서 수면에 잠깐 나타나더니 날쌔게 다시 가라앉아 버린다 / 他～就走了; 그는 잠깐 얼굴만 내밀고 곧 가 버렸다.
〔一门〕 yīmén 명 일가. 한 집안. 일문. 일파. 한패. ¶我们同出～; 우리는 동문 출신이다. 수량 ①(학술의) 한 과. 한 종목. ¶～功课; 한 학과. 한 과목. ②(대포의) 한 문.
〔一门里〕 yīménlǐ 부 외곬으로. 오직. 그저. ¶他舍不得离开哥哥, 只是～哭; 그는 형과 차마 헤어질 수 없어, 그저 울뿐이었다. →〔一个劲儿〕
〔一门脑〕 yīménnǎo 명 〈比〉 한 가지 일밖에 생각하지 못하는 사람. 융통성이 없는 사람.
〔一门(儿, 地)〕 yīmén(r, de) 부 오로지. 그저. 자꾸만. 줄곧. ¶～往前挤; 곧장 앞으로 좁혀 가다. =〔老门儿〕
〔一门一姓〕 yīmén yīxìng 동족인 사람. 한 집안의 같은 성씨. ¶咱们都是～的人, 还有什么外道呢; 우리는 한집안 사람인데, 스스러울 게 뭐 있느냐.
〔一面〕 yīmiàn 동 〈文〉 한 번 만나다. ¶未尝～; 일면식도 없다. 명 ①일방. 한 쪽. ¶～之词; 한쪽만의 말. ②한 사람. ¶我～承管; 제가 혼자 떠맡겠습니다. ③(물건의) 한 쪽면. 접 한편으로 …하면서〔하다〕(어떤 동작과 다른 동작이 동시에 진행함을 나타냄). ㉠단용(單用)해서 나타냄. ¶说着话, ～朝窗户外面看; 이야기를 하면서 한편으로는 창 밖을 보고 있다. ㉡연용(連用)해서 나타냄. ¶～走, ～唱; 걸으면서 노래하다 / ～说话, ～看报; 이야기하면서 신문을 보다. 수량 거문고·거울·깃발·북 등을 세는 말. ¶～旗子; 깃발 하나 / ～镜子; 거울 하나.
〔一面倒〕 yīmiàn dǎo ⇨〔一边倒〕
〔一面鼓〕 yīmiàngǔ 〈比〉 상대가 없어 신명이 나지 않는 것. ¶即使鼙鼓, 倘若前面无敌军, 后面无我军, 终于不过是～而已; 설사 전고(戰鼓)를 친다 해도, 만일 전면에 적이 없고, 후방에 아군도 없다면 정말 싱거운 노릇이다.
〔一面坡屋顶〕 yīmiànpō wūdǐng 명 한 쪽 면만 있는 지붕.
〔一面砌墙两面光〕 yīmiàn qìqiáng liǎngmiàn guāng 〈諺〉 일거양득. ¶～, 您办好了, 我们也得便宜; 일거양득으로, 당신이 해 주신다면 우리들도 편리합니다.
〔一面儿官司〕 yīmiànr guānsi 소송 당사자의 한 쪽의 조건이 상대방에게 멀리 미치지 못하고, 발언의 권리가 없는 소송. 일방적인 소송. 한쪽이 기우는 소송. ¶老百姓和公营事业机构打～, 没有不输的; 서민이 공영 사업과 한쪽이 기우는 소송을 한다면 지지 않을 자가 없다.
〔一面儿黑〕 yīmiànr hēi ①불공평하다. 한쪽을 편들다. 한쪽으로 치우치다. ¶护犊dú子的人总是～的; 자식을 지나치게 사랑하는 사람은 반드시 편을 들게 된다. ②(교제 등이 부족해서) 아무것도 모르다. (yīmiànrhēi) 명 교제를 하지 않는 사람. 남 앞에 나서지 않는 사람.
〔一面儿理〕 yīmiànr lǐ 일방적인 이치. 일방적인 이유.
〔一面之词〕 yī miàn zhī cí 〈成〉 한쪽만의 주장〔말〕.
〔一面之交〕 yī miàn zhī jiāo 〈成〉 얼굴이나 아는 사이. =〔一面之雅〕
〔一面之缘〕 yī miàn zhī yuán 〈成〉 인사 한 번 나눈 정도의 대단찮은 사귐. 조금 아는 사이. ¶我和他只有～, 谈不上什么交情; 나는 그와 겨우 인사 한 번 나눈 사이로, 교제라 할 것도 없습니다. =〔一日之雅〕
〔一皿子〕 yīmǐnzi 수량 ⇨〔一抿子〕
〔一抿子〕 yīmǐnzi 수량 한 가지(일부의 추상 명사에 씀). ¶给他娶上了媳妇省了～心; 그에게 색시를 얻어 주어 한가지 걱정거리가 없어졌다 / 这又是另～事; 이것은 또 별개의 일이다. =〔一皿子〕
〔一名一文〕 yīmíng yīwén 한 푼도 없다. ¶无家可归, ～的男男女女; 돌아갈 집도 없고 돈 한 푼도 없는 남자나 여자들.
〔一明两暗〕 yīmíng liǎng'àn 중국 가옥의 방 배치의 하나(한 채가 세칸이고, 외부로의 출입구는 중앙의 칸 '堂táng屋'에만 있고, 양옆의 칸 '里lǐ屋'에서는 중앙의 칸을 통해서 드나드는 구조의 것을 말함).
〔一鸣惊人〕 yī míng jīng rén 〈成〉 (새가) 한 번 울면 사람을 놀라게 하다(한 번 일을 시작하면 남을 깜짝 놀라게 하다). ¶不鸣则已, ～; 하지 않으면 그만이지만, 한번 했다 하면 사람을 놀라게 할 일을 한다.
〔一命〕 yīmìng 명 한 사람의 생명. ¶救人～, 胜造七级浮图; 한 사람의 목숨을 구하는 것은 칠층 불탑을 짓는것 보다 낫다.
〔一命归西〕 yī mìng guī xī 〈成〉 일순간 저승으로 가다(풍자나 해학의 뜻이 포함됨). =〔一命归阴〕〔一命呜呼〕
〔一命归阴〕 yī mìng guī yīn 〈成〉 ⇨〔一命归西〕
〔一命货〕 yīmìnghuò 명 일회용품.
〔一命呜呼〕 yī mìng wū hū 〈成〉 ⇨〔一命归西〕
〔一模活脱(儿)〕 yī mó huó tuō(r) 〈成〉 ⇨〔一模一样〕
〔一模一样〕 yī mú yī yàng 〈成〉 모습〔모양〕이 꼭 닮다. ¶长得和母亲～; 어머니를 쏙 빼닮다 / 我的表和你的表是～; 저의 시계는 당신 것과 완전히 같습니다 / 他们弟兄俩长得～; 그들 두 형제는 꼭 빼닮았다. =〔一模活脱儿〕
〔一母同胞〕 yī mǔ tóng bāo 〈成〉 동모형제. 같은 어머니에게서 태어난 형제. ¶他们到底是～的手足; 그들은 뭐니뭐니 해도 같은 어머니에게서 태어난 형제다. =〔一奶同胞〕
〔一亩三分地(儿)〕 yīmǔ sānfēn dì(r) 〈比〉 극히 좁은 땅. ¶我这～养不活两口儿人, 算不得什么地主; 내 이 좁은 땅으로는 두 사람을 부양할 수 조차 없으니 지주라 할 수도 없다.
〔一木难支〕 yī mù nán zhī 〈成〉 한 나무로는 지탱하기 어렵다(혼자서는 감당할 수 없다. 큰 일을 혼자서는 할 수 없다). ¶尽管怎么能干, 还是～; 아무리 유능한 사람이라도 역시 혼자서는 어쩔수 없다 / 众擎易举, ～; 여럿이 하면 쉽지만, 혼자서는 할 수 없다. =〔独dú木难支〕
〔一目了然〕 yī mù liǎo rán 〈成〉 일목요연하다. ¶明眼人看事情, 自然会～的; 식견이 있는 사람이 일을 살펴보면 당연히 한눈에 환히 알 수 있다.
〔一目十行〕 yī mù shí háng 〈成〉 한눈에 열 줄이다(독서력(讀書力)이 강함. 독서 속도가 빠름). =〔十行俱下〕
〔一纳头〕 yīnàtóu 부 〈京〉 전심전력으로. 모든 것을 버리고. 몰두하여. ¶他～专心研究起农具革新来; 그는 전심전력으로 농기구 개량에 몰두하기 시작했다. =〔一扎头〕
〔一奶同胞〕 yī nǎi tóng bāo 〈成〉 ⇨〔一母同胞〕

〔一男半女〕 yī nán bàn nǚ 〈成〉 한 두 아이. 아이가 적음. ¶生个～也是福气; 하나나 둘 자식을 낳는 것도 또한 행복이다.
〔一脑门子官司〕 yīnǎoménzi guānsi 핏대를 올리고 노하다. 화난 얼굴을 하다. ¶你怎么一见着我就～老想打架呢? 너는 어째서 나를 만나면 금세 화난 얼굴을 하고 싸움이라도 할 기세냐?
〔一脑门子气〕 yīnǎoménziqì 잔뜩 골이 나서 화풀이하다. 핏대를 세우며 화내다.
〔一年〕 yīnián 명 일 년. ¶～四季; 연중. 일 년 사철. 일 년 내내/～之计在于春, 一日之计在于晨; 〈諺〉 1년의 계책은 봄에 있고, 하루의 계책은 아침에 있다.
〔一年半载〕 yī nián bàn zǎi 〈成〉 1년이나 반년쯤. ¶这病在疗养院住上～也就好了; 이런 병은 요양원에서 1년 정도 요양하면 곧 완쾌된다.
〔一年到头(儿)〕 yī nián dàotóu(r) 연초에서 연말까지. 일 년 내내.
〔一年生〕 yīniánshēng 명 《植》 일년초.
〔一捻捻〕 yīniǎnniǎn 형 ⇨〔一掐掐qiāqia〕
〔一念〕 yīniàn 명 일념. 하나의 생각. ¶由于～之差造成大错; 생각 하나의 잘못으로 큰 잘못을 저지르다.
〔一娘生九种〕 yīniáng shēng jiǔzhǒng 〈諺〉 한 어머니가 낳은 자식도 오롱이조롱이다. 형제라도 각각 다르다. ¶他们兄弟是～种种不同; 그들 형제는 오롱이조롱이와 같아서 각각 다르다.
〔一鸟入林, 百鸟压声〕 yīniǎo rùlín, bǎiniǎo yāshēng 〈諺〉 기세가 모든 사람을 압도하다. ¶果然～, 他一出场大家全不言语了; 과연 새 한마리가 숲에 들어서자 모든 새들이 소리를 죽이는군, 그가 등장하자 모두 입을 다물어 버렸어.
〔一捏捏儿〕 yīniēnier 수량 한 줌. 약간. ¶搁～盐就够了; 소금을 조금 넣으면 충분하다. →〔一撮〕
〔一挪儿〕 yīnuór 명 손쉬운 일. 아무것도 아닌 일. ¶就是～的事, 你都不肯伸把手; 아무것도 아닌 일인데, 너는 손을 대려고도 하지 않느냐.
〔一诺千金〕 yī nuò qiān jīn 〈成〉 일낙천금. 천금의 값어치가 있는 확실한 승낙. 이야기가 확실하여 신용할 수 있음.
〔一拍即合〕 yī pāi jí hé 〈成〉 (의견 등이) 단번에 일치하다. 간단히 장단을 맞추다.
〔一排〕 yīpái ① 명 일렬(一列). 한 줄. ②(yī pái) 《軍》 1개 소대(小隊).
〔一派〕 yīpài 명 일파. 일가(一家). 한 그룹. ¶自成～; 스스로 일가를 이루다. 수량 주위에 발산되고 있는 어떤 종류의 공기·음성·정경 등을 나타내는 수량사. ¶～大好形势 =〔形势～大好〕; 대단히 좋은 형세/～俗气; 몹시 속된 기운/你说的是～小孩子话; 네가 하는 말은 완전히 어린애 같은 말이다/～鼓乐声; 주위에 들려오는 고악(鼓樂)의 소리.
〔一盘〕 yīpán 수량 ①한 접시. ¶～菜; 한 접시의 요리/～散sǎn沙; 〈成〉 쟁반 속의 모래. 흩어진 모래《산만하고 단결력이 없는 군중》. ②(바둑 따위의) 한 국.
〔一盘棋〕 yīpánqí ①바둑 한 국《'盘'은 양사(量詞)》. ②〈比〉 팀워크를 갖추다《바둑판의 돌이나 장기판의 말처럼 연계되어 일체를 이루면서 계획에 따라 행동하는 일》. ¶大家搞农田基本建设, 一定要有全面规划, …要全省～, 全县～; 모두가 농지의 기본 건설을 하려면, 전면적인 계획을 세울 필요가 있다. …성(省) 전체, 현(縣) 전체가 각각 일체가 되어 행동하지 않으면 안 된다.
〔一旁〕 yīpáng 명 옆. 곁. ¶站在～; 곁에 서 있다. =〔一壁厢③〕
〔一泡〕 yīpào 동 틀어박혀 꾸물거리다. 멍청히 있다. ¶他在这儿～就是三个钟头; 그는 이 곳에서 멍청히 있다 보면, 으레 3시간은 지나가 버린다.
〔一盆火儿〕 yīpén huǒr 〈比〉 태도가 매우 따뜻하거나 열정적임. ¶明是～, 暗是一把刀; 겉으로는 매우 친하게 구는데, 뱃속은 음험하다. →〔笑xiào里藏刀〕
〔一捧〕 yīpěng 수량 한 움큼《양손으로 뜰 수 있는 양》.
〔一批〕 yīpī 수량 ①(화물 등) 한 무더기. ¶～货; 한 무더기의 상품. ②한 무리. 일군(一群). ¶～学生; 한 무리의 학생/～～地; 한 무리, 또 한 무리.
〔一屁股〕 yī pìgu (앉을 때) 털썩《주저앉는 모양》. ¶～坐下了; 털썩 앉다.
〔一偏〕 yīpiān 형 한쪽으로 치우치다. 편향되다.
〔一偏之见〕 yīpiān zhī jiàn 편견. 치우친 견해.
〔一片〕 yīpiàn 수량 ①(～儿, ～子) 한 조각. ¶～纸; 한 조각의 종이. ②(밭이나 땅 따위의) 넓은 일면을 나타내는 말. ¶～桑田; 온통 전체가 뽕나무밭/～大海; 망망한 대해. ③마음·성의 등을 나타내는 말. ¶这是他的～孝心; 이것은 그의 효심입니다. ④기분·분위기·소리 등이 넘쳐나는 모양을 나타내는 말. ¶室内～怒吼声; 실내는 온통 노호(怒號)의 소리로 가득 찼다/～乐声; 온통 울려 퍼지는 음악 소리. ⑤말의 한 덩이. ¶～谎言; 온통 거짓말. ⑥널리 흩어져 있는 모양을 나타내는 말. ¶长安～月; 장안을 비추는 달빛. 注 '一片yīpiàn…'은 묘사성(描寫性)을 가지고 있으므로 그대로 술어(述語)로도 쓰임.
〔一片嘴两片舌〕 yīpiànzuǐ liǎngpiànshé ①입하나에 두 혀. ②〈比〉 아무렇게나 되는 대로 말하다. 이간질하다. ¶你别～的瞎说; 네가 아무렇게나 되는 대로 입을 놀리면 곤란하다.
〔一票(儿)〕 yīpiào(r) 수량 ①전당잡힐 물품을 세는 말. ②장사의 건수를 세는 말. ¶做～买卖; 장사 한 건을 하다.
〔一瞥〕 yīpiē 〈文〉 동 일별하다. 언뜻〔힐끗〕 보다. 명 일별한 개황(概況)《문장의 표제 따위에 쓰임》.
〔一撇儿〕 yīpiěr 명 한자 필획(筆畫)의 하나《붓끝을 위로 채는 운필(運筆)》. ¶～一咧儿; 〈比〉 되는 대로 하는 모양.
〔一贫如洗〕 yī pín rú xǐ 〈成〉 씻은 듯이 가난하다《몹시 가난한 모양》.
〔一品〕 yīpǐn 명 ①옛날, 최고의 관계(官階). ¶～官; 일품관. ②정선한 것. 특제품.
〔一品高升〕 yīpǐn gāoshēng '划拳'을 할때 장단을 맞추기 위해 '一' 대신 지르는 소리.
〔一品锅〕 yīpǐnguō 명 ①모듬냄비《각종의 고기·야채 따위를 넣어 끓이면서 먹는 요리》. ②신선로와 유사한 솥의 일종.
〔一品红〕 yīpǐnhóng 명 ①《化》 마젠타(magenta). 푸크신(fuchsine). =〔品红〕〔复fù红〕〔碱jiǎn性品红〕 ②《植》 '猩xīng猩木'(성성목. 포인세티아)의 별칭.
〔一平二调〕 yī píng èr diào 명 식량·현금 분배의 평준화와 공공 사업을 위한 노동력, 물자의 무상 조달의 극단적인 평균주의를 말함.
〔一瓶不响, 半瓶摇〕 yīpíng bùxiǎng, bànpíngyáo ⇨〔一瓶醋不响, 半瓶醋晃荡〕
〔一瓶醋不响, 半瓶醋晃荡〕 yīpíngcù bùxiǎng, bànpíngcù huàngdang 〈諺〉 병에 식초가 가

득 들어있으면 소리가 나지 않지만, 반 밖에 들어 있지 않으면 철렁철렁 소리가 난다《빈수레가 요란하다》. =〔一瓶不响, 半瓶摇〕〔一瓶子不满, 半瓶子逛荡〕〔一瓶子不响, 半瓶子晃荡〕

〔一瓶子不满, 半瓶子逛荡〕 yīpíngzi bùmǎn, bàn píngzi guàngdàng 〈諺〉 ⇨〔一瓶醋不响, 半瓶醋晃荡〕

〔一瓶子不响, 半瓶子晃荡〕 yīpíngzi bùxiǎng, bànpíngzi huàngdang 〈諺〉 ⇨〔一瓶醋不响, 半瓶醋晃荡〕

〔一抔黄土〕 yī póu huáng tǔ 〈成〉 ①〈文〉 한 줌의 황토. ②〈比〉 몰락하여 작아진 하찮은 것.

〔一抔土〕 yī póu tǔ ①한 줌의 흙. ②(yīpóutǔ) 명 〈轉〉 무덤.

〔一扑纳心〕 yīpūnàxīn 〈京〉 전심전력으로 하다. 성심성의로 하다. ¶他无论做什么都是～的; 그는 무슨 일을 하든지 전심전력으로 한다.

〔一扑心儿〕 yīpūxīnr 〈京〉 (한 가지 일에) 전심전력하다. 몰두하다. ¶小李～的爱上开拖拉机了; 이군이 트랙터 운전에 흠뻑 빠져들었다. =〔虎hǔ着心儿〕

〔一暴十寒〕 yī pù shí hán 〈成〉 하다 말다 하다. 싫증나서 오래 계속 못하다. 작심삼일.

〔一七〕 yīqī 명 초이레.

〔一齐〕 yīqí 부 일제히. 동시에. 함께. ¶人和行李～到了; 사람과 짐이 동시에 도착했다 / ～动工; 동시에 공사를 시작하다 / ～努力; 함께 노력하다. 형 가지런하다. 동등하다. ¶万物～; 만물은 동등하다.

〔一齐众楚〕 yī qí zhòng chǔ 〈成〉 선인 한 사람이 수많은 악인 가운데에 있다《악한 환경에 처하면 쉽게 악에 물든다》. ¶～不久就学坏了; 주위가 좋지 않으면 결국 나쁘게 된다.

〔一旗一枪〕 yīqí yīqiāng ①〈成〉 혼자 힘으로 해내다. =〔单刀匹马〕〔匹马单枪〕〔单枪匹马〕 ②잎눈 하나에 잎이 하나인 찻잎. →〔旗枪〕

〔一起〕 yīqǐ 명 ①같은 장소. 한 곳. ¶走到～来了; 같은 곳에 왔다 / 堆在～; 한데 쌓아 두다 / 住在～; 함께 살고 있다 / 处在～; 같이 지내다. ②〈方〉 한 패. 한 무리. ¶那～人刚走, 这～人又到了; 저 한 패의 사람들이 가자마자 이 한 패의 사람이 또 몰려왔다 / ～～地散尽了; 한 무리 한 무리 다 흩어져 버렸다. 부 ①같이. 더불어. ②모두. 합해서. ¶这几件东西～多少钱? 이 물건들은 모두 얼마입니까?

〔一起一落〕 yīqǐ yīluò ①오르락내리락하다. 올라갔다 내려갔다 하다. ¶物价～很不平稳; 물가가 올랐다 내렸다 불안정하다. ②성쇠(盛衰).

〔一起子〕 yīqǐzi 수량 일군. 한 무리. ¶～人; 한 무리의 사람.

〔一气〕 yīqì 명 ①천지의 원기(元氣). ②(흔히, 나쁜 뜻으로) 한 패. 한 패거리. 부 ①(～儿, ～子) 단숨에. 단번에. ¶～儿跑了去了; 단숨에 도망쳐 버렸다. ②(～子) 잠시. 한바탕. ¶瞎闹～; 잠시 (동안) 야단법석을 떨었다 / 骂了～; 한바탕 욕해 댔다.

〔一气呵成〕 yī qì hē chéng 〈成〉 ①문장이 거침없고 수미(首尾) 일관해 있는 모양. ②단숨에 문장을 지어 냄. 한숨에 일을 몰아쳐 해냄.

〔一掐掐〕 yīqiāqia 형 극히 적다. 아주 가늘다. ¶新娘一枝花, 柳腰～; 신부는 꽃과 같고, 버들가지 같은 허리는 아주 가늘다. =〔一捻niǎn捻〕

〔一掐儿〕 yīqiār 수량 한 줌. 한 움큼《극히 적은 양》. ¶用不了多少, 有～就够了; 많이도 필요 없고, 조금만 있으면 된다.

〔一千八百〕 yīqiān bābǎi 천이고 팔백이고. 얼마든지. 많이. ¶花个～的, 我也不心疼; 돈은 아무리 써도 나는 아깝지 않다.

〔一千个〕 yīqiānge 수량 매우《정도가 심함을 나타냄》. ¶一没烟抽, 他就表示～不高兴; 담배가 떨어지면, 그는 매우 불쾌해한다.

〔一千公尺赛跑〕 yīqiāngōngchǐ sàipǎo 명 〖體〗 (육상) 1,000미터 경주. =〔(一)千米赛跑〕

〔一千零一夜〕 Yīqiānlíngyīyè 명 〖書〗 아라비안 나이트. 천일야화(千一夜話). =〔天Tiān方夜谭〕

〔一钱不落虚空地〕 yīqián bùlào xūkōngdì 1전도 헛되이 쓰지 않다. ¶他花钱都花在刀刃儿上, ～的; 그는 돈을 확실한 데〔타당한 용처〕에 쓰고 한 푼도 헛되이 쓰지 않는다.

〔一钱不值〕 yī qián bù zhí 〈成〉 한 푼의 값어치도 없다. 전혀 쓸모가 없다. ¶他把我看得～; 그는 나를 한 푼의 값어치도 없다고 여기고 있다.

〔一钱如命〕 yī qián rú mìng 〈成〉 돈을 목숨처럼 아끼다. 인색하다.

〔一腔热血〕 yīqiāng rèxuè 가슴에 꽉 차 있는 뜨거운 피.

〔一锹挖个井〕 yīqiāo wā ge jǐng 괭이로 한 번 파서 우물을 파다《불가능한 일》. →〔一口吃个胖子〕

〔一窍不通〕 yī qiào bù tōng 〈成〉 그 일에 관해서는 전연 모르다. 아무것도 모르다. ¶我对于做买卖的事～; 나는 장사 일은 전연 모릅니다 / 一窍儿通, 百窍儿通; 하나를 알면 전부 알 수 있다. 한가지를 보면 딴 것도 미루어 알 수 있다.

〔一切〕 yīqiè 명 일체. 모두. ¶有他, ～保险; 그 사람이 있으니까 모두 다 안전하다 / ～的条件都具备了; 일체의 조건이 구비되었다 / 丧失了主权就～无从说起了; 주권을 상실하면 모든 것이 끝이다. 형 일체의. 모든. 注 '所有'와의 차이. ㉠ '一切'는 각양각색인 것 모두라는 뜻. '所有'는 동류(同類)의 것 모두의 뜻. ㉡이것저것 모두라는 뜻으로 쓰일 때는 '所有一切' · '一切所有的'이라고도 함.

〔一切所有〕 yīqiè suǒyǒu 온갖. 모든. ¶尽～的能力来帮忙你; 모든 힘을 다하여 너를 원조하겠다.

〔一切险〕 yīqièxiǎn 명 〖商〗 전(全)위험 보험. 올리스크스(all risks).

〔一芹〕 yīqín 명 〈謙〉 변변치 않은 선물. ¶献上薄礼～; 변변치 않은 물건을 드립니다.

〔一倾积愫〕 yīqīng jīsù 〈翰〉 쌓였던 생각을 다 말하다.

〔一清二白〕 yī qīng èr bái 〈成〉 ①정확하고 분명한 모양. ¶事情是～; 일은 극히 분명하다 / 他把事情交待得～的; 그는 일을 확실히 인계받았다. ②순진 무구하다. 순결하다. 결백하다.

〔一清二楚〕 yī qīng èr chǔ 〈成〉 확실하다. 분명하다. 명백하다. ¶深深的印象, 至今还记得～; 깊은 인상은 지금도 생생하게 기억하고 있다.

〔一清一红〕 yīqīng yīhóng (감정이 격해서 안색이) 붉으락푸르락 하는 모양. ¶小崔, 倭瓜脸气得～的, 正和李四爷指手画脚的说; 최군은 호박같은 얼굴을 화가 나서 붉으락푸르락하며, 이씨댁 넷째 어른에게 손짓 발짓으로 이야기하고 있는 중이었다.

〔一清早(儿)〕 yīqīngzǎo(r) 명 조조(早朝). 이른 아침. ¶他～就走了; 그는 아침 일찍 떠났다. =〔一大清早〕〔一大早儿〕

〔一穷二白〕 yī qióng èr bái 〈成〉 첫째는 빈궁, 둘째는 공백 상태다《경제적으로는 가난했고, 문화 · 기술의 면에서는 뒤쳐져 있다》. ¶我国～的面貌已大有改变了; 우리나라의 경제적으로 가난하고

문화가 뒤떨어진 양상은 크게 변했다.
〔一丘之貉〕 yī qiū zhī hé 〈成〉 한 굴 속의 오소리. 같은 무리의 악당. ¶这几个坏蛋都是～; 이 돼먹지 않은 놈들은 모두 한통속이다. →〔一鼻孔出气〕
〔一秋〕 yīqiū 명 〈文〉 ①가을 한 철. ②〈比〉 1년. ¶分手以来又过了～了; 헤어진 지 벌써 1년이 됩니다.
〔一去〕 yīqù ①한 번 떠나가 버리다. ¶～中国三十年; 중국에 간 지 30년이나 된다 / ～不复返; 〈成〉 한 번 간 뒤로 돌아오지 않다. 영원히 과거의 것이 되다 / ～不返, 杳如黄鹤; 한 번 간 뒤로 돌아오지 않아 묘연하기가 황학과 같다 / ～不回头 =〔肉包子打狗, ～不回头〕; 한 번 간 뒤 돌아오지 않는다. 함흥차사. ② 명 편도(片道). ¶～五块钱, 来回可以便宜点儿; 편도는 5원이지만, 왕복이라면 좀 싸게 할 수 있다.
〔一圈〕 yīquān 수량 한 판(마작에서 네 사람 전원이 한 차례씩 '庄家'(물주)가 되는 것).
〔一圈儿〕 yīquānr 수량 한 바퀴. ¶跑了～; 한 바퀴 (달려서) 돌았다.
〔一全套〕 yī quántào 한 벌. 한 세트. ¶～的东西; 한 벌의 물건 / ～设备; 플랜트. 한 세트의 설비.
〔一犬吠形, 百犬吠声〕 yī quǎn fèi xíng, bǎi quǎn fèi shēng 〈成〉 한 마리의 개가 그림자를 보고 짖으면, 그 소리를 듣고 많은 개가 모두 짖는다. 한 사람이 아무렇게나 되는 대로 말하면 다른 많은 사람이 부화 뇌동하여 떠들어 댄다. =〔一犬吠虚, 万犬传实〕〔一人传虚, 百人传实〕〔吠形吠声〕〔吠影吠声〕
〔一犬吠虚, 万犬传实〕 yīquǎn fèixū, wànquǎn chuánshí 〈成〉 ⇨〔一犬吠形, 百犬吠声〕
〔一瘸一点〕 yīqué yīdiǎn 절름거리는 모양. ¶～地走; 절름거리며 걷다. =〔一瘸一拐〕
〔一群〕 yīqún 수량 한 무리. 한 떼. 일군.
〔一人〕 yīrén ①한 사람. ¶～不过二人智 =〔～不抵二人计〕; 〈諺〉 혼자서는 두 사람의 지혜를 따르지 못한다 / ～不做二人事 =〔～做事～当〕; 〈諺〉 한 사람이 두 사람의 일을 하지는 못한다. ②1인분의. ¶有～多高; 사람의 키만한 높이다.
〔一人班〕 yīrénbān 명 1인극. 혼자서 모든 일을 하는 것. 단독 근무. ¶我在这儿做事就是～, 什么都得干; 나는 여기서는 혼자라 무엇이나 다 하지 않으면 안 된다.
〔一人称〕 yīrénchēng 명 1인칭.
〔一人传虚, 百人传实〕 yīrén chuánxū, bǎirén chuánshí 〈成〉 ⇨〔一犬吠形, 百犬吠声〕
〔一人得道, 鸡犬升天〕 yīrén dédào, jīquǎn shēngtiān 〈諺〉 한 사람이 출세하면 주변 사람까지 지위가 오른다.
〔一人独吞〕 yīrén dútūn 독점하다. 독차지하다.
〔一人难称百人心〕 yīrén nánchèn bǎirén xīn 〈諺〉 한 사람이 백 사람의 마음에 들기는 어렵다. 모든 이의 마음에 들기는 어렵다. =〔一人难称百人意〕
〔一人拼命, 万夫难当〕 yīrén pīnmìng, wànfū nándāng 〈諺〉 결사적으로 덤비는 한 사람에게는, 만 사람도 당하지 못한다.
〔一人有福牵带屋〕 yīrén yǒu fú qiāndài wū 〈諺〉 한 사람이 유복하면 한 집안을 윤택하게 한다.
〔一人智不如两人议〕 yīrén zhì bùrú liǎngrén yì 〈諺〉 한 사람의 생각보다 두 사람의 지혜가 낫다.
〔一人做事一身当〕 yīrén zuòshì yīshēn dāng 〈諺〉 자기가 뿌린 씨는 자기가 거둔다. =〔一人做事一人当〕
〔一任〕 yīrèn 수량 한 임기(任期). ¶做过～县长; 현장을 한 임기 맡아 지내었다. 동 〈文〉 맡기다. 방임하다. ¶～花开花谢; 꽃이 피고 지는 대로 내버려 두다.
〔一扔(儿)〕 yīrēng(r) 간단히 버리고 마는 일. 헛되이 하는 일. ¶你拿去也是～; 네가 가져가도 어차피 버리고 말 것이다.
〔一仍旧惯〕 yī réng jiù guàn 〈成〉 무슨 일이나 관례에 따라 일을 처리하는 일. 무사 안일주의의 보수적인 태도.
〔一日〕 yīrì 명 ①일일. 하루. 종일. ¶～之计在于晨; 하루의 계획은 아침에 있다. ②어느 날. 하루. ¶将来有达到目的之～; 장래 목적을 이룰 날이 올 것이다.
〔一日打柴, 一日烧〕 yīrì dǎchái, yīrìshāo 하루 땔나무를 하여 하루 때다. 〈比〉 하루 벌어 하루 살다.
〔一日地〕 yīrìdì 명 ⇨〔一天地〕
〔一日九迁〕 yī rì jiǔ qiān 〈成〉 승진이 빠르다. ¶他留洋镀金回来当上了官, ～没几年就升到司长了; 그는 외국에 유학하고 간판을 따고 돌아와 관리가 되었는데, 승진이 빨라 몇 해도 안 되어 벌써 국장이 되었다.
〔一日千里〕 yī rì qiān lǐ 〈成〉 진행 또는 진보가 매우 빠르다. ¶我国工农业的发展～; 우리 나라의 농공업은 하루에 천 리를 달리듯 빠른 속도로 발전한다.
〔一日三秋〕 yī rì sān qiū 〈成〉 일일 여삼추. (간절히 그리워 하여) 하루가 삼년 같다.
〔一日之长〕 yī rì zhī cháng 〈成〉 (학문·재능이 누군가와 비교해서) 조금 나음. ¶我比你有～; 나는 너한테 비하면 일일지장이 있다. ⇒yī rì zhī zhǎng
「교제가 옅음.
〔一日之雅〕 yī rì zhī yǎ 〈成〉 불과 하루의 사귐.
〔一日之长〕 yī rì zhī zhǎng 〈成〉 (누군가와 비교해서) 나이가 조금 위임. ⇒yī rì zhī cháng
〔一如〕 yīrú 〈古白〉 완전히 …와 같다. ¶我对你的心肠～昨日; 너에 대한 나의 심정은 이전과 조금도 다름없다. =〔一似〕
〔一如既往〕 yī rú jì wǎng 〈成〉 모든 것이 지금까지와 같다. 앞으로도 달라지지 않는다. ¶不论情况怎样变化, 我们将～地走自己的路; 상황이 어떻게 변한다 하더라도, 우리는 지금까지와 같이 자신의 길을 계속 나아가면 된다.
〔一入手〕 yīrùshǒu ⇨〔一插手(儿)〕
〔一扫而光〕 yī sǎo ér guāng 〈成〉 깨끗이 쓸어버리다. 완전히 없애 버리다. ¶把桌上的菜～; 테이블에 차려 놓은 음식을 모두 먹어 치우다. =〔一扫而空〕
〔一色〕 yīsè 형 ①일색이다(순일(純一)하여 섞인 것이 없음). ¶青～; 파란색 일색 / 水天～; 물과 하늘이 한 빛깔이 되다. ②(양식이) 완전히 같다. 수량 같은 종류. 한 가지.
〔一霎(儿)〕 yīshà(r) 명 〈古白〉 삽시간. 잠깐 동안. ¶～乌云满天; 삽시간에 먹구름이 온 하늘을 뒤덮었다. =〔一霎时〕
〔一霎时〕 yīshàshí 명 ⇨〔一霎(儿)〕
〔一晌〕 yīshǎng 명 〈方〉 ⇨〔一饷〕
〔一上〕 yīshàng 부 〈古白〉 단숨에. 단번에. ¶～把酒和豆腐都吃了; 술과 두부를 단숨에 먹어 버렸다.

〔一上手〕 yīshàngshǒu ⇨〔一插手(儿)〕
〔一射箭远〕 yīshèjiàn yuǎn 화살이 닿을 만한 짧은 거리. 엎어지면 코 닿을 데.
〔一身〕 yīshēn 명 ①한 몸. 일신. 한 사람. ¶～系天下之安危; 천하의 안위가 한 몸에 걸려 있다. 중책을 지고 있다/～不能当二役; 한 몸으로 두 역할을 맡을 수 없다. ②온몸. 전신. ¶～臃肿; 옷을 껴입어 뚱뚱함/冷得起了～鸡皮疙瘩; 추워서 온몸에 소름이 돋았다/出了～的汗; 온몸에 땀이 났다. (～儿) 수량 옷 한 벌. ¶～西装; 양복 한 벌.
〔一身两役〕 yī shēn liǎng yì 〈成〉 혼자서 두 가지 소임을 겸무하다. 일인 이역. =〔一身(而)二任〕
〔一身是胆〕 yī shēn shì dǎn 〈成〉 매우 대담하고 용감하다. =〔一身都是胆〕
〔一身一口(儿)〕 yīshēn yīkǒu(r) 독신. 단독. ¶我还没成家～花不了多少钱; 나는 아직 결혼하지 않은 독신이어서 돈이 얼마 들지 않는다.
〔一神教〕 yīshénjiào 명《宗》일신교.
〔一生〕 yīshēng 명 일생. 평생.
〔一生吃着不尽〕 yīshēng chīzhuó bùjìn 평생 의식 걱정이 없다. ¶他家很有钱,你要肯嫁给他的话, ～; 그의 집은 큰 부자여서 네가 만일 그에게 시집가면 평생 먹을 걱정 입을 걱정은 안해도 된다. →〔一辈bèi子花不完〕
〔一生九死〕 yī shēng jiǔ sǐ 〈成〉 구사일생. 요행히 살다. =〔九死一生〕
〔一声不吭(儿)〕 yī shēng bù kēng(r) ⇨〔一声不响〕
〔一声不响〕 yī shēng bù xiǎng 쓰다 달다〔가타부타〕 말이 없다. 아무 말 없다. 묵묵히 말이 없다. ¶～地蹑足进门; 아무 소리도 않고 입구로 들어오다. =〔一声不吭(儿)〕
〔一失足成千古恨〕 yī shī zú chéng qiān gǔ hèn 〈諺〉 한 번 실수하면 영원히 후회한다.
〔一时〕 yīshí A) 명 ①한때. 한 시기. 한동안. ¶此～彼～; 지금은 지금, 그 때는 그 때/～无出其右; 한때 그보다 나은 것이 나오지 못했다/～不小心, 闹出想不到的错了; 한때의 부주의로, 뜻하지 않은 잘못을 저질렀다. ②얼마 안 되는 시간. 당분간. 잠시. ¶～回不来; 당분간 돌아오지 못한다. ③일시. 임시. ¶这是～的和表面的现象; 이것은 일시적이고 표면적인 현상이다 B) 때로는 …(하고), 때로는 …하다. ¶高原上气候变化极大, ～晴, ～雨, ～冷, ～热; 고원의 기후는 변화가 심해, 때로는 갰다가도 비가 오고, 때로는 춥다가도 더워진다.
〔一时半会(儿)〕 yīshí bànhuì(r) 잠깐 동안. 당분간. ¶他们～不会走吧; 그는 얼마동안은 가지 않을 겁니다/修铁道不是～就可以完成的; 철도 시설은 단시일에 되는 것이 아니다. =〔一时半刻〕〔一时半时〕〔一时一刻〕
〔一时半刻〕 yī shí bàn kè ⇨〔一时半会(儿)〕
〔一时半时〕 yī shí bàn shí ⇨〔一时半会(儿)〕
〔一时不等一刻〕 yīshí bùděng yīkè ⇨〔一时不等一时〕
〔一时不等一时〕 yīshí bùděng yīshí 잠시 동안도 소홀히 할 수 없다. 일각의 유예(猶豫)도 안 된다. ¶～, 你还是快点儿吧; 잠시도 지체할 수 없다. 빨리 해라. =〔一时不等一刻〕
〔一时无两〕 yī shí wú liǎng 〈成〉 그 시대에 견줄 사람이 없다. 가장 뛰어나다. ¶诗句之佳～; 시구의 뛰어남이 세상에 겨룰 자가 없다.
〔一世〕 yīshì 명 ①당대. 그 시대. ②일생. 한평생.
〔一世界〕 yīshìjiè ①⇨〔一天二世界〕 ②《佛》사대주(四大洲)와 일(日)·월(月)·천(天)을 합한것. →〔大dà千世界〕
〔一事〕 yīshì 명 〈方〉 업무·조직상 연대 관계에 있는것. 동일인이 경영하는 것. 같은 계통에 속해 있는 것. ¶我们和对面的饭馆是～; 우리와 맞은쪽에 있는 요릿집과는 자매 관계입니다. =〔一势〕
〔一事当前〕 yī shì dāng qián 〈成〉 일이 있을 때마다. 긴박한 상황이 벌어졌을 때에. 유사시에. 무슨 일을 할 때나.
〔一事当前先替群众打算〕 yīshì dāngqián xiān tì qúnzhòng dǎsuàn 명 〈諺〉 모든 일은 먼저 대중을 생각해서 해야한다.
〔一事无成〕 yī shì wú chéng 〈成〉 한 가지 일도 이루지 못하다. 아무 일도 못하다. 아무 일도 성공하지 못하다.
〔一势〕 yīshì 명 ⇨〔一事〕
〔一视同仁〕 yī shì tóng rén 〈成〉 일시동인. 모든 것을 차별없이 대하다.
〔一是〕 yīshì 명 일체(一切). 자세한 내용. ¶敬悉～; 〈翰〉 자세한 내용 모두 잘 알았습니다.
〔一是一, 二是二〕 yī shì yī, èr shì èr 〈諺〉 하나는 하나. 둘은 둘(속이지 않음. 분명함).
〔一手〕 yīshǒu ①혼자. 단독으로. 일방적으로. ¶～买下; 매점(買占)하다/这是他～造成的错误; 이것은 그가 혼자서 저지른 잘못이다. ②한편. ¶～钱, ～货; 돈을 건네 줌과 동시에 물품을 받다. 현금 현물 거래. ③(어떤 종류의 예능 또는 솜씨의) 한 가지. ¶他会写～好字; 그는 글씨를 잘 쓴다/～好力气; 대단한 힘. ④(～儿) 수. 방법. 계략. ¶你少跟我来～吧; 나한테 수 쓰지 마라. ⑤한 패거리. 동료.
〔一手儿〕 yīshǒur ①(하나의) 수단. ②같은 패거리. 동료. ¶他们是～; 그들은 한패다. =〔一手(儿)事〕 ③남녀의 사통(私通). ¶他跟那寡妇有～; 그는 저 과부와 사통하고 있다.
〔一手(儿)事〕 yīshǒu(r)shì ⇨〔一手儿②〕
〔一手托两家〕 yīshǒu tuō liǎngjiā 〈比〉 혼자서 양쪽 일을 하다. ¶我在中间儿～对哪边偏了也不行; 나는 중간에 서서 양쪽 일을 하고 있으므로, 어느 쪽에도 치우쳐서는 안 된다.
〔一手托天〕 yī shǒu tuō tiān 〈成〉 한 손으로 하늘을 받치다(불가능한 일. 무모한 일). ¶大势已去, 我怎么能～, 不过是在临危的时候表现一点正气而已; 대세는 이미 기울었는데 내가 어떻게 혼자서 버틸 수 있겠는가, 다만 막판에 약간 힘을 쓰는 데 지나지 않는다.
〔一手一足〕 yī shǒu yī zú 〈成〉 한 사람이나 두 사람. 미약한 힘. ¶不是～的力量所能收效的; 한두 사람의 힘으로 효과를 볼 수 있는 것이 아니다.
〔一手遮天〕 yī shǒu zhē tiān 〈成〉 한 손을 들어 하늘을 가리다(권력을 믿고 멋대로 굴어, 대중의 이목을 가리다).
〔一竖〕 yīshù 명 ⇨〔一直②〕
〔一水〕 yīshuǐ 형 아주 새것의. 갓 쓰기 시작한. ¶～的自行车; 새 자전거.
〔一水儿〕 yīshuǐr 형 〈方〉 (옷·세간 등이) 일색(一色)인. 한결같은. ¶屋里～红木家具; 방은 '红木'의 가구 일색이다/春节那天很多人都上上下下～新的出去拜年; 음력 정월에는 많은 사람이 위에서 아래까지의 모두 새 옷을 입고 세배를 다닌다.
〔一水之隔〕 yī shuǐ zhī gé 〈成〉 한 줄기 좁은 물을 사이에 두고 떨어져 있다. ¶韩日两国只有～, 来往便利; 한일 양국은 일의대수(一衣帶水)를 끼고 있을 뿐이어서 왕래가 편리하다. =〔一水

相隔〕〔一水相连〕

〔一顺〕 yīshùn (～儿, ～子) 방향이나 순서가 똑바로 정연하다. ¶新建的公房子, ～都是朝南的楼房; 새 단지의 집은 한결같이 모두 남향의 빌딩이다/这两只手套是～的; 이 장갑은 양쪽 다 왼손〔오른손〕이다/那条街～全是卖旧书的; 저 거리는 전부 헌책사이다.

〔一顺百顺〕 yī shùn bǎi shùn 〈成〉 만사 순조롭다. ¶祝您往后～; 만사가 순조롭게 되기를 빕니다.

〔一瞬〕 yīshùn 명 일순간. 눈 깜짝할 사이.

〔一说(儿)〕 yīshuō(r) 명 ①(…라는) 말. 일설(‘这～’·‘这么～’로 쓰임). ¶有好了疤痢忘了疼这么～; 목구멍만 넘어가면 뜨거움을 잊는다라는 말이 있다. ②하나의 표현법〔말씨〕. ¶他也是这～; 그도 또한 이런 투의 말이다.

〔一说曹操, 曹操就到〕 yī shuō cáocāo, cáocāo jiù dào 〈諺〉 호랑이도 제말하면 온다.

〔一丝不苟〕 yī sī bù gǒu 〈成〉 조금도 허투루 하지 않다. 빈틈이 없다.

〔一丝不挂〕 yī sī bù guà 〈成〉 ①마음 속에 세속의 거리끼는 바가 없다. ②실 한 오라기도 걸치지 않다. 알몸이다.

〔一丝没两气〕 yīsī méi liǎngqì 〈諺〉 숨이 가물가물하여 곧 숨이 넘어갈 것 같다. ¶病人膏肓huāng已经～了; 병이 고황에 들어, 이미 숨이 끊어질 것 같다.

〔一丝一毫(儿)〕 yī sī yī háo(r) 〈成〉 극히 조금. 털끝만큼도. 추호도. ¶他～也不肯让步; 그는 털끝만큼도 양보하지 않는다.

〔一丝一粟〕 yīsī yīsù 미세한 것. ¶我这点学问也不过是～, 算不了什么; 저의 이 학문은 미미한 것이어서 보잘 것 없습니다.

〔一死了之〕 yī sǐ liǎo zhī 〈成〉 죽음으로써 끝장을 내다〔해결하다〕.

〔一死儿〕 yīsǐr 〈方〉 무슨 일이 있더라도. 죽어도. 한사코. ¶～地追问; 집요하게 구문(究問)하다〔캐묻다〕/这个女的～非嫁给他不可; 이 여자는 무슨 일이 있어도〔한사코〕 그에게 시집 가려 한다.

〔一似〕 yīsì ⇨〔一如〕

〔一俟〕 yīsì 〈文〉 …하는 대로. ¶～有需要时, 再行联系; 수요가 있는 즉시 다시 연락을 드리겠습니다.

〔一送儿〕 yīsòngr 명 편도(片道)(수송). ¶～的车; 편도차.

〔一岁口〕 yīsuìkǒu 명 하릅(노새나 말 등의 나이는 그 치아의 수로 셈). ¶这匹马只有～; 이 말은 겨우 하릅이다.

〔一岁年纪一岁人〕 yīsuì niánjì yīsuì rén 〈諺〉 ①나이를 먹어 경험을 쌓다. 나이보다 경험. ②갓난아기는 3년 지나면 세살이 된다. 나이 든 사람이 역시 낫다. ③(기개있는 말을 하지만) 역시 나이는 못 속인다.

〔一所儿〕 yīsuǒr 수량 한 채. 한 군데의. ¶～房子; 한 곳의 가옥(동수(棟數)의 많고 적음은 따지지 않음).

〔一塌刮子〕 yītā guāzi ①보통이다. ②통틀어. 전부. ¶一个新毕业生要一下子把内科、外科、小儿科、妇产科等～包下来是很困难的; 갓 졸업한 신출내기가 금방 내과·외과·소아과·산부인과 등 전부 맡는다는 것은 어려운 일이다.

〔一塌糊涂〕 yī tā hú tú 〈成〉 엉망이어서 수습이 어려운 모양. ¶闹得～; 마구 떠들다/烂得～; 손을 댈 수 없을 정도로 너덜너덜 해져 있다/屋子里乱得～; 방이 엉망으로 어지럽혀 있다.

〔一台〕 yītái 수량 ①한 차례(극이 공연되는 장소를 주요 요소로 하여 세는 말). ¶屋外头有电影, 屋里头有～戏; 옥외는 영화가 있고 옥내에는 연극이 있다. ②한 대(기계의 대수를 세는 말).

〔一摊〕 yītān 수량 한 더미. 한 무더기.

〔一摊子〕 yītānzi 수량 이것저것 많이 있음을 말함. ¶～的东西; 산더미처럼 쌓인 물건.

〔一堂〕 yītáng 수량 ①(제사용 제물의) 한 상(床). ②한 차례. 한 번(재판의 개정(開廷)한 수를 세는 말). ¶过了～; 재판이 한 번 있었다.

〔一堂儿〕 yītángr 수량 한 방 분(分)의. ¶屋子里布置着～的摆设儿; 한 방에는 갖출 세간을 다 갖추어 놓았다.

〔一趟〕 yītàng 수량 한 번(걷는 일·왕래의 횟수). ¶出～门; 한 번 외출하다/来了～; 한 번 왔다/去过～; 한 번 간 적이 있다.

〔一套〕 yītào ①한 벌. 한 세트. ¶～衣服; 한 벌의 옷/～书; 한 질의 책. ②방법. 수단. ¶另搞～; 다른 방법을 쓰다/老～; 상투 수단. ③일련(一連)의 일(흔히, 비난하는 뜻을 포함함). ¶～外交用语; 입으로만 하는 외교사령/～话; 한바탕 늘어놓는 말. ④제몫. 한몫. ¶如今我有～富贵; 이제 나는 제법 살 만하게 되었다.

〔一体〕 yītǐ 명 ①일체. 한 덩어리. ¶成为～; 일체가 되다. ②모두 한결같음. 전체. ¶～治罪; 똑같이 처벌하다/合行布告, ～周知; 이에 포고하여 전체에 주지시킨다(구식(舊式)의 고시(告示) 용어).

〔一天〕 yītiān A) ①하루 낮. ¶～一夜; 일주야. ②어느 날. ¶～, 他又来了; 어느 날, 그는 또 왔다. ③〈方〉 하루 종일. ¶忙了～; 하루 종일 바빴다. ④하늘 가득히. ¶～的星星; 온 하늘의 별. ⑤같은 날. ¶和新中国～诞生的; 신 중국과 같은 날에 태어났다. B) (yī tiān) 수량 1일. 하루. ¶～二十四小时; 1일 24시간/告～假; 하루 휴가를 얻다.

〔一天到晚〕 yī tiān dào wǎn 〈成〉 아침부터 저녁까지. 하루 종일. =〔整天家〕

〔一天地〕 yītiāndì 명 하루갈이(동북 지방에 있어서의 농지 면적의 단위). =〔一日地〕〔一垧shǎng地〕

〔一天二世界〕 yītiān'èrshìjiè 〈北方〉 어디나. 온통. …투성이. ¶弄了～泥; 온통 진흙투성이를 만들었다. =〔一世界①〕 →〔满世界〕

〔一天星斗〕 yītiān xīngdǒu 하늘에 가득한 별. 난잡하게 널려 있는 모양. ¶把屋里糟踏得～; 방안을 짓밟아 너저분하게 어질러 놓았다.

〔一天一个现在〕 yītiān yīge xiànzài 그날 그날 살아가는 일. ¶我们穷苦人就是～的日子; 우리 같은 가난뱅이는 그날 그날 살아간다.

〔一天一个样〕 yītiān yīgeyàng 매일 변화하다.

〔一天云雾散〕 yītiān yúnwù sàn 하늘에 가득한 운무가 개다. 문제가 원만하게 해결되다.

〔一条道儿走到黑〕 yītiáodàor zǒudào hēi 〈京〉 굳은 의지로〔외곬으로〕 한 가지 일을 끝까지 함. ¶他守着这个职务干了三十年, 真是～的忠心人; 그는 이 직무를 30년 동안 했으니, 정말 끝까지 한 길에 충실한 사람이다.

〔一条根〕 yītiáogēn 하나의 뿌리. 〈比〉 외아들이나 외딸.

〔一条裤〕 yītiáokù 바지 하나. ¶穿～; 〈比〉 한패가 되다. 기맥(氣脈)을 통하다.

〔一条龙〕 yītiáolóng ①한마리의 용. 〈轉〉 한 줄이

되다. 장사진. ¶十几辆汽车排成～; 10여대의 차가 장사진을 이루다. ②〈比〉 일의 각부분. 기업의 각 부문의 일관화(一貫化). ¶企业之间～的大协作; 기업간의 일관화라는 대규모의 협력. ③마작에서, 일기 통관(一氣通貫)의 약(1에서 9까지 연속된 같은 종류의 패를 갖는 일).

〔一条龙运动〕 yītiáolóng yùndòng 명 물자의 생산·운수·판매의 각 부문이 긴밀히 일체가 되어 협력해 나가는 운동.

〔一条泥鳅掀不起大浪〕 yītiáo níqiū xiānbuqǐ dàlàng 〈諺〉 미꾸라지 한 마리로는 큰 물결이 일지 않는다.

〔一条藤儿〕 yītiáoténgr 〈方〉 ①몇 사람이 힘을 합쳐. 한 마음으로. ¶咱们几个人, 只要～, 这项工作准可以提前完成; 우리들 몇이서 힘을 합치기만 하면, 이 일은 반드시 기일 전에 완성할 수 있다. =〔一条腿儿②〕 ②기맥을 통하고 있다. 한통속이다. ¶官官相护, 他们都是～的; 관리가 서로 싸고도는데, 그들은 한통속이다. =〔一条线儿〕

〔一条腿儿〕 yītiáotuǐr ①명 한쪽 다리. ②⇒〔一条藤儿①〕

〔一条线儿〕 yītiáoxiànr ⇒〔一条藤儿②〕

〔一条线拴俩蚂蚱〕 yītiáoxiàn shuān liǎ màzha 〈諺〉 한 가닥의 실로 두 마리의 메뚜기를 매다. 서로 관계를 끊을 수 없다. 끊을래야 끊을 수 없는 나쁜 인연. ¶～, 跑不了他, 也跳不了你; 한 가닥의 실에 매어 있는 더러운 인연이다. 그도 도망칠 수 없고, 너도 뛰쳐나갈 수 없다.

〔一条心〕 yītiáoxīn 한 마음(같은 뜻). ¶我们跟他们～; 우리들은 그들과 한 마음이다/社员们都是～; 사원들은 모두 한 마음 한 뜻이다.

〔一跳一蹦〕 yī tiào yī bèng 깡충깡충 뛰는 모양. 뛰어오르는 모양.

〔一贴〕 yītiē 수량 (고약의) 한 장. ¶～膏药; 고약 한 장.

〔一停儿〕 yītíngr 명 1할(割). ¶一点人马, 三停儿只剩～了; 사람과 말을 점검해 보니 3분의 1밖에 남아있지 않았다/三停儿的～; 3분의 1. =〔一成〕

〔一通百通〕 yī tōng bǎi tōng 〈成〉 하나가 통하면 백 가지가 통한다. 한 가지 일이 잘 풀리면 만사가 술술 풀린다.

〔一通连儿〕 yītōngliánr (몇 개의 방이) 통해 있다. ¶这五间北房都是～的; 이 다섯 칸의 '北房'은 다 통해 있다.

〔一通儿〕 yītōngr 명 한 조(組). 같은 파(派)의. ¶他们都是～的; 그들은 모두 한 패거리다. ⇒yītòngr

〔一同〕 yītóng 부 같이. ¶～去; 같이 가다/我们～走吧; 우리 함께 가자.

〔一通儿〕 yītòngr 수량 한 번. 한바탕. ⇒yītōngr

〔一统〕 yītǒng 동 통일하다. ¶～天下; 천하를 통일하다. 수량 (비석) 하나. =〔一座〕

〔一头〕 yītóu ①(연용(連用)해서) …하면서 …하다. ¶～走, ～看; 걸으면서 보다/～摇橹, ～唱歌; 노를 저으며 노래를 부르다. ②명 일단(一端). 한 끝. ¶你拉这～吧! 너는 이 끝을 잡아당겨라! ③머리 가득히. ¶～白发; 흰 머리카락투성이. ④수량 한 마리(가축을 세는 말). ¶～牛; 한 마리의 소. ⑤부 돌연(突然). 갑자기. ¶刚进门, ～碰见他; 문을 들어서자마자 그와 맞닥뜨렸다/前边儿来了一辆车, ～撞过来; 앞쪽에서 수레가 와서, 갑자기 충돌해 왔다. ⑥부 급히. 곧장. ¶打开车门, 他～钻了进去; 차의 문을 열자 그는 급히 헤집고 들어갔다. ⑦명 머리 하나. ¶出人～; 남보다 출중하다. ⑧명 방향. 방면. ¶朝向西南～扎了去; 서남 방향으로 나아갔다. ⑨수량 〈古白〉 한 번. 일 회(一回). ¶东～西～地乱跑; 여기저기 마구 뛰어다니다.

〔一头计算〕 yītóu jìsuàn 명 (이자 계산의 경우의) 첫날을 치지 않는 계산. →〔两liǎng头计算〕

〔一头两块〕 yītóu liǎngkuài 〈京〉 1,2원.

〔一头儿〕 yītóur 명 ①(피고(被告)와 원고(原告)처럼) 대립하고 있는 것의 한쪽. ¶只顾～; 오직 한쪽에만 마음을 쏟다. 他站在我们这～; 그는 우리들 편이다. ②긴 물체의 한 끝. ¶这～; 이쪽 끝. ③같은 입장의 사람.

〔一头儿沉〕 yītóurchén ①〈方〉 역성들다. 편들다. 한쪽에 치우치다. ¶您得主持公道, 不能～啊! 당신은 공평해야지, 편파적이어서는 안됩니다! ②명 〈方〉 한쪽에만 서랍이 있는 사무용 책상.

〔一头儿热〕 yītóurrè 명 〈俗〉 짝사랑. =〔单dān(相)思〕

〔一团和气〕 yītuán héqì ①화기 애애한 공기가 가득차 있다. 대단히 화목하다. ②두리뭉실하다. 애매 모호하다(현재에는 흔히 시비를 분명히 가리지 않고 무원칙한 태도를 가리킴). ¶保持～; 애매모호한 분위기를 유지하다.

〔一团漆黑〕 yī tuán qī hēi 〈成〉 ⇒〔漆黑一团〕

〔一团乌黑〕 yītuán wūhēi ①새까맣다. ②캄캄하다.

〔一团糟〕 yītuán zāo (낟알의 모양이 없어진) 지게미 덩어리(수습하기 어려운 모양. 엉망으로 됨). ¶弄得～; 수습하기가 아주 어렵게 되다/把事情搞得～; 일을 엉망으로 만들어 버렸다.

〔一推二靠三不管〕 yītuī èrkào sānbùguǎn 책임을 남에게 미루고, 다른 사람에게 의지하며, 자기는 아무것도 하지 않다(무책임한 태도를 말함).

〔一推两搡儿〕 yī tuī liǎng sǎngr 〈成〉 책임을 미루다. 책임 회피를 하다. ¶他～的一点诚意都没有; 그는 책임 회피만 하고 조금도 성의가 없다.

〔一推六二五〕 yī tuī liù èr wǔ ⇒〔一退六二五〕

〔一腿〕 yītuǐ 명 ①한쪽 발. 〈轉〉 걸음이 빠름. ¶他～进到屋里来; 그는 재빨리 방으로 들어왔다. ②남녀의 사통(私通). ¶她跟那个男人有～; 그녀는 저 남자와 관계하고 있다.

〔一退六二五〕 yī tuì liù èr wǔ 수판셈의 환산법의 구결(口訣)의 하나(1을 16으로 나누면 0.0625가 됨). 〈轉〉 손을 털다. 물러서다. 책임을 회피하다. ¶他起初倒是很热心, 现在～地打了退堂鼓了; 그는 처음에는 대단히 열심이었지만, 지금은 책임을 남에게 미루고 물러나 앉았다. =〔一推六二五〕

〔一弯到一弯〕 yī wān dào yī wān 한 모퉁이를 돌고 또 한 모퉁이를 돎. 〈轉〉 연줄에 연줄을 더듬어서 찾음. ¶我不认识他, ～才把他请出来; 나는 그를 모르므로 몇 사람의 연줄을 찾아 겨우 그를 오게 했다.

〔一碗水往平里端〕 yīwǎnshuǐ wǎng píngli duān 공평하다. ¶老天爷在上头, 咱们可是～, 谁也不许屈了谁的; 하느님이 위에 계시는데, 우리는 공평하게 하고 누구건 다른 사람을 괴롭히는 일이 있어서는 안 된다. =〔一碗水端平〕

〔一万公尺赛跑〕 yīwàn gōngchǐ sàipǎo 명 〖體〗 1만 미터 경주. =〔(一)万米赛跑〕

〔一万样〕 yīwànyàng 꿈에도. 전혀(부정(否定)의 구(句)에만 씀). ¶～没想到过; 꿈에도 생각지 않

았다.
〔一万亿〕 yīwànyì 명 《數》 1조(兆).
〔一汪〕 yīwāng (～儿, ～子) 수량 어떤 평면에 온통 액체가 퍼져 있는 경우에 씀. ¶～眼泪; 눈에 가득한 눈물 / ～血; 주위에 온통 질퍽한 피 / ～儿水; 〈方〉 ⓐ아름답다. 곱게 생기다. ⓑ(과일의) 즙이 많다.
〔一网打尽〕 yī wǎng dǎ jìn 〈成〉 일망타진하다. →〔草cǎo剃禽狝〕
〔一往而前〕 yīwǎng érqián 힘차게 나아가다. 매진(邁進)하다.
〔一往情深〕 yī wǎng qíng shēn 〈成〉 감정이 자꾸 깊어지다. 애정이 두터워지다. ¶那位小姐对他真是～; 저 아가씨는 그에 대하여 아주 열렬하다.
〔一往无前〕 yī wǎng wú qián 〈成〉 곤란을 두려워하지 않고 용감히 전진하다. ¶岳飞为了抗金的事业, 也本着死而后已的精神～; 악비는 금나라에 저항하는 사업을 위하여, 또한 목숨이 붙어 있는 한 끝가지 한다는 정신에 입각하여 용감하게 전진한 것이었다.
〔一往直前〕 yī wǎng zhí qián 〈成〉 용왕 매진하다. 용감하게 매진하다. =〔一往无前〕
〔一望而知〕 yī wàng ér zhī 〈成〉 첫눈에 알다. 한 번 보면 안다.
〔一望无际〕 yī wàng wú jì 〈成〉 일망 무제. 끝없이 넓다.
〔一味〕 yīwèi ①부 오로지. 외곬으로. 단순히. 어디까지나. 注 '专门'과 달리 부정적인 문맥에 쓰임. ¶～迁就; 오로지 양보하다 / ～读书; 외곬으로 공부하다 / ～盲目执行; 오직 맹목적으로 실행하다. ②(yī wèi) 한약(漢藥)의 한 종류. ¶～药; 한 종류의 약.
〔一文〕 yīwén 명 일전. 한 푼. ¶～不使, 两文不用; 돈 한 푼 안 쓰다.
〔一文不名〕 yī wén bù míng 〈成〉 한 푼도 없다. 무일푼이다. ¶我口袋里已经～了; 내 지갑에는 이제 한 푼도 없다.
〔一文不文〕 yī wén bù wén 〈成〉 (동전) 한 푼도 없다.
〔一文不值〕 yī wén bù zhí 〈成〉 한 푼의 가치도 없다. 전혀 무가치하다. =〔不值一文钱〕
〔一文钱逼倒英雄汉〕 yī wén qián bīdǎo yīngxiónghàn 〈諺〉 돈 한 푼 때문에 영웅을 꼼짝 못 하게 하다. 영웅도 돈이 없으면 움직일 수 없다.
〔一问三不知〕 yī wèn sān bùzhī 절대로 모른다고 말하다. 끝까지 시치미떼다. ¶他们问啥, 你也是个～; 그놈들이 무엇을 묻더라도 시치미를 떼면 된다.
〔一窝(儿, 子)〕 yīwō(r, zi) 명 고양이 새끼나 강아지 따위가 한배에 난 것. ¶这只花猫和那只黑的是～儿; 이 얼룩고양이와 검은 고양이는 한배 새끼다.
〔一窝蜂〕 yīwōfēng 벌집 하나. 〈轉〉 벌집을 쑤신 듯한 소동. ¶大家全～似的跑去看热闹去了; 모두 벌집을 쑤신 듯이 구경하러 뛰쳐나갔다.
〔一窝丝〕 yīwōsī 명 ①가는 국수. 실국수. ¶水开了把这～下到锅里煮来吃; 물이 끓거든 이 실국수를 냄비에 넣고 삶아 먹자. ②옛날의 머리 모양.
〔一无〕 yīwú 〈文〉 하나도 없다. 아무것도 없다. 전혀 없다. ¶～所惧; 아무것도 두려워할 것이 없다.
〔一无长物〕 yīwú cháng wù 가외의 것·쓸모없는 것은 아무것도 없다('长物'는 무용지물. 쓸모없는 것).
〔一无可取〕 yī wú kěqǔ 전혀 취할 것이 없다. ¶他行事为人～; 그의 행동이나 인품은 보잘것이 없다.
〔一无例外〕 yīwú lìwài 예외는 하나도 없다.
〔一无是处〕 yī wú shì chù 〈成〉 조금도 좋은 점이 없다. 무엇 하나 취할 점이 없다. ¶不能因为有缺点, 就认为他～; 결점이 있다고 해서 그가 조금도 장점이 없다고 단정할 수는 없다. =〔无一是处〕
〔一无所长〕 yīwú suǒcháng 아무것도 장기가 없다.
〔一无所得〕 yīwú suǒdé 전연 얻는 바가 없다. 아무런 수확이 없다. ¶白去了一趟外国, 流浪了几年还是～; 외국에 가서 몇 해 유랑했을 뿐, 아무것도 얻는 바가 없었다.
〔一无所能〕 yīwú suǒnéng 하나도 할 수 있는 것이 없다.
〔一无所有〕 yīwú suǒyǒu 아무것도 (가진 것이) 없다. 무일푼이다. 빈털터리다. ¶除了一身衣服以外～; 입은 옷 한벌 외에는 아무것도 갖고 있지 않다.
〔一无所知〕 yīwú suǒzhī 무엇 한 가지도 아는 것이 없다.
〔一五一十〕 yī wǔ yī shí ①〈成〉 낱낱이. 하나에서 열까지. 자초지종. ②수를 점검(點檢)할 때 다섯을 단위로 하는 셈법. ¶～数了一遍; 5·10·15 …로 해서 한 번 죽 세었다.
〔一物降一物〕 yīwù xiáng yīwù 〈諺〉 어떤 것이든 반드시 그것을 누르는〔제압하는〕 것이 있다. 뛰는 놈 위에 나는 놈이 있다.
〔一误再误〕 yī wù zài wù 〈成〉 ①자주 틀리다. 재삼 잘못을 저지르다. ¶你要趁早儿悔改, 不可～啊; 너는 빨리 회개해야 돼. 자주 잘못을 저지르면 안 된다 / ～终于误了终身; 재삼 잘못을 저질러서 나중에는 평생을 망쳤다. ②잇단 지연(遲延)으로 악화시키다. ¶你这病要抓紧治, 可不能～了; 너의 이 병은 빨리 치료해야지, 지체해서는 안 된다.
〔一息〕 yīxī 명 한숨. 한 번 내쉬는 숨. ¶只要我～尚存就一定备斗到底; 나는 숨이 붙어 있는 한 반드시 최후까지 분투한다.
〔一息工夫〕 yīxī gōngfu 잠깐 동안.
〔一席话〕 yīxíhuà 일장의 이야기. 일장 연설. ¶我听了他的～, 才恍然大悟; 나는 그의 일장의 이야기를 듣고 비로소 홀연히 깨달았다.
〔一袭〕 yīxí 수량 일습((의류의) 한 벌).
〔一系列〕 yīxìliè 한 계열의. 일련(一連)의. ¶～问题; 일련의 문제 / 引起了～的变化; 일련의 변화를 일으켰다 / ～的政策; 일련의 정책 / 国内国外～重大而迫切的问题; 국내외의 일련의 중대하고 절박한 문제.
〔一下(儿, 子)〕 yīxià(r, zi) 수량 ①한 번. ¶试～; 한 번 시험하다 / 打他～; 그를 한 대 때리다 / 看～; 한 번 보다. / 我先打听～; 우선 좀 물어보자. ②(그릇 따위에) 가득 찬 것을 세는 말. ¶碗里有满满～水; 그릇 속에 넘칠 듯 물이 가득 들어 있다. 명 ①잠깐(단, 지속적인 뜻을 가진 동사의 보어로 쓰일 때에 한함). ¶等～; 잠깐 기다리다 / 再忍耐～吧! 조금만 더 참아라! =〔一会儿〕 ②일시. 단번. 갑자기(짧은 시간을 나타냄). ¶灯～儿又亮了; 등불이 갑자기 밝아졌다 / ～失了脚掉下去; 갑자기 발을 헛디뎌 떨어졌다.

〔一线〕 yīxiàn 수량 한 줄기. 한 가닥(매우 미세한 것을 세는 말). ¶～光明; 한 줄기의 광명 / ～希望; 일루의 희망 / 你别灰心, 前途还有～希望; 낙담하지 마라. 전도에 한 가닥 희망은 있다. 명 제일선(第一線).

〔一相情愿〕 yī xiāng qíng yuàn 〈成〉 상대나 다른 사람도 그럴 것이라고 일방적으로 생각하다(널리 주관적인 희망뿐이고 객관적인 조건을 고려치 않음).

〔一饷〕 yīxiǎng 명 〈文〉 한때. 잠깐 동안. =〔一晌〕

〔一向〕 yīxiàng 명 ①한때(과거의 어떤 시기). ¶前～雨水多; 지난번에는 비가 많이 왔다. ②근간. 근래. 요즘(흔히, '这'와 함께 쓰임). ¶这～你好啊; 근자에 별고 없으십니까. 부 이 때까지 쭉. 원래. 내내. 줄곧. ¶他～没说过谎; 그는 이 때까지 거짓말을 한 적이 없다 / ～如此; 본디 이렇습니다. →〔一直〕

〔一小半〕 yīxiǎobàn 절반이 채 안 되는 것.

〔一小撮(儿)〕 yīxiǎocuō(r) 소수의. 한 줌밖에 안 되는. 하찮은. ¶～法西斯匪徒; 소수의 파시스트들 / 药末～; 가루약 한 줌 / 这菜里只要搁～盐就够了; 이 요리에는 소금을 한 줌만 넣으면 충분합니다 / 土地成为～土地占有者的私有财产; 토지가 소수의 토지 소유자의 사유 재산이 된다.

〔一小儿〕 yīxiǎor 〈方〉 어릴 적부터. ¶他～就喜欢画; 그는 어렸을 때부터 그림을 좋아했다 / 他～就学外国话, 所以讲得很好; 그는 어릴 적부터 외국어를 배웠기 때문에 아주 잘 한다. =〔从cóng小〕

〔一小时〕 yīxiǎoshí 한 시간. =〔一个钟头〕

〔一笑儿〕 yīxiàor 미소짓다. 빙긋이 웃다. ¶说完了～; 말을 마치고 빙긋이 웃었다.

〔一笑置之〕 yī xiào zhì zhī 〈成〉 일소에 부치다. 웃어 넘기다. ¶他对我的想法～; 그는 내 생각을 일소에 부쳤다.

〔一些(儿)〕 yīxiē(r) 수량 ①조금. 약간. ¶有～但是不多; 조금은 있지만, 많지는 않다. =〔一点儿①〕 ②여러 번. 여러 가지(한 종류나 한 번에 그치지 않음을 나타냄). ¶～东西; 얼마간의 물건 / 他曾担任过～重要的职务; 그는 일찍이 몇몇 중요한 직책을 맡은 적이 있다.

〔一些个〕 yīxiēge 수량 소수의(개수로 나타낼 수 있는 것). ¶～人; 소수의 사람.

〔一些些〕 yīxiēxiē 수량 극히 조금. 아주 소수. ¶只要～就够; 아주 조금이면 된다.

〔一歇〕 yīxiē ⇨〔一会儿①〕

〔一泻千里〕 yī xiè qiān lǐ 〈成〉 일사천리. 강물이 세차게 잘 흐르는 모양(①문필이 분방하고 거침없다. ②일이 거침없이 진행되다).

〔一蟹不如一蟹〕 yī xiè bù rú yī xiè 〈成〉 점점 더 못해지다. ¶世风不古, 江河日下～; 세상의 기풍이 경박해지고, 하루하루 나빠진다.

〔一心〕 yīxīn 동 마음을 같이하다. 같은 마음이 되다. ¶万众～; 대중이 한 마음이다. =〔一心儿〕 명 일심. 전심. 일편 단심. ¶～为人民服务; 전심으로 국민을 위해 봉사하다 / 他～要打倒对方; 그는 오로지 상대를 타도하려 하고 있다.

〔一心儿〕 yīxīnr 동 ⇨〔一心〕

〔一心思〕 yīxīnsī 오로지. 외곬으로. ¶难道那公司～想把剩余粮食卖给外国吗? 설마 저 회사가 오로지 잉여 식량을 외국에 팔아 버리려고 생각하고 있는 것은 아니겠지?

〔一心一德〕 yī xīn yī dé 〈成〉 ⇨〔同tóng心同德〕

〔一心一意〕 yī xīn yī yì 〈成〉 ①오로지 정신을 쏟아. 일념으로. 외곬으로. 일편 단심으로. ②일부러.

〔一心用(在)二事(上)〕 yīxīn yòng(zài) èrshì(shang) 한 가지 일에 마음을 쏟지 않다.

〔一星半点(儿)〕 yīxīng bàndiǎn(r) 극히 조금(의). 하찮은. ¶白念了几年书, 得不到～的好处; 수년 동안 헛 공부를 해서, 조금의 소득도 없었다.

〔一星星〕 yīxīngxīng 극히 하찮은〔사소한〕. ¶请你把见到的经过连～小事都说出来; 당신이 목격한 경과를 아주 사소한 일이라도 말씀해 주십시오.

〔一行〕 yīxíng 명 일행(一行)(동행(同行)하는 사람). ¶参观团～十二人已于昨天起程; 참관단 일행 열두 사람은 이미 어제 출발했다. ⇒yīháng

〔一宿〕 yīxiǔ 명 하룻밤. ¶住了～; 하룻밤 묵었다〔숙박했다〕.

〔一言〕 yīyán 명 일언. 한 마디. 한 마디 말. ¶～难尽; 〈成〉 한 마디 말로 다 설명할 수 없다 / ～半语; 일언반구. 극히 짧은 말 / ～兴邦, ～丧sàng邦; 단 한 마디 말로 나라를 일으키는 수도 있고, 나라를 잃을 수도 있다 / 大丈夫～既出驷马难追, 没有来回拉抽屉的; 대장부가 한 번 입 밖에 내면 다시 주워 담을 수는 없는 법, 이러쿵저러쿵 말을 바꿀 수는 없다.

〔一言蔽之〕 yī yán bì zhī 〈成〉 한 마디로 말하면. 요컨대.

〔一言不再〕 yī yán bù zài 〈成〉 말한 것은 책임을 지다.

〔一言九鼎〕 yī yán jiǔ dǐng 〈成〉 말 한 마디에 무게가 있음. 일언 천금.

〔一言堂〕 yī yán táng ①회의나 토론 장소를 독무대로 만듦. ②대중의 말에 귀를 기울이지 않고 독단적인 발언을 계속함. ③절대의 권위가 있는 말.

〔一言为定〕 yī yán wéi dìng 〈成〉 한 마디로 정하다. 딱 결정하다('약속한 거다' '결정한 거다' 처럼 상대에게 다짐을 둘 때도 쓰임). ¶～, 晚上在老王家等你! 자 결정났다. 밤에 왕씨 집에서 너를 기다리겠다.

〔一眼〕 yīyǎn A) 수량 ①한 눈. ¶～看中zhòng; 한 눈에〔첫눈〕에 마음에 들었다. ②우물을 세는 말. ¶～井jǐng; 우물 하나. B) 대충 보다. 일별하다. ¶抬头看了～就走了; 고개를 들어 한 번 슬쩍 보고는 가 버렸다.

〔一眼板〕 yīyǎnbǎn ⇨〔一板一眼〕

〔一眼半眼〕 yīyǎn bànyǎn 한두 번 보다. 대충 보다. ¶多看看, 不是只看～; 한두 번 보지 말고, 자세히 잘 보아라.

〔一阳来复〕 yī yáng lái fù 〈成〉 일양내복. (동지날에) 음(陰)이 끝나고 양(陽)이 돌아오다. 발전과 행운으로 향하다. ¶～, 万象更新; 일양내복하고 만상이 새로워진다(연초의 수식어(修飾語)). =〔一阳生〕

〔一阳生〕 yīyángshēng 〈成〉 ⇨〔一阳来复〕

〔一氧化〕 yīyǎnghuà 명 《化》 일산화(一酸化).

〔一氧化铅〕 yīyǎnghuà qiān 명 ⇨〔密mì陀僧〕

〔一氧化碳(气)〕 yīyǎnghuà tàn(qi) 명 《化》 일산화 탄소. =〔氧化碳(气)〕

〔一样〕 yīyàng 형 같다. ¶讨饭～的人; 거지와 진배 없는 사람 / 身量跟他～; 키는 그와 같다 / 这个和那个～; 이것과 저것은 같다. =〔同样〕〔一般①〕 수량 한 종류. ¶头～; 최초의 / 这人的脾气又是～; 이 사람의 성격은 특별하다 / ～坏脾气; 하나의 나쁜 버릇. 명 다른 한 가지 일. ¶可是有～; 그런데 (문제가) 하나 있다.

〔一样半样〕 yīyàng bànyàng 하나나 둘. ¶不是～的事情; 한두 가지 사정이 아니다.
〔一摇一摆〕 yī yáo yī bǎi 〈成〉 (걸음걸이가) 비틀비틀하다. 뒤뚱뒤뚱하다. ¶鸭子走路～的样子很蠢笨; 집오리의 뒤뚱뒤뚱 걷는 모습은 아주 둔하다.
〔一叶蔽目〕 yī yè bì mù 〈成〉 국부적 · 일시적인 현상에 현혹되어 전면적 · 근본적인 문제를 인식하지 못하다. =〔一叶障目〕
〔一叶蔽目, 不见泰山〕 yī yè bì mù, bù jiàn tài shān 〈成〉 ⇨〔一叶障目, 不见泰山〕
〔一叶障目, 不见泰山〕 yī yè zhàng mù bù jiàn tài shān 〈成〉 나뭇잎 하나가 눈을 가리면 눈앞에 있는 거대한 태산도 보이지 않는다《잔단 일에 정신이 팔려 큰 것이 보이지 않는다》. =〔一叶蔽目, 不见泰山〕
〔一叶知秋〕 yī yè zhī qiū 〈成〉 나뭇잎 하나가 떨어지는 것을 보고 가을이 다가옴을 알다《사소한 일로 사물이 발전하는 대세를 예측할 수 있는 일》. ¶～, 他这次失败, 从此就完了; 나뭇잎이 하나 떨어진 것을 보고 가을이 온 것을 안다고, 그는 이번 실패로 이제 끝장이 날 것이다.
〔一夜夫妻百夜恩〕 yī yè fū qī bǎi yè ēn 〈成〉 부부의 정이 깊은 일. ¶～, 百日夫妇辈子亲; 부부의 정이 깊은 일.
〔一一〕 yīyī 하나하나. 일일이. 낱낱이. ¶连长嘱咐了好些话, 他～记在心里; 중대장이 여러 가지 명령을 하자, 그는 일일이 마음 속에 새겨 두었다 / ～给你说明; 하나하나 설명해 드리겠습니다. =〔乙yǐ乙〕
〔一…一…〕 yī…yī… ①각기 두 개의 동류(同類)의 명사 앞에 쓰이어 성어 또는 성어 형식의 단어를 만듦. ㉠전체를 나타냄. ¶一心一意; 일심으로 / 一生一世; 일생 일대. ㉡수량이 매우 적음을 나타냄. ¶一草一木; 일목 일초. 풀 한 포기. 나무한 그루. ②각기 다른 명사 앞에 쓰이어 성어나 성어 형식의 단어를 만듦. ㉠대응하는 명사를 써서 전후의 대비(對比)를 분명히 함. ¶一龙一猪; 잘난 사람과 멍청이. ㉡관련되는 명사를 써서 사물의 관계를 나타냄. ¶一本一利; 〈成〉 원금과 이자. ③각각 동류의 동사 앞에 쓰이어 동작이 연속되고 있음을 나타내는 성어 또는 성어 형식의 단어를 만듦. ¶一歪一扭; 이리저리 비틀다. ④각각 대응하는 동사 앞에 쓰이어 쌍방의 행동이 잘 조정되거나, 또는 두 개의 동작이 교대로 진행됨을 나타냄. ¶一唱一和; 한 사람이 노래하면 한 사람은 장단을 맞추다 / 一问一答; 일문 일답. ⑤각각 상반되는 방위사(方位詞) · 형용사 등의 앞에 쓰이어 상반되는 방향 또는 상황을 나타냄. ¶一上一下; 하나는 위, 하나는 아래 / 一长一短; 일장 일단. ⑥각각 동류의 양사 앞에 쓰이어 양적으로 극히 적음을 나타냄. ¶一丝一毫; 〈成〉 털끝만한 것.
〔一衣带水〕 yī yī dài shuǐ 〈成〉 일의 대수. 한 가닥 띠와 같은 물〔강 · 바다〕《강이나 바다를 사이에 둔 이웃나라와의 친밀한 관계를 나타냄》. ¶相隔～; 〈比〉 극히 거리가 가깝다.
〔一意〕 yīyì 부 전념(專念)해서. 오직. 외곬으로.
〔一意孤行〕 yī yì gū xíng 〈成〉 남의 말을 듣지 않고 자기 뜻을 밀고 나가다. ¶他完全不采纳大家的意见, 只是～; 그는 전혀 여러 사람의 의견을 수용하지 않고, 오직 자기 의견만을 밀고 나간다.
〔一应〕 yīyīng 형 모든.
〔一应俱全〕 yī yīng jù quán 〈成〉 모든 것이 다 갖추어져 있다.
〔一拥〕 yīyōng 명 와〔우르르〕 밀려오는 모양. ¶～上前; 군중이 우르르 몰려 가다.
〔一隅三反〕 yī yú sān fǎn 〈成〉 하나를 듣고 열을 안다. =〔举jǔ一反三〕
〔一羽不举〕 yī yǔ bù jǔ 〈成〉 일을 하는데 힘을 다하지 않음. 수수방관(袖手傍觀)함.
〔一语道破〕 yī yǔ dào pò 〈成〉 (복잡하거나 말하기 어려운 일을) 한마디로 갈파(喝破)하다.
〔一语破的〕 yī yǔ pò dì 〈成〉 한마디로 문제점을 알아맞히다. 급소를 찌르다.
〔一语双关〕 yī yǔ shuāng guān 〈成〉 하나의 말이 두 가지에 관련된 뜻을 갖다〔양쪽 뜻을 가지다〕.
〔一元〕 yīyuán 명 1원《구두어(口頭語)의 '一块kuài' 와 같음》.
〔一元方程〕 yīyuán fāngchéng 명 《數》 일원 방정식.
〔一元化〕 yīyuánhuà 동 일원화하다. 통일 집중시키다. 명 일원화.
〔一匝〕 yīzā 수량 일주(一周). ¶人造卫星几个钟头就绕rào地球～; 인공 위성은 몇 시간에 지구를 일주한다.
〔一再〕 yīzài 부 여러 번. 거듭. 재차. ¶～声明; 여러 번 성명하다 / ～拜托; 거듭 부탁하다 / ～提出抗议; 거듭 항의를 제출하다.
〔一…再…〕 yī…zài… …하고 또 …하다《같은 단음절(單音節) 동사를 놓고 되풀이됨을 나타내는 성어(成語) 또는 성어 형식의 말을 만듦》. ¶一等再等; 기다리고 또 기다리다 / 一盼再盼; 바라고 또 바라다. 갈망하다.
〔一遭(儿)〕 yīzāo(r) 수량 ①한 번. 일회(一回). ¶～经蛇咬, 三年怕井绳; 한 번 뱀에 물리면 3년 동안은 우물의 새끼줄만 보고도 놀란다《자라 보고 놀란 가슴 소댕보고 놀란다》/ 饶我这～; 이번 한 번만 용서해 주십시오. ②한 바퀴《둥글게 주위에 두른 것을 셈》. ¶团团～土墙; 빙 둘러싼 토담.
〔一早(儿)〕 yīzǎo(r) 명 〈口〉 조조(早朝). 이른 아침. =〔一清早〕
〔一造〕 yīzào 명 ①《法》 소송 당사자의 한 쪽. ¶～有理, ～没理; 한쪽은 정당한 이유가 있고, 한쪽은 이유가 없다. ②혼인의 궁합을 볼 때, 남자 쪽을 '男造' '乾qián造' 라 하고, 여자 쪽을 '女造' '坤kūn造' 라 함. 그 한쪽을 '～' 라 함. ③〈方〉 농작물의 1회의 수확.
〔一则〕 yīzé 수량 한 제목. 한 조항. ¶他摘出～新闻记事讲解时局; 그는 보도 기사를 한 대목 뽑아서 시국을 해설한다. 접 〈文〉 ①첫째로는. ¶～…二则…; 첫째로는 … 둘째로는 … / ～慎重, 二则积极; 첫째는 신중하게, 둘째는 적극적으로. ②한편으로는. ¶～以喜, ～以惧; 한편으로는 기뻐하고 한편으로는 두려워하다.
〔一则两便〕 yī zé liǎng biàn 〈成〉 ⇨〔一举两得〕
〔一扎头〕 yīzhātóu 부 〈京〉 ⇨〔一纳头〕
〔一闸〕 yīzhá 명 (자동차의) 제 1단〔로우〕 기어에 의한 속도. ¶～起车, 二闸上坡, 三闸加快, 倒dào闸往后退; 로우 기어로 발차하고, 세컨드 기어로 비탈을 오르며, 서드는 훨씬 스피드가 오른다. 기어를 반대로 넣으면 후진한다. =〔头tóu档〕
〔一眨眼(儿)〕 yīzhǎyǎn(r) 눈 깜짝할 사이. ¶～又到了年底; 눈 깜짝할 사이에 또 연말이 되었다.
〔一拃〕 yīzhǎ 수량 한 뼘《엄지와 중지를 직선으로 펴서 재는 길이》. ¶～宽; 한 뼘의 폭.
〔一斩齐〕 yīzhǎnqí 명 ①질서정연한 모양. ¶学生

们都穿上了～的制服; 학생은 모두 같은 제복을 입고 있다. ②한결같이. 일률적으로.
〔一展眼(儿)〕 yīzhǎnyǎn(r) 명 눈 깜짝할 사이. 일순간. ¶～的工夫; 눈 깜짝할 사이. =〔一眨zhǎ眼〕〔一转眼〕
〔一盏〕 yīzhǎn 수량 차·등불 등을 세는 말. ¶～电灯; 전등 한 등/～茶时; 잠깐 동안《차 한잔 마실 사이》.
〔一张一弛〕 yī zhāng yī chí 〈成〉 당겼다 늦추었다. 일하다 쉬었다《사람이나 물건을 적당히 부리고 적당히 쉬게 하다》. =〔一紧一松〕
〔一长(负责)制〕 yīzhǎng (fùzé)zhì 명 기업장〔공장장〕 단독 책임제.
〔一掌金〕 yīzhǎngjīn 명 손가락을 주판 대신으로 써서 계산하는 법. 손가락셈.
〔一丈红〕 yīzhànghóng 명 《植》 접시꽃.
〔一丈青〕 yīzhàngqīng 명 ①〈文〉 한쪽 끝이 귀이개로 되어 있는 여성의 비녀. ②구렁이.
〔一招〕 yīzhāo 명 ⇨〔一着〕
〔一着〕 yīzhāo 명 ①방법. 수. ②(바둑 따위의) 한 수('这～' '那～'로 하거나, '一'을 생략해도 됨). ¶我没防他这～; 나는 그의 이 수에 대비(對備)를 못했었다/～不慎, 满盘皆输; 〈諺〉 한 수를 그르치면 전국(全局)이 모두 패(敗)한다《결정적인 문제의 처리를 잘못하면 전체의 실패를 초래함》/这～棋好厉害; 이 수는 정말 무섭군. ‖=〔一招〕
〔一朝〕 yīzhāo 명 ①일조. 한때. 하루아침. ¶～之忿, 忘其身以及其亲; 한 때의 분노는 자기 자신을 잊고, 재앙은 근친에게까지 미친다/～变泰; 일시에 운이 트이다. ②(앞으로의) 어느 날.
〔一朝被蛇咬, 十年怕井绳〕 yīzhāo bèi shé yǎo, shínián pà jǐngshéng 〈諺〉 뱀에 물린 적이 있는 사람은 10년 지난 뒤에 우물의 두레박 줄을 보고도 겁을 낸다.
〔一朝生两朝熟〕 yīzhāo shēng liǎngzhāo shú 〈諺〉 처음에는 낯선 사람도 세월이 지나면 친숙해진다. =〔一遭儿生两遭儿熟〕
〔一朝一夕〕 yī zhāo yī xī 〈成〉 단시일. 일조일석. ¶非～之功; 일조일석에 되는 것이 아니다.
〔一折〕 yīzhé 수량 ①한 토막. 한 마디. 일단락《원(元)나라 때 잡극(雜劇)은 원칙적으로 '一本四折'라 하여, 한 극은 4막으로 구성되어 있음. 그 한 막을 '～'라 함》. ②전체 가격의 10분의 1. ¶打九折; 1할 할인. →〔一成〕〔一扣〕
〔一针见血〕 yī zhēn jiàn xiě 〈成〉 급소를 찌르다. 바로 정통으로(하다). →〔开kāi门见山〕
〔一枕黄粱〕 yī zhěn huáng liáng 〈成〉 (모든 것이) 순식간의 덧없는 꿈.
〔一阵(儿, 子)〕 yīzhèn(r, zi) 수량 ①잠시. 잠깐. ②잠시의. 약간의. 지나는 결의. 우연한. ③한바탕. (동작·상황이 계속되는) 한동안. ¶～狂风; 일진 광풍/～好奇心; 일시적인 호기심/说～笑～; 한동안 이야기하거나 웃거나 하다/～雨; 한차례의 비. 한바탕 내리는 비. →〔一会儿〕 ④일군. 한 무리. 일단. 일행. ¶～人马; 일군의 인마.
〔一整套〕 yīzhěngtào 〈比〉 일련(一連). ¶～的战术; 일련의 전술. →〔一全套〕
〔一整天〕 yīzhěngtiān 명 온 하루. 온종일.
〔一正二硬〕 yī zhèng èr yìng 〈成〉 공명정대. 사심없는 올바른 방식. ¶～的事摆在眼前了, 抵赖是没有用的, 倒不如趁早说个清好; 공명정대한 사실이 눈앞에 있는 이상, 변명은 소용없으니, 빨리 분명히 말해 버리는 게 제일이다.
〔一只虎〕 yīzhīhǔ 명 애꾸눈.
〔一只手进, 一只手出〕 yīzhī shǒu jìn, yīzhī shǒu chū 〈比〉 돈을 번 만큼 써 버리다. =〔左zuǒ手得来, 右手用去〕
〔一只手掌拍不响〕 yīzhī shǒuzhǎng pāibuxiǎng ⇨〔一个巴掌拍不响〕
〔一枝花〕 yīzhīhuā 명 ①4개의 주사위를 던져서, 1,2,3,4의 수가 나오는 일. ②〈比〉 (미모의) 아내. ¶家中还有～; 집에는 예쁜 마누라도 있다.
〔一知半解〕 yī zhī bàn jiě 〈成〉 깊이 알지 못하다. 대충대충 알다. 어설프다. ¶～的知识; 어설픈 지식.
〔一直〕 yīzhí 부 ①곧장. 곧바로. ¶～走; 곧장 가다. ②죽. 내내. 끊임없이. 줄곧. 내리《시간적 또는 공간적》. ¶这雨～下了两天; 이 비는 이틀이나 계속 내리고 있다. 명 ①도정(道程)의 1단. ②한자의 내리긋는 획. =〔一竖〕
〔一直地〕 yīzhíde ⇨〔直打直①〕
〔一至于此〕 yī zhì yú cǐ 〈成〉 마침내〔결국〕 이와 같이 되다. 이러한 결말에 이르다.
〔一致〕 yīzhì 명형 일치(하다). ¶大家～反对; 모두 일치해서 반대하다/言行～; 언행 일치/完全～; 완전히 일치하다/步调～; 보조가 맞다/在这一点取得了～; 이 점에서 일치를 보았다.
〔一掷百万〕 yī zhì bǎi wàn 〈成〉 ⇨〔一掷千金〕
〔一掷千金〕 yī zhì qiān jīn 〈成〉 큰 돈을 걸고 도박을 하다. 큰 돈을 낭비하다. =〔一掷百万〕 →〔千金一掷〕
〔一周〕 yīzhōu 명 ①(～儿) 일주. 한 바퀴. ②1주일. ③1주년. ④(～儿) 아이의 한 돌. ⑤(～儿) 첫이레. 초칠일.
〔一周儿〕 yī zhōur 명 ①일주(一週). 한 바퀴. ②주위. =〔一週遭(儿)〕 ③첫이레. 초칠일.
〔一周岁〕 yīzhōusuì 명 첫돌. 한돌. 일주년.
〔一周遭(儿)〕 yīzhōuzāo(r) 명 주위(周圍). ¶～都是绿栏干; 주위는 전부 초록색 난간이다.
〔一主多副, 物尽其用〕 yīzhǔ duōfù, wù jìn qí yòng 〈諺〉 본업은 하나이고 부업은 많아, 물질의 가치를 최대한으로 이용하는 일.
〔一助手〕 yīzhùshǒu 명 제1조수《제강소(製鋼所)의 직명으로, '炉lú长' 아래의 가장 중요한 조수》.
〔一注〕 yīzhù 수량 ①도박에 거는 것을 '注'라 함. 〈轉〉 금전의 한 몫. ¶～大财; 한 몫의 큰 돈. ②한 개〔개비〕《선향(線香)을 세는 말》. ¶～香; 선향 한 개비.
〔一柱擎天〕 yī zhù qíng tiān 〈成〉 천하(天下)의 중책을 한 몸에 짊어지다.
〔一转眼〕 yīzhuǎnyǎn 명 ⇨〔一展眼(儿)〕
〔一转移间〕 yīzhuǎnyíjiān 짧은 시간.
〔一桩〕 yīzhuāng 수량 (사항·일 따위의) 한 가지. →〔桩③〕
〔一幢〕 yīzhuàng 수량 〈方〉 한 채. 한 동《상하이(上海)·쑤저우(蘇州) 지방에서 건물의 동(棟)을 세는 말》.
〔一准〕 yīzhǔn 부 〈南方〉 반드시. 꼭. 어디까지나. 끝까지. 절대로. ¶我～不回去; 나는 절대로 돌아가지 않는다/～这么办; 꼭 이와 같이 한다.
〔一着手〕 yīzhuóshǒu ⇨〔一插手(儿)〕
〔一子兼祧〕 yīzǐ jiāntiāo ⇨〔一子两不绝〕
〔一子两不绝〕 yīzǐ liǎngbùjué (두 형제 중의 한 쪽에만 자식이 있을 경우) 그 아이에게 두 집안을 잇게 하는 일. =〔一子兼祧〕〔一子双祧〕〔两门守着一个〕

〔一子儿〕 yīzǐr 수량 한다발. 한 사리(가는 실 모양의 것을 묶은 것을 세는 말). ¶～挂面; 마른 국수 한 사리 / ～头发; 한 묶음의 머리. =〔一子子〕

〔一子双祧〕 yīzǐ shuāngtiāo ⇨〔一子两不绝〕

〔一子子〕 yīzǐzi 수량 ⇨〔一子儿〕

〔一字(儿)〕 yīzì(r) 명 ①일자(一字). ¶～儿摆; 일자로 늘어놓다 / ～儿长蛇阵; 긴 행렬. 장사진. ②일언(一言). 하나의 문자('儿化' 하지 않음). ¶～一句; ⓐ한 마디 한 마디. ⓑ한 마디 한 마디를 또똑히 말함.

〔一字褒贬〕 yī zì bāo biǎn 〈成〉 한 자(字)로 사람의 성가(聲價)를 결정함(문자의 힘이 큼).

〔一字并肩王〕 yīzì bìng jiān wáng 높은 지위에 있는 동등한 권력이 있는 자. 어깨를 나란히 하다. ¶在公司董事会里他们俩是～; 회사의 임원회에서는 그들 두 사람은 어깨를 나란히 하고 있다.

〔一字长蛇阵〕 yīzì chángshézhèn 일자 장사진(구불구불 길게 한 줄을 이루고 있는 모양).

〔一字千金〕 yī zì qiān jīn 〈成〉 일자 천금. 문자 · 시문이 매우 훌륭하다.

〔一字一板〕 yī zì yī bǎn 〈成〉 ①한 마디 한 마디가 분명하다. 시원시원하고 또렷하다. ¶说的～的清楚极了; 말이 시원시원해서 아주 분명하다. ②정연하고 흐트러짐이 없다.

〔一字一珠〕 yī zì yī zhū 〈成〉 일자 일주. 옥을 굴리듯한 좋은 노랫소리. 글이 주옥 같다.

〔一宗〕 yīzōng ①한 종류. ¶这～东西; 이 종류의 물건. ② ⇨〔一宗(儿)〕

〔一宗(儿)〕 yīzōng(r) 사물을 한데 묶은 것. 또는 같은 종류의 것. ¶～案牍; 어떤 한 일에 관한 문서류 / ～事物; 하나의 뭉뚱그려진 사물. 일괄(一括)된 사물. =〔一宗②〕

〔一总(儿)〕 yīzǒng(r) 부 ①합계해서. 합쳐서. 도합. →〔共gòng总〕 ②전부. 모두. ¶～是你的错儿; 모두가 네 잘못이다.

〔一组〕 yīzǔ 수량 벌 · 세트로 된 것을 세는 말.

〔一撮〕 yīzuǒ (～子) 수량 털 따위의 한 움큼〔한 줌〕. ¶～毛儿; 한 움큼의 털 / 腮下生着～黑毛; 턱 밑에 덥수룩이 털이 나 있다. ⇒yīcuō

〔一坐窝儿〕 yīzuòwōr 〈京〉 ①최초. 처음. ¶这事～就不该那么办; 이 일은 처음부터 그렇게 해서는 안 되었던 것이다. ②단숨에. 한번에. ¶还是～弄出来吧, 一搁下又耽误日子了; 단숨에 해 버려야지, 한 번 중단하면 또 날짜를 질질 끌게 된다.

〔一座〕 yīzuò 수량 ①산 · 수림 · 탑 · 사묘(寺廟) · 다리 따위의) 하나. ¶～山; 산 하나 / ～桥; 다리 하나. ②만좌. 온 좌석의 사람. ¶～称善; 늘어앉은 여러 사람이 모두 칭찬했다.

伊

yī (이)

① 조 문어문(文語文)의 조사(助詞)(구조(句調)를 다듬기 위해 넣음). ¶就职～始; 새로운 직무에 취임함에 있어… / 下车～始; 도착하자마자. 도착하기가 바쁘게. ② 대 (장난(江南) · 푸젠(福建) 방언에서) 그. 그녀. 그〔저〕 사람. ¶～人; ⇓ / 看见～也一定要唾骂《鲁迅 阿Q正傳》; 그녀를 만나면 으레 침을 뱉고 욕을 해대고 싶어진다. ③ 대 이. 그. 저. ¶～年暮春; 그 해의 늦봄(에). ④음역용 자(字). ¶～拉克; ⇓ ⑤ 명 성(姓)의 하나.

〔伊奥塔〕 yī'àotǎ 명 〈音〉 (그리스 문자) 요타. →〔希xī腊字母〕

〔伊比利山脉〕 Yībǐlì Shānmài 명 《地》 이베리아(Iberia) 산맥.

〔伊波斯〕 yībōsī 명 《化》 〈音〉 에폭시(epoxy)(수지). =〔环氧树脂〕

〔伊伯利脱〕 yībólìtuō 명 《化》 〈音〉 이페리트(프 ypérite). =〔〈俗〉 芥jiè子气〕〔易普尔气〕〔伊泊赖特〕〔二èr氯二乙硫〕〔〈俗〉 芥jiè子瓦斯〕

〔伊大利〕 Yīdàlì 명 ⇨〔意Yì大利〕

〔伊迪格思〕 yīdígésī 명 〈音〉 에식스(ethics). =〔伦理学〕〔伊迪格斯〕

〔伊地〕 yīdì 명 〈文〉 그 곳. 그 고장.

〔伊甸(园)〕 Yīdiàn(yuán) 명 〈音〉 에덴(Eden) 동산. =〔伊甸乐园〕〔埃田园〕〔爱Āi棣园〕

〔伊儿〕 Yī'ér 명 《史》 일한국(Ilkan國)(원(元)나라 때의 4대 한국(汗國)의 하나로 이란을 지배한 몽골 왕조).

〔伊尔〕 yī'ěr 명 〈音〉 엘. L. ¶～一八式; L-18식 비행기.

〔伊尔库次克〕 Yī'ěrkùcìkè 명 《地》 이르쿠츠크(Irkutsk)(시베리아 남부에 있음).

〔伊迩〕 yī'ěr 형 〈文〉 가깝다. 가까워 오다. ¶端duān节～; 단오절이 가깝다.

〔伊洪〕 yīhóng 명 《化》 〈音〉 이온(ion). =〔离lí子〕〔伊翁〕〔以翁〕

〔伊康泰〕 Yīkāngtài 명 〈音〉 이콘다(옛날, 독일제 소형 스프링 카메라의 이름). →〔康泰斯〕〔徕lái卡〕

〔伊克〕 yīkè ⇨〔也yě可①〕

〔伊拉克〕 Yīlākè 명 《地》 〈音〉 이라크(Iraq)(수도는 '巴Bā格达' (바그다드: Baghdad)).

〔伊兰〕 Yīlán 명 ⇨〔伊朗〕

〔伊朗〕 Yīlǎng 명 《地》 〈音〉 이란(Iran)(수도는 '德Dé黑兰' (테헤란: Teheran)). =〔伊兰〕

〔伊犁〕 Yīlí 명 《地》 이리(중국 신장(新疆) 위구르 자치구 서북부의 도시).

〔伊里安岛〕 Yīlǐ'ān dǎo 명 《地》 이리안(Irian) 섬('美Měi拉尼西亚' (멜라네시아) 제도 중 가장 큰 섬으로 '新Xīn几内亚岛' (뉴기니 섬)이라고도 함). →〔巴Bā布亚新几内亚〕

〔伊丽莎白二世〕 Yīlìshābái Èrshì 명 《人》 〈音〉 엘리자베스 2세(Elizabeth Ⅱ)(영국의 여왕, 1926～?).

〔伊娄〕 Yīlóu 명 복성(複姓)의 하나.

〔伊吕〕 yīlǚ 명 이려('伊尹'과 '吕尚'의 뜻으로, 개국 공신의 뜻). ¶功比～; 그의 공적은 개국 공신으로도 비길 수 있다.

〔伊罗伊罗〕 Yīluóyīluó 명 ⇨〔怡Yí朗〕

〔伊洛瓦底江〕 Yīluòwǎdǐ Jiāng 명 《地》 〈音〉 이라와디 강(江)(미안마 중앙부를 흘러, 벤골 만으로 흘러듦). =〔伊拉瓦底江〕

〔伊耆〕 Yīqí 명 복성(複姓)의 하나. =〔伊祁〕

〔伊人〕 yīrén 명 〈文〉 그 사람. 그녀(흔히, 여성을 지칭). ¶～在何方? 그분은 어디에 계실까?

〔伊始〕 yīshǐ 명 〈文〉 그 시초. 시작. 처음. ¶创办～; 창업의 시초. 창업하자마자 / 新年～; 신년초 / 建国～; 건국 초기.

〔伊士曼彩色片〕 yīshìmàn cǎisèpiàn 명 이스트먼(Eastman) 컬러 필름. =〔伊士曼七彩〕

〔伊斯把亨〕 Yīsībǎhēng 명 《地》 이스파한(Isfahan)(이란 북쪽의 상업 도시).

〔伊斯兰〕 Yīsīlán 명 〈音〉 이슬람(Islam). ¶～食堂shítáng =〔回回馆guǎn(儿)〕〔回民饭馆〕〔清qīng真馆儿〕; 이슬람 식당(이슬람 교도가 경영하는 음식점).

〔伊斯兰堡〕 Yīsīlánbǎo 명 《地》 이슬라마바드(Islamabad)('巴Bā基斯坦伊斯兰共和国' (파키스

탄 이슬람 공화국: Islamic Republic of Pakistan)의 수도). =〔伊斯兰马巴德〕
〔伊斯兰教〕 Yīsīlán jiào 명 《宗》〈音〉 이슬람교(Islam教). ¶～历; 이슬람력. =〔清真教〕〔回教撮思廉〕〔回回教〕〔回教〕
〔伊斯兰马巴德〕 Yīsīlánmǎbādé 명 ⇨〔伊斯兰堡〕
〔伊斯兰厅〕 Yīsīlán tīng 명 〈音〉 이슬람 식당(여관·식당 등에 반드시 병설되어 있는 이슬람 교도용의 식당. 이슬람 교도는 돼지고기를 절대로 먹지 않으므로, 이슬람 식당 이외에서는 식사를 하지 않음).
〔伊斯怕尼奥拉岛〕 Yīsīpàní'àolā Dǎo 명 《地》〈音〉 이스파뇰라(Hispaniola) 섬(서인도 제도 중부의 섬).
〔伊斯坦布尔〕 Yīsītǎnbù'ěr 명 《地》〈音〉 이스탄불(Istanbul)(터키 서부. 보스포러스 해협의 도시).
〔伊斯特尔节〕 yīsītè'ěr jié 명 ⇨〔复fù活节〕
〔伊索寓言〕 Yīsuǒ yùyán 명 《書》 이솝 이야기.
〔伊威〕 yīwēi 명 《蟲》 쥐며느리. =〔蛜蝛〕
〔伊蚊〕 yīwén 명 《蟲》 줄무늬모기.
〔伊吾〕 yīwú 〈擬〉〈文〉 이오(독서하는 소리). ¶书声～; 책읽는 소리가 난다. =〔咿唔〕〔吾伊〕
〔…伊昔〕 …yīxī 명 〈文〉 …의 옛날(에 있어서).
〔伊希焦耳〕 yīxījiāo'ěr 명 ⇨〔鱼yú石脂〕
〔伊优〕 yīyōu 형 〈文〉 ①몸을 비비꼬며 아첨하다. ②(말을) 우물우물하는 모양. 중얼중얼하는 모양.
〔伊于胡底〕 yī yú hú dǐ 〈成〉 어디까지 가야만 끝이 날 것인지(바람직하지 않은 일에 대해서 씀). ¶每月人不敷出, 长cháng此以往, 不知～; 매월 지출 초과로, 이대로 가면 어디까지 갈는지 모르겠다.
〔伊郁〕 yīyù 형 〈文〉 우울하다. 답답하다. ¶～寡欢; 우울하고 답답하여 즐겁지 않다.
〔伊秩〕 Yīzhì 명 복성(複姓)의 하나.
〔伊兹密尔〕 Yīzīmì'ěr 명 《地》 이즈미르(Izmir)(에게해(Aegean Sea)에 임하는 터키의 항구 도시). =〔士麦那〕

咿〈吚〉
yī (이)
표제어 참조.

〔咿喇哇喇〕 yīlāwālā 〈擬〉 쏼라쏼라(알아 듣지 못하는 말을 지껄이는 소리). ¶外国人～地说; 외국인이 쏼라쏼라 지껄이다.
〔咿喔〕 yīwō 〈擬〉 ①꼬끼오(닭이 우는 소리). ¶～鸡鸣; 꼬끼오 하고 닭이 운다. =〔咿咿①〕 ②⇨〔咿呀③〕
〔咿唔〕 yīwú 〈擬〉 이오(책 읽는 소리). =〔伊吾〕
〔咿呀〕 yīyā 〈擬〉 ①옹알옹알(어린애가 말을 배울 때의 소리). ②낑낑. 깽깽. ¶隔壁发出咿咿呀呀的胡琴声; 이웃에서 깽깽 호궁 소리가 나고 있다. ③삐걱삐걱(노 젓는 소리). ¶橹声～; 노 젓는 소리가 삐걱삐걱 난다. =〔咿喔②〕〔咿咿②〕
〔咿轧〕 yīyà 〈擬〉 끽끽. 삐걱삐걱.
〔咿咿〕 yīyī 〈擬〉 ①⇨〔咿喔①〕 ②⇨〔咿呀③〕 ③찌르륵찌르륵(벌레 소리의 형용). ④꿀꿀(돼지 울음소리의 형용).
〔咿呦〕 yīyōu 〈擬〉 ①사슴이 우는 소리. ②웅얼웅얼(사람의 말소리).

蛜〈蚜〉
yī (이)
→〔蛜蝛〕

〔蛜蝛〕 yīwēi 명 《動》 쥐며느리. =〔伊威〕

衣
yī (의)
명 ①의복. 옷. ¶上～; 상의/内～; 내의/丰～足食; 의식(衣食)이 풍족하다/大～; 외투/穿chuān～, 吃饭; 의식(衣食). ②승려(僧侶). ③(～子) 물건을 싸거나 씌우거나 한 것. ¶炮～; 대포의 씌우개/药～子; 오블라토/糖～子; 《藥》(알약의) 당의(糖衣)/把笋sǔn～剥bāo掉; 죽순의 껍질을 벗기다/剥核桃～; 호도의 껍질을 벗기다. ④《漢醫》 포의(胞衣). 태의(胎衣). ⑤성(姓)의 하나. ⇒yì
〔衣板〕 yībǎn 명 천을 감는 판자.
〔衣包〕 yībāo 명 ①옷가지를 싼 보따리〔보자기〕. ¶提着～上当dàng铺当当dàngdàng去; 옷보따리를 들고 전당포에 잡히러 가다. ②옛날, 조상을 제사지낼 때의 종이옷과 '纸钱'(지전)을 넣은 종이 봉지.
〔衣胞(儿)〕 yībāo(r) 명 《生》 포의(胞衣). ¶～要埋在院子里, 别叫狗吃了; 포의는 마당에 묻어, 개가 먹지 못하게 해야 한다/孩子生了, ～还没下来; 아이는 나왔지만, 포의가 아직 나오지 않았다. =〔子zǐ衣〕〔《漢醫》 胞衣〕
〔衣被〕 yībèi 명 의복과 침구. 동 〈文〉〈比〉 감싸 지키다. ¶～苍生; 백성을 비호하다.
〔衣边(儿)〕 yībiān(r) 명 ①소맷부리나 옷자락에 다는 레이스. ②옷자락.
〔衣钵〕 yībō 명 ①《佛》 의발(스승이 제자에게 전수하는 가사와 바리때). ②〈轉〉 의발(전해진 사상·학술·기능 따위). ¶继承了～; 의발을 이어받았다〔전수받았다〕/传chuán～; 의발을 전수하다/～相传; 차례로 전수하다.
〔衣补旁(儿)〕 yībǔpáng(r) 명 옷의변(한자 부수의 하나. '裸'·'补' 등의 '衤'의 이름). =〔衣补儿〕〔衣字旁〕〔补衣(儿)〕〔补衣旁(儿)〕〔布bù衣旁(儿)〕〔补衣边(儿)〕
〔衣不如新, 人不如故〕 yī bùrú xīn, rén bùrú gù 〈諺〉 옷은 새 옷이 좋고, 사람은 옛 사람이 좋다(오랜 친구는 가벼이 버리면 안 됨).
〔衣不遮体〕 yī bù zhē tǐ 〈成〉 옷이 몸을 가리지 못하다(입을 옷도 없다. 헐벗다). =〔衣不蔽体〕
〔衣衩儿〕 yīchǎr 명 바지의 샅폭(사타구니 부분에 대는 폭). ⇒yīchà(r)
〔衣衩(儿)〕 yīchà(r) 명 중국옷의 양옆 옷자락에 터 놓은 부분. 또는 양복의 사이드벤츠(side vents). =〔开衩(儿)〕 ⇒yīchǎr
〔衣裳〕 yīcháng 명 옛날 저고리와 치마. =〔衫裤②〕 ⇒yīshang
〔衣车〕 yīchē 명 ①〈方〉 재봉틀. =〔缝féng纫机〕 ②〈文〉 의복을 실어 나르는 수레. ③〈文〉 덮개가 있는 수레.
〔衣橱〕 yīchú 명 ⇨〔衣柜〕
〔衣袋(儿)〕 yīdài(r) 명 ⇨〔衣兜(儿)〕
〔衣单食薄〕 yī dān shí bó 〈成〉 옷도 먹는 것도 부족하다. 의식에 궁핍하다.
〔衣兜(儿)〕 yīdōu(r) 명 호주머니. 포켓. =〔衣袋(儿)〕
〔衣蛾〕 yī'é 명 《蟲》 옷좀나방.
〔衣饭碗〕 yīfànwǎn 명 ①의식(衣食). ②〈比〉 생계(生計). ¶公司的事就是我的～, 哪儿能不在心上呢; 회사 일은 내 생계에 관계되는 일이니, 걱정이 안 될 리가 없지.
〔衣分〕 yīfēn 명 《農》 조면(繰綿) 비율(실면(實綿) 무게에 대한 조면의 비율을 100분율로 나타낸 것).
〔衣服〕 yīfu 명 옷. 의복. ¶～夹(子); 빨래집게/

～架(子); 옷걸이. 행어(hanger). =〔衣裳shang〕
〔衣钩(儿)〕 yīgōu(r) 명 옷을 거는 말코지〔갈고랑이〕.
〔衣篝〕 yīgōu 명 배롱(불 위에 덮어 씌워놓고 옷을 얹어, 향을 배게 하거나 말리는 데 씀). ¶拿～烤小孩儿的尿布; 배롱으로 아이의 기저귀를 말리다.
〔衣冠〕 yīguān 명 ①의관. 옷과 관. 옷차림. ¶～不整; 복장이 단정하지 못하다 / 出席的都是～齐整的绅士和淑女; 출석한 사람은 모두 복장이 단정한 신사 숙녀였다 / 看他穿得～楚楚的, 怎么说话那么粗俗? 어떠냐, 그의 옷차림은 신사답게 말쑥한데, 이야기하는 것은 어째서 저렇게 저속할까? ②〈比〉 신사. ¶～魔鬼; 신사탈을 쓴 악마.
〔衣冠禽兽〕 yī guān qín shòu 〈成〉 의복을 입고 갓을 쓴 짐승(행위가 금수와 같은 사람을 일컬음). ¶我拿他当dàng绅士看待, 谁晓得他是个～; 나는 그를 신사 대접을 했는데, 알고 보니 놈은 당치도 않은 비열한 놈이었다.
〔衣冠中人〕 yīguān zhōng rén 명 ⇨〔衣冠族〕
〔衣冠冢〕 yīguānzhǒng 명 죽은 사람의 의관을 묻은 무덤. ¶北京西山碧云寺有孙文先生的～; 베이징(北京) 서산(西山)의 벽운사(碧雲寺)에 손문 선생의 의관을 묻은 무덤이 있다. =〔衣冠墓〕
〔衣冠族〕 yīguānzú 명 〈比〉 지체높은 사람. ¶他原先是～, 现在家道中落了; 그는 원래 귀족이었지만, 지금은 가세가 몰락했다. =〔衣冠中人〕 →〔右yòu族〕
〔衣柜〕 yīguì 명 옷장. =〔衣橱〕
〔衣架(子)〕 yījià(zi) 명 ①옷걸이. ¶～饭囊; 〈成〉 무능한 사람. =〔衣裳架子〕 ②〈方〉 자전거의 짐 싣는 대(臺). ③몸매. 스타일. ¶脸模儿、～都还过得去; 용모와 몸매가 그런대로 괜찮다.
〔衣巾〕 yījīn 명 〈文〉 ⇨〔衣帻〕
〔衣襟〕 yījīn 명 (옷의) 섶.
〔衣里儿〕 yīlǐr 명 옷의 안감. =〔衣里子〕
〔衣料(儿)〕 yīliào(r) 명 옷감.
〔衣领〕 yīlǐng 명 옷깃.
〔衣帽〕 yīmào 명 ①의복과 모자. ②〈轉〉 의복.
〔衣帽间〕 yīmàojiān 명 클로크룸(cloakroom)(호텔·극장 등에서 외투나 소지품을 맡는 곳).
〔衣帽年(儿)〕 yīmàonián(r) 명 복장으로 사람을 판단하는 세상. ¶眼下是～, 不讲究穿着儿打扮是会吃亏的; 지금은 옷차림으로 사람을 판단하는 세상이니까, 옷차림새에 조심하지 않으면 손해를 보는 수가 있다.
〔衣面〕 yīmiàn 명 의복의 겉감.
〔衣牌〕 yīpái 명 옛날, 동전의 은원(銀圓)에 대한 교환 비율.
〔衣衾〕 yīqīn 명 수의와 침구. ¶他的病不行了, 准备～后事吧; 그의 병은 가망이 없으니, 수의와 침구 등 뒷일을 준비하자 / 豫备上好的～棺椁也是子孙的一番孝心; 좋은 수의나 관 같은 것을 준비해 두는 것도 자손들의 효심이다.
〔衣裙〕 yīqún 명 드레스. 여성 정장.
〔衣裳〕 yīshang 명 〈口〉 옷. 의복. ¶～片子; 옷 / 一件jiàn～; 한 장의 옷. ⇒yīcháng
〔衣裳钩(儿)〕 yīshanggōu(r) 명 옷걸이(의 못).
〔衣裳架子〕 yīshangjiàzi 명 ①옷걸이. =〔衣架(子)〕 ②〈比〉 바지저고리. 쓸모없는 사람. ¶这一群～啊, 一个有本事的都没有! 이 허수아비 같은 놈들은 한 놈도 쓸만한 게 없다. →〔饭桶〕
〔衣裳襟儿〕 yīshangjīnr 명 옷깃. =〔衣襟(儿)〕
〔衣虱〕 yīshī 명 《蟲》 (옷에 꾀는) 이.
〔衣食〕 yīshí 명 의식. ¶～足而后知廉lián耻; 의식이 넉넉해야 염치를 안다 / ～父母; 의식을 제공해 주는 사람(옛날, 하인이 주인이나 상사를 일렀음).
〔衣食茶水〕 yīshícháshuǐ 집안 살림. ¶一家十口的～…都由长zhǎng孙媳一手操持了; 일가 열명의 살림 …은 모두 맞손주 며느리가 혼자 도맡아 했다. →〔油yóu盐酱醋〕
〔衣食饭碗〕 yīshí fànwǎn 밥거리. 일자리. ¶找差事不容易, 得děi好好儿地护着～啊; 일을 찾기란 쉽지 않으니, 밥먹여줄 일자리를 잘 지켜야 한다 / 谁碴chá了我的～, 我跟他拼命; 내 일자리를 망치는 놈은 누구든 사생 결단을 내겠다.
〔衣食住(行)〕 yī shí zhù (xíng) 의식주(교통) ('衣服' '饮yǐn食' '住居' 의 세가지는 사람 사는 데 필수의 것이지만, 손문은 여기에 '行' 곧 '行路' (교통)을 더했다).
〔衣饰〕 yīshì 명 〈文〉 의복과 장신구.
〔衣刷(子)〕 yīshuā(zi) 명 옷솔.
〔衣物〕 yīwù 명 옷과 일상 용품.
〔衣物橱〕 yīwùchú 명 옷장.
〔衣香鬓影〕 yī xiāng bìn yǐng 〈成〉 우아한 여자의 자태. ¶跳舞场里～往来徘徊; 댄스홀에서는 우아한 자태의 여자가 이리저리 오가며 춤을 추고 있다. →〔钗chāi光鬓影〕
〔衣箱〕 yīxiāng 명 옷상자. 의상 트렁크.
〔衣鱼〕 yīyú 명 《蟲》 반대좀. =〔蠹dù鱼〕
〔衣簪〕 yīzān 명 의관(衣冠)과 잠영(簪纓)(관의 장식)(옛날, 관리 생활). ¶～世家; 대대로 관리를 지낸 유서깊은 집안.
〔衣帻〕 yīzé 명 〈文〉 옷과 두건. =〔衣巾〕
〔衣褶〕 yīzhě 명 옷의 주름.
〔衣装〕 yīzhuāng 명 복장과 소지품.
〔衣着〕 yīzhuó 명 옷·모자 따위. 옷차림. 복장. ¶～用品; 장신(裝身) 용품.
〔衣租食税〕 yīzū shíshuì 조세로 살아가다〔살아가는 사람〕. 〈比〉 관리가 되다. 관리 노릇을 하다. ¶作官的要体会到～无一不是从老百姓那里来的, 这样才知道爱民; 관리가 만일 자기가 관리로서 먹고 사는 것이 모두 백성한테서 나오고 있다는 것을 터득하면, 백성을 사랑할 줄 알게 된다.

依

yī (의)
①동 의지하다. 기대다. ¶相～为命; 서로 의지하여 살아가다 / 无～无靠; 의지할 것이 전혀 없다 / 母子zǐ相～为命; 모자가 서로 의지하여 살림을 꾸려 나가다. ②개 …에 따라. …에 의하면. ¶～他说; 그의 말에 의하면 / ～我看, 这件事很有希望; 내가 보는 바로는, 이 일은 아주 유망하다 / ～率计征; ⇩ / ～次前进; 순서에 따라 나아가다 / ～着旧例办事; 관례에 따라 일을 하다 / ～本分做事; 본분에 따라 일을 하다. ③동 따르다. 좇다. 말을 듣다. 동의하다. ¶不～不饶; ⓐ용서하지 않다. ⓑ트집을 잡다 / 劝他休息, 他怎么也不～; 쉬라고 권해도 그는 도무지 말을 듣지 않는다 / 你～不～? 하자는〔하라는〕 대로 하겠느냐? / 百～百随; 〈成〉 말하는 대로 하다. 무조건 따르다. ④동 알아차리다. 허락하다. ¶这几个条件我都～了; 이들 조건을 나는 전부 받아들인다. ⑤동 용서하다. 보아 주다. ¶不～你; 너를 용서하지 않는다.
〔依傍〕 yībàng 동 ①의거하다. 의지하다. ¶互相～; 서로 의지하다 / 无可～; 의지할 만한 것이 없다 / ～他人; 남에게 의지하다. ②(예술·학문을) 흉내내다. 모방하다. ¶～前人; 이전 사람을

흉내내다〔모방하다〕/ 这是一篇没有创chuàng作性的～文章; 이것은 창조성이 없이 모방한 문장이다.

〔依草附木〕 yī cǎo fù mù 〈成〉 ①권세를 등에 업다. 세력 있는 자에게 붙다. 권세 있는 자에 의존하다. ¶你甭～的吓唬人, 我不吃那套; 권세를 믿고 사람을 협박하지 마라. 난 그런 수에는 넘어가지 않는다. ②여러 가지 연줄에 의지하다. ¶～的攀亲引戚拉关系; 여러 가지 연줄로 친척이다 인척이다 하여 친분 관계를 맺다.

〔依驰〕 yīchí 동 그리워하다. 사모하다. ¶瞻zhān念丰采, 不胜～; 〈翰〉 (당신의) 모습을 그리며 간절한 생각 금할 길이 없습니다.

〔依此类推〕 yī cǐ lèituī 그 밖의 것은 이로써 유추할 수 있다.

〔依次〕 yīcì 동 순서에 따르다〔따라〕. ¶～坐定; 서열대로 자리에 앉다 / ～办理; 차례로 처리하다 / 排队～买票; 줄을 서서 차례대로 표를 사다.

〔依从〕 yīcóng 동 따르다. 말을 듣다. 복종하다. ¶件件～; 만사 하라는 대로 하다 / ～你的意见; 네 의견을 따르다.

〔依存〕 yīcún 동 의존하다.

〔依打〕 yīdá 명 ⇨〔以yǐ太〕

〔依戴〕 yīdài 동 〈文〉 우러러 모시고 의지하다. ¶众人都很～他; 사람들은 모두 그를 매우 떠받들고 의지한다.

〔依道〕 yīdào 동 〈文〉 도리를 따르다. 도리를 좇다.

〔依阿两可〕 yī ē liǎng kě 〈成〉 하라는 대로 하며 뚜렷한 생각이 없다. ¶你这个滥好人, 什么都～的; 너 같은 무골호인은 이래도 좋고 저래도 좋아, 어떠한 일에도 분명한 생각이 없구나.

〔依法〕 yīfǎ 동 법에 따르다. 법에 비추다. 법이 가리키는 대로 하다. ¶～执行; 법에 비추어 집행하다 / ～上诉; 법에 따라 상소하다 / ～惩办; 법률에 의해 벌받도록 하다.

〔依疯撒邪〕 yī fēng sā xié 〈成〉 바보인 척하고 미친 짓을 하다. ¶借着酒～; 술의 힘을 빌어 미친 짓을 하다.

〔依附〕 yīfù 동 의지하다. 붙좇다. ¶穷女婿衣食无着, ～老丈人生活; 가난한 사위가 의식을 해결하지 못하고, 장인을 의지하고 생활하다 / ～过来的军队要从新整编; 투항해 온 군대는 새로 편성해야 한다.

〔依归〕 yīguī 명동 ①《佛》 귀의(하다). ¶～佛祖; 부처님에게 귀의하다. ②〈文〉 귀착(하다). 의지(하다). 기대다. ¶以大家的意见为～; 모두의 의견대로 귀착시키다.

〔依怙〕 yīhù 동 〈文〉 의지하다. 기대다. ¶无所～; 의지할 데가 없다. =〔依恃〕

〔依酒三分醉〕 yī jiǔ sān fēn zuì 〈成〉 술이 좀 들어가면 태도가 무례해지다.

〔依旧〕 yījiù 형 의연하다. 여전하다. 그전대로이다. ¶风物～; 풍물은 옛날 그대로이다 / 别人都走了, 他～坐在那里看书; 다른 사람은 모두 가 버렸지만, 그는 여전히 그 곳에 앉아 책을 읽고 있다. =〔照zhào旧〕

〔依据〕 yījù 명 의거(로 하는 것). 근거. 바탕. 기초. ¶科学～; 과학적인 근거 / 生活～; 생활 근거 / 毫无～; 근거가 전혀 없다. 동 의거하다. (…을) 근거로 하다.

〔依靠〕 yīkào 동 의지하다. 기대다. ¶不要～别人! 남을 의지해서는 안 된다! / ～群众; 대중에 의지하다 / ～自己的力量…; 자기의 힘으로… / 我死之后老母～谁? 내가 죽은 다음 노모는 누구를 의지할 것인가? =〔依托〕 명 의지하는〔기대는, 믿는〕 사람이나 물건. ¶生活有～; 생계가 보장되어 있다.

〔依克度〕 yīkèdù 명 《藥》 〈音〉 이히티올(독 Ichthyol). =〔鱼yú石脂〕

〔依口〕 yīkǒu 동 ①가족수에 따르다. ¶～授粮; 인원수에 비추어서〔따라서〕 식량을 주다. ②구실을 대다. ¶我们不能让他有所～; 우리는 그에게 구실을 만들어 주어서는 안 된다. =〔借jiè口〕

〔依赖〕 yīlài 동 ①의뢰하다. 의지하다. ¶～人; 남을 의지하다 / 你老帮助他就会养成他的～性; 네가 언제나 그를 도와주기만 하면, 그의 의뢰심을 기르는 꼴이 된다. →〔倚yǐ赖〕 ②의존하다. ¶～关系; 의존 관계 / 工业和农业是互相～的; 공업과 농업은 서로 의존하고 있다.

〔依老卖老〕 yī lǎo mài lǎo 〈成〉 ⇨〔倚yǐ老卖老〕

〔依礼〕 yīlǐ 동 예의〔예식〕대로(하다). ¶凡事都要～而行; 모든 일은 격식대로 해야 한다.

〔依利新〕 yīlìxìn 명 《藥》 〈音〉 이리신(irisin). =〔鸢尾素〕

〔依恋〕 yīliàn 동 연연(戀戀)해하다. 그리워하다. ¶祖国是令人～的; 조국이란 그리운 것이다 / 她对你这般冷淡, 你还～个什么劲儿? 그녀가 너한테 그렇게 냉담하게 대하는데, 너는 왜 아직도 연연해 있는가?

〔依律〕 yīlǜ 동 〈文〉 법률을 따르다〔따라〕. ¶逆伦之事～当斩; 인륜에 어긋나는 일이 있으면 법에 따라 참형에 처해야 한다.

〔依率计征〕 yīlǜ jìzhēng 고정 세율로 과세하다.

〔依米丁〕 yīmǐdīng 명 《藥》 〈音〉 에메틴(독 emetin). =〔吐根碱〕〔衣米丁〕〔伊米汀〕

〔依你〕 yīnǐ ①동 네가 말하는 대로〔하자는 대로〕 따르다. 너를 따르다. ¶我都～; 나는 모두 네가 하라는 대로 한다. ②네 생각으로는. ¶～, 你要怎么办? 네 생각으로는 어떻게 하고 싶으냐?

〔依凭〕 yīpíng 동 의지하다. 의거하다. 근거로 삼다. ¶有所～; 의지할 곳이 있다. 명 근거. 의거. ¶以民意为～; 민의를 근거로 삼다.

〔依期〕 yīqī 동 기한대로하다. 기한에 따르다. ¶～交税; 기한대로 세금을 바치다 / ～速结; 기일대로 속히 결산하다 / 这批货一定可以～运到; 이 상품은 틀림없이 기한대로 수송해서 도착시킬 수 있다. =〔依限〕

〔依前〕 yīqián 형 〈文〉 이전대로 이다. ¶风度～; 풍격 · 태도가 여전하다.

〔依然〕 yīrán 형 의연하다. 전과 다름없다. ¶故国江山、景物～; 고국의 강산과 경치는 예전 그대로다.

〔依然故我〕 yī rán gù wǒ 〈成〉 ①변함 없이 예전 그대로의 자기이다. 구태의연하다. ②상황이 별로 달라지지 않았다.

〔依然如故〕 yī rán rú gù 〈成〉 여전히 옛날과 같다. 여전하다.

〔依人篱下〕 yī rén lí xià 〈成〉 ①남의 비호(庇護)를 받다. ②남의 집에 얹혀 살다〔기식(寄食)하다〕. 식객 노릇을 하다. ¶我也是～, 帮不了你什么大忙; 나도 남에게 의지하여 도움을 받고 있는 몸이라, 너를 크게 도와 줄 수는 없다.

〔依人作嫁〕 yī rén zuò jià 〈成〉 남의 도움으로 살아가다. 남에게 의지하여 일을 하다.

〔依色林〕 yīsèlín 명 《藥》 피소스티그민. =〔毒dú扁豆碱〕

〔依时〕 yīshí 동 〈文〉 예정대로 하다. ¶这个队～于今天飞来; 이 팀은 예정대로 오늘 비행기로 온다.

〔依实〕 yī.shí ①동 진실에 입각하다. ¶～说; 있는 그대로 말하다 / 依了实, 他也没有准主意; 사실대로 말하면, 그도 확고한 주견이 없다. ② (yīshí) 동 사양치 않고〔있는 그대로〕 받아들이다. ¶只好～收下; 사양치 않고 받아 두다. ③ (yīshí) 형 (사람 됨됨이가) 확실하다. ‖ =〔从cóng实〕
〔依士企摩人〕 Yīshìqǐmórén 명 ⇨〔爱ài斯基摩人〕
〔依恃〕 yīshì 동 〈文〉 ⇨〔依怙〕
〔依顺〕 yī.shùn 동 말을 듣다. 따르다. 순종〔복종〕하다. ¶～人的劝告; 남의 충고에 따르다. =〔顺从〕
〔依随〕 yīsuí 동 …에 따르다〔따라가다〕. ¶～领袖前进; 리더를 따라서 전진하다.
〔依提亚〕 yītíyà 명 〈音〉 이데아(idea). =〔概念〕〔观念〕
〔依托〕 yītuō 명 근거. 의지. ¶在这人生地疏的地方, 我只好以老兄为～了; 이런 낯선 고장에서는 저는 당신을 믿고 의지할 수 밖에 없습니다 / 妻子以丈夫为终身之～; 아내는 남편을 평생의 의지로 삼는다. 동 ⇨〔依靠〕
〔依违〕 yīwéi 형 〈文〉 단호하지 못하다. 이도 저도 아니다. 모호하다. ¶～两可; 〈成〉 (태도 등이) 이도 저도 아니다. 확고한 주견이 없다 / ～不决; 망설이다 / 言词无所～; 말하는 것이 단호하다. =〔模mó棱〕〔犹豫〕
〔依夕〕 yīxī 명 〈文〉 저녁때. 황혼.
〔依稀〕 yīxī 형 어렴풋하다. 모호하다. 아련하다. ¶～记得; 어렴풋이 기억하고 있다 / 远处楼台, ～如画; 먼 곳의 누대(樓臺)가 어렴풋이 보이어 그림 같다 / 他虽然已经作古多年, 可是他的为人却～仍在眼前; 그가 죽은 지 오랜 세월이 지났지만, 그의 인품은 여전히 눈앞에 아련하다.
〔依限〕 yīxiàn 동 ⇨〔依期〕
〔依样〕 yīyàng 동 본떠서 하다. 본대로 하다. ¶～而行; 본떠서 하다 / ～模仿; 본뜨다.
〔依样葫芦〕 yī yàng hú lú 〈成〉 호리병박 그대로 호리병박을 그리다《그저 그대로 흉내만 내다》. ¶小和尚～似地念经; 동자승이 틀에 박은 듯이 경을 읽다. =〔依样画葫芦〕
〔依依〕 yīyī 형 ①〈文〉 가지가 부드럽게 바람에 흔들리는 모양. ¶杨柳～; 버들가지가 하느작거리고 있다. ②아쉬워하는〔연연해하는〕 모양. 서운해하는 모양. ¶～不舍shě; 헤어지기 서운해하다 / ～离舍; 아쉽다. 차마 헤어질 수가 없다 / ～之感; 아쉬운 기분. ③사모하는 모양. 그리워하는 모양. ¶不胜～; 사모의 정을 어쩌지 못하다 / ～之情无时或忘; 사모하는 정은 한시도 잊은 적이 없다.
〔依倚〕 yīyǐ 동 〈文〉 믿다. 의지하다. ¶你～谁的势力? 너는 누구의 세력을 믿고 있느냐? / ～在我怀中; 나를 의지하고 있다.
〔依约〕 yīyuē 동 약속대로. ¶～履行; 약속대로 이행하다 / ～而来; 약속대로 오다. 형 아련하다. 흐릿하다. ¶～望见; 어렴풋이 보이다.
〔依仗〕 yīzhàng 동 (세력을) 믿다. 의지하다. ¶～势力; 세력을 믿고 뻐기다 / 生活有了～; 생활에 근거가 생겼다 / 她～着美貌讨人的欢心; 그녀는 미모를 믿고 남의 환심을 사려고 한다. =〔倚仗〕
〔依照〕 yīzhào 동 …에 비추다. …에 따라 하다. …대로 하다. ¶～上级的指示办事; 상사의 지시에 따라 일을 진행시키다 / ～目前的情况; 지금의 정황에 비추어… / ～遗嘱执行; 유언대로 집행하다. =〔按照〕
〔依着〕 yīzhe 동 ①…에 의하다〔의하면〕. ¶～我的意思, 决不这么办; 내 생각 같아서는 결코 이렇게는 하지 않는다. ②…의 말을 듣다. ¶妈妈要是不～我, 我就永远不回去; 어머니가 내 말을 들어주지 않는다면, 난 영원히 돌아가지 않는다.
〔依重〕 yīzhòng 동 힘으로 삼다. 의지하다. 명 의지. ¶受到了这么大的～; 이토록 큰 힘을〔의지를〕 입었다.

铱(銥)

yī (의) 명 《化》 이리듐(Ir : iridium).

〔铱金笔〕 yījīnbǐ 명 이리듐촉 만년필. =〔钢gāng笔③〕

医(醫〈毉〉)

yī (의) ①동 병을 고치다. 치료하다. ¶把我的病～好了; 내 병을 완전히 고쳤다 / 头痛～头, 脚痛～脚, 不是根本办法; 머리가 아프면 머리를 치료하고, 다리가 아프면 발을 고친다는 것은, 근본적인 치료법이 못 된다 / 有病早～; 병이 있으면 빨리 고치다 / 这位大dài夫～好了我的病; 이 의사가 내 병을 고쳤다. ②명 의사. ¶牙～; 치과 의사 / 西～; 서양 의학에서 의료를 행하는 의사 / 军～; 군의 / 良～; 좋은 의사 / 延～诊治; 의사를 불러 진료받다. ③명 의학. ¶中～; 중국 의학 / 学～; 의학을 배우다 / ～科; ⇩ =〔医学〕
〔医案〕 yī'àn 명 《醫》 카르테(독 karte). 진료부(診療簿).
〔医病〕 yī bìng 병을 고치다. =〔治zhì病〕
〔医伯〕 yībó 명 〈文〉〈敬〉 의사 선생님.
〔医卜星相〕 yī bǔ xīng xiàng 명 의사·점쟁이·점성가·관상가.
〔医不来〕 yībulái 치료할 수 없다.
〔医不自医〕 yī bù zì yī 〈成〉 의사는 자기병은 고치지 못하는 법이다. →〔自家有病自家医〕
〔医草〕 yīcǎo 명 《植》 쑥의 별칭. →〔艾ài茸〕
〔医道〕 yīdào 명 의술《주로 한의학(漢醫學)에 대해 쓰임》. ¶～好; 의사로서 기술이 좋다. 진찰을 잘하다 / ～高明; 의술이 뛰어나다.
〔医得病, 医不得命〕 yīdé bìng, yībudé mìng 〈諺〉 병은 고칠 수 있으나, 운명은 고칠 수 없다《죽을 운명에 놓인 자는 구제할 수 없음》.
〔医得来〕 yīdelái 치료할 수 있다. 고칠 수 있다.
〔医法〕 yīfǎ 명 치료법.
〔医方〕 yīfāng 명 의사의 처방(전).
〔医国手〕 yīguóshǒu 명 〈比〉 대정치가(大政治家).
〔医护〕 yīhù 명 의료와 간호. ¶～人员; 의료 및 간호 요원.
〔医家〕 yījiā 명 〈文〉 의가.
〔医金〕 yījīn 명 진찰료. 치료비.
〔医科〕 yīkē 명 의과.
〔医理〕 yīlǐ 명 의학상의 이론.
〔医疗〕 yīliáo 명 의료. ¶～队; 의료대 / ～证; 의료 증명서.
〔医门〕 yīmén 명 ①의학계. 의료업. ②의사의 집.
〔医生〕 yīshēng 명 의사. 의원. ¶老爷～; 엘리트 의식이 강한 의사 / 请～; 의사를 부르다 / 看～; 의사에게 진찰을 받다 / 江湖～ =〔江湖郎中〕〔蒙měng古大夫〕; 돌팔이 의사. =〔〈口〉 大夫dàifu〕〔〈南方〉 郎láng中〕
〔医师〕 yīshī 명 의사《고등 의학 교육을 받거나, 또는 동등한 학력이 있으며, 검정에 합격한 자》. ¶主任～; 주임 의사 / 主治(主管)～; 주치의. →〔医士〕

〔医士〕 yīshì 명 의사(중등 정도의 의학 교육을 받거나, 또는 동등한 학력이 있으며, 검정에 합격한 자). →〔医师〕
〔医事〕 yīshì 명 〈文〉 의업. 의료업.
〔医书〕 yīshū 명 의서(주로, 한방의의 의서에 대하여 말함).
〔医术〕 yīshù 명 의술. 의료 기술. ¶～高明; 의술이 고명하다.
〔医务〕 yīwù 명 의무. 의료 관계의. ¶～所; 의무실 / ～工作者; 의료에 종사하는 자.
〔医务人员〕 yīwù rényuán 명 의무 종사자(의사·간호원 그 밖의 의료 종사자).
〔医学〕 yīxué 명 의학.
〔医学院〕 yīxuéyuàn 명 의과 대학.
〔医药〕 yīyào 명 의약. 의료와 약품. ¶～费; 의약비용 / ～常识; 의약 상식 / ～津jīn贴; 의약 수당.
〔医员〕 yīyuán 명 의원.
〔医院〕 yīyuàn 명 병원. 의원. ¶出～; 퇴원하다 / 住～; 입원하다 / ～船; 병원선 / 一级～; 말단 병원 / 二级～; 구(區)의 병원 / 三级～; 시(市)의 병원 / 综合～; 종합 병원.
〔医治〕 yīzhì 동 ①치료하다. ②(일반적으로) 고치다. ¶要～经济活动上的毛病; 경제 활동상의 결점을 고칠 필요가 있다.
〔医蛭〕 yīzhì 명 《動》 거머리. =〔水shuǐ蛭〕
〔医嘱〕 yīzhǔ 명 의사의 지시. ¶请遵～! 의사의 지시에 따르시오!

嫛 yī (예)
→〔嫛婗〕

〔嫛婗〕 yīní 명 〈文〉 갓난아기. 영아(嬰兒). 젖먹이.

鷖(鷖) yī (예)
① 명 《鳥》 갈매기(주로 고서(古書)에 쓰임). =〔海hǎi鸥〕 ② 형 검푸르다.

繄 yī (예)
〈文〉 ①다만. 단지. 오직. ¶～我独无; 오직 나 혼자만 갖고 있지 않다. =〔惟〕 ②…이다. =〔是〕 ③〈擬〉 탄식하는 소리.

黳 yī (예)
〈文〉 ① 명 작은 (반)점(피부에 생기는 작은 흑점). ② 형 검다. ¶～石; ⇩

〔黳珀〕 yīpò 명 검은 호박(琥珀).
〔黳石〕 yīshí 명 검은 돌.

祎(禕) yī (의)
형 〈文〉 아름답고 고상하다(흔히, 인명용 자(字)로 쓰임).

猗 yī (의)
① 조 〈文〉 감탄의 뜻을 나타냄(문장의 끝에 오며, '兮xī' '倚yǐ'와 통용됨). ¶河水清且涟～; 강물이 맑고 잔잔하구나. =〔啊a〕 ② 감 〈文〉 아아(찬탄(贊嘆)의 말). ¶～欤休哉! 아아 훌륭하도다! / ～嗟昌兮; 아름답고 창성하구나! ③지명용 자(字). ¶临～县; 린이 현(臨猗縣)(산시 성(山西省)에 있는 현 이름). ④ 명 성(姓)의 하나.

〔猗卢〕 Yīlú 명 복성(複姓)의 하나.
〔猗靡〕 yīmǐ 형 〈文〉 바람에 나부끼는 모양.
〔猗猗〕 yīyī 형 〈文〉 ①아름답고 무성한 모양. ②번창한 모양.

椅 yī (의)
명 《植》 의나무. =〔山shān桐子〕 ⇒yǐ

漪 yī (의)
명 〈文〉 파문(波紋). 잔물결. ¶～澜lán; 큰 물결과 작은 물결. 〈轉〉 파도 / 清～; 맑은 잔물결.

〔漪思泰〕 Yīsītài 명 〈音〉 이스터(Easter). =〔复活节〕

壹〈弌〉 yī (일)
수 '一'의 갖은자(字)(문서나 장부에서 많이 쓰임).

揖 yī (읍)
명동 〈文〉 읍(하다)(옛날의, 두 손을 모으고 올렸다 내리는 절). ¶作zuò～; 읍하다 / 答dá～; 〈文〉 답례(하다) / 一～到地; 손을 땅에 닿을 정도로 낮게 내리고 공손히 절하다.

〔揖别〕 yībié 동 〈文〉 인사를 하고 헤어지다.
〔揖拱〕 yīgǒng 동 〈文〉 읍하다.
〔揖客〕 yīkè 명 보통의 손님. 여느 손님.
〔揖让〕 yīràng 명 읍하여 겸손한 뜻을 표시하는 동작(옛날, 주객(主客)이 만났을 때의 예(禮)). 동〈文〉 예로써 사양하다. ¶～之风; 예양(禮讓)의 기풍.

噫 yī (희)
감 〈文〉 아아!(비통이나 탄식을 나타냄). ¶～! 余过矣; 아! 내 잘못이로다.

〔噫气〕 yīqì 명 ⇨〔胃wèi风①〕
〔噫呜〕 yīwū 동 〈文〉 탄식하고 슬퍼하다. ¶～流涕tì; 탄식하고 슬퍼하여 눈물을 흘리다.
〔噫嘻〕 yīxī 감 〈文〉 아!(비통·탄식을 나타냄).
〔噫嘘唏〕 yīxūxī 감 〈文〉 아이구(놀라고 괴이쩍게 여기는〔슬퍼하는〕 소리).
〔噫哑〕 yīyǎ 〈擬〉 까옥까옥(까마귀의 울음소리).
〔噫噎〕 yīyē 동 숨이 막히다. 목이 메다.

黟 yī (이)
① 형 〈文〉 거무스름하다. ②(Yī) 명 《地》 이현(黟縣)(안후이 성(安徽省)에 있는 현 이름).

匜 yí (이)
명 ①옛날, 손을 씻거나 세수하는 데 쓰던 그릇. ②술을 담는 그릇. ③대접 모양으로 뚜껑이 있는 동이.

贻(貽) yí (이)
동 〈文〉 옮기다. 이동하다.
⇒yì

迤〈迆〉 yí (이)
→〔逶wēi迤〕 ⇒yǐ

椸〈箷〉 yí (이)
명 〈文〉 옷걸이. 횃대. =〔衣架〕

仪(儀) yí (의)
① 명 의식. ¶司～; ⓐ(의식을) 사회 보다. ⓑ사회자 / 行礼如～; 의식대로 배례를 하다 / ～式; ⇩ ② 명 선물. 선사. 보내는 물건. ¶贺～ =〔喜～〕; 축하의 선물 / 谢～; 사례의 선물 / 奠diàn～ =〔香～〕; 향전. 부의 / 程～ =〔行xíng～〕; 전별. 이별의 선물. ③ 명 의기(儀器). ¶浑天～; 혼천의 / 理化～器; 이화학 의기 / 航空～器; 항공 계기. ④ 명 (사람의) 외모. 풍모. ¶～表; ⇩ / ～容; ⇩ ⑤ 명 관습. 풍속. ⑥ 동 〈文〉 마음이 기울다. ¶心～其人; 마음이 그 사람에게 쏠리다. ⑦ 명 성(姓)의 하나.

〔仪表〕 yíbiǎo 명 ①의용(儀容). 겉모습. 풍채. ¶～堂堂; 풍채가 당당하다 / ～非凡; 풍채가 비

범하다 / ～大方; 풍채가 대범하다. ②계기(計器). 미터(meter). ¶～板; 〖機〗 계기판 / ～厂; 계기 공장 / 头一眼便看到～上印的中国字; 맨 처음에 눈에 띈 것은 미터에 새겨져 있는 중국 글자였다.

〔仪狄〕 Yídí 명 ①〖人〗 의적《술을 발명한 사람으로 일컬어지는 하(夏)나라 사람의 이름》. ②(yídí) 〈轉〉 술의 별칭.

〔仪范〕 yífàn 명 〈文〉 ①본. 본보기. ②법칙.

〔仪服〕 yífú 명 〈文〉 예복(禮服).

〔仪观〕 yíguān 명 위의(威儀). 위용. ¶～甚伟; 위의가 참으로 당당하다.

〔仪驾〕 yíjià 명 〈文〉 황후 · 황태후의 의장(儀仗).

〔仪节〕 yíjié 명 〈文〉 의례. 의식.

〔仪礼〕 Yílǐ 명 〖書〗 의례《17권. 삼례(三禮)의 하나. 주(周)나라 시대의 예의를 자세히 적은 것》. =〔士shì礼〕

〔仪门〕 yímén 명 (명(明)나라 · 청(淸)나라 때의) 관서의 대문의 가운데에 있는 두 번째 문. =〔宜门〕

〔仪器〕 yíqì 명 실험 · 관찰 · 측량 기구의 총칭. ¶～运转; 계측 운전 / 依靠～飞行; 계기(計器) 비행.

〔仪器表〕 yíqìbiǎo 명 ⇨〔表板①〕

〔仪器画〕 yíqìhuà 명 용기화(用器畫).

〔仪容〕 yíróng 명 의용(儀容). 풍채. 용자(容姿). ¶～俊秀, 举止大方; 풍채가 준수하고 행동 거지가 대범하다 / ～秀丽; 풍채가 수려하다. =〔仪表①〕

〔仪式〕 yíshì 명 의식. ¶举行交接～; 수수(授受)〔인수인계〕의 의식을 거행하다 / 结婚～; 결혼식 / ～隆重; 의식이 장엄하다.

〔仪态〕 yítài 명 〈文〉 용의. 자태. ¶～万方; 〈成〉 태도나 동작이 참으로 단정하다.

〔仪卫〕 yíwèi 명 〈文〉 행렬의 의장(儀仗)이나 경비를 하는 군사.

〔仪形〕 yíxíng 명 〈文〉 용모.

〔仪仗〕 yízhàng 명 ①옛날, 제왕(帝王) · 관리 등이 외출할 때 경호하는 사람이 들던 깃발 · 양산 · 부채 · 무기 따위. ②의장(儀仗)《데모대가 줄 앞에서 드는 큰 플래카드 따위도 가리킴》.

〔仪仗队〕 yízhàngduì 명 〖軍〗 의장대. ¶大使在机场检阅前来欢迎的～; 대사가 비행장에 환영의 의장대를 사열하다.

〔仪仗行〕 yízhàngháng 명 옛날, 혼례 · 장례 · 제사의 의장(儀仗) 청부업.

〔仪状〕 yízhuàng 명 〈文〉 용모나 태도.

圯

yí (이)
명 〈文〉〈方〉 다리. 교량. ¶～上; 다리 위.

夷

yí (이)
①명 옛날, 중국 동쪽의 민족을 일컫던 말. ¶淮～; 회이 / 东～; 동이. ②명 미개의 오랑캐 민족《외국을 멸시하여 부르는 말》. ¶～情qíng; 오랑캐〔외국〕의 사정 / 华～杂处; 한족(漢族)과 이민족이 한 곳에 섞여 살다. ③동 평정(平定)하다. 소멸시키다. 몰살시키다. ¶～族; 옛날, 극형의 하나《범죄자의 가족 전부를 몰살시킴》 / ～平大难nàn; 큰 난리를 평온하게 진정시키다 / ～灭miè; ⇩ ④형 평온하다. 태평하다. ¶化险为～; 위험한 상태를 평온한 상태로 하다. ⑤동 기쁘다. ¶～悦yuè; ⇩ / ～愉yú; ⇩ ⑥동 평평하게 하다. ¶～为平地; 땅을 깎아서 평평하게 하다. 〈轉〉 폐허로 만들다. ⑦평평하다. 평탄하다.

〔夷城〕 yíchéng 동 〈文〉 성을 공략하여 몰살하고 불을 지르다. =〔屠tú城〕

〔夷狄〕 yídí 명 이적《동방의 만족과 북방의 만족》. =〔夷翟〕

〔夷翟〕 yídí 명 ⇨〔夷狄〕

〔夷根〕 yígēn 동 〈文〉 근절시키다.

〔夷境〕 yíjìng 명 〈文〉 오랑캐가 사는 땅.

〔夷戮〕 yílù 동 〈文〉 몰살시키다.

〔夷灭〕 yímiè 동 〈文〉 이멸하다. 쳐서 없애다.

〔夷然〕 yírán 형 〈文〉 태연하다. ¶～不屑xiè; 태연하게 신경을 쓰지 않다.

〔夷人〕 yírén 명 〈文〉 ①야만인. ②외국인.

〔夷俗〕 yísú 명 이속. 오랑캐의 풍속.

〔夷坦〕 yítǎn 형 〈文〉 평탄하다.

〔夷夏〕 yíxià 명 〈文〉 오랑캐와 중국.

〔夷由〕 yíyóu 동 〈文〉 ①주저하다. 머뭇거리다. ②'鼯wú鼠'(하늘다람쥐)의 별칭.

〔夷愉〕 yíyú 형 ⇨〔夷悦〕

〔夷悦〕 yíyuè 형 〈文〉 환희하다. 마음속으로부터 기뻐하다. ¶莫不～; 모두 기뻐하지 않는 사람이 없다. =〔夷愉〕〔怡悦〕

荑

yí (이)
동 〈文〉 논밭의 잡초를 베어 내다. ⇒tí

咦

yí (이)
①감 아니《놀라움을 나타내는 말》. ¶～, 这事怎么回事? 아니, 이게 도대체 어떻게 된 일이냐? / ～, 你什么时候来的? 아니, 너 언제 왔니? ②부 〈南方〉 또. 다시. ¶～到仔一位哉; 또 한 놈 왔다〔도착했다〕 / 俚～来哉; 그가 또 왔다.

姨

yí (이)
명 ①이모. ②(～子) 처의 자매. ¶大～子; 처형 / 小～子; 처제. ③옛날의 첩. →〔姨太太〕

〔姨表〕 yíbiǎo 명 이종 사촌. ↔〔姑表〕

〔姨表弟兄〕 yíbiǎodìxiōng 명 ⇨〔姨(表)兄弟〕

〔姨(表)姐妹〕 yí(biǎo)jiěmèi 명 ⇨〔姨(表)姊妹〕

〔姨表妹〕 yíbiǎomèi 명 이종 사촌 누이동생. =〔姨妹妹〕

〔姨表(亲)〕 yíbiǎo(qīn) 명 이종 사촌. =〔两liǎng姨(亲)〕

〔姨表嫂〕 yíbiǎosǎo 명 이종 사촌형의 아내. →〔姨(表)兄〕

〔姨(表)兄〕 yí(biǎo)xiōng 명 이종 사촌형《그 아내를 '姨表嫂'라 함》.

〔姨(表)兄弟〕 yí(biǎo)xiōngdì 명 이종 사촌 형제. =〔姨表弟兄〕〔两liǎng姨兄弟〕

〔姨(表)姊妹〕 yí(biǎo)zǐmèi 명 이종 사촌 자매. =〔姨(表)姐妹〕〔两liǎng姨姊妹〕

〔姨大大〕 yídàdà 명 〈北方〉 큰이모.

〔姨大爷〕 yídàye 명 큰이모부.

〔姨弟〕 yídì 명 이종 사촌 남동생. =〔姨表弟〕

〔姨爹〕 yídiē 명 ⇨〔姨父〕

〔姨夫〕 yífu 명 이모부. =〔姨父〕〔〈南方〉 姨丈〕〔〈方〉 姨爹diē〕

〔姨父〕 yífu 명 ⇨〔姨夫〕

〔姨父家〕 yífujiā 명 이모의 시댁.

〔姨姐〕 yíjiě 명 ①처형(妻兄). =〔大dà姨(子)〕 ②이종 사촌 언니〔누나〕.

〔姨姐姐〕 yíjiějie 명 이종 사촌 누이〔언니〕.

〔姨姥姥〕 yílǎolao 명 이모할머니. =〔姨婆①〕

〔姨妈〕 yímā 명 ⇨〔姨母〕

〔姨妹〕 yímèi 명 ①처제. =〔小xiǎo姨(子)〕 ②이종 사촌 여동생.

〔姨妹妹〕 yímèimei 명 ⇨〔姨表妹〕
〔姨母〕 yímǔ 명 이모. =〔〈京〉 姨儿〕〔姨妈〕〔姨娘②〕〔姨姨①〕〔〈南方〉 阿ā姨①〕
〔姨奶奶〕 yínǎinai 명 ①어머니의 자매. 이모. ②첩.
〔姨娘〕 yíniáng 명 ①옛날, 자녀가 아버지의 첩을 일컫던 말. ②〈方〉 이모. =〔姨母〕
〔姨婆〕 yípó 명 ①⇨〔姨姥姥〕 ②시어머니의 자매. →〔婆pó婆〕
〔姨儿〕 yír 명 〈京〉 이모. ¶三～; 셋째 이모 / 老～; 막내 이모.
〔姨嫂(子)〕 yísǎo(zi) 명 〈敬〉 옛날, 친구의 첩을 부르는 말.
〔姨甥〕 yíshēng 명 이모부에 대한 자칭(自稱).
〔姨太太〕 yítàitai 명 ①〈口〉 첩. =〔小奶奶〕〔二姨太太〕〔小夫人〕〔小老婆〕〔小姨奶奶〕 ②이모.
〔姨外甥〕 yíwàishēng 명 처조카. 아내의 자매의 자식. ¶～女儿; 처조카 딸. 아내의 자매의 딸.
〔姨姨〕 yíyí 명 ①⇨〔姨母〕 ②보모(保母). ¶托儿所～们; 탁아소의 보모들. =〔阿姨③〕
〔姨丈〕 yízhàng 명 〈南方〉 ⇨〔姨夫〕
〔姨侄女(儿)〕 yízhínǚ(r) 명 이질녀.
〔姨子〕 yízi 명 아내의 자매. ¶大～; 처형 / 小～; 처제.

胰 yí (이)
명 《生》 췌장(膵臟). 이자(‘膵cuì脏’ 은 구칭(舊稱)). ¶～腺; ⇩ / ～液; ⇩ =〔胰腺〕
〔胰蛋白酶〕 yídànbáiméi 명 《生》 트립신(라 trypsin). =〔胰朊酶〕
〔胰蛋白酶素〕 yídànbáiméisù →〔肠cháng激酶〕
〔胰岛素〕 yídǎosù 명 《生》 인슐린(insulin). ¶～注zhù射液; 인슐린 주사액 / ～休克; 인슐린 쇼크. =〔〈音〉 因yīn苏林〕
〔胰淀粉酶〕 yídiànfěnméi 명 《生》 아밀라아제(amylase).
〔胰酵素〕 yíjiàosù 명 ⇨〔胰酶〕
〔胰酶〕 yíméi 명 《化》 판크레아틴(독 Pankratin). =〔胰酵素〕
〔胰朊酶〕 yíruǎnméi 명 ⇨〔胰蛋白酶〕
〔胰腺〕 yíxiàn 명 《生》 췌장(膵臟).
〔胰液〕 yíyè 명 《生》 췌액.
〔胰脂酶〕 yízhīméi 명 《生》 췌장 리파아제(lipase).
〔胰子〕 yízi 명 ①〈方〉 비누. ¶香～; 화장 비누 / 药～; 약용 비누 / ～盆; 비눗갑. =〔肥皂féizào〕 ②〈口〉 (돼지 · 양의) 췌장.

痍 yí (이)
명 〈文〉 상처. 외상. ¶疮chuāng～满目; 〈成〉 만신창이. 도처에 재화 · 상처 자국이 있음.

诒(詒) yí (이)
‘贻yí’ 와 통용.

怡 yí (이)
①형 즐겁다. 기쁘다. 유쾌하다. ¶～情自得; 느긋한 마음으로 유유자적하다 / 心旷kuàng神～; 〈成〉 마음이 탁 트이고 기분이 좋다 / ～然自得; 스스로 즐거워하고 만족해하다. ② (Yí) 명 성(姓)의 하나.
〔怡和〕 yíhé 형 〈文〉 기쁘고 즐겁다.
〔怡朗〕 Yílǎng 명 《地》 일로일로(Iloilo)《필리핀 파나이(Panay) 섬의 한 도시》. =〔〈音〉 伊罗伊罗〕
〔怡情养性〕 yí qíng yǎng xìng 〈成〉 온화한 마음을 기르다. ¶山居可以～; 산에서 살면 온화한 마음을 기를 수 있다.
〔怡然〕 yírán 형 기뻐하는〔즐거워하는〕 모양.
〔怡色〕 yísè 명 〈文〉 희색. 온화한 안색.
〔怡颜〕 yíyán 명 〈文〉 온화한 안색. ¶～悦色; 온화한 얼굴과 기뻐하는 빛.
〔怡怡〕 yíyí 형 〈文〉 ①화열(和悦)하다. ②화목하다. ¶兄弟～; 형제 사이가 화목하다.
〔怡悦〕 yíyuè 형 ⇨〔夷悦〕

饴(飴) yí (이)
명 조청. 물엿. 맥아당(麥芽糖). ¶甘之如～; 〈成〉 엿이라도 빨 듯이 어떤 일을 좋아하다《고되고 힘든 일을 기꺼이 하다》 / 高粱～; 수수엿.
〔饴糖〕 yítáng 명 엿. =〔饴饧〕〔糖饴饧〕

贻(貽) yí (이)
동 ①선사하다. 보내다. ¶～赠; 선사하다. ②(뒤에) 남기다. ¶～人话柄; 남에게 이야깃거리를 남기다 / ～笑大方; ⇩ / ～害无穷; 막심한 해독을 남기다《후환이 끝없다》. ‖ =〔诒〕
〔贻贝〕 yíbèi 명 《貝》 홍합.
〔贻范〕 yífàn 동 〈文〉 모범을 후세에 남기다.
〔贻害〕 yíhài 동 〈文〉 해를 남기다〔끼치다〕. ¶～于人; 남에게 해를 끼치다.
〔贻累〕 yílèi 동 〈文〉 남에게 누를 끼치다. 재앙을 끼치다. ¶勿～他人; 남에게 누를 끼치지 말아야 한다.
〔贻谋〕 yímóu 명 〈文〉 이모《자손에게 남기어 전하는 계획》.
〔贻人口实〕 yí rén kǒu shí 〈成〉 남에게 구실을 주다. 남에게 말꼬리를 잡히다.
〔贻误〕 yíwù 동 〈文〉 잘못이 뒤에 남아 나쁜 영향을 주다. 그르치다. ¶～于人; 남에게 잘못을 남기다 / ～后学; 후학을 그르치다.
〔贻笑〕 yíxiào 동 〈文〉 웃음을 남기다. 웃음거리가 되다.
〔贻笑大方〕 yí xiào dà fāng 〈成〉 세상의 웃음거리가 되다. =〔见笑大方〕
〔贻训〕 yíxùn 명 〈文〉 뒤에 남기는 교훈.

眙 yí (이)
지명용 자(字). ¶盱Xū～; 쉬이 현(盱眙縣)《장쑤 성(江蘇省)에 있는 현 이름》.

沂 Yí (기)
명 《地》 ①이허(沂河)《산둥 성(山東省)에서 발원(發源)하여 장쑤 성(江蘇省)에서 바다로 흘러듦》. ②이산 산(沂山)《산둥 성(山東省)에 있음》.

宜 yí (의)
①형 적합〔적당〕하다. 알맞다. 좋다. ¶此病～用泻利之剂; 이 병은 설사약을 써야 한다 / 他做这种工作很相～; 그가 이러한 일을 하는 것은 대단히 적합하다. =〔相宜〕 ②부 응당. 마땅히《흔히, 부정문(否定文)에 쓰임》. ¶不～如此; 응당 이래서는 안 된다 / 事不～迟; 〈成〉 일은 급(急)을 요한다 / 不～操之过急; 급히 행동하지 말아야 한다 / 今日诸事不～; 오늘은 만사가 여의치 않다. =〔应当yīngdāng〕 〔应该〕 ③형 〈文〉 당연하다. 마땅하다. ¶～其无往而不胜; 무엇을 해도 훌륭한 성과를 올리는 것은 당연하다. ④명 성(姓)의 하나.
〔宜春帖〕 yíchūntiè 명 옛날, 입춘날에 ‘宜春’ 이라 써서 입구나 기둥에 붙이는 종이.
〔宜耕荒地〕 yígēng huāngdì 〈文〉 경작이 가능한 황무지. 미개간의 경작 적지(適地).
〔宜家〕 yíjiā 형 부부가 의가 좋다. 가정이 화목하

다.
〔宜门〕 yímén 명 ⇨〔仪门〕
〔宜母子〕 yímǔzǐ 명 ⇨〔黎lí檬〕
〔宜男〕 yínán 명 ①《植》 물망초. ②아들을 많이 낳으라고 비는 말.
〔宜人〕 yírén 동 마음에 들다. 좋은 느낌을 주다. 즐겁게 하다. ¶景物～; 풍물이 훌륭하다. 명 청대(清代), 오품 품계의 명부(命婦)의 별칭. →〔命mìng妇〕
〔宜未雨而绸缪〕 yí wèi yǔ ér chóu móu 〈成〉 비가 오기 전에 문짝과 창문을 고쳐라《유비 무환(有備無患)》.
〔宜于〕 yíyú …에 적당〔적합〕하다. ¶～休养; 보양에 적합하다.

迻

yí (이)
동 이동하다. 옮기다. =〔移①〕
〔迻录〕 yílù 동 〈文〉 발췌하다. 베껴 쓰다. =〔抄录〕〔誊录〕
〔迻译〕 yíyì 동 〈文〉 번역하다. =〔移译〕

扅

yí (이)
→〔扊yǎn扅〕

宧

yí (이)
명 〈文〉 옛날, 방의 동북쪽의 구석.

颐(頤)

yí (이)
① 명 〈文〉 턱. ¶解～; 〈比〉 크게 웃다. 웃음보를 터뜨리다 / 支～; 턱을 괴다 / 发～; 턱이 붓다. →〔腮〕 ② 동 휴양하다. 양생(養生)하다. ¶～神; ⇩ / ～养; ⇩ ③ 명 성(姓)의 하나.
〔颐和园〕 Yíhéyuán 명 《地》 이화원《베이징(北京)의 서북방 완서우산(萬壽山) 기슭에 청(清)나라 서태후(西太后)가 세운 이궁(離宮)》.
〔颐令〕 yílìng 동 ⇨〔颐使〕
〔颐神〕 yíshén 동 〈文〉 마음을 쉬다. 심성(心性)을 수양하다.
〔颐使〕 yíshǐ 동 〈文〉 턱으로 부리다〔지시하다〕. =〔颐令〕
〔颐养〕 yíyǎng 동 〈文〉 보양하다. 정양(靜養)하다. ¶～精神; 정신을 수양하다 / ～千年; 천수(天壽)를 가다듬어 지키다.
〔颐指〕 yízhǐ 동 〈文〉 (사람을) 턱으로 부리다 〔지시하다〕. ¶～气使; 〈成〉 말하지 않고 표정으로 나타내다《권세 있는 사람의 거만한 태도》.

移

yí (이)
① 동 움직이다. 옮기다. 이동하다. ¶把坐位～一～! 좌석을 옮겨 주시오! / 转zhuǎn～阵地; 진지를 이동하다 / 迁～户口; 호적을 옮기다 / 把所有器材～到总厂; 모든 기계를 본 공장에 옮기다 / 斗dǒu转星～; 〈成〉 북두칠성은 돌고 별은 이동하다《세월이 흐르고 때가 바뀌다》. ② 동 변하다. 바뀌다. 고치다. ¶坚定不～; 확고하여 변함이 없다 / 贫贱不能～; 가난해도 절조를 변치 않는다 / 立志不～; 뜻을 세워 바꾸지 않다. ③ 명 〈文〉 회장(回章)《관문서의 평행문(平行文)의 일종》.
〔移案〕 yí'àn 동 하급 법원에서 상급 법원으로 소송을 넘기다.
〔移办到处〕 yíbàn dàochù 〈公〉 본처(本處)에 이첩(移牒)되었다.
〔移本分利〕 yíběn fēnlì 원금의 일부를 배당에 충당하다.
〔移病〕 yíbìng 동 〈文〉 병을 핑계대(고 사직하)다. ¶～免归; 병을 구실로 사직하고 고향으로 돌아가다. =〔移疾〕
〔移饬〕 yíchì 동 상사의 명령·지령을 이첩하다.
〔移宠〕 yíchǒng 동 〈文〉 총애를 옮기(어 다른 사람을 사랑하)다. =〔迁qiān爱〕
〔移调〕 yídiào 명동 관리나 군대의 이동(을 하다). 명 《音》 전조(轉調). 조바꿈. =〔转zhuǎn调〕
〔移掉〕 yídiào 동 옮기어서 없애다. 옮겨 버리다. ¶把高山～; 높은 산을 옮겨 버리다.
〔移牒〕 yídié 동 이첩하다《공문서를 다른 관청에 돌리다》.
〔移鼎〕 yídǐng 동 〈比〉 정권 이동을 하다. ¶～之业已成; 정권 이동의 작업은 이미 이루어졌다.
〔移东补西〕 yí dōng bǔ xī 〈成〉 ⇨〔移东就西〕
〔移东就西〕 yí dōng jiù xī 〈成〉 갑(甲)으로 을(乙)을 보충하다《융통하다. 이리저리 변통하다》. =〔移东补bǔ西〕
〔移动〕 yídòng 동 이동하다. 움직이다. ¶船身开始～了; 배가 움직이기 시작했다 / 冷空气正向南～; 차가운 공기가 남쪽으로 이동하고 있다.
〔移防〕 yífáng 동 방어 진지를 옮기다. 경비 구역을 바꾸다.
〔移风易俗〕 yí fēng yì sú 〈成〉 (낡은) 습속(習俗)을 고치다. 사회가 움직이는 바른 방향으로 과거의 낡은 풍속을 바꾸다. ¶表彰好人好事可以～; 좋은 사람 또는 좋은 일을 표창하면 풍속 습관을 좋은 쪽으로 고칠 수 있다.
〔移贯〕 yíguàn 동 본적을 옮기다.
〔移晷〕 yíguǐ 동 〈文〉 해 그림자가 이동하다. 〈比〉 시간이 경과하다.
〔移行〕 yíháng 명동 (인쇄물이나 원고 등에서) 줄을 바꾸다. 줄바꿈(하다).
〔移花接木〕 yí huā jiē mù 〈成〉 살짝 사람을 바꿔쳐서 남을 속이다. 물건을 살짝 바꿔쳐서 남을 기만하다.
〔移换〕 yíhuàn 동 바꾸다. 교환하다.
〔移祸〕 yíhuò 동 재앙을 남에게 전가하다. ¶～他人; 남에게 재앙을 전가하다. =〔嫁jià祸〕
〔移疾〕 yíjí 동 〈文〉 ⇨〔移病〕
〔移驾〕 yíjià 동 〈翰〉 왕림해 주십시오. ¶敢烦～草舍一谈; 아무쪼록 저의 집에 오셔서 이야기를 나누시지요. =〔移玉〕
〔移交〕 yíjiāo 동 ①(신임·구임간의) 직무 인계를 하다. ¶～清楚; 깨끗이 직무상의 인계를 하다 / 还有一些文件应当～; 아직 인계해야 할 몇 개의 문서가 있다 / 他要走了, 昨晚上便把这个事情～给二妹妹; 그는 떠나게 되어 간밤에 이 일을 둘째 누이동생에게 인계했다. ②넘겨 주다. 인도하다. ¶还有一些东西要～给他; 그에게 넘겨 줘야 할 것이 아직 몇 개 있다.
〔移接典礼〕 yíjiē diǎnlǐ 명 이취임식. 인도식(引渡式). ¶在旧金山举行～; 샌프랜시스코에서 이취임식을 거행하다.
〔移节〕 yíjié 명 옛날, 지방의 고위 관리의 전임(轉任).
〔移解〕 yíjiè 동 범인을 이송하다. →〔押yā送〕
〔移居〕 yíjū 동 ⇨〔迁qiān居〕
〔移军〕 yíjūn 동 군대를 이동하다〔시키다〕. ¶～别驻; 군대를 이동시켜서 다른 곳에 주둔시키다.
〔移开〕 yíkāi 동 치우다. 물리다. 옮기다. ¶把那些旧机器～吧! 저 낡은 기계를 치워 버려라!
〔移锚〕 yímáo 동 닻을 다른 곳으로 옮겨 정박지를 바꾸다. ¶启碇～; 닻을 올려 정박지를 바꾸다.

〔移苗〕 yí.miáo 동 모종을 이식하다.
〔移民〕 yí.mín 동 이민하다. (yímín) 명 이민.
〔移名〕 yímíng 동 〈文〉 이름을 바꾸다. →〔改gǎi名〕
〔移年〕 yínián 동 〈文〉 해를 넘기다.
〔移怒〕 yínù 동 아무에게나 분풀이하다. ¶我可没招着你, 你可别~于我; 내가 너를 화나게 한 것도 아닌데, 내게 분풀이하지 마라. =〔迁qiān怒〕
〔移挪〕 yínuó 동 (돈을) 유용(流用)하다. 융통하다. ¶~应急; 급히 유용〔융통〕하다.
〔移情〕 yíqíng 동 〈文〉 남의 심정을 바꾸다.
〔移入〕 yírù 동 이월하다. ¶存款~新账; 예금을 새 통장에 이월하다.
〔移山〕 yíshān 동 ①산을 옮기다. ②〈比〉 엄청난 일을 해내다. 형 〈比〉 힘이 세다. ¶志可~; 뜻이 대단히 크다.
〔移山倒海〕 yí shān dǎo hǎi 〈成〉 산과 바다의 위치를 바꾸다(전에는 신선 법술의 괴기함을 나타냈으나, 현재는 인류가 자연을 정복하는 힘과 기백의 장함을 나타내는 때가 많음). ¶有~的气概; 천지를 뒤덮을 기백을 가지고 있다.
〔移神〕 yíshén 동 깜박 잊다. 부주의하다.
〔移审〕 yíshěn 명동 《法》 이심(移審)(하다).
〔移师〕 yíshī 동 군대가 이동하다. 〈比〉 장소를 옮겨 가며 싸우다. ¶乒乓球队已准备~北京作三场比赛; 탁구팀은 이미 베이징(北京)으로 옮겨 세차례 시합할 준비를 하고 있다.
〔移时〕 yíshí 동 〈文〉 짧은 시간이 흐르다. 부 〈轉〉 잠시 (후). 잠깐동안.
〔移书〕 yíshū 동 〈文〉 편지를 보내다.
〔移送〕 yísòng 동 이송하다. ¶把犯人~法院; 범인을 법원으로 이송하다.
〔移提〕 yítí 동 범인의 신병(身柄)을 인수하다.
〔移天徙日〕 yí tiān xǐ rì 〈成〉⇨〔移天易日〕
〔移天易日〕 yí tiān yì rì 〈成〉 정권(政權)을 훔쳐 빼앗음. =〔移天徙日〕
〔移文〕 yíwén 명 〈公〉 이문(한 성(省) 안의 동등한 관서 사이에서 주고받는 공문).
〔移徙〕 yíxǐ 동 〈文〉 옮기다. 이전하다. 이사하다.
〔移向〕 yíxiàng 동 (…으로) 옮기다. ¶医疗工作的重点逐步~农村; 의료 활동의 중점을 점차 농촌으로 옮기다.
〔移项〕 yí.xiàng 동 《數》 이항하다. (yíxiàng) 명 이항. ‖ =〔迁qiān项〕
〔移孝作忠〕 yí xiào zuò zhōng 〈成〉 부모에게 효도하는 마음으로 군주에게 충성을 다하다.
〔移液管〕 yíyèguǎn 명 ⇨〔吸xī移管〕
〔移译〕 yíyì 명동 〈文〉 번역(하다). =〔迻译〕
〔移易〕 yíyì 동 움직이다. 변경하다. 바꾸다. ¶这是不可~的; 이것은 변경할 수가 없다.
〔移用〕 yíyòng 동 유용(流用)하다.
〔移玉〕 yíyù 동 ⇨〔移驾〕
〔移栽〕 yízāi 동 이식(移植)하다. =〔移植〕
〔移植〕 yízhí 동 이식하다. ¶~皮肤; 피부를 이식하다 / ~秧苗; 볏모를 이식하다. 모내기하다.
〔移殖〕 yízhí 동 〈文〉 이민하다〔시키다〕. 식민(植民)하다.
〔移住〕 yízhù 동 이주하다.
〔移助善举〕 yízhù shànjǔ 돈을 자선 사업에 쓰다. 좋은 일을 돕다.
〔移走〕 yízǒu 동 옮겨가다.
〔移樽〕 yí zūn 〈成〉 술잔을 손님 앞에 가져가다.
〔移樽就教〕 yí zūn jiù jiào 〈成〉 스스로 적극적으로 남의 가르침을 청하다.

簃 yí (이)
①명 〈文〉 누각(樓閣) 옆에 있는 작은 집(흔히, 서재(書齋) 이름으로 쓰임). ②인명용자(字).

蛇 yí (이)
→〔委wēi蛇〕 ⇒ shé

遺(遺) yí (유)
①동 잃다. 분실하다. ¶~失; ⇩ ②동 남기다. ¶~风; ⇩ / 不~余力; 여력을 남기지 않다 ③명 죽은 사람이 남긴 것. ¶~像; ⇩ / ~著; ⇩ / ~嘱; ⇩ / 文化~产; 문화 유산 / ~孤; ⇩ ④동 (자기도 모르게) 배설하다. 누다. 싸다. ¶~矢; ⇩ / ~尿; ⇩ / ~精; ⇩ ⑤동 실수하다. 잘못하다. ¶算无~策; 계획에 잘못된 점은 없다. ⑥명 유실물. 분실물. ¶路不拾~; 〈成〉 길에 떨어진 물건이 있어도 줍지 않는다(태평성세). ⑦동 빠뜨리다. 누락하다. ¶此句~数字; 이 문구에는 몇 자 빠져 있다 / 补~; 책에서 빠뜨린 것을 보충하다. ⇒ wèi
〔遗本〕 yíběn 명 〈文〉 옛날, 유언으로 적은 상주문(上奏文).
〔遗笔〕 yíbǐ 명 유필.
〔遗表〕 yíbiǎo 명 유표(임종시에 써서 남긴 상주문). =〔遗疏〕〔遗折zhé〕
〔遗才〕 yícái 명 〈文〉 선발에서 빠진 인재.
〔遗策〕 yícè 명 〈文〉 ①실책. ②선인이 남긴 계책. ‖ =〔遗筹〕
〔遗产〕 yíchǎn 명 ①유산. 남겨진 재산. ¶继承~; 유산을 이어받다. ②문화적 유산. ¶文学~; 문학의 유산.
〔遗筹〕 yíchóu 명 〈文〉 ⇨〔遗策〕
〔遗臭〕 yíchòu 동 악명을 남기다. 오명을 남기다. ¶~万年; 〈成〉 길이 후세에까지 악명을 남기다 / 既不能留芳后世, 落luò得~万载zǎi; 후세에 꽃다운 이름을 남기기는커녕 오명을 오래도록 후세에 남기게 되었다. ↔〔留liú芳〕
〔遗传〕 yíchuán 명동 《生》 유전(하다). ¶~学; 유전학 / ~工程学; 유전자 공학 / ~因子; 유전자.
〔遗存〕 yícún 동 〈文〉 남기다. 남다. 명 유물. ¶石器时代的~; 석기 시대의 유물.
〔遗毒〕 yídú 명 유독(나중까지 남겨진 해독). ¶铲除封建思想的~; 봉건 사상이 남긴 해독을 제거하다. 동 해독을 남기다.
〔遗芳〕 yífāng 명 〈文〉 유방(후세에 남긴 빛나는 명예. 여덕(餘德). 여향(餘香)). 동 향기〔명예〕를 후세에 남기다. ¶~百世; 여향을 백세 후까지 남기다.
〔遗风〕 yífēng 명 유풍(전부터 남아 있는 풍습. 옛 모습).
〔遗腹(子)〕 yífù(zǐ) 명 유복자(아버지의 사후에 태어난 자녀). =〔遗孕yùn〕〔暮mù生儿〕
〔遗稿〕 yígǎo 명 유고(사후에 남긴 시문의 초고).
〔遗诰〕 yígào 명 〈文〉 유언. 유훈(遺訓).
〔遗孤〕 yígū 명 유고. 고아. 유아(遺兒).
〔遗挂〕 yíguà 명 〈文〉 유괘. 죽은 사람이 남긴 의복.
〔遗骸〕 yíhái 명 유해. 유체.
〔遗害〕 yíhài 명 뒤에 남긴 해독. 동 뒤에 해독을 남기다. ¶为自身利益~民族; 자기의 이익을 위해 민족에게 해를 남기다.
〔遗憾〕 yíhàn 명형 유감(이다). ¶觉得~; 유감스럽게 생각하다 / 我们~地通知您, …; 유감스럽지만 …임을 알려드립니다 / ~的是…; 유감스럽게도

…이다. 명 ⇨〔遗恨〕

〔遗恨〕 yíhèn 명〈文〉유한. 일생의 회한(悔恨). ¶～终生zhōngshēng;〈成〉한평생 유한으로 여기다. 일생의 한 / ～千古; 한을 천고에 남기다. =〔遗憾〕

〔遗祸〕 yíhuò 동 뒷사람에게 화를 끼치다. ¶～于人; 남에게 화를 끼치다.

〔遗计〕 yíjì 명〈文〉①실책. 과실. ②고인(故人)의 계략.

〔遗迹〕 yíjì 명 ①유적《옛사람이 남긴 흔적. 자취》. ¶古代村落的～; 고대 촌락의 유적. ②자취. 흔적.

〔遗教〕 yíjiào 명 유훈. ¶国父～; 국부 (손문)의 유훈.

〔遗精〕 yí.jīng 동《生》유정하다. (yíjīng) 명 유정. =〔滑huá精〕〔〈俗〉走zǒu身子〕〔《漢醫》走阳〕

〔遗老〕 yílǎo 명 ①왕조(王朝)가 바뀌어도 여전히 전(前)왕조에 충절을 다하는 노신. ¶～遗少; 완미한 노인과 보수 퇴영적인 젊은이 / 逊xùn清～; 멸망한 청조의 유신. ②〈文〉세상의 변천을 경험한 노인.

〔遗烈〕 yíliè 명〈文〉유열《후세에 길이 남은 옛 사람의 훈공(勳功)》.

〔遗留〕 yíliú 동 남기다. 남겨 두다. ¶～问题; 남긴 문제 / 许多历史遗迹一直～到现在; 많은 역사 유적이 지금까지 남아 있다.

〔遗漏〕 yílòu 동 ①빠뜨리다. 누락하다. ¶名册上把他的名字给～了; 명부(名簿)에 그의 이름을 빠뜨리고 썼다 / 有功应受赏的, 即使是老百姓也不能～; 상을 탈 만한 유공자는 비록 일반인일지라도 빠뜨리지 말아야 한다. ②〈古白〉(불에 관한) 잘못을 저지르다. 불을 내다. 명 유루(遺漏). 실수. 불비(不備). 누락. ¶他回答得很完全, 一点儿也没有～; 그의 대답은 아주 완벽해서 조금도 실수가 없다 / 经过屡次三番的转抄, 难免会造成～; 거듭된 전사(轉寫)의 결과 누락이 생기는 것은 피할 수 없다.

〔遗落〕 yíluò 동 ①유실〔분실〕하다. 잃다. ¶～公文包; 서류 가방을 분실하다. ②방치(放置)하다. ③〈文〉…에 구애되지 않다. ¶～世事; 세상사에 구속받지 않다.

〔遗民〕 yímín 명 ①유인. 새로운 왕조를 섬기지 않는 사람. ②동란에 살아남은 사람들.

〔遗命〕 yímìng 명 유명《부모가 임종할 때에 하는 분부》. ¶遵奉先父～; 선친의 유언을 잘 지키다.

〔遗墨〕 yímò 명〈文〉고인이 생전에 남긴 필적. 유묵.

〔遗念〕 yíniàn 명 죽은 사람이 남긴 유물. ¶他自己积的一点东西, 留与二位老舅作个～东西; 그가 자신이 모아 두었던 약간의 물건은 두 분 삼촌에게 기념물로 남겨 둡시다.

〔遗尿〕 yíniào 명《醫》야뇨증(夜尿症). 자다가 오줌을 싸는 일. =〔夜yè尿症〕 (yí.niào) 동 잠결에 오줌을 지리다. ‖ =〔遗溺〕

〔遗溺〕 yíniào 명동 ⇨〔遗尿〕

〔遗篇〕 yípiān 명 사후에 남긴 시나 문장.

〔遗弃〕 yíqì 동 ①포기하다. 버려 두다. ¶敌军～辎重无数; 적군은 무수한 군수품을 포기했다. ②《法》유기하다. ¶～老幼; 노인과 유아를 유기하다. ‖ =〔抛弃〕

〔遗缺〕 yíquē 명 결원(缺員). ¶补～; 결원을 메우다 / 选举一位新总统接充故总统的～; 새 대통령을 선거하여 죽은 대통령의 빈 자리를 메우다.

〔遗容〕 yíróng 명 ①사람이 죽은 후의 용모. 죽은 사람의 얼굴. ②유영(遺影)《생전의 사진》. =〔遗像〕

〔遗少〕 yíshào 명 전조(前朝)에 충성을 지키는 젊은이. 〈轉〉옛 기풍을 잘 지키는 젊은이. ¶旧教育制度养成了许多出窝儿老的～; 옛 교육 제도는 늙은이처럼 구풍을 잘 지키는 젊은이를 많이 양성했다.

〔遗尸〕 yíshī 명〈文〉유기된 시체. 또는 시체 유기.

〔遗失〕 yíshī 동 유실하다. 잃다. ¶～作废fèi; 분실물을 폐기 처분하다 / 这是一个重要的文件, 千万不可～; 이것은 중요한 서류이니, 절대로 분실해서는 안 된다.

〔遗矢〕 yíshǐ 동〈文〉대변을 보다.

〔遗世独立〕 yí shì dú lì〈成〉세상을 피하여 혼자서 살다. 고고(孤高)한 생활을 하다.

〔遗事〕 yíshì 명 ①사후에 남겨진 사적(事蹟). 하다가 남겨진 사업. ② ⇨〔遗业〕

〔遗书〕 yíshū 명 ①유서. ②저자의 사후에 간행된 책. ¶章氏～; 장씨의 사후에 간행된 책. ③〈文〉산일(散逸)된 책. 일서(逸書).

〔遗疏〕 yíshū 명 ⇨〔遗表〕

〔遗属〕 yíshǔ 명 ⇨〔遗族〕

〔遗孀〕 yíshuāng 명〈文〉과부.

〔遗体〕 yítǐ 명 ①유해. 유체. ②(동식물의) 유해.

〔遗蜕〕 yítuì 명〈文〉유체(遺體).

〔遗忘〕 yíwàng 동〈文〉잊다. 깜빡하다. ¶大事还有～的时候, 何况小事呢? 큰 일도 깜빡 잊을 때가 있는데, 하물며 작은 일이야? / 童年的生活, 至今尚未～; 어린 시절의 생활은 지금도 아직 잊지 않고 있다. =〔忘记〕

〔遗闻〕 yíwén 명 남아서 전해져 내려오는 일. 훗날 사람들의 입에 오르내리는 화제.

〔遗物〕 yíwù 명 유물. 유품.

〔遗误〕 yíwù 명 실수. 빠뜨림. 동 빠뜨리다. 실수하다. ¶不得～要公; 중요한 용건에 실수가 있어서는 안 된다.

〔遗下〕 yíxià 동 뒤에 남(기)다. ¶这是先祖～来的东西; 이것은 선조가 남긴 유품이다 / 你走了, ～的事情让谁办呢? 네가 가버리면, 뒤에 남은 일은 누구에게 시키느냐?

〔遗像〕 yíxiàng 명 죽은 사람의 생전의 사진·초상. 유영(遺影).

〔遗行〕 yíxíng 명〈文〉실행(失行). 무심코 한 행동.

〔遗绪〕 yíxù 명〈文〉유서. 유업.

〔遗训〕 yíxùn 명 유훈.

〔遗言〕 yíyán 명 ⇨〔遗嘱〕

〔遗业〕 yíyè 명〈文〉유업《선인이 남긴 사업》. =〔遗事②〕

〔遗余〕 yíyú 명〈文〉나머지. 잔여.

〔遗愿〕 yíyuàn 명 (소망으로서의) 유언. 남긴 염원. ¶实现先烈的～; 선열께서 생전에 다하지 못했던 뜻을 실현하다.

〔遗孕〕 yíyùn 명 ⇨〔遗腹(子)〕

〔遗簪坠屦〕 yí zān zhuì jù〈成〉떨어뜨린 비녀와 신발.〈比〉구물(舊物).

〔遗泽〕 yízé 명〈文〉후세에 끼친 은혜. 여택(餘澤).

〔遗赠〕 yízèng 명동《法》유증(하다).

〔遗找赛〕 yízhǎosài 명《體》패자 부활전. =〔双shuāng淘汰赛〕

〔遗照〕 yízhào 명 생전의 사진.

〔遗折〕 yízhé 명 ⇨〔遗表〕

〔遗址〕 yízhǐ 명 유적(遺跡). 유지.
〔遗志〕 yízhì 명 유지. ¶继承～; 유지를 계승하다(잇다).
〔遗制〕 yízhì 명 유제《예로부터 전해오는 제도》.
〔遗珠〕 yízhū 명 〈比〉 유주《세상에 알려지지 않고 잊혀진 뛰어난 인물 또는 물건, 혹은 시문(詩文)》.
〔遗嘱〕 yízhǔ 명 ①유언. 유서. ¶公证～; 공정 증서 유언. ②유언장. 동 유언하다. ‖ =〔遗言〕
〔遗著〕 yízhù 명 유저.
〔遗族〕 yízú 명 유족. ¶抚fǔ恤～; 유족을 구휼하다. =〔遗属〕

疑 yí (의)
①동 의심하다. 수상히 여기다. ¶半信半～ =〔～信参半〕; ⇓ / 可～之点; 의심스러운 점. 수상한 점 / 犯fàn～; 의심하다 / 怀huái～; 의심을 품다 / 嫌xián～; 혐의 / ～惑; ⇓ / ～心; ⇓ / ～虑; ⇓ ②명형 의심스러운 (것). 해결할 수 없는 (것). ¶～似; ⇓ / 质～; 질의하다. 미심쩍은 점을 묻다 / 存cún～; 미해결로 남기다. 현안으로서 남기다 / ～问; ⇓ / ～案; ⇓ / ～义; ⇓

〔疑案〕 yí'àn 명 ①의심스러운 사건. 미궁에 빠진 사건. ②현안(懸案). ③널리 수상쩍은 사정(事情).
〔疑谤〕 yíbàng 명동 〈文〉 의심과 비방(을 받다〔하다〕). ¶受人～而不辩则～自消; 남에게 의심이나 비방을 받아도, 변명하지 않고 있으면 저절로 해소된다.
〔疑兵〕 yíbīng 명 《軍》 의병《허세를 부리어 적을 현혹시키는 군대》. ¶出～制胜; 의병을 써서 승리를 얻다.
〔疑病〕 yíbìng 명 ⇨〔心xīn病④〕
〔疑迟〕 yíchí 동 의심하여 우물쭈물하다. ¶～不决; 의심하여 우물쭈물하며 결정을 못하다.
〔疑点〕 yídiǎn 명 의심스러운 점. ¶从这封无头信里, 看出三个～; 이 익명의 편지에서 세 가지 의심스러운 점을 발견했다.
〔疑东疑西〕 yídōng yíxī 〈比〉 여러가지로 의심하다. ¶你这么～的怎么能办大事呢! 너처럼 이렇게 이것저것 의심만 하고 있으면 어떻게 큰 일을 할 수 있겠느냐!
〔疑窦〕 yídòu 명 〈文〉 의혹. 의심스러운 점. ¶～丛cóng生; 의문 백출(疑問百出). 의문투성이 / 惹起全世界人们的～; 전세계 사람들의 의혹을 불러일으키다.
〔疑贰〕 yí'èr 동 〈文〉 의심하여 딴 마음을 품다.
〔疑犯〕 yífàn 명 《法》 용의자. 피의자. =〔嫌xián疑犯〕
〔疑鬼疑神〕 yí guǐ yí shén 〈成〉 ⇨〔疑神疑鬼〕
〔疑狐〕 yíhú 동 의심하여 망설이다. ¶～不决; 의심하여 망설이면서 좀처럼 결정하지 못하다.
〔疑怀〕 yíhuái 명 〈文〉 의심. ¶～不解; 의심이 풀리지 않다.
〔疑惑〕 yíhuò 명 의혹. 의심. ¶犯～; 의심〔의혹〕을 품다 / 这一句还有点～, 请您解释; 이 글에는 아직도 의심스러운 점이 있으니 해석해 주십시오. 형 의심스럽다. 믿을 수 없다. ¶我只得～地走开; 나는 의심스럽게 생각하면서도 떠날 수밖에 없다.
〔疑忌〕 yíjì 동 시기심을 갖다. 의심하고 시기하다. ¶他太能干了, 不免遭人～; 그는 너무나도 수완이 있어서, 사람한테 의심을 받거나 시샘을 당하지 않을 수 없다. 명 시의심(猜疑心). ¶心怀～; 시의심을 품다.
〔疑惧〕 yíjù 명동 의구(하다). 의구심(을 갖다).
〔疑虑〕 yílǜ 명 의심. 염려. ¶消除～; 의심을 없애다. 근심을 없애다. 동 의심하다. 걱정〔근심〕하다. ¶～不安; 의심이나 걱정으로 불안하다.
〔疑难〕 yínán 명 진상을 파악할 수 없어 처리하기 곤란한 문제. 난제(難題). ¶遭受～; 의심스럽고 판단하기 어려운 문제를 만나다. 형 해결하기가 곤란하다. 의심스러워서 판단하기 힘들다. ¶～杂症; 진단하기 힘든 치료 곤란한 병 / ～病人; 의심스럽고 진단하기 어려운 병자 / ～不解; 의심스럽고 판단하기 어렵다 / ～之事; 의심스럽고 판단하기 어려운 문제.
〔疑人〕 yírén 명 〈文〉 의심스러운 사람. ¶～莫mò用, 用人莫疑; 〈諺〉 의심스러운 사람은 쓰지 말며, 쓰기로 결정한 이상은 의심하지 마라.
〔疑神疑鬼〕 yí shén yí guǐ 〈成〉 덮어놓고 이것저것 의심하다. ¶自从他受了那次打击以后老有点儿～的; 그는 그 때 타격을 받고 난 후로는 마구 이것저것 의심하게 되었다. =〔疑鬼疑神〕
〔疑似〕 yísì 형 애매 모호하다. 참인지 거짓인지 혼동되기 쉽다. ¶～之间; 진위(眞僞)의 구별이 안 되는 상태 / ～之词; 애매 모호한 말 / ～之迹; 의심스러운 자취〔흔적〕.
〔疑团〕 yítuán 명 (마음 속에 서려 있는) 의심·의혹의 덩어리. ¶～消除了一半; 의혹의 덩이가 반은 사라졌다 / 解开这个～; 이 의혹의 덩어리를 풀다 / 心里怀着个～; 마음 속에 의혹 덩어리를 품고 있다 / 满腹～; 가슴 속에 가득 차 있는 의혹.
〔疑问〕 yíwèn 명 의문. ¶心里起了～; 마음 속에 의문이 생겼다 / 有～的尽管问, 别搁在心里; 의문점이 있으면 가슴 속에 담아 두지 말고 얼마든지 물어라.
〔疑问词〕 yíwèncí 명 《言》 의문사.
〔疑问号〕 yíwènhào 명 ⇨〔问号①〕
〔疑问句〕 yíwènjù 명 《言》 의문문.
〔疑相〕 yíxiang 명 (남의 말에 대한) 오해. 착각. ¶又弄～了; 또 착각했다.
〔疑心〕 yíxīn 명 의심. ¶人家是好意, 你别起～! 남들은 선의로써 한 것이니, 의심하지 마라 / 这样讲来就没有～处; 이렇게 이야기하고 보니 의심스러운 점이 없다. 동 …인가 하고 의심하다. …이 아닌가 생각하다. ¶他不再对我～了; 그는 이제 나를 의심하지 않게 되었다 / 我～他是疯子; 그는 미치광이가 아닐까 생각한다. =〔怀疑〕
〔疑心病〕 yíxīnbìng 명 ⇨〔心病④〕
〔疑心疯(儿)〕 yíxīnfēng(r) 명 공연히 의심이 많은 성미(의 사람). 신경 과민(이 있는 자).
〔疑信参半〕 yí xìn cān bàn 〈成〉 반신반의하다.
〔疑行无成〕 yí xíng wú chéng 〈成〉 의심하고 주저하며 일을 행하면 성공하지 못한다《일은 과단성 있게 하여야 성공함》.
〔疑凶〕 yíxiōng 명 〈文〉 용의자. ¶～仍在逃, 警方昨晚到处搜索; 용의자는 여전히 도주 중이며, 경찰측에서는 어젯밤 각처를 수색하였다.
〔疑讶〕 yíyà 동 〈文〉 의아해하다. ¶有许多人～我抛开学者生涯而别取途径; 많은 사람이 내가 학자 생활을 버리고 다른 길을 택한 것을 의아해하고 있다.
〔疑义〕 yíyì 명 의의. 의심스러운 점. 의문점. ¶对这一点难道还有～吗? 이 점에 대해 설마 아직도 의문이 있는 건 아니겠지?
〔疑影〕 yíyǐng 명 〈比〉 의심하는 마음. ¶心中起～; 마음 속에 의심스러운 생각이 들다. =〔疑云yún〕

〔疑狱〕 yíyù 명 의옥(범죄 혐의로 심리되고 있는 사건).
〔疑云〕 yíyún 명〈比〉 의심하는 마음. ¶闺中～; 부부간의 부정(不貞)에 대한 의심/驱散～; 의심을 풀다. =〔疑影〕
〔疑阵〕 yízhèn 명 상대를 혼란시키기 위한 포진(布陣). ¶故布～; 일부러 가짜 포진을 하다.
〔疑冢〕 yízhǒng 명 의총. 가짜 무덤.

嶷 yí (의)
지명용 자(字). ¶九Jiǔ～; 주이(九嶷)(후난성(湖南省)에 있는 산이름).

鬐 yí (의)
→〔鬐鬐〕

〔鬐鬐〕 yíyí 형〈文〉 야수의 뿔이 날카로운 모양.

彝〈彜〉 yí (이)
A) 명 ①옛날, 술을 담던 그릇(옛날, 종묘에서 사용된 제기(祭器)의 총칭). ¶～器qì; ⇩ ②〈文〉 법도. 법칙. 변치 않는 상도(常道). ¶～伦lún; 불변의 도덕/～训xùn; ⇩ B) (Yí) 명《民》 이족(彝族)(중국 소수 민족의 하나).
〔彝器〕 yíqì 명 옛날, 종묘(宗廟)에 비치된 제기.
〔彝宪〕 yíxiàn 명〈文〉 상법(常法). 변치 않는 법도.
〔彝训〕 yíxùn 명〈文〉 늘 지켜야 할 가르침.
〔彝族〕 Yízú 명《民》 이 족(彝族)(중국 소수 민족의 하나로 주로 쓰촨(四川)·윈난(雲南)·구이저우 성(貴州省)에 거주함).

乙 yǐ (을)
①명 을(십간(十干)의 둘째). ¶～丑年; 을축년. ②수 (배열 순서의) 둘째. ¶～级; ⇩ ③명《魚》 물고기의 창자. ④명 일(상업용 문서에서는 '一'을 '乙'과 같이 씀). ¶本合同甲乙各执～纸为凭; 이 계약서는 갑을이 각각 한 통씩을 보유하여 증거로 삼는다. ⑤명《樂》 중국 고유의 악보 음표의 하나('简谱'의 '7'에 해당함). ⑥명 '乙' 자형의 부호("∠")(옛날, 책을 읽다가 중도에서 그칠 때나, 또 어순(語順)이 거꾸로일 때, 탈자(脫字)를 넣을 때 표시했음). ¶钩～; '乙' 자 부호를 넣다. ⑦대 가정(假定)의 인물이나 지명 등에 쓰며, 그 중 어느 한쪽을 나타냄. ¶甲方对～方负责; 갑은 을에 대하여 책임을 진다. ⑧명《化》 유기 화합물에서 탄소 원자의 수가 '2'인 것. ⑨명 성(姓)의 하나.
〔乙苯〕 yǐběn 명《化》 에틸 벤젠(ethyl benzene).
〔乙部〕 yǐbù 명 중국의 서적은 경사자집(經史子集)의 네 부로 나뉘며, 두번째의 사부(史部)를 '～'(을부)라 함.
〔乙醇〕 yǐchún 명《化》 에틸 알코올(ethyl alcohol). =〔酒精〕
〔乙二醇〕 yǐ'èrchún 명《化》 글리콜(glycol). 에틸렌글리콜(ethylene glycol).
〔乙二醛〕 yǐ'èrquán 명《化》 글리옥살(glyoxal).
〔乙二酸〕 yǐ'èrsuān 명 ⇨〔草cǎo酸〕
〔乙二酰〕 yǐ'èrxiān 명 ⇨〔草cǎo酰〕
〔乙弗〕 Yǐfú 명 복성(複姓)의 하나.
〔乙钩〕 yǐgōu 명 ①'∨'의 기호. ¶对的画个～, 不对的打个叉儿; 맞는 것은 ∨표를 치고, 맞지 않는 것은 ×표를 한다. ②을(乙)자 모양의 갈고리. ¶把猪肉挂在～上; 돼지고기를 을자꼴 갈고리에 걸어놓다.
〔乙谷子〕 yǐgǔzi 명 알이 들어 있지 않은 조〔쭉정이〕. ¶当兵的肚子饿得跟～一样; 군인들의 배는 쭉정이처럼 주려 있다.
〔乙基〕 yǐjī 명《化》 에틸기(ethyl基).
〔乙级〕 yǐjí 형 제 2급의. 중형의.
〔乙检〕 yǐjiǎn 명〈簡〉 (기차의) 을종 검사(乙種檢査)('乙种检修'의 준말).
〔乙科〕 yǐkē 명《史》 을과(명(明)나라·청(淸)나라 시대, 거인(擧人) 시험을 말함. 진사(進士) 시험은 갑과(甲科)라 함).
〔乙醚〕 yǐmí 명《化》 에테르(ether).
〔乙脑〕 yǐnǎo 명《醫》〈簡〉 유행성 B형 뇌염.
〔乙醛〕 yǐquán 명《化》 아세트알데히드(acetaldehyde). =〔醋cù醛〕
〔乙炔〕 yǐquē 명《化》 아세틸렌(acetylene). ¶～气体; 아세틸렌 가스. =〔〈俗〉电diàn石气〕〔〈音〉阿ā西台林〕
〔乙炔标灯〕 yǐquē biāodēng 명 아세틸렌 신호등.
〔乙炔基〕 yǐquējī 명《化》 에티닐기(ethinyl基).
〔乙酸〕 yǐsuān 명 초산(酢酸).
〔乙(酸)酐〕 yǐ(suān)gān 명《化》 아세트산 무수물. 무수 초산(無水醋酸).
〔乙酸乙酯〕 yǐsuān yǐzhǐ 명《化》 아세트산 에틸. 초산 에틸.
〔乙碳酸奎宁〕 yǐtànsuān kuíníng 명 ⇨〔优yōu奎宁〕
〔乙烷〕 yǐwán 명《化》 에탄(ethane).
〔乙烯〕 yǐxī 명《化》 에틸렌(ethylene). ¶～气; 에틸렌 가스/～纤维; 비닐 섬유/～塑料管; 비닐 파이프/～树脂; 비닐 수지. =〔〈俗〉成chéng油气〕〔〈音〉以脱林〕〔生shēng油气〕
〔乙烯苯〕 yǐxīběn 명《化》 스티렌(styrene). ¶～化油; 스티렌화유(Styrene化油). =〔苯乙烯〕〔〈音〉斯sī替林〕
〔乙烯电线〕 yǐxī diànxiàn 명 비닐 전선(vinyl電線).
〔乙烯基〕 yǐxījī 명《化》 비닐기(Vinyl基). ¶～塑sù料; 비닐.
〔乙烯软管〕 yǐxī ruǎnguǎn 명 비닐 호스(vinyl hose).
〔乙酰〕 yǐxiān 명《化》 아세틸(acetyl).
〔乙酰胺〕 yǐxiān'àn 명《化》 아세트 아미드(acetamide).
〔乙酰胺基羟基苯胂酸〕 yǐxiān'ànjī qiǎngjī běnshènsuān 명 ⇨〔乙酰胺胂〕
〔乙酰胺胂〕 yǐxiān ànshèn 명《藥》 아세탄 졸. =〔乙酰胺基羟基苯胂酸〕
〔乙酰苯胺〕 yǐxiān běn'àn 명《藥》 아세트 아닐리드(acetanilide)(해열·진통제). =〔安ān替非布林〕〔安知歇貌林〕〔醋cù酰苯胺〕〔退tuì热冰〕
〔乙酰丙酮〕 yǐxiān bǐngtóng 명《化》 아세틸 아세톤(acetylacetone).
〔乙酰胆硷〕 yǐxiān dǎnjiǎn 명《化》 아세틸콜린(acetylcholine).
〔乙酰非那替汀〕 yǐxiān fēinàtìtīng 명 ⇨〔非那西丁〕
〔乙酰脲〕 yǐxiānniào 명《化》 아세틸 요소(尿素).
〔乙酰水杨酸〕 yǐxiān shuǐyángsuān 명 ⇨〔阿ā司匹林〕
〔乙酰纤维素〕 yǐxiān xiānwéisù 명《化》 아세틸 섬유소. 아세틸 셀룰로오스(acetylcellulose).
〔乙氧基苯脲〕 yǐyǎngjī běnniào 명《化》 둘친(독 Dulzin). =〔甘gān素〕
〔乙夜〕 yǐyè 명 ⇨〔二èr更〕
〔乙乙〕 yǐyǐ ⇨〔一yī一〕
〔乙种〕 yǐzhǒng 형 을종의. 베타(β)의. 비(B)의. ¶～维生素; 비타민 B.

〔乙种粒子〕 yǐzhǒng lìzǐ 명《物》베타 입자. =〔倍bèi塔粒子〕

〔乙种射线〕 yǐzhǒng shèxiàn 명《物》베타(β)선.

〔乙状结肠〕 yǐzhuàng jiécháng 명《生》S상(狀)결장.

〔乙字型钢〕 yǐzìxínggāng 명《工》Z형강. =〔Z字钢〕

钇(釔) yǐ (을) 명《化》이트륨(Y: yttrium)《희토류 금속 원소》.

已 yǐ (이) ①동 그치다. 멈추다. 그만두다. 끝나다. ¶学不可以~; 학습은 중지해서는 안 된다 / 相争不~; 서로 다투어 멈추지 않다 / 终无~时; 끝내 끝날 때가 없다. ②동 물러가다. 퇴관(退官)하다. ③부 몹시. 매우. 극히. ¶其细~甚; 극히〔지나치게〕잘다 / 不为~甚; 너무 심하게 하지 않다. ④부 이미. 벌써. ¶时间~过; 시간은 벌써 지났다. ⑤부〈文〉얼마 후. 얼마 있다가. 나중에. ¶~忽不见; 잠시 후 갑자기 보이지 않게 되다 / ~而; ⇓ / 当即应允, ~又悔之; 그 자리에서는 승낙했지만, 얼마 후 또 후회했다. ⑥조〈文〉…뿐. …따름《문장 끝에 오는 어기 조사》. =〔矣〕 ⑦〈文〉고서(古書)에서 '以'와 통용. ¶~上; 이상 / 自汉~后; 한대(漢代) 이후.

〔已而〕 yǐ'ér 접〈文〉그 뒤.

〔已后〕 yǐhòu 명부〈文〉금후. 앞으로.

〔已经〕 yǐjīng 부 벌써. 이미《흔히, 문말(文末)에 '了'를 수반함》. ¶工作~做完了; 일은 이미 끝냈다 / 他~回去了; 그는 벌써 돌아갔다.

〔已久〕 yǐ jiǔ 이미 오래다.

〔已就〕 yǐjiù 동〈文〉이미 끝나다. 이미 이루어지다. ¶~也~了; 이미 이렇게 되었다. 명 기정사실.

〔已决犯〕 yǐjuéfàn 명《法》기결범(旣決犯).

〔已来〕 yǐlái 명 이래(以來).

〔已然〕 yǐrán〈文〉이미 이러하다. 벌써 그렇게 되다. ¶与其补救于~, 不如防止于未然; 이미 일이 벌어진 후에 손을 쓰기보다는, 아직 일어나기 전에 방지하는 편이 낫다.

〔已甚〕 yǐshèn 형〈文〉지나치게 심하다. 극단적인 데가 있다.

〔已事〕 yǐshì 명〈文〉이전의 일. 기왕의 일.

〔已遂〕 yǐsuì 명《法》기수(旣遂). ¶~犯; 기수범. →〔未wèi遂〕

〔已往〕 yǐwǎng 명 과거. 이전. 지나간 일. ¶~不咎jiù;〈成〉기왕(旣往)의 일은 책하지 않겠다 / 不究~; 과거지사는 추궁하지 않는다.

〔已矣〕 yǐyǐ〈文〉이제 마지막이다《절망의 말》.

〔已有年所〕 yǐyǒu niánsuǒ〈文〉이미 오랜 세월이 흘렀다. =〔多duō历年所〕

〔已知数〕 yǐzhīshù 명《數》기지수(旣知數). ↔〔未wèi知数〕

〔已知项〕 yǐzhīxiàng 명《數》기지항(旣知項).

以〈吚, 㠯〉 yǐ (이) ①개 …을 근거로. …을 가지고. …로써. ¶~少胜多; 소수로써 다수를 이기다 / 赠之~鲜花; 그에게 생화를 선사하다 / 晓之~利害; 이해 득실로써 깨우치다 / ~理论为行动的指南; 이론을 행동의 지침으로 삼다 / ~合成橡皮代替天然橡皮; 합성 고무로 천연 고무를 대체하다 / ~代表的资格发言; 대표의 자격으로 발언하다. 注 '以…为…'는 '拿…当作'(…을 …로 하다)의 뜻 외에 '要算' '要数'(…한 편이다)의 뜻도 됨. →〔把〕〔使〕〔用〕〔拿〕 ②개 …에게 …을 주다《보통 '给…~'의 꼴을 씀》. ¶给我~力量; 내게 힘을 주다 / 给青年~教育; 청년에게 교육을 베풀다. 청년의 교육이 되다 / 给侵略者~致命的打击; 침략자에게 치명적인 타격을 주다. ③개 …이유로. …이므로. …때문에《원인을 나타냄》. ¶不~失败自馁, 不~成功自满; 실패했다고 좌절하지 않으며, 성공했다해서 자만하지 않다 / 何~知之; 어떻게 이것을 알고 있는가 / 我们~祖国有这样的英雄而自豪; 우리는 조국에 이와 같은 영웅이 있어서 자부심을 느낀다. →〔因〕〔因为〕 ④개 …대로. …에 따라서. ¶~次就坐; 순번대로 착석하다 / ~时启闭; 시간에 따라 열고 닫다 / ~貌取人; 용모로 사람을 채용하다 / ~次俱进; 순서에 따라 나아가다. →〔依〕〔顺〕〔按照〕 ⑤접〈文〉…하기 위하여《목적을 나타냄》. ¶遵守安全制度, ~免发生危险; 안전 규칙을 지키어, 위험이 발생치 않도록 하다. ⑥접〈文〉…함으로써. …하여 그 결과로《결과를 나타냄》. ¶不从此言, ~败其师; 이 말을 따르지 않았으므로, 그 군대를 패전으로 이끌었다 / 出言不慎, ~招大祸; 발언이 신중하지 않았기 때문에 큰 화를 불렀다. ⑦접〈文〉…하고《순접을 나타냄》. ¶循原路~归; 원래의 길을 따라서 돌아가다. =〔而〕 ⑧방향·장소·시간·수량 따위를 나타내는 말. ¶从此~后; 이로부터 이후 / 水平~上; 수준 이상 / 长江~南; 양쯔 강 이남 / 十年~内; 10년 이내. ⑨동〈文〉…이라 생각하다. …이라 여기다. ¶自~将见太平盛世也; 이제 곧 태평 성세가 올 것이라고 스스로 생각하고 있다. →〔以为〕 ⑩명〈文〉이유. 까닭. ¶不~人废言; 나쁜 사람이 한 말이라도 올바른 것은 존중한다 / 进步甚速, 良有~也; 진보가 매우 빠른 데는 실로 까닭이 있다. ⑪개〈文〉…에《때를 가리킴》. ¶我~二月廿四日生; 나는 2월 24일에 태어났다 / 中华人民共和国~1949年 10月 1日宣告成立; 중화인민 공화국은 1949년 10월 1일에 성립을 선언했다.

〔以暴易暴〕 yǐ bào yì bào〈成〉①폭력으로써 폭력에 대신하다. ②지배자는 바뀌어도 포악한 지배는 여전히 변함이 없다.

〔以备〕 yǐbèi …으로써 …에 대비하다. ¶多积蓄余粮, ~荒年; 잉여 곡물을 축적하여, 흉년에 대비한다.

〔以便〕 yǐbiàn〈文〉…하기에 편리하도록. …하기 위해. ¶…尚希详示, ~进一步具体研究; 더욱 구체적으로 연구할 수 있도록 상세히 알려 주십시오.

〔以此〕 yǐcǐ 이(것으)로써. 그(것으)로써. 이 때문에.

〔以次〕 yǐcì 부〈文〉순서에 따라. 차례로. ¶主人~给来宾斟酒; 주인은 차례로 내빈에게 술을 따랐다 / ~报上名来; 차례로 신청하다. 형 이하(以下)의. 다음의. ¶~各章; 다음〔이하〕의 각 장.

〔以刀对刀〕 yǐ dāo duì dāo〈成〉⇨〔以眼还眼, 以牙还牙〕

〔以德报怨〕 yǐ dé bào yuàn〈成〉덕으로 원한을 갚다.

〔以点带面〕 yǐ diǎn dài miàn〈成〉점을 면(面)으로 확대시키다《선진적인 분야에 의해서 후퇴적인 분야를 끌고 가다. 전형을 일반화하다》. ¶加强组织领导, 树立样板, 开小型现场会, ~; 조직 지도를 강화하여, 시범 지구를 설치하고, 소형의

현장 학습회를 열어, 어느 특정 지역에서 얻은 경험이나 성과를 전 지역에 걸쳐 확대시키다.
〔以斗争求团结〕 yǐ dòuzhēng qiú tuánjié 투쟁을 통해서 단결을 구하다.
〔以毒攻毒〕 yǐ dú gōng dú 〈成〉 ①독으로써 독을 제어하다. 이독제독(以毒制毒). ¶～, 以火攻火; 〈諺〉 독으로써 독을 물리치고, 불로써 불을 공략하다. ②악인을 물리치는 데 다른 악인을 이용하다.
〔以讹传讹〕 yǐ é chuán é 〈成〉 본디 바르지 않은 말을 또 잘못되게 전하다. 헛소문이 꼬리를 물고 번져 가다.
〔以耳代目〕 yǐ ěr dài mù 〈成〉 보지 않고 듣기만 하다. 스스로 조사하지 않고 남의 말을 믿다.
〔以丰补歉〕 yǐ fēng bǔ qiàn 〈成〉 풍년든 해에 비축하여 흉년에 대비하다.
〔以副养农〕 yǐ fù yǎng nóng 〈成〉 부업으로 농업을 발전시키다.
〔以工代赈〕 yǐ gōng dài zhèn 〈成〉 노역으로써 구제를 갈음하다. 일을 주어 구제하다.
〔以公为公〕 yǐ gōng wéi gōng 〈成〉 공평하여 편파적인 처리를 하지 않다.
〔以攻为守〕 yǐ gōng wéi shǒu 〈成〉 공격으로써 수비의 수단으로 삼다.
〔以古非今〕 yǐ gǔ fēi jīn 〈成〉 옛일을 들어서 지금의 일을 비난하다.
〔以故〕 yǐgù 접 ⇨〔因yīn此〕
〔以寡敌众〕 yǐ guǎ dí zhòng 〈成〉 소수로써 다수에 맞서다. 작은 세력으로 큰 세력과 맞서다.
〔以官济私〕 yǐ guān jì sī 〈成〉 공직을 이용하여 사리를 도모하다.
〔以管窥天, 以蠡测海〕 yǐ guān kuī tiān, yǐ lí cè hǎi 〈成〉 대나무관의 작은 구멍을 통해 하늘을 보고 표주박으로 바닷물을 되다. 〈比〉 견식이 편면적이고 좁아서 사물의 전체를 보지 못하다. =〔以管窥天, 以蠡酌海〕〔管窥蠡测〕〔蠡测管窥〕 →〔管中窥天〕
〔以好换好〕 yǐ hǎo huàn hǎo 〈成〉 서로 잘 대우〔예우〕하다. ¶必须～才能处chǔ得长; 서로 잘 대하지 않으면 교제는 오래 지속되지 않는다.
〔以后〕 yǐhòu 명 ①그 후. 금후. ¶从今～; 오늘 이후 / 三天～; 3일 후 / ～怎么样了? 그 후 어떻게 되었습니까? / ～有时间, 去我家玩儿吧; 나중에 틈이 생기면, 집에 놀러 오시오. ②…이후. ¶他走了～你才来; 그가 간 뒤에 네가 왔다. 注 '后来'와의 차이(差異)는 '～'는 과거·미래 양쪽에 쓸 수 있으나, '后来'는 과거에만 쓰임. →〔后来〕
〔以还〕 yǐhuán 명 ⇨〔以来①〕
〔以火救火〕 yǐ huǒ jiù huǒ 〈成〉 불로 불을 끄다《오히려 역효과를 가져오다》. ¶他这办法是～, 会越搞越糟的; 그의 저 방식은 오히려 역효과를 가져와, 하면 할수록 더 나빠질 것이다. =〔以汤沃沸〕〔以汤止沸〕
〔以货换货〕 yǐ huò huàn huò 〈成〉 ⇨〔以货易货〕
〔以货易货〕 yǐ huò yì huò 《商》〈成〉 바터(barter)(방식으로 거래하다). 물물교환하다. =〔以货换货〕〔以物易物〕〔实物交易〕〔用货换货〕
〔以及〕 yǐjí 접 ①및. 아울러. 그리고. 注 '～'는 '及'와는 달리 주어와 술어를 갖춘 문장 형식의 구조(構造)도 접속함. ¶我已经忘记了怎么和他初次会见, ～他怎么能到了韩国的; 나는 그와 어떻게 하여 처음 만났는지, 또 그가 어떻게 한국에 올 수 있었는지 벌써 잊었다. ②…까지. ¶由近～远; 가까운 데서부터 먼 데까지 / 孔子～孔乙己的时代是一去不复回了; 공자로부터 공을기(孔乙己)에 이르는 시대는 이미 가고 다시는 돌아오지 않게 되었다. =〔以至③〕
〔以己度人〕 yǐ jǐ duó rén 〈成〉 자신의 생각으로 남을 헤아리다《주관(主觀)으로 남을 판단하다》.
〔以假乱真〕 yǐ jiǎ luàn zhēn 〈成〉 속임수를 써서 진상을 숨기다.
〔以降〕 yǐjiàng 명 …이후. …이래.
〔以来〕 yǐlái 명 ①이래. 동안. ¶有生～; 탄생하여 지금까지 / 自古～; 자고이래. 예로부터. =〔以还〕 ②〈文〉 남짓. ¶望其年岁, 不过三十～; 보아하니, 나이는 불과 서른 남짓이다.
〔以烂为烂〕 yǐ làn wéi làn 〈成〉 되는 대로 내맡기다. 팽개쳐 버리다. ¶怕什么, ～, 泼着坛坛碰罐罐; 무얼 걱정하느냐, 될대로 되겠지. 병과 항아리가 부딪쳐서 깨지든 말든 내버려 둬라.
〔以老带新〕 yǐ lǎo dài xīn 〈成〉 경험이 많은 사람이 몸소 신인(新人)을 지도하다.
〔以老卖老〕 yǐ lǎo mài lǎo 〈成〉 ⇨〔倚老卖老〕
〔以蠡测海〕 yǐ lí cè hǎi 〈成〉 조가비로 바닷물을 재다《견식이 좁음》. =〔管guǎn窥蠡测〕〔以蠡酌zhuó海〕
〔以里〕 yǐlǐ 명 〈文〉 이내. ¶三年～; 3년 이내.
〔以理服人〕 yǐ lǐ fú rén 〈成〉 이치로 남을 설득하다.
〔以理推度〕 yǐ lǐ tuī duó 〈成〉 사리에 맞게 추측하다.
〔以力服人〕 yǐ lì fú rén 〈成〉 힘으로 남을 복종시키다.
〔以利(于)〕 yǐlì(yú) 〈文〉 (…에) 이롭게〔도움이 되도록〕.
〔以粮为纲〕 yǐ liáng wéi gāng 〈成〉 식량 증산을 경제 시책의 중심에 두다.
〔以邻为壑〕 yǐ lín wéi hè 〈成〉 이웃 나라를 큰 배수구로 삼아 자국(自國)의 홍수(洪水)를 그 곳에 배수(排水)하다《재난을 딴 데로 떠맡기다》.
〔以卵击石〕 yǐ luǎn jī shí 〈成〉 힘이 미치지 못하다. 분수에 맞지 않는 일을 하다. 무리한 짓이다. ¶从彼此的实力来看, 无可否认, A队是～, 取胜机会是微乎其微的; 서로의 실력을 볼 때, A팀에게는 달걀로 바위를 치는 식이라, 승리의 기회가 아주 미미함을 부정할 수 없다. =〔以卵投石〕
〔以卵投石〕 yǐ luǎn tóu shí 〈成〉 ⇨〔以卵击石〕
〔以毛作净〕 yǐ máo zuò jìng 《商》 포장한 채로 상품의 중량을 계산하는 방법.
〔以貌取人〕 yǐ mào qǔ rén 〈成〉 외관(外觀)만으로 인품·능력을 판단하다.
〔以免〕 yǐmiǎn 〈文〉 …하지 않(아도 되)도록. …않기 위해서. ¶举行清洁运动, ～发生传染病; 전염병이 발생하지 않도록 청결 운동을 벌이다 / 一切都要写在合同上, ～后来有纠纷; 나중에 말썽이 생기지 않도록 일체를 계약서에 써 놓는다.
〔以目乱纲〕 yǐ mù luàn gāng 〈成〉 목(目)으로 강(綱)을 어지럽히다《말초적인 일로 대본(大本)을 어지럽히다》.
〔以内〕 yǐnèi 명 이내. ¶五十人～; 50명 이내 / 本年～; 금년 안(에).
〔以偏概全〕 yǐ piān gài quán 〈成〉 한쪽만 보고 전부가 그렇다고 하다. 일부로 전체를 평가하다.
〔以前〕 yǐqián 명 ①…전에. …까지에. ¶你来～他就去了; 네가 오기 전에 그는 가버렸다. ②이전. ¶我～不知道, 现在才知道; 나는 이전에는 몰랐는데 지금 처음 알았다.

〔以勤补拙〕 yǐ qín bǔ zhuō〈成〉부지런함으로써 졸렬함을 벌충하다.
〔以求一逞〕 yǐ qiú yī chěng〈成〉그릇된 목적〔야망(野望)〕을 이루려고 하다.
〔以屈求伸〕 yǐ qū qiú shēn〈成〉굽힘으로써 뻗다《일시 굴하여 장래 발전의 길을 찾다》.
〔以肉喂虎〕 yǐ ròu wèi hǔ〈成〉호랑이에게 고기를 주고 도리어 해를 입다《악인에게 은혜를 베풀고 오히려 해를 당하다》. ¶你这样纵容恶人, 不是等于～吗; 너 같이 이렇게 나쁜 놈을 방임해 두는 것은, 호랑이에게 고기를 주어 키우는 것이나 같지 않느냐?
〔以色列〕 Yǐsèliè 명《地》〈音〉이스라엘(Israel)《수도는 '耶Yē路撒冷'(Jerusalem: 예루살렘)》.
〔以上〕 yǐshàng ① 명 이상. 이보다 위. 여기까지. 앞에서 말한 것. 상기한 것. ¶～就是准备阶段; 이상은 준비 단계이다 / ～所说的是方针问题; 이상 말한 것은 방침에 대한 문제이다. ②…보다 위. …보다 뛰어나다《위치·순서·숫자 등에 쓰임》. ¶成绩在他～; 성적은 그보다 낫다 / 十万～; 10만 이상 / 半山～石级更陡; 산 중턱 위로부터는 돌계단이 더 가파르다.
〔以少胜多〕 yǐ shǎo shèng duō〈成〉소수로써 다수에 이기다.
〔以身试法〕 yǐ shēn shì fǎ〈成〉일신을 내던져 법률의 힘을 시험해 보다. 생명의 위험을 무릅쓰고 법률을 어기다.
〔以身殉职〕 yǐ shēn xùn zhí〈成〉목숨을 바쳐 직분을 다하다. 순직하다.
〔以身作则〕 yǐ shēn zuò zé〈成〉몸소 모범을 보이다. ¶你做班长的不能～, 怎么能领导别人呢? 반장인 네가 모범을 보이지 않고, 어떻게 남을 영도해 갈 수 있겠느냐?
〔以升量石〕 yǐ shēng liáng dàn〈成〉소인은 군자의 뜻을 헤아리지 못한다. 좁은 식견으로 큰 인물을 평가할 수 없다.
〔以示〕 yǐshì …로써 …을 나타내다. …을 보이다. ¶从轻发落, ～宽大; 가볍게 처벌하여 관대함을 보이다.
〔以势压人〕 yǐ shì yā rén〈成〉세력으로써 남을 압박하다. →〔仗zhàng势〕
〔以手加额〕 yǐ shǒu jiā é〈成〉이마에 손을 대다《전에는 기쁨이나 축하의 뜻을 표하는 동작을 이르던 말. 현재는 말만으로 예(禮)가 따르지 않음을 이름》.
〔以熟带生〕 yǐ shú dài shēng〈成〉익숙한 일에서부터 시작하여 익숙하지 않은 면에까지 내치다.
〔以税代利〕 yǐ shuì dài lì ⇨〔利改税〕
〔以太〕 yǐtài 명《化》〈音〉에테르(ether). =〔以脱〕〔以泰〕〔伊脱〕〔依yī的儿〕〔依打〕
〔以汤沃沸〕 yǐ tāng wò fèi〈成〉⇨〔以火救火〕
〔以汤沃雪〕 yǐ tāng wò xuě〈比〉간단히 성취함. 거저먹기.
〔以汤止沸〕 yǐ tāng zhǐ fèi〈成〉뜨거운 물로 끓는 것을 멈추게 하다《오히려 역효과를 가져옴》.
〔以脱〕 yǐtuō 명《化》⇨〔以太〕
〔以脱林〕 yǐtuōlín 명《化》에틸렌(ethylene). =〔生油气〕〔乙烯〕〔二碳烯〕
〔以歪就歪〕 yǐ wāi jiù wāi〈成〉⇨〔将jiāng错就错〕
〔以外〕 yǐwài 명 ①이외. …보다도 밖. ¶除(了)…～; …을 제외하고. 그 이외 / 办公室～; 사무실 이외 / 除此～, 还有一点要注意; 이것 이외에도 주의해야 할 것이 더 있다. ②이상. ¶十天～; 열흘 이상.
〔以往〕 yǐwǎng 명 옛날. 이전. 기왕. 과거. ¶～不究; 기왕지사는 추궁하지 않는다 / 比～任何时候都好; 과거의 어느 때보다도 좋다 / 搞得比～好多了; 전보다 훨씬 잘 하다.
〔以为〕 yǐwéi 동 (주관적으로) 생각하다. (조심스럽게) …라고 여기다. ¶我～你错了; 자네가 틀린 줄로 생각했다 / 这部电影我～很有教育意义; 이 영화를 나는 크게 교육적 의의가 있다고 생각했다 / 我～是谁呢, 原来是你! 누군가 했더니 자네였군! / 不～然; 그렇게 여기지 않는다. →〔觉得②〕〔当做〕
〔以物计数〕 yǐ wù jì shù〈成〉물건으로 계산하다.
〔以物易物〕 yǐ wù yì wù〈成〉⇨〔以货易货〕
〔以下〕 yǐxià 명 ①…이하. 어느 한도의 아래. ¶十四岁～的儿童们; 14세 이하의 아동. ②이하. 이보다 아래. 이로부터 이후. ¶～的话就不必提了; 그 다음의 말은 말할 필요가 없다 / 提他都不成, ～就更甭提了; 그를 내세워도 안 되었으니까, 그 다음 일은 더군다나 내세울 필요가 없다 / ～同此; 이하 같다.
〔以心比心〕 yǐ xīn bǐ xīn〈成〉⇨〔将jiāng心比心〕
〔以虚带实〕 yǐ xū dài shí〈成〉사상·이론에 의해서 실제상의 일을 이끌다.
〔以血洗血〕 yǐ xuè xǐ xuè〈成〉살육으로써 살육을 갚다. 피로써 피를 씻다《피로써 피맺힌 원수를 갚다》.
〔以眼还眼, 以牙还牙〕 yǐ yǎn huán yǎn, yǐ yá huán yá〈成〉눈에는 눈, 이에는 이. =〔以刀对刀〕
〔以一当十〕 yǐ yī dāng shí〈成〉한 사람이 열 사람을 상대하다.
〔以一儆百〕 yǐ yī jǐng bǎi〈成〉⇨〔杀shā一儆百〕
〔以义为利〕 yǐ yì wéi lì〈諺〉의(義)를 중시하면 이익이 된다《장사에서는 이(利)보다 의(義)를 더 중시함》.
〔以逸待劳〕 yǐ yì dài láo〈成〉예기(銳氣)를 길러 지친 적을 치다《전쟁 때 수세(守勢)를 취해 세력을 온존(溫存)하게 하고, 적(敵)이 공격하게 하여 상대를 지치게 만듦》.
〔以远〕 yǐyuǎn 명 이원《철도·항공로 등에서 어느 지점보다 먼 일》. 그 곳보다 먼 곳.
〔以怨报德〕 yǐ yuàn bào dé〈成〉원한으로 은혜에 보답하다.
〔以战养战〕 yǐ zhàn yǎng zhàn〈成〉전쟁으로 전쟁에 필요한 것을 조달하다.
〔以直报怨〕 yǐ zhí bào yuàn〈成〉정의로써 원한을 갚다. ¶不必以德报怨, 只要～就够公平了; 덕으로써 원한을 갚을 필요도 없다. 정의로써 원한을 갚으면 공평하다.
〔以至〕 yǐzhì ①…까지. …에 이르기까지《시간·수량·정도·범위 위에서 직선적으로 계속 뻗음을 나타냄》. ¶怎么能逐步缩小～最后消灭三大差别呢? 어떻게 삼대(三大) 격차를 착실히 줄여 나가서, 최종적으로 소멸시킬 수 있게 할 수 있을 것인가? →〔直到〕 ②…때문에. …로 하여《아래 문장 첫머리에 쓰이어, 앞 문장에서 말한 동작이나 정황의 정도가 매우 심해서 형성된 결과를 나타냄》. ¶他非常用心地写生, ～野地里刮起风沙来也不理会; 그는 열심히 사생하고 있었기 때문에 들판에 모래바람이 일고 있는 것도 모를 정도였다 / 形势的发

展十分迅速，～使很多人感到惊奇；정세의 발전이 무척 급속했으므로, 많은 사람에게 경이를 느끼게 했을 정도였다. =〔因而〕③ ⇨〔以及②〕

〔以致〕yǐzhì (그) 때문에 …하기에 이르다〔…하게 되다〕. …라는 결과를 가져오다(흔히, 바람직하지 않은 결과를 이름). ¶他事先没有充分调查研究，～做出了错误的结论；그는 사전에 충분히 조사·연구를 하지 않았기 때문에 잘못된 결론을 내게 되었다 / 他平日不用功，～考试不及格；그는 평소에 공부를 하지 않았으므로, 그 때문에 시험 불합격이란 결과가 됐다.

〔以重挤农〕yǐ zhòng jǐ nóng 〈成〉 중공업으로 농업을 압박하다.

〔以珠弹雀〕yǐ zhū tán què 〈成〉 진주로 참새를 쏘다. 〈比〉 사물의 경중을 모르다. →〔明míng珠弹雀〕

〔以资〕yǐzī 로써 …에 이바지하다. …의 도움이 되도록 …하다. ¶～证明；증거로 삼다 / ～弥补；결점을 메우다 / 搜集各种资料，～研究；연구에 도움이 되도록 각종 자료를 찾아 모으다.

〔以子之矛，攻子之盾〕yǐ zǐ zhī máo, gōng zǐ zhī dùn 〈成〉 네 창으로 네 방패를 찔러라(상대의 언론으로 상대의 견해의 모순을 반박하는 일).

苡 yǐ (이)
명 《植》 율무. =〔薏yì苡〕

矣 yǐ (의)
조 〈文〉 ①완료를 나타냄. ¶五年于兹～；현재까지 5년이 된다 / 此事准备久～；이 일은 오래 전부터 준비하고 있다. ②결정·판단을 나타냄. ¶如此则事危～；이와 같다면 일은 위험하다 / 暴风雨将至～；폭풍우가 온다. ③감탄을 나타냄. ¶大～哉！크기도 하도다！크기도 할진저！/ 久～！吾不复梦见周公；주공의 꿈을 꾸지 않게 된 지 오래구나. →〔哉③〕 ④명령을 나타냄. ¶往～！毋多言！가거라！잔소리 말고！/ 行～！前途且无限也；가거라！앞날은 무한하다. ⑤전환구(轉換句) 중에서 어기(語氣)가 잠시 멈춤을 나타냄. ¶尽美～，未尽善；더할 수 없이 아름답기는 하나, 더 할 수 없이 착하지는 않다.

尾 yǐ (미)
(～儿) 명 ①〈俗〉 말총. ¶马～儿；말꼬리의 털 / ～罗luó；말총으로 만든 체. ②귀뚜라미 꽁무니에 있는 바늘 모양의 것. ¶三～儿；암귀뚜라미. ⇒wěi

〔尾巴(儿)〕yǐba(r) 명 〈俗〉 꽁지. 꼬리. ¶留个～；꼬리를 남기다(여지를 남기다).

〔尾儿〕yǐr 명 말꼬리. ¶马～；말꼬리.

迤〈迆〉 yǐ (이)
①형 지세(地勢)가 비스듬히 뻗다. ②(장소·방향에 관한) …일대(一帶). …측(側). ¶天安门～西是中山公园；천안문의 서쪽이 중산 공원이다. ⇒yí

〔迤东〕yǐdong 명 〈文〉 이동(以東). 여기서부터〔여기에서〕 동쪽.

〔迤逗〕yǐdòu 동 〈古白〉 유혹하다. 도발하다.

〔迤逦〕yǐlǐ 형 꾸불꾸불 이어지는 모양. ¶队伍沿着山路，～而行；대열은 산길을 따라 꾸불꾸불 길게 이어져서 행진한다 / ～群山；꾸불꾸불 연이은 뭇 산.

〔迤迤〕yǐyǐ 형 〈文〉 길게 이어져서 뻗어나간 모양.

苢 yǐ (이)
→〔芣fú苢〕

酏 yǐ (이)
명 ①〈文〉 기장죽. ②《藥》〈簡〉 엘릭시르(elixir). →〔酏剂〕

〔酏剂〕yǐjì 명 《藥》 엘릭시르(elixir)제(약의 쓴맛을 없애기 위하여 향료와 감미제를 섞은 알코올성 약제).

蚁(蟻〈螘〉①) yǐ (의)
명 ①《蟲》 개미. ¶工～；일개미 / 蚂～；개미 / 雌～；여왕개미 / 兵～；병정개미. ②성(姓)의 하나.

〔蚁蚕〕yǐcán 명 《蟲》 갓 부화한 누에.

〔蚁垤〕yǐdié 명 개밋둑.

〔蚁封〕yǐfēng 명 개미집.

〔蚁负粒米，象负千斤〕yǐ fù lì mǐ, xiàng fù qiān jīn 〈成〉 개미는 쌀 한 알을 지고, 코끼리는 천 근을 진다(모두 각자의 능력에 따라 힘을 다하다). ¶这件事咱们～；이 일에 관해서는 우리들이 각자 능력껏 힘을 다하자.

〔蚁附〕yǐfù 동 ①(개미처럼) 떼지어 붙다. ¶敌军都向我军～归降；적군은 아군에게 개미 떼처럼 줄줄이 투항하였다. ②(성벽 따위를) 개미처럼 달라붙어 올라가다.

〔蚁合〕yǐhé 동 개미떼처럼 모이다. ¶～的盗贼，不堪一击；개미떼처럼 모인 도적들을 일격에 쫓아 버린다. =〔蚁聚〕

〔蚁集〕yǐjí 동 개미 떼처럼 모이다. 군집하다. =〔蚁聚jù〕

〔蚁结〕yǐjié 동 개미 떼처럼 많은 비적(匪賊)이 결탁해 모이다.

〔蚁聚〕yǐjù 동 ⇨〔蚁合〕

〔蚁孔〕yǐkǒng 명 ⇨〔蚁穴〕

〔蚁寇〕yǐkòu 명 개미처럼 모인 도적들.

〔蚁溃〕yǐkuì 동 의궤하다(개미가 흩어지는 것처럼 흩어져 도망가는 일). ¶败兵像～似地四散奔跑；패잔병은 개미떼가 흩어지듯 산산이 흩어져 도망갔다.

〔蚁慕〕yǐmù 동 〈翰〉 개미가 양고기를〔비린내나는 것을〕 좇듯이 흠모〔앙모〕하다.

〔蚁醛〕yǐquán 명 《化》 포름알데히드(formaldehyde).

〔蚁醛溶液〕yǐquán róngyè 명 《化》 포르말린(formalin). =〔甲jiǎ醛(溶)液〕

〔蚁酸〕yǐsuān 명 《化》 포름산(formic酸).

〔蚁窝〕yǐwō 명 개미집.

〔蚁行〕yǐxíng 동 〈比〉〈文〉 지지부진 나아가지 않다.

〔蚁穴〕yǐxué 명 ①의혈. 개미굴. ②〈比〉 큰 일을 유발하는 작은 일. ¶千里之堤，溃于～；〈諺〉 천 리의 둑도 개미구멍으로부터 무너진다. ‖ =〔蚁孔〕

〔蚁蜘〕yǐzhī 명 《蟲》 개미거미.

舣(艤〈檥〉) yǐ (의)
동 정박하다. (배를) 강가에 대다. ¶～舟以待；배를 강가에 대고 기다리다.

倚 yǐ (의)
동 ①(몸을) 기대다. ¶～门；문에 기대다 / ～着门框站；문설주에 기대 서다. ②믿다. 의지하다. 빌붙다. ¶～势欺人；⇩ / ～老卖老；⇩ ③〈文〉 편벽지다. 치우치다. ¶不偏不～；불편 부당(不偏不黨). ④〈文〉 가락을 맞추다. ¶～瑟而歌；거문고에 맞춰서 노래 부르다.

〔倚傍〕yǐbàng 동 ①기대다. 바싹 다가서다. ¶～

在我身旁; 내 곁으로 바싹 다가서다. ②〈文〉 흉내내다. 배우다.
〔倚财仗势〕 yǐ cái zhàng shì 〈成〉 돈이나 권력을 믿고 우쭐대다.
〔倚草附木〕 yǐ cǎo fù mù 〈成〉 무슨 일이나 남에게 의지하려 하다. ¶他一进入社会就想拉点儿人事关系, ～地攀缘上去; 그는 사회에 나가자마자 조그마한 연줄이라도 잡고, 그것을 의지해서 출세하려 하고 있다.
〔倚疯儿撒邪〕 yǐ fēngr sā xié 〈成〉 미친 척하고 광태를 부리다. ¶你别～地胡闹, 我可不吃那套; 미친척하고 허튼 수작을 부려도, 나는 그런 수에는 안 넘어간다.
〔倚伏〕 yǐfú 명 〈文〉 상관 관계에 있는 일. ¶互为～; 서로 도움을 주고받다.
〔倚负〕 yǐfù 동 기대다. 의뢰하다.
〔倚官仗势〕 yǐ guān zhàng shì 〈成〉 관의 세력을 방패삼다. ¶～地作威作福; 관의 세력을 업고 위세부리며 호강하다.
〔倚己〕 yǐjǐ 동 자기의 힘에 의지하다. ¶～不倚人是最可靠的; 자기를 믿고 남에게 의지하지 않는 것이 가장 확실하다.
〔倚靠〕 yǐkào 동 ①(몸을 무엇에) 기대다. ¶全身～在板壁上; 전신을 판벽에 기대고 있다. ②믿다. 의지하다. 의탁하다. ¶有所～; 믿는 데가 있다 / ～官势, 欺压国民; 관리의 세력을 등에 업고 국민을 압박하다 / 令后唯有～您老人家栽培了; 앞으로는 오직 당신의 후원만 믿을 뿐입니다. =〔倚托〕 명 믿고 의지하는 사람. ¶嫁个丈夫作终身～; 남자한테 시집 가서 평생 의지하다. =〔倚恃〕 ‖ →〔倚仗〕
〔倚赖〕 yǐlài 동 의지하다. 힘입다. ¶振作起来, 不要～人; 분발해서 남에게 기대지 마라. →〔依yī赖〕
〔倚栏缦立〕 yǐ lán màn lì 〈成〉 난간에 기대어 가만히 서 있는 모양.
〔倚老卖老〕 yǐ lǎo mài lǎo 〈成〉 나이를 내세워 뻔뻔스럽게 굴다. 나이 먹은 티를 내다. ¶此人～, 不通时务, 原也有点讨厌; 이 사람은 늙은 티만 내고 세상일엔 캄캄해서, 본디 좀 역겨운 데가 있어. =〔依yī老卖老〕〔以老卖老〕
〔倚马可待〕 yǐ mǎ kě dài 〈成〉 ⇨〔倚马千言〕
〔倚马千言〕 yǐ mǎ qiān yán 〈成〉 문장(文章)을 즉석에서 지음《문재(文才)가 뛰어남》. =〔倚马可待〕
〔倚门〕 yǐmén 동 〈文〉 문에 기대다. ¶～而望; 자식을 간절히 기다리다 / ～卖笑; 〈比〉 웃음을 팔다.
〔倚门倚闾〕 yǐ mén yǐ lǘ 〈成〉 어머니가 자식을 생각하는 마음. 의려지망(倚閭之望)《자식의 귀가를 문간에서 기다리는 데서 유래》.
〔倚势〕 yǐshì 동 세력을 믿다. 권세를 등에 업다. =〔倚恃〕〔仗zhàng势〕
〔倚势凌人〕 yǐ shì líng rén 〈成〉 ⇨〔倚势欺人〕
〔倚势欺人〕 yǐ shì qī rén 〈成〉 권력을 믿고 남을 괴롭히다. =〔倚势仗势〕〔倚势凌人〕
〔倚势仗势〕 yǐ shì zhàng shì 〈成〉 ⇨〔倚势欺人〕
〔倚恃〕 yǐshì 동 ⇨〔倚势〕 명 ⇨〔倚靠〕
〔倚托〕 yǐtuō 동 ⇨〔倚靠②〕
〔倚歪就歪〕 yǐ wāi jiù wāi 〈成〉 ⇨〔将jiāng错就错〕
〔倚仗〕 yǐzhàng 동 ①의지하다. 기대다. 믿다. 등대다. ¶～力气大; 강한 힘에 의지하다 / ～权势; (남의) 권세에 등대다. ②구실로 삼다. ¶拿孩子当～; 아이를 구실로 삼다.
〔倚重〕 yǐzhòng 동 ①중시(重視)하다. 신뢰하다. ¶他很能干, 所以深得长官的～; 그는 유능하므로 장관의 신임이 두텁다. ②(남의 힘이나 명성에) 의지하다. 기대다. ¶这件事只有～老兄了; 이 건에 관해서는 노형을 의지할 수밖에 없습니다.

椅 yǐ (의)
(～子) 명 (등널이 있는) 의자. ¶藤téng～; 등나무 의자 / 安乐～; 안락 의자 / 折zhé合～子; 접는 의자 / 躺tǎng～; 드러누울 수 있는 긴 의자 / 太师～ =〔大圈～〕; 가죽을 댄 등받이 의자. ⇒yī
〔椅背〕 yǐbèi 명 의자의 등널. →〔靠椅〕
〔椅车〕 yǐchē 명 손수레.
〔椅凳〕 yǐdèng 명 의자와 걸상《등널이 있는 것과 없는 것》.
〔椅垫(儿, 子)〕 yǐdiàn(r, zi) 명 ①쿠션. ②의자에 까는 방석. ‖ =〔椅褥〕
〔椅靠子〕 yǐkàozi 명 의자의 등받이. =〔椅背〕
〔椅披〕 yǐpī 명 의자에 씌우는 장식용 천《등받이 앞에 걸쳐 늘어뜨림. 앉는 곳에 '椅垫儿'(방석)을 얹음》.
〔椅褥〕 yǐrù 명 ⇨〔椅垫(儿, 子)〕
〔椅套〕 yǐtào 명 의자 커버〔씌우개〕. ¶配上～; 의자 커버를 씌우다.
〔椅屉儿〕 yǐtìr 명 의자의 허리께의 떼었다 붙였다 하는 부분.
〔椅子〕 yǐzi 명 의자.
〔椅子车〕 yǐzichē 명 ⇨〔轮lún椅〕
〔椅(子)腿(儿)〕 yǐ(zi)tuǐ(r) 명 의자의 다리.

旖 yǐ (의)
→〔旖旎〕
〔旖旎〕 yǐnǐ 형 〈文〉 (기가) 바람에 나부끼는 모양. 〈轉〉 유화(柔和)하고 아름답다. 온화하다. 유순하다. ¶～风光; 온화하고 아름다운 경치. =〔娇柔〕

踦 yǐ (의)
동 힘껏 버티다. 의지하다. 지탱하다. ⇒qī

齮(齮) yǐ (의)
동 〈文〉 (깨)물다. 갉다. 물어뜯다.
〔齮龁〕 yǐhé 동 〈文〉 ①갉아먹다. 깨물다. ②남의 재능을 시기하고 배척하다.

扆 yǐ (의)
〈文〉 옛날, 천자의 거처에 치던 수놓은 칸막이의 일종.

顗(顗) yǐ (의)
형 〈文〉 편안하다. 조용하다《주로 인명용 자(字)로 많이 쓰임》.

蛾〈螘〉 yǐ (의)
'蚁yǐ'와 통용. ⇒é

乂 yì (예)
〈文〉 ①동 다스리다. 다스려지다. 안정되다. ¶海内～安; 나라가 잘 다스려져서 안정되다. ②명 준재(俊才). 유능한 사람. ¶俊jùn～; 준예. 영재. ‖ =〔艾③〕

刈〈茢〉 yì (예)
①명 낫. ②동 (풀이나 곡식을) 베다. ¶～除杂草; 잡초를 베다.
〔刈草机〕 yìcǎojī 명 풀 베는 기계. =〔割gē草机〕

艾 yì (예)
〈文〉①동 베다. 거두어들이다. ¶一年不～, 而百姓饥; 한 해 수확이 없으면 백성이 굶주린다 / ～杀; 베다. 평정하다. ②동 끊어지다. 그치다. 멈추다. ¶方兴未～; 흥하여 멈추지 않다. 한창 때이다 / 自怨自～; 자신의 과오를 뉘우쳐 고치다. ③'乂yì'와 통용. ⇒ài

义(義) yì (의)
명 ①인간이 지켜야 할 도리. 정의. 의(義). ¶见～勇为; 의로운 것을 보고 용감히 나서서 하다 / ～战; ⇩ / 道～; 도의 / 大～灭亲; 국가의 대의를 위해서 부모 형제도 돌보지 않다. ②정의에 합당한 일. 의로운 일. ¶～举; ⇩ / 起～; 의병을 일으키다. ③의리. 정의(情誼). ¶无情无～; 피도 눈물도 없다 / 情～; 정의(情誼). ④인공(人工)의 것. 대용으로 하는 것. ¶～齿; ⇩ / ～肢; ⇩ ⑤의미. 의의. ¶定～; 정의 / 字～; 글자의 뜻. ⑥의리의 관계. 의로 맺은 친족 관계. ¶～父; 의부 / 结jié～; 결의 형제하다. 의형제를 맺다. ⑦공익을 위한 것. 봉사적인 것. ¶～演; ⇩ / ～卖; ⇩ ⑧ (Yì) 성(姓)의 하나.

〔义兵〕 yìbīng 명 ①의병. 정의를 위해 일어난 군사. ②의용병. ¶～四起; 의병이 사방에서 일어나다.
〔义不容辞〕 yì bù róng cí 〈成〉 의리상 하지 않을 수 없다. 도의상(道義上) 거절할 수 없다. ¶为了维护大众利益～地承担起了这个责任; 대중의 이익을 위하여 대의 명분상 거절하지 못하고 이 책임을 졌다.
〔义仓〕 yìcāng 명 의창(옛날, 흉년에 대비하여 미곡을 저장해둔 공동 창고). ¶开～赈zhèn灾; 의창을 열어 재해 구제를 하다.
〔义齿〕 yìchǐ 명 의치. 틀니. =〔假jiǎ牙〕
〔义大利〕 Yìdàlì 명 ⇨〔意大利〕
〔义胆〕 yìdǎn 명 〈文〉 정의의 마음.
〔义地〕 yìdì 명 ①옛날, 가난한 사람을 위한 공동 묘지. ②개인 또는 단체에서 출자해서 만든 묘지.
〔义儿〕 yì'ér 명 수양 아들.
〔义弟〕 yìdì 명 결의 형제를 맺은 아우. =〔义兄弟di〕〔契qì弟〕〔如rú弟〕
〔义愤〕 yìfèn 명 의분. 정의의 분노. ¶～激jī昂; 의분에 불타다.
〔义愤填胸〕 yì fèn tián xiōng 〈成〉 의분이 가슴에 꽉 차 있다. ¶全国人民～, 一致痛斥帝国主义的玩火行径; 전국민은 의분이 가슴에 꽉 차, 단결하여 제국주의의 불장난을 통렬히 배격하고 있다. =〔义愤填膺〕
〔义愤填膺〕 yì fèn tián yīng 〈成〉 ⇨〔义愤填胸〕
〔义风〕 yìfēng 명 〈文〉 정의를 존중하는 기풍.
〔义父〕 yìfù 명 의부. 양아버지. =〔寄jì父〕〔〈廣〉契qì父〕
〔义购〕 yìgòu 동 〈文〉 의연(義捐)을 위하여 (상품을) 사다.
〔义谷〕 yìgǔ 명 〈文〉 구호미.
〔义国〕 Yìguó 명 《地》 이탈리아(Italia)(수도는 '罗马'(로마:Roma)). =〔意国〕
〔义和团〕 yìhétuán 명 《史》 의화단(청(淸)나라 말기에 '扶fú清灭洋'을 슬로건으로 내세워 반제(反帝) 투쟁을 벌인 단체). =〔团匪〕
〔义髻〕 yìjì 명 〈文〉 가발.
〔义甲〕 yìjiǎ 명 가조각(假爪角)(비파 따위를 탈 때 손톱에 끼는 깍지).
〔义井〕 yìjǐng 명 옛날, 공동 우물.
〔义举〕 yìjǔ 명 의거(정의를 위해 하는 행위). ¶首倡～; 앞장서서 의거를 제창하다.
〔义绝〕 yìjué 동 의절하다. 의리를 위하여, 군신 또는 육친, 혹은 친구 등의 인연을 끊다. 인연이 끊기다〔끊어지다〕. ¶恩断～; 은혜도 의리도 단절되다.
〔义军〕 yìjūn 명 의군. 의병.
〔义理〕 yìlǐ 명 ①(문장 등의) 조리. ②→〔宋sòng学〕
〔义旅〕 yìlǚ 명 〈文〉 의려. 의군.
〔义卖〕 yìmài 명 자선(慈善) 바자(bazaar). ¶为募集助学金, 决定举行～; 장학금을 모으기 위해 자선 바자를 열기로 결정했다.
〔义妹〕 yìmèi 명 의매. 의리로 맺은 누이동생. =〔〈方〉本běn胞妹妹〕
〔义门〕 yìmén 명 〈文〉 의리를 존중하는 일문(一門).
〔义膜〕 yìmó 명 《醫》 의막. 위막(僞膜)(디푸테리아 환자의 편도선이나 후두에 생기는 흰 박막(薄膜)).
〔义母〕 yìmǔ 명 의모. 양모. 의리로 맺은 어머니. =〔寄jì母〕〔〈廣〉契qì母〕
〔义女〕 yìnǚ 명 양녀. 의리로 맺은 딸.
〔义旗〕 yìqí 명 정의의 깃발. 의병의 깃발. ¶举～ =〔起qǐ义〕; 의병을 일으키다 / ～一举, 群起响应xiǎngyìng; 정의의 깃발이 한 번 오르자, 많은 사람이 떼지어 일어나 호응하였다.
〔义气〕 yìqi 명 의협심. 의기. ¶讲～; 의협심을 중히 여기다 / 有～; 의협심이 있다. 형 의협심이 있다. 의기가 가득하다.
〔义渠〕 yìqú 명 ①(Yìqú) 《地》 옛날, 서융(西戎)의 나라 이름. ②복성(複姓)의 하나.
〔义人〕 yìrén 명 〈文〉 의인. 의사. =〔义士〕
〔义乳〕 yìrǔ 명 패드(pad)(여성의 유방에 넣는 미용구의 일종).
〔义赛〕 yìsài 명 자선 시합. ¶举办足球～; 자선 축구 경기를 하다.
〔义师〕 yìshī 명 〈文〉 ①봉기군(蜂起軍). 의병. ②정의의 군대.
〔义士〕 yìshì 명 〈文〉 ⇨〔义人〕
〔义手〕 yìshǒu 명 의수.
〔义粟仁浆〕 yìsù rénjiāng 명 〈比〉 자선 구제의 물품.
〔义疏〕 yìshū 명 경전(經典)의 주석본(註釋本).
〔义塾〕 yìshú 명 ⇨〔义学〕
〔义田〕 yìtián 명 의전(옛날, 일족〔또는 한 마을〕 중의 가난한 사람을 구제하기 위한 공동 소유의 논밭, 흔히 조상의 묘(廟) 또는 마을의 재산으로 관리되었음).
〔义外之财〕 yì wài zhī cái 〈成〉 ⇨〔不bù义之财〕
〔义无反顾〕 yì wú fǎn gù 〈成〉 하는 일이 옳으면 돌아보고 망설일 필요는 없다. 정의(正義)를 위해 뒤돌아보지 않고 용감하게 나아가다. ¶一些有血气的青年, 看到国土被侵略者蹂róu躏, 他们放下书本, ～地走上了抗日战争的最前线; 혈기 있는 청년들은 국토가 침략자에게 유린당하는 것을 보고, 정의를 위해서 뒤로 물러서지 않고 책을 내팽개치고 항일전의 최전선에 나아갔다.
〔义务〕 yìwù 명 ①《法》 의무. ¶完成～; 의무를 완수하다 / ～教育; 의무 교육 / ～兵役制; 의무 병역제. 징병제. ②도덕상 하여야 할 책임. ¶负～; 의무를 지다 / 应尽的～; 다해야 할 의무 / 尽jìn～; 해야 할 의무를 다하다. 명형 무보수(의).

봉사(의). ¶～劳动; 봉사적인 노동 / ～演出; 무료 공연. 명동 (상품 따위에 대해) 서비스(하다).
〔义务劳动〕 yìwù láodòng 명 근로 봉사《특히 간부 등이 짬짬이 노동, 특히 농촌 노동에 종사하는 일》. ¶今天在十三陵水库工地上, 出现了一支～大队; 오늘 십삼릉 댐 공사 현장에는 일단의 근로 봉사단이 나타났다.
〔义务戏〕 yìwùxì 명 자선 연극. 무료로 공연하는 연극.
〔义务医疗队〕 yìwù yīliáoduì 명 의료 봉사단.
〔义侠〕 yìxiá 명 의협심이 강한 사람.
〔义项〕 yìxiàng 명 사서(辭書)의 동일 표제자 밑에 뜻에 따라 배열한 항목(項目).
〔义形于色〕 yì xíng yú sè 〈成〉 의분이 얼굴빛에 나타나다.
〔义兄〕 yìxiōng 명 의형. (의형제의) 형. =〔〈廣〉契qì兄〕〔如rú兄〕
〔义兄弟〕 yìxiōngdì 명 의형제. =〔把bǎ兄弟〕〔如rú兄弟〕〔盟méng兄弟〕 ⇒yìxiōngdi
〔义兄弟〕 yìxiōngdi 명 ⇨〔义弟〕 ⇒yìxiōngdì
〔义学〕 yìxué 명 의숙(義塾)《공익을 위하여 사인(私人)이 거둔 자금 또는 지방의 공익금으로 설립된 학교》. =〔义塾〕
〔义演〕 yìyǎn 명 자선 공연〔쇼〕. ¶该团已决定回广州后举行～; 그 단체는 광저우(廣州)로 돌아가서 자선 공연을 하기로 되어 있다.
〔义勇〕 yìyǒng 명 의용.
〔义勇军〕 yìyǒngjūn 명 의용군. 지원병. ¶～进行曲; 의용군 행진곡《중화 인민 공화국의 국가》.
〔义园〕 yìyuán 명 옛날, 공동 묘지.
〔义战〕 yìzhàn 명 정의를 위한 싸움. ¶春秋无～; 춘추 시대에는 정의를 위한 싸움은 없었다.
〔义赈〕 yìzhèn 동 〈文〉 기부를 하여 빈민을 구제하다.
〔义正辞严〕 yì zhèng cí yán 〈成〉 도리는 바르고, 말은 엄격하다. =〔辞严义正〕〔义正词严〕
〔义枝〕 yìzhī 명 〖植〗 접수(椄穗). 접나무《다른 식물에 접붙인 가지》.
〔义肢〕 yìzhī 명 의지. 의수와 의족.
〔义冢〕 yìzhǒng 명 연고자 없는 사망자의 묘지.
〔义竹〕 yìzhú 명 ⇨〔慈cí竹〕
〔义庄〕 yìzhuāng 명 옛날, 동족 중의 가난한 사람을 구제하기 위하여 마련한 논밭.
〔义子〕 yìzǐ 명 의자. 양자.
〔义姊妹〕 yìzǐmèi 명 의자매.
〔义足〕 yìzú 명 의족.

议(議) yì (의)

①명 의견. 의론(議論). 주장. ¶提tí～; 제안(하다) / 建～; 건의(하다) / 合理化建～; 합리화의 건의 / 并无异～; 특별히 이의는 없다. ②동 상의하다. 토론〔논의〕하다. ¶会～; 회의 / 商～; 상의(하다). 상담(하다) / 决～; 결의(하다) / 街谈巷xiàng～; 〈成〉 항간의 논의 / ～了半天, 还是没得到结 jiélùn; 오래 협의했지만, 역시 결론은 얻어지지 않았다 / ～好价钱; 가격을 협의하여 정하다.
〔议案〕 yì'àn 명 의안. 안건. ¶提出～; 의안을 내다.
〔议程〕 yìchéng 명 의사(議事) 일정. 의사 진행 예정. 의사 순서〔차례〕.
〔议筹〕 yìchóu 동 〈文〉 의논하다. 상담하다. 상의(商議)하다.
〔议处〕 yìchǔ 동 〈文〉 의결하여 처벌하다. ¶由纪律委员会～; 규율 위원회에서 심의하여 처벌하다.
〔议单〕 yìdān 명 의정서(議定書).
〔议定〕 yìdìng 동 상의해서 결정하다. 협의하여 결정하다. ¶～书; 의정서.
〔议付〕 yìfù 동 협의하여 지불하다. 증거 서류에 의거하여 지불하다. ¶～货款; 대금을 증거 서류에 의거하여 지불하다.
〔议付银行〕 yìfù yínháng 명 〖經〗 (환(換) 용어) 매입 은행.
〔议复〕 yìfù 동 〈文〉 협의하여 회답하다.
〔议购〕 yìgòu 명 농업 부산물의 국가에 의한 수매와 판매의 한 방식《인민 공사와 품종·수량·가격을 결정하는 것》.
〔议和〕 yìhé 동 평화를 협의하다. 강화 담판을 하다.
〔议合〕 yìhe 동 협의하다. 여럿이서 이야기하다. ¶等我们～～再说吧; 우리끼리 의논한 뒤에 다시 이야기합시다.
〔议会〕 yìhuì 명 ①입법부. 의회. 국회. =〔议院②〕 ②(일부 국가의) 최고 권력 기구. ¶召开～; 의회를 소집하다.
〔议价〕 yìjià 명 〖商〗 협정 가격. 자유 가격《농산물 가격에는 '牌价'(공정 가격)와 '议价'(자유 시장 가격)가 있음》. (yì.jià) 동 값을 상의하다. 가격을 흥정하다. ¶～不合中止了; 가격 교섭이 타협되지 않아 중지되었다 / ～生; 특별히 돈을 받고 입학 허가된 수험생.
〔议就〕 yìjiù 동 〈文〉 상담이 이루어지다.
〔议据〕 yìjù 명 약정〔협약〕서(書). 계약서. 정관(定款). =〔议单〕
〔议决〕 yìjué 동 ①상담이 이루어지다. ②의결하다〔되다〕.
〔议论〕 yìlùn 명 ①의론. 평판. 시비. 물의. 담론(談論). ¶大发～; 크게 의론하다. 시끄럽게 떠들다 / ～纷纷; 의론이 분분하다 / 席间～风生; 석상에서 토론이 활발히 이루어졌다. ②시비(是非)를 논한 글. 동 시끄럽게 이야기하다. 왈가왈부하다. 평판하다. ¶～人; 남을 비판하다 / 大家～起他来了; 모두는 그를 가지고 어쩌니저쩌니 떠들기 시작했다 / 不能不防着点人家～; 남이 이러쿵저러쿵 비평하는 것에 대비하지 않을 수 없다. =〔议论文〕
〔议赔〕 yìpéi 동 손해 배상을 협의하다.
〔议平〕 yìpíng 명동 〖商〗 거치(据置)(하다). ¶K金行市最高252.375, 息价～; K금(金)의 시세는 최고가 252.375로 이자는 거치이다.
〔议亲〕 yìqīn 동 〈文〉 혼담을 의론하다.
〔议事〕 yìshì 명 의사. 동 공무를 논의하다.
〔议事日程〕 yìshì rìchéng 명 의사 일정. ¶列入～; 의사 일정에 넣다. =〔议程〕
〔议事厅〕 yìshìtīng 명 의사당.
〔议题〕 yìtí 명 의제.
〔议妥〕 yìtuǒ 동 〈文〉 의논이 타협되다.
〔议席〕 yìxí 명 의석.
〔议员〕 yìyuán 명 의원.
〔议院〕 yìyuàn 명 ①의원. ②⇨〔议会①〕
〔议约〕 yìyuē 명 약정서(約定書).
〔议长〕 yìzhǎng 명 의장.
〔议罪〕 yìzuì 동 〈文〉 죄를 심의하다.

亿(億) yì (억)

①수 억. ¶～万wàn; 억만. 극히 많은 수 / 六～五; 6억5천만 / 一万一千～元; 1조1천억 원. =〔万万〕 ②수 옛날, 10만. ③동 〈文〉 추측하다. 예측하다. ¶～则屡中zhòng; 〈成〉 예측이 잘 맞는다.

〔亿测〕 yìcè 동 ⇨〔亿度〕
〔亿度〕 yìduó 동〈文〉 추측하다. 헤아리다. =〔亿测〕
〔亿劫〕 yìjié 명〘佛〙 억겁(매우 오랜 세월).
〔亿万〕 yìwàn 명형 억만(의). 무수(한). ¶～斯年; 무한히 긴 세월.
〔亿兆〕 yìzhào 형〈文〉 많은 수의 형용. 명〈比〉 억조 창생. 만민. 인민.
〔亿兆京〕 yìzhàojīng 명 ⇨〔兆京〕
〔亿中〕 yìzhòng 동〈文〉 추측이 적중하다.

忆(憶) **yì** (억) 동 ①기억하다. ¶记～力; 기억력. ¶记jì～; 기억하다. ②회상하다. 생각하다. ¶回～; 회상하다/～故人; 고인을 생각하다. ③동정하다.
〔忆怀〕 yìhuái 동〈文〉 회상하다. 상기하다.
〔忆苦思甜〕 yì kǔ sī tián〈成〉 괴로웠던 과거를 회상하고 (현재의) 행복을 곱씹다(1963,4년경 제창한 운동).
〔忆念〕 yìniàn 동 억념하다. 마음속으로 생각하여 잊지 않다.
〔忆起〕 yìqǐ 동 회상하다. 상기하다.

艺(藝) **yì** (예) ①명 기술. 기예. 솜씨. ¶工～; 공예/手～; 수예/园～; 원예/多才多～;〈成〉 다재다능/学～; 학예. 학문과 기예. ②명 예능. 예술. ¶～文; ⇩ ③동〈文〉 식물을 심다. ¶～花; 화초를 심다/树～五谷; 오곡을 심다. =〔蓺〕 ④명〈文〉 극한. 한도. ¶其乐无～; 그 즐거움이 그지없다/贪贿无～; 재물욕에 한도가 없다. ⑤동 분별하다.
〔艺不压身〕 yì bù yā shēn〈成〉 재주는 부담이 되지는 않는다. 재주는 자신을 돕는다. ¶～, 学的越多越好; 재주는 짐이 되지 않으니, 많이 배우면 배울수록 좋다.
〔艺道〕 yìdao 명 트릭(trick). 속임수.
〔艺高胆大〕 yì gāo dǎn dà〈成〉 ①재간이 있으면 대담해진다. ¶～, 有本事怕什么的; 재간이 있으면 대담해지는 법인데, 재주만 있으면 두려울 것이 없다. ②〈轉〉 수가 높아지면 거만해진다. ‖ =〔艺高人胆大〕
〔艺林〕 yìlín 명〈文〉 ①예술계(藝術界). ¶这个展览会实在是～盛事; 이 전람회는 실로 예술계의 성대한 행사이다. ②문예 도서를 모은 곳. ③문예 작품집.
〔艺龄〕 yìlíng 명 예력(藝歷)(예술인이 예술 활동에 종사한 햇수).
〔艺名〕 yìmíng 명 예명.
〔艺能〕 yìnéng 명 예능.
〔艺人〕 yìrén 명 ①예능인. 연예인. ②(수공예의) 직공(職工). ‖ =〔艺员〕
〔艺术〕 yìshù 명 ①예술. ¶～性; 예술성/～明信片; 그림 엽서. ②기술. 기능. ¶～体操; 신체조. 리듬 체조/全军将士必须提高军事～; 전군 장병은 군사 기술을 제고시켜야 한다. 형 예술적이다. 미적(美的)이다. ¶照片拍得多～! 사진을 얼마나 예술적으로 찍었나!/这棵松树的样子挺～; 이 소나무의 모양이 무척 예술적이다.
〔艺术家〕 yìshùjiā 명 예술가.
〔艺术片〕 yìshùpiàn 명 예술 영화.
〔艺术品〕 yìshùpǐn 명 예술 작품(일반적으로 조형 예술품을 말함).
〔艺术字〕 yìshùzì 명 장식 문자.
〔艺徒〕 yìtú 명〈方〉 기예를 배우는 수습생. =〔学xué徒〕
〔艺文〕 yìwén 명 예술과 문학. 문예.
〔艺无止境〕 yì wú zhǐ jìng〈成〉 예도(藝道)의 정진(精進)에는 끝이 없다. 기술의 습득에는 한이 없다.
〔艺员〕 yìyuán 명 ⇨〔艺人〕
〔艺苑〕 yìyuàn 명 예원. 학문·예술의 세계. 문학 예술계. 문학자나 예술가의 사회. ¶～奇葩pā; 문예계의 뛰어난 작품.

呓(囈〈讛〉) **yì** (예) 명 잠꼬대. ¶梦mèng～; 잠꼬대(를 하다).
〔呓语〕 yìyǔ 명동 헛소리(를 하다). 잠꼬대(를 하다). 명 허튼소리. 실없는 소리.
〔呓怔〕 yìzheng 명동 헛소리(하다). 잠꼬대(하다). ¶撒sā～; 헛소리를 하다. =〔呓挣〕
〔呓挣〕 yìzheng 명동 ⇨〔呓怔〕

弋 **yì** (익) ① 명동〈文〉 주살(을 쏘다). ②동〈文〉 잡다. ¶～取qǔ; 포획하다. ③→〔弋阳腔〕 ④지명용 자(字). ¶～阳县; 이양 현(弋陽縣)(장시성(江西省)에 있는 현 이름). ⑤명 성(姓)의 하나.
〔弋获〕 yìhuò 동〈文〉 ①(주살로) 쏘아서 잡다. ②(도적 따위를) 잡다. 체포하다.
〔弋腔〕 yìqiāng 명 ⇨〔弋阳腔〕
〔弋阳腔〕 yìyángqiāng 명 청(淸)나라 중기에 장시성(江西省) 이양 현(弋陽縣)에서 일어나 수도에서 유행한 극의 곡조의 하나(현악기를 사용하지 않는 것이 특징임). =〔弋腔〕

杙 **yì** (익) 명〈文〉 (마소 따위를 매는) 말뚝. =〔桩zhuāng(儿)〕

仡 **yì** (흘) →〔仡仡〕 ⇒gē
〔仡仡〕 yìyì 형〈文〉 ①용감한 모양. ②웅장한 모양. 높고 큰 모양.

屹 **yì** (흘) 형 ①우뚝 솟은 모양. ②꼿꼿이 서서 움직이지 않는 모양. ⇒gē
〔屹立〕 yìlì 동 ①우뚝 솟다. ¶英雄纪念碑～在天安门广场上; 영웅 기념비가 천안문 광장에 우뚝 솟아 있다. ②(사람이) 흔들리지 않고 서다. 확고하여 동요하지 않다. ¶～不动;〈成〉 우뚝 솟아 움직이지 않다. 흔들림 없이 꿈쩍도 않다.
〔屹然〕 yìrán 형 우뚝 솟은 모양. 엄연(儼然)한 모양.

圣(睪) **yì** (역) 동〈文〉 살짝 들여다보다. 엿보다.

译(譯) **yì** (역) ①동 번역〔통역〕하다. ¶～成韩文; 한국어로 번역하다/文言～白话; 문어를 구어로 번역하다/古诗今～; 고시의 현대역(을 하다). ②명 번역문. 번역. ¶汉～资本论; 자본론의 중국어 번역본.
〔译本〕 yìběn 명 역본. ¶节jié～; 초역본(抄譯本).
〔译笔〕 yìbǐ 명 번역문(의 질(質)과 풍격(風格)). ¶～流畅; 번역문이 (거침없고) 매끄럽다/～枯涩sè; 역문이 딱딱하다.
〔译成〕 yìchéng 동 (…로) 번역하다. ¶这本书～韩文吗? 이 책은 한국어로 번역되었습니까?

〔译电〕 yìdiàn 동 전문(電文)을 전보용 숫자로 고치다. 전보용 숫자를 문자(文字)로 고치다.
〔译费〕 yìfèi 명 번역료. 번역 수수료.
〔译稿〕 yìgǎo 명 번역 원고. ¶～请附寄原文; 번역 원고는 원문을 붙여서 보내 주십시오.
〔译码〕 yìmǎ 명 해독(解讀). ¶～器; 《機》 해독기. 디코더(decoder).
〔译名〕 yìmíng 명 역명. 번역명.
〔译述〕 yìshù 명동 역술(하다).
〔译文〕 yìwén 명 역문. 번역문.
〔译意风〕 yìyìfēng 명 〈音〉 ①이어폰(earphone). ②(동시 통역용의) 이어폰. ¶每一个座位都有能翻译五国语言的～; 각 좌석마다 5개 국어의 통역을 들을 수 있는 이어폰이 있다.
〔译音〕 yìyīn 명동 음역(하다).
〔译员〕 yìyuán 명 통역(자). ¶女～; 여자 통역.
〔译者〕 yìzhě 명 역자. 번역자.
〔译制〕 yìzhì 명동 동시 녹음(하다). 더빙(하다).
〔译制(影)片〕 yìzhì (yǐng)piàn 명 더빙한 영화. ¶国产(影)片和～; 국산 영화와 더빙한 영화.

怿(懌)

yì (역) 동 〈文〉 기뻐하다. ¶闻之不～; 그것을 듣고 기뻐하지 않았다《마음이 언짢았다》/～悦; 기뻐하다.

峄(嶧)

yì (역) 지명용 자(字). ¶～县; 이 현(嶧縣)《산둥 성(山東省)에 있는 옛 현(縣)의 이름》/～山; 이산 산(嶧山)《산둥 성에 있는 산 이름》.
〔峄山碑〕 Yìshānbēi 명 역산에서 나온 이사(李斯)가 쓴 송덕비를 당(唐)나라의 정문보(鄭文寶)가 본떠서 새긴 것《현재 시안(西安)에 있으며, 문자학 연구 자료가 되고 있음》. ¶文字学家从～上的残字考证秦文的变迁; 문자 학자는 역산비에 남아 있는 글자에서 진(秦)나라 문자의 변천을 고증했다.
〔峄山刻石〕 yìshān kèshí 진시황이 역산의 돌에 진(秦)나라의 공덕(功德)을 찬양하는 글을 새기게 한 고사. ¶人死留名, 豹死留皮, 大丈夫当效～, 名传百世; 사람은 죽어서 이름을 남기고, 표범은 죽어서 가죽을 남기니 대장부된 자는 역산 각석처럼 천고에 이름을 남겨서, 후세에 전해지도록 힘써야 한다.
〔峄桐〕 yìtóng 명 장쑤 성(江蘇省) 역양(嶧陽)에서 나는 오동나무《훌륭한 거문고 재료임》. 〈轉〉 인재. ¶人才如'峄阳孤桐', 可遇而不可求; 인재란 말하자면 역양의 한 그루밖에 없는 훌륭한 오동나무와 같은 것이어서, 어쩌다 얻을 수는 있어도 구한다고 반드시 얻어지는 것은 아니다. =〔峄阳桐〕

绎(繹)

yì (역) 동 〈文〉 ①단서를 캐내다. 뜻을 철저히 캐다. ¶寻xún～; 깊이 연구하다/演yǎn～; 연역《논리의 규칙에 따라 필연적인 결론을 이끌어 내는 일》/反复思～; 생각을 되풀이하다. ②연속되다. 계속하여 그치지 않다. ¶车马往来络luò～不绝; 차마의 왕래가 끊이지 않다.
〔绎味〕 yìwèi 동 〈文〉 뜻을 탐구(探究)하다.
〔绎续〕 yìxù 동 〈文〉 끊임없이 계속되다.

驿(驛)

yì (역) ①명 역참(驛站). ¶～吏lì =〔～官〕〔～丞chéng〕; 역리. 역관. ②지명용 자(字). ¶龙泉～Lóngquányì; 룽취안 역(龍泉驛)《쓰촨 성(四川省)에 있는 역 이름》.
〔驿程〕 yìchéng 명 역참 사이의 노정〔거리〕.
〔驿传〕 yìchuán 명 파발(꾼). 동 파발을 놓다. 파발꾼을 보내다.
〔驿递〕 yìdì 동 역체하다《옛날, 공문서의 파발마에 의한 전달, 또는 왕래하는 관리를 송영(送迎)하는 일》.
〔驿馆〕 yìguǎn 명 역관. 역참의 숙박소. =〔驿舍〕
〔驿马〕 yìmǎ 명 ①역마. ¶犯～; 〈俗〉 도망하다/他犯了～, 连逃六次; 그는 도망치는 버릇이 생겨서, 계속해서 여섯 차례나 도망쳤다. ②→〔驿马星〕
〔驿马动〕 yìmǎdòng 동 여행을 떠나려고 하다. 여행할 마음이 생기다. ¶我看他有点儿～了; 그는 여행할 마음이 생긴 것 같다.
〔驿马星〕 yìmǎxīng 명 여행자의 운명을 관장한다는 신. ¶～照命; 〈成〉 역마살이 끼어 늘 여행하는 운명을 타고 나다. =〔走zǒu星〕
〔驿舍〕 yìshè 명 ⇨〔驿馆〕
〔驿使〕 yìshǐ 명 〈文〉 파발꾼.
〔驿亭〕 yìtíng 명 ⇨〔驿站〕
〔驿站〕 yìzhàn 명 옛날, 역참. =〔驿亭〕〔馆guǎn驿〕
〔驿政〕 yìzhèng 명 역체(驛遞) 사무.

亦

yì (역) ①부 〈文〉 …도. 또. 또한. 역시. ¶生～我所欲也, 义～我所欲也; 생 또한 내가 바라는 바이고, 의 또한 내가 바라는 바이다/反之～然; 뒤집어도 역시 그렇다/～无不可; 또한 불가함이 없다. ②부 〈文〉 다만 …뿐. 단지. ¶子～不努力耳, 此何困难之有? 자네가 노력하지 않았을 뿐, 여기에 무슨 곤란함이 있겠는가? ③할 수 있다. 잘하다. ¶能文能武, ～渔～农; 글도 잘하고 무(武)도 잘하며, 어렵(漁獵)도 할 수 있고 농사도 짓는다. =〔能néng〕 ④명 성(姓)의 하나.
〔亦步亦趋〕 yì bù yì qū 〈成〉 남이 걸으면 걷고, 남이 뛰면 뛴다《맹목적으로 남을 추종하다. 자기 생각은 없이 남의 흉내만 내다》. ¶学生～地向老师学习; 학생은 선생이 하는 대로 배운다/他没有思想, ～地叫人牵着鼻子走; 그는 주견도 없이 남이 하자는 대로 끌려만 다닌다.
〔亦工亦农劳动制度〕 yìgōng yìnóng láodòng zhìdù 농민을 공업 노동에, 공업 노동자를 농업에 종사시키는 새로운 노동 제도《계절성 생산의 기업이 바쁠 때에는 농민을 기업 생산에 종사시키고, 농번기에는 공업 노동자를 농업에 종사시킴》.
〔亦喉鹑〕 yìhóuchún 명 《鳥》 메추라기.
〔亦且〕 yìqiě 접 〈古白〉 더욱이. 그 위에. 뿐만 아니라.
〔亦然〕 yìrán 형 〈文〉 역시 또한 그러하다. ¶对待帝国主义～; 제국주의에 대처하는 것도 역시 그러하다.
〔亦未可知〕 yìwèi kězhī …일지도 모른다.

奕

yì (혁) 〈文〉 ①동 겹치다. 중첩되다. ¶～世; 수세대. ②형 〈文〉 성대하다. ③명 성(姓)의 하나.
〔奕叶〕 yìyè 명 〈文〉 대대손손.
〔奕奕〕 yìyì 형 〈文〉 ①생생〔싱싱〕한 모양. ¶神采～; 표정이 생생하다. 풍채가 늠름하다. ②근심하는 모양. ¶忧心～; 대단히 걱정하다.

弈

yì (혁) 〈文〉 ①명 바둑. ②동 바둑을〔장기를〕 두다. ¶对～; 대국하다.

异〈異〉 **yì** (이)
①**형** 다르다. 같지 않다. ¶～议; ⇓/大同小～; 〈成〉 대동소이/日新月～; 날로 새롭고 달로 다르다/～言; ⇓ ②**형** 기이하다. 뛰어나다. 특별하다. 특수하다. ¶奇才～能; 독특하게 뛰어난 재능(을 가진 사람)/～奇; 기이하다. 이상하다/情知有～; 이상이 있음은 알고 있다/～香; ⇓/～闻; ⇓ ③**형** 다른. 딴. ¶～地; 다른 고장/～日; ⇓ ④**동** 따로[분리]하다. 갈라지다. 헤어지다. ¶离～; 이혼하다/同居～爨cuàn; 동거하면서 부뚜막은 따로 쓴다[식사는 따로 한다]. ⑤**동** 이상하게[의아하게] 여기다. ¶深以为～; 몹시 이상하게 여기다/惊～; 놀라 이상하게 여기다. ⑥**접두**《化》 이소(iso)《이성체(異性體)를 나타냄》. ⑦**명** 성(姓)의 하나.

〔异邦〕 yìbāng **명** 이방. 외국.
〔异宝〕 yìbǎo **명** 진기한 보물.
〔异丙基〕 yìbǐngjī **명**《化》 이소프로필기(isopropyl基).
〔异禀〕 yìbǐng **명**〈文〉 타고난 재능이 특별히 뛰어나다. ¶这孩子天生～要好好地栽培; 이 아이는 타고난 자질이 특별히 뛰어나니, 잘 키워 줘야 한다.
〔异步〕 yìbù **명**《物》 비동기(非同期). 에이싱크로너스(asynchronous). ¶～计算机; 비동기 계산기. 에이싱크로너스 컴퓨터.
〔异才〕 yìcái **명** 이재. 보통 사람보다 뛰어난 인물.
〔异采多姿〕 yì cǎi duō zī〈成〉 다채롭고 각각 모습이 다르다.
〔异彩〕 yìcǎi **명** 이채. 특별한 광채.〈比〉특색. ¶她的艺术为电影界大放～; 그녀의 예술은 영화계에서 크게 이채를 띠고 있다.
〔异草〕 yìcǎo **명** 이초. 진기한 식물. ¶满山都是奇花～; 온 산에 가득 이상한 꽃이며 진기한 식물이 나 있다.
〔异常〕 yìcháng **형** 이상하다. 심상치 않다. 평소와 다르다. ¶神色～; 표정이 심상치 않다/他今天的行动有些～; 그의 오늘의 행동은 조금 이상하다. **부** 대단히. 매우. 특히. ¶～明显; 매우 뚜렷[분명]하다/他的口齿～清楚; 그의 말은 대단히 또렷하다.
〔异程接力〕 yìchéng jiēlì **명**《體》 메들리 릴레이(medley relay).
〔异词〕 yìcí **명** 이의. 반대 의견. ¶两无～; 양쪽 다 이의 없다.
〔异爨〕 yìcuàn **동** 형제가 별거하다. 분가하다. ¶兄弟～; 형제가 분가하다.
〔异道〕 yìdào **명**〈文〉 ①달리 가는 방법. ②다른 논의나 견해. ③다른 길. ④딴 방법.
〔异等〕 yìděng **형**〈文〉 재능이 특히 뛰어나다.
〔异地〕 yìdì **명** ⇨〔异乡〕
〔异典〕 yìdiǎn **명**〈文〉 진본(珍本).
〔异丁烷〕 yìdīngwán **명**《化》 이소부탄.
〔异丁烯〕 yìdīngxī **명**《化》 이소부틸렌(isobutylene).
〔异丁(烯)橡胶〕 yìdīng(xī) xiàngjiāo **명**《化》 부틸 고무. =〔丁基橡胶〕
〔异读〕 yìdú **명**《言》 이독(異讀)《한자를 습관상 두 개 이상의 음(音)으로 읽는 법. 예컨대, '柏bǎi, bó' '谁shuí, shéi'》. ¶～词; 이독이 있는 단어.
〔异端〕 yìduān **명** 이단《옛날, 정통(正統)이 아닌 주장이나 교의(教義)를 가리켰음》.
〔异端邪说〕 yì duān xié shuō〈成〉 이단 사설. 정통이 아닌 사설(邪說).
〔异方〕 yìfāng **명** 타향(他鄕). →〔异乡〕
〔异方异俗〕 yìfāng yìsú 타고장의 진기한 풍속.
〔异服〕 yìfú **명** 기이한 복장.
〔异构化〕 yìgòuhuà **명**《化》 이성질화(異性質化).
〔异国〕 yìguó **명** 이국. 타국. 외국. ¶～情调; 이국 정조/远赴～; 멀리 이국에 가다.
〔异乎寻常〕 yì hū xún cháng〈成〉 보통이 아니다. 이상하다. ¶你不觉得他最近的态度有点～吗? 너는 그의 최근의 태도가 좀 예사롭지 않다고 생각지 않느냐?
〔异花传粉〕 yìhuā chuánfěn **명**《植》 이화 수분(異花受粉).
〔异化〕 yìhuà **동** 이화하다. ¶～作用; 이화 작용. **명** ①《哲》 소외(疏外). ②(음성학에서의) 이화.
〔异己〕 yìjǐ **명** (같은 집단내에서) 정견 또는 중대 문제에 있어 자기와 항상 다른 사람. 적대하는 사람. 이분자.
〔异己分子〕 yìjǐ fènzǐ **명** 반대 분자. 이색 분자. ¶整肃～; 반대 분자를 숙청[추방]하다.
〔异见人士〕 yìjiàn rénshì **명** 정치 사범(政治事犯). 반정부 인사.
〔异胶质〕 yìjiāozhì **명**《化》 이소콜로이드.
〔异腈〕 yìjīng **명**《化》 이소니트릴(isonitrile). =〔胩kǎ〕
〔异径管节〕 yìjìng guǎnjié **명** 구경(口徑)이 다른 소켓. =〔〈南方〉大dà头小〕〔〈北方〉大小头〕
〔异军突起〕 yì jūn tū qǐ〈成〉 새로운 세력이 돌연 나타남. ¶这个～的文艺刊物, 是工人们利用业余时间办的; 이 새로 나온 문예 출판물은 노동자들이 여가를 이용하여 내고 있는 것이다.
〔异客〕 yìkè **명**〈文〉 타향의 객. 나그네. ¶独在异乡为～; 혼자 길을 떠나 타향에 있다. 타향살이 하다.
〔异口同声〕 yì kǒu tóng shēng〈成〉 이구동성. =〔异口同音〕
〔异类〕 yìlèi **명** ①옛날, 다른 겨레의 사람. ②(동식물의) 다른 종류.
〔异路〕 yìlù〈文〉 **동** 걷는 길을 달리하다. **명** 생사의 갈림길.
〔异路同归〕 yì lù tóng guī〈成〉 길은 다르지만 목적은 같다. =〔殊shū途同归〕〔异途同归〕
〔异母〕 yìmǔ **명** ①배다름. 이복(異腹). ②《數》 이분모(異分母).
〔异母兄弟〕 yìmǔ xiōngdì **명** 이복[배다른] 형제.
〔异能〕 yìnéng **명**〈文〉 이재(異才). 뛰어난 재능.
〔异尼古丁酸联氨〕 yìnígǔdīngsuān lián'ān **명** ⇨〔异烟肼〕
〔异曲同工〕 yì qǔ tóng gōng〈成〉 곡은 달라도 교묘한 솜씨는 똑같다《방법은 다르나 같은 효과를 내다》. ¶这两部反映农村新气象的电影有～之妙; 농촌의 새로운 모습을 묘사한 이 두 영화는 곡은 달라도 교묘한 솜씨는 같은 묘(妙)가 있다. =〔同工异曲〕
〔异趣〕 yìqù **동** 취미를 달리하다. 의견이 맞지 않다. ¶我听他言谈～, 俗而无味, 真不想和他再见面了; 그의 의견은 나와 맞지 않으며, 속되고 재미도 없으니, 두 번 다시 그와 얼굴을 맞대고 싶지 않다. **명** 다른 취미.
〔异人〕 yìrén **명**〈文〉 ①별난 사람. 괴짜. 뛰어난 사람. ②선인(仙人). ③타인(他人). ④외국인.
〔异日〕 yìrì **명**〈文〉 ①다른 날. ②이전. 지난 날.
〔异书〕 yìshū **명** 이서. 진기한 책.

〔异数〕 yìshù 명 특별한 대우. ¶他的技术高超, 公司里的待遇也～; 그의 기술은 월등히 높아, 회사의 대우도 특별하다.
〔异说〕 yìshuō 명 ①기괴한 설〔저작〕. ②진기한 설. ③이설. 다른 설.
〔异俗〕 yìsú 명 ①이속. 다른 풍속. ②나쁜 풍습 · 습관.
〔异体〕 yìtǐ 명 이체(異體).
〔异体字〕 yìtǐzì 명 《言》 이체자《정체자(正體字)의 반대 개념》.
〔异同〕 yìtóng 명 이동. 다른 점과 같은 점. ¶分别～; 서로 다른 점과 같은 점을 분별하다. 형 일치하지 않다. 명 〈文〉 이의(異議).
〔异途同归〕 yì tú tóng guī 〈成〉 ⇨〔异路同归〕
〔异味〕 yìwèi 명 ①각별한 맛. 색다른 진미. 별미. ②특수한 맛. 보통이 아닌 맛.
〔异闻〕 yìwén 명 이문. 진기한 소식. 기문(奇聞).
〔异戊二烯〕 yìwù èrxī 명 ⇨〔甲jiǎ基丁二烯〕
〔异物〕 yìwù 명 ①《醫》 이물. ②〈文〉 죽은 사람. 사자(死者). ¶化为～; 시체가 되다. 죽다. ③진기한 물건.
〔异乡〕 yìxiāng 명 이향. 타향. =〔异地〕
〔异香〕 yìxiāng 명 이향. 특이한 향기.
〔异想〕 yìxiǎng 명 기발한 생각.
〔异想天开〕 yì xiǎng tiān kāi 〈成〉 기상 천외(奇想天外).
〔异相〕 yìxiàng 명 〈文〉 기괴한 용모.
〔异心〕 yìxīn 명 두 마음. 반역심. ¶阴蓄～; 남몰래 반역심을 품고 있다. =〔异志〕
〔异辛烷〕 yìxīnwán 명 《化》 이소옥탄(isooctane).
〔异型管〕 yìxíngguǎn 명 이형관(異形管).
〔异性〕 yìxìng 명 ①이성. ②성질이 다른〔반대의〕 것. ¶同性相斥, ～相吸; 같은 성질의 것은 서로 배척하고, 다른 성질의 것은 서로 끌어당긴다.
〔异姓〕 yìxìng 형 성(姓)이 다른. 다른 성(姓)의. ¶～兄弟; 성이 다른 형제 / 同名～; 동명이성.
〔异烟肼〕 yìyānjǐng 명 《藥》 이소니아지드(isoniazid)《결핵 치료약》. =〔异尼古丁酸联氨〕
〔异言〕 yìyán 명 이의(異議). 반대 의견. ¶两相情愿, 各无～; 쌍방 모두 바라는 바로서, 어느 쪽에도 이의는 없다《계약서 용어》.
〔异样〕 yìyàng 명 다른 점. 차이. ¶看不出他有什么～; 그 사람한테서는 아무런 다른점도 볼 수 없다. 형 심상치 않다. 색다르다. 이상하다. ¶人们都用～的眼光打量他; 사람들은 모두 이상한 눈초리로 그를 훑어 보았다 / 有一种～的感觉; 일종의 색다른 느낌이 있다.
〔异议〕 yìyì 명 ①다른 의론. 다른 의견. ②이의. 반대 의견. ¶提出～; 이의를 제출하다.
〔异于〕 yìyú …와는 다르다.
〔异域〕 yìyù 명 ①외국. 이국. ②타향(他鄕).
〔异志〕 yìzhì 명 ⇨〔异心〕
〔异重流〕 yìzhòngliú 명 《地質》 혼탁류《비중(比重)이 다른 두 종류의 액체가 부딪칠 때 생기는 상대운동》.
〔异族〕 yìzú 명 이민족. 외국인.

衣 yì (의)
동 〈文〉 (옷을) 입다〔입히다〕. ¶～布衣; 무명 옷을 입다《하야(下野)하여 평민이 됨》/ 解衣yī～之; 옷을 벗어서 입히다. ⇒yī
〔衣锦还乡〕 yì jǐn huán xiāng 〈成〉 금의환향하다. ¶就盼着事业成功了, 可以～, 夸耀功名, 博得父老们的称赞; 사업이 성공해서 고향에 금의환향하여, 고향 노인들의 칭찬을 듣는 것만이 소원이다. =〔衣锦荣归〕〔锦还〕〔锦旋〕
〔衣锦荣归〕 yì jǐn róng guī 〈成〉 ⇨〔衣锦还乡〕
〔衣锦夜行〕 yì jǐn yè xíng 〈成〉 비단옷을 입고 밤길을 가다《남에게 알려지지 않는 일》. ¶富贵不还乡, 如～; 부와 지위가 생기고도 고향에 돌아가지 않는 것은 비단옷을 입고 밤길을 가는 것과 같다. =〔衣绣夜行〕
〔衣人〕 yìrén 동 〈文〉 ①옷을 입히다. ¶以衣yī～; 남에게 옷을 입히다. ②남에게 기대고 의지하다. →〔依yī人〕
〔衣绣夜行〕 yì xiù yè xíng 〈成〉 ⇨〔衣锦夜行〕

裔 yì (예)
명 ①〈文〉 자손. 후예. ¶后～ =〔苗miáo～〕; 후예 / 华huà～; 중국인의 자손. ②〈文〉 변지. 변경(邊境). 끝. ¶四～; 사방의 변경 / 海～; 바다 끝. ③이적(夷狄)의 총칭. ④성(姓)의 하나.
〔裔孙〕 yìsūn 명 〈文〉 먼 후손.
〔裔胄〕 yìzhòu 명 〈文〉 먼 자손. 후예(後裔).

佚 yì (일)
'逸yì'와 통용.

泆 yì (일)
① 형 방탕하다. 방종하다. ② 동 ⇨〔溢A)〕

轶(軼) yì (일)
〈文〉 ① 형 뛰어나다. 출중하다. ¶～群; ⇩ ② 동 산일(散逸)하다. 흩어지다. 떨어지다. ¶～事; ⇩
〔轶才〕 yìcái 명 〈文〉 남보다 뛰어난 재능〔사람〕. =〔逸才〕
〔轶伦〕 yìlún 형 〈文〉 발군(拔群)의. 걸출(傑出)한. =〔轶群〕
〔轶群〕 yìqún 형 〈文〉 ⇨〔轶伦〕
〔轶诗〕 yìshī 명 ⇨〔逸诗〕
〔轶事〕 yìshì 명 일화(逸話). 알려지지 않은 사실(史實). ¶他常把先祖的遗闻～讲给我听; 그는 선조의 숨은 일화를 늘 내게 이야기해 주었다. =〔轶闻〕〔逸事〕
〔轶闻〕 yìwén 명 ⇨〔轶事〕

昳 yì (질)
→〔昳丽〕 ⇒dié
〔昳丽〕 yìlì 형 〈文〉 (용모가) 아름답다. ¶容貌～; 용모가 아름답다.

抑 yì (억)
A) 동 억압하다. 누르다. 꺾다. ¶～强扶弱 =〔扶弱～强〕; 〈成〉 힘센 자를 누르고, 약한 자를 돕다 / 贬biǎn～; 눌러서 깎아내리다 / 压～; 억압하다. B) 접 〈文〉 ①그렇지 않으면〔혹은〕 …인가. ¶果有此事乎, ～传闻之非真耶? 정말 그런 일이 있었는가, 그렇지 않으면 헛소문인가? / 求之欤, ～与之欤? 요구한 것인가, 아니면 준 것인가? =〔还hái是〕 ②다만 …일 뿐. ¶才非过人也, ～努力不懈xiè而已; 재능이 남보다 뛰어난 것이 아니라, 다만 노력하여 게을리 하지 않았을 뿐이다. =〔只zhǐ是〕〔可是〕 ③그렇다면. 즉. ¶若非此坚强之组织为核心, ～国家安全之不保, 尚何建设之可言; 만일 이 튼튼한 조직이 핵심이 되지 않았더라면, 국가의 안전은 보장되지 않았을 것이고, 더더욱 국가의 건설 따위는 입에 올릴 수 없었을 것이다. →〔那么〕〔然rán则〕

〔抑挫〕 yìcuò 명 〈文〉 굴욕. ¶忍受～; 굴욕을 참다.
〔抑粜〕 yìdí 동 〈文〉 정부가 강제적으로 쌀을 싼 값에 사들이다.
〔抑或〕 yìhuò 접 〈文〉 그렇지 않으면. 혹은. ¶甲好, ～乙好? 갑이 좋으냐, 그렇지 않으면 을이 좋으냐?
〔抑价〕 yìjià 동 가격을 누르다〔낮추다〕. ¶～囤积; 가격을 억제하고 상품을 사서 쟁여 두다.
〔抑菌作用〕 yìjūn zuòyòng 명《醫》 제균(除菌) 작용.
〔抑勒〕 yìlè 동 〈文〉 고삐를 당기다. 억제하다.
〔抑平〕 yìpíng 동 억제하여 고르게 하다. ¶～物价; 물가를 내리다.
〔抑且〕 yìqiě 접 ⇨〔况kuàng且〕
〔抑情〕 yìqíng 동 욕정을 자제하다.
〔抑塞〕 yìsè 동 ①억눌러 막다. 막아 못하게 하다. ②우울해지다. 번민하다.
〔抑压〕 yìyā 동 억압하다.
〔抑扬〕 yìyáng 명 ①억양. 가락의 고저(高低). 문세(文勢)의 기복. 인토네이션. ②칭찬했다 헐뜯었다 함. ③부침(浮沈).
〔抑扬顿挫〕 yì yáng dùn cuò 〈成〉 음성의 고저, 곡절(曲折)의 가락 등이 잘 맞다. 소리의 높낮이와 곡절이 조화되고 리드미컬하다. ¶声调～非常好听; 성조가 조화롭고 리드미컬해서 매우 듣기 좋다.
〔抑郁〕 yìyù 형 〈文〉 (불만이 있어도 호소할 수 없어) 번민하다. 우울하다. ¶～不平; 짜증이 나다. 울분을 풀 길이 없다.
〔抑止〕 yìzhǐ 동 ⇨〔抑制〕
〔抑制〕 yìzhì 동 억제하다. 압박하다. ¶～自己的感情; 자기의 감정을 억제하다. =〔抑止〕 명《生》 억제.
〔抑制栅〕 yìzhìshān 명《電》 억제 그리드(grid)

邑 yì (읍)
명 ①읍. (옛날의) 도시. ¶城～; 도회. 도시/巨～; 대도시/通都大 ～; 대도시. ②'县'(현)의 별칭.
〔邑侯〕 yìhóu 명 〈敬〉〈文〉 옛날의 현지사(縣知事)에 대한 존칭.
〔邑闾〕 yìlǘ 명 〈文〉 촌락. 촌리(村里).

浥 yì (읍)
동 〈文〉 축이다. 적시다. ¶露lù～衣襟; 이슬에 옷자락을 적시다.

悒 yì (읍)
동 〈文〉 걱정하다. 불안하게 생각하다. ¶～～不乐; 불안하여 즐겁지 않다/忧yōu～ =〔郁yù～〕〔忧郁〕; 우울하다. =〔唈〕
〔悒愤〕 yìfèn 동 분노로 우울해지다.

挹 yì (읍)
동 〈文〉 ①푸다. 퍼내다. ¶～彼注兹; 저쪽에서 퍼서 이쪽에다 붓다. ②물러서다. 양보하다. ③중요시하다. 추천하고 장려하다. ¶奖jiǎng～ =〔推tuī～〕〔推重〕; 추천하고 장려하다.
〔挹注〕 yìzhù 동 〈文〉〈比〉 ①나머지를 취하여 부족을 보충하다. ②돈을 유용(流用)하다. 돈을 융통하여 사용하다.

唈 yì (읍, 압)
동 ⇨〔悒yì〕

役 yì (역)
① 명 노동. 노력(勞力)을 필요로 하는 일. ¶劳～; 노역/苦～; 고역. 괴로운 강제 노역. ② 명 전쟁. ¶(中日) 甲午之～; 청일 전쟁. ③ 명 옛날, 고용인. 심부름꾼. 하인. 잡역부. 허드레. ¶差chai～; 관청의 사환/衙～; 관아의 심부름꾼/校～; 학교의 사환/杂～; 잡역(부). ④ 명 병역. ¶现～; 현역/兵～; 병역. ⑤ 명 사건. ¶此～乃数人相殴之小事; 이것은 몇 사람이 서 치고 받은 사소한 사건이다. ⑥ 동 일을 시키다. 부리다. ¶奴nú～; 노예처럼 부리다〔혹사하다〕.
〔役畜〕 yìchù 명 역축. =〔力lì畜〕
〔役丁〕 yìdīng 명 옛날, 인부. 일꾼. 노역자.
〔役龄〕 yìlíng 명《軍》 병역 연령.
〔役男〕 yìnán 명 병역에 복무하는 남자.
〔役权〕 yìquán 명《法》 역권(다른 사람 또는 그의 재물을 사용할 수 있는 권리).
〔役人〕 yìrén 명 〈文〉 관청의 사용인. 동 다른 사람을 부리다. ¶非乃～, 乃役于人; 남을 사역하는 것이 아니라, 남을 위해 일한다(옛날, 베이징(北京) YMCA의 표어).
〔役使〕 yìshǐ 동 ①(가축을) 부리다. ②(인력(人力)을) 강제로 쓰다. (노예처럼) 혹사하다.
〔役损〕 yìsǔn 동 〈文〉 피로해서 몸에 탈이 나다.
〔役租〕 yìzū 명 부역(賦役). ¶货币代～; 금전으로 부역을 대신하다/实物代～; 현물로 부역을 대신하다.

疫 yì (역)
명《醫》 유행병. 급성 전염병. 역병. 돌림병. ¶鼠shǔ～; 페스트/时～; 계절성 유행병/防～; 유행병을 막다. 방역하다.
〔疫病〕 yìbìng 명 유행성 전염병.
〔疫埠〕 yìbù 명 전염병이 도는 지역.
〔疫港〕 yìgǎng 명 ①전염병 발생의 단서(端緖). ②전염병이 도는 항구. ¶～出口准许书; 유행병이 돌고 있는 항구로부터의 수출 허가증.
〔疫疠〕 yìlì 명《醫》 유행병. 급성 전염병. =〔瘟wēn疫〕
〔疫苗〕 yìmiáo 명《醫》 백신. 왁친. ¶接种jiēzhòng～ =〔注zhù射～〕〔打预防针〕; 예방 주사를 놓다/斑疹bānzhěn伤寒～; 발진 티푸스 백신/狂kuáng犬病～; 광견병 백신/卡kǎ介～ =〔卡介(菌)苗〕〔结jié核～〕; BCG 백신.
〔疫气〕 yìqì 명 유행병.
〔疫情〕 yìqíng 명《醫》 전염병 발생 상황.
〔疫区〕 yìqū 명 전염병 발생 지구.
〔疫疹〕 yìzhěn 명 홍역.
〔疫症〕 yìzhèng 명 유행병.

毅 yì (의)
형 (의지가) 강하다. 과단성이 있다.
〔毅力〕 yìlì 명 기백(氣魄). 기력. 끈기. ¶没有～编不了辞典; 끈기가 없으면 사전 편찬은 하지 못한다/他工作很热心, 但没有～; 그는 일에는 열심이지만 끈기가 없다.
〔毅然〕 yìrán 형 단호한 모양. 부 단호히. 결연히. ¶～承当难局; 단호히 난국에 대처하다/～决然地拒绝了他的要yāo求; 단호하게 그의 요구를 거절했다.
〔毅勇〕 yìyǒng 형 〈文〉 의지가 강하고 씩씩하다.

贻(貤) yì (이)
동 〈文〉 겹치다. 중복(重複)되다. ⇒ yí

诣(詣) yì (예)
〈文〉 ① 동 가다. 다다르다. 이르다. ② 동 찾아뵙다. 가서 배알하다.

¶～前请教; 찾아뵈어 가르침을 받다. 찾아뵙다/～师问学; 스승을 찾아뵙고 학문을 배우다. ③ 동 《宗》 신불(神佛)에 참예하다. ④ 명 학문이나 기술 등을 연구하여 도달한 깊은 경지. ¶造～; 조예.

〔诣府〕 yìfǔ 동 〈文〉 댁으로 찾아뵙다. ¶～拜访; 댁으로 찾아뵙다.

〔诣阙〕 yìquè 동 〈文〉 예궐하다. 입궐하다. ¶～上书; 입궐하여 글을 올리다.

〔诣谢〕 yìxiè 동 〈文〉 찾아뵙고 인사를 올리다.

〔诣谒〕 yìyè 동 〈文〉 찾아뵙다.

鲐(鮨) yì (예)
명 《魚》 다랑어.

佾 yì (일)
명 옛날, 무악(舞樂)의 행(行)과 열(列)의 인원수가 같은 것. ¶八～; 64인(人)의 악무/～生; ⇓

〔佾生〕 yìshēng 명 청대(清代), 공자묘(孔子廟)에서 무악을 행하는 사람.

栧〈枻〉 yì (예)
명 〈文〉 (배 젓는) 노. =〔桨〕

勚(勩) yì (예, 이)
① 형 〈文〉 고생스럽다. 수고스럽다. ② 동 닳다. 마손(磨損)되다. 무디어지다. ¶螺丝扣～了; 나사가 닳다.

易 yì (역, 이)
① 동 바꾸다. 변화시키다. 고치다. ¶～地疗养; 전지 요양/万世不～; 만세 후가 되어도 변하지 않다. 만세 불역. ② 동 교환하다. 교역하다. ¶以物～物; 물물 교환하다/贸mào～; 무역(하다)/交～; 교역하다. ③ 동 《經》 바터(barter) 거래를 하다. ④ 동 다스리다. ⑤ 동 경시하다. 깔보다. ⑥ 형 쉽다. 용이(容易)하다. ¶轻而～举; 쉽게 해낼 수 있다/得来不～; 얻기가 쉽지 않다/～于改革; 개혁하기 쉽다. ⑦ 형 온화하다. 부드럽다. ¶平～近人; 온화하여 가까이하기 쉽다. ⑧ 명 《書》 〈簡〉 역경(易經). ⑨ 동 간략하다. ¶简～保险; 간이 보험. ⑩ 명 성(姓)의 하나.

〔易北河〕 Yìběihé 명 《地》 엘베 강(Elbe江)《독일 중앙부를 흘러 북해로 흘러들어가는 강》.

〔易边〕 yìbiān 동 《體》 코트를 바꾸다. 체인지 코트하다. ¶～再战; 코트를 바꾸어 시합을 재개하다.

〔易卜生〕 Yìbǔshēng 명 《人》 입센(Ibsen, Henrik)《노르웨이의 문학자, 1828～1906》.

〔易地〕 yìdì 동 ①전지(轉地)하다. ¶～疗养; 전지요양하다. ②입장을 바꾸다. ¶～则皆然; 입장을 바꾸면 모두가 똑같다.

〔易懂〕 yìdǒng 형 알기 쉽다. 평이(平易)하다. ¶用～的话; 쉬운 말을 쓰다.

〔易过借火〕 yìguò jièhuǒ 아주 간단하다. ¶马来西亚的回教徒离婚真是～, 只要那丈夫说"我和你离婚", 离婚就告成立; 말레이시아의 이슬람 교도의 이혼은 지극히 간단하다. 그 남편이 "너와 이혼한다"고 말만 하면 이혼은 성립한다.

〔易回〕 yìhuí 동 《商》 대충품(對充品)을 수입하다. ¶～货物; 대충 수입품.

〔易货〕 yìhuò 명동 《貿》 바터(를 하다). 물물 교환(을 하다). ¶～贸易; 바터 무역을 하다/记账～; 에스크로 바터(escrow barter)/对开信用状～; 백투백(back-to-back) 신용장식(式) 바터/联锁～; 링크(link) 바터.

〔易货合同〕 yìhuò hétong 명 《商》 바터 계약.

〔易货交易〕 yìhuò jiāoyì 명 《商》 물물 교환. 바터 무역. =〔易货贸易〕〔以yǐ货易货〕

〔易货贸易〕 yìhuò màoyì 명 ⇨〔易货交易〕

〔易科〕 yìkē 명동 청대(清代)의, 환형(換刑)(하다)《선고된 형을 다른 종류의 형으로 바꾸는 일. 예전에, 벌금형을 노역형으로, 또는 그 반대로 하여 집행하는 일》. ¶处有期徒刑三个月, ～罚金三千元; 유기 징역 3개월을 바꾸어 벌금 3천 원으로 하다.

〔易拉罐〕 yìlāguàn 명 손으로 쉽게 딸 수 있는 원터치 (음료수)캔.

〔易取〕 yìqǔ 동 바터(barter)하다. ¶最近巴棉价升的原因, 与中国以十万吨大米～同样价值的巴棉有关; 최근 파키스탄 면화의 가격이 오른 것은, 중국이 10만톤의 쌀로 같은 값의 파키스탄 면화를 바터한 것과 관계가 있다.

〔易燃〕 yìrán 형 〈文〉 인화(引火)성이 있다. 타기 쉽다. ¶～性; 인화성/～货物; 인화성 물품.

〔易人〕 yìrén 동 사람을 바꾸다. 경질하다. ¶那儿的主任新近～了; 그곳의 주임은 최근 경질되었다. 형 온화하고 사귀기 쉽다. ¶和蔼ǎi～; 온화하고 사귀기 쉽다.

〔易熔合金〕 yìróng héjīn 명 《化》 이융(易融) 합금. 가융(可融) 합금《용점(熔點)이 낮은 합금. 퓨즈 및 방화용의 자동 소화기 설비 등에 쓰임》. =〔易熔金〕

〔易熔金〕 yìróngjīn 명 ⇨〔易熔合金〕

〔易熔塞〕 yìróngsāi 명 《機》 가용전(可溶栓). =〔锅guō炉塞〕

〔易如反掌〕 yì rú fǎn zhǎng 〈成〉 손바닥을 뒤집는 것처럼 매우 쉽다.

〔易手〕 yìshǒu 동 ①손을 바꾸다. ②임자가 바뀌다.

〔易水〕 yìshuǐ 명 ①《商》 품질·품위 등의 부족에 대한 보전금(補塡金). ②(Yìshuǐ) 《地》 이수이《허베이 성(河北省) 이 현(易縣) 서남을 흐르는 강》.

〔易学难精〕 yì xué nán jīng 배우기는 쉽지만 정통하기는 어렵다. 입문은 쉬우나 숙달은 어렵다.

〔易易〕 yìyì 형 매우 쉽다. ↔〔难nán难〕

〔易于〕 yìyú 쉽게 …할 수 있다. 잘 …하다. ¶他～犯错误; 그는 잘못을 잘 저지른다.

〔易箦〕 yìzé 명동 임종(臨終)(하다).

〔易占〕 yìzhān 명 점.

〔易辙〕 yìzhé 동 〈比〉 일의 방법〔하는 방법〕을 바꾸다.

〔易主〕 yìzhǔ 동 주인을 바꾸다. 주인이 바뀌다.

埸 yì (역)
명 〈文〉 ①논밭의 경계. ②변경(邊境). ¶疆～; 국경.

蜴 yì (척)
→〔蜥xī蜴〕

羿 Yì (예)
명 ①예《하(夏)나라 때의 전설 속의 유궁국(有窮國)의 군주(君主)로, 활을 잘 쏘았음》. ②성(姓)의 하나.

翌 yì (익)
〈文〉 (금년이나 오늘의) 다음. ¶～晨 =〔～朝zhāo〕; 이튿날 아침/～日 =〔翼日〕; 익일. 이튿날/～年; 익년. 이듬해. 명년.

翊 yì (익)
〈文〉①동 삼가다. 공경하다. ②동 보좌(補佐)하다. 돕다. ¶～赞zàn =〔辅fǔ～〕; 보좌하다. ③명 성(姓)의 하나.

熠 yì (습)
형〈文〉밝게 빛나다. ¶～～; 밝게 빛나는 모양. =〔熠耀〕〔熠煜yù〕

猘 yì (예)
→〔林lín猘〕

食 yì (이)
인명용 자(字). ¶郦Lì～其jī; 역이기. 한대(漢代) 사람. ⇒shí sì

谊(誼) yì (의)
명 교분. 우의. 정의. ¶深情厚～; 깊은 우정 / 隆情厚～; 두터운 우정 / ～不可辞; 정의상 거절할 수가 없다.

益 yì (익)
①명 이익. 도움. 이점(利點). ¶利～; 이익 / 受～很多; 이익을 얻은 바가 매우 많다. ↔〔害〕 ②형 이익이 되다. 유익하다. ¶良师～友; 좋은 스승과 유익한 벗 / ～虫; 익충 / ～友; ⇩ / ～鸟; ⇩ ③동 증가하다. 더하다. ¶延年～寿; 수명을 연장하다 / 民主阵营日～强盛; 민주 진영은 나날이 강성함을 더하고 있다 / 日～壮大; 날로 커지다 / 工人十分努力, ～以专家耐心指导, 工作尤见顺利; 노동자들의 많은 노력에 전문가들의 인내심 있는 지도가 더해지자 일이 더욱 순조롭게 되었다. ④동 증진하다. ⑤동 풍부해지다. 넉넉해지다. ⑥부 더욱. 한층 더. ¶仇恨～深; 원한이 한층 깊어지다 / ～觉惭愧; 한층 부끄럽게 느끼다. ⑦명 성(姓)의 하나.

〔益处〕 yìchu 명 이익. 이점. 유익한 요소(要素). ¶没什么～; 아무 이익이 없다. ↔〔害处hàichu〕

〔益发〕 yìfā 부 더욱더. 점점. 훨씬. ¶太阳落了, 再加上下这么一场雨, ～显得凉快了; 해는 떨어졌고, 게다가 이렇게 비까지 내리니 더욱 시원해졌다. =〔一发①〕 →〔越发〕

〔益加〕 yìjiā 동 증가하다. 부 더욱더. 점차. =〔更加〕

〔益母草〕 yìmǔcǎo 명 ⇨〔茺chōng蔚〕

〔益鸟〕 yìniǎo 명 익조(이로운 새. '燕yàn子'(제비), '杜dù鹃'(두견), '猫māo头鹰'(수리부엉이) 따위). ↔〔害hài鸟〕

〔益友〕 yìyǒu 명〈文〉익우. 유익한 벗. 좋은 친구. ↔〔损sǔn友〕

〔益者三友〕 yì zhě sān yǒu〈成〉사귀어서 자기에게 도움이 되는 세 벗(정직한 사람, 신의 있는 사람, 지식 있는〔견문이 넓은〕 사람).

〔益智〕 yìzhì 동〈文〉지혜를 늘리다. 명《植》①용안(龍眼). ②익지(과실을 익지인(仁)이라 하여, 방향성 건위제로 함).

〔益智片〕 yìzhìpiàn 명《映》단편 과학·교육 영화. 문화 영화.

溢 yì (일)
A) ①동 (물이) 넘치다. ¶河水四～; 강물이 사방으로 넘치다 / 满则～; 차면 넘친다 / 潮水～出堤岸; 바닷물이 둑에서 넘친다 / ～外; ⓐ밖으로 흘러 넘치다. ⓑ국외로 유출되다. ②동 (정도를) 넘치다. 과도하다. ¶～美; ⇩ / ～誉; ⇩ ③한 손으로 가득 떠 올린 만큼의 분량. ‖=〔泆yì②〕 B) 양 ⇨〔镒yì〕

〔溢额银〕 yì'éyín 명 옛날, 예정을 초과하여 징수한 세금의 초과액.

〔溢恶〕 yì'è 동〈文〉지나치게 나쁘다. ¶～之言; 지나치게 심한 말.

〔溢洪道〕 yìhóngdào 명《土》댐의 수량(水量) 조절용의 수도(水道). 방수로(放水路). 여수로(餘水路).

〔溢洪堰〕 yìhóngyàn 명 (방수용의) 댐. 홍수 방지용의 제방.

〔溢价〕 yìjià 명《經》(주식(株式)의) 프리미엄(주식 모집 때 액면 이상의 가격으로 발행했을 경우의 액면 초과액).

〔溢利〕 yìlì 명〈文〉여분의 이익.

〔溢冒〕 yìmào 동 넘쳐서 배어 나오다. ¶身上油往外～; 몸의 기름이 외부로 배어 나오다.

〔溢美〕 yìměi 동〈文〉과분하게 찬미하다. 지나치게 칭찬하다.

〔溢美溢恶〕 yì měi yì è〈成〉과분한 칭찬과 지나친 비난.

〔溢目〕 yìmù 형〈文〉다 볼 수 없다. 한 눈에 볼 수 없다. ¶好景～; 좋은 경치가 많아 미처 다 볼 수 없다.

〔溢誉〕 yìyù 명〈文〉과분한 칭찬. ¶承蒙～, 愧不敢当;〈翰〉과분한 칭찬을 받아, 부끄러울 따름입니다.

嗌 yì (익)
명〈文〉목구멍. ¶～不容粒; 음식이 조금도 목구멍으로 넘어가지 않다. ⇒ài

缢(縊) yì (의)
동〈文〉줄로 목을 졸라 죽이다. ¶自～; 목을 매어 죽다〔자살하다〕/ ～杀shā; 줄로 목을 졸라 죽이다.

〔缢虫〕 yìchóng 명《蟲》나뭇가지에 매달린 나비류의 번데기.

〔缢鬼〕 yìguǐ 명 목을 매어 죽은 사람의 망령(亡靈).

镒(鎰) yì (일)
양 일(옛날의 중량 단위로, 20'两'에 해당함. 일설로는 24'两'이라고도 함). =〔溢B)〕

艗 yì (익)
→〔艗首〕

〔艗首〕 yìshǒu 명〈文〉①익수. ②〈轉〉뱃머리. ‖=〔鹢首〕

鹢(鷁) yì (익)
명《鳥》〈文〉고서(古書)에서 말하는 물새의 일종(해오라기 비슷한 큰 새로, 뱃머리에 그 모양을 새겼다고 함). =〔白鹭鸶lùsī〕〔鹔①〕〔鹝①〕

螠 yì (의)
명《動》개불(류(類)의 총칭)(환상(環狀) 동물의 하나. 해변의 모래 속에 삶). ¶单环刺～ =〔〈俗〉海豚子〕; 개불(낚시의 미끼로 쓰임).

逸 yì (일)
①동 달아나다. 도주하다. ¶奔～ =〔逃～〕; 달아나다 / 马～不能止; 말이 달아나는 것을 멈추게 할 수 없다. ②동 세상을 버리고 숨다. 은둔하다. ③동 흩어져 없어지다. 산일(散逸)하다. ¶其书已～; 그 책은 이미 산실(散失)되었다 / ～书; ⇩ / ～事; ⇩ ④동 실패하다. ⑤형 마음 내키는 대로 하다. 방종하다. ¶淫yín～; 음탕하고 방종하다. ⑥형 편안하다. 안락하다. 한가하다. 안일하다. ¶一劳永～;〈成〉한번 고생해 두면, 그 다음은 오래 편안할 수 있다 / 以～待劳;

〈成〉 쉬면서 힘을 길렀다가 지친 적을 치다 / 安～; 안일하다. ⑦ 형 뛰어나다. 탁월하다. 빼어나다. ¶超～; 빼어나다 / ～品; ⇓ / ～士; ⇓ ⑧ 동 그르치다. ⑨ 명 과실(過失). ⑩ 명 세상에 알려지지 않은 일〔사람〕.

〔逸才〕 yìcái 명 ⇨〔逸材〕

〔逸材〕 yìcái 명 발군(拔群)의 인재. 영재(英才). =〔逸才〕

〔逸宕〕 yìdàng 동 〈文〉 대범하다. 예의에 구애받지 않다.

〔逸荡〕 yìdàng 동 〈文〉 일탕하다. 도를 넘쳐 멋대로 주색에 빠지다.

〔逸居〕 yìjū 동 〈文〉 일거하다. 하는 일 없이 편안하게 지내다.

〔逸口〕 yìkǒu 동 〈文〉 실언(失言)하다.

〔逸乐〕 yìlè 동 일락에 빠지다. 쾌락을 즐겨 멋대로 놀다. =〔逸豫〕

〔逸民〕 yìmín 명 〈文〉 일민(逸民). 은자(隱者).

〔逸品〕 yìpǐn 명 ①일품. 아주 뛰어난 물건. ②뛰어난 품격.

〔逸气〕 yìqì 명 일기. 세속에서 벗어난 기상.

〔逸趣横生〕 yì qù héng shēng 〈成〉 흥미가 진진하다. 흥미가 넘치다.

〔逸群〕 yìqún 형 일군하다. 발군하다.

〔逸声〕 yìshēng 명 〈文〉 음탕한 음악.

〔逸诗〕 yìshī 명 일시. 시경(詩經)에 수록되어 있지 않은 시. =〔轶诗〕

〔逸史〕 yìshǐ 명 일사《정사(正史)에 수록되어 있지 않은 사실을 모은 역사》.

〔逸士〕 yìshì 명 ①뛰어난 사람. ②은둔한 선비. 은자.

〔逸事〕 yìshì 명 〈文〉 세상에 알려지지 않은 사적(事跡). 일사(逸事)《흔히, 사서(史書)에서 볼 수 없는 것을 이름》.

〔逸书〕 yìshū 명 일서《이름만 알려지고, 실물은 세상에 전하지 않는 책》.

〔逸闻〕 yìwén 명 〈文〉 (기록에 없는) 세상에 알려지지 않은 진기한 이야기. 일화(逸話).

〔逸想〕 yìxiǎng 명 〈文〉 속진을 벗어난 고매한 사상.

〔逸兴〕 yìxìng 명 〈文〉 세속을 떠난 우아한 흥취.

〔逸豫〕 yìyù 동 〈文〉 ⇨〔逸乐〕

〔逸致〕 yìzhì 명 〈文〉 훌륭한 의도〔취향〕. 아취.

〔逸足〕 yìzú 명 빨리 달리는 말. 뛰어난 인재.

意 yì (의)

① 명 생각. 마음. 의향. ¶善shàn～; 선의 / 同～; 동의하다 / 起～; 생각을 일으키다 / 随suí～; 마음대로. 뜻대로 / 心慌～乱; 당황하여 어찌할 바를 모르다 / 无～(之)中; 무의식중에. / 中zhòng～; 마음에 들다 / 任～; 마음대로. 임의로 / 满～; 만족하다 / 称心如～; 생각대로 되다. ② 명 의견. 견해. ¶这一段话很有新～; 이 이야기엔 꽤 새로운 견해가 있다 / 文中立～新颖yǐng; 글 가운데의 착상이 새롭고 독특하다. ③ 명 의미. 뜻. ¶取qǔ～; 뜻을 취하다 / 词不达～; 말이 뜻을 다하지 못하다 / 寓yù～; 우의. 뜻을 담다. ④ 명동 예상(하다). 짐작(하다). ¶自在～中; 본디부터 예상하고 있다 / 出其不～; 불시에 치다. 의표를 찌르다. ⑤ 명 기운. 기. ¶有点儿寒～; 추운기가 좀 있다. ⑥ (Yì) 명 《地》 이탈리아. =〔意大利〕

〔意必…〕 yìbì… 부 〈文〉 생각건대 반드시 …. ¶～首肯; 생각건대, 반드시 수긍할 것이다.

〔意表〕 yìbiǎo 명 의표. 의외. ¶出乎～之外 =〔出人～〕; 뜻밖이다. 예상 밖이다. →〔意外〕

〔意不过〕 yìbuguò 〈南方〉 마음이 내키지 않다.

〔意不相投〕 yì bù xiāng tóu 〈成〉 뜻이 맞지 않다. ¶几句话～, 闹个不欢而散sàn; 몇마디 나누었지만 뜻이 맞지 않아, 불유쾌한 기분으로 헤어졌다.

〔意大利〕 Yìdàlì 명 《地》 〈音〉 이탈리아(Italia)《수도는 '罗马'(로마 : Roma)》. ¶～实心面 =〔～面〕; 스파게티. =〔义大利〕〔以大利〕〔意国〕〔义国〕〔伊大利〕

〔意代宣言〕 yìdài xuānyán 입으로 명백히 말하지 않고 다른 방법으로 하는 의사 표시.

〔意到笔随〕 yì dào bǐ suí 〈成〉 생각대로 붓이 막힘없이 나아가다. ¶～地写出一篇小品文来; 생각이 떠오르는 대로 술술 소품문 한 편을 써내다.

〔意得过〕 yìdeguò 〈南方〉 마음이 내키다. 마음에 들다.

〔意得亚〕 yìdéyà 명 〈音〉 이데아(idea). →〔概念〕〔观念〕〔表象〕

〔意德沃罗基〕 yìdéwòluójī 명 〈音〉 이데올로기(독 Ideologie). =〔观念形态〕〔意迭沃罗基〕〔意特沃罗基〕〔意识形态〕

〔意符〕 yìfú 명 《言》 한자의 뜻을 나타내는 부분《'河'는 '氵'의 부분이 의부임》.

〔意故〕 yìgù 명 〈文〉 까닭. 의향. ¶却不多将些酒出来与我吃, 是甚～? 그런데도 술을 많이 내어 마시게 하지 않는 것은 무슨 까닭이냐?

〔意国〕 Yìguó 명 ⇨〔意大利〕

〔意会〕 yìhuì 동 마음으로 이해하다. 직접 설명하지 않아도 알다. ¶可以～, 不可以言传; 마음으로 이해할 수 있으나, 말로는 전할 수가 없다 / 我已经～到这事之难了; 나는 이미 이 일의 어려움은 이해하고 있다.

〔意见〕 yìjian 명 ①의견. 생각. ¶～不合; 의견이 맞지 않다 / 提～; 의견을 제출하다 / 保留～; 의견을 보류하다 / 赞同～; 의견에 찬성하다 / ～分岐了; 의견이 갈라졌다 / 闹～; 의견이 충돌하다 / 大家有什么～, 提一提; 여러분 뭔가 의견이 있으면 말씀해 주십시오. ②이의(異議). 불만. 반대. ¶对你大有～; 자네에겐 할 말이 많다 / 我对于这种办法有～; 나는 이와 같은 방식에는 이의가 있다 / 大家对你有～; 모두들 당신에게 불만을 갖고 있습니다 / ～甚shèn深; 의견의 차이가 매우 깊다.

〔意见簿〕 yìjianbù 명 의견부《대중의 의견이나 비판을 듣기 위해 공공 장소에 비치하는 장부》.

〔意匠〕 yìjiàng 명 ①(시문(詩文)·회화(繪畫)·공예(工藝) 등의) 구상(構想). 의장(意匠). ¶别具～; 독특한 구상이 있다 / ～新颖; 구상이 참신하다. ②디자인.

〔意境〕 yìjìng 명 (문학·예술 작품에 표현된) 경지(境地). 정서(情緖).

〔意懒心灰〕 yì lǎn xīn huī 〈成〉 흥이 깨어져 할 마음이 없는 모양. 낙심한 모양. =〔心灰意懒〕

〔意里意思〕 yìli yìsi 명 마음 속의 생각. 속마음. ¶他～是要请你去一次; 그의 속마음으로는 네가 한 번 가 주었으면 하는 것이다 / 他虽然没表明出来, 可是～是看中zhòng你们家的小姐了; 그는 겉으로 드러내지는 않고 있지만, 마음속으로는 자네 집 아가씨가 마음에 든 것 같다.

〔意料〕 yìliào 명동 예상(하다). 예측(하다). 짐작(하다). 생각(하다). ¶～之外 =〔出乎～之外〕〔出乎～〕〔出于～〕; 의표를 찌르다. 예상 밖이 되다 / 谁也～不到会出事儿的; 누구도 사건이 일어나리라곤 생각지 않았다 / 不出～; 예상했던 대로 /

这是～中的事; 이것은 상상했던 대로다 / 我早就说这样不行, 果然不出～; 나는 진작에 이래서 안 된다고 말해 왔는데, 과연 예상한 대로 되었다.
〔意马〕 yìmǎ 동 마음이 설레다. 심란하다. 용기가 안 나다. ¶心中～奔腾, 不知如何是好; 마음이 들떠서 어떻게 해야 좋을지 모르겠다.
〔意马心猿〕 yì mǎ xīn yuán 〈成〉 ⇨〔心猿意马〕
〔意满心足〕 yì mǎn xīn zú 〈成〉 ⇨〔心满意足〕
〔意念〕 yìniàn 명 생각. 견해. ¶心里起了个～; 마음 속에 문득 생각이 떠올랐다 / 他脑子里突然浮现出一个新的～; 그는 갑자기 새로운 생각이 떠올랐다.
〔意气〕 yìqì 명 ①의지와 기개. 의기. ¶～高昂; 의기 양양하다. ②지향과 성격. 의기. ¶～相投; 〈成〉 의기 투합하다. ③감정. 격정. ¶一时的～; 일시의 감정 / 闹～; 고집을 부리다. 감정적으로 맞서다 / 把～压下去; 감정을 누르다 / ～之争; 감정적인 싸움 / 先冷静一点, 凭一时的～是不能解决的; 우선 좀 냉정해라. 한때의 격정에 내맡겨서는 해결이 되지 않는다.
〔意气风发〕 yì qì fēng fā 〈成〉 기세가 드높다.
〔意气行事〕 yì qì xíng shì 〈成〉 ⇨〔意气用事〕
〔意气用事〕 yì qì yòng shì 〈成〉 감정적으로 일을 처리하다. =〔意气行事〕
〔意钱〕 yìqián 명 ⇨〔摊tān蒲〕
〔意趣〕 yìqù 명 〈文〉 의취. 의지와 취향. ¶深知静中的～; 정중(靜中)의 의취를 깊이 터득하고 있다 / 和年轻人在一起, 不觉～横生, 随着拍子歌舞起来; 젊은이들과 함께 있으면 부지중에 홍취가 일어나서 리듬에 맞춰 춤추게 된다.
〔意识〕 yìshí 동 의식하다. 인식하다. ¶他～到事态的严重性; 그는 사태의 중대성을 인식하고 있다 / 不过是自己还没～到就是了; 다만 자기가 아직 의식하고 있지 않을 뿐이다. 명 〖哲〗 의식. ¶～形态 =〔观guān念形态〕; 이데올로기 / 德dé意志～形态; 〖書〗 독일 이데올로기 / ～流; 의식의 흐름.
〔意思〕 yìsi 명 ①생각. ¶我的～与你的～一样; 내 생각은 네 생각과 같다 / 他万不能和您有什么～; 그는 결코 당신에게 이상한 생각 같은 것은 갖고 있지 않다. ②의미. 뜻(‘意义’ 보다 어감이 가벼움). ¶ ‘节约’ 就是不浪费的～; ‘절약’이란 바로 낭비하지 않는다는 뜻이다 / 你这句话是什么～? 너의 그 말은 어떤 뜻이냐? / 这个字的～怎么讲? 이 글자의 뜻은 무엇입니까? ③추세. 상황. 형편. 기색. ¶天有点要下雨的～; 비가 조금 올 것 같은 징조가 보인다 / 他不知我家中的～; 그는 우리 집 형편을 알지 못한다. ④의견. 바람. 기분. 의사. ¶大家的～是一起去; 모두의 의견은 함께 가겠다는 것이다 / 你的～我全明白了; 네 취지는 잘 알았다. ⑤재미. 홍미. ¶有～; 재미있다 / 没有～; 재미 없다 / 这棵松树长得像座宝塔, 真有～! 이 소나무는 마치 보탑(寶塔)같이 생겨서, 정말 재미있다! / 这没什么～; 이것은 조금도 재미가 없다 / 不够～; 서운하다. 어딘가 부족하다! ⑥(태도·생각이) 분명하지 않음. 주저함이 있음. ⑦의사. 촌지. 뜻. 성의. ¶这不过是我的一点～, 你就收下吧! 이건 그저 저의 성의에 불과합니다. 아무쪼록 받아 주십시오! / 不必送那么重的礼, ～到了就行了; 그렇게 대단한 선물을 할 필요는 없다. 성의만 전달되면 된다 / 让个～减一毛吧; 감사의 표시로 10전만 깎아 드리죠 / 我不好～和他提; 나는 미안해서 그에게 말을 꺼낼 수 없다 / 我怎么好～丢开他呢? 내가 어찌 뻔뻔스럽게 그를 내버려 둘 수 있겠는가?
〔意图〕 yìtú 명동 의도(하다). 注 동사(動詞)에는 쓰이지 않음. ¶敌人的～很明显; 적의 의도는 매우 분명하다 / 有所～; (뭔가) 의도하는 바가 있다 / ～不良; 의도가 좋지 않다.
〔意外〕 yìwài 형 의외이다. 뜻밖이다. ¶感到～; 뜻밖으로 생각하다 / ～的大变故; 뜻하지 않은 큰 변고. 명 뜻하지 않았던 일. 사고. 재난. ¶～风波; 뜻하지 않은 소동 / 发生～; 뜻밖의 일이 일어나다.
〔意外保险〕 yìwài bǎoxiǎn 명 ⇨〔伤shāng害保险〕
〔意味〕 yìwèi 명 ①맛. 정취. 홍취. 재미. ¶有何～! 무슨 재미가 있을까! / 富于文学～; 문학적인 맛이 짙다. ②(깊은) 뜻. ¶～深长; 의미 심장하다.
〔意味着〕 yìwèizhe …을 의미하고 있다. ¶这～什么呢? 이것은 무엇을 의미하고 있는가? / 采取这一重要措施～打破外国对我国市场的垄断; 이 중요한 한 가지 조치를 취하는 것은, 외국의 우리 시장에 대한 독점을 타파하는 것을 의미하고 있다.
〔意谓〕 yìwèi 동 〈文〉 생각은 …이다. …라는 생각을 갖고 있다. ¶他话中～女子无才便是德; 그의 이야기 속에는 여자에게 재능이 없는 것이야말로 덕이라는 생각이 들어 있다.
〔意下〕 yìxià 명 〈文〉 ①마음 속. 흉중(胸中). ¶不在～ =〔不放在～〕; 마음에 두지 않다 / 惹得乡下孩子三五成群跟着他笑, 他也不放在～; 심지어 시골 아이들까지 졸졸 뒤를 따라다니며 그를 비웃지만, 그는 마음에 두지 않는다 / ～颇为不满; 마음에 매우 불만이다. ②생각. ¶你～如何? 네 생각은 어떠하냐?
〔意想〕 yìxiǎng 동 생각하다. 상상하다. =〔料想〕〔想像〕
〔意想不到〕 yìxiǎngbudào 의외다. 생각도 못하다. ¶有～的好处; 뜻밖의 좋은 점이 있다.
〔意向〕 yìxiàng 명 의향. 의도. 생각. 목적. ¶心中的～; 심중의 의도 / ～不明; 의도가 분명치 않다 / 共同的～; 공통의 목적.
〔意象〕 yìxiàng 명 (문학 예술 작품에서의) 이미지. 정서. 정취.
〔意兴〕 yìxìng 명 홍미. ¶～索然; 홍미가 없다. 도무지 홍이 나지 않다.
〔意兴阑珊〕 yì xìng lán shān 〈成〉 의기도 홍미도 없어지다.
〔意绪〕 yìxù 명 ⇨〔心xīn绪〕
〔意业〕 yìyè →〔三sān业〕
〔意义〕 yìyì 명 ①의의. 의미. ¶失去了～; 의의를 잃고 말았다 / 每个词都表示一定的～; 글자마다 특정한 의미를 나타낸다. ②〈轉〉 가치. 보람. ¶很有～的事; 매우 가치 있는 일 / 具有重大历史～的事件; 중대한 역사적 가치를 띤 사건.
〔意译〕 yìyì 동 ①의역하다(원문의 한 말 한 말에 얽매이지 않고 번역하다). ↔〔直zhí译〕 ②원문의 음(音)이 아닌 뜻으로 역어(譯語)를 만들다. ↔〔音yīn译〕
〔意意思思〕 yìyisīsī 형 마음의 갈피를 못잡다. 당황하다. ¶他只～, 就丢开手了; 그는 당황하여 (그 일을) 내버려 두었다.
〔意欲〕 yìyù 동 〈文〉 기분에 …하고 싶다. ¶这一日偶至郊外, ～赏鉴那野外风景; 이 날은 마침 교외에 나가, 야외의 풍경을 즐길 생각이었다.
〔意愿〕 yìyuàn 명 염원. ¶完成一件～; 한 가지 염원을 이루다.

〔意在言外〕 yì zài yán wài 〈成〉 뜻은 언외에 있다. 언외에 넌지시 비추다.
〔意旨〕 yìzhǐ 명 (존중해야 할) 의지. 의도. 주지(主旨). ¶章程的～; 규정의 주지(主旨) / 尊从党的～; 당의 의도를 존중하다 / 违背父亲的～; 아버지의 뜻에 위배되다.
〔意志〕 yìzhì 명 ①의지. ¶～坚强; 의지가 굳다 / ～薄bó弱; 의지 박약하다 / 不屈不挠的～; 불요불굴의 의지. ②의기. ¶～消沉; 의기 소침하다.
〔意中〕 yìzhōng 명 의중. 예견. 마음 속. ¶～事; 예상했던 일 / 定在～; 반드시 의중에 있다 / 对您是意外, 对我是～; 당신에게는 의외라도, 제게 있어서는 예상대로입니다.
〔意中人〕 yìzhōngrén 명 ①의중에 있는 적당한 인물. ②의중의 애인.

薏

yì (의)
명 《植》 ①연밥 알맹이. ②율무. =〔薏米〕

臆〈肊〉

yì (억)
① 명 가슴. ¶热泪沾zhān～; 뜨거운 눈물이 가슴을 적시다. ② 명 생각. 마음. ¶舒愤懑mèn于胸～; 분한 생각을 가슴 가득히 펼치다. 분노로 가슴이 울컥 치밀다. ③ 부 주관적으로. ¶～度duó; ⇩ / ～造; ⇩ / ～测; ⇩ / 腷bì～; 울적하다.
〔臆测〕 yìcè 명동 억측(하다). 추측(하다). ¶不要以小人之心去～一个君子; 범인의 생각으로 어엿한 군자의 마음을 억측하지 마라. =〔〈文〉臆度〕
〔臆断〕 yìduàn 명동 억단(하다). 억측(으로 단정하다). ¶片piàn面～; 일방적으로 억측하여 판단하다 / 凭空píngkōng～; 근거도 없이 억측하여 단정하다 / 无从～; 짐작하여 단정할 수가 없다.
〔臆度〕 yìduó 명동 ⇨〔臆测〕
〔臆说〕 yìshuō 명 〈文〉 근거없는 억측의 말.
〔臆想〕 yìxiǎng 명동 〈文〉 억측(하다). ¶这个故事是凭空～出来的; 이 이야기는 머릿속에서 생각해 낸 것이다 / 主观～; 주관적인 억측.
〔臆造〕 yìzào 동 〈文〉 억측해서 (말을) 만들어 내다. 추측으로 날조하다. ¶凭píng空～; 근거도 없이 말을 만들어 내다 / 你怎么能听信这种～的话呀? 너는 어째서 이런 터무니없는 억설을 곧이듣고 믿느냐?

癔

yì (억)
→〔癔病〕
〔癔病〕 yìbìng 명 《醫》 히스테리(독 Hysterie). =〔〈音〉歇xiē斯底里〕〔脏zàng躁症〕

镱(鐿)

yì (의)
명 《化》 이테르븀(Yb: ytterbium).

肄

yì (이)
① 동 〈文〉 배우다. 공부하다. ¶～习; 학습하다 / ～业; ⇩ ② 명 〈文〉 그루터기에서 나오는 새싹.
〔肄业〕 yìyè 동 재학하다. 수업하다. 과정을 이수하다《아직 졸업하지 못함》. ¶高中～; 고교 과정 이수〔중퇴〕. →〔毕业〕

鹝(鷊〈鷁〉)

yì (예)
① 명 ⇨〔鹢〕 ② →〔鹝鹝〕
〔鹝鹝〕 yìyì 〈擬〉 꽥꽥《거위의 울음소리》.

廙

yì (이, 익)
〈文〉 ① 형 공경스럽다. ②인명용 자(字).

翼

yì (익)
① 명 날개. ¶羽yǔ～; 날개 / 薄如蝉～; 매미 날개처럼 얇다. ② 명 (비행기 따위의) 날개. ¶双～飞机; 복엽(複葉) 비행기 / 飞机的银～; 비행기의 은빛 날개. ③ 명 〈轉〉 익. 측. 쪽《좌우 양측 중의 한쪽》. ¶左～; 좌익 / 由两～进攻; 양쪽에서 진공하다. ④ 동 〈文〉 돕다. 보좌하다. ¶～助; 보좌하다. ⑤ 명 〈文〉 다음. ¶～日; ⇩ ⑥ 동 〈文〉 추천하다. ⑦ 명 《天》 익《28수(宿)의 하나》. ⑧ 명 성(姓)의 하나.
〔翼庇〕 yìbì 동 〈文〉 비호하다. 감싸다. ¶～部下; 부하를 감싸다.
〔翼侧〕 yìcè 명 《軍》 측면. 전투 부대의 양익(兩翼). ¶～突击; 측면 돌격.
〔翼翅〕 yìchì 명 〈文〉 날개. 깃.
〔翼戴〕 yìdài 동 〈文〉 (천자를) 보좌하여 받들다.
〔翼辅〕 yìfǔ 동 〈文〉 보좌하다. ¶～政事; 정사를 보좌하다.
〔翼门〕 yìmén 명 〈文〉 정문의 좌우에 있는 작은 문.
〔翼日〕 yìrì 명 〈文〉 이튿날. 익일. =〔〈文〉翌日〕
〔翼梢〕 yìshāo 명 (비행기의) 날개끝.
〔翼室〕 yìshì 명 〈文〉 양쪽 방.
〔翼手动物〕 yìshǒu dòngwù 명 《動》 (박쥐 따위의) 익수류.
〔翼手龙〕 yìshǒulóng 명 《動》 익수룡《중세대 쥐라기(紀)에서 백악기(白堊紀)에 걸쳐 생존하였던 화석 파충류》.
〔翼手目〕 yìshǒumù 명 《動》 박쥐목(目)《포유류의 하나》.
〔翼卫〕 yìwèi 명 《體》 (럭비·축구의) 윙(wing). =〔旁卫〕
〔翼宿〕 yìxiù 명 《天》 익성(翼星).
〔翼翼〕 yìyì 형 〈文〉 ①엄숙하고 삼가는 모양. ¶小心～; 소심익익하다. 조그만 일까지 삼가고 조심하다. ②질서 정연한 모양. ③성(盛)한 모양.
〔翼子板〕 yìzibǎn 명 흙받이. ¶汽车～; 자동차의 흙받이. =〔挡dǎng泥板〕

埶

yì (예)
동 〈文〉 식물을 심다. 씨 뿌리다. ¶树～五谷; 오곡을 심다 / ～菊; 국화를 심다. =〔艺 ③〕

嫕

yì (예)
형 〈文〉 정숙하다. 고분고분하다. 온화하다. 유순하다. ¶婉wǎn～; 고분고분하다.

瞖

yì (예)
〈文〉 '翳yì' 와 통용.

翳

yì (예)
① 명 차일《깃으로 꾸민 일산(日傘)》. ② 명 안구(眼球) 각막증(角膜症)에 걸린 후 남은 흔적. ③ 동 가리다. 덮다. 감추다. ④ 동 배척하다. 물리치다.

瘗(瘞)

yì (예)
동 〈文〉 (시체 또는 부장품(副葬品)을) 묻다. 매장하다.

饐(饐)

yì (의, 애)
동 음식이 쉬다.

殪

yì (에)
동 〈文〉 ①죽다. ¶敌dí兵尽～; 적병은 모두 죽었다. ②죽이다. ¶～敌甚众; 적을 많이 죽였다. 적을 죽인 수가 매우 많았다.

曀

yì (예)
형 (날씨가) 흐리고 어둡다. 음침하다. ¶～～; 하늘이 잔뜩 흐려 어두운 모양.

懿 **yì** (의)
형 〈文〉 (품행이) 아름답다. 훌륭하다. 좋다. ¶嘉言～行; 〈成〉 (여자의) 좋은 언행 / ～德; ⇩ / ～鉴jiàn; 〈翰〉 보시기 바랍니다《주로 여성에게 씀》.

〔懿德〕 **yìdé** 명 미덕. (부인의) 덕행.

〔懿范〕 **yìfàn** 명 〈文〉 여자의 좋은 본보기. ¶～犹yóu存; 좋은 본보기가 아직 남아 있다.

〔懿戚〕 **yìqī** 명 〈文〉 황실의 외척(外戚).

〔懿旨〕 **yìzhǐ** 명 〈文〉 옛날, 황태후 또는 황후의 말씀.

鹝(鷊) **yì** (역)
명 ① ⇨〔鹢〕 ②《鳥》 고서(古書)에서 '吐绶鸡'(칠면조)를 가리킴.

劓 **yì** (의)
명 〈文〉 옛날 형벌의 하나《코를 베어냄》. ¶～刑xíng; 의형.

燚 **yì** (일)
〈文〉 인명용 자(字).

寱〈寱〉 **yì** (예)
→〔寱挣〕

〔寱挣〕 **yìzhēng** 명동 헛소리(하다). 잠꼬대(하다). ¶佯yáng做个～; 〈古白〉 헛소리〔잠꼬대〕를 하는 척하다. =〔呓怔〕

YIN ㄧㄣ

阴(陰〈隂〉) **yīn** (음)
① 명 《哲》 (역학(易學)의) 음. ↔〔阳yáng〕 ② 형 《物》 음전기(陰電氣)를 띤. ¶～电; ⇩ / ～极; ⇩ ③ 형 흐리다. ¶～天; ⇩ / ～雨; ⇩ / 连～; 계속되는 흐린 날씨. ↔〔晴〕 ④ 명 광음. 시간. ¶惜～; 시간을 아끼다. ⑤ 명 산의 북쪽 또는 강의 남쪽 연안. ¶华huá山之～; 화산의 북쪽 / 淮huái水之～; 회수의 남안. ⑥(～儿) 명 그늘. 응달. ¶树～儿; 나무 그늘 / 背～; 응달 / 花～; 꽃 그늘. ⑦ 명 여자의 생식기. ¶下～; 음부 / 女～; 여자의 생식기. ⑧ 명 배후. 뒷면. 배면. ¶阳奉～违; 〈成〉 면종 복배(面從腹背) / 碑～; 비석의 뒷면. ⑨ 형 저승의. 저 세상의. ¶～府; ⇩ / ～司; ⇩ / ～曹; ⇩ ⑩ 명 달. ¶太～; ⓐ달. ⓑ태음. ⑪ 형 움푹한. ⑫ 형 숨겨진. 표면에 나타나지 않는. ¶～沟; ⇩ / ～私; ⇩ =〔暗〕 ⑬ 형 음흉하다. 음험하다. ¶使～着儿zhāor; 음험한 수단을 쓰다 / 这个人～得很; 이놈은 아주 음흉하다 / ～谋; ⇩ ⑭ 명 성(姓)의 하나.

〔阴暗〕 **yīn'àn** 형 어둡다. 음침하다. ¶森林里～而潮湿; 숲속은 어둡고 습하다 / ～的脸色; 어두운 안색 / ～面; 암흑면.

〔阴报〕 **yīnbào** 명 〈文〉 은밀한 보복〔보답〕. ¶～不爽; 음덕(陰德)의 과보(果報)는 영락없다. 동 은밀히 보복하다.

〔阴庇〕 **yīnbì** 동 〈文〉 비호하다. 보호하다.

〔阴兵〕 **yīnbīng** 명 ①저승〔지옥〕의 병사. ②〈古白〉 여병(女兵). 여군.

〔阴部〕 **yīnbù** 명 《生》 음부. =〔阴器〕〔私处②〕〔下部②〕〔下阴〕〔下身③〕

〔阴惨惨(的)〕 **yīncǎncǎn(de)** 형 음산한 모양. 등골이 오싹한 모양. ¶这屋子有点儿～的; 이 방은 음침해서 소름이 끼칠 것 같다.

〔阴曹〕 **yīncáo** 명 지옥의 염마청의 벼슬아치. ¶～地府; 염마청.

〔阴曹对案〕 **yīncáo duì'àn** ①염라 대왕 앞에서 대질(對質)하다. ②대질하다. ¶你不信, 我只有等将来跟你～吧; 네가 믿지 않는다면, 나중에 너와 대질하는 수밖에 없다.

〔阴差〕 **yīnchāi** 명 지옥의 사자(使者). 저승 사자. 〈轉〉 흉악한 사람.

〔阴辰〕 **yīnchén** 명 십이지(十二支)의 축(丑)·묘(卯)·사(巳)·미(未)·유(酉)·해(亥)의 6일을 '六～'이라 함.

〔阴沉〕 **yīnchén** 형 ①(잔뜩) 흐려 있다. (표정이) 어둡다. 음침하다. ¶天色～; 하늘이 흐려 있다 / 脸色～; 안색이 어둡다. ②의뭉스럽고 흉칙하다.

〔阴沉沉(的)〕 **yīnchénchén(de)** 형 ①그늘이 진 모양. ②날씨가 어둠침침한 모양.

〔阴沉木〕 **yīnchénmù** 명 매목(埋木)《땅 속에 오래 묻혀 있던 나무》. =〔阴桫〕

〔阴处〕 **yīnchù** 명 ①그늘. ②어두운 곳. ③음부. 은밀한 곳.

〔阴错阳差〕 **yīn cuò yáng chā** 〈成〉 ①우연한 일로 착오가 생기다. 우연한 원인으로 그르치다. ¶～地把事情弄糟了; 우연히 착오가 생겨서 실패했다. ②불길(不吉)한 날·때. ‖ =〔阴差阳错〕

〔阴达〕 **yīndá** 명 인덕션(induction). =〔归纳(法)〕

〔阴丹士林〕 **yīndānshìlín** 명 〈音〉 ①《染》 인단트렌(indanthrene) 염료. ¶～蓝; 인단트렌 블루(blue) / ～棕; 인단트렌 브라운. ②《紡》 인단트렌 염료로 물들인 무명. ¶～布 =〔士林布〕; 인단트렌 염색천.

〔阴蛋〕 **yīndàn** 명 ①〈罵〉 음험한 사람. ②고환. 불알.

〔阴道〕 **yīndào** 명 《生》 질(膣). ¶～隔膜; 막상(膜狀) 페서리(pessary).

〔阴道栓〕 **yīndàoshuān** 명 《藥》 질 좌약(坐藥).

〔阴德〕 **yīndé** 명 ⇨〔阴功〕

〔阴地〕 **yīndì** 명 ①음지. 응달. ②〈文〉 묘지.

〔阴地蕨〕 **yīndìjué** 명 《植》 고사리삼.

〔阴地里〕 **yīndìli** 부 숨어서. 남몰래. ¶你出面去办, 我～给你帮忙; 너는 표면에 나서서 해라. 나는 뒤에서 도울테니. →〔暗àn地里〕〔背bèi地(里)〕

〔阴电〕 **yīndiàn** 명 《物》 음전기. 마이너스 전기. =〔负fù电〕 ↔〔阳yáng电〕

〔阴毒〕 **yīndú** 형 음험하다. 악랄하다. (마음이) 잔인하다.

〔阴毒损坏〕 **yīn dú sǔn huài** 〈成〉 음험·악랄·잔인·교활하다. ¶他这人～都占全了; 저 사람은 악이란 악은 모두 갖추고 있다.

〔阴恶〕 **yīn'è** 명 감춰진 악.

〔阴房〕 **yīnfáng** 명 ①어두운 방. 음침한 방. ②산실(産室). ¶男子不进～, 怕冲了官运; 남자가 산실에 들어가지 않는 것은, 관운(官運)이 막힐까봐서이다. =〔月yuè母房〕〔产chǎn房〕

〔阴风〕 **yīnfēng** 명 ①음산한 바람. 섬뜩한 바람. ¶扇～, 点鬼火; 뒤에서 여러가지 수를 써서 선동하다. ②겨울의 찬 바람.

〔阴伏〕 **yīnfú** 명 ⇨〔阴私〕

〔阴府〕 **yīnfǔ** 명 음부. 저승. 황천(黃泉).

〔阴干〕 **yīngān** 동 음건(陰乾)하다. 그늘에서 말리다.

〔阴功〕 **yīngōng** 명 음덕(陰德). ¶积jī～; 음덕을

쌓다 / 祖上的～, 父母的德行; 조상이 베푼 음덕과 부모의 덕행 / 有～者, 必有阳报; 〈諺〉 음덕이 있는 자는 반드시 드러나 보이는 보답이 있다. =〔阴德〕
〔阴沟〕 yīngōu 명 ①지하 배수구(排水溝). 암거(暗渠). =〔暗ànɡ沟〕 ②(여자의) 음부.
〔阴媾〕 yīngòu 동 성교(性交)하다. =〔交jiāo媾〕
〔阴骨头〕 yīngǔtou 명 〈罵〉 음흉한 놈. 겉으로는 온화하나 속으로 검은 놈.
〔阴官〕 yīnguān 명 〈文〉 ①저승의 신(神). ②비의 신.
〔阴核〕 yīnhé 명 《生》 음핵. 클리토리스(clitoris). =〔阴蒂dì〕
〔阴喝〕 yīnhè 동 ⇨〔噎yē塞〕
〔阴黑〕 yīnhēi 형 ⇨〔阴狠〕
〔阴狠〕 yīnhěn 형 악랄하다. ¶手段～; 수단이 악랄하다. =〔阴黑〕
〔阴后雨〕 yīnhòuyǔ 흐린 뒤 비《일기 예보》.
〔阴户〕 yīnhù 명 음문. 여성의 성기. =〔阴门〕〔牝pìn户〕〔〈俗〉 屄bī〕
〔阴花〕 yīnhuā 명 ⇨〔软ruǎn谷〕
〔阴画〕 yīnhuà 명 ⇨〔底dǐ片〕
〔阴坏〕 yīnhuài 형 음험하다. 심술궂다. ¶为人～; 사람이 음험하다.
〔阴晦〕 yīnhuì 형 〈文〉 어둑어둑하다. 침침하다. 잔뜩 흐려 있다.
〔阴魂〕 yīnhún 명 사자(死者)의 영혼. 망령(亡靈)《흔히, 비유적으로 씀》. ¶～不散; 〈成〉 혼백이 이 세상에 남다《악인(惡人) 악행(惡行)의 영향이 아직 남아 있음》.
〔阴火〕 yīnhuǒ 명 ①(습지 등의) 도깨비 불. ②밤에 먼 바다에 보이는 불.
〔阴极〕 yīnjí 명 《物》 음극. 마이너스의 전극(電極). 캐소드(cathode). ¶～射线 음극선 / ～射线管 =〔示shì波管〕〔显xiǎn像管〕; (텔레비전, 오실로그래프, 레이더 등의) 브라운관. ↔〔阳yáng极〕 =〔负fù极〕
〔阴计〕 yīnjì 명 음모.
〔阴间〕 yīnjiān 명 저승. 명토(冥土). =〔阴世〕
〔阴界〕 yīnjiè 명 ⇨〔阴世〕
〔阴茎〕 yīnjīng 명 《生》 음경. 페니스. =〔阳yáng物〕〔〈俗〉 鸡jī巴〕〔玉yù茎〕〔牡mǔ物〕〔屌liáo〕
〔阴茎套〕 yīnjīngtào 명 콘돔(condom). =〔避bì孕套〕
〔阴井〕 yīnjǐng 명 옥내에 있는 우물.
〔阴疽〕 yīnjū 명 《漢醫》 처음에는 아프지 않다가, 나중에 심하게 붓는 악성 종기.
〔阴亏〕 yīnkuī 명 ①빈혈. ②(남모르는) 고통〔손실〕. ¶吃了个～有苦说不出; 남 모르는 손해를 보고, 괴로워도 입 밖에 내지 못한다.
〔阴冷〕 yīnlěng 형 ①(날씨가) 음랭하다〔흐려 으스스하다〕. ②(안색이) 음침하고 차갑다.
〔阴离子〕 yīnlízǐ 명 《化》 음이온. =〔阴向离子〕〔阴伊洪〕〔负离子〕
〔阴历〕 yīnlì 명 음력. 태음력. =〔废fèi历〕〔旧jiù历〕〔太tài阴历〕〔夏xià历〕
〔阴厉〕 yīnlì 형 〈文〉 음산하고 매섭다. ¶充满了～的杀气; 음산하고 매서운 살기가 가득 차 있다.
〔阴凉〕 yīnliáng 형 그늘이 져서 서늘하다. ¶～的地方; 그늘져서 시원한 곳. 명 ⇨〔阴凉(儿)〕
〔阴凉(儿)〕 yīnliáng(r) 명 그늘의 시원한 곳. ¶～地; 그늘지고 서늘한 곳 / 找个～儿歇一歇; 그늘을 찾아 잠깐 쉬다. =〔阴凉〕
〔阴霖〕 yīnlín 명 〈文〉 장마.
〔阴灵(儿)〕 yīnlíng(r) 명 죽은 사람의 영혼.
〔阴螺纹〕 yīnluówén 명 《機》 암나사. =〔阴螺旋〕〔螺丝母(儿)〕
〔阴螺旋〕 yīnluóxuán 명 ⇨〔螺丝母(儿)〕
〔阴霾〕 yīnmái 명 《氣》 바람에 먼지가 날려 온 하늘이 뿌옇게 되는 현상. ¶～满天; ⓐ하늘이 온통 흐려 있다. ⓑ사태가 혼돈되어 있는 모양. ⓒ세상 물정이 암울하다 / ～雾障; 세상이 암흑 상태임. 형 흙먼지로 하늘이 뿌옇다. ¶天气～; 날씨가 흐리고 어둡다.
〔阴毛〕 yīnmáo 명 《生》 음모.
〔阴门〕 yīnmén 명 ⇨〔阴户〕
〔阴面(儿)〕 yīnmiàn(r) 명 ①그늘쪽. ②뒤쪽. 이면. ¶铜子儿的～; 동전의 뒷면. ↔〔阳yáng面(儿)〕 형 〈比〉 음험하다. ¶～的人; 음험한 사람.
〔阴面子〕 yīnmiànzi 명 겉으로는 온화하나 내면은 음험한 태도〔사람〕.
〔阴模〕 yīnmó 명 《機》 다이스(dies).
〔阴谋〕 yīnmóu 명 음모. 비계(秘計). ¶～诡guǐ计; 음모와 술책 / ～家; 음모가. 동 음모를 꾸미다. ¶～暗杀; 암살 음모를 꾸미다.
〔阴囊〕 yīnnáng 명 《生》 음낭.
〔阴匿〕 yīnnì 명 ⇨〔阴蚀〕
〔阴盘(儿)〕 yīnpán(r) 명 《生》 (여성의) 음부. →〔阴部〕
〔阴平〕 yīnpíng 명 ①《言》 성조(聲調)의 하나. 표준어에서는 높은 음으로, 음두 음미(音頭音尾) 모두 동일한 높이로 발음하는 것《'上shǎng平'라고도 하고, 보통 '第dì一声'이라 함》. ②(Yīnpíng) 《地》 음평《간쑤 성(甘肅省) 원 현(文縣)의 서북쪽》. ¶～偷渡; 위(魏)나라 장군 등애(鄧艾)가 음평(陰平)을 몰래 넘어서 촉한(蜀漢)을 친 고사. 〈比〉 남녀의 밀통(密通).
〔阴气〕 yīnqì 명 음기《만물을 쇠멸(衰滅)시키는 기운》.
〔阴器〕 yīnqì 명 ⇨〔阴部〕
〔阴庆〕 yīnqìng 명 ⇨〔阴寿〕
〔阴人〕 yīnrén 명 〈文〉 ①여인. 여자. ②소인(小人).
〔阴柔〕 yīnróu 형 겉으로는 유순하고 속은 검다.
〔阴涩〕 yīnsè 형 음침하다. (날씨 따위가) 찌무룩하다. ¶天气～; 날씨가 찌무룩하다.
〔阴森〕 yīnsēn 형 음산하다. 으스스하다. ¶～的树林; 어둠침침하고 음산한 숲 / ～的古庙; 음산한 낡은 사당.
〔阴森森(的)〕 yīnsēnsēn(de) 형 어둑어둑하고 음산한 모양. 음침하고 으스스한 모양. ¶山洞里～地透着凉气; 동굴 속은 어둠침침하고 섬뜩하다.
〔阴山背后〕 yīn shān bèi hòu 〈成〉 외지고 쓸쓸한 곳. 〈比〉 무시되는 곳. 아무도 신경 쓰지 않는 곳.
〔阴山隔岭〕 yīnshāngélǐng 아주 멀리 떨어져 있어 연락하기가 어렵다.
〔阴山山脉〕 Yīnshān shānmài 명 《地》 음산 산맥《내몽고 중부를 동서 1200킬로에 걸쳐 뻗어 있는 해발 1500~2000미터의 지괴(地塊) 산지》.
〔阴声(韵)〕 yīnshēng(yùn) 명 《言》 (중국 음운학에서) 음미(音尾)가 비음(鼻音) 'm, n, ng'로 끝나는 음을 '阳yáng声(韵)'이라 하고, 그 밖의 것, 즉 모음으로 끝나는 것을 '阴声(韵)'이라 함.
〔阴胜阳衰〕 yīn shèng yáng shuāi 〈成〉 음기(陰氣)가 성하고 양기(陽氣)는 쇠하다《인체의 기력이 떨어지다. 여자의 기세가 남자를 누르다》.
〔阴虱〕 yīnshī 명 《蟲》 사면발이.

〔阴湿〕 yīnshī 형 음습하다. 축축하다. ¶～地; 음습한 곳.
〔阴蚀〕 yīnshí 명《漢醫》중증의 음양(陰痒). =〔阴䘌〕
〔阴世〕 yīnshì 명 명토(冥土). 저승. =〔阴间〕 ↔〔阳yáng世〕
〔阴事〕 yīnshì 명 음사. 비밀한 일. 은밀한 일. 숨겨진 일.
〔阴手〕 yīnshǒu 명 음험한 수단. ¶下～害人; 음험한 방법으로 사람을 해치다.
〔阴寿〕 yīnshòu 명 죽은 부모의 '整生日'(60세, 70세처럼 10년마다의 생일)을 축하하는 것. =〔阴庆〕
〔阴司〕 yīnsī 명 지옥의 염마청의 재판소.
〔阴私〕 yīnsī 명 음사. 남에게 말할 수 없는 개인적인 일. 은밀한 일. =〔阴伏〕
〔阴私刻毒〕 yīnsī kèdú 음험하고 악랄하다.
〔阴死巴活〕 yīnsǐ bāhuó 형 (날씨가) 찌무룩한 모양. (불의 기운이) 약한 모양. ¶又不下雨, 又不晴天, 这么～的真叫人难受; 비도 오지 않고 개지도 않고, 이렇게 찌무룩한 날씨는 정말 견딜 수 없다 / 这个火炉子～的怎么做饭; 이 풍로는 불이 약해서 밥을 지을 수 없다.
〔阴讼〕 yīnsòng 명동〈文〉밀고(하다).
〔阴桫〕 yīnsuō 명 ⇨〔阴沉木〕
〔阴天〕 yīntiān 명 흐린 날씨〔하늘〕.
〔阴天打孩子〕 yīntiān dǎháizi ①아무것도 할 일이 없으니까 아이라도 때려서 무료함을 달래다. ②〈轉〉쓸데없는 짓을 하다.
〔阴天乐〕 yīntiānlè 날씨가 나쁜 것을 공연히 아이에게 화풀이하는 일.
〔阴挺〕 yīntǐng 명 ①《生》음핵. ②《漢醫》자궁탈(子宮脫). 음핵 비대 및 자궁 하수(下垂).
〔阴图片〕 yīntúpiàn 명 음화(陰畫). 네거 필름(negative film).
〔阴瓦〕 yīnwǎ 명 오목 들어간 ∪형의 암키와(∩형의 수키와는 '阳yáng瓦'라고 함). =〔阴阳瓦〕
〔阴痿〕 yīnwěi 명 ⇨〔阳yáng痿〕
〔阴文〕 yīnwén 명 음각(陰刻)된 문자·무늬. ¶刻kè～; 음문을 파다〔새기다〕. =〔阴字〕
〔阴险〕 yīnxiǎn 형 음험하다. ¶玩弄～的手段; 음험한 수단을 쓰다.
〔阴向离子〕 yīnxiànglízǐ 명 ⇨〔阳yáng离子〕
〔阴性〕 yīnxìng 명 ①(전극·화학 시험지·세균 시험 등의) 음성. ②《言》(언어학에서) 여성. ③달. ④《醫》(투베르쿨린 반응, 바서만 반응 등의) 음성.
〔阴性植物〕 yīnxìng zhíwù 명《植》음지(陰地) 식물. ↔〔阳yáng性植物〕
〔阴虚〕 yīnxū 명《漢醫》①음허. ②빈혈.
〔阴阳〕 yīnyáng ①명 음양. 음과 양. ¶～历; 음력과 양력을 종합해서 제정한 역법(曆法). ②〈轉〉분명하지 않다. 이도 저도 아니다.
〔阴阳八字〕 yīnyáng bāzì 명 옛날의 운명 판단에서 간지(干支)《天干·地支》의 한 자를 취하고, 거기에 태어난 해·달·날짜·시를 맞춰, 그 사람의 운명 판단의 근거로 삼은 것.
〔阴阳不将〕 yīn yáng bù jiāng〈成〉음양 서로 방해되지 않다《혼사(婚事)의 길일》.
〔阴阳怪气〕 yīn yáng guài qì〈成〉(말·태도·표정이) 괴상 야릇하다. ¶看不惯他那～的样子; 그의 그 괴상 야릇한 꼴은 눈꼴 사납다 / 一脸的～; 매우 괴이한 얼굴 / 他这个人～的; 그는 이상한 녀석이다.
〔阴阳家〕 yīnyángjiā 명 음양가. 점쟁이. =〔阴阳(生)〕〔阴阳先生〕
〔阴阳螺旋〕 yīnyáng luóxuán 명《機》볼트와 너트. 암나사와 수나사.
〔阴阳人〕 yīnyángrén 명《生》반음양의 사람. 어지자지. 남녀추니.
〔阴阳(生)〕 yīnyáng(shēng) 명 ①음양가(陰陽家)《성점(星占)·점(占)·풍수 등을 보는 사람》. ②묏자리를 보거나 장례 날짜를 정하는 사람. 또, 장례식 때의 악대(樂隊).
〔阴阳水〕 yīnyángshuǐ 명《漢醫》음양수《냉수와 더운물 또는 우물물과 개울물을 섞은 것. 약을 다리거나 복용할 때 씀》.
〔阴阳瓦〕 yīnyángwǎ 명 ⇨〔阴瓦〕
〔阴阳先生〕 yīnyáng xiānsheng 명 ⇨〔阴阳家〕
〔阴阳字〕 yīnyángzì 명《言》음성자(陰聲字)와 양성자(陽聲字).
〔阴痒〕 yīnyǎng 명《漢醫》음문 소양증(陰門瘙痒症).
〔阴一面, 阳一面〕 yīn yī miàn, yáng yī miàn 표리부동. 면종복배(面從腹背).
〔阴伊洪〕 yīnyīhóng →〔阴离子〕
〔阴翳〕 yīnyì 동 ①⇨〔荫yìn翳②〕 ②⇨〔荫蔽②〕
〔阴阴沉沉〕 yīnyinchénchén 형 ①(날씨가) 음침하게 흐린 모양. ②고요한 모양. 밤이 이슥한 모양.
〔阴影(儿)〕 yīnyǐng(r) 명 그림자. 음영. ¶肺部有～; 폐 부분에 음영이 있다 / 罩上了～; 그림자로 가려졌다 / 投下～; 어두운 그림자를 드리우다 / 无论怎么安慰他, 也抹不去他心头上的～; 아무리 위로해도 그의 마음의 그늘〔우울〕을 지워 버릴 수 없다.
〔阴雨〕 yīnyǔ 명 ①몹시 흐린 가운데 오는 비. ②장마. ¶连～; 장마 / 连天的～; 연일 내리는 궂은비 / ～连绵; 장마가 계속되다.
〔阴郁〕 yīnyù 형 ①(날씨·기분이) 찌무룩하다. ¶别再说～的话, 唱个歌吧! 음울한 이야기는 그만두고, 노래라도 하나 부르자! ②우울하다. ¶心情～; 심정이 우울하다.
〔阴云〕 yīnyún 명 비구름. ¶～密布; 온 하늘이 흐려지다.
〔阴韵〕 yīnyùn →〔阳yáng韵〕
〔阴宅〕 yīnzhái 명 (음양가(陰陽家)에서) 묘지. 무덤《사람이 사는 집인 '阳宅'에 대하여 일컫는 말》.
〔阴招儿〕 yīnzhāor 명〈方〉⇨〔阴着儿〕
〔阴着儿〕 yīnzhāor 명〈方〉음험한 수단. 음모. 간계. ¶要～; 음험한 수단을 쓰다 / 竟使出写黑信的～; 마침내 투서라는 음험한 수단을 썼다. =〔阴招儿〕
〔阴症〕 yīnzhèng 명 음증. 병상이 소극적이고 밖으로 드러나지 않는 병. ↔〔阳yáng症〕
〔阴识〕 yīnzhì 명 옛 동기(銅器)에 새긴 음각(陰刻)의 문자.
〔阴骘〕 yīnzhì 명 음덕(陰德). ¶这种伤～的事, 可干不得; 이와 같은 음덕을 해치는 일은 해서는 정말 안 된다. =〔阴德〕
〔阴骘纹〕 yīnzhìwén 명 관상가가 말하는 눈 밑의 주름《이것이 있는 것은 흉상(凶相)으로 침》.
〔阴助〕 yīnzhù 동 숨어서 돕다. 명 신불의 가호(加護).
〔阴转多云〕 yīnzhuǎn duōyún ①날씨가 더욱 심하게 흐려지다. ②〈轉〉사태가 더욱 악화되다.
〔阴状〕 yīnzhuàng 명 원한과 분노를 호소한 자살

자의 유서(遺書).

〔阴字〕 yīnzì 명 ⇨〔阴文〕

因 yīn (인)

①명 원인. 이유. 연유. ¶前～后果; 원인과 결과/事出有～; 〈成〉 일이 일어나는 데에는 원인이 있다/～果; ⇩/～由(儿); ⇩ ②접 …때문에. …의 원인으로. …의 이유로. ¶～病请假; 병으로 결근하다/～…故…; …이므로 그 때문에…/久客广东, ～家焉; 오랫동안 광동(廣東)에 와 있었으므로, 그 곳에 집을 가졌다/此子生于立春日, ～名'春生'; 이 아이는 입춘날에 태어났으므로 '春生'이라 이름 붙였다/～故延期举行; 사고로 인해 연기하다. ③동 〈文〉 (전례에) 따르다. 답습하다. (옛 것을) 그대로 좇다. ¶～袭; ⇩/陈陈相～; ⓐ세상이 잘 다스려지고 곡물이 풍부한 일. ⓑ헛되이 옛것을 묵수하는 일. ④개 〈文〉 …의 소개로. …을 거쳐서. ¶可～张兄往见校长; 장형 소개로 교장을 만나다. ⑤동 의지하다. 의거하다. ¶～人成事; 남에게 의지하여 일을 이루다/古屋老树相～依; 오래 된 집과 고목(古木)이 서로 의지하여 있다. 〈比〉잘 어울리다.

〔因败为成〕 yīn bài wéi chéng 〈成〉 실패는 성공의 어머니.

〔因变量〕 yīnbiànliàng 명 ⇨〔函hán数〕

〔因病下药〕 yīn bìng xià yào 〈成〉 ①증상에 따라 처방을 내다. ②〈轉〉 상대방에 따라 설법하다.

〔因材器使〕 yīn cái qì shǐ 〈成〉 재능에 따라 사람을 적재적소에 쓰다.

〔因材施教〕 yīn cái shī jiào 〈成〉 그 사람에게 알맞은 교육을 하다. =〔因人而施〕

〔因陈〕 yīnchén 명 ⇨〔茵陈(蒿)〕

〔因词害意〕 yīn cí hài yì 〈成〉 문장을 수식함으로써 의미에 오해를 낳게 하다.

〔因此〕 yīncǐ 접 그러므로. 이 때문에. 그래서(앞에 말한 사실을 받아서 결과를 말하는 문장 앞에 쓰임). ¶他从小就很努力学习, ～后来成了一个有名的诗人; 그는 어릴 때부터 공부에 힘을 써서, 후에 유명한 시인이 되었다/他的话把大家逗笑了, 室内的空气～轻松了很多; 그의 말은 모든 사람들의 웃음을 자아냈기 때문에 실내의 분위기가 한결 부드러워졌다. 注 '所以'는 '因为'와 호응할 수 있지만 '因此'는 호응할 수 없음. =〔因之〕〔以yǐ此〕〔以故〕

〔因达克的夫〕 yīndákèdìfū 명 〈音〉 인덕티브(inductive). =〔归纳(法)的〕

〔因敌取资〕 yīn dí qǔ zī 〈成〉 적으로부터 보급품을 빼앗다.

〔因地制宜〕 yīn dì zhì yí 〈成〉 그 고장에 맞도록 하다. 그 고장의 사정에 적합하게 하다. 적지 적작(適地適作). ¶各地应该积极地～地为儿童建立一些校外教育机关; 각지에서 어린이를 위하여 적극적으로 그 고장 사정에 적합한 교외 교육 시설을 건립해야 한다.

〔因地种植〕 yīn dì zhòng zhí 〈成〉 토지에 따라 각각 거기에 알맞은 작물을 재배하다.

〔因而〕 yīn'ér 접 그러므로. 그 때문에. 그래서. ¶这种新民主主义的文化是大众的, ～即是民主的; 이런 종류의 신민주주의 문화는 대중적인 것이므로, 따라서 민주적인 것이다/～有些儿童少年在校外沾染上一些不好的习惯; 그 때문에, 일부의 소년 아동은 교외에서 좋지 않은 습관에 물들어 버린다.

〔因…而…〕 yīn…ér… 〈文〉 …때문에 …하다. ¶不能因失败而悲观; 실패했다고 해서 비관하면 안 된다.

〔因风吹火〕 yīn fēng chuī huǒ 〈成〉 기회를 빌려 일을 처리하다. 노력을 들이지 않고 효과를 거두다.

〔因风纵火〕 yīn fēng zòng huǒ 〈成〉 바람을 이용해서 불을 지르다(기세를 이용하여 사람을 해치다).

〔因革〕 yīngé 명 ⇨〔沿yán革〕

〔因公〕 yīngōng 동 공무로 말미암다. 공적인 일로 인하다. ¶～外出; 공무로 여행하다/～忘私; 공무로 개인의 일을 잊다/～殉职; 공무로 순직하다.

〔因故〕 yīngù 동 〈文〉 사정으로 인하다. 사정으로 말미암다. ¶～缺席; 사정이 있어서 결석하다.

〔因果〕 yīnguǒ 명 ①원인과 결과. ¶～关系; 인과 관계. ②인과. 인연. ¶～律; 인과율/～报应; 〈成〉 인과 응보.

〔因好致好〕 yīn hǎo zhì hǎo 〈成〉 ①친한 사람을 통해서 친해지다. ②친절하게 해 주면, 이 쪽에서도 친절하게 한다.

〔因何〕 yīnhé 〈文〉 무엇에 의해. 무엇때문에. ¶～缘由; 어떤 이유로.

〔因话提话〕 yīn huà tí huà ①하나의 이야기에 따라서 다른 이야기를 꺼내다. ②하나의 이야기가 다른 이야기를 이끌어 내다.

〔因祸得福〕 yīn huò dé fú 〈成〉 전화 위복이 되다. =〔因祸为福〕

〔因祸为福〕 yīn huò wéi fú 〈成〉 ⇨〔因祸得福〕

〔因机应变〕 yīn jī yìng biàn 〈成〉 ⇨〔随suí机应变〕

〔因间〕 yīnjiàn 명 《軍》 (손자병법의) 적의 동향 사람이기 때문에 쓰는 간첩. →〔五wǔ间〕

〔因克〕 yīnkè 명 〈音〉 잉크(ink). =〔墨水〕

〔因利〕 yīnlì 동 ①이익에 따라 좇다. 이익을 추구하다. ②시세의 이로움에 편승하다. →〔因利乘便〕

〔因利乘便〕 yīn lì chéng biàn 〈成〉 유리한 기회를 포착하다. 유리한 형세에 편승하다. ¶拉丁字母在中国的历史基础和群众基础上使我们今天采用它有～的好处; 로마 자모는 역사적 기초로 보나, 대중의 입장에서 보나, 오늘날 그것을 채용한다는 것은 유리한 형세를 타는 것이다.

〔因陋就简〕 yīn lòu jiù jiǎn 〈成〉 원래의 충분하지 못한 조건을 이용하다. ¶要提倡～, 少花钱多办事的精神; 주어진 조건을 이용하여, 적은 돈으로 많은 일을 해야 한다는 정신을 제창해야 한다.

〔因明〕 yīnmíng 명 《佛》 인명(옛날, 인도에서 발생한 불교의 논리학).

〔因难见巧〕 yīn nán jiàn qiǎo 〈成〉 일이 어려워서 교묘함이 분명해지다.

〔因其这个〕 yīn qí zhège 그러므로. 그 때문에.

〔因人成事〕 yīn rén chéng shì 〈成〉 남에게 의지하여 일을 하다. 남의 힘을 빌어 일을 이루다.

〔因人而施〕 yīn rén ér shī 〈成〉 ⇨〔因材施教〕

〔因人废言〕 yīn rén fèi yán 〈成〉 말한 사람이 누구인가에 따라서 그 가치를 정하다. ¶不～, 实事求是; 말한 사람이 누군가에 따라 그 말의 가치를 정하지 않고 실제에 입각하여 진리를 추구한다.

〔因人设事〕 yīn rén shè shì 〈成〉 사람을 넣기 위해 일자리를 마련하다.

〔因任〕 yīnrèn 동 〈文〉 의지하고 맡기다.

〔因仍〕 yīnréng 동 〈文〉 여전히 변함 없다. 원래대

로 하다. 답습하다.
〔因时制宜〕 yīn shí zhì yí 〈成〉 시의(時宜)에 맞게 처리하다. 때에 따라 알맞게 처리하다. ¶时代已经不同了, 不能再机械地搬用老经验了, 应该～, 灵líng活运用; 시대는 이미 달라져 언제까지나 기계적으로 낡은 경험을 원용하고 있을 수는 없으니, 시세에 따라 적절한 조처를 해서 원활하게 운용해야 한다. =〔随时制宜〕
〔因式〕 yīnshì 명 《數》 인수. ¶～分解; 인수 분해/分解～; 인수 분해하다. =〔因子②〕
〔因事请假〕 yīn shì qǐngjià 볼일이 있어서 결근하다. 사정이 있어 결근하다.
〔因事制宜〕 yīn shì zhì yí 〈成〉 일에 따라 적절한 조치를 강구하다.
〔因势乘势〕 yīn shì chéng shì 〈成〉 ⇨〔将jiāng错就错〕
〔因势利导〕 yīn shì lì dǎo 〈成〉 형세에 따라 유리하게 이끌다.
〔因数〕 yīnshù 명 《數》 인수. 인자. =〔因子①〕
〔因私枉法〕 yīn sī wǎng fǎ 〈成〉 사리 사욕을 위해 법을 어기다.
〔因苏林〕 yīnsūlín 명 《醫》 〈音〉 인슐린(insulin).
〔因素〕 yīnsù 명 ①사물을 구성하는 요소. ¶附随～; 부수적 요소. ②사물을 결정하는 원인·조건·요소. ¶即使不能成为主导～, 至少也可以成为强有力的～; 주도적인 원인·조건이 될 수는 없지만, 적어도 유력한 원인·조건이 될 수 있다.
〔因特网〕 yīntèwǎng 명 《電算》 〈音義〉 인터넷(Internet). ¶～服务提供者; 인터넷 서비스 제공자. ISP. =〔国际互联网〕〔全球智能网〕〔网际网络〕
〔因头〕 yīntóu 명 원인. ¶万事都有个～; 모든 일에는 원인이 있다.
〔因为〕 yīnwèi 접 ①…이기 때문에. …으로 인해서(원인·이유를 제기(提起)함. 결과를 나타내는 '所以'와 서로 대응하여 흔히 '～…所以…'(…이므로 그래서…)의 형이 쓰이나, 그 중 어느 한쪽을 생략하기도 함. 또, '～…而…'(하다고〔이라고〕 해서…)의 형으로 쓰이기도 함). ¶～今天有病, 所以我没上学; 오늘 나는 병으로 인해 학교를 쉬었다/他～这件事还受到了表扬; 그는 이 일로 표창을 받았다. ②왜냐 하면 …때문이다(원인·이유를 뒤에서 말함). ¶我今天没上学, 是～有病; 내가 오늘 학교를 쉰 것은 병 때문이다.
〔因为…而…〕 yīnwei…ér… …했다고〔…이라고〕 해서…. ¶不能因为胜利而骄傲自满! 이겼다고 해서 교만해지면 안 된다!
〔因习〕 yīnxí 명 인습. 예로부터 전해진 습관.
〔因袭〕 yīnxí 동 ①종래의 관례를 그대로 좇다. ¶～旧规; 낡은 규칙을 따르다. ②(타인을) 모방하다.
〔因小见大〕 yīn xiǎo jiàn dà 〈成〉 작은 일에서 큰 문제를 발견하다(작은 일은 큰 일의 전조(前兆)이다).
〔因小失大〕 yīn xiǎo shī dà 〈成〉 작은 일에 구애되어 중요한 일을 그르치다. =〔惜xī指失掌〕
〔因循〕 yīnxún 동 ①우물쭈물하다. 꾸물거리다. ¶～误事; 〈成〉 우물쭈물하여 일을 그르치다. ②적당히 얼버무리다. ③구습을 고수하고 고치지 않다. 답습하다. ¶～旧习; 〈成〉 구습을 답습하다/～坐误; 〈成〉 낡은 일에 구애되어 빤히 알면서 기회를 놓치다.
〔因噎废食〕 yīn yē fèi shí 〈成〉 목이 멘다고 먹지 않다(문제가 생기는 것을 두려워함. 작은 실패를 겁내어 큰 일을 놓침).
〔因依〕 yīnyī 동 〈文〉 의존하다.
〔因应〕 yīnyìng 동 〈文〉 자연에 맡기다. 임기응변으로 하다.
〔因由(儿)〕 yīnyóu(r) 명 〈口〉 원인. 연유. 계기. ¶是什么～? 어떤 이유인가?/借～病又犯了; 그것이 계기가 되어 또 병이 났다/借～请到自已家去; 일을 핑계로 자기 집에 부르다.
〔因缘〕 yīnyuán ①명 《佛》 인연. ②명 연분. 인연. ¶他从小就跟文学结下了～; 그는 어릴적부터 문학과 인연을 맺게 되었다. ③〈文〉 …에 따라서. …에 의해. …이 원인으로. 의거(하다).
〔因之〕 yīnzhī 접 ⇨〔因此〕
〔因制〕 yīnzhì 수량 《測》 〈音〉 인치(inch). =〔英寸〕
〔因子〕 yīnzǐ 명 ①⇨〔因数〕 ②⇨〔因式〕

洇〈湮〉 yīn (인)

동 번지다. 스미다. 배다. ¶这种纸写起来有些～; 이 종이는 글씨를 쓰면 조금 번진다/油～了纸; 기름이 종이에 배었다/这张纸不好, 用什么笔写字也～; 이 종이는 좋지 않다. 무슨 붓으로 써도 번진다/伤口的血把绷带都～透了; 상처의 피가 붕대에 배어 나왔다. ⇒'湮' yān
〔洇沉〕 yīnchén 동 〈文〉 자취도 없이 사라지다. 뜻을 얻지 못하다.
〔洇过来〕 yīn guò lái 스며들다. 새어 나오다. ¶墨mò水～了; 잉크가 번졌다.
〔洇湿〕 yīnshī 동 배어 젖다. 축축하게 젖다. ¶雨衣漏水～了衣服; 레인코트가 새서 옷이 축축하다.
〔洇透〕 yīntòu 동 스며들다. 배어들다.

茵〈裀〉 yīn (인)

명 요·방석 따위(옛날에는 수레의 깔개). ¶芳草如～; 향기로운 풀이 요처럼 깔려 있다/～褥rù; 요. 방석. =〔细①〕
〔茵陈〕 yīnchén 명 《植》 사철쑥. ¶～酒; 사철쑥의 뿌리를 고량주(高粱酒)에 담가 만든 술. =〔蒿子〕〔因陈〕〔茵陈蒿〕
〔茵陈(蒿)〕 yīnchén(hāo) 명 ⇨〔茵陈〕
〔茵陈酒〕 yīnchénjiǔ 명 인진주(사철쑥의 줄기·잎과 수수에 누룩을 섞어 빚은 약술).
〔茵达斯脱理〕 yīndásītuōlǐ 명 〈音〉 인더스트리(industry). =〔工业〕〔实业〕

姻〈婣〉 yīn (인)

명 ①혼인. 결혼. ¶联lián～; 결혼하다. ②인척(姻戚) 관계. ¶～伯; ⇓/～兄; ⇓/～亲; ⇓
〔姻伯〕 yīnbó 명 ①형제의 장인. ②자매의 시아버지. ③인척 중 자기 아버지 뻘이 되는 사람.
〔姻伯母〕 yīnbómǔ 명 ①형수·계수의 어머니. ②자매의 시어머니.
〔姻弟〕 yīndì 명 형제 자매의 배우자의 형제로서 자기 보다 연하 사람.
〔姻末〕 yīnmò 명 인척 관계의 친족 가운데 손위 사람에 대하여 이르는 자칭.
〔姻戚〕 yīnqī 명 ⇨〔姻亲〕
〔姻亲〕 yīnqīn 명 인척. 사돈. =〔姻戚〕〔姻亚〕〔姻娅〕
〔姻叔〕 yīnshū 명 형제 자매의 배우자의 아버지로서 자기 아버지보다 연하인 사람. ¶～母mǔ; 작은 어머니뻘 되는 사부인.
〔姻兄〕 yīnxiōng 명 ①인척 중에서 형 뻘이 되는

사람(형제 자매의 배우자의 형제 중 자기보다 연상인 사람). ②사돈(며느리와 사위의 부모 사이의 신분 관계).
〔姻兄弟〕 yīnxiōngdì 명 인척 중에서 자기와 동년배의 남성(자매의 남편의 형제나 처의 사촌 등).
〔姻亚〕 yīnyà 명 ⇨〔姻亲〕
〔姻娅〕 yīnyà 명 ⇨〔姻亲〕
〔姻缘〕 yīnyuán 명 결혼의 인연. ¶美满～; 더할 나위 없는 부부의 연분 / ～棒打不散sàn; 〈諺〉 부부의 인연은 정해진 것이라, 몽둥이로 때린다고 끊어지는 것이 아니다.
〔姻侄〕 yīnzhí →〔亲qìng家侄儿〕
〔姻侄女〕 yīnzhínǚ 명 ①⇨〔亲qìng家侄女〕 ②자녀의 배우자의 자매. =〔亲qìng家女儿〕

细(絪) yīn (인)
①명 ⇨〔茵yīn〕 ②→〔细缊〕
〔细缊〕 yīnyūn 형 ⇨〔氤氲〕

骃(駰) yīn (인)
명 흰색이 섞인 거무스름한 말.

烟 yīn (연)
→〔烟煴〕 ⇒yān
〔烟煴〕 yīnyūn ⇨〔氤yīn氲〕

氤 yīn (인)
→〔氤氲〕
〔氤氲〕 yīnyūn 형 〈文〉 연기나 안개 등이 자욱이 낀 모양. ¶云烟～; 운연이 자욱이 끼다 / ～大使; 베이징(北京)의 동악묘(東嶽廟)에 있는 신상(神像)(연분을 맺어 주는 신). =〔细缊〕〔烟煴〕

铟(銦) yīn (인)
명 《化》 인듐(In : indium).

音 yīn (음)
명 ①음. 소리. ¶足～; 발 소리 / 潮～; 해조음(海潮音) / 声～; 목소리. ②가락. 악음(樂音). ¶男低～; 베이스 / ～乐; ⇩ / 女高～; 소프라노. ③소식. ¶～信; ⇩ / 回～; 회신 / 静待好～; 〈翰〉 좋은 소식을 기다리겠습니다. ④문자의 음. ¶发～; 발음 / 字～; 자음. 한자의 음.
〔音比〕 yīnbǐ 명 ⇨〔音程〕
〔音变〕 yīnbiàn 명 《言》 ①앞뒤 음의 영향을 받아 어음(語音)에 변화가 생기는 일. ②음운 변화. =〔音韵变化〕
〔音标〕 yīnbiāo 명 《言》 음성 기호. ¶～文字; 표음(表音) 문자.
〔音波〕 yīnbō 명 《物》 음파. =〔声shēng波〕
〔音测〕 yīncè 명 음성 전달의 속도를 이용하여 두 점 사이의 거리를 재는 일.
〔音叉〕 yīnchā 명 《物》 음차. 소리 굽쇠. =〔声shēng叉〕
〔音尘〕 yīnchén 명 〈文〉 소식. 음신(音信). 기별. ¶～杳yǎo杳; 소식이 묘연〔감감〕하다.
〔音程〕 yīnchéng 명 《樂》 음정(두 음의 높낮이의 차). =〔音比〕
〔音调〕 yīndiào 명 ①음조. 톤(tone). 인토네이션. ②음률. ‖ =〔音律〕
〔音符〕 yīnfú 명 《樂》 음부. 음표.
〔音高〕 yīngāo 명 《物》 소리의 높이.
〔音耗〕 yīnhào 명 〈文〉 소식. 음신(音信).
〔音和〕 yīnhé 명 《言》 중국 음운학에서 반절(反切)의 윗 글자와, 음을 구하려는 글자가 쌍성(雙聲) 즉 동성 동청탁(同聲同淸濁)이며, 아래의 한자와 그 자가 첩운(疊韻) 즉 동운 동등호(同韻同等呼)일 경우를 일컫는 말.
〔音候〕 yīnhòu 동 〈翰〉 편지로 안부를 묻다.
〔音簧〕 yīnhuáng 명 《樂》 리드(reed). 혀. 관악기 내부의 음을 내는 판(瓣).
〔音阶〕 yīnjiē 명 《樂》 음계.
〔音节〕 yīnjié 명 《言》 음절. 시러블(중국어에서는 한 글자가 한 음절이며, 한 음절이 한 글자로 적을 수 있음. '儿化'의 경우만 두 자로 한 음절을 나타냄). =〔音缀〕
〔音节文字〕 yīnjié wénzì 명 《言》 음절 문자(한 글자 한 음절의 표음 문자).
〔音量〕 yīnliàng 명 음량.
〔音流〕 yīnliú 명 자음과 모음이 철음(綴音)을 이룰 경우, 자음의 폐쇄의 개방과 동시에 성대(聲帶)의 진동에 의한 음이 나올 때에는 그 자음과 모음 사이에 '음'의 흐름이 생김. 그것을 '～'라 함.
〔音律〕 yīnlǜ 명 ⇨〔音调〕
〔音名〕 yīnmíng 명 《樂》 음명(예컨대 중국 고대의 '十二律', 서양의 도·레·미).
〔音片〕 yīnpiàn 명 레코드. =〔唱片(儿)〕
〔音频〕 yīnpín 명 《物》 가청 주파수. ¶～范围; 가청 범위.
〔音品〕 yīnpǐn 명 ⇨〔音色〕
〔音强〕 yīnqiáng 명 《物》 음의 강도. =〔音势〕
〔音桥〕 yīnqiáo 명 (옛 거문고·바이올린 등의) 기러기 발.
〔音圈〕 yīnquān 명 《電》 스피커의 보이스 코일(voice coil).
〔音儿〕 yīnr 명 〈方〉 ①말소리. 목소리. ¶他急得连说话的～都变了; 그는 초조해져서 말소리까지 변하고 말았다. ②말끝에서 풍기는 의미. 말의 속뜻. ¶听话听～; 이야기를 숨겨진 뜻으로 듣다.
〔音容〕 yīnróng 명 〈文〉 목소리와 모습(흔히, 죽은이에 대하여 씀). ¶～宛wǎn在; 목소리나 모습이 눈앞에 떠오르는 것 같다(죽은이를 그리워하는 말).
〔音色〕 yīnsè 명 음색. 소리맵시. =〔音品〕
〔音势〕 yīnshì 명 ⇨〔音强〕
〔音书〕 yīnshū 명 〈文〉 ①음신(音信). 편지. ②음운학의 서적.
〔音速〕 yīnsù 명 《物》 음속. 소리의 속도. =〔声shēng速〕
〔音素〕 yīnsù 명 《言》 음소(어음(語音) 중의 가장 단순한 음). ¶～文字; 음소 문자. →〔音节文字〕
〔音吐〕 yīntǔ 명 〈文〉 어기(語氣). 음성. 목소리. ¶～朗朗; 〈成〉 음성이 낭랑하다.
〔音位〕 yīnwèi 명 《言》 음운(音韻). 어음의 최소단위. 포님(phoneme).
〔音问〕 yīnwèn 명 〈文〉 음신(音信). 편지.
〔音箱〕 yīnxiāng 명 ⇨〔共gòng鸣箱〕
〔音响〕 yīnxiǎng 명 음향. 음성. ¶～效果; 음향효과.
〔音像〕 yīnxiàng 명 음성과 화상(畫像). ¶印刷品和～制品; 인쇄물과 카세트 테이프·비디오 테이프류(類).
〔音信〕 yīnxìn 명 음신. 편지. 소식. ¶～全无; 소식이 없다 / 杳无～; 감감 무소식이다.
〔音序〕 yīnxù 명 발음순(ABC순, ㄱㄴㄷ순 따위).
〔音学〕 yīnxué 명 ①《物》 음향학. =〔声shēng学〕 ②⇨〔音韵学〕
〔音讯〕 yīnxùn 명 〈文〉 소식. 음신(音信). ¶你外出后久无～, 家母为你忧虑成病; 네가 집을 나간

지 죽 소식이 없어, 어머니는 걱정 끝에 병이 나셨다.
〔音义〕 yīnyì 명 ①《言》 문자의 음과 뜻. 음의. ② 음의(音義)의 주석(註釋)《흔히, 책 이름으로 씀》.
〔音译〕 yīnyì 명동 음역(하다).
〔音域〕 yīnyù 명 《樂》 음역. 음폭.
〔音乐〕 yīnyuè 명 음악. ¶～亭; (공원 따위에 있는) 음악당 / ～队; 음악대 / ～茶座; 음악 다방.
〔音乐歌剧〕 yīnyuè gējù 명 뮤지컬(musical). =〔音乐剧〕
〔音乐录音带〕 yīnyuè lùyīndài 명 음악 테이프.
〔音乐周〕 yīnyuèzhōu 명 음악제(祭)가 열리는 음악 주간. ¶最近又参加了全国第一届jiè～的儿童音乐会的演出; 최근에 또 전국 제 1회 음악 주간의 아동 음악회에도 출연했다.
〔音韵〕 yīnyùn 명 《言》 음운《문자의 성부(聲部)인 자음(子音)과 운부(韻部)인 모음》.
〔音韵学〕 yīnyùnxué 명 《言》 음운학. =〔音学②〕
〔音障〕 yīnzhàng 명 《物》 음속(音速) 장벽.
〔音值〕 yīnzhí 명 《言》 (언어학의) 음가(音價).
〔音质〕 yīnzhì 명 《物》 음질. 음색.
〔音缀〕 yīnzhuì 명 ⇨〔音节〕
〔音组〕 yīnzǔ 명 《樂》 옥타브(octave).
〔音樽〕 yīnzūn 명 ⇨〔彩cǎi觞〕

愔 yīn (음)
→〔愔愔〕
〔愔愔〕 yīnyīn 형 〈文〉 조용하고 상냥한 모양.

喑〈瘖〉A) yīn (음)
〈文〉 A) ① 형 목이 쉬다. (목이 잠겨) 소리가 나오지 않다. ¶～哑; ⇩ ② 명 벙어리. =〔瘖〕 B) 동 침묵하다. 말을 안 하다.
〔喑默〕 yīnmò 동 〈文〉 말을 하지 않다. 침묵하다.
〔喑哑〕 yīnyǎ 명 〈文〉 벙어리. 형 소리가 나오지 않다.

殷 yīn (은)
〈文〉 ① 형 깊다. 두텁다. ¶情意甚～; 정의(情宜)가 매우 깊다 / ～切; ⇩ / ～忧; ⇩ ② 형 풍부하다. 풍성하다. ¶～富; ⇩ / ～实; ⇩ ③ 명 〈史〉 은《탕왕(湯王)이 하(夏)나라를 멸하고 세운 왕조(B.C. 16세기～11세기)》. ④ 명 성(姓)의 하나. ⇒yān yǐn
〔殷朝〕 Yīncháo 명 《史》 은조. 은(殷)나라 조정. 은나라 시대.
〔殷富〕 yīnfù 형 유복하다. 명 유복한 집.
〔殷钢〕 yīngāng 명 《工》 불변강(不變鋼). 인바(Invar).
〔殷红〕 yīnhóng 형 타는 듯이 붉다. 짙고 검붉다. 시뻘겋다. 명 진홍색.
〔殷户〕 yīnhù 명 〈文〉 부호. 부자.
〔殷鉴不远〕 Yīn jiàn bù yuǎn 〈成〉 ①은조(殷朝)의 교훈은, 먼 데서 찾을 것이 아니라 바로 하후(夏后)의 멸망에서 얻을 수 있다. ②선인(先人)(의 실패)의 교훈은 눈앞에 있다. ‖ =〔商shāng鉴不远〕
〔殷盼〕 yīnpàn 동 〈文〉 간절히 바라다.
〔殷契〕 Yīnqì 명 갑골문. =〔甲jiǎ骨文〕〔殷墟卜辞〕〔殷墟文字〕
〔殷切〕 yīnqiè 형 ①간곡하다. ¶不辜负～的希望; 간곡한 희망을 저버리지 않다. ②(수요(需要) 따위가) 왕성하다. ③간절하다. ¶～的期望; 간절한 기대.
〔殷勤〕 yīnqín 형 ⇨〔慇懃yīnqín〕
〔殷商〕 Yīnshāng 명 ①《史》 은상《중국 고대 왕조의 하나》. ②(yīnshāng) 호상(豪商).
〔殷实〕 yīnshí 형 ①유복〔부유〕하다. ¶～人家; 유복한 집 / 家道～; 살림이 넉넉하다. ②가득 차다. ¶～银行; 확실한 은행 / ～铺保; 확실한 점포를 가진 보증인.
〔殷望〕 yīnwàng 동 간절히 바라다. ¶千百万人～首脑会议; 몇천 몇백만 명의 사람들이 정상 회담을 간절히 바라고 있다.
〔殷虚〕 yīnxū 명 ⇨〔殷墟〕
〔殷墟〕 yīnxū 명 은허《은나라 도읍의 유적. 현재의 허난 성(河南省) 안양 현(安陽縣)》. =〔殷虚〕
〔殷墟卜辞〕 Yīnxū bǔcí 명 ⇨〔殷契〕
〔殷墟文字〕 Yīnxū wénzì 명 ⇨〔殷契〕
〔殷殷〕 yīnyīn 형 〈文〉 간절하다. ¶～期待; 간절히 기대하다.
〔殷忧〕 yīnyōu 명 〈文〉 깊은 시름〔근심〕.
〔殷赈〕 yīnzhèn 형 〈文〉 ①흥성하다. ②부유하다.

溵 yīn (은)
지명용 자(字). ¶～溜Yīnliù; 인리우(溵溜)《허베이 성(河北省)에 있는 지명》.

慇 yīn (은)
→〔慇懃〕
〔慇懃〕 yīnqín 형 은근하다. 정성스럽다. ¶通～; 남녀가 정을 통하다 / 受到～接待; 정성스런 대접을 받다. =〔殷勤〕

闉(闉) yīn (인)
① 명 옛날, 성문(城門) 밖의 반달 모양의 문. ¶～阇dū; ⇩ ② 동 〈文〉 막다.
〔闉阇〕 yīndū 명 〈文〉 옹성문.

堙〈陻〉 yīn (인)
〈文〉 ① 명 흙산. ② 동 막다. 막히다. ③ 동 매몰되다.
〔堙暧〕 yīn'ài 형 〈文〉 가려져서 분명치 않다.
〔堙灭〕 yīnmiè 동 〈文〉 인멸하다. 매몰하다.
〔堙郁〕 yīnyù 형 〈文〉 기운이 막히어 기분〔마음〕이 답답하다.
〔堙窒〕 yīnzhì 형 〈文〉 막히어 통하지 않다.

禋 yīn (인)
① 명 옛날의 제천(祭天) 의식의 하나. ② 동 〈轉〉 제사(祭祀) 지내다.

歅 yīn (연)
인명용 자(字). ¶九方～; 춘추 시대의 사람《말 감정의 명인》.

圻 yín (은)
'垠yín'과 통용. ⇒qí

龂(齗) yín (은)
① '龈yín'과 통용. ② →〔龂龂〕
〔龂龂〕 yínyín 형 〈文〉 ⇨〔龈龈〕

吟〈唫〉 yín (음)
① 동 〈文〉 신음하다. 탄식하다. ② 동 읊다. 음영(吟詠)하다. ¶～啸; ⇩ / ～诗; ⇩ ③ 명 고전 시가(詩歌)의 일종. ④ 동 (동물이) 울다. ¶龙～虎啸; 용과 호랑이가 울부짖는 소리. ⇒'唫' jìn
〔吟唱〕 yínchàng 동 큰 소리로 시를 읊거나 노래를 부르다.
〔吟哦〕 yín'é 동 음영(吟詠)하다. 시가(詩歌)를 읊다. ¶～起他的讲义来; 그는 강의 프린트를 읊조리듯 읽기 시작했다.

〔吟风弄月〕 yín fēng nòng yuè 〈成〉 시를 짓고, 시를 읊으며, 자연과 더불어 풍류를 즐기다(시에 내용이 없고, 다만 화조풍월(花鳥風月)을 제재(題材)로 하였음을 일컬음). =〔批月抹风〕
〔吟讽〕 yínfěng 동 ⇨〔吟诵〕
〔吟猱〕 yínnáo 명 《樂》 탄금지법(彈琴指法)의 하나(손가락으로 가늘게 소리를 떨게 함).
〔吟蛩〕 yínqióng 명 ⇨〔蟋xī蟀〕
〔吟诗〕 yínshī 동 시를 읊조리다. ¶他的每天的工作便是浇jiāo花、看书、画画和～; 그가 매일 하는 일이란 꽃에 물을 주는 것·책을 읽는 것·그림을 그리는 일과 시를 읊조리는 일이다.
〔吟诵〕 yínsòng 동 음송하다. =〔吟讽〕
〔吟味〕 yínwèi 동 음미하다. 맛보다. ¶他的诗不给别人看, 而只供他自己～; 그의 시는 남에게 보이려는 것이 아니고, 오직 스스로 음미하기 위한 것이다.
〔吟啸〕 yínxiào 동 〈文〉 음소하다. 노래를 소리높이 읊조리다. 명 〈文〉 비분 강개하는 목소리.
〔吟咏〕 yínyǒng 동 시나 노래를 음영하다〔읊다〕.

垠 yín (은)
명 〈文〉 한계. 끝. ¶一望无wú～; 끝이 없고 아득히 멀다. =〔圻yín〕

银(銀) yín (은)
명 ①《化》 은(Ag:argertum). ¶白bái～; 은의 통칭/胶jiāo态～; 콜로이드(colloid) 은/～器; ⇓/～杯; ⇓ ②은화(銀貨). ¶元宝～; 옛날, 통용된 말굽 모양의 은화/～币; ⇓ ③화폐에 관계가 있는 것. ¶～行; ⇓ ④《色》 은색. ⑤성(姓)의 하나.
〔银白〕 yínbái 명 《色》 은백색.
〔银白杨〕 yínbáiyáng 명 《植》 은백양. 백양.
〔银杯〕 yínbēi 명 은배. 은잔.
〔银本位〕 yínběnwèi 명 《經》 은본위 제도.
〔银币〕 yínbì 명 은화.
〔银表〕 yínbiǎo 명 은시계.
〔银冰〕 yínbīng 명 《化》 질산은(窒酸銀).
〔银箔〕 yínbó 명 은박(은을 얇게 편 것. 또는 그것을 종이에 붙인 것). =〔银叶子〕
〔银不能裹金〕 yín bùnéng guǒjīn 은으로는 금을 쌀 수 없다. ¶～, 咱可上不去; 은으로는 금을 쌀 수 없듯, 나는 (사상이 낙후되어서) 비집고 들어갈 수 없다.
〔银拆〕 yínchāi 명 옛날, 상하이(上海)에서 은행이 동업자간의 대차 계산에 썼던 '拆票'(단기 대차 어음)의 은 천냥에 대한 대부 일변(日邊). =〔洋yáng拆〕
〔银钗〕 yínchāi 명 은비녀.
〔银蟾〕 yínchán 명 ⇨〔银兔〕
〔银鲳〕 yínchāng 명 《魚》 병어. =〔鲳〕
〔银钞〕 yínchāo 명 옛날, 은 지폐(은화에 대하여 발행된 지폐).
〔银弹〕 yíndàn 명 은제의 탄환. 〈比〉 돈. ¶他用～来收买他们; 그는 돈으로 그들을 매수하였다.
〔银锭〕 yíndìng 명 ①(～儿) 말굽형 은화. ②은박으로 만든 말굽형 은화의 모조품(죽은이를 위하여 불에 태움).
〔银锭扣儿〕 yíndìngkòur 명 《建》 말굽 모양의 장부(나무 또는 돌의 이음매나 갈라진 틈 등에 메워서 거멀장으로 쓰는 것).
〔银兜(儿, 子)〕 yíndōu(r, zi) 명 지갑. (허리에 감는) 전대.
〔银盾〕 yíndùn 명 은제의 방패(상품 또는 증답(贈答)용품).
〔银耳〕 yín'ěr 명 《植》 흰 목이(木耳)버섯(한방약). =〔白bái木耳〕〔雪xuě耳〕〔银花④〕
〔银房〕 yínfáng 명 〈方〉 상점의 회계를 보는 곳(접객용으로 씀).
〔银粉〕 yínfěn 명 ①은가루. ②〈俗〉 알루미늄 분말. ③《色》 연분홍.
〔银根〕 yíngēn 명 《經》 금융. 자금. ¶～吃紧 =〔～紧迫〕〔～短绌〕; 금융 핍박/～松动; 금융 완만/～太紧, 生意难做啊; 자금이 궁해서 장사하기가 어렵다/政府抽紧～; 정부가 금융을 긴축하다. =〔头寸④〕
〔银根菜〕 yíngēncài 명 ⇨〔银苗〕
〔银公司〕 yíngōngsī 명 ⇨〔〈音〉辛xīn迪加〕
〔银钩〕 yíngōu 명 은으로 된, 발을 거는 갈고리. 형 서법(書法)이 유려하고 힘이 있는 모습의 형용. ¶铁画～; 서법이 힘이 있고 아름답다(서법에 대해 칭찬하는 말).
〔银柜〕 yínguì 명 금고. 돈궤. =〔银箱〕〔钱qián柜〕
〔银桂〕 yínguì 명 《植》 박달목서.
〔银海〕 yínhǎi 명 은막의 세계. 영화계. ¶～巨星 =〔银星〕; 영화 스타.
〔银汉〕 yínhàn 명 ⇨〔银河〕
〔银行〕 yínháng 명 은행. ¶存款～; 저축 은행/票据贴现～; 어음 할인 은행/～保函; L/C(신용보증장(狀))/～存折; 은행 예금 통장/～卖价; 은행의 외화 판매가격/汇兑～; 환은행/开证～; (신용장) 개설 은행/通知～; (신용장) 통지 은행.
〔银行保函〕 yínháng bǎohán 명 L/C(신용 보증장). =〔保证状〕
〔银行买价〕 yínháng mǎijià 명 은행의 외국화〔외화〕 매입가. ↔〔银行卖价〕
〔银行卖价〕 yínháng màijià 명 은행의 외국환〔외화〕 매도가. ↔〔银行买价〕
〔银行团〕 yínhángtuán 명 옛날, 중국의 정치·차관에 응하기 위해 몇 개의 은행이 연합하여 조직한 단체.
〔银号〕 yínhào 명 옛날, 중국의 구식 은행.
〔银河〕 yínhé 명 《天》 은하. ¶～系; 《天》 은하계. =〔银汉〕
〔银河式飞机〕 yínhéshì fēijī 명 《軍》 시오에이(C5A) 갤럭시기(機)(미공군의 대형 전략 수송기).
〔银红〕 yínhóng 명 《色》 은홍색. 연분홍.
〔银狐〕 yínhú 명 《動》 은호. =〔玄xuán狐〕
〔银花〕 yínhuā 명 ①인동 덩굴의 꽃봉오리(약용됨). ②〈文〉 등불. ③은으로 만든 조화(造花). 은조화로 장식한 비녀. ④ ⇨〔银耳〕
〔银花纸〕 yínhuāzhǐ 명 백지에 여러 가지 무늬를 박은 종이(벽지로 쓰임).
〔银环蛇〕 yínhuánshé 명 《動》 우산뱀.
〔银灰〕 yínhuī 명 《色》 은회색. ¶～漆; 알루미늄 페인트.
〔银婚〕 yínhūn 명 은혼(식)(결혼 만 25주년).
〔银货两交〕 yín huò liǎng jiāo 《商》 현금 거래(를 하다)('银'은 금전, '货'는 상품).
〔银货两讫〕 yín huò liǎng qì 《商》 현금 거래필(畢)(금전·물품의 수수(授受)가 끝남).
〔银鸡〕 yínjī 명 〈廣〉 경적(警笛).
〔银甲〕 yínjiǎ 명 ①은으로 만든 갑옷. ②은으로 만든 가조각(假爪角)·채.
〔银价〕 yínjià 명 은시세.

〔银浆〕 yínjiāng 명 알루미늄 호상(糊狀) 페인트.
〔银匠〕 yínjiàng 명 은장이. 은세공인. ¶～铺里打锄头; 은장이 공방에서 가래를 만들다. 〈比〉 전문이 아니면 아무리 애써도 성공하기 어렵다.
〔银鲛〕 yínjiāo 명 《魚》 은상어(과의 총칭). ¶黑线～; 은상어. =〔带dài鱼鲨〕〔〈俗〉 海hǎi兔子〕
〔银角〕 yínjiǎo 명 옛날, 1각(角) 또는 2각짜리 은화.
〔银壳儿表〕 yínkérbiǎo 명 은딱지 회중시계.
〔银壳套〕 yínkétào 명 은딱지.
〔银锞〕 yínkè 명 은립(銀粒). 은알갱이.
〔银库〕 yínkù 명 금고. =〔银箱〕
〔银矿〕 yínkuàng 명 ①은광석. ②은광.
〔银莲花〕 yínliánhuā 명 《植》 아네모네.
〔银粮〕 yínliáng 명 〈文〉 조세. 연공(年貢).
〔银两〕 yínliǎng 명 '两'(테일(tail))을 단위로 하여 통용한 은화(옛날, 중국 각지에 통용된 본위 화폐. 단, 일정한 화폐는 없고, 이른바 '马蹄银' '元宝银'로서 통용되었으며, 실제로는 '元'으로 환산함으로써 통용되었음).
〔银楼〕 yínlóu 명 옛날, 은방. 금은방(金銀房).
〔银炉〕 yínlú 명 ⇨〔炉房〕
〔银苗〕 yínmiáo 명 《植》 다년생 초본(草本) 식물(뿌리는 김치를 담가 먹으며. 통칭 '银根菜' '银条菜'라고 함).
〔银幕〕 yínmù 명 스크린. 은막. ¶宽～; 와이드 스크린 / ～报; 뉴스 영화. =〔影yǐng幕〕
〔银泥〕 yínní 명 은분에 풀을 섞은 것(그림 물감으로 사용).
〔银粘〕 yínnián 명 광둥(廣東)산의 상등(上等)의 쌀.
〔银鸥〕 yín'ōu 명 《鳥》 재갈매기.
〔银牌〕 yínpái 명 ①은메달. ②(비교 평가 등에서의) 2등.
〔银盘〕 yínpán (～儿, ～子) 명 은 시세.
〔银飘〕 yínpiāo 명 《魚》 치리.
〔银票〕 yínpiào 명 옛날, 은행에서 발행한 은 태환(兌換) 지폐.
〔银器〕 yínqì 명 은기. 은제품.
〔银钱〕 yínqián 명 금전. ¶～店; 환전상(換錢商) / ～业; 금융업 / ～存簿 =〔～流水账〕; 현금 출납장 / ～总结; 현금 결산장 / ～账房; 출납계 / ～登记机 =〔～记录机〕; 금전 등록기.
〔银鞘〕 yínqiào 명 옛날, 말굽형 은화를 넣는 나무 상자(보통 10'锭'(500'两')을 '一鞘'라고 하였음).
〔银券〕 yínquàn 명 옛날, 은행 발행의 태환권(兌換券).
〔银色〕 yínsè 명 ①은색. 은빛. ②은의 품위(品位).
〔银色产业〕 yínsè chǎnyè 명 실버(silver) 산업(노인들을 대상으로 하는 산업).
〔银山〕 yínshān 명 ①은종이를 발라 만든 산(명기(冥器)의 하나). ②(Yínshān) 《地》 인산(銀山)산.
〔银市〕 yínshì 명 은시장. 은시세.
〔银鼠〕 yínshǔ 명 《動》 은서. 변색 족제비.
〔银丝〕 yínsī 명 ①은실. ②〈比〉 국수. ¶～面儿; 만두의 재료인 발효시킨 밀가루 반죽을 늘여서 가는 실처럼 만들고, 그것을 많이 늘어놓고 찐 것('馒mán头'와 마찬가지로 주식으로 함) / ～卷儿; '银丝面儿'를 말아서 찌거나 기름에 튀긴 것. ③〈比〉 백발(白髮).
〔银丝眼镜〕 yínsī yǎnjìng 명 은테 안경.
〔银蒜〕 yínsuàn 명 은을 마늘 모양으로 주조하여, 발〔주렴〕 밑에 매다는 쇠.
〔银条〕 yíntiáo 명 ①순은의 막대기. ②은행 발행의 약속 어음.
〔银条菜〕 yíntiáocài 명 ⇨〔银苗〕
〔银兔〕 yíntù 명 〈比〉 달의 별칭. =〔银蟾chán〕
〔银碗儿〕 yínwǎnr 명 도가니. =〔坩gān埚〕
〔银碗讨饭吃〕 yínwǎn tǎo fàn chī 은(銀)공기로 걸식하다. ①많은 자본을 들여도 이익이 적음. ②유능한 사람을 하찮은 데에 씀. 훌륭한 것이 있는 데도 쓰지 않음.
〔银线〕 yínxiàn 명 은실.
〔银线草〕 yínxiàncǎo 명 《植》 홀아비꽃대.
〔银箱〕 yínxiāng 명 금고. =〔银柜〕〔银库〕
〔银星〕 yínxīng 명 옛날의 영화 스타. 은막의 스타. =〔银海巨星〕
〔银杏(树)〕 yínxìng(shù) 명 《植》 은행나무. 또, 그 열매. 은행. =〔白bái果(儿)树〕〔公gōng孙树〕〔鸭yā脚(树)〕
〔银盐〕 yínyán 명 ①《化》 은염(銀鹽). ②《撮》 감광유제(感光乳劑)(할로겐화은(化銀)의 에멀션). ¶定影的作用是把未感光的～去掉, 而使菲林上的影像固定下来; 정착의 역할은 아직 감광되어 있지 않은 감광 유제를 제거하여, 필름 위에 찍힌 영상을 고정시키는 일이다.
〔银洋〕 yínyáng 명 1원짜리 은화. =〔银元〕〔银圆〕
〔银样镴枪头〕 yín yàng là qiāng tóu 〈成〉 은같이 보이지만 납으로 된 창 끝(겉보기는 좋으나 실제로는 쓸모 없음).
〔银叶子〕 yínyèzi 명 ⇨〔银箔〕
〔银鱼〕 yínyú 명 《魚》 ①〈方〉 뱅어. =〔面miàn鱼〕〔面条鱼〕 ②'大银鱼'(도화뱅어)의 별칭. ③'鲳chāng鱼'(병어)의 별칭.
〔银元〕 yínyuán 명 중국에 유통되었던 1원 은화. =〔银圆〕
〔银圆〕 yínyuán 명 ⇨〔银洋〕
〔银纸〕 yínzhǐ 명 〈廣〉 지폐.
〔银朱〕 yínzhū 명 《鑛》 진사(辰砂). 주사(朱砂). =〔猩xīng红②〕
〔银字儿〕 yínzìr 명 송(宋)나라 시대의 설화 문학의 하나(재자 가인(才子佳人) 이야기, 귀신 이야기, 전기(傳奇) 이야기 등을 강설(講說)한 것).
〔银子〕 yínzi 명 은(銀)의 통칭(通稱).

龈(齦) yín (은)

명 잇몸. =〔牙～〕〔〈口〉 牙床子〕 ⇒ '啃' kěn
〔龈龈〕 yínyín 형 〈文〉 잇몸을 드러내고 언쟁하는 모양. =〔断断〕

訚(誾) yín (은)

→〔訚訚〕
〔訚訚〕 yínyín 형 〈文〉 당당하게 의론하는 모양.

狺 yín (은)

→〔狺狺〕
〔狺狺〕 yínyín 〈擬〉 〈文〉 개가 짖는 소리. ¶～狂吠; 개가 미친 듯이 짖다. =〔汪汪〕

淫〈婬〉B) yín (음)

A) 형 ①방종하다. ¶骄奢～逸; 〈成〉 교만하고 사치스럽고 방종하다 / 乐而不～, 哀而不伤; 즐기되 방종해지지 않고, 슬퍼하되 상심하지 않다(모든 일에 절도가 있음). ②과도하다. ¶～雨; ⇩ / ～威; ⇩ ③현혹되다〔시키다〕. 홀리다. ¶富贵不能～; 부귀로도

〔引火线〕 yǐnhuǒxiàn 명 도화선(導火線).
〔引惑〕 yǐnhuò 동 유혹하다.
〔引疾〕 yǐnjí 동 〈文〉 ⇨〔引病〕
〔引见〕 yǐnjiàn 동 ①(인도되어) 천자(天子)에게 알현하다. ②(제삼자가 두 사람을) 소개하다. ¶请你给我～! 우리들에게 소개하여 만나게 해 주십시오! / 托您给我～～; 저에게 소개해 주십시오.
〔引荐〕 yǐnjiàn 동 추천하다. =〔推荐〕
〔引酵〕 yǐnjiào 명 〈方〉 ⇨〔酵子〕
〔引接〕 yǐnjiē 동 ①초청하여 만나다. 접대하다. ¶～宾客; 빈객을 맞아들여 만나다. ②맞아〔받아〕들이다. ¶～新同志; 새로운 동지를 받아들이다.
〔引介〕 yǐnjiè 동 소개하다.
〔引进〕 yǐnjìn 동 ①추천하다. ②끌어들이다. 도입하다. ¶他们把我国发展电子工业完全寄托在外国的技术～上…; 그들은 우리나라의 전자 공업의 발전을 모두 외국의 기술 도입에 의존하려 하여… / 从外国～必要的先进技术; 외국으로부터 필요한 선진 기술을 도입하다.
〔引进人〕 yǐnjìnrén 명 ①소개자. ②고용인 소개를 업으로 하는 자.
〔引经据典〕 yǐn jīng jù diǎn 〈成〉 경서나 전고를 인용하다. ¶驳不倒dǎo他～的论著; 경서의 문구를 인용하거나 전고의 근거로 삼은 그의 논저를 반박할 수는 없다.
〔引颈〕 yǐnjǐng 동 〈文〉 ①목을 내밀다. ¶～受刑; 목을 내밀어 형을 받다 / ～待死; 목을 내밀고 죽음을 기다리다. ②목을 길게 빼(고 바라보고 기다리)다. ¶～等候回音; 목을 길게 빼고 답장을 기다리다 / ～眺tiào望; 목을 길게 빼고 바라보다. =〔引领〕
〔引咎〕 yǐnjiù 동 〈文〉 인책(引責)하다. 잘못을 인정하다. ¶～辞职; 인책 사직하다 / ～自责; 잘못을 인정하고 자책하다. =〔引责〕
〔引就〕 yǐnjiù 동 양도하다. ¶我的股票～给某人了; 내 주식을 아무개에게 양도했다.
〔引据〕 yǐnjù 동 근거를 인용하다. 증거를 보이다. ¶～为证; 증거를 인용하여 증명하다 / ～事实; 사실에 입각하여 인용하다.
〔引决〕 yǐnjué 동 〈文〉 자살하다. ¶～自裁; 〈成〉 자살하여 스스로 심판하다. 뉘우쳐 자결하다.
〔引课〕 yǐnkè 명 옛날의 염세(鹽稅)〔차세(茶稅)〕《장부가 소금〔차〕의 전매자에 대하여 그 판매액의 양('引'을 단위로 함)에 따라서 매긴 과세》. =〔引税〕
〔引狼入室〕 yǐn láng rù shì 〈成〉 악인을 자기 진영에 끌어들이다《재앙을 자초하다》. ¶用人不当dàng犹如～; 사람의 채용이 타당치 못하면 늑대를 방에 끌어들이는 것과 같다. =〔引盗入室〕
〔引力〕 yǐnlì 명 ①《物》〈簡〉 인력. =〔万有引力〕〔摄shè力〕〔吸xī力〕 ↔〔斥chì力〕 ②매력.
〔引例〕 yǐn.lì 동 인례하다. 예를 들다. ¶～证明; 예를 들어 증명하다. (yǐnlì) 명 인례.
〔引领〕 yǐnlǐng 동 〈文〉 ⇨〔引颈jǐng②〕
〔引流〕 yǐnliú 동 《醫》 외과 수술로 병소(病巢)에서 배농(排膿)하다.
〔引路〕 yǐn.lù 동 길안내를 하다. =〔引道〕
〔引满〕 yǐnmǎn 동 〈文〉 ①활을 팽팽히 당기다. ②잔에 술을 가득 따르다.
〔引年〕 yǐnnián 동 〈文〉 노령을 이유로 사직하다.
〔引票〕 yǐnpiào 명 옛날의 소금 판매 허가증.
〔引起〕 yǐnqǐ 동 일으키다. 야기하다. ¶～注意; 주의를 끌다 / ～争论; 논쟁을 일으키다 / 特别～人们的注意; 특히, 사람들의 주의를 끌다 / ～一场祸huò事; 한바탕 재화를 불러일으키다. =〔惹rě起〕
〔引桥〕 yǐnqiáo 명 《建》 상로교(上路橋)《다리의 양쪽 끝 부분》.
〔引擎〕 yǐnqíng 명 《機》 〈音〉 엔진. ¶单(汽)缸gāng～; 단기통 엔진 / 双shuāng缸～; 쌍기통 엔진 / 狄dí赛尔～; 디젤 엔진 / ～式飞机; 프로펠러식 비행기 / 汽油～ =〔汽油机〕; 가솔린 엔진. =〔发动机〕
〔引擎油〕 yǐnqíngyóu 명 엔진 오일. =〔机jī油〕
〔引人〕 yǐnrén 동 사람을 인도하다. ¶～为wéi善; 사람을 인도하여 착한 일을 하게 하다.
〔引人入胜〕 yǐn rén rù shèng 〈成〉 (풍경이나 문장이) 황홀하게 하다. 매력을 느끼게 하다.
〔引人注目〕 yǐn rén zhù mù 〈成〉 사람들의 주목을 모으다. 주의를 끌다.
〔引入线〕 yǐnrùxiàn 명 (철도의) 인입선.
〔引商〕 yǐnshāng 명 옛날, 정부의 특허를 받은 소금 판매업자.
〔引上〕 yǐnshàng 동 ⇨〔引向〕
〔引申〕 yǐnshēn 동 《言》 뜻을 확대시키다. ¶～义; 원래의 글자의 뜻에서 파생되어 다른 뜻이 된 것. 전의(轉義). =〔引伸〕
〔引绳排根〕 yǐn shéng pái gēn 〈成〉 두 사람이 한패가 되어 다른 사람을 배척하다. =〔引绳批根〕
〔引述〕 yǐnshù 동 〈文〉 인용하여 말하다. ¶该通讯社系～罗马尼亚国民议会主席团颁布的一个命令; 본 통신사는 루마니아 국민 의회의 의장단이 공포한 명령을 인용하여 말합니다.
〔引水〕 yǐn.shuǐ ① 동 수로 안내를 하다. 도선(導船)하다. ¶～船; 수로 안내선. 도선선(導船船). ②(yǐn shuǐ) 물을 끌어 대다.
〔引水〕 yǐnshuǐ 명 (펌프의) 마중물.
〔引水费〕 yǐnshuǐfèi 명 수로(水路) 안내료. 도선료.
〔引税〕 yǐnshuì 명 ⇨〔引课〕
〔引体向上〕 yǐntǐ xiàngshàng 명동 《體》 턱걸이(하다).
〔引头〕 yǐn.tóu 동 선도(先導)하다. 앞장 서다. 리드하다.
〔引头悬梁〕 yǐntóu xuánliáng 〈比〉 학문에 힘쓰다.
〔引退〕 yǐntuì 동 〈文〉 (퇴관하여) 은퇴하다. 사직하다.
〔引为…〕 yǐnwéi… 동 〈文〉 인용해서 …로 하다. …로 삼다. ¶～恨事; 그것을 애석한 일이라고 생각하다 / ～自豪; 〈成〉 그것으로 스스로 자랑삼다. 자만하다 / ～深戒; 〈成〉 (그것으로써) 훈계를 삼다 / 应～今后的教训; 그것을 앞으로의 교훈으로 하여야 한다.
〔引文〕 yǐnwén 명 인용문.
〔引线〕 yǐnxiàn 명 ①《電》 안테나의 옥내선. 도선(導線). ②도화선(導火線). ③〈俗〉〈方〉 바늘. ¶～穿针; 바늘에 실을 꿰다 / ～缝衣; 바늘로 옷을 꿰매다. ④주선(周旋). 인도. 연줄. ⑤(소설 등의) 복선(伏線). ⑥매개자. 매개물. (yǐn.xiàn) 동 ①바늘에 실을 꿰다. ②안내하다. ¶～人; 안내하는 사람 / 给人当dāng～; 안내자가 되다.
〔引向〕 yǐnxiàng 동 …로 이끌다. ¶把青年～正轨; 청년을 바른 길로 이끌다. =〔引上〕
〔引信〕 yǐnxìn 명 ⇨〔信管〕
〔引言〕 yǐnyán 명 서언(序言). 서문(序文).
〔引以为耻〕 yǐn yǐ wéi chǐ 〈成〉 (그것을) 수치

스럽게 여기다.
〔引以为憾〕 yǐn yǐ wéi hàn 〈成〉 (그것을) 유감으로 여기다.
〔引以为鉴〕 yǐn yǐ wéi jiàn 〈成〉 (그것을) 거울로 삼다. 교훈삼다.
〔引以为戒〕 yǐn yǐ wéi jiè 〈成〉 (자타의) 잘못을 앞으로의 경계로 삼다.
〔引用〕 yǐnyòng 명동 ①인용(하다). ¶～书中的文句; 글 중의 문구를 인용하다 / ～者; 인용자. ②임용(任用)(하다). 추천(하다). ¶～私人; 자기의 연고자를 임용하다.
〔引诱〕 yǐnyòu 명동 유인(하다). 유혹(하다). ¶～为wéi非; 유혹하여 나쁜 짓을 시키다.
〔引语〕 yǐnyǔ 명 인용한 말.
〔引玉之砖〕 yǐn yù zhī zhuān 〈成〉〈謙〉 옥을 꺼내기 위한 기와《좋은 생각·의견을 끌어 내기 위한 요인〔실마리〕》. ¶我这篇文章就算个～, 以后请各位踊跃投稿, 以光篇幅; 저의 이 문장을 디딤돌로 삼아, 앞으로는 여러분이 열심히 투고하여 내용을 훌륭하게 해 주십시오.
〔引援〕 yǐnyuán 동 〈文〉 원용(援用)하다. ¶～前例办理; 전례를 원용하여 처리하다.
〔引责〕 yǐnzé 동 인책하다. ¶～自任, 决不诿过于人; 책임을 스스로 떠안지, 결코 잘못을 남에게 전가하지 않는다 / 局长～辞职; 국장이 인책 사직하다. =〔引咎jiù〕
〔引证〕 yǐnzhèng 명동 인증(하다). ¶拿前车之鉴作个～; 전에 실패한 예를 들어 증명하다.
〔引种〕 yǐn,zhǒng 동 우량 품종을 도입하여 번식시켜 널리 보급하다. ⇒yǐnzhòng
〔引种〕 yǐnzhòng 동 《農》 (우량종을) 이식하다. ⇒yǐnzhǒng
〔引重〕 yǐnzhòng 동 〈文〉 존경하다. 존중하다. ¶互相～; 서로 상대를 존중하다.
〔引锥刺股〕 yǐn zhuī cì gǔ 〈成〉 송곳으로 허벅지를 찌르다《학문에 힘쓰다》.
〔引子〕 yǐnzi 명 ①개막 전에 막 뒤에서 말하는 연극의 개요. ②효모(酵母). =〔面引子〕 ③《漢醫》 한약을 복용할 때 같이 마시는 약. 보조약. ¶这剂药拿姜汤做～; 이 약은 생강탕을 보조약으로 쓴다. =〔药引子〕 ④서론. 머리말. ¶这一段话是下文的～; 이 단락은 다음 글의 서두이다 / 我简单说几句做个～, 希望大家多发表意见; 제가 간단한 이야기를 해서 서두를 열겠으니, 여러분이 많은 의견을 발표해 주십시오. ⑤《樂》 서주(序奏). 도입부.
〔引足救经〕 yǐn zú jiù jīng 〈成〉 발을 잡아당겨 목을 맨 사람을 구하다《하는 일과 목적이 따로따로임》.
〔引坐〕 yǐnzuò 동 〈文〉 연좌(連座)하다.

吲 yǐn (인)
→〔吲哚〕

〔吲哚〕 yǐnduǒ 명 《化》〈音〉 인돌(indole). =〔氮dàn(杂)茚〕

蚓 yǐn (인)
→〔蚯qiū蚓〕

靷 yǐn (인)
명 〈文〉 (마소가 수레를 끄는) 가슴걸이.

饮(飲) yǐn (음)
① 동 마시다. ¶～水; ⇩ / 一～而尽; 단숨에 죽 다 마시다 / ～茶的习惯; 차를 마시는 습관. →〔喝〕 ② 동 술을 마시다. ¶痛tòng～; 통음하다 / 宴yàn～; 주연을 벌여 술을 마시다. ③ 명 음료. 마실 것. ¶冷～; 찬 음료. 청량 음료. ④(～子) 명 식혀서 마시는 탕약. ⑤ 동 마음 속에 묻다〔품다〕. ¶～恨而归; 한을 품고 돌아가다. ⑥ 동 화살·탄환에 맞다. ¶～弹身亡 =〔～弹而终〕; 탄환에 맞아 죽다. ⑦ 명 《漢醫》 병명(病名)에 쓰는 말. ¶水～; 장기(臟器)의 병적 창출액. ⑧ 명 《漢醫》 묽은 가래. ⇒yìn

〔饮冰茹檗〕 yǐn bīng rú bò 〈成〉 냉수를 마시며 황벽(黄檗)을 핥는다《청빈한〔궁색한〕 생활. 부녀자의 고절(古節)》. =〔冰檗〕
〔饮茶〕 yǐnchá 동 ①차를 마시다. →〔喝茶〕 ②(광둥(廣東)·홍콩 등지에서) 차를 마시면서 과자를 먹다.
〔饮醇自醉〕 yǐn chún zì zuì 〈成〉 좋은 술을 마시고 스스로 취하다《남의 고설(高說)을 듣고 완전히 탄복〔감동〕해 버리다》. ¶奉读华翰, 若～; 〈翰〉 편지를 읽고 깊은 감명을 받았습니다.
〔饮弹〕 yǐndàn 동 〈文〉 탄환이 몸에 맞다. ¶～自尽; 총으로 자살하다.
〔饮福〕 yǐnfú 동 〈文〉 음복하다《신전에 바친 제주를 마시다》.
〔饮豪〕 yǐnháo 명 음호. 주호. 술고래.
〔饮恨〕 yǐnhèn 동 〈文〉 원한을 참다〔품다〕. ¶～而终; 원한을 풀지 못하고 죽다 / ～吞声; 〈成〉 원한을 참고서 잠자코 있다 / ～而去; 원한을 품고 떠나다.
〔饮户〕 yǐnhù 명 (수도 또는 공동 우물의) 음용자(飲用者).
〔饮灰洗胃〕 yǐn huī xǐ wèi 〈成〉 재를 마시고 위를 씻다《살아가는 방식을 완전히 (바르게) 고치다》. ¶～, 改过自新; 과거를 깨끗이 청산하여 자기 개조를 하다.
〔饮饯〕 yǐnjiàn 동 〈文〉 이별주를 마시다. ¶～送别; 이별주를 마시고 헤어지다.
〔饮箭〕 yǐnjiàn 동 화살에 맞다. ¶～中zhòng矢; 화살에 맞다 / ～带伤; 화살에 맞아 상처를 입다.
〔饮噱〕 yǐnjué 동 (술을) 권커니 작커니 하면서 떠들어 대다〔즐기다〕. ¶～作乐lè; 술을 마시며 즐기다.
〔饮料〕 yǐnliào 명 음료. 마실것.
〔饮料水〕 yǐnliàoshuǐ 명 음료수.
〔饮片〕 yǐnpiàn 명 《漢醫》 탕약용으로 작은 조각으로 가공한 한방약. →〔饮子〕
〔饮泣〕 yǐnqì 동 〈文〉 소리를 죽이고 울다. 눈물을 삼키다. ¶～吞声; 〈成〉 소리를 죽이고 눈물을 삼키다. 비통한 마음을 참다 / 引得在场的成千男女～; 그 자리에 있던 수많은 남녀를 흐느껴 울게 했다. =〔饮血xuè②〕
〔饮食〕 yǐnshí 명 음식. ¶～俱废; 음식을 전폐하다 / ～起居; 일상 생활 / ～卫生; 음식상의 위생 / ～无味; (병 따위로) 음식맛이 없다 / ～不调; 음식이 당기지 않다《뱃속이 좋지 않다》 / ～疗法; 식이 요법 / ～店; 음식점 / 他已经病到～不进了; 그는 이미 음식이 받지 않을 정도로까지 병이 진행되었다.
〔饮食男女〕 yǐnshí nánnǚ 명 식욕과 성욕. ¶～, 人之大欲存焉; 식욕과 성욕은 인간의 본능적 욕망이다.
〔饮食下脚料〕 yǐnshí xiàjiǎoliào 잔반(殘飯). 먹다 남은 음식 찌꺼기. ¶收集～支援养猪; 음식 찌꺼기를 모아 양돈을 지원하다.

〔饮水〕 yǐnshuǐ ①명 먹는 물. 음용수. ②(yǐn shuǐ) 물을 마시다.
〔饮水不忘掘井人〕 yǐnshuǐ bù wàng juéjǐngrén 〈諺〉 물을 마실 때에는 우물을 파 준 사람의 은혜를 잊지 않다.
〔饮水思源〕 yǐn shuǐ sī yuán 〈成〉 일을 함에 있어서 일의 근원을 잊지 않다. ¶～, 我总忘不了您对我的好处; 일을 함에 있어서 일의 근원을 잊지 않듯, 나는 당신의 저에 대한 호의를 잊을 수가 없습니다.
〔饮汤〕 yǐntāng 동 ①〈文〉 국물을 마시다. ②《漢醫》 탕약을 마시다. 명 ⇨〔米mǐ汤②〕
〔饮徒〕 yǐntú 명 〈文〉 술친구.
〔饮血〕 yǐnxuè 동 ①피를 마시다. ②⇨〔饮泣〕 ③〈比〉 날것으로 먹다. ¶过着茹毛～的原始生活; 새나 짐승을 생으로 먹는 원시 생활을 하고 있다.
〔饮宴〕 yǐnyàn 명 〈文〉 연회. 술잔치.
〔饮誉〕 yǐnyù 동 〈文〉 호평을 받다. ¶我国现代画～罗马; 우리 나라의 현대화(現代畫)가 로마에서 호평을 받고 있다.
〔饮章〕 yǐnzhāng 명 〈文〉 ⇨〔隐章〕
〔饮鸩止渴〕 yǐn zhèn zhǐ kě 〈成〉 독주를 마시고 갈증을 풀다《후환을 알면서도 위험한 방법을 취하다》.
〔饮馔〕 yǐnzhuàn 명 〈文〉 술과 안주. 음식물.
〔饮子〕 yǐnzi 명 《漢醫》 (차게 해서 마시는 탕약)의 옛 이름. →〔饮片〕

殷 yǐn (은)
〈擬〉〈文〉 우르릉《천둥소리》. ¶～其雷; 우르릉 천둥소리가 나다. ⇒yān yīn

隐(隱) yǐn (은)
①동 숨기다. 감싸 주다. 두둔하다. ¶姑～其名; 잠시 그 이름을 숨겨두다 / ～蔽bì; ⇩ / ～瞒; ⇩ ②동 숨다. 은거하다. ¶～居; ⇩ / ～士; ⇩ ③형 분명하지 않다. 희미하다. ④동 비밀스러운. 밝힐 수 없는. 은밀한. ¶～情; ⇩ / 难言之～; 말 못 할 비밀. / ～的输出品; 은밀한 수출품.
〔隐蔽〕 yǐnbì 동 (물건 뒤에) 숨다. 은폐하다. 덮어 감추다. ¶游击队～在高粱地里; 유격대가 수수밭에 숨어 있다 / 要注意～, 千万不能让土匪发现! 도적에게 발견되지 않도록 숨어라! / ～活动; 지하 활동. 형 겉으로 드러나 있지 않다.
〔隐避〕 yǐnbì 동 〈文〉 숨어 피하다. (공격 따위에서) 몸을 피하다. 피해 달아나다. ¶外面风声不好, 需要～一下; 세상 소문이 좋지 않으니, 잠시 숨어 있지 않으면 안 된다.
〔隐不住〕 yǐnbuzhù 숨길 수 없다. 숨겨 둘 수 없다. ¶～身; 몸을 숨길 수 없다.
〔隐藏〕 yǐncáng 동 숨기다. 비밀로 하다. 숨다. ¶～在树林中; 숲속에 숨다 / ～幕后操纵; 배후에 숨어서 조종하다 / ～着敌意; 적의를 감추고 있다.
〔隐处〕 yǐnchù 명 비밀스러운 일. 비밀. ¶揭挑他的～; 그의 비밀을 폭로하다.
〔隐刺〕 yǐncì 동 빗대어 풍자하다. 은근히 빈정대다.
〔隐地〕 yǐndì 명 〈文〉 ①탈세지(脫稅地)《정부에 등록되어 있지 않은 곳》. ②은거하는 곳. 은둔처.
〔隐遁〕 yǐndùn 동 은둔하다. 세상을 버리고 숨다.
〔隐恶扬善〕 yǐn è yáng shàn 〈成〉 남의 악행을 감추고 선행을 칭찬하다.
〔隐伏〕 yǐnfú 동 몰래 숨어 있다. 잠복하다. ¶～危机; 위기가 잠재해 있다 / 有病～在身; 병이 (발견되지 않고) 잠복해 있다.
〔隐睾症〕 yǐngāozhèng 명 《醫》 정류(停留) 고환증. 잠복 고환증《태아의 고환이 아래로 내려오지 않는 병》.
〔隐宫〕 yǐngōng 명 〈文〉 거세(去勢)하는 형벌. 궁형.
〔隐户〕 yǐnhù 명 무적자(無籍者).
〔隐花植物〕 yǐnhuā zhíwù 명 《植》 은화 식물. 민꽃 식물. =〔无wú花植物〕
〔隐患〕 yǐnhuàn 명 표면에 드러나지 않은 고민이나 재난. ¶～不除, 于心不安; 드러나지 않은 고민을 없애지 않으면 마음이 불안하다.
〔隐讳〕 yǐnhuì 동 꺼리어 숨기다. 숨기고 말하지 않다. ¶他从不～自己的缺点和错误; 그는 이제까지 자기 결점과 과오를 숨긴 적이 없다 / 毫不～地说; 조금도 숨김없이〔거리낌없이〕 말하다 / 朋友之间什么话都不～着说; 친구 사이에는 무슨 이야기든지 숨김없이 말한다.
〔隐晦〕 yǐnhuì 〈文〉 동 어두운 곳〔모르는 곳〕에 숨다. 숨어서 시기를 기다리다. ¶韬光～; 재능·행적·지위 등을 숨기고 나타내지 않다. 형 (문장이) 난해하다. 분명치 않다. (태도 등이) 애매하다. ¶毫无～; 애매한 데가 전혀 없다. 허심탄회하다 / 这些诗写得十分～, 不容易懂; 이 시들은 매우 난해하게 쓰여져서 이해하기가 쉽지 않다.
〔隐疾〕 yǐnjí 명 〈文〉 ①숨긴 병. 남에게 말할 수 없는 병《성병 따위》. ②남에게 말 못 할 사정.
〔隐居〕 yǐnjū 명동 은거(하다). ¶在山林～; 산림에 숨어 살다 / ～市井而不出仕; 시정에 숨어 살며 벼슬하지 않다. 명 은거하는 사람. 노인. ‖ =〔潜qián居〕
〔隐君子〕 yǐnjūnzǐ 명 ①은둔자. 숨은 인격자〔군자〕. ¶山林～; 산림에 숨어 사는 둔자. ②아편중독자. =〔瘾君子〕
〔隐括〕 yǐnkuò 명동 ⇨〔檃栝〕
〔隐沦〕 yǐnlún 〈文〉 동 벼슬을 하지 않고 세상을 피하다. 은둔〔은거〕하다. ¶以兄之大才, 终身～, 岂不可惜? 당신과 같은 큰 재능이 있는 사람이 평생 파묻혀 산다는 것은 어찌 아깝지 않겠소? 명 은사《파묻히어 이름이 드러나지 않는 사람》.
〔隐瞒〕 yǐnmán 동 은폐하여 속이다. 숨기다. ¶～岁数; 나이를 속이다 / ～上峰; 상사(上司)를 속이다 / ～军情; 군대의 사정을 숨기다 / ～不招; 숨기고 자백하지 않다 / 你不要再～, 我都知道了; 더 이상 숨기지 마라, 난 다 알고 있다.
〔隐秘〕 yǐnmì 동 비밀로 하다. ¶～不说; 비밀로 하여 말하지 않다 / 把事～起来; 일을 비밀로 하다. 형 숨겨져 있다. 은밀하다. 남의 눈에 띄지 않다. ¶地道的出口开在～的地方; 지하도의 출구는 비밀 장소에 나 있다. 명 비밀. ¶刺探～; 비밀을 탐지하다. ‖ =〔隐密〕
〔隐名〕 yǐnmíng 명동 익명(으로 하다). ¶～合伙; 익명으로 조합을 만들다 / ～告密的多不实; 익명으로 밀고하는 자는 대다수가 진실이 아니다 / ～信 =〔匿nì名信〕〔〈文〉 隐章〕; 익명의 편지.
〔隐没〕 yǐnmò 동 (시야로부터) 은몰하다. 숨다. 사라지다. ¶汽车渐渐～在朦胧的夜色中; 자동차가 점점 희미한 야경 속으로 사라졌다.
〔隐匿〕 yǐnnì 동 〈文〉 은닉하다. 숨기어 비밀로 하다.
〔隐僻〕 yǐnpì 형 ①글자나 문구가 눈에 익지 않다. ②(장소 등이) 외져서 알기 힘들다. 구석지다. ¶～的小巷子; 구석진 작은 골목 / 住在～的地方; 구석진 곳에서 살다.

〔隐情〕 yǐnqíng 동 사정을 숨기다. 명 말못할 사실〔원인〕. 속사정. 비밀스런 일. ¶其中必有～; 그 속에 반드시 (무언가) 말 못 할 사연이 있다.
〔隐然〕 yǐnrán 형 〈文〉 진중하다. 듬직하다. ¶威重～; 위엄이 있고 듬직하다.
〔隐忍〕 yǐnrěn 동 (마음 속에 간직하여) 참고 견디다. ¶～不言; 참고 견디어 말하지 않다 / ～不露; 꾹 참고 겉으로 드러내지 않다 / 把痛苦～下去; 고통을 참고 견뎌 내다.
〔隐荵〕 yǐnrěn 명 〔植〕 인동덩굴.
〔隐射〕 yǐnshè 동 간접적으로 표현하다. 빗대어 말하다. 암시하다.
〔隐身〕 yǐn,shēn 동 은신하다. 몸을 숨기다. ¶～法 =〔～术shù〕〔障zhāng身法〕〔遮zhē身法〕; 은신술.
〔隐身草(儿)〕 yǐnshēncǎo(r) 명 〈比〉 방패(막이). ¶你有要求你自己提, 别拿我当dàng～; 네가 요구할 게 있으면 네가 직접 말하고, 나를 방패로 삼지 마라.
〔隐士〕 yǐnshì 명 은사. ①은거한 사람. ②세상을 등지고 사는 사람. ¶世外～; 세상을 등지고 사는 사람. ‖ =〔隐者〕
〔隐饰〕 yǐnshì 동 〈文〉 은폐하다. 가리다.
〔隐鼠〕 yǐnshǔ 명 〔動〕 두더지.
〔隐私〕 yǐnsī 명 프라이버시. 사사로운 일. 개인의 비밀스런 일. ¶这些刊物, 其实以揭人～与黄色为主; 이들 간행물은 사실 남의 비밀이나 외설을 폭로하는 것이 주(主)다.
〔隐痛〕 yǐntòng 명 남모르는 고민. 남에게 말할 수 없는 마음의 고통. ¶心口窝还有点～; 마음 속에 아직 남모를 고통이 있다 / 难以言说的～; 남에게 말할 수 없는 고민 / 抑yì不住心头的～; 마음 속의 말 못할 고통을 억누를 길이 없다.
〔隐退〕 yǐntuì 명동 은퇴(하다).
〔隐微〕 yǐnwēi 형 희미하다. 은미하다. 숨겨져 있어 확실치 않다. 명 ①비밀. 숨겨진 일. ¶揭发人的～; 남의 비밀을 폭로하다. ②미묘함. 은미함. ¶洞察其～; 그 미묘한 점을 꿰뚫어 헤아리다 / 要论那里头的～, 只可意会; 그간의 미묘한 점을 논하기로 하면, 마음으로 이해하는 수밖에 없다.
〔隐纹〕 yǐnwén 명 (종이 따위의) 빛에 비출 때 보이는 무늬. 은화(隱畫). ¶有～的纸; 투문(透紋)을 넣은 종이.
〔隐贤〕 yǐnxián 명 〈文〉 숨은 현인. ¶山中有～; 산 속에 숨은 현인이 있다.
〔隐显墨水〕 yǐnxiǎn mòshuǐ 명 은현(隱現) 잉크.
〔隐现〕 yǐnxiàn 동 숨었다 나타났다 하다. ¶水天相接, 岛屿～; 바다와 하늘이 서로 접하고 섬이 보였다 안 보였다 하다.
〔隐形〕 yǐnxíng 동 〈文〉 모습을 감추다. 자태를 숨기다.
〔隐形眼镜〕 yǐnxíng yǎnjìng 명 콘택트 렌즈. =〔无形眼镜〕〔接触眼镜〕
〔隐姓埋名〕 yǐn xìng mái míng 〈成〉 자기 성명을 감추다《이름을 감추고 알려지지 않으려고 하다》. ¶从此～不问世事; 그 뒤로는 이름을 감추고 세상일을 묻지 않았다.
〔隐逸〕 yǐnyì 〈文〉 동 세상을 피해 숨어 살다. 명 은일. 은둔(자).
〔隐隐〕 yǐnyǐn 형 ①〈文〉 근심하는 모양. ②희미하다. 은은하다. 어슴푸레하다. ¶青山～; 푸른 산이 희미하게 보이다 / ～的雷声; 은은한 천둥소리 / 腹部～作痛; 배가 살살 아프다 / 远外～有几声雷响; 멀리서 은은하게 천둥 소리가 들린다 / 筋骨～作痛; 근육이나 뼈가 무지근하게 아프다. ③〈文〉 보일락말락하다. ¶～地跟随他; 살그머니 그를 따라가다. ④〈文〉 무거운 수레가 나아가는 모양.
〔隐隐糊糊〕 yǐnyinhúhú 형 보였다 안 보였다 하여 희미한 모양. 분명치 않은 모양. ¶～, 只见一个黑点子; 단지 희미하게 까만 점 하나만 보일 뿐이다.
〔隐忧〕 yǐnyōu 명 은밀한 근심·고통. ¶其言似有～; 그 말에는 무슨 걱정스러운 일이 있는 듯하다. 동 남모르게 걱정하다.
〔隐语〕 yǐnyǔ 명 은어. 곁말. ¶用～传消息; 은어로 소식을 전하다.
〔隐寓〕 yǐnyù 동 뜻을 속에 담고 있다. 숨은 뜻이 담겨 있다. ¶把～的意思给宣布出来了; 속에 담겨진 뜻을 밖으로 분명히 드러냈다 / 有很深的意义～其中; 깊은 뜻이 그 속에 숨겨져 있다.
〔隐喻〕 yǐnyù 명 〔言〕 은유.
〔隐约〕 yǐnyuē 형 ①불분명하다. 흐릿하다. 어렴풋하다. ¶在晨雾中, 远处的高楼大厦～可见; 아침 안개 속에 멀리 높은 빌딩이 어렴풋이 보이다 / 歌声隐隐约约地从山头传来; 노랫소리가 희미하게 산꼭대기에서 들려 온다. ②말을 얼버무려 분명하게 표현하지 않다. ¶～其辞; 말을 얼버무리다. 말이 분명치 않다.
〔隐章〕 yǐnzhāng 명 〈文〉 익명의 편지. =〔饮章〕
〔隐者〕 yǐnzhě 명 ⇨〔隐士〕
〔隐症〕 yǐnzhèng 명 ①겉에 나타나지 않는 병. ②표면에 나타나지 않는 결점〔약점·급소〕. →〔痛tòng处〕
〔隐衷〕 yǐnzhōng 명 남에게 말 못할 고충.

谚(讔) yǐn (은)

명 〈文〉 곁말. 은어(隱語). →〔隐语〕

檃(檼〈櫽〉) yǐn (은)

→〔檃栝〕

〔檃栝〕 yǐnkuò 〈文〉 명 목재의 뒤틀림을 바로잡는 도구. 동 (문자·문장·저작을) 고쳐 쓰다. 개작〔윤색〕하다. ¶把一部小说～成一篇长篇叙事诗; 한 편의 소설을 개작하여 장편 서사시로 만들다. ‖ =〔隐括〕

瘾(癮) yǐn (은)

명 ①아편·알코올 따위의 중독. 인. ¶烟～; 니코틴 중독. 아편 중독 / 过～; (욕망을 채워서) 만족하다 / 发～ =〔犯fàn～〕〔起qǐ～〕; 금단 증상이 나타나다. ②벽(癖). 광적인 취미나 기호. ¶球～; 구기광(球技狂) / 看电影上了～; 영화를 보고 영화광이 돼버리다 / 他看小说看上了～; 그는 소설읽기에 빠졌다.
〔瘾君子〕 yǐnjūnzi 명 〈罵〉 아편 중독자. =〔隐君子②〕
〔瘾上来〕 yǐnshànglai 금단(禁斷) 증상이 나타나다.
〔瘾头〕 yǐntou 명 ①술·담배·아편 등의 중독 증상. ②벽(癖). 버릇〔습관〕. ¶～又上来了; 버릇이 또 나타났다.
〔瘾头儿〕 yǐntóur 명 중독의 정도. 도락〔기호〕의 정도. ¶他的～不小; 그의 중독은 상당히 심하다.

缳(繶) yǐn (은)

동 〈方〉 공그르다. 누비다. 실땀이 겉으로 나오지 않게 꿰매다. ¶～

棉袄；솜옷을 누비다. →〔绗háng〕

印 yìn (인)
①명 도장. 인장. ¶盖～ =〔打～〕〔用～〕; 도장을 찍다. 날인하다 / 接～; 관인을 인계받다《직무 인계를 받다》/ 对口～; 계인(契印). ②(～儿, ～子) 명 자국. 흔적. ¶脚～; 발자국 / 烙lào～; 낙인 / 衣服上有黑～; 옷에 검은 자국이 나 있다. ③(Yìn) 명 〈簡〉'印度'(인도)의 약칭. ¶中～两国; 중인 양국. ④동 인쇄하다. ¶这本书～了十万部; 이 책은 10만 부를 인쇄했다 / 排pái～; 식자와 인쇄 / 石～; 석판 인쇄. ⑤동 표해 놓다. 흔적을 남기다. ¶深深～人脑海; 머리에 깊이 새겨지다. ⑥동 (사진을) 현상하다. ¶多～一张; 한 장 더 현상하다 / 把相片多～几张; 사진을 몇 장 더 인화하다. ⑦동 딱 맞다. 일치하다. 합치시키다. ¶心心相～; 마음과 마음이 딱 맞다. 생각이나 감정이 완전히 일치하다 / ～证; ⇩ ⑧명 성(姓)의 하나.

〔印把子〕 yìnbàzi 명 ①도장의 꼭지〔손잡이〕. ②〈轉〉 권력. 직권. 정권. ¶你有个～在手就想胡作非为吗? 당신은 직권을 쥐고 있다고 해서 함부로 나쁜 짓을 하려는 것인가? ③관청의 도장. ④관직의 별칭. ¶捏过～; 관직에 오른 적이 있다.

〔印板〕 yìnbǎn 명 인쇄판. 인판. ¶～的书; 인쇄판의 책. =〔印版〕

〔印版〕 yìnbǎn 명 ⇨〔印板〕

〔印报〕 yìnbào 동 신문을 인쇄하다. ¶～纸; 신문 용지 / 卷juǎn筒～纸; 두루마리 신문 용지.

〔印本〕 yìnběn 명 판본(版本). 인쇄본.

〔印鼻(儿)〕 yìnbí(r) 명 도장의 꼭지.

〔印材〕 yìncái 명 인재. 도장 재료.

〔印戳〕 yìnchuō 명 도장. 스탬프.

〔印次〕 yìncì 명 《印》 인쇄 횟수.

〔印错〕 yìncuò 동 인쇄가 잘못되다. 명 인쇄상의 오자(誤字). 미스프린트.

〔印地语〕 Yìndìyǔ 명 《言》 힌디어(Hindi語).

〔印的里〕 yìndìlǐ 명 〈音〉 인텔리. ¶～根追亚; 인텔리겐차. =〔印贴列〕

〔印第安(人)〕 Yìndì'ān(rén) 명 《民》〈音〉 인디언(Indian). ¶阿美利加～; 아메리카 인디언 / 危地马拉是～语, 就是森林国的意思; 과테말라는 인디언말로 숲의 나라라는 뜻이다. =〔印地安(人)〕

〔印垫〕 yìndiàn 명 스탬프 패드(stamp pad).

〔印斗〕 yìndǒu 명 도장집.

〔印度〕 Yìndù 명 《地》 인도(India)《수도는 '新德里'(뉴델리: New Delhi)》.

〔印度大麻草〕 yìndù dàmácǎo 명 《植》 인도 대마초.

〔印度国大党〕 yìndù guódàdǎng 명 인도 국민회의파.

〔印度河〕 Yìndùhé 명 ⇨〔印度斯河〕

〔印度教〕 Yìndùjiào 명 《宗》 힌두교.

〔印度快报〕 Yìndù kuàibào 명 인디언 익스프레스《인도의 영자 신문 이름》.

〔印度尼西亚〕 Yìndùníxīyà 명 《地》〈音〉 인도네시아(Indonesia)《수도는 '雅Yǎ加达'(자카르타: Jakarta)》. =〔印尼〕

〔印度斯河〕 Yìndùsīhé 명 《地》〈音〉 인더스 강(Indus江). =〔印度河〕

〔印度斯坦〕 Yìndùsītǎn 명 《地》〈音〉 힌두스탄. ①인도의 페르시아명(名). 특히 데칸 고원 북부를 가리킴. ②힌두교도가 많은 인도 지역.

〔印度橡皮树〕 yìndù xiàngpíshù 명 ⇨〔橡皮树〕

〔印度雅利安族〕 Yìndù yǎlì'ān zú 명 《民》〈音〉 인도 아리안족(族)《인도 게르만》.

〔印度支那半岛〕 Yìndùzhīnà bàndǎo 명 ⇨〔中zhōng南半岛〕

〔印发〕 yìnfā 명동 ①인쇄 배포(하다). ¶～传单; 전단을 인쇄 배포하다. =〔印刷散发〕 ②인쇄 발행(하다).

〔印糕子〕 yìngāozi 명 틀에 박아낸 과자《다식 따위》.

〔印稿〕 yìngǎo 명 인쇄 원고.

〔印工儿〕 yìngōngr 명 ①인쇄 기술. ¶～、装订都很好; 인쇄·장정 모두 대단히 좋다. ②인쇄 수업(修業). ③인쇄 효과.

〔印盒〕 yìnhé 명 도장함.

〔印盒墨〕 yìnhémò 명 스탬프 잉크.

〔印花〕 yìnhuā 명 ①수입 인지. ¶收条上得贴～; 영수증에는 인지를 붙여야 한다. =〔印票〕〔印税票〕 ②세관의 화물 검사증.

〔印花(儿)〕 yìnhuā(r) 명 《染》 날염(捺染). ¶～布; 날염천 / ～机; 날염기. (yìn,huā(r)) 동 날염하다. ¶这块布是～的; 이 천은 날염한 것이다.

〔印花染业〕 yìnhuā rǎnyè 명 날염 염색업.

〔印花税〕 yìnhuāshuì 명 인지세(印紙稅). ¶～票; 수입 인지.

〔印花铁〕 yìnhuātiě 명 글자·무늬 등을 찍은 양철판.

〔印花席法布〕 yìnhuā xífǎbù 명 《紡》 날염 렙(rep).

〔印花羽绸〕 yìnhuā yǔchóu 명 《紡》 날염(捺染) 우단.

〔印花纸〕 yìnhuāzhǐ 명 무늬가 있는 종이. 형지(型紙).

〔印记〕 yìnjì 동 ①기록하다. ②마음에 새기다. 기억하다. ¶他仔细地听, 努力地～着他的话; 그는 주의 깊게 듣고, 열심히 그의 이야기를 마음에 새겼다. 명 ①간기(刊記). ②도장으로 찍은 기호. 날인한 도장. ¶以检查所的～为凭; 검사소의 도장을 증거로 하다.

〔印加〕 Yìnjiā 명 《史》〈音〉 잉카《잉카 제국(Inca帝國)의 국왕》.

〔印检〕 yìnjiǎn 명 봉서(封書) 따위의 봉인을 찍는 부분.

〔印件〕 yìnjiàn 명 인쇄물.

〔印鉴〕 yìnjiàn 명 인감. ¶那文件上有我的～可证; 그 서류에 내 도장이 찍혀 있으니까 알 수 있다 / ～卡kǎ; 인감 대장(臺帳)〔카드〕.

〔印结〕 yìnjié 명 신원 보증서.

〔印景〕 yìnjǐng 명 인주가 묻지 않은 도장을 꾹 눌러 찍은 인형(印形).

〔印局子〕 yìnjúzi 명 ⇨〔印子局〕

〔印矩〕 yìnjǔ 명 서화에 도장을 찍을 때 사용되는, T자형의 목제 기구《도장을 다시 찍거나, 여러 번 찍을 때 도장의 모양을 일정하게 하는 데에 사용됨》.

〔印可〕 yìnkě 동 〈文〉 인가하다. 도장을 찍고 허가하다.

〔印叩钱〕 yìnkòuqián 명 〈俗〉 옛날, 화남(華南)의 취안저우(泉州) 지방에서, 흠이 난 싱가포르 1원짜리 은화에 대한 속칭.

〔印墨〕 yìnmò 명 인쇄용 잉크. =〔印刷墨〕

〔印模〕 yìnmú 명 프린트. 스탬프.

〔印模纸板〕 yìnmú zhǐbǎn 명 《印》 지형 판지(紙型板紙).

〔印尼〕 Yìnní 명 《地》〈簡〉 인도네시아《'印度尼西亚'의 약칭》.

〔印泥〕 yìnní 명 인주(印朱). ¶ ～缸; 인주합. =〔印色se〕
〔印纽〕 yìnniǔ 명 도장을 잡는 부분. 또는 그 부분에 되어 있는 장식《흔히, 사자·사슴 등이 새겨져 있음》.
〔印谱〕 yìnpǔ 명 인보《옛날 도장 또는 명가(名家)의 인발을 모아서 만든 책》.
〔印契〕 yìnqì 명 ①부동산의 등기 필증. ②부동산의 매매·임대차 계약서. ‖ =〔〈俗〉红hóng契〕
〔印券〕 yìnquàn 명 관청의 인인(認印)이 찍힌 증서.
〔印儿〕 yìnr 명 흔적. 자국. ¶ 脚～; 발자국.
〔印染〕 yìnrǎn 명동 날염(捺染)(하다). ¶ ～布; 날염천 / ～厂; 날염 공장. →〔印花(儿)〕
〔印入〕 yìnrù 동 〈文〉 자국을 남기다. 인상이 새겨지다. ¶ ～脑筋很深; 머리에 인상이 깊이 새겨지다.
〔印入甚深〕 yìn rù shèn shēn 〈成〉 마음에 깊이 새겨 잊지 않다. 깊은 인상을 받다.
〔印色〕 yìnse 명 인주. ¶ ～盒hé儿; 인주합. =〔印泥〕
〔印时戳〕 yìnshíchuō 명 ⇨〔计jì时印章〕
〔印时器〕 yìnshíqì 명 ①⇨〔计jì时印章〕 ②타임 레코더. =〔记jì时器〕
〔印收〕 yìnshōu 명 세금 영수증《관서의 도장을 찍은 영수증》.
〔印绶〕 yìnshòu 명 〈文〉 ①관직을 나타내는 도장과 이것에 달려 있는 수(綬). ②〈轉〉 관직.
〔印书〕 yìn shū ①책을 인쇄하다. ②(yìnshū) 명 인쇄.
〔印书纸〕 yìnshūzhǐ 명 인쇄 용지.
〔印数〕 yìnshù 명 《印》 인쇄한 책수〔장수〕.
〔印刷〕 yìnshuā 명동 인쇄(하다). ¶ ～机; 인쇄기(계) / ～厂; 인쇄 공장. 인쇄소.
〔印刷墨〕 yìnshuāmò 명 인쇄 잉크. =〔印墨〕
〔印刷品〕 yìnshuāpǐn 명 인쇄물. =〔印刷物〕
〔印刷体〕 yìnshuātǐ 명 인쇄체. 활자체. ↔〔手shǒu写体〕
〔印刷物〕 yìnshuāwù 명 ⇨〔印刷品〕
〔印水纸〕 yìnshuǐzhǐ 명 ⇨〔吸xī墨纸〕
〔印台〕 yìntái 명 스탬프 대(臺). 스탬프 패드(stamp pad). =〔打dǎ印台〕
〔印堂〕 yìntáng 명 양미간. 미간(眉間)의 한복판. ¶ ～发亮必走好运; 미간이 밝으면 반드시 좋은 운이 트인다.
〔印条〕 yìntiáo 명 품질 보증의 각인(刻印)이 들어 있는 막대 모양의 금·은.
〔印贴利根追亚〕 yìntiēlìgēnzhuīyà 명 〈音〉 인텔리겐차(intelligentsa)《지적 노동에 종사하는 사회층·지식 계급》. →〔知识分子〕〔知识界〕〔知识阶层〕
〔印贴列〕 yìntiēliè 명 ⇨〔印的里〕
〔印帖〕 yìntiě 명 ①집인장(集印帳). ②계약서 용지. 어음 용지.
〔印铁凡立水〕 yìntiě fánlìshuǐ 명 생철 인쇄용 니스.
〔印头鱼〕 yìntóuyú 명 《魚》 빨판상어. =〔鲫yìn鱼〕
〔印土〕 Yìntǔ 명 《地》 '印度' (인도)의 별칭.
〔印匣〕 yìnxiá 명 도장함.
〔印相〕 yìn·xiàng 동 (사진을) 인화하다. ¶ ～机; 프린터 / ～纸; 인화지 / 软片冲洗完毕后, 才可以开始进行～工作; 필름의 현상이 끝나면, 그제서야 인화 작업에 들어갈 수 있다. =〔印像〕
〔印象〕 yìnxiàng 명 인상. ¶ ～派; 인상 파 / ～主义; 인상주의 / ～很深; 인상이 깊다 / 好～; 좋은 인상 / 她给我留下了深刻的～; 그녀는 내게 강한 인상을 남겼다.
〔印像〕 yìnxiàng 동 ⇨〔印相〕
〔印信〕 yìnxìn 명 관인(官印)《관청용 도장의 총칭》.
〔印行〕 yìnxíng 명동 인행(하다). 서적을 출판하여 간행(하다).
〔印油〕 yìnyóu 명 스탬프 잉크.
〔印张〕 yìnzhāng 명 《印》 신문지 반장 크기의 것으로, 서적 한 권에 필요한 종이의 양을 계산하는 단위《'平píng板纸' (신문지 크기의 용지)를 2 '印张' 으로 함》.
〔印章〕 yìnzhāng 명 인장. 도장.
〔印证〕 yìnzhèng 명동 입증(하다). 검증(하다). 보증·증명(하다). 실증(하다). ¶ 材料已～过; 자료는 이미 실증되었다 / 两个人互相～; 두 사람은 서로 보증·증명하였다 / 通过实践, 书本上的知识得到了～; 실천을 통해서 책의 지식이 실증되었다.
〔印纸〕 yìnzhǐ 명 인화지. =〔印相纸〕
〔印纸人儿〕 yìnzhǐrénr 꽃·새·인물 등의 모양을 오려 붙이다.
〔印指纹〕 yìn zhǐwén 지장(指章)을 찍다. =〔打dǎ拇印〕
〔印字〕 yìn·zì 동 글자를 인쇄하다. ¶ ～机器; 인쇄기계 / ～馆; 인쇄소 / ～房 =〔～局〕; 인쇄소. 인쇄실.
〔印字工〕 yìnzìgōng 명 인쇄공.
〔印子〕 yìnzi 명 ①흔적. ¶ 地板上踩了好多脚～; 바닥에는 많은 발자국이 나 있었다. ②〈簡〉 ⇨〔印子钱〕
〔印子局〕 yìnzijú 명 '印子钱' 을 빌려 주는 고리대금 업소. =〔印局子〕
〔印子钱〕 yìnziqián 명 일숫돈. 월숫돈《고리 대금의 하나. 원금과 높은 이자를 합계하여 기한을 정하고 채무자가 분할 상환함. 상환 때 도장을 찍어서 표시했음》. ¶ 放～; 일숫돈을 빌려 주다 / 使shǐ～; 일수(日收)를 빌려 쓰다. =〔印子②〕〔折zhé子钱〕

茚

yìn (인)
명 《化》 〈音〉 인덴(indene)《유기화합물》. ¶ 氧yǎng～; 쿠마론(coumarone) / 氮dàn～; 인돌(indol).

鲫(鲫)

yìn (인)
명 《魚》 빨판상어.

〔鲫鱼〕 yìnyú 명 《魚》 빨판상어. =〔印头鱼〕

饮(飲)

yìn (음)
동 ①〈文〉 마시게 하다. ¶ ～之以酒; 술을 마시게 하다. ②가축에게 물을 먹이다. ¶ ～牲口; ⇩ ③목을 축이다. ¶ 喝hē杯茶～～嗓子; 차를 마셔 목을 축이다. ⇒ yǐn
〔饮场〕 yìnchǎng 동 중국 전통극의 배우가 무대에서 목을 축이다.
〔饮马〕 yìn mǎ ①말에 물을 먹이다. ¶ 该～去了; 말에게 물을 먹이러 가야지. ②쳐들어가다. ¶ 长城～; 만리장성으로 쳐들어가다 / ～黄龙; 〈比〉 적의 본거지로 쳐들어가다.
〔饮马投钱〕 yìn mǎ tóu qián 〈成〉 은혜는 반드시 갚다《말에게 물을 먹이는 경우에도 물 속에 돈을 던져 사례했다는 고사에서 유래》.

〔饮嗓子〕 yìn sǎngzi 목을 축이다. ¶给我倒杯茶来～; 나에게 차를 한 잔 따라 주어서 목을 축이게 해다오. =〔润rùn喉咙〕

〔饮牲口〕 yìn shēngkou 가축에게 물을 먹이다.

胤 yìn (윤)
〈文〉 ①[동] 대를 잇다. 계승하다. ②[명] 후계자. 자손. 후대(後代). ¶～嗣sì; 후사.

荫(蔭〈廕〉B)) yìn (음)
A) [형] 〈口〉 음습하다. 그늘지다. 축축하다. ¶这屋子很～; 이 방은 음습하다. B) ①[동] 〈文〉 비호(庇護)하다. ¶～庇; ⇩ ②[명] 옛날, 조상의 공로로 얻는 특혜. ¶少shào以父～, 为太子亲卫; 젊어서 아비의 공덕으로 태자의 친위가 되다.

〔荫庇〕 yìnbì [동] 비호(庇護)하다. 감싸 주다. ¶托您的～…; 당신의 덕택으로….

〔荫蔽〕 yìnbì [동] ① 덮다. 숨기다. 은폐하다. ¶他们给人以假象, 而将真象～着; 그들은 남에게 거짓 모습을 보여 주고 참모습은 감추고 있다. ② (나뭇가지에) 덮이다. 가리우다. ¶茅屋～在树林中; 오두막집은 숲 속에 덮이어 가려 있다. =〔荫翳①〕〔阴翳②〕 [형] 은폐된. ¶～组织工作; 비공개 조직 활동.

〔荫股〕 yìngǔ [명] 공로주(功勞株). =〔人rén股〕

〔荫监〕 yìnjiàn [명] ⇨〔荫生〕

〔荫凉〕 yìnliáng [형] 서늘하다. 그늘져서 시원하다. (～儿) [명] 그늘(의 선선한 곳). ¶树shù～; 나무그늘.

〔荫林〕 yìnlín [명] 〈文〉 나무가 우거진 숲.

〔荫生〕 yìnshēng [명] 음생《조상의 공덕으로 국자감(國子監)에 입학한 감생(監生)》. =〔荫监〕

〔荫室〕 yìnshì [명] 〈文〉 볕이 들지 않는〔그늘진〕 방.

〔荫翳〕 yìnyì [동] ①⇨〔荫蔽②〕 ②〈文〉 (나무가) 우거지다. =〔阴翳①〕

〔荫郁〕 yìnyù [형] 〈文〉 수목이 울창한 모양.

垽 yìn (은)
[명] 〈文〉 침전물.

窨 yìn (음)
①[명] 지하실. 움. ¶地～子; 지하실. ②[동] 오래 매장해 두다. 움에 저장하다. ⇒xūn

〔窨井〕 yìnjǐng [명] 《建》 맨홀(manhole).

慭(憖〈憗〉) yìn (은)
〈文〉 ①[동] 원하다. 바라다. ¶不～遗一老; 한 사람의 노인이라도 빠뜨리고 싶지 않다. ②[동] 상처 입다. 손상하다. 흠이 가다. ¶两军之士, 皆未～也《左傳》; 양군의 병사는 양쪽 다 아직 상하지 않았다. ③[형] ⇨〔慭慭〕

〔慭慭〕 yìnyìn [형] 〈文〉 ①공손한〔삼가는〕 모양. ② 억세게 고집 부리는 모양.

YING ㄧㄥ

应(應) yīng (응)
A) [조동] ①당연히〔마땅히〕 …하여야 한다. ¶～尽的责任; 당연히 다 해야 할 책임 / 发现错误, ～立即纠正; 잘못이 발견되었으면 즉시 고쳐야 한다 / 你对于朋友的好意, 不～有怀疑; 친구의 호의를 의심해서는 안 된다 / 理～如此; 이치로 보아 당연히 이와 같아야 한다 / ～有尽有; ⇩ ②응당 …이어야 할 것이다. 아마 …일 것이다. ¶一切准备, ～已就绪; 모든 준비는 이미 끝났을 것이다. B) ①[동] 승인하다. 인정하다. 승낙하다. 응하다. ¶我～了他的要求; 나는 그의 요구에 응했다 / 审问的时候你都～了, 现在又要翻供吗? 심문할 때 너는 모두 인정하였는데 지금 다시 진술을 번복하려고 하느냐? / 这事是我～下来的, 由我负责吧; 이 일은 내가 승낙한 것이니, 내가 책임을 지겠다. ②[동] 대답하다. 응답하다. ¶喊他不～; 그를 불렀으나 대답이 없다. ③[명] 성(姓)의 하나. ⇒yìng

〔应不下来〕 yīngbuxiàlái ①승낙할 수 없다. ②떠맡을〔인수받을〕 수 없다. ‖↔〔应得下来〕

〔应当〕 yīngdāng [조동] …하는 것이〔…인 것이〕 당연하다〔마땅하다〕. 응당 …해야 한다《도리상 당연히 그래야만 한다는 인정·단정을 나타냄》. ¶那是～的; 그것은 당연하다. [주] 긍정과 부정을 연용(連用)할 때는 '应不应当'으로 씀. =〔应页〕〔应宜〕〔该应〕

〔应当应分〕 yīngdāng yīngfèn [형] ⇨〔应分〕

〔应当责分〕 yīngdāng zéfèn [형] ⇨〔应分〕

〔应得〕 yīngdé [동] 응당 받아야 한다. 받아야 마땅하다. ¶罪有～; 벌 받아야 마땅하다 / ～的处罚; 받아야 할 처벌.

〔应得元〕 yīngdéyuán [명] 《染》 〈音義〉 인도 카본《물감. '应得'는 음역자. '元'은 '黑'의 뜻》.

〔应分〕 yīngfèn [형] 본분으로서 당연히 하여야 할. 응분의. ¶人子～的事; 사람의 자식으로서 당연히 해야 할 일 / 帮他点忙, 也是我们～的事; 그를 돕는 것도 우리들의 본분으로 해야 할 일이다 / 奉养父母是子女～的事; 부모를 봉양하는 것은 자식으로서 당연한 일이다. =〔应份〕〔应当应分〕〔应当责分〕

〔应否〕 yīngfǒu 〈文〉 ①응당 해야 할 것인가 아닌가. ¶～许可, 审核示复; 〈翰〉 허가할 것인지 아닌지 심사하신 후에 회답해 주시기 바랍니다. ② 승낙할 것인가 말 것인가.

〔应付票据〕 yīngfù piàojù [명] 《商》 지불 어음. ↔〔应收票据〕

〔应该〕 yīnggāi [조동] 당연히〔마땅히〕 …하여야 한다. (…하는 것이) 당연〔마땅〕하다. ¶要是那个问题, ～已经完全解决了; 그 문제라면 벌써 완전히 해결되었어야 한다 / ～如此; 당연히 그러해야 한다 / 那是～的; 그것은 당연하다. [주] 긍정과 부정을 연용(連用)할 때는 '应不应该'로 씀.

〔应继〕 yīngjì [동] 당연히 사자(嗣子)가 될 자격이 있는 사람이 대를 잇다.

〔应继分〕 yīngjìfèn [명] 《法》 상속분. 상속인이 상속해야 할 부분.

〔应届〕 yīngjiè [형] 이번 기(期)의《졸업생에게만 씀》. ¶～毕业生; 이번 기(期)의 졸업생. [동] 시기에 이르다. ¶～结婚之年; 결혼 적령기에 이르다.

〔应名儿〕 yīng.míngr [동] 남의 명의를 사용하다. 이름만 내걸다. ¶你应个名儿吧, 反正费不了多大事儿; 이름이나 내걸어 두시오, 어쨌든, 성가시게 되지는 않을 테니까. (yīngmíngr) [명] (단순한) 명의. 명목상. ¶～的教授; 이름뿐인 교수 / ～我是社长, 实际上是他管事; 명의상은 내가 사장이지만, 실제로는 그가 관리하고 있다.

〔应能〕 yīngnéng [동] 해야 하며, 또한 가능하다. ¶三国国民～决定他们自己的命运; 삼국의 국민은 그들 자신의 운명을 결정해야 하며, 또한 그것이 가능하다.

〔应声(儿)〕 yīng.shēng(r) 동 〈口〉 소리내어 대답하다. ¶敲了一阵门, 里边没有人～儿; 한참 문을 두드렸으나, 안에서는 아무도 대답을 하지 않았다. ⇒yìngshēng
〔应收〕 yīngshōu 받아야 할. 받아들여야 할. ¶～未收利息; 기한이 된 미수 이자.
〔应收票据〕 yīngshōu piàojù 명 《商》 받을 어음. ↔〔应付票据〕
〔应下〕 yīngxia 동 받아들이다. 인수하다. ¶把那任务～来了; 그 임무를 인수하였다.
〔应行事宜〕 yīng xíng shìyí 〈公〉 당연히 하여야 할 일.
〔应须〕 yīngxū 조동 ⇨〔应当〕
〔应许〕 yīngxǔ 동 ①승낙하다. ¶他～明天来谈; 그는 내일 이야기하러 오는 것을 승낙했다. =〔答应〕 ②허용하다. 허가하다. ¶谁～他把写字台搬走的? 그가 사무용 책상을 운반해 가는 것을 누가 허락했는가? =〔允许〕
〔应宜〕 yīngyí 조동 ⇨〔应当〕
〔应有〕 yīngyǒu 형 응당 있어야 할. 상응하는. 합당한. ¶～的作用; 합당한 작용〔역할〕/给予了～处罚; 상응하는 처벌을 주었다.
〔应有尽有〕 yīng yǒu jìn yǒu 〈成〉 필요한 물건은 무엇이든지 구비되어 있다. 없는 것이 없다. →〔无一不备〕
〔应允〕 yīngyǔn 동 승낙하다. 떠맡다. ¶点头～; 머리를 끄덕이고 승낙하다.

英 yīng (영)
①명 〈文〉 꽃. ¶落～; 낙화. ②형 우수하고 뛰어나다. ¶～俊; ⇩ ③명 우수하고 뛰어난 사람. ¶群～大会; 뛰어난 인물들의 모임/～杰; ⇩ ④(Yīng) 명 《地》 영국(英國). ⑤명 성(姓)의 하나.
〔英拜尔〕 yīngbài'ěr 명 〈音〉 엠파이어(empire). =〔帝国〕
〔英拜勒尔〕 yīngbàilè'ěr 명 〈音〉 엠퍼러(emperor). =〔皇帝〕〔帝王〕〔君主〕
〔英镑〕 yīngbàng 명양 〈音〉 영국의 화폐 단위. 파운드. =〔镑〕
〔英镑集团〕 yīngbàng jítuán 명 《經》 파운드 블럭.
〔英镑区〕 yīngbàngqū 명 《經》 파운드 지역. 스털링(sterling) 지역.
〔英才〕 yīngcái 명 〈文〉 영재. 뛰어난 인재.
〔英尺〕 yīngchǐ 양 《度》 피트. =〔英呎〕
〔英呎〕 yīngchǐ 양 ⇨〔英尺〕
〔英寸〕 yīngcùn 양 《度》 인치(inch)《1피트의 12분의 1. 약 2.54cm》.
〔英德红茶〕 yīngdé hóngchá 명 광둥 성(廣東省) 잉더 현(英德縣)에서 산출되는 홍차.
〔英吨〕 yīngdūn 양 《度》 〈音〉 영국톤. 롱톤《2,240파운드. 1,016.047kg》. =〔长cháng吨〕〔重zhòng 吨〕
〔英发〕 yīngfā 형 〈文〉 모습이 씩씩하다. 재기(才氣)가 매우 뛰어나다. ¶雄姿～; 영매한 자태가 씩씩하다.
〔英格兰〕 Yīnggélán 명 《地》 〈音〉 잉글랜드(England).
〔英规〕 yīngguī 명 ⇨〔伯bó明罕线规〕
〔英国〕 Yīngguó 명 《地》 영국(Britain)《수도는 '伦敦'(런던: London)》. ¶～话 =〔～语〕〔英文〕〔英语〕; 영어/～A式足球; (아식) 축구. 사커.
〔英国广播公司〕 Yīngguó guǎngbō gōngsī 명 (영국의) BBC 방송. ¶～电视播音员; BBC의 텔레비전 아나운서.
〔英国牙〕 yīngguóyá 명 ⇨〔惠huì氏标准螺纹〕
〔英豪〕 yīngháo 명 영웅과 호걸. 영걸. =〔英杰〕
〔英华〕 yīnghuá 〈文〉 명 ①뛰어난 재능. ②(Yīng Huá) 영국과 중국. ¶～词典; 영중 사전. ③명예. 형 ①(초목이) 아름답다. ②(겉모양이) 훌륭하다. ③명예롭다.
〔英吉利〕 Yīngjílì 명 《地》 〈音〉 영국《구(舊) 음역명(音譯名)》.
〔英吉利豁恩〕 yīngjílìhuò'ēn 명 《樂》 〈音〉 잉글리시 호른(English horn). =〔英国管〕〔F调双簧管〕〔英国杭〕〔英国轰〕
〔英杰〕 yīngjié 명 〈文〉 영걸(英傑). =〔英豪〕
〔英俊〕 yīngjùn 형 ①재능이 뛰어나다. ¶少shào年～; 젊고 재능이 뛰어나다. ②용모가 뛰어나고 똑똑하다. 영민하고 준수하다. ¶～的小伙子; 영준한 젊은이.
〔英扣〕 yīngkòu ⇨〔惠huì氏(标准)螺纹〕
〔英厘〕 yīnglí 양 《度》 그레인(grain)《중량 단위. 현재는 '格令'으로 씀》.
〔英里〕 yīnglǐ 양 《度》 마일(mile)《영국의 거리 단위명. 1.6094km》.
〔英两〕 yīngliǎng 양 《度》 온스(ounce).
〔英烈〕 yīngliè 명 〈文〉 영웅. 영렬.
〔英灵〕 yīnglíng 명 ①〈敬〉 영령. =〔灵魂〕 ②영재(英才).
〔英旄〕 yīngmáo 명 ⇨〔英髦〕
〔英髦〕 yīngmáo 명 〈文〉 뛰어난 사람. ¶～俊jùn秀; 뛰어난 사람. =〔英旄〕
〔英美集团〕 yīng měi jítuán 명 영미 집단. 영미 및 그 자치령 또는 우방국으로 이루어진 집단.
〔英名〕 yīngmíng 명 영명. 영웅으로서의 명성. ¶～永存; 명성이 길이 남다.
〔英明〕 yīngmíng 형 영명하다. 현명하다. ¶～的领导; 영명한 지도자.
〔英模〕 yīngmó 명 전공(戰功)이 있는 용사와 모범 노동자. 노동 영웅과 노동 모범.
〔英亩〕 yīngmǔ 양 《度》 에이커(acre).
〔英泥〕 yīngní 명 시멘트. =〔水shuǐ泥〕
〔英年〕 yīngnián 명 〈文〉 신진 기예의 나이. 청년기. 한창 때.
〔英气〕 yīngqì 명 〈文〉 영기. 뛰어난 기상. ¶～勃勃; 영기가 넘쳐 흐르다.
〔英石〕 yīngshí 명 광둥 성(廣東省) 잉더 현(英德縣)에서 나는 돌《석가산(石假山)을 쌓을 때 씀》.
〔英特尔公司〕 Yīngtè'ěr gōngsī 명 〈音〉 인텔사《컴퓨터 관련 회사》.
〔英特耐雄纳尔〕 Yīngtènàixióngnà'ěr 명 〈音〉 인터내셔널(International)《국제 공산주의 조직》. =〔英特纳雄耐尔〕
〔英文〕 Yīngwén 명 영어. 영문. =〔英语〕
〔英文虎报〕 Yīngwén hǔbào 명 싱가포르 스탠다드.
〔英武〕 yīngwǔ 형 〈文〉 영무하다. 영민하고 씩씩하다.
〔英雄〕 yīngxióng 명 영웅. ¶当不成～, 变狗熊; 영웅이 못되고 곰이 되다. 장한 일을 하려다 오히려 치욕을 당하다/～好汉; 영웅 호걸/时势造～; 〈諺〉 시대가 영웅을 만든다/～无用武之地; 영웅이 능력을 발휘할 기회를 얻지 못하다. 형 훌륭하고 씩씩하다. 영웅적이다. ¶～的韩国军; 용감한 한국군/～形象; 영웅상(像)/～气概; 영웅적 기개/～主义; 영웅주의. →〔英勇〕 동 (이해

득실을 떠나) 기개있게 훌륭한 행동을 하다. ¶你老子～一辈子, 下场好吗? 너희 아버지는 기개있게 훌륭한 행동으로 일관한 분인데, 말년은 좋았더냐?
〔英雄美人〕 yīngxióng měirén 영웅과 미인. ¶他们俩～, 真是一对儿; 그들 두 사람은 영웅과 미인으로, 정말 좋은 한 쌍이다.
〔英雄气短〕 yīng xióng qì duǎn 〈成〉 영웅은 연약한 정 때문에 약해지기 쉽다. →〔儿ér女情长, 英雄气短〕
〔英雄树〕 yīngxióngshù 명 ⇨〔木mù棉〕
〔英寻〕 yīngxún 양《度》 패덤(fathom)《약 1.83m》.
〔英洋〕 yīngyáng 명 ⇨〔鹰洋〕
〔英勇〕 yīngyǒng 형 용감하다. 영용하다. ¶～牺牲; 용감하게 몸을 희생하다 / ～就义; 〈成〉 용감히 정의를 위해 죽다 / ～殉xùn职; 장렬하게 순직하다 / ～善战; 용감하게 싸우다.
〔英语〕 Yīngyǔ 명 ⇨〔英文〕
〔英姿〕 yīngzī 명 〈文〉 영자. 씩씩한 자태. ¶～飒爽sàshuǎng; 〈成〉 용감한 자태가 씩씩하고 늠름하다.

媖 yīng (영)
명 〈文〉 여성에 대한 미칭(美稱).

瑛 yīng (영)
명 〈文〉 ①옥과 비슷한 미석(美石). ②옥의 빛.

锳(鍈) yīng (영)
〈擬〉〈文〉 딸랑《방울 소리》.

霙 yīng (영)
명 〈文〉 ①진눈깨비. ②눈꽃. 눈송이. =〔雪xuě花(儿)〕

莺(鶯〈鸎〉) yīng (앵)
명 《鳥》 꾀꼬리. ¶极北柳～; 솔새. =〔黄huáng莺〕〔黄鹂〕
〔莺粉〕 yīngfěn 명 옛날, 노란 빛깔의 화장용 분.
〔莺歌燕舞〕 yīng gē yàn wǔ 〈成〉 (온 나라에) 기쁨이 가득 차 있다. 형세가 아주 좋다.
〔莺迁〕 yīngqiān 동 〈文〉 좋은 자리로 옮기다《벼슬자리의 승진이나 이전을 축하하는 말》. ¶～高位; 높은 자리로 승진하시다 / ～之善; 이전의 경사. →〔乔qiáo迁〕
〔莺声燕语〕 yīng shēng yàn yǔ 〈成〉 아리따운 여자의 말소리. 교성염어(嬌聲艶語). ¶女同学们聊起天儿来, 只听得一阵～, 把男同学们陶醉了; 동급생의 여학생들의 수다가 시작되면, 아리따운 이야기 소리가 들려와 남학생들은 도취된다.
〔莺桃〕 yīngtáo 명 ⇨〔樱桃①〕

罃(甇) yīng (앵)
'罂yīng'과 통용.

婴(嬰) yīng (영)
①명 갓난아기. 영아. ¶～儿; ⇩ / ～幼园; 유아원. ②동 걸리다. 얽매다. 접촉하다. 얽히다. ¶～疾; ⇩ / 事务～身; 사무에 얽매이다. ③동 두르다. 빙 둘러치다. ¶～城固守; 성을 빙 둘러싸고 굳게 지키다.
〔婴变〕 yīngbiàn 명 《樂》 본위음(本位音)보다 반음 높이는 것을 '婴'《婴C는 부호 'C♯'로 표시》이라고 하며, 반음 낮추는 것을 '变'《变D는 기호 'D♭'로 표시》이라고 함. →〔婴记号〕〔降jiàng音符〕
〔婴儿〕 yīng'ér 명 갓난아기. 영아. 젖먹이. =〔婴孩〕
〔婴儿潮〕 yīng'ércháo 명 베이비 붐.
〔婴儿车〕 yīng'érchē 명 유모차. =〔婴孩车〕〔婆pó婆车〕〔乳rǔ母车〕〔童tóng车〕〔摇yáo车(儿)②〕〔元yuán宝车〕
〔婴孩〕 yīnghái 명 ⇨〔婴儿〕
〔婴疾〕 yīngjí 동 〈文〉 병에 걸리다.
〔婴记号〕 yīngjìhào 명 《樂》 올림표. 샤프(sharp). =〔升shēng记号〕↔〔降jiàng音符〕
〔婴鳞〕 yīnglín 동 ⇨〔撄鳞〕
〔婴孺〕 yīngrú 명 〈文〉 유아(幼兒).
〔婴脱列斯特〕 yīngtuōlièsītè 명 〈音〉 인터레스트(interest)《이자》. =〔利息〕
〔婴音〕 yīngyīn 명 《樂》 반올림음.

蘡(蘡) yīng (영)
→〔蘡薁yù〕
〔蘡薁〕 yīngyù 명 《植》 까마귀머루. 산포도. =〔野yě葡萄〕

撄(攖) yīng (영)
동 〈文〉 ①접촉하다. 접근하여 맞닥뜨리다. 범접하다. ¶～怒nù; 천자의 분노를 사다 / 敌人莫敢～; 적은 감히 접근하는 자가 없었다. ②혼란하게 하다. 휘감겨 매달리다. ¶利害～其心; 이해(利害)가 그 마음을 어지럽히다.
〔撄及逆鳞〕 yīng jí nìlín 동 ⇨〔撄鳞〕
〔撄鳞〕 yīnglín 동 역린(逆鱗)하다. 직간(直諫)하다. =〔婴鳞〕〔撄及逆鳞〕

嘤(嚶) yīng (앵)
〈擬〉〈文〉 짹짹《새가 우는 소리》.
〔嘤其鸣矣, 求其友声〕 yīng qí míng yǐ, qíu qí yǒu shēng 〈成〉 새가 울며 친구를 찾다《소리 질러 동지(同志)를 찾다》.

缨(纓) yīng (영)
명 ①(～儿, ～子) 장식용 술《여러 가닥의 실》. ¶红～枪; 붉은 술을 단 창 / 红～帽; 붉은 술장식을 단 모자. ②(～儿, ～子) 술과 비슷한 것. ¶萝卜～子; 무청 / 芥jiè菜～; 갓잎. ③〈文〉 관(冠)의 끈. 갓끈. ¶长～; 긴 끈. ④〈文〉 밧줄. 새끼. 포승(捕繩). ¶请～; 종군(從軍)을 지원하다.
〔缨帽〕 yīngmào 명 청조(淸朝)의 관리가 쓰던 모자《꼭대기에 붉은 술이 달림》.
〔缨套子〕 yīngtàozi 명 (말의) 가슴걸이.
〔缨织品〕 yīngzhīpǐn 명 《紡》 파일(pile) 직물.

璎(瓔) yīng (영)
명 옥(玉)과 비슷한 돌. ¶～珞luò; ⇩
〔璎珞〕 yīngluò 명 주옥(珠玉)을 꿴 목걸이.
〔璎珞木〕 yīngluòmù 명 《植》 영락목.
〔璎珞枣儿〕 yīngluòzǎor 명 《植》 타원형인 대추의 일종.

樱(櫻) yīng (앵)
명 《植》 ①벚꽃. 벚나무. ¶日本～; 왕벚나무. ②버찌. 앵두. 앵초(樱草).
〔樱草〕 yīngcǎo 명 《植》 앵초. =〔报bào春(花)〕
〔樱唇〕 yīngchún 명 〈比〉 (앵두 같은) 미인의 입. 또는 입술.
〔樱花〕 yīnghuā 명 《植》 ①벚나무《총칭》. ¶～盛shèng开; 벚꽃이 활짝 피다〔만발하다〕. ②산벚

나무. =〔〈方〉山樱桃〕

〔樱桃〕 yīngtáo〔yīngtao〕 명 ①《植》 버찌. 앵두. ¶～好吃, 树难栽; 좋은 것은 간단히 얻을 수 없다. 고생을 해야 성공한다. =〔莺桃〕 ②〈比〉 식용 개구리의 요리. ③〈比〉 여자의 붉은 입술.

〔樱桃口〕 yīngtáokǒu 명 〈比〉 여성의 아름다운 입.

〔樱虾〕 yīngxiā 명《動》 새우의 일종《소형이며 투명한 담홍색》.

〔樱叶点心〕 yīngyè diǎnxīn 명 벚나무 잎으로 싸서 찐 떡《홍백(紅白) 2종이 있음》.

鹦(鸚) **yīng** (앵) 표제어 참조.

〔鹦哥(儿)〕 yīnggē(r) 명《鳥》〈俗〉 잉꼬. 앵무. ¶～学舌; 〈成〉 남의 말을 그대로 되풀이하다 / ～热; 《醫》 앵무병 / ～贝; 《貝》 앵무조개.

〔鹦哥(儿)绿〕 yīnggē(r)lǜ 명《色》 짙은 연둣빛.

〔鹦哥儿嘴〕 yīnggērzuǐ 명 ⇨〔红hóng蟹〕

〔鹦鹉〕 yīngwǔ 명《鳥》 앵무새. 잉꼬. ¶～杯; 앵무조개로 만든 술잔 / ～能言不离飞鸟; 〈諺〉 앵무새는 말을 할지라도 역시 새이다. 〈比〉 말만 할 뿐, 행동이 따르지 못하다. =〔臊sāo陀〕〔能néng言鸟〕

〔鹦鹉螺〕 yīngwǔluó 명《貝》 앵무조개. =〔海hǎi螺盏〕

〔鹦嘴鱼〕 yīngzuǐyú 명《魚》 파랑비늘 돔.

罂(罌〈甖〉) **yīng** (앵) 명〈文〉 배가 크고 아가리가 좁은 병《옛날의 술병》.

〔罂粟〕 yīngsù 명《植》 양귀비. =〔莺粟〕

〔罂粟碱〕 yīngsùjiǎn 명《藥》 파파베린(Papaverine). =〔〈音〉怕pà怕非林〕→〔盐yán酸罂粟碱〕

〔罂子桐〕 yīngzitóng 명《植》 유동. =〔油yóu桐〕

膺 **yīng** (응) 〈文〉 ① 명 가슴. ¶拊～; 가슴을 치다 / 义愤填～; 〈成〉 의분으로 가슴이 메다. ② 동 받다. 맡다. ¶荣～勋章; 훈장을 수여받는 광영을 입다. ③ 동 치다. 토벌하다. ¶～惩; ⇩ ④ 동 탄복하다. ¶服～其说; 그 설(說)에 탄복하다.

〔膺惩〕 yīngchéng 동 〈文〉 쳐서 응징하다. 토벌하다.

〔膺受〕 yīngshòu 동 〈文〉 떠맡다. 받다. 인수받다.

〔膺选〕 yīngxuǎn 동 〈文〉 당선하다. ¶～市长; 시장에 당선되다.

鹰(鷹) **yīng** (응) 명《鳥》 매. ¶雀què～; 새매 / 铁tiě～; 〈比〉 비행기 / 苍cāng～; 저광수리. =〔〈俗〉老鹰〕〔凌líng霄君〕

〔鹰饱不拿兔〕 yīng bǎo bù ná tù 〈諺〉 매도 배가 부르면 토끼를 잡지 않는다《만족할 줄을 앎》.

〔鹰鼻鹞眼〕 yīng bí yào yǎn 〈成〉 흉악하고 교활한 얼굴 모습. 탐욕스럽고 밉살스런 용모.

〔鹰钩鼻(子)〕 yīnggōubí(zi) 명 매부리코.

〔鹰架〕 yīngjià 명《建》 (건축용의) 발판.

〔鹰瞵鹗视〕 yīng lín è shì 〈成〉 매의 눈과 물수리의 눈초리로 허점을 엿보다. 호시탐탐(虎視眈眈)하다《흔히, 국가간의 일을 말함》.

〔鹰派〕 yīngpài 명《政》 매파《강경파 · 무력 해결파의 일컬음》. ¶～人士; 매파 인사. ↔〔鸽gē派〕

〔鹰犬〕 yīngquǎn 명 ①(수렵용의) 매와 개. ②〈比〉 (악한의) 앞잡이. 주구(走狗). ¶为人～; 남의 앞잡이가 되다 / 与外国情报机关相勾结并充当他们的～, 干gàn反人民的情报活动; 외국의 정보기관과 한통속이 되어, 그 앞잡이가 돼서 반(反)인민적인 정보 활동을 하다.

〔鹰师〕 yīngshī 명 〈文〉 매사냥꾼. 매를 길들여 사냥하는 사람.

〔鹰式导弹〕 yīngshì dǎodàn 명《軍》 호크(hawk) 미사일.

〔鹰视〕 yīngshì 동 〈文〉 응시하다. 매처럼 날카롭게 노려보다.

〔鹰隼〕 yīngsǔn 명 ①〈文〉 매와 새매. ②〈比〉 흉포한 인간 · 용맹스런 사람.

〔鹰扬〕 yīngyáng 형 〈文〉 매가 공중을 비상하듯이 용감하고 씩씩한 모양.

〔鹰洋〕 yīngyáng 명 (옛날 중국 시장에서 유통된) 멕시코 은화(銀貨). =〔英洋〕〔墨mò银〕

〔鹰爪〕 yīngzhǎo 명 ①매발톱. ②〈比〉 경찰. 사직(司直) 당국의 손. ③차의 어린 싹. ¶～龙lóng井; 어린 싹으로 만든 용정차. ④⇨〔鹰爪花〕 ⑤⇨〔鹰爪毛儿〕

〔鹰爪花〕 yīngzhǎohuā 명《植》 응조화. =〔鹰爪④〕

〔鹰爪毛儿〕 yīngzhǎomáor 명 털이 짧은 양가죽《털이 매 발톱 같음》. =〔鹰爪⑤〕

〔鹰爪儿〕 yīngzhǎor 명 '鹰爪毛儿'로 만든 옷.

迎 **yíng** (영) **A)** 동 맞이하다. 영접하다. ¶欢huān～; 환영하다 / 出～; 마중 나가다 / 失～; 집을 비우고 있어서 (마중하지 못해) 미안합니다. **B)** 개 …를 향하여. …쪽으로. ¶～门儿来了一个人; 입구를 향하여 한 사람이 왔다 / ～面; ⇩ / 推开窗户, 春风～窗吹进来; 창문을 밀어 열었더니, 봄바람이 정면으로 마주 불어 왔다 / ～风; ⇩ / ～击; ⇩

〔迎宾〕 yíngbīn 동 영빈하다. 빈객을 맞다. ¶～馆; 영빈관.

〔迎春〕 yíngchūn 동 봄을 맞이하다. 명 ①〈文〉 입춘에 봄의 신(神)을 맞이하는 제사. ②《植》 황매(黃梅). 개나리. ¶～花; 황매의 꽃. 개나리. ③《植》 목련. =〔辛夷〕

〔迎挡〕 yíngdǎng 동 대항하다. 맞서다. 정면에서 막다. ¶我有方法～他; 나는 그에 대항할 방법이 있다.

〔迎敌〕 yíngdí 동 적을 맞아 치다. 적과 맞서다.

〔迎阿〕 yíng'ē 동 〈文〉 영합(迎合)하다. →〔逢féng迎〕

〔迎风〕 yíng.fēng 동 ①바람을 맞받다〔안다〕 ¶这里坐着正～, 特别凉爽; 여기에 앉으면 바로 바람을 맞받아 유달리 시원하다. ②바람을 맞다. 바람에 나부끼다. ¶～飘扬; 바람에 나부끼다 / 国旗～招展; 국기가 바람에 나부끼다. (yíngfēng) 명 맞바람. 역풍.

〔迎合〕 yínghé 동 영합하다. 남의 뜻에 맞도록 비위를 맞추다. ¶～顾客的爱好; 손님의 기호에 맞추다 / ～对方心理; 상대방의 심리에 영합하다.

〔迎候〕 yínghòu 동 〈文〉 마중나가다.

〔迎击〕 yíngjī 명동《軍》 영격(하다). 요격(하다). →〔接jiē仗〕

〔迎将〕 yíngjiāng 동 〈文〉 ①송영(送迎)하다. ②맞이하다. ③아첨하다.

〔迎接〕 yíngjiē 동 ①출영(出迎)하다. 맞이하다. ¶～客人; 손님을 맞이하다 / 前往机场～的有外交部长以及其他政府首脑许多名; 비행장에 나가 영접

한 자는 외교 부장과 그 밖에 정부 수뇌자 다수였다. ②(일을) 바라고 기다리다. 맞이하다. ¶～即将到来任务; 다가올 임무를 맞이하다. ‖＝〔〈文〉迎迓〕

〔迎进门〕 yíngjìnmén 현관으로 맞아들이다. ↔〔推tuī出〕

〔迎空〕 yíngkōng 동 마중 나갔다가 바람맞다〔헛걸음하다〕.

〔迎门〕 yíngmén 명 정문. 대문.

〔迎门儿〕 yíngménr 명 집의 정면 입구. 문 맞은편. ¶我刚要出去～来了一个人; 내가 막 나가려는데, 입구 쪽으로 한 사람이 왔다.

〔迎面(儿)〕 yíng·miàn(r) 동 얼굴을 마주 대하다. ¶～走上去打招呼; 정면으로 걸어가서 인사하다/～碰见了他; 그와 딱 마주쳤다. (yíngmiàn(r)) 명 정면. 앞쪽. 맞은편. ¶～过来一个人; 정면에서 한 사람이 오다.

〔迎面风〕 yíngmiànfēng 명 역풍(逆風). ＝〔顶dǐng风〕

〔迎面骨〕 yíngmiàngǔ 명 《生》 경골(脛骨). 정강이.

〔迎年〕 yíngnián 동 ①새해를 맞이하다. ②풍년을 기원하다. ＝〔祈qí年〕

〔迎亲〕 yíng·qīn 동 (혼례 때 신랑측이 가마와 악대를 신부측에 보내어) 신부를 맞이하다. ¶～送嫁; 장가드는 일과 시집 가는 일. 혼례식. ＝〔迎娶①〕

〔迎娶〕 yíngqǔ 동 ①⇨〔迎亲〕 ②아내를 맞이하다.

〔迎刃而解〕 yíng rèn ér jiě 〈成〉 주요한 문제가 해결되면, 관련된 문제들은 쉽게 해결된다. ¶抓zhuā住了这个主要矛盾, 一切问题就～了; 이 중요한 모순을 찾아 낸다면, 일체의 문제는 쉽게 해결된다.

〔迎上前来〕 yíngshàng qiánlái 정면으로 마주치다.

〔迎上去〕 yíngshangqu 동 ①앞을 향하여 가다. 목적한 장소로 나가다. ②(사람 · 물건의) 정면을 향하여 가다.

〔迎神赛会〕 yíngshén sàihuì 명 민간에서 징이나 북을 치고 여러 가지 잡극을 연출하면서 신(神)을 맞이하는 풍습.

〔迎送〕 yíngsòng 명동 송영(하다). 전송과 마중(을 하다).

〔迎头(儿)〕 yíng·tóu(r) 동 ①얼굴을 서로 맞대다. ¶问题来了～挡dǎng回去; 문제가 생기면 부딪쳐 해결하다. ②맞닥뜨리다. ¶～碰着个朋友; 친구를 맞닥뜨렸다/～痛击; 〈成〉 정면에서 통격(痛擊)을 가하다. (yíngtóu(r)) 명 맞은편. 정면.

〔迎头赶上〕 yíng tóu gǎn shàng 〈成〉 노력해서 선두를 앞지르다. ¶快马加鞭, ～; 주마(走馬) 가편하여 상대를 따라잡다《생산 경쟁 등에 쓰이는 슬로건》.

〔迎向〕 yíngxiàng 앞쪽에서. ¶～走来; 이쪽으로 향해 오다.

〔迎新〕 yíngxīn 동 ①신인〔신입생, 신입 사원〕을 환영하다. ¶～会; 신인 환영회. ②새해를 맞이하다.

〔迎新送旧〕 yíng xīn sòng jiù 〈成〉 ①새사람을 맞이하고 옛사람을 보내다. ②묵은 해를 보내고 새해를 맞이하다. ¶岁尾年头忙的是～; 연말 연시에 바쁜 일은 송구 영신이다.

〔迎迓〕 yíngyà 동 ⇨〔迎接〕

〔迎战〕 yíngzhàn 동 요격하다. 맞아 싸우다.

〔迎妆〕 yíng·zhuāng 동 혼수(婚需)를 맞이하다《구식 혼례의 전날밤, 혼수감이 도착하는 것을 신랑의 친척 및 친구들이 문 밖에서 마중하는 일》.

茔(塋) yíng (영)

명 〈文〉 묘(墓). 묘지. ¶祖zǔ～; 선영. 조상의 묘.

〔茔地〕 yíngdì 명 묘지(墓地).

荧(熒) yíng (형)

〈文〉 ① 형 빛이 희미한 모양. ¶一灯～然; 등불이 희미하다. ② 동 눈이 아물거리다. 눈이 어리다. 현혹하다. ¶～惑; ⇩

〔荧光〕 yíngguāng 명 《物》 형광(螢光). ¶～油墨; 형광 잉크/～黄; 《化》 플루어레신(fluorescein)《강한 녹색 형광(螢光)의 발광체》/～粉; 형광 물질의 분말/～染料; 형광 염료. ＝〔萤光〕

〔荧光灯〕 yíngguāngdēng 명 형광등. ＝〔日rì光灯〕

〔荧光屏〕 yíngguāngpíng 명 《物》 형광판《레이더 · TV의 화면》. ¶电视～; 텔레비전 스크린.

〔荧惑〕 yínghuò 동 〈文〉 눈을 어리게 하다. 현혹〔미혹〕하다. ¶～人心; 인심을 현혹하다. 명 《天》 (중국 고대 천문학에서) 화성(火星).

〔荧屏〕 yíngpíng 명 ①텔레비전 스크린. ＝〔荧幕〕 ②텔레비전.

〔荧荧〕 yíngyíng 형 (별빛 · 등불 따위가) 희미하게 반짝이는 모양. ¶明星～; 샛별이 희미하게 반짝이다/灯光～如豆; 등불이 희미하게 깜박이다.

荥(滎) yíng (형)

지명용 자(字). ¶～经jīng县; 잉징현(滎經縣)《쓰촨 성(四川省)에 있는 현 이름》. ⇒xíng

莹(瑩) yíng (영, 형)

〈文〉 ① 명 광택이 있는 옥(玉) 비슷한 아름다운 돌. ② 형 맑다. 투명하다. ¶晶～; 투명하게 아름답다/绿～～yīngyīng; 초록색이 윤이나고 반드르르한 모양.

〔莹泽〕 yíngzé 형 〈文〉 투명하고 광택이 있는 모양.

萤(螢) yíng (형)

명 《蟲》 개똥벌레. ¶～火huǒ虫(儿); ⇩

〔萤窗〕 yíngchuāng ⇨〔萤窗雪案〕

〔萤窗雪案〕 yíng chuāng xuě àn 〈成〉 반딧불과 창가에 쌓인 눈의 밝음을 등불 대신으로 해서 고학(苦學)의 공을 쌓음. ＝〔萤窗〕 →〔萤雪之功〕

〔萤光〕 yíngguāng 명 ⇨〔荧光〕

〔萤火〕 yínghuǒ 명 ①반딧불. ②개똥벌레의 몸체《약용함》.

〔萤火虫(儿)〕 yínghuǒchóng(r) 명 《蟲》〈俗〉 반딧불이. 개똥벌레.

〔萤石〕 yíngshí 명 《鑛》 형석. ＝〔弗fú石〕〔氟fú石〕〔砩fú石〕

〔萤雪之功〕 yíng xuě zhī gōng 〈成〉 형설지공《고학(苦學)으로 학문을 이루는 훌륭한 행위》. →〔萤窗雪案〕

营(營) yíng (영)

A) 명 ①군영. 병영. 숙영지. 캠프(camp). ¶军jūn～; 군영/安～; 숙영하다. 캠프를 치다/入～; 입영하다. ②《軍》 대대(大隊). ¶～长; ⇩/～部; ⇩ B) ① 동 경영하다. 계획 · 관리하다. ¶国～; 국영(하다)/～私; ⇩/～商; 장사를 하다/公私合～; 국가와 개인이 합동 경영하다. ② 동 꾀하다. 도모하다. 강구하다. ¶～生; ⇩/～救; ⇩/～利; ⇩

③→〔营营〕 ④ 명 성(姓)의 하나.
〔营部〕 yíngbù 명 《軍》 ①대대 본부(大隊本部). ②군영(軍營)의 사령부.
〔营地〕 yíngdì 명 《軍》 야영지. 숙영지. →〔扎zhā营〕
〔营房〕 yíngfáng 명 ①《軍》 병영. 병사(兵舍). ②(공사장 등의) 임시 합동 숙사.
〔营工〕 yínggōng 동 옛날, 노동력을 팔다. 품팔이하다.
〔营规〕 yíngguī 명 군율. 군대 내의 규율.
〔营混子〕 yínghùnzi 명 군대 깡패(교활하게 못된 짓을 하는 군인).
〔营火〕 yínghuǒ 명 캠프 파이어. 화톳불. ¶～晚会; 모닥불을 둘러싸고 하는 집회.
〔营建〕 yíngjiàn 동 ⇨〔营造〕
〔营救〕 yíngjiù 동 〈文〉 방법을 생각하여 구제하다. 원조 활동을 하다. ¶冒着狂风巨浪奋力～, 使他们安全脱险; 광풍 노도를 무릅쓰고 힘을 다해 구조하여 그들을 안전하게 위험에서 벗어나게 하다.
〔营垒〕 yínglěi 명 ①(군영과 주위의) 보루. ②진영. ¶革命～; 혁명 진영.
〔营利〕 yínglì 동 〈文〉 영리를 꾀하다. 이익을 도모하다.
〔营盘〕 yíngpán 명 병영. 군영(軍營). ¶扎～; 병사(兵舍)를 짓다. 캠프를 치다. =〔军jūn营〕
〔营求〕 yíngqiú 동 꾀하여 구하다. 입수할 궁리를 하다. 구할 계획을 세우다. 도모하다.
〔营缮〕 yíngshàn 명 《土》 〈文〉 영선. ¶～工程; 영선 공사.
〔营生〕 yíngshēng 동 생활을 영위하다. 생계를 세우다. ¶独立～; 혼자서 생활해 나가다 / 船户们长年都在水上～; 뱃사람들은 일 년 내내 물 위에서 생활한다. 명 정상적인 일. ¶这可不是～, 做不得; 이것은 정상적인 일이 아니야, 하면 안 돼.
〔营生(儿)〕 yíngsheng(r) 명 〈方〉 직업. 일. 생업. ¶做～做累; 일에 지치다 / 找个～; 일을 찾다 / 搞些什么～呀? 어떤 일을 하는가? / 他近来干什么～呢? 그는 요즘 무슨 장사를 하고 있나? / 不长进的～; 발전성이 없는 장사 / 整天游手好闲没有～做; 온종일 빈둥거리며 하는 일이 없다.
〔营私〕 yíngsī 동 ①사리(私利)를 도모하다. ¶植党～; 〈成〉 도당(徒黨)을 이루어 사리를 도모하다 / ～舞弊; 〈成〉 사리를 꾀하여 마구 부정을 저지르다. ②암거래를 하다. 밀수하다.
〔营天造地〕 yíng tiān zào dì 〈成〉 ①자연과 고통스러운 싸움을 하다. ②고통스러운 육체 노동을 하다.
〔营卫〕 yíngwèi 명 《漢醫》 음식물의 정기(精氣)(‘营’은 혈맥 속에 들어가 신체의 운영과 영양에 관여하며, ‘卫’는 피부와 그 밖에 분포되어 외부를 방위하고 체내의 여러 장기(臟器)를 보호함). ¶～不和; 영양 불량과 저항력 감퇴. =〔荣róng卫〕
〔营养〕 yíngyǎng 명 영양. ¶人工～; 인공 영양 / ～不良; 영양 불량 / ～素; 영양소 / 富于～; 영양이 풍부하다 / ～价值; 영양가. 동 영양을 섭취하다.
〔营养饭〕 yíngyǎngfàn 명 영양식. 특별식.
〔营业〕 yíngyè 명동 영업(하다). ¶～处 =〔～所〕; 영업소 / ～盈yíng余; 영업 이익금 / ～提成; 영업 수당. 매상 수당 / ～额; 영업 금액 / ～员; 영업원. 점원 / 星期日照常～; 일요일도 평상시와 같이 영업합니다.
〔营业汽车〕 yíngyè qìchē 명 ⇨〔出chū租汽车〕
〔营业儿〕 yíngyèr 명 소자본의 영업. ¶靠小本～来糊hú口; 소자본의 영업으로 입에 풀칠하다.
〔营业税〕 yíngyèshuì 명 영업세.
〔营营〕 yíngyíng 형 〈文〉 ①왔다갔다 하는 모양. 왕래가 빈번한 모양. ¶～～青蝇; 쉬파리가 허덕이며 날아다니다. ②악착같이 이익을 추구하는 모양. ¶市井～; 시정아치가 이익을 추구하여 허덕거리다.
〔营造〕 yíngzào 동 ①건조하다. 토목·건축 공사를 하다. ¶～厂chǎng; 건축〔건설〕 회사. ②(계획적으로) 조림(造林)하다. ‖ =〔营建〕
〔营造尺〕 yíngzàochǐ 명 청대(淸代)의 표준 건축용 자(0.32m). =〔〈俗〉 鲁lǔ班尺〕
〔营造(尺)库平制〕 yíngzào(chǐ) kùpíng zhì 명 옛날의 표준 도량형 제도의 명칭(길이는 영조척(營造尺) 1척(32cm)을 단위로 하며, 중량은 고평(庫平) 1량(37.301g)을 단위로 함). →〔库平〕
〔营寨〕 yíngzhài 명 진영(陣營). 성채(城砦).
〔营长〕 yíngzhǎng 명 《軍》 대대장.
〔营帐〕 yíngzhàng 명 (군대 또는 지질 조사대 따위의) 막사. 천막. 캠프.
〔营子〕 yíngzi 명 ①병영(兵營). ②몽골인의 촌락 이름.

萦(縈) yíng (영)
동 〈文〉 ① 착 달라붙다. 휘감다. 얽매다. ¶琐事～身; 잡일에 몸이 얽매이다. ②빙빙 돌다. 둘러싸다.
〔萦怀〕 yínghuái 동 걱정하다. 근심〔염려〕하다. =〔挂guà念〕
〔萦回〕 yínghuí 동 〈文〉 빙빙 돌다. 맴돌다. 감돌다. ¶那件事不时地～脑际; 그 일이 끊임없이 머릿속에서 빙빙 돌며 떠나지 않는다. =〔萦绕〕〔萦纡〕
〔萦麻〕 yíngmá 명 ⇨〔黄huáng麻〕
〔萦绕〕 yíngrào 동 ⇨〔萦回〕
〔萦身〕 yíngshēn 동 〈文〉 몸에 달라붙다. 몸을 얽어매다. ¶琐suǒ事～; 자질구레한 일에 얽매이다. =〔羁jī身〕
〔萦思〕 yíngsī 동 〈文〉 이것저것 생각하다. 간절히 생각하다. ¶日夜～; 밤낮으로 이것저것 생각하다.
〔萦纡〕 yíngyū 동 ⇨〔萦回〕

滢(瀅) yíng (형)
형 〈文〉 (물이) 맑고 투명하다.

蓥(鎣) yíng (형)
지명용 자(字). ¶华Huà～; 화잉(華鎣)(쓰촨 성(四川省)에 있는 산 이름).

潆(瀠) yíng (형)
→〔潆洄〕
〔潆洄〕 yínghuí 동 물이 감돌아 흐르다〔소용돌이치다〕.

盈 yíng (영)
① 형 가득 차다. 그득하다. 충만하다. ¶车马～门; 수레와 말이 문전에 끊이지 않다 / 有谷～仓; 곡물이 창고에 가득 차 있다 / 充～; 충만하다 / 丰～; 풍성〔풍부〕하다 / 恶贯满～; 온갖 나쁜 짓을 다하다. ② 동 남다. 이익(利益)이 나다. ¶～利; ⇩ / ～余; ⇩ =〔赢②〕
〔盈尺〕 yíngchǐ 명 〈文〉 1척(尺) 이상〔남짓〕. ¶积

jī雪～; 적설이 1척 이상이다.
〔盈绌〕 yíngchù 명〈文〉잉여와 부족. 과부족.
〔盈贯〕 yíngguàn〈成〉⇨〔恶è贯满盈〕
〔盈眶〕 yíngkuàng 형〈文〉(눈물이) 눈에 가득하다. ¶热泪～; 뜨거운 눈물이 눈에 그득하다.
〔盈亏〕 yíngkuī 명 ①(달의) 참과 이지러짐. ②(기업이나 사업의) 손익. ¶～清账; 손익 계산서/自负～; 손익을 스스로 부담하다/月底算～; 월말에 손익을 계산하다.
〔盈利〕 yínglì〈文〉명 이익. 이윤. 이득. ¶合算的, 有～的投资; 수지가 맞으며, 이익이 있는 투자/～率; 이익률. 동 이익〔이윤〕을 얻다. ‖＝〔赢利〕↔〔亏损 kuīsǔn〕
〔盈满〕 yíngmǎn 형〈文〉충만하다.
〔盈千带万〕 yíng qiān dài wàn〈成〉대단히 많다. 매우 많다. 무수하다. ¶赚zhuàn了～的钱往家拿; 거액의 돈을 벌어서 집으로 들여 왔다. ＝〔盈千累万〕
〔盈握〕 yíngwò 명〈文〉한 주먹. 한 손 가득. 한 움큼.
〔盈盈〕 yíngyíng 형〈文〉①여자의 자태가 날렵하고 아름답다. ¶款步～; 사뿐사뿐 걷다/～下拜; 여자가 사뿐히 절을 하다. ②물이 맑은 모양. ③경쾌한 모양. ④방실방실 웃는 모양.
〔盈余〕 yíngyú 명 나머지. 잉여. 흑자. ¶～滚gǔn存; 잉여 이월(移越) 적립/有二百元的～; 200원의 흑자가 있다/营业～; 영업 이익금. 영업 잉여금/去年十二月份的外汇收支有～; 작년 12월의 외화 수지는 흑자였다. 동 이익이 남다. 흑자가 되다. ¶～二百元; 200원의 이익이 남다. ‖＝〔赢余〕

楹

yíng (영)
①명《建》옛날, 집 앞의 굵은 두 기둥《보통, 옻칠한 두꺼운 널에 옻이나 금니(金泥)로 씌어 있음》. ②양 방을 세는 양사(量詞). ¶一～屋; 방 하나.
〔楹联〕 yínglián 명 (기둥 위에 거는) 대련(對聯).

蝇(蠅)

yíng (승)
(～子) 명《蟲》파리. ¶灭miè～; 파리를 퇴치하다/挖wā～蛹; 파리의 번데기를 파내다/绿豆～ ＝〔青～〕; 금파리/粪fèn～; 똥파리. ＝〔苍cāng蝇〕
〔蝇拂〕 yíngfú 명 ⇨〔拂尘〕
〔蝇狐〕 yínghú 명 ⇨〔蝇虎(儿)〕
〔蝇虎(儿)〕 yínghǔ(r) 명《蟲》승호《파리잡이거미》. ＝〔蝇狐〕
〔蝇拍〕 yíngpāi 명 파리채. ＝〔苍cāng蝇拍子〕
〔蝇刷子〕 yíngshuāzi 명〈方〉⇨〔蝇甩儿〕
〔蝇甩儿〕 yíngshuǎir 명〈方〉총채. 먼지떨이. ＝〔拂尘〕〔蝇刷shuā子〕〔苍cāng蝇刷儿〕〔苍cāng蝇甩儿〕
〔蝇摔子〕 yíngshuǎizi 명 파리 쫓는 먼지떨이 모양의 제구.
〔蝇头〕 yíngtóu 명 ①파리 머리. ②〈比〉미소(微小)〔사소〕한 것. ¶～微利 ＝〔～小利〕;〈成〉눈곱만큼의〔극소한〕 이익/～鼠眼;〈成〉파리와 같은 작은 머리와 쥐 같은 눈초리《간악한 사람의 표정〔모습〕》/～小楷kǎi;〈成〉아주 작은 해서(楷書). 깨알 같은 글씨/何必贪tān那点～微利呢? 그렇게 파리 머리만한 작은 이익을 탐낼 필요가 있는가?
〔蝇营狗苟〕 yíng yíng gǒu gǒu〈成〉파리처럼 이리저리 날아다니고, 개처럼 여기저기 돌아다니다《명예와 이익을 위해서라면 수치나 체면도 개의치 않고 약삭빠르게 굴다. 공금을 사취하고도 수치스러워하지 않다》. ＝〔狗苟蝇营〕

嬴

yíng (영)
①형〈文〉가득하다. 충만하다. 넉넉하다. ②명 성(姓)의 하나.

赢(贏)

yíng (영)
①동 이기다. 승리하다. ¶那个篮球队～了; 저 농구 팀이 이겼다/～了三点儿; 3점 이겼다. ↔〔输shū③〕 ②명동 이익(을 보다). 이득(을 얻다). ¶～余; ⇩/～利; ⇩ ＝〔盈②〕 ③동 돈을 토색질하여 빼앗다. 편취(騙取)하다. ¶大家串通了～他; 여럿이 한통속이 되어 그에게서 돈을 우려 내다.
〔赢得〕 yíngdé 동 ①이기다. 승리를 얻다. ②(찬사·지지·갈채 등을) 쟁취하다. 획득하다. ¶～支持; 지지를 획득하다/～了广大群众的普遍赞扬; 광범한 대중의 폭넓은 칭찬을 얻었다/他这一手儿～了大众的喝hè彩; 그의 이 솜씨는 대중의 갈채를 받았다.
〔赢家〕 yíngjiā 명 도박에서 이긴 사람.
〔赢亏〕 yíngkuī 명 손익.
〔赢利〕 yínglì 명 이익. 이윤. 이득. 동 이익〔이윤〕을 얻다. ‖＝〔盈利〕
〔赢票〕 yíngpiào 명 이기는 말에 거는 마권(馬券). ¶买～; 우승마에 거는 마권을 사다.
〔赢缩〕 yíngsuō 명〈文〉①잉여와 부족. 흑자와 적자. ②임기 응변의 출처 진퇴(出處進退). ③신축(伸縮).
〔赢盈〕 yíngyíng 명 이익. ↔〔亏空〕
〔赢余〕 yíngyú 명동 ⇨〔盈余〕
〔赢余处置〕 yíngyú chǔzhì 명《經》이익 처분.

瀛

yíng (영)
명 ①〈文〉대해(大海). ¶～海; 대해(大海). 영해/东～; 일본. ②〈文〉연못이나 늪 속. ③성(姓)의 하나.
〔瀛寰〕 yínghuán 명〈文〉①지구의 육지와 바다의 총칭. ②〈轉〉전세계.
〔瀛眷〕 yíngjuàn 명〈文〉〈敬〉가족. 권속. 식솔.
〔瀛洲〕 yíngzhōu 명 옛날에, 선인(仙人)이 살았다고 하는 동해(東海)의 신산(神山). ¶小～; 서호(西湖) 속의 작은 섬의 이름.

籝〈籯〉

yíng (영)
명〈文〉①옷을 담는 상자나 바구니 따위의 용기(容器). ②옛날, 젓가락을 넣던 그릇.

郢

Yǐng (영)
명《地》①잉두(郢都)《초(楚)나라의 수도. 지금의 후베이 성(湖北省) 장링 현(江陵縣)에 위치》. ②남조(南朝) 및 송(宋)나라 시대에는 주(州)의 이름으로, 현재의 후베이 성 우창 현(武昌縣).
〔郢书燕说〕 yǐng shū yān shuō〈成〉억지를 써서 본래의 뜻을 곡해하다. 견강부회(牽強附會)하다. 도리에 맞지 않는 것을 그럴 듯하게 이야기하다.
〔郢正〕 yǐngzhèng 동〈文〉시문(詩文)의 첨삭(添削)을 남에게 부탁하다《고대의 영(郢) 땅 사람은 도끼를 잘 다뤘으므로 이렇게 씀》. ¶敬求～; 삼가 첨삭을 부탁드립니다. ＝〔郢斫〕〔斧fǔ正〕〔削xuē正〕
〔郢斫〕 yǐngzhuó 동 ⇨〔郢正〕

颍(潁)

Yǐng (영)
명《地》잉허(潁河)《허난(河南)에서 안후이(安徽)를 거쳐 화이허(淮河)

로 흐르는 강 이름).

颖(穎〈頴〉) yǐng (영) 〈文〉 ①명 (벼·보리 등의) 이삭 끝. ¶～果; ⇓ ②명 가늘고 긴 물건 끝의 뾰족한 부분(붓끝·톱날 끝). ¶短～羊毫笔; 끝이 짧고 뾰족한 양털붓 / 脱～而出; (송곳끝이 물건을 뚫고 나오는 것처럼) 우수한 재능이 있음. 발군(拔群)의 재능. ③형 총명하다. 참신하다. ¶聪cōng～; 뛰어나고 총명하다 / 花样新～; 무늬가 참신하다 / ～悟; ⇓

〔颖果〕 yǐngguǒ 명 《植》 영과. 곡과(穀果)(보리나 벼의 열매처럼 까끄라기가 있는 곡물).

〔颖花〕 yǐnghuā 명 《植》 영화(볏과 식물의 꽃의 이름).

〔颖慧〕 yǐnghuì 형 ⇨〔颖悟〕

〔颖敏〕 yǐngmǐn 형 〈文〉 ⇨〔颖悟〕

〔颖脱〕 yǐngtuō 형 〈文〉 ⇨〔脱颖〕

〔颖悟〕 yǐngwù 형 총명하다(흔히, 소년에 대해 씀). ¶～之才; 총명한 재주. 영민한 인재 / 自幼～; 어릴 적부터 총명하다. =〔颖慧〕〔颖敏〕

景 yǐng (영) 고서(古書)에서 '影yǐng'과 통용됨. ⇒jǐng

影 yǐng (영) ①(～儿, ～子) 명 그림자. ¶树～; 나무 그림자 / 阴yīn～; 음영. 그늘 / 人～; 사람의 그림자 / 如～随形; 그림자가 형체를 따라다니듯 한다. ②(～儿, ～子) 명 영상(映像). (어슴푸레한) 형상. 자태. 형태. ¶没～; 형상이 없다 / 望～而逃; 〈成〉 그림자만 보고도 도망가다 / 后～好像是他; 뒷모습이 그 사람 같다. ③명 어슴푸레한 인상. ¶脑子里有点～; 머릿속에 희미한 인상이 남아 있다. ④명 사진. 초상. ¶小～; 혼자만 있는 사진. 소형 사진 / 合～; 다른 사람과 함께 찍은 사진. 단체 사진. ⑤명 사람이나 사물의 형상. ¶画～图形; 형상을 그리다. ⑥명 〈簡〉 영화. ¶～幕; (영화의) 스크린 / ～院; 영화관. ⑦동 촬영하다. ¶摄shè～; 촬영하다 / ～印; ⇓ ⑧동 〈方〉 감추다. 숨다. ¶把棍子～在背后; 몽둥이를 등 뒤에 감추다 / 他到树林子里～起来了; 그는 숲 속에 숨었다. ⑨동 모사(模寫)하다. 본뜨다. ¶～宋本; 송대 판본의 복제품. ⑩명 옛날, 조상의 화상(畫像).

〔影本〕 yǐngběn 명 ①모사용 습자첩. ②사진 인쇄한 책. =〔影印本〕

〔影壁〕 yǐngbì 명 ①대문을 들어선 곳에 세운 가리개용의 담. 대문 밖에 세운 가리개 담. =〔照壁〕〔〈俗〉 外影壁〕〔照墙〕 ②소상(塑像)이 새겨진 담. ‖ =〔影壁墙〕

〔影钞〕 yǐngchāo 명 송(宋)·원대(元代)의 구판서(舊版書)를 원본 그대로 복사한 복제본.

〔影城〕 yǐngchéng 명 영화의 도시. ¶好莱坞是一个很有名的～; 할리우드는 매우 유명한 영화 도시이다.

〔影绰〕 yǐngchuo 형 희미하다. 보였다 안 보였다 하다. ¶因为离得远, 他只看到影影绰绰的人群蠕动; 멀리 떨어져 있어서 그로서는 희미하게 군중이 천천히 움직이는 것밖에 보이지 않았다. =〔影抄〕

〔影从〕 yǐngcóng 동 〈文〉 그림자처럼 떨어지지 않고 따라다니다.

〔影灯〕 yǐngdēng 명 영등(주마등처럼 그림자가 비침).

〔影调戏〕 yǐngdiàoxì 명 노래를 기조(基調)로 한 그림자 연극(허베이 성(河北省) 일대에 유행). =〔影调剧〕

〔影戤〕 yǐnggài 동 〈文〉 남의 상표(商標)를 도용하다.

〔影格儿〕 yǐnggér 명 (아이들이 처음 글씨쓰기를 배울 때 밑에 받치고 덧쓰는) 습자본. ¶打dǎ～; 선을 그어 글씨본을 만들다.

〔影集〕 yǐngjí 명 사진첩. 사진 앨범. =〔照zhào相簿〕

〔影迹〕 yǐngjì 명 〈文〉 그림자. 행방. ¶～全无; 행방 불명.

〔影节〕 yǐngjié 명 영화제. ¶参加本届～; 이번 영화제에 참가하다.

〔影界〕 yǐngjiè 명 영화계. =〔电diàn影界〕

〔影剧〕 yǐngjù 명 영화와 연극.

〔影剧界〕 yǐngjùjiè 명 영화 및 연극계. =〔影剧圈quān儿〕

〔影门龛〕 yǐngménkān 명 '影壁'에 끼워서 모시는 불감(佛龕).

〔影迷〕 yǐngmí 명 영화광(狂). 영화팬.

〔影幕〕 yǐngmù 명 ⇨〔银yín幕〕

〔影片儿〕 yǐngpiānr 명 ⇨〔影片piàn〕

〔影片〕 yǐngpiàn 명 ①영화 필름. ¶七彩色～ =〔五彩色～〕; 천연색 필름 / ～公司; 프로덕션. ②영화. ¶这个～的导演是谁? 이 영화의 감독은 누구입니까? / 故事～; 스토리 영화. ‖ =〔影片piān儿〕

〔影评〕 yǐngpíng 명 영화 평론. =〔电diàn影批评〕

〔影儿〕 yǐngr 명 그림자. 모습. ¶没～; 그림자도 안 보인다.

〔影射〕 yǐngshè 동 ①남의 명의를 도용(盜用)하다. ¶～开买卖; 남의 명의를 사칭하여 장사를 시작하다 / 这家同仁堂是假冒招牌的, 这种～行为是犯法的; 이 동인당은 가짜 간판을 내건 곳으로, 이런 남의 명의를 도용하는 행위는 위법이다. ②넌지시 비추다. 빗대어 말하다. ¶这本小说的主角～作者的一个中学同学; 이 소설의 주인공은 작자의 중학 시절의 어떤 동급생이 모델이 되어 있다 / ～比附; 빗대어 욕하다 / ～害人; 모략을 써서 사람을 해치다. 명 암시. 빗댐. 명의(名義)의 도용(盜用).

〔影身〕 yǐngshēn 동 몸을 숨기다.

〔影坛〕 yǐngtán 명 영화계(映畵界). ¶国际～; 국제 영화계.

〔影戏〕 yǐngxì 명 ①그림자 연극. =〔皮pí影戏〕 ②〈方〉 영화.

〔影戏馆〕 yǐngxìguǎn 명 ⇨〔电diàn影院〕

〔影戏人儿〕 yǐngxìrénr 명 그림자 연극용 인형. =〔影戏人子〕

〔影戏人子〕 yǐngxì rénzi 명 ⇨〔影戏人儿〕

〔影戏院〕 yǐngxìyuàn 명 ⇨〔电影院〕

〔影响〕 yǐngxiǎng 명동 영향(을 주다). ¶大有～; 크게 영향이 있다 / 用自己的模范行动去～群众; 자기의 모범적 행동으로 대중을 감화시키다 / 烟吸多了会～身体的健康; 담배를 많이 피우면 몸에 해롭다 / 快睡吧, 别～明天的工作; 내일 일에 지장이 있으면 안 되니까 일찍 자거라 / 我～您休息了; 쉬고 계신 데 방해했습니다. 명 ①그림자. 흔적. 소식. 움직임. 동향. ¶～全无; 소식이 전혀 없다. ②뜬소문. 근거 없는 것. ¶模糊～之谈; 모호한 근거 없는 이야기. ③반응. 효과. ¶群众～很不好; 대중의 반응이 대단히 좋지 않다.

〔影像〕 yǐngxiàng 명 영상(映像).

〔影写〕 yǐngxiě 동 원본에 종이를 깔고 그려 옮기다.
〔影星〕 yǐngxīng 명 〈簡〉 '电影明星'(영화 배우)의 약칭.
〔影业〕 yǐngyè 명 영화 사업. ¶～巨子; 영화 사업계의 거물. =〔电diàn影事业〕
〔影印〕 yǐngyìn 명동 《印》 사진판 인쇄(를 하다). ¶～石版; 사진 평판. 그라비어 / ～机; 복사기.
〔影印版〕 yǐngyìnbǎn 명 ⇨〔照zhào相版〕
〔影印本〕 yǐngyìnběn 명 ⇨〔影本②〕
〔影影绰绰〕 yǐngyingchuòchuò 형 똑똑하지 않은 모양. 어렴풋한 모양. 보였다 안 보였다하는 모양. ¶李振江女人～地又说了些小话, 就吊着烟袋, 一跛一跛地走了; 이진강의 아내는 중얼중얼 무슨 소리인지 알아들을 수 없는 말을 지껄이고 나서, 담배쌈지를 늘여뜨리고는 절름거리며 가 버렸다 / ～地看见一个小村儿; 작은 마을이 희미하게 보인다. =〔影影糊糊〕
〔影影糊糊〕 yǐngyinghūhū 형 ⇨〔影影绰绰〕
〔影友〕 yǐngyǒu 명 영화 애호가. 영화팬. ¶这电影昨天正式公映, 各院连日满座, 许多～买不到票; 이 영화는 어제 정식으로 개봉되었는데, 각 영화관마다 연일 만원으로, 많은 팬이 표를 사지 못했다.
〔影院〕 yǐngyuàn 명 ⇨〔电diàn影院〕
〔影展〕 yǐngzhǎn 명 ①〈簡〉 사진 전람(회)('摄影展览'의 약칭). ②영화 콩쿠르.
〔影占〕 yǐngzhàn 동 겉꾸밈으로 남을 속이다. 진실〔본성〕을 숨겨 남의 눈을 속이다. ¶他原来是个无赖子, 以出家来～身体; 그는 원래 건달로 출가한 것을 방패막이로 삼고 있다.
〔影子〕 yǐngzi 명 ①그림자. ¶月亮～; 달 그림자. 달빛 / 映着～; 그림자가 비치다. ②(거울·수면 등에 비치는) 모습. ¶镜子里看见自己的～; 거울 속에 자기의 모습을 보다. ③희미하게 보이는 형상. ¶那件事我连点儿～也记不得了; 그 사건은 희미한 기억조차 없다 / ～内阁; 새도 캐비닛(shadow cabinet). ‖ =〔影儿〕
〔影子模儿〕 yǐngzimúr 명 그림자와 형태. 모습. 형상. 윤곽. 그럴만한 실마리. ¶就是谣言, 也多少有个～吧; 헛소문일지라도 그럴 만한 꼬투리가 있겠지 / 你还有小时候的～; 너는 어릴 적 모습이 아직 남아 있다.
〔影子戏〕 yǐngzixì 명 그림자 연극. =〔皮pí影戏〕
〔影踪全无〕 yǐngzōng quán wú 〈文〉 행방 불명.

瘿(癭) yǐng (영)

명 ①《漢醫》 목에 난 혹. ②(나무의) 옹두리. ③《植》 충영. =〔虫chóng瘿〕

应(應) yìng (응)

동 ①대답하다. 응답하다. ¶呼～; 호응하다 / 没人～; 아무도 대답이 없다 / 答～dāying; 응답하다. 승낙하다 / 山鸣谷～; 산이 울고 골짜기가 응답하다(반응이 빠르다). ②응하다. 승낙하다. 허락하다. ¶～人之请; 남의 요구에 응하다 / 有求必～; 요망이 있다면 이를 반드시 받아들이다 / ～征; ⇩ / 以～急需; 급한 일에 응하다(급한 요구에 응하여 공급하다). ③적응하다. 순응하다. 적합하다. ¶得心～手; 〈成〉 손재주가 있어서 무엇이든 마음대로 만들 수 있다(뜻대로 되다) / 供gōng～; 공급하다 / 供不～求; 〈成〉 수요에 다 응하지 못하다. ④응대하다. 상대하다. ¶随机～变; 임기 응변 / 果～其言; 과연 말 그대로다. ⑤감응(感應)하다. ⑥반응·화학 반응·반향 따위를 하다. ⇒yīng
〔应变〕 yìngbiàn 동 의외의〔돌발적인〕 변에 응하다. 응변하다. ¶～费; 응급 임시비 / 作了～的准备; 임기 응변의 준비를 했다 / 随suí机～; 〈成〉 임기 응변하다. 명 《物》 변형.
〔应承〕 yìngchéng 동 승낙하다. 받아들이다. 떠맡다. ¶把事情～下来; 일을 떠맡았다.
〔应酬〕 yìngchou 명동 교제(하다). 접대(하다). 응대(하다). ¶讲究～; 교제를 중히 여기다 / ～公费; 교제비 / ～大; 교제가 넓다 / 不善～; 교제가 서투르다 / 会～; 응대를 잘 하다 / ～权变; 임기(臨機)로 대응하다. 명 옛날, 사적인 파티·연회.
〔应从〕 yìngcóng 동 승낙하고 따르다. ¶～要求; 요구를 받아들이다.
〔应答〕 yìngdá 명동 응답(하다). ¶～如流; 〈成〉 거침없이 응답하다.
〔应敌〕 yìngdí 동 적에게 대항하다. 대적하다.
〔应典〕 yìng.diǎn 동 〈方〉 자기가 한 말을 실행하다. ¶不要言不～! 말한 것은 이행해야 한다! / 他说的话全不～; 그의 말은 전혀 이행되고 있지 않다. =〔应点〕
〔应点〕 yìng.diǎn 동 ⇨〔应典〕
〔应电流〕 yìngdiànliú 명 《物》 유도 전류(전자 감응에 의해 생기는 전류). =〔诱yòu导电流〕
〔应对〕 yìngduì 명동 응대(하다). 대꾸(하다). ¶善shàn于～; 응대가 능란하다 / ～如流; 〈成〉 유창하게 응대하다.
〔应付〕 yìngfu 동 ①응대하다. 대처하다. ¶～有方; 대응할 방법이 다 돼 있다 / ～办法; 대응책 / ～局面; 국면에 대처하다 / 他巧妙地～了对方; 그는 교묘하게 상대방을 응대했다 / ～裕如 =〔～自如〕; 〈成〉 유유히 대처하는 모양 / ～敌dí人; 적에게 대응하다. ②적당히 하다. 얼버무리다. ¶～事儿; 적당히 끝내다. ③임시 변통하다. 그런대로 참고 넘기다. ¶这件衣服今年还可以～得过去; 이 옷은 올해까지는 그런대로 입을 수 있다. ④쓸모가 있다. ¶足以～; 그저 그런대로 쓸 수 있겠다. ⑤지불에 응하다. ¶～票据; 지급 어음.
〔应合〕 yìnghé 동 호응하다. 장단을 맞추다. ¶内外～, 把敌人的据点拔掉了; 내외가 호응하여 적의 거점을 뿌리째 뽑아 없앴다.
〔应和〕 yìnghè 동 ①(행동·음성·소리가) 호응하다. ¶广场上, 烟火的轰鸣与人群的欢呼声～在一起; 광장에서는 불꽃의 요란스럽게 터지는 소리와 사람들의 환호성이 한꺼번에 울려 퍼졌다. ②장단을 맞추어 노래하다. ③맞장구치다.
〔应活〕 yìng.huó 동 일을 떠맡다.
〔应机立断〕 yìng jī lì duàn 〈成〉 때에 따라 민활하게 처리하다. 때와 장소에 따라 즉단(卽斷)하다.
〔应急〕 yìng.jí 동 절박한 필요에 대응하다. 급한 요구에 응하다. 임시 변동하다. 응급 조치하다. ¶他们找阿娟来～; 그들은 아연(阿娟)을 불러서 급한 상황을 모면했다 / 调diào点款子来～; 돈을 유용하여 급한 데 쓰다.
〔应接〕 yìngjiē 동 ①응대하다. 응접하다. ②대응하다. 호응하다. ③후원하다. 원조의 손길을 뻗다.
〔应接不暇〕 yìng jiē bù xiá 〈成〉 ①접대하느라 여가가 없다. ¶顾客很多, 售货员～; 손님이 많아서, 점원은 눈코 뜰 사이 없다. ②경치의 변화가 아름다워 눈 쉴 틈이 없다.
〔应节〕 yìngjié 형 ①계절에 맞다. 철에 맞다. ¶介绍～新衣料; 계절적인 새로운 옷감을 소개하다 /

～戏xì; 계절에 맞춰 하는 연극(칠석(七夕)의 '견우직녀' 따위). ②박자에 맞다.

〔应景(儿)〕 yìng∙jǐng(r) 동 때와 장소에 따라 행동하다. (무리해서 남과의) 보조를 맞추다. ¶他本来不大会喝酒, 可是在宴会上也不得不应个景儿; 그는 본래 술은 별로 마시지 못하는데, 연회에서는 어떻게든 어울리지 않으면 안 된다 / 团圆节总得～回家团圆一下儿; 음력 8월 15일의 중추절에는 세상 사람 하는 대로 보조를 맞춰, 집에 돌아가서 모두가 단란하게 지내야 한다. (yìngjǐng(r)) 형 계절에 알맞다〔어울리다〕. ¶端午吃粽子是～; 단오에 '粽子'를 먹는 것은 계절에 어울린다. 명 계절에 어울리는 것. 철에 맞는 것.

〔应景话〕 yìngjǐnghuà 명 때와 장소에 맞는 인사말. 제격에 맞는 말. ¶每逢年节照例说些～; 해마다 정월이 되면 예의 여러가지 새해 인사말을 한다.

〔应举〕 yìng∙jǔ 동 〈文〉 옛날, 과거 시험에 응시하다.

〔应考〕 yìng∙kǎo 동 응시하다. 시험을 치르다.

〔应考生〕 yìngkǎoshēng 명 수험생. 응시자. =〔投tóu考生〕

〔应口〕 yìng∙kǒu 동 ①〈文〉 대답하다. ¶～而答; 즉석에서 대답하다. =〔应嘴〕 ②말한 것을 이행하다.

〔应力〕 yìnglì 명 〔物〕 응력. 내력(內力). 변형력.

〔应卯〕 yìng∙mǎo 동 인원 점호 때 대답하다. 〈比〉 얼굴만 내밀다. 적당히 얼버무리다(옛날, 관청에서 묘시(卯時)에 점호를 한 데서 유래). ¶今天他请我, 我有点儿不舒服, 不过应应卯而已; 오늘 그가 나를 초대했지만, 나는 몸이 좀 불편해서 잠깐 얼굴만 내밀었을 뿐이다.

〔应门〕 yìngmén 〈文〉 동 문지기 노릇을 하다. 문의 열고 닫음을 담당하다. ¶没人～; 아무도 문을 지키지 않고 있다 / ～之童; 문 지키는 아이. 명 옛날, 궁정의 정문(正門).

〔应命〕 yìng∙mìng 동 ①남의 요구에 응하다. ②명령을 받다. 명령에 따르다.

〔应募〕 yìngmù 동 〈文〉 응모하다. 모집에 응하다.

〔应诺〕 yìngnuò 동 〈文〉 승낙하다. 요구를 들어주다.

〔应聘〕 yìng∙pìn 동 초빙에 응하다.

〔应声〕 yìngshēng 동 목소리에 응답하다. 〈轉〉 소리와 동시에. 소리가 나자마자. ¶枪声一响～倒dǎo地; 한 방의 총소리와 함께 땅에 쓰러졌다 / ～而至; 〈成〉 대답하자마자 곧 오다. 명 ①메아리. ②응답의 소리. ⇒yīng∙shēng(r)

〔应声虫〕 yìngshēngchóng 명 〈比〉 추종자. 예스맨(yes man).

〔应时〕 yìngshí 형 계절에 맞다. 시기에 어울리다. ¶～茶点; 계절에 맞는 다과 / ～小菜; 계절에 맞는 간단한 요리. 부 곧. 즉시. 당장. ¶车子一歪, ～他就摔了下来; 차가 기울어진 찰나, 그는 나동그라졌다 / 敌人一推门, 地雷～就炸了; 적이 문을 열자마자 지뢰가 곧 터졌다.

〔应世〕 yìngshì 동 〈文〉 시세의 추이에 적응하다. 세상의 요구에 응하다. ¶～奇才; 시세에 적응하는 인물. 시대가 요구하는 인재.

〔应市〕 yìng∙shì 동 〈文〉 시장의 수요에 따라 팔다. 시장에 내다.

〔应试〕 yìngshì 동 〈文〉 응시하다. 시험을 치르다.

〔应手〕 yìng∙shǒu 동 일이 손에 잡히다. 뜻대로 되다. ¶材料不～; 재료가 시원찮다 / 要用的资料不～, 怎么办? 필요한 재료가 입수되지 않는데, 어떻게 하면 좋을까? / 今天我有点儿不～; 오늘은 좀 일이 뜻대로 되지 않는다. (yìngshǒu) 형 쓰기 편하다. 편리하다. ¶这支钢笔用得不～; 이 펜은 쓰기에 불편하다.

〔应验〕 yìng∙yàn 동 ①(예언·예감이) 맞다. 영검하다. ¶他说的话～了; 그의 말이 딱 들어맞았다. ②효력〔효험〕이 있다. ¶这药～极了; 이 약은 대단히 잘 듣는다 / ～良方; 효력이 현저하게 좋은 약.

〔应邀〕 yìng∙yāo 동 초대나 초청에 응하다. ¶～前往; 초청에 응해서 가다 / ～出席了这次会议; 초청에 응해서 이번 회의에 출석했다.

〔应用〕 yìngyòng 동 ①사용하다. ¶～新技术; 신기술을 사용하다. ②응용하다. 적용하다. 운용하다. 실용에 공여하다. ¶～规律; 규율을 운용하다 / 把法律～错了; 법률의 적용을 잘못하다 / ～文; 실용문 / ～题; 응용 문제 / ～品; 필수품.

〔应用程序〕 yìngyòng chéngxù 명 〔電算〕 (컴퓨터에서) 응용 프로그램.

〔应援〕 yìngyuán 명동 (군대가) 응원(하다). 구원(하다).

〔应运〕 yìng∙yùn 동 시운에 따르다(원래는 천명을 따름을 일컬었으며, 널리 시기(時機)에 순응함을 가리킴).

〔应运而生〕 yìng yùn ér shēng 〈成〉 시운을 타고 태어나다. 기운(機運)에 편승해서 생겨나다. 시대의 요구에 의해 나타나다. ¶资本主义在英国逐渐发展, 银行也开始～; 자본주의가 영국에서 점차로 발전하자, 은행도 그 시세에 편승하여 설립되기 시작했다 / 各种稀奇古怪的行业～了; 여러 가지의 이상한 장사가 시운을 타고 생겨났다.

〔应战〕 yìng∙zhàn 동 ①응전하다. ¶沉着～; 침착하게 응전하다. ②도전을 받다. ¶我们以下列条件向你们挑战, 你们敢不敢～? 우리는 아래의 조건으로 너희에게 도전하려는데, 너희는 도전을 받아들일 수 있겠는냐? (yìngzhàn) 명 응전. ¶～书; 도전을 받겠다는 대답. 응전서.

〔应招〕 yìngzhāo 동 응모하다. ¶选拔最优秀的青年～; 가장 우수한 청년을 선발하여 응모시키다.

〔应召〕 yìngzhào 동 응소하다. 소집에 응하다. ¶～入营; 소집에 응하여 입영하다.

〔应召女郎〕 yìngzhào nǚláng 명 스틱 걸(stick girl)(지팡이삼아 데리고 다니는 여자). 콜 걸(call girl)

〔应诊〕 yìngzhěn 동 응진하다. (의사가 의뢰에 응하여) 진찰하다.

〔应征〕 yìngzhēng 동 ①응모하다. ¶～稿件; 응모 원고 / ～剧jù本; 응모 극본. ②징병에 응하다. 응소하다. ¶～入伍; 응소하여 입대하다.

〔应制〕 yìngzhì 동 〈文〉 천자(天子)가 내린 제목 또는 운(韻)으로 시문(詩文)을 짓다.

〔应嘴〕 yìngzuǐ 동 ⇨〔应口①〕

映〈暎〉 yìng (영)

①동 상영하다. 영사하다. ¶放～; 영화를 상영하다 / 换 ～新片; 개봉 상영하다 / 首～招待会; 개봉 상영 초대회. 시사 초대회. ②동 비추다. 빛나다. ¶倒～; (그림자가) 거꾸로 비치다 / 夕阳把湖水～得通红; 저녁 해가 호수에 붉게 비치다 / ～雪读书; ⇩ / 水天相～; 물과 하늘이 서로 비치다. ③명 미시(未時)(오후 1시부터 3시까지).

〔映衬〕 yìngchèn 동 비치어 빛나다. 서로 돋보이게 하다. 서로 잘 어울리다. ¶红墙碧瓦, 互相～;

붉은 담과 푸른 기와가 잘 어울린다.
〔映出〕 yìngchū 동 상영하다. ¶常年坚持巡回～; 일 년 내내 순회 상영을 속행하다.
〔映带〕 yìngdài 동〈文〉(경치가) 서로 어울리다. 빛을 받아 빛나다. ¶湖光山色，～左右; 호수와 산의 빛깔이 서로 잘 어울린다.
〔映夺〕 yìngduó 동〈文〉넋을 잃고 볼 정도로 훌륭하다. 눈부시게 빛나다.
〔映日〕 yìngrì 동〈文〉햇빛을 받아 빛나다. ¶旌旗jīngqí～; 깃발이 햇빛을 받아 빛나다.
〔映入眼帘〕 yìng rù yǎnlián 눈에 비치다.
〔映山红〕 yìngshānhóng 명〈植〉야생 철쭉. 산철쭉. 영산홍.
〔映射〕 yìngshè 동 반사하다. 해가 비치다. ¶阳光～在江面上; 햇빛이 강 위를 비추고 있다.
〔映现〕 yìngxiàn 동 (모양이) 비치다. ¶～在电视上; 텔레비전에 비치다.
〔映雪读书〕 yìng xuě dú shū〈成〉설광(雪光)으로 공부하다《각고(刻苦)하여 면학에 힘쓰다》.
〔映演〕 yìngyǎn 동 상영(上映)하다. ¶～影戏; 영화를 상영하다.
〔映照〕 yìngzhào 동 ①빛을 받아 빛나다. ②조응(照應)하다. ¶互相～才能显出他的价值; 서로 비교해 보아야 비로소 그의 가치가 나타난다.

硬 yìng (경)
①형 단단하다. 굳다. 경화되다. ¶～化; ⇓/～木; ⇓ ↔〔软ruǎn〕 ②형 완고하다. 완강하다. 굽힐 줄 모르다. 강직하다. ¶态度很～; 태도가 매우 완강하다/脑袋～; 생각이 완고하다/跟敌人～到底; 적과 마지막까지 싸우다/他嘴～不认; 그는 입이 무거워 불지 않는다. ③부 억지로. 무리하게. ¶～把他拖来; 억지로 그를 끌고 오다/你～要这么样是不成的; 네가 억지로 이렇게 하려는 것은 좋지 않다. ④형 훌륭하다. (재능이) 뛰어나다. 질이 좋다. ¶戏码儿～; 연극의 프로가 훌륭하고 알차다/手儿～; 재주가 특출하다. 솜씨가 놀랍다/谁的工夫最～? 누구의 실력이 제일 좋은가?/技jì术过得～; 기술이 탄탄하다/货色～; 상품의 질이 좋다. ⑤형 어색하고 딱딱하다. 융통성〔유연성〕이 없다. 부자연스럽다. ¶～着头皮; 정실을 배제하다. 냉혹하다/心肠儿～; 냉혹하다. ⑥부〈四川〉전혀. 대단히. 매우. ¶～是要得; 매우 좋다/再三地叮咛，他们～是不注意; 재삼 주의를 주어도 그들은 전혀 주의하지 않는다/我再三叮咛，他们～是不理; 나는 재삼 부탁했지만, 그는 도무지 상대해 주지 않는다. ⑦〈方〉조금 강하다〔무겁다〕. 남짓하다. ¶不重，四公斤～点儿; 무겁지 않아, 4킬로가 좀 넘을 뿐이야/不深，四尺～点儿; 깊지 않아, 세 척 남짓할 거야.
〔硬把〕 yìngbǎ 동 힘껏〔단단히〕 잡다. 꽉 쥐다. ¶～着东西不放松; 물건을 꼭 붙잡고 손을 늦추지 않다/～着钱不拿出来; 돈을 꽉 쥐고 내놓지 않다.
〔硬霸〕 yìngbà 동 ①무리한 일을 시키다〔하다〕. 강권하다. 강압적으로 하다. ¶～成亲; 강압적으로 결혼하다. ②강제로 자기 것으로 만들다. ¶把钱财～了去; 돈을 강압적으로 가져갔다. ↔〔软ruǎn求〕
〔硬搬〕 yìngbān 동 ①무리하게〔억지로〕 운반하다. ②무리하게 받아들이다〔적용하다〕. ¶～或滥用外国语言; 외국어를 무리하게 갖다 붙이거나 남용하다.
〔硬板地〕 yìngbǎndì 명 지반이 단단한〔튼튼한〕 땅. ¶再过二十天，这里全是～了; 앞으로 20일만 지나면 이 곳은 어디나 지반이 튼튼한 땅이 된다.
〔硬邦邦(的)〕 yìngbāngbāng(de) 형 튼튼한 모양. 단단하면서도 탄성(彈性)이 있는 모양. 빈틈이 없고 단단한 모양. ¶那小伙子的身子～的，还会生病? 저 젊은이는 몸이 튼튼한데 병이 나겠는가?/面包～的像石头一样; 빵이 돌처럼 딱딱해지다/他说话～的，好像要打架似的; 그의 말투는 딱딱해서 시비조(是非調)다. =〔硬梆梆(的)〕〔硬崩崩(的)〕〔硬绷绷(的)〕
〔硬梆〕 yìngbāng 형 ①단단하다. ¶～得像砸不烂的铁; 두드려도 깨지지 않는 쇠처럼 단단하다. ②튼튼하다.
〔硬梆梆(的)〕 yìngbāngbāng(de) 형 ⇨〔硬邦邦(的)〕
〔硬棒〕 yìngbang 형〈方〉①튼튼하다. 건장하다. ¶老人的身体还挺～; 노인의 몸은 아직 매우 정정하다/腿～; 다리가 튼튼하다/胳臂腿都那么结实～; 팔과 다리가 매우 튼튼하고 강하다. ②딱딱하다. 견고하다. 단단하다. ¶我嚼jiáo不动那硬棒棒的铁蚕豆; 나는 저 딱딱한 누에콩은 먹을 수 없다/这批材料～; 이 재료는 단단하다. ③(사람됨이나 정신이) 견실하다. ¶他一不求亲，二不告友，自食其力，为人很～; 그는 친척과 친구에게 기대지 않고 제 힘으로 살아가는 사람으로, 사람됨이 매우 견실하다.
〔硬本领〕 yìng běnling 명 굳건한 솜씨. 탄탄한 솜씨. 견디어 내는 능력. ¶没有～那是寸步难行的; 탄탄한 솜씨가 없으면, 꼼짝 달싹도 하지 못한다.
〔硬崩崩(的)〕 yìngbēngbēng 형 ⇨〔硬邦邦(的)〕
〔硬绷绷(的)〕 yìngbēngbēng 형 ⇨〔硬邦邦(的)〕
〔硬逼〕 yìngbī 동 강요하다. 압력을 넣다. 핍박〔압박〕하다. ¶～他同意; 그에게 동의를 강요하다/她不原意，～着成亲也没意思; 그녀가 싫어한다면, 무리하게 결혼해도 아무 의의가 없다.
〔硬币〕 yìngbì 명 ①경화. 금속 화폐. ②경화. 모든 통화나 금으로 항시 바꿀 수 있는 화폐. ③(환율) 강세 통화.
〔硬玻璃〕 yìngbōli 명 ⇨〔钾jiǎ玻璃〕
〔硬脖子〕 yìngbózi ①명 완고한 사람. 고집이 센 사람. ¶他是个～，强迫不来的; 그는 고집쟁이여서, 무리나 협박에는 굴하지 않는다. ②(yìng bózi) 뻔뻔스럽게 굴다. 고집을 부리다. ③(yìng bozi) 꾹 참다. ¶硬着脖子应下来; 꾹 참고 받아들였다/明知上当，也只好硬着脖子把这批货收下了; 속을 것은 뻔히 알고 있었지만, 이 상품을 참고 받아 두지 않을 수 없었다.
〔硬不吃，软不吃〕 yìng bù chī, ruǎn bù chī〈成〉강하게 나오나 부드럽게 나오나 말을 듣지 않다. 다룰 수 없다. 처치 곤란하다. ¶他这刚烈性子～，谁也扭不过他; 그의 강직한 성격은 어쩔 도리가 없다. 아무도 그를 돌릴 수는 없다.
〔硬材〕 yìngcái 명 활엽수 목재. =〔有孔材〕
〔硬插杠儿〕 yìngchāgàngr 억지로 하다. 무리하게 하다. ¶这是我们的，他～地非要不可; 이것은 우리 것인데, 그는 억지를 쓰며 꼭 갖겠다는 것이다.
〔硬柴〕 yìngchái 명 ①〈植〉홍수. ②장작.
〔硬缠〕 yìngchán 동 집요하게〔귀찮게〕 매달리다. ¶～我买玩具; 장난감을 사달라고 나에게 귀찮게 매달리다.
〔硬撑〕 yìngchēng 동 무리하게〔가까스로〕 버티다〔참다〕. ¶他～着听讲; 그는 가까스로 버티면서

강의를 듣고 있다 / ～着负担一家的生活; 무리해서 한 집안 살림을 꾸려 나가고 있다 / 这个政局全靠他一个人～了; 이 정국은 완전히 그 사람 혼자의 힘으로 지탱하고 있다.

〔硬充〕 yìngchōng 동 (기량 · 도량 따위가 없으면서) 있는 체하다. 억지로 …인 체하다. ¶～行家; 전문가인 체하다.

〔硬打〕 yìngdǎ 동 ①힘으로 다투다〔맞서다〕. ②무리하게 치다. 굽히지 않고 치다. ③강타(强打)하다.

〔硬打软热和〕 yìngdǎ rǔanrèhuo 처음은 강하게 나중에는 부드럽게 나오다. ¶那件事他本来不答应, 因为我～地来才算成功了; 저 일을 원래 그는 승낙하지 않았는데, 내가 처음에는 강경하게 나왔다가 나중에 부드럽게 했더니 겨우 잘 되었다. =〔硬磨软磨〕〔连lián软带硬〕

〔硬到底〕 yìngdàodǐ 끝까지 굴하지 않다. 강경하게 버티어 나가다. ¶硬就～; 강경하게 나갔으면 끝까지 강경하게 밀고 나가야 한다.

〔硬的〕 yìngde 명 ①옛날의 1원 은화(‘银yín洋’을 말함). ¶你来得正好, 我正说凑几圈, 带着～呢? 너 마침 잘 왔다, (마작을) 몇 판 하자고 말하던 참인데, 돈은 갖고 있겠지? / 手里没～, 准办不成; 수중에 돈이 없으면 절대로 안 된다. ②〈比〉무기. ¶披着虎皮腰里～; 호피를 입고 권총을 차고 있다. ③강경한 수단. ¶软说不成就跟他玩儿～; 부드럽게 말해서 안 들으면 강경한 수단을 쓴다.

〔硬敌〕 yìngdí 명 강적. 강한 적수. 거북한 상대. =〔硬对儿〕

〔硬地网球〕 yìngdì wǎngqiú 명《體》(보통의 샌드 코트에서 하는) 테니스.

〔硬电水纸〕 yìngdiàn shuǐzhǐ 명 베이클라이트 페이퍼(bakelite paper)(석탄산 수지로 만든 종이).

〔硬顶〕 yìngdǐng 동 완강하게 반항하다. 강경하게 반발〔반박〕하다. ¶你怎么对长辈说话这么～啊; 너는 어째서 손윗사람에 대해서 그렇게 완강하게 대드느냐.

〔硬顶硬撞〕 yìng dǐng yìng zhuàng 〈成〉 무턱대고 부딪쳐 보다. 마구〔덮어놓고〕 해 보다. ¶这件事本来没有把握, 想不到～地倒办成了; 이 일은 본래 자신이 없었는데, 무작정 덤볐더니, 의외로 잘 되었다.

〔硬东西〕 yìngdōngxi 명〈俗〉 권총. 피스톨(pistol). =〔手shǒu枪〕

〔硬度〕 yìngdù 명《物》경도. 굳기. ¶原有～; 원유(原有) 경도 / 永久～; 영구 경도 / 暂zàn时～; 일시 경도. =〔坚jiān度〕

〔硬对儿〕 yìngduìr 명 만만치 않은 상대. 억센 상대. 강적. =〔硬敌〕

〔硬对硬〕 yìng duì yìng 힘으로 맞서다. 정면으로 대결하다.

〔硬腭〕 yìng'è 명《生》경구개(硬口蓋). ↔〔软ruǎn腭〕

〔硬耳刀(儿)〕 yìng'ěrdāo(r) 명 병부절(한자 부수의 하나). →〔单dān耳刀(儿)〕

〔硬耳朵〕 yìng'ěrduo 명 ①《言》병부절변(한자 부수의 하나로 ‘卩’·‘㔾’의 이름). =〔单dān耳刀(儿)〕 ②남의 의견을 잘 받아들이지 않는 사람.

〔硬盖虫〕 yìnggàichóng 명《蟲》등딱지가 갑각으로 되어 있는 벌레. 견갑충(堅甲蟲).

〔硬干〕 yìnggàn 동 강행하다. 마구잡이로 하다. ¶虽然不好办, ～一下子试试; 하기는 힘들지만, 한번 강행해 보자.

〔硬钢〕 yìnggāng 명《工》경강(탄소 0.5～1.0%를 함유하는 강철).

〔硬弓〕 yìnggōng 명 강궁(强弓).

〔硬功〕 yìnggōng 명 강경한 단련법(무술의 일종). ¶练liàn～; 강경한 단련법으로 수련하다. ↔〔软ruǎn功〕

〔硬功夫〕 yìnggōngfu 수련을 쌓아 얻은 훌륭한 솜씨 · 기술. 몸에 밴 (능숙한) 솜씨.

〔硬骨头〕 yìnggǔtou 명〈比〉①기골이 있는 사람. 경골한(硬骨漢). ¶一身～就是不受人压迫; 경골한이라 남의 압력 같은 것을 받지 않는다 / 分文不受的～; 한 푼도 받지 않는 굳은 성격의 경골한. ②노력이 많이 드는 일. 애먹는 일.

〔硬骨头硬肉〕 yìnggǔtou yìngròu 늠름한 근골(筋骨). 우람한 체격.

〔硬骨鱼〕 yìnggǔyú 명《魚》경골어.

〔硬拐硬碰〕 yìng guǎi yìng pèng 〈成〉(앞뒤 생각 없이) 무턱대고 하다. 타협하지 않고 무리하게 밀고 나가다.

〔硬汉(子)〕 yìnghàn(zi) 명 경골한. 의지가 굳센 사람. 감정에 치우치지 않는 사람. ¶他是个顶天立地的～; 그는 영웅적 기개가 있는 경골한이다.

〔硬汗衫〕 yìnghànshān 명 와이셔츠.

〔硬红〕 yìnghóng 명《鑛》루비. 홍보석.

〔硬红木〕 yìnghóngmù 명《植》마호가니.

〔硬化〕 yìnghuà 명동 ①(사상 · 태도 따위가) 경화(하다). 경직(되다). ¶对方的态度～了, 以后就不好办了; 상대방의 태도가 강경해져서, 앞으로는 일하기가 어렵다. ②《物》경화(하다). ¶生(橡)胶遇冷容易～; 생고무는 냉기를 만나면 쉽게 경화한다. 명《醫》경화(증). ¶动脉～; 동맥 경화.

〔硬化钢〕 yìnghuàgāng 명 ⇨〔淬cuì火钢〕

〔硬(化)纸板〕 yìng(huà)zhǐbǎn 명 파이버(fiber).

〔硬话〕 yìnghuà 명 ①강경한 말. 완고한 이야기〔의견〕. ②몰인정한 말. 매정한 말.

〔硬黄〕 yìnghuáng 명 황랍(黃蠟)을 바른 습자용의 종이.

〔硬货〕 yìnghuò 명 ⇨〔金jīn属货币〕

〔硬件〕 yìngjiàn 명 ①《電算》하드웨어(hardware). ②〈比〉(생산 활동에 있어서의) 시설이나 제품.

〔硬健〕 yìngjiàn 형〈文〉강건하다. 정정하다. ¶虽然老了, 身体也还～; 나이는 먹었지만 몸은 아직 튼튼하다.

〔硬焦〕 yìngjiāo 명《化》경질(硬質) 코크스(독 Koks).

〔硬叫〕 yìngjiào ⇨〔硬令〕

〔硬结〕 yìngjié 동 딱딱하게 굳다. 굳어 엉기다. 명《醫》경결. 경화종(硬化腫).

〔硬劲儿〕 yìngjìnr 명 ①딱딱함. 견고성. ②기골. 기개. ¶应该有个～; 기골이 있어야 한다.

〔硬颈〕 yìngjǐng 형〈文〉고집이 세다. 완고하다.

〔硬撅撅(的)〕 yìngjuējuē(de) 형〈方〉딱딱한 모양. 뻣뻣하고 굳은 모양. ¶衣服浆得～的, 穿着不舒服; 옷이 풀을 세게 먹여서 입은 기분이 나쁘다 / 他说话老是～的, 一点儿不柔和; 그는 말이 언제나 무뚝뚝해서, 조금도 부드러운 맛이 없다.

〔硬砍实凿〕 yìng kǎn shí záo 〈成〉추호도 거짓이 없는 것. 참되고 거짓이 없는 것. 실제 그대로인 것. ¶～的地道货; 진짜 본바닥의 것. 실제 그대로의 진품.

〔硬拷贝〕 yìngkǎobèi 명《電算》〈音義〉(컴퓨터

의) 하드 카피(hard copy).
〔硬壳虫〕 yìngkéchóng 명 《蟲》 딱정벌레.
〔硬壳(儿)〕 yìngké(r) 명 단단한 겁데기. 딱딱한 커버.
〔硬来〕 yìnglái 동 강제로 …하다. 강경하게 나오다. 무리하게 …하다.
〔硬赖〕 yìnglài 동 ①무리하게 전가(轉嫁)하다. 억지로 뒤집어씌우다. ¶他把错儿～在我身上; 그는 잘못을 나에게 억지로 떠넘기고 있다. ②억지 부리다. ¶他～不知道; 그는 끝까지 모른 척한다.
〔硬朗〕 yìnglang 형 〈口〉 ①(노인이) 정정하다. 꼬장꼬장하다. ¶～结实; (노인이) 정정하다. ②단단하다. 견실하다. ¶～的铺子; 견실한 점포. ③〈南方〉 강경하다. ¶把话说得～; 강경하게 말을 하다.
〔硬里子〕 yìnglǐzi 명 ①《劇》 (경극(京劇)에서) 중요한 역할을 하는 단역. ②경극(京劇) 중의 주역.
〔硬脸〕 yìngliǎn 형 사사로운 감정을 버리다. 정실이 통하지 않다. 융통성 없이 완고하다. ¶他向来～, 徇xún私的事不好求他; 그는 원래 고집 불통이라, 사사로운 부탁은 하기가 어렵다. =〔铁tiě面〕
〔硬领(儿, 子)〕 yìnglǐng(r, zi) 명 옷의 딱딱한 깃.
〔硬令〕 yìnglìng 억지로〔무리하게〕 …하게 하다. 강제로 …시키다. ¶～他去办; 무리하게 그에게 하게 하다. =〔硬叫〕
〔硬铝〕 yìnglǚ 명 《化》 두랄루민(duralumin). =〔铝合金〕〔都dū拉铝〕〔都拉铭〕〔飞fēi机铝合金〕〔强qiáng铝〕
〔硬煤〕 yìngméi 명 ①〈方〉 무연탄. =〔无wú烟煤〕 ②석탄의 덩이.
〔硬面〕 yìngmiàn 명 ①단단한 표면. ②딱딱한 표지. ¶～簿; 딱딱한 표지의 장부.
〔硬面饽饽〕 yìngmiàn bōbo 명 밀가루를 되게 반죽하여 구운 딱딱한 빵.
〔硬面(儿)〕 yìngmiàn(r) 명 ①되게 반죽한 밀가루. ②된 밀가루 반죽으로 뽑은 국수.
〔硬磨软磨〕 yìng mó ruǎn mó 〈成〉 처음은 강경하게 나오다가 나중에는 부드럽게 나오다. 강온(強穩) 양수를 쓰다.
〔硬末子〕 yìngmòzi 명 무연탄 가루.
〔硬模〕 yìngmú 명 《機》 다이스(dies). 영구 주형(鑄型).
〔硬木〕 yìngmù 명 단단한 나무《화류(樺榴) 등 단단하고 질이 좋은 목재》. ¶～木材; 단단한 목재. =〔坚jiān木〕〔重zhòng木〕
〔硬派〕 yìngpài 동 무리하게〔억지로〕 보내다. ¶我并不是～您非去不可, 可是去了多少总有好处吧; 나는 꼭 가라고 당신에게 강요하는 것은 아니지만, 가면 다소는 좋은 일이 있을 겁니다.
〔硬碰硬〕 yìng pèng yìng ①〈比〉 강경한 태도에 대해 강경한 태도로 대항하다. 힘에는 힘으로 대항하다. ¶咱们跟他来个～; 그가 힘으로 대항해 오면 우리도 힘으로 맞서자 / ～地对干gàn一场; 강경하게 힘으로 맞서다. ②대단한 공력이 요구되다. ¶改山造田可是～的事; 산을 개간하여 논밭을 만들기는 정말 어려운 일이다.
〔硬片〕 yìngpiàn 명 (사진의) 건판(乾板). ¶照zhào相～; 사진 건판.
〔硬拼〕 yìngpīn 동 강경한 수단으로 맞서다. 무리하게 도전하다. 힘껏 도전하다. ¶碰上了卸大件就得～; 큰 것을 내려놓으려면 힘을 넣어 해야 한다.
〔硬气〕 yìngqì 형 〈方〉 ①꼿꼿하고 아무것도 무서워하지 않다. 강경하다. 의지가 강하다. 야무지다. ¶向来～惯了, 不肯服软儿; 원래 억지가 세니, 양보하려 하지 않는다. ②떳떳하다. 정당하다. ¶她觉得自己挣的钱用着～; 그녀는 자신이 번 돈이니까 떳떳하게 쓸 수 있다고 생각했다 / 谁有理谁说话～; 이치에 맞는 자는 말하는 것이 떳떳하다.
〔硬掐鹅脖(儿)〕 yìng qiā ébó(r) 〈比〉 무리하게. 강제로. 억지로. ¶他既不愿意就算了, 别～叫他去; 그가 싫다면 그만이지, 억지로 보내지는 마라.
〔硬铅〕 yìngqiān 명 《鑛》 배빗 메탈(Babbitt metal). =〔巴bā氏合金〕
〔硬戗〕 yìngqiàng 명 의지할 수 있는 미더운 사람. 후원자. 튼튼해서 의지할 수 있는 것. ¶他父亲一死, ～就没了; 그의 아버지가 죽었으므로, 의지할 데가 없어졌다.
〔硬任务〕 yìng rènwu 융통성이 없는 임무. 절대적인〔변경이 없는, 꼭 해야 될〕 임무.
〔硬山顶〕 yìngshāndǐng 명 《建》 人자형의 지붕. 맞배 지붕.
〔硬山搁檩〕 yìng shān gē lǐn 〈成〉 어울리지 않는 짓을 하다. 엉뚱한 짓을 하다. 엉뚱한 일이 생기다《집을 증축할 때 기둥을 세우고 도리를 놓지 않고 좌우 옆벽에 놓는데서 생긴 말》. ¶聊斋虽好, 往往有～的事; 요재지이(聊齋志異)는 좋기는 한데, 왕왕 엉뚱한 일이 일어난다 / 文言文里有这么几句俗话, 有点儿～的; 문언문 가운데 이와 같은 속어가 몇 마디 있어서, 좀 어울리지 않는다.
〔硬生生(的)〕 yìngshēngshēng(de) 형 부자연스러운 모양. 어색한〔딱딱한〕 모양. 경직된 모양. ¶～的说教; (부자연스럽고) 딱딱한 설교 / 要是没有介绍信, 见了面也, ～地不好说话; 소개장이 없다면, 면회를 해도 어색해서 말하기가 어렵다.
〔硬声硬气〕 yìng shēng yìng qì 〈成〉 서슬이 퍼렇다. 말소리가 사납다〔거칠다〕.
〔硬石膏〕 yìngshígāo 명 《鑛》 경석고. =〔无水石膏〕
〔硬石脂〕 yìngshízhī 명 ⇨〔凡fán士林〕
〔硬食〕 yìngshí 명 (환자 등의) 보통 식사.
〔硬是〕 yìngshì 부 〈方〉 ①정말로. 절대로. 전연. ¶～不成; 전연 안 된다 / 他那一套～害死人! 그의 저 수법은 정말로 사람을 해치는 짓이다! / 这幅画像画得～像得很; 이 초상화는 정말 비슷하다. ②꼭. 억지로. 누가 뭐래도. 아무래도. ¶花了很大力气, 这块石头～抬不起来; 잔뜩 힘을 주었지만, 이 돌은 아무래도 들어 올릴 수 없다 / 我劝他不要去, 他～要去; 내가 가지 말라고 충고해도, 그는 꼭 가겠단다. ③뜻밖에도. 의외로. ¶他～空手把一只老虎打死了; 그는 맨손으로 범 한 마리를 때려 잡았다.
〔硬实〕 yìngshi 형 〈方〉 (몸이) 튼튼하다. 건장하다. ¶身子骨还挺～; 몸은 아직 튼튼하다.
〔硬手(儿)〕 yìngshǒu(r) 명 수완가. 명수. 재주꾼. ¶这人真是把～儿, 干活又快又细致; 이 사람은 정말 수완가이다. 일이 빠르고 꼼꼼하다. =〔能néng手〕
〔硬水〕 yìngshuǐ 명 《化》 경수. 센물. ↔〔软ruǎn水〕
〔硬说〕 yìngshuō 동 억지를 써서 말하다. 우기다. 견강부회(牽强附會)하여 말하다. ¶往往～这种增值是在商品流通中产生的; 이러한 평가 절상이 상품의 유통 과정에서 생겨나는 것이라고 종종 우겨

서 말하다.
〔硬糖〕 yìngtáng 명 딱딱한 사탕.
〔硬套〕 yìngtào 동 무리하게 적용시키다. 억지로 맞추다. ¶把公式～; 공식을 무리하게 적용시키다 / 把个罪名～在他头上; 어떤 죄명을 억지로 그에게 뒤집어씌우다.
〔硬挺〕 yìngtǐng 동 ①옹고집부리다. ②강경히 버티다. ¶有了病不要～着, 要早点儿去治! 병들면 무리해서 버티기만 하지 말고, 빨리 치료를 받아야 한다!
〔硬痛〕 yìngtòng 동 근육이 당기어 아프다.
〔硬头〕 yìngtóu 형 자유롭지 못하다. (yìng.tóu) 동 염치 불구하다. 억지로 하다.
〔硬头货〕 yìngtóuhuò 명 〈比〉 ①힘이 센 것. 쓸모〔값어치가〕 있는 것. 귀중한 것. 〈轉〉 금전. ¶竟空嘴说不行, 得有～才行呢; 단지 입으로만 말해선 안 되고, 현찰을 갖고 있어야만 된다. ②소화가 잘 안 되는 음식.
〔硬头浪〕 yìngtóulàng 명 《魚》 네줄벤자리.
〔硬围腰〕 yìngwéiyāo 명 코르셋. =〔紧jǐn腰衣〕
〔硬文学〕 yìngwénxué 명 ①경문학《정론(政論)·학설 따위》. ②사람의 감정을 끓어오르게 하는 문학.
〔硬卧〕 yìngwò 명 〈簡〉 (열차 등의) 보통 침대. 2등 침대《'硬席卧铺'의 약칭》. ¶～车; 보통 침대차.
〔硬五花肉〕 yìngwǔhuāròu 명 로스의 하반부(下半部)가 포함된 안심 고기.
〔硬席〕 yìngxí 명 (기차 등의) 2등〔보통〕석《목재의 좌석이나 침대로 됨》. ↔〔软席〕
〔硬席车〕 yìngxíchē 명 보통차. 2등차. ↔〔软席车〕
〔硬橡胶〕 yìngxiàngjiāo 명 《化》 에보나이트. =〔硬橡皮〕〔黑hēi硬橡皮〕
〔硬心〕 yìngxīn 명 ①굳은 마음. 냉정한 마음. ②완고한 마음. (yìng.xīn) 동 마음을 굳게 갖다. 마음을 모질게 먹다. 사사로운 정을 버리다. ¶我怎么劝他, 他总是硬着心不听; 내가 아무리 권해도, 그는 고집을 부리고 들으려고 하지 않는다.
〔硬心肠(儿)〕 yìngxīncháng(r) 명 ①냉정. 냉혹. ②냉정〔냉혹〕한 사람. 무정한 사람.
〔硬性〕 yìngxìng 형 융통성이 없다. 완고하다. 움직이기 어렵다. ¶～的指示; 변경할 수 없는 지시 / ～规定; 융통성 없는 규정. 명 경성. 단단한 성질.
〔硬性摊派〕 yìngxìng tānpài 강제 할당(하다). ¶坚持自愿原则, 防止～的现象; 자발적 원칙을 견지하고, 강압적 할당 현상을 방지하다.
〔硬袖子〕 yìngxiùzi 명 커프스(cuffs).
〔硬语盘空〕 yìng yǔ pán kōng 〈成〉 문장이 웅혼(雄渾)하다.
〔硬玉〕 yìngyù 명 《鑛》 경옥《알칼리 휘석(輝石)의 하나》.
〔硬赃官〕 yìngzāngguān 명 ①청렴하기는 하지만, 오만불손하고 인정머리없는 잔인한 관리. ②〈比〉 무리하게 고집을 부리는 사람.
〔硬诈〕 yìngzhà 동 부당한 수단·압력 등으로 남의 재물을 빼앗다. 부당하게 사취하다. ¶～豪夺; 수단 방법을 가리지 않고 위협해서 남의 재물을 빼앗다.
〔硬张〕 yìngzhāng 형 강경하다. (강행하려는 억지의) 힘이 있다. ¶说得～; 말하는 것이 강경하다 / 连句～话都不敢说; 한 마디도 강경한 말을 하지 못하다.
〔硬仗〕 yìngzhàng 명 ①정면으로부터 강하게 부딪히는 싸움. 한 발짝도 물러서지 않는 싸움. 격전. ②골치 아픈 임무. 몹시 힘이 드는 일. ¶打～; ⓐ정면으로부터 격전을 벌이다. ⓑ힘드는 임무를 수행하다. ‖=〔死sǐ仗〕
〔硬着儿〕 yìngzhāor 강경 수단. 고압적인 태도. 고자세. ¶上次搞的光荣桌是软着儿, 这回是～; 지난번에는 표창하는 자리였으므로 부드러웠지만, 이번에는 고자세이다.
〔硬着脸子〕 yìngzhe liǎnzi ①⇨〔硬着头皮①〕 ②성낸 얼굴을 하고. 무뚝뚝하게. 사나운 기세로. ¶～一笑都不笑; 무뚝뚝한 얼굴로 방긋 거리지도 않다 / ～骂人; 서슬이 퍼래서 욕하다.
〔硬着头皮〕 yìngzhe tóupí ①낯가죽을 두껍게 하고. 뻔뻔스럽게. 눈 딱 감고. 염치 불구하고. ¶我简直想～不去理他; 나는 정말 눈 딱 감고 그를 상대하지 않고 싶다 / ～向朋友借钱; 염치 불구하고 친구한테 돈을 꾸다 / ～求情; 체면 불구하고 부탁하다. =〔硬着脸子①〕 ②무리하다. 무리하게 일하다. ¶～喝; 무리하게 마시다 / 明知要失败, 也得～干gàn下去; 실패는 뻔하지만 무리를 해서 계속해 나가지 않으면 안 된다.
〔硬着心〕 yìngzhexīn ⇨〔狠hěn着心〕
〔硬整〕 yìngzhěng 형 ①(종이 등이) 빳빳하다. ②고루 갖추다. 충실하다. 든든하다. ¶要想演出好戏, 不但得有好主角, 班底也要～; 좋은 연극을 하려면, 좋은 주연 배우가 필요할 뿐 아니라, 팀의 기반이 충실해야만 한다.
〔硬正〕 yìngzhèng 형 강직하다. 기개가 있다. ¶～气儿; 강직한 성질.
〔硬证〕 yìngzhèng 명 ⇨〔明míng证〕
〔硬挣〕 yìngzheng 형 ①〈方〉 튼튼하다. 견고하다. 질기다. ¶这种纸很～, 可以做包装; 이 종류의 종이는 매우 질겨서 포장에 쓸 수 있다. ②강하다. ¶什么～仗腰子的, 他来吓我们; 강한 후원자까지 나타나서 우리를 협박한다. ③억지스럽다.
〔硬脂〕 yìngzhī 명 《化》 스테아린(독 stearin). →〔〈音〉 斯sī蒂林脂〕
〔硬脂酸〕 yìngzhīsuān 명 ⇨〔十shí八(碳)酸〕
〔硬纸板〕 yìngzhǐbǎn 명 판지(板紙). →〔马mǎ粪纸〕
〔硬纸壳〕 yìngzhǐké 명 판지(板紙). 하드보드지(紙).
〔硬质〕 yìngzhì 형 경질의. ¶～合金; 경질 합금 / ～塑料; 《化》 경질 수지.
〔硬装场面〕 yìngzhuāng chǎngmiàn 무리해서 겉모양〔옷차림〕을 꾸미다. ¶为了虚荣当dàng当买衣裳去～的人还不少呢; 허영 때문에 저당을 잡히고 옷을 사서 무리하게 겉모양을 꾸미는 사람이 아직 적지않게 있다.
〔硬壮〕 yìngzhuàng 형 강장(強壯)하다. 건장하다.
〔硬撞〕 yìngzhuàng 동 (성취할 가능성 없이) 시험삼아 해 보다. 무턱대고 부딪쳐 보다. 체면 불구하고 해 보다. ¶不管他欢迎不欢迎～了去; 그가 환영하든 안 하든, 체면 불구하고 부딪쳐 보겠다.
〔硬走之(儿)〕 yìngzǒuzhī(r) 명 민책받침《한자부수의 하나》. →〔建jiàn之旁(儿)〕
〔硬嘴〕 yìngzuǐ 형 입이 무겁다. ¶他是～怎么问都不说; 그는 입이 무거워서 아무리 물어도 말하지 않는다.
〔硬作〕 yìngzuò 동 무리하게 하다. ¶不能作的事不要～! 할 수 없는 일은 무리하게 하지 마라!
〔硬座〕 yìngzuò 명 일반〔보통〕석.
〔硬座车〕 yìngzuòchē 명 보통석의 객차.

媵 yìng (잉)
〈文〉①동 보내다. 전송하다. ②명 옛날, 시집 갈 때 데리고 가던 하인이나 몸종. ③명 첩.

譍 yìng (응)
〈文〉'应yìng'과 통용.

YO ㄧㄛ

育 yō (육)
→〔杭háng育〕⇒yù

唷 yō (육)
감 아이고! 아니! 어라! 어!(놀라거나 깜빡하고 잊었을 때, 또는 의문스럽거나 조롱할 때 따위에서 발하는 감탄사). ¶啊ā~ =〔喔ō~〕; 아이고! 저런!/~, 这是怎么了? 어라, 이건 어찌된 거야?/~, 是了; 오, 그렇지/~, 你也来了? 어, 너도 왔느냐?/~, 怎么变成这样子? 어라, 어째서 이렇게 변했지? =〔哟yō〕

哟(喲) yō (약)
감 ⇨〔唷〕⇒yo

哟(喲) yo (약)
조 ①문장 끝에 두어 상대방의 동의를 구하는 어기(語氣)를 나타내는 말. ¶大家一齐用力~! 모두 함께 힘을 냅시다! ②문장 중에 두어 열거하는 말. ¶话剧~, 京戏~, 他都很喜欢; 신극이든 경극이든 그는 다 좋아한다. ③소리를 길게 뽑아 장단을 맞추기 위한 어구나 가사(歌詞) 중간의 적당한 데에 첨가하는 말. ¶王大妈说罢, 喜~在心, 三步折成两步~, 行; 왕 아주머니는 말을 끝내자 기쁨이 가슴에 넘쳐서, 세 발짝 되는 곳을 두 발짝으로 말이지, 서둘러 걸었단다/呼儿嗨~! 에헤야! ⇒yō

YONG ㄩㄥ

佣(傭) yōng (용)
①동 고용하다. 고용되다. ¶雇gù~; 고용하다/~耕gēng; ⇩ ②명 고용인(雇傭人). 하인. ¶~工; ⇩/女~; 하녀. ⇒yòng

〔佣保〕yōngbǎo 명 〈文〉 고용인. =〔庸保〕

〔佣兵〕yōngbīng 명 〖軍〗 용병.

〔佣方〕yōngfāng 명 ⇨〔劳láo方〕

〔佣耕〕yōnggēng 동 〈文〉 고용되어 경작하다. 머슴살이하다.

〔佣工〕yōnggōng 명 사용인. 고용인. 고용 노동자. ¶~介绍所; 고용인 소개소.

〔佣仆〕yōngpú 명 하인. 남자종.

〔佣人〕yōngrén 명 고용인. 하인.

〔佣人荒〕yōngrénhuāng 명 구인난(求人難).

〔佣食〕yōngshí 동 〈文〉 고용되어 입에 풀칠하다〔생활하다〕.

〔佣役〕yōngyì 동 〈文〉 ①일꾼을 고용하다. ②고용되다. 머슴살이하다.

拥(擁) yōng (옹)
동 ①껴안다. 끌어안다. ¶~抱; ⇩ ②에워싸다. 둘러싸다. ¶~被而眠; 이불을 둘둘 감고 자다/一群青年~着一位老师傅走出来; 한 떼의 청년들이 스승 한 분을 둘러싸고 걸어 나왔다. ③붐비다. 빽빽이 들어차다. 혼잡을 이루다. ¶~在一条穿道里; 한 줄기 좁은 길에 밀치락달치락 붐비다/人都~到天安门去; 사람들은 모두 밀치락달치락 톈안먼(天安門)으로 몰려갔다/一~而上; 한꺼번에 와락 밀어닥치다/大家~上前去看热闹; 모두들 북적거리며 나가서 구경거리를 보았다/很多人~在一条小胡同里; 많은 사람이 좁은 골목에서 북적대고 있다. ④보유하다. 지니다. ¶我国~有丰富矿藏物产; 우리 나라는 풍부한 광산물을 갖고 있다/他~有权力和财富; 그는 권력과 부를 가지고 있다. ⑤지지하다. 옹호하다. ¶~立; 옹립하다/前呼后~; 〈成〉 앞에서는 소리를 질러 길을 열고, 뒤에서는 떼지어 둘러싸고 보호하다.

〔拥抱〕yōngbào 동 포옹하다. ¶洋式~礼; 서양식의 포옹하는 인사.

〔拥被〕yōng.bèi 동 〈文〉 ⇨〔拥衾〕

〔拥戴〕yōngdài 동 추대하다. 받들어 모시다. ¶受人~; 남으로부터 추대받다/~领袖; 수령을 추대하다/众人都很~他; 대중이 모두 그를 추대한다/得到群众的~不是一朝一夕的事; 군중의 추대를 받는다는 것은 일조일석에 되는 일이 아니다.

〔拥倒〕yōngdǎo 동 (혼잡 속에서) 밀려 넘어뜨리다〔넘어지다〕.

〔拥干爱兵〕yōng gàn ài bīng 〈成〉 (군대에서) 간부를 옹호하고 병사를 사랑하다.

〔拥干爱民〕yōng gàn ài mín 〈成〉 간부를 옹호하고 국민을 사랑하다.

〔拥红偎翠〕yōnghóng wēicuì 미녀를 껴안다〔거느리다〕. 〈比〉 미녀들 속에 묻혀 호화롭게 생활하다. ¶~地过着纸醉金迷的生活; 미녀를 껴안고 사치에 빠진 생활을 하다.

〔拥护〕yōnghù 명동 옹호(하다). 지지(하다). ¶~者; 지지자/中国人民热烈~反对核武器的运动; 중국 인민은 핵무기 반대 운동을 열렬히 지지한다.

〔拥彗〕yōnghuì 동 〈文〉 비를 손에 들다. 〈比〉 (손님맞이를 위해) 청소하다. ¶~致敬; 깨끗이 청소하여 경의를 표시하다/~待客; 깨끗이 청소하고 손님을 맞이하다. =〔拥帚zhǒu〕

〔拥货〕yōnghuò 동 〈文〉 상품을 많이 보유하다.

〔拥挤〕yōngjǐ 동 밀치락달치락하다. 한 곳으로 몰리다. 형 혼잡하다. 붐비다. ¶火车上人很~; 기차는 사람이 꽉 차서 붐비고 있다/~不开 =〔~不动〕; 몸을 움직일 수 없을 정도로 혼잡하다/星期天白货商店里特别~; 일요일의 백화점은 특별히 붐빈다/电车上~不堪kān; 전차 안은 혼잡해서 말이 아니었다.

〔拥军爱民〕yōng jūn ài mín 〈成〉 국민은 군을 옹호하고, 군은 국민을 사랑한다('拥军模mó范' (군대를 애호(愛護)하는 민간인에 대한 칭호), '爱ài民模范' (민간인을 애호하는 군인에 대한 칭호)).

〔拥军优属〕yōng jūn yōu shǔ 〈成〉 해방군을 옹호하고, 군인 가족을 우대한다(중국에서, 1965년에 전개되었던 운동의 하나).

〔拥面〕yōngmiàn 동 베일로 얼굴을 가리다. 복면하다.

〔拥妻抱妾〕yōng qī bào qiè 〈成〉 처첩(妻妾)을

(여러 명) 거느리고 호화롭게 살다.
〔拥前〕 yōngqián 동 앞으로 나아가다. 밀고 나가다. 추진하다.
〔拥衾〕 yōngqīn 동 〈文〉 이불을 둘둘 감다. ¶冬日围炉~取暖; 겨울에 난로를 둘러싸고 앉아 이불을 둘둘 감고 불을 쬐다. =〔拥被〕
〔拥塞〕 yōngsè 동 (길이) 막히다. 붐비어 정체하다. ¶路上~着逃难的人; 길은 피난민으로 막혀 있다.
〔拥上来〕 yōngshànglái 한꺼번에 밀어 닥치다.
〔拥身扇〕 yōngshēnshàn 명 자루가 긴 큰 부채.
〔拥膝〕 yōngxī 동 〈文〉 무릎을 껴안다.
〔拥有〕 yōngyǒu 동 보유하다. 가지다. ¶~大量核武器; 대량의 핵무기를 보유하다 / ~权力和财富; 권력과 부를 보유하다 / ~独立和主权的国家; 독립과 주권이 있는 국가 / ~百万财富, 不如一技在身; 〈諺〉 백만금의 재물을 갖고 있어도, 한 가지 기술을 몸에 지니고 있는 것만 못하다.
〔拥政爱民〕 yōng zhèng ài mín 〈成〉 국민은 정부를 옹호하고, 정부는 국민을 사랑한다.
〔拥肿〕 yōngzhǒng 형 ①부풀어 올라 불퉁하다. ¶他穿了三件棉袄, 周身~不堪; 그는 솜옷을 세 벌이나 껴입어서, 온몸이 몹시 불룩하게 부풀어올라 있다. ②울퉁불퉁하여 고르지 않다. ¶~不灵líng; 울퉁불퉁해서 걸리어 원활하게 되지 않다. ‖ =〔臃肿〕
〔拥帚〕 yōngzhǒu 동 〈文〉 ⇨〔拥彗huì〕

痈(癰) yōng (옹)
명 《漢醫》 등창(등에 나는 큰 부스럼).
〔痈疮〕 yōngchuāng 명 《醫》 옹(癰).
〔痈疽〕 yōngjū 명 ①옹과 저(근육·관절·뼈 등의 질환으로 생기는 난치성의 종기). =〔雍雎〕 ②⇨〔痈疡〕
〔痈疡〕 yōngyáng 명 종기〔부스럼〕의 큰 것. =〔痈疽②〕
〔痈肿〕 yōngzhǒng 명 부어오른 옹〔종기〕.

邕 yōng (옹)
①형 ⇨〔雍①〕 ②(Yōng) 명 《地》 융장 강(邕江)(광시 성(廣西省) 좡족(壯族) 자치구에 있는 강 이름).
〔邕剧〕 yōngjù 명 《劇》 광시(廣西) 좡 족(壯族) 자치구 안의 광둥어(廣東語) 지구에 유행하는 극.

澭 Yōng (옹)
명 《地》 융수이(澭水)(장시 성(江西省)에 있는 강 이름).

噰〈嗈〉 yōng (옹)
→〔噰噰〕
〔噰噰〕 yōngyōng 〈擬〉〈文〉 새의 울음소리.

庸 yōng (용)
①형 하찮다. 변변치 못하다. ¶~人; ⇩ / ~医; ⇩ ②형 보통이다. 평범하다. ¶~言; 평범한 말 / 凡fán~; 범용하다 / ~行xíng; 보통의 행위. 용행. ③동 사용하다. 필요로 하다(흔히, 부정(否定)에 쓰임). ¶无~; …할 필요 없다 / 应无~议; 의논할 필요는 없다 / 无~细述; 자세히 서술할 필요가 없다. ④명 〈文〉 공적(功績). ¶酬chóu~; 공적에 보답하다. ⑤대 어찌하여. 어떻게. ¶~可废乎? 어떻게 그만둘 수 있는가? ⑥명 성(姓)의 하나.
〔庸安〕 yōng'ān 대 〈文〉 ⇨〔庸何〕
〔庸暗〕 yōng'àn 형 〈文〉 우매하다.
〔庸保〕 yōngbǎo 명 〈文〉 ⇨〔佣保〕
〔庸才〕 yōngcái 명 〈文〉 용재. 범재. 능력 없는 인물. =〔庸材〕
〔庸材〕 yōngcái 명 〈文〉 ⇨〔庸才〕
〔庸夫俗子〕 yōng fū sú zǐ 〈成〉 평범한 사람.
〔庸狗〕 yōnggǒu 명 〈罵〉 바보같은 놈.
〔庸何〕 yōnghé 대 〈文〉 어찌. 어떻게. =〔庸安〕〔庸讵〕〔庸遽〕〔庸巨jù〕〔庸孰shú〕
〔庸绩〕 yōngjī 명 〈文〉 공적(功績).
〔庸巨〕 yōngjù 대 〈文〉 ⇨〔庸何〕
〔庸讵〕 yōngjù 대 〈文〉 ⇨〔庸何〕
〔庸遽〕 yōngjù 대 〈文〉 ⇨〔庸何〕
〔庸劣〕 yōngliè 형 〈文〉 용렬하다. 어리석다.
〔庸碌〕 yōnglù 형 지극히 평범하다. 범속(凡俗)하다. ¶~子zǐ民; 평범한 백성 / 半生~; 반평생을 평범하게 지내다 / ~无能; 평범하고 능력이 없다.
〔庸民〕 yōngmín 명 〈文〉 일반 백성.
〔庸人〕 yōngrén 명 〈文〉 용인. 범인. ¶~自扰rǎo; 〈成〉 용인은 스스로 문제를 일으킨다(긁어 부스럼을 만들다).
〔庸儒〕 yōngrú 명 〈文〉 용유. 평범한 유생. 쓸모없는 학자.
〔庸手〕 yōngshǒu 명 〈文〉 (솜씨 따위가) 서투른 사람. 기술이 졸렬한 사람.
〔庸孰〕 yōngshú 대 〈文〉 ⇨〔庸何〕
〔庸竖〕 yōngshù 명 〈文〉 범인(凡人).
〔庸俗〕 yōngsú 형 범속하다. 저속하다. ¶~化; 범속화하다 / 作风~; 작풍이 저속하다 / 趣味~; 취미가 저속하다 / ~进化论; 속류(俗流)의 진화론 / 那个人长得非常~; 저 사람은 생김새가 아주 평범하고 보잘것 없다.
〔庸言〕 yōngyán 명 〈文〉 용언. 평범한 언론.
〔庸医〕 yōngyī 명 돌팔이 의사. ¶~杀人不用刀; 돌팔이 의사는 사람을 죽이는 데 칼을 쓰지 않는다(돌팔이 의사는 오진해서 곧잘 사람을 죽인다).
〔庸庸〕 yōngyōng 형 〈文〉 ①수고하는 모양. ②평범한 모양. ¶~碌lù碌; 평범한 모양. ③미소(微小)한 모양.
〔庸脂劣粉〕 yōng zhī liè fěn 〈成〉 비속하고 어리석은 여자. ¶这些~, 我一个都看不上眼; 이런 어리석고 보잘 것 없는 여자들은, 나는 하나도 눈에 들지 않는다.
〔庸脂俗粉〕 yōng zhī sú fěn 〈成〉 평범하고 속된 부녀자.
〔庸中佼佼〕 yōng zhōng jiǎo jiǎo 〈成〉 평범한 사람들 속의 비범한 사람. 군계 일학. ¶全班中只有他一个可算得是~的; 반에서 그 혼자만이 군계의 일학이라고 할 수 있다.

鄘 Yōng (용)
명 ①《地》 주대(周代)의 나라 이름(허난 성(河南省) 지 현(汲縣) 북쪽). ②(yōng) ⇨〔墉yōng〕

慵 yōng (용)
형 〈文〉 ①귀찮다. 게으르다. ②고단하다. 피곤하다.
〔慵惰〕 yōngduò 형 〈文〉 게으르다. ¶赋fù性~; 천성이 게으르다. =〔慵懒〕
〔慵困〕 yōngkùn 형 노곤하다. 나른하다.
〔慵懒〕 yōnglǎn 형 ⇨〔慵惰〕
〔慵人〕 yōngrén 명 〈文〉 게으름뱅이.
〔慵妆〕 yōngzhuāng 명 〈文〉 단정치 못한 옷차림.

墉〈牅〉 yōng (용)
명 〈文〉 ①성벽. ②높은 담. ¶垣yuán~; 둘러친 담 / 崇chóng~; 높은 담. ‖ =〔鄘②〕

镛(鏞) yōng (용)
명 큰 종(鐘)《옛날 악기의 일종》.

鳙(鱅) yōng (용)
명 《魚》 화련어. 붕어 비슷한 머리가 큰 민물고기《양식어》. =〔〈俗〉胖头鱼〕〔花鲢〕

雍〈雝〉 yōng (옹)
①형〈文〉 온화하다. 화목하다. =〔邕①〕 ②동 씌우다. 막다. ¶~遏è =〔~阏è〕; 막혀서 통하지 않다. ③명 성(姓)의 하나.

〔雍和〕 yōnghé 형〈文〉 평화롭고 온화하다. 화목하다. =〔雍穆〕

〔雍雎〕 yōngjū 명 ⇨〔痈疽①〕

〔雍门〕 Yōngmén 명 복성(複姓)의 하나.

〔雍穆〕 yōngmù 형〈文〉 평화롭고 화목하다. =〔雍和〕〔雍熙〕

〔雍丘〕 Yōngqiū 명〈文〉 ①《地》 춘추(春秋) 시대 기(杞)의 도시 이름. ②복성(複姓)의 하나.

〔雍渠〕 yōngqú 명 《鳥》 할미새. =〔鹡jí鸰〕

〔雍人〕 yōngrén 명 ⇨〔饔人〕

〔雍容〕 yōngróng 형 의젓하고 화락하다. 온화하고 점잖다. ¶态度~; 태도가 온화하고 점잖다 / ~华贵; 온화하고 점잖으며 귀티가 나다 / ~肃sù穆; 화락하고 조용하다 / ~大雅yǎ; 온화하고 당당하다.

〔雍熙〕 yōngxī 형〈文〉 ⇨〔雍穆〕

〔雍雍〕 yōngyōng 형〈文〉 화목하다. 온화하고 부드럽다.

壅 yōng (옹)
동 ①막히다. 가리다. 정체(停滞)되다. ¶这条河道~住了; 이 강줄기는 막혔다 / 水道~塞; 수도가 막히다. ②뿌리에 북을 돋우거나 비료를 주다. ¶~培; ⇩ / ~土; ⇩ / ~肥; 북을 돋우고 거름을 주다.

〔壅闭〕 yōngbì 동〈文〉 막히다. 폐쇄되다. =〔壅滞〕

〔壅蔽〕 yōngbì 동 상하의 의사가 통하지 않다. 상하의 의사 소통의 길이 막히다.

〔壅隔〕 yōnggé 동〈文〉 막아 격리하다〔되다〕. 격절(隔絶)하다〔되다〕.

〔壅疾〕 yōngjí 명 《漢醫》 ①각기(脚氣). ②절름발이.

〔壅门〕 yōngmén 명 옹성(甕城)의 출입문.

〔壅培〕 yōngpéi 동 (곡식에) 흙을 북돋아 주고 비료를 주다.

〔壅塞〕 yōngsè 동 막히다. ¶人群把各条街道~得水泄不通; 모든 거리는 사람들의 인파로 물샐틈없을 정도로 꽉 차 있다.

〔壅田〕 yōngtián 동〈文〉 밭에 비료를 주다.

〔壅土〕 yōng,tǔ 동 흙을 북주다. 배토(培土)하다. (yōngtǔ) 명 (밭갈이에서) 풀뿌리가 방해하거나 흙덩이가 연장에 묻어 방해하는 현상.

〔壅滞〕 yōngzhì 동〈文〉 ⇨〔壅闭〕

〔壅住〕 yōngzhù 동 막히다. ¶沟~了; 도랑이 막혔다.

臃 yōng (옹)
〈文〉 ①명 종기. 부스럼. ②동 붓다.

〔臃肿〕 yōngzhǒng 동 부어 오르다. 부풀다. 형 ①크고 헐렁헐렁하다. ¶衣服穿得很~, 太不好看; 옷이 헐렁해서 아주 볼썽 사납다. ②몸이 뚱뚱하고 굼뜨다. ¶体态~; 몸이 뒤룩뒤룩 살쪄 있다. ③(조직이나 기구가) 팽창하여 운영이 잘 안 되다. 방대하다. ¶机构~; 기구가 방대하다.

饔 yōng (옹)
명〈文〉 ①조리(調理)한 음식. 익힌 음식. ②조반. 아침 식사. ¶~飧sūn; 아침밥과 저녁밥.

〔饔人〕 yōngrén 명 주대(周代)의 요리사. =〔雍人〕

〔饔飧不继〕 yōng sūn bù jì 〈成〉 끼니를 잇지 못하다.

〔饔饩〕 yōngxì 명〈文〉 선물로 보내는 죽은 가축과 산 가축.

喁 yóng (옹)
①동 물고기가 물 위에 입을 내놓고 뻐끔뻐끔하다. ②→〔喁喁〕 ⇒yú

〔喁喁〕 yóngyóng 형 ①목소리가 작은 모양. ②〈比〉 갈망하는 모양. 열렬히 따르는 모양. 여러 사람이 몰래 경모(敬慕)하는 모양. ¶天下~, 莫不向慕; 천하의 모든 이가 갈망하고 경모하지 않는 자는 없다.

颙(顒) yóng (옹)
〈文〉 ①형 단정하다. 단아하다. ¶~坐; ⇩ ②형 크다. ③동 경모(敬慕)〔흠모〕하다. ¶~望; ⇩

〔颙望〕 yóngwàng 동〈文〉 앙망하다. 우러러 바라다.

〔颙坐〕 yóngzuò 동〈文〉 단정하게 앉다.

永 yǒng (영)
①부 언제까지나. 영원히. 늘. ¶~不掉队; 영원히 낙후되지 않다 / ~远; ⇩ / ~久; ⇩ / 桌子上~放着鲜花; 책상 위에는 늘 생화가 놓여 있다. ②형 길다. 오래다. ¶江之~矣; 양쯔 강(揚子江)이 참 길다 / ~年; ⇩ ③명 성(姓)의 하나.

〔永爱〕 yǒng'ài 동 영원히 사랑하다. ¶相誓shì~; 영원한 사랑을 서로 맹세하다.

〔永葆〕 yǒngbǎo 동 영원히 유지하다〔간직하다〕. ¶~青春; 청춘을 영원히 유지하다.

〔永辈子〕 yǒngbèizi 명 자손 대대. 〈比〉 영원히. ¶~不得翻身; 영원히 괴로운 생활에서 벗어날 수 없다.

〔永别〕 yǒngbié 명동 영별(하다). 사별(하다). ¶他和我们~了; 그는 우리에게로 영원히 돌아오지 못할 사람이 되었다.

〔永别酒〕 yǒngbiéjiǔ 명 (사형수에게 마시게 하는) 이승과의 작별의 술. ¶各与了一碗长休饭、~; 각기 한 그릇씩의 이승과의 작별의 밥과 술을 주었다.

〔永不〕 yǒngbù 언제까지나 …하지 않다. ¶~自满; 언제까지나 자기 만족을 하지 않다 / ~掉队; 언제까지나 낙오하지 않다.

〔永不忘本〕 yǒng bù wàng běn 〈成〉 언제나〔영원히〕 근본을 잊지 않다.

〔永不叙用〕 yǒng bù xùyòng (옛날, 관리에 대하여) 영구히 복직시키지 않는다는 처분(에 처하다).

〔永垂不朽〕 yǒng chuí bù xiǔ 〈成〉 영원히 없어지지 않고 전해지다. ¶青史留名~; 청사에 이름이 남고 훈공이 오래 전해져서 사라지지 않다 / 他的功业~; 그의 공적은 역사에 남고 오래 전해져서 사라지지 않는다.

〔永存〕 yǒngcún 동 길이 남(기)다.

〔永佃〕 yǒngdiàn 명 영소작(永小作). ¶~权quán; 영소작권. =〔永久佃耕〕〔死sǐ佃〕

〔永奠〕 yǒngdiàn 동 영구히 기초를 안정시키다. ¶～国基; 국가의 기초를 영구히 안정시키다.

〔永定河〕 Yǒngdìnghé 명〖地〗융딩 강(산시 성(山西省) 숴 현(朔縣)에서 발원하여, 허베이 성(河北省) 줘 현(涿縣), 화이라이 현(懷來縣) 등지를 지나, 톈진(天津)의 포구에서 운하로 들어감).

〔永断葛藤〕 yǒng duàn gé téng 〈成〉 모든 관계를 영원히 끊다. ¶卖地的写了～的卖契; 땅을 파는 쪽이 팔아 넘기는 토지 매매 계약서를 썼다.

〔永感〕 yǒnggǎn 〈文〉 동 오래 마음에 새기다. 감격을 오래 지속하다. ¶终身～; 평생 잊지 못하다 / ～大德, 没mò齿不忘; 높으신 덕을 오래 마음에 새기고 평생 잊지 않다. 명 〈比〉 부모의 죽음에 대한 슬픔. ¶～之丧sāng; (영원한 슬픔을 남기는) 부모의 죽음.

〔永恒〕 yǒnghéng 형 영구의. 영구불변의. ¶～不变; 영구히 변하지 않다 / ～的友谊; 영구히 변하지 않는 우정.

〔永恒报〕 Yǒnghéngbào 명 인도네시아의 이슬람 정당 마슈미 당(黨) 기관지의 이름(당은 1960년 9월, 반란에 관련된 혐의로 해산되었음).

〔永恒性〕 yǒnghéngxìng 명 항구성. 영구성.

〔永劫〕 yǒngjié 명〖佛〗영겁. 끝없이 긴 시간.

〔永久〕 yǒngjiǔ 형 영구하다. 영원하다. ¶～性; 내구도(耐久度). 내구성.

〔永久齿〕 yǒngjiǔchǐ 명〖生〗영구치.

〔永久磁铁〕 yǒngjiǔ cítiě 명 ⇨〔磁钢〕

〔永久中立国〕 yǒngjiǔ zhōnglìguó 명 영세(永世) 중립국.

〔永诀〕 yǒngjué 명 〈文〉 영결. 영원한 이별. 〈轉〉 사별. ¶不料一别竟成～; 뜻밖에도 한번 이별이 영원한 이별이 되고 말았다.

〔永卖房契〕 yǒngmài fángqì 명 가옥 영매(永賣) 계약서(환매 조항이 없음).

〔永眠〕 yǒngmián 동 〈婉〉 영면하다. 사망하다.

〔永铭〕 yǒngmíng 동 오래도록 마음에 새겨지다. 오래 감명하다. ¶～肺腑fǔ =〔～在心〕; 오래 마음에 새기다 / ～不忘; 오래도록 마음에 새기어 잊지 않다.

〔永命〕 yǒngmìng 명동 〈文〉 장수(長壽)(하다).

〔永慕〕 yǒngmù 동 〈文〉 ①언제까지나 오래오래 사모하다. ②평생 부모를 잊지 않고 그리다. ¶～之怀; 평생 부모를 그리는 마음.

〔永年〕 yǒngnián 명 〈文〉 ①장수(長壽). ②오랜 세월.

〔永庆升平〕 yǒng qìng shēng píng 〈成〉 영원한 태평을 기원하다. ¶他们唯愿～; 그들은 오직 나라의 영원한 태평을 바랄 뿐이다.

〔永日〕 yǒngrì 명 〈文〉 오랜 세월.

〔永生〕 yǒngshēng 명동 영생(하다). ¶为革命事业而牺牲的烈士们～; 혁명 사업을 위하여 존귀한 생명을 바친 열사들은 영생 불멸이다.

〔永生永世〕 yǒng shēng yǒng shì 〈成〉 영원히. 오래도록. 영구히.

〔永矢〕 yǒngshǐ 동 〈文〉 영원히 맹세하다. ¶～不忘; 영구히 잊지 않을 것을 맹세하다 / ～效忠; 영원히 충성을 다할 것을 맹세하다.

〔永世〕 yǒngshì 명 〈文〉 영세. 평생. 영구. ¶～不忘; 영구히 잊지 않다 / ～不得翻身; 영겁토록 꼼짝 못하도록 만들다.

〔永逝〕 yǒngshì 명동 〈文〉 영서(하다). 영면(하다).

〔永图〕 yǒngtú 명 〈文〉 영원한 계획.

〔永无宁日〕 yǒng wú níng rì 〈成〉 전란이 계속되어 편안한 날이 없다. 매일 전란으로 지새다.

〔永无休止〕 yǒng wú xiūzhǐ 언제까지나 쉬는 일이 없다.

〔永谐图〕 yǒngxiétú 명 영원한 화합을 묘사한 그림(혼례용 족자의 일종).

〔永业田〕 yǒngyètián 명 영업전(永業田)(옛날, 정부로부터 영원한 재산으로서 주어진 전지).

〔永夜〕 yǒngyè 명 〈文〉 기나긴 밤.

〔永逸〕 yǒngyì 동 〈文〉 오래도록 안일을 탐하다. ¶一劳～; 〈成〉 한 번 고생해 두면 나중에는 오래도록 편안하게 지내게 된다.

〔永永〕 yǒngyǒng 부 〈文〉 영영. 영원히. 영구히.

〔永永无穷〕 yǒng yǒng wú qióng 〈成〉 영원히 끊이지 않다.

〔永远〕 yǒngyuǎn 형 영원하다. ¶～不改; 영원히 고치지 않다. 부 늘. 항상. 언제나. ¶我～想念着祖国; 나는 언제나 조국을 생각하고 있다 / 头上～剃得发光; 머리는 언제나 반짝반짝 빛나게 밀어 놓고 있다.

〔永志〕 yǒngzhì 동 오래도록 기억에 남다. ¶那将成为～的经历; 오래도록 기억에 남을 체험이 될 것이다.

〔永昼〕 yǒngzhòu 명 〈文〉 긴긴 낮.

〔永字八法〕 yǒngzì bāfǎ 명 영자 팔법('永' 자에 포함되어 있는 필획의 8가지 운필법).

〔永租〕 yǒngzū 명동 영구 소작(하다). 영구 차지(借地)(하다). ¶～权quán; 영구 소작〔차지〕권.

泳 yǒng (영)

동 헤엄치다. 수영하다. ¶游yóu～; 수영(하다) / 仰yǎng～; 배영 / 胡hú蝶～; 버터플라이. 접영 / 俯fǔ～ =〔蛙wā～〕; 평영 / ～裤kù; 수영 팬츠 / 游～池chí; 수영풀.

〔泳道〕 yǒngdào 명〖體〗(수영 경기장의) 코스. ¶～标示线; 코스 라인 / ～号数; 코스 넘버.

〔泳将〕 yǒngjiàng 명 수영 선수. 수영의 베테랑.

〔泳气钟〕 yǒngqìzhōng 명 잠수 도구(중장비의 견고한 것).

〔泳衣〕 yǒngyī 명 수영복.

咏〈詠〉 yǒng (영)

동 ①노래하다. ¶歌gē～队; 합창단. ②시가를 읊다. 시가(詩歌)를 짓다. ¶吟yín～; 음영하다. 읊조리다 / ～史shǐ; 역사를 시로 읊다 / ～雪xuě; 눈을 시로 읊다.

〔咏怀〕 yǒnghuái 동 마음에 생각하고 있는 것을 시가를 빌려 나타내다.

〔咏桑寓柳〕 yǒng sāng yù liǔ 〈成〉 다른 것을 빌려 생각을 시가로 읊다.

〔咏诗〕 yǒngshī 동 시를 읊다.

〔咏叹〕 yǒngtàn 동 영탄하다. ¶～法fǎ; 영탄법 / ～调diào; 〖樂〗 아리아(이 aria). 영창곡.

〔咏赞〕 yǒngzàn 동 노래로써 찬미하다.

甬 Yǒng (용)

① 명〖地〗닝포(寧波)(저장성(浙江省)에 있는 강 이름)의 별칭. ② 명〖地〗융장(甬江)(저장 성(浙江省)에 있는 강 이름). ¶～剧; ⇩ ③(yǒng) →〔甬路〕

〔甬道〕 yǒngdào 명 ⇨〔甬路〕

〔甬剧〕 yǒngjù 명 닝포(寧波) 연극(저장 성(浙江省) 일대에 유행했던 중국 전통극).

〔甬路〕 yǒnglù 명 ①뜰이나 묘지 중간을 가로질러 벽돌이나 돌을 깔아서 낸 길. ②건물 사이에 잇는 복도. 통로. ③양쪽에 둑을 쌓아 밖에서 보이지 않게 만든 도로. ‖ =〔甬道〕

俑 yǒng (용)
명 용(俑)《옛날에 순사자(殉死者)대신 묻는 흙이나 나무로 만든 인형》. ¶泥ní～; 진흙으로 만든 인형/女～; 여자 형태의 인형/兵马～; 병마용《병사나 말의 토용. 진시황릉의 것이 유명》/始作～者; 〈成〉 처음에 용과 같은 당치 않은 물건을 만든 자《맨 처음에 좋지 않은 일을 시작한 자》/仲尼曰, 始作～者其无后乎; 공자는 처음에 용을 만든 자는 후사가 단전될 것이라고 말했다.

涌 yǒng (용)
동 ①(물이나 구름이) 솟아 나오다. 솟다. ¶泪如泉～; 눈물이 샘솟듯이 나오다/风起云～; 바람이 일고 구름이 피어 오르다. ②(물이나 구름 속에서) 나오다. 얼굴을 내밀다. ¶雨过天晴～出一轮明月; 비가 그치고 하늘이 개자 밝은 달이 얼굴을 내밀었다. ③〈比〉(물이 솟듯이) 한꺼번에 나오다. 갑자기 한꺼번에 나타나다. ¶许多人从里面～出来; 많은 사람이 안에서 쏟아져 나왔다/酒却～上来; (먹은) 술이 갑자기 확 오르다/血～上了头; 머리로 피가 확 올라갔다. ‖=〔湧①〕⇒chōng

〔涌出〕 yǒngchū 동 속출하다. 쏟아져 나오다. ¶～很多的积极分子; 많은 활동가가 배출되다.

〔涌到〕 yǒngdào 동 세차게 몰려들다.

〔涌流〕 yǒngliú 동 솟아나 흐르다. ¶大量的石油从管道～出来; 대량의 석유가 송유관에서 분출하다.

〔涌泉〕 yǒngquán 명 ①용천. 물이 솟아나오는 샘. ②〖漢醫〗 발바닥 중앙 오목한 부분의 경혈.

〔涌上心来〕 yǒngshàngxīnlai 여러 가지 생각이 떠오르다. ¶一阵思潮～; 한꺼번에 여러 가지 생각이 떠오르다. =〔涌上心头〕

〔涌现〕 yǒngxiàn 동 (사람·사물이 대량으로 한꺼번에) 나타나다. 생겨나다.

〔涌向〕 yǒngxiàng 동 몰려들다. 힘차게 모여들다. 쇄도(殺到)하다. ¶川流不息地～城市; 끊임없이 도회지로 몰려들다/商品生产者都～当dàng时可以获利较多的部门; 상품 생산자는 모두 당장에 비교적 많은 이익을 얻을 수 있는 부문에 몰려들게 마련이다.

埇 yǒng (용)
지명용 자(字). ¶石～shíyǒng; 스융《광시성(廣西省)의 땅 이름》.

恿〈慂〉 yǒng (용)
→〔怂sǒng恿〕

蛹 yǒng (용)
명〖蟲〗 번데기. ¶蚕cán～; 누에의 번데기. =〔〈方〉 金jīn刚〕

〔蛹卧〕 yǒngwò 동 〈比〉 은둔하여 세상에 나오지 않다.

踊(踴) yǒng (용)
동 뛰다. 도약하다. ¶～身投海; 몸을 솟구쳐 바다에 뛰어들다/舞wǔ～; 춤추다. 무용하다.

〔踊贵〕 yǒngguì 동 〈文〉 (물가가) 등귀하다.

〔踊跃〕 yǒngyuè 동 ①쇄도하다. 혼잡하다. ¶遊客～; 유람객이 왈칵 몰려들다/听众～; 청중이 많이 몰려들다. ②기뻐서 활기를 띠다. 분발하다. ¶～参加; 기꺼이 참가하다/～认捐; 기꺼이 자진해서 기부하다/～认购公债; 기꺼이 공채를 인수하여 사다. ③껑충껑충 뛰다. ¶～欢呼; 껑충껑충 뛰며 환호하다.

鲬(鯒) yǒng (용)
명〖魚〗 양태. ¶短～; 눈양태/瞳～; 점양태/鳄è～; 까지양태. =〔牛niú尾鱼〕

勇 yǒng (용)
①명형 용감〔과감〕(하다). 용기(있다). ¶有～无谋; 용기만 있고 지혜가 없다/智～双全; 지용 겸비/英～地奋fèn斗; 영웅적으로〔용감하게〕 분투하다/～于改过; 잘못을 고치는 데 용감하다. ②명〖史〗 의용병(義勇兵)《청대(淸代), 전쟁시 임시로 모집한 병사》. =〔壮zhuàng勇〕〔乡xiāng勇〕 ③명 성(姓)의 하나.

〔勇胆〕 yǒngdǎn 형 용감하고 담력이 있다.

〔勇丁〕 yǒngdīng 명 의용병.

〔勇敢〕 yǒnggǎn 형 용감하다. ¶机智～; 슬기롭고 용감하다/～作战; 용감히 싸우다.

〔勇冠三军〕 yǒng guàn sān jūn 〈成〉 전군(全軍)을 통해서 으뜸 가는 용자(勇者).

〔勇悍〕 yǒnghàn 형 〈文〉 씩씩하고 굳세다.

〔勇健〕 yǒngjiàn 〈文〉 형 용건하다. 용감하고 튼튼하다. 명 건아(健兒).

〔勇劲儿〕 yǒngjìnr 명 용감. 용기.

〔勇决〕 yǒngjué 〈文〉 동 용단을 내리다. 형 용감하고 결단력이 있다. 기력이 있어 굴하지 않다.

〔勇略〕 yǒnglüè 명형 〈文〉 용기와 지략(智略)(이 풍부하다). ¶～过人; 용기와 지략이 남보다 뛰어나다.

〔勇莽〕 yǒngmǎng 형 용감하나 무모하다.

〔勇猛〕 yǒngměng 형 용맹하다. 용맹스럽다.

〔勇气〕 yǒngqì 명 용기. ¶有～; 용기가 있다/～十足; 용기가 넘치다/鼓起～; 용기를 불러일으키다.

〔勇士〕 yǒngshì 명 용사. ¶招募～; 용사를 모집하다.

〔勇士门下无弱兵〕 yǒngshì ménxià wú ruòbīng 〈諺〉 용장 밑에 약졸 없다. =〔强qiáng将手下无弱兵〕

〔勇士星〕 yǒngshìxīng 명〖天〗 명왕성의 별칭. =〔冥míng王星〕

〔勇退〕 yǒngtuì 명동 용퇴(하다). ¶激流～; 〈成〉 어려운 국면에서 결단을 내려 용퇴하다/洁jié身～; 깨끗하게 용퇴하다/及时～; 제 때에 물러나다.

〔勇往〕 yǒngwǎng 동 용감히 나아가다. ¶士兵们都～直前, 没有退后的; 병사들은 용왕 매진하여, 후퇴하는 자가 없었다.

〔勇为〕 yǒngwéi 동 용감히 하다. ¶不但～, 而且乐为; 용감하게 할 뿐만 아니라 기꺼이 하다.

〔勇武〕 yǒngwǔ 형 〈文〉 용무하다. 용맹하다.

〔勇侠〕 yǒngxiá 형 〈文〉 용감하고 의협적이다.

〔勇毅〕 yǒngyì 형 〈文〉 씩씩하고 의지가 굳다.

〔勇营〕 yǒngyíng 명 옛날, 의용병(의 막사). 임시 모집된 민병(의 병영).

〔勇于〕 yǒngyú 용감하게. 과감하게. ¶～负责; 용감하게 책임을 지다/～承认错误; 겁내지 않고 잘못을 인정하다.

〔勇跃〕 yǒngyuè 동 용약하다. 용감하게 뛰어나가다. ¶～向前; 용약 전진하다/～捐juān款; 너도나도 기꺼이 기부하다.

〔勇壮〕 yǒngzhuàng 형 용장하다. 용감하고 굳세다. 씩씩하다. ¶～绝伦; 남달리 뛰어나게 용감하고 굳세다/～的兵卒; 용감하고 굳센 병졸/～的小艇乘风破浪横渡太平洋; 씩씩하고 날쌘 작은 배가 바람을 타고 파도를 넘어 태평양을 횡단하다.

湧 **yǒng** (용)
①動 ⇒〔涌yǒng〕 ②명 성(姓)의 하나.

用 **yòng** (용)
①動 쓰다. 사용하다. ¶大材小～;〈成〉큰 재료를 작은 데에 쓰다(훌륭한 재능을 살리지 못함) / ～电diàn; 전기를 쓰다 / ～一个人就够了; 한 사람 쓰면 그것으로 충분하다 / 要把三分之一的时间～于复习; 시간의 3분의 1을 복습에 쓰다 / ～刀杀人; 칼로 사람을 죽이다 / ～笔写字; 붓으로 글씨를 쓰다 / ～什么做的? 무엇으로 만든 것이냐? ②動〈敬〉마시다. 들다. ¶请～茶吧; 차를 드십시오 / 请～点儿点心; 과자 좀 드시지요 / ～饭; ⇓ ③조동 (…하는 것이) 필요하다(부정형(否定形)이나 반어(反語)로 씀). ¶不～; …할 필요 없다 / ～我去烧水吗? 제가 물을 데우러 갈까요? / 白天不～开灯; 낮에는 전등을 켜지 않아도 된다 / 不～再说了, 已经明白了; 말하지 않아도 좋다. 이미 다 알고 있으니. ④명 용도. 효과. 효용. ¶有～; 소용되다 / 为wéi～甚shèn大;〈文〉그 필요함이 매우 크다 / 多少总会有点～; 얼마만큼은 그래도 좀 쓸모가 있을 것이다. ⑤명 비용. ¶零líng～; 잡비 / 国～; 국비 / 省shěng吃俭～;〈成〉먹는 것을 줄여 경비를 절약하다. ⑥접〈文〉때문에. 그러므로(주로 서한문(書翰文)에 씀). ¶～此…; 이 때문에… / ～特; ⇓ ⑦개〈文〉…으로(써).

【用宝】 yòngbǎo 動 (옛날, 황제가) 옥새(玉璽)를 찍다.
【用笔】 yòng bǐ ①붓을 사용하다. 글씨를 쓰다. ②(yòngbǐ) 명 운필(법).
【用兵】 yòng.bīng 動 용병하다. 군사를 부리다. 싸움을 하다. ¶～如神; 용병술이 귀신같다 / 养yǎng兵千日, ～一时;〈諺〉오랜 태평 시대에 일부러 군사를 양성하는 것은, 일단 유사시에 유용하게 쓰기 위해서다(헛된 일 같아도, 평소부터 준비해 두는 것은 만일의 경우를 위해서이다). =〔动dòng兵〕
【用不得】 yòngbude ①사용할 수 없다. ¶这个东西～; 이 물건을 사용할 수 없다. ②쓸모가 없다.
【用不惯】 yòngbuguàn 사용에 숙달되어 있지 않다.
【用不尽】 yòngbujìn (많아서) 다 써 버릴 수 없다. 다 소비할 수 없다. ¶吃不尽～的财产; 다 먹어 치우거나 다 써 버릴 수 없는 (많은) 재산.
【用不了】 yòngbuliǎo ①(많아서) 다 못 쓰다. ¶～这么多; 이렇게 많이 쓸 수 없다. ②(…까지) 필요치〔걸리지〕 않다. ¶～十分钟就可以到; 10분도 안 걸리어 도착합니다. ‖↔〔用得了〕
【用不着】 yòngbuzháo 필요치 않다. 쓸모없다. ¶～大家的同意; 모든 사람의 동의까지는 필요치 않다 / 这样的交情～客气; 이런 격의 없는 사이에 사양하실 건 없습니다 / 这本书我现在～; 이 책은 지금 필요하지는 않다 / ～现在就去; 지금 당장 갈 필요는 없다. ↔〔用得着〕
【用餐】 yòng.cān 動 식사를 하다. ¶在餐车～; 식당차에서 식사하다.
【用茶】 yòng.chá 動 차를 마시다. ¶您请～; 차 드십시오.
【用场】 yòngchǎng 명〈南方〉용도. 사용처. ¶留下倒派上～了; 남겨 놓았더니 용도가 있었다 / 派～; 용처가 있다.
【用处】 yòngchu 명 용도. 쓸모. ¶有～; 쓸모가 있다 / 没有～; 쓸모가 없다 / 水库的～很多; 댐의 용도는 매우 많다.
【用得上】 yòngdeshàng 소용되다. ↔〔用不上〕
【用得着】 yòngdezháo 쓸모가 있다. 소용되다. ↔〔用不着〕
【用掉】 yòngdiào 動 모두 써 버리다. 써서 없어지다.
【用度】 yòngdù 명 ①비용. 경비. ②경제 상황. 자금 사정. ¶他近来～很窘jiǒng; 그는 요즘 자금 사정이 궁색하다.
【用法】 yòngfǎ 명 용법. 쓰는 법.
【用饭】 yòng.fàn 動 식사를 하다. ¶请～吧; 진지 드십시오.
【用非所学】 yòng fēi suǒ xué〈成〉배운 것과 직무가 어울리지 않다.
【用费】 yòngfèi 명 (어떤 일에 대한) 비용.
【用工】 yòng.gōng 動 노동력을 사용하다.
【用工夫】 yòng gōngfu 정력을 소비하다. 시간과 수고를 충분히 들이다. 노력하여 연습하다. ¶他在这门学问上用过不少工夫; 그는 이 학문에 많은 노력을 들였다.
【用功】 yòng.gōng 動 ①(열심히) 공부하다. 힘써 배우다. ¶用死功; 요령(要領) 없는 공부를 하다 / 用什么功? 무슨 공부를 하니? / 他很～; 그는 매우 열심히 공부한다. ②(yònggōng) 노력하다. (공부에) 힘쓰다. ¶～不到; 노력이 부족하다.
【用光】 yòngguāng 動 모두 써 버리다. ¶东西都～了; 물건은 모두 써 버렸다 / 原料已经～了; 원료는 이미 바닥이 났다.
【用户】 yònghù 명 (수도·전기·전화 설비 등의) 가입자. 사용자. ¶电话～; 전화 사용자. 전화 가입자 / ～电报 =〔直通电报〕; 텔렉스 / ～程序; (컴퓨터에서) 유저 프로그램.
【用回】 yònghuí 動 다시 쓰다. 재기용하다. ¶有人仍想～他, 但为多数人所反对; 그를 재기용하자는 사람도 있었으나, 대다수의 사람에 의해 반대되었다.
【用货换货】 yòng huò huàn huò〈成〉⇒〔以yǐ货易货〕
【用计】 yòngjì 動 계략을 쓰다.
【用家】 yòngjiā 명 수요자. ¶不少～都乐于采购; 많은 수요자가 모두 기꺼이 구입하다.
【用间】 yòngjiàn 動 ①이간을 꾀하다. ②간첩을 이용하다.
【用尽】 yòngjìn 動 모두 써 버리다. 다 쓰다. ¶～心机;〈成〉여러 가지 궁리를 다하다 / ～方法; 온갖 방법을 다 쓰다 / ～钱财; 돈이나 재산을 다 쓰다 / ～脑筋; 온갖 머리를 다 짜내다 / ～各种方法; 여러 가지 방법을 다 써 보다.
【用劲】 yòng.jìn 動 힘을 쓰다. ¶一齐～; 일제히 힘을 주다 / 多用一把劲, 就多一分成绩; 힘쓰면 쓴 만큼 성과가 오른다.
【用具】 yòngjù 명 용구. 도구. ¶炊事～; 취사 용구.
【用款】 yòngkuǎn 명 비용. 경비.
【用来】 yònglái 動 ①(…을 위해) 사용하다. 쓰다. ¶可以～换取别的各种各样的东西; (그것을 써서) 다른 여러 가지 것과 바꿀 수 있다 / 把油烟和松烟～做墨; 유연과 소나무 검댕을 써서 먹을 만들다. ②사용해 보다. 써보다. ¶这本手册～很方便; 이 수첩은 써 봤더니 매우 편리하다.
【用力】 yòng.lì 動 ①힘을 들이다. 힘을 내다. ¶～把门推了一下; 힘주어 문을 확 밀었다. ②노력하다.
【用料】 yòngliào ①명 사용 재료. ②(yòng.liào)

통 재료를 사용하다.

〔用命〕 yòngmìng 통 〈文〉 명령에 복종하다. 명령에 따르다. ¶士卒～; 병사들이 명령에 복종하다.

〔用牛靠鞭, 种田靠天〕 yòng niú kào biān, zhòng tián kào tiān 〈諺〉 소를 부리는 데는 채찍을 쓰고, 논밭을 가는 데는 하늘에 의지한다《농사의 풍흉(豐凶)은 천명에 의한다》.

〔用品〕 yòngpǐn 명 용품. ¶照相xiàng～; 사진 용품.

〔用器画〕 yòngqìhuà 명 〖數〗 용기화.

〔用钱〕 yòng∙qián 통 돈을 쓰다. ¶～如用水; 〈諺〉 돈을 물쓰듯 하다.

〔用钱〕 yòngqian 명 구전(口錢). 커미션. 수수료. =〔佣金〕〔佣钱〕

〔用情〕 yòngqíng 통 ①정으로 사람을 움직이게 하다. ②배려하다. 마음 쓰다. ¶～太专; 마음 쓰는 것이 너무 외곬이다 / 不必那么～; 그렇게 마음 쓸 필요는 없다.

〔用罄〕 yòngqìng 통 〈文〉 다 써버리다.

〔用人〕 yòng∙rén 통 ①사람을 쓰다. 사람을 부리다. ¶～不当; 인선(人選)이 타당하지 않다 / 不会～; 사람을 쓰는 것이 서투르다 / 疑人不用, ～不疑; 〈諺〉 의심스러운 사람은 쓰지 않으며, 쓴 사람은 의심하지 않는다 / ～失当dàng; 사람의 채용을 그르치다 / 善于～; 사람을 잘 부리다. ②사람〔일손〕을 필요로 하다. ¶现在正是～的时候; 지금은 바로 사람이 필요한 때이다.

〔用人〕 yòngren 명 하인. 사용인. ¶女～; 하녀.

〔用膳〕 yòng∙shàn 통 〈文〉 식사하다.

〔用上〕 yòngshàng 쓰이게 되다. 쓰고 있다.

〔用舍行藏〕 yòng shě xíng cáng 〈成〉 임용되면 출사(出仕)하고 임용되지 않으면 숨어 있다《유가(儒家)의 출사 진퇴(出仕進退)에 대한 태도》. =〔用行舍藏〕

〔用神〕 yòngshén 통 생각하다. 신경을 쓰다. 유의하다.

〔用世〕 yòngshì 통 〈文〉 세상을 위해 일하다. 세상에 (중히) 쓰이다. ¶～之才; 세상을 위해 도움이 되는 재능〔인재〕.

〔用事〕 yòng∙shì 통 ①〈文〉 실권을 쥐다. 권력을 장악하다. ¶奸臣～; 간신이 실권을 쥐다. ②(감정적으로) 일을 처리하다. ¶意气～; 일시적 감정으로 일을 처리하다 / 感情～; 감정적으로 일을 처리하다. ③〈文〉 전고(典故)를 인용하다.

〔用是〕 yòngshì 접 〈翰〉 그 까닭에. 그 때문에. 그러므로. ¶～之故; 그 때문에.

〔用水〕 yòng∙shuǐ 통 ①물을 쓰다. ¶～洗手; 물로 손을 씻다. ② ⇨〔行xíng水〕

〔用特〕 yòngtè 〈翰〉 따라서 특히. 이를 위해 특별히. ¶～函达; 이를 위해 특별히 서면으로 알려 드립니다.

〔用头(儿)〕 yòngtou(r) 명 사용처. 사용할 만한 가치. ¶没(有)什么～; 아무런 용도〔쓸모〕가 없다. 注 '有～' '没(有)～' 의 형으로 씀.

〔用途〕 yòngtú 명 용도. ¶～很广; 용도가 매우 넓다 / 很有～; 제법 용도가 많다 / 一套设备, 多种～; 한 세트의 설비에 여러 용도.

〔用武〕 yòng∙wǔ 통 ①무력을 사용하다. ②완력을 쓰다. 완력을 휘두르다. ¶这里没有他～之地; 여기서는 그가 완력을 휘두를 데가 없다. ③재능을 발휘하다. ¶英雄无～之地; 영웅이 그 재능을 발휘할 기회가 없다.

〔用贤〕 yòngxián 통 〈文〉 유능한 인재를 등용하다.

〔用项〕 yòngxiàng 명 ①비용. 경비. ¶小～; 자질구레한 비용 / 今天我有点儿紧～; 오늘 나는 돈을 좀 급히 쓸 데가 있다 / 有一笔～; 돈 쓸 데가 한 군데 있다. ②용도. 쓸데. ¶有何～? 어떤 용도가 있는가? / ～很窄zhǎi; 용도가 매우 좁다.

〔用心〕 yòngxīn 명 생각. 의도. 속셈. 저의. ¶别有～; 따로 속셈이 있다 / 险恶～; 음험하고 악랄한 속셈 / 其～何等阴毒! 그 저의가 얼마나 음험한가! / 究竟他～何在? 도대체 그의 속셈은 무엇이냐? (yòng∙xīn) 통 마음을 쓰다. 주의력을 집중하다. 머리를 쓰다. ¶～用意地; 열심히. 면밀하게. 주도하게 / 学习～; 공부에 마음을 쓰다 / ～念书; 노력하여 공부하다 / 无所～; 〈成〉 조금도 마음을 쓰지 않다 / ～所在; 〈成〉 의도하는 바. 노리는 바. =〔下心〕

〔用心思〕 yòng xīnsi 마음을〔애를〕 쓰다. 걱정하다. ¶你不必在这问题上～! 네가 이 문제에 애쓸 필요는 없다!

〔用刑〕 yòng∙xíng 통 고문 도구를 쓰다. 형구(刑具)를 사용하다. 고문하다. ¶旧日官衙～拷打不知屈杀了多少人; 옛날 관청에서는 형구로 고문을 하여 얼마나 많은 사람을 무고하게 죽였는지 모른다.

〔用行舍藏〕 yòng xíng shě cáng 〈成〉 ⇨〔用舍行藏〕

〔用以〕 yòngyǐ 접 ①…에 의하여. …을 사용하여《'以'는 '而'·'来'와 바꾸어 사용할 수 있음》. ¶这是一切剥削阶级～毒害人民的鸦片; 이것은 모두 착취 계급이 백성들을 해치기 위해 사용하는 아편이다 / 知识分子更是把知识商品化, ～获取高额利润; 지식 분자는 더욱더 지식을 상품화하고, 그것에 의하여 고액의 이윤을 손에 넣는다. ②때문에. 그런 까닭으로. 그러니까.

〔用意〕 yòngyì 명 ①뜻. 생각. 의도. 저의(底意). 속셈. ¶我说这话的～, 只是想劝告他一下; 내가 이 말을 하는 의도는 단지 그에게 충고하고 싶었을 뿐이다 / ～所在; 의도하는 바 / ～甚shèn善; 의도가 매우 좋다. ②배려. 담긴 뜻. ¶送这件礼物～很深; 이것을 선물하는 데에는 깊은 뜻이 담겨 있다. 통 마음을 쓰다. 주의하다.

〔用印〕 yòng∙yìn 통 도장을 찍다. 날인하다《점잖은 경우에 쓰는 말로, 보통은 '盖图章'이라 함》.

〔用语〕 yòngyǔ 명 ①용어. 단어의 사용. ¶～不当; 단어의 사용이 부적당하다. ②용어《어떤 방면에서 쓰이는 말》. ¶贸易～; 무역 용어 / 日常～; 일상 용어 / 学术～; 학술 용어.

〔用之不竭〕 yòng zhī bù jié 〈成〉 아무리 써도 다 쓸 수 없다. ¶取之无禁, ～; 아무리 취(取)해도 금(禁)하는 사람이 없으며, 아무리 써도 없어지지 않는다.

〔用主(儿)〕 yòngzhǔ(r) 명 ①사용자. 고용주. ②수요자. 매주(買主). 고객. ¶直接卖给～, 两不吃亏; 직접 살 사람한테 팔면 양쪽 다 손해를 보지 않는다.

〔用馔〕 yòng∙zhuàn 통 〈文〉 식사를 하다.

〔用字无底〕 yòngzì wú dǐ 〈諺〉 '用'이란 자의 쓰임에는 한〔끝〕이 없다《돈이나 물건은 쓰려고만 한다면 끝이 없는 법이다》.

佣 yòng (용)

명 수수료. 구전. ⇒yōng

〔佣金〕 yòngjīn 명 ⇨〔佣钱〕

〔佣钱〕 yòngqian 명 수수료. 커미션. =〔佣金jīn〕〔佣费〕〔用钱〕

YOU ㄧㄡ

优(優) **yōu** (우) ①형 우수하다. 뛰어나다. ¶品学兼～; 인품·학문 모두 뛰어나다 / ～等; ⇩ / 占zhàn～势; 우세를 점하다. ②형 〈文〉 충분하다. 풍부하다. ¶彼～为wéi之; 그는 그것을 충분히 할 수 있다 / 待遇从～; 대우는 충분히 한다 / 生活～裕yù; 생활이 풍족해서 여유가 있다. ③명 (옛날의) 배우(俳優). 연기자. ¶名～; 명우. 명배우. ④명 성(姓)의 하나.

〔优才劣用〕 yōu cái liè yòng 〈成〉 뛰어난 인재를 하찮게 쓰다.

〔优长〕 yōucháng 〈文〉 명 장점. 형 우수하다. 뛰어나다.

〔优待〕 yōudài 명동 우대(하다). 특별 대우(하다). ¶～券quàn; 우대권 / ～价格; 특별 할인 가격. ↔〔薄bó待〕

〔优等〕 yōuděng 명형 우등(하다). ¶成绩～; 성적이 우등이다〔우수하다〕 / 考列～; 시험에서 우수한 성적을 거두다. ↔〔劣liè等〕

〔优底〕 yōudǐ 명 주트(jute). =〔黄麻〕

〔优点〕 yōudiǎn 명 장점. 우수한 점. ¶发扬～; 장점을 발휘하다 / 有哪些～? 무슨 장점이 있는가? / 勇于负责是他的～; 과감히 책임을 지는 것이 그의 장점이다. ↔〔缺quē点〕

〔优抚〕 yōufǔ 동 우대하고 위문하다. ¶～军烈属的工作, 他也积极地做; 군인 가족·전몰 장병의 유가족을 우대 위문하는 활동도 그는 적극적으로 한다.

〔优抚金〕 yōufǔjīn 명 우대 위문금. ¶改善现行的工资制度和～制度; 현행의 임금 제도와 우대 위문금 제도를 개선하다.

〔优厚〕 yōuhòu 형 (대우나 물질적 조건이) 좋다. 후하다. ¶稿酬～; 원고료가 후하다 / 生活待遇特别～; 생활상의 대우가 특히 좋다 / ～的礼遇; 융숭한 예우 / ～的薪水; 충분한〔특별 대우의〕 급료.

〔优弧〕 yōuhú 명《數》 반원보다 큰 호(弧). 우호.

〔优惠〕 yōuhuì 명《經》 우대. 특별 대우. 특혜. ¶～价格; 우대 가격 / ～条件; 특혜 조건 / ～待遇; 특혜 대우. 최혜국 대우 / ～贷款; 특혜 차관.

〔优价〕 yōujià 명 최고 가격. 우대 가격. ¶报～; 베스트 오퍼를 하다.

〔优眷〕 yōujuàn 동 〈文〉 특별히 보살피다. ¶承蒙～感曷hé胜言; 〈翰〉 특별한 보살핌을 받자와 감사하는 마음은 말로 표현할 수 없을 정도입니다.

〔优军工作〕 yōujūn gōngzuò 명 군인을 위문하는 일.

〔优奎宁〕 yōukuíníng 명《藥》 에틸 탄산 퀴닌. =〔欧ōu规宁〕〔碳tàn酸乙酯酸奎宁〕〔无wú味奎宁〕〔乙yǐ碳酸奎宁〕

〔优良〕 yōuliáng 형 우량하다. 뛰어나다. 훌륭하다. ¶～的传统; 훌륭한 전통 / 艰苦朴素的～作风; 근면 소박한 훌륭한 기풍.

〔优劣〕 yōuliè 명 우열. 좋고 나쁨. ¶分别～; 우열을 구분하다.

〔优伶〕 yōulíng 명 〈文〉 (옛날) 배우. =〔优人〕

〔优洛托品〕 yōuluòtuōpǐn 명 ⇨〔乌wū洛托品〕

〔优美〕 yōuměi 형 우미하다. ¶风景～; 경치가 매우 아름답다 / ～的姿态; 아름다운 자태.

〔优孟衣冠〕 yōu mèng yī guān 〈成〉 ①연극을 하다. ②옛사람이나 남의 흉내를 내다(‘优孟’은 춘추(春秋) 시대의 유명한 연예인).

〔优婆塞〕 yōupósè 명《佛》〈梵〉 우바새. 선남(善男)(남성 불교 신자).

〔优婆夷〕 yōupóyí 명《佛》〈梵〉 우바이. 선녀(善女)(여성 불교 신자).

〔优迁〕 yōuqiān 명 특별 승진. ¶因为他有战功, 所以政府特别给他破格～; 그는 전쟁에서 공로가 있었으므로, 정부에서는 특히 그에게 파격적인 특진을 시켜 주었다.

〔优亲厚友〕 yōu qīn hòu yǒu 〈成〉 친척을 우선하고, 친구를 후히 대접하다.

〔优缺点〕 yōuquēdiǎn 명 장점과 단점. 뛰어난 점과 결점.

〔优人〕 yōurén 명 ⇨〔优伶〕

〔优容〕 yōuróng 동 〈文〉 관대하게 대우하다〔다루다〕.

〔优柔〕 yōuróu 형 ①〈文〉 온화하고 얌전하다. ②〈文〉 편하고 자유롭다. 느긋하고 침착하다. ③우물쭈물하고 결단력이 없다. ¶～寡断; 〈成〉 우유부단하다.

〔优生学〕 yōushēngxué 명《生》 우생학. =〔善shàn种学〕〔淑shū种学〕

〔优胜〕 yōushèng 명동 우승(하다). ¶～者; 우승자 / 他在这次比赛中获得～奖; 그는 이번 시합에서 우승상을 획득했다.

〔优胜劣败〕 yōu shèng liè bài 〈成〉 우승 열패. 적자 생존.

〔优势〕 yōushì 명 우세. 우위. ¶上半场的比赛主队占～; 전반전은 홈 팀이 우위를 차지했다.

〔优殊〕 yōushū 형 〈文〉 특히 뛰어나다. 뛰어나게 우수하다.

〔优属〕 yōushǔ 명동 군인 가족에 대하여 우대(를 하다). ¶举行拥军～运动月; 군대 옹호와 군인 가족 옹호 우대의 달 운동을 거행하다.

〔优昙钵华〕 yōutánbōhuā 명 ⇨〔优昙华①〕

〔优昙钵花〕 yōutánbōhuā 명 ⇨〔优昙华①〕

〔优昙华〕 yōutánhuā 명 ①《植·佛》 우담화(3천 년에 한 번 꽃이 핀다는 상상의 식물). =〔优昙钵华〕〔优昙钵花〕〔优昙花〕〔昙花②〕〔昙华②〕〔灵líng瑞华〕 ②《植》 인도산 무화과나무의 일종. ③ ‘草cǎo(蜻)蛉’의 알.

〔优昙花〕 yōutánhuā 명 ⇨〔优昙华①〕

〔优渥〕 yōuwò 형 〈文〉 후하다. 두텁다. ¶待遇～; 대우가 융숭하다 / 宠chǒng命～; 생각하심이 도탑다.

〔优先〕 yōuxiān 동 우선하다. 〈轉〉 우선적으로. ¶以工龄大的～录用; 경험이 많은 사람을 우선 채용하다 / 对老年人、孕妇、小孩要～; 노인·임신부·어린이는 우선 시켜야 한다 / ～发展; 우선적으로 발전시키다.

〔优先股〕 yōuxiāngǔ 명《經》 우선주(優先株).

〔优先权〕 yōuxiānquán 명《法》 우선권. ¶会员享xiǎng有～; 회원은 우선권을 가지고 있다.

〔优闲〕 yōuxián 형 여유가 있어 한가하다. ¶生活～; 생활에 여유가 있어 한가롭다.

〔优秀〕 yōuxiù 형 우수하다. 뛰어나다. ¶成绩～; 성적이 우수하다 / ～售货员; 모범 점원.

〔优选法〕 yōuxuǎnfǎ 명 ①(시스템 엔지니어링에서) 최적치법(最適値法). ②(컴퓨터에서) 최적화(最適化).

〔优雅〕 yōuyǎ 형 〈文〉 우아하다. 고상하다.

〔优异〕 yōuyì 형 〈文〉 특별히 우수하다. ¶成绩～; 성적이 뛰어나다 / 品种～; 품종이 특히 우수하다.

〔优游〕 yōuyóu 동 〈文〉 ①유유자적하다. ¶～自在; 유유자적하다 / ～岁月; 유유히 세월을 보내다. ②우물쭈물하다. 꾸물거리다. ¶～不决; 우물쭈물하며 분명히 결단을 내리지 못하다.
〔优于〕 yōuyú 〈文〉 …보다 낫다. …보다 뛰어나다. ¶～对手; 상대보다 우위이다〔뛰어나다〕.
〔优遇〕 yōuyù 명동 우대(하다). ¶受到了～; 우대를 받다 / 以示～; 우대함을 표시하다.
〔优裕〕 yōuyù 형 풍족하다. 유복하다. 넉넉하다. ¶生活～; 생활이 풍족하다.
〔优越〕 yōuyuè 형 우월하다. 낫다. 뛰어나다. ¶成绩比人～; 성적이 남보다 뛰어나다 / 民族的～感就是邦交的障碍; 민족의 우월감이 국교의 장애가 된다 / ～性; 우월성. 우위성.
〔优哉游哉〕 yōu zāi yóu zāi 〈成〉 유유자적하는 모양. 한가롭게 지내는 모양. ¶～地逛街; 한가롭게 거리를 거닐다.
〔优质〕 yōuzhì 명 우수한 (품)질. ¶～钢; 상질강. 질이 좋은 강철.

忧(憂) yōu (우) ①명 걱정거리. 근심. 우환. 재난. ¶终止了百年来的内～外患; 100여년 동안의 내우외환이 종지부를 찍었다 / 无～无虑; 근심 걱정이 없다. ②동 근심하다. 걱정하다. ¶杞人～天; 〈成〉 기우. 쓸데없는 걱정 / 担dān～; 걱정하다 / ～国之士; 우국지사 / ～闷; ⇩ / ～伤; ⇩ ③명 부모의 상(喪). ¶丁dīng内～丁外艰jiān? 모친상이냐 부친상이냐? / 丁～; 부모상을 당하다. ④명 질병.
〔忧愁〕 yōuchóu 형 우울하다. 동 근심〔걱정〕하다.
〔忧愤〕 yōufèn 형 〈文〉 (근심·노여움 따위가 뒤엉켜) 답답하고 개운치 않고 언짢다. 울분에 차 있다. ¶～不平; 언짢은 기분으로 마음이 가라앉지 않는다 / 满怀～; 울분을 가슴에 가득히 품다.
〔忧患〕 yōuhuàn 명 우환. 근심. 걱정. 시름. ¶饱经～; 근심과 환난을 모두 겪다.
〔忧煎〕 yōujiān 동 〈文〉 근심으로 속을 태우다. 걱정으로 초조해하다.
〔忧惧〕 yōujù 동 걱정하고 두려워하다.
〔忧虑〕 yōulǜ 명동 우려(하다). 걱정(하다). ¶脸上表现出万分～和不安; 매우 걱정하고 불안해 하는 기색이 얼굴에 드러났다. 형 걱정스럽다. 근심스럽다.
〔忧闷〕 yōumèn 동 걱정거리로 우울해하다. 골머리를 앓다. 형 근심으로 우울하다.
〔忧能伤人〕 yōu néng shāng rén 〈成〉 근심은 육체를 상하게 한다. 근심은 몸의 해독이다.
〔忧戚〕 yōuqī 동 〈文〉 근심하여 비통해하다.
〔忧容〕 yōuróng 명 〈文〉 걱정스러운 표정. ¶～满面; 걱정스러운 표정이 얼굴에 가득하다. =〔愁chóu容〕
〔忧色〕 yōusè 명 시름띤 얼굴빛. ¶面带～; 얼굴에 걱정스런 빛을 띠다.
〔忧伤〕 yōushāng 동 슬퍼하고 걱정하다. ¶他听见母亲病重的消息, 极其～; 그는 어머니의 병이 위중하다는 소식을 듣고, 몹시 슬퍼하고 상심했다.
〔忧思〕 yōusī 〈文〉 명동 우려(하다). 근심(하다). 명 우수의 정. 시름. ¶～忡chōng忡; 우수의 정이 자꾸 일다.
〔忧思成病〕 yōu sī chéng bìng 〈成〉 근심한 나머지 병들다.
〔忧心〕 yōuxīn 명 〈文〉 걱정스러운 마음. ¶～如焚fén; 걱정스러워서 안절부절못하다 / ～忡忡; 근심 걱정에 싸인 모양 / ～如酲; 걱정이 되는 나머지 마음이 가라앉지 않는 모양.
〔忧形于色〕 yōu xíng yú sè 〈成〉 근심이 얼굴에 나타나다.
〔忧郁〕 yōuyù 동 근심 걱정하다. 번민하다. ¶～成疾; 근심 걱정으로 인하여 병이 나다. 형 우울하다. 마음이 무겁다.

攸 yōu (유) ①〈文〉 …하는 데〔바〕. ¶责有～归; 책임이 돌아가야 할 데가 있다. 누군가에게는 반드시 책임이 있다 / ～往咸宜; 가는 곳〔하는 일〕마다 다 좋다. ②부 〈文〉 즉. 곧. ¶风雨～除, 鸟鼠～去; 비바람도 새나 쥐도 쫓아 버릴 수 있다. 〈比〉 건축이 견고하다. ③형 〈文〉 아득히 멀다. ¶～～外域yù; 아득히 먼 외지(外地). ④(Yōu) 명 〖地〗 유 현(攸縣)《후난 성(湖南省)에 있는 현 이름》. ⑤명 성(姓)의 하나.
〔攸关〕 yōuguān 〈文〉 …에 관한 일. ¶生命～; 생명에 관계되는 일이다.

悠 yōu (유) ①형 (시간이) 오래 되다. (거리가) 멀다. ¶～久; 유구하다 / 道路～远; 길이 아득히 멀다. ②동 〈口〉 공중에서 휙 흔들다. (매달려서) 흔들거리다. ¶来回～; 계속 흔들다 / 把鞭子一～, 马就向前走了; 채찍을 홱 휘두르자 말이 곧 앞으로 나아갔다 / 揍zòu他、～他都不好, 只能文斗dòu不能武斗; 때려도 안 되고 매달아 흔들어도 안 되고, 말로 설득만 해야지 난폭한 주먹다짐은 안 좋다. ③형 유연(悠然)하다. 한적하다. 한산하다. ¶～然; ⇩ / ～闲; ⇩ ④동 〈京〉 (마음 등을) 가라앉히다. (힘 등을) 억누르다. ¶～着点劲儿, 别太猛了; 힘을 좀 늦춰라, 너무 호되게 하지 말고. ⑤동 〈方〉 목을 매다.
〔悠长〕 yōucháng 형 장구하다. 길다. 오래다. ¶～的岁月; 기나긴 세월 / ～的汽笛声; 길게 꼬리를 끄는 기적 소리.
〔悠荡〕 yōudàng 동 (공중에서) 흔들흔들 움직이다. 들떠서 안정되지 않다.
〔悠和〕 yōuhe 형 찬찬하다. 부드럽다. 유연하다. ¶你～着点儿说吧! 너 좀 부드럽게 이야기해라!
〔悠忽〕 yōuhū 형 〈文〉 ①하는 일 없이 세월을 허송하는 모양. ②세월이 허무하게 흐르는 모양. ③넋을 잃고 멍해 있는 모양.
〔悠晃〕 yōuhuàng 동 흔들흔들하다. 흔들리다.
〔悠久〕 yōujiǔ 형 유구하다. 오래다. ¶～的历史; 유구한 역사.
〔悠邈〕 yōumiǎo 형 ⇨〔悠远②〕
〔悠谬〕 yōumiù 형 〈文〉 (두서가 없거나 근거가 없어) 황당무계하다. ¶言词～, 难以置信; 말이 두서없이 황당무계하여 신뢰할 수가 없다.
〔悠然〕 yōurán 형 침착한 모양. 찬찬한 모양. 유유한 모양. ¶他～抽着烟, 等候着客人; 그는 천천히 담배를 피우면서 손님을 기다렸다 / ～神往; 〈成〉 유연하고 황홀한 상태에 있다 / ～自得; 〈成〉 유유 자적하는 모양.
〔悠停〕 yōuting 형 〈方〉 서두르지 않다. 찬찬하다. ¶喝酒要～点儿! 술은 적당히 마셔야 한다! / ～着办, 出不了大错儿; 천천히 하면 큰 실수는 없다.
〔悠闲〕 yōuxián 형 여유가 있고 누긋하다. 유연(悠然)하다. ¶态度～; 태도가 유연하다 / 踏着～的步子; 느릿느릿한 걸음걸이로 걷다 / ～自在; 유유하고 자유롭다. =〔幽闲②〕
〔悠阳〕 yōuyáng 형 〈文〉 해가 지는 모양.
〔悠扬〕 yōuyáng 형 〈文〉 ①은은하다. ¶隔水～午夜钟; 강 건너에서 한밤의 종 소리가 은은히 울려

온다. ②멀고 아득하다. ③오래다. ④목소리가 높아졌다 낮아졌다 하는 모양. ¶～的歌声; 높게 또는 낮게 흘러나오는 노랫소리. ⑤바람이 산들거리는 모양. ¶春风～; 봄바람이 산들거리다. ⑥의미 심장하다.

〔悠悠〕 yōuyōu 형 ①끝이 없는 모양. 멀고 끝없는 모양. ¶～之谈; 끝없는 이야기 / 驱qū马～; 말을 달려 먼 곳까지 가다. ②〈文〉 많다. ¶～者皆是; 많은 사람이 다 이렇다. ③〈文〉 황당무계하다. ④〈文〉 흔들흔들 공중에 떠 있는 모양. ¶～荡dàng荡; 흔들흔들 공중에 떠 있다. 들떠서 안정돼 있지 않다 / 两脚悬空～荡荡地好危险; 두 다리가 공중에 매달려 있어 몹시 위험하다. ⑤걱정하는 모양. 명 〈音〉 요요(yoyo)《장난감》.

〔悠远〕 yōuyuǎn 형 〈文〉 ①(시간적으로) 멀다. 매우 오래다. ¶～的童年; 아득히 먼 어린 시절 / 年代～; 연대가 아득히 오래다. ②(거리상으로) 멀다. ¶道路～; 길이 아득히 멀다 / ～的旅程; 아득한 여정. =〔悠邈miǎo〕

〔悠着〕 yōuzhe 동 〈方〉 삼가다. 천천히 하다. 알맞게 하다. ¶你得～去! 서두르지 말고 천천히 가게! / 你也得děi～来呀; 당신도 슬슬 시작해야죠.

呦 yōu (유)
①〈擬〉〈文〉 사슴의 울음소리. ¶～～鹿鸣; 매매 하고 사슴이 울다. ② 감 야! 앗! 어!《놀람을 나타내는 말》. ¶～, 怎么你也来了? 어어, 어떻게 너도 왔니? / ～, 碗怎么破了? 저런, 공기가 왜 깨졌을까?

幽 yōu (유)
①동 숨다. 피하다. ¶～居; ⇩ / ～会; ⇩ ② 동 유폐(幽閉)하다. 죄인을 가두다. ¶～囚; ⇩ / ～禁; ⇩ ③형 심원하다. 깊고 멀다. 어둡다. ¶～林; 깊은 숲 / ～室; 집안 깊숙이 있는 어두운 방 / ～谷gǔ; 유곡. 깊숙한 골짜기. ④형 조용하다. (마음이) 평온하다. ¶清～; 맑고 고요하다 / 竹林里很～雅; 대숲 속은 무척 고요하고 아취가 있다. ⑤(Yōu) 명 《地》 유주(허베이 성(河北省)의 북부 및 랴오닝 성(遼寧省)의 남부에 있던 주(州) 이름). ⑥명 저승. ¶～灵; ⇩ / ～冥; ⇩ ⑦명 성(姓)의 하나.

〔幽暗〕 yōu'àn 형 〈文〉 깊숙하고 어둡다. ¶～的角落; 깊숙하고 어두침침한 모퉁이〔방구석〕.

〔幽闭〕 yōubì 동 ①유폐하다. 가두다. ¶～于斗室之中; 좁은 방안에 가두다. ②방에 틀어박히다. 명 옛날, 여성의 성기를 막는 형벌.

〔幽愤〕 yōufèn 명 남몰래 가슴에 품는 울분. =〔幽忿〕

〔幽浮〕 yōufú 명 〈音〉 유에프오(UFO). 비행 접시. =〔飞碟〕

〔幽谷〕 yōugǔ 명 〈文〉 유곡. 깊숙한 골짜기.

〔幽会〕 yōuhuì 동 (남녀가) 밀회하다. ¶约了情人到公园去～谈情; 애인과 약속하여 공원에 가서 밀회하고 사랑을 속삭이다. 명 남녀의 밀회.

〔幽婚〕 yōuhūn 명 산 사람과 망령(亡靈)과의 결혼.

〔幽魂〕 yōuhún 명 〈文〉 유혼. 망령(亡靈). ¶～出现; 망령이 나타나다 / ～不散sàn; 망령이 떠나지 않다.

〔幽寂〕 yōujì 형 〈文〉 유적하다. 고요하고 쓸쓸하다.

〔幽禁〕 yōujìn 명동 〈文〉 유폐(하다). 연금(軟禁)(하다).

〔幽静〕 yōujìng 형 깊숙하고 조용하다. 고요하다. ¶～的环境; 정적(靜寂)한 환경 / 树影婆娑, 夜色分外～; 나무 그림자가 흔들리고 밤은 유달리 고요하다 / ～的山林别墅; 고요한 산림의 별장.

〔幽居〕 yōujū 동 유거하다. 은둔하다. 조용히 살다.

〔幽兰〕 yōulán 명 《植》 감람나무.

〔幽灵〕 yōulíng 명 유령. 망령. →〔幽魂〕

〔幽美〕 yōuměi 형 〈文〉 ①자연스럽게 아름다우며 고상하다. 수수하면서도 아름답다. ②그윽하고 고상하다.

〔幽昧〕 yōumèi 형 〈文〉 ①어두워서 알 수 없다. ②분명하지 않다. 애매하다. ¶事理～不明; 사리가 애매하고 분명치 않다.

〔幽门〕 yōumén 명 《醫·生》 유문. =〔《漢醫》下xià脘〕

〔幽眇〕 yōumiǎo 형 〈文〉 정미(精微)하다. ¶写景～动人; 경치의 묘사가 정미하여 사람을 감동시키다.

〔幽明〕 yōumíng 명 〈文〉 ①유명. 저승과 이승. ¶～隔世; 유명을 달리하다 / ～永隔; 〈成〉 사별하면 이승에서는 영원히 두번 다시 만날 수 없는 것. ②낮과 밤. ¶～相继; 밤에서 낮으로 이어지다. ③현우(賢愚). 선악. ¶人有～愚贤之分; 사람에게는 현우의 구별이 있다. ④수컷과 암컷. 자웅. ¶～难辨; 자웅의 구별이 어렵다.

〔幽冥〕 yōumíng 형 〈文〉 우매하다. 지식이 없다. ¶～而莫知其源; 지식이 없어 그 기원을 모르다. 명 《佛》 명토(冥土). 저승. =〔幽壤〕

〔幽默〕 yōumò 명 〈音〉 유머(humor). ¶～片; 유머 영화 / 这人真～; 이 사람은 참으로 유머러스하다 / 他生活太严肃了, 不懂得～; 그는 생활이 너무 엄격해서 유머를 이해하지 못한다. →〔滑稽〕〔诙谐〕〔酉鞣〕 형 그윽하며 함축성이 있다. ¶～地笑; 의미 있는 듯이 웃다.

〔幽栖〕 yōuqī 동 〈文〉 조용히 지내다. 세상을 피해 외딴 곳에 살다. ¶一个人～已久; 혼자서 이미 오랫동안 조용히 지내고 있다.

〔幽期〕 yōuqī 명 〈文〉 밀회의 약속. ¶别误了～; 밀회의 약속을 어겨서는 안 된다.

〔幽情〕 yōuqíng 명 마음 속 깊이 숨긴 정. ¶一缕lǚ～; 한 가닥 마음 속 깊이 간직한 감정.

〔幽囚〕 yōuqiú 동 유수하다. 감금하다.

〔幽趣〕 yōuqù 명 ①그윽한 취미. ②숨겨진 재미. 어렴풋한 흥취.

〔幽壤〕 yōurǎng 명 ⇨〔幽冥〕

〔幽人〕 yōurén 명 〈文〉 ①은둔하여 살고 있는 사람. ¶～雅士; 은둔하여 살고 있는 풍아한 선비. ②여자. ¶～之室; 여인의 방. ③〈比〉 소인. 하잘것 없는 인간. ¶你命中有～干扰; 너는 소인 때문에 관련이 되어 뒤얽히게 될 운명이다.

〔幽深〕 yōushēn 형 ①(의미가) 심원하다. ¶文中有很～的哲理; 글 가운데 매우 깊은 철리(哲理)를 간직하고 있다. ②(산수·수림(樹林)·궁전 등이) 깊숙하고 고요하다. =〔幽邃〕

〔幽思〕 yōusī 동 조용히 사색에 잠기다. 숙고하다. 깊이 생각하다. 명 깊은 생각. ¶发人～; 사람으로 하여금 깊은 생각에 잠기게 하다.

〔幽邃〕 yōusuì 형 ⇨〔幽深②〕

〔幽堂〕 yōutáng 명 〈文〉 ①조용한 방. ②분묘. 무덤.

〔幽天〕 yōutiān 명 〈文〉 서북방(西北方).

〔幽微〕 yōuwēi 형 〈文〉 (소리나 냄새가) 희미하다. 어렴풋하다.

〔幽闲〕 yōuxián 형 〈文〉 ①(여성이) 정숙하고 얌전하다. ¶她那～的姿态; 그녀의 저 조용하고 얌전한 모습. =〔幽娴〕 ② ⇨〔悠闲〕

〔幽香〕 yōuxiāng 명 그윽한 향기.
〔幽雅〕 yōuyǎ 형 유아하다. 그윽하고 품위있다. ¶庭园布置得很～; 정원의 배치가 아주 그윽하고 품위가 있다.
〔幽咽〕 yōuyè 〈擬〉〈文〉 ①흑흑《흐느껴 우는 소리》. ②졸졸《희미하게 물이 흐르는 소리》.
〔幽音〕 yōuyīn 명 《言》 (중국 음운학에서) 무성 자음(無聲子音).
〔幽忧〕 yōuyōu 형 근심하고 슬퍼하다.
〔幽幽〕 yōuyōu 형 ①(소리나 빛이) 희미하다. ¶～啜泣; 가냘프게 흐느껴 울다 / ～的路灯; 희미한 가로등. ②〈文〉 심원(深遠)하다.
〔幽冤〕 yōuyuān 명 〈文〉 세상에 드러나지 않은 무고한 죄.
〔幽怨〕 yōuyuàn 명 〈文〉 마음 속에 숨겨진 원한 《흔히, 여성의 애정에 관한 것을 가리킴》.

麀 yōu (우)
명 〈文〉 ①《動》 암사슴. ②(동물의) 암컷.

鄾 Yōu (우)
명 《地》 우《주대(周代)의 나라 이름. 현재의 후베이 성(湖北省) 샹판(襄樊)시의 북쪽》.

耰 yōu (우)
①동 씨 뿌린 다음에 흙으로 덮고 평평하게 고르다. ②명 흙 고르는 농구. 곰방메.

尤〈尢〉 yóu (우)
①형 특이하다. 우수하다. 특별나다. ¶拔其～; 그 훌륭한 것을 골라 내다 / 无耻之～; 아주 염치가 없다 / 择zé～取录; 우수한 사람을 골라 채용하다. ②부 유난히. 더욱이. 특히. ¶此地盛产水果, ～以梨桃著称; 이 지방은 여러 가지 과일이 나는데, 특히 배와 복숭아가 유명하다 / ～甚shèn; ⇩ / 身体弱的人～其容易被传染; 몸이 약한 사람은 특히 감염되기 쉽다 / ～须注意; 특별히 주의하기 바란다. →〔格外géwài〕 ③명 과실. 죄. ¶勿效～! (남의) 나쁜 짓을 흉내내지 마라! / ～而效之; ⇩ ④동 원망하다. 비난하다. 탓하다. ¶怨天～人; 〈成〉 하늘을 원망하고 남을 탓하다. ⑤명 성(姓)의 하나.
〔尤巴杯〕 Yóubābēi 명 《體》 〈音〉 유버배(Uber杯). ¶～世界女子羽毛球团体锦标赛; 유버배 세계 여자 배드민턴 선수권 대회.
〔尤而效之〕 yóu ér xiào zhī 〈成〉 남이 하는 못된 짓을 흉내내다. 남의 잘못을 흉내내다.
〔尤加利树〕 yóujiālì shù 명 《植》 유칼립투스. =〔桉ān树〕
〔尤可〕 yóukě ①더욱 …할 수 있다. ②가장 좋은.
〔尤其〕 yóuqí 부 특히. 그 중에서도. 더욱. ¶～余事; 말할 나위 없는 것 / ～重要的是这个问题; 특히 중요한 것은 이 문제이다 / 他的功课都很好, ～是语文最好; 그는 성적이 모두 좋은데, 특히 언어 문학이 가장 좋다 / 我喜欢画画, ～喜欢画风景画; 나는 그림 그리기를 좋아하는데, 특히 풍경화를 그리는 것을 좋아한다.
〔尤甚〕 yóushèn 형 〈文〉 우심하다. 더욱 심하다. ¶贩毒的罪比杀人～; 마약 밀매의 죄는 살인보다 도 더 무겁다.
〔尤物〕 yóuwù 명 〈文〉 ①특출난 사람. ②〈比〉 뛰어난 미인. ¶她真是一个天生的～啊; 그녀는 참으로 타고난 미녀이다.
〔尤异〕 yóuyì 형 〈文〉 특히 다르다. 특출하다.
〔尤云殢雨〕 yóuyún tìyǔ 〈比〉 정교(情交)의 격렬한 모양. ¶～雨情缱绻qiǎnquǎn; 운우지락(雲雨之樂)에 빠져서 떨어지지 않으려고 하다.
〔尤子手儿〕 yóuzishǒur 명 현명한 사람.

犹(猶) yóu (유)
①동 〈文〉 (마치) …(인) 것 같다. ¶虽死～生; 죽어도 살아 있는 것과 같다 / 过～不及; 〈成〉 지나친 것은 모자람만 못하다 / ～缘yuán木求鱼也; 나무에 기대어 물고기를 잡으려는 것과 같(이 헛된 일이)다. →〔如rú同〕 ②〈文〉 …조차. …까지도. ¶困兽～斗, 况怨敌乎? 궁지에 처한 짐승조차도 발악하는데, 하물며 원한 맺힌 적을 대해서야 어떠하랴? ③부 〈文〉 아직. 여전히. 그래도. ¶记忆～新; 기억이 아직도 새롭다 / 话～未了; 이야기는 아직 끝나지 않았다 / 冯先生甚贫～有一剑耳; 풍선생은 매우 가난하지만, 그래도 아직은 검이 있다. ④명 원숭이의 일종. ⑤동 망설이다. ¶～疑; ⇩ / ～豫; ⇩ ⑥명 성(姓)의 하나.
〔犹大〕 Yóudà 명 ①《人》 〈音〉 가롯 유다(Kerioth Judah)《예수를 배신한 12제자 중의 하나》. ②(yóudà) 〈轉〉 배반자.
〔犹女〕 yóunǚ 명 〈文〉 조카딸. 질녀(姪女).
〔犹且〕 yóuqiě 접 〈文〉 오히려. 그리고. 더욱.
〔犹然〕 yóurán 〈文〉 접 게다가. 그 위에 또. 더구나. 형 미소짓는 모양.
〔犹如〕 yóurú 동 〈文〉 …(인) 것 같다. …과 같다. ¶灯烛辉煌, ～白昼; 등불이 휘황하여 마치 대낮 같다 / 这种友谊～长江一样长流不息; 이러한 우의는 장강(長江)처럼 끊이지 않고 언제까지나 계속된다.
〔犹孙〕 yóusūn 명 〈文〉 형제의 손자.
〔犹太复国主义〕 Yóutài fùguó zhǔyì 명 시오니즘(Zionism). =〔锡xī安主义〕
〔犹太教〕 Yóutàijiào 명 《宗》 유태교. =〔挑Tiāo筋教〕〔以色列教〕〔一赐乐业教〕
〔犹太人〕 Yóutàirén 명 《民》 유태인.
〔犹言〕 yóuyán 〈文〉 또한 …이라는 말과 같다.
〔犹疑〕 yóuyí 동 우물쭈물하다. 주저하다. 망설이다. ¶他还是～不定, 拿不准主意; 그는 아직도 주저하며 명확한 결정을 못 내리고 있다 / 他做事爱犯～没有决断力; 그는 일을 하는 데 주저하기만 하고 결단력이 없다. =〔游移〕〔犹豫〕〔犹与〕〔由豫〕
〔犹疑两可〕 yóu yí liǎng kě 〈成〉 이것저것 생각하여 태도가 결정되지 않다. 의심하고 망설이며 양다리 걸치다. ¶事情尚在～之间; 사정은 아직 어느 쪽으로도 결정을 보지 못한 상태이다.
〔犹犹〕 yóuyóu 형 〈文〉 이르지도 늦지도 않고, 중용을 지키고 있는 모양.
〔犹有〕 yóuyǒu (아직) …할 여지가 있다. ¶小孩儿做错了～可说, 大人做错就不可恕了; 아이가 잘못했다면 할 말이 있겠지만, 어른이 잘못한 건 용서할 수 없다.
〔犹有余勇〕 yóu yǒu yú yǒng 〈成〉 ①아직 조급해지는 마음이 가라앉지 않다. ②아직 싸울 기력을 남기고 있다. 아직 맞설 용기가 있다.
〔犹与〕 yóuyù 동 ⇨〔犹豫〕
〔犹豫〕 yóuyù 동 주저하다. 망설이다. ¶毫不～地献出了自己的血; 조금도 주저하지 않고 헌혈했다 / ～退缩; 〈成〉 망설이어 꽁무니 빼다 / ～动摇; 〈成〉 망설이어 동요하다 / ～不定; 〈成〉 이것저것 망설이고 결정을 내리지 못하다 / 给你三天的～期间, 到时候儿一定要肯定答复; 너에게 3일간의 유예 기간을 줄 테니, 그 때가 되면 꼭 회답을 해야 한다. =〔犹疑〕〔犹与〕〔由豫〕
〔犹之〕 yóuzhī 〈文〉 마치 …인 것과 같다. ¶～集体农庄应该有科学试验的场所; 마치 집단 농장에

과학 실험 장소가 반드시 있어야 하는 것과 같다.
〔犹之乎〕 yóuzhīhū 〈文〉 …와〔과〕 같다. ¶人离不开土地, ～鱼离不开水; 사람이 땅을 떠날 수 없는 것은, 물고기가 물을 떠날 수 없는 것과 같다 / 这岂不～揠yà苗助长zhǎng吗? 이것은 모를 뽑아 성장을 촉진하려는 것과 같지 않느냐?
〔犹子〕 yóuzǐ 명 〈文〉 조카. 형제의 아들.
〔犹自〕 yóuzì 부 〈文〉 아직. 여전히. ¶物价～不稳定; 물가는 아직 불안정하다 / 众人都散sàn去了, 唯有他～留连; 사람들은 모두 흩어져 갔는데, 그만이 아직 미련이 있는 듯 남아 있다. 접 …조차. …인데도.

疣〈肬〉 yóu (우)
명 《醫》 사마귀. =〔肉ròu赘〕〔瘊hóu子〕〔疣目〕〔疣赘①〕〔疣子①〕
〔疣目〕 yóumù 명 ⇨〔疣〕
〔疣肿〕 yóuzhǒng 명 사마귀 모양의 종기.
〔疣赘〕 yóuzhuì 명 ①⇨〔疣〕 ②〈比〉 쓸데없는 것. 사족.
〔疣子〕 yóuzi 명 ①⇨〔疣〕 ②코크스와 쇠가 섞인 찌꺼기. ¶～不往外淌tǎng, 还得从放～的眼里用铁条往外拉; 찌꺼기가 흘러나오지 않으면, 찌꺼기의 유출구에서 쇠꼬챙이로 (노(爐)) 밖으로 끌어내야 한다.

莸〈蕕〉 yóu (유)
명 ①《植》 누린내풀. ②(고서에서 말하는) 악취가 나는 풀. 〈比〉 악인(惡人). ¶薰xūn～同器; 〈比〉 향기가 좋은 풀과 악취가 나는 풀이 같은 그릇에 들어 있다(좋은 것과 나쁜 것이 함께 있음. 옥석혼효(玉石混淆)).

鱿〈魷〉 yóu (우)
→〔鱿干〕〔鱿鱼〕
〔鱿干〕 yóugān 명 말린 오징어.
〔鱿鱼〕 yóuyú 명 《魚》 오징어. ¶排pái～翼; 오징어의 귀. =〔柔鱼〕

由 yóu (유)
①개 …으로부터. …에서(기점을 나타냄). ¶～哪儿来的? 어디서 왔느냐? / ～今天开始; 오늘부터 시작한다 / ～此及彼; 여기서부터 저기까지 / ～高而下; 높은 곳에서 밑에까지. =〔繇〕 →〔从cóng〕〔打dǎ〕 ②개 …으로. …으로부터. …에 의해(근거나 구성 요소를 나타냄). ¶水～氢与氧化合而成; 물은 수소와 산소의 결합으로 되어 있다 / ～此可知; 이로써 알 수 있다 / 人体是～各种细胞组成的; 인체는 각종의 세포로 구성되어 있다. =〔繇〕 ③동 경과하다. 경유하다. 거치다. ¶～门前走; 문 앞을 지나다 / 必～之路; 반드시 통과해야 하는 길 / ～邮局寄去; 우체국을 통해서 보내다 / ～水道来; 수로를 통해서 오다. ④개 …가(이). …께서(행위의 주체를 나타냄). ¶一切～我负责; 모든 것은 내가 책임을 진다 / 筹款是～他负责的; 금전 조달은 그가 책임을 진다 / ～您主持一切; 당신이 일체를 주관하십시오. ⑤동 맡기다. 따르다. …대로 하다. ¶完全～你; 완전히 당신의 자유이다. 마음 내키는 대로 하시오 / 信不信～你; 믿고 안 믿고는 네게 달렸다 / ～他去吧; 그가 하고 싶은 대로 하게 두어라. ⑥ …에 원인하다. …에 까닭이 있다. …에 기인하다. ¶他的病总是～太劳累上得的; 그의 병은 결국 과로한 것이 원인이다 / 他们这回的失败, 完全～于个人主义在那儿作祟; 그들의 이번 실패는 완전히 개인주의의 훼방 때문이다 / 咎～自取; 허물은 자기가 스스로 만든 것이다. ⑦명 원인. 사유. …하는 건(件). 유래. ¶情～ =〔事～〕; 일의 원인 / 原～ =〔来～〕; 유래 / 请惠寄价目表～; 가격표를 보내 달라고 부탁하는 건(件). ⑧명 성(姓)의 하나.
〔由便〕 yóu.biàn 동 편한 대로 하다. 형편 닿는 대로 하다. 편의에 맡기다. ¶做不做全由你自己的便; 하느냐 안 하느냐는 전적으로 당신의 자유에 맡긴다.
〔由表及里〕 yóubiǎo jílǐ 표면에서 내면에 미치다. 현상에서 본질에 미치다.
〔由不得〕 yóubude ①생각대로 되지 않다. ¶这件事～你; 이 일은 네 생각대로는 되지 않는다 / ～自己作主; 자기가 생각을 결정할 수 없다 / 此事～你; 이 일은 네 뜻대로 되지는 않는다. ②저도 모르게 …하다. 참지 못하다. ¶相声的特点就是叫人～发笑; 만담의 특징은 사람으로 하여금 웃음을 참지 못하게 하는 것이다 / ～大笑起来; 참지 못하고 크게 웃어 버리다.
〔由此〕 yóucǐ 접 ①이로 말미암아. 이리하여. ¶～弄出许多错误; 이로 인하여 많은 잘못이 생겼다. ②여기서부터. 이로부터. ¶～达彼; 여기로부터 저기에 이르다 / ～及彼; 여기에서 저기까지 / ～前进; 여기서부터 전진한다.
〔由打〕 yóudǎ 개 …부터. …에서. ¶～昨夜到今晚, 整下了一天的雨; 어젯밤부터 오늘 밤까지 하루 종일 비가 내렸다 / ～街上回来我就没出去过; 거리에서 돌아온 뒤 나는 외출한 적이 없다. =〔由起〕 →〔从打〕〔自从〕〔解〕〔打〕〔由〕〔从〕
〔由点到面〕 yóu diǎn dào miàn 〈成〉 점에서 면으로 (넓히다). 어떤 한 점에서 전면적으로 전개하다.
〔由而〕 yóu'ér 접 〈文〉 그러므로. 그래서. →〔从cóng而〕
〔由己〕 yóujǐ 동 제 마음대로 되다. ¶身不～; 자기 몸이 마음대로 되지 않다 / 公事在身概不～; 공적인 일을 가지고 있으므로 마음대로 못 한다.
〔由渐〕 yóujiàn 부 점차로. 차츰. 점점. ¶政局之败象～已久; 정국 악화의 양상이 점차로 길어지고 있다 / 孩子们～大起来了; 아이들이 점점 커갔다.
〔由来〕 yóulái 부 처음부터 지금까지. 전부터. 원래부터. ¶他～就有这习惯; 그는 원래부터 그런 습관이 있다. 명 ①유래. 내력. ¶这个庙的～谁都不会知道; 이 묘당의 내력을 아무도 알 리가 없다 / 这消息是有～的; 이 소식에는 유래가 있다. / ～已久; 〈成〉 예전부터 그렇다. 유래가 깊다. ②까닭. 이유.
〔由你〕 yóunǐ ①너의 마음대로 해라. 당신의 자유요. ②당신으로 말미암아. 당신이.
〔由浅入深〕 yóu qiǎn rù shēn 〈成〉 쉬운 데에서 어려운 데로 가다. 얕은 뜻에서 심오한 뜻으로 심화되다. =〔由浅到深〕
〔由人〕 yóurén 동 남의 생각대로 되다. ¶～摆布; 남의 처분대로 되다. 남에게 좌지우지되다 / 成败由己不～; 성공과 실패는 자기에게 달린 것이지 남의 뜻대로 되는 것은 아니다 / 天时不～; 천시(天時)는 사람 마음대로 되지 않는다.
〔由人不由天〕 yóurén bùyóutiān 〈諺〉 사람에게 달린 것이지 하늘에 의한 것은 아니다(의지가 운명을 결정한다. 사람의 의지는 하늘을 이긴다).
〔由任〕 yóurèn 동 …하는 대로 맡겨 두다. …의 마음대로 하게 하다. ¶你不能～他为wéi所欲为啊; 너는 그가 제멋대로 하도록 내버려 두어서는 안 된다.

〔由上而下〕 yóushàng érxià 위에서 아래로. ¶～以身作则; 위에서 아래로 직접 모범을 보이다.
〔由…所…〕 yóu…suǒ… …에 의해서…당하다〔되다〕 ¶这完全是由帝国主义的侵略本性所决定的; 이것은 전적으로 제국주의의 침략 본성으로 결정한 것이다.
〔由头儿〕 yóutóur 부 처음부터. ¶～来吧; 처음부터 하자. →〔从cóng头(儿)〕〔起qǐ头(儿)〕
〔由头(儿)〕 yóutou(r) 명 ①구실. 계기. ¶借这个～到那边儿去; 이것을 구실로 거기에 가다 / 找～; 구실을 찾다 / 不过是一种～; 일종의 구실에 불과하다 / 船客们借这～吵chǎo起来了; 선객들은 그 일을 계기로 떠들기 시작했다. ②까닭. 내력. 사유. ¶小病是大病的～; 가벼운 병이 무거운 병의 원인이 된다 / 天下的事自然都要有个～; 천하의 일은 모두 내력이 있는 법이다.
〔由土到洋〕 yóu tǔ dào yáng 〈成〉 재래의 방법으로부터 신식 기술에 이르기까지. ¶～都用过了也治不好他的病; 재래의 요법으로부터 새로운 치료법에 이르기까지 모두 시도해 보았지만, 그의 병은 고칠 수 없었다.
〔由我〕 yóuwǒ ①내가 …하다. ②내가 책임을 지다. ¶～负责办; 내가 책임지고 한다.
〔由吾〕 Yóuwú 명 복성(複姓)의 하나.
〔由下而上〕 yóuxià érshàng 밑에서 위로. ¶～地逐级了解; 밑에서 위로 각 계급마다 이해하다.
〔由性(儿)〕 yóu.xìng(r) 동 생각대로 하다. 마음먹은 대로 하다. ¶～闹; 남을 거리끼지 않고 떠들다 / 由着性儿骂人; 마음대로 남을 욕하다. (yóuxìng(r)) 형 제멋대로이다. ¶她出嫁之后颇为～; 그녀는 결혼 후 매우 방자해졌다 / 人哪儿能老由着性儿(地)爱干什么就干什么呢; 인간이 어떻게 언제나 제멋대로 하고 싶은 대로 할 수 있겠는가.
〔由由〕 yóuyóu 형 〈文〉 누긋한 모양. 마음이 여유 있는 모양. ¶神色～; 표정이 누긋하다 / ～自得; 마음이 누긋하고 만족스럽다.
〔由邮〕 yóuyóu 동 ⇨〔付fù邮〕
〔由于〕 yóuyú 동 …에 말미암다. …에 기초〔기인〕하다. ¶成功是～勤勉而来的; 성공은 근면에서 기인하는 것이다. 접 …때문에. …에 인하여. ¶～坚持了体育锻炼, 他的身体越来越结实了; 체육 단련을 게을리하지 않았기 때문에, 그의 몸은 점점 튼튼해졌다 / ～时间的关系今天到这里为止; 시간 관계로 오늘은 이만 하겠습니다 / ～雨水缺乏, 电力也不够了; 비가 적어, 전력도 부족하게 되었다 / 日内瓦会议得到一定成绩是～世界和平力量的壮大; 제네바 회의가 일정한 성과를 거둔 것은 세계의 평화 세력이 강대한 때문이다.
〔由豫〕 yóuyù 동 ⇨〔犹豫〕
〔由衷〕 yóuzhōng 동 마음으로부터 우러나오다. 충심에서 우러나오다. ¶感到～的高兴; 마음 속으로 기쁘게 여기다 / ～表示感谢; 충심으로 감사의 뜻을 나타내다 / ～之言; 마음에서 우러나는 말 / 言不～; 〈成〉 진심에서 우러나온 말이 아니다 / 确què是～之言; 확실히 진심에서 우러나온 말이다.

邮(郵)

yóu (우)
①동 우편으로 부치다〔보내다〕. ¶～一张相片piàn来; 우편으로 사진을 한 장 보내 오다 / 信～了吗? 편지를 부쳤느냐? ② 명형 우편(업무)(의). ¶由～寄奉; 우편으로 보내다 / ～电; ⇩ / ～局; ⇩ / ～费; ⇩ / ～票piào; ⇩ ③ 명 성(姓)의 하나.
〔邮包(儿)〕 yóubāo(r) 명 ①우편 소포. ¶用～寄jì; 소포로 보내다. ②(집배원의) 우편낭.
〔邮差〕 yóuchāi 명 우편 집배원. =〔邮递员〕〔绿衣战士〕
〔邮车〕 yóuchē 명 우편차. =〔邮件车〕
〔邮储〕 yóuchǔ 명 우편 저금. 우편 대체 저금. ¶外埠用～付款即可寄书; 외지에서는 우편 대체로 대금을 보내 주시면 바로 책을 보내 드릴 수 있습니다.
〔邮船〕 yóuchuán 명 ①정기 여객선. ②우편선.
〔邮戳(儿)〕 yóuchuō(r) 명 우편 소인(消印). 스탬프. ¶这个邮票盖～过; 이 우표는 소인(消印)이 찍혀 있다. 이 우표는 사용한 것이다. =〔邮印〕
〔邮袋〕 yóudài 명 우편 행낭.
〔邮递〕 yóudì 명동 우송(하다). =〔邮寄〕
〔邮递员〕 yóudìyuán 명 우편 집배원. =〔投递员〕〔邮差chāi〕
〔邮电〕 yóudiàn 명 〈簡〉 체신. 우편과 전신(《'邮政电信' 의 약칭》). ¶～局; 우편 전신국.
〔邮发合一制〕 yóufāhéyīzhì 명 우편 행정의 작업과 신문 잡지의 발송 작업을 하나로 합치는 제도.
〔邮费〕 yóufèi 명 〈口〉 ⇨〔邮资〕
〔邮购〕 yóugòu 명동 ①통신 구입(하다). ②통신 판매(하다). ¶～部; 통신 판매부.
〔邮花〕 yóuhuā 명 〈方〉 우표. =〔邮票〕
〔邮汇〕 yóuhuì 동 우편환으로 송금하다. 명 ①우편환. ②우편환 송금.
〔邮寄〕 yóujì 명동 우송(하다). =〔邮递dì〕
〔邮简〕 yóujiǎn 명 항공 서한. 에어로그램(aerogram)(《항공 우편용 봉함 엽서》).
〔邮件〕 yóujiàn 명 우편물. ¶快kuài递～ =〔快信〕; 속달 우편 / 航háng空～; 항공 우편물 / 立券～; 약속 우편 / ～存局候领; 국(局) 유치 우편.
〔邮局〕 yóujú 명 〈簡〉 우체국. =〔邮政局〕
〔邮局信箱〕 yóujú xìnxiāng 명 ⇨〔邮政信箱〕
〔邮路〕 yóulù 명 우편로. 우편망. ¶全国～长度共达一百九十万公里; 전국의 우편망은 전장 합계 190만 킬로에 달한다.
〔邮片〕 yóupiàn 명 우편 엽서. =〔明míng信片(儿)〕
〔邮票〕 yóupiào 명 우표. ¶贴～; 우표를 붙이다 / 纪念～; 기념 우표. =〔〈方〉 邮花〕〔〈俗〉 信xìn票〕
〔邮亭〕 yóutíng 명 간이 우체국. 우체국 출장소.
〔邮筒〕 yóutǒng 명 우체통. =〔信xìn筒子〕
〔邮务〕 yóuwù 명 우편 사무.
〔邮箱〕 yóuxiāng 명 ①우편함. ②(호텔·우체국 등의 상자형의 작은) 우체통. ③사서함. ‖ =〔信箱〕
〔邮驿〕 yóuyì 명 우역. 옛날, 공문서 전달의 역참(驛站).
〔邮印〕 yóuyìn 명 ⇨〔邮戳(儿)〕
〔邮运〕 yóuyùn 명동 우송(하다).
〔邮政〕 yóuzhèng 명 우편 행정. 우정. ¶～汇票; 우편환 / ～总局; 중앙 우체국.
〔邮政编码〕 yóuzhèng biānmǎ 명 우편 번호. =〔邮编〕〔邮码〕
〔邮政购物〕 yóuzhèng gòuwù 명 우편 주문 판매.
〔邮政局〕 yóuzhèngjú 명 ⇨〔邮局〕
〔邮政信箱〕 yóuzhèng xìnxiāng 명 (우체국의) 사서함. =〔邮局信箱〕〔信柜guì〕
〔邮资〕 yóuzī 명 〈文〉 우편 요금. 우편료. ¶～总付; 요금 별납 우편 / 国内～已付; 국내 우편료 선납. =〔信xìn资〕〔邮费〕

油 yóu (유)
①명 (동물성·식물성. 광물성의) 기름. ¶打～; ⓐ기름을 사다. ⓑ〈方〉 기름을 짜다 / 上～; ⓐ기름을〔페인트를〕 칠하다. ⓑ기름을 치다 / (芝)麻～ =〔香～〕; 참기름 / 豆dòu～ =〔大dà豆～〕; 콩기름 / 菜～; 유채씨 기름 / 松节～ =〔松香～〕〔松脂～〕; 테레빈유 / 猪zhū～; 돼지기름. 라드 / 机～ =〔引yǐn擎～〕; 엔진 오일 / 马达～; 모빌유 / 一桶～; 기름 한 통 / 矿物～; 광물유 / 食(用)～; 식용유 / 汽～; 가솔린. 휘발유. ②명 액체의 조미료. ¶酱jiàng～; 간장. ③동 페인트를〔기름을〕 바르다〔칠하다〕. ¶用桐油一～就好了; 동유를 한 번 바르면 좋아진다 / 这扇门刚～过; 이 문은 방금 기름을 칠했다. ④동 기름이 묻다. 칠이 묻다. ¶留神～了衣裳; 페인트가 옷에 묻으니 주의하시오. ⑤형 빤질빤질하다. 얼렁뚱땅하다. 교활하다. ¶这个人太～了; 이 자는 아주 교활하다 / 别看他年轻, 可是相当～; 그는 젊지만, 아주 교활하다 / 老～子 =〔老～条〕; 빤질이. ⑥명 〈比〉 이익. 이득. ¶揩kāi～; (부정을 하여) 이득을 보다. ⑦명 〈比〉 마력(馬力). ¶加～; 힘을 내다. 분발하다.

〔油泵〕 yóubèng 명 《機》 ①오일 펌프. 유압 펌프. ②급유 펌프.

〔油表〕 yóubiǎo 명 유량계. =〔油量表〕

〔油饼〕 yóubǐng 명 ①깻묵. =〔枯饼〕〔油枯〕 ②기름기가 많은 '烙饼'. →〔油条〕

〔油布〕 yóubù 명 ①유포. 동유포(桐油布). 방수포. ②⇨〔油毡①〕

〔油驳〕 yóubó 명 급유선(給油船). =〔油驳船〕 →〔水shuǐ驳〕

〔油驳船〕 yóubóchuán 명 ⇨〔油驳〕

〔油不渍(的)〕 yóubuzì(de) 형 기름에 찌든 모양. 기름투성이가 된 모양.

〔油彩〕 yóucǎi 명 도란(독 dohran)《배우들의 무대 화장에 사용되는 화장품》. ¶～颜料; 유화 채료(油畫彩料) / 涂上深棕色的～; 짙은 갈색의 도란을 바르다.

〔油彩颜色〕 yóucǎi yánsè 명 유화구. 유화용의 그림 물감. ¶上～; 유화용의 그림 물감을 칠하다 / 蘸满了～的画笔; 유화용의 그림 물감을 듬뿍 묻힌 화필.

〔油菜〕 yóucài 명 《植》 ①평지. =〔芸薹(菜)〕〔菜苔〕 ②⇨〔小xiǎo白菜(儿)〕 ③개채류(芥菜類)의 어린 대. =〔菜心〕 ④겨자과에 속하는 야채의 총칭.

〔油菜子〕 yóucàizǐ 명 유채씨. =〔菜子(儿)①〕〔油菜籽〕

〔油藏〕 yóucáng 명 매장 석유.

〔油槽〕 yóucáo 명 유조. 석유〔기름〕 탱크. =〔煤油桶〕〔油囤〕

〔油槽船〕 yóucáochuán 명 ⇨〔油船〕

〔油槽(汽)车〕 yóucáo (qì)chē 명 탱크 로리(tank lorry). 유류 수송차. =〔油罐(汽)车〕

〔油层〕 yóucéng 명 《地質》 유층. 석유 지층.

〔油茶〕 yóuchá 명 ①'油茶面儿'(밀가루를 쇠기름에 볶아 설탕·깨 따위를 섞은 것)에 끓는 물을 부어 풀같이 갠 음식. ②동백나무의 한 가지.

〔油茶面儿〕 yóuchámiànr 명 ⇨〔油炒面儿〕

〔油炒面儿〕 yóuchǎomiànr 명 밀가루에 쇠뼈나 쇠기름을 섞어 볶아서 만든 음식. =〔炒面儿〕〔油茶面儿〕

〔油池〕 yóuchí 명 오일 탱크.

〔油绸(子)〕 yóuchóu(zi) 명 (동유(桐油)를 칠한) 방수 견포(防水絹布).

〔油船〕 yóuchuán 명 유조선. 오일 탱커. =〔油轮〕〔运yùn油船〕〔油槽船〕

〔油锤〕 yóuchuí 명 (쇠)망치. 해머.

〔油醋儿〕 yóucùr 명 소량의 참기름을 친 식초.

〔油淬火〕 yóucuìhuǒ 명 《工》 (물 대신) 기름으로 쇠의 경도(硬度)를 높이는 담금질.

〔油大襟〕 yóudàjīn 명 ⇨〔油裙〕

〔油灯〕 yóudēng 명 램프. 유등. ¶点～; 램프를 켜다.

〔油地毡〕 yóudìzhān 명 ⇨〔油毡①〕

〔油点(儿, 子)〕 yóudiǎn(r, zi) 명 기름이 튄 얼룩. ¶衣服上溅上一些～; 옷에 기름이 조금 튀었다.

〔油电门〕 yóudiànmén 명 오일 스위치(oil switch).

〔油胴鱼〕 yóudòngyú 명 《魚》 고등어.

〔油豆腐〕 yóudòufu 명 ⇨〔油炸豆腐〕

〔油断路器〕 yóuduànlùqì 명 《機》 유입(油入) 차단기. =〔油(浸)开关〕

〔油囤〕 yóudùn 명 ⇨〔油槽〕

〔油帆布〕 yóufānbù 명 방수 범포(汎布).

〔油坊〕 yóufáng 명 기름 집. 기름 가게《식물유의 착유 및 판매를 함》. =〔油房〕

〔油房〕 yóufáng 명 ⇨〔油坊〕

〔油仿纸〕 yóufǎngzhǐ 명 서도(書道) 연습 용지《얇은 '竹纸'(대나무 섬유로 만든 종이)에 경동유(輕桐油)를 칠한 투명지》.

〔油风〕 yóufēng 명 《醫》 원형 탈모증. =〔斑bān秃〕〔〈俗〉鬼剃头〕

〔油封〕 yóufēng 명 《機》 오일실(oil seal)《기계의 회전축의 기름이 새는 것을 막는 장치》.

〔油盖〕 yóugài 명 ①기름먹인 천으로 만든 수레의 포장. ②⇨〔油伞〕

〔油干灯尽〕 yóu gān dēng jìn 〈成〉 기름이 떨어져 등불이 꺼지다. ①밤이 깊다. ¶俩人谈到～才去睡觉; 두 사람은 밤이 깊도록 이야기하다 겨우 잠들었다. ②생명의 등불이 꺼지다. 명(命)이 다하다. ¶这人已经～快归西了; 이 사람은 이미 명이 다해 곧 숨을 거두게 될 것이다.

〔油橄榄〕 yóugǎnlǎn 명 《植》 올리브(olive). =〔橄榄②〕〔齐qí墩果〕

〔油钢〕 yóugāng 명 《工》 기름으로 담금질한 강철.

〔油膏〕 yóugāo 명 《藥》 유고. (기름과 같은 상태의) 고약.

〔油膏泵〕 yóugāobèng 명 《機》 그리스 펌프(grease pump). =〔油膏注油泵〕

〔油膏乳头〕 yóugāo rǔtóu 명 《機》 그리스 니플(grease nipple).

〔油膏注油泵〕 yóugāo zhùyóubèng 명 ⇨〔油膏泵〕

〔油糕〕 yóugāo 명 돼지기름을 넣은 떡.

〔油垢〕 yóugòu 명 기름때. =〔油渍〕

〔油瓜〕 yóuguā 명 ⇨〔猪zhū油果〕

〔油管〕 yóuguǎn 명 ①오일 파이프. ②오일 튜브.

〔油罐〕 yóuguàn 명 오일 탱크. 석유 저장 탱크.

〔油罐(汽)车〕 yóuguàn (qì)chē 명 ⇨〔油槽(汽)车〕

〔油光〕 yóuguāng 형 반지르르하다. 반들반들하다. 윤기가 있다. ¶梳了～的一条大辫子; 반지르르한 긴 머리채를 땋아 내리고 있다 / 把菜吃到～见底; 요리를 깨끗이 먹어 치우다. 동 기름 숫돌로 갈다. ¶用油石～, 使刀刃更快; 기름 숫돌로 갈아서 공구의 날을 더욱 날카롭게 하다.

〔油(光)锉〕 yóu(guāng)cuò 명 눈이 매우 고운 줄.

〔油光光(的)〕 yóuguāngguāng(de) 형 반들반들하게 윤기가 나는 모양.
〔油光(儿)〕 yóuguāng(r) 형 윤이 나며 매끈매끈하다.
〔油光水滑〕 yóuguāng shuǐhuá 번들거리다. 매끄럽다. ¶～的头发; 반지르르 윤이 나고 매끄러운 머리 / 把地板打磨得～的; 마룻바닥을 반들반들하게 닦다.
〔油光铮亮〕 yóuguāng zhēngliàng 반들반들하다. 반짝반짝하다. ¶～的秃头顶; 반들반들하게 벗어진 머리 정수리.
〔油光纸〕 yóuguāngzhǐ 명 유광지. 기름을 먹여 매끄러운 종이.
〔油鬼〕 yóuguǐ 명 ⇨〔油条①〕
〔油滚〕 yóugǔn 명 등사용 롤러. =〔油辘〕
〔油汗〕 yóuhàn 명 비지땀. 진땀. ¶脸上挂着～; 얼굴에 진땀이 나 있다.
〔油黑黑(的)〕 yóuhēihēi(de) 형 검은 윤이 나는 모양. 까마반지르르한 모양.
〔油黑儿〕 yóuhēir 형 새까맣다. 검은 윤이 나다. =〔漆qī油儿黑〕
〔油壶〕 yóuhú 명 기름통. ¶拿～来给自行车膏gào油! 기름통을 가져와 자전거에 기름을 쳐 주게.
〔油壶子〕 yóuhúzi 명 ⇨〔汽qì化器〕
〔油葫芦〕 yóuhulǔ 명〖蟲〗〈京〉 왕귀뚜라미. →〔蟋蟀xīshuài〕
〔油花(儿)〕 yóuhuā(r) 명 국물 위에 뜨는 기름.
〔油滑〕 yóuhuá 형 교활하다. 요령이 좋다. =〔流滑〕
〔油画〕 yóuhuà 명〖美〗 유화.
〔油环〕 yóuhuán 명〖機〗 오일링(oil ring). =〔油令①〕
〔油患子〕 yóuhuànzi 명〖植〗 무환자나무.
〔油荒〕 yóuhuāng 형 기름이 부족하다. 석유가 부족하다. 명 기름 부족. 석유 공황〔파동〕. 오일 쇼크. ¶闹～; 석유 파동이 일어나다 / 现在法国石油来源几乎断绝, 巴黎大闹～; 현재 프랑스의 석유 공급 루트가 거의 단절되어, 파리에서는 대단한 석유 파동이 일어나고 있다.
〔油晃晃〕 yóuhuǎnghuǎng 형 기름으로 번들번들 윤이 나다. ¶一副～的黑脸; 번들번들 윤이 나는 검은 얼굴. =〔油幌幌〕
〔油灰〕 yóuhuī 명〖化〗 ①퍼티(putty). 떡밥. =〔〈京〉 油腻子〕〔白bái油灰〕〔水shuǐ丹〕〔桐tóng油灰〕 ②폐유 찌꺼기.
〔油秽〕 yóuhuì 명 기름때.
〔油伙儿〕 yóuhuǒr 명 미숙한 요리인. 요리사의 조수. =〔二èr把刀③〕
〔油机〕 yóujī 명〖機〗 오일 엔진. =〔火油汽机〕
〔油鸡〕 yóujī 명〖鳥〗 코친(Cochin)《몸집이 큰 닭의 일종》.
〔油剂〕 yóujì 명〖藥〗 유제.
〔油迹〕 yóujì 명 ①기름의 얼룩. 얼룩점. ¶～斑bān斑; 기름 자국이 얼룩덜룩하다. ②〖工〗 기름 흠《고무나 플라스틱을 성형할 때 활제(滑劑)에 의해서 생기는 흠》.
〔油尖头〕 yóujiāntóu 명 ⇨〔喷pēn油嘴〕
〔油煎〕 yóujiān 동 ①기름에 볶다. 기름에 지지다. ¶他看到一家人吃不饱, 穿不暖, 心里像～一样; 집안 사람이 먹지도 못하고 입지도 못하는 것을 보고, 그는 바작바작 타는 듯한 느낌이었다 / ～火燎; 기름에 볶고 불에 굽다. 〈轉〉 초조해하는 모양. 애가 타는 모양. ②고통에 허덕이다.
〔油匠〕 yóujiàng 명 ⇨〔油漆工〕
〔油酱店〕 yóujiàngdiàn 명 식용유와 된장을 파는 가게.
〔油脚〕 yóujiǎo 명 ①튀김을 한 기름 냄비 밑에 남은 찌꺼기. ¶～都要捞lāo出去; 튀김을 한 뒤의 기름 속 찌꺼기는 모두 건져 내야 한다. ②(비누를 만든 뒤에) 남은 찌꺼기. ¶把煮肥皂的～倒dào在～桶里; 빨랫비누를 쪄서 만든 후의 찌꺼기를 찌꺼기통에 넣다.
〔油斤〕 yóujīn 명 유류(油類).
〔油(浸)开关〕 yóu(jìn)kāiguān 명 ⇨〔油断路器〕
〔油井〕 yóujǐng 명 유정.
〔油锯〕 yóujù 명〖機〗 동력톱. 기계톱.
〔油客〕 yóukè 명 기름 장수.
〔油枯〕 yóukū 명 ⇨〔油饼①〕
〔油库〕 yóukù 명 석유 탱크. 유류 창고.
〔油矿〕 yóukuàng 명 ①유전(油田). ②유정(油井).
〔油拉八咭〕 yóulābājī 형 〈方〉 ①(입은 옷 따위가) 기름투성이다. ②(음식이) 기름기가 많다. 느끼하다.
〔油腊〕 yóulà 명〖化〗 파라핀 왁스(paraffin wax). =〔油蜡〕
〔油了〕 yóule 동 기름투성이를 만들다. ¶把裤子都～; 바지를 기름투성이로 만들었다.
〔油沥〕 yóulì 명〖化〗 오일 아스팔트. 석유 피치.
〔油亮〕 yóuliàng 형 반들반들하다. 반지르르하다. ¶刚下过雨, 花草树木的叶子都是～～的; 방금 비가 내린 뒤라, 화초나 나무의 잎이 반들반들 윤기가 난다 / ～乌黑; 검게 윤이 나는 모양.
〔油量表〕 yóuliàngbiǎo 명 유량계(計). =〔油表〕
〔油料〕 yóuliào 명 ①기름 짜는 원료. ¶～作物; 기름 짜는 작물《콩·깨·해바라기 따위》. ②연료용 기름.
〔油蛉〕 yóulíng 명〖蟲〗 방울벌레.
〔油令〕 yóulìng 명 ①〖機〗 (내연 기관의) 오일 링(oil ring). =〔油环〕〔油胀圈〕〔刮guā油胀圈〕 ②⇨〔管guǎn套节〕
〔油龙〕 yóulóng 명 〈比〉 분출하는 원유.
〔油篓〕 yóulǒu 명 술이나 기름을 담는 용기《대나무·버드나무 가지 따위로 엮어 만든 광주리 표면에 종이를 바르고 그 위에 동유(桐油)·돼지피 등을 먹여서 만듦》.
〔油漏子〕 yóulòuzi 명 기름용 깔때기.
〔油辘〕 yóulù 명 ⇨〔油滚〕
〔油绿〕 yóulǜ 명〖色〗 윤이 나는 심(深)녹색. ¶～的庄稼; 푸르디 푸른 농작물.
〔油滤纸〕 yóulǜzhǐ 명 기름 여과지.
〔油轮〕 yóulún 명 ⇨〔油船〕
〔油麻〕 yóumá 명〖植〗 참깨. =〔芝zhī麻〕〔脂麻〕
〔油码头〕 yóumǎtou 명 석유 출하 부두.
〔油麦〕 yóumài 명 ⇨〔莜麦〕
〔油毛毡〕 yóumáozhān 명〖建〗 아스팔트 루핑(asphalt roofing). =〔油毡②〕〔油毡纸〕〔柏bǎi油纸〕〔屋wū顶(焦)油纸〕
〔油煤〕 yóuméi 명〖鑛〗 유연탄(有煙炭).
〔油门(儿)〕 yóumén(r) 명〖機〗 ①스로틀(throttle). 조절판. ¶加大～; 가속시키다 / 放开～; ⓐ기름 파이프의 밸브를 열다. ⓑ가속 장치를 모두 열다. 최대한으로 가속하다. ②〈口〉 엑셀러레이터(accelerator). ¶踩～; 엑셀러레이터를 밟다.
〔油焖〕 yóumèn 동 기름에 볶은 재료를 소량의 물과 조미료를 넣고 졸이다《중국 요리법의 하나》.
〔油面〕 yóumiàn 명 ①메밀가루. =〔莜面〕 ②기름으로 밀가루를 반죽한 것.
〔油苗〕 yóumiáo 명 지상에 노출되어 있는 유맥(油

脈). 석유 노출면.
〔油膜轴承〕 yóumó zhóuchéng 명《機》 오일 베어링.
〔油磨刀石〕 yóumódāoshí 명 ⇨〔油石〕
〔油墨〕 yóumò 명 인쇄용 잉크. ¶印刷～; 인쇄 잉크. =〔墨油〕
〔油(母)页岩〕 yóu(mǔ) yèyán 명《鑛》 오일셰일. 유모 혈암. 유혈암(석유를 함유하는 수성암(水成岩). 건류(乾溜)하여 혈암유(頁岩油)를 채취함).
〔油泥〕 yóuní 명 기름 찌꺼기. 기름때. ¶把自行车送到车铺去擦～; 자전거를 가게에 가져가서 기름때를 닦아 내다 / 您的手表该擦～了; 당신의 손목시계는 기름때를 청소해야 됩니다 / 一脸的～; 온 얼굴의 기름때.
〔油腻〕 yóunì 형 기름지다. ¶我不敢吃太～的东西; 나는 너무 기름진 것은 못 먹는다. 명 ①기름진 식품. ②기름(때). ¶衬chèn衫领子上有～; 와이셔츠 깃에 때가 끼어 있다.
〔油腻子〕 yóunìzi 명〈京〉 ⇨〔油灰①〕
〔油盘〕 yóupán 명 ①장방형의 오목한 접시. ②《機》 기름받이.
〔油皮(儿)〕 yóupí(r) 명 ①〈方〉 피부. 살갗. ¶擦破一块～; 살갗이 스쳐서 벗겨지다 / 手上蹭cèng了一点儿～; 손이 조금 벗겨졌다. ②도료(塗料)를 칠한 면. ¶汽车上擦掉了一块～; 자동차의 칠이 한 군데 벗겨졌다. ③두부 껍질(두부가 굳기 전에 겉에 뜬 단백질막을 걷어서 말린 것). =〔油皮竹腐〕〔豆腐皮〕
〔油票〕 yóupiào 명 식용유 배급표.
〔油瓶〕 yóupíng 명 ①기름병. ②〈比〉 덤받이((데리고 들어온) 전 남편과의 사이에서 태어난 아이). ¶拖tuō～; 덤받이를 데리고 재혼하다.
〔油漆〕 yóuqī 명 페인트. 오일 페인트. 칠. ¶～料; 도료 / ～未干; 페인트가 아직 안 말랐다. 동〈方〉 페인트를 칠하다. ¶把门窗～一下吧! 문과 창에 칠을 하시오! / 这房子材料很好, 外表～一下儿就很美观了; 이 집은 재료가 매우 좋아서, 표면을 페인트칠하면 훨씬 더 보기가 좋아질 것이다.
〔油漆布〕 yóuqībù 명 (니스 따위를 칠한) 유포(油布)(테이블보용). =〔漆布〕
〔油漆工〕 yóuqīgōng 명 도장공(塗裝工). =〔油漆匠〕〔油匠〕
〔油气〕 yóuqì 명 오일 가스(oil gas).
〔油气潞〕 yóuqìtǎ 명 오일 가스 타르(oil gas tar).
〔油枪〕 yóuqiāng 명《機》 ①주유기(注油機). ②윤활유 주입기. =〔滑脂枪〕〔牛油枪〕
〔油腔滑调〕 yóu qiāng huá diào〈成〉 들뜬 태도로 말하는 모양. 경박하게 마구 지껄이는 모양. ¶你看他那副～的样子能信任吗? 어때, 그의 저런 경박하고 성실성이 없는 태도를 신용할 수 있겠나?
〔油圈儿〕 yóuquānr 명 ⇨〔油条①〕
〔油裙〕 yóuqun 명 조리용 앞치마. 행주치마. =〔油大襟〕→〔围wéi裙〕
〔油儿〕 yóur 명 ①기름. ②기름기. ③〈俗〉 (부당한) 이익. 이득. ¶你吃肥的, 让我们沾zhān点儿～就行; 너는 기름진〔이득이 많은〕 부분을 먹고, 우리들한테는 국물이나 조금 맛보게 해 주면 된다. =〔油水(儿)②〕
〔油然〕 yóurán 형 ①감정·사상이 자연히 생기는 모양. ¶敬慕之心, ～而生; 경모하는 마음이 자연히 생기다 / 兴味～而起; 흥미가 절로 일어나다. ②구름 따위가 피어 오르는 모양. ¶～作云; 구름이 뭉게뭉게 피어 오르다. ‖ =〔油油〕
〔油鞣〕 yóuróu 명동 기름 무두질(을 하다).
〔油润〕 yóurùn 형 번지르르하다. ¶面色～起来; 얼굴이 번지르르해졌다.
〔油伞〕 yóusǎn 명 지우산(紙雨傘). 종이 우산. =〔油盖②〕
〔油色〕 yóusè 명 유화구. 유화 그림물감.
〔油砂〕 yóushā 명《機》 오일 샌드(oil sand). ¶～型芯; 기름을 접착제로 해서 만든 모래 거푸집의 심.
〔油勺儿〕 yóusháor 명 ⇨〔油子②〕
〔油石〕 yóushí 명《機》 기름 숫돌. =〔油磨刀石〕
〔油饰〕 yóushì 동 동유(桐油)〔페인트〕를 칠해서 단장하다.
〔油柿〕 yóushì 명《植》 야생의 떫은 감.
〔油刷〕 yóushuā 동 페인트를 칠하다. ¶把房屋～一新; 건물에 페인트칠을 하여 깨끗이 하다.
〔油水(儿)〕 yóushui(r) 명 ①(음식의) 기름기. 지방분. ¶缺不了～; 기름기 있는 음식이 빠져서는 안 된다 / 吃的饭里没～, 面有菜色; 먹는 것에 기름기가 없어서 얼굴이 파리하다. ②〈比〉 (부당한) 이득. 돈벌이. ¶这卖买没多大～; 이 장사는 돈벌이가 별로 되지 않는다 / 谋个肥缺捞lāo～; 뭔가 부수입이 많은 자리를 얻어서 재미를 보다. =〔油儿③〕 ③〈比〉 물건에서 가치나 효용·이익이 가장 많은 부분. 정화(精華). 알맹이. 정수.
〔油丝〕 yóusī 명 ⇨〔游丝①〕
〔油丝绢〕 yóusījuàn 명 그림 그리는 데 쓰는 비단.
〔油松〕 yóusōng 명《植》 만주흑송(상록 교목·관상용으로 심음).
〔油酥〕 yóusū 명 쿠키류의 과자(식용유로 반죽한 밀가루로 구워 만든 바삭바삭한 과자). ¶～烧饼; 밀가루를 기름으로 반죽하여 구운 '烧饼'.
〔油酥面〕 yóusūmiàn →〔烧shāo馍馍〕
〔油酸〕 yóusuān 명《化》 올레인산(olein酸). =〔十shí八烯酸〕
〔油汤挂水儿〕 yóutāng guàshuǐr〈方〉 (수프 따위가) 기름기가 있는 모양. =〔油汤寡水〕
〔油桃〕 yóutáo 명《植》 유도(껍질에 털이 없는 복숭아). =〔李光桃〕
〔油田〕 yóutián 명 ①유전. ②유전 개발 기구(機構).
〔油条〕 yóutiáo 명 ①발효시켜 소금으로 간을 맞춘 밀가루 반죽을 연필처럼 길게 하여 기름에 튀긴 음식(아침 식사용으로 죽과 함께 먹기도 함). =〔油鬼〕〔油圈儿〕〔油炸鬼〕〔油炸桧〕〔油炸果(儿)〕〔油炸馃(儿)〕〔炸zhá油条〕 ②〈比〉 교활한 사람. ¶回锅～; 다시 데운 오래 된 '油条'. 〈比〉 닳고 닳은 교활한 사람 / 老～回锅; 〈比〉 닳고 닳은 교활한 사람도 죽는 소리를 할 때가 있다 / 他这人～极了; 그는 매우 교활한 사람이다. →〔油子②〕
〔油条钻头〕 yóutiáo zuàntou 명 ⇨〔麻má花钻(头)〕
〔油亭〕 yóutíng 명 주유소. 가솔린 스탠드(gasoline stand). =〔加jiā油站〕
〔油桐〕 yóutóng 명《植》 유동. =〔桐油树〕〔罂yīng子桐〕〔荏rěn桐〕
〔油桶〕 yóutǒng 명 드럼통. 기름통.
〔油桶铁皮〕 yóutǒng tiěpí 명 드럼통을 만드는 철판.
〔油筒鱼〕 yóutǒngyú 명 ⇨〔鲐tái巴鱼〕
〔油头粉面〕 yóu tóu fěn miàn〈成〉 ①창기(娼妓). 요염하게 차린 여자. ②〈比〉 짙은 화장(을 한 얼굴). ③경박한 사람(남녀에게 모두 씀). ‖ =〔粉面油头〕

〔油头滑脑〕yóu tóu huá nǎo〈成〉요령을 잘 부리고 교활하다. 빤질빤질하다.
〔油汪汪(的)〕yóuwāngwāng(de) 형 ①기름기가 많은 모양. ¶菜做得～; 요리가 기름 투성이다. ②반지르르하다. 반들반들하다. ¶这些地都是～的, 可肥啦! 검은 윤이 나는 이 밭은 정말로 비옥하구나!
〔油污〕yóuwū 명 기름때. 기름 얼룩. ¶不着～; 기름때를 타지 않다.
〔油香〕yóuxiāng 명 이슬람 교도의 식품의 일종《더운물로 반죽한 밀가루에 소금을 치고 납작하게 밀어서 기름에 튀긴 것》.
〔油香钱〕yóuxiāngqián 명〈方〉불전(佛錢)《신불에 참배하여 올리는 돈》. =〔香钱③〕
〔油香鱼〕yóuxiāngyú 명〖魚〗은어.
〔油箱〕yóuxiāng 명 기름 탱크. 연료 탱크.
〔油鞋〕yóuxié 명 동유(桐油)를 바른 구식의 우천용(雨天用) 신발.
〔油星(儿, 子)〕yóuxīng(r, zi) 명 얼룩. 기름 방울.
〔油性〕yóuxìng 명 유성.
〔油靴〕yóuxuē 명 옛날, 동유(桐油)를 칠한, 비올 때 신는 장화.
〔油压〕yóuyā 명 유압. ¶～机; 유압기.
〔油压泵〕yóuyābèng 명〖機〗유압 펌프. (인쇄 기계 등의) 실린더.
〔油烟〕yóuyān 명 유연《먹〔墨〕을 만들기 위해, 기름을 태워서 채취한 검댕》. =〔油烟子②〕
〔油烟子〕yóuyānzi 명 ①(기름 연소로 인한) 그을음. 검댕. ② ⇨〔油烟〕
〔油盐店〕yóuyándiàn 명 식료 잡화점《기름·소금·간장·잡화 따위를 파는 가게》.
〔油盐酱醋〕yóu yán jiàng cù 기름·소금·간장·식초. 〈比〉식생활 필수품. ¶听～的咸言淡语; 일상적인 이야기를 듣다.
〔油眼〕yóuyǎn 명 주유공(注油孔).
〔油椰子〕yóuyēzi 명 ⇨〔油棕〕
〔油衣〕yóuyī 명 옛날, '油布'로 만든 우의(雨衣).
〔油印〕yóuyìn 명동 등사 인쇄(하다). ¶～机; 등사판. 등사기 / ～文wén件; 등사 인쇄물. 유인물 / ～小报; 등사판 소형 신문.
〔油浴〕yóuyù 명〖化〗유욕. 오일 바스(oil bath).
〔油渣〕yóuzhā 명 ①기름 짜고 난 찌꺼기. ②돼지고기에서 기름을 빼고 남은 고기 찌꺼기. ¶煮zhǔ～; 기름을 짜고 남은 돼지고기 찌꺼기를 삶아 만든 식품.
〔油渣饼〕yóuzhābǐng 명 콩깻묵. =〔豆dòu饼〕
〔油渣果〕yóuzhāguǒ 명 ⇨〔猪zhū油果〕
〔油渣机〕yóuzhājī 명〖機〗디젤 엔진. =〔柴chái油机〕
〔油炸〕yóuzhá 동 기름에 튀기다.
〔油炸饼〕yóuzhábǐng 명 도넛. =〔油炸面包圈〕〔炸面圈〕
〔油炸豆腐〕yóuzhádòufu 명 유부. =〔油豆腐〕
〔油炸鬼〕yóuzháguǐ 명 ⇨〔油条①〕
〔油炸桧〕yóuzháguì 명 ⇨〔油条①〕
〔油炸果(儿)〕yóuzháguǒ(r) 명 ⇨〔油条①〕
〔油炸馃(儿)〕yóuzháguǒ(r) 명 ⇨〔油条①〕
〔油毡〕yóuzhān 명 ①리놀륨. =〔油布②〕〔油地毡〕〔〈音〉列liè诺伦〕 ② ⇨〔油毛毡〕
〔油毡纸〕yóuzhānzhǐ 명 ⇨〔油毛毡〕
〔油毡砖〕yóuzhānzhuān 명 리놀륨 타일(linoleum tile).
〔油胀圈〕yóuzhàngquān 명 ⇨〔油令①〕
〔油针〕yóuzhēn 명 유성(油性) 주사약.
〔油脂〕yóuzhī 명 유지.
〔油脂麻花〕yóuzhī máhuā〈俗〉기름으로 더러워진 모양. =〔油脂模糊móhu〕
〔油脂模糊〕yóuzhī móhu ⇨〔油脂麻花〕
〔油纸〕yóuzhǐ 명 유지. 기름먹인 종이.
〔油纸扇〕yóuzhǐshàn 명 유선. 동유지(桐油紙)를 바른 접부채.
〔油制青霉素〕yóuzhì qīngméisù 명〖藥〗유성(油性) 페니실린. ¶～普鲁卡kǎ因; 유성 프로카인 페니실린.
〔油种子树〕yóuzhǒngzishù 명 ⇨〔毛máo株〕
〔油注子〕yóuzhùzi 명 (기계 따위에) 기름을 치는 도구.
〔油桌〕yóuzhuō 명 조리실에서 식품류를 올려놓는 장방형의 탁자 모양의 대(臺).
〔油渍〕yóuzì 명 기름때. 기름 얼룩. ¶书页上沾了些～; 책장에 기름 얼룩이 좀 묻어 있다. =〔油垢〕
〔油子〕yóuzi 명 ①진(津)《검고 끈적끈적한 것》. ¶烟yān袋～; 담뱃대의 진. ②〈北方〉〈比〉풍상을 많이 겪어 닳고 닳은 인간. 세상 물정에 밝고 교활한 사람. ¶学生～; ⓐ닳고 닳은 학생. ⓑ오래 되도록 졸업도 못 하는 학생 / 兵～; 경험이 많고 교활한 군인 / 他们都是～了, 算盘精得厉害; 그들은 모두 늙은 여우들이라, 주판을 아주 잘 튀긴다. =〔油勺儿〕
〔油棕〕yóuzōng 명〖植〗기름야자. =〔油椰子〕
〔油嘴〕yóuzuǐ 형 수다스럽다. 명 ①잘 지껄이는 입. ¶他没一点儿真本事, 就仗一张～到处说事; 그는 실제적인 능력은 전혀 없이, 다만 입 하나 가지고 여기저기서 지껄여 댈 뿐이다. ②구변이 좋은 사람.
〔油嘴滑舌〕yóu zuǐ huá shé〈成〉말재주는 좋으나 알맹이가 없다. 입만 살다. ¶～的办不成事啊! 말재주만 좋다고 일을 성사시킬 수는 없다! / ～地哄hǒng骗人; 말만 번지르르하게 해서 사람을 속이다. =〔哗huá门吊嘴〕

柚

yóu (유)
→〔柚木〕〔柚木树〕⇒yòu

〔柚木〕yóumù 명〖植〗티크재(材).
〔柚木树〕yóumùshù 명〖植〗티크(teak). =〔〈音〉梯tī克树〕

铀(鈾)

yóu (유)
명〖化〗우라늄(U:uranium). ¶～矿砂; 〖鑛〗우라늄 광석 / 双shuāng氧～; 우라닐(uranyl).

蚰

yóu (유)
→〔蚰蜒〕〔蜒蚰〕

〔蚰蜒〕yóuyán 명 ①〖動〗그리마. =〔草cǎo鞋底〕〔钱qián串子③〕〔钱龙〕〔入rù耳〕 ②〈比〉꼬불꼬불한 소로(小路). ③〖動〗〈北方〉지네.
〔蚰蜒草〕yóuyáncǎo 명〖植〗비수리.
〔蚰蜒小路〕yóuyánxiǎolù〈比〉꼬불꼬불한 오솔길.

鲉(鮋)

yóu (유)
명〖魚〗쏨뱅이. ¶须拟～; 쑥감펭 / 菖chāng～; 쏨뱅이 / 鬼guǐ～; 쑤기미.

逌

yóu (유)
형〈文〉유유자적하는 모양. ¶～然rán; 자득(自得)한 모양.

莜

yóu (유)
→〔莜麦〕〔莜面〕〔莜子〕

〔莜麦〕 yóumài 명《植》메밀. =〔油麦〕〔元麦〕
〔莜面〕 yóumiàn 명《植》메밀 가루. =〔油面①〕
〔莜子〕 yóuzi 명《植》염교.

滺 yóu (유)
→〔滺滺〕
〔滺滺〕 yóuyóu 형〈文〉물이 완만하게 흐르는 모양.

斿 yóu (유)
〈文〉명 ①기(旗) 위에 다는 리본. 기각(旗脚). ② '游yóu' 와 통용.

游〈遊〉B) yóu (유)
A) ①동 헤엄치다. ¶你能～多远? 헤엄을 얼마나 멀리 칠 수 있는가? / ～泳; ⇩ / 鱼在水里～; 물고기가 물 속에서 헤엄치다. ②명 하류(河流)의 한 부분. ¶上～; 상류(上流) / 下～; 하류(下流) ③동 자유롭게 다루다. ¶～刃rèn; 칼을 자유 자재로 다루다. ④명 성(姓)의 하나. B) 동 ①유람하다. 천천히 거닐다. 떠돌다. 이리저리 다니다. 빈둥거리며 놀다. ¶～山玩水; 산천을 유람하다 / 闲xián～; 한가롭게 노닐다 / 远～; 먼 곳으로 유람하다. ②교제하다. 내왕하다. 사귀어 가르침을 받다. ¶从吴君～, 获益甚多; 오(吳)씨에게 배워서 얻은 것이 매우 많았다 / 交～甚广; 교제가 넓다. 교제하는 사람들이 많다.
〔游伴〕 yóubàn 명 ①놀이 친구. ②(여행의) 길동무.
〔游标〕 yóubiāo 명 ①《數》아들자. ②《電算》커서(cursor).
〔游(标卡)尺〕 yóu(biāokǎ)chǐ 명《工》노기스(독 Nonius). =〔卡尺〕
〔游标卡钳〕 yóubiāo kǎqián 명《機》버니어 캘리퍼스(vernier calipers).
〔游标显微镜〕 yóubiāo xiǎnwēijìng 명 유표 현미경.
〔游兵〕 yóubīng 명 ⇨〔游军〕
〔游车河〕 yóu chēhé〈方〉드라이브하다. ¶一家大小同车～; 어른 아이 함께 가족이 모두 드라이브하다.
〔游尘〕 yóuchén 명 ①부진(浮塵). 떠도는 먼지. ②〈比〉극히 사소한 것. 보잘것 없는 것. ¶视若～ =〔视如～〕; 보잘것 없는 것으로 여기다.
〔游程〕 yóuchéng 명 유람 일정.
〔游船〕 yóuchuán 명 ⇨〔游艇①〕
〔游辞〕 yóucí 명 ⇨〔游言〕
〔游荡〕 yóudàng 형 방탕하다. 올바른 직업도 없이 빈둥거리다.
〔游冬〕 yóudōng 명《植》방가지똥. =〔苦菜〕
〔游动〕 yóudòng 동 이리저리 움직이다. ¶鱼群在～; 고기 떼가 이리저리 움직이고 있다.
〔游惰〕 yóuduò 동〈文〉빈둥빈둥 놀다. 놀고 게으름피우다. ¶终日～不务正业; 종일 놀기만 하고 본업에 힘쓰지 않다.
〔游方〕 yóufāng 동 행각(行脚)하다. 여기저기 돌아다니다. ¶～僧 =〔～和尚〕;《佛》행각승.
〔游舫〕 yóufǎng 명 ⇨〔游艇①〕
〔游蜂〕 yóufēng 명 ⇨〔雄xióng蜂〕
〔游观〕 yóuguān 동〈文〉유람하다.
〔游棍〕 yóugùn 명 (번화가의) 부랑아. 깡패. 건달.
〔游滑轮〕 yóuhuálún 명 ⇨〔游轮〕
〔游宦〕 yóuhuàn 동〈文〉타향에서 벼슬하다.
〔游魂〕 yóuhún 명 유혼. 여기저기 떠돌아 다니는 영혼. ¶流浪了一生, 死后也是～, 没个归宿; 평생을 유랑하고, 죽어서도 떠돌아다니는 혼령이 되어 돌아갈 곳이 없다 / 咱们找个准地方待dāi待好不好? 别这么～似地到处乱串! 우리 어디서 좀 쉬자, 망령처럼 여기저기 싸다니지 말고! / 你～游到哪儿去了? 这么半天都不回来! 너는 어딜 싸돌아다니고 있었느냐? 이렇게 오랫동안 돌아오지 않고서!
〔游击〕 yóujī 명동 게릴라〔유격〕(전을 하다). ¶打～; 게릴라전을 하다 / ～队duì; 유격대 / ～战; 게릴라전 / ～区; 유격 지구 / ～思想; 임기 응변으로 적당히 빠져나가려는 사고 방식 / ～习xí气; 게릴라전적(的)인 방식. 평시에는 통용하지 않는 방법. 명《體》(야구의) 쇼트스톱. 유격수. =〔游击手〕
〔游记〕 yóujì 명 여행기. ¶格gé列佛～;《書》걸리버 여행기.
〔游技〕 yóujì 명 유기. 오락으로 하는 운동.
〔游街〕 yóu.jiē 동 ①죄인을 거리로 끌고 다니다. ¶～示众; 죄인을 거리로 끌고 다니며 공중에게 보이다. 조리돌리다. ②거리를 떼지어 걷다. ③거리를 산보하다. (yóujiē) 명 가두 시위.
〔游军〕 yóujūn 명 유격대. =〔游兵〕
〔游客〕 yóukè 명 관광객. 유람객. =〔游人〕
〔游览〕 yóulǎn 명동 유람(하다). ¶～长城; 만리장성을 유람하다. 만리장성 구경을 하다.
〔游廊〕 yóuláng 명 몇개의 건물을 연결하는 긴 복도. 회랑(回廊).
〔游乐〕 yóulè 동〈文〉놀며 즐기다. 유락하다. =〔游虞yú〕〔游预yù〕〔游豫〕
〔游乐场〕 yóulèchǎng 명 유원지. 놀이 공원. =〔游乐园〕
〔游离〕 yóulí 명동《化》유리(하다). ¶～电子 =〔自由电子〕;《物》자유(自由) 전자. 동〈比〉다른 것에서 떨어져 존재하다. 유리되다. ¶只有恂如一人～在全家的兴奋圈子以外; 순여 한 사람만이 집안의 흥분의 권외(圈外)에 있다 / 他既不属shǔ于左派, 又不属于右派, 是一个～分子fènzǐ; 그는 좌파도 아니고 우파도 아닌, 유리된 분자이다.
〔游历〕 yóulì 명동 유력(하다). ¶到各地去～长zhǎng长见识; 각지로 두루 돌아다니며 견식을 넓히다.
〔游猎〕 yóuliè 동 여러 곳을 사냥하며 놀러 다니다.
〔游龙〕 yóulóng 명 ①승천하는 용.〈比〉동작이 활발한 것. 아름다운 자태. ②《植》개여뀌.
〔游履〕 yóulǚ 동〈文〉유력(遊歷)하다. 두루 돌아다니다. 편력하다. ¶性喜山水, ～遍于国中; 천성적으로 산수를 즐겨서, 전국을 빠짐없이 편력하고 있다.
〔游轮〕 yóulún 명《機》유동(游動) 바퀴(idle pulley). =〔游滑轮〕〔活轮〕〔活huó(皮带)轮〕〔〈南方〉松sōng皮带盘〕↔〔定dìng轮〕
〔游逻〕 yóuluó 명동〈文〉순라(하다). 순찰(하다).
〔游门串户〕 yóu mén chuàn hù〈成〉여기저기 남의 집을 돌아다니면서 잡담을 하다.
〔游民〕 yóumín 명 일정한 직업이 없는 백성. 유민(遊民). ¶无业～; 직업 없이 놀고 사는 사람.
〔游目〕 yóumù 동〈文〉두루 바라보다. ¶～四方; 사방을 두루 바라보다.
〔游牧〕 yóumù 명동 유목(하다). ¶～民族; 유목민족 / ～生活; 유목 생활.
〔游幕〕 yóumù 동〈文〉옛날, 고관의 고문〔수행

원]이 되(어 그 임지에 따라가)다.
〔游骑〕 yóuqí 명 유격 기병. 기마 유격병.
〔游憩〕 yóuqì 명동 〈文〉 놀이와 휴식(을 취하다). =〔游息〕
〔游禽〕 yóuqín 명 《鳥》 유금. 물새《총칭》.
〔游人〕 yóurén 명 관광객. 유람객. ¶～止步; 유람객 출입 금지. =〔游客〕
〔游刃有余〕 yóu rèn yǒu yú 〈成〉 요리사가 칼을 잘 다루어 고기를 마음대로 자르다《숙련되어 여유를 갖고 거뜬히 해냄》. ¶以他的能力应yìng付这事是～的; 그의 능력으로는 이 건에 대한 대처는 용이한 일이다.
〔游僧〕 yóusēng 명 《佛》 탁발승. 운수승(雲水僧).
〔游山玩水〕 yóu shān wán shuǐ 〈成〉 자연의 풍경에 접하다. 산수간에 노닐다.
〔游蛇〕 yóushé 명 놀고 있는 뱀. 〈比〉 거취가 분명하지 않은 사람.
〔游食〕 yóushí 명동 무위 도식(하다). ¶他长久失业, 到亲友处打～; 그는 오랫동안 실업하여, 매일 친척·친지한테 가서 무위 도식하고 있다.
〔游手〕 yóushǒu 명 ①도수(徒手). 맨손. ②빈둥빈둥 노는(사람). ¶～无赖; 일정한 직업 없는 불량배. 동 일없이 빈둥거리다.
〔游手好闲〕 yóu shǒu hào xián 〈成〉 빈둥빈둥 놀고 일을 하지 않다. ¶～不务精业; 빈둥빈둥 놀기만하고 생업에 힘쓰지 않다.
〔游水〕 yóu·shuǐ 동 헤엄치다. 수영하다. (yóushuǐ) 명 수영. ‖ =〔游泳〕
〔游说〕 yóushuì 동 〈文〉 유세하(고 다니)다.
〔游丝〕 yóusī 명 ①《機》 유사《시계의 용수철》. =〔油丝〕 ②공중에서 흔들거리는 거미 따위 실. =〔飞fēi丝〕
〔游隼〕 yóusǔn 명 《鳥》 매. =〔花huā梨鹰〕〔〈北方〉 鸭yā鹘〕〔〈北方〉 鹘虎〕〔〈南方〉 黑hēi背花梨鹞yào〕
〔游田〕 yóutián 명 〈文〉 (행락을 위한) 수렵〔사냥〕. =〔游畋〕
〔游艇〕 yóutǐng 명 ①유람선. =〔游船〕〔〈文〉 游舫〕 ②요트. =〔快kuài艇②〕
〔游玩〕 yóuwán 동 ①놀다. 뛰놀다. 만유하다. ②유희하다. 돌아다니며 놀다.
〔游息〕 yóuxī 명동 ⇨〔游憩〕
〔游戏〕 yóuxì 명동 유희(하다). ¶做～; 게임을 하다. 유희를 하다 / 几个孩子正在大树底下～; 아이들이 큰 나무 밑에서 놀고 있다 / ～场chǎng; 오락장 / ～三昧mèi; 〈成〉 (속세의 일을 피하고) 노는 일에만 열중하다 / ～人间; 〈成〉 인생을 반 장난으로 지내다. 명 게임(game). ¶～软件; 게임 소프트 웨어.
〔游狎〕 yóuxiá 동 〈文〉 (기생들과) 시룽거리다.
〔游侠〕 yóuxiá 명 유협. 협객(俠客).
〔游乡〕 yóu·xiāng 동 ①(죄인을) 본보기로 온 동네를 끌고 다니다. 조리돌리다. ¶戴高帽子～; 긴 삼각모를 씌워서 조리돌리다. ②행상을 하며 돌아다니다.
〔游庠〕 yóuxiáng 동 〈文〉 (옛날, 수재(秀才) 시험에 합격하여) 학교에 들어가다.
〔游心〕 yóuxīn 동 〈文〉 깊고 멀리 생각하다.
〔游星〕 yóuxīng 명 ⇨〔行xíng星〕
〔游行〕 yóuxíng 동 ①이리저리 거닐다. 정처없이 떠돌다. ②시위하다. 데모하다. 명 시위. 가두 행진. 데모(demo). ¶～队伍; 데모대 / 结jié队～; 무리를 이루어〔대오를 지어〕 행진하다 / 示威～; 시위 행진 / 群众～; 대중 데모 행진.
〔游兴〕 yóuxìng 명 놀아보자는 흥취. 들뜬 기분. 행락 기분. ¶老兄今日～不浅; 〈古白〉 형은 오늘 들뜬 기분이군요 / 趁chèn着～踏月而归; 흥에 겨워 달빛을 밟고 귀가하다.
〔游学〕 yóuxué 명동 옛날, 유학(하다). ¶他少年时代曾～远方; 그는 젊은 시절에 먼 곳으로 유학한 적이 있다.
〔游言〕 yóuyán 명 〈文〉 근거 없는 말. 유언비어. ¶～可畏; 근거 없는 유언비어는 무섭다 / 莫信～; 근거 없는 유언비어를 믿으면 안 된다 / 为～所伤; 근거 없는 소문 때문에 피해를 입다. =〔游辞〕
〔游扬〕 yóuyáng 동 〈文〉 격찬하다. 추어올리다.
〔游冶〕 yóuyě 동 〈文〉 야유(冶遊)하다. 주색(酒色)에 빠지다. ¶～郎; 주색에 빠진 사나이.
〔游医〕 yóuyī 명 떠돌이 의사.
〔游移〕 yóuyí 형 우물쭈물하다. 망설이다. ¶～两可; 〈成〉 양다리 걸치다 / ～不定 =〔～不决〕; 〈成〉 우물쭈물 태도를 정하지 못하다. =〔犹豫〕〔犹疑〕
〔游弋〕 yóuyì 동 〈文〉 군함이 (정찰 행동을 하면서) 해면을 순항하다. 함정이 패트롤하다. =〔游奕yì〕
〔游艺〕 yóuyì 명 놀이와 오락. 연예. ¶～室; 오락실 / ～会; 연예회. 학예회 / 围棋是一种～; 바둑은 오락의 일종이다 / ～节目; 연예 프로그램.
〔游奕〕 yóuyì 동 ⇨〔游弋〕 명 도교(道敎)의 한 신(神)《인간들 사이를 오가면서 선악을 살핀다고 함》. =〔日rì游神〕〔夜yè游神①〕
〔游泳〕 yóu·yǒng 동 헤엄치다. 수영하다. (yóuyǒng) 명 헤엄. 수영. ¶～池; 풀장. 수영장 / ～裤; 수영 팬츠 / ～衣; 수영복 / 狗爬式～; 개헤엄. ‖ =〔游水〕 →〔泅fù水〕〔〈文〉 泅qiú水〕
〔游泳比赛〕 yóuyǒng bǐsài 명 수영 경기.
〔游泳表〕 yóuyǒngbiǎo 명 ⇨〔防fáng水表〕
〔游游荡荡〕 yóuyoudàngdàng 형 ①빈둥거리는 모양. 건들건들하는 모양. ¶～地走了过来; 건들건들 걸어오다. ②하늘거리는 모양. ¶荷花随风～地摇摆着; 연꽃이 바람에 따라 하늘하늘 흔들리고 있다.
〔游游磨磨儿〕 yóuyoumómór 형 일정한 직업이 없이 빈둥빈둥하는 모양. ¶整天价～可不是办法; 하루 종일 빈둥거리기만 하면 일이 해결되지 않는다.
〔游游移移〕 yóuyouyíyí 형 결심이 서지 않는 모양. 미적지근한 모양.
〔游虞〕 yóuyú 동 ⇨〔游乐〕
〔游预〕 yóuyù 동 ⇨〔游乐〕
〔游豫〕 yóuyù 동 ⇨〔游乐〕
〔游园〕 yóuyuán 동 ①공원〔정원〕에서 놀다. ②공원 등에서 축하 행사를 하다 / ～会; 원유회 / ～晚会; 원유회의 밤. 명 유원지.
〔游侦〕 yóuzhēn 명 〈文〉 첩자.
〔游资〕 yóuzī 명 ①《經》 유자. 유휴 자금. ¶市面～充斥; 시장에 유휴 자금이 넘쳐 흐르고 있다 / 手头～; 수중에 있는 자본 / 导～于正轨; 유휴 자금을 정상 궤도로 끌어 들이다. ②시장에 유통되고 있는 자금. ③유람 비용.
〔游子〕 yóuzǐ ①명 〈文〉 타향에 있는 사람. 나그네. 방랑자. ¶～思乡; 나그네가 고향을 생각하다. ② ⇨〔离lí子〕
〔游子〕 yóuzi 명 ⇨〔圝子〕
〔游踪〕 yóuzōng 명 〈文〉 유력(游歷)〔편력〕의 발자취. ¶～无定; 내키는 대로 편력하다. 편력이 일정치 않다.

蝣 yóu (유)
→〔蜉fú蝣〕

猷 yóu (유)
명〈文〉계획. 계략. ¶鸿hóng～; 큰 계략.

輶(輶) yóu (유)
〈文〉①명 옛날의 가볍고 간편한 수레. ¶～轩xuān; 천자의 사자(使者)가 타는 가벼운 수레. ②형 가볍다. ¶～车; 가벼운 수레

蝤 yóu (유)
→〔蝤蛑〕⇒qiú

〔蝤蛑〕 yóumóu 명《魚》꽃게. =〔〈俗〉海hǎi螃蟹〕〔〈俗〉梭suō子蟹〕〔〈文〉蠘jié〕

繇 yóu (요)
개〈文〉⇨〔由yóu①②〕⇒yáo zhòu

囮 yóu (유)
→〔囮子〕

〔囮子〕 yóuzi 명 후림새. =〔囮é子〕〔游子〕

友 yǒu (우)
①명 우인. 벗. 친구. ¶好～; 좋은 친구/旧jiù～; 옛 친구/老lǎo～ =〔老朋～〕; 오래된 친구/良师益～; 좋은 스승과 도움되는 친구. ②형 사이가 좋다. 교분이 두텁다. 우호적이다. ③동〈文〉사귀다. 교제하다. ¶择zé人而～之; 좋은 사람을 가리어 친구로 삼다. ④명 한 패. 동아리. ¶～军; ⇩/工～; 노동자 동료.

〔友爱〕 yǒu'ài 명동 우애(하다).

〔友邦〕 yǒubāng 명 우방. 우호국.

〔友弟〕 yǒudì 명〈文〉제자에 대한 스승의 자칭. =〔友生②〕

〔友好〕 yǒuhǎo 명형 우호(적이다)《특히 국가간·민족간의 관계에서 말함》. ¶～关系; 우호 관계/在～的气氛中进行谈话; 우호적인 분위기 속에서 이야기하다/用很不～的眼光看了我一眼; 아주 적대적인 눈길로 나를 흘낏 보았다/中国韩国～协会 =〔中韩友协〕; 중한 우호 협회/～相处; 서로 우호적으로 지내다. 명〈文〉(절친한) 친구. ¶生前～; 생전의 친구.

〔友军〕 yǒujūn 명 우군. 자기편의 군대.

〔友情〕 yǒuqíng 명 우정. ¶建立～; 우정을 맺다.

〔友人〕 yǒurén 명〈文〉친구. 우인. ¶国际～; 외국 친구.

〔友善〕 yǒushàn 형〈文〉(친구간의) 사이가 좋다. 의좋다. ¶素相～; 평소 친하게 지내고 있다.

〔友生〕 yǒushēng 명 ①〈文〉우인(友人). 친구. ②⇨〔友弟〕

〔友协〕 yǒuxié 명〈簡〉우호 협회. ¶中韩～ =〔中国韩国友好协会〕; 중한 우호 협회. =〔友好协会〕

〔友婿〕 yǒuxù 명〈文〉동서《사위끼리의 호칭(互稱)》. =〔连lián襟(儿)〕

〔友谊〕 yǒuyì 명 우의. 우정. 친선. ¶～商店; 우의 상점《외국인 전용의 백화점》.

〔友谊赛〕 yǒuyìsài 명 친선 게임. =〔友好hǎo赛〕

〔友寅〕 yǒuyín 명〈文〉동갑 친구.

有 yǒu (유)
①동 있다. 존재하다《부정(否定)은 '没méi有'·'没'임》. ¶桌子上～书; 테이블 위에 책이 있다/那儿～谁? 거기에 누가 있소?/那里～十来个人; 저 곳에 10명쯤 있다/～我呢, 都交给我吧; 내가 있으니, 모두 내게 맡기라고/～办法; 해결책이 있다. ②동 소유하다. 가지고 있다《부정은 '没有'·'没'임》. ¶他～钱; 그는 돈을 가지고 있다/我没～时间; 나는 틈이 없다/他～一本书; 그는 책을 한 권 갖고 있다. ③동 되다《시간의 경과를 나타냄》. ¶～一年多; 1년 남짓 된다/已经～三点半了; 벌써 3시 반이 됐다. ④동 (지금까지 없던 것이) 생기다. 발생하다《발생·출현을 나타냄. 부정은 '没有'·'没'》. ¶～病了; 병이 났다/因为他开始～了党员; 그로 인하여 당원이 생기기 시작했다/形势～了新的发展; 정세에 새로운 발전이 나타났다/～了两回, 就保不住没～第三回; 두 번 있었던 일은 세 번째가 없으란 보장이 없다. ⑤동 (많이) 있다《많다, 또는 크다는 뜻을 나타냄》. ¶～的是钱; 돈은 얼마든지 있다/～经验; 경험이 풍부하다/他～了年纪; 그는 나이를 먹었다. ⑥일부의 동사 앞에 붙이어 존경·겸양하는 기분을 나타내는 말. ¶～劳您了; 수고를 끼쳐 드렸습니다/～请; 와 주십시오. ⑦동 임신하다. ¶他太太～了; 그의 부인은 임신 중이다. ⑧동 (예정·방침 등이) 결정되다. ¶～日子起身; 출발 날짜가 정해지다/～主意了; 생각이 정해졌다/今天下午～会议; 오늘 오후에 회의가 있다/今天晚上～音乐会; 오늘 저녁 음악회가 있다. ⑨동 …만큼 되다. …만 하다《계량(計量) 또는 비교를 나타냄》. ¶雪下得～一公尺厚; 눈이 1미터나 쌓였다/他高～175厘米, 重～65公斤; 그는 키가 175센티이고, 몸무게는 65킬로그램이다. ⑩특정한 사물〔날짜·사람〕을 정하지 않고 가리키는 말. ¶～一天; 어느날/～时候; 어느 때/～人不赞成; 어떤 사람은 찬성하지 않는다/～地方有; 어떤 곳에 존재한다. ⑪접두 조대(朝代) 이름 앞에 붙는 접두사(接頭詞). ¶～夏; 하조(夏朝). ⑫명 성(姓)의 하나. ⇒yòu

〔有碍〕 yǒu'ài 동〈文〉지장이 있다. 장애가 되다. ¶～交通; 교통에 방해가 되다/～观瞻; 〈成〉보기 흉하다. 외관을 해치다.

〔有案可稽〕 yǒu àn kě jī〈成〉대조 확인할 기록 문서가 있다. (조약 등이) 문서에 기록되어 있다.

〔有案可援〕 yǒu àn kě yuán〈成〉인용할 수 있는 사례가 있다. ¶只要～, 公事就好办得多; 참고 할 만한 사례가 있으면, 공무는 훨씬 하기 쉽다.

〔有把家伙〕 yǒu bǎ jiāhuo〈北方〉상당한 수완가이다. 솜씨가 꽤 있다. ¶想不到他办事办得这么好, 真～; 그가 이렇게 잘 처리할 수 있을줄은 몰랐는데, 정말 재간이 있다.

〔有把刷子〕 yǒu bǎ shuāzi〈京〉①재능〔수완〕이 있다. ¶这个人干活～; 이 사람의 일솜씨는 매우 뛰어나다. ②재미있다. 재치 있다. ¶你做的这个娃wá娃, 真～; 네가 만든 이 인형은 정말 재미있구나.

〔有板有眼〕 yǒu bǎn yǒu yǎn〈成〉①노래나 음악이 박자에 맞다. ¶他唱起来～, 一点儿不乱; 그가 노래를 부르면 박자가 잘 맞아 조금도 틀리지 않는다. ②〈比〉(언행이) 사리에 닿다. (형식이) 흐트러지지 않다. 빈틈없다. ¶他～地说着话; 그는 말을 조리 있게 한다.

〔有邦〕 yǒubāng 명〈文〉제후(諸侯).

〔有备无患〕 yǒu bèi wú huàn〈成〉유비무환. 사전에 방비하면 우환이 없다. ¶有了这么多水库, 雨天可以蓄水, 旱天可以灌溉, 可说是～了; 이렇

게 많은 댐이 있으니, 비가 오면 물을 저장할 수 있고, 가물 때는 관개할 수 있어서 유비무환이라고 말할 수 있다.

〔有背〕 yǒubèi 동 〈文〉 …에 위반하다. ¶～常理; 보통의 상식에 어긋나다.

〔有鼻子有眼儿〕 yǒu bízi yǒu yǎnr 〈比〉 표현이 박진감이 있는 모양. ¶他说得～仿佛真的一样; 그는 생생하게 말해 정말인 것 같다. =〔有眼有鼻子〕

〔有边儿〕 yǒu.biānr 동 ⇨〔有门儿①〕

〔有不〕 yǒubù 〈北方〉 …하면 (어떤가). ¶～这么办好不好呢? 뭣하면, 이렇게 해보는 게 어떤가.

〔有步骤地〕 yǒu bùzhòude 단계적으로. 순서대로.

〔有材料儿〕 yǒu cáiliaor (인물이) 유망하다. 장래성이 있다.

〔有槽滑轮〕 yǒucáo huálún 명〈機〉 홈 풀리(pulley).

〔有槽活塞〕 yǒucáo huósāi 명〈機〉 홈 피스톤.

〔有茬儿〕 yǒu chár ⇨〔有碴儿〕

〔有碴儿〕 yǒu chár 〈俗〉 ①(감정상) 맺힌 데가 있다. 사이가 틀어지다. ¶他们俩～, 请客不能请到一块儿; 그들 두 사람은 사이가 틀어져 있으므로 함께 초청해서는 안 된다. ②구하는 사람이 있다. ¶她已经三十了, 可还没～; 그녀는 벌써 서른인데도 데려갈 상대가 아직 없다. ‖ =〔有茬儿〕

〔有常〕 yǒucháng 동 (좋은 일을) 죽 계속하다. ¶无论学什么, 做什么, 总要～才好; 무엇을 배우든 무슨 일을 하든, 오래〔꾸준히〕 계속하는 것이 좋다.

〔有成〕 yǒuchéng 동 〈文〉 성공하다. 완성하다. 가망이 있다. ¶三年～; 3년에 완성하다 / 我看这事～; 나는 이 일은 가망이 있다고 생각한다.

〔有成效(地)〕 yǒu chéngxiào(de) 성과가 있게. 효과적으로. ¶～地进行谈判; 성과가 나도록 교섭을 진행하다.

〔有吃有穿〕 yǒu chī yǒu chuān 〈成〉 의식(衣食)은 충분하다.

〔有吃有喝〕 yǒu chī yǒu hē 〈成〉 먹을 것은 부족함이 없다.

〔有尺水, 行尺船〕 yǒu chǐshuǐ, xíng chǐchuán 〈比〉 환경〔현실〕에 맞게 일을 처리하다. 무리하지 않고 일을 진행하다. ¶看资本大小做买卖, ～就错不了liǎo了; 자본의 대소에 따라 장사를 하고, 무리를 하지 않으면 틀림이 없다 / 咱们是～, 对付着就过去了; 우리가 환경에 맞게 일을 적당히 처리하면 그런대로 넘어간다.

〔有仇〕 yǒu.chóu 동 (…에) 한이 있다. 원한을 품다.

〔有出入〕 yǒu chūrù 일치하지 않다. 차이가 있다. ¶账上～; 장부에 차이가 있다 / 口供gòng上～; 진술에 어긋난 점이 있다.

〔有出息〕 yǒu chūxi 가망성이 있다. 장래성이 있다. 전도 유망하다. ¶没～的人; 가망〔장래성〕이 없는 사람.

〔有刺铁丝〕 yǒucì tiěsī 명 가시 철사. =〔带dài刺铁丝〕〔蒺jí藜丝〕〔棘jí铁线〕

〔有待〕 yǒudài 동 기다리다. 기대하다. …할 필요가 있다. …이 요구되다. ¶～来日; 앞날을 기대하다 / 这个问题～进一步研究; 이 문제는 가일층의 연구를 기할 필요가 있다 / 还存在着许多缺点～克服; 아직 극복해야 할 많은 결점이 있다.

〔有胆有识〕 yǒu dǎn yǒu shí 〈成〉 대담함과 식견을 겸비하고 있다.

〔有道〕 yǒudào 〈文〉 형 ①덕행이 있다. 학덕이 있다. ②합법적이다. ③천하가 태평하다. 명 덕행〔학덕〕이 있는 사람.

〔有道是…〕 yǒudàoshì… …라는 말이 있다. 세상에서는 흔히 …라고 말한다(흔히 하는 말이나 속담 등을 인용할 때 씀). ¶～出门靠朋友; 세상에서는 흔히 집을 나서면 친구를 의지한다고 한다 / ～: "锦上添花天下有, 雪里送炭天下无"; 속담에도, "부귀한 이에게 금상첨화격으로 보태 주는 사람은 있어도, 어려운 사람에게 은혜를 베푸는 사람은 없다."라고 했다.

〔有得〕 yǒudé 동 터득한 바가 있다. 깨달은 바가 있다. ¶学习～; 학습에서 터득한 바가 있다. =〔有心得〕

〔有得〕 yǒude 동 …할〔하는〕 것이 있다(뒤에 오는 동사의 의미상의 목적어가 생략됨). ¶～穿; 입을 것이 있다 / ～(东西)买; 살 것이 있다.

〔有的〕 yǒude 대 어떤 사람. 어떤 것(흔히 연용(連用)함). ¶～(人)记性好; 어떤 사람은 기억력이 뛰어나다 / ～在说话, ～在看报, ～在听音乐; 어떤 사람은 이야기하고, 어떤 사람은 신문을 보고, 어떤 사람은 음악을 듣고 있다 / ～已经解决, ～正在解决; 이미 해결된 것도 있고 해결 중인 것도 있다 / 园里的花, ～红, ～白; 화원의 꽃은 붉은 것도 있고 흰 것도 있다.

〔有的没的〕 yǒude méide ①부자와 가난뱅이. ②있는 것과 없는 것. 이것저것 모두. ¶～都说出来了; 있는 것 없는 것 모조리 말해 버렸다 / 把～都算在里头; 모든 것 일체를 계산에 넣다.

〔有的是〕 yǒudeshì 많이 있다. 얼마든지 있다(존재하는 사물을 나타내는 말의 앞이나 뒤에 옴). ¶他家里～书; 그의 집에는 책이 많이 있다 / 钱～; 돈은 얼마든지 있다 / ～毛病; 결점투성이이다 / 这种东西, 我家里～; 이런 종류의 물건이라면 우리 집에 얼마든지 있다. =〔多的是〕

〔有的说没的道〕 yǒude shuō méide dào 있는 말 없는 말 마구 지껄이다. 입에서 나오는 대로 함부로 말하다.

〔有的主儿…〕 yǒudezhǔr… 어떤 사람(은). 사람에 따라서는. …하는 사람도 있다.

〔有等〕 yǒuděng 〈謙〉 오래 기다리셨습니다. =〔叫jiào您受等〕

〔有底(儿)〕 yǒu.dǐ(r) 동 ①(잘 알고 있어서) 자신이 있다. ¶心里才有了底; 겨우 자신이 생겼다 / 只要您一答应, 我就～了; 당신이 승낙만 해 주신다면, 저는 잘 알고 있으므로 자신이 있습니다. =〔有根②〕 ②돈이 있다. 재산 상태가 견실하다. ¶他不做事不要紧, 家里～; 그는 일을 안 해도 상관 없다. 집이 부자니까. ③기초가 있다.

〔有的放矢〕 yǒu dì fàng shǐ 〈成〉 과녁이 있어서 활을 쏘다(목적을 정하고 일을 행하다. 뚜렷한 목표하에 일을 하다). ¶～地选学现代化的有关著作; 뚜렷한 목표하에 현대화 관계의 저작을 고르고 학습하다. ↔〔无的放矢〕

〔有点(儿)〕 yǒu diǎn(r) 조금 있다(수량의 적음이나 정도의 얕음을 뜻함). ¶看来～希望; 다소 희망이 있어 보인다 / 你需要, 这儿还～富fù余的; 만일 네가 필요하다면, 여기에 조금 여분이 있다 / 碗里～水; 그릇 속에 물이 좀 있다. (yǒudiǎn(r)) 부 조금. 약간(흔히, 여의치 못한 경우에 씀). ¶今天他～不高兴; 오늘 그는 기분이 좀 좋지 않다 / 我～头疼; 나는 머리가 조금 아프다 / 他稍微～后悔; 그는 약간 후회하고 있다 / ～累了; 좀 피곤하다. 注 문말(文末)에 '了'가 오면

바람직스러운 일에도 쓸 수 있음. ¶他的脑袋才～清醒了; 그의 머리는 이제 조금 맑아졌다.
〔有法子〕 yǒu fǎzi 방법이 있다. 수가 있다. ↔〔没méi法(儿, 子)〕
〔有饭大家吃〕 yǒu fàn dàjiā chī 밥이 있으면 모두 함께 먹는다. 〈比〉 고락을 함께 하다.
〔有方〕 yǒufāng 형 (방법이) 알맞다. 적절하다. 합당하다. 능숙하다. ¶领导～; 지도 방법이 적정하다/指挥～; 지휘가 합당하다/教子jiàozǐ～; 아이를 가르치는 방법이 적절하다. ↔〔无wú方〕
〔有分〕 yǒu.fèn 동 ①(이익 배당을 받을) 자격·권리가 있다. ¶这笔买卖我也～的; 이 장사에서는 나도 몫(을 받을 자격)이 있다. ②책임이 있다. ¶直接的归我负责, 间接的我也～; 직접적인 것은 내가 책임을 지지만, 간접적인 것도 내게 책임이 있다. ③인연〔연분〕이 있다.
〔有分儿〕 yǒu fènr ①관록이 있다. ¶看他的派头儿, 相当～嘛; 그의 태도로 보면, 상당히 관록이 있다. ②여유가 있다.
〔有风吹草〕 yǒu fēng chuī cǎo 〈成〉 일이 일어나다. ¶～, 人们就纷纷抛pāo售美元; 일이 생기면 사람들은 다투어 미화(美貨)를 처분한다.
〔有缝钢管〕 yǒufèng gāngguǎn 명《工》 용접(鎔接) 강관.
〔有服〕 yǒufú 동 거상(居喪) 중이다. 복상(服喪) 중이다. ¶恕我～在身, 不能出门回拜; 저는 복중이라 답례 방문을 못함을 용서하여 주십시오. =〔有孝〕 명 유복지친(有服之親). ¶是～的, 还是无服的? 유복지친입니까, 아니면 (복상 관계가 없는) 먼 일가입니까?
〔有福不在忙, 无福跑断肠〕 yǒu fú bùzài máng, wú fú pǎoduàn cháng 〈諺〉 행운은 누워서 기다려라. 서두르는 거지는 얻음이 적으니라. =〔无福跑断肠, 有福不用忙〕
〔有福大家享, 有难一齐受〕 yǒu fú dàjiā xiǎng, yǒu nàn yīqí shòu 〈諺〉 복이 있으면 함께 즐기고 곤란한 일이 있으면 함께 당한다《화복(禍福)〔고락〕을 함께 하다》.
〔有福同享〕 yǒu fú tóng xiǎng 〈成〉 좋은 일〔행복〕을 함께 즐기다. ¶～, 有祸同当; 고락(苦樂)을 함께 나누다.
〔有辐轮〕 yǒufúlún 명《機》 스포크 차륜(spoke車輪).
〔有盖杯〕 yǒugàibēi 명 뚜껑있는 찻잔《원통형이고 큰 것》.
〔有盖碗〕 yǒugàiwǎn 명 뚜껑이 달려 있는 원통형의 물컵.
〔有肝胆〕 yǒu gāndǎn 혈기 왕성하다. 배짱이 두둑하다. 대담하다.
〔有个说儿〕 yǒu ge shuōr ①(비밀이어서) 남에게 알릴 수 없는 일이 있다. 사정이 있다. ②약속이 있다. 이야기를 해 두다. 조건이 있다.
〔有根〕 yǒu.gēn 동 ①기초가 있다. 근거가 있다. 기초가 튼튼하다. 확실하다. ¶你放心, 他在这儿～! 안심하십시오. 그는 여기서는 기반이 있으니까요!/～有据; 확실한 근거가 있다. ②⇨〔有底(儿)①〕 (yǒugēn) 형 ①수완이〔솜씨가〕 있다. ¶别看不起他是个孩子, 可～着哪! 어린아이라고 얕잡아 보면 안 됩니다. 여간 아닙니다! ②굉장하다. 대단하다. 훌륭하다. ¶嘿! 你～! 허! 굉장하군! ③(태도가) 견실하다.
〔有根儿有派儿〕 yǒugēnr yǒupàir 〈比〉 ⇨〔有根儿有襻儿〕
〔有根儿有襻儿〕 yǒugēnr yǒupànr 〈比〉 ①시종여일하다. 처음부터 끝까지 한결같다. ②(내력·신원 등이) 확실하다. 근거가 있다. ¶～的人; 근본이 확실한 사람. ‖=〔有根儿有派儿〕
〔有哏〕 yǒu.gén 동 익살맞다. 재미있고 우습다. ¶这段相xiàng声说得真～; 이 (한마당) 재담은 정말 재미있다.
〔有工夫〕 yǒu gōngfu 시간과 수고를 들이다. 공들이다. 수업·연구를 쌓다. ¶他对于写字很～; 그는 서예에 많은 수련을 쌓았다. →〔工夫〕
〔有功〕 yǒu.gōng 동 공적이 있다.
〔有钩条虫〕 yǒugōu tiáochóng 명《蟲》 경구조충(硬口條蟲)《척추 동물의 체내에 기생하는 촌충의 일종》. →〔无wú钩条虫〕
〔有骨头〕 yǒu gǔtou ①기개가 있다. 근성이 있다. ¶他这个人～; 그는 기개가 있는 사람이다. ②언외(言外)에 뜻이 있다. 뼈가 있다. ¶他这话里～; 그의 이 말에는 뼈가 있다.
〔有故〕 yǒugù 동 〈文〉 이유가 있다. 사정이 있다. ¶～缺席; 이유가 있어 출석하지 않다. 사정에 의해 결석하다.
〔有瓜葛〕 yǒu guāge ①(친척 사이에) 친분이 있다. ②복잡한 관계가 있다. 관련이 있다. ③말썽이 있다. 갈등이 있다.
〔有关〕 yǒuguān ①동 (…에) 관계가 있다. ¶和国家的命运～; 나라의 명운과 관계가 있다/性命～; 생명에 관계되다/～部门; 관계 부문/～各方面; 관계 각방면. ②연관되다. 관계되다. ¶商量～工作的问题; 일에 관한 문제를 상의하다.
〔有光〕 yǒuguāng 형 광이 나다. 윤이 나다. 명《紡》(섬유 제품 등의) 브라이트(bright). 광택. ¶～快把; 유광(有光) 스테이플 파이버(staple fiber).
〔有光有热有力〕 yǒu guāng yǒu rè yǒu lì 문예 작품이 훌륭하고 힘이 있어 독자의 공감을 얻다.
〔有光纸〕 yǒuguāngzhǐ 명 에나멜 페이퍼. 유광지. =〔蜡là图纸〕
〔有轨电车〕 yǒuguǐ diànchē 명 전차. 노면(路面) 전차. 궤도차.
〔有鬼〕 yǒu guǐ ①별난〔이상한〕 데가 있다. ②꺼림칙하다. ③간계를 꾸미고 있다. 꿍꿍이속이 있다.
〔有过之(而)无不及〕 yǒu guò zhī(ér) wú bù jí 〈成〉 그 이상이지 이하는 아니다《나쁜 방면에 주로 사용됨》.
〔有何不可〕 yǒu hé bù kě 〈成〉 무엇이〔어째서〕 안 된다는 것인가? 무슨 안 될 것이 있겠는가?
〔有恒〕 yǒuhéng 동 (의지가 굳어) 끈기 있다. ¶学贵～; 〈成〉 학문에는 꾸준함이 중요하다.
〔有红似白(儿)〕 yǒuhóng sìbái(r) 흰 살갗에 홍조를 띠다. ¶那小姑娘的脸蛋子～; 저 소녀의 빰은 흰 살갗에 홍조를 띠고 있다.
〔有花〕 yǒuhuā 동 무늬가 있다. ¶～水杯; 무늬 있는 물컵.
〔有花当面插〕 yǒuhuā dāngmiàn chā 〈諺〉 꽃이 있으면 지체 말고 꽂아라《하여야 할 일은 지체 말고 하여라. 기회를 놓치지 마라》.
〔有话即长, 无话即短〕 yǒuhuà jí cháng, wúhuà jí duǎn 이것저것 말하자면 길어지지만, 잘라 말하면 얘기는 간단하다. =〔有话则zé长, 无话则短〕
〔有会子〕 yǒuhuìzi 〈口〉 상당히 오랜 시간이 지났다. ¶他出去可～啦; 그가 나간 이후 꽤 시간이 지났다. =〔有会儿〕
〔有机〕 yǒujī 형 ①《化》 유기의. ¶～化学; 유기

화학 / ～质; 유기질 / ～肥料; 유기 비료 / ～染料; 유기 염료 / ～合成; 유기 합성. ②유기적인.
〔有机玻璃〕 yǒujī bōli 명 유기(有機) 유리《아크릴 수지(樹脂)로 만든 유리》. =〔不bù碎玻璃〕
〔有机化合物〕 yǒujī huàhéwù 명 《化》 유기 화합물.
〔有机可乘〕 yǒu jī kě chéng 〈成〉 이용할〔포착할〕 기회가 생기다.
〔有机酸〕 yǒujīsuān 명 《化》 유기산. 카르본산(Karbon酸). 카르복시산(Carboxylic acid). =〔羧suō酸〕
〔有机体〕 yǒujītǐ 명 《生》 유기체. =〔机体①〕
〔有机物〕 yǒujīwù 명 《化》 유기물. ↔〔无wú机物〕
〔有奇〕 yǒujī 동 〈文〉 남짓하다. 나머지가 있다. ¶一百元～; 100원 남짓 / 去年进口总额四亿美元～; 작년의 수입 총액은 4억 달러 남짓이다.
〔有己无人〕 yǒu jǐ wú rén 〈成〉 남이야 어떻든 자기 잇속만 생각하다.
〔有计划地〕 yǒu jìhuàde 계획적으로.
〔有加利(树)〕 yǒujiālì (shù) 명 《植》 유칼립투스. =〔桉ān树〕
〔有加无已〕 yǒu jiā wú yǐ 〈成〉 ①증가 일로에 있다. ②일이 쉴새없이 발전하다. ③재앙이 잇달아 겹쳐지다.
〔有价证券〕 yǒujià zhèngquàn 명 《經》 유가 증권.
〔有间〕 yǒujiān 형 〈文〉 다르다. 차이가 있다. 구별되다. ⇒yǒujiàn
〔有肩螺钉〕 yǒujiān luódīng 명 《機》 대가리의 크기가 대소(大小) 여러 단계로 되어 있는 나사못.
〔有减无加〕 yǒujiǎn wújiā 주는 일은 있어도 보태는 일은 없다.
〔有间〕 yǒujiàn 형 〈文〉 사이가 좋지 않다. 틈이 있다. ¶诸侯～矣; 제후 사이에 틈이 있다. ⇒yǒujiān
〔有鉴及此〕 yǒu jiàn jí cǐ 〈成〉 이 점을 고려하다. ¶他因～才早做准备的; 그는 이 점을 고려하였기 때문에 일찍부터 준비를 하였다. =〔有见及此〕〔有见于此〕〔有鉴于此〕
〔有僭〕 yǒujiàn 〈謙〉 실례합니다《남들보다 윗자리에 앉을 때 쓰는 말》. ¶～, ～! 윗자리에 앉아서 정말 염치없습니다.
〔有讲(儿)〕 yǒu jiǎng(r) 까닭이 있다. 사연이 있다. ¶这么做是～的; 이렇게 하는 데는 까닭이 있다. =〔有讲究(儿)②〕
〔有讲究(儿)〕 yǒu jiǎngjiu(r) ①분명한 규칙이 있다. ¶喝茶时, 怎么坐着, 怎么端碗, 怎么喝都～; 차를 마시는 데에는 어떻게 앉고, 어떻게 찻잔을 쥐며, 어떻게 마시는가 등의 식이 다 있다. ②사유가 있다. 까닭이 있다. ¶这里一定～; 여기에는 반드시 까닭이 있다 / 过旧历年有很多～的习俗; 음력 정월에는 여러 가지 사연이 있는 풍습이 있다. =〔有讲(儿)〕 ③(사물에) 몰두하다. 신경 쓰다. ¶他对衣裳很～; 그는 의상에 꽤나 신경 쓴다. ④(일에) 배려하다. 주의를 기울이다.
〔有奖储蓄票〕 yǒujiǎng chǔxùpiào 명 할증금부(附) 저축 채권.
〔有嚼头〕 yǒujiáotou ⇨〔有咬劲儿〕
〔有角有刺〕 yǒu jiǎo yǒu cì 〈成〉 뿔이 있고 가시가 있다《순순히 복종하지 않고 조류(潮流)에 반항하는 기개가 있음》.
〔有教无类〕 yǒu jiào wú lèi 〈成〉 어떤 사람에게도〔누구에게나〕 차별 없이 교육을 시키다.
〔有今儿没明儿〕 yǒu jīnr méi míngr 〈諺〉 오늘은 있고 내일은 없다《구차히 내일 일을 생각지 말라. 앞날의 목숨은 헤아릴 수 없다》.
〔有尽有让〕 yǒu jìn yǒu ràng 〈成〉 (연소자가) 예의를 차릴 줄 알다. ¶这孩子～的多懂事; 이 아이는 자신을 낮추고 남에게 양보할 줄도 아니 정말 철이 들었다.
〔有劲(儿)〕 yǒu.jìn(r) 동 ①힘이 있다. ¶～地走; 힘있게 걷다. ②원기가 솟다. 기운이 나다. ¶大家可～了; 모두들 힘이 솟았다. ③재미있다. 흥미 있다. ¶那戏真～! 그 연극은 참으로 재미있다! ④근사하다. ¶你～! 너 장하구나! ⑤효과가 있다. ¶要是你善劝我臭骂, 也许更～; 자네가 잘 타이르고 내가 호되게 꾸짖어 주면, 혹시 더욱 효과가 있을지도 모른다. ⑥열정적으로 하다. 노력 분발하다. ¶他近来念书, 可真～; 그는 요즘 정말 열정적으로 공부한다. ⑦ ⇨〔有咬劲儿〕
〔有酒〕 yǒujiǔ 형 술이 들어가 있다. 술을 마신 상태이다. ¶别听他胡说, 他是～了; 그의 엉뚱한 말을 듣지 마라, 그는 벌써 술이 들어가 있으니까.
〔有旧〕 yǒujiù 동 〈文〉 오랜 친교(親交)가 있다. ¶他们往日～, 如今异地相逢, 谈来倍觉亲切; 그들은 전에 오랜 친교가 있었기 때문에, 지금 타고장에서 만나서 이야기하니 한층 더 친밀감을 느낀다.
〔有救(儿)〕 yǒu.jiù(r) 동 구제될〔살아날〕 가망이 있다. ¶好了, 这病～了; 잘 됐다, 이 병은 고칠 가망이 있다. ↔〔没救(儿)〕
〔有可能〕 yǒu kěnéng 가능성이 있다. 할 수 있을는지도 모른다. ¶他们俩的婚事～; 그들 두 사람의 혼사는 가능성이 있다 / 看这天色, ～要下雨; 이 날씨로는 비가 올지도 모른다.
〔有孔材〕 yǒukǒngcái 명 활엽수 목재. =〔硬材〕
〔有孔虫〕 yǒukǒngchóng 명 《動》 유공충.
〔有空(儿)〕 yǒu kòng(r) 짬이 있다. 틈이 나다. ¶今晚～吗? 오늘 저녁 짬이 있느냐?
〔有口皆碑〕 yǒu kǒu jiē bēi 〈成〉 모든 사람이 칭찬하다. 칭송이 자자하다.
〔有口难分〕 yǒu kǒu nán fēn 〈成〉 (의심받거나 하여) 변명하기가 매우 곤란하다. 변명할 길이 없다. =〔有口难辩〕
〔有口难言〕 yǒu kǒu nán yán 〈成〉 차마 말할 수 없는 괴로운 심정·처지. 말하기가 거북하다.
〔有口无心〕 yǒu kǒu wú xīn 〈成〉 ①말 뿐이고 내실이 없다. ②입은 걸지만 악의는 없다. ¶他向来是～, 你不要介意; 그는 본디 입이 걸지만 악의는 없으니까 개의하지 마라. ‖ =〔有嘴无心〕
〔有愧于〕 yǒukuìyú 〈文〉 …답지 못하다. …에 부끄럽다. 걸맞지 않다. ¶～博士的称号; 박사 칭호에 걸맞지 않다.
〔有来道去〕 yǒu lái dào qù 〈成〉 ①왔다갔다 하다. 돌고 돌다. ¶钱是～; 돈은 돌고 도는 것이다. ②(말이) 사리에 닿다. 지당하다. 그럴 듯하다. ¶听他说得～的, 赶到一做就不行了; 그의 말을 듣고 있으면 그럴싸하지만, 막상 해 보면 안 된다.
〔有来无回〕 yǒu lái wú huí 〈成〉 오기는 해도 돌아가는 일은 없다《오면 살려서 보내지 않겠다》. ¶他们敢来侵犯, 就叫他们～; 그들이 감히 침입해 들어오면 살려서 보내지 않겠다.
〔有来有去〕 yǒu lái yǒu qù 〈成〉 ①(말이) 조리(條理)가 닿다. 하나하나 사리에 맞다. ¶他们商量着做买卖呢, 谈得～的; 저 사람들은 장사를 하

는 의논을 하고 있는 참이었는데, 이야기에 매우 조리가 있다. ②(저마다) 재미〔흥미〕가 있는 모양. ¶院中的花开得这么~的; 뜰의 꽃이 저마다 재미있게 피어 있구나.

〔有来有趣儿〕 yǒulái yǒuqùr 편안히. 걱정 없이. 태평스럽게. ¶他一个人儿把日子过得~的; 그 혼자서 걱정 없이 편히 하루하루를 지내고 있다.

〔有来有往〕 yǒu lái yǒu wǎng 〈成〉 ①사귀다. 교제하다. 왕래를 하다. ②자신이 입은 해에 대하여 똑같은 대갚음을 하다. 눈에는 눈, 이에는 이.

〔有赖〕 yǒulài 동 …에 의존하다. …여하에 달려 있다(「~于yú」의 꼴로 씀). ¶强国家的建成~于健全人民的聪明和忘我的努力; 강력한 국가의 건립은 건전한 국민의 총명과 필사적인 노력 여하에 달려 있다.

〔有劳〕 yǒuláo 동 ①〈文〉…에 수고를 끼치다. ②〈套〉수고스럽지만 …. ¶~~! 수고하셨습니다 / ~你替我把这封信寄了吧; 수고스럽지만 이 편지를 좀 부쳐 주십시오.

〔有落儿〕 yǒu.làor 동 〈北方〉 ①(생활 등의) 전망이 서 있다. 해 나갈 수 있다. ¶流浪了多年, 回到家里算是~了; 오랜 세월 유랑을 했지만, 집에 돌아오니 그럭저럭 자리를 잡았다. ②여축이 있다. 밑천이 있다. 기초가〔기반이〕 있다.

〔有了〕 yǒule ①있다. 찾아 냈다. ¶~, 敢情搁在抽屉里了; 있다, 뭐야, 서랍 속에 놓아 두었잖아. ②그렇다. ¶~, 咱们这么办吧; 그래, 우리 이렇게 하자. ③ ⇨〔有孕yùn〕

〔有累〕 yǒulèi 동 폐를 끼치다. 번거롭게 하다. ¶这件事真是~您了; 이 일 때문에 당신에게 정말 폐를 끼쳤습니다.

〔有棱有角〕 yǒu léng yǒu jiǎo 〈成〉 ①모나다. ¶~的石头; 모난 돌. ②예기(銳氣)·재능을 밖에 나타내다.

〔有礼(儿)〕 yǒulǐ(r) 형 예의바르다. ¶别看他年纪小, 见了人很~; 그는 어리지만, 예의가 아주 바르다.

〔有理〕 yǒu.lǐ 동 이치에 맞다. 말의 조리가 서 있다. 지당하다. ¶说得~; 말하는 것이 사리에 맞는다 / ~有据; 사리에 맞고 근거도 있다 / ~走遍天下, 没理寸步难行; 〈諺〉 도리에 맞으면 두루 천하를 돌 수 있고, 이치에 맞지 않으면 한 걸음도 못 나간다 / ~压得泰山倒dǎo; 〈諺〉 도리가 있으면 태산도 밀어 넘어뜨릴 수 있다 / ~, 有利, 有节; 도리가 있고, 이익이 있고, 절도가 있다. ↔〔无理〕 (yǒulǐ) 명형 《數》 유리(의). ¶~分式; 유리 분수식.

〔有理儿〕 yǒulǐr 동 ⇨〔在zài理〕

〔有里有面儿〕 yǒulǐ yǒumiànr ⇨〔里外瓤儿〕

〔有力〕 yǒulì 형 ①힘이 있다. 강력하다. ¶一般人都是右手~; 보통 사람은 모두 오른손에 힘이 있다. ②유력하다. ¶继任人选以某人最~; 후임 인선에서는 아무개가 제일 유력하다.

〔有力气〕 yǒulìqi 힘이 있다. 힘이 세다.

〔有利〕 yǒulì 형 유리〔유익〕하다. ¶~无弊 =〔~无害〕; 〈成〉 유익하고 또한 해가 없다 / ~的价格; 유리한 가격 / ~于人民; 국민에게 유리하다 / ~可图; 〈成〉 취할 이익이 있다 / 有一利必有一弊; 〈諺〉 이로움이 있으면 반드시 폐단도 있다.

〔有例可援〕 yǒu lì kě yuán 〈成〉 참작할 만한 선례(先例)가 있다. ¶这事是~的; 이 일에는 참작할 만한 선례가 있다. =〔有例在先〕

〔有例在先〕 yǒu lì zài xiān 〈成〉 ⇨〔有例可援〕

〔有脸〕 yǒu.liǎn 동 ①체면이 서다. 수치를 알다. ¶"人~, 树有皮", 哪有一个不知羞耻的呢; 사람은 체면이 있고 나무에는 껍질이 있다고 하거니와, 부끄러움을 모르는 사람이 어디 있겠는가. ②총애를 받다. ¶挑tiāo剩下的才给你, 你还充~呢; 고르고 남은 찌꺼기를 너에게 주고 있을 뿐인데, 너는 그래도 배려를 받고 있다고 생각하느냐.

〔有脸皮〕 yǒu liǎnpí 〈比〉 부끄러움을 알다. 체면을 중시하다. ¶人人都得děi~; 사람은 모두 부끄러움을 알아야 한다.

〔有两下子〕 yǒu liǎngxiàzi 〈口〉 실력이 보통이 아니다. 꽤 수완이 있다. ¶政治上~; 정치적 수완이 있다 / 他干活又快又好, 真~; 그는 일하는 것이 빠르고 능숙하다. 참 대단한 수완이다 / 要没~就肯答应了吗? 솜씨에 자신이 없으면 떠맡겠느냐? =〔有一手儿①〕

〔有量〕 yǒuliàng 형 ①〈文〉 한계가 있다. ②술을 잘 마시다. 주량이 대단하다. ¶他很~, 多喝几盅不要紧; 그는 주량이 대단해서 몇 잔 더 마셔도 끄떡없다.

〔有零〕 yǒu.líng 동 나머지가 있다. …남짓하다. …에 단수(端數)가 붙다(정수(整數) 뒤에 쓰임). ¶八十~; 80 남짓. →〔挂零(儿)〕

〔有陆不登舟〕 yǒu lù bùdēng zhōu 〈諺〉 걸어서 갈 수 있으면 배를 타지 마라(군자는 모험을 하지 않는다). ¶~, 但分dànfēn得已, 谁愿意去冒险呢? 군자는 위험한 데에 가까이하지 않는 것인데, 어떻게든 되는 일이라면 누가 모험을 하려 하겠느냐?

〔有落无涨〕 yǒuluò wúzhǎng (물가가) 떨어지기만 하고 오르지 않다.

〔有帽螺钉〕 yǒumào luódīng 명 《機》 나사못의 한 종류(못의 머리 부분이 몸통의 나사 부분과 동일해서, 별도로 너트(nut)가 필요 없음).

〔有眉目〕 yǒu méimù 윤곽이 잡히다. 구체화하다. 가능성〔전망〕이 보이다. ¶那件事进行得有点儿眉目了; 그 사건은 조금 윤곽이 잡혔다.

〔有眉有眼〕 yǒu méi yǒu yǎn 〈成〉 모양을 이루고 있다. 그럴 듯하다.

〔有美有刺〕 yǒu měi yǒu cì 〈成〉 칭찬했다 비방했다 하다.

〔有门坎儿〕 yǒu ménkǎnr ⇨〔在zài理〕

〔有门儿〕 yǒu.ménr 동 〈口〉 ①가망성이 있다. 장래성이 있다. ¶这件事~吗? 이 일은 가망성이 있습니까? / 事情商量得有点儿门儿了; 일은 의논해 보니 좀 가망이 있다. =〔有边儿〕 ②요점〔요령〕을 알다. ¶他虽然初学钢琴, 倒还~; 그는 비록 피아노를 처음 배우지만, 요령을 알고 있다. ③짐작이 가다. ¶约略着鱼在这儿哪, 嗯, ~; 물고기는 아마 여기 있을거야. 응, 그래, 짐작이 간다. ‖ =〔有门有路〕

〔有面儿〕 yǒu.miànr 동 ①체면이 서다. 체면을 유지하다. ②인정이 있다. ¶这位先生办事有理~, 真是个了不起的人物; 이분이 하시는 일은 정리(情理)를 겸비하고 있으니, 정말 대단한 인물이다.

〔有名〕 yǒumíng 형 유명하다. ¶赫hè赫~; 잘 알려져 유명하다 / 有个学校很~; 아주 유명한 학교가 있다 / ~人物; 유명한 인물.

〔有名无实〕 yǒu míng wú shí 〈成〉 이름〔명목〕뿐이고 실질〔내용〕이 없다. 유명무실하다.

〔有名(儿)有姓(儿)〕 yǒumíng(r) yǒuxìng(r) 널리 이름이 있다〔알려져 있다〕. ¶~的人家怎么能这么办事! 널리 이름이 알려져 있는 사람이 어떻게 그런 일을 할 수 있는가!

〔有命〕 yǒu·mìng 동 ①생명이 있다. 목숨을 건지다. ¶亏kuī得碰见了好大dài夫, 他才有了命了; 그는 용케 좋은 의사를 만나, 간신히 목숨을 건졌다. ②천명이 있다. 천명으로 정해져 있다. ¶生死～, 富贵在天; 생사는 천명이고, 부귀도 하늘에 달려 있다.

〔有模有样〕 yǒu mú yǒu yàng 〈成〉 ①그럴 듯하다. ②모양을 이루고 있다.

〔有目共睹〕 yǒu mù gòng dǔ 〈成〉 모든 사람이 다 알고 있다. 누가 보아도 분명하다. ¶这个事～, 瞒mán不了人; 이 일은 모든 사람이 다 아는 바라, 사람을 속일 수 없다/～的真理; 누구나 아는 진리. =〔有目共见〕

〔有目共见〕 yǒu mù gòng jiàn 〈成〉 ⇨〔有目共睹〕

〔有目共赏〕 yǒu mù gòng shǎng 〈成〉 보는 사람 모두가 칭찬하다.

〔有拿手〕 yǒu náshou ①매우 가망성〔성산〕이 있다. ②〈北方〉 자신이 있다. ¶要不是～, 他不会答应的; 자신이 없는 일이라면, 그는 승낙 따위는 안 한다.

〔有奶就是娘〕 yǒu nǎi jiù shì niáng 〈諺〉 젖을 주면 다 어머니이다(이익을 주는 사람이라면 누구에게나 들러붙는다). ¶要是～, 不是太功利主义了吗? 만약에 '젖이 있으면 곧 어머니'라 한다면, 너무나도 공리주의적이지 않으냐? =〔有奶便是娘〕

〔有难同当〕 yǒu nàn tóng dāng 〈成〉 어려움을 함께 겪다. →〔有福同享〕

〔有你不多, 没你不少〕 yǒu nǐ bùduō, méi nǐ bùshǎo 〈比〉 있든 없든 별다른 지장이 없다. ¶告诉你～, 别自以为了liǎo不起; 너에게 말해 두겠는데, 네가 있든 없든 별 지장이 없단 말이다. 너 혼자 잘난 체하지 마라.

〔有你的〕 yǒunǐde 〈北方〉 과연 너는 대단하구나. 역시 너다. ¶好! ～, 我算佩服你了; 잘 한다! 역시 너야. 너한테는 감복한다.

〔有你没我〕 yǒu nǐ méi wǒ 〈成〉 네가 있으면 내가 없다(양립〔병존〕할 수 없다). ¶双方矛盾很尖锐, 几jī乎是～的情形; 쌍방의 모순 대립은 극히 첨예하여, 거의 양립할 수 없는 상태이다.

〔有年〕 yǒu·nián 〈文〉 동 긴 세월이 경과하다. 여러 해가 되다. ¶习艺～, 渐臻纯熟; 기예를 배운지도 오래 되어 점차 숙련하기에 이르렀다/研究～; 여러 해 연구했다/他在本地居住～, 各方面都很熟悉; 그는 이 곳에 다년간 거주하여 각 방면의 일을 잘 알고있다. (yǒunián) 명 풍년. ¶适逢～民生无忧; 마침 풍년을 만나 백성의 살림은 걱정이 없다. ‖ =〔有秋〕

〔有盼儿〕 yǒu·pànr 동 〈北方〉 희망〔가망〕이 있다. ¶战争一结束就～了; 일단 전쟁이 끝나면 희망을 가질 수 있다. =〔有想儿〕

〔有篷车〕 yǒupéngchē 명 유개차(有蓋車).

〔有偏〕 yǒupiān 〈套〉 ①먼저 실례하다〔들다〕. ¶请恕我们～了; 저희 먼저 실례하겠습니다. ②…에게만 수고를 끼치다. ¶我太忙, 这事只好～您了; 나는 너무 바빠서, 이 일은 부득이 당신에게 부탁합니다.

〔有偏有向〕 yǒu piān yǒu xiàng 〈成〉 불공평하다. 편파적이다.

〔有凭有据〕 yǒu píng yǒu jù 〈成〉 분명히 근거가 있다. 충분한 근거가 있다. ¶他说的～; 그의 말은 하나하나 충분한 근거가 있다.

〔有破有立〕 yǒu pò yǒu lì 〈成〉 ①실패하는 것도 있고 잘 성사되는 것도 있다. ②낡은 것을 파괴해야 새것이 건설된다.

〔有期〕 yǒuqī 동 〈文〉 기약하다. ¶后会～! 일간〔근간〕 또 만납시다!

〔有期徒刑〕 yǒuqī túxíng 명 《法》 유기형.

〔有其父, 必有其子〕 yǒu qí fù, bì yǒu qí zǐ 〈成〉 그 아버지에 그 아들. =〔有是父, 斯有是子〕〔有什么老子, 有什么儿子〕

〔有起色〕 yǒu qǐsè 〈北方〉 ①노력 향상하는 마음이 생기다. ¶这孩子进了高中就～了; 이 아이는 고교에 들어간 뒤로는 향상심이 생겼다. ②활기 있다. ③이전보다 좋아지다. 호전하다. ¶他的病这样子, 算～了; 그의 병이 이렇다면 많이 좋아진 것이다/市面～了; 시황이 호경기를 띠게 됐다.

〔有气〕 yǒu qì 동 성내다. 화내다. ¶干么gànmá这么～? 谁惹你了? 어째서 그렇게 화내느냐? 누가 너를 화나게 만들었느냐?/那位婆婆一见儿媳妇就～; 저 시어머니는 며느리의 얼굴만 보면 화를 낸다. (yǒuqì) 명 《言》 유기음(有氣音)(ch·k·p 따위).

〔有气(儿)〕 yǒu qì(r) 숨이 붙어 있다. ¶别哭! 还～呢, 赶紧送医院吧; 울지 마라! 아직 숨이 붙어 있으니, 속히 병원으로 데려가자.

〔有气无力〕 yǒu qì wú lì 〈成〉 맥이 없다. 풀이 죽다. =〔有气没力〕

〔有前劲, 没后劲〕 yǒu qián jìn, méi hòu jìn 〈成〉 처음에는 기세가 있으나, 뒤를 잇지 못하다. 용두사미.

〔有钱〕 yǒu qián 돈이 (많이) 있다. ¶～的人; 부자/～出钱, 有力出力; 〈成〉 돈 있는 사람은 돈을 부담하고, 노동력이 있는 사람은 노동력을 제공한다/～吃狗肉, 没钱烧香; 돈이 있을 때는 제멋대로 굴다가, 돈이 떨어지면 부처님을 예배한다(뻔뻔스런 부탁을 하다)/～办得称心事; 돈만 있으면 무슨 일이든 마음대로 할 수 있다.

〔有钱大十辈儿〕 yǒuqián dà shíbèir 〈諺〉 돈만 있으면 지위도 얼마든지 높아질 수 있다. ¶在旧社会是～, 现在可不行了; 구사회에서는 돈만 있으면 남보다 지위가 높아질 수 있었지만, 지금은 (그런 일은) 안된다.

〔有钱花在刀刃儿上〕 yǒuqián huā zai dāorènr shang 〈諺〉 돈이 있으면 더욱 더 긴요한 일에 쓰도록 하여라(돈이란 제대로 활용해야 하는 것이다). ¶～, 不能填tián黑窟窿; 돈은 요긴하게 써야지, 헛된 일에 쏟아 넣으면 안된다. =〔有粉擦在脸上, 有钱花在眼上〕

〔有钱买饼当街咬〕 yǒuqián mǎibǐng dāngjiē yǎo 〈諺〉 제돈 주고 산 떡은 길거리에서 먹어도 아무도 탓하지 않는다(돈만 있으면 무엇이나 마음대로 할 수 있다).

〔有钱难买背后好〕 yǒuqián nánmǎi bèihòu hǎo 〈諺〉 아무리 돈이 많아도 뒤돌아서서까지 사람들로부터 호평을 얻기란 쉬운 일이 아니다.

〔有钱难买命〕 yǒuqián nánmǎi mìng 〈諺〉 돈이 있어도 생명을 살 수 없다(수명은 돈으로 좌우할 수 없다).

〔有钱难买心头愿〕 yǒuqián nánmǎi xīntóuyuàn 〈諺〉 돈이 있어도 소망하는 대로는 되지 않는 법이다.

〔有钱能使鬼推磨〕 yǒuqián néng shǐ guǐ tuīmò 〈諺〉 돈이 있으면 도깨비를 사서 절구질을 시킬 수 있다(돈만 있으면 귀신도 부릴 수 있다). =〔钱可通神〕

〔有枪阶级〕 yǒuqiāng jiējí 명 〈比〉 ①옛날, 군인. 군벌. ②옛날, 아편쟁이.
〔有腔无调〕 yǒuqiāng wúdiào 〈比〉 노래의 가락이 엉망이다. 가락이 맞지 않다. ¶左嗓子的人唱起歌来～; 음치가 노래를 부르면 가락이 엉망이다.
〔有情趣儿〕 yǒu qíngqùr 재미〔흥미〕있다. ¶拣jiǎn那～的唱一段给老太太听! 재미있는 것을 골라 한 가락 노모님께 들려 드리게!
〔有顷〕 yǒuqǐng 동 〈文〉 잠시 시간이 지나다. 잠시 후가 되다. ¶～未见人出门; 잠시 동안 아무도 문 밖에 나가지 않았다 / 沉默～, 客人起身告辞; 잠시 묵묵히 있다가 손님은 일어나서 작별 인사를 했다.
〔有请〕 yǒuqǐng ①〈套〉 (…에게) 오십사고 청하다. 만나고 싶다. ¶～夫人; 부인을 만나뵙고 싶습니다. ②부르십니다. ¶秘书长! 处长～; 비서장님! 소장님이 부르십니다.
〔有秋〕 yǒuqiū 명동 ⇨〔有年〕
〔有求必应〕 yǒu qiú bì yìng 〈成〉 ①신불(神佛)이 영검하다. 신통하다. ②요구하면 반드시 들어준다. ¶他从来不嫌麻烦, ～; 그는 이전부터 귀찮아하지 않고 부탁 받으면 반드시 응낙한다 / 他是好好先生, 向来～; 그는 호인이어서, 본래 부탁을 받으면 싫단 소리를 못 한다.
〔有屈无伸〕 yǒuqū wúshēn 〈比〉 불평이 있으나 이를 풀어 버릴 방도가 없다.
〔有趣(儿)〕 yǒuqù(r) 형 재미있다. 흥미있다. ¶～的故事; 재미있는 이야기 / 这玩意儿真～; 이 장난감은 정말 재미있다.
〔有染〕 yǒurǎn 동 〈比〉 (남녀간에) 관계를 가지다. 애매한 관계가 있다. ¶他否认他和老板的前妻～; 그는 상점 주인의 전처와 육체 관계가 있음을 부인하였다.
〔有扰〕 yǒurǎo 〈套〉 폐를 끼쳤습니다. 실례했습니다.
〔有人〕 yǒu rén ①사람이 있다. ¶这儿～! 여기 사람이 있다. ②〈轉〉 틀림없는〔착실한〕 사람이 있다. ¶他所以能成功, 亏得手下～; 그가 성공할 수 있었던 것은 부하 중에 착실한 사람이 있었던 덕분이다. ③〈轉〉 후원자가 있다. ¶人家背后～, 你惹得起吗? 상대방에게는 후원자가 버티고 있는데, 네가 맞설 수 있을 것 같으냐? ④(yǒurén) 어떤 사람이 …. 누군가가 …. ¶～要看我来; 어떤 사람이 나를 만나러 올 것이다.
〔有人家儿〕 yǒu rénjiār 〈比〉 (여성〔딸〕의) 결혼 상대가 정해지다. 이미 약혼하다. ¶姑娘～了吗? 따님은 결혼 상대가 정해졌습니까?
〔有人就有钱〕 yǒurén jiù yǒuqián 〈諺〉 살아 있으면 돈은 생기게 마련이다(우선 살고 봐야 한다). ¶破点财不要紧, 只要保住人, 往后～; 조금 재산을 탕진해도 상관없다, 목숨만 건질 수 있다면 나중에 돈은 어떻게든 생기게 된다.
〔有人说话〕 yǒurén shuōhuà (전화가) 통화중. ¶～呢 ! =〔占zhàn线!〕; 통화중입니다.
〔有人缘(儿)〕 yǒu rényuán(r) 남들이 호감을 가지다. 붙임성이 있다. ¶～的人占zhàn便宜, 到处受欢迎; 붙임성이 있는 사람은 유리해서 어딜 가나 환영받는다.
〔有日〕 yǒu rì 〈文〉 ①몇 날이 지나다. 오랜 세월이 지나다. ¶耽dān搁～; 며칠이나 시간이 걸리다. ②(언젠가는) 그 날이 있다〔온다〕. ¶出头～; 언젠가는 두각을 나타낼 날이 온다. ③(yǒurì) 궁색하지 않을 때. 유복한 시절. 편안할 때. ¶常将～思无日, 莫到无时思有时; 〈諺〉 편안할 때 괴로울 때를 생각하고, 괴로울 때는 편안할 때를 생각지 마라.
〔有日子〕 yǒu rìzi ①날짜가 (남아) 있다. 아직 시간이 있다. ¶离办事还～呢; 일을 하기까지는 아직 날짜가 있다. ②오랫동안. ¶咱们～没见面了! 우리는 오랫동안 만나지 못했군요(오래간만입니다)! ③날짜가 정해지다. ¶你们结婚～了没有? 당신들은 결혼 날짜를 잡았습니까? / 你们家办喜事～了没有? 댁의 결혼 날짜는 잡히셨습니까?
〔有如…〕 yǒurú… 마치 …와 같다. …인 것 같다. ¶～一座活火山; 마치 활화산 같다.
〔有仨有俩〕 yǒu sā yǒu liǎ 〈成〉 (돈을) 조금은 갖고 있다. 적지만 여축은 있다. ¶就是～也不肯轻易拿出来; 약간의 돈이 있으면서도 좀처럼 내놓으려 하지 않는다.
〔有色〕 yǒusè 명형 유색(의). ¶～玻璃; 색유리 / ～眼镜; 색안경. 선글라스 / ～人种; 유색 인종 / ～釉; 유색 유약.
〔有色金属〕 yǒusè jīnshǔ 명 《化》 비철(非鐵) 금속.
〔有色软片〕 yǒusè ruǎnpiàn 명 ⇨〔彩cǎi色片(儿)①〕
〔有商量儿〕 yǒu shāngliangr 〈方〉 (서로) 교섭할 여지가 있다. ¶如果你能让一下步, 我们才～; 만일 자네가 조금만 양보해 준다면, 교섭할 여지가 있다.
〔有上顿没下顿〕 yǒu shàng dùn méi xià dùn 〈成〉 살림이 찢어지게 가난하다. (가난으로) 겨우겨우 연명하다. ¶二妹妹也的dí确可怜, ～的; 둘째 누이 동생도 정말 안됐다, 끼니조차 잇지 못하니.
〔有身(子)〕 yǒu·shēn(zi) 동 ⇨〔有孕〕
〔有娠〕 yǒu·shēn 동 ⇨〔有孕〕
〔有什么老子, 有什么儿子〕 yǒu shénme lǎozi, yǒu shénme érzi 〈諺〉 ⇨〔有其父, 必有其子〕
〔有神〕 yǒushén 형 〈比〉 ①생기가 있다. 원기가 있다. ¶眼睛特别～; 눈에 특히 생기가 있다. ②신기하다. 귀신 같다. 신통하다.
〔有神论〕 yǒushénlùn 명 《哲》 유신론. ↔〔无wú神论〕
〔有生〕 yǒushēng 동 〈文〉 ①태어나다. ¶～以来头一次; 태어나서 처음으로. 난생 처음. ②살아 있다. 생명을 갖다. ¶～之年; 목숨이 붙어 있는 동안. 살아 있는 동안.
〔有生力量〕 yǒushēng lìliang ①(군대의) 인적 전력(人的戰力)(생명이 없는 무기의 힘과 대비되는 말). ¶我们不须固守阵地, 但必须消灭或削减敌人的～; 우리는 진지를 고수하지 않아도 되지만, 그러나 적의 인적(人的) 전력을 소멸 혹은 삭감하지 않으면 안 된다. ②실전에 도움이 되는 (유용한) 힘. ③〈轉〉 군대.
〔有声〕 yǒushēng 형 ①소리가 있는. 유성의. 토키(talkie). ¶～片piàn =〔～片piān子〕; 토키 필름 / ～放映机; 토키 영사기. ②유명하다. 이름나다.
〔有声电影〕 yǒushēng diànyǐng 명 《撮》 토키(talkie) 영화.
〔有声没气〕 yǒu shēng méi qì 〈成〉 마음이 내키지 않다.
〔有声有色〕 yǒu shēng yǒu sè 〈成〉 (연기 · 구변 · 제스처 따위가) 능란하다. 생동감이 있다. 실감나다. ¶这场戏表演得～; 이 연극은 아주 실감나게 공연되었다 / 他很有口才, 说起故事来～十分

动人; 그는 무척 말솜씨가 좋아, 이야기를 시작하면 박진감이 있어 정말 사람을 감동시킨다.
〔有声有响〕 yǒu shēng yǒu xiǎng 〈成〉 매우 실감나다. 마치 현장에 있는 듯한 느낌이 들다.
〔有声杂志〕 yǒushēng zázhì 명 소노시트(Sonosheet)가 달린 잡지《Sonosheet란 얇은 비닐·플라스틱으로 만든 간단한 레코드》.
〔有胜于无〕 yǒu shèng yú wú 〈成〉 하찮은 것이라도 없는 것보다는 낫다.
〔有剩〕 yǒushèng 나머지가 있다. 여분이 있다. ¶昨天晚上的饭还～呢; 어제 저녁의 밥이 아직 남아 있다.
〔有失〕 yǒushī 동 〈文〉 잃다. 실수하다. 실패하다. ¶～体统; 체통을 잃다.
〔有识〕 yǒushí 형 〈文〉 식견을 가지다. 유식하다. ¶～之士; 유식한 사람.
〔有时〕 yǒushí 〈文〉 ①때로는. 이따금. 때에 따라서는. ¶～发生障碍; 때로는 장애를 초래하는 수가 있다. =〔有时候(儿)〕 ②언젠가는. ¶～一日; 어느 날엔가는.
〔有时候(儿)〕 yǒushíhou(r) 때로는. 경우〔때〕에 따라서. ¶不免miǎn～预备得不够完全; 때로는 준비가 충분하지 않을 때도 있다. =〔有时①〕
〔有时有会儿〕 yǒushí yǒuhuìr 일정한 때〔시기〕가 있다. ¶开会也得děi～, 不能无分昼夜地老开; 회의를 연다 해도 때가 있는 것이지, 밤낮 가리지 않고 줄곧 열 수는 없다. =〔有时有晌shǎng儿〕
〔有史以来〕 yǒu shǐ yǐ lái 〈成〉 유사 이래.
〔有始无终〕 yǒu shǐ wú zhōng 〈成〉 ⇨〔有头无尾〕
〔有始有终〕 yǒu shǐ yǒu zhōng 〈成〉 ⇨〔有头有尾〕
〔有始有卒〕 yǒushǐ yǒuzú 〈成〉 ⇨〔有头有尾〕
〔有事〕 yǒu shì ①용무가〔볼일이〕 있다. ¶我今天～不能出去; 나는 오늘 볼 일이 있어서 외출할 수 없다. ②까닭이 있다. ¶这里头～; 여기에는 까닭이 있다. ③일자리가〔직업이〕 있다. ¶既然～做了, 生活就不会成问题; 일단 직업이 있으니, 생활은 문제가 없다. ④사고가 생기다. 일이 일어나다. ¶今天活该～; 오늘 일이 일어난 것은 싸다.
〔有事无事〕 yǒushì wúshì 용무가 있든 없든 (관계 없이). 특별히 이렇다 할 일 없이. 기회 있을 때마다. ¶他们～地都多在胡同里走两趟, 希望看到她; 그들은 볼일이 있건 없건, 그녀를 보려고 그 골목을 두어 번씩 더 가 보곤 하였다.
〔有恃无恐〕 yǒu shì wú kǒng 〈成〉 믿는 데가 있어서 두려워하지 않다. ¶遇上这样大的事还不着zháo急, 定是～了; 이렇게 큰 사건을 만나고도 초조해하지 않는 것을 보면, 틀림없이 믿는 구석이 있는 모양이다.
〔有是父, 斯有是子〕 yǒu shì fù, sī yǒu shì zǐ 〈成〉 ⇨〔有其父, 必有其子〕
〔有手面〕 yǒu shǒumiàn 수완이 있고 안면이 넓다. 수완가이다.
〔有守〕 yǒushǒu 형 〈文〉 자제심이 강하다.
〔有首尾〕 yǒu shǒuwěi ①(나쁜 일에) 결탁되다. 한패가 되다. 연계를 맺다. ¶你们都和他～, 却放他自在; 너희들은 그와 한통속이 되어 있으니까, 그를 멋대로 하게 내버려 두고 있는 것이다. ②⇨〔有头tóu有尾〕
〔有数〕 yǒu·shù 동 ①수효에 한도가 있다. 근소하다. 얼마 되지 않다. ¶～的几个人; 소수의 사람. ②절도(節度)가 있다. ¶登降～; 오르내림에 절도가 있다. ③운명이 정해져 있다. ④술수·법칙이 있다. ⇒yǒu·shù(r)
〔有数(儿)〕 yǒu·shù(r) 동 ①속셈이 있다. 성산(成算)이 있다. ¶他肚子里～; 그의 마음 속에는 성산이 있다. ②〈比〉 알다. 이해하다. ¶他虽然不说, 心里可～; 그는 말은 않지만, 속으로는 알고 있다 / 我的为人怎么样, 您心里总有个数儿吧; 내가 어떤 인간인지는 당신은 분명히 알고 계시겠죠. ③(세어서) 수(효)를 알고 있다. ¶拿来的货你～没有? 너는 가져온 상품의 수효를 알고 있는가? ⇒yǒu·shù
〔有谁〕 yǒushuí ①누가 …하는가. ¶自己的难处～能代替? 자기의 어려운 처지를 누가 대신해 줄 수 있는가? ②누군가가. ¶～说了一句; 누군가가 한마디 했다.
〔有说有道〕 yǒushuō yǒudào 수다를 떨다. 이것저것 지껄이다. ¶他见人～的; 그는 사람의 얼굴만 보면 이러쿵저러쿵 수다를 떤다.
〔有说有笑〕 yǒu shuō yǒu xiào 〈成〉 유쾌하게 지껄이거나 웃는 모양. ¶刚才～的, 怎么一会儿就恼了; 방금까지 노닥거리고 웃고 했는데, 어째서 잠깐 사이에 기분이 상했는가.
〔有司〕 yǒusī 명 〈文〉 유사. 관리.
〔有死有活(儿)〕 yǒusǐ yǒuhuó(r) 〈比〉 (필요 이상으로) 크게 떠들다. 시끄럽게 굴다. ¶有话好好说, 干什么拼pīn得～的! 할 말이 있으면 탁 터놓고 이야기하여라. 무엇 때문에 시끄럽게 떠드느냐!
〔有损无益〕 yǒu sǔn wú yì 〈成〉 손해만 있고 득이 없다. 득이 되지 않는다. ↔〔有益无损〕
〔有所〕 yǒusuǒ 다소〔좀〕 …하는 바가 있다. 어느 정도 …가 있다《뒤에 동사·형용사가 옴》. ¶～提高; 어느 정도의 향상이 있다 / ～不同; 다른 데가 있다. 어딘가 다르다 / ～恃而不恐; 〈成〉 믿는 데가 있어서 두려워하지 않는다 / 他对这个决议～保留; 그는 이 결의에 대한 의견을 다소 유보하고 있다 / 工作～进展; 일에 어느 정도의 진전이 있다 / 我对此～准备; 이에 대하여 다소 준비가 되어 있다.
〔有蹄类〕 yǒutílèi 명 《動》 유제류.
〔有天没日〕 yǒu tiān méi rì 〈比〉 도리〔이치〕에 닿지 않다. 터무니없다.
〔有天无日〕 yǒu tiān wú rì 〈成〉 ①도리(道理)가 자취를 숨기다《사회가 암흑 천지〔무법 천지〕임》. ②터무니없이 엉망이다.
〔有条不紊〕 yǒu tiáo bù wěn 〈成〉 질서 정연한 모양. (질서가 서 있어서) 조금도 흐트러짐이 없는 모양. ¶她很能干, 把家庭治理得～; 그녀는 아주 솜씨가 좋아서 가정을 잘 꾸려 나가 조금도 흐트러짐이 없다.
〔有条有理〕 yǒu tiáo yǒu lǐ 〈成〉 조리가 정연하다. 명분이 서다. ¶到底是有学问的人, 说起话来～; 아무래도 학문이 있는 사람이라, 입을 열면 조리 정연하다. =〔有条有款〕
〔有头儿〕 yǒu tóur 〈俗〉 실마리가 잡히다. 가능성이 보이다. ¶这可～了; 이로써 일단 실마리가 잡혔다.
〔有头无尾〕 yǒu tóu wú wěi 〈成〉 시작은 있고 끝이 없다. 시작만 하고 끝을 맺지 못하다. ¶办事不能～, 总得有个交代; 일은 시작만 있고 끝마무리가 없어선 안되며, 무슨 일이 있어도 아퀴를 지어야 한다 / 要老是～的, 下次谁还敢信任? 언제나 시작만 해 놓고 끝을 맺지 못하면, 다음엔 누가 신임할 것인가? =〔有始无终〕

〔有头绪〕 yǒu tóuxu 윤곽이 잡히다. ¶找房子的事～了吗? 집을 구하는 일은 윤곽이 잡혔습니까?
〔有头有脸〕 yǒu tóu yǒu liǎn 〈成〉 ①얼굴이 잘 알려져 있다. 명예와 위신이 있다. ¶这几个人都是衙门里～的; 이 몇 사람은 모두 관청에서 얼굴이 통하는 패들이다. ②면목〔체면〕을 세우다. ¶这回事办得总算～; 이번 일에는 그런대로 체면을 세웠다.
〔有头有脑〕 yǒutóu yǒunǎo 똑똑하다. 사리가 분명하다. ¶～的人怎么会做出这样的糊涂事呢? 똑똑한 사람이 어째서 이런 바보같은 짓을 할 수 있느냐?
〔有头有尾〕 yǒu tóu yǒu wěi 〈成〉 처음과 끝이 분명하고 빈틈없다. 유종의 미를 거두다. 분명하게 매듭이 지어지다. ¶无论做什么都应该～; 무슨 일을 하거나 시종 일관해야 한다/他做起事来～, 很靠得住; 그가 일을 시작하면 시작과 끝맺음이 분명해서 아주 믿을 수 있다. =〔有根有梢〕〔有始有终〕〔有始有卒〕〔有首尾②〕
〔有头有绪〕 yǒu tóu yǒu xù 〈成〉 윤곽이 잡히다. 대강 해결이 되다. ¶好好一件～的事叫他给搅乱了; 깨끗이 잘 되어 가던 일이었는데, 그가 망쳤다.
〔有望〕 yǒuwàng 형 유망하다. 희망을 가질 수 있다. ¶事成～; 〈成〉 (그) 일의 성공은 가망이 있다.
〔有为〕 yǒuwéi 형 쓸모가 있다. 유망하다. (훌륭한 일을 해낼) 장래성이 있다. ¶～的青年; 쓸모 있는〔유망한〕 청년.
〔有味儿〕 yǒu wèir ①맛있다. 맛좋다. ¶这只鸡炖dùn得真～; 이 닭은 아주 맛있게 고아졌다. ②(노래·글씨를) 잘하다. …한 맛이 있다. …미(味)가 있다. ¶那话还有点人情味儿; 그 말에는 조금 인간미가 있다/这出戏还是马连良唱得～; 이 연극은 역시 마연량의 창이라야 제맛이다. ③냄새가 나다. 구리다. ¶这屋里～, 快开开窗户吧; 이 방은 고약한 냄새가 난다. 빨리 창문을 열어라.
〔有闻必录〕 yǒu wén bì lù 〈成〉 들은 것은 무엇이든지 적어 두다. ¶新闻记者不一定总是～; 신문기자라고 반드시 들은 것을 기록해 두는 것은 아니다.
〔有无〕 yǒuwú ①있는 것과 없는 것. 있느냐 없느냐. ¶～此必要; 이럴 필요가 있느냐 없느냐. =〔有没有〕 ② 명 유무. ¶易货方式的贸易就是两国互通～; 바터 방식의 무역은 다시 말하면 두 나라 사이에서 서로 유무 상통하는 일이다.
〔有…无…〕 yǒu…wú… ①…만 있고 …은 없다. ¶有教无类; 〈成〉 어떤 사람에게나 동등하게 교육하다/有己无人; 자기만 있고 남은 없다. ②…했지 …하지는 않는다. ¶有增无减; 〈成〉 늘면 늘었지 줄지는 않는다. ③…이 있으면 …이 없다. ¶有备无患; 〈成〉 유비무환. ④있는 듯도 하고 없는 듯도 하다. ¶有意无意; 의식하는 듯도 하고 하지 않는 듯도 한 모양. 그저 무심코. 자기도 모르게.
〔有喜〕 yǒu·xǐ 동 〈口〉 임신하다. ¶皇太子妃又～了; 황태자비가 또 임신하셨다.
〔有系统地〕 yǒu xìtǒngde 계통적으로. ¶～进行研究; 계통적으로 연구를 진행하다.
〔有隙〕 yǒuxì 동 〈文〉 ①틈이 있다. ¶～可乘; 〈成〉 이용할 틈이 있다. ②〈比〉 감정의 응어리가 생기다. 혐오감·원한이 생기다. 사이가 틀어지다. ¶从此就和他～了; 그 뒤로 그와는 서먹서먹해졌다.
〔有闲〕 yǒuxián 형 유한하다. 틈〔겨를〕이 있다. ¶～阶级; 유한 계급/工作中难得～; 일하다가 틈을 내기는 어렵다.
〔有限〕 yǒuxiàn 형 ①한계가 있다. 유한하다. ¶我们的能力是～的; 우리들의 능력은 한계가 있다/～花序; 〖植〗 유한 화서. ②별것 아니다. 적다. 정도가 높지 않다. ¶不过是～的; 뭐 대단치 않은 것이다/贵得～; (값이) 비싸다고 해야 별것 아니다/差chà得～, 不必计较了吧; 차이가 있다고 해도 뻔하니, 따질 필요는 없다.
〔有限公司〕 yǒuxiàn gōngsī 명 〖經〗 유한 (책임) 회사. ¶股份～; 주식회사. ↔〔无wú限公司〕
〔有线〕 yǒuxiàn 명형 유선(의). ¶～广播; 유선 방송/～电报; 유선 전보/～电话; 유선 전화/～电视; 유선 방송 TV.
〔有想儿〕 yǒu·xiǎngr 동 희망〔가망〕이 있다. ¶您看这事还～没想儿? 당신은 이 일이 가망이 있다고 생각하십니까? =〔有盼儿〕
〔有向灯的, 有向火的〕 yǒu xiàngdēngde, yǒu xiànghuǒde 〈比〉 각각 뜻〔좋아〕하는 바가 다르다. ¶人～, 所好hào不能一样; 사람은 각기 취향이 다르므로, 좋아하는 것이 똑같을 수가 없다.
〔有孝〕 yǒu·xiào 동 상중(喪中)에 있다. ¶恕我～, 今年不给您拜年去了; 상중이라 금년에는 세배드리지 못함을 용서하십시오. =〔有服〕
〔有效〕 yǒuxiào 형 유효하다. 효력이 있다. ¶～距jù离; 유효 거리/这个药很～; 이 약은 매우 효력이 있다.
〔有效分蘖〕 yǒuxiào fēnniè 명 〖農〗 유효 분얼.
〔有效期〕 yǒuxiàoqī 명 유효 기한. 유효 기간. ¶～间; 유효 기간.
〔有效(直)径〕 yǒuxiào(zhí)jìng 명 ⇨〔节jié径〕
〔有些(儿)〕 yǒu xiē(r) **A**) 조금 있다. ¶点缀的东西要不了多少, ～就行; 구색을 맞추는 물건은 많이는 필요없고, 조금만 있으면 된다. **B**) (yǒuxiē(r)) ① 부 조금. 약간. ¶他～害怕; 그는 조금 두려워하고 있다. ②어떤 일부의. 어떤. ¶今天来参观的人～是从外地来的; 오늘 견학하러 온 사람들의 일부는 다른 고장에서 온 사람이다.
〔有心〕 yǒu·xīn 동 ①(…할) 마음이 있다. (…할) 의사가 있다. ¶～去细查这事; 이 일을 자세히 조사하려는 생각을 갖다/～无力; 마음은 있으나 힘이 없다/世上无难事, 只怕～人; 〈諺〉 뜻만 있으면 이 세상에 아무런 난사(難事)가 없다. 아무리 어려운 일도 하면 된다/从此就～要杀他; 이 때부터 그를 죽이려는 마음을 먹었다. ②유념하다. 마음 깊이 새겨 두다. ¶言者无意, 听者～; 무심코 한 말이라도 듣는 사람은 유념한다. ③속셈이 있다. ¶～待人; 속셈을 갖고 남을 대하다. (yǒuxīn) 부 일부러. 고의적으로. ¶～耽误; 일부러 꾸물거리다. 형 세심하다. ¶他那做法真～哪! 그의 그 방식은 참으로 세심하다!
〔有心病〕 yǒu xīnbìng ①심장병이 있다. ②〈轉〉 꺼림칙한 일이 있다. ¶说到这儿他把话吞回去了, 大概～吧; 저 사람은 아마 꺼림칙한 것이 있는 모양이지, 여기까지 말하다가 입을 다물어 버리는 것을 보니.
〔有心人〕 yǒuxīnrén 명 ①뜻 있는 사람. 진지한 사람. ¶天下无难事, 只怕～; 〈諺〉뜻 있는 사람이라면, 천하에 어려운 일은 없다/难nán不倒dǎo～; 〈諺〉 진지한 사람을 윽박지르고 꺾을 수는 없다. ②마음속에 흉계가 있는 사람. 속셈이 따로 있는 사람. ¶他是个～, 要小心来往; 그는 속셈이

따로 있는 사람이니까 조심해서 사귀어야 한다. ③세심한 사람.
〔有心胸〕 yǒu xīnxiong 기개〔포부〕가 있다. ¶他解小儿就～; 그는 어릴때부터 기개가 있었다.
〔有心眼儿〕 yǒuxīnyǎnr 형 재치가 있다. 지혜롭다. ¶那姑娘很～; 저 아가씨는 꽤 눈치가 빠르다.
〔有心有肠(儿)〕 yǒu xīn yǒu cháng(r) 〈成〉 열중하다. 몰두하다. 대단한 흥미를 가지다. ¶穷得这样, 还～地画画儿; 이렇게 가난한데도 그림 그리기에 열중하고 있다.
〔有信儿〕 yǒu xìnr 소식이 있다. 결정되다. ¶您的喜事～了吧? 당신의 경사는 정해졌습니까?
〔有形〕 yǒuxíng 형 유형의. 눈에 보이는.
〔有形贸易〕 yǒuxíng màoyì 명〘貿〙 유형 무역. 상품 수출입.
〔有形损耗〕 yǒuxíng sǔnhào 명〘經〙 물질적 마멸. 유형적 손실. =〔物wù质损耗〕 →〔无wú形损耗〕
〔有性生殖〕 yǒuxìng shēngzhí 명〘生〙 (생물학에서의) 유성 생식.
〔有幸〕 yǒuxìng 부 〈文〉 다행히도.
〔有须眉气〕 yǒu xū méi qì 〈成〉 여장부다운 모양.
〔有血有肉〕 yǒu xuè yǒu ròu 〈成〉 ①(문장 등의) 표현이 생생하고 내용이 충실하다. ②진실에 매우 가깝다.
〔有言必从〕 yǒu yán bì cóng 〈成〉 시키는 대로 반드시 따르다《흔히, '有行必效'(행하면 반드시 효과가 있다)가 뒤에 이어짐》.
〔有言在先〕 yǒu yán zài xiān 〈成〉 미리 말해두다. 미리 언명한 바가 있다. ¶咱们不是～今天让我吗? 분명히 오늘은 내게 양보한다고 말하지 않았니?
〔有眼不识泰山〕 yǒu yǎn bù shí Tàishān 〈成〉 눈이 있어도 태산(泰山)을 알아보지 못한다《견문이 좁아 저명 인사를 못 알아보다. 어른을 몰라보다》.
〔有眼无珠〕 yǒu yǎn wú zhū 〈成〉 눈 뜬 장님. 안식(眼識)이 없음. ¶这么好的东西他不识货, 真是～啊! 이렇게 좋은 물건을 알아보지 못하다니, 그는 정말로 눈 뜬 장님이 아닌가!
〔有眼有鼻子〕 yǒuyǎn yǒubízi ⇨〔有鼻子有眼儿〕
〔有腰子〕 yǒu yāozi 〈京〉 용기가 있다. 기개가 있다. 배짱이 있다. ¶只要～, 怎么困难的事儿都能搞得成; 용기만 있으면 어떤 곤란한 일도 해낼 수 있다.
〔有咬劲儿〕 yǒu yǎojìnr 씹는 맛이 있다. …할 맛이 있다. =〔有嚼头〕〔有劲(儿)⑦〕
〔有要没紧〕 yǒu yào méi jǐn 〈成〉〈俗〉 그다지 중요하지 않다. ¶咱等不了, 他～地看朋友, 谁知多咱来; 우린 기다릴 수 없다. 그가 별일도 없는데 친구를 만나러 갔으니, 언제 올지 알게 뭐냐. =〔有要无紧〕
〔有要无紧〕 yǒu yào wú jǐn 〈成〉 ⇨〔有要没紧〕
〔有爷娘生, 没爷娘管〕 yǒu yé niáng shēng, méi yé niáng guǎn 〈成〉 낳은 부모는 있어도 보살펴 줄 부모가 없다. ¶可怜这个～的孩子; 이 돌봐 줄 부모가 없는 가엾은 아이.
〔有一搭(儿)没一搭(儿)〕 yǒu yīdā(r) méi yīdā(r) ①억지로 이말 저말을 하다. ¶～闲聊多没意思! 억지로 화제를 찾아서 한담을 한다는 것은 얼마나 따분한 일인가! / 留在局里～干点啥得了; 국에 남아서 억지로라도 이말 저말 찾아서 하고 뭔가를 좀 하고 있으면 된다. ②그다지 대수롭지〔중요하지〕 않다.
〔有一得三〕 yǒu yī dé sān 〈成〉 한 가지 일로 여러 가지 단서를 얻다. ¶把他捆上一问, ～全都招了; 그를 붙잡아서 물었더니, 줄줄이 모두 자백했다.
〔有一得一〕 yǒu yī dé yī 〈成〉 남김없이 전부. 있는 그대로. 사실대로. ¶把这回事～地全对他说了; 이번 일을 사실대로 모두 그에게 이야기했다.
〔有一分热, 发一分光〕 yǒu yī fēn rè, fā yī fēn guāng 〈成〉 열이 조금 있으면 빛도 조금 난다《미력이나마 전력을 다한다》.
〔有一句没一句〕 yǒu yījù méi yījù 두서 없이 시시한 이야기를 하는 모양. ¶一天到晚总爱～地絮xù聒; 온종일 두서 없는 말만 늘어놓기를 좋아한다.
〔有一两手的〕 yǒu yīliǎngshǒude 솜씨가 있는 사람. 일을 척척 할 수 있는 사람. 유능〔민완〕한 사람. ¶这人是～; 이 사람은 보통이 아닌 수완가〔민완가〕이다.
〔有一手儿〕 yǒu yīshǒur 〈比〉 ①일을 잘 처리하다. 수완이 있다. ¶他处chǔ理纠jiū纷真～; 그는 분규를 처리하는 데 정말 수완이 있다. =〔有两下子〕 ②결탁하다. 관계가 있다. ¶他同那个女人～; 그는 저 여자와 관계가 있다.
〔有一套〕 yǒu yītào 자기 자신의 잘하는 방법이 있다. 비법이 있다. 일가견이 있다. ¶他抓生产～; 생산 관리에 그 자신의 독특한 방식이 있다.
〔有一腿〕 yǒu yītuǐ ①긴밀한 관계가 있다. ②(남녀가) 밀통하다.
〔有一无二〕 yǒu yī wú èr 〈成〉 유일무이하다. 하나밖에 없다.
〔有一眼〕 yǒu yīyǎn 〈比〉 그런대로 볼 만하다. ¶这幅画虽不怎样名贵, 也还～; 이 그림은 그렇게 희귀하고 유명한 것은 아니지만, 그런대로 볼 만하다.
〔有益〕 yǒuyì 형 유익하다. 도움이 되다. ¶适当的运动～于健康; 적당한 운동은 건강에 좋다.
〔有益无损〕 yǒu yì wú sǔn 〈成〉 득이 있을 뿐 손해가 없다. ¶这是～的事, 还迟疑什么! 이것은 유익할 뿐 손해가 없는 일인데 무엇을 주저하느냐! ↔〔有损无益〕
〔有意〕 yǒuyì 부 ⇨〔故gù意(儿)〕 (yǒu·yì) 동 …할 마음이 있다. …할 생각이 있다. ¶您要是～, 咱们可以合作; 당신에게 만약 그럴 마음이 있다면, 우리는 협력해서 해낼 수 있습니다.
〔有意答, 无意答〕 yǒu yì dá, wú yì dá 〈成〉 분명한 대답을 하지 않다. ¶我～地把它卖了; 나는 분명하게 대답하지 않고 그것을 팔았다.
〔有意识〕 yǒu yìshí 의식적이다. 의도적이다. ¶这是一种～的举动; 이것은 일종의 의식적인 행동이다 / 他～地指出自己的缺点; 그는 의식적으로 자기의 결점을 지적한다.
〔有意思〕 yǒu yìsi ①재미있다. 흥취 있다. ¶今天的晚会很～; 오늘 야회(夜會)는 참 재미있었다 / 那有什么意思; 그게 뭐가 재미있느냐 / 这个小说很～; 이 소설은 매우 재미있다. ②…할 생각이 있다〔작정이다〕. ¶我～跟他谈; 나는 그와 상의할 생각이 있다 / 他～去中国旅行一次; 그는 한 번 중국에 여행 가고 싶은 생각이 있다. ③뜻이 깊다. 의미 심장하다. ¶他的讲话虽然简短, 可是非常～; 그의 말은 짧지만 매우 의미심장하다. ④흥미가 있다. 마음에 들다. ¶他们俩, 一来二去的就有了意思了; 그들 두 사람은 그럭저럭하는 사이

에 마음에 들게 되었다.
〔有意无意〕 yǒu yì wú yì 〈成〉 무심코. 아무 생각없이. ¶他～地打开了无线电; 그는 무심코 라디오의 스위치를 켰다.
〔有意栽花花不成〕 yǒuyì zāihuā huā bùchéng 〈諺〉 세상사란 뜻대로 되지 않는 것이다. ¶～, 无心插柳柳成荫yīn; 마음먹고 꽃을 심어도 꽃이 안 피는가 하면, 무심코 버드나무를 꽂은 것이 나무 그늘이 질 만큼 우거지기도 한다.
〔有因(儿)〕 yǒu yīn(r) 까닭이 있다. ¶弄到这种地步总是～的; 이런 상태로까지 된 데에는 다 까닭이 있다.
〔有勇无谋〕 yǒu yǒng wú móu 〈成〉 용기는 있으나 지모(智謀)가 없다(만용뿐이지 지혜가 없음). ¶～不能成大业; 용기만 있고 지혜가 없으면, 큰 일을 할 수 없다.
〔有用〕 yǒu·yòng 動 유용하다. 쓸모 있다. ¶那盒子别扔, 留着还～呢; 그 상자는 버리지 마라. 놔두면 또 쓸 데가 있다.
〔有…有…〕 yǒu…yǒu… ①동의어·유의어(類義語)(흔히 단음절어)인 두 단어를 병렬하고 그것이 갖추어져 있거나 완전함을 강조하는 말. 또는 복음어(複音語)를 두 단어로 분할하여 병립시키는 말('有滋味儿'를 '有滋有味儿'로 하는 따위). ¶有凭有据; 틀림없는 근거가 있다. ②두 극한을 나타내는 말 또는 반대어를 병립시켜 완전함이나 모든 것을 포함하여 왕성함을 나타내는 말. ¶有头有尾; 처음부터 끝까지 정확히 하다. 유종의 미를 거두다. 시종일관하다. ③반대어 또는 뜻이 다른 말을 대립시켜 양쪽이 다 존재하거나 또는 가능함을 강조하는 말. ¶有破有立; 실패하는 것도 있고 성공하는 것도 있다. ④인과 관계를 나타내는 말. ¶有其父, 必有其子; 그 아버지에 그 아들이다.
〔有余〕 yǒuyú 動 ①남다. 여유가 있다. ②…남짓하다. ¶十年～; 십년 남짓.
〔有冤无处诉〕 yǒu yuān wú chù sù 〈成〉 무고한 누명을 쓰고도 이를 호소할 데가 없다.
〔有原则(地)〕 yǒu yuánzé(de) 원칙적으로.
〔有缘〕 yǒu·yuán 動 인연이 있다. 인연이 깊다. ¶～千里来相会, 无缘对面不相逢 =〔～千里来相会, 无缘咫zhǐ尺也难逢〕; 〈諺〉 인연이 있으면 천리 밖에 있어도 만나지만, 인연이 없으면 지척에 있어도 만나지 못한다 / 他们一见如故真是～; 그들은 첫대면에 벌써 오래 사귄 것처럼 친하니, 정말 인연이 있다.
〔有孕〕 yǒu·yùn 動 임신하다. (애를) 배다. ¶她一结婚就～了; 그녀는 결혼하자마자 곧 임신했다 / 她这程子胃口不大好, 许是～了吧; 그녀는 요즘 입맛이 별로 없는데, 어쩌면 임신인지도 모른다. =〔有娠〕〔有身(子)〕〔有了③〕
〔有则改之, 无则加勉〕 yǒu zé gǎi zhī, wú zé jiā miǎn 〈成〉 잘못이 있으면 고치고, 없으면 가일층 노력한다.
〔有增无已〕 yǒu zēng wú yǐ 〈成〉 증가 일로이다. 계속 늘어나다. ¶各工厂的产量～; 각 공장의 생산량은 증가 일로에 있다. =〔有增无减〕
〔有张有弛〕 yǒu zhāng yǒu chí 〈成〉 긴장했다 이완했다 하다. 조였다 늦췄다 하다.
〔有涨无落〕 yǒu zhǎng wú luò 〈成〉 (값이) 오르기만 하고 내려가지 않다. ¶物价～; 물가가 오르기만 하고 내려가지 않다.
〔有朝一日〕 yǒu zhāo yī rì 〈成〉 어느 날엔가는. 언젠가는. ¶～我成功, …; 어느 날인가 내가 성공하면… / 梦想～成为富翁; 언젠가는 부자가 될 것을 꿈꾼다.
〔有着〕 yǒuzhe 動 가지고 있다. 갖추어져 있다(복음사(複音詞)인 추상 명사 앞에서 흔히 쓰임). ¶这个运动～重大的意义; 이 운동은 중대한 의의가 있다 / 这种制度～无可比拟的优越性; 이러한 제도에는 다른 것과 비교할 수 없는 우위성이 있다 / ～共同的利益; 공통의 이익이 있다 / 我们的研究所～广泛的研究材料; 우리 연구소는 광범위한 연구 재료를 갖고 있다.
〔…有着的〕 …yǒuzhede …일지도 모른다. …있을지도 모른다. ¶昨儿王先生来了的可能也是～; 어제 어쩌면 왕선생이 왔을지도 모른다.
〔有枝添叶〕 yǒu zhī tiān yè 〈成〉 ⇨〔添枝添叶〕
〔有知吃知, 无知吃力〕 yǒu zhī chī zhī, wú zhī chī lì 〈成〉 지식이 있는 사람은 지식으로 생활하고, 지식이 없는 사람은 힘으로 생활한다(두뇌가 우수한 사람은 일하지 않고 먹고 살 수 있다).
〔有职无权〕 yǒu zhí wú quán 〈成〉 직무상의 지위는 있으나 실제 권력은 없다.
〔有志不在年高〕 yǒu zhì bù zài nián gāo 〈成〉 뜻만 있으면 연령의 고하에 관계 없이 성취할 수 있다(사람의 평가는 뜻의 유무에 의하는 것이지 나이에 의하는 것이 아니다).
〔有志竟成〕 yǒu zhì jìng chéng ⇨〔有志者事竟成〕
〔有志于〕 yǒuzhìyú …에 뜻이 있다〔뜻을 두다〕. ¶一切～改革的人们; 개혁에 뜻이 있는 모든 사람.
〔有志者事竟成〕 yǒuzhìzhě shì jìng chéng 〈諺〉 할 마음만 있으면 일은 언젠가 성취된다. =〔有志竟成〕
〔有种〕 yǒuzhǒng 形 〈比〉 ①용기가 있다. 배짱이 있다. ¶～的站出来, 站在太阳底下让大家瞅瞅看; 배짱이 있는 자는 일어나서 태양 아래 서서 모두에게 보여라. ②굉장하다. 훌륭하다. ¶他真～! 그는 정말 대단하다!
〔有重点(地)〕 yǒu zhòngdiǎn(de) 중점적으로. ¶～推进政策; 중점적으로 정책을 추진하다.
〔有助于…〕 yǒuzhùyú… …에 도움이 되다. …에 소용되다〔쓸모가 있다〕. ¶～增强文化关系; 문화 관계 강화에 도움이 되다.
〔有准儿〕 yǒu zhǔnr ⇨〔有准头〕
〔有准头〕 yǒu zhǔntou ①겨냥〔조준〕이 정확하다. ¶他射箭很～; 그는 활을 대단히 잘 쏜다. ②〈比〉의지가 굳다. ¶他是～的人, 旁人的意见并不能左右他; 그는 의지가 굳은 사람이라 주위 사람의 의견으로는 결코 움직이지 않는다. ③〈比〉자신이 있다. ¶他不慌不忙的是心里～; 그가 당황치 않고 침착한 것은, 내심으로 자신을 가지고 있기 때문이다. ‖ =〔有准儿〕
〔有滋有味〕 yǒu zī yǒu wèi 〈成〉 ①(요리가) 매우 맛있다. ¶会做菜的人就是白菜、豆腐也做得～; 요리를 잘 하는 사람은 배추나 두부 같은 것으로도 매우 맛있게 만들다. ②〈比〉 흥미 진진하다. (추억 등이) 즐겁다. ¶他这会儿正在～地想什么; 그는 지금 자못 즐거운 듯이 무엇인가를 생각하고 있다 / 看戏看得～; 연극 구경에 홀딱 빠지다. ③〈轉〉 생활이 편안하다. ¶他们生活得～; 그들은 편안히 생활하고 있다.
〔有嘴无心〕 yǒu zuǐ wú xīn 〈成〉 ⇨〔有口无心〕
〔有罪〕 yǒu zuì ①《法》 유죄(이다). ¶被告判决～; 피고는 유죄로 판결되었다. ②〈套〉 미안합니다. 송구스럽습니다. ¶～～, 实在不敢当; 정말 미안합니다. 송구스럽기 짝이 없습니다.

〔有罪同受〕 yǒu zuì tóng shòu 〈成〉 괴로움을 함께 나누다. →〔有福同享〕
〔有作为〕 yǒu zuòwéi 공헌하는 바가 있다. 유능하다. (계획 수립이나 국가에 대한 봉사 등에 대해) 쓸모 있다. ¶他是～的青年; 그는 능력 있는 청년이다 / 有志气的人都希望将来在社会上有一番作为; 뜻있는 사람은 누구나 장래 사회에서 뭔가 공헌하고 싶어한다.
〔有作用〕 yǒu zuòyòng 목적이 있다. 역할이 있다. 생각이 있어서 한 일이다.

铕(銪) yǒu (유) 명 《化》 유로퓸(Eu: europium).

卣 yǒu (유) 명 옛날의 동제 주기(銅製酒器)의 일종(주로 울창주(鬱鬯酒)를 담는 그릇. 큰 것을 '彝', 중간 것을 '～', 작은 것을 '罍'라 함).

酉 yǒu (유) 명 ①유. 십이지(十二支)의 열 번째. ¶～字旁páng; 닭유변(한자 부수의 하나). ②유시(오후 5시부터 7시까지). =〔酉时〕 ③유방(酉方). 서쪽 방향. =〔酉方〕 ④중추(仲秋). ⑤성(姓)의 하나.

羑 yǒu (유) 지명용 자(字). ¶～里lǐ; 유리(羑里). 옛날의 땅 이름(지금의 허난 성(河南省) 탕인 현(湯陰縣) 일대).

莠 yǒu (유) 명 ①《植》 강아지풀. ②〈比〉 악습(惡習). ③〈比〉 질이 나쁜 물건이나 사람. ¶良～不齐qí; 〈成〉 옥석혼효(玉石混淆). 좋은 것 나쁜 것이 뒤섞여 있다.
〔莠类〕 yǒulèi 명 〈文〉 악당. 나쁜 사람들.

牖 yǒu (유) ① 명 〈文〉 창문. ¶蓬péng～茅椽chuán; 〈比〉 누추한 집. ② 동 계몽 지도하다. ¶风气之启～; 풍속의 계몽 지도.

黝 yǒu (유) 형 ①거무스름하다. ¶黑～～yōuyōu =〔黑油油〕; 거무스름한 모양 / 胳gē膊晒得～黑; 팔이 볕에 타서 거무스름하다 / 他脸上有一层黑～子; 그는 얼굴이 거무스름하다. ②어둡다.
〔黝黑〕 yǒuhēi 형 거무스레하다.
〔黝红〕 yǒuhóng 형 검붉다.
〔黝青〕 yǒuqīng 형 검푸르다.
〔黝色〕 yǒusè 명 《色》 쥐색.
〔黝牲〕 yǒushēng 명 〈文〉 제사에 희생으로 쓰는 검은 소.

又 yòu (우) A) 부 ①또. 거듭. 다시(중복 또는 반복을 나타냄). ¶他～来了; 그는 또 왔다 / 我国选手～创chuàng新记录; 우리 나라 선수가 또 신기록을 세웠다 / 看了～看; 보고 또 보다(자꾸 보다) / 练完单杠～去打球; 철봉을 한 뒤에 또 공차러 가다. ②동시에. 한편. 또한(동시적 상황을 나타냄). ¶起来累得慌, 躺着～闷得慌; 일어나 있으면 고단하고, 자고 있는 것도 지루하다. ③그 위에. 또한. 더하여(정도가 차츰 깊어지거나 더해져 감을 나타냄). ¶他的病～转了肺炎; 그의 병은 다시 폐렴으로 옮겨들어 갔다 / 非徒无益, 而～害之; 〈文〉 비단 무익할 뿐 아니라 해를 끼치기까지 한다. ④도대체, 대관절(강조를 나타내는 어기(語氣)). ¶谁～修来着? 도대체 누가 수리를 했단 말이냐? ⑤…도 (또한)(부정문(否定文)이나 반어(反語)에 쓰이어 어기를 강하게 함). ¶你～不是小孩子, 还不懂这个? 애도 아닌데 어째서 그것을 모른단 말이냐? / 反正明天～没有什么事; 어차피 내일은 별로 일이 없다 / ～没说你, 你嗔chēn怪什么? 너를 꾸짖고 있는 것도 아닌데, 넌 뭘 화내고 있느냐? ⑥…와(과)(우수리수를 나타냄). ¶三～五分之三; 3 3/5 / 一年～三个月; 1년 3개월. =〔有yòu〕 ⑦…하였으나 또. 그렇지만. 그런데(역접을 나타냄). ¶刚才有个事儿要问你, 这会儿～想不起来了; 조금 전에 너에게 묻고 싶은게 있었는데 지금은 생각이 나지 않는다. B) '又…又…'의 형태 ①(…하면서) 또한〔한편〕 (…하다). ¶～好～贱; 좋고도 싸다 / ～红～专; 사상의 면에서나 일·기술의 면에서나 다 우수하다 / ～臭～硬; 완고하고 무뚝뚝하다 / ～庄严～美丽; 장엄하기도 하고 아름답기도 하다. ②또. 다시(같은 행위가 반복됨을 나타냄). ¶擦了～写, 写了～擦; 지웠다가 또 쓰고, 썼다가 다시 지우다.
〔又称〕 yòuchēng 〈文〉 또 …라고도 한다. 달리 …라고도 부르다. ¶因此他～幽yōu默大师; 이런 이유로 그는 유머 대사(大師)라고도 불린다.
〔又臭又硬〕 yòuchòu yòuyìng 완고하고 무뚝뚝하다. 성질이 비뚤어지다. ¶那人做了坏事, 就是不承认, 真是～; 저 사람은 나쁜 짓을 하고도 인정하지 않으니, 정말 완고하고 비뚤어졌어 / 茅厕的砖〔石头〕, ～; 〈歇〉 변소의 벽돌〔돌〕은 구리고 단단하다(완고하고 비뚤어져 있다).
〔又次之〕 yòu cìzhī 〈文〉 그리고 또. 그뿐만 아니라. 그 위에 또.
〔又搭上〕 yòudāshang 게다가. 그리고 또 거기에 더해서. =〔又加上〕〔又搭着〕〔再加上〕
〔又搭着〕 yòudāzhe ⇨〔又加上〕
〔又红又专〕 yòu hóng yòu zhuān 〈成〉 사상면이나 전문적인 면이나 모두 뛰어나다.
〔又及〕 yòují 명 〈翰〉 추신(追伸). 추기(追記)(서명 뒤에 추기했을 때 '又及' 또는 '某某又及'라고 적음).
〔又加上〕 yòujiāshang 더군다나. 게다가. 그 위에. ¶他本来身体就不好, ～平日过劳就病倒dǎo了; 그는 원래 몸이 좋지 않은데다가, 엎친데 덮쳐, 평소의 과로 때문에 병으로 쓰러지고 말았다. =〔又搭上〕〔又搭着〕〔再zài加上〕
〔又夹着〕 yòujiāzhe 게다가. 그 위에.
〔又兼〕 yòujiān 〈文〉 또 그 위에.
〔又叫〕 yòujiào 동 …이라고도 부르다〔말하다〕. ¶月历～月份牌; 달력을 캘린더라고도 부른다.
〔又拉又打〕 yòu lā yòu dǎ 달래고 으르고 하다.
〔又名〕 yòumíng 명 별명. 딴 이름. 동 딴이름을 …라고 하다. ¶红楼梦～石头记; 홍루몽은 '석두기'라고도 한다.
〔又启〕 yòuqǐ 명 〈文〉 후기(後記). 추신.
〔又弱一个〕 yòu ruò yīge 또 한 사람이 죽다(남의 죽음을 애도하는 뜻으로 씀).
〔又要吃又怕烫〕 yòu yào chī yòu pà tàng 〈諺〉 먹고 싶기도 하고 (입을) 데는 것도 겁난다(이익을 얻고 싶으나, 위험할까 두려워하다. 우유부단). =〔又想吃鱼又怕腥〕
〔又一次〕 yòu yīcì 또 한 번. 또다시. ¶～证明了我国在东方国家中有着数shǔ以亿计的朋友; 우리나라가 동방 각국 중에 억으로 헤아리는 많은 친구를 가지고 있음을 또 한 번 증명한 것이다.
〔又音〕 yòuyīn 명 한자(漢字)의 딴 음(뜻은 같으나 달리 읽는 음).
〔又…又…〕 yòu…yòu… ①…이기도 하고 …이기

도 하다. …하면서 한편 …하다. ¶又好又便pián宜; (물건이) 좋기도 하고, 값도 싸다 / 又说又笑; 지껄이기도 하고 웃기도 한다 / 又惊又喜; 놀랍기도 하고 기쁘기도 하다. 경희(驚喜)하다. ② …하기도 하나 …하기도 하다(모순·역접 관계의 두 일을 나타냄). ¶又要马儿跑又要马儿不吃草; 〈諺〉 말은 달려 주었으면 싶고, 또 꼴은 먹지 않았으면 싶다(좋기는 하나, 그렇다고 그 때문에 밑천을 들이고는 싶지 않다. 모순되게 행동하다). ③또. 다시(행위의 교체와 반복). ¶装了又拆, 拆了又装, 直到自己觉得十分满意才罢手; 화장했다 지우고, 지웠다가는 다시 화장하고, 이렇게 계속하여 스스로 꽤 만족해야만 비로소 손을 멈추었다.

幼 **yòu** (유)
①형 어리다. 〈轉〉 유치하다. ¶年~的时候; 어릴 적에 / 年~失学; 어린 시절에 학문을 배우지 못했다. ②명 어린 아이. 유아. ¶扶老携~; 〈成〉 노인과 어린이를 데리고 있다〔거느리다〕/ 男女老~; 〈成〉 남녀노소(에 이르기까지). =〔幼儿ér〕 ③형 갓 태어난. 막 싹튼. ¶~虫; 유충 / ~苗miáo; ⇩

〔幼儿车〕 yòu'érchē 명 유모차.
〔幼儿园〕 yòu'éryuán 명 유치원. ¶托儿所和~有了很大发展; 탁아소와 유치원에는 매우 큰 발전이 있었다. =〔幼稚园〕
〔幼发拉底斯河〕 Yòufālādǐsī hé 명 《地》〈音〉 유프라테스 강(Euphrates江).
〔幼风〕 yòufēng 명 〈文〉 남색(男色) 취미. 남자를 밝히는 끼.
〔幼功〕 yògōng 명 배우·연예인이 어린 시절에 익힌 재주.
〔幼孩〕 yòuhái 명 어린아이.
〔幼滑〕 yòuhuá 형 (눈이) 보슬보슬하여 미끄럽다. ¶那边儿的雪~, 轻盈yíng并干爽; 그쪽 눈은 보슬보슬하며 미끄러우며, 가볍고 또한 상쾌하다.
〔幼科〕 yòukē 명 《醫》 소아과. =〔小方脉科〕
〔幼冷〕 yòulěng 명 〈廣〉 아주 가는 털실. =〔细xì绒线〕
〔幼粒〕 yòulì 명 〈廣〉 작은 알맹이. 작은 결정(結晶). ¶~货; 작은 입자의 물건.
〔幼林〕 yòulín 명 어린 나무숲.
〔幼蒙〕 yòuméng 형 〈文〉 유치하고 무지(無知)하다. 어리고 몽매하다. ¶开开~; 유치하고 무지함을 깨우치다.
〔幼苗〕 yòumiáo 명 《農》 유묘. 어린 모종.
〔幼年〕 yòunián 명 어린 시절. 유년. ¶~性; 유치함. =〔小xiǎo年④〕
〔幼女〕 yòunǚ 명 ①유녀. 어린 여자. ②막내딸.
〔幼色〕 yòusè 명 〈文〉 남색(男色).
〔幼僧〕 yòusēng 명 '尼ní姑'(여승)의 별칭.
〔幼属〕 yòushǔ 명 (가족 중의) 아이들.
〔幼树〕 yòushù 명 어린 나무.
〔幼体〕 yòutǐ 명 유체. 어린 생명체.
〔幼童〕 yòutóng 명 유아.
〔幼细〕 yòuxì 형 〈廣〉 미세〔미소〕하다. 매우 작다.
〔幼小〕 yòuxiǎo 명형 유소(하다). ¶那时候, 我还~; 그 무렵, 나는 아직 어렸다.
〔幼学〕 yòuxué 명 ①유학. 옛날, 어린아이가 처음으로 학문을 시작하는 것. ¶年在~; 글 배울 나이다. 학교 갈 나이다. ②(Yòuxué) 《書》〈簡〉 '幼学琼qióng林'(유학경림)의 약칭(옛날, 초학자용으로 편찬된 글짓기 교과서).
〔幼芽〕 yòuyá 명 《農》 어린 싹. 새싹.
〔幼鱼〕 yòuyú 명 《魚》 유어. 치어(稚魚).
〔幼稚〕 yòuzhì 형 ①어리다. ②유치하다. 미숙하다. ¶~可笑; 우스울 정도로 유치하다 / 他这想法太~了; 그의 이런 생각은 너무나 유치하다.
〔幼稚病〕 yòuzhìbìng 명 소아병(小兒病).
〔幼稚生〕 yòuzhìshēng 명 유치원생.
〔幼稚园〕 yòuzhìyuán 명 ⇒〔幼儿园〕
〔幼株〕 yòuzhū 명 《植》 (종자 식물의) 묘(苗). 묘목.
〔幼子〕 yòuzǐ 명 ①어린 아들. ②막내아들.

蚴 **yòu** (유)
명 《動》 촌충·흡혈충 등의 유체(幼體). ¶毛máo~; 털 있는 유충 / 尾wěi~; 꼬리 있는 유충.

右 **yòu** (우)
①명 오른쪽. 우측. ¶~边(儿); ⇩ / 靠~走; 오른쪽으로 걷다. 우측 통행. ↔〔左zuǒ〕 ②명 남면(南面)하여 오른쪽. 서쪽. ¶山~; 산시(山西) 지방의 별칭 / 江~; 장시(江西) 지방의 별칭. ③ 형 지위가 높다. 뛰어나다. 우수하다(옛날에는 오른쪽을 왼쪽보다 귀하게 여겼음). ¶~姓; ⇩ / ~职zhí; 고위직 / ~族; ⇩ → 〔左为上〕 ④동 〈文〉 신불(神佛)〔하늘〕이 돕다. =〔佑〕 ⑤형 (정치·학술·사상에서) 우익(右翼)이다. 보수적이다. ¶~派; ⇩ / ~倾; ⇩ / 不然, 我们就~了; 그렇지 않으면 우리는 곧 우경화될 것이다. ⑥동 〈文〉 숭상하다. ¶~文; ⇩ ⑦명 성(姓)의 하나.

〔右边(儿)〕 yòubiān(r) 명 오른쪽. =〔右面〕
〔右边锋〕 yòubiānfēng 명 《體》 (축구의) 라이트윙(right wing). 우측 공격수. =〔右翼③〕
〔右道〕 yòudào 명 〈文〉 옳은 도리. →〔旁páng门左道〕
〔右地〕 yòudì 명 〈文〉 ①서쪽의 땅. ②〈比〉 요지(要地).
〔右舵〕 yòuduò 명 뱃머리를 오른쪽으로 돌릴 때의 키잡이. ¶~十度! 키를 오른쪽으로 10도! ↔〔左zuǒ舵〕
〔右耳〕 yòu'ěr 명 《言》 (한자 부수의 하나로) 우부방(阝). =〔大dà耳刀(儿)〕〔大耳朵〕〔正zhèng耳刀(儿)〕〔右耳刀(儿)〕〔右耳朵②〕
〔右耳朵〕 yòu'ěrduo 명 ①오른쪽 귀. ②⇒〔右耳〕
〔右行〕 yòuháng 명 ①복성(複姓)의 하나. ②오른쪽 행〔줄〕. ⇒yòuxíng
〔右列〕 yòuliè 명 옛날, 무과를 말함(황제의 어전에서는 문관이 왼쪽에, 무관이 오른쪽에 착석했던 데서 유래).
〔右派〕 yòupài 명 우파. 보수파. 반동파. ¶反fǎn~斗争; 반우파 투쟁.
〔右派分子〕 yòupài fènzǐ 명 우파 분자(사회주의에 반대하는 부르주아 반동 분자. 1957년 정풍(整風) 운동 때에, 사회주의를 비판 공격하는 활동 중에, 반(反)사회주의 분자를 우파 분자로 규정하여 반우파 운동을 추진하였지만, 그 뒤 재평가 되었음).
〔右契〕 yòuqì 명 ⇒〔右券〕
〔右倾〕 yòuqīng 명형 우경(의). 우익적(이다). 보수(적이다). ¶~分fèn子; 우경 분자 / ~观点; 우익적인 관점. 보수적인 사고 방식. ↔〔左zuǒ倾〕
〔右券〕 yòuquàn 명 ①계약서〔부절(符節)〕의 오른쪽 반쪽. 〈轉〉 계약. ②〈轉〉 확실한 일. ‖ =〔右契〕 ↔〔左zuǒ券〕
〔右师〕 Yòushī 명 복성(複姓)의 하나.

〔右史〕 Yòushǐ ①→〔左史〕 ② 명 복성(複姓)의 하나.
〔右手〕 yòushǒu 명 ①우수. 오른손. ②오른쪽. ¶往~里拐guǎi; 오른쪽으로 (모퉁이를) 돌다/会长坐~第一; 회장이 오른쪽 상좌에 앉았다. =〔右首〕
〔右首〕 yòushǒu 명 오른쪽(흔히, 좌석에 대해 씀). ¶那天他就坐在我的~; 그 날 그는 나의 오른쪽에 앉아 있었다. =〔右手②〕
〔右外场手〕 yòuwàichǎngshǒu 명 《體》 (야구·소프트볼의) 우익수.
〔右文〕 yòuwén 동 〈文〉 문(文)을 숭상하다.
〔右武〕 yòuwǔ 동 〈文〉 무(武)를 숭상하다.
〔右舷〕 yòuxián 명 (배의) 우현.
〔右行〕 yòuxíng 동 오른쪽에서 (써) 가다(서법(書法)에서 오른쪽에서 왼쪽으로 쓰는 방식). ⇒yòuháng
〔右姓〕 yòuxìng 명 〈文〉 귀족(貴族).
〔右翼〕 yòuyì 명 ①《軍》 우익 (부대). ②〈轉〉 (학술·정치·사상 등의) 우익. ③《體》 라이트 윙. =〔右边锋〕
〔右宰〕 Yòuzǎi 명 복성(複姓)의 하나.
〔右转〕 yòuzhuǎn 동 ①오른쪽으로 돌다. ¶向~! 우향 우!(구령). ②오른쪽으로 꺾이다. ③우경(右傾)하다.
〔右转弯走〕 yòuzhuǎnwānzǒu 《軍》 줄줄이 우로 가!
〔右族〕 yòuzú 명 〈文〉 우족. 명망있는 집안. 호족(豪族).

佑〈祐〉 yòu (우)
동 신의 도움이〔가호가〕 있다. 보우하다. ¶乞qǐ神佛保~; 신불의 가호를 빌다/老佛爷! 保~保~我吧; 부처님! 보살펴 주십시오/自天~之; 〈文〉 하늘이 도와 주다/天~; 천우. 하늘의 도움.

有 yòu (유)
부 〈文〉 …과〔와〕(우수리를 나타내는 말). ¶二十~三年; 23년. =〔又⑥〕 ⇒yǒu

侑 yòu (유)
동 〈文〉 (주식(酒食)을) 권하다. ¶歌以~食; 노래를 불러 먹기를 권하다/~酒; 술을 권하다/舞剑以~觞; 검무(劍舞)를 추어 술〔잔〕을 권하다.
〔侑觞〕 yòushāng 동 〈文〉 술〔잔〕을 권하다.

宥 yòu (유)
① 동 〈文〉 용서하다. 양해하다. 너그럽게 눈감아 주다. ¶~罪; 죄를 용서하다/宽kuān~ =〔原~〕; 관대하게 용서하다. ② 동 보좌하여 돕다. ¶~弼bì; 보필하다. ③ 명 성(姓)의 하나.
〔宥贷〕 yòudài 동 〈文〉 너그럽게 봐 주다〔용서하다〕.
〔宥减〕 yòujiǎn 동 《法》 형벌을 경감하다.
〔宥免〕 yòumiǎn 동 〈文〉 너그럽게 보아 용서하다.
〔宥罪〕 yòuzuì 동 죄를 용서하다.

囿 yòu (유)
〈文〉 ① 명 (짐승을 기르는) 우리. ¶鹿lù~; 사슴 우리/~人; 사육인. ② 동 구속되다. 사로잡히다. ¶~于成见; 선입관에 얽매이다/~于小成; 작은 성과에 만족하다/为旧说所包~; 낡은 설에 완전히 사로잡히다.

狖 yòu (유)
명 《動》 〈文〉 고서(古書)에 나오는 원숭이의 일종.

诱(誘) yòu (유)
동 ①이끌다. 교도(教導)하다. ¶循xún循善~; 차근차근히 잘 가르쳐 인도하다. ②꾀어 내다. 불러 내다. 유인하다. ¶引yǐn~; 꾀다. 유인하다/~敌之计; 적을 유인하는 계략/为坏人所~; 나쁜 사람에게 유인되다.
〔诱捕〕 yòubǔ 동 유인하여 체포하다.
〔诱虫灯〕 yòuchóngdēng 명 유충등〔유아등(誘蛾燈)〕(밤에 논밭에 놓고 해충이 날아들어 빠지게 만든 등불). =〔诱蛾灯〕
〔诱导〕 yòudǎo 명동 유도(하다). 교도(하다). ¶这些故事的结局很能~观众进行思索; 이런 이야기의 결말은 관중들로 하여금 깊이 생각하도록 유도할 수 있다. 명 ①《電》 유도. 인덕션. ¶~圈quān =〔感应圈〕; 유도〔감응〕 코일. =〔引yǐn导①〕〔感gǎn应〕 ②《生》 유도(동물의 배(胚)의 일부가 다른 부분의 분화를 일으키는 작용).
〔诱敌〕 yòudí 동 《軍》 적을 유인하다.
〔诱饵〕 yòu'ěr 명 〈文〉 유인하는 먹이〔미끼〕. ¶~导弹; 《軍》 유인용(誘引用) 미사일/这不过是使受援国承担军事义务的一种~而已; 이것은 원조를 받는 나라에게 군사상의 의무를 부담케 하기 위한 일종의 미끼에 지나지 않는다.
〔诱发〕 yòufā 동 ①유도 계발(啓發)하다. ②유발시키다(질병의 경우에 쓰는 일이 많음). ¶把麻疹~出来; 홍역을 유발시키다.
〔诱供〕 yòugòng 동 유도 심문으로 자백시키다.
〔诱拐〕 yòuguǎi 명동 (부녀자를) 유괴(하다).
〔诱惑〕 yòuhuò 동 ①유혹하다. ②매혹시키다. 끌다. ¶窗外是一片~人的景色; 창밖에는 사람을 매혹시키는 경치가 펼쳐져 있다.
〔诱奸〕 yòujiān 동 유인해서 간통하다.
〔诱骗〕 yòupiàn 명동 (달콤한 말로) 유혹(하다). 기만(하다).
〔诱人〕 yòurén 동 사람을 꾀어들이다. 마음을 끌다. ¶厨房里飘来一股~的肉香味; 부엌에서 맛있는 고기 냄새가 풍겨 온다. 형 매력적이다.
〔诱杀〕 yòushā 동 유인하여 죽이다.
〔诱使〕 yòushǐ 동 〈文〉 (…하도록) 유도하다〔꾀다〕.
〔诱降〕 yòuxiáng 명동 항복 권유(를 하다). 투항 권고(를 하다).
〔诱掖〕 yòuyè 동 〈文〉 유액하다. 이끌어 인도하다〔도와 주다〕. ¶~青年; 젊은이를 이끌어서 바로 잡아 주다.
〔诱因〕 yòuyīn 명 유인. ¶病的~; 병의 유인.
〔诱引〕 yòuyǐn 동 유인하다. 꾀어 내다.
〔诱鱼上钩, 取而烹之〕 yòu yú shàng gōu, qǔ ér pēng zhī 〈成〉 미끼로 물고기를 낚아서 요리하다. ¶~的阴险政策; 낚아채려는 음험한 정책. 유인 정책.
〔诱致〕 yòuzhì 동 〈文〉 (나쁜 결과를) 부르다. 유치하다. 초래하다.
〔诱子〕 yòuzi 명 후림. 미끼. =〔诱物〕

柚 yòu (유)
명 《植》 유자(나무). ¶西xī~ =〔葡萄~〕; 그레이프프루츠(grapefruits)/白~ =〔文旦〕; 과육이 흰 유자/红~; 과육이 붉은 유자. ⇒yóu
〔柚皮〕 yòupí 명 왕귤나무 열매의 껍질. 유자 껍질(거담제로 씀).
〔柚树〕 yòushù 명 《植》 유자나무.
〔柚子〕 yòuzi 명 《植》 왕귤나무〔잠보아(zamboa)〕. 유자. =〔朱zhū栾〕

釉 yòu (유)
(~儿, ~子) 명 (도자기의) 유약(釉藥). ¶挂guà~ =〔上~〕; 유약을 바르다 / 他脸上像挂了一层黑~; 그의 얼굴은 검은 유약을 바른 것처럼 새까맣다. =〔釉灰〕〔釉料〕〔釉药yào〕
〔釉工〕 yòugōng 명 ①시유공(施釉工). ②시유(施釉). 유약칠.
〔釉灰〕 yòuhuī 명 유약.
〔釉面〕 yòumiàn 명 유약을 바른 표면. ¶这个厂出产的瓷砖, ~光滑; 이 공장에서 생산되는 타일은, 유약을 바른 표면의 광택이 좋다.
〔釉面砖〕 yòumiànzhuān 명 《建》 미장(美粧) 타일.
〔釉上彩〕 yòushàngcǎi 동 (도자기에) 윗그림을 그려넣다.
〔釉烧〕 yòushāo 동 유약 발라 굽다.
〔釉下彩〕 yòuxiàcǎi 동 (도자기에) 밑그림을 그려넣다.
〔釉质〕 yòuzhì 명 《生》 (이의) 법랑질. 에나멜질. =〔牙yá釉质〕〔牙质②〕〔珐fà琅质〕

鼬 yòu (유)
명 《動》 족제비과 동물의 총칭. ¶臭chòu~; 스컹크 / ~单咬病鸭子; 〈比〉 ⓐ약한 자 괴롭히기. ⓑ우는 얼굴에 벌침 / ~给小鸡拜年; 〈歇〉 족제비가 닭한테 세배하러 가다《어차피 변변한 생각은 갖고 있지 않다》. =〔鼬鼠shǔ〕〔〈俗〉 黄鼠〕〔黄鼠狼〕〔黄狼〕〔〈北方〉 黄皮子〕〔〈俗〉 黄仙爷〕〔〈文〉 鼠生shēng〕

YU ㄩ

迂 yū (우)
① 형 굽이지다. 굽다. 에돌다. ¶山曲路~; 산은 굽이지고 길은 꼬불꼬불하다 / ~回前进; 우회하며 전진하다. =〔纡①〕 ② 형 (언행·견해가) 진부하다. 케케묵다. ¶~论; ⇩ / 你这话太~了; 너의 이 말은 너무 고리타분하다. ③ 형 (행동·성질이) 굼뜨다. 어수룩하다. ④ 동 쓸데없는 말을 늘어놓다. 엉뚱한 소리를 하다. ¶~人; 쓸데없는 말을 늘어놓는 사람. 시원스럽지 못한 사람 / 破了案, 你又来~; 사건이 일단락되었는데, 너는 또 장황하게 억지를 늘어놓는구나.
〔迂诞〕 yūdàn 동 언동이 실제적이 아니다. 언동이 황당 무계하다.
〔迂道〕 yūdào 동 길을 (멀리) 돌아서 가다. 명 (멀리) 돌아서 가는 길. 굽은 길. ‖ =〔迂路〕
〔迂夫子〕 yūfūzi 명 세상사에 어두운 지식인.
〔迂腐〕 yūfǔ 형 〈文〉 시대에 뒤지다. 세상사에 어둡다. 진부하다. =〔迂陋〕
〔迂缓〕 yūhuǎn 형 〈文〉 (행동이) 완만(緩漫)하다. 느리다. 굼뜨다. ¶他这个人有些~; 그는 좀 느리다 / 动作~; 동작이 느리다.
〔迂回〕 yūhuí 동 ①우회하다. 멀리 돌아가다. ¶~曲折; 〈成〉 우회하여 꾸불꾸불하다. ②《軍》 우회하다. 적의 측면이나 후면을 포위하다. ¶~作战; 우회 작전 / ~到敌人背后; 우회하여 적의 배후로 나가다. ‖ =〔纡回〕
〔迂回生产〕 yūhuí shēngchǎn 명 《經》 우회 생산. 생산 용구를 제조하는 생산.
〔迂回手法〕 yūhuí shǒufǎ 명 우회적인 수법. ¶他们对叙利亚用的是~, 先是想在经济上困住叙利亚, 然后使叙利亚现政府垮台; 그들이 시리아에 대하여 쓰고 있는 것은 우회 수법으로, 우선 경제적으로 시리아를 곤란하게 만들고, 그리고 나서 시리아 현정부를 넘어뜨리려고 생각하고 있다.
〔迂见〕 yūjiàn 명 〈文〉 현실과 맞지 않는 의견. 낡은 의견. 진부한 의견.
〔迂久〕 yūjiǔ 명 〈文〉 오랫동안. 장기간.
〔迂拘〕 yūjū 형 〈文〉 규칙에 얽매여 융통성이 없다.
〔迂倔〕 yūjué 형 완고하고 융통성이 없다.
〔迂阔〕 yūkuò 형 〈文〉 현실과 동떨어져 있다. 세상일에 어둡다. ¶~之论; 현실에 맞지 않는 의견.
〔迂陋〕 yūlòu 형 ⇨〔迂腐〕
〔迂路〕 yūlù 동명 ⇨〔迂道〕
〔迂论〕 yūlùn 명 진부하고 시의(時宜)에 맞지 않는 이론. 우원한 논의.
〔迂摸〕 yūmo 동 ①망설이어 (태도를) 결정하지 않다. (태도를) 애매하게 하다. ②일부러 꾸물거리다.
〔迂气〕 yūqi 명 ①완고하고 진부한 기풍. 세상일에 어둡고 시대에 뒤진 느낌. ②꾸물대는 성질.
〔迂曲〕 yūqū 형 꾸불꾸불하다. ¶~的山路; 꾸불꾸불한 산길.
〔迂儒〕 yūrú 명 우유. 세상 물정에 어둡고 융통성이 없는 학자.
〔迂远〕 yūyuǎn 형 ①우원하다. 세상 물정에 어둡고 융통성·적응성이 없어 쓸모가 없다. 실제에 맞지 않다. ②길이 꼬불꼬불하고 멀다.
〔迂滞〕 yūzhì 형 꾸물거리다.
〔迂拙〕 yūzhuō 형 실제의 일에 어둡다. 어리석고 막히다. ¶他为人~, 反映迟缓; 그는 세상 물정에 어둡고 둔감하다.

吁 yū (우)
〈擬〉 워워《말을 멈추게 하거나 진정시킬 때 지르는 소리》. ⇒xū yù

纡(紆) yū (우)
형 ①구불구불하다. ¶萦~; 맴돌다. 감돌다. ②마음이 울적하다. 기분이 답답하다.
〔纡缠〕 yūchán 동 휘감다. 칭칭 감다.
〔纡回〕 yūhuí 동 ⇨〔迂回〕
〔纡行〕 yūxíng 동 〈文〉 길을 돌아서 가다.
〔纡尊降贵〕 yū zūn jiàng guì 〈成〉 ⇨〔屈qū尊俯就〕

於 Yū (어)
명 성(姓)의 하나. ⇒wū, '于' yú

淤〈瘀〉B) yū (어)
A) ① 동 (수로가) 모래나 진흙으로 막히다. 메다. ¶这条河~住了; 이 강은 감탕이 쌓여 막혔다 / ~了好些泥; 진흙이 많이 쌓였다. ② 명 (강이나 도랑에) 충적된 진흙. 감탕. ¶河~; 강바닥에 쌓인 진흙 / 沟~; 도랑에 쌓인 진흙. ③진흙이 충적된. ¶~沙处; 진흙이 충적된 주(洲). **B)** 동 울혈(鬱血)이 되다. 피가 맺히다. ¶~血; ⇩ / ~伤; ⇩ / 打得~住血了; 피가 맺히도록 때렸다.
〔淤垫〕 yūdiàn 명 진흙이 충적된 땅.
〔淤溉〕 yūgài 동 《農》 흙탕물로 관개하다《논을 비옥하게 하기 위함》.
〔淤灌〕 yūguàn 동 《農》 (홍수 후에) 흙탕물로 관개하다. 감탕물을 논밭에 대다.
〔淤积〕 yūjī 동 〈文〉 진흙이 쌓이다. 토사(土砂)가

가라앉아 쌓이다. =〔淤涨zhàng〕
〔淤磨〕 yūmò 동 꾸물거리다. 우물쭈물하다. 질질 끌다. ¶她是那么简单痛快, 不给他半点麻烦和～; 그녀는 사뭇 단순하고 시원시원하여, 그에게 귀찮게 굴거나 질질 끄는 일은 조금도 없다.
〔淤泥〕 yūní ①명 충적된 진흙. ¶从杭州西湖中挖出来的～, 经浙江省化工燃料处化验证明, 可以当作燃料使用, 发热量接近普通次质烟煤; 항저우(杭州)의 시후(西湖)에서 파낸 충적토는 저장 성(浙江省) 화학 공업 연료소의 화학 시험 증명을 거쳐 연료로서 사용할 수 있게 되었다. 발열량은 보통의 2급품 유연탄(有煙炭)과 거의 비슷하다. ②(yū ní) 진흙이 쌓이다.
〔淤脓〕 yūnóng 명《醫》고여 있는 고름.
〔淤气〕 yūqì ①명 폐갱(廢坑) 등에 모여 있는 가스. ②(yū qì) 가스가 모이다.
〔淤肉〕 yūròu 명《漢醫》피가 울결(鬱結)한 살. (종기 따위의) 썩은 살.
〔淤塞〕 yūsè 동 진흙으로 막히다. ¶水道～了; 수로(水路)가 진흙으로 막혔다.
〔淤沙〕 yūshā 명 (강이나 해저에) 가라앉아 쌓인 모래. (yū.shā) 동 모래가 쌓이다. 모래로 막히다.
〔淤伤〕 yūshāng 명 내출혈. 피가 맺힌 타박상.
〔淤死〕 yūsǐ 동 (진흙 등이) 쌓여 막히다. 막혀서 통하지 않다.
〔淤土〕 yūtǔ ①명 (연못·강·도랑 따위의) 침전한 것. 충적토. ②(yū tǔ) 흙으로 막히다. 흙이 쌓이다.
〔淤血〕 yūxuè 명《漢醫》궂은 피. 울혈. (yū.xuè) 동 어혈이 지다. ‖=〔蓄xù血〕
〔淤滞〕 yūzhì 동〈文〉(수로가) 토사·진흙으로 흐름이 막히다.

与(與) yú (여)
조 의문 또는 반문을 나타내는 어기 조사. ¶其言不足信～? 그 말은 믿을 만할까?/在齐～? 在鲁～? 제(齊)나라에 있느냐? 노(魯)나라에 있느냐?/岂不善～! 어찌 좋지 않을 것인가!/归～! 돌아갈거나!/此诚大智大勇也～! 이것이야말로 참으로 대지 대용이 아니겠는가! =〔欤yú〕⇒yǔ yù

玙(璵) yú (여)
명〈文〉아름다운 옥(玉).

欤(歟) yú (여)
'与yú'와 통용.

旟(旟) yú (여)
명〈文〉옛날 군기(軍旗)의 하나《매를 그린 붉은 기로, 행군 때 세움》.

于〈於〉A) yú (어, 우)
A) 개 ①…에(서)《장소나 시간을 나타냄》. ¶生～…; …에서 태어나다/大轮船失踪～海上; 기선이 해상에서 실종되었다/火车行～桥上; 기차가 다리 위를 달리다/汽车停～门口; 자동차가 문 앞에서 멈추다/～进口之时; 수입할 때에. →〔在〕②…까지. …에(로)《동작의 귀착점을 나타냄》. ¶迁～郊外; 교외로 이사하다/～今三年; 현재까지 3년. →〔到〕③…에. …에게《방향이나 대상을 나타냄》. ¶求救～人; 다른 사람에게 구원을 청하다/向计～我; 나에게 계략을 묻다. →〔向〕④…에서. …의하여. …부터《원인·근거를 나타냄》. ¶拯zhěng民～水火之中; 백성을 고난으로부터 구출하다/业精～勤, 荒～嬉; 학문은 근면에 의해서 정통해지고, 일락에 의해서 망쳐진다/决定～努力的程度如何; 노력의 정도 여하에 따라 결정된다/惩chéng～前次之失败, 制定了具体办法; 지난번의 실패에 데어서 구체적 방법을 정했다. →〔由〕〔从〕⑤…에(게)《동작의 방향을 나타냄》. ¶嫁祸～人; 재앙을 남에게 전가하다/旧的要素让位～新的要素; 낡은 요소는 새로운 요소에 지위를 넘겨 준다. →〔给〕⑥…에게 (…당하다)《동사 뒤에 붙여 피동을 나타냄》. ¶败～韩国; 한국에게 지다/见爱～人; 남에게 사랑받다/受制～人; 남에게 제지당하다. →〔被〕⑦…보다《형용사 뒤에 두어 비교를 나타냄》. ¶甚～旧日; 옛날보다 심하다/苛政猛～虎; 가혹한 정치가 호랑이보다 무섭다/霜叶红～二月花; 서리 맞은 단풍잎이 2월의 꽃보다 붉다/含酸不低～45%; 산 함유량이 45퍼센트보다 낮지는 않다. ⑧…에 대하여. …에(게)《대상을 나타냄》. ¶忠～祖国; 조국에 충성을 다하다/ 仰不愧～天, 俯不怍～人; 우러러 하늘에 부끄럼이 없고, 고개를 숙여 사람들에게 부끄러울 것이 없다. 注 '敢～'·'肯～'·'鉴～'·'对～'·'关～'·'等～' 등의 '～'는 '…에 대하여'의 뜻인데, 생략할 수 있으므로 조사로 보아도 무방함. →〔对〕⑨…(하기)에《형용사 뒤에 쓰임》. ¶明～学理而昧～实际; 학리에는 밝지만, 실제 방면에는 어둡다. **B)** ①…에 직면하다. …에 접근하다. ¶是不亦近～以五十步笑百步乎? 이 또한 50보로써 100보를 웃는 것과 비슷하지 않은가? ②옛날 시문(詩文)에 쓰인 허자(虛字)의 하나. **C)** 명 성(姓)의 하나. ⇒'於' wū Yū
〔于飞〕 yúfēi 동〈文〉부부가 서로 화목하다. ¶凤凰～;〈比〉부부가 화목하다.
〔于归〕 yúguī 동〈文〉시집가다. ¶之子～《詩經》; 그 아가씨 시집가네.
〔于己无损〕 yú jǐ wú sǔn〈成〉자신은 손해가 없다. 자신을 손상하지 않다.
〔于今〕 yújīn〈文〉①지금까지. ¶美国一别, ～十年; 미국에서 헤어진 이래, 지금까지 10년이 된다/～为烈; 지금은 더 심하다《옛날부터 그렇지만 지금은 심해졌을 뿐이라는 뜻. 흔히, '古已有之'(옛날부터 있던 것이다)와 연용(連用)함》. ②지금. 현재. ¶这城市建设得非常快, ～已看不出原来的面貌; 이 도시는 건설이 매우 빨라서 현재로는 원래의 모습은 찾아볼 수도 없다.
〔于思〕 yúsāi 형〈文〉수염이 많은 모양. 수염이 덥수룩한 모양. ¶～满面; 수염투성이. =〔于腮〕
〔于时〕 yúshí〈文〉옛날. 지난날.
〔于事无补〕 yú shì wú bǔ〈成〉일에 아무런 쓸모가 없다〔도움이 안 되다〕.
〔于是〕 yúshì 접 그래서. 그로 인해서. 그리하여《앞의 문장을 받아 그러한 상황이나 사정 때문에 뒤에 기술하는 일이 됨을 나타내며, '～'로 연결된 문장에서는 흔히 '就'를 씀》. ¶几个问题都讨论完了, ～大家就回家了; 몇 문제의 토론이 끝났으므로 모두 집으로 돌아갔다. =〔于是乎〕
〔于是乎〕 yúshìhū 접 ⇨〔于是〕
〔于于然〕 yúyúrán 형 어슬렁거리며 걷는 모양. ¶朱先生摇着一把折扇～来了; 주선생은 부채질을 하면서 어슬렁어슬렁 걸어 왔다.

邘 Yú (우)
명《史》주대(周代)의 나라 이름《현재의 허난 성(河南省) 신양 현(沁陽縣) 부근》.

盂 yú (우) (~儿, ~子) 명 대접과 같이 아가리가 넓고 운두가 낮은 그릇. ¶痰tán~; 타구(唾具)/漱shù口~; 양치질용 컵/洗手~; 핑거 볼(finger bowl).

〔盂兰盆会〕 yúlánpénhuì 명〘佛〙우란분재(齋)(범어(梵語)의 음역. '倒悬'의 뜻. 음력 7월 보름 곧 중원절(中元節)날에 여러 가지 음식을 접시에 담아 삼보(三寶)에게 올리고, 조상을 '倒悬'의 고통에서 구하고 명복을 비는 행사를 말함). =〔兰盆(胜)会〕

竽 yú (우) 명〘樂〙〈文〉생황(笙簧) 비슷한 옛날의 악기. ¶滥~; '竽'를 불 줄 모르는 남자가 악대에 섞여 들어가 머릿수만 채우다. 실력이 없는데도 자리를 차지하다(겸손의 뜻으로도 씀).

予 yú (여) 대〈文〉나(고어의 제1인칭. 후세에 자서(自敍)의 부분에 썼음). ¶~取~求; 〈成〉나에게서 취하고 나에게서 구하다(마음대로 구하고 취하다)/~将远行; 나는 바야흐로 멀리 가려 한다. =〔余A)①〕 ⇒yǔ

伃 yú (여) →〔倢jié伃〕

妤 yú (여) →〔婕jié妤〕

余(餘)B) yú (여) A) ①대 나. ②명 성(姓)의 하나. B) ①동 남다. 남기다. ¶不遗~力; 여력을 남기지 않다. 전력을 다하다/~款; ⇓ ②명 나머지. 여분. ¶不但够用, 而且有~; 충분할 뿐 아니라 여분이 있다. ③…한 나머지〔뒤〕. ¶兴奋之~, 高歌一曲; 흥분한 나머지 큰 소리로 노래를 한 곡 불렀다/捧读之~; 배독하고/反省之~, 决意改过; 반성한 뒤 잘못을 고칠 결의를 했다/拜领之~, 感激不尽; 삼가 받자와 감격이 그지없습니다. ④…여〔남짓〕. ¶二百~万平方公里; 200여만 평방 킬로미터. ⑤다른(것). ¶其~的; 기타의 것/目无~子; 안중에 다른 사람이 없다. 〈比〉오만하다/~由他人任之; 나머지는 다른 사람에게 맡기다. ⑥여가. 남은 시간. ¶茶~饭后; 식후의 한때. ⑦정식(正式)이 아닌 (것). ¶业~; 본직 이외의. 아마추어의/~兴; ⇓

〔余白〕 yúbái 명 여백.
〔余波〕 yúbō 명 ①여파. 자취. ¶那场纠纷的~还没有止息; 그 분규의 여파가 아직 가라앉지 않았다. ②다 이루지 못한 사항.
〔余齿〕 yúchǐ 명〈文〉남은 여생. 만년.
〔余党〕 yúdǎng 명 남은 무리. 잔당(殘黨).
〔余地〕 yúdì 명 여지. 여유. ¶没有商量的~; 의논할 여지가 없다.
〔余毒〕 yúdú 명 여독. ¶肃清~; 여독을 없애다.
〔余多〕 yúduō 형 여분이 있다. →〔多余〕
〔余额〕 yú'é 명 ①정원(定員)의 여유. ②〘商〙잔액. 잔고. ¶收方~; 차변(借邊) 잔액.
〔余风〕 yúfēng 명〈文〉유풍(遺風).
〔余富〕 yúfù 형 넉넉하다. 유족하다. 명 나머지.
〔余甘〕 yúgān 명〘植〙아마륵(阿摩勒). 유감(油甘)(인도산 등대풀과(科)의 낙엽 교목).
〔余割〕 yúgē 명〘數〙코시컨트(cosecant). 여할.
〔余悸〕 yújì 명〈文〉사후(事後)에 아직 남아 있는 공포. ¶心有~; 마음 속에 아직도 공포가 남아 있다/犹有~; 〈成〉지금까지도 두려워하고 있다.
〔余烬〕 yújìn 명 ①여신. 타고 남은 불기운. ¶纸烟~; 피우다만 담배/劫后~; 재난이 남긴 자취. ②〈比〉패잔병.
〔余课〕 yúkè 명 부가세(附加稅).
〔余款〕 yúkuǎn 명 남은 돈. 잉여금. =〔余财〕
〔余里挂外〕 yú lǐ guà wài 〈成〉어느 쪽인지 분명치 않다. 아무 상관이 없다. 관계가 깊지 않다. ¶他说了些~的话; 그는 상관없는 말을 했다.
〔余力〕 yúlì 명 여력. ¶不遗~; 전력을 다하다/没有~顾及此事; 이일에 신경 쓸 여력이 없다.
〔余利〕 yúlì 명 ①이익. 순익. ②할증(割增) 배당금. =〔红hóng利②〕
〔余沥〕 yúlì 명〈文〉남은 술. 〈比〉배당받을 자기 몫의 작은 이익. 작은 은혜.
〔余粮〕 yúliáng 명 자가 소비분을 제하고 남은 곡물. 여분의 식량.
〔余粮区〕 yúliángqū 명 식량 잉여 지구. ¶缺粮区和~; 식량 부족 지구와 식량 잉여 지구.
〔余料〕 yúliào 명 손실된 재료〔원료〕.
〔余年〕 yúnián 명 만년(晩年). 여생. ¶~无命; 남은 여생이 얼마 안 남았다(여기서 '余'를 '나'로 해석하여 '내 나이'라는 번역이 나올 수 있으므로, 흔히 '馀'를 더 많이 씀). =〔馀年〕
〔余孽〕 yúniè 명 여당(餘黨). 잔당(殘黨). 잔존 세력. ¶封建~; 봉건적인 잔존 세력/残渣~; 〈成〉남아 있는 악인. 잔존 악질 분자.
〔余怒〕 yúnù 명 여분(餘憤). 덜 가라앉은 분기.
〔余钱〕 yúqián 명 남은 돈. 수중에 있는 돈.
〔余切〕 yúqiē 명〘數〙코탄젠트(cotangent). 여절.
〔余庆〕 yúqìng 명 (자손에게까지 미치고 있는) 조상의 은혜와 혜택.
〔余丘〕 Yúqiū 명 복성(複姓)의 하나.
〔余缺〕 yúquē 명 잉여와 부족.
〔余人〕 yúrén 명〈文〉다른 사람. 나머지 사람.
〔余容面陈〕 yú róng miànchén 〈翰〉나머지는 찾아뵙고 말씀드리겠습니다. =〔余容面叙〕
〔余色〕 yúsè 명〘物〙여색.
〔余生〕 yúshēng 명 ①살아남은 목숨. ¶虎口~; 구사일생으로 살아남은 목숨/劫后~; 재난에서 살아남은 목숨. ②여생. 만년. ¶安度~; 여생을 편히 보내다.
〔余剩〕 yúshèng 명 여잉. 잉여. ¶~的钱还够买一头牛; 여분의 돈으로 소 한 마리를 충분히 살 수 있다.
〔余矢〕 yúshǐ 명〘數〙여시.
〔余数〕 yúshù 명〘數〙나머지.
〔余外〕 yúwài 명〈方〉그 밖. 기타.
〔余威〕 yúwēi 명 남아 있는 위력. 여세(餘勢).
〔余味〕 yúwèi 명 뒷맛. 여운. ¶橄榄吃过, ~还在; 올리브를 먹었는데, 아직 뒷맛이 남아 있다/歌声美妙, ~无穷; 노랫소리가 아름다워서 여운이 언제까지나 남아 있다/诗句虽短, ~无穷; 시는 짧지만, 여운은 끝이 없다.
〔余暇〕 yúxiá 명 여가. =〔余闲〕
〔余暇产业〕 yúxiáchǎnyè 명 ⇨〔休闲产业〕
〔余下〕 yúxià 동 ①남다. 남기다. ②남게 하다. 남아 있다.
〔余闲〕 yúxián 명 ⇨〔余暇〕
〔余弦〕 yúxián 명〘數〙코사인(cosine). 여현.
〔余项〕 yúxiàng 명 ①잉여. ②잔금(殘金).
〔余效此〕 yú xiàocǐ 〈文〉이하 이에 준한다.

〔余兴〕 yúxìng 명 ①여흥. ¶～未消; 여흥이 아직 없어지지 않다. ②연회나 어떤 모임 끝에 흥을 더하기 위해 하는 연예.
〔余蓄〕 yúxù 명 여축. 쓰고 남은 나머지.
〔余殃〕 yúyāng 명 여앙. 자손에게까지 미치는 재앙.
〔余音〕 yúyīn 명〈文〉 여음. 여운. ¶～缭绕; 〈成〉 여운이 맴돌다.
〔余勇可贾〕 yú yǒng kě gǔ 〈成〉 아직 여력이 있다. 아직 혈기 왕성하다. ¶他刚踢完足球回来, ～, 又去打乒乓球了; 그는 축구를 끝내고 막 돌아왔는데, 아직도 기력이 남아서 또 탁구를 치러 갔다.
〔余裕〕 yúyù 명형〈文〉 여유(가 있다). ¶～的时间; 여유 있는 시간/～的精力; 넘치는 정력/解放了, 吃穿不但不愁, 而且还有～; 해방 후에는 의식 걱정이 없어졌을 뿐 아니라, 또한 여유가 생겼다.
〔余震〕 yúzhèn 명《地質》 여진.

狳 yú (여)
→〔犰qiú狳〕

馀(餘) yú (여)
① '餘'의 간체자로 쓰임(단, '余'로 쓰면 헷갈릴 우려가 있을 때에는 이 자(字)를 씀). ¶～年无多; 여생이 많지 않다. ② 명 성(姓)의 하나.

畬 yú (여)
명 개간한 지 2년 또는 3년이 되는 농지. =〔畬地dì〕 ⇒shē

艅 yú (여)
→〔艅艎〕

〔艅艎〕 yúhuáng 명〈文〉 옛날의 비교적 큰 나무배의 하나.

臾 yú (유)
→〔须xū臾〕

谀(諛) yú (유)
동〈文〉 아첨하다. 아부하다. ¶～辞; 간살부리는 말/阿ē～; 아부하다. →〔谄chǎn〕

萸 yú (유)
→〔茱zhū萸〕

腴 yú (유)
형 ①(사람이) 살찌다. 포동포동하다. ¶丰～; 풍만하다/面貌丰～; 얼굴이 포동포동하다. ②비옥하다. ¶膏～; (땅이) 기름지고 비옥하다/～土; 비옥한 땅.
〔腴润〕 yúrùn 형 포동포동하고 윤기가 있다.
〔腴田〕 yútián 명 비옥한 밭. →〔肥féi田〕

鱼(魚) yú (어)
명 ①물고기. ¶一条～; 생선 한 마리/鲤lǐ～; 잉어/钓diào～; 물고기를 낚다/捞lāo～; 그물로 물고기를 잡다/摸mō～; 손더듬이로 고기를 잡다. ②(～儿) 물고기와 같은 모양·빛깔. ¶～雷; ⇩/～白; ⇩ ③〈文〉 '渔yú'와 통용. ④성(姓)의 하나.
〔鱼把势〕 yúbǎshì 명 어부. 고기잡이.
〔鱼白〕 yúbái 명 ①어백. 물고기의 정액(精液). ②청백색. 물고기의 배 색깔. ¶东方一线～, 黎明已经到来; 동쪽에 한 줄기 빛으로 밝아 오니, 이미 여명이 다가왔다. =〔鱼肚白〕
〔鱼板〕 yúbǎn 명 어판(물고기 모양의 작은 판대기. 선사(禪寺)의 욕실에 걸려 있음).
〔鱼帮水, 水帮鱼〕 yú bāng shuǐ, shuǐ bāng yú 〈成〉 ⇨〔船chuán帮水, 水帮船〕
〔鱼胞〕 yúbāo 명 ⇨〔鱼鳔〕
〔鱼鳔〕 yúbiào 명《魚》 어표. (물고기의) 부레. =〔〈俗〉鱼胞〕〔〈俗〉鱼泡〕〔气qì胞②〕
〔鱼菜〕 yúcài 명 생선 요리.
〔鱼叉〕 yúchā 명 작살. =〔渔叉〕
〔鱼池〕 yúchí 명 양어지(養魚池). 양어장. =〔养yǎng鱼池〕
〔鱼翅〕 yúchì 명 상어의 지느러미(고급 요리에 쓰임). ¶～席; 상어 지느러미 요리가 나오는 연회 요리.
〔鱼虫(儿)〕 yúchóng(r) 명 ①물고기의 먹이. ②《動》 물벼룩. =〔水shuǐ蚤〕
〔鱼床子〕 yúchuángzi 명〈京〉 생선 가게. =〔鲜xiān鱼行〕
〔鱼唇〕 yúchún 명 상어 입술(중국 요리의 재료).
〔鱼刺〕 yúcì 명 물고기의 가시〔잔뼈〕.
〔鱼大水小〕 yú dà shuǐ xiǎo 〈成〉 물고기는 크고 물은 적다. ①생산이 공급을 따르지 못하다. ②몸집이 너무 커서 동작이 둔하다. 기구(機構) 등이 비대하여 능률이 낮다.
〔鱼雕〕 yúdiāo 명《鳥》 물수리. =〔鱼江鸟〕
〔鱼冻儿〕 yúdòngr 명 생선을 삶아 국물을 굳힌 것.
〔鱼冻鱼〕 yúdòngyú 명《鳥》〈南方〉 노랑할미새.
〔鱼毒〕 yúdú 명《植》 ①삼백초(의 꽃). ②팥꽃나무.
〔鱼肚〕 yúdǔ 명 부레풀(식용 및 공예품 등의 접착용으로 쓰임). =〔鱼胶③〕
〔鱼肚白〕 yúdùbái 명 물고기 복부와 같은 빛깔. 다소 청색을 띤 백색(흔히, 새벽녘의 하늘빛을 가리킴). ¶天边现出了～; 하늘 끝이 어슴푸레하게 밝기 시작했다.
〔鱼簖〕 yúduàn →〔簖〕
〔鱼饵〕 yú'ěr 명 물고기의 먹이. 낚싯밥.
〔鱼贩(子)〕 yúfàn(zi) 명 생선 행상인. 생선 노점상.
〔鱼肥〕 yúféi 명《農》 어비. 생선을 건조하여 만든 비료.
〔鱼粉〕 yúfěn 명 어분. 피시 밀(fish meal)(사료로 쓰임).
〔鱼赋〕 yúfù 명 ⇨〔鱼税〕
〔鱼肝油〕 yúgānyóu 명 간유.
〔鱼竿(儿, 子)〕 yúgān(r, zi) 명 낚싯대. ¶一根～; 낚싯대 하나. =〔钓diào竿(儿)〕
〔鱼缸〕 yúgāng 명 어항. ¶～儿; 작은 어항.
〔鱼糕〕 yúgāo 명 생선묵.
〔鱼钩(儿)〕 yúgōu(r) 명 낚싯바늘.
〔鱼狗〕 yúgǒu 명《鳥》 물총새. =〔翡fěi翠〕
〔鱼鼓〕 yúgǔ 명 ①어고(6~10센티 가량의 대통 밑바닥에 돼지 또는 소의 가죽을 붙인 민속 악기). =〔渔鼓①〕〔鱼鼓简板〕〔道dào筒〕〔竹zhú琴〕 ② ⇨〔木mù鱼①〕
〔鱼鼓简板〕 yúgǔ jiǎnbǎn 명 ⇨〔鱼鼓①〕
〔鱼贯〕 yúguàn 동 (꼬챙이에 꿴 생선처럼) 줄줄이 이어지다. 줄지어 가다. ¶～入场; 줄지어 입장하다/～而进; 줄을 이어 전진하다.
〔鱼虎〕 yúhǔ 명 ①《魚》 가시복. ②《鳥》 물총새.
〔鱼户〕 yúhù 명 ⇨〔渔户〕
〔鱼花〕 yúhuā 명 ⇨〔鱼苗〕
〔鱼笺〕 yújiān 명 ⇨〔信xìn纸〕

〔鱼胶〕 yújiāo 명 ①《魚》 동갈민어. ②〈方〉 부레《특히 조기의 부레》. ③부레풀.
〔鱼课〕 yúkè 명 ⇨〔鱼税〕
〔鱼坑〕 yúkēng 명 ⇨〔鱼塘②〕
〔鱼口〕 yúkǒu 명 《漢醫》 매독 등으로 임파선에 궤양이 생겨 그 상처 부위가 물고기 입같이 된 것.
〔鱼口疮〕 yúkǒuchuāng 명 ⇨〔横héng痃〕
〔鱼脍〕 yúkuài 명 ⇨〔鱼片(儿)②〕
〔鱼溃鸟散〕 yú kuì niǎo sàn 〈成〉 사방으로 흩어지는 모양.
〔鱼篮〕 yúlán 명 어롱(魚籠). 종다래끼. =〔鱼篓〕〔笼篓lǒu〕
〔鱼烂〕 yúlàn 동 〈比〉 물고기처럼 내부에서부터 부패하다. 내란으로 부패하다. ¶～而亡; 내부로부터의 부패에 의하여 멸망하다.
〔鱼老鸦〕 yúlǎoyā 명 《鳥》〈南方〉 가마우지.
〔鱼雷〕 yúléi 명 《軍》 어뢰. ¶～艇; 어뢰정.
〔鱼类〕 yúlèi 명 어류.
〔鱼帘子〕 yúliánzi 명 얕은 바다에 세로로 쳐 놓는 정치망(定置網)의 일종《물이 빠진 후 그물에 걸린 고기를 잡음》.
〔鱼梁〕 yúliáng 명 ①어량. ②(Yúliáng) 《地》 장시 성(江西省) 완안 현(萬安縣)의 남쪽에 있음. ③(Yíliáng) 《地》 위량 산(魚梁山)《후난 성(湖南省) 린샹 현(臨湘縣)의 남쪽에 있는 산 이름》.
〔鱼鳞〕 yúlín 명 ①어린. 물고기의 비늘. ②〈比〉 물건이 많고 밀집해 있는 일.
〔鱼鳞坑〕 yúlínkēng 명 (저수(貯水) 또는 식림(植林)을 위하여 산의 표면에 판) 점점이 비늘처럼 뚫린 구멍.
〔鱼鳞天儿〕 yúlíntiānr 명 물고기 비늘 모양의 구름이 떠 있는 약간 흐린 날씨〔하늘〕.
〔鱼鳞图册〕 yúlíntúcè 명 《書》 어린도책《일종의 지적도. 각호(各戶)의 소유 전지(田地)의 도형·면적이 기재되어 있음》.
〔鱼鳞癣〕 yúlínxuǎn 명 《醫》 어린선. =〔蛇shé皮癣〕
〔鱼龙〕 yúlóng 명 《動》 어룡. 이크티오자우루스(Ichthyosaurus)《화석 동물의 일종》.
〔鱼龙混杂〕 yú lóng hùn zá 〈成〉 ①선인과 악인이 섞여 있음. 옥석혼효(玉石混淆). ②큰 것과 작은 것, 또는 좋은 것과 나쁜 것이 섞여 있음.
〔鱼笼子〕 yúlóngzi 명 통발《대나무로 엮은 것으로 대개는 원통형으로 만들어 강 속에 놓고, 물고기가 들어가기는 쉽지만, 일단 들어가면 빠져 나오지 못하게 만든 것》.
〔鱼篓〕 yúlǒu 명 ⇨〔鱼篮〕
〔鱼露〕 yúlù 명 생선으로 만든 소스.
〔鱼卵〕 yúluǎn 명 어란. 물고기 몸속의 알.
〔鱼卵石〕 yúluǎnshí 명 이상암(鮞狀岩). 어란석.
〔鱼轮〕 yúlún 명 트롤(trawl) 어선. 저인망 어선.
〔鱼落猫儿口〕 yú luò māorkǒu 〈諺〉 생선이 고양이 입에 떨어지다. 고양이에게 고기 반찬. =〔狗gǒu头上搁不住骨头〕
〔鱼毛眼〕 yúmáoyǎn 물고기 떼. ¶难碰上个～; 물고기 떼를 만나기란 매우 힘들다.
〔鱼米之乡〕 yú mǐ zhī xiāng 〈成〉 물고기나 쌀의 산출이 많은 지방. 물산이 풍부한 지방《흔히, '江南' 지방을 가리킴》. (바다 가까운 곳의) 살기 좋은 곳.
〔鱼苗〕 yúmiáo 명 (갓 부화한) 치어(稚魚). =〔鱼花〕→〔鱼秧yāng(子)〕
〔鱼目混珠〕 yú mù hùn zhū 〈成〉 물고기의 눈알을 진주에 섞다《가짜를 진짜로 속이다》
〔鱼泡〕 yúpào 명 ⇨〔鱼鳔〕
〔鱼盆〕 yúpén 명 어항.
〔鱼皮〕 yúpí 명 ①물고기 가죽. ②'龙趸lóngdǔn'이라는 돌고래류(類)의 가죽을 말린 것《식용함》.
〔鱼皮鞑子〕 Yúpí dázi 명 《民》 허저 족. =〔赫hè哲族〕
〔鱼片(儿)〕 yúpiàn(r) 명 ①얇고 작게 썬 생선 토막. ②얇게 저민 생선살. 생선회. =〔鱼生〕〔〈文〉鱼脍〕
〔鱼漂(儿)〕 yúpiāo(r) 명 낚시찌. =〔漂儿〕〔浮fú子〕
〔鱼鳍〕 yúqí 명 물고기의 지느러미.
〔鱼钳〕 yúqián 명 《機》 멍키 렌치.
〔鱼鳅菜〕 yúqiūcài 명 《植》 감국(甘菊)의 잎.
〔鱼群〕 yúqún 명 어군.
〔鱼儿〕 yúr 명 작은 물고기. ¶小～; 작은 물고기 / 金～; 금붕어.
〔鱼肉〕 yúròu 명 ①어육. ¶～荤腥; 비린내나는 음식《생선·고기 등》/ ～冻儿; 생선을 조려 굳힌 식품. ②생선과 육류. 동 〈轉〉 마음대로 들볶다. 폭력으로 괴롭히다. 함부로 유린하다. ¶人为刀俎我为～; 〈成〉 남은 칼과 도마고, 나는 고기다《어쩔 수 없는 운명에 처함》.
〔鱼沙律〕 yúshālǜ 명 생선 샐러드.
〔鱼虱〕 yúshī 명 《蟲》 어슬《물고기의 기생충》.
〔鱼石硫酸铵〕 yúshí liúsuān'ǎn 명 ⇨〔鱼石脂〕
〔鱼石脂〕 yúshízhī 명 《藥》 이히티올(독Ichthyol). =〔鱼石硫酸铵〕〔依yī克度〕〔磺huáng基鱼石油酸锭〕〔伊yī希焦耳〕
〔鱼食〕 yúshí 명 물고기의 먹이.
〔鱼市〕 yúshì 명 어시장.
〔鱼书〕 yúshū 명 〈文〉 편지.
〔鱼水〕 yúshuǐ 명 물고기와 물. ①〈比〉 물고기와 물과 같은 밀접한 관계. ¶～之交情; 수어지교(水魚之交) / ～难分; 물고기와 물의 관계는 서로 떨어지기 어려운 것이다 / ～相得; 물고기와 물과 같이 서로 돕고 사이가 좋다 / ～情; 물고기와 물처럼 서로 떨어질 수 없는 정의(情誼) / 军民～情; 군대와 인민의 관계는 물고기와 물의 사귐과 같다. ②〈比〉 옛날, 군신·부부 사이에 비유함. ¶～和谐xié; 군신·부부의 사이가 좋음.
〔鱼税〕 yúshuì 명 어세. 어업세. =〔鱼赋〕〔鱼课〕
〔鱼丝〕 yúsī 명 천잠사(天蠶絲).
〔鱼松〕 yúsōng 명 생선 살코기를 쪄서 잘게 찢은 다음, 설탕·간장에 조리한 식품. =〔鱼肉松〕
〔鱼素〕 yúsù 명 〈文〉 편지. 서신(書信).
〔鱼孙〕 Yúsūn 명 복성(複姓)의 하나.
〔鱼塘〕 yútáng 명 ①양어지(養魚池). ②활어지(活魚池). =〔鱼坑〕
〔鱼藤〕 yúténg 명 《植》 데리스(derris)의 총칭.
〔鱼藤酮〕 yúténgtóng 명 《化》 로테논(rotenone)《농업용 살충제》.
〔鱼梯〕 yútī 명 어제.
〔鱼挑子〕 yútiāozi 명 생선 행상인.
〔鱼头〕 yútóu 명 ①생선 대가리. 어두. ②〈比〉 (처리하기가) 번잡하고 곤란한 일. ¶择zé～; 번잡하고 곤란한 일을 처리하다.
〔鱼丸(子)〕 yúwán(zi) 명 어단. 둥근 생선묵. =〔鱼圆〕
〔鱼网〕 yúwǎng 명 어망. =〔渔网〕
〔鱼虾〕 yúxiā 명 ①물고기와 새우. ②수산물.
〔鱼尾〕 yúwěi 명 ①물고기의 꼬리. ②(관상에서의) 눈꼬리(의 주름살). ③목판본의 어미《접은 데에 표시된 ﹇ 표》. ¶～号; 꺾쇠 묶음(〔 〕).
〔鱼鲜〕 yúxiān 명 물고기·조개 따위의 수산 식

품.
〔鱼线〕 yúxiàn 명 낚싯줄.
〔鱼香肉丝〕 yúxiāng ròusī 명 쓰촨(四川) 요리의 일종(가늘게 썬 고기를 겨자를 치고 볶은 것).
〔鱼腥草〕 yúxīngcǎo 명 《植》 삼백초. =〔蕺jí菜〕
〔鱼汛〕 yúxùn 명 어획기(期). =〔渔汛〕
〔鱼盐〕 yúyán 명 어염. 물고기와 소금. 어업과 염업. ¶～之地; 연해(沿海) 지방.
〔鱼眼〕 yúyǎn 명 ①《醫》 물고기의 눈. ②끓는 물의 거품. ③눈알의 홈. ④〈比〉 한푼의 돈. 적은 돈.
〔鱼雁〕 yúyàn 명 〈文〉 편지. ¶他们之间曾～往还; 그들 두 사람 사이에는 일찍이 편지 왕래가 있었다.
〔鱼秧(子)〕 yúyāng(zi) 명 유어(幼魚)('鱼苗' 보다 커서 방류할 수 있는 정도). ¶买鱼苗, 养～, 喂成鱼; 치어(稚魚)를 사서 유어로 키우고, 그것을 사육하여 성어로 만들다. =〔鱼栽〕〔鱼种〕
〔鱼鹰〕 yúyīng 명 《鳥》 ① '鹗è' (물수리)의 통칭. ② '鸬lú鹚' (가마우지)의 통칭.
〔鱼鹰子〕 yúyīngzi 명 《鳥》 재갈매기.
〔鱼油〕 yúyóu 명 어유(어류의 가죽·살·뼈·내장 등으로부터 채취한 기름. 공업용 또는 약용됨).
〔鱼游釜中〕 yú yóu fǔ zhōng 〈成〉〈比〉 위험한 상황이 목전에 있음. 매우 절박하고 위험한 상황.
〔鱼圆〕 yúyuán 명 ⇨〔鱼丸(子)〕
〔鱼跃倒地射门〕 yúyuè dǎodì shè mén 명 《體》 (핸드볼에서) 넘어지면서 옆으로 던지는 슛.
〔鱼跃滑垒〕 yúyuè huálěi 명 《體》 (야구의) 헤드 슬라이딩.
〔鱼跃扑球〕 yúyuè pūqiú 명 《體》 (축구에서 골키퍼가) 옆으로 뛰어오르면서 공을 처리하는 일.
〔鱼栽〕 yúzāi 명 ⇨〔鱼秧(子)〕
〔鱼找鱼, 虾找虾〕 yú zhǎo yú, xiā zhǎo xiā 〈諺〉 물고기는 물고기를 찾고, 새우는 새우를 찾는다(끼리끼리 모인다).
〔鱼种〕 yúzhǒng 명 ⇨〔鱼秧(子)〕
〔鱼子〕 yúzǐ 명 물고기 알. 어란(魚卵). ¶～酱; 물고기의 알젓. 캐비아(철갑상어의 알젓).
〔鱼子兰〕 yúzǐlán 명 ⇨〔珍zhēn珠兰〕

渔(漁〈魰〉) yú (어)

동 ①물고기를 잡다. ¶～业; ⇩ / ～船; ⇩ / 竭泽而～; 연못을 말려서 고기를 잡다(뒷일을 생각하지 않고 눈앞의 이익만을 추구함). ②〈文〉 잇속을 채우다. 부당하게 이익을 취하다. ¶侵～百姓; 백성을 착취하다 / ～利; ⇩
〔渔霸〕 yúbà 명 ①어업 경영주〔선주〕. ②악덕 어업 경영주〔선주〕.
〔渔叉〕 yúchā 명 ⇨〔鱼叉〕
〔渔产〕 yúchǎn 명 ①어업 생산. ②수산물.
〔渔场〕 yúchǎng 명 어장.
〔渔船〕 yúchuán 명 어선.
〔渔夺〕 yúduó 동 〈比〉 (어부가 물고기를 잡듯이) 함부로 백성에게서 세금을 거두다.
〔渔夫〕 yúfū 명 〈文〉 어부. →〔渔户〕
〔渔父〕 yúfù 명 늙은 어부.
〔渔改〕 yúgǎi 명 어업 개혁.
〔渔竿〕 yúgān 명 낚싯대. =〔钓diào竿(儿)〕
〔渔港〕 yúgǎng 명 어항.
〔渔歌〕 yúgē 명 뱃노래. 어부의 노래.
〔渔鼓〕 yúgǔ 명 ①⇨〔鱼鼓①〕 ②→〔道dào情〕
〔渔鼓道情〕 yúgǔ dàoqíng 명 ⇨〔道情〕
〔渔行〕 yúháng 명 생선 도매상.
〔渔户〕 yúhù 명 ①어민. ②어민의 가구(家口). ‖ =〔鱼户〕
〔渔花子〕 yúhuāzi 명 가난한 어민.
〔渔火〕 yúhuǒ 명 어화.
〔渔具〕 yújù 명 어구.
〔渔郎〕 yúláng 명 청년 어부.
〔渔捞〕 yúlāo 명동 어로(하다).
〔渔利〕 yúlì 〈文〉 동 이익을 추구하다. 부당 이득을 탐하다. ¶从中～; 〈成〉 중간에서 부당 이득을 취하다. 명 어부지리. 제3자가 수고하지 않고 얻은 이익. ¶坐收～; 〈成〉 아무 수고도 없이 어부지리를 취하다.
〔渔猎〕 yúliè 명 고기잡이와 (새·짐승) 사냥. 어업과 수렵.
〔渔轮〕 yúlún 명 어로용 기선(汽船)〔발동기선〕.
〔渔民〕 yúmín 명 어민.
〔渔女〕 yúnǚ 명 해녀.
〔渔婆(儿)〕 yúpó(r) 명 ①어부의 아내. ②나이먹은 해녀.
〔渔人〕 yúrén 명 〈文〉 어부.
〔渔人得利〕 yú rén dé lì 〈成〉 어부지리. ¶鹬yù蚌相争, ～; 쌍방이 서로 다투는 사이에 어부지리를 얻다. =〔渔人之利〕〔渔翁得利〕
〔渔人之利〕 yú rén zhī lì 〈成〉 ⇨〔渔人得利〕
〔渔色〕 yúsè 동 여색(女色)을 탐하다.
〔渔网〕 yúwǎng 명 ⇨〔鱼网〕
〔渔翁〕 yúwēng 명 어옹. 늙은 어부. =〔渔父〕
〔渔翁得利〕 yú wēng dé lì 〈成〉 ⇨〔渔人得利〕
〔渔汛〕 yúxùn 명 어획기. =〔鱼汛〕
〔渔阳〕 Yúyáng 명 ①《地》 옛 지명. ②복성(複姓)의 하나.
〔渔业〕 yúyè 명 어업.
〔渔业生产合作社〕 yúyè shēngchǎn hézuòshè 명 어업 생산 협동 조합. →〔合作社〕

俞 yú (유)

① 동 〈文〉 승낙하다. 응하다. ¶～允yǔn; ⇩ ② 명 성(姓)의 하나. ⇒yù, '腧' shù
〔俞允〕 yúyǔn 명동 〈文〉 허락(하다). 윤허(하다).

渝 yú (유, 투)

① 동 (감정이나 태도가) 바뀌다. 바꾸다. 변화하다. ¶始终不～; 시종 변하지 않다 / 忠诚不～; 충성이 변함 없다. ②(Yú) 명 《地》 충칭(重慶)의 별칭. ¶成～铁路; 청두(成都)와 충칭(重慶)간의 철도.
〔渝盟〕 yúméng 동 〈文〉 약속〔서약〕을 변경하다〔저버리다〕.

愉 yú (유)

형 즐겁다. 기쁘다. 유쾌하다. ¶面有～色; 얼굴에 기쁜 빛이 나타나 있다.
〔愉快〕 yúkuài 형 기분이 좋다. 기쁘다. 유쾌하다. ¶渡过～的日子; 즐거운 나날을 보내다 / 心情～; 마음이 유쾌하다 / 我今天觉得很～; 나는 오늘 아주 유쾌하다.
〔愉目〕 yúmù 동 〈文〉 눈을 즐겁게 하다.
〔愉色〕 yúsè 명 〈文〉 즐거운 듯한〔기뻐하는〕 얼굴.
〔愉悦〕 yúyuè 형 유쾌하고 기쁘다. ¶怀着十分～的心情; 매우 유쾌하고 기쁜 마음을 품다. 명 기쁨. 유열(愉悅). 동 기뻐하다.

逾〈踰〉① yú (유)

① 동 넘다. 지나다. 초과하다. ¶～三日之期; 3일간이란 기한을 넘겼다 / 年～六十; 나이는 60세를 넘었다. ② 부 더욱더. 한층 더. 갈수록. ¶～甚shèn; 더욱더 심하다 / ～快～好; 빠를수록 좋다.

〔逾常〕 yúcháng 동 심상치 않다. 보통이 아니다. 정상적인 상태를 넘다. ¶欣喜～; 유난히 기뻐하다. 기뻐서 어쩔 줄을 모르다.
〔逾分〕 yúfèn 동 본분을 넘다. 분수에 넘치다.
〔逾恒〕 yúhéng 동 〈文〉 평상시의 상태를 넘다. 보통의 정도를 벗어나다. ¶饮酒～; 술이 평상시의 정도를 넘다.
〔逾期〕 yú,qī 동 ⇨〔逾限①〕
〔逾限〕 yúxiàn 동 ①기한을 초과하다. 규정된 기일을 넘기다. ¶～作废; 기한이 지나면 무효. =〔逾期〕 ②한도를 초과하다〔넘다〕.
〔逾越〕 yúyuè 동 〈文〉 넘다. 초과하다. ¶～常规; 상규를 벗어나다〔넘다〕/不可～的界限; 넘을 수 없는 한계.

萮 yú (유)
→〔山shān萮酸〕

揄 yú (유)
동 〈文〉 ①끌다. 당기다. ②화제(話題)로 삼다. 제기하다. ¶～扬; ⇩
〔揄扬〕 yúyáng 동 〈文〉 찬양하다. 극구 칭찬하다.

嵛 yú (유)
①지명용 자(字). ¶昆kūn～山; 쿤위 산(昆嵛山)《산둥 성(山東省) 동부에 있는 산 이름》. ② →〔山shān嵛菜〕

瑜 yú (유)
명 〈文〉 ①미옥(美玉). ②옥의 광채. 〈比〉 장점. 훌륭한 점. 뛰어난 점. ¶瑕xiá不掩～; 매우 뛰어나서 결점이 있으나 문제가 되지 않는다 / 瑕～互见; 〈成〉 결점도 있고 장점도 있다.
〔瑜伽派〕 yúqiépài 명 《哲》 유가파《인도의 불교·철학 유파의 하나》.

榆 yú (유)
명 《植》 느릅나무. =〔榆树〕〔白bái榆〕〔家jiā榆〕
〔榆白皮〕 yúbáipí 명 느릅나무의 하얀 속껍질《약용됨》.
〔榆耳〕 yú'ěr 명 《植》 느릅나무에 돋아나는 버섯.
〔榆荚〕 yújiá 명 ⇨〔榆钱(儿)〕
〔榆木〕 yúmù 명 ①《植》 느릅나무. ②느릅나무 목재. ¶～擦漆; 느릅나무 가구에 니스를 칠한 것.
〔榆木疙瘩〕 yúmù gēda 명 느릅나무의 옹이. 〈轉〉 완고하고 보수적인 사람.
〔榆皮面儿〕 yúpímiànr 명 느릅나무의 흰 속껍질을 가루낸 것《흉년에는 식용됨》. =〔榆面〕
〔榆钱(儿)〕 yúqián(r) 명 《植》 〈口〉 느릅나무 열매. =〔榆荚〕
〔榆钱儿糕〕 yúqiánrgāo〔yúqiǎnrgāo〕 명 설탕 또는 소금을 친 밀가루에 느릅나무 열매를 넣고 찐 식품.
〔榆树〕 yúshù 명 ①《植》 느릅나무. ②(Yúshù) 《地》 지린 성(吉林省)에 있는 현(縣) 이름.
〔榆叶梅〕 yúyèméi 명 《植》 자두나무《중국의 북부·동부에서 재배됨》.

覦(覦) yú (유)
→〔覬jì覦〕

歈 yú (유)
〈文〉 ① 명 노래. ② '愉yú' 와 통용.

窬 yú (유)
〈文〉 ① 명 담에 뚫은 작은 구멍. ② 동 담을 타고 넘다. ¶穿chuān～之盗; 담을 타고 넘어 도둑질하는 도적.

褕 yú (유)
→〔襜chān褕〕

蝓 yú (유)
→〔蛞kuò蝓〕

澦 yú (유)
명 《植》 '泽zéxiè' (택사)의 옛 이름.

舁 yú (여)
동 〈方〉 여럿이 들다. 메다. 같이 들다.
〔舁夫〕 yúfū 명 가마꾼. 짐꾼.
〔舁送〕 yúsòng 동 메어 나르다. ¶～医院; 병원으로 메고 가다.

禺 yú (우)
① 명 《動》 (고서(古書)에 나오는) 긴꼬리원숭이. ②지명용 자(字). ¶番Pān～; 판위(番禺)《ⓐ광주(廣州) 시의 별칭. ⓑ광둥 성(廣東省)에 있는 현(縣) 이름》. ③(Yú) 명 《地》 저장성(浙江省)에 있는 산 이름.

隅 yú (우)
명 ①구석. 모퉁이. ¶四～; 네 귀퉁이 / 向～; 〈比〉 따돌려지다. 기회를 얻지 못해 낙담하다 / 植树于场院之四～; 나무를 정원의 네 모퉁이에 심다 / 向～而泣; 〈比〉 절망하여 울다 / 一～之见; 한쪽으로 치우친 견해. 편견. ②변두리. 곁의 땅. 가. ¶海～; 해안에 연한 땅. 해변. ③ ⇨〔嵎〕
〔隅反〕 yúfǎn 동 유추하다. 하나를 갖고 열을 알다.

喁 yú (우)
동 〈文〉 ①목소리가 서로 호응하다. 소리가 조화를 이루다. ②소근소근 이야기하다. ⇒ yóng
〔喁喁〕 yúyú 동 〈文〉 속삭이다. ¶～私语; 소곤소곤 이야기하다.

嵎 yú (우)
명 산의 구부러진 곳. 산모퉁이. ¶虎负～; 호랑이가 산모퉁이를 등지고 저항하다 / 负～顽抗; 험한 지형을 이용하여 완강하게 저항하다. =〔隅yú③〕

愚 yú (우)
① 형 어리석다. 미련하다. 바보 같다. →〔傻shǎ①〕 ② 동 우롱하다. 바보 취급하다. ¶～民政策; 《政》 우민 정책. ③ 대 〈謙〉 저. 제《자기의 겸칭》. ¶～见; ⇩
〔愚騃〕 yú'ái 형 〈文〉 우둔해서 사리를 모르다.
〔愚笨〕 yúbèn 형 우둔하다. 어리석다. ¶再没有比他～的人; 저 녀석만큼 미련한 놈도 없다. =〔愚蠢〕
〔愚不可及〕 yú bù kě jí 〈成〉 매우 우둔하다. 더없이 미련하다《우(愚)는 지(知)를 압도함의 뜻으로 씀》.
〔愚蠢〕 yúchǔn 형 어리석다. 우둔하다. ¶他太～, 没有想到这一点; 그는 너무 우둔해서, 이 점에 생각이 미치지 못했다 / ～无知; 〈成〉 어리석고 무지하다 / 这种做法真～; 이런 방법은 정말 어리석다. =〔愚笨〕↔〔聪cōng明〕
〔愚弟〕 yúdì 명 〈文〉 〈謙〉 저. 제《동년배에 대한 겸칭》.
〔愚而好自用〕 yú ér hàozìyòng 어리석은데도 제딴에는 영리하다고 자부하여 일을 처리함.
〔愚夫愚妇〕 yú fū yú fù 〈成〉 평범한 사람. 일

반 백성.
〔愚公移山〕 Yú gōng yí shān 〈成〉 (옛날에, 우공(愚公)이라는 사람이 산을 옮겼다는 데서) 굳은 결의하에 어떤 어려움도 두려워하지 않고 자력 갱생의 정신으로 열심히 노력하면 성공한다.
〔愚憨〕 yúhān 형 멍청하다. 우둔하다. 얼뜨다. 어리석다.
〔愚见〕 yújiàn 명 우견. 저의 소견《자기 생각의 겸칭》. =〔愚意〕
〔愚陋〕 yúlòu 형 〈文〉 지식이 천박하다. 어리석다. 우매하고 비루(鄙陋)하다.
〔愚卤〕 yúlǔ 형 ⇨〔愚鲁〕
〔愚鲁〕 yúlǔ 형 어리석다. 바보같다. =〔愚卤〕 →〔愚笨〕〔愚蠢〕
〔愚昧〕 yúmèi 형 우매하다. 어리석고 도리에 어둡다. ¶～无知; 무지몽매하다. =〔愚蒙〕
〔愚氓〕 yúméng 명 어리석은 사람.
〔愚蒙〕 yúméng 형 ⇨〔愚昧〕
〔愚民〕 yúmín 명 우민. 어리석은 백성. 동 백성을 어리석게 하다. ¶～政策; 우민 정책.
〔愚弄〕 yúnòng 동 우롱하다. 얕보다. 바보 취급하다. ¶麻痹和～群众; 대중을 마비시키고 우롱하다.
〔愚懦〕 yúnuò 형 어리석고 겁이 많다.
〔愚气〕 yúqì 명 무의미한 분노. 공연히 내는 화. ¶瞎生～; 공연히 화를 버럭 내다.
〔愚气〕 yúqi 명 바보의 외곬수〔외고집〕. 형 어리석은 모양.
〔愚人节〕 Yúrénjié 명 만우절. =〔四月傻瓜〕
〔愚傻〕 yúshǎ 형 어리석다. 미련하다. 모자라다. ¶那个人有点～; 저 사람은 좀 모자란다.
〔愚顽〕 yúwán 형 〈文〉 우둔하고 완고하다.
〔愚妄〕 yúwàng 형 〈文〉 우둔하고 거만하다.
〔愚诬〕 yúwū 동 남을 우습게 보다〔업신여기다〕.
〔愚兄〕 yúxiōng 명 우형《옛날, 자기보다 어린 벗에 대하여 자기를 가리켜 일컫던 겸칭》.
〔愚意〕 yúyì 명 ⇨〔愚见〕
〔愚者暗于成事, 智者见于未萌〕 yúzhě ànyu chéngshì, zhìzhě jiànyu wèiméng 〈諺〉 우매한 자는 사실이 눈앞에 나타나도 깨닫지 못하나, 현명한 자는 아직 징조가 나타나지 않은 상태에서도 이를 간파한다.
〔愚者千虑, 必有一得〕 yú zhě qiān lǜ, bì yǒu yī dé 〈成〉 미련한 사람도 생각을 거듭하면 좋은 생각을 해낸다《자신의 소견에 대한 겸칭어》. ↔〔智zhì者千虑, 必有一失〕
〔愚直〕 yúzhí 형 우직하다. 고지식하다.
〔愚忠愚孝〕 yú zhōng yú xiào 〈成〉 오로지 충효에 힘씀.
〔愚拙〕 yúzhuō 형 어리석고 졸렬하다. 명 〈翰〉 〈謙〉 우생. 졸생(拙生)《자기의 겸칭》.

龉(齬) yú (우)
형 ①치열이 고르지 않다. ②가지런하지 않다.
〔龉齿〕 yúchǐ 명 고르지 않은 이.
〔龉差〕 yúcī 형 가지런하지 않고 들쑥날쑥 하다. =〔参cēn差不齐〕

髃 yú (우)
명 〔漢醫〕 어깨의 앞부분.

娱 yú (오)
①명 즐거움. 오락. ¶视听之～; 눈과 귀의 즐거움 / 文～活动; 문화 오락 활동. 레크리에이션. ②동 즐기다. 즐겁게 하다. ¶聊以自～; 잠시 스스로 즐기다 / 自～; 혼자 즐기다.
〔娱乐〕 yúlè 명 오락. 즐거움. ¶～场; 오락장.
〔娱乐服务业〕 yúlè fúwùyè 명 유흥 산업.
〔娱目赏心〕 yúmù shǎngxīn 눈을 즐겁게 하고 마음을 기쁘게 하다.

虞 yú (우)
①동 예상(豫想)하다. 추측하다. ¶不～; 뜻하지도 않다 / 以备不～; 예측할 수 없는 사태에 대비하다 / 时刻准备, 以防不～; 언제나 준비해 두어 예측할 수 없는 일에 대비하다. ②명동 근심(하다). 우려(하다). 걱정(하다). ¶无～; 걱정 없다 / 衣食无～; 의식의 걱정은 없다 / 不洁则有生病之～; 불결하면 병이 날 우려가 있다. ③동 속이다. 기만하다. ¶我无尔诈, 尔无我～; 내가 당신을 속이지 않으니까, 당신도 나를 속이지 마시오. 서로 속이지 않다. ④(Yú) 명 〔史〕 우《순(舜) 황제가 세운 전설상의 왕조 이름》. ⑤명 성(姓)의 하나.
〔虞芒尼德〕 yúmángnídé 명 〈音〉 위마니테(L'Humanité). =〔人道〕〔人性〕
〔虞美人〕 yúměirén 명 ①개양귀비. 우미인초. =〔丽lì春花〕〔赛sài牡丹〕 ②(Yúměirén) 우미인《진(秦)나라 말기, 항우(項羽)의 애첩인 '虞姬jī'의 미칭(美稱)》.
〔虞丘〕 Yúqiū 명 복성(複姓)의 하나.

雩 yú (우)
명 〈文〉 옛날의 기우제(祈雨祭).

舆(輿) yú (여)
〈文〉 ①명 수레. ¶舍～登舟; 수레에서 내려 배를 타다 / ～马; 거마. ②명 교자《수레의 짐〔사람〕 싣는 곳》. ③명 가마. ¶彩～; 장식된 가마. 신부의 가마 / 肩～; 가마. =〔轿〕 ④동 떠메다. 들어 올리다. ¶～轿; 가마를 메다. ⑤형 많은 사람의. ¶～论; ⇩ / ～情; ⇩ ⑥명 토지. 영역. ¶～图; ⇩ / ～地; ⇩
〔舆地〕 yúdì 명 〈文〉 대지(大地). 토지.
〔舆丁〕 yúdīng 명 〈文〉 ⇨〔舆夫〕
〔舆夫〕 yúfū 명 〈文〉 교군꾼. 교부(轎夫). =〔〈文〉舆丁〕
〔舆论〕 yúlùn 명 여론. 세론. ¶社会～; 사회 여론 / ～哗然; 여론이 분분하다.
〔舆情〕 yúqíng 명 민정(民情). 대중의 의향. ¶洞察～; 민정을 통찰하다.
〔舆图〕 yútú 명 〈文〉 지도(地圖).
〔舆薪〕 yúxīn 명 수레에 실은 땔나무《크고 보이기 쉬운 물건》.
〔舆志〕 yúzhì 명 〈文〉 지지(地誌). 지리서.

与(與) yǔ (여)
①동 주다. 베풀다. 보내다. ¶以衣物～之; 옷을 주다 / 赠～; 증여하다 / ～人方便, 自己方便; 〈成〉 남을 편하게 하는 것이 자기를 편하게 하는 것이다 / 将土地还～农民; 토지를 농민에게 돌려 주다. →〔给〕 ②동 친하게 지내다. 사귀다. 교제하다. ¶相～; 교제하다 / 相～甚厚; 친분이 매우 두텁다 / 诸侯以礼相～; 〈文〉 제후는 예의로써 교제한다 / ～国; ⇩ / ～党; ⇩ ③동 돕다. 지지하다. 찬성하다. ¶～人为善; 남에게 선행하다 / 不为时论所～; 시론〔때의 여론〕이 지지〔찬성〕하는 바가 아니다. ④동 한패에 넣다. 한패가 되다. ¶必其人之～也; 반드시 그 사람과 한패일 것이다 / 吾非此人之徒～, 而谁～; 내가 이 사람과 한패가 아니라면 누구와 한패라는 것이냐. ⑤동 상대하다. 대처하

다. 다루다. ¶此人易～, 不足畏也; 이 사람은 다루기 쉬우니, 두려워할 필요가 없다. →〔对付〕 ⑥ 동〈文〉기다리다. ¶岁不我～; 세월은 나를 기다리지 않는다. ⑦…하느니. →〔与其〕 ⑧ 개 …함께. …와. ¶～世界各国和平共处; 세계 각국과 평화 공존하다 / ～他何干? 그와 무슨 상관이 있느냐? / ～己无关; 자기와 무관하다 / ～众不同; 다른 것들과 다르다. =〔跟〕〔同〕 ⑨ 접 …와〔과〕(명사·대사(代詞)·기타 명사 상당 어구를 병렬하는 말). ¶工业～农业; 공업과 농업. ⑩ 개 …에 있어서. …에게. ¶详～各会员解释; 자세히 각 회원에게 설명해주다. →〔为wèi⑤〕 ⇒yú yù

〔与此同时〕 yǔcǐ tóngshí 이와 때를 같이 하여. 이와 동시에(흔히, 문두(文頭)에 옴). ¶～, 他带着一群人下地干起来了; 이와 동시에 그는 여러 사람들과 들에 나가 일을 시작했다.

〔与此相反〕 yǔcǐ xiāngfǎn 이와 상반하여. 이와 반대로(흔히, 문두에 옴).

〔与党〕 yǔdǎng 명 여당. 우당(友黨).

〔与夺〕 yǔduó 명 여탈. 주는 일과 빼앗는 일. ¶生杀～之权; 〈比〉생살 여탈지권. 절대 권력.

〔与否〕 yǔfǒu 명 여부. …인지 어떤지. ¶他同意～尚未可知; 그가 찬성할지 어떨지는 아직 모른다.

〔与鬼为邻〕 yǔ guǐ wéi lín 〈成〉병세가 위독하여 목숨이 경각에 달려 있음.

〔与国〕 yǔguó 명〈文〉친선 관계가 있는 나라. 우호국.

〔与狐谋皮〕 yǔ hú móu pí 〈成〉⇨〔向xiàng虎谋皮〕

〔与虎谋皮〕 yǔ hǔ móu pí 〈成〉범에게 그 가죽을 달라고 의논하다(나쁜 놈에게 자신의 이익을 희생하라고 요구하는 것은 무모함).

〔与其〕 yǔqí 접 …하느니. …하기보다는. ¶～…不如… =〔～…倒不如…好〕〔～…不如…好〕〔～…不如…倒好〕〔～…宁可…〕; …하느니 …하는 편이 차라리 낫다 / ～忍辱而生, 宁可斗争而死; 수치를 참고 사느니 차라리 싸워서 죽는 것이 낫다 / ～读论语不如看小说; 논어를 읽기보다는 소설을 읽는 편이 낫다 / 礼～奢也宁俭; 예는 사치스럽게 하기보다는 차라리 검소하게 하는 편이 낫다.

〔与人方便, 与己方便〕 yǔrén fāngbiàn, yǔjǐ fāngbiàn 남에게 잘 대해 주면, 그것이 언젠가는 자신에게 돌아온다. 〈比〉가는 정이 고와야 오는 정이 곱다.

〔与人口实〕 yǔ rén kǒu shí 〈成〉남에게 구실을 주다.

〔与人为善〕 yǔ rén wéi shàn →〔与解③〕

〔与人无忤〕 yǔ rén wú wǔ 〈成〉사람들과 사이좋게 지내다.

〔与日俱增〕 yǔ rì jù zēng 〈成〉나날이 증가하다. ¶得流感的病人～; 유행성 감기에 걸린 환자 수가 나날이 늘어나다.

〔与世长辞〕 yǔ shì cháng cí 〈成〉서거하다. 세상을 떠나다.

〔与世无争〕 yǔ shì wú zhēng 〈成〉세상이나 남과 싸우지 않다(현실을 피하는 인생관을 지칭).

〔与世偃仰〕 yǔ shì yǎn yǎng 〈成〉상대방에게 맡기기만 하고 자기의 생각은 없다.

〔与众不同〕 yǔ zhòng bù tóng 〈成〉⇨〔比bǐ众不同〕

屿(嶼) yǔ 〔〈舊〉xù〕 (서)
명 작은 섬. ¶岛dǎo～; 도서. 크고 작은 섬들 / 鼓gǔ浪～; 푸젠 성(福建省) 샤먼(厦門)의 일부를 이루고 있는 맞은쪽 섬 / 槟bīng榔～; (말레이시아의) 피낭(Pinang).

予 yǔ (여)
동 ①주다. …해 주다. ¶给～ =〔给与〕; 주다 / 希～确认为荷; 확인해 주시기 바랍니다 / ～以适当照顾; 적당히 보살펴 주다 / ～以批判; 비판을 가하다 / 将来件妥～记录; 보내신 물건은 정확하게 기록해 두겠습니다 / 生杀～夺之权; 생사 여탈의 권한. ②허가하다. ¶准～照所拟计划施行; 예정한 계획대로 시행할 것을 허가하다. ⇒yú

〔予人口实〕 yǔ rén kǒushí 남에게 비난받을 구실을 주다.

〔予闻〕 yǔwén 동〈文〉관여하다.

〔予以〕 yǔyǐ 동〈文〉…을 주다. …을 하다. …되다. ¶～讯究; 문초를 하다 / ～援助; 원조를 주다. 원조하다 / ～便利; 편의를 보아 주다 / ～照顾; 보살펴 주다 / ～表扬; 표창하다 / 现在所表示的诚意是必须～充分重视的; 지금 표시한 성의는 충분히 중시되어야 한다.

伛(傴) yǔ (구)
명〈文〉곱사등이.

〔伛偻〕 yǔlǚ 〈文〉명 곱사등이. =〔佝偻gōulóu〕 동 허리를 굽히다. 몸을 굽히다. ¶穿行山洞, ～而行; 동굴을 지날 때는 허리를 굽히고 걷는다.

宇 yǔ (우)
명 ①가옥. 건물. 처마. ¶屋～; 집. 옥우 / 栋dòng～; 용마루와 차양. 집. ②세계. 모든 공간. ¶～内; ⇩ / ～宙; ⇩ / 寰huán～; 온 세상. 전세계. ③〈文〉변두리. 나라의 변경(邊境). ④(사람의) 기량. 용모. 풍채. ¶器～; 기량. 풍채 / 聪慧之气, 现于眉～; 총명이 미간에 나타나 있다 / 芝zhī～; 〈翰〉다른 사람의 용모를 높여 이르는 말 / 久违芝～; 오랫동안 뵙지 못했습니다 / 气～轩昂; 의기 헌앙. 의기양양.

〔宇航〕 yǔháng 명〈簡〉'宇宙航行'(우주 비행)의 약칭. ¶～员; 우주 비행사.

〔宇量〕 yǔliàng 명〈文〉도량. 기우(器宇).

〔宇内〕 yǔnèi 명〈文〉천하. 전세계.

〔宇普西隆〕 yǔpǔxīlóng 명 (그리스 문자) 입실론.

〔宇文〕 Yǔwén 명 복성(複姓)의 하나.

〔宇下〕 yǔxià 명〈文〉①처마 밑. ②〈轉〉손아랫사람. 부하(部下). 수하 사람.

〔宇宙〕 yǔzhòu 명 ①《天》우주. ¶～人; 우주인. ②《哲》온갖 존재의 총칭(철학에서는 '世界').

〔宇宙尘〕 yǔzhòuchén 명《天》우주진.

〔宇宙飞船〕 yǔzhòu fēichuán 명 ⇨〔宇宙火箭〕

〔宇宙观〕 yǔzhòuguān 명《哲》우주관. 세계관. 인생관.

〔宇宙火箭〕 yǔzhòu huǒjiàn 명 우주 로켓. ¶载zài人～; 유인(有人) 로켓. =〔宇宙飞船〕

〔宇宙空间〕 yǔzhòu kōngjiān 명 우주 공간. →〔外wài层空间〕

〔宇宙射线〕 yǔzhòu shèxiàn 명《物》우주 방사선.

〔宇宙速度〕 yǔzhòu sùdù 명《物》우주 속도.

羽 yǔ (우)
명 ①새 또는 벌레의 날개. ②깃털. ③조류(鳥類). ④《樂》옛날의 5음의 하나(옛날, 5음(音)인 궁(宮)·상(商)·각(角)·치(徵)·우(羽)의 하나로서 '简谱'의 '6'에 해당됨). ⑤성(姓)의 하나.

〔羽绸〕 yǔchóu 명 《紡》 사문직(斜文織)으로, 씨실로 꼬지 않은 생사(生絲)를 쓰고, 보통 2/2의 정칙릉(正則綾)으로 짠 생직물(生織物). 외투나 '长衣'의 안감으로 씀. =〔缎duàn面麻纱〕
〔羽蝶兰〕 yǔdiélán 명 ⇨〔石shí兰①〕
〔羽缎〕 yǔduàn 명 《紡》 우단. 벨벳(velvet). =〔羽绫缎〕〔羽毛缎〕
〔羽化〕 yǔhuà 명동 우화(하다)《번데기가 성충이 되어 날개가 생기는 일》. 동 ①〈轉〉 신선이 되다. ②〈轉〉 사람이 죽다.
〔羽量级〕 yǔliàngjí 명 《體》 (복싱 등의) 페더급. =〔次cì轻量级〕
〔羽林军〕 yǔlínjūn 명 옛날, 황제의 근위군(近衛軍). =〔御yù林军〕
〔羽绫缎〕 yǔlíngduàn 명 ⇨〔羽缎〕
〔羽毛〕 yǔmáo 명 ①깃털《오리·거위의 털을 주로 일컬음》. ¶～被; 깃털 이불. ②새털과 짐승털. ¶～未丰; 〈成〉 깃털이 충분히 자라지 않다《경험이 적고 미숙하다. 조건이 갖춰지지 않다》/～丰满; 〈成〉 깃털이 다 나다《자격을 다 갖추게 되다. 제 구실을 하게 되다》. ③〈比〉 명예. 성망(聲望). ¶爱惜～; 명예를 소중히 여기다.
〔羽毛缎〕 yǔmáoduàn 명 ⇨〔羽缎〕
〔羽毛球〕 yǔmáoqiú 명 ①《體》 배드민턴. ¶～拍; 배드민턴 라켓. ②셔틀콕(shuttlecock). ‖ =〔羽球〕〔鸡jī毛球〕
〔羽毛扇〕 yǔmáoshàn 명 ⇨〔羽扇〕
〔羽球〕 yǔqiú 명 ⇨〔羽毛球〕
〔羽绒服〕 yǔróngfú 명 다운 재킷(down jacket). =〔羽绒衣〕
〔羽纱〕 yǔshā 명 《紡》 캐시미어(cashmere).
〔羽扇〕 yǔshàn 명 우선. 깃털 부채. ¶摇～的; 〈比〉 참모 구실을 하는 사람. 꾀주머니《촉(蜀)나라의 제갈공명은 항상 깃털 부채를 손에 들고 있었던 데서 유래》. =〔羽毛扇〕〔翎líng扇〕〔雨yǔ扇〕
〔羽扇纶巾〕 yǔ shàn guān jīn 〈成〉 깃털 부채와 검은 비단끈이 달린 관(冠) 모양의 두건. 〈轉〉 위풍 당당한 모양.
〔羽虱〕 yǔshī 명 《蟲》 잎벌레.
〔羽士〕 yǔshì 명 〈文〉 도사(道士).
〔羽书〕 yǔshū 명 ⇨〔羽檄〕
〔羽檄〕 yǔxí 명 옛날, 닭의 털을 꽂아 지급(至急)의 뜻을 표시하던 격문(檄文). =〔羽书〕
〔羽衣草〕 yǔyīcǎo 명 ⇨〔蓍shī(草)〕
〔羽翼〕 yǔyì 명 ①우익. 날개. 깃. ②〈比〉 좌우에서 보좌하는 사람. 또는 그 힘.
〔羽翼丰满〕 yǔ yì fēng mǎn 〈成〉 깃털이 충분히 나다. 충분히 활약할 만한 실력이 붙다.
〔羽状复叶〕 yǔzhuàng fùyè 명 《植》 우상 복엽. 깃꼴 겹잎. =〔鳍qí叶〕
〔羽状冠毛〕 yǔzhuàng guānmáo 명 《植》 깃털《꽃받침의 변형으로서, 자방〔씨방〕의 꼭대기가 무수한 털 모양을 이룬 것. 예컨대, 민들레·엉겅퀴 따위》.
〔羽族〕 yǔzú 명 〈文〉 우족. 조류(鳥類).

雨 yǔ (우)
명 비. ¶下～; 비가 오다/～住了; 비가 그쳤다/下了一场大～; 큰비가 한바탕 내렸다/叫～淋湿了; 비에 젖었다/求～; 비 오기를 빌다/牛毛～ =〔毛毛～〕〔蒙méng松～〕; 가랑비/过云～; 지나가는 비/暴bào～; 폭우/连阴～; 장마/苦～; 작물에 해가 되는 비/喜～; 희우. 작물에 좋은 비. ⇒yù
〔雨伯〕 yǔbó 명 비. 비님《비의 의인적(擬人的) 표현》. ¶风姨肆虐, ～随来灭火; 바람이 세차게 불었지만, 비가 와서 불을 껐다.
〔雨不停点〕 yǔ bùtíng diǎn 비가 쉴새없이 내리다.
〔雨布〕 yǔbù 명 방수포(防水布).
〔雨春蝉〕 yǔchūnchán 명 《蟲》 산매미.
〔雨地〕 yǔdì 명 비가 오고 있는 데〔곳〕.
〔雨点(儿, 子)〕 yǔdiǎn(r, zi) 명 빗방울. ¶掉下～来; 빗방울이 떨어지다. =〔雨珠儿〕
〔雨果〕 Yǔguǒ 명 《人》 위고(Hugo, Victor Marie)《프랑스의 작가, 1802～1885》.
〔雨过地皮干〕 yǔ guò dìpí gān ①비가 그치니 땅이 마르다. 땅이 물기를 머금지 못하다. ②어떤 일을 해도 효과가 없다. 언 발에 오줌 누기.
〔雨过地皮湿〕 yǔ guò dìpí shī ①비가 멎으니 땅이 물기를 머금다. ②어떤 일을 하여 그 효과가 나타나다.
〔雨过天晴〕 yǔ guò tiān qíng 〈成〉 ①암흑이 지나가고 광명이 나타나다. ②고통이 사라지고 즐거움이 오다. ③〈比〉 원래의 바른 모습으로 복귀하다.
〔雨后春笋〕 yǔ hòu chūn sǔn 〈成〉 우후 죽순《어떠한 새로운 일이 한때 많이 일어남》.
〔雨后(放)晴〕 yǔhòu(fàng)qíng 비 온 뒤 맑음.
〔雨后送伞〕 yǔhòu sòngsǎn 〈諺〉 비 갠 뒤에 우산을 보내다. 사후 약방문.
〔雨后送蓑衣〕 yǔhòu sòng suōyī 〈歇〉 비 갠 뒤에 도롱이를 보내다. 헛수고하다《'白费神'이 이어지기도 함》.
〔雨虎〕 yǔhǔ 명 ⇨〔海hǎi兔①〕
〔雨集〕 yǔjí 동 〈文〉 사람이 밀집하다.
〔雨季(儿)〕 yǔjì(r) 명 우기(雨期).
〔雨夹雪〕 yǔjiāxuě 명 진눈깨비. =〔雨雪〕
〔雨脚〕 yǔjiǎo 명 빗발. ¶密雨下黑了天地, 老远望去, ～织成的帘子从天到地, 真像传说里的龙须; 억수같은 비로 천지가 어두워졌다. 먼 곳을 보니 빗발로 짜인 발이 하늘에서 땅까지 드리워져 있어, 전설에 나오는 용의 수염 같다.
〔雨搅〕 yǔjiǎo 명 ⇨〔水shuǐ搅〕
〔雨久花〕 yǔjiǔhuā 명 《植》 물옥잠《논·습지에 나는 1년생 초본(草本)》.
〔雨具〕 yǔjù 명 우비. 우구.
〔雨裤〕 yǔkù 명 방수 바지.
〔雨来散〕 yǔláisàn 명 ⇨〔野yě茶馆(儿)〕
〔雨量〕 yǔliàng 명 《氣》 우량. ¶～站; 우량·기온·풍력·풍향 등의 기상 데이터를 측량하는 소규모의 기상 센터/～计 =〔～器〕; 우량계.
〔雨淋〕 yǔlín 동 비에 젖다. ¶～日晒; 〈成〉 비에 젖고 햇볕에 그을다《고생하며 분주(奔走)하다》.
〔雨淋风餐〕 yǔlín fēngcān 〈比〉 고생하다. =〔风餐雨淋〕
〔雨淋头〕 yǔlíntóu ①비를 흠뻑 맞다. ②자극 받다. ③〈比〉 재앙이 생긴 후에야 깨닫다.
〔雨露〕 yǔlù 명 ①비와 이슬. ②〈比〉 은택. ¶～均沾; 모두가 한 가지로 은택을 입다.
〔雨帽〕 yǔmào 명 레인 해트(rain hat).
〔雨沐风餐〕 yǔ mù fēng cān 〈成〉 고생하며 방황하다. 여행길에서 고생을 거듭하다.
〔雨棚〕 yǔpéng 명 ①상점 앞에 쳐 놓은 비를 가리는 차양. ②〈方〉 비옷. 우의.
〔雨披〕 yǔpī 명 창문 위에 있는 비를 막는 차양.
〔雨气〕 yǔqì 명 ⇨〔雨意〕
〔雨前〕 yǔqián 명 저장 성(浙江省) 항저우(杭州)에서 나는 차의 이름《4월 20일경의 곡우(穀雨)

전에 따서 만든 것).
〔雨情〕 yǔqíng 명 강우 상황.
〔雨伞〕 yǔsǎn 명 우산.
〔雨散云收〕 yǔ sàn yún shōu 〈成〉 ①혈육이 이산(離散)함. ②일이 끝나고 정세가 바뀜. ③성교(性交)가 끝남. ‖ =〔云收雨散〕
〔雨扇〕 yǔshàn 명 ⇨〔羽扇〕
〔雨水〕 yǔshuǐ 명 ①우수('二èr十四节气'의 하나. 2월 19일 또는 20일경). ②⇨〔雨水(儿)〕
〔雨水管〕 yǔshuǐguǎn 명 (가옥의) 낙수 홈통. =〔落luò水管〕
〔雨水(儿)〕 yǔshuǐ(r) 명 빗물. 비. ¶～调和; 강우량이 알맞다 / ～儿足, 庄稼长得好; 비가 충분히 와서 작물의 성장이 좋다 / 今年～足; 금년에는 강우가 충분하다. =〔雨水②〕
〔雨丝(儿)〕 yǔsī(r) 명 가랑비.
〔雨淞〕 yǔsōng 명 수간(樹幹)·수피(樹皮)·전선·전주·관목숲·잡초 따위에 빗방울이 얼어붙은 것.
〔雨天〕 yǔtiān 명 우천. 비가 오는 날. ¶～顺延; 우천 순연.
〔雨蛙〕 yǔwā 명 《動》 청개구리. =〔树shù蛙〕→〔蛙wā〕
〔雨鞋〕 yǔxié 명 ①레인 슈즈. ②오버 슈즈. 덧신. ¶套～; 덧신을 신다.
〔雨星儿〕 yǔxīngr 명 ①이슬비. 안개비. ②비의 비말(飛沫)(날아 흩어지는 물방울).
〔雨星星(的)〕 yǔxīngxīng(de) 비가 이슬 같은 모양. 이슬비가 오는 모양.
〔雨靴〕 yǔxuē 명 우화. 비 오는 날에 신는 장화.
〔雨雪〕 yǔxuě 명 ⇨〔雨夹雪〕
〔雨雪粮〕 yǔxuěliáng 명 비상용의 김치·건조 야채 따위.
〔雨燕〕 yǔyàn 명 《鳥》 칼새.
〔雨一阵晴一阵〕 yǔ yīzhèn qíng yīzhèn 비가 오다 개었다 하여 날씨가 안정되지 않는 일. ¶～的初夏, 到处散发着潮湿的霉味; 날씨가 꾸물거렸던 초여름 무렵, 온통 냄새가 나고 구중중했었다.
〔雨衣〕 yǔyī 명 우의. 레인코트. ¶～布 =〔防fáng水布〕; 방수포 / 战zhàn壕～; 트렌치 코트(trench coat).
〔雨意〕 yǔyì 명 비가 올 듯한 징조. ¶阴云密布, 大有～; 비구름이 짙게 끼어 비 올 조짐이 많다. =〔雨气〕
〔雨云〕 yǔyún 명 비구름.
〔雨珠儿〕 yǔzhūr 명 빗방울. =〔雨点(儿, 子)〕
〔雨注〕 yǔzhù 명 내리쏟아지는 비. ¶从屋檐上流下来的～; 처마에서 흘러 떨어지는 빗물.
〔雨字头(儿)〕 yǔzìtóu(r) 명 《言》 비우(雨)변(한자 부수의 하나).

禹

Yǔ (우)
명 ①《人》 우('夏'왕의 이름. 전설에 홍수를 다스렸다 함). ②《地》 위 현(禹縣)(허난 성(河南省)에 있는 현 이름). ③성(姓)의 하나.
〔禹甸〕 yǔdiàn 명 고대 중국의 땅. 〈轉〉 중국.
〔禹韭〕 yǔjiǔ 명 ⇨〔麦mài(门)冬①〕
〔禹域〕 yǔyù 명 고대 중국의 구주(九州)의 땅. 〈轉〉 중국.

偊

yǔ (우)
〈文〉 홀로 걷는 모양. 혼자 걷다.

鄅

Yǔ (우)
명 《史》 우(주대(周代)의 나라 이름. 현재의 산둥 성(山東省) 린이 현(臨沂縣) 부근).

瑀

yǔ (우)
명 〈文〉 옥(玉) 비슷한 돌(흔히, 인명용으로 쓰임).

语(語)

yǔ (어)
① 명 말. 언어. ¶一～不发; 일언반구도 없다 / 华～; 중국어 / 外国～ =〔外国话〕〔外文〕; 외국어. ② 동 말하다. 이야기하다. ¶不言不～; 입을 다물고 말하지 않다 / 低声细～; 속삭이다. ③ 명 속담. 고어. 성어(成語). ¶～云; 속담에서 이르다 / ～曰: 唇亡则齿寒; 옛말에 가로되, '입술이 없으면 이가 시리다'고 했다. ④ 명 언어에 대신하는 수단·동작. ¶手～; ⓐ손짓. ⓑ수화 / 旗qí～; 수기 신호. ⑤ 명 《言》 2개 이상의 '词'가 결합하여 뜻을 이룬 말. ⇒yù
〔语病〕 yǔbìng 명 ①어폐(語弊). 말의 모순. ¶大约也没有什么～的; 아마 별로 이렇다 할 어폐는 없는 줄 안다 / 不过他这话也有点儿～; 하지만, 그의 그 이야기 중에도 다소 어폐가 있다. ②발음을 마음대로 할 수 없는 병. 더듬는 병.
〔语不成句〕 yǔ bù chéng jù 〈成〉 어불성설. 횡설수설. ¶激动得～了; 마음이 동요되어 말을 하려고 해도 말이 되지 않았다.
〔语词〕 yǔcí 명 《言》 ①단어·연어 등의 언어 성분. 어구. ②문어(文語)의 조사(助詞). ③술어(述語).
〔语次〕 yǔcì 명 ①어순(語順). ②〈文〉 말을 하고 있을 때. 말하던 차.
〔语调〕 yǔdiào 명 ①《言》 인토네이션. 억양. 어조. ②《言》 악센트. ③논조(論調). ¶用激烈的～攻击对方; 격렬한 어조로 상대를 공격하다.
〔语多乖戾〕 yǔ duō guāi lì 〈成〉 ①말은 많은데 이치에 어긋난 것뿐이다. ②말이 많으면 모순이 되는 법이다. ③남의 기분을 거스르는 쓸데없는 말이 많다.
〔语法〕 yǔfǎ 명 《言》 ①어법. 문법. ¶～书; 문법책. =〔文wén法①〕 ②용어(用語) 연구. 용어법. ¶描写～; 기술(記述) 문법.
〔语感〕 yǔgǎn 명 어감.
〔语汇〕 yǔhuì 명 어휘. ¶汉语的～是极其丰富的; 중국어의 어휘는 매우 풍부하다.
〔语句〕 yǔjù 명 어구. 말. 말과 글.
〔语录〕 yǔlù 명 ①교의(矯義)·학설을 해설한 말을 모은 것. ②어록. 발언·문장 중에서 발췌 편집한 것. ③구어로 학술·정치상의 사항을 토론한 기록. ④대화체 작품. 대화편. ¶柏拉图～; 플라톤 대화편.
〔语气〕 yǔqì 명 ①말투. 어세. ¶听他的～, 这事大概有点不妙; 그의 말투로는, 이 일은 아마 잘 되지 않은 것 같다. ②《言》 어기(진술·의문·명령·감탄 등의 구별을 나타내는 문법상의 범주(範疇)).
〔语气助词〕 yǔqì zhùcí 명 《言》 어기 조사('呢'·'啊'·'吗'·'了'·'吧' 따위).
〔语腔〕 yǔqiāng 명 어조(語調).
〔语塞〕 yǔsè 동 말이 막히다. ¶他突然～, 手似乎被什么东西钳住了; 그는 갑자기 말이 막혔는데, 손이 무엇에 끼인 것 같았다.
〔语声(儿)〕 yǔshēng(r) 명 ①말소리. ¶听不出谁的～来; 누구의 말소리인지 (들어서) 알 수 없다. ②어조. 말투.
〔语势〕 yǔshì 명 어세. 발음의 강약 관계.
〔语丝派〕 Yǔsīpài 명 어사파(1924년 베이징(北京)에서 창간된 주간지. '语丝'를 중심으로 하는 루

쉰(魯迅)·순 푸워안(孫伏園)·저우 주오런(周作人)·첸 시엔퉁(錢玄同)·류 반농(劉半農)·린 위탕(林語堂)·위 핑보(兪平伯)·구 지에강(顧頡剛) 등 문학자의 그룹).

〔语素〕 yǔsù 명 ⇨〔词cí素〕

〔语体文〕 yǔtǐwén 명 구어체의 문장. 구어문. =〔白bái话文〕

〔语头〕 yǔtóu 명 ⇨〔词cí头〕

〔语尾〕 yǔwěi 명 ⇨〔词cí尾〕

〔语文〕 yǔwén 명 ①어문. 말과 문자. ¶小学~; 초등 학교의 국어(교과서) / ~学; 옛날의 문헌학·소학(小學)·훈고학(訓詁學) 등 / ~老师; 국어 교사 / ~教育; 어문 교육. 국어 교육. ②〈簡〉 언어와 문학의 약칭.

〔语无伦次〕 yǔ wú lún cì 〈成〉 말이 횡설수설함. 말에 조리가 서 있지 않음.

〔语系〕 yǔxì 명 《言》 어계. 언어의 계통. (언어학의) 어족(語族). ¶汉藏~; 차이나 티베트 어족.

〔语序〕 yǔxù 명 어순(語順). =〔词cí序〕〔语次①〕

〔语学〕 yǔxué 명 어학.

〔语焉不详〕 yǔ yān bù xiáng 〈成〉 말이 자세하지 못하다. 말이 너무 간단하여 뜻을 제대로 나타내지 못하다.

〔语言〕 yǔyán 명 《言》 언어. 말. ¶~学; 언어학 / 找不出恰当的~; 딱 맞는 말을 찾아 낼 수 없다 / ~无味; 말이 무미 건조하다 / ~加工程序; (컴퓨터의) 언어 처리 프로그램 / ~电脑 =〔字组处理机〕; 워드 프로세서 / ~不通; 말이〔언어가〕 통하지 않다. 동 〈方〉 말을 걸다. ¶缺什么, ~一声; 무언가 부족한 점이 있으면, 좀 말을 건네 주시오.

〔语义〕 yǔyì 명 《言》 어의. ¶~学; 의미론(意味論). =〔词cí义〕

〔语音〕 yǔyīn 명 《言》 ①말소리. 언어의 음성. ¶~学; 음성학 / ~识别; (컴퓨터에 의한) 음성 식별. ②구어음(口語音).

〔语音识别〕 yǔyīn shíbié 명 《電算》 (컴퓨터에 의한) 음성 인식.

〔语音学〕 yǔyīnxué 명 《言》 음성학.

〔语源学〕 yǔyuánxué 명 《言》 어원학.

〔语重心长〕 yǔ zhòng xīn cháng 〈成〉 (하는 말이) 간곡하고 의미 심장하다.

〔语助词〕 yǔzhùcí 명 《言》 '语气(助)词'의 별칭.

〔语族〕 yǔzú 명 《言》 (언어학의) 어족. ¶印欧语系印度~; 인도 유럽어족 인도어.

圄

yǔ (어)
동 〈文〉 (감옥에) 잡아 가두다. ¶囹líng~; 〈文〉 감옥.

敔

yǔ (어)
명 《樂》 〈文〉 옛날 악기의 하나《목제(木製)로 범이 엎드린 모양 같으며, 등 위에 27개의 깔쭉깔쭉한 부분이 있는데, 막대로 이것을 긁어서 소리를 냄. 음악을 멈추게 할 때 사용함》.

龉(齬)

yǔ (어)
→〔龃jǔ龉〕

俣

yǔ (우)
→〔俣俣〕

〔俣俣〕 yǔyǔ 형 〈文〉 (몸집이) 크고 훌륭하다.

庾

yǔ (유)
①명 〈文〉 노천 곳간. ②지명용 자(字). ¶大~岭Dàyǔlǐng; 다위링(大庾嶺)《장시(江西)와 광둥(廣東)의 경계를 이루고 있는 산맥》. ③명 성(姓)의 하나.

瘐

yǔ (유)
①동 〈文〉 옥사하다. ¶~死; ⇩ ②지명용 자(字). ¶大~县; 장시 성(江西省)에 있는 현으로, 지금은 '大余县'이라고 씀.

〔瘐死〕 yǔsǐ 동 〈文〉 죄인이 옥중에서 병사(病死)하다.

圉

yǔ (어)
명 〈文〉 말을 사육하는 곳. 마굿간.

〔圉人〕 yǔrén 명 말을 사육하는 사람.

猃〈貐〉

yǔ (유)
→〔猰yà貐〕

窳

yǔ (유)
형 〈文〉 ①조악(粗惡)하다. 좋지 않다. 열등하다. ¶这些器具非常~劣; 이들 기구는 매우 조잡하다 / 解放前农村里许多房屋~陋lòu不堪kān; 해방 전 농촌의 많은 집들이 몹시 열악하고 누추하였다. ②게으르다.

〔窳败〕 yǔbài 동 〈文〉 (양속(良俗)·명예 따위를) 손상시키다. 못 쓰게 되다. 손상하다. 그르치다.

〔窳惰〕 yǔduò 형 〈文〉 나태하다. 느리고 게으르다.

〔窳劣〕 yǔliè 형 〈文〉 조악하다. 조잡하다. ¶器具~; 기구가 조악하다. =〔粗劣〕〔恶劣〕

〔窳陋〕 yǔlòu 형 〈文〉 조잡하다. 옹색하다.

〔窳民〕 yǔmín 명 〈文〉 게으름뱅이.

〔窳洼〕 yǔwā 명 〈文〉 ①우묵한 곳. 웅덩이. ②땅이 패어 물이 괸 곳. 물 웅덩이.

与(與)

yù (여)
동 참여하다. 참가하다. ¶~闻此事; 이 일에 참여하여 내용을 알다 / ~会; ⇩ =〔预〕 ⇒yú yǔ

〔与会〕 yùhuì 동 회의에 참석하다. ¶~者; 참회자(參會者) / ~国; 회의 참가국.

驭(馭)

yù (어)
동 ①말을 어거하다〔몰다〕. ②통솔하다. 지배하다. 다스리다.

〔驭手〕 yùshǒu 명 ①짐승을 사역(使役)하는 병사. ②마부. 어자(御者).

玉

yù (옥)
①명 《鑛》 옥. ¶一块~; 하나의 옥 / 白~; 백옥 / ~器; ⇩ ②명 비취. ③형 〈比〉 아름답다. 깨끗하다. ¶亭亭~立; (여성 또는 나무가) 날씬히 아름답게 서있는 모양 / ~手; ⇩ ④동 도와서 완성시키다. ¶~成其事; 도와서 그 일을 완성시키다. ⑤〈敬〉 상대를 존경하여 쓰는 말. ¶~体; ⇩ / ~音; ⇩ / ~照; ⇩ ⑥명 성(姓)의 하나.

〔玉案〕 yù'àn 명 〈文〉 ①옥안. 옥으로 꾸민 책상. 〈比〉 당신의 책상. ②옥반(玉盤).

〔玉白菜〕 yùbáicài 명 《植》 〈方〉 양배추.

〔玉柏〕 yùbǎi 명 《植》 만년석송. =〔玉遂〕〔千qiān年柏〕

〔玉版〕 yùbǎn 명 옥판 선지《화선지의 상등품》. =〔玉版宣〕

〔玉版宣〕 yùbǎnxuān 명 ⇨〔玉版〕

〔玉杯〕 yùbēi 명 옥배. 옥으로 만든 잔.

〔玉帛〕 yùbó 명 〈文〉 옥백. 보석이나 비단 등의 선물《고대에, 국제간의 예물로 쓰이었음》. ¶化干戈为~; 전쟁을 우호 관계로 만들다.

〔玉不琢不成器〕 yù bù zhuó bù chéng qì 〈諺〉 옥도 다듬지 않으면 그릇이 되지 않는다《사

람은 학문을 닦지 않으면 쓸모있는 인간이 되지 않음의 비유).
〔玉步〕 yùbù 명 〈文〉 ①옥보(다른 사람의 걸음걸이를 말함). ¶请移～, 是感; 〈翰〉 왕림해 주시면 감사하겠습니다. ②미인의 걸음.
〔玉蝉花〕 yùchánhuā 명 《植》 중국산 꽃창포의 일종. =〔花huā菖蒲〕
〔玉成〕 yùchéng 동 〈敬〉 훌륭하게 완성시키다. 남의 성공을 돕다. 도와서 완성시키다. ¶深望～此事; 이 일의 성취를 위해 조력하여 주시기를 바랍니다.
〔玉虫〕 yùchóng 명 ①⇨〔吉jí丁虫〕 ②심지 끝에 생기는 불똥.
〔玉钏(子)〕 yùchuàn(zi) 명 옥으로 만든 팔찌.
〔玉葱〕 yùcōng 명 《植》 옥파. 양파. =〔洋葱〕
〔玉带〕 yùdài 명 옥대(옥으로 꾸민 띠. 옛날에, 고관의 예장구(禮裝具)의 하나).
〔玉帝〕 yùdì 명 도가(道家)에서, 상제(上帝)의 경칭. 옥황상제. =〔玉皇大帝〕
〔玉雕〕 yùdiāo 명 옥의 조각(彫刻).
〔玉肤〕 yùfū 명 〈文〉 ⇨〔雪xuě肤〕
〔玉桂油〕 yùguìyóu 명 《藥》 계피유. =〔桂皮油〕
〔玉虎〕 yùhǔ 명 〈文〉 ①우물의 도르래〔고패〕. ②옥을 호랑이 모양으로 조각한 장식물.
〔玉环〕 yùhuán 명 ①옥으로 만든 고리. ②⇨〔玉兔〕 ③(Yùhuán) 옥환(양귀비의 이름). →〔杨Yáng贵妃〕 ④(Yùhuán) 《地》 위환 현(玉環縣)(저장 성(浙江省)에 있는 현(縣) 이름).
〔玉皇大帝〕 yùhuáng dàdì 명 ⇨〔玉帝〕
〔玉几〕 yùjī 명 ①옥궤. 옥으로 꾸민 책상. ②〈比〉 훌륭한 책상.
〔玉肌〕 yùjī 명 〈文〉 옥기. 옥과 같은 고운 살갗.
〔玉茧〕 yùjiǎn 명 쌍고치. =〔同tóng功茧〕
〔玉件头〕 yùjiàntou 명 옥으로 만든 악세서리.
〔玉茭(子)〕 yùjiāo(zi) 명 ⇨〔玉米〕
〔玉洁冰清〕 yù jié bīng qīng 〈成〉 고상하고 순결함. =〔冰清玉洁〕
〔玉筋鱼〕 yùjīnyú 명 《魚》 까나리. =〔沙shā钻〕
〔玉茎〕 yùjīng 명 ⇨〔阴yīn茎〕
〔玉镜〕 yùjìng 명 ⇨〔玉兔〕
〔玉糠〕 yùkāng 명 ⇨〔米mǐ糠〕
〔玉兰〕 yùlán 명 《植》 ①백목련. ②자목련.
〔玉兰片〕 yùlánpiàn 명 말린 백색의 어린 죽순을 얇게 썬 것(식용).
〔玉立〕 yùlì 형 〈文〉 ①정결(貞潔)하다. (절개·지조가) 곧다. ②우아하고 아름다우며 고상하다. ¶亭亭～; (여성이나 나무가) 미끈하고 곱게 서 있는 모양.
〔玉楼〕 yùlóu 명 ①〈文〉 옥루. 누각의 미칭. ②도가(道家)에서 좌우의 어깨를 말함.
〔玉轮〕 yùlún 명 ⇨〔玉兔〕
〔玉麦〕 yùmài 명 ⇨〔玉米〕
〔玉貌〕 yùmào 명 〈文〉 ①옥모. 옥과 같이 고운 용모. ②〈敬〉 남의 용모의 미칭. ‖=〔玉容〕
〔玉门〕 yùmén 명 ①〈文〉 궁성(宮城). ②⇨〔产chǎn门〕 ③(Yùmén) 《地》 간쑤 성(甘肅省) 서부에 있는 도시. ¶～油矿; '玉门' 시 근처에 있는 유전(油田).
〔玉门关〕 Yùménguān 명 《地》 간쑤 성(甘肅省) 둔황(敦煌) 서북에 있었던 관문.
〔玉门精〕 yùménjīng 명 ⇨〔天tiān名精〕
〔玉米〕 yùmǐ 명 《植》 옥수수. =〔〈方〉 老玉米〕〔包bāo米〕〔包谷〕〔包粟〕〔包玉米〕〔苞谷〕〔粟米〕〔玉茭(子)〕〔玉麦〕〔玉蜀黍〕
〔玉米花(儿)〕 yùmǐhuā(r) 명 팝콘(popcorn). 옥수수 플레이크. =〔包bāo米花〕〔苞bāo米花〕〔爆bào玉米花〕〔炒chǎo玉米花〕
〔玉米面〕 yùmǐmiàn 명 옥분. 옥수수 가루.
〔玉米糁儿〕 yùmǐshēnr 명 ①옥수수의 씨눈. ②옥수수쌀('玉米纷'(옥수수 가루)처럼 잘지 않으며 옥수수죽을 쑤는 데 씀). =〔玉米粈儿〕
〔玉米脱粒机〕 yùmǐ tuōlìjī 명 《機》 옥수수 탈곡기.
〔玉米纤维〕 yùmǐ xiānwéi 명 《紡》 카세인 파이버(casein fiber).
〔玉面狸〕 yùmiànlí 명 ⇨〔果guǒ子狸〕
〔玉女〕 yùnǚ 명 〈文〉 ①《植》 새삼. =〔菟tù丝(子)〕 ②선녀. ③미녀. 숙녀. ④〈敬〉 아가씨(남의 딸에 대한 경칭).
〔玉盘〕 yùpán 명 ①⇨〔玉兔〕 ②옥으로 꾸민 예반.
〔玉披〕 yùpī 명 〈翰〉 친전(親展)(겉봉에 쓰는 말). =〔玉展〕
〔玉器〕 yùqì 명 옥으로 만든 그릇, 또는 공예품.
〔玉磬〕 yùqìng 명 《樂》 옥경. 옛 악기 이름. 옥으로 만든 경쇠.
〔玉人〕 yùrén 명 〈文〉 ①미인. ②옥 세공사. 옥장이. ③옥으로 만든 인형.
〔玉容〕 yùróng 명 ⇨〔玉貌〕
〔玉容油〕 yùróngyóu 명 얼굴에 바르는 크림의 구칭.
〔玉乳〕 yùrǔ 명 ①《鑛》 종유석. ②《植》 배의 일종.
〔玉蕊〕 yùruǐ 명 《植》 달리아.
〔玉润珠圆〕 yù rùn zhū yuán 〈成〉 ⇨〔珠圆玉润〕
〔玉搔头〕 yùsāotóu 명 ⇨〔玉簪①〕
〔玉色〕 yùshai 명 《色》 옥색.
〔玉山果〕 yùshānguǒ 명 《植》 비자나무 열매.
〔玉石〕 yùshí 명 ①〈口〉 옥. 경옥(硬玉)(특히 비취를 가리킴). ¶这座人像是～的; 이 사람 상은 옥으로 만든 것이다. =〔玉〕 ②〈文〉 옥석. ¶～同柜guì; 〈成〉 옥석동궤(착한 것과 악한 것이 한데 섞이다).
〔玉石混淆〕 yù shí hùn xiáo 〈成〉 옥석혼효. 좋은 것과 나쁜 것이 섞여 있음.
〔玉石俱焚〕 yù shí jù fén 〈成〉 옥석구분. 좋은 옥과 쓸모없는 돌이 함께 타다(선악이 모두 해를 입다).
〔玉食〕 yùshí 명 〈文〉 옥식. 진귀한 음식.
〔玉手〕 yùshǒu 명 〈文〉 옥수. 옥과 같이 아름다운 손.
〔玉蜀秫〕 yùshǔshú 명 ⇨〔玉蜀黍〕
〔玉蜀黍〕 yùshǔshǔ 명 옥수수('玉米'의 학명(學名)). =〔玉蜀秫〕
〔玉树〕 yùshù 명 ①《植》 회화나무. =〔槐huái树〕 ②산호나 옥으로 장식한 나무. =〔琪qí树〕 ③〈文〉〈比〉 인재. 장래성 있는 젊은이. ④《植》 유칼리. =〔桉ān树〕 ⑤《植》 카유푸티(cajuputi)(열대산 교목. 잎에서 나는 카유푸티유는 진통·방향제).
〔玉树临风〕 yù shù lín fēng 〈成〉 옥수가 바람을 받고 서 있다(청초하고 고아함).
〔玉树油〕 yùshùyóu 명 ①《化》 유칼리유. =〔桉ān(叶)油〕 ②카유푸티유(油). =〔白bái柴油〕〔白千层油〕〔〈音義〉 加jiā耶布的油〕
〔玉髓〕 yùsuǐ 명 《鑛》 옥수(석영(石英)의 일종. 빛깔에 따라 '肉红玉髓'(홍옥수), '谈红玉髓'(벽옥), '绿玉髓'(녹옥수), '浓nóng绿玉髓'(플라스마옥수) '血玉髓'(혈옥수) 등으로 불림). =〔玉乳

①〕〔佛fó头石〕〔石shí髓①〕
〔玉遂〕 yùsuì 명 ⇨〔玉柏〕
〔玉碎〕 yùsuì 동 옥쇄하다《옥처럼 아름답게 부서지는 일》. 〈比〉 깨끗이 죽다. 영예롭게 죽다. 가치 있게 희생하다. ↔〔瓦wǎ全〕
〔玉笋〕 yùsǔn 명 〈比〉 ①재능 있는 사람이 많음. ②수려한 군봉(群峰). ③미인의 섬섬한 손발.
〔玉堂〕 yùtáng 명 〈文〉 ①한(漢)나라의 궁전 이름. ②비빈(妃嬪)이 있는 곳. ③관서(官署)의 이름.
〔玉体〕 yùtǐ 명 〈文〉 ①옥체. ②미녀의 몸. ③임금의 몸.
〔玉兔〕 yùtù 명 〈比〉 달의 별칭. ¶～东升; 달이 동쪽 하늘에 뜨다. ＝〔玉蟾〕〔玉环②〕〔玉镜〕〔玉轮〕〔玉盘①〕
〔玉玺〕 yùxǐ 명 옥새. 옥으로 만든 도장. 〈轉〉 천자의 도장.
〔玉延〕 yùyán 명 ⇨〔薯shǔ蓣〕
〔玉珧〕 yùyáo 명 ⇨〔江jiāng珧〕
〔玉音〕 yùyīn 명 〈文〉〈敬〉 ①옥과 같이 아름다운 목소리. ②〈翰〉 상대방의 편지나 말에 대한 경칭. ¶伫zhù候～; 답장을 기다리겠습니다. ③〈轉〉 천자의 말씀.
〔玉宇〕 yùyǔ 명 ①천제(天帝)가 있는 곳. ②〈轉〉 천하. 우주. ¶～澄清; 세상이 청결하다.
〔玉簪〕 yùzān 명 ①옥잠. 옥비녀. ＝〔玉搔头〕 ② ⇨〔玉簪花〕
〔玉簪花〕 yùzānhuā 명 《植》 옥잠화. ＝〔白bái萼〕〔白鹤仙〕〔玉簪②〕
〔玉展〕 yùzhǎn 명 ⇨〔玉披〕
〔玉照〕 yùzhào 명 ①〈敬〉 남의 사진에 대한 경칭. ↔〔小照〕 ②양찰(諒察). ¶惟希～; 〈翰〉 양찰하심을 앙망하나이다.
〔玉枕〕 yùzhěn 명 ①(골상학에서) 후두부의 뼈가 융기한 곳. ②옥장식 베개. 옥침.
〔玉竹〕 yùzhú 명 《植》 둥굴레.
〔玉柱纹〕 yùzhùwén 명 (관상학에서) 장심(掌心)의 직문(直紋)이 가운뎃손가락을 지난 것.

钰(鈺)
yù (옥)
명 〈文〉 ①보물. 보배. ②딱딱한 금속《흔히, 인명용으로 쓰임》.

芋
yù (우)
명 ①《植》 토란. ¶～头母子; 어미토란 / 子儿～头; 새끼토란. ②감자·고구마류의 통칭. ¶洋～; 감자 / 山～ ＝〔甘gān薯〕; 〈方〉 고구마. ③구근 식물(球根植物)의 뿌리 줄기.
〔芋角〕 yùjiǎo 명 ①《植》 타로토란. ②타로토란 가루로 겁질을 만든 만두의 일종《광둥(廣東) 지방의 식품》.
〔芋奶〕 yùnǎi 명 ①《植》 토란. ②토란즙. ③〈方〉 저류(藷類). ‖ ＝〔芋艿〕
〔芋酸〕 yùsuān 명 《化》 니코틴산.
〔芋头〕 yùtou 명 《植》 ①토란. ② 〈方〉 고구마.

吁(籲)
yù (우, 유)
동 부르다. 호소하다. 외치다. ¶大声呼～; 큰 소리로 호소하다 / 呼hū～; 탄원하다. 호소하다. ⇒xū yū
〔吁请〕 yùqǐng 동 호소하다. 청원하다. 탄원하다. ¶～停止内战; 내전의 정지를 호소하다. ＝〔呼吁〕
〔吁天〕 yùtiān 동 〈文〉 하늘에 호소하다.

聿
yù (율)
조 이. 이에. 여기에《문어의 어기 조사(語氣助詞). 주로 문두에 씀》. ¶～修厥德; 이에 그 덕을 닦다.

饫(飫)
yù (어)
형 〈文〉 (배가 불러) 물리다. 배가 부르다. 만족하다. ¶～闻wén; 싫증이 나도록 듣다 / 饱bǎo～ ＝〔餍yàn～〕; 배불리 먹고 마시다.

妪(嫗)
yù (구)
명 〈文〉 할머니. 노부인(老婦人). ¶老～; 노파 / 翁～; 할아버지와 할머니.

谷
yù (욕)
→〔吐谷浑Tǔyùhún〕 ⇒gǔ

浴
yù (욕)
동 〈文〉 몸을 씻다. 미역 감다. 몸을 정결히 하다. ¶淋～; 샤워하다 / ～池; ⇩ / 海水～; 해수욕.
〔浴场〕 yùchǎng 명 옥외 욕장. ¶海滨～; 해수욕장.
〔浴池〕 yùchí 명 ①욕탕. 큰 욕조. ②목욕탕《흔히, 공중 목욕탕의 명칭에 쓰임》.
〔浴佛〕 yùfó 명 《佛》 욕불. 관불회(灌佛會). ＝〔灌guàn佛〕
〔浴缸〕 yùgāng 명 〈方〉 욕조(浴槽).
〔浴海绵〕 yùhǎimián 명 해면.
〔浴枧〕 yùjiǎn 명 〈廣〉 목욕용 비누.
〔浴巾〕 yùjīn 명 목욕 수건.
〔浴金〕 yùjīn 명동 도금(鍍金)(하다).
〔浴袍〕 yùpáo 명 목욕 전후에 입는 실내복.
〔浴盆(儿, 子)〕 yùpén(r, zi) 명 〈方〉 욕조. 목욕통. ＝〔澡zǎo盆〕
〔浴日〕 yùrì 〈文〉 동 ①햇볕을 쬐다. ②아침 해가 파도 사이에서 아래위로 움직이다. 명 〈比〉 큰 공훈. ¶补天～; 〈成〉 커다란 공적.
〔浴室〕 yùshì 명 욕실. 목욕탕. ＝〔浴堂〕
〔浴堂〕 yùtáng 명 ⇨〔浴室〕
〔浴血奋战〕 yù xuè fèn zhàn 〈成〉 피를 뒤집어 쓰고 분전하다. ＝〔浴血而战〕
〔浴衣〕 yùyī 명 욕의.
〔浴主〕 yùzhǔ 명 《佛》 사원에서 욕실을 맡고 있는 중. ＝〔知zhī浴〕
〔浴装〕 yùzhuāng 명 〈文〉 수영복. ＝〔游yóu泳衣〕

峪
yù (욕)
①명 골짜기. ②지명용 자(字). ¶马兰～Mǎlányù; 마란위(馬蘭峪)《허베이 성(河北省)에 있는 땅 이름》/ 兑九～Duìjiǔyù; 두이주위(兌九峪)《산시 성(山西省)에 있는 땅 이름》/ 嘉～关Jiāyùguān; 자위관(嘉峪關)《간쑤 성(甘肅省)에 있는 땅 이름》.

欲〈慾〉①
yù (욕)
①명 욕망. 욕구. 정욕. ¶求知～; 지식욕 / 食～; 식욕. ②동 바라다. 하고 싶어하다. ¶畅所～言; 하고 싶은 말을 몽땅 털어놓다 / ～赴外国; 외국에 가려고 하다 / 工～善其事, 必先利其器; 일을 잘 하기를 원한다면, 우선 연장을 날카롭게 해 두어야 한다. ③조동 바야흐로 …하려고 하다. 곧 …할 것 같다. ¶天～放晴; 하늘이 갤 것 같다 / 摇摇～坠; 흔들거려서 곧 떨어질 것 같다. ④조동 …해야 한다. …이 필요하다. ¶胆～大而心～细; 대담하고 또한 세심해야 한다.
〔欲罢不能〕 yù bà bù néng 〈成〉 그만두려고 해도 그만둘 수 없다. ¶我的笔没有停止过, 我心中的喜悦使我～; 나의 붓은 멈춘 적이 없다. 나의 마음 속의 기쁨이 나로 하여금 그만두고 싶어도

그만둘 수 없게 한다.
〔欲待〕 yùdài 조동 〈文〉…하려 하다. ¶～飞去欠双翼; 날아가려 해도 날개가 없다. =〔欲要〕
〔欲盖弥彰〕 yù gài mí zhāng 〈成〉 (진상은) 감추려고 할수록 더 드러난다.
〔欲河〕 yùhé 명 〈比〉 욕심. 욕정(欲情). =〔欲海hǎi〕〔欲火huǒ〕〔欲堑qiàn〕
〔欲壑〕 yùhè 명 〈文〉 욕망의 늪. ¶～是永远填不满; 욕망의 늪은 영원히 메울 수 없다.
〔欲壑难填〕 yù hè nán tián 〈成〉 욕심에는 끝이 없다.
〔欲火〕 yùhuǒ 명 정욕의 불꽃. 격렬한 정욕. ¶～焚身; 색욕은 몸을 망친다. 색욕에 몸을 불사르다.
〔欲加之罪, 何患无辞〕 yù jiā zhī zuì, hé huàn wú cí 〈成〉 죄를 덮어씌우려고 한다면 구실은 얼마든지 있다.
〔欲念〕 yùniàn 명 〈文〉 욕망.
〔欲擒故纵〕 yù qín gù zòng 〈成〉 적을 붙잡으려고 하여 일부러 풀어 놓아 경계심을 늦추어 주다《마음대로 다루기 위해서는 일부러 늦추어 줌》.
〔欲求〕 yùqiú 명동 욕구(하다).
〔欲取姑予〕 yù qǔ gū yǔ 〈成〉 얻기를 원하거든 먼저 주어라. ¶极阴毒的、～的诡计; 빼앗기 위해 먼저 미끼를 주는 아주 음험하고 악랄한 수법. =〔欲取姑与〕
〔欲速则不达〕 yù sù zé bù dá 〈成〉 일을 서두르면 도리어 목적을 이룰 수 없다. 급히 먹는 밥에 목이 멘다.
〔欲望〕 yùwàng 명 욕망. ¶母亲拗不过孩子的～, 给他买了一个玩具; 엄마는 아이의 욕망을 꺾을 수가 없어서, 장난감을 사 주고 말았다.
〔欲要〕 yùyào 조동 〈文〉 ⇨〔欲待〕

裕

yù (유)
① 형 풍부하다. 넉넉하다. ¶时间不充～; 시간 여유가 없다 / 宽～; 풍족하다 / 富fù～; 부유하다. ② 동 〈文〉 여유있게 하다. 풍족하게 하다. ¶富国～民; 나라를 부유하게 하고, 백성을 풍족하게 하다. ③ 형 너그럽다. 관대하다. ④ 명 성(姓)의 하나.
〔裕度〕 yùdù 명 《機》 여유. 허용 오차(許容誤差).
〔裕固族〕 Yùgùzú 명 《民》 유구족《중국 소수 민족의 하나. 간쑤 성(甘肅省) 쑤난위구 족(肅南裕固族) 자치구에 거주함. 종교는 라마교》.
〔裕国便民〕 yù guó biàn mín 〈成〉 나라를 풍족하게 하고 백성에게 편익을 주다.
〔裕后光前〕 yù hòu guāng qián 〈成〉 자손을 유복하게 하고 조상의 이름을 드날리다.
〔裕如〕 yùrú 형 ①느긋하다. 여유가 있다. ¶应付～; 〈成〉 응대에 여유가 있다. 유연(悠然)하다. ②넉넉하다. 풍족하다. ¶生活～; 생활이 풍족하다.
〔裕足〕 yùzú 명형 충분(하다).

鹆(鵒)

yù (욕)
→〔鸲qú鹆〕

郁(鬱〈欝, 爩〉)

yù (욱, 울)
A) ① 형 향기가 진하다. 향이 그윽하다. ¶馥fù～; 그윽한 향기가 풍기다 / 浓～; 향기가 매우 진하다. ② 형 화려하다. 아름답다. 빛나다. ¶文采～; 문채가 화려하고 아름답다. ③ 명 성(姓)의 하나. **B**) ① 형 무성하다. 왕성하다. 울창하다. ¶葱～; 수목이 울창하게 우거진 모양 / ～茂; ⇩ ② 형 우울하다. 근심스럽고 답답하다. 번민하다. ¶～～不乐; 기분이 답답하여 즐겁지 않다 / 抑yì～不舒; 마음이 답답하고 괴롭다. ③ 동 쌓이다. 막히다. 침체하다. ¶天色阴～; 하늘이 무겁게 흐려 있다 / ～积; ⇩
〔郁沉沉(的)〕 yùchénchén(de) 형 깊숙하고 넓은 모양. ¶～的大厦; 깊숙하고 넓고 큰 건물.
〔郁愤〕 yùfèn 명 울적한 분노. 쌓인 울분.
〔郁积〕 yùjī 동 〈文〉 ⇨〔郁结〕
〔郁加列〕 yùjiāliè 명 《植》 유칼립투스. =〔桉ān树〕
〔郁结〕 yùjié 동 〈文〉 기분이 답답해지다. 가슴에 맺히다. ¶～在心头的烦闷; 가슴에 쌓인 번민 / ～寡欢; 마음이 무겁고 즐겁지 않다. =〔郁积〕
〔郁金〕 yùjīn 명 《植》 심황. =〔黄(丝)郁金〕
〔郁金香〕 yùjīnxiāng 명 ①《植》 튤립. =〔〈文〉郁香〕 ②술 이름.
〔郁李〕 yùlǐ 명 《植》 산앵두나무. ¶～仁 =〔～子zǐ〕; 산앵두나무의 열매.
〔郁烈〕 yùliè 형 농후하다. 강렬하다. ¶～的香味; 강한 향기.
〔郁垒〕 yùlǜ 명 정월에 문에 붙이는 '门神ménshén'의 하나로, 오른쪽에 붙이는 것《왼쪽에 붙이는 것을 '神荼shénshū'라 함》.
〔郁茂〕 yùmào 형 무성하다.
〔郁闷〕 yùmèn 형 마음이 답답하다. 우울하다. ¶心情～; 마음이 우울해지다 / 过于～了就要生病的; 너무 우울해하면 병난다.
〔郁热〕 yùrè 형 무덥다.
〔郁巍巍(的)〕 yùwēiwēi(de) 형 장려(壯麗)한 모양.
〔郁香〕 yùxiāng 명 ⇨〔郁金香①〕
〔郁血〕 yùxuè 명 《醫》 울혈. (yù.xuè) 동 울혈이 생기다.
〔郁悒〕 yùyì 동 〈文〉 고민하다. 번민하다.
〔郁郁〕 yùyù 형 〈文〉 ①화려하다. 아름답다. ②향기가 짙다. 향기롭다. ③우울하다. ¶～寡欢; 〈成〉 우울하고 즐겁지 않다.
〔郁郁葱葱〕 yù yù cōng cōng 〈成〉 울울 창창하다. 초목이 우거진 모양. ¶里面真是～; 안은 그야말로 울울 창창하게 우거져 있다. =〔郁郁苍苍〕
〔郁滞〕 yùzhì 동 ①울결(鬱結)하다. 기분이 우울하여 답답하다. ②막히다. ¶血xuè液～; 울혈되다. 피가 막혀 잘 통하지 않다.

育

yù (육)
① 동 아이를 낳아 기르다. 출산하다. 생육하다. ¶生儿～女; 자녀를 낳아 기르다 / 节～; 산아 제한을 하다. ② 동 키우다. 양육하다. ¶～婴; 아기를 키우다 / ～蚕; 양잠(을 하다) / 保～; 보육하다. 보호하여 키우다 / 封山～林; 산을 봉하고 수목을 키우다. ③ 동 자라다. 성장하다. ¶曾céng生一子, 惜其不～; 자식을 하나 낳은 적이 있지만, 아깝게도 자라지 않았다. ④ 명동 교육(하다). ¶德～; 덕육 / ～才; ⇩ / 教jiào～; 교육(하다) / 体～; 체육. ⇒yō
〔育才〕 yùcái 동 인재를 기르다.
〔育蚕〕 yùcán 명동 양잠(을 하다).
〔育雏〕 yù.chú 동 새끼를 기르다.
〔育德〕 yùdé 동 〈文〉 덕성을 기르다.
〔育肥〕 yùféi 동 비육하다.
〔育高德〕 yùgāodé 명 〈音〉 요구르트(yogurt). =〔酸suān乳酪〕
〔育享宾〕 yùhēngbīn 명 《藥》 요힘빈(yohimbin). =〔育享比〕
〔育空〕 Yùkōng 명 《地》 유콘(Yukon)《캐나다 북

서부, 알래스카에 걸치는 지방). ¶～河; 유콘 강.
〔育黎堂〕 yùlítáng 명 양로원.
〔育林〕 yùlín 동 조림(造林)하다. 식수하다.
〔育麟〕 yùlín 동 〈文〉〈敬〉 출산하다.
〔育龄〕 yùlíng 명 출산 가능 연령. 가임 연령. ¶～妇女; 출산 적령 여성.
〔育苗〕 yù.miáo 동 ①《農》 육묘하다. 작물의 모종을 기르다. ②치어·유어(幼魚)를 기르다. (yùmiáo) 명 ①육묘. ②치어·유어의 양어(養魚).
〔育女〕 yùnǚ 명 양녀(養女). ¶徐氏就是她的～; 서씨는 그녀의 양녀다.
〔育秧〕 yù.yāng 동 ①모를 키우다. ②치어(稚魚)를 키우다. (yùyāng) 명 모·치어의 육성.
〔育婴堂〕 yùyīngtáng 명 (옛날) 고아원.
〔育种〕 yùzhǒng 명 육종. (yù.zhǒng) 동 인공적으로 새로운 품종을 육성하다.

淯 **Yù** (육)
명《地》 위허(淯河)《허난 성(河南省)에서 발원하여 후베이 성(湖北省)으로 유입하는 강 이름》. =〔白bái河〕

堉 **yù** (육)
① 명 〈文〉 비옥한 땅. ②인명용 자(字).

雨 **yù** (우)
동 〈文〉 비가〔눈이〕 오다〔내리다〕. ¶～竟日; 하루 종일 비가 내리다 / ～雪; 눈이 내리다. ⇒yǔ

语(語) **yù** (어)
동 〈文〉 고하다. 알리다. ¶不以～人; 남에게 알리지 않다. ⇒yǔ

俞 **yù** (유)
〈文〉 ① 동 병이 낫다. ② 부 더욱. ⇒yú, '腧' shù

谕(諭) **yù** (유)
① 동 알리다. 분부하다. 타이르다《주로 윗사람이 아랫사람에게, 또는 상급자가 하급자에게 하는 경우》. ¶手～; 윗사람이 아랫사람에게 편지로 알리다 / 面～; (윗사람에서 아랫사람과) 마주 대하여 알리다 / 上～; 조칙(詔勅) / ～知; 《法》 고지(告知)하다 / ～示; 유시하다. 위에서 아래로 지시하다 / ～旨zhǐ; 유지·황제가 신하에게 명령하는 글 / 奉～办理; 명을 받들어 처리하다. ②〈文〉 '喻'와 통용.

喻 **yù** (유)
① 동 설명하다. 고지하다. 이야기하다. ¶不可言～; 말로 나타낼 수 없다 / ～之以理; 도리로 설명하다 / 不可理～; 도리로 타일러도 납득시키지 못하다. ② 동 비유하다. ¶妙miào～; 적절한 비유 / 比～; 비유하다. ③ 동 이해하다. 알다. 깨닫다. ¶不言而～; 〈成〉 말하지 않아도 깨닫다 / 家～户晓; 〈成〉 누구나 다 잘 알고 있다. ④ 명 성(姓)의 하나.

愈〈瘉[A)], 癒[A)①]〉 **yù** (유)
A) ① 동 (병이) 낫다. ¶痊quán～; 완쾌하다 / 足疾已～; 발병은 이제 다 나았다 / 病～; 병이 낫다. ② 형 (…보다) 낫다. ¶～于…; …보다 낫다 / 孰～; 어느 것이 나은가 / 彼～于此; 그것은 이것보다 낫다 / 女与回孰～; 당신과 안회는 어느 쪽이 나은가. B) 부 더욱. 더욱더《중첩하여 '越…越…'(…하면 할수록 …하다)의 뜻을 지님》. ¶生产～多～好; 생산은 많으면 많을수록 좋다. 注 '越'보다는 문어적(文語的)임. →〔越A)④〕〔俞yù②〕
〔愈辩愈明〕 yù biàn yù míng 따지면 따질수록 분명해진다.
〔愈创树脂〕 yùchuāngshùzhī 명 과이액 수지(guaiac樹脂)《과이액 고무를 만듦, 산화제 등의 시약(試藥)》.
〔愈疮木〕 yùchuāngmù 명《植》 유창목《서인도 원산의 상록 교목, 심재(心材)에서 과이액수지(guaiac樹脂)를 채취함》.
〔愈疮木酚〕 yùchuāngmù fēn 명《化》 과이어콜(guaiacol)《크레오소트를 증류하여 저온 처리하여 얻은 결정. 건위 정장제》.
〔愈合〕 yùhé 명동《醫》 (상처가) 유착(癒着)(하다). 유합(하다).
〔愈加〕 yùjiā 부 〈文〉 더욱더. ¶～兴高采烈起来; 더욱더 신바람이 나다 / ～醉得快; 점점 더 빨리 취하다. =〔越发〕〔更gèng加〕
〔愈益〕 yùyì 부 〈文〉 더욱더. ¶斗志～坚强; 투지가 더욱더 굳세어지다.
〔愈…愈…〕 yù…yù… …할수록 더욱 …하다.

狱(獄) **yù** (옥)
명 ①감옥. 형무소. 교도소. ¶越yuè～; 탈옥하다 / 入～; 감옥에 들어가다 / 监jiān～; 감옥 / 下～; 투옥〔하옥〕하다. ②소송 사건. 범죄 사건. ¶文字～; 필화(筆禍) 사건 / 断duàn～; 단죄하다. 재판하다 / 冤yuān～; 원옥. 억울한 범죄 사건.
〔狱丁〕 yùdīng 명 ⇨〔狱卒〕
〔狱吏〕 yùlì 명 옥리. 옛날, 교도소의 관리.
〔狱卒〕 yùzú 명 옥졸. 옛날, 교도소의 간수. =〔狱丁〕

昱 **yù** (욱)
① 형 〈文〉 밝다《인명용 자(字)로 씀》. ② 명 햇빛. ③ 명《地》 안후이 성(安徽省) 툰지(屯溪)의 별칭.

煜 **yù** (욱)
〈文〉 ① 형 빛나는 모양. 굉장한 모양. 성한 모양. ¶熤yì～; 밝게 빛나다. ②인명용 자(字).

彧 **yù** (욱)
형 〈文〉 색채가 아름답다. 찬란하다.

阈(閾) **yù** (역)
① 명 〈文〉 문지방. =〔门mén槛(儿)〕〔门坎(儿)〕 ② 동 간격을 두다. ③ 명 〈比〉 한계. ④ 명《生》 역(閾)《자극을 느끼기 시작하였을 때의 자극량》.

域 **yù** (역)
① 명 일정 경계내의 땅. ¶领lǐng～; 영역 / 区qū～; 구역. ② 명 나라의 영역. ¶～外; 국외. 역외 / ～内; 국내. 역내. ③ 양《度》〈廣〉 헌드레드 웨이트(hundered weight). cwt.

棫 **yù** (역)
명《植》 편핵목(扁核木)의 고칭. =〔白bái桵〕

罭 **yù** (역)
명 〈文〉 잔고기를 잡는 어망.

蜮〈魊〉 **yù** (역)
명《蟲》 ①물여우《물 속에서 모래를 머금고 사람을 쏘아 해친다는 전설상의 동물》. ¶鬼～; 〈比〉 음험한 사람. =〔射shè影〕 ②곡류의 모의 해충. =〔螟míng蜮〕

驭(馭〈鴥〉)

yù (율) 형〈文〉새가 빠르게 나는 모양.

预(預)

yù (예) ①부 미리. 사전에. ¶～防; ⇩/勿谓言之不～! 미리 말하지 않았다고 탓하지 마라! =〔豫③〕 ②동 참가(參加)하다. 참여하다. ¶不必干～! 관여할 필요가 없다! / 这件事你是～闻的; 이 일에 너는 관여한 것이다.

〔预摆〕 yùbǎi 명《體》(투해머의) 회전 전의 스윙.

〔预报〕 yùbào 명동 예보(하다). ¶天气～; 일기 예보.

〔预备〕 yùbèi 명동 준비(하다). 채비(하다). 예비(하다). ¶～功课; 수업 준비를 하다 / ～铃; ⓐ예비 벨. ⓑ발차 벨 / ～员; 예비원. 보결 / ～放; 《軍》 거총(据銃)《구령》 / ～起; 준비《체조의 구령》 / ～晚饭; 저녁 준비를 하다. →〔准备〕 동 ① 예습하다. →〔温习〕 ②…할 예정이다. ¶我～明天走; 나는 내일 갈 예정이다. 注 이 용법은 '准备'로 바뀌어 가고 있음. ③각오하다. ¶～牺牲; 희생을 각오하다. 명《體》 준비《육상 경기의 구령》. ¶～, 开始! 준비, 땅!

〔预备役〕 yùbèiyì 명《軍》 예비역. ↔〔现xiàn役〕

〔预卜〕 yùbǔ 명동 예단(豫斷)(을 내리다). 예측(하다). ¶下～; 예단을 내리다 / 前途未可～; 앞길은 예측할 수 없다.

〔预测〕 yùcè 명동 예측(하다). ¶对局势的～; 정세의 예측.

〔预产期〕 yùchǎnqī 명《醫》 출산 예정일.

〔预订〕 yùdìng 명동 예약 주문(하다). ¶～杂志到明天为止; 잡지의 예약 주문은 내일까지이다. =〔预定②〕

〔预定〕 yùdìng 명동 ①예정(豫定)(하다). ¶～计划; 예정된 계획 / ～时间; 예정 시간 / 这个工程～在明年完成; 이 공사는 내년에 완성될 예정이다. ② ⇨〔预订〕

〔预定字〕 yùdìngzì 명 ⇨〔预约字〕

〔预断〕 yùduàn 명동 예단(하다). ¶发展前景还很难～; 장래의 발전에 대해서는 예단하기 어렵다.

〔预防〕 yùfáng 명동 예방(하다). ¶～痢疾; 설사를 예방하다 / ～火灾; 화재를 예방하다 / ～受潮; 습기를 막다 / ～药; 예방약 / ～措施; 예방 조치 / ～接种zhǒng; 예방 접종.

〔预防针〕 yùfángzhēn 명 예방 주사. ¶打～; 예방 주사를 놓다. =〔预防注射〕

〔预分〕 yùfēn 동 (이익 등을) 임시로 분배하다. (몫을) 임시로 나누다. 미리 나누다. ¶有人认为既是～就不必那么仔细, 反正秋后还要总算账的; 가분배니까 그렇게 자세히 하지 않아도 되며, 어차피 가을에는 총결산을 해야 할 걸로 생각하는 사람도 있다.

〔预付〕 yùfù 명동 선불(先拂)(하다). 전도(前渡)(하다). 전대(前貸)(하다). ¶～款kuǎn; 선불금 / ～工资; 임금 선불(을 하다). =〔预支〕

〔预感〕 yùgǎn 동 예감하다《흔히 '～到'의 꼴로 쓰임》. ¶她～到将要有一场激烈的争论; 그녀는 격렬한 논쟁이 일어나리라 예감했다. 명 예감. ¶我有一种不祥的～; 나는 불길한 예감이 든다.

〔预告〕 yùgào 명동 예고(하다). 예언(하다). ¶～片piàn; (영화의) 예고편 / 新书～; 신간 예고 / 这场大雪～了来年农业的丰收; 이번 대설은 다음 해의 풍작을 예고한다.

〔预购〕 yùgòu 명동 예약 구매(하다). ¶～票; 예매표.

〔预估〕 yùgū 명동 눈어림〔눈대중〕(하다). 견적(하다). ¶～的价格总是多少有点出入的; 미리 어림잡은 가격은 아무래도 다소의 차이가 있다.

〔预后〕 yùhòu 명《醫》 예후. ¶～不良; 예후가 좋지 않다.

〔预计〕 yùjì 명 예상. 예측. 사전(事前) 계산. 동 예상〔예측〕하다. 미리 어림하다. ¶～十天之内就可以完工; 10일 안으로 공사를 완성시킬 것으로 예상하다 / ～达到十万元; 10만 원에 달하리라 예상된다.

〔预见〕 yùjiàn 명동 예견(하다). ¶科学的～; 과학적인 예견 / ～性; 예견성.

〔预交〕 yùjiāo 동 선납(先納)하다. 미리 건네 주다. ¶～一年的房租; 1년치 집세를 선납하다.

〔预缴〕 yùjiǎo 동〈文〉 선납하다. 미리 치르다.

〔预借〕 yùjiè 동 가불하다.

〔预科〕 yùkē 명 (대학 등의) 예과.

〔预料〕 yùliào 명동 예상(하다). 예측(하다). 전망(하다). ¶果然不出他的～; 과연 그의 예측대로이다 / 销路的～; 판매〔판로〕 예상. =〔预想〕

〔预谋〕 yùmóu 동 사전에 꾸미다〔모의하다〕. ¶这是有～的行动; 이것은 사전에 모의한 행동이다. 명 사전 모의.

〔预期〕 yùqī 동 예기하다. 예상하다. 기대하다. ¶达到了～的目的; 예기했던 목적에 도달했다.

〔预签合同〕 yùqiān hétóng 명 미리 서명한 계약. ¶上年～的交货额已占46.5%; 지난 해 미리 서명한 계약의 화물 인도액은 이미 46.5%를 차지한다.

〔预染〕 yùrǎn 명《紡》 예염. 애벌 염색.

〔预热锅炉〕 yùrè guōlú 명《機》 예열 보일러.

〔预热器〕 yùrèqì 명《機》 예열기.

〔预赛〕 yùsài 명《體》 예선. →〔决jué赛〕

〔预审〕 yùshěn 명《法》 예심.

〔预示〕 yùshì 명동 예시(하다). 예지(하다). 예고(하다). ¶乌云～着大雷雨的到来; 먹구름은 심한 뇌우가 올 것을 예고한다.

〔预售〕 yùshòu 명동 예매(豫賣)(하다). ¶～票; 예매권 / ～火车票; 기차의 예매 승차권.

〔预算〕 yùsuàn 명동 ①《經》 예산(하다). ¶提出～案; 예산안을 제출하다. ②사전 계산(하다).

〔预闻〕 yùwén 동〈文〉 관여하다. 상대하다. ¶对于韩日争端, 美国将采取不～立场; 한일간의 분쟁에 대하여 미국은 불간섭의 입장을 취할 것이다.

〔预习〕 yùxí 명동 예습(하다).

〔预先〕 yùxiān 부 미리. 사전에. ¶～声明; 사전에 성명하다 / ～通知; 미리 통지하다 / ～放映; 《映》 로드 쇼(road show).

〔预想〕 yùxiǎng 명동 ⇨〔预料〕

〔预行〕 yùxíng 명동 예행(하다). ¶～警报; 경계경보. 예행 경보.

〔预选〕 yùxuǎn 명동 예선(하다).

〔预言〕 yùyán 명동 예언(하다). ¶科学家的～已经变成了现实; 과학자의 예언은 이미 현실로 다가왔다.

〔预演〕 yùyǎn 명동 예행 연습(을 하다). 시연(試演)(하다). 리허설(을 하다).

〔预约〕 yùyuē 명동 예약(하다). ¶～挂号; 접수를 예약하다.

〔预约字〕 yùyuēzì 명《電算》(컴퓨터의) 예약어. =〔预定字〕〔保bǎo留字〕

〔预则立, 不预则废〕 yù zé lì, bù yù zé fèi 〈成〉 미리 계획〔준비〕하면 성공하고, 하지 않으면 실패한다《일을 이루기 위해서는 계획이〔준비가〕

필요함).
〔预展〕 yùzhǎn 명동 (전람회의 개막 전에) 특별 초대(를 하다). 예비 전시(를 하다).
〔预兆〕 yùzhào 명 전조(前兆). 조짐. ¶不祥的～; 불길한 조짐. 동 전조를 보이다. 조짐을 보이다. ¶瑞雪～来年丰收; 서설은 내년 풍작의 조짐이다.
〔预征〕 yùzhēng 동 미리 징수하다.
〔预支〕 yùzhī 명동 ⇨〔预付〕
〔预制〕 yùzhì 동 ①미리 만들다. ②프리패브식〔조립식〕으로 만들다. ¶～构件; 프리패브식 구조 용재(用材) / ～装配式房屋; 프리패브식 가옥.
〔预祝〕 yùzhù 동 …되도록 기원하다. 미리 축하하다. 축원하다. ¶～此事胜利成功; 그 일의 대성공을 기원합니다.

滪(澦) yù (여)
→〔滟yàn滪堆〕

蓣(蕷) yù (여)
→〔薯shǔ蓣〕

豫 yù (예)
〈文〉 ① 형 기쁘다. 즐겁다. ¶面有不～之色; 얼굴에 불쾌한 빛을 띠다. ② 형 안일하다. 편안하다. ¶逸～亡身; 안일하게 지내면 신세를 망친다. ③ 부 미리. 사전에. =〔预①〕 ④(Yù) 명 《地》 허난 성(河南省)의 별칭. ⑤(Yù) 명 《地》 후베이 성(湖北省)의 북부와 허난 성(河南省)을 포함한 지방.
〔豫剧〕 yùjù 명 《劇》 예극《지방극의 이름. 곧 '河南梆子'로 허난 성(河南省)에서 가장 유행하는 극. 산시(陕西) · 산시(山西) · 허베이(河北) · 산둥(山東) · 허난(河南) · 안후이(安徽) 등지에 유행함. 음악 · 가락 · 제목의 점에서 '秦qín腔'이나 '晋jìn剧'과 유사함》.

菀 yù (원)
형 〈文〉 (식물이) 우거지다. 무성하다. ⇒wǎn

尉 yù (울)
→〔尉迟〕〔尉犁〕 ⇒wèi
〔尉迟〕 Yùchí 명 복성(複姓)의 하나.
〔尉迟敬德〕 Yùchí jìngdé 명 《人》 위지 경덕《당대(唐代)에 큰 무공을 세운 대장군. 이름은 '恭'이며, '胡hú敬德'라고도 부름》.
〔尉犁〕 Yùlí 명 《地》 위리《신장(新疆) 위구르 자치구(自治區)에 있는 현(縣) 이름》.

蔚 Yù (울)
명 ① 《地》 위 현(蔚縣)《허베이 성(河北省)에 있는 현(縣) 이름》. ②성(姓)의 하나. ⇒wèi

熨 yù (울, 위)
① 명 《漢醫》 덥게 한 약물로 환부(患部)를 문지르면서 누르는 치료법. ¶酒～; 상질의 소주를 덥게 하여 헝겊에 묻혀 환부를 닦는 치료법. ② →〔熨贴〕 ⇒yùn
〔熨贴〕 yùtiē 형 ①(문자나 언사(言詞)의 용법이) 적절하다. 알맞다. ¶这个词用得很～; 이 말은 사용법이 적절하다. ②마음이 평온하다. ¶这一番坦率诚恳的谈话, 说得他心里十分～; 이번의 솔직하고 성의 있는 대화로 그는 마음이 매우 편안하다 / 你是不是不～? 당신은 기분이 언짢지는 않은가요? ③〈方〉 일이 잘 매듭지어지다. ¶托儿所对儿童照料得很～; 탁아소에서는 아이를 빈틈없이 잘 돌보고 있다. ④온당하다. 공평 타당하다. ¶只请他一个人, 怕不～; 그 사람 한 명만 초대하는 것은 온당치 못할 거야. ‖ =〔熨帖〕

寓〈庽〉 yù (우)
① 동 (임시로) 거처하다. 투숙하다. 묵다. 살다. ② 동 빙자하다. 함축하다. 빗대어 나타내다. ¶这个故事, ～有深意; 이 이야기에는 깊은 뜻이 내포되어 있다 / ～教育于课程之中; 교육을 수업 속에 깃들이게 하다. ③ 동 부치다. ¶～书; 편지를 내다. ④ 명 숙사. 거처. ¶公～; 아파트 / 张～; 장(張)씨의 집 / 客～; 임시 거처. ⑤ 동 〈文〉 훑어보다. ¶～目; ⇩
〔寓处〕 yùchù 명 ⇨〔寓所〕
〔寓次〕 yùcì 명 ⇨〔寓所〕
〔寓公〕 yùgōng 명 ①옛날, 타향에서 우거(寓居)하던 대관(大官). ②나라를 잃고 다른 나라에서 우거하는 사람《국외로 망명한 관료 · 자본가 · 지주 등》.
〔寓怀〕 yùhuái 동 〈文〉 ①마음에 두다. ②빙자하다.
〔寓木〕 yùmù 명 ⇨〔寄jì生木〕
〔寓目〕 yùmù 동 〈文〉 훑어보다.
〔寓情于声, 以声抒情〕 yù qíng yú shēng, yǐ shēng shū qíng 〈成〉 정을 목소리에 담고, 목소리로 정을 말하다.
〔寓所〕 yùsuǒ 명 임시 거처. 임시 주거. 임시 주소. =〔寓处〕〔寓次〕
〔寓言〕 yùyán 명 우언. 우화.
〔寓意〕 yùyì 동 다른 사물에 붙여서 어떤 뜻을 비치다. 뜻을 포함시켜 말하다. 우의하다. 명 우의. ¶这句话的～很深; 이 말은 우의가 매우 깊다.
〔寓于〕 yùyú 동 …에 머무르다. …에 존재하다. …에 포함되다. ¶普遍性～特殊性之中; 보편성은 특수성 속에 포함된다.
〔寓址〕 yùzhǐ 명 주소. =〔住zhù址〕

遇 yù (우)
① 동 (우연히) 만나다. 조우하다. 상봉하다. ¶途中相～; 도중에 만나다 / 百年不～; 백년에 한 번도 만나지 못하다. ② 동 대접하다. 대우하다. ¶～之甚厚; 대접하기를 매우 후하게 하다. ③ 부 마침. 우연히. ④ 명 기회. ¶佳～; 좋은 기회 / 机～ =〔际～〕; (좋은) 경우. 처지. 운. ⑤ 명 성(姓)의 하나.
〔遇便〕 yùbiàn 부 〈文〉 알맞은 때에. …하는 기회에. 기회가 닿는 대로.
〔遇刺〕 yùcì 동 척살(刺殺)되다. 암살되다.
〔遇到〕 yù.dào 동 (우연히) 만나다. 마주치다. 부닥치다. ¶～困难; 곤란에 부닥치다 / ～个好天气; 좋은 날씨를 만나다 / ～不幸; 불행한 일을 당하다.
〔遇害〕 yù.hài 동 ①재난을 만나다. ②살해되다. 순난(殉難)하다.
〔遇合〕 yùhé 동 ①만나서 서로 의기 투합하다. ②(우연히) 만나다. ③남녀가 서로 부부가 될 것을 약속하다.
〔遇虎摸屁〕 yù hǔ mō pì 〈成〉 극악인(極惡人)에게 설법하다.
〔遇见〕 yù.jiàn 동 (우연히) 만나다. 조우(遭遇)하다. ¶我在那儿～一位老朋友; 나는 거기에서 친구 한 사람을 우연히 만났다.
〔遇救〕 yù.jiù 동 구조되다.
〔遇难〕 yù.nàn 동 ①조난(遭難)하다. 재난을 만나다. ¶不能看着他遇了难不管; 그가 재난을 만난 것을 보고 모르는 척할 수는 없다. ②살해되다.

참살당하다.
〔遇巧〕 yùqiǎo 부 마침 알맞게. 때마침. ¶今年的春节～是星期天; 금년 구정은 마침 일요일이다.
〔遇时〕 yù·shí 동 시운(時運)을 만나다. 때를 만나다.
〔遇事〕 yù·shì 동 일이 발생하다.
〔遇事儿〕 yùshìr 동 〈方〉 결혼식을 올리다.
〔遇事生风〕 yù shì shēng fēng 〈成〉 즐겨 문제를 일으키다. 어떤 일을 일으키기를 좋아하다.
〔遇事无争〕 yùshì wúzhēng 문제가 있어도 다투지 않다. ¶随波逐流, ～; 형편 돌아가는 대로 맡기고 문제가 일어나도 다투지 않다.
〔遇险〕 yù·xiǎn 동 위험에 부닥치다. 조난하다. ¶～船货chuánhuò; 난파(難破) 화물.
〔遇验〕 yùyàn 동 〈文〉 검사받다. ¶请随身携带, ～出示! 항상 휴대하여 검사 때 제시해 주십시오!
〔遇着〕 yùzháo 동 만나다. 맞닥뜨리다.

御(禦)B) yù (어)
A) ① 동 거마(車馬)를 부리다〔몰다〕. ② 동 통치하다. 통어하다. ¶振长策而～宇内; 장책(長策)을 휘둘러 천하를 통치하다. ③ 동 〈文〉 시중들다. 모시다. 받들다. ④ 명 천자(天子)와 그 행위에 관련된 것. ¶～驾亲征; 황제가 친히 출정하다 / 告～状; 황제께 올리는 직소장. ⑤ 명 성(姓)의 하나. B) 동 ①막다. 방어하다. ¶～敌; ⇩ / 共～外侮; 협력하여 외국으로부터의 침략과 압박을 막다. ②항전하다. 저항하다.
〔御宝〕 yùbǎo 명 어보. 황제의 도장.
〔御笔〕 yùbǐ 명 어필. 황제의 친필.
〔御赐〕 yùcì 명 황제로부터의 하사품.
〔御敌〕 yùdí 동 적을 막다.
〔御夫座〕 yùfūzuò 명 〖天〗 마차부자리. 어자좌.
〔御府〕 yùfǔ 명 어부. 황실의 창고.
〔御寒〕 yùhán 명동 방한(하다).
〔御黄李〕 yùhuánglǐ 명 〖植〗 자두(나무). =〔李①②〕
〔御驾〕 yùjià 명 어가. 황제의 수레.
〔御寇〕 yùkòu 동 〈文〉 외적을 방어하다.
〔御览〕 yùlǎn 명동 어람(하다)(황제가 보는 일). 명 황제가 읽는 책.
〔御李〕 yùlǐ 명 ①〖植〗 자두(나무). ②〈翰〉 어진 사람을 사모하는 일. 현자(賢者)와 만나는 일(동한(東漢)의 순상(荀爽)은 어느날, 어진 사람으로 이름이 높은 이응(李膺)의 마차를 몰았는데, 순은 '오늘은 이응의 마차를 몰았다'고 사람들에게 기뻐하며 말했다는 고사에서. 전에 편지에 상용(常用)되었음). →〔瞻zhān韩〕
〔御林军〕 yùlínjūn 명 ⇨〔羽yǔ林军〕
〔御批〕 yùpī 명 〈文〉 황제의 재정(裁定).
〔御气〕 yùqì 동 〈文〉 감정을 제어하다.
〔御人〕 yùrén 명 〈文〉 마부. 어자(御者).
〔御日伞〕 yùrìsǎn 명 양산. 파라솔. =〔日伞〕 →〔阳伞〕
〔御膳房〕 yùshànfáng 명 옛날, 황제의 식사를 준비하는 주방. =〔膳房〕
〔御史〕 yùshǐ 명 〖史〗 예전의 관명(주대(周代)에는 문서·기록을 관장했고, 후한대(後漢代)는 비서(祕書)나 검찰(檢察)을 관장, 후한(後漢) 이후는 주로 탄핵을 관장했음. 청대(清代)에는 통칭 '侍shì御'라 했음).
〔御史大夫〕 yùshǐ dàfū 명 〖史〗 어사 대부(옛날, 어사(御史)의 장관). ¶叫～参上一本; 어사대부에 의해 소추(訴追)되었다. =〔都dū老爷〕
〔御史台〕 yùshǐtái 명 〖史〗 어사대(옛날, 어사가 있던 관서(官署)). =〔兰lán省〕〔兰台②〕
〔御试〕 yùshì 명 〈文〉 황제가 친히 시행하는 진사(進士) 시험.
〔御手〕 yùshǒu 명 〈文〉 (마차의) 마부.
〔御侮〕 yùwǔ 동 외부의 침략을 막다. 명 〈轉〉 무장(武將).
〔御窑〕 yùyáo 명 옛날, 궁중의 자기(磁器)를 굽던 가마.
〔御医〕 yùyī 명 시의(侍醫).
〔御用〕 yùyòng 명 제왕이 쓰는 것. 형 (통치자의) 어용의(풍자의 뜻으로 씀). ¶～工会; 어용 조합 / ～团体; 어용 단체.
〔御用文人〕 yùyòng wénrén 명 어용 문학자〔문인〕.
〔御宇〕 yùyǔ 명 〈文〉 어우. 황제가 천하를 다스리는 시대〔동안〕.
〔御苑〕 yùyuàn 명 어원. 금원(禁苑). 황제의 정원.
〔御者〕 yùzhě 명 〈文〉 ①(마차의) 마부. ②시종드는 사람. =〔侍shì从〕
〔御制〕 yùzhì 명 어제(옛날, 황제가 지은 시문이나 도자기 등).
〔御座〕 yùzuò 명 ⇨〔宝bǎo座①〕

粥 yù (육)
동 〈文〉 ①팔다. 매매하다. =〔鬻yù〕 ②기르다. 양육〔생육〕하다. ⇒zhōu

鬻 yù (육)
동 〈文〉 팔다. ¶～文为生; 매문(賣文) 생활을 하다 / 卖官～爵; 매관 매작. 뇌물을 받고 관직을 주다. =〔粥①〕

矞 yù (율)
인명용 자(字).

潏 yù (율)
동 〈文〉 물이 솟아 나오다. ⇒Jué

遹 yù (휼)
① 동 〈文〉 준수하다. 따르다. ②인명용 자(字).

燏 yù (율)
명 〈文〉 불빛. 불의 끝(흔히, 인명용 자(字)로 씀).

鹬(鷸) yù (휼)
명 〖鳥〗 ①도요새. ②물새.
〔鹬蚌相争, 渔人得利〕 yù bàng xiāng zhēng, yú rén dé lì 〈成〉 서로 다투다가 이익을 제삼자에게 빼앗겨 버리다. 어부지리. →〔渔利yúlì〕
〔鹬鸵〕 yùtuó 명 〖鳥〗 키위(kiwi). =〔无翼鸟〕〔几维鸟〕

誉(譽) yù (예)
① 명 영예. 명예. ¶名～; 명예 / 荣～; 영예 / ～满全市; 명성이 시 전체에 넘치다. ② 명동 칭찬(하다). 찬양(하다). 찬탄(하다). ¶称～; 칭찬하다 / 谁毁谁～? 누구를 비방하고 누구를 칭찬하는가?
〔誉望〕 yùwàng 명 〈文〉 명망.

隩 yù (오)
명 〈文〉 구석지고 으슥한 곳. 하안(河岸)의 만곡(彎曲)된 곳. ⇒ào

薁 yù (욱)
→〔蘡yīng薁〕

燠 yù (욱)
형 〈文〉 따뜻하다. 덥다. ¶寒～失时; 때에 안 맞게 추위와 더위가 고르지 않다.
〔燠热〕 yùrè 형 〈文〉 무덥다. =〔闷热〕

毓 yù (육)
①동 〈文〉 낳아서 기르다. 양육하다《흔히, 인명용 자(字)에 쓰임》. ②명 성(姓)의 하나.

YUAN ㄩㄢ

宛 yuān (원)
지명용 자(字). ¶大～; 고대의 서역(西域)《현재의 중앙 아시아에 있었음》/ ～马; 《動》 서역산(産)의 말. 〈比〉 준마(駿馬). ⇒wǎn

帑 yuān (원)
→〔缗fán帑〕

眢 yuān (원)
형 〈文〉 ①(장님 눈처럼) 눈이 우묵하다. ②우물이 마르다. ¶～井; 마른 우물.

鸳(鴛) yuān (원)
명 《鳥》 원앙새.
〔鸳侣〕 yuānlǚ 명 〈文〉 〈比〉 ①배우자. 부부. ②(버슬을 같이하고 있는) 동료.
〔鸳鸯〕 yuānyāng 명 《鳥》 ①원앙새('鸳'은 수컷, '鸯'은 암컷》. ②〈比〉 쌍으로 된 것. ¶～瓦; 암수 짝을 이룬 기와. ③〈比〉 금실 좋은 부부. ¶～谱; 결혼 계약서. 혼서(婚書).
〔鸳鸯蝴蝶派〕 yuānyāng húdié pài 명 청말(清末)에서 민국 초에 걸쳐 성했던 문학의 한 파《주로 저속한 연정을 소재로 한 것》.
〔鸳鸯剑〕 yuānyangjiàn 명 자웅 한쌍으로 된 칼. =〔雌cí雄剑〕
〔鸳鸯藤〕 yuānyangténg 명 ⇨〔忍rěn冬①〕
〔鸳鸯椅〕 yuānyangyǐ 명 로맨스 시트.

鹓(鵷) yuān (원)
→〔鹓鶵〕
〔鹓鶵〕 yuānchú 명 〈文〉 전설상의 봉황과 비슷한 새.

箢 yuān (원)
→〔箢箕〕
〔箢箕〕 yuānjī 명 〈方〉 대광주리《물건을 담는 그릇》. =〔〈方〉箢箢dōu〕

鸢(鳶) yuān (연)
①명 《鳥》 솔개. =〔老鸢〕 ②→〔鸢尾〕 ③명 연의 일종. ¶纸zhǐ～ =〔风～〕; 연.
〔鸢飞鱼跃〕 yuān fēi yú yuè 〈成〉 솔개가 날고 물고기가 뛰다《천지 만물이 천지간에 이루어지는 화육(化育)에 의해서 삶을 살고 삶을 즐기는 것》.
〔鸢色〕 yuānsè 명 《色》 다갈색(茶褐色).
〔鸢尾〕 yuānwěi 명 《植》 붓꽃. =〔鸢尾草〕
〔鸢尾(花)〕 yuānwěi(huā) 명 《植》 연미. 붓꽃. =〔紫zǐ蝴蝶③〕〔紫罗兰②〕

冤〈寃, 寃〉 yuān (원)
① 명동 억울(하다). 원통(하다). ¶呼～; 억울함을 호소하다 / 这案里必有～情; 이 사건에서는 반드시 억울한 사정이 있다 / 伸～ =〔雪～〕; 억울함을 풀다. ②명 원수. 원한. ¶有～报～; 원한이 있으면 그것을 풀다. ③명 불평. 불만. ④동 기만하다. 속이다. ¶我还能～你吗? 설마 내가 너를 속이거나 할 수 있겠느냐? ⑤동 손해 보다. 효과가 없다. 헛수고하다. 골탕먹다. ¶我白去了, 真～; 헛걸음을 하고 보니 참 재수없구나 / 花～钱; 돈을 착취당하다 / 买假货, 太～; 가짜를 사서 큰 손해를 봤다 / 他死得太～; 그는 어이없게 죽었다.
〔冤案〕 yuān'àn 명 원죄〔재판〕 사건.
〔冤沉海底〕 yuān chén hǎi dǐ 〈成〉 억울한 죄를 벗을 길이 없다.
〔冤仇〕 yuānchóu 명 원한. 원수. ¶结下了～; 원수지간이 되다. 원한을 맺다.
〔冤大脑袋〕 yuāndànǎodai 명 ⇨〔冤大头〕
〔冤大头〕 yuāndàtóu 명 남에게 속아서 돈을 함부로 헤피 쓰는 자식. 봉(鳳). 모자라는 사람. ¶拿他当～上饭馆子去, 捧着他, 连吃带喝的都叫他一个人付钱; 그를 봉 삼아 음식점으로 가서, 그를 추켜세워서 먹고 마신 모든 돈을 그 혼자에게 치르게 했다. =〔冤大脑袋〕〔冤桶〕〔瘟生〕
〔冤鬼〕 yuānguǐ 명 ①원죄(冤罪)로 죽은 자의 망령. 원귀. ¶～索命; 원죄로 죽은 자의 망령이 원수를 갚으러 오다. ②바보. ③돈을 낭비하는 사람.
〔冤恨〕 yuānhèn 명 억울한 죄를 뒤집어쓴 원한.
〔冤魂〕 yuānhún 명 원혼. 억울한 죄로 죽은 사람의 혼.
〔冤家〕 yuānjia 명 ①원수. 적. ¶～对头; 〈成〉 ⓐ원수 사이. 원수지간. ⓑ원수 같은 인연《부부 사이의 흉허물 없는 호칭》/ 报～; 원수를 갚다 / ～路窄; 〈成〉 ⓐ원수는 외나무 다리에서 만난다. ⓑ나쁜 일은 겹치게 마련이다 / ～宜解, 不宜结; 〈諺〉 원한은 푸는 것이 좋으며, 맺혀서는 안 된다. 두루 모나지 않게 처세해라 / ～见面, 分外眼红; 〈諺〉 원수를 만나면 분노도 한층 더해진다. ②사랑스럽다 못해 얄미워 못 견디는 상대방《옛날, 연극·민요에서 주로 애인을 일컬었음》. ¶小～; 귀여운 색시〔애인〕.
〔冤民〕 yuānmín 명 국정(國政)의 잘못을 원망하는 백성. ¶暴政之下, 必有～; 폭정 아래서는 반드시 원한을 품은 백성이 있다.
〔冤孽〕 yuānniè 명 (전생의) 원한과 죄업. 업(業). ¶～病; 고질병 / 前世～; 전생의 업 / ～债; 전생에 진 빚. 업보.
〔冤气〕 yuānqì 명 원한. 억울함. ¶今天总算出了这口～; 오늘 마침내 이 원한을 풀었다 / 受了一肚子～, 无处倾吐; 가슴 가득 원한을 안고 있으면서도 호소할 데가 없다.
〔冤钱〕 yuānqián 명 헛되게 쓰는 돈. ¶花～; 돈을 헛되이 쓰다. =〔冤枉钱〕
〔冤亲〕 yuānqīn 명 원수와 우리편.
〔冤情〕 yuānqíng 명 원정. 억울한 죄를 뒤집어 쓴 괴로운 심정. 억울한 죄의 실정. ¶这个案件, 其中恐怕有～; 이 사건에는 아마도 억울한 죄를 쓴 자가 있을 것이다.
〔冤屈〕 yuānqū 명 ①억울한 죄. 원죄. ②부당한 대우. 원통함. 억울한 손해. 형 억울하다. 원통하다.
〔冤人〕 yuānrén 동 사람을 속이다. ¶这真～! 이거 감쪽같이 속았구나!
〔冤桶〕 yuāntǒng 명 ⇨〔冤大头〕
〔冤头〕 yuāntóu 명 원수. 적.
〔冤枉〕 yuānwang 형 ①(죄를 뒤집어써서) 억울하

다. 원통하다. ¶他骂我真～! 그가 나를 욕하다니 참 분하다! ②헛되다. 쓸데없다. 효과가 없다. ¶走～路; 헛걸음하다 / 吃～的; 밥만 퍼먹는 등신 / 这个钱花得真～! 이 돈은 정말 헛되게 썼군! / 跑～路; (서둘러 갔으나) 헛걸음하다 / ～财来～去; 〈諺〉 부정하게 얻은 재물은 오래 가지 못한다. 동 ①억울한 누명을 씌우다. ¶～别人; 남에게 억울한 누명을 씌우다. =〔屈枉①〕 ②헛되이 하다. 배반하다. ¶把人家的好心～了; 호의를 헛되이 하다. 명 억울한 죄. 원죄(冤罪). 누명.

〔冤枉路〕 yuānwanglù 명 헛걸음. ¶走了～了; 헛걸음을 쳤다.

〔冤枉钱〕 yuānwangqián 명 ⇨〔冤钱〕

〔冤刑〕 yuānxíng 명 ①억울한 죄. 원죄. ¶无罪之人竟受～实在有伤天理; 죄없는 사람이 뜻밖에도 억울한 죄를 받는 것은 정말 천리에 어긋난다. ②과중한 형벌.

〔冤业〕 yuānyè 《佛》 동 원업하다. 명 업《과거 또는 전생에 뿌린 악의 씨》.

〔冤抑〕 yuānyì 동 〈文〉 억울한 죄를 쓰다. 부당하게 억압당하다. ¶他～难申, 忧忿成病; 그는 억울한 죄를 풀 길 없어, 근심과 분노로 병이 났다.

〔冤有头, 债有主〕 yuān yǒu tóu, zhài yǒu zhǔ 〈諺〉 원한에는 상대가 있고, 부채에는 채권자가 있다. ①적과 자기 편의 구별이 분명하다. ②일에는 모두 근원·원인이 있다.

〔冤狱〕 yuānyù 명 원죄(冤罪)의 재판 사건. ¶平反～; 원죄 사건을 재심하여 명예를 회복하다.

〔冤冤相报〕 yuān yuān xiāng bào 〈成〉 서로 원한을 갚다.

渊(淵) yuān (연)

①명 물의 깊은 곳. 못. 심연. ¶鱼跃于～; 물고기가 못에서 뛰어 놀다 / 天～之别; 하늘과 땅 차이《매우 동떨어져 있음》. ②형 깊다. ¶～博; ⇩ / ～薮sǒu; ⇩ ③명 성(姓)의 하나.

〔渊博〕 yuānbó 형 (학식이) 깊고 넓다. ¶他的学问～; 그의 학문은 깊고 넓다.

〔渊丛〕 yuāncóng ⇨〔渊鱼丛爵〕

〔渊海〕 yuānhǎi 명 〈比〉 내용이 깊고 큰 것.

〔渊虑〕 yuānlǜ 명 〈文〉 용의 주도한 계획.

〔渊泉〕 yuānquán 명 〈文〉 깊은 샘. 형 〈比〉 조용하고 사려 깊다.

〔渊儒〕 yuānrú 명 〈文〉 대학자. 학문이 깊은 학자. ¶老先生真是一代～; 노선생은 실로 일대의 대학자이다.

〔渊塞〕 yuānsè 형 〈文〉 성실하고 생각이 깊다.

〔渊深〕 yuānshēn 형 〈文〉 (학문이나 계책이) 매우 깊다. 심오하다.

〔渊识〕 yuānshí 명 〈文〉 깊은 식견.

〔渊薮〕 yuānsǒu 명 〈比〉 사람이나 물건이 많이 모이는 곳. ¶文坛～; 작가가 많이 모이는 곳 / 罪恶的～; 죄악의 소굴.

〔渊鱼丛爵〕 yuān yú cóng jué 〈成〉 폭군이 백성을 어진 임금 아래로 쫓아 보내는 것은 마치 수달이 물고기를 연못으로 쫓아 보내는 것과 같다《자기 편으로 만들 수 있는 것도 적들 편으로 몰아 줌》. =〔渊丛〕

〔渊渊〕 yuānyuān ①형 〈文〉 조용하고 깊은 모양. ②〈擬〉 둥둥《북 소리》.

〔渊源〕 yuānyuán 명 연원. 〈比〉 근원. ¶家学～; 집안에 대대로 전해진 학문의 근원 / 历史～; 역사적 근원.

〔渊远〕 yuānyuǎn 형 〈文〉 매우 길다. ¶几代世交, ～流长, 关系到底不同; 여러 대에 걸치는 교제로, 오랜 친분이므로, 그 관계는 보통과는 다르다.

蜎 yuān (현)

명 《蟲》 〈文〉 '孑孓jiéjué (장구벌레)의 구칭.

〔蜎蜎〕 yuānyuān 형 〈文〉 꿈틀거리는 모양.

元 yuán (원)

①명형 처음(의). 첫째(의). ¶～年; ⇩ / ～旦; ⇩ ②명형 으뜸(의). 우두머리(의). 최상(의). 제1(의). ¶～帅; 원수 / 状～; 과거(科擧) 제도의 진사(進士)의 수석 / 丧其～; 그 우두머리를 잃다. ③형 본디. 원래의. 근본〔기초〕적인. ¶～始; 만물의 본원 / ～来; ⓐ원래. ⓑ까닭인즉…. ④양 원《화폐 단위. '人民币'에서는 '圆'을 쓰고, 구두어(口頭語)에서는 '块'을 씀. 외국 화폐의 단위로도 씀》. ¶美～; 미국 달러 / 日～; 일본 엔화. ⑤(Yuán) 명 《史》 몽고족 징키즈 칸이 세운 나라(1279-1368). ⑥형 흑색(黑色)의. ¶～呢; 《紡》 검은색 나사. ⑦명 원소. 성분. 요소. ⑧명 성(姓)의 하나.

〔元板〕 yuánbǎn 명 ①원판. 원(元)나라 때에 간행한 책판. ②《音》 중국 전통극이나 전통음악의 박자. =〔板眼①〕

〔元宝〕 yuánbǎo 명 ①화폐의 통칭. ②옛날, 정화(正貨)로 사용한 '～银锭'《말굽 모양》. =〔元宝银子〕 ③정월에 먹는 '饺子'의 속칭. ④신불(神佛)에게 바치는 엽전 모양의 물건《납지(鑞紙)로 만듦》. ¶～锭; 달걀·설탕을 밀가루와 반죽하여 속에 엿을 넣고 틀에 구운 음식 / ～车 =〔婴儿母车〕; 동차(童車). 유모차.

〔元宝螺丝(帽)〕 yuánbǎoluósi(mào) 명 《機》 나비 너트(thumb nut).

〔元宝汤〕 yuánbǎotāng 명 훈둔탕. =〔馄hún饨〕

〔元本〕 yuánběn 명 ①원시(原始). 근본. ¶究其～; 그 근본을 구명하다. ②원금. ¶归还～; 원금을 갚다. ③원(元)나라 때의 간행된 책.

〔元辰〕 yuánchén 명 〈文〉 ①원일(元日). 설날. ②길일(吉日).

〔元春〕 yuánchūn 명 〈文〉 원단(元旦).

〔元旦〕 yuándàn 명 원단. 설날《현재는 양력 설을 가리키며 음력 설날은 '春节'라고 함》. =〔〈文〉 端duān日〕〔〈文〉 四sì始〕

〔元豆〕 yuándòu 명 《植》 〈方〉 콩. 대두. =〔大dà豆〕

〔元恶〕 yuán'è 명 ①악당의 괴수. 원흉. =〔元凶〕 ②대악당. ③죄악의 근원.

〔元古代〕 yuángǔdài 명 《地質》 원생대(原生代).

〔元龟〕 yuánguī 명 〈文〉 큰 거북《옛날, 점복(占卜)에 썼음》.

〔元号〕 yuánhào 명 연호(年號). ¶改～; 연호를 고치다.

〔元红〕 yuánhóng 명 ①소홍주의 일종. →〔绍shào兴酒〕 ②(처녀의) 첫 성교 때의 출혈.

〔元胡〕 yuánhú 명 《植》 왜현호색.

〔元件〕 yuánjiàn 명 소자(素子). 부속품. 부품. ¶电子zǐ～; 전자 부품〔소자〕 / ～厂; 소자 공장 / 无源～; 수동(受動) 소자 / 有源～; 능동 소자.

〔元精〕 yuánjīng 명 원기(元氣). 정기(精氣).

〔元君〕 yuánjūn 명 〈文〉 여선인(女仙人)에 대한 존칭. ¶碧霞～; 태산(泰山)의 여신 / 金母～; 서왕모(西王母)의 별칭.

〔元魁〕 yuánkuí 명 ①수괴(首魁). 원흉. ②〈文〉 '科举'의 수석 합격자.

〔元来〕 yuánlái 명부 ⇨〔原来〕
〔元老〕 yuánlǎo 명 원로. 명망·연령·관직이 높은 노인. ¶政界～; 정계의 원로/京剧界～; 경극계의 원로.
〔元螺虫〕 yuánluóchóng 명《動》달팽이. =〔元罗虫〕
〔元麦〕 yuánmài 명《植》①쌀보리. =〔青稞〕 ②귀리. =〔莜yóu麦〕〔油麦〕
〔元煤〕 yuánméi 명 ⇨〔原煤〕
〔元母〕 yuánmǔ 명《言》모음. =〔元音〕
〔元年〕 yuánnián 명 원년.
〔元配〕 yuánpèi 명 첫 아내. 본처(‘原配’로도 씀). =〔原配①〕〔初chū妻〕
〔元气〕 yuánqì 명 ①에너지. ②원기. 활력. ¶伤了～; 원기를 잃다/恢复～; 원기를〔활력을〕 회복하다.
〔元青〕 yuánqīng 명《色》검정. 검은 색. ¶直接～;《染》다이렉트 블랙·디오졸 블랙·코튼 블랙 따위. =〔元色①〕〔玄xuán青〕
〔元曲〕 yuánqǔ 명 원곡. 원대(元代)의 희곡.
〔元戎〕 yuánróng 명《軍》〈文〉최고 사령관. 통수자. =〔主将jiàng〕
〔元色〕 yuánsè 명 ①⇨〔元青〕 ②원색(原色).
〔元始〕 yuánshǐ 명《哲》원시. 만물의 본원(本元).
〔元首〕 yuánshǒu 명 ①원수. ②군주. 천자. ③〈文〉(사람의) 머리.
〔元书纸〕 yuánshūzhǐ 명 저장 성(浙江省) 푸양(富陽)·쑤산(蕭山) 등의 현에서 나는 종이(원료는 석죽(石竹)).
〔元帅〕 yuánshuài 명 ①《軍》〈文〉군대의 최고 통솔자. ②《植》딜리셔스(사과의 한 품종). ③원수.
〔元素〕 yuánsù 명 ①요소(要素). ②《數》원(元). 원소. 요소(집합의 요소). ③《化》원소. 화학 원소.
〔元孙〕 yuánsūn 명 ⇨〔玄xuán孙〕
〔元夕〕 yuánxī 명 ⇨〔元宵节〕
〔元宵〕 yuánxiāo 명 ①음력 1월 15일 밤. 정월 대보름 밤. ②대보름날에 먹는 단자(團子)의 이름.
〔元宵节〕 Yuánxiāo jié 명 정월 대보름날. =〔元夕〕〔元夜〕〔灯节〕〔上元(节)〕
〔元凶〕 yuánxiōng 명 ⇨〔元恶①〕
〔元勋〕 yuánxūn 명 원훈. 위대한 공훈(이 있는 사람). ¶开国～; 개국 공신.
〔元夜〕 yuányè 명 ⇨〔元宵节〕
〔元因〕 yuányīn 명 ⇨〔原因〕
〔元音〕 yuányīn 명《言》모음. =〔元母〕 ↔〔辅音〕
〔元鱼〕 yuányú 명 ⇨〔鼋鱼〕
〔元元〕 yuányuán 명〈文〉①근본. 원시(原始). ②국민.
〔元元本本〕 yuányuanběnběn 처음부터 끝까지. 일체 모두. 자세히. 사실대로. ¶你把这回事～地对他说一说; 너는 이번 일을 처음부터 끝까지 그에게 자세히 이야기해라. =〔原原本本〕〔源源本本〕
〔元月〕 yuányuè 명 정월.
〔元正〕 yuánzhēng 명〈文〉원단(元旦).
〔元自〕 yuánzì 부〈文〉원래. 본디.

沅 Yuán (원)
명《地》위안 강(沅江)(구이저우(貴州)에서 발원하여 후난 성(湖南省)으로 흐르는 강 이름).

园(園) yuán (원)
①(～儿, ～子) 명 동산. 밭. ¶花～儿; 꽃밭. 화원/菜～; 채원. 채소밭. ②(～儿, ～子) 명 (울타리로 둘러싸인 넓은) 공공 장소. ¶公～; 공원/动物～; 동물원/戏～(子); 극장. ③명 묘원(墓園). 묘역(墓域). ¶烈士陵～; 열사의 묘원. ④동 잘 자라다. 충분히 생장하다. ¶北瓜～了颗, 开着大黄花, 长上小瓜了; 호박은 잘 자라서 크고 노란 꽃이 피고, 작은 열매가 열렸다.
〔园地〕 yuándì 명 ①식물 재배 용지(用地)(채소밭·꽃밭·과수원 등의 총칭). ¶农业～; 농업 용지. 농원. ②〈比〉(활동 의) 범위. 세계. 무대. ¶艺术的～; 예술의 세계/自己的～; 자기의 세계.
〔园丁〕 yuándīng 명 ①정원사. ②〈比〉유치원 또는 초등 학교 교사.
〔园儿〕 yuán'ér 명 원아. 유치원의 어린이.
〔园林〕 yuánlín 명 (관상 유람용의) 수목이 우거진 정원. 원림. ¶～艺术; 조원(造園) 예술.
〔园陵〕 yuánlíng 명 능원. 왕릉.
〔园圃〕 yuánpǔ 명 농원. 농장.
〔园寝〕 yuánqǐn 명〈文〉비빈(妃嬪)의 무덤. 능침(陵寢).
〔园田〕 yuántián 명 야채밭. 과수원. ¶耕地～化; 농업의 원예화.
〔园艺〕 yuányì 명 원예.
〔园囿〕 yuányòu 명〈文〉①나무 등을 심고 동물을 풀어 기르는 동산. ②식물원과 동물원.
〔园子〕 yuánzi 명 ①정원. 뜰. →〔院子〕 ②→〔字解①②〕 ③극장. =〔戏园(子)〕

芫 yuán (원)
명《植》팥꽃나무. =〔芫花huā〕〔鱼毒〕 ⇒ yán
〔芫青〕 yuánqīng 명《蟲》가뢰과의 곤충. 청가뢰 등(약용으로 함). =〔青娘子〕

鼋(黿) yuán (원)
명《動》‘鳖’(자라)의 통칭. =〔鼋鱼yú〕
〔鼋鸣鳖应〕 yuán míng biē yìng〈成〉큰 자라가 울면, 보통 자라가 이에 따라 운다(군주와 신하가 서로 감응하는 일).
〔鼋鱼〕 yuányú 명《動》〈口〉큰 자라. =〔元鱼〕〔老lǎo鼋①〕〔绿lǜ团鱼〕

员(員) yuán (원)
①명 어떤 분야에 종사하는 사람. ¶学～; 학생. 연수생/演～; 연기자. 출연자/运动～; 운동 선수/教～; 교원/职～; 직원/售货～; 판매원/售票～; 매표원/理发～; 이용사/保育～; 보모/守门～; 골키퍼/评判～; 심사원/播音～; 아나운서. ②명 단체〔조직〕의 구성원. ¶成～; 구성원/会～; 회원. ③양 명(무장(武將)·인원을 세는 말). ¶一～大将; 대장 1명. ④명 주위. 폭. ¶幅～; 영역. 경역(境域). ⑤〈文〉옛날에 ‘圆’을 이르던 말. ⇒ yún Yùn
〔员弁〕 yuánbiàn 명〈文〉문무(文武)의 관리.
〔员额〕 yuán'é 명 원수(員數). 정원(定員).
〔员工〕 yuángōng 명 직원과 노동자. 종업원. ¶铁路～; 철도 관계 종업원.
〔员利针〕 yuánlìzhēn 명《漢醫》쇠꼬리처럼 끝이 몽톡한 침. =〔圆利针〕
〔员司〕 yuánsī 명 옛날, 중하급(中下級) 관리. ¶小～; 하급 관리.

〔员外〕 yuánwài 명 ⇨〔员外郎〕
〔员外郎〕 yuánwàiláng 명《史》원외랑(청대(清代)에 관직의 하나로 낭관(郎官)의 정원 외로 둔 것. 후에 돈으로 살 수 있게 되어 자주 호신(豪紳)의 존칭으로 쓰였으며, 송대(宋代)에는 중소 상인을 일컬었음). =〔员外〕〔副fù郎〕〔散sǎn郎〕

陨(隕) yuán (운)
→〔幅fú陨〕 ⇒yǔn

圆(圓) yuán (원)
① 형 둥글다. ¶～柱; ⇓/～桌; ⇓/皮球是～的; 공은 둥글다. ② 명《數》원. ¶画一个～; 원을 하나 그리다/～形; 원형/～周率; 원주율. ③ 양 중국의 기본 통화 단위('一圆'은 '十角', '十毛' 혹은 '一百分'에 해당함). →〔元yuán④〕 ④ 명 둥근 경화(硬貨). ¶银～; 은화/铜～; 동전. ⑤ 명 모양이 둥근 것. ¶滚～; 아주 둥근. ↔〔方〕 ⑥ 형 충분하다. 원만하다. 완전하다. 갖추어져 있다. ¶这话说得不～; 지금 이 이야기는 완벽하지 않다/得到～满的结果; 원만한 결과를 얻다. ⑦ 형 원활하다. 막힘 없이 하다. ¶这个人做事很～, 面面俱到; 이 사람은 일하는 것이 원활하고 여러 면에 빈틈이 없다. ⑧ 동 원만하게 수습하다. (말 등의) 앞뒤를 맞추다(흔히, 모순을 감추는 경우에 씀). ¶我给你～去; 내가 가서 원만하게 조정해 가지고 오마/自～其说; 자기가 이야기의 앞뒤를 맞추다. ⑨ 형 목소리가 부드럽다〔막힘이 없다〕. ¶唱得很～; 창법이 매우 원활하다/字正腔～; 발음이 정확하고 가락도 원만하다. ⑩ 명 성(姓)의 하나.
〔圆白菜〕 yuánbáicài 명《植》〈方〉양배추. =〔元白菜〕〔卷juǎn心菜〕
〔圆柏〕 yuánbǎi 명《植》향나무. =〔桧〕
〔圆半径〕 yuánbànjìng 명《數》반경. 반지름.
〔圆笔〕 yuánbǐ 명 운필(運筆)의 일종(전서(篆書)에 쓰이는 운필로서 붓끝이 필획(筆畫)의 중앙에 있는 용필(用筆)을 말함).
〔圆场〕 yuán.chǎng 동 ①원만히 수습하다. 중재하다. ¶不容易给他～; 그를 위해 원만히 수습하기는 어렵다. ②대단원(大團圓)에 이르다.
〔圆成〕 yuánchéng 동 남을 도와서 성취하다〔완성시키다〕. 원만하게 수습하다. ¶要不是你～, 这件事早就完了; 네가 돕지 않았다면, 이 일은 벌써 망쳤을 것이다. =〔成全〕
〔圆尺〕 yuánchǐ 명 ⇨〔围wéi尺〕
〔圆唇元音〕 yuánchún yuányīn 명《言》원순 모음((음성학에서) 입술을 내밀고 동그랗게 하여 발음하는 모음. '普通话'의 o, u, ü).
〔圆葱〕 yuáncōng 명《植》①산파(뿌리가 둥글고 굵음). ②양파.
〔圆醋栗〕 yuáncùlì 명《植》구스베리(gooseberry).
〔圆锉〕 yuáncuò 명《機》막대줄.
〔圆到〕 yuándào 형 빈틈없다. 더할 나위 없다. 나무랄 데가 없다.
〔圆雕〕 yuándiāo 명《美》돌·금속·나무 등의 입체 조각.
〔圆兜兜〕 yuándōudou 형 둥글다. 둥글둥글하다. ¶～的面孔; 둥근 얼굴.
〔圆饭〕 yuánfàn 명 옛 풍습에서, 결혼한 이튿날 새 부부가 한자리에서 식사하는 것.
〔圆房〕 yuán.fáng 동 ①옛날, 민며느리가 그의 남편과 정식으로 부부 생활에 들어가다. ②결혼 후 사고 등으로 동거하지 못한 부부가 동침하다.
〔圆坟(儿)〕 yuánfén(r) 명 삼우제(三虞祭). ¶等过了～, 至近的亲戚才回去; '圆坟'이 지난 후에야 가까운 친척은 돌아간다.
〔圆钢〕 yuángāng 명《機》둥근 봉강(棒鋼)(구칭은 '圆铁').
〔圆蛤〕 yuángé 명《貝》대합.
〔圆根〕 yuángēn 명 ①《植》순무. =〔芜菁〕 ②테두리. =〔内圆角〕
〔圆鼓鼓〕 yuángǔgǔ 형 터질 듯이 통통한 모양.
〔圆刮板〕 yuánguābǎn 명 ⇨〔车chē板〕
〔圆光〕 yuánguāng 명 ①《佛》후광(後光). ②둥근 거울. ③옛날, 길거리에서 주문을 외면서 아이에게 거울이나 백지에 어떤 형태가 나타나는가를 보이고, 그 형태에 따라 분실물 행방이나 길흉화복(吉凶禍福)을 말하던 점.
〔圆光儿〕 yuánguāngr 명 둥근 것. ¶用纸剪一个～; 종이를 잘라서 둥근 것을 만들다.
〔圆规〕 yuánguī 명 컴퍼스. =〔双脚规〕
〔圆滚滚(的)〕 yuángǔngǔn(de) 형 (물건이) 매우 동그란 모양. (살쪄서) 통통한 모양. ¶长得～; 포동포동 살쪄 있다.
〔圆滚抡敦〕 yuángunlūndūn 〈京〉매우 둥근 모양. 토실토실한 모양. ¶这孩子穿得～的; 이 아이는 많이 껴입어서 통통하다.
〔圆果〕 yuánguǒ 명 ⇨〔圆寂〕
〔圆裹噜嘟〕 yuánguolūdū 형〈北方〉둥글게 부푼 모양. 불룩한 모양. ¶每包行李都～; 어느 짐이나 다 불룩하다.
〔圆号〕 yuánhào 명《樂》호른(horn). 프렌치 호른(French horn). =〔法国号〕
〔圆合脸〕 yuánheliǎn 명 ⇨〔圆脸儿〕
〔圆弧〕 yuánhú 명《數》원호.
〔圆虎虎(的)〕 yuánhǔhǔ(de) 형 ①통통하고 생기가 있는 모양. ②(눈이) 부리부리한 모양.
〔圆滑〕 yuánhuá 형 원활하다. 원만하다. 모가 나지 않다. 사귐성이 좋다. ¶～世故; 눈치 빠르고 세정에 밝다/河滩上有许多～的石子; 강변에는 둥글고 매끄러운 돌멩이가 많이 있다/政治家的手腕哪有不～的; 정치가의 수완은 원활하지 않은 것이 없다/为人～; 사람됨이 원만하다.
〔圆环路〕 yuánhuánlù 명 환상로(環狀路). 순환도로.
〔圆谎〕 yuán.huǎng 동 꾸며 대어 말하다. 교묘하게 얼버무려 말하다. 거짓말한 것을 얼버무리다.
〔圆浑〕 yuánhún 형〈文〉①목소리가 부드럽고 자연스럽다. ②(시문이) 풍미가 있고 꾸밈이 없다.
〔圆活〕 yuánhuó 형 원활하다. 원만하다. 매끈하다. 동 원만하게 하다. ‖=〔圆和〕
〔圆和〕 yuánhuo 형동 ⇨〔圆活〕
〔圆寂〕 yuánjì 명《佛》원적(승려·여승의 사망). =〔圆果〕
〔圆径〕 yuánjìng 명《數》원의 직경. 지름.
〔圆锯〕 yuánjù 명 ⇨〔圆盘锯〕
〔圆口儿鞋〕 yuánkǒurxié 명 신등의 갈라진 곳이 둥그렇게 된 중국식 신발(뾰족한 것은 '剪子口儿'라고 함).
〔圆括号〕 yuánkuòhào 명 소괄호(( )). =〔圆括弧〕〔小xiáo括号〕
〔圆辣椒〕 yuánlàjiāo 명《植》피망. =〔柿shì(子)椒〕
〔圆理〕 yuán.lǐ 동 도리에 맞지 않는 것을 둘러대다.
〔圆利针〕 yuánlìzhēn 명 ⇨〔员利针〕
〔圆脸〕 yuán.liǎn 동 체면을 세우다. ¶给他圆个脸吧! 그의 체면 좀 세워 주시오!

〔圆脸儿〕 yuánliǎnr 명 둥근 얼굴. =〔圆合脸〕
〔圆领子〕 yuánlǐngzi 명 둥근 옷깃.
〔圆溜溜(的)〕 yuánliūliū(de) 형 (눈이) 부리부리한 모양. 둥글둥글한 모양.
〔圆笼〕 yuánlóng 명 원형(圆形)의 요리 배달통. 멜대로 메는 시루 모양의 큰 그릇.
〔圆颅方趾〕 yuán lú fāng zhǐ 〈成〉 둥근 얼굴에 네모난 발《인류. 인간》. =〔圆头方足〕
〔圆螺纹〕 yuánluówén 명 《機》 전구(電球)나 소켓 속에 나 있는 나사《나삿니가 둥금》.
〔圆满〕 yuánmǎn 형 원만하다. 완전하다. 납득이 되다. ¶～的理由; 납득할 만한 이유 / ～的答案; 나무랄데 없는 답안 / ～的结果; 만족할 만한 결과 / ～结束; 순조롭게 끝나다 / ～完成任务; 원만히 임무를 완성하다.
〔圆美梦〕 yuán měimèng 꿈을 이루다.
〔圆梦〕 yuán.mèng 동 해몽하다. (yuánmèng) 명 해몽.
〔圆木〕 yuánmù 명 통나무.
〔圆盘耙〕 yuánpánbà 명 《農》 원반식 써레.
〔圆盘锯〕 yuánpánjù 명 《機》 둥근 톱. =〔圆锯〕
〔圆圈〕 yuánquān 형 원만하게 수습되어 있다. 파탄이 없다. ¶撒谎撒得真～; 거짓말을 참 잘하다.
〔圆圈(儿)〕 yuánquān(r) 명 ①권점(圈點). ¶语词用得熨贴的地方画了几个～; 말의 용법이 딱 들어맞는 곳 몇 군데에 동그라미를 쳤다. ②동그라미. ¶转了个～儿; 원을 그리면서 한 바퀴 돌았다 / 围成一个～; 빙 둘러 에워싸다.
〔圆全〕 yuánquan 형 〈方〉 주의가 두루 미치다. 완전하다. 더할 나위 없다. 원만하다. ¶想得～; 사려가 빈틈없이 미쳐 있다 / 事情办得～; 일 처리가 더할 나위 없다. →〔周全〕
〔圆缺〕 yuánquē 명 〈文〉 ①달이 차는 것과 이지러지는 것. ②일의 성공과 실패.
〔圆润〕 yuánrùn 형 ①꽉 차고 윤기 있다. 충만하고 윤택하다. ¶面庞páng～; 얼굴이 동글고 윤이 흐르다 / ～的歌喉; 꽉 차고 매끄러운 목청〔노랫소리〕. ②(서법이나 화법(畫法)이) 원숙하고 매끄럽다.
〔圆上〕 yuánshàng 동 결점을 감추다. 얼버무리다. ¶～脸; 체면을 위해 겉을 꾸미다.
〔圆烧瓶〕 yuánshāopíng 명 플라스크(flask).
〔圆实〕 yuánshi 형 ①토실토실하고 둥글다. 포동포동하다. ¶～的脸盘; 둥글고 토실토실한 얼굴. ②둥글고 충실하다〔알차다〕.
〔圆熟〕 yuánshú 형 원숙하다.
〔圆水虫〕 yuánshuǐchóng 명 《蟲》 둥근 물벌레.
〔圆台〕 yuántái 명 《數》 〈簡〉 원추대〔원뿔대〕의 약칭.
〔圆套规〕 yuántàoguī 명 《機》 링 게이지(ring guage). =〔环规〕
〔圆条〕 yuántiáo 명 환강(丸鋼). 원형 봉강(棒鋼).
〔圆跳虫〕 yuántiàochóng 명 《蟲》 알톡토기《농작물에 피해를 입히는 해충의 일종》.
〔圆铁条〕 yuántiětiáo 명 《機》 원형강. 환강(丸鋼).
〔圆通〕 yuántōng 형 (성격이) 원만하다. 융통성이 있다.
〔圆筒〕 yuántǒng 명 《機》 실린더(cylinder).
〔圆筒轴〕 yuántǒngzhóu 명 《機》 드럼 샤프트. 원통축.
〔圆筒状滤纸〕 yuántǒngzhuàng lǜzhǐ 명 원통여과지.
〔圆头方足〕 yuán tóu fāng zú 〈成〉 ⇨〔圆颅方趾〕
〔圆头钳〕 yuántouqián 명 《機》 끝이 가늘고 뾰족한 펜찌. 방울 집게.
〔圆屋顶〕 yuánwūdǐng 명 《建》 돔(dome).
〔圆舞曲〕 yuánwǔqǔ 명 《樂》 〈義〉 왈츠. 원무곡. =〔〈音〉 华huá尔兹〕
〔圆心〕 yuánxīn 명 ①《數》 원심《원의 중심점》. ②좋은 목재. ③《佛》 '圆寂'를 구하는 마음.
〔圆心角〕 yuánxīnjiǎo 명 《數》 원심각《원심을 삼각형의 꼭지점으로 하고 두 개의 반지름을 변으로 한 것》.
〔圆眼〕 yuányǎn 명 《植》 용안. =〔龙眼(肉)〕
〔圆椅〕 yuányǐ 명 둥근 의자.
〔圆圆〕 yuányuán 명 《植》 용안. =〔龙lóng眼〕
〔圆月〕 yuányuè 명 ①중추절에 가족이 단란하게 지냄. ②중추절 밤에 가족이 모여 베푸는 달맞이 연회. ③보름달.
〔圆凿方枘〕 yuán záo fāng ruì 〈成〉 ⇨〔方枘圆凿〕
〔圆周〕 yuánzhōu 명 《數》 원둘레. 원주. ¶～率lǜ; 《數》 원주율. π. 파이 / ～角; 원주각.
〔圆珠笔〕 yuánzhūbǐ 명 볼펜. =〔原子笔〕
〔圆柱〕 yuánzhù 명 《數》 원기둥. 원주.
〔圆柱柄〕 yuánzhùbǐng 명 ⇨〔直zhí柄〕
〔圆柱平面铣刀〕 yuánzhù píngmiàn xǐdāo 명 《機》 플레이노 밀링머신(planomilling machine). =〔平面铣刀〕
〔圆柱体〕 yuánzhùtǐ 명 《機》 원주체. 원통.
〔圆柱(形)齿轮〕 yuánzhù(xíng) chǐlún 명 ⇨〔正zhèng齿轮〕
〔圆柱形规〕 yuánzhùxíngguī 명 《工》 실린드리컬 게이지(cylindrical guage). 원통 게이지.
〔圆转〕 yuánzhuǎn 형 융통성이 있다. 원활하다. 원만하다.
〔圆锥〕 yuánzhuī 명 《數》 원뿔. 원추. ¶～体tǐ; 원뿔체. 원추체.
〔圆锥花序〕 yuánzhuī huāxù 명 《植》 원추 화서. →〔花序〕
〔圆锥台〕 yuánzhuītái 명 《數》 원뿔대. 원추대. =〔圆台〕
〔圆锥(形)齿轮〕 yuánzhuī(xíng) chǐlún 명 ⇨〔伞sǎn齿轮〕
〔圆桌〕 yuánzhuō 명 원탁. 둥근 테이블.
〔圆桌会议〕 yuánzhuō huìyì 명 원탁 회의.
〔圆桌面(儿)〕 yuánzhuōmiàn(r) 명 네모난 테이블 위에 얹어 놓은 연회용의 원형의 판. =〔团tuán桌面〕
〔圆子〕 yuánzi 명 ①단자(團子)《팥이 든 찹쌀떡》. ②〈方〉 (어육 등의) 환자. =〔丸子〕
〔圆作〕 yuánzuō 명 ⇨〔桶tǒng匠〕

身 **yuán** (견)
→〔身毒〕 ⇒ shēn

〔身毒〕 Yuándú 명 《地》 옛날, 인도를 일컫던 말. =〔申毒〕

苑 **Yuán** (원)
명 《地》 베이징(北京) 교외의 땅 이름. ¶南～; 남원 / 西～; 서원. ⇒yuàn

垣 **yuán** (원)
명 〈文〉 ①울타리. 담. ¶断瓦颓～; 깨진 기와 허물어진 토담《사는 사람도 없고 황폐함》 / 隔～有耳; 〈成〉 벽에도 귀가 있다. ②성벽. ③성벽으로 둘러싸인 땅. 도시. ④성(姓)의 하나.

〔垣堵〕 yuándǔ 명 둘러친 낮은 담.
〔垣街〕 Yuánjiē 명 ⇨〔华Huá尔街〕
〔垣墙〕 yuánqiáng 명 담. 낮은 울타리〔담〕.
〔垣衣〕 yuányī 명 〈文〉 담 위에 난 이끼.

洹 **yuán** (원)
'洹Huán'의 우음(又音).

爰 **yuán** (원)
〈文〉 ① 접 그래서. 그리하여. ¶～书其事以告; 그래서 사건을 기록하여 알린다 / 出游既归, ～记其概; 여행에서 돌아왔으므로 이에 그 개략을 적는다. →〔于是〕 ② 형 완만한. 느슨한. ③ 동 바꾸다. ¶～居; 이사하다. ④ 대 어디. =〔何处〕〔哪里〕 ⑤ 명 성(姓)의 하나.

湲 **yuán** (원, 완)
물 흐르는 모양. 또, 그 소리.

援 **yuán** (원)
동 ①전례대로 하다. 인용하다. ¶～例办理; 전례대로 처리하다 / ～引古书为证; 고서를 인용하여 증거로 삼다 / 有例可～; 〈成〉 근거로 할 전례가 있다. ②돕다. 원조하다. ¶救～; 구원하다 / 支～; 지원하다 / 孤立无～; 〈成〉 고립무원 / 英法接受美～; 영불(英佛)은 미국의 원조를 받아들였다. ③손에 쥐다. ¶攀～; 무엇을 잡고 오르다 / ～笔疾书; 붓을 집어 들고 거침없이 쓰다.
〔援笔〕 yuánbǐ 동 〈文〉 붓을 잡다. 글씨를 쓰다.
〔援兵〕 yuánbīng 명 원병. 원군(援軍).
〔援队〕 yuánduì 명 《軍》 응원대. 예비대. →〔拉lā拉队〕
〔援救〕 yuánjiù 동 구원하다. 응원하다.
〔援军〕 yuánjūn 명 원군.
〔援例〕 yuánlì 동 ①전례〔관례〕에 따르다. ¶～申请; 전례대로 신청하다 / ～免费; 전례에 따라 비용을 면제하다. ②예로써 인용하다. 예를 들다.
〔援手〕 yuánshǒu 동 〈文〉 구원의 손길을 뻗다. 구조하다. ¶友人遇难, 怎么坐视不加～; 친구가 어려움을 당했는데, 어찌 좌시하고 원조의 손길을 뻗치지 않을 수 있겠는가.
〔援外〕 yuánwài 명동 대외 원조(하다). ¶众议院对～法案的讨论, 是在15日开始的; 하원의 대외 원조법안에 대한 토론은 15일부터 시작되었다.
〔援引〕 yuányǐn 동 〈方〉 ①인용하다. 인증(引證)하다. ¶～条文; 조문을 인용하다 / ～例证; 인용하여 예증하다. ②(자기와 관계 있는 사람을) 끌어들이다. (자기의 연고자를) 추천·임용하다. ¶～自己的亲戚当秘书; 자신의 친척을 비서로 연고 채용하다.
〔援用〕 yuányòng 동 원용하다. 인용하다. ¶～成例; 관례를 인용하다.
〔援照〕 yuánzhào 동 〈文〉 전례를 따르다. 원용하다. ¶～前例办理; 전례를 원용하여 그대로 처리하다.
〔援助〕 yuánzhù 명동 원조(하다). ¶经济～; 경제 원조 / ～受难者; 재난을 당한 사람을 원조하다.

媛 **yuán** (원)
→〔婵chán媛〕 ⇒yuàn

原 **yuán** (원)
① 명 〈文〉 근본. 근원. ¶推本考～; 본원(本源)을 추구하다. ② 명 평원. 들판. ¶平～; 평원 / 草～; 초원. ③ 명형 원래(의). 본래(의). ¶这话～不错; 이 이야기는 본래 맞는 것이다 / ～不该做; 원래 하지 말았어야 했다 / ～作者; 원작자 / ～(任)首相; 전직 수상 / ～有三十人, 本年发展到五百人; 본래는 30명이었지만, 금년은 500명으로 발전했다. ④ 형 최초의. 처음의. 시초의. ¶中国～人 =〔中国猿人〕; 베이징(北京) 원인 / ～生动物; 원생 동물. ⑤ 형 본디대로의. 가공(加工)하지 않은. ⑥ 동 〈文〉 근원을 캐다. 추구하다. 규명하다. ¶推～其致误之由; 착오가 생긴 원인을 규명하다. ⑦ 동 양해〔용서〕하다. 허락하다. ¶情有可～; 정상 참작의 여지가 있다. ⑧ 명 성(姓)의 하나.
〔原案〕 yuán'àn 명 원안. 아직 회의에 올리지 않은 의안.
〔原板〕 yuánbǎn 명 ①⇨〔原版〕 ②《樂》 중국 전통극이나 음악의 박자. →〔板眼①〕
〔原版〕 yuánbǎn 명 원판. ①인쇄용의 활자를 조판한 것. ②원래의 판. ¶～书; 원판으로 인쇄한 책. ‖ =〔原板①〕
〔原被两造〕 yuán bèi liǎngzào 명 《法》 원고와 피고.
〔原本〕 yuánběn 명 ①원본. 저본(底本). ↔〔传抄本〕 ②초판본(初版本). ↔〔重刻本〕 ③(번역의) 대본(臺本). 원서. ④(서류 등의) 원본. ↔〔副本〕 ⑤(사물의) 근원. 유래. 기원. 형 있는 그대로의. ¶～原样的事实; 적나라한 사실. 상세한 사실 / 原原本本的事实; 있는 그대로의 사실. 동 유래를 캐다. 근원을 찾다. 명부 본래. 원래. ¶他～是干庄稼活的; 그는 본래 농사를 짓던 사람이다. =〔原来〕
〔原璧归赵〕 yuán bì guī Zhào 〈成〉 빌려 온 물건을 원래의 모양대로 되돌려 주다. =〔完璧归赵〕
〔原材料〕 yuáncáiliào 명 원재료. 원료와 재료.
〔原蚕〕 yuáncán 명 하잠(夏蠶). 여름 누에《그 해의 두 번째 누에》.
〔原虫〕 yuánchóng 명 ⇨〔病bìng原虫〕
〔原处(儿)〕 yuánchù(r) 명 원래의 장소. ¶归回～; 원래의 장소로〔출발점으로〕 돌아가다.
〔原单〕 yuándān 명 원래의 문서〔서류〕.
〔原导体〕 yuándǎotǐ 명 《機》 발전기의 축전용(蓄電用) 금속 막대.
〔原底(儿)〕 yuándǐ(r) 명 ①근본이 되는 것. 기초. (일의) 토대. 뿌리. ②원판(原版).
〔原底子〕 yuándǐzi 명 원고. 초고(草稿).
〔原地〕 yuándì 명 ①본래의 자리. ②그 자리. 제자리. ¶～休息; 그 자리에서 휴식(하다) / ～踏步; 그 자리에 머물러 있다. 답보 상태이다.
〔原地踏步走〕 yuándì tàbùzǒu 제자리 걸어!《체조 구령》.
〔原地投篮〕 yuándì tóulán 명 《體》 (농구에서) 세트 슛《점프나 러닝을 하지 않고 그 자리에서 행하는 슛》.
〔原点〕 yuándiǎn 명 ①원점. 기원의 지점. 기점(基點). ②《機》 오리진(origin). ¶着力～; 힘의 원점. ③《數》 원점. ¶坐标～; 좌표 원점 / 向量～; 벡터 원점.
〔原动力〕 yuándònglì 명 ①《物》 기계를 운전시키는 근원의 힘. ②사물의 활동을 일으키게 하는 근본의 힘. ‖ =〔主动力〕
〔原鹅〕 yuán'é 명 《鳥》 개리. =〔鸿雁〕
〔原犯〕 yuánfàn 명 《法》 전과(前科).
〔原封(儿)〕 yuánfēng(r) 명 ①개봉하지 않은 것《널리 원래의 모양을 유지하고 변경하지 않은 것을 가리킴》. ②불순물이 없는 소주. 불순물이 없

는 보존주(保存酒). =〔原封烧酒〕
〔原封不动〕 yuán fēng bù dòng 〈成〉 개봉하지 않은. 손대지 않은. 원래 대로. 그냥 그대로. ¶不能～地照搬过去的经验; 과거의 경험을 그냥 그대로 받아들여서는 안 된다.
〔原稿(儿)〕 yuángǎo(r) 명 원고. 초고.
〔原稿纸〕 yuángǎozhǐ 명 원고 용지. =〔稿纸〕
〔原告(儿)〕 yuángào(r) 명 《法》 원고. =〔原告人〕〔原造〕
〔原鸽〕 yuángē 명 《鳥》 양비둘기. =〔野鸽(子)〕
〔原根儿〕 yuángēnr 명 시초. 본래.
〔原故〕 yuángù 명 ⇨〔缘故〕
〔原话〕 yuánhuà 명 원문. 본래 이야기〔말〕.
〔原籍〕 yuánjí 명 원적. ¶～浙江, 寄籍北京; 원적은 저장이고, 전적은 베이징이다.
〔原价〕 yuánjià 명 《經》 ①원가. ②매입 가격. ③원래의 정가(定價).
〔原件〕 yuánjiàn 명 진품(眞品). 원작. 오리지널. ¶这些艺术品的～大都在博物馆里; 이 예술품들의 원(原)작품〔진품〕은 대부분 박물관에 있다.
〔原旧(儿)〕 yuánjiù(r) 〈方〉 명부 원래. 본래. =〔原来〕〔原本〕 부 여전히 그대로. 원래대로. =〔仍réng旧〕
〔原来〕 yuánlái 명부 원래. 본디. 최초. ¶～如此; ⓐ본래가 이렇다. ⓑ알고 보니 그런 것이었군요 / 他还住在～的地方; 그는 아직 원래 살던 곳에 살고 있다. =〔原本〕〔原旧(儿)〕〔元来〕 부 알고 보니《불명(不明)한 일이 갑자기 밝혀지거나 진실·사실을 발견했음을 나타냄》. ¶我以为是谁, ～是你呀! 누군가 했더니, 바로 자네였군! / 怪不得他这么高兴, ～生了儿子了; 어쩐지 그가 유쾌해 보인다 했더니 과연 사내아이가 태어났군요.
〔原来档儿〕 yuánláidàngr 명 (수리하지 않은) 원래 그대로의 물건. ¶这件大衣是～的东西, 保管结实; 이 외투는 원래대로의 물건이니까, 튼튼할 것은 틀림없다.
〔原理〕 yuánlǐ 명 원리. ¶基本～; 기본 원리.
〔原粮〕 yuánliáng 명 ①벼. ②가공하지 않은 곡물〔식량〕. 탈곡하지 않은 곡식. =〔带壳粮〕
〔原谅〕 yuánliàng 동 ①양해하다. 용서하다. ¶请您～我; 제발 용서하여 주십시오. ②용인하다. 注 때로 분리형을 쓰기도 함. ¶请原个谅吧! 부디 양해해 주십시오! / ～他们的缺点; 그들의 결점을 용인하다.
〔原料〕 yuánliào 명 ①원료. ②소재(素材).
〔原路〕 yuánlù 명 원래의 길. ¶还是由～回去; 역시 원래 왔던 길로 되돌아가다.
〔原煤〕 yuánméi 명 《鑛》 원탄(原炭). =〔元煤〕
〔原镁石〕 yuánměishí 명 《鑛》 마그네시아(magnesia).
〔原梦〕 yuánmèng 명동 ⇨〔详xiáng梦〕
〔原棉〕 yuánmián 명 《紡》 원면.
〔原庙〕 yuánmiào 명 원묘《정묘(正廟) 외에, 다시 지은 또 하나의 사당》.
〔原名〕 yuánmíng 명 본디 이름. 원명. 본명.
〔原木〕 yuánmù 명 원목. 통나무.
〔原盘日月〕 yuánpán rìyuè 이전의 생활. 이제까지의 생활. ¶孩子能守着～就好; 아이가 이제까지의 생활을 그대로 해 나갈 수 있으면 된다.
〔原配〕 yuánpèi 명 ①⇨〔元配〕 ②(기구(器具)에) 본래 부속된 부품. =〔原装〕
〔原起〕 yuánqǐ 명부 ⇨〔原先〕
〔原器〕 yuánqì 명 ⇨〔测cè规〕
〔原情〕 yuánqíng 명 본래의 사정.
〔原泉〕 yuánquán 명 〈文〉 원천. 물의 근원.
〔原人〕 yuánrén 명 ①원래의 본인. ②원인(猿人). =〔猿人〕
〔原任〕 yuánrèn 명 원임. 전임. ¶～首相; 전 수상.
〔原色〕 yuánsè 명 《色》 원색. =〔基jī色〕
〔原色布〕 yuánsèbù 명 《紡》 무늬없는 무명천.
〔原审〕 yuánshěn 명 《法》 원심. 제 1심.
〔原生〕 yuánshēng 명형 원생(의). ¶～动物; 원생 동물. 프로토조아(Protozoa) / ～质; 원형질. 프로토플라즘(protoplasm).
〔原始〕 yuánshǐ ① 명형 최초(의). 오리지날(의). ¶究其～, 始知情有可原; 그 기원을 구명해 보고 비로소 동정해야 할 사정이 있음을 알았다 / 讲话的～记录稿; 강연의 본래의 필기 원고 / 报销用的～凭证; 청산용의 본래의 증거. ② 명형 원시(의). 최고(最古)(의). 미개발(의). 미개화(의). ¶～生活; 원시 생활 / ～时代; 원시 시대. ③(yuán shǐ) 〈文〉 시초를 찾다.
〔原始公社〕 yuánshǐ gōngshè 명 《經》 원시 공동체. ¶～制度是阶级社会以前的社会制度; 원시 공동체 제도는 계급 사회 이전의 사회 제도이다.
〔原始积累〕 yuánshǐ jīlěi 명 《經》 원시적 축적.
〔原始群〕 yuánshǐqún 명 원시 사회 초기의 원시적 집단.
〔原始森林〕 yuánshǐ sēnlín 명 원시림. =〔原始林〕〔原生林〕
〔原始社会〕 yuánshǐ shèhuì 명 《史》 원시 사회. 원시 공산제(共産制).
〔原诉〕 yuánsù 명 《法》 원고의 소송.
〔原索动物〕 yuánsuǒ dòngwù 명 《動》 원색 동물.
〔原汤〕 yuántāng 명 ①중국 요리에서, 재료(주로 닭이나 돼지)를 충분히 삶은 후에 남은 진한 국물. ②삶은 후에 남은 물.
〔原田〕 yuántián 명 〈方〉 고원의 논밭.
〔原铁体〕 yuántiětǐ 명 《工》 페라이드(ferrite). =〔铁素体〕
〔原土打原墙〕 yuántǔ dǎ yuánqiáng 원래 있던 흙으로 본래대로 벽을 만들다. 〈比〉 원래 있는 재료로 물건을 만들다. ¶咱们这宗事, 要～地把它办起来, 不能再添一个钱; 우리 이 일은 본래 있는것 가지고 해야지, 한 푼도 더 보탤 수는 없다.
〔原委〕 yuánwěi 명 자세한 내용. 경위(經緯). 자초지종. ¶～未详; 경위는 미상이다 / 应该向群众说明这件事的～; 대중에게 이 일의 전말을 설명해야 합니다. =〔源委〕
〔原文〕 yuánwén 명 ①번역의 원문. ¶这段译文和～的意思有出入; 이 일단의 역문은 원문의 뜻과 차이가 있다. ②인용한 원문. ¶需要注明所引～的出处; 인용된 원문의 출전을 밝힐 필요가 있다.
〔原物〕 yuánwù 명 ①(～儿) 원물. 본디의 것. ¶～不动; 원래의 것을 그대로 두고 손을 대지 않다. ②《法》 원물(元物).
〔原先〕 yuánxiān 명부 이전. 원래. 본래. ¶他～是个文盲, 现在已经成了业余作家; 그는 전에는 문맹이었지만, 지금은 이미 아마추어 작가가 됐다 / 照～的计划做; 본래의 계획대로 하다 / ～是这样, 现在还是这样; 이전에 그랬는데 지금도 역시 그렇다. =〔原起〕〔从前〕〔起初〕
〔原信〕 yuánxìn 명 본래의 편지.
〔原形〕 yuánxíng 명 원형. 〈轉〉〈貶〉 정체. 본색. ¶现出了～; 정체를 드러냈다.
〔原形毕露〕 yuán xíng bì lù 〈成〉 거짓의 가면이 모두 벗겨지다. 정체가 드러나다.

〔原型〕 yuánxíng 명 ①원형. 본디의 형. 원래의 모형. ②(문학 작품의) 모델.

〔原盐〕 yuányán 명《化》원염. 정제하지 않은 소금. 공업염.

〔原样〕 yuányàng 명 원래의 견본. 원래의 양식. 본디의 모양. ¶别的国家的经验都是不应该～照抄的; 다른 나라의 경험은 모두 원래의 양식 그대로를 본받을 것이 못된다.

〔原野〕 yuányě 명 원야. 평야.

〔原业主〕 yuányèzhǔ 명《法》질권자(質權者). 저당권자.

〔原意〕 yuányì 명 본디의 뜻. 처음의 생각. 본래의 의도. 본심.

〔原因〕 yuányīn 명 원인. =〔〈文〉元因〕〔起因〕

〔原音收音机〕 yuányīn shōuyīnjī 명《電》하이파이 라디오(Hi Fi radio).

〔原由〕 yuányóu 명 원인. 이유. =〔缘由〕

〔原油〕 yuányóu 명《鑛》원유.

〔原有〕 yuányǒu 형 재래의. 고유의. 전부터 있는. ¶先尽着用～的材料吧; 우선 되도록 전부터 있는 재료를 써라.

〔原宥〕 yuányòu 동〈文〉양해하고 용서하다. ¶敬祈～, 无任感荷; 〈翰〉양해하고 용서해 주신다면 더없이 감사하겠습니다.

〔原原本本〕 yuányuanběnběn ⇨〔元元本本〕

〔原赃〕 yuánzāng 명 도품(盜品). 장물(臟物).

〔原早〕 yuánzǎo 부 벌써부터. 본래부터. ¶我是～知道的; 나는 처음부터 알고 있었다.

〔原造〕 yuánzào 명《法》원고. =〔原告(儿)〕〔原告人〕↔〔被bèi造〕

〔原则〕 yuánzé 명 원칙. ¶～问题; 원칙적인 문제 / ～分歧; 원칙적인 차이 / 按～办事; 원칙대로 하다 / 坚持～; 원칙을 지키다 / 放弃～; 원칙을 포기하다. 원칙을 깨다.

〔原则性〕 yuánzéxìng 명 원칙성. ¶～强的人; 엄격하게 원칙을 지키는 사람.

〔原址〕 yuánzhǐ 명 (이사하기 전의) 주소. 원주소.

〔原纸〕 yuánzhǐ 명 등사용 원지.

〔原主(儿)〕 yuánzhǔ(r) 명 원주인. 이전의 소유주. ¶物归～; 물건이 원소유자에게 돌아가다 / 将失物交还～; 유실물을 본디 소유자에게 되돌려주다.

〔原著〕 yuánzhù 명 원저. 원작.

〔原装〕 yuánzhuāng 명 ⇨〔原配②〕

〔原状〕 yuánzhuàng 명 원상. 본디의 상태. ¶恢复～; 원상을 회복하다.

〔原子〕 yuánzǐ 명《物》원자. ¶～钟; 원자 시계 / ～能; 원자력 / ～能发电站; 원자력 발전소 / ～序(数); 원자 번호 / ～反应堆 =〔～堆〕; 원자로 / ～火箭; 원자 로켓 / ～弹 =〔～炸弹〕; 원자탄 / ～核; 원자핵 / ～尘; (핵폭발로 인한) 방사성 강하물(降下物). 방사능진.

〔原子笔〕 yuánzǐbǐ 명 볼펜. =〔圆珠笔〕

〔原子价〕 yuánzǐjià 명《化》원자가. =〔化huà合价〕

〔原子粒收音机〕 yuánzǐlì shōuyīnjī 명 트랜지스터 라디오. =〔半bàn导体收音机〕

〔原子潜水艇〕 yuánzǐ qiánshuǐtǐng 명《軍》원자력 잠수함.

〔原子武器〕 yuánzǐ wǔqì 명《軍》원자 무기. 핵무기. =〔核子武器〕

〔原作〕 yuánzuò 명 ①번역·개작의 원작. ②창화(唱化)하는 시문의 최초의 편(篇).

源 **yuán** (원)
①명 수원(水源). 물의 근원. ¶泉～; 샘의 근원 / 河～; 강의 근원. ②명 (사물의) 근원. 원천. 출처. ¶来～; ⓐ수원(水源). ⓑ기원(起源) / 新闻的来～; 보도의 출처. 뉴스 소스 / 货～; 물건의 공급원〔공급지〕. 원산지. ③형 연하여 끊임이 없는 모양. ¶～～不绝 =〔～～不断〕; 〈成〉뒤를 이어 끊이지 않다. ④명 성(姓)의 하나.

〔源程序〕 yuánchéngxù 명《電算》(컴퓨터의) 리소스 프로그램(resource program). 원시(原始) 프로그램.

〔源流〕 yuánliú 명 원류. (사물의) 기원과 발전. ¶文学的～; 문학의 원류.

〔源泉〕 yuánquán 명 원천. 근원. ¶文艺创作的～在于生活; 문예 창작의 원천은 생활에 있다 / 知识是力量的～; 지식은 힘의 원천이다.

〔源头〕 yuántóu 명 수원지(水源地). 원천. ¶江河～; 하천의 수원 / ～活水; 〈成〉발전의 동력과 원천 / 民歌是文学的一个～; 민요는 문학의 한 원천이다.

〔源委〕 yuánwěi 명 ⇨〔原委〕

〔源语言〕 yuányǔyán 명《電算》(컴퓨터의) 원시(原始) 언어.

〔源源〕 yuányuán 형 계속하여 끊이지 않는 모양. ¶～不竭; 〈成〉언제까지나 끊이지 않다 / ～而来; 〈成〉연달아 오다. 꼬리를 물고 오다.

〔源源本本〕 yuányuán běnběn ⇨〔元元本本〕

〔源远流长〕 yuán yuǎn liú cháng 〈成〉근원은 멀고 흐름은 길다《역사·전통이 유구하다》. ¶中韓两国人民的友谊～; 한중 양 국민의 우의는 장구한 역사를 갖고 있다.

塬 **yuán** (원)
명 중국 서북 지방의 황토 고원 지구에서 빗물로 깎인 고원《주위는 지세가 험하고 꼭대기는 평탄함》.

嫄 **yuán** (원)
인명용 자(字). ¶姜Jiāng～; 주(周)나라의 시조인 '后稷'의 어머니《전설상의 인물》.

羱 **yuán** (완, 원)
명《動》아이벡스(ibex). 아르갈리(argali)《몽고·시베리아 남쪽·티베트 등지에 사는 면양(緬羊)의 원종》. =〔羱羊yáng〕〔北山羊〕〔原羊〕

螈 **yuán** (원)
→〔螈蚕〕〔蝾róng螈〕

〔螈蚕〕 yuáncán 명《蟲》여름 누에.

袁 **Yuán** (원)
명 성(姓)의 하나.

〔袁头〕 yuántóu 명 '中华民国' 초년에 '袁世凯'의 초상을 넣은 1원짜리 은화. =〔袁大头〕〔大头〕〔人儿头②〕〔人洋〕〔首银〕

猿〈猨, 蝯〉 **yuán** (원)
명《動》원숭이《좁은 뜻으로는 유인원(類人猿)》.

〔猿鹤虫沙〕 yuán hè chóng shā 〈成〉전사하다《주(周)나라 목왕(穆王)이 남정(南征) 했을 때, 장수는 원숭이와 학이 되고, 병사는 벌레와 모래가 되어 전멸해 버린 고사에서 온 말》. =〔虫沙〕

〔猿人〕 yuánrén 명 원인. ¶北京～; 베이징 원인. =〔原人②〕

辕(轅) yuán (원)
명 ①(～子) 수레의 채. ¶驾～; 수레채를 메다. =〔车辕子〕 ②군문(軍門). ¶～门; ⓐ군영(軍營)의 문. ⓑ관서(官署)의 바깥문. ⓒ〈轉〉군사·정치의 대관(大官)이 있는 관서. ③〈轉〉관서. ¶行～; 여행 중인 관리의 임시 관서. ④성(姓)의 하나.

〔辕马〕 yuánmǎ 명 수레의 채를 매어 끄는 말.

〔辕窝〕 yuánwō 명 (움푹 팬) 바퀴 자국. ¶垫～; 바퀴 자국을 메우다. 〈轉〉남을 위해 희생하다.

〔辕下驹〕 yuánxiàjū 〈比〉속박되어 마음대로 활동을 하지 못하고 머뭇거리는 모양〔처지〕.

缘(緣) yuán (연)
①명 이유. 까닭. 연고. ¶～故; ⇓/无～无故; 〈成〉아무 이유도 없다. ②동 (이유 등에) 기인하다. 의하다. ¶～何到此? 왜 여기까지 왔는가? ③동 (방법 등에) 의하다. 의거하다. ¶～耳而知声, ～目而知形; 귀로 소리를 알고, 눈으로 형체를 안다. ④명 연분. 인연. ¶有～相见; 인연이 있어 해우하다/他有人～儿 =〔他的人～儿好〕; 그는 인복이 있다/投～; 호감을 갖다. 뜻이 맞다. ⑤동 …를 따르다. …에 연(沿)하다. ¶～溪行; 계류를 따라서 가다. ⑥명 가. 가장자리. 가선. ¶外～; 가장자리/帽～ =〔帽沿儿〕; 모자의 테두리. ⑦동 기어오르다. ¶攀～; ⓐ기어오르다. ⓑ연고 정실(緣故情實)에 매달리다.

〔缘边〕 yuánbiān 명 가장자리. 테두리. =〔边缘〕

〔缘簿〕 yuánbù 명 《佛》 사원(寺院)에 시주를 권유하기 위한 희사금(喜捨金) 장부.

〔缘此〕 yuáncǐ 〈文〉이에 의해서. 이 때문에.

〔缘法(儿)〕 yuánfǎ(r)〔yuánfa(r)〕 명 ⇨〔缘分(儿)〕

〔缘分(儿)〕 yuánfèn(r) 명 연분. 인연. ¶也是前世的～; 이것도 전세의 인연이다/年纪大了, 跟睡觉没～了; 나이가 드니 잠과는 인연이 없어졌다. =〔缘法(儿)〕

〔缘故〕 yuángù 명 이유. 까닭. 원인. ¶怎么个～? 무슨 까닭인가?/里边有个～; 속에 무슨 까닭이 있다. =〔原故〕

〔缘何〕 yuánhé 〈文〉어째서. 어떤 이유로. 왜.

〔缘口〕 yuánkǒu 명 의복 끝에 단 장식.

〔缘木求鱼〕 yuán mù qiú yú 〈成〉연목구어. 나무에 올라가 물고기를 구하다《불가능한 일을 하려하다》.

〔缘起〕 yuánqǐ 명 ①일의 유래. 사물의 기인(起因). 이유. ¶据说, 农民协会的发起人发出的～, 说明将由集体力量改善生活, 并谋求解决土地问题; 농민 협회 발기인이 발표한 이유에 의하면, 집단의 힘으로 생활을 개선하고, 또한 토지 문제를 해결하기 위함이라는 것이다. ②머리말. 서언. 취지문. 발기문(發起文). ¶成立学会的～; 학회 설립의 취지서〔발기문〕. ③《佛》 연기론. 일체의 사물은 모두 인연에 의해서 생긴다는 이론.

〔缘悭一面〕 yuán qiān yī miàn 〈成〉전혀 인연이 없다. 일면식(一面識)의 인연도 없다. ¶仰慕多年, 结果～; 오랜 세월 우러러 경모(敬慕)하고 있었지만, 결국 한 번도 뵙지 못했다.

〔缘饰〕 yuánshì 동 ①겉을 꾸미고 수선하다. ②겉치레하다. 명 옷의 가장자리 장식.

〔缘由〕 yuányóu 명 연유. 유래. 원인. 이유. =〔原由〕〔来缘②〕

〔缘坐〕 yuánzuò 동 〈文〉연좌(連座)하다.

橼(櫞) yuán (연)
→〔枸jǔ橼〕

圜 yuán (원)
①명 천체. =〔圜则zé〕〔圜宰zǎi〕 ②형 둥글다. ¶～凿方枘ruì =〔圆凿方枘〕; 〈成〉둥근 구멍과 네모난 장부《서로 용납하지 않다》/～丘qiū; 고대, 천자가 하늘을 제사 지내던 원형의 제단《후세의 '天tiān坛'과 같음》. ③양 통화 단위《보통 '元④' 또는 '圆③'을 씀》. ⇒huán

〔圜丘〕 yuánqiū 명 옛날, 매년 천자(天子)가 동짓날에 하늘에 제지내던 단(壇). =〔天坛tiāntán〕

远(遠) yuǎn (원)
①형 (거리 또는 시간적으로) 멀다. ¶离得～; 멀리 떨어져 있다/～古; 먼 옛날/路～; 길이 멀다/住得～; 멀리서 살다/窎～; 아득히 멀다. 요원하다/永～; 영원하다. ↔〔近〕 ②형 (차이가) 크다. 심하다. 많다. ¶差得～; 차이가 심하다/～比那件事严重; 그 일보다 훨씬 중대하다/～不是极少数人的事; 결코 극소수 사람의 일 정도가 아니다. ③형 심원하다. 심오하다. ¶言近旨～; 말은 평범하나 내포된 뜻은 깊다. ④형 소원(疎遠)하다. (사이가) 멀다. 친밀하지 않다. ¶～朋友; 소원한 친구/他们俩人亲戚关系不算～; 그들 두 사람의 친척 관계는 먼 편은 아니다. ⑤〔〈舊〉yuàn〕 동 멀리하다. ¶敬而～之; 〈成〉경원하다/你～着他就是了; 네가 그를 멀리하면 그만이다. ⑥〈俗〉(앞에 형용사를 두어) '～了去'의 형식으로 정도가 심함을 나타냄. ¶这个质量比那个好～了去; 이 질은 저것보다 훨씬 좋다. ⑦명 성(姓)의 하나.

〔远别〕 yuǎnbié 동 멀리 헤어지다.

〔远播〕 yuǎnbō 동 멀리 전파되다.

〔远不及〕 yuǎn bù jí 훨씬 미치지 못하다.

〔远不如前〕 yuǎn bù rú qián 이전에 비하면 훨씬 못 미친다. 옛날과는 천양지차(天壤之差)이다.

〔远程〕 yuǎnchéng 형 원거리의. 장거리의. ¶～导弹; 장거리 미사일/～轰炸机; 장거리 폭격기/～弹道火箭; 《軍》 장거리 탄도 로켓/～运输; 원거리 수송.

〔远处〕 yuǎnchù 명 먼 곳. ¶近处也有, 不必到～去买; 가까운 곳에도 있으니 먼 곳으로 사러 갈 필요가 없다. =〔远方〕

〔远传〕 yuǎnchuán 명동 《體》 (축구·럭비 등의) 롱 패스(를 하다). =〔远递〕 ↔〔短传〕

〔远大〕 yuǎndà 형 원대하다. ¶眼光～; 식견이 원대하다/～的理想; 원대한 이상/～抱负; 원대한 포부.

〔远道〕 yuǎndào 명 원로. 먼 길. ¶～而来; 〈成〉멀리서 오다/～访问我国; 멀리서 우리나라를 방문하다.

〔远地〕 yuǎndì 명 먼 곳. 먼 데.

〔远递〕 yuǎndì 명동 ⇨〔远传〕

〔远东〕 Yuǎndōng 명 《地》 극동(極東).

〔远渡重洋〕 yuǎn dù chóng yáng 〈成〉멀리 외국으로 건너가다. =〔远涉重洋〕

〔远方〕 yuǎnfāng 명 원방. 먼 곳. ¶～的来客; 먼 곳에서 온 손님. =〔远处〕

〔远房〕 yuǎnfáng 명형 먼 친척(의). 먼 촌수(의). ¶～叔父; 먼 촌수의 아저씨.

〔远隔重洋〕 yuǎn gé chóng yáng 〈成〉대해(大海)를 사이에 두고 멀리 떨어지다.

〔远古〕 yuǎngǔ 명 먼 옛날. 태곳적. =〔太tài古〕

〔远怀〕 yuǎnhuái 동 〈文〉먼 데 있는 사람을 그

리워하다. ¶堪慰～; 〈翰〉 멀리 이곳에서 안심하시도록 부탁드립니다.
〔远见〕 yuǎnjiàn 명 예지. 선견. 원대한 식견. ¶～卓识; 〈成〉 멀리 보는 탁월한 식견. 선견지명(先見之明). =〔远识〕
〔远交近攻〕 yuǎn jiāo jìn gōng 〈成〉 원교근공(먼 나라와는 수교하고 가까운 나라에는 진공하여 차차 멀리 이르러 천하를 평정하는 정책).
〔远郊〕 yuǎnjiāo 명 원교. 먼 교외. =〔远郊区〕
〔远近(儿)〕 yuǎnjìn(r) 명 ①(거리의) 원근. ¶这两条路的～差不多; 이 두 길의 멀기는 거의 같다. ②(관계의) 친소(親疏).
〔远景〕 yuǎnjǐng 명 ①원경. 먼 경치. ②앞날의 상태. 장래의 전망. 장래. 미래. 전도. ¶和各国的～计划相适应的长期贸易协定; 각국의 장기 계획에 적응하는 장기 무역 협정 / 太空旅行的～; 우주여행의 미래도(未來圖) / 灿烂cànlàn的～; 빛나는 앞날. ③〖撮〗 롱 쇼트(long shot). ↔〔近jìn景②〕
〔远景储量〕 yuǎnjǐng chǔliàng 명 예상 매장량. ¶铁的～占世界第二位; 철의 (예상) 매장량은 세계 제2위를 차지했다.
〔远景规划〕 yuǎnjǐng guīhua 명 ⇨〔远景计划〕
〔远景计划〕 yuǎnjǐng jìhuà 명 장기 계획. ¶实行国民经济的年度计划和～; 국민 경제의 당면한 계획과 장기 계획을 실행하다. =〔长远规划〕〔远景规划〕
〔远距离操纵〕 yuǎnjùlí cāozòng 명 ⇨〔遥yáo控〕
〔远距离操纵设施〕 yuǎnjùlí cāozòng shèshī 명 ⇨〔遥yáo控设施〕
〔远客〕 yuǎnkè 명 원객. 먼 곳에서 온 손님.
〔远来的和尚会念经〕 yuǎnlái de héshang huì niàn jīng 〈諺〉 먼 데서 온 스님은 불경을 잘 읽는다(먼 데서 온 것이나 남의 것은 좋게 보인다. 남의 떡이 커 보인다).
〔远了去〕 yuǎnlequ 〈京〉 심하다. 훨씬 …하다. ¶他比我差得～了; 그는 나보다 훨씬 뒤진다.
〔远离〕 yuǎnlí 동 ①멀리 떨어지다. ②멀리하다.
〔远路〕 yuǎnlù 명 원로. 먼 길.
〔远虑〕 yuǎnlǜ 명 심려(深慮). 원려. ¶深谋～; 〈成〉 심모원려(멀리 내다보고 깊이 생각하다) / 人无～, 必有近忧; 〈諺〉 먼 장래의 일을 생각해 두지 않으면 반드시 눈앞에 뜻밖의 근심이 일어나게 된다.
〔远略〕 yuǎnlüè 〈文〉 명 원대한 계획〔계략〕. =〔远谋〕 동 멀리 떨어진 곳을 공략하다. 먼 곳에 공(功)을 세우다.
〔远门〕 yuǎnmén 동 (집에서) 멀리 나가다〔떠나다〕. ¶出～; 집에서 먼 데로 나가다. 명 먼 일가〔친척〕. ¶～近枝; 먼 친척과 가까운 친척.
〔远谋〕 yuǎnmóu 명 원모. 원대한 계획. =〔远略〕〔远图〕
〔远年〕 yuǎnnián 명 〈南方〉 옛날. 옛 시대.
〔远年花雕〕 yuǎnnián huādiāo 명 오래된 고급 소흥주(紹興酒).
〔远期〕 yuǎnqī 명 〖經〗 선물(先物)(거래). ¶～外汇; 선물환(換).
〔远亲〕 yuǎnqīn 명 먼 일가. 먼 친척. ¶～不如近邻; 〈諺〉 먼 친척보다 가까운 이웃이 낫다. 이웃사촌.
〔远去〕 yuǎnqù 동 멀어지다. ¶人影渐渐～; 사람 그림자가 점점 멀어지다.
〔远日点〕 yuǎnrìdiǎn 명 〖天〗 원일점(지구의 운행궤도가 태양에서 가장 먼 점).
〔远涉重洋〕 yuǎn shè chóng yáng 〈成〉 ⇨〔远渡重洋〕
〔远识〕 yuǎnshí 명 ⇨〔远见〕
〔远视(眼)〕 yuǎnshì(yǎn) 명 〖醫〗 원시(안).
〔远戍〕 yuǎnshù 동 〈文〉 ⇨〔征zhēng戍〕
〔远水不解近渴〕 yuǎnshuǐ bùjiě jìnkě 〈諺〉 멀리 있는 물은 당장의 갈증을 풀어 주지 못한다(급할 때 소용되지 않는 것은 별 가치가 없다).
〔远水不救近火〕 yuǎn shuǐ bù jiù jìn huǒ 〈成〉 멀리 있는 물은 가까운 불을 끌 수가 없다(멀리 있는 것은 급할 때 소용되지 않는다). =〔远水近火〕
〔远水近火〕 yuǎn shuǐ jìn huǒ 〈成〉 ⇨〔远水不救近火〕
〔远颂〕 yuǎnsòng 동 〈翰〉 멀리서 축하하다. 멀리 축의를 표하다. ¶～起居绥和; 기거의 평안하심을 멀리서 축하드립니다.
〔远孙〕 yuǎnsūn 명 〈文〉 후예. 원손. =〔系孙〕
〔远堂〕 yuǎntáng 명 동족〔동성(同姓)의 친족〕 가운데 (오복(五服)을 입지 않는) 먼 관계의 친척.
〔远图〕 yuǎntú 명 ⇨〔远谋〕
〔远味〕 yuǎnwèi 명 〈文〉 먼 곳에서 나는 진미(珍味).
〔远嫌〕 yuǎnxián 동 〈文〉 의심스러운 일을 피하다.
〔远限〕 yuǎnxiàn 명 오랜 기한.
〔远向〕 yuǎnxiang 형 ⇨〔久jiǔ远〕
〔远心力〕 yuǎnxīnlì 명 ⇨〔离lí心力〕
〔远行〕 yuǎnxíng 동 〈文〉 원행하다. 먼 곳으로 가다.
〔远洋〕 yuǎnyáng 명 원양. ¶～轮(船); 원양 선박.
〔远洋航行〕 yuǎnyáng hángxíng 명 원양 항해. ↔〔近jìn海航行〕
〔远扬〕 yuǎnyáng 동 ①멀리 전해져 퍼지다. ¶臭名～; 악명이 높다. ②〈文〉 먼 곳으로 도주하다. 줄행랑 놓다. ¶闻信～; 소문을 듣고 줄행랑을 놓았다.
〔远业〕 yuǎnyè 명 〈文〉 원대한 사업.
〔远一家儿〕 yuǎnyījiār 명 먼 일가. 먼 관계의 동족.
〔远裔〕 yuǎnyì 명 〈文〉 먼 자손.
〔远因〕 yuǎnyīn 명 원인. 먼 원인. 간접적 원인.
〔远游〕 yuǎnyóu 동 ①멀리 놀러 가다. ②유학하다.
〔远远儿(的)〕 yuǎnyuānr(de) 형 멀다. 아득하다. ¶～地看; 멀리 보다 / ～地听见; 멀리서 들리다.
〔远在天边, 近在眼前〕 yuǎn zài tiān biān, jìn zài yǎn qián 〈成〉 멀다면 하늘 저 편, 가깝다면 바로 눈앞. 엎드리면 코 닿을 데에 있다.
〔远战〕 yuǎnzhàn 명 〖軍〗 원거리전(遠距離戰).
〔远征〕 yuǎnzhēng 동 원정하다. ¶～军; 원정군.
〔远支(儿)〕 yuǎnzhī(r) 명 (동성(同姓)의) 먼 친척. 원친(遠親).
〔远志〕 yuǎnzhì 명 ①원대한 뜻. ②〖植〗 원지.
〔远走〕 yuǎnzǒu 동 ①멀리 나가다〔떠나다〕. ②원정(遠征)하다. ③멀리 도망가다. ¶～高飞; 〈成〉 ⓐ먼 데로 도망가다. ⓑ곤란한 환경에서 빠져나와 밝은 앞날을 찾다.
〔远足〕 yuǎnzú 명 원족. 소풍.
〔远族〕 yuǎnzú 명 원족. 혈족 관계가 먼 친척.
〔远祖〕 yuǎnzǔ 명 원조. 먼 조상. 고조〔조부의 조부〕 이상의 조상.

苑 **yuàn** (원)
명 ①〈文〉새·짐승을 기르고 나무를 심은 곳《흔히, 제왕의 어원(御苑)을 가리킴》. ¶御～; 어원. 금원(禁苑) / 鹿～; 녹원. 사슴 농장. ②〈文〉(학술·문예의) 중심지. ¶文～; 문단. ③성(姓)의 하나. ⇒Yuán

怨 **yuàn** (원)
①명 원한. 원수. ¶抱～; 원한을 품다 / 结jié～; 원한을 갖다〔사다〕. 원한이 맺히다 / 犯不上结这个～; 이런 원한을 살 까닭이 없다 / 以德报～; 〈成〉덕으로써 원한을 갚다. ②동 원망하다. 책망하다. ¶别～他, 这是我的错! 그를 책망하지 마라. 이것은 내 잘못이야! / 别～命不好; 운이 나쁘다고 탓하지 마라. ③동 불평을 품다. ¶各无～言; 아무도 불만을 말하지 않다.

〔怨不得〕 yuànbude ①원망〔책망〕할 수 없다. ¶这是我的错, ～他; 이것은 내 잘못이니, 그의 탓으로 돌릴 수 없다. ②마땅하다. 무리도 아니다. 당연하다. ¶～你没来, 原来你有事了! 네가 오지 않은 것도 무리가 아니다. 볼일이 있었으니까! =〔怪不得〕〔难怪〕→〔无怪乎〕

〔怨仇〕 yuànchóu 명 원구. 원한. 원수.

〔怨毒〕 yuàndú 〈文〉명 원한. 동 몹시 원망하다.

〔怨怼〕 yuànduì 동 〈文〉원망하다. 미워하다.

〔怨忿〕 yuànfèn 동 〈文〉원망하고 분노하다. =〔怨愤〕

〔怨府〕 yuànfǔ 명 〈文〉원망이 모이는 곳. 뭇 사람들의 원한의 대상.

〔怨鬼〕 yuànguǐ 명 원귀. 원통하게 죽은 사람의 혼.

〔怨恨〕 yuànhèn 동 원망하다. 미워하다. ¶他～自己把一个很好的机会错过了; 그는 자기 자신이 좋은 기회를 놓친 것을 원통하게 여기고 있다. =〔〈文〉怨望〕 명 원한. 원망. 미움. ¶怀着万分的～; 마음 속에 큰 원한을 품고 있다.

〔怨家〕 yuànjiā 명 원수.

〔怨结〕 yuànjié 명 〈文〉풀리지 않는 원한. 맺힌 원한.

〔怨命〕 yuànmìng 동 〈文〉운명을 원망하다.

〔怨女〕 yuànnǚ 명 〈文〉①원한을 품은 여자. ②고규(孤閨)를 한탄하는 여자. ③혼기를 놓친 여자. 노처녀.

〔怨偶〕 yuàn'ǒu 명 〈文〉①불행한 배우자. ②사이가 나쁜 부부.

〔怨气〕 yuànqì 명 노기. 분노. 원한. 미움. ¶～冲天; 노기가 충천하다.

〔怨亲〕 yuànqīn 명《佛》원망하는 것과 친근한 것. 미움과 사랑.

〔怨情〕 yuànqíng 명 〈文〉원정. 원망하는 마음.

〔怨入骨髓〕 yuàn rù gǔ suǐ 〈成〉원한이 골수에 사무치다. =〔恨hèn入骨髓〕

〔怨色〕 yuànsè 명 〈文〉원망스러운 안색.

〔怨声〕 yuànshēng 명 〈文〉원성. 불평의 목소리. ¶～载zài道; 〈成〉원성이 길에 가득하다《도처에 불평하는 목소리가 들리다》.

〔怨天尤人〕 yuàn tiān yóu rén 〈成〉하늘을 원망하고 사람을 책망하다《모든 것을 원망함. 자신은 반성하지 않고 남을 원망함》.

〔怨枉〕 yuànwǎng 동 미워서 억울한 죄를 뒤집어씌우다.

〔怨望〕 yuànwàng 동 〈文〉⇨〔怨恨〕

〔怨言〕 yuànyán 명 원망하는 말. 불평. ¶毫无～; 아무런 불평도 없다.

〔怨艾〕 yuànyì 동 〈文〉원망하다.

〔怨尤〕 yuànyóu 동 〈文〉원망하고 탓하다.

〔怨咨〕 yuànzī 동 〈文〉원망하며 탄식하다.

院 **yuàn** (원)
명 ①(～儿, ～子) 담이나 울짱으로 둘러싸인 빈터. 가옥에 둘러싸인 뜰. ¶空～; 안뜰의 빈터 / 场～; 곡물의 탈곡·건조장 / ～里种了许多花; 뜰에 꽃을 많이 심었다 / 前庭后～; 몸채 앞의 뜰과 뒤의 안뜰 / 杂～; 하나의 뜰을 둘러싼 가옥에 여러 세대가 살고 있는 곳 / 独～; 독채. →〔〈方〉天井〕 ②정부 기관이나 공공 장소의 명칭. ¶行政～; 내각 / 戏～; 극장 / 电影～; 영화관. ③학교의 학부. ¶文学～; 문학부. →〔系〕 ④전문 학교. 단과 대학. ¶工学～; 공과 전문 학교. ⑤옛날의 절의 일종. ⑥(금(金)·원(元)·명대(明代)) 기생 집. ¶行háng～; 기관(妓館).

〔院本〕 yuànběn 명 ①금(金)·원대(元代)의 '行院'(기생 집)에서 행한 잡극(雜劇)의 대본. ②명(明)·청대(淸代)에 단극(短劇)·잡극(雜劇)·전기(傳奇)를 이르던 말.

〔院公〕 yuàngōng 명 ⇨〔院子③〕

〔院画〕 yuànhuà 명 송(宋)의 선화(宣和) 연간에 조정의 화원(畫院)에서 그린 그림.

〔院君〕 yuànjūn 명 옛날, '命mìng妇'(봉호(封號)를 받은 부인)의 일컬음.

〔院考〕 yuànkǎo 명 옛날, 각 지방에서 '童生'을 모아 치르던 과거(科擧) 시험. =〔院试〕

〔院落〕 yuànluo 명 ⇨〔院子zi①〕

〔院墙〕 yuànqiáng 명 집 주위의 담장.

〔院士〕 yuànshì 명 (외국의) 과학원·아카데미(academy)의 회원.

〔院套〕 yuàntào 명 ⇨〔院子①〕

〔院校〕 yuànxiào 명〈簡〉'学院'(단과 대학·전문 학교)과 '大学'(대학교). ¶高等～; 단과 대학과 종합 대학.

〔院宇〕 yuànyǔ 명 〈文〉안뜰과 가옥.

〔院长〕 yuànzhǎng 명 ①병원의 원장. ②단과 대학 학장. 단과 고등 전문 학교 학장.

〔院子〕 yuànzi 명 ①뜰. 정원. =〔院落〕〔院套〕〔当院(儿)〕 ②극장의 단역(端役) 배우. ③소설에서, 상대방이나 남의 하인(下人)에 대한 경칭. =〔院公〕

垸 **yuàn** (완)
명 ①(～子) (후난(湖南)·후베이성(湖北省) 등지의 연안·호수나 늪지대의) 제방. ¶修～; 제방을 쌓다 / ～田; 〈方〉충적으로 생긴 물가의 양전(良田). =〔堤垸〕〔垸堤〕 ②울타리. 담.

衏 **yuàn** (원)
→〔衏háng衏〕

掾 **yuàn** (연)
명 〈文〉옛날 속관(屬官)의 통칭. ¶～属; 속관.

媛 **yuàn** (원)
명 〈文〉미녀(美女). ⇒yuán

瑗 **yuàn** (원)
①명 〈文〉옛날의 장신구의 하나로 가운데 구멍을 크게 낸 옥. ②인명용 자(字).

愿(願) A) **yuàn** (원)
A) ①동 원하다. 희망하다. 바라다. ¶甘心情～; 진정으로 원하다 / 自觉自～; 〈成〉스스로 깨달아 기꺼이 하려 하다. ②동 기원하다. ¶～早日实现真正和平; 참된 평화가 빨리 실현되기를 바라다. ③명 희망. 소원. 염원. 바람. ¶平生之～; 평생의 소원 / ～

望; 바람. 소원 / 心～; 염원. ④ 명 (신불께 비는) 기원. 소원. ¶许～; 소원 풀이를 신불에 기원하다 / 还～; 소원이 이루어져 감사의 참배를 하다. B) 형 〈文〉 성실하고 신중하다. ¶谨～; 신중하고 성의가 있다 / 诚～; 정직하다 / 乡xiāng～; 신중한 군자처럼 보이는 위선자. 속인의 인기를 모으고 있는 위선자.

〔愿打愿挨〕 yuàn dǎ yuàn ái 〈成〉 쌍방간에 납득이〔합의가〕 되다.

〔愿望〕 yuànwàng 명 원망. 소원. 희망. ¶我的～终于实现了; 나의 소원은 마침내 이루어졌다 / 主观～; 희망적인 관측.

〔愿闻〕 yuànwén 동 〈文〉 듣고 싶어하다.

〔愿心〕 yuànxīn 명 신불(神佛)에게 발원(發願)할 때 바치는 돈〔예물〕.

〔愿心(儿)〕 yuànxin(r) 명 바라는 일. 염원. 심원(心願). (신불(神佛)에 대한) 발원(發願). ¶许～; 발원하다. =〔心愿〕

〔愿意〕 yuànyì 조동 …하기를 바라다〔원하다〕. ¶我～给他帮忙; 나는 그를 돕고 싶다 / 他自己～去; 그는 자진해서 간다 / 问题在于你～不～学习; 문제는 네가 공부할 마음이 있는지 없는지이다 / 我不～理他; 상관하고 싶지 않다. 동 ①바라다. 희망하다. ¶他们～你留在这里; 그들은 네가 여기 머물기를 바란다. ②동의(同意)하다. ¶他对于这件事很～了; 그는 이 일에 대해 전적으로 동의했다.

〔愿与乐闻〕 yuàn yù lè wén 〈成〉 참여하기를 희망하고 듣기를 즐거워하다. 기꺼이 참여하다.

YUE ㄩㄝ

曰 **yuē** (왈)
동 〈文〉 ①말하다. 이르다. ¶其谁～不然? 도대체 누가 그렇지 않다고 말할 것인가? ②가로되 …라고 하다. ¶子～, 学而时习之, 不亦说yuè乎; 공자가 가로되, 배우고 때로 이를 익히면 이 또한 즐겁지 아니한가라고 했다. ③…이라고 부르다. …이라 말하다. ¶名之～农民学校; 이름하여 농민 학교라 부른다. ④…이다. ¶一～…, 二～…; 첫째는 …이고, 둘째는 …이다.

约(約) **yuē** (약)
① 동 약속하다. ¶～好了日期; 날짜를 미리 약속하다 / 跟他～好了; 그와 충분히 약속했다 / 不～而同; 약속한 것도 아닌데 (의견·행동이) 일치하다. ② 동 초대하다. 초청하다. 권유하다. ¶～他来; 그가 오도록 권유하다 / ～一个朋友看桃花去; 한 친구를 불러 복숭아꽃을 구경하러 가다 / ～他共同参加; 그에게 함께 참가하도록 권유하다. ③ 명 약속. 계약. 조약. 협정. ¶立～ =〔订～〕〔缔～〕; 조약·계약·협정 등을 맺다 / 和～; 평화 조약 / 有～在先; 〈成〉 선약이 있다 / 和平公～; 평화 헌장 / 条～; 조약 / 商～; 통상 조약 / 草～; 가(假)조약 / 践～; 약속을 이행하다. ④ 동 묶다. 제약〔구속〕하다. ¶～之以法; 법률로 매어〔묶어〕 놓다. ⑤ 동 줄이다. 간단히 하다. ¶节～; 절약하다 / 由博返～; 복잡한 것을 간단하게 하다. ⑥ 동 《數》 약분하다. ¶～去分母; 약분하여 분모를 없애다 / 5/10可以～成1/2; 5/10는 1/2로 약분할 수 있다. ⑦ 명 곤궁. 빈곤. ¶久处困～; 오랫동안 궁핍한 생활을 하다. ⑧ 부 대체로. 대략. 약. ¶～有三百人; 대략 3백 명이 있다. →〔大约〕〔约略lüè〕 ⑨ 형 〈文〉 분명하지 않다. 어렴풋하다. 희미하다. ¶依～可见; 희미하게 보이다. →〔隐yǐn约〕〔依yī约〕 ⇒yāo

〔约薄〕 yuēbó 동 조롱하다. 빈정거리다. ¶你别～了, 这是实话; 빈정거리지 마라. 이건 진짜야.

〔约单〕 yuēdān 명 약정서. 계약서. =〔约据〕〔约契〕〔约字〕

〔约旦〕 Yuēdàn 명 《地》 〈音〉 요르단(Jordan)《수도는 '安曼'(암만: Amman)》.

〔约迭〕 yuēdié 부 〈古白〉 약. 대략. ¶～五百余人; 대략 500명쯤.

〔约定〕 yuēdìng 명동 약정(하다). 약조(하다). 약속(하다). ¶～的时间; 약속한 시간 / 既然～了, 就别改了! 약속한 이상 변경하면 안 된다! / 搞了不可改的～; 굳은 약속을 했다. 변경할 수 없는 약속을 했다 / ～地点; 약속 장소.

〔约定俗成〕 yuē dìng sú chéng 〈成〉 관습 등이 점차 정해져서 널리 일반에게 인정받게 되다. ¶简化汉字工作本着～的精神, 尽量就原已流行的简字加以肯定, 只有少数字是新创的; 한자 간략화 작업은 관습이 공인된다는 정신에 입각하여 되도록 이미 쓰여져 온 간체자를 인정한 것이며, 소수의 글자만이 새로 만들어진 것이다.

〔约法〕 yuēfǎ 명 《法》 잠정(暫定) 헌법《예컨대 중국의 신해 혁명 후에 제정된 '中华民国临时～' 따위》. 동 〈文〉 법으로 규제하다.

〔约法三章〕 yuē fǎ sān zhāng 〈成〉 (한(漢)나라 고조(高祖)가 법규 3장을 약정 제정한 데서) 법률을 정하고 국민에게 준수를 약정하다《널리 간단한 사항을 정함을 이름》.

〔约分〕 yuē.fēn 《數》 동 약분하다. (yuēfēn) 명 약분.

〔约规〕 yuēguī 명 규약. 약정.

〔约翰〕 Yuēhàn 명 《人》 〈音〉 존(John)〔요한〕의 음역. ¶～逊xùn; 존슨(Johnson)의 음역.

〔约翰保罗二世〕 Yuēhànbǎoluó èrshì 명 〈音〉 요한 바오로 2세《로마 교황》.

〔约翰牛〕 Yuēhànniú 명 〈音義〉 존불(John Bull)《영국인에 대한 별명》. =〔约翰勃尔〕

〔约合〕 yuēhé 동 불러모으다. 규합(糾合)하다. ¶他～几个朋友组织了一个会; 그는 친구 몇 명을 불러모아 모임을 조직하였다.

〔约会〕 yuēhui 명 약속한 회합. 동 ①소집하다. 초청하다. ②만날 약속을 하다. ¶他们～过我, 我没去; 그들은 나와 만날 약속을 했으나, 나는 가지 않았다.

〔约会(儿)〕 yuēhui(r) 명 만날 약속. ¶订个～儿; 만날 약속을 하다 / 我今天有个～儿; 나는 오늘 데이트가 있다.

〔约集〕 yuējí 동 불러모으다. ¶～有关人员开个会; 관련 요원을 불러모아 회의를 열었다.

〔约计〕 yuējì 동 어림으로 계산하다. 개산(槪算)하다. ¶到底有多少人登记, 你～一下! 도대체 몇 명이나 신청했는지 대충 계산해 보아라! 명 ①어림셈. 개산. ②대략. 대충.

〔约价〕 yuējià 명 ①약정 가격. ②대략적인 값.

〔约据〕 yuējù 명 ⇨〔约单〕

〔约克夏猪〕 Yuēkèxià zhū 명 《動》 〈音〉 요크셔(Yorkshire)종 돼지.

〔约款〕 yuēkuǎn 명 약관. 약정서의 조항. =〔约条〕

〔约略〕 yuēlüè 부 대략. 개략. 대강.

〔约盟〕 yuēméng 명동 맹약(하다).
〔约莫〕 yuēmo 동 대체를 추측하다. 짐작하다. 추량하다. 명 대체. 대강. 약. ‖＝〔约摸〕
〔约摸〕 yuēmo 명동 ⇨〔约莫〕
〔约期〕 yuēqī 명 ①약속 기일〔날짜〕. ¶误了～; 약속 기일을 어겼다. ②계약의 기한. ¶～未满; 기한이 아직 차지 않았다. 동 기일을 약정하다. ¶～会谈; 날짜를 정해서 회담하다.
〔约齐〕 yuēqí 동 권하여 모이게 하다. 불러모으다. ¶人都～了; 권유받은 사람은 모두 모였다.
〔约契〕 yuēqì 명 ⇨〔约单〕
〔约请〕 yuēqǐng 명동 초대(하다). ＝〔邀请〕
〔约誓〕 yuēshì 명동 〈文〉 서약(하다).
〔约束〕 yuēshù 명동 구속(하다). 단속(하다). 제약(하다). 제한(하다). ¶他性情很放荡, 连他父亲都不能～他; 그의 성품은 매우 방탕해서 그의 부친조차 그를 단속하지 못한다 / 不受条约的～; 조약의 제약을 받지 않다.
〔约数〕 yuēshù 명 ①(～儿) 대략적인 수. ②〖數〗 약수. ¶最大公～; 최대 공약수.
〔约条〕 yuētiáo 명 ⇨〔约款〕
〔约同〕 yuētóng 동 〈文〉 권하여〔청하여〕 함께 하다〔동반하다〕. ¶～几个朋友一块儿去公园; 몇몇 친구를 불러 함께 공원에 가다.
〔约言〕 yuēyán 명 약속의 말. 언약. 동 약언하다. 언약하다.
〔约指〕 yuēzhǐ 명 ⇨〔戒指(儿)〕
〔约制〕 yuēzhì 동 제약하다. 억누르다. ¶～不住内心的激愤; 내심의 격분을 억누를 수 없다.
〔约字〕 yuēzì 명 ⇨〔约单〕
〔约纵〕 yuēzòng 명 〖史〗 합종책(合從策)《전국(戰國)시대에 소진(蘇秦)이 제창한 일종의 외교 정책》.

矱 yuē (확)
명 〈文〉〈比〉 척도. 표준.

彟(彠) yuē (확)
〈文〉 ①명 척도. 표준. ②동 재다. 헤아리다.

哕(噦) yuě (얼)
①〈擬〉 왝《게워 내는 소리. 구토하는 소리》. ¶～的一声吐tù了; 왝 하고 토해 냈다. ②동 〈口〉 구역질하다. 구토하다. ¶他直打干～; 그는 자꾸 헛구역질을 하고 있다. ⇒huì

月 yuè (월)
①명 달. ＝〔〈口〉 月亮〕〔月球〕 ②명 월. 달. ¶大～, 每～有三十天, 小～二十九天; (음력으로) 큰 달은 매달 30일이 있고, 작은 달은 29일이 있다 / 这(个)～ ＝〔〈文〉 本～〕; 이 달 / 上(个)～; 지난 달 / 下(个)～; 다음 달. ③형 매달의. ¶～产量; 월간 생산량 / ～刊; 월간. ④명 달 모양의 것. ¶～洞; 〖建〗 담·교량 등의 달〔아치〕 모양으로 낸 구멍. ⑤명 성(姓)의 하나.
〔月白(色)〕 yuèbái(sè) 명 〖色〗 엷은 남색. ＝〔浅蓝(色)〕
〔月半〕 yuèbàn 명 ①한 달의 중간. 보름. ¶每逢初一～歇工; 매달 초하루와 보름에 일을 쉰다. ②〈文〉 상현. 하현.
〔月报〕 yuèbào 명 ①월보. 월례 보고. ¶～表; 월례 보고표. ②월보. 월간지. ¶新华～; 〖書〗 신화 월보.
〔月背〕 yuèbèi 명 달의 배면(背面). 달의 뒤쪽.
〔月表〕 yuèbiǎo 명 월표. 월례표(月例表).
〔月饼〕 yuèbǐng 명 ①'中秋节'에 먹는 과자의 이름. 보릿가루를 반죽하여 속에 참깨·수박씨·호두 따위를 넣고 기름에 튀긴 것. ＝〔团圆饼〕 ②월급(月給).
〔月布〕 yuèbù 명 ⇨〔月经带〕
〔月册〕 yuècè 명 매달의 집계부(集計簿).
〔月产〕 yuèchǎn 명 월(생)산. ¶～量; 월생산량.
〔月长石〕 yuèchángshí 명 ⇨〔月石①〕
〔月城〕 yuèchéng 명 〈文〉 성문 밖에 반달 꼴로 돌출해 있는 부성(副城). ＝〔月墙qiáng〕
〔月初(儿)〕 yuèchū(r) 명 월초. ¶每月～; 매달 초(에). ＝〔月头儿②〕 ↔〔月底(儿)〕
〔月大〕 yuèdà 명 큰 달《양력으로 31일, 음력으로 30일 있는 달》.
〔月旦〕 yuèdàn 동 〈文〉 인물을 비평하다. 명 인물평. 월단평.
〔月当头〕 yuèdāngtóu 명 음력 11월 15일의 보름달《1년을 통하여 이 날에 달이 가장 똑바르게 머리 위로 온다고 함》.
〔月倒儿〕 yuèdǎor 명동 월말 지불(로 하다). ¶零碎算着嫌麻烦就立个折子～吧; 조금씩 계산하는 것이 귀찮다면, 통장을 만들어 월말 지불로 하시오.
〔月底(儿)〕 yuèdǐ(r) 명 월말. ＝〔月杪〕 ↔〔月初(儿)〕
〔月洞〕 yuèdòng 명 담·다리 따위의 원형〔아치형〕의 구멍. ¶～门; 문짝이 없는 원형의 문.
〔月度〕 yuèdù 명 월간(月間). ¶～运输量; 월간 수송량.
〔月娥〕 yuè'é 명 〈簡〉 상아(嫦娥)《달에 산다는 선녀》. ＝〔月里嫦娥①〕
〔月额〕 yuè'é 명 월액.
〔月费〕 yuèfèi 명 ①월비. 매달의 비용. ＝〔月钱①〕 ②한 달치 용돈. 동 다달이 쓰다〔소비하다〕.
〔月分(儿)〕 yuèfènr 명 ①상당한 시일. 장기간. ¶他的病够～了; 그의 병은 꽤 오래 됐다. ②임신의 달수. ¶这孩子～不足; 이 애는 달이 차지 않았다. ‖＝〔月份(儿)②〕
〔月份(儿)〕 yuèfen(r) 명 ①(1개)월분. ¶按～算; 개월분으로 계산하다 / 三～已领到; 3월분은 이미 받았다 / 八～生产量; 8월의 생산량. ②⇨〔月份(儿)〕
〔月份牌(儿)〕 yuèfènpái(r) 명 ①그림이 있는 한 장짜리 달력. ②일력. ¶翻～; 일력을 넘기다.
〔月俸〕 yuèfèng 명 월봉. 월급.
〔月佛〕 yuèfó 명 〈俗〉 달 속에 있다는 신(神).
〔月府〕 yuèfǔ 명 ⇨〔月宫〕
〔月付〕 yuèfù 명 월부(月賦). ＝〔接月给〕
〔月工〕 yuègōng 명 ①달로 정한 노동자〔고용인〕. 월정 고용인. ②달품.
〔月工资〕 yuègōngzī 명 1개월의 공임〔급료〕.
〔月宫〕 yuègōng 명 ①월궁. 달 속의 궁전. 광한궁(廣寒宮). ②달의 별칭. ‖＝〔月府〕
〔月光〕 yuèguāng 명 ①월광. 달빛. ＝〔月色①〕 ②〈南方〉 달. ＝〔月亮〕
〔月光马儿〕 yuèguāngmǎr 명 (추석날 밤 제사 지낼 때 쓰는) 달의 신상(神像)《종이에 인쇄한 것》.
〔月光门〕 yuèguāngmén 명 ⇨〔月亮门(儿)〕
〔月桂〕 yuèguì 명 〖植〗 ①월계수. ¶～酸; 〖化〗 라우린산(lauric acid). ＝〔月桂树〕 ②생달나무. ＝〔天竺zhú桂〕〔山桂〕 ③육계(肉桂)의 일종.
〔月黑天(儿)〕 yuèhēitiān(r) 명 달이 없는 (암흑의) 밤. 깜깜한 밤. ＝〔月黑夜〕
〔月华〕 yuèhuá 명 ①〈文〉 달빛. 월영(月影). ②⇨〔月晕〕

〔月会〕 yuèhuì 명 월례회(月例會). ¶召开执委～; 월례 집행 위원회를 열다.
〔月晦〕 yuèhuì 명〈文〉그믐날. 음력 30일.
〔月吉〕 yuèjí 명〈文〉⇨〔月朔〕
〔月计表〕 yuèjìbiǎo 명《商》월계표.
〔月季(花)〕 yuèjì(huā) 명《植》월계화. =〔瘦客〕〔月月红①〕〔胜春〕
〔月季老儿〕 yuèjìlǎor〈成〉⇨〔月下老人〕
〔月季票〕 yuèjìpiào 명 정기권.
〔月见草〕 yuèjiàncǎo 명《植》금달맞이꽃.
〔月间〕 yuèjian 다달이. ¶～吃租zū子; 옛날, 다달이 빚돈 또는 집세를 받아 살림을 꾸려 나가던 일.
〔月角〕 yuèjiǎo 명 (관상에서) 오른쪽 이마.
〔月脚〕 yuèjiǎo 명〈比〉월광(月光). 달빛.
〔月结〕 yuèjié 명 월말의 결산. 월말 결산 보고.
〔月尽(头)〕 yuèjìn(tóu) 명 그믐날. (매달) 음력 30일.
〔月经〕 yuèjīng 명《生》월경. =〔月事〕〔月水〕〔月信〕〔经水〕〔《漢醫》经血〕〔〈俗〉红hóng潮②〕〔血xuè经〕〔天癸②〕
〔月经布〕 yuèjīngbù 명 ⇨〔月经带〕
〔月经带〕 yuèjīngdài 명 월경대. =〔月布〕〔月经布〕〔〈俗〉陈姥chénlǎo姥〕〔〈俗〉陈妈妈〕〔〈俗〉骑qí马布〕〔骑马带子〕
〔月经棉塞〕 yuèjīng miánsāi 명 탐폰(tampon).
〔月精〕 yuèjīng 명〈文〉'兔tù子'(토끼)의 별칭.
〔月敬〕 yuèjìng 명 월사금.
〔月就日将〕 yuè jiù rì jiāng〈成〉⇨〔日就月将〕
〔月刊〕 yuèkān 명 (신문·잡지 등의) 월간. ¶双～; 격월간.
〔月考〕 yuèkǎo 명 월례 고사. 매달 치르는 시험.
〔月科儿〕 yuèkēr 명〈北方〉⇨〔月窠儿〕
〔月窠儿〕 yuèkēr 명〈北方〉태어나 한 달 미만의 시기. ¶一个～里的孩子就会笑了; 난 지 한 달도 안 된 아이가 벌써 웃는다. =〔月科儿〕
〔月课〕 yuèkè 명 매월의 과제.
〔月款〕 yuèkuǎn 명 매달 받는〔지불하는〕금액.
〔月阑〕 yuèlán 명 ⇨〔月晕yùn〕
〔月朗星稀〕 yuè lǎng xīng xī〈成〉달은 밝고 별은 드문드문하다.
〔月老〕 yuèlǎo〈簡〉⇨〔月下老人〕
〔月鳢〕 yuèlǐ 명《魚》칠성 가물치. =〔七星鱼〕〔张zhāng公鱼〕
〔月历〕 yuèlì 명 (한 달 한 장식(式)인) 달력. ¶双～; 2개월씩을 한 장에 인쇄한 캘린더.
〔月利〕 yuèlì 명 월리. ¶～七厘; 매달 7리. =〔月息xī〕
〔月例〕 yuèlì 명 월례. ¶～钱qián; 매달 정해 놓고 받는 용돈.
〔月里嫦娥〕 yuèli cháng'é 명 ①달 속의 상아. =〔月娥〕②〈比〉미인.
〔月亮〕 yuèliang 명 달. ¶～底下看影子;〈歇〉달빛 아래서 그림자를 보다《자기 자신을 대단한 인물로 믿어 버림》/～长毛大雨淘淘;〈諺〉달무리가 지면 큰 비가 온다. =〔月光②〕
〔月亮地(儿)〕 yuèliangdì(r) 명 달빛이 비치는 곳. =〔月明地〕
〔月亮马儿〕 yuèliangmǎr 명 (중추(中秋)에 달에 제사할 때 쓰는) 광한궁(廣寒宮)의 그림을 인쇄한 종이.
〔月亮门(儿)〕 yuèliangmén(r) 명 벽돌담에 달 모양으로 (둥글게) 뚫어 놓은 문《집 안에 있는 문으로, 보통 문짝을 달지 않음》. =〔月光门〕
〔月令〕 yuèlìng 명 ①매월(每月)의 상태〔변화〕. 음력에서 어느 달의 기후와 생물과의 계절적 관계. ②한 달의 운세. ¶～高低; 한 달 운세의 좋고 나쁨/流年～; 일 년 중의 다달의 운세.
〔月轮〕 yuèlún 명 둥근 달.
〔月落〕 yuèluò 명 달이 지는 것.
〔月麻〕 yuèmá 명 두번째 베는 삼. =〔二èr麻〕
〔月满〕 yuèmǎn 동 ①보름달이 되다. 만월이 되다. ②잉태하여 달이 차다. 만삭이 되다. ¶她～了, 就要生了; 그녀는 만삭이니, 머지않아 해산할 것이다.
〔月满则亏, 水满则溢〕 yuèmǎn zé kuī, shuǐmǎn zé yì〈諺〉달은 차면 기울고, 물도 차면 넘친다.
〔月貌〕 yuèmào 명〈比〉미모. ¶～花容;〈成〉화용 월태(花容月態). 미인.
〔月杪〕 yuèmiǎo 명〈文〉월말. ¶该货至迟～必须交到; 저 물건은 늦어도 월말까지는 꼭 인도해야 한다. =〔月底dǐ(儿)〕
〔月明地〕 yuèmíngdì 명〈文〉달빛이 비치는 지면. =〔月亮地(儿)〕
〔月明瓜〕 yuèmíngguā 명《植》수박의 일종《껍질은 색이 옅고, 속은 담황색》.
〔月末〕 yuèmò 명 월말. =〔月尾wěi〕〔月终zhōng〕
〔月母房〕 yuèmǔfáng 명 ⇨〔阴yīn房②〕
〔月偏食〕 yuèpiānshí →〔月食〕
〔月票〕 yuèpiào 명 월정(月定) 정기권《전차·버스 등》.
〔月婆(子)〕 yuèpó(zi) 명〈俗〉산부(産婦).
〔月魄〕 yuèpò 명 ①〈文〉달 표면의 빛나지 않고 검게 보이는 곳. ②도가(道家)에서, 달을 말함.
〔月前〕 yuèqián 명〈文〉지난 달. 전달.
〔月钱〕 yuèqián 명 ①다달의〔매월의〕비용. =〔月费①〕②(가족·사용인에게 주는) 다달의 용돈.
〔月墙〕 yuèqiáng 명〈文〉⇨〔月城〕
〔月琴〕 yuèqín 명《樂》월금《비파 비슷한 현악기》.
〔月卿〕 yuèqīng 명〈文〉궁중의 고관(高官).
〔月清〕 yuèqīng 명동 월말 청산(을 하다).
〔月球〕 yuèqiú 명《天》달《학술 용어》. ¶～火箭; 달로켓.
〔月全食〕 yuèquánshí →〔月食〕
〔月入〕 yuèrù 명〈文〉월수. 월수입.
〔月色〕 yuèsè 명 ①⇨〔月光①〕②《色》연한 남색.
〔月石〕 yuèshí 명 ①《鑛》월장석(月長石). =〔月长石〕②'硼péng砂'의 별칭.
〔月食〕 yuèshí 명《天》월식. ¶月全食; 개기 월식/月偏食; 부분 월식. =〔月蚀〕
〔月事〕 yuèshì 명 ⇨〔月经〕
〔月收〕 yuèshōu 명 월수. 매달의 수입. 동 매달 징수하다.
〔月水〕 yuèshuǐ 명 ⇨〔月经〕
〔月朔〕 yuèshuò 명〈文〉월삭. 음력 초하루. =〔月吉〕
〔月台〕 yuètái 명 ①궁전의 베란다식의 넓은 대. ②관(棺) 앞에 놓는 네모진 나뭇대. ③플랫폼(platform). ¶～票; 플랫폼의 입장권. =〔站台〕④달맞이하는 대.
〔月坛〕 yuètán 명 ①베이징 부성문(阜城門) 밖에 있는, 황제가 달을 제사지내던 곳. ②《佛》노대(露臺).
〔月贴〕 yuètiē 명 월 수당(手當).

책).
〔越次〕 yuècì 동 〈文〉 순서를〔계급을〕 뛰어넘다.
〔越冬〕 yuèdōng 명동 월동(하다). ¶～回游; 어류가 월동하기 위하여 난류가 흐르는 곳으로 회유하는 일/～作物 =〔过冬作物〕; 밭에 있는 채로 월동하는 농작물.
〔越渡〕 yuèdù 동 경계를 넘다.
〔越多越好〕 yuèduō yuèhǎo 많으면 많을수록 좋다. →〔多duō多益善〕
〔越发〕 yuèfā ①부 더욱더. 갈수록. 한층. ¶过了中秋, 天气～凉快了; 중추가 지나고 날씨는 더욱더 선선해졌다. ②…할수록 …하다(‘越’ 또는 ‘越是’와 호응하여 쓰임). ¶观众越多, 他们演得～卖力气; 구경꾼이 많으면 많을수록 그들은 더욱더 힘을 다해 열연한다.
〔越凫楚乙〕 Yuè fú Chǔ yǐ 〈成〉 월(越)나라 사람은 물새라 하고, 초(楚)나라 사람은 제비라고 한다(오해하다).
〔越瓜〕 yuèguā 명 《植》 월과. =〔白bái瓜〕〔老lǎo腌瓜〕〔老秧瓜〕〔老阳瓜〕〔梢shāo瓜〕〔稍shāo瓜〕〔生shēng瓜①〕〔菜cài瓜〕
〔越轨〕 yuè.guǐ 동 ①탈선하다. ②상궤(常軌)를 벗어나다. ¶～的行为; 상궤를 벗어난 행위. ‖ =〔出轨〕
〔越过〕 yuèguò 동 ①(예정·제한을) 넘다. 초과하다. ②건너다. 넘어가다. ¶～马路; 한 길을 건너다/～国境; 국경을 넘어가다.
〔越货〕 yuèhuò 동 〈文〉 재물을 약탈하다. ¶杀人～的一桩罪状; 살인 약탈의 죄상.
〔越几斯〕 yuèjīsī 명 《藥》 〈音〉 엑스(ex). 엑스트랙트(extract).
〔越级〕 yuè.jí 동 등급을 뛰어넘다. ¶～升官; 계급을 뛰어넘어 진급하다/～提出申诉; 등급을 뛰어넘어 신청하다.
〔越椒〕 yuèjiāo 명 ①《植》 머귀나무. =〔食茱萸〕 ②복성(複姓)의 하나.
〔越界〕 yuè.jiè 동 ①한계를 넘다. 도를 지나치다. ②월경(越境)하다. ¶～飞行; 월경 비행. ③《體》 파울이 되다. (yuèjiè) 명 《體》 파울.
〔越境〕 yuè.jìng 동 월경하다. 국경을 넘다.
〔越橘〕 yuèjú 명 《植》 월귤(나무).
〔越剧〕 yuèjù 명 《劇》 월극(저장 성(浙江省)의 주요한 잡극의 하나).
〔越口〕 yuèkǒu 명 큰 길이나 작은 도랑의 건너는 곳.
〔越来越…〕 yuèláiyuè… 더욱더. 갈수록(정도의 증가를 나타냄). ¶天气～暖和; 날씨가 점점 따뜻해지다/～起劲; 더욱더 기운이 나다.
〔越勒〕 Yuèlè 명 복성(複姓)의 하나.
〔越礼〕 yuè.lǐ 동 상궤를 벗어나다. 질서를 문란케 하다.
〔越理〕 yuè.lǐ 동 도리에서 벗어나다. 이치에 맞지 않는 짓을 하다.
〔越列密树胶〕 yuèlièmì shùjiāo 명 〈音〉 엘레미(elemi) 고무(감람과 식물에서 채취하는 방향성 수지). =〔橄lǎn香脂〕
〔越南〕 Yuènán 명 《地》 베트남(Vietnam)(수도는 ‘河内’(하노이:Hanoi)).
〔越鸟〕 yuèniǎo 명 ①〈文〉 남쪽 새. ¶～巢南枝; 〈成〉 월(越)나라의 새는 남쪽 가지에 둥지를 친다(고향을 잊을 수 없음). ②《鳥》 ‘孔雀’(공작)의 별칭.
〔越期〕 yuè.qī 동 기한을 넘다.
〔越墙〕 yuè.qiáng 동 월장하다. 담장을 뛰어넘다.
〔越权〕 yuè.quán 동 월권하다. ¶～行为; 월권 행위.
〔越日〕 yuèrì 명 〈文〉 이튿날. 다음날.
〔越诉〕 yuèsù 동 《法》 월소하다. 순서를 건너 뛰어 상소(上訴)하다.
〔越桃〕 yuètáo 명 《植》 ‘栀子’(치자나무)의 별칭.
〔越王蛇〕 yuèwángshé 명 《動》 ‘两头儿蛇’(머리 둘 달린 뱀)의 별칭. =〔越王约发〕
〔越王头〕 yuèwángtóu 명 《植》 ‘椰子’(야자)의 별칭.
〔越王余算〕 yuèwáng yúsuàn 명 《動》 ‘白珊瑚’(백산호)의 별칭.
〔越王约发〕 yuèwáng yuēfā 명 ⇨〔越王蛇〕
〔越位〕 yuèwèi 명동 《體》 (축구·럭비·아이스 하키 등에서) 오프사이드(offside)(를 하다).
〔越限〕 yuèxiàn 동 제한을 넘다. 정도를 넘다.
〔越窑〕 Yuèyáo 명 당대(唐代), 웨저우(越州)산의 도자기 제품.
〔越野车〕 yuèyěchē 명 지프차. =〔吉jí普(车)〕
〔越野赛跑〕 yuèyě sàipǎo 명 《體》 크로스 컨트리(cross country) 경기. =〔越野跑〕
〔越狱〕 yuè.yù 동 탈옥하다. ¶杀人犯十九日在墨尔本企图～逃跑; 살인범이 19일 멜버른에서 탈옥 도주를 기도했다.
〔越质诘〕 Yuèzhìjié 명 복성(複姓)의 하나.
〔越雉〕 yuèzhì 명 《鳥》 자고.
〔越众〕 yuèzhòng 형 〈文〉 뭇 사람보다 뛰어나다. 출중하다.
〔越洲〕 yuèzhōu 동 세계 각국에 걸치다. ¶做～游; 세계 여행을 하다. 세계 각지를 원정하다/～电视; 전세계 중계 텔레비전.
〔越俎代庖〕 yuè zǔ dài páo 〈成〉 제기(祭器)를 버리고 숙수의 일을 하다. 제 직분을 넘어서 남의 일에 간섭하다. 월권행위를 하다. =〔包办代替〕

樾 yuè (월)

명 〈文〉 나무 그늘(인명용 자(字)로도 씀).
〔樾荫〕 yuèyīn 동 남의 비호를 받다.

跃(躍) yuè (약)

동 ①뛰다. 뛰어오르다. ¶一～而为世界上第一流的国家; 일약 세계의 제1류 국가가 되다/飞～前进; 비약적으로 전진하다. ②등귀하다. ③감정이 격발하여 높아지다.
〔跃进〕 yuèjìn 동 ①뛰어나가다. ¶避开火力, 向左侧～; 화력을 피해서 왼편으로 뛰어나가다. ②〈比〉 약진하다. 비약적으로 발전하다. ¶破先例的大～; 기록을 깨는 대약진.
〔跃居〕 yuèjū 동 〈文〉 일약 …이 되다. ¶～世界第一名; 일약 세계 제1위가 되다.
〔跃马〕 yuèmǎ 동 〈文〉 말을 질주시키다.
〔跃马横戈〕 yuè mǎ héng gē 〈成〉 말을 뛰게 하고 창을 잡다(무력을 과시하여 도전하다).
〔跃起投篮〕 yuèqǐ tóulán 《體》 (농구의) 점프 슛(을 하다).
〔跃然〕 yuèrán 형 생생한 모양. 살아 움직이는 모양. ¶义愤之情～纸上; 의분의 기분이 글 속에 역력하다.
〔跃上〕 yuèshàng 동 (…까지) 뛰어오르다. ¶～他们的水平; 그들의 수준까지 뛰어오르다.
〔跃身〕 yuèshēn 동 몸을 날리다. 몸을 던지다. ¶～跳进烟火翻卷的屋里; 몸을 날려 불과 연기가 소용돌이치는 방으로 뛰어들다.
〔跃跃〕 yuèyuè 형 〈文〉 ①마음이 가라앉지 않는 모양. ②기뻐하는 모양. 가슴이 두근거리는 모

양. ¶～欲试; 〈成〉 하고 싶어서 조급해지다〔안달하다〕.

粤 **Yuè** (월)
명 《地》 ①광둥 성(廣東省)의 별칭. ¶～语; ⇩ / 闽mǐn～; 푸젠(福建)과 광둥(廣東) / ～汉铁路; 광저우(廣州)·한커우(漢口)간의 철도. ②광둥 성(廣東省)과 광시 성(廣西省). ¶两～; 광둥(廣東)·광시(廣西)의 두 성(省).

〔粤菜〕 yuècài 명 광둥(廣東) 요리.
〔粤海关〕 yuèhǎiguān 명 옛날의 광둥(廣東) 세관.
〔粤江〕 Yuèjiāng 명 《地》 '珠江'의 별명.
〔粤剧〕 yuèjù 명 《劇》 월극('广东' 지방의 전통극의 하나).
〔粤犬吠雪〕 yuè quǎn fèi xuě 〈成〉 견식이 좁아, 별것 아닌 것도 이상하게 생각하다.
〔粤省〕 Yuèshěng 명 《地》 광둥 성(廣東省).
〔粤西〕 Yuèxī 명 《地》 옛날, 광시 성(廣西省)의 별칭.
〔粤语〕 yuèyǔ 명 광둥어(廣東語).

𬸚(鸑) **yuè** (악)
→〔鸑鷟〕

〔鸑鷟〕 yuèzhuó 명 ①옛날의 상서로운 새의 하나(봉(鳳)의 별칭이라고도 함). ②물새의 일종(오리 비슷한데 큼).

龠 **yuè** (약)
〈文〉 ① 명 옛날의 피리의 일종(짧고 구멍은 3 또는 6개). =〔籥①〕 ② 양 옛날의 용량 단위('二龠'가 一'合gě'임).

籥 **yuè** (약)
명 ①⇨〔龠yuè①〕 ②⇨〔钥yuè〕

瀹 **yuè** (약)
동 〈文〉 ①(물에) 삶다. 끓이다. ¶～茶chá; 차를 끓이다. ②치수(治水)하여 강물을 통하게 하다. 물길을 내다. ¶疏～; 물길을 터서 물이 통하게 하다.

爚 **yuè** (약)
명 〈文〉 불빛.

黦 **yuè** (울)
명 《色》 〈文〉 누른빛이 감도는 검은색. 황흑색.

籰〈篗〉 **yuè** (확)
(～子) 명 〈方〉 (실 등을 감는) 얼레.

YUN ㄩㄣ

晕(暈) **yūn** (훈)
① 동 정신을 잃다. 실신하다. 기절하다. 의식이 흐려지다. ¶～倒; ⇩ / 吓xià～了; 놀라서 기절하다. ② 형 머리가 어찔어찔하다. 현기증이 나다. ¶头～; 머리가 빙빙 돌다. ③ 동 (게으름 피워) 헤매다. 놀며 돌아다니다. ¶你上哪儿～去了? 너는 어디를 쏘다녔느냐? ⇒yùn

〔晕打忽儿(的)〕 yūndahūr(de) 형 〈京〉 머리가 멍한 모양. 정신이 아찔한 모양. 멍청한 모양. ¶一个人成天～, 怎么搞工作? 사람이 하루 종일 멍청해서야 어떻게 일을 할 수 있겠는가? / 他又喝得～了; 그는 또 술이 취해서 정신을 잃게 되었다.
〔晕倒〕 yūndǎo 동 기절하여 쓰러지다.
〔晕过去〕 yūnguoqu 기절하다. 졸도하다. 실신하다. ¶他打得～了; 그는 맞아서 기절했다. =〔背过气去〕
〔晕忽忽(的)〕 yūnhūhū(de) 형 머리가 어찔어찔한 모양. 멍해지는 모양.
〔晕厥〕 yūnjué 동 《醫》 기절하다. 실신하다. =〔昏hūn厥〕
〔晕色〕 yūnsè 명 진주빛.
〔晕死复苏〕 yūnsǐ fùsū 기절했다 다시 살아나다.
〔晕堂〕 yūntáng 동 목욕 중에 현기증이 나다. ⇒yùn‧táng
〔晕头〕 yūntóu 형 머리가 빙빙 돌고 현기증이 나다. 현기증이 나서 눈이 핑핑 돌다. 명 〈京〉 바보. 얼간이. 멍텅구리. ¶他做事不分轻重, 真～; 그는 일의 경중도 모르니, 정말 멍청한 놈이다.
〔晕头巴脑〕 yūntóu bānǎo ⇨〔晕头搭脑〕
〔晕头搭脑〕 yūntóu dānǎo 〈京〉 머리가 어찔어찔하는 모양. 어리벙벙한 모양. 혼란한 모양. =〔晕头巴脑〕〔晕头打脑〕〔晕头晕脑〕
〔晕头打脑〕 yūntóu dǎnǎo ⇨〔晕头搭脑〕
〔晕头晕倒〕 yūntóu yūndǎo ①머리가 멍한 모양. ②얼빠진 모양.
〔晕头转向〕 yūn tóu zhuàn xiàng 〈成〉 머리가 어찔어찔하여 방향을 잃다. 머리가 혼란하여 뭐가 뭔지 모르다. ¶这两天忙得我～; 요 며칠은 바빠서 정신이 하나도 없다. =〔昏头转向〕
〔晕眩〕 yūnxuàn 동 현기증이 나다.
〔晕晕忽忽〕 yūnyunhūhū 형 ①어질어질한 모양. 띵한 모양. ¶吵chǎo得～; 시끄러워 머리가 띵하다 / ～的, 不好受; 어질어질하고 기분이 나쁘다. ②얼간이다. 멍청이다. ‖ =〔晕晕胡胡〕
〔晕晕懵懵〕 yūnyunměngměng 형 머리가 멍한〔띵한〕 모양. 정신이 희미한 모양.

缊(緼) **yūn** (온)
→〔细缊yīnyūn〕 ⇒yùn

蒕 **yūn** (온)
→〔千qiān年蒕〕

煴 **yūn** (온)
① 형 불 기운이 약한. 뭉근한. 불꽃 없이 타는. ② 명 재에 묻은 불. 뭉근한 불. 숯불. 화염이 없는 불. ⇒yùn

氲 **yūn** (온)
→〔氤yīn氲〕

赟(贇) **yūn** (윤, 빈)
① 형 〈文〉 아름다운 모양. ②인명용 자(字).

云(雲)B)C) **yún** (운)
A) ① 동 말하다. 이르다. ¶据～; 말하는 바에 의하면 / 人～亦～; 〈成〉 ⓐ남이 한 말을 그대로 말하다(정견(定見)이 없다). ⓑ소문이 이 사람에서 저 사람으로 전해지다 / 古语有～ '…'; 옛말에 '…'라고 말하고 있다. ② 구말(句末)의 허자(虛字). ¶我军士气甚盛～; 우리 군의 사기는 매우 왕성하다. ③ 동 〈文〉 있다. ¶～得; 얻는 바가 있다 / 其～益乎; 그것은 이익되는 바가 있는가. ④ 동 〈文〉 이르다. 다다르다. ¶肯～秋矣; 바야흐로 가을이 되었다 / 不知日之～夕; 저녁이 된 것도 모른다.

⑤ 대 〈文〉 이와 같다. ⑥ 명 성(姓)의 하나. B) 명 구름. C) (Yún) 명 《地》 〈簡〉 윈난 성(雲南省).
〔云璈〕 yún'áo 명 《樂》 옛날의 악기명(음률이 다른 정(鉦) 13면이 한 시렁에 걸려 있음).
〔云白铜〕 yúnbáitóng 명 《鑛》 윈난(雲南)에서 나는 백동.
〔云版〕 yúnbǎn 명 《樂》 운판(구식 타악기의 일종. 옛날에 신호를 할 때 두드린 구름 모양의 철판 또는 청동판). =〔云板〕
〔云扁豆〕 yúnbiǎndòu 명 ⇨〔菜豆〕
〔云表〕 yúnbiǎo 명 〈文〉 구름 밖. 운외(雲外). =〔云外〕
〔云鬓〕 yúnbìn 명 〈文〉 구름처럼 흩어진 살쩍. 숱이 많고 아름다운 여성의 귀밑머리.
〔云彩〕 yúncai 명 〈口〉 구름. ¶满天的～; 하늘 가득한 구름.
〔云层〕 yúncéng 명 층운(層雲). ¶飞机在～上面飞行; 비행기는 층운 위에서 난다.
〔云茶〕 yúnchá 명 ⇨〔石shí蕊①〕
〔云丹〕 yúndān 명 《動》 ①성게. =〔〈俗〉 海胆〕 ②성게의 난소(젓갈용).
〔云豆〕 yúndòu 명 ⇨〔菜cài豆〕
〔云端〕 yúnduān 명 구름 속. ¶飞机从～飞来; 비행기가 구름 속에서 날아오다. =〔云里〕
〔云朵〕 yúnduǒ 명 구름장. 구름덩이.
〔云尔〕 yún'ěr ① 조 〈文〉 문장 끝에 써서, '위에서 말한 바와 같다'는 뜻을 나타내는 말. ¶是何足以言仁义也～; 이 어찌 인의를 말할 수 있다고 할 수 있겠는가 라고 말하다. ②이와 같다.
〔云耳〕 yún'ěr 명 《植》 목이버섯.
〔云房〕 yúnfáng 명 승려나 도사의 거실.
〔云鼓〕 yúngǔ 명 《佛》 오시(午時)를 알리는 북(구름 무늬가 그려져 있음).
〔云海〕 yúnhǎi 명 ①운해. 구름바다. ②《佛》 많은 물건.
〔云函〕 yúnhán 명 〈文〉 〈敬〉 운함. 귀함(貴函). 당신의 편지. =〔云翰〕〔云笺〕
〔云汉〕 yúnhàn 명 은하수. =〔天tiān河〕
〔云翰〕 yúnhàn 명 ⇨〔云函〕
〔云何〕 yúnhé 대 〈文〉 어찌. 어떻게. ¶不有舟车, ～得达; 배와 수레가 없이 어찌 도달할 수 있는가. →〔如何〕
〔云乎〕 yúnhū 무엇이라 하는가. 무슨 뜻인가. ¶和平～哉? 평화란 무슨 뜻인가?
〔云花〕 yúnhuā 명 《植》 담쟁이 풀.
〔云鬟〕 yúnhuán 명 〈文〉 (여성의) 쪽찐 검은 머리. =〔云髻〕
〔云集〕 yúnjí 동 운집하다. 구름처럼 (많이) 모이다. ¶各地代表～首都; 각지의 대표가 구름처럼 수도에 모이다. =〔云聚〕
〔云际〕 yúnjì 명 〈文〉 구름위. 높은 구름가. ¶耸sǒng入～; 구름 위에 솟아 있다.
〔云髻〕 yúnjì 명 〈文〉 ⇨〔云鬟〕
〔云肩〕 yúnjiān 명 옛날, 여성이 어깨에 걸쳤던 복식(服飾)의 일종.
〔云笺〕 yúnjiān 명 〈文〉 귀함(貴函)(남의 편지의 존칭). =〔云函〕〔云翰〕
〔云脚〕 yúnjiǎo 명 ①드리워 있는 구름. ②움직여 가는 구름.
〔云锦〕 yúnjǐn 명 《紡》 구름 무늬를 수놓은 색채가 고운 중국의 고급 비단.
〔云聚〕 yúnjù 동 ⇨〔云集〕
〔云谲波诡〕 yún jué bō guǐ 〈成〉 사물이 변화무쌍하다. =〔波诡云橘〕〔波谲云诡〕
〔云开见日〕 yún kāi jiàn rì 〈成〉 ①불운한 사람이 갑자기 운이 트이다. ②오해 · 불안 · 의문 등이 해소되다.
〔云客〕 yúnkè 명 〈文〉 구름 속의 사람. 신선 · 은자(隱者) 따위.
〔云来雾去〕 yún lái wù qù 〈成〉 ⇨〔腾téng云驾雾①〕
〔云里翻〕 yúnlifān 명 《劇》 중국 전통극에서, 두 번 계속해서 높이 공중 제비를 도는 일.
〔云量〕 yúnliàng 명 《氣》 운량.
〔云龙风虎〕 yún lóng fēng hǔ 〈成〉 의기 상통하는 자가 서로 감응하다. 성주(聖主)가 현신(賢臣)을 얻다('云从龙, 风从虎'의 준말). =〔风虎云龙〕
〔云罗〕 yúnluó 명 〈文〉 하늘에 가득 낀 구름 안개.
〔云锣(儿)〕 yúnluó(r) 명 《樂》 운라(민족 악기의 하나). =〔九jiǔ音锣〕〔九云锣〕
〔云马纸钱〕 yúnmǎ zhǐqián 신불 귀선(神佛鬼仙)의 제사를 지낼 때 불사르는 은종이 · 금종이로 만든 말 모양의 것(흔히, 장례식이나 성묘에서 씀).
〔云幂灯〕 yúnmìdēng 명 《氣》 운조등(雲照燈).
〔云母〕 yúnmǔ 명 《鑛》 운모. 돌비늘. ¶～板岩; 운모 편암(片岩).
〔云母带〕 yúnmǔdài 명 《電》 마이카 테이프(micatape).
〔云南白药〕 yún nán bái yào →〔白药①〕
〔云南根〕 yúnnángēn 명 《植》 '马mǎ兜铃'의 뿌리.
〔云南起义〕 Yúnnán qǐyì 명 《史》 1915년 위안스카이(袁世凱)가 황제를 선언했을 때, 차이 어(蔡鍔) · 탕 지야오(唐繼堯) 등이 윈난(雲南)에서 반대 운동을 일으킨 사건.
〔云泥〕 yúnní 명 ①구름과 진흙. ②〈比〉 현격한 차이.
〔云泥殊路〕 yún ní shū lù 〈成〉 지위에 천양(天壤)의 차이가 있다. =〔云泥异路〕
〔云泥之别〕 yún ní zhī bié 〈成〉 천양지차. =〔云壤之别〕〔天壤之别〕
〔云霓〕 yúnní 명 〈文〉 ①구름과 무지개. ②〈轉〉 비가 올 징후. ¶若大旱之望～也; 큰 가뭄에 구름과 무지개를 바라듯하다(오랜 가뭄 끝에 비구름을 본 것 같다).
〔云片糕〕 yúnpiàngāo 명 쌀가루에 우유와 설탕을 넣어 만든 장방형의 엷은 과자.
〔云气〕 yúnqì 명 엷게 흘러가는 구름.
〔云情〕 yúnqíng 명 〈文〉 후의(厚意). 고마운 뜻.
〔云雀〕 yúnquè 명 《鳥》 종다리. 종달새. =〔朝天柱〕〔大鹨〕〔告天鸟〕〔告天子〕〔叫天鸟〕〔叫天雀〕〔叫天子〕〔天鹨〕〔天鸟〕〔嘹天〕〔白灵灵〕〔白灵鸟〕〔百翎雀〕
〔云壤〕 yúnrǎng 명 운양. 구름과 흙. 천지.
〔云壤之别〕 yún rǎng zhī bié 〈成〉 천양지차. 대단히 차이가 있는 일. =〔云泥之别〕
〔云扰〕 yúnrǎo 형 구름이 흩어지듯 세상이 어지럽다.
〔云仍〕 yúnréng 명 먼 자손(자기로부터 세어 제 7대의 손주를 '仍孙', 제 8대의 손주를 '云孙'이라 함).
〔云散〕 yúnsàn 동 구름처럼 흩어지다. 〈比〉 ①함께 있던 사람이 뿔뿔이 흩어지다. ¶旧友～; 옛 벗이 뿔뿔이 흩어지다. ②사물이 사라져 없어지다. ¶烟消～; 흔적도 없이 사라지다.
〔云散鸟没〕 yún sàn niǎo mò 〈成〉 형체도 없이 사라지다.
〔云扫〕 yúnsǎo 명 극중에서 신선이 들고 있는 불

자(拂子).
〔云纱〕 yúnshā 명 사(紗)에 옻칠을 한 천(여름 옷으로 씀).
〔云山〕 yúnshān 명 운산. 구름이 낀 산. 구름처럼 보이는 먼 산.
〔云山雾沼〕 yún shān wù zhǎo 〈成〉 ⇨〔云山雾罩〕
〔云山雾罩〕 yún shān wù zhào 〈成〉 구름 산에 안개가 끼다(황당하여 비현실적임. 애매하여 요점이 분명치 않음). ¶那个人～的, 做事荒唐说话没准儿, 真是靠不住的; 그 사람은 구름산에 안개가 낀 것같이 하는 짓이 황당하고 하는 말은 분명치 않아 정말 믿을 수가 없다. =〔云山雾沼〕
〔云杉〕 yúnshān 명 《植》 가문비나무.
〔云石〕 yúnshí →〔大dà理岩〕
〔云实〕 yúnshí 명 《植》 실거리나무.
〔云收雨散〕 yún shōu yǔ sàn 〈成〉 ①한가족이 이산(離散)함. ②육체 관계가 끝남. ‖ =〔雨散云收〕
〔云水〕 yúnshuǐ 명 〈文〉 ①구름과 물. ②《佛》 운수. 행각승(行脚僧).
〔云孙〕 yúnsūn 명 운손. 자기로부터 제 8대의 손주.
〔云堂〕 yúntáng 명 《佛》 운당. 사원의 객전(客殿). 참배인의 대기소.
〔云梯〕 yúntī 명 ①높은 사다리. ②공성용(功城用)·방화용의 높은 사다리.
〔云天雾地〕 yún tiān wù dì 〈成〉 ①형체도 분간할 수 없다. ②세상이 캄캄한 모양. ③내력이 분명치 않다.
〔云头〕 yúntóu 명 〈方〉 구름. 구름 덩어리. ¶看这～像是有雨的样子; 이 구름을 보니 아무래도 비가 올 것 같다.
〔云头儿〕 yúntóur 명 구름 모양의 도안. 구름 무늬. =〔云子zi〕
〔云土〕 yúntǔ 명 윈난(雲南)산(産)의 아편.
〔云腿〕 yúntuǐ 명 윈난(雲南)산(産)의 햄.
〔云吞〕 yúntūn 명 〈廣〉 훈탕. 혼돈. →〔馄饨〕
〔云屯〕 yúntún 형 구름처럼 모여 있다. ¶～鸟散; 〈比〉 단결이 굳지 못한 모양.
〔云外〕 yúnwài 명 〈文〉 구름 밖. 운표(雲表). ¶忘在九宵～去了; 까맣게 잊어버렸다. =〔云表〕
〔云为〕 yúnwéi 명 〈文〉 언론과 행동.
〔云谓字〕 yúnwèizì 명 《言》 동사. =〔动dòng词〕
〔云纹石斑鱼〕 yúnwén shíbānyú 명 《魚》 자바리.
〔云卧〕 yúnwò 동 〈文〉 구름 위에 눕다. 〈比〉 세상을 피해 산 속에 숨다.
〔云雾〕 yúnwù 명 운무. 구름과 안개. 〈比〉 차폐물이나 장애물 등의 물건. ¶真相在～中; 진상은 여전히 분명하지 않다 / 拨开～见青天; 어두운 세상을 헤치고 밝은 세상을 만나다.
〔云霞〕 yúnxiá 명 ①구름과 이내. 채운(彩雲). 꽃구름. ②〈比〉 맑고 고결함. ¶～之交; 〈成〉 속기(俗氣)를 벗어난 고결한 교제.
〔云消雾散〕 yún xiāo wù sàn 〈成〉 운산 무소(구름처럼 사라지고 안개처럼 흩어지다. 흔적도 없이 사라지다). =〔烟yān消云散〕
〔云霄〕 yúnxiāo 명 ①하늘 끝. 높은 하늘. ¶响彻～; 하늘 끝까지 울려 퍼지다 / 直上～; 똑바로 하늘 끝까지 오르다. ②〈比〉 높은 지위.
〔云心月性〕 yún xīn yuè xìng 〈成〉 욕심이 없고 담담한 마음.
〔云行雨施〕 yún xíng yǔ shī 〈成〉 널리 은혜·혜택을 베풀다.
〔云形板〕 yúnxíngbǎn 명 운형(雲形)자.
〔云崖〕 yúnyá 명 구름 속에 우뚝 솟은 단애(斷崖).
〔云烟〕 yúnyān 명 ①구름과 연기. ¶～过眼 =〔烟云过眼〕; 〈成〉 ⓐ구름과 연기가 눈앞을 지나가듯이 그 때뿐이고 마음에 오래 두지 않다. ⓑ순식간에 사라지다. ②〈簡〉 윈난 성(雲南省) 위시(玉溪)에서 나는 담배.
〔云眼看过〕 yún yǎn kàn guò 〈成〉 막연히〔무심히〕 간과하다.
〔云翳〕 yúnyì 명 ①암운(暗雲). 먹구름. ¶蓝天上没有一点～; 푸른 하늘에는 검은 구름 한 점 없다. ②《醫》 눈의 검은 자위 겉에 질병의 후유증으로 남은 엷은 불투명한 상처 조직(시력에 영향이 있음).
〔云英〕 yúnyīng 명 ①《鑛》 푸른기가 감도는 백색 운모. ②〈廣〉 아가씨.
〔云游〕 yúnyóu 동 ①운유하다. 방랑하다. ②승려가 행각하다. ¶～僧; 행각승. 운수. ③(여러 나라를) 주유(周遊)하다. ¶～四海; 각지를 주유하다.
〔云雨〕 yúnyǔ 명 ①우로지택(雨露之澤). 은택. ②〈比〉 운우. 남녀의 성교. ¶～巫山 =〔巫山～〕; 남녀의 성교 / 尤云殢雨; 정교가 격렬한 모양.
〔云云〕 yúnyún 〈文〉 조 운운. 이러이러하다(긴 문구를 생략하여 대용하는 말). ¶吾欲～; 여차여차하고 싶다. 형 ⇨〔芸芸〕
〔云遮月〕 yún zhē yuè 〈比〉 ①광명을 볼 수 없다. 온통 암흑이다. ②표면에 나올 수 없다. 표면에 나타나지 않다. ③저음이고 매력이 있다.
〔云蒸霞蔚〕 yún zhēng xiá wèi 〈成〉 계절에 따른 풍물이 화려하고 아름다운 모양. =〔云兴霞蔚〕
〔云中白鹤〕 yún zhōng bái hè 〈成〉 구름 사이를 나는 흰 학(고상한 사람).
〔云子〕 yúnzǐ 명 〈文〉 ①신선이 먹는 것. ②〈比〉 밥. ③윈난(雲南)산의 고급 바둑돌.
〔云子〕 yúnzi 명 ⇨〔云头儿〕

沄(澐)B) yún (운)

A) →〔沄沄〕 B) ① 명 〈文〉 강의 큰 물결 ②인명용 자(字).
〔沄沄〕 yúnyún 형 물이 굽이쳐 흐르는 모양. 물이 소용돌이쳐 흐르는 모양.

芸(蕓)B) yún (운)

A) 명 《植》 운향. ¶～香xiāng =〔～草〕; 운향. B) 《植》 평지. ¶～薹tái; 평지. 유채.
〔芸编〕 yúnbiān 명 〈文〉 ⇨〔芸帙〕
〔芸(扁)豆〕 yún(biǎn)dòu 명 ⇨〔菜cài豆〕
〔芸草〕 yúncǎo 명 ⇨〔芸香〕
〔芸窗〕 yúnchuāng 명 〈文〉 서재. =〔芸阁〕
〔芸蒿〕 yúnhāo 명 《植》 '柴chái胡' (시호) 또는 그 모종의 별칭.
〔芸黄〕 yúnhuáng 명 《色》 짙은 황색. 형 〈轉〉 초목이 시들어 떨어지는 모양.
〔芸薹(菜)〕 yúntái(cài) 명 ① ⇨〔油菜①〕 ② ⇨〔菜心〕
〔芸香〕 yúnxiāng 명 《植》 운향. =〔芸草〕
〔芸香甙〕 yúnxiāngdài 명 ⇨〔芦lú丁②〕
〔芸芸〕 yúnyún 형 〈文〉 많은 모양. 성한 모양. ¶～众生; 〈成〉 ⓐ《佛》 모든 생물. 중생(衆生). ⓑ일반 사람들. 평범한 대중. 천한 백성. =〔云云〕
〔芸帙〕 yúnzhì 명 〈文〉 서적('芸香'을 방충용으로 책 속에 넣으므로 이렇게 말함). =〔芸编〕

妘 Yún (운)
명 성(姓)의 하나.

纭(紜) yún (운)
→〔纭纭〕〔纷fēn纭〕

〔纭纭〕 yúnyún 형 잡다하고 혼란한 모양. 번잡한 모양. ¶意见～难于统一; 의견이 구구하여 통일하기 어렵다.

耘 yún (운)
동 ①제초(除草)하다. 김매다. ¶耕～; 논밭을 갈고 김을 매다. ②제거하다.

〔耘锄〕 yúnchú 《農》 명 제초·중경(中耕)용의 가래. 괭이. 호미. 동 김매다. 제초하다.

〔耘荡〕 yúndàng 명 《農》 써레의 일종.

〔耘田〕 yúntián 동 김매다.

〔耘耘〕 yúnyún 형 〈文〉 성한 모양.

〔耘爪〕 yúnzhǎo 동 《農》 제초하다.

匀 yún (윤, 균)
① 형 균등하다. 고르다. ¶把颜色yánshaī涂～; 색을 골고루 칠하다/工作分配得很～; 일의 배당이 아주 고르다/分配得很～; 골고루 나누다. ② 동 고르게 하다. 같게 하다. ¶这两份儿多少不均, ～一～吧! 이 두 몫은 불균등하니까 균분해라!/咱们～着吃; 우리는 고르게 나누어 먹자/先拌～了再吃; 잘 섞은 다음에 먹다. ③ 동 융통해 주다. 변통해 주다. ¶～出点工夫来; 시간을 좀 내다/把你买的纸～给我一些! 네가 산 종이를 내게 조금 달라! ④ 동 뒤로 돌리다. 다음으로 물리다. ¶把日子往下～一～; 날짜를 뒤로 물려라.

〔匀拨〕 yúnbō 동 유용(流用)하여 지출하다. 융통 지출하다.

〔匀播〕 yúnbō 동 고르게 뿌리다.

〔匀不出〕 yúnbuchū 융통해 주지 못하다. 나누어 주지 못하다.

〔匀不开〕 yúnbukāi 변통해 주지 못하다. 나누어 주지 못하다.

〔匀衬〕 yúnchèn 형 ⇨〔匀称〕

〔匀称〕 yúnchèn 형 균형이 잡히다. 고르다. ¶～的体格; 균형이 잡혀 있는 체격/字写得～; 글자가 고르게 적혀 있다. =〔匀衬〕

〔匀出〕 yúnchū 동 융통하다. 이러저리 변통하다.

〔匀兑〕 yúndui 동 ①평균화하다. 고르게 하다. ②골고루 섞다. ③융통하다. 나누어 주다. ¶给他～一间屋子; 그에게 방 하나를 변통해 주다.

〔匀分〕 yúnfēn 동 등분〔균분〕하다.

〔匀和〕 yúnhuo〔yúnhe〕 동 〈口〉 균등하게 섞다. 골고루 섞다. ¶你们两人一个急脾气, 一个慢性子, ～～就好了; 너희 둘을 보니 한 사람은 성급하고 한 사람은 느려서 두 사람을 합치면 알맞겠다. 형 농도나 대소가 알맞다〔고르다〕. 균형이 잡히다. ¶这个浆糊打得真～; 이 풀의 농도는 정말 알맞다.

〔匀净〕 yúnjing 형 고르다. 균등하다《흔히, 굵기·농담(濃淡) 등에 대해 이름》. ¶这块布染得很～; 이 천은 아주 고르게 염색되어 있다/这一把面抻得真～; 이 국수는 면발이 정말 고르게 뽑아졌다.

〔匀开〕 yúnkāi 동 나누다. 벼르다. 변통해서 나누다.

〔匀脸〕 yún∙liǎn 동 분을 골고루 얼굴에 바르다. 분을 톡톡 바르다. ¶探春一面～, 一面向平儿冷笑《紅樓夢》; 탐춘은 얼굴에 분을 바르면서 평아를 향해서 냉소했다. =〔匀面〕

〔匀溜〕 yúnliu 형 〈口〉 (굵기·농도·크기가) 고르다. 균형이 잡혀 있다. ¶～个儿; 크기를 고르게 하다/这个太粗, 我要～的; 이것은 너무 굵으니, 적당한 것을 주세요.

〔匀面〕 yún∙miàn 동 ⇨〔匀脸〕

〔匀实〕 yúnshi 형 ①고르다. 균등하다. ¶颜色涂得挺～; 색칠이 매우 고르다. ②(보어로 쓰이어) 상당하다. 철저하다. ¶那个人傻了个～! 저 사람은 멍청해도 유분수지!

〔匀速运动〕 yúnsù yùndòng 명 《物》 등속(等速) 운동. 유니폼 모션(uniform motion).

〔匀调〕 yúntiáo 동 고르게 조정(調整)하다. 형 고르다. 알맞다. 조화되다. 적당하다. ¶眉眼长得很～; 이목구비가 고르고 조화가 잡혀 있다. =〔〈方〉匀停〕

〔匀停〕 yúnting 형 〈方〉 균등하다. 조화되다. 고르다. 적당하다. ¶吃东西要～; 음식은 적당히 먹지 않으면 안 된다/这件事办得很～; 이 일은 잘 처리되었다. =〔匀调〕

〔匀稳〕 yúnwěn 형 (문장 등이) 균형이 있다. 조화롭다.

〔匀圆〕 yúnyuán 형 균형 있게 둥글다.

〔匀匀称称〕 yúnyun chènchèn 형 균형이 잘 잡혀 있다. 고르다.

〔匀整〕 yúnzhěng 형 균등하고 정연하다. 고르다. ¶字写得～; 글씨가 고르고 가지런하게 적혀 있다/迈着～的脚步; 정연한 보조로 전진하다.

昀 yún (윤)
① 명 〈文〉 햇볕. ②인명용 자(字).

畇 yún (윤)
→〔畇畇〕

〔畇畇〕 yúnyún 형 〈文〉 논밭이 평탄하고 정돈된 모양.

筠 yún (운)
명 〈文〉 ①대나무 껍질. ②대나무. ¶松～; 송죽(松竹). ⇒Jūn

〔筠篁〕 yúnhuáng 명 〈文〉 대나무 숲.

〔筠笼〕 yúnlóng 명 〈文〉 대소쿠리. 대바구니.

鋆 yún (윤)
① 명 〈文〉 금(金). ②인명용 자(字). 注 'jūn' 으로도 읽음.

员(員) yún (운)
인명용 자(字). ¶伍Wǔ～; 춘추(春秋) 시대의 사람. ⇒yuán Yùn

郧(鄖) Yún (운)
명 ①《史》 춘추(春秋) 시대의 나라 이름《지금의 후베이 성(湖北省) 안루 현(安陸縣)의 땅》. ②《地》 춘추(春秋) 시대의 오(吳)나라 땅 이름《지금의 장쑤 성(江蘇省) 루가오 현(如皐縣)의 남쪽》. ③《地》 윈 현(鄖縣)《후베이 성(湖北省)에 있는 현 이름》. ④성(姓)의 하나.

涢(溳) Yún (운)
명 《地》 윈수이 강(溳水)《후베이 성(湖北省)에 있는 강 이름》.

筼(篔) yún (운)
→〔筼筜〕

〔筼筜〕 yúndāng 명 《植》 〈文〉 운당. 왕대《물가에 나며 굵기가 고르고, 마디 사이가 길어서 전통(箭筒)을 만듦》.

允

yǔn (윤)
①동 승낙하다. 허가하다. ¶不~所请; 신청한 건을 허가하지 않다/应~; 응낙하다. ②형〈文〉타당하다. 공평하다. ¶判断公~; 재판이 공평하다. ③형 성실하다. 진실하다. ④부〈文〉진실로. 참으로. 정말로.

〔允差〕 **yǔnchā** 명 ⇨〔允许偏差〕
〔允称〕 **yǔnchēng** 동 진실로 칭할 만하다. …이라고 말할 수 있다. ¶~先进人物; 선진자라고 할 수 있다. 선진자로 걸맞다.
〔允诚〕 **yǔnchéng** 형〈文〉성실하다. 진실하다.
〔允承〕 **yǔnchéng** 동〈文〉승낙하다.
〔允从〕 **yǔncóng** 동〈文〉응낙하여 복종하다〔따르다〕.
〔允当〕 **yǔndàng** 형〈文〉타당하다. 정당하다. 적당하다.
〔允肯〕 **yǔnkěn** 동〈文〉승낙하다. 허락하다.
〔允纳〕 **yǔnnà** 동〈文〉허락하고 받아들이다.
〔允诺〕 **yǔnnuò** 동 허가하다. 승낙하다. ¶欣然~; 기꺼이 승낙하다.
〔允洽〕 **yǔnqià** 형〈文〉의견이 맞다.
〔允文允武〕 **yǔn wén yǔn wǔ**〈成〉문무(文武)에 다 뛰어나다.
〔允行〕 **yǔnxíng** 동 허가하다.
〔允许〕 **yǔnxǔ** 동 허가하다. 윤허하다(‘许可’보다는 구어적). ¶~他发言; 그의 발언을 허락하다/请~我说几句话; 몇 말씀 드리겠습니다. =〔允准zhǔn〕
〔允许偏差〕 **yǔnxǔpiānchā** 명《電》허용 오차. =〔允差〕
〔允予〕 **yǔnyǔ** 동 허가하여 …을 주다. …함을 허가하다.
〔允准〕 **yǔnzhǔn** 동 ⇨〔允许〕

狁

yǔn (윤)
→〔玁Xiǎn狁〕

陨(隕)

yǔn (운)
동 ①추락하다. 떨어지다. =〔磒〕 ②죽다. ‖=〔殒yǔn〕 ⇒**yuán**

〔陨落〕 **yǔnluò** 동 (물체가) 고공(高空)에서 떨어지다.
〔陨灭〕 **yǔnmiè** 동〈文〉①공중에서 떨어져 괴멸(壞滅)하다. ②목숨을 잃다. 죽다. ‖=〔殒灭〕
〔陨石〕 **yǔnshí** 명《天》석질(石質) 운석. 운석. 에어러라이트(aerolite). ¶~雨; 운석우(운석이 비오듯 떨어지는 일). =〔石陨星〕
〔陨铁〕 **yǔntiě** 명《天》운철. =〔铁陨星〕
〔陨星〕 **yǔnxīng** 명《天》운석(隕石)(지상에 떨어진 유성의 타다 남은 것).
〔陨越〕 **yǔnyuè** 동〈文〉①굴러 떨어지다. ②〈比〉실직하다. 실패하다. ¶幸免~; 다행히 실패는 면했다. 다행히 대과(大過)는 없었다.

殒(殞)

yǔn (운)
동 ①죽다. ②떨어지다. 추락하다. ‖=〔陨〕

〔殒落〕 **yǔnluò** 동〈文〉①떨어지다. ②〈轉〉낙명(落命)하다. 죽다. ¶巨jù星~; 위인이 죽다.
〔殒灭〕 **yǔnmiè** 동〈文〉⇨〔陨灭〕
〔殒命〕 **yǔnmìng** 동〈文〉목숨을 잃다. 죽다. =〔殒没〕
〔殒没〕 **yǔnmò** 동〈文〉⇨〔殒命〕

磒(磒)

yǔn (운)
동 ⇨〔陨yǔn①〕

孕

yùn (잉)
①동 임신하다. ¶避~; 피임하다. ②명 태아. ¶怀~; 임신하다/有~; 임신하다. ③동〈文〉양육하다. 기르다. ④동〈文〉품다.

〔孕病〕 **yùnbìng** 명 ⇨〔孕吐〕
〔孕畜〕 **yùnchù** 명 새끼밴 가축.
〔孕妇〕 **yùnfù** 명 임신부. ¶~专座; 임신부 전용석/~服; 임신복. 임부복.
〔孕期〕 **yùnqī** 명 임신 기간. ¶~卫生; 임신 중의 위생.
〔孕妊〕 **yùnrèn** 동〈文〉임신하다.
〔孕穗〕 **yùnsuì** 명 이삭 배기. 이삭에 알이 드는 일. 동 이삭을 배다.
〔孕胎〕 **yùn.tāi** 동 회태하다. 잉태하다.
〔孕吐〕 **yùntù** 명《醫》입덧. 악조증(惡阻症). =〔孕病〕〔喜xǐ病〕
〔孕育〕 **yùnyù** 동 ①낳아 기르다. ②〈比〉내포하다. 품고 있다. 배양하다. ¶~着新的危机; 새로운 위기를 내포하고 있다. ③(기존 사실에서 새로운 것이) 생겨나다. ¶~新生力量; 새로운 힘이 싹트려고 하다. ‖=〔孕毓〕〔孕鬻〕
〔孕毓〕 **yùnyù** 동 ⇨〔孕育〕
〔孕鬻〕 **yùnyù** 동 ⇨〔孕育〕

运(運)

yùn (운)
①동 (사물이) 돌다. 이동하다. 운행하다. 운동하다. ¶星球~转于天空; 별이 천공을 운행하다/四季~行; 사계절이 운행하다. ②동 (물건을) 나르다. 운반하다. 운송하다. ¶空~; 공수(空輸)/~了一车的货; 한 차분의 화물을 날랐다/自~环球货品; 혼자 힘으로 전세계 각국의 상품을 사들이다. ③동 움직이다. 운용하다. 적용하다. 휘두르다. ¶~笔; 운필(하다)/~筹; ⇓/治天下可~之掌上; 천하를 다스리어 이것을 손바닥 위에서 운용할 수 있다. ④명 운. 운명. 운세. ¶红~ =〔鸿~〕; 행운/转zhuǎn~; ⓐ운이 트이다. ⓑ운송하다/背~; 불운. 악운/走好~; 운이 트이다. ⑤명 성(姓)의 하나.

〔运败〕 **yùnbài** 동 운이 나빠지다. ¶~时衰神叫门 =〔~时衰鬼叫门〕;〈諺〉엎친 데 덮친 격. 설상가상.
〔运搬〕 **yùnbān** 동 운반하다. ¶~器; 컨베이어(conveyor).
〔运背〕 **yùnbèi** 형 운이 나쁘다.
〔运笔〕 **yùnbǐ** 명동 운필(하다).
〔运兵〕 **yùn.bīng**《軍》동 군대를〔병력을〕 수송하다. (**yùnbīng**) 명 병력 수송.
〔运程〕 **yùnchéng** 명 운송 거리.
〔运筹〕 **yùnchóu** 동 계략을 꾸미다. 획책(劃策)하다. ¶~帷幄;〈成〉후방에서 전략을 세우다. (본진(本陣)에서) 계략을 짜내어 지휘하다/~学; ⓐ《工》사이버네틱스(cybernetics). 인공 두뇌 공학. ⓑ《經》오퍼레이션 리서치(operations research).
〔运单〕 **yùndān** 명《經》〈簡〉화물 송장. 운송장(‘货物运单’의 약칭). =〔货物托运单〕
〔运到〕 **yùndào** 동 ⇨〔运抵〕
〔运道〕 **yùndào** 명 운송로. 양도(糧道).
〔运道〕 **yùndao** 명〈方〉⇨〔运气yùnqi〕
〔运抵〕 **yùndǐ** 동 운송하여 도착하다. =〔运到〕
〔运动〕 **yùndòng** 명 ①《生·物》운동. ¶~觉jué; 운동 감각/加速~; 가속 운동. ②《體》스포츠. ¶~员; 스포츠 맨. 운동 선수/田径~; 필드 경기/~衫 =〔~衣〕; 스포츠 셔츠/~鞋; 운동화/~迷; 스포츠광(狂).

〔运动〕 yùndong 동 (어떤 목적을 위해) 운동하다. ¶你送他这些礼物, 和他～什么吗? 네가 그에게 이런 선물을 하는 것은 그에게 뭔가 운동하려는 것이냐? / 那些议员们差不多都是花钱～出来的; 그 의원들은 거의 모두 돈을 써서 운동하여 나온 것이다. 명 (정치 · 문화) 운동. ¶五四～; 5 · 4 운동 / 革命～; 혁명 운동.
〔运动场〕 yùndòngchǎng 명 운동장. 운동 경기장.
〔运动服〕 yùndòngfú 명 운동복. 스포츠 웨어.
〔运动会〕 yùndònghuì 명 《體》 운동회. =〔〈音義〉 奥ào林匹克～〕〔奥运会〕
〔运动健将〕 yùndòng jiànjiàng 명 《體》 국가가 규정한 조건에 달한 일류 선수에게 주는 칭호.
〔运动量〕 yùndòngliàng 명 《體》 운동량.
〔运动神经〕 yùndòng shénjīng 명 《生》 운동 신경. =〔传chuán出神经〕
〔运动战〕 yùndòngzhàn 명 《軍》 작전 방식의 하나《정규 병단(兵團)의 유동적(流動的) 진공(進攻) 작전》.
〔运发〕 yùnfā 동 발송하다. ¶一列车一列车地被～到各地; 한 열차씩 각지에 발송되다.
〔运费〕 yùnfèi 명 운임. ¶～在内; 운임 포함. 송료 당방(當方) 부담 / ～在外; 송료 상대방 부담 / ～折扣; 운임 할인 / ～到付; 운임 도착불. =〔〈方〉 运脚〕〔运价〕
〔运复出口〕 yùnfù chūkǒu 명 《經》 재수출(再輸出).
〔运河〕 yùnhé 명 운하. =〔〈文〉 漕cáo渠〕〔〈文〉 漕沟〕
〔运货〕 yùn huò 화물을 운반하다. ¶～车; 화물트럭 / ～证书; B/L《선하 증권(bill of lading)》.
〔运货报税的单子〕 yùnhuò bàoshuìde dānzi 명 ⇨〔报单①〕
〔运货单〕 yùnhuòdān 명 《商》 송장(送狀). 적화(積貨) 목록.
〔运货汽车〕 yùnhuò qìchē 명 화물 자동차. 트럭. =〔卡kǎ车〕〔载zài货汽车〕〔载重汽车〕
〔运货证书〕 yùnhuò zhèngshū 명 《貿》 선하 증권. =〔提tí单〕
〔运价〕 yùnjià 명 ⇨〔运费〕
〔运匠心〕 yùn jiàngxīn 머리를 짜다. 궁리하다. ¶这些设计是专家们各～的成果; 이들 디자인은 전문가들이 각자 머리를 짜낸 성과이다.
〔运脚〕 yùnjiǎo 명 〈方〉 ⇨〔运费〕
〔运斤成风〕 yùn jīn chéng fēng 〈成〉 기예가 입신의 경지에 달해 있다.
〔运劲〕 yùn.jìn 동 힘을 쓰다. 기운을 내다. ¶运足了劲; 힘을 충분히 냈다.
〔运粮河〕 yùnliánghé 명 ⇨〔漕cáo河〕
〔运灵车〕 yùnlíngchē 명 영구차. =〔灵(柩)车〕
〔运煤船〕 yùnméichuán 명 석탄 수송선.
〔运煤机〕 yùnméijī 명 석탄 컨베이어.
〔运命〕 yùnmìng 명 〈文〉 운명.
〔运拿〕 yùnná 동 좋은 운수를 만나다.
〔运拿的〕 yùnnáde 운명이 그렇게 한 것. 악운에 걸린 것. ¶他这回的损失是～; 그의 이번 손실은 운명이다.
〔运气〕 yùn.qì 동 ①힘을 (몸 일부에) 집중하다. (재주를 부리는 사람이) 기합을 넣다. 기운을 내다. ¶运足了气; 기합을 충분히 넣었다. 온 힘을 집중했다 / 里太太运足了气回家预备冲锋; '里' 부인은 원기 백배하여 집으로 돌아와 전투 준비에 착수했다 / 把～到胳膊上; 온 정신과 온 힘을 집중하다. ②〈俗〉 분노를 터뜨리다. 화를 내다. ¶别跟我～呀! 나에게 화내지 마시오!
〔运气〕 yùnqi 명 운세. 운명. ¶～背; 운이 막히다 / 走～; 운이 트이다 / ～不好; 운이 나쁘다 / ～旺; 운이 세다 / 好～, 歪打正着zháo; 운이 좋을 때는 비뚜로 때려도 똑바로 맞는다. =〔〈方〉 运道〕 형 행운이다. 운이 좋다.
〔运球〕 yùnqiú 명동 《體》 (구기에서) 드리블(을 하다). ¶～突破; 드리블로 수비를 돌파하다 / 两次～; 더블 드리블.
〔运屎虫〕 yùnshǐchóng 명 《蟲》 풍뎅이.
〔运输〕 yùnshū 명동 수송(하다). 운송(하다). ¶～机 =〔输送机〕; ⓐ수송기. ⓑ컨베이어(conveyor) / ～网; 수송망.
〔运数〕 yùnshù 명 운명. 운수.
〔运思〕 yùnsī 동 〈文〉 생각을 짜내다. 구상하다. 사색하다《흔히, 시 · 글을 짓는 경우》.
〔运送〕 yùnsòng 동 운반하다. 운송하다. 나르다. ¶～肥料; 비료를 운송하다.
〔运送机〕 yùnsòngjī 명 ①⇨〔输shū送机〕 ②⇨〔皮pí带(式)运输机〕
〔运算〕 yùnsuàn 명동 《數》 운산(하다). 연산(하다). ¶～部件 =〔～器〕; 《電算》 연산부. 연산 장치.
〔运土机〕 yùntǔjī 명 토사(土砂) 운반기《광차(鑛車) 따위》.
〔运往〕 yùnwǎng 동 …로 운송하다.
〔运销〕 yùnxiāo 명동 운송 판매(하다). ¶跑～; 운송 판매를 위해 뛰어 돌아다니다.
〔运行〕 yùnxíng 동 (흔히, 별이나 열차 · 배 등이) 운행하다. ¶人造卫星的～轨道; 인공 위성의 운행 궤도 / 列车～正常; 열차 운행이 정상이다.
〔运营〕 yùnyíng 명 운영. (차 · 배 등의) 운행과 영업.
〔运用〕 yùnyòng 명동 운용(하다). ¶～之妙存于一心; 〈文〉 (전략) 운용의 묘는 두뇌의 작용 하나에 달려 있다 / ～自如; 〈成〉 자유 자재로 운용하다 / 灵活～; 임기 응변으로 활용하다.
〔运油船〕 yùnyóuchuán 명 ⇨〔油船〕
〔运载〕 yùnzài 명동 탑재 운반(하다). 적재(하다). ¶～火箭; 탑재 로켓. 인공 위성 발사 로켓 / ～核武器; 핵무기 적재 / ～量; 적재량 / ～工具; 운반 도구.
〔运渣车〕 yùnzhāchē 명 자갈 운반차. 호퍼(hopper)차.
〔运掌〕 yùnzhǎng 동 〈文〉 손바닥을 뒤집다. 〈比〉 매우 쉽다. ¶治天下可运之掌上; 천하를 다스리는 것은 손바닥을 뒤집듯이 쉬운 일이다. =〔运之掌上〕
〔运转〕 yùnzhuàn〔yùnzhuǎn〕 동 ①운송하다. ②《物》 물체가 중심(中心)을 돌면서 계속 전진하다. ③운전하다. 기계를 움직이다. 기계가 움직이다. ¶机器～正常; 기계가 정상으로 움직이다. ④(궤도 위를) 운행하다. 회전하다. ¶行星都绕着太阳～; 행성은 모두 태양 주위를 돈다.
〔运祚〕 yùnzuò 명 〈文〉 세상 운수. 세운(世運).

酝(醖) yùn (온)

〈文〉 ①동 술을 담그다. 양조하다. ②명 술. ③동 일을 발전시킬 기초나 힘이 발달하고 성장하다. ¶～酿着新战争; 새 전쟁의 위기를 내포하고 있다.
〔酝藉〕 yùnjiè 형 ⇨〔蕴藉〕
〔酝酿〕 yùnniàng 동 ①술을 빚다. 양조하다. ②

〈文〉조화되다. ③(일이 점차로) 양성(釀成)되다. (분위기·정세·기운을) 내포하다. ¶更大的风暴正在他的前边～着; 더욱 큰 폭풍이 그의 앞길에 일어나려 하고 있다/这场大辩论～已久; 이번의 대논쟁은 훨씬 이전부터 싹터 있었다. ④고조되도록 준비하다. 사전 교섭을 하다. 분위기·조건을 조성하다. (생각을) 다듬어 나가다. ¶～候选人名单; 선거 후보자 명단을 준비해 두다/～罢工, 罢市; 파업·보이콧의 분위기를 조성하다/那个问题还没～好; 그 문제는 아직 충분히 토의되지 않았다.

员(員) Yùn (운) 명 성(姓)의 하나. ⇒yuán yún

均 yùn (운) 〈文〉 '韵yùn' 과 통용. ⇒jūn

韵〈韻〉 yùn (운) 명 ①《言》운(한자 음의 음두(音頭)에 계속되는 단음(單音) 또는 음군(音群)). ¶押～; 운을 밟다. 압운하다. ②기분 좋은 소리. 고운 음성. ¶松声竹～; 바람에 살랑대는 소나무와 댓잎 소리/唱得有～味; 노래에 풍아한 맛이 있다/琴～悠扬; 거문고 소리가 구성지다. ③운치. 풍도(風度). 정취(情趣). ¶风～; 우아한 용모 자태. ④성(姓)의 하나.

〔韵白〕 yùnbái 명《劇》경극(京劇)에서, 전통적인 운(韻)을 밟는 대사.

〔韵度〕 yùndù 명 풍격. 자태. 태도. =〔风fēng度〕〔风气②〕

〔韵符〕 yùnfú 명《言》운부. 모음을 나타내는 기호.

〔韵腹〕 yùnfù →〔韵母〕

〔韵脚〕 yùnjiǎo 명《言》①운각. 한 음절의 후반부. 즉, 모음의 부분. ②시부(詩賦)의 구말〔연말(聯末)〕에 쓰는 운자(韻字).

〔韵客〕 yùnkè 명〈文〉풍류인. 운사(韻士). =〔韵人〕〔韵士〕〔骚人雅士〕

〔韵律〕 yùnlǜ 명 운율(시의 압운의 형식).

〔韵母〕 yùnmǔ 명《言》'声母'(음두의 자음(子音))를 제외한 음(音)(chong의 ch가 '声母', ong이 '韵母', '韵母'는 다시 '韵头'·'韵腹'·'韵尾'로 나뉨. 예를 들면, '娘niáng'의 '韵母'는 iang이며, 이 중에서 i는 '韵头', a는 '韵腹', ng는 '韵尾' 임).

〔韵人〕 yùnrén 명〈文〉⇨〔韵客〕

〔韵士〕 yùnshì 명〈文〉⇨〔韵客〕

〔韵事〕 yùnshì 명〈文〉풍아(風雅)한 일. 운사.

〔韵书〕 yùnshū 명 문자를 운(韻)에 따라 분류한 사전. 음운에 관한 책.

〔韵头〕 yùntóu →〔韵母〕

〔韵尾〕 yùnwěi →〔韵母〕

〔韵味〕 yùnwèi 명〈文〉정취(情趣). 우아한 맛. ¶他的唱腔很有～; 그의 노랫가락은 매우 운치가 있다.

〔韵文〕 yùnwén 명 운문. 운을 단 글. ↔〔散sǎn文〕

〔韵学〕 yùnxué 명《言》음운학.

〔韵语〕 yùnyǔ 명 운어.

〔韵辙〕 yùnzhé 명 가곡의 가사(歌詞)에 쓰는 운.

〔韵致〕 yùnzhì 명 운치. 풍류스러운 아취.

郓(鄆) Yùn (운) ①명《地》산둥 성(山東省)에 있는 춘추(春秋) 시대 노(魯)나라의 읍(邑) 이름. ②(yùn) 지명용 자(字). ¶～城Yùnchéng; 윈청(鄆城)(산둥 성(山東省)에 있는 현(縣) 이름). ③성(姓)의 하나.

恽(惲) Yùn (운) 명 성(姓)의 하나.

晕(暈) yùn (훈) ①명 달·해의 무리. ¶日～; 햇무리/月～而风; 달에 무리가 지고 바람이 일다. ②명 (종기 따위의) 물건의 주위를 둘러싼 엷은 빛을 띤 고리 모양의 것. ¶血xiě～; 타박상에 의한 피하 출혈/疮口周围起了一片红～; 상처 주위에 빨간 염증이 생겼다. ③동 눈이 어리다. 현기증이 나다. ¶头有些～; 좀 어지럽다. ④동 뱃멀미나 차멀미가 나다. ¶一坐船就～; 배만 타면 멀미를 한다/发～; 멀미가 나다. ⇒yūn

〔晕场〕 yùn·chǎng 동 (장소에 익숙지 않아) 얼다. 얼떨떨해지다. ¶因为听众太多, 他就晕了场了; 청중이 많아 그는 얼어버렸다.

〔晕车〕 yùn·chē 동 차멀미 나다〔하다〕.

〔晕池〕 yùn·chí 동 목욕 중에 습도·온도가 너무 높거나 체력이 약해서 현기증이 나다. =〔晕堂〕

〔晕船〕 yùn·chuán 동 뱃멀미 나다〔하다〕.

〔晕高儿〕 yùn·gāor 동〈方〉높은 데에 올라 현기증이 나다. 고소 공포증에 걸리다.

〔晕堂〕 yùn·táng 동 ⇨〔晕池〕 ⇒yūntáng

〔晕纹〕 yùnwén 명《地》지형의 경사도(傾斜度)를 나타내는 운웅식(暈滃式)의 선.

愠 yùn (온) 동〈文〉①화내다. ②원망하다.

〔愠色〕 yùnsè 명 화난 얼굴〔기색〕.

缊(緼) yùn (온) ①명 지스러기 삼. ②명 헌솜과 새솜이 섞인 것. ③'蕴'과 통용함. ⇒yūn

〔缊袍〕 yùnpáo 명〈文〉①헌 솜이나 지스러기 삼을 섞어서 만든 중국 옷. ②〈轉〉허름한 옷.

煴 yùn (온) 동 ⇨〔熨〕 ⇒yūn

韫(韞) yùn (온) 동〈文〉간직해 두다. 수장(收藏)하다. 내포하다.

薀 yùn (온) '蕴yùn' 과 통용. ⇒wēn

蕴(蘊) yùn (온) 〈文〉①동 함유하다. 내포하다. 지니다. 매장(埋藏)하다. ¶石中～玉; 〈成〉돌 속에 옥을 함유하고 있다. ②형 심오하다. ¶精jīng～; 정밀하고 심오하다. ③명 (깊은) 밑바닥. ④형 (성격이) 온건하다. 너그럽다. ⑤명 말. 수초(금붕어 양식용).

〔蕴奥〕 yùn'ào 명〈文〉학문이나 기술의 극치.

〔蕴藏〕 yùncáng 동〈文〉매장(埋藏)되다. 깊이 간직하다. 잠재하다. ¶～在地下; 지하에 묻혀 있다/～胸中; 가슴 속 깊이 간직하다/～量; 매장량/中国名地～的铁矿很丰富; 중국 각지에 매장된 철광은 매우 풍부하다.

〔蕴涵〕 yùnhán 동〈文〉함유〔포함〕하다. 내포하다. =〔蕴含〕 명 (논리학에서) 내포. 함의(含意)(전후의 두 명제가 서로 조건 관계를 이루는 것).

〔蕴藉〕 yùnjiè 형 〈文〉 (말 · 문자 · 표정에) 함축성이 있다. ¶～的微笑; 함축성 있는 미소. 의미 있는 듯한 미소 / 意味～; 뜻에 함축이 있다 / 风流～; 우아하고 허세를 부리지 않다. 세련된 매력이 있다. =〔酝藉〕

〔蕴蓄〕 yùnxù 동 (학문 · 기예 등이) 안에 축적되어 겉으로 나타나지 않다. 서서히 축적하다. 명 (학문 · 기예 등의) 온축. 충분히 터득하여 장점으로 되어 있는 것.

熨 yùn (울)
동 다리미질을 하다. 다리다. ¶把汗衫～一～; 셔츠를 다리다 / 这件衣裳～过了; 이 옷은 다림질이 되었다. =〔熅〕 ⇒yù

〔熨斗〕 yùndǒu 명 인두. 다리미. ¶电～; 전기다리미. =〔熨头〕〔火斗〕〔烫tàng斗〕

〔熨发〕 yùnfà 동 머리에 고데를 하다.

〔熨煳〕 yùnhú 동 다리미에 눋다. ¶你留神别把衣服～了; 옷을 다리미에 눌리지 않도록 조심해라.

Z

ZA ㄗㄚ

扎〈紮, 紥〉 zā (찰) ①동 묶다. 매다. 동이다. ¶～绑; 묶다. 매다／～裹腿; 각반을 차다／～辫子; 땋아 늘인 머리를 매다. ②동 중상하여 사이를 갈라 놓다. 몰래 이간질하다. ¶有人给他～了; 누군가가 그를 중상하여 사이를 갈라 놓았다. ③양 묶음. 다발. ¶一～稻草; 한 다발의 짚／一～儿面; 국수 한 사리. ⇒zhā zhá

〔扎把子〕 zābǎzi 〈方〉 ①다발로 묶다. ②〈比〉 하나로 뭉치다. 단결하다.

〔扎绑〕 zābǎng 동 매다. 묶다. ¶～在一起; 한데 묶다.

〔扎彩〕 zā·cǎi 동 축제 때에 오색 비단으로 장식하다. ¶～匠 =〔彩匠〕; 축제 때에 오색 비단으로 장식하는 사람.

〔扎彩楼〕 zā cǎilóu 오색 천을 달아 장식한 '牌楼'를 만들다.

〔扎带〕 zā·dài 동 띠를 매다. 밴드를 매다.

〔扎灯结彩〕 zādēng jiécǎi 축하 때, 등불이나 오색 비단으로 장식하는 일. =〔张zhāng灯结彩〕

〔扎堆子〕 zā·duīzi〔zā·zuīzi〕 동 〈方〉 (한곳에) 뭉치다. 모이다. ¶别～, 散开点儿! 모여 있지 말고 좀 흩어져라!

〔扎筏子〕 zā fázi 〈俗〉 ①시비를 걸어 오다. 말꼬리를 잡고 늘어지다. ¶你别和我～; 나에게 생트집을 잡지 마라. ②애매한 사람에게 분풀이하다. 울분을 풀다. ¶怎么跟我扎上筏子了? 무엇 때문에 나한테 분풀이했지?／干什么摔碗～呢; 어째서 사발을 깨뜨려서 화풀이를 하는 거냐. ③방법을 생각하다. 수단을 강구하다.

〔扎裹〕 zāguǒ 동 ①〈古白〉 (여행을 위해) 옷차림을 단단히 하다. 여행 떠날 채비를 하다. ¶～停当, 一直前往; 옷차림을 단단히 하고 곧장 앞으로 갔다. ②(zāguo) (아이에게) 옷을 입히다(돌보아 키움). ¶由小～这么大, 容易吗! 어릴 적부터 돌보아 키웠는데, 정말 쉬운 일이 아냐!

〔扎花儿〕 zā·huār 동 조화(造花)를 만들다.

〔扎交手〕 zā jiāoshǒu 비계를 매다. 발판을 매다.

〔扎巾帽子〕 zājīnmàozi 명 두건 모양의 모자.

〔扎靠〕 zākào 동 《劇》 (경극(京劇)에서) 무장(武將)이 갑옷을 입고 등 뒤에 좌우로 하나씩 깃발을 비스듬히 꽂는 분장을 하다.

〔扎上〕 zāshang 동 이간질하여 두 사람 사이를 갈라 놓다. ¶你知道他们俩近来为什么闹生分了? 那是有人给他～了; 그들 두 사람이 요즘 어째서 사이가 나빠졌는지 알고 있느냐? 그것은 어떤 사람이 이간질을 했기 때문이다.

〔扎腿〕 zā·tuǐ 동 바짓부리를 묶다. (zātuǐ) 명 바짓부리를 묶은 바지.

〔扎稳〕 zāwěn 동 단단히 튼튼하게 짜다〔조립하다〕.

〔扎伊尔〕 Zāyī'ěr 명 《地》 〈音〉 자이르(Zaire)(수도는 '金沙萨'(킨샤사: Kinshasa)).

〔扎帐房〕 zā zhàngfáng 천막을 치다.

〔扎堆子〕 zāzuīzi 동 ⇨〔扎堆duī子〕

匝〈帀〉 zā (잡) 〈文〉 ①명 주위. 둘레. ¶周～; 주위. ②양 바퀴. ¶三～; 세 둘레. 세 바퀴／绕树四～; 나무를 네 바퀴 돌다. ③동 둘러싸다. 두르다. ④형 빽빽하다. ¶密mì密～～; 조밀한 모양. 밀집된〔밀생한〕 모양.

〔匝地〕 zādì 동 〈文〉 각처에 있다. ¶柳荫～; 버드나무 그늘이 도처에 있다. =〔遍地〕

〔匝对〕 zāduì 동 ⇨〔砸zá兑〕

〔匝旬〕 zāxún 명 〈文〉 만 10일.

〔匝月〕 zāyuè 명 〈文〉 만 1개월.

〔匝匝〕 zāzā 형 빽빽한〔꽉 차 있는〕 모양. =〔密匝匝(的)〕

咂 zā (잡) 동 ①(쯧쯧 하고) 혀를 차다(찬미나 한탄을 나타낼 때). =〔咂嘴(儿)〕 ②빨다. 들이마시다. ¶～一口酒; 술을 한 모금 마시다. ③맛보다. 맛을 완미하며 먹다. ¶～滋味; 맛을 보다.

〔咂吧〕 zāba 동 쩝쩝 입맛을 다시다. 혀를 차다.

〔咂不透〕 zābutòu 동 〈方〉 뜻을 이해하기 어렵다. ¶这个意思, 我～; 이 뜻은 나로선 이해하기 어렵다.

〔咂酒〕 zā·jiǔ 명 '青qīng稞(麦)'(쌀보리)로 담근 양조주.

〔咂摸〕 zāmo 동 〈方〉 ①차분히 맛보다. ②말의 뜻을 잘 음미하다. ¶～得出这个滋味来; 되새겨 보고 그 맛을 알다. =〔咂摩〕

〔咂摸滋味儿〕 zāmo zīwèir (맛을) 음미하다. ¶我咂摸得出这个滋味儿; 나는 이 맛을 안다. =〔作zuò摩滋味儿〕

〔咂儿〕 zār 명 〈京〉 젖꼭지. ¶给小孩儿～吃; 아이에게 젖을 물리다〔먹이다〕. =〔咂头儿〕〔咂咂头儿〕〔咂咂儿〕

〔咂水〕 zā·shuǐ 동 물을 홀짝거리며 마시다. 국물을 마시다.

〔咂透〕 zā·tòu 동 ①모두 핥다〔빨다〕. 완전히 맛보다. ¶～了把渣儿吐出来; 다 빨아먹고 찌꺼기를 뱉어 내다. ②〈俗〉 (뜻·생각을) 완전히 알다. 확실히 이해하다. ¶那个意思我～了; 나는 그 뜻을 잘 알았다.

〔咂头儿〕 zātour 명 ⇨〔咂儿〕

〔咂咂儿〕 zāzar 명 ⇨〔咂儿〕

〔咂咂头儿〕 zāzatóur 명 ⇨〔咂儿〕

〔咂咂嘴儿〕 zāzazuǐr 명 ⇨〔奶nǎi嘴〕

〔咂嘴(儿)〕 zā·zuǐ(r) 동 혀를 차다(칭찬·놀라움·부러움의 표시). ¶刘老老此时点头咂嘴念佛而已; 유노파는 이 때 고개를 끄덕이고 혀를 차고 염불을 욀 뿐이었다. (zāzuǐ(r)) 명 귀뚜라미 비슷한 가을 벌레.

拶 zā (찰) 동 〈文〉 바싹 다그다. 핍박하다. ⇒zǎn

臜(臢) zā (찬) →〔腌ā臜〕

杂(雜〈桼, 襍〉) zá (잡) ①동 섞이다. 섞다. ¶～有粉红色的野花; 분홍빛 들꽃이 섞여 있다 / 把坏的～在好的里头; 불량품을 좋은 물건과 섞다 / 难免还夹～着别的成分; 아무래도 다른 성분이 섞인다. ②형 잡다하다. 뒤범벅이다. 가지각색이다. 복잡하다. ¶复fù～; 복잡(하다) / 工作太～; 일이 너무 잡다하다 / ～粮liáng; (쌀·보리 이외의) 잡곡. ③ 명 내장. ④명《化》복소환식(複素環式) 화합물에서 환에 탄소 이외의 원소가 대체되어 있는 것을 나타냄. ¶氮dàn(～)苯 =〔吡bǐ啶〕; 피리딘 / 氧(～)茂 =〔呋喃〕; 푸란(furan).

〔杂八凑(儿)〕 zábacòu(r) 명 〈俗〉 여러 가지를 한데 모은 것. 그러모은 것. 잡탕. ¶～的菜; 잡탕 요리 / 既然没有成套的, 就～吧; 한데 갖추어진 것〔세트로 된 것〕이 없으면 그러모아 주게.

〔杂巴〕 zába 형 혼잡하다. 어수선하다. ¶～商场; 혼잡한 시장.

〔杂班〕 zábān 명《劇》익살극 배우. 단역 어릿광대.

〔杂拌儿〕 zábànr 명 ①설탕에 절인 과일을 한 접시에 곁들인 것. ②〈比〉각종 사물이 뒤섞여 이루어진 것. ¶这个集子是个大～, 有诗, 有杂文, 有遊记, 还有短篇小说; 이 문집은 아주 여러 가지를 모은 것으로, 시도 있고 잡문도 있으며, 여행기에다 단편 소설까지 들어 있다. ③혼합한 하등품 담배. ④여러 가지를 혼합한 요리. ¶海～; 팔보채(八寶菜).

〔杂草〕 zácǎo 명 잡초.

〔杂吃〕 záchī 동 잡식(雜食)하다. 섞어서 먹다.

〔杂处〕 záchǔ 동 뒤섞이어 살다. 잡거하다. ¶五方～; 〈成〉여러 곳의 사람이 뒤섞여 살다.

〔杂醇油〕 záchúnyóu 명《化》퓨젤유(fusel油).

〔杂凑〕 zácòu 동 (사람이나 사물을) 너절하게 그러모으다. 억지로 긁어모으다. ¶～成章; 그러모아 문장을 만들다 / 只好～吧; 할 수 없다. 이것저것 긁어모으자.

〔杂错〕 zácuò 동 뒤섞이다. =〔错杂〕

〔杂豆(儿)米〕 zádòu(r)mǐ 명 죽을 쑤기 위해, 여러 가지 콩을 섞은 쌀.

〔杂肥〕 záféi 명《農》잡비(료)《주요 비료 이외의 비료. 쓰레기 따위》.

〔杂费〕 záfèi 명 ①잡비. ②학교의 잡부금.

〔杂酚〕 záfēn 명《藥》크레오소트(creosote)《마취·진통제의 일종》.

〔杂酚油〕 záfēnyóu 명 ⇨〔木mù馏油(酚)〕

〔杂酚皂液〕 záfēn zàoyè 명《化》리졸 액(Lysol液). =〔〈音〉来lái苏儿〕

〔杂感〕 zágǎn 명 ①잡감. 잡다한 감상. ②잡감의 문체(文體).

〔杂合菜〕 záhecài 명 ①여러 가지를 한 접시에 담은 요리. 모듬 요리. ②⇨〔杂和菜〕

〔杂合面儿〕 záhemiànr 명 옥수수 가루와 콩가루를 섞은 것. =〔杂和面儿〕

〔杂花苜蓿〕 záhuā mùxù 명《植》잔개자리. =〔天蓝苜蓿〕

〔杂会〕 záhuì 동 뒤섞다. 한데 모으다. 그러모으다.

〔杂烩〕 záhuì 명 ①잡탕(雜湯). 잡채. ¶素～; 채소 잡탕 / 荤～; 생선·육류가 들어간 잡탕. ②〈比〉그러모은 것. ¶这本语法书是个大～, 把各派观点凑在一起了; 이 문법책은 각파의 관점을 그러모은 것이다.

〔杂货〕 záhuò 명 ①잡화. ¶～铺pù =〔～店〕; 잡화상. ②마른 식품. 건물(乾物).

〔杂货佬〕 záhuòlǎo 명 잡화 상인. 만물상(商).

〔杂货摊(儿, 子)〕 záhuòtān(r, zi) 명 노점 잡화상.

〔杂和菜〕 záhuocài 명 남은 음식으로 만든 음식. =〔杂合菜②〕

〔杂和面儿〕 záhuomiànr 명 ⇨〔杂合面儿〕

〔杂记〕 zájì 명 ①잡기. ②잡문(雜文).

〔杂记本子〕 zájì běnzi 명 잡기장. =〔杂记簿〕

〔杂记簿〕 zájìbù 명 ⇨〔杂记本子〕

〔杂技〕 zájì 명 여러 가지 기예. 서커스나 무술·잡기 따위. ¶～场; 각종 곡예의 흥행장 / ～团; 서커스단 / 表演～; 곡예를 공연하다. =〔百戏〕

〔杂家〕 Zájiā 명 ①잡가《옛날의 학파의 하나》. ②(zájiā)〈比〉넓은 지식을 지닌 사람. 잡학자(雜學者).

〔杂交〕 zájiāo 명동《動·植》교배(交配)(하다). 잡교(하다). ¶～科学; 육종학.

〔杂晶铸铁〕 zájīng zhùtiě 명 ⇨〔麻má口铁〕

〔杂居〕 zájū 동 잡거하다. ¶民族～的地方; 민족 잡거 지구.

〔杂剧〕 zájù 명《劇》잡극《만당(晩唐)·송(宋)·원대(元代)의 연극의 하나》. ¶元～; 원대(元代)의 잡극.

〔杂捐〕 zájuān 명 구사회에서의 잡세(雜稅). =〔杂课〕

〔杂脚〕 zájué 명《劇》단역(端役).

〔杂课〕 zákè 명 ⇨〔杂捐〕

〔杂拉骨董儿〕 zálāgǔdǒngr〔zálāgūdōngr〕 명 〈京〉 ①잡동사니 고물. 잡동사니 골동품. ¶他存了不少～的破书; 그는 찢어진 고서(古書)를 많이 갖고 있다 / 他一肚子～的学问; 그의 학문은 온통 잡학투성이다. ②잡지식이 많은 사람. 만능꾼.

〔杂痨〕 záláo 명 ①노인의 불치병. 노인병. ②생활·식사의 불규칙으로 생기는 폐질환의 일종.

〔杂类〕 zálèi 명 ①이것저것 뒤섞인 물품. ②일정한 직업이 없는 백성. 잡된 무리들.

〔杂粮〕 záliáng 명 잡곡. ¶～店 =〔～行〕; 잡곡상.

〔杂料〕 záliào 명 잡다한 재료.

〔杂流〕 záliú 명 ①옛날, 구품(九品)에 이르지 않는 잡직의 벼슬아치. ②전문 분야 외에서 임용된 관리.

〔杂录〕 zálù 명동 잡기(雜記)(하다). ¶～了一万多个异体字; 만여 개의 이체자를 잡기했다.

〔杂乱〕 záluàn 형 ①난잡하다. 혼잡하다. ¶家中非常～; 집안이 매우 어수선하다 /桌子上～; 책상 위가 어수선하다 / 我凭着记忆, ～地说了一气; 기억에 의지하여 두서없이 단숨에 지껄였다. ②소란하다. ¶人声～; 사람 소리가 시끄럽다.

〔杂乱无章〕 zá luàn wú zhāng 〈成〉난잡하고 아퀴가 지어져 있지 않다〔뒤죽박죽이다〕. ¶那样做就显得太零碎, 太～; 그렇게 하면 몹시 조각조각이 되버려서 너무 난잡해진다.

〔杂毛〕 zámáo 명 혼합모(混合毛). 잡모. ¶～纱; 혼합 방모사(紡毛絲).

〔杂面〕 zámiàn 명 ①'小xiǎo豆' 또는 '绿lǜ豆' (녹두) 가루. ②⇨〔杂面条(儿)〕

〔杂面条(儿)〕 zámiàntiáo(r) 명 팥가루 또는 '绿lǜ豆面' (녹두 가루)로 만든 국수. =〔杂面②〕

〔杂念〕 zániàn 명 잡념. ¶私心～; 사심과 잡념 / 摒除～; 잡념을 제거하다.

〔杂牌(儿, 子)〕 zápái(r, zi) 명 ①(화투 등에서

으뜸패가 아닌) 보통의 패. ②유명하지 않은 상표. ¶～货; 무명(無名) 메이커의 제품. =〔杂色③〕 ③여러 가지 표시. ¶～军; 잡군. 비정규군. 지방 소군벌의 군대.
〔杂派〕 zápài 명 ①잡다한 파. 각종 단체. ②잡세(雜稅).
〔杂佩〕 zápèi 명 몸에 착용하는 갖가지 패물.
〔杂品〕 zápǐn 명 잡품. 일용품. ¶～店; 잡신구점. 방물 가게.
〔杂评〕 zápíng 명 잡평.
〔杂七杂八〕 zá qī zá bā 〈成〉 뒤죽박죽이다. 매우 혼잡하다. ¶～地摆了一桌子; 책상 가득히 어수선하게 놓여 있다.
〔杂然〕 zárán 형 뒤섞이어 어수선한 모양. 부 모두. ¶～相许; 모두 용서하고 있다.
〔杂糅〕 záróu 동 각기 다른 것이 뒤섞여 있다. 구분이 되어 있지 않다. ¶古今～; 옛것과 현대의 것이 뒤섞여 있다.
〔杂色〕 zásè 명 ①잡색. 잡다한 빛깔. ②《劇》 배우의 단역(전령(傳令) 등의 배역). ③ ⇒〔杂牌(儿, 子)②〕
〔杂食动物〕 záshí dòngwù 명 《動》 잡식 동물. =〔杂食(性)动物〕
〔杂史〕 záshǐ 명 ①어떤 일의 전말을 기술한 것. 일시적인 견문을 적은 것. ②개인이 기술한 역사.
〔杂耍(儿)〕 záshuǎ(r) 명 가무·음곡(音曲)·곡예·요술·성대 모사(聲帶模寫) 등의 잡기. 버라이어티 쇼. ¶～馆 =〔～场子〕; 잡기를 공연하는 집.
〔杂税〕 záshuì 명 잡세. 옛날, 자질구레한 잡다한 세금. ¶苛捐～; 〈成〉 가혹한 세와 잡세.
〔杂说〕 záshuō 명 ①잡설. 잡다한 설. ②〈文〉 잡담과 같은 문장.
〔杂碎〕 zásui 형 번거롭고 자질구레하다. 명 ①소·양(羊)의 내장(등 여러 가지를 함께 삶은) 요리(돼지고기는 제외함). ②〈罵〉 잡놈. 변변치 않은 놈. ¶他没安着好心, 好～; 그는 심성이 좋지 않고 변변찮은 놈이다.
〔杂碎骨头〕 zásuigǔtou ①소·말·양 등의 뼈를 섞은 것. ②분해된 뼈. ③〈罵〉 말뼈다귀. 하찮은〔시시한〕 놈. 변변찮은 녀석.
〔杂损益〕 zásǔnyì 명 (회계상의) 잡손익.
〔杂沓〕 zátà 형 〈文〉 잡다한 모양. 난잡한 모양. 혼잡한 모양. ¶门外传来～的脚步声; 문 밖에서 소란한 발자국 소리가 들려 왔다. =〔沓杂〕〔杂遝〕
〔杂遝〕 zátà 형 〈文〉 ⇒〔杂沓〕
〔杂文〕 záwén 명 잡문.
〔杂务〕 záwù 명 잡무. 잡일. ¶料理～; 잡무를 처리하다 / ～人员; 잡무원.
〔杂项〕 záxiàng 명 잡다한 항목. ¶～开支; 잡지출.
〔杂项〕 záxiang 형 (구성 인원·요소(要素) 등이) 잡다(雜多)하다. 가지각색이다. ¶人太～了; 구성원이 아주 복잡하다 / 这个院子里住的人很～; 이 뜰 안에 살고 있는 사람은 다양하다.
〔杂性花〕 záxìnghuā 명 《植》 잡성화(양성화(兩性花)와 암꽃·수꽃의 단성화를 한 나무에 갖는 경우).
〔杂星〕 záxing 형 잡다하고 불순하다. =〔杂项 xiang〕
〔杂学〕 záxué 명 잡학(에 통달한 사람).
〔杂言诗〕 záyánshī 명 잡언시(시체(詩體)의 이름. 한 수의 시 안에 3언·4언·7언 등을 뒤섞어 지은 것).
〔杂样(儿)〕 záyàng(r) 명 여러 가지 것. 잡다한 것. 잡동사니.
〔杂徭〕 záyáo 명 〈文〉 잡요. 잡다한 부역.
〔杂役〕 záyì 명 〈文〉 잡역부.
〔杂音〕 záyīn 명 잡음. 노이즈(noise). ¶心脏～; 심장의 잡음. =〔噪zào音②〕
〔杂用〕 záyòng 명 잡용. 잡비.
〔杂院儿〕 záyuànr 명 중국식 건물에서, 한 안뜰을 둘러싸고 여러 가족이 사는 형태. 공동 주택. ↔〔独院〕
〔杂支〕 zázhī 명 잡지출. ¶庞páng大的～; 방대한 잡지출.
〔杂志〕 zázhì 명 ①잡지(雜誌). ②잡기(雜記).
〔杂质〕 zázhì 명 ①혼합물. 불순물. ¶水中含有～; 물에는 불순물이 함유되어 있다. ②잡다한 물질. 또 잡다한 성분.
〔杂种〕 zázhǒng 명 《生》 ①(동식물의) 잡종. 혼혈. ②이족(異族). ③〈罵〉 잡종 새끼. ¶～羔子; 잡종 새끼(모친이 음탕하여 누구의 씨인지 알 수 없는 자식).
〔杂著〕 zázhù 명 여러 문장을 그러모은 것. 자질구레한 것을 써 모은 것.
〔杂字〕 zázì 명 상용자(常用字)를 운(韻)을 밟거나 또는 읽기에 편리하도록 모은 것. ¶～本儿; 위와 같은 작은 책자.
〔杂嘴子〕 zázuǐzi 명 잔소리가 많은 사람.

咱〈喒, 咯, 偺, 倃〉 zá (찰, 차) 〈잠〉

→〔咱家〕 ⇒ zán zan
〔咱家〕 zájiā 대 나(라는 사람)(좀 잘난 체하는 말투. 구소설(舊小說)·희곡에 흔히 쓰임).

砸 zá (잡)

동 ①(도구로) 치다. 때리다. (무거운 것이 떨어져서) 찧다. 다지다. 박다. ¶～钉子; 못을 박다 / ～地基; 터다짐〔달구질〕을 하다. →〔打〕〔敲〕〔撞〕 ②깨뜨리다. 때려 부수다. 못 쓰게 만들다. ¶下雹子～了庄稼; 우박이 와서 농작물을 망쳤다. ③〈方〉 실패하다. 결딴나다. ¶唱～了; 노래를 망쳤다 / 买～了; 잘못 샀다 / 戏演～了; 연극은 실패했다 / 这件事搞～了; 이 일은 잡쳤다 / 头一次唱戏幸而没唱～; 처음으로 창극을 공연했는데, 다행히 실패하지 않았다 / 输了眼～到手里; 좋다고 잘못 보고 나쁜 것을 사고 말았다 / 他的饭碗～了; 〈比〉 그의 밥줄이 끊어졌다. ④눌려 터뜨리다. 으깨다. 으스러〔찌부러〕뜨리다. 으스러지다. ¶～核桃; 호두를 으깨다 / 房子倒了, ～死人了; 집이 쓰러져서 압사자가 생겼다 / ～开门冲进去; 문을 때려 부수고 난입하다 / 他把我的兔儿爷给～啦; 저 녀석이 내 장난감 토끼를 망가뜨렸단 말야 / 把玻璃～了; 유리를 깼다. ⑤체적(滯積)되다. 정체되다. ¶错过了时机, 货就～到手里了; 시기를 놓쳐서 상품이 수중에 산더미같이 쌓이고 말았다. ⑥(엄포로) 가볍게 치다. 활기를 불어넣다. 등을 두드리다. ¶把他～过来了; 활기를 불어넣어 그를 소생시켰다.
〔砸巴〕 zába 동 때려 부수다. 깨다. 부수다〔바수다〕. ¶把土块儿～碎了; 흙덩이를 바수다.
〔砸扁〕 zábiǎn 동 ①두들겨서 납작하게 하다. ②(무거운 것에) 눌리거나 맞아서 납작해지다. 결딴나다〔내다〕.
〔砸词儿〕 zácír 명 기운이 없는 말. 풀이 죽은 말.
〔砸地脚〕 zá dìjiǎo ⇒〔砸根底〕
〔砸兑〕 záduì 동 〈京〉 ①확실성의 여부를 따지다.

다짐을 받다. ¶那件事你可跟他～好了, 别又变卦; 그 일은 그에게 다짐을 받도록 하시오. 마음이 다시 바뀌면 곤란하니까 / 他到底来不来, 你要～准了; 그가 과연 올 건지 안 올 건지, 네가 확실히 물어 봐 다오. ②교섭·이야기 등을 결말짓다. ‖ =〔匝对〕

〔砸饭碗〕 zá fànwǎn 밥사발을 깨뜨리다. 〈比〉 생계의 길을 끊다. 직업을 잃다. 밥줄이 끊어지(게 하)다. ¶你不怕砸了饭碗? 자네 밥줄 끊어질까 두렵지 않나?

〔砸根底〕 zá gēndǐ 달구질하다. 터를 다지다. =〔砸地脚〕

〔砸锅〕 záguō 동 〈方〉 ①생활의 길을 잃다. 밥줄이 끊어지다. ②〈比〉 (일을) 잘못하여 그르치다. 헛되게〔못 쓰게〕 만들다. 사업이 실패되다. ¶极容易的事我会做～了, 真倒霉; 매우 쉬운 일을 그르쳐 참으로 어처구니없게 되었다 / ～槌儿; 〈比〉 파괴자. 일을 망치는〔결딴내는〕 사람 / 那几句话更～; 그 몇 마디가 더욱 일을 망쳤다.

〔砸锅暴骨〕 zá guō bào gǔ 〈成〉 이면(裏面)을 보이다. 내정(內情)을 속속들이 드러내다. 속셈을 보이다. ¶这事情不能轻易～; 이 일은 경솔하게 모든 것을 털어놓을 수는 없다.

〔砸锅槌儿〕 záguōchuír 〈比〉 일을 망치는 생각〔사람〕.

〔砸锅卖铁〕 zá guō mài tiě 〈成〉 가진 것을 모조리 팔아 버리다. 몽땅 팔아 버리다. 빈털터리가 되다.

〔砸夯〕 záhāng 동 달구질하다. ¶～垫diàn硪; 달구질하다. 땅을 다지다. =〔打dǎ夯〕

〔砸坏〕 záhuài 동 때려 부수다. 부딪쳐서 부수다.

〔砸毁〕 záhuǐ 동 때려 부수다. ¶～商店, 关闭工厂; 가게를 때려 부수고 공장을 폐쇄해 버리다.

〔砸姜〕 zájiāng 동 생강을 찧다.

〔砸姜磨蒜〕 zá jiāng mó suàn 〈成〉 매정하고 신랄한 말을 하다.

〔砸烂〕 zálàn 동 두들겨 부수다. 형체도 없이 부수다. ¶～了碑石; 비석을 두들겨 부수었다 / ～沙锅; 생활 수단을 빼앗다. 밥줄을 잃게 하다.

〔砸煤〕 zá méi 동 석탄을 잘게 부수다.

〔砸门〕 zá mén (문 따위를) 세게치다. 마구 두드리다.

〔砸明火〕 zámínghuǒ 〈方〉 약탈하다.

〔砸破〕 zápò 동 때려 부수다.

〔砸伤〕 záshāng 동 ①맞아서 부상을 입다. ②짓눌리어 부상하다.

〔砸手〕 zá shǒu 실패하다. 애먹다.

〔砸死〕 zásǐ 동 ①때려 죽이다. ②압사하다. 깔려 죽다. ¶房子塌tā了～人; 집이 무너져서 사람이 깔려 죽었다.

〔砸蒜〕 zásuàn 동 마늘을 짓이기다〔찧다〕.

〔砸碎〕 zásuì 동 짓찧어 부수다. 눌러 찌부러뜨리다. 산산조각을 내다.

〔砸汤〕 zátāng 명 (생선이나 고기의) 뼈다귀국.

〔砸碗花儿〕 záwǎnhuār 명 〖植〗〈京〉 중국산(産) 미나리아재빗과 아네모네 속(屬)의 풀의 이름(복숭아꽃빛의 꽃이 핌. 미신으로, 이 꽃을 따면 그릇을 깬다고 함). =〔〈方〉打dǎ破碗花花〕

〔砸硪〕 záwò 동 달구질하다.

〔砸眼〕 záyǎn 동 ①(물건을) 잘못 보고 사다. ¶买东西砸了眼了; 물건을 잘못 보고 샀다. ②끌로 구멍을 내다.

〔砸眼(儿)〕 záyǎn(r) 동 (두들기듯이 하여) 구멍을 뚫다.

〔砸招牌〕 zá zhāopái ①간판(看板)에 흠을 내다. ②〈轉〉 남의 명예를 손상하다〔실추시키다〕.

〔砸汁〕 zázhī 동 끓여서 국물을 우려 내다.

〔砸字儿〕 zázìr 명 옛날, 닳아서 문자가 희미해진 경화(硬貨).

咋〈啽〉

zǎ (사, 색)
대 〈方〉 어째서. 어떻게. 왜. ¶～办? 어떻게 할까? / ～样? 어떤가? / 你～不去? 너는 왜 가지 않느냐? / 你看这事该～办; 이 일을 어떻게 해야 한다고 생각하느냐? =〔怎〕〔怎么〕 ⇒zé zhā

〔咋个〕 zǎge 대 〈方〉 ①왜. 어찌(하여). 어떻게. =〔怎么〕 ②어떠한. 어느. =〔怎么个〕

〔咋来〕 zǎlai 대 〈方〉 무엇 때문에. 어찌(하여). 어떻게. 왜. =〔怎么〕

ZAI ㄗㄞ

灾〈災〉

zāi (재)
명 ①(천재 지변에 의한) 재해. 재난. ¶受～; 재난을 당하다 / 洪水幸未成～; 홍수는 다행히 재해까지는 되지 않았다 / 闹水～; 수해를 당하다 / 防～; 재해 예방(을 하다) / 预防虫～; 충해를 예방하다. ②개인이 부닥치는 극히 불행한 일들. 재앙. 화(禍). ¶招～惹祸; 〈成〉 스스로 재앙을 불러일으키다 / ～厄; 재난. 재액 / 天～人祸; 〈成〉 천재 인재. ③화재(火災).

〔灾变〕 zāibiàn 명 〈文〉 재변. 이변. 갑작스러운 재난. ¶～说; 〖地質〗 격변설(지질(地質)의 큰 변화는 지각의 격변에 의한 것이라는 설).

〔灾病〕 zāibìng 명 〈文〉 병난(病難). 병으로 인한 재난.

〔灾分儿〕 zāifènr 명 운명으로서 피할 수 없는 재난. ¶这也是注定该有这点儿～; 이것 또한 운명으로 정해져 있던 재난이다. =〔灾候儿〕

〔灾害〕 zāihài 명 재해. ¶自然～; 자연 재해 / ～十分严重; 재해가 매우 심각하다.

〔灾候儿〕 zāihour 명 ⇒〔灾分儿〕

〔灾患〕 zāihuàn 명 재해. 재난.

〔灾荒〕 zāihuāng 명 (수해·한발 따위의) 재해. (천재에 의한) 흉작. ¶闹～; 재해가 생기다. 흉작이 되다.

〔灾晦〕 zāihuì 명 〈文〉 불운(不運). 불행.

〔灾祸〕 zāihuò 명 재화. 재앙(천재나 인재). ¶～就要来临; 재앙이 닥쳐오려 하다.

〔灾咎〕 zāijiù 명 〈文〉 재난. 화(禍).

〔灾梨祸枣〕 zāi lí huò zǎo 〈成〉 쓸모 없는 책을 마구 출판함(목판(木版)을 만드는 데 배나무·대추나무를 쓴 데서 유래).

〔灾黎〕 zāilí 명 이재민. =〔灾民〕

〔灾戾〕 zāilì 명 재앙. =〔灾殃yāng〕

〔灾民〕 zāimín 명 이재민. =〔〈文〉灾黎lí〕

〔灾难〕 zāinàn 명 재난. 재화(災禍). ¶受～; 재난을 당하다 / ～深重; 재난이 심각하다 / 发生了一场～; 한바탕 재난이 일어나다.

〔灾难财〕 zāinàncái 명 남의 재난을 틈타서 모은 돈. ¶大发～; 재난을 이용하여 크게 돈을 벌다.

〔灾孽〕 zāiniè 명 〈文〉 재화(災禍). 재난.

〔灾情〕 zāiqíng 명 이재(罹災) 상황. ¶～重; 이재 상황이 심각하다. =〔灾状〕

〔灾区〕 zāiqū 명 재해 구역.
〔灾星〕 zāixīng 명 악운. 액운. 재난.
〔灾殃〕 zāiyāng 명 〈文〉 재앙. 재난. 재액. =〔灾戾〕
〔灾状〕 zāizhuàng 명 ⇨〔灾情〕

甾 **zāi** (재)
명 《化》 스테로이드(steroid)《유기 화합물》. ¶ ~体激素; 스테로이드 호르몬.
〔甾醇〕 zāichún 명 《化》 스테롤(sterol). ¶ 胆~; 콜레스테롤. =〔生物固醇〕

哉 **zāi** (재)
조 〈文〉 ①반문을 나타냄. ¶ 如此而已, 岂有他~? 이와 같을 뿐, 어찌 다른 일이 있겠는가? / 燕雀安知鸿鹄之志~? 연작이 어찌 홍곡의 큰 뜻을 알 수 있으리요? ②의문을 나타냄. ¶ 谓之何~? 이것을 무엇이라 하는가? ③감탄의 어기를 나타냄. ¶ 呜呼哀~! 아아! 슬프도다! / 壮~此行! 이 행실은 정말 장하도다! ④…하자. …해 볼까. ¶ 吾其试~; 내가 한 번 시험해 볼까.

栽 **zāi** (재)
①(~子) 명 모. 묘목. ¶ 树~子; 묘목 / 稻~; 볏모. ②동 심다. 재배하다. ¶ ~花; 꽃을 재배하다 / ~种; 모종을 심다. ③동 꽂아 넣다. 세워 넣다. ¶ ~刷子的毛; 브러시의 털을 꽂다 / ~电线杆; 전주를 세우다. ④동 뒹굴다. 뒤집히다. 넘어지다. 공중제비하다. ¶ ~了一交; 넘어져 뒹굴다 / 敌方飞机正燃烧着~了下来; 적기가 마침 불이 나서 곤두박질쳐 떨어지는 판이었다. ⑤동 〈比〉 실패하다. 실각하다. 꼴사납게 되다. ¶ 这一下子他算~了; 이번엔 그가 실패한 것이 된다(고 할 수 있다). ⑥동 억울한 죄를〔누명을〕 씌우다. ¶ 硬~我是强盗; 내가 강도라고 어거지로 누명을 씌운다 / 在大爷面前~上我几句; 나리 앞에서 나를 모함하는 말을 지껄였다.
〔栽不活〕 zāibuhuó 심어서〔심은 것이〕 활착하지 않다.
〔栽插〕 zāichā 동 (묘목 등을) 심다.
〔栽倒〕 zāidǎo 동 발이 걸려 넘어지다. 구르다.
〔栽到了底〕 zāi dàoledǐ ①완전히 실패하다. ②큰 창피를 당하다. 더할 나위 없는 추태를 보이다.
〔栽跟头〕 zāi gēntou ①뒤집히다. 쓰러지다. 고꾸라지다. ②〈比〉 실패하다. 얼간이 짓을 하다. ¶ 我的跟头栽大了; 나는 엄청난 실패를 하고 말았다 / ~抢脸; 실패하여 체면을 잃다 / 使那些指望我们在粮食问题上~的人大失所望; 우리가 식량 문제에 실패하기를 기대했던 사람들을 크게 실망시켰다. ‖ =〔栽筋斗〕〔栽斤斗〕
〔栽花〕 zāi.huā 동 ①꽃을 심다. 꽃을 재배하다. ②〈方〉 우두를 놓다. 종두(種痘)하다.
〔栽斤斗〕 zāi jīndou ⇨〔栽跟头〕
〔栽筋斗〕 zāi jīndou ⇨〔栽跟头〕
〔栽毛〕 zāi.máo 동 (브러시의) 털을 심다〔꽂다〕.
〔栽排〕 zāipái 동 〈古白〉 결과를 가져오다. 초래하다('安ānの排' '使shǐ得' '致zhì使' 등의 뜻). ¶ 是兀那当时欢会, ~今日凄凉《元曲選》; 그 때의 환락이 오늘의 처량함을 초래한 것이다.
〔栽培〕 zāipéi 동 ①재배하다. 배양하다. ¶ ~果树; 과수를 재배하다. ②인재를 양성하다〔키우다〕. ¶ 等把他们~大了, 我们的好日子就算来了; 그들을 다 키워 놓으면, 우리들은 보다 나은 생활을 하게 될 것이다. ③(관계(官界)에서) 돌보아 주다. 우대하다. 발탁하다. ¶ 以后还希望张科长多多~; 앞으로도 장과장님께서 많이 돌봐 주시기를 바랍니다.
〔栽人〕 zāi.rén 동 남에게 억울한 죄를 씌우다.
〔栽绒〕 zāi.róng 동 양털을 심다〔꽂다〕《양탄자 등을 만드는 방법》. (zāiróng) 명 모(毛)를 섞어 짠 양탄자 따위.
〔栽折〕 zāishé 동 넘어져 부러지다. ¶ ~了腿; 넘어져서 다리뼈가 부러졌다.
〔栽树〕 zāi.shù 동 나무를 심다.
〔栽丝〕 zāisī 명 ⇨〔双shuāng头螺栓〕
〔栽秧〕 zāi.yāng 동 모종을 심다.
〔栽赃〕 zāi.zāng 동 ①장물이나 금제품(禁制品)을 몰래 남의 집이나 짐에 넣어 죄를 뒤집어씌우다. ②(명예롭지 못한 일을 날조하여) 트집을 잡다.
〔栽植〕 zāizhí 동 ①〈文〉 심다. 재배하다. ¶ ~葡萄; 포도의 묘목을 심다. ②〈比〉 인재를 양성하다〔키우다〕.
〔栽种〕 zāizhòng 동 (화초 · 나무를) 재배하다. 심다. ¶ ~了各种树木; 여러 가지의 나무를 심었다 / ~花卉huì; 꽃을 재배하다. =〔种植〕
〔栽桩子〕 zāi zhuāngzi 말뚝을 박다.

宰 **zǎi** (재)
①동 맡다. 주재하다. 주관하다. =〔主宰〕 ②명 옛날의 관명(官名). ¶ 太~; 재상 / 县~; 현의 장관 / 冢~; 총재. ③명 주(主). 우두머리. ④동 가축을 도살하다. 잡다. ¶ 杀猪~羊; 돼지나 양을 잡다 / ~杀 =〔屠~〕; 도살하다. 잡다 / ~一口猪; 돼지 한 마리를 죽이다. ⑤동 (고기를) 베어 내다. ⑥동 요리하다. ⑦명 요리인. ⑧명 성(姓)의 하나.
〔宰柄〕 zǎibǐng 명 〈文〉 재상(宰相)의 권한. ¶ 付以~; 재상의 권한을 주다.
〔宰父〕 zǎifǔ 명 복성(複姓)의 하나.
〔宰辅〕 zǎifǔ 동 〈文〉 천자를 보좌하다.
〔宰割〕 zǎigē 동 ①분할하다《침략 · 억압 · 착취 따위에 비유됨》. ¶ 任意~他国; 마음대로 남의 나라를 가르다 / ~败战国; 패전국을 분할하다 / ~老百姓的脂膏; 백성의 고혈을 짜내다 / ~天下, 分裂山河; 천하를 분할하고 산하를 갈라 놓다. ②죽음과 같은 비참한 꼴을 당하게 하다.
〔宰官〕 zǎiguān 명 〈文〉 ①관리. ②현(縣)지사의 일컬음.
〔宰鸡〕 zǎi.jī 동 (요리하기 위하여) 닭을 잡다.
〔宰客〕 zǎi kè (손님에게) 바가지 씌우다.
〔宰领〕 zǎilǐng 〈文〉 동 위에 서서 일을 처리하다. 명 두목. 우두머리.
〔宰木〕 zǎimù 명 ⇨〔宰树〕
〔宰牛〕 zǎi.niú 동 소를 도살하다.
〔宰人〕 zǎi.rén 동 ①남을 끔찍한 꼴을 당하게 하다. ②(남에게서) 착취하다. 폭리(暴利)를 취하다. ¶ 那个铺子太~了; 저 가게는 너무나 폭리를 취한다. ③고혈을 착취하다. 호되게 착취하다.
〔宰肉〕 zǎi.ròu 동 (요리에서) 고기를 베어내다〔썰다〕.
〔宰杀〕 zǎishā 동 도살하다. (가축을) 잡다. =〔屠宰〕
〔宰牲节〕 zǎishēngjié 명 희생제(犧牲祭)《이슬람교의 제사로 '古尔邦'이라고도 하며, 이슬람력(曆) 12월 10일에 소 · 양 · 낙타 등을 도살하여 신에게 바침》. =〔牺牲节〕
〔宰世〕 zǎishì 동 〈文〉 천하를 다스리다〔지배하다. 단속하다〕.
〔宰树〕 zǎishù 명 〈文〉 무덤에 표지로 심은 나무. =〔宰木〕
〔宰相〕 zǎixiàng 명 재상. ¶ ~肚子能撑船; 〈諺〉 재상의 뱃속에서는 배도 저을 수 있다《큰 인물은

도량이 크다) / ～儒; 재상급의 문인 관료.
〔宰制〕 zǎizhì 동 통할(統轄) 지배하다. 지배하에 두다.

载(載) zǎi (재) ①명 해. 년(年). ¶一年半～; 1년 반 / 抗战八～; 항전 8년. ②동 기재하다. ¶登dēng～ =〔～登〕; 게재하다. ③명 성(姓)의 하나. ⇒zài
〔载入〕 zǎirù 동 기재하다. 게재하다. ¶～史册; 역사에 기재하다. 역사에 남기다.

崽 zǎi (재) 명〈方〉①아이. 선머슴. ②(～儿, ～子) (동물의) 새끼. ¶下～; 새끼를 낳다. ③〈轉〉 남에게 욕하는 말. ¶细～ =〔西～〕; 〈罵〉 옛날, 서양 사람의 고용인에 대한 욕 / 王八～子 =〔兔～子〕〔猴儿～子〕; 개자식. 쌍놈.
〔崽畜〕 zǎixù 명 가축의 새끼.
〔崽猪〕 zǎizhū 명 돼지 새끼.
〔崽子〕 zǎizi 명 ①아이. ②아가(호칭). ③가축의 새끼. ④면. 연동(戀童)(남색(男色)의 피동자). ⑤〈罵〉 짐승의 새끼 같은 놈.

仔 zǎi (자) 명 ①작은 것. (가축 따위의) 새끼. ¶～猪 =〔猪～〕; 돼지 새끼 / 火船～; 작은 증기선. 론치(launch). ②〈貶〉 놈(사람의 멸칭(蔑稱)). ¶日本～ =〔～崽〕; 왜놈. 일본놈. ③〈方〉 자식. →〔崽〕 ⇒zī zǐ

再〈再, 再〉 zài (재) 부 ①다시. 또(한번). 거듭. ¶今天来了, 明天～来; 오늘 오고 내일 또 온다 / 晚上～来吧; 밤에 또 오너라 / 一～表示; 거듭 (의사를) 표시하다 / ～说一遍; 다시 한 번 말하다. ②그 위에. 더. 더욱(수량 또는 정도를 나타냄). ¶～也…不…; 이 이상은 …할 수 없다 / ～大一些就好了; 조금 더 크면 좋겠다 / ～好没有; 이 이상 더 좋은 것은 없다 / 比这个～大一点就好了; 이것보다 조금 크면 좋겠다 / 还要～练习; 더욱더 연습하지 않으면 안 된다. 注 '比…～'의 경우는 항상 '一些'·'一点儿'을 수반함. ③이 이상 …하면. 이 위에 또 …하면. ¶～喝就要醉了; 이 이상 더 마시면 취해 버린다 / ～不走可迟到了; 이제 곧 떠나지 않으면 늦는다. ④…한 뒤에. …하고 나서. ¶病好了～来; 병이 나은 뒤에 오다 / 先买票～说; 우선 표를 사고 보자. ⑤아무리 …하더라도. ¶工作～忙也坚持学习; 일이 아무리 바쁘더라도 학습을 계속한다 / ～苦～累也要搞好; 아무리 괴롭고 힘이 들더라도 훌륭히 해내야 한다. ⑥그리고. 그 위에. 게다가. 더욱이. ¶～则; 그리고. 더욱 / ～不然; 그렇지 않으면 / 英语专业的学生要上精读、会话、听力课, ～就是语言理论、文学史、英国史等; 영어과의 학생은 강독, 회화, 듣기의 수업을 받고 또한 언어론, 문학사, 영국사 등도 수업받는다. ⑦되풀이하거나 다시 나타남을 표시함. ¶青春不～; 청춘은 두 번 다시 안 온다 / 良机难～; 좋은 기회는 두 번 다시 오기 어렵다. ⑧따로. 별도로. 그 밖의(양사(量詞)도 수식함). ¶家里～没别人, 就是我妈; 집에는 딴 사람은 없고, 엄마만 계신다 / ～一个是齿轮厂; 다른 하나는 톱니바퀴 공장이다. ⑨('～不'의 꼴로) 영원히. 이제는. ¶～不说假话了! 이젠 거짓말하지 않는다! ⑩('～…不过了'의 꼴로) 정도가 한계에 도달하여 그 이상은 없다는 뜻을 나타냄('～'와 '不过' 사이에는 흔히 형용사 또는 형용사적인 동사가 오며, '很'으로 수식할 수 있는 말이 옴). ¶他家的房子～宽敞不过了; 그의 집은 더없이 넓다.
〔再拜〕 zàibài 명 〈翰〉 재배. =〔载拜〕
〔再版〕 zàibǎn 명동 재판(하다). 중판(重版)(하다). ¶这本书已经三次～了; 이 책은 벌써 세 번 재판되었다 / 那本全集不久就要～了; 저 전집은 오래지 않아 재판된다.
〔再不〕 zàibù 접 〈口〉 그렇지 않으면. ¶你快走, ～赶不上了! 빨리 가거라, 그렇지 않으면 늦는다! =〔要不然〕〔再不然〕
〔再乘〕 zàichéng 명동 《數》 세제곱(하다).
〔再出口〕 zàichūkǒu 명동 《經》 재수출〔역수출〕(하다).
〔再次〕 zàicì 명 ①재차. 다시 한번. ¶～出现; 다시 나타나다. ②다시. ¶首先…, 其次…, ～…; 우선 …, 그 다음에 …, 다시 ….
〔再从兄弟〕 zài cóngxiōngdì 명 재종형제.
〔再搭上〕 zàidāshang 게다가. 더군다나.
〔再度〕 zàidù 명 재차. 두 번째. ¶机构～调整; 기구가 재차 정리 통합된다.
〔再犯〕 zàifàn 명동 《法》 재범(하다).
〔再分〕 zàifēn 접 〈方〉 ①…이기만 하면. ¶～能在北京, 还是在北京; 만일 베이징(北京)에 있을 수 있다면 그냥 베이징(北京)에 있겠다. =〔只要〕 ②설령 …일지라도. ¶～困难, 我也不跟你借钱; 비록 곤란하더라도 나는 너한테 돈을 꾸지 않을 것이다. =〔就算〕
〔再归热〕 zàiguīrè 명 ⇨〔回huí归热〕
〔再后来〕 zàihòulái 명 다시 (그) 뒤. ¶～又发生了一件事; 그 뒤에 또 하나의 사건이 일어났다.
〔再会〕 zàihuì ⇨〔再见〕
〔再婚〕 zàihūn 명동 재혼(하다).
〔再加上〕 zàijiāshang 접 게다가. 더욱이. ¶饥饿, 寒冷～疾病, 夺失了无数生命; 굶주림과 추위, 게다가 그 위에 질병이 많은 생명을 빼앗아 갔다.
〔再嫁〕 zàijià 명동 재가(하다). (여자가) 재혼(하다).
〔再见〕 zàijiàn 〈套〉 안녕히 가십시오〔계십시오〕. 안녕. ¶～～! 안녕 안녕! =〔再会〕
〔再教育〕 zàijiàoyù 명동 재교육(하다). ¶对干部进行～; 간부에게 재교육을 실시하다.
〔再醮〕 zàijiào 명동 (옛날, 과부가) 재혼(하다).
〔再接再厉〕 zài jiē zài lì 〈成〉 더한층 분발하다. 더욱 힘쓰다. ¶～, 克服暂时的困难; 더더욱 분발하여 일시적인 곤란을 극복하다.
〔再结晶〕 zàijiéjīng 명 《化》 재결정.
〔再进口〕 zàijìnkǒu 명동 《經》 재수입(하다). 역수입(하다).
〔再就是〕 zàijiùshi 그리고 또 …이다. 그 다음은 …이다.
〔再来〕 zài lái ①또다시 오다. ¶明年我可以～; 나는 내년에 또 옵니다 / 时不～; 때는 또다시 오지 않는다. ②다시 한 번 하다. ¶～一回吧! 다시 한 번 해 보자! / 一次不成, ～一次; 한 번에 안 되면, 또 한 번 해 봐라.
〔再平〕 zàipíng 명 《體》 듀스 어게인(deuce again) (듀스는 '平分').
〔再启〕 zàiqǐ 명 〈翰〉 추신(追伸)(편지의 추가문의 모두(冒頭) 용어). =〔副fù启〕
〔再起〕 zàiqǐ 명동 재발(하다). 반복(하다). 재현(하다). ¶防止边境冲突～; 국경 충돌의 재발을 막다.
〔再入〕 zàirù 명동 (우주 공간에의) 재돌입(하다). ¶～弹头; 재돌입 탄두 / ～走廊; 재돌입 회랑(回

廊).
〔再三〕 zàisān 부 〈文〉 재삼. 몇 번이고. 여러 번. ¶言之～; 〈成〉 몇 번이고 말하다 / 考虑～; 몇 번이고 고려하다 / 他～地求我; 그는 재삼 내게 부탁했다 / ～辞谢; 몇 번이나 사절하다.
〔再三再四〕 zài sān zài sì 〈成〉 재삼 재사. 되풀이하여. 여러 번. ¶～地强调; 자주〔거듭〕 강조하다. =〔三番两次〕〔三番五次〕〔一而再, 再而三〕〔两次三番〕
〔再审〕 zàishěn 명동 《法》 재심(하다). ¶请求～; 다시 심사하도록 요구하다.
〔再生〕 zàishēng 동 ①소생하다. 재생하다. ¶～父母 =〔重chóng生父母〕; 〈比〉 생명의 은인 / ～投胎; 이 세상에 다시 태어남. ②《生》 (유기물이 부분적으로) 재생하다. ¶～稻; 《農》 그루터기에서 다시 난 벼의 움돋이. ③(물건을) 재생시키다. ¶～橡胶; 재생 고무 / ～纸; 재생지.
〔再生产〕 zàishēngchǎn 명동 《經》 재생산(하다).
〔再衰三竭〕 zài shuāi sān jié 〈成〉 ①한 때의 세가〔기운이〕 서서히 쇠퇴하다. ②사기(士氣)가 떨어져 떨치지 못하게 되다. 기진맥진하다.
〔再说〕 zài shuō ①다시 더 말하다. ¶请～一遍吧! 한 번만 더 말씀해 주십시오! ②그 뒤의 일로 하다. 나중에 생각하기로 하다. ¶等明儿～罢; 그럼 내일 다시 만나서 이야기합시다 / 这事先搁一搁, 过两天～; 이 일은 우선 보류했다가 이틀 후에 다시 생각해 봅시다. (zàishuō) 접 게다가. 그 위에(어떤 일을 말한 뒤에, 다시 더 분명히 하기 위해 덧붙임). ¶～我也不会打人; 게다가 나도 사람을 칠 줄 모른단 말이다 / 去约他, 来不及了, ～他也不一定有工夫; 그를 꾀러 가 본댔자 때가 늦었고 게다가 그 사람 또한 반드시 시간이 있으리라곤 할 수 없다 / ～他也没有能耐; 게다가 그는 능력도 없다.
〔再思, 行成于思〕 zài sī, xíng chéng yú sī 〈成〉 머리를 써서 잘 생각하면 성숙된〔좋은〕 생각이 나온다.
〔再四〕 zàisì 부 〈文〉 여러 번. →〔再三再四〕
〔再贴现〕 zàitiēxiàn 명동 《經》 재할인(하다).
〔再晤〕 zàiwù 명동 〈文〉 재회(하다).
〔再现〕 zàixiàn 명동 재현(하다).
〔再也〕 zàiyě 부 이 이상 더. 이제는. 두 번 다시 (뒤에 부정사(否定詞)가 옴). ¶累得～走不动了; 지쳐서 더 이상 걸을 수 없게 되었다 / 我～不想去了; 나는 두 번 다시 가고 싶은 마음이 없어졌다.
〔再一次〕 zàiyīcì 다시 한 번. 재차. ¶～的考验; 재차의 시련 / ～表示由衷的谢意; 거듭 마음으로부터의 사의를 표명하다 / 我将～前来拜访; 재차 찾아뵙겠습니다.
〔再造〕 zàizào →〔恩ēn同再造〕
〔再则〕 zàizé 접 〈文〉 급기야는. 다음에는(흔히, '始则〔首先〕'…, '继则'…으로 이어짐). ¶始则拖延, 继则刁难, ～耍赖; 처음에는 미루고 이어서 트집을 잡고, 급기야는 떼를 쓴다.
〔再者〕 zàizhě 명 〈翰〉 부언(附言). 추신(追伸). 추이(追而). 접 〈文〉 그 위에. 더군다나. 게다가. ¶～没有位子坐; 게다가 좌석도 없다. =〔且qiě也〕
〔再作冯妇〕 zài zuò Féng Fù 〈成〉 옛날에 익힌 솜씨를 발휘하다.

在 zài (재)
①동 …에 있다(흔히, 목적어를 동반함). ¶书～桌子上呢; 책은 책상 위에 있다 / 他～家吗? 그는 집에 있습니까? / 帽子～哪里? 모자는 어디에 있습니까? ②개 …에. …에서(행위·동작이 행하여지는 장소·시간·상황·범위를 나타냄). ㉠장소를 나타냄. ¶住～天津; 톈진(天津)에 살고 있다 / 住～郊外 =〔～郊区住〕; 교외에 살다. ㉡시간을 나타냄. ¶专车～下午一点到达; 전용 열차는 오후 1시에 도착한다 / 生～一九八八年; 1988년생(生) / 参观改～星期一; 견학은 월요일로 변경되었다. ㉢상황을 나타냄. ¶事情是～这样的情况之下进行的; 사항은 이러한 상황하에서 진행된 것이다 / ～同学们的帮助下, 我的中文水平提高得很快; 동급생들의 도움 덕분으로 나의 중국어는 날로 향상되었다. ㉣범위를 나타냄. ¶～这方面; 이 방면에서. ③개 …에게는. …에 있어서는. ¶～他…; 그로서는. ④동 존재하다. 생존하다. ¶我父亲不～了; 저희 아버지는 돌아가셨습니다 / 精神永～; 정신은 영구히 존재한다 / 留得青山～, 不怕没柴烧; 〈諺〉 푸른 산이 있기만 하면 땔감 걱정은 없다(근본적인 힘이 존재한다면 언젠가는 목적을 이룰 수 있다). ⑤부 한창〔막〕 …하고 있는 중이다(동사의 바로 앞에 와서 동작의 진행이나 지속 상태를 나타냄). ¶他～吃饭呢; 그는 밥을 먹고 있는 중이다 / 他们～看着他的后影; 그들은 그 사람의 뒷모습을 보고 있는 중이다. ⑥동 …에 속하다. 참여하다. ¶他～了党; 그는 입당했다. ⑦네(출석 부를 때의 대답). ⑧명 곳. ¶～～皆是; 〈成〉 어디나 다 같다. ⑨동 …에 있다. …에 달려 있다. ¶事～人为; 〈成〉 일의 성패(成敗)는 사람이 하는 바에 달려 있다 / 兵不～多～精; 〈諺〉 병사는 수가 아니라 정예하느냐에 달려 있다 / 此次学习目的～增进知识; 이번 학습의 목적은 지식의 증진에 있다. ⑩명 성(姓)의 하나.
〔在案〕 zài'àn 동 〈公〉 수속을 마치고 보존 서류 중에 있다(기록에 남겨져 있다는 뜻). ¶业奉钧院指令照准, 并通饬遵照, 各～; 이미 귀원(貴院)으로부터 그 (원하는)대로 허가를 받았으며, 또한 일반에게 주지시키라는 지령을 받아 처리를 끝냄 / 经过情形曾于某月某日报钧府～; 경과 정황은 이미 모월 모일 귀부(貴府)에 보고를 마쳤음.
〔在帮〕 zàibāng 동 옛날, '青帮' '红帮' (등의 비밀결사)에 가입해 있다.
〔在编人员〕 zàibiān rényuán 명 상근(常勤) 직공. 정규 직원〔사원〕.
〔在草〕 zàicǎo 동 〈文〉 산욕기에 있다. =〔〈口〉 坐月子〕
〔在场〕 zàichǎng 동 그 자리에 있다. 현장에 있다. ¶事情发生的时候, 他也～; 사건이 일어났을 때 그도 그 곳에 있었다.
〔在朝〕 zàicháo 동 ①재조. 조정에서 일하고 있다. ②정부측 또는 여당측이다. ↔〔在野〕
〔在此之前〕 zài cǐ zhīqián 이보다 이전에.
〔在地儿〕 zàidìr 동 그 곳에 있다. 그 장소에 있다. ¶～的有多少位? 거기에 있는 사람은 몇 분인가요?
〔…在迩〕 …zài'ěr 〈文〉 …은 가깝다. …은 멀지 않다.
〔在公〕 zài.gōng 동 공무에 종사하고 있다. =〔奉fèng职〕
〔在官〕 zài.guān 동 〈文〉 관계(官界)에 있다. ¶～言官; 〈成〉 관직에 있으면 관직에 대한 얘기만 한다(자신이 속한 범위 안에서만 이야기함).
〔在行〕 zàiháng 형 (사정에) 밝다. 경험이 많다. 익숙하다. 능하다. 전문가이다. 정통하다. ¶他是老资格的韩国留学生, 什么都～; 그는 오래 된 한국 유학생으로, 무엇이든 자세히 정통하다 / 他买

东西很～; 그는 쇼핑을 아주 잘 한다 / 我不～, 所以失败了; 나는 전문가가 아니어서 실패했다. =〔内行〕↔〔外行〕
〔在行嫌行〕 zài háng xián háng 〈諺〉 사람은 자기의 직업을 싫어하는 법이다.
〔在乎〕 zàihu 동 ①…에 있다. ¶易卜生的长处就～他肯说老实话; 입센의 좋은 점은 진실된 이야기를 하려고 하는 데에 있다. ②…에 구애되다. …를 문제삼다. 관심을 가지다. 개의(介意)하다《부정사(否定詞)를 동반할 때가 많음》. ¶我不～钱上; 나는 돈 따위를 문제삼지 않는다 / 我不～那个; 나는 그건 아무래도 좋다 / 满不～; 조금도 개의치 않다. ③…에 달려 있다. …할 나름이다. ¶不～花钱多少; 돈을 많이 쓰느냐 적게 쓰느냐에 달려 있지 않다.
〔在伙里〕 zài huǒli 일가족이 동거(同居)하다.
〔在即〕 zàijí 동 임박하다. 닥쳐와 있다. 얼마 안 있어〔곧〕…이다. ¶暑假～; 얼마 안 있으면 여름 방학이다 / 毕业～; 졸업이 가까워졌다 / 年关～; 세밑이 다가오다. =〔迫pò近〕↔〔在遐〕
〔在家〕 zài.jiā 동 ①집에 있다. ¶晚上～吗? 밤에는 집에 있습니까? / ～千日好, 出外一时难; 〈諺〉 집에 있으면 늘 편안하지만, 여행길에 나서면 곧 고생이 따른다《내 집처럼 편한 곳은 없다》/ ～是老虎, 出门是豆腐; 〈諺〉 집에 있으면 호랑이, 밖에 나가면 두부. 이불 안 활개. 횃대 밑 사내 / ～敬父母何必远烧香; 〈諺〉 집에 있으면서 효도하면 멀리 신불(神佛)에 참배할 필요도 없다. ↔〔不在家〕〔没在家〕 ②《佛》 재가하다《출가(出家)에 대하여 쓰이는 말》. ¶～人; 일반인. 출가하지 않은 사람.
〔在家理〕 zàijiālǐ 동 ⇨〔在理②〕
〔在教〕 zàijiào 동 〈口〉 ①어떤 종교를 믿다. ②이슬람교도이다. 이슬람교를 믿다. ¶～的(人) =〔～门的〕; 이슬람교도.
〔在劫难逃〕 zài jié nán táo 〈成〉 팔자에 있는 액운(厄運)은 피할 수 없다. 피할 수 없는 운명에 있다.
〔在京的和尚出外的官〕 zàijīngde héshang chūwàide guān 〈諺〉 수입이 많기로는 베이징(北京)의 중과 지방관(地方官)이다.
〔在疚〕 zàijiù 동 〈文〉 걱정 때문에 병이 들다. 〈轉〉 상중에 있다.
〔在理〕 zàilǐ 형 이치에 맞다. 사리에 합당하다. ¶这话说得实在～; 이 말은 정말 이치에 맞는다. 동 ①이치에 맞게 따지다. ¶～那也是应该的; 이치로 따질 것 같으면 그것도 당연하다. ②'在理会'에 참가하다. =〔在家理〕〔在理门儿〕〔有理儿〕〔有门坎儿〕
〔在理会〕 Zàilǐhuì 명 '帮会'(비밀 결사)의 하나로, 본래 청초(清初)에 만들어진 반청(反清) 비밀 결사. 후에는 금주(禁酒)·금연하는 사람들의 조직이 됨. =〔在理教〕〔白衣道〕〔白衣教〕
〔在理门儿〕 zàilǐménr 동 ⇨〔在理②〕
〔在民的〕 zàimínde 명 청대(清代)에 한인(漢人)을 가리킴. →〔在旗的〕
〔在内〕 zàinèi 동 그 속에 (포함되어) 있다. ¶一包～; 모든 것은 그 속에 포함되어 있다 / 连房带饭都在其内; 방세도 식대도 모두 그 안에 포함되어 있다.
〔在旗的〕 zàiqíde 명 청대(清代), 만주(滿洲) 사람을 가리킴《'旗人'의 적(籍)에 있는 사람》.
〔在前〕 zàiqián 먼저 …하다. ¶吃苦～; 고생은 먼저 하다.
〔在任〕 zàirèn 동 재임하다. 임관중이다.
〔在苫〕 zàishān 명 ①부모가 돌아간 지 백일이 되지 않음. ②부모상(喪)에서 첫 백일 동안 상을 입는 것《'苫'(멍석)은 상(喪)을 입는 동안의 침구》.
〔在世〕 zàishì 동 살아 있다. 생존하다《죽은 이에 대한 회고에 씀》. ¶你父亲～的时候, 生活十分简朴; 살아 계실 때의 부친은 생활이 매우 검소했다.
〔在室〕 zàishì 동 〈文〉〈比〉 (여성이) 아직 미혼이다.
〔在手〕 zàishǒu 동 손 안에 있다. 수중에 있다.
〔在数〕 zàishù 동 ①숫자 속에 들어 있다. 하나하나 세어 알고 있다. ②운명이다. 운명이 이미 정해져 있어 피할 수 없다. ¶～难逃; 운명이 이미 정해져 있어 피할 수 없다.
〔在所不…〕 zài suǒ bù… 강조를 나타내는 관용구.
〔在所不辞〕 zài suǒ bù cí 〈成〉 결코 마다하지〔사양하지〕 않다. ¶就是赴汤蹈火也～; 물불을 가리지 않다.
〔在所不计〕 zài suǒ bù jì 〈成〉 개의치 않다. 문제삼지 않다.
〔在所不免〕 zài suǒ bù miǎn 〈成〉 ⇨〔在所难免〕
〔在所不惜〕 zài suǒ bù xī 〈成〉 조금도 아까워하지 않다.
〔在所难免〕 zài suǒ nán miǎn 〈成〉 불가피하다. 모면할 수 없다. =〔在所不免〕
〔在堂〕 zàitáng 동 부모가 생존해 계시다. ¶父母都～; 부모가 모두 생존해 계십니다 / 令尊令堂都～吗? 양친께서는 모두 생존해 계신지요?
〔在逃〕 zàitáo 동 도망 중이다. ¶～未获huò; 도주 중이어서 아직 잡지 못하다.
〔在天之灵〕 zài tiān zhī líng 하늘에 계시는〔죽은이의〕 영혼.
〔在外〕 zàiwài 동 ①범위 밖에 있다. 포함되어 있지 않다. 별도이다. ¶零碎的开支～; 자질구레한 지출은 이 범위 밖이다. ↔〔在内〕 ②밖에 있다. 지방 또는 해외에 나가 있다. ③외출하고 있다. 출타 중이다.
〔在望〕 zàiwàng 동 ①〈文〉 시야에 들어오다. 보이다. ¶遥见东方, 北汉～; 멀리 동쪽을 보면 북한산이 보인다. ②(좋은 일·바라는 일이) 눈앞에 있다. 머지 않다. ¶丰收～; 풍년이 머지않다〔내다보이다〕.
〔在位〕 zàiwèi 동 ①〈文〉 (천자로서) 재위하다. ②지위에 있다.
〔在我〕 zài wǒ ①내가 떠맡는다. 내가 책임진다. ¶这件事～; 이 일은 내가 책임을 진다. ②내 생각으로는. ¶～看…; 나는 …이라고 생각한다 / ～说…; 내 견해로는….
〔在握〕 zàiwò 동 쥐고 있다. 수중에 있다. ¶胜利～; 〈成〉 승리는 손 안에 있다.
〔在遐〕 zàixiá 동 멀리 있다. 아직도 멀다. ↔〔在即jí〕〔在迩〕
〔在下〕 zàixià 형 아래에 있다. 지위가 낮다. 대 〈古白〉〈謙〉 저. 소생(小生). ¶～也这么想; 저도 그렇게 생각합니다.
〔在先〕 zàixiān 동 미리 …하다. 먼저 …해 두다. ¶有言～ =〔有话～〕; 미리 말해 두다. 앞에서 언급하다. 명 이전. 종전.
〔在孝〕 zàixiào 동 (부모의 상에) 거상을 입다. ¶现在他～; 지금 그는 상중에 있다.
〔在心〕 zài.xīn 동 마음(속)에 새기다. 유념하다. ¶怀恨～; 마음 속에 원한을 품다 / 牢记～; 마음

속에 새겨 두다. →〔当心〕
〔在押〕 zàiyā 동 《法》 (범인을) 감금〔구금〕 중이다.
〔在野〕 zàiyě 동 ①벼슬에 오르지 않고 야(野)에 있다. 정치에 관여치 않다. ¶～者; 재야 인사. ②야당이 되어 있다. ¶～党; 야당. ‖↔〔在朝〕
〔在业工人〕 zàiyè gōngrén 명 취업 근로자.
〔在意〕 zài,yì 동 마음에 두다. 개의하다(주로 부정으로 쓰임). ¶他只顾看信, 别人对他说的话, 他都不～; 그는 편지 읽는 데 열중해서, 남이 무어라고 해도 전혀 개의치 않는다/他的话说过头了, 你别～; 그의 말이 지나쳤으니, 마음에 두지 마십시오.
〔在于〕 zàiyú 동 ①…에 있다. …이다(사물의 본질의 소재·내용을 나타냄). ¶～做不做, 不～能不能; 문제는 하느냐 않느냐에 있지, 할 수 있느냐 없느냐에 있지 않다. ②…에 달려 있다(결정을 내리는 주체를 나타냄). ¶去不去～你自己; 가느냐 안 가느냐는 네 자신에게 달려 있다.
〔在在〕 zàizài 〈文〉 도처에. 어디나. ¶～皆有; 도처에 있다/办工厂, 修铁路～都需要钢铁; 공장을 설립하는 데도, 철도를 부설하는 데도 어디에나 강철이 필요하다/～可虞yú; 도처에 위험이 있다.
〔在…(之)下〕 zài…(zhī)xià (어떤 상황이나 조건하에 있음을 나타내어) …의 아래에서. …에 의해서. ¶在同学们的帮助之下, 他的中文水平提高得很快; 동급생들의 도움으로 그의 중국어 수준의 향상은 매우 빠르다.
〔在职〕 zàizhí 동 현직에 있다. 재직중이다. ¶～干部; 현직 간부/～训练; 현직 훈련.
〔在制品〕 zàizhìpǐn 명 미완성품. 반제품(半製品).
〔在座〕 zàizuò 동 참석하다. 재석하다. 그 자리에 있다. ¶当时正～; 그때 마침 그 자리에 있었다/有客人～, 她没好意思说; 손님이 있어서 그녀는 말하기가 거북했다/～的诸位; 참석하신 여러분!

载(載) zài (재) ①동 싣다. 적재하다. ¶满～而归; 〈成〉 가득 싣고 돌아오다(많은 수확을 올림)/～客; ⇩/～货; 상품을 싣다/车～斗量; 〈成〉 (수레로 나르고, 되로 잴 정도로) 많다. =〔装〕↔〔卸〕 ②동 (길에) 가득 차다. 충만하다. ¶怨声～道; 원성이 길에 넘치다/风雪～途; 길에 눈바람이 세차게 몰아치다. ③〈文〉 …하면서 …하다(동시에 두 가지 동작을 함을 나타냄). ¶～歌～舞; ⇩ →〔又〕〔且〕 ④명 성(姓)의 하나. ⇒zǎi
〔载拜〕 zàibài 명 ⇨〔再拜〕
〔载波〕 zàibō 명 《電》 반송파(搬送波). ¶～机; 주파 조절기/～增音机; 반송 중계 장치.
〔载道〕 zàidào 동 길에 넘치다. 가득하다. ¶欢声～; 환성이 길에 넘치다/怨声～; 원성이 곳곳에 가득하다〔자자하다〕/口碑～; 〈成〉 선전되다. 항간에 넘치다〔자자하다〕. =〔载路〕〔载途〕
〔载歌载舞〕 zài gē zài wǔ 〈成〉 노래하며 춤추다(마음껏 즐기다).
〔载荷〕 zàihè 명 《物》 부하(負荷). 하중(荷重). ¶定～; 고정 하중/最大～; 최대 하중. =〔负荷〕
〔载回〕 zàihuí 동 되싣다. 옮겨〔다시〕 싣다.
〔载货〕 zài,huò 동 화물을 싣다. 적재하여 운반하다. ¶～单; 선하(船荷) 증서.
〔载货汽车〕 zàihuò qìchē 명 ⇨〔运yùn货汽车〕
〔载货证券〕 zàihuò zhèngquàn 명 ⇨〔提tí单〕
〔载脚〕 zàijiǎo 명 운임. ¶每吨杂货由香港发往印尼, ～每吨实收一百一十六元; 잡화 1톤을 홍콩에서 인도네시아로 운송하는데, 운임이 톤당 실수 116원이다.
〔载酒〕 zàijiǔ 동 〈文〉 술을 장만하다. 주연(酒宴)을 준비하다.
〔载客〕 zàikè 명 (차·배의) 승객. (zài,kè) 동 승객을 실어 나르다. ¶～机; 여객기.
〔载流子〕 zàiliúzǐ 명 《物》 캐리어(carrier). 전류 운반체.
〔载路〕 zàilù 동 ⇨〔载道〕
〔载满〕 zàimǎn 동 만재(滿載)하다.
〔载明〕 zàimíng 동 〈文〉 명기(明記)하다.
〔载频〕 zàipín 명 《電》 반송(搬送) 주파수.
〔载人〕 zàirén 동 사람을 싣다〔태우다〕. ¶～火煎; 유인 로켓/～宇宙船; 유인 우주선.
〔载上口碑〕 zài shàng kǒu bēi 〈成〉 사람의 입으로 전해지다.
〔载体〕 zàitǐ 명 ①《物》 캐리어(carrier). ②《化》 운반체.
〔载途〕 zàitú 동 ⇨〔载道〕
〔载位〕 zàiwèi 명 스페이스. 선복(船腹)(배·차 등의 짐을 싣는 공간). ¶由于航行班次增加, ～将较为宽裕; 항해 횟수가 늘었으므로, 스페이스도 비교적 여유가 있게 될 것이다.
〔载欣载奔〕 zài xīn zài bēn 〈成〉 기꺼이 가다. 덩실거리며 가다.
〔载誉〕 zàiyù 동 〈文〉 영예를 짊어지다〔지니다〕. ¶～而归; 영예를 안고 돌아오다.
〔载运〕 zàiyùn 동 적재하여 운송하다. 실어 나르다. ¶本市公共汽车每天～乘客十万左右; 이 도시의 버스는 매일 약 10만 명의 승객을 수송한다.
〔载纸〕 zàizhǐ 명 《經》 화물 송장(送狀).
〔载重〕 zàizhòng 명 적재 중량. ¶一节车皮～多少吨? 화차(貨車) 1량(輛)에 몇 톤 실을 수 있습니까? 동 중량물(重量物)을 싣다. ¶～汽车 =〔卡车kǎchē〕; 트럭.
〔载重吨公里〕 zàizhòngdūn gōnglǐ 양 ⇨〔延吨公里〕

傤(儎) zài (재) ①명 (배·차 등에 실은) 화물〔짐〕. ¶过～; ⓐ짐을 옮겨 싣다. ⓑ초과 적재(하다)/卸～; 짐을 부리다. ②양 〈方〉 1척의 배에 실을 수 있는 양(量)(한 배 가득한 분량을 말함).

ZAN ㄗㄢ

糌 zān (잠) →〔糌粑〕
〔糌粑〕 zānbā 명 '青稞'(쌀보리)를 볶아 빻은 가루를 차와 섞어 '酥油'로 반죽하여 만든 경단(티베트족(族)의 주식).

臢(臜) zān (찬) →〔腤ān臢〕 ⇒zā

簪 zān (잠) ①(～儿, ～子) 명 비녀. ¶金～; 금비녀. ②동 (꽃 따위를 머리에) 꽂다. ¶把一朵花～在头上; 한 송이 꽃을 머리에 꽂다/～花 =〔戴dài花〕; 꽃을 머리나 관(冠)에 꽂다. ③동 모이다.

〔簪环首饰〕 zānhuán shǒushi 명 비녀 · 귀고리 · 목걸이 등의 여성의 장신구.
〔簪缨〕 zānyīng 명 ①귀인(貴人)의 관에 다는 장식. ②〈轉〉 귀인.

鐕 zān (잠) ①명 바늘. ②명 대가리가 없는 못. ③동 철하다. ④동 갈다. ⑤동 모이다. 모으다.
〔鐕子〕 zānzi 명 ①물건을 철하는 연모. ②자물 단추 · 혁대 장식 따위.

咱〈喒, 偺, 偺, 偺〉
zán (찰, 차) 〈잠〉
대 ①〈方〉 나. ¶～是没有一个朋友; 나에겐 친구가 하나도 없다 / ～不懂他的话; 나는 그의 말을 이해할 수 없다. ②(상대방을 포함하여) 우리(들). ¶～俩; 우리 두 사람. →〔咱们〕 ③〈方〉 너. 자네. 당신. =〔你〕 ⇒ zá zan
〔咱们〕 zánmen 대 ①우리《제1인칭과 제2인칭을 포함함》. ¶你们是广东人, 我们是河北人, ～都是中国人; 너희들은 광둥(廣東) 사람이고 우리들은 허베이(河北) 사람이지만, 우리는 모두 중국인이다 / ～都是自己人, 何必这么客气; 피차 모두 한 집안 식구인데, 뭘 그렇게 사양하느냐. 注$_1$ 말하는 상대방을 포함할 때는 '咱们'을 쓰고, 상대방을 포함하지 않을 때는 '我们'을 씀. 注$_2$ 이 말은 남방(南方)에는 없으며, 남방에서는 '我们' 또는 '我们大家'로 쓰임. 또, 화베이(華北) · 동베이(東北)에서도 '我们'으로 쓰는 경우가 많음. ②〈方〉 나. 너《'我' 또는 '你'를 가리킴. 단수형인 '咱'를 쓰는 것보다 친근감이 있음》. ¶～是个大老粗, 不会写字; 나는 무식쟁이라 글자를 쓸 줄 모릅지요《이 때의 '咱们'은 '我'를 가리킴》 / ～别哭, 妈妈出去就回来! 얘야 울지 마라. 엄마는 곧 돌아온단다!《이 '咱们'은 '你'를 가리킴》.

拶〈桚〉 zǎn (찰) 동 누르다. 조이다. ¶把她拖下去～起来; 〈古白〉 계집을 끌어 내어 혼내 줘라. ⇒ zā
〔拶指〕 zǎnzhǐ 명 '拶子'로 하는 고문.
〔拶子〕 zǎnzi 명 손가락 사이에 나뭇조각을 끼고 끈으로 죄어 고통을 주는 형구(刑具).

昝 Zǎn (잠) 명 성(姓)의 하나.

噆 zǎn (참) 동 〈文〉 ①입에 물다. 머금다. ②물다. ¶蚊虻～肤fū《莊子 天運》; 모기나 등에가 살을 물다.

攒(攢〈儹〉) zǎn (찬) 동 모으다. 축적하다. 저축하다. ¶～粪fèn; ⇩ / 他这几年～下了不少的钱; 그는 최근 수 년간 적지 않은 돈을 모았다. ⇒ cuán
〔攒粪〕 zǎnfèn 동 똥거름을 모으다.
〔攒钱〕 zǎnqián 동 돈을 모으다. 저금〔저축〕하다. ¶～罐儿 =〔闷葫芦罐儿〕; 저금통. ⇒ cuán qián

趱(趲) zǎn (찬) 동 ①〈古白〉 서둘러〔급히〕 가다. 빠른 걸음으로 걷다. ¶～路 =〔～行〕〔赶gǎn路〕; 급히 가다. 길을 서두르다 / ～赶 =〔追赶〕; 급히 뒤쫓다 / 紧～了一程; 한참을 걸음을 재촉했다. ②급히 …하다. ¶～造; 급조(急造)하다.
〔趱步〕 zǎnbù 동 잰걸음으로 걷다. 종종걸음으로 걷다. 길을 재촉하다.
〔趱程〕 zǎnchéng 동 여정(旅程)을 서두르다.
〔趱赶〕 zǎngǎn 동 ①급히 쫓아가다. ②(임무 등의) 완성을 서두르다.
〔趱狗洞子〕 zǎn gǒudòngzi 〈俗〉 밤에 몰래 여자의 침소에 잠입하다. 남의 여자와 몰래 사통하다. ¶把这～的家伙乱棒打出去; 그 괘씸한 밀통자를 몽둥이로 사정없이 때려서 쫓아 냈다.
〔趱劲(儿)〕 zǎnjìn(r) 동 힘을 들이다.
〔趱路〕 zǎnlù 동 길을 서두르다〔재촉하다〕. 급행하다. =〔趱程〕〔趱行xíng〕
〔趱行〕 zǎnxíng 동 ⇨〔趱路〕
〔趱运〕 zǎnyùn 동 급송(急送)하다. ¶把军需品连夜～到前方去; 군수품을 밤새도록 전방에 급송하다.
〔趱造〕 zǎnzào 동 급조(急造)하다.
〔趱子步儿〕 zǎnzibùr 명 종종걸음.
〔趱足〕 zǎnzú 동 집어〔쏟아〕넣다. ¶～劲儿揍zòu了他一顿; 힘을 넣어〔힘껏〕 그를 후려쳤다. 명 저축. ¶颇pō自有些～; 상당한 저축을 갖고 있다.

暂(暫) zàn (잠) ①부 잠시. 잠깐. 당분간. 우선. 임시로. ¶～不答复; 잠시 대답을 미루다 / 此书～印三万册; 이 책은 우선 3만 부 인쇄한다〔되었다〕 / ～这么着吧! 우선 이렇게 해 두자 / 此事～不处理; 이 일은 당분간 처리하지 않는다 / 职务由别人～代; 직무는 일시 다른 사람이 대신한다 / 工作～告一段落; 일이 우선 일단락되다. ②형 (시간이) 짧다. ¶为期短～; 기간은 짧다. ↔〔久〕
〔暂别〕 zànbié 명동 잠깐 동안의 이별(을 하다).
〔暂齿〕 zànchǐ 명 ⇨〔乳rǔ齿〕
〔暂从缓议〕 zàn cóng huǎn yì 〈成〉 잠시 후일의 상담으로 미루다.
〔暂存〕 zàncún 동 임시 예금하다. 일시 맡겨 두다.
〔暂厝〕 zàncuò 동 〈文〉 가매장(假埋葬)하다.
〔暂等〕 zàněng 동 〈文〉 ⇨〔暂候〕
〔暂定〕 zàndìng 형 잠정의. ¶会期～为十天; 회기는 잠정적으로 10일간으로 해 둔다 / ～办法; 잠정적 방법〔처치. 조례. 규칙〕 / ～议程; 잠정적 의정. 동 임시로 정하다.
〔暂搁〕 zàngē 동 〈文〉 일시 중지하다. 잠시 그대로 두다.
〔暂挂簿〕 zànguàbù 명 가불 대장.
〔暂候〕 zànhòu 동 잠시 기다리다. ¶～片刻; 잠깐 기다리다. =〔暂等〕
〔暂缓〕 zànhuǎn 동 〈文〉 잠시〔일시〕 연기하다. 잠시 유예하다. ¶～施行; 당분간 시행을 보류하다. =〔暂延〕
〔暂记〕 zànjì 동 잠시 동안〔임시로〕 기장해 두다. ¶～账; 가계정(假計定). 미결산 계정.
〔暂局〕 zànjú 명 일시적인 국면.
〔暂免〕 zànmiǎn 동 ①일시 모면하다. ②당분간 허가하다.
〔暂签〕 zànqiān 명동 가조인(假調印)(하다).
〔暂且〕 zànqiě 부 잠시. 잠깐. ¶～不提; 그런데. 그건 그렇다 하고 / 您～在这儿等一等; 여기서 잠시 기다려 주십시오. =〔权quán且〕
〔暂缺〕 zànquē 동 〈文〉 (직책 · 상품을) 일시 공백으로 놔 두다. ¶这一部分～; 이 부분은 잠시 공백으로 남겨 둔다.

Z

〔暂设〕 zànshè 동 가설(假設)하다. 일시적으로 설치하다.
〔暂时〕 zànshí 명 〈文〉 잠시. 일시. 당분간. ¶打算～就住在这里; 당분간 이 곳에 살 작정이다 / ～利益和长远利益; 일시적인 이익과 장기의 이익 / 困难是～的; 곤란은 일시적인 것이다 / ～休会; 잠시 휴회.
〔暂时输入报单〕 zànshí shūrù bàodān 명 ⇨〔临lín时起岸报单〕
〔暂署〕 zànshǔ 명동 임시 대리(하다).
〔暂停〕 zàntíng 동 잠시 쉬다. 잠시 정차(停車)하다. 일시 정지〔중지〕하다. ¶～营业; 잠시 휴업하다. 명 《體》 (구기에서 작전 협의 등을 위해 요구하는) 타임. ¶请求～; 타임을 요청하다.
〔暂先〕 zànxiān 부 우선. 일단. ¶～报告; 우선 보고하다.
〔暂星〕 zànxīng 명 ⇨〔新xīn星①〕
〔暂行〕 zànxíng 동 (법령·규칙 등을) 임시〔일시〕적으로 시행하다. ¶～办法 =〔～章程〕〔～条例〕; 임시〔잠정〕 규칙 / ～契qì约 =〔～合hé同〕〔～合约〕〔临时合同〕; 가계약 / ～试办; 일시적으로〔시험적으로〕 실시하다.
〔暂延〕 zànyán 동 〈文〉 ⇨〔暂缓〕
〔暂移〕 zànyí 동 일시 유용(流用)하다.
〔暂寓〕 zànyù 명동 〈文〉 임시 거처(하다).
〔暂住〕 zànzhù 동 〈文〉 일시 체류(滯留)하다.

錾(鏨) zàn (참, 잠)

① 동 (쇠·돌에) 조각하다〔새기다〕. ¶～上几个字; 글자를 몇 개 새기다. ②(～子) 명 작은 끌〔정〕. 조각용(彫刻用)의 세공 끌. ¶油槽～; 《機》 기름홈파기끌.
〔錾菜〕 zàncài 명 《植》 송장풀 또는 익모초 근연종(近緣種). =〔〈俗〉 龙lóng须菜①〕
〔錾刀〕 zàndāo 명 (금·은 조각용의) 조각칼. 새김칼. =〔錾子〕
〔錾花〕 zàn,huā 동 (금이나 돌에) 꽃무늬를 조각하다. 무늬를 새기다. ¶～的首饰; 꽃무늬를 조각한 장신구. (zànhuā) 명 돋을새김으로 한 무늬. 부조(浮彫)의 무늬.
〔錾活〕 zànhuó 명 금속판 따위에 서화(書畫)를 새기는 세공(細工).
〔錾记〕 zànjì 동 (돌이나 금속판에) 새기다. ¶在石墙上留个～, 算是曾经到此一游的纪念; 돌벽에 글씨를 새기는 것은, 이 땅에 유람하러 왔다는 기념이 된다.
〔錾字〕 zàn zì 글자를 새기다.
〔錾子〕 zànzi 명 (금석(金石) 조각용의) 끌·정.

赞(贊〈賛, 讚 A)〉) zàn (찬)

A) ① 동 찬양하다. 칭찬하다. ¶称chēng～; 칭찬하다. ② 동 인도(引導)하다. ③ 명 찬《문체(文體)의 하나. 그림의 제목으로 쓰거나 인물을 찬양하는 내용》. ¶像～; 초상화의 찬제(贊題). B) ① 동 지원하다. 찬조하다. 협력하다. ②→〔赞儿〕 C) 명 성(姓)의 하나.
〔赞比亚〕 Zànbǐyà 명 《地》 〈音〉 잠비아(Zambia) 《아프리카 중부의 공화국. 수도는 '卢萨卡'(루사카 : Lusaka)》.
〔赞不绝口〕 zàn bù jué kǒu 〈成〉 자꾸 칭찬하다. 칭찬이 자자하다.
〔赞成〕 zànchéng 명동 찬성(하다). ¶我～他的看法; 나는 그의 견해에 찬성한다 / 改革汉字, 我们很～; 한자를 개혁하는 일에 우리는 전적으로 찬성한다. →〔同tóng意〕 동 〈文〉 도와서 완성시키다.
〔赞府〕 zànfǔ 명 당대(唐代), 현승(縣丞)의 별칭. =〔赞公〕
〔赞歌〕 zàngē 명 찬가.
〔赞公〕 zàngōng 명 ⇨〔赞府〕
〔赞和〕 zànhè 동 찬동하다.
〔赞画〕 zànhuà 동 〈文〉 찬조하여 획책하다. =〔赞划〕
〔赞礼〕 zànlǐ 동 관혼상제에서 의식의 차례를 읽고 사회를 맡아 진행하다. 명 (옛날 예식의) 사회자.
〔赞理〕 zànlǐ 〈文〉 동 협력하여 처리하다. 명 부지배인.
〔赞美〕 zànměi 동 찬미하다. ¶～歌 =〔～诗〕; 찬미가. 찬송가 / ～金色的秋景; 황금색의 가을 풍경을 찬미하다 / 助人为乐的精神受到人们的～; 봉사하는 것을 기쁨으로 삼는 정신은 사람에게 칭송받는다.
〔赞佩〕 zànpèi 동 〈文〉 칭찬하고 감복(感服)하다. ¶表示～; 경복(敬服)의 뜻을 표하다.
〔赞儿〕 zànr 명 수다. 다변(多辯). ¶这老头子竟～; 이 노인은 놀랄 만큼 수다스럽다.
〔赞善〕 zànshàn 동 선(善)을 칭찬하다. ¶隐恶è～是一种美德; 악을 감추고 선을 칭찬하는 것은 일종의 미덕이다.
〔赞赏〕 zànshǎng 명동 칭찬(하다). ¶极力～他的品德; 극구 그의 인품을 칭찬하다.
〔赞颂〕 zànsòng 동 칭송하다. 칭찬하다. ¶～祖国的锦绣山河; 조국의 아름다운 국토를〔금수 강산을〕 찬양하다.
〔赞叹〕 zàntàn 동 찬탄하다. 감탄하여 칭찬하다. ¶演员高超的演技, 令人～不已yǐ; 배우의 고도의 연기 기술에 찬탄하여 마지않다.
〔赞同〕 zàntóng 명동 찬동(하다). ¶学校的这个决定, 得到了全体家长的～; 학교의 이 결정은 학부형 전원의 찬동을 얻었다 / 全厂职工一致～这项改革; 공장 전직원은 이 개혁 사항에 일제히 찬성한다.
〔赞羡〕 zànxiàn 동 〈文〉 부러워하다. ¶看见人家都毕了业, 心里又～又懊恼; 남이 모두 졸업한 것을 보고 마음 속으로 부러워하거나 고민하거나 하다.
〔赞襄〕 zànxiāng 동 〈文〉 돕다. 보좌하다.
〔赞许〕 zànxǔ 동 칭찬하다. 지지하다. ¶大家～他的行动; 모두들 그의 행위를 칭찬한다 / 他的努力应该加以～; 그의 노력은 높이 평가해 주어야 한다 / 发出了～声; '잘 한다'는 목소리가 터져 나왔다.
〔赞扬〕 zànyáng 동 찬양하다. ¶～好人好事; 착한 사람이나 훌륭한 행동을 찬양하다. 명 상찬(賞讚). ¶孩子们爱护公共财物的事迹受到了人们的～; 아이들이 공공 재산을 귀중하게 다룬 일은 사람들의 칭찬을 받았다.
〔赞仰〕 zànyǎng 동 찬미하고 추앙하다.
〔赞一辞〕 zànyīcí 동 찬사를 보내다〔드리다〕. ¶谈起本县各大户的发迹史来, 年轻的人都不能不～; 이 현(縣)의 부자들의 출세사를 이야기한다면, 젊은이들은 모두 찬사를 보내지 않을 수 없다.
〔赞翼〕 zànyì 동 〈文〉 익찬(翼贊)하다.
〔赞语〕 zànyǔ 명 칭찬의 말. 찬사.
〔赞誉〕 zànyù 동 〈文〉 칭찬하다.
〔赞助〕 zànzhù 동 찬조하다. ¶行善之事人人皆乐于～之; 선을 행한다는 것은, 사람들이 모두 기꺼이 찬조하는 일이다 / 交十块钱会费的算是～会员; 10원의 회비를 내는 사람은 찬조회원이 됩니다.

〔赞佐〕 zànzuǒ 〈文〉 동 협력·원조하다. ¶请王先生~校务; 왕(王)선생에게 교무처리에 대한 협력을 청하다. 명 협력자.

鄼(酇) zàn (찬) 지명용 자(字). ¶~阳集; 찬양지(酇陽集)《허난 성(河南省) 융청 현(永城縣) 서북쪽에 있는 지명》.

濽(瓚) zàn (찬) 동 〈方〉 (물·흙탕물이) 튀다. ¶~了一身水; 온몸에 물이 튀었다.

瓒(瓚) zàn (찬) 명 〈文〉 옛날에, 제사에 쓰던 옥(玉)으로 만든 수저의 하나《흔히, 인명용 자(字)로 쓰임》.

咱〈喒, 偺, 偺, 倃〉

zan (찰, 차) 〈잠〉 〈方〉 '这~'(지금. 지금쯤)·'那~'(그때. 그 당시)·'多~'(언제. 언제쯤)에 쓰임《'早晚'의 합음(合音). 표준어의 '什么时候儿'과 같음》. ⇒ zá zán

ZANG ㄗㄤ

赃(贜〈贓〉) zāng (장) 명 ①뇌물. ¶贪~; 뇌물을 탐하다. ②장물(贓物). ¶追~; 장물을 밝혀〔알아〕 내다 / 栽~; 장물을 남한테 일부러 감춰 놓고 그 사람에게 죄를 덮어씌우다 / 销xiāo~; 장물을 팔다 / 窝~; 장물을 숨기다. =〔贼zéi赃〕

〔赃官〕 zāngguān 명 탐관 오리(貪官汚吏).

〔赃款〕 zāngkuǎn 명 ①훔친 돈. 부정한 돈. ②뇌물.

〔赃吏〕 zānglì 명 부정한 관리. 오리(汚吏). =〔赃官〕

〔赃埋〕 zāngmái 동 험담하여 남을 함정에 빠뜨리다. ¶也怪不得他~我来; 〈古白〉 그가 험담을 해서 나를 함정에 빠뜨리려고 하는 것도 무리가 아니다. =〔赃诬〕

〔赃私〕 zāngsī 동 뇌물을 받다. 명 부정한 수단으로 얻은 금품.

〔赃诬〕 zāngwū 동 ⇨〔赃埋〕

〔赃物〕 zāngwù 명 장물. (도둑 물건·뇌물 등으로 얻은) 부정한 재물.

〔赃证〕 zāngzhèng 명 증거로서의 장물.

脏(髒) zāng (장) ① 형 더럽다. 불결하다. ¶衣服~了; 옷이 더러워졌다 / 肮~ =〔腌臜〕; 더럽다 / ~活儿; ⇩ ② 동 더럽히다. ⇒ zàng

〔脏病〕 zāngbìng 명 지저분한 병《매독·가래톳 등》. =〔脏症〕〔脏疮〕

〔脏疮〕 zāngchuāng 명 ⇨〔脏病〕

〔脏点子〕 zāngdiǎnzi 명 오점(汚點). 반점(班點). 더럼.

〔脏东西〕 zāngdōngxi 명 ①오물(汚物). ②〈罵〉 더러운 녀석. 추잡한 놈.

〔脏房〕 zāngfáng 명 ①도깨비가 나오는 집. ②(횡사자(橫死者) 등이 있는) 불길한 집. 재수 없는 집.

〔脏活儿〕 zānghuór 명 더러운 일. 더러워지는 일.

〔脏净〕 zāngjìng 명 더러운 것과 깨끗한 것. 더러움과 깨끗함. ¶难道你连~都不知道吗! 어쩌면 너는 더러운 것과 깨끗한 것도 모르느냐!

〔脏脸〕 zāng.liǎn 동 체면을 손상하다〔잃다〕.

〔脏乱〕 zāngluàn 형 어질러 놓아서 더럽다. 너저분하고 더럽다.

〔脏钱〕 zāngqián 명 더러운 돈.

〔脏身〕 zāngshēn 명 ①형벌로 입묵(入墨)을 당한 사람. ②전과자.

〔脏水〕 zāngshuǐ 명 오수(汚水). 하수(下水). ¶~沟; 하수구.

〔脏土〕 zāngtǔ 명 먼지. 흙먼지.

〔脏心〕 zāngxīn 명 나쁜 마음. 더러운 마음. ¶~烂肺; 〈比〉 파렴치한 마음. =〔脏心眼儿①〕

〔脏心眼儿〕 zāngxīnyǎnr 명 ①⇨〔脏心〕 ②〈比〉 질투심. ¶她的丈夫时常起~; 그녀의 남편은 항상 질투심을 일으킨다.

〔脏症〕 zāngzheng 명 ⇨〔脏病〕

〔脏字(儿)〕 zāngzì(r) 명 〈比〉 비속(卑俗)한 말. 저속한 말. ¶说话别带~! 천한 말을 해서는 안 된다!

牂 zāng (장) ① 명 《動》 암양. 양(羊)의 암컷. ②→〔牂牂〕

〔牂牂〕 zāngzāng 형 〈文〉 (초목이) 무성한 모양.

臧 zāng (장) 〈文〉 ① 형 좋다. 훌륭하다. 옳다. ¶~否pǐ; ⓐ좋고 나쁨. 가부. ⓑ좋고 나쁨을 비판〔비평〕하다 / 不~ =〔不好〕; 나쁘다 / 其言也微而~; 그 말은 아무렇지도 않은 듯싶으나 훌륭하다 / 谋国不~; 나라의 계획 수립이 타당치가 않다. ② 동 찬동하다. ③ 명 남자 노복. ¶~获huò; 하인. 종. ④ 명 성(姓)의 하나.

〔臧获〕 zānghuò 명 〈文〉 노비(奴婢). =〔臧甬yǒng〕

〔臧否〕 zāngpǐ →〔字解①〕

〔臧善〕 zāngshàn 명 〈文〉 선량(善良).

〔臧孙〕 zāngsūn 명 복성(複姓)의 하나.

〔臧凶〕 zāngxiōng 명 〈文〉 선악(善惡).

〔臧甬〕 zāngyǒng 명 〈文〉 ⇨〔臧获〕

驵(駔) zǎng (장) 명 〈文〉 좋은 말. 준마(駿馬). ⇒ cǎng zù

〔驵侩〕 zǎngkuài 명 〈文〉 마소의 거간꾼. 〈轉〉 중개인. 브로커.

〔驵头〕 zǎngtou 명 〈京〉 난폭한 사람. ¶这个~三句话不对就翻脸; 이 난폭한 자는 말이 조금만 마음에 안 들어도 곧 화를 낸다.

奘 zàng (장) 형 ①〈文〉 장대하다《흔히, 인명(人名)에 쓰임》. ¶玄Xuán~; 현장 법사《당대(唐代) 승려의 이름》. ②〈方〉 말이 거칠고 태도가 딱딱하다. ⇒ zhuǎng

脏(臟) zàng (장) 명 ①《生》 오장. 내장. ¶五~六腑; 오장육부. ②마음속. ⇒ zāng

〔脏腑〕 zàngfǔ 명 ①《生》 오장육부. ②마음속.

〔脏象〕 zàngxiàng 명 《漢醫》 장기의 상태《장기의 생리학적 기능과 병리학적 변화가 나타나는 상태》.

〔脏躁症〕 zàngzàozhèng 명 《醫》 히스테리.

葬〈塟, 塟〉 **zàng** (장)
동 ①장사지내다. 매장하다. ¶～在公墓; 공동묘지에 매장하다〔되다〕/ 火～; 화장(하다). ②〈俗〉 내버려 두다. ¶别～这儿了, 快拾掇吧; 이런 데에 내버려 두지 말고 빨리 치워라.

〔葬礼〕 zànglǐ 명 장례식.
〔葬埋〕 zàngmái 동 매장하다.
〔葬身〕 zàngshēn 동 몸을 묻다. 몸을 내던지다. ¶死无～之地; (떳떳하지 못하여) 죽어도 뼈를 묻을 곳이 없다 / ～鱼腹; 〈比〉 ⓐ(강이나 바다에) 몸을 던지다. ⓑ(배 따위가) 침몰하여 죽다.
〔葬送〕 zàngsòng 동 ①장송하다. 매장하다. ¶白白地～了一条性命; 헛되이 한 생명을 잃었다. ②사람을 모함하다. 못 쓰게 하다. 혼을 내다. ③(지위·금전·물건을) 완전히 잃다.
〔葬玉埋香〕 zàngyù máixiāng 〈比〉 ①미인을 매장하다. ②미인의 묘.

藏 **zàng** (장)
명 ①창고. ¶宝～; 보고 / 库～; 창고. ②불교·도교(道教) 경전의 총칭. ¶大～经; 대장경 / 道～; 도교 경서(經書)의 집대성(集大成). ③(Zàng) 《地》 티베트. =〔西藏〕 ④《民》 장족(藏族). 티베트 족. ⇒ cáng

〔藏殿〕 zàngdiàn 명 《佛》 경장(經藏).
〔藏府〕 zàngfǔ 명 ①옛날, 정부가 재물을 저장하는 곳. ②《漢醫》 오장육부(五臟六腑).
〔藏红花〕 zànghónghuā 명 《植》 티베트산(産)의 사프란(네 saffraan)《약용(藥用)》.
〔藏经〕 zàngjīng 명 ①대장경. ②불교·도교의 경전을 집성한 총서(叢書). ③라마교의 경문(經文). ¶猫念～; 알지 못하는 것을 멋대로 지껄이다.
〔藏蓝〕 zànglán 명 《色》 약간의 붉은 빛을 띤 남색.
〔藏历〕 zànglì 명 티베트력(曆)《티베트에서의 전통적인 달력. '阴yīn历'의 일종》.
〔藏民〕 Zàngmín 명 티베트 족 사람.
〔藏葡萄〕 zàngpútao 명 《植》 티베트산(産)의 '梭suō子葡萄'《건포도를 만드는 알이 작고 씨가 없는 포도》.
〔藏青〕 zàngqīng 명 짙은 남색. =〔深蓝色〕
〔藏文〕 Zàngwén 명 ①티베트 어. ②티베트 문자.
〔藏戏〕 zàngxì 명 티베트 지방극.
〔藏香〕 zàngxiāng 명 티베트에서 나는 향(香)《선달 그믐날에 이를 분향함》.
〔藏羊〕 zàngyáng 명 《動》 티베트 양.
〔藏语〕 Zàngyǔ 명 티베트 어〔말〕.
〔藏族〕 Zàngzú 명 《民》 티베트 족《중국 소수 민족의 하나. 주로 티베트 자치구 쓰촨(四川)·칭하이(青海)·간쑤(甘肅)·윈난(雲南) 등에 거주함. 종교는 라마교(喇嘛教)》. →〔西xī藏〕

ZAO ㄗㄠ

遭 **zāo** (조)
①동 (불행·불리한 일을) 만나다. ¶～难; 조난하다 / ～灾; 재난을 만나다. ②동 …당하다. …에 걸리다. ¶～了毒手; 마수에 걸려들었다 / ～人暗害; ⓐ남에게 암살당하다. ⓑ남의 계략에 걸려들다. ③(～儿) 양 ㉠번. 회. 차《횟수·도수(度數)를 나타내는 말》. ¶一～生, 二～熟 =〔一回生, 二回熟〕; 〈諺〉 첫 대면에서는 남이지만 두 번째는 지인(知人)이다 / 头一～; 처음으로. 첫 번째 / 饶他这一～吧; 이번만은 그를 용서해 주자. ㉡바퀴. 둘레《둘레를 세는 말》. ¶我去转了一～; 나는 한 바퀴 돌고 왔다 / 用绳子绕了几～; 끈으로 몇 번 둘러 감았다.

〔遭报〕 zāo·bào 동 천벌을 받다.
〔遭病〕 zāo·bìng 동 병들다.
〔遭到〕 zāodào 동 (불행이나 좋지 않은 일을) 만나다. 당하다. ¶～挫败; 좌절에 부딪치다 / ～惨败; 참패를 당하다.
〔遭逢〕 zāoféng 동 ①(우연히) 만나다. 조우(遭遇)하다. ¶～对手; 적수를 만나다 / ～其会; 마침 그 기회를 만나다 / ～意外的事情; 뜻밖의 일을 만나다. ②…의 때를 당하다. ¶～盛世; 번영한 세상을 만나다.
〔遭害〕 zāo·hài 동 ①피해를 입다. ②살해되다.
〔遭回禄〕 zāo huílù 〈轉〉 화재(火災)를 당하다.
〔遭火〕 zāo·huǒ 동 화재(火災)를 당하다. ¶他家～了, 没家住了; 그는 화재를 당하여 살 집을 잃었다.
〔遭际〕 zāojì 명 경우. 처지. ¶坎坷～; 불우한 처지. =〔境遇〕 동 조우(遭遇)하다. ¶高俅自此～端王, 每日跟随, 寸步不离《水滸傳》; 고구(高俅)는 여기에서 단왕(端王)을 만나고 나서부터 매일 꼭 붙어 있었다.
〔遭践〕 zāojiàn 동 ⇨〔糟践〕
〔遭劫〕 zāo·jié 동 ①약탈을 당하다. 강도를 만나다. ②액운을 만나다. 재난을 만나다. ¶～在数; 액운을 만나는 것이 (그 사람의) 숙명이다.
〔遭口舌〕 zāo kǒushé 〈比〉 남한테서 이러니저러니하면서 말을 듣다. 구설수에 오르다. ¶替别人清理财产～; 남의 재산을 청산해 주고 나서 여러 말을 듣다.
〔遭难〕 zāo·nàn 동 조난(遭難)하다. 재난을 만나다. 곤란을 겪다. ¶一点也不～; 조금도 곤란할 것 없다.
〔遭抢〕 zāo·qiǎng 동 약탈을 당하다. 강탈을 당하다. ¶赵家～了; 조씨네 집이 약탈당했다.
〔遭扰〕 zāorǎo 동 훼방 놓다. 방해하다. 폐를 끼치다. ¶对不起, ～您半天! 미안합니다. 오랫동안 폐를 끼쳤습니다!
〔遭事〕 zāo·shì 동 사건·재난을 당하다. ¶他家遭了事了; 그의 집은 재난을 당했다.
〔遭受〕 zāoshòu 동 (불행·불운을) 만나다. 받다. 당하다. 입다. ¶～歧视; 차별을 받다 / ～失败; 실패를 당하다 / ～水灾zāi; 수해를 당하다.
〔遭数儿〕 zāoshur 명 횟수(回數).
〔遭水〕 zāo·shuǐ 동 수해를 당하다. 홍수를 만나다. ¶他家去年～了; 그의 집은 작년에 홍수를 만났다.
〔遭塌〕 zāota 동 ⇨〔糟踏〕
〔遭跶〕 zāota 동 ⇨〔糟踏〕
〔遭瘟〕 zāo·wēn 동 ①질병〔역병〕에 걸리다. ②〈轉〉 혼이 나다. 불운한 일을 당하다. ¶阿Q这回可遭了瘟《鲁迅 阿Q正傳》; 아큐(阿Q)는 이번에는 호된 일을 당했다.
〔遭殃〕 zāo·yāng 동 재난을 만나다. 불행을 당하다.
〔遭遇〕 zāoyù 동 조우하다. 불행한 일을 당하다. ¶～战; 조우전 / 工作中～了不少困难; 일하는 도중 적지 않은 난관에 부딪쳤다. 명 경우. 처지. 운명《대부분 불행한 것을 가리킴》. ¶～不好; 운이 나쁘다 / 她过去的～真可怜lián; 그녀의 과거

의 처지는 참으로 가련했다. =〔际jì遇〕
〔遭遭(儿)〕 zāozāo(r) 부 매번. 그 때마다.
〔遭罪〕 zāo, zuì 동 ①애먹다. 고생하다. ¶～的日子; 힘든〔괴로운〕 생활 / 遭老罪; 호되게 당하다. ②벌을 받다. 죄를 받다.

糟〈蹧〉⑤⑥ **zāo** (조) ① 명 지게미. 재강. ¶酒～; 술지게미 / 醋～; 초지게미. ② 동 재강에 담그다. ¶～蛋; ⓐ재강에 담근 달걀. ⓑ시시한 녀석. ③ 명 물건의 찌끼. ④ 형 약하다. 약체이다. ¶他的身体很～; 그는 몸이 아주 약하다. ⑤ 동 썩다. 못 쓰게 되다. 상하다. ¶这块木头～了; 이 나무는 썩었다. ⑥ 동 실패하다. 망치다. 그르치다. 야단나다. ¶觉得有些～; 이건 글렀구나 하고 생각했다 / ～了! 我忘了! 아차! 잊고 있었다!
〔糟鼻子〕 zāobízi 명 주부코. =〔酒糟鼻(子)〕
〔糟饼〕 zāobǐng 명 술지게미를 큰 경단 모양으로 뭉친 것.
〔糟蛋〕 zāodàn 명 ①지게미에 절인 오리알(〈'鸭蛋'(오리알)을 '酒糟'(술지게미)와 '食盐'(소금)에 절여 만듦〉). ②〈罵〉 병신 같은 놈. 변변치 않은 자식.
〔糟豆腐〕 zāodòufu 명 ①재강〔술지게미〕에 절인 두부. ②촌놈(〈북방인이 남방인(南方人)을 욕으로 하는 말〉). =〔糟蛮子〕
〔糟坊〕 zāofáng 명 ⇨〔糟行〕
〔糟粪〕 zāo, fèn 동 ①(썩여서) 비료로 만들다. ②〈轉〉 더럽히다. ¶屋子里简直地糟了粪了; 방 안은 마치 거름 구덩이처럼 더럽혀졌다.
〔糟改〕 zāogǎi 동 〈方〉 헐뜯다. 빈정거리다. 놀리다. 심한 말을 하다. 비꼬다. ¶你别～我了; 나를 놀리지 마라.
〔糟糕〕 zāo, gāo 〈口〉 동 완전히 허탕이 되다. 실패로 돌아가다. 못 쓰게 되다. 엉망진창이 되다. ¶这件事可真～; 이 일은 정말로 엉망진창이 되다. (zāogāo) 형 아차. 아뿔싸. 제기랄. ¶～, 钱包儿丢; 아차! 지갑을 잃어버렸다.
〔糟害〕 zāohài 동 ①해치다. 망치다. ¶～身子; 몸을 해치다. ②〈方〉 (새·동물이) 황폐케 하다. ¶野兔～庄稼; 산토끼가 농작물을 해치다.
〔糟行〕 zāoháng 명 양조장. =〔糟坊〕
〔糟毁〕 zāohuǐ 동 ①(물건을) 부수다. 손상하다. ¶别～东西; 물건을 부수어 못 쓰게 만들면 안 된다. ②〈方〉 (아이가) 죽다.
〔糟货〕 zāohuò 명 불량품. =〔劣liè货〕
〔糟践〕 zāojian 동 〈方〉 ①짓밟다. 못 쓰게 만들다. ¶别～东西! 물건을 함부로 해서는 안 된다! / 好好的个孩子～了, 他爹妈怎能不懊恼呢; 애써 키운 자식을 망쳐 놓았으니, 그 부모는 어찌 속상하지 않겠는가. ②유린하다. 비방하다. 모욕하다. ¶～女子; 부녀자를 깔보고 유린하다. ‖ =〔遭践〕〔祸害〕
〔糟糠〕 zāokāng 명 지게미와 쌀겨. 〈比〉 거친 음식. ¶～之妻; 조강지처(〈가난을 함께 해 온 아내〉).
〔糟烂〕 zāolàn 동 ①썩다. ②(형체를 알아볼 수 없게) 몹시 상하다.
〔糟老头子〕 zāo lǎotóuzi 명 ①몹시 늙은 노인. ②〈罵〉 늙정이. 늙다리.
〔糟了〕 zāole 아차! 글렀다. 아뿔싸! ¶这件事办～! 이 일은 잡쳐 버렸군!
〔糟蛮子〕 zāománzi 명 ⇨〔糟豆腐②〕
〔糟膀蟹〕 zāopángxie 명 술지게미에 절인〔담근〕 게. =〔糟蟹〕
〔糟粕〕 zāopò 명 ①술지게미. 재강. ②찌끼. 폐물. 〈比〉 쓸모없는 것. ¶去～, 存精华 =〔弃其～, 取其精华〕; 찌꺼기를 버리고 정수(精粹)를 취하다.
〔糟钱〕 zāoqián 명 ①부정하게 생긴 돈. ②헛돈. 쓸데없이 쓰는 돈. ¶破费几个～; 얼마간의 헛돈을 쓰다.
〔糟肉〕 zāoròu ① 명 재강에 절인 고기. ②(zāo ròu) 고기를 재강에 담그다.
〔糟死〕 zāosǐ 동 심한 학대를 받고 죽다. 학살되다.
〔糟塌〕 zāota 동 ⇨〔糟踏〕
〔糟踏〕 zāota 동 ①짓밟다. 모욕하다. 유린하다. ¶他存心～我; 그는 고의적으로 나를 모욕한다. ②부수다. 해치다. 함부로 하다. 망치다. 낭비하다. ¶不要～东西; 물건을 부수어서는 안 된다 / 因为生活不规律, 所以～坏了身体; 생활이 불규칙해서 몸을 해쳤다. =〔淘táo渌〕 ③못쓰게 되다. 타락하다. =〔作挞〕〔作塌〕〔作踏〕 ‖ =〔糟塌〕〔糟蹋〕〔遭塌〕〔遭趿〕
〔糟踏财物〕 zāo tà cái wù 〈成〉 재물을 소홀히 하다. 재물을 낭비하다. =〔暴bào殄天物〕
〔糟蹋〕 zāota 동 ⇨〔糟踏〕
〔糟透〕 zāotòu 동 엉망이 되다. 수습할 수 없게 되다. 난처하게 되다.
〔糟销〕 zāoxiāo 동 ①재산을 흩어 없애다. 재물을 낭비하다. ②(손님이 되어) 폐를 끼치다(〈손님이 주인에게 하는 인사로 쓰임〉).
〔糟蟹〕 zāoxiè 명 ⇨〔糟膀蟹〕
〔糟心〕 zāo, xīn 동 ①속상하다. 짜증나다. 기분 잡치다. ¶过门三天半就闹离婚, 多～哪! 결혼하고 사흘 반 만에 벌써 이혼 소동이라니, 정말 속상하다! ② 야단나다. 엉망이 되다. 망치다.
〔糟朽〕 zāoxiǔ 동 썩어 문드러지다. 노후(老朽)하다. ¶乡下的老宅子完全～了; 시골의 옛 집은 완전히 노후해 버렸다.
〔糟鸭〕 zāoyā 명 술지게미에 절인 오리.
〔糟鱼〕 zāoyú ① 명 재강에 절인 생선(〈생선을 소금에 절여 잘게 썬 다음 재강에 담그어 밀봉(密封)함〉). ②(zāo yú) (위와 같은 방법으로) 생선을 재강에 담그다.
〔糟杂〕 zāozá 형 난잡하다.
〔糟糟拉拉〕 zāozaolālā 형 아무렇게나 하는 모양. 건성건성인 모양. 조잡한 모양.

凿(鑿) **záo** (착) ① 동 구멍을 뚫다〔파다〕. ¶～窟窿 =〔～个眼〕; 구멍을 뚫다. ② 동 〈轉〉 집요하게 파고들다. 자세히 따지다. ¶～着底儿问; 집요하게 꼬치꼬치 묻다 / ～着脑袋干; 몰두하다. ③(～儿, ～子) 명 끌. ¶扁～; 날이 납작한 끌 / 狭～; 날이 좁은 끌. ④(～儿, ～子) 명 정. ¶圆yuán～; 둥근 정 / 平～; 평형정. 넓적날 정. ⑤ 동 심하게〔요란하게〕 두들기다. ¶有人～大门; 누군가가 대문을 심하게 두드리다 / ～～实实地打了一顿; 힘껏 때렸다. ⑥ 명 장붓구멍. ¶～枘; ⇩ / 方～圆枘 =〔方枘圆～〕; 네모난 장붓구멍과 둥근 장부(〈사물이 서로 맞지 않음〉). ⑦ 형 뚜렷하다. 확실하다. 분명하다. ¶确～可靠; 확실해서 믿을 수 있다. ⑧ 동 쌀을 정백(精白)하다. ⑨ 동 억지 세우다. 이치에 맞지 않는 말로 우기다.
〔凿壁偷光〕 záo bì tōu guāng 〈成〉 벽에 구멍을 뚫고 빛을 훔치다(〈각고(刻苦)하여 면학(勉學)에 힘씀〉). =〔穿壁引光〕

〔凿穿〕 záochuān 동 구멍을 뚫다.
〔凿船虫〕 záochuánchóng 명 《貝》 좀조개.
〔凿打〕 záodǎ 동 치다. 때리다. ¶拿棍子～; 막대기로 치다.
〔凿方眼〕 záo fāngyǎn 〈比〉 완고하고 융통성이 없는 일.
〔凿井〕 záo.jǐng 동 우물을 파다. =〔打井〕〔挖wā井〕
〔凿开〕 záokāi 동 파고서 열다. 개착(開鑿)하다.
〔凿空〕 záokōng〔zuòkōng〕 동 〈文〉 ①구멍을 뚫다. 착공하다. ②억지를 쓰다. 견강부회(牽強附會)하다. ¶～之论; 견강부회론.
〔凿木鸟〕 záomùniǎo 명 《鳥》 딱따구리. =〔啄zhuó木鸟〕
〔凿气〕 záoqì 형 고집이 세다.
〔凿人〕 záorén 동 〈吳〉 남을 나쁘게 말하다. 헐뜯다.
〔凿枘〕 záoruì〔zuòruì〕 명 ①장부와 장붓구멍. 〈比〉 꼭 맞다. 적합하다. ②〈簡〉 둥근 장붓구멍과 네모난 장부. 〈比〉 서로 용납하지 않음. 엇갈림. ‖=〔枘凿〕
〔凿四方卯儿〕 záo sìfāng mǎor 〈比〉 ①고지식하고 융통성이 없다. 완고하게 행동하다. ¶办事认真是好的, 可也别太～! 일을 진지하게 하는 것은 좋은데, 너무 올곧게 하지는 마라! ②꼬치꼬치 캐묻다. ‖=〔凿四方眼儿〕
〔凿通〕 záotōng 동 ①구멍을 뚫다. ②터널을 파다. 관통시키다. ¶那条隧道费了一年的工夫才～了; 저 터널을 1년 걸려서 겨우 관통시켰다.
〔凿细〕 záoxì 동 〈方〉 추구(追究)하다. 세세하게 파고들다.
〔凿崖开渠〕 záoyá kāiqú 벼랑을 깎아서 도랑을 만들다.
〔凿岩机〕 záoyánjī 명 《機》 착암기.
〔凿眼(儿)〕 záo.yǎn(r) 동 구멍을 파다.
〔凿凿〕 záozáo 형 〈文〉 확실하다. ¶言之～; 말이 확실하다 / ～有据; 근거가 확실하다. 움직일 수 없는 증거가 있다.
〔凿子〕 záozi →〔字解③④〕
〔凿子树〕 záozishù 명 《植》 산유자나무.

早 zǎo (조)

①명 아침. ¶清～; 이른 아침 / 从～到晚; 아침부터 저녁까지 / ～饭; 아침밥 / ～车; 첫 기차. ↔〔晚①〕 ②형 (시간적·시기적으로) 빠른. 조기의. ¶～期; ⇩ ③형 (때가) 이르다. 빠르다. ¶现在六点钟, 还～哪; 지금 여섯 시니 아직 일러요 / ～些出门; 일찌감치 외출하다 / 你～点儿来! 조금 일찍 오시오! / ～睡～起; 일찍 자고 일찍 일어나다. ↔〔晚〕 →〔快〕 ④부 진작부터. 일찍이. 벌써. 이미(문말(文末)에 '了'를 동반함). ¶那是很～的事了; 그것은 훨씬 이전의 일이 되어 버렸다 / 我～知道了; 나는 벌써부터 알고 있었다. ⑤〈套〉 안녕하십니까(아침 인사말). ¶先生, 您～; 선생님 안녕하십니까.
〔早安〕 zǎo'ān ①아침의 문안. ¶请～; 아침 문안을 드리다. ②〈套〉 안녕히 주무셨습니까(아침 인사). ¶各位听众～! 청취자 여러분 안녕히 주무셨습니까! ③〈翰〉 아침 문안을 드리고 붓을 놓습니다(편지의 맺음말).
〔早班(儿)〕 zǎobān(r) ①명 아침 근무반(勤務班). 아침 당번. 아침 일찍 하는 출근. 아침 일찍 출발하는 열차. ②〈套〉 일찍 나오셨군요(아침 인사). ¶您真～啊! 일찍 오셨습니다!
〔早半晌(儿)〕 zǎobànshǎng(r) 명 ⇨〔上shàng半天(儿)〕
〔早半天(儿)〕 zǎobàntiānr 명 〈口〉 오전. =〔早半晌(儿)〕
〔早报〕 zǎobào 명 조간. =〔晨报〕
〔早参〕 zǎocān 명 《佛》 아침 참선(參禪).
〔早餐〕 zǎocān 명 아침 식사. =〔早饭〕
〔早操〕 zǎocāo 명 ①아침의 훈련〔연습〕. ②아침 체조. ¶做～; 아침 체조를 하다.
〔早茶〕 zǎochá 명 ①아침의 차. ②아침 차마시기(아침에 차를 마시면서 아침 식사를 먹음). 아침 식사. ¶～饼干; 아침 식사로서의 비스킷.
〔早产〕 zǎochǎn 명동 《醫》 조산(하다). ¶～儿; 조산아.
〔早场〕 zǎochǎng 명 오전의 공연(연극·영화 등).
〔早潮〕 zǎocháo 명 아침결의 간조〔만조〕.
〔早车〕 zǎochē 명 아침 열차. ↔〔晚车〕
〔早晨〕 zǎochén 명 이른 아침. 새벽. ¶～九点; 아침 9시. =〔〈吳〉早晨头〕
〔早晨头〕 zǎochéntou 명 ⇨〔早晨〕
〔早春〕 zǎochūn 명 조춘. 이른봄.
〔早稻〕 zǎodào 명 《農》 조도. 올벼.
〔早点〕 zǎodiǎn 명 아침 차와 함께 먹는 '馃子' 따위. 간단한 조반.
〔早顿〕 zǎodùn 명 〈吳〉 조반. 아침 식사.
〔早饭〕 zǎofàn 명 조반. 아침밥. ¶～吃什么? 아침은 무엇을 먹을까? / 做～; 아침밥을 짓다. =〔早餐〕〔早膳〕
〔早故〕 zǎogù 동 〈文〉 젊어서 죽다. 조사(早死)〔요절(夭折)〕하다.
〔早会〕 zǎohuì 명 조회(朝會).
〔早婚〕 zǎohūn 명동 조혼(하다).
〔早尖〕 zǎojiān 명 여행 도중에 하는 아침 휴식〔아침 식사〕. ¶打～; (여행 도중에) 아침 식사를〔휴식을〕 하다.
〔早间〕 zǎojian 명 아침. 이른 아침.
〔早觉〕 zǎojiào 명 아침잠. 늦잠. ¶睡shuì～; 늦잠을 자다.
〔早就〕 zǎojiù 부 벌써. 일찌감치. 진작. 훨씬 전에. 이미. ¶那件事他～忘掉了; 그는 그 일을 벌써 잊어버렸다 / 他～懂了, 不用再讲了! 그는 이미 이해했으니까, 다시 말할 필요가 없다!
〔早局〕 zǎojú 명 (옛날) 낮의 연회(宴會). 오찬. ↔〔晚局〕
〔早蕨〕 zǎojué 명 《植》 새싹이 난 고사리.
〔早看东南, 晚看西北〕 zǎo kàn dōngnán, wǎn kàn xīběi 〈諺〉 아침에는 동남쪽 하늘을 보고, 저녁에는 서북쪽 하늘을 본다(날씨가 바뀌면 비가 내리기 시작한다).
〔早莅〕 zǎolì 동 〈翰〉 조속히 왕림(枉臨)하다. ¶～为荷hè; 조속히 와 주시기 바랍니다. =〔早临〕
〔早临〕 zǎolín 동 ⇨〔早莅〕
〔早年(间)〕 zǎonián(jiān) 명 ①이전. 여러 해 전. 왕년(往年). ②젊었을 때.
〔早期〕 zǎoqī 명 조기. 초기(흔히 정치·문예 활동상의 시기를 이름). ¶鲁迅～作品; 노신의 초기 작품 / ～诊断; 조기 진단 / ～白话; 조기의 백화(당송(唐宋)에서 오사(五四) 운동까지의 사이에 쓰이었던 백화).
〔早起〕 zǎoqǐ 동 일찍 일어나다. ¶早睡～; 일찍 자고 일찍 일어나다 / ～三朝当一工; 〈諺〉 부지런하면 이득이 있다.
〔早起〕 zǎoqi 명 〈方〉 (이른) 아침. 오전. ¶～后晌; 〈方〉 아침 저녁. 조석(朝夕).
〔早起晚睡〕 zǎo qǐ wǎn shuì 〈成〉 아침에 일찍

일어나고 밤에 늦게 자다(부지런히 일하다). =〔〈文〉夙sù兴夜寐mèi〕
〔早清(儿)〕 zǎoqīng(r) 명 이른 아침. =〔清早〕
〔早日〕 zǎorì 명 조속한 시간〔기일〕. 조기. 빠른 시일. ¶希望您～恢复健康! 하루 속히 건강을 회복하시도록 기원합니다! / ～完工; 조기(早期) 완공.
〔早膳〕 zǎoshàn 명 ⇨〔早饭〕
〔早上〕 zǎoshang 명 아침. ¶～晚下; 조만간에. 언젠가는 / ～好 =〔您早〕; 안녕히 주무셨습니까. 안녕하십니까(아침 인사).
〔早生儿子早得济〕 zǎo shēng érzi zǎo dé jì 〈諺〉 아들을 일찍 낳으면 빨리 도움이 된다(조혼(早婚)이 좋다고 하는 사상에서 나온 말).
〔早世〕 zǎoshì 동 〈文〉 요절(夭折)하다.
〔早市〕 zǎoshì 명 ①아침 시장. ②《商》 (거래소의) 전장(前場). =〔前qián盘〕
〔早是〕 zǎoshì 부 ①이미. 벌써. =〔已经〕 ②〈古白〉 다행스럽게도. ¶～彼此有来往; 다행하게도 서로 왕래가 있다.
〔早熟〕 zǎoshú 명형 《生》 조숙(하다). 명 (작물의) 조생종. ¶～作物; 조생종의 작물.
〔早衰〕 zǎoshuāi 동 일찍 노쇠(老衰)하다.
〔早霜〕 zǎoshuāng 명 첫서리.
〔早睡〕 zǎoshuì 동 일찍 자다. ¶～惯了; 일찍 자는 버릇이 들었다 / ～早起; 일찍 자고 일찍 일어나다.
〔早桃〕 zǎotáo 명 《植》 자두(나무).
〔早头〕 zǎotóu 명 〈方〉 종전. 옛날. ¶现在不是～了; 지금은 옛날이 아니다. =〔从前〕〔以前〕
〔早晚〕 zǎowǎn 명 ①아침과 저녁. ¶～晨昏; 저녁 때와 새벽 / ～天气还凉; 아침 저녁으로는 아직 선선하다. ②이름과 늦음. ③시간. 쯤. 무렵. 때. ¶这～; 지금쯤 / 怎么这～才来? 어떻게 인제서야 오는 거냐? 부 ①조만간. ¶他～是要来的; 그는 조만간에 올 것이다. ②〈方〉 다음에. 언제(미래의 어느 한 시점을 나타냄). ¶你～上城里来, 请到我家里来玩; 언젠가 시내에 나오시거든 우리 집에 놀러 오십시오.
〔早霞〕 zǎoxiá 명 아침놀. ¶～不出门, 晚霞行千里; 〈諺〉 아침놀에는 외출을 삼가고 저녁놀 때는 먼 여행길을 떠난다(아침놀은 날씨가 나빠질 징조이고, 저녁놀은 좋아질 징조). ↔〔晚霞〕
〔早先〕 zǎoxiān 명 이전. 옛날. ¶看你写的字, 比～好多了; 네 글씨를 보니 전보다 훨씬 잘 쓰는구나.
〔早泄〕 zǎoxiè 명동 《醫》 조루(早漏)(하다).
〔早鸭〕 zǎoyā 명 《鳥》 청머리오리.
〔早夭〕 zǎoyāo 동 〈文〉 일찍 죽다.
〔早已〕 zǎoyǐ 부 벌써. 이미. 훨씬 전에. ¶那一点我以为你～知道了; 그런 것은 네가 벌써 알고 있는 줄 알았다. 명 〈方〉 이전. 옛날. ¶现在大家用钢笔写字, ～都用毛笔; 지금은 모두 만년필로 글씨를 쓰고 있지만, 이전에는 다 붓을 썼다. =〔早先〕
〔早月〕 zǎoyuè 명 초승달. =〔月牙(儿)①〕〔新月①〕
〔早早(儿)〕 zǎozǎo(r)〔zǎozāo(r)〕 부 일찌감치. 빨리. 일찍이. ¶要来, 明天～来; 올 테면 내일 일찍 오너라 / 决定办, 就～办! 하기로 결정했으면 빨리 해라!
〔早造〕 zǎozào 명 (농작물의) 조생종.
〔早占勿药〕 zǎo zhān wù yào 〈成〉 병이 빨리 완쾌되다. ¶吉人天相xiàng～, 您也不必忧yōu虑; 착한 사람은 하늘에서 도우니까 당신 병도 곧 좋아질 것입니다, 염려하지 마십시오. =〔喜xǐ占勿药〕
〔早着呢〕 zǎozhene 〈京〉 아직 멀었다. 아직 이르다. ¶这座楼房刚打基础, 离完工还～; 이 빌딩은 기초 공사가 막 끝났을 뿐, 완공은 아직 멀었다.
〔早知今日, 悔不当初〕 zǎo zhī jīn rì, huǐ bù dāng chū 〈成〉 눈앞의 일을 생각건대 당초의 잘못이 후회스럽다.
〔早粥〕 zǎozhōu 명 아침 식사로 먹는 죽.
〔早轴子〕 zǎozhòuzi 명 상연물(上演物)의 최초의 연극.

枣(棗) zǎo (조)
명 ①(～儿, ～子) 《植》 대추(나무). ¶大～ =〔干～〕〔红～〕; 마른 대추 / 蜜mì～; 꿀에 담근 대추. ②성(姓)의 하나.
〔枣本〕 zǎoběn 명 〈文〉 판본(版本)(옛날에, 대추나무를 판목(版木)으로 쓴 데서).
〔枣脯〕 zǎofǔ 명 말린 대추(대추 씨를 제거한 것).
〔枣(儿)糕〕 zǎo(r)gāo 명 대추를 박아서 찐 떡.
〔枣(儿)红〕 zǎo(r)hóng 명 《色》 자줏빛을 띤 진홍색. 적자색(赤紫色). 대추색.
〔枣核(儿)〕 zǎohú(r) 명 대추씨. ¶～儿两头儿尖; 〈諺〉 대추씨는 양쪽이 모두 뾰족하다. ⓐ말이나 하는 짓이 사악(邪惡)하다('尖'은 '奸'과 음(音)이 같음). ⓑ처음이나 끝이나 모두 비참하다. 일생 동안 역경에서 헤어나지 못하다.
〔枣核钉〕 zǎohúdīng 명 가운데가 볼록하고, 양끝이 뾰족한 대추 모양의 못. 양끝못.
〔枣核儿桃〕 zǎohúrtáo 명 복숭아의 일종(작고 약간 길쭉함).
〔枣卷(儿)〕 zǎojuǎn(r) 명 대추를 붙여 만든 '花huā卷(儿)'.
〔枣骝〕 zǎoliú 명 〈文〉 털이 붉은 말.
〔枣猫〕 zǎomāo 명 《蟲》 대추나무 해충의 일종.
〔枣木〕 zǎomù 명 대추나무 목재. ¶～棒槌; 대추나무로 만든 빨래 방망이. 〈比〉 융통성이 없고 고지식한 사람.
〔枣泥〕 zǎoní 명 대추를 고아 만든 소. ¶～月饼; 대추 소를 넣은 '月饼'.
〔枣儿〕 zǎor 명 〈北方〉 대추.
〔枣儿杠子〕 zǎorgàngzi 명 대추를 소주에 담근 약술.
〔枣儿馒头〕 zǎormántou 명 대추로 꾸민 만두.
〔枣仁(儿)〕 zǎorén(r) 명 대추의 부드러운 살.
〔枣肉〕 zǎoròu 명 대추의 과육(果肉).
〔枣实〕 zǎoshí 명 대추(열매).
〔枣树〕 zǎoshù 명 《植》 대추나무.
〔枣糖色儿〕 zǎotángshǎir 명 《色》 적갈색. 대추색.
〔枣脩〕 zǎoxiū 명 대추와 육포(옛날, 여성이 시부모와의 초대면에 예의로서 갖고 가던 선사품).
〔枣椰〕 zǎoyē 명 ⇨〔海hǎi枣〕
〔枣油〕 zǎoyóu 명 대추를 달인 즙을 헝겊에 받아서 졸인 것.
〔枣子〕 zǎozi 명 〈南方〉 대추.

蚤 zǎo (조)
① 명 《蟲》 벼룩. =〔跳蚤〕〔〈俗〉虼gè蚤〕 ② 〈文〉 고서(古書)에서 '早zǎo'와 통용. ¶～起; 일찍 일어나다 / ～世 =〔～夭yāo〕; 조사(早死)〔요절〕하다.
〔蚤休〕 zǎoxiū 명 《植》 개감수. 또, 그 뿌리 줄기(진해(鎮咳)·항균·해독에 씀). =〔重chóng楼金线〕

〔蚤缀〕 zǎozhuì 명《植》 벼룩이자리.

繅(繰) zǎo (조)
명 옛날에, 왕관 앞에 늘어뜨리던 구슬을 꿴 5색의 비단실. =〔缫〕 ⇒ sāo

澡 zǎo (조)
동 (몸을) 씻다. 목욕하다. ¶洗～; 목욕하다 / 洗(一)个～; 한 번 목욕하다. 몸을 닦다 / 擦～; 젖은 수건으로 몸을 닦다.

〔澡豆〕 zǎodòu 명 세면용 가루비누(콩가루와 약재로 만듦). =〔澡粉〕
〔澡房〕 zǎofáng 명 욕실.
〔澡粉〕 zǎofěn 명 ⇨〔澡豆〕
〔澡盆(子)〕 zǎopén(zi) 명 목욕통. 목간통. 욕조.
〔澡身〕 zǎoshēn 동〈文〉 몸을 씻다. 목욕하다.
〔澡堂(子)〕 zǎotáng(zi) 명 (영업 목적의) 목욕탕. 공중 목욕탕. =〔澡塘②〕〔洗澡堂〕〔洗澡塘〕
〔澡塘〕 zǎotáng 명 ①큰 욕조(浴槽). ②⇨〔澡堂(子)〕
〔澡衣〕 zǎoyī 명 욕의(浴衣).

缲(繰) zǎo (조)
명 ⇨〔缫〕⇒ qiāo, '缲' sāo

璪 zǎo (조)
명 옛날, 왕관(王冠) 앞에 늘어뜨린 옥장식(오색(五色) 실에 구슬을 꿴 것).

藻〈藻〉 zǎo (조)
명 ①《植》 말. ¶水～; 수조 / 海～; 해조 / ～类; 해조류. ②널리 물 속에서 자라는 녹색 식물을 가리킴. ③〈文〉 무늬. 꾸밈. 장식. ④(시문(詩文)의) 아름다운 어구(語句). 화려한 수식. ¶辞～; 화려한 문사.

〔藻采〕 zǎocǎi 명 표현의 아름다움. 말의 아름다움. 화려한 수식. 형 표현이 아름답다. 수식이 화려하다.
〔藻翰〕 zǎohàn 명 ①〈文〉 고운〔아름다운〕 문장. ②〈轉〉 귀함(貴函).
〔藻绘〕 zǎohuì 명〈比〉 무늬. 문양.
〔藻火〕 zǎohuǒ 명 옛날 의복 등의 수조(水藻)와 화염의 무늬.
〔藻井〕 zǎojǐng 명《建》 무늬를 그린 천장(天障)(궁전(宮殿)·홀 등의 1장(張)마다 장식을 한 천장. 주로 사각형으로 채색 무늬가 그려 있음).
〔藻厉〕 zǎolì 동〈文〉 수양을 쌓고 연마하다.
〔藻丽〕 zǎolì 형 (색채·문장 등이) 화려하다.
〔藻饰〕 zǎoshì 동 ①〈文〉 (문장 등을) 수식하다. ¶词句朴实无华, 不重～; 이 문장은 소박하고 꾸밈이 없으며, 수식에 치중하지 않았다. ②몸단장을 하다. 외모를 꾸미다.
〔藻思〕 zǎosī 명〈文〉 시문(詩文)을 잘 짓는 재능. 문재(文才).
〔藻酸〕 zǎosuān 명《化》 알긴산(algin酸).
〔藻雅〕 zǎoyǎ 형〈文〉 문아(文雅)하다.
〔藻玉〕 zǎoyù 명〈文〉 오채(五彩)의 구슬.
〔藻仗〕 zǎozhàng 명〈文〉 오색(五色)의 의장(儀仗).

灶(竈) zào (조)
명 ①부뚜막. ¶砌～; 부뚜막을 쌓다 / 上～; 부뚜막에서 밥을 짓다. ②〈轉〉 부엌. 주방. 식당. ¶在学生～吃饭; 학생 식당에서 식사하다.

〔灶婢〕 zàobì 명〈文〉 부엌데기. 식모. 취사부(炊事婦).
〔灶地〕 zàodì 명 제염장(製鹽場). 제염소.
〔灶丁〕 zàodīng 명 제염(製鹽) 종사자.
〔灶额〕 zào'é 명 ⇨〔灶突〕
〔灶户〕 zàohù 명 제염업자(製鹽業者).
〔灶伙〕 zàohuǒ 명 식사(食事).
〔灶火〕 zàohuo 명 ①부뚜막. ¶～坑 =〔～眼〕〔～窝〕; 아궁이 / 生～; 부뚜막에 불을 지피다 / ～口; 부뚜막의 솥을 거는 구멍. ②〈方〉 부엌.
〔灶鸡〕 zàojī 명 ⇨〔灶马(儿)①〕
〔灶间〕 zàojiān 명 주방. 부엌.
〔灶君〕 zàojūn 명 조왕신. =〔灶王爷〕
〔灶课〕 zàokè 명 옛날의 제염세(製鹽稅). =〔灶税〕
〔灶冷〕 zàolěng 형〈比〉 생활이 곤궁하다.
〔灶里吹风〕 zào lǐ chuī fēng〈成〉 헛된 일을 하다.
〔灶马(儿)〕 zàomǎ(r) 명 ①(zàoma(r))《蟲》 꼽등이('儿化' 함). =〔灶鸡〕 ②목판쇄(木版刷)의 조왕(竈王)의 화상(畫像). =〔灶王马儿〕
〔灶门〕 zàomén 명 아궁이.
〔灶披间〕 zàopījiān 명〈南方〉 부엌(방).
〔灶儿〕 zàor 명 부뚜막. ¶～上的; 주방장.
〔灶神〕 Zàoshén 명 부뚜막의 신. 조왕(竈王).
〔灶税〕 zàoshuì 명 옛날의 제염세(製鹽稅). =〔灶课〕
〔灶台〕 zàotái 명 ①부뚜막. ②부뚜막의 가장자리. =〔灶沿儿〕
〔灶头〕 zàotou 명〈方〉 부뚜막. ¶～间; 부엌.
〔灶突〕 zàotū 명 부뚜막에 낸 굴뚝. =〔灶额〕
〔灶王〕 Zàowáng 명 조왕. 부뚜막을 맡은 신. ¶～脸;〈比〉 거무스름한 얼굴.
〔灶王马儿〕 zàowangmǎr 명 ⇨〔灶马(儿)②〕
〔灶王爷〕 zàowangyé 명 부뚜막의 신. 조왕신(竈王神). ¶～的横批;〈歇〉 조왕을 모신 곳에 붙이는 가로 쓴 글자. '一家之主'라고 썼으므로 한 집안의 주인임. =〔灶神〕
〔灶窝〕 zàowō 명 ⇨〔灶火坑〕
〔灶下养〕 zàoxiàyǎng 명 옛날, 요리사.
〔灶心土〕 zàoxīntǔ 명《漢醫》 복룡간(伏龍肝)(아궁이 속에서 오랫동안 불기운을 받아 누렇게 된 흙. 지혈제·구토를 가라 앉히는 약으로 쓰임).
〔灶陉〕 zàoxíng 명 부뚜막의 솥이 걸리는 곳.
〔灶沿儿〕 zàoyánr 명 ⇨〔灶台②〕
〔灶眼〕 zàoyǎn 명 재를 쳐내는 곳.
〔灶瘃〕 zàozhú 명 동창(凍瘡)(추위에 얼어서 생기는 종창).

皂〈皁〉 zào (조)
명 ①검은색. ¶青红～白; 옳고 그름. 시비곡직(是非曲直). ②(마소의) 구유. ¶牛骥jì同～;〈成〉 소와 좋은 말을 한 구유에서 기르다. 옥석을 함께 취급하다. ③《植》 쥐엄나무(열매를 세탁할 때 씀). ④하인. 종. =〔皂隶〕 ⑤비누. ¶肥～ =〔〈方〉 胰yí子〕; 비누의 총칭 / 香xiāng～; 화장 비누.

〔皂白〕 zàobái 명 ①흑백. ②〈比〉 시비. 선악. ¶～不分 =〔不分～〕; 다짜고짜로. 시비 곡절을 가리지 않고 / ～难分;〈成〉 시비 선악의 구분이 어렵다 / 昨天晚上醉得～不分; 어제 저녁에는 취해서 뭐가 뭔지 몰랐다.
〔皂班〕 zàobān 명 ⇨〔皂隶lì〕
〔皂布〕 zàobù 명 검은 무명천.
〔皂厂〕 zàochǎng 명 비누 공장.
〔皂刺〕 zàocì 명 조각자(皂角刺). 쥐엄나무의 가시(약용됨). =〔皂针〕
〔皂甙〕 zàodài 명《化》 사포닌(saponin). =〔皂素〕

〔皂斗〕 zàodǒu 명 '橡xiàng子'(도토리)의 별칭.
〔皂纛〕 zàodú 명 〈文〉 군대의 큰 기(旗).
〔皂矾〕 zàofán 명 《化》 황산철. =〔硫liú酸亚铁〕
〔皂粉〕 zàofěn 명 가루비누.
〔皂化〕 zàohuà 명 《化》 감화(鹼化).
〔皂黄〕 zàohuáng 명 《色》 노랑색의 일종. ¶酸性～; 메타닐 옐로(metanil yellow)의 일종.
〔皂荚〕 zàojiá 명 《植》 중국산 쥐엄나무 또는 그 열매《옛날엔 씨를 꼬투리째 으깨어서 빨래에 썼음》. =〔皂角〕
〔皂角〕 zàojiǎo 명 ⇨〔皂荚〕
〔皂脚〕 zàojiǎo 명 비누 제조의 부산물.
〔皂巾〕 zàojīn 명 검은 두건.
〔皂隶〕 zàolì 명 옛 관아의 하인으로, 죄인처형이나 사형 집행을 맡은 자. 망나니. =〔皂班〕〔皂役〕
〔皂青〕 zàoqīng 명 《色》 감흑색(紺黑色). 검푸른 색.
〔皂青色〕 zàoqīngsè 명 흑색(의).
〔皂树〕 zàoshù 명 《植》 킬라야(quillaja)《장미과의 상록수》.
〔皂刷〕 zàoshuā 명 면도용 비눗솔.
〔皂素〕 zàosù 명 ⇨〔皂甙〕
〔皂土〕 zàotǔ 명 《鑛》 벤토나이트(bentonite). =〔浆jiāng土〕
〔皂物〕 zàowù 명 《染》 식물성 흑색 염료의 일종.
〔皂洗〕 zàoxǐ 명 《化》 소핑(soaping).
〔皂鞋〕 zàoxié 명 검은 색의 헝겊신.
〔皂衣〕 zàoyī 명 〈文〉 검은 옷.
〔皂役〕 zàoyì 명 ⇨〔皂隶〕
〔皂英〕 zàoyīng 명 《植》 쥐엄나무.
〔皂栈〕 zàozhàn 명 〈文〉 마굿간. 외양간.
〔皂针〕 zàozhēn 명 쥐엄나무의 가시. =〔皂角刺〕

唣〈唕〉

zào (조)
→〔罗唣〕

造

zào (조)
①동 만들다. 제조하다. 작성하다. 제작하다. ¶～船; 배를 만들다/～预算; 예산을 작성하다/人～纤维; 인조섬유. ②동 건설하다. 조영하다. ¶营yíng～; 조영하다/～林; 조림하다. ③동 위조하다. 날조하다. 꾸며 내다. ¶这件事是真的, 还是你～的? 이 일은 정말이냐, 아니면 네가 날조한 거냐? ④명 성과. 조예(造詣). ⑤동 성취하다. 이룩하다. ¶深～自得; 학문을 깊이 파고 들어 스스로 자득하다. ⑥동 이르다. 도달하다. ¶～门拜访; 집을 방문하다/深～求精; 깊이 파들어가 정확함을 구하다. ⑦동 〈文〉 창시하다. 시작하다. 발단(發端)을 열다. ¶肇～; 창조하다. ⑧명 〈文〉 시대. ¶满清末～; 청대(清代) 말엽. ⑨명 소송의 당사자. 원고와 피고의 어느 한쪽. ¶两～; 소송의 쌍방. =〔曹〕 ⑩동 육성하다. 양성하다. ¶可～之才; 양성할 가치가 있는 인재. ⑪명 〈方〉 농작물의 수확 또는 수확 횟수《농작물을 심고 수확할 때까지를 '一～'라고 함》. ¶一年三～皆丰收; 금년의 3회의 수확은 모두 풍작이다.

〔造爱〕 zào'ài 동 사랑을 영위하다.
〔造报〕 zàobào 동 〈文〉 (경비(經費) 등의) 보고 서류를 만들다. 지출 보고를 작성하다.
〔造本〕 zàoběn 명 제조 원가. ¶比～便pián宜一半; 제조 원가보다 반(이나) 싸다.
〔造币〕 zàobì 동 조폐하다. 화폐를 만들다. ¶～厂; 조폐국. 조폐창.
〔造标〕 zàobiāo 명 (측량의) 조표.
〔造表〕 zào biǎo 표를 만들다.
〔造冰〕 zàobīng 동 제빙하다.
〔造材〕 zàocái 동 제재(製材)하다.
〔造册〕 zàocè 동 (장부나 통계 문서 등) 철해서 책자를 만들다.
〔造成〕 zàochéng 동 ①(좋지 않은 사태를) 발생시키다. 초래하다. ¶～死亡; 죽음을 가져오다/～事故; 사고를 일으키다/给教育事业～了严重的损失; 교육 사업에 막대한 피해를 가져왔다. ②만들다. 형성하다. 조성하다. ¶～新国家; 새 나라를 건설하다/～舆论; 여론을 조성하다.
〔造船厂〕 zàochuánchǎng 명 ⇨〔船厂①〕
〔造次〕 zàocì 형 〈文〉 ①총망[황망]하다. 급작스럽다. ¶～之间; 창졸간에/～颠沛; 〈成〉 급박한 경우나 위기. =〔草cǎo次〕〔迁qiān次〕 ②무책임하다. 경솔하다. ¶～行事; 일을 아무렇게나 하다/不可～; 경솔해서는 안 된다.
〔造端〕 zàoduān 〈文〉 명 시초. 발단. (zào,duān) 동 발단을 만들다. 발단이 되다. ‖=〔造始〕
〔造反〕 zào,fǎn 동 ①반란[모반]을 일으키다. ¶秀才～, 三年不成; 〈諺〉 학자의 모반은 3년 걸려도 성공하지 못한다《학자는 책이나 읽을 뿐 일은 성사시키지 못함》/要～吗! 모반을 일으킬 셈이냐! =〔作反〕 ②〈俗〉 (어린아이가) 야단법석을 떨다. 떠들어 대다. 소란을 피우다.
〔造饭〕 zào,fàn 동 〈古白〉 식사 준비를 하다. 밥을 짓다. ¶埋锅～; 구멍을 파고 아궁이를 만들어 밥을 짓다. =〔做zuò饭〕
〔造访〕 zàofǎng 동 〈文〉 방문하다. ¶登门～; 댁으로 찾아뵙겠습니다. =〔拜访〕
〔造福〕 zào,fú 동 행복을 가져오다. ¶～万民; 만민에게 행복을 가져오다. (zàofú) 명형 행복(하다).
〔造府〕 zàofǔ 동 〈文〉 〈翰〉 뵈러 가다. 찾아뵙다. ¶～拜访; 댁으로 찾아뵙겠습니다/～请教; 가르침을 청하러 찾아뵙겠습니다/日昨～, 适值公出, 怅甚; 어제 찾아뵈었는데 마침 공교롭게 출타중이셔서 대단히 섭섭했습니다. =〔造潭〕〔造谒yè〕〔造诣〕
〔造花〕 zàohuā ①명 조화. ②(zào huā) 조화를 만들다.
〔造化〕 zàohuà 명 〈文〉 만물을 만들고 키워 내는 것. 대자연. ¶～主; 조물주.
〔造化〕 zàohua 명 〈俗〉 행운. 운명. 운. ¶～不浅; 운이 좋다/～小儿; 운명의 신.
〔造假〕 zàojiǎ 동 가짜 상품을 만들다. ¶～势头越来越猛; 가짜 상품을 만드는 세력이 나날이 격심해지다.
〔造价〕 zàojià 명 ①(건조물·철도·도로 등의) 건설 비용. (자동차·배·기계 등의) 제조 비용. ¶～高; 제작비가 비싸다. ②견적 가격. (zào,jià) 동 가격[비용]을 견적하다.
〔造就〕 zàojiù 동 ①양성하다. 교육하다. 육성하다. ¶～人材; 인재를 양성하다. ②만들어 내다. ③〈文〉 가서 뵙다. 명 조예(造詣). 성과.
〔造句〕 zào,jù 동 글을 짓다. 센텐스를 만들다. ¶～法; 《言》 신택스(syntax). 통사론(統辭論).
〔造具〕 zàojù 동 〈文〉 (문서를) 작성하다. ¶～清册; 대장(臺帳)을 만들다.
〔造林〕 zào,lín 동 조림하다. ¶植树～; 나무를 심어 조림하다.
〔造陆运动〕 zàolù yùndòng 명 《地質》 조륙 운동.
〔造命〕 zàomìng 〈文〉 동 운명을 개척해 나가다.

명 운명을 지배하는 신(神).
〔造模〕 zàomó 동 ⇨〔造魔〕
〔造魔〕 zàomó 동 지어 낸 말을 하다. 유언비어를 지껄이다. 황당무계한 말을 하다. ¶怎么能知道呢? 你这不是～吧? 어떻게 그런 것을 알 수 있나? 네 말은 전혀 근거 없는 헛소리 아니냐? =〔造模〕
〔造孽〕 zào·niè 동《佛》죄 받을 짓을 저지르다. 못된 짓을 하다. ¶～钱; 부정한 돈. (zàonie) 명 저지른 죄.
〔造桥虫〕 zàoqiáochóng 명《蟲》자벌레. =〔桑sāng(尺)蠖〕
〔造扰〕 zàorǎo ①동 남의 집을 방문하여 폐를 끼치다. ②〈套〉폐가 이만저만이 아닙니다.
〔造山运动〕 zàoshān yùndòng 명《地》조산 운동.
〔造始〕 zàoshǐ 명동 ⇨〔造端〕
〔造士〕 zàoshì 〈文〉명 이미 학업을 이룬 사람. 동 인재를 양성하다.
〔造潭〕 zàotán 동〈文〉⇨〔造府〕
〔造物〕 zàowù 명 조물주가 만든 물건. ¶～主 =〔造化主〕; 조물주.
〔造像〕 zàoxiàng 동 상을 만들다. 명 소상(塑像).
〔造衅〕 zàoxìn 동〈文〉나쁜 구실을 만들다.
〔造型〕 zàoxíng 명 ①⇨〔型工〕 ②만들어진 물건의 모양. ¶这些玩具～简单, 生动有趣; 이 장난감의 만듦새는 간단하지만, 움직이는 것은 생동감있고 재미있다. 명동 조형(하다). ¶～艺术; 조형 예술.
〔造型机〕 zàoxíngjī 명《機》조형기.
〔造型砂〕 zàoxíngshā 명 ⇨〔型砂〕
〔造雪〕 zào·xuě 동 ①인공설(人工雪)을 내리게 하다. ②〈廣〉제빙(製氷)하다.
〔造言〕 zào·yán 동 데마를 날조하다. ¶造谣yáo言; 유언비어를 날조하다 / ～生事 =〔造谣生事〕; 유언비어를 퍼뜨려서 시끄럽게〔사건을〕 만들다. (zàoyán) 명 유언비어.
〔造谣〕 zào·yáo 동 유언비어를 퍼뜨리다. ¶～惑众; 〈成〉유언비어를 퍼뜨리어 사람들을 혼란시키다 / ～诬蔑wūmiè; 〈成〉유언비어를 퍼뜨리어 중상하다 / ～生事; 〈成〉유언비어를 퍼뜨리어 사건을 일으키다 / ～中zhòng伤; 유언비어로 사람을 중상하다. (zàoyáo) 명 유언비어. ‖=〔造谣言〕
〔造谒〕 zàoyè 동〈文〉⇨〔造府〕
〔造诣〕 zàoyì 명〈文〉조예. ¶他在力学方面有很深的～; 그는 역학 방면에 매우 조예가 깊다. =〔造就〕 동 ⇨〔造府〕
〔造意〕 zàoyì 동 ①착상(着想)하다. ②교사(教唆)하다. ¶～犯; 교사범. 주모자.
〔造因〕 zàoyīn 동〈文〉원인을 이루다. 원인이 되다. ¶～是什么? 원인이 되는 것은 무엇인가?
〔造影〕 zàoyǐng 명《醫》방사선 사진. 라디오 그래프.
〔造园〕 zàoyuán 명동 조원(하다).
〔造纸〕 zàozhǐ 명 제지(製紙). ¶～(工)厂; 제지 공장. (zào·zhǐ) 동 제지하다.
〔造罪〕 zàozuì 동 벌 받을 짓을 하다. 죄를 짓다.
〔造作〕 zàozuò 동 만들다. 제조하다. =〔制造〕
〔造作〕 zàozuo 동 부자연스럽게 하다. 어색하게 겉을 꾸미다. 변죽 울리다. 조작하다. ¶矫揉～; 꾸며서 부자연스럽게 행동하다. =〔做zuò作〕

慥 zào (조)
→〔慥慥〕
〔慥慥〕 zàozào 형〈文〉언동이 성실한 모양. 독실한 모양.

簉 zào (추)
형〈文〉부차적(副次的)인. 부속의.
〔簉室〕 zàoshì 명〈文〉첩.

噪〈譟〉① zào (조)
동 ①큰 소리로 떠들다. 시끄럽게 굴다. ¶名～一时; 〈成〉명성이 한때 세상에 자자하다. ②(벌레나 새가 시끌시끌하게) 울다. ¶蝉～; 매미가 울다 / 群鸦乱～; 까마귀 떼가 시끄럽게 울다.
〔噪聒〕 zàoguō 형 떠들썩하다. 시끄럽다.
〔噪叫〕 zàojiào 동 시끄럽게 울다. ¶知了 liǎo不停地～着; 매미가 끊임없이 시끄럽게 울고 있다.
〔噪鹛〕 zàoméi 명《鳥》개똥지빠귀.
〔噪闹〕 zàonào 형 시끌시끌하다.
〔噪嚷〕 zàorǎng 동 시끄럽게 큰 소리로 떠들다.
〔噪扰〕 zàorǎo 동 떠들어 대다. 떠들어 혼란시키다.
〔噪声〕 zàoshēng 명 소음. 잡음. =〔噪音〕
〔噪天〕 zàotiān 명《鳥》종다리.
〔噪音〕 zàoyīn 명 ①조음. 비악음(非樂音). ②소음. 잡음. 노이즈(noise). ¶噪声电平表; 소음계(騷音計). =〔噪声〕〔杂zá音〕

燥 zào (조)
형 건조하다. 마르다. ¶天气很旱, 太～了; 심한 가뭄으로 바싹 말라있다 / 高粱可以种在高山～地; 수수는 높고 건조한 땅에서 재배할 수 있다.
〔燥热〕 zàorè 형 ①햇빛이 쨍쨍 내리쬐어 덥다. 바싹 마르고 덥다. ¶今天晌午, 少见的～; 오늘 낮은 보기 드물게 더운 날씨다. ②(몸이) 화끈화끈하게 뜨겁다. ¶脚下仿佛生了一炉火, 浑身～起来; 발 밑에 화로 가득히 불을 피운 것처럼 온몸이 화끈화끈하며 뜨거워졌다.
〔燥湿〕 zàoshī 명 건조와 습기. 〈轉〉주거(住居)하기에 알맞은지 아닌지 하는 상태. ¶问其～者, 问其居处何如也; 〈文〉건조한가 습한가를 묻는 것은 그 사는 곳이 어떤가를 묻는 것이다.
〔燥心〕 zàoxīn 동 조바심하다. 마음을 졸이다.
〔燥癣〕 zàoxuǎn 명 ⇨〔干gān癣〕
〔燥灼〕 zàozhuó 형〈文〉조급하다. 초조하다.

躁〈趮〉 zào (조)
형 ①당황하다. ②조급하다. 성마르다. 성급하다. 팍하다. ¶焦～; 초조하다 / 暴～; 성미가 급하고 화를 잘 내다 / 不骄不～; 거만하지 않고 성급하지도 않다 / 烦～; 초조해 하다.
〔躁动〕 zàodòng 동 ①안달이 나서 돌아다니다. 허둥대며 움직이다. ②끊임없이 뛰어다니다.
〔躁汗〕 zàohàn 명 당황하여 나는 땀. 진땀. ¶急了一身～; 당황해서 온몸에 진땀을 흘렸다.
〔躁急〕 zàojí 형 마음이 조급〔초조〕하다.
〔躁进〕 zàojìn 동 승진을 조바심내다. 승진을 조급하게 서두르다.
〔躁竞〕 zàojìng 동〈文〉남과 권세를 다투다.
〔躁狂〕 zàokuáng 형 광란적이다. 열광적이다. 명《醫》조병(躁病).
〔躁人〕 zàorén 명 성급해서 침착하지 못한 사람. 경망스러운 사람.
〔躁率〕 zàoshuài 형〈文〉성급하고 경망하다.
〔躁佻〕 zàotiáo 형〈文〉침착지 못하고 경망하다. 경조부박(輕佻浮薄)하다.

〔躁性〕 zàoxìng 명 ①성급한 성질. ¶他的～还没改; 그의 성급함은 아직 고쳐지지 않았다. ②성급한 사람. 안달뱅이.

ZE ㄗㄜ

则(則) zé (즉, 칙) ①명 모범. 법도(法度). 법칙. 제도. ¶以身作～;〈成〉몸소 모범을 보이다 / 楷～; 법칙. ②동〈文〉본받다. 따르다. ¶所倡诸说, 至今学者～之; 주창(主唱)된 여러 학설은 지금에 이르기까지 학자가 본보기로 삼고 있다 / ～先烈之遗风; 선열의 유풍을 본받다. ③명 규정된 조문(條文). 정해진 법령. 규칙. ¶总～; 총칙 / 附～; 부칙 / 章～; 조문(條文). 법칙. ④양 조항. 편. 토막. 문제《우화(寓話)·수필·뉴스·시험 문제 따위를 세는 말》. ¶试题三～; 시험 문제 3문(問) / 笑话两～; 소화 두 편. ⑤명〈文〉등급. ¶上～; 상등. ⑥동〈文〉바로 …이다. 즉 …이다. ¶此～吾之过也; 이것은 (바로) 내 잘못이다 / 出场迎之, ～张先生也; 마중을 나가 보니 (바로) 장(張)선생이었다. =〔乃〕〔就是〕 ⑦접〈文〉…하면 곧. …되면 즉시《앞뒤의 구(句)의 인과 관계·전후 관계가 긴밀함을 나타냄》. ¶君子不重～不威; 군자는 무게가 없으면 위엄이 없다. ⑧접〈文〉…하면 …하다《조건문에 쓰이어 연접(連接) 작용을 가짐》. ¶技术一旦革新, ～生产随之增长; 기술이 일단 혁신되면 생산은 그에 따라 증가한다 / 如无计画, ～工作将陷于盲动矣; 만일 계획이 없다면, 일은 망동(盲動)에 빠질 것이다. →〔就〕 ⑨접 …(이)면《두 개의 사실을 늘어놓을 때에 쓰이어 두 사실이 대응되는 어기(語氣)를 나타냄》. ¶多～一年少～半载; 많으면 1년, 적으면 반 년 / 进～可攻, 退～可守; 앞으로 나아갈 것이면 치고, 물러날 것이면 지켜야 한다. ⑩접〈文〉그러나. 오히려《대비·역접을 나타냄》. ¶欲挽救之, ～已无及矣; 구해 주고 싶어도, 이미 때가 늦었다. →〔可是〕〔却què〕 ⑪접〈文〉…는 …(한)데《같은 단어 사이에서 양보를 나타냄》. ¶多～多矣, 但质量仍不佳; 많기는 많지만, 품질이 아무래도 좋지 않다. ⑫접〈文〉만일. 혹시. ¶～不可, 因而刺杀之; 만일 불가하면 척살해 버리게. ⑬접 혹은. 어쩌면. ¶帝以忿怒故, 欲斩之, ～恐后悔; 임금은 노한 나머지 베어 버렸으나, 어쩌면 후회하고 있는지도 모른다. ⑭부〈古白〉다만 …뿐. ¶～吃酒不办公事; 술만 마실 뿐 일은 안 한다. ⑮동〈古白〉하다. ¶～甚? 무엇을 하는 거냐? / 不～声; 소리를 내지 않다. ⑯다음에 목적어를 취함. ¶学者有四失, 教者必知之, 人之学也, 或失～多, 或失～寡, 或失～易, 或失～止, 此四者, 心之莫同也; 배우는 자에게 '四失'이 있는데, 가르치는 자는 반드시 이를 알아 두어야 한다. 배우는 자는 혹은 너무 많이 배우거나, 혹은 너무 적게 처지거나, 혹은 안이함에 빠지거나, 혹은 중도에 그치는 따위의 과실을 갖는다. 이 네 가지는 마음이 한결같지 못함에서 일어나는 것이다. ⑰접미〈文〉째《'一' '二' '三' 등의 뒤에 사용하여 원인이나 이유를 열거함》. ¶一～无经验, 二～欠钻研; 첫째는 경험이 없고, 둘째는 연찬이 결여돼 있다. ⑱접〈文〉…하자 …하다《두 가지 사항이 시간적으로 이어져 진행됨》. ¶每一巨弹堕地, ～火光迸裂; 큰 포탄이 땅에 떨어지자마자 불길이 솟구쳤다.

〔则不〕 zébù〈古白〉단지 …일 뿐 아니라. ¶～路人愁, 鸟也倦飞腾; 나그네가 수심에 잠길 뿐만 아니라, 새조차 날기에 지치다. =〔不则〕

〔则刀(儿)〕 zédāo(r) 명 칼도방《한자 부수의 하나. '分'의 '刀'나 '刑'의 '刂'의 이름》. =〔立刀(儿)〕

〔则度〕 zédù 명〈文〉법도. 법. 법칙.

〔则个〕 zégè〈古白〉…할 뿐이다. …하면 그만이다. ¶杨志道, "愿闻良策～"《水滸傳》; '杨志'는 '좋은 책략을 듣기를 원할 뿐'이라고 말하였다.

〔则管〕 zéguǎn 부〈古白〉오직. 다만. ¶姐姐怎么～听这琴?《西廂記》; 누님 어찌하여 이 거문고 소리만 듣고 있는 겁니까?

〔则好〕 zéhǎo 부〈古白〉부득이. 어쩔 수 없이. =〔只zhǐ好〕〔只得〕

〔则见〕 zéjiàn〈古白〉문득 보니 ….

〔则剧〕 zéjù 동〈文〉즐기다. 희롱하다. 장난치다. ¶京师有甚土宜～, 买些归家里; 서울에 뭔가 재미있는 토산물이 있으면 사 가지고 오겠습니다.

〔则例〕 zélì 명〈文〉(낡은 법령·법안 따위에 준거하여 만든) 정례(定例). 조례. 법칙.

〔则麽〕 zémó 대 ⇒〔作zuò麽生〕

〔则甚〕 zéshèn〈古白〉무엇을 하겠는가! 무엇을 하랴! ¶千年往事已沉沉, 闲管兴亡～; 천 년 옛일은 이미 까마득히 묻혀 버렸으니, 세상 흥망에 상관해서 무엇 하랴!

〔则声〕 zéshēng 동 소리를 내다. ¶不要～! 소리를 내지 마라!

〔则是〕 zéshì 접〈古白〉…이기는 하나. 다만〔오직〕…뿐. ¶～年纪小, 性气刚; 나이는 젊지만 성격이 강하다. =〔只zhǐ是〕

〔则索〕 zésuǒ 부〈古白〉오직 …할 수밖에 없다. 하는 수 없이. 부득이. ¶我～袁告你个媒婆做个方便者; 나는 아무래도 너한테 부탁해서, 어떻게든 좋은 중매 방법을 생각해 주도록 해야겠다. =〔只zhǐ得〕

〔则天〕 zétiān 동〈文〉하늘을 본받다. 하늘로 법을 삼다.

〔则田〕 zétián 명 옛날, 정식으로 납세하여 등록된 논밭《전부(田賦)에는 '上则②', '中则', '下则' 즉, 상전(上田)·중전(中田)·하전(下田)의 구별에 따라 부과율이 달랐음》.

〔则效〕 zéxiào 동 본을 받다. 본보기로 삼다.

泽(澤) zé (택) ①명 못. 늪. 호수. ¶深山大～; 깊은 산과 큰 호수 / 竭～而渔;〈成〉ⓐ눈앞의 이익만을 생각하다. ⓑ철저하게 착취하다. ②형 축축하다. 습하다. ¶雨～; 비 / 润～; 윤습하다. 물기가 있다. ③명 혜택. 은혜. ¶～及四方;〈成〉은혜가 사방에 미치다 / 恩～; 은택 / 德～; 덕택. ④명 광택. 윤. ¶色～; 빛깔과 윤기 / 光～; 광택. ⑤명 (유품·유작 등) 사람의 여기(餘氣). 사람이 남긴 자취. ¶手～; 선인의 유서. 수택(手澤). ⑥동 손을 비비다. 손으로 문지르다. ⑦명 옛날의 의복.

〔泽恩〕 zé'ēn 명〈文〉은택.

〔泽凫〕 zéfú 명〘鳥〙넓적부리.

〔泽国〕 zéguó 명〈文〉①물이 많은 지방. ②호수와 늪이 많은 지방. ③범람 지구. 수해로 물에 잠긴 지구. ¶沦为～; 수몰하다. 수몰 지구가 되다.

〔泽及枯骨〕 zé jí kū gǔ 〈成〉 은택이 널리 죽은 이에게까지 미침.
〔泽及四方〕 zé jí sì fāng 〈成〉 은택이 사방에 미치다(두루 혜택을 베풀다).
〔泽兰〕 zélán 명 《植》 ①등골나물. =〔大泽兰〕 ② 택란. 쉽싸리. =〔小泽兰〕
〔泽漆〕 zéqī 명 《植》 등대풀.
〔泽人〕 zérén 명 〈文〉 수상(水上) 생활자.
〔泽手〕 zéshǒu 동 손으로 문지르다〔어루만지다〕. 손을 비비다.
〔泽泻〕 zéxiè 명 《植》 질경이택사.
〔泽鹞〕 zéyào 명 《鳥》 개구리매. =〔白头鹞〕

择(擇) zé (택) 동 고르다. 선택하다. 가지다. ¶不～手段; 수단을 가리지 않다 / 饥不～食; 〈成〉 주린 배는 맛없는 것이 없다(시장이 반찬) / 选～; 선택하다. ⇒zhái
〔择菜〕 zé.cài 동 반찬을 가려 먹다. ⇒zhái.cài
〔择刺〕 zécì 동 ①〈文〉 생선의 뼈를 발라 내다. ② 분쟁을 수습하다. ⇒zhái.cì
〔择订〕 zédìng 동 골라서 정하다. 선정하다.
〔择对〕 zéduì〔〈方〉 zháiduì〕 동 배우자를 고르다. ¶～不嫁至年三十; 고르다 보니 시집을 못 가고 서른 살이 되다. =〔择配〕
〔择对〕 zédui〔〈方〉 zháidui〕 동 선정(選定)하다. ¶～日子; 날을 잡아 정하다.
〔择肥而噬〕 zé féi ér shì 〈成〉 살진 것을 골라 먹다(①자기에게 편리한 것을 골라서 손대다. ② 부유한 사람을 골라 사기 공갈쳐서 갈취하다).
〔择吉〕 zéjí 동 〈文〉 길일을 택하다. ¶～迎娶; 길일을 택하여 혼례를 치르다 / ～开张; 길일을 택하여 가게를 열다 / ～安葬; 길일을 택하여 장례식을 행하다.
〔择交〕 zéjiāo 동 ①친구를 고르다. ②〈文〉 (국교 맺을) 나라를 고르다.
〔择邻〕 zélín 동 〈文〉 이웃을 고르다. 좋은 환경을 고르다.
〔择木〕 zémù 동 〈文〉 (섬길) 주인(主人)을 고르다.
〔择配〕 zépèi 동 ⇨〔择对〕
〔择期〕 zéqī 동 〈文〉 기일을 택하다.
〔择善而从〕 zé shàn ér cóng 〈成〉 훌륭한 사람을 골라 그 사람을 따르다.
〔择选〕 zéxuǎn 동 고르다. 선택하다. =〔选择〕
〔择要〕 zéyào 동 〈文〉 요점(要點)을 뽑다.
〔择优〕 zéyōu 동 우수자를 고르다. ¶～录取; 〈成〉 우수한 사람을 골라서 채용하다.

迮 zé〔zuò〕 (책) ①동 핍박하다. ②형 황급하다. ③명 성(姓)의 하나.

咋 zé〔zhà〕 (색) 동 ①〈文〉 물다. ②혀를 내두르다(놀라거나 두려워하거나 감탄하는 모양). ⇒zǎ zhā
〔咋瘪子〕 zébiězi 동 〈南方〉 야단을 맞다. ¶你昨天回去没～吗? 너 어저께 돌아가서 야단 맞지 않았니?
〔咋舌〕 zéshé 동 혀를 (내)두르다. (놀라거나 두렵거나 감탄하여) 말이 안 나오다. 말문이 막히다. ¶他们表演的动作惊险神速, 使观众为之～; 그들의 연기가 스릴이 풍부하고 놀랍도록 신속하여 관중은 매우 감탄했다.

笮 zé (착) 명 ①〈文〉 지붕의 기와 밑에 까는 대나무로 엮은 깔개. ②성(姓)의 하나. ⇒zuó

舴 zé (책) →〔舴艋〕
〔舴艋〕 zéměng 명 작은 배.

责(責) zé (책) ①명 책임. ¶爱护公物, 人人有～; 공공물을 아끼는 것은 모두의 책임이다 / 各有专～; 각자 전문적인 책임이 있다 / 尽～; 책임을 다하다 / 职～; 직무상의 책임. 직책. ②동 나무라다. 책하다. 힐난하다. ¶斥～; 힐난하다. 꾸짖어 나무라다 / ～人要宽, ～己要严; 남을 책함에는 관대하고, 자기를 책함에는 엄하여라 / ～问; 힐문하다 / ～难; 책망하다. 비난하다. ③동 요구하다. 조르다. 책임지우다. ¶宋多～赂于郑; '宋'은 '郑'에게 뇌물을 많이 요구했다 / ～其一年完成; 1년에 완성하도록 책임을 지우다. ④동 편달하다. ¶～打; ⇩ ⑤동 매로 벌주다. 꾸짖어 벌주다. ¶数shuò加笞～; 가끔 채찍질하여 벌하다. ⑥명 〈文〉 (고서(古書)에서) 빚. 부채. →〔债 zhài〕
〔责报〕 zébào 동 〈文〉 보수를 요구하다.
〔责备〕 zébèi 동 비난하다. 꾸짖다. 과실을 지적하다. ¶～他的不正行为; 그의 부정 행위를 나무라다 / 不应该光～他; 그 사람만을 꾸짖는 것은 마땅하지 않다 / 受到良心的～; 양심의 가책을 받다.
〔责偿〕 zécháng 동 〈文〉 배상을 요구하다.
〔责成〕 zéchéng 동 일임하다. 책임지고 완성하게 하다. ¶～在我; 완성하는 책임은 나에게 있다 / ～有关委员去贯彻; 관계 위원에게 책임을 맡겨 관철시키다 / ～他去办理; 그에게 책임지고 하게 하다〔일임하다〕.
〔责成一切〕 zé chéng yī qiè 〈成〉 일체의 책임을 지우다.
〔责惩〕 zéchéng 동 〈文〉 책하고 비난하다. 힐책하다.
〔责斥〕 zéchì 동 〈文〉 나무라고 꾸짖다.
〔责词〕 zécí 명 질책하는 말. ¶～严yán历; 질책의 말이 엄하다.
〔责打〕 zédǎ 동 나무라고 때리다. 편달하여 징계하다.
〔责对〕 zéduì 동 〈文〉 질문하다. 따지고 묻다. ¶请转向该号～以明真象; 제발 그 가게에 따져 물은 다음에 진상을 밝혀 주세요.
〔责罚〕 zéfá 동 〈文〉 책임을 물어 벌하다. 처벌하다.
〔责分〕 zéfèn 명 책임과 본분.
〔责付〕 zéfù 명 《法》 책부(피고인의 신병을 친척에게 맡기어 책임을 지우는 구(舊)형사 소송법상의 제도).
〔责诟〕 zégòu 동 〈文〉 질책하다. 매도하다.
〔责怪〕 zéguài 동 책하다. 나무라다. 원망하다.
〔责究〕 zéjiū 동 〈文〉 몰아세워 추궁하다. 책임을 추궁하다.
〔责课〕 zékè 동 〈文〉 세금을 독촉하다. 납세를 재촉하다.
〔责令〕 zélìng 동 책임지고 하도록 시키다. 책임을 과하다. ¶～返工; 책임을 지고 다시 만들게 하다.
〔责骂〕 zémà 동 엄한 어조로 나무라다. 호되게 욕하다〔꾸짖다〕.
〔责难〕 zénàn 동 힐난(詰難)하다. 따져 비난〔책망〕하다. ¶～旁人的态度; 남의 태도를 비난하다.
〔责诮〕 zéqiào 동 〈文〉 ⇨〔诮责〕

〔责求〕 zéqiú 동 힐책하다. =〔呵hē求〕
〔责人〕 zé,rén 동 〈文〉 남을 책하다. ¶要~先责己; 남을 꾸짖기 전에 먼저 자기 자신을 꾸짖어라/~责明; 사람은 남의 잘못을 비난하기를 좋아한다/只知~不知责己; 남만 책할 줄 알고 자신을 책할 줄은 모른다.
〔责任〕 zérèn 명 책임. ¶担负~; 책임을 지다/追究~; 책임을 추궁하다/他不负~; 그는 책임을 지지 않는다/这是我们应尽的~; 이것은 우리가 당연히 져야 할 책임이다/~重; 책임이 무겁다.
〔责任感〕 zérèngǎn 명 책임감. ¶~很强; 책임감이 강하다/提高~; 책임감을 높이다. =〔责任心〕
〔责任事故〕 zérèn shìgù 명 업무상 과실에 의한 사고《재산상의 손해나 인간의 사상(死傷) 등의 사태를 야기함》.
〔责任制〕 zérènzhì 명 책임제. ¶承包生产~; 청부생산 책임제.
〔责善〕 zéshàn 동 〈文〉 서로 선을 권하다. 좋은 일을 서로 격려하여 향상하다.
〔责望〕 zéwàng 동 〈文〉 남에게 곤란한 일을 요구하다.
〔责问〕 zéwèn 동 나무라는 어조로 묻다. 힐문하다. 문책하다. ¶过去的事情不必~! 지난 일은 따질 필요가 없다!/~事故发生的原因; 사고의 발생 원인을 문책하다.
〔责无旁贷〕 zé wú páng dài 〈成〉 자기가 져야 할 책임을 남에게 넘겨 씌울 수는 없다. ¶保卫世界持久和平, 这是我们~的神圣任务; 세계의 영구 평화를 지키는 것, 이것은 우리의 저버릴 수 없는 신성한 임무이다.
〔责务〕 zéwù 명 〈文〉 책무.
〔责银〕 zéyín 명 벌금. (zé,yín) 동 벌금을 부과하다.
〔责有攸归〕 zé yǒu yōu guī 〈成〉 각자 짊어져야 할 책임이 있다.
〔责治〕 zézhì 동 〈文〉 벌하다. 처벌하다.

啧(嘖) zé (책)
① 〈擬〉 쯧쯧. 저런. 체《혀를 차는 소리. 찬미 또는 애석한 기분을 나타냄》. ¶~~! 他真能干; 저런 저런! 그는 참 잘 하는구나. ② 동 〈文〉 시끄럽게 지껄이다. 큰 소리로 외치다. 말다툼하다. ③ 형 ⇨〔赜〕
〔啧有烦言〕 zé yǒu fán yán 〈成〉 ①자꾸 비난하는 소리가 들림. ②뭇 사람이 자꾸 시비를 논쟁함.
〔啧啧〕 zézé 〈擬〉 ①시끄럽게 지껄이는 소리. ¶~争言; 시끄럽게 말다툼하다/人言~; 사람들의 말소리가 시끄럽게 나다. ②많은 사람들이 칭찬하는 소리. ¶~不已; 연신 칭찬하며 기리다/~称奇; 연해 신기하다며 칭찬하다. ③짹짹《새의 울음소리》.
〔啧嘴〕 zé,zuǐ 동 혀를 차다.

帻(幘) zé (책)
명 〈文〉 머리를 감싸는 수건. 옛날의 일종의 두건. =〔帻巾〕

箦(簀) zé (책)
〈文〉 ① 명 대나무 따위를 엮은 깔개. 대발. ② 명 침대 위의 깔개. ¶易yì~; 사대부(士大夫)의 죽음/~床; 대자리를 깐 침상. ③ 동 쌓다. ④ 동 모으다.

赜(賾) zé (색)
형 〈文〉 심오(深奧)하다. 오묘하다. ¶探~索隐yǐn; 심오한 이치를 탐구하다. =〔啧③〕

齰(齚〈齰〉) zé (색)
동 〈文〉 (깨)물다. 씹다.

仄 zè (측)
① 명 〖言〗 '上声'·'去声'·'入声'의 총칭. =〔仄声〕 ↔〔平〕 ② 형 기울다. ¶~倾; 기울다. ③ 형 (해가) 어두워지다. ¶日~; 해가 기울다. =〔昃〕 ④ 형 희미하다. ⑤ 형 좁다. ¶~路; 좁은 길. ⑥ 형 마음에 걸리다. 꺼림칙하다. ¶歉~; 미안하게 생각하다.
〔仄三连〕 zèsānlián 명 ⇨〔下xià三连〕
〔仄声〕 zèshēng →〔字解①〕
〔仄头仄脑〕 zè tóu zè nǎo 〈成〉 머리를 갸웃하고 있는 모양.
〔仄闻〕 zèwén 동 〈文〉 엿듣다. 옆에서 듣다. =〔侧闻〕
〔仄行〕 zèxíng 동 〈文〉 (도로의) 옆을 걷다. 비뚜로 걷다.
〔仄韵〕 zèyùn 명 〖言〗 '仄声'에 속하는 운자(韻字).

昃 zè (측)
〈文〉 ① 동 해가 서쪽으로 기울다. ② 형 기울다. 치우치다. ③ 명 오후. ④ 동 눈을 깜박거리다. =〔眨zhǎ〕

侧(側) zè (측)
→〔平píng仄〕 ⇒cè zhāi

ZEI ㄗㄟ

贼(賊) zéi (적)
① 명 도둑. 도적. ¶闹~; 도둑이 들다/拿住了一个~; 도둑을 한 명 잡았다/小~ =〔毛~〕〔毛脚~〕〔小偷tōu儿〕; 좀도둑/大案~; 큰 도둑/拦路~; 노상 강도/外~好拦, 家~难防; 〈諺〉 밖으로부터의 도둑은 막기 쉬우나 집안의 도둑은 막기 어렵다/他不会做~; 그가 도둑질을 할 리가 없다. ② 명 적. 반역자. 악인. ¶卖国~; 매국노/张~; 〈罵〉 '张'이라는 사람에게 노기(怒氣)를 품고 욕하는 말/~军; 적군. ③ 형 부정(不正)하다. 사악하다. 요사하다. ¶~心; 사념(邪念). ④ 형 교활하다. 약삭빠르다. ¶他可真~; 그는 매우 교활하다/又~又坏; 교활하고 나쁘다/他的眼睛真~, 一下子就看见我了; 그의 눈은 정말 재빠르다. 단번에 나를 알아봤다. ⑤ 동 〈京〉 훔쳐보다. 곁눈으로 보다. ¶我~着他半天了, 他干的事, 我都看见了; 그를 계속해서 훔쳐보고 있었기 때문에 그가 한 일을 나는 모두 보았다/这个猫~上我这条鱼了; 이 고양이는 내 이 생선을 (노리고) 흘끔 훔쳐보고 있다. ⑥ 동 〈方〉 경계심이 많아지다. 교활해지다《흔히, '~了'로 쓰임》. ¶这屋里的耗子都~了, 耗子夹子上的食都不吃; 이 방의 쥐들은 모두 약아져서 쥐덫의 먹이를 전혀 먹지 않는다. ⑦ 동 〈文〉 해치다. 상하게 하다. ¶~仁者谓之~, ~义者谓之残; 인(仁)을 해치는 자를 적(賊)이라 하고, 의를 해치는 자를 잔(殘)이라 한다/戕qiāng~身体; 몸을 해치다. ⑧ 형 〈文〉 잔인하다. ¶阴~险狠; 음험하고 잔인하다. ⑨ →〔蝥máo贼〕 ⑩ 부 〈方〉 매우. 극히. 굉장히. ¶~亮的刀; 유난히

번쩍거리는 칼 / ～冷; 굉장히 춥다. →〔甚shèn①〕〔非常〕〔极〕
〔贼白〕 zéibái 형 〈京〉 새하얗다. ¶这种漂白布真是～～的; 이 표백한 무명은 굉장히 희다.
〔贼扳〕 zéibān 명 도둑의 자백에 의해 밝혀진 공범자.
〔贼冰〕 zéibīng 명 길 위에 눈에 잘 띄지 않게 얼어붙은 얼음.
〔贼巢〕 zéicháo 명 ⇨〔贼窝〕
〔贼吃贼喝〕 zéi chī zéi hē 〈成〉 ①몰래 훔쳐먹다. ②게걸스럽게 먹다. 닥치는 대로 마구 먹다.
〔贼出关门〕 zéi chū guān mén ⇨〔贼走关门〕
〔贼船〕 zéichuán 명 ①도적선. 해적선. ②〈比〉 아편·담배·술 등 금제품이나 그 밖의 유해한 사물.
〔贼胆心虚〕 zéi dǎn xīn xū 〈諺〉 도둑이 양심의 가책으로 무서워 흠칫흠칫하다. 도둑이 제 발 저리다. →〔贼人胆虚〕
〔贼盗〕 zéidào 명 ⇨〔贼犯〕
〔贼店〕 zéidiàn 명 옛날, 나그네를 해쳐 물품 약탈을 목적으로 연 여인숙.
〔贼犯〕 zéifàn 명 도적. 도둑. =〔贼盗〕
〔贼匪〕 zéifěi 명 비적.
〔贼风〕 zéifēng〔〈舊〉 zéfēng〕 명 틈에서 들어오는 찬바람. 외풍. ¶灌～; 외풍이 들어오다.
〔贼骨头〕 zéigǔtou 명 〈罵〉 ①도둑 근성이 배어 있는 놈. ¶他是个天生～, 竟偷人家的东西; 그는 태어날 때부터 도둑 근성이 있어서 남의 물건만 훔치고 있다. ②교활한 놈. 나쁜 놈.
〔贼鬼〕 zéigui 형 약삭빠르다. 교활하다. ¶～溜滑; 〈成〉 매우 교활하다.
〔贼喊捉贼〕 zéi hǎn zhuō zéi 〈成〉 도둑놈이 도둑 잡아라 하고 소리치다(남의 이목을 속여 자기의 잘못을 감춤). ¶一种拙劣的～的伎俩; 남의 눈을 딴 데로 돌리려는 일종의 졸렬한 수법.
〔贼划子〕 zéihuázi 명 좀도둑.
〔贼滑〕 zéihuá 형 몹시 미끄럽다. ¶走在～的冰上得děi留神; 미끄러운 얼음 위를 걸으려면 조심해야 한다.
〔贼猾〕 zéihuá 형 교활하다. 약아 빠지다.
〔贼话(儿)〕 zéihuà(r) 명 몰래 엿듣는 것. ¶听～儿; 몰래 엿듣다.
〔贼馄饨〕 zéihúntun 명 〈罵〉 벽창호. 얼빠진 놈.
〔贼窠〕 zéikē 명 ⇨〔贼窝〕
〔贼寇〕 zéikòu 명 강도. 도둑.
〔贼辣〕 zéila 부 〈俗〉 매우. 굉장히. ¶天气～冷; 날씨가 굉장히 춥다.
〔贼亮〕 zéiliàng 형 〈京〉 눈이 부시게 반짝반짝하다. 눈을 못 뜰 정도로 빛나다. 유난히 반들반들하다. ¶把皮鞋擦得～～的; 구두를 반들반들하게 닦다 / 那个铜铺的幌子～; 저 구리 가게의 간판은 눈부시게 반짝거린다.
〔贼溜溜(的)〕 zéiliūliū(de) 형 〈方〉 (눈초리가) 수상쩍게 두리번거리는 모양. ¶那家伙眼珠子～地直转, 又在打什么坏主意了; 저놈은 눈알을 음흉하게 번뜩이는 것이 또 뭔가 꾸미고 있는 것이다.
〔贼眉溜眼〕 zéi méi liū yǎn 〈成〉 침착하지 못하게 주위를 둘러보는 모양.
〔贼眉鼠眼〕 zéi méi shǔ yǎn 〈成〉 ①도둑놈(같은) 인상. ②두리번거리며 침착성이 없는 모양. ¶像有一群恶鬼赶着, …他～的疾走; 못된 귀신에게 쫓기고 있는 것처럼, …그는 총총히 서둘러 걸었다.
〔贼模溜滑〕 zéimú liūhuá 형 교활하다.
〔贼目鼠眼〕 zéi mù shǔ yǎn 〈成〉 교활하고 경계하는 듯한 눈초리. ¶～地向屋内看了一会, 又把头缩回去; 방 안을 두리번두리번 둘러보더니, 다시 머리를 움츠렸다.
〔贼攀一口, 入骨三分〕 zéi pān yīkǒu, rù gǔ sānfēn 〈諺〉 ⇨〔贼咬一口, 入骨三分〕
〔贼胖〕 zéipàng 형 〈方〉 뒤룩뒤룩하게 살이 찌다. 보기 흉하게 살이 찌다. ¶这小伙子吃得～～的; 이 녀석은 잘 먹어서 살이 뒤룩뒤룩쪘다.
〔贼皮贼骨的〕 zéipí zéigǔde 명 상습적인 도둑놈. 도둑 근성이 몸에 밴 자.
〔贼婆〕 zéipó 명 ⇨〔虔qián婆①〕
〔贼起飞智〕 zéi qǐ fēi zhì 〈成〉 도둑이 순간적으로 기지를 발휘하다.
〔贼腔〕 zéiqiāng 명 도둑놈 같은 모습.
〔贼情盗案〕 zéiqíng dào'àn 명 도둑의 재판 사건.
〔贼囚根(子)〕 zéiqiú gēn(zi) 명 〈罵〉 얼간이. 무뢰한.
〔贼去关门〕 zéi qù guān mén 〈諺〉 도둑이 간 뒤에 문을 단속한다. 소 잃고 외양간 고친다. =〔贼走关门〕
〔贼人胆虚〕 zéi rén dǎn xū 〈諺〉 나쁜 짓을 한 자가 언제나 겁에 질려 있다. 나쁜 짓을 하는 자는 의외로 담이 약하다. →〔贼胆心虚〕
〔贼肉〕 zéiròu 명 ①〈貶〉 온몸에 군살이 붙어 있는 사람을 조롱해서 하는 말(벼락부자가 되어 갑자기 살찐 사람을 욕하는 말). ②보기보다 훨씬 살이 찐 몸. ③〈罵〉 철부지 어린아이.
〔贼首〕 zéishǒu 명 도둑의 두목. 악인의 괴수.
〔贼死〕 zéisǐ 형 참기 어렵다. 죽을 지경이다. ¶一场球踢下来, 把人累个～; 축구를 한 게임 하면 온몸이 녹초가 된다.
〔贼忒忒(的)〕 zéitètè(de) 형 눈에 침착성이 없는 모양. 눈초리가 고약한 모양. ¶那一双眼睛～地, 难道我还看不出; 저 두 눈의 눈꼴이 험악한 게 내가 그걸 모를 리가 없지.
〔贼偷火烧〕 zéitōu huǒshāo 〈比〉 도난이나 화재 등 뜻밖의 재난.
〔贼头儿〕 zéitóur 명 도적의 수령. 괴수.
〔贼头贼脑〕 zéi tóu zéi nǎo 〈成〉 ①거동이 떳떳하지 못한 모양. ¶为什么在门外边～的? 又想使什么鬼! 무슨 일로 문 밖에서 쑤군거리고 있는 거야. 또, 무슨 못된 짓을 꾸미고 있구나! ②〈比〉 얼굴이 험상궂은 우람한 사내. 악당같이 보이는 사람.
〔贼秃〕 zéitū 명 〈罵〉 부처나 불법을 파는 중. 사이비 중.
〔贼娃子〕 zéiwázi 명 ①좀도둑. ②도둑.
〔贼王八〕 zéiwángba 명 〈罵〉 악당. 도둑놈.
〔贼窝(儿, 子)〕 zéiwō(r, zi) 명 도둑의 소굴. 적굴(賊窟). =〔贼巢〕〔贼窠〕
〔贼心〕 zéixīn 명 ①도둑 근성. 도둑놈 심보. ¶～不死; 도둑 근성이 고쳐지지 않다. ②도의가 없는 마음. 사악한 마음.
〔贼星〕 zéixīng 명 ①〈俗〉 유성(流星). ②악인(나쁜 별이 인간 세계에 태어났다는 뜻). ③악운(惡運). ④요성(妖星).
〔贼星发旺〕 zéi xīng fā wàng 〈成〉 악운이 세다. 악인의 운이 점점 좋아지다. 변변치 않은 자가 행운을 잡다.
〔贼形〕 zéixíng 명 ①흉한 모양. 천한 모양. ②간악한 모양. ③수상한 모양. ¶～怪气; 〈成〉 수상쩍은 모양.
〔贼性〕 zéixìng 명 도벽. 나쁜 손버릇. 도둑 근성. 교활한 성질.

〔贼眼〕 zéiyǎn 명 의심이 짙은 날카로운 눈. 흘끗흘끗 보는 도둑 같은 눈초리. ¶～流星; 〈成〉 악인의 눈초리.

〔贼咬一口, 入骨三分〕 zéi yǎo yī kǒu, rù gǔ sān fēn 〈諺〉 도둑에게 물리면 뼛속까지 곪는다. 악인의 모함에 걸리면 치명적인 타격을 받는다. =〔贼攀一口, 入骨三分〕

〔贼有贼义〕 zéi yǒu zéi yì 〈成〉 도둑에게도 의리가 있다.

〔贼运〕 zéiyùn 명 악운. 악인의 운. ¶～发旺; 악운이 세다. 악인의 운이 점점 좋아지다.

〔贼赃〕 zéizāng 명 장물. 도품.

〔贼着人〕 zéizhe rén 남을 훔쳐보다. 몰래 보다. 살짝 엿보다.

〔贼子〕 zéizǐ 명 〈文〉 나쁜 무리. 악인. ¶乱luàn臣～; 난신 적자.

〔贼踪〕 zéizōng 명 도둑의 발자취.

〔贼走关门〕 zéi zǒu guān mén 〈諺〉 도둑이 도망간 뒤에 문을 잠그다(사후 약방문). =〔贼去关门〕〔贼出关门〕

鲗(鰂) zéi (즉)
명 《魚》 오징어. ¶乌wū～ =〔乌贼〕〔墨鱼〕; 오징어.

ZEN ㄗㄣ

怎 zěn (즘)
대 〈方〉 ①어떠한. 어떻게. ¶～办? 어떻게 할까? / ～能做好? 어떻게 잘할 수 있겠는가? ②왜. 어째서. ¶你～不早说呀? 너 왜 빨리 말하지 않은 거냐? ③→〔怎么〕

〔怎长六七〕 zěncháng liùqī 이러니저러니. ¶～地骂人; 이러쿵저러쿵하며 남을 욕하다. =〔怎长怎短〕

〔怎长怎短〕 zěncháng zěnduǎn ⇨〔怎长六七〕

〔怎地〕 zěndi 대 ⇨〔怎的①〕

〔怎的〕 zěndi 대 〈方〉〈古白〉 ①어찌하여. 왜. ¶你～知道? 너는 어떻게 알고 있느냐? / 和尚～不见? 스님이 어째서 보이지 않는가? / 你等阻当我却～? 너희들은 나를 방해해서 어쩌겠다는 거냐? =〔怎地〕 ②어떠한. ¶只见一个先生人来, ～打扮…; 한 사람이 들어왔는데 어떤 차림인지 말씀드리자면…. ③〈方〉 어떻게 하다. ¶他就是不去, 我能～? 그는 가지 않겠다고 하는데 내가 어떻게 하겠는가? / 我就不去, 看你能拿我～? 나는 무슨 일이 있어도 안 간다. 자, 나를 어떻게 할 셈이냐?

〔怎得〕 zěnde 〈古白〉 어찌하면 …할 수 있겠는가.

〔怎敢…〕 zěngǎn… 어찌 감히. ¶～怠慢; 어찌 감히 태만히 하겠습니까 / ～违命; 어찌 감히 명령을 어기겠습니까.

〔怎个〕 zěnge 대 어떠한. ¶究竟～样子, 眼下还没有底儿哩; 도대체 어떤 모양인지 현재로선 아직 파악하지 못하고 있다. =〔怎么个〕

〔怎好…〕 zěnhǎo… 어찌 …하기 쉬울까. 도저히 …는 할 수 없다. ¶如今～和他提呢! 지금에 와서야 어찌 그에게 말을 꺼낼 수 있을까!

〔怎价〕 zěnjià 대 〈方〉 ⇨〔怎么me〕

〔怎么〕 zěnmá 어떨까 하고 생각된다. 의심스럽다. ¶往好里说人很老实, 往～里说心眼儿太死; 좋게 말하면 사람이 아주 얌전하다고 할 수 있고, 거리낌없이 (어떨까 하고 생각되는 쪽으로) 말한다면 너무 융통성이 없다. ⇒zěnme

〔怎么〕 zěnme 대 ①왜. 어찌하여. 무슨 이유로. ¶你～不去? 너는 왜 가지 않느냐? ②왜〔어찌〕 … 할 수 있을까(반문(反問)을 나타냄). ¶平常不用功, ～能考及格呢? 평소에 공부하지 않고 어떻게 시험에 합격할 수 있겠니? / ～没有呢? 어찌 없을 수가 있느냐? ③어떻게. 어찌(상황 · 방식 등을 물음). ¶您的中国话是～学的? 당신 중국어는 어떤 방법으로 배웠나요? / 你～来的? 너는 어떻게 왔느냐? / 这个字～念? 이 글자는 어떻게 읽습니까? / 这是～搞的? 이것은 어찌 된 것이냐? / ～卖? 얼마냐? ④어떻게 …하더라도. 아무리 …해도('怎么…也(都)…'의 꼴로 사용됨). ¶我～劝他, 他也不听; 내가 아무리 충고해도 그는 듣지 않는다 / ～也睡不着; 아무리 해도 잠이 오지 않는다 / ～也找不到; 아무래도 못 찾겠다. ⑤어떤(명사 앞에 놓이는 경우로 명사와의 사이에 그 명사에 대한 양사(量詞)를 필요로 함). ¶～个人? 어떤 사람이냐? / ～回事? =〔～个话儿?〕; 무슨 일이냐? ⑥어쨌다고? 무엇이라고?(문장 앞에 쓰여 놀람을 나타냄). ¶～? 你还要强qiǎng词夺理吗? 뭐라고? 너는 아직도 억지를 쓰려는 거냐? / ～? 奇qí怪; 뭐라고? 그거 이상한데. ⑦어떠하냐. ¶～? 你试一试看吧! 어때? 너도 한 번 해 보아라! / ～? 你尝一尝吧! 어때 너도 하나 먹어 보아라! ⑧별로. 그다지(부정(否定)에 쓰이어 어떤 정도임을 나타냄). ¶我不～饿; 나는 그다지 배고프지 않다 / 我和他认识, 可没～说过话; 나는 그와 면식은 있지만, 말은 별로 주고받은 일이 없다. ⑨…하는 대로 …하다(연용(連用)하여 사용함). ¶～说～答应; 뭐라고 해도 말하는 대로 승낙하다 / 你想～做, 就～做吧! 너 하고 싶은 대로 해라! / 该～办, 就～办; 마땅히 해야 할 방법으로 하다. ‖ =〔〈方〉 怎价〕 ⇒zěnmá

〔怎么得了〕 zěnme déliǎo 어쩌면 이렇게 심할까. 정말 어떻게 하지. 도대체 어쩌지.

〔怎么样〕 zěnmeyàng 대 ⇨〔怎样〕

〔怎(么)着〕 zěn(me)zhe 대 ①어찌할 생각인가? 어찌하겠소?(동작 · 상황을 묻는 말). ¶我们都报名参加了, 你打算～? 우리는 모두 참가 신청을 했는데 너는 어쩔 셈이냐? / ～, 令友都来齐了吗? 어떻습니까. 친구들은 모두 와 계십니까? ②어떻게 하다(널리 동작 · 상황을 가리키는 말). ¶一个人不能想～就～; 누구나 자기 멋대로 할 수는 없다 / 只要你愿意, 我～都行; 너만 좋다면 나는 아무래도 상관 없다. ③…라고 하는 것이냐. ¶这本字典不如你的书值钱～! 이 사전이 자네 책보다도 값어치가 없다는 것이냐! ④아무래도. 무슨 일이 있어도('～…也…'의 꼴을 취함). ¶～也得去一趟; 아무래도 한 번 가야 한다. ⑤⇨〔怎样⑤〕 ‖ =〔怎着〕

〔怎奈〕 zěnnài 부 〈古白〉 어찌하리요. ¶～是寡不敌众; 어찌하리요, 중과부적(衆寡不敵)인 것을.

〔怎能…〕 zěnnéng… 대 어찌 …할 수 있으랴. =〔怎么能…〕

〔怎生〕 zěnshēng 대 〈古白〉 어떻게 (하면). ¶～是好? 어떻게 하면 좋은가?

〔怎想到〕 zěnxiǎngdào 부 뜻밖에도. ¶～, 他不但没死, 而且还得到如此宽大的待遇; 뜻밖에도 그는 죽지 않았을 뿐 아니라, 이와 같이 관대한 대우를 받고 있었다.

〔怎样〕 zěnyàng 대 ①어떻게. 어떠하냐(성질 · 상황 · 방식 등을 묻는 말). ¶你们的话剧排得～? 너희들의 연극은 연습 상황이 어떠냐? / ～好? 어찌

면 좋은가? / 他的病～? 그의 병은 어떤가요? ② 어떠하다(널리 성질·상황 또는 방식 등을 가리키는 말). ¶想想从前～, 再看看现在～; 전에는 어떠했는가를 생각하고, 그리고 현재는 어떤가를 생각하다. 과거를 돌아보아 오늘에 재조명하다. ③ 생략되거나 또는 언외(言外)의 동작이나 상황을 대신하여 쓰이는 말(부정(否定)으로 쓰고 직접 표현보다는 완곡(婉曲)한 표현임). ¶他画得也并不～; 그의 그림은 별로 대단치 않다. 注 이 예에서는 '并不好' (그다지 좋다고 할 정도는 아니다) 라는 뜻. ④(흔히, '不论'·'不管' 등을 동반하여) 아무리 …라도. ¶不管～劝我, 我也不答应; 아무리 권해도 나는 응낙하지 않는다. ⑤('把…～'의 형으로) …을 어떻게 하다. ¶你把他～? 자네는 그를 어떻게 할 셈인가? =〔怎(么)着⑤〕 ⑥ …이니 어쩌니. ¶要是本人实在匀不出工夫来参加或者～～…; 만일, 본인이 정말 짬을 내어 참가할 수 없다느니 어쩌니 하는 경우에는 …. ‖=〔怎么样〕

〔怎着〕 zěnzhe 대 ⇨〔怎(么)着〕

谮(譖) **zèn** (참)
동 〈文〉 ①비방하다. ②속이다. 중상(中傷)하다. ¶～言yán; 참언(讒言). 남을 헐뜯는 말.

ZENG ㄗㄥ

曾 **zēng** (증)
① 명 혈연 관계에서 한 대(代)가 더 겹치는 관계를 나타내는 말. ¶～祖父; 증조부. ② 대 〈文〉 어찌하여. 어쩌면. 어떻게. ¶强者田以千数, 弱者～无立锥之居; 힘있는 자들은 천으로 헤아릴 정도로 많은 땅을 가지고 있는데, 어찌하여 힘없는 자들은 송곳 박을 만한 좁은 땅조차 없는가. ③ 동 ⇨〔增〕 ④ 명 성(姓)의 하나. ⇒céng

〔曾伯祖母〕 zēng bózǔmǔ 명 증조 할아버지의 형수. 큰증조할머니.
〔曾大父〕 zēngdàfù 명 ⇨〔曾祖〕
〔曾父〕 zēngfù 명 ⇨〔曾祖〕
〔曾母暗沙〕 Zēngmǔ ànshā 명 《地》 증모 사초(砂礁)(중국 영역의 최남점(最南點)에 있는 산호초).
〔曾叔祖父〕 zēng shūzǔfù 명 증조 할아버지의 아우. 작은증조할아버지.
〔曾孙〕 zēngsūn 명 ①증손(자). ¶～妇; 증손부. ②손주 이하의 총칭.
〔曾孙女〕 zēngsūnnǚ 명 증손녀.
〔曾玄〕 zēngxuán 명 증손(曾孫)과 현손(玄孫).
〔曾益〕 zēngyì 동 〈文〉 ⇨〔增益〕
〔曾祖〕 zēngzǔ 명 증조. 증조부. 증조 할아버지. =〔曾祖父〕〔曾祖王父〕〔曾大父〕〔曾父〕〔大dà王父〕
〔曾祖父〕 zēngzǔfù 명 증조부.
〔曾祖母〕 zēngzǔmǔ 명 증조모.
〔曾祖王父〕 zēngzǔ wángfù 명 ⇨〔曾祖〕

憎 **zēng** (증)
① 동 미워하다. 증오하다. ¶爱～分明; 애증이 분명하다. ② 형 가증스럽다. 밉살스럽다. ¶面目可～; 밉살스러운 얼굴이다.

〔憎称〕 zēngchēng 명 증오·혐오를 나타내는 호칭(침략자를 '鬼子', 노인을 '老头子'라고 하는 따위).
〔憎恨〕 zēnghèn 동 미워하고 원한을 품다. ¶～敌人; 적을 미워하다. 명 증오.
〔憎嫉〕 zēngjí 동 증오하다. 싫어하고 미워하다.
〔憎恶〕 zēngwù 동 증오하다. ¶损人利己, 令人～; 제 욕심만 채우고 남을 헤아리지 않는 자는 증오를 자초한다.
〔憎嫌〕 zēngxián 동 〈文〉 미워하고 싫어하다. 혐오하다. ¶惹人～; 남에게 혐오를 받다. =〔憎厌〕
〔憎厌〕 zēngyàn 동 ⇨〔憎嫌〕

增 **zēng** (증)
동 증가하다. 늘다. ¶有～无减; 증가 일로(一路)이다 / 技术革新后, 产量猛～; 기술 혁신 이후 생산량이 급격히 늘었다 / ～加了一倍半; 한 배 반이 증가했다. =〔曾③〕

〔增拨〕 zēngbō 동 증가 지출하다. ¶决定～军费; 군사비의 증가 지출을 결정하다.
〔增补〕 zēngbǔ 동 보충하다(부족하거나 누락된 내용·인원). 명 증보. 보충. ¶～本; 증보판 / 人员最近略有～; 최근 인원을 약간 보충했다.
〔增产〕 zēng,chǎn 동 증산하다. ¶～粮食; 식량을 증산하다 / ～节约运动; 증산과 절약 운동 / ～不增人; 증산을 하되 사람은 늘리지 않는다. (zēngchǎn) 명 증산.
〔增大〕 zēngdà 명동 증대(하다).
〔增订〕 zēngdìng 명동 ①(저작물의 내용을) 증보 수정(하다). 증정(하다). ¶～本; 증정본. ②추가 주문(하다).
〔增多〕 zēngduō 동 증가하다. 늘어나다. ¶人口～了; 인구가 늘었다.
〔增高〕 zēnggāo 동 ①높아지다. 늘어나다. 오르다. ¶温度～十度; 온도가 10도 올라가다 / 运费～; 운임이 오르다. ②높게 하다. 높이다.
〔增光〕 zēngguāng 동 ① ⇨〔增辉〕 ②영광(榮光)을 더하다. 영예를 높이다. ¶为国～; 나라의 영예를 높이다. 국위를 빛내다 / 给我～不少; 나에게 적잖게 체면을 세워 주었다. =〔增加光彩〕
〔增广〕 zēngguǎng 동 늘리어 넓히다. ¶～知识; 지식을 넓히다.
〔增耗〕 zēnghào 명 옛날, 부가세의 일종. →〔加jiā耗〕
〔增辉〕 zēnghuī 동 빛을 더하다. =〔增光①〕
〔增加〕 zēngjiā 동 늘다. 늘리다. 증가하다. ¶～一倍; 배증하다. 두 배가 되다 / ～生产; 생산을 늘리다 / ～工资; 임금을 올리다 / ～了信心; 자신감을 더했다 / 浑身好像～了力量; 마치 몸안의 힘이 늘어난 것 같다. =〔加倍〕 ↔〔减jiǎn少〕
〔增价〕 zēng,jià 동 ①값을 올리다. ②값이 올라가다.
〔增减〕 zēngjiǎn 명동 증감(하다).
〔增减价格〕 zēngjiǎn jiàgé 명 보너스 페널티(bonus penalty) 부가 가격.
〔增进〕 zēngjìn 동 증진하다[시키다]. ¶～友谊; 우정을 깊이하다 / 很少见面, 反而～了他们的感情; 만날 기회가 적은 것이 오히려 두 사람의 감정을 증진시켰다. ↔〔减jiǎn退〕
〔增刊〕 zēngkān 명 증간. (zēng,kān) 동 증간하다.
〔增款〕 zēngkuǎn 동 금액을 증액하다.
〔增量〕 zēngliàng 명 《數》 증분(增分). 동 수량을 늘리다.
〔增辟〕 zēngpì 명동 증설(하다). ¶许多文化娱乐场所～了儿童活动场地; 많은 문화 오락 시설이 아동의 활동 장소를 증설했다.
〔增强〕 zēngqiáng 동 증강하다. 강화하다. ¶～信心; 자신을 높이다 / ～识别真伪的能力; 진위(眞

僞)를 식별하는 능력을 강화하다 / ～塑料; 강화(強化) 플라스틱 / ～了发言权; 발언권을 강화하다. →〔增进〕〔加强〕

〔增删〕 zēngshān 동 (문장을) 첨삭(添削)하다. 수정하다. 명 첨삭. 수정.

〔增上〕 zēngshang 동 증가하다. 늘어나다.

〔增设〕 zēngshè 동 증설하다. ¶～选修课; 선택 과목을 증설하다 / ～门市部; 소매부를 증설하다.

〔增生〕 zēngshēng 명동 《醫·生》 증식(增殖)(하다). =〔增殖①〕

〔增塑剂〕 zēngsùjì 명 《化》 가소제(可塑劑).

〔增损〕 zēngsǔn 명동 증손(하다). 증감(하다).

〔增添〕 zēngtiān 동 늘리다. 더하다. 증가시키다. ¶～家具; 가구를 늘리다 / ～麻烦; 수고를 끼치다. 폐를 끼치다 / 浑身～了克服困难的力量; 온몸에 곤란 극복의 힘이 더해졌다. →〔加多〕

〔增效剂〕 zēngxiàojì 명 《化》 상승제(相乘劑). 협력제(協力劑).

〔增薪〕 zēngxīn 동 증봉(增俸)하다. 급료를 올리다.

〔增压机〕 zēngyājī 명 《機》 승압기(昇壓機).

〔增益〕 zēngyì 동 〈文〉 늘다. 늘리다. =〔曾益〕 명 《電》 이득. 게인(gain). ¶～控制; 이득 제어(制御).

〔增音机〕 zēngyīnjī 명 《電》 중계기(中繼器). 리피터(repeater).

〔增援〕 zēngyuán 명동 증원(하다). ¶～部队; 증원 부대.

〔增灶〕 zēngzào →〔减jiǎn灶〕

〔增长〕 zēngzhǎng 동 신장(伸張)하다. 증가하다. 늘어나다. 높아지다. ¶生产水平逐年～; 생산 수준이 해마다 높아지고 있다 / ～率; 성장률 / ～幅度; 신장폭 / 工业每年平均～速度是百分之十三点五; 공업의 매년 평균 성장률은 13.5%이다 / 行háng市～; 시세가 오르다. 명 증가. 증대. 성장. ¶控制人口的～; 인구 증가를 억제하다.

〔增征〕 zēngzhēng 동 증징(增徵)하다. 더 징수하다.

〔增值〕 zēngzhí 명동 《經》 평가(平價) 절상(하다). =〔升shēng值〕 ↔〔贬biǎn值〕

〔增殖〕 zēngzhí 동 ①⇨〔增生〕 ②번식〔증식〕하다. ¶～财富; 재산을 늘리다 / ～反应堆; 증식로(爐).

〔增殖腺〕 zēngzhíxiàn 명 《生》 인두 편도체(咽頭扁桃體).

〔增租〕 zēngzū 동 임대료를 올리다.

缯(繒) zēng (증) 명 ①견직물(絹織物)의 총칭. ¶～彩; 빛깔이 화려한 비단. ②성(姓)의 하나. ⇒zèng

罾 zēng (증) ①명 어망(魚網)《대나무·막대를 네 귀에 댄 네모난 그물》. ¶投～; 어망을 내리다/拉～; 어망을 끌어올리다. ②동 그물로 잡다. ⇒zèng

矰 zēng (증) 명 〈文〉 주살. 증작(矰繳). =〔矰缴zhuó〕

综(綜) zèng (종) 명 《紡》 베틀의 잉아. ⇒zōng

〔综纩〕 zèngkuàng 명 《紡》 베틀의 잉아. ¶～纱; 잉앗실 / ～框; 잉앗대.

锃(鋥) zèng (정) 형 〈方〉 (그릇 따위가 닦아져서) 반짝반짝하다. ¶～光 =〔～亮〕; 반짝반짝하다 / ～光瓦亮 =〔甑光瓦亮〕; 반짝반짝 광이 나는 모양. =〔甑④〕

缯(繒) zèng (증) 〈方〉 ①동 단단히 묶다. ¶把口袋嘴儿用绳子～起来; 자루의 주둥이를 새끼로 단단히 졸라매다. →〔捆〕〔扎〕〔罾〕 ②명 직조기의 기계의 일부. ⇒zēng

〔缯绷〕 zèngbeng 형 (종이·가죽이) 팽팽하다. 注 강조를 나타낼 때는 zèngběng으로 발음함. ¶这个鼓皮绷得真～; 이 북의 가죽은 아주 팽팽하게 조여졌다.

甑 zèng〔〈舊〉 jìng〕 (증) ①명 시루. ②(～儿, ～子) 명 '长江' 일대에서 밥 찔 때 쓰는 나무 그릇. ③명 증류 또는 물체를 분해시키는 데 쓰는 기구. ¶曲颈qūjǐng～; 레토르트(retort). ④형 〈方〉 ⇨〔锃〕 ⑤명 〈方〉 범위. 테두리. 제한.

〔甑尘釜鱼〕 zèng chén fǔ yú 〈成〉 밥을 찌는 그릇에 먼지가 앉고 솥 속에 물고기가 생기다《가난하게 살다》. =〔甑中生尘〕

〔甑光瓦亮〕 zèngguāng wǎliàng 형 반들반들 윤기나는 모양. ¶头梳得～的; 머리가 반드르르하게 빗질되어 있다.

〔甑亮〕 zèngliàng 형 반들반들 윤이 나다. ¶～的黑毛; 반들반들 윤이 나는 검은 털.

〔甑儿糕〕 zèngrgāo 명 쌀가루에 설탕·팥·대추 등을 넣어 찐 과자.

〔甑中生尘〕 zèng zhōng shēng chén 〈成〉 ⇨〔甑尘釜鱼〕

〔甑子〕 zèngzi 명 시루. 찜통.

赠(贈) zèng (증) ①동 보내다. 선사하다. 증정하다. ¶函索即～; 편지로 청구하면 즉시 증정합니다 / 随本期杂志～地图一张; 이번 호 잡지에 덧붙여 지도 한 장을 증정합니다. →〔奉赠〕 ②명 선물.

〔赠别〕 zèngbié 동 〈文〉 송별하다.

〔赠彩〕 zèngcǎi 동 경품(景品)을 붙이다. 증정하다.

〔赠答〕 zèngdá 동 증답하다. 물건이나 시문(詩文)을 서로 주고 받다.

〔赠赙〕 zèngfù 동 〈文〉 부의(賻儀)를 보내어 상가(喪家)를 돕다.

〔赠给〕 zènggei 동 …에게 보내다〔증정하다〕.

〔赠奖〕 zèngjiǎng 동 경품을 붙이다〔증정하다〕. ¶新开张的买卖一来是价码儿都廉一点儿, 二来又有～; 신장개업 때에는 첫째는 값이 좀 싸고, 둘째로는 경품이 있다.

〔赠礼〕 zènglǐ 명동 선물(을 보내다).

〔赠品〕 zèngpǐn 명 ①답례품. 선물. ②경품. 증정품.

〔赠券〕 zèngquàn 명 (영화관 등의) 서비스로 증정하는 초대 입장권.

〔赠送〕 zèngsòng 동 증정하다. 보내다. 증여하다. ¶～礼品; 경품〔선물〕을 증정하다 / 向演员～花篮; 출연자들에게 꽃바구니를 증정하다.

〔赠言〕 zèngyán 명동 〈文〉 이별에 즈음하여 보내는 충고나 격려의 말(을 남기다). ¶临别～; 이별에 임하여 말을 보내다.

〔赠与〕 zèngyǔ 동 증여하다.

〔赠阅〕 zèngyuè 동 (편집자나 출판사가 자기가 낸 책을) 남에게 증정하여 보아〔읽어〕 달라고 하다. ¶～图书; ⓐ서적을 기증하다. ⓑ기증받은〔기증한〕 서적.

罾 **zèng** (증)
①동 단단히 묶다. ¶用绳子~住; 새끼로 단단히 묶다/把口袋嘴儿用麻绳~住了; 주머니 아가리를 삼끈으로 꼭 동여맸다. ②명 그물의 매듭. ¶巴巴~儿; ⓐ밧줄의 매듭. ⓑ풍채(風采)가 신통치 않다. ⇒zēng

ZHA ㄓㄚ

扎〈紮⑪, 紥〉 **zhā** (찰)
①동 찌르다. ¶叫我心里~得慌; 나의 마음은 칼로 찔리는 듯하다/~一锥子不冒血xiě =〔一锥子~不出血来〕; 〈比〉 신경이 무디다. 치둔(癡鈍)하다/树枝儿把手~破了; 나뭇가지에 손을 찔렸다. =〔劄zhā①〕 ②동 〈方〉 잠기다. 잠입하다. 빡빡한 곳에 억지로 들어가다. 뚫고 들어가다. ¶小孩儿~在母亲怀里; 어린애가 어머니 품안으로 파고들어가 있다/~在人群里; 여러 사람 틈 속에 끼여 있다/一头~下水去; 풍덩 물 속으로 자맥질해 들어가다/找个旮旯儿一~; 구석진 곳을 찾아 움츠리고 숨다/竟在家里~着; 집에만 틀어박혀 있다. ③동 (수놓을 때처럼 양면에서 번갈아) 바늘을 꽂다. ④동 자수(刺繡)하다. ¶~花儿; 수놓다/~得精; 수놓은 솜씨가 좋다. ⑤동 주사(注射)하다. ¶~针; ⓐ주사 놓다. ⓑ침을 놓다/抽不起大烟, 就~烟针; 아편(阿片)을 피우지 못하게 되면 모르핀을 주사한다. ⑥동 〈方〉 일을 하다(산둥(山東)·산시(陝西) 방언). ¶~过一回短工; 한 번 날품팔이를 한 적이 있다. ⑦동 헤쳐 나가다. ⑧형 〈京〉 넓다. ¶~肩膀; 넓은 어깨/上头~下头窄; 위가 넓고 밑이 좁다(벌어진 모양). =〔宽〕 ⑨명 묶음 띠. ¶票子~; 지폐 묶음 띠. ⑩(추위가) 뼛속에 스며들다. ¶这水~得慌; 이 물은 저리도록 차다/攥着冰, 不嫌~得慌吗? 얼음을 쥐고 있으면 차가워서 손이 시리지 않느냐? ⑪동 뿌리를 내리다. 주둔하다. ¶~根农村; 농촌에 정착하다/~根于群众之中; 대중속에 뿌리를 내리다. =〔劄zhā②〕 ⇒zā zhá

〔扎白〕 zhābái 형 창백하다. ¶~的脸; 창백한 얼굴.

〔扎脖子〕 zhā bózi 괴롭게 느끼다. 혼이 나다. ¶这么干下去那就请等着~吧; 이렇게 하고 있으면 정말 혼난다.

〔扎刺〕 zhā.cì 동 가시가 박히다.

〔扎刀〕 zhā.dāo 동 〈方〉 절삭(切削) 도구가 공작물(工作物)에 박혀 공구(工具)가 부러지거나 공작물에 흠이 생기다.

〔扎得慌〕 zhādehuang ①찔리어 아파 견딜 수 없다. ②뼛속까지 저리도록 차다.

〔扎地〕 zhādì 명 《農》 (산시 성(陝西省) 란톈 현(藍田縣) 지방의) 일종의 심경법(深耕法). =〔挧nà地〕

〔扎顿〕 zhādùn 형 충실하고 견고하다.

〔扎耳〕 zhā'ěr 형 귀에 거슬리다. 귀가 따갑다. ¶用小刀儿划玻璃的声音真~; 나이프로 유리를 긁는 소리는 정말 귀에 거슬린다/他说的话太野了, 真有点儿~; 그의 이야기는 너무 상스러워서 아무래도 듣기 거북하다. =〔扎耳朵〕

〔扎耳朵眼儿〕 zhā ěrduoyǎnr 귓불에 귀걸이 구멍을 뚫다.

〔扎根(儿)〕 zhā.gēn(r) 동 ①식물이 뿌리를 뻗다. ¶茄秧好像扎了根啦; 가지 모종이 뿌리를 내린 것 같다. ②〈比〉 (사람·사물 속에 깊이 들어가) 뿌리를 내리다. ¶作家应~于群众之中; 작가는 대중 속에 뿌리를 내려야 한다. ③정해진 운세가 돌아오다(옛날 미신에서, 사람은 저마다 정해진 어떤 나이에 큰 액운이나 길운을 만나게 되어 있으며, 그 다음에야 비로소 생명이 평온해진다고 여겼는데, 이렇게 해서 몸이 안정되는 것을 이름). ¶这个孩子十岁才~, 现在得经心呢; 이 아이는 열 살이 되어야 정해진 운세가 돌아오니, 지금은 조심해야 합니다.

〔扎工队〕 zhāgōngduì 명 산시(陝西)·간쑤(甘肅)·닝샤(寧夏) 변방 지구의 합작사(合作社) 이전의 집단적 노동 상부 상조 조직(이에 참가하는 농민은 각자 서로 돕는 외에, 집단으로 다른 노동력 부족 지구에도 출근함).

〔扎古〕 zhāgu 동 ①대처(對處)하다. 처리하다. ¶我们要商议怎么~他; 그에 대해 어떤 조치를 취할지를 의논해야 한다. ②치료하다. ¶~病; 병을 치료하다. ‖=〔扎固〕

〔扎古丁〕 zhāgudīng 동 약탈하다.

〔扎固〕 zhāgu 동 ⇨〔扎古〕

〔扎害〕 zhāhài 동 박해하다. 해(害)를 주다.

〔扎哄〕 zhāhōng 동 〈方〉 큰 소리로 떠들어 대다.

〔扎乎〕 zhāhu 동 과장하다. 야단스럽게 굴다. ¶刚有几个钱, 就~起来了; 돈이 좀 생겼다 했더니, 곧 야단스럽게 굴기 시작했다.

〔扎花(儿)〕 zhā.huā(r) 동 〈方〉 수(繡)놓다. →〔刺绣〕

〔扎活〕 zhā.huó 동 〈方〉 ①품팔이일을 하다. 머슴이 되다. ②수놓는 일을 하다.

〔扎空枪〕 zhā kōngqiāng 〈比〉 자본 없이 일해 나가다. 갚을 가망도 없는데, 빚을 지다. 허세 부리다. ¶别看他穿得阔, 净~呢; 훌륭한 옷차림에 현혹되지 마라. 그는 허세만 부리고 있는 것이다.

〔扎拉锁扣〕 zhā lā suǒ kòu 바느질의 4가지 방법. 바느질의 총칭. =〔扎拉挑绣〕

〔扎拉挑绣〕 zhā lā tiǎo xiù ⇨〔扎拉锁扣〕

〔扎喇〕 zhāla 동 〈方〉 큰 소리로 지껄이다. 지껄여 대다.

〔扎喇扎哄〕 zhāla zhāhōng 형 〈方〉 야단스럽게 떠들어 대는 모양.

〔扎烂〕 zhālàn 동 촘촘히 꿰뚫다. 마구〔되풀이하여〕 찌르다.

〔扎嘞扎煞〕 zhāle zhāshā 형 가지가 어지럽게 나와 있어 거추장스러운 모양. ¶这棵树~的不好搬运; 이 나무는 가지가 어지럽게 뻗어 있어 운반하기가 어렵다.

〔扎猛子〕 zhā měngzi ①〈方〉 (수영에서) 잠수(潛水)하다. 다이빙하다. ¶他会~到水底下捡钱; 그는 물 속에 뛰어들어가서 돈을 주울 수 있다. =〔扎蒙子〕 ②열중하다. 깊이 관계하다. ¶他对一件事一死儿地往里~; 그는 한 가지 일에 대하여 깊이 빠져든다.

〔扎蒙子〕 zhā měngzi ⇨〔扎猛子①〕

〔扎脑门儿〕 zhānǎoménr 명 〈方〉 넓은 이마.

〔扎脑子〕 zhā nǎozi 〈方〉 ①마음 아파하다. ②마음을 쓰다. 골머리를 앓다.

〔扎蓬棵〕 zhāpéngkē 명 〈比〉 흐트러진〔헝클어진〕 머리.

〔扎破〕 zhāpò 동 미어뜨리다.

〔扎枪〕 zhāqiāng 명 〈方〉 ①창(槍). ¶~头子; 창

끝. ②(곤충의 미부(尾部)에 있는) 침(針). (zhā qiāng) 동 창을 쓰다. 창을 연습하다.
〔扎入〕 zhārù 동 찔러 넣다.
〔扎撒〕 zhāsa 동 ①털끝이 곤두서다. 털이 일어서다. ②두 다리나 두 팔을 버티듯이 펼치다. 형 텁수룩하다. ¶胡子～的脸; 수염이 텁수룩하게 난 얼굴. ‖ =〔扎煞〕〔挓挲〕
〔扎煞〕 zhāsha 동 〈方〉 ①(똑바로) 펴다. 벌리다. ¶他只得～着手说没有法子; 그는 손을 쭉 벌리고 방도가 없다고 말할 수 밖에 없었다 / ～着两只胳膊打哈息; 양손을 (좌우로) 벌리고 하품을 하다 / 又要帮忙, 又插不进嘴去, 只能～着; 돕고 싶기는 하고 말참견을 할 수는 없으므로, 손을 벌린 채로 있을 수밖에 없었다 / 昨天一下雨, 草也～起来了; 어제 비가 와서, 풀도 잎을 쭉 폈다 / 猫一见狗, 尾巴都～起来了; 고양이가 개를 만나면 꼬리까지 빳빳하게 세웠다. ②곤두서다. 소름이 끼치다. 몸의 털이 곤두서다. ¶我吓得俩手～着, 头发也觉得～起来了; 나는 놀라서 양손을 벌리고, 머리카락이 곤두서는 느낌이었다. ③벌리다. 내밀다. ¶～鼻孔 =〔～鼻子〕〔撑chēng鼻子〕; 코를 벌름거리다. 콧구멍을 벌리다. ‖ =〔挓挲〕
〔扎实〕 zhāshi 형 ①견고(堅固)하다. 단단하다. 견실하다. ¶干活儿～; 일하는 것이 견실하다 / 作风～, 不浮躁; 일하는 식이 견실하고, 경솔하지 않다. ②튼튼하다. 건강하다. ¶他身子不大～; 그의 몸은 별로 튼튼하지 못하다. →〔结实〕
〔扎手〕 zhā shǒu 동 ①(가시 등에) 손을 찔리다. ¶玫瑰花梗有刺, 留神～! 장미 줄기에는 가시가 있으니까 찔리지 않도록 조심해라! ②(손바닥을 앞으로 하여) 손을 펴다. ¶～舞脚; 손을 벌리고 발버둥질치다. 호들갑스러운 몸짓을 하다. ③(추위로) 손이 곱다. 시리다. (zhāshǒu) 형 〈比〉 애먹다. 다루기 어렵다. 힘에 겹다. ¶病人的体温总不下降, 大夫也感到～; 환자의 체온이 아무리 하여도 내리지 않아 의사도 애를 먹고 있다 / 那个人性情狡诈很～; 저 사람은 교활해서 아주 대하기가 어렵다.
〔扎守的〕 zhāshǒude 명 수비하는 사람(경계병 · 보초 등).
〔扎死〕 zhāsǐ 동 찔러 죽이다.
〔扎疼〕 zhāténg 동 (바늘 같은 것에) 찔려 아프다. 따끔따끔 아프다.
〔扎田〕 zhātián 명 법에 의해서 경작된 논밭.
〔扎头〕 zhā tóu ①머리를 디밀다. 머리를 찔러 넣다. ¶～跳下水里去; 머리부터 물 속으로 뛰어들다. ②몰두하다. ¶～做了三年的工作; 3년 동안 일에 몰두하다.
〔扎窝子〕 zhā wōzi ①(가축이) 우리에 들어가다. ¶鸡竟～; 닭이 닭장에 들어가려고만 하다. ②집안에 틀어박히다. ¶他竟在家里～, 没心肠到外边儿去找事情; 그는 집에만 틀어박혀 있고, 밖에 나가 일을 찾으려는 마음은 없다.
〔扎鞋底〕 zhā xiédǐ 여러 겹의 천으로 만든 신창을 삼실로 촘촘히 누비는 일. =〔衲nà鞋底〕
〔扎心〕 zhā xīn 동 가슴〔마음〕을 찌르다. 가슴에 와 닿다. 급소를 찌르다. ¶这话听着实在～; 이 말을 들으니 정말 마음이 아프다 / 你跟他说的那句话一定扎了他的心了吧; 네가 말한 그 한 마디는 필시 그의 아픈 데를 찔렀을 거야.
〔扎牙〕 zhā yá 동 이가 시리다.
〔扎眼〕 zhā yǎn 동 ①(광선 등이) 눈을 자극하다. 눈을 찌르다. ¶这块布的花色太～; 이 천의 무늬는 너무 눈을 자극한다 / 走出牢门, 感到阳光～; 감옥 문을 나서자 햇빛이 눈부시다. ②눈을 크게 뜨다. 남의 주의를 끌다. ③〈貶〉 눈에 거슬리다. 남의 시선을 끌다. ¶～的东西; 눈에 거슬리는 것.
〔扎伊尔〕 Zhāyī'ěr 명 《地》 〈音〉 자이르(Zaire)(콩고 민주 공화국의 전 이름).
〔扎营〕 zhā yíng 동 야영하다. 주둔하다. ¶他们爬升了三千公尺, 下午已在那里～了; 그들은 3,000미터를 올라가, 오후에는 이미 그곳에서 야영하였다.
〔扎扎实实〕 zhāzhashíshí 〈比〉 착실하다(빈틈없이 하는 모양).
〔扎着疼〕 zhāzheténg 찌르듯이 아프다. 쑤시고 아프다. ¶心口觉得～; 가슴이 찌르는 듯이 아프다.
〔扎针〕 zhā zhēn ①동 《漢醫》 침(針)을 놓다. ¶中国的大夫很少不会～的; 중국 의사로서 침으로 치료를 못하는 사람은 거의 없다. ②⇨〔注射〕
〔扎住〕 zhāzhu 동 멈추다. 정지시키다.
〔扎嘴〕 zhāzuǐ 형 구미에 당기지 않다. 맛이 없다. (zhā zuǐ) 동 입에 찔리다〔박히다〕. ¶吃鱼扎了嘴; 생선을 먹다가 (가시에) 찔렸다.

吒 zhā (타)
신화(神話)에서 흔히 쓰이는 인명용 자(字). ⇒ '吒' zhà

挓 zhā (차)
→〔挓挲〕

〔挓挲〕 zhāsha 동 〈方〉 ①열다. 펼치다. ¶～两只手; 두 손을 펼치다. ②(오므린 것을) 펼치다. 벌리다. ¶～鼻孔; 콧구멍을 크게 벌리다. ③(귀 · 꼬리 따위를) 일으켜 세우다. ¶把尾巴～起来; 꼬리를 세우다. ④흐트러지다. 헤치다. ¶～着怀; 앞가슴이 벌어졌다. ⑤오싹 소름이 끼치다. ‖ =〔扎煞〕

奓 Zhā (차)
명 《地》 자산(奓山)(후베이 성(湖北省)에 있는 땅 이름). ⇒shē zhà

咋 zhā (사, 색)
→〔咋呼〕〔咋喇〕 ⇒zǎ zé

〔咋呼〕 zhāhu 동 〈方〉 ①크게 떠들다. 고함치다. ¶看他～得实在不像样; 봐라, 그가 고함치는 것은 정말 꼴불견이다. =〔吆喝〕〔嚣张〕 ②자랑하다. 과시하다. ¶那人太～, 不扎实; 저 사람은 뽐낼 줄만 알지 착실하지는 않다. =〔炫耀〕 ③허세를 부려 남을 놀라게 하다. ‖ =〔咋唬〕
〔咋喇〕 zhāla 형 〈方〉 목소리가 크다. 잘 지껄이다. ¶这多半天光听你～了; 이렇게 오랜 시간 너의 떠드는 소리만 들었다.

查〈查〉 zhā (사)
명 ①《植》 산사자. =〔楂〕〔山楂子〕 ②성(姓)의 하나. ⇒chá

渣 zhā (사)
(～儿, ～子) 명 ①액체를 짜낸 찌끼. 침전물. ¶豆腐～; 비지 / 滤lǜ～; 거른 찌끼. ②분말(粉末). ¶药～; 가루약. ③부스러기. ¶面包～儿; 빵 부스러기 / 煤～; 석탄재 / 饽饽～掉了一地; 과자 부스러기가 바닥에 온통 떨어져 있다.
〔渣末(儿)〕 zhāmò(r) 명 찌꺼기. 부스러기.
〔渣油〕 zhāyóu 명 ⇨〔沥lì青①〕
〔渣滓〕 zhāzǐ 명 ①찌꺼기. 침전물. ¶这个煤整块儿的少, 碎～多; 이 석탄은 덩어리가 적고 부스러

기가 많다. ②〈比〉 도적. 사기꾼. 부랑자. 인간 쓰레기. ¶社会～; 사회의 인간 찌꺼기.

揸〈摣, 叡〉 zhā (자) 동 〈方〉 ①(손가락으로) 집다. ②손가락을 펴다.

〔揸笔〕 zhābǐ 명 굵은 붓. 큰 글씨용의 붓.

喳 zhā (사) ①감 〈文〉 예《옛날에 하인이 주인에게 쓰던 대답》. ②〈擬〉 짹짹·깍깍《새 우는 소리》. ¶喜鹊～～地叫; 까치가 깍깍 울다. ⇒chā

楂〈樝〉 zhā (사) 명 《植》 산사자(山査子). =〔山楂子〕〔木桃②〕 ⇒chá

哳 zhā (찰) →〔啁zhāo哳〕

劄 zhā (차) 동 ①⇨〔扎zhā①〕 ②⇨〔扎zhā⑪〕 ⇒zhá

齇〈皻〉 zhā (사) 명 콧등 위의 붉은 점. ¶酒～鼻; 주부코.

扎 zhá (찰) ①→〔扎挣〕 ②→〔挣扎〕 ③명 성(姓)의 하나. ⇒zā zhā

〔扎挣〕 zházheng 동 〈方〉 (육체의 고통을 참고) 무리를 하다. 참다. 발버둥치다. ¶病刚好就～着上课去; 병이 낫자마자 벌써 무리를 해서 수업에 들어가다 / 我肚子疼, 可真～不住; 나는 배가 아파 정말 못 참겠다.

札 zhá (찰) 명 ①옛날에 글씨를 쓰는 데 사용한 얇은 나무쪽. ②〈文〉 편지. 서찰. 서신. ¶书～ =〔信～〕; 서신. 편지 / 大～ =〔华～〕; 보내 주신 편지 / 接读来～; 보내신 글월 잘 보았나이다. ③상부(上部)에서 하부로 보내는 공문서.

〔札饬〕 zháchì 동 〈公〉 상급 관청에서 하급 관청으로 훈령을 내다.

〔札儿〕 zhá'ér 명 《蟲》 철써기. =〔蝈guō蝈(儿)〕

〔札复〕 zháfù 동 〈公〉 옛날, 상급 관청이 하급 관청에 공문으로 회답하다.

〔札裹〕 zháguo 동 〈古白〉 싸서 묶다. 몸치장하다. ¶～停当; 몸치장을 다 끝내다. 옷이나 신발 등의 손질을 하다 / 到底也让我给他刷洗刷洗, ～～; 결국 내가 그를 위해 빨래를 하고 몸단장을 해 주게 되었다.

〔札哈〕 zháhā 명 〈北方〉 ('黑龙江' 지방의) 작은 배.

〔札记〕 zhájì 명 찰기. 적바림. 비망록. =〔劄zhá记〕

〔札思直斯〕 zhásīzhísī 명 〈音〉 저스티스(justice). =〔公平〕〔公正〕〔公道〕〔正义〕

〔札委〕 zháwěi 동 옛날, 공문서로 관직에 임명하다.

〔札谕〕 zháyù 동 옛날, 공문서로 유시(諭示)하다.

〔札子〕 zházi 명 ①편지. ②옛날 공문서의 일종. =〔录子〕

轧(軋) zhá (알) 동 《工》 압연(壓延)하다. ⇒gá yà

〔轧板机〕 zhábǎnjī 명 《機》 판압연기(板壓延機).

〔轧钢〕 zhá,gāng 동 《工》 철을 압연(壓延)하다. ¶～厂chǎng; 압연 공장 / ～设备; 압연 설비.

〔轧钢机〕 zhágāngjī 명 《機》 압연기.

〔轧光〕 zháguāng 명 《工》 압연 마무리.

〔轧辊〕 zhágǔn 명 《機》 압연 롤러. ¶～车床; 압연 선반.

〔轧机〕 zhájī 명 《機》 압연기.

〔轧制〕 zházhì 명동 《工》 압연(하다). 압연 제조(하다). ¶～钢; 압연강(壓延鋼) / ～钢轨; 압연강 레일(rail).

闸(閘〈牐〉) zhá (갑) 〈삽〉 ①명 수문(水門). ¶水～; 수문 / 打开水～把水放出; 수문을 열고 물을 방출하다 / 说话开了～似的; 〈比〉 말을 청산 유수로 잘 하다. ②동 (물을 가로질러) 막다. ¶～上水; 물을 막다. ③명 댐(dam). ¶分水～ =〔节制～〕; 조절댐 / 拦水～; 저수 댐. ④명 (철도(鐵道)의) 전철기(轉轍機). ¶路～; 전철기(轉轍機) / 搬～的; 전철수(轉轍手). ⑤명 브레이크. ¶收～; 브레이크를 걸다 / 气～; 에어 브레이크(air brake) / 边～; 사이드 브레이크 / 脚踏～; 푸트 브레이크(foot brake) / 手力～; 핸드 브레이크 / 自行车的～不灵了; 자전거의 브레이크가 고장났다 / 踩～; 밟아서 브레이크를 걸다. ⑥동 기다랗고 움푹한 땅을 계단식 밭으로 만들다. ⑦명 〈口〉 스위치. 개폐기(開閉器). ¶电话的搬～儿; 전화의 변환 스위치 / ～盒(儿); ⇩

〔闸坝〕 zhábà 명 댐.

〔闸板〕 zhábǎn 명 ①《機》 수문(水門)의 문짝. ②빈지.

〔闸草〕 zhácǎo 명 《植》 말.

〔闸床〕 zháchuáng 명 ⇨〔插chā床〕

〔闸带〕 zhádài 명 《機》 브레이크 밴드(brake band).

〔闸刀开关〕 zhádāo kāiguān 명 ⇨〔刀形开关〕

〔闸阀〕 zháfá 명 브레이크판(瓣).

〔闸夫〕 zháfū 명 수문 개폐 담당자. 수문 관리원.

〔闸管〕 zháguǎn 명 브레이크 파이프.

〔闸河〕 zháhé 명 수문이 있는 강.

〔闸盒(儿)〕 zháhé(r) 명 《電》 전등(電燈)의 안전기(器)《퓨즈 끼워 놓은 데》.

〔闸口〕 zhákǒu 명 ①수문구(水門口). ②(Zhákǒu) 《地》 항저우 시(杭州市) 와이첸탕(外錢塘)에 있는 땅 이름.

〔闸流管〕 zháliúguǎn 명 《電》 사이러트론(thyratron).

〔闸门〕 zhámén 명 ①수문(水門). ②수문의 문짝. ③《機》 (카뷰레터 등의) 조절판(瓣).

〔闸门阀〕 zháménfá 명 게이트 밸브.

〔闸皮〕 zhápí 명 브레이크 제동편(制動片)(brake shoe).

〔闸瓦〕 zháwǎ 명 《機》 제동자(制動子). 제륜자(制輪子).

〔闸住〕 zházhu 동 ①(물을) 막다. ¶把水～; 물을 막다. ②그만두다. 세우다. ¶～! 세워라!《차량에 대해 씀》 / 把话给～; 이야기를 그만두다 / 座儿满了, 把人给～了; 자리가 차서 입장을 중지시켰다.

劄 zhá (차) →〔劄记〕〔劄子〕 ⇒zhā

〔劄记〕 zhájì 명⇨〔札记〕

〔劄子〕 zházi 명 옛날, 주로 상주(上奏)할 때 쓰이던 공문서의 하나.

炸〈煠〉 zhá (작) 〈잡〉 동 ①기름에 튀기다. ¶这种鱼～了才能吃; 이런 생선은 튀겨야만 먹을 수 있다 / 干gān～; 가루를 묻히지 않고 그대로 튀기다 / 软～; 밀가루를 겉에 입혀서 튀기다 / ～丸子; 기름에 튀긴 고기 완자. ②〈方〉 (채소를) 데치다. ¶把菠菜～一下; 시금치를 데치다. ③〈俗〉 구실을 만들어 강탈하다. ¶不能硬～人家的; 남의 것을 가로채면 안 된다. ⇒zhà

〔炸八块儿〕 zhábākuàir 명 닭튀김(‘童子鸡’(영계)를 토막쳐서 기름에 튀긴 요리).

〔炸大虾〕 zhádàxiā 명 새우 튀김.

〔炸豆腐〕 zhádòufu 명 두부 튀김.

〔炸糕〕 zhágāo 명 찹쌀로 빵처럼 만들어 튀겨 낸 것(흔히, 소를 넣음).

〔炸糕圈〕 zhágāoquān 명 ⇨〔炸面圈〕

〔炸黑〕 zháhēi 동 기름에 튀겨 검어지다.

〔炸货儿〕 zháhuòr 명 반죽한 밀가루를 기름에 튀긴 식품의 총칭(‘麻花(儿)’나 ‘油炸鬼’ 따위).

〔炸鸡〕 zhájī 명 닭고기 튀김.

〔炸酱〕 zhájiàng 명 밀가루로 만든 된장에 가늘게 썬 고기를 넣고 볶은 것. 장. ¶～面; 자장면. (zhá.jiàng) 동 ①횡령하다. 착복하다. 떼어먹다. 가로채고 시치미를 떼다. ¶那点钱被人炸了酱了; 그 돈을 남에게 떼었다 / 他把那点钱炸了酱; 그는 얼마 안 되는 그 돈을 집어먹었다. =〔诈匠〕 ②협박하다. ¶稽察长叫反动派给炸了酱, 哑吧吃黄连有苦说不出《老舍 上任》; 수사 반장은 반동파의 협박을 받아 벙어리 냉가슴 앓듯 고통이 있어도 말 못 하고 참아야 했다.

〔炸焦〕 zhájiāo 동 기름에 튀겨서 태우다.

〔炸链〕 zháliàn 명 (국자 모양에 구멍이 있는) 삶거나 튀긴 것을 건져내는 도구.

〔炸铃儿〕 zhálíngr 명 ‘豆dòu腐皮(儿)’(두부껍질)로 고기를 싸서 노릇노릇하게 튀긴 식품.

〔炸溜〕 zháliū 명 기름에 튀긴 것에 갈분(葛粉) 양념을 얹는 요리법.

〔炸麻花〕 zhámáhuā 명 꽈배기. =〔麻花(儿)〕

〔炸面圈〕 zhámiànquān 명 도넛(doughnut). =〔炸糕圈〕

〔炸牛排〕 zhániúpái 명 비프 커틀릿(beef cutlet).

〔炸排骨〕 zhápáigǔ 명 돼지갈비를 튀긴 요리.

〔炸茄盒〕 zháqiéhé 명 가지 속에 고기를 넣어 튀긴 음식.

〔炸肉饼〕 zháròubǐng 명 크로켓(croquette).

〔炸三角〕 zhásānjiǎo 명 밀가루 반죽으로 얇은 피를 만들고 삼각형으로 속을 싸서 기름에 튀긴 음식.

〔炸食〕 zháshí 명 튀김. =〔油炸食品〕

〔炸土豆片〕 zhátǔdòupiàn 명 포테이토 칩(potato chip).

〔炸丸子〕 zháwánzi 명 기름에 튀긴 돼지고기 완자.

〔炸虾段〕 zháxiāduàn 명 중하(中蝦)를 토막 내어 기름에 튀긴 음식.

〔炸虾球〕 zháxiāqiú 명 간 고기와 새우로 만든 경단에 빵가루를 묻혀 튀긴 음식.

〔炸虾仁〕 zháxiārén 명 껍질을 깐 새우의 튀김.

〔炸油条〕 zháyóutiáo 명 ⇨〔油条①〕

〔炸鱼〕 zháyú ①명 생선 튀김. ②(zhá yú) 생선 튀김을 하다.

〔炸元宵〕 zháyuánxiāo 명 ‘元宵②’를 기름에 튀긴 것(‘点diǎn心’의 일종).

〔炸猪排〕 zházhūpái 명 포크 커틀릿(pork cutlet).

铡(鍘)

zhá (찰)

①동 (작두로) 풀을 썰다. ②명 작두.

〔铡草〕 zhá cǎo 작두로 풀이나 짚을 썰다. ¶～机; 작두.

〔铡刀〕 zhádāo 명 작두. 커터.

〔铡死〕 zhásǐ 동 작두로 썰어 죽이다(형벌의 하나).

喋〈啑〉

zhá (잡)

→〔喋呷〕〔唼shà喋〕 ⇒dié

〔喋呷〕 zháxiá 〈擬〉〈文〉 물고기·새 따위가 먹이를 먹는 소리.

扠

zhǎ (차)

동양 ⇨〔拃zhǎ〕 ⇒chā

苲

zhǎ (자)

→〔苲草〕

〔苲草〕 zhǎcǎo 명《植》 붕어마름 등의 수생(水生) 식물.

拃〈搩〉

zhǎ (찰)

①동 뼘으로 길이를 재다. ②양 뼘. ¶这块布有三～宽; 이 천은 세 뼘 폭이다. ‖=〔扠zhǎ〕

砟

zhǎ (작)

(～儿, ～子) 명 단단하게 덩어리진 것. ¶道～; 길에 까는 자갈 / 煤～ =〔焦～〕; 석탄 찌끼.

鲊(鮓)

zhǎ (자)

명 ①생선을 소금 또는 누룩에 절인 것. ②소금·조미료를 섞은 쌀가루·밀가루에 야채를 섞은 보존(保存) 식품. ③→〔鲊肉〕.

〔鲊肉〕 zhǎròu 명 〈方〉 ⇨〔米粉肉〕

眨

zhǎ (잡)

동 (눈을) 깜박거리다. ¶一～眼的工夫; 눈 깜박할 사이. 순간 / 一～眼就看不见了; 눈 깜짝할 사이에 보이지 않게 되었다.

〔眨巴〕 zhǎba 동 〈方〉 (눈을) 깜박거리다. ¶孩子的眼睛直～, 想是困了; 어린애가 자꾸 눈을 깜박거리는데 아무래도 졸린 것 같다.

〔眨巴眼儿〕 zhǎba yǎnr ①눈을 깜빡거리다. ②잠깐 사이(에). ‖=〔眨睐眼儿〕〔展zhǎn巴眼儿〕

〔眨睐眼儿〕 zhǎmīyǎnr ⇨〔眨巴眼儿〕

〔眨眼(儿)〕 zhǎ.yǎn(r) 동 눈을 깜박거리다. ¶～玩偶; 눈을 깜박이는 인형 / 这么多的东西, 看着都～了; 물건이 너무 많아 (놀라서) 모두 보면서 눈을 깜박일 뿐이었다. 명 순간. ¶一～的工夫; 일순간.

鲝(鮺)

zhǎ (자)

① ‘鲊①’과 통용. ② ‘苲’와 통용.

〔鲝草滩〕 Zhǎcǎotān 명《地》 자차오탄(鮺草灘)(쓰촨 성(四川省)에 있는 땅 이름).

乍

zhà (사)

①부 갑자기. 돌연히. ¶～晴～阴; 갑자기 개었다 흐렸다 하다. ②부 처음으로. 처음에. 갓. 방금. ¶～一做, 做不好; 갓 시작해서는 잘 안 된다 / 我是～来的; 나는 방금 왔다 / ～看很好; 언뜻 보기에는 좋다. ③동 (‘～着’의 형으로) 결심하다. 과감하게 하다. ¶～着胆子做; 눈 딱 감고[과감히] 해 보다. ④동 (확) 펼치다. 뻗다. ¶～翅; 날개를 펴다. =〔奓②〕 ⑤명 성(姓)의 하나.

〔乍出猛儿〕 zhàchūměngr 명 신출내기. 풋내기. ¶他是～, 知道什么! 저 녀석은 사회에 갓 나왔는데, 무엇을 알겠니!

〔乍出乍没〕 zhàchū zhàmò 보였다 안 보였다 하다. 갑자기 나타났다 갑자기 없어졌다 하다.
〔乍刺(儿)〕 zhà·cì(r) 동 〈比〉 ①화내기 시작하다. ②떠들어 대다.
〔乍到〕 zhàdào 동 방금 도착하다. 갓 오다. ¶新来～的人; 온 지 얼마 안 되는 사람. 신참.
〔乍得〕 Zhàdé 명 《地》〈音〉 차드(Chad)《중앙 아프리카의 공화국. 수도는 '恩贾梅纳'(은자메나: N'Djamena)》.
〔乍地〕 zhàde〔zhàdi〕 부 〈古白〉 느닷없이. 갑자기.
〔乍富〕 zhàfù 동 갑자기 부자가 되다.
〔乍好乍歹〕 zhàhǎo zhàdǎi 갑자기 좋아지다가 갑자기 나빠졌다 하다. 좋다고 여겼더니 갑자기 나빠지다.
〔乍会〕 zhàhuì 동 처음 만나다. 방금 만나다. ¶虽然～, 可是一见如故; 처음 만났는데도 본래부터 아는 사이 같다.
〔乍见〕 zhàjiàn 동 ①초대면하다. 처음 보다. ②문득 눈에 띄다.
〔乍开头〕 zhàkāitóu 명 최초. 처음.
〔乍可〕 zhàkě 접 오히려. =〔宁nìng可〕
〔乍冷乍热〕 zhàlěng zhàrè 갑자기 추워졌다 갑자기 더워졌다 하다. ¶天气～, 最容易得病; 날씨가 갑자기 추워졌다 더워졌다 하면 가장 병에 걸리기 쉽다. =〔忽冷忽热〕
〔乍毛〕 zhàmáo 동 반항하다. 대들다. ¶他要敢～, 我敲断他的脊梁骨; 저놈이 감히 대들면, 놈의 등뼈를 부러뜨려 주겠다.
〔乍猛的〕 zhàměngde 부 〈方〉 갑자기. 돌연히. ¶他～问我, 倒想不起来了; 그가 갑자기 질문을 하니까, 오히려 생각이 나지 않는다.
〔乍然〕 zhàrán 부 〈文〉 갑작스레. 갑자기. ¶～相逢; 갑작스레 만나다.
〔乍认识的〕 zhà rènshide 갓 사귄 (사람).
〔乍生不熟〕 zhàshēng bùshú 사귄 지 얼마 되지 않아 잘 모르다. ¶我和他～的, 怎么好说细微的话呢? 나는 그와 갓 알게 되어 친숙하지도 않은데, 어떻게 세세한 이야기를 할 수 있겠니?
〔乍生见面〕 zhàshēng jiànmiàn 처음으로 만나다. ¶我们两个人虽说是～, 仿佛会过几次似的; 우리 두 사람은 첫대면이긴 하지만, 마치 몇 차례 만난 적이 있는 것 같다.
〔乍听〕 zhàtīng 동 처음 듣다. 들은 지 얼마 안 되다. ¶～这句话, 一点儿也不懂; 처음 이런 말을 들으니 조금도 이해되지 않는다.
〔乍尾巴〕 zhà wěiba 꼬리를 세우다. 〈轉〉 으르다. 위협하다. ¶'～'绝对不能得到群众的信任; 위협으로는 절대로 민중의 신임을 얻을 수가 없다.
〔乍行〕 zhàxíng 동 (사회에) 갓 나오다. ¶小马儿～; 〈比〉 사회에 갓 나온 풋내기.
〔乍学〕 zhàxué 동 처음〔갓〕 배우다. ¶我的中国话是～的; 나의 중국어는 이제 막 배운 것입니다.
〔乍一看〕 zhàyīkàn 부 언뜻 본즉. 잠깐 본즉.
〔乍乍(儿)(的)〕 zhàzhà(r)(de) 부 갑자기. 느닷없이. ¶～这样做, 觉得不合式; 갑자기 이렇게 하는 것은 옳지 않다고 생각된다.
〔乍着胆子〕 zhàzhe dǎnzi 억지로 용기를 내다. 과감하게 하다. ¶～去做, 别发扰! 망설이지 말고 대담하게 해라! =〔炸着胆子〕

诈(詐) zhà (사)

동 ①속이다. 야바위치다. 사기치다. ¶拿话～我; 구수한 말솜씨로 나를 속이다 / 欺～; 속이다. 사기치다. ②위장하다. 체하다. ③(넌지시 속을) 떠 보다. ¶用话～了他一～, 就人了圈套儿都说出来了; 그를 넌지시 떠 보았더니, 그 수에 넘어가 모두 말해 버렸다.
〔诈病〕 zhà·bìng 동 꾀병을 부리다. (zhàbìng) 명 꾀병.
〔诈称〕 zhàchēng 동 사칭하다.
〔诈词〕 zhàcí 명 거짓 핑계〔주장〕.
〔诈故〕 zhàgù 명 〈文〉 기지(機智). 허위적인 임기응변.
〔诈关儿〕 zhàguānr 동 속이다. ¶他爱～, 你别上当; 그는 잘 속이니까, 넘어가지 마라.
〔诈唬〕 zhàhu 동 ①협박하다. ②과시(誇示)하다.
〔诈匠〕 zhájiàng 동 ⇨〔炸zhá酱①〕
〔诈局〕 zhàjú 사기극. ¶～的活局子; 사기의 계략.
〔诈哭〕 zhàkū 동 우는 체하다. 거짓으로 울다.
〔诈冒〕 zhàmào 동 사칭(詐稱)하다.
〔诈骗〕 zhàpiàn 동 사취하다. 편취(騙取)하다. ¶～犯; 사기범. 협잡꾼 / ～罪; 사기죄.
〔诈晴〕 zhàqíng 동 잠깐 개다. ¶这天也不过是～, 恐怕晴不稳吧; 오늘도 잠시 개었을 뿐, 아마도 오래 맑지는 않을 것이다.
〔诈尸〕 zhà·shī 동 ①(입관 전) 시체가 벌떡 일어나다. ②〈方〉〈罵〉 갑자기 미치광이 같은 행동을 하다. 느닷없이 떠들다. ¶大家这么安安静静的, 干么má你～啊? 이렇게 모두 조용히 있는데, 너만 어찌해서 느닷없이 떠들어 대느냐?
〔诈数〕 zhàshù 명 사기의 계략. 사기술.
〔诈死〕 zhàsǐ 동 죽은 체하여 속이다.
〔诈降〕 zhàxiáng 명동 거짓 항복(을 하다).
〔诈言诈语〕 zhàyán zhàyǔ 명 속이는 말. 꾸며 낸 말. 거짓말.
〔诈语〕 zhàyǔ 명 거짓말. 꾸며 낸 말. ¶这是～, 别听他的; 이건 거짓이니, 그의 말을 듣지 마라.
〔诈作不知〕 zhàzuò bùzhī 모른 체하다.

咋 zhà (사, 색)

'咋zé'의 우음(又音).

炸 zhà (작)

동 ①폭파하다. 폭격하다. ¶一颗原子弹～平了广岛; 한 발(發)의 원자탄으로 히로시마(廣島)를 불탄 들판으로 만들었다 / 用～药～碉堡; 폭약으로 토치카를 폭파하다. ②터지다. 폭발하다. 깨지다. 파열하다. ¶爆～; 폭발하다 / 玻璃瓶子灌上热水容易～; 유리병은 더운물을 부으면 잘 깨진다 / 自行车的轮胎～了; 자전거 바퀴가 펑크났다. ③〈轉〉〈口〉 분노가 폭발하다. 화를 터뜨리다. ¶他一听就～了; 그는 듣자마자 분노를 터뜨렸다 / 听着这种暴行大家都～了; 이와 같은 폭행을 듣고 모두 격노했다. ④여러 사람 가운데서 갑자기 소동이 일어나 어수선해지다. ⑤〈方〉 (놀라서) 도망쳐 흩어지다. 뿔뿔이 달아나다. ¶枪声一响, 鸟儿都～了窝; 총성이 울리자, 새는 일제히 둥지를 날아갔다. ⑥(땀띠가 갑자기) 심해지다. ¶痱fèi子～了; 땀띠가 갑자기 심해졌다. ⇒zhá
〔炸毙〕 zhàbì 명동 〈文〉 폭사(爆死)(시키다).
〔炸鞭〕 zhàbiān 동 채찍을 휙 소리나게 휘두르다.
〔炸沉〕 zhàchén 동 격침하다. ¶因军舰被水雷～, 险些葬身鱼腹; 군함이 수뢰를 맞아 격침되어, 하마터면 고기밥이 될 뻔했다.
〔炸弹〕 zhàdàn 명 《軍》 폭탄. ¶时计～; 시한(時限) 폭탄 / 氢气～ =〔氢qīng弹〕; 수소 폭탄 / 原子～; 원자 폭탄 / 扔～; 폭탄을 떨어뜨리다.
〔炸倒〕 zhàdǎo 동 폭격으로 쓰러지다. 폭격하여 쓰러뜨리다. ¶大树～了; 큰 나무가 폭격으로 넘

어졌다.
〔炸瓜〕 zhàguā 동〈俗〉 폭사(爆死)하다. ¶烟花原地开花, 五人当场~; 불꽃이 그 자리에서 터져, 다섯 명이 현장에서 폭사했다.
〔炸轰〕 zhàhōng 명동 ⇨〔轰炸〕
〔炸坏〕 zhàhuài 동 폭발로 파괴되다. 폭파되다. ¶路被~了; 길이 폭격으로 파괴되었다.
〔炸毁〕 zhàhuǐ 동 폭파하다.
〔炸开〕 zhàkai 동 폭발하다. 폭파하다.
〔炸了〕 zhàle 동 울컥하다. 화를 벌컥 내다.
〔炸雷〕 zhàléi 명〈方〉(크게 울려 퍼지는) 우레〔천둥〕. 동 요란스럽게 벼락이 치다.
〔炸裂〕 zhàliè 동 작렬하다. 파열하다. 폭파하다.
〔炸妙〕 zhà,miào 동〈俗〉 대수롭지 않은 아무것도 아닌 일에 큰 소동을 피우다〔법석을 떨다〕. =〔炸庙〕
〔炸庙〕 zhà,miào 동〈俗〉 법석을 떨다. (대단치 않은 일로) 소동을 피우다. =〔炸妙〕
〔炸死〕 zhàsǐ 명동 폭사(하다).
〔炸碎〕 zhàsuì 명 스크랩(scrap).
〔炸胎〕 zhàtāi 동 타이어가 터지다. =〔爆bào胎〕
〔炸坍〕 zhàtān 동 폭격으로 무너지다. ¶房子~了; 집이 폭격으로 무너졌다.
〔炸窝〕 zhà,wō 동 (벌이나 새의 떼가 놀라서) 둥지 주위를 요란하게 날아가다.
〔炸烟(儿)〕 zhàyān(r) 동 격노하다. 발끈하다. ¶他这回又~了, 真是动不动爱生气; 그는 이번에도 화를 냈는데, 정말 뭐라고 하기만 하면 곧 분개한다.
〔炸药〕 zhàyào 명 폭약. ¶~筒; 폭약통 / ~包; 폭약 주머니.
〔炸营〕 zhà,yíng 동 ①진지(陣地)를 폭파하다. ②근거지를 없애 버리다. ③상대방의 계획 등을 혼란시키다.
〔炸油〕 zhàyóu 명《化》〈俗〉 니트로글리세린(nitroglycerin). ¶~爆药 =〔甘gān油爆药〕〔甘油炸药〕〔矿kuàng用爆药〕; 다이너마이트.
〔炸狱〕 zhàyù 동 교도소의 죄수가 소동을 일으키고 탈옥하다.
〔炸着胆子〕 zhàzhe dǎnzi ⇨〔乍着胆子〕
〔炸子〕 zhàzi 명〈俗〉 총탄.

柞 zhà (작)
지명용 자(字). ¶~水Zhàshuǐ; 자수이(柞水)《산시 성(陝西省)에 있는 현(縣) 이름》. ⇒zuò

痄 zhà (차)
→〔痄腮〕
〔痄腮〕 zhàsai 명《醫》 볼거리. 이하선염(耳下腺炎).

蚱 zhà (책)
→〔蚱蜢〕
〔蚱蜢〕 zhàměng 명《蟲》 누리. 메뚜기.

䖳〈蹅〉 zhà (조)
→〔䖳䖳〕
〔䖳䖳〕 zhàzha 동 (아기가) 아장아장 걷다. ¶这孩子才一周儿就满地~了; 이 아이는 겨우 돌이 지났는데, 벌써 여기저기를 아장아장 걸어 돌아다닌다.

榨〈搾〉① zhà (자)〈착〉
①동 (기름·술 등의 액즙을) 짜다. ¶~汁zhī器 =〔压~器〕〔绞果子器〕; 주서(juicer). ②명 압착기. ¶油~; 기름틀. =〔醡〕
〔榨菜〕 zhàcài 명 ①《植》 쓰촨 성(四川省)에서 나는 2년생 초본 식물로 갓의 변종. ②고춧가루를 넣은 특유의 냄새를 가진 쓰촨 성(四川省)의 특산물 김치. =〔乍菜〕〔苲菜〕
〔榨床(儿)〕 zhàchuáng(r) 명 사탕수수 등의 즙을 짜는 기구.
〔榨甘蔗〕 zhà,gānzhè 동 사탕수수즙(汁)을 짜다.
〔榨花机〕 zhàhuājī 명 면화를 압착하여 포장하는 기계.
〔榨取〕 zhàqǔ 동 ①짜내다. ¶~汁液; 즙을 짜내다. ②〈比〉 착취하다.
〔榨油〕 zhàyóu 명 짜낸 기름. (zhà,yóu) 동 ①착취하다. ②기름을 짜다.
〔榨油机〕 zhàyóujī 명 착유기(機).
〔榨子〕 zhàzi 명〈俗〉 착유기.

醡 zhà (자)
명 ⇨〔榨②〕

咤〈吒〉 zhà (타)
동〈文〉 ①큰 소리로 나무라다. 호통치다. ¶叱~; 야단치다. 질타(叱咤)하다. ②먹으면서 입 속에서 쩍쩍 소리를 내다. ⇒'吒' zhā

蛇 zhà (차)
동《動》〈方〉 해파리. =〔海蜇hǎizhé〕

奓 zhà (차)
동〈方〉 ①퍼지다. 벌어지다. ¶头发~着; 머리가 부수수하다 / 这件衣服下摆太~了; 이 옷은 아랫단이 너무 벌어졌다 / ~着胆子走过了独木桥; 용기를 내어 외나무다리를 건넜다. ②⇨〔乍④〕 ⇒shē Zhā

䃎 zhà (차)
지명용 자(字). ¶大水~; 다수이자(大水䃎)《간쑤 성(甘肅省)에 있는 땅 이름》.

栅〈柵〉 zhà (책)
명 울타리. 울짱. 목책. ¶篱笆~儿; 바자울 / 羊~; 양우리 / 铁路~栏; 철도 건널목의 울짱. ⇒shān
〔栅栏(儿)〕 zhàlan(r) 명 울타리. 울짱. ¶~门; 울짱의 문. 울타리 어귀 / 工地四周围着~儿; 공사 현장은 사방으로 울타리를 둘러 놓았다.
〔栅门〕 zhàmén 명 ①울타리 있는 문. ②건널목. ¶~夫; 건널목지기.
〔栅子〕 zhàzi 명〈方〉(대나무나 갈대로 만든) 짐승을 가두는 울타리.

溠 Zhà (자)
명《地》 자수이(溠水)《후베이 성(湖北省)에 있는 강 이름》.

蜡〈䄍〉 zhà (사)
명 주대(周代)에, 연말에 지내던 제사의 이름. ⇒là

霅 zhà (잡)
지명용 자(字). ¶~溪xī水; 자시수이(霅溪水)《저장 성(浙江省)에 있는 강 이름》.

ZHAI ㄓㄞ

齐(齊〈斉〉) zhāi (재)
동 ⇨〔斋①〕 ⇒jì qí zī

侧(側) zhāi (측) 동 〈方〉 기울다. 기울어지다. ⇒cè

〔侧棱〕 zhāileng 동 〈方〉 기울다. 옆으로 기울이다. ¶～着身子睡; 모로 누워 자다.
〔侧歪〕 zhāiwai 동 〈方〉 기울다. ¶车在山坡上～着开; 차가 비탈길을 비스듬히 내려가다 / 帽子～在一边儿; 모자가 한쪽으로 비뚤어져 있다.

斋(齋〈斎〉) zhāi (재) ① 동 재계(齋戒)하다. ¶～戒; 재계하다. =〔齐〕 ② 명 정진 요리(精進料理). 소식(素食). ¶吃～; 채식 요리를 먹다. ③ 명 독서하는 방. ¶书～; 서재. ④ 명 학교의 숙사. ¶第二～; 제2 기숙사. ⑤ 명 상점의 옥호(屋號)에 붙이는 말(‘致美～’ 따위). ¶信远～; 옛날, 베이징(北京)의 ‘酸梅汤’의 전문점. ⑥ 동 (중에게) 식사를 보시(布施)하다.

〔斋匾〕 zhāibiǎn 명 서재에 거는 가로 액자〔편액(扁額)〕.
〔斋菜〕 zhāicài 명 소식 요리(素食料理). 정진 요리(精進料理). =〔素sù菜〕
〔斋道〕 zhāidào 동 도사에게 시주하다.
〔斋饭〕 zhāifàn 명 승려가 탁발(托鉢)하여 시주받아 온 밥.
〔斋啡〕 zhāifēi 명 〈南方〉 크림을 타지 않은 블랙커피(불교나 ‘在理’ 등 신앙 생활을 하며 채식 요리를 먹는 사람이 마심).
〔斋匪〕 zhāifěi 명 ⇨〔教jiào匪〕
〔斋宫〕 zhāigōng 명 옛날, 천자가 재계(齋戒)하는 궁전.
〔斋果〕 zhāiguo 명 〈方〉 제물(祭物). 공물(供物).
〔斋醮〕 zhāijiào 명 《宗》 가지기도(加持祈禱)를 하다.
〔斋戒〕 zhāijiè 명동 옛날, 재계(하다).
〔斋七〕 zhāiqī 명 사후 49일 동안 7일마다 행하는 행사.
〔斋期〕 zhāiqī 명 ①단식 기간. ②재계하고 채식 요리를 먹는 기간.
〔斋祈〕 zhāiqí 동 〈文〉 재계하고 기도하다.
〔斋僧〕 zhāisēng 동 승려에게 (먹을 것을) 시주하다.
〔斋舍〕 zhāishè 명 〈文〉 ①재계(齋戒)를 위해 들어앉는 방. ②(학교의) 기숙사. ③독서하는 방. 서재. =〔斋屋〕
〔斋肃〕 zhāisù 형 〈文〉 경건하고 엄숙하다. =〔齐肃〕
〔斋坛〕 zhāitán 명 ①하늘에 제사지내는 단. ②승려·도사 등이 독경하는 단.
〔斋堂〕 zhāitáng 명 ①사원(寺院)의 식당. ②〈轉〉 사원. 절.
〔斋屋〕 zhāiwū 명 ⇨〔斋舍③〕
〔斋务〕 zhāiwù 명 〈文〉 학교 기숙사의 사무.
〔斋心〕 zhāixīn 동 〈文〉 마음을 깨끗이 하다.
〔斋月〕 zhāiyuè 명 《宗》 ①불교에서, 정월·5월·9월을 이름(이들 달에는 사물을 꺼리고 언행을 삼가며 수행함). =〔善月〕 ②이슬람력의 라마단(Ramadan)(9월).
〔斋主〕 zhāizhǔ 명 《佛》 ①불사(佛事) 때 절에서 내는 음식을 시주한 사람. ②재주. 불공을 올리는 가장(家長).

摘 zhāi〔〈京〉 zhái〕 (적) 동 ①(손으로 집어) 꺾다. 뜯다. 따다. 떼다. 벗다. ¶～眼镜(儿); 안경을 벗다 / 从树上～果子; 나무에서 과일을 따다 / ～棉花; 목화송이를 따다 / ～帽子行礼; 모자를 벗고 절하다. ②채취(採取)하다. ③가려 뽑다. 발췌(拔萃)하다. ¶从诗集里～了几首精采的; 시집에서 잘 된 것을 몇 수(首) 발췌했다 / 此句～自人民日报; 이 말은 인민 일보에서 발췌한 것이다. ④(돈을) 꾸다. 융통하다. ¶东～西借; 이곳 저곳으로 꾸러 다니다 / ～几个钱用; 돈을 조금 꾸어 쓰다.

〔摘编〕 zhāibiān 동 (문장의 요점 등을) 발췌하여 편집하다.
〔摘不开〕 zhāibukāi ①뗄 수 없다. ¶～身子; (바빠서) 몸을 빼낼 수 없다. ②비틀어 뜯을 수 없다. ‖↔〔摘得开〕
〔摘茶〕 zhāi·chá 동 ⇨〔采cǎi茶〕
〔摘抄〕 zhāichāo 명동 적록(摘錄)(하다). 초록(抄錄)(하다). ¶～部分文章; 일부분의 문장을 골라 베끼다. =〔摘录〕
〔摘除〕 zhāichú 동 《醫》 제거하다. 적출하다. ¶肿瘤～手术; 종양을 적출하는 수술.
〔摘刀〕 zhāi·dāo 동 칼을 풀다. 〈轉〉 무관직(武官職)을 사퇴하다.
〔摘顶〕 zhāidǐng 동 옛날, ‘顶珠’(관리의 제모 꼭대기에 달린 구슬)를 벌로서 떼다. 〈比〉 관리를 면직시키다.
〔摘东补西〕 zhāidōng bǔxī 이쪽에서 빌려 저쪽에다 갚다. 이쪽 저쪽에서 돈을 꾸어 변통하다.
〔摘兑〕 zhāiduì 동 일시적으로〔잠시〕 돈을 융통하다. ¶给我～些钱! 돈을 좀 융통해 주게나! / 由别处儿～几元先用着; 다른 데서 몇 ‘元’ 빌려서 우선 쓰다. =〔摘对〕
〔摘干净儿〕 zhāigānjìngr 모르는 체해 버리다. 책임 회피를 하다.
〔摘给〕 zhāigěi 동 융통해 주다. 입체해 주다.
〔摘根〕 zhāi·gēn 동 근절하다.
〔摘瓜〕 zhāi·guā 동 ①오이를〔박을〕 따다. ②〈比〉 낙태(落胎)하다. (zhāiguā) 명 〈比〉 유산된 태아. ¶生～; 유산하다 / 有身孕的人, 可别登梯爬高儿的, 招呼生～; 임산부는 사다리나 높은 곳에 올라가선 안 된다. 유산하면 안 되니까.
〔摘果(子)〕 zhāi·guǒ(zi) 동 과일을 따다.
〔摘黑锅〕 zhāi hēiguō 〈比〉 무고함을 밝히다. 결백함을 보이다.
〔摘花〕 zhāi·huā 동 ①꽃을 따다. ②〈比〉 숫처녀를 범하다.
〔摘记〕 zhāijì 명동 메모(하다). 적바림(하다). ¶～演讲的内容; 강연의 내용을 메모하다. =〔摘要记录〕
〔摘奸发伏〕 zhāi jiān fā fú 〈成〉 숨은 악〔악인〕을 적발하다.
〔摘肩儿〕 zhāi·jiānr 동 일시 돈을 융통 받다. 잠시 꾸다. ¶咱们先和您摘个肩儿吧; 우선 당신에게 임시로 꿉시다.
〔摘借〕 zhāijiè 동 (다급하여 임시로) 돈을 꾸다. ¶东摘西借; 여기저기서 돈을 빌리다 / ～无门; 꾸려 해도 꿀 데가 없다.
〔摘录〕 zhāilù 명 적록. 적바림. 초록(抄錄). 발췌. 동 적록하다. 발췌하다. 초록(抄錄)하다. ‖ =〔摘抄〕
〔摘毛儿〕 zhāi máor ①털을 뽑다. ②〈比〉 흠을 잡다. ¶成心～; 고의로 흠을 들추어 내다. ③〈比〉 결점을 감싸다. 변명하다. 해명하다. ¶我早就查明白了, 你别给他～了; 나는 진작에 조사해서 알고 있으니까, 그를 위해서 변명해 주려 하지 마라.

〔摘帽子〕 zhāi màozi ①모자를 벗다. ②〈轉〉 악명〔악평〕을 떨어 버리다. 레테르(네 letter)를 벗기다. 명예 회복을 하다. ¶非摘了落后的帽子不可; 낙후되었다는 오명을 벗어 버리지 않으면 안 된다. ③〈俗〉 돈의 일부를 몰래 떼어 내다. 삥땅치다.

〔摘绵〕 zhāimián 명동 꽃·새·인물 등의 모양의 판지를 헝겊으로 싸고 솜을 두어 널빤지 따위에 붙이는 세공(을 하다).

〔摘取〕 zhāiqǔ 동 뽑아 내다. 골라 내다. ¶～片言只语; 편언 척구(隻句)를 골라 내다.

〔摘三问四〕 zhāisān wènsì ①이것저것 묻다. ②간추려서 묻다.

〔摘示〕 zhāishì 명 적시. 동 일부를 지적하여 제시하다.

〔摘手货〕 zhāishǒuhuò〔〈京〉 zháishǒuhuò〕 명 ⇨〔择zhái手货〕

〔摘桃子〕 zhāi táozi 〈比〉 남의 성과를 가로채다. 성과를 빼앗다. ¶这次试验, 他没出过一点力, 现在倒跑来～了; 이번 실험에 그는 조금도 힘을 들이지 않았는데, 이제 와서 오히려 그 성과를 가로채려 하고 있다.

〔摘头〕 zhāi.tóu 동 (여성 또는 배우가) 머리 장식을 떼다.

〔摘脱〕 zhāituō 동 (남의) 책임〔과실〕을 가볍게 해 주다. ¶我不愿意为他～; 그를 위해 잘못을 감싸 주고 싶은 마음은 없다.

〔摘席〕 zhāixí 동 잠자리가 바뀌면 잠을 못 자다. 잠자리를 가리다. =〔择席〕

〔摘下〕 zhāixià 동 ①벗다. 벗기다. ¶～眼镜; 안경을 벗다 / ～假面具; 가면을 벗기다. ②(열매를) 따다.

〔摘下来〕 zhāixialai ①(열매 등을) 따다. ¶把果子～; 과일을 따다. ②(모자 등을) 벗다. ¶摘下帽子来; 모자를 벗다.

〔摘线头儿〕 zhāi xiàntóur ①(옷 등에서) 실밥을 뽑다. ②〈比〉 남의 말의 결점을 찾다.

〔摘心〕 zhāi.xīn 동 ①〖農〗 적심하다. 순지르다《성장·결실의 조절을 위해 농작물 줄기 끝을 잘라 주는 일》. ②낙담하다. 상심하다. ¶老来丧子这才叫～呢; 늙어서 자식을 잃는다는 것이야말로 낙심되는 일이다.

〔摘牙〕 zhāi.yá 동 ⇨〔拔bá牙〕

〔摘要〕 zhāiyào 동 요점을 뽑아 적다. 적요하다. 개요(槪要)를 작성하다. ¶～发表; 요점을 뽑아 발표하다. 명 적요. 요지(要旨). ¶～如下; 요점은 다음과 같다 / 谈话～; 담화 적요 / 读者～; 〖書〗 리더스 다이제스트《미국의 잡지 이름》.

〔摘译〕 zhāiyì 명동 초역(抄譯)(하다). 적역(하다). ¶～成中文; 중국어로 초역하다.

〔摘引〕 zhāiyǐn 동 발췌 인용하다. 명 발췌 인용문.

〔摘印〕 zhāi.yìn 동 인감을 거둬들이다. 〈比〉 관직을 파면하다.

〔摘由(儿)〕 zhāi.yóu(r) 동 공문서의 요점(要點)을 간추려 뽑다《공문서의 요점을 '事由'라고 하는 데서》.

〔摘鱼头〕 zhāi yútóu ①생선 대가리를 자르다. ②〈比〉 성가신 일을 처리하다. 얽힌 일을 풀다. ¶要是打起官司来, 这个鱼头还是你自己去摘呀; 만약 재판 사태에까지 이르면 그 성가신 일은 역시 네가 스스로 처리해야 해.

〔摘载〕 zhāizǎi 동 초록하다. 일부를 발췌 요약하여 싣다.

宅 zhái〔〈文〉 zhè〕 (택)

명 ①(비교적 큰) 주택. 저택. ¶住～; 주택 / 深～大院; 〈成〉 큰 저택. ②…의 집. …님 댁. ¶李～; 이씨의 집. 이씨 댁. ③〈文〉 묘(墓). ¶卜～; 묏자리를 점치다.

〔宅第〕 zháidì 명 (옛날, 관리의) 저택. =〔第宅〕

〔宅基〕 zháijī 명 ①택지(宅地). 부지(敷地). ②가문(家門). ¶咱家～愿怎么升发就怎么升发; 우리 가문을 번영시키려 마음먹으면 얼마든지 번영할 수 있다.

〔宅经〕 zháijīng 명 가상(家相)에 관한 책.

〔宅眷〕 zháijuàn 명 〈古白〉 가족. 권솔(眷率)《흔히, 부녀자를 가리킴》. ¶武松起身道"…怎敢望恩相～为妻?"《水滸傳》 무송은 일어나서 말했다. "… 어찌 감히 은인의 따님을 아내로 삼기를 바라겠습니까?"

〔宅里〕 zháili 명 주인댁《옛날, 사용인이 주인의 집을 이른 말》.

〔宅门〕 zháimén 명 저택의 대문.

〔宅门(儿)〕 zháimén(r) 명 저택에 살고 있는 사람. ¶这胡同里有好几个～儿; 이 골목에는 저택에 사는 사람이 여러 사람 있다.

〔宅券〕 zháiquàn 명 가옥 매도 증서. 집문서.

〔宅上〕 zháishang 명 〈文〉 귀댁(貴宅).

〔宅舍〕 zháishè 명 〈文〉 주택.

〔宅心〕 zháixīn 명 〈文〉 마음가짐. 마음 자세. 사고방식. ¶～正大; 생각이 반듯하고 당당하다.

〔宅忧〕 zháiyōu 동 〈文〉 상을 입(어 집에 있)다.

〔宅宇〕 zháiyǔ 명 〈文〉 저택.

〔宅园〕 zháiyuán 명 〈文〉 정원.

〔宅院〕 zháiyuàn 명 ①뜰·안뜰이 있는 저택. ②〈轉〉 (호화) 저택.

〔宅兆〕 zháizhào 명 〈文〉 묘지.

〔宅子〕 zháizi 명 〈口〉 주택. 저택. 집. ¶他们家～很大; 그들의 집은 매우 크다 / 光～就有好几所, 怎么不算富农; 주택만 해도 몇 채나 있으니, 어찌 부농이라 하지 않을 수 있겠나.

择(擇) zhái (택)

뜻은 '择zé'와 같고, 아래와 같은 경우에만 'zhái'로 발음됨. ⇒zé

〔择不出来〕 zháibuchū.lái 골라 낼 수 없다.

〔择不开〕 zháibukāi ①풀 수 없다. 분해할 수 없다. ¶线乱成了一团, 怎么也～了; 실이 한 덩어리로 얽혀서 아무리 해도 풀 수가 없다. ②(시간·몸 등을) 빼낼 수 없다. 융통할 수 없다. ¶我忙得一点儿工夫也～; 나는 바빠서 잠시의 시간도 낼 수 없다. ③피할 수 없다. 끊을 수 없다. ¶他们俩是～的一对儿; 그들은 끊을래야 끊을 수 없는 사이다.

〔择菜〕 zhái.cài 동 채소를 다듬다. ⇒zé.cài

〔择刺〕 zhái.cì 동 ①(생선의) 가시를 발라 내다. ②〈比〉 문제거리를 해결하다. 말썽을 처리하다. ⇒zécì

〔择干净儿〕 zhái gānjìngr 〈俗〉 ①책임 회피를 하다. 핑계를 대다. ②임무를 완수하다.

〔择工夫〕 zhái gōngfu 시간〔틈〕을 내다.

〔择尖儿〕 zhái.jiānr 동 〈比〉 좋은 것을 먼저 골라 가지다. ¶你别～, 只剩下不好吃的, 人家就不愿意呀; 좋은 것만 먼저 골라 먹지 마라. 맛없는 것만 남기면 다른 사람은 싫어한다.

〔择空儿〕 zhái.kòngr 동 틈〔짬〕을 내다.

〔择理〕 zháilǐ 동 골라서 정리하다.

〔择毛儿〕 zhái máor ①털을 뽑다. ②〈比〉 지나치게 남의 흠을 찾다. ③〈比〉 변명하다.

〔择日子〕 zhái rìzi 택일하다. ¶择好日子; 좋은 날을 잡다.
〔择食〕 zháishí 통 편식하다. 음식을 가려 먹다. ¶什么吃的都行, 他不～; 어떤 음식이라도 좋습니다. 그는 가려 먹지 않습니다.
〔择手货〕 zháishǒuhuò 명 고르고 남은 찌꺼기. ¶除了我谁买这～? 나 말고는 누가 이 찌꺼기 물건을 사겠는가? =〔摘手货〕
〔择席〕 zháixí 통 잠자리가 바뀌면 잠을 못 자다. 잠자리를 가리다. ¶我从来不～, 无论到哪儿, 一沾枕头就睡着了; 나는 이 때까지 잠자리가 바뀌었다고 해서 잠을 못 잔 일은 없었어. 어딜 가나 눕자마자 금방 잠이 들지/～病 =〔～的毛病〕; 잠자리가 바뀌면 잠을 못 자는 버릇. =〔摘席〕

翟 **Zhái** (책)
명 성(姓)의 하나. ⇒dí

窄 **zhǎi** (착)
형 ①(폭 · 마음 등이) 좁다. ¶狭～ =〔～狭〕; 좁다. 협착하다/心眼儿太～; 너무나 도량이 좁다. ②궁핍하다. 구차하다. 옹색하다. ¶～得下不来; 너무나 궁하여 어찌할 도리가 없다/以前的日子很～, 现在可好了; 전에는 살림이 어려웠지만, 지금은 좋아졌다.
〔窄巴〕 zhǎiba 형 〈方〉 ①좁다. ②(생활이) 옹색하다. ¶你就住在我们这儿吧, 就是～些! 좀 옹색하긴 하지만, 우리 집에서 그냥 묵도록 하십시오!
〔窄憋憋〕 zhǎibiēbiē 형 아주 좁고 답답하다.
〔窄瘪〕 zhǎibie 형 〈方〉 ①(건물 등이) 좁고 답답하다. ¶这屋子太～了; 이 방은 너무 협소하다. ②용돈이 궁색하다. ③(기분적으로) 숨이 막히다. ④(생활이) 어렵다. ¶他近来～住了; 그는 요즘 몹시 곤란받고 있다. ‖ =〔窄憋〕
〔窄房浅屋〕 zhǎi fáng qiǎn wū 〈成〉 작고 비좁은 집.
〔窄轨铁路〕 zhǎiguǐtiělù 명 협궤 철로. =〔狭xiá轨铁路〕
〔窄紧〕 zhǎijǐn 형 좁고 답답하다.
〔窄溜溜〕 zhǎiliūliū 형 몹시 좁은 모양.
〔窄隆窄隆〕 zhǎilóng zhǎilóng 부 비틀비틀. 휘청휘청.
〔窄路〕 zhǎilù 명 좁은 길.
〔窄面儿〕 zhǎimiànr 명 (피륙 등의) 보통 폭(幅). ¶要宽面儿的还是要～的? 큰 폭의 것이 필요하냐, 보통 폭의 것이 필요하냐?
〔窄巷〕 zhǎixiàng 명 〈文〉 좁은 골목길.
〔窄小〕 zhǎixiǎo 형 협소하다. 좁고 옹색하다.
〔窄鞋〕 zhǎixié 명 ①볼이 좁은 신발. ②〈轉〉 꼼짝 못 할 상태. 궁지. ¶给他穿～; 그를 꼼짝 못 하게 다그치다.
〔窄音〕 zhǎiyīn 명 《言》 '看kàn'과 같이 'n'으로 끝나는 자음(字音).
〔窄韵〕 zhǎiyùn 명 문자가 적은 운(韻)《운자(韻字) 가운데 적은 자수 밖에 없는 운부(韻部)》.

鉙 **zhǎi** (재)
(～儿) 명 〈方〉 (물건 · 옷 · 과일 등의) 흠. ¶碗上有块～儿; 공기에 흠이 있다/苹果没～儿; 사과에 흠이 없다.

债(債) **zhài** (채)
명 부채. 빚. ¶还～; 빚을 갚다/借jiè～ =〔欠qiàn～〕〔负fù～〕; 빚을 내다/讨～; 빚을 독촉하다/放～; 빚을 놓다. 돈을 꾸어 주다/诗shī～; 남에게서 시를 받은 채 아직 답례하지 못한 빚/血～; 혈채. 피맺힌 빚.
〔债多不愁〕 zhài duō bù chóu 〈成〉 빚이 너무 많아 오히려 근심하지 않다.
〔债各有主〕 zhài gè yǒu zhǔ 〈成〉 어떤 일이고 그 책임자가 있다.
〔债户〕 zhàihù 명 채무자. =〔欠户〕 ↔〔债主〕
〔债家〕 zhàijiā 명 ⇒〔债主(儿, 子)〕
〔债精(儿)〕 zhàijīng(r) 명 〈比〉 빚이 몹시 많은 자. 빚꾸러기. ¶他简直成了～了, 天天儿账主子不离门; 그는 그야말로 빚꾸러기가 되어, 매일 빚쟁이가 문 앞을 떠나지 않는다.
〔债款〕 zhàikuǎn 명 금전상의 채무. 차관(借款).
〔债累〕 zhàilěi 명 빚에 대한 고민〔부담〕.
〔债利〕 zhàilì 명 옛날, 채권자가 빌려 준 돈에 대해 받는 이자. 금리(金利).
〔债票〕 zhàipiào 명 채권(債券).
〔债权〕 zhàiquán 명 《法》 채권.
〔债权人〕 zhàiquánrén 명 《法》 채권자. ¶他叫～逼得无路可走; 그는 채권자에게 부대껴서 꼼짝을 못한다. =〔债主〕
〔债权银行〕 zhàiquán yínháng 명 채권 은행.
〔债券〕 zhàiquàn 명 채권. ¶公～; 공채.
〔债台〕 zhàitái 명 〈比〉 빚더미. ¶～高筑; 〈成〉 빚더미가 쌓이다. 빚 때문에 꼼짝달싹 못 하다.
〔债尾〕 zhàiwěi 명 〈文〉 남은 빚.
〔债务〕 zhàiwù 명 채무. ¶～人; 채무자.
〔债项〕 zhàixiàng 명 부채(負債). 빚.
〔债主(儿, 子)〕 zhàizhǔ(r, zi) 명 채권자. =〔债家〕 ↔〔债户〕

祭 **Zhài** (제)
명 성(姓)의 하나. ⇒jì

瘵 **zhài** (채)
명 〈文〉 병(病)《흔히, 폐병을 이름》.

砦 **zhài** (채)
명 ① '寨zhài'와 통용. ②성(姓)의 하나.

寨 **zhài** (채)
명 ①성채(城砦). ②산채(山寨). ③(～子) ㉠울짱 · 토담을 둘러친 산촌의 마을. ¶～栅; 산촌 마을의 울타리. ㉡윈난(雲南) 등지의 소수 민족의 부락. ④옛날, 군대의 주둔지. ¶营～ =〔安营扎～〕; 군영을 설치하다/偷营劫～; 군영을 습격하여 노략질하다.

攃 **zhài** (채)
통 〈方〉 (의복(衣服)의 부속 부분을) 꿰매 붙이다. ¶把花边儿～上; 레이스를 꿰매어 달다/～纽襻儿niǔpànr; (중국 옷의) 단추 고리를 달다.

ZHAN ㄓㄢ

占 **zhān** (점)
①통 점치다. ¶～了一卦; 점을 한 번 쳤다. ②통 보다. 살펴보다. ③명 배우(俳優)의 역명(役名). ④통 〈文〉 읊조리다. ¶对月有怀, 因而口～五言一律《紅樓夢》; 달을 보고 있노라니 감회가 생겨 오언 율시 한 수를 읊조렸다. ⑤명 〈方〉 〈音〉 잼(jam). =〔果酱〕 ⑥명 성(姓)의 하나. ⇒zhàn

〔占卜〕 zhān·bǔ 동 (귀갑(龜甲)이나 동전 등으로) 점치다. ¶咱们占占卜, 他的病到底怎么样; 그의 병이 도대체 어떤지 점쳐 보자.
〔占不灵〕 zhān bu líng 점이 맞지 않다. 점이 용하지 않다.
〔占灯花〕 zhāndēnghuā 동 등화(燈花)가 앉은〔생긴〕 모양으로 점을 치다.
〔占断〕 zhānduàn 동 점을 쳐서 길흉을 판단하다.
〔占卦〕 zhān·guà 동 (팔괘(八卦)로) 점치다. ¶～的 =〔～先生〕; 점쟁이.
〔占候〕 zhān·hòu 동 (조짐을 보고) 점치다. 점후하다.
〔占课〕 zhān·kè 동 (동전 등으로) 점치다. ¶你可以占它一课, 倒看看这次的彩票有点儿边儿没有? 이번 복권은 좀 가망이 있는지 점쳐 보면 어떨까? =〔起qǐ课〕
〔占梦〕 zhān·mèng 동 점몽(占夢)하다. 해몽하다.
〔占年〕 zhānnián 동 한 해의 길흉을 점치다.
〔占人〕 zhānrén 명 옛날, 점을 맡은 관리.
〔占三从二〕 zhānsān cóng'èr 세번 점쳐 보고 많이 나온 괘(卦)에 따르다. 〈比〉 다수의 의견에 따르다.
〔占身〕 zhānshēn 동 몸을 의탁하다. 안주하다. ¶有个小事情占着身子; 사소한 일에 몸이 얽매여 있다.
〔占筮〕 zhānshì 동 〈文〉 점치다.
〔占算〕 zhānsuàn 동 점치다.
〔占星〕 zhān·xīng 동 별점을 치다《미신에서, 태어난 날의 별의 모양으로 운명 판단을 함》. ¶～术; 점성술.
〔占验〕 zhānyàn 동 〈文〉 ①점친 것이 맞다. ②〈比〉 예언·예상이 들어맞다. ‖ =〔占应〕
〔占洋面儿〕 zhān yángmiànr 옛날, 외국인에게 고용되어 앞잡이가 되다.

沾〈霑〉 ①②③④⑤⑪

zhān (첨)〈점〉 ① 동 (물·기름·흙 따위가) 묻다. ¶～水; 물에 젖다 / ～油; 기름이 묻다 / 拿酱油～着吃; 간장을 찍어 먹다. ② 동 젖다. 적시다. ③ 동 (냄새 등이) 배다. ¶味～在身上; 냄새가 몸에 배다. ④ 동 닿다. 접촉하다. ¶脚不～地; 발이 땅에 닿지 않다 / 他成天脚不～地身不～家; 그는 조금도 가만히 붙어 있지 않고 종일 이리저리 쫓아다니고 있다. ⑤ 동 (사상·기풍·습관 따위에) 물들다. ¶～染恶è习; 악습에 물들다 / 说话～点儿土音; 말에 약간 지방 사투리가 있다. ⑥ 동 (덕이나 은혜를) 입다. ¶大家都～了他的光了; 누구나가 다 그의 덕을 입었다. ⑦ 동 관계하다. 상관하다. 접촉하다. ¶朋友们都不敢～他; 친구들은 아무도 그와 접촉하려 하지 않는다 / 躲避不～; 피하고 관계하지 않다. ⑧ 형 〈方〉 괜찮다. 훌륭하다. 좋다. ¶你真～! 너 참 장하구나! / 这个活儿可不～; 이 일은 틀렸다. ⑨ 동 한쪽으로 다그다〔다그치다〕. 곁에 가까이 대다. ¶把这个桌子～着往西一点儿搁着; 이 탁자를 서쪽으로 약간만 붙여 놓아라. ⑩〈文〉 옛날에 '觇chān'과 통용함. ⑪지명용 자(字). ¶～化县; 잔화 현(霑化縣)《산둥 성(山東省)에 있는 현 이름》.
〔沾碍〕 zhān'ài 동 지장을 주다. 장애가 되다. ¶～我的事情; 나의 일에 지장을 주다.
〔沾包(儿)〕 zhān·bāo(r) 동 ①⇒〔沾裹〕 ②연루되다. 언걸먹다. 말려들다. ¶你说吧, 不能怪你, 你要不说呀, 有事可得～; 말해라, 너를 나무라지는 않을 테니까. 만일 말하지 않으면 무슨일이 있을 때 연루될 수 있다.
〔沾边(儿)〕 zhān·biān(r) 동 ①관계하다. 건드리다. 접촉하다. ¶关于这个问题, 他不愿意～; 그는 이 문제에 관계하기를 원치 않는다. ②진실에 가깝다. 일정한 수준에 가까워지고 있다. ¶他唱得还～儿; 그의 노래는 그런대로 괜찮다. ③(청루에) 등루하다. (기녀와) 관계를 갖다. ¶那班刘姑娘, 你沾过边儿没有? 저 청루(青樓)의 유(劉) 낭자와 자네는 관계를 가져 본 일이 있는가?
〔沾病〕 zhān bìng 병에 걸리다. 병이 옮다.
〔沾补〕 zhānbu 동 (이익으로) 윤택해지다. 혜택을 주다. ¶因为有外快, 手头儿～; 임시 수입이 있어 용돈에 보탬이 되다.
〔沾潮〕 zhān·cháo 동 누기차다. 축축해지다. =〔沾湿〕
〔沾唇〕 zhān·chún 동 입술을 축이다. 〈比〉 입에 대다. ¶他是烟酒都不～的; 그는 담배도 술도 입에 대지 않는다.
〔沾逮〕 zhāndài 동 〈文〉 은혜를〔혜택을〕 입다.
〔沾恩〕 zhān'ēn 동 은혜를 입다.
〔沾丐〕 zhāngài 동 〈文〉 여택(餘澤)이 두루 미치다. ¶～后人多矣; 후세 사람에게 여택을 미치는 바가 크다.
〔沾溉〕 zhāngài 동 〈文〉 ①관계가 고루 미치다. ②〈比〉 혜택이 고루 미치다.
〔沾感〕 zhāngǎn 동 〈文〉 깊이 감사하다.
〔沾光〕 zhān·guāng 동 힘을 입다. 덕을 보다. ¶他都是沾了他岳家的光才有今日; 그는 완전히 처가 덕으로 현재의 지위를 얻은 것이다 / 沾他的光; 그의 덕택으로.
〔沾光得济〕 zhān guāng dé jì 〈成〉 남의 은혜를 입어 구제되다.
〔沾裹〕 zhān·guǒ 동 (싸듯이) 착 달라붙다. =〔沾包(儿)①〕
〔沾寒〕 zhānhán 동 〈文〉 젖어서 추위를 느끼다.
〔沾花惹草〕 zhānhuā rěcǎo 〈比〉 이성〔여성〕을 유혹하다.
〔沾火〕 zhān·huǒ 동 ⇒〔淬cuì火〕
〔沾尖取巧〕 zhān jiān qǔ qiǎo 〈成〉 상사에게 아첨하다〔알랑거리다〕.
〔沾衿〕 zhānjīn 동 〈文〉 눈물이 옷깃을 적시다. =〔沾襟〕
〔沾襟〕 zhānjīn 동 ⇒〔沾衿〕
〔沾口〕 zhānkǒu 동 입에 대다. ¶烟酒不～; 담배도 술도 입에 대지 않다.
〔沾利儿就走〕 zhānlìr jiù zǒu 〈京〉 조금 이득이 있으면 즉시 팔다. 박리다매《'走'는 '走货' 곧 파는 일》. ¶人家都看三分利, 他是～; 다른 사람은 3할의 이익을 내다보지만, 그는 조금만 이득이 있으면 즉시 팔아 버린다.
〔沾恋〕 zhānliàn 동 아쉬워하다. 연연하다. 미련이 남다. ¶否认了西洋一切的把戏, 更不～; 서양적인 일체의 것들을 부인하고, 조금도 아쉬움을 느끼지 않다.
〔沾泥〕 zhān·ní 동 진흙이 묻다. 진흙으로 더러워지다.
〔沾便宜〕 zhān piányi 〈贬〉 여택을 받다. 가외(加外)의 이익을 보게 되다. 실속을 차리다.
〔沾洽〕 zhānqià 동 〈文〉 ①(비가 와서) 충분히 축이다. ¶农亩～; 밭이 충분히 촉촉하게 젖다. ②만족하다. ¶莫不～; 만족하지 않음이 없다. ③널리 두루 미치다. ¶威惠～; 은혜와 위세가 두루 미치다.
〔沾亲〕 zhānqīn 동 친척 관계가 있다. ¶我跟他沾点儿亲; 나와 그는 친척 관계이다.

〔沾亲带故〕 zhān qīn dài gù 〈成〉 친척이나 친구로서의 관계가 있다. 조금씩이라도 관계가 있다. ¶一不沾亲, 二不带故; 친척 관계도 친구 관계도 없다 / 过去的私营工厂的职员多半是跟老板~的; 예전의 사영(私營) 공장의 직원은 대다수가 경영자와 연고 관계가 있는 자였다.
〔沾儿〕 zhānr 명 〈京〉 더러움. (특히 과일의) 흠집. ¶这些果子有点儿~, 所以比较便宜; 이 과일은 약간 흠집이 있어 비교적 싸다.
〔沾染〕 zhānrǎn 동 ①물들(어 나빠지)다. ¶~恶è习; 악습에 물들다 / 要是常跟他在一块儿没有不~坏了的; 그와 늘 함께 있으면 나쁜 감화를 받지 않는 사람이 없다. ②옮다. 감염되다. 오염되다. ¶创口~了细菌; 상처가 세균에 감염되었다. ③정을 통하다. 남녀 관계가 있다. ¶他们两个有点儿~; 저 두 사람은 좀 관계가 있다. ④손을 대다. ¶公家的钱我们是不能~分毫的; 우리는 공금에는 조금도 손을 댈 수 없다.
〔沾惹〕 zhānrě 동 상대하다. 손을 대다. 건드리다. ¶她是有名儿的母老虎, ~不得; 그녀는 사납기로 유명하니, 쓸데없이 상관하지 마라.
〔沾辱〕 zhānrǔ 동 치욕을 당하(게 하)다. ¶~了劳动模范的光荣称号; 노동 모범의 영광스러운 칭호에 치욕을 입게 했다.
〔沾润〕 zhānrùn 동 이익(利益)을 보다. 혜택을 입다. 덕을 보다.
〔沾上〕 zhānshang 동 ①(나쁜 일에) 물들다. ¶~了坏习惯; 나쁜 습관에 물들었다. ②부착하다. 붙이다. ③묻다.
〔沾湿〕 zhānshī 동 누기차다. 축축하게 젖다. =〔沾潮〕
〔沾手〕 zhān,shǒu 동 ①손에 닿다. 손을 대다. ¶雪花一~就化了; 눈송이는 손에 닿자 곧 녹아 버렸다. ②〈轉〉 관여하다. 참여하다. 관계하다. 끼여들다. ¶这件事你不必~; 이 일에 너는 관여할 필요가 없다 / 什么活儿他一~就会; 무슨 일이고 그가 손을 대면 금방 된다.
〔沾受〕 zhānshòu 동 (은혜 또는 손실을) 입다. 받다.
〔沾水〕 zhān,shuǐ 동 ①물에 젖다. ¶这货物一~就不值钱了; 이 물건은 조금만 물에 젖어도 값어치가 없어진다. ②(쇠를) 불리다. 담금질하다.
〔沾污〕 zhānwū 동 더럽히다. 더러워지다. =〔展zhǎn污〕
〔沾弦〕 zhān,xián 동 ①관계하다. 관련하다. ②격에 맞다. 어울리다. ¶妇女打井就是不~; 부녀자가 우물을 파는 것은 꼴불견이다.
〔沾嫌〕 zhānxián 동 ①의심을 받다. 혐의를 받다. ¶我怕~, 所以得离远点; 나는 혐의를 받는 것이 두려우니까, 멀리 떨어져 있어야겠다. ②오해를 받다. ¶这话有点儿~, 还是不说好; 이 이야기는 오해를 받기 쉬우니, 역시 말하지 않는 것이 좋겠다. ③남이 까닭 없이 싫어하다.
〔沾相赢〕 zhān xiāngyíng 득보다. 잇속을 차리다. =〔沾便宜〕
〔沾牙〕 zhān yá ①이에 달라붙다. ②〈比〉 말하기가 조심스럽다〔거북하다〕. ¶事关暧昧说着~; 일이 모호한 만큼 말하기가 거북하다. ③〈比〉 발음이〔말투가〕 분명치 않다.
〔沾衣〕 zhānyī 동 (땀이나 비 따위에) 옷이 젖다. (기름이나 흙 따위가) 옷에 묻다.
〔沾雨〕 zhān,yǔ 동 비에 젖다. 비를 맞다. ¶这件雨衣一~就漏; 이 레인코트는 조금만 젖어도 곧 스며든다.
〔沾沾自喜〕 zhān zhān zì xǐ 〈成〉 대단히 흡족한 모양. 득의 양양한 모양. ¶~于一得之功; 대수롭지 않은 성공을 가지고 득의 양양하다.
〔沾滞〕 zhānzhì 동 일에 너무 구애되다〔집착하다〕. 융통성이 없다. ¶有人说他太~, 其实他是个认真做事的人; 어떤 사람은 그가 일에 너무 집착한다고 말하지만, 실제로는 그는 착실하게 일하는 사람이다.

毡(氈〈氊〉) **zhān** (전) (~子) 명 ①모직물(毛織物). ②펠트(felt). ③모전(毛氈). ¶擀~(子); 모전을 만들다 / 炕~; 온돌에 까는 모전.
〔毡包〕 zhānbāo 명 ①파오. ②펠트 가방.
〔毡垫〕 zhāndiàn 명 펠트 패킹(felt packing).
〔毡房〕 zhānfáng 명 파오(몽골인이 사는 천막).
〔毡匠〕 zhānjiàng 명 모직물 장인(匠人).
〔毡巾〕 zhānjīn 명 나사 모자.
〔毡帘〕 zhānlián 명 모전으로〔펠트로〕 만든 차양 없는 모자.
〔毡帽〕 zhānmào 명 ①옛날, 전이 옆으로 펴지지 않고 위로 꺾여 올라간 나사 모자. ②중절모.
〔毡帽(儿)〕 zhānmào(r) 명 모직(毛織)의 모자. 소프트(soft) 모자.
〔毡呢〕 zhānní 명 《紡》 펠트(felt). ¶~帽; 펠트 모자.
〔毡毯〕 zhāntǎn 명 모전(毛氈). 양탄자.
〔毡屉〕 zhāntì 명 안장 밑에 까는 모포.
〔毡条〕 zhāntiáo 명 〈方〉 짐승털을 압착(壓搾)한 두꺼운 양탄자. ¶~铺; 담요 가게.
〔毡鞋〕 zhānxié 명 모전〔펠트〕 방한화.
〔毡衣〕 zhānyī 명 두꺼운 모직 옷.
〔毡帐〕 zhānzhàng 명 펠트 천막.
〔毡状滤纸〕 zhānzhuàng lǜzhǐ 명 펠트 모양의 여과지.
〔毡子〕 zhānzi 명 ①펠트. ②모전. ③담요. 두꺼운 모포(毛布). ‖ =〔毛毡〕

粘 **zhān** (점) 동 ①달라붙다. 들러붙다. 붙다. ②(풀이나 아교로) 붙이다. ¶~信封; 편지 봉투를 붙이다 / 把浆糊~在一起; 풀로 한데 붙여 두다 / 把宣传书~在墙上; 포스터를 담벼락에 붙이다. ⇒nián
〔粘不住〕 zhānbuzhù 달라붙지 않다. ¶浆子~; 풀이 붙지 않다.
〔粘虫胶〕 zhānchóngjiāo 명 (벌레 잡는) 끈끈이.
〔粘封〕 zhānfēng 동 (붙여서) 봉하다.
〔粘附〕 zhānfù 동 부착하다.
〔粘合〕 zhānhé 동 접합하다. 접착하다. 점착하다. ¶~剂; 접착제.
〔粘连〕 zhānlián 동 ①《醫》 유착(癒着)하다. ¶肠~; 장유착. ②관련되다. 연관되다. ¶他与此事无~; 그는 이 일과 관련이 없다.
〔粘鸟胶〕 zhānniǎojiāo 명 (새 잡는) 끈끈이. =〔鸟黐〕
〔粘上〕 zhānshang 동 (풀 등으로) 붙이다. ¶把邮票~; 우표를 붙이다.
〔粘手〕 zhān,shǒu 동 ①하기 힘들다. 애를 먹다. ¶那个事情真~; 그 일은 정말 하기 힘들다. ②〈比〉 손을 대다. 간섭하다. 관계하다. ③손에 들러붙다.
〔粘贴〕 zhāntiē 동 (풀 따위로) 붙이다. =〔张zhāng贴〕
〔粘信口〕 zhān xìnkǒu 편지 봉투를 봉하다.

〔粘牙〕 zhān yá ①이에 달라붙다. ¶麦芽糖吃起来有点～; 물엿은 먹으면 이에 좀 달라붙는다. ②〈方〉〈比〉 말하기 곤란하다. ③〈比〉 발음이 불분명하다〔어색하다〕. ¶这句话我连学说一遍都觉得～; 이 말은 한 번 흉내내어 말하기조차 부자연스럽다.
〔粘牙搭齿〕 zhānyá dāchǐ 〈比〉 말이〔말투가〕 분명치 않다.
〔粘住〕 zhānzhù 동 달라붙다. 고착(固着)하다.

旃 zhān (전)
①조〈文〉 문말 조사(文末助詞) '之焉'을 연용(連用)하는 것과 같은 뜻임. ¶勉～! 노력하라! / 慎shèn～! 조심해라! ②→〔旃檀〕 ③'毡 zhān'과 통용. ④명 옛날, 구부린 자루에 늘어뜨린 기(機).
〔旃檀〕 zhāntán 명《植》〈文〉 백단향. =〔檀香〕

栴 zhān (전)
→〔栴檀〕
〔栴檀〕 zhāntán 명《植》 백단향(白檀香). =〔旃檀〕

詹 zhān (첨)
①동 고르다. ¶～阳历五日; 양력 5일을 택하여. ②음역자. ¶～姆斯; 제임스의 음역. ③명 성(姓)의 하나.

谵(譫) zhān (섬)
〈文〉 ①명 헛소리. 잠꼬대. =〔谵语〕 ②동 말을 많이하다. 수다떨다. ③동 헛소리하다.
〔谵妄〕 zhānwàng 명《醫》 섬망《알코올·모르핀 중독 및 급성 전염병 등에 따르는 병증》.
〔谵语〕 zhānyǔ 명〈文〉 헛소리. 잠꼬대. ¶说～=〔打～〕〔打谵〕; 헛소리를 하다.

噡 zhān (첨)
동〈文〉 말을 많이 하다. 잘 지껄이다.

瞻 zhān (첨)
①동 바라보다. 내다보다. 우러러보다. ¶～前顾后; 〈成〉 앞을 보다 뒤를 보다 하다《ⓐ사전에 신중히 생각함. ⓑ우유부단함》/ 马首是～; 〈成〉 모두 두목의 선도에 꼭 일치하여 좇다. 권위자에게 영합하다 / 观～; 조망하다. 바라보다 / 得～风范, 获益良多; 〈翰〉 당신을 뵈어, 매우 유익했습니다. ②명 성(姓)의 하나.
〔瞻对〕 zhānduì 동〈文〉 ①천자를 뵙다〔알현하다〕. ②뵙다. 경해(謦欬)에 접하다.
〔瞻顾〕 zhāngù 동〈文〉 ①보살피다. 돌보다. ¶我有几个钱要～～他; 나는 약간 돈이 있으니까 그를 돌봐 주어야겠다. ②앞을 보고 뒤를 보다. 〈比〉 앞뒤를 생각하다. 우유부단하다. ¶徘徊～; 〈城〉 망설이어 결단이 서지 않다.
〔瞻韩〕 zhān Hán 〈成〉 명성을 그리며 흠모하다《이백(李白)이 한형주(韓荊州)에게 낸 편지에서 나온 말》. ¶久切～, 无缘御李; 〈翰〉 오래도록 뵈옵고 싶었습니다만, 아직 그 기회를 얻지 못하였습니다.
〔瞻礼〕 zhānlǐ 명 ①(가톨릭교의) 축일(祝日). ②요일《가톨릭 교도는 일요일을 '主日'이라 하고, 월요일에서부터 차례로 '～二' '～三' 등이라 일컬음》.
〔瞻恋〕 zhānliàn 동 아쉬워하다. 연연하다. ¶～弗舍; 〈成〉 그리며 못 잊어하다. 아쉬워하며 헤어지지 못하다. =〔沾恋〕
〔瞻念〕 zhānniàn 동 장래의 일을 생각하다. 전망하다. 내다보다. ¶～前途; 앞날을 생각하다.
〔瞻前顾后〕 zhān qián gù hòu →〔字解①〕
〔瞻切〕 zhānqiè 동〈文〉 간절히 앙망하다.
〔瞻情顾意〕 zhān qíng gù yì 〈成〉 진심으로 배려하다. 정성껏 돌봐 주다.
〔瞻山斗〕 zhān shāndǒu 〈比〉 대가(大家)를 친히 만나다《태산 북두(泰山北斗)를 우러러본다는 데서 나온 말》. ¶得一～, 平生之愿足矣; 대가(大家)를 한번 뵐 수 있다면, 평생 소원이 풀린 셈이다.
〔瞻望〕 zhānwàng 동〈文〉 ①우러러보다. ②의식(儀式) 등에 참석하다. ③멀리 바라다보다. 〈比〉 장래를 내다보다. ¶～前途; 전도를 생각하다 / 抬头～; 머리를 들어 멀리 바라보다 / ～前途, 不胜欢欣; 앞날을 바라보니 기쁘기 짝이 없다.
〔瞻徇〕 zhānxùn 동〈文〉 개인 감정에 구애되다. 사정을 봐 주다. ¶～情面; 정실(情實)에 끌리다.
〔瞻仰〕 zhānyǎng 동 ①우러러 바라보다. ②(남의 것을) 배관(拜觀)하다. ¶那是稀罕的东西, 我要～～; 그건 진귀한 것입니다, 보여 주십시오. ③식전(式典) 등에 출석하다. 참배하다. ④〈轉〉 배청(拜聽)하다. ¶您尽管发挥议论, 好让他～～; 얼마든지 의견을 말씀하여 그에게 들려 주십시오. ‖=〔仰瞻〕
〔瞻依〕 zhānyī 동〈文〉 존경하여 가까이 하다.

邅 zhān (전)
→〔邅回〕
〔邅回〕 zhānhuí 동〈文〉 ①배회하다. 머뭇거리다. 나아가지 못하다. ②곤궁하여 마음대로 되지 않다.

饘(饘〈飦〉) zhān (전)
〈文〉 ①명 된 죽. ②동 죽을 먹다.

鹯(鸇) zhān (전)
명《鳥》 고서(古書)에서, 매와 비슷한 일종의 맹금(猛禽).

鳣(鱣) zhān (전)
명《魚》 '鲟xún'(철갑상어) 따위의 어류(魚類). ⇒shàn

斩(斬) zhǎn (참)
①동 베다. 끊다. 자르다. ¶～首; 참수(하다) / ～妖; 악인을 베다 / 披pī荆～棘; 〈成〉 곤란을 극복하고 장애를 뛰어넘다. ②명 참죄(斬罪). ¶处～; 참수형에 처하다. ③부 극히. ¶～ 新; 매우 새롭다.
〔斩草不除根, 逢春芽又生〕 zhǎncǎo bù chúgēn, féngchūn yá yòushēng 〈諺〉 풀을 베고 뿌리를 뽑지 않으면, 봄에 또 싹이 움튼다《화근(禍根)은 철저하게 제거해야 한다》.
〔斩草除根〕 zhǎn cǎo chú gēn 〈成〉 근원을 제거하다. 화근을 철저히 뿌리 뽑다. =〔斩草要除根〕〔拔bá本塞源〕〔剪jiǎn草除根〕
〔斩衰〕 zhǎncuī 명 참최《'五服' 중의 하나. 거친 베를 써서 자락의 가장자리를 공그르지 않고 입음》.
〔斩钉截铁〕 zhǎn dīng jié tiě 〈成〉 결단성 있고 단호하다. ¶他～地表示, 坚决完成任务; 틀림없이 임무를 완성한다고 그는 단호히 표명했다. =〔截铁斩钉〕
〔斩断〕 zhǎnduàn 동 자르다. 절단하다. ¶我们有充分的信心和力量～他的魔爪zhǎo; 우리에게는 그의 마수를 잘라 버리기에 충분한 신념과 힘이 있다.
〔斩而不奏〕 zhǎn ér bù zòu 〈成〉 조처를 취하고도 보고하지 않다. 사후에 보고를 하지 않다.
〔斩伐〕 zhǎnfá 동 토벌하다. 정복하다.

〔斩犯〕 zhǎnfàn 명 참형에 처하기로 정해진 범인.
〔斩假石〕 zhǎnjiǎshí 명 ⇨〔剁duò斧石〕
〔斩奸〕 zhǎnjiān 동 간신 또는 악인을 제거하다.
〔斩尽杀绝〕 zhǎn jìn shā jué 〈成〉 한 사람도 남기지 않고 모조리 죽이다.
〔斩决〕 zhǎnjué 동 참형에 처하다.
〔斩立决〕 zhǎnlìjué 명동 즉시 집행하는 참수형(에 처하다).
〔斩首〕 zhǎnshǒu 동 참수하다. 명 참수형.
〔斩新〕 zhǎnxīn 형 ⇨〔崭新〕
〔斩刑〕 zhǎnxíng 명 참형. 참수형.
〔斩罪〕 zhǎnzuì 명 참죄.

崭(嶄〈嶃〉) zhǎn (참) 형 ①〈文〉 높고 험준하다. 우뚝 솟다. ¶～然露头角; 뛰어나게 두각을 나타내다. ②〈方〉 뛰어나다. 훌륭하다. 월등하다. ¶滋味真～! 참으로 좋은 맛이군! ⇒chán
〔崭露头角〕 zhǎn lù tóu jiǎo 〈成〉 두각을 나타내다.
〔崭然〕 zhǎnrán 형 〈文〉 ①뛰어나다. 한층 훌륭하다. ②우뚝 솟아 있다.
〔崭新〕 zhǎnxīn 형 참신하다. ¶他换了～的衣裳; 그는 새옷으로 갈아입었다. =〔斩新〕

㟅(嶃) zhǎn (참) 동 〈方〉 (눈을) 깜박이다. =〔眨zhǎ眼〕

盏(盞〈琖,醆〉) zhǎn (잔) ① 명 작은 술잔. ② 명 등잔의 기름 접시. ③ 양 등. 개(등(燈)을 세는 단위). ¶这屋子里得安两～; 이 방에는 전등을 2개 달아야 한다.

飐(颭) zhǎn (점) 동 〈文〉 바람이 불어 움직이다. ¶清风～水; 청풍이 수면에 물결을 일으키다.

展 zhǎn (전) ① 동 펼치다. 전개하다. 펴다. ¶～开斗争; 투쟁을 전개하다 / ～卷一读; 책을 펼쳐서 일독하다 / ～翅; 날개를 펴다 / 愁眉不～; 찌푸린 눈살을 펴지 못하다. 걱정이 가시지 않다. ② 동 연기(延期)하다. 늦추다. ¶～期开会; 개회를 연기하다. ③ 동 나타내다. 드러내다. 발휘하다. ¶大～奇才; 뛰어난 재주를 크게 발휘하다 / 一筹莫～; 〈成〉 아무런 대책도 세울 수 없다 / ～其所长; 그 장기로 하는 바를 발휘하다. ④ 명동 전시(하다). 전람(하다). ¶画～; 그림 전람회 / 预～; 전람회 전의 특별 초대 / ～出; 전시하다. ⑤ 동 가볍게 눌러 수분을 닦아 내다. ¶快把衣裳～干净了, 桌上的酒回头再擦; 빨리 옷 쪽을 닦아 내세요. 탁자 위의 술은 뒤에 훔치면 되니까. =〔搌〕 ⑥ '辗zhǎn' 과 통용. ⑦ 명 성(姓)의 하나.
〔展巴眼儿〕 zhǎnbayǎnr 〈方〉 ⇨〔眨zhǎ巴眼儿〕
〔展拜〕 zhǎnbài 동 〈文〉 궤배(跪拜)하다. 무릎을 꿇고 절하다.
〔展布〕 zhǎnbù 동 〈文〉 ①생각하고 있는 바를 진술하다. ②능력을〔솜씨를〕 발휘하다. ¶～经纶lún; 수완을 발휘하다.
〔展才〕 zhǎncái 동 재능을 발휘하다. 솜씨를 보이다.
〔展长〕 zhǎncháng 동 연장하다. 연기하다.
〔展成法〕 zhǎnchéngfǎ 명 ⇨〔渐jiàn展法〕
〔展翅〕 zhǎnchì 동 날개를 펼치다. ¶～高飞; 〈成〉 날개를 펴서 높이 날다(대약진하다. 급속히 발전하다).
〔展出〕 zhǎnchū 명동 진열 전시(하다). ¶中国商品展览会, 通过这次～, 使韩国人民对新中国经济建设上取得的成就有了新的了解; 중국 상품 전람회는 이번의 상품 전시를 통해서 한국 인민에게 새로운 중국 경제 건설의 성과에 대하여 새로운 인식을 얻게 하였다.
〔展大〕 zhǎndà 동 넓어지다. 확대하다.
〔展读〕 zhǎndú 동 ⇨〔展诵〕
〔展柜〕 zhǎnguì 명 전시 케이스. 진열장. 쇼케이스(showcase).
〔展缓〕 zhǎnhuǎn 동 연기하다. 늦추다. ¶行期又～了; 출발 날짜가 또 연기되었다.
〔展技〕 zhǎnjì 동 〈文〉 기량을 발휘하다.
〔展骥(足)〕 zhǎn jì(zú) 〈文〉〈比〉 재능을 충분히 발휘하다.
〔展卷〕 zhǎnjuàn 동 〈文〉 책을 펴(서 읽)다.
〔展开〕 zhǎn.kāi 동 ①넓히다. 펼치다. 펴다. ¶～翅膀; 날개를 펴다 / 把地图～; 지도를 펼치다 / 把信～一看…; 편지를 펴서 보니…. ②(추상적인 일을 대규모로) 벌이다. 전개하다. ¶～大辩论; 대논쟁을 벌이다.
〔展开面积〕 zhǎnkāi miànjī 명 《建》 건평(建坪). =〔建jiàn筑面积〕
〔展开式〕 zhǎnkāishì 명 《數》 전개식.
〔展宽〕 zhǎnkuān 동 (길 따위의 폭을) 넓히다.
〔展览〕 zhǎnlǎn 명동 전람(하다). 전시(하다). ¶～(会); 전람회. 전시회 / ～馆; 전람회관 / ～着新农具; 신식 농구를 전시하고 있다. 명 전람회. ¶看～ =〔参观～〕; 전람회를 구경하다 / 农业成就～; 농작물 전시회 / 举办厂史～; 공장사(工場史) 전시회를 개최하다 / 搞服装～; 의복 전시회를 열다 / 中国贸易商品～会; 중국 상품 견본시(見本市).
〔展览走廊〕 zhǎnlǎn zǒuláng 명 화랑(畫廊). 갤러리(gallery).
〔展眉〕 zhǎnméi 동 찌푸렸던 눈살을 펴다. 〈轉〉 기뻐하다.
〔展墓〕 zhǎnmù 명동 〈文〉 성묘(하다).
〔展品〕 zhǎnpǐn 명 전시품. 출품. =〔展览品〕
〔展期〕 zhǎnqī 동 기일을 연기하다. 기한을 늦추다. 기한을 연장하다. ¶～一年; 1년 연기하다 / 演出～一个月; 공연은 1개월 연기한다. 명 (전람회 등의) 회기(會期). 전시 기간. ¶此次美展, ～为一个月; 금번 미술전의 회기는 1개월이다.
〔展示〕 zhǎnshì 동 펼쳐서 보이다. 분명히 보이다. 드러내 보이다. ¶这个规划给我们～了美好的前景; 이 플랜은 우리들에게 멋진 미래를 확실히 보여 주고 있다 / 作品～了人物的内心活动; 작품에서 인물의 내면 세계를 드러내 보인다.
〔展视〕 zhǎnshì 동 〈文〉 바라보다.
〔展舒〕 zhǎnshū 동 펴다.
〔展诵〕 zhǎnsòng 동 〈翰〉 편지를 (펴서) 읽다. 보내주신 편지를 읽다. =〔展读〕
〔展望〕 zhǎnwàng 명동 전망(하다). 예측(하다). ¶～未来; 미래를 전망하다 / ～前景; 장래를 전망하다 / ～国际形势; 국제 정세를 전망하다 / 登上山顶向四周～; 산 정상에 올라가서 사방을 전망하다 / 二千年代的～; 2,000년대의 전망.
〔展限〕 zhǎnxiàn 동 기한을 미루다〔연장하다〕.
〔展现〕 zhǎnxiàn 동 (눈앞에) 전개되다. 나타나다. 펼쳐지다. ¶～了新貌; 새로운 모습을 나타냈다.
〔展销〕 zhǎnxiāo 명동 〈文〉 전시 즉매(하다). ¶家

庭电气用具～会; 가전 제품 전시 판매회.
〔展谢〕 zhǎnxiè 동 〈文〉 ①사과하다. ②인사말을 하다.
〔展信〕 zhǎnxìn 동 〈文〉 편지를 개봉하다.
〔展性〕 zhǎnxìng 명 〖物〗 (금속 따위의) 전성.
〔展延〕 zhǎnyán 동 (기일 등을) 연장하다. ¶～期间; 기간을 연장하다.
〔展眼〕 zhǎn,yǎn 동 눈을 뜨다. 눈을 깜박이다. ¶～之间; 눈 깜짝할 사이. (zhǎnyǎn) 형 (태도가) 온화하다. ¶～舒眉; 온화한 얼굴.
〔展样〕 zhǎnyang 형 ①(사람됨이) 밝고 시원스럽다. 쾌활하고 명랑하다. ¶长zhǎng得～; 밝고 쾌활하게 생겼다/做事做得～; 일하는 식이 시원스럽다. ②(내부 장치·배치 등이) 차분하고 훌륭하다. ¶屋里摆bǎi得挺～; 실내 배치가 매우 훌륭하다.
〔展转〕 zhǎnzhuǎn 동 ⇨〔辗转〕

搌 zhǎn (전)
동 ①닦다. 훔쳐내다. →〔搌布〕 ②가볍게 눌러서 물기를 닦아 내다〔빨아들이다〕. ¶用药棉花～一～; 탈지면으로 살짝 닦아 내다/把眼泪～一～; 눈물을 살짝 닦아 내다/纸上落了一滴墨, 快拿吸墨纸～一～吧; 종이에 잉크가 한 방울 떨어졌으니, 빨리 압지(押紙)로 빨아 내라.
〔搌布〕 zhǎnbu 명 걸레. 행주(《작대기 끝에 걸레를 단 것은 '墩布'라고 함》). ¶拿～来把桌子擦干净吧! 걸레를 갖고 와서 탁자 위를 말끔히 닦아라!/干净～; 깨끗한 것을 닦는 행주/脏～; 더러운 것을 훔치는 행주. =〔擦桌布〕

辗(輾) zhǎn (전)
→〔辗转〕 ⇒niǎn
〔辗转〕 zhǎnzhuǎn 동 ①전전하여 전해지다. 이리저리 사람 손을 거치다. 곡절을 겪다. 간접적이 되다. ¶～托人; 이 사람 저 사람에게 부탁하다/～传说; 이 사람 저 사람을 거쳐서 귀에 들어오다/～到了陕北; 전전하여 산시 성(陝西省) 북부까지 갔다. ②몸을 뒤척이다. ¶～反侧; 〈成〉 (수심으로 잠 못 이루고) 몇 번이나 몸을 뒤척이다. ‖=〔展转〕

皽 zhǎn (전)
명 〈文〉 피부의 겉껍질(《표피 맨 위층의 떨어지는 부분》).

黵 zhǎn (담)
동 〈方〉 더러워지다. 더럼을 타다. ¶这种布颜色暗, 禁jīn～; 이런 천은 빛깔이 어두워서 더럼이 잘 나타나지 않는다.

占〈佔〉 zhàn (점)
동 ①차지하다. 점령하다. ¶强～; 힘으로〔강제로〕 손에 넣다/攻～; 공략하다/霸～; 가로채다. ②(장소·비율을) 차지하다. (어떤 상태에) 처하다. ¶～多数; 다수를 점하다/出勤率～百分之九十八强; 출근율은 98퍼센트 남짓을 차지하고 있다/～优势 =〔～上风〕; 우세를 차지하다. ⇒zhān
〔占不着〕 zhànbuzháo (그 자리에) 놓아 둘 필요가 없다. 사용할 일이 없다. ¶洗了～的家具; 쓰지도 않는 가구를 씻었다.
〔占地步〕 zhàn dìbù 위치를 점하다. 입장을 지키다. ¶他这么说话自然是为他自己～呢; 그가 이렇게 말하는 것은 말할 것도 없이 자기의 입장을 지키기 위해서이다. =〔占脚步儿〕
〔占地方〕 zhàn dìfang ①쓸모가 있다. 영향력이 있다. 세력을 떨치다. ¶这位老年人, 是有头有脸说话～的; 이 노인네는 잘 알려져서 말발이 선다. ②장소를 차지하다. ¶这件行李太大, ～; 이 짐은 너무 커서 자리를 많이 차지한다.
〔占地面积〕 zhàndì miànjī 명 부지(敷地) 면적. ¶这个动物园～约五十公顷; 이 동물원의 부지 면적은 50헥타르이다.
〔占夺〕 zhànduó 동 점탈하다. 점령 탈취하다. ¶～市场; 시장을 점탈하다.
〔占房〕 zhàn,fáng 동 ①방을 점거〔차지〕하다. ②〈方〉 아이가 태어나다(《태어나서 한 칸을 차지하다》). ¶～了没有? 태어났느냐?
〔占股〕 zhàn,gǔ 동 주식을 소유하다. (zhàngǔ) 명 소유주(所有主).
〔占光〕 zhànguāng 동 덕을 보다. 이익을 받다. 은혜를 입다. =〔沾zhān光〕
〔占脚步儿〕 zhàn jiǎobur ⇨〔占地步〕
〔占酒〕 zhànjiǔ 명 진(gin). =〔杜dù松子酒〕
〔占据〕 zhànjù 동 점거〔차지〕하다. 점유하다. ¶～了优势; 우세한 지위를 차지하다. 우위에 서다.
〔占理〕 zhàn,lǐ 동 도리를 자기 것으로 해두다. 나중에 구실을 댈 수 있도록 선수(先手)를 치다. ¶破话儿先说为的是先～; 먼저 트집을 잡아 두는 것은 나중에 핑계를 댈 수 있도록 선수를 쳐 두는 것이다. =〔占婆儿〕〔占铺pù儿〕
〔占领〕 zhànlǐng 명동 점령(하다).
〔占路〕 zhàn,lù 동 횡령(橫領)하다. 점유(占有)하다.
〔占门〕 Zhànmén 명 ⇨〔慕Mù尼黑〕
〔占便宜〕 zhàn piányi ①재미를 보다. 정당치 못한 방법으로 자기에게 이롭도록 하다. 잇속을 차리다. ¶占小便宜; 약간의 이익을 챙기다/占小便宜吃大亏; 〈諺〉 소리(小利)를 탐하다가 대리(大利)를 잃다. ②〈比〉 유리한 조건을 지니다. ¶你个子高, 打篮球顶～; 너는 키가 크니까 농구하기에 대단히 유리하다.
〔占婆儿〕 zhànpór 동 ⇨〔占理〕
〔占铺儿〕 zhànpùr 동 ⇨〔占理〕
〔占三从二〕 zhànsān cóng'èr 다수(多數)를 좇다. 대세에 따르다.
〔占上风〕 zhàn shàngfēng 유리한 입장에 서다. 우위를 차지하다. ¶～意见; 우세한 의견. 대세(大勢)를 차지하는 의견/那一次办交涉也是他们～; 그 교섭을 했을 때도 그들이 유리한 입장이었다.
〔占守〕 zhànshǒu 동 점령하여 지키다.
〔占位子〕 zhàn,wèizi 동 장소를 점하다. 자리를 잡다. ¶找人～; 남에게 (부탁하여) 자리를 잡아 달라고 하자.
〔占戏〕 zhàn,xì 동 연극에 출연하다. (zhànxì) 명 출연하는 장면. ¶她～最多; 그녀가 나오는 장면이 가장 많다.
〔占先〕 zhàn,xiān 동 앞지르다. 선수(先手)를 치다. ¶他无论做什么事情老想～; 그는 무슨 일을 하든지 늘 남을 앞지르려 한다.
〔占线〕 zhàn,xiàn 동 (전화가) 통화중이다. ¶占着线呢! 통화중입니다!
〔占用〕 zhànyòng 동 점용하다. 점유하여 사용하다.
〔占有〕 zhànyǒu 동 ①점유하다. 점거하다. ¶从前地主～了这个村子的绝大部分土地; 전에는 지주가 이 마을의 거의 모든 땅을 점유하고 있었다. ②차지하다. ¶农业在国家经济中～重要地位; 농업은 국가 경제 중에서 중요한 지위를 차지하고 있다. ③장악하다. 보유하다. ¶科学研究必须～大量材

料; 과학 연구에는 반드시 많은 재료를 가져야 한다.

〔占着〕 zhànzhe 동 비어 두지 않다. 차지하다. 막아 두다. ¶～茅坑不拉屎; 〈諺〉 변소간을 차지하고도 대변을 보지 않는다《직위(職位)를 점유하고 일은 안 함》.

战(戰) zhàn (전) ① 명 전쟁. 싸움. 시합. ¶棋qí～; 바둑〔장기〕 시합 / 때～ =〔索suǒ～〕〔挑tiǎo～〕; 도전하다 / 激～了两天; 2일간 격전했다 / 宣～; 선전 포고(를 하다) / 作～; 전투(하다). ② 동 전쟁하다. 싸우다. ¶连～皆胜; 연전 연승하다 / ～必胜, 攻必取; 〈成〉 싸우면 반드시 이기고, 공격하면 반드시 점령한다 / 愈～愈勇; 싸우면 싸울수록 용감해진다. ③ 동 떨다. ¶打～; 떨다 / 冷得直打～; 추워서 계속 떨다 / 胆～心惊; 〈成〉 무서워서 부들부들 떨다. ④ 동 싸우다. 투쟁하다. ¶为祖国而～; 조국을 위하여 싸우다 / 勇～洪水; 홍수와 용감히 싸우다. ⑤ 명 성(姓)의 하나.

〔战败〕 zhànbài 동 ①전쟁에서 패배시키다. ¶～敌dí人; 적을 패배시키다〔무찌르다〕. ②전쟁에서 지다. ¶～国; 패전국 / 在和孙行者的格斗中铁扇公主～了; 손오공과의 싸움에서 철선 공주는 졌다.

〔战报〕 zhànbào 명 ①전황(戰况) 보도. 전쟁 기사(記事). ②〈轉〉 (생산 · 방재(防災) 등의) 성과 · 상황 보도.

〔战备〕 zhànbèi 명 전비. ¶一级～; 최고의 임전 체제〔태세〕를 가리킴 / ～物资; 전비 물자.

〔战表〕 zhànbiǎo 명 도전장. 선전 포고서. ¶下～; 선전 포고문을 내다. =〔战书〕

〔战策〕 zhàncè 명 전략. 작전.

〔战场〕 zhànchǎng 명 ①전장. 전쟁터. ②(노동 · 생산의) 현장.

〔战车〕 zhànchē 명 ①고대의 전차. 병거(兵車). ② '坦tǎn克(车)' (탱크. 전차)의 구칭. ③군용차.

〔战船〕 zhànchuán 명 군함. =〔军jūn舰〕

〔战刀〕 zhàndāo 명 기병(騎兵)이 돌격할 때 쓰는 약간 긴 칼. =〔马mǎ刀①〕

〔战地〕 zhàndì 명 전지. 전쟁터. 교전지. 전선. ¶～采访; 전지 취재(取材). 종군 취재.

〔战动〕 zhàndòng 동 (무서워) 떨다. 전율하다.

〔战抖〕 zhàndǒu 동 부들부들 떨다. ¶他冷得全身～; 그는 추워서 온몸을 부들부들 떤다. =〔颤抖〕

〔战斗〕 zhàndòu 명동 ①〖軍〗 전투(하다). ¶激烈的～; 격렬한 전투. ②(일반적으로) 투쟁(하다). 싸우다. ¶～岗位; 전투 부서. 노동이나 운동의 담당 부서 / ～口号; 전투적인 구호.

〔战斗机〕 zhàndòujī 명 '歼jiān击机' (전투기)의 구칭.

〔战斗力〕 zhàndòulì 명 ①〖軍〗 전투 능력. ②(일반적으로 정당 · 조직 등의) 전투력.

〔战斗友谊〕 zhàndòu yǒuyì 명 전우애.

〔战斗员〕 zhàndòuyuán 명 전투원. ¶非～; 비전투원.

〔战端〕 zhànduān 명 〈文〉 ⇨〔兵bīng端〕

〔战法〕 zhànfǎ 명 전법. 전술.

〔战犯〕 zhànfàn 명 전범. 전쟁 범죄자.

〔战贩〕 zhànfàn 명 전쟁 도발자. =〔战争贩子〕

〔战防炮〕 zhànfángpào 명 ⇨〔反fǎn坦克炮〕

〔战氛〕 zhànfēn 명 전쟁 분위기. 전시 기분.

〔战俘〕 zhànfú 명 전쟁 포로. ¶遣返～; 포로를 송환하다.

〔战歌〕 zhàngē 명 ①군가(軍歌). ②널리 사기를 높이기 위한 노래 · 곡.

〔战功〕 zhàngōng 명 전공. 전쟁의 공적. ¶立～; 전공을 세우다.

〔战鼓〕 zhàngǔ 명 ①옛날, 진중에서 치는 북. ②〈比〉 전투 개시의 신호.

〔战果〕 zhànguǒ 명 전과. ¶赫赫～; 혁혁한 전과 / ～辉煌; 전과가 찬란하다〔눈부시다〕.

〔战壕〕 zhànháo 명 참호. ¶～丘; 참호 앞에 쌓아올린 흙벽.

〔战壕雨衣〕 zhànháo yǔyī 명 트렌치 코트(trench coat).

〔战和〕 zhànhé 명동 〈文〉 무승부(가 되다).

〔战后〕 zhànhòu 명 전후.

〔战火〕 zhànhuǒ 명 전화. 전쟁. ¶～纷飞; 전쟁의 불똥이 튀다.

〔战祸〕 zhànhuò 명 전화.

〔战机〕 zhànjī 명 전기. 전투에 유리한 시기. ¶～成熟; 전기가 성숙하다 / 贻误～; 때를 놓쳐 전기를 상실하다.

〔战悸〕 zhànjì 동 〈文〉 두려워 벌벌 떨다.

〔战绩〕 zhànjì 명 ①전적. 전과. ②시합의 성적.

〔战舰〕 zhànjiàn 명 〖軍〗 전함. 전투함.

〔战疆〕 zhànjiāng 명 〈文〉 전장. 싸움터.

〔战捷木〕 zhànjiémù 명 〖植〗 대추야자.

〔战兢〕 zhànjīng 동 전긍하다. 두려워 조심하다. ¶夙sù夜～; 밤낮으로 두려워하고 삼가서, 책임을 다하도록 힘쓰다.

〔战局〕 zhànjú 명 전국.

〔战具〕 zhànjù 명 무기. 병기.

〔战惧〕 zhànjù 동 〈文〉 전율하다.

〔战况〕 zhànkuàng 명 ⇨〔战情qíng〕

〔战力〕 zhànlì 명 전력.

〔战利品〕 zhànlìpǐn 명 전리품.

〔战例〕 zhànlì 명 〖軍〗 전쟁의 선례〔사례〕. ¶淝水之战是中国历史上以少胜多的著名～; 비수의 전투는 중국 역사상 적은 수로 많은 적을 이긴 유명한 전투 사례이다.

〔战栗〕 zhànlì 동 부들부들 떨다. ¶吓得全身～; 무서워 온몸을 부들부들 떨다.

〔战列部队〕 zhànliè bùduì 명 전투에 투입할 수 있는 부대.

〔战列舰〕 zhànlièjiàn 명 〖軍〗 주력함. =〔战斗舰〕〔主zhǔ舰〕

〔战乱〕 zhànluàn 명 전란.

〔战略〕 zhànlüè 명 전략. 전쟁의 방략. ¶～物资; 전략 물자 / ～转移; 전략적 병력 이동 / ～反攻; 전략적 반공 / ～防御; 전략적 방어 / ～包围; 전략적 포위 / ～部署; 전략 배치 / ～决策; 전략적 결정 / ～公路; 전략 도로 / ～性; 전략성. 전략적 / ～方针; 전략적 방침.

〔战马〕 zhànmǎ 명 전마. 군마(軍馬).

〔战殁〕 zhànmò 명동 〈文〉 전몰(하다). =〔阵zhèn亡〕

〔战木〕 zhànmù 명 ⇨〔海hǎi枣〕

〔战袍〕 zhànpáo 명 전포. 옛날, 전사(戰士)의 옷.

〔战前〕 zhànqián 명 전전. 전쟁 전.

〔战勤〕 zhànqín 명 전시 근무《인민 대중이 직접 군대의 작전을 지원하기 위한 각종 근무》.

〔战情〕 zhànqíng 명 전황(戰況). =〔战况〕

〔战区〕 zhànqū 명 〖軍〗 전구. 전투 구역.

〔战犬〕 zhànquǎn 명 군용견(軍用犬).

〔战裙〕 zhànqún 명 〈文〉 허리에 치마처럼 두르는 갑옷. =〔甲jiǎ裳〕

〔战色〕 zhànsè 명 〈文〉 무서워 떠는 모습.

〔战慑〕 zhànshé 동 〈文〉 무서워서 떨다. ¶～失色; 무서워 떨어서 얼굴빛이 변하다.
〔战胜〕 zhànshèng 동 ①전승하다. 이기다. 승리를 거두다. ¶～敌dí人; 적에게 이기다 / 中国是不可～的一个国家; 중국은 이겨낼 수 없는〔지는 일이 없는, 불패(不敗)의〕 나라다. ②극복(하다). ¶帮bāng助农民们～风霜虫豸zhì; 농민을 도와 바람과 서리·해충을 극복하게 하다 / ～困难; 곤란을 이겨 내다.
〔战时〕 zhànshí 명 전시.
〔战时保险〕 zhànshí bǎoxiǎn 명 전쟁 보험. =〔兵bīng险〕
〔战史〕 zhànshǐ 명 전사. 전쟁사.
〔战士〕 zhànshì 명 ①전사. 병사. 전투에 참가하는 병원(兵員). ¶解放军～; 해방군의 전사. ②투사. 어떤 종류의 정의의 투쟁·사업에 종사하는 사람. ¶白衣～; 간호원. 백의의 전사 / 无产阶级～; 무산 계급 전사.
〔战事〕 zhànshì 명 전쟁에 관한 각종 활동. 일반적으로 전쟁.
〔战书〕 zhànshū 명 선전 포고서. =〔战表〕
〔战术〕 zhànshù 명 《軍》 전술. ①전투를 하는 원칙과 방법. ②개별적·구체적인 일을 하는 방법.
〔战死〕 zhànsǐ 명동 전사(하다).
〔战天斗地〕 zhàn tiān dòu dì 〈成〉 대자연과 싸우다. 자연계의 이변(異變)으로 생긴 재해와 싸우다.
〔战无不胜〕 zhàn wú bù shèng 〈成〉 싸우면 반드시 이김. 백전백승.
〔战线〕 zhànxiàn 명 전선. 〈轉〉 생산·정치 사상면에서 동일한 목적을 위하여 조직된 힘. ¶农业～; 농업 전선 / 钢铁～; 철강업 전선 / 文艺～; 문예 전선 / 思想～; 사상 전선 / ～太长; 전선이 너무 길다 / 缩短～; 전선을 단축하다.
〔战役〕 zhànyì 명 《軍》 전역. 일정한 전략 목적을 실현하기 위하여, 통일적 작전 계획에 따라, 일정한 방향과 시간 안에 진행하는 작전 행동.
〔战英劳模〕 zhànyīng láomó 명 전투 영웅과 노동 모범.
〔战鹰〕 zhànyīng 명 하늘의 사나운 독수리《전투기를 이르는 말》.
〔战友〕 zhànyǒu 명 ①전우. ¶老～; 오랜 전우 / 亲密～; 친밀한 전우. ②〈轉〉 동료.
〔战云〕 zhànyún 명 〈比〉 전운. 전쟁의 기미. ¶～密布; 전운이 낮게〔짙게〕 깔려 있다.
〔战战兢兢〕 zhàn zhàn jīng jīng 〈成〉 ①전전긍긍하다. ¶她～地回答了; 그녀는 겁먹은 듯 대답했다 / ～, 如临深渊, 如履薄冰; 전전긍긍하기가 깊은 못에 임한 것 같고, 살얼음판 위를 걷는 것과 같다. ②조심스럽고 신중한 모양. ¶～地拿在手里; 조심스럽게 들어 올렸다.
〔战争〕 zhànzhēng 명 전쟁. ¶～贩子 =〔战贩〕; 전쟁 도발자 / 发动～; 전쟁을 일으키다 / 结束～; 전쟁을 끝내다 / ～艺术; 전술. 전쟁의 기법 / ～升级; 전쟁 에스컬레이션(escalation)《단계적 확대》 / ～罪犯; 전쟁 범죄인 / ～片; 전쟁 영화 / ～疯子 =〔～狂人〕〔～冒险〕; 전쟁광(狂) / ～降级; 전쟁 디에스컬레이션《단계적 축소》 / ～叫嚣xiāo; 전쟁의 분위기를 조성하기 위해 떠들어 대는 것.
〔战争边缘政策〕 zhànzhēng biānyuán zhèngcè 명 전쟁 직전의 상태까지 밀고 나가는 극한 정책. ¶指责美国的～是造成目前紧张以及需要军火制造的主要因素; 미국의 극한 정책이 목전의 긴장을 형성하고, 또한 무기 제조를 필요로 하는 주요한 원인이라고 비난했다.
〔战争挑衅〕 zhànzhēng tiǎoxìn 명 전쟁 도발.
〔战志〕 zhànzhì 명 투지. 전의(戰意). ¶～坚强; 투지가 강하다.

站 zhàn (참)

①동 서다. ¶～起来; 일어서다 / 门口上～着一个看门的; 문에 문지기가 한 사람 서 있다 / 屋里乱放东西, 连～脚的地方都没有; 방 안에는 어지럽게 물건이 널려 있어 발 디딜 틈도 없다 / ～岗; 보초를 서다. ↔〔坐〕 ②동 (멈추어) 서다. 멎다. 정지하다. ¶车～住了; 차가 섰다 / 不怕慢, 就怕～; 늦는 것은 좋으나 멈추어서는 안 된다. ③동 지탱하다. 견디다. 오래 가다. ¶这所房子能～几十年; 이 집은 몇십 년 지탱할 수 있다. ④동 편들다. …의 입장에 서다. ¶～在朋友这一方面说话; 친구 편을 들고 말하다 / 工人们自然～在工会一边了; 노동자는 물론 노동 조합 편에 서 있다. ⑤동 근거로 삼다. 근거하다. ¶说话要～理; 말은 이론적인 근거가 있어야 한다. ⑥명 정거장. 정류소. 역. ¶火车～; 역 / 汽车～; 자동차〔버스〕 정류소 / 上一～; 전(前) 역〔정류소〕 / 下一～; 다음 역〔정류소〕 / 起点～; 시발역. 기점역. ⑦명 (어떤 업무를 위해 설치된) 기관(機關). 기구. 사무소. 스테이션. ¶兵～; 병참 / 保健～; 보건소 / 水电～; 수력 발전소 / 供应～; 공급 센터 / 流动图书～; 이동 도서관 / 医疗～; 진료소.
〔站班〕 zhàn,bān 동 보초서다. 입초서다.
〔站标〕 zhànbiāo 명 역명(驛名) 표시판.
〔站不长〕 zhànbucháng 오래 계속되지 못하다. 지위나 세력을 오래 유지하지 못하다.
〔站不牢〕 zhànbuláo 확고하게 서지 못하다. 이유〔근거〕가 약하다.
〔站不起来〕 zhànbuqǐlái 일어설 수 없다. 일어서지 못하다.
〔站不稳〕 zhànbuwěn 확고히 발붙이지 못하고 동요하다. 똑바로 서지 못하다.
〔站不住〕 zhànbuzhù ①서 있을 수 없다. 멈추고 있을 수 없다. ②〈轉〉 성립될 수 없다. 통용될 수 없다. 입장이 확고하지 못하다. ¶你提出的理由～; 네가 내세운 이유는 성립되지 않는다. =〔站不住脚②〕 ③〈方〉 빛깔이 퇴색하다. ¶这颜色～; 이 빛은 바랬다.
〔站不住脚〕 zhànbuzhùjiǎo ①〈轉〉 바빠서 발을 멈출 수 없다. ②⇒〔站不住②〕
〔站出来〕 zhànchulái 앞에 나와 서다. 앞으로 나오다. ¶给我～! 앞으로 나와 주세요!
〔站道〕 zhàndào 동 도열하다. 길 양쪽에 늘어서다. ¶这次总司令出巡还有人～吗? 이번 총사령관의 순시에도 역시 연도에 사람들이 도열하느냐? 명 옛날, 역참(驛站) 사이의 거리〔노정〕. ¶明天的～大; 내일의 노정은 길다.
〔站得高, 看得远〕 zhàndegāo, kàndeyuǎn 〈諺〉 높은 곳에 서면 멀리까지 보인다. 식견(識見)이 있는 사람은 먼 장래까지 내다볼 수 있다.
〔站定〕 zhàndìng 동 ①꼼짝 않고 서다. ②단단히 서다.
〔站队〕 zhàn,duì 동 ①정렬(整列)하다. 대열에 끼다. ¶入场时请站好队; 입장(入場)할 때는 정렬해 주십시오. ②입장(立場)에 서다. 어떤 경우에 처하다. ¶你站错了 =〔你～站错队了〕; 당신의 입장은 잘못 되었다.
〔站房〕 zhànfáng 명 초소(哨所). 보초막.

〔站干岸儿〕 zhàn gān'ànr 〈俗〉 남의 어려움을 못 본 체하다.
〔站缸沿儿〕 zhàn gāngyánr 〈京〉 항아리의 가장자리에 서다. 〈轉〉 중립을 지키다. 어느 쪽에도 붙지 않다. 양다리 걸치다. ¶这事你甭跟他要主意, 他现在是个～的人; 이 일은 그의 의견을 빌릴 필요는 없다. 그는 지금 어느 편도 아니니까.
〔站缸沿儿, 敲锣边儿〕 zhàn gāngyánr, qiāo luóbiānr 〈比〉 책임이 없는 지위〔입장〕에 있으면서 무책임한 말을 하다.
〔站岗〕 zhàn.gǎng 동 ①보초(步哨) 서다. 입초 서다. ¶～的; 보초. ②망을 보다. 감시하다. 당직(當直)을 서다.
〔站柜台〕 zhànguìtái 동 (종업원이) 카운터 앞에서 손님을 접대하다. ¶～的; 카운터 담당 종업원.
〔站脚〕 zhàn.jiǎo 동 ①발을 붙이다. 입각(立脚)하다. ¶～的地步; 입각 지점(立脚地點) / ～存身; 〈成〉 발판으로 하여 몸의 안전을 지키다. 기반을 잡고 몸을 보전하다 / 不论什么事我们自己得留个～的地方; 무슨 일이든 간에 자기의 입장은 남겨 두어야 한다. ②…쪽에 붙다. …편에 서다. ¶来～助威的人很多; 와서 응원하는 사람이 매우 많다.
〔站脚梁(儿)〕 zhànjiǎoliáng(r) 명 ①〈比〉 (물러날) 여지(餘地). =〔退身步儿〕 ②일시적인 일. 임시적인 일.
〔站街〕 zhànjiē 동 거리에 서다. 가두(街頭)에 서다.
〔站开〕 zhànkāi 동 ①멀리 떨어지다. 물러나다. ②비켜 서다. 자리를 비우다. ¶请大家～点儿! 여러분 장소를 좀 비켜 주시오! 자리를 좀 비워 주시오!
〔站栏柜〕 zhàn lánguì 상점 계산대에 서다. 〈轉〉 점원으로 일하다.
〔站理〕 zhàn.lǐ 동 도리에 입각하다. 도리〔이치〕가 있다. 근거가 있다. ¶这件事我满～; 이 일은 나로서는 충분한 근거가 있다고 생각한다.
〔站立〕 zhànlì 동 서 있다. 일어서 있다.
〔站领〕 zhànlǐng 명 세운 옷깃.
〔站笼〕 zhànlóng 명 옛날 형구(刑具)의 하나(상자 모양인데 머리만 내놓게 되어 있음). =〔立枷〕
〔站排〕 zhànpái 동 줄지어 서다. 정렬(整列)하다.
〔站票〕 zhànpiào 명 ①(극장·탈것 등의) 입석표〔권〕. ¶我们来得太晚了, 只好买～吧; 우리가 너무 늦게 왔으니 할 수 없다, 입석표를 사자. ②옛날, 극장에서 계원에게 팁을 주고 표 없이 입장하여 구경하다 좌석 임자가 오면 자리를 비워 주고 일어서서 보던 일.
〔站起来〕 zhànqǐlái 일어서다. =〔往起立〕
〔站人银圆〕 zhànrén yínyuán 명 옛날, 홍콩에서 주조된 1원 은화(겉면에 지팡이를 든 사람의 입상(立像)이 있으므로 이렇게 말함). =〔站人〕〔立lì人〕〔杖zhàng洋〕
〔站台〕 zhàntái 명 플랫폼. ¶～票; (플랫폼의) 입장권. =〔月台〕
〔站头(儿)〕 zhàntóu(r) 명 역(驛). 역참.
〔站头〕 zhàntou 명 역과 역. 역참과 역참의 거리〔노정〕.
〔站稳〕 zhànwěn 동 ①(위치·입장 등에) 확고히 서다. ¶～立场; 입장을 공고히 하다. ②똑바로 서다. 제대로 서다. ③〔體〕 착지(着地)에 성공하다. ¶站不稳; 착지에 실패하다. ④정지하다. 멈추다. ¶等车～了再下; 차가 멈출 때를 기다려 내려라.
〔站务员〕 zhànwùyuán 명 역무원(驛務員). =〔站员〕
〔站下来〕 zhànxiàlái 멈춰서다.
〔站像〕 zhànxiàng 명 입상(立像).
〔站(一)站儿〕 zhàn(yī)zhànr 잠깐 멈춰서다. ¶～再走; 잠깐 멈춰섰다가 다시 걸어가다.
〔站员〕 zhànyuán 명 ⇨〔站务员〕
〔站长〕 zhànzhǎng 명 역장(驛長). ¶二～ =〔副～〕; 부역장.
〔站直〕 zhànzhí 동 똑바로 서다.
〔站住〕 zhàn.zhù 동 ①정지하다. 서다. 멈추다. ¶表～了; 시계가 섰다 / 他听到背后有人叫他～; 그는 뒤에서 누군가 그에게 멈춰라 하고 소리치는 것을 들었다. ②서(구령). ③제대로 서다. 똑바로 서다. ¶他病刚好, 腿很软, 站不住; 그는 앓고 난 지 얼마 안 되어 다리가 후들후들 떨려 잘 설 수 없다. =〔站稳②〕 ④어떤 곳에 죽 머물다. ⑤(이유 등이) 성립하다. 이치에 맞게 되다. ¶这个论点实在站不住; 이 논점은 전혀 성립이 안 된다. ⑥〈方〉 (빛깔·칠 등이) 부착하여 떨어지지 않다. 퇴색하지 않다. ¶墙面太光, 抹的灰站不住; 벽면이 너무 미끄러워 석회를 칠해도 붙어 있지 않는다. 注 ③-⑥은 '站得住'·'站不住'의 형태로도 쓸 수 있음. ⑦안정되다. 유지하다. ¶他新的工作岗位总算～了; 그의 새 일의 위치는 겨우 안정되었다 / ～地位; 지위를 보전하다 / 这成绩要是～了就能再提高; 만약에 이 성적이 유지된다면 더욱 끌어올릴 수 있다.
〔站住脚〕 zhàn zhu jiǎo ①(행동·운동을) 멈추다. 멎다. ¶他跑得太快, 一下子站不住脚; 그는 너무 빨리 달려와서 발을 갑자기 멈출 수가 없다 / 他～, 叫了一辆出租车; 그는 멈춰 서서 택시를 한 대 불렀다. ②어떤 곳에 머무르다. 체재하다. ¶忙得站不住脚; 바빠서 머무를 틈이 없다 / 他一直流浪, 最近好容易才在这个镇上站住了脚; 그는 방랑끝에 겨우 이 도시에 정착할 수 있었다. ③토대를〔거점을〕 마련하다. 발판을 구축하다. ④(이유 등이) 성립하다. ¶他的理由能站得住脚; 그의 이유는 성립될 수 있다. 注 ②-④는 흔히 '站得住脚'·'站不住脚'의 형태로 쓰임.

绽(綻) zhàn (탄)
동 〈文〉 터진 데를 깁다.

栈(棧) zhàn (잔)
명 ①(옛날, 창고업·운송업·도매업 따위를 겸영하던) 여인숙(옥호를 붙여서 '…栈'으로 불렀음). ¶客kè～; 여인숙 / 货huò～; 창고 / 粮liáng～; 곡물 도가 / 悦yuè来～; 열래(悅來) 여관(여관명). ②잔교(棧橋). 적교(吊橋)(계곡에 높이 걸쳐 놓은 다리). ③(가축을 넣어 두는) 우리. ¶马mǎ～; 마구간 / 羊～; 양우리 / 恋～; 말이 사육되고 있던 장소에 연연한다(옛날, 생활이나 지위에 연연하다). ④성(姓)의 하나.
〔栈存〕 zhàncún 명 재고품. =〔栈货〕
〔栈单〕 zhàndān 명 옛날, 창고 보관증.
〔栈道〕 zhàndào 명 잔도(棧道)(절벽 따위에 걸쳐 놓은 다리로 된 길). =〔栈阁gé〕
〔栈豆〕 zhàndòu 명 말여물 콩.
〔栈坊〕 zhànfáng 명 ⇨〔栈房①〕
〔栈房〕 zhànfáng 명 ①창고. =〔栈坊〕 ②도가(都家). 뱃짐 도가(都家). ③〈方〉 주막. 여관.
〔栈费〕 zhànfèi 명 창고료. 창고 보관료. =〔栈租zū〕〔栈力〕
〔栈阁〕 zhàngé 명 ⇨〔栈道〕

〔栈伙〕 zhànhuǒ 명 '栈房③'의 고용인〔점원〕.
〔栈货〕 zhànhuò 명 ⇨〔栈存〕
〔栈力〕 zhànlì 명 ⇨〔栈费〕
〔栈桥〕 zhànqiáo 명 ①항구의 잔교. ②역·공장·광산·자동차 도로 등의 적하(積荷)장. ③(공항의) 로딩 브리지(loading bridge).
〔栈租〕 zhànzū 명 ⇨〔栈费〕

辗(輾) zhàn (잔) →〔辗辂〕
〔辗辂〕 zhànlù 명 〈文〉 옛날의, 누워서 쉬면서 갈 수 있는 수레. 와거(臥車).

绽(綻) zhàn (탄) ①동 해어져 터지다. ¶～了线了 =〔～了缝fèng儿了〕; 솔기가 터졌다/鞋开～了; 구두가 해져서 터졌다/被打得皮开肉～; 얻어맞아 피부가 갈라지고 살이 터지다. ②동 봉오리가 피다. ¶花蕾lěi～放; 꽃봉오리가 피면서 벌어지다. ③동 가득 차서 충족하다. ④양 터진 곳·깨진 곳을 세는 양사(量詞). ¶破了一～; 한 군데 터졌다. ⑤명 파탄. 결함. 결점. ¶破～; 파탄. 결점/被别人看出～来; 남에게 결점이 드러나다.
〔绽开〕 zhànkāi 동 ①피다. 벌어지다. ¶花蕾～; 꽃봉오리가 벌어지다. ②(꿰맨 데가) 터지다. ¶缝口～了; 솔기가 터졌다/太阳刚～地平线露出头角来了; 태양이 막 지평선을 가르고 머리를 내밀었다.
〔绽裂〕 zhànliè 동 찢어지다. 터지다.
〔绽线〕 zhàn.xiàn 동 솔기가 터지다. 실밥이 터지다.

湛 zhàn (잠) ①형 풍성하다. ②형 맑다. ¶池水清～; 못의 물이 맑고 깨끗하다. ③형 깊다. ¶学识～深; 학식이 깊다/精～; 정통하다. ④명 성(姓)의 하나.
〔湛碧〕 zhànbì 형 〈文〉 푸른 빛을 띠다. 새파랗다.
〔湛恩〕 zhàn'ēn 명 〈文〉 깊은 은혜.
〔湛蓝〕 zhànlán 형 짙푸르다. 짙은 남색을 띠고 있다. ¶～的天空; 짙푸른 하늘.
〔湛露〕 zhànlù 명 〈文〉 ①가득히 내린 이슬. ②〈比〉 군주(君主)의 깊은 은혜.
〔湛深〕 zhànshēn 형 〈文〉 심오하다. 깊다. ¶于物理学造诣～; 물리학에 조예가 깊다.
〔湛忧〕 zhànyōu 〈文〉 명 깊은 시름. 동 몹시 우려하다.

辗(輾) zhàn (잔) 명 〈文〉 옛날의 병거(兵車).

颤(顫) zhàn (전) 동 (손발이) 부들부들 떨리다. ¶吓xià得浑身乱～; 깜짝 놀라 온몸을 와들와들 떨다/发～; 와들와들 떨다/心惊肉～; 놀라서 몸을 떨다/打冷～; 몸을 떨다. 몸서리치다. =〔战zhàn③〕 ⇒ chàn
〔颤抖〕 zhàndǒu 동 부들부들 떨다. =〔战抖〕⇒ chàndǒu
〔颤抖抖(的)〕 zhàndǒudǒu(de) 형 부들부들 떠는 모양. =〔战抖抖〕〔颤巍巍(的)〕
〔颤栗〕 zhànlì 동 전율하다. 몸서리치다. ¶吓得全身～; 무서워서 전신이 떨리다. =〔战栗〕
〔颤巍巍(的)〕 zhànwēiwēi(de)〔zhànwéiwéi(de)〕 형 ⇨〔颤抖抖(的)〕

蘸 zhàn (잠) 동 (물건을 액체 또는 분말에) 잠깐 넣었다 꺼내다. 찍다. 적시다. ¶～墨水; (펜촉 등에) 잉크를 찍다/～酱油; 간장을 찍다/大葱～大酱, 吃着可香啦! 파를 된장에 찍어 먹으면 아주 맛있다/～水钢笔, 价钱很便宜; 잉크를 찍어서 쓰는 펜은 값이 매우 싸다.
〔蘸笔〕 zhàn.bǐ 동 붓에 먹을 묻히다. 펜에 잉크를 묻히다.
〔蘸钢〕 zhàn.gāng 동 ⇨〔淬cuì火〕
〔蘸火〕 zhàn.huǒ 동 〖工〗〈俗〉 (쇠를) 담금질하다. =〔淬cuì火〕
〔蘸礼〕 zhàn.lǐ 명 ⇨〔洗xǐ礼〕
〔蘸墨〕 zhàn.mò 동 (붓 등에) 먹을 묻히다.
〔蘸湿〕 zhànshī 동 (물 따위를 묻혀서) 적시다. ¶把绳子～了再捆kǔn吧; 새끼를 적신 다음 묶자.
〔蘸水〕 zhàn.shuǐ 동 물에 담그다. 물에 적시다.
〔蘸水钢笔〕 zhànshuǐ gāngbǐ 명 잉크를 찍어서 쓰는 펜.

ZHANG ㄓㄤ

张(餦) zhāng (장) →〔张惶〕
〔张惶〕 zhānghuáng 명 〈文〉 ①꽈배기 엿. ②밀가루 음식의 하나.

张(張) zhāng (장) ①동 펼치다. 펴다. ¶～翅膀儿; 날개를 펴다/～网捕鱼; 그물을 쳐 물고기를 잡다/～帐子; 모기장〔포장〕을 치다/～弓; 활을 당기다/把手一～; 손을 쫙 펴다/须发皆～; (노해서) 수염과 머리카락이 모두 곤두서다. ②동 열다. ¶～嘴; ⇩ ③동 보다. 바라보다. ¶东～西望; 〈成〉 이리저리 두리번거리다. 여기저기 둘러보다/向门缝儿里～一～; 문틈으로 엿보다. ④동 과장하다. 확대하다. ¶明目～胆; 〈成〉 공공연하게 나쁜 짓을 하다/虚～声势; 〈成〉 허장성세/～大其词; 과장하여 말하다. ⑤동 새로 개점(開店)하다. 개업하다. ¶重chóng～; (수지를 끝내고) 다시 개점하다/开～; 개점하다/关～; 폐업하다. ⑥동 꾸미다. 진열하다. 베풀다. ¶～灯结彩; 제등(提燈)을 달고 5색 천으로 꾸미다/大～筵席; 큰 연회를 베풀다. ⑦동 구속을 받지 않다. 멋대로 하다. ⑧양 ㉠종이·모피·책상·의자·침대 따위와 같이 넓은 표면이 있는 것을 세는 말. ¶四～桌子; 테이블 4개/两～画; 두 폭의 그림. ㉡활·입 따위를 세는 말. ¶一～弓; 활 한 자루/一～嘴; 입 하나. ㉢농기구·악기를 세는 말. ¶三～步犁; 가래 3대/一～古琴; 고금 한 개. ⑨동 속임수〔거짓말〕로 남을 속이다. ⑩형 당황하다. =〔慌张〕 ⑪명 장성(張星)《28수(宿)의 하나》. ⑫명 성(姓)의 하나.
〔张榜〕 zhāng.bǎng 동 게시(揭示)하다. 공시(公示)하다. 발표하다. ¶～公布; 게시 공포하다.
〔张本〕 zhāngběn 명 ①(미리 뒷일을 생각해서 세우는) 방안. 계획. ¶他对于这件事, 究竟打算怎么样儿一个～? 그는 이 일에 대해 도대체 어떤 계획이 있는 것일까? ②암시. 복선(伏線). ③사건을 일으킨 주모자. 장본인. ④모범. 기본. 본보

기. ¶提倡农村特殊习俗，作为移风易俗的～；농촌의 고유한 풍속을 장려하여 낡은 풍속을 고치는 기본으로 삼다.

〔张布〕 zhāngbù 동 둘러치다. ¶～他的网；그의 그물을 치다.

〔张不长李不短〕 zhāng bùcháng lǐ bùduǎn 〈成〉 ⇨〔张家长李家短〕

〔张陈〕 zhāngchén 동 진열하다. 배치하다. ¶室内～得十分讲究；실내는 배치가 매우 잘 돼 있다.

〔张弛〕 zhāngchí 명 〈文〉 ①긴장과 이완(弛緩). ¶工作要有张有弛，才能持久；일을 할 때는 긴장과 이완이 있어야만 오래 지속할 수 있다. ②행(行)함과 만류(挽留)함.

〔张词〕 zhāng,cí 동 과장해서 말하다. ¶故意张大其词；일부러 과장해서 말하다.

〔张搭〕 zhāngdā 동 치다. 펴다. ¶～帐棚；천막을 치다.

〔张大〕 zhāngdà 동 〈文〉 ①확장하다. 크게 만들다. ②과장하다. ¶～其词；과장해서 말하다.

〔张胆〕 zhāngdǎn 동 (담을 크게 하고) 용기를 내다. ¶瞋目～；눈을 부라리고 용기를 내다 / 明目～地干坏事；드러내놓고 나쁜 짓을 하다.

〔张道〕 zhāngdào 동 과장해서 말하다. 과장하다. ¶有人嫌她太～；너무 허풍을 떨어서 그녀를 싫어하는 사람도 있다.

〔张刀〕 zhāngdao 동 ①주제넘게 나서다. (무슨 일이건) 참견하려 하다. ¶什么事他都～；그는 어떤 일이건 상관하려 든다. ②말참견하다. 시끄럽게 지껄이다. 형 경솔하다. 경박하다. ¶那个小伙子太～没一点沉稳气，要紧事不能交他办；저 녀석은 너무 경솔해서 침착한 데가 전혀 없으니, 중요한 일은 맡길 수가 없다. ‖ =〔张叨〕

〔张灯〕 zhāngdēng 동 제등(提燈)을 매달다. ¶～结彩；→〔字解⑥〕

〔张风〕 zhāngfēng 동 ①남의 주의를 끌다. 남의 마음을 끌다. ②남의 입길에 오르다. 소문이 퍼지다.

〔张弓〕 zhāng,gōng 동 활에 시위를 메우다.

〔张挂〕 zhāngguà 동 (족자 따위를) 펴서 내걸다. 내걸어 달다.

〔张冠李戴〕 Zhāng guān Lǐ dài 〈成〉 장(張)가의 갓을 이(李)가가 쓰다《갑을 을로 착각하다. 사실을 잘못 알다》.

〔张裹〕 zhāngguǒ 명 물결치듯 말이 달리는 일.

〔张皇〕 zhānghuáng 〈文〉 형 당황하다. ¶～失措；당황하여 허둥지둥하다. =〔慌张〕〔惊慌〕 동 ①추진하여 넓히다. ②과장하다. 위세를 부리다. ‖ =〔张惶〕〔章皇〕

〔张惶〕 zhānghuang 형동 ⇨〔张皇〕

〔张家长李家短〕 Zhāng jiā cháng Lǐ jiā duǎn 〈成〉 이러니저러니하면서 남의 말을 하다. 뒤에서 수군거리다. =〔张不长李不短〕

〔张开〕 zhāng,kāi 동 벌리다. 열다. 펼치다. ¶～眼睛；눈을 뜨다 / 降落伞自动～；낙하산이 자동적으로 펼쳐지다 / 张不开口；입을 열 수 없다. 말을 할 수 없다 / 鞋底～了；신발 바닥에 틈이 생겼다. 신창이 터졌다.

〔张口〕 zhāng,kǒu 동 ①입을 벌리다. (의견을) 말하다. ¶叫我难nán于～；나로 하여금 의견을 말하기가 어렵게 한다 / 你～闭口说要改正错误，就是不见行动；너는 입을 열기만 하면 잘못을 고치겠다고 말하면서 행동에는 옮기지 않는구나 / 只要跟咱们张个口，从没有驳回过；우리에게 말해서 거절된 적은 한 번도 없다. ②찢어져서 벌어지다. 터지다. ¶脚上穿着～的鞋子；발에는 해어진 신을 신고 있다 / ～结舌；〈成〉 입을 벌린 채로 말이 나오지 않는 모양《이치에 맞지 않아 말문이 막힌 모양. 두려워 말을 못 하는 모양》. 명 ①〈方〉 하품. ¶打～；하품을 하다. ②공복(空腹).

〔张狂〕 zhāngkuáng 형 경박하다. 제멋대로이다. 방종하다. ¶看他～得简直不像话；그의 방자한 모양은 참으로 돼먹지 않았다. =〔獐狂〕

〔张力〕 zhānglì 명 ①장력. ¶表面～；표면 장력. ② ⇨〔拉lā力〕

〔张罗〕 zhāngluó 동 〈文〉 (새를 잡기 위해) 그물을 치다.

〔张罗〕 zhāngluo 동 ①돌보다. 접대하다. 마음〔신경〕을 쓰다. ¶你别～！ 걱정 놓으십시오! / 我不会～客人；나는 손님 접대가 서투르다 / 小孩子多了，一个人真～不过来；아이들이 많아져서 혼자서는 정말 돌볼 수가 없다. ②(돈을) 마련하다. ¶这笔款子到哪里～去? 이 돈을 어디 가서 마련하겠는가? =〔筹划〕 ③처리하다. 준비하다. ¶～家务；가사를 처리하다 / 天凉了得～衣裳了；추워졌으니까 옷 준비를 해야 한다. =〔料理〕 ④적극적으로 작용하다. 장사가 잘 되다. 손님을 받다. ¶开车的～座儿；운전수가 손님을 받다 / 懒得去～买卖；장사하러 나가는 것이 귀찮다 / 做买卖总得机灵才～得着买卖；장사를 하려면 아무래도 기민하지 않으면 해낼 수 없다. ⑤…하려고 하다. ¶他～要去我也不好拦他；그가 가려고 하니, 나도 막기가 곤란하다.

〔张门缝〕 zhāng ménfèng 문틈으로 엿보다.

〔张目〕 zhāngmù 동 ①눈을 크게 뜨다. 노려보다. ¶～瞋视；〈成〉 눈을 부릅뜨고 노려보다 / ～注视；눈을 크게 뜨고 주시하다. ②남의 앞잡이 노릇을 하다. ¶为某人～；어떤 사람의 앞잡이 노릇을 하다.

〔张幕〕 zhāngmù 동 ①개점(開店)하다. =〔开张〕〔开幕〕 ↔〔关门〕 ②천막을 치다.

〔张三(儿)〕 zhāngsān(r) 명 《動》 이리.

〔张三李四〕 Zhāng sān Lǐ sì 〈成〉 장삼 이사. 흔히 볼 수 있는 평범한 사람(들)《불특정인(不特定人)을 가리킴》. ¶～都知道；누구나 다 알고 있다.

〔张势〕 zhāngshì 동 허세를 부리다. 과시하다. ¶姑娘，你别太～了！你满家子算一算，谁的妈妈奶奶不仗着主子哥儿姐儿得些便宜? 아가씨, 당신도 너무 빼기지 마시오. 이댁을 죽 둘러 보시오. 어느 유모치고 주인 도령님이나 아기씨 덕분에 잇속을 차리지 않는 사람이 있습니까?

〔张数〕 zhāngshù 명 장수. 매수(枚數).

〔张贴〕 zhāngtiē 동 ⇨〔粘zhān贴〕

〔张王李赵〕 Zhāng Wáng Lǐ Zhào 〈成〉 장(張)·왕(王)·이(李)·조(趙) 등 중국의 대표적인 성(姓). 〈轉〉 일반 사람. 누구나 다.

〔张网〕 zhāng,wǎng 동 그물을 치다. ¶渔人～捕鱼；어부가 그물을 치고 고기를 잡다.

〔张望〕 zhāngwàng 동 ①둘러보다. 두리번거리다. ¶四面～不见人影；사방을 둘러보았으나 사람 그림자도 없다. ②망보다. 엿보다. 들여다보다. ¶探头～；목을 빼고 들여다보다. ③희망하다. 희망을 걸다.

〔张弦〕 zhāng,xián 동 활시위를 메우다.

〔张心〕 zhāngxīn 동 걱정하다. 고심하다. 심려(心慮)하다. ¶过这样日子，真叫人～；이런 생활을 하고 있으면 정말 마음 고생이 심하다.

〔张宿〕 zhāngxiù 명 '二èr十八宿' (이십팔수)의 하나.
〔张牙舞爪〕 zhāng yá wǔ zhǎo 〈成〉 광포하고 흉악한 형상《위력으로 위협함》. ¶～其势汹汹; 위협적이어서 그 기세가 굉장함.
〔张眼〕 zhāng,yǎn 동 눈을 크게 뜨다. ¶他～一看, 到处都是外人; 눈을 크게 뜨고 봤으나, 어디나 다 모르는 사람만 있었다.
〔张扬〕 zhāngyáng 동 말을 퍼뜨리다. 떠벌리다. ¶四处～; 사방에 말을 퍼뜨리다 / 这件事还没有做最后决定, 不要～出去; 이 일은 아직 최종적인 결정이 나지 않았으니까, 입 밖에 내지 마라.
〔张张惶惶〕 zhāngzhānghuánghuáng 허둥지둥 당황하다. →〔张皇〕
〔张致〕 zhāngzhì 동 〈古白〉 허풍을 떨거나 속임수로 남을 속이다. 짐짓 …인 체하다. ¶做张做致, 假装吃惊; 짐짓 놀란 체하다 / 不吃便说不曾吃, 有这等～的; 안 먹었으면 안 먹었다고 말하면 돼지. 그런 거짓말은 안 해도 된다. =〔张智〕
〔张子〕 zhāngzi 명 마작 하나하나의 패(牌). ¶～一打出来就不见了; 패를 던지자마자 없어졌다.
〔张嘴〕 zhāng,zuǐ 동 ①입을 열다. 말을 하다. ¶～伤人; 남의 흉을 보다. ②〈轉〉 먹을 것을 빌다. 돈을 꾸어 달라고 하다. (무엇을) 부탁하다. ¶不好意思向人家～; 남에게 부탁하는 일은 내키지 않는 일이다 / 他和我～; 그는 나에게 돈을 꾸어 달라고 한다 / 他是不轻易跟人～的; 그는 좀처럼 남에게 부탁하지 않는다.
〔张嘴物儿〕 zhāngzuǐwùr 명 생물. 동물.

章 zhāng (장)
①양 시가(詩歌)·문장(文章)의 한 단락(段落)을 세는 단위. ¶第一～; 제1장. ②명 문장. ¶下笔成～; 〈成〉 써 내려가는 대로 훌륭한 문장이 되다. ③명 조문(條文). 규칙. 장정(章程). 규약. ¶约法三～; 〈成〉 간단 명료한 법을 제정하여 순수하게 하다 / 党～; 당규약 / 有～可循; 따라야 할 규칙이 있다. ④명 조리(條理). 질서. ¶杂乱无～; 〈成〉 질서가 혼란하여 뒤죽박죽이다 / 顺理成～; 〈成〉 이치에 맞아 조리가 서다. ⑤명 도장. ¶盖～; 도장을 찍다. 날인하다. ⑥명 휘장(徽章). ¶臂～; 완장 / 领～; 옷깃에 다는 휘장 / 肩～; 견장. ⑦명 문식(文飾). 수식(修飾). ⑧⇨〔彰〕 ⑨명 무늬. ¶黑质而白～; 검은 바탕에 흰 무늬. ⑩명 성(姓)의 하나.
〔章表〕 zhāngbiǎo 명 ⇨〔奏zòu章〕
〔章草〕 zhāngcǎo 명 '草书' (초서)의 하나.
〔章程〕 zhāngchéng 명 장정. 정관. ¶公司～; 회사의 정관.
〔章程〕 zhāngcheng 명 〈方〉 방도. 대책. 방법. ¶他累得没～了; 그는 지쳐서 어떻게도 할 도리가 없다 / 咱得快定个～呀; 우리는 빨리 대책을 세워야 한다. =〔办法〕
〔章仇〕 zhāngchóu 명 복성(複姓)의 하나.
〔章法〕 zhāngfǎ 명 ①(글·그림의) 구성. 구도. 작법. ②〈比〉 일의 순서[절차]. 일의 규칙. ¶他虽然很老练, 这时候也有点乱了～; 그는 아주 노련한데, 이번에는 좀 뒤죽박죽이었다.
〔章服〕 zhāngfú 명 〈文〉 ①관등(官等) 식별의 휘장이 있는 제복(制服). ②예복. ③복장. ¶便～; 평복으로 와 주십시오《초대장의 문구》.
〔章皇〕 zhānghuáng 형동 ⇨〔张皇〕
〔章回〕 zhānghuí 명 소설의 횟수. ¶～体; 장회체 《중국 장편 소설에서, 횟수를 나누어 기술하는 체제》 / ～小说; '章回体'의 장편 소설. 장회 소설 《'白话' 소설은 모두 이 형식으로, '话本'이 발전된 것. '红楼梦' '水浒传' 등이 있음》.
〔章节〕 zhāngjié 명 장절. 장과 절.
〔章句〕 zhāngjù 명 ①고서(古書)의 '章节'와 구두(句讀). ②장구(章句)의 분석과 해석.
〔章台〕 zhāngtái 명 ①전국 시대에 진(秦)나라가 세운 궁전의 이름《산시 성(陕西省) 장안 현(長安縣) 지역에 있었음》. ②한대(漢代) 장안(長安)의 도로 이름. ③〈文〉 화류계.
〔章衣〕 zhāngyī 명 〈文〉 예복(禮服). 제복(制服).
〔章鱼〕 zhāngyú 명 《動》 문어. =〔射踏子〕〔石蜐〕
〔章则〕 zhāngzé 명 규약. 규칙.
〔章子〕 zhāngzi 명 〈俗〉 도장. 인감.
〔章奏〕 zhāngzòu 명 ⇨〔奏章〕

鄣 Zhāng (장)
명 《地》 주대(周代)의 나라 이름《산둥 성(山東省) 둥핑 현(東平縣) 동쪽》.

漳 Zhāng (장)
명 《地》 ①장허 강(漳河)《산시 성(山西省)에서 발원하여 웨이허 강(衛河)로 흘러드는 강 이름》. ②장장 강(漳江)《푸젠 성(福建省)에 있는 강 이름》.
〔漳缎〕 zhāngduàn 명 ⇨〔漳绒〕
〔漳绒〕 zhāngróng 명 푸젠 성(福建省) 장저우(漳州)산의 수자(繻子). =〔漳缎〕

彰 zhāng (창)
①형 분명하다. 현저하다. 뚜렷하다. ¶欲盖弥～; 〈成〉 감추려고 하면 오히려 더 잘 나타난다 / 功绩昭～; 공적이 현저하다. ②동 나타내다. 표창하다. ¶以～其功; 이에 그 공적을 표창하다 / ～善瘅恶; ⇩ ③명 문장의 수식(修飾). ④명 성(姓)의 하나. ‖ =〔章⑧〕
〔彰明〕 zhāngmíng 형 〈文〉 지극히 명백하다. 현저하다.
〔彰明较著〕 zhāng míng jiào zhù 〈成〉 매우 명백하다. 아주 뚜렷하다. ¶你的罪行～, 不必再狡辩了; 네 죄는 분명하다. 이 이상 변명해 봐야 소용 없다. =〔章明昭著〕
〔章明昭著〕 zhāng míng zhāo zhù 〈成〉 ⇨〔章明较著〕
〔彰善瘅恶〕 zhāng shàn dàn è 〈成〉 선을 표창하고 악을 징계하다.
〔彰往察来〕 zhāng wǎng chá lái 〈成〉 과거를 분명히 밝혀 장래의 득실을 살피다.
〔彰彰〕 zhāngzhāng 형 〈文〉 명백한 모양. ¶～在人耳目; 사람들의 이목에 명백히 드러나다.
〔彰著〕 zhāngzhù 형 〈文〉 현저하다.

獐〈麞〉 zhāng (장)
(～子) 명 《動》 노루. =〔牙獐〕〔黄羊②〕
〔獐狂〕 zhāngkuáng 형 ⇨〔张狂〕
〔獐头鼠目〕 zhāng tóu shǔ mù 〈成〉 머리가 뾰족하고 둥근 눈이 움푹 들어간 사람《용모가 비천하고 마음이 교활한 사람》.

嫜 zhāng (장)
명 〈文〉 시아버지. ¶姑gū～; 옛날에 시부모를 가리키던 말.

璋 zhāng (장)
〈文〉 ①명 구슬을 반만 깎아 위끝을 비스듬히 만든 것. 표지(標識) 구슬. ②명 사내아이의 미칭(美稱). ¶弄～; 사내아이를 낳다. ↔〔瓦〕 ③인명용 자(字).

樟 zhāng (장)
명 《植》 녹나무. =〔樟树〕〔香樟〕

〔樟蚕〕 zhāngcán 명《蟲》 참나무산누에나방《야생 누에의 일종》.
〔樟螂〕 zhāngláng 명《蟲》 바퀴벌레. =〔蟑螂〕
〔樟木〕 zhāngmù 명 녹나무 목재. ¶~箱; 녹나무로 만든 (옷)상자.
〔樟木油〕 zhāngmùyóu 명 장뇌유(樟腦油).
〔樟脑〕 zhāngnǎo 명《化》 나프탈렌. ¶~丸; 구상(球狀)의 나프탈렌 / ~饼; 태블릿형의 나프탈렌. =〔潮脑〕
〔樟脑油〕 zhāngnǎoyóu 명 장뇌유.
〔樟树〕 zhāngshù 명《植》 녹나무.

蟑

zhāng (장)
→〔蟑螂〕

〔蟑螂〕 zhāngláng 명《蟲》 바퀴. =〔蜚fěi蠊〕〔樟螂〕

长(長)

zhǎng (장)
① 형 손위이다. 연상이다. 나이가 위이다. ¶他比我~两岁; 그는 나보다 두 살 위다 / 他最年~; 그가 가장 연상이다. ② 형 (형제 순서의) 맏이의. 첫째의. ¶~房; ⇩ / ~孙; ⇩ / ~兄; ⇩ / ~子; ⇩ ③ 형 (친족 관계에서) 항렬이 위인. 손위의. ¶师~; 사장(스승에 대한 존칭) / 叔shū叔比侄子~一辈; 숙부는 조카보다 한 세대 위다. ④ 명 책임자. ¶家~; 가장 / 站~; 역장 / 校~; 교장. 학장 / 团~; 단장 / 机~; (비행기의) 기장. ⑤ 명 연장자. ⑥ 명 윗사람. ⑦ 동 장(長)이 되다. 장으로 만들다. ¶派李先生~某校; 이 선생을 모(某)교의 교장으로 보내다. ⑧ 동 자라다. 성장하다. ¶她~得好看了; 그녀는 예쁘게 자라났다 / 他是在北京~大的; 그는 베이징에서 성장했다. ⑨ 동 나다. 생기다. ¶~霉; 곰팡이가 피다 / 院里~满了荒草; 온 뜰에는 잡초가 가득 자라 있다 / 我身上~了一个疮; 내 몸에 종기가 하나 생겼다 / ~芽了; 싹이 났다 / 你不~耳朵吗? 귀가 없느냐? ⑩ 동 증가하다. 많아지다. 진전하다. ¶~见识; 견문을 넓히다. 견식을 높이다 / ~力气; 힘이 솟다〔강해지다〕/ 行市~了; 시세가 올랐다 / 房钱比往年~一倍了; 집세가 작년보다 배나 올랐다 / 河里的水~高了; 강물이 불었다 / ~自己的志气, 灭敌人的威风; 자기의 사기를 진작시켜 적의 위세를 꺾다. ⇒cháng zhàng

〔长辈〕 zhǎngbèi 명 윗사람. 연장자. 항렬이 높은 사람.
〔长膘〕 zhǎng.biāo 동 (동물이) 살이 찌다. =〔上shàng膘〕 ↔〔落luò膘〕
〔长潮〕 zhǎngcháo 동 조수(潮水)가 차다. 만조가 되다. 명 만조(滿潮).
〔长成〕 zhǎngchéng 성장(成長)하다. 자라다. ¶~了一棵大树; 한 그루 큰 나무로 성장했다.
〔长成个儿〕 zhǎngchéng gèr 자라다. 제몫을 하게 되다. 어른이 되다.
〔长大〕 zhǎngdà 동 생장(生長)하다. 성장하다. 크다. 자라다. ¶别人吃粮食~; 다른 사람들은 양식을 먹고 자랐다 / 你~了, 想干什么? 넌 크면 무엇을 하고 싶으냐?
〔长的〕 zhǎngde 명 ①타고난 품. ②용모.
〔长嫡〕 zhǎngdí 명〈文〉 본처 소생의 큰 아들. 적장자(嫡長子).
〔长调门儿〕 zhǎng diàoménr ①기세가 오르다. 일이 잘 진척되다. 상태가 좋아지다. ¶他嗓子逐渐恢复了, 最近又长了调门儿; 그의 목은 점점 회복되어 최근에는 더욱더 상태가 좋아졌다. ②거만해지다. 우쭐해지다. ¶年轻人稍一得意就~可不好; 젊은 사람은 조금만 득의해도 버릇없이 구는데 이는 좋지 않은 일이다.
〔长房〕 zhǎngfáng 명 ①장남 쪽의 가계(家系). ②장남(長男). =〔大房〕 ‖ =〔长门〕
〔长个儿〕 zhǎng gèr 성장하다. 자라다. ¶小牲口正~呢; 가축의 새끼가 한창 발육하고 있다.
〔长官〕 zhǎngguān 명 ①〈文〉 장관. ②일반적으로 관리에 대하여 말함. ¶~意思; (지도자의) 일방적인 의사《비판적으로 말할 때 씀》.
〔长行市〕 zhǎng hángshi ①시세가 오르다. ②〈轉〉 기어오르다. 버릇없이 굴다. 뽐내다. 으시대다. ¶他有靠山更长起行市来了; 그는 후원자가 생겨서 더욱 버릇없이 굴기 시작했다 / 越央求她, 她越~; 부탁하면 할수록 그녀는 으시댄다〔빼긴다〕.
〔长合〕 zhǎnghé 동 (상처 등이) 말끔하게 아물다. 깨끗이 붙다. ¶过去需要焊hàn接, 铆mǎo接, 缝féng合的地方, 现在都可以用这种万能胶来粘合, 就~得跟新的一样; 과거에는 용접·리벳 연결·봉합(縫合)을 필요로 했던 것이, 현재에는 모든 것을 이 만능 접착제로 붙이면 신품과 마찬가지로 접착할 수 있다.
〔长机〕 zhǎngjī 명《軍》 편대 비행의 대장기(隊長機). =〔主zhǔ机〕
〔长价〕 zhǎng.jià 동 ①값이〔시세가〕 오르다. ↔〔落价〕 ②〈轉〉 (버릇없이) 기어오르다. 우쭐거리다. ‖ =〔长行市〕
〔长见识〕 zhǎng jiànshi 지식이 진보하다. 견식이 높아지다.
〔长劲(儿)〕 zhǎng.jìn(r) 동 ①힘을 가하다. 힘을 내다. ¶小伙子不多吃点儿怎样~呢? 젊은이가 많이 먹지도 않고 어떻게 기운을 내겠나? ②힘이 강해지다. 기운이 나다. ⇒chángjìn
〔长进〕 zhǎngjìn 명동 진보(進步)(하다). 향상(하다). ¶学习加紧, ~就快; 학습에 힘을 쏟으면 진보가 빠르다.
〔长就〕 zhǎngjiù 동 지니고 태어나다. 타고나다. 선천적이다. ¶~一个聪明的脑袋; 좋은 머리를 갖고 태어나다 / 生就的骨头, ~的筋, 一时改不过来; 타고난 골격과 근육은 여간해서는 고쳐지지 않는다.
〔长君〕 zhǎngjūn 명〈文〉 ①남의 만형. ②나이 많은〔연상의〕 군주.
〔长老〕 zhǎnglǎo 명 장로. ①고령자. ②나이가 많고 덕이 있는 중. 명승(名僧). 또, 선종(禪宗)에서 한 절의 주지 또는 승려의 경칭(敬稱). ③'长老会'의 장로직에 있는 사람.
〔长老会〕 Zhǎnglǎohuì 명《宗》 장로교《기독교의 일파》.
〔长吏〕 zhǎnglì 명 옛날, 현(縣)의 관리 중 우두머리 또는 상급 관리를 말함.
〔长脸〕 zhǎng.liǎn 동 체면을 세우다. 낯이 서게 하다. ¶他得了大奖, 真为咱们~; 그가 큰상을 받았으니 참으로 우리의 체면을 세워주는구나.
〔长林〕 zhǎnglín〔chánglín〕 명《魚》 병어.
〔长落〕 zhǎngluò 명 ①조수(潮水)의 간만(干滿). ②시세의 오르내림.
〔长满〕 zhǎngmǎn 동 온통 나다〔자라다〕. ¶路上~青苔; 길에는 온통 푸른 이끼가 돋아 있다 / 脸上~胡须; 얼굴이 수염투성이다.
〔长毛〕 zhǎng.máo 동 ①털이 나다. ②곰팡이가 슬다. ¶这两天直下雨, 馒头都~了; 요 며칠 동안 비가 오더니 빵에 곰팡이가 슬었다. ⇒chángmáo

〔长霉〕 zhǎng·méi 통 ⇨〔发fā霉①〕
〔长门〕 zhǎngmén 명 ⇨〔长房〕
〔长年〕 zhǎngnián 명 〈方〉 선주(船主). ⇒chángnián
〔长女〕 zhǎngnǚ 명 장녀. 큰딸. →〔女儿①〕
〔长胖〕 zhǎngpàng 통 살찌다. 뚱뚱해지다.
〔长脾气〕 zhǎng píqi 우쭐해하다. 잘난 체하다.
〔长钱〕 zhǎng·qián 통 ①시세가 오르다. ②〈轉〉 기어오르다. 버릇없이 굴다. 뽐내다. ¶他那样儿本事现在用上了, 所以长了钱了; 그의 그런 솜씨라도 필요하게 되자, 기어오르기 시작했다. ‖＝〔长行市〕 ⇒chángqián
〔长亲〕 zhǎngqīn 명 항렬이 위인 친척.
〔长肉〕 zhǎng·ròu 통 살이 찌다. 뚱뚱해지다. ¶他近二年发福了, 长了一身肉; 그는 요 2년 사이에 몸이 나서 살이 뚱뚱하게 쪘다.
〔长入〕 zhǎngrù 통 성장하여 …이 되다.
〔长嫂〕 zhǎngsǎo 명 큰[맏]형수. ¶长嫂如母; 〈成〉 맏형수는 어머니와 같다. ＝[〈文〉 丘qiū嫂]
〔长殇〕 zhǎngshāng 통 〈文〉 장상하다. 젊은 나이로 죽다《16세에서 19세까지의 죽음》.
〔长上〕 zhǎngshàng 명 ①웃사람. ②상사(上司).
〔长蛸〕 zhǎngshāo 명 《動》 낙지.
〔长蛇鲻〕 zhǎngshézī 명 《魚》 물천구.
〔长势〕 zhǎngshì 명 (식물의) 성장한 모양. 성장도(成長度). ¶那么好的庄稼～她不理; 그녀는 저렇듯이 훌륭하게 자란 작물도 거들떠보지 않는다.
〔长孙〕 zhǎngsūn 명 ①장손(長孫). ②복성(複姓)의 하나.
〔长尾巴〕 zhǎng wěiba 꼬리가 나오다. 〈比〉 (농으로) 생일이 되다. ¶今儿个是他～的日子; 오늘은 그의 생일이다[귀빠진 날이다] / 今天你～; 오늘은 네 생일이다[귀빠진 날이다].
〔长习气〕 zhǎng xíqi 우쭐해하다. 기어오르다.
〔长相(儿)〕 zhǎngxiàng(r) 명 〈口〉 용모. ¶从他们的～上看, 好像兄弟俩; 그들의 용모를 보면 형제간 같다. ＝〔相貌〕〔长像儿〕
〔长心〕 zhǎng·xīn 통 ①(야채 따위에) 속대가 생기다. ②(흔히, '长点心'의 꼴로) 조심하다. 주의하다. ¶长点心, 别忘了! 잊지 않도록 주의해라! ③철이 들다. 어른스러워지다.
〔长兄〕 zhǎngxiōng 명 맏형. 큰형. ＝〔大dà兄②〕
〔长锈〕 zhǎngxiù 통 녹슬다. ＝〔生锈〕
〔长眼〕 zhǎng·yǎn 통 식별[감별]하다. 통찰력을 발휘하다. ¶天真不～; 하늘은 정말 눈 뜬 장님이다. 하늘도 무심하여라.
〔长者〕 zhǎngzhě 명 〈文〉 ①연장자. 또는 친족 중에서 순위가 높은 사람. ②덕이 있는 사람.
〔长子〕 zhǎngzǐ 명 장남(長男). 장자. ＝〔大孩子〕 ⇒chángzi
〔长嘴的要吃, 长根的要肥〕 zhǎng zuǐde yào chī, zhǎng gēnde yào féi 〈諺〉 입은 음식물을 구(求)하고, 뿌리는 비료를 구한다《작물을 기르는 데는 비료가 필요함》.

涨(漲) zhǎng (창)

①통 물이 붇다. ¶河里水～了; 강물이 불었다 / 水～船高; 〈成〉 물이 불면 배도 높아진다《토대가 되는 것의 지위가 높아지면, 자신의 지위도 그에 따라 높아진다》. ②형 물이 넘치는 모양. ③통 물가(物價)가 오르다. 값이 오르다. ¶物价～起来; 물가가 오르기 시작하다. ↔〔落〕 ⇒zhàng
〔涨潮〕 zhǎng·cháo 통 조수가 차다. 만조가 되다. (zhǎngcháo) 명 만조. ↔〔落luò潮〕
〔涨跌〕 zhǎngdiē 명 ①조류의 간만. ②물가의 오르고 내림. 통 (조수·물가 등이) 오르락내리락하다. ‖＝〔涨落〕
〔涨风〕 zhǎngfēng 명 시세의 강세(強勢)〔오름새〕. 물가 상승의 조짐.
〔涨幅〕 zhǎngfú 명 가격 상승폭. ¶食油的～恐怕也有限; 식용유의 가격 인상폭도 아마 한도가 있을 것이다.
〔涨价〕 zhǎng·jià 통 값이 오르다. 등귀하다. ¶这回台风一过, 建筑材料又该～了; 이 태풍이 지나가면, 건축 자재는 반드시 값이 오를 것이다. ＝〔起价〕〔提涨〕〔增价〕
〔涨落〕 zhǎngluò 명 ①조수(潮水)의 간만. ②(물가·시세의) 등락(騰落). 오르내림. 통 (조수·물가 등이) 오르락내리락하다. ¶行市～; 시세가 오르락내리락하다. ‖＝〔涨跌〕
〔涨钱〕 zhǎng·qián 통 ①값이 오르다. ¶茅台酒涨了多少钱? 마오타이주는 얼마나 올랐습니까? ②급료가 오르다. ¶这次我的工资涨了六千块钱; 이번 나의 급료는 6천원 올랐다. ＝〔涨工钱〕〔涨工资〕
〔涨水〕 zhǎng shuǐ 물이 붇다. ¶倾盆大雨, 马路上～了; 억수 같은 비로 길에 물이 넘쳤다.
〔涨溢〕 zhǎngyì 통 〈文〉 (물 따위가) 넘치다.

仉 Zhǎng (장)

명 성(姓)의 하나. ¶～督; 복성(複姓)의 하나.

掌 zhǎng (장)

①명 손바닥. ¶鼓gǔ～ ＝〔拍～〕; 박수 치다 / 瞭了liǎo如指～; 손금 보듯 분명하다 / 易如反～; 〈成〉 손바닥을 뒤집듯 쉬운 일이다 / 摩拳擦～; 〈成〉 (싸움) 만반의 준비를 갖추다. ＝〔手掌〕〔巴掌〕〔手心〕 ②명 동물의 발바닥. ¶熊～; 곰의 발바닥 / 鸭～; 오리의 물갈퀴. ③명 편자. ¶钉dìng～; 편자를 달다 / 起～; 편자를 떼다. ④(～儿) 명 구두창. ¶钉一块儿前～儿; 구두의 앞창을 달다. ⑤명 직장(職掌). ⑥통 관장하다. 주관(主管)하다. ¶～财政; 재정을 관장하다 / ～灶的; 요리사. ⑦통 손바닥으로 치다. ¶～其频; 손바닥으로 따귀를 때리다. ⑧통 손에 쥐다. 장악하다. ¶～大权; 대권을 장악하다. ⑨(～子) 명 막장. 탄광의 채굴 현장. ⑩통 손으로 다루다. ¶～灯; 등불을 켜다 / ～舵; 조타(操舵)하다. ⑪통 〈方〉 (소금 등을) 치다. ¶～点酱油; 간장을 좀 치다. ⑫개 〈方〉 …을[를]. ¶～门关上; 문을 닫다. ⑬명 성(姓)의 하나.
〔掌案〕 zhǎng'àn 명 〈文〉 관청의 문서 취급자.
〔掌案儿的〕 zhǎng'ànrde 명 옛날, 고깃간에서 고기를 썰던 사람. ＝〔掌刀儿的〕
〔掌班(的)〕 zhǎngbān(de) 명 ①우두머리. 두령. ②극단(劇團)의 우두머리. ③기루(妓樓)의 주인.
〔掌鞭〕 zhǎngbiān 명 〈方〉 마부. ¶～的; 마차의 마부.
〔掌不住〕 zhǎngbuzhù ①억제하지 못하다. 견디지 못하다. 참을 수 없다. ②〈轉〉 엉겁결에. ¶～笑了; 엉겁결에 웃었다.
〔掌秤〕 zhǎng·chèng 통 계량계(計量係)를 담당하다. (zhǎngchèng) 명 계량계.
〔掌刀儿的〕 zhǎngdāorde 명 ⇨〔掌案儿的〕
〔掌灯〕 zhǎng·dēng 통 ①등불을 (손에) 들다. ②등불을 켜다. ¶～的时候; 저녁때. ＝〔上shàng灯〕〔亮liàng灯〕
〔掌舵〕 zhǎng·duò 통 배의 키를 잡다. 〈比〉 방향을 정하다. ＝〔掌柁〕〔把bǎ舵〕〔操cāo舵〕〔推tuī舵〕 (zhǎngduò) 명 배의 키잡이. 조타수(操舵

手). ¶～的; 키잡이.
〔掌根〕 zhǎnggēn 명 《植》 식물의 덩이 뿌리가 변형한 것으로 손바닥 모양을 이룬 것.
〔掌工〕 zhǎnggōng 명 제철공(蹄鐵工).
〔掌骨〕 zhǎnggǔ 명 《生》 장골.
〔掌故〕 zhǎnggù 명 역사상 인물의 사적이나 제도 연혁(沿革). 고실(故實). 관습. ¶他很熟悉北京的～; 그는 베이징(北京)의 역사 연혁을 매우 잘 알고 있다.
〔掌管〕 zhǎngguǎn 동 관리하다. 주관하다. ¶～家业; 가업을 관리하다 / 各种事务都有专人～; 어떤 사무나 각각 주관하는 사람이 있다.
〔掌柜〕 zhǎngguì 명 ①상점의 지배인. ¶二～; 부지배인 / 内～; 상점 지배인의 아내 / 领东～; 남의 출자(出資)로 영업하는 지배인 / 了liǎo事～; 지배인 대신 일을 전담하는 사람 / 股份～; 이익 배당을 받는 지배인. ②점주(店主). 주인. ¶小～ =〔小开〕; 가게 주인의 아들. =〔老板〕 ③영감. 영감님(호칭). ④지주(地主). ⑤남편. ‖ =〔掌柜的〕
〔掌号〕 zhǎnghào 명동 소집 나팔(을 불다).
〔掌颊〕 zhǎngjiá 동 ⇨〔掌嘴zuǐ〕
〔掌理〕 zhǎnglǐ 동 처리하다. ¶～业务; 업무를 처리하다.
〔掌橹〕 zhǎnglǔ 동 노를 젓다.
〔掌权〕 zhǎng.quán 동 권력을 쥐다.
〔掌扇〕 zhǎngshàn 명 경축 의장(儀仗)용 자루 긴 부채. =〔障zhàng扇〕〔障翳①〕 동 〈文〉 부채질하다. =〔〈口〉 打dǎ扇〕
〔掌上观纹〕 zhǎng shàng guān wén 〈成〉 사물의 관찰이 자세함.
〔掌上明珠〕 zhǎng shàng míng zhū 〈成〉 부모가 애지중지하는 딸. 〈比〉 매우 진귀한 것. ¶夫妻俩爱女儿如～; 부부는 딸을 애지중지 귀여워한다. =〔掌上珠〕〔掌中珠〕〔掌珠〕
〔掌勺儿〕 zhǎng.sháor 동 요리를 전문으로 맡아서 하다. ¶～的; ⓐ요리사. ⓑ집 주인(해학적).
〔掌声〕 zhǎngshēng 명 박수 소리. ¶起了～; 박수가 일어나다 / ～如雷; 박수 소리가 우레와 같다.
〔掌柁〕 zhǎngtuó 동 ⇨〔掌舵〕
〔掌纹〕 zhǎngwén 명 수상(手相). 손금. ¶～学; 수상학.
〔掌握〕 zhǎngwò 동 ①장악하다. 파악하다. 마스터하다. ¶～方向; 방향을 파악하다 / ～证据; 증거를 손에 쥐다 / ～技术; 기술에 정통하다. 기술을 마스터하다 / ～理论; 이론에 정통하다 / ～原则; 원칙을 파악하다 / ～动向; 동향을 파악하다 / 可恨重地已在敌人的～之中; 유감스럽게도 중요 지점이 적의 수중에 있다. ②주관하다. 지배하다. ¶～会议; 회의를 주관하다. ③통솔하다. 휘어잡다. ¶～不了人, 当不了头目; 휘어잡지 못하면 두목이 될 수 없다 / 那浪子, 连他父亲都～不住他; 저 방탕한 아들은 부친도 감당을 못한다.
〔掌心〕 zhǎngxīn 명 ①손바닥(의 한가운데). ②〈比〉 세력 범위. 통제 범위.
〔掌钥匙的〕 zhǎngyàoshide 명 열쇠를 맡고 있는 사람. 집이나 창고를 지키는 사람.
〔掌印〕 zhǎng.yìn 동 인감을 관리하다. 〈轉〉 사무를 맡아 보다. 정권을 잡다. 일을 주관하다.
〔掌灶(儿)〕 zhǎng.zào(r) 동 (음식점 · 식당 · 호텔 등에서) 요리를 전담(專擔)하다. ¶～的 =〔掌勺儿的ⓐ〕; 요리사.
〔掌珠〕 zhǎng zhū 〈成〉 ⇨〔掌上明珠〕
〔掌状复叶〕 zhǎngzhuàng fùyè 명 《植》 손꼴겹잎. 장상 복엽.
〔掌子〕 zhǎngzi →〔字解⑨〕
〔掌嘴〕 zhǎng.zuǐ 동 따귀를 때리다. =〔掌颊〕

礃 zhǎng (장)
→〔礃子〕

〔礃子〕 zhǎngzi 명 《鑛》 막장. 갱도(坑道)의 채굴장(採掘場). =〔掌子〕

丈 zhàng (장)
①명 《度》 10'尺'(3.33m. '一尺'의 10배). ②명 〈敬〉 장로(長老). 나이 지긋한 남자. ¶老～; 할아버지. 노인장. ③동 길이 · 면적 · 토지 등을 측량(測量)하다. ¶那块地还没～过呢; 저 토지는 아직 측량을 하지 않았다 / 已经清～; 이미 측량이 끝났다. ④명 (친족의) 남편. ¶姑gū～; 아버지 자매의 남편. 고모부 / 姐jiě～; 형부. 자형. ⑤명 아내의 부모를 이르는 말. ¶(老)～人; 장인 / ～母娘; 장모.
〔丈八〕 zhàngbā 수량 1장 8척. 18척. ¶～灯台照远不照近; 〈諺〉 1장 8척이나 되는 높은 촛대는 먼데만 비추고 가까운 곳은 어둡다(등잔밑이 어둡다) / ～蛇矛shémáo; 옛날 병기의 일종. 장창(長槍).
〔丈单〕 zhàngdān 명 (측량을 필한) 땅문서.
〔丈地〕 zhàng dì 토지를 측량하다.
〔丈二和尚〕 zhàng'èr héshang 〈歇〉 1丈 2尺의 스님('摸不着头脑'(머리를 쓰다듬을 수 없다)이 뒤에 연결되어 '짐작이 가지 않다'의 뜻).
〔丈夫〕 zhàngfū 명 성년 남자. 사나이. 대장부. ¶～气 =〔～气概〕; 사나이다움. 사나이의 기개 / ～泪; 사나이의 눈물 / ～一言, 驷马难追; 〈諺〉 사나이의 한 마디 말은 사두 마차로 쫓아도 돌이킬 수 없다 / ～做事不二过; 〈諺〉 사나이는 두 번 실수하지 않는다. 注 다음과 같이 부정사(否定詞)를 동반하여 형용사로 쓰이는 일도 있음. ¶他太不～了; 그는 너무 사내답지 못하다.
〔丈夫〕 zhàngfu 명 남편. ¶她有～; 그녀는 남편이 있다.
〔丈夫子〕 zhàngfūzǐ 명 옛날에, 성년 남자를 일컫던 말(여자는 '女子子').
〔丈杆子〕 zhànggānzi 명 장인을 농으로 이르는 말.
〔丈量〕 zhàngliáng 동 '步弓bùgong'(토지를 측량하는 활 모양의 자) · '皮尺'(줄자) 등으로 전답의 면적을 측량하다. ¶～地亩 =〔～土地〕; 토지를 측량하다.
〔丈六金身〕 zhàngliù jīnshēn 명 ①《佛》 불상(佛像)의 별칭. ②큰 불상.
〔丈母见郎, 割肉放汤〕 zhàngmǔ jiànláng, gēròu fàngtāng 장모가 보기에 사위가 귀엽고 사랑스러워서 제 살을 베어 국을 끓여 줄 정도이다. =〔丈母娘看女婿越看越中意〕〔老丈人看女婿越看越惹气〕
〔丈母(娘)〕 zhàngmu(niáng) 명 장모. ¶～娘当家; 〈歇〉 장모가 살림을 꾸려 나가다. 〈比〉 쓸데없이 참견하다. =〔妻母〕〔岳母①〕
〔丈人〕 zhàngrén 명 ①장로(長老). ②옛날, 노인의 경칭. ③《天》 별 이름.
〔丈人〕 zhàngren 명 장인. 악부(岳父).
〔丈人(峰)〕 zhàngren(fēng) 명 ⇨〔岳yuè父〕

仗 zhàng (장)
①동 기대다. 의지하다. 믿다. ¶～着大家的力量; 모두의 힘에 의지하다 / 这样大的事情,

不能只～一个人; 이렇게 큰 일은 한 사람에게만 의지할 수 없다 / ～着有点技术, 就不肯钻研了; 약간의 기술이 있다고 깊이 연구하려 하지 않다 / 狗～人势; 〈成〉 개가 주인의 힘을 믿고 짖어 대다(남의 권세를 믿고 위세를 부리다). →〔依仗〕〔依靠〕 ② 명 병기(兵器)의 총칭. ¶明火执～; 〈成〉 횃불을 켜고 무기를 손에 쥐다. 강도질하다(현재는 거리낌없이 못된 짓을 함을 이름) / 仪yí～; 의장대가 가진 무기. 의장(儀仗). ③ 명 전쟁. 싸움. ¶打败～; 패전하다 / 打了胜～了; 전쟁에 이겼다. ④ 동 (무기를) 손에 잡다〔쥐다〕. ¶～剑; 검을 쥐다 / ～腰子 =〔～腰眼子〕; 후원하다. 뒷받침하다. 뒷배를 봐 주다. ⑤ 명 싸움 따위의 횟수. ¶干一～; 한 번 싸우다.

〔仗胆(儿)〕 zhàng.dǎn(r) 동 마음을 다부지게 갖다. 마음을 굳게 먹다. ¶～做下去吧! 각오를 단단히 하고 계속해라!

〔仗剑〕 zhàng.jiàn 동 〈文〉 ①검을 지팡이삼아 짚다. ②검을 곁에서 떼놓지 않다.

〔仗马〕 zhàngmǎ 명 〈文〉 ①의장용(儀仗用) 말. ②〈轉〉 화(禍)가 두려워서 침묵하는 사람(의장말이 온순하다는 데서 온 말). ¶～寒蝉 =〔～无声〕〔寒蝉～〕; 〈成〉 두려워 한 마디도 말하지 못하다 / ～作壁上观; 후환이 두려워 방관하다.

〔仗凭〕 zhàngpíng 동 의지하다. 믿다. ¶他们～什么, 有多少真才实学? 그들은 뭘 믿고 있는 거냐? 얼마나 진정한 학문이 있다는 거지?

〔仗气〕 zhàng.qì 동 단단히 마음먹다. 분발하다.

〔仗身〕 zhàngshēn 명 ⇨〔后hòu盾〕

〔仗恃〕 zhàngshì 동 기대다. 의지하다. 믿다.

〔仗势〕 zhàng.shì 동 세력에 의지하다. 세력을 믿다. ¶～欺人; 〈成〉 세력을 믿고 남을 괴롭히다. =〔倚yǐ势〕

〔仗腰眼子〕 zhàng yāoyǎnzi 〈方〉 허리를 뒤에서 받치다. 원조하다. 후원하다. ¶有～的; 후원자가 있다. 의지가 되다 / 不管是谁给他～, 有理就不怕他; 누가 그를 후원하건 이치에 맞으면 두려울 것이 없다. =〔仗腰子〕

〔仗腰子〕 zhàng yāozi ⇨〔仗腰眼子〕

〔仗义〕 zhàngyì 동 〈文〉 정의로운 행동을 하다. ¶～疏财; 〈成〉 자신의 재물을 내어 역경에 처한 사람을 돕다 / ～执言; 〈成〉 정의를 위해 의로운 주장을 하다.

〔仗嘴〕 zhàngzuǐ 동 변설(辯舌)에 의지하다.

杖 zhàng (장)

① 명 지팡이. 단장. ¶扶～而行; 지팡이에 의지하여 걷다 / 手～; 단장. 스틱. ② 명 상장(喪杖). ③ 명 오형(五刑)의 하나. 장형(杖刑). ④ 동 지팡이를 짚다. ⑤ 동 손에 쥐다. 가지다. ¶～策; 채찍을 손에 들다. ⑥ 명 막대기. ¶擀gǎn面～; 국수 방망이. 면봉(麪棒) / 拿刀动～; 칼이나 몽둥이를 휘두르다(폭력 사태가 되다).

〔杖策〕 zhàngcè →〔字解⑤〕

〔杖朝〕 zhàngcháo 명 ①옛날, 80세가 되면, 조정에서 지팡이를 짚는 것이 허용된 일. ②〈轉〉 80세.

〔杖罚〕 zhàngfá 명 〈文〉 ⇨〔杖刑〕

〔杖藜〕 zhànglí 동 〈文〉 지팡이를 짚다.

〔杖期〕 zhàngqī 명 남편이 아내를 위해, 또는 자식이 서모(庶母)를 위해 복(服)을 입는 기간(1년).

〔杖头木偶〕 zhàngtóu mù'ǒu 명 인형극의 하나(막대기로 인형을 조종함). =〔托偶〕

〔杖头钱〕 zhàngtóuqián 명 〈文〉 술값.

〔杖刑〕 zhàngxíng 명 〈文〉 옛날, 장형. 태형(笞刑)('杖杀'은 장형을 가해 죽이는 일)). =〔杖罚〕

〔杖洋〕 zhàngyáng 명 ⇨〔站zhàn人银圆〕

〔杖子〕 zhàngzi 명 ①갈대로 엮은 울타리. ②가로수를 이용한 가리개. ③보루(堡壘)(지명에 흔히 쓰임). ¶宋～; 《地》 쑹장쯔(宋杖子)(랴오닝 성(遼寧省)에 있는 땅이름) / 大～; 《地》 다장쯔(大杖子)(허베이 성(河北省)에 있는 땅 이름).

长(長) zhàng (장)

형 〈文〉 쓸데없는. 나머지의. ¶冗～; 소용 없는 / 身无～物; 〈成〉 쓸데없는 것을 몸에 가지고 있지 않다. 〈比〉 재산이 아무것도 없다. ⇒ cháng zhǎng

帐(帳) zhàng (장)

명 ①(～子) 막. 장막. 커튼. 휘장. ¶床～; 침대 휘장 / 蚊～; 모기장. ②군영. 막사. ¶中军～ =〔虎～〕; 본영. 사령부.

〔帐顶〕 zhàngdǐng 명 침대용 모기장의 천장에 해당하는 부분. ¶倒dǎo在床上看着～出神; 침상에 누워서 모기장 천정을 멍하니 보고 있다.

〔帐额〕 zhàng'é 명 ⇨〔帐帘儿〕

〔帐房(儿)〕 zhàngfáng(r) 명 천막. 텐트. =〔帐篷〕

〔帐钩(儿, 子)〕 zhànggōu(r, zi) 명 모기장·천막의 매다는 고리.

〔帐帘儿〕 zhàngliánr 명 모기장 옆 쪽에 드리워진 부분. =〔帐额〕〔帐围〕〔帐颜〕〔帐檐〕 →〔帐顶〕

〔帐落〕 zhàngluò 명 유목민의 취락지(聚落地).

〔帐幔〕 zhàngmàn 명 장막. 휘장.

〔帐门〕 zhàngmén 명 천막의 출입구.

〔帐幕〕 zhàngmù 명 ⇨〔帐篷〕

〔帐内〕 zhàngnèi 명 〈文〉 ①장막 안. ②〈轉〉 막료(幕僚).

〔帐棚〕 zhàngpéng 명 천막. 장막. 막사(幕舍). 텐트. ¶支～ =〔搭～〕; 천막을 치다. =〔帐篷péng〕〔帐幕mù〕

〔帐篷〕 zhàngpéng 명 텐트. 천막. (캔버스 등으로 만든) 노천(露天)의 차일. =〔帐房(儿)〕〔帐幕〕〔帐棚〕

〔帐屏〕 zhàngpíng 명 천으로 만든 칸막이.

〔帐围〕 zhàngwéi 명 ⇨〔帐帘儿〕

〔帐下儿〕 zhàngxià'ér 명 〈文〉 병졸(兵卒).

〔帐下吏〕 zhàngxiàlì 명 〈文〉 군리(軍吏). 군대에 속한 문관.

〔帐颜〕 zhàngyán 명 ⇨〔帐帘儿〕

〔帐檐〕 zhàngyán 명 ⇨〔帐帘儿〕

〔帐饮〕 zhàngyǐn 동 〈文〉 장막을 치고 이별〔송별〕의 술잔치를 하다.

〔帐子〕 zhàngzi 명 ①중국의 구식 침대의 휘장(침대 네 귀퉁이에 기둥을 세우고, 그 위에 가로대를 지르고 침대 둘레에 늘어뜨린 것). ② →〔字解①〕

账(賬) zhàng (장)

명 ①장부. ¶记～; 기장하다. 외상거래를 하다 / 查～; 장부를 조사하다 ②계산. 회계. 부기. 대차 계정. ¶算～; 결산하다 / 不管他的闲～; 그 따위 쓸데없는 일에 상관하지 않는다. ③외상. 빚. 채무. ¶欠～; 빚을 지다 / 要～ =〔讨～〕〔追～〕; 외상값을 청구하다 / 收～; 빚을 받다 / 清～ =〔完～〕; 결산하다. 빚을 청산하다. →〔帐〕

〔账本(儿, 子)〕 zhàngběn(r, zi) 명 ⇨〔账簿〕

〔账簿〕 zhàngbù 명 장부. 회계부. 출납부. =〔账本(儿, 子)〕〔账册〕

〔账册〕 zhàngcè 명 ⇨〔账簿〕
〔账单(儿, 子)〕 zhàngdān(r, zi) 명 계산서. 명세서. =〔账目单〕〔账条儿〕〔账帖儿〕〔账票piào〕
〔账底〕 zhàngdǐ 명 ⇨〔账尾〕
〔账房(儿)〕 zhàngfáng(r) 명 ①계산실. 장부 회계실. 계산대(臺). ¶做～; 회계를 맡아 보다 / ～员; 회계원. ②회계원. ¶～先生; 회계 담당자. 회계원(員). →〔帐房(儿)〕
〔账柜〕 zhàngguì 명 계산대. 카운터.
〔账户〕 zhànghù 명 ①계좌(計座). ¶互相开立～; 서로 상대방의 계좌를 트다. ②거래처(의 계좌). ③계정 과목. 수지(收支)의 명세.
〔账款〕 zhàngkuǎn 명 ①장부와 금전. ¶～相符; 장부와 금전이 맞다. ②장부상의 자금. ③예금 잔액.
〔账目〕 zhàngmù 명 ①장부에 기재된 항목. ¶～单; 계산서. ②장부에 기재된 숫자. 기장 금액. 장부의 계산. ¶～不清; 장부에 기재된 숫자가 분명치 않다 / 银钱～的事; 회계 사무.
〔账目单〕 zhàngmùdān 명 ⇨〔账单(儿, 子)〕
〔账票〕 zhàngpiào 명 계산서. 명세서. =〔账单(儿, 子)〕
〔账签儿〕 zhàngqiānr 명 장부의 제목〔표제〕.
〔账台〕 zhàngtái 명 계산대. 카운터.
〔账条儿〕 zhàngtiáor 명 ⇨〔账单(儿, 子)〕
〔账帖儿〕 zhàngtiěr 명 ⇨〔账单(儿, 子)〕
〔账尾〕 zhàngwěi 명 장부끝. 계산의 차감(差減). 장부의 결산 잔액. =〔账底〕
〔账务〕 zhàngwù 명 회계 사무. 장부상의 일.
〔账项〕 zhàngxiàng 명 계정 항목. 계정 과목(‘借项’ 차변(借邊) 계정 과목. ‘贷dài项’ 대변(貸邊) 계정 과목).
〔账折〕 zhàngzhé 명 통장(通帳).
〔账主(儿, 子)〕 zhàngzhǔ(r, zi) 명 〈方〉 채권자. 빚쟁이. 대주(貸主).
〔账走一家〕 zhàng zǒu yījiā 〈諺〉 빚을 얻을 때에는 한 집에서만 빌린다(원조는 여러 사람에게서 받으면 안 된다).

胀(脹) zhàng (창)

동 ①(배가) 더부룩하게 불러 오다. (배가) 팽팽해지다. (피부가) 붓다. 부어오르다. ¶吃得太多, 肚～了; 너무 많이 먹어서 배가 터질 듯이 부르다 / 手指头发～; 손가락이 붓다. ②내부가 충만하여 배출할 길 없는 답답한 느낌을 느끼다. ¶头昏脑～; 머리가 무거워 띵하다. ③팽창하다. 부풀다. ¶气球～起来了, 飞到天上去了; 기구가 부풀어 하늘로 날아갔다 / 物体热～冷缩; 물체는 열을 가하면 팽창하고 차게 하면 수축한다.
〔胀大〕 zhàngdà 동 불어서 커지다.
〔胀肚〕 zhàng·dù 동 배가 팽팽해지다. 배가 불룩해지다. ¶牛肉吃多了～, 少吃点儿; 쇠고기는 많이 먹으면 배가 나오니까, 좀 적게 먹어라. (zhàngdù) 명 파산 직전의 집. ¶老账加新债, 还是个～; 묵은 빚에 새로운 빚이 추가되니, 아무래도 파산 직전의 집이다.
〔胀率〕 zhànglǜ 명 《物》 팽창률.
〔胀满〕 zhàngmǎn 명 《漢醫》 창만(脹滿). 형 불룩하다. 동 부어 오르다.
〔胀圈〕 zhàngquān 명 ⇨〔活huó塞胀圈〕
〔胀胎〕 zhàngtāi 명 《工》 팽창 심봉(心棒)(expanding arbor).
〔胀痛〕 zhàngtòng 명 부어서 아픔(소화 불량 따위).

涨(漲) zhàng (창)

동 ①확대(擴大)하다. 팽창하다. (물에) 붇다. ¶豆子泡～了; 콩이 물에 불어 부풀어올랐다 / ～大; 부풀어서 커지다 / 膨～; 팽창하다 / ～缩; 신축(하다). ②가득 차다. 고조되다. 높아지다. ¶情绪高～; 사기가 앙양되다. ③충혈되다. 상기되다. ¶他气得～红了脸; 그는 화가 나서 얼굴이 빨개졌다. ④(예정한 금액·저울눈이) 초과하다. 넘다. ¶钱花～了; (돈을 써서) 예산이 초과하다 / 把布一量, ～出了半尺; 천을 재 봤더니 반 ‘尺’ 정도가 많았다. ⇒zhǎng
〔涨大〕 zhàngdà 동 부풀어서 커지다.
〔涨膨〕 zhàngpéng 동 팽창하다. 부풀다.

障 zhàng (장)

①동 칸막이하다. 가로막다. 차단하다. ¶堤堰yàn可以～水; 둑은 물을 막을 수 있다. ②동 방해하다. ¶～碍; 방해〔장애〕(하다). ③동 지장이 있다. ④동 지키다. 보장하다. =〔幛②〕 ⑤명 칸막이. 병풍. ¶屏～; 병풍. ⑥→〔障子〕
〔障碍〕 zhàng'ài 명동 방해(하다). 장애(가 되다). 지장(을 주다). ¶～物; 장애물 / 设置～; 장애를〔장애물을〕 만들다〔설치하다〕 / 排除～; 장애를 배제하다 / 没有不可逾越的～; 뛰어넘지 못할 장애는 없다 / ～赛sài跑 =〔～竞jìng走〕; 《體》 장애물 경주.
〔障板〕 zhàngbǎn 명 ⇨〔阻zǔ板〕
〔障蔽〕 zhàngbì 동 〈文〉 덮다. 막다. 덮어서 숨기다. 가로막다. ¶～视线; 시선을 가로막다 / ～台; 전화 고장(의 접수).
〔障泥〕 zhàngní 명 안장의 말다래.
〔障扇〕 zhàngshàn 명 ⇨〔掌zhǎng扇〕
〔障身法〕 zhàngshēnfǎ 명 ①호신술. ②은신술(隱身術).
〔障眼法〕 zhàngyǎnfǎ 명 남의 눈을 속이는 수법. 속임수. ¶他的～根本骗不了人; 그의 속임수는 전혀 사람을 속이지 못한다. =〔遮眼法〕
〔障翳〕 zhàngyì 명 ①축하 행렬에 쓰는 자루가 긴 부채. ②〈文〉 그늘. 동 〈文〉 가로막다. 은폐하다.
〔障子〕 zhàngzi 명 바자울(갈대 등을 발처럼 엮어 만든 울타리).

幛 zhàng (장)

①(～子) 명 경조(慶弔) 때에 보내는 비단이나 무명 또는 나사(羅紗) 현수막. ¶喜～; 축하용 ‘幛’ / 寿～; 생일 축하용 ‘幛’. ②동 ⇨〔障④〕
〔幛光儿〕 zhàngguāngr 명 ‘幛子’ 겉에 핀으로 고정시키는 네모난 종이(경조의 문자를 적음).
〔幛料子〕 zhàngliàozi 명 ‘幛子’의 재료(무명·비단·수자(繻子)·단자(緞子) 등을 쓰는데, 경사(慶事)에는 빨강, 흉사에는 흰색·남빛·검정 등을 씀).

嶂 zhàng (장)

명 병풍같이 깎아지른 산.

瘴 zhàng (장)

명 ①산이나 내에서 생기는 독기(毒氣). 장기. 장독(음력 2·3월경의 것을 ‘春瘴’·‘青草瘴’, 4·5월경의 것을 ‘黄梅瘴’, 6·7월경의 것을 ‘新水瘴’, 8·9월경의 것을 ‘黄茅瘴’이라 함). ②중국 남부에 많은 말라리아 종류의 병.
〔瘴疠〕 zhànglì 명 ①아열대 습지(濕地)에서 생기는 독기(毒氣). ②《漢醫》 아열대 습지의 독기를

쐬어서 생기는 병(악성 말라리아 등).
〔瘴气〕 zhàngqì 명 장기(瘴氣). 장려(瘴癘). =〔烟yān瘴〕

ZHAO ㄓㄠ

钊(釗) zhāo (소, 교) 동 〈文〉 부지런히 노력하다(흔히, 인명용 자(字)로 쓰임).

招 zhāo (초) ① 동 손짓으로 부르다. 손을 흔들다. ¶用手一～, 他就来了; 손짓을 했더니, 그는 바로 왔다. ② 동 모집하다. ¶～股gǔ; 주식을 모집하다 / 那所房子～不上租户; 저 집은 세들려 하는 사람이 없다. ③ 동 (사람이나 일 들을) 불러일으키다. 야기시키다. 자아내다. ¶～人笑话; 남의 웃음거리가 되다 / ～人疑惑; 남의 의심을 사다 / 我没～谁惹谁; 나는 누구의 감정도 상하게 하지 않았다. ④ 동 (말이나 행동으로 남을) 건드리다. ¶大孩子把小孩子～哭了; 큰 아이가 작은 아이를 건드려 울리다. ⑤ 동 〈方〉 전염하다. ¶这病～人; 이 병은 사람에게 전염된다 / ～了病了; 병이 옮았다. ⑥ 동 자백(自白)하다. ¶不打自～; 고문하지 않았는데 자백하다 / 不肯～认; 자백하려 하지 않다 / 把罪状～出来; 죄상을 자백하다. ⑦ 동 사위로 들어가다. 사위를 맞다. ⑧ 명 표지(標識) (간판 · 이목을 끄는 천의 드림 따위). ¶布～; 광고용 깃발. ⑨ 명 권법(拳法)의 동작. 술(術). ⑩ 명 방법. 수단. 계책. ¶你想得到这一～吗? 자네 이러한 수법(手法) 같은 것을 상상할 수 있겠나? =〔着〕 ⑪ 명 (바둑 · 장기의) 수. ¶别支～儿; 훈수를 두지 마라. ⑫ 동 (좋지 않은 사물이) 꾀어들다. 달라붙다. ¶～苍cāng蝇; 파리가 꾀다 / ～狂蜂浪蝶; (딸에게) 신통치 않은 상대가 생기다 / ～鬼; 귀신들리다. ⑬ 동 교제하다. 상대하다. ¶谁也不肯～他; 아무도 그와 상대하려 하지 않다. ⑭ 동 유혹하다. 남의 눈을 끌다. ¶压根儿别～我; 나를 유혹할 생각 따위는 아예 하지 마라. ⑮ 동 (양념을) 치다. ¶再～点儿醋吧; 식초를 좀더 쳐라 / 这个菜, 盛在盘子以后～点儿胡椒面儿更显得有风味; 이 요리를 접시에 담아 후추를 조금 뿌리면 한층 풍미가 난다. ⑯ 동 펄럭이다. 번뜩이다. ⑰ 명 성(姓)의 하나.

〔招安〕 zhāo'ān 동 귀순할 것을 권장하다. 투항하게 하다. 복종시키다. =〔招抚〕
〔招变〕 zhāobiàn 동 (몰수품을) 불하하다.
〔招标〕 zhāo.biāo 동 입찰(入札)을 모집하다. =〔招票〕↔〔投标〕
〔招兵〕 zhāo.bīng 동 병사를 모집하다. ¶～聚将jiàng; 군사를 모집하다.
〔招兵买马〕 zhāo bīng mǎi mǎ 〈成〉 군사를 모으고 군마를 사들이다. 전쟁 준비를 하다. 〈比〉 사람을 모아 세력을 펴다(대개 비난의 뜻으로 쓰임). =〔招军买马〕
〔招财进宝〕 zhāo cái jìn bǎo 〈成〉 ①재운(財運)을 불러모으다(돈을 벌도록 축원하는 말). ②재산을 모으는 데 열중하다〔애태우다〕.
〔招册〕 zhāocè 명 공술 조서(供述調書).
〔招承〕 zhāochéng 동 ⇨〔招认〕
〔招出来〕 zhāochulai 자백하다. ¶他全～了; 그는 모조리 자백해 버렸다.
〔招待〕 zhāodài 동 ①접대하다. 서비스하다. ¶～员; 접대원 / 女～员 =〔～女郎〕; 여급 / ～客人; 손님을 대접하다 / ～得周到; 접대에 빈틈이 없다. ②초대하다. 초청하다. ¶～外宾; 외국 손님을 초대하다 / 他们～我们, 我们才能去访问; 상대방이 우리를 초대해야만 우리는 방문할 수 있습니다. 명 초대. 접대. ¶～所; 숙박소(공무로 왕래 또는 체재하는 사람을 위하여 기관 · 기업체에서 설치한 시설) / 记者～会; 기자 회견 / ～券; 초대권.
〔招单〕 zhāodān 명 ⇨〔招租帖儿〕
〔招得〕 zhāode 동 (결과로서 …라는 것이) 되다. (…라고 하는 결과를) 초래하다. ¶～妈妈说出这样的话来了; 어머니가 이런 말을 하기에 이르렀다.
〔招瞪〕 zhāo.dèng 동 사람에게 눈총받다. 미움을 받다. ¶一说话就～; 입을 열었다 하면 미움을 받는다 / 我招他的瞪; 나는 저 사람에게 눈총을 받았다.
〔招顶〕 zhāodǐng 동 ⇨〔召zhào顶〕
〔招逗〕 zhāodòu 동 (자극하여 어떤 감정을) 끌어내다. 유발하다. 일으키다. ¶～他生气; 그가 화나도록 만들다 / ～大家发笑; 모두를 웃기다.
〔招翻〕 zhāofān 동 화나게 하다. ¶你别把我～了; 나를 화나게 하지 마라.
〔招风〕 zhāo.fēng 동 남의 주목을 끌어 문제를 일으키다. 비난이 세지다. ¶地位一高就越发～; 지위가 올라가면 비난이 세어진다.
〔招风耳〕 zhāofēng'ěr 명 〈俗〉 바깥쪽으로 뻗친 귀.
〔招风惹祸〕 zhāofēng rěhuò 남의 이목을 끌어 물의를 일으키다. 문제를 일으켜 재난을 초래하다.
〔招抚〕 zhāofǔ 동 ⇨〔招安〕
〔招柑〕 zhāogān 동 《植》 귤의 일종.
〔招工〕 zhāo.gōng 동 노동자를 모집하다.
〔招供〕 zhāo.gòng 동 (범인이) 자백하다.
〔招股〕 zhāo.gǔ 동 주식을 모집하다. =〔集股〕〔募股〕
〔招挂〕 zhāoguà 동 영향이 미치다. 관계가 미치다. =〔牵涉〕〔涉及〕
〔招呼〕 zhāohu 동 ①부르다. 손짓하여 부르다. ¶有人～你呢; 누군가가 당신을 부르고 있습니다 / ～他来做; 그를 불러서 하게 하다. ②분부하다. 지시하다. ¶～他这样做; 그에게 이대로 하도록 이르다 / 听我～就行啦! 나의 지시대로 하면 되는 것이다. ③신호하다. 알리다. ¶请你～他一声儿; 그에게 좀 알려 주십시오 / 他来了, 请你～一声儿 =〔他来了, 给我打个～〕; 그가 오거든 내게 알려 주십시오. ④돌보다. 접대하다. 응대하다. ¶这个小孩儿你～他一会儿; 이 아이를 잠깐만 봐 주십시오. ⑤인사하다. ¶因为没工夫说话打个～就过去了; 이야기를 하고 있을 틈이 없어서 인사만 하고 가 버렸다 / 要在生地方办事, 不给当地的头面人物打～是办不好的; 낯선 고장에서 일을 시작하려면 그 고장의 유지에게 인사를 해 두지 않고서는 잘 되지 않는다. ⑥〈方〉 조심하다. 주의하다. ¶路上有冰, ～滑倒了! 길이 얼었으니 미끄러워 넘어지지 않도록 조심해라! / ～闹肚子; 배탈나지 않도록 조심해라. ⑦완력을 겨루다. 싸우다. ¶他们俩碴chá了～上了; 그들 두 사람은 의견이 맞지 않아 싸웠다 / 你要不信服我, 咱们～～看, 究竟看谁怎么样; 네가 만일 믿지 않는다면, 우리 겨뤄보자. 도대체 어느 편이 어떠한지. ⑧저지르다. 해 버리다. ¶甲乙二人手拿木棍闹着玩儿要打, 不

料真～上了; 갑을 두 사람이 막대로 때리는 시늉을 하고 놀고 있었는데, 정말로 때리고 말았다 / 这个电门走电, 偏巧他捻灯正～上了; 이 스위치는 누전이 되고 있는데, 공교롭게 그가 스위치를 켰기 때문에 감전돼 버렸다.

〔招花惹草〕 zhāo huā rě cǎo 〈成〉 여자를 건드리다. 여자와 관계를 맺다.

〔招魂〕 zhāo.hún 동 ①죽은 사람의 영혼을 불러들이다. ②멸망한 것을 부활시키다.

〔招火(儿)〕 zhāo.huǒ(r) 동 성나게 만들다. ¶一句话把他～了; 한 마디가 그를 화나게 했다.

〔招急〕 zhāojí 동 초조하게 하다. 애태우게 만들다. 성나게 하다.

〔招集〕 zhāojí 명 소집하다. 모집하다. ¶～队伍; 부대를 소집하다 / ～豪杰; 호걸을 불러 모으다 / ～股东开股东大会; 주주를 소집하여 주주 총회를 열다.

〔招忌〕 zhāojì ⇨〔招眼毒〕

〔招架〕 zhāojià 동 막아 내다. 저항하다. 받아 내다. 준비하고 기다리다. ¶他的力气真大, 我～不住; 그는 힘이 너무 세어 당할 수 없다 / 这一拳确实使他难以～; 이 한 방은 확실히 그로 하여금 손쓸 엄두도 못 내게 만들었다.

〔招解〕 zhāojiè 명 옛날, 각 주현(州縣)의 사형수는 따로 범인의 공술을 기록하여 '省城'에 제출했음. 이를 '～'라 함.

〔招咎〕 zhāojiù 동 재앙을 부르다. 화를 자초하다.

〔招军买马〕 zhāo jūn mǎi mǎ 〈成〉 ⇨〔招兵买马〕

〔招考〕 zhāo.kǎo 동 시험을 치러서 모집하다. ¶～学徒工; 견습공을 모집 선발하다 / ～新生 =〔招生〕; 신입생 모집.

〔招垦〕 zhāo.kěn 동 개간자(開墾者)를 모집하다. 이민(移民)을 모집하다.

〔招来〕 zhāolái 동 부르다. 불러서 오게 하다.

〔招徕〕 zhāolái 동 ⇨〔招揽〕

〔招徕术〕 zhāoláishù 명 사람을 끄는〔끌어들이는〕 전술.

〔招揽〕 zhāolǎn 동 (손님을) 불러들이다. 끌다. ¶～顾客; 손님을 끌어서 오게 하다. 고객을 끌다. =〔招徕lái〕

〔招领〕 zhāolǐng 동 ①(공고(公告)하여) 유실물을 찾아가게 하다. ¶～失物; 유실물 수령 고시(告示) / 迷路儿童～处; 미아 보호소. ②공시(公示)하여 불하(拂下)하다.

〔招麻烦〕 zhāo máfan 말썽을 일으키다. 번거로움을 자초하다.

〔招骂〕 zhāo.mà 동 남에게 야단맞을 짓을 하다. 욕을 먹다. 꾸지람 듣다.

〔招猫逗狗〕 zhāo māo dòu gǒu 고양이나 개를 놀리다. 〈比〉 (어린아이처럼) 익살을 부리다. 짓궂게 장난치다.

〔招猫儿递狗儿〕 zhāo māor dì gǒur 고양이나 개와 놀듯이 장난치다. 짓궂게 장난치다. ¶这么大岁数儿了, 老是～的, 一点儿也不规矩; 나잇값도 못 하고 언제까지나 까불기만 하니, 점잖은 데가 조금도 없다.

〔招门纳婿〕 zhāoménnàxù ⇨〔招女婿〕

〔招募〕 zhāomù 동 모집하다. ¶～学生; 학생을 모집하다.

〔招恼〕 zhāo.nǎo 동 감정이 상하다. 화가 나다. ¶她敢破口就骂, 不论先生, 哪管太太, ～了她就是一顿; 그녀는 예사로 욕을 하는데, 주인 아저씨건 마님이건 화가 나면 곧 폭발시킨다.

〔招女婿〕 zhāo nǚxù 데릴사위를 얻다. ¶舍不得把女儿嫁出去只好～; 딸을 시집 보내기가 싫으면 데릴사위를 들일 수밖에 없다. =〔招婿〕〔招赘 zhuì〕〔招门纳婿〕

〔招牌〕 zhāopái 명 ①상점의 간판. ¶挂～; 간판을 걸다 / 摘下～; 간판을 내리다 / ～菜; 간판 요리. ②〈比〉 체면. 명예. ¶砸zá～ =〔摔shuāi牌〕; 〈比〉 명예를 실추하다. ③〈比〉 가면. 명의. 명목(名目). ¶挂着爱国者的～的叛徒; 애국자의 가면을 쓰고 있는 배신자. ④〈比〉 얼굴. ¶她～好; 그녀는 생김새가 좋다.

〔招盘〕 zhāopán 동 옛날, 가게의 집기·상품·토지·건물 등을 양도하다. 가게의 모든 것을 양도하여 계속해서 경영하도록 맡기다. =〔召盘〕 ↔〔顶dǐng盘(儿)〕

〔招赔〕 zhāopéi 동 자백하고 배상하다.

〔招票〕 zhāo.piào 동 ⇨〔招标〕

〔招聘〕 zhāopìn 동 (공식적으로) 부르다. 초빙하다. 모집하다. ¶～外国专家; 외국인 전문가를 초빙하다.

〔招齐〕 zhāoqí 동 ①불러모으다. ¶等把大家都～了, 再商量吧; 모두를 전부 불러모은 다음 의논하자. ②모집이 끝나다. 만주(滿株)가 되다. ¶股款都～了吧; 주식(株式)은 전부 모집이 끝났겠지요.

〔招亲〕 zhāo.qīn 동 ①데릴사위를 얻다. ②데릴사위가 되다. ③부모의 동의나 중매 없이 몰래 결혼하다.

〔招请〕 zhāoqǐng 동 초빙하다. 부르다. 초청하다. →〔聘pìn请〕

〔招穷〕 zhāoqióng 동 가난을 부르다. ¶跟别人你也不能富, 你命里～; 남의 뒤에 붙어 따라다녀 봤자, 네 운명이 가난을 타고 나서 부자가 될 순 없다.

〔招取〕 zhāoqǔ 동 모집하다. 모집 채용하다. ¶～理科学生; 이과 학생을 모집하다.

〔招权纳贿〕 zhāo quán nà huì 〈成〉 권세를 믿고 뇌물을 먹다.

〔招儿〕 zhāor 명 ①생각. 방법. 계획. ¶好～; 좋은 생각〔수〕 / 花～; 교묘한 방법. 악랄한 수단 / 你有什么～使出来吧; 너 무슨 생각이 있으면 말해 봐 / 我对于这件事, 一点～也没有了; 이 건에 대해서는 나는 전혀 방도가 없다. ②책략. =〔着儿〕 ③⇨〔招贴〕 ④간판.

〔招惹〕 zhāore 동 ①(말·행위가 분쟁 등을) 일으키다. 야기하다. ¶～是非; 문제를 일으키다 / 我随便的一句话, 倒～出麻烦来了; 내가 무심코 내뱉은 한 마디가, 뜻밖에도 번거로운 말썽을 불러일으켰다. ②〈方〉 (말·행위로) 건드리다. 집적거리다. 성나게 하다. ¶别～他! 그를 건드리지 마라! ③(웃음·분노·눈물 따위를) 자아내게 하다.

〔招人〕 zhāo.rén 동 사람을 불러모으다. ¶拿这个～; 이것으로 사람을 모으다 / ～认领; 습득자가 신문 광고 따위로 분실주에게 유실물을 찾게 하는 것 / ～生气; 사람을 화나게 하다.

〔招人的笑儿〕 zhāo réndexiàor 남에게 웃음을 사다. ¶这个人说出话来, 就～; 이 사람은 말만 하면 남에게 웃음을 산다.

〔招人喜爱〕 zhāorén xǐ'ài 사람들에게 사랑을 받다. 모두의 호감을 사다.

〔招认〕 zhāorèn 동 (범인이) 범행을 인정하다. 자백하다. ¶始终他不肯～; 그는 아무리 해도 자백하려고 하지 않는다. =〔招承〕

〔招商〕 zhāoshāng 동 상인을 모으다. ¶～集股; 상인한테서 주식을 모집하다 / ～承领; 상인에게 불하하다 / ～承办; 상인에게 청부를 주다.
〔招生〕 zhāo.shēng 동 신입생을 모집하다('招考新生'의 약칭). ¶～简章; 신입생 모집 요강 / ～名额; 학생 모집 정원.
〔招式〕 zhāoshì 명 (무용이나 연기의) 형(型). 기본 틀. ¶水袖的～有二百多个; 소맷부리가 긴 흰 비단을 다루는 형은 2백 여 가지가 있다.
〔招事〕 zhāo.shì 동 분쟁〔말썽〕을 일으키다. ¶他爱多嘴, 好～; 그는 말이 많아서 말썽을 잘 일으킨다. =〔惹是非〕〔招是惹非〕
〔招收〕 zhāoshōu 동 모집하여 받아들이다. 모집하여 채용하다. ¶～学生; 학생을 모집하다.
〔招手(儿)〕 zhāo.shǒu(r) 동 손짓으로 부르다. 손을 흔들다. ¶向大家～; 모두를 향해 손을 흔들다 / 他～叫我了; 그는 손짓하여 나를 불렀다. =〔点手〕
〔招数〕 zhāoshu 명 ⇨〔着zhāo数〕
〔招说〕 zhāoshuō 동 남에게 야단맞을 짓을 하다. ¶你别～了, 一说话就讨人嫌; 남이 싫어할 짓을 하지 마라, 조금만 말을 꺼내도 미움을 살테니까 / 这孩子东抓西摸的真～; 이 아이는 이것저것 만지작거리니 정말 짜증이 난다.
〔招说词儿〕 zhāoshuōcír 명 머리말로 하는 짧은 이야기('说书'에서 '开场白'(서두 대사) 때 소개하는 전편(全篇)의 줄거리).
〔招贴〕 zhāotiē 명 광고. 포스터. 벽보. ¶不准～; 벽보(壁報) 금지 / ～纸; 포스터 용지. =〔招儿③〕〔招子①〕
〔招贴画〕 zhāotiēhuà 명 ⇨〔宣xuān传画〕
〔招帖儿〕 zhāotiěr 명 ⇨〔招租帖儿〕
〔招头〕 zhāo.tóu 동 목을 치다.
〔招物议〕 zhāo wùyì 남에게 비판받다. 물의를 일으키다. ¶你这种行动, 未免大～; 너의 이런 행동은 큰 물의를 일으키지 않을 수 없다.
〔招降〕 zhāo.xiáng 동 항복하라고 호소하다. 투항을 권하다.
〔招降纳叛〕 zhāo xiáng nà pàn 〈成〉 ①투항자나 반역자의 귀순을 받아들임. ②반동 세력이 악인을 끌어들임.
〔招笑(儿)〕 zhāo.xiào(r) 동 〈京〉 남을 웃기다. 웃음을 자아내다. ¶并没有新鲜～的; 신선하고 웃음을 자아낼 만한 것은 아무것도 없다.
〔招婿〕 zhāo.xù ⇨〔招女婿〕
〔招眼〕 zhāo.yǎn 동 남의 주의를 끌다. ¶招牌当然要挂在～的地方; 간판은 당연히 사람 눈에 띄는 곳에 걸어야 한다.
〔招眼毒〕 zhāo yǎndú 남에게 미움받다. 질시(嫉视)당하다. =〔招忌〕
〔招宴〕 zhāoyàn 명 초연. 연회에 초대함.
〔招邀〕 zhāoyāo 동 초대하다. 초빙하다.
〔招摇〕 zhāoyáo 동 ①허세를 부리려 이목을 끌다. 과장해서 남의 눈을 끌다. ¶～过市; 〈成〉 과장해서 자기 선전을 하고 남의 이목을 끌다 / 这件事铺张起来太～, 还是简单着办好; 이 일은 크게 벌리면 너무 남의 이목을 끄니까 역시 간단히 하는 편이 낫다. ②(일을 핑계삼아) 권위를 부리다. 뽐내다. 과시하다. ③〈文〉 방황하다. 횡행(横行)하다. ¶徘徊～; 배회하고 헤매다.
〔招摇撞骗〕 zhāo yáo zhuàng piàn 〈成〉 과시하며 남의 눈을 끌게 만들어 재물을 편취하다. 남의 눈을 끌어 사기를 치다. ¶他们每年都要在这个讲坛上提这样或那样的假裁军方案～; 그들은 해마다 이 연단(演壇)에서 갖가지 군축안(軍縮案)을 내걸어 이목을 끌어서 사기를 친다.
〔招引〕 zhāoyǐn 동 ①초대하다. 부르다. ¶～宾客; 손님을 초대하다. ②유혹하다. 꾀다. 호리다. ¶用饵～; 먹이로 꾀어 내다.
〔招饮〕 zhāo.yǐn 동 〈文〉 연회를 베풀어 초대하다.
〔招隐〕 zhāoyǐn 동 〈文〉 ①은퇴한 사람을 끌어내어 벼슬길에 들게 하다. ②사람을 권하여 은퇴시키다.
〔招尤〕 zhāoyóu 동 비난받다. 비난의 대상이 되다. 남의 원한을 사다. ¶他们的黩dú武政策～了; 그들의 무력을 행사하는 정책은 비난의 표적이 되었다 / 他把一切旧人都换了, 真有些～啊; 그는 전에 있던 사람을 전부 갈아치워 매우 원망을 사고 있다.
〔招怨〕 zhāo.yuàn 동 남의 원한을 사다.
〔招灾〕 zhāo.zāi 동 재난을 초래하다.
〔招脏〕 zhāozāng 동 더러워지기 쉽다.
〔招展〕 zhāozhǎn 동 ①펄럭이다. 흔들흔들하다. ¶花枝～; 〈成〉 미인(美人)이 화려하게 치장하다 / 旗杆上有奥林匹克会旗迎风～; 깃대에는 올림픽기가 바람에 펄럭이고 있다. ②손을 젓다(거절·부정할 때).
〔招纸〕 zhāozhǐ 명 ①광고. 포스터. ②상품의 레테르. ③광고용 삐라.
〔招致〕 zhāozhì 동 〈文〉 ①(인재를) 불러 모으다. ②(어떤 결과를) 가져오다. 일으키다. ¶～严重损失; 중대한 손실을 초래하다.
〔招赘〕 zhāozhuì ⇨〔招女婿〕
〔招子〕 zhāozi 명 ①⇨〔招贴〕 ②간판. 가게 이름을 쓴 깃발. ③계략. 책략. 방법. ④옛날, 사형수가 형장으로 갈 때 등에 꽂던 성명·죄명을 쓴 종이 깃발.
〔招租〕 zhāozū 명 옛날, (가옥 등의) 임대 광고. 동 (가옥 등의) 세를 놓다. 세들 사람을 구하다. ¶吉房～; (재수 있는) 셋집 있음. ‖=〔召zhào租〕
〔招租帖儿〕 zhāozūtiěr 명 임대 광고패(牌). =〔招单〕〔招帖儿〕

昭 zhāo (소)

①명 광명(光明). ②명 종묘(宗廟)의 순서(順序). ③동 밝히다. ④동 나타나다. ⑤형 분명하다. ⑥형 환히 빛나다. ⑦명 성(姓)의 하나.

〔昭代〕 zhāodài 명 〈文〉 잘 다스려진 시대.
〔昭告〕 zhāogào 동 〈文〉 분명히 고하다. 명백히 알리다. ¶～天下; 밝히 천하에 알리다.
〔昭然〕 zhāorán 형 〈文〉 매우 분명한 모양.
〔昭然若揭〕 zhāo rán ruò jiē 〈成〉 불을 보듯 분명하다. 분명하여 조금도 애매함이 없다. ¶其居心已是～了; 그의 속셈은 이미 백일하에 드러났다.
〔昭示〕 zhāoshì 동 〈文〉 명시하다. 선포하다. ¶～全国; 전국에 선포하다.
〔昭雪〕 zhāoxuě 동 원죄(冤罪)를 씻다. 설욕하다. ¶～平反; 원죄를 씻고 명예를 회복하다 / ～冤案; 억울한 일을 깨끗이 씻다.
〔昭耀〕 zhāoyào 형 〈文〉 빛나다.
〔昭彰〕 zhāozhāng 형 〈文〉 확실하다. 명확하다. 분명하다. ¶天理～; 〈成〉 자연의 이법(理法)이 분명하다 / 罪恶～; 〈成〉 죄악이 뚜렷이 나타나 있다. =〔明显〕〔显著〕
〔昭著〕 zhāozhù 형 분명하다. 현저하다. 확실하다. ¶臭名～; 〈成〉 악명이 높다 / 功绩～; 공적

이 현저하다.

啁 **zhāo** (조, 주)

→〔啁哳〕⇒ zhōu

〔啁哳〕 zhāozhā 형〈文〉작은 소리가 뒤섞여 있는 모양. =〔嘲哳〕

着 **zhāo** (저, 착)

①(~儿) 명 (장기 따위의) 수(手). 솜씨(장기·바둑에서 한 수 두는 것을 '一~'이라 함). ¶高~儿; 묘수(妙手)/失了一~儿; 한 수를 그르쳤다/耍花~儿; 잔재주를 부리다. ②명〈比〉방법(方法). 방책. 계책. ¶三十六~走为上策; 36계 줄행랑이 상책이다/硬~子; 강경책/软~子; 회유책/坏人使出毒~儿来; 악인이 악랄한 책략을 써 오다. ③감〈方〉그렇지. 옳아. 좋아(동의를 나타내는 말). ¶~呀! =〔~哇!〕; 옳다. =〔不错〕〔对〕 ④주의·각성을 촉구하는 말. ⑤동〈方〉넣다. ¶~点儿盐; 소금을 약간 넣다. =〔放〕⇒ zháo zhe zhuó

〔着法〕 zhāofǎ 명 ①바둑 따위의 수. ②무술의 동작. =〔着数①②〕‖=〔招法〕

〔着数〕 zhāoshù 명 ①장기〔바둑〕의 수(手). ②무술(武術)의 기(技). ¶摔跤的~; 씨름의 기(技). ③〈比〉수단. 방법. 책략. ¶既然是大夫, 必定有些人所不知道的~; 의사이니까 당연히 조금은 남이 모르는 방법이 있을 것이다. ‖=〔招数〕

朝 **zhāo** (조)

①명 아침. ¶~发夕至; ⇩. ②명 오전. ③명 날. ¶终~; 종일/今~; 오늘. ④형 아침처럼 왕성한. 기운찬. ¶~气蓬勃; 기운이 넘쳐 있다. ⇒ cháo

〔朝报〕 zhāobào 명〈方〉조간 신문. =〔早报〕

〔朝不保夕〕 zhāo bù bǎo xī〈成〉앞일을 생각하고 있을 수 없다(일이 급박하여 내일을 기약할 수 없음). ¶处于~的境地; 내일을 기약할 수 없는 상태에 있다. 목숨이 단석(旦夕)에 임박하다. =〔朝不及夕〕〔朝不虑夕〕〔朝不谋夕〕

〔朝发夕至〕 zhāo fā xī zhì〈成〉아침에 출발하여 저녁에 도착하다(교통이 편리하다. 거리가 멀지 않다).

〔朝欢暮乐〕 zhāo huān mù lè〈成〉아침에도 저녁에도 즐기다. 즐겁게 생활하다.

〔朝晖〕 zhāohuī 명 아침해. 아침 햇빛.

〔朝会〕 zhāohuì 명 조회. ⇒ cháohuì

〔朝齑暮盐〕 zhāo jī mù yán〈成〉아침에 냉이를 먹고, 저녁에는 소금을 핥다(극히 궁색한 생활).

〔朝菌〕 zhāojùn 명〖植〗①아침에 돋았다가 저녁에 시든다는 버섯. ②⇨〔朝生①〕

〔朝令暮改〕 zhāo lìng mù gǎi〈成〉조령 모개(아침에 공포한 법령을 저녁에 고침. 개변(改變)이 빈번한 일). =〔朝令夕改〕〔暮改〕

〔朝令夕改〕 zhāo lìng xī gǎi〈成〉⇨〔朝令暮改〕

〔朝露〕 zhāolù 명〈文〉아침 이슬.〈比〉짧은 목숨. 덧없음.

〔朝暮〕 zhāomù 명〈文〉조석. 아침 저녁. ¶~人;〈比〉수명이 얼마 남지 않은 사람.

〔朝气〕 zhāoqì 명 ①아침 기운. ②원기. 패기. 생기. ¶~蓬勃 =〔~勃勃〕; 생기가 넘쳐 흐르다/有~; 생기가 있다.

〔朝乾夕惕〕 zhāo qián xī tì〈成〉아침 저녁 근면하여 태만하지 않다. 하루 종일 태만하지 않고 힘쓰다.

〔朝秦暮楚〕 zhāo Qín mù Chǔ〈成〉아침에는 진(秦)나라를 섬기고, 저녁에는 초(楚)나라를 섬김(절조가 없음을 이름).

〔朝日〕 zhāorì 명 아침해. ⇒ cháorì

〔朝三暮四〕 zhāo sān mù sì〈成〉①술책을 써서 사람을 우롱하다. ②반역과 복종이 무상하다. ③변덕스러워 갈피를 잡을 수 없다.

〔朝生〕 zhāoshēng 명 ①〖植〗무궁화. =〔朝菌②〕 ②〖蟲〗하루살이. ③〈比〉목숨이 짧음. ¶~寿;〈文〉〈比〉사람 목숨의 짧음. ④〖植〗코마투스버섯.

〔朝生暮死〕 zhāo shēng mù sǐ〈成〉생명이 매우 짧음.

〔朝市〕 zhāoshì 명〈文〉①아침 시장. ②도시.

〔朝思暮想〕 zhāo sī mù xiǎng〈成〉아침 저녁으로 생각하다(언제나 그리워하다). =〔朝思暮恋〕

〔朝天桂〕 zhāotiānguì 명〖鳥〗종다리.

〔朝暾〕 zhāotūn 명〈文〉아침 햇빛. =〔朝曦〕

〔朝夕〕 zhāoxī 명 ①조석. 아침저녁. 시종(始終). ¶~思慕mù;〈翰〉조석으로〔늘〕그리워하고 있습니다/~见面; 평소에 잘 만나다/~相处; 언제나 함께 있다. 친하게 사귀고 있는 모양. ②짧은 시간. ¶不保~ =〔朝不保夕〕〔朝不虑夕〕〔朝不谋夕〕;〈成〉그 날 일도 예측할 수 없다. 절박하다(정세나 병세 등이 긴박한 모양).

〔朝夕相对〕 zhāo xī xiāng duì〈成〉아침부터 저녁까지 함께 있다.

〔朝夕相见〕 zhāo xī xiāng jiàn〈成〉아침 저녁으로 얼굴을 마주치다.

〔朝曦〕 zhāoxī 명〈文〉⇨〔朝暾〕

〔朝霞〕 zhāoxiá 명 조하. 아침놀.

〔朝阳〕 zhāoyáng 명 아침 해. ⇒ cháoyáng

〔朝蝇暮蚊〕 zhāoyíng mùwén〈文〉소인이 세도 부리는 모양.

〔朝朝〕 zhāozhāo 명〈文〉매일. 매일 아침.

嘲 **zhāo** (조)

→〔嘲哳〕⇒ cháo

〔嘲哳〕 zhāozhā 형〈文〉(새 소리·사람 소리·악기의 소리 따위의) 낮고 작은 여러 가지 소리가 뒤섞인 모양. =〔啁zhāo哳〕

着 **zháo** (착)

①동 붙다. 들러붙다. 붙이다. ¶这种病容易~人; 이 종류의 병은 사람에게 전염하기 쉽다. ②동 닿다. 접촉하다. 미치다. ¶上不~天, 下不~地; 이도 저도 아닌 어중간한 상태이다/他身子矮, 够不~; 그는 키가 작아서 닿지 않는다. ③동 맞다. 받다. 느끼다. ¶~慌; 당황하다/~风; 바람을 쐬다/~凉; 감기들다/~霜的麻叶; 서리 맞은 삼잎. ④동 불이 붙다. ¶灯点不~; 등에 불을 붙여도 불이 안 붙는다/烤~; 눌어서 타다/火~上来了; 불이 붙었다. ⑤동〈方〉잠들다. ¶一上床就~了; 침대에 눕자마자 바로 잠들었다/他~了吗? 그는 잠이 들었나요? =〔睡着〕⑥동사의 뒤에 붙여 동작이 목적을 달성한 것을 나타내는 말. ¶找了半天, 也找不~; 아무리 찾아도 찾아 낼 수가 없다/打~了; 명중했다/猜~了; 알아맞혔다/见~了; 만나 봤다/买~了; 샀다/这会儿吃不~青菜; 요즘은 야채를 먹을 수 없다/每颗子弹都打~靶了; 탄환은 전부 표적에 명중했다. ⑦(충분히·극도로) …하다. ¶烫~了我了; 굉장히 데었다/累~了; 지쳐 버렸다/急~; 완전히 당황했다. ⑧자!(물건을 던질 때). ⑨동 …의 보람이 있다. 순조롭게 …하다. ¶没想到真预备~了; 뜻밖에 준비한 보람이 있었다/你可来~了, 我们刚喝上酒; 너 마침 잘

왔다. 우리 지금 막 마시기 시작한 판이다 / 没想到今天行市这么大落了, 昨天的货实在卖～了; 오늘 이렇게 시세가 떨어질 줄은 몰랐다. 어제 물건은 정말 잘 팔았다 / 这办法真用～了; 이 방법은 안성맞춤이다. ⑩ 동 〈方〉 …시키다. (사람을) 파견하다. ¶～个人来一趟; 사람을 한 차례 파견하다. ⑪ 〈方〉 …당하다. ¶小心～打; 맞지 않도록 조심해라. ⑫ 〈方〉 …으로. …을 사용하여. ¶别～手摸mō; 손대면 안 된다 / ～盆装上; 쟁반에 담다. ⇒zhāo zhe zhuó

〔着比〕 zháobǐ 동 예를 들다.

〔着笔〕 zháobǐ 동 쓰기 시작하다. =〔落luò笔〕

〔着不着〕 zháobuzháo (불이) 붙지 않다.

〔着弹〕 zháo dàn 탄환에 맞다.

〔着道儿〕 zháo dàor 계략에 걸리다. ¶他着了这个妓女的道儿, 结果弄得家破人亡; 그는 기생의 수법에 말려들어 끝내는 집도 몸도 망쳐 버렸다.

〔着地儿〕 zháodìr 형 (근거가 있어서) 확실하다. ¶他说话不～; 그가 말하는 것은 확실하지 않다. ⇒zhuódìr

〔着对〕 zháoduì 동 ①적당히 가늠하다. ¶～着办吧! 적당히 가늠 보아 하여라! ②(일이) 낙착(落着)되다. 해결을 보다. ¶这件事还没有～; 이 사건은 아직 낙착이 안 되었다 / 那批单不过是个～; 그 청구서는 우선 처리해야 할 것이다.

〔着风〕 zháo fēng 바람을 쐬다. 바람을 받다. ¶你的病刚好了, 着不得风; 네 병은 이제 겨우 회복되었으니, 바람을 쐬어서는 안 된다.

〔着慌〕 zháo·huāng 동 당황해하다. 허둥대다. ¶先预备吧, 省得到了时候儿～; 그 때가 되어 당황해하지 않도록 미리 준비해 두자.

〔着火〕 zháo·huǒ 동 ①발화하다. 불이 붙다. ②불나다. ¶～了! =〔起火了!〕〔失火了!〕; 불이야! ⇒zhuó huǒ

〔着火点〕 zháohuǒdiǎn〔zhuóhuǒdiǎn〕 명 발화점. =〔发fā火点〕〔燃rán点〕

〔着火风〕 zháohuǒfēng 명 《農》 (벼의) 도열병(稻熱病).

〔着急〕 zháo·jí 동 안달하다. 조급해하다. 초조해하다. 마음을 졸이다. ¶着什么急啊, 他会来的; 뭘 안달하느냐. 그는 올 것이다.

〔着家〕 zháo·jiā 동 집에 있다. ¶他整天不～; 그는 하루 종일 집에 없다.

〔着肩〕 zháojiān 동 어깨에 메다〔올리다〕.

〔着惊〕 zháojīng 동 놀라다. 깜짝 놀라다.

〔着落(儿)〕 zháolao(r)〔zháoluo(r)〕〔zhuóluo(r)〕 명 ①결말. 낙착. ¶有了～; 낙착되다. ②몸과 마음의 의지할 곳.

〔着凉〕 zháo·liáng 동 ①감기 들다. ¶外面挺冷, 当心～! 밖은 아주 추우니까 감기 들지 않도록 조심해라! =〔感冒〕〔受shòu凉〕 ②찬 공기를 쐬다. ¶时刻注意不让菜籽～; 채소의 종자가 찬 공기에 쐬지 않도록 조심하다.

〔着忙〕 zháo·máng 동 당황하다. 놀라서 허둥지둥하다. ¶像个着了忙的鸭子; 허둥대는 오리 같다.

〔着迷〕 zháo·mí 동 열중하다. 사로잡히다. ¶老爷爷讲的故事真动人, 孩子们听得都～了; 할아버지가 하는 이야기는 너무 재미 있어서 아이들은 모두 열중해서 듣고 있었다 / 着了女人的迷了; 여자한테 빠져 버렸다.

〔着魔〕 zháo·mó 동 귀신에게 홀리다. ¶像着了魔似的; 귀신에 홀린 것 같다.

〔着恼〕 zháo·nǎo 동 화를 내다.

〔着年纪〕 zháo niánji 나이를 먹다.

〔着气〕 zháo·qì 동 부아가 나다. 발끈하다.

〔着人〕 zháorén 동 남에게 전염되다. ¶这个病有点儿～; 이 병은 다소 남에게 전염되는 것 같다. ⇒zhuórén

〔着三不着两〕 zháo sān bù zháo liǎng 생각이 부족해서 중요한 곳을 소홀히 하다. 긴요한 곳이 빠져 있다. 치밀하지 못하다. 얼빠지다. ¶你这个人做事老是这么～的; 네놈이 하는 짓이란 늘 이 모양으로 얼빠진 짓이다.

〔着水〕 zháo shuǐ 물기를 띠다. 물이 묻다. 물에 젖다.

〔着想〕 zháoxiǎng ⇒zhuóxiǎng

〔着一把手儿〕 zháo yībǎshǒur 일비지력(一臂之力)을 빌려 주다. 힘을 좀 빌려주다. 한 팔 걷고 도와 주다.

〔着用(儿)〕 zháo·yòng(r) 동 쓸모가 있다. ¶这个东西真～; 이 물건은 정말 쓸모가 있다 / 拣那～的买点儿来! 쓸 만한 것을 골라 좀 사 오너라!

〔着雨〕 zháo yǔ 비를 맞다. 비에 젖다. ¶木材要盖上苫shàn布, 免得～; 목재가 비에 젖지 않도록 방수포로 덮어 두어야 한다.

〔着窄〕 zháozhǎi 동 〈比〉 괴로운 일을 당하다. 애처로운 꼴을 당하다.

〔着着(的)〕 zháozháo(de) 형 충분한 모양. 확실한 모양. ¶睡得～的; 잠을 푹 자다. ⇒zhuózhuó

〔着真儿〕 zháozhēnr 형 〈京〉 진실되다. 성실하다. 진지하다. ¶他不～看; 그는 성실해 보이지 않는다 / 他说不～; 그의 말은 참되지 않다.

〔着重儿〕 zháozhòngr 동 ①힘겹다. 부담이 크다. ②병세가 중하다. ⇒zhuó·zhòngr

爪 zhǎo (조)

명 ①(사람의) 손톱. 발톱. ¶～子zǐ; 손톱. ②(동물의) 발톱. ¶虎～; 호랑이 발톱 / 张牙舞～; 〈成〉 엄니를 드러내고 발톱을 휘두르다(미친 듯이 날뛰며 적대하는 모양). ③(조수(鳥獸)의) 발. ¶前～; 앞발 / 鹰～; 매의 발톱. ⇒zhuǎ

〔爪甲〕 zhǎojiǎ 명 (동물의) 발톱.

〔爪伤〕 zhǎoshāng 명 손톱〔발톱〕에 긁힌 상처.

〔爪士〕 zhǎoshì 명 〈文〉 경호 무사. 위사(衛士).

〔爪哇〕 Zhǎowā 명 ①《地》 〈音〉 자바(Java). ②(zhǎowā) 〈轉〉 아주 먼 곳. ¶那怒气直钻zuān到～国去了; 그 분개는 아주 먼 곳으로 사라져 버렸다.

〔爪牙〕 zhǎoyá 명 ①(금수(禽獸)의) 손톱과 이빨. ②〈比〉 부하. (악당의) 앞잡이. 수하. ¶贼党首领率领～到处去追寻他们; 적도(賊徒)의 수령은 수하를 거느리고 도처에서 그들의 행방을 찾았다. ‖ =〔牙爪〕

〔爪印〕 zhǎoyìn 명 ①손톱 자국. ②흔적(痕跡).

找 zhǎo (조)

동 ①찾다. 구하다. ¶你～什么? 너 뭘 찾고 있니? / ～工作; 일거리를 찾다. 직업을 찾다 / ～着zháo了; 찾아 내었다. 찾았다. ②방문하다. 찾아가다. ¶你～谁呀? 누구를 찾으십니까? / 我妈妈～你; 어머니가 너를 찾으신다 / 你～我有什么事? 제게 뭔가 볼일이 있습니까? ③초과한 것을 돌려 주다. 거스름돈을 내다. ¶～给你一块钱; 너에게 1원 거슬러 주다 / ～尾数; 잔고 계정을 지불하다 / ～不出来; 거스름돈이 없다 / 两不～; 꼭 맞습니다(더 내야 할 것도 없고, 거스를 것도 없이 계산이 꼭 맞는다는 뜻). ④스스로 자진해서 부닥치다. 자초하다. ¶自～苦吃; 사서 고생하다 / 自己～些个为难; 스스로 여러 가지 곤란을 자초하고 있다 / 我没骂你, 你怎么往身上～; 너를 욕하는 것이 아닌데, 어째서 너는 자기 일로 받아들이는 것이냐. ⑤부족(不足)을 메우다.

〔找遍〕 zhǎobiàn 동 널리 찾다. 샅샅이 찾다. ¶～了也没找到; 다 찾아보았으나 찾지 못하다.

〔找别扭〕 zhǎo bièniu 치근거리며 달라붙다. 생트집을 하다. 귀찮게 하다. 불유쾌하게 만들다. ¶自～; 스스로 공연히 멋쩍은 꼴을 당하다 / 我可以叫她不跟你～; 나는 그녀가 너에게 귀찮게 하지 않게 할 수 있다.

〔找病〕 zhǎo,bìng 동 ①병을 자초(自招)하다. ②〈比〉 사서 고생하다.

〔找不出〕 zhǎobuchū 찾아 내지 못하다. ↔〔找得出〕

〔找不到〕 zhǎobudào 동 ⇨〔找不着〕

〔找不着〕 zhǎo buzháo 동 찾아 낼 수 없다. ¶找了半天, 可～; 오랫동안 찾았으나, 찾을 수 없다. =〔找不到〕 ↔〔找得着〕

〔找不自在〕 zhǎobuzìzai ①스스로 멋쩍은 꼴을 당하다. 스스로 고민의 불씨를 만들다. 자업자득이다. ¶明知人家不欢迎, 何必赶上去～; 다른 사람에게 환영받지 못할 것을 알면서 어째서 자진해서 불쾌한 꼴을 당하러 가느냐. ②가만 안 둘 거야! 두고 보자!(싸움 등에서 상대를 위협하는 말). ¶你要是这么不讲理, 你可是要～; 네가 이런 억지를 쓴다면 혼내 줄 테다.

〔找补〕 zhǎobu 동 부족한 곳을 채우다〔보태다〕. 보충하다. ¶～话; 말을 보충하다 / 不够再～吧! 부족하거든 보충합시다! / 饭没吃饱, 得～点儿; 배불리 먹지 않았으니까 좀더 먹어야겠다 / 不够再～点儿; 부족하면 좀더 보태라.

〔找差距〕 zhǎo chājù 모자라는 곳·차이를 찾다. ¶找到了和先进单位的差距; 앞서 나아가고 있는 사업장에서 부족한 점을 찾아 냈다.

〔找茬(儿)〕 zhǎo,chá(r) 동 트집을 찾다. 말꼬리를 잡다. ¶～打架; 트집을 잡아 싸움을 걸다. =〔找碴(儿)〕〔〈方〉 捉扳头〕

〔找场〕 zhǎo,cháng 동 체면을 회복하다. 어색한 것을 바로잡다. ¶话已经说出去了, 没法儿～; 이미 말을 해버렸으니 바로잡을 도리가 없다 / 昨儿他得罪您了, 今儿又来～了; 어제 그는 당신의 기분을 상하게 했으므로, 오늘은 또 풀어주러 왔다. =〔找(回)面子〕〔找脸〕

〔找出路〕 zhǎo chūlù 활로를 찾아 내다.

〔找错缝儿〕 zhǎo cuòfèngr ⇨〔找错儿〕

〔找错儿〕 zhǎo,cuòr 동 흠을 찾다. 결점을 찾다. ¶找人的错儿; 남의 흠을 찾다. =〔找错缝儿〕

〔找倒霉〕 zhǎo dǎoméi 불운을 자초(自招)하다.

〔找东找西〕 zhǎo dōng zhǎo xī 〈成〉 이쪽저쪽(닥치는 대로) 찾다.

〔找对手〕 zhǎo duìshǒu (경기할) 상대를 찾다.

〔找对头〕 zhǎo duìtou ①적수를 찾다. ②(싸우거나 화풀이할) 상대를 찾다. ¶他见人就骂, 简直是～呢; 그는 사람을 보면 욕을 퍼붓는데, 마치 싸울 상대를 찾고 있는 것 같다.

〔找对象〕 zhǎo duìxiàng (결혼) 상대를 찾다. 배우자를 찾다.

〔找讹头〕 zhǎo étou 비밀을 찾아 내어 공갈하다. 공갈할 거리를 찾다. 트집을 잡다.

〔找缝子〕 zhǎo fèngzi ①틈을 엿보다〔노리다〕. ¶患难中～才逃出来了; 어려운 가운데 틈을 보아 겨우 도망쳐 왔다. ②트집잡을 구실을 찾다. 허를 노리다. 흠구덕을 찾다. ¶～打架; 트집을 잡아 싸움을 걸다. ‖ =〔找空子〕

〔找付〕 zhǎofù 동 차액을 지불하다. 잔액을 치르다. 미불된 대금을 건네 주다.

〔找贵(的)〕 zhǎo guì(de) 〈京〉 ①꼴사나운 짓을 하다. 남의 웃음거리가 될 짓을 하다(타이를 때 쓰는 반어적인 말). ¶别给脸不要脸, 要～容易; 남이 체면을 지켜 주었으면 자중해야 하네. 웃음거리가 될 짓은 언제라도 할 수 있어. ②나중에 두고 보자. 각오해(싸움 따위에서 하는 말).

〔找还〕 zhǎohuán 동 ①거스름돈을 주다. ②(부족분·여분을) 돌려 주다.

〔找回〕 zhǎohuí 동 ①되찾다. 회복하다. ¶把丢了的体面～来; 잃었던 체면을 회복하다. ②거스름돈을 받다〔내다〕. ¶给十块的票子～七毛钱毛票了; 10원 지폐를 건네 주고 70전을 10전짜리 지폐로 받았다.

〔找(回)面子〕 zhǎo(huí)miànzi 동 ⇨〔找场〕

〔找见〕 zhǎo,jiàn 동 〈方〉 찾아서 알다. 찾아 내다. ¶哪知全身摸遍了, 就是找不见; 그런데 온몸을 샅샅이 뒤져 보았으나, 전혀 찾을 수 없다.

〔找借口〕 zhǎo jièkǒu 구실을 찾다. ¶找各种借口不来上课; 여러 가지 구실을 이유로 하여 수업에 나가지 않다.

〔找开〕 zhǎo,kāi 동 (잔돈으로) 거스름돈을 내주다. ¶十块钱就找不开; 10원이면 거스름돈이 없다 / 没有零钱, 怕找不开; 잔돈이 없으므로 거스름돈을 거슬러 주지 못할지도 모릅니다.

〔找空子〕 zhǎo kòngzi ⇨〔找缝子〕

〔找落儿〕 zhǎo,làor 동 〈京〉 마음 붙이고 살 곳·몸을 의탁할 곳을 찾다. 귀착점을 찾다. ¶他正～呢, 有这么好事怎么会不去; 그는 마침 자리잡을 곳을 찾고 있는 참인데, 이렇게 좋은 일이 있다면 어찌 안 갈 리가 있겠나 / 我出门没准方向, 正～呢; 외출은 하였으나 뚜렷한 목적지도 없어, 지금 어디가 좋을까 생각하고 있는 참이다. =〔找着落儿〕

〔找乐儿〕 zhǎo,lèr 동 놀다. 즐기다. 즐거움을 찾다.

〔找脸〕 zhǎo,liǎn 동 면목〔체면〕을 세우다. 명예를 회복하다. =〔找场〕〔找面子〕

〔找零儿〕 zhǎo,língr 동 거슬러 주다.

〔找路子〕 zhǎo lùzi ⇨〔寻xún门路〕

〔找麻烦〕 zhǎo máfan ①사서 고생하다. 스스로 골칫거리를 만들다. ②귀찮게 하다. 트집을 잡다. ¶找我的麻烦; 나에게 귀찮게 달라붙다. ③폐를 끼치다. ¶不要给人家～; 남에게 폐를 끼치면 안 된다.

〔找门路〕 zhǎo ménlù 연줄을 찾다. 연고를 찾다.

〔找门儿亲事〕 zhǎoménrqīnshì ⇨〔找婆家〕

〔找面子〕 zhǎo miànzi ⇨〔找脸〕

〔找朋友〕 zhǎo péngyou ①친구를 방문하다. ②친구를 찾다.

〔找便宜〕 zhǎo piányi 힘 안 들이고 이익을 도모하다. 잇속을 채우다.

〔找便宜儿〕 zhǎo piányir 〈俗〉 여자를 찾다(주로 홍등가에서 여자를 싼 값에 샀을 때 하는 말).

〔找平〕 zhǎo,píng 동 표면을 고르게 하다. 울퉁불퉁한 것을 고치다.

〔找婆家〕 zhǎo pójia (딸을 위해) 혼처를 찾다. =〔找门儿亲事〕

〔找齐(儿)〕 zhǎoqí(r) 동 ①가지런하게 하다. 들쭉날쭉한 것을 고르게 자르다. ¶篱笆编成了, 顶上还要～; 생울타리는 다 엮었지만, 꼭대기를 고르게 잘라야겠다. ②보충하다. 보족(補足)하다. ¶今儿先还你一部分, 差多少明儿再给～; 오늘은

우선 일부분을 돌려주고, 부족분은 내일 보충해 주겠다.
〔找气儿生〕 zhǎoqìr shēng 일부러 일을 만들어 화를 내다. 공연히 화를 내다.
〔找钱〕 zhǎo.qián 동 ①거스름돈을 주다. ②돈의 부족분을 보충하다. ③(방법을 강구하여) 돈을 마련하다. (zhǎoqián) 명 거스름돈. =〔找头①〕
〔找人〕 zhǎo rén ①사람을 찾다. ②사람을 방문하다.
〔找上门来〕 zhǎo shang mén lai 문 앞까지 찾아오다.
〔找事〕 zhǎo.shì 동 ①취직 자리를 구하다. ¶他每天出去～做; 그는 매일 외출하여서는 일자리를 찾는다. ②쓸데없는 짓을 하다. ③고의(故意)로 문제를 일으키다. 트집을 잡다. ¶没事～; 평지풍파를 일으키다. 생트집을 잡다.
〔找死〕 zhǎosǐ ①동 스스로 죽음을 자청하다. ¶他老不戒烟, 这不是～吗; 그는 줄곧 아편을 끊지 않는데, 그렇다면 스스로 죽음을 자청하는 것이 아니겠느냐. ②〈比〉 오라질 놈아(차 앞으로 튀어나오거나 했을 때 운전수가 지르는 소리). ¶你～吗! 죽고 싶어 환장했어!
〔找台阶(儿)〕 zhǎo táijiē(r) (사태를 호전시킬) 기회를 찾다. 빠져 나갈 길을 찾다. 수단·방법을 생각하다. 모면할 구실을 찾다. ¶他势成骑虎, 不过要找个台阶儿下; 그는 기호지세(騎虎之勢)가 되어 버려, 어떻게든 계기를 마련하여 빠져 나가려할 뿐이다/你趁早儿找个台阶儿吧, 不然到后来不好下台了; 속히 몸을 뺄 궁리를 하시오. 그렇지 않으면 나중에 어쩔 도리가 없게 될 거요.
〔找头〕 zhǎotou 명 ①거스름돈. ¶给你～! 거스름돈을 드리겠습니다! =〔找钱〕 ②여분의 이익. 리베이트. ¶这里头有点儿～呢; 여기에 약간 여분의 이익이 있다.
〔找细儿〕 zhǎoxìr 동 공을 들여 정밀하게 하다. 세밀하게 하다.
〔找斜茬儿〕 zhǎo xiéchár 억지로 트집을 잡다. 무리하게 흠을 찾다.
〔找寻〕 zhǎoxún 동 찾다. 추구하다. ¶～真理; 진리를 추구하다/～同盟者; 동맹자를 찾다. =〔寻找〕
〔找寻〕 zhǎoxun 동 ①〈方〉 흠을 찾아 내어 트집잡다. ¶你受了别人气, 何必～我呢! 남의 일로 기분을 상해 가지고 하필 나에게 화풀이를 한단 말인가! ②〈俗〉 도발하다. 도전하다.
〔找野食〕 zhǎo yěshí ①약간의 부정한 돈을 벌다. ②(기혼자가) 바람 피우다. 오입〔외도〕하다. ③음식을 찾아다니다.
〔找着〕 zhǎo.zháo 동 찾아 내다. ¶找不着; 찾아내지 못하다.
〔找辙〕 zhǎo.zhé 동 〈京〉 수단 방법을 찾아 내다. 과실을 얼버무려 속이다. 구실을 찾다. ¶今天考试我没有准备, 考场里很严又不能问同学, 真是叫我找不着辙; 오늘 시험은 준비도 안 했고, 시험장 안도 엄격해서 동급생에게 물을 수도 없으므로, 정말 어쩔 도리가 없어 곤란했다.
〔找正〕 zhǎo.zhèng 동 ⇨〔校jiào准〕
〔找主儿〕 zhǎo.zhǔr 동 ①배우자〔신랑감〕를 찾다. ¶我们姑娘岁数也大了, 有合适的, 您给找个主儿吧; 우리 딸은 나이가 찼으니 적당한 사람이 있으면 사윗감을 구해 주시오. ②살 사람을 찾다. ¶我这架钢琴想～卖出去; 나는 이 피아노를 살 사람을 찾아 팔아 버리려고 한다.
〔找着落儿〕 zhǎo zhuólàor 동 ⇨〔找落儿〕

沼 zhǎo (소)

명 늪(특히, 원형의 것을 '池', 구부러진 것을 '沼'라 함).
〔沼地〕 zhǎodì 명 늪지.
〔沼气〕 zhǎoqì 명 《化》 메탄 가스(methane gas). =〔〈俗〉 坑气〕
〔沼委陵菜〕 zhǎowěilíngcài 명 《植》 검은낭아초.
〔沼虾〕 zhǎoxiā 명 《動》 징거미.
〔沼泽〕 zhǎozé 명 소택. 늪과 못.
〔沼泽地〕 zhǎozédì 명 소택지. 늪지대.

召 zhào (소)

동 ①불러들이다. 소집하다. ②초청하다. 부르다. ¶号～; 소리 질러 부르다. 호소하다/奉～; 부르심을 받잡다. ⇒Shào
〔召佃承种〕 zhàodiàn chéngzhòng 옛날, 소작인에게 소작시키다.
〔召顶〕 zhàodǐng 동 임차권을 양수(讓受)할 사람을 찾다. =〔招zhāo顶〕
〔召对〕 zhàoduì 동 옛날, 천자의 부름을 받고 봉답(奉答)하다.
〔召赴玉楼〕 zhàofù yùlóu 〈比〉 요절(夭折)하다.
〔召还〕 zhàohuán 동 소환하다. 불러 돌아오게 하다.
〔召唤〕 zhàohuàn 동 부르다(주로 추상적인 경우에 쓰임). ¶新的生活在～着我们; 새로운 생활이 우리들을 부르고 있다.
〔召回〕 zhàohuí 동 소환(召還)하다. 불러들이다. ¶～驻日大使; 일본 주재 대사를 소환하다.
〔召祸〕 zhào.huò 동 재난을 초래하다.
〔召集〕 zhàojí 동 소집하다. ¶～代表大会; 대표대회를 소집하다/～人; 간사(幹事). (회의) 소집인.
〔召见〕 zhàojiàn 동 ①상급자가 하급자를 불러들여 회견하다. ②외교 기관이 타국의 대사·공사를 소견하다. ¶～外交使节; 외교 사절을 소견하다.
〔召开〕 zhàokāi 동 (회의 등을) 소집하다. 열다. ¶～会议; 회의를 소집하다.
〔召募〕 zhàomù 동 모집하다. 모병(募兵)하다.
〔召盘〕 zhàopán 동 ⇨〔招zhāo盘〕
〔召之即来〕 zhào zhī jí lái 〈成〉 부름을 받으면 즉시 오다.
〔召租〕 zhàozū 명동 ⇨〔招zhāo租〕

诏(詔) zhào (조)

〈文〉 ①명 천자(天子)의 명령. ¶～书; 조서/下～; 조서를 내리다. ②명 고시문(告示文). ③동 훈계하다. 가르쳐 인도하다. ¶为人父者, 必～其子; 아버지 된 자는 반드시 그 자식을 가르쳐 인도해야 한다.
〔诏敕〕 zhàochì 명 조칙. 천자의 말씀.
〔诏令〕 zhàolìng 명 문체의 하나(위에서 아래에 알리는 글. 조서 따위).
〔诏书〕 zhàoshū 명 조서(황제가 신민에게 내리는 포고(布告)).

炤 zhào (조, 소)

⇨〔照〕

照 zhào (조)

①동 비추다. ¶拿灯一～; 등불로 비추다/回光返fǎn～; 〈成〉 등불이 꺼지기 전에 잠깐 밝아지다(사망 전에 일시 정신이 맑아지다)/太阳普～天下; 해가 천하를 골고루 비추다. ②동 비치다. ¶月亮～得如同白昼一样; 달빛이 대낮처럼 밝게 비치다. ③동 (거울 등에) 비추다. ¶～镜子; 거울에 비추어 보다. ④동 (사진·영화를)

찍다. ¶～个记念相; 기념 촬영(撮影)하다 / 这张相片～得很好; 이 사진은 아주 잘 찍었다. ⑤ 통 대조하다. 맞대 보다. ¶对～; 대조하다. ⑥ 통 비추어 보고 살피다. 투시하여 조사하다. ¶假票子向光线～一～就看出来了; 위폐는 광선에 비추어 보면 곧 안다. ⑦ 통 참견하다. 감시하다. ⑧ 통 통지하다. ¶～会; ⇓ ⑨ 통 돌봐 주다. 지켜보다. ¶～料; 돌보다. 보살피다 / ～顾; ⇓ / 小孩子没人～管; 아이를 돌봐 줄 사람이 없다 / 连家也不一～; 집안일 같은 것은 돌보지도 않는다. ⑩ 통 비교하다('较'의 변음(變音)). ¶～经常好些; 여느 때보다는 낫다. ⑪ 개 …대로. …에 따라. ¶～着他的话做; 그의 말대로 하다 / ～样子做; 견본대로 만들다 / ～着上回那么样办; 지난번처럼 그렇게 하다 / ～常工作; 평상시와 같이 일하다 / 按～规矩处理; 규칙대로 처리하다 / ～本卖; 본전에 팔다 / ～码九折; 정가의 10% 할인 / ～你说, …; 네 말대로라면…. ⑫ 개 …을 향하여. ¶～敌人开枪; 적을 향하여 발포하다 / ～着这个方向走; 이 방향으로 향하여 가다 / ～脸打了一把掌; 정면으로 따귀를 때렸다 / ～着脑门子砍了一下; 정수리를 향해 내리찍다. ⑬ 명 태양의 광선. ¶夕～; 석양 / 残～; 저녁 햇빛. ⑭ 명 사진. 초상. ¶玉～; 〈敬〉 존영(尊影) / 小～; 인물사진 / 近～; 근영. 최근에 찍은 사진 / 拍了一张～; 사진 한 장을 찍었다. →〔像片(儿)〕 ⑮ 명 감찰. 면허증. ¶牌～; 영업 허가증 / 执～; 허가증. 면허증 / 护～; 여권. ⑯ 명 증서(證書). =〔凭证〕 ⑰ 통 알다. 이해하다. ¶心～不宣; 〈成〉 피차 속으로 알면서도 말하지 않다. ‖ =〔炤〕

〔照搬〕 zhàobān 통 모방하다. 답습하다. ¶国际经验是要学习的, 但不能机械～; 국제 경험은 배워야 하지만, 기계적으로 답습해서는 안 된다 / 全盘～人家的经验; 다른 사람의 경험을 전부 그대로 따르다. =〔照抄②〕

〔照办〕 zhào·bàn 통 그대로 처리하다.

〔照杯〕 zhào·bēi 통 건배한 뒤에 서로 잔의 바닥을 보여 주다. =〔照底儿〕

〔照本儿〕 zhào·běnr 통 원가(原價)에 따르다. ¶～卖; 원가로 팔다.

〔照本宣科〕 zhào běn xuān kē 〈成〉 미리 써 놓은 글이나 원고대로 읽다(융통성 없이 격식대로 일을 함).

〔照壁〕 zhàobì 명 안을 가리어 둘러친 벽(안을 들여다보지 못하도록 대문 밖에 병풍처럼 되어 있음). =〔罩壁〕

〔照(壁)墙〕 zhào(bi)qiáng 명 ⇨〔影yǐng壁①〕

〔照遍〕 zhàobiàn 통 골고루 비추다. 널리 비추다.

〔照常〕 zhàocháng 통 평상시와 같다. 평소대로 하다. ¶～营业; 평상시와 같이 영업하다 / ～上班; 여느 때와 같이 출근하다.

〔照抄〕 zhàochāo 통 ①그대로 베껴 내다. ¶原样～; 원래의 양식 그대로 베껴 내다 / ～散布; 모사〔복사〕하여 배포하다. ② ⇨〔照搬〕

〔照尺〕 zhàochǐ 명 ①측량 기구(토지의 높낮이를 측량하는 데 쓰는 기계). ②(총포의) 조준기의 조척〔가늠자〕.

〔照此〕 zhàocǐ 통 이에 따르다. 이에 비추다. ¶～看来; 이에 의하여 보면. 그렇다면 / ～进行; 이대로 진행시키다 / ～下去; 이대로 계속하다 / ～类推; 이와 같이 유추하다.

〔照得〕 zhàodé 〈公〉 모두(冒頭)에 쓰는 말('취백(就白)' '그런데'에 상당함).

〔照底儿〕 zhào·dǐr 통 ⇨〔照杯〕

〔照地〕 zhàodì 통 토지를 검사하다. 토지를 측량하다.

〔照度〕 zhàodù 명 《物》 조도(단위는 '勒(克斯)'(룩스)).

〔照对〕 zhàoduì 통 대조하다. 조회(照會)하다.

〔照兑〕 zhàoduì 통 대조한 뒤에 어음의 지불을 하다.

〔照发〕 zhàofā 통 ①약속대로 발송하다. 신청한 대로 보내다. ②본디대로 지급하다. ¶照旧发给; 본디대로 지급하다 / 工人生病的时候工资～; 노동자가 병이 걸렸을 때에도 임금은 본디대로 지급된다.

〔照方炮制〕 zhàofāng páozhì ⇨〔照方(儿)抓药〕

〔照方(儿)抓药〕 zhào fāng(r) zhuā yào ①처방전대로 약을 짓다. ②〈比〉 (전의) 격식대로 하다. ¶～没有什么新奇; 옛날의 격식대로이며, 아무것도 새로운 것은 없다. ‖ =〔照方炮制〕

〔照房〕 zhàofáng 명 '正房' 뒤쪽의 집채. =〔后照房〕

〔照拂〕 zhàofú 통 〈文〉 돌보다. 보살펴주다. 배려하다. ¶请惠予huìyǔ～; 잘 보살펴 주시기 바랍니다.

〔照付〕 zhàofù 통 액면대로 지급하다. 그대로 지불하다.

〔照给〕 zhàogěi 통 규정대로 급여하다. 그대로 지급하다.

〔照顾〕 zhàogu 통 ①주의를 기울이다. 고려하다. ¶～各个部门; 각 부문에 주의를 기울이다 / ～脚下; 발 밑을 조심하다 / ～全局; 전체적 국면을 고려하다. ②(특히 조심해서) 소중하게 대하다. 돌보다. 배려하다. 시중들다. 보살피다. ¶～伤号; 부상자를 돌보다 / 老幼乘车, ～座位; 노인이나 어린이가 타면 자리를 양보하다 / ～困难户; 생활이 어려운 사람을 보살펴주다 / 领导特别～他; 상사는 그를 편애하고 있다. =〔照护〕 ③단골로 삼다. 애고(愛顧)하다. ¶～主儿; 단골 손님 / 如蒙～, 不胜感谢; 늘 이용해 주셔서, 대단히 감사합니다.

〔照管〕 zhàoguǎn 통 ①주선하다. ②관리하다. 돌보다. ¶～孩子; 어린아이를 돌보다 / 这事没人～; 이 일은 아무도 돌볼 사람이 없다.

〔照葫芦画瓢〕 zhào hú lu huà piáo 〈成〉 모양을 모방하다. 그럭저럭 모양만을 갖추다. 되는대로 처리하다.

〔照护〕 zhàohù 통 ⇨〔照顾②〕

〔照还〕 zhàohuán 통 본디대로 돌려주다.

〔照会〕 zhàohuì 명통 조회(하다). 통 ①한 나라의 정부가 그 견해를 다른 나라에 통지하다. ②통지하다. 통첩을 내다. 명 ①면허장. 감찰(鑑札). ②외교 문서. ③〈貶〉 낯짝. 면상(面相). ¶～不错; 낯짝이 괜찮다.

〔照火〕 zhàohuǒ 통 불로 손 따위를 쪼이다. 불에 손을 쬐다.

〔照及〕 zhàojí 〈翰〉 수신인 이름 밑에 붙여서 보아 주시기를 바란다는 뜻을 나타냄.

〔照价〕 zhàojià 통 가격대로 하다. ¶～付款; 가격대로 돈을 치르다 / ～收买; 정가 구입.

〔照见〕 zhàojiàn 통 〈文〉 분명히 보이다. ¶心肝～; 뱃속이 들여다보이다.

〔照缴〕 zhàojiǎo 통 규정된 액수를 납부하다.

〔照镜子〕 zhào jìngzi 거울에 비추다.

〔照旧〕 zhàojiù 통 이전대로하다. 변함 없이하다. ¶～不变; 구태 의연하다.

〔照据〕 zhàojù 동 〈文〉…에 의하다.
〔照看〕 zhàokàn 동 조심해서 돌보다. 보살피다. 지키다. ¶我去买票, 你来～行李; 나는 표를 사올 테니, 너는 짐을 잘 지켜라 / ～孩子; 아이를 돌보다.
〔照理〕 zhào·lǐ 동 이치로 따져 보다. 이치대로 하다. ¶～应该听听他的意见; 이치로 보아 마땅히 그의 의견을 들어야 한다.
〔照例〕 zhào·lì 동 ①관례〔전례〕에 따르다. ¶～办; 전례대로 처리하다. ②예전대로 하다. ¶他醉了酒, ～饭是吃不下去的; 그는 술에 취했으니까 보통 같으면 밥을 못 먹는다.
〔照亮〕 zhàoliàng 동 밝게 비추다. 비추어 밝게 하다. 빛을 내다.
〔照量〕 zhàoliang 동 시험해 보다.
〔照料〕 zhàoliào 동 돌봐 주다. 보살피다. ¶请您给我～; 잘 부탁드립니다 / ～病人; 환자의 시중을 들다 / ～孩子的前途; 아이의 장래를 지켜 보다.
〔照临〕 zhàolín 동 (해·달·별빛이) 비추다. ¶曙光～大地; 서광이 대지를 비추다.
〔照领〕 zhàolǐng (과부족없이) 수효대로 받다. 전액 영수하다. =〔照收〕
〔照码〕 zhào·mǎ 동 정가에 기준하다.
〔照猫画虎〕 zhào māo huà hǔ 〈成〉 고양이를 흉내내어 호랑이를 그리다《비슷한 것을 본보기로 그럭저럭 해내다. 대충 비슷하게 모방하다》.
〔照面(儿)〕 zhào·miàn(r) 동 ①얼굴을 보이다. 얼굴을 내밀다《주로 부정문에 쓰임》. ¶你近来怎么老没～? 너는 요즈음 왜 통 얼굴을 볼 수 없느냐? / 等了半天, 大家都不～, 真叫人着急; 오랫동안 기다렸는데, 아무도 오지 않아 정말 조마조마해진다. ②만나다. 마주치다. ¶我不愿意照他的面儿; 나는 그와 마주치고 싶지 않다 / 互不～; 서로 만나지 못하다 / 打了个～; 우연히 마주쳤다 / 在车站和他偶然打了个～; 역에서 그와 우연히 딱 마주쳤다.
〔照明〕 zhàomíng 명동 조명(하다). ¶～弹dàn; 조명탄 / 安装～灯; 조명등을 달다 / 舞台～; 무대 조명 / ～设备; 조명 설비.
〔照穆伦序〕 zhào mù lún xù 〈成〉 친등(親等)은 각기 순서가 있는 법이다《'照'는 대종(大宗) 곧 시조의 장남, '穆'는 소종(小宗) 곧 차남을 일컬음》.
〔照年例〕 zhào niánlì 예년대로 따르다.
〔照螃蟹〕 zhào pángxie 등불로 게를 모아 잡다.
〔照片儿〕 zhàopiānr 명 〈口〉 사진.
〔照片〕 zhàopiàn 명 사진. ¶彩色～; 천연색 사진. 컬러 사진 / 加印～; 사진을 추가 인화하다.
〔照片返卷器〕 zhàopiàn fǎnjuǎnqì 명 (카메라의) 필름 리와인더(rewinder).
〔照墙〕 zhàoqiáng 명 ⇨〔影yǐng壁(墙)〕
〔照射〕 zhàoshè 명동 조사(하다). ¶阳光～不到的地方; 해가 비추지 않는 곳.
〔照实〕 zhàoshí 정직하게. 사실대로. ¶～说; 사실대로 말하다 / ～记录; 있는 그대로 기록하다.
〔照收〕 zhàoshōu ⇨〔照领〕
〔照手影〕 zhào shǒuyǐng 그림자 놀이를 하다.
〔照数〕 zhàoshù 수량대로. 숫자대로 전액(全額). ¶～收到; 수량대로 받다 / ～奉还; 수량대로 돌려 드리다.
〔照说〕 zhàoshuō 여느 때 같으면. 정상대로라면. 대체로. 일반적으로. ¶～这时候该热了; 여느 때 같으면 지금쯤 더울 것이다.
〔照摊〕 zhàotān 동 규정에 따라 분담하다.
〔照头〕 zhàotóu 명 (총포의) 가늠쇠 꼭대기.
〔照相〕 zhàoxiàng 명 사진. ¶～馆; 사진관 / ～排字; 사진 식자(植字) / 柯达～机 =〔柯达开麦拉机〕; 코닥 카메라 / ～架子; 사진기의 삼각대 / ～镜; ⓐ사진기. ⓑ사진기 렌즈 / ～快镜; 고속 렌즈 / ～望远镜头; 사진 망원 렌즈 / ～的; 사진사 / 彩色～ =〔有色～〕〔五彩～〕; 컬러 사진. 천연색 사진 / ～簿; 앨범 / ～片piàn; (한 장 한 장의) 사진. (zhào·xiàng) 동 촬영하다. 사진을 찍다. ¶照了一张相; 사진을 한 장 찍었다. ‖=〔照像〕〔拍pāi照〕
〔照相凹版〕 zhàoxiàng āobǎn 명 사진 요판. 그라비어(gravure).
〔照相版〕 zhàoxiàngbǎn 명 (인쇄의) 사진판. =〔影yǐng印版〕
〔照相机〕 zhàoxiàngjī 명 사진기. 카메라. =〔照像机〕〔照相箱〕〔照相匣子〕〔相机(子)〕〔〈音〉 开kāi麦拉〕
〔照相凸版〕 zhàoxiàng tūbǎn 명 사진 철판.
〔照相纸〕 zhàoxiàngzhǐ 명 인화지(印畵紙). =〔相纸〕
〔照像〕 zhàoxiàng 명동 ⇨〔照相〕
〔照像机〕 zhàoxiàngjī 명 ⇨〔照相机〕
〔照眼〕 zhào·yǎn 동 눈부시다. ¶叫电灯照得有点儿～; 전등이 비춰 좀 눈이 부시다 / 这么现活的颜色不嫌～吗? 이렇게 현란한 빛이면 눈부시지 않습니까? =〔照眼睛〕〔闪shǎn眼〕
〔照眼睛〕 zhào·yǎnjīng 동 ⇨〔照眼〕
〔照样(儿)〕 zhàoyàng(r) 동 ①그대로 하다. 여전히 하다. 예전대로 하다. ¶～搞 =〔～做〕; 이제까지와 같이 하다 / 搁在谁身上也～着急; 누가 그 입장이 되어도 똑같이 조바심한다 / 时候不早了, 街道上～很热闹; 벌써 시간이 이렇게 되었는데, 거리는 여전히 떠들썩하다. =〔照旧〕 ②(zhào·yàng(r)) 양식〔견본〕에 따르다. ¶～做就做好了; 견본대로 하였더니 완성되었다 / ～拿; ⓐ견본대로 가져오다. ⓑ(요리 따위를) 한 그릇 더 주시오!
〔照样画葫芦〕 zhàoyàng huà húlu 〈諺〉 본에 있는 대로 표주박을 그리다《모방뿐이며, 창의도 없이 평범하다》.
〔照妖镜〕 zhàoyāojìng 명 요마(妖魔)의 정체를 비춰 낸다는 마법의 거울《현재는 비유적 용법으로 많이 쓰임》.
〔照耀〕 zhàoyào 동 밝게 비추다. 아름답게 빛나다. ¶阳光～着大地; 햇빛이 대지를 비추고 있다 / 那是～我们各项工作的灯塔; 그것은 우리의 모든 일을 인도하는 등대이다.
〔照影子〕 zhào yǐngzi 의심을 품다. 수상하다고 생각하다. 의혹을 갖다. ¶偶ǒu然送他礼物, 他有点儿～; 가끔 그에게 선물을 보내니까, 그는 좀 수상하게 생각하고 있다.
〔照应〕 zhàoyìng 동 응(應)하다. 응대하다. 협력하다. ¶他会～买卖; 그는 장사 수법이 능란하다 / 互相～; 서로 협력하다.
〔照应〕 zhàoying 동 돌보다. 시중들다. 보살펴 주다. ¶这是某同志, 您～点儿; 이쪽은 아무개 동지입니다. 아무쪼록 잘 부탁드립니다 / 事情多人太少, 我一人恐怕～不到; 할 일은 많고 일손은 너무 적어, 나 혼자서는 아마도 잘 돌볼 수가 없을 것입니다.
〔照用〕 zhàoyòng 동 그대로 사용하다. 계속해서 사용하다. 그와 같이 쓰다.

〔照鱼〕 zhào,yú 동 집어등을 비추어 물고기를 모이게 하다.
〔照允〕 zhàoyǔn 동 〈公〉 신청한 대로 승낙하다.
〔照章办事〕 zhàozhāng bànshì 규칙대로 처리하다.
〔照直〕 zhàozhí 부 ①똑바로. 정면으로. ¶～走; 똑바로 걷다. ②솔직하게. 정직하게. ¶～说; 솔직하게 말하다 / 犯人只好～地说"作过假证"; 범인은 할 수 없이 솔직하게 "위증을 했습니다."라고 대답했다.
〔照准〕 zhàozhǔn 동 ①조준하다. 겨누다. 목표로 하다. ¶～他的头打下去了; 그의 머리를 겨누고 내리쳤다 / ～仪; 조준기. =〔瞄miáo准(儿)〕 ②〈公〉 원하는 대로 허가하다.

兆 zhào (조)
①명 거북 딱지를 태워서 생긴 터진 무늬. ②명 징조. 전조. 조짐. ¶吉～; 길조 / 不吉之～ =〔不祥之～〕; 불길한 조짐 / 瑞雪～丰年; 눈은 풍년이 될 징조이다. ③명 묘지(墓地). 제(祭)터. ④수 억(億)의 십 배. 백만(百萬). 메가(mega). ⑤수 조(兆). ⑥명 다수(多數). ⑦동 징후(徵候)가 보이다. 전조가 되다. 예시하다. ⑧명 성(姓)의 하나.
〔兆吨〕 zhàodūn 양 《度》 메가톤(megaton).
〔兆伏〕 zhàofú 양 《電》 메가볼트. =〔兆伏特〕
〔兆赫〕 zhàohè 양 《電》 메가헤르츠(megahertz).
〔兆候〕 zhàohòu 명 ⇨〔征zhēng候〕
〔兆京〕 zhàojīng 수 조(兆)와 경(京). 명 매우 많은 수. =〔亿兆京〕
〔兆民〕 zhàomín 명 〈文〉 조민. 서민. 모든 백성. ¶君临～; 모든 백성에 군림하다. =〔兆庶〕〔兆亿〕
〔兆欧〕 zhào'ōu 양 《電》 메그옴(megohm). ¶一～半瓦; 1메그옴 1/2 와트.
〔兆欧计〕 zhào'ōujì 명 《電》 메거(megger). 절연저항기. =〔高阻表〕
〔兆儿〕 zhàor 명 징조. 조짐. =〔兆头〕
〔兆庶〕 zhàoshù 명 〈文〉 ⇨〔兆民〕
〔兆头〕 zhàotou 명 징조. 전조. 징후. ¶好～; 좋은 징조. 길조 / 坏～; 나쁜 징조 / 暴风雨的～; 폭풍우가 다가올 징조 / 有了～了; 조짐이 나타났다. =〔预兆〕〔兆儿〕
〔兆瓦〕 zhàowǎ 양 《電》 메가와트.
〔兆亿〕 zhàoyì 명 〈文〉 ⇨〔兆民〕
〔兆域〕 zhàoyù 명 〈文〉 묘역(墓域). 묘지.
〔兆占〕 zhàozhān 명 〈文〉 점.
〔兆朕〕 zhàozhèn 명 〈文〉 길흉의 조짐. =〔朕兆〕
〔兆周〕 zhàozhōu 양 《電》 메가사이클.

旐 zhào (조)
명 〈文〉 거북과 뱀을 그린 옛날의 검은 기(旗).

鮡(鮡) zhào (조)
명 《魚》 조어.

赵(趙) zhào (조)
①(Zhào) 명 《史》 전국 시대의 나라 이름. ②동 반제(返濟)하다. ¶奉～; 돌려 드리다. ③동 찌르다. ④양 회(回). ¶一～; 1회. ⑤명 시문(詩文)에서 허베이성(河北省) 남부를 가리키는 말. ⑥명 성(姓)의 하나.
〔赵璧〕 zhàobì 명 ⇨〔连lián城璧①〕
〔赵不肖〕 zhàobùxiào 동 〈俗〉 도망치다. 꽁무니 빼다《'趙'에서 '肖'를 떼면 '走'가 되는 데서 '走zǒu了'(도망치다. 내빼다)의 뜻으로 쓰임》. ¶他怎么蔫niān出溜儿地～了呢? 그는 왜 몰래 도망쳤을까?
〔赵公元帅〕 Zhào Gōng yuánshuài 명 조공명(趙公明)을 가리키는 말《민간 전설 중의 복신(福神)》.
〔赵宋〕 Zhàosòng 명 조광윤(趙匡胤)이 건국한 송(宋)나라 왕조.

笊 zhào (조)
→〔笊篱〕
〔笊篱〕 zhàoli 명 (물에서 물건을 건져 내는 데 쓰는) 조리. ¶下～; 〈比〉 골라 내다. =〔洒sā篱〕

棹〈櫂, 艄〉 zhào (도)
①명 〈方〉 (배의) 노. ②동 〈方〉 (배를 노로) 젓다. =〔划huáA①〕 ③명 〈轉〉 배. ¶归～; 되돌아오는〔되돌아가는〕 배. =〔船〕 ⇒'桌' zhuō

罩 zhào (조)
①명 물고기 잡는 가리. 통발. ②(～儿, ～子) 명 뒤집어씌우는 기구의 총칭《각종 기계 부품의 덮개인 굴뚝의 바람막이 덮개나 노(爐) 위의 통풍용 차양 등도 포함됨》. ¶灯～; 전등 갓 / 口～儿; 마스크 / 胸～; 브래지어. ③동 씌우다. 덮다. 가리다. ¶把菜～起来! 음식 위에 무얼 좀 덮어라! / 白雪～住大地; 눈이 대지를 뒤덮다 / 把这座钟拿玻璃罩儿～上; 이 탁상 시계에 유리 덮개를 씌워라 / 夜雾把全城笼～着; 밤안개가 시 전체를 덮고 있다. ④동 덧입다. 껴입다. ¶外面再～上一件衣服; 위에 옷 한 벌을 더 걸치다. ⑤명 (옷이 더러워지지 않도록 위에 덧입는) 덧옷. 겉옷. =〔外罩儿〕 ⑥동 세력하에 두다. 억누르다. ¶有你～, 谁敢偷懒? 자네가 휘어잡고 있는데, 누가 감히 게으름을 피우겠나? ⑦명 양계(養鷄)용의 원통형 대바구니.
〔罩壁〕 zhàobì 명 대문을 들어선 데에 있는 가리개 담. =〔照壁〕
〔罩布〕 zhàobù 명 커버. ¶机器～; 기계 커버.
〔罩单〕 zhàodān 명 ①낮에 이불을 개어 놓을 때 그 위에 덮는 덮개. ②이불 커버.
〔罩褂儿〕 zhàoguàr 명 ⇨〔罩衣〕
〔罩光〕 zhàoguāng 명 (페인트 등의) 광택. 윤택.
〔罩裤〕 zhàokù 명 솜바지나 가죽 바지 위에 덧입는 바지. 덧바지.
〔罩面布〕 zhàomiànbù 명 베일(veil).
〔罩袍〕 zhàopáo 명 '袍子' 위에 입는 긴 덧옷. =〔袍罩儿〕
〔罩棚〕 zhàopéng 명 문 앞이나 뜰에 갈대나 대나무 따위로 만드는 해나 비·바람의 가리개.
〔罩衫〕 zhàoshān 명 ⇨〔罩衣〕
〔罩袖〕 zhàoxiù 명 〈方〉 토시. 소매 커버. =〔套tào袖〕
〔罩衣〕 zhàoyī 명 솜옷 위에 덧입는 겹으로 된 덧옷. =〔罩褂儿〕〔〈方〉罩衫〕
〔罩油〕 zhàoyóu 동 페인트로 덧칠하다.

肇〈肈〉 zhào (조)
①동 시작하다. 개시하다. ¶～端; ⇩ ②동 바로잡다. ③동 일으키다. 초래하다. 야기하다. ④명 성(姓)의 하나.
〔肇端〕 zhàoduān 〈文〉 명 발단. 시작. 계기. (zhào,duān) 동 일을 일으키다. 야기하다. ¶肇出事端来; 일을 야기시키다.
〔肇国〕 zhàoguó 동 〈文〉 나라를 창건하다.
〔肇祸〕 zhàohuò 동 화를 불러일으키다. 사고를 내다. ¶汽车～; 자동차 사고. =〔闯祸〕

〔肇基〕 zhàojī 동 〈文〉 기초를 닦다.
〔肇乱〕 zhàoluàn 동 〈文〉 난을 일으키다.
〔肇始〕 zhàoshǐ 동 시작하다. 개시하다.
〔肇事〕 zhàoshì 명동 사건(을 일으키다). 소동(을 일으키다). 사고(를 일으키다).
〔肇衅〕 zhàoxìn 동 〈文〉 싸움을 시작하다.
〔肇源〕 zhàoyuán 동 〈文〉 기인(起因)하다. ¶心脏病的患者之内, 也有一部分是～于高血压; 심장병 환자 가운데 일부는 고혈압이 원인인 사람이 있다.
〔肇造〕 zhàozào 동 〈文〉 건조(建造)를 시작하다. 처음으로 세우다. 창건(創建)하다.

曌 zhào (조)
당(唐)나라의 무측천(武則天)이 자신을 위해 만든 19자 중의 하나로, '照'와 같음.

ZHE ㄓㄜ

折 zhē (절)
동 〈口〉 ①(몸 등을) 회전하다. 구르다. 뒤집다. ¶～了一个跟头; 한 번 공중제비를 하다. ②기울여 쏟다. 뒤집어엎다. 엎지르다. ¶一筐子梨都～了; 광주리의 배를 전부 쏟았다 / 他要找东西, 把抽屉～了个过儿; 그는 물건을 찾으려고 서랍을 뒤집어엎었다. ③(뜨거운 액체를 다른 그릇에) 옮겨 담아 식히다. ¶来回地～水; 번갈아 옮겨 담아 물을 식히다 / 这茶太热, 给孩子～一～吧; 이 차는 너무 뜨거우니까, 아이에게는 옮겨 담아서 식혀서 주어라. ④큰〔무거운〕 물건을 내려놓다. ¶把石头往地上一～; 돌을 지면에 털썩 내려놓다 / 把口袋～在地上; 자루를 땅바닥에 내려놓다. ⑤괴롭히다. ⑥되풀이하다. ⇒shé zhé
〔折饼〕 zhēbǐng 동 〈方〉 ① '饼'을 뒤집다. ②〈轉〉 자다가 몸을 뒤척이다. ¶躺在被窝里翻来复去地～干着急, 睡不着; 이불 속에서 이리 뒤치고 저리 뒤치고 조급하게 굴 뿐 잠을 이루지 못하다. ③〈轉〉 데굴데굴 구르다.
〔折个儿〕 zhēgèr 동 ⇨〔折过儿〕
〔折跟头〕 zhē gēntou 공중제비하다. 발이 걸려 넘어지다. 자빠지다. =〔翻fān跟头〕〔折筋斗〕〔折斤斗〕
〔折过儿〕 zhē,guòr 동 (아래위를) 뒤집다. ¶净看一面儿不行, ～再看看! 한쪽만 봐선 안 된다. 한 번 더 뒤집어서 보아라! =〔折个儿〕〔翻fān过儿〕
〔折斤斗〕 zhē jīndǒu ⇨〔折跟头〕
〔折筋斗〕 zhē jīndǒu ⇨〔折跟头〕
〔折箩〕 zhēluó 명 (다른 그릇에 옮긴) 먹다 남은 음식. ¶每天折下来的～, 都送给附近的孤儿院了; 매일 생기는 남은 음식은 모두 부근의 고아원에 보냈다.
〔折腾〕 zhēteng 동 〈口〉 ①(잠자리에서) 뒤치락거리다. 자꾸 뒤치다. ¶凑合着睡一会儿, 别来回～了! 그렇게 뒤척이지 말고 어떻게 한잠 자도록 해라! ②고민하다. 괴로워하다. ③마구 떠들다. 행패 부리다. 소란 피우다. ¶瞎～; 야단법석하다. ④난처하게 만들다. 괴롭히다. 들볶다. ¶慢性病～人; 만성병은 사람을 괴롭힌다 / ～得瘦成一把骨头了; (병에) 시달려 뼈만 남았다. ⑤고생하다. ¶～出俩钱儿; 고생하여 돈을 조금 마련하다. ⑥탕진하다. 낭비하다. ¶那点家当都被他～光了; 그는 얼마 안 되는 재산을 몽땅 탕진했다. ⑦되풀이하다. ¶他把这个破机器折了又安, 安了又折, ～了几十回; 그는 이 기계를 뜯어서는 조립하고, 조립했다가는 뜯기를 몇십 번 되풀이했다.

蜇 zhē (철)
동 ①(벌·전갈 등이) 찌르다. 쏘다. ¶手叫马蜂～了; 손을 말벌한테 쏘였다. ②(자극성의 것이) 자극하다. 스며들다. ‖ =〔螫hē〕 ⇒ zhé
〔蜇针〕 zhēzhēn 동 (동물이 침 등으로) 쏘다. 명 (동물의) 바늘. 침.

遮 zhē (차)
동 ①가로막다. 가리다. ¶～太阳; 태양을 가리다 / ～道欢呼; 길을 가로막고 환호(歡呼)하다 / ～风; 바람을 막다 / ～住视线; 시선을 가로막다 / 横～竖拦; 앞에서 막고 옆에서 막다. ②숨어 기다리다. ③제지(制止)하다. ④속이다. 숨기다. 감추다. ¶～人耳目; 남의 이목을 속이다 / 手大～不过天来; 〈諺〉 손이 아무리 커도 하늘을 가릴 수는 없다《아무리 숨기려 해도 탄로가 나는 법이다》. ⇒zhě
〔遮蔽〕 zhēbì 동 ①덮어 가리다. ¶云～天空; 구름이 하늘을 덮다. ②(시선 등을) 가리다. ¶一片森林～了我们的视线; 끝없는 산림이 우리들의 시선을 가로막았다. ③숨기다. 감추다. ¶这件事～不下去; 이 일은 끝까지 숨길 수는 없다. 명동 《軍》 차폐(하다). ¶这个地方没什么～, 很危险; 이 장소는 아무런 차폐물도 없어 매우 위험하다.
〔遮辩〕 zhēbiàn 동 발뺌하다.
〔遮不过来〕 zhē bu guò lái 가릴 수 없다. 숨길 수 없다.
〔遮藏〕 zhēcáng 동 숨기다. 은폐하다. (덮어) 가리다. ¶这事是～不了的; 이 일은 숨길 수 없다.
〔遮场面〕 zhē chǎngmiàn〔〈舊〉 zhě chángmian〕 ①그때 그때를 얼버무리다. 적당히 처리하다. 그 자리를 어물어물 넘기다. ¶他怕办不下去, 姑且用这法子来～; 그는 이대로는 해 나갈 수 없다고 생각하여 우선 이 방법을 써서 얼버무려 넘기기로 했다. ②체면을 차리다. 겉모양을 꾸미다.
〔遮车〕 zhēchē 동 수레 앞을 가로막(고 지나가지 못하게 하)다.
〔遮丑(儿)〕 zhē,chǒu(r) 동 ①보기 흉한 것을 감추다. ¶黑脸的人穿件黑衣服倒能～; 얼굴이 검은 사람이 검은 옷을 입으면 오히려 보기 흉한 것을 커버할 수 있다. ②⇨〔遮羞②〕
〔遮挡〕 zhēdǎng 동 가로막다. 저지하다. ¶～眼帘lián; 안계(眼界)를 가로막다 / 窗户上透风, 拿一张纸～～; 창문으로 바람이 들어오니, 종이를 대어 막아라 / 我说不过他, 请你给我～～; 난 말로는 그를 당할 수 없으니, 네가 나를 위해 막아 다오. 명 가로막는 것. 차폐물(遮蔽物). 차단물. ¶草原上没有什么～; 초원에는 (눈을) 가로막는 것이 아무것도 없다.
〔遮道〕 zhē,dào 동 (길의) 교통을 차단하다.
〔遮断〕 zhēduàn 동 《軍》 차단하다.
〔遮断器〕 zhēduànqì 명 《電》 차단기. 브레이커(breaker).
〔遮盖〕 zhēgài 동 ①덮다. 가리다. ¶歌声～了呼喊声; 노랫소리가 함성을 뒤덮었다. ②덮어 가리다. 싸서 감추다. 은폐하다. ¶～缺点; 결점을 감추다 / 我这件事情做得太不对了, 请你给我～～; 이 일은 제가 잘못 처리했으니, 아무쪼록 묻어 주십시오. ③숨겨 속이다. ¶无论怎么～也～不住; 아무리 감추려 해도 감출 수 없다.

〔遮光板〕 zhēguāngbǎn 명 차광판.
〔遮光剂〕 zhēguāngjì 명《化》유백제.
〔遮光罩〕 zhēguāngzhào 명 (사진기의) 렌즈 후드(lens hood).
〔遮捍〕 zhēhàn 동〈文〉막아 지키다. 지키다.
〔遮护〕 zhēhù 동 가로막고 지키다. ¶用挡dǎng牌~; 방패로 막다.
〔遮击〕 zhējī 동〈文〉매복하여 공격하다.
〔遮架〕 zhējià 동 가로막고 저항하다.
〔遮截〕 zhējié 동 ⇨〔遮拦〕
〔遮拦〕 zhēlán 동 막다. ¶沙漠上的大风什么也~不住; 사막의 대풍을 막을 수 있는 것은 아무것도 없다 / 决了堤的水, 毫无~地涌进村里; 둑을 터뜨린 물이 아무런 저지도 없이 세찬 기세로 마을로 흘러들다. =〔阻挡〕〔遮截〕 명 막는 것. 차단물. ¶一片没~的平原; 온통 가로막는 것이 없는 평원.
〔遮脸〕 zhē.liǎn 동 ①얼굴을 가리다. ②체면을 유지하다. ¶这件事遮不过脸去了; 이 일은 체면을 유지시킬 수 없다.
〔遮亮〕 zhē.liàng 동 빛을 가로막다. 광선을 막다. ¶你带上这个墨镜儿好~; 너 이 색안경을 쓰면 광선을 막을 수 있다.
〔遮溜子〕 zhē.liūzi〔〈舊〉zhě.liūzi〕 동 ①교묘하게 도망치다. 말로 발뺌하다. 어물어물 넘기다. ¶他下不了台, 只好拿别的话来~; 그는 난처해지자 하는 수 없이 다른 이야기로 그 자리를 모면할 수밖에 없었다. ②잘못을 감추다. ③(자기의 행동·생각을) 속이다. 얼버무리다. ¶放屁拉抽屉, ~; 〈歇〉방귀를 뀌고 서랍을 열다《구실을 만들어 얼버무림》. ‖=〔扯溜子〕
〔遮路〕 zhē.lù 동 길을 막다〔차단하다〕.
〔遮瞒〕 zhēmán 동 숨기다. 감추다. =〔遮掩〕
〔遮莫〕 zhēmò〈古白〉①될 대로 되라. 아무래도 좋다. ②설사 …하더라도. ③혹은. ④…만 못하다. =〔不如〕⑤…을 막론하고.
〔遮篷〕 zhēpéng 명 비 또는 햇빛을 막는〔가리는〕 덮개.
〔遮日伞〕 zhērìsǎn 명 파라솔. 양산. =〔遮阳伞〕
〔遮身法〕 zhēshēnfǎ 명 은신술(隱身術). =〔隐yǐn身法〕
〔遮饰〕 zhēshì 동 겉을 꾸미다. 눈가림하다. ¶办错了事没法~; 일을 그르치면 눈가림해서 넘어갈 수 없다.
〔遮说〕 zhēshuo〔〈舊〉zhěshuo〕 동 감싸 말하다. ¶你替他~也是不成; 네가 그를 감싸 줘 봤자 안 돼.
〔遮天盖地〕 zhē tiān gài dì〈成〉어느 곳에나 꽉 차 있는 모양.
〔遮羞(儿)〕 zhē.xiū(r)〔〈舊〉zhěxiū(r)〕 동 ①몸의 치부(恥部)를 덮어 가리다. ¶~布; ⓐ허리에 둘러서 하반신을 가리는 천. ⓑ수치스러움을 가리는 것. ②(창피하고 부끄러운 짓을 하고) 말로 얼버무리다. ¶~钱; 입씻이. 입막음으로 주는 돈 / ~解嘲; 남의 웃음을 사지 않으려고 어물어물 넘기다. =〔遮丑(儿)②〕 명 (zhēxiū(r)) 보잘것 없는 선물. ¶不过是遮个羞脸儿就是了; 변변치 못한 선물입니다.
〔遮簷〕 zhēyán 명 햇볕을 가리는 차양.
〔遮掩〕 zhēyǎn 동 ①덮어 가리다. 자욱이 끼다. ¶远山被雨雾~, 变得朦胧了; 먼 산이 비와 안개 때문에 희미해졌다. ②(잘못·결점 등을) 숨기다. ¶~错误; 잘못을 숨기다 / 怕是~不住, 早晚要露出马脚来; 아마도 끝내 숨기지 못하고 언젠가는 마각을 드러내게 될 것이다. =〔遮瞒〕
〔遮眼法〕 zhēyǎnfǎ 명 ⇨〔障zhàng眼法〕
〔遮眼帽儿〕 zhēyǎnmàor 명 헌팅캡. 챙 있는 모자.
〔遮阳〕 zhēyáng 명 차일. 차양. 모자의 챙. ¶~伞; 파라솔. 동 햇빛을 가리다.
〔遮阳板〕 zhēyángbǎn 명 차양판.
〔遮阳篷〕 zhēyángpéng 명 금속 뼈대에 비닐을 바른 큰 우산 모양의 해가리개.
〔遮阴〕 zhēyīn 동 햇빛을 가리다. 그늘을 만들다.
〔遮障〕 zhēzhàng 동〈文〉가리어 방해하다.
〔遮止〕 zhēzhǐ 동〈文〉저지하다.
〔遮住〕 zhēzhù 동 막다. 가리다. ¶云彩把太阳~了; 구름이 해를 가렸다 / 遮不住内心的喜悦; 마음속의 기쁨을 숨길 수 없다.

嗻

zhē (차)
→〔哞chē嗻〕⇒ zhè

螫

zhē (석)
동 ①(벌·전갈 따위가) 쏘다. =〔蜇①〕②독살하다. ③화내다. ⇒ shì

折〈摺〉B)

zhé (절)〈접〉
A) ①동 구부리다. 굽히다. 굴하다. ¶~腰; 허리를 굽혀 절을 하다 / 曲~; 구불구불하다 / ~节; 주장을 굽히다. ②동 부러뜨리다. 끊다. 꺾다. ¶不可攀~花木; 꽃이나 나무를 꺾지 마라 / ~下疯枝来; 웃자란 가지를 꺾어 버리다. =〔撅**A**)③〕③동 반전(反轉)하다. 방향을 바꾸다. ¶~几个来回; 몇 번을 왔다갔다하다 / ~回; 되돌아가다〔오다〕. ④동 할인(割引)하다. 깎다. ¶打九~; 1할(10%) 할인하다 / 七~八扣; 〈比〉할인한 위에 또 할인하다 / 七五~; 2할 5푼 할인 / 不~不扣; 에누리 없다. ⑤동 환산하다. ¶一个牛工~两个人工; 소 한 마리 작업 능력을 두 사람 몫으로 환산하다. ⑥동 상쇄(相殺)하다. ⑦동 결손(缺損)이 나다. 타격을 받다. 손해를 보다. ¶损sǔn兵~将; 장병을 잃다. ⑧동 파기(破棄)하다. ⑨동 판단하다. 중재하다. 시비를 가리다. ¶片言~狱; 몇 마디 말만 듣고 시비를 가리다. ⑩동 좌절(挫折)하다. 실패하다. ¶挫cuò~; 좌절 / 百~不挠; 〈成〉거듭되는 좌절에도 굴하지 않다. ⑪동 심복(心服)하다. 감복(感服)하다. ¶~服 =〔心~〕; 탄복하다. ⑫양 절. 막《원잡극(元雜劇)의 1막》. ¶元朝的戏剧普通四~就是一本戏; 원대의 희곡은 보통 4막으로 하나의 극이 이루어져 있다. ⑬동 요절하다. ¶夭yāo~ =〔夭死〕; 요절하다. ⑭한자의 획수의 하나《乙·ㄱ·ㄴ 등》. **B**) ①동 접다. 개다. ¶把纸~起来; 종이를 접다 / 一叠两~儿; 두 겹으로 접다. ②동 패(敗)하다. ③동 (세력을) 꺾다. ④(~儿, ~子) 명 ㉠접은 서류(書類). ㉡주서(奏書). ¶奏~; 상주문. ㉢통장(通帳). ¶存~; 예금 통장. ⑤명 접은 금. ⇒ shé zhē, '摺' zhě
〔折板〕 zhébǎn 명《機》마손판(磨損板).
〔折半(儿)〕 zhébàn(r) 동 ①반분하다. 절반으로 가르다. ②(시세·시가의) 반값으로 하다. ¶按市价~卖; 시가의 반값에 팔다.
〔折北〕 zhéběi 동〈文〉패배하다.
〔折本〕 zhéběn 명 절본. 접는 책.
〔折本(儿)〕 zhé.běn(r) ⇒ shéběn(r)
〔折笔〕 zhébǐ 명 한자 필획의 꺾는 획《ㄱ나 ㄴ 따위》.
〔折变〕 zhébiàn 동〈方〉(재산 따위를) 돈으로 바

꾸다. 팔아서 환금하다. ¶房子、地都～了还不够还huán债的; 집과 토지를 모두 팔아도 빚을 갚는 데 모자란다. =〔变价①〕〔变卖〕〔变销〕
〔折兵〕 zhé.bīng 동 병사를 (전투에서) 잃다. ¶赔péi了夫人又～; 〈成〉 본전도 이자도 다 잃다. 손해를 본 위에 또 손해를 보다.
〔折漕〕 zhécáo 명 옛날, 남방에서 베이징(北京)에 바치는 연공미(年貢米)를 환산해서 현금으로 바치는 방법.
〔折差〕 zhéchāi 명 청대(清代), 지방 장관이 올리는 상주(上奏) 서류를 서울에 전달하는 관리.
〔折成褶〕 zhéchéngzhě 명《紡》 아코디언 플리츠(pleats).
〔折尺〕 zhéchǐ 명 접자.
〔折冲〕 zhéchōng 동 〈文〉 ①적을 제압하고 승리를 거두다. ¶～樽俎zūnzǔ; 〈成〉 주석(酒席)·연석(宴席)에서 외교 수단을 써서 적을 제압하고 승리를 거두다《외교 절충을 가리킴》/～千里之外; 원방(遠方)의 적을 제압하고 승리를 거두다/～御侮; 〈成〉 외교 교섭으로 외국으로부터의 멸시를 막다. ②절충하다.
〔折带皴〕 zhédàicūn 명《美》 중국화의 준법(皴法)의 일종《평행한 검은 선을 써서 돌을 그리는 법》.
〔折刀〕 zhédāo 명 접칼. 잭나이프.
〔折叠〕 zhédié 동 접다. 개다. ¶～式; 접었다 폈다 하는 식/～椅; 접의자/～伞 =〔折伞〕; 접는 우산/～衣服; 옷을 개다/把被褥～整齐; 침구를 가지런히 개다.
〔折(叠)尺〕 zhé(dié)chǐ 명 접자. ¶木制～; 나무 접자/不锈钢～; 스테인리스 접자.
〔折叠扇〕 zhédiéshàn 명 ⇨〔折扇(儿)〕
〔折断〕 zhéduàn 동 꺾다. 절단하다. ¶～树枝; 나뭇가지를 꺾다.
〔折兑〕 zhéduì 동 ①(금·은을 그 함유량·중량에 의해) 태환(兌換)하다. ②팔아서 다른 물건과 바꿔치다.
〔折返〕 zhéfǎn 동 되돌아가다〔오다〕. ¶又～到火车站去了; 다시 역으로 되돌아갔다.
〔折伏〕 zhéfú 동 ⇨〔折服①〕
〔折服〕 zhéfú 동 ①굴복하다〔시키다〕. 설득하다〔시키다〕. ¶强词夺理不能～人; 억지를 써서는 남을 설득할 수 없다. =〔折伏〕 ②신복(信服)하다. 신용하다. ¶他至今方始～; 그는 지금에 이르러서야 겨우 믿고 따른다. =〔信服〕
〔折福〕 zhé.fú 동 (부당한 향락을 즐기거나, 또는 부정한 재물을 취하여) 복이 없어진다〔떨어지다〕. 〈轉〉 죄를 받다. 죄스럽다. ¶这么浪费不但～还要破家; 이렇게 낭비하면 아까울 뿐만 아니라, 집안까지 패가망신하게 된다.
〔折付〕 zhéfù 동 환산하여 지불하다.
〔折干(儿)〕 zhé.gān(r) 동 물건 대신 돈을 보내다. ¶送东西太麻烦, 不如～倒好; 물건을 보내는 것은 아무래도 번거로우니 차라리 돈으로 보내는 것이 낫다.
〔折给〕 zhégěi 동 환산해서 주다〔지급하다〕. ¶～现金; 환산해서 현금으로 주다.
〔折跟头〕 zhé gēntou ①공중제비하다. ②발이 걸려 넘어지다.
〔折股〕 zhé.gǔ 동 (부동산 등을) 출자분(出資分)으로 환산하다.
〔折光〕 zhéguāng 명《物》 ①빛의 굴절. ¶～度; 디옵터(diopter). ②편광(偏光).
〔折桂〕 zhéguì 동 〈比〉 옛날, 향시(鄕試)에 합격하다.
〔折耗〕 zhéhào〔shéhào〕 동 결손나다. 명 ①경화(硬貨)의 주조(鑄造)로써 생기는 공차(公差). ②손실. 손모. 결손.
〔折合〕 zhéhé 동 ①환산(換算)하다. ¶～率; 환산율. ②상당하다. 맞먹다. ¶当时一个工资分～一斤小米; 당시 임금 실물 표준 단위의 1점은 좁쌀 1근에 상당했었다. ③접다. 개키다. ¶盒式望远镜的特色是携带方便, ～起来, 比一盒香烟略大一些; 상자형(型) 망원경의 특색은 휴대가 편리하다는 것인데, 접으면 담뱃갑보다 조금 클 정도이다.
〔折合椅子〕 zhéhé yǐzi 명 접는 의자. =〔折椅〕
〔折痕〕 zhéhén 명 접은 금〔흔적〕.
〔折花攀柳〕 zhé huā pān liǔ 〈成〉 화류계에서 놀다. =〔拈niān花惹草〕
〔折还〕 zhéhuán 동 물건으로 빚을 갚다.
〔折回〕 zhéhuí 동 되돌아가다〔오다〕. ¶奉上级之命由归国途中～的; 상급 기관의 명령으로 귀국 도중에 되돌아갔다.
〔折祭〕 zhéjì 명 (장례식이나 법회 때에, 불전에 바치는) 향전(香奠)·불전(佛錢).
〔折价〕 zhé.jià 동 ①에누리하다. 값을 깎다. ②금전으로 환산하다. ¶商品～处理; ⓐ상품을 현금으로 환산해서 처분하다. ⓑ상품을 할인하여 처분하다. (zhéjià) 명 ①할인가(割引價). ②환산가격.
〔折减〕 zhéjiǎn 동 삭감하다. 줄이다.
〔折角〕 zhéjiǎo 동 책장의 한 귀퉁이를 접다.
〔折角阀〕 zhéjiǎofá 명 앵글밸브(angle valve). =〔〈南方〉角尺凡而〕
〔折节〕 zhéjié 동 절개를 굽히(어 남에게 자기를 낮추)다.
〔折旧〕 zhéjiù 명동 (고정 자산의) 감가 상각(을 하다). ¶～费; 감가 상각비/～基金; 감가 상각 적립금.
〔折据〕 zhéjù 명 통장.
〔折扣〕 zhékòu 명동 할인(割引)(하다). 에누리(하다). ¶折九扣; 1할 할인/概不～; 할인은 일절 없음/能不能稍微打点儿～? 좀 깎아 줄 수 없습니까? =〔扣折〕
〔折柳〕 zhéliǔ 동 〈文〉 버드나무의 가지를 꺾다. 〈轉〉 길 떠나는 사람을 배웅하다.
〔折拢〕 zhélǒng 동 접어 넣다. 접어 맞추다.
〔折卖〕 zhémài 동 (물건 따위를) 팔아서 현금으로 바꾸다. =〔折变〕
〔折门〕 zhémén 명《建》 아코디언 도어.
〔折磨〕 zhémo 동 (육체·정신적으로) 학대하다. 구박하다. 괴롭히다. 명 고통. 괴로움. 시련. ¶受～; 시련을 겪다/不受～不成佛; 〈成〉 시련을 겪어야 어엿한 인물이 된다. =〔磨折〕‖=〔锯jù磨〕
〔折屏〕 zhépíng 명 접는 병풍.
〔折钱〕 zhé.qián 동 돈으로 환산하다. ¶拿这个东西还账折多儿钱? 이 물건으로 갚는다면 얼마 쳐주겠느냐?
〔折券〕 zhéquàn 동 증서를 파기하다. 빚을 탕치다.
〔折辱〕 zhérǔ 동 〈文〉 모욕〔굴욕〕을 주다. ¶受～; 굴욕을 당하다.
〔折伞〕 zhésǎn 명 접는 우산. =〔折叠伞〕
〔折色〕 zhésè 동 물품으로 납부하는 조세를 돈으로 환산하다.
〔折杀〕 zhéshā 동 〈方〉 원래는 '과분하게 복을 향수하여 수명을 단축하다'는 뜻. 뒤에 이르러 '황송하여 받을 수 없다'는 뜻이 됨. =〔折受〕
〔折扇(儿)〕 zhéshàn(r) 명 쥘부채. 접선. =〔折

叠扇〕〔聚jù头扇〕〔撒sǎ扇〕
〔折伤〕 zhéshāng 동 뼈가 부러져 상하다.
〔折伤医〕 zhéshāngyī 명 접골의(接骨醫).
〔折上〕 zhéshang 동 접어서 덮다. ¶把书～背背看; 책을 덮고 외워 보아라.
〔折射〕 zhéshè 명동 《物》 굴절(하다).
〔折实〕 zhéshí 동 ①할인하여 실제의 가격에 맞추다. ②실물 가격으로 환산하다. 실제의 물품 가격을 단위로 하여 계산하다. ¶～公债; 실물 가격으로 계산하는 공채 / ～储蓄; 실물 가격으로 계산하는 예금.
〔折实单位〕 zhéshí dānwèi 명 실물로 환산한 단위(일정한 종류와 양의 식량·의료(衣料)·연료·식용유 등 생활 필수품의 가격을 단위로 하고, 그것을 기준으로 예금액을 기장(記帳)하는 저축 방식. 이에 의하며 화폐 가치가 달라져도, 인출할 때에는 맡겼을 때와 같은 가치의 현금의 지불을 받을 수 있음).
〔折收〕 zhéshōu 동 할인하여 인수하다. ¶～未满限期票; 지급 기일 전의 어음을 할인 인수하다.
〔折寿〕 zhé.shòu 동 ①요절(夭折)하다. ②⇨〔折受〕
〔折受〕 zhéshou 동 〈方〉 송구스럽다. 과분할 정도로 고맙다. 황송하다(과분한 일이 있으면 수명이 단축된다는 미신에 의함). ¶先生亲首迎出门来, 岂不～我了; 선생이 친히 입구까지 마중 나오시다니, 황송하기 짝이 없습니다 / 你别给我磕头, 我怕～不了; 그렇게 절하지 마십시오. 제가 벌을 받을까 두렵습니다. =〔折寿②〕
〔折水〕 zhéshuǐ 동 《經》 화폐 또는 유가 증권이 시장에서 법정 가격 또는 액면 가격 이하로 하락하다.
〔折税〕 zhéshuì 동 물품으로 세금을 대납하다.
〔折算〕 zhésuàn 동 어느 한 가지로써 다른 것의 계산의 척도(尺度)로 삼다. 환산하다. ¶人工～账目; 품으로 장부의 항목을 환산하다 / ～起来还是不上算; 환산해 보니 역시 수지가 안 맞는다. 명 ①할인(割引) 계산. ②차감(差減) 계산.
〔折碎〕 zhésuì 명 스크랩(scrap).
〔折损〕 zhésǔn 명동 결손(나다).
〔折头〕 zhétou 명 〈方〉 할인액(割引額). =〔让ràng头〕
〔折纹(儿)〕 zhéwén(r) 명 한자 부수의 하나(뒤져올치방 '夂'의 '夊').
〔折席〕 zhéxí 동 사람을 초대하는 대신, 그 비용을 주다.
〔折线〕 zhéxiàn 명 ①꺾은 금. 접은 금. ¶裤子的～; 바지 주름. ②《數》 꺾은선. 절선.
〔折向〕 zhé.xiàng 동 방향을 바꾸다.
〔折烟板〕 zhéyānbǎn 명 《機》 전향판(轉向板). 배플 보드(baffle board).
〔折腰〕 zhéyāo →〔字解A)①〕
〔折椅〕 zhéyǐ 명 접는 의자. ¶钢～; 강철제의 접는 의자 / 数千张的～; 수 천 개의 접는 의자. =〔折叠椅〕〔折合椅子〕
〔折银〕 zhéyín 동 옛날, 은으로 환산하다.
〔折狱〕 zhéyù 동 〈文〉 단죄(斷罪)하다. 판결을 내리다.
〔折账〕 zhé.zhàng 동 빚을 물건으로 에끼다〔갚다〕.
〔折征〕 zhézhēng 동 옛날, 세공(歲貢) 대신에 현금을 징수하다.
〔折证〕 zhézhèng 동 변명하다. 해명하다. ¶有真凭实据, 你还～什么? 확실한 증거가 있는데도 너는 아직도 무엇을 변명하느냐? =〔分辩〕
〔折证〕 zhézheng 동 ①〈京〉 이야기를 매듭짓다. 홍정하다. 교섭하다. ¶你如果有理, 你就跟他～～去; 자네한테 도리가 있다면 그에게 홍정하러 가보아라. ②대질(對質)하다. 대조하다.
〔折纸〕 zhézhǐ 동 종이를 접다. 명 종이 접기(아이들 놀이). ¶叠dié～; 종이 접기를 하다.
〔折纸工〕 zhézhǐgōng 명 종이접기 공작.
〔折中〕 zhézhōng 명동 절충(하다). ¶～的办法; 절충된 방법 / ～主义; 절충주의. =〔折衷〕
〔折盅儿〕 zhézhōngr 명 뚜껑있는 찻잔에 곁들여 내는 작은 찻잔.
〔折衷〕 zhézhōng 명동 ⇨〔折中〕
〔折子〕 zhézi 명 ①상주문(上奏文). ②접책(摺册). ③(접을 수 있는) 통장(通帳). ¶房～; 집세 통장 / 存款～; 예금 통장. ④끝장. ⑤주름. ⇒zhězi
〔折子钱〕 zhéziqián 명 ⇨〔印yìn子钱〕
〔折子戏〕 zhézixì 명 《劇》 (원(元)의 잡극(雜劇)이나 명(明)·청(淸)의 전기(傳奇)에서) 본래 전막(全幕)을 상연하는 것을 그 중의 1막만을 독립하여 상연하는 연극.
〔折子腰包〕 zhézi yāobāo 명 《劇》 (중국 전통극에서) 흰 명주를 폭 30센티미터 정도로 접어 허리에 두른 것(여성의 여행 차림을 나타냄).
〔折奏〕 zhézòu 명 옛날, 긴급하고 기밀을 요하는 사항을 직접 황제에게 올리던 상주서(上奏書).
〔折租〕 zhézū 동 딴 물건으로 세공(歲貢)을 바치다.
〔折足覆悚〕 zhé zú fù sù 〈成〉 임무를 다하지 못하고 실패함('悚'은 솥에 남은 음식이란 뜻).
〔折罪〕 zhé.zuì 동 속죄하다. 과오를 보상하다. ¶将功～; 〈成〉 공을 세워 죄를 보상하다.

哲〈喆〉

zhé (철)
①명 명지(明智). ②명 지자(智者). ③형 도리(道理)에 밝다. 지혜롭다. ¶明～; 명철하다 / ～人; 철인. 명철한 사람.
〔哲艾〕 zhé'ài 명 〈文〉 명철한 노인.
〔哲夫〕 zhéfū 명 〈文〉 지모(智謀)가 풍부한 남자. 슬기로운 사람. ¶～成城, 哲妇倾qīng城; 〈諺〉 지모 있는 남자는 성을 쌓고, 현명한 여자는 성을 기울게 한다(여자가 너무 똑똑하면 도리어 화를 부른다).
〔哲妇〕 zhéfù 명 〈文〉 ①〈貶〉 (지나치게) 약고 빈틈없는 여자. ②현명하고 덕망 있는 여자.
〔哲匠〕 zhéjiàng 명 〈文〉 현명한 중신(重臣).
〔哲理〕 zhélǐ 명 철리.
〔哲人〕 zhérén 명 〈文〉 철인. 명철한 사람.
〔哲嗣〕 zhésì 명 맏아드님. =〔令lìng嗣〕
〔哲王〕 zhéwáng 명 〈文〉 명철한 군주.
〔哲学〕 zhéxué 명 철학. ¶～家jiā; 철학자.

晢〈晣〉

zhé (절, 제)
형 〈文〉 밝다. 총명하다.

蜇

zhé (철)
→〔海hǎi蜇〕 ⇒zhē

䈆

zhé (절, 제)
(～子) 명 〈方〉 대오리로 성글게 결은 멍석.

辄(輒〈輙〉)

zhé (첩)
부 〈文〉 ①즉시. 바로. 곧. ②언제든지. 늘. 항상. ¶每至此, ～觉心旷神怡; 이 곳에 올 때마다

마음이 편하고 느긋하다 / 动～得咎; 〈成〉 툭하면 야단맞는다. =〔总是〕

蛰(蟄) zhé〔〈舊〉 zhí〕 (칩) 동 (동물·벌레 등이) 동면(冬眠)하다. ¶人～; 겨울잠에 들다 / ～居; 칩거〔은거〕하다.

〔蛰伏〕 zhéfú 동 ①(동물이) 동면(冬眠)하다. ②칩거(蟄居)하다.

〔蛰雷〕 zhéléi 명 〈文〉 초봄에 울리는 천둥.

〔蛰龙〕 zhélóng 명 〈文〉 와룡(臥龍). 칩룡. 〈比〉 아직 때를 얻지 못한 영웅.

詟(讋) zhé (섭) 동 〈文〉 두려워하다. 겁내다.

〔詟服〕 zhéfú 동 두려워 복종(服從)하다.

谪(謫〈讁〉) zhé (적) 〈文〉 ①동 벌주다. 책(責)하다. 꾸짖다. ¶众人交～; 모두 제각기 힐책하다. ②동 강직(降職)·좌천되다. 귀양가다. ¶贬～; 좌천되다 / 被～; 관리가 처벌을 받다. 벼슬이 강등되다. ③명 죄. 과오. 잘못. 허물. ④명 요기(妖氣). ⑤동 신선이 벌을 받아 하계(下界)로 쫓겨나다.

〔谪降〕 zhéjiàng 동 〈文〉 ①관리가 좌천되다. ②신선이 인간 세계로 떨어지다. ¶～在人间; (신선이) 인간 세계에 떨어지다.

〔谪居〕 zhéjū 동 좌천되어 거처하다. 귀양살이하다.

〔谪戎〕 zhéróng 동 〈文〉 죄로 변경에 보내어져 군역을 살다. 수자리살다. =〔谪戍〕

〔谪戍〕 zhéshù 동 〈文〉 ⇨〔谪戎〕

〔谪仙〕 zhéxiān 명 〈文〉 ①인간 세계로 쫓겨난 선인(仙人). ②〈比〉 이백(李白)이나 소식(蘇軾)과 같은 초속적(超俗的)인 문인을 일컫는 말.

磔 zhé (책) ①명동 몸을 찢어 발기는 형(刑)(에 처하다). ¶～于市; 저자에서 사지를 찢기는 형에 처해지다. ②〈擬〉 새의 울음소리. ¶～～; 짹짹 / 钩辀格～; 찍찍짹짹. ③한자 서법의 하나《오른쪽으로 비스듬하게 삐쳐 씀》.

辙(轍) zhé (철) 명 ①바퀴 자국. ¶车～; 바퀴 자국 / 如出一～; 한 수레바퀴 자국에서 나온 듯 꼭 닮았다 / 顺着旧～走; 옛 수레바퀴 자국을 따라가다. ②차가 다니는 길. 차도. ③〈京〉 방법. 생각. 방안. ¶晌shǎng午的饭还没～哪; 점심밥은 아직 마련이 안 되어 있다 / 没～了; 방법이 없어졌다 / 我这儿有～; 내게 방안이 있다. ④가사(歌詞)·희곡. 잡곡(雜曲)의 압운한 운(韻). ¶合～; 운이 잘 맞아 있다. =〔辙口〕 ⑤궤도(軌道). ¶火车出了～了; 열차가 탈선했다 / 你这样的行动似乎有点儿出～吧; 너의 이 같은 행동은 다소 탈선한 것 같다. ⑥차량 운행의 방향. 코스. 노선. ¶上下～; 상행선과 하행선 / 顺～儿; 순조로운 코스 / 戗qiāng～儿; 역(逆)코스. ⑦전조(前兆). ¶如今他还没有～呢; 지금으로서는 저 사람에게는 아직 그 징조가 없다.

〔辙鲋〕 zhéfù 명 〈文〉 수레바퀴 자국에 괴어 있는 물 속의 물고기. 〈比〉 궁박한 처지. ¶～之急jí; 눈앞에 닥친 위급.

〔辙环天下〕 zhéhuán tiānxià 〈文〉 온 천하를 역유(歷遊)하다.

〔辙迹〕 zhéjì 명 〈文〉 바퀴 자국. 수레가 지나간 자국.

〔辙口〕 zhékǒu 명 가사(歌詞)·희곡·잡곡(雜曲)의 압운한 운(韻). ¶这一段词儿换换～就容易唱了; 이 한 구절의 가사는 운(韻)을 좀 바꾸면 노래하기가 쉬워진다.

〔辙乱旗靡〕 zhé luàn qí mǐ 〈成〉 군대가 패주(敗走)하는 모양.

〔辙窝儿〕 zhéwōr 명 ⇨〔辙眼儿〕

〔辙眼儿〕 zhéyǎnr 명 수레가 지나간 자국에 생긴 구멍. =〔辙窝儿〕

者〈考〉 zhě (자) ①조 자. 것《동사·형용사 또는 형용사·동사를 동반하는 연어(連語) 등의 뒤에 놓여, 그러한 성질을 가지고 있거나, 또는 어떤 동작을 하는 사람이나 사물을 나타냄. 구어(口語)의 '的de'의 용법과 흡사함》. ¶作～; 작자 / 记～; 기자 / 读～; 독자 / 和平绝非等待所能获致～; 평화는 결코 기다려서 얻어지는 것은 아니다 / 前qián～; ⓐ전자. ⓑ전에는. 이전에는 / 最佳～; 가장 좋은 것. ②조 〈文〉 …라는 자는. …라는 것은《주어 뒤에 놓여, 단정(斷定)·판단의 주체를 확실하게 함》. ¶廉颇～, 赵之良将也; '廉颇'라는 사람은 조(趙)나라의 훌륭한 장수였다 / 仁～人也, 义～宜也; 인(仁)은 인(人)이며, 의(義)란 의(宜)이다. ③조 〈文〉 가지. 자《수사(數詞) 뒤에 놓여 전술(前述)한 사람이나 사물을 가리킴》. ¶两～缺一不可; 둘 가운데 어느 하나가 없어도 안 된다. ④조 〈文〉 시기(時期)를 나타내는 말의 어미(語尾)로 쓰임. ¶近jìn～; 근자에. 근래에는 / 古～; 옛날에는. ⑤조 원대(元代) 잡극 중에 쓰이는 문말 조사(文末助詞)로 명령(命令) 등의 어기(語氣)를 나타냄《구어(口語)의 '着zhe'의 용법과 같음》. ¶且慢～; 잠깐 기다려 / 路上小心在意～; 도중에 부디 조심해라. ⑥대 〈文〉 이. 이것《구어(口語)의 '这zhè' 용법과 같음》. ¶无事过～一夏; 아무 일 없이 이 여름을 지냈다 / ～个; 이것 / ～边走, 那边走, 只是寻花问柳; 이리 갔다 저리 갔다 오직 꽃과 버들만 찾아다닌다.

〔者边〕 zhěbiān 대 〈古白〉 이쪽. =〔这边〕

〔者番〕 zhěfān 대 〈古白〉 이번.

〔者回〕 zhěhuí 대 이번. =〔者番〕

锗(鍺) zhě (게) 명 《化》 게르마늄(Ge: germanium) 《금속 원소의 하나 '钼rì'는 구칭》.

赭 zhě (자) 명 ①붉은 흙. ②《色》 적갈색(赤褐色). ③발가숭이.

〔赭黄〕 zhěhuáng 명 《鑛》 흙 모양의 갈철광《안료의 원료로 쓰임》.

〔赭色〕 zhěsè 명 ①《色》 적갈색. ②황토(黃土). 자토(赭土).

〔赭山〕 zhěshān 명 〈文〉 민둥산. 벌거숭이 산.

〔赭石〕 zhěshí 명 ①《鑛》 자석. 대자석(代赭石) 《붉은 흙 모양의 적철광. 안료의 원료로 쓰임》. ②대자《안료로 쓰는 붉은 빛의 가루. 중국 다이저우(代州)의 것을 상품으로 치므로, 이렇게 부름》.

〔赭衣〕 zhěyī 명 〈文〉 옛날의, 붉은색 죄수복.

遮 zhě (차) 동 〈方〉 ①겉바르다. 겉을 꾸며 얼버무리다. ②(기분을) 달래다. ¶心里烦, 溜liū达溜达～过去; 기분이 울적해서 슬슬 걸으면서 마음을 달래다. ⇒zhē

摺 zhě (접) 명 (접은) 주름. =〔褶〕 ⇒'折' zhé

〔摺子〕 zhězi 명 ①겪어 접은 금. 겹친 주름. ②주름. ¶老人的脸上有～; 노인의 얼굴에는 주름이 있다.

褶〈襵〉 **zhě** (습)〈접〉 (～儿, ～子) 명 (옷의) 주름. 주름살. 접은 금. ¶衣服上净是～; 옷이 주름투성이다 / 百～裙qún; 주름 치마. 플리츠 스커트(pleats skirt) / 大衣的腰身儿拿个～儿; 외투의 허리 둘레에 주름을 잡다. ⇒ dié xí

〔褶裥〕 zhějiǎn 명 (바지 따위의) 주름.

〔褶曲〕 zhěqū 명 ⇨〔褶皱①〕

〔褶纹冠蚌〕 zhěwén guānbàng 명《貝》마합. 말조개. =〔鸡冠蚌〕〔湖蚌〕〔扯旗蚌〕

〔褶皱〕 zhězhòu 명 ①《地質》습곡(褶曲). ¶～山; 습곡 산맥. =〔褶曲〕 ②얼굴의 주름살.

〔褶子〕 zhězi 명 ①주름. ㉠(종이·천·옷 등의) 주름. 구김살. ¶用熨斗把～烙平; 다리미로 주름을 펴다. ㉡(얼굴의) 주름살. ¶满脸都是～; 얼굴이 주름살투성이다. ②〈京〉(～了) 일을 망침. 실수. ¶这事～了; 이 일은 실패했다 / 事情办～了; 일이 글러 버렸다.

宅 **zhè** (택) '宅zhái'의 문어음(文語音).

这(這) **zhè** (저) ① 대 이것(비교적 가까운 시간·장소 또는 사물을 가리키는데 단수(單數)에만 국한되지 않음). ¶～叫什么? 이것은 무엇이라고 합니까? / ～是我们工厂的新产品; 이것은 우리 공장의 신제품입니다 / ～是书, 那是笔; 이것은 책이고, 저것은 붓입니다 / ～不行; 이것은 안 된다 / ～怎么办? 이것은 어떡하면 좋은가? 注1 공간·시간적으로 대비하여 가까운 느낌이 드는 일·물건·사람·때·곳을 가리킬 때는 '这'를, 먼 느낌이 드는 것을 가리킬 때는 '那'를 씀. 注2 이야기하는 사람의 관계 범위내 및 현재 이야기하는 사람과 듣는 사람 사이에 화제가 되어 있는 것을 가리킬 때는 '这'를 쓰고, 그 이외의 것, 예컨대 제삼자에 관한 것 등을 가리킬 때는 '那'로 씀. 注3 구어(口語)에서 '这'가 단독으로 쓰이거나 뒤에 직접 명사가 붙을 때는 zhè로 발음함. 그러나 뒤에 조수사(助數詞) 또는 수량사(數量詞)가 오면 흔히 'zhèi'로 발음함. 注4 '～'는 보통 객어(客語)로는 쓰이지 않음. 그러나 '…这…那'로 연용(連用)될 때 및 구어(口語)로 자유롭게 이야기할 때는 단독으로도 쓰임(이 때 사람을 가리키지는 않음). ¶想到～, 忽然伤心起来了; 이것을 생각하니 갑자기 슬퍼졌다. ② 대 이(뒤에 양사나 혹은 수사·양사의 형태가 올 때, 또는 직접 명사와 연결될 때 한정어(限定語)로 쓰임). ¶～人; 이 사람 / 他们～几位是新来的; 이 몇 분은 새로 오신 분들입니다 / 是～个, 还是那个? 이것입니까, 아니면 저것입니까? ③이렇게. 그렇게(동사·형용사를 직접 수식하여 그 정도를 과장함). ¶再加上牛车走得～慢哪! 게다가 소달구지도 이리 느리게 가다니! / 瞧你～麻烦! 봐라! 이렇게 귀찮으니. ④ 부 지금. 이제. 이 때(뒤에 '就'·'才'·'都' 등을 동반함). ¶我～就走; 나는 지금 곧 간다 / 他～才明白厂长的意思; 그는 이 때 비로소 공장장의 생각을 알았다. ⑤이와 같이. ¶～一来, …; 이와 같이 하여. ⑥ 대 (불특정한) 여기. 이것('那'와 호응해서 씀). ¶～瞧那看; 이쪽을 보다가 저쪽을 보다가 / 问问～, 问问那, 想想～, 想想那, 一点儿不定神; 이것저것 묻고 생각하느라 도무지 마음이 안정되지 않는다. ‖注1 지시(指示)의 구실이 없고 단지 관사(冠詞)와 같은 작용을 함. ¶～文官不比武官了; 문관은 무관과는 비교도 안됐다(이 경우 '那'와 구별이 없으나, 어기(語氣)가 강함). 注2 인명(人名) 앞에 올 때는 수식 제한(修飾制限)의 뜻이 없음. 注3 동사·형용사를 수식하며, 그 정도를 과장(誇張)함(문말에 '啊' 따위의 조사를 동반함). ¶一家子～哭哇, 就别提啦; 온 집안 식구가 모두 그렇게 운 것은 물론이다. ⇒zhèi

〔这般〕 zhèbān〈文〉이런. 이와 같은. 이러한. ¶～人; 이런 사람들 / ～做; 이와 같이 하다 / 如此～; 여차여차하다.

〔这辈子〕 zhèbèizi〔zhèibèizi〕 명 이 세상. 현세. 일생.

〔这壁(厢)〕 zhèbì(xiāng) 대〈古白〉이 곳. =〔这厢〕

〔这边(儿)〕 zhèbian(r)〔zhèibian(r)〕 대 여기. 이쪽. ¶～亮, 那边黑; 이쪽은 밝고 저쪽은 어둡다 / 铁路的～; 철도의 이쪽 / 站在野党～; 야당 편에 들다.

〔这才〕 zhè cái ①이제 겨우. 이제야 비로소. ¶我～明白了; 나는 이제서야 겨우 알았다 / ～放得下心了; 이제 겨우 안심이 된다. ②이야말로. 이래야만. ¶他来我也到了, ～算凑巧呢; 그가 온 무렵에 나도 왔는데, 이야말로 공교로운 일이다.

〔这茬子人〕 zhècházi rén 명 이와 같은 인간(얕보는 뜻. '茬子'는 양사(量詞)).

〔这程子〕 zhèchéngzi〈方〉요새. 요즈음. ¶你～到哪儿去了? 너 요사이 어디에 갔었니? =〔这些日子〕

〔这次〕 zhècì〔zhèicì〕 명 이번. 금번. ¶～来的都是些什么人? 이번에 온 사람들은 모두 어떤 사람들이냐? →〔这回〕

〔这搭(儿)〕 zhèdā(r) 명〈方〉여기(산시(陝西)·산시성(山西省) 방언 및 옛 백화(白話)에서 쓰임). ¶敢问～是何处;〈古白〉실례지만 물어봅시다. 여기는 어디입니까.

〔这当(儿)〕 zhèdāng(r)〔zhèidāng(r)〕 명 바로 그 때. 이 때. 바야흐로 지금. ¶他正在厕所～来了一位客人; 그가 마침 변소에 들어가 있을 때 손님이 찾아왔다 / 刚在～电灯忽然灭了; 마침 그 때 전등이 갑자기 꺼졌다.

〔这等〕 zhèděng 대〈文〉이런 종류의. 이와 같은. ¶何劳学士～费心;〈古白〉어찌 이런 심려를 학사님에게 끼칠 수 있겠습니까. =〔这等样〕→〔这样(儿)〕

〔这等样〕 zhèděngyàng 대〈文〉⇨〔这等〕

〔这点儿〕 zhèdiǎnr〔zhèidiǎnr〕 명 요만큼(뒤에 명사가 올 때는 '的'가 붙지 않음. 작은 개체를 가리킬 수 없음). ¶我只有～了; 나에게는 요만큼밖에 없다 / ～薄礼请您收下; 변변치 않은 것입니다만, 부디 받아 주십시오. 대 여기. 이 곳. ¶～人多, 咱们到那边儿去坐; 여기는 사람이 많으니, 우리 저기에 가서 앉자.

〔这番〕 zhèfān〔zhèifān〕 명 이번. ¶～好意; 이번의 호의. =〔〈文〉此番〕〔〈文〉今番〕

〔这个〕 zhège〔zhèige〕 ①이. 이것. ¶～孩子真懂事; 이 아이는 참으로 철이 들었다 / ～比那个长; 이것은 저것보다 길다 / 你问～吗? 这叫西瓜; 이것 말입니까? 이것은 수박이라고 합니다 / 我攒钱就是为的～; 내가 돈을 모으는 것은 바로 이를 위해서다 / ～地步; 이 지경. 이와 같은 단계 / ～

时候儿; 지금. 이 때. =〔这一个〕 ②〈口〉 동사·형용사 앞에 쓰이어 과장(誇張)을 나타냄. ¶大家～乐啊! 모두들 굉장히 기뻐하는구나! ③('那个'와 연용(連用)하여) 이것저것. 상호 간에. ¶他～那个地问起来没完; 그는 오랫동안 이것저것 물어본다. ④이런 종류의. 이러한. 이런. ¶～天, 我怕水冷; 이런 날씨는 아마 물이 차리라 생각된다.

〔这(个)星期〕 zhè(ge) xīngqī〔zhèi(ge) xīngqī〕 명 금주. =〔这(个)礼拜〕〔〈文〉 本běn周〕〔本星期〕〔这周〕

〔这(个)月〕 zhè(ge)yuè〔zhèi(ge)yuè〕 명 이 달. =〔〈文〉 本月〕

〔这哈儿〕 zhèhar〔zhèihar〕 ⇨〔这块(儿)①〕

〔这号〕 zhèhào 명 이런. 이와 같은. ¶这闺女真有点决心, 原来是打的～主意呀; 이 처녀는 조금은 결심이 서 있어서 본디 이와 같은 생각이었던 것이다 / ～人; 이런놈.

〔这回〕 zhèhuí〔zhèihuí〕 명 이번(('此cǐ回'는 문어적인 표현)).

〔这回头〕 zhèhuítóu 그 뒤. 그로부터.

〔这会儿〕 zhèhuìr〔zhèihuìr〕 〈口〉 ①지금. 지금쯤. 이 때. ¶～雨停了; 지금은 비가 그쳤다 / ～他已经到家了吧; 지금쯤 그는 벌써 집에 도착해 있을 것이다. ②요즘. 근래. ¶～妇女的地位提高了; 요즘은 여성의 지위가 높아졌다. ‖ =〔这会子〕

〔这会子〕 zhèhuǐzi〔zhèihuǐzi〕 〈京〉 ⇨〔这会儿〕

〔这几天〕 zhèjǐtiān 요 며칠.

〔这间儿〕 zhèjiānr 이 때.

〔这就〕 zhè jiù ①지금 바로. 이제 곧. ¶我～走; 나는 지금 곧 출발한다. ②이것으로. 이렇다면. ¶～好了; 이것으로 됐다.

〔这就是说〕 zhè jiùshì shuō 결국. 말하자면. 즉.

〔这块(儿)〕 zhèkuài(r)〔zhèikuài(r)〕 ①〈俗〉 여기. 이 근처. ¶他的毛病就在～; 그의 결점은 바로 여기에 있다. =〔这哈ha儿〕 ②이 덩어리.

〔这喱冻〕 zhèlídòng 명 〈方〉〈音〉 젤리(jelly). →〔果子冻(儿)〕〔肉冻(儿)〕

〔这里〕 zhèli〔zhèlǐ〕 대 여기. 이 곳. =〔这儿①〕

〔这溜儿〕 zhèliùr ①이 줄. ¶～房子; 이 늘어선 집. 이쪽 줄의 집. ②이 근처. 이일대. ¶～有邮局没有? 이 근처에 우체국이 있습니까?

〔这么〕 zhème 대 ①이와 같이. 이렇게. 이러한((성질·상태·방식·정도 등을 가리키며, 강조(強調) 또는 과장(誇張)하는 말)). ¶大家都～说; 모두 이와 같이 말한다 / ～多的雪; 이렇게 많은 눈 / ～办; 이같이 하다 / ～合适; ⓐ아주 딱 맞는다. ⓑ아주 적절하다 / ～看起来; 이렇게 생각해 보면 / 只有～大 =〔只有～小〕; 겨우 요 정도이다 / 用～短(的)时间完成了～多(的)工作; 이렇게 짧은 시간에 이렇게 많은 일을 완성했다. =〔这末〕 ②('往～'의 형태로). 이쪽. ¶～走; 이쪽으로 가다 / 我是在那儿换车往～来的; 나는 거기서 차를 갈아 타고 이리 온 것입니다. ↔〔那么〕 ③수량사(數量詞)와 연용(連用)하여 적음을 강조하는 말. ㉠…뿐. ¶我有～一个孩子; 나에게는 아이가 하나밖에 없다. ㉡…정도. ¶利息就在～一分上下; 이자는 대충 1할 내외이다.

〔这么点儿〕 zhèmediǎnr 요만큼. 요만한 것. 이렇게 작은 것((작은 개체를 지칭할 수 있음)). ¶就～啊, 太少了; 겨우 요만큼이야, 너무나 적군 / ～路还用坐车吗? 요 정도의 길인데, 차를 탈 필요가 있느냐? =〔这么一点儿〕 →〔这点儿〕

〔这么个〕 zhèmege 이러한. 이런(('这么一个'의 생략)). ¶～人; 이런 사람.

〔这么些〕 zhèmexiē 이만큼. 이렇게 많은 것. ¶～人坐得开吗? 이렇게 많은 사람이 다 앉을 수 있겠니? / 说了半天, 才请了～个人呀; 한참 이야기해서 겨우 이만큼의 사람을 초대했다니까. →〔这么点儿〕

〔这么些个〕 zhèmexiēge 이렇게 많은(것). 이 정도의 (것).

〔这么样(儿)〕 zhèmeyàng(r) 대 ⇨〔这样(儿, 子)〕

〔这么一来〕 zhème yīlái 이런 이유로. 이렇게 되면. ¶这个事情～非打起来不行; 이 일이 이렇게 되면 싸움이 벌어지지 않을 수 없다.

〔这么着〕 zhèmezhe ①이와 같이 (하다). 이렇게 (하다). ¶就～吧; 그럼 이렇게 합시다 / ～罢; 이렇게 해 둡시다. ②이리하여. 이렇다면. 그래서. 그러면. ¶～我就没参加; 그리하여 나는 참가하지 않았다.

〔这其间〕 zhèqíjiān ①그간. 그 사이. ②이 때. 그 때.

〔这其中〕 zhèqízhōng 이 가운데. 이 속. ¶～一定有什么道理; 이 가운데는 반드시 무언가 도리가 있다.

〔这儿〕 zhèr 대 〈口〉 ①여기. 거기. ¶～没有姓洪的, 你走错了吧! 여기에는 '洪'이란 사람은 없습니다, 잘못 찾으신 것 아닌지요! / 我打算在～开一个饭馆; 나 여기에 음식점을 낼 작정이다. =〔这里〕 ②이 때. 지금. 注 '打'·'从'·'由' 뒤에서만 쓰임. ¶打～起我下定决心, 一定要学会游泳; 이 때부터 나는 반드시 수영을 배워야겠다고 결심했다. ③이 곳. 여기(('那儿'과 연용(連用)하여 일정하지 않은 여러 장소를 가리킴)). ¶～一跑, 那儿一跑, 一天又过去了; 이곳 저곳 뛰어다니다가 하루가 또 지났다. ④…하고 있다((동사 앞에 놓아 동작·행위의 진행을 나타냄. 문말(文末)에 '呢'를 둠)). ¶我(在)～说他的历史呢; 나는 그의 이력을 이야기하고 있다. 注 '这里'와 같으나, 구어(口語)에서 다음과 같은 경우는 보통 '这儿'로 함. ¶来, ～坐! 자, 여기 앉아라! / 就～谈吧! 그럼 여기서 이야기하자!

〔这山望着那山高〕 zhè shān wàngzhe nà shān gāo 〈諺〉 이쪽 산에서 보면 저쪽 산은 높아 보인다((남의 떡이 더 커 보임)).

〔这时候〕 zhèshíhòu ①이 때. 그 때((현재·과거의 이 때, 과거·미래의 한때)). ¶～他心里感到兴奋; 이 때 그는 마음 속에 흥분을 느꼈다. ②요즘. 요새. ‖ =〔这个时候〕

〔这手来那手去〕 zhèshǒu lái nàshǒu qù 이쪽으로 와서 저쪽으로 가 버리다. 〈比〉 하루 벌어 하루 살다.

〔这厮〕 zhèsī 명 〈古白〉 이놈. ¶～无礼! 이놈, 무례하다!

〔这趟〕 zhètàng〔zhèitàng〕 명 이번((왕래에 대해 씀)). ¶您～到此地来是有什么公务? 이번에 이 곳에 오신 것은 무슨 용무입니까?

〔这天〕 zhètiān 명 이 날. 그 날. ¶～他到郊外钓鱼去了; 이 날 그는 교외로 낚시하러 갔다.

〔这头儿〕 zhètóur〔zhèitóur〕 명 이쪽 끝. 이쪽.

〔这晚儿〕 zhèwǎnr 명 요즘. 근래. ¶～什么都讲民主了; 요즘은 무엇이나 민주적이란 것을 야단스럽게 내세우게 되었다.

〔这下子〕 zhèxiàzi 명 이번. ¶～好容易搞好了; 이

번에는 간신히 잘 해냈다.
〔这厢〕 zhèxiāng 대 〈古白〉 여기. ¶小生～有礼了; 소생 여기서 (이렇게) 예를 올립니다. =〔这壁(厢)〕
〔这向〕 zhèxiàng ⇨〔这一向〕
〔这些(个)〕 zhèxiē(ge)〔zhèixiē(ge)〕 대 ①이것들. 이런 것들. 이들《비교적 가까이에 있는 둘 이상의 사람이나 사물을 가리킴. 의문문의 주어에 쓰일 때는 사물을 가리키며 인물은 가리키지 않음》. ¶～是什么? 이것들은 무엇이냐《사물》? / ～天老是下雨; 요사이는 늘 비만 온다 / ～都是你的吗? 이것들이 모두 네 것이냐? ②이만큼. 이만한. 이러한. ¶现在只有～; 지금은 이것밖에 없다 / 我们的意见就是～; 우리들의 의견은 이상입니다.
〔这些日子〕 zhèxiē rìzi〔zhèixiē rìzi〕 ①요즈음. =〔这程子〕 ②이렇게 긴 일수(日數)〔사이〕.
〔这星期〕 zhèxīngqī〔zhèixīngqī〕 명 이번 주(週). =〔这个ge星期〕
〔这样(儿, 子)〕 zhèyàng(r, zi)〔zhèiyàng(r, zi)〕 대 이와 같이. 이와 같은. 이렇게. 이래서《성상(性狀)·정도·방식이나 동작·정향을 가리킴. '这样' '这么样'은 관형어·부사어·보어·술어가 모두 될 수 있으나, '这么'은 관형어·부사어로만 될 수 있음》. ¶大家都像他～就好了; 모두가 그 사람과 같으면 좋으련만 / ～, 就可以少犯错误; 이렇게 하면 잘못을 저지르는 일이 적어진다. =〔这么样(儿)〕
〔这一〕 zhè yī ①(뒤에 명사가 와서) 이. 이 하나의《조동사(助動詞)를 쓰지 않고 명사를 수식함》. ¶～事实; 이 하나의 사실. ②(뒤에 동사가 와서) 이렇게. 이와같이《이 경우 '这么'와 같음》. ¶听你～说, 我才明白了; 당신이 이렇게 말하는 것을 듣고 나는 겨우 알았다 / 你～胖, 我都认不出来你了; 네가 이렇게 살이 쪄서 나는 전혀 알아보지 못했다.
〔这一向〕 zhèyīxiàng 요즈음. ¶～他情绪不好; 요즈음 그는 기분이 좋지 않다. =〔这程子〕〔这向〕
〔这月〕 zhèyuè 이 달. =〔这个月〕
〔这咱〕 zhèzan 명 〈俗〉 지금. 현재. ¶你怎么～才来; 너는 어째서 이제 왔느냐. →〔这早晚(儿)〕
〔这遭儿〕 zhèzāor〔zhèizāor〕 명 이번에. 이번일.
〔这早晚(儿)〕 zhèzǎowǎn(r) ①명 지금. 이제. ¶～他已经到了上海吧! 지금 그는 벌써 '上海'에 도착했겠지! ②이렇게 늦게. ¶～他怎么又出去了? 이렇게 늦게 그는 왜 또 나갔느냐? =〔这宗晚儿〕
〔这阵(儿, 子)〕 zhèzhèn(r, zi) 명 ①요즈음. 근래. ¶～她正在气头上, 话不容易听进去; 요즈음 그녀는 화가 머리끝까지 나 있어서 말이 귀에 들어오지 않는다. =〔这程子〕 ②지금. 이 때.
〔这种〕 zhèzhǒng 대 이런 종류(의). 이와 같은. ¶～人; 이러한 사람 / ～方法; 이와 같은 방법. 注 본래 '这一种'으로 어떤 종류를 가리키는 말이었는데, 현대어에서는 그 용법을 남기면서 '这么个'·'这样的'과 같은 뜻으로 쓰이는 경우가 많음.
〔这宗〕 zhèzōng 이런 종류(의). ¶～货; 이런 종류의 상품.
〔这宗晚儿〕 zhè zōngwǎnr ⇨〔这早晚(儿)②〕

柘 **zhè** (자)
명 ①《植》 산뽕나무. 야생 뽕나무. ②《植》 사탕수수. =〔蔗〕 ③《色》 황색. ¶～黄; 산뽕나무의 껍질에서 채취되는 황색 염료 / ～袍; 황색 염료를 물들인 웃옷. ④성(姓)의 하나.

浙〈淛〉 **Zhè** (절) 〈제〉
명 《地》 ①저장 강(浙江)《저장 성(浙江省)에 있는 강 이름》. ②〈簡〉 저장 성(浙江省)의 약칭. ¶～花; 저장 성(浙江省)에서 나는 목화 / ～海关; 닝보(寧波) 세관(稅關). ③'苏浙'《장쑤 성(江蘇省)과 저장 성(浙江省)》.

蔗 **zhè** (자)
명 《植》 사탕수수.

〔蔗板〕 zhèbǎn 명 사탕수수 즙을 짜고 남은 찌꺼기를 압착하여 만든 건축용의 목재 대용품.
〔蔗浆〕 zhèjiāng 명 사탕수수를 짠 즙.
〔蔗境〕 zhèjìng 〈文〉〈比〉 동 역경(逆境)이 순경(順境)으로 바뀌다. 명 가경(佳境).
〔蔗酒〕 zhèjiǔ 명 사탕수수 즙으로 빚은 술.
〔蔗糖〕 zhètáng 명 《化》 자당. 사탕수수로 만든 설탕.
〔蔗渣〕 zhèzhā 명 사탕수수 즙을 짜고 남은 찌꺼기. 버개스(bagasse)《땔감·종이·술의 원료가 됨》.

嗻 **zhè** (차)
감 예《옛날에, 하인이 주인이나 손님에 대한 대답의 말로 '是'에 해당함》. ⇒zhē

鹧(鷓) **zhè** (자)
→〔鹧鸪〕〔鹧鸪菜〕

〔鹧鸪〕 zhègū 명 《鳥》 자고새.
〔鹧鸪菜〕 zhègūcài 명 《植》 해인초.

䗪 **zhè** (자)
→〔䗪虫〕

〔䗪虫〕 zhèchóng 명 《動》 쥐며느리. =〔地鳖〕

着 **zhe** (착)
조 ①…하고 있다. …하고 있는 중이다《동사 뒤에 놓여 동작의 계속·진행을 나타내는 말》. ¶吃～饭; 밥을 먹고 있다 / 他还活～呢; 그는 아직 살아 있다 / 你等～吧; 너 기다리고 있어라 / 他正穿～衣服呢; 그는 지금 옷을 입고 있는 중이다 / 有～很大的意义; 큰 뜻을 지니고 있다. ②…하면서. …한 채로《동사 뒤에 놓여, 후속(後續)의 동사의 방식·수단을 나타내거나, 동작의 진행 중에 다른 동작이 출현함을 나타냄》. ¶笑xiào～说; 웃으며 말하다 / 走～去; 걸어서 가다 / 说～玩儿; 농담으로 말하다 / 别戴dài～帽子吃饭; 모자를 쓰고 식사하지 마라 / 瞪dèng～眼睛看; 눈을 부라리고 흘겨보다 / 闹～玩儿; 장난을 하다 / 红～脸站在一旁; 얼굴을 붉히고 한쪽 옆에 서 있다. ③…하여 보니《동사 뒤에 놓여 조건을 나타내는 수식(修飾) 성분이 됨》. ¶说～容易, 做～难; 말하기는 쉬우나 행하기는 어렵다 / 吃～好吃; 먹어 보니 맛이 있다 / 抬～很沉; 메어 보니 매우 무겁다. ④…해 있다. …한 채로 있다《동작이 끝나 정지 상태로 옮기는 동사에 대하여 그 상태의 지속을 나타냄. '正'·'在'·'正在'를 앞에 놓을 수 없음》. ¶他在椅子上坐～; 그는 의자에 앉아 있다 / 门开～呢; 문은 열려 있다 / 他穿～一身新衣服; 그는 새 옷을 입고 있다 / 墙上挂～他自己画的油画; 벽에는 그 자신이 그린 유화가 걸려 있다. ⑤매우〔대단히〕 …하다《형용사의 뒤에 놓여 그 정도가 높음을 나타냄. 뒤에 '呢'를 동반할 때가 많음》. ¶难～呢; 매우 어렵다 / 好～呢; 매우 좋다 / 这小孩儿精～呢; 이 아이는 매우 영리하다 / 他那个态度啊横～呢; 그의 저 태도는 정

불가사의하다〔별나다〕. ¶熊猫是～的动物; 판다곰은 진기한 동물이다.
〔珍禽异兽〕 zhēn qín yì shòu →〔字解①〕
〔珍瑞〕 zhēnruì 명〈文〉길조(吉兆).
〔珍膳〕 zhēnshàn 명〈文〉진귀한 요리.
〔珍赏〕 zhēnshǎng 동 진귀하게 여겨 완상(玩賞)하다.
〔珍摄〕 zhēnshè 동〈文〉섭생(攝生)하다. 보양하다. ¶公务繁忙, 务请善自～;〈翰〉공무 다망하신데, 자애(自愛)하시기를 바랍니다. =〔珍卫〕
〔珍视〕 zhēnshì 동 중시하다. 귀중히 여기다. 소중히 하다. ¶～韩中两国的友谊; 한중(韓中) 두 나라의 우의를 소중히 하다.
〔珍玩〕 zhēnwán 명〈文〉진기한〔귀중한〕 완상물(玩賞物). 진귀한 골동품.
〔珍卫〕 zhēnwèi 동〈文〉⇨〔珍摄〕
〔珍味〕 zhēnwèi 명 진미. 맛있는 음식. 진귀한 요리. ¶山珍海味;〈成〉산해진미.
〔珍闻〕 zhēnwén 명〈文〉진기한 뉴스. 진문. ¶世界～; 세계 토픽.
〔珍物〕 zhēnwù 명 진귀한 물건. 진귀한 음식.
〔珍惜〕 zhēnxī 동 소중히 하다. 소중히 여겨 아끼다. ¶～时间; 시간을 소중히 하다/～人材; 인재를 아끼다.
〔珍锡〕 zhēnxī 명〈文〉진귀한 선물.
〔珍馐〕 zhēnxiū 명〈文〉진기한 음식. 진수(성찬). ¶～美味; 진미(珍味). 썩 좋은 맛. =〔珍腴〕〔珍羞〕
〔珍异〕 zhēnyì 형〈文〉진기하다.
〔珍永〕 Zhēnyǒng 명 ⇨〔万Wàn象②〕
〔珍腴〕 zhēnyú 명〈文〉⇨〔珍馐〕
〔珍重〕 zhēnzhòng 동 ①진귀하게 여기고 소중히 하다. ¶～地接过银钱; 돈을 고맙게 받다. ②자애(自愛)〔자중〕하다. ¶两人紧紧握手, 互道～; 두 사람은 굳은 악수를 나누며 서로 상대방의 몸을 자중하라는 말을 했다/请多～; 아무쪼록 자애하시기를. ③중시하다. 진중(珍重)하다.
〔珍珠〕 zhēnzhū 명 진주(眞珠). ¶～鸡;《鳥》뿔닭/～米 =〔玉蜀黍〕;《植》〈方〉옥수수/假～; 모조 진주/～港 =〔珠港〕;《地》〈義〉(미국의) 진주만.
〔珍珠菜〕 zhēnzhūcài 명《植》큰까치수염.
〔珍珠粉〕 zhēnzhūfěn 명 타피오카(tapioca). =〔木mù薯淀粉〕
〔珍珠花〕 zhēnzhūhuā 명 ⇨〔雪xuě柳〕
〔珍珠兰〕 zhēnzhūlán 명《植》다란(茶蘭). =〔珠兰〕〔金jīn粟兰〕〔鱼yú子兰〕
〔珍珠毛(儿)〕 zhēnzhūmáo(r) 명 아스트라칸(astrakhan).
〔珍珠母〕 zhēnzhūmǔ 명《植》쉬땅나무.

胗 zhēn (진)

(～儿) 명 조류(鳥類)의 위(胃). ¶鸡～儿; 닭의 위/～肝(儿); (조류의) 위와 간.

真 zhēn (진)

①형 진실하다. 정말이다. 진짜이다. 사실이다. ¶这是～的; 이것은 정말이다/～实; 진실(하다)/～货; 진품/去伪存～;〈成〉허위를 버리고 진실을 남기다/信以为～;〈成〉정말이라고 믿다. ↔〔假〕 ②명 본래의 모습. 실제의 모습. 진면목. 실물. ¶逼bī～; 박진(迫眞)하다/写～; ⓐ있는 그대로 묘사하다. ⓑ화상(畫像)을 그리다. ⓒ묘사. 화상/传闻失～; 소문이 진실에서 벗어나 있다. ③부 참으로. 참말로. 실로. 진실로. 정말. ¶～香; 참으로 좋은 냄새이다/千～万确;〈成〉매우 정확하다. 절대로 틀림없다/～好; 정말 좋다/你～有两下子; 너는 참으로 훌륭하다/～不善; 정말 심하다. ④형 또렷하다. 똑똑하다. 분명하다. ¶看不怎么～; 아무래도 똑똑히 보이질 않는다/看不～; 확실히 보이지 않는다/听得很～; 똑똑하게 들린다. ⑤명 해서(楷書). ⑥명 성(姓)의 하나.
〔真北〕 zhēnběi 명《地》(측량에서) 진북.
〔真笔版〕 zhēnbǐbǎn 명 모필(毛筆) 등사판.
〔真不二价〕 zhēn bù èrjià 에누리는 절대 없음.
〔真才〕 zhēncái 명 ①진정한 재인(才人). ②타고난 재능.
〔真才实学〕 zhēn cái shí xué〈成〉진짜 재능과 확실한 학식.
〔真材实料〕 zhēncái shíliào 명 진짜 재료.
〔真草隶篆〕 zhēn cǎo lì zhuàn 명 해서·초서·예서·전서. ¶他真是个大书家, ～没有不会写的; 그는 확실히 대서예가여서, 해서·초서·예서·전서 무엇이나 못쓰는 것이 없다.
〔真诚〕 zhēnchéng 형 진심이 어려 있다. 성의가 있다. 성실하다. ¶～的友谊; 진실한 우정/他对我～相劝; 그는 내게 진심으로 충고했다.
〔真除〕 zhēnchú 동 옛날, 대리〔서리〕에서 정식 관직으로 위임하다〔되다〕.
〔真丹〕 zhēndān 명 ⇨〔震zhèn旦〕
〔真的〕 zhēnde ①참으로. 정말로. ¶～我不知道; 정말로 나는 모른다. ②진짜(물건). ¶是～是假的? 진짜냐 가짜냐? ↔〔假的〕
〔真地儿〕 zhēndìr 명 진실. 근거. ¶说话得有～; 말에는 근거가 있어야 한다.
〔真谛〕 zhēndì 명 진리. 진수(眞髓). 진체. 참뜻. ¶希腊艺术的～; 그리스 예술의 진수.
〔真鲷〕 zhēndiāo 명《魚》참돔. =〔〈方〉加级鱼〕
〔真分数〕 zhēnfēnshù 명《數》진분수.
〔真个〕 zhēngè 부〈方〉확실히. 실제로. ¶这个地方～是变了; 이 곳은 확실히 변했다/他的胆子～也太小了; 그의 담력도 정말 무척 작다.
〔真格(儿)的〕 zhēngé(r)de〈方〉①부 정말로. ¶～, 你到底愿意不愿意? 정말로 자네는 도대체 하고 싶은 거냐, 하고 싶지 않은 거냐?/～就死了吗? 정말 이대로 죽고 마는 것인가? ②명 진실. 정말. 사실. ¶你别再装着玩儿啦, 说～吧! 이젠 농담은 그만하고 진실을 말해 주게!/说～, 我去行不行? 정말로 내가 가도 괜찮을까?/我还要领教～呢; 그래도 저는 진실된 가르침을 듣고 싶습니다. ③명 실리(實利). 실익(實益). ¶论～呢, 送钱也好; 실리를 따지면, 돈을 주어도 좋다. ④정말 참! ¶这么一点活儿干不了, 我～呢; 이런 일을 할 수 없다니, 나도 참! ⑤부 과연. 아니나다를까. ¶他～把事情办坏了; 아니나다를까, 그는 일을 그르쳤다. ⑥그렇지! 참! ¶哎, ～, 我托你的那件事怎么样了; 아, 참, 네게 부탁한 그 일은 어떻게 됐나. ‖ =〔真个(儿)的〕〔真各(儿)的〕
〔真功夫〕 zhēngōngfu 명 본래의 솜씨. 진짜 실력. ¶他们不是完全靠了～而胜利的; 그들은 완전히 진짜 솜씨로 이긴 것이 아니다.
〔真果〕 zhēnguǒ 명《植》진과.
〔真红〕 zhēnhóng 명《色》진홍색. 새빨간 빛.
〔真话〕 zhēnhuà 명 진실의 말. ↔〔假话〕
〔真货〕 zhēnhuò 명 진짜. 진품.
〔真际〕 zhēnjì 명〈文〉실제. 진상(眞相).
〔真迹〕 zhēnjì 명 (서예가·화가 등의) 진적. 친필. 육필. ¶这幅画彩色精印, 几与～无异; 이 그

림은 빛깔이 선명하게 인쇄되어 거의 진품과 다름이 없다.

〔真假〕 zhēnjiǎ 명 진위(眞僞). ¶～难辨; 〈成〉 진위 여부를 가리기 어렵다.

〔真胶体〕 zhēnjiāotǐ 명 《化》 진정(眞正) 콜로이드(colloid).

〔真叫〕 zhēnjiào 참으로 …이다. ¶那～不错; 그것은 참으로 좋다 / 他～聪cōng明; 그는 참으로 총명하다 / ～人…; 정말 …이다. =〔这叫…〕〔实在叫…〕

〔真教实传〕 zhēnjiào shíchuán 있는 그대로 전해진 것. ¶这不是他肚子里编的, 句句都有～; 이것은 그의 마음대로 만든 것이 아니고, 구구절절이 근거가 있다.

〔真金不怕火炼〕 zhēnjīn bù pà huǒ liàn 〈諺〉 의지가 굳은 사람은 시련에 견딜 수 있다. 실력 있는 사람은 시련을 두려워하지 않는다. =〔真金不怕火〕

〔真经〕 zhēnjīng 명 옛날, 도교(道教)의 경전. 〈轉〉 본. 본보기.

〔真君〕 zhēnjūn 명 진군. 옛날, 신선의 존칭. 도교(道教)의 존자(尊者).

〔真菌〕 zhēnjūn 명 《植》 진균 식물(좁은 뜻으로는 세균의 총칭).

〔真可以〕 zhēnkěyǐ 정말 대단하다. 지독하다(찬탄·경탄·비난 등에 씀). ¶他～, 这么丢脸的事都敢做; 저놈은 지독한 놈이다. 이런 파렴치한 일 따위를 서슴없이 한다 / 那个人～, 一声不言语就把事儿办了; 저 사람은 대단해. 한 마디 말도 없이 일을 처리해 버렸어.

〔真空〕 zhēnkōng 명 ①《物》 진공. 또는 진공에 가까운 상태. ②진공인 공간. ③《佛》 진공. 일체의 미혹(迷惑)을 떨어버린 진여(眞如)의 이성(理性).

〔真空泵〕 zhēnkōngbèng 명 《機》 진공 펌프.

〔真空管〕 zhēnkōngguǎn 명 ⇨〔电diàn子管〕

〔真口鱼〕 zhēnkǒuyú 명 《魚》 돌잉어.

〔真腊〕 zhēnlà 명 《史》 현재의 '柬jiǎn埔寨' (캄보디아)의 땅의 옛 나라 이름.

〔真老虎〕 zhēn lǎohǔ (종이 호랑이가 아닌) 진짜 호랑이.

〔真理〕 zhēnlǐ 명 진리. ¶坚持～ =〔维护～〕; 진리를 지키다.

〔真理报〕 Zhēnlǐbào 명 〈義〉 프라우다(러 Pravda)(소련 공산당 기관지).

〔真面目〕 zhēnmiànmù 명 진면목. 진짜 모습. 진상(보통 나쁜 경우에 씀). ¶谁也看不出他的～; 누구도 그의 본색을 알아 낼 수 없다.

〔真名实姓〕 zhēn míng shí xìng 〈成〉 진짜 이름.

〔真命〕 zhēnmìng 명형 〈文〉 천명(을 받은). ¶～天子; 천명을 받고 즉위한 천자.

〔真皮〕 zhēnpí 명 《生》 진피. =〔下xià皮①〕

〔真凭实据〕 zhēn píng shí jù 〈成〉 움직일 수 없는 증거. 틀림없는 증거. 확증(確證). ¶抓住～; 확실한 증거를 잡다 / 这儿有～, 你还敢抵赖吗? 여기에 확실한 증거가 있는데, 너는 아직도 감히 변명하려느냐?

〔真漆〕 zhēnqī 명 《化》 래커(lacquer).

〔真切〕 zhēnqiè 형 ①핍진하다. 박진하다. ¶演员演得～动人; 배우의 연기가 박진해서 사람을 감동시킨다. ②분명하다. 똑똑하다. 뚜렷하다. ¶听得～; 똑똑히 들린다. ③진실하다. 성실하다. 진지하다. 명 본질.

〔真情〕 zhēnqíng 명 ①실정(實情). 실상(實狀). 진상. ¶～实话; 숨김 없는 진실한 이야기 / 问不出～来; 실상(實狀)을 물어서 알아 낼 수 없다. ②진심. 진정. ¶～实感; 거짓 없는 감정 / 流露～; 본심이 나타나다.

〔真情实理〕 zhēnqíng shílǐ 명 참된 도리.

〔真诠〕 zhēnquán 동 〈文〉 의문점을 분석하고 결정적인 뜻을 얻다. 명 참뜻·참해석.

〔真确〕 zhēnquè 형 ①확실하다. 분명하다. 정확하다. 진실하다. ¶您知道得比我～; 당신은 나보다 정확하게 알고 있다. ②뚜렷하다. 선명하다. ¶记得很～; 뚜렷하게 확실히 기억하고 있다.

〔真人〕 zhēnrén 명 ①진인. 도가(道家)에서 수업하여 도(道)를 깨달은 사람(주로 칭호로 쓰임). ②실재하는 인물. ¶～真事; 〈成〉 실존 인물 및 사실. ③진실한 사람.

〔真人不露相〕 zhēnrén bù lòu xiàng 〈諺〉 능력있는 사람은 함부로 그것을 드러내지 않는다.

〔真如〕 zhēnrú 명 《佛》 진여. 영겁 불변의 진리. 중생의 본성.

〔真善美〕 zhēn shàn měi 명 진선미.

〔真蛸〕 zhēnshāo 명 《動》 낙지.

〔真实〕 zhēnshí 형 진실하다. 정말이다. ¶～情况; 진상(眞相) / ～的感情; 거짓없는 감정 / ～性; 진실성.

〔真释〕 zhēnshì 명 바른 해석.

〔真是〕 zhēnshi 부 ①정말. 참말로. ¶我～不知道的; 나는 정말로 모릅니다. ②실로. 참. 정말(불만·불쾌를 나타냄). ¶雨下了两天还不住, ～; 이틀씩이나 비가 왔는데, 아직도 그치지 않는다니, 정말!

〔真书〕 zhēnshū 명 해서(楷書). =〔真字〕〔楷书〕

〔真率〕 zhēnshuài 형 진심이 표면에 나타나 있다. 있는 그대로이고 꾸밈이 없다. 솔직하다. ¶他总是那么～, 毫不做作; 그는 늘 그렇게 솔직하여 조금도 꾸미지 않는다.

〔真丝〕 zhēnsī 명 《紡》 ①순견(純絹). 본견. ②생사(生絲).

〔真伪〕 zhēnwěi 명 진위. 진짜와 가짜. =〔〈文〉真赝〕

〔真相〕 zhēnxiàng 명 진상. ¶～大白了; 진상이 완전히 밝혀졌다 / 了解～; 진상을 조사하다. =〔真像①〕

〔真像〕 zhēnxiàng 명 ①⇨〔真相〕 ②실상(實像).

〔真心〕 zhēnxīn 명 진심. ¶～话; 숨김없는 이야기 / ～诚意 =〔～实意〕; 〈成〉 진심. 성심 성의 / ～悔改; 진심으로 회개하다.

〔真心痛〕 zhēnxīntòng 명 ⇨〔心绞痛〕

〔真性〕 zhēnxìng 명 타고난 성질. 천성. 형 진성의. ¶～霍乱; 《醫》 진성 콜레라.

〔真赝〕 zhēnyàn 명 ⇨〔真伪〕

〔真影〕 zhēnyǐng 명 (제사 때 걸어 놓은) 조상(祖上)의 화상(畫像).

〔真有你的〕 zhēn yǒu nǐde 너한테는 못 당한다. 너는 정말 대단하다. ¶～, 怎么骗也骗不了你! 너한테는 졌다. 아무리 속이려 해도 소용 없으니 말야!

〔真宰〕 zhēnzǎi 명 〈文〉 천신. 조물주. 만물의 주재자(主宰者).

〔真赃〕 zhēnzāng 명 훔친 물건. 장물.

〔真赃实犯〕 zhēn zāng shí fàn 〈成〉 진범과 장물(범죄의 확실한 증거). =〔真赃真犯〕

〔真赃真犯〕 zhēn zāng zhēn fàn 〈成〉 ⇨〔真赃实犯〕

〔真章儿〕 zhēnzhāngr 명 참 모습. 실력. 진가(眞價). ¶得说出个~来; 사실대로 말해야 한다 / 可以看出~来; 진가를 알 수 있다 / 这件事我得跟他较个~; 이 일로 나는 그와 실력을 겨루어야 한다.
〔真着〕 zhēnzhe 형 ①진짜이다. 순수하다. ¶这个东西实在~; 이 물건은 정말로 진짜이다. ②똑똑하다. 선명하다. ¶印得不~; 선명하게 인쇄되어 있지 않다 / 那影片不大~; 저 필름은 그다지 선명하지 않다 / 字写得要~一点儿; 글씨는 좀 똑똑히 써라.
〔真真儿〕 zhēnzhēnr 형 확실하다. 분명하다. ¶我听得~的, 一定是枪声; 나는 똑똑히 들었어. 분명히 총소리야.
〔真真假假〕 zhēnzhenjiǎjiǎ 형 진실도 있고 거짓도 있다. ¶不能不虚虚实实、~; 진실도 있고 거짓도 있다고 하지 않을 수 없다.
〔真真亮亮〕 zhēnzhenliàngliàng 형 분명하다. ¶看得~; 분명히 보다.
〔真真正正〕 zhēnzhenzhèngzhèng 형 진정한. 진실하다.
〔真正〕 zhēnzhèng 형 진정한. 진짜의. ¶~的英雄; 진짜 영웅. 부 정말로. 참으로. ¶~是好人; 정말로 좋은 사람이다 / 人民~成了国家的主人; 인민이 진정한 국가의 주인이 됐다.
〔真知〕 zhēnzhī 명 진지. 확실한 지식. 올바른 인식.
〔真知灼见〕 zhēn zhī zhuó jiàn 〈成〉 올바르고 명쾌한 의견〔견해〕. 확실한 소견.
〔真挚〕 zhēnzhì 형 진지하다. 성실하다. 진심이 담긴. ¶态度~; 태도가 진지하다.
〔真珠〕 zhēnzhū 명 진주. =〔珍珠〕
〔真珠柏〕 zhēnzhūbǎi 명 《植》 전나무. =〔桧guì〕
〔真珠贝〕 zhēnzhūbèi 명 《貝》 진주조개.
〔真珠花〕 zhēnzhūhuā 명 ⇨〔蒴shuò藋〕
〔真主〕 Zhēnzhǔ 명 《宗》 알라(Allah)《이슬람교의 신》.
〔真子儿〕 zhēnzǐr 명 ⇨〔实shí弹〕
〔真字〕 zhēnzì 명 ⇨〔真书〕

禛 zhēn (진)
명 〈文〉 길상(吉祥)《흔히, 인명(人名)에 쓰임》.

砧〈碪〉 zhēn (침)
명 ①빨랫돌. 다듬잇돌. ②(중국식의) 도마. ③모루. ‖ =〔椹〕
〔砧板〕 zhēnbǎn 명 도마. =〔切qiē菜板〕
〔砧杵〕 zhēnchǔ 명 〈文〉 다듬잇돌과 다듬잇방망이.
〔砧锤〕 zhēnchuí 명 (20~30 파운드 무게의) 큰 해머.
〔砧凳〕 zhēndèng 명 크고 두터운 돌 또는 나무. =〔墩dūn子①〕
〔砧斧〕 zhēnfǔ 명 〈文〉 옛날, 사람을 처형하는 대(臺)와 도끼.
〔砧骨〕 zhēngǔ 명 《生》 침골《청골(聽骨)의 하나》.
〔砧木〕 zhēnmù 명 《植》 접본(接本).
〔砧子〕 zhēnzi 명 〈口〉 모루. (에어 해머·스팀 해머 등의) 철침(鐵砧).
〔砧座〕 zhēnzuò 명 《機》 모루대.

葴 zhēn (침)
명 《植》 ①꽈리. =〔苦葴〕 ②마람. 판람(板藍). =〔马蓝〕

箴 zhēn (잠)
① 명 바늘. ② 명동 신칙(申飭)(하다). 훈계(하다). 권고(하다). ¶以勤勉相~; 근면하도록 훈계하다. ③ 명 고대 문체(文體)의 하나《훈계나 충고를 주로 함》.
〔箴砭〕 zhēnbiān 동 ⇨〔针砭〕
〔箴规〕 zhēnguī 동 〈文〉 잠규하다. 훈계(訓戒)하다.
〔箴谏〕 zhēnjiàn 동 〈文〉 훈계하여 간(諫)하다. 충고하다.
〔箴诫〕 zhēnjiè 동 〈文〉 훈계하다. 충고하다.
〔箴铭〕 zhēnmíng 명 훈계를 위하여 적은 격언·문장 따위.
〔箴言〕 zhēnyán 명 잠언. 훈계하는 말.

鱵(鱵) zhēn (침)
명 《魚》 공미리. =〔针鱼〕

溱 zhēn (진)
지명용 자(字) ¶~头河Zhēntóuhé; 전터우허(溱頭河)《허난 성(河南省)에 있는 강 이름》. ⇒qín

蓁 zhēn (진)
명 〈文〉 ⇨〔榛②〕 ⇒qín

獉 zhēn (진)
형 초목이 울창한 모양.
〔獉狉〕 zhēnpī 형 ⇨〔榛狉〕

榛 zhēn (진)
① (~子) 명 《植》 개암나무. =〔榛栗〕 ② 명 〈文〉 덤불. 수풀. =〔蓁〕 ③ 형 초목이 무성한 모양.
〔榛栗〕 zhēnlì 명 ⇨〔榛子〕
〔榛狉〕 zhēnpī 형 〈文〉 ①초목이 울창하고 짐승이 횡행(橫行)하다. ②미개한 모양. ‖ =〔獉狉〕
〔榛仁〕 zhēnrén 명 개암의 속살.
〔榛子〕 zhēnzi 명 《植》 ①개암나무. ②개암. ‖ =〔榛栗〕

臻 zhēn (진)
동 〈文〉 (좋은 상태에) 이르다. 미치다. 도달하다. ¶日~完善; 날마다 완전하게 되어 가다 / 渐~佳境; 점입 가경 / 已~成熟; 이미 성숙하기에 이르렀다 / 现~…之际; 이제 …에 임하여.

斟 zhēn (짐)
① 동 술·차 등의 (액체를 천천히 잔에) 따르다. 붓다. ¶给我~上碗水! 제게 물 한 잔 따라 주십시오! / ~满一杯酒; 술 한 잔을 가득 따르다 / 把茶~上; 차를 따르다 / 自~自饮; 자작으로 술을 마시다. →〔倒dào②〕 ② 동 술잔치를 하다. ③ 명 이익(利益). ④ 동 고려하다. 헤아리다. 짐작하다.
〔斟对〕 zhēnduì 동 따지다. 다짐하다. 확인하다. ¶你再~他究竟他明儿来不来; 도대체 그가 내일 올 것인지 어떤지, 다시 다짐을 받아 둬라. =〔斟问〕
〔斟量〕 zhēnliang 동 분량(分量)을 재다.
〔斟满〕 zhēnmǎn 동 가득 따르다. 따라서 꽉 차게 하다.
〔斟问〕 zhēnwèn 동 〈文〉 ⇨〔斟对〕
〔斟油〕 zhēnyóu 명 (배의) 기름치는 도구.
〔斟酌〕 zhēnzhuó 동 ①짐작하다. 생각하다. ②상의하다. 상담하다. ¶这是要紧的事, 我和他再~一下; 이것은 중요한 일이므로, 그와 다시 한 번 상의하겠다. ③(사물·문자의 적부를) 고려하다. 따져 보다. 헤아리다. ¶请您再~~; 아무쪼록 다시 한 번 고려해 주시기 바랍니다 / 这件事由你~

着办吧; 이 건은 자네가 헤아려서 처리해 주게.

椹 zhēn (침)

명 ⇨〔砧zhēn〕⇒ shèn

甄 zhēn (진, 견)

①동 질그릇을 굽다. ②동 교화(教化)하다. ③동 눈치채다. 알아차리다. ④동 선별하다. 감정하다. 심사하다. 식별하다. ¶～拔人才; 인재를 선발하다. ⑤명 성(姓)의 하나.

〔甄拔〕 zhēnbá 동 ⇨〔甄选〕

〔甄别〕 zhēnbié 동 선별하다. 심사하여 가리다. ¶～考试; 선발 시험 / ～人才; 인재를 선발하다.

〔甄汰〕 zhēntài 동 〈文〉 선별하여 도태하다.

〔甄选〕 zhēnxuǎn 동 선발하다. =〔甄拔〕

〔甄用〕 zhēnyòng 동 선발 임용하다.

诊(診) zhěn (진)

동 ①진찰하다. ¶出～; 왕진(하다) / 门～; ⓐ외래 진찰(하다). ⓑ택진(宅診)(하다) / 复～; 재진(再診). ②점치다.

〔诊病〕 zhěn.bìng 동 병을 진찰하다. =〔诊察〕

〔诊察〕 zhěnchá 동 ⇨〔诊病〕

〔诊断〕 zhěnduàn 명동 진단(하다). ¶～书shū; 진단서 / 做出～; 진단을 내리다 / 进行企业～; 기업의 진단을 진행하다.

〔诊费〕 zhěnfèi 명 진찰료. 진찰비. =〔诊资〕

〔诊金〕 zhěnjīn 명 진료비.

〔诊例〕 zhěnlì 명 진찰료의 규정. 규정된 진찰료.

〔诊疗〕 zhěnliáo 명동 진료(하다). =〔诊治〕

〔诊疗室〕 zhěnliáoshì 명 진료실. 의무실. 보건실.

〔诊疗所〕 zhěnliáosuǒ 명 진료소.

〔诊脉〕 zhěn.mài 동 진맥하다. 맥을 보다. ¶请大dài夫～; 의사를 불러 진찰을 받다 / 诊他的脉; ⓐ그의 맥을 짚어보다. ⓑ그의 속마음을 떠보다. =〔诊切〕〔按àn脉〕〔案àn脉〕〔〈方〉 把bǎ脉〕〔〈北方〉 号hào脉〕〔看kàn脉〕〔〖漢醫〗 切qiè脉〕

〔诊梦〕 zhěn.mèng 동 해몽(解夢)하다.

〔诊切〕 zhěn.qiè 동 〖漢醫〗 맥을 짚다. 진맥하다. =〔诊脉〕

〔诊视〕 zhěnshì 명동 진찰(하다).

〔诊室〕 zhěnshì 명 진찰실.

〔诊所〕 zhěnsuǒ 명 진료소.

〔诊治〕 zhěnzhì 명동 진료(하다). 치료(하다). =〔诊疗〕

〔诊资〕 zhěnzī 명 ⇨〔诊费〕

纱(紾) zhěn (진)

동 〈文〉 비틀다. 구부리다.

轸(軫) zhěn (진)

①명 〈文〉 수레의 몸체 사방에 가로 댄 나무. 〈轉〉 수레. ②동 굽다. ③동 〈文〉 마음 아파하다. ④명 〖天〗 28수의 하나. 진성(軫星).

〔轸悼〕 zhěndào 동 〈文〉 애통해하다. 비탄하며 애도하다.

〔轸怀〕 zhěnhuái 동 〈文〉 비통한 마음으로 걱정〔생각〕하다.

〔轸慕〕 zhěnmù 동 〈文〉 몹시 그리워하다.

〔轸念〕 zhěnniàn 동 〈文〉 진념하다. 비통한 마음으로 걱정하다.

〔轸痛〕 zhěntòng 동 〈文〉 애통해하다. 슬퍼하다.

〔轸惜〕 zhěnxī 동 〈文〉 애석해하다.

〔轸恤〕 zhěnxù 동 〈文〉 가엾이 여기다.

〔轸子〕 zhěnzi 명 〖樂〗 현악기의 현을 감는 축(軸).

疹 zhěn (진)

(～子) 명 〖醫〗 발진(發疹). ¶麻～; (중한) 홍역 / 风～; 풍진 / 发～; 홍역에 걸리다 / 湿～; 습진 / 出～; 발진(發疹)하다.

袗 zhěn (진)

〈文〉 ①명 홑옷. ②형 화려하다. ¶～衣; 화려한 옷.

畛 zhěn (진)

〈文〉 ①명 두둑. 둑길. ②명 〈轉〉 경계(境界). ¶民族团结, 不再有～域之分; 민족이 단결하면 앞으로는 경계나 세력권은 없어진다. ③명 근본(根本). ④동 말하다. 이르다.

枕 zhěn (침)

①(～头) 명 베개. ¶气～(头); 공기 베개 / 竹～; 죽침. ②동 (베개삼아) 베다. ¶～着胳膊睡觉; 팔을 베고 자다 / 曲肱而～之; 팔뚝을 굽혀 베다. ③동 깔다. ④동 〈文〉 접(接)하다. 임(臨)하다. ¶北～大江; 북쪽은 양쯔 강에 임해 있다. ⑤명 베어링(bearing). =〔轴承〕 ⑥양 꿈을 세는 말. ¶一～黄粱梦; 일장 춘몽.

〔枕边儿上的话〕 zhěnbiānrshàngde huà 베갯밑공사. 베갯머리 송사. ¶听tīng～; 베갯머리 송사를 곧이듣다〔들어 주다〕/ 告枕头状; 베갯밑 공사로 일러바치다. =〔〈文〉 枕边言〕〔枕头状〕

〔枕边言〕 zhěnbiānyán ⇨〔枕边儿上的话〕

〔枕戈待旦〕 zhěn gē dài dàn 〈成〉 창을 베고 새벽을 기다리다(잠시도 경계를 게을리하지 않음).

〔枕戈以待〕 zhěn gē yǐ dài 〈成〉 십분 조심하여 적을 기다리다.

〔枕骨〕 zhěngǔ 명 〖生〗 침골. 후두골.

〔枕藉〕 zhěnjiè 동 〈文〉 ①(멍석 따위를) 밑에 깔고 베개를 삼다. ②서로 베개삼아 두서없이 누워 자다. ③뒤엉켜 넘어지다. 포개어 넘어지다. ¶～而死; 베개를 나란히 하고 죽다 / 敌人伤亡～, 全军覆没mò; 적은 죽거나 부상하여 겹쳐 쓰러지고, 전군이 궤멸했다.

〔枕巾〕 zhěnjīn 명 베갯잇(흔히, 타월천의 것).

〔枕块〕 zhěnkuài 동 거적 위에서 자고 흙덩이를 베다(부모의 상중에 있는 일. '寝苫qǐnshān枕块'의 생략).

〔枕流漱石〕 zhěn liú shù shí 〈成〉 ①지지 않으려고 억지 쓰다(진(晉)의 손초(孫楚)가 은거하고 '枕石漱流'의 생활을 하고 싶다고 할 것을 잘못 말한데다가, 그것을 끝까지 옳다고 우겼다고 한 고사(故事)에서 온 말). ②풍류 생활을 하다.

〔枕木〕 zhěnmù 명 (철도의) 침목. ¶钢～; 강철제 침목. =〔道木〕

〔枕畔〕 zhěnpàn 명 〈文〉 베갯머리. 머리맡.

〔枕套〕 zhěntào 명 베갯잇. =〔枕头套〕〔枕头笼布〕→〔枕巾〕

〔枕头〕 zhěntou 명 베개. ¶枕～; 베개를 베다 / ～笼布 =〔～套〕; 베갯잇.

〔枕头席儿〕 zhěntouxír 명 (주로 여름에) 베개 위에 까는 자리. =〔枕席②〕

〔枕头状〕 zhěntouzhuàng ⇨〔枕边儿上的话〕

〔枕腕〕 zhěnwàn 명 (서예의) 침완법.

〔枕席〕 zhěnxí 명 ①침석. 베개와 멍석. 〈比〉 침구. 침상(寢床). ②⇨〔枕头席儿〕

〔枕箱〕 zhěnxiāng 명 옛날, 여행할 때 쓰던 베개 겸용의 천을 바른 작은 상자.

〔枕心〕 zhěnxīn 명 베갯속. =〔枕芯〕〔枕头心儿〕

〔枕着饼挨饿〕 zhěnzhe bǐng ái è 〈諺〉 훌륭한 것이 있는데도 이용하지 못하다.

缜(縝) zhěn (진) 형 (생각 등이) 치밀하다. 세밀하다. 면밀하다. =〔稹②〕
〔缜密〕 zhěnmì 형 〈文〉 세밀하다. 치밀하다. ¶~的分析; 치밀한 분석 / 心思~; 생각이 치밀하다. =〔缜致〕
〔缜致〕 zhěnzhì 형 ⇨〔缜密〕
稹 zhěn (진) ① 동 〈文〉 초목이 총생(叢生)하다. ② 형 ⇨〔缜〕
鬒〈黰〉 zhěn (진) 형 〈文〉 머리털이 탐스럽다. 머리숱이 많고 검다.
〔鬒发〕 zhěnfà 명 〈文〉 검고 탐스러운 머리털.
阵(陣) zhèn (진) ① 명 전진(戰陣). ¶~容; 진용. 군의 편성. 군의 위용. ② 명 진영(陣營). 진지. ¶一字长蛇~; 일자형의 장사진 / 地雷~; 지뢰를 묻어 놓은 진지 / 高射炮~地; 고사포 진지. ③ 명 싸움터. 전장(戰場). ¶~亡; 전사(하다) / 临~指挥; 전쟁터에서 지휘하다. 진두 지휘하다. ④ 양 바탕. 차례《잠시 지속되는 일·동작을 세는 단위》. ¶下了一~雨; 한바탕의 비가 내렸다 / 刮了一~风; 한바탕 바람이 불었다 / 大笑一~; 한바탕 크게 웃다 / 吵一~嘴; 한바탕 말다툼하다. ⑤(~儿, ~子) 양 잠깐 동안. 한동안. 한때. ¶这~儿; 요즘 / 这一~子工作正忙; 요즈음 일이 좀 바쁘다 / 他病了一~子; 그는 한동안 앓았다.
〔阵纛〕 zhèndào 명 옛날, 진지에 세우던 큰 깃발.
〔阵地〕 zhèndì 명 ①《軍》 진지. ②〈比〉 일을 하는 장소. 활동의 장(場).
〔阵法〕 zhènfǎ 명 《軍》 진법. 전술.
〔阵风〕 zhènfēng 명 돌풍(突風). 진풍.
〔阵脚〕 zhènjiǎo 명 최전선. 최전방. 진두(陣頭). 〈轉〉 태세. 보조. ¶乱了两个超级大国的~; 두 초강대국의 공동 보조를 혼란시켰다.
〔阵没〕 zhènmò 명동 전사(하다). 진몰(하다).
〔阵前喊话〕 zhènqián hǎnhuà 《軍》 전선에서 확성기를 통해 적진의 장병에게 큰 소리로 설득하다《심리 전술의 일종》.
〔阵容〕 zhènróng 명 ①군대가 배치된 모양. 진세(陣勢)의 형편·상태. ②진용. 대열의 힘. 스태프. 라인업(line-up). ¶~整齐; 진용이 고르다.
〔阵伤〕 zhènshāng 동 전투에서 부상하다. 명 전상(戰傷).
〔阵式〕 zhènshì 명 군세(軍勢) 배치. 전투 배치. ¶摆开~; 군세 배치를 하다.
〔阵式〕 zhènshi 명 (공식) 장소. (정식의) 장면. (엄숙한〔중대한〕) 장면. (긴박한) 국면. ¶见惯了~; 엄숙한 장면〔자리〕에 익숙하다 / 没见过大~; 공식〔명예로운〕 장소에 나간 적이 없다. 중대한 국면을 만난 적이 없다 / 快三十年没见过这个~了; 30년 가까이 이런 장면은 본 적이 없다. =〔阵仗儿〕
〔阵势〕 zhènshì 명 ①진형(陣形). 전투 태세. 진지의 상황. ②정세. 형세. 상황. ¶看这~, 来头不小; 지금의 형세로는 대단한 기세다.
〔阵痛〕 zhèntòng 명 《醫》 진통.
〔阵图〕 zhèntú 명 《軍》 전술도(戰術圖). 진형도(陣形圖).
〔阵亡〕 zhènwáng 명동 전사(하다). 전몰(하다). ¶~将士; 전몰 장병 / 她儿子在前线~了; 그녀의 아들은 전선에서 전사했다. =〔战殁〕
〔阵雾〕 zhènwù 명 갑자기 끼는 안개.
〔阵线〕 zhènxiàn 명 전선《흔히 비유적으로 씀》. ¶抗日统一~; 항일 통일 전선 / ~分明; 전선의 구분이 분명하다.
〔阵营〕 zhènyíng 명 진영.
〔阵雨〕 zhènyǔ 명 소낙비. 갑자기 내리는 비. ¶常常有~; 소낙비가 잘 온다.
〔阵云〕 zhènyún 명 〈文〉 뭉게뭉게 피어나서 군진(軍陣)처럼 보이는 구름.
〔阵仗儿〕 zhènzhangr 명 ⇨〔阵式shi〕
〔阵阵〕 zhènzhèn 부 이따금. 간간이.
〔阵子〕 zhènzi 〈方〉 명 한차례. 한동안. 한때. ¶这一~ =〔这程子〕; 요즈음 / 那一~; 그 때. 그무렵. 양 바탕. 차례.
圳〈甽〉 zhèn (수, 천) 〈견〉 ①지명용 자(字). ¶深~; 선전(深圳)《광둥 성(廣東省)에 있는 땅 이름》 / 深~特区; 선전 경제 특구. ② 명 〈方〉 논도랑.
纼(紖) zhèn (진, 인) (~子) 명 〈方〉 소·말을 매는 줄. 고삐.
鸩(鴆〈酖〉②③) zhèn (짐) ① 명 전설상(傳說上)의 독조(毒鳥). 짐새. ② 명 독주(毒酒). 짐주. ¶饮~止渴; 〈成〉 짐주(鴆酒)를 마시어 갈증을 풀려고 하다《임시 모면을 위해 장차의 큰 화를 돌보지 않다》. ③ 동 (짐주〔독주〕로) 독살(毒殺)하다. ⇒'酖' dān
〔鸩毒〕 zhèndú 명 ①짐독. 맹독. ¶宴安~; 〈成〉 향락을 탐하는 것은 짐독을 마시는 것과 같다. ②〈文〉 독주(毒酒). 동 짐독으로 독살하다. =〔鸩杀〕
〔鸩杀〕 zhènshā 동 ⇨〔鸩毒〕
振 zhèn (진) ① 동 〈文〉 구제(救濟)하다. 구휼하다. ¶~恤; 진휼하다. =〔赈②〕 ② 동 분발(奮發)하다. 진작(振作)하다. ¶~起精神来; 기운을 내다 / 士气大~; 사기가 크게 진작하다. ③ 동 〈文〉 정돈하다. ④ 동 흔들다. 휘두르다. ¶~铃; 종을 흔들다 / ~翅; 날개치다 / ~笔而书; 붓을 휘둘러 쓰다. ⑤ 동 불식(佛拭)하다. ⑥ 명 성(姓)의 하나.
〔振笔〕 zhènbǐ 동 〈文〉 붓을 휘두르다. 휘호(揮毫)하다. ¶~直书 =〔~疾书〕; 붓을 휘둘러 줄줄 써 나가다.
〔振臂〕 zhènbì 동 〈文〉 팔을 휘두르다〔치켜올리다〕《격앙·분기(奮起)를 나타냄》. ¶~高呼; 〈成〉 손을 번쩍 들고 소리를 높이 지르다 / ~一呼; 〈成〉 분기하여 대중에게 소리지르다.
〔振旦〕 Zhèndàn 명 ⇨〔震旦〕
〔振荡〕 zhèndàng 명동 ⇨〔振动〕 명 《電》 발진(發振). 진동. ¶~器; 발진기 / ~电路; 진동 회로.
〔振动〕 zhèndòng 명동 《物》 진동(하다). ¶~频率; 진동 주파수 / 简谐~; 단(單)진동. =〔振荡〕
〔振动幅〕 zhèndòngfú 명 ⇨〔振幅〕
〔振奋〕 zhènfèn 동 ①분기하다. 기운을 내다. 진작(振作)하다. ¶人人~, 个个当先; 모두 분기하여 너도나도 앞장서다. ②분기시키다. 분발〔진작〕시키다. ¶~人心; 사람들의 마음을 분기시키다. 명 (감정의) 고조. 분기. 분발. ¶心里产生一种说不出来的~; 마음속에 일종의 말로 표현할 수 없는 기분의 고조가 생겼다.
〔振幅〕 zhènfú 명 《物》 진폭. =〔振动幅〕〔摆bǎi幅〕
〔振古〕 zhèngǔ 〈文〉 예로부터. 자고로. ¶~如兹;

오랜 옛날부터 이러했다.
〔振毫〕 zhènháo 통 ⇨〔挥huī毫〕
〔振济〕 zhènjì 통 ⇨〔赈济〕
〔振救〕 zhènjiù 통 〈文〉 구제하다.
〔振铃〕 zhènlíng 통 〈文〉 방울을 흔들다.
〔振聋发聩〕 zhèn lóng fā kuì 〈成〉 귀머거리의 귀에도 울릴 정도로 크게 말하다. 큰 소리로 외치다(말이나 문자로 어리석은 자까지 눈뜨게 하다). =〔振聋起聩〕〔发聋振聩〕
〔振聋起聩〕 zhèn lóng qǐ kuì 〈成〉 ⇨〔振聋发聩〕
〔振旅〕 zhènlǚ 통 〈文〉 개선(凱旋)하다.
〔振起〕 zhènqǐ 통 떨쳐 일어나다. 분기하다. ¶～精神; 기운을 내다. 발분하다.
〔振刷〕 zhènshuā 통 〈文〉 진작하다. 고무(鼓舞)하다. 분발하다. ¶～精神, 一新耳目; 정신을 분발시키고 면목을 일신하다.
〔振兴〕 zhènxīng 통 진흥하다. 떨쳐 일으키다. ¶～实业; 실업을 일으키다 / ～中华; 중국을 진흥하다.
〔振恤〕 zhènxù 통 〈文〉 진휼하다. 구제하다.
〔振振有词〕 zhèn zhèn yǒu cí 〈成〉 자못 이유가 당당하다는 듯이 말하다. 기세가 등등하게 웅변을 토하다. ¶～地陈述理由; 이유를 당당히 늘어놓다. =〔振振有辞〕
〔振作〕 zhènzuò 통 (정신을) 분기시키다. 분발시키다. 진작하다. ¶不～; 기운이 없다 / 马上～起来; 즉시 분발하다.

赈(賑) zhèn (진)
통 ①번성〔번화〕하다. 번영하다. ②돈이나 물건을 베풀다. 구제하다. ¶放～; 구제 금품을 내놓다 / 以工代～; 구제하는 대신 일거리를 주다. =〔振①〕
〔赈饥〕 zhènjī 통 〈文〉 기근을 구휼(救恤)하다.
〔赈济〕 zhènjì 통 〈文〉 난민(難民)을 구제하다. 기근을 구휼하다. ¶～米; 구호미. 진휼미. =〔振济〕
〔赈捐〕 zhènjuān 명 구제를 위한 기부금.
〔赈款〕 zhènkuǎn 명 구호금. 구제금.
〔赈恤〕 zhènxù 통 〈文〉 진휼하다. 구휼하다.
〔赈灾〕 zhènzāi 명 이재민(罹災民)을 구제하다.
〔赈助〕 zhènzhù 통 〈文〉 구제를 위하여 기부하다.

震 zhèn (진)
① 통 떨치다. 진동하다. 뒤흔들다. 울리다. ¶名～全球; 명성을 온 세계에 떨치다 / 声威～撼了世界; 명성과 위세가 세계를 진동시켰다 / 雷声～耳; 우렛소리가 귀를 진동하다 / ～天一声响; 하늘을 뒤흔드는 듯한 소리가 울리다. ② 통 흔들려 움직이다. ¶玻璃被～碎了; 진동 때문에 유리가 깨졌다. ③ 형 (능력 등이) 뛰어나다. 훌륭하다. ④ 통 (아이를) 배다. ⑤ 통 놀라다. 과도하게 흥분하다. (감정이 격해서) 고양되다. ¶～怒; 격노하다 / 他的那篇论文写得真叫～啦; 그의 저 논문은 사람을 놀라게 할 정도로 훌륭하다. ⑥ 명 팔괘(八卦)의 하나(우레를 나타냄).
〔震波〕 zhènbō 명 《地質》 지진파.
〔震颤病〕 zhènchànbìng 명 《醫》 진전병(손가락이나 머리 등에 발생하는 간헐성 경련).
〔震旦〕 Zhèndàn 명 고대 인도에서의 중국의 호칭('秦qín'의 전와(轉訛)). =〔振旦〕〔真丹〕
〔震旦报〕 Zhèndànbào 명 로로르(L'Aurore)(프랑스 급진 사회당 우파의 일간 신문 이름).
〔震荡〕 zhèndàng 통 진탕하다. 울려 퍼지다. 뒤흔들다. ¶爆炸声～长空; 폭파의 굉음이 하늘을 진동시키다.
〔震悼〕 zhèndào 통 〈文〉 (부고(訃告)를 받고) 몹시 비통해하다.
〔震地雷〕 zhèndìléi 명 폭죽의 일종. →〔爆bào竹〕
〔震点〕 zhèndiǎn 명 진원지(震源地). ¶～现在还未能确定; 진원지는 현재 아직 확정하기 어렵다.
〔震动〕 zhèndòng 통 ①(외부의 영향으로) 떨다. 흔들리다. 진동하다. 울리다. ¶大地突然～起来了; 갑자기 대지가 진동하기 시작했다 / 他的身子微微～了一下; 그의 몸이 미미하게 한번 흔들렸다. ②(중대한 사건·뉴스 등이) 사람의 마음을 움직이다. 쇼크를 주다. ¶他的话～了我; 그의 말은 나에게 쇼크를〔충격을〕 주었다 / 这个血的教训～了广大群众; 이 피의 교훈은 광범위한 대중에게 충격을 주었다. 명 진동. 충격. 쇼크. ¶我受到了很大的～, 一夜没有睡好觉; 나는 큰 충격을 받아서, 밤새 잠을 못 잤다.
〔震耳〕 zhèn'ěr 통 (음향 따위가) 귀를 진동시키다. ¶～欲聋; 〈成〉 귀청을 찢을 듯한 큰 소리.
〔震古烁今〕 zhèn gǔ shuò jīn 〈成〉 사업이나 공적이 커서, 옛 사람을 놀라게 하고 당세(當世)에 빛나다. =〔震古铄今〕
〔震骇〕 zhènhài 통 〈文〉 매우 놀라다.
〔震撼〕 zhènhàn 통 〈文〉 진감하다. 뒤흔들다. ¶～全球; 전세계를 진감시키다 / ～大地; 대지를 진감시키다〔뒤흔들다〕.
〔震痕〕 zhènhén 명 ①깎을 때, 흔들려 제품 표면에 생기는 물결모양. ②지진계의 진파(震波).
〔震级〕 zhènjí 명 《地質》 〈簡〉 진도(震度). 매그니튜드(magnitude)('地震震级'의 약칭).
〔震惊〕 zhènjīng 통 ①매우 놀라게 하다. 쇼크를 주다. ¶～全国; 전국을 뒤흔들다. ②경악하다. 몹시 놀라다. ¶大为～; 매우 놀라다. 명 충동. 쇼크. ¶受～; 쇼크를 받다.
〔震聋〕 zhènlóng 통 큰 소리로〔울림으로〕 귀먹게 하다. ¶～了人的耳朵; 사람들의 귀를 진동시켜 먹게 했다. 〈比〉 소리나 명성이 매우 크다.
〔震怒〕 zhènnù 통 진노하다. 격노하다.
〔震情〕 zhènqíng 명 ①지진의 징조. ¶监视～; 지진의 징조를 감시하다. ②지진의 실정(피해 상황).
〔震慑〕 zhènshè 통 두려워 떨게 하다. 두려워 떨다. 놀라다.
〔震死〕 zhènsǐ 통 벼락에 맞아 죽다.
〔震悚〕 zhènsǒng 통 〈文〉 놀라서 떨다. 몹시 놀라다.
〔震天动地〕 zhèn tiān dòng dì 〈成〉 천지를 뒤흔들다(소리나 위세 등이 대단하여 세상을 놀라게 하다). ¶欢呼声～; 환호성이 천지를 뒤흔들다.
〔震天骇地〕 zhèn tiān hài dì 〈成〉 세상을 깜짝 놀라게 하다.
〔震天价〕 zhèntiānjie 부 하늘을 뒤흔들 정도로. ¶～响; 하늘을 뒤흔들 정도로 울리다. =〔震天家jie〕
〔震霆〕 zhèntíng 명 〈文〉 우레. 뇌명(雷鳴). 벼락.
〔震痛〕 zhèntòng 통 몹시 아프다.
〔震心〕 zhènxīn 통 ①마음이 흐트러지다. 정신적 쇼크를 받다. ②감격하다. 감동하다.
〔震音〕 zhènyīn 명 《樂》 진음. 트레몰로(이 tremolo).
〔震源〕 zhènyuán 명 《地質》 진원. 진원지.
〔震中〕 zhènzhōng 명 《地質》 진앙(震央).

朕 zhèn (짐)
명 ①나. 짐《천자(天子)의 자칭》. ②〈文〉 징조. 조짐. 전조.
〔朕兆〕 zhènzhào 명 〈文〉 징조. 조짐. 전조.

揕 zhèn (침)
동 〈文〉 (칼로) 찌르다. ¶持短剑～其胸; 단검으로 그 가슴을 찌르다.

瑱 zhèn (진)
명 〈文〉 옛날에 귓불에 달던 옥(玉).

镇(鎭) zhèn (진)
① 명 읍《'城'보다 작고 '村'보다 큼》. ¶城～; 도회지와 읍/～店; 상점이 모여 있는 거리. 장거리. ② 동 누르다. 억제하다. 제압하다. ¶～痛; 아픔을 누르다. 진통하다/他～不住人; 그는 남을 억누르지 못한다/学生们爱闹, 总得让老师来～着他们; 학생들은 잘 떠들므로 아무래도 선생님더러 다스려 달래도록 해야 한다/～痛剂; 진통제. ③ 동 편안하게 하다. 진정시키다. 안정시키다. 가라앉히다. ¶～定; ⇩ ④어느 일정한 시간을 나타냄. ¶～日; 종일. ⑤ 부 늘. 언제나. ¶十年～相随; 10년간 늘 따라다니다. ⑥ 동 표정을 굳히다. 정색하다. ¶李德才听话不顺, ～起脸来说…; 이덕재는 그 소리를 듣고 불끈해서 얼굴을 굳히고 말했다. ⑦ 동 (음료를 얼음·냉수로) 차게 하다. 냉장하다. ¶冰～汽水; 얼음으로 사이다를 차게 하다/把两瓶啤酒拿冰～上; 맥주 2병을 얼음에 채워라. ⑧ 명 진《중국의 지방 행정 단위의 하나. '乡'·'民族乡'과 함께 '县' 밑의 행정 단위》. ⑨ 동 (무력으로) 안정을 유지하다. 지키다. ¶坐～; 주둔하여 지키다. ⑩ 명 (군대가) 진수(鎭守)〔주둔〕하는 곳. 군사상 요충지. ¶军事重～; 군사상 중요한 곳. ⑪ 동 〈方〉 이기다. 압도하다. ⑫ 명 성(姓)의 하나.
〔镇边〕 zhènbiān 동 〈文〉 변경을 진압하여 다스리다. (Zhènbiān) 명 《地》 광시(廣西) 좡족 자치구 경계에 있는 현(縣) 이름.
〔镇尺〕 zhènchǐ 명 ⇨〔镇甸〕
〔镇店〕 zhèndiàn 명 작은 도회지에서 가게가 모여 있는 곳. 저잣거리. 장거리.
〔镇甸〕 zhèndian 명 문진(文鎭). 서진(書鎭). =〔镇尺〕〔镇纸〕〔压yā尺〕〔压纸〕
〔镇定〕 zhèndìng 형 (긴박한 상황하에서도) 침착하다. 차분하다. 냉정하다. ¶～自若; 침착하여 보통 때와 조금도 다름이 없다/冷静的思考与～的态度; 냉정한 사고와 침착한 태도. 동 (마음을) 진정시키다. 평정시키다. ¶～心神; 마음을 가라앉히다. 명 침착. (마음의) 평정. 냉정. 안정. ¶他失去了～; 그는 마음의 평정을 잃었다.
〔镇反〕 zhènfǎn 동 〈簡〉 반혁명(反革命) 분자를 진압하다《'镇压反革命'의 약칭》.
〔镇服〕 zhènfú 동 진압하여 복종하게 하다.
〔镇抚〕 zhènfǔ 동 〈文〉 진무하다.
〔镇吓〕 zhènhe 동 위협하다. ¶你不～着点儿, 他更不怕了; 네가 좀 을러 놓지 않으면, 그는 더욱 무서워하지 않을 것이다.
〔镇唬〕 zhènhu 동 위협하다. 겁주다.
〔镇静〕 zhènjìng 형 침착하다. 냉정하다. 차분하다. 태연하다. ¶故作～; 평정을 가장하다/～地回答; 침착하게 대답하다/依然～如常; 여전히 평상시처럼 차분하다. 명 평정. 침착. ¶面临大事犹保持～; 대사에 임하여도 평정을 유지하다. 동 진정하다. 마음을 가라앉히다. ¶～剂; 진정제.
〔镇静剂〕 zhènjìngjì 《藥》 진정제.
〔镇流器〕 zhènliúqì 명 《電》 안정 저항기. 밸러스트(ballast).
〔镇脑子〕 zhèn nǎozi (큰 소리가) 머리를 울리다. ¶炮响得～; 대포 소리가 머리를 울린다.
〔镇日〕 zhènrì 명 종일. ¶一点事儿没有, ～闲着; 조금도 할 일이 없어 종일 빈둥거리고 있다.
〔镇摄〕 zhènshè 명 《漢醫》 쇄음. =〔锁suǒ阴〕
〔镇市〕 zhènshì 명 ①소도시. 지방의 소읍. ②장거리. 주막거리.
〔镇守〕 zhènshǒu 동 진수하다. ¶～边塞; 변경의 요새를 수비하다.
〔镇痛〕 zhèntòng 《醫》 동 진통하다. 통증을 가라앉히다. 명 진통.
〔镇痛剂〕 zhèntòngjì 명 《醫》 진통제.
〔镇物〕 zhènwu 명 마귀를 쫓는 데 쓰는 주술용(呪術用)의 물건. ¶下～; 주술용 물건을 매달거나 붙이거나 하다.
〔镇心〕 zhènxīn 동 마음을 진정시키다〔가라앉히다〕.
〔镇星〕 zhènxīng 명 《天》 토성. =〔土tǔ星〕
〔镇压〕 zhènyā 동 ①진압하다. 가라앉히다. 억누르다. 탄압하다. ¶～反革命; 반혁명을 진압하다/大伙吵得不可开交, 把老太爷请出来才～下去; 여럿이 싸움을 하여 손을 쓸 수 없게 되자 나리께 나오시도록 해서 겨우 진정되었다. =〔镇押〕 ②〈口〉 처형하다. 처단하다. ¶首犯被我们～, 他被判处死刑; 주범은 우리들에 의해 처형되고, 그는 사형에 처해졌다. ③《農》 뿌린 씨를〔심은 모종을〕 밟아 주다〔다져 주다〕.
〔镇押〕 zhènyā 동 ⇨〔镇压①〕
〔镇牙〕 zhènyá 동 ⇨〔刺cì牙〕
〔镇宅〕 zhènzhái 동 집의 악귀를 쫓다〔몰아 내다〕. ¶～符; 집의 악귀를 몰아 내는 호부(護符).
〔镇镇静静儿〕 zhènzhenjīngjīngr 매우 냉정한 모양. ¶不慌不忙, ～地; 침착하게 서두르지 말고, 아주 냉정하게.
〔镇纸〕 zhènzhǐ 명 ⇨〔镇甸〕
〔镇住〕 zhènzhu 동 ①누르다. ②가라앉히다. 진정시키다. ¶把人～; 사람을 억눌러 가라앉히다.
〔镇子〕 zhènzi 명 〈方〉 소도시. 소읍(小邑).

ZHENG ㄓㄥ

丁 zhēng (정)
→〔丁丁〕 ⇒ dīng
〔丁丁〕 zhēngzhēng 〈擬〉〈文〉 ①텅텅《도끼로 나무를 찍는 소리》. ②딱딱. 뚝딱《바둑·장기를 두는 소리》. ③뚱뚱. 뚱땅《거문고를 뜯는 소리》.

正 zhēng (정)
명 ①정월. 음력 1월. ¶～朔shuò; ⓐ정월 초하루. 정삭. ⓑ옛날, 나라에서 만든 역법(曆法). ②과녁판. ⇒ zhěng zhèng
〔正月〕 zhēngyuè 명 1월. 정월. ¶～初一; 정월 초하루/～十五雪打灯; 〈諺〉 정월 보름의 '灯节'에 눈이 내려 등롱에 쏟아지다《좋은 일에 장애가 생기다》.

征 zhēng (정)
동 ⇨〔怔〕

怔 **zhēng** (정)
①동 겁내어 두려워하다. ②→〔吃yì怔〕‖=〔征〕⇒zhèng
〔怔忡〕 zhēngchōng 명 《漢醫》 심계(心悸). 동계. 공연히 가슴이 울렁거리며 불안해하는 증세.
〔怔营〕 zhēngyíng 형 〈文〉 두려워서 흠칫흠칫하는 모양. ¶惶huáng怖~; 두려워 불안해하다.
〔怔忪〕 zhēngzhōng 형 〈文〉 놀라고 겁내는 모양.

征(徵)B) **zhēng** (정)〈징〉
A) 동 ①정벌(征伐)하다. ¶出~; 출정하다. ②(주로 군대가) 먼 데로 가다. ¶二万五千里长~; 2만5천 리의 장정. ③추구(追求)하다. B) ①동 부르다. ②동 국가가 징집·징발하다. ③동 모집하다. 구하다. 공모(公募)하다. ¶应~; 응모하다 / ~求意见; 의견을 구하다. ④명동 검증(하다). 증명(하다). ¶足~其伪; 가짜임을 증명할 수 있다 / 信而有~; 〈成〉 확실한 증거가 있다. ⑤동 거두다. 징수하다. ¶~粮; 식량을 징수하다 / ~税; 징세하다. ⑥명 징후(徵候). 조짐. 징조. 현상. ¶败~; 패전의 징조 / 特~; 특징 / 象~; 상징(하다). ⑦명 효력. ⇒'徵' zhǐ
〔征鞍〕 zhēng'ān 명 〈文〉 ①출정 도상의 말. ②나그네의 승마.
〔征辟〕 zhēngbì 동 〈文〉 징벽하다. 초야(草野)에서 불러 내어 임용하다.
〔征兵〕 zhēng,bīng 동 징병하다.
〔征草酸〕 zhēngcǎosuān 명 《化》 수산(蓚酸).
〔征尘〕 zhēngchén 명 〈文〉 ①먼 여행길에서 몸에 묻은 먼지. ②〈轉〉 여행.
〔征俦〕 zhēngchóu 명 〈文〉 (먼길을 가는) 길동무.
〔征答〕 zhēngdá 동 〈文〉 회답을 구하다.
〔征调〕 zhēngdiào 동 (정부가) 인원·물자를 징용 또는 조달하다. 명 징용(徵用). 징집(徵集).
〔征发〕 zhēngfā 동 〈文〉 (군역에 쓸 인력이나 군수품을) 징발하다.
〔征伐〕 zhēngfá 명동 ⇨〔征讨〕
〔征帆〕 zhēngfān 명 〈文〉 멀리 가는 배.
〔征夫〕 zhēngfū 명 〈文〉 ①멀리 여행하는 사람. ②출정하는 사람. ‖=〔征客〕
〔征服〕 zhēngfú 명동 정복(하다). ¶~自然; 자연을 정복하다.
〔征稿〕 zhēng,gǎo 동 원고를 모집하다. (zhēnggǎo) 명 원고 모집.
〔征购〕 zhēnggòu 동 (토지·농산물 등을) 정부가 민간으로부터 사들이다. 매상(買上)하다《공출시켜서 사다》. ¶国家~粮食; 국가가 식량을 매상하다. 명 매상.
〔征候〕 zhēnghòu 명 징후. 조짐. ¶病人已有好转的~; 병자에게서 호전될 기미가 보인다. =〔征兆〕〔兆zhào候〕
〔征集〕 zhēngjí 동 징수하다. 모으다. 징집하다. 모집하다. ¶~资料; 자료를 모집하다. 명 징집.
〔征举〕 zhēngjǔ 동 〈文〉 불러 내어 임용하다.
〔征客〕 zhēngkè 명 ⇨〔征夫〕
〔征课〕 zhēngkè 동 징세(徵稅)하다.
〔征敛〕 zhēngliǎn 동 〈文〉 세금을 거둬들이다.
〔征粮〕 zhēng,liáng 동 식량을 징발하다.
〔征马〕 zhēngmǎ 명 〈文〉 ①군마(軍馬). ②여행길에 타는 말.
〔征募〕 zhēngmù 동 불러 모으다. 징집〔징모〕하다. ¶~士兵; 병사를 징모하다.
〔征旆〕 zhēngpèi 명 옛날, 고위 관리가 길을 떠날 때 세우던 깃발.
〔征辔〕 zhēngpèi 명 〈文〉 정마(征馬). 먼 길을 가는 말.
〔征聘〕 zhēngpìn 동 초빙하다. ¶~顾问; 고문을 초빙하다.
〔征求〕 zhēngqiú 동 ①(서면(書面)이나 구두(口頭)로) 널리 구(求)하다. ¶~意见; 의견을 널리 구하다. ②모집하다. ¶~报纸订户; 신문의 정기 구독자를 모집하다. 명 모집. 앙케트. ¶悬赏~; 현상 모집.
〔征取〕 zhēngqǔ 동 ①징수하다. 거두어들이다. ②구하다. ¶~意见; 의견을 구하다.
〔征瑞〕 zhēngruì 명 〈文〉 서조(瑞兆). 길(吉)할 징후.
〔征诗〕 zhēngshī 동 시를 모집하다.
〔征实〕 zhēngshí 동 현물로 징수하다. 명동 ⇨〔证zhèng实〕
〔征士〕 zhēngshì 동 옛날, 학덕있는 사람을 불러 내어 임용하다. 명 학덕이 높아 임금이 불렀으나 나아가 벼슬하지 않은 은사(隱士).
〔征仕郎〕 zhēngshìláng 명 청대(清代), 종칠품(從七品)의 문관이 받는 칭호.
〔征收〕 zhēngshōu 동 (세금 등을) 징수하다. ¶~商业税; 상업세를 징수하다. 명징집. 징수.
〔征属〕 zhēngshǔ 명 출정자(出征者) 가족.
〔征戍〕 zhēngshù 동 〈文〉 출정하여 국경을 수비하다. =〔远yuǎn戍〕
〔征税〕 zhēng,shuì 동 세를 징수하다. (zhēngshuì) 명 징세.
〔征讨〕 zhēngtǎo 명동 정벌(하다). 토벌(하다). =〔征伐〕〔讨伐〕
〔征途〕 zhēngtú 명 ①출정의 도상(途上). ②장도(壯途). 행정(行程). 여정(旅程). ¶踏上~; 장도에 오르다.
〔征文〕 zhēng,wén 동 글을 모집하다. ¶~启事; 원고 모집 광고.
〔征象〕 zhēngxiàng 명 징후. ¶呈现出总崩溃的~; 전면적인 붕괴의 징후를 드러내다 / 病人有肺炎的~; 환자는 폐렴의 징후를 보이고 있다.
〔征信录〕 zhēngxìnlù 명 (공익 사업의) 결산 보고서.
〔征信所〕 zhēngxìnsuǒ 명 흥신소(興信所).
〔征询〕 zhēngxún 동 (의견을) 널리 구하다. ¶于是, 他就~小龙的意见; 그래서 그는 곧 용(龍)군의 의견을 구했다 / 时常用谦虚的言词~别人的意见; 항상 겸허한 말로 다른 사람의 의견을 구한다 / ~意见表; 앙케트 카드. 명 모집. 앙케트.
〔征验〕 zhēngyàn 명 효능. 효험. ¶颇pō有~; 꽤 효험이 있다.
〔征衣〕 zhēngyī 명 〈文〉 ①출정(出征)할 때의 군복. ②먼 곳으로 여행할 때의 의복. 여장(旅裝).
〔征役〕 zhēngyì 명 〈文〉 조세와 부역.
〔征引〕 zhēngyǐn 동 〈文〉 ①인용(引用)하다. 인증(引證)하다. ②인재(人材)를 뽑다. 불러 임용하다.
〔征庸〕 zhēngyōng 동 〈文〉 불러 내어 임용(任用)하다.
〔征用〕 zhēngyòng 동 징용하다. 수용(收用)하다. ¶属于外国资本的企业大多数被~了; 외국 자본에 속하는 기업의 대다수는 수용당했다.
〔征战〕 zhēngzhàn 동 출정하여 싸우다.
〔征召〕 zhēngzhào 동 ①(병사를) 소집하다. 징집하다. ¶~入伍; 소집하여 입대시키다 / 响应~; 소집에 응하다. ②〈文〉 관직을 주다. 불러서 임

용하다. ③(인원을) 할당하다. 배치하다.
〔征兆〕 zhēngzhào 명 ⇨〔征候〕
〔征诛〕 zhēngzhū 동 〈文〉 폭군을 무력으로 주벌(誅伐)하다.
〔征逐〕 zhēngzhú 명 〈文〉 친구 사이에 서로 빈번하고 긴밀하게 왕래하다. ¶他不务正业终日～在声色酒肉之间; 그는 정업에 힘쓰지 않고 하루 종일 친구들과 어울리며 주색에만 빠져 있다.

症(癥) zhēng (징) 명 ①〖漢醫〗 뱃속에 응어리가 생기는 병. ②〈比〉 병원(病源). 암(癌). 장애. 곤란한 문제. ⇒zhèng
〔症结〕 zhēngjié 명 ①〖漢醫〗 (뱃속의) 적취(積聚). ②〈比〉 (일의) 문제점. 난점. 애로. 장애. 매듭. ¶找出～所在, 事情就好办了; 문제의 소재를 찾아 낼 수 있다면 일은 수월하다.

钲(鉦) zhēng (정) 명〖樂〗 종(鐘) 모양으로 생긴 동제(銅製)의 징《옛날, 군대가 행군할 때 치던 악기의 일종》. =〔铮zhēng②〕 ⇒zhèng

争 zhēng (쟁) ①동 다투다. 경쟁하다. ¶～冠军; 우승을 다투다 / 分秒必～; 〈成〉 촌음을 다투다 / 大家～着发言; 모두 다투어 발언하다 / ～着抢着; 앞다투어. ②동 논쟁하다. 언쟁하다. ¶两人意见已经一致, 不必再～了; 두 사람의 의견이 이미 일치되었으므로 더 이상 언쟁할 필요가 없어졌다 / ～吵; 말다툼하다 / 意气之～; 감정적인 논쟁. ③동 간(諫)하다. =〔诤①〕 ④대 〈古白〉 어찌. ¶～知? 어찌 알겠는가? / ～奈? 어찌하랴? / 要是有情～不哭? 정이 있다면 어찌 울지 않겠는가? →〔怎么〕〔如何〕 ⑤형 〈方〉 차(差)가 나다. 모자라다. ¶总数还～多少? 총수에 아직 얼마가 부족한가? / 高低～几多; 높낮이에 얼마만한 차이가 있느냐 / ～些儿当面错过; 하마터면 눈앞에서 (기회 등을) 지나칠 뻔했다.
〔争霸〕 zhēng.bà 동 쟁패하다. 패권을 다투다. ¶中国决不～; 중국은 절대 패권을 다투지 않습니다.
〔争霸战〕 zhēngbàzhàn 명 패권 다툼의 싸움. 쟁패전.
〔争辩〕 zhēngbiàn 명동 논쟁(論爭)(하다). 변론(하다). 쟁변(하다). ¶无可～的事实; 부정할 수 없는 사실 / 不容被告～, 就判决了; 피고는 논박도 못 한 체 판결이 내려졌다.
〔争标〕 zhēng.biāo 명 우승을 다투다. ¶～队伍; 우승을 다투는 팀.
〔争不〕 zhēngbù 〈文〉 어찌 …하지 않겠는가. =〔怎zěn不〕
〔争长竞短〕 zhēng cháng jìng duǎn 〈成〉 ⇨〔争长论lùn短〕
〔争长论短〕 zhēng cháng lùn duǎn 〈成〉 이러쿵저러쿵 시비곡직(是非曲直)을 논쟁하다. 누가 옳고 그른가를 논쟁하다. 옥신각신 다투다. =〔争长争短〕〔争长竞短〕〔竞短争长〕
〔争吵〕 zhēngchǎo 동 언쟁하다. 말다툼하다. ¶～不休; 말다툼을 그치지 않다. →〔吵架〕
〔争臣〕 zhēngchén 명 ⇨〔诤zhèng臣〕
〔争持〕 zhēngchí 동 고집부리다. ¶双方都坚持自己的观点, 至今还～不下; 양쪽이 모두 자기의 견해를 끝까지 주장하고 지금까지도 여전히 양보하려 하지 않다.
〔争存〕 zhēngcún 동 〈文〉 생존 경쟁을 하다.
〔争得〕 zhēngdé 동 얻으려 애쓰다.
〔争得〕 zhēngde 대 〈古白〉 어떻게. ¶～朱颜依旧; 어떻게 꽃다운 얼굴을 그대로 간직할 수 없을까.
〔争斗〕 zhēngdòu 동 ①쟁투하다. 싸우다. 서로 치고 받다. ¶俩人～, 没人劝解; 두 사람이 싸우고 있는데 말리는 사람이 없다. ②(상대의 활동을) 억제하다. 억누르다.
〔争端〕 zhēngduān 명 분쟁(紛爭)의 계기. 싸움의 발단. ¶国际～; 국제 분쟁의 씨.
〔争夺〕 zhēngduó 동 쟁탈하다. ¶～阵地; 진지를 쟁탈하다 / ～势力范围; 세력권(圈)의 쟁탈전을 하다 / ～霸权; 패권을 다투다.
〔争肥〕 zhēngféi 동 살찐〔맛있는〕 데를 다투어 먹으려 하다. ¶～捡瘦; 음식을 가려 먹다. 〈轉〉 흠〔허물〕을 들추어내다.
〔争分夺秒〕 zhēng fēn duó miǎo 〈成〉 분초를 다투다. 촌음을 아끼다.
〔争风〕 zhēng.fēng 동 (주로 남자가) 이성(異性) 문제로 질투하여 말썽을 일으키다. 질투하여 다투다. ¶～吃醋; 〈成〉 사랑의 쟁탈전을 벌이다. 질투하여 다투다.
〔争锋〕 zhēngfēng 동 〈文〉 쟁봉하다. 교전하다.
〔争光〕 zhēng.guāng 동 영광을 구(求)하다. 영예를 쟁취하다. ¶～露脸; 영광을 쟁취하고 세상에 알려지다 / 为祖国～; 조국을 위해 영예를 쟁취하다. =〔争光荣〕
〔争光荣〕 zhēng guāngróng 동 ⇨〔争光〕
〔争衡〕 zhēnghéng 동 (힘·기량 등을) 겨루다. 승패를 다투다.
〔争交〕 zhēngjiāo 명동 〈文〉 씨름(을 하다).
〔争竞〕 zhēngjing 동 〈方〉 ①논쟁〔언쟁〕하다. ②따지다. 조르다. 억지로 요구하다. 떠들썩하게 승강이하다. 옥신각신하다. ¶～工钱; 임금을 가지고 다투다 / 给多给少都不～; 많이 주건 적게 주건 따지지 않다 / 等客人～才多放二寸; 손님이 시끄럽게 따지자 겨우 두 치를 더 늘려주다.
〔争口气(儿)〕 zhēng kǒuqì(r) ①체면을 세우려고 고집부리다〔애쓰다〕. ¶事情已然闹到这步田地, 这口气儿我可争不过来了; 일이 이미 이 지경에 이르러서는 더 이상 애를 쓸 수 없다. ②울분을 풀다. ¶你来帮忙叫我～吧; 자네가 내 울분을 풀도록 도와 다오 / 这回我们得锦标争了这口气了; 이번에는 우리가 우승해서 한을 풀었다. =〔争气②〕
〔争魁〕 zhēng.kuí 동 우승을 다투다.
〔争脸〕 zhēng.liǎn 동 영예·명예를 얻어 면목을 세우다. 기염을 토하다. 체면을 세우다. ¶这丫头, 真给咱半边天～; 이 계집애가 정말 우리들 여성의 체면을 세워 주네. =〔争面子〕
〔争亮〕 zhēngliàng 형 매우 밝다.
〔争论〕 zhēnglùn 명동 쟁론(하다). 논의(하다). 논쟁(하다). ¶他们常为无谓的事情～; 그들은 항상 하찮은 일을 가지고 논쟁한다 / 没有～的余地; 논쟁의 여지가 없다.
〔争买〕 zhēngmǎi 동 ⇨〔抢qiǎng购〕
〔争面子〕 zhēng miànzi 동 ⇨〔争脸〕
〔争名〕 zhēng.míng 동 〈文〉 명예를 다투다. ¶～夺duó利; 〈成〉 명리를 다투다.
〔争鸣〕 zhēngmíng 동 ①많은 사람이 다투어 의견을 발표하다. 〈比〉 학술상의 일로 논쟁하다. ¶百家～; 〈成〉 백가 쟁명. ②많은 조수(鳥獸) 또는 곤충이 다투어 울다.
〔争奈〕 zhēngnài 〈古白〉 어찌하랴? =〔争耐〕 →〔无wú奈〕
〔争耐〕 zhēngnài ⇨〔争奈〕
〔争能〕 zhēngnéng 동 재능을 겨루다.
〔争气〕 zhēng.qì ①동 지지 않으려 애쓰다. 지지

않으려 발분하다. ¶争闲气; 쓸데없는 오기를 부리다 / ～不争财; 기개(氣概)를 나타내기 위해 재물을 돌보지 않다 / 他自己不～, 却怪人家; 그는 자기가 노력하지 않고 도리어 남을 탓한다 / 自己不～, 给淘汰下来了; 자기가 애쓰지 않아 도태되었다. ②⇨〔争口气(儿)②〕 (zhēngqì) 명 지기 싫어하는 기질.

〔争前恐后〕 zhēng qián kǒng hòu 앞을 다투다.

〔争强〕 zhēngqiáng 동 ①강해지려고 하다. 이기려고 강경히 버티다. ¶～好胜 hàoshèng; 〈成〉 경쟁심〔지기 싫어하는 마음〕이 강하다. =〔争雄〕 ②향상〔向上〕을 바라다.

〔争抢〕 zhēngqiǎng 동 ①쟁탈하다. 다투어 빼앗다. ②⇨〔争先〕

〔争球〕 zhēngqiú 명동 《體》 ①(농구에서) 헬드 볼(held ball)(하다). =〔抢球〕 ②(핸드볼에서) 레퍼리 스로 볼(referee throw ball)(하다).

〔争取〕 zhēngqǔ 동 ①쟁취하다. 획득하다. 이룩하다. 노력하여 목적을 달성하다. ¶～时间; 시간을 절약하다. 시간을 벌다 / ～亚洲和平; 아시아의 평화를 쟁취하다〔이룩하다〕 / ～胜利; 승리를 쟁취하다 / ～主动; 주도권을 쟁취하다. ②…을 목표로 노력하다. 힘써서 …하다. ¶～达到生产指标; 생산 목표를 달성하기 위하여 노력하다 / 每年写十几篇短文, 能算～写稿子吗? 해마다 열 몇 편의 짧은 글을 쓴 정도 가지고는 열심히 원고를 쓰고 있다고는 말할 수 있느냐? / 明天～照这样再作一个; 내일 분발해서 이런 것을 또 하나 만들자.

〔争权夺利〕 zhēng quán duó lì 〈成〉 권세와 이익을 다투다. =〔争权夺势〕

〔争忍〕 zhēngrěn 〈古白〉 어찌 …을 참을 수 있으랴.

〔争胜〕 zhēng.shèng 동 (시합에서) 승리를 다투다.

〔争讼〕 zhēngsòng 명동 〈文〉 쟁송(하다). 소송(하다).

〔争席〕 zhēngxí 동 〈文〉 석순(席順)을 다투다. 서열을 다투다.

〔争先〕 zhēng.xiān 동 앞을 다투다. ¶～发言; 앞을 다투어 발언하다 / ～购买; 앞을 다투어 사다. =〔争抢②〕

〔争先恐后〕 zhēng xiān kǒng hòu 〈成〉 뒤질세라 앞을 다투다.

〔争闲气〕 zhēng xiánqì 쓸데없는 고집을 부리다.

〔争些〕 zhēngxiē 부 〈古白〉 하마터면. 아슬아슬하게. =〔险xiǎn些(儿)〕

〔争雄〕 zhēngxióng 동 ⇨〔争强qiáng①〕

〔争妍斗艳〕 zhēngyán dòuyàn 아름다움을 겨루다.

〔争议〕 zhēngyì 명동 쟁의(하다). 논쟁(하다). ¶无可～; 논란의 여지가 없다 / 对文件的内容没有～, 有～的是题目的写法; 서류의 내용에 관해서는 이의가 없고, 논쟁하는 것은 제목을 붙이는 방식이다 / 有～的改革人物; 논의의 대상이 되는 개혁인물.

〔争执〕 zhēngzhí 동 서로 고집하고 양보하지 않다. ¶各持己见, ～不下; 서로 자기 의견을 고집하여 (논쟁의) 해결이 나지 않다. 명 논쟁. 의견의 상위(相違)〔충돌〕. 고집.

〔争嘴〕 zhēng.zuǐ 동 ①말다툼하다. 논쟁하다. ¶～学舌; 〈成〉 이러니저러니 하며 말다툼을 일으키다. ②〈方〉 음식의 다소(多少)로 다투다. 먹을 것을 가지고 서로 다투다.

诤(諍) zhēng (쟁)

'诤zhèng'의 우음(又音).

挣 zhēng (쟁)

→〔挣扎zhá〕 ⇒zhèng

〔挣扎〕 zhēngzhá 동 ①몸부림치다. 발버둥치다. 발악하다. ¶垂死～; 결사적인 몸부림을 치다 / 敌人做垂死～; 적은 최후의 발악을 하고 있다. ②참다. 힘써 버티다. ¶他病了, 还～着工作; 그는 병이 들었어도 억지로 버티며 일한다. 명 발버둥. 발악. 몸부림. ¶做最后的～; 최후의 몸부림을 치다. ‖ =〔扎挣zhēng〕

峥 zhēng (쟁)

→〔峥嵘〕

〔峥嵘〕 zhēngróng 형 ①산이 높이 솟고 험준한 모양. ¶崖壁～; 절벽이 높고 가파르다. ②〈轉〉 재기·품격이 뛰어나다. ¶头角～; 두각을 나타내다. ③심하다. 혹독하다. 냉엄하다. ¶寒气～; 한기가 심하다 / ～岁月; 엄혹한 시대.

狰 zhēng (쟁)

→〔狰狞〕

〔狰狞〕 zhēngníng 형 (용모가) 흉악하다. ¶～面貌; 흉악한 생김새.

睁 zhēng (정)

동 눈을 뜨다. ¶眼睛～不开; 눈을 뜰 수 없다 / ～开眼睛; 눈을 뜨다.

〔睁不开(眼)〕 zhēngbukāi(yǎn) 동 ①눈을 뜰 수 없다. ¶困kùn得眼睛都睁不开了; 졸려서 눈을 뜨고 있을 수 없다. ②보고 있을 수 없다. 차마 못 보다.

〔睁开〕 zhēngkāi 동 눈을 뜨다. ¶～眼睛; 눈을 뜨다.

〔睁视〕 zhēngshì 동 〈文〉 응시하다. 주시하다.

〔睁眼(儿)〕 zhēng.yǎn(r) 동 눈을 (크게) 뜨다. ¶～瞎(子); 눈뜬 장님. 〈比〉 문맹(文盲) / ～儿意是个窟kū窿; 〈諺〉 눈을 부릅뜨고 (살펴)보았더니 구멍〔적자〕투성이다. =〔睁眼睛〕

〔睁只眼, 闭只眼〕 zhēng zhī yǎn, bì zhī yǎn 〈比〉 ①보고도 못 본 척하다. 눈 감아 주다. ②대강대강 하다. ¶这年头儿, 不论干什么就得～; 요즘에는 무슨 일을 하든지 대충대충 해야 한다. ‖ =〔睁一眼, 闭一眼〕

铮(錚) zhēng (쟁)

①〈擬〉 금속(金屬)이 부딪치는 소리의 형용. ¶～～作响; 땡땡 하고 소리를 내다. ②명 ⇨〔钲zhēng〕 ⇒zhèng

〔铮光瓦亮〕 zhēng guāng wǎ liàng 〈成〉 (금속이) 반짝반짝 빛나다.

〔铮铮〕 zhēngzhēng ①〈擬〉〈文〉 쟁쟁《금속이 부딪쳐 내는 소리》. =〔枞cōng〕〔铮铮锿huáng〕 ②명 〈比〉 쟁쟁한 사람. 두드러지게 빼어난 사람. ¶铁中～ =〔庸yōng中佼佼〕〔～佼佼〕; 〈成〉 쟁쟁한 인물 무리 중 가장 뛰어난 사람 / ～响的乡绅; 널리 떨치며 유명한 지방 명사.

筝 zhēng (쟁)

①명 《樂》 악기(樂器) 이름. 거문고. 쟁(箏). ¶～手; 거문고 연주자. ②→〔风筝〕

鬇 zhēng (쟁)

→〔鬇鬡〕

〔鬇鬡〕 zhēngníng 형 〈文〉 머리가 부수수한〔헝클

어진〕 모양.

烝 **zhēng** (증)
〈文〉 ①동 증기(蒸氣)가〔김이〕 오르다. ②동 윗사람을 간음하다. ③동 기세 좋게 일어나다〔흥하다〕. ④형 아름답다. ⑤형 무덥다. ⑥형 뭇. 여러. 많은. ¶～民; ⇩ ⑦명 겨울제(祭). ⑧명 군주(君主).

〔烝尝〕 zhēngcháng 명 〈文〉 겨울 제사와 가을 제사.

〔烝民〕 zhēngmín 명 온 백성. 서민. 증민. ＝〔蒸民〕

〔烝庶〕 zhēngshù 명 〈文〉 뭇 백성. 서민. ＝〔蒸庶〕

〔烝烝〕 zhēngzhēng 형 ⇨〔蒸蒸〕

蒸 **zhēng** (증)
①동 찌다. (증기로) 데우다. ¶～馒头; '馒头'를 찌다. ②동 증기가 오르다. 증발하다. ③동 화기(火氣)가 오르다. ④형 향상(向上)하는 모양. ⑤형 뭇. 여러. 많은. ⑥명 증기. ⑦동 증기를 통하다. ¶～一～就可以消毒; 증기를 쬐면 소독이 된다.

〔蒸箅(儿)〕 zhēngbì(r) 명 시루밑. ¶～坏了, 笼屉帽儿还可以用; 시루밑은 망가졌지만 시룻방석은 아직 쓸 수 있다.

〔蒸饼〕 zhēngbǐng ①명 발효시킨 밀가루로 만든 '饼'《겹친 사이에 기름·'花椒'·'芝麻酱' 등을 끼우고 찜》. ＝〔笼炊〕 ②(zhēng bǐng) 위의 방법으로 '饼'을 만들다.

〔蒸不熟, 煮不烂〕 zhēng bù shú, zhǔ bù làn 쪄도 쪄지지 않고, 삶아도 무르지 않다《다루기 힘들다. 처리가 곤란하다》. ¶他那个人～, 我实在没法儿治; 저놈은 어쩔 도리가 없는 놈이어서 나로서는 감당할 수가 없다.

〔蒸发〕 zhēngfā 명동 《物》 증발(하다). ¶～皿mǐn; 증발 접시 / ～器; 《物》 증발기 / ～塔; 《工》 증발탑.

〔蒸饭〕 zhēng fàn ①쪄서 밥을 짓다. ②(zhēngfàn) 명 쪄서 지은 밥.

〔蒸干〕 zhēnggān 동 증발 건조하다. 증발 건조시키다. (zhēnggān) 명 《物》 증발 건고(乾固).

〔蒸糕〕 zhēnggāo ①명 쪄서 만든 '糕'. ②(zhēng gāo) (찐빵처럼) 쌀가루를 반죽하여 쪄서 '糕'를 만들다.

〔蒸锅〕 zhēngguō 명 찜통. 시루. ＝〔蒸盒〕

〔蒸锅铺〕 zhēngguōpù 명 옛날, 만두나 떡을 만들어 팔던 가게.

〔蒸裹〕 zhēngguǒ 명 푸젠(福建)·광둥(廣東) 지방의 '찐 떡'의 일종《댓잎으로 좀 크게 싸서 찌는데 속에는 돼지고기·표고·새우 등을 넣음》. ＝〔蒸裹粽〕

〔蒸盒〕 zhēnghé 명 ⇨〔蒸锅〕

〔蒸鸡蛋〕 zhēngjīdàn ①명 계란찜. ②(zhēng jīdàn) 계란찜을 만들다.

〔蒸饺(儿, 子)〕 zhēngjiǎo(r, zi) ①명 찐만두. ②(zhēng jiǎo(r, zi)) 만두를 찌다.

〔蒸酒〕 zhēngjiǔ 동 술을 빚다. ¶～厂; 양조장.

〔蒸馏〕 zhēngliú 명동 《物》 증류(하다). ¶～罐; 레토르트(retort).

〔蒸馏水〕 zhēngliúshuǐ 명 증류수.

〔蒸笼〕 zhēnglóng〔zhēnglong〕 명 시루. 찜통. ¶这屋里～似的, 热得都出不来气儿了; 이 방은 시루와 같아 더워서 숨이 막힐 것 같다.

〔蒸民〕 zhēngmín 명 ⇨〔烝民〕

〔蒸馍〕 zhēngmó 명 ⇨〔馒mán头①〕

〔蒸木油〕 zhēngmùyóu 명 ⇨〔木馏油(酚)〕

〔蒸浓〕 zhēngnóng 동 끓여서 농축하다. ＝〔蒸缩〕

〔蒸气〕 zhēngqì 명 《物》 증기《'水汀'은 스팀의 구음역》.

〔蒸汽〕 zhēngqì 명 수증기. 증기. 스팀. ¶～机车; 증기 기관차 / ～浴; 사우나(탕) / ～滚路机; (도로용) 스팀 롤러. ＝〔〈音〉 水汀〕

〔蒸汽锤〕 zhēngqìchuí 명 ⇨〔汽锤〕

〔蒸汽锅炉〕 zhēngqì guōlú 명 보일러. ＝〔锅炉〕

〔蒸汽机〕 zhēngqìjī 명 증기 기관. ＝〔汽机①〕〔气机〕

〔蒸汽透平〕 zhēngqì tòupíng 명 〈音義〉 ⇨〔蒸汽涡轮(机)〕

〔蒸汽涡轮(机)〕 zhēngqì wōlún(jī) 명 《工》 증기 터빈. ＝〔〈音義〉 蒸汽透平〕〔汽轮(机)〕

〔蒸肉〕 zhēngròu ①명 찐 고기. ②(zhēng ròu) 고기를 찌다.

〔蒸溽〕 zhēngrù 형 ⇨〔蒸暑〕

〔蒸沙成饭〕 zhēng shā chéng fàn 〈成〉 모래로 밥을 짓다《성공〔실현〕의 가능성이 없음》. ＝〔蒸沙为饭〕〔蒸沙作饭〕

〔蒸食〕 zhēngshí 명 ('包bāo子'·'馒mán头' 등) 밀반죽을 쪄서 만든 식품의 총칭.

〔蒸暑〕 zhēngshǔ 형 〈文〉 무덥다. 찌는 듯이 덥다. ＝〔蒸溽rù〕

〔蒸庶〕 zhēngshù 명 ⇨〔烝庶〕

〔蒸缩〕 zhēngsuō 동 ⇨〔蒸浓〕

〔蒸腾〕 zhēngténg 동 (열기·증기 등이) 오르다. ¶热气～; 열기가 오르다.

〔蒸蒸〕 zhēngzhēng 형 기세 좋게 오르는 모양. 왕성하게 일어나는 모양. ¶～日上 ＝〔烝烝日上〕; 〈成〉 태양이 떠오르듯 왕성하게 일어나다. 나날이 발전하다 / 生产建设～; 생산과 건설이 날로 발전하다. ＝〔烝烝〕

〔蒸煮袋食品〕 zhēngzhǔdài shípǐn 명 레토르트(retort) 식품《포장 채로 가열해서 먹을 수 있는 식품》.

鲭(鯖) **zhēng** (정)
명 〈文〉 생선과 고기를 섞은 요리. 잡탕. ⇒qīng

正 **zhěng** (정)
접미 정《돈의 액수 밑에 붙이는 말》. ¶三百元～; 3백원정. ＝〔整③〕 ⇒zhēng zhèng

整 **zhěng** (정)
①동 정돈하다. 정리하다. 잘못을 바로잡다. ¶把衣裳～一～; 복장을 단정히 하다. 몸단장을 하다 / ～旧一新; 낡은 것을 고쳐 일신하다 / ～枝; 《農》 과수 등의 가지를 정리하다. ②형 완전하다. 옹글다. 온전하다. ¶～块(的)面包; 한 덩어리를 이룬 빵 / ～版报纸; 신문의 1면 전부. 신문의 전면(全面) / 化～为零; 〈成〉 뭉뚱그려진 것을 조금씩 무너뜨리다. 세력을 분산시키다 / 连一个～的也没有; 하나도 완전한 것은 없다 / ～天家jie ＝〔～天际jì〕; 하루 종일. 꼬박 하루 / ～套设备; 플랜트(plant) / 十二点～; 12시 정각. ③접미 정《돈의 액수 밑에 붙이는 말》. ¶兹收到一百元～无误; 일금 1백 원정을 틀림없이 영수하였습니다. ＝〔正zhěng〕 ④동 〈方〉 하다. 저지르다. 만들다. 손에 넣다《흔히, 다른 동사 대신으로 쓰임》. ¶你～什么哪? 너는 무얼 하고 있니? / 绳子～断了; 끈을 끊었다 / 在火上～了些饭菜; 불에 얹어서 반찬을 조금 만들었다 / ～到三只狐狸; 여우를 3마리 잡았다 / 不小心会～出乱子来; 조심하지 않으면 엉뚱한 것을 저지를지도 모른다 / 这

东西下手～起来，并不难；이것은 손을 대어 해보니 결코 어렵지 않다 / 拿斧子～了些木头；도끼로 나무를 좀 했다. ⑤동 수선하다. 수리하다. 고치다. ¶桌子坏了～一～；책상이 망가져 수리하다 / 把大风刮歪了的架子～好；센 바람에 비뚤어진 선반을 고치다. ⑥동 괴롭히다. 혼내 주다. 찍소리 못 하게 하다. ¶被他们～了；그들에게 구박 받았다 / 这下该老子～你了；이번에야말로 내가 너를 혼내 줄 차례다 / 这一下可～下他来了；이번에는 그를 혼내 주었다. ⑦형 반듯하다. 가지런하다. 단정하다. ¶～然有序；깔끔히 질서가 잡혀 있다 / 衣冠不～；옷매무새가 흐트러져 있다. ⑧동 자르다. ¶～木头；나무를 자르다.

〔整版〕 zhěngbǎn ①명 (신문·책 따위의) 전(全)페이지. ②⇨〔排版〕

〔整备〕 zhěngbèi 명동 (군대 등의 조직을) 정비(하다).

〔整本〕 zhěngběn 명 ①한 권의 책. ②한 벌의 책. ③《劇》 전막(全幕) 공연(의 각본).

〔整本大套〕 zhěngběn dàtào ①한 벌의 책. 완전한 장편의 읽을거리. 완전한 각본(腳本). ②〈轉〉 죄다. 몽땅. 하나에서 열까지. ¶他～是个糊涂人；그는 아주 바보다.

〔整编〕 zhěngbiān 동 (군대 등의 조직을) 개편하여 정비하다. 재편성하다.

〔整鬓〕 zhěngbìn 명 《劇》 손으로 살쩍을 매만지는 동작.

〔整补〕 zhěngbǔ 동 (군대를) 정돈 보충하다. 명 정돈 보충.

〔整步〕 zhěngbù 명 ⇨〔同tóng步〕

〔整部〕 zhěngbù 명 ①(책의) 한 질. ②전부.

〔整漕水〕 zhěngcáoshuǐ 명 강바닥에 가득찬 만수위의 수량(水量).

〔整车〕 zhěngchē 명 차 한 대 전부. ¶～装运；차량 전세 수송.

〔整饬〕 zhěngchì 동 가지런히 정리하다. 정돈하다. ¶～规律；규율을 바로잡다. 형 말쑥하다. 질서 정연하다. 단정하다. 조리있다. ¶服装～；복장이 단정하다 / 军容～；군용이 정연하다.

〔整出〕 zhěngchū 동 만들어 내다.

〔整除〕 zhěngchú 동 《數》 나누어 떨어지다. 정제하다.

〔整存〕 zhěngcún 동 목돈을 납부하다〔저금하다〕. ¶～零付 =〔～零取〕；목돈을 붓고 분할하여 찾는 방법 / ～整付；일시에 불입하고, 기한이 되면 일시에 지불 받는 방법.

〔整党〕 zhěng,dǎng 동 당내(의 사상·기풍·조직의) 정돈을 하다. (zhěngdǎng) 명 당의 정돈.

〔整的破的〕 zhěngde pòde 완전한 것과 망가진 것.

〔整地〕 zhěng,dì 《農》 동 정지하다. 땅고르기를 하다. (zhěngdì) 명 ①정지. ②정지된 땅. ↔〔零líng地〕

〔整点〕 zhěngdiǎn 동 정리 점검을 하다. 명 (시각의) 정시(正時).

〔整点新闻〕 zhěngdiǎn xīnwén 명 정각에 방송하는 뉴스.

〔整掉〕 zhěngdiào 동 없애 버리다. 해치워 버리다. ¶非把那坏人～不可！저 못된 놈을 해치우지 않고 그냥 둘까 보냐!

〔整锭〕 zhěngdìng 명 완전한 형태의 '元yuán宝'(말굽은). =〔整银yín子〕

〔整队〕 zhěng,duì 동 대오를 정돈하다. 정렬하다. ¶～出发；정렬하여 출발하다.

〔整队配合〕 zhěngduì pèihé 명 팀워크(teamwork). ¶无论个人技术与～，都比对手优胜一筹；개인기나 팀워크를 막론하고 모두 상대보다 한 수 위다.

〔整趸零卖〕 zhěngdǔn língmài 대량으로 사서 소매하다.

〔整顿〕 zhěngdùn 동 (흐트러진 것을) 가지런히 하다. 정돈하다. 바로잡다《주로 조직·규율·작풍(作風) 등》. ¶～服装；복장을 단정히 하다 / ～文风；문필의 태도를 바로잡다 / ～纪律；규율을 바로잡다. 명 정돈. 정비.

〔整顿三风〕 zhěngdùn sānfēng →〔三风整顿〕

〔整发〕 zhěngfa 명 헤어 세트(hair set). 머리를 다듬는 것. (zhěng,fa) 동 (머리를) 세트하다〔다듬다〕.

〔整风〕 zhěng,fēng 동 정풍하다. 사상·기풍을 정돈하다. ¶这个单位需要～；이 기관은 기풍을 정돈해야 한다. (zhěngfēng) 명 정풍.

〔整风运动〕 zhěngfēng yùndòng 명 정풍 운동《1942년 옌안(延安)에서 중국 공산당이 실행한 '整三风'(학풍(學風)·당풍(黨風)·문풍(文風)의 삼풍 정돈 운동)을 말함》.

〔整改〕 zhěnggǎi 동 정리하여 개선하다.

〔整个(儿)〕 zhěnggè(r) 부형 ①전체(의). 전반(의). 통째로. 온통. 온. ¶烧～的；통째로 굽다 / ～计划；계획의 전모(全貌) / ～形势；전반의 형세 / 从～说来，搞得还不错；전체적으로 말한다면 그런대로 잘 했다. ②전혀. 전연.

〔整工夫〕 zhěng gōngfu 명 (하루) 종일.

〔整躬率属〕 zhěng gōng shuài shǔ 〈成〉 자신을 바르게 하고 부하를 통솔하다.

〔整话〕 zhěnghuà 명 조리있는 말. ¶说不出一句～；조리있는 말을 한 마디도 못하다 / 我没听见过他说一句～；나는 그가 앞뒤 분명한 말을 하는 것을 들은 적이 없다.

〔整伙儿〕 zhěnghuǒr 명 전체. 전부.

〔整货〕 zhěnghuò 명 (빠진 것이 없는) 완전히 갖추어진 상품〔물품〕.

〔整觉〕 zhěngjiào 명 방해 받지 않고 계속해서 자는 잠. 온전한 잠. ¶昨天晚上又是半夜里来电话，又是汽车的响声儿，一夜没睡～了；어젯밤은 한밤중에 전화가 걸려 오고, 자동차 소리가 들려 와서 밤새도록 제대로 잠을 잘 수 없었다.

〔整洁〕 zhěngjié 형 말끔하다. 말쑥하다. ¶屋子里收拾得非常～；방안은 매우 깔끔하게 치워져 있다 / 衣着～；옷차림이 단정하고 말쑥하다.

〔整经〕 zhěngjīng 동 《紡》 정경하다《직물을 짜는데 필요한 길이의 날실 수를 정리하고, 제직(製織)에 필요한 준비를 하는 공정》.

〔整旧〕 zhěngjiù 동 헌것을 수리하다. ¶～如新；〈成〉 헌것을 수리하여 새것처럼 만들다.

〔整军经武〕 zhěng jūn jīng wǔ 〈成〉 군비를 갖추다. 군대를 정비하고 무력을 갖추다.

〔整壳儿〕 zhěngkér 명형 〈俗〉 통째(의). 전체(의). ¶～地摔了一个大仰巴脚子；큰 대자로 벌렁 나자빠졌다. →〔整个(儿)〕

〔整垮〕 zhěngkuǎ 동 때려부수다. 파괴하다. 숨통을 끊다. 밥줄을 끊다. ¶民主派的人有的强行调走，有的被～；민주파 사람들은 강제로 쫓겨난 자도 있고 면직이 된 자도 있다.

〔整块〕 zhěngkuài 명형 통째(의). 덩어리째(의). ¶这只能～地卖；이것은 통째로 팔 수밖에 없다.

〔整理〕 zhěnglǐ 명동 정리(하다). 정돈(하다). ¶～家务；가사를 정리하다 / ～行装；행장을 갖추다 /

～记录; 필기한 것을 정리하다 / ～资料; 자료를 정리하다 / 加以～; 정리를 하다.
〔整理机〕 zhěnglǐjī 명 《機》 마무리 기계. 정리기.
〔整脸子〕 zhěngliǎnzi ① 명 〈方〉 웃지 않는 사람. 무표정한 사람. 무뚝뚝한 사람. ② 명 《劇》 (서투른 배우들의) 무뚝뚝한 굳은 표정. ③(zhěng liǎnzi) 무뚝뚝한 얼굴을 하다. 퉁명스럽게 하다.
〔整料〕 zhěngliào 명 ①일정한 규격에 맞아 그것만으로 하나의 완성품을 만들 수 있는 재료. ②완전한 부품을 만들 수 있는 재료.
〔整流〕 zhěngliú 명 《電》 렉티피케이션(rectification). 정류. ¶～装置; 정류 장치.
〔整流器〕 zhěngliúqì 명 《電》 정류기.
〔整流子〕 zhěngliúzǐ 명 《電》 정류자.
〔整年(家, 价)〕 zhěngnián(jie, jie) 명 일년내. 꼬박 1년. ¶～过牛马一样的生活; 1년내 우마와 같은 생활을 하다.
〔整批〕 zhěngpī 명 전부 함께. 한목으로. 일괄하여. 깡그리. ¶今天听说他曾经答应考虑～办理的新方法; 오늘 들은 정보에 의하면 그는 일괄 처리의 새로운 방법을 고려하기로 승낙했다고 한다.
〔整票〕 zhěngpiào 명 (소액 지폐에 대하여) 액수가 큰 지폐. 고액권.
〔整瓶〕 zhěng píng 병에 든 채로. 병째. ¶买～的; 병째 사다.
〔整瓶子不动, 半瓶子摇〕 zhěng píngzi bù dòng, bàn píngzi yáo 〈諺〉 ①빈 수레가 요란하다. ②대수롭지 않은 것에만 신경 쓰다. ‖=〔满瓶不响, 半瓶叮当〕
〔整齐〕 zhěngqí 형 ①질서 정연하다. 깔끔하다. 단정하다. ¶摆得很～; 깔끔하게 진열되어 있다 / 打扮得整整齐齐; 깔끔하고 단정한 옷차림을 하다. ②(외형이 규칙적으로) 정연(整然)하다. 나란하다. 즐비하다. 가지런하다. ¶山下有一排～的瓦房; 산기슭에는 정연하게 늘어선 한 줄의 기와집이 있다 / 字写得清楚～; 글씨가 깨끗하고 가지런하게 쓰여 있다. 동 맞추다. 질서 있게 하다. 나란히 하다. ¶～步调; 보조를 맞추다.
〔整齐白健〕 zhěngqí báijiàn (치열(齒列)이) 고르고 희며 튼튼하다.
〔整千整百〕 zhěngqiān zhěngbǎi 몇천 몇백이 되다. 〈比〉 많다.
〔整儿〕 zhěngr 명 ①〈方〉 (일정 단위의) 우수리가 없는 수. ¶把钱凑个～存起来; 목돈으로 해서 모으다. =〔整数②〕 ②⇨〔整生日〕
〔整人〕 zhěng·rén 동 사람을 괴롭히다. 사람을 혼내 주다. ¶这是变着法儿压人、～哪; 이것은 어떻게 해서라도 사람을 억눌러 괴롭히려는 것이다.
〔整日〕 zhěngrì 명 온종일. 하루 종일. ¶～闲着不做事; 하루 종일 빈들거리며 일을 하지 않다. =〔整日价〕〔整日家〕
〔整日价〕 zhěngrìjie 명 ⇨〔整日〕
〔整日家〕 zhěngrìjie 명 ⇨〔整日〕
〔整容〕 zhěng·róng 동 ①용모를 단정히 하다. 미용 성형(成形)하다. 외모를 다듬다. ¶受～术; 성형 수술을 받다. ②이발·면도하다. 미용하다. (zhěngróng) 명 ①《劇》 경극(京劇)에서, 무예에 소질이 있는 여자역(役)이 머리에서 이마에 늘어뜨린 장식. ②장례 때 시신을 씻기는 일.
〔整社〕 zhěng·shè 동 농업 생산 합작사나 농촌 인민 공사의 조직·기능·사상·기풍을 정돈하다.
〔整身〕 zhěngshēn 명 (사진 따위의) 전신. ¶～像; 전신상.
〔整身子〕 zhěngshēnzi 명 한 사람 몫의 힘〔노력〕. ¶这个孩子正是用人的时候儿, 整天家我老得～地看着他; 이 아이는 한창 손이 가야 할 때여서, 나는 하루 종일 붙어 있어서 봐 주어야 한다.
〔整生日〕 zhěngshēngrì 명 (50이나 60처럼) 끝수가 안 붙는 나이의 생일《매해의 생일은 '散生日' '小生日'이라고 함》. =〔整儿②〕
〔整式〕 zhěngshì 명 《數》 다항식(多項式). 정식.
〔整饰〕 zhěngshì 동 정돈하고 꾸미다.
〔整售〕 zhěngshòu 동 한목에 팔다. 모개로 팔다.
〔整数〕 zhěngshù 명 ①《數》 정수. 자연수. ②우수리가 없는 수《예컨대, 10·200·3000 따위》. =〔〈方〉 整儿①〕 ③몽땅 전부. ¶～退还; 전액 반환하다.
〔整死〕 zhěngsǐ 동 ①(모진 곤욕을 주거나 박해를 가해) 해치우다. (괴롭혀) 죽게 하다. ¶医生治病, 完全是为了救人, 而不是为了把人～; 의사가 병을 고치는 것은 전적으로 사람을 구하기 위한 것이지, 사람을 죽이기 위한 것이 아니다 / 我爹让他给～了; 우리 아버지는 그놈에게 괴롭힘을 당해 죽었다. ②철저히 혼내 주다〔괴롭히다〕.
〔整肃〕 zhěngsù 명동 숙청(하다). 추방(하다). ¶解除～; 숙청을 해제하다. 동정비하여 다잡다. ¶～衣冠; 의관을 갖추다. 형 엄숙하다. ¶法纪～; 법규가 엄숙하다.
〔整速轮〕 zhěngsùlún 명 《機》 플라이휠(flywheel). =〔飞fēi轮〕
〔整胎〕 zhěngtāi 명 튜브와 타이어의 세트.
〔整套〕 zhěngtào 명형 (완전하게 갖춰진)한 벌(의). 한 세트(의). 전부(의). 체계를 갖춘 일련(의). ¶一～家具; 가구 한 세트 / ～设备 =〔成套设备〕〔全套设备〕; 플랜트(plant) / 他有一～想法; 그는 일련의 정리된 생각을 가지고 있다.
〔整体〕 zhěngtǐ 명 (하나의 집단 또는 사물의) 전체. ¶别因为一点儿小问题影响～; 사소한 문제 때문에 전체에 영향을 주어서는 안 된다 / ～利益; 전체의 이익 / 一个不可分割的～; 하나의 분할할 수 없는 통일체. 「造).
〔整体结构〕 zhěngtǐ jiégòu 명 일체 구조(一體構
〔整天〕 zhěngtiān 명 꼬박 하루. 온종일. 하루 종일. ¶～不做事; 하루 종일 아무 일도 하지 않다. =〔整天价〕〔整天家〕
〔整天价〕 zhěngtiānjie 명 ⇨〔整天〕
〔整天家〕 zhěngtiānjie 명 ⇨〔整天〕
〔整天整夜〕 zhěngtiān zhěngyè 하루 낮 하루 밤. 하루 종일. ¶一气打了～的麻雀牌《老舍 四世同堂》; 밤낮 없이 하루 꼬박이 마작을 내리쳤다.
〔整尾〕 zhěngwěi 명 물고기 한 마리 통째.
〔整形〕 zhěng·xíng 《醫》 동 정형하다. (zhěngxíng) 명 정형.
〔整形轮〕 zhěngxínglún 명 정형 타이어. =〔胎tāi罩轮〕
〔整修〕 zhěngxiū 동 수리〔보수〕하다《흔히, 토목·건축 공사에 씀》. ¶～水利工程; 수리 공사 보수를 하다.
〔整宿(儿)〕 zhěngxiǔ(r) 명동 ⇨〔通宿(儿)〕
〔整训〕 zhěngxùn 명동 (인원의) 정돈과 훈련(을 하다). ¶～干部; 간부를 정돈·훈련하다.
〔整页〕 zhěngyè 명 전 페이지.
〔整夜〕 zhěngyè 명 한밤 꼬박. 온밤. =〔竟夜〕
〔整衣〕 zhěngyī 동 복장을 단정히 하다.
〔整银子〕 zhěngyínzi 명 ⇨〔整锭dìng〕
〔整月〕 zhěngyuè 명 꼬박 한 달.
〔整张〕 zhěngzhāng 명 전지(全紙). (종이 따위) 한 장.

〔整着〕 zhěngzhe ①몸을 딱딱하게 하고. 무뚝뚝한 표정을 하고. ¶～身子走出来了; 굳은 모습으로 걸어 나왔다/～脸子; 굳어진 얼굴로. ②그대로. 통째로. ¶～就闯chuǎng进来了; 그대로 뛰어 들어왔다.

〔整整〕 zhěngzhěng 형 꼬박. 꼭. 온전한. ¶～一天; 꼬박 하루/～有一百个; 꼭 100개 있다/～增加一倍; 꼭 배로 늘다〔배가 되다〕.

〔整枝〕 zhěng.zhī 동《農》정지·전정하다. 가지 고르기하다. (zhěngzhī) 명 정지.

〔整治〕 zhěngzhì 동 ①정돈하다. 손질하다. 보수하다. 정리하다. 수리하다. ¶～房子; 집수리를 하다/车子出了毛病都是他自己～; 차가 고장났을 때는 늘 그가 스스로 수리한다. ②준비하다. ¶～酒席; 연회 준비를 하다. ③수복(修復)하다. ④(zhěngzhi) 혼내 주다. 징계하다. 따끔한 맛을 보이다. ¶先把他～! 우선 그를 혼내 주자!/这匹马真调皮, 你替我好好～～它; 이 말은 정말 말을 안 들으니, 네가 내 대신 단단히 길들여 다오. ⑤돌봐 주다. 주선하다. ⑥병구완하다. ⑦(zhěngzhi) (어떤 일을) 하다. 행하다. ¶～饭; 밥을 짓다/～庄稼; 농사일을 하다. →〔搞〕〔做〕

〔整重〕 zhěngzhong 형 ⇨〔整庄〕

〔整注〕 zhěngzhù 명 ⇨〔孤gū注〕

〔整装〕 zhěngzhuāng 동 복장을 단정히 하다. 여행 채비를 차리다. ¶～待命; 복장이나 짐 혹은 무장을 갖추고 명을 기다리다.

〔整壮〕 zhěngzhuàng 형 완전하다. 온전하다. ¶一个～的也没有; 하나도 완전한 것이 없다.

〔整庄〕 zhěngzhuang 형 하나로 정리되어 있다. 한데 모아져 있다. 갖추어져 있다. ¶事情～就好办; 일은 정리되어 있는 편이 처리하기 좋다/拿五块钱去, ～; 5원을 갖고 가거라, 그러는 편이 우수리가 없다. =〔整重〕

〔整桌的菜〕 zhěngzhuōdecài 명 한 식탁에 얼마로 값이 정해진 정식 요리. =〔成桌的菜〕

拯 zhěng (증)

동 ①구하다. 구원하다. 구조하다. 구제하다. ¶～救文化遗产; 문화 유산을 (파괴로부터) 구하다/～救落水的人; 물에 빠진 사람을 구하다. 〈比〉위급한 곳에 손길을 뻗치다. ②들다.

〔拯济〕 zhěngjì 동〈文〉구제하다.

〔拯救〕 zhěngjiù 동 구조하다. 구원하다. 구출하다. ¶～工作队; 구원대/～人类脱离制造浩劫的原子战争的威胁; 큰 재난을 빚는 핵전쟁의 위험에서 벗어나도록 인류를 구원하다.

〔拯伤恤亡〕 zhěngshāng xùwáng〈文〉사상자를 구휼(救恤)하다.

〔拯恤〕 zhěngxù 동〈文〉구휼하다.

正 zhèng (정)

① 형 똑바르다. 치우치지 않다. 곧다. ¶把帽子戴～; 모자를 똑바로 써라/～南～北; 정남 정북방/这相片挂得不～; 이 사진은 비뚤게 걸려 있다. ↔〔歪①〕 ② 형 (위치가) 한가운데이다. 중간이다. ¶～院(儿); 중정(中庭)/～房 =〔～屋〕; 남향의 정면의 집채. 본채. ③ 명형 겉(의). 정면(의). 앞면(의). ¶～面反面; 표면과 이면. ④ 형 정당하다. 바르다. 정직하다. ¶公～; 공정하다/品行端～; 품행이 단정하다/行得～, 走得直; 행실이 바르고 걷는 길도 똑바르다. ⑤ 형 (빛깔·맛이) 순정(純正)하다. 순수하다. ¶～红; 순홍색/颜色不～; 빛깔이 깨끗하지 않다/味儿不～; 냄새가 이상하다. ⑥ 형 기본적이다. 주요하다. 정식이다. ¶～文; 본문/～职; 직제의 장(長). 정직/～主任; 정주임/～科长; 정과장. ⑦ 형《數》도형(圖形)의 각 변(邊)과 각이 모두 같다. ¶～方形; 정방형/～六角形; 정육각형. ⑧ 명형《數·電》플러스(의). 양(의). ¶～负; 플러스 마이너스. 정부/负乘负得dé～; 음수에 음수를 곱하면 양수가 된다. ⑨ 동 (위치를) 바르게 하다. 바로잡다. ¶他～一～帽子, 走了出去; 그는 모자를 바르게 하고 나갔다. ⑩ 동 바로잡다. 바르게 하다. ¶～人心;사람의 마음을 바르게 하다. ⑪ 동 (잘못을) 바로잡다. 시정〔교정〕하다. ¶改～; 개정하다/纠～; 바로잡다. 규정하다/请你给我～一～音; 내 발음을 고쳐 주십시오. ⑫ 부 꼭. 마침. 바로《시간·장소 또는 도리·생각이나 사물이 바로 그 때·그 위치이며 그대로임을 나타냄》. ¶～在对面; 꼭 한가운데에 있다/～是他; 바로 그 사람이다/问题～在这里; 문제는 바로 여기에 있다/十二点～; 정각 12시/～合适; 딱 좋다. ⑬ 부 마침. 한창. 막. 바야흐로《동작의 진행 또는 상태의 지속을 나타냄》. ¶他～在吃饭; 그는 마침 식사중이다/那时外面～下着雨; 그때 마침 밖에서는 비가 오고 있는 중이었다. ⑭ 명 성(姓)의 하나. ⇒zhēng zhěng

〔正巴掌〕 zhèngbāzhǎng 명 (때릴 때의) 손바닥. ¶脆cuì脆地打了一个～; 힘껏 손바닥으로 때렸다.

〔正白〕 zhèngbái 명 ①'八旗'의 하나. ②《色》순백(純白).

〔正办〕 zhèngbàn 명동 정당한 조치(를 취하다). 정당한 처리(를 하다).

〔正榜〕 zhèngbǎng 명 (옛날, 향시(鄕試)에서의) 정식 합격.

〔正北〕 zhèngběi 명 정북(방). =〔〈文〉直zhí北〕

〔正本〕 zhèngběn 동〈文〉근본을 바로잡다. 근본적으로 고치다. ¶～清源的解决办法; 근본적으로 개선하는 해결 방법. 명 ①정본(正本). 원본(原本). ¶条约的～和副本; 조약의 정본과 부본. ②문서·문헌의 정식의 것. ③서적 원판·초판의 완본(完本).

〔正比(例)〕 zhèngbǐ(lì) 명《數》정비례.

〔正步〕 zhèngbù 명《軍》정규(正規)의 보조. 바른 걸음. ¶～走; 바른 걸음으로 가!

〔正裁判〕 zhèngcáipàn 명《體》(배구 등에서의) 주심.

〔正餐〕 zhèngcān 명 정찬. 디너(dinner). 정식의 오찬 또는 만찬.

〔正仓〕 zhèngcāng 명 옛날, 기근에 대비하여 곡물을 저장하던 창고《'常cháng平仓'이라고도 함》.

〔正茬〕 zhèngchá 명《農》앞갈이. (윤작(輪作) 중에서) 주요 작물.

〔正产〕 zhèngchǎn 명동 정상 출산(하다).

〔正长石〕 zhèngchángshí 명《鑛》정장석.

〔正常〕 zhèngcháng 형 정상(적)이다. ¶精神～; 정신 상태가 정상이다/～进行; 정상적으로 진행하다/恢复～; 정상을 회복하다/不～的关系; 남녀간의 부정한 관계.

〔正常化〕 zhèngchánghuà 동 정상화하다. 명《工》어닐링(annealing). 설담금《금속 열가공의 하나》. =〔正火〕〔常化〕

〔正场面〕 zhèngchǎngmiàn 명 공개적인 자리. 공식 장소.

〔正衬〕 zhèngchèn →〔反fǎn衬〕

〔正成单〕 zhèngchéngdān 명 (거래의) 본계약서.

〔正齿轮〕 zhèngchǐlún 명《機》스퍼 기어(spur

gear). 평(平)기어. =〔〈南方〉 平牙(牙齿)〕〔〈南方〉 圆yuán柱(形)齿轮〕〔直zhí齿轮〕
〔正大〕 zhèngdà 형 정대하다. 정당하다.
〔正大光明〕 zhèng dà guāng míng 〈成〉 광명정대하다. =〔光明正大〕
〔正旦〕 zhèngdàn 명 《劇》 경극(京劇)에서, 현모·절부(節婦) 등에 분장하는 주역(主役)의 여자역. =〔青衣〕
〔正当〕 zhèngdāng 동 바로 …에 처하다. 마침〔바야흐로〕 …에 즈음하다《부사성 수식어로 많이 쓰임》. ¶～春耕之时; 마침 봄의 경작 때에 즈음하다 / ～间; 한가운데 / ～中; 중간이어서 치우치지 않는 데. 한가운데 / ～年; 소장 유위(少壯有爲)의 나이. 한창인 나이. ⇒zhèngdàng
〔正当〕 zhèngdàng 형 ①정당하다. 적절하다. ¶～待遇; 정당한 대우 / ～防卫; 《法》 정당 방위 / 如无～理由, 不准请假; 정당한 이유가 없으면 휴가는 허락하지 않는다. ②(인품이) 단정하다. 깔끔하다. ¶～正派; 인품이 바르고 성실하다. ⇒ zhèngdāng
〔正道〕 zhèngdào 명 정도. 정당한 도리.
〔正道〕 zhèngdao 형명 ⇨〔正派〕
〔正灯〕 zhèngdēng 명 '元宵'(음력 정월 보름) 당일《이에 대하여 그 전날을 '试灯', 이튿날은 '残cán灯'이라고 함》.
〔正点〕 zhèngdiǎn 명 정각. 정시《흔히 열차·배·비행기의 운행 등에 대하여 말함》. ¶～行车; 차를 정시에〔시간대로〕 운행하다 / ～到达; 정각에 도착하다.
〔正点率〕 zhèngdiǎnlǜ 명 정확도. 정확률. ¶～达98%以上; 정확도는 98퍼센트 이상에 달한다.
〔正电〕 zhèngdiàn 명 ⇨〔阳yáng电〕
〔正电荷〕 zhèngdiànhè 명 《物》 양전하. 포지티브 차지(positive (electric) charge).
〔正电子〕 zhèngdiànzǐ 명 《物》 양전자. 포지트론 (positron).
〔正殿〕 zhèngdiàn 명 정전. ↔〔便biàn殿〕
〔正断层〕 zhèngduàncéng 명 《地質》 정단층.
〔正多边形〕 zhèngduōbiānxíng 명 《數》 정다변형. 정다각형. =〔正多角形〕
〔正耳刀(儿)〕 zhèng'ěrdāo(r) 명 ⇨〔右yòu耳〕
〔正二八摆〕 zhèng'èr bābǎi ①(품행·태도 등이) 단정하다. 분명하다. 정정당당하다. ¶只要是～的事, 就不怕别人讲闲话; 정정당당하게 한 일이라면 남이 이러쿵저러쿵 말하는 것을 두려워하지 않는다. ②정식의. 바른. ③진지하다. 성실하다. ‖=〔正经八摆〕〔正经八百〕〔正经八板〕〔正经八道〕〔正二巴经〕〔正经八本〕〔正南巴北〕〔正南八北〕〔正儿摆〕〔正儿八经〕〔正儿巴经〕
〔正法〕 zhèngfǎ 명 〈文〉 바른 규칙. 정법. 동 (zhèng.fa) 처형하다. 사형을 집행하다. ¶就地～; 그 자리에서 처형하다 / 绑赴法场～; 묶어서 형장으로 끌고 가 처형하다.
〔正反合〕 zhèngfǎnhé 명 《哲》 정반합.
〔正犯〕 zhèngfàn 명 《法》 정범. 주범(主犯).
〔正方〕 zhèngfāng 명 정방. 정사각. ¶～形xíng; 정방형. 정사각형 / ～体 =〔立方体〕; 입방체.
〔正房〕 zhèngfáng 명 ①안마당에 남향으로 세워진 정면의 원채. =〔正所儿〕〔正屋〕〔上房〕〔上屋〕〔堂屋〕〔主房〕 ②정실(正室). 본처. =〔大老婆〕
〔正分〕 zhèngfēn 동 머리를 한가운데에서 가르다. 명 가운데 가르마.
〔正分儿〕 zhèngfènr 부 〈俗〉 원래. 본래. ¶～你就不机灵, 还装傻! 원래 너는 약지도 않은데, 멍청한 체까지 하는구나!
〔正佛〕 zhèngfó 명 본존(本尊).
〔正该〕 zhènggāi 조동 바로 …하는 것이 당연하다. 바로 …해야 한다. ¶～如此; 바로 이런 것이어야 한다.
〔正赶上〕 zhèng gǎnshang 마침 …시간에 대다. ¶～车; (열차·버스 따위의) 시간에 맞게 닿다 / ～雨; 공교롭게도 비를 만나다.
〔正干〕 zhènggàn 동 진지하게 하다. 정도를 벗어나지 않고 하다. ¶他又老实, 又～; 그는 성실하고 일도 진지하게 한다.
〔正告〕 zhènggào 동 엄정한 태도로 통고하다.
〔正割〕 zhènggē 명 《數》 시컨트(secant). 정할. =〔〈音〉 西xī根〕
〔正格〕 zhènggé 명 바른 격식. 정격.
〔正格(儿)的〕 zhènggé(r)de 명 진지한〔진실한〕 것. 진짜. 정말. ¶咱们谈～; 우리 진지하게 이야기합시다.
〔正宫〕 zhènggōng ①《樂》 '六宫'의 하나인 정궁. ②명 〈簡〉 '正宫娘niáng娘'의 약칭《옛날, 황후를 말함. '东dōng宫' '西xī宫'과 구별하여 이렇게 불렀음》.
〔正骨〕 zhènggǔ 명 《漢醫》 접골(술). 정골(整骨). ¶～科; 접골과. 정골과.
〔正鹄〕 zhènggǔ〔zhēnggǔ〕 명 〈文〉 ①정곡. ②과녁(의 한가운데의 검은 점).
〔正观音〕 zhèngguānyīn 명 ⇨〔圣shèng观音〕
〔正官绿〕 zhèngguānlǜ 명 《色》 연두빛.
〔正规〕 zhèngguī 형 정규의. 정식의. ¶～学校; 정규 학교 / ～化; 정규화(하다) / ～教育; 정규 교육.
〔正规军〕 zhèngguījūn 명 정규군.
〔正轨〕 zhèngguǐ 명 ①정상적인 궤도. ¶纳入～; 정상적인 궤도에 올려놓다. ②올바른 길. 정도(正道). ¶走上～; 정도를 걷다.
〔正果〕 zhèngguǒ 명 《佛》 정과. 참다운 깨달음. =〔圣shèng果〕
〔正好〕 zhènghǎo 형 (시간·위치·체적·수량·정도가) 꼭 알맞다. ¶这双鞋我穿～; 이 신발은 나한테 꼭 맞는다 / 天气不冷不热, ～出去旅行; 덥지도 춥지도 않은, 여행에는 안성맞춤인 날씨다. 부 때마침. 공교롭게도. ¶这时～我站在门口; 이 때 때마침 나는 입구에 서 있었다.
〔正好像〕 zhèng hǎoxiàng 동 마치 …와 같다. =〔好像〕
〔正号(儿)〕 zhènghào(r) 명 《數》 플러스 부호《+》. ↔〔负号fùhào(儿)〕
〔正话(儿)〕 zhènghuà(r) 명 마음으로 생각하고 있는 말. 진지한〔진실된〕 말. ¶把～反说; 속에 없는 말을 하다.
〔正灰色〕 zhènghuīsè 명 《色》 진회색.
〔正火〕 zhènghuǒ 명 ⇨〔正常化〕
〔正货〕 zhènghuò 명 ①《經》 정화. ②제대로 된 상품. 규격 상품.
〔正极〕 zhèngjí 명 ⇨〔阳yáng极〕
〔正间〕 zhèngjiān 명 남향으로 된 정면의 방.
〔正交〕 zhèngjiāo 동 《數》 직각으로 교차하다.
〔正角(儿)〕 zhèngjiǎo(r) 명 《數》 정각. ⇒ zhèngjué(r)
〔正脚背踢球〕 zhèngjiǎobèi tīqiú 명 《體》 (축구의) 인스텝 킥(instep kick).
〔正教〕 Zhèngjiào 명 《宗》 그리스 정교(회). 동방(東方)교회. =〔东Dōng正教〕
〔正襟危坐〕 zhèng jīn wēi zuò 〈成〉 자세를 바로

하고 단정히 앉다. 태도를 단정 엄숙하게 갖다.
〔正经〕 zhèngjīng 명 '十三经'(십삼경)의 일컬음. ¶～正史; 정경과 정사(십삼경과 이십사사). 동 규칙을 지키다.
〔正净〕 zhèngjìng 명《劇》중국 전통극에서, '净⑦' 가운데 원로·대신·재상 따위의 역. =〔大面〕
〔正经〕 zhèngjing 형 ①진실하다. 성실하다. 올바르다. 단정하다. ¶～话; 진실한 말/～人; 진실한 사람. 단정한 사람/不～; ⓐ불성실하다. 단정하지 못하다. ⓑ(여자가) 몸가짐이 헤프다. ②정당하다. 바르다. 진지하다. ¶我们的钱必须用在～地方; 우리들의 이 돈은 정당한 데에 쓰지 않으면 안 된다/咱们说～的吧; 진지하게 이야기하다. ③정식이다. 표준〔규격〕에 맞다. ¶～货; 규격 상품/一年到头没有正正经经地睡过一夜; 1년 내 제대로 하룻밤을 잔 일이 없다/他现在没～工作; 그는 지금 정식 직업이 없다/他的中文不是～学的; 그의 중국어는 정식으로 배운 것이 아니다. 부〈方〉확실히. 정말로. ¶这黄瓜长得～不错呢; 이 오이는 참 잘 자랐다.
〔正剧〕 zhèngjù 명《劇》정극.
〔正角(儿)〕 zhèngjué(r) 명《劇》(중국 전통극의) 주역(主役). 주연. ¶～活儿; 중요한 일. ⇒ zhèngjiǎo(r).
〔正觉〕 zhèngjué 명《佛》정각. 참다운 깨달음의 경지.
〔正军〕 zhèngjūn 명 옛날, 군역에 징발되어 복무하는 사람(돈을 내고 병역을 면제받는 사람은 '贴tiē户'라 했음).
〔正楷〕 zhèngkǎi 명 (정체(正體)의) 해서(楷書). =〔正书〕〔正体③〕
〔正考官〕 zhèngkǎoguān 명 옛날, 과거(科擧)의 주(主)시험관.
〔正客〕 zhèngkè 명 주빈(主賓). ↔〔陪péi客〕
〔正蓝〕 zhènglán 명《色》쥐색을 띤 남빛.
〔正离子〕 zhènglízǐ 명《物》양이온. ¶用来测量轨道上的～浓度; 그것을 써서 궤도상의 양이온 농도를 측량하다. =〔阳离子〕
〔正理〕 zhènglǐ 명 정리. 바른 도리. ¶这样办倒是～; 이렇게 하는 것이 오히려 올바른 도리이다.
〔正脸(儿)〕 zhèngliǎn(r) 명 ①정면으로 향한 얼굴. 정면의 얼굴 모습. ②정면.
〔正梁〕 zhèngliáng 명《建》대들보. =〔脊jǐ檩〕
〔正路〕 zhènglù 명 ①정도. 올바른 길. ¶那孩子不走～; 저 아이는 정도를 걷지 않는다. ②출처가 바른 것. 본바닥의 것. ¶～野参shēn; 본고장의 산삼.
〔正论〕 zhènglùn 명 정론.
〔正卯〕 zhèngmǎo 명 옛날, 오전 6시 정각.
〔正门〕 zhèngmén 명 정문.
〔正面(儿)〕 zhèngmiàn(r) 명 ①정면. ¶大楼的～有八根大理石的柱子; 빌딩 정면에는 8개의 대리석 기둥이 서 있다. ②표면. 앞면. 겉. ¶牛皮纸的～比较光滑; 크라프트지(kraft紙)의 겉면은 비교적 반드럽다/不但要看问题的～, 还要看问题的反面; 문제의 겉만 볼 뿐 아니라, 그 이면도 보아야 한다. ③긍정적인〔적극적인〕 면. ¶～教育; 적극적인 교육. ④직접. 정면. ¶有意见～提出来; 의견이 있으면 직접 제기한다.
〔正面教员〕 zhèngmiàn jiàoyuán 명 진보적이라 평가되는 진실한 교사〔인물. 일〕. 좋은 본보기.
〔正面人物〕 zhèngmiàn rénwù 명 긍정적 인물(문예상의 전형상을 말함).
〔正面图〕 zhèngmiàntú 명 정면도. =〔主zhǔ视图〕
〔正名〕 zhèngmíng 동《哲》대의 명분을 분명히 하다. ¶～定分fèn;〈成〉명분을 분명히 밝히다.
〔正名(儿)〕 zhèngmíng(r) 명 바른 이름. 진짜 이름.
〔正命〕 zhèngmìng 명〈文〉천수(天壽).
〔正木理〕 zhèngmùlǐ 명 곧은 나뭇결.
〔正南巴北〕 zhèngnán bāběi ⇨〔正二八摆〕
〔正纽〕 zhèngniǔ →〔八bā病〕
〔正拍〕 zhèngpāi 명《體》(테니스의) 포핸드(forehand).
〔正牌货〕 zhèngpáihuò 명 ①진품. ②유명 상표 상품.
〔正派〕 zhèngpài 형 (품행이) 단정하다. 올바르다. 성실하다. ¶平时我认为你挺～的; 평소에 나는 자네가 상당히 성실하다고 생각하고 있다/～人物; ⓐ성실한 사람. ⓑ(영화·연극 등의) 착한 역. 명 ①정통(正統). ②품행 방정한 사람. ‖=〔正道dao〕
〔正片儿〕 zhèngpiānr 명〈口〉⇨〔正片〕
〔正片〕 zhèngpiàn 명《撮》①포지티브(positive) 필름. ②(영화의) 복사 프린트. 카피(copy). =〔拷贝②〕 ③(영화의) 장편 특작 영화. ④(영화 상영시의) 본편. ‖=〔正片儿〕
〔正品〕 zhèngpǐn 명 (공업 제품 등의) 규격품. 합격품. ¶～玛瑙; 규격에 맞는 마노.
〔正妻〕 zhèngqī 명 정처. 정실.
〔正气〕 zhèngqì 명 정기. 바른 기운. 공명 정대한 기개(氣槪). ¶～上升, 邪xié气下降; 정기가 위로 오르고, 사악한 기가 아래로 떨어져 내리다.
〔正腔〕 zhèngqiāng 명 ①정확한 음조〔발음〕. ②《劇》(중국 전통극에서) 배우의 노래나 반주의 진행역을 맡는 고수(鼓手).
〔正桥〕 zhèngqiáo 명《建》교량. 다리의 도리(다리의 주요 부분을 이루는 부분).
〔正巧〕 zhèngqiǎo 형 (마침) 공교롭다. ¶你来得～, 我们就要出发了; 너 마침 잘 왔구나, 우리는 지금 막 출발하려던 참이었는데. 부 마침. 때마침. ‖→〔正好〕〔刚好〕
〔正切〕 zhèngqiē 명《數》탄젠트(tangent).
〔正切水车〕 zhèngqiè shuǐchē 명 접선 수차(接線水車). 펠턴(Pelton) 수차.
〔正寝寿终〕 zhèng qǐn shòu zhōng〈成〉천수(天壽)를 다하고 죽다. =〔寿终正寝〕
〔正秋〕 zhèngqiū 명 음력 8월.
〔正取〕 zhèngqǔ 동 정식 채용하다〔되다〕.
〔正确〕 zhèngquè 형 정확하다. 바르다. 틀림없다. ¶～路线; 올바른 노선/他的发音又清楚又～; 그의 발음은 똑똑하고 정확하다/声调不太～; 성조는 그다지 정확하지 않다/～对待; 바르게 대하다〔다루다〕/这主张是很～的; 이 주장은 매우 올바르다.
〔正然〕 zhèngrán 부〈文〉바로.
〔正人〕 zhèngrén 명 바른 사람. 진실한 사람. ¶～君子;〈成〉정인 군자. 바르고 어진 사람. 인격자(현재는 흔히 인격자인 체하는 자를 풍자함)/～正事; 올바른 사람의 올바른 행위. 동〈文〉사람을 바로잡다. ¶～先正己; 남을 바로잡기 전에 자신을 바로잡아라.
〔正如〕 zhèngrú 마치 …와 같다. 바로 …와 같다. 흡사 …처럼. ¶～某人所说…; 바로 아무개가 말한 듯이….
〔正闰〕 zhèngrùn 명〈文〉①정통(正統)과 정통이

아닌 것. ②평년과 윤년.
〔正三补二〕 zhèngsān bǔ'èr 매매 중계인에 대한 사례에 관한 말(산 쪽은 값의 3/100, 판 쪽은 2/100를 지불함). =〔买mǎi三卖二〕
〔正三角形〕 zhèngsānjiǎoxíng 명《數》정삼각형.
〔正色〕 zhèngsè 명〈文〉원색(原色). 정색(다른 색이 섞이지 않은 청(青)·황(黃)·적(赤)·백(白)·흑(黑) 등의 색깔). 명동 엄한 표정(을 하다). 정색(하다). ¶～拒绝; 정색을 하고 거절하다.
〔正上手儿〕 zhèng shàngshǒur 정면의 상좌. ¶把老人扶到～, 他俩坐在两边; 노인을 도와 정면 상좌에 앉히고, 그들 두 사람은 양쪽에 앉았다.
〔正身〕 zhèngshēn 명 ①(대신이 아닌) 확실한 본인. ¶验明～; 조사한 결과 틀림없는 본인이다. ②(범죄의) 진범인. 장본인.
〔正生〕 zhèngshēng 명《劇》중국 전통극에서, 남자역의 주역(충신·현상(賢相) 등으로 분장하는 역).
〔正矢〕 zhèngshǐ 명《數》(삼각법에서의) 정시. 버스드사인(versed sine).
〔正史〕 zhèngshǐ 명 정사(사기(史記)·한서(漢書) 등 기전체(紀傳體)의 '二十四史'를 말함).
〔正使〕 zhèngshǐ 명 정사. 상사(上使).
〔正式〕 zhèngshì 형 정식의. 공식의. ¶～访问; 공식 방문 / ～婚hūn姻; 정식 혼인 / ～脱离关系; 정식으로 관계를 이탈하다〔끊다〕/ ～声明; 공식 성명. 공식적으로 성명하다 / ～邀请; 정식 초청(하다) / 我的中国语不是～学的; 나의 중국어는 정식으로 공부한 것이 아니다.
〔正式工〕 zhèngshìgōng 명 정규 노동자.
〔正事〕 zhèngshì 명 ①정업(正業). 정당한 사업. 정당한 생업. 올바른 일. ¶正人～; 올바른 사람의 올바른 행위. ②직무〔책임〕상 당연히 해야 할 일. 공적인 일. ¶～要紧; 공적인 일이 중요하다 / 有碍ài～; 본무(本務)에 지장이 있다.
〔正视〕 zhèngshì 동 정시하다. 직시하다. 똑바로 보다. ¶～现实; 현실을 직시하다 / 不忍～; 정시할 수가 없다 / ～图 =〔正面图〕; 입면도. 명 정상의 시력 또는 그 눈. ¶～眼; 정상 시력의 눈.
〔正室〕 zhèngshì 명 정실.
〔正适〕 zhèngshì 동 ⇨〔正值〕
〔正是〕 zhèngshì 동 바로 …이다. 바로 그렇다. ¶～时候儿; 바로 그 시기이다 / ～这样; 바로 이렇다 / 不是别人, ～他; 다른 사람 아닌 바로 그 사람이다.
〔正手〕 zhèngshǒu 명 ①정원(正員). 정식 멤버. ②본직으로 하는 자. 전문가. ③《體》(탁구·배드민턴 등의) 포어핸드(forehand).
〔正寿〕 zhèngshòu 명 50·60·70 등의 생신. ¶办～; (50·60·70 등의) 생일을 쇠다.
〔正书〕 zhèngshū 명 ⇨〔正楷〕
〔正数〕 zhèngshù 명《數》양수(陽數). 정수. ↔〔负fù数〕
〔正似〕 zhèngsì 흡사 …와 같다. =〔恰qià如〕
〔正所儿〕 zhèngsuǒr 명 ⇨〔正房①〕
〔正太太〕 zhèngtàitai 명 ⇨〔大dà太太〕
〔正堂〕 zhèngtáng 명 ①정면의 대청. 정당. =〔正厅①〕 ②청대(清代), 현(縣) 지사.
〔正题〕 zhèngtí 명 본제(本題). 주제. ¶转人～; 본제로 들어가다 / 回到～上来; 본제로 돌아가다 / 离开～; 주제에서 벗어나다.
〔正体〕 zhèngtǐ 명 ①바른 자세. ②(한자의) 정자체. ③해서(楷書). =〔正楷〕 ④(표음 로마자의) 인쇄체.
〔正厅〕 zhèngtīng 명 ①⇨〔正堂①〕 ②극장의 정면 관람석.
〔正统〕 zhèngtǒng 명 정통. ¶～派pài; 정통파 / ～思想; 정통 사상 / ～观念; 정통 관념.
〔正头夫妻〕 zhèngtóu fūqī 명 정식 부부.
〔正头娘子〕 zhèngtóu niángzi 명 ⇨〔大dà太太〕
〔正头香主〕 zhèngtóu xiāngzhǔ 명 ①정식 후계자. 당주(當主). ¶你父亲一死, 你就是～, 当然有权利可以出主意办事了; 너의 아버지가 돌아가시면 네가 후계자이니까 당연히 자신의 생각으로 일을 처리할 권리가 있다. ②〈轉〉당사자. 본임자. 본주(本主).
〔正途〕 zhèngtú 명 ①바른 길. 정도(正道). ②옛날, 시험에 급제하여 임관된 자의 칭호. ¶～出身; 시험을 쳐서 채용이 된 경력. 과거 출신.
〔正文(儿)〕 zhèngwén(r) 명 저작의 본문. 정문. ¶请参看～; 본문을 참고하시오.
〔正握〕 zhèngwò 명《體》(철봉에서) 손바닥을 밑으로 해서 잡는 것.
〔正屋〕 zhèngwū 명 ⇨〔正房①〕
〔正午〕 zhèngwǔ 명 정오. =〔中zhōng午〕〔〈方〉晌shǎng午〕
〔正误〕 zhèngwù 명 정오. 옳은 것과 틀린 것. 동 틀린 것을 바로 잡다. ¶～表 =〔勘kān误表〕; 정오표.
〔正弦〕 zhèngxián 명《數》사인(sin).
〔正弦板〕 zhèngxiánbǎn 명《機》사인바(sine bar)(공작물의 각도를 정확히 재는 도구). =〔正弦杆〕〔正弦规〕
〔正线〕 zhèngxiàn 명 간선(幹線). 본선.
〔正献〕 zhèngxiàn 명〈文〉제사의 주제자(主祭者).
〔正相反〕 zhèngxiāngfǎn 형 정반대이다. ¶方向～; 방향은 정반대이다.
〔正像〕 zhèngxiàng 명《撮》(사진의) 양화(陽畫). 포지티브(positive). 동 흡사 …와 같다. =〔好hǎo像〕
〔正薪〕 zhèngxīn 명 정해진 급료. 본봉. ¶他们的贴士, 常常超过～数倍; 그들의 팁은 늘 본봉의 몇 배가 넘는다.
〔正形儿〕 zhèngxíngr 명 바른 모양. 올바른 모습. ¶没～; 제대로의〔올바른〕 모습을 하고 있지 않다 / 这么大了还没～; 이렇게 컸는데도 아직 제대로의 모습을 하고 있지 않다.
〔正凶〕 zhèngxiōng 명《法》(살인 사건의) 주범(자). ↔〔帮凶〕
〔正选〕 zhèngxuǎn 명《體》정(正)선수. ¶四川球队的球员, 除十一个～外, 还有三个副选; 쓰촨 팀의 멤버는 11명의 정선수외에 3명의 후보 선수가 있다.
〔正言〕 zhèngyán 명동〈文〉바른 말(을 하다).
〔正言厉色〕 zhèng yán lì sè〈成〉말·표정을 엄하게 하다. 말투를 고치고 표정을 엄하게 하다.
〔正盐〕 zhèngyán 명《化》정염. =〔中性盐〕
〔正颜厉色〕 zhèng yán lì sè〈成〉정색을 하다. ¶～地谴责对方; 정색을 하고 상대를 나무라다.
〔正眼〕 zhèngyǎn 명 정시(正視). 정안(부사성 수식어로 많이 쓰임). ¶～看人; 사람을 똑바로 보다〔정시하다〕.
〔正阳〕 zhèngyáng 명〈文〉정월(正月).
〔正阳门〕 Zhèngyángmén 명《地》정양문(베이징(北京) 내성(內城)의 정문).
〔正要〕 zhèngyào 마침 …하려 하다. 바로 …하려던 참이다. ¶～回去, 他就慌忙地来了; 마침 돌아

가려는데 그가 허둥지둥 들이닥쳤다.
〔正业〕 zhèngyè 명 정업. 정당한 일〔직업〕. ¶不务～; 정당한 직업에 종사하지 않다.
〔正义〕 zhèngyì 명 ①정의. ¶～感gǎn; 정의감 / ～的事业; 정의로운 사업 / ～的战争; 정의의 전쟁 / 主持～; 정의를 지키다 / 伸张～; 정의를 신장시키다. ②〈文〉 바른 해석. 정확한 해석. ¶史记～; 《書》 사기 정의.
〔正因为〕 zhèng yīnwèi 접 바로〔틀림없이〕 …이기 때문에. 바로 …인 고(故)로《뒤에 흔히 '所以'가 오며, 때로 '才'도 씀》. ¶～努力奋斗, 所以战胜了困难; 바로 노력 분투했기 때문에 곤란을 이겨 낼 수 있었다 / ～这样, 才更不能变; 바로 이렇기 때문에 더욱 바꿀 수 없다. =〔正因〕
〔正阴〕 zhèngyīn 명 음력 10월.
〔正音〕 zhèngyīn 명 바른 자음(字音). 표준음. (zhèng,yīn) 동 틀린 발음을 바로잡다.
〔正用〕 zhèngyòng 명 〈文〉 정상적인 생활비. ② 정당한 용도(用途).
〔正鱼白〕 zhèngyúbái 명 《色》 엷은 연노랑.
〔正羽〕 zhèngyǔ 명 조류의 큰 깃.
〔正圆〕 zhèngyuán 명 정원.
〔正约〕 zhèngyuē 명 정식 계약.
〔正在〕 zhèngzài ①바로 …에 있다. ¶～当中; 바로 한가운데에 있다. ②부 마침〔한창〕 (…하고 있는 중이다). ¶～吃饭; 마침 식사중이다 / 他们～开(着)会; 그들은 지금 회의중입니다. 注 동사에 '着'를 붙이면 진행을 더욱 강조함.
〔正则〕 zhèngzé 명형 정칙(의). 정규(의). ¶～投货; 《經》 배가 위기에 처했을 때, 위기를 벗어나기 위하여 화주(貨主)의 승인을 얻어 화물을 바다에 던지는 일.
〔正站〕 zhèngzhàn 명 옛날, 길손이 정식으로 숙박하던 참(站)《일시적으로 휴식하던 곳을 '尖jiān站'이라 함》.
〔正张儿〕 zhèngzhāngr 명 신문의 중요 기사를 게재하는 면(面). 신문의 제1면.
〔正照〕 zhèngzhào 명 직사 광선.
〔正正经经〕 zhèngzhengjīngjīng 형 진지한〔성실한〕 모양.
〔正支〕 zhèngzhī 명 ①(규칙에 맞는) 정당한 지출. ②직계의 가계(家系). 종가(宗家).
〔正枝正叶〕 zhèngzhī zhèngyè 〈比〉 직계 자손.
〔正直〕 zhèngzhí 형 (성질이) 곧고 강직하다. 정직하다. ¶～无私; 정직하고 사심이 없다 / ～地写; 곧게〔있는 그대로〕 쓰다 / 为人～; 사람됨이 바르고 곧다.
〔正值〕 zhèngzhí 동 〈文〉 바야흐로〔마침. 한창〕 …인 때가 되다〔를 맞다〕. ¶～桃花盛开的时节; 바야흐로 복숭아꽃이 만발한 때가 되다. =〔正适〕
〔正质〕 zhèngzhì 형 순수한. ¶～赤牛皮纸; 순수한 크라프트지.
〔正中〕 zhèngzhōng 명 한가운데. 중앙. 중심점. ¶～墙上挂着一张条幅; 한가운데의 벽에 한 장의 세로로 된 족자가 걸려 있다.
〔正中下怀〕 zhèng zhòng xià huái 〈成〉 바로 내 마음과 꼭 들어맞다. 바로 내 뜻대로 되다.
〔正转〕 zhèngzhuǎn 동 오른쪽〔시계 방향〕으로 회전하다. =〔顺shùn时针向〕〔顺钟(方)向〕
〔正传〕 zhèngzhuàn 명 ①본문. 본 줄거리. 본론. ¶言归～; 〈成〉 이야기가 본 줄거리로 돌아가다. ②바른 전기(傳記). 정전.
〔正庄〕 zhèngzhuāng 명형 정규의 (물품). 진짜의 (물건).
〔正字〕 zhèngzì 명 ①해서(楷書)의 별칭《보통 '楷kǎi书'라고 함》. ②정자《'俗sú字'에 대해서 말함》. =〔本字〕 (zhèng,zì) 동 자형을 바로잡다.
〔正字法〕 zhèngzìfǎ 명 정자법. 정서법(正書法).
〔正宗〕 zhèngzōng 명 ①《佛》 정종. ②정통(파). ¶～学生; 정통의 제자.
〔正走子午〕 zhèng zǒu zǐwǔ 〈比〉 운이 좋다. ¶他现在～呢, 发了大财了; 그는 지금 마침 운이 닿아서 돈을 크게 벌었다.
〔正座(儿)〕 zhèngzuò(r) 명 극장에서 무대의 정면 좌석.

证(證) zhèng (증)
① 동 증명하다. ¶足～他的话不假jiǎ; 그의 말이 거짓이 아님을 충분히 증명할 수 있다 / ～以…足知…; …으로부터 …일을 알 수 있다. ②명 증거. 증서. 증명서. ¶购gòu货～; 물품 구입증 / 以此为～; 이를 그 증거로 하다 / 出口～; 수출 허가증 / 合格～; 합격증 / 作～; ⓐ증언하다. ⓑ증거로 삼다. ③명 《漢醫》 증상《발열 · 설사 등》.
〔证词〕 zhèngcí 명 증언.
〔证果〕 zhèngguǒ 명 《佛》 수행(修行)을 쌓고 도달한 깨달음의 결과.
〔证候〕 zhènghòu 명 ① ⇒〔症候①〕 ②〈轉〉 징후. 징조. ③〈轉〉 증명. 증거.
〔证婚人〕 zhènghūnrén 명 (옛날) 결혼의 증인.
〔证见〕 zhèngjiàn 명 증거. 증명.
〔证件(儿)〕 zhèngjiàn(r) 명 (신분 · 경력 등의) 증명서. 증거 서류. ¶学生～; 학생증.
〔证据〕 zhèngjù 명 증거. 근거. ¶～确凿; 증거가 확실하다 / ～不足; 증거가 부족하다.
〔证明〕 zhèngmíng 명동 증명(하다). ¶～文件; 증명 서류. 명 증명서. ¶医生～; (휴가를 받기 위해 내는) 의사의 진단서.
〔证明书〕 zhèngmíngshū 명 증명서. 증서. ¶工作～; 재직 증명서. 취로(就勞) 증명서. 근무 증명서 / 健康～; 건강 증명서. =〔凭píng证〕
〔证券〕 zhèngquàn 명 《經》 유가 증권. ¶～交易所; 증권 거래소.
〔证人〕 zhèngren 명 ①《法》 증인. ②(널리) 증명하는 사람.
〔证实〕 zhèngshí 명동 실증(하다). ¶这个报导还没～; 이 보도는 아직 확인되지 않았다 / ～假想; 가설을 실증하다 / 得到了～; 확인을 얻다. =〔征实〕
〔证书〕 zhèngshū 명 증명서《기관 · 학교 · 단체 등이 발행함》. ¶结婚～; 결혼 증명서 / 毕业～ =〔毕业文凭〕; 졸업 증명서.
〔证物〕 zhèngwù 명 《法》 증거물. 증거 서류.
〔证言〕 zhèngyán 명동 《法》 증언(하다).
〔证验〕 zhèngyàn 명동 실증(하다). 실효(를 얻다). ¶课外活动可以～课堂学习的知识; 과외 활동은 교실에서 배운 지식을 실증할 수 있다 / 已经有了～; 이미 효과가 나고 있다.
〔证引〕 zhèngyǐn 동 〈文〉 증거로 인용하다.
〔证章〕 zhèngzhāng 명 (신분을 증명하는) 배지(badge). 휘장.
〔证左〕 zhèngzuǒ 명 〈文〉 ①증거. ②증인.

怔 zhèng (정)
동 〈方〉 얼이 빠지다. ¶发fā～; 멍청해지다. 얼이 빠지다. ⇒zhēng

政 zhèng (정)
①명 정치. ¶专～; 전제 정치 / ～权; 정권 / 执～; 집정하다. ②명 국가의 어느 부문이

꾸지 않는다). ⑥어기(語氣)를 고르는 말. ¶不觉手之舞～, 足之蹈～; 자기도 모르게 손발이 춤을 추다 / 沛然下雨, 则苗浡然兴～矣; 비가 억수로 쏟아지니 모가 쑥쑥 자란다.

〔之不拉〕 zhībùlā 명 《動》〈音〉 제브러(zebra). 얼룩말. =〔斑马〕〔芝不拉〕

〔之古辣〕 zhīgǔlà 명〈音〉 초콜릿. =〔巧克力〕

〔之后〕 zhīhòu ①…뒤. …다음. …후(시간·장소의 뒤임을 나타내는데, 시간을 가리킬 때가 더 많음). ¶三天～我们又分手了; 사흘 뒤에 우리는 다시 헤어졌다 / 他们走在队长～; 그들은 대장의 뒤를 걸어가고 있다. ②그 후(단독으로 글의 첫머리에 쓰임). ¶～不久; 그 후 곧.

〔之乎者也〕 zhī hū zhě yě 〈成〉 문어를 젠체하며 쓰다. 학자인 체하며 딱딱한 말을 쓰다('之' '乎' '者' '也'는 문언문에서 상용(常用)되는 조사로, 흔히 야유적으로 쓰임). ¶他又～起来了; 그는 또 문어(文語)로 젠체하며 말하기 시작한다.

〔之内〕 zhīnèi …의 중. …의 속. …의 안. ¶包括在费用～; 비용 속에 포함되다.

〔之前〕 zhīqián …의 앞. …의 전(前)(시간·장소를 나타내며, 주로 시간에 많이 쓰임). ¶吃饭～要洗手! 식사 전에 손을 씻읍시다! / 考试～; 시험 전. 注 때로 단독으로 쓰일 때도 있음.

〔之上〕 zhīshàng …의 위. ¶他的本事在我～; 그의 솜씨는 나보다 낫다.

〔之所以〕 zhīsuǒyǐ …한 이유〔까닭〕(뒤에 '是(由于)' '是(因为)' '是(为了)' 등을 수반함).

〔之下〕 zhīxià …의 아래('在…之下'의 형식으로 어떤 상태·조건하에 있는 경우임을 나타냄). ¶在这种压迫～, 真受不了! 이런 압박하에서는 정말로 견딜 수가 없다! / 他的才能不在你～; 그의 재능은 자네 이하는 아닐세.

〔之子〕 zhīzǐ 명〈文〉 이 사람.

〔之字路〕 zhīzìlù 명 꼬부랑길.

〔之字线〕 zhīzìxiàn 명 전향선(轉向線)(가파른 고개를 올라가기 위한 지그재그의 철도선).

〔之字形〕 zhīzìxíng 명 갈짓자형.

芝 zhī (지)

①명 《植》 영지(靈芝). 복초(福草)(버섯 종류로서 서초(瑞草)로 침). ②명 《植》 구리때. ③형 수려(秀麗)하다. ¶～颜; 〈翰〉 존안(尊顔).

〔芝艾〕 zhī'ài 명 영지와 쑥. 〈比〉 귀천(貴賤). 현우(賢愚). ¶～俱尽 =〔玉石俱焚〕; 귀중한 것도 쓸모없는 것도 함께 없어지다.

〔芝标〕 zhībiāo 명〈翰〉 ⇨〔芝眉〕

〔芝草〕 zhīcǎo 명 ⇨〔灵líng芝〕

〔芝焚蕙叹〕 zhī fén huì tàn 〈成〉 동류 상련(同類相憐)하다. 같은 부류끼리 서로 슬픔을 나누다.

〔芝光〕 zhīguāng 명〈翰〉 ⇨〔芝眉〕

〔芝加哥〕 Zhījiāgē 명 《地》〈音〉 시카고(Chicago).

〔芝兰〕 zhīlán 명 지초와 난초. 향기로운 풀. 〈比〉 덕행 재지(才智)가 뛰어남. 우정이 돈독함. 환경이 훌륭함. ¶～玉树; 〈成〉 훌륭한 자제(분) / ～室 =〔～之室〕; 〈成〉 훌륭한〔좋은〕 환경.

〔芝麻〕 zhīma 명 《植》 참깨. ¶～子; 참깨알 / ～饼; ⓐ깻묵. ⓑ팥소를 넣고 양면에 깨를 뿌리고 구운 과자 / ～盐; 깨소금 / ～酱; 볶은 참깨를 으깬 조미료. 깨장 / ～糖; 깨엿 / ～酱面 =〔麻酱面〕; '～酱'을 섞은 국수 / ～馅儿; 깨소(으깬 깨에 설탕을 섞은 소) / ～开花; 〈歇〉 차츰 좋아지다. 점차로 향상하다 / ～掉到针眼儿里; 〈歇〉 깨가 바늘 구멍에 떨어지다(요행수. 뜻밖의 호기(好機)) / ～雕; 《鳥》 흰꼬리수리 / ～秸(儿); 깨를 털어 낸 후의 줄기(음력 정월에 솔가지와 함께 문에 건 후에 태워 버림). =〔油麻〕〔脂麻〕 형 〈比〉 아주 작다. ¶～大的事; 사소한 일. 하찮은 일 / ～绿豆官; 〈比〉 하찮은 역할.

〔芝麻油〕 zhīmáyóu 명 참기름. =〔麻油〕〔香油②〕

〔芝眉〕 zhīméi 명〈翰〉 존안(尊顔). =〔芝标〕〔芝光〕〔芝颜〕〔芝仪〕〔芝宇〕

〔芝泥〕 zhīní 명〈文〉 인주.

〔芝颜〕 zhīyán 명〈翰〉 ⇨〔芝眉〕

〔芝仪〕 zhīyí 명〈翰〉 ⇨〔芝眉〕

〔芝宇〕 zhīyǔ 명〈翰〉 ⇨〔芝眉〕

氏 zhī (지)

→〔阏Yān氏〕〔月Yuè氏〕 ⇒ shì

泜 Zhī (지)

명 《地》 즈허(泜河) 강(허베이 성(河北省) 남부에 있는 강 이름).

祗 zhī (지)

동 〈文〉 삼가다. 공경하다. ¶～遵; 〈翰〉 삼가 따르다 / ～奉; 삼가 …하다 / ～候光临; 〈翰〉 삼가 왕림하시기를 기다리겠습니다 / ～颂台安; 삼가 평안하시기를 축수합니다 / 仰祈鉴核～遵; 〈公〉 심사하시고 무슨 분부를 내리시면 삼가 지시대로 처리하겠습니다.

胝 zhī (지)

명 손발의 못. 굳은살. =〔胼pián胝〕〔跰胝〕

骶 zhī (지)

→〔跰pián骶〕

支 zhī (지)

①동 지지하다. ¶我～持你的意见; 나는 자네 의견을 지지한다 / 右～; 우파를 지지하다. ②동 지불하다. 지출하다. ¶收～相抵; 수지가 균형이 맞다. ③동 시키다. 지시하다. 하게 하다. ¶～出梁去; 양(梁)씨에게 나가 있게 하다 / 才把他～走了; 겨우 그를 돌려 보냈다 / 把他们都～出去; 그들을 내보내다. ④동 (막대기 등으로) 받치다. 괴다. 버티다. ¶～帐房; 천막을 치다 / ～篷子; 텐트를 치다 / 用一根棍子～起来; 막대기로 버티다. =〔搘〕 ⑤동 버티다. 견디다. 참다. ¶乐不可～; 좋아서 못 견디다 / 体弱不～; 몸이 약해서 버텨 내지 못하다. ⑥동 연기하다. 늦추다. ¶一天一天地～日子; 하루하루 날짜를 끌다 / 由上月～到本月, 计划还订不出来; 지난 달에서 이 달로 연기해도 계획은 아직 잡히지 않았다. ⑦동 (금전을) 받다. 수령하다. ¶先～十元; 10원을 가불하다 / 他已经～了工资; 그는 벌써 봉급을 탔다 / 每月～五十元的薪水; 월급 50원을 받다. ⑧동 (말로) 속이다. (말로 중심·본제(本題)에서) 빗나가게 하다. ⑨양 ㉠부대·대오(부대·대오를 세는 말). ¶一～军队; 일대(一隊)의 군대. ㉡자루(막대 모양의 물건을 세는 말). ¶一～笔; 한 자루의 붓 / 一～铅笔; 한 자루의 연필 / 一～香烟; 담배 한 개비. ㉢곡(노래·음악을 세는 말). ¶两～新的乐曲; 두 곡의 새로운 악곡. ㉣촉(전등의 촉광을 나타내는 말). ¶六十～光; 60촉 / 您要多少～烛光的? 당신은 몇 촉짜리가 필요하십니까? ㉤(방적(紡績)의) 번수(番手). ¶60～纱; 60번수 면사. ㉥힘을 하나의 종합된 것으로 세는 말. ¶一～力量; 하나의 힘. 하나의 세력. ⑩명 십이지(十二支). =〔地支〕 ⑪명 갈라져 나간 것. ¶～线; 지선 / ～流; 지류 / ～部; 지부. ⑫명 전보 일부(日附)의 4일. ⑬명 성(姓)

의 하나.
〔支边〕 zhī.biān 동〈簡〉'支援边疆'(변경(티베트·칭하이(青海)·신장(新疆) 등)의 개발을 지원하다)의 준말. ¶～青年; 변경 지원 청년(변경 개발을 지원하기 위하여 변경에 '下放'한 도시의 지식청년).
〔支拨〕 zhībō 명동 (돈을) 지출(하다). 지불(하다).
〔支部〕 zhībù 명 당파·단체의 말단 조직. 세포(細胞). 지부. ¶～书记 =〔〈簡〉支书〕; 공산당의 지부장(支部長) / ～生活; 지부의 정기적인 집회.
〔支差〕 zhī.chāi 동 ①옛날, 파견되다. 징용되어 일하다. ②파견하다. 일을 시키다.
〔支撑〕 zhīcheng 동 ①떠받치다. ②지탱하다. 가까스로 버티다. 힘써 견디다. ¶一家的生活由他一人～; 일가의 생활을 그 혼자의 손으로 지탱하고 있다. 명《建》버팀목. 지주(支柱). ‖ =〔枝撑〕
〔支持〕 zhīchí 동 전출 전력으로 지탱하다. 견디어 내다. ¶由于流血过多, 有些～不住了; 출혈이 심해서 참고 견딜 수가 없게 되었다 / 两腿～不住了; 두 다리는 버틸 수가 없게 됐다. 명동 지지(支持)(하다). 후원(하다). ¶～他学习技术; 그가 기술을 배우는 것을 후원하다 / 得到群众的～; 대중의 지지를 받다 / 在农民的～下; 농민의 지지 아래.
〔支持器〕 zhīchíqì 명《機》지지기. 홀더(holder). ¶歪轮～; 캠 홀더(cam holder) / 牵力滑轮～; 텐션 풀리 홀더(tension pulley holder).
〔支出〕 zhīchū 명 지출. ¶一大笔～; 다액(多額)의 지출. 동 지출하다.
〔支绌〕 zhīchù 동〈文〉(돈·물자가) 부족하다. ¶经费～; 경비가 부족하다.
〔支船〕 zhīchuán 동 상앗대질하다. =〔撑chēng船〕
〔支单〕 zhīdān 명 ⇨〔支票〕
〔支点〕 zhīdiǎn 명 ①《物》받침점. 지점. ②활동·운동을 성공시키는 근거.
〔支店〕 zhīdiàn 명 지점. →〔分fēn店〕
〔支队〕 zhīduì 명《軍》①지대. ¶游击～; 게릴라 지대. ②임시로 조직되는 부대. ¶先遣～; 선발부대. 선견대.
〔支对〕 zhīduì 동 ①말로 구슬리다. ②응대〔응답〕하다. ¶周瑜无言～; 주유는 대답할 말이 없었다. ③대처〔대응〕하다.
〔支付〕 zhīfù 명동 지불(하다). 지급(하다). ¶～手段; 《經》지불 수단 / ～保证支票; 《經》지급 보증 수표 / ～费用; 비용을 지불하다.
〔支付协定〕 zhīfù xiédìng 명《貿》지불 협정. ¶签订贸易议定书和～; 무역 의정서와 지불 협정을 체결하다.
〔支杆〕 zhīgān 명 지주(支柱).
〔支根〕 zhīgēn 명 ⇨〔侧cè根〕
〔支工〕 zhī gōng 공업·노동자를 지원하다.
〔支锅瓦儿〕 zhīguowǎr 명 냄비를 받치는 데 쓰는 기와. 기와로 된 삼발이(풍로 등의 위에 놓고 냄비를 받침).
〔支骸〕 zhīhái 명《生》사람의 사지(四肢)와 뼈.
〔支行〕 zhīháng 명 (은행·상사(商社)의) 분점. 지점. 출장소. →〔分fēn行〕
〔支号〕 zhīhào 명 지점(支店).
〔支护〕 zhīhù 동 받혀서 지키다.
〔支颊〕 zhījiá 동 (손으로) 턱을 괴다. =〔〈文〉支颐〕
〔支架〕 zhījià 동 받치다. 버티다. 명 받침대. 받침. 지지대.
〔支架子〕 zhī jiàzi 겉을 꾸미다. 겉모양을 차리다.
〔支节〕 zhījié 명 곁가지.
〔支解〕 zhījiě 명 옛날에, 사지를 자르던 혹형(酷刑). 동 ①(조직 등을) 해체하다. ②〈轉〉영토를 분할하다. ¶～巴基斯坦; 파키스탄 분할. ‖ =〔枝解〕〔肢解〕
〔支借〕 zhījiè 동 가불하다.
〔支局〕 zhījú 명 지국.
〔支开〕 zhīkāi 동 ①받쳐서 열다. ②(구실을 붙여서) 그 자리에서 떠나게 하다. 따돌리다. =〔支走〕
〔支款〕 zhī.kuǎn 동 ①돈을 수취하다. ②돈을 지불〔지출〕하다.
〔支款凭信〕 zhīkuǎn píngxìn 명 ⇨〔支银凭信〕
〔支兰〕 zhīlán 명《植》잔신 나물.
〔支楞八翘〕 zhīléng bāqiào 가지런하지 않다. 흩어져 있다. ¶那头发却一点也没压服, ～; 머리털이 착 붙어 있지 않고, 헝클어져 있다.
〔支棱〕 zhīleng〈方〉동 바로 세우다. 직립(直立)시키다. ¶～着耳朵; 귀를 세우다. 귀를 기울이다. 형 꼿꼿이 서다. 기운이 나다. 싱싱하다. ¶花儿～起来了; 꽃이 싱싱해졌다 / 树长得很茂盛, 枝叶都支支棱棱的; 나무가 우거지고, 가지와 잎이 싱싱하다. ‖ =〔支楞〕
〔支离〕 zhīlí 형 ①흩어져 있다. 불완전하다. ¶～灭裂; 지리멸렬하다. ¶～破碎;〈成〉지리멸렬하다. 산산조각나다. ②(언어·문자가) 번거롭고 난잡하다. 통일성이 없다. 무질서하다. ¶言语～; 말이 조리가 없다. ‖ =〔支支离离〕
〔支流〕 zhīliú 명 ①지류. ¶汉水是长江的～; 한수이 강은 양쯔 강의 지류이다. =〔支水〕 ②〈比〉부차적인 일. ¶看问题要分清主流和～; 문제의 주된 면과 부차적인 면을 똑똑히 분간해야 한다.
〔支炉(儿)〕 zhīlú(r) 명 질냄비 비슷한, 구멍 뚫린 질 판(板)('烙lào饼(儿)'를 굽는 데 씀). =〔炙zhì炉(儿)〕
〔支路〕 zhīlù 명 ①기로(岐路). 갈림길. ②지선(支線). =〔支线〕
〔支脉〕 zhīmài 명 지맥.
〔支那〕 Zhīnà 명《地》옛날에, 인도·그리스·로마 등지에서 중국을 일컫던 말('秦qín'의 와전(訛轉)).
〔支奈〕 zhīnài 명《植》시나(cina)(줄기와 잎에 특이한 향기가 있어, 회충 구충제 산토닌의 원료가 됨).
〔支农〕 zhī nóng 농업·농민을 지원하다.
〔支农池〕 zhīnóngchí 명 농업용 저수지.
〔支派〕 zhīpài 명 분파. 지파. =〔流派①〕
〔支派〕 zhīpai 동 ①파견하다. ②지시하다. 시키다. ¶他不喜欢听人～; 그는 남한테 지시받는 것을 싫어한다. ‖ =〔支使〕
〔支配〕 zhīpèi 명동 ①지배(하다). 지시(하다). 좌우(하다). ¶思想～行动; 사상은 행동을 좌우한다 / 受坏思想～; 나쁜 사상에 지배되다. ②배분(配分)(하다). 할당(하다). 배치(하다). 안배(하다). ¶合理地～时间; 합리적으로 시간을 할당하다.
〔支票〕 zhīpiào 명 수표. ¶记名～ =〔抬头人～〕; 기명 수표 / 无记名～ =〔见票即付～〕; 지참인 지급 수표 / 保付～ =〔保证兑现～〕; 지급 보증 수표 / 空kōng头～; 공수표. 부도 수표 / ～簿 =〔～本子〕; 수표책. 수표첩(帖). =〔支单〕
〔支气管〕 zhīqìguǎn 명《生》기관지(氣管支). ¶～炎; 기관지염. =〔气管支〕
〔支前〕 zhīqián〈簡〉⇨〔支援前线〕

〔支渠〕 zhīqú 명 구거(溝渠)의 지류.
〔支取〕 zhīqǔ 명 수지(收支). 동 (금전을) 받다. 인출하다. ¶～工资; 임금을 받다 / ～存款; 예금을 찾다.
〔支日子〕 zhī rìzi 기일을 늦추다.
〔支伞〕 zhīsǎn 동 우산을 쓰다〔받다〕. =〔打dǎ伞〕
〔支使〕 zhīshi 동 ①파견하다. 보내다. ②지시하다. 시키다. 명령하다. ¶把他～走; 그를 가게 하다 / 他竟说车轱辘话, 是酒～的; 그가 같은 말을 되풀이하고 있는 것은 술이 그렇게 시키고 있는 것이다. ‖ =〔支派pai〕
〔支庶〕 zhīshù 명 서자(庶子).
〔支数〕 zhīshù 명 《紡》 (섬유 제품의) 번수(番手).
〔支水〕 zhīshuǐ 명 지류(支流). =〔支流①〕
〔支腾〕 zhīteng 동 견더 내다. 지탱하다. ¶失业以后还那么～着, 真不容易; 실업하고 나서도 저렇게 버틴다는 것은 정말 쉬운 일이 아니다.
〔支(头)螺丝〕 zhī(tóu) luósi 명 ⇨〔固gù定螺钉〕
〔支委会〕 zhīwěihuì 명 〈簡〉 '支部委员会'(지부위원회)의 약칭.
〔支吾〕 zhīwu 동 말끝을 흐리다. 발뺌하다. 얼버무리다. 둘러대다. 말로 속이다《고서(古書)에서는 '枝梧'·'枝捂'로도 썼음》. ¶一味～; 시종 일관 변명으로 발뺌하다 / ～了liǎo事; 얼버무려 일을 끝내 버리다 / ～其词; 〈成〉 말을 얼버무리다 / ～不过去; 변명하여 발뺌할 수 없다 / 言语～, 很可疑; 말하는 것이 앞뒤가 맞지 않아, 심히 이상하다. =〔支唔〕〔枝捂〕
〔支线〕 zhīxiàn 명 (교통 노선의) 지선. =〔支路②〕 ↔〔干线〕
〔支薪〕 zhīxīn 동 봉급을 지불하다.
〔支颐〕 zhīyí 동 ⇨〔支颊〕
〔支银凭信〕 zhīyín píngxìn 명 《貿》 신용장. 엘시(L/C). ¶今发给宋莱贤～一件; 이번에 송래현(宋萊賢)씨에게 신용장을 한 통 발행했습니다. =〔支款凭信〕〔活huó支汇信〕
〔支应〕 zhīyìng 동 ①대처〔대응〕하다. 변통하다. 꾸려 나가다. ¶那时候, 光是吃饭, 也～不下来; 그 무렵에는 먹는 것조차도 꾸려 나가기가 어려웠다. ②적당히 다루다. 얼버무리다. ¶把他～着回家了; 그를 적당히 얼러서 집에 가게 해라. ③당번을 하다. 대기하다. ¶～门户; 집에서 대기하다. 집을 지키다 / 留一个人～门; 문지기로 한 사람 남겨 두다.
〔支用〕 zhīyòng 동 (봉급 등을) 가불해서 쓰다.
〔支援〕 zhīyuán 명동 지원(하다). 원조(하다). ¶捐钱～灾区人民; 돈을 기부하여 이재민을 돕다 / ～农业; 농업을 지원하다 / 派技术人员去～边疆; 기술자를 파견하여 변경 지구를 원조하다.
〔支援前线〕 zhīyuán qiánxiàn 전선을 원조하다. 일선 부대를 지원하다. =〔支前〕
〔支扎〕 zhīzā 동 떠받치고 묶다. 〈比〉 설비하다. 설치하다.
〔支帐子〕 zhī zhàngzi 모기장을 치다.
〔支账〕 zhīzhàng 동 (구실을 대고) 꾼돈의 지불을 미루다.
〔支招儿〕 zhīzhāor 동 ⇨〔支着儿〕
〔支着儿〕 zhīzhāor 동 ①(바둑 등에서) 훈수하다. ¶我们俩下一盘棋见个高低, 诸位千万别～; 우리 두 사람이 한 판 두어 솜씨를 겨룰 테니 여러분은 절대로 훈수하지 마십시오. ②꾀를 일러 주다. ¶你别胡～, 他自己有办法; 쓸데없이 옆에서 꾀를 일러 주지 마라. 그에게도 나름대로 생각이 있다. ‖ =〔支招儿〕
〔支支〕 zhīzhi 형 팽팽하다. 빳빳하다《항상 뒤에 '着'를 수반함》. ¶袖儿～着; 소매가 빳빳하다.
〔支支动动儿拨拨转转儿〕 zhīzhi dòngdongr bōbo zhuànzhuanr 찌르면 움직이고, 튕기면 돈다. 〈比〉 만사 수동적이다. 적극적·자발적으로 하지 않다.
〔支支离离〕 zhīzhilílí 형 ⇨〔支离〕
〔支柱〕 zhīzhù 명 ①지주. 버팀목. 받침대. ¶在墙上顶上一根～; 담에 살대를 버티다. ②〈比〉 지주. 기둥. ¶他是一家的～; 그는 한 집안의 기둥이다.
〔支柱蓼〕 zhīzhùliǎo 명 《植》 눈범꼬리.
〔支桩〕 zhīzhuāng 명 버팀목. 받침대. 동 속여서 연기시키다. 얼버무려 발뺌하다. ¶既不能答应, 又不好拒绝, 只有一个～的法子; 승낙은 할 수 없고 또 거절할 수도 없으니, 얼버무려서 미루는 수밖에 도리가 없다.
〔支子〕 zhīzǐ 명 〈文〉 서자(庶子). =〔别子〕
〔支子〕 zhīzi 명 ①받침대. ¶火～; (냄비 따위를 올려놓는) 삼발이 / 车～; 손수레 따위의 버팀목. ②석쇠.
〔支走〕 zhīzǒu 동 ⇨〔支开②〕
〔支嘴儿〕 zhī‚zuǐr 동 〈方〉 옆에서 참견하다. 조언(助言)하다. 훈수하다. ¶他爱看人家下棋, 可从来不～; 그는 남이 장기 두는 것을 보기는 좋아하지만 훈수는 하지 않는다.
〔支座〕 zhīzuò 명 《機》 축(軸)받이. 지대(支臺). 받침대.

吱 zhī (지)
〈擬〉 ①짹짹《새 소리》. ②끼익. 삐걱. →〔嘎gā吱〕〔吱呦〕 ⇒ zī
〔吱呦〕 zhīniū 〈擬〉 삐걱삐걱. ¶这个抽屉拉出来的时候～～地响; 이 서랍은 열 때면 삐걱삐걱 소리가 난다.

枝 zhī (지)
①(～儿, ～子) 명 (나뭇)가지. ¶树～; 나뭇가지 / 长zhǎng～儿; 가지가 뻗다 / 本固～荣; 〈成〉 줄기가 튼튼하면 가지도 무성해진다. ②명 사물의 말단. ③명 분파(分派). ④명 수족(手足). ⑤명 지주(支柱). ⑥명 십이지(十二支). ⑦양 ㉠가지《꽃이 달린 가지를 세는 말》. ¶一～梅花; 매화꽃 한 가지. ㉡자루《가늘고 긴 물건을 세는 말》. ¶一～枪; 총 한 자루 / 两～香烟; 담배 두 가치. ⑧동 갈리다. ⑨동 지탱하다. ⇒ qí
〔枝杈〕 zhīchà 명 나뭇가지의 갈라진 곳. =〔枝丫〕
〔枝撑〕 zhīchēng 명동 ⇨〔支撑〕
〔枝繁叶茂〕 zhīfán yèmào 가지와 잎이 무성하다. =〔枝盛叶茂〕
〔枝干〕 zhīgàn 명 ①가지와 줄기. ②천간(天干)과 지지(地支).
〔枝接〕 zhījiē 명동 접목(하다). =〔嫁jià接〕
〔枝节〕 zhījié 명 나뭇가지와 마디. 〈轉〉 ①하찮은 것. 자질구레한 일. 사소한 문제. ¶不要过多地注意那些枝枝节节! 너무 그렇게 지엽 말절에 구애되지 말라! ②(문제 해결상의) 곤란. 성가심. 귀찮은 일. ¶横生～; 〈成〉 뜻밖의 곤란이 생기다.
〔枝解〕 zhījiě 명동 ⇨〔支解〕
〔枝路〕 zhīlù 명 갈림길. 지선(支線).
〔枝蔓〕 zhīmàn 형 〈比〉 번거롭고 어수선하다. 번잡하다. ¶文字～, 不得要领; 문장이 번잡하여 요령 부득이다. 명 가지와 마디.
〔枝栖〕 zhīqī 명 새가 앉아서 머무는 가지. 〈比〉

생활해 나갈 수 있는 지위나 직업. 보금자리.
〔枝儿〕 zhīr 명 나뭇가지. =〔枝子〕
〔枝梢〕 zhīshāo 명 우듬지.
〔枝条〕 zhītiáo 명 나뭇가지.
〔枝头〕 zhītóu 명 가지의 끝. 〈比〉 좋은 일자리.
〔枝捂〕 zhīwú 동 ⇨〔支吾〕
〔枝形挂灯〕 zhīxíng guàdēng 명 샹들리에(프 chandelier). =〔枝形灯架〕
〔枝丫〕 zhīyā 명 ⇨〔枝杈〕
〔枝叶〕 zhīyè 명 ①가지와 잎. ¶砍倒大树, 还怕～不死; 줄기를 베어 버리면 가지와 잎은 살지 못한다. ②〈比〉 근본이 아닌 것. 여분의 것. 자질구레한 것. ③〈比〉 자손.
〔枝针〕 zhīzhēn 명 (탱자나무 따위의) 가지에 있는 가시.
〔枝子〕 zhīzi 명 나뭇가지. ¶干树～; 마른 나뭇가지. =〔枝儿〕 양 부대(部隊). ¶一～军队; 일대(一隊)의 군대.

肢 zhī (지)
명 ①사람의 수족(手足). 사지(四肢). ¶四～无力;수족에 힘이 없다. ②동물의 발. ¶猴儿前～长, 后～短; 원숭이의 앞발은 길고, 뒷발은 짧다. ③새의 날개와 발.
〔肢残人〕 zhīcánrén 명 지체 장애자.
〔肢骨〕 zhīgǔ 명 수족의 뼈.
〔肢解〕 zhījiě 명동 ⇨〔支解〕
〔肢势〕 zhīshì 명 가축이 사지(四肢)로 선 자세(노역(勞役) 능력을 평가하는 근거).
〔肢体〕 zhītǐ 명 ①수족(手足). ②수족과 몸. 지체.
〔肢体语言〕 zhītǐ yǔyán 명 〈婉〉 치고받는 싸움. 난투.

㞢 zhī (지)
'之'의 고체(古體)로, 주음 부호(注音符號)의 하나.

只(隻) zhī (척)
①형 단독의. 단 하나의. ②명 기수(奇數). ③형 극히 근소한. 끄트러기의. ④양 ㉠마리(동물·조류를 세는 말). ¶一～鸡; 닭 한 마리/三～鸟; 세 마리의 새. ㉡짝. 쪽(쌍으로 된 물건의 하나를 세는 말). ¶一～鞋; 신발 한 짝/一～眼睛; 한쪽 눈/一～手套儿; 한쪽 장갑. ㉢척(배를 세는 말). ¶一～小船; 작은 배 한 척. ㉣개. ¶一～箱子; 상자 하나/一～手表; 손목시계 하나/一～竹篮; 대바구니 하나. ㉤〈方〉 사람을 세는 말. ¶一～人; 한 사람. ㉥(축구·농구 등의) 슛의 횟수를 세는 말. ¶转了半天一～球也没投进; 한참을 뛰어 돌아다녔지만, 한 골도 못 넣었다. ⇒zhǐ
〔只句〕 zhījù 명 단독의 구(句). 간단한 문장(다른 것과 관련 없이 쓰인 말). ¶片言～; 〈成〉 한두 마디의 대수롭지 않은 말. 별 의미가 없는 말.
〔只身〕 zhīshēn 명 단신(單身). 홀몸. ¶～独往; 홀로 가다/～赴任; 단신으로 부임하다.
〔只手〕 zhīshǒu 명 한(쪽) 손.
〔只言〕 zhīyán 명 대수롭지 않은 말. 한 마디의 말. ¶～片语;〈成〉 일언 반구. 편언 척구(片言隻句).
〔只眼〕 zhīyǎn 명 〈文〉 ①애꾸눈. ②독자적(獨自的) 견해. 남이 갖지 못한 날카로운 안광(眼光). 탁견(卓見). 남다른[독특한] 견해. ¶独具～; 독특한 견해를 갖고 있다.
〔只眼开, 只眼闭〕 zhīyǎn kāi, zhīyǎn bì 눈 감아 주다. 너그러이 봐주다. ¶这些特权人物所干的事情, 警察照例～, 或视而无睹; 이런 특권층 인물이 한 일은 경찰도 의례 관대히 봐주거나, 또는 보고도 못 본 체해 버린다.
〔只影〕 zhīyǐng 명 〈文〉 하나의 그림자. 단신(單身). 외톨이.
〔只字〕 zhīzì 명 한 자. ¶片言～; 일언 반구.
〔只字不提〕 zhī zì bù tí 〈成〉 한 마디도 하지 않다. 내색도 않다. =〔只字不谈〕

织(織) zhī (직)
①동 직조하다. 짜다. 뜨다. ¶～毛衣; 스웨터를 짜다/～花边; 레이스뜨기를 하다/蜘蛛～网; 거미가 거미줄을 치다. ②동 조성하다. 결합하다. ③명 베틀. 베틀일. ④명 직조기로 짠 천. ⑤〈比〉 교착하다. 뒤엉키다. ¶车辆往来如～; 차량이 (베 짤 때 북이 분주하게 왔다갔다 하듯이) 꼬리를 물고 왔다갔다 하다/几个想头交～在一起; 몇 가지 생각이 한데 뒤섞여 엉키다.
〔织补〕 zhībǔ 동 (옷의 해진 데를) 짜깁다. (옷의 구멍난 데를) 깁다.
〔织布〕 zhī bù 《紡》 베를 짜다. ¶～厂; 직조 공장.
〔织布机〕 zhībùjī 명 《紡》 직조기.
〔织布娘〕 zhībùniáng 명 《蟲》 귀뚜라미.
〔织户〕 zhīhù 명 베짜는 집. 편물집.
〔织活〕 zhīhuó 명 편물. 뜨개질.
〔织匠〕 zhījiàng 명 베짜는 사람.
〔织锦〕 zhījǐn 명 《紡》 ①여러 가지 무늬를 넣어 짠 단자(緞子). ②도안·그림·자수 같은 것을 짜낸 견직물.
〔织毛线〕 zhī máoxiàn 뜨개질하다. 털실로 짜다.
〔织毛线针〕 zhīmáoxiànzhēn 명 뜨개 바늘(털실용). =〔打活针(儿)〕〔毛线针〕〔毛衣针〕〔织针〕
〔织毛衣〕 zhī máoyī ⇨〔打dǎ毛衣〕
〔织呢厂〕 zhīníchǎng 명 모직물 공장.
〔织女〕 zhīnǚ 명 ①옛날, 직녀. 베짜는 여인. ② ⇨〔织女星〕
〔织女星〕 zhīnǚxīng 명 《天》 직녀성. =〔织女②〕
〔织绣〕 zhīxiù 명 직물과 자수.
〔织针〕 zhīzhēn 명 ⇨〔织毛线针〕

卮〈巵〉 zhī (치)
명 〈文〉 옛날의 술잔. ¶漏lòu～; 새는 술잔. 〈轉〉 ⓐ이권(利權)이 밖으로 흘러나가다. ⓑ손실. ⓒ결함.
〔卮言〕 zhīyán 명 ①상대방 생각에 맞추기만 하고 정견이 없는 말. ②지리멸렬(支離滅裂)한 말. ③자기의 저작을 이르는 말.
〔卮子〕 zhīzi 명 《植》 치자나무. =〔栀子〕

栀〈梔〉 zhī (치)
→〔栀子〕
〔栀子〕 zhīzi 명 《植》 치자나무. =〔卮子〕

汁 zhī (즙)
(～儿) 명 액즙(液汁). 즙. ¶橘～; 오렌지 주스/果～(儿); 과즙/乳～; 젖.
〔汁膏〕 zhīgāo 명 끈적끈적한 덩어리. 젤리.
〔汁浆〕 zhījiāng 명 즙. =〔浆汁〕
〔汁儿〕 zhīr 명 즙. ¶这种果子, ～很多; 이 과일은 즙이 많다.
〔汁水(儿)〕 zhī shui(r) 명 〈方〉 즙. 액즙.
〔汁液〕 zhīyè 명 즙액. 즙.
〔汁子〕 zhīzi 명 ①즙액. 즙. ②모유(母乳).

知 zhī (지)
①동 알다. 깨닫다. ¶毫háo无所～; 조금도 아는 바가 없다/无所不～; 모르는 것이 없다/深～其中的苦楚; 그간의 괴로움은 잘 알고 있다/略～一二; 다소 알고 있다. ②동 알리다.

¶通～; 통지하다/示～; 〈公〉 지시하여 통지하다. ③동 관장하다. 주관하다. ④동 사귀다. 서로 이해하다. ¶相～; ⓐ서로 잘 알다. ⓑ지기. 친구. ⑤명 〈文〉 친한 친구. ¶故～; 오랜 친구. ⑥명 지식. 학식. 학문. ¶求～; 지식을 구하다/无～; 무지(하다). ⑦동 장(長)이 되다.

〔知白守黑〕 zhī bái shǒu hēi 〈成〉 광명이 귀한 줄 알면서 어두운 것을 버리기 어렵다《마음 속에 옳고 그름을 알면서 모르는 체하고, 과묵함을 옳게 여기는 태도. 옛날의 도가(道家)의 처세 태도》.

〔知宾〕 zhībīn 〈方〉 ⇨〔知客①〕

〔知兵〕 zhībīng 동 병법(兵法)에 정통하다.

〔知不道〕 zhībudào 동〈北方〉 모르다. =〔不知道〕

〔知不知道〕 zhībuzhīdào 알고 있는가《바르게는 '知道不知道?'》.

〔知耻〕 zhīchǐ 동 수치〔염치〕를 알다. ¶～近乎勇; 수치를 안다는 것은 용기에 가깝다.

〔知春〕 zhīchūn 동 ⇨〔怀huái春〕

〔知单〕 zhīdān 명 (옛날, 초대받는 사람의 명단을 적은 약식) 초대장《심부름꾼이 회람을 돌리는데, 승낙하면 '知' '敬知' 등으로, 불참은 '谢' '心领(谢)' 등으로 씀》. ¶但我在～上只写了一个知字; 초대장에 '知' 라고만 썼다(하지만 결석했다).

〔知道〕 zhīdao 동 ①알다. ¶你要～; 넌 알고 있어야 한다/你应该～; 넌 당연히 알고 있어야 한다/我～他; 나는 그에 대한 일을 알고 있다/谁～? ⓐ누가 알고 있는가? ⓑ뜻밖에도. 어찌 생각이나 했으랴/这件事不能让他～; 이 일은 그에게 알려서는 안 된다. ②이해하다. 알아차리다. 깨닫다. ¶你不要再犯这个毛病, ～了就回去吧; 두 번 다시 이런 잘못을 해서는 안 된다. 알았으면 돌아가거라. 注1 '不知道' 일 때에는 zhīdào로 발음됨. 注2 긍정과 부정을 겹칠 때 흔히 '知不知道' 로 함.

〔知底〕 zhī,dǐ 동 자세한 사정〔내막〕을 알다. 상세한 내용을 알다. =〔知根(儿)〕〔知根知底(儿)〕

〔知而不言, 言而不尽〕 zhī ér bù yán, yán ér bù jìn 〈成〉 알고 있어도 말하려 하지 않고, 말을 한다 해도 전부 말하지 않다《발언하는 데 소극적임》.

〔知法犯法〕 zhī fǎ fàn fǎ 〈成〉 ①법을 알고 있으면서 일부러 법을 범하다. ②남에게 섭생을 권하는 의사 자신이 섭생을 하지 않다.

〔知非〕 zhīfēi 동 〈文〉 잘못을 깨닫다. 명 50세를 이르는 말. =〔知命〕

〔知风〕 zhīfēng 동 정보를 알게 되다. 정보를 입수하다. ¶～报信; 정보를 입수하여 보고하다.

〔知风草〕 zhīfēngcǎo 명《植》 지풍초. 그령. 암크령.

〔知府〕 zhīfǔ 명 (명(明)·청(淸)나라 시대의) 부지사(府知事). =〔大dà尊〕

〔知根(儿)〕 zhī,gēn(r) 동 ⇨〔知底〕

〔知根知底(儿)〕 zhīgēn zhīdǐ(r) 동 ⇨〔知底〕

〔知古今儿〕 zhīgǔjīnr 명 박식(博識)한 사람. ¶～也似的; 뭐든지 다 알고 있는 것 같다.

〔知过〕 zhīguò 동 잘못을 깨닫다. ¶～必改; 〈成〉 잘못을 깨달으면 반드시 고친다.

〔知好歹〕 zhī hǎodǎi 사리(事理)를 분별하다. ¶那个阿彩, 模样儿也还不差, 人也文静, 又是个～的; 저 아채는 생긴 것도 괜찮고 사람도 단정하며 사리에도 밝다.

〔知会〕 zhīhuì 동 ①〈口〉 (말로) 통지하다. 알리다. ¶你～学生了吗? 너는 학생에게 통지했느냐? ②〈公〉 통고하다. 통달하다.

〔知几〕 zhījī 동 일의 기미(機微)를 미리 알다. 기운(機運)을 알아채다. 낌새를 채다.

〔知己〕 zhījǐ 명 자기를 알아 주는 사람. 친구. 지기. ¶～不言谢; 지기 사이에는 사례하지 않는다/视为～; 지기로 여기다/士为～者死; 선비는 자기를 알아 주는 사람을 위해 죽는다/拉起～来; 친근한 것처럼 굴다. =〔知交〕 형 서로 잘 이해하고 있어 친하다. 막역〔절친〕하다. ¶～的朋友; 막연한 벗.

〔知己知彼〕 zhī jǐ zhī bǐ 〈成〉 지피지기. ¶～百战不殆 =〔～百战百胜〕; 적을 알고 자기를 알면 백 번을 싸워도 이긴다. =〔知彼知己〕

〔知交〕 zhījiāo 명 ⇨〔知己〕

〔知进知退〕 zhījìn zhītuì 나아갈 때와 물러설 때를 알다.

〔知觉〕 zhījué 동 알다. 깨닫다. 명 ①지각. ②감각. 의식. ¶失去了～; 의식을 잃었다.

〔知觉神经〕 zhījué shénjīng 명《生》 감각 신경. 지각 신경.

〔知客〕 zhīkè 명 ①옛날, 혼례·장의(葬儀) 등에서 손님을 접대하던 사람. =〔〈方〉 知宾〕 ②《佛》 절에서 접대를 맡은 중. =〔知客僧〕

〔知了(儿)〕 zhīliǎo(r) 명 〈京〉 매미. =〔蝉chán①〕〔吉了儿〕〔知鸟(儿)〕〔蜘了(儿)〕〔瞽了儿〕

〔知名〕 zhīmíng 형 〈文〉 유명하다. 지명하다. ¶～之士 =〔～人士〕; 지명 인사/海内～; 천하에 이름나다. 동 서로 이름을 알다.

〔知名不具〕 zhīmíng bùjù 〈翰〉 제 이름을 알고 계시니 생략합니다《봉서(封書) 등에서, 발신인의 이름을 쓰지 않을 때에 쓰는 어구》.

〔知名度〕 zhīmíngdù 명 지명도.

〔知命〕 zhīmìng 동 천명을 알다. ¶五十岁而知天命; (공자는) 50세가 되어 천명을 알았다. 명 50세. =〔知非〕

〔知命之年〕 zhī mìng zhī nián 〈成〉 50세《천명을 아는 나이》.

〔知母〕 zhīmǔ 명《植》 지모《뿌리줄기는 자양(滋養)·해열·진정제로 약용됨》. =〔地dì参〕〔儿ér草〕

〔知难而进〕 zhī nán ér jìn 〈成〉 곤란을 알면서도 무릅쓰고 앞으로 나아가다.

〔知难而退〕 zhī nán ér tuì 〈成〉 곤란한 줄 알고 물러서다. 자기의 역량을 알고 물러서다.

〔知难行易〕 zhī nán xíng yì 〈成〉 알기는 어렵고 행하기는 쉽다《쑨원(孫文)의 기본 학설》.

〔知青〕 zhīqīng 명 〈簡〉 지식 청년《'知识青年' 의 약칭》.

〔知情〕 zhīqíng 동 ①사건의 사정〔내막〕을 알고 있다. ¶～不报; 사건의 내막을 알면서 통보하지 않다/～故纵zòng; 《法》 사정을 알고 고의로 석방하다/～不举; 사정을 알면서 검거하지 않는다. ②인정(人情)을 알다. ¶～达理; 〈成〉 인정에 통하고 사리를 알다/～识趣 =〔知理〕; 이해가 빠르다. 눈치가 있다.

〔知趣(儿)〕 zhīqù(r) 동 사정을 이해하다. 눈치가 있다. 약삭빠르게 굴다. 상대방의 기분을 알아차리다.

〔知人〕 zhīrén 동 사람의 품격 재능 따위를 잘 알아보다.

〔知人论世〕 zhī rén lùn shì 〈成〉 ①역사 속의 인물을 이해하기 위하여 그 생존 시대 배경을 연구하다. ②인물의 우열을 감별하고, 세상사의 득실을 논하다.

〔知人善任〕 zhī rén shàn rèn 〈成〉 사람을 잘

알아보고 적재적소에 쓰다.
〔知人之明〕 zhī rén zhī míng〈成〉 사람의 품행·재능을 보는 안목. 사람을 보는 눈. ¶有~; 사람을 보는 눈이 있다.
〔知人知面不知心〕 zhīrén zhīmiàn bùzhīxīn〈諺〉 사람을 겉만 보고는 모를 일.
〔知事〕 zhīshì 명 지사(옛날, 부현(府縣)의 장관). =〔县知事〕
〔知识〕 zhīshi 명 지식. ¶~分子; 지식 분자. 인텔리/~里手; 만물 박사/~阶级; 지식 계급/~界; 지식층.
〔知识产品〕 zhīshi chǎnpǐn 명 과학 기술 및 그 노동의 성과. 지식산품.
〔知识产权〕 zhīshi chǎnquán 명〖法〗 저작권·특허권·상표권 따위의 지적 재산권.
〔知他〕 zhī tā 알게 뭐야! 누가 알아! ¶~贵不贵! 비싼지 싼지 알게 뭔가!
〔知疼着热〕 zhī téng zháo rè〈成〉 ①(주로 부부간에) 서로 아끼고 사랑하다. 애틋한 마음이 있다. ¶连句~的话也没有; 동정의 말 한 마디 없다. ②서로 이해 관계가 있다.
〔知无不言〕 zhī wú bù yán〈成〉 알고 있는 것은 무엇이든지 말하다. 전부 이야기하다. ¶~, 言无不尽;〈成〉 알고 있는 것은 다 말하고, 말은 남김없이 다 이야기하다.
〔知悉〕 zhīxī 동 알다. ¶无从~; 알 도리가 없다/均已~; 이미 모든 것을 알고 있다/手示~; 보내 주신 편지 내용 잘 알았습니다.
〔知县〕 zhīxiàn 명 ①송대(宋代), 현(縣)의 장관('知某县事'의 약칭). ②(명·청대의) 현 지사의 정식 관명.
〔知晓〕 zhīxiǎo 동 알다. 이해하다.
〔知心〕 zhīxīn 형 마음을 헤아리다. 절친하다. ¶~人; 지기(知己)/~朋友;〈成〉 심정을 알아 주는 친구/~话; 터놓고 하는 말. 통하는 말.
〔知心换命〕 zhī xīn huàn mìng〈成〉 마음을 아는 사람을 위하여 목숨까지도 버리다. ¶~的朋友; 마음을 잘 알아 목숨까지도 바칠 만한 친구. 절친한 친구.
〔知行合一〕 zhī xíng héyī〖哲〗 지행 합일. 아는 것과 행하는 것이 한 가지이다(왕양명(王陽明)의 실천적 유심론).
〔知雄守雌〕 zhī xióng shǒu cí〈成〉 사나이다운 적극적인 태도를 이해하면서, 연약한 여자같은 소극적인 태도를 취하다.
〔知羞草〕 zhīxiūcǎo 명〖植〗 함수초. =〔含羞草〕
〔知言〕 zhīyán 명〈文〉 지언. 식견이 있는 말.
〔知一不知二〕 zhīyī bùzhī'èr〈諺〉 하나만 알고 둘은 모른다(사물의 일면만 이해하고 다른 면은 모른다). =〔只知其一, 不知其二〕
〔知音〕 zhīyīn 명 ①음률에 정통한 사람. ②지기(知己). 친구. ¶~识趣; 의기 투합하다.
〔知浴〕 zhīyù 명 ⇨〔浴主〕
〔知遇〕 zhīyù 동〈文〉 인정을 받아 중용(重用)되다. 지우를 얻다. ¶~之感; 지우를 얻은 감격.
〔知照〕 zhīzhào 동 통지하다(주로 하행공문(下行公文)에 쓰임). ¶你去~他一声, 说我已经回来了! 너 그에게 가서 내가 벌써 돌아왔다고 전해라!/令行~; 명령하여 알게 하다.
〔知州〕 zhīzhōu 명 (명나라·청나라 시대의) 주지사.
〔知足〕 zhīzú 동 분수를 지켜 만족할 줄을 알다. ¶~者常乐, 能忍者自安;〈諺〉 만족할 줄을 알면 항상 즐겁고, 참을 줄 알면 스스로 마음이 편안하다/~不辱;〈成〉 만족할 줄 알면 욕을 당하지 않는다.

栜
zhī (지)
지명용 자(字). ¶槟Bīn~; 빈즈(檳榔)(베트남(越南)에 있는 땅 이름).

蜘
zhī (지)
표제어 참조.

〔蜘了(儿)〕 zhīliǎo(r) 명 ⇨〔知了(儿)〕
〔蜘网〕 zhīwǎng 명 거미줄. 거미 집. =〔蜘蛛网〕
〔蜘蛛〕 zhīzhū〔〈京〉 zhūzhu〕 명〖蟲〗 지주. 거미. ¶~丝; 거미줄/~网 =〔蛛网〕〔蛛蛛网〕; 거미집/~结jié网 =〔~织zhī网〕; 거미가 거미줄을 치다. =〔蛛蛛〕〔社shè公③〕〔网wǎng虫〕
〔蜘蛛抱蛋〕 zhīzhū bàodàn 명〖植〗 엽란(葉蘭).
〔蜘蛛疮〕 zhīzhūchuāng 명 거미의 오줌을 맞아서 생기는 피부병.

脂
zhī (지)
①명 지방. 유지. ¶~肪;〖生〗 지방. ②명 연지. ¶胭~; 연지. ③형 기름지다. ④형 아름답다. ⑤명 성(姓)의 하나.

〔脂肪肝〕 zhīfánggān 명〖醫〗 지방간.
〔脂肪酶〕 zhīfángméi 명〖藥〗 리파아제(독 lipase)(지방 분해 효소). =〔解jiě脂酶〕
〔脂粉〕 zhīfěn 명 ①연지와 분. ②〈轉〉 부녀자(婦女子). ¶~气;〈比〉 여성적인 태도. 여자티.
〔脂膏〕 zhīgāo 명 ①〖生〗 지방. ②〈比〉 고혈(膏血). ¶民脂民膏;〈成〉 백성의 땀과 기름. 백성의 고혈. ③〈比〉 튼튼하고 풍족한 지위.
〔脂麻〕 zhīma 명 ⇨〔芝麻〕
〔脂油〕 zhīyóu 명〈方〉 ①지방유(동식물 유지의 총칭). ②돼지기름. 라드. =〔猪zhū油〕 ③〈文〉 지성(脂性)·유성(油性)의 화장품.

掷(擲)
zhī (척)
동 (주사위를) 던지다. ⇒zhì

〔掷骰子〕 zhīshǎizi 동 주사위를 던지다. 명 도박 이름. ‖=〔掷色子〕

搘
zhī (지)
동 ⇨〔支④〕

榰
zhī (지)
〈文〉 ①명 기둥 밑에 놓는 나무나 돌의 토대(土臺). ②동 받치다. 지탱하다.

稙
zhī (직)
동 ①(곡물을) 일찍 심다. 일찍 파종하다. ¶~谷gǔ子; 일찍 파종한 조. ②(작물이) 일찍 익다. ¶白玉米~; 흰 옥수수는 일찍 여문다.

执(執)
zhí (집)
①동 (손에) 쥐다. 잡다. 들다. ¶手~国旗; 손에 국기를 들다/~枪作战; 총을 잡고 싸우다. ②동 장악하다. 맡다. 담당하다. ③동〈文〉 체포하다. 붙잡다. ¶战败被~; 전쟁에 패하고 붙잡히다/~罪犯一人; 범인을 한 사람 체포하다. ④동 고집하다. 견지하다. 우기다. ¶争~; 자기의 의견을 고집하여 양보하지 않다/~意不肯; 고집을 부려 승낙하지 않다/固~; 고집하다/各~一词; 쌍방이 모두 자기의 주장을 굽히지 않다. ⑤동 행하다. 실행하다. 집행하다. ¶~礼甚恭; 예(禮)대로 행하고 대단히 공손하다. ⑥명 증명서. 증서. ¶~照; 허가증. 증명서. 면허증/回~ =〔收~〕; 수령증. ⑦명 동지(同志). 뜻을 같이하는 벗. ¶父之~; 아버지의 친구. ⑧명 성(姓)의 하나.

〔执包袱〕 zhí bāofu 업무를 정지하다. 일을 그만두다. ¶某银行被迫～; 어떤 은행이 업무 정지를 강요받았다.
〔执笔〕 zhíbǐ 동 ①붓을 들다. 집필하다. ②〈轉〉 문장을 쓰다.
〔执别〕 zhíbié 동 ⇨〔握wò别〕
〔执柄〕 zhíbǐng 동 〈文〉 (기물의) 자루〔손잡이〕를 잡다. 〈轉〉 정권을 잡다.
〔执法〕 zhífǎ 동 법을 집행하다. ¶～吏; 집행리 / ～如山; 〈成〉 단호히 법을 집행하다 / ～以罪; 법에 따라 죄를 묻다. =〔执行法律〕
〔执绋〕 zhífú 동 〈轉〉 장사(葬事)지내다. 발인하다. 장송(葬送)하다. =〔发引〕
〔执柯〕 zhíkē 동 〈文〉 중매하다.
〔执两用中〕 zhí liǎng yòng zhōng 〈成〉 양끝을 잡고 그 중용(中庸)을 행하다《시의(時宜)에 맞추어 한쪽에 치우치지 않다》.
〔执迷〕 zhímí 동 과오(過誤)에 집착하다. 완미(頑迷)하다. ¶～不悟; 〈成〉 완미해서 깨닫지 못하다.
〔执泥〕 zhínì 동 고집하다. 구애되다.
〔执牛耳〕 zhí niú'ěr 〈比〉 맹주(盟主)가 되다. 지배적인 지위에 서다. 주도권을 잡다.
〔执拗〕 zhíniù 형 심술궂다. 외고집이다. 집요하다. ¶脾气～; 성질이 고집 불통이다. 동 고집을 부리다. 집요하게 굴다. ¶他～着说了; 그는 집요하게 말했다.
〔执票人〕 zhípiàorén 명 《商》 어음 지참인. 수표 등의 수령인.
〔执勤〕 zhíqín 명 당직(當直). (zhí.qín) 동 근무를 (집행)하다. 당직을 맡다.
〔执事〕 zhíshì 명 〈文〉 ①집사《주인 곁에서 그 집 일을 맡아 보는 사람》. ②〈翰〉 집사《상대를 존경하여 직접 전하지 않고 측근자에게 전달을 청한다는 뜻에서 쓰는 말》. 동 일을 집행하다.
〔执事〕 zhíshi 명 장례식·혼례식 등의 행렬에 쓰이는 기(旗)·우산 등의 의장(儀仗). ¶打～的; 혼례·장례식 때에 의장을 드는 사람.
〔执手(儿)〕 zhí.shǒu(r) 동 악수하다. 인사하다. ¶给你们两执个手儿; 당신 두 사람을 인사시켜 드리죠.
〔执守〕 zhíshǒu 동 고수(固守)하다.
〔执输〕 zhíshū 동 지다. ¶他们这回又～, 失掉了道义地位; 그들은 이번에도 또 져서, 도의적 지위를 실추시켰다.
〔执先〕 zhíxiān 동 선수를 치다. 기선을 제압하다. ¶首局唐小山～, 中局占绝对优势, 象棋迷认为唐必操胜算; 처음에 당소산이 선수를 쳐서 중반에는 절대적 우위를 차지했으므로, 장기팬은 당이 꼭 이길 줄 알고 있었다.
〔执心〕 zhíxīn 동 〈文〉 집심하다. 열중하다. 굳게 마음을 지키다.
〔执信不疑〕 zhí xìn bù yí 〈成〉 굳게 믿어 의심치 않다.
〔执刑〕 zhíxíng 동 《法》 형을 집행하다.
〔执行〕 zhíxíng 동 집행하다. 실시〔실행〕하다. ¶～命令; 명령을 집행하다 / ～政策; 정책을 집행〔실시〕하다 / ～判决; 판결을 집행하다 / ～主席; (임시로 의장단에서 선출된) 돌아가며 회의를 주재하는 의장 / ～委员会; 집행 위원회.
〔执讯〕 zhíxùn 동 〈文〉 취조하다. 심문하다.
〔执业〕 zhíyè 〈文〉 동 ①제자(弟子)의 예를 갖추어 가르침을 받다. ②업무를 집행하다. 일을 하다. 명 소유 재산.
〔执业医师〕 zhíyè yīshī 명 개업의(開業醫). =〔挂guà牌医生〕
〔执一〕 zhíyī 동 〈文〉 한 가지 일을 고집하고 거기에 집착하다. 집일하다.
〔执意〕 zhíyì 동 고집을 부리다. 견해를 고집하다. ¶～主张; 완강하게 주장하다. =〔坚意〕
〔执友〕 zhíyǒu 명 〈文〉 뜻을 같이하는 벗. 친한 친구.
〔执掌〕 zhízhǎng 동 장악하다. 관장(管掌)하다. ¶～政权; 정권을 장악하다.
〔执照〕 zhízhào 명 ①증명서. 허가증. 면허증. ¶施工～; 공사 허가증 / 领得～; 허가증을 얻다 / 发给～; 면허증을 발급하다 / 驾驶～; 운전 면허증. ②(금전 수취(受取) 등의) 통장. ¶取钱的～; 금전 수취 통장.
〔执正〕 zhízhèng 동 〈文〉 ①공평하게 하다. ②정의를 지키다.
〔执政〕 zhízhèng 동 ①집정하다. 정무(政務)를 보다. ②정권을 쥐다. 집권하다. ¶～党; 여당. 집권당 / ～者; 집권자.
〔执贽〕 zhízhì 동 〈文〉 집지하다. 예물을 가지고 가서 제자가 되다.
〔执中〕 zhízhōng 동 (쌍방의 주장·의견 따위의) 중간을 취하다. 절충하다.
〔执着〕 zhízhuó 동 ①집착하다《원래 불교 용어로 어떤 사항에서 초월하지 못함을 뜻했음》. ②(기억·인상이) 없어지지 않고 남다.
〔执奏〕 zhízòu 동 〈文〉 상주(上奏)하다.

絷(縶) zhí (집)

〈文〉 ① 동 (말 등을) 묶다. 매다. ¶～马; 말을 매다. ② 동 구금(拘禁)하다. ③ 명 (말)고삐.

直 zhí (직)

① 형 똑바르다. 곧다. ¶把铁丝拉～; 철사를 잡아당겨 펴다 / 垂～ =〔铅～〕; 수직 / 这棵树长得～; 이 나무는 곧게 자라 있다. ↔〔歪〕〔弯〕 ② 형 바르다. 이치에 닿다. 공정하다. ¶理～气壮; 〈成〉 이치에 닿아 의기(意氣)가 왕성하다. ↔〔曲〕 ③ 동 곧게 하다. 곧게 펴다. ¶～起腰来; 허리를 곧게 펴다 / ～着脖子叫; 목을 빼고 (큰 소리로) 부르다. ④ 부 곧장. (곧)바로. ¶～走; 똑바로 가다 / ～达北京; 베이징(北京)으로 직통하다. ⑤ 부 내리. 계속해서. 끊임없이. 줄곧. 자꾸. ¶～哭; 계속 울다 / ～干了一天; 죽 계속해서 하루를 했다 / ～下了三天的雨; 내리 사흘이나 계속 비가 왔다 / ～到现在; 오늘까지 내리 / 看着他～笑; 그를 보고 자꾸 웃고 있다 / 冷得～哆嗦; 추워서 계속 떨린다. ⑥ 부 완전히. 실로. 그야말로. 꼭. ¶～像中国人一样; 정말 중국 사람과 꼭 닮았다. ⑦ 부 늘. ¶～如此; 늘 이렇다. ⑧ 형 올곧다. 시원시원하다. 솔직하다. ¶～性子; 솔직하고 시원시원한 성격(의 사람) / ～供; 솔직하게 진술하다 / 心～口快; 〈成〉 성격이 솔직해서 생각한 것을 분명히 말하다 / ～言不讳; 꺼리지 않고 솔직히 말하다. ⑨ 동 뻣뻣해지다. 굳어지다. ¶眼睛发～; 얼빠진 눈을 하다. 희물긋한 눈을 하다 / 手指都冻～了; 손가락이 모두 얼어서 곱다 / ～着眼睛等着; 눈이 빠지게 기다리고 있다. ⑩ 부 다만. 단지. ¶吾～戏耳; 나는 다만 농담을 했을 뿐이다. ⑪ 동 올곧아서 존경하다. ¶邻里皆不～其人; 인근 사람들은 모두 그를 존경하지 않는다. ⑫ 명 한자(漢字)의 글자획의 위아래로 내리긋는 '丨'을 가리킴. ⑬ 형 땅에서 수직이다. ¶～升飞机; 헬리콥터. ⑭ 형 세로의《위에서 아래로, 앞쪽에서 안으로의 방향을 가리킴》. ¶

～行的文字; 세로로 쓴 글자 / 由上到下～着念; 위에서 아래로 내리읽다 / ～着拿; 곧추들다. ↔〔横〕 ⑮ 동 당번을 서다. 만나다. 차례가 되다. ¶ ～宿; 숙직이다. ⑯ 명 성(姓)의 하나.

〔直巴巴〕 zhíbābā 형 ①솔직한 모양. 올곧은 모양. 우직(愚直)한 모양. ¶～的心眼儿; 올곧은 성질 / ～的眼睛; 응시하는 눈. ②우직하고 융통성이 없는 모양. 고지식한 모양. ¶～的人不能活动; 융통성이 없는 사람은 활동할 수 없다.

〔直巴老挺〕 zhíbalǎotǐng 형 태도가 딱딱하다.

〔直北〕 zhíběi 명 ⇨〔正zhèng北〕

〔直绷绷〕 zhíbēngbēng 형 팽팽한 모양. ¶～的帐篷; 팽팽하게 쳐진 텐트.

〔直笔〕 zhíbǐ 동 〈文〉 직필하다. 사실대로 쓰다.

〔直柄〕 zhíbǐng 명 도구의 손잡이〔자루〕의 굵기·두께가 쪽 고른 것. 곧은 자루. =〔圆yuán柱柄〕

〔直柄钻头〕 zhíbǐng zuàntou 명 《機》 스트레이트 드릴(streight drill).

〔直播〕 zhíbō 명동 ①《農》 직파(하다). ②(TV·라디오 등의) 생방송(하다). 명 다이얼 직통.

〔直布罗陀〕 Zhíbùluótuó 명 《地》 〈音〉 지브롤터(Gibraltar). ¶～海峡; 지브롤터 해협.

〔直槽钻头〕 zhícáo zuàntou 명 《機》 날이 곧은 홈으로 되어 있는 드릴. =〔直丝钻头〕

〔直肠〕 zhícháng 명 ①《生》 직장. =〔肛gāng肠〕 ②(～儿, ～子) 정직한 성질. 솔직한 성질. 순진한 성질. ¶～(儿)汉; 솔직한 성격의 사람 / 你这～的哥儿会吃亏的; 너 같이 순진한 놈은 곧잘 손해를 본다.

〔直肠直肚〕 zhícháng zhídù 〈比〉 성격이 솔직하고 소탈하다〔시원스럽다〕.

〔直肠子〕 zhíchángzi 명 〈口〉 ①직정경행(直情徑行)하는 인물. ②탁트인 사람. 솔직한 사람. ③소탈한 사람. ④많이 먹는 사람. 대식가.

〔直诚〕 zhíchéng 형 솔직하고 진심이 담겨 있다. 진지하고 성의가 있다. ¶～友谊; 성의어린 우정.

〔直尺〕 zhíchǐ 명 직선 자. =〔直规〕〔画huà线板〕

〔直齿轮〕 zhíchǐlún 명 ⇨〔正zhèng齿轮〕

〔直翅目〕 zhíchìmù 명 《蟲》 메뚜기목(目). 직시목.

〔直出直入〕 zhíchū zhírù ①문에서 안까지 훤하게 뚫린 집. ②마음대로 출입하다.

〔直矗矗〕 zhíchùchù 형 똑바로〔곧추〕 서 있는 모양.

〔直刺〕 zhícì 명 ①《軍》 (총검술의) 찌르기. ②《漢醫》 수직침(垂直針). 동 (총검술에서) 찌르기를 하다.

〔直达〕 zhídá 명 직통. ¶～车; 직통 버스〔열차〕 / ～快车; 직통 급행. 동 직통〔직행〕하다. 곧바로 가다.

〔直打直〕 zhídǎzhí ①곧장. 똑바로. ¶从这儿～地可到前门大街; 여기서 곧장 전문 큰거리로 통할 수 있다. =〔一yì直地〕 ②단도직입적으로. 속을 터 놓고.

〔直待〕 zhídài 동 (어떤 시간·단계 등에 이르기까지) 줄곧 기다리다. ¶～玉兔东升; 달이 동쪽 하늘에 뜨기를 죽 기다리다 / ～冰消雪化; 얼음이 녹고, 눈이 녹기를 줄곧 기다리다.

〔直到〕 zhídào 동 ①죽 …에 이르다《주로 시간에 대해 쓰임》. ¶这事～今天我才知道; 이 일은 나는 오늘에 이르러서야 비로소 알았습니다. =〔一直到〕 ②직행하다. 곧장 도착하다. ‖ =〔直至〕

〔直瞪瞪〕 zhídèngdèng 형 ⇨〔直勾gōu勾〕

〔直点儿〕 zhídiǎnr 부 〈北方〉 끊임없이. 외곬으로. 오로지. 한결같이. 줄곧. ¶～说不歇着; 쉴 새없이 줄곧 지껄여대다 / 我～央告他了; 나는 열심히 그에게 간청했다. =〔直个点儿〕

〔直掇〕 zhíduō 명 ⇨〔直裰〕

〔直裰〕 zhíduō 명 직철. 등의 솔기가 옷단까지 이어지고, 소매나 품이 낙낙한 옷《고대는 퇴조(退朝) 후 가정에서 입는 옷이었지만, 나중에는 승려나 도사의 옷이 되었음》. =〔直掇〕

〔直放船〕 zhífàngchuán 명 직항선(直航船). =〔直达船〕

〔直飞〕 zhífēi 동 비행기로 직행하다.

〔直杠杠〕 zhígànggàng 형 (막대기처럼) 꼿꼿한〔곧은〕 모양. ¶～地躺着; 막대기처럼 꼿꼿이 누워 있다.

〔直割刀〕 zhígēdāo 명 《機》 스트레이트 커터(straight cutter).

〔直格儿〕 zhígér 명 세로 괘(罫). 종괘(縱罫). =〔直格子〕

〔直个点儿〕 zhígediǎnr 부 ⇨〔直点儿〕

〔直根〕 zhígēn 명 《植》 곧은 뿌리. 직근.

〔直贡〕 zhígòng 명 《紡》 베니션(Venetian)·새틴 드릴(satin drill) 등의 능직(綾織)이나 수자(繻子). ¶～呢ní =〔泰西缎〕; 베니션 / 棉～; 면(綿)수자.

〔直供〕 zhígòng 동 정직하게 진술하다.

〔直勾勾〕 zhígōugōu 형 멍하니 한 군데를 주시하고 있는 모양. 뚫어지게 보고 있는 모양《화가 났을 때, 무서울 때, 백치 등이 응시하고 있는 모양》. ¶～地看着前方; 똑바로 앞쪽을 보고 있다 / 两只眼睛～像疯子似的; 두 눈은 한 군데를 멍하니 뚫어지게 보고 있어, 마치 미친 사람 같다. =〔直瞪瞪〕

〔直观〕 zhíguān 명동 직관(하다). ¶～教学; 직관 교수 / ～教具; 직관 교수에 쓰는 교구.

〔直规〕 zhíguī 명 ⇨〔直尺〕

〔直棍儿〕 zhígunr 명 ①정직한 사람. 고지식한 사람. ¶人家真是个～; 저 사람은 정말 고지식하다. ②평범한 것. 보통인 것. ¶办好了, 落个～; 일을 끝내 놓고 보니, 결국 색다른 것이 없다.

〔直汉〕 zhíhàn 명 정직한 사람. 솔직한 사람.

〔直行〕 zhíháng 명 세로줄. 종행(縱行). →〔横héng行〕

〔直话〕 zhíhuà 명 정직한 말. 직언(直言). ¶我向来好说～, 请您不要见怪; 저는 원래 직언하는 것을 좋아하니까, 아무쪼록 언짢게 생각하지 마십시오.

〔直谏〕 zhíjiàn 동 직간하다. 직언하여 간하다.

〔直僵僵〕 zhíjiāngjiāng 형 〈方〉 빳빳한 〔굳어져 있는〕 모양. ¶～地躺在地下; 땅에 빳빳이 누워 있다. =〔直撅撅〕

〔直角〕 zhíjiǎo 명 《數》 직각.

〔直角板〕 zhíjiǎobǎn 명 《數》 삼각자 가운데, 매각이 각각 90°×60°×30°인 것.

〔直角三角形〕 zhíjiǎo sānjiǎoxíng 명 《數》 직각삼각형.

〔直角弯管〕 zhíjiǎowānguǎn 명 ⇨〔矩jǔ管〕

〔直接〕 zhíjiē 명형 직접(의). 직접적(인). ¶～领导; ⓐ직접 지도. ⓑ직속 상관 / ～任意球; 《體》 (수구(水球)의) 페널티스로(penalty throw) / ～教学法; (외국어의) 직접 교수법 / ～汇价; 《經》 직접〔지급〕환 시세 / ～易货; 《貿》 직접 바터(barter) 거래 / 下了班～到这儿来了; 일이 끝나고 나서 직접 이리로 왔다 / ～阅读外文书籍; 직접적으로 외국어 서적을 읽다. ↔〔间接〕

〔直接材料〕 zhíjiē cáiliào 명 직접 재료. 물품에 직접 필요한 재료.
〔直接肥料〕 zhíjiē féiliào 명《農》직접 비료.
〔直接工资〕 zhíjiē gōngzī 명 직접 임금. 노동과 직접 관계가 있는 자금.
〔直接经验〕 zhíjiē jīngyàn 명 직접 경험.
〔直接了当〕 zhí jiē liǎo dàng〈成〉⇨〔直截了当〕
〔直接税〕 zhíjiēshuì 명 직접세.
〔直接推理〕 zhíjiē tuīlǐ 명 (논리학의) 직접 추리.
〔直接选举〕 zhíjiē xuǎnjǔ 명《法》직접 선거.
〔直结〕 zhíjié 명동《電》직렬(로 잇다). =〔顺shùn结〕
〔直捷〕 zhíjié ⇨〔直截〕
〔直捷了当〕 zhí jié liǎo dàng〈成〉⇨〔直截了当〕
〔直截〕 zhíjié 형 단도직입적이다. 분명하다. 시원시원하다. 노골적이다. ¶～地说这个作品是二流作品; 단적으로 말하면, 이 작품은 이류 작품이다 / 他的话～而明白; 그의 말은 시원시원하고 분명하다. 부 완전히. 아주. 정말. ¶～把我逼得要死; 완전히 나를 죽을 지경으로 몰아붙였다. ‖ =〔直捷〕
〔直截了当〕 zhí jié liǎo dàng〈成〉단적(端的)이다. 직절적(直截的)이다. 단순명쾌하다. 단도직입적이다. 시원시원하다. ¶说话不～; 말하는 것이 명쾌하지 않다 / ～地说, 你的嘴原来只是会说别人的; 까놓고 말해서, 네 입은 본래 단지 남의 얘기만 할 줄 안다. =〔直接了当〕〔直捷了当〕
〔直解〕 zhíjiě 동 직해하다. 그대로 해석하다. ¶照着字面～; 글자대로 해석하다.
〔直径〕 zhíjìng 명 ①《數》직경. 지름. ②〈文〉똑바른 길.
〔直撅撅〕 zhíjuējuē 형〈方〉꼿꼿한〔빳빳한〕모양. =〔〈方〉直僵僵〕〔直蹶蹶〕
〔直觉〕 zhíjué 명《哲》직각. 직관.
〔直客〕 zhíkè 명 직통 열차(객차).
〔直快〕 zhíkuài 명〈簡〉직통 급행('直达快车'의 약칭). ¶～火车; 직통 급행 열차. 형 솔직하다.
〔直辣丁〕 zhílàdīng 명《化》〈音〉젤라틴(gelatine). =〔明胶〕〔动物胶〕
〔直来直去〕 zhílái zhíqù ①바로 가서 곧바로 되돌아오다. ¶就是偶然的上一趟街, 她也总是～不敢贪热闹; 설사 우연히 거리에 한 번 나가는 일이 있어도, 그녀는 늘 곧장 갔다가 곧장 되돌아오지, 감히 어슬렁어슬렁 구경할 생각은 하지 못했다. ②〈比〉생각한 것을 꾸미지 않고 그대로 행동하다. ¶他就是那么个～的人, 说什么都不绕弯; 그는 그렇게 가식 없이 행동하는 사람이라 무슨 일이든 빙빙 돌려서 말하거나 하지 않는다. ‖ =〔直来直往〕
〔直立〕 zhílì 동 직립하다. 똑바로 서다.
〔直立茎〕 zhílìjīng 명《植》곧은 줄기. 직립경.
〔直隶〕 zhílì 동〈文〉직접 예속(隸屬)하다. (Zhílì) 명《地》직례('河北省'의 구칭).
〔直流〕 zhíliú 명《電》직류(straightrun). =〔直流电(流)〕
〔直流电(流)〕 zhíliú diàn(liú) 명 ⇨〔直流〕
〔直馏〕 zhíliú 명《化》직류(直留).
〔直溜(儿)〕 zhíliu(r) 형 똑바르다. 꼿꼿하다. ¶这根儿真～; 이 막대기는 아주 똑바르다.
〔直溜溜(的)〕 zhíliūliū(de) 형 꼿꼿한 모양. 곧은 모양. ¶～的大马路; 쭉 뻗은 대로 / ～地站着别动; 똑바로 서서 움직이지 마라.
〔直脉〕 zhímài 명《植》직맥. 평행맥.
〔直毛儿〕 zhímáor 명 (양털 이외의) 곧은 털 모피. (일반적으로) 고급 모피.
〔直眉瞪眼〕 zhí méi dèng yǎn〈成〉①눈썹을 치켜올리고, 눈을 부라린 채 화난 모양. ②눈만 멀뚱멀뚱 뜬 채 어안이벙벙한 모양. 멍청한 모양.
〔直眉楞眼〕 zhíméi lèngyǎn 꼼짝않고 주시하는 모양. ¶一个小伙子～地往这边瞅; 한 젊은이가 이 쪽을 뚫어지게 바라보고 있다.
〔直木〕 zhímù 명《體》(럭비·축구 등의) 골대. =〔门柱②〕
〔直恁〕 zhínèn〈古白〉마침내〔뜻밖에〕이와 같이. 드디어〔뜻밖에〕이렇게. ¶我～时运蹇, 一事无成; 나는 마침내 이와 같이 운이 나빠서, 무슨 일이나 잘 되지 않았다.
〔直碾碾〕 zhíniǎnniǎn 형 꾸물꾸물〔우물쭈물〕하는 모양. 빈둥거리는 모양. ¶你看他～的样子, 也不知道是愿意做不愿意做; 봐라, 저놈의 꾸물거리는 꼴은, 일을 하고 싶다는 건지 하기 싫다는 건지 알 수가 없다 / 别这么～的, 要做就快做; 그렇게 꾸물거리지 말고, 하려면 빨리 해라.
〔直娘贼〕 zhíniángzéi 명〈罵〉제미 붙을 놈. 병신 같은 놈('直'는 '奸'의 뜻). ¶鲁达骂道"～! 还敢应口!"《水滸傳》; 노지심(鲁智深)은 욕을 퍼부으며 말했다. "이 병신 같은 놈아! 또 말대꾸냐!"
〔直拍〕 zhípāi 명《體》(탁구의) 펜홀더 그립(penholder grip).
〔直脾气(儿)〕 zhípíqi(r) 명형 ⇨〔直性子〕
〔直前〕 zhíqián 명 똑바로 앞으로 나아가다.
〔直钱〕 zhíqián 형 ⇨〔值钱〕
〔直情径行〕 zhí qíng jìng xíng〈成〉생각한 대로 즉시 행하다. 내키는 대로 가식 없이 행동하다.
〔直去直来〕 zhíqù zhílái 자꾸 왔다갔다 하다. 끊임없이 왕래하다.
〔直拳〕 zhíquán 명《體》(권투의) 스트레이트(straight).
〔直日〕 zhírì 명동 ⇨〔值日〕
〔直入公堂〕 zhí rù gōng táng〈成〉안내도 청하지 않고 서슴없이 들어가다(①스스럼 없는 모양. ②일을 단도직입적으로 처리함).
〔直上直下〕 zhíshàng zhíxià 경사가 급하다. 깎아지른 듯이 솟아 있다. ¶绝壁巉岩～; 절벽이 깎아지른 듯하다.
〔直升〕 zhíshēng 동 똑바로 올라가다. 수직 상승하다.
〔直升(飞)机〕 zhíshēng (fēi)jī 명 헬리콥터 =〔直升旋翼(飞)机〕〔奖升飞机〕〔旋翼飞机〕
〔直升旋翼(飞)机〕 zhíshēng xuányì(fēi)jī 명 ⇨〔直升(飞)机〕
〔直声〕 zhíshēng 명 ①정의(正義)의 명성. ②몹시 아프거나 놀라서 외치는 소리.
〔直受儿〕 zhíshòur 동 ①그저 압박받고 학대받을 뿐이고 반항할 줄 모르다. 그냥 참기만 하다. ¶任凭婆婆怎么折磨, 那童养媳只有～; 시어머니한테 아무리 구박을 받아도 그 민며느리는 그저 묵묵히 참을 뿐이다. ②받기만 하고 답례를 하지 않다. ¶他给你磕头, 你就～吗? 그는 너에게 고수(叩首)의 예를 하고 있는데, 너는 그것을 받기만 하느냐?
〔直书〕 zhíshū 동 거짓없이〔꾸밈없이〕쓰다. ¶秉bǐng笔～; 붓을 들고 거짓없이 쓰다.
〔直抒己见〕 zhí shū jǐ jiàn〈成〉자기의 의견을 솔직히 말하다. 툭 털어놓고 자기 생각을 말하다.
〔直属〕 zhíshǔ 동 직속하다. ¶这个大学～教育部;

이 대학은 교육부에 직속되어 있다. 형 직속의. ～部队; 직속 부대 / 国务院～机关; 국무원 직속 기관.

〔直率〕 zhíshuài 형 솔직하다. ¶写得～; 솔직하게 쓰다. →〔直爽〕

〔直爽〕 zhíshuǎng 형 솔직하다. 정직하고 시원시원하다. ¶～性子; 솔직한 인간 / 他是一个热情而～的青年; 그는 열정적이고 솔직한 청년이다. =〔爽直〕

〔直说〕 zhíshuō ① 동 입바른 소리를 하다. 솔직히 말하다. ¶你要是心疼他, 就～吧! 자네가 만일 그를 사랑스럽게 생각한다면 솔직하게 말해라! / ～直讲; 숨김없이 말하다. 솔직하게 말하다. ② (zhí shuō) 끊임없이〔자꾸만〕 말하다.

〔直丝钻头〕 zhísī zuàntou 명 ⇨〔直槽cáo钻头〕

〔直体〕 zhítǐ 명 《體》 (체조 등의) 곧추 몸 펴기. ¶～旋; (체조 등의) 몸펴고 비틀기 / ～姿势; (수영 다이빙의) 곧추 몸펴기《제비형》.

〔直挺挺(的)〕 zhítǐngtǐng(de)〔zhítǐngtǐng(de)〕 형 굳어져 빳빳해진 모양. 꼿꼿한 모양. (몸 따위가) 경직된 모양. ¶～的尸首; 빳빳이 굳은 시체 / 他躺在地上～地像是死了似的; 그는 땅바닥에 빳빳하게 누워 있으므로 꼭 죽은 것 같다.

〔直通〕 zhítōng 동 직통하다. ¶用户～电报; 텔렉스 / ～电话; 직통 전화.

〔直统统〕 zhítǒngtǒng 형 탁 털어놓고 숨김이 없는 모양.

〔直筒子〕 zhítǒngzi 명 〈俗〉 솔직한〔호방한〕 사람. ¶我生来的～, 不会曲曲弯弯地; 저는 본래 솔직한 사람이라 빙빙 돌려서 말하지 못합니다.

〔直筒子脾气〕 zhítǒngzi píqi 명 솔직한 성질. ¶～的人心里有什么说什么; 솔직한 사람은 마음에 품고 있는 것을 무엇이든지 말한다.

〔直头〕 zhítóu 부 〈南方〉 ①의외로. 뜻밖에. ②마침내. 결국.

〔直系亲属〕 zhíxì qīnshǔ 명 《法》 직계 친족. =〔直系亲〕

〔直辖〕 zhíxiá 명동 직할(하다).

〔直辖市〕 zhíxiáshì 명 직할시.

〔直线〕 zhíxiàn 명 《數》 직선. ¶～球; (야구의) 직구 / ～入水; (수상 경기의) 서서 뛰기《다이빙》. 부 직선으로. 급격히. ¶～上升; 급격히 상승하다.

〔直销〕 zhíxiāo 명 (제품이 공장으로부터 직접 소비자에게 전달되는) 직판(直販). 직접 판매.

〔直心眼儿〕 zhíxīnyǎnr 〈口〉 명 정직한 사람〔성질〕. 올곧은 사람〔성질〕. 형 솔직하다. 올곧다.

〔直性(儿)〕 zhíxìng(r) 명 깔끔한 성격. 시원스럽고 솔직한 성질. ¶他是个～人, 心里有什么说什么; 그는 시원스런 성질이라 마음 속에 있는 것을 무엇이나 다 말해 버린다. 형 솔직하고 시원스럽다. ‖=〔直性子①〕

〔直性子〕 zhíxìngzi ①⇨〔直性(儿)〕 ② 명 솔직하고 시원시원한 사람. ‖=〔直脾气(儿)〕

〔直袖〕 zhíxiù 명 단을 접지 않은 소매.

〔直须〕 zhíxū 조동 〈古白〉 ①즉시 …해야 한다. ②결국〔끝내〕 …해야 한다. ¶你也是安眉带眼的人, ～我们口说; 너도 사람의 꼴은 갖춘 인간인데, 끝내 우리가 말해 줘야 하느냐. =〔竟jìng须〕

〔直言〕 zhíyán 동 직언하다. 숨김없이 솔직하게 말하다. ¶～不讳; 〈成〉 꺼리지 않고 직언하다 / 恕我～; 거침없이 직언하니 나쁘게 생각하지 마시오. 명 직언. 정직한 말.

〔直言贾祸〕 zhí yán gǔ huò 〈成〉 직언하여 화를 부르다. ¶因为怕～, 所以对反动统治者的暴行, 只好敢怒而不敢言; 직언하면 화를 부를까 두려워, 반동 통치자의 폭행에 대하여 다만 마음 속으로만 분노할 뿐 감히 입 밖에 내어 말하지는 않다.

〔直眼(儿)〕 zhí.yǎn(r) 동 (성이 나거나 놀라서) 응시하며 멍하니 있다. 눈을 휘둥그레 뜨다. ¶～鞑dá子; 신기하다는 듯이 두리번거리다 / 出了人命就都直了眼了; 살인 사건이 일어났으므로 모두 놀라서 눈이 휘둥그레졌다 / 他一听那个进款不来, 就直了眼儿了; 그는 그 수입액이 들어오지 않는다는 말을 듣고 낙심하여 눈이 멍해졌다.

〔直腰〕 zhí.yāo 동 ①허리를 펴다. ¶她直直腰, 拍打拍打土; 그녀는 허리를 펴고 먼지를 털었다. ②〈轉〉 편히 쉬다. 휴식하다. ¶等等儿, 我先直～儿吧; 기다려 줘, 나는 우선 좀 쉴 테니까. ③(억압이나 부담에서 해방되어) 기를 펴다. ¶劳动人民现在当了家做了主, 直起了腰, 抬起了头; 근로 인민은 이제는 국가의 주인공이 되어, 당당히 기를 펴고 머리를 들었다 / 他赚那么些钱可直了腰了; 그도 그렇게 많은 돈을 벌었으니 이제 허리를 펴게 되었다.

〔直译〕 zhíyì 명동 직역(하다). ↔〔意yì译①〕

〔直音〕 zhíyīn 명 《言》 '反切'이 나오기 전에 한자음을 동음자(同音字)로 주음(注音)하던 방식《'冶音也'·'直, 音职' 따위》.

〔直月〕 zhíyuè 명동 ⇨〔值月〕

〔直展云〕 zhízhǎnyún 명 《氣》 적란운(積亂雲). 고적운(高積雲).

〔直至〕 zhízhì 동 ⇨〔直到〕

〔直直溜溜〕 zhízhiliūliū 형 꼿꼿하다. 똑바르다. ¶～地站着; 아주 꼿꼿이 서 있다.

值 zhí (치)

①명 가격. 값. ②명 값어치. 가치. 수치(數値). ¶二物之～相等; 두 물건의 가치가 같다 / 绝对～; 절대값. ③동 …의 값어치가 있다. …한 값에 상당하다. ¶这双皮鞋～十五块钱; 이 가죽신은 15원 한다. ④동 …할 만하다. …할 가치가 있다《주로 부정문에 씀》. ¶死得～; 뜻있게 죽다 / ～钱; ⇩ / 不～一提; 문제삼을 만한 값어치가 없다 / 不～一文钱; 한 푼의 값어치도 없다. ⑤동 …한 때를 맞이하다. …에 맞닥뜨리다. ¶～此佳日; 이 좋은 날을 맞이하여 / 特意访问他, 正～外出; 일부러 그를 방문했는데, 마침 외출중이었다 / ～此场合…; 이 경우에 처해서는…. ⑥동 순번으로 담당하다. 당번이 돌아오다. ¶～班; ⇩ / ～日; ⇩ ⑦명 《數》 값. ¶求～; 값을 구하다.

〔值百抽五〕 zhí bǎi chōu wǔ 종가(終價) 5%의 세금을 징수하다.

〔值班(儿)〕 zhí.bān(r) 동 당번이 되다. (차례로) 당직을 맡다. ¶值夜班; 숙직을 맡다 / 值白班; 일직을 맡다. (zhíbān) 명 당번. 당직. ¶～员; 당직자. 숙직자. ‖=〔当dāng班(儿)〕〔当直〕〔当值〕

〔值不得〕 zhíbude ①…할 만한 것이 못 되다. …할 만한 가치가 없다. ②공연히. 괜히. ¶他原是个好人, 就是～喝醉了酒骂人; 그는 원래 좋은 사람이지만, 괜히 술에 취하면 남을 욕한다.

〔值车工〕 zhíchēgōng 명 《紡》 방적 기계 공원. =〔挡dǎng车工②〕

〔值当〕 zhídàng 동 〈方〉 …할 만한 가치가 있다. …할 만하다. ¶这么点儿事, 不～劳您一驾; 이만한 일로 수고스럽게 오실 필요는 없습니다 / 这么点儿事, 你～那么着急? 이 정도의 일로 그렇게 조바심할 것 까지 없지 않느냐?

〔值得〕 zhí.de 동 ①…할 가치가 있다. …할 만하

다. ¶～研究; 연구할 만하다／不～讨论; 토론할 가치가 없다／都～我们认真地加以研究; 모두 우리가 진지하게 연구할 만하다／不～去看; 보러 갈 만한 가치가 없다. ②값에 상응하다〔상당하다〕. ¶这东西买得～; 이것은 제 값에 잘 샀다.
〔值岗〕 zhí,gǎng 동 차례가 돌아와서 망을〔파수를〕 보다. ¶～的武装警察; 파수보는 무장 경찰.
〔值更〕 zhí,gēng 동 〈方〉 야간 당직하다.
〔值官〕 zhíguān 명 당직관(當直官).
〔值过儿〕 zhíguòr 큰 잘못도 없고 큰 공도 없이 지내다. ¶这一次无功无过落了个～; 이번에는 공도 없고 잘못도 없이 무사히〔무난히〕 넘겼다.
〔值计过高〕 zhíjì guògāo 견적이 너무 높다.
〔值理〕 zhílǐ 동 일에 당하여 처리하다. ¶～人 =〔值事人〕; 지배인. =〔值事〕
〔值年〕 zhínián 명 당번의 해. 윤번(輪番)의 해.
〔值钱〕 zhíqián 형 값어치가 있다. 값나가다. ¶这古董很～; 이 골동품은 꽤 값어치가 있다／～的东西; 값나가는 물건／这个不值什么钱; 이것은 아무런 값어치도 없다. =〔直钱〕
〔值勤〕 zhí,qín 동 (부대·치안·교통 요원이) 당번으로 근무하다. 당직 서다. ¶～员; 당번. 당직／今天晚上该我～; 오늘밤은 내가 당번이다.
〔值日〕 zhírì 명 당번날. 숙직일. 당직일. 동 당직하다. ¶～官; 당직 사관. ‖ =〔直日〕
〔值宿〕 zhísù 명동 숙직(하다). =〔值夜〕
〔值星〕 zhíxīng 동 《軍》 주(週)마다 교대하여 근무하다. ¶～官; 주번 사관／～班长; 주번 하사관.
〔值夜〕 zhíyè 명동 숙직(하다). ¶该～了; 숙직의 차례가 되었다. =〔值宿〕
〔值遇〕 zhíyù 동 〈文〉 ①조우(遭遇)하다. 우연히 만나다. ②지우(知遇)를 받다. 남이 알아 주어 후하게 대접받다.
〔值月〕 zhíyuè 명 당번서는 달. 명동 월당번(月當番)(을 서다). ‖ =〔直月〕
〔值珍得惜〕 zhí zhēn dé xī 〈成〉 애지중지할 가치가 있다. 귀중하게 여길 가치가 있다.
〔值重〕 zhízhòng 동 소중히 하다. ¶人一上了年岁, 就看孩子们～了; 사람은 나이가 들면 어린이를 소중히 여긴다.

埴 zhí (치, 식)
명〈文〉 진흙. 점토(粘土). ¶埏shān～为器; 진흙을 빚어서 그릇을 만들다／～土; 점토질의 토지.

埴 zhí (식, 치)
명 점토. 진흙《흔히, 인명에 쓰임》.

植 zhí (식)
① 명 식물. ② 동 심다. 재배하다. ¶种～五谷; 오곡을 재배하다／密～; 밀식하다. ③ 동 (인재를) 양성하다. ¶培～人才; 인재를 양성하다. ④ 명 근본(根本). ⑤ 동 수립(樹立)하다. 세우다. ¶～其锄于门侧; 가래를 문에 세워 놓다.
〔植保〕 zhíbǎo 명 〈簡〉 식물 보호《'植物保护'의 준말》.
〔植被〕 zhíbèi 명 《植》 식피. 식생(植生). ¶～图; 식생도.
〔植床〕 zhíchuáng 명 《農》 묘상(苗床). 묘포(苗圃).
〔植党〕 zhídǎng 동 〈文〉 도당(徒黨)을 조직하다. ¶～营私; 〈成〉 도당을 조직해서 사리(私利)를 도모하다.
〔植耳〕 zhí'ěr 동 〈文〉 귀를 기울이고 듣다.
〔植根〕 zhígēn 동 뿌리를 내리다. ¶～未坚; 〈成〉 기초가 아직 든든하지 못하다.
〔植立〕 zhílì 동 〈文〉 직립하다. 곤두서다. ¶毛发～; 머리카락이 곤두서다.
〔植苗〕 zhí,miáo 동 묘목을 심다.
〔植皮〕 zhí,pí 동 《醫》 피부를 이식하다.
〔植入〕 zhírù 명 《生》 착상(着床). 수정란의 착상.
〔植树节〕 Zhíshùjié 명 식목일《음력 3월 12일 청명절》.
〔植物〕 zhíwù 명 식물. ¶～纤xiān维; 식물 섬유／～园yuán; 식물원.
〔植物激素〕 zhíwù jīsù 명 《植》 식물 호르몬.
〔植物性神经〕 zhíwùxìng shénjīng 명 《生》 자율신경. =〔自zì主神经〕
〔植物油〕 zhíwùyóu 명 식물유. =〔青qīng油〕〔子zí油〕
〔植物油脂〕 zhíwù yóuzhī 명 식물 유지.
〔植株〕 zhízhū 명 《農》 그루.

殖 zhí (식)
동 ①증식하다. 번식하다. ¶繁～; 번식하다／增zēng～; 증식하다. ②생장(生長)하다. ③심다. ④불리다. 붇다. 이식(利殖)하다. 증식하다. ¶～货; ⇩ ⇒shi
〔殖财〕 zhícái 동 재산을 불리다. =〔殖货〕
〔殖产〕 zhíchǎn 동 재산을 증식하다.
〔殖货〕 zhíhuò 동 ⇨〔殖财〕
〔殖民〕 zhímín 명 식민. ¶～地; 식민지／～政策; 식민 정책／～统治; 식민 통치.
〔殖民主义〕 zhímín zhǔyì 명 식민주의. ¶～者; 식민주의자.

侄〈姪〉 zhí (질)
(～儿, ～子) 명 ①형제의 자식《조카와 조카딸》. ¶堂～; 당질／堂～女; 당질녀／叔～; 숙질／亲～; 친조카. ②친한 사람의 자식을 가리키는 말. ¶小～; ⓐ친한 친구에 대하여 자기의 자식을 가리킴. ⓑ아버지의 친구에 대하여 쓰는 아들의 자칭.
〔侄女(儿)〕 zhínǚ(r) 명 ①조카딸《형제 또는 동연배의 남자 친척의 딸, 또는 친구의 딸》. ②저《조카딸의 자칭》.
〔侄女婿〕 zhínǚxù 명 질녀의 남편. =〔侄婿〕
〔侄倩〕 zhíqiàn 명 〈女〉 조카 사위.
〔侄儿辈儿〕 zhírbèir 명 조카뻘. =〔晚wǎn一辈〕
〔侄甥〕 zhíshēng 명 조카와 조카딸.
〔侄孙〕 zhísūn 명 종손(從孫)《형이나 아우의 손자》. ¶～女; 종손녀.
〔侄外孙〕 zhíwàisūn 명 생질손(甥姪孫)《생질의 자식》. ¶～女; 생질 손녀.
〔侄媳妇(儿)〕 zhíxífu(r) 명 종손부(從孫婦)《종손의 아내》. 조카 며느리.
〔侄婿〕 zhíxù 명 ⇨〔侄女婿〕

职(職〈軄, 耺〉) zhí (직)
① 명 직무상의 지위. ¶在～; 재직하다／兼～; 겸직하다／就～; 취임(하다)／撤chè～; 면직하다. ② 명 작용. ③ 명 〈簡〉 직원의 약칭. ¶教～员; 교원과 직원. ④ 명 직무. 직책. ¶尽～; 직무를 다하다. 직책을 완수하다／有～有权; 〈成〉 직무와 그에 상응하는 권한을 갖고 있다／失～; 직무를 다하지 않다. ⑤ 명 〈公〉 당직(當職). 소직(小職). 소관(小官)《옛날 공문에서, 직원이 그 소속 상사에 대하여, 또는 어느 부국(部局)이 그 소속 상급 관청에 대하여 쓰던 자칭》. ¶～已于上月返京; 소직(小職)은 지난 달에 이미 귀경했습니다／～政府; 하급 정부의 상급

정부에 대한 자칭. ⑥개〈文〉…때문에. ¶两而不同, ～此而已; 양자의 상이(相異)는 다만 이것 때문이다. ⑦명 성(姓)의 하나.
〔职别〕 zhíbié 명 직무별. 직업별.
〔职差〕 zhíchāi 명 관직.
〔职称〕 zhíchēng 명 직무상의 명칭. ¶他的～是讲师; 그의 직명은 강사이다.
〔职分〕 zhífèn 명 ①직분. ②직위. 관직.
〔职蜂〕 zhífēng 명《蟲》일벌.
〔职工〕 zhígōng 명 ①직원과 공원. ¶我们厂的～; 우리 공장의 종업원 / 学校～; 학교의 직원과 용인(傭人) / 双shuāng～; 부부 맞벌이. ②옛날의 노동자. ¶～运动; 노동 운동. 노동 조합 운동 / 固gù定～; 상용공(常傭工).
〔职工会〕 zhígōnghuì 명 옛날의 노동 조합.
〔职工消费合作社〕 zhígōng xiāofèi hézuòshè 명 옛날, 노동자 소비 협동 조합.
〔职工小组〕 zhígōng xiǎozǔ 명 옛날, 노동 조합의 한 직장 단위.
〔职名〕 zhímíng 명 청대(清代), 직명을 인쇄한 명함.
〔职能〕 zhínéng 명 직능. 기능. 효용. 구실. 역할. ¶货币的～; 화폐의 기능 / 政府的～; 정부의 역할.
〔职能资本家〕 zhínéng zīběnjiā 명 기능 자본가《산업 자본가와 상업 자본가》.
〔职球员〕 zhíqiúyuán 명《體》구기(球技)의 역원(役員)과 선수.
〔职权〕 zhíquán 명 직권. ¶行使～; 직권을 행사하다 / ～范围; 직권 범위.
〔职任〕 zhírèn 명 직임.
〔职是之故〕 zhí shì zhī gù〈文〉다만 이것 때문에. 오직 이 때문에.
〔职守〕 zhíshǒu 명 직무. 직장(職場). 직분. ¶忠于自己的～; 자기 직분에 충실하다 / 不能擅离～; 무단으로 직장을 떠나서는 안 된다. =〔职司〕
〔职司〕 zhísī 명 ⇨〔职守〕
〔职位〕 zhíwèi 명 직위.
〔职务〕 zhíwù 명 직무.
〔职衔〕 zhíxián 명 직함.
〔职业〕 zhíyè 명 직업.
〔职业病〕 zhíyèbìng 명 직업병.
〔职业学生〕 zhíyè xuésheng 명 옛날, 학생 가운데에 잠입하여 조사·선동 등에 종사한 비밀 공작원.
〔职由〕 zhíyóu 명〈文〉사물의 근원〔근거〕.
〔职员〕 zhíyuán 명 기업·단체·학교 등의 직원. 사무원.
〔职责〕 zhízé 명 직책. ¶属于主任的～范围; 주임의 직책 범위 안에 들어 있다.
〔职掌〕 zhízhǎng 명〈文〉직장. 직무. 직분. 동 (직무를) 관장〔담당〕하다.

跖 zhí (척)
①명〈文〉발바닥. ②명 발등의 발가락에 가까운 부분. ¶～骨; 《生》척골. ③동〈文〉밟다. ④(Zhí) 명《人》척《춘추 시대(春秋時代)의 대도(大盗) 이름》. =〔盗跖〕‖=〔蹠〕
〔跖犬吠尧〕 zhí quǎn fèi yáo〈成〉대도(大盗)인 '盗跖'의 개는 '尧'와 같은 성인(聖人)에게도 짖는다《선악을 가리지 않고, 맹목적으로 군주에게 충성을 다한다》.

摭 zhí (척)
동〈文〉줍다. =〔摭拾shí〕
〔摭言〕 zhíyán 명 잡록(雜錄).

蹠 zhí (척)
⇨〔跖〕

踯(躑) zhí (척)
→〔踯躅〕
〔踯躅〕 zhízhú 동〈文〉①발을 멈추다. ②배회하다. 헤매다. ¶～岐路; 기로에 서다. =〔蹢躅〕 명《植》철쭉. =〔山踯躅〕

蹢 zhí (적)
→〔蹢躅〕⇒dí
〔蹢躅〕 zhízhú 동 ⇨〔踯躅②〕

止 zhǐ (지)
①동 그치다. 멈추다. ¶血流不～; 출혈이 그치지 않는다. ②동 그만두게 하다. 저지하다. 억제하다. 누르다. 금지하다. ¶～痛药; 《藥》진통제 / 劝～; 권하여 그만두게 하다 / ～血; 지혈하다 / 制～; 제지하다 / 禁～; 금지하다 / 行人～步; 통행 금지. ③동 정지하다. 그만두다. ¶停～; 정지하다 / 中～; 중지하다 / 适可而～; 적당한 정도에서 멈추다 / 不达到目的不休～; 목적을 달성하지 않고는 그만두지 않는다. ④동 (…까지) 끝나다. 마감하다. ¶展览会从十月一日起至十月十四日～; 전람회는 10월 1일부터 10월 14일까지이다 / 到现在为～; 현재까지. ⑤부 다만. 단지. ¶～有一个; 단 하나밖에 없다 / 问题还不～此; 문제는 다만 이것뿐이 아니다. ⑥명 행동거지.
〔止步〕 zhǐ.bù 동 ①걸음을 멈추다. ¶～不前; 멈추고 나아가지 않다. ②통행을 금지하다. ¶男客～; 남자 출입 금지 / 闲人～ =〔闲人免进〕; 무용자 출입 금지. 명 마지막. 끝. ¶做到那件事就算～; 그것까지 하면 끝나는 셈이다.
〔止不住〕 zhǐbuzhù 멈출〔억제할〕 수 없다. ¶～流泪; 눈물을 멈출 수 없다 / ～地出血; 계속해서 출혈하다 / 咳ké嗽老～; 기침이 언제까지나 멈추지 않다.
〔止词〕 zhǐcí 명《言》'宾bīn语'의 구칭.
〔止得〕 zhǐdé 부 ⇨〔只得〕
〔止兑〕 zhǐduì《經》명 태환 정지. 어음 할인 정지. 동 태환을 정지하다. 어음 할인을 정지하다.
〔止付〕 zhǐfù 동《經》지불 정지하다. ¶他兑现时, 发觉那支票已被～了; 그는 현금으로 바꿀 때 그 수표가 이미 지불 정지가 되어 있는 것을 발견했다.
〔止戈为武〕 zhǐ gē wéi wǔ〈成〉싸움을 막을 수 있는 것이야말로 참다운 무(武)이다.
〔止回阀〕 zhǐhuífá 명《機》체크 밸브(check valve). =〔〈南方〉巧qiǎo克凡而〕
〔止回皮带〕 zhǐhuí pídài 명《機》체크 스트랩(check strap).
〔止境〕 zhǐjìng 명 그치는 곳. 한도. 끝. ¶欲望没有～; 욕심은 한이 없다 / 学无～; 학문에는 끝이 없다. =〔尽头〕
〔止酒〕 zhǐ.jiǔ 동 금주하다. 술을 끊다. =〔戒酒〕
〔止咳〕 zhǐké 동 기침을 멈추(게 하)다. ¶～糖浆; 지해용 시럽.
〔止渴〕 zhǐ.kě 동 ①갈증을 풀다. ②〈轉〉만족하다.
〔止水〕 zhǐshuǐ 명 ①시수(屍水). 추깃물. ②흐르지 않는 물. =〔静水〕
〔止谈风月〕 zhǐ tán fēng yuè〈成〉풍월에 대해

서만 이야기하다(국사(國事)를 논하지 않음을 에둘러 말할 때 쓰임).
〔止疼药〕 zhǐténgyào 명 《藥》 진통제.
〔止痛〕 zhǐ.tòng 동 통증을 멈추게 하다. ¶～药; 진통제.
〔止推轴承〕 zhǐtuī zhóuchéng 명 《機》 스러스트 베어링(thrust bearing).
〔止息〕 zhǐxī 동 ①정지하다. 그치다. ¶天黑了, 炮声也～了; 해가 저물자 포성도 멈췄다. =〔停止〕 ②숨을 멈추다.
〔止泻〕 zhǐ.xiè 동 《醫》 지사하다. ¶～剂; 지사제/～药yào; 지사약.
〔止行〕 zhǐxíng 명 《植》 납가새. 질려. =〔蒺jí藜①〕
〔止血〕 zhǐ.xuè 동 《醫》 지혈하다.
〔止血绵〕 zhǐxuèmián 명 《藥》 지혈면.
〔止血药〕 zhǐxuèyào 명 《藥》 지혈제.
〔止血针〕 zhǐxuèzhēn 명 지혈용의 주사.
〔止扬〕 zhǐyáng 명동 ⇨〔扬弃〕
〔止住〕 zhǐzhù 동 멈추다. 누르다. 억제하다. ¶疼痛～了; 아픔이 가셨다/他～我不叫动身; 그는 나를 붙들고 떠나지 못하게 한다.

沚 zhǐ (지)
①명 물가의 작은 모래톱. 작은 섬. ②지명용 자(字). ¶湾wān～; 《地》 완즈(灣沚)(안후이 성(安徽省) 옌후 호(燕湖)의 남쪽에 있음).

址〈阯〉 zhǐ (지)
명 소재지. 지점. ¶住～; 주소/校～; 학교 소재지/厂～; 공장 소재지/遗yí～; 유적지.

芷 zhǐ (지)
명 《植》 구리때. ¶白～ =〔白茝〕; 향초(香草)의 이름. 구리때.

祉 zhǐ (지)
명 〈文〉 ①신(神)으로부터 주어지는 복(福). ②행복. ¶日～; 그날 그날의 행복/即请时～; 〈翰〉 평안하심을 빌어 마지않습니다/顺颂时～; 〈翰〉 아울러 행복하심을 축수합니다.

趾 zhǐ (지)
명 ①발가락. ¶鸭的脚～中间有蹼pǔ; 오리의 발가락 사이에는 물갈퀴가 있다. ②발. ¶请移玉～; 〈翰〉 모쪼록 나와 주십시오/圆颅lú方～; 둥근 얼굴과 네모진 발. 〈比〉 사람.
〔趾高气扬〕 zhǐ gāo qì yáng 〈成〉 의기 양양한 모양. 기세가 당당한 모양. ¶～地大发议论; 기세 당당하게 의론을 펴다.
〔趾骨〕 zhǐgǔ 명 《生》 지골. 발가락뼈.
〔趾甲〕 zhǐjiǎ 명 《生》 발톱.

只〈衹, 祇〉 zhǐ (지)
①부 다만. 단지. 겨우. 오직. ¶～有一个人; 단지 한 사람뿐. 오직 한 사람밖에…/病人～给牛奶吃; 환자에게는 우유밖에 먹이지 않는다/～要劳动, 就有饭吃; 오직 노동을 해야만, 밥을 먹을 수 있다. ②오직 …밖에 없다. 단지 …뿐(명사 앞에 쓰여, 사물의 수량을 제한함). ¶家里～我一个人; 집에는 오직 나 혼자뿐이다. ③접 하지만. 그러나. ¶我想去看, ～是没时间; 나는 보러 가고 싶지만 시간이 없다/本来预备今天拍摄外景, ～是天还没有晴; 원래 오늘 로케이션을 할 예정이었지만, 하늘이 맑지 않아서 말이야. ⇒zhī, '衹' qí
〔只不过〕 zhǐbùguò 단지 …에 지나지 않다('不过'를 강조한 것으로 문말(文末)에 대부분 '就是了' '罢了' 등을 동반함). ¶这～是一种猜测; 이것은 단지 일종의 추측에 지나지 않는다.
〔只此一次〕 zhǐ cǐ yīcì (오직) 이번 한 번뿐. 이번뿐.
〔只此一家〕 zhǐ cǐ yījiā (오직) 이 한 상점뿐(상점이 달리 지점이 없음을 나타내어 상호 도용을 방지하는 데 쓰는 문구).
〔只此一遭〕 zhǐ cǐ yīzāo 단지 이번 한 번뿐. ¶～, 下不为例; 단지 이번 한 번뿐이며, 금후의 예로는 삼지 않는다.
〔只打雷, 不下雨〕 zhǐ dǎléi, bù xiàyǔ 〈諺〉 ⇨〔光guāng打雷, 不下雨〕
〔只当〕 zhǐdàng …이라 생각하다. …이라 치다. ¶～我没说; 내가 아무말도 안했다고 생각해 다오〔방금 한 말은 용서해 다오〕/你～没那么回事似的, 还照常应酬他; 그런 일은 없었다고 생각하고 변함없이 그와 사귀어라.
〔只道〕 zhǐdào 오직〔다만〕 …이라고 생각하다. ¶我～是王先生; 나는 왕선생인줄로만 생각하고 있었다.
〔只得〕 zhǐdé〔zhǐde, zhǐděi〕 부 할 수 없이. 부득이. ¶～承认; 할 수 없이 승인하다/～给他赔个不是了; 할 수 없이 그에게 사과했다. 注 주어 앞에도 쓰임. ¶他还不来, ～我一个人先去了; 그가 아직 오지 않아서, 할 수 없이 나 혼자 갔다. =〔只好〕〔只可②〕〔只索〕〔止得〕
〔只读存储器〕 zhǐdú cúnchǔqì 명 《電算》 롬(ROM; read only memory). 읽기 전용 기억 장치.
〔只顾〕 zhǐgù 오로지 …만 하려 하다. 단지 …에만 정신이 팔려 있다. ¶～自己, 不顾别人; 자기한테만 신경을 쓰고 남은 돌보지 않는다.
〔只管〕 zhǐguǎn 부 상관없이. 주저하지 않고. 거리낄것 없이. 마음대로. ¶有话, 你～说; 할 말이 있으면 주저하지 말고 말해라. 동 오로지 …만 고려하다. ¶～读书, 不顾一切; 오로지 열심히 공부만 할 뿐, 그 밖의 것은 일체 돌보지 않는다.
〔只好〕 zhǐhǎo 부 할 수 없이. 부득이. 부득불. ¶～简单一点儿了; 간단하게 할 수밖에 도리가 없다/车票买不到, 去桂林的旅行～作罢; 기차표를 살 수가 없었으므로 구이린(桂林) 여행은 부득이 그만두기로 했다. =〔只得〕
〔只会〕 zhǐhuì 오직 …할 줄만 알다.
〔只会生, 不会养〕 zhǐ huì shēng, bùhuì yǎng 〈諺〉 낳아만 놓고 기르지 않다.
〔只见〕 zhǐ jiàn ①오직 …만을 보다. ¶～树木, 不见森林; 〈諺〉 나무만 보고 숲을 보지 않다. ②(zhǐjiàn) 동 〈轉〉 문득 보다. 얼핏 보다. ¶～前边来了一个人; 문득보니 앞쪽에서 한 사람이 왔다.
〔只可〕 zhǐ kě ①다만 …할 수밖에 없다. ¶～意会, 不可言传; 〈成〉 마음으로 이해할 뿐 말로는 전할 수 없다. ②(zhǐkě) 부 ⇨〔只得〕
〔只能〕 zhǐnéng 다만〔기껏해야〕 …을 할 수 있을 뿐이다. …밖에 못 한다. ¶～是这样; 이렇게 할 수밖에 없다.
〔只怕〕 zhǐ pà ①단지〔다만〕 …만이 걱정이다. ¶～落后; 낙후하지 않을까 오로지 그것만이 걱정이다. ②(zhǐpà) 부 아마. 짐작건대. 어쩌면. ¶不但官职保不住, ～连性命也难保呢; 관직도 위험할 뿐 아니라 어쩌면 생명도 보존키 어려울지 모른다.
〔只认衣衫不认人〕 zhǐrèn yīshān bùrèn rén 〈諺〉 옷차림만으로 사람을 판단하다.
〔只是〕 zhǐshì 접 그러나. 그런데. ¶我想看电影,

～没时间不能去; 영화를 보고 싶지만, 시간이 없어서 갈 수 없다 / 心里有很多话要说, ～嘴里说不出来; 마음 속에는 하고 싶은 말이 무척 많은데, 아무래도 입에서 나오지 않는다. 부 단지. 다만. 오직. 오로지. ¶～如此; 단지 이렇다 / 他～口头上说说而已; 그는 말뿐이다 / 大家问他是什么事, 他～笑, 不回答; 모두가 그에게 무슨 일이 있었느냐고 물어도, 그는 그저 웃기만 할 뿐 대답하지 않는다.

〔只索〕 **zhǐsuǒ** 부 ⇨〔只得〕

〔只消〕 **zhǐxiāo** 접 〈北方〉 ⇨〔只要①〕

〔只须〕 **zhǐxū** 다만 …만 하면. ¶～有办法, 绝不求人; 방법만 있다면 결코 남에게 부탁하지 않는다 / ～忍rěn得住, 我怎么说他呢? 참을 수만 있다면, 내가 어찌 그를 야단치겠습니까? =〔但dàn凡②〕〔但分〕〔但使〕〔但须〕

〔只许州官放火, 不许百姓点灯〕 **zhǐxǔ zhōuguān fàng huǒ, bùxǔ bǎixìng diǎndēng** 〈諺〉 벼슬아치는 방화를 해도 용서를 받지만, 백성은 등불을 켜는 것도 허용되지 않는다《권력자는 제멋대로 전횡을 부리지만 백성에게는 털끝만한 자유〔권리〕도 주지 않다》.

〔只要〕 **zhǐyào** ① 접 …이기만〔하기만〕 하면. 만약 …라면《뒤에 '就'나 '便'을 수반하여 결과를 초래하게 됨을 나타냄》. ¶～努力, 一定成功; 노력만 한다면 반드시 성공한다 / ～有法子, 我就试试; 방법이 있기만 하면 해 보겠습니다. =〔只消〕 ② (zhǐ yào) 오직 …만을 원하다. ¶～钱, 不要别的; 돈만을 원한다, 다른 것은 필요 없다.

〔只有〕 **zhǐyǒu** 부 ①오로지. 오직《뒤에 오는 것이 유일 무이(唯一無二)의 존재임을 나타냄》. ¶～我相信你; 자네를 믿고 있는 것은 오직 나뿐이다 / ～他是去南京的, 别人都去上海; 그만이 난징(南京)에 가고, 나머지 사람은 상하이에 간다. ②오직〔다만〕 … 수밖에《동사 앞에 쓰이어 그 동사가 가리키는 동작·작용이 유일한 것임을 나타냄》. ¶在这种情形下, 他～走了; 이런 상황하에서는 그는 떠날 수밖에 없다 / 这么说, 我～走了? 그렇게 말하면 나는 갈 수밖에 없겠죠. 접 …해야만(…이다)《뒤에 '才'나 '方'을 수반하여 다음에 기술(記述)되는 것의 유일무이의 조건임을 나타냄》. ¶～你去请他, 他才会来; 네가 부르러 가야만 그는 올 것이다 / ～你拿出证据来, 我才相信; 네가 증거를 제시해야만 나는 믿는다.

〔只争〕 **zhǐzhēng** 다만 …을 문제삼다. ¶～朝zhāo夕; 〈成〉 촌음을 아끼다. 분초를 다투다.

〔只知其一, 不知其二〕 **zhǐzhī qíyī, bùzhī qí'èr** 명 하나를 알고 둘을 모르다. 완전히 알고 있지는 않다. ¶他～, 对刘祥, 也只是从表面上看到一点变化, 不了解实底; 그는 잘 모르고 있어, 유상(劉祥)에 대해서도 표면적인 변화를 좀 알뿐, 깊은 실정은 모르고 있다.

咫

zhǐ (지)

명 〈文〉 ①둘레 8치《주대(周代)의 척도(尺度)》. ②〈轉〉 가까운 거리.

〔咫尺〕 **zhǐchǐ** 명 〈文〉 지척. 아주 가까운 거리. ¶近在～; 지척간에 있다 / ～龙颜; 제왕을 배알하다 / ～天涯; 〈成〉 가깝지만, 하늘 끝에 있는 것처럼 접근할 수 없다 / ～山河; 〈成〉 가깝지만 산과 강으로 가로막힌 것처럼 만나보기 어렵다 / 不辨～; 한치 앞도 분간하지 못하다 / ～之间; 지척지간.

〔咫闻〕 **zhǐwén** 〈文〉 지척 사이에서 듣다. 아주 가까이에서 듣다.

枳

zhǐ (지)

① 명 《植》 탱자(나무). =〔枸橘〕〔臭橘〕 ② 동 ⇨〔轵③〕

〔枳棘〕 **zhǐjí** 명 ①탱자나무 가시. ②《植》 탱자나무와 가시나무. ③〈轉〉 사악한〔나쁜〕 것.

〔枳椇〕 **zhǐjǔ** 명 《植》 호깨나무. =〔〈俗〉 鸡jī爪子②〕

〔枳壳〕 **zhǐqiào** 명 《漢醫》 기각《한방약의 일종》.

〔枳实〕 **zhǐshí** 명 익지 않은 탱자 등의 열매.

轵(軹)

zhǐ (지)

① 명 〈文〉 차축(車軸)의 끝. ② 명 두 갈래. ③ 동 분기(分岐)하다. 나뉘어서 갈라지다. ¶～首蛇; 양두(兩頭)의 뱀. =〔枳②〕 ④구말(句末)에 붙이는 말. ⑤지명용 자(字). ¶～城; 즈청(軹城)《허난 성(河南省) 지위안 현(濟源縣)에 있는 진(鎭) 이름》.

旨

zhǐ (지)

① 명 조서(詔書). 칙명(勅命). 제왕의 분부. ¶领～; 성지(聖旨)를 받들어 모시다 / 圣～; 성지. 황제의 명령 / 谕～; 유지. 칙유(勅諭). ② 명 뜻. 취지(趣旨). 목적. ¶主～ =〔宗～〕; 주된 취지. 주지 / ～在…的计划; …을 주지로 하는 계획. =〔恉〕〔指zhǐ⑫〕 ③ 형 좋다. 맛있다. 곱다. ¶～酒; 좋은 술 / 菜肴～且多; 음식도 맛있고 양도 많다.

〔旨甘〕 **zhǐgān** 명 〈文〉 좋은 맛.

〔旨酒〕 **zhǐjiǔ** →〔字解③〕

〔旨趣〕 **zhǐqù** 명 〈文〉 종지(宗旨). 취지. 생각. =〔趣旨〕〔指趣〕

〔旨蓄〕 **zhǐxù** 명 〈文〉 겨울 식용을 위해 저장해 두는 식품《말린 야채 따위》.

〔旨意〕 **zhǐyì** 명 의향. 취지. 의도. 의미. ¶这些谣言是按照其老版的～制造出来的; 이런 헛소문은 그 주인의 뜻에 의해 날조된 것이다.

恉

zhǐ (지)

명 ⇨〔旨②〕

指

zhǐ (지)

① 명 손가락. ¶手～; 손가락 / 大拇～头; 엄지손가락 / 脚～; 발가락 / 首屈一～; 〈成〉 첫째로 꼽히다 / 天黑得伸手不见五～; 밖은 캄캄해서 손을 내밀어도 다섯 손가락조차 보이지 않는다. ② 동 (손가락이나 뾰족한 것으로) 가리키다. 지적하다. ¶时针～着十二点; 시계 바늘이 12시를 가리키고 있다. ③ 동 〈文〉 지적하다. 정하다. 지시하다. ¶某城～日可下; 모성은 예정일에〔근일(近日)〕 공략할 수 있다 / 把目标～给我们看; 목표를 우리에게 지시해 주다 / 把真理～给我们; 진리를 우리에게 지시해 주다. ④…을 목표로. ⑤ 명 의향(意向). 의도. 생각. ⑥ 동 믿다. 의지하다. 의거하다. ¶～着五亩地借了六十块; 5묘(畝)의 밭을 담보로 60원 꾸었다 / 就～着几颗手榴弹打胜仗; 단지 몇 개의 수류탄만으로 싸움에 이기다 / ～着什么过日子? 뭘로 살림을 꾸려 나가고 있느냐? / ～佛穿衣, 赖佛吃饭; (승려가) 부처 덕분으로 옷을 입고 밥을 먹다. ⑦ 양 깊이 또는 폭을 재는 단위《손가락 하나의 넓이를 '一指'라고 함》. ¶下了四～雨; 네 손가락 폭(깊이까지 젖어들 정도)의 비가 내렸다 / 有三～宽; 손가락 세 개 정도의 폭이다. ⑧ 동 상관하다. ¶尽哭～什么事; 울고만 있으면 어떻게 하자는 거야! ⑨ 명동 희망(하다). ¶实～你能够出个好主意; 자네가 좋은 생각을 내주기를 바라고 있네. ⑩ 동 뜻하다. ¶米～了去了皮的稻谷; 쌀은 껍질을 벗긴 벼의 알

맹이를 뜻한다. ⑪ 통 곤두서다. ¶发～; 머리카락이 곤두서다/令人发～; 사람을 격노케 하다. ⑫ 명 ⇨〔旨②〕
〔指北针〕 zhǐběizhēn 명 자침(磁針). 지남침.
〔指臂之效〕 zhǐ bì zhī xiào〈文〉 긴밀한 연계(連繫). 긴밀한 관계로 얻은 효과. ¶必得上下一心而后才能收～; 상하가 한마음이 되어야 비로소 긴밀한 연계를 할 수 있다.
〔指臂之助〕 zhǐ bì zhī zhù〈文〉 긴밀히 서로 도움.
〔指标〕 zhǐbiāo 명 ①지표. 목표. ¶生产～; 생산지표/质量～; 품질지표/数量～; 수량지표. =〔指定目标〕 ②그래프의 눈금.
〔指拨〕 zhǐbō 통〈文〉 ①지정하여 지불하다. ②지시하다. 가리키다. 가르치다. ¶他天分好, 一～就明白; 그는 소질이 있으니까 가르치면 곧 안다.
〔指驳〕 zhǐbó 통〈文〉 지적하여 반박하다.
〔指不定〕 zhǐbudìng ⇨〔不一定〕
〔指不胜举〕 zhǐ bù shèng jǔ〈成〉 셀 수 없을 만큼 많다. =〔指不胜屈〕
〔指产借钱〕 zhǐchǎn jièqián 재산을 담보로 돈을 꾸다.
〔指陈〕 zhǐchén 통〈文〉 지적하여 개진(開陳)하다. 설명하다.
〔指斥〕 zhǐchì 통〈文〉 지적하여 나무라다. 질책(叱責)하다.
〔指出〕 zhǐchū 통 지적하다. 가리키다. ¶社论～任何国家都无权干涉他国的内政; 사설은 어느 나라나 타국의 내정에 간섭할 권한은 없다고 지적하고 있다.
〔指导〕 zhǐdǎo 명통 지도〔교도〕(하다). ¶从四岁起便在母亲的～下学习钢琴; 네 살 때부터 모친의 지도 아래 피아노를 배웠다/～作用; (사상·이론 등의) 지도적 역할/～方针; 지도 방침/～思想; 지도사상.
〔指导员〕 zhǐdǎoyuán 명 ①지도원《특히 정치 지도원을 가리킴》. ② ⇨〔教jiào练〕
〔指道〕 zhǐdào 통〈簡〉 남의 결점을 들추어 내다《'指指点点, 说说道道'의 준말》. ¶做事真得留神, 不然人家就～; 일을 하면서 정말로 주의해야지 그렇지 않으면 사람들이 이러쿵저러쿵 말을 하게 된다.
〔指地借钱〕 zhǐdì jièqián 토지를 담보로 돈을 빌리다.
〔指地抠井〕 zhǐ dì kōu jǐng〈成〉 땅을 가리키며 우물을 파게 하다《다짜고짜로 일을 시킴》.
〔指点〕 zhǐdiǎn 통 ①지시하다. 지적하여 알려 주다. 지도하다. ¶前辈们热情地对新人～; 선배들은 열심히 신인을 지도한다/要有不妥当的地方, 请您给～～; 만일 적당하지 않은 점이 있으면, 아무쪼록 지적해 주십시오. ②곁에서 남의 흉을 들추어 내다. 험담하다. ¶不要在背后对别人的工作指指点点; 남의 일에 대해서 뒤에서 이러쿵저러쿵 해서는 안 된다. 명 지시. 지적. 흠찾기.
〔指点信标〕 zhǐdiǎn xìnbiāo 마커 비컨(marker beacon). 무선 위치 표지.
〔指定〕 zhǐdìng 통 지정하다. ¶到～的地点集合; 지정된 장소에 모이다.
〔指定价(格)〕 zhǐdìng jià(gé) 명〘商〙 지정 가격. 고시 가격. 비드(bid). =〔出chū价〕
〔指定目标〕 zhǐdìng mùbiāo 명 ⇨〔指标①〕
〔指东道西〕 zhǐ dōng dào xī〈成〉 ⇨〔指东说西〕
〔指东瓜话葫芦〕 zhǐ dōngguā huà húlu ⇨〔指东说西〕
〔指东话西〕 zhǐ dōng huà xī〈成〉 ⇨〔指东说西〕
〔指东击西〕 zhǐ dōng jī xī〈成〉 양동 작전(陽動作戰)을 써서 적의 의표를 찌르다. =〔指东打西〕〔声东击西〕
〔指东说西〕 zhǐ dōng shuō xī〈成〉 ①이것저것 관계 없는 일을 말하며, 본론을 꺼내지 않다. ②빗대어 욕하다. ‖=〔指东道西〕〔指东瓜话葫芦〕〔指东话西〕
〔指肚〕 zhǐdù 명 손가락 안쪽의 도톰한 부분.
〔指法〕 zhǐfǎ 명 ①〘劇〙 손가락의 미묘한 동작. ②〘樂〙 운지법(運指法).
〔指房借钱〕 zhǐfáng jièqián 가옥을 담보로 돈을 빌리다.
〔指缝〕 zhǐfèng 명 손샅. 손가락 사이.
〔指腹为婚〕 zhǐ fù wéi hūn〈成〉 뱃속에 있을 때 약혼하는 일.
〔指箍〕 zhǐgū 명 골무. ¶带～; 골무를 끼다.
〔指骨〕 zhǐgǔ 명〘生〙 지골. 손가락뼈. ¶拇mǔ指～; 엄지손가락의 뼈.
〔指顾〕 zhǐgù 통〈文〉 매우 신속하다. 거리가 매우 가깝다. ¶在～之间; ⓐ잠깐 사이. ⓑ바로 눈앞에 있다. =〔顾指〕
〔指归〕 zhǐguī 명〈文〉 ①많은 사람의 마음이 쏠리는 곳. ②많은 사람이 숭배하는 사람.
〔指画〕 zhǐhuà 통 손가락질하다. 손가락으로 가리키다. ¶孩子们～着, "看, 飞机! 三架! 又三架!"; 아이들이 "앗, 비행기가 3대다! 또, 3대야!"하며 손가락으로 가리키고 있다/病人指指画画地要说什么, 可是舌头动弹不了; 환자는 손으로 가리키며 무엇인가 말하고 싶어하고 있으나, 혀를 움직이지 못한다.
〔指槐骂柳〕 zhǐ huái mà liǔ〈成〉 빗대어 욕하다. 빈정대다. ¶～地仍对两位小姐发言, 而目标另有所在; 빗대어서 두 아가씨에게 말하고 있지만, 목표는 다른 데에 있다. =〔指着槐树说柳树〕〔指鸡骂狗〕〔指桑骂槐〕〔指桑说槐〕〔捉鸡骂狗〕
〔指环〕 zhǐhuán 명 반지. =〔戒jiè指(儿)〕
〔指挥〕 zhǐhuī 명통 지시(하다). 지휘(하다). ¶～刀; 〘軍〙 지휘도/～灯; ⓐ교통 순경의 빨강·파랑의 전등. ⓑ교통 신호/～员; ⓐ〘軍〙 지휘관. ⓑ지휘자/合唱由他～; 합창은 그가 지휘한다/～棒bàng; 지휘봉. =〔指麾〕 명 지휘자. ¶乐团～; 악단의 지휘자.
〔指麾〕 zhǐhuī 명통 ⇨〔指挥〕
〔指鸡骂狗〕 zhǐ jī mà gǒu〈成〉 ⇨〔指槐骂柳〕
〔指甲〕 zhǐjia 명 손톱. ¶修～; 손톱을 다듬다.
〔指甲擦子〕 zhǐjia cāzi 명 손톱 다듬는 줄.
〔指甲草(儿)〕 zhǐjiacǎo(r) 명〘植〙〈俗〉 '凤fèng仙(花)'(봉선화)의 별칭.
〔指甲刀〕 zhǐjiadāo 명 ⇨〔指甲钳(子)〕
〔指甲盖儿〕 zhǐjiagàir 명 조갑(爪甲). 손톱 또는 발톱.
〔指甲花(儿)〕 zhǐjiahuā(r) 명 ⇨〔凤fèng仙(花)〕
〔指甲夹子〕 zhǐjia jiāzi 명 ⇨〔指甲钳(子)〕
〔指甲钳(子)〕 zhǐjiaqián(zi) 명 손톱깎이. =〔指甲刀〕〔指甲夹子〕
〔指甲心儿〕 zhǐjiaxīnr 명 손톱과 살이 닿는 부분.
〔指甲油〕 zhǐjiayóu 명 매니큐어. ¶涂tú～; 매니큐어를 바르다. =〔蔻kòu丹〕〔染rǎn指甲油〕
〔指尖〕 zhǐjiān 명 지첨. 손가락 끝.
〔指件字〕 zhǐjiànzì 명〘言〙 관사. =〔冠guān词〕
〔指教〕 zhǐjiào〈套〉 명 가르침. 지도. ¶不吝～; 가르침을 아끼지 않다/聆听～; 가르침을 듣겠습

니다. 동 가르치다. 지도하다. ¶以后请你多～! 앞으로도 많은 지도를 바라겠습니다.
〔指靠〕 zhǐkào 명동 의지(하다). 기대(를 걸다). 의거(하다). 의존(하다). ¶这件事就～你了; 이 일은 네게 기대를 걸겠다/没有～; 믿음직스럽지 못하다.
〔指控〕 zhǐkòng 명동 비난(非難) 고발(하다). ¶提出～; 비난 고발하다.
〔指令〕 zhǐlìng 명 ①공문의 일종(상급에서 하급에 지시 명령하는 것). ②《電算》 인스트럭션(instruction). 명령. ¶～代码; 명령 코드. 명동 명령(하다). 지령(하다). ¶接到上级～; 상급 기관의 지령을 받다.
〔指鹿为马〕 zhǐ lù wéi mǎ 〈成〉 시비(是非)를 전도(轉倒)하다.
〔指路〕 zhǐ lù 길을 가리키다. ¶～灯 =〔指示灯〕; 유도등(誘導燈). 표시등. 조명등.
〔指路明灯〕 zhǐlù míngdēng 〈比〉 길 표시등. 앞길을 밝혀 주는 등불.
〔指脉〕 zhǐmài 동 ⇨〔切qiè脉〕
〔指迷〕 zhǐmí 동 잘못을 가르쳐 주어 인도하다. 미혹을 지적하다.
〔指名(儿)〕 zhǐ.míng(r) 동 〈文〉 (사람을) 지명하다. (사물을) 지정(指定)하다. ¶～要我发言; 내가 발언하도록 지명하다/～(地)批评; 지명해서 비판하다.
〔指名撞骗〕 zhǐ míng zhuàng piàn 〈成〉 남의 이름을 사칭하고 속이다.
〔指明〕 zhǐmíng 동 〈文〉 분명히 지시하다. 명확히 지적하다. ¶～出路; 활로를 가리켜 주다.
〔指模〕 zhǐmó 명 ⇨〔指印(儿)①〕
〔指哪儿刺哪儿〕 zhǐ nǎr lá nǎr 〈方〉 말한 것만큼은 실행하다. 언행일치하다. =〔说到哪儿做到哪儿〕
〔指南〕 zhǐnán 명 ①안내. 지침. ②입문서. 지침서. 동 지도하다.
〔指南车〕 zhǐnánchē 명 지남차(옛날에 자침을 달아 방향을 가리키도록 한 수레). =〔南车〕〔司sīnán车〕
〔指南针〕 zhǐnánzhēn 명 ①나침반(羅針盤). =〔〈方〉 定南针〕 ②〈比〉 지침(指針). ¶行动的～; 행동의 지침.
〔指佞草〕 zhǐnìngcǎo 명 《植》 함수초. 미모사. =〔含hán羞草〕
〔指派〕 zhǐpài 동 지명하여 파견하다. ¶～技师指导; 기사를 지명 파견하여 지도하다/～他当领队; 그를 인솔자로 파견하다.
〔指趣〕 zhǐqù 명 ⇨〔旨趣〕
〔指日〕 zhǐrì 명 〈文〉 미구(未久). 멀지 않은 날. 일간. ¶～高升; 〈成〉 머지않아 승급한다/～可待dài; 〈成〉 가까운 장래를 기대할 수 있다. 머지않아 실현되다/～告罄; 〈成〉 머지않아 바닥이 날 것이다.
〔指桑骂槐〕 zhǐ sāng mà huái 〈成〉 ⇨〔指槐骂柳〕
〔指桑说槐〕 zhǐ sāng shuō huái 〈成〉 ⇨〔指槐骂柳〕
〔指山卖磨〕 zhǐ shān mài mò 〈成〉 돌산 밑의 돌절구 장사(가능성은 있으나 실제적인 것은 아님).
〔指实〕 zhǐshí 동 구체적으로 지적하다. 증거를 보이다. ¶我～了给你们看; 내가 너희에게 증거를 보여 주마.
〔指实掌空〕 zhǐ shí zhǎng kōng 〈成〉 서도의 붓을 잡는 법으로 손 안에 계란을 넣을 정도로 손가락에 힘을 주어 붓을 쥠.
〔指使〕 zhǐshǐ 명동 지시(하다). 사주(하다). 교사(하다). ¶有人～他这样做; 누군가 그에게 이렇게 하도록 지시한 거다.
〔指示〕 zhǐshì 명동 지시(하다). ¶～剂; 《化》 지시약/我们的先人～我们, 叫我们完成他们的遗志; 우리의 선조들은 우리에게 그들의 유지를 완성하도록 지시했다/接到新～; 새로운 지시를 받다/按～办事; 지시에 따라서 처리하다.
〔指示代词〕 zhǐshì dàicí 명 《言》 지시 대명사.
〔指示灯〕 zhǐshìdēng 명 조명등. 표시등. =〔指路灯〕
〔指示器〕 zhǐshìqì 명 지시기. 인디케이터(indicator). ¶水压～; 수압 지시기. =〔示功器〕
〔指示人〕 zhǐshìrén 명 《經》 (어음의) 지시인.
〔指示植物〕 zhǐshì zhíwù 명 《植》 지표(指標) 식물.
〔指示字样〕 zhǐshì zìyàng 명 지시 문구.
〔指事〕 zhǐshì 명 《言》 지사. '六书'의 하나(모양을 본뜰 수 없는 추상적 개념을 나타내기 위하여, 부호를 짜맞추는 조자법(造字法)).
〔指手画脚〕 zhǐ shǒu huà jiǎo 〈成〉 ①(흥이 나서) 손짓 발짓하며 말하다. ②남의 결점을 왈가왈부 비평하는 모양. ‖ =〔指手划脚〕〔舞舞爪爪〕
〔指书〕 zhǐshū 동 손가락 끝에 먹을 찍어서 글자를 쓰다.
〔指数〕 zhǐshù 명 ①《數》 지수. ②《經》 지수. ¶生活～; 생활비〔생계비〕 지수.
〔指数函数〕 zhǐshù hánshù 명 《數》 지수 함수.
〔指套〕 zhǐtào 명 골무. ¶橡xiàng皮～; 고무 골무.
〔指天发誓〕 zhǐ tiān fā shì 〈成〉 ⇨〔指天画地②〕
〔指天画地〕 zhǐ tiān huà dì 〈成〉 ①말하고 싶은 대로 멋대로 말하다. 손짓 발짓하며 함부로 떠들다. ¶当着众人～地大骂; 무리들 앞에서 멋대로 지껄이며 매도하다. ②신에게 맹세하다. 천지신명에게 맹세하다. =〔指天发誓〕〔指天誓日〕
〔指天誓日〕 zhǐ tiān shì rì 〈成〉 ⇨〔指天画地②〕
〔指头〕 zhǐtou 명 손가락. 발가락. ¶手～ =〔手指zhǐ〕; 손가락/脚jiǎo～ =〔脚趾〕; 발가락/大(拇)～ =〔大(拇)指〕; 엄지손가락/二指 =〔二拇〕〔二拇指(头)〕〔食shí指〕; 둘째 손가락/三拇指 =〔中指〕〔中拇指〕; 가운뎃손가락/四(拇)指 =〔无名指〕; 무명지. 약손가락/小(拇)～ =〔小(拇)指〕; 새끼손가락/～肚儿; 〈方〉 손가락의 (지문이 있는) 불룩한 부분/～尖儿; 손가락 끝/～印儿; 무인(拇印). 손도장/十个～都不一般齐; 〈諺〉 열 손가락이 다 같지는 않다. 십인십색(十人十色).
〔指头肚儿〕 zhǐtoudùr 명 〈方〉 손가락 끝마디 안쪽의 도톰한 부분.
〔指头尖儿〕 zhǐtoujiānr 명 손가락 끝.
〔指头节儿〕 zhǐtoujiér 명 손가락의 관절〔마디〕.
〔指头印子〕 zhǐtou yìnzi 명 무인(拇印). 손도장. 지장(指章). =〔指印(儿)①〕
〔指望〕 zhǐwàng 동 희망하다. 기대하다. 꼭 믿다. ¶～的事落空了; 기대했던 일이 어긋났다/他只～着他的孩子; 그는 그의 자식만을 의지로 삼고 있다/他的额外支出四百元～在这时候捞回来; 그의 특별 자본 400원은 이 때에 되돌려 받는 것이 기대된다. 명 가망. 장래성. 희망. 기대. ¶他的病已经没了～了; 그의 병은 이제는 가망이 없다.

〔指纹〕 zhǐwén 명 지문. ¶取qǔ～; 지문을 채취하다/打～ =〔打指印〕; 손도장〔지문〕을 찍다. =〔腡luó纹〕〔螺luó纹③〕〔手shǒu指模〕〔斗dǒu箕〕→〔指印(儿)②〕
〔指向〕 zhǐxiàng 동 가리키다. 지향하다. 목표로 하다. ¶矛头～谁; 공격의 화살은 누구에게 돌리나/指针～南方; 바늘은 남쪽을 가리키고 있다.
〔指项〕 zhǐxiàng 명〈文〉 일정한 수입. 고정 수입.
〔指要〕 zhǐyào 명〈文〉 요지(要旨).
〔指引〕 zhǐyǐn 동 지도하다. 인도하다. 이끌다. 안내하다. ¶猎人～他们通过了原始森林; 사냥꾼은 그들을 인도하여 원시림을 빠져 나갔다.
〔指印(儿)〕 zhǐyìn(r) 명 ①손도장. 무인. 지장(指章). ¶按～; 무인(拇印)을 찍다. =〔指模〕〔指头印子〕 ②지문.
〔指责〕 zhǐzé 동 지적하여 책망하다. 가리켜 책하다. 지탄하다. ¶对工人的缺点不是说教育, 而是菜取～的方式; 공원의 결점에 대해서는 타일러서 알게 하는 교육이 아니라, 지적해서 책망하는 방식을 취한다. 명 지적. 지탄. 책망. 질책. ¶加予～; 지적을 가하다.
〔指摘〕 zhǐzhāi 명동 지적(하여 비판하다). ¶时常遭受～与责骂; 늘 지적받고 야단맞다/免得受人～, 还是自尊自重的好; 남한테 말을 듣지 않도록 하려면 역시 자중하는 편이 낫다/无可～; 나무랄 데가 없다.
〔指战员〕 zhǐzhànyuán 명〖軍〗 장병(將兵)(‘指挥员’(지휘관)과 ‘战斗员’(병사)의 총칭).
〔指掌〕 zhǐzhǎng 형〈比〉 (손바닥을 가리키는 것처럼) 쉽다. ¶了liǎo如～; 〈成〉 손바닥을 가리키듯이 분명하다.
〔指仗〕 zhǐzhàng 동 의지하다. ¶他～着什么过日子呢? 그는 무엇에 의지하여 생활해 가고 있는가?
〔指着〕 zhǐzhe 동 ①손가락질하다. (손가락으로) 가리키다. ¶～你说的; 당신을 손가락질하며 비난하다. ②의지하다. ¶～什么过日子? 무엇에 의지하여 생계를 꾸려 나가고 있는가?
〔指着槐树说柳树〕 zhǐzhe huáishù shuō liǔshù ⇨〔指槐骂柳〕
〔指针〕 zhǐzhēn 명 ①(계기·시계의) 지침. 바늘. ¶罗盘的～; 나침판의 바늘. ②〈比〉 지침. 안내. 지도. ¶行动的～; 행동 지침.
〔指正〕 zhǐzhèng 동 잘못을 지적하여 바로잡다. 질정(叱正)하다(자기의 작품·의견에 대한 비평을 남에게 청할 때 쓰는 말). ¶有不对的地方, 请大家～! 틀린 곳이 있으면 많은 질정(叱正) 있으시기 바랍니다. 명 질정. 바로잡음.
〔指证〕 zhǐzhèng 동 증거를 가리켜 보이다.
〔指支〕 zhǐzhī 명〈文〉 손발. 수족(手足).
〔指重表〕 zhǐzhòngbiǎo 명 중량 표시기.

酯 zhǐ (지)
명〖化〗 에스테르(Ester)(‘爱ài司他’ ‘耶yē司脱’는 음역). ¶醋cù酸乙～ =〔乙yǐ酸乙～〕; 초산 에틸/醋酸戊wù～; 초산 아밀/聚jù～; 폴리에스테르.

扺 zhǐ (지)
동〈文〉 ①(손바닥으로) 치다. 두드리다. ¶～掌zhǎng =〔击掌〕; 손뼉을 치다. 박수치다/～掌而谈; 손뼉을 치며 유쾌하게 이야기하다. ②던지다. 注 ‘扺’와 ‘抵dǐ’는 자형(字形)·발음·뜻이 다름.

纸(紙〈帋〉) zhǐ (지)
①명 종이. 용지(用紙). ¶宣～; 화선지(畫仙紙)/信～; 편지지/吸xī墨～ =〔吃墨～〕; 압지(押紙)/稿(儿)～; 원고지/包装～; 포장지/石蕊ruǐ(试)～; 리트머스 시험지/硬(化)～板; 판지(板紙)/屋顶～料 =〔屋顶(焦)油～〕〔油毡～〕; 루핑(방수지)/～包不住火, 人包不住错; 〈諺〉 종이로 불을 싸지는 못하며, 사람은 잘못을 숨기지 못한다. ② 양 매. 장(편지·서류의 매수(枚數)를 세는 단위). ¶一～公文; 한 장의 공문서/合同共三～; 계약서 합계 3통/各执一～为凭; 증거로서 각자 1통을 보유한다.
〔纸柏〕 zhǐbǎi 명 ⇨〔纤xiān维②〕
〔纸板〕 zhǐbǎn 명 ①판지(板紙). 보드지(紙). ¶通咭～; 아이보리 페이퍼/马尼剌～; 마닐라 판지/书皮～; 표지용 판지/黄～ =〔骥纸〕; 두꺼운 마분지. =〔板纸〕 ②(피아노 등의) 건반.
〔纸版〕 zhǐbǎn 명〖印〗 지형(紙型). ¶打～; 지형을 만들다. =〔纸模子〕〔纸型〕〔板纸〕
〔纸宝〕 zhǐbǎo 명 (상사(喪事)에 태우는) 종이로 만든 원보(元寶).
〔纸褙子〕 zhǐbèizi 명 겹겹이 배접해서 만든 두꺼운 종이.
〔纸本〕 zhǐběn 명 지본. 종이에 쓴 글씨나 그린 그림.
〔纸笔〕 zhǐbǐ 명 종이와 붓. ¶～难宣; 〈成〉 글로는 말할 수 없다〔다 말할 수 없다〕.
〔纸笔〕 zhǐbi 명〈轉〉 기록. 쓴 것. ¶上～的; 기록에 남길 만한 가치 있는 것. 특히, 내세워 말할 만한 것/这么点儿不上～的事, 说过不就算定了吗? 이런 사소한 일은 말로 이야기하면 그것으로 결정된 것 아니냐?
〔纸币〕 zhǐbì 명 ⇨〔软ruǎn币①〕
〔纸币贬值〕 zhǐbì biǎnzhí 명 ⇨〔货huò币贬值〕
〔纸箔〕 zhǐbó 명 금박(箔)을 입힌 종이.
〔纸厂〕 zhǐchǎng 명 제지 공장.
〔纸钞〕 zhǐchāo 명 ⇨〔钞票〕
〔纸窗〕 zhǐchuāng 명 장(障)지. ¶纸拉窗; 미닫이 장지.
〔纸带〕 zhǐdài 명 종이 테이프. ¶胶粘～; 접착 테이프.
〔纸带穿孔机〕 zhǐdài chuānkǒngjī 명 종이 테이프 천공기.
〔纸带阅读机〕 zhǐdài yuèdújī 명 테이프 판독기.
〔纸袋(子)〕 zhǐdài(zi) 명 ①종이 봉지. ②(종이) 쇼핑 백.
〔纸单〕 zhǐdān 명 레테르.
〔纸弹〕 zhǐdàn 명 ①선전 삐라. ②〈比〉 선전.
〔纸店〕 zhǐdiàn 명 지물포.
〔纸锭〕 zhǐdìng 명 ⇨〔纸钱(儿)〕
〔纸幡〕 zhǐfān 명 (옛날, 장례식 때 쓰던) 종이 깃발.
〔纸坊〕 zhǐfáng 명 옛날, 제지 공장.
〔纸工〕 zhǐgōng 명 종이 세공. 종이 수공.
〔纸箍(儿)〕 zhǐgū(r) 명 종이띠.
〔纸贵洛阳〕 zhǐ guì Luò yáng 〈成〉 ⇨〔洛阳纸贵〕
〔纸盒〕 zhǐhé 명 종이 상자.
〔纸糊窗户〕 zhǐhú chuānghu 〈歇〉 종이로 바른 창(일시적으로 어물어물 넘기다. 한때를 속여서 넘기다).
〔纸糊的驴〕 zhǐhúde lǘ 〈歇〉 장례식 때 태우는 종이로 만든 나귀(목소리가 크다). ¶～, 大嗓子; 종이 나귀는 목소리가 크다.
〔纸糊老虎〕 zhǐhú lǎohǔ 명 ⇨〔纸老虎〕
〔纸花(儿)〕 zhǐhuā(r) 명 ①(종이로 만든) 조화

(造花)《환영 · 축하용》. ②(연극에서 눈가루로 쓰는) 잘게 썬 색종이. ③인조피(人造皮).
〔纸花串〕 zhǐhuāchuàn 명 《紡》 (장식용) 몰(포 mogol)
〔纸夹(儿, 子)〕 zhǐjiā(r, zi) 명 종이 집게. 클립. 서류 집게. ¶用~别住; 클립으로 고정시키다.
〔纸笺〕 zhǐjiān 명 문방(文房) 용지. 편선지.
〔纸浆〕 zhǐjiāng 명 (제지용의) 펄프. ¶牛皮~; 크라프트 펄프. =〔纤维纸料〕
〔纸卷儿〕 zhǐjuǎnr 명 종이 노끈. 지노. =〔纸捻儿〕
〔纸锞〕 zhǐkè 명 ⇨〔纸钱(儿)〕
〔纸老虎〕 zhǐlǎohǔ 명 ①제사용의 종이 호랑이. ②〈比〉 겉은 강포해 보이나 실제는 약한 사람 · 집단. 종이 호랑이. ‖ =〔纸糊老虎〕
〔纸里包不住火〕 zhǐli bāobuzhù huǒ 〈諺〉 종이에 불을 쌀 수 없다《사실은 반드시 밝혀진다》.
〔纸篓(子)〕 zhǐlǒu(zi) 명 ⇨〔烂làn纸篓子〕
〔纸马(儿)〕 zhǐmǎ(r) 명 ①신마(神馬)가 인쇄된 종이. ②참대와 종이로 말 모양을 만든 것《제사 때 사름》. ‖ =〔甲马②〕〔身马(儿)〕
〔纸枚儿〕 zhǐméir 명 ⇨〔火huǒ纸媒儿〕
〔纸媒儿〕 zhǐméir 명 ⇨〔火huǒ纸媒儿〕
〔纸煤儿〕 zhǐméir 명 ⇨〔火huǒ纸媒儿〕
〔纸面黄金〕 zhǐmiàn huángjīn 명 《經》 특별 인출권. 에스디아르(S.D.R). =〔特别提款权〕
〔纸模子〕 zhǐmúzi 명 ⇨〔纸版〕
〔纸捻(儿)〕 zhǐniǎn(r) 명 지노《종이로 꼰 노끈》. =〔纸卷儿〕
〔纸牌〕 zhǐpái 명 화투 · 트럼프에 쓰이는 카드. =〔纸叶子〕
〔纸皮〕 zhǐpí 명 모조 가죽.
〔纸皮子〕 zhǐpízi 명 종이 표지.
〔纸片〕 zhǐpiàn 명 카드.
〔纸片录音机〕 zhǐpiàn lùyīnjī 명 싱크로리더(synchro-reader). =〔读dú字机〕
〔纸片(儿)〕 zhǐpiàn(r) 명 ①종이 조각. ②지폐. ¶现在政府里竟要shuǎ~; 지금 정부는 지폐만 만들고 있다.
〔纸签(儿)〕 zhǐqiān(r) 명 서표(書標). 표지(標紙). =〔书纸签儿〕
〔纸钱(儿)〕 zhǐqián(r) 명 지전. 종이돈《신이나 죽은 사람을 제 지낼 때 태움》. =〔纸锭〕〔纸锞〕〔楮钱〕
〔纸墙〕 zhǐqiáng 명 ①종이로 도배한 방의 벽. ②제지(製紙)할 때, 종이를 말리기 위하여 붙이는 벽〔판자〕.
〔纸人纸马〕 zhǐrén zhǐmǎ 명 (장례식에 쓰는) 종이로 만든 인형과 말.
〔纸伞〕 zhǐsǎn 명 종이 우산.
〔纸上谈兵〕 zhǐ shàng tán bīng 〈成〉 종이 위에서 군사를 논함《탁상 공론을 함》.
〔纸绳〕 zhǐshéng 명 지노. 지승(紙繩).
〔纸条(儿)〕 zhǐtiáo(r) 명 ①종이 쪽지. 쪽지. ②쪽지로 쓰는 가늘고 긴 종이. 종이 조각. ③증서. 문서.
〔纸头〕 zhǐtóu 명 〈吴〉 종이.
〔纸型〕 zhǐxíng 명 ⇨〔纸版〕
〔纸烟〕 zhǐyān 명 궐련. ¶~纸; 라이스 페이퍼(rice paper).
〔纸鹞〕 zhǐyào 명 연. =〔风筝〕
〔纸叶子〕 zhǐyèzi 명 ⇨〔纸牌〕
〔纸鱼〕 zhǐyú 명 《蟲》 좀. =〔衣鱼〕
〔纸鸢〕 zhǐyuān 명 ⇨〔风fēng筝①〕
〔纸扎铺〕 zhǐzhāpù 명 〈南方〉 옛날, 명복을 빌기 위하여 영전에서 태우는 종이로 만든 작은 집이나 도구 등을 파는 가게.
〔纸张〕 zhǐzhāng 명 종이의 총칭. 注 '一张~'처럼 양사(量詞)로 셀 수 없음.
〔纸遮〕 zhǐzhē 명 〈方〉 종이 양산.
〔纸醉金迷〕 zhǐ zuì jīn mí 〈成〉 호화스럽고 사치한 생활에 빠지다. =〔金迷纸醉〕

砥 zhǐ (지)
'砥dǐ'의 우음(又音).

茝 zhǐ (채)
명 《植》 구리때. ¶白~ =〔白芷〕; 백지 / 兰~; 난초와 구리때. 〈轉〉 향초의 총칭. ⇒ chǎi

黹 zhǐ (치)
명 〈文〉 ①꿰매어 지은 옷. ②자수(刺繡). 바느질. ¶针~; 바느질.
〔黹敬〕 zhǐjìng 명 결혼 축의로 신랑에게 보내는 돈.

徵 zhǐ (치)
명 《樂》 치《옛날의 오음. 궁(宮) · 상(商) · 각(角) · 치(徵) · 우(羽)의 하나》. ⇒ '征' zhēng

至 zhì (지)
①동 …까지 도달하다. 이르다. ¶自始~终; 처음부터 끝까지. 시종 / 从早~晚; 아침부터 밤까지 / 由北京~上海; 베이징(北京)에서 상하이(上海)까지(이르다) / 自…以~ =〔自… …而~〕; …부터 죽 …까지. =〔到〕 ②부 극히 …이다. 가장 …하다《최대의 한도를 나타냄》. ¶感激之~; 감격의 극치 / ~要; ⇩ ③동 …의 정도에 이르다. …라는 결과를 가져오다. ¶~这个问题, 大家还没有进一步的研究; 이 문제에 대해서는, 모든 사람들도 아직 더 한층 깊이 들어간 연구는 하고 있지 않다. ④명 1년 중에 가장 긴〔짧은〕 날. ⑤명 경계(境界). ¶东~; 동쪽 경계 / 四~儿; 사방의 경계.
〔至宝〕 zhìbǎo 명 매우 귀중한 보물. ¶如获~; 더없이 귀한 보물을 얻은 것 같다. 도깨비 머리라도 벤 듯하다.
〔至便〕 zhìbiàn 형 아주 편리하다.
〔至不济〕 zhìbùjì 최소 한도. 최저 한도로. 하다못해. 적어도. ¶~也够生活; 최저 한도의 생활을 하기에는 충분하다 / ~也能作我的帮手吧! 최소 한도 내 조수(助手)쯤은 될 수 있겠지요!
〔至材〕 zhìcái 명 〈文〉 매우 유능한 인재.
〔至诚〕 zhìchéng 명 지성. 성의. 진심. ¶~如神; 지성은 신과 같다 / 出于~; 진심에서 우러나다.
〔至诚〕 zhìcheng 형 성실하다. 진실하다. 진심이 있고 공손하다. ¶他说得~; 그는 진심에서 말하고 있다 / 三番五次地来请透着~; 몇 번씩 부르러 와 주니 진심이 담겨 있다.
〔至迟〕 zhìchí 부 늦어도. ¶~也得两点钟到那儿; 늦어도 2시에는 저쪽에 도착해야 한다. =〔至晚〕
〔至此〕 zhì cǐ ①여기에 이르다. ¶文章~为止; 문장은 여기서 끝난다. ②지금에 이르다. ¶~, 故事才进入正题; 지금에야 이야기는 주제에 들어갔다. ③이 지경에 이르다. ¶事已~, 已无可奈何; 일이 이미 이 지경에 이르렀으니, 이제 어쩔 수 없다.
〔至大〕 zhìdà 형 지대하다. 매우 크다. 부 크게 보아도.
〔至大至刚〕 zhì dà zhì gāng 〈成〉 그 큰 것은 잴 수 없고, 그 굳셈은 어떤 힘으로도 꺾을 수 없다.

지극히 크고 강고(強固)하다.
〔至当〕 **zhìdàng** [형] 〈文〉 지당하다.
〔至当不易〕 **zhì dàng bù yì** 〈成〉 지당하여 변함이 없다. 실로 안성맞춤이다.
〔至德〕 **zhìdé** [명] 지덕. 최상의 덕.
〔至多〕 **zhìduō** [부] 많아야. 기껏해야. 고작. ¶看她的样子, ～也不过三十岁; 저 모양으로 봐서 그녀는 고작해야 30세를 넘지 못했을 거야.
〔至高无上〕 **zhì gāo wú shàng** 〈成〉 더할 나위 없이 높다. 최고. 지상(至上). 최상. ¶～的权力; 최고 권력.
〔至公〕 **zhìgōng** [형] 극히 공평하다. ¶～无私; 지극히 공평무사(公平無私)하다.
〔至关紧要〕 **zhì guān jǐn yào** 〈成〉 대단히 중요하다. ¶～的话; 매우 중요한 말.
〔至好〕 **zhìhǎo** [형] 극히 친하다. 절친하다. [명] 친우(親友). 가장 친한 친구. =〔至交〕〔至契〕〔至友〕 [부] 좋아 봤자. 기껏해야. ¶～也不过如此; 좋아 봤자 이런 것이다.
〔至交〕 **zhìjiāo** [명] 가장 친한 친구. =〔至友〕〔至好〕〔至契〕
〔至今〕 **zhìjīn** [부] 지금까지. 아직까지. 여태껏. ¶他回家以后～还没有来信; 그는 집에 돌아간 이후, 아직까지 편지가 없다 / 屈原的生卒年代, ～没有定论; 굴원의 생몰년에 관해서는, 지금까지 정론이 없다. [동] 지금에 이르다.
〔至乐〕 **zhìlè** [명] 〈文〉 최상의 즐거움.
〔至理名言〕 **zhì lǐ míng yán** 〈成〉 진리를 전하는 훌륭한 말. 참으로 지당한 명언.
〔至盼〕 **zhìpàn** [동] 〈翰〉 간절히 희망하다. ¶祈赐回音, 是所～; 답장을 주시기를 간절히 바랍니다.
〔至戚〕 **zhìqī** [명] ⇨〔至亲〕
〔至契〕 **zhìqì** [형] 매우 친밀하다. 절친하다. ¶～好友; 절친한 친구. [명] ⇨〔至友〕
〔至亲〕 **zhìqīn** [형] 극히 친하다. [명] 가장 가까운 친척. 지친. ¶～好友; 가장 가까운 친척과 절친한 친구 / ～瓜葛gé; 매우 가까운 친척·연고자《근친자의 여러 대에 걸친 친구》 / 骨肉～; 골육지친. =〔至戚〕
〔至人〕 **zhìrén** [명] 〈文〉 지덕을 겸비한 사람. 성인(聖人). =〔格gé人〕
〔至日〕 **zhìrì** [명] 〈文〉 지일. 동지와 하지.
〔至如〕 **zhìrú** [개] ⇨〔至于〕
〔至若〕 **zhìruò** [개] ⇨〔至于〕
〔至善至美〕 **zhì shàn zhì měi** 〈成〉 완벽하다. 완전무결하다. =〔尽jìn善尽美〕
〔至上〕 **zhìshàng** [형] (지위·권력 등이) 가장 높다. 최고이다. ¶艺术～论; 예술 지상론.
〔至少〕 **zhìshǎo** [부] 적어도. 최소한. ¶～得花一万元; 적어도 1만 원은 든다.
〔至圣〕 **Zhìshèng** [명] 〈敬〉〈簡〉 '至圣先师'의 약칭으로, 공자(孔子)에 대한 존칭《이에 버금 가는 뜻으로 맹자(孟子)를 '亚yà圣'이라고 함》.
〔至死〕 **zhìsǐ** [부] 죽는 한이 있어도. 죽어도. ¶～忘不了你的恩情; 죽어도 당신의 은혜는 잊을 수 없다 / ～不屈; 〈成〉 죽어도 굴복하지 않다 / ～靡他; 〈成〉 죽어도 마음이 변하는 일은 없다.
〔至死不变〕 **zhì sǐ bù biàn** 〈成〉 죽을 때까지 변하지 않다. 죽어도 변하지 않다.
〔至晚〕 **zhìwǎn** [부] 늦어도. =〔至迟〕
〔至为〕 **zhìwéi** 〈文〉 크게 …하다. ¶～欢迎; 크게 환영합니다.
〔至小〕 **zhìxiǎo** [형] 가장 작다. [부] 아무리 작아도.
〔至心〕 **zhìxīn** [명] 〈文〉 간절하고 성의있는 마음. 더없이 성실한 마음.
〔至行〕 **zhìxíng** [명] 〈文〉 최고의 품행.
〔至性〕 **zhìxìng** [명] 〈文〉 성실한 성품.
〔至言〕 **zhìyán** [명] 〈文〉 ①지언. 가장 도리에 맞는 말. ②가장 중요한 말.
〔至要〕 **zhìyào** ①[형] 가장 중요하다. ②〈翰〉 반드시 …하여 주십시오. ¶幸勿迟延是为～; 아무쪼록 지연시키지 않도록 부탁합니다.
〔至一尽一〕 **zhìyī jìnyī** 최소 한도. ¶你说～的价钱吧; 최소 한도의 값을 말하시오.
〔至矣尽矣〕 **zhìyǐ jìnyǐ** 더할 나위 없다. 완전하다. 주위에 두루 미치다. 극도에 이르다. ¶他办得～了; 그의 조처는 더할 나위 없다.
〔至意〕 **zhìyì** [명] 〈文〉 성의.
〔至友〕 **zhìyǒu** [명] 〈文〉 가장 친한 친구. ¶多年的～; 오랜 친구. =〔至好〕〔至交〕〔至契〕
〔至于〕 **zhìyú** [개] …에 관해서는. …로 말하면《화제를 바꾸거나 제시할 때 쓰임》. ¶我们只讨论几个大问题, ～那些小问题, 下次开会再讨论; 몇 개의 큰 문제만을 토의하고, 그런 작은 문제에 대해서는 다음 회의에서 토의합시다 / ～这种学问我是茫然得很; 이 종류의 학문에 대해서는 나는 아주 깜깜하다 / ～种花, 他是内行; 꽃재배에 관해서는 그는 전문가다. [注] '至于'에서 제시(提示)된 것을, 뒤에 지시 대명사에서 다시 한 번 나타낼 때도 있음. =〔至如〕〔至若〕 [동] …의 지경〔정도〕에 이르다. …한 결과에 달하다《흔히, 반어 또는 부정일 때 쓰임. 앞에 '才' '还' '总' '该' 따위를 수반하는 일이 많음》. ¶这点儿也～着慌吗? 이런 일에 그렇게까지 당황하느냐? / 要是早请大夫看, 何～病成这样; 좀더 일찍 의사의 진찰을 받았더라면 이렇게 심하게는 되지 않았을 텐데 / 比从前少了许多, 可是还不～灭亡; 이전에 비하면 아주 적어졌지만, 그러나 아직 멸망에 이르지는 않았다 / 他不～自杀吧; 그는 (설마) 자살은 하지 않겠지. [접] …(의 때)에 이르러. ¶～阿Q跌出六尺多远, 这才满足地去了《鲁迅 阿Q正傳》; 阿Q가 여섯 자 가량이나 나가동그라지니까, 그제야 만족한 듯 가 버렸다. =〔等到〕
〔至尊〕 **zhìzūn** [명] 옛날, 황제나 종교 신앙상의 조사(祖師).

厔 **zhì** (질)
지명용 자(字). ¶盩Zhōu～; 저우즈(盩厔)《산시 성(陝西省)에 있는 현의 이름. 지금은 '周至'라고 씀》.

郅 **zhì** (질)
①[부] 〈文〉 지극히. 대단히. ¶～治之世; 아주 잘 다스려져 있는 세상. ②[명] 성(姓)의 하나.

桎 **zhì** (질)
[명] 〈文〉 ①차꼬《옛 형구의 하나》. ¶～梏gù; 질곡. 〈比〉 속박 / 摆脱～梏; 속박에서 벗어나다. ②쐐기. 거멀장.

轾(輊) **zhì** (지)
[명] 수레의 뒤쪽이 약간 낮게 되어 있는 부분《앞의 높게 되어 있는 부분 '轩xuān'에 대하여 쓰는 말》. ¶轩～; 높낮이.

致(緻)B) **zhì** (치)
A) ①[동] …을 가져오다. …을 초래하다. …의 결과가 되다. ¶～病原因; 병에 걸린 원인 / 措辞晦涩, ～使人误解本意; 애매하고 난삽한 어휘를 선택해서 사람에게 본뜻을 오해하게 만들다 / 因公～伤; 공무로 인해 부상하다 / 他不注意卫生以～糟踏了身子; 그는 위

생에 주의하지 않았으므로 몸을 버리는 결과를 불렀다. ② 동 주다. 보내다. ¶～各界的公开信; 각계에 보내는 공개장 / ～函李部长; 편지를 이 부장에게 보내다. ③ 동 말하다. 표시하다. ¶～谢; 사의를 표하다 / 向新郎新娘～以热烈的祝贺; 신랑 신부에게 진심으로 축하의 말을 드립니다 / ～贺; 축하의 뜻을 표하다 / 此～敬礼; 이에 공경하는 예를 올립니다. ④ 동 전념하다. (의지·힘을) 다하다. 집중하다. ¶～力; 힘을 다하다. 힘쓰다. ⑤ 동 실현하다. 달성하다. ¶～富; ⇓ ⑥ 명 흥미. 취향. 취미. 정취. ¶兴～; 흥미. 흥취 / 大～; 대략. 개략 / 错落有～; 뒤섞여 흥취가 있다 / 景～; 경치. ⑦ 명 태도. 모양. ⑧ 동 반환하다. 〈轉〉 관직을 사퇴하다. ¶～仕; ⇓ **B**) ① 형 섬세(纖細)하다. 치밀하다. 세밀하다. ¶～密; 치밀하다 / 精～; 정밀하다. ② 명 발이 고운 비단.

〔致哀〕 zhìˌāi 동 ⇨〔志哀〕

〔致癌物质〕 zhì'áiwùzhì 명 《醫》 발암 물질.

〔致癌性〕 zhì'áixìng 명 《醫》 발암성.

〔致病菌〕 zhìbìngjūn 명 병원균.

〔致辞〕 zhìcí 명 (의식 등에서의) 인사. 치사. ¶以上说几句话做为～; 이것으로 인사 말씀을 대신하겠습니다. (zhìˌcí) 동 (의식에서) 인사말을 하다. ¶致欢迎词; 환영사를 하다. ‖ =〔致词〕

〔致电〕 zhìˌdiàn 동 전보를 보내다.

〔致富〕 zhìfù 동 부자가 되다. 치부하다.

〔致函〕 zhìhán 동 편지를 보내다.

〔致贺〕 zhìhè 동 치하하다. 축하의 뜻을 표하다.

〔致候〕 zhìhòu 동 〈文〉 안부를 묻다.

〔致祸〕 zhìhuò 동 ⇨〔致殃〕

〔致祭〕 zhìjì 동 제사를 지내다.

〔致敬〕 zhìˌjìng 동 〈文〉 경의를 표하다. 경례하다. ¶请允许我代表我们代表团向你们～! 우리들의 대표단을 대표하여 여러분에게 경의를 표하고자 합니다! / ～尽礼; 〈成〉 경의를 표하고 예의를 다하다.

〔致冷〕 zhìlěng 명동 냉동(하다). 냉각(하다). ¶～剂; 냉각제《전기 냉장고의 암모니아 따위》.

〔致力〕 zhìlì 동 〈文〉 진력하다. 애쓰다. ¶余～于国民革命凡四十年; 내가 국민 혁명에 진력한 지 어언 40년이다 / ～于世界和平; 세계 평화에 힘을 기울이다.

〔致密〕 zhìmì 명형 치밀(하다). ¶～的观察; 치밀한 관찰 / 结构～; 구조가 치밀하다.

〔致命〕 zhìmìng 동 ①죽을 정도에 이르다. ¶～伤; 치명상 / ～处; 급소 / ～的打击; 치명적인 타격 / ～的弱点; 치명적인 약점. ②목숨을 내던지다. 생명을 걸다. ¶君子以～遂志; 군자는 목숨을 걸고 그 뜻을 관철한다.

〔致气〕 zhìqì 동 〈文〉 화를 내다.

〔致伤〕 zhìshāng 동 부상당하다.

〔致使〕 zhìshǐ 동 〈文〉 …하여 …되다. …한 탓으로 …라는 결과를 발생시키다《주로 부정적 결과에 대해 쓰임》. ¶由于字迹不明, ～信件无法投递; 필적 불명으로 편지를 수신인에게 배달할 수 없게 되다.

〔致仕〕 zhìshì 동 〈文〉 ①사직(辭職)하다. ② ⇨〔谢政〕

〔致书〕 zhìshū 동 〈文〉 편지를 보내다.

〔致死〕 zhìsǐ 동 치사하다. 죽음에 이르다. ¶～剂量; (약의) 치사량 / 因伤～; 상처 때문에 죽음에 이르다 / 被迫～; 압박을 받아 죽다.

〔致谢〕 zhìˌxiè 동 사례의 뜻을 표하다. 감사드리다. ¶我向你们～; 나는 당신들에게 감사의 뜻을 전합니다. =〔道谢〕〔申shēn谢〕

〔致唁〕 zhìyàn 동 애도의 말을 하다. =〔道恼〕

〔致殃〕 zhìyāng 동 〈文〉 재앙을 부르다. =〔致祸〕

〔致以〕 zhìyǐ 동 (…의 뜻을) 표하다〔전하다, 나타내다〕. ¶～衷心的祝贺; 진심으로 축하드립니다.

〔致意〕 zhìyì 동 안부를 전하다. 인사를 하다. ¶招手～; 손을 들어 인사하다 / 以目光～; 눈으로 인사하다 / 您替我向他～吧; 그에게 안부 전하여 주시오.

〔致用〕 zhìyòng 〈文〉 명 빠뜨릴 수 없는 것. 동 쓸모있게 하다. 실제에 응용하다. ¶学以～; 실용을 위하여 배우다. 배워서 실제에 응용하다.

〔致灾〕 zhìˌzāi 동 재난을 부르다.

〔致知〕 zhìzhī 동 〈文〉 지식을 넓히다. ¶格物～; 일의 이치를 규명하고 지식을 널리 넓히다.

〔致致手儿〕 zhìzhìshǒur 돕다. 거들다.

窒 **zhì** (질)

동 〈文〉 ①막히다. 막혀 통하지 않다. ¶～息; ⇓ ② 억제하다. 저지하다. ¶～欲yù; 금욕하다.

〔窒碍〕 zhì'ài 명동 〈文〉 장애(가 있다). 지장(이 있다). ¶～难行; 장애가 있어 실행하기 어렵다. =〔滞碍〕

〔窒扶斯〕 zhìfúsī 명 《醫》 (장)티푸스. =〔伤shāng寒①〕

〔窒闷〕 zhìmèn 형 〈文〉 질식하리만큼 답답하다.

〔窒手碍脚〕 zhì shǒu ài jiǎo 〈成〉 거치적거리는 모양. 여러 가지 지장이 있는 모양.

〔窒息〕 zhìxī 동 ①숨을 죽이다. ¶～而待; 숨을 죽이고 기다리다. ②질식하다. 숨막히다. 〈比〉 침체〔정체〕되다. ¶令人～的气氛; 숨막히는 분위기 / 贸易见～; 무역이 침체되다.

铚(銍) **zhì** (질)

〈文〉 ① 명 (벼를 베는) 짧은 낫. ② 동 벼의 이삭을 베다.

蛭 **zhì** (질)

명 《動》 거머리《큰 거머리는 '马鳖', '蚂蟥' 이라 함》. ¶山～; 산거머리 / ～石; 《鑛》 질석. =〔水蛭〕

膣 **zhì** (질)

명 《生》 질. =〔阴道〕

识(識) **zhì** (지)

〈文〉 ① 동 기억하다. ¶博闻强～; 〈成〉 견문이 넓고 기억력이 매우 좋다. ② 명 표지(標識). 기호. ¶款～; 낙관(落款). ⇒ shí

帜(幟) **zhì** (치)

명 〈文〉 ①(군중(軍中)에 세우는) 기(旗). 깃발. 기치(旗幟). ¶独树一～; 〈成〉 독자의 기치를 세우다. 독자적인 한 파(派)를 세우다. ②표지(標識). 표적.

忮 **zhì** (기)

① 동 〈文〉 질투하다. 시기하다. ② 형 완강하다. ¶强～; 완강하다. 강인하다.

志〈誌〉B) **zhì** (지)

A) ① 명 뜻. 의지. ¶有～意成; 〈成〉 뜻이 있으면 반드시 성취하고야 만다 / 立～; 뜻을 세우다 / 得～; 뜻을 이루다. ② 명 소망. 바람. 목표. ¶心怀大～; 마음에 대망을 품다. ③ 동 〈方〉 무게를 달다. 길이를 재다. ¶用秤～～; 저울로 달다. ④ 명 성(姓)의 하나. **B**) ① 명 문자의 기록. ¶三国～; 《書》 삼국지 / 杂zá～; 잡지 / 县～; 현(縣)의 지지(地誌).

②동 기억하다. ¶永～不忘; 영원히 기억하고 잊지 않다. ③명 기호(記號). 표지. ¶标biāo～ =〔标识〕; 표지 / 款kuǎn～ =〔款识〕; ⓐ동기(銅器)에 새겨진 문자. ⓑ서화의 낙관. ④동 (잊지 않고 있음을) 표시하다. ¶～喜; 축하의 뜻을 표하다.

〔志哀〕 zhì.āi 동 애도의 뜻을 표하다. ¶下半旗～; 반기를 걸고 애도의 뜻을 표하다. =〔致哀〕

〔志操〕 zhìcāo 명 지조.

〔志大才疏〕 zhì dà cái shū 〈成〉 뜻은 크나 재능이 따르지 못하다. =〔才疏志大〕

〔志悼〕 zhì.dào 동 애도의 뜻을 표하다.

〔志得意满〕 zhì dé yì mǎn 〈成〉 뜻이 이루어져 득의 양양하다.

〔志怪小说〕 zhìguài xiǎoshuō 명 괴(怪)를 쓴 소설이라는 뜻으로, 위진 육조(魏晉六朝)의 소설을 가리킴.

〔志节〕 zhìjié 명 지조와 절개.

〔志局〕 zhìjú 명 〈文〉 의지와 국량(局量).

〔志留纪〕 zhìliújì 명 《地質》 〈音〉 실루리아(라 Siluria)기(紀).

〔志铭〕 zhìmíng 동 명(銘)을 쓰다. ¶墓～; 묘지명. 묘비명.

〔志气〕 zhìqì 명 기골(氣骨). 원기. 용기. 기개. 의기. 지기. ¶这孩子一点儿也没～; 이 아이는 기개가 조금도 없다 / 有～; 기골이 있다 / ～昂扬; 패기가 넘치다.

〔志切政治〕 zhìqie zhèngzhì 열성적으로 정치에 뜻을 두다.

〔志趣〕 zhìqù 명 〈文〉 지취. 지향. 흥취. ¶～相投的朋友; 뜻이 맞는 친구.

〔志乘〕 zhìshèng 명 〈文〉 지리서(地理書) 및 그 밖의 사실의 기록.

〔志盛〕 zhìshèng 동 〈文〉 성대한 상황을 기록하다.

〔志石〕 zhìshí 〈文〉 동 돌에 새기다. 돌에 기록하다. 명 지석(誌石).

〔志士〕 zhìshì 명 지사. 지조가 굳은 사람. 큰 뜻을 품은 사람.

〔志士仁人〕 zhìshì rénrén 큰 뜻을 품고 인류에게 공헌할 정신의 소유자.

〔志书〕 zhìshū 명 지리서(地理書). 부현지(府縣誌).

〔志同道合〕 zhì tóng dào hé 〈成〉 마음이 맞고 의기 투합하다. 뜻이 같고 생각이 서로 맞다.

〔志喜〕 zhìxǐ 동 〈文〉 기쁨을 표하다.

〔志向〕 zhìxiàng 명 의사. 뜻. 지향. 포부. ¶远大的～; 원대한 포부.

〔志学〕 zhìxué 〈文〉 동 학문에 뜻을 두다. 명 15세《논어의 '吾十有五而志于学'(내 나이 십오 세에 학문에 뜻을 두다)에서 유래함》.

〔志愿〕 zhìyuàn 명동 희망(하다). 지원(하다). 자원(하다). ¶～中止输出水泥; 시멘트의 수출을 자발적으로 중지하다 / ～书; 원서(願書) / ～军; 지원병. 의용군 / 韩国迫令自国汽车输美设立～制限; 한국은 자국(自國)의 자동차가 미국으로 수출되는 것에 대하여 자발적인 제한을 하였다.

〔志愿限制〕 zhìyuàn xiànzhì 자주(自主) 제한. ¶兰开夏迫令香港棉织品输英设立～; 랭커셔는 홍콩 면제품의 영국 수출에 대하여 자주 제한을 설정했다.

〔志在必成〕 zhì zài bì chéng 반드시 성취하겠다고 결심하다.

〔志在千里〕 zhì zài qiān lǐ 〈成〉 원대한 뜻을 품다. =〔志在西方〕

桎 zhì (치)
지명용 자(字). ¶～木山; 즈무산(桎木山)《후난 성(湖南省)에 있는 산 이름》.

痣 zhì (지)
명 《生》 반점. 모반(母斑). ¶黑～ =〔黑子〕; 검은 반점.

豸 zhì (치)
①명 〈文〉 발 없는 벌레《발 있는 것은 '虫'》. ¶虫～; 벌레(의 총칭). 〈罵〉 벌레 같은 인간. ②명 해태《신수(神獸)의 이름》. =〔獬豸〕〔廌〕 ③동 〈文〉 풀다. 해결하다. ¶庶shù有～乎; 해결의 가망이 있다. ④명 한자 부수의 하나. ¶～字旁(儿); 한자 부수의 하나로 돼지시변.

制(製) B) zhì (제)
A) ①명 제도. ¶八小时工作～; 8시간 노동제. ②명동 상복(喪服)(을 입다). ¶守～; 상중이다. ③명 〈文〉 천자의 명령. ④명동 억제(하다). 제한(하다). 제지(하다). 제약(하다). ¶限～; 제한하다 / 节～; 절제하다 / 受～; 제한을 받다 / 压～; 압제하다 / 谁也～不了你; 아무도 너를 제어할 수는 없다. ⑤동 재다. ¶拿尺～一～长短; 자로 길이를 재다. ⑥명 일정한 규격에 따라 제한된 것. ¶～服; 정해진 복장. ⑦동 규정〔제정〕하다. ¶～定新法律; 새로운 법률을 제정하다 / ～礼作乐; 예·악을 제정하다. B) ①동 제조하다. 만들다. ¶～造; 제조하다 / 新～的; 새로 만든… / 特～; 특제(의) / 汽车～造厂; 자동차 제조 공장. ②동 의복을 짓다. ③동 시문(詩文)을 짓다. ④명 가죽 옷. ⑤명 체재(體裁). ⑥명 맵시.

〔制癌霉素〕 zhì'áiméisù 명 《藥》 카르치노필린(cartinophilin).

〔制颁〕 zhìbān 동 〈文〉 제정 공포하다.

〔制版〕 zhì.bǎn 동 《印》 제판(製版)하다. (zhìbǎn) 명 제판.

〔制币〕 zhìbì 명 국가에서 제정한 화폐. (zhì.bì) 동 조폐하다.

〔制表〕 zhì.biǎo 동 표를 작성하다. (zhìbiǎo) 명 표(의 작성).

〔制裁〕 zhìcái 명동 제재(하다). ¶给予法律～; 법률의 제재를 가하다 / 受到～; 제재를 받다 / 不受法律～; 법률의 제재를 받지 않다.

〔制成品〕 zhìchéngpǐn 명 기성품. 완성품. 완제품.

〔制锉刀机〕 zhìcuòdāojī 명 《機》 파일 컷팅 머신(file cutting machine). 줄날 세우는 기계.

〔制导〕 zhìdǎo 동 《軍》 제어하고 유도(誘導)하다. ¶～系统; 미사일 체계. 유도 장치 / ～雷达; 미사일 제어 레이더.

〔制敌死命〕 zhì dí sǐ mìng 〈成〉 적을 제압하여 사지(死地)에 몰아넣다.

〔制订〕 zhìdìng 동 ⇨〔制定〕

〔制定〕 zhìdìng 동 제정하다. 작성하다. 세우다. ¶我们现在～了党的总纲; 우리는 지금 당의 일반 강령을 만들었다 / ～学习计划; 학습 계획을 세우다 / ～政策; 정책을 세우다. =〔制订〕

〔制动〕 zhìdòng 명동 제동(하다). 동 (로켓이) 역추진(逆推進)하다.

〔制动阀〕 zhìdòngfá 명 《機》 브레이크 판(瓣).

〔制动器〕 zhìdòngqì 명 《機》 제동기. 브레이크. ¶脚～; 푸트 브레이크 / 手～; 핸드 브레이크 / 气压式～; 에어 브레이크 / 夜压式～; 유압 브레이크. =〔〈俗〉煞车〕

〔制动踏板〕 zhìdòng tàbǎn 명 《機》 (자동차의)

브레이크 페달.
〔制毒〕 zhìdú 동 제독하다. 독을 없애다. ¶以毒～; 독으로써 독을 제독하다.
〔制度〕 zhìdù 명 제도. 규정. ¶政治～; 정치 제도/社会～; 사회 제도/作息～; 일과 휴게 시간 규정/婚姻～; 혼인 제도/教育～; 교육 제도/工资～; 임금 제도/管理～; 관리 제도. 관리 시스템/规章～; 규칙과 제도/现行～; 현행 제도/形成～; 제도를 형성하다/健全～; 제도를 완비시키다.
〔制遏〕 zhì'è 동 제압하다.
〔制发〕 zhìfā 명동 제정 발포(發布)(하다).
〔制伏〕 zhì.fú 동 굴복시키다. 제압하다. 정복하다. ¶～了自然; 자연을 정복했다. =〔治服〕〔制服〕
〔制服〕 zhìfú 명 ①제복. ¶～呢; 《紡》(가을·겨울에 입는 모직물의) 제복감/穿～; 제복을 입다. ②상복(喪服). 동 ⇨〔制伏〕
〔制钢厂〕 zhìgāngchǎng 명 제강 공장. =〔钢厂〕
〔制高点〕 zhìgāodiǎn 명《軍》감제(瞰制) 고지. 요충을 제압하는 고지.
〔制诰〕 zhìgào 명〈文〉천자의 조칙(詔勅). =〔制诏〕
〔制革〕 zhìgé 동 제혁하다. 무두질한 가죽을 만들다. ¶～厂; 피혁 제작소〔공장〕.
〔制光纱〕 zhìguāngshā 명《紡》가스실〔주단사실〕 직물.
〔制海权〕 zhìhǎiquán 명《軍》제해권. =〔海上权〕
〔制黄〕 zhìhuáng 동 음란물을 제조〔제작〕하다.
〔制剂〕 zhìjì 명《藥》제제.
〔制件〕 zhìjiàn 명 ⇨〔作件〕
〔制举〕 zhìjǔ 명 과거 시험의 전시(殿試).
〔制空权〕 zhìkōngquán 명《軍》제공권.
〔制冷〕 zhìlěng 동 냉동하다. 냉각하다. ¶～机; 냉동기. 쿨러.
〔制片厂〕 zhìpiànchǎng 명《撮》영화 제작소.
〔制片人〕 zhìpiànrén 명《撮》영화 프로듀서(producer). 영화 제작자.
〔制品〕 zhìpǐn 명 제품. ¶化学～; 화학 제품/乳～; 유제품.
〔制钱(儿)〕 zhìqián(r) 명 엽전. =〔官guān板儿(钱)〕〔铜tóng钱〕〔小制钱儿〕
〔制人〕 zhìrén 동 사람을 제압하다. ¶有备～, 无备制于人; 준비가 되어 있으면 사람을 제압하고, 준비가 없으면 다른 사람한테 제압당한다.
〔制胜〕 zhìshèng 동 승리를 차지하다. 승리를 얻다. ¶出奇～; 〈成〉기습으로 승리를 얻다. =〔取胜〕〔战胜〕
〔制糖〕 zhìtáng 동 제당하다.
〔制图〕 zhì.tú 동 제도하다. 설계도를 그리다. (zhìtú) 명 제도. ¶～纸; 켄트지.
〔制袜厂〕 zhìwàchǎng 명 양말 공장.
〔制宪〕 zhìxiàn 명동 제헌(하다).
〔制销〕 zhìxiāo 명《機》코터(cotter). 명동 제조 판매(하다).
〔制药〕 zhìyào 동 제약하다. ¶～厂; 제약 공장.
〔制宜〕 zhìyí 동〈文〉좋게 하다. 적당히 하다. 알맞게 하다.
〔制御器〕 zhìyùqì 명 ⇨〔控kòng制器〕
〔制约〕 zhìyuē 명동 제약(하다). ¶互相～; 서로 제약하다.
〔制约反射〕 zhìyuē fǎnshè 명《生》조건반사. =〔条tiáo件反射〕
〔制造〕 zhìzào 동 ①제조하다. 만들다. ¶～机器; 기기를 만들다/～化肥; 화학 비료를 제조하다/～的过程; 제조 과정/～厂; 제조 공장/～业; 제조업. ②〈貶〉(상황·분위기를) 만들어 내다. 빚어 내다. 조성하다. 조장하다. ¶～反革命舆论; 반혁명 여론을 조성하다/～干部和群众的对立; 간부와 대중 사이에 대립을 만들어 내다/～阴谋; 음모를 꾸미다/～事故; 사고를 일으키다/～混乱; 혼란을 조성하다/～紧张空气; 긴장된 분위기를 조성하다/～分裂; 분열을 조장하다/～矛盾; 모순을 만들어 내다.
〔制诏〕 zhìzhào 명 천자의 조칙(詔勅). =〔制诰〕
〔制止〕 zhìzhǐ 명동 제지(하다). 저지(하다). ¶～侵略; 침략을 저지하다.
〔制子〕 zhìzi 명 자의 대용품. ¶剪一段绳子做～; 새끼줄을 끊어 자로 쓰다.
〔制作〕 zhìzuò 동 제작하다. 만들다. ¶～家具; 가구를 만들다.

治 zhì (치)

①동 다스리다. 관리하다. 처리하다. 다루다. ¶～洪; 홍수를 다스리다/～丧; 장례식을 하다/～国; 나라를 다스리다/统～; 통치하다. ②동 다스려지다. 태평하다. 안정되다. ¶国家大～; 국가가 크게 다스려지다/长～久安; 오래도록 안정되게 다스려져 평안하다/～世; 태평세. ③동 벌주다. 처벌〔처단〕하다. ¶这家伙不～他一下是不会老实的; 저놈들은 혼내 주지 않으면 온순해지지 않는다. ④동 준비하다. 채비하다. ⑤동 치료하다. 고치다. ¶病已经～好了; 병은 이미 다 나았다/不～之症; 불치의 병. ⑥동 방제(防除)하다. ¶～蝗; 메뚜기를 방제하다/～蚜虫; 진드기를 방제하다. ⑦동 누르다. 제압하다. ¶让他～得做不出好活来; 그 사람에게 억눌리어 제대로 일을 할 수 없다. ⑧동 처치하다. 해치우다. ¶谁和他不对他就～谁; 그는 그에게 반대하는 자를 그냥 두지 않는다. ⑨동 연구하다. (학문을) 닦다. ¶专～近代史; 근대사를 전공하다. ⑩동 정리하다. 개선하다. ⑪명 지방 정부 소재지의 구칭(舊稱). ¶县～; 현청(縣廳) 소재지. ⑫명 성(姓)의 하나.
〔治安〕 zhì'ān 명 치안. 사회의 안녕과 질서. ¶扰乱～; 치안을 교란하다/维持～; 치안을 유지하다.
〔治办〕 zhìbàn 동 ①사무를 처리하다. ②처분하다.
〔治饱〕 zhìbǎo 동 충분히〔배불리〕 먹다. ¶先～再走; 우선 충분히 먹고 떠나자.
〔治本〕 zhì.běn 동 근본적으로 해결하다. 근본을 개선하다. ↔〔治标〕
〔治标〕 zhì.biāo 동 말단만을 개선하다. 겉만 일시적으로 해결하다. 응급 조처를 하다(‘标’는 ‘标末’, 곧 말초(末梢)를 나타냄). ¶～不治本; 임기처치에 그치고 근본적인 조처를 취하지 않음. ↔〔治本〕
〔治病〕 zhì.bìng 동 병을 고치다. ¶～救人; 〈成〉병을 고쳐 사람을 구하다(결점·과오를 고쳐 참된 인간으로 만들다)/治得了病, 治不了命; 〈諺〉병은 고칠 수 있으나 운명은 고칠 수 없다.
〔治产〕 zhìchǎn 동〈文〉치산하다. 재산을 관리·운용하다.
〔治饿〕 zhì'è 동 배를 채우다(음식을 먹는 것을 유머러스하게 말한 것).
〔治服〕 zhì.fú 동 굴복시키다. 다스리다. 제압하다. ¶他治不服自己的老婆; 그는 자기 마누라를 누르지 못한다. =〔制伏〕〔制服〕
〔治公〕 zhìgōng ①동 공무를 보다〔집행하다〕. ②

〈套〉일 보십시오(방해가 되었습니다만 계속 일을 하십시오). ¶请~! 그대로 일을 계속하십시오.
〔治国〕 zhìguó 동 치국하다. 나라를 다스리다. ¶~安邦; 〈成〉 나라를 잘 다스려 안정시키다 / ~安民; 〈成〉 나라를 잘 다스려 백성을 평안하게 하다 / ~若烹小鲜; 나라를 다스리는 것은 작은 물고기를 삶는 것과 같다(너무 통제해서는 안 된다).
〔治家〕 zhìjiā 동 〈文〉 집안 일을 다스리다. =〔齐qí家〕
〔治酒〕 zhìˌjiǔ 동 〈文〉 술을 준비하다.
〔治具〕 zhìjù 명 ⇨〔夹jiā具〕
〔治理〕 zhìlǐ 동 ①처리하다. 취급하다. ¶~国务; 국무를 처리하다. =〔办理〕 ②다스리다. 통치하다. ③보수하다. 정비하다. 수리하다. ¶~河流; 하천의 치수(治水)를 하다.
〔治疗〕 zhìliáo 명동 치료(하다). ¶住院~; 입원하여 치료를 받다 / 接受~; 치료를 받다 / ~效果; 치료 효과.
〔治乱不问〕 zhìluàn bùwèn 어떤 일이 있어도. 어떤 경우라도. ¶~地一气儿读完; 무슨 일이 있어도 단숨에 읽어 버리다.
〔治疟碱〕 zhìnüèjiǎn 명 《藥》 키니네. 키닌. =〔奎kuí宁〕
〔治气〕 zhìˌqì 동 ①고집부리다. 서로 다투다. =〔斗气(儿)①〕 ②발분〔분발〕하다. 어려운 일에 달라붙다. ¶竟跟辞典~; 사전에 달라붙어 씨름하다.
〔治戎〕 zhìróng 동 〈文〉 ①싸울 준비를 갖추다. ②군대를 통솔하다.
〔治丧〕 zhìˌsāng 장의(葬儀)의 절차를 정하다. 장의를 집행하다. ¶~费; 장례식 비용.
〔治沙〕 zhìshā 동 사막을 다스리다. 사막을 개척하다. ¶六省、区~规划; 여섯 성(省)·구(區)에 걸치는 사막 개조 계획.
〔治身〕 zhìshēn 동 수신(修身)하다. 수양하다.
〔治世〕 zhìshì 명 태평 세상. 동 세상을 다스리다.
〔治水〕 zhìˌshuǐ 동 치수하다. ¶~工程; 치수 공사.
〔治丝益棼〕 zhì sī yì fén 〈成〉 실을 풀려다 오히려 엉키게 만들다(해결 방법이 잘못되어 문제가 더욱더 복잡해짐).
〔治死〕 zhìsǐ 동 죽이다. 처치하다. ¶他已失去利用价值时, 他们集团偷偷地把他~; 그에게 이용 가치가 없어졌을 때 그들 그룹은 몰래 그를 처치해 버린다.
〔治外法权〕 zhìwài fǎquán 명 《法》 ①치외 법권. ②〈俗〉 영사 재판권.
〔治下〕 zhìxià 〈文〉 명 치하. 지배하. 동 ①통치하다. ②하급(下級)을 캐고 따져 사실을 밝히다. ③〈俗〉 굴복시키다. 길들이다. 정복하다. ¶你们这可把他~了; 너희들은 이번에는 그 놈을 완전히 굴복시켰다.
〔治学〕 zhìˌxué 동 학문을 (연구)하다. ¶~态度严谨; 학문 연구의 태도가 근엄하다.
〔治愈〕 zhìyù 동 치유하다. ¶~率; 치유율. 완치율.
〔治装〕 zhìzhuāng 동 〈文〉 여장(旅裝)을 갖추다.
〔治罪〕 zhìˌzuì 동 죄를 다스려 처벌하다. ¶把他拘留起来, 准备~; 그를 구류하여 처벌하려 한다. =〔处chǔ罪〕

帙〈袟, 袠〉 zhì (질) 〈文〉 ①명 책을 싸는 덮개. 서질(書帙). ②양 질(서질을 세는 단위).

迭(紩) zhì (질) 동 〈文〉 해진 곳을 꿰매다. 깁다.

秩 zhì (질) 명 〈文〉 ①순서. 차례. 질서. ¶~序; 질서 / 守~; 질서를 지키다 / 有~地入场; 순서대로 입장하다 / ~然不紊; 질서 정연하다. ②10년. ¶七~寿辰; 70세 생신. ③옛날 관리의 품등. ¶~禄lù; 봉록.
〔秩然〕 zhìrán 형 〈文〉 정연(整然)한 모양.
〔秩序〕 zhìxù 명 순서. 질서. ¶~单; 식의 차례. 식순(式順) / 遵守~; 질서를 지키다 / 社会~; 사회의 질서 / 有~地入场; 순서대로 입장하다 / 建立~; 질서를 세우다 / ~井然; 질서가 정연하다.

炙 zhì (자, 적) ①동 (불에) 쬐다〔굽다〕. ¶~手可热; 〈成〉 손을 델 정도로 뜨겁다(기염이 왕성하여 권세가 큰 모양). ②동 친하게 하다. ③동 성내다. ④명 불에 구워 연하게 된 고기. ⑤(~子) 명 고기를 구울 때 쓰는 쇠꼬챙이. ⑥동 〈文〉 〈比〉 영향을 받다. 훈도를 받다. ¶亲~; 직접 가르침을 받다.
〔炙炉(儿)〕 zhìlú(r) 명 ⇨〔支zhī炉(儿)〕
〔炙子〕 zhìzi 명 '烤羊肉'를 먹을 때 고기를 굽는 데 쓰는 석쇠.

质(質) zhì (질) ①명 물질. 사물의 본체. ¶铁~的器具; 철재로 만든 기구 / 流~的; 유동체의. ②명 성질. 본질. 소질. ¶本~; 본질 / 性~; 성질 / 变~; 변질 / 实~; 실질. ③명 품질. ¶这种纸~很坚硬; 이 종류의 종이의 질은 매우 질기다. ④명 (물체의) 바탕. ¶黑~而白章; 검정 바탕에 흰 무늬. ⑤동 캐묻다. 질문하다. ¶~责; 문책하다 / ~疑; 질의하다. ⑥형 질박하다. 소박하다. ⑦형 단순하다. 솔직하다. ¶~言之; 사실대로 말하다. ⑧동 저당 잡히다. ⑨명 저당물. ¶以此物为~; 이것을 저당물로 하다 / 以人为~; 인질로 삼다.
〔质变〕 zhìbiàn 명 《哲》 질적 변화. ↔〔量变〕
〔质当〕 zhìdàng 동 전당잡히다. 명 전당포. =〔质库〕
〔质地〕 zhìdì 명 ①품질. 재질. ¶~精美; 품질이 고급이고 아름답다. ②(사람의) 품격. 자질. ¶~高尚; 품성이 고상하다 / 这种竹子~坚韧, 可以作手工艺品; 이 대나무는 강인한 성질을 갖고 있으므로 공예품을 만드는 데 쓸 수 있다. ③천. 옷감.
〔质典〕 zhìdiǎn 동 전당잡히다.
〔质点〕 zhìdiǎn 명 《物》 질점.
〔质对〕 zhìduì 동 《法》 대질(對質)하다. 대증하다. 대조하여 확인하다.
〔质库〕 zhìkù 명 전당포. =〔质当〕〔当dàng铺〕
〔质量〕 zhìliàng 명 ①질. 질적인 내용. 품질. ¶提高~; 질을 높이다 / 他的论文~很高; 그의 논문은 내용이 매우 좋다 / 近来胶鞋的~大大提高了; 요즘 고무신의 품질은 크게 향상됐다 / 小学校员的~还不够标准; 초등 학교 교원의 질은 아직 표준에 달하지 않고 있다 / ~差; 질이 나쁘다. ②《物》 질량. ↔〔重量〕 ③인격. 품성(品性).
〔质量标准〕 zhìliàng biāozhǔn 명 생산품의 재료·가공·성능·포장 등의 기술의 표준(규격). =〔技术条件〕
〔质量并重〕 zhìliàng bìngzhòng 질도 양도 아울러 중시하다.

〔质量第一〕 zhìliàng dìyī 명 품질 제일. 품질 본위.
〔质量数〕 zhìliàngshù 명 《化》 질량수.
〔质量月〕 zhìliàngyuè 명 품질 향상의 달. ¶大张旗鼓地开展～活动; 대규모로 '품질 향상의 달' 운동을 전개해 가다.
〔质量指标〕 zhìliàng zhǐbiāo 명 품질 지정 표준.
〔质料〕 zhìliào 명 (상품·제품의) 재료. 원료.
〔质木〕 zhìmù 형 질박하고 꾸밈이 없다.
〔质朴〕 zhìpǔ 형 질박하다. 소박하다. ¶文字平易～; 문장이 알기 쉽고 꾸밈이 없다/他为人～正直; 그는 소박하고 정직하다.
〔质谱仪〕 zhìpǔyí 명 《物》 질량 분석기. 매스 스펙트로미터(mas spectroscope).
〔质实〕 zhìshí 형 〈文〉 질박하고 순진하다. 질실하다.
〔质数〕 zhìshù 명 《數》 소수(素數). =〔素sù数〕
〔质素〕 zhìsù 형 〈文〉 검소하다. 소박하다. 수수하다.
〔质问〕 zhìwèn 동 ①책문하다. 힐문하다. ¶群众愤怒地～他; 군중은 화를 내며 그를 책문했다/她们提出了～; 그녀들은 힐문했다. ② ⇨〔质疑〕
〔质性〕 zhìxìng 명 성질.
〔质询〕 zhìxún 동 힐문(詰問)하다. 질의(質疑)하다.
〔质押〕 zhìyā 동 ①저당잡히다. ②저당잡다.
〔质言〕 zhìyán 〈文〉 동 참말을 하다. 정직한 말을 하다. ¶～之; 실(實)은. 사실은. 명 정직한 말. 진실한 말.
〔质疑〕 zhìyí 동 질의하다. =〔质问②〕
〔质疑问难〕 zhì yí wèn nàn 〈成〉 의심나거나 어려운 문제를 제기하고 서로 토론하다.
〔质因数〕 zhìyīnshù 명 《數》 소인수(素因數).
〔质责〕 zhìzé 동 〈文〉 질책하다. 나무라고 따지다.
〔质直〕 zhìzhí 형 〈文〉 질박하고 정직하다.
〔质子〕 zhìzǐ 명 ①《物》 양자(陽子) 또는 수소의 원자핵. ¶～加速器; 양자 가속기. ②인질로 잡은 어린이. 볼모.

碛(磧) zhì (질) 명 〈文〉 주춧돌.

锧(鑕〈櫍〉) zhì (질) 명 〈文〉 ①도마. =〔砧zhēn板〕 ②옛 형구(刑具). 도끼로 죽일 때에 쓰이는 모루 모양의 도마. ¶惨遭斧～之诛; 무참하게 참수형을 받다.

踬(躓) zhì (지, 질) 동 〈文〉 ①실족(失足)하다. 걸려 넘어지다. ¶颠～; 실족하여[걸려] 넘어지다. ②〈比〉 실패하다. 좌절하다. ¶屡试屡～; 여러 번 시도하고 그 때마다 좌절하다.

陟 zhì (척) 동 〈文〉 ①오르다. ¶～降; 오르내리다. ②나아가다. ③승진(昇進)시키다. 발탁하다. ¶～罚; 관위(官位)를 승진시켜 상주는 일과 떨어뜨려 벌하는 일/～黜chù; 승진과 격하(格下).
〔陟厘〕 zhìlí 명 ① ⇨〔水苔〕 ② ⇨〔侧理纸〕
〔陟山〕 zhìshān 동 산에 오르다.

骘(騭) zhì (즐) 〈文〉 ① 동 순서를 정하다. 안배(按排)하다. ¶评～高低; 고저를 결정하다/阴～; 음덕(陰德)/伤阴～; 은밀히 남을 함정에 빠뜨리려고 꾀하는 일. ② 명 수말. ③ 동 오르다.

庤 zhì (치) 동 〈文〉 비축(備蓄)하다.

峙 zhì (치) 동 〈文〉 ①우뚝 솟다. ②우뚝 서다. ¶～立; 우뚝 서다. ③대비하다. 비축하다. ¶～积; 매점(買占)하다. ⇒shì

痔 zhì (치) 명 《醫》 치질. ¶～疮chuāng; 치질/十男九～; 남자가 열 사람 있으면 아홉 사람은 치질을 앓는다/内～; 내치. 암치질/～漏 =〔瘘疮〕〔肛瘘〕〔《漢醫》 偏漏〕; 치루.

畤 zhì (치) 명 〈文〉 천지의 신령과 고대 제왕의 제사를 지내는 곳.

栉(櫛) zhì (즐) 〈文〉 ① 명 빗(참빗과 얼레빗의 총칭). =〔梳子〕 ② 동 빗다. 빗질하다. ③ 동 얼레빗으로 머리 때를 빼다.
〔栉比〕 zhìbǐ 형 〈文〉 즐비하다.
〔栉比鳞次〕 zhì bǐ lín cì 〈成〉 빽빽하게 늘어선 모양. =〔鳞次栉比〕
〔栉风沐雨〕 zhì fēng mù yǔ 〈成〉 머리는 바람에 빗겨지고 몸은 비를 맞다(갖은 고생을 하며 바삐 돌아다니는 모양). =〔沐雨栉风〕

猘〈猘〉 zhì (제) 〈文〉 ① 명 광견(狂犬). 미친 개. ② 형 (짐승이) 사납다. 흉맹(凶猛)하다. (사람이) 용맹하다.

贽(贄) zhì (지) 명 〈文〉 옛날에 처음으로 연장자를 방문할 때 보내던 선물. ¶执zhí～; 선물 보내고 제자(弟子)의 예식을 집행하다/～敬 =〔～仪〕〔～见礼〕; 예물(을 가지고 방문하다). =〔挚②〕
〔贽见〕 zhìjiàn 동 〈文〉 선물을 가지고 가서 면회를 청하다.

挚(摯) zhì (지) ① 형 〈文〉 성실하다. 진지하다. 진실하다. ¶态度恳～; 태도가 성실하다. ② 명 ⇨〔贽〕 ③ 동 쥐다. ④ 명 성(姓)의 하나.
〔挚诚〕 zhìchéng 형 성실하다.
〔挚友〕 zhìyǒu 명 〈文〉 진실한 친구. 친우.

鸷(鷙) zhì (지) 〈文〉 ① 명 (매·새매 등과 같은) 맹금류(猛禽類). ② 형 성질이 난폭하다. 흉맹하다. ¶～悍hàn; 매우 난폭하다.

掷(擲) zhì (척) 동 ①던지다. 내팽개치다. 버리다. ¶～手榴弹; 수류탄을 던지다/弃～; 던져서 버리다. 팽개치다. =〔擿〕 ②〈翰〉〈謙〉 (상대편에서 물건을) 하사(下賜)하다. 보내오다. ¶请交来人～下; 심부름 온 사람에게 전해 주십시오. ⇒zhī
〔掷标枪〕 zhìbiāoqiāng 《體》 ① 명 투창(投槍). ②(zhì biāoqiāng) 투창하다.
〔掷采〕 zhìcǎi ⇨〔掷骰子〕
〔掷弹筒〕 zhìdàntǒng 명 《軍》 척탄통.
〔掷地作金石声〕 zhì dì zuò jīn shí shēng 〈成〉 글 속의 말이 아름다워서 귀를 즐겁게 하다. 시가(詩歌)나 문장이 아름답다.
〔掷点子〕 zhì diǎnzi 주사위 놀이를 하다.
〔掷卦〕 zhìguà 동 동전을 던져서 점치다.

〔掷还〕 zhìhuán 동 〈翰〉〈套〉 반환하다. 되돌려주다. ¶前请审阅之稿, 请早日～为荷; 지난번 심사를 부탁드린 원고를 빠른 시일 내에 되돌려 주시면 감사하겠습니다. =〔掷回〕
〔掷回〕 zhìhuí 동 ⇨〔掷还〕
〔掷交〕 zhìjiāo 동 〈翰〉〈謙〉 넘겨 주다. 전해 주다.
〔掷界外球〕 zhì jièwàiqiú 《體》 (축구·농구·핸드볼에서) 스로인(throw-in)하다.
〔掷老羊〕 zhìlǎoyáng 명 주사위놀이의 하나《6개의 주사위를 동시에 던져서, 그 중 3개가 동점인 것이 나올 때까지 던지고, 그 동점을 제외한 다른 3개의 한계점의 다과에 따라 승부를 정함》. =〔赶gǎn老羊〕
〔掷链球〕 zhìliànqiú ⇨〔掷铁锤〕
〔掷瓶〕 zhìpíng 명 (기공식·진수식 때) 색실로 묶은 술병을 던져 부수는 의식. ¶～礼; 진수식《샴페인을 터뜨리는 데서》.
〔掷铅球〕 zhìqiānqiú 명 《體》 투포환(投砲丸). =〔推tuī铅球〕
〔掷色子〕 zhì shǎizi ⇨〔掷骰子〕
〔掷手〕 zhìshǒu 명 《體》 투수(投手). =〔投手〕
〔掷铁饼〕 zhìtiěbǐng 《體》 ① 명 투원반(投圓盤). ②(zhì tiěbǐng) 투원반을 하다.
〔掷铁锤〕 zhìtiěchuí 《體》 ① 명 투해머. ② (zhì tiěchuí) 투해머를 하다. ‖ =〔掷链球〕
〔掷铁球〕 zhìtiěqiú 《體》 ① 명 투포환(投砲丸). ② (zhì tiěqiú) 투포환을 하다.
〔掷骰子〕 zhì tóuzi 주사위를 던지다. =〔掷采〕〔掷色子〕〔吊diào猴儿②〕
〔掷下〕 zhìxià 동 ①아래로 던지다. ②〈文〉〈謙〉 하사(下賜)하다. 건네 주다.
〔掷子〕 zhìzi 명 사각형의 무거운 돌에 자루를 단 것《현재의 해머에 해당되며, 이것을 던져 체력을 단련함》.

滞(滯) zhì (체)

동 체재(滯在)하다. 지연(遲延)되다. 정체(停滯)하다. 막히다.

〔滞碍〕 zhì'ài 명동 ⇨〔窒碍〕
〔滞产〕 zhìchǎn 명 《漢醫》 (출산할 때의) 조기 파수(早期破水).
〔滞伏〕 zhìfú 동 〈文〉 ①침체하다. ②적극적인 의사가 없다.
〔滞付〕 zhìfù 동 〈文〉 지불이 늦어지다.
〔滞洪〕 zhìhóng 명 홍수 저지. ¶～区; 유수지(遊水池).
〔滞后〕 zhìhòu 명 《物》 히스테리시스(hysteresis).
〔滞货〕 zhìhuò 명 《商》 ①잘 팔리지 않아 적체된 물건. ②팔고 남은 물건. 재고품.
〔滞客〕 zhìkè 명 〈文〉 완고하여 발전성이 없는 사람.
〔滞累〕 zhìlěi 동 〈文〉 세속의 일로 괴로움을 당하다.
〔滞留〕 zhìliú 동 〈文〉 체류하다. 체재하다. 정체하다.
〔滞纳〕 zhìnà 동 체납하다. ¶～金; 체납금.
〔滞泥〕 zhìni 형 ①꾸물거리다. (일 처리 등이) 흐리터분하다. 굼뜨다. ¶他人倒是老实, 就是做事～; 그는 사람은 성실한데 일하는 것이 굼뜨다. ②고집스럽고, 융통성이 없다. 동 집착하다. 얽매이다.
〔滞粘〕 zhìnián 동 꾸물거리다. ¶别～, 要做事就快做吧; 꾸물거리지 말고, 하려면 빨리 해라.
〔滞碾〕 zhìnian 형 느리다. 굼뜨다. 동 (일하는데) 지체하다.
〔滞气〕 zhìqì 명 ①꾸물거리는 성질. ②울적한 기분.
〔滞涩〕 zhìsè 형 정체되다. 진척되지 않다.
〔滞胃〕 zhìwèi 동 뱃속이 트릿하다. 소화불량이 되다. 체하다.
〔滞误〕 zhìwù 명 막힘. 밀림. 체납. 동 밀리다. 막히다. 체납하다. ¶此费用必须按时缴纳, 不得～! 이 비용은 틀림없이 기한대로 납부해야지 체납해선 안 된다.
〔滞销〕 zhìxiāo 동 《商》 상품이 잘 팔려 나가지 않다. 판매가 부진하다. ¶～货; 팔림새가 나쁜 상품. 체화(滯貨) / ～削价; 팔림새가 좋지 않아 값을 내리다 / 发生了暂时的货物～; 일시적으로 상품의 판로가 정체 상태에 빠졌다.
〔滞胀〕 zhìzhàng 명 《經》 스태그플레이션(stagflation).
〔滞针〕 zhìzhēn 명 《漢醫》 체침. (침술에서) 침이 박혀 뺄 수도 없고 돌릴 수도 없는 것.
〔滞滞泥泥〕 zhìzhinìnì 형 꾸물거리는 모양. 굼뜬 모양.

滍 zhì (치)

지명용 자(字). ¶～阳Zhìyáng; 즈양(滍陽)《허난 성(河南省)에 있는 땅 이름》.

彘 zhì (체)

명 《動》 〈文〉 돼지. =〔猪zhū〕

智 zhì (지)

① 명 지혜. 견식. ¶足～多谋; 〈成〉 지식이 충분하고 계책이 많다 / ～囊; ⇩ / 不经一事, 不长zhǎng一～; 경험하지 않으면 새로운 지식은 생겨나지 않는다. 경험은 지혜를 낳는다 / 情急～生 =〔穷qióng极～生〕; 〈諺〉 궁하면 통한다 / 吃一堑, 长一～; 〈諺〉 난관에 부닥칠 때마다 지혜로워진다. ② 형 현명하다. 총명하다. 지혜롭다. ¶这样做未免不～; 이렇게 하는 것은 현명한 일이 못 된다 / 大～大仁的人; 매우 현명하고 어진 사람. ③ 명 성(姓)의 하나.

〔智齿〕 zhìchǐ 명 《生》 사랑니. 지치. =〔智牙〕〔尽头牙〕
〔智多星〕 zhìduōxīng 명 수호전(水滸傳)의 오용(吳用)의 별명. 〈轉〉 지모(智謀)에 뛰어난 사람.
〔智慧〕 zhìhuì 명형 지혜(롭다).
〔智慧板〕 zhìhuìbǎn 명 ⇨〔七qī巧板〕
〔智慧剑〕 zhìhuìjiàn 명 지혜의 검. 〈比〉 날카로운 결단력.
〔智将〕 zhìjiàng 명 지장. 지모가 뛰어난 장군. 〈比〉 재능·수완이 있는 사람.
〔智力〕 zhìlì 명 지력. 지혜의 정도. ¶～商数; 아이큐(IQ). 지능 지수 / ～测验; 지능 검사.
〔智力开发〕 zhìlì kāifā 명 지능 개발.
〔智利〕 Zhìlì 명 《地》 〈音〉 칠레(Chile)《남아메리카의 한 공화국. 수도는 '圣地亚哥'(산티아고: Santiago)》.
〔智利硝(石)〕 zhìlì xiāo(shí) 명 《鑛》 칠레 초석. =〔硝酸钠〕
〔智略〕 zhìlüè 명 지략. 지모와 책략.
〔智谋〕 zhìmóu 명 지모. 지혜와 모략. ¶人多～高; 〈諺〉 사람이 많으면 좋은 지모가 나온다.
〔智囊〕 zhìnáng 명 지혜 주머니. 브레인(brain). 지혜가 뛰어난 사람. ¶～团tuán; 브레인 트러스트(brain trust) / ～会议; 브레인 회의 / ～班子; 싱크 탱크(think tank). 두뇌 집단.
〔智能〕 zhìnéng 명 지능.

〔智器〕 zhìqì 명〈文〉 지혜가 있는 사람.
〔智巧〕 zhìqiǎo 형〈文〉 슬기롭고 기민(機敏)하다. ¶～舌能; 슬기롭고 기민하며 말도 잘 한다.
〔智取〕 zhìqǔ 동 (요새(要塞)·도시 등을) 지략으로 점령하다. 머리를 써서 이루다. ¶只可～, 不可强攻; 지략으로 점령해야지, 힘으로 공략해서는 안 된다.
〔智人〕 zhìrén 명《生》〈義〉 호모 사피엔스(라 Homo sapiens). =〔理lǐ性人〕
〔智商〕 zhìshāng 명〈簡〉 지능 지수. 아이큐(IQ). =〔智力商数〕
〔智识〕 zhìshi 명〈口〉 지혜. ¶～竞赛; 퀴즈.
〔智术〕 zhìshù 명〈文〉 권모 술책. 권모 술수. =〔权术〕
〔智牙〕 zhìyá 명 ⇨〔智齿〕
〔智勇双全〕 zhì yǒng shuāng quán〈成〉 지용을 겸비하고 있다.
〔智育〕 zhìyù 명 지육.
〔智圆行方〕 zhì yuán xíng fāng〈成〉 지식은 원만하고 품행은 방정하다.
〔智者〕 zhìzhě 명 지혜 있는 사람. 지자.
〔智者千虑, 必有一失〕 zhì zhě qiān lǜ, bì yǒu yī shī〈成〉 슬기로운 사람의 생각 중에도 한 번의 실수는 있다.
〔智珠在握〕 zhì zhū zài wò〈成〉 천성이 총명함. 타고난 총명.

鷹 **zhì** (치)
명 ⇨〔豸zhì②〕

置〈寘〉 **zhì** (치)
동 ①놓다. 두다. ¶～于案上; 책상 위에 놓다. ②설치하다. 배치하다. ¶装～电话; 전화를 가설하다/设～; 설치하다. ③사다. 구입하다. 마련하다. 장만하다. ¶～一辆车; 차를 한 대 사다/～了一身衣服; 옷을 한 벌 장만했다/添～; 좀더 구입하다/～了产业了; 부동산을 샀다. ④〈文〉 조치하다. 대처하다. ¶无法～辩; 항변할 방법이 없다/难～可否; 가부의 조치를 취하기 어렵다.
〔置办〕 zhìbàn 동 ①마련하다. 구입하다. ¶～了必需的教学设备; 필요한 교육 설비를 구입했다. ②조처하다. 대처하다.
〔置备〕 zhìbèi 동 구입하다. 사서 갖추다. ¶～必需用品; 필수품을 구입하다.
〔置辩〕 zhìbiàn 동〈文〉 항변하다. 변명하다. 변론하다. 해명하다. ¶不容～; 변명을 허락하지 않다/不屑～; 변론할 가치가 없다.
〔置产〕 zhìˌchǎn 동 부동산을 구입하다. =〔置买产业〕〔置业〕
〔置辞〕 zhìˌcí 동 변명하다. 변론하다. ¶不能置一辞; 한 마디의 변명도 할 수 없다.
〔置地〕 zhìˌdì 동 토지를 매입하다.
〔置换〕 zhìhuàn 동 ①《化》 치환하다. ②바꿔 놓다. 교환하다. ¶A与B～; 《數》 A와 B를 바꿔 놓다. A를 B로 바꿔놓다.
〔置喙〕 zhìhuì 동〈文〉 말참견하다. 간섭하다. 용훼(容喙)하다《주로 부정문에 쓰임》. ¶不容～; 말참견을 용납하지 않다.
〔置酒〕 zhìjiǔ 동〈文〉 주연을 베풀다. 술자리를 마련하다. ¶～款待; 주연을 베풀어 환대(歡待)하다.
〔置年货〕 zhì niánhuò 설에 쓸 물건을 사들이다.
〔置若罔闻〕 zhì ruò wǎng wén〈成〉 못들은 체하고 상대하려 하지 않다.
〔置身〕 zhìshēn 동〈文〉 치신하다. 몸을 두다. ¶～于群众之中; 대중 속에 몸을 두다/～无地; 몸둘 곳이 없다/～其间; ⓐ몸을 그 사이에 두다. ⓑ종사하다. 국면에 당하다.
〔置田买地〕 zhìtián mǎidì 전답을 사다.
〔置信〕 zhìxìn 동〈文〉 신용하다. 믿다《흔히, 부정적(否定的)으로 씀》. ¶不可轻易～; 경솔하게 믿어서는 안 된다.
〔置业〕 zhìˌyè 동 ⇨〔置产〕
〔置疑〕 zhìyí 동〈文〉 의심을 품다. 회의를 품다《흔히, 부정(否定)에 씀》. ¶无可～; 의심할 바가 없다/不容～; 의심할 여지가 없다.
〔置议〕 zhìyì 동 문초하다. 취조하다.
〔置意〕 zhìyì 동 유의하다. 주의하다. =〔措cuò意〕
〔置之不理〕 zhì zhī bù lǐ〈成〉 방치하고 무시하다. ¶因为危险不能～; 위험하므로 그대로 방치할 수는 없다.
〔置之不问〕 zhì zhī bù wèn〈成〉 묻지 않고 내버려 두다. 문제삼지 않다.
〔置之度外〕 zhì zhī dù wài〈成〉 (생사·이해 등을) 도외시하다. 의중에 두지 않다. ¶把生死～; 생사를 안중에 두지 않다.
〔置之脑后〕 zhì zhī nǎo hòu〈成〉 완전히 잊어버리다. 전혀 문제삼지 않다.
〔置之死地〕 zhì zhī sǐ dì〈成〉 사지에 몰아넣다. ¶必欲～而后快; 남을 사지에 몰아넣지 않으면 직성이 풀리지 않다《마음이 잔인함》/～而后生; 자신을 사지에 두어야만 비로소 살 수 있다.
〔置诸高阁〕 zhì zhū gāo gé〈成〉 ①내버려 두고 쓰지 않다. ②보류해 두다.
〔置主〕 zhìzhǔ 명 (부동산의) 매입자.
〔置装费〕 zhìzhuāngfèi 명 (해외 출장자에게 지급하는) 의복 구입비.
〔置锥之地〕 zhì zhuī zhī dì〈成〉 ⇨〔立lì锥之地〕

雉 **zhì** (치)
① 명《鳥》〈文〉 꿩. =〔野鸡〕 ② 양 옛날에, 성벽의 크기를 나타내던 단위《높이 1'丈', 길이 3'丈'을 1'雉'라고 했음》.
〔雉堞〕 zhìdié 명 성곽 위의 낮고 짧은 장벽. 성첩. 성가퀴. =〔雉墙〕
〔雉鸡〕 zhìjī 명《鳥》 꿩.
〔雉鸠〕 zhìjiū 명《鳥》 호도애. 산비둘기. →〔鸠〕
〔雉墙〕 zhìqiáng ⇨〔雉堞〕
〔雉尾小生〕 zhìwěi xiǎoshēng 명《劇》 경극(京劇)에서, 관(冠)에 꿩의 꽁지를 붙이고 있는 젊은 무장역(武將役).

稚〈穉, 稺〉 **zhì** (치)
형 나이가 젊다. 어리다. ¶～子; 유아(幼兒)/幼～; 어리다. 유치하다.
〔稚气〕 zhìqì 형 어린애 같다. 어린애 티가 나다. ¶一脸～; 치기 만면. 명 치기. 애티. ¶少女的～; 소녀적 취미. ‖=〔孩子气〕

疐〈疌〉 **zhì** (치)
동〈文〉 ①장애에 부딪히다. ②(발을 헛디디거나 장애물에 걸려) 넘어지다. ¶跋前～后;〈成〉 진퇴유곡(進退維谷)〔진퇴 양난〕에 빠지다.

瘈 **zhì**〔《舊》 jì〕 (계)
동〈文〉 미치다. =〔疯狂〕 ⇒ chì

觯(觶) **zhì** (치)
명〈文〉 옛날, 둥근 모양의 주기(酒器).

산 계급·민족 자산 계급·소수 민족·화교 대표로 구성된 중국 공산당 영도하의 혁명 통일 전선 조직으로, 전국 인민 대표 대회(全國人民代表大會) 소집 전에는 이 단체가 직권을 행사하여 임시 헌법을 제정, 정부를 구성하고 중화 인민 공화국 성립을 공포하기도 했음). =〔政协〕〔政治协商会议〕

〔中国社会科学院〕 Zhōngguó shèhuì kēxuéyuàn 명 중국 사회 과학원《1977년에 '中国科学院'으로부터 분리되어, 인문·사회 과학 연구의 지도 기관이 됨》.

〔中国通〕 zhōngguótōng 명 중국통《중국의 사정에 정통한 사람》.

〔中国同盟会〕 Zhōngguó tóngménghuì 명 ⇨〔中国革命同盟会〕

〔中国统筹委员会〕 Zhōngguó tǒngchóu wěiyuánhuì 명 친콤(CHINCOM). 대중국(對中國) 금수(禁輸) 위원회. =〔对华出口管制委员会〕

〔中国线规〕 Zhōngguó xiànguī 명 1945년에 공포된 전중국 공업 표준 와이어 게이지(wire gauge). CWG.

〔中国猿人〕 zhōngguó yuánrén 명 북경원인(北京原人). =〔北běi京猿人〕

〔中国字〕 zhōngguózì 명 중국 문자《곧 한자》. →〔汉hàn字〕

〔中国左翼作家联盟〕 Zhōngguó zuǒyì zuòjiā liánméng 명 ⇨〔左联〕

〔中国作家协会〕 Zhōngguó zuòjiā xiéhuì 명 중국 작가 협회《1953년, 종래의 '中华全国文学工作者协会'(중화 전국 문학 종사자 협회)를 개편하여 결성되었음》. =〔〈簡〉作协〕

〔中果〕 zhōngguǒ 명 쌀가루를 반죽하여 가늘게 밀어 여러가지 모양으로 만든 것을 기름에 튀겨 설탕을 뿌린 '点心'. =〔中果条(儿)〕

〔中果皮〕 zhōngguǒpí 명《植》중과피.

〔中行〕 Zhōngháng 명 복성(複姓)의 하나.

〔中和〕 zhōnghé 형 온건하다. ¶～派; 온건파. 명《化·物》중화 (작용). 동 중화하다.

〔中户人家〕 zhōnghù rénjiā 명 중류 가정. =〔〈文〉中人③〕

〔中华〕 Zhōnghuá 명 중화. 중국의 고칭《옛날에는 황허(黃河) 유역 일대를, 현재는 중국 전체를 가리킴》. ¶～风尾蕨;《植》큰반쪽고사리 / ～大蟾蜍;《動》두꺼비 / ～金粉蕨;《植》선바위고사리.

〔中华民族〕 Zhōnghuá mínzú 명 중화 민족《'汉族'(한족)을 주체로 하는 전중국 각 민족의 총칭》.

〔中华全国妇女联合会〕 Zhōnghuá quánguó fùnǚ liánhéhuì 명 중화 전국 부녀 연합회《1949년 4월 '中华全国民主妇女联合会'(중화 전국 민주 부녀 연합회)라는 이름으로 창립되어 1957년 9월 개칭된 여성 단체. 각 민족·각 계층의 여성이 단결하여 각종의 건설 사업에 참가하고, 부녀자의 권익과 아동의 복리를 도모하며 남녀 평등을 이루어 여성을 철저히 해방하는 것을 목적으로 함》. =〔〈簡〉全国妇联〕

〔中华全国青年联合会〕 Zhōnghuá quánguó qīngnián liánhéhuì 명 중화 전국 청년 연합회《1949년 5월 4일 성립, 청년의 단결과 전국 대중의 조국 방위, 국가의 각종 건설, 공업화의 실시와 함께 신민주주의로부터 사회주의로의 진전을 목적으로 하고 있음》.

〔中华全国文学艺术界联合会〕 Zhōnghuá quánguó wénxué yìshùjiè liánhéhuì 명 중화 전국 문학 예술계 연합회《문학 예술 공작자의 연합체. 1949년 설립됨》. =〔〈簡〉全国文联〕〔〈簡〉文联会〕

〔中华全国学生联合会〕 Zhōnghuá quánguó xuéshēng liánhéhuì 명 중화 전국 학생 연합회《1949년 3월에 학생의 단결과 복리 증진을 도모하고 신민주주의 혁명 실현을 목표로 창립됨》. =〔〈簡〉全国学联〕〔〈簡〉学联〕

〔中华全国总工会〕 Zhōnghuá quánguó zǒnggōnghuì 명 중화 전국 총공회《1925년 성립된 전국 노동자 조합》. =〔〈簡〉中国工会〕〔〈簡〉全总〕

〔中华人民共和国〕 Zhōnghuá rénmín gònghéguó 명 중화 인민 공화국《1949년 10월 1일 성립. 당시의 국가 주석은 마오 쩌둥(毛澤東), 국무 총리는 저우 언라이(周恩來)였음》. ¶～成立记念日; 중화 인민 공화국 성립 기념일《10월 1일의 '国庆节'을 말함》.

〔中环〕 zhōnghuán 명〈文〉중심부. 중앙부.

〔中浣〕 zhōnghuàn 명 중순. =〔中旬xún〕

〔中悔〕 zhōnghuǐ 동〈文〉중도에 식언하다〔약속을 번복하다〕. 중도에서 후회하다.

〔中伙〕 zhōnghuǒ 명 도중(道中)의 식사. ¶打～; 도중의 식사를 하다.

〔中级〕 zhōngjí 형 중급의. 중등의. ¶～班; 중급반.

〔中继〕 zhōngjì 명동 (전화·유선 전신 등을) 중계하다. ¶～线; 중계선 / ～站; (운송·무선 통신·텔레비전 등의) 중계소.

〔中间〕 zhōngjiān 명 ①중간. 중심. (한)가운데. ¶～路线; 어느 쪽에도 치우치지 않는 중도(中道). 중간 노선 / 船停在河～; 배는 강 한가운데에 서 있다. ②중. 속. 안. ¶他是这群人～最勇敢的一个; 그는 사람들 가운데에서 가장 용감한 사람의 하나이다. ③사이. 중간. ¶从我家到工厂,～要换车; 우리 집에서 공장까지 가는데 도중에 갈아 타야 한다. ④과정(過程)이나 상태 중. ¶在做的～得到教训, 增长才干; 해 가면서 교훈을 얻고 재능을 기르다. ‖ =〔〈口〉中间儿〕

〔中间层〕 zhōngjiāncéng 명《氣》중간권(圈).

〔中(间)轮〕 zhōng(jiān)lún 명《機》중간 톱니바퀴. =〔惰duò轮〕

〔中间派〕 zhōngjiānpài 명 중간파(의 사람). 제삼 세력.

〔中间人〕 zhōngjiānrén 명 중개인. 중재인. =〔中人①〕

〔中间人物〕 zhōngjiān rénwù 명 중간 인물. 진보적은 아니지만 특별히 보수적이지도 않은 인물《문예상의 전형상(典型像)을 이름》. ¶～论; 중간 인물을 정면으로 다루어 그려야 한다는 문예 이론《항상 '正zhèng面人物'을 찬양해야 한다고 하는 데 대하여 말함》.

〔中间宿主〕 zhōngjiān sùzhǔ 명《生》중간 숙주.

〔中间体〕 zhōngjiāntǐ 명《化》중간물. 중간체.

〔中坚〕 zhōngjiān 명 ①중견. ¶～力量; 중견이 되는 힘 / ～分子fènzǐ; 중견 분자. ②《體》(럭비·축구 등의) 센터 하프백(center halfback).

〔中间儿〕 zhōngjiànr 명〈口〉⇨〔中间〕

〔中将〕 zhōngjiàng 명《軍》중장.

〔中焦〕 zhōngjiāo 명《漢醫》중초. →〔三sān焦〕

〔中介〕 zhōngjiè 명동 중개(하다).

〔中介离子〕 zhōngjiè lízǐ 명《化》메소머리 이온(mesomeriion).

〔中介现象〕 zhōngjiè xiànxiàng 명《化》메소머리즘(mesomerism).

〔中九〕 zhōngjiǔ 명 초아흐렛날. →〔上shàng九①〕
〔中距离跑〕 zhōngjùlípǎo 명《體》중거리 경주〔달리기〕. =〔中长跑〕
〔中距离投篮〕 zhōngjùlí tóulán 명《體》(농구의) 중거리 숏.
〔中涓〕 zhōngjuān 명 ⇨〔宦huàn官①〕
〔中军〕 zhōngjūn 명 ①《軍》〈文〉본영(本營). 중군. ②《軍》〈文〉부장(部將)《한 부대의 장》. ③《體》(축구의) 센터 포워드.
〔中军帐〕 zhōngjūnzhàng 명 본영. 사령부. 중군영(中軍營). ¶瑜赴行营, 升～高坐; 주유(周瑜)는 진영으로 가서, 사령부의 상좌에 앉았다.
〔中看〕 zhōngkàn〔zhòngkàn〕 형 보기 좋다. ¶～不中用; 보기 좋지만 쓸모는 없다 / ～不中吃; 보기에는 좋지만 맛은 없다. 〈比〉빛좋은 개살구.
〔中馈〕 zhōngkuì 명〈文〉①(집안의) 부엌일. ¶～得人; 〈成〉장가들다. ②〈轉〉아내. ¶～犹虚; 〈成〉아직 장가들지 않다.
〔中栏〕 zhōnglán 명《體》미들 허들 레이스.
〔中牢〕 zhōngláo 명 ⇨〔少shào牢〕
〔中历〕 zhōnglì 명 중국력(中國曆).
〔中立〕 zhōnglì 명 중립. ¶～国; 중립국 / ～区; 중립 지대 / ～不倚yǐ; 중립을 지켜 어느 쪽에도 치우치지 않다 / ～法规; 《法》중립 법규 / ～主义; 중립주의 / 保持～; 중립을 지키다.
〔中量级〕 zhōngliàngjí 명《體》미들웨이트. 미들급.
〔中溜个〕 zhōngliūgè 명 중키에 살이 알맞게 찐 사람.
〔中溜儿〕 zhōngliūr 형 보통이다. 중간이다.
〔中流〕 zhōngliú 명 ①강의 중류. 강폭의 중간쯤. ②중등(中等). 중위(中位). ¶～社会; 중류 사회.
〔中流砥柱〕 zhōng liú Dǐ zhù 〈成〉독립 불기하여 못된 세력 사이에 처하여 절개를 굽히지 않는 인물. 정신적인 지주(支柱)《지주산(砥柱山)은 삼문산(三門山)이라고도 하며, 황허(黃河)의 중류 허난성(河南省)과 산시성(山西省) 사이에 있는데, 옛날에 우(禹)가 치수할 때 이 산을 끼고 강물을 분류(分流)시켰다고 함. 물 속에 있어 기둥처럼 보이므로 이 이름이 있음》. =〔砥柱〕〔砥柱中流〕
〔中路(儿)〕 zhōnglù(r) 형 (품질이) 중간 정도의. 보통의. ¶～货; 중등품 / ～货比这个便宜; 중등품은 이보다 싸다.
〔中路梆子〕 zhōnglù bāngzi 명 ⇨〔晋jìn剧〕
〔中略〕 zhōnglüè 명동 중략(하다).
〔中落〕 zhōngluò 동〈文〉(번영하던 가문이) 쇠퇴하다. 중도에서 몰락하다. 도중에서 기세를 잃다. ¶家道～ =〔家境～〕; 가운이 중도에 몰락하다.
〔中满〕 zhōngmǎn 명《漢醫》중만. 흉복부(胸腹部)가 붓는 증상.
〔中美洲〕 Zhōngměizhōu 명《地》중미주. 중앙아메리카.
〔中拇指〕 zhōngmǔzhǐ 명 ⇨〔中指〕
〔中男〕 zhōngnán 명〈文〉①둘째 아들. 차남(次男). ②당대(唐代), 미성년의 남자《일반적으로 18세에서 23세까지의 남자》.
〔中南半岛〕 Zhōngnán bàndǎo 명《地》인도차이나 반도. =〔印yìn度支那半岛〕
〔中南海〕 zhōngnánhǎi 명 베이징의 중심부에 있는 호수. 또 그 주변 일대를 말함.
〔中年〕 zhōngnián 명 ①중년. ¶～男子zǐ; 중년 남자. ②〈文〉중세(中世).
〔中农〕 zhōngnóng 명《農》중농. →〔贫pín农〕
〔中牌〕 zhōngpái 명〈比〉중견 인물. ¶～球员; (구기(球技)의) 중견 선수.
〔中盘胜〕 zhōngpánshèng 명 (바둑에서) 불계승(不計勝).
〔中篇小说〕 zhōngpiān xiǎoshuō 명 중편 소설.
〔中频〕 zhōngpín 명《電》중간 주파수. MF.
〔中平〕 zhōngpíng 형〈文〉평범하다. 보통이다. ¶为人～; 사람됨이 평범하다.
〔中期〕 zhōngqī 명 중기. 중엽. ¶二十世纪～; 20세기의 중엽.
〔中气〕 zhōngqì 명 ①'二èr十四节气' 가운데, 달의 후반에 드는 12절기. ②(중도의) 기력. ¶那件事办着办着～不接了; 그 일은 하다가 도중에 기력이 떨어졌다.
〔中千世界〕 zhōngqiān shìjiè 명《佛》중천 세계. →〔大dà千世界〕
〔中秋〕 Zhōngqiū 명 추석. 한가위《음력 8월 15일》. ¶～节jié; 추석 / 人逢喜事精神爽, 月到～分外明; 〈諺〉사람은 기쁜 일을 만나면 정신이 상쾌해지고, 달은 중추가 되면 유난히 밝게 빛난다. =〔八月节〕〔团圆节〕〔秋节〕
〔中区〕 zhōngqū 명《體》(아이스하키의) 중립 구역.
〔中圈〕 zhōngquān 명《體》(럭비·축구의) 센터 서클(center circle). ¶～开球; 킥 오프.
〔中缺〕 zhōngquē 명 옛날, 비교적 수입이 많은 임지(任地).
〔中裙〕 zhōngqún 명〈文〉속곳.
〔中人〕 zhōngrén 명 ①중개인. 중매인. 입회인. 증인. ¶这笔买卖是谁做的～? 이 거래는 누가 중개인이 되었는가? / 写字据时得děi找个～; 증서를 쓸 때에는 증인을 세워야 한다. =〔中间人〕 ②〈文〉(체격·용모·재지(才智) 따위가) 중간 정도의 사람. 보통 사람. ¶不及～; 중간 이하의 사람. ③중류의 가정. =〔中户人家〕 ④내시(內侍). =〔宦huàn官〕
〔中沙群岛〕 Zhōngshā qúndǎo 명《地》매클스필드(Macclesfield)《시사 군도(西沙群島)의 동부에 위치하는 해저 산호초군》.
〔中山服〕 zhōngshānfú 명 ⇨〔中山装〕
〔中山狼〕 zhōngshānláng 명 명대(明代)의 잡극(雜劇) '中山狼传'의 이리. 〈比〉은혜를 원수로 갚는 망은지도(忘恩之徒). 배은망덕한 사람.
〔中山装〕 zhōngshānzhuāng 명 중산복(中山服)《중국의 남성복의 하나로, 웃옷은 깃이 밖으로 접히고 앞단추는 5개이며, 상하 좌우에 겉뚜껑 달린 포켓이 있음. 손중산(孫中山)이 고안했음》. =〔中山服〕〔人民服〕
〔中殇〕 zhōngshāng 동〈文〉요절하다《12세～15세 사이에 죽는 일》.
〔中晌〕 zhōngshǎng 명 ⇨〔中上〕
〔中上〕 zhōngshàng 명〈方〉낮. 대낮. 한낮. =〔中晌shǎng〕→〔中午〕
〔中身〕 zhōngshēn 명〈文〉①중년(의 사람). ②신체의 중앙부.
〔中生代〕 Zhōngshēngdài 명《地質》중생대.
〔中生界〕 Zhōngshēngjiè 명《地質》중생층(層). 중생대층.
〔中生植物〕 zhōngshēng zhíwù 명《植》중생 식물.
〔中士〕 zhōngshì 명 ①《軍》중사. ②〈文〉중간치의 사람.
〔中世〕 zhōngshì 명《史》(시대 구분 상의) 중세.

〔中世纪〕 zhōngshìjì 명 《史》 중세기.
〔中式〕 zhōngshì 명형 중국식(의). 중국풍(의). ¶～服装; 중국식의 복장. ↔〔西式〕⇒zhòng.shì
〔中式盐〕 zhōngshìyán 명 ⇨〔中性盐〕
〔中手〕 zhōngshǒu 명 중간 정도의 솜씨(를 가진 자).
〔中枢〕 zhōngshū 명 〈文〉 중추. 중심. 중핵. ¶电讯～; 전신 센터 / ～神经; 중추 신경.
〔中驷〕 zhōngsì 명 〈比〉 중등의 인물.
〔中碳钢〕 zhōngtàngāng 명 《工》 중탄소강《탄소 함유량이 '高碳钢'과 '低碳钢'의 중간(약 0.25～0.6%)인 탄소강》.
〔中堂(儿)〕 zhōngtáng(r) 명 정방(正房)의 '外屋'(중앙의 객실) 정면에 거는 폭이 넓은 족자.
〔中堂〕 zhōngtang 명 《史》 ①당(唐)나라 이후, 재상(宰相)의 별칭. ②(명(明)·청(清)나라 때의) '内nèi阁大学士'의 별칭.
〔中提琴〕 zhōngtíqín 명 《樂》 비올라. =〔中音梵哦玲〕〔维wéi哦拉〕
〔中天〕 zhōngtiān 명 ①중천. 하늘의 한복판. 중공(中空). ②《天》 남중(南中).
〔中田〕 zhōngtián 명 〈文〉 중등의 농지《2년에 한 번 경작하는 농지》.
〔中听〕 zhōngtīng 형 ①듣기에 좋다. ¶不～ =〔不入耳〕; 듣기 거북하다 / 推销员的话总是说得很～; 외판원의 말은 으레 듣기 좋다. ②음성이 좋다.
〔中停〕 zhōngtíng ①(관상학상에서) 눈썹 밑에서 코끝까지. ②(골상학상에서) 허리 부분. ‖→〔三sān停〕
〔中统〕 Zhōngtǒng 명 〈簡〉 옛날, 중국 국민당 집행 위원회의 조사 통계국의 약칭. ¶～特务; '中统'의 스파이.
〔中途〕 zhōngtú 명 중도. 도중. ¶～而废; 〈成〉 중도에 그만두다 / ～辍chuò学; 중도에 학문을 그만두다 / ～改行; 중도에 전업〔전신(轉身)〕하다. =〔途中〕
〔中途岛〕 Zhōngtúdǎo 명 《地》〈義〉 미드웨이(Midway) 섬. =〔米mǐ德韦岛〕〔密mì特威岛〕
〔中土〕 zhōngtǔ 명 〈文〉 ①중국의 국토. ②중원(中原)의 땅.
〔中外〕 zhōngwài 명 ①국내와 국외. 중국과 외국. ¶～闻名; 〈成〉 국내외에 이름을 떨치다 / 古今～; 〈成〉 고금 중외. ②중앙과 지방.
〔中外比〕 zhōngwàibǐ 명 ⇨〔黄huáng金分割〕
〔中外场手〕 zhōngwàichǎngshǒu 명 《體》 (야구·소프트볼의) 중견수.
〔中脘〕 zhōngwǎn 명 《漢醫》 중완. 위(胃)의 중앙부.
〔中微子〕 zhōngwēizǐ 명 《物》 중성 미자. 뉴트리노(neutrino).
〔中委〕 zhōngwěi 명 〈簡〉 옛날, 국민당 '中央执行委员'의 약칭.
〔中纬度〕 zhōngwěidù 명 《地》 중위도.
〔中卫〕 zhōngwèi 명 《體》 ①(축구, 핸드볼 등의) 센터하프. ②(워터폴로의) 하프백.
〔中尉〕 zhōngwèi 명 《軍》 중위.
〔中文〕 Zhōngwén 명 중국어《특히, 한족(漢族)의 언어와 문자를 가리킴》. ¶用～填写; 중국어로 기입하다 / ～程度还不够好; 중국어의 정도가 아직 충분하지 못하다.
〔中午〕 zhōngwǔ 명 ①정오. ¶～有半个钟头的休息; 정오에 30분간의 휴식이 있다. =〔〈方〉 晌shǎng午〕 ②점심. ¶～你吃了没有? 점심은 드셨습니까?
〔中西〕 Zhōngxī 명 〈簡〉 중국과 서양. 화양 양식(華洋兩式). ¶～合璧; 〈成〉 중국식과 서양식의 장점을 취하여 합하다 / 请遍了～医都没见效; 한방의와 양의를 두루 찾았지만, 모두 효험이 없었다.
〔中夏〕 zhōngxià 명 ①〈文〉 '中国'의 자칭(自稱). =〔中华〕 ②여름의 중간쯤. 한여름. =〔仲夏〕
〔中县〕 zhōngxiàn 명 중간 규모의 현(縣).
〔中线〕 zhōngxiàn 명 ①《體》 (럭비·축구 등의) 하프 라인. (테니스의) 서비스 센터라인. (배구·농구·탁구의) 센터 라인. ¶过～; 크로싱 센터 라인. ②《數》 중선.
〔中消〕 zhōngxiāo 명 《漢醫》 당뇨병의 일종으로 식욕이 좋고 갈증이 나며, 소변량이 적고 적색을 띰. →〔三sān消〕
〔中宵〕 zhōngxiāo 명 ⇨〔中夜〕
〔中校〕 zhōngxiào 명 《軍》 중령(中領).
〔中心〕 zhōngxīn 명 ①중심. ㉠(～儿) 한복판. 한가운데. ¶在草地的～有一个八角亭子; 잔디밭 중심에 팔각정이 있다. ㉡사물의 중요 부분. ¶～词; 《言》 중심어. 피수식어(被修飾語) / ～思想; 중심 사상. 주제(主題) / ～关节; (사물의) 관건이 되는 부분 / ～环节; 중심이 되는 부분·일환 / ～任务; 중요 임무 / ～工作; 중심이 되는 일〔활동〕 / ～规; 《機》 센터게이지(center guage)《기계의 중심부를 재는 기계》. ㉢어떤 방면에서 중요한 자리를 차지하는 도시·지구. ¶政治～; 정치의 중심지. ②중추. 센터. ¶文化～; 문화 센터 / 原子能科学实验～; 원자력 과학 실험 센터.
〔中心锤〕 zhōngxīnchuí 명 중심추.
〔中心角尺〕 zhōngxīn jiǎochǐ 명 ⇨〔求心矩尺〕
〔中(心)径〕 zhōng(xīn)jìng 명 ⇨〔节jié径〕
〔中心眼〕 zhōngxīnyǎn 명 《機》 스터드 볼트(stud bolt)를 박는 구멍. =〔〈北方〉 顶dǐng尖眼〕〔顶针眼〕〔〈南方〉 样yàng铳眼〕
〔中心钻(头)〕 zhōngxīn zuàn(tóu) 명 《機》 센터 드릴.
〔中新世〕 zhōngxīnshì 명 《地質》 마이오세. 중신세.
〔中兴〕 zhōngxīng 동 중흥하다.
〔中型〕 zhōngxíng 명 중형. ¶～机器; 중형 기계.
〔中性〕 zhōngxìng 명 ①《化》 중성. ②《言》 중성. ¶～名词; 중성명사.
〔中性点〕 zhōngxìngdiǎn 명 《電》 중성점. 중립점. 뉴트럴 포인트.
〔中性岩〕 zhōngxìngyán 명 《鑛》 중성암.
〔中性盐〕 zhōngxìngyán 명 《化》 중성염. =〔中式盐〕
〔中性焰〕 zhōngxìngyàn 명 완전 연소할 때의 불꽃.
〔中诇〕 zhōngxiòng 동 〈文〉 적 내부에서 정보를 탐지하여 내응(內應)하다.
〔中休〕 zhōngxiū 명 (일이나 행군 등의) 중간 휴식.
〔中修〕 zhōngxiū 명동 중등 정도의 수리(를 하다).
〔中学〕 zhōngxué 명 ①중등학교《'高gāo(级)中(学)'(고등 학교)를 포함함》. ②중국 학술《'西xī学'에 대하여, 청말(清末)의 중국의 전통적인 학술》.
〔中学生〕 zhōngxuéshēng 명 중학생(및 고교생).
〔中旬〕 zhōngxún 명 중순. =〔中浣huàn〕
〔中央〕 zhōngyāng 명 ①중앙. ¶～政府; 중앙 정부 / ～气象台; 중앙 기상대 / ～集权; 중앙 집권 / 党dǎng～; 중국 공산당 중앙 위원회. ②(물건·장소의) 중앙. ¶房间～放着一张桌子; 방 한가운

데에 테이블이 하나 놓여 있다.
〔中央处理机〕 zhōngyāng chǔlǐjī 명 《電算》 센트럴 프로세서(계산기의 본체 부분).
〔中央军事委员会〕 Zhōngyāng jūnshìwěiyuánhuì 명 〈簡〉 '中国共产党中央军事委员会' 또는 '中华人民共和国中央军事委员会' 의 약칭. =〔中央军委〕
〔中央人民广播电台〕 Zhōngyāng rénmín guǎngbō diàntái 명 중앙 인민 방송국.
〔中央人民政府〕 Zhōngyāng rénmín zhèngfǔ 명 〈簡〉 '中华人民共和国中央政府' 의 약칭(최고 국가 권력 기구의 집행기관으로, 국가 행정의 최고 기관).
〔中腰〕 zhōngyāo 명 ①허리의 잘록한 부분의 둘레. →〔下腰〕〔腰身〕 ②(사물의) 중간. 중도(中途). 중간쯤. ¶从故事的～开头儿; 이야기의 중간쯤에서 시작하다.
〔中药〕 zhōngyào 명 한약. =〔中式制药〕↔〔西药〕
〔中叶〕 zhōngyè 명 중엽. 중기. ¶唐代～; 당대 중기.
〔中夜〕 zhōngyè 명 〈文〉 야반. 한밤중. =〔中宵xiāo〕〔〈文〉宵中〕
〔中衣〕 zhōngyī 명 ①중국 옷. ②옛날, 제복(制服)의 속옷.
〔中衣(儿)〕 zhōngyī(r) 명 팬티. 속바지. ¶另取出一件～, 与宝玉换上《紅樓夢》; 따로 속바지 한 벌을 꺼내 와서, 보옥(寶玉)에게 갈아 입게 했다.
〔中医〕 zhōngyī 명 ①한방의(漢方醫). ②중국 고유의 의술. 중국 의학. ③한의사. ‖↔〔西医xīyī〕
〔中音〕 zhōngyīn 명 《樂》 중음. ¶男～; 바리톤/女～; 메조 소프라노.
〔中音梵哦玲〕 zhōngyīn fàn'élíng 명 ⇨〔中提琴〕
〔中庸〕 zhōngyōng 명 중용. ¶～之道; 중용지도. 형 〈文〉 평범하다.
〔中用〕 zhōng.yòng 동 유용하다. 쓸모가 있다(흔히, 부정(否定)에 쓰임). ¶不～了; 못 쓰게 되었다/中什么用? 무슨 소용이 있느냐?/一个～的都没有; 하나도 쓸모 있는 게 없다/中看不～; 〈比〉 겉만 번드르르한 것.
〔中佣〕 zhōngyòng 명 중개료(仲介料). 커미션.
〔中油〕 zhōngyóu 명 《化》 중유.
〔中游〕 zhōngyóu 명 ①〈文〉 강의 중류. ②〈比〉 앞서지도 않고 뒤떨어지지도 않은 중간 상태. ¶甘居～; 중간 상태에 만족하다.
〔中雨〕 zhōngyǔ 명 《氣》 24시간내 강우량이 10～25mm인 비.
〔中元(节)〕 Zhōngyuán(jié) 명 중원(음력 7월 15일의 백중날). =〔七qī月十五〕〔盂yú兰盆节〕→〔三sān元③〕〔上shàng元〕〔下xià元(节)〕〔元宵节〕〔供gòng包袱〕
〔中原〕 Zhōngyuán 명 ①《地》 중원. 중국의 중앙 지역(옛날, 중국의 중심지로 쳤던 황허(黃河) 중류에서 하류에 걸치는 지역). ②(zhōngyuán) 〈轉〉 경쟁장. 각축장.
〔中乐〕 zhōngyuè 명 중국 음악.
〔中岳〕 Zhōngyuè 명 ⇨〔嵩sōng山〕
〔中云〕 zhōngyún 명 《氣》 중층운(中層雲).
〔中允〕 zhōngyǔn 형 〈文〉 공정하다. ¶貌似～; 겉으로는 공정한 것같다.
〔中灶(儿)〕 zhōngzào(r) 명 (공동 취사·집단 급식에서) 중간 수준의 식사.
〔中则〕 zhōngzé 명 〈文〉 중간 등급 토지의 소작료. →〔则田〕
〔中诏〕 zhōngzhào 명 〈文〉 궁중에서 발표되는 조칙(詔勅). =〔中旨zhǐ〕
〔中证〕 zhōngzhèng 명 〈文〉 증인(證人).
〔中止〕 zhōngzhǐ 동 중지하다. 중단하다.
〔中旨〕 zhōngzhǐ 명 ⇨〔中诏zhào〕
〔中指〕 zhōngzhǐ 명 중지. 가운뎃손가락. =〔中拇指〕〔将jiàng指①〕〔〈方〉三sān拇指(头)〕〔三指〕→〔指头〕
〔中中(儿)〕 zhōngzhōng(r) 형 중간 정도이다. 보통이다. ¶模样儿还算～的; 용모는 그저 평범하다.
〔中中交农〕 Zhōng Zhōng Jiāo Nóng 옛날, '中央银行'(중앙 은행)·'中国银行'(중국 은행)·'交通银行'(교통 은행)·'中国农民银行'(중국 농민 은행)의 4대 은행.
〔中州〕 Zhōngzhōu 명 《地》 허난 성(河南省)의 구칭. ¶～韵yùn; 근대 희곡 운문(韻文)의 근거가 되고 있는 '中州' 방언을 기초로 하는 음운.
〔中胄子〕 zhōngzhòuzi 명 ⇨〔中轴子〕
〔中轴子〕 zhōngzhòuzi 명 《劇》 (중국 전통극에서) 레퍼토리의 중간쯤에 짜여지는 상연물('武戏'(전기(戰記)·무술극)가 선택됨). =〔中胄子〕
〔中转〕 zhōngzhuǎn 동 (도중에서 버스·열차를) 갈아 타다.
〔中装〕 zhōngzhuāng 명 중국의 전통 복장. =〔中服〕
〔中资〕 zhōngzī 명 〈文〉 중산 계급('资'는 '钱'의 뜻).
〔中子〕 zhōngzǐ 명 《物》 중성자. 뉴트론. ¶～弹; 《軍》 중성자탄.
〔中子疗法〕 zhōngzǐliáofǎ 명 《醫》 중성자 포획(捕獲) 요법.
〔中字儿〕 zhōngzìr 명 계약서. 증서. ¶写买房子的～; 집을 사는 계약서〔증서〕를 만들다.

忠 zhōng (충)

①형 충성(忠誠)스럽다. 충실하다. ¶～实; 충실하다/～心; ⓐ충성스러운 마음. ⓑ충실한 마음. ②명 충성심. 충성. ¶为国尽～; 나라를 위해 충성을 다하다. ③동 충성을 다하다.
〔忠臣〕 zhōngchén 명 충신. ¶～不事二主, 烈女不嫁jià二夫; 〈諺〉 충신은 두 임금을 섬기지 않고, 열녀는 두 남자에게 시집 가지 않는다.
〔忠忱〕 zhōngchén 명 〈文〉 충성스러운 마음. 충성심. =〔忠悃kǔn〕〔忠愫sù〕
〔忠诚〕 zhōngchéng 형 충성스럽다. 충실하다. ¶～老实; 충성스럽고 정직하다/对人民无限～; 국민에게 한없는 충성을 다하다.
〔忠告〕 zhōnggào 명동 충고(하다). ¶听从～; 충고에 따르다/一再～; 재삼 충고하다/接受～; 충고를 받아들이다.
〔忠鲠〕 zhōnggěng 형 〈文〉 충실하고 강직하다.
〔忠果〕 zhōngguǒ 명 《植》 '橄gǎn榄①'(감람)의 별칭.
〔忠厚〕 zhōnghòu 형 충실하고 정이 두텁다. 충직하고 온후하다. ¶为人～; 사람됨이 충직하고 온후하다. =〔忠实厚道〕 명 선량한 사람.
〔忠悃〕 zhōngkǔn 명 ⇨〔忠忱chén〕
〔忠实〕 zhōngshí 형 ①충실하다. 충직하고 성실하다. ¶～可靠; 충실하고 믿을 수 있다/～的信徒; 충실한 신도/～于原文; 원문에 충실하다/～厚道; 충실하고 정이 두텁다. ②진실하다. 사실 그대로이다. ¶～的记录; 정확한 기록.
〔忠恕〕 zhōngshù 명 충서. 충실하고 인정이 많음. 관용.
〔忠顺〕 zhōngshùn 형 〈貶〉 충순하다. 오로지 순

恨; 평소에 행사가 너무 야박하면, 남의 미움을 사지 않을 수 없다. =〔中zhòng毒(儿)〕
〔种瓜得瓜, 种豆得豆〕 zhòng guā dé guā, zhòng dòu dé dòu 〈諺〉 오이를 심으면 오이를 거두고, 콩을 심으면 콩을 거둔다(인과 응보). =〔种麦得麦〕〔种豆得豆〕
〔种花(儿)〕 zhòng.huā(r) 동 ①꽃을 심다. ②〈方〉 종두(種痘)를 접종하다. =〔种痘〕〔种牛痘〕 ③〈方〉 면화(綿花)를 심다.
〔种祸〕 zhònghuò 동 〈文〉 재앙의 씨를 뿌리다. 화근을 만들다.
〔种牛痘〕 zhòng niúdòu ⇨〔种痘〕
〔种树〕 zhòng.shù 동 나무를 심다.
〔种田〕 zhòng.tián 동 ⇨〔种地〕
〔种下〕 zhòngxia 동 심다. 이식하다.
〔种因〕 zhòngyīn 동 원인을 만들다. …의 근원을 만들다. 근원이 되다. ¶我这个病～于睡眠不足; 나의 이 병은 수면 부족이 원인이다.
〔种在田里, 出在天里〕 zhòng zài tiánli, chū zài tiānli 〈諺〉 논밭에 심기는 심지만, 수확은 천명을 기다린다(인사를 다하고 천명을 기다리다).
〔种植〕 zhòngzhí 동 심다. 재배하다. ¶～果树; 과수를 심다 / ～了五千株松树; 5천주의 소나무를 심었다 / ～白菜; 배추를 재배하다 / ～面积; 식부(植付) 면적.
〔种种子〕 zhòng zhǒngzi 씨를 뿌리다. =〔种子儿〕
〔种庄稼〕 zhòng zhuāngjia 작물을 재배하다. 농사짓다. ¶～的; 농민.
〔种庄田〕 zhòng zhuāngtián 소작농을 하다.
〔种子儿〕 zhòngzǐr 동 ⇨〔种种子〕

蚛 zhòng (중)
동 〈文〉 벌레가 물다〔쏘다〕.

众(衆〈眾〉) zhòng (중)
① 형 (인원수가) 많다. ¶～寡quǎ不敌; 〈成〉 중과 부적 / 人多势～; 인원수가 많고 세력도 크다. ② 명 여러 사람. 사람들. ¶群qún～; 군중 / 听～; 청중 / 从～; 여러 사람의 의견에 따르다 / ～怒难nán犯; 〈成〉 여러 사람의 분노는 경시할 수 없다 / 谣言惑～; 뜬소문이 사람들을 미혹시키다.
〔众多〕 zhòngduō 형 (인구가) 매우 많다. ¶为数～; 그 수야말로 많다 / 物产丰富, 人口～; 물산이 풍부하고 인구가 많다.
〔众寡〕 zhòngguǎ 명 〈文〉 중과. 수가 많음과 적음. ¶～悬xuán殊; 〈成〉 수(數)적 차이가 현저하다.
〔众好必察〕 zhòng hào bì chá 〈成〉 많은 사람이 좋다고 하는 것에도 주의를 기울여 고찰한 뒤에 결단을 내리다.
〔众喙〕 zhònghuì 명 〈文〉 많은 사람의 입〔말〕. =〔众口〕
〔众口〕 zhòngkǒu 명 〈文〉 여러 사람의 입. 많은 사람의 말. ¶～铄shuò金; 〈成〉 많은 사람들의 말은 쇠도 녹인다(ⓐ여론의 힘이 크다. ⓑ여러 사람이 이말 저말 해서 시비를 가리기 어렵다) / ～难调; 〈成〉 먹는 사람이 많으면 그 기호에 맞추기 어렵다(ⓐ모든 사람을 만족시키는 것은 어렵다. ⓑ많은 사람의 의견을 조정하기는 어렵다) / ～佥同 =〔～如一〕〔～一词〕〔～一调〕; 〈成〉 모두의 말이 일치한다. 이구동성으로 말하다.
〔众毛儿攒毡子〕 zhòngmáor cuán zhānzi 〈諺〉 많은 털이 모여 양탄자가 된다(티끌 모아 태산).
〔众目〕 zhòngmù 명 뭇사람의 눈. 대중의 눈. ¶～所见; 뭇사람이 보는 바 / ～昭彰; 〈成〉 뭇사람이 분명히 인정하는 바이다. 모든 사람이 잘 알고 있다.
〔众目睽睽〕 zhòng mù kuí kuí 〈成〉 여럿이 주목하고 있는 모양. 모두의 눈이 빛나고 있는 모양. ¶厚颜之徒在～之下, 不得不供认犯罪事实; 아무리 낯두꺼운 자들일지라도, 뭇사람들이 주시하는 자리에서는 범죄 사실을 자백하지 않을 수 없었다. =〔万目睽睽〕
〔众怒〕 zhòngnù 명 중노. 많은 사람의 노여움. 군중의 분노. ¶～难犯; 〈成〉 뭇사람의 분노는 건드릴 수 없다.
〔众叛亲离〕 zhòng pàn qīn lí 〈成〉 사람들에게 배반당하고 가까운 사람한테는 버림 받다(고립 무원한 상태에 빠지다).
〔众擎易举〕 zhòng qíng yì jǔ 〈成〉 여럿이 힘을 모으면 무슨 일이든지 할 수 있다.
〔众人〕 zhòngrén 명 중인. 여러 사람. 많은 사람. 군중. ¶～之事; 뭇사람의 일 / ～拾柴火焰高; 〈諺〉 모두가 땔나무를 주워서 태우면 불길이 거세어진다(모두가 힘을 합치면 그만큼 힘이 커진다).
〔众生〕 zhòngshēng 명 ①《佛》 중생. ¶芸芸～; 많은 중생〔생물〕. ②〈轉〉 짐승. ¶你这个～, 到明日不知做多少罪孽; 너라는 짐승같은 놈은 나중에 얼마나 죄를 저지를지 모른다.
〔众矢之的〕 zhòng shǐ zhī dì 〈成〉 원망의 대상. 여러 사람의 비난의 대상. ¶他们采取了反对民族主义的态度, 结果成为～; 그들은 민족주의 반대의 태도를 취하여, 그 결과 비난의 대상이 되었다.
〔众庶〕 zhòngshù 명 〈文〉 중서. 대중.
〔众数〕 zhòngshù 명 ①복성(複姓)의 하나. ②《數》 통계에서 최대빈수(最大頻數).
〔众说纷纭〕 zhòng shuō fēn yún 〈成〉 여러 설이 제각기이다. 의론이 분분하다.
〔众思〕 zhòngsī 명 〈文〉 많은 사람들의 생각.
〔众所周知〕 zhòng suǒ zhōu zhī 〈成〉 모든 사람이 다 알고 있다. 주지(周知)하다. ¶这是～的事实; 이것은 많은 사람이 알고 있는 사실이다.
〔众望〕 zhòngwàng 명 중망. 뭇사람의 희망. ¶～所归; 〈成〉 뭇사람이 바라는 바이다 / 不辜～; 모두의 기대를 저버리지 않다.
〔众位〕 zhòngwèi 명 제군. 여러분.
〔众心成城〕 zhòng xīn chéng chéng 〈成〉 ⇨〔众志成城〕
〔众星捧月〕 zhòng xīng pěng yuè 〈成〉 여럿이 한 사람을 받들어 추대하다. 많은 것들이 하나를 둘러싸다. ¶～似地哄孩子; 많은 사람들이 다가와서 아이를 어르다.
〔众兄弟〕 zhòngxiōngdì 명 형제 제군. 여러분.
〔众雨〕 zhòngyǔ 명 〈文〉 장마.
〔众志成城〕 zhòng zhì chéng chéng 〈成〉 무리가 마음을 합치면 성과 같이 큰 세력이 된다(단결하면 힘이 커져 어떤 곤란도 극복하여 성취할 수 있다). =〔众心成城〕
〔众醉独醒〕 zhòng zuì dú xǐng 〈成〉 무리에 뇌동하지 않고 탁월하며 냉정하다.

重 zhòng (중)
① 형 무겁다. ¶铁比木头～; 쇠는 나무보다 무겁다 / 载zài～汽车; 트럭. 화물 자동차 /

举～若轻; 무거운 것을 가볍게 들어 올리다. ② 형 (정도가) 심하다. 중하다. ¶罪～; 죄가 무겁다/任务很～; 임무가 매우 무겁다/工作繁fán～; 일이 번거롭다〔힘들다〕/病～; 병이 중하다/颜色太～; 빛깔이 너무 짙다/咸xián味～; 너무 짜다/毛发～; 털이 많다/批评很～; 비평이 매우 엄하다/礼轻人意～; 물건은 변변치 않지만 그 뜻은 크다/油太～; 기름기가 너무 많다/话说～了; 이야기가 너무 심했다. ③명 무게. 중량. ¶有多～? 무게가 얼마나 나가는가?/有一斤～; 무게가 한 근 나간다/称称多～; 무게를 달아 보다. ④동 존중하다. 중시(重視)하다. ¶不应该～男轻女; 남자는 존중하고 여자는 경시해서는 안 된다/～然诺; 가볍게 승낙하지 않다/敬～; 존경하다/看～; 중시하다/以友情为～; 우정을 중시하다. ⑤형 중요하다. ¶军事～地; 군사상 중요한 곳/身负～任; 중책을 짊어지다. ⑥동 〈文〉 곤란하게 생각하다. 어렵게 생각하다. ¶农民本土著zhù～迁; 농민은 본래 땅에 붙어 살아 거기에서 떨어지는 것을 어렵게 생각한다/他有点儿～听; 그는 귀가 조금 어둡다/上～违大臣正议; 임금은 대신들의 바른 소리를 무시하기 어려웠다. ⑦부 〈文〉 매우. 대단히. ¶似～有忧者; 매우 큰 걱정거리가 있는 것 같다. ⑧동 〈文〉 보태다. 더하다. ¶人马疲弱, ～以天大热; 인마가 모두 지치고 게다가 날씨까지 매우 덥다. ⑨형 (금액·가치 등이) 비싸다. 상당하다. ¶～金购买; 비싼 금액으로 사다. ⑩형 신중하다. ¶老成持～; 노숙하고 신중하다. ⇒chóng

〔重案〕 zhòng'àn 명 중대 사건.

〔重办〕 zhòngbàn 동 무겁게 처벌하다. 중벌에 처하다.

〔重臂〕 zhòngbì 명 《物》 (지렛대의) 중점(重點)과 지점(支點) 간의 거리.

〔重兵〕 zhòngbīng 명 대군(大軍). 강력한 군대. ¶在卫线上布下～; 후진에 강력한 군대를 배치하다/～把守; 대군으로 수비하다.

〔重病〕 zhòngbìng 명 중병. ¶得了～; 중병에 걸렸다/身染～; 중병에 걸리다.

〔重彩〕 zhòngcǎi 명 (전투에서의 명예로운) 중상. ¶～号; 중상을 입은 병사.

〔重车〕 zhòngchē 명 ①무거운 짐을 실은 차. ②상당히 큰 부하(負荷)를 지고 있는 동력기. ↔〔空kōng车〕

〔重臣〕 zhòngchén 명 중신.

〔重惩〕 zhòngchéng 동 중벌에 처하다.

〔重酬〕 zhòngchóu 명동 두둑한 보수(를 주다).

〔重处〕 zhòngchǔ 동 무겁게 벌하다. 엄하게 처벌하다.

〔重创〕 zhòngchuāng 명동 심한 손상〔중상〕(을 입히다). 심한 타격(을 주다). ¶～敌军; 적에게 심한 손상을 입히다.

〔重唇音〕 zhòngchúnyīn 명 《言》 순음(脣音)의 구칭(‘普通话’의 b, p, m 따위).

〔重唇鱼〕 zhòngchúnyú 명 《魚》 돌잉어.

〔重打〕 zhòngdǎ 동 심하게 때리다〔두드리다〕.

〔重大〕 zhòngdà 형 중대하다. ¶责任～; 책임이 무겁다/关系～; 관계가 중대하다/意义～; 중대한 의의가 있다/～损失; 중대한 손실/～胜利; 큰 승리.

〔重待〕 zhòngdài 동 〈文〉 후하게 대접하다. 소중히 대우하다.

〔重担(子)〕 zhòngdàn(zi) 명 무거운 짐. 중임. ¶肩负～; 어깨에 무거운 짐을 지다(중임을 지다).

〔重地〕 zhòngdì 명 중요한 장소. 요해처. 요지. ¶军事～; 군사 요충지.

〔重典〕 zhòngdiǎn 명 ①엄한 법률〔제도〕. ②중요한〔장중한〕 의식.

〔重点〕 zhòngdiǎn 명 ①《物》 (지렛대의) 중점. ②중점. 중요한 점. ¶建设的～; 건설의 중점/把～放在农业上; 중점을 농업에 두다/～工程; 중점 공사/有～地介绍; 중점적으로 소개하다/～介绍; 중점적으로 소개하다/～推广; 중점적으로 보급하다/～发展; 중점적으로 발전시키다/～进攻; 중점적으로 공격하다/～文物保护单位; 중요 문화 보호재.

〔重甸甸〕 zhòngdiàndiàn 형 묵직한 모양.

〔重读〕 zhòngdú 동 《言》 악센트를 두어 읽다(‘石头’·‘棍子’에서는 제1음절에, ‘老三’에서는 제2음절에 강세를 두어 읽으며, ‘过年’에서 ‘过’를 강하게 읽으면 ‘내년(來年)’이란 뜻의 명사가 되고, ‘年’에 악센트가 있으면 ‘새해를 맞이하다’라는 동사가 되는 따위). =〔重念〕 ↔〔轻读〕

〔重吨〕 zhòngdūn 양 ⇒〔英yīng吨〕

〔重犯〕 zhòngfàn 명 《法》 중죄범(重罪犯).

〔重负〕 zhòngfù 명 중대한 책임. 무거운 짐〔부담〕. ¶如释～; 〈成〉 무거운 짐을 내려놓은 것 같다.

〔重铬酸钾〕 zhònggèsuānjiǎ 명 《化》 중크롬산 칼륨. =〔红hóng矾钾〕

〔重铬酸钠〕 zhònggèsuānnà 명 《化》 중크롬산 나트륨. =〔红hóng矾钠〕

〔重工业〕 zhònggōngyè 명 중공업.

〔重轰炸机〕 zhònghōngzhàjī 명 《軍》 중폭격기.

〔重话〕 zhònghuà 명 ①심한 말. 자극하는 말. ②정중한 말. ③의미심장한 말.

〔重活(儿)〕 zhònghuó(r) 명 힘이 드는 일. 중노동. ¶干～; 중노동을 하다.

〔重机枪〕 zhòngjīqiāng 명 중기관총. =〔重机关枪〕

〔重疾〕 zhòngjí 명 〈文〉 중병(重病). ¶先生幼年曾罹lí～; 선생은 어렸을 적에 중병을 앓은 일이 있다.

〔重寄〕 zhòngjì 명 〈文〉 중대한 부탁. 무거운 책임을 지우는 부탁.

〔重价〕 zhòngjià 명 고가. 비싼 값. ¶～收买; 비싼 값으로 수매하다/～征求; 고가로 구하다/不惜～; 높은 대가도 아까워하지 않다.

〔重介子〕 zhòngjièzǐ 명 《物》 중중간자(重中間子).

〔重金〕 zhòngjīn 명 〈文〉 큰돈. 거금.

〔重金属〕 zhòngjīnshǔ 명 《化》 중금속.

〔重金属音乐〕 zhòngjīnshǔ yīnyuè 명 《樂》 헤비메탈(heavy metal).

〔重晶石〕 zhòngjīngshí 명 《鑛》 중정석. 바라이트(barite).

〔重究〕 zhòngjiū 동 〈文〉 엄중히 추궁하다.

〔重看〕 zhòngkàn 동 중시하다. ¶你轻看人, 人家还能～你吗? 네가 남을 경시하는데, 남이 그래도 너를 중시할 수 있겠느냐?

〔重科〕 zhòngkē 명 《法》 무거운 죄과.

〔重客〕 zhòngkè 명 〈文〉 중객. 귀한 손님.

〔重酪〕 zhònglào 명 가축의 진한 젖.

〔重力〕 zhònglì 명 《物》 중력. ¶～拱坝; 중력 아치댐. =〔地dì心引力〕

〔重力水〕 zhònglìshuǐ 명 중력수.

〔重力仪〕 zhònglìyí 명 중력계.

〔重利〕 zhònglì 명 ①높은 이자. 고리. ¶～盘剥; 고리로 착취하다. ②막대한 이윤. ¶牟取～; 높은

이윤을 취하다. 동〈文〉이해 득실을 중요시하다.
〔重敛〕 zhòngliǎn 명〈文〉중세(重稅).
〔重量〕 zhòngliàng 명《物》중량. 무게.
〔重量级〕 zhòngliàngjí《體》헤비급. 중량급.
〔重马〕 zhòngmǎ 명〈文〉①새끼를 밴 말. ②무겁고 튼튼한 말.
〔重眉毛〕 zhòngméimáo 명 짙은 눈썹. ¶～, 大眼睛; 짙은 눈썹에 큰 눈.
〔重名〕 zhòngmíng〈文〉명 성명(盛名). 훌륭한 명성. 동 명예를 중시하다.
〔重木〕 zhòngmù 명 하드 우드(hard wood). 단단한 나무. =〔硬木〕
〔重男轻女〕 zhòng nán qīng nǚ〈成〉남존 여비.
〔重念〕 zhòngniàn 동 ⇨〔重读〕
〔重炮〕 zhòngpào 명《軍》중포.
〔重聘〕 zhòngpìn 동 후하게〔정중히〕 초빙하다.
〔重汽油〕 zhòngqìyóu 명 중질(中質) 가솔린. 중(질) 휘발유.
〔重器〕 zhòngqì 명〈文〉국보. 나라의 보물.
〔重迁〕 zhòngqiān 동〈文〉딴 고장으로 옮겨가려 하지 않다. 고향을 떠나 이주하는 것을 싫어하다.
〔重氢〕 zhòngqīng 명《化》중수소(重水素). ¶超～; 3중수소.
〔重情〕 zhòngqíng 명 두터운 정. 후의. (zhòng.qíng) 동 정을 중시하다.
〔重任〕 zhòngrèn 명 중임. 중책. ¶身负～; 중요 임무를 띠다〔맡다〕.
〔重伤〕 zhòngshāng 명 중상.
〔重商主义〕 zhòngshāng zhǔyì 명《經》중상주의.
〔重赏〕 zhòngshǎng 명 ①큰 상. 큰 포상. ¶～之下必有勇夫;〈諺〉큰 상 밑에 약졸 없다(보답이 크면 누구나 기꺼이 한다). ②큰 현상(懸賞).
〔重身子〕 zhòngshēnzi 명 ①임신한 몸. ②임부(妊婦). 임신한 여자.
〔重视〕 zhòngshì 명동 중시(하다). ¶当局很～这个问题; 당국은 이 문제를 상당히 중시하고 있다 / 这个意见受到有关部门的～; 이 의견은 관계 부문에서 중요시되고 있다.
〔重水〕 zhòngshuǐ 명《化》중수. 산화 중수소. 산화 듀테륨(酸化deuterium). =〔氧yǎng化氘〕
〔重听〕 zhòngtīng 형 청각이 둔하다. 귀가 먹다. 난청(難聽)이다. ¶他有点～, 你说话得大声点儿! 그 사람은 가는 귀가 먹었으니까, 너는 좀 큰 소리로 얘기해야 한다!
〔重头〕 zhòngtóu 명 볼만한 것. 중요한 것. ¶～货; 대표〔인기〕 상품. 중요 상품 / ～文章; 중요 문장.
〔重头戏〕 zhòngtóuxì 명《劇》①노래·연기의 난이도가 요구되는 연극. ②(연극·영화에서의) 클라이맥스(climax). 절정. ¶两兄弟在公堂争死, 这是片中的一幕～; 두 형제가 법정에서 결사적으로 싸우는 이것이 이 영화의 클라이맥스이다.
〔重托〕 zhòngtuō 명 ①중대한 부탁. ¶不负～; 중대한 부탁을 저버리지 않다. ②임종 때의 중요한 부탁.
〔重武器〕 zhòngwǔqì 명《軍》중무기.
〔重孝〕 zhòngxiào 명 ①부모가 작고했을 때에 입는 상복. ②친상. 부모상.
〔重心〕 zhòngxīn 명 ①《物》무게 중심. 중심. ②《數》(무게) 중심. ③사물의 중심. 주요 부분. 핵심. 중점. ¶问题的～; 문제의 중심〔핵심〕/ 掌握住～; 핵심을 장악하다.
〔重型〕 zhòngxíng 명 (무기·기계 등의) 대형. 중형. ¶～卡车; 대형 트럭 / ～坦克; 중전차(重戰車).
〔重要〕 zhòngyào 형 중요하다. ¶～人物; 중요 인물 / ～性; 중요성.
〔重音〕 zhòngyīn 명 ①《言》악센트. 어세(語勢). ②《樂》(음악 박자의) 강박(強拍). 악센트.
〔重用〕 zhòngyòng 동 중용하다. ¶～坏人; 악인을 중용하다 / 得到～; 중용되다.
〔重油〕 zhòngyóu 명 중유.
〔重于…〕 zhòngyú… 동 …보다 무겁다. ¶人固有一死, 或～泰山, 或轻于鸿毛; 사람은 누구나 한 번씩은 죽는데, 그 죽음에는 태산보다 무거운 죽음도 있고 홍모보다 가벼운 죽음도 있다.
〔重元素〕 zhòngyuánsù 명《化》중원소(重元素). 헤비 엘리먼트(heary element).
〔重载〕 zhòngzài 명 ①무거운 짐. ¶～汽车; 트럭. ②〈轉〉무거운 책임〔임무〕.
〔重责〕 zhòngzé 명 중책. 중임. 동 엄하게 나무라다. 심하게 혼내주다.
〔重镇〕 zhòngzhèn 명 (군사상의) 중요 도시. 요충지. ¶派军驻守边陲chuí～; 군을 파견하여 변경의 중요 도시에 주둔하여 지키게 하다.
〔重重〕 zhòngzhòng 형 ①무겁다. 묵직하다. ¶～的行李; 묵직한 짐. ②심하다. 호되다. 대단하다. ¶～地打; 심하게 때리다. ⇒chóngchóng
〔重重轻轻〕 zhòngzhòng qīngqīng 중공업을 중시하고 경공업을 경시하다.
〔重赘〕 zhòngzhuì 형 무겁고 귀찮다. 무거워 방해가 되다.
〔重浊〕 zhòngzhuó 형 묵직하고 답답하다. ¶天气～; 날씨가 음침하고 답답하다.
〔重资〕 zhòngzī 명〈文〉많은 비용〔자금〕.
〔重罪〕 zhòngzuì 명 중죄.

ZHOU ㄓㄡ

舟 zhōu (주)
명〈文〉①배. ¶一叶扁～; 일엽 편주 / 轻～; 경주. 가볍고 빠른 작은 배. ②밑에 까는 물건. ¶茶～ =〔茶托子〕; 찻잔을 받치는 접시.
〔舟车〕 zhōuchē 명 ①배와 차. ②여로(旅路). 여행. ¶～劳顿; 여행으로 지쳐 버리다.
〔舟次〕 zhōucì 명〈文〉배로 하는 여행. 선편 여행. 동 배가 머무르다.
〔舟楫〕 zhōují 명〈文〉①배와 노.〈轉〉배. ¶～之利; 수운(水運)의 편리함〔이로움〕. ②〈轉〉나라의 간난(艱難)을 몸바쳐 구하는 현신(賢臣)〔충신〕.
〔舟人〕 zhōurén 명 ⇨〔舟子〕
〔舟师〕 zhōushī 명〈文〉①수군(水軍). 해군. ② ⇨〔舟子〕
〔舟中敌国〕 zhōu zhōng dí guó〈成〉배 안이 온통 적국이다(덕의(德義)를 지키지 않으면 신변에 있는 사람도 배반한다).
〔舟资〕 zhōuzī 명 뱃삯. 선임(船賃).
〔舟子〕 zhōuzǐ 명〈文〉뱃사공. =〔舟师②〕〔船夫〕〔舟人〕

侜 zhōu (주)
동〈文〉속이다. =〔诪zhōu②〕

〔侜张〕 zhōuzhāng 동 기만하다. 속이다. =〔诪张〕

辀(輈) zhōu (주)

명〈文〉수레의 채. 끌채.

〔辀张〕 zhōuzhāng 형〈文〉①강하고 젊다. ②두려워하는 모양.

鸼(鵃) zhōu (주)

→〔鹘gǔ鸼〕

州 zhōu (주)

명 ①옛날 행정 구획의 이름《고산 대하(高山大河)에 의하여 구역을 '九～' 혹은 '十二～' 로 갈랐음》. ②자치주. ¶自治～; 현행 민족 자치 행정 구획의 이름《성(省) 또는 자치구(自治區)에 속하며, 그 밑에 현(縣)이나 시(市)가 있음》. ③도시명에 쓰임《'潮州'·'广州'·'杭州'·'通州' 따위》.

〔州官放火〕 zhōuguān fànghuǒ 명 주(州)의 장관의 방화. 〈比〉관리의 방자한 행동. ¶只许～, 不许百姓点灯; 〈諺〉주관(州官)의 방화는 너그럽게 봐 주고, 백성에게는 등불을 켜는 것도 허용치 않다《옛날, 통치 계급의 전제를 가리킴》.

〔州牧〕 zhōumù 명 ①옛날, 주(州)의 장관. ②〈轉〉'知州(주지사)' 의 별칭.

〔州县〕 zhōuxiàn 명 ①옛날, 지방 행정 구획의 주(州)와 현(縣). ②'知zhī州'(주지사)와 '知县'(현지사).

〔州学〕 zhōuxué 명 옛날, 주(州)에 설치되었던 학교.

〔州治〕 zhōuzhì 명 옛날, '知zhī州'(주지사)의 주재지.

洲 zhōu (주)

명 ①주《물 가운데의 모래톱》. ¶三角～; 삼각주 / 沙～; 사주. ②주《대륙(大陸)의 구획의 이름》. ¶亚Yà～; 아시아주 / 欧Ōu～; 유럽주 / 非～; 아프리카주 / 大洋～ =〔海洋～〕; 대양주.

〔洲际〕 zhōujì 명형 주와 주 사이(의). 대륙과 대륙 사이(의).

〔洲际导弹〕 zhōujì dǎodàn 명《軍》I.C.B.M.《대륙간 탄도탄》. =〔洲际弹道导弹〕〔洲际火箭〕〔洲际飞弹〕

〔洲际火箭〕 zhōujì huǒjiàn 명 ⇨〔洲际导弹〕

〔洲汀〕 zhōutīng 명 ⇨〔洲渚〕

〔洲屿〕 zhōuyǔ 명 ⇨〔洲渚〕

〔洲渚〕 zhōuzhǔ 명〈文〉주저. 강 가운데의 모래톱. =〔洲汀〕〔洲屿〕

喌 zhōu (주)

〈擬〉구구《닭을 부르는 소리》.

诌(謅) zhōu (초, 추)

동 말을 꾸며내다. 헛소리하다. ¶不要胡～! 함부로 지껄이지 마라! / 这段话是他～出来的, 不是真的; 이 이야기는 그가 엉터리로 꾸며 낸 이야기로 진짜는 아니다.

〔诌咧〕 zhōuliē 동 함부로 지껄이다.

〔诌着玩儿〕 zhōuzhe wánr 되는대로 허튼 소리를 지껄이다.

周〈週〉 zhōu (주)

A) A) ①명 주위. 둘레. ¶四～; 둘레. 사방. ②동 한 바퀴 돌다. ③형 보편적이다. 전반적이다. ¶众所～知; 대중에게 널리 알려져 있다. ④동 두루 미치다. 철저하다. 세심하다. ¶想得～到; 세세한 곳에까지 생각이 미치다 / 招待不～; 접대가 고루 미치지 못하다 / 耳目难～; 감독 불충분〔소홀〕. ⑤명 주(週)《보통 '星期②' 라고 함》. ¶～刊; 주간 / 上～; 지난 주 / ～报; 주보. ⑥명 만 1년. 일년마다 돌아오는 주기. ⑦형 완전하다. 전체적이다. ¶～身; 전신. ⑧동 뒤집어엎다. 뒤집다. ¶老爷一生气把桌～了; 주인은 발칵 화를 내어 책상을 뒤집어엎었다 / 天棚让风～了; 차일이 바람에 뒤집혔다 / 整碗汤～到身上了; 국 한 사발을 온 몸에 뒤집어썼다. ⑨동 교제하다. 응대하다. ¶～旋; ⇩ ⑩양 바퀴. ¶地球绕太阳一～; 지구가 태양을 한 바퀴 돌다. ⑪명《物》〈簡〉주파. 사이클. ¶千～; 킬로사이클 / 兆～; 메가사이클. ⑫동〈方〉위치·모양을 바르게 하다. 지탱해 주다. 부축하다. ¶你把那病人～起来, 再给他水喝; 저 병자를 안아 일으켜서 물을 먹여 줘라. **B)** 동 구제하다. 혜택을 베풀어 주다. =〔赒zhōu〕 **C)** (Zhōu) 명《史》주《옛 나라 이름》. **D)** 명 성(姓)의 하나.

〔周半(儿)〕 zhōubàn(r) 명 만 1년 반. 한 돌 반.

〔周报〕 zhōubào 명 주간 신문. 위클리.

〔周边〕 zhōubiān 명 ①주변. 주위. ②《數》다변형(多邊形)의 각 변의 합.

〔周遍〕 zhōubiàn 형〈文〉두루 미치다. 보편적이다.

〔周波〕 zhōubō 명《物》주파. 사이클. →〔周A)⑪〕

〔周长〕 zhōucháng 명《數》원주〔원둘레〕(의 길이). 페리미터(perimeter).

〔周程张朱〕 Zhōu Chéng Zhāng Zhū 명《人》송나라의 도학자 주돈이(周敦頤)·정호(程顥)·정이(程頤)·장재(張載) 및 주희(朱熹) 등 5명을 말함.

〔周到〕 zhōudào 형 빈틈없다. 꼼꼼하다. 세심하다. ¶服务～; 손님 접대가 빈틈없다 / 你想得真～; 너는 생각이 정말 빈틈없구나. =〔周至〕

〔周恩来〕 Zhōu Ēnlái 명《人》저우 언라이《중화인민 공화국 총리. 중공 중앙 위원회 부주석. 1898～1976》.

〔周而复始〕 zhōu ér fù shǐ〈成〉한 바퀴 돌고 다시 시작하다《끊임없이 순환하다》. =〔终而复始〕

〔周公〕 Zhōugōng 명《人》주공《주(周)의 문왕(文王)의 아들이며, 무왕(武王)의 동생임. 이름은 단(旦). 무왕(武王)의 아들 성왕(成王)을 보좌하여 제도·예악을 정하여 주(周)왕조의 기초를 닦음》.

〔周郭〕 zhōuguō 명 (성의) 둘레. 주위.

〔周过来〕 zhōuguolai〈方〉똑바로 하다. 위치를 바르게 하다. ¶把花瓶～吧! 화병을 똑바로 세워라!

〔周环〕 zhōuhuán〈文〉명 주위. 동 에워싸다. 둘러싸다.

〔周回〕 zhōuhuí 명 ⇨〔周围〕

〔周急〕 zhōují 동〈文〉위급한 상황의 사람을 구하다《'周人急难nàn' 의 준말》.

〔周忌〕 zhōujì 명 주기. ¶做～; 1주기 재(齋)를 올리다. =〔周年②〕

〔周济〕 zhōujì 동 돕다. 구제하다. 가난한 사람들에게 물질적 원조를 주다. ¶～穷人; 가난한 사람을 구제하다. =〔赒济〕

〔周节〕 zhōujié 명《機》피치(pitch)《톱니바퀴의 한 톱니의 중심선에서 다음 톱니의 중심선까지의 거리》.

〔周刊〕 zhōukān 명 (신문·잡지 등의) 주간.

〔周口店〕 Zhōukǒudiàn 명《地》저우커우뎬《베이징 교외의 방산 현(房山縣) 서남쪽에 있음. 1926

년에 '北京猿人'이 출토된 것으로 이름남).
〔周郎顾曲〕 zhōu láng gù qǔ 〈成〉 연극〔음악〕에 정통하다.
〔周郎癖〕 Zhōulángpǐ 명 〈比〉 음악·연극의 기호(嗜好)《주랑(周郎)은 오(吳)나라의 장군 주유(周瑜)를 이름. 음악을 매우 애호하였음》. ¶有～; 음악·연극을 즐기다.
〔周理〕 zhōulǐ 동 (돈이나 물건을) 변통하다. 돌려 맞추다. ¶他是脚下～不起了; 그는 지금 변통할 수가 없어.
〔周流〕 zhōuliú 동 〈文〉 두루 퍼지다. 널리 보급되다. 유행하다.
〔周率〕 zhōulǜ 명 《物》 주파수. =〔频率①〕 →〔周波〕
〔周密〕 zhōumì 형 주도면밀하다. 세밀하다. 고루 미치어 손색이 없다. ¶～的调查; 주밀한 조사.
〔周末〕 zhōumò 명 주말. ¶～旅lǚ行; 주말 여행 / ～晚会; 주말 파티.
〔周年〕 zhōunián 명 ①주년. ②주기(週忌). ¶办～; 1주기를 지내다. =〔周忌〕
〔周年报告〕 zhōunián bàogào 명 연차(年次) 보고. ¶一九八五年度的～; 1985년도의 연차 보고.
〔周皮〕 zhōupí 명 《植》 주피.
〔周频率〕 zhōupínlǜ 명 주파수.
〔周期〕 zhōuqī 명 주기. 사이클. 피리어드. ①한 바퀴 도는 시기. ¶～表; 《化》 주기표 / ～律; 《化》 주기율. ②왕복 운동에 필요한 일정한 시간.
〔周期性〕 zhōuqīxìng 명 주기성.
〔周起来〕 zhōuqilai 〈方〉 (넘어지거나 기울어진 것을) 부축하여 일으키다. ¶小孩儿摔倒了, 快把他～吧; 아이가 넘어졌으니, 빨리 일으켜라.
〔周全〕 zhōuquán 동 구제하여 보살피다. 주선하다. (일이 성사되도록) 돕다《'周济保全'의 준말》. ¶他常～人; 그는 남을 잘 보살핀다. 형 빈틈없다. 완전하다. 주도하다. 고루 미치다. ¶计划订得～; 계획을 세움이 주도하다.
〔周儿〕 zhōur 명 〈俗〉 ⇨〔周岁〕
〔周身〕 zhōushēn 명 ⇨〔浑hún身〕
〔周生〕 Zhōushēng 명 복성(複姓)의 하나.
〔周岁〕 zhōusuì 명 ①만 1년. 돌. ¶不满～的女孩子; 돌도 되지 않은 여자 아이. ②만 …살. ‖ =〔〈俗〉 周儿〕
〔周围〕 zhōuwéi 명 주위. 둘레. 사방. ¶屋子～是篱笆; 집 둘레는 생울타리다 / ～的环境; 주위의 환경 / ～的人; 주위 사람 / ～情况; 주위의 사정. =〔〈文〉 周回〕
〔周围神经〕 zhōuwéi shénjīng 명 《生》 말초 신경.
〔周息〕 zhōuxī 명 《經》 연리(年利).
〔周详〕 zhōuxiáng 형 주도 상세하다. 자세하다. ¶～报道; 주도 상세히 보도하다.
〔周薪〕 zhōuxīn 명 주급(週給).
〔周恤〕 zhōuxù 동 〈文〉 구휼하다. 다른 사람을 동정하여 구제하다.
〔周旋〕 zhōuxuán 동 ①주선하다. ②돌보다. 보살피다. 접대하다. ¶您要这么一～, 我倒觉着不得劲儿; 이렇게 돌봐 주시니, 저는 오히려 불편합니다. ③교제하다. 사귀다. ④응수하다. 상대하다. 대항하다. 서로 싸우다. ¶在战场上～; 전장에서 서로 싸우다. ⑤주위를 돌다. 맴돌다. 순회하다. =〔盘旋〕
〔周旋话〕 zhōuxuánhuà 명 손님을 응대〔대접〕하는 말.
〔周旋裕如〕 zhōuxuán yùrú 유유히 대응하다. 여유있게 대하다. ¶他对中国话很有研究, 以后在贵国办起事来, 也就～了; 그는 중국어에 대한 연구가 깊으므로, 장래 귀국에서 일할 때에 여유있게 대처할 수 있습니다.
〔周延〕 zhōuyán 동 (어떤 명제(命題) 중의 주어 또는 술어가) 모든 외연(外延)을 포함하다. 주연하다. 명 주연.
〔周阳〕 Zhōuyáng 명 복성(複姓)의 하나.
〔周易〕 Zhōuyì 명 《書》 주역. =〔易经〕
〔周游〕 zhōuyóu 동 주유하다. 편력하다. ¶～世界; 세계를 일주하다 / ～列国; 열국을 주유하다.
〔周瑜打黄盖〕 Zhōuyú dǎ Huánggài 〈歇〉 주유(周瑜)가 황개(黃蓋)를 치다. 알고 때리고 알고 맞다《오(吳)나라의 주유(周瑜)가 조조(曹操)를 속이기 위해 황개(黃蓋)와 짜고서 친 데서 나온 말. 뒤에 '愿打愿挨'가 이어지기도 함》.
〔周缘〕 zhōuyuán 명 가장자리. 테두리. ¶车轮的～叫轮辋; 차바퀴의 가장자리를 '轮辋'(테)라 한다.
〔周匝〕 zhōuzā 명양 ⇨〔周遭〕
〔周遭〕 zhōuzāo 명 둘레. 사방. 주위. ¶找了个～, 也没找着; 사방을 찾아보았으나, 역시 찾을 수 없었다. 양 바퀴《둘레를 한 바퀴 도는 횟수를 나타냄》. ¶跑了个～; 한 바퀴 뛰어서 돌았다. ‖ =〔周匝〕
〔周章〕 zhōuzhāng 동 〈文〉 ①당황하다. 쩔쩔매다. ¶狼狈～; 낭패하여 쩔쩔매다. ②계획하여 경영하다. ③고심하다. ¶煞费～; 고심참담(苦心慘憺)하다. 노심초사하다.
〔周折〕 zhōuzhé 명 고심. 우여곡절(迂餘曲折). ¶大费～; 애를 많이 쓰다 / 几经～; 우여곡절이 있었다. 형 복잡하다. 곡절이 많다.
〔周正〕 zhōuzhèng 형 〈方〉 단정하다. ¶容貌～; 용모가 단정하다 / 拿熨斗熨一熨就～了; 다리미질을 하면 말쑥해집니다 / 把椅子都摆～了; 의자를 모두 가지런히 늘어놓아라.
〔周知〕 zhōuzhī 동 두루 알리다. 주지하다.
〔周至〕 zhōuzhì 형 주도면밀하다. 빈틈없다. 세심하다. ¶丁宁～; 빠짐없이 분부하다. =〔周到〕
〔周转〕 zhōuzhuǎn 동 《經》 (자금·물건 따위가) 운용되다. 회전되다. 이리저리 변통되다. ¶～资金; 회전 자금. 명 《經》 (자금의) 회전. ¶～不开; 변통이 잘 안 되다 / ～不灵; (자본 따위) 운전이 활발치 않다.
〔周转粮〕 zhōuzhuǎnliáng 명 (배급용의) 유통 식량. ¶由合作社把这部分粮食当做～卖给国家粮店; 합작사에서 이 부분의 식량을 배급용의 유통 식량으로 국가의 양곡점에 팔아 넘긴다.
〔周转率〕 zhōuzhuǎnlǜ 명 《經》 회전율.
〔周转税〕 zhōuzhuǎnshuì 명 거래세. 유통세.
〔周转证〕 zhōuzhuǎnzhèng 명 배급용의 유통 증명서. ¶将来由他们凭～向国家粮店购回; 장래 그들은 배급용의 유통 증명서에 의해 국가의 양곡점에서 되산다.
〔周桌〕 zhōu.zhuō 동 (식사 때에 화가 나서) 식탁을 뒤엎다.
〔周镯〕 zhōuzhuó 명 빛깔·디자인이 다른 7개 1세트의 팔찌《1주일 동안, 날마다 바꾸어 씀》.

赒(賙) zhōu (주)
동 ⇨〔周 **B**〕.

掫〈擻〉 zhōu (조) 〈추〉
동 〈方〉 (한쪽에서 무거운 것을) 받치다. (넘어지거나 기운 것을)

들어 올리다. 일으키다. ¶他赶紧把李大爷～起来了; 그는 황급히 이(李)영감(이 넘어지려는 것)을 일으켜 세웠다.

啁 zhōu (조, 주)
→〔啁啾〕⇒zhāo

〔啁啾〕 zhōujiū 〈擬〉 짹짹(새가 우는 소리).

诪(譸) zhōu (주)
동 〈文〉 ①저주하다. 욕하다. ②⇨〔侜〕

粥 zhōu (죽)
①명 죽. ¶熬áo～; 죽을 끓이다 / 喝～; 죽을 먹다 / 生鱼～; 〈廣〉 생선회를 넣은 죽 / 绿豆～; 녹두죽. ②형 연하다. 부드럽다. ⇒yù

〔粥厂〕 zhōuchǎng 명 옛날, 겨울에 가난한 사람에게 죽을 주던 곳.

〔粥果(儿)〕 zhōuguǒ(r) 명 음력 12월 8일에 짓는 '腊là八粥' 속에 넣는 말린 과일류(대추·밤·연실·호두·은행·살구씨 따위).

〔粥米〕 zhōumǐ 명 ①좁쌀(산부(産婦)가 반드시 좁쌀죽을 먹었던 데서 유래). →〔小xiǎo米(儿)〕 ②'腊là八(儿)粥'를 만들기 위해 멥쌀·찹쌀·좁쌀·팥 따위를 섞은 것(그 계절이 되면 잡곡점에서 팖).

〔粥少僧多〕 zhōu shǎo sēng duō 〈成〉 물건은 적은데 줄 사람은 많다. =〔僧多粥少〕〔狼多肉少〕

〔粥水〕 zhōushuǐ 명 미음. 묽은 죽.

〔粥粥〕 zhōuzhōu 형 〈文〉 무른〔연한, 부드러운〕 모양. 명 〈西北〉 죽.

盩 zhōu (주)
지명용 자(字). ¶～厔zhì; 저우즈(盩厔)(산시 성(陝西省)에 있는 현 이름. 지금은 '周至'라고 씀).

妯 zhóu (축)
→〔妯娌〕〔妯妯〕

〔妯娌〕 zhóulǐ 명 형수와 계수. 동서. ¶她们三个是～; 그녀들 세 사람은 동서지간이다 / ～不睦mù; 동서끼리 사이가 나쁘다.

〔妯妯〕 zhóuzhóu 명 동서(상호간의 호칭).

轴(軸) zhóu (축)
①(～儿, ～子) 명 《機》 차축. 바퀴의 굴대. ②명 《機》 기계의 각종 바퀴를 다는 축. 샤프트. ¶～承; ⇩ ③(～儿, ～子) 명 두루마리·족자의 축나무. ④명 사물의 중심. 중요한 지위. ⑤명 날실을 감는 직구(織具). 도투마리. ⑥명 《數》 축(軸). ⑦형 〈京〉 외고집이다. 완고하다. 융통성이 없다. ¶他～着呢, 哭起来没有完; 저 애는 대단한 고집통이므로, 울어 댔다 하면 그치지 않는다. ⑧양 축. 토리(두루마리·실을 세는 단위). ¶两～儿线; 견사(絹絲) 두 패 / 古画二～; 옛 그림 두축 / 买一～画儿; 족자 하나를 사다. ⇒zhòu zhú

〔轴衬〕 zhóuchèn 명 ⇨〔衬套〕

〔轴承〕 zhóuchéng 명 《機》 축받이. 베어링(bearing). ¶球～; 볼 베어링 / ～润滑油; 베어링 윤활유. 축받이 기름 / 滚柱～; 롤러 베어링. =〔〈南方〉〈音〉培林〕〔〈南方〉〈音〉培令〕〔轴架〕

〔轴承拨送器〕 zhóuchéng bōsòngqì 명 《機》 베어링을 뽑아내는 기구.

〔轴承箱〕 zhóuchéngxiāng 명 《機》 베어링 상자.

〔轴端隙〕 zhóuduānxì 명 《機》 유극(遊隙). 유격(遊隔). =〔串chuàn动〕〔窜cuàn动〕

〔轴对称〕 zhóuduìchèn 명 《數》 축대칭.

〔轴轭〕 zhóu'è 명 《機》 차축용(車軸用) 멍에.

〔轴环〕 zhóuhuán 명 ⇨〔轴领〕

〔轴架〕 zhóujià 명 ⇨〔轴承〕

〔轴接〕 zhóujiē 명 《機》 커플링.

〔轴接手〕 zhóujiēshǒu 명 ⇨〔联lián轴节〕

〔轴节〕 zhóujié 명 《機》 축(軸)방향 피치(axial pitch).

〔轴颈〕 zhóujǐng 명 《機》 저널(journal)(굴대의 목 부분).

〔轴孔〕 zhóukǒng 명 《機》 ①차축(車軸)의 구멍. ②게이지 구멍.

〔轴领〕 zhóulǐng 명 《機》 이음고리. 컬러(collar). 멈춤고리. =〔轴环〕

〔轴流泵〕 zhóuliúbèng 명 《機》 축류 펌프.

〔轴马力〕 zhóumǎlì 명 《機》 축마력.

〔轴脾气〕 zhóupíqi 명 완고한 성질. 고집통이. ¶犯～; 고집을 부리다.

〔轴儿线〕 zhóurxiàn 명 나무 실패에 감은 실. 코튼사(絲)(재봉틀실).

〔轴人〕 zhóurén 명 독선적인 사람. 완고한 사람. 옹고집.

〔轴润滑油〕 zhóu rùnhuáyóu 명 《化》 스핀들유(油).

〔轴胎〕 zhóutāi 명 《機》 굴대.

〔轴台〕 zhóutái 명 《機》 베어링대(臺)(pedestal). 베어링 스탠드(bearing stand).

〔轴套〕 zhóutào 명 ⇨〔衬chèn套〕

〔轴头〕 zhóutóu 명 ①《機》 크로스 헤드(cross head). ②두루마리 등의 밑에 있는 축으로 쓰는 나무.

〔轴瓦〕 zhóuwǎ 명 ⇨〔衬chèn套〕

〔轴辖〕 zhóuxiá 명 ⇨〔车chē辖〕

〔轴线〕 zhóuxiàn 명 《機》 축. 액시스(axis). =〔轴心线〕

〔轴向〕 zhóuxiàng 명 《機》 축방향.

〔轴向式压缩机〕 zhóuxiàngshì yāsuōjī 명 《機》 축류(軸流) 압축기.

〔轴销〕 zhóuxiāo 명 《機》 굴대 핀.

〔轴心〕 zhóuxīn 명 ①《機》 기계·차바퀴의 축. =〔轮lún轴①〕 ②두루마리의 축. ③추축(樞軸). ¶～国; 추축국(2차 대전시의 일·독·이의 3국). ④축. 중심.

〔轴心线〕 zhóuxīnxiàn 명 ⇨〔轴线〕

〔轴子〕 zhóuzi 명 ①차축. =〔车轴〕 ②족자의 권축(卷軸). ③축(軸) 모양의 것. ④현악기의 현(弦)을 죄는 것. ⑤〈方〉 완고한 사람.

碡 zhóu (독)
→〔碌liù碡〕

肘 zhǒu (주)
①(～儿, ～子) 명 팔꿈치. ¶掣chè～; 저지하다. 누르다. 자유롭지 못하게 하다. 견제하다 / 悬～写大字; 현완(懸腕)으로 큰 글자를 쓰다. ②명 2'尺'의 길이. ③동 팔을 잡고 만류하다. ④동 (상대방의 팔꿈치를 자기의 어깨에 얹어) 부축하다. ¶来! 来! 我～给你; 자! 부축해 주지. ⑤동 발각되다. 탄로나다.

〔肘管〕 zhǒuguǎn 명 《機》 앵글 이음(기계·관 등의 만곡부를 잇는 L자형의 것).

〔肘花儿〕 zhǒuhuār 명 〈方〉 돼지 족(足)을 간장과 향료를 넣고 조린 것.

〔肘节〕 zhǒujié 명 《機》 'ㄱ'자 모양의 수톨쩌귀. 토글(toggle).

〔肘窝〕 zhǒuwō 명 팔오금. 팔꿈치 관절의 안쪽.

〔肘腋〕 zhǒuyè 명 〈文〉 ①팔꿈치와 겨드랑이. ②〈轉〉 매우 가까운 곳. ¶～相交; 〈比〉 매우 가까운 사이 / ～之患; 신변이나 매우 가까운 곳에서 일어난 재앙.

〔肘子〕 zhǒuzi 명 ①돼지의 허벅다리 고기. ¶水晶～; 돼지 허벅다리를 소금간하여 오래 고아 만든 요리. ②(～儿) 팔꿈치.

帚〈箒〉 zhǒu (추) 명 비. 빗자루. ¶炊～; 설거지 솔. →〔笤tiáo帚〕〔扫sǎo帚〕

〔帚草〕 zhǒucǎo 명 ⇨〔地dì肤〕

〔帚星〕 zhǒuxīng 명 혜성. =〔彗huì星〕

〔帚子黍〕 zhǒuzishǔ 명 《植》 가는 수수. 비수수.

纣(紂) zhòu (주) 명 ①〈文〉 말의 꼬리에서 안장에 거는 끈. 밀치끈. ②(Zhòu) 《人》 주왕(紂王)《은(殷)나라 최후의 왕 이름》.

〔纣棍(儿)〕 zhǒugùn(r) 명 밀치.

荮(葤) zhòu (주) 〈方〉 ①동 짚으로 싸다. ②양 꾸러미. 묶음《접시 따위를 새끼로 묶은 한 묶음》. ¶一～碗; 사발 한 꾸러미.

酎 zhòu (주) ①명 〈文〉 독한 술. 순주(醇酒). ②→〔酎金〕

〔酎金〕 zhòujīn 명 〈文〉 옛날, 제후(諸侯)가 황제(皇帝)에 내던 헌상금(獻上金).

伷 zhòu (주) ①명 ⇨〔胄②〕 ②인명용 자(字).

宙 zhòu (주) ①명 무한한 시간《'宇'는 무한한 공간을 가리키고 '宙'는 무한한 시간을 가리킴》. ¶宇～; 우주. ②예부터 지금까지. ③모든 것을 포괄하고 있는 모양.

〔宙斯〕 Zhòusī 명 〈音〉 제우스(Zeus)《그리스 신화의 최고신》.

轴(軸) zhòu (축) →〔大轴子〕〔压轴子〕 ⇒zhóu zhú

胄 zhòu (주) 명 ①대를 잇는 사람. 후사(後嗣). ¶～子zǐ; 장자. 맏아들. =〔胄裔yì〕 ②(옛날 왕후 귀족의) 자손. 후예. ¶贵guì～ =〔华～〕; 귀족의 자손. =〔伷①〕 ③투구. ¶甲～; 갑주.

㑇(㑳) zhòu (추) 형 〈古白〉 ①약다. 영리하다. ¶都唤她做～梅香; 모두들 그녀를 영리한 매향이라 부른다. ②아름답다. 말쑥하다. ¶打扮的体态很～; 치장한 자태가 매우 아름답다. ‖=〔㤘〕

㤘(㥮) zhòu (초) 형 〈方〉 (성격이) 완고하다. ¶奈老夫人情性～; 부인의 성격은 어찌도 완고한지.

㤘(㥮) zhòu (추) 형 ⇨〔㑇〕 ⇒chōu

绉(縐) zhòu (추) 명 ①《紡》 견(絹)지지미. 크레이프(crape). ¶湖～; 저장 성(浙江省) 후저우(湖州)에서 나는 크레이프. ②⇨〔皱①〕

〔绉布〕 zhòubù 명 《紡》 목(木)지지미. 목(木)크레이프(crepe).

〔绉布状滤纸〕 zhòubùzhuàng lǜzhǐ 명 크레이프 모양의 여과지.

〔绉绸〕 zhòuchóu 명 ⇨〔绉纱〕

〔绉呢〕 zhòuní 명 《紡》 오트밀(oatmeal) 크레이프《오트밀 모양의 무늬가 있는 천》. =〔绉绒〕

〔绉绒〕 zhòuróng 명 ⇨〔绉呢〕

〔绉纱〕 zhòushā 명 《紡》 견(絹)크레이프. =〔泡泡纱〕〔绉纱〕

〔绉纱绸〕 zhòushāchóu 명 《紡》 드신(프 de Chine)《'法fǎ国绉纱' '双shuāng～' (크이레프 드신; crepe de Chine) 평직천의 일종으로, 원래 프랑스의 리용에서 중국의 오글쪼글한 견직물을 본떠서 짠 것》.

〔绉橡胶〕 zhòuxiàngjiāo 명 《紡》 크레이프.

〔绉纸〕 zhòuzhǐ 명 쪼글쪼글한 종이. 크레이프 페이퍼(crape poper).

〔绉子〕 zhòuzi 명 ①주름. 접은 금. 구김살. ②《紡》 지지미류(類)의 직물.

皱(皺) zhòu (추) ①명 주름. 주름살. 〈轉〉 구김살. =〔绉②〕 ②명 밤송이의 가시. ③동 찡그리다. 찌푸리다. 구기다. ¶眉头一～; 눈살을 찌푸리다 / 把衣裳弄～了; 옷에 주름을 잡았다.

〔皱巴巴(的)〕 zhòubābā(de) 형 쭈글쭈글하다. 쪼글쪼글하다.

〔皱襞〕 zhòubì 명 〈文〉 주름. 주름살. 구김살.

〔皱别〕 zhòubie 형 비좁다. 비좁아 답답하다. 동 꼭 잡고 놓지 않다. 꼭 쥐어 주름지게 하다. ¶你别再～了; 그만 구겨라.

〔皱唇鲨〕 zhòuchúnshā 명 《魚》 까치상어. =〔人rén道籠〕〔九道籠gū〕〔九道鲨〕

〔皱痕〕 zhòuhén 명 주름살. 구김살.

〔皱金〕 zhòujīn 명 겉에 주름을 잡은 금박지.

〔皱眉〕 zhòu↓méi 동 상을 찌푸리다. 눈살을 찌푸리다. ¶～不展; 눈살을 펴지 못하다. 〈比〉 불안스런 얼굴.

〔皱胃〕 zhòuwèi 명 《動》 추위(皺胃)《반추 위의 제사실(第四室)》.

〔皱纹〕 zhòuwén ①⇨〔坑kēng型〕 ②(～儿) 주름살. 구김살. ¶～纸; 크레이프 페이퍼 / 他上了岁数儿了, 脸上尽是～; 그는 늙어서 얼굴이 주름투성이다.

〔皱折(儿)〕 zhòuzhé(r) 명 (옷·스커트의) 주름. 구김살. ¶满是～的西服, 怎么能穿出去? 구깃구깃한 양복을 입고 어찌 나갈 수 있겠는가?

〔皱皱〕 zhòuzhou 형 주름투성이다.

〔皱皱巴巴〕 zhòuzhoubābā 형 주름투성이다. 쪼글쪼글하다. 꼬깃꼬깃하다.

咒〈呪〉 zhòu (주) ①동 저주하다. ¶你这不是～人吗? 너, 그건 남을 저주하고 있는 것이 아니냐? / ～骂人; 남을 악담하다. ②동 (액풀이로) 주문을 외다. ③명 저주. ④명 주문(呪文). ¶念了几句～; 주문을 몇 마디 외었다 / ～语; ⇩ / 大悲～; 불교의 경문의 이름《천수 다라니의 별칭》.

〔咒骂〕 zhòumà 동 저주하다. 심한 말로 욕하다. 악담을 퍼붓다. 욕지거리하다.

〔咒儿〕 zhòur 명 (도가(道家)의) 주문(呪文).

〔咒师〕 zhòushī 명 주술사.

〔咒术〕 zhòushù 명 주술.

〔咒水〕 zhòushuǐ 명 신에게 바치는 물《신에 맹세할 때 마심》.

〔咒死〕 zhòusǐ 동 저주하여 죽이다.
〔咒诵〕 zhòusòng 동 (소리내어) 주문을 외다.
〔咒语〕 zhòuyǔ 명 ①저주하는 말. 악담. ②주문.
〔咒愿〕 zhòuyuàn 동 주문을 외고 소원을 빌다.
〔咒诅〕 zhòuzǔ 동 저주하다.

咮 **zhòu** (주)
명 〈文〉 (새의) 부리.

昼(晝) **zhòu** (주)
명 낮. ¶～夜不停; 온종일 쉬지 않다 / 灯光如～; 등불의 빛이 마치 대낮 같다 / ～长夜短; 낮이 길고 밤이 짧다 / 照如白～; 대낮처럼 비추다.
〔昼长圈〕 zhòuchángquān 명 북회귀선. =〔夏至线〕〔北回归线〕
〔昼短圈〕 zhòuduǎnquān 명 남회귀선. =〔冬至线〕
〔昼工〕 zhòugōng 명 주간 노동. 주간 취로(就劳). 낮일.
〔昼寝〕 zhòuqǐn 명 〈文〉 낮잠. →〔〈口〉 睡晌觉〕〔〈口〉 睡午觉〕
〔昼日〕 zhòurì 명 〈文〉 ①하루. ②낮. 주간. ③태양의 빛.
〔昼夜〕 zhòuyè 명 밤낮. 주야. ¶～不停 =〔～不息〕; 밤낮으로 쉬지 않다.

甃 **zhòu** (추)
〈方〉 ①명 우물의 벽. ②동 (우물 등을) 벽돌로 쌓다. 돌을 깔다.

僽 **zhòu** (추)
→〔僝chán僽〕

骤(驟) **zhòu** (취)
①동 (말이) 빨리 달리다. 질주하다. ¶驰～; 질주하다. ②형 급속하다. 갑작스럽다. ¶暴风～雨; 폭풍우 / 步bù～; 순서. 절차. ③부 갑자기. 돌연. ¶气温～降; 기온이 갑자기 떨어지다 / 有计划地、有步～地进行; 계획적으로 단계적으로 진행하다.
〔骤冷〕 zhòulěng 명동 《化》 급랭(急冷)(하다).
〔骤密〕 zhòumì 형 (비가) 억수같다. 급하고 세차다.
〔骤然〕 zhòurán 부 갑자기. 돌연히. ¶～一惊; 깜짝 놀라다 / ～间下起雨来了; 갑자기 비가 오기 시작했다.
〔骤然间〕 zhòuránjiān 부 불현듯. 순간적으로. 문득.
〔骤雨〕 zhòuyǔ 명 소나기. =〔急雨〕

繇 **zhòu** (주)
명 〈文〉 점술에서 쓰는 문구. 점괘. ⇒yáo yóu

籀 **zhòu** (주)
〈文〉 ①명 대전(大篆)《주(周)나라 시대의 옛 문자의 일종》. =〔籀文〕 ②동 (글을) 읽다. 낭독하다.
〔籀文〕 zhòuwén 명 주문. 대전(大篆)《한자 서체의 하나》. =〔籀书〕〔大篆〕〔籀①〕

ZHU ㄓㄨ

朱(硃)② **zhū** (주)
명 ①빨강. 주홍색. ②《鑛》 주사(朱砂). ¶近～者赤, 近墨者黑; 〈諺〉 주사를 가까이 하면 붉어지고 먹을 가까이 하면 검어진다. ③《物》 줄《전기 에너지의 단위》. =〔朱尔〕〔焦尔〕 ④성(姓)의 하나.
〔朱笔〕 zhūbǐ 명 주필(朱筆).
〔朱磦〕 zhūbiāo 명 일종의 붉은 안료(颜料).
〔朱勃〕 zhūbó 명 《數》 〈音〉 큐브(cube). 입방체. =〔立方〕
〔朱陈〕 zhūchén 명 〈文〉 〈比〉 혼인의 쌍방《예전에, 서주(徐州) 고풍현(古豐縣)의 주(朱)·진(陳) 양가(兩家)가 대대로 혼인 관계에 있었던 데서 나온 말》. ¶～之好; 사돈간의 정의(情誼) / 共结～; 혼인을 맺다.
〔朱唇〕 zhūchún 명 ①〈文〉 붉은 입술. ②⇨〔小xiǎo红花①〕
〔朱唇皓齿〕 zhū chún hào chǐ 〈成〉 붉은 입술에 흰 이《미인의 형용》.
〔朱邸〕 zhūdǐ 명 〈文〉 옛날, 왕후(王侯)의 저택.
〔朱顶(雀)〕 zhūdǐng(què) 명 《鳥》 홍방울새류(類)의 아름다운 명금(鳴禽). =〔贮zhù点红〕
〔朱古力(糖)〕 zhūgǔlì(táng) 명 초콜릿. =〔巧克力〕
〔朱红〕 zhūhóng 명 《色》 주홍.
〔朱鹮〕 zhūhuán 명 《鳥》 따오기.
〔朱笺〕 zhūjiān 명 ⇨〔朱砂笺〕
〔朱槿〕 zhūjǐn 명 《植》 불상화(佛桑花). =〔扶桑①〕〔赤槿〕〔日及②〕
〔朱卷〕 zhūjuàn 명 주필 등사 답안(朱筆謄寫答案)《청(淸)나라 때의 향시(鄉試)·회시(會試)의 답안은 시험관이 채점하기 전에, 주필로 등사해서 주고, 수험자의 필적을 판별할 수 없도록 공정을 기했음. 원답안을 '黑hēi卷'이라 함》.
〔朱兰〕 zhūlán 명 ⇨〔白bái芨〕
〔朱脸鹮鹭〕 zhūliǎnxuánlù 명 《鳥》 따오기. =〔朱鹭〕
〔朱楼〕 zhūlóu 명 주루. 붉게 칠한 누각. 〈轉〉 부귀한 사람의 집.
〔朱鹭〕 zhūlù 명 《鳥》 따오기. =〔朱鹮〕〔红鹤〕〔朱脸鹮鹭〕
〔朱栾〕 zhūluán 명 《植》 〈俗〉 유자. =〔柚yòu子〕
〔朱门〕 zhūmén 명 붉은색 대문. 〈轉〉 부잣집. 높은 벼슬아치의 집. ¶～酒肉臭, 路有冻死骨《杜甫咏懷詩》; 부잣집에서는 술과 고기 썩는 냄새가 나는데, 길에는 얼어 죽은 시체가 뒹굴고 있다.
〔朱墨〕 zhūmò 명 ①붉은 색과 검은 색. ¶～套印; 붉은 색과 검은 색의 이색(二色) 인쇄. ②주묵. 붉은 빛깔의 먹. ¶～加批; 주묵으로 평을 써넣다.
〔朱鸟〕 zhūniǎo 명 ⇨〔朱雀②〕
〔朱批〕 zhūpī 명 붉은 글씨로 써 넣은 비평. 주필로 쓴 비평어.
〔朱漆〕 zhūqī 명 주칠. 붉은 칠. ¶～家具; 붉은 칠을 한 가구 / ～大门; 붉은 칠을 한 대문. 〈比〉 부잣집.
〔朱漆描金〕 zhūqī miáojīn 명 주칠 바탕에 금가루로 무늬를 놓은 것. ¶～神龛; 주칠 바탕에 금가루로 무늬를 놓은 감실(龕室).
〔朱雀〕 zhūquè ①《鳥》 붉은 양지니 안감색의 참새 비슷한 작은 새. =〔红麻料儿〕 ②《天》 '二èr十八宿' 중의 남쪽의 일곱 성수(星宿). =〔朱鸟〕 ③주작《도교(道教)의 신으로, 남쪽〔앞쪽〕에 배위(配位)함》.
〔朱儒〕 zhūrú 명 ⇨〔侏儒〕
〔朱色〕 zhūsè 명 주색.
〔朱砂〕 zhūshā 명 《鑛》 주사. 단사(丹砂). =〔辰砂〕〔丹砂〕

〔朱砂笺〕 zhūshājiān 명 주사(朱砂)를 칠해 만든 최상등의 붉은 종이('春联(儿)'이나 '对联(儿)' 등을 쓸 때 쓰임). =〔朱笺〕
〔朱砂判儿〕 zhūshāpànr 명 옛날, 주묵(朱墨)으로 그린 종규(鍾馗)의 상(像).
〔朱砂痣〕 zhūshāzhì 명 ①붉은 점. 붉은 사마귀. ②(Zhūshāzhì) 《劇》 경극(京劇)의 유명한 연극 제목의 하나.
〔朱桃〕 zhūtáo 명 《植》 앵두나무.
〔朱藤〕 zhūténg 명 《植》 등나무.
〔朱文〕 zhūwén 명 인감·인장에 새겨진 글자의 볼록하게 나온 부분. 양문(陽文). ↔〔白文③〕
〔朱颜〕 zhūyán 명 ⇨〔红hóng颜①〕
〔朱颜鹤发〕 zhū yán hè fà 〈成〉 동안(童顔) 백발.
〔朱朱〕 zhūzhu 〈擬〉 닭을 부르는 소리. =〔祝祝〕

诛(誅) zhū (주)
동 〈文〉 ①토벌하다. ②(죄인을) 죽이다. ¶罪不容~; 죄가 무거워 죽여도 속죄하지 못하다/其心可~; 그 심보는 주벌(誅罰)할 만하다/伏~; 형벌에 복종하여 죽음을 받다. ③제거하여 없애다. ④형벌(刑罰)하다. ⑤나무라다. 책망하다. 징벌하다. ¶口~笔伐; 〈成〉 언론·문장에서 잘못된 언행을 인정 사정 없이 폭로 공격하다/加以笔~; 언론이나 문장으로 주벌을 가하다.
〔诛暴〕 zhūbào 동 〈文〉 폭한(暴漢)을 죽이다. 폭군을 주벌(誅罰)하다.
〔诛毙〕 zhūbì 동 〈文〉 주륙(誅戮)하다. 죽이다.
〔诛除〕 zhūchú 동 〈文〉 주멸(誅滅)하다. =〔诛灭〕
〔诛锄〕 zhūchú 동 ①풀·싹을 제거하다. 뿌리째 뽑아버리다. ②(사악(邪惡)한 자를) 죽여 없애다. ¶~汉奸; 매국노를 죽여 없애다/~异己; 〈成〉 자기와 의견이 맞지 않는 자를 죽여 없애다.
〔诛伐〕 zhūfá 명동 〈文〉 공격(하다). 주벌(하다). 〈比〉 규탄(하다). ¶难逃舆论的~; 여론의 규탄은 피하기 어렵다.
〔诛戮〕 zhūlù 동 〈文〉 (죄인을) 죽이다. 처형하다.
〔诛灭〕 zhūmiè 동 주멸하다. 죄 있는 자를 죽여 없애다. =〔诛除〕
〔诛求〕 zhūqiú 동 〈文〉 엄하게 징수하다. 주구하다. 착취하다. ¶苛敛~; 〈成〉 가렴주구/~无厌; 주구하여 지칠 줄 모르다/~无已; 〈成〉 주구가 끝이 없다. =〔勒索〕
〔诛心〕 zhūxīn 동 남의 심중(心中)의 악(惡)을 지적하다. 동기의 악함을 규탄하다. ¶~之论; 〈成〉 남의 의도·동기만을 나무라고 현실의 죄상을 책(責)하지 않는 의론/~推究; 악의를 가지고 캐고 듦.

侏 zhū (주)
형 〈文〉 (키가) 작다. 왜소하다. ¶~儒rú; ⇩
〔侏罗纪〕 Zhūluójì 명 《地質》 〈音〉 쥐라기(Jura紀).
〔侏罗系〕 Zhūluóxì 명 《地質》 〈音〉 쥐라(Jura)계.
〔侏儒〕 zhūrú 명 주유. 난쟁이. =〔朱儒〕
〔侏儒症〕 zhūrúzhèng 명 《醫》 주유증. 소인증(小人症).
〔侏儒柱〕 zhūrúzhù 명 《建》 두공(枓拱). =〔欂bó栌〕

邾 Zhū (주)
명 ①《地》 주대(周代)의 나라인 '邹Zōu'의 고칭(古稱). ②성(姓)의 하나.

洙 Zhū (수)
명 《地》 주수이(洙水)《쓰수이(泗水)의 지류. 산둥 성(山東省)에 있는 강 이름》. ¶~泗; 주수이(洙水)와 쓰수이(泗水)《공자가 강학(講學)하던 곳에 있으므로, 공자의 학풍의 뜻으로 씀》.

茱 zhū (수)
→〔茱萸〕
〔茱萸〕 zhūyú 명 《植》 산수유나무.

珠 zhū (주)
명 ①(~子) 진주. ¶米~薪桂; 〈成〉 생활 필수품이 비싸져 생활하기가 곤란해지다/真~ =〔珍~〕; 진주/夜明~; 야광주. ②(~儿, ~子) 진주처럼 생긴 것. ¶眼~儿; 안구(眼球). 눈알/水~儿; 물방울/滚~儿; 베어링/~泪; 구슬 같은 눈물/~喉宛转; 옥을 굴리는 듯한 목소리. ③성(姓)의 하나.
〔珠蚌〕 zhūbàng 명 《貝》 진주조개.
〔珠宝〕 zhūbǎo 명 주옥(珠玉) 보석.
〔珠贝〕 zhūbèi 명 ⇨〔珠母〕
〔珠串(儿)〕 zhūchuàn(r) 명 진주 목걸이.
〔珠翠〕 zhūcuì 명 ①진주와 비취. ②보석. 장식품. ¶~满头; 여자가 보석류로 치장하는 일.
〔珠羔皮〕 zhūgāopí 명 어린 양의 모피《털이 곱슬곱슬하여 구슬처럼 말려 있음》.
〔珠光宝气〕 zhū guāng bǎo qì 〈成〉 진주나 보석으로 성장(盛裝)하다. ¶~的年轻太太; 진주와 보석으로 치장한 젊은 부인.
〔珠光体〕 zhūguāngtǐ 명 《工》 펄라이트(pearlite). =〔波bō来体〕
〔珠汗〕 zhūhàn 명 구슬 같은 땀방울.
〔珠红〕 zhūhóng 명 ①《色》 진홍(眞紅). ¶酸性~; 《染》 나프탈렌 스칼릿의 일종. ②《植》 소귀나무.
〔珠户〕 zhūhù 명 진주 채취업자.
〔珠花〕 zhūhuā 명 여자의 머리 장식의 일종. =〔珠子花儿〕
〔珠玑〕 zhūjī 명 〈文〉 주옥(珠玉). 〈比〉 우미(優美)한 문장이나 어구(語句). ¶满腹~; 〈成〉 가슴속이 우미한 어구로 꽉 차 있다《글재주가 뛰어나다》/字字~; 한 자 한 자가 주옥처럼 아름답다.
〔珠鸡〕 zhūjī 명 《鳥》 뿔닭. =〔珍珠鸡〕
〔珠江〕 Zhūjiāng 명 《地》 주장 강《광둥 성(廣東省) 광저우 시(廣州市) 남쪽에서 호문(虎門)을 거쳐 광둥 만(灣)으로 흘러드는 강으로, 그 상류에 시장 강(西江)·베이장 강(北江)·동장 강(東江)이 있음》. =〔粤Yuè江〕
〔珠兰〕 zhūlán 명 ⇨〔珍zhēn珠兰〕
〔珠泪〕 zhūlèi 명 〈文〉 구슬처럼 떨어지는 눈물.
〔珠粒体〕 zhūlìtǐ 명 ⇨〔珠光体〕
〔珠帘〕 zhūlián 명 주렴. 구슬을 꿰어 만든 발. =〔水shuǐ精帘〕
〔珠联璧合〕 zhū lián bì hé 〈成〉 ①진주를 잇고 아름다운 구슬을 한데 모음《훌륭한 인재(人材)가 한데 모임》. ②걸맞는 좋은 연분.
〔珠母〕 zhūmǔ 명 《貝》 진주조개. =〔珠贝〕
〔珠穆朗玛峰〕 Zhūmùlǎngmǎ fēng 명 《地》 〈音〉 초모룽마(chomo lungma)《에베레스트봉(峯)의 티베트어 음역자(音譯字)》. =〔珠穆峰〕
〔珠儿〕 zhūr 명 구슬. 방울. ¶算suàn盘~; 주판알/水~; 물방울/汗~; 땀방울/眼~; 눈알/露水~; 이슬 방울.
〔珠算〕 zhūsuàn 명 주산.
〔珠胎〕 zhūtāi 명 ①진주가 조개 속에서 형성되서

자라는 것. ②〈轉〉 임신. ¶～暗结ànjié; 여자가 사통하여 잉태하다.
〔珠庭〕 zhūtíng 명 ①복스러운 이마. ②(도가(道家)에서의) 교조(教祖)의 궁전.
〔珠头呢〕 zhūtóuní 명《紡》씨실에는 느슨하게 꼰 실을 걸고 날실에는 방모사(紡毛絲)·꼰 무명실 등을 써서 보통 이중직(二重織)으로 하여 긴 담(毯)을 만들고 구슬 모양으로 수축시킨 모직물《주로 외투용으로 씀》.
〔珠围翠绕〕 zhūwéi cuìrǎo ⇨〔翠绕珠围〕
〔珠型炸弹〕 zhūxíng zhádàn 명《軍》공 모양의 폭탄.
〔珠玉〕 zhūyù 명 ①주옥. ②〈比〉 주옥같이 훌륭한 시문(詩文). ③상고 시대 화폐의 일종. →〔下xià币〕
〔珠圆玉润〕 zhū yuán yù rùn 〈成〉 구슬같이 둥글고 매끈하다. ①노랫소리가 매끄럽고 아름답다. ②시문(詩文)이 매끄럽고 원숙(圓熟)하다. ‖ =〔玉润珠圆〕
〔珠子〕 zhūzi 명 ①구슬. 진주. ②둥글고 작은 알 모양의 것. ¶汗～ =〔汗珠儿〕; 땀방울.
〔珠子花儿〕 zhūzihuār 명 ⇨〔珠花〕
〔珠走玉盘〕 zhū zǒu yùpán 〈比〉 소리가 옥을 굴리는 듯하다《소리가 아름다움》.

株 zhū (주)
① 명 그루. =〔根株〕 ② 양 그루. ¶一～桃树; 한 그루의 복숭아나무/松柏千～; 소나무 잣나무 천 그루. ③ 명 (식물의) 포기.
〔株距〕 zhūjù 명《農》포기〔그루〕 사이〔간격〕. ¶～不匀, 底肥不足; 그루 사이가 고르지 않고 밑거름도 부족하다.
〔株块〕 zhūkuài 명 ①그루터기와 흙덩이. ②〈比〉 쓸모없는 것〔인간〕.
〔株累〕 zhūlěi 동 ⇨〔株连〕
〔株连〕 zhūlián 동 (한 사람의 죄에 여러 사람이) 연좌(連坐)하다. 언걸먹다. ¶搞～; 연루시키다/～无辜; 무고한 사람을 연좌시키다. =〔株累〕〔株蔓〕
〔株蔓〕 zhūmàn 동 ⇨〔株连〕
〔株守〕 zhūshǒu ⇨〔守株待兔〕.
〔株选〕 zhūxuǎn 명《農》한 그루 단위로 또는 한 알씩 최량(最良)의 종자를 고르는 선종(選種) 방법의 하나.
〔株楹〕 zhūyíng 명 통나무 기둥.

铢(銖) zhū (수)
① 양 옛 중량(重量) 단위《1'两'의 24분의 1》. ② 명 〈比〉 매우 가벼운〔사소한〕 것. ③ 양 바트(baht)《태국의 화폐 단위》.
〔铢积寸累〕 zhū jī cùn lěi 〈成〉 조금씩 축적(蓄積)하다. ¶这个资金是～起来的, 任何一点的浪费, 都应该反对; 이 자금은 한푼 두푼 모은 것이니 아무리 작은 낭비라도 반대하지 않으면 안 된다. =〔积铢累寸〕
〔铢两〕 zhūliǎng 명 〈比〉 극히 미세한〔사소한〕 것. ¶～悉称xīchèn; 〈成〉 극히 미세한 데까지 균형이 잡혀 있음. 추호도 오차가 없음.

蛛 zhū (주)
명《蟲》거미. ¶蜘zhī～; 거미.
〔蛛丝〕 zhūsī 명 거미줄.
〔蛛丝马迹〕 zhū sī mǎ jì 〈成〉 거미줄과 말발자국《단서(端緖). 실마리》. ¶寻出一些～; 약간의 단서를 찾아 내다.
〔蛛网〕 zhūwǎng 명 거미집.
〔蛛蛛〕 zhūzhu 명 〈俗〉 거미. =〔蜘蛛〕
〔蛛蛛网〕 zhūzhuwǎng 명 거미줄. 거미집. =〔蛛网〕〔蜘蛛网〕

诸(諸) zhū (제)
① 대 가지가지. 온갖. 여러. ¶江北～省; 양쯔 강(揚子江) 이북의 여러 성/～子百家; ⇩ ② 명 모두. 만사. ¶～希原谅; 제반사는 양찰해 주시기 바랍니다. ③ 대 〈文〉 그것. ¶不忍食～; 차마 그것을 먹을 수 없다. →〔之zhī③〕 ④'之于' 혹은 '之乎'의 합음(合音). ¶较～往年; 이것을 예년에 비교해 보면. 예년에 비해서/付～实施; 실시하다/有～? 그런 일도 있을까?/待～三年期满之后; 3년의 기한이 끝날 때까지 기다리다/君子求～己, 小人求～人; 군자는 이를 자기에게서 구하고, 소인은 남에게서 구한다. ⑤ 명 성(姓)의 하나.
〔诸弟〕 zhūdì 명 ⇨〔群qún季〕
〔诸多〕 zhūduō 형 〈文〉 많은. 여러 가지의. 허다한. ¶～不便; 수많은 불편.
〔诸恶莫作〕 zhū è mò zuò 〈成〉 제악을 행하여서는 안된다.
〔诸凡〕 zhūfán 명 〈文〉 모두. 만사(萬事).
〔诸费〕 zhūfèi 명 〈文〉 제반 비용.
〔诸葛〕 Zhūgě 명 복성(複姓)의 하나. ¶～巾; 제갈건《제갈량(諸葛亮)이 썼다는 모자. 또, 그런 모양의 모자》/～灯; (들고 다니는) 네모난 제등(提燈).
〔诸葛菜〕 zhūgěcài 명《植》순무. 제갈채.
〔诸葛亮〕 Zhūgě Liàng 명 ①《人》제갈 양《자는 공명(孔明). 삼국 시대 촉(蜀)나라의 승상이었으며. 유비(劉備)의 '三顾茅庐'에 감동되어, 지모로써 보좌하였음》. ②〈轉〉 지모가 뛰어난 사람.
〔诸葛亮会〕 zhūgěliàng huì 명 〈比〉 중지(衆知)를 모으는 회의. 훌륭한 생각이나 안을 가지고 모이는 모임. 두뇌 회의. 헌책(獻策) 회의.
〔诸宫调〕 zhūgōngdiào 명 제궁조《중국의 옛날 창극의 하나. 송(宋)·금(金)·원대(元代)에 유행함. 현존 작품으로는 금대(金代)의 '董解元'이 있음》.
〔诸姑〕 zhūgū 명 고모(姑母)들. 여러 고모.
〔诸姑姊妹〕 zhūgū zǐmèi 명 〈文〉 여성 여러분.
〔诸侯〕 zhūhóu 명 제후. 봉건 시대의 열국(列國)의 군주. =〔守shǒu臣〕
〔诸舅〕 zhūjiù 명 〈文〉 이성(異姓)의 친척의 총칭.
〔诸母〕 zhūmǔ 명 〈文〉 ①제모. 아버지의 자매인 고모들. ②고모뻘 되는 여러 아주머니.
〔诸亲好友〕 zhūqīn hǎoyǒu 여러 친척과 친한 친구들.
〔诸如〕 zhūrú 접 예를 들면 …같은 것들. 예컨대 …따위《예를 드는 말 앞에 놓고, 일례(一例)에 그치지 않음을 나타냄》. ¶～不胜枚举; 이러한 일은 너무 많아서 셀 수 없다/～此类; 〈成〉 이것과 비슷한 여러 가지 일. 이와 같은 여러 가지 일.
〔诸色〕 zhūsè 형 각종의. 각양각색의. 여러 가지의. ¶～人等; 각양각색의 사람들.
〔诸事遂心〕 zhūshì suìxīn 만사가 뜻대로 되다.
〔诸位〕 zhūwèi 명 〈敬〉 제군. 여러분. ¶敬告～读者; 독자 여러분께 삼가 말씀드립니다/在座的～先生; 참석하신 여러분. →〔众位〕
〔诸夏〕 zhūxià 명 〈文〉 제하. 중국 봉건 시대의 각국. 전 중국.
〔诸子百家〕 zhū zǐ bǎi jiā 〈成〉 제자 백가. 춘추 전국 시대에 저마다 일가(一家)로서의 언설을 주창한 많은 학자의 총칭. =〔百家〕

猪〈猪, 豬〉 zhū (저)

명《動》돼지. ¶公～; 수퇘지 / 母～; 암퇘지 / 野～; 멧돼지.

〔猪八戒〕 Zhūbājiè 명 저팔계. ¶～耍耙子; 〈諺〉 저팔계(豬八戒)가 갈퀴를 쓰다《사람은 제각기 자기에게 맞는 도구나 방법을 쓴다》/ ～照镜子; 〈歇〉 저팔계(豬八戒)가 거울에 얼굴을 비추어 보다《'里外不是人'이 이어져, 면목이 없어 볼낯이 없다는 뜻》/ ～玩老雕diāo; 〈歇〉 저팔계(豬八戒)가 독수리를 갖고 놀다《'各好一路'가 이어져, 각기 좋아하는 것이 있다는 뜻》/ ～吃人参果; 〈歇〉 저팔계(豬八戒)가 인삼과를 먹다《맛을〔가치를〕 모르다》/ ～掉在泔水桶里; 〈歇〉 저팔계(豬八戒)가 구정물통에 빠지다《'又得吃又得喝'가 계속되어, 먹을 것도 있고 마실 것도 있다는 뜻》.

〔猪八样儿〕 zhūbāyàngr 명 돼지고기만을 재료로 하는 여덟가지 요리.

〔猪不吃, 狗不啃〕 zhū bùchī, gǒu bùkěn 개나 돼지도 먹지 않는다. 〈諺〉 아무도 상대를 안하다.

〔猪草〕 zhūcǎo 명《植》(돼지 사료로 하는) 꼴풀.

〔猪场〕 zhūchǎng 명 양돈장(養豚場).

〔猪丹毒〕 zhūdāndú 명《醫》 돈단독.

〔猪店〕 zhūdiàn 명 돼지고기 파는 가게.

〔猪肝(儿)〕 zhūgān(r) 명 저간. 돼지 간.

〔猪肝色〕 zhūgānsè 명《色》 갈색.

〔猪膏〕 zhūgāo 명 ⇨〔猪油yóu〕

〔猪哥〕 zhūgē 명《動》 수퇘지. =〔公gōng猪〕〔猪郎〕

〔猪革〕 zhūgé 명 돼지 가죽.

〔猪拱嘴〕 zhūgǒngzuǐ 명 돼지 입 부분의 살.

〔猪狗臭〕 zhūgǒuchòu 명 ⇨〔狐hú臭〕

〔猪狗食〕 zhūgǒushí 명 돼지나 개의 먹이. 〈比〉 변변찮은 음식.

〔猪倌(儿)〕 zhūguān(r) 명 돼지치는 사람.

〔猪行〕 zhūháng 명 돼지 도매상.

〔猪獾〕 zhūhuān 명《動》 오소리의 일종. 산오소리. =〔沙獾〕

〔猪脚〕 zhūjiǎo 명 돼지족. 또 그 요리.

〔猪圈〕 zhūjuàn 명 ①돼지 우리. ②〈比〉 돼지 우리같이 더러운〔누추한〕 곳. ‖=〔猪窝wō〕〔猪栅〕〔猪栏〕〔猪舍〕

〔猪栏〕 zhūlán 명 ⇨〔猪圈〕

〔猪郎〕 zhūláng 명 ⇨〔猪哥〕

〔猪里脊〕 zhūlǐji 명 돼지의 등심.

〔猪苓〕 zhūlíng 명《植》 저령《이뇨제로서 약용됨》. =〔豕shǐ零〕〔豨xī苓〕

〔猪笼草〕 zhūlóngcǎo 명《植》 전통덩굴《식충 식물의 일종》.

〔猪猡〕 zhūluó 명 〈方〉 ①돼지. ②〈轉〉〈罵〉 얼간이. 멍청이. 바보.

〔猪母〕 zhūmǔ 명 암퇘지. 어미돼지. =〔母猪〕

〔猪脑子〕 zhūnǎozi 명 돼지의 뇌〔골〕《요리용》.

〔猪娘〕 zhūniáng 명 〈方〉 ①암퇘지. ②〈罵〉 돼지 같은 년.

〔猪扒〕 zhūpá 명 포크 소테(pork sauté)《돼지고기를 버터에 볶은 음식》. =〔煎jiān猪肉〕

〔猪排〕 zhūpái 명 ①포크 커틀릿류(類). ②돼지 갈비.

〔猪朋狗友〕 zhūpéng gǒuyǒu 개나 돼지 같은 친구들. 쓸모없는 패거리.

〔猪皮〕 zhūpí 명 돼지 가죽.

〔猪婆龙〕 zhūpólóng 명 〈俗〉 악어의 일종. =〔鼍tuó〕

〔猪肉〕 zhūròu 명 돼지고기. ¶咸～; 베이컨 / ～铺pù =〔～杠〕; 돼지고기를 파는 가게 / ～汤锅; 옛날, 돼지고기를 팔면서, 겸하여 부탁받으면 돼지를 잡고 털을 뽑는 일도 하는 사람〔집〕. =〔大肉①〕

〔猪舌头〕 zhūshétou 명 돼지 혓바닥《요리용》.

〔猪舍〕 zhūshè 명 ⇨〔猪圈〕

〔猪食〕 zhūshí 명 돼지 사료(飼料).

〔猪蹄儿〕 zhūtír 명 돼지 족발.

〔猪头〕 zhūtóu 명 돼지 머리. ¶～肉; 돼지 머릿고기.

〔猪头三〕 zhūtóusān 명 〈方〉 촌뜨기. 바보. 멍청이.

〔猪尾巴〕 zhūwěiba 명 ①돼지 꼬리. ②〈轉〉 변발(辮髮).

〔猪瘟〕 zhūwēn 명 돼지 콜레라.

〔猪窝〕 zhūwō 명 ⇨〔猪圈〕

〔猪痫〕 zhūxián 명 ⇨〔肾shèn痫〕

〔猪苋〕 zhūxiàn 명 ⇨〔野yě苋〕

〔猪血〕 zhūxiě 명 ①돼지의 피. ②돼지 피에 소금을 치고 삶아서 굳힌 식품.

〔猪眼睛〕 zhūyǎnjing 명 〈比〉 옴팡눈.

〔猪殃殃〕 zhūyāngyāng 명《植》 갈퀴덩굴《돼지가 먹으면 병에 걸림》.

〔猪羊鹅酒〕 zhū yáng é jiǔ 명 옛날, '通tōng信②' 때에 쓰는 물건《돼지·양·거위·술》.

〔猪腰〕 zhūyāo 명 (식품으로서의) 돼지 콩팥.

〔猪油〕 zhūyóu 명 돼지 기름. (요리용의) 라드(lard). =〔〈北方〉 大dà油〕〔〈北方〉 荤hūn油〕〔脂zhī油②〕〔猪膏〕〔猪脂〕

〔猪油果〕 zhūyóuguǒ 명《植》 광시(廣西) 장 족 자치구 산지(山地)에 자생하는 덩굴 식물. =〔油瓜〕〔油渣果〕

〔猪鱼〕 zhūyú 명 ⇨〔马mǎ面鲀〕

〔猪仔(儿)〕 zhūzǎi(r) 명 ①〈廣〉 돼지 새끼. ②해외에 이민하거나 유괴되어 일하는 하급 노동자를 두고 하던 말.

〔猪只〕 zhūzhī 명 돼지. ¶～的头数; 돼지의 마릿수.

〔猪脂〕 zhūzhī 명 ⇨〔猪油〕

〔猪鬃〕 zhūzōng 명 돼지(의 억센) 털.

〔猪鬃草〕 zhūzōngcǎo 명《植》 공작고사리. =〔铁tiě线蕨〕

〔猪嘴疔〕 zhūzuǐdīng 명 〈俗〉 입술에 나는 부스럼.

潴〈瀦〉 zhū (저)

①동 (물이) 고이다. ②명 웅덩이. ¶尿niào～留; 《醫》 요로(尿路) 폐색(閉塞).

槠(櫧) zhū (저)

명《植》 떡갈나무.

橥〈櫫〉 zhū (저)

명 〈文〉 ①가축을 매는 말뚝. ②→〔楬jié橥〕

术 zhú (출)

→〔苍cāng术〕〔白术〕 ⇒shù

竹 zhú (죽)

명 ①(～子)《植》 대나무. ¶修～; 긴 대나무 / 胸有成～; 〈成〉 성산(成算)이 있다. ②옛날에 문자를 썼던 대쪽. ③서책(書冊). ④성(姓)의 하나.

〔竹板〕 zhúbǎn 명《樂》 2개 또는 3개의 대나무판

으로 된, 캐스터네츠 비슷한 중국 악기. ¶～书; 대중 연예의 하나(연가자가 한 손으로는 '竹板'을 갖고 다른 손에 '节子板'(7개의 댓조각을 끈에 꿰어 만든, 박자 치는 악기)을 치며 장단을 맞춰 이야기를 엮어 나감). =〔〈俗〉呱哒板儿〕
〔竹篦〕 zhúbì 명 ①죽비(옛날, 대쪽을 묶은 형구(刑具)(선가(禪家)에서 법구(法具)의 하나)). ②대빗.
〔竹篦子〕 zhúbìzi 명 통발.
〔竹鞭〕 zhúbiān 명 대나무의 지하경.
〔竹帛〕 zhúbó 명 죽백(고대, 글씨를 쓰던 죽간(竹簡)과 포백(布帛)). 〈轉〉 서적. ¶著之～; 〈文〉 책을 저술하다 / 功垂～; 공적을 죽백에 남기다(역사에 길이 남다).
〔竹柏〕 zhúbó 명 《植》 죽백나무(송백과(松柏科)의 상록 교목).
〔竹布〕 zhúbù 명 《紡》 옥색 무명의 일종. 린네르천.
〔竹蛏〕 zhúchēng 명 《貝》 긴맛.
〔竹城之战〕 zhúchéng zhī zhàn ⇨〔麻má将〕
〔竹床〕 zhúchuáng 명 대나무 침대.
〔竹凳〕 zhúdèng 명 대나무 걸상.
〔竹钉〕 zhúdīng 명 대못.
〔竹兜子〕 zhúdōuzi 명 등산용의 대나무 가마(쓰촨성(四川省)에서는 '滑huá竿(儿)'라 함).
〔竹夫人〕 zhúfūrén 명 죽부인. =〔竹夹膝〕〔竹奴〕〔青qīng奴〕
〔竹竿(儿)〕 zhúgān(r) 명 대나무 장대. ¶把衣服晾在～上; 옷을 대나무 장대에 걸어서 말리다.
〔竹竿筏〕 zhúgānfá 명 ⇨〔竹排〕
〔竹杠〕 zhúgàng 명 대나무 멜대.
〔竹篙〕 zhúgāo 명 (배를 젓는) 대나무 상앗대.
〔竹工〕 zhúgōng 명 죽세공(竹細工).
〔竹管〕 zhúguǎn 명 대통. ¶～乐器; 죽관 악기.
〔竹黄〕 zhúhuáng 명 대통으로 만든 공예품의 일종. =〔竹簧〕
〔竹货店〕 zhúhuòdiàn 명 대나무 제품을 파는 가게.
〔竹鸡〕 zhújī 명 《鳥》 자고평. =〔竹鹧鸪〕〔茶chá花鸡〕〔泥ní滑滑〕
〔竹筴鱼〕 zhújiāyú 명 《魚》 전갱이. =〔刺鲅〕〔山鲐鱼〕〔竹策鱼〕
〔竹夹膝〕 zhújiáxī 명 ⇨〔竹夫人〕
〔竹甲〕 zhújiǎ 명 《魚》 양태.
〔竹简〕 zhújiǎn 명 죽간(종이가 발명되기 전에 문자를 적는 데 쓰인 대나무쪽).
〔竹节〕 zhújié 명 죽절. 대의 마디.
〔竹节鞭〕 zhújiébiān 명 옛 무기의 일종(대마디처럼 만든 강철 채찍). =〔竹节虎尾钢鞭〕
〔竹节虫〕 zhújiéchóng 명 ①《蟲》 대벌레(과의 총칭). ②⇨〔蛣jié〕
〔竹节钢〕 zhújiégāng 명 이형(異形) 철근. 이형봉강(棒鋼).
〔竹刻〕 zhúkè 명 대나무 조각(彫刻).
〔竹筷子〕 zhúkuàizi 명 대젓가락.
〔竹筐〕 zhúkuāng 명 대바구니.
〔竹篮(儿, 子)〕 zhúlán(r, zi) 명 대소쿠리. 대바구니. ¶编～; 대소쿠리를 엮다 / ～打水, 落了一场空; 〈歇〉 대소쿠리로 물을 푸다(헛수고하다).
〔竹篱笆〕 zhúlíba 명 대울타리.
〔竹沥〕 zhúlì 명 《漢醫》 죽력(생죽(生竹)을 불에 쬐어 채취한 액즙).
〔竹帘画〕 zhúliánhuà 명 대발에 그린 그림.
〔竹帘(子)〕 zhúlián(zi) 명 죽렴. 대발.
〔竹林〕 zhúlín 명 죽림. 대숲.
〔竹林之战〕 zhúlín zhī zhàn 명 ⇨〔麻má将〕
〔竹溜索〕 zhúliūsuǒ 명 대나무로 만든 로프(여기에 쇠고리를 꿰어, 손으로 잡고 강을 건넘). ¶从前过怒江唯一的办法是攀pān着～悬空滑过去; 전에, 누장 강(怒江)을 건너는 유일한 방법은 '竹溜索'를 붙잡고 공중을 미끄러져 가는 것뿐이었다.
〔竹篓〕 zhúlǒu 명 대광주리.
〔竹马(儿)〕 zhúmǎ(r) 명 ①죽마. ¶骑～; 죽마놀이를 하고 놀다. ②민간 가무(歌舞)에 쓰이는 말 모양의 도구의 하나.
〔竹马之交〕 zhúmǎ zhī jiāo 〈文〉 죽마지우. =〔总zǒng角之交〕
〔竹麦鱼〕 zhúmàiyú 명 《魚》 성대. =〔鲂fáng鮄〕
〔竹矛〕 zhúmáo 명 죽창(竹槍).
〔竹萌〕 zhúméng 명 ⇨〔竹笋〕
〔竹米〕 zhúmǐ 명 ⇨〔竹实〕
〔竹篾〕 zhúmiè 명 대오리.
〔竹脑壳〕 zhúnǎoké 명 〈罵〉 (대나무처럼 속이) 텅 빈 머리.
〔竹奴〕 zhúnú 명 ⇨〔竹夫人〕
〔竹排〕 zhúpái 명 대나무 뗏목. =〔竹竿筏〕
〔竹批儿〕 zhúpīr 명 대나무를 가늘게 깎은 것. 대오리.
〔竹皮〕 zhúpí 명 대나무 껍질. 죽순 껍질. =〔〈文〉箨tuò〕
〔竹器〕 zhúqì 명 죽기. 대나무 그릇.
〔竹签〕 zhúqiān (～儿, ～子) 명 댓개비. 대꼬챙이.
〔竹浅儿〕 zhúqiǎnr 명 대로 엮은 접시 모양의 그릇.
〔竹青〕 zhúqīng 명 《色》 죽청빛. 푸른 빛.
〔竹茹〕 zhúrú 명 《漢醫》 죽여(대나무 껍질의 푸른 부분을 깎아내고, 그 밑의 속껍질을 벗겨 낸 가는 실 모양·띠 모양의 물건으로 토사를 막고, 해열·황달 등에 약용됨). =〔竹肉〕
〔竹蓐〕 zhúrù 명 《植》 버섯의 일종(썩은 대나무 뿌리의 마디에 생기며, 모양은 '木耳'와 같고 빛깔은 붉으며, 적리(赤痢)·백리(白痢)에 약용됨).
〔竹纱纺〕 zhúshāfǎng 명 《紡》 포플린. =〔府绸〕
〔竹实〕 zhúshí 명 죽실. =〔竹米〕
〔竹丝篮〕 zhúsīlán 명 가늘게 쪼갠 대로 만든 손바구니.
〔竹荪〕 zhúsūn 명 《植》 그물버섯. =〔〈俗〉仙xiān人帽〕〔网wǎng伞菌〕
〔竹笋〕 zhúsǔn 명 죽순. =〔竹萌〕
〔竹榻〕 zhútà 명 대나무 침대.
〔竹笤帚〕 zhútiáozhou 명 대비. =〔竹扫帚〕
〔竹筒(儿)〕 zhútǒng(r) 명 ①대통. 죽통. ¶～倒黄豆; 〈歇〉 대통에서 콩을 쏟아내다(마음 속을 속속들이 들어 냄). ②머리가 텅 빈 사람.
〔竹头木屑〕 zhú tóu mù xiè 〈成〉 대나무의 톱밥(다시 이용할 수 있는 폐물〔폐품〕). =〔木屑竹头〕
〔竹席〕 zhúxí 명 대로 엮은 자리.
〔竹熊〕 zhúxióng 명 〈方〉 ⇨〔猫māo熊〕
〔竹叶〕 zhúyè 명 댓잎. ¶～菜; 《植》 닭의장풀 / ～青 =〔青竹蛇〕〔青竹丝〕; ⓐ《動》 독사(毒蛇)의 일종(몸은 녹색. 눈 아래에서 배의 양측을 따라 꼬리까지 황백색의 줄무늬가 있음). ⓑ《色》 청록색. ⓒ'绍兴酒'의 일종. ⓓ'白酒' 속에 댓잎·목향(木香)·황령(黃苓)·감초(甘草) 따위 약초를 담가서 가당(加糖)한 술.
〔竹叶椒〕 zhúyèjiāo 명 《植》 개산초나무. →〔蓁

qín椒①〕
〔竹椅子〕 zhúyǐzi 명 대나무 의자.
〔竹舆〕 zhúyú 명 죽여. 대나무로 만든 가마. =〔逍xiāo遥子〕
〔竹芋〕 zhúyù 명 《植》 울금. 심황.
〔竹战〕 zhúzhàn 명 ⇨〔麻má将〕
〔竹鹧鸪〕 zhúzhègū 명 ⇨〔竹鸡〕
〔竹针〕 zhúzhēn 명 대나무 뜨개 바늘.
〔竹枝词〕 zhúzhīcí 명 죽지사(민요적 색채가 농후한 옛 시체(時體). 형식은 7언 절구). =〔竹枝辞〕
〔竹纸〕 zhúzhǐ 명 죽지. 대의 섬유로 만든 종이.
〔竹子〕 zhúzi 명 《植》 대나무.
〔竹字头(儿)〕 zhúzitóu(r) 명 한자 부수의 하나. 대죽머리(‘竿’ 등의 ‘竹’). =〔〈方〉 竹立头(儿)〕

竺 zhú (축)
①→〔天竺〕 ② 명 성(姓)의 하나.

轴(軸) zhú (축)
① ‘轴zhóu’의 문어음(文語音). ② ⇨〔舳〕⇒zhóu zhòu

舳 zhú (축)
① 명 〈文〉 고물. 선미(船尾). ② → 〔舳舻〕 ‖ =〔轴②〕
〔舳舻〕 zhúlú 명 〈文〉 ①배꼬리와 뱃머리. 고물과 이물. ②〈轉〉 장방형(長方形)의 배.

逐 zhú (축)
① 동 뒤쫓아가다. 따르다. ¶追亡～北; 〈成〉 패적(敗敵)을 추격하다 / 相～为戏; 서로 쫓아다니며 놀다 / 随波～流; 〈成〉 물 흐르는 대로 맡기다(주견없이 대세에 맡기다). ② 동 쫓아 버리다. 몰아내다. 물리치다. ¶～出境外; 국경 밖까지 내쫓다. ③ 동 겨루다. ④ 동 구(求)하다. ⑤ 부 하나하나. 차례로. ¶～字讲解; 한 자 한 자 해석하다 / ～条说明; 축조(逐條) 설명하다 / ～日检查; 매일 검사하다. ⑥ 부 차차. 점차. 차츰. ¶～见起色; 점차 왕성해지다.
〔逐北〕 zhúběi 동 〈文〉 패주하는 적을 추격하다.
〔逐笔易货办法〕 zhúbǐ yìhuò bànfǎ 명 옛날, 무역의 각 거래별 결제 방법.
〔逐步〕 zhúbù 부 한 발 한 발. 한 걸음 한 걸음. 차츰차츰. ¶～积累; 조금씩 쌓아올리다 / ～推广; 점차적으로 널리 퍼뜨리다.
〔逐臭〕 zhúchòu 동 〈文〉 ①사악(邪惡)하고 천한 방향을 지향하다. ¶～之夫; 〈成〉 추악한 짓을 하는 자. ②〈比〉 기호(嗜好)가 편벽되다.
〔逐出〕 zhúchū 동 〈文〉 축출하다. 쫓아내다.
〔逐次〕 zhúcì 부 〈文〉 차츰차츰. 순차적으로. 점차. =〔逐节〕
〔逐个(儿)〕 zhúgè(r) 부 하나하나. 축차(逐次). 차례차례로. ¶～清点; 하나하나 철저히 점검하다 / 招呼客人并～握手; 손님에게 인사하며 차례로 악수하다.
〔逐户〕 zhúhù 부 집집마다. 한 집 한 집. ¶～搜检; 한 집 한 집 수색하다 / ～检查住宅的防寒过冬工作; 집집마다 주택의 방한 월동 준비 상황을 검사하다.
〔逐件〕 zhújiàn 부 하나 하나. 한 건(件) 한 건.
〔逐渐〕 zhújiàn 부 점차. 점점. ¶天色～暗了下来; 하늘은 점점 어두워졌다. =〔渐渐〕〔积渐〕
〔逐节〕 zhújié 부 ⇨〔逐次〕
〔逐客令〕 zhúkèlìng 명 진(秦)나라 시황제(始皇帝)가 각국에서 온 식객(食客)을 추방하라고 내린 명령(후에 널리 손님을 쫓는 것을 ‘下逐客令’이라 이름).
〔逐鹿〕 zhúlù 동 〈文〉 사슴을 쫓다. 〈比〉 천하를 쟁탈하다. 정권·지위를 빼앗으려고 다투다. ¶群雄～; 군웅이 천하를 다투다.
〔逐末〕 zhúmò 동 〈文〉 말리(末利)를 추구하다. 상업을 영위하다. 장사를 하다(옛날에는 농사를 본(本)으로 치고, 상업을 말(末)로 여겼음).
〔逐年〕 zhúnián 부 매년. 해마다. ¶产量～增长; 생산량이 해마다 늘어난다.
〔逐日〕 zhúrì 부 하루하루. 연일(連日). 날마다. 나날이. ¶～往来存款; 소액 당좌 예금.
〔逐胜〕 zhúshèng 동 〈文〉 이긴 여세를 몰아 계속 나가다. 이긴 여세를 몰아 적을 쫓다.
〔逐事增华〕 zhúshì zēnghuá 동 〈文〉 차츰 더 화려해지다.
〔逐水〕 zhúshuǐ 동 《漢醫》 수종(水腫)의 물을 빼다.
〔逐条〕 zhútiáo 부 조목마다. 조목조목. ¶～审议; 축조 심의(하다) / ～批驳; 조목조목 반박하다.
〔逐夜〕 zhúyè 부 〈文〉 밤마다.
〔逐一〕 zhúyī 부 〈文〉 하나하나. 일일이. ¶这几个问题应～加以解决; 이들 문제를 하나하나 해결하지 않으면 안 된다.
〔逐一逐二〕 zhúyī zhú'èr 차례차례로. 순서대로.
〔逐字逐句〕 zhú zì zhú jù 한 자 한 자. 한 구(句) 한 구. ¶～仔细讲解; 한 자 한 구마다 상세히 해설을 가(加)하다 / ～地翻译; 축자역(逐字譯)하다.

瘃 zhú (촉)
명 《醫》 〈文〉 동상(凍傷). 동창(凍瘡). =〔冻疮〕

烛(燭) zhú (촉)
① 명 초. ¶小心火～; 불조심(게시용어) / 洞房花～; 〈成〉 동방화촉(결혼식). ② 양 《物》 촉. 촉광(전등의 촉수). ¶四十～(光)的电灯; 40촉 전등. ③ 동 〈文〉 비추다. 내다보다. 간파하다. ¶火光～天; 불길이 하늘을 붉게 물들이다 / 洞～其奸; 〈成〉 간계(奸計)를 간파하다. ④ 명 성(姓)의 하나.
〔烛刀〕 zhúdāo 명 ⇨〔烛剪〕
〔烛斗〕 zhúdǒu 명 촛대. =〔灯dēng台②〕
〔烛光〕 zhúguāng 양 《物》 ①칸델라(candela)(광도(光度)의 단위). ②촉광(옛날, 광도의 단위). ③〈俗〉 와트(watt)(전구의 광도의 단위). ¶六十支～的电灯泡; 60와트 전구.
〔烛花〕 zhúhuā 명 ①양초가 타서 심지에 꽃처럼 생기는 것. ②등불의 불꽃. ‖ =〔〈文〉 烛穗suì〕
〔烛架〕 zhújià 명 촛대. =〔蜡台〕
〔烛剪〕 zhújiǎn 명 초의 심지를 자르는 가위. =〔烛刀〕
〔烛泪〕 zhúlèi 명 촉루. 촛농.
〔烛煤〕 zhúméi 명 ⇨〔烛炭〕
〔烛苗儿〕 zhúmiáor 명 〈文〉 촛불의 불꽃.
〔烛数〕 zhúshù 명 ①촉광수. 촉수. ②와트수(watt數).
〔烛穗〕 zhúsuì 명 ⇨〔烛花〕
〔烛台〕 zhútái 명 촛대.
〔烛炭〕 zhútàn 명 촉탄(기름·가스를 다량으로 함유한 일종의 석탄). =〔烛煤méi〕
〔烛心〕 zhúxīn 명 촉심. 초의 심지. =〔烛芯〕
〔烛照〕 zhúzhào 동 〈文〉 ①비추다. ¶太阳光～万物; 햇빛은 만물을 비친다. ②등불로 비추다. ¶～数计; 〈成〉 등불로 환히 비추고 주판으로 세다(예견〔추측〕이 정확하다).

蠋 zhú (촉)
명〖蟲〗(나비나 나방 등의) 털이 없는 유충.

躅〈躅〉 zhú (촉)
①동 제자리걸음을 하다. ¶躑zhí~ =〔跼jú~〕〔踯zhí~〕; 망설이다. 주저하다 / 临别踯~; 〈成〉 헤어지기 아쉬워 주저하다. ②명 발자취. 족적(足跡). 행적. 사적(事蹟). ¶继其遗~; 그 유업을 이어받다 / 车覆而后改~; 앞의 수레가 뒤집힌 것을 보고 잘못을 고치다. 〈轉〉 앞사람의 실패를 교훈삼아 고쳐 가다.

〔躅躅溜溜〕 zhúzhuliūliū ①미끄러지다. 주르르 미끄러지다. ②〈轉〉 정처없이 가다. 방황하다. ¶他在人群外面毫无主张, 傻头傻脑地沿着人圈~; 그는 사람들의 무리 바깥에서 아무 주장도 하지 않고 바보처럼 사람들 주위를 어정거리고 있었다.

主 zhǔ (주)
①명 주인. ¶~客甚欢; 주객이 모두 매우 즐거워하다 / 我在这儿是~, 你到这儿来是客; 여기서는 내가 주인이고, 너는 이 곳에 오면 손님이다. ②명 소유주. 임자. ¶业~; 재산의 소유자. 기업주 / 房~; 가옥의 소유자 / 这东西没~儿; 이 물건은 임자가 없다. ③명 주인. 상전. ¶奴隶~; 노예주. ④명 (사건의) 관계자. 당사자. ¶事~; 형사 사건의 피해자 / 失~; 분실자(紛失者). ⑤(~儿) 명 어떤 동작의 주동자. …하는 사람. ¶吃~儿; 먹는 사람 / 买~儿; 사는 사람 / 来的~儿; 오는 사람 / 听戏的~儿; 연극 구경하는 사람. ⑥명 신주. 위패. =〔神主〕〔木主〕 ⑦명 (기독교의) 하나님. 여호와. (이슬람교의) 알라. ⑧명 주된 것. 가장 소중한 것. ¶以…为~; …을 주로 하다 / 以当前任务为~; 목전의 임무를 주로 하다. ⑨동 주가 되어 …하다. 주관하다. 책임지다. ¶~办; ⇩ / 婚姻自~; 결혼은 자기가 결정한다 / 当家作~; 주인이 되어 집안을 주관하다. ⑩동 전조(前兆)가 되다. 예시하다. ¶这天刮风是~多风的; 이 날에 바람이 불면 바람이 많이 부는 (해의) 전조인 것이다 / 早霞~雨, 晚霞~晴; 아침놀은 비, 저녁놀은 갤 징조. ⑪부 주로. 오로지. ⑫형 주된. 가장 중요한. 가장 기본적인. ¶~力; ⇩ ⑬명 책임자. ¶户~; 호주. ⑭동 주장(主張)하다. ¶~战派; 주전파 / ~和; 평화를 주장하다. ⑮(~儿) 명 〈方〉 결혼 상대. ¶这姑娘快三十了, 也该找~了; 이 처녀도 이제 30이 되니 결혼 상대를 찾지 않으면 안 된다. ⑯형 주관적인. 자신의. ¶~观; ⇩ ⑰명 주견(主見). 줏대. ¶他心里没~; 그는 주견이 없다. ⑱명 성(姓)의 하나.

〔主办〕 zhǔbàn 동 주최(主催)하다. ¶~单位; 주최 부문 / 展销会由商业局~; 전시 직매회는 상업국에서 주관한다.

〔主笔〕 zhǔbǐ 명 ①(신문·잡지의) 주필. ②신문기자. ③ ⇨〔主编〕

〔主币〕 zhǔbì 명〖經〗 본위 화폐. =〔本币〕〔本位货币〕

〔主编〕 zhǔbiān 동 주가 되어 편집하다. 책임 편집하다. ¶由张先生~; 장선생이 주임이 되어 편집한다. 명 편집장. 편집 주임(主任). 주간(主幹). ¶副fù~; 부편집장. =〔主笔③〕

〔主宾〕 zhǔbīn 명 주빈. 주된 손님. ¶~席; 주빈석. 메인 테이블.

〔主场〕 zhǔchǎng 명〖體〗 홈그라운드.

〔主持〕 zhǔchí 동 ①주재(主宰)하다. 주관하다. ¶~人; ⓐ주최자(主催者). ⓑ(연회에서의) 주빈(主賓). ⓒ(프로그램 등에서의) 사회자 / 会议由国务院副总理~; 회의는 국무원 부총리가 주재한다. ②처리하다. 자신이 하다. ③주장(主張)하다. 옹호하다. 지지하다. ¶~公道; 공정(公正)을 옹호하다 / 一力~; 전력으로 주장하다 / ~正义; 정의를 주장하다. ④(절의) 주지(住持) 노릇을 하다. ¶庙内~; 그 절에서 주지 노릇을 한다.

〔主次〕 zhǔcì 명 (일의) 본말(本末). 경중(輕重). ¶~不分; 본말을 구별하지 않다. 경중을 분간하지 않고 아무거나 뒤섞어 하나로 하다.

〔主从〕 zhǔcóng 명 주종. ①주인과 종자(從者). ②주체적인 것과 종속적인 것.

〔主单位〕 zhǔdānwèi 명 도량형(度量衡)의 기본 단위.

〔主导〕 zhǔdǎo 동 주도하다. ¶~作用; 주도적 역할 / ~思想; 주도적 사상. 명 주도적 역할을 하는 것. ¶以农业为基础, 工业为~; 농업으로써 기초를 삼고 공업을 주도적인 것으로 삼다.

〔主道〕 zhǔdào 명 〈文〉 고객. 손님.

〔主动〕 zhǔdòng 명 ①주동. 주도권. ¶~者; 주모자 / ~权; 주도권 / 处于~地位; 주동적인 지위에 서다 / 争取~; 주도권을 쟁취하다. ②〖機〗 (차륜(車輪)의) 전동력(電動力). ¶~齿轮; 〖機〗 구동륜(驅動輪). 형 자발적이다. 능동적이다. 적극적이다. ¶~的是甲, 被动的是乙; 능동적이었던 것은 갑이고, 수동적이었던 것은 을이다 / ~帮助别人; 자진해서 남을 돕다.

〔主动齿轮装置〕 zhǔdòng chǐlún zhuāngzhì 명 〖機〗 구동(驅動) 장치.

〔主动力〕 zhǔdònglì 명 ⇨〔原yuán动力〕

〔主动轮〕 zhǔdònglún 명 ⇨〔动轮〕

〔主动脉〕 zhǔdòngmài 명〖生〗 대동맥. ¶~弓 =〔动脉弓〕; 대동맥궁(弓). =〔大动脉①〕

〔主动式〕 zhǔdòngshì 명 (문법의) 능동형.

〔主动轴〕 zhǔdòngzhóu 명〖機〗 주동축. 구동축(驅動軸).

〔主动轴箱〕 zhǔdòngzhóuxiāng 명 ⇨〔司sī机台②〕

〔主队〕 zhǔduì 명〖體〗 홈 팀(home team). ↔〔客队〕

〔主发动机〕 zhǔfādòngjī 명〖機〗 메인 엔진(main engine). 주기관(主機關). =〔主机②〕

〔主伐〕 zhǔfá 명 주벌(다 자라서 벨 때가 된 나무를 벌채하는 일).

〔主犯〕 zhǔfàn 명〖法〗 주범. 주모자.

〔主方〕 zhǔfāng 명 주최(자)측. ¶外队旅费及膳宿概由~负责; 원정 팀의 여비 및 숙박비는 일절 주최측에서 책임진다.

〔主房〕 zhǔfáng 명 ⇨〔正zhèng房①〕

〔主峰〕 zhǔfēng 명 (산맥의) 주봉.

〔主父〕 zhǔfù 명 ①〈文〉 아내의 입장에서 본 남편의 일컬음. ②복성(複姓)의 하나.

〔主妇〕 zhǔfù 명 주부. ¶家庭~; 가정 주부.

〔主干〕 zhǔgàn 명 ①〖植〗 식물의 중요한 줄기. ②주요한〔결정적 작용을 하는〕 힘.

〔主稿〕 zhǔgǎo 동 주체가 되어 문안(文案)을 작성하다. 명 기초자(起草者). 문장의 기초(起草).

〔主根〕 zhǔgēn 명〖植〗 원뿌리. 주근.

〔主攻〕 zhǔgōng 명〖軍〗 주공격.

〔主顾〕 zhǔgù 명 고객. ¶老~; 단골 손님. =〔照顾主(儿)〕

〔主观〕 zhǔguān 명형 주관(적이다). ¶~愿望; 주관적 희망. 희망적 관측 / ~主义; 주관주의 / ~

力; ⓐ자기의 힘. ⓑ도그마적 경향 / 他看问题太～了; 그는 사물을 보는 관점이 너무 주관적이다.
〔主观能动性〕 zhǔguān néngdòngxìng 명 주관적 능동성. 자발적 적극성. ¶发挥～; 자발적인 적극성을 발휘하다.
〔主观唯心主义〕 zhǔguān wéixīn zhǔyì 명 주관적 관념론. 주관적 유심론.
〔主管〕 zhǔguǎn 동 주관하다. 관할하다. ¶～部门; 주관 부문. 명 주관(하는 사람).
〔主光轴〕 zhǔguāngzhóu 명 ⇨〔主轴②〕
〔主航道〕 zhǔhángdào 명 주요 항로.
〔主户〕 zhǔhù 명 토착민의 호구(戶口). 본토박이.
〔主婚〕 zhǔhūn 동 혼사를 주관하다. ¶～人; 혼주《보통 쌍방의 가장이 이를 맡음》.
〔主机〕 zhǔjī 명 ①《軍》 기장기(機長機). =〔长机〕 ②《機》 메인 엔진(main engine). =〔主发动机〕 ③《電算》(컴퓨터의) 본체.
〔主祭〕 zhǔjì 동 제사를 주관하다.
〔主见〕 zhǔjiàn 명 주견. 정견(定見). 자기의 생각. ¶没～; 정견이 없다.
〔主键〕 zhǔjiàn 명 마스터 키(master key).
〔主讲〕 zhǔjiǎng 동 강의나 강연을 담당하다. 명 강연자. 강의자.
〔主将〕 zhǔjiàng 명 ①《軍》 사령관. =〔主帅〕 ②《體》 주장. →〔队duì长〕
〔主焦点〕 zhǔjiāodiǎn 명 《物》 포커스(focus). 초점. =〔焦点①〕〔烧shāo点〕
〔主焦煤〕 zhǔjiāoméi 명 코크스. =〔焦煤〕
〔主教〕 zhǔjiào 명 《宗》 주교.
〔主井〕 zhǔjǐng 명 《鑛》(광산의) 주갱(主坑).
〔主角(儿)〕 zhǔjué(r) 명 ①《劇》 주역. 주인공. ②주요 인물. 중심 인물.
〔主考〕 zhǔkǎo 동 시험을 주관하다. 명 주시험관. 주임 시험관.
〔主考官〕 zhǔkǎoguān 명 옛날, 과거〔관리 등용 시험〕의 주임 시험관.
〔主客〕 zhǔkè 명 주객. ①주인과 손님. ②주된〔중요한〕 손님. 주빈.
〔主课〕 zhǔkè 명 ①주요 수업 과목. ②주요 과제. ③주요 교과 과정.
〔主力〕 zhǔlì 명 주력. ¶～军; 《軍》 주력군. 〈比〉 중심이 되는 세력 / ～舰jiàn =〔战斗舰〕〔战列舰〕; 주력함 / ～部队; 주력 부대 / ～队; 주력 팀.
〔主粮〕 zhǔliáng 명 (그 고장에서 생산·소비되는) 주요 식량.
〔主流〕 zhǔliú 명 ①주류. 본류(本流). =〔干gàn流〕 ②〈比〉 주류. 주요 추세. ¶分清成绩和缺点、～和支流; 성적과 결함, 주류와 지류를 분간하다.
〔主麻〕 zhǔmá 명 《宗》 〈音〉 주마(Jum'ah)《이슬람교에서 매주 금요일에 행해지는 예배》. ¶～日; 주마가 행해지는 날. 곧 금요일.
〔主名〕 zhǔmíng 명 〈文〉 주범(主犯).
〔主谋〕 zhǔmóu 명 주모자. 동 주모자가 되다. 주모하다.
〔主母〕 zhǔmǔ 명 ①옛날, 첩의 본처에 대한 호칭. ②〈古白〉 하인의 여주인에 대한 호칭.
〔主脑〕 zhǔnǎo 명 ①수뇌. 주뇌. ②사물의 주요 부분.
〔主仆〕 zhǔpú 명 주인과 종.
〔主权〕 zhǔquán 명 주권. ¶～国家; 주권국 / 拥有～; 주권을 가지다.
〔主儿〕 zhǔr 명 ①주인. 임자. 권력을 쥔 사람. ②…하는 사람. …인(人). ¶事儿闹出来了, 可是～没有了; 일이 생겼는데 장본인이 자취를 감추었다 / 去看的～很多; 보러 간 사람이 대단히 많다 / 买～; 살 사람 / 卖～; 팔 사람 / 像他这样爱管闲事的～真少有; 그처럼 이렇게 쓸데없는 일에 참견하기 좋아하는 사람은 정말 드물다.
〔主任〕 zhǔrèn 명 주임. ¶革委会～; 혁명 위원회 주임 / 班～; (학교 등의) 반 담임 / 车间～; 직장 주임 / ～委员; 주임 위원 / ～裁判员; (야구의) 주심. 구심(球審).
〔主人〕 zhǔren 명 ①(손님에 대해) 주인. ②중심적인 인물〔존재〕. ¶～公; (소설 등의) 주인공 / ～翁; ⓐ주인공. ⓑ주인장《손님이 그 집 주인에 대한 존칭》. ⓒ주요 인물. ③(하인의 입장에서) 주인. ¶看～脸色行事; 주인의 안색을 살펴 일을 하다. ④소유주. 임자. ¶房子～; 집주인. ⑤본고장 사람. 당사자. ¶我们是～, 你们是旅客; 우리는 이 고장 사람이고, 당신들은 손님입니다 / 上海杂技团应～的要求举行了招待演出; 상하이 곡예단은 그 고장 사람의 요구에 응하여 공연을 했다.
〔主日〕 zhǔrì 명 《宗》 주일. 그리스도 교도의 안식일. 일요일. ¶～学校; 주일 학교.
〔主上〕 zhǔshàng 명 옛날, 주상. 임금.
〔主食〕 zhǔshí 명 주식.
〔主使〕 zhǔshǐ 동 꼬드기다. 교사(教唆)하다. ¶受他们的～; 그들의 꾐에 빠졌다.
〔主事(儿)〕 zhǔshì(r) 동 책임을 지고 업무를 관리하다. ¶～人; 관리 책임자. 주재자(主宰者).
〔主视图〕 zhǔshìtú 명 ⇨〔正zhèng面图〕
〔主帅〕 zhǔshuài 명 ⇨〔主将①〕
〔主踢〕 zhǔtī 명 (축구·미식 축구 등에서) 페널티킥을 팀의 대표가 되어 차는 일〔사람〕.
〔主题〕 zhǔtí 명 주제. 테마. ¶博览会的～是人类的进步及和谐; 박람회의 주제는 '인류의 진보와 조화'입니다.
〔主题歌〕 zhǔtígē 명 주제가.
〔主体〕 zhǔtǐ 명 ①주체. 주요 부분. ¶人民是国家的～; 국민은 국가의 주체이다 / 建筑的～; 건물의 주체. ②《哲》(객체에 대한) 주체.
〔主位〕 zhǔwèi 명 (연회석에서의) 주인의 자리. ¶他坐在下首的～; 그는 아랫자리의 주인석에 앉아 있다.
〔主谓〕 zhǔwèi 명 《言》 주어와 술어. ¶～句; 주어 술어문《술부(述部)가 주어+술어로 구성되어 있는 문장》.
〔主文〕 zhǔwén 명 《法》 판결의 주문.
〔主席〕 zhǔxí 명 ①(회의의) 의장. 사회자. ¶～团; 의장단. ②위원장. ③정부의 우두머리. 주석. ¶省～; 성장(省長). ④(연회 때에) 주인이 앉는 좌석.
〔主线〕 zhǔxiàn 명 대강(大綱)의 줄거리. ¶影片以一个化学工程师的遭遇作为～; 영화는 어떤 화학 기사의 운명을 대강의 줄거리로 하고 있다.
〔主项〕 zhǔxiàng 명 (논리학에서) 주부(主部). 주사(主辭). ↔〔谓项〕
〔主心骨(儿)〕 zhǔxīngǔ(r) 명 ①주축(主軸). 의지할 만한 사람 또는 사물. ¶我们先生不在家就没～, 这件事我可不能作主; 주인이 부재중이므로, 이 일은 제 생각만으로 결정할 수 없습니다. ②근성. ③(동요되지 않는) 주견. 정견(定見). ¶他没～, 人家说东就东, 说西就西; 그는 정견이 없이 남이 동쪽이라고 하면 동쪽이라 하고, 서쪽이라고 하면 서쪽이라 한다.
〔主星〕 zhǔxīng 명 《天》 주성.

〔主刑〕 zhǔxíng 명 《法》 주형.
〔主修〕 zhǔxiū 동 ①전공하다. ¶～科目; 전공과목. ②수리를 책임지다.
〔主旋律〕 zhǔxuánlǜ 명 《樂》 주선율.
〔主演〕 zhǔyǎn 명동 주연(하다). ¶这部电影由她～; 이 영화는 그녀가 주연한다 / 他是那部片子的～; 그는 그 영화의 주연이다.
〔主要〕 zhǔyào 형 주요하다. 중요하다. ¶～人物; 주요 인물. 부 주로. 대부분. ¶城市的发展～还是依靠我国社会经济不断的进展; 도시의 발전은 역시 주로 우리 나라 사회 경제의 끊임없는 발전에 의지하고 있다.
〔主要账〕 zhǔyàozhàng 명 부기(簿記)에 있어서의 주요 장부(즉, 일기장 및 총계정 원장).
〔主页〕 zhǔyè 명 《電算》 홈페이지.
〔主义〕 zhǔyì 명 주의. ①사상·학설 등에 있어서의 일정한 입장〔주장〕. ¶马克思列宁～ =〔马列～〕; 마르크스 레닌주의 / 现实～; 현실주의. 리얼리즘 / 浪漫～; 낭만주의. ②일정한 사회 제도나 정치 경제 체계. ¶社会～; 사회주의. ③사고방식. 방식. ¶本位～; 본위주의 / 主观～; 주관주의.
〔主意〕 zhǔyi〔〈京〉 zhúyi〕 명 생각. 의견. 구상(構想). 정견. 취지. ¶出～; 의견을 내놓다 / 坏～ =〔歹～〕; 나쁜 꾀 / 打错～; 잘못된 생각을 하다 / 好～! 좋은 생각이다! / 没有～; 생각이 떠오르지 않다 / 拿不定～; 마음을 정하지 못하다 / 必是有人给你出的～; 누군가가 너에게 훈수를 한 게 틀림없다.
〔主因〕 zhǔyīn 명 주인. 주요한 원인.
〔主语〕 zhǔyǔ 명 《言》 주어.
〔主宰〕 zhǔzǎi 동 주재하다. 지배하다. 중심이 되다. 좌지우지하다. ¶梦想～世界; 세계를 지배하기를 꿈꾸다 / ～自己的命运; 자기의 운명을 주재하다. 명 (사람이나 사물을) 좌우하는 힘. 주재자. ¶思想是人们行动的～; 사상은 사람의 행동을 좌우하는 힘이다.
〔主张〕 zhǔzhāng 명 주장. 의견. 생각. ¶各有各的～; 저마다 자기의 견해가 있다 / 这件事, 我不能作～; 이것은 내 생각만으로는 정할 수 없다 / 自作～; 자기의 생각에 따라 결정하다. 동 주장하다. (자기의 생각대로) 결정하다. ¶我们～平等互利; 우리는 평등 호혜를 주장한다 / 他～马上动身; 그는 즉시 떠나자고 주장한다. =〔作zuò主〕
〔主旨〕 zhǔzhǐ 명 주지. 주요한 뜻. 주안(主眼). 요지.
〔主治医生〕 zhǔzhì yīshēng 명 주치의. =〔主治大夫〕〔主医员〕
〔主轴〕 zhǔzhóu 명 ①《工》 주축. 스핀들(spindle). =〔〈南方〉 车chē头轴〕〔〈南方〉 车头心子〕 ②광학(光學)의 주축. 광축(光軸). =〔主光轴〕
〔主子〕 zhǔzi 명 〈貶〉 주인(主人). 두목. 우두머리. 지배자. ¶讨得～的欢心; 두목의 환심을 사다.

拄 zhǔ (주)
동 ①(지팡이 등으로) 받치다. 버티다. ¶～棍子; 지팡이를 짚다 / ～颐; 〈文〉 손으로 턱을 받치다〔괴다〕 / 他没管到了该立起来的时候没有, ～着地就慢慢立起来, 腿已有些发木; 그는 일어서야 할 때가 왔는지 어떤지는 상관없이 땅바닥에 손을 짚고 천천히 일어섰는데, 발은 이미 마비되었다. ②가리키다. ③비난하다. 풍자(諷刺)하다.
〔拄腰儿〕 zhǔyāor 명 여자용 코르셋. =〔夹腰带〕〔紧jǐn腰衣〕

麈 zhǔ (주)
명 ①〈文〉 《動》 사슴의 일종(머리는 사슴, 다리는 소, 꼬리는 나귀, 목은 낙타를 닮아 속칭(俗稱) '四不像'이라 함). ②〈簡〉 '麈尾'(불자)의 약칭. ¶挥～; 〈文〉 먼지를 털다.

䜣(詝) zhǔ (저)
형 〈文〉 지혜롭다. 슬기롭다.

渚 zhǔ (저)
①명 〈文〉 강 가운데의 모래톱. ②명 물가. ③지명용 자(字). ¶张Zhāng～; 장주(張渚)(장쑤 성(江蘇省)에 있는 땅 이름) / 社Shè～; 서주(社渚)(장쑤 성(江蘇省)에 있는 땅 이름).

煮〈煑〉 zhǔ (자)
동 삶다. 끓이다. 익히다. ¶～面; 국수를 삶다 / ～饭; ⇩ / ～鸡; 닭을 삶다 / ～在锅里一个味儿; 〈諺〉 한패〔한통속〕이다.
〔煮饽饽〕 zhǔbōbo ⇨〔煮饺子〕
〔煮蚕机〕 zhǔcánjī 명 《紡》 자견기. 누에고치 삶는 기계.
〔煮稠〕 zhǔchóu 동 바짝 졸이다.
〔煮大红〕 zhǔdàhóng 명 《染》 빨간 색의 일종. ¶直接～; 콩고레드(Congored)의 일종. =〔煮红〕
〔煮豆燃萁〕 zhǔ dòu rán qí 〈成〉 혈육끼리 서로 박해하다. 골육상잔(骨肉相殘). =〔相煎太急〕
〔煮饭〕 zhǔ.fàn 동 밥을 짓다.
〔煮嘎嘎儿〕 zhǔgágar 명 옥수수 가루로 만든 방추형의 경단.
〔煮滚〕 zhǔgǔn 동 끓어오르다. 펄펄 끓다.
〔煮鹤焚琴〕 zhǔ hè fén qín 〈成〉 학을 삶아 먹고, 거문고를 장작삼아 때다(좋은 것을 못쓰게 만들다).
〔煮红〕 zhǔhóng 명 ⇨〔煮大红〕
〔煮鸡蛋〕 zhǔjīdàn ①명 삶은 달걀. ②(zhǔ jīdàn) 달걀을 삶다.
〔煮夹生饭〕 zhǔ jiāshēngfàn ①설익은 밥을 짓다. ②〈比〉 불충분하다. 애매하다. 철저하지 않다.
〔煮饺子〕 zhǔjiǎozi ①명 삶은 만두. ②(zhǔ jiǎozi) 물만두를 삶다. ‖ =〔〈北京〉 煮饽饽〕
〔煮开〕 zhǔkāi 동 ①부글부글 끓어오르다. ②끓여서 녹이다.
〔煮烂〕 zhǔlàn 동 흐물흐물해질 때까지 푹 삶다.
〔煮老〕 zhǔlǎo 동 너무 삶아서 딱딱해지다.
〔煮茗〕 zhǔmíng 동 〈文〉 차를 끓이다.
〔煮嫩〕 zhǔnèn 동 삶아서 물렁물렁하게 하다.
〔煮去〕 zhǔqù 동 바짝 졸이다.
〔煮熟〕 zhǔshú 동 알맞게 삶(아지)다.
〔煮熟了的鸭子飞了〕 zhǔshúle de yāzi fēi le 〈諺〉 푹 삶은 오리가 도망치다(기대〔예상〕에 어긋나다).
〔煮透〕 zhǔtòu 동 흠씬 무르다. 푹 삶다.

褚 zhǔ (저)
〈文〉 ①명 풀솜. ②동 옷에 풀솜을 두다. ③명 풀솜을 둔 옷. ④동 비축하다. ⑤명 관(棺)에 덮는 붉은 천. ⑥명 주머니. 자루. ⇒ Chǔ

属(屬) zhǔ (촉)
동 〈文〉 ①연하다. 접하다. 연결하다. ¶前后相～; 앞뒤로 연달다 / 使者相～于道; 사자가 잇따르다. ②(주의나 기대 등을) 한 곳에 집중하다. 기울이다. ¶～垣yuán有耳; ⇩ ③글을 짓다. ④'嘱'와 통용. ⇒shǔ

〔属草〕 zhǔcǎo 통 ⇨〔属稿〕
〔属辞比事〕 zhǔ cí bǐ shì 〈成〉 관계있는 말로 비유하다. ¶以～说明之; 관계있는 말로 비유하여 이를 설명하다.
〔属对〕 zhǔduì 통 〈文〉 대구(對句)를 만들다《보통 '对对子' '配pèi对子'라 함》.
〔属耳目〕 zhǔ ěrmù 이목을 집중시키다. 주목을 끌다. ¶恐国人之～于我也; 나라 사람이 자기에게 주목하는 것이 두려운 것이다.
〔属稿〕 zhǔgǎo 통 집필을 의뢰하다. =〔属草〕
〔属和〕 zhǔhè 통 〈文〉 화답(和答)하다.
〔属纩〕 zhǔkuàng 〈文〉 통 (숨이 끊어지는 것을 확인하기 위해) 숨을 거두려는 사람의 코앞에 솜을 대다. ¶～以俟气绝; 솜을 코 앞에 대고 임종(臨終)을 지키다. 명 〈轉〉 임종.
〔属书〕 zhǔshū 통 〈文〉 (위촉 받고) 글씨를 쓰다. 시문(詩文)을 쓰다《'某某同志～' 등으로 자기 서명 앞에 씀. 겸손하지 않은 표현임》.
〔属托〕 zhǔtuō 통 촉탁하다. 부탁하다. 의뢰하다. =〔嘱托〕
〔属望〕 zhǔwàng 통 〈文〉 희망을 걸다. 기대하다. =〔属意〕〔瞩望①〕
〔属文〕 zhǔwén 통 〈文〉 글을 짓다. ⇒shǔwén
〔属意〕 zhǔyì 통 〈文〉 ⇨〔属望〕
〔属垣有耳〕 zhǔ yuán yǒu ěr 〈成〉 벽에 귀가 있다. 낮말은 새가 듣고, 밤말은 쥐가 듣는다《엿듣는 사람이 있다》.

斸(斸〈斵〉) zhǔ (촉)
통 〈文〉 자르다. 절단하다. 베다.

嘱(囑) zhǔ (촉)
통 ①분부하다. 부탁하다. 당부하다. ¶遗～; 유언 / 叮～; 알아듣게 타이르다. ②의뢰하다.
〔嘱笔〕 zhǔbǐ 통 〈文〉 (편지 쓰는 김에) 안부 전해 줄 것을 부탁하다. ¶家母～致候; 〈翰〉 어머니께서도 안부 전하시라는 부탁이십니다.
〔嘱咐〕 zhǔfù 통 ①분부하다. 명(命)하다. ¶我～过他的; 그에게 당부해 두었다. ②부탁하다.
〔嘱购〕 zhǔgòu 통 〈文〉 부탁하여 구입하다.
〔嘱托〕 zhǔtuō 통 의뢰하다. 부탁하다. ¶他把这件事～给朋友了; 그는 이 일을 친구에게 부탁했다. =〔属托〕
〔嘱言〕 zhǔyán 명 〈文〉 ①전언(傳言). ②유언(遺言).

瞩(矚) zhǔ (촉)
통 〈文〉 눈여겨보다. 똑바로 한 곳만 보다. 주시〔주목〕하다.
〔瞩目〕 zhǔmù 통 〈文〉 주시하다. 주목하다. ¶大家～; 모두 주의해서 보다 / 令人～; 뭇 사람이 이목을 집중하다.
〔瞩望〕 zhǔwàng 통 〈文〉 ①⇨〔属望〕 ②주시(注視)하다.

宁〈宁〉 zhù (저)
①명 문과 담과의 사이. ②통 ⇨〔伫〕 ③명통 ⇨〔贮〕

伫〈佇, 竚〉 zhù (저)
통 〈文〉 멈춰 서다. 오랫동안 서 있다. =〔宁②〕
〔伫候〕 zhùhòu 통 〈文〉 ①서서 기다리다. ②기대하다. ¶～回音; 회신을 기다리다. ‖=〔伫俟〕
〔伫立〕 zhùlì 통 〈文〉 (오래도록) 서 있다. ¶～凝思; 서서 골똘히 생각하다.
〔伫俟〕 zhùsì 통 〈文〉 ⇨〔伫候〕

苎〈苧〉 zhù (저)
→〔苎麻〕
〔苎麻〕 zhùmá 명 〈植〉 모시풀. =〔纻①〕

纻(紵) zhù (저)
명 ①⇨〔苎麻〕 ②모시. 저포(紵布).

贮(貯) zhù (저)
①통 저축하다. 여투다. 모아두다. 저금하다. ②명 저축. 여축. ‖=〔宁③〕
〔贮备〕 zhùbèi 통 저축하다. 비축하다. ¶～粮食; 식량을 비축하다.
〔贮藏〕 zhùcáng 통 〈文〉 저장하다.
〔贮存〕 zhùcún 통 저축해두다. 저장하다.
〔贮点红〕 zhùdiǎnhóng 명 ⇨〔朱zhū顶(雀)〕
〔贮积〕 zhùjī 통 〈文〉 저장하다.
〔贮量〕 zhùliàng 명 저장량. 매장량.
〔贮墨管〕 zhùmòguǎn 명 잉크홀더(inkholder).
〔贮收〕 zhùshōu 통 저장하다.
〔贮蓄〕 zhùxù 명통 ⇨〔储chǔ蓄〕

住 zhù (주)
①통 살다. 거주하다. ¶我～在上海; 나는 상하이(上海)에 살고 있다 / 你家～在哪儿? 어디 살고 계십니까? ②통 묵다. 숙박하다. 머무르다. ¶～一天; 1박하다 / ～病院; 입원하다 / ～一个晚上; 하룻밤 묵다. ③통 들어가 살다. 안잠자다. ¶十岁上就～长工; 10세에 벌써 머슴으로 들어가 살았다 / ～过主, 种过地; 머슴이 되어 농사를 짓다. ④(～了) 통 정지하다. 멈추다. 그치다. ¶不～嘴地说; 계속해서 지껄이다 / 雨～了没有? 비는 그쳤느냐? / ～了辘轳干了畦; 우물의 고패가 멈추면 이랑이 마른다《일을 하지 않으면 목구멍에 거미줄 친다》. ⑤동사의 뒤에 놓여 동작이 안정·확실함을 나타내는 결과 보어로 쓰임. ¶站～了脚; 걸음을 멈추었다 / 小孩儿一会也闲不～; 아이들은 잠시도 가만히 있지 않는다 / 禁jīn不～; 참을 수 없다 / 站～, 别动! 서라. 꼼짝 마! / 记～; 단단히 기억하다 / 把～了舵; 키를 꼭 잡았다 / 拿～; 꽉 잡다 / 一句话把他问～了; 한 마디가 그를 꼼짝 못 하게〔말문이 막히게〕 했다 / 愣～了; 어이가 없어졌다. ⑥명 거주(居住).
〔住笔〕 zhùbǐ 통 (서예에서) 붓을 멈추다. 쓰기를 그만두다. ↔〔落luò笔〕
〔住步〕 zhùbù 통 〈文〉 멈추다. 정지하다.
〔住不开〕 zhùbukāi (장소가 충분치 않아서) 살 수 없다. 숙박시킬 수 없다. ¶人多房子小～; 사람은 많고 집은 작아서 살 수 없다. ↔〔住得开〕
〔住不起〕 zhùbuqǐ (비용이 없어서〔집세가 비싸서〕) 살 수 없다.
〔住不住〕 zhùbuzhù 발 붙이고 살 수 없다. 눌러 살 수 없다.
〔住舱〕 zhùcāng 명 기선·군함 등의 거주(居住) 선실.
〔住持〕 zhùchí 명통 절의 주지(가 되다). =〔住僧〕
〔住处〕 zhùchù 명 ⇨〔住址〕
〔住店〕 zhùdiàn 통 투숙하다. 여관에 묵다.
〔住读〕 zhùdú 통 기숙사에 들어가서 공부하다. ¶～的 =〔～生〕〔寄宿生〕; 기숙생. ↔〔走读〕
〔住对月〕 zhùduìyuè 명 결혼 후 만 1개월만에 친정으로 가는 일.
〔住房〕 zhùfáng 명 ①주택. ¶～问题; 주택 문제 / ～支出; 주택비 / ～的 =〔房客〕; 세 사는 사람

城市～还很紧张; 도시의 주택은 아직 부족하다. ②거실(居室).
〔住户〕 zhùhù 명 ①거주자. 가구. 세대. ¶大院里有三家～; 공동 주택에는 세 가구가 살고 있다 / ～用电要注意安全; 거주자는 전기 안전에 주의하시오. =〔住家儿的〕〔住家主儿〕 ②주택. 여염집.
〔住家〕 zhùjiā 명 ①집의 소재지. 주거. ②세대(世帶). ¶～不少; 세대수가 많다. 동 ①살다. 거주하고 있다. ¶在郊区～; 교외에 살고 있다. ②근친(覲親) 가다.
〔住家(儿)〕 zhùjiā(r) 명 ⇨〔住宅〕
〔住家主儿〕 zhùjiāzhǔr 명 거주인. 주민. 가구. 세대. =〔住家儿的〕〔住户①〕
〔住脚儿〕 zhùjiǎor 명 ⇨〔住址〕 동 멈추다. ¶这雨下得不～; 이 비는 멈추지 않는다.
〔住街坊〕 zhù jiēfang 이웃에 살다.
〔住局〕 zhùjú 동 옛날 기루에서 일박하다. →〔小xiǎo局〕
〔住口〕 zhù.kǒu 동 말을 그치다. 입을 다물다《흔히, 나무라거나 욕하는 의미로 쓰임》. ¶快给我～! 지껄이지 마라! =〔住嘴〕
〔住忙日〕 zhùmángrì 명 《宗》 이슬람교도의 안식일.
〔住民〕 zhùmín 명 주민. 거주민.
〔住娘家〕 zhù niángjiā (시집간 사람이) 친정으로 돌아가 잠시 머물다. →〔回huí门〕
〔住僧〕 zhùsēng 명동 ⇨〔住持〕
〔住声〕 zhù.shēng 동 우는 것을 그치다. ¶死人是哭不活的哟, 都～! 我们得办事!《老舍 四世同堂》 죽은 사람이 운다고 살아오는 것은 아니니, 모두들 울음을 그치시오! 장례식을 치루어야 할 테니까!
〔住手〕 zhù.shǒu 동 손을 멈추다. 손의 움직임을 멈추다. 일을 그치다. ¶他不做完不肯～; 그는 끝낼 때까지 손을 멈추려 하지 않는다 / ～! 他大声喊! 멈춰! 그는 크게 소리쳤다. =〔停tíng手〕
〔住宿〕 zhùsù 동 묵다. 숙박하다. ¶安排～; 숙소를 마련해주다 / 临时～; 임시 주소 / 为旅客介绍～; 여객을 위하여 숙소를 소개하다 / ～条件; 숙소 조건 / 在学校～; 학교에서 기숙하다. =〔歇xiē宿〕
〔住所〕 zhùsuǒ 명 ①주소. 소재지. ②체재지.
〔住头儿〕 zhùtour 명 살 만한 가치. 묵는 맛. ¶没有大～; 별로 살 만한 가치가 없다.
〔住闲〕 zhùxián 동 직업없이 친척이나 친구네 집에서 식객 노릇을 하다.
〔住校〕 zhù.xiào 동 ①학교 안에 살다. ¶～生 =〔住读生〕〔寄jì宿生〕; 기숙생. ②학창 생활을 보내다.
〔住夜〕 zhù.yè 동 ①숙소를 정하다. 여관에 들다. ②하루 저녁 묵다.
〔住院〕 zhù.yuàn 동 입원하다. ¶～费fèi; 입원비용 / 住了三天院; 3일간 입원했다 / ～助理医生; 인턴(intern).
〔住宅〕 zhùzhái 명 주택《대개 뜰 등이 딸린 비교적 큰 집》. ¶～区; 주택 지구. 주택가. =〔住家(儿)〕
〔住址〕 zhùzhǐ 명 주소. =〔住处〕〔住脚儿〕〔居jū址〕
〔住嘴〕 zhù.zuǐ 동 말을 그만두다. 입을 다물다. ¶～! 赶快给我滚; 입닥쳐〔시끄럽다〕! 빨리 꺼져! =〔住口〕〔少shǎo说话〕

注〈註〉B) **zhù** (주)
A) ① 동 붓다. 주입하다. 쏟다. ¶把铅～在模里; 납을 거푸집에 붓다 / 大雨如～ =〔大雨倾盆〕; 〈成〉 큰비가 억수로 쏟아지다. ② 동 (정신이나 힘 등을) 한 곳에 집중하다. ¶～目; 주목하다 / ～视; 주시하다. ③ 명 (도박에) 거는 돈. ¶下～; 돈을 걸다 / 孤～一掷; 〈成〉 마지막 남은 것을 걸다. 흥하느냐 망하느냐의 단판내기를 하다. ④ 양 차례. 번. 꾸러미. 뭉치《금전 · 거래를 세는 단위》. ¶跟他不过做了一两～交易; 그와는 한두 번 거래를 했을 뿐이다 / 他早想在路上拾得一～钱; 그는 진작부터 길에서 돈이라도 한뭉치 주웠으면 하고 생각했다.
B) ① 명동 주석(註釋)(하다). 주해(註解)(하다). ¶～解; ⇩ / ～音; ⇩ / ～上声调符号; 성조 기호를 붙이다 / 加～ =〔附fù～〕; 주를 달다. ② 동 기재(記載)하다. 등록하다. ¶～册; ⇩
〔注册〕 zhùcè 명동 ①기장(記帳)(하다). ②등기(하다). 등록(하다). ¶～商标; 등록 상표 / 呈请～; 등록 출원 / ～会计师; 공인 회계사 / 新生报到～从九月一日开始; 신입생 등록은 9월 1일부터 시작합니다. ‖ =〔登簿〕〔登册〕〔登录〕
〔注定〕 zhùdìng 동 타고나다. 운명으로 정해져 있다. ¶命中～; 〈成〉 운명에 의해 정해져 있다 / 前生～的; 전생의 인연으로 정해져 있다. 부 반드시. 필히. 필연적으로. ¶他不是～该做救星的人物; 그는 꼭 구세주가 될 만한 인물은 아니다.
〔注记〕 zhùjì 동 주기하다. 주를 달다.
〔注脚〕 zhùjiǎo 명 ⇨〔注解〕
〔注解〕 zhùjiě 명 주석(注釋). 주해. =〔注脚〕 동 주석하다. 주해하다. ‖ =〔注释〕
〔注明〕 zhùmíng 동 상세히 주기(注記)하다. 주석하여 밝히다.
〔注目〕 zhùmù 동 주목하다. ¶引人～; 남의 주목을 끌다 / ～! 주목!《구령》 / ～礼; 《軍》 주목의 예(禮).
〔注慕〕 zhùmù 동 〈文〉 진심으로 경모(敬慕)하다.
〔注念〕 zhùniàn 동 〈文〉 유념하다. 마음에 두다. 마음에 새기다.
〔注儿〕 zhùr 명 주석(註釋). 주해(註解). ¶连正文儿带～一齐读; 본문과 주를 같이 읽다. =〔小注(儿)〕
〔注入〕 zhùrù 동 ①주입하다. 부어 넣다. ②유입하다. 흘러 들어가다. ¶长江～东海; 장강은 동해로 흘러 들어간다.
〔注射〕 zhùshè 명동 주사(하다). ¶～液yè; 주사액 / ～器; ⓐ주사기. ⓑ스포이트. 주입기《만년필용의 것은 '吸xī墨水管'이라 함》 / ～剂jì =〔针zhēn剂〕; 주사약 / 静脉jìngmài～; 정맥 주사 / 皮pí下～; 피하 주사 / 肌jī内～ =〔肌肉～〕; 근육 주사 / ～预防针; 예방 주사를 놓다. =〔扎zhā针②〕〔打dǎ针〕
〔注射模塑法〕 zhùshè mósùfǎ 명 사출 성형(射出成型).
〔注失〕 zhùshī 동 ①분실 신고를 관계 기관에 내다. →〔挂失〕 ②유실(遺失) 무효를 신고하다.
〔注视〕 zhùshì 명동 주시(하다). ¶他目不转睛地～着窗外; 그는 눈도 깜짝하지 않고 창밖을 주시하고 있다.
〔注释〕 zhùshì 명동 ⇨〔注解〕
〔注疏〕 zhùshū 명 〈文〉 주소(註疏). 주해(注解).
〔注水〕 zhùshuǐ 명 수공법(水攻法)《석유 채유법(採油法)의 하나》.
〔注文〕 zhùwén 명 주석(注釋). 주해(注解).
〔注夏〕 zhùxià 명동 ⇨〔苦kǔ夏〕
〔注销〕 zhùxiāo 동 (등기한 것을) 취소하다. 무효로 하다. ¶～假期; 휴가를 취소하다 / ～支票; 무효 수표 / 这笔账～了; 이 빚은 청산되었다.

〔注意〕 zhù.yì 동 주의하다. 조심하다. ¶～身体; 몸조심하다 / ～安全; 안전에 주의하다 / 提请～; 주의를 촉구하다 / ～倾听; 주의깊게 듣다 / ～事项; 주의 사항 / 谁也没有～到这一点; 이 점에는 아무도 주의를 기울이지 않았다 / ～, 别感冒; 감기 들지 않도록 조심하여라 / 你要～, 恐怕内有文章; 조심해라, 뭔가 꿍꿍이가 있을 것 같다. (zhùyì) 명 주의. 조심.

〔注音〕 zhù.yīn 동 (문자·부호 등으로) 발음을 나타내다.

〔注音字母〕 zhùyīn zìmǔ 명 《言》 주음 부호(한자(漢字)의 음을 표시하는 중국식 발음 부호. 1918년 제정했으며, 'ㄅㄆ ㄇㄈ…' 등 24개의 성모(聲母)와 'ㄚㄛㄜ…' 등 16개의 운모(韻母)가 있음). =〔注音符号〕〔国音字母〕

〔注油机〕 zhùyóujī 명 주유기. 오일러(oiler).

〔注重〕 zhùzhòng 동 중히 여기다. 중시하다. ¶～外语; 외국어를 중시하다 / 总得～信用; 신용을 중히 여기지 않으면 안 된다.

〔注子〕 zhùzi 명 〈古白〉 술을 데우는 병(瓶).

驻(駐) zhù (주)
동 ①머무르다. 체류(滯留)하다. 주류(駐留)하다. ¶韩国～中国大使; 중국 주재 한국 대사. ②멈추다. 정지하다.

〔驻跸〕 zhùbì 동 〈文〉 임금이 행차 때 중도에서 잠시 멈추어 머무르다. =〔驻辇〕

〔驻波〕 zhùbō 명 《物》 정상파(定常波).

〔驻地〕 zhùdì 명 ①주둔지. ②(지방 행정 기관의) 소재지.

〔驻防〕 zhùfáng 동 주둔하여 방비(防備)에 임하다.

〔驻节〕 zhùjié 명 〈文〉 외국에 주재하는 사절. ¶～公使; 변리 공사.

〔驻军〕 zhù.jūn 동 군대를 주둔시키다. (zhùjūn) 명 주둔군. 주둔하고 있는 군대.

〔驻辇〕 zhùniǎn 동 ⇨〔驻跸〕

〔驻使〕 zhùshǐ 명 〈簡〉 외국 주재의 대사(大使)·공사(公使).

〔驻守〕 zhùshǒu 동 주둔 방비하다. 주둔하여 지키다. ¶部队～在一个村子里; 부대는 한 마을에 주둔하고 있다.

〔驻屯〕 zhùtún 동 ⇨〔屯驻〕

〔驻外全权代表〕 zhùwài quánquán dàibiǎo 명 외국 주재 전권 대표.

〔驻外使节〕 zhùwài shǐjié 명 외국 주재 사절.

〔驻颜〕 zhùyán 동 〈文〉 아름다운 용모를 간직하다. ¶她天生丽质, 又～有术; 그녀는 천생의 미인이고, 또 아름다움을 간직하는 방법도 알고 있다.

〔驻在国〕 zhùzàiguó 명 주재국.

〔驻扎〕 zhùzhā 동 ①(군대가) 주둔하다. ¶～兵力; 주둔 병력. ②관리가 임지(任地)에 주재하여 근무하다.

〔驻足点〕 zhùzúdiǎn 명 입각점(立脚點).

炷 zhù (주)
①명 〈文〉 등심(燈心). 심지. ¶灯～将尽; 심지가 다 타려 하고 있다. ②양 개(불을 붙인 향(香)을 세는 단위). ¶一～香; (불을 붙인) 한 개〔대〕의 향. ③동 〈文〉 (향을) 태우다. 사르다. ¶以火～艾; 쑥에 불을 붙이다.

〔炷香〕 zhùxiāng 동 선향(線香)을 피우다. =〔烧shāo香〕

柱 zhù (주)
명 ①(～儿, ～子) 기둥. ¶支～; 지주 / 梁～; 대들보를 받치는 기둥. ②기둥 모양의 것. ¶水～; 물기둥 / 冰～; 얼음 기둥. 고드름 / 江瑶～; 《貝》 키조개〔또는 가리비〕의 조개 관자 / 胶～鼓瑟; 〈成〉 기러기발을 아교로 붙여 놓고 큰 거문고를 울리다(융통성이 없다). ③《數》 원기둥. 원주.

〔柱臣〕 zhùchén 명 〈文〉 나라의 중신(重臣).

〔柱齿轮〕 zhùchǐlún 명 《機》 볼트 톱니바퀴.

〔柱顶石〕 zhùdǐngshí 명 주춧돌. 초석.

〔柱光〕 zhùguāng 명 타워 스폿(tower spot).

〔柱脚(石)〕 zhùjiǎo(shí) 명 토대석(土臺石). 주춧돌.

〔柱廊〕 zhùláng 명 《建》 주랑. 열주(列柱).

〔柱螺栓〕 zhùluóshuān 명 ⇨〔双shuāng头螺栓〕

〔柱面〕 zhùmiàn 명 《數》 주면체(柱面體).

〔柱塞〕 zhùsāi 명 《機》 막대 피스톤. ¶唧筒～; 펌프의 피스톤.

〔柱身〕 zhùshēn 명 《建》 주신. 주체.

〔柱石〕 zhùshí 명 ①주석. 초석. ②〈比〉 국가의 중임을 짊어진 사람.

〔柱头〕 zhùtóu 명 ①《建》 기둥의 선단부(先端部). ②〈南方〉 기둥. ③《植》 주두(柱頭).

〔柱壮〕 zhùzhuàng 형 건장하다.

〔柱状节理〕 zhùzhuàng jiélǐ 명 《地質》 주상 절리.

〔柱子〕 zhùzi 명 기둥.

疰 zhù (주)
① 명 《漢醫》 여름철에 장기간 열이나는 병(땀내는 기능의 장애로 인하며, 소아에게 많음). 주하증. ② 동 〈文〉 여름 타다. ¶～夏 =〔注夏〕; ⓐ여름을 타다. ⓑ《漢醫》 주하증.

砫 zhù (주)
지명용 자(字). ¶石Shí～; 스주(石砫)(쓰촨성(四川省)에 있는 현(縣) 이름. 지금은 '石柱'로 씀).

蛀 zhù (주)
① 명 《蟲》 좀. ¶～米虫; 〈罵〉 식충이. 밥벌레. ② 동 벌레먹다. 좀먹다. ¶木板～了一个窟窿; 나무 판자에 벌레가 먹어 구멍이 한 군데 뚫렸다 / 他把主任的指示～了; 그는 주임의 지시를 무시했다.

〔蛀齿〕 zhùchǐ 명 충치. =〔蛀牙〕〔虫chóng吃牙〕

〔蛀虫〕 zhùchóng 명 ①《蟲》 (나무·옷·책·곡식 등을 먹는) 벌레(좀·나무좀 따위의 총칭). ②〈轉〉 (조직 따위를 파괴하는 숨은) 악질 분자.

〔蛀空〕 zhùkòng 동 ①벌레 먹어서 속이 비다. ②(서서히) 공동화(空洞化)하다. ¶从内里～; 안으로부터 공동화하다.

〔蛀烂〕 zhùlàn 동 벌레에 먹혀 망치다. 좀이 쏠아 썩다.

〔蛀木虫〕 zhùmùchóng 명 《蟲》 나무좀.

〔蛀蚀〕 zhùshí 동 벌레〔좀〕 먹다. ¶用凿子把地板撬开来, 发现木板已被～一空; 끌로 바닥널을 뜯어 내어 보니, 널빤지가 온통 벌레가 먹어 속이 비어 있음을 알았다.

〔蛀夏〕 zhùxià 동 여름을 타다. =〔苦kǔ夏〕

〔蛀心虫〕 zhùxīnchóng 명 《蟲》 ①삼화명충(三化螟蟲)의 별칭. ②뽕나무하늘소의 별칭. =〔钻zuān心虫〕

〔蛀牙〕 zhùyá 명 ⇨〔蛀齿〕

助 zhù (조)
동 ①돕다. 협력하다. ¶互～; 서로 돕다 / 协～; 협력하다 / 拔刀相～; 〈成〉 칼을 뽑아 가세(加勢)하다 / ～我一臂之力; 나에게 힘이 되어 주다. ②구제하다.

〔助臂〕 zhùbì 동 일손을 돕다. 조력하다. 힘을 써 주다.
〔助产士〕 zhùchǎnshì 명 조산원.
〔助词〕 zhùcí 명 《言》 조사(구조(構造) 조사(的, 地, 得, 所 등)·시태(時態) 조사(了, 着, 过 등)·어기(語氣) 조사(呢, 吗, 吧, 啊 등)으로 나뉨).
〔助胆儿〕 zhù∙dǎnr 동 가세(加勢)하여 힘을 북돋다. 마음 든든하게 해 주다.
〔助导〕 zhùdǎo 명 〈簡〉 ⇨〔助理导演〕
〔助动词〕 zhùdòngcí 명 《言》 조동사(가능(可能)·당연(當然)·필연(必然)·원망(願望) 등의 뜻을 나타냄. '能', '会', '该', '应该', '必须', '要', '肯', '敢', '愿意' 등이 있음. 대부분 동사나 형용사의 앞에 놓임. '我要糖' '他会英文'에서의 '要', '会'는 일반 동사).
〔助攻〕 zhùgōng 명동 《軍》 조공(하다).
〔助滑〕 zhùhuá 명동 《體》 (스키에서) 조주(助走)(하다)(점프 경기에서, 출발점에서 도약대까지의 준비 활주(滑走)).
〔助教〕 zhùjiào 명 (대학의) 조교.
〔助桀为虐〕 zhù Jié wéi nüè 〈成〉 악인을 도와서 나쁜 짓을 하다(걸(桀)은 하(夏)나라의 최후의 왕, 주(紂)는 상(商)나라의 마지막 왕으로 다 같이 폭군으로 유명함). =〔助纣Zhòu为虐〕
〔助捐〕 zhùjuān 동 기부하다. 의연(義捐)하다. 희사하다.
〔助款〕 zhùkuǎn 명 기부금.
〔助澜扬波〕 zhùlán yángbō 〈比〉 선동하여 일을 크게 만들다. 부채질하다. ¶他不出来给了liǎo事, 反而～地跟着在里面闹; 그는 나와서 조정하기는커녕 오히려 안에서 선동하여 함께 떠들어 댄다.
〔助理〕 zhùlǐ 명동 보좌(하다). 보조(하다). ¶～研究员; 보조 연구원 / 住院～医生 =〔实习医生〕; 인턴 / 部长～; 부장(장관) 보좌.
〔助理导演〕 zhùlǐ dǎoyǎn 명 (영화 등의) 조감독. =〔〈簡〉 助导〕
〔助力〕 zhù∙lì 동 조력하다. 도와 주다. ¶～器械; 《物》 작은 힘으로 큰 효과를 거두는 기계(지렛대·활차 같은 것).
〔助滤剂〕 zhùlǜjì 명 《化》 여과 조제(助劑).
〔助跑〕 zhùpǎo 명동 《體》 조주(助走)(하다). 도움닫기(하다).
〔助燃〕 zhùrán 동 《化》 연소를 돕다. ¶～剂; 연소 촉진제.
〔助人为乐〕 zhù rén wéi lè 〈成〉 남을 돕는 것을 기쁨으로 여기다.
〔助熔剂〕 zhùróngjì 명 용제(熔劑)(용광로에서 금속이나 연료의 불순물을 화합시켜서 '熔渣zhā'(용재)를 만들게 하는 재료로, 석회석이 쓰임). =〔熔剂〕
〔助势〕 zhùshì 명 《法》 범죄를 성원하고 실제로는 실행하지 않은 자. 방조. (zhù∙shì) 동 조세하다. 기세를 돋우다.
〔助手〕 zhùshǒu 명 조수.
〔助听器〕 zhùtīngqì 명 보청기.
〔助威〕 zhù∙wēi 동 응원하다. 가세하다. 성원하다. 흥을 돋구다. ¶鼓掌～; 손뼉을 치고 응원하다. =〔助战②〕
〔助我张目〕 zhù wǒ zhāng mù 〈成〉 남의 찬성으로 기세를 얻어 의기가 더욱 왕성해지다.
〔助兴〕 zhù∙xìng 동 흥을 돋우다. ¶唱支歌～; 한 곡 불러 흥취를 돋우다.
〔助选团〕 zhùxuǎntuán 명 선거의 응원 단체.
〔助学金〕 zhùxuéjīn 명 (생활이 곤란한 학생에게 지급하는) 장학금. →〔奖学金〕
〔助演〕 zhùyǎn 동 조연하다. 연기를 돕다. 명 조연(자).
〔助战〕 zhù∙zhàn 동 ①싸움을 돕다. 전투에 협력하다. ¶请求～; 원군을 청하다. ②응원하다. 가세하다. ¶小王摔跤, 他在旁边～; 왕군이 씨름하고 있는 것을, 옆에서 그가 응원하다. =〔助威〕
〔助长〕 zhùzhǎng 동 (좋지 않은 경향이나 현상을) 조장하다. ¶～了文艺创chuàng作中的公式化、概念化; 문예 창작에 있어서의 공식화·개념화를 조장했다 / ～了不良的风气; 좋지 않은 기풍을 조장했다.
〔助阵〕 zhùzhèn 동 ①전투를 원조하다. ②생산 현장을 돕다.
〔助赈〕 zhùzhèn 동 의연금을 기부하다.
〔助纣为虐〕 zhù Zhòu wéi nüè 〈成〉 ⇨〔助桀为虐〕
〔助装〕 zhù∙zhuāng 동 〈文〉 남에게 돈을 보내어 그 여비를 원조하다. (zhùzhuāng) 명 〈轉〉 전별 금품.

苎 zhù (저)
명 《植》 '荆jīng三棱'(매자기)의 고칭. ⇒xù

杼 zhù (저)
명 《紡》 ①(베틀의) 바디. ②(베틀의) 북.
〔杼轴〕 zhùzhóu 명 〈文〉 ①(베틀의) 바디집. ②〈比〉 문장의 구상(構想)〔짜임새〕.
〔杼子茭〕 zhùzijiāo 명 《植》 항저우(杭州) 산(産) 줄의 일종.

祝 zhù (축)
①동 기원하다. 빌다. 축원하다. ¶～你成功; 성공을 빕니다 / ～你一路平安; 여행 중 무사하시기를 빕니다. ②동 축하하다. 축복하다. ¶～寿; (노인의) 생일을 축하하다. 축수하다 / 敬～; 경축하다. ③동 신(神)에게 고(告)하다. ④동 〈文〉 끊다. 자르다. ¶～发文身; 머리를 짧게 자르고 몸에 문신하다. ⑤명 성(姓)의 하나.
〔祝词〕 zhùcí 명 ①축사. ¶致～; 축사를 하다. ②제문(祭文). 축문(祝文).
〔祝祷〕 zhùdǎo 동 축도하다. 축하하고 빌다. 축복을 빌다.
〔祝典〕 zhùdiǎn 명 축전. 축하 의식.
〔祝发〕 zhùfà 동 〈文〉 출발하다. 머리털을 자르다. 〈轉〉 출가(出家)하여 중이 되다.
〔祝福〕 zhùfú 명동 축복(하다). ¶请接受我诚恳的～; 저의 마음으로부터의 축복을 받아 주십시오. 명 섣달 그믐날에 천지에 제사지내고 행복을 빌던 지방의 구속(舊俗).
〔祝告〕 zhùgào 동 빌다. 기도하다. ¶焚香～; 향을 피우고 빌다.
〔祝贺〕 zhùhè 명동 축하(하다). ¶～你们超额完成了计划; 여러분이 목표액 이상을 달성한 것을 축하드립니다 / 表示热烈的～; 열렬한 축하의 뜻을 표합니다 / 致以节日的～; 명절을 축하드립니다.
〔祝捷〕 zhùjié 동 축승(祝勝)하다. 승리를 축하하다.
〔祝酒〕 zhù∙jiǔ 동 축배를 들다. 축배를 제의하다. ¶总理出席宴会并～; 총리는 연회에 출석하여 축배를 제의했다 / 致～词; (연회에서) 인사를 하다. 축배사를 하다.
〔祝融(氏)〕 Zhùróng(shì) 명 전설상의 불의 신의 이름. ¶～办虐nüè; 화재를 만나다. =〔祝诵

(氏)〕
〔祝寿〕 zhù·shòu 동 노인의 생신을 축하하다. =〔拜bài寿〕
〔祝颂〕 zhùsòng 동 〈文〉 축하하다. ¶宾主相互～; 주객이 서로 축하하다.
〔祝文〕 zhùwén 명 제문(祭文). 축문.
〔祝筵〕 zhùyán 명 축연. 축하연.
〔祝由科〕 zhùyóukē 명 주술(呪術)에 의한 미신적 치료법.
〔祝愿〕 zhùyuàn 동 축원하다. ¶～贵国繁荣昌盛; 귀국의 번영 창성을 축원합니다.

柷 zhù〔chù〕 (축)
명 《樂》 축《민속 음악에서 쓰는 목제. 타악기의 하나. 모양은 네모지고, 한가운데에 방망이를 넣어 좌우 양쪽을 침》.

著 zhù (저)
①형 현저하다. 분명하다. 저명하다. ¶昭～; 두드러지다 / 成绩卓～; 성적이 뛰어나다 / ～名的人; 저명 인사. ②동 저술하다. ¶他～了不少的书; 그는 많은 책을 썼다. ③동 나타내다. ¶颇～成效; 상당한 성적을 올리다. ④동 저축하다. ⑤동 정주(定住)하다. ⑥동 유명해지다. ⑦명 저술. 저작물. ⇒ '着' zhuó
〔著称〕 zhùchēng 형 유명하다. 이름나다. ¶以书法～的人; 서예(書藝)로 유명한 사람.
〔著录〕 zhùlù 명동 기록(하다). 기재(하다). ¶见于古人～; 고인의 저작 중에 기록되어 있다.
〔著名〕 zhùmíng 형 저명하다. 유명하다. ¶～人物; 저명한 인물 / ～学者; 저명한 학자 / ～人士; 저명 인사. (zhù·míng) 동 유명해지다. 이름이 나다.
〔著书〕 zhù·shū 동 저서하다. 책을 저작하다〔쓰다〕. (zhùshū) 명 저서. 저작한 책.
〔著书立说〕 zhùshū lìshuō 동 ⇨〔书说〕
〔著述〕 zhùshù 명동 저술(하다). =〔撰zhuàn述〕
〔著者〕 zhùzhě 명 저자. 작자.
〔著之书帛〕 zhù zhī shū bó 〈成〉 역사에 이름을 남기다. =〔著之竹帛〕
〔著作〕 zhùzuò 명동 저작(하다). ¶毛主席的～; 마오 주석의 저작 / ～物; 저작물 / ～权; 《法》 저작권 / ～等身; 〈比〉 저서가 많다.

箸〈筯〉 zhù (저)
명 〈方〉 젓가락. =〔〈口〉 筷子〕
〔箸匙〕 zhùchí 명 수저. 젓가락과 숟가락.
〔箸笼子〕 zhùlóngzi 명 젓가락통.

翥 zhù (저)
①동 〈文〉 새가 날아오르다. ¶龙翔凤～; 용이 오르고 봉황이 날다《필세(筆勢)가 힘차고 분방(奔放)함》. ②인명용 자(字).

铸(鑄) zhù (주)
동 주조(鑄造)하다. ¶～一口铁锅; 쇠냄비를 하나 주조하다.
〔铸币〕 zhùbì 동 화폐를 주조하다. ¶～局; 조폐국. 명 금속 화폐. 주화. =〔金属货币〕
〔铸成〕 zhùchéng 동 ①주조하여 만들다. ②〈轉〉 야기시키다. ¶由于粗心大意, 始～此误; 적당히 했던 탓으로, 끝내 이런 잘못을 야기시켰다.
〔铸成大错〕 zhù chéng dà cuò 〈成〉 커다란 과오를 저지르다. ¶有了小毛病不改, 难免以后不～; 작은 결점을 고치지 않고 있으면 나중에 중대한 잘못을 저지르지 않는다고 말할 수는 없다.
〔铸错〕 zhùcuò 동 〈文〉 중대한 과오를 범하다. →〔铸成大错〕
〔铸锭车间〕 zhùdìng chējiān 명 잉곳(ingot)을〔주괴(鑄塊)를〕 만드는 공장.
〔铸钢〕 zhùgāng 명 주강. ¶～轭è; 주철(鑄鐵) 멍에.
〔铸工〕 zhùgōng 명 ①주조 작업. ¶～车间; 주물 공장. ②주조공.
〔铸件〕 zhùjiàn 명 주물(鑄物). 주조물.
〔铸剑为犁, 马放南山〕 zhù jiàn wéi lí, mǎ fàng nán shān 〈成〉 군수 산업을 평화 산업으로 바꾸다. 전쟁을 종식 시키고 민생에 힘쓰다.
〔铸匠〕 zhùjiàng 명 주장. 주물사.
〔铸块〕 zhùkuài 명 잉곳(ingot). 주괴(鑄塊).
〔铸模〕 zhùmú 명 《機》 다이스(dies). 다이스형(型). ¶～石膏; 주형(鑄型) 플라스터.
〔铸钱〕 zhù·qián 동 화폐를 주조하다.
〔铸人〕 zhùrén 동 〈文〉 인재를 양성하다.
〔铸石〕 zhùshí 명 천연의 현무암·휘록암(輝綠岩) 또는 어떤 종류의 공업 찌꺼기를 주요 원료로 하여 만들어진 것.
〔铸铁〕 zhùtiě 명 주철. 선철(銑鐵). =〔〈俗〉 生铁〕〔铣铁〕
〔铸头出息〕 zhùtóu chūxī 명 화폐 주조세.
〔铸型〕 zhùxíng 명 잉곳 케이스. 주형.
〔铸造〕 zhùzào 명동 주조(하다)《보통의 주조를 '翻fān砂' 또는 '砂shā铸'라 하며, 다이캐스팅을 '压yā力浇jiāo铸' '压铸'라 함》. ¶～厂; 주조 공장.
〔铸字〕 zhù·zì 동 활자를 주조하다. 주자하다. (zhùzì) 명 주자. ¶～机; 활자 주조기.

筑(築)[A)] zhù (축)
A) ①동 흙을 다져 굳히다. ②동 건축하다. ¶～一座桥; 다리를 놓다 / 建～; 건축(하다) / 构～; 구축하다. ③명 토목 공사. ④명 방. 집. 건물. B) 명 《樂》 축《옛날, 거문고 비슷한 13현(絃)의 현악기》. C) (Zhù) 명 《地》 구이양(貴陽)의 별칭.
〔筑埂器〕 zhùgěngqì 명 《農》 두렁·이랑을 만드는 공구(工具).
〔筑路〕 zhùlù 동 도로〔철도〕를 수축(修築)하다.
〔筑室道谋〕 zhù shì dào móu 〈成〉 자기 집을 짓는 데 지나가는 사람에게 상담하다《정견(定見) 없이 갈팡질팡함》. ¶～, 三年不成; 〈成〉 이론이 백출하여 언제까지나 결말이 나지 않다.
〔筑造〕 zhùzào 동 축조하다. 건조(建造)하다. ¶～铁路; 철도를 부설하다.

ZHUA ㄓㄨㄚ

抓 zhuā (조)
동 ①긁다. ¶～痒痒儿; 가려운 데를 긁다. ②손톱으로 할퀴다. ¶这猫爱～人; 이 고양이는 사람을 잘 할퀸다 / 脸上～一道口子; 얼굴에 할퀸 상처가 한 줄기 생겼다. ③(움켜)잡다. 집다. ¶～一把米; 쌀을 한 움큼 쥐다 / ～阄(儿); 제비를 뽑다. ④붙잡다. 붙들다. ¶～贼; 도둑을 붙들다 / ～特务; 스파이를 붙잡다. ⑤어떻게 해서든지 구하다. 손에 넣다. ¶总得～剂药吃; 어떻게 해서라도 약을 손에 넣지 않으면 안 되겠는데. ⑥다투어 하다. 서둘러 하다. ¶几天里就把工作～完了; 며칠 사이에 일을 후다닥 해치웠다 / 这么些活儿, 真够你～的! 이렇게 많은 일이라 너는 정신이 없겠구나! ⑦(파리처럼) 찰싹 들러붙다. ¶虫子用爪儿在墙上～得很结实; 벌레가 발톱으로 벽에 착 달라붙어 있다. ⑧(사람의 흥미나 주의를) 잡아끌다. ¶这个演员一出场就～住了观众; 저 배우는 등장한 순간 관객을 완전히 사로잡았다. ⑨단단히 파악(把握)하다. ¶～住要点; 요점을 파악하다. ⑩〈俗〉 당황하다. 어찌할 바를 모르다. ¶那笔钱没进来, 我真～了! 그 돈이 들어오지 않아서, 정말 당황했단 말야! / 他遇见事就～; 그는 무슨 일이 있으면 허둥댄다.

〔抓辫子〕 zhuā biànzi 〈比〉 약점을 잡다.

〔抓膘〕 zhuā·biāo 동 (충분히 먹여서) 가축(家畜)을 살찌우다. ¶放青～; 방목(放牧)하여 가축을 살찌게 하다.

〔抓不过来〕 zhuābuguò·lái (바빠서) 손이 돌아가지 못한다.

〔抓不起来〕 zhuābuqǐ·lái ①(너무 묽러서) 집어 들 수 없다. ¶这面水掺chān多了～; 이 가루〔밀가루〕는 물을 너무 부어서 집어 들 수 없다. ②〈轉〉 …할 능력이 없다. ¶他抓不起这件事来; 그에게는 이 일을 할 힘이 없다.

〔抓彩〕 zhuā·cǎi 동 제비뽑다. 추첨하다. =〔打彩〕〔〈南方〉 摸mō彩〕

〔抓碴儿〕 zhuā·chár 동 〈方〉 트집을 잡다. 시시한 결점을 가지고 왈가왈부하다. ¶别招惹他, 他正～呢; 그를 건드리지 마라, 막 트집을 잡고 있는 판이니까. =〔〈方〉 抓茬儿〕

〔抓差〕 zhuāchāi 동 ①(옛날, 관청의 일을 시키기 위해서) 백성을 징발하다. =〔抓公差〕 ②〈轉〉 흔히, 본업 이외의 일을 시키다〔하게 하다〕.

〔抓车〕 zhuāchē 동 (강제로〔무리하게〕) 차를 징발하다.

〔抓大头〕 zhuā dàtóu ①봉으로 삼다. 봉잡다. =〔抓老赶〕 ②제비를 뽑(아서 누가 한턱 낼지 정하)다《'大头'라 쓴 제비를 뽑은 사람이 한턱 냄》.

〔抓典型〕 zhuā diǎnxíng (전면적으로 널리 퍼뜨리기 위하여) 전형적인 인물·일·지점(地點)의 경험 또는 교훈을 파악하다.

〔抓点〕 zhuā·diǎn 동 (경험을 파악하기 위해) 어느 점에 역점을 두다. ¶～带面; 어느 한 점에서 얻은 경험을 전면적으로 넓히다.

〔抓丁〕 zhuā·dīng 동 (옛날 강제로) 장정을 징발하다. ¶～扩军; 장정을 징발하여 군대를 확장하다. =〔拉lā丁①〕〔拉夫①〕

〔抓定〕 zhuādìng 동 확고하게 정하다. ¶～计划; 계획을 확고하게 정하다.

〔抓斗〕 zhuādǒu 명《機》 그랩(grab). ¶～挖wā土机; 그랩 굴착기 / ～起重机; 그랩 크레인.

〔抓赌〕 zhuā·dǔ 동 도박장을 급습하다. =〔抓局〕〔抄chāo赌〕

〔抓耳挠腮〕 zhuā ěr náo sāi 〈成〉 귀를 긁다가 턱을 만지다가 하다. ①매우 조급해하는〔안타까워하는〕 모양. ¶急得～; 조바심이 나서 안달하다. ②아주 기뻐하는 모양. ¶老太太喜得～地说, 这真出乎我的意料; 할머니는 가만히 있을 수 없을 정도로 기뻐서, 이것은 정말 뜻밖의 일이라고 말했다.

〔抓饭〕 zhuāfàn 명 (위구르 족이 즐겨 먹는) 양고기와 야채를 볶아 쌀밥에 섞은 것.

〔抓飞子〕 zhuāfēizǐ 명 조가비·잔돌·유리 구슬 따위를, 손가락으로 튕기어 상대의 것을 따먹는 여자 아이들의 놀이. 공기놀이. =〔抓子儿〕

〔抓风头〕 zhuā fēngtou ①형세를 살피다. 대세를 꿰뚫어보다. ②〈轉〉 망을 보다.

〔抓缝子〕 zhuāfèngzi 동 ①결점을 찾다. ②기회를 찾다.

〔抓夫〕 zhuāfū 동 인부를 강제 징발하다. =〔抓伕〕

〔抓伕〕 zhuāfū 동 ⇨〔抓夫〕

〔抓纲〕 zhuā·gāng 동 벼리를〔원칙을〕 틀어쥐다. 요점을 잡다. ¶～治国; 법강(法綱)을 틀어잡아 나라를 다스리다.

〔抓革命, 促生产〕 zhuā gémìng, cù shēngchǎn 혁명에 힘을 쏟아 생산을 촉진하다.

〔抓哏〕 zhuā·gén 동 연극에서 어릿광대나 만담가가 즉흥적인 대사로 손님을 웃기다. ¶～凑趣儿; 남을 웃음거리로 삼아 여러 사람을 웃기다.

〔抓工夫(儿)〕 zhuā gōngfu(r) 여가를 마련하다. 틈〔시간〕을 내다. ¶～当面儿谈谈; 틈을 내어 직접 말해 보도록 하자 / ～复习功课; 틈을 내어 학과를 복습하다. =〔抓空(儿, 子)①〕〔抓时间〕

〔抓公差〕 zhuā gōngchāi 동 ⇨〔抓差①〕

〔抓乖卖俏〕 zhuā guāi mài qiào 〈成〉 영리한 듯한 면을 보이거나 아첨하거나 하다.

〔抓戽〕 zhuāhù 명《機》 (흙 등을 치우는) 그랩(grab). =〔握wò扬器〕

〔抓会〕 zhuāhuì 동 낙찰계의 제비를 뽑다〔뽑아 낙찰되다〕.

〔抓获〕 zhuāhuò 동 붙잡다.

〔抓髻〕 zhuāji 명 ⇨〔髽髻〕

〔抓尖儿〕 zhuā·jiānr 동 맨 처음에 하다. 앞다투어 하다. ¶什么事情他老要～; 어떤 일이라도 그는 앞다투어 한다 / ～卖快; 남보다 먼저 하여 재빠른 솜씨를 보이다.

〔抓街〕 zhuājiē 동 거리에서 약탈하다.

〔抓紧〕 zhuājǐn 동 ①단단히 붙들다. …에 힘을 쏟다. ¶在工业方面, 必须首先～钢铁工业; 공업 방면에서는 우선 철강 공업에 힘을 쏟지 않으면 안 된다 / ～教育; 교육에 힘쓰다. ②(방식이나 훈련 등을) 죄어치다. (시간 따위를) 다그쳐서 하다. 조리차하다. ¶～时间一定要及时结束调查工作; 시간을 다그쳐 기일에 반드시 조사를 끝내야 한다 / ～运输; 수송을 긴축해서 하다.

〔抓阄(儿)〕 zhuā·jiū(r) 동 제비를 뽑다. 제비뽑기를 하다. =〔拈niān阄(儿)〕

〔抓局〕 zhuā.jú 동 ⇨〔抓赌dǔ〕

〔抓举〕 zhuājǔ 명《體》 (역도의) 스내치(snatch). 인상(引上).

〔抓空〕 zhuā·kōng 동 헛수고를 하다. 바람맞다. ¶又抓了个空; 또 바람맞았다.

〔抓空(儿, 子)〕 zhuā kòng(r, zi) 〈俗〉 ①틈을 내다. 시간을 내다. ¶～谈一谈; 틈을 내어 서로 이야기를 나누다. =〔抓工夫(儿)gòngfu(r)〕 ②허점(虛點)을 잡다.

〔抓老赶〕 zhuā lǎogǎn ⇨〔抓大头①〕

〔抓了〕 zhuāle →〔字解⑩〕

〔抓脸〕 zhuāliǎn (서로) 체면을 잃다. 지독한 창피를 당하다.

〔抓了芝麻, 丢掉西瓜〕 zhuāle zhīma, diūdiào xīguā 〈諺〉 깨알을 집다가, 수박을 떨어뜨리다《소(小)를 좇다가 대(大)를 잃음》.

〔抓理〕 zhuā.lǐ 동 구실을 잡(아 시비하)다.

〔抓脸〕 zhuā liǎn ①얼굴을 할퀴다. ②⇨〔抓破脸(儿)①〕

〔抓两头, 带中间〕 zhuā liǎngtóu, dài zhōngjiān 〈比〉 선진을 지지하고, 후진을 원조하여 대다수를 앞으로 나가도록 격려하다.

〔抓漏子〕 zhuā lòuzi 남의 말꼬리를 잡고 늘어지다.

〔抓毛〕 zhuāmáo 명 늦은봄·초여름 무렵의 양털.

〔抓迷糊〕 zhuā míhu 속(이)다. 바보 취급을 (당)하다. ¶这些家伙, 布袋里买猫, 尽jǐn抓咱们老百姓的迷糊; 이놈들은 자루에 든 고양이를 사는 것처럼, 우리 백성을 속이려고만 한다.
〔抓脑瓜皮〕 zhuā nǎoguāpí (두 팔로) 머리를 감싸쥐다. (겸연쩍어) 머리를 긁다. ¶急得他一个劲儿地～; 그는 초조해서 머리를 연신 쥐어 뜯었다.
〔抓挠〕 zhuānao 〈方〉 동 ①긁다. ②만지작거리다. ¶你别～东西; 물건을 만지면 안 된다 / 你在这儿～什么呢; 너는 여기서 무엇을 만지작거리고 있느냐. ③다투다. 드잡이하다. ¶他们俩～起来了; 그 두 사람은 싸우기 시작했다. ④괴롭히다. 들볶다. ¶他由着性儿～我; 그는 나를 실컷 괴롭힌다. ⑤야단법석을 떨며 하다. 바삐 하다. ¶一下子来了这么多的人吃饭, 大师傅怕～不过来吧; 한꺼번에 이렇게 많은 사람이 밥을 먹으러 오면, 주방장이 바삐 준비를 해도 제때에 해낼 수 없지. ⑥(어린아이가) 죄암죄암을 하다. ⑦손에 넣다. 명 ①(～儿) 주장(主張). 자신. 확신. 근거가 될 만한 것. 근거. ¶没～; 근거가 없다 / 统计表没有了, 没个～了; 통계표가 없어서 근거로 삼을 만한 것이 없다 / 心里没～, 事情真难办; 자기에게 자신이 없으면 일은 참으로 하기 어렵다. ②번거로운 잡무(雜務). 힘드는 일. ¶家里大大小小的事都是个～; 가정의 여러 가지 일도 귀찮은 일이다. ③방도. 대책. ④생각. 속셈.
〔抓年〕 zhuānián 동 연말에 바쁘게 돌아가다.
〔抓弄〕 zhuānòng 동 ①손에 넣다. 벌다. ¶一天～不少的钱; 하루에 상당한 돈을 번다 / 趁这好机会～～; 이 좋은 기회에 한 밑천 잡자. ②처리〔안배〕하다.
〔抓破〕 zhuāpò 동 할퀴어 찢다.
〔抓破脸(儿)〕 zhuāpò liǎn(r) 〈口〉 ①〈比〉 감정이 폭발하다. 불화가 표면화하다. 정면 충돌하다. ¶我和他～了; 나는 그와 정면 충돌하고 말았다 / 抓破了脸儿叫人家笑话; 불화가 표면화되면 다른 사람들한테 웃음거리가 된다. =〔抓脸②〕 ②꽃에 붉은 반점(斑點)이 있다. ¶那朵花儿是～的; 저 꽃은 붉은 반점이 있다.
〔抓钱〕 zhuā,qián 동 돈을 벌다. ¶热衷于～; 돈벌이에 열중하다.
〔抓钱会〕 zhuāqiánhuì 명 상호 신용계(契). 계(契).
〔抓俏〕 zhuāqiào 동 〈比〉 편리한 것만 찾다. 좋은 기회만 노리다. ¶他老想～, 没想到会吃了亏了; 그는 늘 잇속만을 차리는데, 그런 그가 손해를 봤다니 생각도 할 수 없다.
〔抓琴〕 zhuā,qín 동 거문고를 타다.
〔抓取〕 zhuāqǔ 동 잡아 빼앗다. 급히 잡아채다.
〔抓权〕 zhuā,quán 동 권력을 쥐다.
〔抓人〕 zhuā,rén 동 사람을 붙잡다.
〔抓生产〕 zhuā shēngchǎn 다그쳐 생산하다. 생산에 열을 올리다.
〔抓生活〕 zhuā shēnghuó (부하의) 살림〔생활〕에 특별히 관심을 갖다.
〔抓台式出发〕 zhuātáishì chūfā 명 《體》 수영에서, 손을 출발대의 위치에 대고 하는 출발.
〔抓糖人儿的〕 zhuātángrénrde 명 엿장수.
〔抓头〕 zhuā,tóu 동 머리를 긁다《난처할 때의 동작》. →〔挠náo头〕
〔抓头不是尾〕 zhuātóu bùshì wěi 〈比〉 우물우물하며 망설이다.
〔抓土攘烟(儿)〕 zhuātǔ rǎngyān(r) ⇨〔撒sǎ土攘烟(儿)〕
〔抓瞎〕 zhuā,xiā 동 〈京〉 (준비가 없어서) 당황하다. 허둥지둥하다. ¶应该提早, 不然临时可就～了; 당연히 시기를 앞당겨야 한다, 그렇지 않으면 그 때가 되어 당황하게 된다.
〔抓痒(痒)〕 zhuā,yǎng(yang) 동 가려운 데를 긁다.
〔抓药〕 zhuā,yào 동 ①약을 사다《한방(漢方)의 탕약을 살 때 손으로 집어서 계량(計量)하는 것. 환약(丸藥)·신약(新藥)을 살 때는 쓰지 않음》. ¶抓一剂药吃; 약을 사서 먹다. ②(한방 약국 또는 병원 내의 약국에서) 약을 조제하다.
〔抓一把〕 zhuā yībǎ 손에 가득히 잡다. 한움큼 잡다.
〔抓早儿〕 zhuāzǎor 동 일찌감치 하다. 서둘러서 하다《흔히 부사적으로 쓰임》. ¶～出城, 路上好走一点; 일찌감치 성문을 나서면, 도중에 좀 편하다. =〔趁chèn早(儿)〕〔打早儿〕〔赶gǎn早(儿)〕
〔抓纸蛋〕 zhuā zhǐdàn (종이에 글을 써서 뭉친) 제비를 뽑다.
〔抓纸阄儿〕 zhuā zhǐjiūr 종이를 꼰 심지 제비를 뽑다.
〔抓周(儿)〕 zhuāzhōu(r) 명 (돌날에 하는) 돌잡이. =〔试shì儿〕〔试周〕〔〈文〉 晬zuì盘〕
〔抓住〕 zhuā,zhù 동 ①단단히 붙잡다. ¶～他的胳膊; 그의 팔을 잡다 / ～机会; 기회를 잡다. ②(마음을) 사로잡다. 끌어당기다. ¶演员的表演～了观众; 배우의 연기는 관객을 사로잡았다. ③체포하다. 잡히다. ¶犯人被～了; 범인은 붙잡혔다.
〔抓抓挠挠〕 zhuāzhuanāonāo 형 ①매우 당황하여 허둥대는 모양. ¶我～地把饭吃了; 나는 허둥지둥 밥을 먹었다. ②주물러 대는 모양. 만지작거리는 모양.
〔抓子儿〕 zhuāzǐr 명 ⇨〔抓飞子〕
〔抓字匠〕 zhuāzìjiàng 명 식자공. =〔排pái字工人〕
〔抓总〕 zhuāzǒng 동 (일의) 총체(總體)를 파악하다.

挝(撾)

zhuā (과)
동 ①치다. 두드리다. ¶～鼓; 북을 울리다. ②잡다. 쥐다. ⇒wō

椝(檛〈簻〉)

zhuā (과)
명 〈文〉 (말의) 채찍. 매.

髽

zhuā (좌)
명 ①여자가 머리를 좌우로 갈라 둥글게 쪽찌는 방법. ②부인(婦人)의 상복(喪服).
〔髽髻〕 zhuāji 명 양쪽 귀 뒤로 둥글게 쪽찐 소녀의 머리. ¶～夫妻; 젊은 부부 / 那个小女孩子头上梳了两个～; 저 계집아이는 머리를 두 가닥으로 틀어 올렸다. =〔抓髻〕〔丫yā髻〕〔髽鬏(儿)〕

爪

zhuǎ (조)
명 ①(～儿, ～子) (조수(鳥獸)의) 발《대개는 날카로운 발톱이 있는 것을 말함》. ¶狗～; 개발 / 踩了猫～似地叫了一声; 고양이 발을 밟은 듯이 깩 하고 날카롭게 소리 질렀다. ②동물의 발처럼 생긴 것. ③(～儿) 기구(器具)의 다리. ¶三～儿盘子; 발 셋 달린 쟁반. ④《機》 래칫(ratchet). ¶绞车～; 윈치의 미늘 / 弹簧～; 스프링의 축. ⇒zhǎo
〔爪尖儿〕 zhuǎjiānr 명 (식용의) 돼지 족발. ¶清炖dùn～; 돼지 족을 뭉근한 불에 삶은 요리 / 红烧～; 돼지 족을 양념하여 푹 삶은 요리.
〔爪子〕 zhuǎzi 명 〈口〉 짐승의 발.

ZHUAI ㄓㄨㄞ

拽 **zhuāi** (예, 열)
①동〈方〉(힘껏) 던지다. ¶把球~过去; 공을 던져 주다 / ~在脖bó子后头 =〔扔在脖子后头〕; 〈比〉완전히 잊어 버리다. =〔掷zhì①〕 ②형〈京〉팔꿈치를 다쳐서 팔이 뻗어지지 않다. ¶右胳臂~了; 오른팔이 마비되어 있다. ③동 상대도 하지 않고 내버려 두다. 버리고 돌보지 않다. ¶把英文~在一边儿; 영어를 팽개쳐 버리고 공부하지 않다. ④동 쌀쌀한 말을 던지다. ⑤형〈京〉위가 (체한 듯) 트릿하다. 속이 메슥메슥하다. ¶我这几天心里老~得慌; 나는 요 며칠 소화가 안 되어 늘 속이 더부룩하다. ⇒zhuài, '曳' yè

〔拽咧子〕 zhuāiliēzi ⇨〔骂咧子〕

转(轉) **zhuǎi** (전)
→〔转文〕 ⇒zhuǎn zhuàn

〔转文〕 zhuǎi·wén '转文zhuǎn·wén'의 우독(又讀).

跩 **zhuǎi** (세)
동〈方〉①오리 모양으로 천천히 뒤뚱뒤뚱 걷다. 어기적거리다. ¶一个胖子走道儿一~一~的; 한 뚱뚱보가 뒤뚱뒤뚱 길을 걷는다 / 看他小短腿走起来一~一~地真费劲; 그가 그 작고 짧은 다리로 어기적어기적 걸으면 정말 힘들어 보인다. ②아주 으스대다. ¶他发了横财可~起来了! 그는 떼돈을 벌고 대단히 위세를 떤다.

〔跩文〕 zhuǎiwén 동 ⇨〔转zhuǎn文〕

〔跩窝〕 zhuǎiwō 명 (차가 지나간 자리에 생기는) 움푹 팬 곳. ¶这条路上尽是~, 车子真不好走; 이 길은 온통 바퀴 자국으로 패어서 차가 정말 달리기 힘들다.

〔跩住〕 zhuǎizhù 동 자동차가 구덩이에 빠지다. ¶车~了; 차가 구덩이에 빠져 움직일 수 없게 되었다.

拽〈攞〉 **zhuài** (예, 열)
동〈方〉(갑자기 세게) 잡아당기다. (힘을 들여) 잡아끌다. ¶把门~上; 문을 쭉 잡아당기다 / ~不动; 잡아당겨도 꿈쩍도 하지 않다 / 生拉硬~; 무리하게 잡아당기다. 억지로 갖다 붙이다 / 往怀里~; 품 안으로 잡아당기다 / ~出来; 끌어 내다. ⇒zhuāi, '曳' yè

ZHUAN ㄓㄨㄢ

专(專〈耑〉A)) **zhuān** (전)
A) ①부 전문적으로. 오로지. ¶~办各种汽车零件; 각종 자동차의 부속품을 전문적으로 취급하다 / ~爱看电影; 오로지 영화를 보는 것을 좋아한다 / ~治肝炎; 주로 간염 치료제에 쓰인다 / ~设零售店; 특히 소매점을 설치하다. ②형 전문적이다. ¶~家; 전문가. ③형 순일(純一)한. ④동 전념(專念)〔몰두〕하다. ¶学习不~; 학습에 전념하지 않다 / 用心太~; 한 가지 일에 지나치게 열중하다. ⑤동 독점하다. 전횡하다. ¶~权; 권력을 혼자서 쥐다 / ~卖; 전매하다. ⑥동 하나로 집중하다. ⑦동 전단(專斷)하다. ⑧형 특별하다. B) 명 성(姓)의 하나. ⇒ '耑' duān

〔专案〕 zhuān'àn 명 어느 특정한 사건. 특수(特搜) 사건(특별 처리를 요하는 문제·인물). ¶~组; 특별 수사반.

〔专办〕 zhuānbàn 동 전문적으로 취급하다. ¶~各种食品杂货; 전적으로 각종의 식품 잡화를 취급한다.

〔专备〕 zhuānbèi 명동 전용(專用)(으로 마련하다). ¶~的火车; 전용 열차.

〔专差〕 zhuānchāi 동 특별히 사람을 파견하다. 명 ①특별히 파견하는 사자(使者). 특사. =〔专足〕 ②전임자(轉任者).

〔专长〕 zhuāncháng 명 전문적인 학문·기능·특기. ¶每人都有几手~; 누구나 모두 몇 개의 특기를 가지고 있다 / 学有~; 전문 지식을 갖추고 있다 / 发挥~; 장기를 살리다. =〔专门②〕 형 특히 우수하다.

〔专长专技人才〕 zhuāncháng zhuānjì réncái 한 가지 기능에 특히 뛰어난 사람. 특수 기능자.

〔专场〕 zhuānchǎng 명 ①극장·영화관이 특정의 관객을 위해 행하는 특별 흥행. ②한 흥행 중의 특별한 상연물·프로그램. ¶儿童~; 아동을 위한 특별 공연.

〔专车〕 zhuānchē 명 ①전용〔특별〕 열차. ¶乘坐~抵达首都; 특별 열차를 타고 수도에 도착하다. ②전용〔특별〕차. ③전세(專貰)차.

〔专诚〕 zhuānchéng 부 정성을 다하여. 특별히. 일부러. ¶~拜访; 일부러 방문하다 / ~特来道喜; 축하하러 왔습니다. =〔特地〕

〔专程〕 zhuānchéng 부 일부러. 특별히. ¶~去杭州遊览; 일부러 유람차 항저우(杭州)로 가다 / ~赶来; 일부러 서둘러 오다.

〔专宠〕 zhuānchǒng 동〈文〉총애를 독점하다. =〔专房〕

〔专此…〕 zhuāncǐ… 〈翰〉우선 …. 특별히 …. ¶~奉谢; 우선 감사드립니다 / ~奉达; 우선 알려드립니다 / ~奉复fù; 우선 답장을 드립니다 / ~奉候; 우선 문안 여쭙니다 / ~奉贺hè; 이에 축하드립니다 / ~奉请; 이에 안내해 드립니다 / ~奉托tuō; 우선 부탁드립니다 / ~奉唁yàn; 우선 문상드립니다. =〔专泐lè…〕

〔专达〕 zhuāndá 동〈文〉전결(專決)로〔독단적으로〕 일을 처리하다.

〔专电〕 zhuāndiàn 명 (특파원 등의 기자가 보내는) 특전. 특별 전보(통신사 제공의 것과 구별하여 쓰임). ¶朝鲜日报北京~; 조선 일보 베이징 특전.

〔专断〕 zhuānduàn 동 단독으로 결정하다. 독단하다. ¶~独行 =〔独断专行〕; 독단 전행 / ~切忌; 전단을 경계하다.

〔专房〕 zhuānfáng 동 ⇨〔专宠〕

〔专攻〕 zhuāngōng 명동 전공(하다). ¶他是~水利工程的; 그는 수리 토목을 전공하고 있다.

〔专馆〕 zhuānguǎn 명 옛날, 전임 가정 교사. ¶~先生; 전임 가정 교사 선생님.

〔专管〕 zhuānguǎn 동〈文〉전문적으로 관리하다.

〔专函〕 zhuānhán 명〈翰〉(그 용건을 위해) 특히 쓴 편지. 특별 서한. ¶用特~奉复; 특히 이 편지로 회답드립니다.

〔专号〕 zhuānhào 명 특집호. 특별호. ¶陶渊明研究~; 도연명(陶淵明) 연구 특집호.

〔专横〕 zhuānhèng 형 전횡적이다. 독단적이다. ¶态度～; 태도가 전횡적이다 / ～跋扈; 〈成〉 제멋대로 횡포하게 날뛰다.
〔专机〕 zhuānjī 명 ①특별기. ②(개인) 전용기. 전용 비행기.
〔专集〕 zhuānjí 명 특집(特輯). ¶出版西餐烹调法的～; 서양 요리 조리법의 특집을 출판하다.
〔专家〕 zhuānjiā 명 전문가. ¶医学～; 의학 전문가 / 他比我更～; 그는 나보다 더 전문가이다. =〔专门家〕
〔专家治厂〕 zhuānjiā zhì chǎng 전문가가 공장을 관리하다.
〔专刊〕 zhuānkān 명 ①특집호. 특집면(란). ¶有的报纸还发表了社论和～; 또한 어느 신문에서는 사설과 특집을 발표한 것도 있다. ②학술 기관이 특정한 문제에 관한 연구 업적을 출판한 단행본.
〔专科学校〕 zhuānkē xuéxiào 명 전문 대학《수업 연한은 보통 2년 또는 3년》.
〔专款〕 zhuānkuǎn 명 특별 항목에만 쓸 수 있는 돈. 특별 지출금. ¶～专用; 특별 지출금은 그 항목에만 사용한다. 특별 비용을 전용하다.
〔专阃〕 zhuānkǔn 명 〈文〉 지방의 군(軍)의 장관〔통솔자〕. ¶～之任; 지방의 군 장관의 임무.
〔专栏〕 zhuānlán 명 (신문 등의) 칼럼.
〔专泐…〕 zhuānlè… 〈翰〉 ⇨〔专此…〕
〔专理〕 zhuānlǐ 동 주로 다루다. 전문적으로 취급하다. ¶那是另有人～的; 그것은 따로 전문적으로 취급하는 사람이 있다.
〔专力〕 zhuānlì 동 전력하다. 온 힘을 쏟다. ¶他正～研究教材; 그는 교재의 연구에 전력하고 있다.
〔专利〕 zhuānlì 명 (전매) 특허. ¶给～十五年; 15년간의 특허권을 주다. 동 〈文〉 이익을 독점하다.
〔专利法〕 zhuānlìfǎ 명 《法》 특허법.
〔专利权〕 zhuānlìquán 명 《法》 (전매) 특허권.
〔专利权实施合同〕 zhuānlìquán shíshī hétong 명 라이선스 계약.
〔专卖〕 zhuānmài 동 전매하다. 독점 판매하다. ¶～品; 전매품 / ～公司; 전매 공사.
〔专美〕 zhuānměi 동 〈文〉 혼자서 미명(美名)을 누리다. 영예를 독차지하다. ¶我们决不会让他～; 우리는 결코 그에게만 좋은 꼴을 맛보게 할 수는 없다.
〔专门〕 zhuānmén 명 ①전문. ¶～教育; 전문 교육. ②⇨〔专长cháng〕 부 전문적으로. 일부러. 오로지. ¶～研究印尼语; 인도네시아 어를 전문으로 연구하다 / 他～做讨人嫌的事; 그는 남이 싫어하는 짓만 한다.
〔专门家〕 zhuānménjiā 명 ⇨〔专家〕
〔专名〕 zhuānmíng 명 ①(인명·지명의) 고유 명칭. ②⇨〔专有名词〕
〔专名号〕 zhuānmínghào 명 구두(句讀) 부호로 고유 명사를 나타내는 선《글자에 치는 밑줄 또는 횡선으로, 최근에는 쓰지 않는 경향이 있음》. =〔私名号〕
〔专命〕 zhuānmìng 동 〈文〉 상부의 명령을 기다리지 않고 맘대로 일을 처리하다.
〔专牌〕 zhuānpái 명 외국 상품을 본국 이외의 곳에서 판매할 때 사용하는 특별 상표.
〔专区〕 zhuānqū 명 성(省)·자치구(自治區)에 설치된 행정 구획《약간의 현(縣)·시(市)를 포함함》.
〔专权〕 zhuān.quán 동 전권하다. 대권(大權)을 혼자서 장악하다. (zhuānquán) 명 전권.
〔专人〕 zhuānrén 명 ①전담자. ¶指定～负责; 전담자를 지정하여 책임지게 하다 / ～给他送去; 전담자를 보내어 그에게 전해 주다. ②특파원.
〔专任〕 zhuānrèn 동 전임하다. ¶～教授; 전임 교수.
〔专擅〕 zhuānshàn 동 〈文〉 ①(명령을 기다리지 않고) 멋대로 행동하다. ②자신 있게 잘 하다. 뛰어나다. ¶～英文; 영어를 자신 있게 잘 하다.
〔专使〕 zhuānshǐ 명 ①특명 전권 대사〔공사〕. ②특파원. ③특파 사절.
〔专售〕 zhuānshòu 명동 전매(하다). 독점 판매(하다). ¶～权; 전매권. =〔专销xiāo〕
〔专书〕 zhuānshū 명 ⇨〔专著〕
〔专属〕 zhuānshǔ 명 전속. ¶～经济区; 경제 수역(水域).
〔专署〕 zhuānshǔ 명 〈簡〉 ⇨〔专员公署〕
〔专司〕 zhuānsī 명 〈文〉 전문 책임자.
〔专肃〕 zhuānsù 〈翰〉 우선 용건만 아뢰옵니다.
〔专题〕 zhuāntí 명 특정 테마〔과제〕. 특별 제목. ¶～报告; 특별 과제에 관한 보고(를 하다).
〔专条〕 zhuāntiáo 명 특별 조항.
〔专文〕 zhuānwén 명 ①특별한 문장. 특히 어떤 문제에 대해 쓴 글. 특별기고(寄稿)의 문장. ¶～介绍新学说; 그 특별논문은 새로운 학설을 소개하고 있다. ②특히 어떤 사항을 통지하는 공문서.
〔专务〕 zhuānwù 동 〈文〉 오로지 힘쓰다. 전문적으로 맡아보다.
〔专席〕 zhuānxí 명 특별석.
〔专线〕 zhuānxiàn 명 ①전용 철도. ②전용 전화. ③전문 루트.
〔专销〕 zhuānxiāo 명동 ⇨〔专售shòu〕
〔专心〕 zhuān.xīn 동 전심하다. 전념하다. 몰두하다. ¶～一致 =〔～致志〕〔～致意〕; 〈成〉 전심전력으로 몰두하다. 온 마음을 다 기울이다.
〔专修〕 zhuānxiū 동 전수하다. 전문으로 연수하다.
〔专修科〕 zhuānxiūkē 명 대학에 부설되어 있는 전문 교육 코스.
〔专业〕 zhuānyè 명 ①(대학 등의) 전공 (학과). ¶中文～生; 중국어 전공 학생 / 外语系设六个～; 외국어 학부는 전공 학과를 여섯 개 설치해 놓고 있다. ②전문의 업무. 전문의 일. ¶～管理; 전문가에 의한 관리 / ～性; ⓐ전문적. ⓑ전문성 / ～分工的工厂; 업종별의 전문 공장 / ～剧团; 직업 극단. ③정부 경영의 사업.
〔专业对口〕 zhuānyè duìkǒu 그 사람의 전공이 그 사람에게 적합하다.
〔专业航空〕 zhuānyè hángkōng 명 업종별 항공《항공 물리 탐광(探鑛)·항공 촬영·삼림 보호 항공·농업 보호 항공 등을 말함》.
〔专业课〕 zhuānyèkè 명 전공 과목.
〔专业站〕 zhuānyèzhàn 명 전문별 스테이션〔사업소〕. ¶1954年, 苏联有九千个机械拖拉机站和其他～为集体农庄服务; 1954년, 소련에는 콜호스를 위해 봉사하는 9,000개의 MTC와 그 밖의 전문별 사업소가 있었다.
〔专一〕 zhuānyī 형 한결같다. ¶心思～; 마음이 한결같다.
〔专用〕 zhuānyòng 명동 전용(하다). ¶～电话; 전용〔특별〕 전화.
〔专用线〕 zhuānyòngxiàn 명 역 또는 선로의 도중에서 공장·광산 등 기업 내부로 분기된 철도. 전용선. →〔支线〕

〔专有〕 zhuānyǒu 동 전유하다.
〔专有技术〕 zhuānyǒu jìshù 명 노하우.
〔专有名词〕 zhuānyǒu míngcí 명《言》고유 명사. =〔专名②〕〔固有名词〕〔特有名词〕
〔专员〕 zhuānyuán 명 ①특정 사항으로 파견된 관리. ②전문 위원. ③특별직의 관리. ④아타셰(프 attaché). ⑤성(省)·자치구(自治區)의 정부에서 파견된 '专区'의 책임자.
〔专员公署〕 zhuānyuán gōngshǔ 명 성(省) 인민 정부의 파견 기관(그 대표자는 약간의 현(縣)·자치현 또는 시(市) 등을 지도함). =〔〈簡〉专署〕
〔专责制〕 zhuānzézhì 명 각기 책임을 분명하게 하는 제도. 전문 책임제.
〔专章〕 zhuānzhāng 명 특별 규칙.
〔专折〕 zhuānzhé 명〈文〉특별한 일에 관한 상주문(上奏文).
〔专辄〕 zhuānzhé 동〈文〉(명령을 기다리지 않고) 멋대로 하다.
〔专政〕 zhuānzhèng 명 독재 정치. ¶对剥削阶级实行全面的～; 착취 계급에 대하여 전면적 독재를 행하다/无产阶级～; 프롤레타리아 독재/～机关; 독재를 행하는 기관(법원이나 공안국(公安局) 등을 가리킴). (zhuān.zhèng) 동 독재 (정치)를 하다.
〔专职〕 zhuānzhí 명 전임. ¶研究所内暂分五个组, 设～研究员十个人; 연구소를 잠정적으로 다섯개의 조로 나누어 전임 연구원 10명을 둔다. 동 전적으로 담당하다. ¶～搞这个工作; 전임으로 이 일을 담당하다.
〔专制〕 zhuānzhì 명동 전제 정치(를 하다). ¶～政体;《政》전제 정체/～制度; 전제 제도/～主义; 전제주의/一党～; 일당 독재. 동 ①전단(專斷)하다. 독단하다. ②전문적으로 제작하다. ¶～尼龙鱼网; 나일론 어망을 전문으로 만들다.
〔专主〕 zhuānzhǔ 동〈文〉①온전히 …을 관장하다. 전담하다. ②자기 생각[마음]대로 하다.
〔专注〕 zhuānzhù 동 오로지 마음을 쏟다. 집중〔전념〕하다. ¶心神～; 정신을 집중하다.
〔专著〕 zhuānzhù 명 전문 저작. =〔专书〕
〔专专〕 zhuānzhuān 부 오로지. 주로. 전적으로. ¶别竟～地看坏的一面; 전적으로 나쁜 면만 보지 마라.
〔专自觅缝儿〕 zhuānzi mìfèngr 한 가지 일에 열중하다. ¶这孩子～爱吃糖; 이 아이는 사탕만 먹으려 든다.
〔专足〕 zhuānzú 명 ⇨〔专差①〕

嫥(嫥) zhuān (전)
〈文〉①부 오로지. 오직. ②형 사랑스럽다. 귀엽다.

膞(膞) zhuān (전)
명〈方〉조류(鳥類)의 위(胃). ¶鸡～; 닭의 위〔모이주머니〕.

砖(磚〈甎, 塼〉) zhuān (전)
명 ①벽돌. ¶一块～; 한 장의 벽돌/耐火～; 내화 벽돌/瓷～; 타일. ②벽돌 모양의 것. ¶冰～; (종이 갑 속에 들어 있는 네모진) 아이스크림/煤～; 벽돌 모양으로 굳힌 석탄.
〔砖茶〕 zhuānchá 명 차의 가루를 쪄서 벽돌 모양으로 단단하게 굳힌 것(몽골 지방에서 상용(常用)함).
〔砖厂〕 zhuānchǎng 명 벽돌 공장. =〔砖场〕
〔砖场〕 zhuānchǎng 명 ⇨〔砖厂〕
〔砖地〕 zhuāndì 명 벽돌을 깐 뜰이나 방바닥. =〔砖墁地〕
〔砖堆〕 zhuānduī 명 벽돌 더미. =〔砖垛〕
〔砖垛〕 zhuānduò 명 ⇨〔砖堆〕
〔砖房〕 zhuānfáng 명 벽돌집.
〔砖构建筑〕 zhuāngòu jiànzhù 명《建》블록 건축.
〔砖红壤〕 zhuānhóngrǎng 명《鑛》라테라이트(laterite).
〔砖灰〕 zhuānhuī 명 벽돌 가루.
〔砖碱〕 zhuānjiǎn 명 벽돌 모양으로 굳힌 소다.
〔砖窖〕 zhuānjiào 명 ①벽돌로 쌓은 움. ②벽돌을 만드는 움.
〔砖炕〕 zhuānkàng 명 벽돌로 쌓아올린 (중국식) 온돌.
〔砖墁〕 zhuānmàn 형 벽돌을 깐. ¶～地 =〔砖地〕; 벽돌을 깐 바닥/～院子; 벽돌을 깐 뜰.
〔砖面(子)〕 zhuānmiàn(zi) 명 연마분(研磨粉).
〔砖泥〕 zhuānní 명 벽돌 만드는 흙.
〔砖坯〕 zhuānpī 명 굽지 않은 벽돌.
〔砖墙〕 zhuānqiáng 명 ①벽돌담. ②벽돌 건물. ¶～瓦房; 기와지붕의 벽돌집.
〔砖碎〕 zhuānsuì 명 깨어진 조각. 파편. ¶白铅～; 아연 조각.
〔砖头〕 zhuāntóu 명 벽돌 조각. =〔碎砖〕
〔砖头〕 zhuāntou 명〈方〉벽돌. ¶～颜色; 벽돌색.
〔砖瓦〕 zhuānwǎ 명 벽돌과 기와. ¶～行háng; 벽돌·기와 판매점/～房; 벽돌집/～匠; 미장이.
〔砖窑〕 zhuānyáo 명 ①벽돌이나 기와를 굽는 가마. ②벽돌 공장.
〔砖座瓦顶〕 zhuānzuò wǎdǐng 바닥은 벽돌로 깔고 지붕은 기와로 이은 집.

颛(顓) zhuān (전)
①형〈文〉어리석다. ②동〈文〉제멋대로 하다. ¶～兵; 병권(兵權)을 멋대로 휘두르다. ③명 성(姓)의 하나.
〔颛蒙〕 zhuānméng 형〈文〉우매(愚昧)하다.
〔颛民〕 zhuānmín 명〈文〉양민(良民).
〔颛孙〕 Zhuānsūn 명 복성(複姓)의 하나.
〔颛顼〕 Zhuānxū 명《人》전설상의 고대의 제왕(帝王).
〔颛臾〕 Zhuānyú 명 전유(춘추 시대(春秋時代)의 나라 이름).

转(轉) zhuǎn (전)
①동 (방향·위치·형세 등이) 바뀌다〔바꾸다〕. ¶风～偏西北方向了; 바람이 서북 방향으로 바뀌었다/前方战事～趋激烈; 전선의 전투가 치열해졌다/形势～变了; 형세가 바뀌었다/把眼～到桌上的报纸上; 눈을 탁자 위의 신문으로 돌리다/出口～内销; 수출용을 국내용으로 전환하다/向后～! 뒤로 돌아!(구령)/～过脸来; 얼굴을 이쪽으로 돌리다/晴～多云; 갠 후 구름이 많이 낌(일기 예보)/～话头儿; 화제를 바꾸다. ②동 (자동차 따위가) 후진하다. ③동 회전하다. 돌다. 이리저리 싸돌아다니다. ¶回～; 회전하다/到村里一～; 마을로 와서 마을을 한 바퀴 돌다. ④동 직접 가지 않고 길을 돌아서 가다. ⑤동 다루다. 조종하다. ¶弄不～; 다루어 낼 수가 없다. 감당할 수 없다. ⑥동 (사이에 서서) 인도해 주다〔건네 주다. 전해 주다〕. ¶请～一下办公室; (전화를) 사무실로 돌려〔연결

해] 주세요/把他的话~达给大家; 그의 말을 모든 사람에게 전해 주다. ⑦ 동 변천되다. ⑧ 동 운반하다. ⑨ 부 〈文〉 오히려. 한층 더. ¶~增; 오히려 더욱 …이 되다/今不整理, 日后~增困难; 지금 정지하지 않으면 후일에 더욱 곤란이 커진다. ⑩ 동 전임(轉任)시키다. ⑪ 동 〈南方〉 돌아가다. ¶阿姊今朝要~来格; 언니는 오늘 돌아온다. ⇒zhuǎi zhuàn
〔转氨基酶〕 zhuǎn'ānjīméi 명 《化》 트랜스아미나아제.
〔转暗〕 zhuǎn'àn 명동 《劇》 암전(暗轉)(하다).
〔转败为胜〕 zhuǎn bài wéi shèng 〈成〉 패전을 승리로 전환시키다. 패배를 승리로 바꾸다.
〔转班〕 zhuǎnbān 동 반을〔조(組)를〕 바꾸다. 교대로 하다.
〔转包〕 zhuǎnbāo 명동 ⇨〔外wài包〕
〔转报〕 zhuǎnbào 동 중개하여 알리다.
〔转背〕 zhuǎnbèi 동 〈文〉 뒤돌아보다. 〈比〉 (뒤돌아볼 정도의) 잠깐 사이.
〔转臂起重机〕 zhuǎnbì qǐzhòngjī 명 《機》 지브(jib) 기중기.
〔转变〕 zhuǎnbiàn 동 ①사상이나 태도가 변하다. ¶他的思想也逐渐地~了; 그의 사상도 점차로 변하여 갔다. ②전화(轉化)하다. 전환하다. 바꾸다. ¶历史~时期; 역사의 전환기.
〔转病〕 zhuǎn.bìng 동 다른 병으로 바뀌다〔도지다〕.
〔转拨〕 zhuǎnbō 동 이월(移越)하다. ¶~到下半年度去继续使用; 하반기로 이월시켜 계속 사용하다.
〔转播〕 zhuǎnbō 명동 중계 방송(하다). ¶实况~; 실황 중계 방송/电视台除了播送电视节目以外, 还可以~舞台上的表演或球场上的比赛; 텔레비전 방송국에서는 텔레비전 프로를 방송하는 외에 무대 연기나 구장의 시합을 중계 방송할 수 있다/~线路; 중계 방송 루트. 동 (방송국이) 다른 방송국의 방송을 방송하다.
〔转驳〕 zhuǎnbó 동 (짐을) 옮겨 싣다. ¶永利号, 本月三号运送曼谷的货物中, 属于~到柬埔寨的有罐头鲍鱼一千箱; 영리호가 이달 3일 방콕으로 수송한 화물 가운데에는, 옮겨 싣고 캄보디아로 전송(轉送)할 전복 통조림이 천 상자 있었다.
〔转补〕 zhuǎnbǔ 동 전보하다. 결원이 생긴 곳으로 전임시켜 보충하다.
〔转漕〕 zhuǎncáo 동 식량을 중계 운송하다. 식량을 배로 운송하다.
〔转侧〕 zhuǎncè 동 ①전전 반측하다. ②아무렇게나 드러눕다. ③방향을 바꾸다.
〔转车〕 zhuǎn.chē 동 ①(차를) 바꿔 타다. =〔换车〕〔倒车〕 ②차의 방향을 돌리다.
〔转呈〕 zhuǎnchéng 동 〈公〉 문서를 전달받아 제출하다.
〔转饬〕 zhuǎnchì 동 〈文〉 상관의 명령을 전하다. ¶~所属shǔ; 부하에게 상관의 명령을 전하다.
〔转储〕 zhuǎnchǔ 명 《電算》 (컴퓨터에서) 덤프(dump)《계산기의 기억 장치의 내용을 딴 기억 장치로 전사(轉寫)하는 일》.
〔转船〕 zhuǎn.chuán 동 ①짐을 다른 배에 옮겨 싣다. ②배를 갈아타다.
〔转存〕 zhuǎncún 동 옮겨 맡기다.
〔转达〕 zhuǎndá 동 전달하다. 전하다. ¶请向他~我的问候; 그에게 안부 전해 주십시오.
〔转倒〕 zhuǎndǎo 동 (가옥·점포 등을) 다시 넘기다. 재양도하다.
〔转道〕 zhuǎn.dào 동 (…을) 경유하다. ¶我们将~武汉去广州; 우리는 우한(武漢)을 경유해서 광저우(廣州)로 갈 것이다. (zhuǎndào) 명 〈文〉 식량을 운반하는 길.
〔转地疗养〕 zhuǎndì liáoyǎng 명동 전지 요양(하다).
〔转递〕 zhuǎndì 동 (물건을) 전달하다. 중계하다.
〔转调〕 zhuǎndiào 명동 《樂》 조바꿈(하다). 전조(하다). 변조(變調)(하다). =〔变biàn调〕〔移yí调〕
〔转动〕 zhuǎndòng 동 ①몸을 움직이다〔돌리다〕. ¶地方~不开; 장소가 (좁아서) 몸을 움직일 수 없다〔방향을 바꿀 수 없다〕. ②(물체의 일부가 자유 자재로) 방향을 바꾸다. ¶~子; 《機》 전동기. 모터. ⇒zhuàndòng
〔转发〕 zhuǎnfā 명동 전송(轉送)(하다). ¶此件~全国; 이 문서를 전국에 발송하다.
〔转方〕 zhuǎnfāng 동 약의 처방을 변경하다.
〔转风〕 zhuǎnfēng 동 풍향이 바뀌다. ¶~驶舵; 〈成〉 풍향을 보며 배의 키를 잡다. 임기 응변으로 재치 있게 행동하다.
〔转风头〕 zhuǎn fēngtou ①운이 좋아지다. 형세가 바뀌다. 정세가 좋아지다. ¶他自从掏了白板, 转了风头, 马上有了闲话; 그는 (마작에서) 백판을 잡아 형세가 좋아지자 금세 말이 많아졌다. ②형세를 보고 키를 잡다〔일을 조종하다〕.
〔转港〕 zhuǎngǎng 동 ⇨〔转口〕
〔转告〕 zhuǎngào 동 이야기를 전달하다. 전언하다. ¶你的意见, 我已经~他了; 네 의견은 이미 그에게 전했다.
〔转跟斗〕 zhuǎn gēndou 《體》 (기계 체조에서) 대차륜(大車輪)을 하다.
〔转钩〕 zhuǎngōu 명 《機》 연결기. 커플러(coupler). 커플링(coupling). ¶风fēng闸软管~; 공기 제동 연결기. =〔联lián结器〕
〔转股〕 zhuǎngǔ 명동 주식 양도(를 하다). ¶本银行订于由11日起至20日止, 在此十日期内暂停~、过户; 당(當) 은행은 11일부터 20일까지의 열흘 동안 주식 양도·명의 개서(改書)를 잠시 정지한다.
〔转关系〕 zhuǎn guānxi ①연줄을 통해 부탁하다. ②관계를 주선하다. ③전직(轉職). 직장이 바뀌다. ④당원〔단원〕이 소속을 옮기다.
〔转过口来〕 zhuǎnguòkǒulai 말투를 바꾸다. 어조가 바뀌다.
〔转过年〕 zhuǎnguònián 명 익년(翌年). 그 이듬〔다음〕해. ¶我是八三年去的, ~就回来了; 나는 83년에 갔다가, 그 이듬해에 돌아왔다.
〔转过头去〕 zhuǎnguòtóuqu ⇨〔别bié头①〕
〔转过性来〕 zhuǎnguòxìnglai 기분이 좋아지다. ¶他一气起来, 轻易不能~; 그는 한번 화가 나면 쉽사리 풀리지 않는다.
〔转户〕 zhuǎnhù 동 (부동산·증권을) 양도하다. 소유권을 이전하다. 계좌(計座)를 바꾸다.
〔转化〕 zhuǎnhuà 명동 《哲》 전화(하다). ¶~为物质力量; 물질적인 힘으로 전화하다.
〔转化糖〕 zhuǎnhuàtáng 명 《化》 전화당.
〔转化温度〕 zhuǎnhuà wēndù 명 《化》 전화 온도.
〔转圜〕 zhuǎnhuán 동 ①만회하다. ¶事已至此, 难以~了; 일이 이미 여기에 이르렀으니 만회하기 어렵겠다. ②(중간에서) 주선하다. 조정하다. 중재하다. ¶你给他从中~; 네가 그를 위해 중간에서 좀 중재해 다오.

〔转换〕 zhuǎnhuàn 동 전환하다. 바꾸다. ¶～期qī; 전환기 / ～话题; 화제를 바꾸다 / ～语法; 변형(變形) 문법.
〔转换器〕 zhuǎnhuànqì 명 《電》 전환기.
〔转回(来)〕 zhuǎn huí(lai) (제자리로) 되돌아오다.
〔转汇〕 zhuǎnhuì 동 환(換)을 대체하다. 대체 송금을 하다.
〔转活〕 zhuǎnhuó 동 《經》 (유통이) 전환하여 활발해지다. ¶股市交易～; 주식 거래가 활발해지다.
〔转祸为福〕 zhuǎn huò wéi fú 〈成〉 전화 위복. 화가 바뀌어 복이 되다.
〔转机〕 zhuǎnjī 명 전기. ¶病见～了; 병에 호전의 조짐이 보이다 / 以此为～; 이를 전기로 삼다. (zhuǎn.jī) 동 비행기를 갈아타다. ¶先乘KAL的班机飞往东京, 然后～去纽约; 우선 KAL의 정기 항공편으로 토쿄로 가서, 거기서 갈아타고 뉴욕에 가다. =〔换huàn机〕
〔转寄〕 zhuǎnjì 동 (우편물을) 전송(轉送)하다. ¶～到他那里; 그가 있는 곳으로 전송하다.
〔转架机车〕 zhuǎnjià jīchē 명 《機》 보기(bogie) 기관차.
〔转嫁〕 zhuǎnjià 동 ①재가하다. 다시 시집 가다. =〔改嫁〕 ②(부담·손실·죄명 등을) 남에게 전가하다. ¶把责任～别人; 책임을 남에게 전가하다.
〔转肩〕 zhuǎnjiān 동 (책임·빚 따위를) 대신 떠맡다.
〔转交〕 zhuǎnjiāo 동 사람을 중간에 넣어 넘겨 주다. 전해 주다. ¶王宅～; (편지의 겉봉에) 왕씨댁에 전해 주세요 / 这张便条请～小王; 이 편지를 왕군에게 전해 주세요.
〔转角(儿)〕 zhuǎn jiǎo(r) ①모퉁이를 돌다. ②(zhuǎnjiǎo(r)) 명 길모퉁이.
〔转角榆〕 zhuǎnjiǎoyú 명 《植》 참개암나무.
〔转借〕 zhuǎnjiè 동 전차하다. 빌린 것을 다시 빌리다〔빌려주다〕. 전대(轉貸)하다.
〔转进〕 zhuǎnjìn 동 우회하여 전진하다. 다른 방면으로 이동하다.
〔转镜仪〕 zhuǎnjìngyí 명 ⇨〔经jīng纬仪〕
〔转科〕 zhuǎn.kē 동 ①환자가 병원 안에서 자기의 치료과를 바꾸다. ②(학생이) 전과하다.
〔转空〕 zhuǎnkōng 동 빈 관(棺)을 메다.
〔转口〕 zhuǎnkǒu 동 《經》 적환(積換)·이출(移出)·입항 수속을 거치지 않고 화물을 옮겨 쌓고 이출하다. 중계(中繼)하다. ¶～港; 중계항 / ～税; 이출세 / ～商埠; 중계 무역항 / 经港～; 홍콩 경유로 수송하다. =〔转港〕
〔转口贸易〕 zhuǎnkǒu màoyì 명 《經》 삼각 무역. 중계 무역. 통과 무역. ¶香港是依靠对中国大陆的～为主要收入的; 홍콩은 중국 대륙에 대한 중계 무역에 의지하여 그것을 주요 수입으로 하고 있다.
〔转隶〕 zhuǎnlì 명동 전속(轉屬)(하다). 트레이드(하다). ¶下届他必～别会; 다음 기(期)에 그는 반드시 다른 팀으로 전속될 것이다.
〔转脸〕 zhuǎn.liǎn 동 ①명예를 회복하다. 면목(面目)을 되찾다. =〔转面子miànzi〕 ②얼굴을 들 수가 있다. 체면을 세우다. ③얼굴을 돌리다. 외면하다. 표정을 바꾸다. ¶她转过脸去擦泪; 그녀는 얼굴을 돌리고 눈물을 닦았다. ④(～儿) 〈比〉 잠깐 사이. ¶怎么刚还在这儿～就不见了; 어째서 방금 전까지 아직 거기에 있었는데, 잠깐 사이에 없어진 것일까.
〔转捩点〕 zhuǎnlièdiǎn 명 ⇨〔转折点〕
〔转磷〕 zhuǎnlín 명 도깨비불.
〔转赁〕 zhuǎnlìn 동 전대(轉貸)하다.
〔转卖〕 zhuǎnmài 동 전매하다. 되팔다.
〔转面子〕 zhuǎn miànzi 잃은 체면을 되찾다. 명예를 회복하다.
〔转名〕 zhuǎnmíng 명동 명의 개서(名義改書)(를 하다). ¶对于一般电话用户之请求～者, 予以接纳; 일반 전화 사용자로서 명의 개서를 청구하는 자에게는 이를 허가한다.
〔转年〕 zhuǎn.nián 동 해가 바뀌다. 다음 해가 되다. ¶转过年来就暖和了; 해가 바뀌면 따뜻해진다. (zhuǎnnián) 명 〈方〉 내년. 익년(翌年).
〔转念〕 zhuǎn.niàn 동 ①생각을 변경하다. 마음이 변하다. 고쳐 생각하다. ¶～一想, 还是去吧; 고쳐 생각해 보니, 역시 가야 할 것 같다. ②정신을 차리다.
〔转念头〕 zhuǎn niàntou 〈南方〉 어떤 생각을 하다. 어떤 기분이 되다. ¶我也转过死的念头; 나도 죽어 버릴까 하고 생각했던 적이 있다.
〔转盼〕 zhuǎnpàn 동 ⇨〔转眼〕
〔转蓬〕 zhuǎnpéng 동 〈文〉 쑥이 뿌리째 뽑혀 바람 부는대로 굴러 다니다. 〈比〉 영락하여 떠돌아다니다.
〔转期〕 zhuǎnqī 동 다음 기(期)로 이월하다. ¶～买卖; 이월 거래.
〔转求〕 zhuǎnqiú 동 남을 시켜서 부탁하다.
〔转去〕 zhuǎnqù 동 ①남을 통하여 전달하다. ¶由朋友～一封信; 친구를 통해 편지 한 통을 전달하다. ②〈南方〉 돌아오다. 돌아가다. ¶两日勿曾～; 이틀 동안 돌아오지 않다.
〔转儿〕 zhuǎnr … 연발. ¶六～手枪qiāng =〔六连发手枪〕; 6연발 권총.
〔转让〕 zhuǎnràng 동 양도하다. ¶～技术; 기술을 유상으로 제공하다 / ～专利权; 특허권을 양도하다 / ～票; 프리미엄을 붙여 남에게 양도하는 표《입장권·승차권 따위》 / ～、出售或用其它方式来处置; 양도·매각 또는 그 밖의 방법을 써서 처분하다.
〔转入〕 zhuǎnrù 동 이월하다. 전입하다. 들어가다. ¶～地下工作; 지하 공작에 들어가다.
〔转身〕 zhuǎn.shēn 동 ①몸을 돌리다. 돌아서다. ②돌아가다. 돌아오다. ③《體》 (농구의) 피벗 플레이(pivot play)를 하다. ¶急停～; 스톱 앤드 피벗 플레이. ④《體》 (수영에서) 턴(turn)하다. ¶摆动～; 크롤(crawl)의 턴 / 侧滚翻～; 배영(背泳)의 턴 / 前滚翻～; 공중제비 턴.
〔转生〕 zhuǎnshēng 동 ⇨〔转世〕
〔转声〕 zhuǎnshēng 동 변성하다. 목소리가 변하다. =〔变biàn嗓音〕〔变嗓子〕
〔转世〕 zhuǎnshì 동 《佛》 (다른 것으로)다시 태어나다. ¶像神仙～一般; 신선이 다시 태어난 것 같다 / ～为好人; 착한 사람으로 다시 태어나다 / 良材活脱是三老爷～; 양재는 신통하게도 셋째 주인이 다시 태어난 것 같다. =〔转生〕
〔转手〕 zhuǎn.shǒu 동 ①(상품 등을) 남의 손을 거쳐서 넘겨 주다. 전매(轉賣)하다. ¶～倒卖dǎomài; 전매하다 / ～货没什么大利儿; 중개 상품은 별로 이익이 없다 / 把货买来再卖出去, 在这一～之间所得利益不过二分; 물건을 사 와서 다시 파는데 이렇게 손을 거치는 동안에 얻는 이익은 2%에 불과하다. ②손바닥을 뒤집다《일이 극히 손쉬움. 또는 시간이 빠름》.
〔转售〕 zhuǎnshòu 명동 전매(轉賣)(하다).

〔转述〕 zhuǎnshù 동 ①(남의 말을) 전하다. 전달하다. ¶我这是～老师的话, 不是我自己的意思; 이것은 선생님의 말씀을 전한 것일 뿐이지, 내 자신의 생각은 아닙니다. ②(문장·보고 따위의 내용을 자기의 이야기로) 전하다. 서술하다.
〔转瞬〕 zhuǎnshùn 동 눈을 깜빡이다. ¶～(之)间, 来这儿已有十几天了; 이 곳에 와서 순식간에 10여 일이 지났다.
〔转送〕 zhuǎnsòng 동 ①남의 손을 거쳐 물건을 보내다. ②(선물 받은 것을) 다시 남에게 선물하다. =〔转赠〕
〔转索〕 zhuǎnsuǒ 동 대신 청구하다.
〔转塔车床〕 zhuǎntǎ chēchuáng 명 ⇒〔六liù角车床〕
〔转台〕 zhuǎntái 명〘機〙턴 테이블(turntable). ⇒zhuàntái
〔转台子〕 zhuǎn táizi (호스티스나 댄서 등이) 부름을 받아 다른 테이블로 옮겨 가다.
〔转体〕 zhuǎntǐ 명〘體〙(체조에서) 비틀기. ¶～跳水; 몸을 비틀면서 하는 다이빙. 동 몸을 비틀다.
〔转贴现〕 zhuǎntiēxiàn 명〘經〙(어음의) 대신 할인.
〔转托〕 zhuǎntuō 동 다른 사람을 사이에 넣어 부탁하다. 의뢰하다.
〔转弯(儿)〕 zhuǎn.wān(r) 동 ①방향을 바꾸다. ②모퉁이를 돌다. ¶一～就到; 모퉁이를 돌아가면 금방이다 / 转不过弯儿来; 빙 돌 수 없다. 방향을 바꿀 수 없다(생각을 바꿀 수 없다) / ～抹角(儿) =〔拐弯抹角〕; ⓐ모퉁이를 돌다. ⓑ꼬불꼬불한 길을 가다. ⓒ빙 둘러서 말하다 / 汽车～开进了村子; 차는 꼬불꼬불한 길을 달려 마을에 왔다. ③에두르다. ¶有什么意见就痛快说, 别这么～的; 할 말이 있거든 시원하게 말해라. 그렇게 돌려 말하지 말고. ④한 바퀴 돌다. 돌고 오다. ¶他没在家, 你转个弯儿再来吧; 그는 집에 없으니 한 바퀴 돌고 오너라. ⑤말머리를 돌리다. ⑥(태도·사상·기분 등을) 전환하다. ⇒zhuàn.wān(r)
〔转弯子〕 zhuǎn wānzi 넌지시 말하다. 완곡히 말하다. 에둘러 말하다. ¶～骂人; 넌지시 나쁘게 말하다 / 不要～骂人; 에둘러서 욕하지 마라.
〔转危为安〕 zhuǎn wēi wéi ān 〈成〉(정세나 병세가) 위험한 상태에서 벗어나 안전하게 되다.
〔转文〕 zhuǎn.wén〔zhuǎi.wén〕 동 말끝마다 어려운 문자를 써서 박식함을 나타내다. ¶你别跟我～, 我不爱'之乎者也'那一套! 문자(文字) 써서 지껄이지 말게. 나는 '…이니라, …그러하니라, …아닐쏘냐' 따위의 말을 좋아하지 않으니까! =〔跩zhuǎi文〕
〔转系〕 zhuǎn.xì 동 (대학에서) 전과(轉科)하다.
〔转限〕 zhuǎnxiàn 동 기한을 연기하다.
〔转想〕 zhuǎnxiǎng 동 생각을 고치다. 생각을 달리하다.
〔转向〕 zhuǎnxiàng 동 ①…의 쪽을 향하다. ¶～别人; 다른 사람 쪽을 향하다. ②전향하다. 정치적 입장을 바꾸다. ③(zhuǎn.xiàng) 방향을 바꾸다. ¶～架; 보기차(bogie車). ⇒zhuàn.xiàng(r)
〔转向轮〕 zhuǎnxiànglún 명 조타륜(操舵輪). =〔驾jià驶轮〕
〔转心〕 zhuǎn.xīn 동 마음이 변하다. 기분을 전환하다. ⇒zhuàn.xin
〔转学〕 zhuǎn.xué 동 전학하다.
〔转押〕 zhuǎnyā 동 옛날, 대신 저당잡히다.
〔转押汇〕 zhuǎnyāhuì 시중 은행이 화환(貨換) 어음을 담보로 국가 은행으로부터 융자를 받는 일.
〔转言〕 zhuǎnyán 명동 〈文〉 전언(하다).
〔转眼〕 zhuǎn.yǎn 동 옆을 보다. 시선을 옮기다. 〈比〉 순간(瞬間). 눈 깜짝할 사이. ¶～之间; 순식간. 잠깐 사이. 눈 깜짝할 사이 / 人生在世～百年; 인생은 잠깐 사이에 100년이 지나 버린다 / ～就瞧不见了; 잠깐 사이에 벌써 보이지 않게 됐다. =〔转盼〕
〔转眼间〕 zhuǎnyǎnjiān 부 눈 깜박할 사이. 순식간. 얼핏. =〔瞥piē眼(间)〕
〔转腰子〕 zhuǎn yāozi 이말 저말 하면서 본제(本題)를 피하다.
〔转业〕 zhuǎn.yè 동 ①전업하다. 직업을 바꾸다. ②(군인이) 제대하여 사회에서 다른 직업에 취업하다.
〔转业军人〕 zhuǎnyè jūnrén 명 제대 군인. 퇴역해서 사회에서 다른 직업에 취업한 군인.
〔转移〕 zhuǎnyí 동 ①돌다. 교체시키다. ②이동하다. 이전하다. 옮기다. ¶部队开始～; 부대가 이동을 시작하다 / 把全部器材～到安全地带; 모든 기재를 안전 지대로 옮기다 / ～视线; 시선을 옮기다. ③바꾸다. 변천하다. 전환하다. ¶～社会风气; 사회의 기풍을 바꾸다 / 不依人的意志为～; 사람의 의지로 바뀌는 것은 아니다. ④〘醫〙전이하다. ¶癌～到肺部了; 암이 폐로 전이했다. 명 전환. 이동.
〔转椅〕 zhuǎnyǐ 명 회전 의자.
〔转义〕 zhuǎnyì 명 전의. 바뀐 뜻. (zhuǎn.yì) 동 전의하다. 뜻이 바뀌다.
〔转意〕 zhuǎnyì 동 마음을 고쳐먹다. 마음을 새로이 하다.
〔转阴〕 zhuǎnyīn 동〘氣〙뒤에 흐려지다. ¶多云～; 처음에는 구름이 많다가 뒤에 흐림.
〔转音〕 zhuǎnyīn 동 전음이 되다. 음이 변하다.
〔转用〕 zhuǎnyòng 동 전용〔유용〕하다.
〔转院〕 zhuǎn.yuàn 동 (환자가) 병원을 옮기다.
〔转运〕 zhuǎnyùn 동 ①(물품을) 운송하다. 중계(中繼) 운송하다. ¶～基地; 중계 기지 / ～公司; 운송 회사. ②각지로 운행하다. ③(zhuǎn.yùn) 운이 트이다. 운세가 바뀌다.
〔转载〕 zhuǎnzǎi 동 전재하다. ¶～人民日报的社论; 인민일보의 사설을 전재하다. ⇒zhuǎnzài
〔转载〕 zhuǎnzài 동 (짐을) 옮겨 싣다. ⇒zhuǎnzǎi
〔转赠〕 zhuǎnzèng 동 (받은 선물을) 다시 남에게 선물하다. =〔转送②〕
〔转札〕 zhuǎnzhá 동 (문서를) 이첩(移牒)하다.
〔转战〕 zhuǎnzhàn 동 전전하다. 여기저기 옮겨 가며 싸우다. ¶～南北; 남북을 전전하다.
〔转账〕 zhuǎn.zhàng〘經〙동 (장부상으로) 대체(對替)하다. (zhuǎnzhàng) 명 대체. ¶以～办法订货; 대체 방법으로 주문하다. ‖ =〔划账〕
〔转账传票〕 zhuǎnzhàng chuánpiào 명〘經〙대체 전표.
〔转账汇款〕 zhuǎnzhàng huìkuǎn 명〘經〙대체 송금.
〔转折〕 zhuǎnzhé 동 ①(본래의 방향을) 바꾸다. 전환하다. ¶人的出现是自然界发展中最大的～之一; 인간의 출현은 자연계의 발전에 있어서 가장 커다란 전환의 하나이다. ②문장이나 말의 뜻이 다른 방향으로 바뀌다. 각설하다. ⇒zhuànzhér
〔转折点〕 zhuǎnzhédiǎn 명 전환점. 반환점. ¶我们时代的新的～; 우리 시대의 새로운 전환점. =〔转捩点〕
〔转折亲〕 zhuǎnzhéqīn 명 먼 친척. ¶举人老爷…

却有一封长信, 和赵家排了～《鲁迅 阿Q正傳》; 거인 나으리는 … 긴 편지를 꺼내어 조씨 집안과 먼 친척이 된다고 말했다.

〔转辙(儿)〕 zhuǎn∙zhé(r) 동 빙 둘러서 말하다. 에둘러 말하다. ¶要不好直说, 可以转个辙儿说; 만일 직접적으로 말하기가 어려우면 에둘러서 말하면 된다. ⇒zhuàn∙zhé

〔转辙机〕 zhuǎnzhéjī 명 전철기. 전로기(轉路器). 포인트(point). =〔转辙器〕〔分fēn道轨〕〔道岔①〕

〔转正〕 zhuǎnzhèng 동 ①똑바로 향하게 하다. 바른 방향으로 향하게 하다. ②(zhuǎn∙zhèng) 비공식 멤버가 정식 멤버로 되다. 정식 당원으로 하다.

〔转症〕 zhuǎnzhèng 동 병세가 바뀌다.

〔转致〕 zhuǎnzhì 동 〈文〉 대신 의향을 전하다.

〔转注〕 zhuǎnzhù 명 《言》 전주(「六liù书」의 하나. 어떤 글자의 뜻을 다른 의미로 전용하는 것. 예컨대 '恶è'(나쁘다)를 '恶wù'로 읽어 '미워하다'의 뜻으로 쓰는 것 따위).

〔转装〕 zhuǎnzhuāng 동 (물건 등을) 옮겨 싣다.

〔转字〕 zhuǎnzì 명 (구(舊) 문법 용어로) 접속사.

〔转奏〕 zhuǎnzòu 동 다른 사람을 통해서 상주(上奏)하다.

〔转租〕 zhuǎnzū 동 (토지·가옥을) 전대(轉貸)하다. ¶～给别人; 다른 사람에게 전대하다.

传(傳) zhuàn (전)

명 ①경전(經典)을 주석 해설한 책. ②기록. 전기(傳記). ¶自～; 자서전. ③부신(符信). 부절(符節). ④역사적 이야기를 서술한 소설. ¶别～; 별전(본전(本傳) 이외에 일화 등을 모은 기록)/外～; 외전(본전(本傳) 이외의 전기). ⇒chuán

〔传记〕 zhuànjì 명 전기.

〔传略〕 zhuànlüè 명 간략한 전기(傳記).

〔传赞〕 zhuànzàn 명 전기(傳記) 뒤에 붙이는 평론.

转(轉) zhuàn (전)

①동 빙빙 회전하다. 뒹굴 듯이 돌다. ¶团tuán团～; 빙글빙글 돌다/轮子～得很快; 바퀴가 빨리 돈다/～圈(儿); 동그라미를 그리다. 둥글게 돌다. ②동 (무엇을 중심으로) 맴돌다. ③양 〈方〉 빙글빙글 도는 횟수를 세는 말. ④동 들르다. 얼굴을 내밀다. 들여다보다. ¶没事也不来我们那里～～? 볼일이 없더라도 우리한테 좀 들러주지 않겠느냐? ⑤동 〈轉〉 마련하다. 변통하다. 터득하다. ¶～过窍qiào儿来 =〔～过味儿来〕; 요령을 터득하다. ⑥양 (레코드의) 회전수. ¶密纹33～; 33회전의 엘피(L.P). ⇒zhuǎi zhuǎn

〔转把〕 zhuànbà 명 (오토바이의) 그립(grip). 손잡이. ¶油门～; 스로틀 그립(throttle grip).

〔转胞〕 zhuànbāo 명 《醫》 임신 요폐(妊娠尿閉).

〔转笔刀〕 zhuànbǐdāo 명 연필깎이. =〔转刀儿〕〔铅qiān笔旋子〕

〔转拨器〕 zhuànbōqì 명 ⇨〔拨号盘〕

〔转脖儿〕 *zhuànbór* 명 턱받이.

〔转不出来〕 zhuànbuchūlái (자금의) 운용이 제대로 안 되다. (자금 따위의) 변통이 제대로 안 되다. ¶这么些钱我也一时～; 이렇게 많은 돈은 나로서도 갑자기 변통할 수가 없다.

〔转不过弯儿〕 zhuànbuguòwānr (성질이) 순진하고 외골수여서 요령껏 하지 못하다. ¶他人直, 说话～; 그는 순진하고 외골수인 성품이어서, 적당히 요령껏 말할 수가 없다.

〔转不开〕 zhuànbukāi ①제 것으로 만들지 못하다. 제대로 다루지〔처리하지〕 못하다. ¶就是这样的位置他还～; 이 정도의 지위도 그는 제대로 해내지 못한다. ②얼굴을 들 수가 없다. 대할 낯이 없다. ③단념〔체념〕하지 못하다. ¶连这么点儿的事情还～吗? 이만한 일조차 단념할 수 없는 거냐?

〔转肠痧〕 zhuànchángshā 명 《醫》 콜레라. =〔霍huò乱①〕

〔转窗〕 zhuànchuāng 명 《建》 회전창(回轉窓).

〔转刀儿〕 zhuàndāor 명 ⇨〔转笔刀〕

〔转碟〕 zhuàndié 명 (곡예의) 접시돌리기.

〔转动〕 zhuàndòng 동 (어떤 중심으로) 돌다. 돌리다. 회전하다. 회전시키다. ¶～辘轳; 물레를 돌리다/用电力使马达～; 전력으로 모터를 돌리다/这个电厂的涡轮全是用核动力～的; 이 발전소의 터빈은 모두 핵동력으로 돈다. ⇒zhuǎndòng

〔转动配合〕 zhuàndòng pèihé 명 ⇨〔动配合〕

〔转动子〕 zhuàndòngzi 명 ⇨〔转子〕

〔转缸发动机〕 zhuàngāng fādòngjī 명 로터리 엔진. =〔旋xuán转发动机〕

〔转号盘〕 zhuànhàopán 명 ⇨〔拨bō号盘〕

〔转合座〕 zhuànhézuò 명 ⇨〔动dòng配合〕

〔转欢儿〕 zhuànhuānr 동 마음이 들떠서 돌아다니다〔왔다갔다하다〕.

〔转晃〕 zhuànhuàng 동 어슬렁어슬렁 돌아다니다. ¶在市场里～了半天什么也没买; 시장을 한참 어슬렁어슬렁 돌아다녔지만 아무것도 사지 않았다.

〔转筋〕 zhuàn∙jīn 《漢醫》 동 경련하다. 쥐가 나다. ¶两个腿肚子好像要～似地那么不好受; 양쪽 장딴지에 쥐가 날 것 같아 견디기 어려웠다. (zhuànjīn) 명 전근. 쥐가 나서 근육이 오그라지는 것.

〔转矩〕 zhuànjǔ 명 《機》 토크(torque). =〔扭niǔ矩〕

〔转来转去〕 zhuànlái zhuànqù 이리저리 왔다갔다하다.

〔转炉〕 zhuànlú 명 《工》 베세머 전로(Bessemer 轉爐). 리볼버(revolver). =〔柏bǎi思麦转炉〕〔贝bèi氏炉〕〔吹chuī风炉〕

〔转炉钢〕 zhuànlúgāng 명 《工》 베세머강(Bessemer鋼). =〔柏思麦钢〕

〔转轮〕 zhuànlún 명 《機》 회전 바퀴.

〔转轮手枪〕 zhuànlún shǒuqiāng 명 리볼버(revolver). 회전식 연발 권총.

〔转每分〕 zhuànměifēn 양 《物》 아르 피 엠(r.p.m) (1분간의 회전수를 나타내는 단위).

〔转门(儿)〕 zhuànmén(r) 명 《建》 회전문.

〔转磨〕 zhuàn∙mò 동 〈方〉 ①맷돌을 돌리다. ②〈轉〉 허둥대다. 뱅뱅 돌다. 어찌할 바를 모르다. ¶急jí得直～; 초조해서 어쩔 줄 모르다/找不着地方, 转了半天磨了; 장소를 찾지 못해 한참 헤매었다/心里老是转不开磨; 줄곧 생각이 떠오르지 않다.

〔转磨磨(儿)〕 zhuànmòmo(r)〔zhuànmōmō(r)〕 동 (허둥지둥) 빙빙 돌아다니다. 뱅뱅 돌다. ¶他在屋子焦急地～; 그는 방 안을 초조하게 왔다갔다 거닐고 있다. =〔打旽儿③〕

〔转脑疯〕 zhuànnǎofēng 명 〈俗〉 뇌막염. =〔脑膜炎〕

〔转脑子〕 zhuàn nǎozi 머리〔두뇌〕를 쓰다〔움직이다〕. =〔动脑筋〕

〔转盘〕 zhuànpán 명 ①로터리. ¶人民路的两端是两个～; 인민로의 양쪽끝은 각각 로터리로 되어

있다. ②룰레트(roulette). =〔凭píng天转〕 ③'唱片(儿)'(음반)의 구칭. ④(축음기 등의) 회전반. 턴 테이블(turn table). ⑤전차대(轉車臺)《기관차의 방향을 바꾸는 데 쓰는 큰 원반상의 설비》.

〔转铅笔〕 zhuànqiānbǐ 명 샤프펜슬. =〔自zì动铅笔〕

〔转圈儿〕 zhuànquānr ①명 주위. 둘레. ¶那块新台布~都是穗suì子; 그 새 탁자보는 둘레가 모두 술로 되어 있다. =〔周遭〕 ②(zhuàn quānr) 둘레를 돌다〔돌게 하다〕.

〔转圈(子)〕 zhuàn quān(zi) 한 번 빙 돌다. 한 바퀴 돌다. ¶他到会计室转个圈子到菜地去了; 그는 회계실로 가서 한 바퀴 돌고 채소밭으로 갔다.

〔转日莲〕 zhuànrìlián 명《植》〈京〉해바라기. =〔向日葵〕

〔转数〕 zhuànshù 명《機》회전수.

〔转数表〕 zhuànshùbiǎo 명《機》적산(積算) 회전계. =〔〈南方〉车chē头表〕

〔转速表〕 zhuànsùbiǎo 명《機》회전 속도계. =〔转速计〕

〔转胎儿〕 zhuàntāir 명《醫》해산 때, 태아가 자위를 뜨는 것.

〔转台〕 zhuàntái 명 ①회전 무대. ②회전 탁자. ⇒zhuǎntái

〔转腿肚瘟〕 zhuàntuǐ dùwēn 명《醫》〈俗〉콜레라. =〔霍huò乱〕

〔转弯(儿)〕 zhuàn.wān(r) 동 ①선회(旋回)하다. 회전하다. ②여러 가지 수단을 다하다. ¶这孩子~气人; 이 아이는 여러 가지 방법으로 사람을 속상하게 만든다. ③빗대어 …하다. 에두르다. ¶转着弯儿骂人; 빗대어 남을 욕하다. ④〈方〉알다. 이해하다. ¶怎么样, 转过弯儿来了吗? 어때, 이해할 수 있겠느냐? ⇒zhuǎn.wān(r)

〔转向(儿)〕 zhuàn.xiàng(r) 동 방향을 잃다. 〈比〉뭐가 뭔지 모르다. ¶晕头~; 〈成〉현기증이 나서 방향을 잃다《뭐가 뭔지 모르겠다》. =〔掉向(儿)〕 ⇒zhuǎnxiàng

〔转心〕 zhuàn.xīn 동 사악한 마음을 일으키다. 흉계를 꾸미다. ¶他向来对我很忠实的, 不知为什么~了; 그는 지금까지 내내 내게 충실해 왔는데, 어째서 나쁜 마음을 먹게 되었을까. ⇒zhuǎn.xīn

〔转心盘〕 zhuànxīnpán 명《機》(자동차의) 핸들.

〔转椅(子)〕 zhuànyǐ(zi) 명 회전 의자.

〔转影壁〕 zhuàn yǐngbì 〈比〉①숨기고 말하지 않다. ¶怕他和我~; 그는 나에게 숨기려 할지도 모른다 / 有话请直说, 别跟我~好不好? 할 얘기가 있으면 털어놓고 말해라. 내게 감추지 않는 것이 어떠냐? ②(누군가를) 따돌리다. 도망치다. 도망쳐 숨다. ¶赶我找他去, 他竟和我~; 내가 그를 찾아가 봤더니, 그는 피하기만 하고 만나지 않았다.

〔转悠〕 zhuànyou 동 〈口〉①빙글빙글 돌다. ¶气得眼珠子直~; 화가 나서 눈알이 빙빙 돌다. ②여기저기 돌아다니다. 어슬렁어슬렁 걷다. ¶在大街上~了半天; 거리를 오랫동안 걸어서 돌아다녔다 / 在屋子里~了一圈; 방 안을 한 바퀴 빙 돌았다. ‖ =〔转游〕

〔转折儿〕 zhuànzhér 〈俗〉명 ①생각. 기지(機智). 재치. ¶这孩子~不小; 이 애는 기지가 있다. ②여유. 융통성. ¶娘儿们到底没~; 여자들이란 아무래도 융통성이 없다. 명동 계획(하다). 꿍꿍이속(을 부리다). 속셈(을 품다). ¶看他不言语心里又~呢; 저놈이 입으로는 말하지 않지만, 마음 속으로는 또 꿍꿍이속이 있어 / 他~大; 저놈은 곧잘 못된 일을 꾸민다. ‖ =〔转轴儿〕 ⇒zhuǎnzhé

〔转辙〕 zhuàn.zhé 동 〈京〉동분서주하다. 어떻게든 해보다. ¶事到临头总得~去; 일이 눈앞에 닥쳤으니 어떻게든 해봐야겠다 / 转了半天也转不出辙来; 한참동안 동분서주했지만 어떻게 해 볼 수가 없다. ⇒zhuǎn.zhé(r)

〔转轴儿〕 zhuànzhóur 명동 ⇨〔转zhuàn折儿〕

〔转咒〕 zhuànzhòu 명동 납관(納棺) 때 독경(讀經)(을 하다).

〔转子〕 zhuànzǐ 명《機》모터·터빈·펌프 등의 회전부. =〔转动子〕

〔转子流量计〕 zhuànzi liúliàngjì 명《機》부유식(浮遊式) 유량계.

〔转字盘〕 zhuànzìpán 명 (금고 따위의) 문자판. 다이얼. ¶拨~; 다이얼을 돌리다.

啭(囀) zhuàn (전)

동 〈文〉(새가) 지저귀다. ¶莺啼鸟~; 꾀꼬리나 작은 새가 지저귀다.

沌 zhuàn (전)

지명용 자(字). ¶~河Zhuànhé; 좐허 강(沌河)《후베이 성(湖北省)에 있는 강 이름》. ⇒dùn

瑑 zhuàn (전)

명 〈文〉①옥(玉)의 돋을새김(무늬). ②남의 자(字)의 존칭.

篆 zhuàn (전)

명 ①전. 전자(篆字)《글자체(體)의 하나. '大篆'과 '小篆'이 있음》. ②〈轉〉〈敬〉남의 이름의 존칭. ¶雅yǎ~ =〔台tái~〕; 성함《옛날에는 호(號)를 가리킴》. ③〈轉〉도장. 관인(官印). ¶卸xiè~; 사직(辭職)하다 / 接jiē~; 업무 인계(를 하다).

谍(譔) zhuàn (찬)

동 ⇨〔撰zhuàn〕

撰 zhuàn (찬)

동 ①말하다. ②글을 짓다. 저술하다. ¶~稿gǎo; 원고를 작성하다 / ~文一篇; 글을 한 편 짓다 / 精心结~; 정성들여 글을 짓다. ③갖추다. ‖ =〔谍〕〔篹①〕〔篹②〕

〔撰安〕 zhuàn'ān 명 〈翰〉문인에게 보내는 편지 끝에 쓰는 인사말. =〔文安〕

〔撰祺〕 zhuànqí 동 ⇨〔文wén安〕

〔撰述〕 zhuànshù 명동 저술(하다). 찬술(하다).

〔撰文〕 zhuànwén 명동 작문(하다).

〔撰写〕 zhuànxiě 동 문장을 쓰다. 짓다.

〔撰著〕 zhuànzhù 동 저작하다. 저술하다.

馔(饌) zhuàn (찬)

〈文〉①동 음식을 차려 대접하다. ②동 음식을 먹다. ③명 맛있는 음식. ¶用~; 먹고 마시다 / 肴yáo~; 요리 / 盛shèng~; 풍부한 고급 요리 / ~具jù; 식기. ‖ =〔篹zhuàn①〕〔篹zhuàn②〕

赚(賺) zhuàn (잠)

①동 이익을 보다. 이윤을 얻다. ¶有~无赔; 이익은 있어도 손해는 없다 / ~了五万块钱; 5만 원 벌었다. →〔挣〕↔〔赔〕 ②(~儿) 명 〈方〉이익. 이득. ③동 〈方〉(돈을) 벌다. ⇒zuàn

〔赚利〕 zhuànlì 명동 이익(을 보다). 이윤(을 얻다).

〔赚钱〕 zhuàn.qián 동 ①〈方〉돈을 벌다. ②구전을 받다. ③(자본을 투자하고) 이윤을 얻다. 이익을 보다. ¶善于~; 돈벌이를 잘 한다.

〔赚取〕 zhuànqǔ 동 벌다. (돈·이익을) 손에 넣다. ¶～大量外汇; 다액(多額)의 외화를 손에 넣다. ⇒zuànqǔ
〔赚儿〕 zhuànr 명 〈方〉 이윤. =〔赚头(儿)〕
〔赚食〕 zhuànshí 동 밥벌이를 하다.
〔赚头(儿)〕 zhuàntou(r) 명 〈口〉 이윤.
〔赚账〕 zhuànzhàng 명 수익고(收益高).

篹 **zhuàn** (찬)
① 명동 ⇨〔馔zhuàn〕 ② 동 ⇨〔撰zhuàn〕 ⇒zuǎn

籑〈篹〉 **zhuàn** (찬)
① 동 ⇨〔撰zhuàn〕 ② 명동 ⇨〔馔zhuàn〕 ⇒zuǎn

ZHUANG ㄓㄨㄤ

妆(妝〈粧, 粧〉) **zhuāng** (장)
① 동 화장하다. 치장하다. ¶梳～; 머리를 빗고 화장하다. ② 명 시집 갈 때 가지고 가는 살림. 혼수. ¶送～; 혼수를 보내다 / 迎～; 혼수를 맞다. ③ 명 (여자의) 분장. 치장. 장식품. ¶卸～; 장신구를 풀다. 분장〔화장〕을 지우다.
〔妆扮〕 zhuāngbàn 동 몸차림을 하다. 치장을 하다. ¶～很华丽; 몸차림이 매우 화려하다.
〔妆病〕 zhuāngbìng 동 ⇨〔装病〕
〔妆次〕 zhuāngcì 명 〈翰〉〈敬〉 (편지에서) 여성에 대한 경칭(남자의 경우의 '足下'·'阁gé下'와 같음). ¶贤xián姊大人～; 누님전(前). =〔妆阁〕〔妆前〕〔妆侍shì〕〔妆台②〕〔绣xiù次〕
〔妆点〕 zhuāngdiǎn 동 ①화장하다. 멋부리다. ②장식하다. 꾸미다. ③(결점을) 드러나지 않게 꾸미다.
〔妆阁〕 zhuānggé 명 ⇨〔妆次〕
〔妆奁〕 zhuānglián 명 ①화장 도구함. ②〈轉〉 혼수(婚需) 용품. ¶他上赶结这门亲就是图的那份好～; 그가 이 혼담을 빨리 성사시키려는 것은 그 훌륭한 혼수감이 목적이다. =〔妆送〕
〔妆前〕 zhuāngqián 명 ⇨〔妆次〕
〔妆侍〕 zhuāngshì 명 ⇨〔妆次〕
〔妆饰〕 zhuāngshì 동 화장하다. 치장하다. 멋부리다. ¶～一新; 몸치장을 새롭게 하다. 명 화장을 한 모습. 치장을 한 모양.
〔妆梳〕 zhuāngshū 동 〈文〉 옷차림을 가다듬다. 몸단장을 하다.
〔妆送〕 zhuāngsòng 명 ⇨〔妆奁②〕
〔妆台〕 zhuāngtái 명 ①화장대. ②⇨〔妆次〕
〔妆匣〕 zhuāngxiá 명 ①시집 갈 때 갖고 가는 살림. ②화장 상자.
〔妆新〕 zhuāngxīn 명 〈方〉 신혼용의 의상·이불·베개.
〔妆修〕 zhuāngxiū 동 화려하게 꾸미다. 치장을 하다.

庄(莊) **zhuāng** (장)
①(～儿, ～子) 명 마을. 촌락. ②(～儿, ～子) 명 촌(村). 시골. →〔城〕〔镇〕 ③ 명 가게. 상점(물건을 도매하거나 비교적 규모가 큰 곳을 말함). ¶钱～; 전장(옛날, 환전을 본업으로 하면서 은행일을 겸한 개인이 경영하던 금융 기관) / 茶～; 차 도매상 / 绸缎～; 포목점. ④ 명 상품의 매입·매출을 위해 원산지·소비지에 설치한 대리점 또는 출장소. ¶分～; 지점 / 设～; 대리점 또는 출장소를 설치하다 / 批发～; 도매상·도가. ⑤ 명 상품. 물건(상품의 판로·원산지·계절 따위를 나타내는 말). ¶广～; 판로가 광둥(廣東)인 상품 / 秋～; 가을 산물. ⑥ 명 호농(豪農)이나 귀인(貴人)의 소유지. 장원(莊園). ¶皇～; 황제의 장원. ⑦ 명 별장. ⑧ 형 장중(莊重)하다. 정중하다. ¶端duān～; 단정하고 침착하다 / 有～有谐; 장중하면서도 해학적이다. ⑨ 형 풍성하다. ⑩ 명 놀이의 선(先). ¶是谁的～? 누가 선이냐? ⑪ 명 성(姓)의 하나.
〔庄地〕 zhuāngdì 명 ⇨〔庄田〕
〔庄佃〕 zhuāngdiàn 명 (옛날의) 소작인. 지주와 소작인.
〔庄房〕 zhuāngfáng 명 옛날, 소작지 안에 세운 지주의 건물(작물의 수납이나 헛간으로 쓰였음).
〔庄禾〕 zhuānghé 명 농작물. ¶～地; 곡식밭. 경작지.
〔庄户〕 zhuānghù 명 ①농민의 자칭(自稱). 농사꾼. ¶～人 =〔～人家〕〔～主〕; 농민. 농사꾼. ②농가(農家).
〔庄家〕 zhuāngjia 명 ①시골. ②농가. ③노름의 선(先).
〔庄稼〕 zhuāngjia 명 ①농작물. ¶～人 =〔～老儿〕〔～汉〕〔～主儿〕; 농부. 농민 / ～地; 농지 / ～底子; 농민 출신(자) / ～活儿; 농사일 / 收shōu～; 농작물을 수확하다 / 种～; 농사를 짓다 / 大～; 〈北方〉 옥수수·조·수수를 가리킴. ②장기(長期) 노동자. =〔长工〕
〔庄稼道〕 zhuāngjiadào 명 〈口〉 농로(農路).
〔庄稼经〕 zhuāngjiajīng 명 〈口〉 경작법. 경작상의 습관〔풍습〕.
〔庄敬〕 zhuāngjìng 형 〈文〉 정중하고 공손하다.
〔庄客〕 zhuāngkè 명 〈文〉 ①머슴. 소작인. ②물건을 사들이기 위해서 상시(常時)(또는 일정 기간) 주재하는 사람.
〔庄口〕 zhuāngkǒu 명 상품의 발송지〔판매 지역〕. 상품의 판로.
〔庄码〕 zhuāngmǎ 명 소작지 면적. =〔地码〕
〔庄门〕 zhuāngmén 명 부락 입구의 문. 마을 어귀.
〔庄民〕 zhuāngmín 명 농민. 촌사람.
〔庄奴〕 zhuāngnú 명 소작인의 구칭.
〔庄票〕 zhuāngpiào 명 옛날, '钱庄'에서 발행한 어음〔수표〕.
〔庄田〕 zhuāngtián 명 ①영지(領地). 장원. ②옛날, 지주가 소작인에게 경작시킨 전지(田地). ‖=〔庄地〕
〔庄头〕 zhuāngtóu 명 ①옛날, 군주의 장원을 지키는 사람. ②옛날, 소작인의 우두머리.
〔庄严〕 zhuāngyán 형 장엄하다. 엄숙하다. ¶～的气氛; 장엄한 분위기 / ～地宣誓; 엄숙하게 선서하다.
〔庄园〕 zhuāngyuán 명 장원(옛날, 소작을 시키던 농지〔농원〕).
〔庄折〕 zhuāngzhé 명 옛날, 소작 증서(證書).
〔庄整〕 zhuāngzhěng 형 (복장 등이) 단정하다. ¶打扮得～; 옷차림이 단정하다.
〔庄重〕 zhuāngzhòng 형 (말씨·태도가) 장중〔정중〕하다. 경솔한 데가 없다. ¶神态很～; 표정 태도가 매우 무게 있다. ↔〔轻佻〕
〔庄子〕 Zhuāngzǐ 명 ①《人》 장자(전국 시대의 사상가. 송(宋)나라 출신으로 이름은 주(周)이며 '老子lǎozǐ'와 병칭되는 도가(道家)의 대표자).

②《書》장자. =〔(庄子)南华经〕
〔庄子〕 zhuāngzi 명 ①농촌의 대저택(大邸宅). ②요릿집. =〔饭庄子〕 ③별장. ④〈口〉 마을. 촌락. ⑤바래지 않은 조포(粗布).

桩(樁) zhuāng (장) ①(~子) 명 말뚝. ¶ 桥~; 교각(橋脚) / 打~; 말뚝을 박다 / 拔bá~; ⓐ말뚝을 뽑다. ⓑ〈轉〉 종료하다 / 拴马~; 말을 매는 말뚝. ②명 기둥. ③양 가지. 건《사건(事件)을 세는 말》. ¶ 一~事; 하나의 사건〔일〕 / 一~买卖; 장사 한 건.
〔桩板〕 zhuāngbǎn 명 《軍》 많은 못을 거꾸로 박아 놓은 판자《적의 접근을 방지하기 위한 것》.
〔桩锤〕 zhuāngchuí 명 《機》 말뚝을 박는 해머.
〔桩橛〕 zhuāngjué 명 ①말뚝과 쐐기. ②두드려 박는 물건.
〔桩主〕 zhuāngzhǔ 명 (사건의) 중심 인물.
〔桩桩件件〕 zhuāngzhuangjiànjiàn 형 〈方〉 ①일〔사건〕의 모든. 이것 저것 모두. ¶ 他~记在心中; 그는 모든 것을 낱낱이 마음에 새겨 두었다. ②일〔사건〕이 계속되는 모양. ¶ 事情~; 사건이 하나씩 잇달아 일어나다.
〔桩子〕 zhuāngzi 명 말뚝. 기둥. =〔桩柱〕

装(裝) zhuāng (장) ①명 복장. 치장. 옷차림. 차림새. ¶ 军~; 군복 / 冬~; 겨울옷 / 行~; 행장. 여장(旅裝) / 整~出发; 복장을 갖추고 출발하다. ②동 화장하다. ③동 몸치장하다. ④명동 분장(扮裝). 분장하다. ¶ ~一个外国人; 한 사람의 외국인으로 분장하다 / 上~; 배우가 의상을 갖추다. ⑤명 여장(旅裝). ¶ 治~; 여장을 갖추다. ⑥동 …인 양하다. 가장하다. ¶ ~听不见; 못 들은 체하다 / ~不知道; 모르는 체하다 / 不懂~懂; 모르면서 아는 체하다. ⑦동 싣다. 올려놓다. ↔〔卸〕 ⑧동 넣다. 넣어 두다. ¶ 这个热水瓶能~五公升水; 이 보온병은 5리터의 더운 물을 넣을 수 있다 / ~不下; 다 담을 수 없다 / ~火药; 화약을 재다. ⑨…들이. …담이. ¶ 罐~; 통조림 / 五斤~; 5근들이 / 桶~; 통들이 / 散~; 포장하지 않고 낱개로 싣다. ⑩동 설치〔조립〕하다. (기계 따위를) 꾸며 맞추다. ¶ 机器已经~好了; 기계는 이미 설치되었다 / ~收音机; 라디오를 조립하다 / ~甲车; 장갑차 / 全副武~; 완전무장 / ~电话; 전화를 설치〔가설〕하다. ⑪동 포장하다. ⑫명동 (책·서화에) 장정(裝幀)(하다). ¶ ~订; 장정하다 / 精~; 고급 장정 / 线~书; 선장본(線裝本). ⑬동 (남을) 끌어넣다. 연루시키다. ¶ ~人; 남을(어쩔 수 없는 상태에) 빠뜨리다. (남의) 얼굴에 먹칠을 하다.
〔装摆〕 zhuāng·bǎi 동 뛰어난 인물이나 되는 것처럼 행동하다. 잘난 체하다. ¶ 你可装哪道摆? 谁注意你! 너는 자신을 뭐나 되는 줄 알고 있느냐? 아무도 너 따위에겐 관심이 없단 말이다!
〔装扮〕 zhuāngbàn 동 ①치장하다. 옷치레하다. 장식하다. ②…체하다. 그럴싸하게 보이게 하다. 가장하다. ¶ ~成一个商人; 상인으로 가장하다.
〔装棒子〕 zhuāng bàngzi 장작을 패다.
〔装包〕 zhuāngbāo 명동 포장(하다).
〔装备〕 zhuāngbèi 명동 《軍》 장비(하다). 장치(하다). 설비(하다). 의장(艤裝)(하다).
〔装褙〕 zhuāngbèi 동 (서화나 서적을) 표구하다. 표장(表裝)하다. =〔装裱〕
〔装裱〕 zhuāngbiǎo 동 ⇨〔装褙〕
〔装病〕 zhuāngbìng 동 꾀병을 부리다. =〔妆病〕
〔装车〕 zhuāng·chē 동 차에 싣다. ¶ ~机jī; 짐 싣는 기계.
〔装痴作聋〕 zhuāng chī zuò lóng 〈成〉 ⇨〔装聋卖傻〕
〔装出〕 zhuāngchū 동 ①실어 내다. 출하하다. ②가장하다. …의 모습을 나타내다. ¶ ~一付可怜相; 가련한 체하다.
〔装船〕 zhuāng·chuán 동 선적(船積)하다. (zhuāngchuán) 명 선적. ¶ ~费; 선적비 / ~单据; 선적 서류 / ~发票; 선적 송장.
〔装船行〕 zhuāngchuánháng 명 운송선업(자).
〔装葱卖蒜〕 zhuāng cōng mài suàn 〈成〉 시치미 떼다. 모르는 체하다. 일부러 …인 체하다. ¶ 那是他们闲着没事, ~; 그것은 놈들이 한가해서 아무 할 일도 없는데, 일부러 바쁜 체하고 있는 것이다.
〔装大〕 zhuāngdà 동 잘난 체하다. 젠체하다. ¶ 你小孩子怎敢~呢; 너 같은 애송이가 뭘 잘난 체하는 거냐.
〔装点〕 zhuāngdiǎn 동 꾸미다. 장식하다. 설치하다. ¶ ~门面; 〈成〉 가옥이나 가게의 겉을 장식하다 / 屋里没有什么~, 只有几件简单的家具; 집안에는 아무런 장식도 없고, 다만 간단한 가구가 몇 가지 있을 뿐이다.
〔装订〕 zhuāngdìng 명동 장정(하다). ¶ ~器; 호치키스 / ~机; 제본 기계. =〔装钉〕
〔装发〕 zhuāngfā 명동 포장(하여) 발송(하다).
〔装费〕 zhuāngfèi 명 설치비.
〔装疯卖傻〕 zhuāng fēng mài shǎ 〈成〉 일부러 미친 체하다. 일부러 멍청한 체하다. =〔装憨卖傻〕
〔装柜〕 zhuāngguì 동 매일의 매상을 정리하다.
〔装裹〕 zhuāngguo 명 수의(壽衣). 동 수의를 입히다. ‖ =〔装老〕
〔装憨卖傻〕 zhuāng hān mài shǎ 〈成〉 ⇨〔装疯卖傻〕
〔装憨儿〕 zhuānghānr 동 ⇨〔装傻〕
〔装狠〕 zhuānghěn 동 강한 체하다. 허세부리다. ¶ 他们是真想打, 还是~? 그는 정말로 할 생각인가, 그렇지 않으면 허세를 부리고 있는 것인가?
〔装红白脸(儿)〕 zhuāng hóngbáiliǎn(r) 상냥한 얼굴을 했다 무서운 얼굴을 했다 하다. 어르고 달래고 하다.
〔装糊涂〕 zhuāng hútu 모르는 체하다. 시치미 떼다. ¶ 他还不知道吗? ~呢; 그가 아직 모르고 있어? 시치미 떼고 있는 거야 / 你知道得很清楚, 还装什么糊涂呢; 너는 잘 알고 있으면서 뭘 모르는 체하니.
〔装换〕 zhuānghuàn 동 바꿔 채우다.
〔装潢〕 zhuānghuáng 동 ①장정(裝幀)하다. ②꾸미다. 장식하다. ¶ 小屋~得很漂亮; 방은 예쁘게 장식되어 있다 / ~大方, 留有深刻印象; 장식이 점잖아서 깊은 인상을 남기다. ③표장(表裝)하다. 표구(表具)하다. ¶ 墙上挂着一幅新~的山水画; 벽에 새로 표구한 산수화가 걸려 있다. 명 상품의 포장〔장식〕. ¶ 罐头的~也非常讲究; 통조림의 만듦새가 매우 공이 들어 있다. ‖ =〔装璜〕
〔装幌子〕 zhuāng huǎngzi ⇨〔装门面〕
〔装货〕 zhuāng huò ①화물을 적재하다. ②(zhuānghuò) 명 적하(積荷). 적재. ¶ ~清单; 《商》 인보이스 / ~通知单; 선적 통지서. ‖ =〔搭货〕〔载货〕
〔装货单据〕 zhuānghuò dānjù 명 선적 서류.
〔装机容量〕 zhuāngjī róngliàng 명 《電》 설비 용량.

〔装甲〕 zhuāngjiǎ 명 ①장갑. ¶～列车; 장갑 열차. ②방탄 강판(防彈鋼板).
〔装甲兵〕 zhuāngjiǎbīng 명 장갑 부대.
〔装甲车〕 zhuāngjiǎchē 명 장갑차. =〔铁tiě甲(炮)车〕
〔装甲输送车〕 zhuāngjiǎ shūsòngchē 명 장갑수송차.
〔装假〕 zhuāng.jiǎ 동 ①사양하다. ¶这儿没有外人你不要～; 여기는 흉허물 없는 자리니 사양은 마십시오/我不会～; 저는 사양을 하지 않는 성격입니다. 사양하지 않겠습니다. ②시치미 떼다. …인 체하다. ¶这个人爱～; 이 사람은 시치미를 잘 뗀다.
〔装㢠〕 zhuāng.jiàng 동 (새·쥐 따위의) 덫을 장치하다.
〔装老〕 zhuānglǎo 명동 ⇨〔装裹〕
〔装老实〕 zhuāng lǎoshi 진지한〔점잖은, 착실한〕 체하다. 양의 탈을 쓰다.
〔装殓〕 zhuāng.liàn 동 입관(入棺)하다.
〔装料〕 zhuāng.liào 동 원료를 넣다. ¶～口; 원료를 넣는 구멍.
〔装聋〕 zhuānglóng 동 귀머거리인 체하다. 못 들은 체하다. ¶对他们只好～就是了; 그들에게는 모른 체하는 수밖에 없다.
〔装聋卖傻〕 zhuāng lóng mài shǎ 〈成〉 깨닫지〔생각·주의가 미치지〕 못한 체하다. ¶他不会～地做作; 그는 깨닫지 못한 체하며 멍청하게 굴 수는 없다. =〔装痴作聋〕
〔装聋作哑〕 zhuāng lóng zuò yǎ 〈成〉 귀머거리나 벙어리인 체하다. 모르는 체하다. ¶他对于这个问题～若无其事; 그는 이 문제에 대해서는 모르는 체하고, 그런 일이 있었던가 하는 얼굴을 하고 있다.
〔装满〕 zhuāngmǎn 동 ①만재(滿載)하다. 가득 싣다. ¶电车～乘客; 전차가 승객을 가득 태우다. ②가득 채우다.
〔装门面〕 zhuāng ménmiàn 겉치장하다. 겉모양을 꾸미다. =〔装幌子〕
〔装模作样〕 zhuāng mú zuò yàng 〈成〉 거드름 피우다. 일부러 겉으로만 그럴싸하게 보이게 하다. 허세 부리다. ¶别～了, 不懂就承认不懂, 老老实实地从头学起; 젠체하지 말고, 모르면 모른다고 실토하고 처음부터 다소곳이 배워라.
〔装胖〕 zhuāngpàng 동 ①뚱뚱한 체하다. ②〈比〉 부자인 체하다. 겉모양을 꾸미다. ¶我知道他的底细, 怎么～也不行; 나는 그의 내막을 알고 있으니, 아무리 겉을 꾸며 봤자 소용 없어.
〔装配〕 zhuāngpèi 동 (부품을) 조립하다. (기계를) 설치하다. ¶～房屋; 프리패브(주택). 조립식 주택/～机器; 기계를 조립하다/部件～ =〔组件～〕; 부품 조립/～线; 조립 라인/～作坊; 조립 작업장.
〔装枪〕 zhuāngqiāng 동 탄환을 총에 재다.
〔装腔〕 zhuāng.qiāng 동 …체하다. 거드름 피우다.
〔装腔作调〕 zhuāng qiāng zuò diào 〈成〉 큰소리치다. 허풍을 떨다. ¶家里既没有钱干什么那么～的; 집에 돈이 없다면서 어째서 저렇게 큰소리를 칠까.
〔装腔作势〕 zhuāng qiāng zuò shì 〈成〉 ①허세부리다. 젠체하다. 실속 없이 뽐내다. 호들갑스럽게 굴다. ¶我认为那位演员～演得有些过火; 나는 그 배우가 너무 거드름을 피워 좀 과장된 연기를 한다고 생각한다. ②…인 체하다.
〔装人〕 zhuāngrén 동 〈京〉 사람을 함정에 빠뜨리다. (남의) 얼굴에 똥칠을 하다. (남의) 체면을 깎다. ¶你干对不住人的事, 可别往里～; 겸연쩍은 일을 저질러서 남의 얼굴에 똥칠하지 마.
〔装傻〕 zhuāng.shǎ 동 모르는 체하다. 시치미 떼다. 딴전 부리다. =〔装憨儿〕〔装熊②〕
〔装傻充愣〕 zhuāng shǎ chōng lèng 〈成〉 바보티를 내면서 얼빠진 체하다.
〔装设〕 zhuāngshè 동 설치하다. 달다. 장치하다.
〔装神弄鬼〕 zhuāngshén nòngguǐ 〈成〉 농간 부리다. 속임수를 쓰다. ¶你们别和我～; 너희들 나한테 농간 부리지 마. =〔装神扮鬼〕
〔装饰〕 zhuāngshì 동 장식하다. 치장하다. 꾸미다. ¶她不爱～; 그녀는 모양내는 것을 좋아하지 않는다/她不会～; 그녀는 치장을 할 줄 모른다. 명 장식(품). ¶～品; 장식품/室内～; 실내 장식품/～板; 화장판(化粧板)/～图案; 장식 도안/～音; 《樂》 장식음.
〔装束〕 zhuāngshù 명 옷차림. 몸차림. ¶～入时; 옷차림이 현대적이다〔멋지다〕/工人～的人; 노동자 차림의 사람. 동 〈文〉 여장(旅裝)을 갖추다〔꾸리다〕.
〔装睡〕 zhuāngshuì 동 자는 체하다.
〔装死〕 zhuāngsǐ 동 죽은 체하다.
〔装死卖活〕 zhuāngsǐ màihuó 죽네 사네하다. ¶这个死女人, 到现在还在～, 同我玩这一套《曹禺 蜕變》; 이 죽일 년은 지금도 죽네 사네 하며 나에게 수작을 부린다.
〔装蒜〕 zhuāng.suàn 동 ① 시치미 떼다. 모르는 체하다. ¶你比谁都明白, 别～啦! 자네는 누구보다 잘 알고 있으면서 시치미 떼지 말게! ②거드름 피우다. 잘난 체하다. ¶你装什么蒜; 뭘 잘난 체 하니.
〔装孙子〕 zhuāng sūnzi ①가련한 체하다. ②애송이인 체하다.
〔装体面〕 zhuāng tǐmiàn 체면을 세우다〔차리다〕.
〔装填〕 zhuāngtián 동 ⇨〔填充〕
〔装头卖面〕 zhuāng tóu mài miàn 〈成〉 외관만을 번드르르하게 보이다. 겉치레를 하다.
〔装退〕 zhuāngtuì 동 도로 싣다.
〔装威〕 zhuāngwēi 동 허세를 부리다.
〔装瞎〕 zhuāngxiā 동 ①눈 먼 체하다. ②〈轉〉 보고도 못 본체하다.
〔装线〕 zhuāngxiàn 명동 배선(配線)(하다). 가선(架線)(하다).
〔装现〕 zhuāngxiàn 명동 《經》 정화 현송(正貨現送)(하다).
〔装箱(儿)〕 zhuāng.xiāng(r) 동 상자에 넣다. 포장하다. (zhuāngxiāng) 명 (상자) 포장.
〔装箱单〕 zhuāngxiāngdān 명 《經》 패킹 리스트 (packing list). 포장 명세서.
〔装相(儿)〕 zhuāngxiàng(r) 동 일부러 그런 체하다. 그럴 듯하게 꾸며 대다. ¶别～, 你的老底我已经知道了! 시치미 떼지 마라. 네 내력을 나는 이미 알고 있으니까! =〔装象(儿)〕
〔装象(儿)〕 zhuāngxiàng(r) 동 ⇨〔装相(儿)〕
〔装卸〕 zhuāngxiè 동 ①(짐을) 싣고 부리다. 하역하다. ¶～工 =〔～工人〕; 하역(荷役) 노동자/在～过程中造成洒、漏现象; 싣고 내리는 과정에서 흘리거나 새거나 하는 현상을 일으키다. ②조립했다 분해했다 하다. ¶～自行车; 자전거를 조립했다 분해했다 하다.
〔装凶〕 zhuāngxiōng 동 ①잘난체하다. ②힘센 것

처럼 가장하다. ③흉악한 체하다. 나쁜 체하다. 나쁜 사람처럼 가장하다.
〔装熊〕 zhuāngxióng 동 ①〈俗〉 약점을 보이다. ¶在敌人面前, 我能～吗? 적의 면전에서 내가 약점을 보일 수 있겠느냐? ②⇨〔装傻〕 ③득의양양해지다. 자랑삼아 보이다.
〔装修〕 zhuāngxiū 동 ①(창문·문·수도·전기 따위를) 수리하다. 설치하다. 내부 설비를 하다. 부대 공사를 하다. ¶～门面; 문을〔점포를〕 수리하다. 〈比〉 겉치레를 하다/～阶段; (건축의) 마무리 단계/这房子的～很讲究; 이 집의 내부 장치는 매우 공을 들였다. ②(상점·가옥의 입구 따위를) 장식하다. 겉을 꾸미다.
〔装佯〕 zhuāng.yáng 동 〈南方〉 의뭉떨다. 시치미 떼다. 모르는 척하다. →〔装蒜〕
〔装样子〕 zhuāng yàngzi 거드름을 피우다. 허세를 부리다.
〔装幺〕 zhuāngyāo 동 작은 것처럼 가장하다. 사소한 일처럼 꾸미다.
〔装妖作怪〕 zhuāng yāo zuò guài 〈成〉 갖가지 이상한 모양을 하다.
〔装药〕 zhuāngyào 명동 장전(하다). 장탄(하다).
〔装运〕 zhuāngyùn 동 실어서 운송하다.
〔装载〕 zhuāngzài 동 싣다. 적재하다. ¶～货物; 짐을 싣다. 명 적하(積荷). ¶～单; 적하 증서(積荷證書)(B/L)/～量; 적재량. 적하량.
〔装着玩儿〕 zhuāngzhe wánr 겉을 꾸미다. 시치미 떼다. 희롱거리다. ¶他不是真病, 是～呢; 그는 진짜로 아픈 게 아니라, 그렇게 보이도록 꾸미고 있는 거야/我已经知道了, 你别～! 나는 벌써 알고 있으니 시치미 떼지 마라!
〔装帧〕 zhuāngzhēn 명동 장정(하다). ¶～样本; 가제본. 부피 견본/书籍的～设计; 도서 장정의 디자인.
〔装置〕 zhuāngzhì 동 장치하다. 설치하다. 달다. ¶冷气设备已经～好了; 냉방 설비는 이미 설치를 끝냈다. 명 장치. 설비. ¶冷冻～; 냉동 장치/保险～; 안전 장치.
〔装…作…〕 zhuāng…zuò… …한 체하다. …의 흉내를 내다(성어(成語)·성어 형식의 연어(連語)를 만듦). ¶～聋～哑; 〈成〉 귀머거리나 벙어리 행세를 하다.

奘 zhuǎng (장)
형 〈方〉 굵고 크다. ¶身高腰～; 키가 크고 허리가 굵다/这棵树很～; 이 나무는 매우 굵다/～胳膊; ⓐ굵은 팔. ⓑ벅찬 상대. ⇒zàng

壮(壯) zhuàng (장)
①형 크다. 웅장하다. ¶～志zhì; 웅대한 마음. ②형 강건(強健)하다. 튼튼하다. 왕성하다. ¶年轻力～; 나이가 젊고 힘이 세다/身体很～; 신체가 매우 건장하다/健～; 건장하다/理直气～; 이치가 밝고 떳떳하다/庄稼长得很～; 작물이 매우 실하게 자라고 있다. ③동 기력(氣力)이나 담력을 늘리다. 용기를 더하다. ¶胆子～了起来; 마음이 대담해졌다. ④동 〈北方〉 충만해지다. 가득하게 되다. ¶～满了煤, 上足了水, 单等开车了; 석탄과 물을 가득 싣고 단지 발차를 기다릴 뿐이다/这屉馒头刚～了气的; 이 찜통의 만두는 이제 막 김이 차기 시작했다. ⑤양 《漢醫》 한 혈(穴)에 뜨는 뜸의 수를 세는 말. ¶每穴要施五～; 한 혈에 다섯 뜸씩 놓아야 한다. ⑥(Zhuàng) 명 《民》 장족(중국 소수 민족의 이름).
〔壮场面〕 zhuàng chǎngmiàn 외양〔외관〕을 꾸미다. 허세를 부리다. =〔撑chēng场面〕
〔壮齿〕 zhuàngchǐ 명 〈文〉 장년(壯年). 혈기 한창 때.
〔壮大〕 zhuàngdà 동 ①장대해지다. 강대해지다. ¶和平力量日益～起来; 평화의 힘이 날로 강대해지다. ②강화하다. ¶在斗争中不断地～自己的队伍; 투쟁하면서 자기의 진영을 강화하다. 형 강대〔장대〕하다. ¶手脚～; 〈成〉 당당하다.
〔壮胆(儿, 子)〕 zhuàng.dǎn(r, zi) 동 대담해지다. 용기를 북돋다. ¶壮壮胆; 대담해지다/喝了酒真～, 有天大的事出来都不怕; 술을 마시면 대담해져서 무슨 일이 일어나도 두렵지 않다/靠着这本书～尝试一下; 이 책을 믿고 대담해져서 한번 시험해 보다/倘或道儿上有个什么事, 人多到底有个～的; 혹시 도중에 무슨 일이 있더라도 인원수가 많으면 역시 든든하다.
〔壮丁〕 zhuàngdīng 명 장정(성년이 되어 병역이나 노역을 담당할 청년). ¶抓～ =〔抓丁〕〔拉丁〕; 장정을 납치하다.
〔壮夫〕 zhuàngfū 명 〈文〉 장부.
〔壮工〕 zhuànggōng 명 단순 육체 노동자. 미숙련 노동자.
〔壮观〕 zhuàngguān 명형 장관(이다). ¶这大自然的～, 是我从来没见过的; 이 대자연의 장관은 내가 여태껏 본 적이 없는 것이다.
〔壮汉〕 zhuànghàn 명 장한. 장년의 남자. 건장한 남자.
〔壮怀〕 zhuànghuái 명 〈文〉 넓은 가슴. 호방한 의지.
〔壮健〕 zhuàngjiàn 형 건장하다.
〔壮锦〕 zhuàngjǐn 명 장족(壯族) 여성이 손으로 짠 비단. ¶～包; '壮锦'으로 만든 가방.
〔壮举〕 zhuàngjǔ 명 장거. ¶二万五千里长征是伟大～; 2만 5천리의 장정은 위대한 장거이다.
〔壮靠〕 zhuàngkào 동 ⇨〔撞客(儿)〕
〔壮阔〕 zhuàngkuò 형 ①광활하고 웅장하다. ¶太平洋波澜～; 태평양의 파도가 웅장하다. ②장대하다. 웅대하다. ¶规模～; 규모가 웅대하다.
〔壮朗朗〕 zhuànglǎnglǎng 형 원기 왕성하다. ¶想不到～的人, 一病就死了, 真是可惜; 원기 왕성하던 사람이 어쩌다 얻은 병으로 죽으리라고는 생각지 못했는데, 참으로 애석한 일이로다.
〔壮丽〕 zhuànglì 형 웅장하고 아름답다. 장려하다. ¶山河～; 산하가 장려하다.
〔壮烈〕 zhuàngliè 형 장렬하다. ¶～牺牲; 장렬한 희생.
〔壮美〕 zhuàngměi 형 웅장하고 아름답다.
〔壮门面〕 zhuàng ménmiàn ①외관을 꾸미다. 겉모양을 차리다. ¶衣裳要穿好的, 就是～; 좋은 옷을 입고 싶어하는 것은 겉치레이다. ②겉만 번드르르하다. ¶他的样儿就是～, 内瓤儿不是那么回事; 그는 겉만 번드르르하고, 속은 그렇지 못하다.
〔壮苗〕 zhuàngmiáo 명 《農》 튼튼한 모. 실한 모.
〔壮年〕 zhuàngnián 명 장년. ¶～有为的时候; 장년은 한창 일할 때이다.
〔壮士〕 zhuàngshì 명 장사.
〔壮实〕 zhuàngshi 형 (몸이) 헌걸차다. 튼튼하다. (모종 따위가) 힘차다. ¶他身躯十分～; 그는 몸이 참으로 튼튼하다/小苗长得很～; 작은 모종이 튼튼하게 자랐다/这胳臂真～; 이 팔은 정말 실하다.
〔壮实实(的)〕 zhuàngshíshí(de) 형 늠름한 모양. 튼튼한 모양. 힘이 넘쳐 있는 모양. ¶门口

现了一个～的老人; 입구에 건장한 한 노인이 나타났다.
〔壮硕〕 zhuàngshuò 형〈文〉늠름하고 크다. ¶～骏马; 늠름하고 큰 준마.
〔壮图〕 zhuàngtú 명〈文〉장대한 계획.
〔壮戏〕 zhuàngxì 명〖劇〗장족(壮族)의 전통극의 하나.
〔壮献〕 zhuàngxiàn 명〈文〉위대한 공적.
〔壮心〕 zhuàngxīn 명 ⇨〔壮志〕
〔壮行色〕 zhuàng xíngsè 행색〔첫출발〕을 장대하게 하다. ¶伦敦泰晤士报替他～写了一篇社论; 런던 타임스는 그의 첫출발이 장대하다고 사설을 썼다.
〔壮秧肥〕 zhuàngyāngféi 명 모종을 강하게 하는 비료.
〔壮阳〕 zhuàng.yáng 동〈文〉(남성의) 정력을 왕성하게 하다. 양기를 북돋우다.
〔壮勇〕 zhuàngyǒng 명 의용병(義勇兵). 형 튼튼하고 용감하다.
〔壮游〕 zhuàngyóu〈文〉동 큰 뜻을 품고 먼 곳에 가다. 명동 호유(豪遊)(하다).
〔壮月〕 zhuàngyuè 명 음력 8월의 별칭.
〔壮志〕 zhuàngzhì 명 장지. 웅대한 뜻〔계획〕. 큰 뜻. ¶～凌líng云;〈成〉큰 뜻이 구름을 뚫을 것 같다 / ～未酬;〈成〉큰 뜻을 아직 이루지 못하다. =〔壮心〕
〔壮族〕 Zhuàngzú 명〖民〗장족(중국 소수 민족의 하나. 광둥 성(廣東省)·광시 성(廣西省)·윈난 성(雲南省) 등지에 거주함).

状(狀) zhuàng (상, 장)

①명 형태. 상태. 모양. ¶形～; 형상 / 鳄è鱼～如大壁虎; 악어는 모양이 큰 도마뱀 같다 / 奇形怪～; 괴상한 모양 / 作哭～; 우는 모습을 하다. ②명 용모. ③(～子)명 고소장(告訴狀). ¶诉～; 고소장 / 告～; 고소하다 / 你～上写谁算谁; 너는 고소장에 아무나 쓰고 싶은 사람의 이름을 쓰면 된다. ④동 진술하다. ⑤동 …을 나타내다〔형용하다〕. ¶不可名～; 이루 말할 수 없다 / ～声的词; 소리를 형용하는 말. ⑥명 사정. 형편. 되어 가는 과정 및 그 결과. ¶列举罪～; 죄상을 열거하다. ⑦양 번. 차례(고소하는 횟수를 세는 말). ¶告了一～; 한 번 고소했다. ⑧명 일이 되어 가는 형편을 쓴 글. ¶行～; 행장기. ⑨명 사건·사적(事迹)을 기록한 문서. ¶功～; 공적서 / 委任～; 임명서 / 奖～; 상장.
〔状词〕 zhuàngcí 명 ①소장(訴狀). =〔状子〕 ②부사(副詞)(옛날 문법 용어). =〔疏状词〕
〔状棍〕 zhuànggùn 명 엉터리 변호사. (재판에서) 궤변을 농하는 사람.
〔状口〕 zhuàngkǒu 동 ⇨〔撞客(儿)〕
〔状况〕 zhuàngkuàng 명 정황. 상황. 상태. 형편. ¶经济～恶化; 경제 상황이 나빠지다 / 身体～; 건강 상태 / 改变落后的～; 낙후된 상황을 개선하다.
〔状貌〕 zhuàngmào 명 모양. 형태. 용모.
〔状师〕 zhuàngshī 명 ①옛날, 변호사. ②옛날, 고소장을 쓰는 대서인.
〔状态〕 zhuàngtài 명 상태. ¶固体～; 고체 상태 / 精神～很好; 정신 상태가 좋다 / 竞技～不佳; 경기 상태가〔컨디션이〕좋지 않다.
〔状头〕 zhuàngtóu 명 ①⇨〔状元①〕 ②원대(元代), 고소인을 가리키던 말.
〔状语〕 zhuàngyǔ 명〖言〗부사적 수식어. 상황어(글 속에서 동사·형용사·대사(代詞)의 일부 및 수량사 등을 수식하는 말 또는 연어(連語)). →〔状词〕
〔状元〕 zhuàngyuán 명 ①장원(과거(科擧)의 최고의 시험이었던 전시(殿試)에서의 제1위 합격자). =〔状头①〕〔大魁〕〔廷魁〕 ②〈比〉(직무 따위에서) 성적이 가장 좋은 사람. ¶～酒; 소흥주(紹興酒)의 일종 / ～糕gāo; 쌀가루에 설탕을 치고 반죽해서, 가운데가 잘록한 실패 모양으로 찍어 내어 증기에 익힌 과자 이름 / ～饼; 대추를 소로 넣고 표면에 '状元'이란 글자를 박은 떡의 일종.
〔状元红〕 zhuàngyuánhóng 명 ①소흥주(紹興酒)의 일종. →〔绍shào兴酒〕 ②〖植〗'紫zǐ茉莉'(분꽃)의 별칭. ③〈文〉주사위 놀이에서 주사위 5개를 한번에 던져, 전부가 1점인 경우(1점은 붉게 채색되어 있음).
〔状纸〕 zhuàngzhǐ 명 옛날, 법원 소정(所定)의 소장(訴狀) 용지.
〔状子〕 zhuàngzi 명〈口〉소장(訴狀). =〔状词cí①〕

僮 Zhuàng (동)

→〔僮族〕⇒tóng
〔僮族〕 Zhuàngzú 명〖民〗장족(중국 소수 민족의 하나. 1965년 '壮族'으로 표기). →〔壮族〕

撞 zhuàng (당)

동 ①찌르다. 치다. ¶～钟zhōng; 종을 치다. ②부딪치다. 충돌하다. ¶汽车把手推车～倒了; 자동차가 손수레를 들이받아 쓰러뜨렸다. ③무의식중에 부딪치다. ④뜻밖에 마주치다. ¶这个男人正在鬼鬼祟祟地拿东西, 被老王～见; 그 남자는 살금살금 물건을 훔치다가 왕씨에게 들키고 말았다. ⑤(갑자기) 뛰어들다. 돌진하다. ¶跌diē跌～～走进门来; 쓰러지고 구르며 허둥지둥 문 안으로 뛰어들다 / 一开门, 从外面～进一个人来; 문을 열었더니 남자가 한 사람 뛰어들어왔다 / 横冲直～; ⓐ(차 따위가) 이쪽 저쪽에서 달려오다. ⓑ이쪽 저쪽에서 난폭하게 부딪치면서 침입하다. 미친 듯이 돌진하다. ⑥(목적 없이) 여기저기 돌아다니다. 싸다니다. ⑦편취하다. 사기치다. ¶他～骗了我一百元; 그는 나한테서 100원을 편취했다.
〔撞彩〕 zhuàngcǎi 동 행운을 만나다. 운이 트이다. ¶买家买货要靠～; 구매자가 좋은 물건을 사는 것은 운에 따른다.
〔撞车〕 zhuàng.chē 명 (차의) 충돌. ¶～事故; (차 따위의) 충돌 사고. 동 ①차끼리 충돌하다. ②차에 부딪치다.
〔撞窗户〕 zhuàng chuānghu〈俗〉방향을 잃은 새가 창문에 부딪치다(어찌할 바를 모르다. 망연자실하다. 당혹하다). ¶这两天他竟～了; 요 2,3일 그는 정말 어찌할 바를 모르고 있다.
〔撞锤〕 zhuàngchuí 명 달구. =〔夯hāng①〕
〔撞大运〕 zhuàng dàyùn ①대운(大運)을 만나다. ②운에 맡기고 해 보다. 부딪쳐 보다. ¶这回他们可是拿人命去～; 이번에야말로 그들은 위험을 돌보지 않고 운명에 맡겨 부딪쳐 볼 것이다.
〔撞倒〕 zhuàngdǎo 동 ①찔러서 넘어뜨리다. 부딪쳐서 넘어뜨리다. ②부딪쳐 넘어지다.
〔撞钉子〕 zhuàng dīngzi ⇨〔碰pèng钉子〕
〔撞对〕 zhuàngduì 동 우연히 들어맞다. 요행수로 맞추다. ¶他这一下可～了; 그는 이번에는 우연히 들어맞았다.
〔撞鹅头〕 zhuàng étóu 장애에 부딪치다. 거절당

하다.
〔撞额〕 zhuàng'é 동 이마를 맞대고 비밀 이야기를 하다.
〔撞翻〕 zhuàngfān 동 충돌하여 뒤집히다. 부딪쳐서 뒤집히다.
〔撞归〕 zhuàngguī 명 주산의 구귀 제법(九歸除法)의 이름. ¶～诀; 구귀가(九歸歌).
〔撞红〕 zhuànghóng 동 월경중에 성교하거나 성교 다음날에 월경을 하다(남성이 뜻하지 않은 재난을 당한다는 미신이 있음).
〔撞坏〕 zhuànghuài 동 충돌하여 부서지다〔부서뜨리다〕.
〔撞婚〕 zhuànghūn 명 (중매인 없이) 당사자끼리 정한 혼인.
〔撞祸〕 zhuàng·huò 동 재난을 당하다.
〔撞击〕 zhuàngjī 동 ①(강한 힘으로) 부딪치다. 충돌하다. ¶波浪～岩石; 파도가 바위에 부딪치다. ②(센 힘으로) 치다. 찌르다.
〔撞见〕 zhuàngjiàn 동 뜻밖에 딱 마주치다. ¶让我～了; 나는 뜻밖에 딱 마주치고 말았다/又没有私弊, 怕什么人～; 양심에 가책되는 일도 없는데, 누구와 만나는 것을 두려워할 것인가. →〔碰见〕〔遇yù见〕
〔撞劲儿〕 zhuàngjìnr 명 덮어놓고 부딪쳐 보자는 심사. 앞뒤 생각 없이 무턱대고 하는 성미. ¶别二乎, 给他个～也许成了; 주저할 필요 없다, 앞뒤 가리지 않고 부딪쳐 보면 잘 될지도 모른다.
〔撞客(儿)〕 zhuàng·ke(r) 동 여우한테 홀리거나 귀신 들리어 헛소리를 하다. ¶又笑又闹的, 大概是～了; 웃다가 날뛰다가 하는 것을 보니, 아마 귀신이 들린 것 같다. =〔撞搕〕〔壮靠〕〔状口〕 (zhuàngke) 명 귀신 들린 사람.
〔撞搕〕 zhuàngke 동 ⇨〔撞客(儿)〕
〔撞门〕 zhuàng·mén 동 ①세차게 문을 두드리다. ②불시에 오다.
〔撞门子〕 zhuàng ménzì 남의 집에 불쑥 놀러 가다. 남의 집에 놀러 몰려가다. =〔串门子〕
〔撞木钟〕 zhuàng mùzhōng 〈方〉〈比〉 ①부탁을 하러 갔다가 거절당하다. ¶为这件事求人～了, 好没意思; 이 일로 부탁하러 가서 거절당했는데 정말 무안했다. ②효과가 없는 짓을 하다. ③재물을 편취하다. 사기 협잡하다. ¶京城那里这种～的人很多; 서울에는 이런 종류의 돈을 사취하는 인간이 무척 많다.
〔撞骗〕 zhuàngpiàn 동 사기(詐欺)하다. 금품을 편취하다. 사기칠 기회를 노리다.
〔撞期〕 zhuàngqī 동 기일이 겹치다. ¶避免～; 날짜가 겹치는 것을 피하다.
〔撞球〕 zhuàngqiú 명 당구. =〔台táI球〕
〔撞丧〕 zhuàng·sāng 동 ①운 나쁜 일을 만나다. ②할 일 없이 쏘다니다. ¶不知他又上哪儿～去了; 그는 또 어딜 쏘다니고 있는 것일까. =〔闯丧〕
〔撞锁〕 zhuàngsuǒ 동 부재중에 방문하다. 부재중에 방문하여 헛걸음치다. 명(문의) 용수철식 자물쇠.
〔撞线〕 zhuàng·xiàn 동《體》(결승점 등에서) 테이프를 끊다. ¶他直奔终点, 第一个～, 成绩是二小时二十一分; 그는 곧장 결승점으로 뛰어들어가 첫째로 테이프를 끊었는데, 기록은 2시간 21분이었다.
〔撞运气〕 zhuàng yùnqi 운수를 시험해 보다. 결과야 어떻든 부딪쳐 보다.
〔撞着〕 zhuàngzháo 동 ①맞부딪치다. ②뜻밖의 사태를 만나다.
〔撞针〕 zhuàngzhēn 명 (총 등의) 격침(擊針). 공이.
〔撞钟〕 zhuàng·zhōng 동 종을 치다. (zhuàngzhōng) 명 동전치기(어린이 놀이의 일종).

幢 zhuàng (당)
양〈方〉동. 채(건물을 세는 말). ¶一～楼; 한 동(棟)의 건물. ⇒chuáng

戇(戇) zhuàng (당)
①형〈文〉우직(愚直)하다. 고지식하다. ¶他为人～直; 그는 사람됨이 우직스럽다. ②동 완강하게〔악착같이〕 반대하다. ⇒gàng
〔戇大〕 zhuàngdà 명 아둔패기. 고집통이. 융통성이 없는 사람. ¶他是个～, 只知道听上司的命令办事, 决不让别人干涉; 그는 고집 불통이어서 상사의 명령에 따라 일을 할 뿐, 결코 다른 사람의 간섭을 받지 않는다.
〔戇莽〕 zhuàngmǎng 형 경솔하고 우둔하다.
〔戇人〕 zhuàngrén 명 우직한 사람. 고지식한 사람.
〔戇眼子〕 zhuàngyǎnzi 명 우직하고 완고한 사람. 고집이 센 사람. ¶他是个～, 人家说是, 他偏说不; 그는 우직스럽고 완고한 인간이어서, 남이 '예' 하면, 그는 일부러 '아니오' 한다.

ZHUI ㄓㄨㄟ

隹 zhuī (추)
명〈文〉(고서(古書)에서의) 꽁지가 짧은 새.

骓(騅) zhuī (추)
명〈文〉①흰 바탕에 검정색 털이 섞인 말. ②진말(秦末) 초(楚)나라의 항우(項羽)의 애마(愛馬) 이름.

椎 zhuī (추)
명 ①《生》척추(脊椎). 추골(椎骨). ②(～子) 송곳. ⇒chuí
〔椎骨〕 zhuīgǔ 명《生》척추(골). 추골. =〔脊jǐ椎骨〕
〔椎间盘〕 zhuījiānpán 명《生》추간 연골. 추간판(椎間板). ¶～突出症;《醫》추간 연골 헤르니아(hernia). 디스크(disk).
〔椎轮〕 zhuīlún 명〈文〉①바퀴살이 없는 수레바퀴. ②〈比〉(완전하지 못한) 사물의 시초.
〔椎牛〕 zhuīniú 동〈文〉소를 쳐 죽이다. ¶～飨士; 소를 잡아 선비를 대접하다.
〔椎子〕 zhuīzi 명 ①망치. ②현악기 따위의 채. ③송곳.

锥(錐) zhuī (추)
①(～子) 명 송곳. ¶无立～之地; 송곳을 꽂을 땅도 없다. 입추의 여지가 없다/用～子钻窟窿kūlong; 송곳으로 구멍을 뚫다. ②(～儿, ～子) 명 송곳처럼 끝이 뾰족한 것. ¶杆～ =〔改～〕; 드라이버/冰～; 고드름/圆～体; 원추체. 원뿔체/毛～; 모필. 붓. ③동 (송곳처럼 생긴 공구(工具)로) 구멍을 뚫다. ④명《機》드릴.
〔锥把儿〕 zhuībàr 명 송곳 자루.
〔锥边(儿)〕 zhuībiān(r) 명 새추'隹'(한자 부수의 하나).
〔锥虫〕 zhuīchóng 명《動》트리파노소마(Try-

panosoma). =〔〈俗〉睡shuì病虫〕
〔锥处囊中〕 zhuī chǔ náng zhōng 〈成〉 주머니 속의 송곳《재능 있는 자는 곧 두각을 나타내기 마련》.
〔锥刀之末〕 zhuī dāo zhī mò 〈成〉 송곳 끝만큼의 이익《보잘것 없는 이익》.
〔锥度〕 zhuīdù 명 《物》 원통도(圓筒度). 테이퍼도(度)《직경의 감소량과 길이와의 비》. ¶～规 =〔拔bá梢规〕〔退tuì拔规〕〔斜xié度规〕; 테이퍼 게이지(taper gauge). 구배(勾配) 게이지. =〔哨sào度〕〔梢sào(度)〕〔推tuī拔度〕〔退拔度〕
〔锥股〕 zhuīgǔ 동 〈比〉 발분하여 노력하다.
〔锥坑钻头〕 zhuīkēng zuàntou 명 《機》 카운터 싱크(counter sink)《나사못 따위의 못대가리가 물체의 평면과 같은 수준으로 들어갈 수 있도록 구멍을 파는 송곳》. =〔康kāng得深〕
〔锥孔〕 zhuīkǒng 동 송곳으로 구멍을 뚫다.
〔锥探〕 zhuītàn 명 지층 탐측기(地層探測器).
〔锥桯子〕 zhuītīngzi 명 ① '布鞋(헝겊신)' 바닥을 꿰맬 때 쓰이는 구멍 뚫는 송곳. ②여러 겹의 종이나 헝겊 따위에 구멍 뚫는 송곳.
〔锥销〕 zhuīxiāo 명 《機》 테이퍼 핀(taper pin)《작은 차축(車軸)의 멈춤쇠〔물림쇠〕》. ¶～孔绞刀 =〔退tuì拔销绞刀〕; 《機》 테이퍼 핀 리머(taper pin reamer). =〔退拔销(子)①〕
〔锥销绞刀〕 zhuīxiāo jiǎodāo 명 《機》 테이퍼 리머(taper reamer). 경사(傾斜) 리머《원추형의 구멍을 뚫는 공구》. =〔退tuì拔绞刀〕〔斜xié梢绞刀〕
〔锥形〕 zhuīxíng 명 《機》 ①원추형. ¶～烧杯; 삼각 비커 / ～烧瓶; 삼각 플라스크. =〔拔梢〕〔退拔〕 ②크리스마스 트리《유정용(油井用) 기계》.
〔锥(形)柄〕 zhuī(xíng)bǐng 명 《機》 원추형 손잡이. 테이퍼 생크(taper shank). =〔拔bá梢柄〕〔退tuì拔柄〕
〔锥形轮〕 zhuīxínglún 명 원추형 바퀴.
〔锥眼儿〕 zhuī yǎnr ①송곳으로 구멍을 뚫다. ②(zhuīyǎnr) 명 송곳으로 뚫은 구멍.
〔锥指〕 zhuīzhǐ 형 〈比〉 견식이 좁다.
〔锥子〕 zhuīzi 명 송곳.

追 **zhuī** (추)
동 ①쫓아 내다. 몰아 내다. ②쫓아가다. 추적하다. ¶急起直～; 〈成〉 급히 일어나서 쏜살같이 쫓아가다 / 我们要～上并超过先进国家的生产水平; 우리는 선진 제국의 생산 레벨을 따라가고, 또 그것을 초과하지 않으면 안 된다 / ～不上; 따라잡을 수 없다. ③기왕(旣往)으로 거슬러 올라가다. ¶～念; 추억하다. 추상하다. ④되돌리다. 되찾다. ¶～出款kuǎn了来; 돈을 되찾다 / 把原赃～回来了; 도둑맞은 물건을 도로 찾았다. ⑤구조(救助)에 때 늦지 않다. ⑥추구(追求)하다. 탐구하다. 규명하다. 추궁하다. ¶没人～了; 아무도 추궁하지 않게 되다. ⑦재촉하다. ⑧추후에 보충하다. 추가하다. ¶～授 '特级英雄' 的光荣称号; 특급 영웅의 칭호를 추후에 수여하다.
〔追褒〕 zhuībāo 동 〈文〉 사후(死後)에 그 공적을 포상하다.
〔追奔逐北〕 zhuī bēn zhú běi 〈成〉 도망가는 적을 추격하다. 패주하는 적에게 타격을 가하다. =〔追亡逐北〕
〔追本穷源〕 zhuī běn qióng yuán 〈成〉 사물의 근본을 탐구하다. 사건 발생의 원인을 규명하다. ¶他的钻研精神很好, 对重大的问题总是～, 不搞彻底不罢休; 그의 연구 정신은 대단히 좋아서, 중대한 문제에 대해서는 반드시 그 근본을 탐구하고, 철저히 규명하지 않고는 포기하지 않는다. =〔追根溯源〕〔追根寻xún源〕
〔追逼〕 zhuībī 동 ①바싹 따라가다. ¶敌军不战而逃, 我军乘胜～; 적군은 싸우지도 않고 도망치고, 아군은 승리의 여세를 몰고 추격하다. ②협박하며 추궁하다. 자백을 강요하다. ③…하도록 심하게 강요하다. ¶～他还钱; 돈을 갚으라고 심하게 독촉하다.
〔追兵〕 zhuībīng 명 추격 부대. 추격병.
〔追捕〕 zhuībǔ 동 추포하다. 달아나는 자를 쫓아가서 붙잡다. =〔追拿〕
〔追不上〕 zhuībushàng 따라잡을 수 없다. ¶追也～; 뒤쫓아갔으나 따라잡을 수 없다.
〔追查〕 zhuīchá 동 추적 조사하다. 추궁하다. ¶～责任; 책임을 추궁하다. 명 추적 조사.
〔追偿〕 zhuīcháng 동 추징 배상하다〔시키다〕. 추상하다.
〔追褡裢儿〕 zhuīdāliánr 동 걸식하다. 빌어먹다. ¶～的 =〔乞qǐ丐〕; 거지 / 那么大财主儿, 如今会～了; 그렇게 부자였는데, 지금은 구걸하게 되다니.
〔追悼〕 zhuīdào 동 추도하다. ¶～烈士; 열사를 추도하다 / ～会; 추도회.
〔追吊〕 zhuīdiào 동 사후에 그 사람을 조문하다.
〔追肥〕 zhuīféi 명 《農》 추비. 뒷거름. ¶施足～; 추비를 충분히 주다. (zhuī,féi) 동 추비를 하다. ¶注意在拔节期～; 줄기가 자랄 고비엔 추비 주는 것에 조심한다.
〔追风尾〕 zhuīfēngwěi 〈比〉 순풍을 타다.
〔追风逐电〕 zhuīfēng zhúdiàn 〈比〉 매우 빠르다.
〔追封〕 zhuīfēng 동 사후(死後)에 작위를 수여하다.
〔追福〕 zhuīfú 명동 ⇨〔追善shàn〕
〔追赶〕 zhuīgǎn 동 ①쫓아가다. ¶～小偷; 도둑을 뒤쫓다 / ～队伍; 대열을 뒤쫓다. ②길을 재촉하다. ③독촉하다. 다그치다. ¶把我～得一天一点儿工夫都没有; 일에 쫓기어 온종일 잠시의 틈도 없다.
〔追根(儿)〕 zhuī,gēn(r) 동 꼬치꼬치 캐묻다. 끝까지 추궁하다.
〔追根究底〕 zhuī gēn jiū dǐ 〈成〉 시시콜콜히 캐묻다. 근원을 알아 내다. 진상을 추구하다. ¶对于在研究中产生的每一个问题, 他都从不放过, 非～, 弄个明白不可; 연구 중에 생기는 모든 문제에 대해서 그는 지금껏 하나도 그냥 지나치는 일 없이 철저히 추구하여 반드시 밝혀 내었다. =〔追根问底〕〔究根问底〕〔拔树寻根〕〔盘根究底〕
〔追根溯源〕 zhuī gēn sù yuán 〈成〉 ⇨〔追本穷源〕
〔追根问底〕 zhuī gēn wèn dǐ 〈成〉 ⇨〔追根究底〕
〔追根寻源〕 zhuī gēn xún yuán 〈成〉 ⇨〔追本穷源〕
〔追怀〕 zhuīhuái 동 추회하다. 추억하다. 회상하다. ¶～往事; 지난 일을 회상하다.
〔追欢买笑〕 zhuīhuān mǎixiào 환락의 거리에서 놀다.
〔追回〕 zhuīhuí 동 되찾다. 청구하여 회수하다. ¶～赃zāng物; 도둑맞은 장물을 되찾다 / ～借款; 빚을 회수하다.
〔追悔〕 zhuīhuǐ 동 후회하다. ¶～莫及; 후회해도 소용 없다. =〔后hòu悔〕
〔追获〕 zhuīhuò 동 〈文〉 추적하여 붙잡다.
〔追击〕 zhuījī 명동 추격(하다). ¶～战zhàn; 추

격전 / 退却是防御的继续, ～是进攻的继续; 퇴각은 방어의 계속이며, 추격은 진격의 계속이다.
〔追缉〕 zhuījī 동 〈文〉 도망친 범죄인을 뒤쫓아가 붙잡다.
〔追及〕 zhuījí 동 추궁하다.
〔追记〕 zhuījì 명동 ①추기(하다). ¶～往事; 지난 일을 추기하다. ②열기(列記)(하다). 추서(追敍)(하다). ¶～特等功; 사후에 수훈(殊勳)을 열기하다.
〔追加〕 zhuījiā 동 추가하다. ¶～预算; 추가 예산 / ～投资; 투자액을 늘리다.
〔追荐〕 zhuījiàn 명동 ⇨〔追善〕
〔追缴〕 zhuījiǎo 동 ①추징(追徵)하다. ②되찾다.
〔追截〕 zhuījié 동 뒤쫓아가서 가로막다. ¶前往～摩托车; 앞으로 나아가 오토바이를 뒤쫓아가서 정차시켰다.
〔追紧〕 zhuījǐn 동 엄중하게 추궁하다. 엄하게 다그치다. ¶一面～, 一面放松; 한 편으로는 엄하게 다그치고 한 편으로는 늦추어 주다.
〔追究〕 zhuījiū 동 추궁하다. 규명하다. ¶～责任; 책임을 추궁하다 / 严加～; 엄히 추궁하다.
〔追龙〕 zhuīlóng 명 헤로인을 피우는 방법의 하나《헤로인을 얇은 은박지 위에 놓고 불에 쬐어 타면 단숨에 이를 들이마심》.
〔追美〕 zhuīměi 동 〈文〉 죽은 이를 사후에 칭찬하다.
〔追命鬼〕 zhuīmìngguǐ 명 사신(死神).
〔追拿〕 zhuīná 동 ⇨〔追捕〕
〔追念〕 zhuīniàn 명동 추념(하다). 추상(하다). 추모(追慕)(하다). 추억(하다). =〔追思〕
〔追傩〕 zhuīnuó 명 구나(驅儺)《섣달 그믐날에 악귀를 쫓는 옛날의 행사》. ¶～节; 입춘 전날.
〔追陪〕 zhuīpéi 동 〈文〉 추배하다. 모시고 따르다. 수행하다.
〔追启〕 zhuīqǐ 명동 〈翰〉 추계(하다). 추신(追伸)(하다). =〔追申〕
〔追情问理〕 zhuī qíng wèn lǐ 〈成〉 ①사정·이치를 규명하다. ②일의 되어 가는 형편을 밝히다.
〔追求〕 zhuīqiú 동 ①추구하다. 탐구하다. ¶～真理; 진리를 추구하다 / ～进步; 진보를 추구하다 / ～利润; 이윤을 추구하다. ②구애하다. ¶她是个很俊美的人物, ～她的人也不在少数; 그녀는 매우 아름다운 여자였으므로, 그녀에게 구애하는 사람도 적지 않다.
〔追认〕 zhuīrèn 동 추인하다. 후에 인정하다. ¶何妨先来变通办理, 然后提请～; 먼저 변통하여 처리해 놓고, 나중에 추인을 제의해도 상관없지 않으냐.
〔追三问四〕 zhuī sān wèn sì 〈成〉 이것저것 여러 가지를 묻다. 시시콜콜히 세밀하게 캐묻다.
〔追善〕 zhuīshàn 명동 추선(하다). =〔追福〕〔追荐〕
〔追上〕 zhuīshang 동 뒤쫓아 대어 가다. 쫓아가서 …에 이르다. ¶～超级大国; 초강대국에 따라붙다.
〔追申〕 zhuīshēn 명동 ⇨〔追启〕
〔追谥〕 zhuīshì 동 추시하다. 시호를 추증(追贈)하다.
〔追授〕 zhuīshòu 동 사후에 (위계(位階) 등의) 칭호를 수여하다. ¶～一级战斗英雄称号; 사후에 1등 전투 영웅의 칭호를 수여하다.
〔追述〕 zhuīshù 동 과거의 일을 회상하며 이야기하다. 술회하다. ¶～往事; 과거의 일을 말하다. =〔追叙①〕
〔追思〕 zhuīsī 명동 ⇨〔追念〕
〔追溯〕 zhuīsù 동 거슬러 올라가다. 추소하다. ¶～从前; 이전으로 거슬러 올라가다 / ～到很久远的年代; 까마득한 연대까지 거슬러 올라가다.
〔追随〕 zhuīsuí 동 추수하다. 추종하다. ¶～潮流; 대세에 따르다 / ～错误路线; 잘못된 (정치) 노선을 따르다 / ～者; 추종자.
〔追索〕 zhuīsuǒ 동 재촉하다. 독촉하다. ¶～权quán; 《法》 상환 청구권.
〔追讨〕 zhuītǎo 동 빚을 독촉하다〔다그치다〕.
〔追亡逐北〕 zhuī wáng zhú běi 〈成〉 패한 적을 추격하다. =〔追奔逐北〕
〔追往〕 zhuīwang 형 〈俗〉 교제가 많다. ¶日子火蓬, 人情自然也～; 행세를 하고 있을 때에는, 자연히 교제할 일이 많아지는 법이다.
〔追尾〕 zhuīwěi 동 ①뒤를 밟다. 미행하다. ②추돌(追突)하다.
〔追问〕 zhuīwèn 동 힐문하다. 추궁하다. ¶紧跟着～; 다그쳐 캐묻다 / ～下落; (사람 또는 물건의) 행방을 추궁하다. =〔〈方〉 叮dīng问〕〔钉dīng问〕
〔追昔思今〕 zhuīxī sījīn 옛날과 지금을 비교하여 생각하다.
〔追想〕 zhuīxiǎng 동 ①추상하다. 추억하다. ②더듬어 생각하다. 다시 생각해 보다. ¶再细细～所需何物; 필요한 것은 어떤 물건이었는지 다시 한 번 자세히 생각해 보다.
〔追星族〕 zhuīxīngzú 명 (가수나 배우 등을 따라다니는) 열광팬. 열성팬.
〔追叙〕 zhuīxù 명 ①옛날 일을 생각해 내어 이야기하다. =〔追述〕 ②도서법(倒叙法). =〔倒dào叙〕
〔追寻〕 zhuīxún 동 ①따지다. 캐다. ¶～小过; 작은 잘못을 따지다. ②자취를 더듬어 찾다. 추적하다. ¶～走散的同伴; 헤어진 길동무의 자취를 더듬어 찾다.
〔追忆〕 zhuīyì 명동 추억(하다). ¶含泪～过去的苦难; 눈물로 과거의 고난을 추억하다.
〔追影〕 zhuīyǐng 동 (죽은 이의) 옛모습을 그리워하다.
〔追远〕 zhuīyuǎn 명동 추원(하다).
〔追月〕 zhuīyuè 명동 달맞이(하다). ¶举行～游河会; 강변 달맞이 놀이를 열다 / ～客; 달구경꾼.
〔追赃〕 zhuī.zāng 동 장물을 되찾다. 장물의 행방을 뒤쫓아 찾다.
〔追赠〕 zhuīzèng 동 추증하다. 사후(死後)에 (위계(位階) 등의) 칭호를 내려주다.
〔追账〕 zhuī.zhàng 동 빌려준 돈〔외상값〕을 재촉하다.
〔追征〕 zhuī.zhēng 동 추징(追徵)하다.
〔追逐〕 zhuīzhú 동 ①서로 세력을 다투다. 쫓고 쫓기며 하다. ②추구하다. 구하다. ¶资本家是为了～利润而进行生产的; 자본가란 이윤 추구를 위하여 생산을 하는 것이다. ③뒤쫓다. ¶～野兽; 야수를 뒤쫓다.
〔追踪〕 zhuīzōng 동 ①추적하다. ¶～物; 트레이서(tracer). 추적자(追跡子) / ～站; 레이다 추적 스테이션 / 沿着脚印～野兽; 발자국을 더듬어 짐승을 추적하다. ②〈比〉 본받다. 추종하다.
〔追尊〕 zhuīzūn 동 죽은 이에게 존호(尊號)를 추서하다.

坠(墜)

zhuì (추)
①동 〈文〉 떨어지다. 낙하하다. ¶摇摇欲～; 〈成〉 흔들흔들해서 곧 떨어질 것 같다 / ～命; 생명을 잃다 / ～马; 낙마하다 / ～楼; 2층에서 떨어지다. ②동 쇠망하다. ③동 내려뜨리다. (무거운 것이) 매달리다. ¶果

~子把树枝~得弯弯的; 가지가 휘어질 정도로 과일이 열려 있다. ④ 명 추(錘). =〔坠子〕 ⑤ (~子) 명 늘어져 있는 것. ⑥ 동 가라앉다. 침하하다. ¶船锚往下~; 닻이 아래로 가라앉다. ⑦ 동 (무거워서) 늘어지다. ¶丰满的谷穗~下头去; 잘 익은 벼이삭이 고개를 숙이고 있다.

〔坠鞭公子〕 zhuìbiān gōngzǐ 종일 놀러 다니기만 하는 도련님.

〔坠地〕 zhuìdì 동 〈文〉 ①(아이가) 탄생하다. ②(세력·명성·권위가) 땅에 떨어지다. 〈比〉(기세가) 쇠해지다. ¶文武之道, 未坠于地; 문무의 도가 아직 땅에 떨어지지 않았다〔쇠락하지 않았다〕.

〔坠典〕 zhuìdiǎn 명 〈文〉 쇠퇴한 제도〔의식(儀式)〕.

〔坠肚〕 zhuìdù 동 복통(腹痛)으로 구토증·설사를 일으키다.

〔坠废〕 zhuìfèi 동 〈文〉 쓰이지 않게 되다. 못 쓰게 되다. 폐하여지다.

〔坠根儿〕 zhuìgēnr 명 〈北方〉 어린애 후두(後頭)부의 머리칼을 조금만 남겨 놓은 변형의 두발 형태.

〔坠胡〕 zhuìhú 명 ⇨〔坠子④〕

〔坠毁〕 zhuìhuǐ 동 (비행기 따위가) 추락하여 파괴되다. 추락하여 대파(大破)하다.

〔坠脚〕 zhuìjiǎo 명 늘여뜨리는 장식물.

〔坠落〕 zhuìluò 동 추락하다. 떨어지다. ¶飞机~; 비행기가 추락하다 / 照明弹慢慢~下来; 조명탄이 천천히 떨어지다.

〔坠琴〕 zhuìqín 명 ⇨〔坠子④〕

〔坠腮脸〕 zhuìsāiliǎn 명 위보다 아래가 불룩한 얼굴. =〔坠斯sī脸〕〔坠死sǐ脸〕

〔坠饰〕 zhuìshì 명 내려뜨린 장식. ¶扇子~; 부채에 매단 장식.

〔坠胎〕 zhuìtāi 명동 낙태(하다).

〔坠体〕 zhuìtǐ 명 〔物〕 낙하물.

〔坠腿儿〕 zhuìtuǐr 명 〈比〉 발을 잡아끄는 것. 방해물.

〔坠绪〕 zhuìxù 명 〈文〉〈比〉 쇠퇴하다가 겨우 명맥만 남아있는 것. ¶~重chóng兴; 당장에라도 없어지려던 것이 다시 부흥되다.

〔坠着疼〕 zhuìzheténg 배가 비틀리고 아프다.

〔坠子〕 zhuìzi 명 〈方〉 ①귀걸이. =〔耳坠子〕 ②추(錘). 추 모양으로 내려뜨린 기물의 장식. ¶扇~; 선추(扇錘). ③〈簡〉 허난(河南)·산둥(山東) 지방의 일종의 예능(藝能)《창극 비슷함》. =〔河南坠子〕 ④ '坠子③'에 쓰이는 악기 이름《향동(響胴)은 오동나무로 만들고 활로 타는 2현 악기》. =〔坠胡〕〔坠琴〕

缀(綴)

zhuì (철) ① 동 꿰매다. 얽어매다. ¶~上几针; 몇 바늘 꿰매다. ② 동 (문장을) 잇다. 짓다. ¶~文wén; 글을 짓다 / ~辑; 편집하다 / ~合; 연결시키다 / ~字成文; 글자를 맞추어 엮어 글을 짓다. ③ 동 이어지다. ④ 동 여러 가지 빛깔이 뒤섞이다. ⑤ 동 곁들이다. 악센트를 달다. ⑥ 명 표시. 꾸밈. ⑦ 동 꾸미다. ¶点~; 장식하다. 장식. 취향.

〔缀法〕 zhuìfǎ 명 ⇨〔缀字(儿)〕

〔缀旒〕 zhuìliú 명 〈文〉 ①기(旗)드림. ②〈比〉 인기만 있을 뿐 실권(實權)이 없는 사람. =〔赘旒〕

〔缀文〕 zhuìwén 동 글을 짓다. 작문하다.

〔缀学〕 zhuìxué 동 학문을 이어받다〔받아 전하다〕.

〔缀音〕 zhuìyīn 명동 철음(하다).

〔缀字(儿)〕 zhuìzì(r) 명 군데군데에 공백을 두고 그 곳에 적당한 글자를 넣는 글짓기 연습 방법. =〔缀法〕

锻(錣)

zhuì (철) 명 〈文〉 말을 모는 막대 끝에 붙은 철침(鐵針).

醊

zhuì (철, 체) 동 〈文〉 술을 땅에 뿌려 신께 제사 지내다.

惴

zhuì (췌) 형 〈文〉 걱정하여 겁내다.

〔惴栗〕 zhuìlì 동 〈文〉 무서워 벌벌 떨다.

〔惴惴〕 zhuìzhuì 형 〈文〉 걱정하고 겁내는 모양.

缒(縋)

zhuì (추) ① 동 늘어뜨린 밧줄을 타고 내려가다. ¶~城而下; 밧줄을 타고 성벽을 내려오다 / 矿工由地面~下井去; 광부가 지면에서 밧줄을 타고 광정(鑛井)으로 내려가다 / 用一根麻绳~身而下; 삼줄에 매달려 내려가다. ② 명 늘어뜨린 밧줄. ③ 동 (사람·물건에) 밧줄을 걸어내리다. ¶~下去; 줄에 매어 내리다 / 工人们从楼顶上把空桶~下来; 일꾼들이 건물 지붕에서 빈 통을 밧줄에 달아서 내리다.

膇

zhuì (추) 동 〈文〉 발이〔다리가〕 붓다.

赘(贅)

zhuì (췌) ① 형 여분의. 쓸데없는. 불필요한. 남아 돌아가는. ¶~话; 불필요한 이야기 / 累~; 번거롭다. 귀찮다 / 语不多~; 장황한〔번거로운〕 이야기는 말하지 않다. ② 명 혹. ③ 동 데릴사위로 들어가다. ④ 동 〈文〉 전당(典當)잡히다. ⑤ 동 〈方〉 항상 따라다니다. 매달리다. 귀찮게 하다. ¶这孩子总~着我; 이 아이는 항상 나를 귀찮게 한다 / 让事情~着; 일에 얽매이다.

〔赘笔〕 zhuìbǐ 명 〈文〉 추신(追伸). 부언(附言). 동 첨기(添記)하다. 더 써 넣다.

〔赘陈〕 zhuìchén 명동 ⇨〔赘述〕

〔赘词〕 zhuìcí 명 쓸데없는 말. =〔赘言〕〔赘语〕

〔赘夫〕 zhuìfū 명동 ⇨〔赘婿〕

〔赘脚〕 zhuì.jiǎo 동 거치적거리다. ¶妈妈嫌我~; 어머니는 내가 거치적거리는 것을 귀찮아하신다.

〔赘旒〕 zhuìliú 명 ⇨〔缀旒②〕

〔赘瘤〕 zhuìliú 명 ①혹. ② ⇨〔赘疣②〕

〔赘人〕 zhuìrén 동 ①(남을) 방해하다. 난삽(難澁)하게 만들다. 거치적거리게 하다. ②주체스럽다. 방해가 되다. 성가시다.

〔赘冗〕 zhuìrǒng 〈文〉 형 군더더기이다. 쓸데없다. 명 쓸데없는 것. 군더더기. 여분.

〔赘上〕 zhuìshang 동 ①여분으로 덧붙이다. ②덧붙여 쓰다.

〔赘述〕 zhuìshù 동 장황하게 늘어놓다. ¶不必一一~; 일일이 장황하게 늘어놓을 필요가 없다. 명 장황한 진술. ‖=〔赘叙〕〔赘陈〕

〔赘文〕 zhuìwén 명 〈文〉 쓸데없는 문구. 불필요한 문구.

〔赘物〕 zhuìwù 명 〈文〉 불필요한〔여분의〕 물건.

〔赘叙〕 zhuìxù 명동 ⇨〔赘述〕

〔赘婿〕 zhuìxù 명동 데릴사위(로 들어가다). =〔赘夫〕

〔赘言〕 zhuìyán 명 ⇨〔赘词〕 동 쓸데없는 말을 하다. ¶不再~; 두 번 다시 쓸데없는 말을 하지 마라.

〔赘疣〕 zhuìyóu 명 ①무사마귀. ②〈比〉 군더더기. 무용지물. =〔赘瘤②〕
〔赘语〕 zhuìyǔ 명 ⇨〔赘词〕
〔赘子〕 zhuìzǐ 동 어린이를 노비로 팔다. 명 팔려서 노비가 된 어린이.

ZHUN ㄓㄨㄣ

屯 zhūn (준)
①형 어렵다. 곤란하다. ¶～难; ⇩ ②동 인색하게 굴다. ③동 머뭇거리며 나아가지 못하다. 주저하다. ¶～邅zhān; 머뭇거리다. 주저하다. ④명 둔괘(역(易)의 64괘의 하나. 간난(艱難)으로 나가기 힘든 상(象)). ⇒tún
〔屯艰〕 zhūnjiān 동 ⇨〔屯难nán〕
〔屯蹇〕 zhūnjiǎn 형 ⇨〔屯踬〕
〔屯困〕 zhūnkùn 형 〈文〉 어려움을 겪다. 곤란하다. ¶天灾人祸, 万民～; 천재와 인화로 만민이 고생하다.
〔屯难〕 zhūnnán 동 〈文〉 괴로워하다. 고생하다. 고민하다. ¶～万分; 몹시 괴로워하다. =〔屯艰〕 ⇒zhūnnàn
〔屯难〕 zhūnnàn 명 〈文〉 곤란. 재난. ¶天降～; 하늘이 재난을 내리다. ⇒zhūnnán
〔屯邅〕 zhūnzhān 동 ⇨〔迍邅〕
〔屯踬〕 zhūnzhì 형 〈文〉 몹시 고달프다. =〔屯蹇〕

迍 zhūn (둔)
→〔迍邅〕
〔迍邅〕 zhūnzhān 동 〈文〉 ①일이 잘 진척되지 않다. 망설이며 나아가지 못하다. ②오랜 소망이 이루어지지 않아 지치다. 좌절당하다. ‖ =〔屯邅〕

肫 zhūn (순)
①명 조류(鳥類)의 위(胃)〔모래주머니〕. ¶鸡～; 닭의 모래주머니. ②형 〈文〉 절실하다. 공손하다. 진지하다.

窀 zhūn (둔)
→〔窀穸〕
〔窀穸〕 zhūnxī 명 〈文〉 묘혈. 묘.

谆(諄) zhūn (순)
①동 〈文〉 보좌(補佐)하다. 돕다. ②동 간곡하게 타이르다. ③형 간곡하다. 간절하다.
〔谆切〕 zhūnqiè 형 〈文〉 (하는 말이) 공손하다.
〔谆请〕 zhūnqǐng 동 〈文〉 간절히 바라다.
〔谆言〕 zhūnyán 동 장황하게 지껄이다. 명 푸념. 잔소리.
〔谆嘱〕 zhūnzhǔ 동 〈文〉 귀찮도록 부탁하다. 간곡하게 부탁하다.
〔谆谆〕 zhūnzhūn 형 간곡〔간절, 진지〕하게 타이르는〔말하는〕 모양. ¶～告诫; 〈成〉 잘 알아듣도록 훈계하다. 입에 침이 마르도록 타이르다 / 言者～, 听者藐miǎo藐; 말하는 사람은 진지한데 듣는 쪽은 건성이다 / ～嘱咐; 간곡하게 당부하다.

衠 zhūn (준)
①형 〈方〉 순수하다. 섞인 것이 없다. ②부 〈古白〉 정말로. 진짜로.

准(準)[B)] zhǔn (준)
A) 동 허가〔허락〕하다. ¶批～; 비준하다. 허가하다 / 不～迟到或早退; 지각이나 조퇴는 허용되지 않는다 / ～假; 휴가를 허가하다 / 不～随地吐痰; 노상에서 함부로 침을 뱉어서는 안 된다 / ～如所请办理; 〈公〉 소원하는 대로 처리할 것을 허가함. **B)** ①명 표준. 기준. 수준. 근거. ¶标～; 표준. 기준. 근거 / 水～; 수준기. 레벨 / 以此为～; 이것을 표준으로 하다. ②동 …에 준하다. 따르다. 의거하다. 비(比)하다. ¶～前例处理; 전례에 준하여 처리하다. 전례에 따라 처리하다. ③ 접두 준(準)…. ¶～尉; ⇩ / ～独立国; 준독립국 / ～会员; 준회원. ④형 확실하다. 옳다. 틀림이 없다. 정확하다. ¶务请～时到会; 반드시 정확한 시간에 회의 참석을 하여 주시기 바랍니다 / 我的表很～; 내 시계는 정확하다 / 钟走得不～; 시계가 정확하지 않다 / 看～了; 정확하게 보았다. ⑤부 반드시. 꼭. 틀림없이. 정확히. ¶明天～去; 내일은 반드시 간다 / 任务～能完成; 임무는 틀림없이 완수할 수 있다 / 没～儿; 확실하지 않다. ⑥동 〈公〉 '咨zī文'을 접수하다('咨文'은 동급 관청간의 왕복 문서. 즉 '平行(公)文'). ¶为咨复事, ～贵局咨开…; '咨文'으로 회신합니다. 귀국(貴局)으로부터의 '咨文'을 접수하였습니다마는, 그것에 의하면…. →〔准此〕 ⑦명 〈文〉 코. ¶隆～; 높은 코.
〔准办〕 zhǔnbàn 동 실시를 허가하다. 허가해서 실시하게 하다.
〔准保〕 zhǔnbǎo 부 꼭. 반드시. 틀림없이. ¶～没错儿; 틀림없다 / ～得心应yìng手; 꼭 생각대로 될 것이다.
〔准备〕 zhǔnbèi 명동 준비(하다). ¶～考试; 수험 공부를 하다 / ～战争; 전쟁 준비를 하다. 조동 …할 작정이다. …할 예정이다. ¶春节我～回家; 음력 정월에 나는 집에 갈 예정이다 / 你～什么时候出发? 언제 출발할 예정이냐? =〔打算〕
〔准备运动〕 zhǔnbèi yùndòng 명 《體》 준비 운동. 워밍업. =〔准备活动〕
〔准驳〕 zhǔnbó 명동 〈文〉 승낙·불승낙(을 표명하다).
〔准成〕 zhǔnchéng 형 확실해서 신용할 수 있다. ¶这件事不大～; 이 일은 그리 확실하지 않다.
〔准程〕 zhǔnchéng 명 표준. 법식. 방식.
〔准秤〕 zhǔnchèng 명 정확한 저울.
〔准此〕 zhǔncǐ 〈公〉 …에 관한 것 잘 받았습니다〔잘 알았습니다〕(동급 관청간 공문서에 쓰이는 용어). ¶…等由～; …의 취지는 양지하였습니다.
〔准单〕 zhǔndān 명 허가증.
〔准得〕 zhǔnděi 부 꼭. 반드시. ¶一会儿～刮风; 조금 있으면 꼭 바람이 분다.
〔准底〕 zhǔndǐ 명 확실한 근거.
〔准定〕 zhǔndìng 부 반드시. 꼭.
〔准稿子〕 zhǔngǎozi 명 정고(定稿)(손질이 끝난 완성된 원고). 〈比〉 확실한〔정해진〕 생각〔계획〕. ¶还没有～; 아직 정해진 뚜렷한 생각이 없다.
〔准根(儿)〕 zhǔngēn(r) 명 확실한 근거. ¶说话没有～; 이야기가 엉터리이다.
〔准规〕 zhǔnguī 명 규칙. 준칙.
〔准话〕 zhǔnhuà 명 진짜〔확실한〕 이야기.
〔准将〕 zhǔnjiàng 명 《軍》 준장.
〔准斤(准两)〕 zhǔnjīn(zhǔnliǎng) 명 정확한 저울눈. 형 저울눈이 정확하다. ¶那个肉铺子卖的是～; 저 푸줏간은 정확한 저울눈으로 장사를 한다.
〔准具镗床〕 zhǔnjù tángchuáng 명 ⇨〔座zuò标镗床〕

〔准据〕 zhǔnjù 명 허가증. =〔准证〕
〔准距〕 zhǔnjù 명 (측량) 준거. 스테이디어(stadia).
〔准考证〕 zhǔnkǎozhèng 명 (입학 시험) 수험표.
〔准落儿〕 zhǔnlàor 명 〈俗〉 안정된 생활. 확실하게 안정된 생활의 근거. ¶他总算有～了; 이것으로 그는 더욱 확실한 생계의 길이 이루어진 셈이 된다.
〔准门〕 zhǔnmén 명 (총의) 가늠 구멍.
〔准脾气〕 zhǔnpíqi 명 변덕스럽지 않은 성질. ¶没～; 희로애락이 심하다. 변덕스럽다. =〔准性〕〔准性情〕〔准性子①〕
〔准谱儿〕 zhǔnpǔr 명 확실한 목표〔기준〕. ¶哪儿去? 我也没有～; 어디 가느냐고? 나도 어디라고 정하지 않았어.
〔准期〕 zhǔnqī 명 확실한 기일. =〔准日〕
〔准确〕 zhǔnquè 형 확실하다. 정확하다. ¶估计的数目是～的; 어림잡은 숫자는 정확하다 / ～的统计; 정확한 통계.
〔准确度〕 zhǔnquèdù 명 정도. 정밀도. 정확도.
〔准儿〕 zhǔnr 명 확실한 방식. 분명한 생각. 확실성. ¶没～; 확정되어 있지 않다 / 他来不来没～; 그가 올지 안 올지 확실한 것은 모른다 / 心里有～; 확실한 생각이 있다 / 那人说话没个～; 저 사람의 말은 늘 확실하지 않다.
〔准人〕 zhǔnrén 명 ①특별히 지정된 사람. ②〈文〉 법을 집행(執行)하는 사람.
〔准日〕 zhǔnrì 명 ⇨〔准期〕
〔准日子〕 zhǔnrìzi 명 확실한 날짜. ¶～还没定好呢; 확실한 날짜는 아직 잡히지 않았다.
〔准舌头〕 zhǔn shétou 명 확실한 말. 성의 있는 말. 거짓 없는 말. ¶没～; 말을 믿을 수가 없다.
〔准绳〕 zhǔnshéng 명 수준기와 먹줄. 〈比〉 표준. 규준(規準). 기준.
〔准时〕 zhǔnshí 명 정각(正刻). 정확한 시간. ¶火车～到达; 기차는 정각에 도착한다 / 即请～驾临; 〈翰〉 정각에 와 주시기를 바랍니다.
〔准是〕 zhǔnshì 부 꼭. 틀림없이. 반드시. ¶～干得比我棒; 틀림없이 나보다 더 멋있게 한다.
〔准头〕 zhǔntóu 명 코 밑의 융기(隆起)한 곳.
〔准头〕 zhǔntou 명 〈口〉 ①확실할 것이라는 전망. (사격·말 따위의) 정확성. ¶说话很有～; 말에 확실성이 있다 / 枪法挺有～; 사격의 기술이 매우 정확하다 / 心中有～, 才能拿得定主意; 확실한 전망이 있어야 결심할 수 있다. ②표준.
〔准坨〕 zhǔntuó 명 〈比〉 ①확실한 복안(腹案). 정해진 생각. ¶心里简直没～; 확실한 복안이 전혀 없다. ②자신(自信).
〔准尉〕 zhǔnwèi 명 《軍》 준위.
〔准线〕 zhǔnxiàn 명 《物·數》 (포물선의) 준선.
〔准心眼儿〕 zhǔnxīnyǎnr 확고한〔변하지 않는〕 의지(를 가지고 있다). ¶他做起事来很～; 그는 일을 시작하면 매우 굳은 의지로 한다.
〔准信(儿)〕 zhǔnxìn(r) 명 확실한 소식.
〔准星〕 zhǔnxīng 명 (총의) 가늠쇠.
〔准行〕 zhǔnxíng 동 ①〈文〉 가는 것을〔실시하는 것을〕 허가하다. ②〈俗〉 틀림없이 일이 잘 될 것이다.
〔准性〕 zhǔnxìng 명 ⇨〔准脾气〕
〔准性情〕 zhǔnxìngqing 명 ⇨〔准脾气〕
〔准性子〕 zhǔnxìngzi 명 ①⇨〔准脾气〕 ②변덕이 없는 사람.
〔准许〕 zhǔnxǔ 명동 허가(하다). 승인(하다). ¶～他发言; 그의 발언을 인정한다.
〔准予〕 zhǔnyǔ 동 〈公〉 허가하다. ¶～入境; 입국을 허가하다 / ～给假二日; 2일간의 휴가를 허가하다.
〔准则〕 zhǔnzé 명 규칙. 준칙. ¶行为～; 행동의 준칙. =〔准规guī〕
〔准证〕 zhǔnzhèng 명 허가증. =〔准据〕
〔准准(儿)〕 zhǔnzhǔn(r) 부 확실히. 꼭. 틀림없이.

埻 **zhǔn** (준)
명 〈文〉 과녁의 중심.

ZHUO ㄓㄨㄛ

拙 **zhuō** (졸)
형 ①서투르다. 졸렬하다. 우둔하다. 어리석다. ¶弄巧成～; 〈成〉 약삭빠르게 굴려다가 오히려 재미 없게 되다 / 手～; 서투르다. 손재주가 없다 / 恕我眼～! 알아뵙지 못해 죄송합니다 / ～于言辞; 말주변이 없다. ②〈謙〉 나의. 소생의 (자기의 작품·의견 따위에 대하여 겸손을 나타내는 말). ¶～译; 졸역 / ～作; ⇩
〔拙笨〕 zhuōbèn 형 ①우둔하다. ②서툴다. 요령(要領)이 없다. 솜씨가 없다. ¶字写得～; 글씨 솜씨가 없다.
〔拙笔〕 zhuōbǐ 명 〈謙〉 졸필. 졸문.
〔拙诚〕 zhuōchéng 명 〈謙〉 서투른〔보잘것 없는〕 정성.
〔拙夫〕 zhuōfū 명 〈謙〉 나의 남편. 제 남편.
〔拙稿〕 zhuōgǎo 명 〈謙〉 졸고.
〔拙工〕 zhuōgōng 명 〈文〉 ①서투른 목수〔장색(匠色)〕. ②서투른 일.
〔拙计〕 zhuōjì 명 졸계. 졸렬한 계획〔꾀〕.
〔拙见〕 zhuōjiàn 명 〈謙〉 나의 견해. 우견(愚見). ¶依我～莫若如此; 저의 견해로는 이렇게 하는 것이 제일이라고 생각합니다. ↔〔高gāo见〕
〔拙劲〕 zhuōjìn 명 몹시 센 힘. 뚝심. ¶使～拽zhuài; 뚝심으로 당기다.
〔拙荆〕 zhuōjīng 명 〈文〉〈謙〉 자기 처(妻)의 낮춤말. 우처(愚妻). =〔拙妻〕
〔拙口笨舌〕 zhuōkǒu bènshé 〈成〉 ⇨〔拙嘴笨腮〕
〔拙老婆〕 zhuōlǎopo 명 《鳥》 피리새. =〔鸴xué〕
〔拙劣〕 zhuōliè 형 졸렬하다. ¶文笔～; 문장이 졸렬하다 / ～的表演; 졸렬한 연기. 〈轉〉 졸렬한 방법. 잔 꾀 / ～的手法; 졸렬한 수법.
〔拙昧〕 zhuōmèi 형 〈文〉 우둔하다.
〔拙魔三道〕 zhuōmó sāndào 〈方〉 마구잡이로 난폭한 모양.
〔拙目〕 zhuōmù 명 〈文〉〈比〉 어리석은 사람. 우인(愚人).
〔拙鸟〕 zhuōniǎo 명 '鸽gē子'(비둘기)의 별칭.
〔拙妻〕 zhuōqī 명 ⇨〔拙荆〕
〔拙巧〕 zhuōqiǎo 졸렬함과 교묘함. =〔巧拙〕
〔拙人〕 zhuōrén 명 어리석은 사람. 범인(凡人).
〔拙涩〕 zhuōsè 형 졸렬해서 알기 어렵다. 졸렬하고 거칠다. ¶译文～; 번역된 문장은 졸렬해서 이해하기 어렵다
〔拙实〕 zhuōshi 형 ①(기물(器物)이) 튼튼하다. ②〈俗〉 늠름하다. ‖ =〔〈方〉 茁zhuó实〕
〔拙手〕 zhuōshǒu 명 서툰 솜씨. 서투른 사람. ¶～笨脚; 동작이 느리고 둔하다.

〔拙速〕 zhuōsù 형 졸속하다.
〔拙性〕 zhuōxìng 명 용렬한 성품.
〔拙眼〕 zhuōyǎn 형 안목이 없다. 감식안(鑑識眼)이 없다. 명〈文〉어리석은 사람.
〔拙医〕 zhuōyī 명〈文〉돌팔이 의사. 엉터리 의사.
〔拙直〕 zhuōzhí 형 졸렬해서 아취(雅趣)가 없다.
〔拙志〕 zhuōzhì〔〈京〉zhuózhi〕명 어리석은 생각. ¶寻～; 어리석은 생각을 하다. 〈比〉자살할 생각을 하다.
〔拙著〕 zhuōzhù 명〈文〉〈謙〉졸저. 졸작. =〔拙作〕
〔拙嘴〕 zhuōzuǐ 형 말솜씨가 없다.
〔拙嘴笨腮〕 zhuō zuǐ bèn sāi〈成〉말재주가〔말주변이〕없다. =〔拙口笨舌〕〔拙嘴笨舌〕
〔拙嘴笨舌〕 zhuō zuǐ bèn shé〈成〉⇨〔拙嘴笨腮〕
〔拙作〕 zhuōzuò 명〈文〉〈謙〉(시문의) 졸작. =〔拙著〕

倬 zhuō (탁)
①형〈文〉현저하다. ②형〈文〉크다. ③지명용 자(字). ¶～依乡; 줘이샹(倬依鄉)《원난 성(雲南省)에 있는 땅 이름》.

桌〈棹, 槕〉 zhuō (탁)
①(～儿, ～子) 명 테이블. 탁자. ¶方～; 네모난 탁자 / 圆～; 원탁 / 二屉～; 서랍 두 개가 달린 책상 / 餐～ =〔饭～〕; 식탁. 밥상. ②양 한 교자상의 요리(料理). ¶来了三～客人; 3테이블분(分)의 손님이 왔다 / 定一～菜; 요리를 한 상(床) 예약하다. ⇒ '棹' zhào
〔桌案〕 zhuō'àn 명 큰 탁자《그림을 그리거나 작업할 때 따위에 쓰임》.
〔桌布〕 zhuōbù 명 책상보. 테이블보.
〔桌橱〕 zhuōchú 명 식탁과 찬장.
〔桌单〕 zhuōdān 명 큰〔넓은〕 탁자보.
〔桌灯〕 zhuōdēng 명 전기 스탠드. =〔台灯〕
〔桌柜〕 zhuōguì 명 탁자와 (받침다리가 있는) 장.
〔桌机〕 zhuōjī 명 탁상 전화.
〔桌帘〕 zhuōlián 명 ⇨〔桌帷(子)〕
〔桌面(儿)〕 zhuōmiàn(r) 명 ①테이블의 면(面). ¶～是大理石的; 테이블의 표면은 대리석이다. ②〈轉〉회의석상. 관계자·대중의 면전. 공개석상. ¶～上的人物; 얼굴이 잘 알려진〔누구나 알고 있는〕 인물 / ～上的话; 교제상의 이야기 / 上不了～; 공개적으로 화제에 오르지 않다.
〔桌票〕 zhuōpiào 명《商》환(換)어음. ¶～更gēng现; 어음 할인.
〔桌屏〕 zhuōpíng 명 탁자 위에 놓는 작은 가리개.
〔桌裙〕 zhuōqún 명 ⇨〔桌帷(子)〕
〔桌儿〕 zhuōr 명 (소형의) 테이블.
〔桌上钻床〕 zhuōshàng zuànchuáng 명《機》탁상 드릴링 머신(bench drilling machine).
〔桌毯〕 zhuōtǎn 명 (두꺼운) 테이블보.
〔桌围(子)〕 zhuōwéi(zi) 명 ⇨〔桌帷(子)〕
〔桌帷(子)〕 zhuōwéi(zi) 명 관혼상제 때 쓰는 테이블 앞면에 장식으로 늘어뜨리는 비단이나 무명으로 만든 덮개. =〔桌围(子)〕〔桌帘lián〕〔桌裙qún〕
〔桌席〕 zhuōxí 명 ①상요리(床料理). ②연석(宴席).
〔桌心〕 zhuōxīn 명 탁자의 중앙.
〔桌牙子〕 zhuōyázi 명 테이블의 네 귀퉁이에 새긴 조각.
〔桌衣子〕 zhuōyīzi 명 테이블보.
〔桌椅〕 zhuōyǐ 명 테이블과 의자. ¶～铺; 탁자와 의자를 파는 상점 / ～板凳; 일반 가구의 총칭.
〔桌毡〕 zhuōzhān 명 탁자면의 보호를 위해 까는 모전(毛氈).
〔桌钟〕 zhuōzhōng 명 탁상 시계.
〔桌子〕 zhuōzi 명 탁자. 테이블. ¶～腿; 테이블의 다리.

焯 zhuō (작)
형〈文〉분명하다. 환하게 빛나다. 선명하다. =〔灼②〕⇒ chāo

捉 zhuō (착)
동 ①(손에) 쥐다. 잡다. 〈比〉요점을 파악하다. ¶～笔; 붓을 잡다 / ～不住要点; 요점을 파악할 수 없다 / 把～不定; 꼭 쥘〔잡을〕 수가 없다. ②붙잡다. 체포하다. 포획하다. ¶活～; 생포하다 / 猫～耗子; 고양이가 쥐를 잡다 / ～特务; 스파이를 잡다 / 生擒活～; 생포하다.
〔捉扳头〕 zhuō bāntou 동 ⇨〔找碴(儿)〕
〔捉鼻〕 zhuōbí 동 ①코를 움켜잡다. ②〈轉〉경멸하여 상대하지 않다. 하찮게 여기다.
〔捉捕〕 zhuōbǔ 동 ⇨〔捉拿〕
〔捉藏猫(儿)〕 zhuō cángmāo(r) ⇨〔捉迷藏〕
〔捉大头〕 zhuō dàtóu ①봉으로 삼다. 바보 취급하다. ¶被人捉了大头; 남한테 바보 취급당했다 / 这古董是假的, 叫人～了; 이 골동품은 가짜다. 바보취급 당한거야. ②〈方〉각추렴의 자기 몫을 내다.
〔捉刀〕 zhuōdāo ①동〈文〉문장을 대작(代作)하다. 대필(代筆)하다. ¶代写论文的'～人'机构生意兴隆; 논문을 대신 써 주는 대필자 조직은 장사가 아주 잘 된다. ②(zhuō dāo) 칼을 손에 쥐다. 날붙이를 잡다.
〔捉黄脚鸡〕 zhuōhuángjiǎojī 명 ⇨〔美měi人计〕
〔捉获〕 zhuōhuò 동 ⇨〔捉拿〕
〔捉鸡骂狗〕 zhuō jī mà gǒu〈成〉⇨〔指槐骂柳〕
〔捉奸〕 zhuō.jiān 동 간통 현장을 덮쳐 잡다. ¶～捉双, 捉贼捉赃;〈諺〉간통 현장을 덮쳐 잡으려면 둘 다 잡아야 하고, 도둑을 잡으려면 훔친 물건을 잡아야 한다.
〔捉蛟龙〕 zhuōjiāolóng 명 어린이 놀이의 하나《일종의 꼬리잡기》. =〔捉小鸡儿〕
〔捉襟见肘〕 zhuō jīn jiàn zhǒu〈成〉옷가슴을 잡으면 팔꿈치가 나온다《①옷이 남루하거나 매우 작음. ②어려움이 많아서 변통이 잘 안 됨. (계산·일의 앞뒤를) 맞추기가 어려움》. =〔捉襟肘见〕〔头齐脚不齐〕〔左支右绌〕
〔捉襟肘见〕 zhuō jīn zhǒu jiàn〈成〉⇨〔捉襟见肘〕
〔捉空(儿)〕 zhuō.kòng(r) 동 틈을 타다. ¶太太们老在一处, 哪有我～跟她说话的机会; 부인들이 늘 한데 있는데, 어떻게 내가 틈을 타서 그녀와 이야기할 기회가 있겠습니까.
〔捉老瞎〕 zhuō lǎoxiā ①숨바꼭질을 하다. ②(zhuōlǎoxiā) 명 숨바꼭질.
〔捉迷藏〕 zhuō mícáng ①숨바꼭질하다. ②〈比〉말이나 행동을 일부러 얼버무려서 짐작을 못 하게 하다. ¶你直截了当地说吧, 不要跟我～了; 단도직입적으로 요점을 말하고, 아리송한 숨바꼭질 같은 말장난은 그만두시오. ③(zhuōmícáng) 명 숨바꼭질. ¶玩～; 숨바꼭질을 하다. ‖ =〔捉藏猫(儿)〕
〔捉摸〕 zhuōmō 동 ①추측하다. (실태를) 파악하다. 짐작을 하다《흔히, 부정문(否定文)에 쓰임》. ¶不可～; (실태를) 파악할 수 없다. 짐작을 할

수가 없다 / 别人的心很难～; 남의 마음은 여간해서 파악하기 어렵다 / 你～看; 잘 생각해 보시오 / ～不住要点; 요점을 잡을 수 없다. ②…하려 하다. ¶他时刻～要用鞭biān子来打囚qiú犯; 그는 늘 채찍으로 죄수를 때리려 한다.

〔捉摸不透〕 **zhuōmobutòu** 확실히 전망이 서지 않다. 어찌될지 확실히 알 수 없다.

〔捉拿〕 **zhuōná** 동 붙들다. 체포하다. ¶将犯人～归案; 범인을 붙들어 재판에 회부하다. =〔捉捕〕〔捉获hùo〕

〔捉弄〕 **zhuōnòng** 동 놀림감으로 삼다. 조롱하다. 농락하다. ¶～乡下老儿的商人; 시골 사람을 농락하는 상인.

〔捉小鸡儿〕 **zhuōxiǎojīr** 명 ⇨〔捉蛟龙〕

〔捉妖〕 **zhuō.yāo** 동 요괴를 붙잡다.

〔捉贼〕 **zhuō.zéi** 동 도적을 잡다.

〔捉贼要赃〕 **zhuō zéi yào zāng** 〈成〉 ⇨〔捉贼捉赃〕

〔捉贼捉赃〕 **zhuō zéi zhuō zāng** 〈成〉 도둑을 잡으려면 훔친 물건을 잡아라. =〔捉贼要赃〕

涿 **Zhuō** (탁)

명 《地》 쥐 현(涿縣)《허베이 성(河北省)에 있는 현 이름》.

棁 **zhuō** (절)

명 《建》 〈文〉 동자 기둥《들보와 마룻대 사이에 세우는 작은 기둥》.

镨(鐯) **zhuō** (작, 착)

〈方〉 ① 명 괭이. 호미. 가래. =〔镨钩〕 ② 동 (호미 따위로) 파다. ¶～玉米; 옥수수밭의 사이갈이를 하다.

灼 **zhuó** (작)

① 동 태우다. 그을리다. ¶皮肤为火～伤; 피부가 불로 인해 화상을 입다 / 心如火～; 화가 나서 속이 불타듯 하다. ② 형 분명하다. 밝다. ¶真知～见; 〈成〉 정확하고 명철한 견해. ③ 동 빛나다. ¶目光～～; 눈빛이 반짝반짝 빛나다.

〔灼艾分痛〕 **zhuó ài fēn tòng** 〈成〉 형제간의 우애가 깊다《송(宋)나라의 태종(太宗)이 병으로 뜸을 뜨는데, 태종(太宗)이 뜨거워하는 것을 보고 형(兄)인 태조(太祖)도 함께 뜸을 뜨고 아픔을 나눈 데서 유래함》.

〔灼见〕 **zhuójiàn** 명 명철한 견해.

〔灼灸〕 **zhuójiǔ** 동 뜸을 뜨다.

〔灼烂〕 **zhuólàn** 동 타서 문드러지다.

〔灼热〕 **zhuórè** 형 작열하다. 이글이글하다. 몹시 뜨겁다. ¶～的太阳; 작열하는 태양.

〔灼伤〕 **zhuóshāng** 명동 화상(을 입다). ¶带着可怕的～痕迹的人; 흉칙한 화상의 흔적이 있는 사람.

〔灼烁〕 **zhuóshuò** 동 〈文〉 반짝반짝 빛나다. ¶灯火～; 등불이 환하게 빛나다.

〔灼灼〕 **zhuózhuó** 형 〈文〉 반짝거리는 모양. 빛나는 모양. ¶目光～; 눈이 반짝반짝 빛나다.

酌 **zhuó** (작)

① 동 술을 따르다. ¶自～自饮; 혼자서 술을 마시다. 자작하다. ② 동 고려하다. 참작하다. ¶～量 =〔参～〕〔斟～〕; ⇩ / ～情处理; 사정을 참작하여 처리하다 / ～予答复; 헤아려서 (적당히) 회답하다. ③…을 엿보고, 적당히. ④ 명 연회. 주연. 술자리. ¶便～ =〔小～〕; 조촐한 연회. 약식 연회 / 喜～; 축하연 / 略备菲～, 恭候驾临; 〈翰〉 조촐한 주연을 마련하여, 부디 오시기를 기다리겠습니다.

〔酌办〕 **zhuóbàn** 동 사정을 참작하여 처리하다.

〔酌定〕 **zhuódìng** 동 ⇨〔酌夺〕

〔酌夺〕 **zhuóduó** 동 사정을 참작하여 결정하다. =〔酌度duó〕〔酌定〕

〔酌付〕 **zhuófù** 동 형편을 보아 지불하다.

〔酌复〕 **zhuófù** 동 〈翰〉 고려하여 회답하다. ¶专此布复并希～; 우선 이와 같이 답장을 드립니다. 아울러 회신을 보내 주시기 바랍니다.

〔酌改〕 **zhuógǎi** 동 참작하여 적절히 고치다.

〔酌给〕 **zhuógěi** 동 적당히 지급하다. ¶～口粮; 적당히 식량을 지급하다.

〔酌核〕 **zhuóhé** 동 〈文〉 사정을 참작하여 심사하다.

〔酌加〕 **zhuójiā** 동 〈文〉 참작하여 적당히 추가하다.

〔酌拣〕 **zhuójiǎn** 동 〈文〉 알맞게 고르다. 적절히 선정하다.

〔酌减〕 **zhuójiǎn** 동 (값 등을) 참작하여 적당히 줄이다〔내리다〕.

〔酌酒〕 **zhuó.jiǔ** 동 〈文〉 술을 따르다〔마시다〕.

〔酌科〕 **zhuókē** 동 《法》 정상을 참작하여 구형하다.

〔酌量〕 **zhuóliáng** 동 참작하다. 헤아리다. ¶～着办; 참작하여 처리하다. →〔酌核hé〕

〔酌拟〕 **zhuónǐ** 동 〈文〉 이것저것 생각해서 정하다.

〔酌派〕 **zhuópài** 동 (재산·수입에 따라) 할당하다.

〔酌情〕 **zhuóqíng** 동 (사정·상황·상태·조건 등을) 참작하다. ¶请～处理; 사정을 참작하여 처리해 주시기 바랍니다 / ～办理; 정상을 참작하여 처리하다.

〔酌行〕 **zhuóxíng** 동 〈文〉 참작하여 행하다.

〔酌议〕 **zhuóyì** 동 〈文〉 적당히 의논하다.

〔酌用〕 **zhuóyòng** 동 ①적당히 사용하다. ②적당히 복용(服用)하다.

〔酌予〕 **zhuóyǔ** 동 〈文〉 사정을 참작하여 …하여 주다.

〔酌中〕 **zhuózhōng** 동 〈文〉 중간을 취하다. ¶～之数; 중간을 취한 수. 평균한 수.

卓 **zhuó** (탁)

① 형 뛰어나다. 훌륭하다. ¶超～; 뛰어나게 훌륭하다. 탁월하다 / ～然不群; 탁월하여 비길 데가 없다. ② 형 고원(高遠)하다. ③ 동 높게 곧추서다. 우뚝 서다. ¶～立; 높이 우뚝 서다. ④ 명 성(姓)의 하나.

〔卓别林〕 **Zhuóbiélín** 명 《人》 〈音〉 채플린《영국 출생의 희극 배우》.

〔卓才〕 **zhuócái** 명 〈文〉 탁재. 탁월한 재능(의 사람).

〔卓裁〕 **zhuócái** 명 〈翰〉 (당신의) 탁월한〔훌륭한〕 결단. =〔卓夺〕

〔卓夺〕 **zhuóduó** 명 ⇨〔卓裁〕

〔卓尔〕 **zhuó'ěr** 형 ⇨〔卓然〕

〔卓尔不群〕 **zhuó ěr bù qún** 〈成〉 여럿 속에서 뛰어남. 매우 탁월함.

〔卓见〕 **zhuójiàn** 명 탁견. 훌륭한 견해.

〔卓绝〕 **zhuójué** 형 뛰어나게 우수하다. 탁월하다. ¶～的成就; 탁월한 성과 / ～的表演; 탁월한 연기 / 艰苦～的斗争; 말로 표현할 수 없는 고난의 투쟁.

〔卓立〕 **zhuólì** 동 〈文〉 탁립하다. 높이 우뚝 서다.

〔卓论〕 **zhuólùn** 명 탁론. 뛰어난 의론〔의견〕.

〔卓荦〕 **zhuóluò** 형 뛰어나게 우수하다. 빼어나다. =〔卓跞〕

〔卓跞〕 **zhuóluò** 형 〈文〉 특히 뛰어나다. 탁월하다. ¶英才～; 재능이 뛰어나게 훌륭하다. =〔卓荦〕

〔卓然〕 **zhuórán** 형 뛰어난〔탁월한〕 모양. =〔卓尔〕〔卓卓〕

〔卓识〕 zhuóshí 명 탁월한 견식. 탁견. ¶远见～; 날카로운 관측〔전망〕. 탁월한 견식. =〔卓见〕

〔卓锡〕 zhuóxī 동 〈文〉 석장(錫杖)을 멈추다. 〈比〉 승려가 어느 곳에 잠시 머무르다.

〔卓效〕 zhuóxiào 명 탁효. 뛰어난 효과.

〔卓异〕 zhuóyì 형 출중(出衆)하다. 탁이하다. 명 청대(清代), 3년마다 한 번 있는 지방관의 근무 평정에서, 특히 뛰어난 사람.

〔卓有成效〕 zhuó yǒu chéng xiào 〈成〉 뛰어난 성과가 있다. ¶绿化工作已～; 녹화 작업은 이미 탁월한 성과가 있다.

〔卓越〕 zhuóyuè 형 탁월하다. ¶～的成就; 뛰어난 성과/～的贡献; 탁월한 공헌/～的表演; 훌륭한〔탁월한〕 연기.

〔卓著〕 zhuózhù 형 탁월하다. 뛰어나다. 발군(拔群)이다. ¶成效～; 효력이 뛰어나다.

〔卓卓〕 zhuózhuó 형 ⇒〔卓然〕

茁 zhuó (촬) ①동 〈方〉 식물이 무럭무럭 자라다. ¶～～=〔～然〕; 식물이 무럭무럭 자라는 모양. ②형 〈轉〉 늠름하고 튼튼하다.

〔茁实〕 zhuóshi 형 〈方〉 ①(기물이나 신체가) 실팍하다. 튼튼하다. ¶这房子的骨架很～; 이 집의 뼈대는 매우 튼튼하다/小伙子们一个个都像熊一样的～; 젊은이들은 누구나 모두 곰처럼 튼튼하다. ②늠름하고 옹골차다.

〔茁芽〕 zhuóyá 동 발아하다. 싹이 트다.

〔茁长〕 zhuózhǎng 동 무럭무럭 자라다. 왕성하게 자라다. ¶两岸竹林～; 양(兩) 기슭은 대나무숲이 쑥쑥 뻗어 있다/～素; 식물 성장 호르몬.

〔茁壮〕 zhuózhuàng 형 ①(동식물·사람이) 실하다. 건강하다. ¶一片片绿油油的麦苗～地生长起来; 온통 푸릇푸릇한 보리가 실하게 자란다. ②튼튼하다. 늠름하다. ¶伸出一只～的手来; 억센 손을 내밀다.

浊(濁) zhuó (탁) 형 ①(물이) 탁하다. 흐리다. ¶激～扬清; 〈成〉 탁한 물을 휘저어 뒤섞어 맑은 물을 얻다/这两条河一清一～; 이 두 강은 한쪽은 맑고, 한쪽은 흐리다. ↔〔清〕 ②(세상이) 혼란하다. 어지럽다. ¶～世; 난세(亂世). ③〈轉〉 멍청하다. 바보스럽다. ¶～人; 멍청이. ④(목소리 등이) 탁하고 거칠다.

〔浊富不如清贫〕 zhuófù bù rú qīngpín 〈諺〉 부정한 부(富)보다는 청렴한 가난이 낫다.

〔浊泾清渭〕 zhuó Jīng qīng Wèi 〈成〉 청탁(清濁)의 구분을 애매하게 하지 않다. 흑백을 분명히 하다(‘泾’ ‘渭’ 모두 강 이름).

〔浊口〕 zhuókǒu 명 더러운〔거친〕 입.

〔浊醪〕 zhuóláo 명 탁주. 막걸리.

〔浊流〕 zhuóliú 명 ①탁류. ②〈比〉 악평. ¶他这个人实在是自取人到～里去了; 그는 남의 악평을 자초했다.

〔浊人〕 zhuórén 명 머리가 나쁜 사람. 아둔한 녀석.

〔浊声浊气〕 zhuó shēng zhuó qì 〈成〉 목소리가 탁하고 거칠다. ¶说话～的; 말투가 몹시 거칠다.

〔浊世〕 zhuóshì 명 ①난세(亂世). ②《佛》 탁세. 속세.

〔浊物〕 zhuówù 명 〈罵〉 바보. 멍청이. 우둔한 사람. ¶指着武大脸上骂道, 混沌～《水滸傳》; ‘武大’의 얼굴을 가리키며 아무것도 모르는 멍청이라고 욕을 했다.

〔浊烟尘〕 zhuóyānchén 명 〈比〉 난세(亂世).

〔浊音〕 zhuóyīn 명 《言》 탁음. 유성음(有聲音)(현대 중국어에서는 m·n·l·r·n·ng로 표기되는 음과 반모음 y·w 따위. 전통적으로는 ‘全浊’ 곧 유성(有聲)의 ‘塞音’ ‘擦音’ ‘塞擦音’과 ‘次浊’ 곧 유성의 ‘鼻音’ ‘边音’ 및 ‘半元音’으로 나뉨). =〔浊辅音〕〔浊声〕

斫 zhuó (작) ①동 날붙이로 자르다〔끊다〕. ¶～为两半; 둘로 자르다/～木为舟; 나무를 베어 배를 만들다. →〔砍kǎn①〕 ②동 무너뜨리다. ③형 무지(無知)하다. ④명 큰 괭이. ⑤형 어리석다.

〔斫柴刀〕 zhuócháidāo 명 나무를 자르는 칼(손도끼의 일종).

〔斫雕为朴〕 zhuó diāo wéi pǔ 〈成〉 화려함을 버리고 질실(質實)함을 취하다.

〔斫断〕 zhuóduàn 동 〈文〉 절단하다. 찍어서 끊다.

〔斫轮老手〕 zhuó lún lǎo shǒu 〈成〉 경험이 풍부한 숙달자(熟達者). =〔斲轮老手〕

〔斫丧〕 zhuósàng 동 〈文〉 (주색 등에 빠져 몸을) 해치다. ¶不要～身体! 몸을 탈내지 않도록 해라!/吸食鸦片～身体; 아편을 피워 몸을 해치다. =〔斲手〕

斮 zhuó (착, 작) 동 〈文〉 자르다. 깎다. 베다.

斲〈斵〉 zhuó (착) 동 〈文〉 자르다. 깎다. 패다. 찍다. ¶～丧sàng; (주색 등에 빠져 몸을) 해치다.

诼(諑) zhuó (착) 동 〈文〉 (헛소문을 퍼뜨려) 비방하다. 남의 흉을 보다. 중상하다. ¶谣～; 헛소문을 퍼뜨려 헐뜯다.

啄 zhuó (탁, 주) ①동 부리로 쪼다. ¶小鸡出壳后即能～食; 병아리는 껍질에서 나온 즉시 모이를 쪼아 먹을 수 있다. ②→〔啄啄〕

〔啄木鸟〕 zhuómùniǎo 명 《鳥》 딱따구리.

〔啄啄〕 zhuózhuó 〈擬〉 ①똑똑(문 따위를 두드리는 소리). =〔剥bō啄〕 ②톡톡. 닭이 모이를 쪼는 소리.

琢 zhuó (탁) 동 ①옥을 갈다〔가공하다〕. ¶切磋～磨; 〈成〉 절차탁마(서로 계발하여 깊이 연구하다)/精雕细～; 정밀하고 섬세하게 새겨서〔조각하여〕 가공하다/玉不～, 不成器; 〈諺〉 옥은 갈지 않으면 그릇이 되지 않는다(사람은 수양하지 않으면 훌륭한 인물이 되지 않는다). ②〈比〉 (글을) 다듬다. 꾸미다. ¶修～诗文; 시문을 다듬다. ⇒zuó

〔琢工〕 zhuógōng 명 옥(玉) 세공인.

〔琢句〕 zhuójù 동 〈文〉 문장을 다듬다.

〔琢磨〕 zhuómó 동 ①(옥석(玉石)을) 조각하여 갈고 닦다. ¶这样精巧的东西, 工人们是怎么～出来的; 이런 정교한 것을 노동자들은 어떻게 다듬어 냈을까. ②(문장 따위를) 손질하여 아름답게 꾸미다.

〔琢磨〕 zhuómo〔zuómo〕 동 차분히 생각하다. 숙고(熟考)하다. 음미(吟味)하다. ¶你～这句话是什么意思; 이 말이 어떤 뜻인가를 잘 생각해 보게.

〔琢磨油石〕 zhuómó yóushí 명 기름 숫돌.

〔琢磨玉器作〕 zhuómó yùqì zuō 명 옥기(玉器) 가공장.

椓 zhuó (탁)
①동 치다. 두드리다. ¶~之丁zhēng丁; 나무를 탕탕 두드리다. ②명 부형(腐刑). 궁형(宫刑)《남성 생식기를 잘라 내는 형벌》. ¶劓yì、刵èr、~、黥qíng; 의형·이형·궁형·묵형.

浞 zhuó (착)
①동 젖다. 적시다. ¶让雨~了; 비에 젖었다. ②명《地》쥐허(浞河)《산둥 성(山東省)에 있는 강 이름》. ③명 성(姓)의 하나.

着〈著〉 zhuó (착)
①동 (옷을) 입다. 몸에 걸치다. ¶~衣; ⇩/穿~整齐; 복장이 단정하다/吃~不尽; 먹고 입는 데 궁색하지 않다. ②동 찰싹 붙다. 부착하다〔시키다〕. 접근(接近)하다. ¶~手; ⇩/~色; ⇩/附~; 부착하다/~眼; ⇩/不~痕迹; 흔적도 남기지 않다/说话不~边际; 말하는 것이 끝이 없다〔두서가 없다〕. ③동 사람을 보내다. 파견하다. ¶~个人去; 누군가를 보내다. ④〈公〉하시오. 하라《공문서에 쓰여, 명령의 어기(語氣)를 나타냄》. ¶~即施行; 즉시 시행하라/某某~其免职; 아무개는 그 직을 면직한다. ⑤명 의지할 데. ¶衣食无~; 의식을 의지할 데가 없다. ⑥명 행방. 소재. ¶寻找无~; 어디로 갔는지 찾아 내지 못하다. ⑦동 바둑을 두다. 장기를 두다. ¶~棋qí; ⇩ ⇒zhāo zháo zhe, '著' zhù

〔着笔〕 zhuó.bǐ 동 붓을 들다. 붓을 대다. =〔落luò笔〕
〔着必〕 zhuóbì 부〈文〉반드시. 꼭.
〔着鞭〕 zhuó.biān 동〈比〉손을 대다. ¶着先鞭; 남보다 앞서 손을 대다.
〔着处〕 zhuóchù 명〈文〉도착하는 곳.
〔着地儿〕 zhuódìr 명동 착지(하다). ⇒zháodìr
〔着花〕 zhuóhuā 동 꽃이 피게 하다. 꽃이 피다.
〔着火〕 zhuó huǒ ①불이 붙다. ¶容易~; 불이 붙기 쉽다. ②불이 나다. 실화하다. ⇒zháohuǒ
〔着火点〕 zhuóhuǒdiǎn ⇒zháohuǒdiǎn
〔着斤不着两〕 zhuójīn bùzhuóliǎng 이도 저도 아니고 모호하다. ¶在说话上~的; 말하는 것이 모호하다.
〔着落儿〕 zhuólàor 명 귀결. 결말. ¶这件事还没有~; 이 일은 아직 결말이 나지 않았다. =〔着落luò②〕〔落儿làor〕
〔着力〕 zhuó.lì 동 ①힘을 들이다〔쓰다〕. ¶~于培养人才; 인재 양성에 힘쓰다. ②진력하다. ¶一定~去做; 반드시 힘을 다해서 하겠습니다.
〔着令〕 zhuólìng 동 명령하다. ¶缅甸政府~香港足球队尽速离开缅甸; 미얀마 정부는 홍콩 축구 팀에게 당장 미얀마를 떠나도록 명령했다.
〔着陆〕 zhuó.lù 동 ①착륙하다. ¶飞机~; 비행기가 착륙하다. ②《體》(스키에서) 착지하다. ③《體》터치다운하다. (zhuólù) 명《體》①착지. ②터치다운(touchdown). (스키 점프의) 착지.
〔着落〕 zhuóluò〔zhuólào〕 동 (어느 지점·결과로) 낙착(落着)되다. 귀속되다. ¶这件事就~在你身上了; 이 일은 결국 네 앞으로 떨어졌다. 명 ①행방. 소재(所在). ¶遗失的东西, 还没有~; 유실물은 아직 행방을 모른다. ②결말. 귀결. ¶漫màn无~; 질질 끌며 매듭을 짓지 못하다. ③생길 곳. 나올 곳. ¶这笔经费还没有~; 이 경비는 아직 나올 곳이 없다.
〔着墨〕 zhuó.mò 동 붓을 대다. 붓을 들다. =〔落luò笔〕
〔着棋〕 zhuó.qí 동〈方〉①바둑을 두다. ②장기를 두다. ‖=〔下棋〕
〔着浅〕 zhuóqiǎn 동 좌초하다. 얕은 여울에 얹히다. =〔搁gē浅〕
〔着人〕 zhuórén 동 사람을 시키다. ¶~去请他; 그를 청하러 사람을 보내다. ⇒zháorén
〔着色〕 zhuó.sè 동 착색하다. ¶近来的食品大都是~的; 요즘의 식품은 대부분 착색한 것이다.
〔着色玻璃〕 zhuósè bōli 명 착색 유리. 색유리.
〔着实〕 zhuóshí 부 ①참으로. 마음 속으로부터. 확실히. ¶~感谢; 진심으로 감사하다/心里~有点难过; 마음 속이 심히 괴롭다/~地费您心了; 정말 심려를 끼쳤습니다. ②톡톡히. 단단히. ¶~教训了他一顿; 그를 몹시 꾸짖었다.
〔着手〕 zhuó.shǒu 동 착수하다. 시작하다. 손을 대다. ¶那件事已经~了; 그 일을 벌써 시작했다/从调查研究~; 조사 연구부터 착수하다/~准备; 준비를 시작하다.
〔着手成春〕 zhuó shǒu chéng chūn〈成〉손을 대기만 해도 병이 낫다《의술의 고명(高明)함을 칭찬하는 말》. =〔着手回春〕
〔着手回春〕 zhuóshǒu huí chūn〈成〉⇨〔着手成春〕
〔着算〕 zhuó.suàn 동 ⇨〔合hé算①〕
〔着想〕 zhuóxiǎng 동 착상하다. (남의 이익을) 생각하다. …을 위해 생각하다. 생각이 미치다. ¶他是为你~才劝你少喝酒的; 그는 당신을 생각해서 술을 너무 과하게 마시지 말라고 충고하는 것입니다. ⇒zháoxiǎng
〔着眼〕 zhuó.yǎn 동 착안하다. 고려하다. ¶~于未来; 미래에 착안하다.
〔着要〕 zhuóyào 동 요점을 파악하다.
〔着衣〕 zhuóyī 동〈文〉옷을 입다.
〔着衣镜〕 zhuóyījìng 명 체경(體鏡).
〔着意〕 zhuó.yì 동 신경을 쓰다. 마음을 쓰다. 정성을 들이다. ¶作家~刻画的人物; 작가가 정성을 들여서 그린 인물.
〔着重〕 zhuó.zhòng 동 ①강조하다. ¶~指出; 강조하여 지적하다/~点; 역점(力點). 중점/~号; 방점. 곁점《글자 밑에 '·'을 씀》. ②(…에) 역점을 두다. 중시하다. ¶只~形式; 형식만을 중시하다.
〔着重儿〕 zhuó.zhòngr〔zháo.zhòngr〕 형 ①병세가 무겁다. ②부담이 되다. 힘겹다. ⇒zháozhòngr
〔着着〕 zhuózhuó 부 착착. 하나하나씩. ¶~胜利; 착착 승리를 거두다/~失败; 하나하나씩 실패하다. ⇒zháozháo

禚 Zhuó (작)
명 성(姓)의 하나.

缴(繳) zhuó (작)
명〈文〉(사냥감을 끌어당기기 위한) 화살에 붙은 실. ⇒jiǎo

鷟(鷟) zhuó (작)
①→〔鸑yuè鷟〕 ②명 성(姓)의 하나.

濯 zhuó (탁)
①동 빨다. 씻다. ②명 성(姓)의 하나.

〔濯缨濯足〕 zhuó yīng zhuó zú〈成〉존경을 받는 것도 경멸을 당하는 것도 그 사람에 달려 있다. ¶沧cāng浪之水清兮, 可以濯我缨, 沧浪之水浊兮, 可以濯我足《孟子 離婁上》; '沧浪'의 물이 맑으면 갓끈을 빨 수 있으며, 흐려 있으면 발을 씻을 뿐이다.

〔濯濯〕 zhuózhuó 형 〈文〉 (산이) 벌거벗은 모양. ¶童山～; 민둥산은 초목이 하나도 없이 온통 헐벗어 있다.

擢 zhuó (탁) 동 〈文〉 ①뽑다. ②선발하다. 발탁하다. ¶～之于群众之中; 여럿 중에서 발탁하다.

〔擢发难数〕 zhuó fà nán shǔ 〈成〉 죄악이 너무 많아 셀 수 없다.

〔擢取〕 zhuóqǔ 동 〈文〉 발탁하다. 등용하다.

〔擢升〕 zhuóshēng 동 〈文〉 발탁 승진시키다〔되다〕. ¶他的军衔自大校～为少将; 그의 군에서의 계급이 대령에서 소장으로 발탁 승진됐다.

〔擢授〕 zhuóshòu 동 〈文〉 발탁하여 관직을 주다.

〔擢贤〕 zhuóxián 동 〈文〉 현명한 사람을 등용하다.

〔擢用〕 zhuóyòng 동 〈文〉 발탁하여 채용하다.

镯(鐲〈鋜〉) zhuó (탁) 명 ①팔찌. 발찌. ¶～子; ⇓ ②꽹과리. 징.

〔镯子〕 zhuózi 명 팔찌. 발찌.

ZI ㄗ

仔 zī (자) 명 〈文〉 부담. 책임. 무거운 짐. ¶卸～肩; 무거운 짐을 내려놓다. 이직(離職)하다. ⇒ zǎi zǐ

孖 zī (자) 〈文〉 ① 명 쌍둥이. ② 동 무성하게 퍼지다. =〔滋〕 ⇒ mā

〔孖虫〕 zīchóng 명 《動》 연형(蠕形) 동물의 흡충류(吸蟲類)에 속하는 벌레《물고기의 아가미에 기생함》.

孜 zī (자) →〔孜孜〕

〔孜孜〕 zīzī 형 부지런하다. 근면하다. =〔孳孳〕

〔孜孜不倦〕 zī zī bù juàn 〈成〉 부지런하게 꾸준히 노력하다. =〔孜孜矻kū矻〕

〔孜孜兀兀〕 zīzīwùwù 전력을 다해 열심히 노력하다.

齐(齊〈斉〉) zī (자) 명 〈文〉 옛날에 옷단〔옷자락〕을 이르던 말. ¶～衰cuī; 자최《조금 굵은 생베로 지어, 아래 가를 좁게 접어서 꿰맨 상복(喪服)으로 오복(五服)의 하나임》. ⇒jì qí zhāi

吱 zī (지) ① 동 소리를 내다. ¶不～声; 아무 말도 안 하다 / 他连一句话都没～一声; 그는 한 마디도 말을 안 했다 / 当时没一个人敢～声; 그 때 누구 한 사람 소리를 내는 사람이 없었다. ②〈擬〉 찍찍《쥐 · 참새 등의 소리》. ¶～呦; 〈擬〉 끽끽 하는 불쾌한 소리. ‖ =〔吱②〕 ⇒ zhī

〔吱喽喽〕 zīlōulou 〈擬〉 삐걱삐걱. 찍찍. 짹짹. ¶院门～一声开了, 不知是哪一个出来了; 안마당의 문이 삐걱 소리를 내고 열리더니, 누군지 모르지만 한 사람이 나왔다 / 枝梢上～的发哨; (새가) 나뭇가지에서 짹짹 지저귀다.

〔吱声儿〕 zīˌshēngr 동 ⇨〔滋声儿〕

〔吱歪〕 zīwāi 형 〈方〉 ①지쳐서 녹초가 되다. ¶累得～的; 몹시 피곤하다. ②기뻐서 가슴이 설레다.

兹〈茲〉 zī (자) 〈文〉 ① 명 이제. 지금. ¶三載于～; 현재까지 3년이 된다. ② 부 여기에. 이에. ¶～订于四月一日上午九时举行第五十届毕业典礼; 이에 4월 1일 오전 9시에 제50회 졸업식을 거행한다 / ～制定服制条例, 公布如下; 이에 복제(服制) 조례를 제정하여 이를 공포한다. ③ 대 이. 이것. ¶～理易明; 이 이치는 알기 쉽다 / ～事体大; 이것은 중대한 사건이다. ④ 부 더욱이. 더욱더. ¶历年～多; 해마다 더욱 증가하고 있다. ⑤ 명 해. 년(年). ¶今～; 금년 / 来～; 내년. ⇒ cí

〔兹查〕 zīchá 〈翰〉 이에 살피건대. 그런데《옛날 공문용 발어사(發語辭)》.

〔兹奉〕 zīfèng 〈公〉 이에 …을 받들다《상사 또는 상급 기관으로부터 명령 · 공문을 받았을 때 사용》.

〔兹其〕 zījī 명 ⇨〔镃基〕

〔兹罗提〕 zīluótí 양 〈音〉 즐로티(Zloty)《폴란드의 화폐 단위. 1 '兹罗提' 는 100그로즈이(Groszy)》.

〔兹者〕 zīzhě 〈文〉 〈翰〉 여기에. 지금. 이번(에)《편지 본문의 서두 등에서 쓰임》.

滋 zī (자) ① 동 자라다. 발육하다. ¶花草～芽儿了; 화초의 싹이 텄다. ② 동 발생하다. 생기다. ¶～事; ⇓ ③ 동 내뿜다. 분사(噴射)하다. ¶从水管子往外～水; 수도관에서 물을 뿜어 내다 / 这个喷水管的水～得有一米多高; 이 분수의 물은 1미터 남짓이나 뿜어 올리고 있다. ④ 동 나타내다. 드러내다. ¶～牙一笑; 이를 드러내고 생긋 웃다. ⑤ 동 윤택해지다. 촉촉해지다. 풍성하게 되다. ⑥ 명 영양. 자양. ¶～补; ⇓ ⑦ 동 번식하다. 증가하다. 늘어나다. ¶股票行市～上去了; 주가(株價)가 올랐다 / 树德务～; 〈成〉 덕을 많이 쌓도록 더욱 힘써야 한다. ⑧ 형 많은. ⑨ 부 더욱더. ¶～甚; 더욱더 심하다. ⑩ 명 〈文〉 맛. 자미(滋味). ⑪ 부 자주. ⑫ 동 틈으로 새다. ¶手里攥zuàn的泥由手缝儿～出来; 손에 쥔 진흙은 손가락 사이로 새 버린다. ⑬ 동 끈적끈적 들러붙다. ¶这只表好久没修理, 油泥～得太多了; 이 시계는 오랫동안 수리를 하지 않았기 때문에 기름때가 많이 끼었다 / 马蹄～着的泥厚, 你不知道刷刷吗? 말발굽에 진흙이 많이 끼었는데, 너는 씻어 줄 줄도 모르느냐?

〔滋补〕 zībǔ 동 (몸에) 기운을 돋구다. 자양하다. 보양하다. ¶～药品; 강장제 / ～身体; 몸을 보양하다.

〔滋繁〕 zīfán 동 〈文〉 번다해지다. 증가하다.

〔滋溜〕 zīliū 동 가볍게 살짝 몸을 움직이다. ¶～一下就钻进了; 슬쩍 몸을 움직여 뚫고 들어갔다.

〔滋乱〕 zīluàn 동 〈文〉 소란을 일으키다.

〔滋蔓〕 zīmàn 동 〈文〉 ①풀이 무성히 자라다. 만연하다. ¶任凭杂草～着; 잡초가 퍼지도록 내버려 두다. ②〈轉〉 권력이 강력해지다.

〔滋蔓难图〕 zī màn nán tú 〈成〉 세력이 커져 감당할 수 없다.

〔滋毛(儿)〕 zīmáo(r) 동 ①일이 생기다. 소동이 일어나다. ②소동을 일으키다. 말썽을 일으키다. ③투덜거리다. 불평을 말하다. ¶我看他们谁也不敢～; 그들 중 누구도 감히 불평을 말하지는 않으리라 생각한다 / 瞧你还敢～吗? 그래도 투덜거리겠다는 거냐? ④털이 자라다. ¶～大头 =〔～栗子〕; 〈俗〉 머리가 부수수〔더부룩〕한 모양 / 我还没梳头呢, 这～栗子似的怎么见客? 아직 머리를

빗지도 않았는데, 이런 부수수한 머리로 어떻게 손님을 만날 수가 있겠어요?
〔滋茂〕 zīmào 형 ⇨〔孳茂〕
〔滋密〕 zīmi 형 촘촘하다. (피륙의) 발이 곱다. ¶这样的呢绒很～, 倒很耐穿; 이런 종류의 나사(羅紗)는 발이 고와서 꽤나 질기다.
〔滋泥〕 zīní 명 ①질퍽거리는 진흙. ②시커먼 진흙.
〔滋腻〕 zīni 형 촉촉하면서 윤기가 흐르다. ¶把面和huò～了; 밀가루를 촉촉하면서 윤기가 흐르게 반죽했다.
〔滋扰〕 zīrǎo 동〈文〉소요를 일으키다. 소란을 피우다.
〔滋润〕 zīrùn 형 ①촉촉하다. 물기를 많이 품고 있다. ¶雨后新晴的原野, 潮湿而～; 비가 갠 후의 들판은 촉촉하게 물기를 품고 있다/地皮儿～; 땅바닥이 촉촉히 젖어 있다. ②광택이 있고 매끄럽다. ¶擦上雪花膏～～皮肤; 크림을 발라서 피부를 윤택하고 매끄럽게 하다. ③〈方〉(음식이) 맛있다. 입맛에 맞다. ¶今天这顿饭吃得真～! 오늘 식사는 아주 맛이 있었다. 동 축이다. 촉촉하게 하다. ¶春雨～着大地; 봄비가 대지를 적시다/喝一点酒, ～～嗓子; 술을 좀 마시고 목을 축이다.
〔滋生〕 zīshēng 동 ①번식하다. ¶污水坑是蚊蝇～的地方; 더러운 물웅덩이는 모기나 파리가 잘 번식하는 곳이다. ②일으키다. 야기시키다. ¶～事端; 문제를 일으키다.
〔滋声儿〕 zī‧shēngr 동 소리를 내다. 투덜거리다. ¶吓得不敢～; 깜짝 놀라서 아무 소리도 못 하다. =〔吱声儿〕
〔滋事〕 zī‧shì 동 ①소동을 일으키다. 말썽을 일으키다. ¶酗酒～; 술에 취해 소동을 일으키다/～生端; 문제를 야기시키다. ②모반(謀反)하다. ¶～头儿; 모반의 장본인.
〔滋歪滋歪(的)〕 zīwāi zīwāi(de)〈北方〉①(기뻐서) 가슴이 설레다. ¶这么一来把他乐得～的; 이렇게 되어 그는 기뻐서 가슴이 울렁울렁했다. ②(견디지 못해) 힘겨워하다. 허덕거리다. ¶才挑一百多斤就把他压得～的; 백 근 남짓 짊어지고 그는 벌써 무거워 허덕거리고 있다.
〔滋味(儿)〕 zīwèi(r) 명 ①맛. ¶不是～; ⓐ맛이 좋지 않다. ⓑ기분이 좋지 않다/吃得有滋有味儿的; 매우 맛있게 먹었다. ②즐거움. 재미. 흥취. ¶小陈的心里可不是～; 진군의 마음은 참으로 괴로웠다. ③기분. 마음. 심정. ¶心里说不出是什么～; 가슴 속은 무엇이라 말할 수 없는 기분이었다/听到这些话, 我心里不是～; 그 말을 듣고 나는 기분이 언짢았다.
〔滋息〕 zīxī 명 ⇨〔孳息〕
〔滋芽(儿)〕 zī‧yá(r) 동〈方〉싹이 나오다. ¶滋出芽儿来了; 싹을 틔우기 시작했다. =〔萌芽〕〔出芽〕〔孳芽〕
〔滋养〕 zīyǎng 동 자양하다. 보양하다. ¶这是很～的; 이것은 대단히 자양분이 있는 것이다/～身体; 몸을 보양하다. 명 자양. 영양. ¶～品; 자양분이 있는 식품. 또는 약품/～料; 자양분/～率; 《生》자양률.
〔滋阴〕 zīyīn 동《漢醫》정력을 왕성하게 하다. 정력을 돋구다.
〔滋长〕 zīzhǎng 동 ①(추상적인 것에 대해) 자라다. 성장하다. 조장하다. ¶防止～自满情绪; 자만하는 마음이 자라지 않도록 하다/我们许多机关～了官僚主义作风; 우리의 많은 관청에 관료주의적인 방식이 만연되어 있다. ②생장하다. 자라다. 번식하다. 키우다.
〔滋滋着毛儿〕 zīzīzhe máor 머리를 더부룩하게 하고 있는 모양.
〔滋嘴儿〕 zī‧zuǐr 동 ①생끗 웃다. ②(꽃봉오리가) 벌어지다. ¶牡丹花已经～了; 모란꽃이 벌써 벌어졌다. ‖=〔孳嘴儿〕

嗞 zī (자)

①(～儿)〈擬〉작은 짐승의 울음소리. ¶老鼠～的一声跑了; 쥐가 찍찍 하며 도망쳤다/燕子～地掠过水面儿飞去了; 제비가 찍찍거리며 수면을 스치고 날아갔다. ② ⇨〔吱zī〕
〔嗞咕〕 zīgū〈擬〉꿀꺽《무엇을 마시는 소리》. ¶～～喝了个饱; 꿀꺽꿀꺽 잔뜩 마셨다.
〔嗞煎〕 zījiān 명《漢醫》경풍(驚風)《소아의 발작성 경련》. 경기(驚氣).
〔嗞喇〕 zīlā〈擬〉①칭얼칭얼《갓난아기·어린아이의 보채며 우는 소리》. ¶别让小孩儿在这儿～了; 여기서 아기를 울리지 않도록 해라. ②치익. 지글지글《기름에 튀기는 소리》. ¶锅里油烧得热热的, 青菜一下去～地响出声来; 냄비의 기름이 뜨거워졌을 때, 채소잎을 넣으면 치익 소리가 난다.
〔嗞喇〕 zīla 동 ①갓난아기가 칭얼거리다. ¶～的真叫人心烦; 아이가 칭얼거려 귀찮아 죽겠다. ②기름에 튀겨 내다.
〔嗞溜〕 zīliū〈擬〉주루룩《동작이 빠르거나 미끄러질 때 나는 소리》. ¶～一声从树上滑下来了; 주루룩하고 나무에서 미끄러져 내려왔다.
〔嗞喽〕 zīlōu〈擬〉뻐끔뻐끔《담뱃대로 담배를 피우는 소리》. ¶～～地抽着烟袋; 뻐끔뻐끔 담배를 피우고 있다.
〔嗞声〕 zīshēng 동 소리를 내다《흔히, 부정(否定)으로 쓰임》. ¶吓得他不敢～了; 놀라서 그는 감히 소리를 내지 못했다.
〔嗞牙咧嘴〕 zī yá liě zuǐ〈成〉⇨〔龇牙咧嘴〕

嵫 zī (자)

→〔崦Yān嵫〕

孳 zī (자)

①동 (초목이) 무성해지다. 번식하다. ②형〈文〉근면하다. ¶～～ =〔孜zī孜〕; 근면하게 힘쓰는 모양.
〔孳蔓〕 zīmàn 동〈文〉번식하여 만연하다. ¶蝗huáng虫～; 메뚜기가 번식하여 만연하다.
〔孳茂〕 zīmào 형〈文〉발육이 왕성하다. =〔滋茂〕
〔孳乳〕 zīrǔ 동〈文〉①(포유 동물이) 번식하다. ②파생하다. ¶～字; 문자가 증가하다.
〔孳蕊〕 zī‧ruì 동〈文〉꽃이 피어나다.
〔孳生〕 zīshēng 동 생장(生長) 번식하다. ¶～得很快; 번식이 빠르다.
〔孳尾〕 zīwěi 동〈文〉교미(交尾)하다.
〔孳息〕 zīxī 동〈文〉생장(生長)하다. 명《經·法》수익. 과실(果實)《직접 또는 간접으로 원물(原物)에서 생긴 이익》. =〔滋息〕
〔孳芽〕 zī‧yá 동 ⇨〔滋芽(儿)〕
〔孳衍〕 zīyǎn 동〈文〉번식하다. 만연하다. 널리 퍼지다.
〔孳育〕 zīyù 동〈文〉①생장 번식하다. ②낳아 기르다.
〔孳孕〕 zīyùn 동〈文〉(동물이) 새끼를 배다.
〔孳孳〕 zīzī 형 ⇨〔孜孜〕
〔孳嘴儿〕 zīzuǐr 동 ⇨〔滋嘴儿〕

镃(鎡) zī (자)

→〔镃基〕〔镃錤〕

〔镃基〕 zījī 명 〈文〉 옛날의 가래 종류의 농기구. =〔兹其〕〔镃錤〕
〔镃錤〕 zījī 명 ⇨〔镃基〕
咨 zī (자)
①명 〈翰〉 동급 관청간에 왕래되던 공문서. =〔咨文①〕 ②동 자문(諮問)하다. 상의하다. ③〈擬〉 아. 와(탄식하는 소리). ¶～嗟; 아아. ④여기에. =〔兹〕
〔咨报〕 zībào 동 '咨文'으로 보고하다.
〔咨呈〕 zīchéng 명 민국 초년에, 각 부원(部院), 각 지방 최고 관서에서 중앙 정부에 내는 문서, 또는 국무총리 및 각 특임관(特任官)이 부총통에게 보내는 공문.
〔咨复〕 zīfù 동 '咨文'(동급(同級) 기관 사이에서 오가는 공문서)으로 회답하다.
〔咨会〕 zīhuì 동 '咨文'으로 조회(照會)하다. =〔咨照〕
〔咨谋〕 zīmóu 동 〈文〉 계획하다. 획책하다.
〔咨请〕 zīqǐng 동 '咨文'으로 신청하다.
〔咨文〕 zīwén 명 ①〈翰〉 대등한 관청간의 공문. =〔咨①〕〔来咨〕 ②(일부 국가의) 대총통의 교서(教書). ③(미국 등에서) 대통령이 의회에 제출하는 교서.
〔咨行〕 zīxíng 동 '咨文'을 보내다.
〔咨询〕 zīxún 동 ①자문하다. 의견을 구하다. ¶～机关; 자문 기관. ②상의(商議)하다. 상담하다. ‖ =〔商询〕 명 《經》 컨설턴트(consultant). ¶～服务公司; 컨설턴트 회사. ‖ =〔谘询〕
〔咨照〕 zīzhào 동 ⇨〔咨会〕
谘(諮) zī (자)
동 상급자가 하급자에게 상의하다.
〔谘询〕 zīxún 명동 ⇨〔咨询〕
〔谘议〕 zīyì 동 ①정부의 자문에 응하여 시비 이해를 논의하다. ②상의하다. 자문하다. 명 상담역. 고문(顧問)(관명(官名)). ¶公司～; 회사의 상담역.
姿 zī (자)
명 ①모습. 용모. ¶～色; ⇩ / 雄～; 웅자. 웅대한 모습. ②성질. ③자세. 자태(姿態). ¶～态; ⇩
〔姿媚〕 zīmèi 형 〈文〉 모습이 아리땁다. 자태가 아름답다.
〔姿容〕 zīróng 명 용모. 자태. ¶～秀美; 용모가 아름답다. 미목 수려하다.
〔姿色〕 zīsè 명 (부녀자의) 용색. 용모. 용자(容姿). ¶有几分～; 용모가 꽤 아름답다.
〔姿式〕 zīshì 명 꼴. 모습. 모양.
〔姿势〕 zīshì 명 자세. 모습. 형(型). 폼(form). ¶起跑的～极好; 스타트의 폼이 지극히 좋다.
〔姿势语〕 zīshìyǔ 명 《言》 몸짓으로 하는 말. 보디랭귀지(body language).
〔姿态〕 zītài 명 ①자태. 모습. 자세. ¶壁画上的仕女～优美; 벽화 속의 미녀의 모습이 아름답다. ②태도. 몸짓. 모양. ¶所谓公仆, 反而以专制王侯的～出现; 소위 공복이란 자가, 오히려 전제 왕후(王侯)의 모습으로 나타났다 / 新的劳动～; 새로운 노동의 태도.
〔姿质〕 zīzhì 명 자질. (여인의) 자태와 재능.
〔姿姿媚媚〕 zīzī mèimèi 형 〈文〉 용자(容姿)가 아리따운 모양.
资(資) zī (자)
①명 재화. 자원. ¶物～; 물자 / ～源; ⇩ ②명 비용. 금전. ¶工～; 노동 임금 / 车～; 차비 / 邮～; 우편료 / 川～; 여비 / 军～; 군자금. ‖ =〔赀②〕 ③명 자본금. 원금. ¶投～; 투자하다. ④명 〈簡〉 자본가. ¶劳～两利; 노사(勞使)의 양쪽에 이익이 되다. ↔〔劳〕 ⑤명 타고난 능력. 소질. 자질. ¶天～聪明; 천성이 총명하다. ⑥명 경력. 자격. ¶德才～历; 덕성과 재능과 자격과 경력. ⑦동 돕다. ¶～敌行为; 이적(利敵) 행위. ⑧동 …에 이바지하다. 제공하다. ¶以～参考; …에 참고가 되다. ⑨명 성(姓)의 하나.
〔资本〕 zīběn 명 ①《經》 자본. ②(상공업을 영위하기 위한) 밑천. 자금. 영업의 출자액. ¶外国～; 외국 자본. ③〈轉〉 (자기의 이익을 위한) 자본. 밑천. ¶你怎么能把集体取得的成绩看做个gè人的～? 너는 어째서 집단이 성취한 업적을 자신을 위한 자본으로 할 수가 있느냐?
〔资本积聚〕 zīběn jījù 명 ⇨〔资本积累〕
〔资本积累〕 zīběn jīlěi 명 《經》 자본 축적. =〔资本积聚〕
〔资本集中〕 zīběn jízhōng 명 자본의 집중. ¶靠几个资本结合成一个更大的资本而增加资本总额叫做～; 몇몇 자본이 결합하여 보다 큰 하나의 자본이 됨으로써 자본의 총액이 증가하는 것을 자본 집중이라 한다.
〔资本家〕 zīběnjiā 명 자본가.
〔资本节制〕 zīběn jiézhì 명 자본 절제(대자본의 횡포를 통제하여서 이를 미연에 방지하기 위한 정책으로 쑨원(孫文)의 삼민주의(三民主義) 중의 한 정책).
〔资本循环〕 zīběn xúnhuán 명 《經》 자본 순환. 자본 유통. ¶资本顺次改变自己的形式, 经过三个阶段的运动, 叫做～; 자본이 차례로 자기의 형태를 바꾸어, 세 단계를 지나는 운동을 자본 순환이라 한다.
〔资本周转〕 zīběn zhōuzhuǎn 명 《經》 자본의 회전. ¶不是一次的而是不断重复的资本循环叫做～; 한 차례뿐 아니라 끊임없이 되풀이 되는 자본의 순환을 자본의 회전이라 한다.
〔资本主义〕 zīběn zhǔyì 명 자본주의. ¶～国家; 자본주의 국가 / ～制度; 자본주의 제도 / ～社会; 자본주의 사회.
〔资禀〕 zībǐng 명 〈文〉 천성(天性). 자질.
〔资财〕 zīcái 명 자재. ¶清点～; 자재를 점검하다.
〔资产〕 zīchǎn 명 ①자산. 재산. ②자본 자산(기업의 실물 자산과 금융 자산). ③부기상, 재산을 자산과 부채의 두 종류로 나눔. 대체로 교환 가치가 있는 물건이나 권리를 총칭하여 자산이라 이름.
〔资产负债表〕 zīchǎn fùzhàibiǎo 명 《經》 대차 대조표. 밸런스 시트(balance sheet). =〔资产平衡表〕〔收shōu支平衡表〕
〔资产阶级〕 zīchǎn jiējí 명 자산 계급. 부르주아지(프 bourgeoisie). ¶～专政; 부르주아 계급 독재 / ～革命; 부르주아 혁명 / ～思想; 부르주아 계급의 사상 / ～个人主义; 부르주아 계급의 에고이즘. ↔〔无wú产阶级〕 →〔资本家〕
〔资敌〕 zīdí 동 적을 이롭게 하다. 적을 돕다. ¶～罪; 《法》 이적죄.
〔资方〕 zīfāng 명 자본가측. 사용자측. 경영자측. 기업 관리부측. ↔〔劳方〕
〔资费〕 zīfèi 명 요금. ¶最低～; 최저 요금.
〔资斧〕 zīfǔ 명 〈文〉 여비(旅費).
〔资格〕 zīgé 명 ①자격. ¶没有～人工会; 노동 조합에 입회할 자격이 없다 / 取得…～; …자격을 얻다. ②연공(年功). 경력. 관록. ¶老～; 연공을

쌓은 사람. 경력자 / ～浅; 경력이 얕다. 관록이 모자라다.
〔资合公司〕 zīhé gōngsī 명 합자 회사(주식 유한 회사가 이에 속함).
〔资金〕 zījīn 명 《經》 자금.
〔资金冻结〕 zījīn dòngjié 명 《經》 자금 동결.
〔资力〕 zīlì 명 자력. 재력(財力). ¶～雄厚; 자력이 막대하다.
〔资历〕 zīlì 명 자격과 직력(職歷). 이력(履歷). ¶～浅; 연공(年功)이 얕다. =〔资履〕
〔资料〕 zīliào 명 ①(생산의) 수단. (생활의) 필수품. ¶生产～; 생산 수단 / 生活～; 생활 자료. 생활 필수품. ②자료. 데이터. ¶参考～; 참고자료 / 谈笑的～; 담소거리. 웃음거리 / ～室; 자료실.
〔资履〕 zīlǚ 명 ⇨〔资历〕
〔资品〕 zīpǐn 명 〈文〉 타고난 품성. 천성.
〔资遣〕 zīqiǎn 동 해고 수당을 주고 해고하다. ¶～费; 해고 수당. =〔资送〕
〔资赎〕 zīshú 동 〈文〉 배상하다. 돈·재산으로 갚다.
〔资送〕 zīsòng 동 ⇨〔资遣〕
〔资望〕 zīwàng 명 경력과 명망. 자격과 인망.
〔资性〕 zīxìng 명 ⇨〔资质〕
〔资业〕 zīyè 명 〈文〉 재산. 자산.
〔资源〕 zīyuán 명 ①자원. ¶～丰富; 자원이 풍부하다 / 矿物～; 광물 자원 / 水力～; 수력 자원 / 人力～; 인적 자원. ②(Zīyuán) 《地》 광시(廣西) 좡 족 자치구의 현(縣)이름.
〔资质〕 zīzhì 명 자질. 소질. 천품. =〔资性〕
〔资助〕 zīzhù 동 돈을 내어 돕다. 물질적으로 원조하다. ¶～金; 원조금 / ～一千五百万美元; 1,500만 달러를 출자 원조하다.
〔资资本本〕 zīziběnběn 형 얌전하다. 착실하다. ¶哪能都像商二狗, ～的看着?《老舍 上任》; 어느 누가 상이구처럼 착실하게 파수를 볼 수 있겠는가?

粢 zī (자)
명 ①옛날에, 제사에 바치던 곡류(穀類). ②육곡(六穀)의 총칭. ¶六～ =〔六谷〕; 육곡.
〔粢盛〕 zīchéng 명 그릇에 가득 담은 것.
〔粢饭〕 zīfàn 명 〈南方〉 찹쌀과 멥쌀을 섞어서 지은 밥. =〔粢米饭〕
〔粢饭团〕 zīfàntuán 명 찹쌀을 반죽해서 팥소를 싸서 찐 것.
〔粢米饭〕 zīmǐfàn 명 ⇨〔粢饭〕

趑〈趦〉 zī (자)
→〔趑趄〕
〔趑趄〕 zījū 형 〈文〉 ①걷기 힘들다. ②주저하다. 진전이 안 되다. ¶～不前bùqián; 주저하고 나아가지 못하는 모양. 어려움에 부딪쳐 전진할 기력이 없는 모양.

赀(貲) zī (자)
①동 계산하다(흔히, 부정(否定)에 쓰임). ¶不～; 계산할 수 없다 / 价值不～; 가치는 계산할 수 없다. ②명 ⇨〔资①②〕

訾 Zī (자)
명 성(姓)의 하나. ⇒zǐ

觜 zī (자)
명 ①《天》 자성(觜星)(28수(宿)의 하나). ¶～星; 자성. ②〈文〉 우각(羽角)(부엉이 따위의 새 머리 위에 뿔처럼 난 털). ⇒zuǐ

龇(齜) zī (치)
①동 이를 악물다(흔히, 고통의 표정). ¶冷得～; 추워서 이를 악물다. ②형 이가 고르지 못하다. ③동 입을 벌리고 이를 드러내다(흉악한 형상). ④동 반대의 결과가 되다. ¶把孩子管～了; 아이를 교육시킨다는 것이 오히려 역효과를 가져오다.
〔龇牙〕 zī.yá 동 ①이를 드러내다. ¶～瞪眼; 〈成〉 이를 드러내고 눈을 부라리다. ②입을 벌리다. 말을 하다.
〔龇牙咧嘴〕 zī yá liě zuǐ 〈成〉 ①이를 드러내고 말을 하다(남을 욕할 때). ②흉악한 형상을 하다. ③(아파서) 입을 일그러뜨리고 이를 악물다. ‖=〔龇牙裂嘴〕〔嗞牙咧嘴〕〔疵牙裂嘴〕〔雌牙露嘴〕
〔龇嘴儿〕 zī.zuǐr 동 〈俗〉 ①태양이 뜨기 시작하다. ②꽃이 피려 하다.

呲 zī (차)
'龇zī' 와 통용. ⇒cī

髭 zī (자)
①명 콧수염. ②동 털이 곤두서다. ¶～着短头发; 밤송이처럼 곤두선 머리를 하고 있다 / ～着毛; ⓐ털이 곤두서다. ⓑ화나다.
〔髭鲷〕 zīdiāo 명 《魚》 꼽새돔. =〔条tiáo纹髭鲷〕〔海hǎi猴〕〔铜tóng盆鱼〕
〔髭毛儿〕 zīmáor 동 털을 곤두세우다. 〈比〉 화를 내다. 격노하다. ¶反正是你的错儿, 你别～了; 여하튼 자네 잘못이니까 화내지 말게. =〔龇毛儿〕
〔髭髭着〕 zīzīzhe 형 머리털이 부스스한 모양. ¶刚起来, 头发～, 眼胞儿浮肿着些; 방금 잠자리에서 일어났기 때문에, 머리는 부스스하고 눈은 푸석푸석해 있다.

淄 zī (치)
명 ①(Zī) 《地》 쯔허(淄河)(산둥 성(山東省)에 있는 강 이름). ②⇨〔缁〕

菑 zī (치, 재)
①명 〈文〉 개간하기 시작한 땅. ②동 풀을 베다. ③'灾zāi' 와 통용.

缁(緇) zī (치)
명 〈文〉 흑색. 검은색. ¶～衣; ⇩ / 涅niè而不～; 〈成〉 검은 물감을 들여도 물들지 않다(나쁜 영향을 받지 않다). =〔淄②〕
〔缁黄〕 zīhuáng 명 〈文〉 승려와 도사(옛날에, 승려는 검은 옷, 도사는 노랑색의 옷을 입었음).
〔缁流〕 zīliú 명 〈文〉 법사(法師). 승려. =〔缁徒〕
〔缁门〕 zīmén 명 《佛》 불문(佛門).
〔缁徒〕 zītú 명 ⇨〔缁流〕
〔缁衣〕 zīyī 명 〈文〉 ①검은 색깔의 옷. ②(검게 물들인) 승의(僧衣).
〔缁朱较量〕 zī zhū jiào liàng 〈成〉 흑백을 가리다. 시비(是非)를 분명히 하다.

辎(輜) zī (치)
명 〈文〉 ①짐수레. ②옛날의 포장한 수레.
〔辎重〕 zīzhòng 명 《軍》 탄약·양말(糧秣)·자재 등의 군용품을 보관·운반·보충·보급하는 임무. ¶～部队; 군용품을 위해 편성된 부대.

锱(錙) zī (치)
명 〈文〉 ①옛날의 중량 단위(6 '铢' 를 1 '锱'. 4 '锱' 를 1 '两' 으로 하였음). ②근소(僅少)한 양. 얼마 안 되는 금전.
〔锱铢〕 zīzhū 명 매우 사소한 일〔돈〕.

〔锱铢必较〕 zī zhū bì jiào 〈成〉 아주 사소한 일〔돈〕까지도 꼼꼼히 따지다. ¶他这个人很小气, ～; 그는 속이 좁아서 아주 하찮은 일에도 꼼꼼히 따진다.

鲻(鯔) zī (치) 명 《魚》 숭어. =〔鲻鱼〕

鼒 zī (재) ①명 〈文〉 (옛날 중국의) 세발솥(위가 오므라들어 주둥이가 작음). ②인명용 자(字).

子 zǐ (자) ① 명 아들. 자식. ¶父～; 부자. 아버지와 아들 / ～女; ⇩ ② 명 사람. ¶此～为谁? 이 사람은 누구입니까? / 目无余～; 안하무인. ③ 명 옛날, 노동자의 칭호에 붙이던 말. ¶舟～; 뱃사공 / 门～; 문지기. ④ 명 옛날, 남자의 미칭. ¶孔～; 공자 / 孟～; 맹자. ⑤ 명 십이지(十二支)의 첫째. ⑥ 명 자시(子時). 밤 11시부터 새벽 1시까지. ¶～刻 =〔～时〕〔～夜〕; 자야. 자시. ⑦ 대 〈文〉 당신. 너. ¶～为谁? 당신은 누구십니까? / ～以为奚? 너는 어떻게 생각하느냐? ⑧(～儿) 명 식물의 씨. 종자. ¶花～儿 =〔花籽儿〕; 꽃씨 / 大麻～; 삼씨. =〔籽〕 ⑨(～儿) 명 (동물의) 알. ¶下～; 알을 낳다 / 鱼～; 물고기의 알 / 鸡～儿; 계란. 달걀. ⑩(～儿) 명 작고 단단한 알맹이 모양의 것. ¶铜～儿; 동전 / 石头～儿; 작은 돌 / 棋～(儿); 바둑돌 / 枪～儿; 총알. ⑪(～儿) 명 동전. ¶一个～儿不值; 한 푼의 값어치도 없다. ⑫ 명 기본에서 갈라져 나온 것. 모체에서 생겨난 것. ¶～金; ⇩ →〔分母〕〔分子〕 ⑬ 형 어리다. ¶～猪; 새끼돼지 / ～鸡; 영계. ⑭ 명 몸체에서 나누어진 부분. (사람·물건의) 일부분. ¶一分～; 1분자 / ～目; ⇩ ⑮(～儿, ～子) 양 묶음. 다발. 사리. 줌. 움큼(실 따위와 같이 가늘고 긴 것을 손가락으로 쥘 수 있는 분량을 세는 말). ¶十～(儿)挂面; 10묶음의 국수. ⑯ 명 《物》 입자(粒子). ¶中zhōng～; 중성자 / 质～; 양자. 프로톤(proton) / 电～; 전자. 일렉트론(electron). ⑰ 명 옛날의 방위에서 북(北)을 이르는 말. ⑱ 명 자작(옛날, 5등(五等) 작위(爵位)의 네 번째. '公' '侯' '伯' 다음에 옴). ¶～爵; 자작. ⑲ 명 중국 고서의 4분류법(한적(漢籍)의 전통적 분류법〔經史子集〕의 하나). ⑳ 명 성(姓)의 하나.

子 zi (자) 접미 ①명사 뒤에 붙음. ¶桌～; 테이블 / 椅～; 의자. ②일부의 동사·형용사 뒤에 붙여 그것을 명사화(化)함. ¶骗～; 협잡꾼 / 贩～; 행상인 / 胖～; 뚱뚱이 / 矮～; 난쟁이 / 刷～; 솔 / 出了乱～; 소동이 났다. ③사람이나 물건 이름 뒤에 붙여 경시(輕視) 혹은 혐오를 나타냄. ¶这孩～; 요 개구쟁이〔녀석〕 / 不过是一条小河沟～; 고작 개골창에 불과하다 / 破盆～烂罐～要它干什么? 깨진 대야나 깡통 나부랭이 따위를 무엇에 쓰려고 달라는 거냐? ④개별 양사(量詞) 뒤에 붙임. ¶来了一伙～人; 한 무리의 사람이 왔다.

〔子本〕 zǐběn 명 원금과 이자.
〔子饼〕 zǐbǐng 명 식물의 씨로 기름을 짠 찌꺼기. =〔籽饼〕
〔子不嫌母丑〕 zǐ bùxián mǔ chǒu 〈諺〉 생물은 모두 그 근본에 보답하는 천진한 양심이 있다. ¶～, 狗gǒu不嫌家贫; 자식은 어머니가 못생겨도 싫어하지 않으며, 개는 그 집이 가난해도 마다하지 않는다.
〔子部〕 zǐbù 명 자부. 병부(丙部)(사고 전서(四庫全書)의 분류에 의하면, 유가·병가·법가·농가·의가·천문산법·술수·예술·보록(譜錄)·잡가·유서(類書)·소설가·석가(釋家)·도가의 14종류로 나누어지며 4부서, 즉 '经·史·子·集'의 하나). =〔丙部〕
〔子厂〕 zǐchǎng 명 자공장. 분공장. ¶目前, 广州造船厂正在产下一批～; 현재, 광저우 조선 공장은 많은 분공장을 만들고 있다.
〔子车〕 Zǐchē 명 복성(複姓)의 하나.
〔子城〕 zǐchéng 명 자성. 본성(本城)에 소속된 작은 성(예컨대, 외성(外城)으로 둘러싸인 '内城'이나 성문의 바깥에 딸려 있는 '月城' 따위). ¶～壕háo; 성 안의 해자.
〔子程序〕 zǐchéngxù 명 《電算》 (컴퓨터의) 부(副)프로그램(다른 프로그램에서 공통으로 사용될 수 있도록 구성된 프로그램 형식). 서브루틴(subroutine).
〔子畜〕 zǐchù 명 어린 가축.
〔子代〕 zǐdài 명 자식의 세대. 다음 대(代).
〔子弹〕 zǐdàn 명 〈俗〉 탄환. ¶装～! 장탄(裝彈)! (구령) / ～带; 탄띠 / ～壳儿; 탄피.
〔子堤〕 zǐdī 명 ⇨〔子埝〕
〔子弟〕 zǐdì 명 ①자제. 아들딸. ¶职工～; 직공의 자제 / 误人～; 남의 자제를 그르치다. ②젊은 후배. 젊은이. 청년.
〔子弟兵〕 zǐdìbīng 명 ①일족(一族)의 병사. 아들딸로 구성된 병사(현재는 군대를 친근하게 이르는 말). ②어릴 때부터 기른 선수.
〔子弟书〕 zǐdìshū 명 청대(清代)에 행하여진 일종의 연예(북방의 '鼓词'의 한 지류(支流)이며, 청(清)의 건륭(乾隆) 시대 팔기 자제(八旗子弟)에서 일어났음. 당시의 작가 및 연창자(演唱者)의 대다수는 비직업적인 '票piào友(儿)'였으므로 '清音子弟书'라 일컬었음).
〔子法〕 zǐfǎ 명 《法》 자법(한 나라의 법률로 다른 나라 또는 다른 민족의 법을 계승하여 만든 법률).
〔子烦〕 zǐfán 명 《漢醫》 ①임신중에 일어나는 정신적 번민. ②입덧.
〔子房〕 zǐfáng 명 《植》 자방. 씨방. 자실.
〔子房取履〕 Zǐfáng qǔlǚ 한(漢)나라의 장량(張良)(자(字)는 자방)이 하비(下邳)의 다리 위에서 한 노인을 만났는데, 노인이 일부러 떨어뜨린 짚신을 화가 나는 것을 꾹 참고 시키는 대로 주워서 갖다 주고, 노인에게서 태공망(太公望)의 병법(兵法)이라는 책을 얻었다는 고사.
〔子服〕 Zǐfú 명 복성(複姓)의 하나.
〔子妇〕 zǐfù 명 ①며느리. =〔〈口〉 儿ér媳妇(儿)〕 ②아들 내외. 자식과 며느리.
〔子盖〕 zǐgài 명 ①관(棺)의 안쪽 뚜껑. ②《植》 자낭군(子囊群)을 싸고 있는 얇은 막.
〔子公司〕 zǐgōngsī 명 《經》 방계 회사. 자회사.
〔子宫〕 zǐgōng 명 《生》 자궁. ¶～癌; 자궁암 / ～颈; 자궁 경부 / ～内膜; 자궁 내막 / ～外孕; 자궁외 임신 / ～下垂; 자궁 하수. =〔〈俗〉 花huā心(儿)③〕
〔子宫帽〕 zǐgōngmào 명 페서리(pessary). =〔子宫托tuō〕
〔子姑〕 zǐgū 명 ⇨〔紫姑〕
〔子规〕 zǐguī 명 《鳥》 두견새. =〔杜dù鹃①〕
〔子盒〕 zǐhé 명 탄약합. 탄약통.
〔子姜〕 zǐjiāng 명 ⇨〔紫姜〕
〔子金〕 zǐjīn 명 이식(利息). 이자. =〔利息〕

〔子壳〕 zǐké 명 씨껍질. 종피(種皮). =〔种zhǒng皮〕
〔子口〕 zǐkǒu 명 (내륙지(內陸地)의) 세관.
〔子口〕 zǐkou 명 병·깡통 등의 아가리 부분.
〔子口半税〕 zǐkǒubànshuì 명 옛날, 수출입품은 종가(從價) 5%의 관세를 납부하는 외에, 반세(半稅) 곧 2.5%를 납입하면 이금(釐金)이 과세되는 일은 없었음. 이를 '～'라 하고, 그 납세증명서를 '子口单'이라 하였음. 이 세는 1931년 폐지됨. =〔子口税〕
〔子口单〕 zǐkǒudān →〔子口半税〕
〔子口税〕 zǐkǒushuì 명 ⇨〔子口半税〕
〔子粒(儿)〕 zǐlì(r) 명 (벼·보리 등의 이삭에 달려 있는) 낟알. (콩깍지 안에 있는) 콩알. 식물의 종자〔씨〕. =〔子实〕
〔子麻〕 zǐmá 명 ⇨〔苴jū麻〕
〔子马〕 zǐmǎ 명 장기의 말.
〔子棉〕 zǐmián 명 실면(實棉). 시드 코튼《씨가 붙은 채로의(아직 조면(繰綿)하기 전의) 목화》. =〔实shí棉〕〔籽棉〕
〔子麽〕 zǐmó 대 ⇨〔作zuò麽生〕
〔子母〕 zǐmǔ 명 ①원금과 이자. ②모자. ¶～牛; 어미소와 송아지.
〔子母杯〕 zǐmǔbēi 명 크기대로 포개어 넣게 된 술잔.
〔子母弹〕 zǐmǔdàn 명 ⇨〔榴liú霰弹〕
〔子母法〕 zǐmǔfǎ 명 ⇨〔百bǎi分法〕
〔子母公司〕 zǐmǔ gōngsī 명 동족(同族) 회사.
〔子母环〕 zǐmǔhuán 명 큰 고리가 작은 고리를 관통하여 조립된 고리.
〔子母句〕 zǐmǔjù 명《言》 포함문. =〔包bāo孕句〕
〔子母扣儿〕 zǐmǔkòur 명 호크. =〔揿qìn钮〕
〔子母绿〕 zǐmǔlǜ 명《色》 남록색.
〔子母相权〕 zǐmǔ xiāng quán ①명 옛날, 크고 작은 두 종류의 화폐를 함께 통용시킨 일《'子'는 액면이 작은 돈. '母'는 액면이 큰 돈. 물가가 올라서 화폐 가치가 떨어졌을 때는 '母' 화폐를 쓰고, 크고 작은 두 종류를 통용시켜서, 큰 것을 '母'(본위적)으로, 작은 것을 보조적, 곧 '子'로 취급함. 전국 시대에 고안된 법임》. ②〈轉〉 서로 변통하고 조절하다.
〔子母印〕 zǐmǔyìn 명 자모인《크고 작은 것이 끼워지게 된 인장. 큰 인장 속에 들어가도록 만들어진 도장》.
〔子母竹〕 zǐmǔzhú 명 ⇨〔慈cí竹〕
〔子姆会〕 zǐmǔhuì 명 저장(浙江)·사오싱(紹興) 지방에서, 3월 17일 과자 등을 바치어 여신을 제사지내는 옛 풍속《그 때에 '子姆戏xì'라는 익살극을 공연하여 올림》.
〔子姆戏〕 zǐmǔxì →〔子姆会〕
〔子目〕 zǐmù 명 세목(細目). ¶丛书～; 총서의 세목/每个项目底下又分列若干～; 각 항목 아래에 또 약간의 세목으로 나뉜다.
〔子囊〕 zǐnáng 명《植》 (자낭균류의) 자낭.
〔子埝〕 zǐniàn 명 결괴(決壞)를 막기 위해 제방 위에 임시로 축조하는 작은 제방. =〔子堤〕
〔子女〕 zǐnǚ 명 아들과 딸. 자녀.
〔子平术〕 zǐpíngshù 명 성명(星命)의 술(術)《송(宋)의 서자평(徐子平)이 이 술에 정통하였다는 데서 온 말》.
〔子器〕 zǐqì 명《植》 자실체(子實體)《균류(菌類)와 조류(藻類)의 공생체인 지의류(地衣類) 등의 생식기. 속에 포자를 지님》.
〔子钱家〕 zǐqiánjiā 명 소액의 돈을 꾸어 주는 사람. 대금업자. 돈놀이꾼.
〔子儿〕 zǐr 명 ①종자. 씨. ②알. ¶鸡～; 달걀. ③동전. ¶省几个～; 푼돈을 절약하다. ④작고 단단한 덩어리 또는 알맹이 모양의 것. ¶石头～; 돌멩이. ⑤탄환.
〔子儿表〕 zǐrbiǎo 명 뚜껑이 달린 소형 회중 시계.
〔子儿饽饽〕 zǐrbōbo 명 발효시키지 않고 밀가루를 그냥 반죽하여 만든 과자의 일종.
〔子儿玉〕 zǐryù 명 옥의 일종. 작은 알갱이로 만든 구슬.
〔子仁〕 zǐrén 명 종자. 씨.
〔子甚麽〕 zǐshénmó 대 ⇨〔作zuò麽生〕
〔子时〕 zǐshí 명 ⇨〔子夜〕
〔子实〕 zǐshí 명《農》 벼·보리·조·옥수수 따위의 알〔씨〕. 콩·팥·녹두 따위 두류(豆類)의 깍지 안의 알맹이. =〔子粒(儿)〕
〔子书〕 zǐshū 명 제자 백가(諸子百家)의 책《일가(一家)의 언설(言說)을 주창한 저서를 총칭하여 이름》. →〔子部〕
〔子叔〕 Zǐshū 명 복성(複姓)의 하나.
〔子嗣〕 zǐsì 명〈文〉 사자(嗣子). 대를 이을 아들.
〔子嗽〕 zǐsòu 명《漢醫》 자수《임신한 부인의 기침. 일종의 입덧 증상》.
〔子孙〕 zǐsūn 명 자식과 손자. 자손. 후예. ¶～后代; 자손 후대/～贤, 要钱何用; 〈諺〉 자손이 현명하면, 돈을 탐낼 필요가 없다/～不贤要钱何用; 자손이 어리석으면 돈이 있어도 소용 없다.
〔子孙饽饽〕 zǐsūn bōbo 명 구식 결혼 때, 준비하는 물만두《식이 끝난 다음 신랑·신부에게 가정의 번영을 바라는 하나의 형식으로 제공됨》.
〔子孙计〕 zǐsūnjì 명 자손을 위한 계획. 자손계.
〔子孙满堂〕 zǐsūn mǎntáng 자손이 집에 가득하다. 자손이 번영하다.
〔子孙娘娘〕 zǐsūn niángniang 명 ①삼신 할머니. ②〈比〉 아이를 잘 낳는 여인.
〔子孙桶〕 zǐsūntǒng 명 실내용 간이 변기《신부 집에서 혼수와 함께 보냄》.
〔子孙万代〕 zǐsūn wàndài 명 자손 만대. 자자손손.
〔子孙院〕 zǐsūnyuàn 명 주지가 세습되는 절.
〔子荼酚〕 zǐtúfēn 명《化》 알파 나프톨.
〔子午〕 zǐwǔ 명 ①십이지(十二支)의 '쥐'와 '말'《방향에서 '子'는 정북(正北), '午'는 정남(正南). 시각에서 '子'는 자정, '午'는 정오를 각각 나타냄》. ¶～道; 남북의 도/～不挪; 〈方〉 시간 엄수(하다)/～圭; 해시계. ②복성(複姓)의 하나.
〔子午莲〕 zǐwǔlián 명《植》 수련. =〔睡莲〕
〔子午卯酉(儿)〕 zǐ wǔ mǎo yǒu(r) ①일의 내부 사정. 우여곡절. 자초지종. 경위(經緯). ¶～得把它说清楚; 일의 경위는 죄다 분명하게 말해 두어야 한다/～全不对; 모두 글렀다/他一句也没漏～都说出来了; 그는 한 마디도 빠뜨리지 않고 모두 이야기했다. ②(일의) 까닭. 이유. 내력. ¶说不出个～来; 일의 까닭을 말하지 못하다.
〔子午痧〕 zǐwǔshā 명《漢醫》 '霍huò乱'(콜레라)의 별칭《자시(子時)에 걸리면 오시(午時)에 죽는다고 하여 이렇게 일컬어졌음》.
〔子午线〕 zǐwǔxiàn 명《天》 자오선. =〔子午圈〕〔经jīng线②〕
〔子午仪〕 zǐwǔyí 명《天》 자오의.
〔子息〕 zǐxī 명 ①자녀. 자식. 아이들. ¶～旺盛; 자식이 많다/没有～; 자식이 없다. ②〈文〉 이자. 이식.

〔子系〕 zǐxì 명 자손의 계통. 자식들. ¶～微 =〔～单薄〕; 자식이 적다/～繁衍; 자식이 많다.
〔子系中山狼, 得志便猖狂〕 zǐ xì Zhōng shān láng, dé zhì biàn chāng kuáng 〈成〉 너는 '中山狼'(은혜를 원수로 갚는 망은지도)이니까 뜻을 이루면 광포(狂暴)해진다. 양면파(兩面派)의 위선자는 권세를 얻으면 광포해진다.
〔子细〕 zǐxì 형 ⇨〔仔细〕 동 조심하다. =〔留liú心〕
〔子弦〕 zǐxián 명 자현. 호궁(胡弓)이나 거문고의 가장 가는 줄.
〔子痫〕 zǐxián 명 《醫》 자간(子癇).
〔子虚〕 zǐxū 명 〈文〉 허구. 거짓. 가공(架空). ¶～乌有; 가공이다. 내실(內實)이 아무것도 없다/～莫有; 아무것도 없다. 무(無)와 같다/事属～; 가공(架空)의 일이다.
〔子婿〕 zǐxù 명 ①사위. ②〈文〉 장인 장모에 대한 사위의 자칭. ③남편.
〔子悬〕 zǐxuán 명 《漢醫》 자현(증).
〔子牙河〕 Zǐyáhé 명 《地》 쯔야 허(허베이 성(河北省) 중앙부를 동북쪽으로 흘러 다칭 하(大淸河)로 들어가는 강).
〔子羊绒〕 zǐyángróng 명 《紡》 아스트라칸(astrakhan). =〔羔gāo绒〕
〔子药〕 zǐyào 명 〈簡〉 탄알과 화약.
〔子叶〕 zǐyè 명 《植》 떡잎. 자엽.
〔子夜〕 zǐyè 명 자야. 자시(子時). =〔子时〕
〔子衣〕 zǐyī 명 ①《植》 가종피(假種皮)(어떤 종류의 식물의 종자를 싸고 있는 특수한 부속물). ②포의(胞衣)(갓난아기의 태포(胎胞)). =〔衣胞(儿)〕
〔子音〕 zǐyīn 명 《言》 자음. =〔辅fǔ音〕
〔子油〕 zǐyóu 명 식물성 기름. =〔籽油〕〔植zhí物油〕
〔子曰铺〕 zǐyuēpù 명 〈貶〉 옛날, 구식 서당이나 초등 학교를 비꼬아 이른 말. =〔子曰店〕
〔子曰诗云〕 zǐ yuē shī yún 〈成〉 시경에서 말하고 공자가 말하다(진부한 도학자(道學者)적인 말투를 쓰다). =〔诗云子曰〕
〔子月〕 zǐyuè 명 자월. 음력 동짓달의 별칭.
〔子肿〕 zǐzhǒng 명 《漢醫》 자종. 임신 부종(浮腫).
〔子子〕 zǐzi 양 (작은) 한 묶음의 것을 세는 말. ¶一～头发; 한 묶음의 머리.
〔子子黑儿〕 zǐzihēir 명 ⇨〔自zì自黑儿〕
〔子子孙孙〕 zǐzǐ sūnsūn 명 자자손손. 대대손손.

仔 zǐ (자)
① 명 (가축 따위의) 새끼. 注 '子'로도 씀. ¶～猪; 돼지 새끼/～鸡; 병아리. ② 형 자세하다. ⇒zǎi zī
〔仔虫〕 zǐchóng 명 《蟲》 갓 부화된 곤충의 유충.
〔仔密〕 zǐmì 형 ①(직물의 발이) 곱다. 꼼꼼하다. ¶这双袜子织得很～; 이 양말은 발이 아주 곱게 짜여 있다/手工很～; 수공이 꼼꼼하다. 정성이 깃들여 있다. ②(살림이) 알뜰하다. 검소하다.
〔仔细〕 zǐxì 형 ①(일을 하는 태도가) 세심하다. 자세하다. 섬세하다. 꼼꼼하다. ¶他做事很～; 그가 일하는 것은 매우 세심하다/～地检查; 자세히 검사하다. =〔细心〕 →〔粗略〕〔马虎〕 ②〈方〉 검소하다. 알뜰하다. ¶～人; 검약가/过日子～; 살림을 알뜰하게 하다. 동 〈方〉 (일 처리를) 신중히 하다. 조심하다. 주의하다. ¶路很滑, ～点儿! 길이 미끄러우니 조심해라!/～你们自己的脑袋! 너희들 머리를 조심하여라!/你～拿; 조심해서 들어라. →〔小心〕〔当心〕〔留心〕 ‖ =〔子细①〕
〔仔细手儿〕 zǐxìshǒur 명 용의주도한 사람.
〔仔仔细细〕 zǐzǐ xìxì 형 매우 정성들이는 모양. 면밀하게 조심스러운 모양.

籽 zǐ (자)
(～儿) 명 종자. 씨. ¶花～儿; 화초의 씨/菜～儿; 야채의 씨.
〔籽饼〕 zǐbǐng 명 식물 종자의 기름을 짜고 남은 찌꺼기. =〔子饼〕
〔籽粒〕 zǐlì 명 곡물의 알맹이. 낟알.
〔籽棉〕 zǐmián 명 실면(實棉). 시드 코튼(종자에 붙어 있는 채(아직 조면(繰綿)하기 전)의 면화). =〔子棉〕〔实棉〕
〔籽儿〕 zǐr 명 식물의 씨. ¶花～儿; 꽃의 씨. =〔子儿〕
〔籽油〕 zǐyóu 명 식물성 기름. =〔子油〕

耔 zǐ (자)
동 〈文〉 배토(培土)하다. 북을 돋우다.

姊〈姉〉 zǐ (자)
명 언니. 누나. ¶～妹mèi; ⓐ언니와 동생. 자매. ⓑ같은 세대의 친한 여자끼리의 호칭.
〔姊妹篇〕 zǐmèipiān 명 (소설 따위의) 자매편.

秭 zǐ (자)
① 수 《數》 수의 단위(억(億)의 만 배). ②지명용 자(字). ¶～归Zǐguī; 쯔구이(秭歸)(후베이 성(湖北省)에 있는 현 이름).

笫 zǐ (자)
명 〈文〉 ①대자리. ¶床～; 침대에 까는 대자리. ②〈轉〉 침대. ¶床～之言 =〔〈口〉 枕边儿上的话〕; 규방의 밀어.

茈 zǐ (자)
①지명용 자(字). ¶～湖口; 쯔후커우(茈湖口)(후난 성(湖南省)에 있는 땅 이름). ② 명 《植》 자초(紫草). =〔紫草〕 ⇒chái cí

呰 zǐ (자)
① 동 ⇨〔訾〕 ② '呰'와 통용.

呰 zǐ (자)
①→〔呰窳〕 ② 동 ⇨〔訾〕
〔呰窳〕 zǐyǔ 형 기력이 없다. 나태하다. 태만하다.

紫 zǐ (자)
① 명형 자색(의). 보랏빛(의). ¶葡萄～; 포도빛 같은 자주색. 적자색. ② 명 성(姓)의 하나.
〔紫宝石〕 zǐbǎoshí 명 ⇨〔紫水晶〕
〔紫贝〕 zǐbèi 명 《貝》 자패. =〔砑yà螺〕〔文wén贝〕
〔紫菜〕 zǐcài 명 《植》 김. 해태(海苔)('甘紫菜'의 통칭). ¶～头; 《植》 사탕무.
〔紫草〕 zǐcǎo 명 《植》 지치(지치과의 다년초).
〔紫草茸〕 zǐcǎoróng 명 셀락(shellac). =〔虫chóng胶〕〔紫胶〕
〔紫翠玉〕 zǐcuìyù 명 《鑛》 알렉산더 보석. 알렉산드라이트(alexandrite).
〔紫癜疯〕 zǐdiànfēng 명 《漢醫》 자반병(紫斑病). =〔紫癜〕
〔紫貂〕 zǐdiāo 명 《動》 검은담비. =〔黑貂〕
〔紫丁香〕 zǐdīngxiāng 명 《植》 라일락.
〔紫洞艇〕 zǐdòngtǐng 명 자동정(광둥(廣東) 주장(珠江)·홍콩 지방의 놀잇배. 호화로운 취사 설비가 있어서 유명함).
〔紫萼〕 zǐ'è 명 《植》 자줏빛 꽃이 피는 개옥잠화 속(屬)의 총칭.
〔紫羔(儿)〕 zǐgāo(r) 명 《動》 몽고양의 일종(담흑색이고 모근(毛根)은 자줏빛. 그 가죽으로 가죽

옷을 만듦).
〔紫葛〕 zǐgé 명 《植》 포도과의 만성 관목(뿌리는 자줏빛을 띰).
〔紫姑〕 zǐgū 명 화장실의 신(神). 변소 귀신. =〔子姑〕〔坑三姑〕
〔紫光〕 zǐguāng 명 옻칠의 2등품.
〔紫海胆〕 zǐhǎidǎn 명 《動》 성게.
〔紫毫〕 zǐháo 명 ①짙은 보랏빛의 토끼털. ②'紫毫①'로 만든 붓(붓끝이 뾰족하여, 작은 해서(楷書)를 쓰는 데 적합함).
〔紫河车〕 zǐhéchē 명 《漢醫》 건조된 건강한 사람의 태반(강장·강정제로 쓰임).
〔紫红〕 zǐhóng 명 《色》 자홍색. 적동색(赤銅色). ¶太阳晒得他脸有点～; 햇빛에 그을려 그의 얼굴은 구릿빛이다.
〔紫狐皮〕 zǐhúpí 명 티베트 산의 여우의 모피(자홍색(紫紅色)이며, 모근(毛根)이 흑회색(黑灰色)임).
〔紫蝴蝶〕 zǐhúdié 명 《植》 ①붓꽃. ②범부채. =〔射shè干〕 ③ ⇨〔鸢yuān尾(花)〕
〔紫花〕 zǐhuā 명 ①강남 지방에서 나는 목화. ②《色》 담자색(淡赭色).
〔紫花布〕 zǐhuābù 명 ①자목면(紫木綿)으로 짠 천. ②'土布'의 일종(염색한 거친 무명의 일종).
〔紫花地丁〕 zǐhuā dìdīng 명 《植》 호제비꽃. 또, 그 근연종(近緣種)(약용으로 함).
〔紫花堇菜〕 zǐhuā jǐncài 명 《植》 낚시제비꽃.
〔紫花骂〕 zǐhuāmà 동 꾸짖다. 호되게 욕하다. ¶挨～了; 심하게 욕을 먹었다.
〔紫花苜蓿〕 zǐhuā mùxu 명 《植》 자주개나리. =〔紫苜蓿〕
〔紫花松〕 zǐhuāsōng 명 《植》 무.
〔紫花桐〕 zǐhuātóng 명 《植》 참오동나무(현삼과 오동나무속의 교목. 재목이 연하고 가벼우므로 가구 등을 만듦). =〔冈gāng桐〕〔毛máo泡桐〕
〔紫槐〕 zǐhuái 명 《植》 회화나무. =〔槐树〕
〔紫碱〕 zǐjiǎn 명 보랏빛의 소다.
〔紫姜〕 zǐjiāng 명 생강이 싹 틀 때의 어린 뿌리줄기(끝이 보랏빛을 띰. 식용 및 약용됨). =〔子姜〕
〔紫酱〕 zǐjiàng 명 《色》 포도빛의 일종.
〔紫胶〕 zǐjiāo 명 ⇨〔紫草茸〕
〔紫金〕 zǐjīn 명 ①최상질의 금. =〔紫磨〕 ②(Zǐjīn) 《地》 쯔진(紫金)(산둥 성(山東省)에 있는 현 이름).
〔紫金牛〕 zǐjīnniú 명 《植》 자금우.
〔紫堇〕 zǐjǐn 명 《植》 자주괴불주머니.
〔紫禁〕 zǐjìn 명 궁성. 황제의 거소. ¶～城; 《地》 자금성(베이징(北京)의 옛 궁성).
〔紫荆〕 zǐjīng 명 《植》 박태기나무. =〔紫珠②〕
〔紫荆皮〕 zǐjīngpí 명 박태기나무의 껍질(약용됨). =〔肉ròu红〕
〔紫蕨〕 zǐjué 명 ⇨〔紫萁〕
〔紫里蒿青〕 zǐli hāoqīng ⇨〔紫里毫青〕
〔紫里毫青〕 zǐli háoqīng ①(세게 쳐서 피부가) 자색이 되다. 퍼렇게 멍이 들다. ¶脑袋上撞了个～的大包; 머리를 부딪쳐서 퍼런 큰 혹이 생겼다. ②거무칙칙하다. ¶这件衣料～的不好看; 이 옷감은 거무칙칙한 것이 보기에 안 좋다. ‖ =〔紫里蒿青〕
〔紫脸膛儿〕 zǐliǎntángr 명 불그레한 얼굴. 검붉은 얼굴. →〔紫糖色儿〕
〔紫柳〕 zǐliǔ 명 《植》 냇버들.
〔紫罗兰〕 zǐluólán 명 《植》 ①제갈채. ②제비꽃.
〔紫马〕 zǐmǎ 명 구렁말.
〔紫蟒〕 zǐmǎng 명 (용의 무늬가 있는) 보라색 예복(옛날, 고관이 입던 예복). 〈比〉 고관의 관직. ¶今嫌～长; 지금은 고관의 번거로움이 싫어졌다.
〔紫毛〕 zǐmáo 명 검붉은 모피.
〔紫米〕 zǐmǐ 명 홍미. =〔红hóng米②〕
〔紫茉莉〕 zǐmòli 명 《植》 분꽃. =〔白粉花〕〔草茉莉〕〔胭脂花〕〔夜繁花〕
〔紫磨〕 zǐmò 명 ⇨〔紫金①〕
〔紫泥〕 zǐní 명 자색의 인주(옛날에, 임금 또는 존귀한 사람이 편지를 봉할 때 썼음). ¶～书; 임금의 어서(御書) 또는 칙서.
〔紫萍〕 zǐpíng 명 《植》 개구리밥.
〔紫萁〕 zǐqí 명 《植》 고비. =〔紫蕨〕
〔紫气〕 zǐqì 명 〈文〉 상서로운 기운.
〔紫茄子〕 zǐqiézi 명 《植》 가지. =〔茄子〕
〔紫阙〕 zǐquè 명 〈文〉 ①제왕의 거소. ②신선의 거처.
〔紫色〕 zǐsè 명 《色》 자색. 보랏빛.
〔紫杉〕 zǐshān 명 《植》 주목(朱木)(상록식물. 건축재). =〔赤柏松〕
〔紫参〕 zǐshēn 명 《植》 범꼬리. =〔拳蓼〕
〔紫石英〕 zǐshíyīng 명 ⇨〔紫水晶〕
〔紫水晶〕 zǐshuǐjīng 명 《鑛》 자수정. =〔紫宝石〕〔紫石英〕〔紫玉〕
〔紫苏〕 zǐsū 명 《植》 차조기. =〔赤苏〕
〔紫檀〕 zǐtán 명 《植》 자단(목질이 단단하고 무거우며, 질 좋은 가구재가 됨). =〔花huā榈②〕
〔紫糖色儿〕 zǐtángshǎir 명 (얼굴빛 등의) 검붉은 색. 암자색. 거무칙칙한 색. =〔紫膛色儿〕
〔紫藤〕 zǐténg 명 《植》 참등. =〔〈俗〉藤萝〕
〔紫铜〕 zǐtóng 명 《鑛》 적동. ¶～锭; 동괴 / ～线; 동선. =〔红铜①〕〔赤铜〕
〔紫铜管〕 zǐtóngguǎn 명 ⇨〔红hóng铜通〕
〔紫铜丝〕 zǐtóngsī 명 ⇨〔红hóng铜线〕
〔紫铜条〕 zǐtóngtiáo 명 ⇨〔红hóng铜枝〕
〔紫驼色〕 zǐtuósè 명 밤색. 고동색.
〔紫外线〕 zǐwàixiàn 명 《物》 자외선. =〔紫外光〕〔黑hēi光〕
〔紫菀〕 zǐwǎn 명 《植》 탱알. =〔紫苑〕〔返fǎn魂草〕
〔紫葳〕 zǐwēi 명 《植》 능소화.
〔紫薇〕 zǐwēi 명 《植》 백일홍. =〔百日红〕
〔紫蟹〕 zǐxiè 명 《動》 자게.
〔紫燕黄莺〕 zǐyàn huángyīng 〈比〉 잘 입은 남녀의 무리.
〔紫阳花〕 zǐyánghuā 명 《植》 자양화. 수국. =〔八bā仙花〕〔绣xiù球(花)〕
〔紫羊绒〕 zǐyángróng 명 《紡》 브라운 캐시미어(brown cashmere).
〔紫药水〕 zǐyàoshuǐ 명 《藥》 요오드팅크. 옥도 정기.
〔紫衣〕 zǐyī 명 ①《植》 붉은이끼(지의류(地衣類)의 일종). ②천자의 옷. ③옛날, 고관의 공복(公服). ④자줏빛의 가사(袈裟).
〔紫榆〕 zǐyú 명 《植》 자유. 시무나무(느릅나뭇과의 낙엽 소교목(小喬木). 자단(紫檀) 비슷하여 기물 재목으로 알맞음).
〔紫玉〕 zǐyù 명 ⇨〔紫水晶〕
〔紫玉兰〕 zǐyùlán 명 《植》 자옥란. =〔辛夷〕
〔紫鸳鸯〕 zǐyuānyāng 명 ⇨〔鸂xī鶒〕
〔紫苑〕 zǐyuàn 명 ⇨〔紫菀〕
〔紫云菜〕 zǐyúncài 명 《植》 자주구름꽃.
〔紫云英〕 zǐyúnyīng 명 《植》 자운영. =〔紫云草〕〔红hóng花草〕〔〈方〉花huā草③〕〔翘qiáo摇①〕
〔紫芝〕 zǐzhī 명 ⇨〔灵líng芝〕
〔紫珠〕 zǐzhū 명 《植》 ①작살나무. ②⇨〔紫荆〕

〔紫竹〕 zǐzhú 명 《植》 오죽(烏竹). =〔墨竹①〕〔黑竹〕
〔紫嘴子〕 zǐzuǐzi 명 〈比〉 젊은이. 풋내기. 애송이.

訾 zǐ (자)
동 〈文〉 비방하다. 악담하다. ¶不苟～议; 가벼히 남을 비난하지 않다. =〔呰①〕〔啙②〕 ⇒Zī
〔訾病〕 zǐbìng 동 〈文〉 비방하다. 나쁘게 말하다. 헐뜯다.
〔訾诋〕 zǐdǐ 동 〈文〉 헐뜯다. 매도하다. 나쁘게 말하다. 욕하다.
〔訾短〕 zǐduǎn 동 〈文〉 (남의 결점을 들어) 비난하다. 욕하다.
〔訾毁〕 zǐhuǐ 동 〈文〉 깎아내리다. 욕하다. 비난하다. 매도하다.
〔訾议〕 zǐyì 동 〈文〉 남의 결점을 들어 왈가왈부하다. 비난하다. 트집잡다. ¶无可～; 나무랄 데가 없다.
〔訾陬〕 Zǐzōu 명 복성(複姓)의 하나.

梓 zǐ (재)
①명 《植》 가래나무. ②명 세공(細工) 목수. ¶～匠; ⇓ ③명 〈文〉 고향(故鄕). ④동 판목(版木)하다. 출판하다. ¶～行; ⇓ ⑤동 세공하다. 조각하다. ⑥명 성(姓)의 하나.
〔梓宫〕 zǐgōng 명 〈文〉 황제·황후의 관(棺)《옛날, 관〔梓〕은 가래나무의 재목으로 만들었음》. =〔梓柩jiù〕〔梓器〕
〔梓匠〕 zǐjiàng 명 ①목수. ②판목공(版木工). ‖=〔梓人〕
〔梓柩〕 zǐjiù 명 ⇨〔梓宫〕
〔梓里〕 zǐlǐ 명 〈文〉 향리. 고향. =〔桑梓〕
〔梓器〕 zǐqì 명 ⇨〔梓宫〕
〔梓人〕 zǐrén 명 ⇨〔梓匠〕
〔梓乡〕 zǐxiāng 명 〈文〉 고향.
〔梓行〕 zǐxíng 동 판각하다. 출판하다. 간행하다.

滓 zǐ (재)
명 ①가라앉은 찌끼. 앙금. ¶碎墨渣～; 먹찌끼. ②얼룩. 오점. 더러움.
〔滓淀〕 zǐdiàn 명 (술·기름 등의) 찌끼. 앙금.
〔滓秽〕 zǐhuì 〈文〉 명 더러움. 오점. 동 더럽히다.

字 zì (자)
①(～儿) 명 글자. 문자. ¶汉～; 한자/常用～; 상용자/异体～; 이체자/文～; ⓐ문자. ⓑ문장. ⓒ글/罗 luó马～ =〔拉丁～母〕; 〈音〉 로마자/识shí～; 글자를 알다. ②(～儿) 명 〈轉〉 자음(字音). 글자의 발음. ¶咬～清楚; 발음이 정확하다/～正腔圆; 발음이 정확하고 어조가 부드럽다. ③명 서체(書體). 자체(字體). ¶篆～; 전서/简jiǎn化(汉)～; 간화(簡化) 한자/柳～; 당대(唐代)의 서예가 유공권(柳公權)의 서체를 가리키는 말/黑体～; 고딕 활자(체)/斜xié体～; 이탤릭 활자(체). ④(～儿) 명 낱말. 단어. 말. ¶我们的字典中没有'屈服'这个～; 우리 사전에는 '屈服'이란 단어는 없다. ⑤명 서예 (작품). ¶卖～为生; 서예 작품을 팔아서 먹고 살다. ⑥명 자(字)《지금은 흔히 '号'라고 함》. ¶岳飞～鹏举; 악비(岳飛)의 자는 붕거(鵬擧)라고 한다. ⑦(～儿) 명 문서. 증서. 증명서. ¶立～为凭; 증서를 써서 근거로 삼다. ⑧동 옛날, 여자가 결혼을 승낙하다. ¶未～; 아직 시집을 가지 않음. 미혼/许～; 정혼하다. ⑨(～儿) 명 학문. ¶你别看他不言不语的, ～可深了! 너는 그 사람이 아무 말도 않는다고 업신여기면 안 된다. 학문은 대단하단다! ⑩(～儿) 명 통지. 소식. ¶多给个～儿吧! 자주 소식 주십시오! ⑪동 〈文〉 사랑하다. 귀여워하다. ¶父～其子; 아버지가 자식을 귀여워하다/～孤; 고아를 사랑하다.
〔字本儿〕 zìběnr 명 잡기장. 수첩.
〔字处理器〕 zì chǔlǐqì 명 워드 프로세서(word processor).
〔字典〕 zìdiǎn 명 자전. 자서. ¶查～; 자전을 찾아보다.
〔字调〕 zìdiào 명 ⇨〔声shēng调②〕
〔字缝〕 zìfèng 명 자간. 글자와 글자 사이.
〔字格(儿)〕 zìgé(r) 명 ①정간지(井間紙)《습자할 때 아래에 받쳐서 본으로 할 글씨가 씌어 있는 받침》. ¶描写～; 정간지를 본떠 글씨를 배우다. ②글자의 법칙.
〔字号〕 zìhào 명 ①상호(商號). 옥호(屋號). ¶老～; 노포(老鋪)/大～; 큰 상점/～专用权; 상호의 전용권/～注册; 상호 등록. ②상점의 간판. ③명성. 평판. ¶～铺儿; 이름난 가게/做出～来了; 소문이 나기 시작하다/一辈子的～就这么栽了; 일생의 명성이 이렇게 허물어졌다. ④(～儿) 문자 카드《한 자씩 문자를 인쇄한 3센티 크기의 네모진 카드. 문자를 익히는 데 씀》. =〔字块(儿)〕
〔字盒〕 zìhé 명 《印》 활자 주형(鑄型).
〔字划〕 zìhuà 명 ⇨〔字画①〕
〔字画〕 zìhuà 명 ①자획. 문자의 획수. 필획(筆畫). =〔字划〕 ②⇨〔字画(儿)〕
〔字画(儿)〕 zìhuà(r) 명 서화. 글씨와 그림. =〔字画②〕
〔字汇〕 zìhuì 명 자휘(字彙). 자서(字書). 소사전.
〔字迹〕 zìjì 명 필적. 글자의 자취. ¶～工整; 필적이 가지런하다/～模糊; 필적이 분명하지 않다.
〔字架〕 zìjià 명 활자 케이스를 올려놓는 틀.
〔字匠〕 zìjiàng 명 글씨 쓰는 것을 직업으로 하는 사람《서기·대서인 따위》.
〔字角儿〕 zìjiǎor 명 문자(文字).
〔字脚(儿)〕 zìjiǎo(r) 명 ①쓴 글자. 글자의 모양. ②자체(字體)의 아래 부분.
〔字节〕 zìjié 명 《電算》 바이트(byte)《컴퓨터의 기억 용량을 나타내는 단위》.
〔字解〕 zìjiě 명 자해. 글자의 해설.
〔字句〕 zìjù 명 문자와 어구. 자구. ¶～通顺; 문장이 매끄럽고 뜻이 잘 통하다.
〔字据〕 zìjù 명 증서《영수증·계약서·차용증서 따위》. ¶立lì～; 계약 증서를 작성하다/借款～; 차용 증서/租赁土地房屋之～; 토지 가옥의 임대 계약서.
〔字块(儿)〕 zìkuài(r) 명 ⇨〔字号④〕
〔字里行间〕 zì lǐ háng jiān 〈成〉 자구의 사이사이. 행간마다. 문장의 이곳 저곳《한 자, 한 행 속에 어떤 의미가 포함되어 있음을 뜻함》. ¶～充满了乐观主义精神; 행간마다 낙관주의의 정신이 충만되어 있다.
〔字码儿〕 zìmǎr 명 〈口〉 숫자(數字). =〔数字儿①〕
〔字谜〕 zìmí 명 글자를 맞추는 수수께끼(놀이)《예컨대, '拿不出手'의 답은 '合'인 것 따위》. ¶纵横填字～; 십자말풀이. 크로스워드 퍼즐.
〔字面(儿)〕 zìmiàn(r) 명 문면(文面)(의 뜻). ¶照～上讲; 문면으로 설명하다/单从～上讲, 没有那个意思; 글자의 표면상으로만 해석하면 그러한 뜻은 없다.
〔字模(儿)〕 zìmú(r) 명 《印》 자형(字型). 활자의 주형(鑄型). =〔铜模(子)①〕
〔字母〕 zìmǔ 명 ①《言》 표음 문자. 음표 문자. ②《言》 (중국 음운학의) 36자모. ¶～表; 자모표/拉丁～; 알파벳/拼音～; (중국어의) 표음 자모.

③〖印〗 활자의 모형(母型).
〔字幕〕 zìmù 명 (TV·영화의) 자막.
〔字纽〕 zìniǔ 명 당(唐)·송대(宋代)에 반절(反切)로 쓴 쌍성(雙聲)·첩운(疊韻)의 글자.
〔字排〕 zìpái 명 항렬자. 돌림자.
〔字盘〕 zìpán 명 ①(시계 등의) 문자판. 다이얼. ②〖印〗 활자 케이스. 식자용 케이스. ¶大写～; 대문자를 넣는 식자용 케이스 / 小写～; 소문자를 넣는 식자용 케이스.
〔字儿〕 zìr 명 ①글자. 글씨. ¶他的～不怎么样; 그의 글씨는 대단한 것이 아니다. ②적바림. 적은 것. (간단한) 증서. ¶写个～; 증서를 쓰다〔작성하다〕 / 留个～; 쪽지〔증서〕를 써서 남기다. ③동전의 앞쪽(금액이 표시된 쪽). ④〈京〉 학문. ¶你别看他不言不语儿的, ～可深了; 그는 말은 하지 않아도, 학문은 매우 깊다. ⑤〈簡〉 운(運). 팔자('八字儿'의 약칭). ¶碰上这么个好机会, 算他走～; 이렇게 좋은 기회를 만나다니, 그도 운이 트였다고 말할 수 있다.
〔字儿话〕 zìrhuà 명 〈俗〉 문장어(文章語).
〔字人〕 zì.rén 동 〈文〉 정혼하다. 허혼(許婚)하다.
〔字乳〕 zìrǔ 동 〈文〉 (아이를) 낳아 기르다.
〔字式〕 zìshì 명 글자의 격식. 필법(筆法).
〔字势〕 zìshì 명 글자의 필세(筆勢). ¶～生动; 필세가 약동하다.
〔字书〕 zìshū 명 육서(六書)에 의해 문자를 분석하여 해석한 '说文'과 같은 책. 또는 글자를 형태에 따라 분류하여 해석한 '玉篇'과 같은 책.
〔字素〕 zìsù 명 글자를 구성하는 요소(예컨대 '去'라는 글자에서는, '土'와 '厶'. 이를 해학적으로 사용하여 '我姓朱, 牛八朱'(저의 성은 주(朱)인데, 소우(牛)와 여덟팔(八)을 합친 주입니다)라든가, '咱们八刀吧'(절반씩 갖자)('八' '刀'를 합치면 나눌 분 '分' 자가 됨)라고 사용함).
〔字体〕 zìtǐ 명 ①자체(한자에는 '篆zhuàn书' '草书' '楷书' '行xíng书' 등이 있음). ②서체(書體)('王(字)体'(왕희지(王羲之)의 서체), '颜(字)体'(안진경(顔眞卿)의 서체) 따위를 말함).
〔字条(儿)〕 zìtiáo(r) 명 (간단한 통신이나 전언(傳言)을 쓴) 종이 쪽지. ¶留liú个～; 용건 등을 쓴 쪽지를 남겨 두다.
〔字帖儿〕 zìtiěr 명 간단한 말을 적은 종이쪽지(통지·광고 따위).
〔字帖〕 zìtiè 명 서첩(書帖). 글씨본.
〔字头〕 zìtóu 명 ①머리 글자. 두문자(頭文字). ¶C～货轮; 머리 글자 C의 화물선. ②⇨〔字头(儿)〕
〔字头(儿)〕 zìtóu(r) 명 ①(한자 부수의) 윗머리. ¶竹～; 대죽머리. ②표제 글자. ‖=〔子头②〕
〔字无百日功〕 zì wú bǎi rì gōng 〈成〉 글씨는 100일 정도의 연습으로는 좀 부족하다(글씨는 많은 노력을 기울여야 잘 쓸 수 있다). ¶～, 没有十年八年的工夫, 怎么能成为书法家呢? 글씨는 많은 노력을 기울여야 되는 것인데, 공을 들이지 않고 어떻게 서예가가 될 수 있겠는가? / ～, 你们继续练习下去, 一定会有进步的; 글씨를 잘 쓰려면 많은 노력을 해야 하는데, 너희들도 계속해서 연습하면 꼭 진보가 있을 것이다. =〔字无百日工〕
〔字形〕 zìxíng 명 자형. 글자의 모양.
〔字眼(儿)〕 zìyǎn(r) 명 ①글 속에 쓰인 글자〔말〕. ¶找个适当的～来表达; 적당한 말을 찾아 표현하다 / ～浅qiǎn; 표현이 평범하다 / ～深; 표현에 깊은 맛이 있다. ②주안점이 될 중요한 글자. ¶诗用工有三, 曰起结, 曰句法, 曰～; 시의 기교에 세 가지 점이 있는데, 기구(起句)와 결구(結句)의 안배·구(句)를 만드는 방법의 음미·안목이 되는 글자를 효과적으로 해서 초점을 맞추는 일이다. ③흠. 결점. ¶挑～ =〔抠～〕; 흠을 들추어 내다. 말꼬리를 잡다.
〔字样〕 zìyàng 명 ①본으로 삼는 글자. 글씨본. ②자구(字句). 문구. ¶门上写着'卫生'的～; 입구에 '위생'이란 글귀가 써 있다 / 并无此种～; 이와 같은 자구는 없다.
〔字一色〕 zìyīsè 명 마작에서, 동(東)·남(南)·서(西)·북(北), 백판(白板)·녹발(綠發)·홍중(紅中)의 일곱 가지 패만으로 나는 것.
〔字义〕 zìyì 명 자의. 글자의 뜻. ¶这个～怎么解释? 이 글자의 의미는 어떻게 해석합니까?
〔字音〕 zìyīn 명 ①자음(字音). 독음. ②발음. ¶您的～倒不错; 당신의 발음은 매우 좋습니다.
〔字源〕 zìyuán 명 자원. 문자의 기원. 글자의 원류(源流).
〔字斟句酌〕 zì zhēn jù zhuó 〈成〉 글귀를 다듬다. 퇴고(推敲)를 거듭하다.
〔字正腔圆〕 zì zhèng qiāng yuán 〈成〉 발음이 정확하고 사투리가 없다.
〔字纸〕 zìzhǐ 명 ①파지(破紙). 휴지. ¶敬惜～; 글씨 쓴 종이를 함부로 하지 마라 / ～篓儿; 휴지통. ②괘지(罫紙). =〔格gé纸〕
〔字组处理机〕 zìzǔ chǔlǐjī 명 〖電算〗 워드프로세서. =〔文wén件处理机〕

牸

zì (자)
명 〈方〉 암컷. ¶～牛; 암소. →〔母mǔ③〕

自

zì (자)
① 명 자기. 자신. ¶～画像; 자화상. ② 부 자기 스스로. 몸소. ¶～行处chǔ理; 스스로 처리하다 / 亲～; 친히. 몸소. 스스로. ③ 부 자연히. 저절로. 당연히. 물론. ¶～不待言; 〈成〉 말할 것도 없다 / ～当努力; 당연히 노력해야 한다 / 公道～在人心; 사람의 마음 속에는 자연히 정의라는 것이 있다 / 久别重逢, ～有许多话说; 오랜만의 재회이니까, 당연히 이야기하고 싶은 일이 많을 것이다. ④ 개 …에서(부터). ¶～古到今; 옛날부터 지금까지 / 来～韩国的朋友; 한국에서 온 친구 / ～幼; 어려서부터. →〔由〕 ⑤ 형 〈河北〉 〈山東〉 홀가분하다. 자유롭고 편하다. ¶多～啊! 참으로 홀가분하구나. ⑥ 부 따로. 특별히. 달리. ¶此间～有人管理; 이 곳에는 계원(係員)이 별도로 관리하고 있다. →〔别bié自〕〔另lìng自〕 ⑦ 명 성(姓)의 하나.
〔自爱〕 zì'ài 동 자중〔자애〕하다. 경솔한 행동을 삼가다. 명예·체면을 존중하다. ¶你别不～; 너는 자중자애해라.
〔自傲〕 zì'ào 형 오만하다. 자만하다. ¶～自满; 저 혼자 거만하게 굴고 잘난 체하다. 동 오만불손하게 굴다.
〔自拔〕 zìbá 동 (고통이나 죄업에서) 스스로 해탈하다〔빠져 나오다〕. ¶不能～; (고통에서) 빠져 나올 수가 없다.
〔自白〕 zìbái 명동 자기표현(하다). 자백(하다).
〔自办〕 zìbàn 명동 자영(自營)(하다).
〔自报奋勇〕 zì bào fèn yǒng 〈成〉 ⇨〔自告奋勇〕
〔自报公议〕 zì bào gōng yì 〈成〉 (자신의 노동 성과·공헌·능력 등에 대한 평가를) 스스로 신고하고 전원이 심의 결정하다.
〔自暴自弃〕 zì bào zì qì 〈成〉 자포자기하다.
〔自卑〕 zìbēi 동 스스로 비하하다. 비굴해지다. ¶不

自满，也不～；자만하지도 않고 비굴하지도 않다.
〔自卑感〕zìbēigǎn 명 비굴감. 열등감. ¶要是让孩子们的幼小心灵上受到刺cì激，受到压力，造成～，就会影响他们的成长zhǎng；어린이들의 어린 마음에 자극과 압력을 주어 비굴감을 조성하면，그들의 성장에 크게 영향을 끼치게 된다.
〔自卑心理〕zìbēi xīnlǐ 명 자비 심리. 스스로를 비하하는 심리. 열등 심리.
〔自备〕zìbèi 동 스스로 준비하다. ¶～的学生；자비 학생 / 旅费～；여비는 각자 부담 / ～汽车；마이카. 자가용차.
〔自备外汇〕zìbèi wàihuì 명 수중에 있는 외환. 동 외국환을 스스로 마련하다.
〔自本自力〕zì běn zì lì 자기의 자본과 자기의 힘으로 해냄. 혼자 힘으로 해냄.
〔自比〕zìbǐ 동 ⇨〔自况〕
〔自毙〕zìbì 동 자기가 스스로를 멸하게 하다. ¶作法～；자기가 만든 덫에 자신이 걸려들다.
〔自变数〕zìbiànshù 명《數》변수. 자변수.
〔自便〕zìbiàn 동 자기 편리한 대로 하다. ¶听其～；제 편리한 대로 하게 두다 / 您～吧，别陪着我了！제 걱정은 하지 말고 편리한 대로 하십시오! / 咱们～吧；ⓐ서로 편한 대로 합시다. ⓑ여기서 헤어집시다.
〔自不待言〕zì bù dài yán〈成〉두말 할 필요가 없다. ¶拿到市场上出卖的那一部分当然还是商品，～；시장에 가지고 가서 파는 그 부분은 당연히 상품이라는 것은 말할 필요조차 없다.
〔自不量力〕zì bù liàng lì〈成〉자기의 수완·역량을 분별하지 못하다. 분수를 모르다. 주제넘다. →〔不自量〕
〔自裁〕zìcái 명동〈文〉자살(하다). 자결(하다). =〔自决〕
〔自惭鸠拙〕zì cán jiū zhuō〈成〉자신에게 창조력이 없음을 부끄러워하다《비둘기는 제 집 만들지 못하고，다른 새의 집을 빌린다는 데서 온 말》.
〔自惭形秽〕zì cán xíng huì〈成〉남에게 뒤지는 것을 부끄럽게 여기다. =〔自觉形秽〕
〔自称〕zìchēng 대 자칭《인칭 대사(代詞)의 일종으로，대칭이나 타칭(他稱)에 상대되는 말》. 동 ①스스로 일컫다. ②스스로 자신을 칭찬하다. ¶～自赞zàn；자화자찬하다.
〔自成体系〕zìchéng tǐxì (독립하여) 자기 나름대로의 체계를 만들어 내다. =〔自成系统〕
〔自成一家〕zì chéng yī jiā〈成〉(남을 모방하지 않고) 스스로 한 파(派)를 이루다.
〔自乘〕zìchéng 명동《數》제곱〔자승〕(하다).
〔自逞〕zìchěng 동〈文〉자부하다. 자임(自任)하다. ¶～英豪；스스로 영웅호걸인 체하다.
〔自持〕zìchí 동 자제(自制)하다. ¶他再也不能～了；그는 그 이상 자제할 수가 없었다. 명 긍지(矜持). 자랑.
〔自出机杼〕zì chū jī zhù〈成〉문장에 독창성을 나타내다. 문장에 신기축(新機軸)을 생각해 내다.
〔自出心裁〕zì chū xīn cái〈成〉스스로 새로운 구상(構想)을 내세우다. 스스로 독창성을 내놓다.
〔自处〕zìchǔ 동 스스로 자기를 다스려 처리하다. 스스로 처신하다.
〔自揣〕zìchuǎi 동 스스로 예상하다.
〔自吹自擂〕zì chuī zì léi〈成〉자기선전을 하다. 자화자찬하다. ¶～，称王称霸；자기를 왕자 또는 패자(覇者)로 자칭하며 잘난 체하다 / 这家伙专好hào～，其实是绣花枕头，没有什么能耐；저 놈은 자기선전만 하고 있지만，실상은 수놓은 베개일 뿐，아무런 쓸모가 없다.
〔自此〕zìcǐ 부 ①지금부터. 이제부터. =〔自此以后〕②여기서부터. 이로부터. ‖=〔从此〕
〔自从〕zìcóng 개 …부터. …이래. ¶～开张以后；개점 이래 / ～开办以来已有六十年的历史；창립 이래 벌써 60년의 역사를 갖는다. =〔一从〕
〔自凑纸快印机〕zìcòuzhǐ kuàiyìnjī 명 윤전(輪轉) 인쇄기.
〔自打〕zìdǎ ① 개〈方〉…부터. =〔从打〕②스스로 때리다. ¶～嘴巴；자기 스스로 자기의 따귀를 때리다《앞뒤가 맞지 않다. 자가당착에 빠지다》.
〔自大〕zìdà 형 거만하다. 우쭐거리다. ¶～是个臭字；〈諺〉'自大'라 쓰면 '臭'자가 된다《잘난 체하면 미움받는다》/ 他在什么人面前都骄傲～；그는 누구한테나 거만하다 / 自高～；〈成〉거만하게 굴다.
〔自当〕zìdāng 부 당연히. 응당. 물론. ¶既有错误，～改正；잘못이 있는 이상 응당 뉘우쳐 고쳐야 한다 / ～先行寄上；물론 미리 보내 드리겠습니다. =〔自应〕
〔自得〕zìdé 동 ①득의하다. 스스로 만족하다. ¶洋洋～；〈成〉득의만면하다 / 安闲～；한가롭고 여유가 있다 / 颇为～；대단히 만족해하다. ②스스로 얻다. ③유쾌해하다.
〔自得其乐〕zì dé qí lè〈成〉스스로 그 속에서 기쁨을 느끼다. 홀로 즐기다. ¶一个人躲在那儿～；혼자 그 곳에 숨어 즐기고 있다.
〔自动〕zìdòng 부 ①자발적으로. 주체적으로. ¶～参加；자발적으로 참가하다 / ～退出；자발적으로 물러나다 / ～坦白；스스로 실토하다 / ～发起募捐；기부금 모집을 자발적으로 발기하다. ②인위적인 힘을 빌리지 않고. 자연히. ¶车～地向前移动；차가 저절로 움직이다 / 水～地流到田地；물이 자연히 밭으로 흘러가다. 형 자동의. ¶～化；자동화(하다). 오토메이션화(하다) / ～闸zhá；자동 브레이크 / ～步枪；자동 보병총. 자동 소총 / ～二轮车；모터사이클 / ～铅笔 =〔活动铅笔〕；샤프펜슬 / ～倾卸汽车；덤프 카(dump car) / ～售货器；자동판매기 / ～售票机；자동 매표기 / ～铸排字机；모노타이프. 동 (스스로의 의지로) 움직이다. (외력에 의하지 않고) 움직이다. 자동하다.
〔自动车床〕zìdòng chēchuáng 명 자동 선반.
〔自动词〕zìdòngcí 명 ⇨〔不bù及物动词〕
〔自动电梯〕zìdòng diàntī 명 자동 승강기. 오토매틱 엘리베이터(automatic elevator).
〔自动扶梯〕zìdòng fútī 명 에스컬레이터. =〔自动楼梯〕
〔自动工厂〕zìdòng gōngchǎng 명 자동화 공장.
〔自动换片器〕zìdòng huànpiànqì 명 자동 음반 교환기.
〔自动机(床)〕zìdòngjī(chuáng) 명 자동 공작 기계.
〔自动机械〕zìdòng jīxiè 명 자동 기계.
〔自动计量器〕zìdòng jìliàngqì 명 자동 계량기.
〔自动街道〕zìdòng jiēdào 명 자동〔움직이는〕보도(步道). 무빙워크.
〔自动控制〕zìdòng kòngzhì 명《機》자동 제어. 오토매틱 컨트롤(automatic control). =〔自控〕
〔自动快门〕zìdòng kuàimén 명 ⇨〔自拍机〕
〔自动楼梯〕zìdòng lóutī 명 ⇨〔电diàn动扶梯〕
〔自动排浇机〕zìdòng páijiāojī 명 모노타이프. =〔排印机〕
〔自动卡盘〕zìdòng qiǎpán 명《機》자동 척(chuck). =〔〈南方〉自来轧头〕〔〈南方〉三sān脚轧头〕

〔〈北方〉三爪(卡)盘〕
〔自动售货机〕 zìdòng shòuhuòjì 명 자동판매기.
〔自动限制〕 zìdòng xiànzhì 자주(自主) 규제하다. 자율적으로 제한하다. ¶～棉织品输美的数额; 대미(對美) 면직물 수출량을 자주적으로 규제하다.
〔自渎〕 zìdú 명 〈文〉 자독. 수음(手淫). 자위(自慰). =〔手shǒu淫〕
〔自对自〕 zìduìzì 부 혼자서. ¶～地说; 혼잣말을 하다.
〔自发〕 zìfā 형 ①자발적인. ¶群众～的要求; 대중의 자발적인 요구 / ～性; 자발성. ②자연 발생적인. ¶～势力; 자연 발생적인 세력 / 农村容易出现资本主义～势力; 농촌에는 자연 발생의 자본주의 세력이 나타나기 쉽다.
〔自发社〕 zìfāshè 명 정부 기관이나 당 조직의 인가를 거치지 않고 자발적으로 결성된 농촌 생산 협동조합.
〔自伐其功〕 zì fá qí gōng 〈成〉 자기의 공적을 자랑하다.
〔自反〕 zìfǎn 동 〈文〉 스스로 반성하다.
〔自肥〕 zìféi 동 사복(私腹)〔사리사욕〕을 채우다. 착복하다. =〔肥己jǐ〕
〔自费〕 zìfèi 명 자비. 자기 부담. ¶～留学; 자비 유학 / ～电话; 발신인 지불 전화 / 这次旅行(是)～; 이번 여행은 자비다.
〔自焚〕 zìfén 동 〈文〉 스스로 분사(焚死)하다(흔히, 비유로 씀). ¶玩火者, 必～; 불장난하는 자는 반드시 제 불에 타 죽는다.
〔自分〕 zìfèn 동 〈文〉 스스로를 파악하다. 자기 자신을 …라 여기다. ¶～不足以当重任; 스스로 중임을 담당할 수 없다고 생각한다.
〔自封〕 zìfēng 동 ①〈貶〉 자처하다. ¶～为专家; 전문가라고 자처하다 / ～为清高; 스스로 고결한 체하다. ②자신을 억제하다. 자신을 제한하다. ¶故步～; 낡은 관습 속에 틀어박히다.
〔自奉〕 zìfèng 동 〈文〉 제 힘으로 살아가다. 생활하다. ¶～薄; 스스로의 생활을 검소하게 하다.
〔自负〕 zìfù 동 ①스스로 책임을 지다. ¶～盈亏; 〈成〉 스스로 손익(損益)의 책임을 지다 / 文责～; 글에 대한 책임을 자기가 지다. ②자부하다. ¶～不凡; 〈成〉 비범하다고 자부하다. ③자만하다. ¶这个人很～; 이 사람은 굉장히 우쭐해 있다.
〔自甘〕 zìgān 동 스스로 원하다. 스스로 만족하다. 자진해서 달게 받다. ¶不知～ =〔心不～〕; 스스로 만족할 줄을 모르다 / ～受罚; 자진해서 처벌을 달게 받다.
〔自感应〕 zìgǎnyìng 명 《物》 자기 유도(自己誘導). =〔自感〕
〔自高自大〕 zì gāo zì dà 〈成〉 자고자대하다. 스스로 잘난 체하다. 자만하다.
〔自告奋勇〕 zì gào fèn yǒng 〈成〉 곤란을 각오하고 자신이 맡고 나서다. 자진해서 나서다. =〔自报奋勇〕
〔自个(儿)〕 zìgě(r) 명 〈方〉 자기. 자기 자신. ¶我坚持要～来, 母亲只好依了; 내가 혼자 하겠다고 고집하니까 어머니는 할 수 없이 승낙하셨다. =〔自各儿〕〔自哥儿〕〔自己个儿〕〔自己各儿〕
〔自耕〕 zìgēng 동 스스로 경작하다. 자작(自作)하다. ¶～农nóng; (토지 개혁 이전의) 자작농.
〔自供〕 zìgòng 동 자공하다. 자백하다. ¶～状; 자백서. =〔自我供状〕
〔自古〕 zìgǔ 부 자고로. 예로부터. 고래로. ¶～至今; 예로부터 지금까지 / ～以来; 자고이래. 예로부터. 고래로.
〔自顾不暇〕 zì gù bù xiá 〈成〉 남을 돌볼 겨를이 없다. 자신의 일로 바빠서 딴 곳에 마음을 줄 겨를이 없다. ¶他～, 没有力量帮助他人; 그는 자기의 일로 몹시 바빠서 남의 일을 도와 줄 수 없다.
〔自顾自〕 zìgùzì 자기만 돌보다. 자기 생각만 하다. ¶他夺了人家的东西～去了; 그는 남의 물건을 빼앗고는 멋대로 가 버렸다 / ～赶路; 그저 길을 재촉하다. 한눈 팔지 않고 길을 재촉하다 / 老西儿拉胡琴儿, ～; 〈歇〉 산시(山西) 사람이 호금을 타는데, 제멋대로이다(뒤의 '自顾自'는 흔히 생략함). =〔自管自〕
〔自管〕 zìguǎn 동 자제(自制)하다. 부 오로지. 주저하지 말고. 멋대로. 개의할 것 없이. ¶你～放心吧; 이봐 이젠 안심해.
〔自管自〕 zìguǎnzì ⇨〔自顾自〕
〔自汗〕 zìhàn 명 ⇨〔盗dào汗〕
〔自豪〕 zìháo 동 스스로 (믿는 데가 있어) 뽐내다. 스스로 자랑으로 여기다. ¶脸上露出了～的神彩; 얼굴에 뽐내는 기색이 나타나 있다 / 引为～; (그 일을) 자랑으로 하다 / ～感; 긍지. 자부심 / 民族～感; 민족으로서의 자랑. 민족적 긍지 / 这不是自傲, 是～; 이것은 오만이 아니라 자부심입니다.
〔自护己短〕 zìhù jǐduǎn 동 ⇨〔护短〕
〔自花传粉〕 zìhuā chuán fěn 명 《植》 자가 수분(自家受粉). 제꽃가루받이. =〔自家授粉〕
〔自坏长城〕 zìhuài Chángchéng 〈比〉 ①자신을 해치다. ②스스로 나라의 수비를 파괴하다. ③유능한 간부를 스스로 목자르다.
〔自己〕 zìjǐ 대 자기. 자신. ¶～身正, 不怕影斜; 〈諺〉 자기의 몸이 바르면 그림자가 구부러져 있어도 괘념하지 않는다(자기가 옳으면 두려울 것이 없음) / ～跌倒, ～爬起; 〈諺〉 자기가 뿌린 씨는 자기가 거둔다. 부 자기 스스로. ¶～动手; 스스로 하다 / 瓶子～不会倒的; 병이 혼자서 굴러 떨어질 리가 없다 / ～夸～; 자만하다. (zìji) 명 ①친척이나 친구 등 극히 친한 사람. ¶～弟兄; 친한 형제. 동료 / 长～的志气; 자기 편의 사기를 높이다 / ～人; 친한 사람. 동료. 집안 사람. 자기편 / 彼此不拘束, 显着～; 피차 격의 없이 하는 편이 친근해진다. ②자기 혼자. ¶还有别人吗? 就我～; 딴 사람이 있나요? 나 혼자입니다.
〔自己的孙子, 人家的太太〕 zìjǐde sūnzi, rénjiade tàitai 〈諺〉 내 손자와 남의 마누라는 좋아 보인다. =〔儿子是自己的好, 媳xí妇是别人的好〕
〔自己个儿〕 zìjǐgěr 명 〈北方〉 자기(자신). ¶～的事都弄不好, 又去管闲事; 자기 일조차 잘못하면서 또 쓸데없는 일에 참견하다니. =〔自己各儿〕〔〔自各儿〕〔自个(儿)〕〔自哥儿〕
〔自己各儿〕 zìjigěr 명 ⇨〔自己个儿〕
〔自己顾自己〕 zì jǐ gù zì jǐ 〈成〉 오직 자신만이 의지가 된다.
〔自己人(儿)〕 zìjǐrén(r) 명 집안 사람. 매우 친한 사이. ¶咱们是～; 서로 절친한 사이입니다. =〔自家人〕
〔自己园儿〕 zìjǐyuánr 명 ⇨〔自家园儿〕
〔自给〕 zìjǐ 명동 자급(하다). ¶～自足; 자급자족(하다) / ～有余; 자급하고도 여유가 있다.
〔自给户〕 zìjǐhù 명 자급 농가.
〔自家〕 zìjiā 명 ①자기 집. ②〈方〉 자기. 자기 자신. ¶～有病～医; 〈諺〉 자신의 곤란은 스스로 해결하라.
〔自家园儿〕 zìjiāyuánr 명 자기 집 밭. ¶～里打的西瓜; 자기 집 밭에서 딴 수박 / ～的东西就是个

新鲜; 자기 밭에서 거둔 것은 그야말로 신선하다. =〔自己园儿〕
〔自检〕 zìjiǎn 동 스스로 조심하다. 자제하다.
〔自荐〕 zìjiàn 동 자천하다. 스스로 자기를 추천하다.
〔自解酶〕 zìjiěméi 명《化》자가 효소.
〔自戒〕 zìjiè 동〈文〉스스로 경계하다. 스스로 주의하다.
〔自今〕 zìjīn 부〈文〉지금부터. ¶～以后; 이제부터. 앞으로. =〔从cóng今〕
〔自尽〕 zìjìn 동 자살하다. ¶悬梁～; 들보에 목을 매어 자살하다.
〔自经〕 zìjīng 동〈文〉목을 매다. 목매어 죽다.
〔自刭〕 zìjǐng 동 ⇨〔自刎〕
〔自咎〕 zìjiù 동 자책하다. 양심에 가책을 느끼다. 자기반성을 하다. ¶深感～; 마음에 꺼림칙한 것이 있다.
〔自救〕 zìjiù 동 자구하다. ¶生产～; 생산으로 자구하다.
〔自居〕 zìjū 동〈貶〉자임(自任)〔자처〕하다. 스스로 자신을 …라고 여기다. ¶以功臣～; 자신이 공신이라고 자처하다.
〔自居奇货〕 zì jū qí huò〈成〉①자기의 편리한 처지를 유리하게 이용하려 하다. ②스스로 대단한 존재로 자처하다.
〔自决〕 zìjué 동 자기 스스로 결정하다. ¶民族～; 민족 자결. 명동 자살(하다). 자결(하다). =〔自裁〕
〔自绝〕 zìjué 동 ①스스로 단절하다〔끊다〕. 스스로 멀리하다. ¶～了再会的机会; 스스로 재회의 기회를 끊어 버렸다. ②스스로 파멸하다. 자멸하다.
〔自觉〕 zìjué 동 스스로 느끼다. ¶我～无愧; 나는 스스로 부끄러운 데가 없다고 생각한다 / 癌症早期, 患者自己往往不～; 암의 초기에는 왕왕 환자 본인은 자각하지 못한다. 형 자각적이다. ¶还不够～; 아직 자각이 부족하다 / 他是个最～的战士; 그는 가장 자각이 있는 전사이다 / ～地遵守纪律; 자각적으로 규율을 지키다 / ～自愿; 스스로 지원하다. 자발적이다. 자진해서 하다 / ～的行动; 자각적인 행동. =〔自意识〕
〔自觉性〕 zìjuéxìng 명 자각심. ¶提高～; 자각심을 높이다.
〔自掘坟墓〕 zì jué fén mù〈成〉스스로 묘혈을 파다. 스스로 파멸의 길을 선택하다.
〔自看自高〕 zì kàn zì gāo 스스로를 훌륭하다고 생각하다. =〔自命不凡〕
〔自控〕 zìkòng 명 ⇨〔自动控制〕
〔自苦〕 zìkǔ 동 고생하다. 애쓰다. ¶只有～才能攒zǎn下俩钱儿; 고생을 해야 얼마간의 돈이나마 모을 수 있는 것이다 / 从风里雨里的咬牙, 从茶饭里的～, 才赚出那辆车《老舍 駱駝祥子》; 비바람 속에서 이를 악문 인내와, 평소의 고생스런 생활 끝에, 겨우 저 인력거를 장만한 것이다.
〔自夸〕 zìkuā 동 자만하다. 과시하다. ¶～门第高贵; 가문이 좋은 것을 자만하다 / 老王卖瓜, 自卖～;〈歇〉왕서방이 오이를 팔다. 자기가 팔면서 스스로 칭찬하다《자화 자찬하다》.
〔自郐以下〕 zì kuài yǐ xià〈成〉그 이하는 말할 값어치도 없다.
〔自宽〕 zìkuān 동〈文〉자위하다. 스스로 자기를 위로하다.
〔自况〕 zìkuàng 동〈文〉남을 자기와 비교하다. =〔自比〕
〔自愧〕 zìkuì 동〈文〉스스로 부끄러워하다. ¶～不如; 남만 못한 것을 스스로 부끄러워하다.
〔自拉自唱〕 zìlā zìchàng〈比〉①자기 의견을 스스로 변호하다. ②혼자 득의양양해하다. 스스로 만족해하다.
〔自来〕 zìlái 부 본래. ¶～旧jiù; 본래부터 낡았다. →〔从来〕〔原来〕
〔自来白〕 zìlaibái 명 월병(月餠)의 일종《둥글납작하고 빛깔은 희읍스름하며, 겉이 '酥sū皮儿'로 되어 있어 잘 부서지는 과자. 월병으로서는 하등품임》.
〔自来管儿〕 zìláiguǎnr〈京〉자연히. 저절로. ¶你别理它, 待会儿～就好了; 그것에 상관하지 마라. 조금 있으면 저절로 좋아질 테니까.
〔自来红〕 zìlaihóng 명 ①(태어나면서부터 부모의 핏줄로 받아) 사상적으로 견고함. ②월병(月餠)의 일종《표면에 달걀 따위의 즙을 발라, 노릇노릇하게 구워낸 것. 북방에서의 가장 일반적인 월병임》.
〔自来火〕 zìláihuǒ 명〈方〉①석탄 가스. ②성냥. =〔洋火〕 ③가스등. ④라이터. =〔打dǎ火机〕
〔自来火表〕 zìláihuǒ biǎo 명 ⇨〔火表②〕
〔自来困〕 zìláikùn 명 타고난 게으름뱅이.
〔自来铅笔〕 zìlái qiānbǐ 명 샤프펜슬.
〔自来水〕 zìláishuǐ 명 ①상수도. ¶～厂; 정수장(淨水場). ②수도물.
〔自来水笔〕 zìláishuǐbǐ 명 만년필.
〔自来轧头〕 zìlái yàtóu 명 ⇨〔自动卡qiǎ盘〕
〔自理〕 zìlǐ 동 스스로 처리하다. (비용 따위를) 스스로 부담하다. ¶费用～; 비용은 자기 부담 / 伙食～; 식사는 자취(自炊) / 那老人生活已不能～; 그 노인은 이제 자활할 수 없다.
〔自力〕 zìlì 명부 자력(으로). ¶运价～; 운임 본인 부담 / ～更gēng生;〈成〉자력갱생(하다).
〔自力霉素〕 zìlìméisù 명《藥》마이토마이신 씨(C).
〔自立〕 zìlì 명동 자립(하다). 독립(하다). 자활(하다). ¶孩子有了工作, 可以～了; 아이는 취직이 되어 독립할 수 있게 되었다.
〔自量〕 zìliàng 동 스스로 헤아리다. 분수를 알다. 자기 자신을 알다. ¶不～; 분수를 모르다 / 人不知～, 必受诽fěi谤; 사람이 분수를 모르면 반드시 비난을 받는다.
〔自了〕 zìliǎo 동 자기 힘으로 해내다. 형 제멋대로이다. ¶～汉; ⓐ제멋대로 하는 사람. ⓑ남에게 의지하지 않는 사람.
〔自料〕 zìliào 명 (손님이) 직접 가지고 온 재료《흔히 맞춤 옷을 짓는 경우에 씀》. ¶～加工; (손님이) 가지고 온 재료로 가공하다.
〔自流〕 zìliú 동 ①자연히 흐르다. ¶～灌溉;《農》자연 수류(水流)에 의한 관개법. ②〈比〉되어 가는 대로 맡기다. 내버려 두다. 제멋대로 굴다. ¶放任～; 자유방임하다 / 听其～; 하는 대로 내버려 두다 / 自愿不是～; 자발적이라는 것은 제멋대로 구는 것이 아니다.
〔自流井〕 zìliújǐng 명 ①자분정(自噴井). ②천연유정(天然油井). ③(Zìliújǐng)《地》쓰촨 성(四川省)에 있는 소금 산지의 이름.
〔自流主义〕 zìliú zhǔyì 명 ⇨〔尾wěi巴主义〕
〔自留畜〕 zìliúchù 명 개인 보유의 가축.
〔自留地〕 zìliúdì 명 개인 보유지《자기 소유의 자경지로 보장되어 있는 소면적의 토지》.
〔自卖自夸〕 zì mài zì kuā〈成〉자화자찬하다. =〔自我吹嘘〕
〔自满〕 zìmǎn 명동 자만(하다). 자기만족(하다).

득의양양(하다). ¶他虚心好学, 从不～; 그는 겸허하고 배우기를 좋아해서 여태껏 자만해 본 적이 없다.
〔自媒〕 zìméi 동 옛날, 중매인을 세우지 않고 자기가 직접 배우자를 구하다.
〔自明〕 zìmíng 형 자명하다. 분명하다. ¶含义～, 无须多说; 내포된 논지(論旨)는 자명하니까 더 설명할 필요가 없다.
〔自鸣〕 zìmíng 동 〈文〉 스스로 뽐내다. 자부하다. ¶～得意; 〈成〉 자신의 일을 대단한 것이라고 생각하고 득의양양하다. 자만하다.
〔自鸣钟〕 zìmíngzhōng 명 자명종.
〔自命〕 zìmìng 동 스스로 인정하다. 자임〔자처〕하다. ¶～为语言学家; 언어학자를 자임하다.
〔自命不凡〕 zì mìng bù fán 〈成〉 스스로 자기가 훌륭하다고 생각하다. =〔自看自高〕
〔自磨刀儿〕 zì mó dāor 〈京〉 남에게 일임(一任)하다. 남의 재량에 맡기다. ¶这件事我～了, 你爱怎么做就怎么做吧! 이 일은 너에게 맡길 테니까 좋을 대로 해라! / 今儿我们～了, 你瞧着厨房里什么好就来什么吧; 오늘은 우리가 네 재량에 맡길 테니, 부엌에 있는 좋다고 생각되는 것을 마음대로 가져와라.
〔自馁〕 zìněi 동 (자신을 잃고) 위축되다. 풀이 죽다. 낙심하다. 기가 죽다. ¶再接再厉, 绝不～; 더욱 힘써 절대로 위축되지 않다 / 你别～; 낙담하지 마라.
〔自恁〕 zìnèn 〈古白〉 …해도 상관없다. ¶～请你陪我来坐坐; 제 옆에 앉으셔도 상관없습니다.
〔自拍机〕 zìpāijī 명 《撮》 (사진 촬영용의) 셀프타이머. 자동 셔터. =〔自动快门〕
〔自赔〕 zìpéi 동 자신이 부담하다.
〔自喷井〕 zìpēnjǐng 명 자분 유정(自噴油井).
〔自欺〕 zìqī 동 자신을 속이다. 양심에 어그러지다. ¶～欺人; 〈成〉 자기를 속이고 남도 속이다.
〔自谦〕 zìqiān 동 스스로 낮추다. 겸손한 태도를 지니다. ¶他很～; 그는 매우 겸허하다.
〔自遣〕 zìqiǎn 동 〈成〉 스스로 마음을 달래다. 스스로 기분을 달래다. ¶高歌聊～; 큰 소리로 노래를 불러 다소 기분을 풀다.
〔自戕〕 zìqiāng 명동 〈文〉 자살(하다). ¶逼我～; 억지로 나를 자살하게 만들다. =〔自杀〕
〔自强〕 zìqiáng 동 자강하다. 스스로 노력하여 향상하다. 자신을 강하게 하다. ¶～不息; 〈成〉 스스로 힘써 쉬지 않다.
〔自轻自贱〕 zìqīng zìjiàn 스스로 비하하다.
〔自倾(货)车〕 zìqīng(huò)chē 명 덤프카. =〔自卸汽车〕〔倾卸汽车〕
〔自取〕 zìqǔ 동 자취〔자초〕하다. 스스로 취하다〔찾다〕. ¶～灭miè亡; 〈成〉 스스로 멸망을 부르다. 멸망을 자초하다.
〔自然〕 zìrán 명 자연. 천연. ¶～规律; 자연 법칙 / ～资源; 천연 자원 / ～铜; 《鑛》 ⓐ천연동. ⓑ황철광의 속칭 / ～界; 자연계 / ～灾害; 자연 재해 / ～保护区; 자연 보호 지구. 부 ①본래대로. 저절로. 자연히. ¶～而然地; 저절로 / 到时～明白; 때가 되면 저절로 알게 된다 / 功到～成; 〈諺〉 노력이 쌓이면 성공은 저절로 이루어진다. ②물론. 당연. 응당. ¶～要失败的; 물론 실패하게 되겠지 / 那是～的, 您还用说吗? 그것은 물론인데, 더 말할 필요가 있겠습니까?
〔自然〕 zìran 형 자연스럽고 꾸밈이 없다. 구김살이 없다. 무리가 없다. ¶态度非常～; 태도가 매우 자연스럽다 / 他说的中国话很～; 그가 말하는 중국어는 꽤 자연스럽고 무리가 없다.
〔自然辩证法〕 zìrán biànzhèngfǎ 명 《哲》 자연변증법.
〔自然主义〕 zìrán zhǔyì 명 《哲》 자연주의.
〔自燃〕 zìrán 명 《化》 자연 발화.
〔自认〕 zìrèn 동 ①스스로 비용을 부담하다. ¶邮费一概～; 우편료는 일률적으로 자기 부담이다. ②자인하다. ¶～晦气; 〈成〉 불운에 대하여 불평하지 않다〔웃어 넘기다〕.
〔自如〕 zìrú 형 〈文〉 마음대로이다. 자유자재하다 (흔히, 2음절 동사 뒤에 놓음). ¶操纵～; 자유자재로 조작하다 / 旋转～; 마음대로 회전하다.
〔自若〕 zìruò 형 〈文〉 사물에 동하지 않다. 태연하다. ¶神态～; 표정·태도가 평소와 변함이 없다 / 谈笑～; 여느 때와 같이 담소하다.
〔自杀〕 zìshā 명동 자살(하다). =〔自戕〕
〔自上而下〕 zì shàng ér xià 〈成〉 위에서 아래로 (내려오다).
〔自身〕 zìshēn 명 자신. 본인. ¶～难保; 자신의 지위조차 유지하지 못하다.
〔自生催化〕 zìshēng cuīhuà 명 《化》 자촉 반응(自觸反應).
〔自生自灭〕 zì shēng zì miè 〈成〉 자생하고 자멸(自滅)하다.
〔自绳自缚〕 zì shéng zì fù 〈成〉 자승자박.
〔自失〕 zìshī 동 자실하다. 멍하니 있다. 얼이 빠지다. ¶茫然～; 망연자실하다.
〔自食恶果〕 zì shí è guǒ 〈成〉 자업자득이다. 제 잘못으로 인한 화(禍). =〔自食其果〕
〔自食其果〕 zì shí qí guǒ 〈成〉 ⇨〔自食恶果〕
〔自食其力〕 zì shí qí lì 〈成〉 자기의 힘으로 생활하다. ¶使他们在劳动中改造成为～的公民; 그들을 노동을 통하여 개조하여, 자기의 힘으로 생활하는 사회인이 되게 하다. =〔〈歇〉蜻蜓咬尾巴, 自吃自〕
〔自食其言〕 zì shí qí yán 〈成〉 말한 내용에 대해 책임을 지지 않다. 식언하다.
〔自始至终〕 zì shǐ zhì zhōng 〈成〉 처음부터 끝까지. 자초지종. 시종일관.
〔自屎不(嫌)臭〕 zìshǐ bù(xián) chòu 〈諺〉 제 똥은 구리지 않다(자기의 결점은 문제삼지 않는다).
〔自视〕 zìshì 동 스스로 (자기를) …이라고 여기다. ¶～甚高; 스스로 자기를 훌륭하다고 여기다.
〔自恃〕 zìshì 동 ①교만하게 굴다. ¶～高明; 〈成〉 스스로 훌륭하다고 믿고 교만하게 굴다. ②믿다. 의지하다. 권세를 믿고 으스대다. ¶～功高; 자기의 공적이 큰 것을 믿다.
〔自是〕 zìshì 〈文〉 ① 동 스스로 옳다고 여기다. 제멋대로 하다. ¶～其非; 자신의 잘못을 (깨닫지 못하고) 좋다고 여기다 / 从小儿就～, 将来就不会有出息; 어릴 적부터 제멋대로 굴면 장래에 발전성이 없다. ② 부 당연히. 물론. ¶久别重逢, ～高兴; 오랜만에 만났기 때문에 물론 기뻤다. ③이로부터 그 이후. 여기서부터.
〔自首〕 zìshǒu 명동 《法》 자수(하다). ¶投案～; 경찰이나 사법 기관에 자수하다 / ～变节; 자수하고 변절하다.
〔自书〕 zìshū 명 친필(親筆). 자필.
〔自赎〕 zìshú 동 《法》 스스로 속죄하다. 자기의 죄를 씻다. ¶立功～; 공을 세워 속죄하다.
〔自述〕 zìshù 〈文〉 동 자술하다. 스스로 말하다. 명 자서전.
〔自树一帜〕 zì shù yī zhì 〈成〉 스스로 한 파(派)를 열다. →〔自成一家〕

〔自说自话〕 zì shuō zì huà 〈成〉 혼잣말을 하다. ¶你一个人～干什么啦? 자네 무엇을 혼자 중얼거리는가?
〔自私〕 zìsī 형 제멋대로이다. 이기적이다. ¶～自利; 이기주의. 사리사욕 / 那个人太～; 저 사람은 너무 이기적이다 / 他很～, 只管自己不管别人; 그는 아주 이기적이어서 자기 생각만 하고 남의 생각은 하지 않는다.
〔自私鬼〕 zìsīguǐ 명 《罵》 이기적인 놈. 방자한 녀석. 자기 이익만을 꾀하는 놈.
〔自思自叹〕 zìsī zìtàn 혼자 무엇인가를 생각하고는 한숨짓다. ¶那位妇人老是～; 저 부인은 언제나 혼자 무엇을 생각하고는 혼자 슬퍼하고 있다.
〔自诉〕 zìsù 명동 《法》 자소(하다).
〔自抬身价〕 zì tái shēn jià 〈成〉 자신의 가치·개런티를 스스로 높이다. 스스로 위신을 세우다.
〔自叹不如〕 zì tàn bù rú 〈成〉 남에게 미치지 못함을 한탄하다.
〔自讨〕 zìtǎo 동 (그럴 필요가 없는데) 스스로 구하다. ¶～没趣qù; 스스로 보람없는 결과를 초래할 짓을 하다.
〔自讨苦吃〕 zì tǎo kǔ chī 〈成〉 스스로 고생을 사서하다. 경솔한 짓을 하다. =〔自讨其苦〕
〔自天而降〕 zì tiān ér jiàng 하늘에서 떨어지다. 〈比〉 느닷없이 나타나다. ¶好像～地突然出现了; 마치 하늘에서 떨어진 것처럼 갑자기 나타났다.
〔自投(儿)〕 zìtóu(r) 동 ①자수(自首)하다. ②자진해서 하다. 감히 하다.
〔自投罗网〕 zì tóu luó wǎng 〈成〉 스스로 묘혈(墓穴)을 파다《화를 자초하다》.
〔自为阶级〕 zìwéi jiējí 명 자위 계급. →〔自在阶级〕
〔自卫〕 zìwèi 동 자위하다. 스스로 지키다. 자기방위하다. ¶～反击; 자위를 위한 반격 / ～军; 자위군 / ～权; 《法》 자위권.
〔自慰〕 zìwèi 동 자위하다. 스스로 자기를 위로하다. ¶聊以～; 〈成〉 잠시나마 자기를 위로하다.
〔自刎〕 zìwěn 동 스스로 목을 자르다〔잘라 죽다〕. =〔自颈〕
〔自问〕 zìwèn 동 ①자문하다. ¶扪心～; 〈成〉 가슴에 손을 얹고 자신에게 물어 보다. 자신의 양심에 물어 보다 / 反躬～; 돌아보고 자신에게 묻다. ②스스로 판단하다. ¶我～无愧; 나는 스스로 생각해 보아도 부끄럽지 않다 / 我～是花过不少力气的; 스스로 생각건대 나는 전력을 다했다.
〔自窝儿摆酒〕 zìwōr bǎijiǔ 〈比〉 자신이 적당히 처리하다. 독단으로 해치우다. ¶他老是～; 그는 언제나 독단적으로 일을 처리한다.
〔自我〕 zìwǒ 명 ①자기 자신. ¶～表白; 자기고백. 자기표현 / ～表现; 자기현시(顯示)(를 하다) / ～吹嘘 =〔自卖自夸〕; 〈成〉 자기선전하다 / ～扩张; 자기주장. 자기중심주의의 확대 / ～狂妄; 과대망상. 자기 망상. ②《哲》 자아.
〔自我安慰〕 zìwǒ ānwèi 명동 자기위안(하다). ¶这只不过是一种～; 이것은 일종의 자기위안에 지나지 않는다.
〔自我服务〕 zìwǒ fúwù 명 셀프서비스.
〔自我解嘲〕 zì wǒ jiě cháo 〈成〉 멋쩍어서 변명하다. 조소를 면하기 위해 자신을 변명하다. ¶这不过是一种无聊的～而已; 이것은 한가한 사람의 멋쩍은 자기변명에 지나지 않는다.
〔自我介绍〕 zìwǒ jièshào 명동 자기소개(하다). ¶新老师上课之前, 照例要～一番; 새로 오신 선생님은 전례에 따라 수업을 시작하기 전에 한차례 자기소개를 하기로 되어 있다.
〔自我批评〕 zìwǒ pīpíng 명동 자아비판(하다). 자기비판(하다). ¶共产党内的矛盾, 用批评和～的方法去解决; 공산당 내의 모순은 비판과 자기비판의 방법으로 해결한다.
〔自我陶醉〕 zì wǒ táo zuì 〈成〉 자기도취(하다). 자아도취(하다).
〔自我写照〕 zìwǒ xiězhào 명 자화상.
〔自我作古〕 zì wǒ zuò gǔ 〈成〉 옛 격식에 구애받지 않고 손수 새로운 방법을 만들어 내다. =〔自我作故〕
〔自误〕 zìwù 동 〈文〉 자신을 그르치다. 스스로 일을 망치다.
〔自习〕 zìxí 명동 자습(하다).
〔自习小组〕 zìxí xiǎozǔ 명 자습 그룹. ¶小学生～; 초등 학생의 자습 그룹.
〔自下而上〕 zì xià ér shàng 〈成〉 아래에서 위로(올라가다).
〔自相〕 zìxiāng 부 자기들끼리 서로. 자기편끼리 서로. ¶内战等于～残害; 내전은 한패끼리 서로 죽이고 해치는 것과 마찬가지다 / 你说的岂qǐ不～矛盾吗? 네 말은 그 자체에 모순이 있지 않은가? / ～惊扰; 〈成〉 자기 편끼리 소란을 피우다.
〔自相矛盾〕 zì xiāng máo dùn 〈成〉 자가 당착〔자체 모순〕이다.
〔自小〕 zìxiǎo 부 어릴적부터. =〔从cóng小(儿)〕
〔自效〕 zìxiào 동 〈文〉 스스로의 힘을 다해 노력하다.
〔自卸卡车〕 zìxiè kǎchē 명 덤프 트럭.
〔自卸汽车〕 zìxiè qìchē 명 ⇨〔自倾(货)车〕
〔自新〕 zìxīn 동 갱생하다. 자각하여 잘못을 고치다. 기분을 일신하다. ¶～之路; 갱생의 길 / 悔过～; 〈成〉 잘못을 반성하고 새로워지다.
〔自信〕 zìxìn 동 자신을 가지다. …할 자신이 있다. ¶他～能完成这个任务; 그는 이 임무를 해낼 자신이 있다 / 她对自己的记忆力很～; 그녀는 자기의 기억력에 자신이 있다 / 豪迈～的神情; 당당하고 자신에 넘치는 표정. 명 자신. ¶缺乏～; 자신이 없다 / 充满～地说; 자신있게 말하다.
〔自信心〕 zìxìnxīn 명 자신(감). ¶～不足; 자신(감) 부족 / ～很强; 자신감이 강하다.
〔自行〕 zìxíng 부 스스로. 자진해서. 저절로. ¶～解决; 스스로 해결하다 / ～自首; 스스로 자수하다 / 我国～设计和制造的远洋货论; 우리 나라가 직접 설계하여 만든 원양 화물선 / 敌人是不会～消灭的; 적은 스스로 멸망할 짓을 하지 않는다. 명 《天》 고유 운동.
〔自行车〕 zìxíngchē 명 자전거. ¶～把; 자전거의 핸들 / 骑～; 자전거를 타다 / 公路～比赛; 《體》 로드 레이스. =〔〈南方〉 脚踏车〕〔单车①〕
〔自行筹款〕 zìxíng chóukuǎn 스스로 자금을 조달하다.
〔自行火炮〕 zìxíng huǒpào 명 《軍》 자주포(自走砲).
〔自行其是〕 zì xíng qí shì 〈成〉 자기가 옳다고 생각한 일을 하다. 자기 멋대로 하다. =〔独行其是〕
〔自修〕 zìxiū 동 ①자습하다. ¶下午学生有两个小时～的时间; 오후에 학생들은 2시간의 자습 시간이 있다. ②독학하다. 자수(自修)하다.
〔自嘘〕 zìxū 동 허풍을 떨다. ¶～天才; 천재라고 큰소리치다 / 自吹～; 허풍을 떨다. 자기자랑을 하다.
〔自许〕 zìxǔ 동 〈文〉 ①자부하다. 자신하다. ②다

만 …하는 것을 허용하다. ¶～州官放火, 不许百姓点灯; 〈諺〉 관리는 어떤 심한 짓도 허용되지만, 백성은 마냥 자유를 속박 당한다. =〔只zhǐ许…〕
〔自序〕 zìxù 명 ①자서(自序). ②자서전.
〔自选动作比赛〕 zìxuǎn dòngzuò bǐsài 명 《體》 (체조의) 자유 종목 경기.
〔自选市场〕 zìxuǎn shìchǎng 명 슈퍼마켓. =〔超chāo级市场〕〔超级商场〕〔自选商场〕〔自助商场〕
〔自炫其能〕 zì xuàn qí néng 〈成〉 자기의 능력을 과시하다. 재능을 현시(顯示)하다.
〔自学〕 zìxué 명동 자수(自修)(하다). 독학(하다). ¶每天～一个小时, 每周集体学习两次; 매일 1시간은 자습하고, 매주 두 번 여럿이서 공부한다.
〔自寻烦恼〕 zì xún fán nǎo 〈成〉 스스로 고민거리를 만들다.
〔自寻苦恼〕 zì xún kǔ nǎo 〈成〉 스스로 고민거리를 만드는 짓을 하다. 고민거리를 만들어 괴로워하다.
〔自寻死路〕 zì xún sǐ lù 〈成〉 스스로 파멸을 초래하다.
〔自言自语〕 zì yán zì yǔ 〈成〉 중얼거리다. 혼잣말하다. 자문자답하다.
〔自养〕 zìyǎng 명형 자양(의). 독립 영양(의). 자주(自主) 영양(의). 무기(無機) 영양(의). ¶～生物; 《生》 자주〔독립〕 영양 생물 / ～植物; 《植》 자주〔독립〕 영양 식물. 동 〈文〉 스스로 부양하다. 자활하다.
〔自要〕 zìyào 접 〈方〉 …만 있다면. …만 하면. ¶～有闲工夫一定去; 여가만 있다면 반드시 간다. →〔只要〕
〔自贻伊戚〕 zì yí yī qī 〈成〉 스스로 걱정거리를 만들다. 화(禍)를 자초(自招)하다.
〔自以为非〕 zì yǐ wéi fēi 〈成〉 자기 결점에 대해 조심하다. 자기 잘못을 인식하다.
〔自以为是〕 zì yǐ wéi shì 〈成〉 ①스스로 옳다고 생각하다. ②독선적이다. ¶～地发号施令起来; 독선적으로 명령을 내리다.
〔自抑〕 zìyì 동 스스로 억제하다〔억누르다〕. ¶～心; 자제심 / ～力; 자제력.
〔自缢〕 zìyì 동 〈文〉 자액하다. 액사(縊死)하다. 목매어 죽다.
〔自意识〕 zìyìshí 형 ⇨〔自觉〕
〔自引〕 zìyǐn 동 〈文〉 자살하다.
〔自应〕 zìyīng 부 〈文〉 마땅히. 물론. 응당. =〔自当〕
〔自用〕 zìyòng 동 ①스스로 옳다고 여기다. ¶刚愎～; 〈成〉 고집이 세고 독선적이다 / 师心～; 자기만 옳다고 고집하다. ②개인이 사용(使用)하다. 사용(私用)하다. ¶～汽车; 자가용차.
〔自由〕 zìyóu 형 자유롭다. ¶～参加; 자유롭게 참가하다 / ～发表意见; 자유롭게 의견을 발표하다 / ～自在; 〈成〉 자유자재하다. 명 자유. ¶～贸易; ⓐ자유 무역. ⓑ자유 거래 / ～体操; 《體》 마루운동. 매트 운동 / ～演员; 프리랜서의 배우 / ～式; 《體》 자유형.
〔自由〕 zìyou 형 ⇨〔自在zài〕
〔自由电子〕 zìyóu diànzǐ 명 《物》 자유 전자. 프리 일렉트론(free electron).
〔自由放任〕 zìyóu fàngrèn 명 자유방임.
〔自由港〕 zìyóugǎng 명 《經》 자유항. 프리 포트(free port).
〔自由花样滑〕 zìyóu huāyàng huá 명 《體》 피겨 스케이팅의 자유 종목.
〔自由婚姻〕 zìyóu hūnyīn 명 연애결혼. =〔自由结婚〕
〔自由基〕 zìyóujī 명 《化》 유리기(遊離基). 자유 라디칼(radical). =〔游离基〕
〔自由记者〕 zìyóu jìzhě 명 프리랜서 기자. 자유기고가.
〔自由竞争〕 zìyóu jìngzhēng 명 《經》 자유 경쟁.
〔自由落体运动〕 zìyóu luòtǐ yùndòng 명 《物》 자유 낙하 운동.
〔自由民〕 zìyóumín 명 《史》 자유민《노예 사회에서 노예 이외의 주민, 곧 노예주·상인·고리 대금업자·농민·수공업자 등》. =〔自由人②〕
〔自由人〕 zìyóurén 명 ①정치적인 문학에 반대하는 사람. =〔第dì三种人〕 ② ⇨〔自由民〕
〔自由散漫〕 zìyóu sǎnmàn 규율이 이완되다. 방만하다.
〔自由诗〕 zìyóushī 명 자유시.
〔自由市场〕 zìyóu shìchǎng 명 자유 시장.
〔自由碳〕 zìyóutàn 명 《化》 그래파이트 카본(graphite carbon). 흑연질 탄소(黑鉛質炭素). =〔石shí墨碳〕
〔自由泳〕 zìyóuyǒng 명 《體》 (수영의) 자유형. 프리 스타일.
〔自由职业〕 zìyóu zhíyè 명 자유업. =〔自由业〕
〔自由主义〕 zìyóu zhǔyì 명 ①자유주의. 리버럴리즘(liberalism). ②방임주의. ¶反对～; 방임주의에 반대하다.
〔自有〕 zìyǒu 동 〈方〉 종래〔본래〕 …이 있다. 자연히 …이 있다. ¶～公论; 〈成〉 일에는 자연히 세상의 비평이란 게 있다 / ～天知; 자연히 하늘이 알 것이다〔심판해 줄 것이다〕.
〔自玉〕 zìyù 동 〈文〉 자애(自愛)하다. 자중하다. ¶～为嘱; 〈翰〉 자중자애하시기를 빕니다.
〔自圆其说〕 zì yuán qí shuō 〈成〉 자기가 한 말을 결점이 탄로나지 않도록 겉꾸미다. 자기의 논점(論點)을 교묘히 발라 맞추다. ¶不能～, 露出破绽来了; 그럴듯하게 이야기를 발라 맞추지 못해서, 결함이 탄로나고 말았다.
〔自怨自艾〕 zì yuàn zì yì 〈成〉 ①자기의 잘못을 뉘우쳐 고치다. ②분하게 생각하다《고칠 뜻을 포함하지 않음》.
〔自愿〕 zìyuàn 명동 자원(하다). ¶～回国; 스스로 귀국을 희망하다 / ～摊派原则; 희망 할당 원칙 / ～原则; 스스로 납득하여 자진해서 신고하는 원칙 / 群众的～; 대중의 자유 의사에 의한 지원 / 自觉～; 자기의 자유의사에 의거하다 / 出于～; 자기의 의사로. 자기가 자진해서 / ～互利原则; 자유 의사와 상호 이익의 원칙.
〔自愿自主〕 zì yuàn zì zhǔ 〈成〉 자기의 희망과 의사에 따라 자주적으로 움직이다.
〔自运〕 zìyùn 동 직접 수송하다.
〔自在〕 zìzài 형 ①자유롭다. ¶逍遥～; 아무것에도 구속되지 않다. 유유자적하다 / ～的; 변화된 시대적 의식을 무시하는. ②융통성이 자유자재한. ③만능의. ④발생한 대로의. ¶～之物; 사물 (그) 자체《칸트 철학》. =〔自由〕
〔自在〕 zìzai 형 안락하다. 마음 편하다. 편안하다. ¶这把椅子, 坐着很～; 이 의자는 앉기에 매우 기분이 좋다 / 真的有些不～; 약간 편치 않다고 느꼈다 / 我有点儿不～; 나 조금 몸이 불편하다.
〔自在话儿〕 zìzaihuàr 명 방자한 말.
〔自在阶级〕 zìzài jiējí 명 《哲》 즉자적(卽自的) 계급. 자재 계급.
〔自造〕 zìzào 동 손수 만들다. 자작하다.
〔自责〕 zìzé 동 자책하다.
〔自招〕 zìzhāo 동 자백하다. ¶不打～; 〈成〉 스스

로 자백하다(묻지도 않는데 말을 하다).
〔自找〕 zìzhǎo 동 스스로 찾다. 자초(自招)하다. ¶～没趣 =〔～无趣〕; 〈成〉 스스로 따분함을 찾다 / ～麻烦; 〈成〉 일부러 성가신 일을 만들다. 긁어 부스럼을 만들다.
〔自找苦吃〕 zì zhǎo kǔ chī 〈成〉 사서 고생하다. ¶这简直是～, 不能怨别人; 이것은 사서 고생하는 것이니, 남을 원망할 수도 없다.
〔自斟壶〕 zìzhēnhú 명 손잡이를 달아 질주전자처럼 만든 술주전자.
〔自斟自酌〕 zì zhēn zì zhuó 〈成〉 ①혼자 술을 따라 혼자 마시다. 자작자음하다. 독작하다. ②〈轉〉 자신이 결정하다. 마음대로 처리하다. ‖ =〔自酌自饮yǐn〕〔自斟自饮〕
〔自知之明〕 zì zhī zhī míng 〈成〉 자기 자신을 알고 있는 총명함. 자기를 바르게 아는 힘. ¶有～; 자기 자신을 아는 힘이 있다.
〔自制〕 zìzhì 동 ①자제(自製)하다. 손수 만들다. ¶本店～月饼; 당점(當店) 제조의 월병. ②자제(自制)하다. 자신을 억제하다. ¶不能～; 자제할 수 없다.
〔自治〕 zìzhì 명동 자치(하다). ¶民族区域～; 민족 구역 자치.
〔自治区〕 zìzhìqū 명 자치구(소수 민족이 다수 거주하는 지방의 제 1급 행정 단위로 성(省)에 상당함. '广西壮zhuàng族～' '内蒙古～' '宁níng夏回族～' '西藏～' '新疆维吾尔～'가 있음).
〔自治州〕 zìzhìzhōu 명 (자치구와 자치현(縣)의 중간에 위치하는) 자치주.
〔自重〕 zìzhòng 동 자중하다. 명 《物》 자중(기계·차량·선박·건축물 자체의 무게).
〔自主〕 zìzhǔ 명동 자주(하다). ¶婚姻～; 결혼은 본인의 의사로 정하다 / 不由～; 자기 뜻대로 되지 않다. 저도 모르게 …하지 않을 수 없다 / ～神经 =〔植zhí物性神经〕; 자율 신경 / ～权 =〔民族～权〕; (민족) 자주권.
〔自助〕 zìzhù 동 자조하다. 스스로 돕다. ¶～助人; 〈成〉 스스로도 돕고 남도 도와주다 / 天助～者; 〈諺〉 하늘은 스스로 돕는 자를 돕는다 / ～商场 =〔自选市场〕; 슈퍼마켓.
〔自助餐〕 zìzhùcān 명 바이킹식(式) 식사. 셀프서비스식(式) 식사. 뷔페(프 buffet).
〔自专〕 zìzhuān 형 〈文〉 제멋대로 하다. ¶现在美国保持这种优势, 就可以使西方各国长期依赖美国, 不敢～; 미국이 현재 이러한 우세를 유지하고 있기 때문에, 서유럽 여러 나라를 장기간에 걸쳐 미국에 의존케 하고, 제멋대로 굴지 못하게 할 수 있는 것이다.
〔自传〕 zìzhuàn 명 자전. 자서전.
〔自转〕 zìzhuàn 명동 《天》 자전(하다). ¶～周期; 자전 운동 주기.
〔自准摆〕 zìzhǔnbǎi 명 보정 진자(補整振子). =〔补bǔ偿摆〕〔补整摆〕
〔自酌自饮〕 zì zhuó zì yǐn 〈成〉 ⇨〔自斟自酌〕
〔自兹〕 zìzī 부 〈文〉 이로부터.
〔自自黑儿〕 zìzìhēir 명 《鳥》 두견새의 별칭. =〔子zǐ子黑儿〕〔杜鹃①〕
〔自自在在〕 zìzì zàizài 형 ①유쾌하다. 기분이 좋다. 마음이 편하다. ②자유자재하다.
〔自走绝路〕 zì zǒu jué lù 〈成〉 스스로 파멸의 길을 걷다. 스스로 궁지에 들어가다.
〔自尊〕 zìzūn 명동 자존(하다).
〔自尊心〕 zìzūnxīn 명 자존심. ¶伤害～; 자존심을 상하다 / ～很强; 자존심이 강하다.
〔自作〕 zìzuò 동 스스로 하다. 스스로 …이라 여기다. ¶～主张; 자기 혼자의 생각으로 정하다. 자주적으로 결정하다.
〔自作聪明〕 zì zuò cōng míng 〈成〉 총명하다고 자처하다.
〔自作解人〕 zì zuò jiě rén 〈成〉 아는 체하고 호언장담하다.
〔自作孽〕 zìzuònìè 명 자신이 뿌린 악의 씨. ¶～不可活; 〈成〉 자신이 저지른 죄는 피할 수 없다.
〔自作自受〕 zì zuò zì shòu 〈成〉 자기가 하고서 자기가 (피해를) 받다. 자업자득. 자작지얼(自作之孽).

剚〈倳〉

zì (사) 동 〈文〉 ①(칼을) 힘을 주어 찌르다. ②(땅에 무엇을) 찔러 넣다. 꽂다.

恣

zì (자) ①동 방종하다. 제멋대로 굴다. ¶～杀牲禽; 함부로 마구 짐승을 죽이다 / ～睢suī; 제멋대로 마구 행동하다 / 暴戾～睢; 〈成〉 포학하여 제멋대로 행동하다. ②형 의기양양하다. ③형 편안하다. 유쾌하다.
〔恣暴〕 zìbào 형 〈文〉 방자하고 난폭하다.
〔恣目〕 zìmù 동 〈文〉 마음껏 (바라)보다. 시선을 던지다. ¶～远望; 시선을 던져 멀리 바라보다.
〔恣情〕 zìqíng 동 버릇없이 굴다. 방자하게 굴다. 멋대로 굴다. ¶～作乐; 멋대로 즐기다.
〔恣肆〕 zìsì 형 〈文〉 ①방자하다. ¶骄横～; 불손하고 방종하다. ②(문필이) 호방하다. ¶文笔～; 문필이 호방하다.
〔恣睢〕 zìsuī 형 〈文〉 방자한 모양. 제멋대로인 모양.
〔恣谈〕 zìtán 명동 방담(放談)(하다). ¶～的机会; 방담하는 기회.
〔恣心〕 zìxīn 형 ⇨〔恣意〕
〔恣行〕 zìxíng 〈文〉 형 제멋대로 행동하다. ¶～恣作; 제멋대로 행동하다. 명 방자한 행동.
〔恣行无忌〕 zì xíng wú jì 〈成〉 꺼릴 것 없이 못된 짓을 하다. 뻔뻔스럽게 행동하다.
〔恣意〕 zìyì 형 방자하다. 제멋대로이다. ¶～妄为; 〈成〉 제멋대로 방자하게 행동하다. =〔恣心〕

渍(漬)

zì (지) ①동 (물이나 액체에) 잠기다. 담그다. ¶这片田地～在水里了; 이 일대의 땅이 홍수로 잠겼다 / 白衬衫被汗水～黄了; 흰 셔츠가 땀으로 누렇게 됐다. ②동 따스한 물로 시큼하게 담그다. ③동 (기름때 같은 것이) 끼다. 엉겨붙다. 묻어 빠지지 않다. ¶机器一停～上油泥; 기계가 멈추면 기름이 엉겨붙어 버리고 만다 / 烟袋里～了很多油子; 담뱃대에 댓진이 잔뜩 눌어붙었다 / 他每天勤加清理, 机器里一点泥也不～; 그는 매일 잘 닦아서 깨끗하게 해 놓고 있으므로 기계에는 조금도 때가 끼어 있지 않다. ④명 〈方〉 때. ¶油～; 기름때 / 茶～; 찻주전자나 찻잔에 붙은 앙금. ⑤명 지면에 괸 물. 물웅덩이. ¶～水; 고인 물 / 防洪排～; 홍수를 막고 괸 물을 배수하다.
〔渍水〕 zìshuǐ 명 물웅덩이. 괸 물. (zì.shuǐ) 동 침수하다. 관수해(冠水害)를 입다. (논밭 따위가) 물에 잠기다. ¶～品; 물에 잠긴 물품.
〔渍脏〕 zìzāng 명 조금씩 들러붙어 생긴 더러운 때. 동 조금씩 더러운 때가 들러붙다.
〔渍住〕 zìzhù 형 달라붙어서 열리지 않게 되다. ¶窗户～了, 开不开了; 창문이 달라붙어서 열리지 않

게 되었다.
〔渍渍〕 zìzì 형 산뜻〔시원〕하지 않은 모양. 농도〔정도〕가 짙은〔심한〕 모양. ¶酸~; 매우 시큼하다 / 湿~; 매우 축축하다 / 粘nián~; 매우 끈적거리다.

眦〈眥〉 zì (제, 자) 명 눈언저리. ¶内~; 코 쪽으로 째진 눈의 구석 / 外~; 귀쪽으로 째진 눈의 구석. 눈초리 / 目~尽裂; 〈成〉 눈을 부라리고 증오의 눈으로 보다. =〔眼眶〕
〔眦裂〕 zìliè 형 눈을 딱 부릅뜨고 흘겨보는 모양. 몹시 노한 모양.

胔 zì (자) 명 〈文〉 ①조수(鳥獸)의 살이 붙어 있는 뼈다귀. ②썩어 가는 시체. ¶掩骼埋~; 시체의 뼈와 썩은 살을 묻다.

胾 zì (자) 명 〈文〉 크게 자른 고깃덩이(잘게 자른 것은 '脔luán' 이라고 함).

ZONG ㄗㄨㄥ

宗 zōng (종) ① 명 조상. 선조(조상 중에서 가장 존귀한 사람을 '祖', 버금을 '宗'이라 함). ¶列祖列~; 역대의 조상. ② 명 종족. ③ 명 동성의 친족. 혈족. 종씨. ¶同~; 동족. ④ 명 주지. 요지. ¶开~明义; 〈成〉 말·문장의 주지를 처음부터 분명하게 하다 / 不失其~; 요점을 벗어나서는 안 된다. ⑤ 명 파별(派別). 유파(流派). ¶正~; 정통파. ⑥ 명 제1의 것. 근본의 것. ⑦ 명 종류. ¶只有一~; 단지 하나. 단지 …만은. ⑧ 양 한 덩어리의 사물을 세는 단위. ¶这~东西; 이런 종류의 물건 / 一~货物; 1종의 상품 / 一~心事; 하나의 걱정거리 / 大~款项; 거액의 돈. 큰돈 / 大~出口货; 거액의 수출품. ⑨ 동 〈文〉 신앙(信仰)하다. 종앙(宗仰)하다. ⑩ 명 모범으로 존경받는 사람. ¶文~; 모범으로 존경받는 문인 / ~师; 종사. 스승. 모범이 되는 사람. ⑪ 동 향하다. 귀추되다. ¶天下~之; 천하는 이것에 향한다 / 江汉朝~于海; 양쯔 강(揚子江)과 (이의 지류인) 한강(漢江)은 다 바다로 흘러들어간다. ⑫ 동 알현(謁見)하다. ⑬ 명 티베트의 옛 행정 단위(1960년 '县xiàn'으로 고침). ⑭ 명 성(姓)의 하나.
〔宗伯〕 zōngbó 명 ① ⇨〔族zú伯〕 ②주대(周代), 종실의 사무를 맡은 벼슬('六卿'의 하나). ③복성(複姓)의 하나.
〔宗祠〕 zōngcí 명 일족의 조상을 함께 모시는 사당. =〔家jiā祠〕
〔宗弟〕 zōngdì 명 동족의 동배(同輩), 또는 연소자에 대한 호칭.
〔宗法〕 zōngfǎ 명 종법. ¶~式经济; 가부장제 경제 / ~社会; 종법 사회.
〔宗藩〕 zōngfān 명 〈文〉 황실로부터 분봉(分封)된 제후.
〔宗国〕 zōngguó 명 〈文〉 ①조국. ②종국.
〔宗匠〕 zōngjiàng 명 ①명장(名匠). 거장. 대가(大家)(학문·예술 등으로 뛰어난 업적이 있고 세인(世人)의 존경을 받는 사람). ¶画坛~; 화단의 거장 / 一代~; 일대의 대가. ②덕망 있는 교육자.
〔宗教〕 zōngjiào 명 종교. ¶~改革; 종교 개혁 / ~仪式; 종교 의식.
〔宗老〕 zōnglǎo 명 동족 중의 어른. 집안의 어른.
〔宗门〕 zōngmén 명 ①종가(宗家)의 문중(門中). 일족. ②종교의 파별(派別). 종파.
〔宗庙〕 zōngmiào 명 종묘.
〔宗派〕 zōngpài 명 종파. (종교·학술 등의) 유파. 파벌. 분파. ¶~情绪; 종파주의적 근성. 섹트적 감정 / ~活动; 분파 활동 / 搞~; 파벌을 만들다 / ~斗争; 파벌 투쟁.
〔宗派主义〕 zōngpài zhǔyì 명 섹트주의. 분파주의.
〔宗谱〕 zōngpǔ 명 동족의 계보.
〔宗亲〕 zōngqīn 명 ①종친. 같은 조상의 친족 일문. ②임금의 친족.
〔宗社〕 zōngshè 명 ①종묘와 사직. 왕실과 국토. ②〈轉〉 국가.
〔宗师〕 zōngshī 명 모범이 되는 사람. 존경받을 스승. 개조(開祖).
〔宗室〕 zōngshì 명 종실. 왕족. 제왕의 혈족.
〔宗叔〕 zōngshū 명 종숙(從叔). 당숙(堂叔)(아버지의 '堂táng兄弟'(사촌)으로 아버지보다 나이가 어린 사람).
〔宗祀〕 zōngsì 명 조상의 제사.
〔宗祧〕 zōngtiāo 명 〈文〉 ①가독(家督). ¶继承~ =〔~继承〕; 호주 상속. ②종묘(宗廟).
〔宗兄〕 zōngxiōng 명 〈文〉 ①동족(同族)의 형제 중 자신보다 연장인 사람. ②동성(同姓)의 사람을 존경하여 이르는 말. ③서자(庶子)가 손위의 적자(嫡子)를 부르는 말.
〔宗仰〕 zōngyǎng 동 〈文〉 종앙하다. 존경하다. ¶海内~; 천하로부터 숭앙되다.
〔宗彝〕 zōngyí 명 종묘의 제사 때 쓰이는 제기(祭器).
〔宗政〕 Zōngzhèng 명 복성(複姓)의 하나.
〔宗支〕 zōngzhī 명 본가(本家)와 분가(分家). 종파(宗派)와 지파(支派).
〔宗侄〕 zōngzhí 명 동족의 후배. 족질(族侄).
〔宗旨〕 zōngzhǐ 명 ①목적의 소재점. 목표. ②주지(主旨). 생각. 의향. ③근본 이념.
〔宗主〕 zōngzhǔ 명 ①본가. 큰집. ②존경의 대상이 되는 사람. 맹주(盟主). 종주. ¶~国; 종주국 / ~权; 종주권.
〔宗子〕 zōngzǐ 명 적자(嫡子). 종가의 맏아들.
〔宗宗件件〕 zōngzong jiànjiàn 각양각색. 갖가지. ¶~的货物; 각양각색의 물품. =〔宗宗样样〕
〔宗族〕 zōngzú 명 종족. 부계(父系)의 일족.
〔宗祖〕 zōngzǔ 명 〈文〉 조상.

综(綜) zōng (종) 동 ①종합하다. 통괄(統括)하다. 합치다. ②(zòng) 〈方〉 주름잡히다. ¶衣服压~了; 옷이 눌려서 구겨졌다. =〔纵C②〕 ⇒zèng
〔综观〕 zōngguān 동 종합〔총괄〕하여 보다. ¶~全面; 전면을 총괄하여 보다.
〔综管〕 zōngguǎn 동 통할(統轄)하다.
〔综合〕 zōnghé 명동 종합(하다). ¶~利用; 종합적으로 이용(하다) / ~管理系统; 종합 관리 체계. 토털 시스템 / ~(性)大学; 종합 대학 / ~考察; 종합적인 고찰 / ~语 =〔屈折语〕; 《言》 굴절어 / ~报导; 종합적인 보도 / ~治疗; 종합적인 치료.
〔综合滑雪〕 zōnghé huáxuě 명 《體》 노르딕(스키).
〔综合平衡〕 zōnghé pínghéng 명 전체적인 균형. 산업 각 분야에 있어서의 균형 있는 발전.

〔综合医院〕 zōnghé yīyuàn 명 종합 병원.
〔综合艺术〕 zōnghé yìshù 명 종합 예술.
〔综核〕 zōnghé 동 종합하여 밝히다〔고찰하다〕.
〔综计〕 zōngjì 동 총계하다.
〔综括〕 zōngkuò 명동 ⇨〔总zǒng括〕
〔综揽〕 zōnglǎn 동 일체를 관장하다. 총람하다. 모든 것을 손에 넣다. =〔总揽〕
〔综理〕 zōnglǐ 동 〈文〉 총리(總理)하다. 종합하여 관리하다.
〔综上所述〕 zōng shàng suǒshù 이상 말한 것을 종합해 본다면.
〔综述〕 zōngshù 동 종합하여 서술하다. ¶社论～了一年来的经济形势; 사설은 1년 동안의 경제 상황을 종합 서술했다.
〔综综〕 zōngzong 형 ①울퉁불퉁하여 평평하지 않다. ②주름이 잡혀 있다. ‖(보통 '～着'의 형식으로 씀).

棕〈椶〉
zōng (종)
명 ①《植》 종려나무. ¶生～; 생종려. ②종려털〔섬유〕. ③갈색. 브라운.
〔棕绷(子)〕 zōngbēng(zi) 명 침대용의 종려승(棕櫚繩)으로 만든 망(網)(철망 대용으로 침대에 쓰이는 것).
〔棕床〕 zōngchuáng 명 종려승을 엮어서 만든 침대.
〔棕地席〕 zōngdìxí 명 ⇨〔棕毡〕
〔棕垫〕 zōngdiàn 명 종려 방석.
〔棕拂〕 zōngfú 명 먼지떨이. 불자(拂子)(종려의 섬유를 묶어서 만든 것).
〔棕黄〕 zōnghuáng 명《色》 종려 껍질의 색. 짙은 고동색.
〔棕灰色〕 zōnghuīsè 명 ⇨〔棕色〕
〔棕榈〕 zōnglǘ 명《植》 종려나무. =〔棕子〕〔棕树〕
〔棕榈酸〕 zōnglǘsuān 명《化》 팔미트산(palmit酸). =〔软ruǎn脂酸〕〔十shí六酸〕
〔棕榈竹〕 zōnglǘzhú 명 ⇨〔棕竹〕
〔棕绿色〕 zōnglǜsè 명《色》 갈색을 띤 녹색.
〔棕毛〕 zōngmáo 명 종려모(棕櫚毛). 종려털. 종려나무의 잎꼭지의 섬유.
〔棕皮〕 zōngpí 명《漢醫》 종려피(지혈제로 쓰임).
〔棕色〕 zōngsè 명《色》 갈색. 다갈색. =〔棕灰色〕
〔棕色种〕 Zōngsèzhǒng 명 ⇨〔棕种〕
〔棕绳〕 zōngshéng 명 ①종려승. ②코이어 로프(coir rope)(야자껍질의 섬유로 만든 로프. 마닐라 로프로 불리기도 하고, 또 종려승과 혼동되기도 함). =〔白bái棕绳〕〔吕lǚ宋索〕
〔棕树〕 zōngshù 명 ⇨〔棕榈〕
〔棕刷子〕 zōngshuāzi 명 종려털로 만든 솔.
〔棕丝〕 zōngsī 명 ①종려피(皮). 종려모(毛). ②코이어 파이버(coir fiber)(야자 껍질의 섬유).
〔棕笋〕 zōngsǔn 명 종려나무의 꽃(봄에 줄기에서 노란 화포(花苞)가 나오며 화포속에는 물고기 알 모양의 알맹이가 줄을 지어 있음). =〔棕鱼〕
〔棕熊〕 zōngxióng 명《動》 큰곰. 갈색곰. =〔马熊〕
〔棕叶〕 zōngyè 명 ⇨〔柊zhōng叶〕
〔棕鱼〕 zōngyú 명 ⇨〔棕笋〕
〔棕毡〕 zōngzhān 명 종려모의 깔개. =〔棕地席〕
〔棕种〕 Zōngzhǒng 명 말레이 인종. 갈색 인종. =〔棕色种〕
〔棕帚〕 zōngzhǒu 명 종려비. 종려털로 만든 비.
〔棕竹〕 zōngzhú 명《植》 관음죽(觀音竹). ¶矮～; 종려죽. =〔棕榈竹〕

腙
zōng (종)
명《化》 하이드라존(hydrazone)(유기 화합물의 하나).

踪〈蹤〉
zōng (종)
①명 발자취. 자취. 흔적. 종적. ¶无影无～; 〈成〉 흔적도 없다 / 失～; 실종되다 / 跟～; 몰래 다른 사람의 뒤를 밟다. 뒤쫓다. ②동 추종하다. ③동 파리가 꾀다. ¶苍蝇～满了; 파리가 잔뜩 꾀어 있다.
〔踪迹〕 zōngjì 명 남은 자취. 발자취. 종적. ¶～渺茫; 종적이 묘연하다.
〔踪人〕 zōng.rén 동 파리 떼가 사람에게 몰려들다.
〔踪绪〕 zōngxù 명 〈文〉 행방. 자취. 종적. ¶全无～; 행방을 전혀 알 수 없다.
〔踪影〕 zōngyǐng 명 남은 자취. 종적. 형적(形迹). 자취. ¶毫无～ =〔～全无〕; 〈成〉 형체도 그림자도 없다 / 好几天看不见他的～; 여러 날 그의 모습을 볼 수 없다.
〔踪踪〕 zōngzōng 동 〈文〉 뒤를 밟다. 추적하다. ¶～实验; 추적 실험.

鬃〈騌〉
zōng (종)
명 (말의) 갈기. (돼지의) 털. ¶猪～; 돼지의 강모(剛毛) / ～刷; 갈기로 만든 솔.

枞(樅)
zōng (종)
지명용 자(字). ¶～阳Zōngyáng; 쫑양(樅陽)(안후이 성(安徽省)에 있는 현(縣) 이름). ⇒cōng

骔(騣〈騌〉)
zōng (종)
명 말갈기.

总(總〈総〉)
zǒng (총)
①동 모아 합치다. 모으다. 총괄하다. 종합하다. ¶～在一起算; 하나로 모아서 계산하다 / ～起来说; 요컨대, 총괄해서 말하다 / 两笔账～到一块儿; 두 개의 계정을 한데 묶다 / ～共三万元; 모두 3만 원이다. ②형 (전체를 개괄(概括)한) 우두머리의. 수뇌의. 지도적인. ¶～工程师; 기사장(技師長) / ～工会; 노동 조합 총연합회. ③형 전체의. 전부의. 총괄적인. 전반적인. 전면적인. ¶～产量; 총생산량 / ～攻; 총공격 / ～账; ⇩ / ～崩溃; 전면적으로 붕괴하다. ④부 전체적으로 보아서. 대체로. ¶这种人数目～不多; 이런 종류의 인간의 수는 전체적으로 보아 많지는 않다. ⑤부 꼭. 반드시. 절대로. 결코. 예외없이. 으레. ¶无论如何, 他～不灰心; 어떤 일이 있던 간에 결코 낙담하지 않는다 / 他～不肯; 그는 아무래도 승낙하지 않는다. ⑥부 어쩌 되었던 간에. 뭐니 뭐니해도. 결국은. 아무튼. 어쨌든. 좌우간. ¶孩子～是孩子; 아이는 역시 아이다 / 以后～会知道; 언젠가는 결국 알게 될 것이다 / 我～得去; 나는 아무래도 가야 한다 / 他～是老作家了, 技巧还是熟练; 그는 과연 노련한 작가다. 기교가 역시 능숙하다 / 这回出去大概～要个把月时间; 이번 출장은 아무래도 한두 달은 걸릴 것이다. ⑦부 언제나. 언제까지나. 죽. 줄곧. 내내. ¶～不去, 她要生气; 언제까지나 가지 않으면 그녀가 화를 낼 것이다 / 中秋的月亮, ～(是)那么明亮; 중추의 명월은 언제나 저렇게 밝다 / 他说起话来～是这么从容不迫; 그는 이야기를 시작하면 언제나 이렇게 여유 있고 태연 자약하다. ⑧동 두발(頭髮)을 한데 묶다. ¶小辫子盘在头顶上～了个揸扭儿; 작은 변발을 머리 위에 둥글게 뭉쳐서 칭칭 묶어

놓았다.
〔总罢工〕 zǒngbàgōng 명 총파업. =〔大罢工〕
〔总办〕 zǒngbàn 명 사장. 총재(總裁). 동(일을) 총괄하여 처리하다.
〔总报告〕 zǒngbàogào 명 기조(基調) 보고.
〔总编辑〕 zǒngbiānjí 명 편집장. =〔主编〕
〔总部〕 zǒngbù 명 총본부. 총사령부.
〔总裁〕 zǒngcái 명 ①(정당의) 총재. ②청대(清代) 때에 중앙 편집 기구의 관원과 관리 등용 시험을 주재하는 대신.
〔总参谋长〕 zǒngcānmóuzhǎng 명〖軍〗 참모 총장.
〔总产值〕 zǒngchǎnzhí 명〖經〗 총생산액. 산출 총액.
〔总称〕 zǒngchēng 명 총칭.
〔总成〕 zǒngchéng 명 각 부분품 등을 전부 설치한 기계의 전체.
〔总代表〕 zǒngdàibiǎo 명 총대표.
〔总代理〕 zǒngdàilǐ 명 총대리인〔점〕. 총판대리. =〔独家代理〕〔独家经里〕〔总经理②〕
〔总的〕 zǒngde 형 전반적인. 총체적인. 전체의. ¶～说; 전반적으로 말하다 / ～一句话; 한 마디로 말한다면 / ～趋势已定; 대세〔전반적인 추세〕는 이미 결정되었다 / ～来讲, 食量也要酌量减少, 同时要经常保持一定量的运动; 전반적으로 말해서, 식사의 양을 적절하게 줄임과 동시에 항상 일정량의 운동을 지속적으로 할 필요가 있다.
〔总得〕 zǒngděi 조동 꼭〔무슨 일이 있어도. 아무튼〕 …하지 않으면 안 된다. ¶这件事～想个办法解决才好; 이 일은 어떻게 해서든지 방법을 찾아서 해결하지 않으면 안 된다 / 我～去一趟; 나는 무슨 일이 있어도 한 번 다녀오지 않으면 안 된다. =〔必须〕
〔总电门〕 zǒngdiànmén 명 (전기의) 원 스위치. 주개폐기(主開閉器). ¶我去把～也关上, 省得把电线引着了; 내가 주개폐기를 끊어서 전선에 인화되지 않도록 하겠다.
〔总动员〕 zǒngdòngyuán 명동 총동원(하다).
〔总督〕 zǒngdū 명 ①청대(清代), 총독《한 성(省) 또는 몇 개의 성의 민사·군무를 통제하는 최고 장관》. ¶两广～; 광둥(廣東)·광시(廣西) 양성의 최고 장관. =〔督堂〕〔督宪〕〔督院〕 ②(식민지의) 총독.
〔总吨位〕 zǒngdūnwèi 명 (선박의) 총톤수.
〔总额〕 zǒng'é 명 총액. 합계수. ¶存款～; 예금 총액. →〔总值〕
〔总而言之〕 zǒng ér yán zhī 〈成〉 요컨대. 한 마디로 말하면. 총괄적으로 말하면. ¶～, 要主动, 不要被动; 요컨대, 능동적이어야지 수동적이어서는 안 된다. =〔〈簡〉总之〕
〔总发〕 zǒngfà 명 ⇨〔总角jiǎo〕
〔总分〕 zǒngfēn 명〖體〗 총득점(總得點).
〔总该〕 zǒnggāi 조동 당연히 …할 일이다. 반드시 …그러할 것이다. 어쨌든 …해야 한다. ¶这个时候儿～来了; 지금쯤은 무슨 일이 있어도 올 것이다. =〔总应该〕〔总该当〕
〔总纲〕 zǒnggāng 명 대강(大綱).
〔总工程师〕 zǒnggōngchéngshī 명 기사장(技師長).
〔总工会〕 zǒnggōnghuì 명 노동 조합 총연합회.
〔总公司〕 zǒnggōngsī 명 (지사·지점에 대한) 본점. 본사.
〔总共〕 zǒnggòng 부 합계해서. 전부. ¶～有多少张纸? 합해서 몇 장의 종이가 있느냐? =〔一共〕
〔总管〕 zǒngguǎn 명 ①혼자서 도맡는 사람. ②총괄하는 사람. 매니저. ③〖機〗 메인 파이프.
〔总归〕 zǒngguī 부 결국. 요컨대. 아무튼. 아무래도. ¶事实～是事实; 사실은 결국 사실이다 / 困难～是可以克服的; 곤란은 결국 극복할 수 있는 것이다 / 骗他～不好; 그를 속이는 것은 아무래도 좋지 않다. =〔终究〕 동 일괄(一括)하다. 총괄하다. ¶～一句话; 한 마디로 정리하다. 한 마디로 말하면.
〔总行〕 zǒngháng 명 (은행의) 본점. 총본점. →〔分fēn行〕
〔总号〕 zǒnghào 명 ①본점. ②콜론(colon).
〔总合〕 zǒnghé 동 총합하다. 전부를 합하다.
〔总和〕 zǒnghé 명 총화. 총액. 총계. 총수. ¶产量的～; 생산 총액 / 人类知识的～; 인류 지식의 총화.
〔总后方〕 zǒnghòufāng 명〖軍〗 최고 사령부가 있는 후방.
〔总后台〕 zǒnghòutái 명 뒤에서 조종하는 흑막의 수령〔두목〕.
〔总汇〕 zǒnghuì 동 ①(수류(水流)가) 모이다. 합치다. ¶～人海; 합류하여 바다에 들어가다. =〔会合〕 ②모든 것이 모이다. ¶上海是通商～的地方; 상하이(上海)는 통상의 중심지이다. 명 한데 모인 것. 총체. 집결지.
〔总会〕 zǒnghuì 동 집합하여 모이다. 명 ①구락부. 클럽. ¶夜yè～; 나이트 클럽. ②단체의 본부. 총회.
〔总机〕 zǒngjī 명 대표 전화. 교환대. →〔分机〕
〔总集〕 zǒngjí 명 총집. 많은 사람의 작품을 모은 것. ↔〔别bié集〕
〔总计〕 zǒngjì 명동 총계(하다). ¶～有五万个零件; 합계 5만이나 되는 부품이 있다. =〔合计①〕
〔总价〕 zǒngjià 명 총가격.
〔总角〕 zǒngjiǎo 명 〈文〉 ①(옛날, 어린아이의) 쌍상투 머리《양쪽 귀 위에 뿔처럼 동여맨 머리 모양》. ②〈轉〉 미성년 남녀. 어린아이. ¶～之交 =〔～之好〕; 〈成〉 죽마지우(竹馬之友). ‖ =〔总发〕
〔总教练〕 zǒngjiàoliàn 명〖體〗 감독. =〔领队〕
〔总结〕 zǒngjié 명동 ①총결산(하다). ¶账目要～一次; 장부를 한 번 총결산해야 한다. ②총괄(하다). 요약(하다). 개괄(하다). ¶他是一个深入现场的技术员善于～经验; 그는 현장에 밝은 기술자여서 경험을 통합 정리하는 것을 잘 한다 / ～报告; 총괄 보고.
〔总经理〕 zǒngjīnglǐ 명 ①총지배인. 사장. ②⇨〔总代理〕
〔总开关〕 zǒngkāiguān 명 메인 스위치(main switch).
〔总口号〕 zǒngkǒuhào 명 전반적인 슬로건.
〔总括〕 zǒngkuò 명동 총괄(하다). 개괄(하다). 통괄(하다). ¶～起来说; 총괄해서 말하면. 간결하게 말하면. =〔综zōng括〕
〔总揽〕 zǒnglǎn 동 총람하다. 한 손에 장악하다. ¶～大权; 권력을 한손에 장악하다. =〔综zōng揽〕
〔总理〕 zǒnglǐ 동명 모든 것을 주재하다〔주재하는 사람〕. ¶公司～; 사장. 명 총리. ¶国务院～; 국무원 총리《내각 총리 대신에 해당》.
〔总量〕 zǒngliàng 명 ①총량. ¶～控制; 총량 규제. ②⇨〔毛máo重①〕
〔总领队〕 zǒnglǐngduì 명 총감독.
〔总领事〕 zǒnglǐngshì 명 총영사.

〔总路线〕 zǒnglùxiàn 명 기본 노선(일정한 역사적 기간에 제정한 기본적 방침·정책). ¶土改中的~; 토지 개혁에 있어서의 총노선.
〔总论〕 zǒnglùn 명 총론. 총괄적인 이론.
〔总码(儿)〕 zǒngmǎ(r) 명 총액. 합계.
〔总名〕 zǒngmíng 명 총칭(總稱). 총명.
〔总目〕 zǒngmù 명 총목(록).
〔总批发〕 zǒngpīfā 명 총판매.
〔总评〕 zǒngpíng 명 총평가. 총평. ¶年终~; 연말의 총평가.
〔总其成〕 zǒng qíchéng 총괄하다. 종합하다. 집성하다. ¶大家分别筹备好了, 请您~吧; 모두 각각 준비가 되었으니, 당신이 총괄해 주십시오.
〔总其大成〕 zǒng qí dà chéng 〈成〉 각 방면의 사무를 총괄하다. 집대성하다.
〔总前提〕 zǒngqiántí 명 기본적 전제.
〔总钱儿〕 zǒngqiánr 명 목돈. ¶零钱儿凑~; 푼돈을 목돈으로 만들다.
〔总商会〕 zǒngshānghuì 명 상공 회의소.
〔总梢〕 zǒngshāo 명 《機》 주된 핀(pin). =〔总销xiāo②〕
〔总社〕 zǒngshè 명 본사. →〔分社〕
〔总是〕 zǒngshì 부 ①반드시. 꼭. 절대로. ¶~要办的; 반드시 해야 한다. ②아무튼. 아무래도. 어쨌든. 결국. ¶~装不好; 아무래도 잘 담아지지〔넣어지지〕 않다. ③언제나. 줄곧. 늘. ¶他~那样谦虚; 그는 언제나 그렇게 겸허하다.
〔总收入〕 zǒngshōurù 명 총수입.
〔总书记〕 zǒngshūjì 명 총서기.
〔总数(儿)〕 zǒngshù(r) 명 총계. 총수.
〔总说起来〕 zǒngshuōqilái 총괄해서 말하면. 요컨대.
〔总司令〕 zǒngsīlìng 명 《軍》 총사령관. 최고 사령관.
〔总算〕 zǒngsuàn 부 ①겨우. 마침내. 드디어. 가까스로. ¶~松了一口气; 겨우 한숨 놓았다 / 一连下了六七天的雨, 今天~晴了; 6,7일 동안이나 계속해서 비가 왔는데, 오늘은 겨우 개었다. ②그저 그런 정도. 그저 …한 편이다. 전체적으로 보아〔대체로〕 …한 셈이다. ¶既然没赔钱~成功了; 손해를 보지 않았으니 그나마 성공했다고 할 수 있다 / 小孩子的字能写成这样, ~不错了; 어린아이 글씨가 이 정도라면 그저 괜찮은 편이다 / 一个外国人中文能说成这样, ~不错了; 외국인으로서는 이만큼 중국어를 할 수 있다면, 그런대로 괜찮은 편이다 / 没丢性命, ~万幸了; 목숨을 잃지 않은 것은 어쨌든 매우 다행스런 일이었다.
〔总体〕 zǒngtǐ 명 총체. 전체. ¶从~来说; 총체적으로 말할 것 같으면 / ~战; 총력전 / ~设计; 총체적 설계 / ~规划; 총체적인 기획. =〔整体〕
〔总统〕 zǒngtǒng 명 ①총통. ②원수(元首). ③대통령. ¶~候选人; 대통령 후보. 동 통괄하다.
〔总统咨文〕 zǒngtǒng zīwén 명 대통령 교서(教書).
〔总头目〕 zǒngtóumù 명 총두목. =〔总头子〕
〔总图〕 zǒngtú 명 총도면. 기계 또는 구조의 전모를 나타내는 도면. =〔组zǔ合图〕
〔总危机〕 zǒngwēijī 명 《經》 전반적 위기.
〔总务〕 zǒngwù 명 ①총무. ¶~司; 총무국 / ~科; 서무과. 총무과. ②총무 담당자.
〔总销〕 zǒngxiāo 명 ①독점 판매. 총판매. ②⇨〔总梢〕
〔总选〕 zǒngxuǎn 명 총선거. 총선.
〔总要〕 zǒngyào 조동 ①꼭 …하지 않으면 안 된다. ②대개 …할 것이다. ③아무래도 …가 필요하다. …할 필요가 있다.
〔总盈余〕 zǒngyíngyú 명 총이익금. 총흑자.
〔总赢〕 zǒngyíng 명 총이익금(總利益金). =〔总盈余〕
〔总则〕 zǒngzé 명 총칙.
〔总闸门〕 zǒngzhámén 명 마스터 게이트(master gate). 주(主)밸브.
〔总账〕 zǒngzhàng 명 《商》 원장(元帳). 명동 총결산(하다). ¶总结账目; 총결산하다.
〔总招待〕 zǒngzhāodài 명 서비스 부서의 주임(主任).
〔总招工〕 zǒngzhāogōng 명 옛날, 외국인 경영 방직 공장의 중국인 여자 지도원.
〔总政策〕 zǒngzhèngcè 명 기본 정책.
〔总之〕 zǒngzhī 접 〈簡〉 요컨대. 결국. 필경. 한마디로 말하면. 아무튼. ¶~, 是谁的错误呢? 요컨대, 누구의 잘못이냐? / ~一句话; 한 마디로 말하면. 注 앞에 열거한 것을 총괄하는 데도 쓰임. ¶有的同意, 有的不同意, 有的不发表意见, ~, 每个人都有一定的看法; 찬성하는 사람도 있고 반대하는 사람도 있으며, 의견을 내지 않는 사람도 있다. 아무튼, 각자가 일정한 생각을 가지고 있다. =〔总而言之〕〔统而言之〕
〔总支〕 zǒngzhī 명 〈簡〉 총지부. ¶党~; 당 총지부.
〔总值〕 zǒngzhí 명 《經》 (가격의) 총액. 총금액. ¶国民生产~; 지엔피(GNP) / 贸易~; 무역 총액.
〔总重〕 zǒngzhòng 명 ⇨〔毛máo重①〕
〔总状花序〕 zǒngzhuàng huāxù 명 《植》 총상 꽃차례. 총상 화서(등나무·유채꽃의 화서 따위).

偬〈傯〉

zǒng (총)
→〔倥kǒng偬〕

纵(縱)

zòng (종)
A) 형 〔〈舊〉 zōng〕 세로의. ¶~贯河北省; 허베이 성(河北省)을 종관(從貫)하다 / 这个桌面~边五尺, 横边三尺; 이 테이블의 면은 세로가 5척, 가로가 3척이다. ↔〔横〕 B) 동 ①마음대로 하게 두다. 방임(放任)하다. 자유에 맡기다. ¶~他们胡闹; 그들을 마음대로 떠들게 두다 / ~声大笑; 마음껏 큰 소리로 웃다 / ~览lǎn; 마음대로 보게 하다 / ~目而视; 거리낌없이 뚫어지게 보다 / ~马加鞭; 고삐를 늦추고 채찍질하다. ②풀어 놓아 주다. 석방하다. ¶~虎归山; 〈成〉 호랑이를 풀어 놓아 산으로 가게 하다(위험한 것을 방치해 두다). 무모한 짓을 하다. ③(활을) 쏘다. (불을) 놓다. ¶~矢; 활을 쏘다 / ~火; 불을 지르다. 불이 타는 대로 내버려 두다. C) ①동 용을 쓰며 쑥쑥 앞으로 나아가다. (반동을 이용해서) 뛰어오르다. 몸을 날리다. ¶将身一~, 就上了房了; 몸을 날렸다 생각했는데 벌써 지붕 위에 뛰어올랐다 / 骡子~了一下; 노새는 한바탕 용을 쓰며 끌어당겼다. ②형 〈方〉 주름이 잡히다. ¶衣服压~了; 옷이 눌려 주름이 잡히다. D) 접 〈文〉 설령 …이라 하더라도. ¶~…也…; 설사 …이라 하더라도 그래도 / ~不能有大贡献, 也可以有些成绩; 비록 크게 공헌은 못 할망정 다소의 성적은 올릴 수 있다.
〔纵傲〕 zòng'ào 형 방종하다. 제멋대로이다.
〔纵摆〕 zòngbǎi 동 (종파(縱波)로 인해) 배가 아래위로 흔들리다. 피칭(pitching)하다.
〔纵兵殃民〕 zòng bīng yāng mín 〈成〉 군대를 방임하여 백성을 괴롭히다.

〔纵波〕 zòngbō 명 종파. ①배의 진행 방향과 평행되게 밀려오는 파도. ②〖物〗 매질(媒質)의 진동 방향이 파동의 방향에 일치하는 파동.
〔纵步〕 zòngbù 동 성큼성큼 걷다. 큰 걸음으로 내딛다. ¶～向前走去; 성큼성큼 걸어 앞으로 나아가다. 명 앞으로 껑충 뛰어나가는 걸음. 앞으로의 도약. ¶他一个～跳过了小河; 그는 껑충 몸을 날려 개울을 뛰어넘었다.
〔纵盗〕 zòngdào 동 도적을 단속하지 않다. ¶～殃民; 도적을 단속하지 않아 백성에게 재앙을 입히다.
〔纵赌〕 zòngdǔ 동 도박을 방임하고 단속하지 않다.
〔纵断面〕 zòngduànmiàn 명 ⇨〔纵剖面〕
〔纵队〕 zòngduì 명 ①종대. ¶四路～; 사열 종대. ②〖軍〗 해방 전쟁 중의 군대 편성의 하나.
〔纵放〕 zòngfàng 동 (놓아 주어서는 안 될 것을) 방면하다. ¶～犯人; 범인을 멋대로 석방하다.
〔纵匪殃民〕 zòng fěi yāng mín 〈成〉 비적(匪賊)이 날뛰도록 방임해서 백성들에게 재앙을 입히다.
〔纵隔〕 zònggé 명 〖生〗 종격.
〔纵观〕 zòngguān ⇨〔纵览〕
〔纵贯〕 zòngguàn 동 종관하다. 세로로 꿰뚫다. 남북으로 꿰뚫다.
〔纵横〕 zònghéng 명 ①세로와 가로. 종횡. ¶～交错的水平坑道和垂直坑道; 종횡으로 교차하고 있는 수평 갱도와 수직 갱도 / ～驰骋; 거침없이 자유로이 뛰어 돌아다니다. ②〖史〗 합종(合縱)과 연횡(連橫). 형 분방자재(奔放自在)하다. ¶笔意～; 필치가 분방자재하다. 동 종횡무진 (활약)하다. ¶宋江等三十六人～于山东一带; 송강(宋江) 등 36명이 산둥(山東) 일대에 종횡무진으로 출몰했다.
〔纵横捭阖〕 zòng héng bǎi hé 〈成〉 정치 단체의 사이를 종횡으로 자유롭게 드나들며 활약하다《정치·외교상의 연합·분열·이간·포섭 등을 행하다》. ¶～的手段; 권모술수.
〔纵横家〕 Zònghéngjiā 명 ①전국 시대에 국가를 종횡으로 연합할 것을 주장하며 유세한 책사. ②〈轉〉 세객(說客). 책략가. ‖ =〔纵衡家〕
〔纵横字谜〕 zònghéng zìmí 명 크로스워드 퍼즐(crossword puzzle). 십자말풀이. =〔填tián字谜〕
〔纵虎归山〕 zòng hǔ guī shān →〔字解B)②〕
〔纵火〕 zònghuǒ 동 〈文〉 방화(放火)하다. ¶～犯; 방화범.
〔纵火弹〕 zònghuǒdàn 명 ⇨〔燃rán烧弹〕
〔纵或〕 zònghuò 접 설사 …이라도. 설령 …이라도. ¶～有研究的人也都不是本国人; 설령 연구하는 사람이 있어도, 모두 본국인은 아니다.
〔纵金〕 zòngjīn 명 주름진 금박 또는 금색종이. ¶～字; 주름진 금박 또는 금색 종이로 글자를 오린 것《이것을 '幛zhàng光儿'이라 하고, 길흉사(吉凶事)에 '幛子'에 붙이거나 핀으로 꽂아 놓음》.
〔纵酒〕 zòngjiǔ 동 몸을 가눌 수 없을 정도로 술을 마시다. 술을 마구 마시다.
〔纵览〕 zònglǎn 동 자유롭게 보다. 마음대로 구경하다. 골고루 보다. ¶～四周; 주위를 둘러보다 / ～群书; 많은 책을 마음대로 보게 하다. =〔纵观〕
〔纵令〕 zònglìng 접 설령〔설사〕 …일지라도. ¶～条件再优越, 成功与否仍取决于主观努力; 조건이 아무리 좋아도 성공하느냐 못하느냐는 역시 주관적인 노력에 따라 결정된다. =〔纵使〕 동 …하는 대로 맡겨 두다. 방임하다. ¶不得～坏人逃脱; 악인을 도망가게 해서는 안 된다.
〔纵目〕 zòngmù 동 마음껏 바라보다. 눈 닿는 데까지 한껏 바라보다. =〔纵目四望〕〔纵眺〕
〔纵剖面〕 zòngpōumiàn 명 종단면. =〔纵断面〕
〔纵切机〕 zòngqiējī 명 〖體〗 슬라이버(sliver). ¶梳毛用～; 소모용(梳毛用) 슬라이버 / ～罐; 슬라이버 케이스.
〔纵情〕 zòngqíng 동 마음껏 하다. 실컷 하다. ¶～欢乐; 마음껏 즐기다 / ～歌唱; 실컷 노래하다.
〔纵然〕 zòngrán 접 설사 …이라 하더라도. ¶～一时经济发展比较快, 也是虚假的繁荣; 한때 경제의 발전이 다른 것과 비교하여 빠르더라도, 그것은 외관만의 번영이다.
〔纵任〕 zòngrèn 동 방임하다. 멋대로 하게 하다.
〔纵容〕 zòngróng 동 제멋대로 하게 하다. 용인(容認)하다. 방임하다. ¶～战争; 전쟁을 용인하다. 형 제멋대로다. 방자하다.
〔纵身(儿)〕 zòng·shēn(r) 동 반동을 붙여 몸을 날리다《앞으로 또는 위로 마음껏 뛰다》. ¶～上马; 날쌔게 말에 뛰어오르다 / ～一跳; 훌쩍 뛰어오르다.
〔纵深〕 zòngshēn 명 ①세로의 깊이. ②〖軍〗 종심. ¶～阵地; 종심 진지. 세로로 깊게 된 진지 / ～防御; 종심 방어 / 向～发展; 깊이 있게 발전하다.
〔纵声〕 zòng·shēng 동 마음껏 소리를 내다. ¶～大笑; 마음껏 소리내어 크게 웃다.
〔纵使〕 zòngshǐ 접 설사〔설령〕 …일지라도. ¶～有好老师教给你, 然而自已也得用功; 설사 좋은 선생님께서 가르쳐 주셨다 하더라도, 스스로도 공부를 하여야 한다. =〔纵令〕
〔纵肆〕 zòngsì 동 〈文〉 방종하다.
〔纵谈〕 zòngtán 동 제멋대로 이야기하다. 거리낌없이 말하다.
〔纵眺〕 zòngtiào 동 ⇨〔纵目〕
〔纵向〕 zòngxiàng 명형 세로 방향(의). 종적(縱的)(인). ↔〔横héng向〕
〔纵性〕 zòngxìng 동 제멋대로 굴다.
〔纵言〕 zòngyán 명 〈文〉 제멋대로 지껄임. 동 ①멋대로 지껄이다. ②자유롭게 말하다.
〔纵养〕 zòngyǎng 동 (아이를) 버릇없이 기르다. 응석받이로 키우다. ¶把孩子～惯了; 아이를 버릇없이 길렀다.
〔纵欲〕 zòngyù 동 〈文〉 육욕(肉慾)을 충족시키다. 육욕대로 행동하다.
〔纵褶儿〕 zòngzhěr 명 옷의 주름살.
〔纵恣〕 zòngzì 동 〈文〉 멋대로 굴다. 마음 내키는 대로하다.
〔纵坐标〕 zòngzuòbiāo 명 〖數〗 세로 좌표.

疭(瘲) zòng (종)
→〔瘛chì疭〕

粽〈糉〉 zòng (종)
(～子) 명 갈대잎이나 죽순 껍질에 찹쌀을 싸서 찐 것으로, 일종의 송편 같은 것《초(楚)의 굴원(屈原)이 '汨罗江'에 몸을 던져 죽은 것을 애도하여 물 속에 있는 시체라도 물고기에 의해 상처받지 않도록, 대나무 잎에 밥을 싸서 강으로 던졌다는 고사에서 유래했으며, 5월 단오에 먹음》.

猔 zòng (종)
명 〈方〉 수퇘지. =〔公猪〕

ZOU ㄗㄡ

邹(鄒) Zōu (추) 명 ①《地》주대(周代)의 나라 이름《산둥 성(山東省) 쪼우 현(鄒縣)》. ②성(姓)의 하나.

〔邹鲁〕Zōu Lǔ 명 ①추(鄒)나라(의 사람 맹자(孟子))와 노(魯)나라(의 사람 공자(孔子)). ②〈比〉학문과 교육이 번창한 곳.

〔邹屠〕Zōutú 명 복성(複姓)의 하나.

驺(騶) zōu (추) 명 ①옛날, 마부의 일을 하던 시종. ¶鸣míng～; (행차의) 벽제(辟除)를 하다. ②성(姓)의 하나.

〔驺唱〕zōuchàng 동〈文〉행차의 벽제(辟除)를 부르다.

〔驺从〕zōucóng 명〈文〉옛날, 귀족의 기마(騎馬) 행렬을 따르던 시종.

诹(諏) zōu (추) 동〈文〉①상의하다. 자문하다. 의논하다. ¶咨～; 자문하다. ②(의논하여) 고르다. 택하다. ¶～吉; 길일을 고르다.

〔诹访〕zōufǎng 동〈文〉남에게 좋은 방책을 묻다.

陬 zōu (추) 〈文〉①명 구석. ¶遐～; 외딴 벽지(僻地). =〔角落〕 ②명 산기슭. 산골짜기. ③동 모여서 생활하다. ④→〔陬月〕

〔陬月〕zōuyuè 명〈文〉음력 정월의 별칭.

𫄸(緅) zōu (추) 명〈文〉검붉은색. 청색과 적색의 간색(間色). 검은빛이 도는 자색.

鲰(鯫) zōu (추) 〈文〉①명 자지레한 물고기. ②형 작다.

〔鲰生〕zōushēng 명〈謙〉소생(小生). 소인(小人).

鄹〈郰〉 Zōu (추) 명《地》춘추 시대의 땅 이름으로 공자의 출생지《산둥 성(山東省) 취푸 현(曲阜縣)의 경계 부근》.

走 zǒu (주) ①동 걷다. ¶～着去; 걸어가다 / 这孩子已经会～了; 이 아이는 벌써 걸을 줄 안다 / ～着去得一刻钟; 걸어가면 15분 걸린다 / 下雨天路上很不好～; 비가 오는 날에는 길을 걷기가 매우 힘들다. →〔跑〕〔去〕 ②동 출발하다. 가다. 떠나가다. ¶咱们～吧; 우리 출발합시다 / 你什么时候～? 너는 언제 가느냐? / 潮cháo～了; 조수가 빠지다 / 坐车～; 차로 가다 / 你～了; ⓐ다녀오십시오. ⓑ돌아가십니까. 안녕히 가십시오《손님에게》 / 我不放你～; 너를 가게 하지 않겠다〔안 보내겠다〕. ③동 달아나다. 그 자리를 뜨다. ¶他～下去了; 그는 가 버렸다〔도망쳐 버렸다〕 / 奔～; ⓐ뛰다. 달리다. ⓑ분주하다. 동분서주하다 / 弃甲曳兵而～; 투구를 버리고 무기를 질질 끌고 패주하다. ④동 움직이다. 이동하다. 이동시키다. ¶钟不～了; 시계가 움직이지 않게 되었다 / ～了一批货; 대량의 상품을 운반하였다 / ～脑子; 머리를 쓰다. 머리를 활용하다. ⑤동 변하다. 본래 있던 것이 없어지다. 바래다. 빠지다. 언짢게 되다. ¶～了颜色了; 빛이 바랬다 / ～了味儿了; 맛이 변해 버렸다. 향기가 날아갔다 / 桌子腿儿～了榫子; 테이블 다리의 사개가 헐거워졌다. ⑥동 (장기나 바둑에서) 한 수 두다. ¶这步棋～错了; 이 (바둑의) 한 수는 잘못 두었다. ⑦동 교제하다. 왕래하다. ¶他两家～得近; 그 두 집안은 가깝게 접촉하고 있다 / 你和那位令亲为什么不～动了? 너는 저 친척과 어째서 왕래하지 않게 된 거냐? ⑧동 벗어나다. 위반하다. 궤도에서 벗어나다. ¶～规矩; 규칙에 어긋나다. ⑨동 기입하다. ¶得～兑换账; 환금장(換金帳)에 기입하다. ⑩동 통과하다. …으로부터 나오다. ¶可以从这个门～; 이 문으로 나가도 좋다. ⑪동 (운을) 만나다. ¶～好运; 좋은 운을 만나다. ⑫동《漢醫》나타나다. …에 효력이 있다《약효나 증상이 나타남》. ¶～肝经; 간장(을 지나는 경락)에 듣다 / ～皮肤; 피부에 나타나다. ⑬동 새다. 빠지다. 누출하다. 누설되다. ¶车胎～气; 타이어의 공기가 빠지다 / ～电; 누전되다 / ～漏风声; 소문을 새게 하다 / ～了一个字; 한 자 빠지다 / 说话～出了嘴; 실언하였다. ⑭동 (장치 따위를) 떼다. 차질이 생기다〔생기게 하다〕. ¶枪～了火; 총이 오발되었다. ⑮대〈翰〉〈謙〉저《자기를 낮추는 말》.

〔走矮子〕zǒu'ǎizi 명동《劇》(중국 전통극에서) 어둠 속을 자세를 낮추어 엉거주춤 돌아다니는 동작(을 하다).

〔走百病〕zǒubǎibìng 명 베이징(北京)의 옛 풍속으로, 원소절(元宵節) 날 밤에, 부녀자가 정양문(正陽門)의 못을 어루만져 불길한 일을 떨어버리는 일.

〔走板〕zǒu.bǎn 동 ①가락이〔박자가〕 맞지 않다《연극의 노래가 반주와 맞지 않음》. ②(이야기가) 탈선하다. 주제에서 벗어나다. ¶这人说话爱～; 이 사람은 곧잘 엉뚱한 소리를 한다. ‖=〔走板儿①〕

〔走板儿〕zǒu.bǎnr 동 ①⇨〔走板〕 ②(남 앞에서) 당황하다. 얼다. 흥분하다.

〔走背脚儿〕zǒu bèijiǎor ⇨〔走背运〕

〔走背运〕zǒu bèiyùn 불운을 만나다. 운이 나쁘게 되다. =〔走背脚儿〕〔走背字儿〕

〔走背字儿〕zǒu bèizìr ⇨〔走背运〕

〔走笔〕zǒubǐ 동〈文〉빨리 쓰다. 붓을 들고 쓰다. ¶～疾书; 〈成〉펜을 들어 빨리 쓰다 / 他写字很会～; 그의 필적은 매우 훌륭하다.

〔走边〕zǒubiān 명《劇》경극(京劇)의 무극(武劇)에서, 길가를 질주하는 모양《야간 잠행(潛行)을 나타냄》. 동 옷의 가장자리를 곱게 꿰매다.

〔走遍〕zǒubiàn 동 두루 돌아다니다. 각처를 다니다. ¶走了个遍; 두루 돌아다녔다 / ～全国; 전국을 구석구석 돌아다니다 / 我～天下也没看见过这么希罕的东西; 두루 천하를 돌아다녀 봤지만, 이런 진귀한 것은 본 일이 없다.

〔走镖〕zǒubiāo 동 호위꾼이 짐을 호송하다. (호위꾼이) 호위하며 여행하다.

〔走步〕zǒubù 명《體》(농구의) 트래블링.

〔走不得〕zǒubude ①걸어서는 안 되다. 걸으면 좋지 않다. ②가서는 안 되다. ¶那边儿～; 저 부근에 가서는 안 된다.

〔走不动〕zǒubudòng (피로하여) 걸을 수 없다. ↔〔走得动〕

〔走不惯〕zǒubuguàn 걷기에〔가기에〕 익숙하지 않다.

〔走不开〕zǒubukāi ①그 곳을 떠날 수 없다. 그 곳에서 몸을 뺄 수 없다. ¶我正忙呢, ～; 한창 바빠서 떠날 수가 없다. ②좁아서 차가 지나갈 수 없다. ¶胡同儿太窄zhǎi, ～车; 골목이 좁아서

차가 지나갈 수 없다. ‖↔〔走得开〕
〔走不了溜儿〕 zǒubuliǎo liǔr 상궤(常軌)를 벗어나지 않다. ¶走不了大溜儿; 별로 상궤를 벗어나지 않다.
〔走不通〕 zǒubutōng 통과할 수 없다. 통하지 않다. ¶这条路是～的; 이 길은 통하지 않는다(막다른 골목이다). ↔〔走得通〕
〔走不下来〕 zǒubuxià·lái 다니지 못하다. 다 돌지 못하다('走得下来'은 가능을 나타냄). ¶家数儿多, 今儿一天～; 호수가 많아서 오늘 하루로는 다 돌 수 없다.
〔走岔〕 zǒuchà 동 길을 잘못 들다. =〔走错cuò〕
〔走岔批儿〕 zǒu chàpīr 길이 어긋나다. =〔走岔劈儿〕
〔走场(的)〕 zǒuchǎng(de) 명《劇》무대 위에서 연기자를 위해 일하는 사람.
〔走尺寸〕 zǒu chǐcùn ①치수를 틀리다. ②(세탁 따위로 옷이) 치수가 줄어들다.
〔走筹〕 zǒu·chóu 동 ①숙직하다. 밤당번을 서다. ②(조류 따위가) 교미하다. (zǒuchóu) 명 숙직. 밤당번.
〔走船〕 zǒuchuán 명〈文〉항행 속도가 빠른 배. =〔走舸gě〕
〔走辞〕 zǒucí 동 말미〔휴가〕를 얻으러 가다.
〔走错〕 zǒucuò 동 길을 잘못 가다〔들다〕. =〔走岔chà〕→〔走迷〕
〔走大便〕 zǒu dàbiàn《漢醫》대변이 되어 나오다. 대변과 함께 배설되다. ¶吃了这个药, 病可以～; 이 약을 먹으면, 병균은 대변과 함께 배설된다.
〔走单〕 zǒudān 동 ①혼자서 가다. ②남과 헤어져 다른 길을 찾아가다. ③홀로 거닐다.
〔走刀〕 zǒu·dāo 동 절단하다. 양단(兩斷)하다.
〔走刀痕〕 zǒudāohén 명 ⇨〔刀痕〕
〔走刀量〕 zǒudāoliàng 명《機》피드(feed). 이송(移送).
〔走道〕 zǒudào 명 보도(步道). 인도. ¶院中电灯虽不很亮, 可是把～照的相当的清楚《老舍 四世同堂》; 정원의 전등은 그다지 밝지는 않지만, 상당히 환하게 보도를 비추고 있다.
〔走道儿〕 zǒu·dàor 동 ①〈口〉(길을) 걷다. ¶小孩儿刚会～; 어린애는 막 걸을 수 있게 되었다. ②〈轉〉여행하다. ③〈方〉재혼하다. ‖=〔走道路〕 ④〈古白〉해임하다. ⑤〈古白〉음모를 꾸미다.
〔走电〕 zǒu·diàn 〈俗〉 동 누전되다. (zǒudiàn) 명 누전. ‖=〔漏lòu电〕
〔走调儿〕 zǒu·diàor 동 곡조가 맞지 않다. 음정이 맞지 않다. ¶唱歌爱～; 노래를 부르면 자주 곡조가 안 맞는다.
〔走动〕 zǒudòng 동 ①움직이다. ¶存货总不～; 잔고가 통 팔리지 않는다. ②〈北方〉변소에 가다. 대변 보다. ¶一天～几次? 하루에 몇 번이나 대변을 보느냐? ③걸어서 움직이다. 조금 움직여 운동하다. ¶出去～～好; 밖에 나가 좀 걷는 것이 좋다. ④길흉사에 사람을 방문하여 축하나 위로의 말을 하다. (친척·친구 간에) 서로 왕래하다. 교제하다. ¶那两家常常～; 저 두 집은 서로 자주 왕래하고 있다. ⑤윗사람에게 알랑거리다. ⑥소곤소곤 밀의(密議)하다. 옛날, (유력자·부호 등이 관리와) 관계를 맺고 결탁하다. ¶～官府; 관청과 결탁하다.
〔走读〕 zǒudú 동 통학(通學)하다. ¶～的 =〔～生〕〔通学生〕; 통학생. ↔〔住读〕
〔走肚(子)〕 zǒu·dù(zi) 동 설사하다. ¶这几天直～; 요 며칠 동안 계속 설사하고 있다.
〔走队〕 zǒuduì 동 대오(隊伍)를 지어 가다.
〔走对〕 zǒuduì 동 실수 없이 가다. 걸어서 목표에 어김없이 도달하다. ¶～劲儿; 좋은 기회를 만나다/～字儿; 행운을 만나다.
〔走乏〕 zǒufá 동 (많이) 걸어서 피로해지다.
〔走旛〕 zǒufān 동 ①(장례식 따위의) 행렬이 가다. ②행렬에 끼여들어 드림대를 메고 가다.
〔走方步(儿)〕 zǒu fāngbù(r) (천천히) 점잖게 걷다. ¶～的;〈比〉착실한 사람. 신중한 사람.
〔走访〕 zǒufǎng 동 ①방문하다. ¶他对学生的家庭经常～, 了解他们的生活情况; 그는 학생의 가정을 늘 방문하여, 그들의 생활 상태를 파악했다. ②인터뷰하다.
〔走分量〕 zǒu fènliang 무게가〔분량이〕 줄다.
〔走风〕 zǒu·fēng 동 ①정보를 누설하다. ②정보가 누설되다. ③소문을 퍼뜨리다.
〔走佛事〕 zǒu fóshì《佛》승려가 불사(佛事)로 나다니다.
〔走肝经〕 zǒu gānjīng《漢醫》간(을 지나는 경맥(經脈))에 듣다. ¶这是～的药; 이것은 간에 듣는 약이다.
〔走钢丝〕 zǒu gāngsī ①(곡예의) 줄타기를 하다. ②(zǒugāngsī) 명 줄타기. ¶～外交; 줄타기 외교.
〔走高了脚〕 zǒugāole jiǎo ①지위가 높아져서 종래와 다른 태도를 취하다. 콧대가 높아지다. ¶人家现在～不认得我们了; 저 사람은 이제 출세해서 우리들에게는 눈길도 주지 않게 되었다. ②걸어서 지쳐 다리에 힘이 빠지다. ③부자·권력자한테 출입하게 되다. 훌륭한 사람과 교제하다.
〔走舸〕 zǒugě 명 ⇨〔走船〕
〔走更〕 zǒugēng 동 (야경꾼이) 야경을 돌다.
〔走狗〕 zǒugǒu 명 ①사냥개. ②〈比〉앞잡이. 주구. ¶院长和他的～; 원장과 그의 앞잡이/～们出出进进; 개〔앞잡이〕들이 들락날락하고 있다. =〔狗腿子〕
〔走光〕 zǒu·guāng 동 ①(사진 필름에) 광선이 들어가다. ¶大约装软片时走了光, 所以照得这么不成样子; 아마도 필름을 끼울때 광선이 들어가 버려서 이렇게 엉망으로 찍힌 것 같다. ②《植》광선 쪽으로 향하다. ¶～性; 향일성(向日性). ③필름이 감광(感光)하다.
〔走规矩〕 zǒu guīju 규칙을 따르지 않다. 규칙에 어긋나다.
〔走柜的〕 zǒuguìde 명 옛날, 가게에서 손님을 접대하는 점원.
〔走过场〕 zǒu guòchǎng 대강대강 해치우다. 건성으로 해치우다.
〔走海〕 zǒu·hǎi 동 항해하다. 해로를 달리다.
〔走旱路〕 zǒu hànlù ①육로를 가다. ②〈比〉비역〔남색(男色)〕하다. ‖→〔走水路〕
〔走好〕 zǒuhǎo 〈套〉천천히 조심해서 돌아가세요(남을 배웅할 때의 인사말).
〔走好运〕 zǒu hǎoyùn 운수 대통하다. 길운이 트이다. =〔走红运〕
〔走黑道〕 zǒu hēidào 〈比〉고통스러운 나날을 보내다. 괴롭고 어려운 나날을 보내다. ¶她一辈子跟我～, 没说过半句凉话; 그녀는 평생 나와 함께 고생스럽게 살면서 한 마디도 푸념을 한 적이 없었다.
〔走黑道儿〕 zǒu hēidàor 〈比〉도적질하다. ¶～的 =〔走黑的〕; 도적.
〔走红运〕 zǒu hóngyùn ⇨〔走好运〕
〔走后门〕 zǒu hòumén 〈比〉부정〔뒷문〕 입학이나

부정 거래를 하다. 뒷거래를 하다. 연줄이나 안면(顔面)으로 입학하거나 취직하다. ¶坚决反对和杜绝循私舞弊和～等不正之风; 사사로운 인정에 의한 부정과 뒷거래 등의 부정한 풍조에 단연 반대하고 억제하다.
〔走候〕 zǒuhòu 동 〈翰〉 달려가 문안드리다.
〔走话〕 zǒu.huà 동 〈方〉 ①비밀을 누설하다. 소문을 퍼뜨리다. ¶把不能～的人安插在园里; 비밀을 누설할 염려가 없는 자를 대관원(大觀園)에 배치해 둔다. ②입을 잘못 놀리다.
〔走黄〕 zǒuhuáng 동 황금을 밀수(하여 암거래)하다.
〔走回头路〕 zǒu huítóulù 언젠가 지나온 길을 더듬다(옛날의 참혹한 생활로 되돌아감).
〔走会〕 zǒuhuì 동 잿날에 여홍(餘興)을 베풀다. =〔走局jú①〕
〔走火〕 zǒu.huǒ 동 ①(부주의로) 발화하다. 폭발하다. ¶手枪～; 권총이 격발(擊發)되다. ②(전기누전(漏電)으로) 발화하다. ¶电线～引起火灾; 전선의 누전으로 불이 나다. ③(말이) 도(度)가 지나치다. 심하다. ¶说话～; 말이 도가 지나쳤다 / 他意识到说～了; 그는 말이 지나쳤다는 것을 깨달았다. ④불이 나다. ¶仓房～了; 창고에 불이 났다.
〔走货〕 zǒu.huò 동 ①화물을 운송하다. 상품을 실어 내다. ②(거래가 이루어져) 화물이 이동되다.
〔走江湖〕 zǒu jiānghú 세상을 두루 돌아다니다(각지를 돌아다니며 무예·곡예 또는 의술·점성(占星) 등으로 생계를 꾸밈). ¶～的; 세상 일에 익숙한 사람.
〔走脚步〕 zǒu jiǎobù 《劇》 옛날, 배우가 무대에서 음악에 맞추어 동작을 하다.
〔走街串户〕 zǒu jiē chuàn hù 〈成〉 거리를 돌아다니고 남의 집을 방문하다.
〔走街串巷〕 zǒu jiē chuàn xiàng 〈成〉 거리를 쏘다니다.
〔走街的〕 zǒujiēde 명 (상점의) 섭외를 맡은 사람.
〔走价〕 zǒujiè 명동 〈文〉 심부름꾼(을 보내다).
〔走劲〕 zǒu.jìn 동 힘이 빠지다.
〔走近〕 zǒujìn 동 가까이 가다. 다가서다.
〔走净〕 zǒujìng 동 다 가버리고 남아 있지 않다. 한 사람도 남지 않고 가 버리다. ¶街上人已经～了; 거리의 사람들은 이미 다 가버렸다.
〔走局〕 zǒujú 동 ①⇨〔走会huì〕 ②⇨〔走票piào〕
〔走绝路〕 zǒu juélù 막다르다. 앞이 막히다. 궁지에 몰리다. ¶他现在真是走了绝路了; 그는 지금 완전히 궁지에 몰려 있다.
〔走开〕 zǒukāi 동 ①떨어지다. (딴 곳으로) 가다〔멀어지다〕. ②(옮겨) 피하다. 비키다. ¶你～, 别跟我捣乱了; 저리 가, 나한테 귀찮게 굴지 말고.
〔走来走去〕 zǒulái zǒuqù 왔다갔다하다. 이리저리 쏘다니다. ¶这个孩子～地老不闲着; 이 아이는 이리저리 쏘다녀 가며 잠시도 가만히 있지 못한다.
〔走廊〕 zǒuláng 명 ①낭하. (건물과 건물 사이의) 복도. ②〈比〉 회랑(回廊) 지대. 가늘고 긴 지역. ¶河西～ =〔甘肃～〕; 간쑤 성(甘肅省) 서북부의 땅.
〔走老路〕 zǒu lǎolù 밟혀 다져진 길을 걷다. 〈比〉 상투적인 방식〔규칙〕에 따르다.
〔走了和尚走不了庙〕 zǒule héshàng zǒubuliǎo miào 〈諺〉 중은 달아나도 절에서 도망칠 수는 없다(어차피 달아날 수는 없다). =〔跑了和尚跑不了庙〕
〔走累〕 zǒulèi 동 걸어서 지치다. ¶我们～了; 우리는 걸어서 지쳤다.
〔走利〕 zǒulì 동 이익을 추구하다. 이로운 쪽으로 가다.
〔走零散〕 zǒu língsàn (함께 걷다가) 뿔뿔이 헤어지다.
〔走漏〕 zǒulòu 동 ①(소문 등을) 퍼뜨리다. 발설하다. 누설하다. ¶～风声; 소문을 퍼뜨리다 / ～消息; 정보를 누설하다. =〔走露〕 ②〈簡〉 밀수(密輸)하여 탈세(脫稅)하다. ③(큰무더기의 물건 중 일부를 도난당하다(흔히, '有～'로 씀).
〔走露〕 zǒulòu 동 ⇨〔走漏①〕
〔走路〕 zǒu.lù 동 ①통행하다. 길을 가다. ¶走不好的路; 걷기 힘든 길을 걷다. ②여행하다. ③걷다. ¶小孩会～了; 어린아이가 걸을 수 있게 되었다 / 他～很快; 그는 발〔걸음〕이 빠르다 / ～要走人行道; 걸을 때는 보도를 이용하자. ④도망하다. ⑤죽다. ⑥떠나다. (zǒulù) 명 도주로.
〔走驴〕 zǒulǘ 명 사람을 태우는 당나귀.
〔走马〕 zǒu.mǎ 동 ①말을 달리다. ¶～上阵; ⓐ출진하다. ⓑ취임하다 / ～草; (동물이) 교미하다. ②서둘러 나가다. ¶～上任去了; 취임 때문에 서둘러 나갔다. 명 〈文〉 잘 달리는 말.
〔走马大门〕 zǒumǎ dàmén ①말이 출입하는 대문. ②〈比〉 대관·부호의 대문.
〔走马(儿)灯〕 zǒumǎ(r)dēng 명 주마등.
〔走马疳〕 zǒumǎgān 명 ⇨〔走马牙疳〕
〔走马观花〕 zǒu mǎ guān huā 〈成〉 ⇨〔走马看花〕
〔走马换将〕 zǒu mǎ huàn jiàng 〈成〉 인사 교류를 하다. 사람을 교체하다.
〔走马看花〕 zǒu mǎ kàn huā 〈成〉 말을 달리면서 꽃구경을 하다(조사·관찰·참관 등을 겉만 훑어봄). ¶还只是～地看了一部分; 주마간산식으로 일부를 보았을 뿐이다. =〔走马观花〕〔跑马观花〕
〔走马上任〕 zǒu mǎ shàng rèn 〈成〉 관리가 취임하다. =〔走马到任〕
〔走马王孙〕 zǒumǎ wángsūn 〈比〉 환락가에서 유흥하는 귀공자들.
〔走马牙疳〕 zǒumǎyágān 명 《漢醫》 주마감. 협부괴저(頰部壞疽)(잇몸과 볼 부위의 급성 궤양). =〔走马疳〕〔牙疳②〕〔光马(牙)疳〕
〔走门串户〕 zǒumén chuànhù 이집 저집 찾아가 이야기를 하고 다니다. =〔走家串户〕
〔走门路〕 zǒu ménlù (권세 있는 사람에게) 운동하다. 알랑거리다. 권세 있는 사람의 집에 드나들다〔안부를 여쭙다〕. =〔走门子〕
〔走迷〕 zǒumí 동 길을 잃다. 길을 잘못 들다. ¶～了道路; 길을 잃다.
〔走模样〕 zǒu múyàng 무늬가 바뀌다. 모양이 바뀌다. ¶比从前～了; 이전과 비교해서 모양이 바뀌었다.
〔走南闯北〕 zǒu nán chuǎng běi 〈成〉 이곳 저곳을 돌아다니다(각지에 발자취를 남김).
〔走内线〕 zǒu nèixiàn 상대방의 집안이나 연고자를 통해서 청탁하다. ¶～, 牺牲色相, 巴结上司等的官场丑史; 연줄을 찾아간다든가, 여자가 몸을 제공한다든가 하여, 상사에게 아부하는 등의 관계(官界)의 스캔들.
〔走娘家〕 zǒu niángjiā 며느리의 친정과 왕래하다. 친정에 가다.
〔走拧〕 zǒunǐng 동 길이 어긋나다〔엇갈리다〕. ¶他们俩～了; 그들 두 사람은 길이 엇갈렸다.
〔走皮肤〕 zǒu pífu 피부에 나타나다. 피부에 두드러기가 나다. ¶有的人吃了这个药～; 사람에 따라

이 약을 먹으면 피부에 두드러기가 난다.
〔走脾经〕 zǒu píjīng 《漢醫》 비장(脾臟)을 지나는 경맥에 듣다. 비장에 효과가 있다. ¶这药吃了～; 이 약을 먹으면 비경(脾經)에 듣는다.
〔走偏〕 zǒupiān 동 비뚤어진 방향으로 가다. ¶企业的方向～了; 기업의 방향이 올바른 선에서 벗어났다.
〔走票〕 zǒupiào 동 옛날, '票友(儿)' (아마추어 배우)가 부탁을 받고 극에 출연하다. 아마추어로서 출연하다. =〔走局②〕
〔走棋〕 zǒu.qí 동 ①바둑알이나 장기말을 움직이다. ② ⇨〔下xià棋〕
〔走气〕 zǒu qì (공기 · 가스 따위가) 새다. ¶瓦斯～; 가스가 새다 / 车胎～; 타이어의 바람이 빠지다.
〔走前〕 zǒuqián 동 (앞으로) 나아가다. ¶～一步; 일보 전진하다.
〔走巧〕 zǒuqiǎo 동 우연히 마주치다. 길에서 우연히 만나다. ¶他们俩～了; 그들 두 사람은 우연히 마주쳤다.
〔走亲戚〕 zǒu qīnqi ①친척처럼 친하게 지내다. ②친척을 방문하다. ¶他～去了; 그는 친척을 방문하러 갔다.
〔走禽〕 zǒuqín 명 《動》 주금(류)《타조 따위》.
〔走儿〕 zǒur 명 걷는 모습. 걸음걸이. ¶这匹马有～; 이 말은 걷는 모양이 좋다.
〔走人〕 zǒu.rén 동 ①남을 가게 하다. ②가다. ¶我们散伙了, 他一早起就～了; 우리가 해산을 했으므로, 그는 얼른 일어나더니 가 버렸다.
〔走人情〕 zǒu rénqíng 교제(交際)를 위해 뛰어다니다. 의리상의 교제를 하며 나다니다. ¶他三天两头儿地～; 그는 늘 교제하느라 밖에 나가 있다.
〔走肉行尸〕 zǒuròu xíngshī 〈比〉 정신〔혼〕이 나간 인간. 산송장.
〔走软绳〕 zǒu ruǎnshéng ⇨〔走索suǒ(子)〕
〔走散〕 zǒusàn 동 ①산산이 흩어져 가 버리다. ②동행(同行)을 잃다. 일행(一行)을 놓치다.
〔走色〕 zǒu.shǎi 동 빛이 바래다. 색이 바래다. ¶这件衣服穿了两年了, 还没有～; 이 옷은 2년을 입었지만, 아직 빛이 바래지 않았다. =〔走颜色〕〔落lào色〕
〔走扇〕 zǒu.shàn 동 (문이 낡아) 꼭 맞지 않다.
〔走墒〕 zǒu.shāng 동 ⇨〔跑pǎo墒〕
〔走上一家〕 zǒushàng yījiā 재혼하다. ¶邻居都劝她～; 이웃 사람들은 모두 그녀에게 재혼을 권한다.
〔走身子〕 zǒu shēnzi 〈俗〉 명동 ⇨〔走阳〕
〔走神(儿)〕 zǒu.shén(r) 동 ①얼이 빠지다. 멍해지다. 기력이 떨어지다. ¶别尽～! 멍청하게 있지 마라! / 他近来常～; 그는 요즘 완전히 기력이 떨어졌다. ②감정이 외모에 나타나다. 마음먹고 있는 것이 거동으로 나타나다.
〔走声儿〕 zǒu.shēngr 동 ①소리가 새나가다. ②소리가 변하다. 이상한 소리가 나다. ¶这洋钱～了; 이 은화는 울리는 소리가 나쁘다.
〔走绳〕 zǒu.shéng 동명 ⇨〔走索(子)〕
〔走失〕 zǒushī 동 ①실종되다. 행방 불명이 되다. ②(본래의 모양을) 잃다. 변하다. ¶译文～原意; 번역한 글이 원뜻에서 벗어나다. ③미아(迷兒)가 되다. 길을 잃다. ¶小孩儿～了; 아이가 길을 잃었다.
〔走时〕 zǒushí 동 〈方〉 때를 만나다. 운이 트이다. =〔走时气〕〔走时运〕〔走好运〕〔走运〕
〔走事〕 zǒushì 동 옛날, (남의 집에 길흉사가 있을 때) 축하하러〔문상하러〕 가다. 의리상〔체면상〕 가다. ¶～的人来不少了, 男女两家的远亲和近邻都来道贺; 하객도 적지 않게 와 있었는데, 신랑 신부 양가의 친척이나 이웃 사람도 모두 축하하러 왔다.
〔走势〕 zǒushì 명 (시세 등의) 움직임. 동향. 추세. ¶各货～连续翻升; 각 상품의 시세는 계속 오르고 있다.
〔走手〕 zǒushǒu 동 손이 빗나가다.
〔走兽〕 zǒushòu 명 ①짐승. 야수. ¶飞禽～; 새와 짐승. 조수. →〔牲口〕 ②중국 가옥의 지붕 추녀 끝 등에 장식으로 덧얹는 짐승 모양의 것《기와의 일종》. =〔蹲dūn兽〕
〔走熟〕 zǒushú 형 (길 따위가) 자주 다녀서 익숙하다. ¶这条道儿我～了; 나에게 이 길은 자주 다닌 길이어서 익숙하다 / ～了的路子; 자주 다녀 익숙해진 길. 숙달된 방식.
〔走水〕 zǒu.shuǐ 동 ①물이 새다. ¶房顶～了; 천장에서 물이 새고 있다. ②〈轉〉 불이 나다. =〔失火〕 ③〈方〉 돈을 잃어버리다. (zǒushuǐ) 명 물의 흐름. ¶渠道～很通畅; 용수로의 물이 잘 흐른다.
〔走水〕 zǒushui 명 〈方〉 커튼의 장식으로 늘어뜨린 것.
〔走水路〕 zǒu shuǐlù ①수로를 가다. ②〈比〉 남녀가 성교하다.
〔走水石〕 zǒushuǐshí 명 하등품의 '猫māo眼石'(묘안석).
〔走水油〕 zǒushuǐyóu 명 ⇨〔白bái蚁油〕
〔走私〕 zǒu.sī 동 ①밀수(密輸)하다. 암거래하다. ¶～货物; 밀수품 / ～漏税; 밀수입으로 탈세를 꾀하다. ②〈比〉 금제품(禁制品)을 운반하다. ③몰래 가 버리다. 도망치다.
〔走笋子〕 zǒu sǔnzi ⇨〔走榫子〕
〔走榫子〕 zǒu sǔnzi ①(목제품(木製品)이) 낡아서 덜거덕거리다〔흔들거리다〕. ②〈比〉 (사람의) 모습이 변하다. (몸이) 부실해지다. (마음이) 해이해지다. ‖ =〔走笋子〕
〔走索(子)〕 zǒu.suǒ(zi) 동 줄타기를 하다. ¶走钢索 =〔走钢丝〕; 쇠줄타기(를 하다). (zǒusuǒ(zi)) 명 줄타기. ‖ =〔走软绳〕〔走绳〕
〔走堂〕 zǒutáng 명 옛날, 음식점 · '茶馆'의 사환. =〔跑pǎo堂儿(的)〕
〔走趟趟儿〕 zǒutàngtangr 동 왔다갔다 하다.
〔走桃花运〕 zǒu táohuāyùn 〈比〉 염복(艶福)을 타고나다. 로맨스가 많다. 꽃 속에 파묻히다.
〔走题〕 zǒu.tí 동 본제(本題)에서 벗어나다. (말 · 글이) 탈선하다. ¶说话走了题了; 말이 본제에서 벗어났다.
〔走廷(儿)〕 zǒutíng(r) 명 민책받침. →〔建jiàn之旁(儿)〕
〔走投无路〕 zǒu tóu wú lù 〈成〉 막다른 골목으로 쫓기다. 곤란에 빠져 활로(活路)를 찾을 수 없다. 막다른 곳에 이르다. ¶她被赶出家门后, ～, 投河自杀了; 그녀는 집에서 쫓겨 나온 후, 의지할 곳도 없어서 강에 투신하여 자살했다 / 你逼得我～; 너는 나를 꼼짝 못 하게 만들었다.
〔走脱〕 zǒutuō 동 위험을 벗어나다. 탈주하다.
〔走歪道儿〕 zǒu wāidàor 올바르지 못한 길을 가다. ¶你千万别～; 너는 절대로 옆길로 빠져서는 안 된다. =〔走邪道〕〔走邪路〕
〔走外事的〕 zǒu wàishìde 명 외근자. 외교원. =〔跑外的〕〔跑外勤的〕
〔走弯路〕 zǒuwānlù 동 ①(길을) 돌아가다. =〔走远路〕 ② ⇨〔走弯儿〕

〔走弯儿〕 zǒuwānr 동 비뚤어지다. 나쁜 길로 빠지다. ¶这孩子真有出息, 一点儿～都没有; 이 아이는 정말 장래성이 있어서, 조금도 비뚤어지는 일이 없다. =〔走弯路②〕
〔走往〕 zǒuwǎng 명 교제(交際).
〔走为上计〕 zǒu wéi shàngjì 줄행랑이 상책이다. →〔三sān十六计, 走为上计〕
〔走味(儿)〕 zǒu·wèi(r) 동 맛이나 향기가 변하다〔가시다〕. ¶茶叶～了; 차의 향기가 가셨다.
〔走无常〕 zǒuwúcháng 명 지옥의 옥졸(노상에서 이를 만난 사람은 인사 불성이 되고, 소생한 뒤에 지옥의 상황을 자세히 이야기할 수 있다고 함).
〔走瞎道儿〕 zǒu xiādàor 〈比〉 방탕한 생활을 하다. ¶那个人竟～; 그는 유흥에만 빠져 있다. =〔走斜道儿〕
〔走下坡路〕 zǒu xiàpōlù 내리막길에 들어서다. 내리막길을 걷다. 〈比〉 일〔상황〕이 악화되다. ¶情况已在～了; 상황은 이미 악화 일로에 있다.
〔走险〕 zǒuxiǎn 동 〈文〉 위험한 짓을 하다. 모험하다. 성패간에 해 보다. ¶铤tǐng而～; 흥하든 망하든 해 보다.
〔走向〕 zǒuxiàng 명 《地》 방향. 방위. 주향(走向). 층향(層向). ¶矿脉～; 광맥의 방위 / ～断层; 주향 단층. 동 …를 향해 가다. ¶～胜利; 승리를 향해 나가다 / ～和平之大道是我们根本的愿望; 평화의 큰 길로 향해 나아가는 것은 우리의 원래의 소원이다.
〔走小便〕 zǒu xiǎobiàn 《漢醫》 약을 먹고 병균을 소변으로 내보내다. ¶吃了这个药水能～; 이 물약을 먹으면 병균을 소변으로 내보낼 수 있다.
〔走小道儿〕 zǒu xiǎodàor ①좁은 길〔오솔길〕을 가다. ②〈轉〉 몰래 하다.
〔走斜道儿〕 zǒu xiédàor ⇨〔走瞎道儿〕
〔走解〕 zǒuxiè 명 말타기 곡예(를 하는 사람).
〔走心〕 zǒu·xīn 동 ①마음을 움직이다. 마음을 두다. 주의하다. 깨닫다. ¶怎么间接地骂他, 他也不～; 아무리 빈정거려 봐야 그는 깨닫지 못한다. ②열중하다. 푹 빠지다. ¶他对你可～哪! 그는 너에게 푹 빠져 있어! ③마음이 산란해지다. 다른 일에 마음을 빼앗기다. ¶他做事老是～; 그는 일을 하면서 언제나 정신이 흐트러져 있다.
〔走心经〕 zǒu xīnjīng 유의(留意)하다. 마음에 두고 잊지 않다. ¶他很会～; 그는 남의 심리를 잘 파악해서 행동한다 / 他尽～老想不开; 그는 끙끙 앓기만 하고 도무지 단념을 하지 못한다 / 别人全不～就是他听着害怕; 다른 사람은 전연 마음에 두지 않는데, 그만이 그것을 듣고 무서워하고 있다.
〔走星〕 zǒuxīng 명 ⇨〔驿yì马星〕
〔走眼〕 zǒu·yǎn 동 잘못 보다. 눈이 삐다. ¶拿着好货当次货, 你可看走了眼了! 좋은 물건을 나쁘다고 하니, 너는 정말 잘못 보았다!
〔走阳〕 zǒuyáng 《漢醫》 명동 유정(遺精) (하다). =〔遗yí精〕〔〈俗〉 走身子〕 명 정액(精液)이 흘러 멎지 않는 병.
〔走样(儿, 子)〕 zǒu·yàng(r, zi) 동 ①원형(原型)이 무너지다. 모양이 변하다. ¶尼龙织品, 不出褶皱也不～, 所以不用上浆, 不用拿熨斗熨; 나일론 직물은 구겨지지도 않고 줄지도 않기 때문에, 풀을 먹이거나 다리미로 다릴 필요가 없다 / 这事让他给说～了; 이 일은 그에 의해서 왜곡되게 설명되었다. ②행동이 상궤를 벗어나다.
〔走谒〕 zǒuyè 동 〈文〉 만나러 가다. 찾아가다. 방문하다.
〔走一步, 看一步〕 zǒu yībù, kàn yībù ①그때그때마다 생각하다. ②일을 한꺼번에 하지 않고 상황을 살피면서 하다. 착실하게 일을 진행하다.
〔走一处, 熏一处〕 zǒu yīchù, xūn yīchù 어디를 가나 냄새를 풍기다. 〈比〉 미움을 받다.
〔走诣〕 zǒuyì 동 〈翰〉 찾아뵙다. 배진(拜進)하다.
〔走音〕 zǒu·yīn 동 음정이 틀리다. 음계(音階)를 맞추지 않다. 곡조가 틀려지다. ¶他把曲子唱得～了; 그는 틀린 곡조로 노래하고 있다.
〔走油〕 zǒu·yóu 동 ①(기물(器物) 따위의) 칠이 벗겨지다. ②(기름끼 있는 음식에서) 기름끼가 빠지다. ③가루를 묻히지 않고 기름에 그대로 튀겨내다. ④(삶은 고기를) 기름에 튀겨 겉을 단단하게 하다.
〔走油子〕 zǒu yóuzi 고약의 기름기가 배어 나오다.
〔走圆场〕 zǒu yuánchǎng ⇨〔跑pǎo圆场〕
〔走远路〕 zǒu yuǎnlù 동 ⇨〔走弯路①〕
〔走运〕 zǒu·yùn 동 〈口〉 좋은 운수를 만나다. ¶走背运; 불운한 꼴을 당하다 / 你没去算～了; 너는 가지 않아서 운이 좋았다. =〔走好运〕〔走时气〕〔走时运〕〔得时②〕
〔走账〕 zǒu·zhàng 동 장부에 올리다. 기장(記帳)하다. ¶这笔钱不～了; 이 돈은 장부에 올리지 않는 것으로 한다.
〔走折〕 zǒuzhé 명 《商》 주문 받으러 다니는 사람〔외판원〕의 장부.
〔走着看〕 zǒuzhe kàn ⇨〔走着瞧〕
〔走着瞧〕 zǒuzhe qiáo (앞으로의) 되어 가는 형편을 보다. 형세를 살펴보다. 두고 보다. ¶咱们～; 이제〔어디〕 두고 보자 / 骑驴看账本儿, ～, 到算; 〈歇〉 나귀에 타고 장부를 보다. 걸어가면서 보고 도착하면 계산한다(되어 가는 형편을 보다). =〔走着看〕〔骑毛驴(儿)念唱本〕
〔走阵〕 zǒuzhèn 동 순조롭게 진행되다〔나아가다〕.
〔走正道儿〕 zǒu zhèngdàor 정도를 밟다〔걷다〕. ¶你得～, 别走邪道儿; 너는 정도를 가야지 나쁜 길로 가서는 안 된다. ↔〔走歪道儿〕
〔走之儿〕 zǒuzhīr 명 책받침(한자 부수의 하나. '速' '远' 등의 '辶' 의 이름).
〔走注〕 zǒuzhù 명 《漢醫》 풍습성 관절염. =〔风fēng痹〕
〔走资派〕 zǒuzīpài 명 《政》 〈簡〉 주자파('走资本主义道路当权派' (자본주의의 길을 걷는 실권파)의 약칭).
〔走子午〕 zǒu zǐwǔ 운이 좋다. 재수좋다. =〔走运〕
〔走字儿〕 zǒu·zìr 동 행운을 만나다. 운이 좋다.
〔走走〕 zǒuzou 동 ①서로 왔다갔다 하다. ¶有空kòng儿常到我这里～; 짬이 나거든 (언제든지) 나한테 오시오. ②산보하다.
〔走走逛逛〕 zǒuzouguàngguàng 동 여기저기를 빈들거리고 다니다. 어슬렁거리다.
〔走卒〕 zǒuzú 명 심부름꾼. 졸개.
〔走嘴〕 zǒu·zuǐ 동 ①부주의하게 입 밖에 내놓다. 비밀을 누설하다. ¶那件事是机密事, 你可千万别～; 그 일은 비밀이니까, 절대로 입 밖에 내어서는 안 된다. ②잘못 말하다. 실언하다.
〔走作〕 zǒuzuò 동 본래의 규범에서 벗어나다.

奏 zòu (주)

①명 상주문(上奏文). ②동 상주(上奏)하다. ③동 증정(贈呈)하다. ④동 음악을 연주하다. ¶合～; 합주(하다) / 小提琴独～; 바이얼린 독주 / ～国歌; 국가를 연주하다 / 伴～; 반주하다. ⑤동 일이 진행되다. ⑥동 (결과가) 발생하다. 나타나다. ¶～效; 효험을 나타내다 / 大～ 하

功; 큰 공을 세우다.
〔奏案〕 **zòu'àn** 동 〈文〉 사건을 아뢰다. 명 ①상주(上奏)하는 안건. ②상주문을 올려놓은 탁자.
〔奏报〕 **zòubào** 동 〈文〉 상주(上奏) 보고하다.
〔奏本〕 **zòuběn** 명 상주서(上奏書). →〔题tí本〕〔折zhé奏〕
〔奏参〕 **zòucān** 동 〈文〉 상주하여 탄핵하다. =〔奏劾hé〕
〔奏草〕 **zòucǎo** 명 주초. 상소문의 초고(草稿). =〔奏稿〕
〔奏笛〕 **zòudí** 동 피리를 불다.
〔奏对〕 **zòuduì** 동 하문(下文)에 봉답(奉答)하다. 답신(答申)하다.
〔奏稿〕 **zòugǎo** 명 ⇨〔奏草〕
〔奏功〕 **zòugōng** 동 ⇨〔奏效xiào〕
〔奏劾〕 **zòuhé** 동 ⇨〔奏参cān〕
〔奏捷〕 **zòujié** 동 ①승리의 소식을 아뢰다. ②승리를 얻다. 이기다. ¶～归来; 승리를 거두고 돌아오다.
〔奏凯〕 **zòukǎi** 동 ①개가(凱歌)를 올리다. ②우승하다. 승리를 거두다. ¶～者除获奖金外, 并有金牌; 우승자는 상금 외에 금메달도 탈 수 있다.
〔奏鸣曲〕 **zòumíngqǔ** 명 《樂》 주명곡. 소나타(sonata).
〔奏派〕 **zòupài** 동 〈文〉 천자의 재가를 받아 파견하다.
〔奏琴〕 **zòu·qín** 동 거문고를 타다.
〔奏请〕 **zòuqǐng** 동 〈文〉 주청하다.
〔奏曲〕 **zòu·qǔ** 동 악곡을 연주하다.
〔奏疏〕 **zòushū** 명 ⇨〔奏章〕
〔奏委〕 **zòuwěi** 동 〈文〉 재가를 거쳐 임명하다.
〔奏闻〕 **zòuwén** 동 ⇨〔闻奏〕
〔奏效〕 **zòu·xiào** 동 주효하다. 효력이 나타나다. ¶立即～ =〔立刻～〕; 즉각 효험을 나타내다 / 这药一服就能～; 이 약은 한 번 먹으면 효과가 나타난다. =〔奏功〕
〔奏议〕 **zòuyì** 〈文〉 동 황제에게 의견을 상주하다. 명 ⇨〔奏章〕
〔奏乐〕 **zòu·yuè** 동 주악하다. 음악을 연주하다.
〔奏章〕 **zòuzhāng** 명 상주문. 상주서. 상소. =〔章表〕〔章奏〕〔奏疏〕〔奏议〕〔表biǎo章②〕
〔奏折〕 **zòuzhé** 명 상주문이 적혀 있는 접책(摺冊).
〔奏准〕 **zòuzhǔn** 동 〈文〉 상주하여 허가를 받다.

揍 **zòu** (주)

동 ①〈口〉 때리다. 사람을 치다. ¶挨～; 두들겨맞다 / 挨了一顿～; 호되게 얻어맞았다 / 非～他一下子不行; 그를 한 번 때려 주지 않으면 안 되겠다. ②〈方〉 깨뜨리다. 부수다. 망가뜨리다. ¶不留神把茶碗～了; 부주의로 찻종을 깨다 / 小心别把玻璃～了! 유리를 깨지 않도록 조심해라! ③만들다. ¶不是爸爸～的; 아버지가 만든 것이 아니다 / 难～; 감당 못 하다. 하기 힘들다. ④손상하다. 해치다. ¶～人的鸦片; 사람을 해치는 아편 / 麻将最～人; 마작은 사람에게 가장 해를 준다 / 喝酒喝多了常常～人; 술을 많이 마시면 몸을 해친다.
〔揍扁〕 **zòubiǎn** 동 (늘씬하게) 때려눕히다. ¶我非得～这个忘本的东西! 나는 이 배은망덕한 놈을 때려눕히지 않고는 그냥 둘 수 없다.
〔揍死〕 **zòusǐ** 동 호되게 때리다. ¶你不说实话, 我要～你; 사실을 말하지 않으면 혼내 줄 테다.
〔揍象〕 **zòuxiang** 명 〈貶〉 ①꼴. 꼬락서니. ¶就你这～还想当演员吗? 너는 이 꼬락서니로 배우가 되려고 하느냐? ②복장. 옷차림. ¶你这～怎么能登大雅之堂? 이 옷차림으로 어떻게 점잖은 장소에 나갈 수 있겠느냐? ③솜씨. 재능. ¶你这～能做得了吗? 너의 이 솜씨로 해낼 수 있겠느냐? =〔揍形〕

ZU ㄗㄨ

租 **zū** (조)

①동 요금을 내고 빌리다. 임차하다. 임대하다. 세내다. 세놓다. ¶出～; 빌려 주다. 대여하다 / ～进; 빌려 오다 / 出～汽车; 택시 / ～房子住; 집을 세얻어 살다 / 吉房招～; 셋집 있음《광고의 글귀》/ 那所房子～给谁的? 저 집은 누구에게 빌려 줬느냐? / 房钱太贵我们～不起; 집세가 너무 비싸서 우리는 빌릴 수가 없다 / 包bāo～; ⓐ전세내다. 몽땅 빌리다. ⓑ대절하다. 전세 주다. →〔借〕〔赁〕 ②명 임대료. 세(貰). ¶房～; 집세 / 车～; 차의 임대료 / 加～; 세를 올리다. 세가 오르다 / 交～; 세를 내다. ③명 지대(地代). ¶减～减息; 지조(地租)나 이자의 인하. ④명 세금. ⑤(～子) 명 소작료. 옛날에 해마다 바치는 토지세 · 집세 따위.
〔租不起〕 **zūbuqǐ** (돈이 없거나 비싸서) 빌리지 못하다.
〔租船〕 **zū chuán** ①용선(傭船)하다. 차터(charter)하다. ②(**zūchuán**) 명 용선. ¶～合同 =〔～合约〕; 용선 계약 / 按航程计算～; 항해 거리제 용선 / 按时计算～; 시간제 용선. ‖ =〔租轮〕
〔租得〕 **zūdé** 동 빌려 받다. 세내다.
〔租得过儿〕 **zūdeguòr** 빌리기에 알맞다〔적당하다〕. ¶房租也不贵, 大小也合式, 这所房子咱们～; 집세도 싸고 크기도 알맞다. 이 집은 우리가 빌리기에 안성맞춤이다.
〔租底(儿)〕 **zūdǐ(r)** 명 ⇨〔租铺底〕
〔租地〕 **zū dì** ①토지를 세내어 쓰다〔차용하다〕. ②명 소작지. 세낸 땅.
〔租地基〕 **zū dìjī** 부지(敷地)를 세내어 쓰다.
〔租地券〕 **zūdìquàn** 명 옛날, 토지 임대차 계약서.
〔租佃〕 **zūdiàn** 명동 소작(하다). ¶～制度; 소작 제도 / 永yǒng久～; 영구 소작.
〔租丁〕 **zūdīng** 명 소작인.
〔租定〕 **zūdìng** 동 ①임차하기로 결정하다. ¶这房子我已经～了; 이 집은 이미 내가 세내기로 약정했다. ②임대하기로 결정하다.
〔租额〕 **zū'é** 명 ①소작료. ¶这块地的～是五十块钱; 이 땅의 임대료는 50원이다. ②임대가격.
〔租房〕 **zū·fáng** 동 ①집을 빌리다〔세들다〕. ¶～住; 세들어 살다. ②가옥을 임대하다. (**zūfáng**) 명 셋집.
〔租费〕 **zūfèi** 명 ⇨〔租金〕
〔租给〕 **zūgěi** 동 (…에게) 빌려 주다. 임대하다. ¶把房间～了人; 방을 남에게 세 주었다.
〔租户〕 **zūhù** 명 (토지 · 가옥의) 차주(借主). 임차인(賃借人).
〔租价〕 **zūjià** 명 임대가. 임차 가격.
〔租界〕 **zūjiè** 명 조계(옛날, 외국이 중국 각지에 보유하고 있던 '租借地'(조차지)를 말함). ¶英～; 영국 조계 / 公共～; (각국) 공동 조계.
〔租借〕 **zūjiè** 동 ①빌려쓰다. 차용하다. ②임대하다. 빌려 주다.
〔租借地〕 **zūjièdì** 명 조차지.
〔租金〕 **zūjīn** 명 임차료. 차료(借料). ¶这房子

的～是每月一百元；이 집의 집세는 월(月) 1백원이다. =〔租钱〕〔租费〕
〔租据〕 zūjù 명 부동산 임대 계약서.
〔租课〕 zūkè 명 옛날, 학전(學田)·관유지(官有地) 등에서 내는 지조(地租).
〔租粮〕 zūliáng 명 소작미. =〔租米〕
〔租赁〕 zūlìn 동 (토지·가옥 등을) 임대차하다.
〔租赁贸易〕 zūlìn màoyì 명 《經》 리스(lease) 무역.
〔租轮〕 zūlún ⇨〔租船〕
〔租米〕 zūmǐ 명 ⇨〔租粮〕
〔租批〕 zūpī 명 ⇨〔租契qì〕
〔租铺底〕 zūpùdǐ 명 점포 임대의 권리(금). =〔租底(儿)〕
〔租期〕 zūqī 명 임대 기간.
〔租汽车〕 zūqìchē ①명 택시. 하이어(hire). 랜터카. ②(zū qìchē) 자동차를 세내다.
〔租契〕 zūqì 명 부동산 임대차 계약서. =〔租批〕
〔租钱〕 zūqián 명 ⇨〔租金〕
〔租书〕 zū shū ①대본(貸本)하다. ②(zūshū) 명 대본.
〔租书店〕 zūshūdiàn 명 세책집. 대본점(貸本店).
〔租税〕 zūshuì 명 《法》 세. 조세.
〔租妥〕 zūtuǒ 동 확실하게〔틀림없이〕 빌리다〔임대받다〕. ¶这所房子我～了；이 집은 내가 확실히 빌리게 되었다.
〔租徭〕 zūyáo 명 〈文〉 조세와 부역.
〔租业〕 zūyè 동 (토지·가옥 등의 부동산을) 임차하다.
〔租庸调〕 zū yōng diào 명 조용조《당대(唐代)의 조세 제도로, 균전법(均田法)에서, 좁쌀·부역·비단 등의 현물세》.
〔租用〕 zūyòng 동 임대하여 사용하다. 세내서 쓰다. ¶～汽车；렌트카 / ～家具；임대 가구.
〔租与〕 zūyǔ 동 〈文〉 빌려주다. 대여하다.
〔租约〕 zūyuē 명 임대차 계약. ¶住客不履行～条件时，业主有权收回楼房；거주자가 임대차 계약 증서에 정한 조건을 이행하지 않을 때는, 가옥주는 가옥을 회수할 권리가 있다.
〔租折〕 zūzhé 명 (토지·가옥의) 임차 증서.
〔租种〕 zūzhòng 동 소작하다. (논밭을) 빌려서 농사를 짓다.
〔租主〕 zūzhǔ 명 (토지·가옥 등의) 대주(貸主).
〔租字〕 zūzì 명 토지·가옥 차용증(借用證). →〔字据〕
〔租子〕 zūzi 명 〈口〉 소작료. 소작미. ¶靠～生活 =〔吃～〕；소작료로 생활하다.

菹〈葅〉 zū (저)
〈文〉 ①명 담근 야채. 소금절이 야채. ②동 (야채나 고기를) 잘게 썰다. ③명 수초(水草) 많은 소택지(沼澤地).
〔菹草〕 zūcǎo 명 《植》 말즘 따위 가래과(科)의 다년생 수초.
〔菹醢〕 zūhǎi 명 사람을 짓이겨 살을 된장처럼 만든 옛날의 혹형(酷刑).

足 zú (족)
①명 발. 다리. ¶～迹；⇩ / 画蛇添～；〈成〉 (쓸데없이) 사족(蛇足)을 달다 / 两～左右跳开；뛰어올라서 두 발을 좌우로 벌리다 / 蜘蛛有八～；거미는 발이 8개 있다. =〔〈口〉脚〕 ②(～儿) 명 기물(器物)의 다리〔발〕. ¶鼎～；솥발. ③형 족하다. 넉넉하다. 충분하다. 그득 차다. ¶满～；만족하다 / 充～；충족하다 / 学然后知不～；공부를 하고 난 연후에 비로서 지식이 부족함을 안다 / 劲头很～；할 마음이 충분하다 / 不知～；만족할 줄을 모르다. ④부 마음껏. 실컷. ¶～玩了一天；하루 실컷 놀았다 / 酒～饭饱；〈成〉 술도 요리도 실컷 먹었다. ⑤부 충분히. 넉넉히. ¶他～可以担任抄写工作；그는 충분히 필사(筆寫) 작업을 담당할 수 있다 / 有两天～可以完；이틀이면 충분히 끝낼 수 있다 / 分量邀yāo～吧！ 저울은 넉넉하게 달아 주게! ⑥부 족히. 만(滿). ¶～五年；만 5년 / ～走了一天；족히 하루를 걸었다 / ～够中学程度；중학 정도로 충분히 족하다. ⑦형 오만〔거만〕하다. ¶～得了不得；몹시 거만하다. ⑧(족히 …) 할 만하다. (…하기에) 족하다〔충분하다〕《주로 부정(否定)으로 쓰임》. ¶微不～道；〈成〉 사소한 일로서 이렇다 하게 입에 올려 말할 가치도 없다 / 不～为奇；〈成〉 진기해할 정도의 것은 아니다 / 不～挂齿；〈成〉 전혀 문제삼을 만한 값어치도 없다 / 何～道哉? 무슨 말할 가치가 있겠나? ⑨명 물건의 지주(支柱). ⑩명 제자. ¶高～；고제(高弟). 수제자.
〔足秤〕 zúchèng 형 중량이 충분하다.
〔足吃〕 zúchī 동 배불리〔잔뜩〕 먹다. ¶～足喝；배불리 먹고 마시고 하다.
〔足赤〕 zúchì 명 순금. 24K. ¶这戒指是～的；이 반지는 순금이다. =〔足赤金〕〔足金〕〔十足金〕〔赤金③〕〔纯金〕
〔足得受不得〕 zúde shòubude 몹시 만족해하다. 만족하여 어쩔 줄을 모르다. ¶我看他近来～；내가 보기에 그는 요즘 만족해서 어쩔 줄 모르는 것 같다.
〔足抵〕 zúdǐ 동〈文〉 보충하다.
〔足额〕 zú'é 명형 정원(定員)〔정액〕(에 차다).
〔足趺骨〕 zúfūgǔ 명 《生》 부골. =〔足跗骨〕
〔足敷〕 zúfū 형 〈文〉 충분하다. 모자라지 않다. ¶月间薪水～需用；월급으로 필요한 비용은 충분하다.
〔足恭〕 zúgōng 형 매우 공손하다.
〔足够〕 zúgòu 형 충분하다. 족하다. ¶对于这些特点，要有～的认识；이들 특질(特質)에 대하여 충분한 이해를 가져야 된다 / 已经有这么多了，～了；이미 이렇게 많이 있으니까 충분하다.
〔足迹〕 zújì 명 ①족적. 발자국. ②〈轉〉 발자취. ¶～遍天下；발자취는 전국에 걸쳐 있다.
〔足价〕 zújià 명 (사는 쪽 또는 파는 쪽 입장에서) 충분한 가격.
〔足尖舞〕 zújiānwǔ 명 《舞》 토 댄스(toe dance).
〔足趼〕 zújiǎn 명 (발에 생기는) 못.
〔足见〕 zújiàn 동 (…에 의해) 충분히 알 수 있다. 잘 알 수 있다. ¶～其能干有为；그 유능함을 알 수 있다 / ～这是错误的；잘 알 듯이〔아는 바와 같이〕 이것은 잘못이다 / 由此～一端；이로써 일단을 잘 알 수 있다.
〔足金〕 zújīn 명 ⇨〔足赤〕
〔足可〕 zúkě 〈文〉 충분히 …할 수 있다.
〔足力〕 zúlì 형 성분이 충족되다. ¶香港政府检验证保障～；홍콩 정부의 검사증이 성분이 충족되어 있음을 보장하고 있다.
〔足龄〕 zúlíng 명 ⇨〔足岁〕
〔足陌〕 zúmò 명 ⇨〔长cháng钱〕
〔足钱〕 zúqián 명 ⇨〔长cháng钱〕
〔足球〕 zúqiú 명 《體》 ①축구. ¶～比赛；축구 시합 / 踢～；축구를 하다 / ～队；축구팀 / ～迷；축구팬. ②축구공.
〔足儿〕 zúr 명 기구의 다리. ¶碗～；그릇의 굽. 실굽.
〔足日足夜〕 zú rì zú yè 〈成〉 밤낮 없이. 하루

종일.
〔足三里〕 zúsānlǐ 명《漢醫》삼리혈(三里穴)(무릎 아래 바깥쪽에 있는 침구(針灸)의 혈. 만병에 효험이 있음).
〔足色〕 zúsè 형 (금·은의 함유율이) 충분하다. 순수하다.
〔足实〕 zúshí 형 (성장이) 기운차다. 튼튼하다. ¶他很～; 그는 매우 원기가 좋다/这盆菊花儿是插枝儿的, 所以这么～; 이 국화는 꺾꽂이한 것이기 때문에 이렇게 실하다.
〔足数〕 zúshù 형 숫자가 충분하다.
〔足岁〕 zúsuì 명 만연령(滿年齡). ¶这孩子已经七～了; 이 아이는 벌써 만으로 7세이다/其人现在十七岁, ～未满十六; 그 사람은 현재 17세지만, 만으로는 16세가 안 되었다. =〔足龄〕
〔足纹〕 zúwén 명 ⇨〔足银〕
〔足下〕 zúxià 명〈翰〉족하. 귀하.
〔足心〕 zúxīn 명〈文〉족심. 발바닥의 중심.
〔足兴〕 zúxìng 형 충분히 즐기다. 흥을〔재미를〕다하다. ¶没有酒未免得有点不～; 술이 없으면 흥이 잘 안 날 수 밖에 없다.
〔足衣〕 zúyī 명 양말. =〔袜wà子〕
〔足以〕 zúyǐ …하기에 족하다. …에 충분하다. ¶～说明问题; 충분히 문제를 설명할 수 있다/不～说服他; 그를 설득하기에 충분하지 않다.
〔足银〕 zúyín 명 순은(純銀). 성분이 충분한 은. =〔足纹〕〔烂làn银〕
〔足用〕 zúyòng 형 쓰기에 충분하다. 사용하기에 족하다.
〔足有〕 zúyǒu 형 넉넉히〔족히〕 …된다. ¶～一百多; 넉넉히 백은 넘는다.
〔足月〕 zúyuè 형 산월(産月)이 되다. ¶～产; 산달의 해산. 명 산월. 임월(臨月).
〔足证〕 zúzhèng 동 충분히 증명하다. ¶～他不是好人; 그가 좋지 않은 인간이라는 것을 충분히 증명하고 있다〔증명할 수 있다〕.
〔足趾〕 zúzhǐ 명 ①발끝. ②〈轉〉이탈리아 반도의 장화 모양의 끝을 이름.
〔足智多谋〕 zú zhì duō móu〈成〉지모(智謀)가 풍부하다.
〔足壮〕 zúzhuàng 형 (신체가) 강건하다. ¶身子骨儿养得真～; 신체를 아주 강건하게 키우다.
〔足字旁〕 zúzìpáng 명《言》발족변(한자 부수의 하나. '路' '距' 등의 '足'의 이름).
〔足足〕 zúzú 부 ①족히. 꼬박. ¶他们垮台后到今天已经是～一年了; 그들이 파산 하고 나서 오늘까지 만 1년이 된다. ②충분히. ¶～够用了; 충분히 사용하기에 족하다. 충분히 쓸 수 있다.

卒〈卆, 卆〉

zú (졸)
① 명 병졸. 병사. ¶～伍wǔ; 군대(백 명을 '卒', 5명을 '伍'라고 함)/士～; 사졸. 병사. ② 명 하인. ¶走～; ⓐ심부름꾼. ⓑ부하. ⓒ추종자. ③ 부 드디어. 마침내. ¶～胜敌军; 마침내 적에게 이겼다/～能成功; 마지막에는 성공할 수 있다. ④ 동 끝내다. 마치다. ¶～岁; 한해를 보내다/～业; 졸업하다. ⑤ 동 죽다. ¶～年七十有五; 향년(享年) 75세. ⑥(～子) 명 장기(將棋)의 말의 하나. ⇒cù
〔卒哭〕 zúkū 명동 졸곡(하다)(옛날, 사람이 죽으면 때를 정하지 않고 곡을 하는 풍습이 있었는데, 이것을 끝내는 것을 말함). ¶士三月而葬, 是月也～; 사대부는 3개월만에 장사지내고 그 달에 졸곡한다/今俗終七为～; 요즈음 풍속에서는 사십구재에 졸곡이 된다.
〔卒乘〕 zúshèng 명〈文〉병졸과 병거(兵車).〈比〉군대.
〔卒伍〕 zúwǔ 명〈文〉군대.
〔卒业〕 zúyè 동 졸업하다. =〔毕业〕
〔卒长〕 zúzhǎng 명 병졸의 장.
〔卒子〕 zúzi 명 병졸. (장기에서의) 졸. ¶～过河, 意在吃帅;〈諺〉(장기에서) 졸이 적진으로 돌진하는 것은 적의 장을 먹기 위해서다.

崒〈崪〉

zú (줄)
형〈文〉험하다. 높고 험준하다.

族

zú (족)
① 명 동성의 친족 또는 한가족. ¶他们本是同～; 저 사람들은 본래는 일족이다. ② 명 종족. 민족. ¶民～; 민족/种～; 종족/汉～; 한족. ③ 명 사물의 공통된 속성(屬性)을 갖는 대분류(大分類). ¶芳香～; 방향족. ④ 명 문벌. ⑤ 명 옛날의, 일가를 몰살하는 형벌. 족형(族刑). ⑥ 동 모여들다.
〔族伯〕 zúbó 명 아버지와 동배(同輩)로 아버지보다 손위의 남자. =〔宗伯①〕
〔族弟〕 zúdì →〔族兄弟〕
〔族父〕 zúfù 명 아버지와 같은 항렬의 남자(그 아내를 '族母'라고 함).
〔族居〕 zújū 동〈文〉동족이 한데 모여 살다.
〔族老〕 zúlǎo 명 동족의 장로. 문장(門長).
〔族灭〕 zúmiè 명 족멸. 일족을 몰살시키는 고대의 잔혹한 형.
〔族母〕 zúmǔ →〔族父〕
〔族女〕 zúnǚ 명 족형제의 딸.
〔族谱〕 zúpǔ 명 족보. 동족의 가계보.
〔族戚〕 zúqī 명 족척. 친척.
〔族权〕 zúquán 명 족장의 권력. 가장권.
〔族人〕 zúrén 명 족인. 친족 관계가 없어진 먼 동족. 같은 종문의 사람.
〔族叔〕 zúshū 명 '族父' 중 아버지보다 손아래 남자. →〔族父〕
〔族孙〕 zúsūn 명 족형제의 손(孫).
〔族兄〕 zúxiōng 명 '族兄弟' 중 손위 남자.
〔族兄弟〕 zúxiōngdì 명 동족 중 고조부를 같이하는 같은 항렬의 남자(연장자를 '族兄', 연하를 '族弟'라고 함).
〔族曾王父〕 zúzēngwángfù 명 '族曾祖父'의 구칭(舊稱).
〔族曾王母〕 zúzēngwángmǔ 명 '族曾祖母'의 구칭(舊稱).
〔族曾祖父〕 zúzēngzǔfù 명 증조부의 형제(증조부보다 손윗사람을 '曾伯祖父', 손아랫사람을 '曾叔祖父'라고 함).
〔族曾祖母〕 zúzēngzǔmǔ 명 종증조모(從曾祖母). 증조부의 형제의 아내(그 가운데, 조모보다 연장인 사람을 '曾伯祖母', 연소한 사람을 '曾叔祖母'라 이름. 고어(古語)에서는 '族曾王母'라고도 함).
〔族长〕 zúzhǎng 명 동족 중의 가장 연장인 사람. (종법(宗法) 사회의) 족장.
〔族侄〕 zúzhí 명 족질.
〔族子〕 zúzǐ 명 족형제의 아들.
〔族姊妹〕 zúzǐmèi 명 동족 가운데, 자기와 동배인〔항렬이 같은〕 여자.
〔族祖父〕 zúzǔfù 명 동족 중에서 조부와 동배의 남자.
〔族祖姑〕 zúzǔgū 명 조부의 사촌 자매.
〔族祖母〕 zúzǔmǔ 명 조부의 사촌 형제의 아내.

镞(鏃) zú (족) 〈文〉①명 화살촉. =〔箭jiàn镞〕②형 날카롭다.

诅(詛) zǔ (저) ①명동 저주(하다). ¶～咒zhòu =〔～祝〕; ⓐ방자하다. ⓑ저주하다. ②동 맹세하다. ¶～盟méng; 서약(하다). 맹세(하다).

阻 zǔ (조) ①동 저지하다. 막다. ¶拦～; 저지하다 / 劝quàn～; 충고하여 그만두게 하다. ②명 지장(支障). ¶通行无～; 통행에는 지장이 없다. 방해 없이 통행할 수 있다 / 为风雨所～; 바람과 비에 가로막히다 / 风雨无～; 바람이 불어도 비가 내려도 지장 없다. ③형 〈文〉 (길이) 험하다. ¶道～且长; 길이 험하고 멀다. ④명 〈文〉 요새. 요충지. ⑤동 〈文〉 기대다. 의지하다.

〔阻碍〕 zǔ'ài 명동 지장(이 되다). 저해(하다). 방해(하다). ¶～交通; 교통을 방해하다 / ～生产; 생산을 저해하다 / 毫无～; 전혀 장애가 없다.

〔阻板〕 zǔbǎn 명 《機》 조절판. 배플보드(baffle board). 차폐판. =〔障zhàng板〕

〔阻挡〕 zǔdǎng 동 가로막다. 저지하다. ¶不可～的历史巨流; 막을 수 없는 역사의 거대한 흐름.

〔阻宕〕 zǔdàng 동 〈文〉 방해하여 오래 끌게 하다. 지연시키다.

〔阻电物〕 zǔdiànwù 명 절연물(絶緣物).

〔阻断〕 zǔduàn 동 (흐름·추세 등을) 저지하다. 막다.

〔阻遏〕 zǔ'è 동 〈文〉 억지(抑止)하다. 가로막다. 저지하다. =〔阻扼〕

〔阻隔〕 zǔgé 동 (중간에 서서) 훼방하다. 가로막아 서다. (두 지역을) 갈라 놓다. ¶这里被大山～; 이 곳은 큰 산으로 가로막혀 있다. 명 가로막힌 장벽(障壁).

〔阻梗〕 zǔgěng 동 〈文〉 저지하다. 훼방하다. 막다. 막히다. ¶交通～; 교통이 정체되다. =〔阻塞〕

〔阻化剂〕 zǔhuàjì 명 《化》 항(抗)반응제. 방해 물질.

〔阻击〕 zǔjī 동 《軍》 (적의 진격이나 증원 등을) 저지하다. 억제하다. 막다. ¶～战; 적의 진격을 저지하는 싸움.

〔阻截〕 zǔjié 동 가로막다. 저지하다. ¶～退路; 퇴로를 가로막다 / 围攻～; 진로를 막고 포위 공격하다.

〔阻拒〕 zǔjù 동 〈文〉 거부하다. 거절하다.

〔阻绝〕 zǔjué 동 장애물로 인해 두절되다. 막혀서 끊어지다. ¶交通～; 교통이 두절되다.

〔阻抗〕 zǔkàng 명 《電》 임피던스(impedance). 저항.

〔阻抗电压〕 zǔkàng diànyā 명 《電》 임피던스 전압.

〔阻拦〕 zǔlán 명동 저지(하다). 제지(하다). 억제(하다). 방해(하다). ¶母亲见他一定要去, 也就不再～; 어머니는 그가 무슨 일이 있어도 가려는 것을 보고는 더 이상 말리지 않았다 / ～射击; 사격을 저지하다 / 受到了母亲的～; 어머니에게 저지당했다.

〔阻力〕 zǔlì 명 ①《物》 저항력. ¶水的～; 물의 저항력 / 空气～; 공기 저항. ②저해하는 힘. 저지하는 힘. 방해. 장애. 억제. ¶排除种种～; 여러 가지 저해를 배제하다 / 冲破各种～; 각종의 장애를 돌파하다 / ～重重; 갖가지 장애.

〔阻力焊接〕 zǔlì hànjiē 명 《工》 저항 용접.

〔阻力线〕 zǔlìxiàn 명 《物》 항력 장선(抗力張線).

〔阻难〕 zǔnàn 동 트집을 잡고 훼방하다. ¶多方～; 이것저것 트집을 잡고 방해하다.

〔阻挠〕 zǔnáo 명동 저지(하다). 방해(하다). 억제(하다). ¶不断地反对和～协定; 끊임없이 이 협정에 반대하고 저지하려고 하다 / 受到了～; 저지당했다.

〔阻尼振动〕 zǔní zhèndòng 명 《物》 감쇠(減衰) 진동. ¶无～; 진폭(振幅) 불변.

〔阻凝剂〕 zǔníngjì 명 응고 방지제.

〔阻塞〕 zǔsè 동 ①저지하다. 막다. ¶拥挤的车辆～了道路; 붐비는 차가 길을 막았다. ②막히다. 두절되다. ¶交通～; 교통이 막히다. ‖ =〔〈文〉 阻梗〕

〔阻氧化剂〕 zǔyǎnghuàjì 명 《化》 항(抗)산화제.

〔阻雨〕 zǔyǔ 동 〈文〉 비로 인하여 막히다.

〔阻援〕 zǔyuán 동 증원(增援)을 막다. (적의) 원군을 저지하다.

〔阻止〕 zǔzhǐ 동 저지하다. 막다. ¶～敌军的前进; 적의 전진을 막다 / ～发言; 발언을 제지하다.

〔阻滞〕 zǔzhì 동 〈文〉 장애 때문에 정체되다. 지체되다. 가로막히다.

〔阻住〕 zǔzhù 동 가로막다. 저지하다. ¶叫他们～了; 그들에게 저지되었다.

组(組) zǔ (조) ①동 짜다. 짜 맞추다. 구성〔조직〕하다. ¶改～; 개조하다 / ～成一队; 조직하여 한 부대를 만들다. ②명 조(組). 그룹. 팀. ¶学习小～; 학습 서클. 스터디 그룹 / 人事～; 인사계(係) / 审音小～; 자음(字音) 심사 소위원회. ③명 옛날의 일종의 끈. ¶～绶; 끈 끈 장식 / 印～; 인끈. 인수(印綬). ④조(組)를 이룬(문학 작품이나 예술 작품). ¶～舞; 군무(群舞) / ～曲; 조곡. ⑤양 조(組)·세트로 된 것을 세는 단위. ¶两～电池; 전지 2세트 / 分为两～; 2조로 나뉘다 / 这几种工具是一～; 이 몇 종류의 공구는 한 세트이다.

〔组氨酸〕 zǔ'ānsuān 명 《藥》 히스티딘(histidine). =〔间jiān二氮茂丙氨酸〕

〔组胺〕 zǔ'àn 명 《化》 히스타민. ¶～酸; 《化》 히스티딘. =〔组织胺〕〔间二氮茂乙胺〕

〔组班〕 zǔ.bān 동 반이나 단(團)을 조직〔구성〕하다.

〔组成〕 zǔchéng 동 구성하다. 편성하다. 결성하다. 조직하다. ¶～一个句子; 하나의 글을 구성하다 / 队伍～了; 대열이 편성되었다 / ～部分; 구성 부분 / ～单位; 구성 단위 / 委员会由六人～; 위원회는 6명으로 편성되어 있다.

〔组锉〕 zǔcuò 명 ⇨〔什shí锦锉(刀)〕

〔组队〕 zǔ.duì 동 팀을 짜다.

〔组分〕 zǔfèn 명 성분. 구성 성분. 구성 분자.

〔组稿〕 zǔ.gǎo 동 (편집자가 작가에게) 집필을 의뢰하다.

〔组歌〕 zǔgē 명 조곡(組曲). 같은 주제에 대해 연작의 형태로 이루어진 일련의 노래. ¶长征～; 조곡 '장정'.

〔组阁〕 zǔ.gé 동 조각하다. 내각을 조직하다. ¶受命～; 내각 조직의 명령을 받다.

〔组合〕 zǔhé 동 조합하다. ¶四库全书是由经, 史, 子, 集这四部～而成的; 사고 전서는 경·사·자·집의 4부가 조합되어 이루어져 있다. 명 ①조합. ¶劳动～; 노동 조합 / 词组是词的～; 연어(連語)는 단어의 조합이다 / 音乐～机; 스테레오 컴포넌트. ②《數》 조합. 컴비네이션(combination).

〔组合矩尺〕 zǔhé jǔchǐ 명 조립식 곱자. =〔〈南

方〉什shí锦角尺〕
〔组合图〕zǔhétú 명 ⇨〔总zǒng图〕
〔组合音响〕zǔhé yīnxiǎng 명 오디오 세트.
〔组际〕zǔjì 명형 서클〔조〕대항(의). 팀 대항(의). ¶～足球赛; 서클 대항 축구 경기.
〔组件〕zǔjiàn 명《機》조립 부품. 어셈블리(assembly).
〔组建〕zǔjiàn 동 조직하다. 편성하다. ¶～了一个独立团; 한 개의 독립 대대를 조직했다.
〔组曲〕zǔqǔ 명《樂》조곡. 모음곡.
〔组设〕zǔshè 동〈文〉조직·설립〔설치〕하다.
〔组态〕zǔtài 명《物》배치. 공간 배열. 원자 배열.
〔组训〕zǔxùn 동 조직하여 훈련하다. ¶～民众; 민중을 조직하여 훈련하다.
〔组缨〕zǔyīng 명〈文〉관(冠)의 끈.
〔组织〕zǔzhī 동 조직하다. 구성하다. 정돈(整頓)하다. (제도·체계 등을) 만들어 내다. 계열화하다. 계통화하다. ¶～人力; 인력을 조직하다/～了小家庭; 작은 가정을 가졌다/～起来力量大; 조직하면 힘은 크다/这篇文章～得很好; 이 글은 잘 짜여져 있다/～生产; 일을 안배하 다/～一个晚会; (방의) 연예회를 계획하다. 명 ①조직. 체계. ¶～松散; 조직이 느슨해져 있다/有～地; 조직적으로/～员 =〔～者〕; (정당·노동 조합의) 조직자. ②직물의 씨실과 날실의 구조. ¶平纹～; 평직/斜纹～; 능직/缎纹～; 수자직(繻子織). ③《生》조직. ¶～疗法; 조직 요법/细胞～; 세포 조직/神经～; 신경 조직. ④단체 조직. 기구(機構). ¶华沙条约～; 바르샤바 조약 기구/石油输出国～; 석유 수출국 기구. 오펙(OPEC).
〔组织胺〕zǔzhī'àn 명《化》히스타민(histamine). ¶抗kàng～剂; 항히스타민제. =〔组胺〕〔间jiān二氮茂乙胺〕
〔组织处分〕zǔzhī chǔfèn 명 조직의 성원의 부당한 행위에 대하여 지도부가 조사한 뒤에 결정한 징계 처분.
〔组织上〕zǔzhīshang 명 상부 조직(측). 지도자(측). ¶请～考虑到我的困难; 저의 곤란을 지도자께서 고려〔배려〕해 주시기를 바랍니다.
〔组织液〕zǔzhīyè 명 ①《生》조직액. ②동식물의 조직으로 만든 액체 약.
〔组装〕zǔzhuāng 동 조립하다. 짜 맞추다. ¶在海中～水下器具; 수중 기구를 해중에서 조립하다/～工人; 조립공.
〔组装生产线〕zǔzhuāng shēngchǎnxiàn 명 어셈블리 라인(assembly line). 컨베이어 시스템(conveyor system). =〔装配线〕

俎 zǔ (조)
명 ①도마. ¶刀～; 칼과 도마/～上肉;〈成〉도마에 오른 고기. 희생(물)/樽～; ⓐ술그릇과 도마. 〈比〉주연. ⓑ〈轉〉외교 교섭. =〔〈口〉砧板〕②옛날 제사 때 희생물(犧牲物)을 올려놓는 대. ¶～豆; 도마와 두(豆)제기《굽이 높고 뚜껑이 있는 음식을 담는 제기》. ③성(姓)의 하나.

祖 zǔ (조)
명 ①조부. ¶曾～; 증조부/～孙三代; 조손 3대〔조부·아들·손자의 3대〕. ②조부와 동배(同輩)의 어른. ③조상. ¶远yuǎn～; 먼 조상/六世～; 육세조. ④조상 대대(의). ¶～产chǎn; ⇓ ⑤개조(開祖). 비조(鼻祖). 창업자. 시초. ¶炼金术实乃近代化学之～; 연금술은 실로 근대 화학의 시작이다. ⑥성(姓)의 하나.
〔祖辈(儿)〕zǔbèi(r) 명 ①조상. 선조. ¶我家里祖辈辈都是种地的; 우리 집은 조상 대대로 농민이다. ②조부의 대(代). ③조부대(代)의 사람.
〔祖本〕zǔběn 명 초판본. 최초의 책.
〔祖妣〕zǔbǐ 명〈文〉돌아가신 할머니. 망(亡)조모.
〔祖产〕zǔchǎn 명 조상 대대로 물려받은 재산.
〔祖传〕zǔchuán 동 조상으로부터 전해 내려오다. ¶～秘方; 부조(父祖) 전래의 비방. =〔祖遗〕
〔祖代〕zǔdài 명 조상 대대. ¶小可～打造军器为生; 저희 집안은 조상 대대로 무기의 제조를 생업으로 하고 있습니다.
〔祖道〕zǔdào 동〈文〉①도신(道神)을 모시다. ②전별(餞別)하다. =〔祖饯〕③송별〔배웅〕하다. =〔祖送〕〔祖行〕
〔祖德〕zǔdé 명 조상의 유덕(遺德).
〔祖奠〕zǔdiàn 명 ⇨〔遣qiǎn奠〕
〔祖法〕zǔfǎ 명 조법. 조상으로부터 전해 내려온 법도〔규칙〕.
〔祖坟〕zǔfén 명 조상의 묘〔무덤〕.
〔祖父〕zǔfù 명 조부. 할아버지. =〔大dà父①〕〔大王父〕〔王wáng父〕〔〈口〉爷yé爷〕〔〈方〉大大②〕〔〈方〉公gōng公①〕
〔祖姑〕zǔgū 명 대고모. 왕고모. =〔王姑〕〔姑婆②〕〔姑祖母〕〔姑奶奶〕
〔祖姑丈〕zǔgūzhàng 명 대고모부. 왕고모부. 조부의 자매의 남편. =〔姑公②〕〔姑爷爷〕〔姑祖〕
〔祖国〕zǔguó 명 조국. ¶爱～; 조국을 사랑하다/～的怀抱; 조국의 품.
〔祖籍〕zǔjí 명 본적. 원적. ¶～德州人氏; 원적이 덕주(德州)인 사람. ↔〔寄jì籍〕
〔祖饯〕zǔjiàn 동〈文〉전별〔송별〕하다. =〔饯行xíng〕
〔祖舅〕zǔjiù 명 아버지의 외숙. =〔舅祖〕
〔祖居〕zǔjū 명동〈文〉조상때부터 살다〔살고 있는 땅〕.
〔祖考〕zǔkǎo 명〈文〉조고. 돌아가신 할아버지.
〔祖老太太〕zǔlǎotàitai 명〈敬〉①(당신의) 할머님. ②(우리) 할머니.
〔祖老太爷〕zǔlǎotàiyé 명〈敬〉①(당신의) 할아버님. ②(우리) 할아버지.
〔祖龙〕Zǔlóng 명《人》진시황. =〔始shǐ皇〕
〔祖率〕zǔlǜ 명《數》남북조(南北朝)의 수학자 조충지(祖沖之)에 의해서 산출된 원주율.
〔祖庙〕zǔmiào 명 조묘. 조상의 신주를 모신 사당.
〔祖模〕zǔmú 명〈文〉원형(原型).
〔祖母〕zǔmǔ 명 조모. 할머니《고어(古語)로 '大dà母'라고도 이름》. ¶令lìng～; 당신의 할머님/外～; 외조모. =〔〈口〉奶nǎi奶〕〔大母〕
〔祖母绿〕zǔmǔlǜ 명 ①에메랄드. ②《色》에메랄드 그린.
〔祖墓〕zǔmù 명 조상의 묘.
〔祖奶奶〕zǔnǎinai 명 ①(아버지 쪽의) 증조모. ②여성에게 애원할 때 쓰는 말. ¶静点, 我的～! 좀 조용히 해라, 부탁한다!
〔祖上〕zǔshàng 명 조상. 선조. ¶～是江西人; 조상은 장시 출신이다.
〔祖神〕zǔshén 명 도로〔여행길〕의 신. 행신(行神).
〔祖师〕zǔshī 명 ①(학파의) 창시자. 원조. =〔祖师爷yé〕②개조(開祖). 조사《불교 또는 도교의 종파의 창시자》. ③조사《미신적인 종파 또는 비밀 결사의 창시자》. ④옛날, 수공업의 업종의 개조. ¶祭jì～; 개조를 제사 지내다.

〔祖师爷〕 zǔshīyé 명 창시자. 원조(元祖). =〔祖师①〕
〔祖述〕 zǔshù 동 조술하다. 가르침을 이어받아 서술하다.
〔祖送〕 zǔsòng 동 ⇨〔祖道③〕
〔祖孙〕 zǔsūn 명 조손. 조부모와 손자. ¶～三代; 조손 3대. 조부모와 아들·손자의 3대.
〔祖武〕 zǔwǔ 동 〈文〉 무훈(武勳)을 계승하다.
〔祖先〕 zǔxiān 명 조상. 선조. ¶祭祀～; 조상을 제사지내다. =〔先世②〕
〔祖先堂〕 zǔxiāntáng 명 선조를 모신 사당.
〔祖行〕 zǔxíng 동 ⇨〔祖道③〕
〔祖筵〕 zǔyán 명 송별연. =〔祖宴〕
〔祖宴〕 zǔyàn 명 ⇨〔祖筵〕
〔祖业〕 zǔyè 명 ①조상으로부터 물려받은 재산. ②조상 전래의 사업. ③조상의 공적.
〔祖遗〕 zǔyí 동 조상이 남기다. 조상 대대로 전해지다. =〔祖传〕 명 조상이 남긴 토지와 가옥 등. ¶老～; 여러 대에 걸친 전래의 토지와 가옥.
〔祖荫〕 zǔyìn 명 〈文〉 조상의 공로로 자손에게 주어진 관직 등의 특권.
〔祖茔〕 zǔyíng 명 〈文〉 조상의 묘.
〔祖帐〕 zǔzhàng 동 〈文〉 ①송별연을 베풀다. ②〈轉〉 송별하다.
〔祖宗〕 zǔzōng 명 선조. 일족의 조상. ¶～单子; 과거장(過去帳). 귀적(鬼籍) / ～板子; 조상의 위패 / ～三代地骂; 온갖 욕설을 다하다《중국에서는, 상대의 조상을 욕보이는 말을 가장 심한 욕으로 침》/ 我的(老)～呀! 제발!
〔祖祖辈辈〕 zǔzǔbèibèi 명 조상 대대. ¶我家里～都是种地的; 우리 집안은 조상 대대로 농사꾼이다.

駔(駔)

zù (조)
명 〈文〉 준마. ⇒cǎng zǎng

ZUAN ㄗㄨㄢ

钻(鑽〈鑚〉)

zuān (찬)
동 ①(구멍을) 뚫다. ¶～一个眼儿; 구멍을 하나 뚫다 / ～木取火; 나무를 송곳 모양의 것으로 비벼 불씨를 얻다. ②잠입하다. (뚫고) 들어가다. ¶～山洞; 동굴에 들어가다 / ～到水里; 물 속에 자맥질해 들어가다. ③약점〔방심·허점〕을 틈타다. ④남의 환심을 사다. 아첨하다. 비위를 맞추다. ¶老孔是真能～啊! 공서방은 알랑거리며 남의 비위를 잘 맞추는 데는 소질이 있다. ⑤연찬(研鑽)하다. 사물을 깊이 파고들어 연구하다. ¶研究学问不要只～书本儿; 학문을 연구하는 데는 책만을 읽어서는 안 된다. ⑥이것저것 생각하다〔상상하다〕. ¶我看书爱胡～; 나는 책을 읽고는 여러 가지로 상상의 나래를 편다. ⇒zuàn
〔钻冰求酥〕 zuān bīng qiú sū 〈成〉 이치로 따져서 얻을 수 없음. 헛된 시도(試圖).
〔钻不动〕 zuānbudòng (단단해서) 구멍을 뚫을 수가 없다. 송곳이 들어가지 않다.
〔钻碴儿〕 zuānchár 동 〈方〉 여러 가지로 마음을 써서 추구하다. 괜한 일을 신경 쓰다.
〔钻地风〕 zuāndìfēng 명 《植》 메바위 수국《산지의 낙엽 등본(藤本), 줄기에서 기근(氣根)이 나와 바위나 나무에 기어올라 높은 데까지 뻗음》.
〔钻缝〕 zuān,fèng 동 틈을 파고들다.
〔钻干〕 zuāngàn 동 (남에게) 알랑거리다. 아첨하다. ¶～逢迎; 남에게 아첨하다.
〔钻狗洞〕 zuān gǒudòng 〈比〉 ①(몰래 옳지 못한 짓으로) 권력자의 환심을 사다. ②남몰래 좋지 않은 일을 하다. ¶恐怕这厮知识开了, 在外没脊骨～; 아마도 이놈은 물정을 알게 되어, 밖에서 부끄러운 줄도 모르고 남몰래 좋지 않은 일을 하고 있는지도 모른다.
〔钻故纸〕 zuān gùzhǐ 〈比〉 옛 서적만 읽다《자조적(自嘲的)으로 말할 때 쓰임》.
〔钻锅〕 zuān,guō 동 《劇》 어떤 배우가 지장이 있어, 남이 대역을 하다.
〔钻海〕 zuān,hǎi 동 바다 밑을 뚫다〔보링하다〕. ¶～取油; 해저를 뚫어 석유를 채취하다.
〔钻火〕 zuān,huǒ 동 (부시막대를 비벼) 불을 일으키다.
〔钻火得冰〕 zuān huǒ dé bīng 〈成〉 ①인과(因果)가 상반(相反)하다. ②이치로 보아 생각할 수 없는 결과가 나오다.
〔钻挤〕 zuānjǐ 동 비집고 들어가다. 파고 들어가다. 〈轉〉 약삭빠르게 굴다. 기회를 잘 포착하다. ¶他真能～; 그는 정말 처신을 잘한다.
〔钻计〕 zuānji 동 ①면밀하게 계산〔계획〕하다. ②몰두하다.
〔钻劲(儿)〕 zuānjìn(r) 명 하려고 하는 마음가짐. 사물에 몰두하는 의욕. 탐구심. ¶在学术上有～; 학문 탐구에 열중하다.
〔钻进〕 zuānjìn 동 뚫어 헤치고 들어가다. ¶～人群里; 군중 속으로 헤집고 들어가다 / ～风箱的老鼠, 两头受气; 〈歇〉 풀무 속에 들어간 쥐《양쪽에서 들볶이다》.
〔钻究好学〕 zuān jiū hào xué 〈成〉 연구·학문을 좋아하다. 학문을 좋아해서 연구에 몰두하다.
〔钻孔〕 zuān,kǒng 동 구멍을 뚫다. ¶～机; 천공기. 펀칭 머신 / 空气～机; 공기 천공기. =〔钻眼(儿)〕〔〈俗〉冲孔〕〔打孔〕 명 뚫은〔뚫린〕 구멍.
〔钻空子〕 zuān kòngzi ①시치미떼다. 딴전 부리다. 일부러 엉뚱한 말로 얼버무리다. ②틈을 타다. 방심한 틈을 타다. 약점을 이용하다. 구실을 만들다. ¶钻这个空子搞了很多的钱; 이 약점을 기화로 많은 돈을 등쳐 먹었다 / 务必小心戒备, 别让敌人～; 조심해서 경계하고 대비해야 하며, 적에게 약점을 찔리지 않도록 해야 한다. ‖ =〔钻弄〕
〔钻窟窿〕 zuān kūlong 구멍을 뚫다.
〔钻篱菜〕 zuānlícài 명 《佛》 닭고기의 별칭《'般若汤'(술), '水梭花'(생선) 등과 함께 승려의 은어(隱語)》.
〔钻利〕 zuān,lì 동 알랑거려〔기회를 틈타〕 잇속을 채우다.
〔钻门子〕 zuān ménzi 〈口〉 권력자에 빌붙다. 줄을 찾다. 관계를 맺어 두다.
〔钻谋〕 zuānmóu 동 ⇨〔钻营〕
〔钻木〕 zuānmù 동 나무를 문질러 불씨를 얻다. ¶～取火; 나무를 문질러 불씨를 얻다.
〔钻牛犄角〕 zuān niújījiǎo 〈比〉 생각이 완고해〔외골수로만 생각하여〕 점점 곤경에 빠지다. 맹목적으로 막다른 골목으로 들어가다.
〔钻牛角尖(儿)〕 zuān niújiǎojiān(r) 〈比〉 연구할 값어치가 없는 문제나 해결할 도리가 없는 문제를 일념(一念)으로 연구하다. 하찮은 일에 언제까지나 매달리다.
〔钻皮出羽〕 zuān pí chū yǔ 〈成〉 살가죽을

질러 깃털이 나게 하다(편애하다).
〔钻圈儿〕 zuānquānr ①명 (곡예의 일종으로) 굴렁쇠 빠져나가기. ②(zuān quānr) 굴렁쇠 사이를 빠져 나가다.
〔钻人〕 zuān.rén 동 ①(남에게) 알랑거리다. ②(남에게 붙어서) 기회를 틈타다.
〔钻沙〕 zuānshā 동 모래 속에 숨다. 〈轉〉 교활한 짓을 하다. 교활하게 굴다. ¶他又会～又会夹人; 그는 교활한데다가 또 남을 괴롭히기를 잘 한다.
〔钻山〕 zuānshān 명 ① '房fáng山' (집의 측면 벽)으로 드나들 수 있는 건물(일반적으로는 '厢xiāng房' 에 많음). ②⇨〔穿chuān山游廊〕
〔钻水求酥〕 zuān shuǐ qiú sū 〈成〉 물을 짜서 유락(乳酪)을 얻으려 하다(얻기 힘든 것을 구하려 하다. 무리한 소망(所望)을 품다).
〔钻探〕 zuāntàn 동 시굴〔시추〕하다. ¶～机 =〔钻zuàn机〕; 《機》 시추기. 보링 머신 / 地质～; 지질의 보링 조사(調査).
〔钻天遁地〕 zuān tiān dùn dì 〈成〉 하늘로 뚫고 들어가고 땅으로 숨다.
〔钻天柳〕 zuāntiānliǔ 명 《植》 수양버들.
〔钻天人地〕 zuān tiān rù dì 〈成〉 (얻기 위해서) 어디든지 파고들다(이용할 수 있는 사람이라면 누구한테나 빌붙다).
〔钻天杨〕 zuāntiānyáng 명 《植》 포플러. 미루나무.
〔钻桶子〕 zuāntǒngzi 명 《劇》 '木偶戏' (인형극)에서 막 뒤에서 노래 부르는일. =〔木mù偶戏〕
〔钻头不顾腚〕 zuāntóu bùgùdìng ⇨〔钻头不顾屁股〕
〔钻头不顾屁股〕 zuāntóu bùgù pìgu 〈諺〉 머리만 감추고 꽁무니는 드러내다. =〔〈方〉 钻头不顾腚〕
〔钻头觅缝(儿)〕 zuān tóu mì fèng(r) 〈比〉 온갖 수단을 써서 환심을 사려고 하다.
〔钻透〕 zuāntòu 동 ①(송곳으로) 구멍을 내다. ¶这个窟窿还没～; 이 구멍은 아직 뚫려 있지 않다. ②〈轉〉 내다보다. 꿰뚫어보고 있다. 간파하다. ¶这个道理想必您也～了; 이러한 도리는 당신도 꿰뚫어보고 있으리라 생각합니다.
〔钻头〕 zuāntou 명 연구할 값어치. 몰두해서 할 만한 가치. ¶他让为这项工作不是专业专行háng, 没有～, 觉得低人一等; 그는 이 일은 전문적으로 전업삼아 몰두할 만한 가치는 없으며, (이런 일을 하고 있는 것은) 다른 사람보다 격이 한단 떨어지는 것이라고 생각하고 있다. =〔划钻〕 ⇒zuàntou
〔钻文字〕 zuān.wénzì 동 문자를 따지고 캐다. 문장 다듬기에 몰두하다. ¶无论研究哪一门学问, 光～, 绝对不能达到美满的效果; 어떤 학문을 연구하더라도 문자에만 구애되어서는 절대로 훌륭한 결과에 도달할 수는 없다.
〔钻心〕 zuānxīn 동 ①(생각·아픔으로) 가슴이 찔리는 듯하다. ¶痛得～; 가슴이 쑤시듯 아프다. ②(소리 따위가) 머리에 찡하고 오다. ③(아픔이) 뼈에 사무치다 ¶～入骨 =〔～透骨〕; 뼈에 사무치다. ⇒zuànxīn
〔钻心虫〕 zuānxīnchóng 명 《蟲》 마디충. =〔蛀zhù心虫〕
〔钻穴逾墙〕 zuān xué yú qiáng 〈成〉 ①은밀한 짓을 하다. ②〈比〉 간통하다.
〔钻研〕 zuānyán 동 탐구하다. 깊이 연구하다. ¶～理论; 이론을 탐구하다 / ～劲儿; 탐구심. 연구 의욕. =〔钻营②〕
〔钻眼(儿)〕 zuān.yǎn(r) 동 ⇨〔钻孔〕
〔钻验〕 zuānyàn 명동 ⇨〔试shì钻〕
〔钻营〕 zuānyíng 동 ①비위를 잘 맞추다. (권력자에) 알랑거려 사리(私利)를 꾀하다. 빈틈없이 굴다〔처신하다〕. ¶他真会～; 그는 실로 빈틈없이 처신한다. ②⇨〔钻研〕 ‖ =〔钻谋〕
〔钻着〕 zuānzháo 동 ①파서 찾아 내다. 더듬어 찾아 내다. ②알아차리다. 생각이 나다〔미치다〕. ¶我后来才～了; 나는 나중에야 겨우 알아차렸다.
〔钻柱坑〕 zuānzhùkēng 명 《機》 카운터 보링(counter boring).
〔钻凿〕 zuānzuò 동 〈文〉 뚫다. 파다.

躜(躦) zuān (찬)

동 위 또는 앞으로 힘차게 나아가다. ¶跳跳～～; 깡충깡충 뛰어 앞으로 나아가다 / ～程chéng; 갈길을 서두르다 / 燕子～天儿; 제비가 휙휙 공중을 난다.

篹 zuǎn (찬)

동 ⇨〔纂①〕 ⇒zhuàn

纂〈纘〉④ zuǎn (찬)

①동 〈文〉 (책의 내용을) 모으다. 그러모으다. 편찬하다. ¶编～ =〔～辑〕; 편집하다. =〔篹〕〔籑〕 ②동 〈轉〉 적당히 꾸미다. 되는대로 있지도 않은 일을 만들어 내다. ¶这是他～的, 靠不住; 이건 그가 적당히 조작한 것으로, 확실치가 않다. ③명 붉은 빛의 엮은 끈. ④(～儿) 명 〈方〉 부녀자의 쪽. ¶挽～; 쪽지다.
〔纂出〕 zuǎnchū 동 궁리하다. 생각해 내다.
〔纂辑〕 zuǎnjí 동 〈文〉 편집하다.
〔纂儿〕 zuǎnr 명 〈方〉 (머리의) 쪽. ¶把头发挽个～; 머리를 틀어올려 쪽찌다.
〔纂述〕 zuǎnshù 동 〈文〉 찬술하다. (자료를 모아 정리하여) 저술하다.
〔纂修〕 zuǎnxiū 동 편찬〔편집〕하다. 명 편집자.
〔纂绣〕 zuǎnxiù 명 〈文〉 직물과 자수(刺繡).

籑〈篹〉 zuǎn (찬)

동 ⇨〔纂①〕 ⇒zhuàn

缵(纘) zuǎn (찬)

동 〈文〉 이어받다. 상속하다. ¶～先烈之业; 선열의 유업을 이어받다.

钻(鑽〈鑚〉) zuàn (찬)

명 ①(～子) 송곳. 드릴(drill). ¶风～; 에어 드릴 / 电～; 전기 드릴 / 麻花～; 천공(穿孔) 드릴 / 螺旋～; 나선 바이트. ②금강석. 다이아몬드. ¶～戒; 다이아 반지. ③〈簡〉 시계의 축받이의 다이아 수(數). ¶十七～的手表; 17석(石)의 손목시계. =〔钻石③〕 ⇒zuān
〔钻床〕 zuànchuáng 명 《機》 압착 천공기. 보르반(독 Bohr盤). 드릴링 머신(drilling machine). ¶多轴～; 다축 보르반 / 旋臂～ =〔摇臂～〕; 레이디얼 드릴링 머신(radial drilling machine).
〔钻杆〕 zuàngǎn 명 《機》 드릴 로드(drill rod).
〔钻机〕 zuànjī 명 《機》 드릴링 머신. 천공기. ¶安装～; 드릴링 머신을 설치하다. =〔钻探机〕
〔钻架〕 zuànjià 명 《機》 보링대(臺).
〔钻尖〕 zuànjiān 명 드릴(drill)의 날.
〔钻戒〕 zuànjiè →〔字解②〕
〔钻井〕 zuànjǐng 동 굴착하다. 보링을 하여 우물을 파다. ¶海洋～; (석유의) 해양 굴착.
〔钻井机〕 zuànjǐngjī 명 《機》 착정기. 우물 파는

기계.
〔钻井平台〕 zuànjǐng píngtái 명〘機〙(석유) 플랫폼. 해양 굴착 장치.
〔钻具〕 zuànjù 명〘機〙착정(鑿井)·착암(鑿巖) 기계류. 천공(穿孔) 도구. 드릴류(類).
〔钻具母机〕 zuànjù mǔjī 명 ⇨〔座zuò标镗床〕
〔钻蓝〕 zuànlán 명 코발트 블루(cobalt blue).
〔钻帽〕 zuànmào 명 ⇨〔钻头夹头〕
〔钻模〕 zuànmú 명〘機〙공작 지그(jig).
〔钻模镗床〕 zuànmú tángchuáng 명 ⇨〔座zuò标镗床〕
〔钻石〕 zuànshí 명 ①다이아몬드 중에서 공작용으로 쓰이는 것. 공업용 다이아몬드. ②다이아몬드. ¶～婚; 다이아몬드 혼식《결혼 60돌의 이름》. ③(시계의 축받이에 쓰이는) 보석·루비《생략하여 '钻'으로도 씀》. ¶这块表是17～; 이 시계는 17석(石)이다. =〔钻③〕
〔钻塔〕 zuàntǎ 명〘鑛〙시추탑(試錐塔).
〔钻铤〕 zuàntǐng 명〘機〙드릴 칼라(drill collar).
〔钻头〕 zuàntou 명〘機〙천공기(穿孔機) 등의 송곳. =〔划huá钻〕 ⇒ zuāntou
〔钻头戗治〕 zuàntou gàizhì 명 ⇨〔钻头径规〕
〔钻头夹头〕 zuàntou jiātou 명〘機〙드릴 척(drill chuck). =〔钻帽〕〔钻轧头〕〔卡qiǎ头〕
〔钻头径规〕 zuàntou jìngguī 명 드릴 게이지(drill gauge). =〔〈南方〉钻头戗治〕
〔钻(头)套〕 zuàn(tou)tào 명〘機〙드릴을 드릴척(drill chuck)에 끼울 때의 연결기.
〔钻心〕 zuànxīn 명〘機〙타래 송곳의 두 개의 홈이 접하는 부분. 드릴의 첨단 부분. ⇒zuānxīn
〔钻压〕 zuànyā 명〘機〙비트 웨이트(bit weight).
〔钻轧头〕 zuànyàtou 명 ⇨〔钻头夹头〕
〔钻针〕 zuànzhēn 명 (레코드 플레이어용의) 다이아몬드 바늘.
〔钻紫〕 zuànzǐ 명〘化〙코발트 바이올렛(cobalt violet).
〔钻子〕 zuànzi 명 ①송곳. 드릴. ②송곳 모양의 마개뽑이. 병 따개. ¶酒～; 병마개 따개.

赚(賺) zuàn (잠)
동〈方〉속이다. 감쪽같이 속이다. ¶他是～你呢, 你别上当; 그는 널 속이고 있는 것이니, 속임수에 넘어가지 마라 / 你小心别挨了～; 조심해서 속아 넘어가지 않도록 해라. ⇒zhuàn
〔赚弄〕 zuànnòng 동 남을 속이다.
〔赚取〕 zuànqǔ 동 사취(詐取)하다. ⇒zhuànqǔ

攥〈揝〉 zuàn (찰) 〈잠〉
①동〈口〉움키다. 쥐다. ¶～紧拳头; 주먹을 꽉 쥐다 / ～着不撒sā手; 붙잡고 (손을) 놓지 않다 / ～着一把汗…; 손에 땀을 쥐고 / 一把死～住他的手; 그의 손을 꽉 잡았다. ②명 손잡이. 자루. ¶刀～; 날붙이의 자루. 칼자루. ③동 쥐어짜다. 비틀다. ¶把菠菜～干; 시금치의 물기를 짜다. ④동〈方〉속이다. ¶矇神～鬼; 괴이쩍은 짓을 하여 남을 속이다. 야바위·책략으로 남을 속이다.
〔攥不住〕 zuànbuzhù (붙)잡을 수가 없다.
〔攥筹〕 zuànchóu 동 제비를 뽑다.
〔攥猴儿〕 zuànhóur 명 먹국.
〔攥拳头〕 zuàn quántóu 주먹을 쥐다.
〔攥仨猜俩〕 zuàn sā cāi liǎ〈成〉손에 세 개를 쥐고 있으면서 두 개가 아닌가 하고 생각하다《의심이 많다》. ¶他那个人是～的, 和他说实话也疑惑; 그는 의심이 많은 남자여서 사실을 말해도 의심한다.
〔攥死〕 zuànsǐ 동 ①(손으로) 꽉 쥐어 죽이다. ②꽉 쥐다.
〔攥住〕 zuànzhu 동 단단히 쥐다. 붙잡다. ¶～手腕子; 손목을 쥐다.

ZUI ㄗㄨㄟ

堆 zuī (퇴)
〈口〉'堆duī③④'의 구어음(口語音). ¶一～人; 한 떼의 사람 / 出～儿卖菜; 푸성귀를 무더기로 하여 팔다. ⇒duī

朘 zuī (전)
명〈方〉남자의 생식기. ⇒juān

咀 zuǐ (저)
'嘴zuǐ'의 속자(俗字). ⇒jǔ

觜 zuǐ (취)
명 ⇨〔嘴〕 ⇒zī

嘴 zuǐ (취)
명 ①입. 부리. ¶张～; 입을 열다 / 闭～; 입을 다물다 / 鸟niǎo～; 새의 부리 / 放在～里; 입 속에 넣다 / ～里含着; 입 속에 머금고 있다 / 亲qīn～(儿); 입맞추다 / 她抿着～呵呵地笑了; 그녀는 입을 오므리고 호호 웃었다. ②(～儿, ～子) (기물(器物)의) 아가리. 주둥이. ¶瓶～(儿); 병의 아가리 / 茶壶～; 찻주전자의 주둥이 / 烟袋～(儿); (담뱃대의) 물부리 / 口袋～儿; ⓐ자루의 아가리. ⓑ확실한 것. ③지형의 돌출부. ¶沙shā～; 모래톱의 돌출한 곳 / 山～(子); 산의 끝〔어귀〕/ 太阳冒～儿: 태양이 살짝 얼굴을 내밀다. ④말. 변설. 구변. 말솜씨. 입버릇. ¶～巧qiǎo; ⇩ / ～笨bèn; ⇩ / 多～; 말이 많다 / 碎～子; 장황하게 지껄이다 / 说～就打～; 큰소리친 입이 그것을 숨겨야 하는 꼴이 되다〔탄로나 버리다〕. ⑤생계(生計). 생활. ¶想法子顾～才行; 어떻게든 생활을 돌보지 않으면 안 된다. ‖ =〔觜〕
〔嘴巴〕 zuǐba 명 ①〈口〉볼. 뺨. ¶挨了一个～; 따귀를 한 대 맞았다 / 抽～; 뺨을 치다 / 打～; 따귀 때리다. ②구변(口辯). 말. ¶她～会说着呢; 그녀는 구변이 좋다. ③〈方〉입. ¶张开～; 입을 열다 / ～骨; 턱뼈. 협골(頰骨).
〔嘴巴巴〕 zuǐbābā 형 말솜씨가 좋은 모양. 잘 나불대는 모양.
〔嘴巴匙子〕 zuǐba chízi〈比〉따귀를 후려침. ¶给他一个～; 그에게 귀싸대기를 한 대 붙이다.
〔嘴巴架子〕 zuǐba jiàzi 명 낯짝. 상판대기.〈比〉매맞아 마땅한 밉살스런 얼굴. ¶凶眉恶眼, 天生的～; 흉악한 눈매의 타고난 밉상이다.
〔嘴巴儿〕 zuǐbar 명 입매. 입 언저리.
〔嘴把式〕 zuǐbǎshi 명 언변이 좋은 사람. 말뿐인 사람.
〔嘴把子〕 zuǐbàzi 명 ①뺨. ②볼에서 입 주위까지의 부분.
〔嘴笨〕 zuǐbèn 형 말솜씨가 없다. ¶拙～腮; 말변이 없다.
〔嘴鼻〕 zuǐbí 명 몰골. 상통. 상판대기. ¶人家倒待你, 你反做如此～; 남들은 너를 우대하고 있는데, 너는 반대로 그런 상판대기를 하고 있구나.

〔嘴边〕 zuǐbiān 명 입가. 입매. 입언저리. ¶刚才我的话就在～上; 아까 나는 말이 입밖까지 나오려 했었다.
〔嘴不好〕 zuǐ bù hǎo 입이 걸다.
〔嘴不瞒心〕 zuǐ bù mán xīn 〈成〉 말과 마음이 틀리지 않다. 말에 거짓이 없다.
〔嘴不稳〕 zuǐ bù wěn 입이 가볍다. 비밀이 누설될 말을 잘 하다. =〔嘴不严〕
〔嘴不严〕 zuǐ bù yán ⇨〔嘴不稳〕
〔嘴不值钱〕 zuǐ bù zhí qián 〈比〉 말이 많다. 쓸데없는 말을 잘 지껄이다. ¶人倒不错, 就有一样儿～; 사람은 그런대로 괜찮은데, 단지 한 가지 말이 많단 말이야.
〔嘴岔子〕 zuǐchàzi 명 입아귀. =〔嘴岔儿〕〔嘴角〕
〔嘴馋〕 zuǐchán 형 ①입정이 사납다. ¶他很～; 그는 입정이 사납다. ②게걸스럽다.
〔嘴敞〕 zuǐchǎng 형 〈俗〉 입이 헤프다. 입이 가볍다.
〔嘴吃屎〕 zuǐ chī shǐ 〈俗〉 앞으로 고꾸라지다. 앞으로 엎어지다. ¶那小子就玩了个～; 그놈은 앞으로 푹 고꾸라졌다.
〔嘴臭〕 zuǐchòu 형 부풀려서〔과장해서〕 말을 퍼뜨리다. 입이 더럽다.
〔嘴唇(儿, 子)〕 zuǐchún(r, zi) 명 입술. ¶咬住～; 입술을 깨물다 / 上～; 윗입술 / 咬着～不说话; 입술을 깨물고 말을 하지 않다 / 两片～从不饶人; 누구든 상관없이 해치우다.
〔嘴打人〕 zuǐ dǎ rén 남을 나쁘게 말하다. 남을 비꼬다〔비아냥거리다〕.
〔嘴大舌长〕 zuǐ dà shé cháng 〈成〉 수다를 떨다. 장황하게 지껄이다.
〔嘴刁〕 zuǐdiāo 형 ①입이 짧다. ②입이 고약스럽다. ③쓸데없이 따지기를 좋아한다.
〔嘴刁心辣〕 zuǐdiāo xīnlà 수다스럽고 표독스럽다. ¶饰演～的女角色; 수다스럽고 표독스러운 여자역으로 분장하다.
〔嘴兜子〕 zuǐdōuzi 명 (마소의) 재갈.
〔嘴毒〕 zuǐdú 형 입이 독하다〔모질다〕. ¶竟说丧气话, ～, 说着说着就能出岔儿; 재수없는 말이나 원망스런 말만 하고 있으면, 말이 씨가 되어 화근을 부를 수도 있다.
〔嘴对着心〕 zuǐ duìzhe xīn 말과 마음이 맞다. 거짓말을 하지 않다. ¶你这话是～说的吗? 너의 이 말은 마음 속을 말한 것이냐?
〔嘴钝〕 zuǐdùn 형 말이 서투르다. 말솜씨가 없다. ¶～语迟; 말이 서투르고 느리다.
〔嘴乖〕 zuǐguāi 형 〈口〉 (흔히, 아이들에 대해서) 말을 잘 하다. 말을 깜찍하게 하다. ¶这孩子～, 怎么怨得人疼他; 이 아이는 말주변이 있으니까, 사람들이 귀여워하는 것도 무리가 아니다.
〔嘴犄角儿〕 zuǐjījiǎor 명 (입을 다물었을 때의) 아귀. 입아귀.
〔嘴急〕 zuǐjí 동 먹고 싶어 안달하다. 걸근거리다. ¶等熟了再吃, 别～啊; 익거든 먹어야지, 그렇게 걸근거리지 마라 / 对不起! 我们太～啦, 没有等您; 당신을 기다리지 않고 먹기 시작해서 미안합니다.
〔嘴架〕 zuǐjià 명 언쟁(言爭). 말다툼. ¶打～; 언쟁〔말다툼〕을 하다.
〔嘴尖〕 zuǐjiān 동 좋은 데나 맛있는 것만을 골라 먹다. 형 ①독설(毒舌)이다. 입이 걸다. 말이 심하다〔신랄하다〕. ¶～舌头快 =〔～舌巧〕; 〈成〉 입이 걸고 빠르다. ②잘 지껄이다.
〔嘴强〕 zuǐjiàng 형 ⇨〔嘴硬〕 ⇒zuǐqiáng
〔嘴角〕 zuǐjiǎo 명 입가. 입 언저리. ¶～上带笑; 입가에 웃음을 머금다. =〔嘴角边〕〔嘴岔子〕
〔嘴紧〕 zuǐjǐn 형 입이 무겁다. =〔嘴严〕
〔嘴倔〕 zuǐjuè 형 ⇨〔嘴硬yìng〕
〔嘴啃地〕 zuǐ kěn dì 앞으로 푹 고꾸라지다. =〔嘴啃泥〕
〔嘴快〕 zuǐkuài 형 ①입이 가볍다. 무엇이던 잘 지껄이다. ¶他的～, 真能给人添麻烦; 그는 입이 가벼워서, 곧잘 남에게 폐를 끼친다 / ～心直; 말은 참지 못하고 속은 곧다. ②말이 솔직하다.
〔嘴亏〕 zuǐkuī 형 먹을 것을 충분히 먹지 못하다. 배고픔을 느끼고 있다.
〔嘴懒〕 zuǐlǎn 형 ①입이 무겁다. 말수가 적다. ②말하는 것이 귀찮다.
〔嘴冷〕 zuǐlěng 형 (말이) 당돌하다. 실례가 되다. 거칠다. 차갑다.
〔嘴里〕 zuǐli 명 ①입 속. 입 안. ②하는 말. 입. ¶～不干不净; 입으로 하는 말이 더럽다 / ～含着热茄子; 〈比〉 말이 애매하다.
〔嘴脸〕 zuǐliǎn 명 ①〈貶〉 상판. 낯짝. ¶两副～, 一个腔调; 두 개의 얼굴, 한 가지 말투. 〈比〉 얼굴은〔사람은〕 다르지만 하는 말은 같다 / 她那张～, 怎么打扮也好看不到哪儿去; 그녀의 저 상판대기로는 아무리 가꿔도 예뻐질 수 없을 것 같다. ②〈比〉 꼴. 옷차림. 몰골. ¶一副丑恶～; 추악한 몰골 / 我这样～, 可真不好去见他; 나의 이런 몰골로는 그의 앞에 나설 수가 없다. ③〈比〉 의향. 기분. 안색. 태도. ¶你也该看得出人家的～; 너는 남의 기분을 알아야 한다 / 求人就得看人的～; 남에게 부탁할 때는 상대의 얼굴빛을 살펴야 한다.
〔嘴末子〕 zuǐmozi 명 말재주. 말솜씨. =〔嘴末儿〕
〔嘴呐〕 zuǐnà 형 말을 우물우물하다. ¶～地说; 우물거리며 말하다.
〔嘴皮子〕 zuǐpízi 명 〈口〉 ①입술. 입심(주로 나쁜 뜻으로 쓰임). ¶磨破了～, 他都舍不得掏钱买; 입이 닳도록 말했지만, 그는 돈이 아까워서 사지 않는다. ②입. 지껄임. ¶耍shuǎ～; 입만 잘 놀리다 / 我没工夫跟他磨～; 나는 그와 수다를 떨 틈이 없다 / ～练出来了; 말하는 게 능글맞아졌다.
〔嘴贫〕 zuǐpín 동 농담하며 수다떨기를 좋아하다.
〔嘴频〕 zuǐpín 동 같은 말을 뇌고 뇌다.
〔嘴浅〕 zuǐqiǎn 형 입이 가볍다. 입이 싸다.
〔嘴欠〕 zuǐqiàn 형 말에 조심성이 없어 남의 비위에 거슬리다. 입이 걸다. 말에 조심성이 없다. =〔嘴嗛〕
〔嘴强〕 zuǐqiáng 형 말주변이 좋다. 말로만 센 체하다. ¶～身子弱; 입으로만 강한 체하고 몸에는 힘이 없다. 입만 살았지 힘이 없다. ⇒zuǐjiàng
〔嘴巧〕 zuǐqiǎo 형 말솜씨가 좋다. 말을 잘하다. =〔嘴巧舌能〕
〔嘴勤〕 zuǐqín 형 잘 지껄이다. 수다스럽다. ¶～腿懒; 〈成〉 잘 지껄이지만 발은 늦다. 말뿐이고 실행이 따르지 않는다.
〔嘴圈儿〕 zuǐquānr 명 입 언저리.
〔嘴儿〕 zuǐr 형 ①구변. 말. ②입. ¶抿着～笑; 입을 오므리고 웃다. ③(그릇·주전자 등의) 쑥 내민 주둥이. ¶壶～; 찻주전자의 귀때. ④(담뱃대의) 물부리.
〔嘴儿来嘴儿去〕 zuǐr lái zuǐr qù ①같은 말을 되풀이해서 말하다. ②지지 않고 말대꾸하다.
〔嘴儿挑着〕 zuǐr tiǎozhe 〈京〉 말뿐이고 실제로는 아무 도움이 되지 않는다. ¶那个人的话, 千万别信, 他是专门～, 实在什么也给你办不到; 저 녀석

의 말은 절대로 믿으면 안 된다, 녀석은 말뿐이지 실은 너에게 아무것도 해 주지 않는다.

〔嘴儿一个〕 zuǐryīge 입으로 쩌쩌 해 봐(갓난아기를 어르는 말).

〔嘴儿嘴儿地〕 zuǐrzuǐrde 이러쿵저러쿵 불평을 늘어놓고.

〔嘴软〕 zuǐruǎn 형 ①말투가 온화하다. ¶吃人家的～; ⓐ남에게 은혜를 입고 있으면 심한 말을 할 수 없다. ⓑ상대방이 점잖게 나오면 심한 말을 할 수 없다. ②(성질로서) 말이 온순하다. 강경한 말을 못하다.

〔嘴臊〕 zuǐsāo 형 입이 걸다. ¶那个娘儿们怎么那么～啊; 저 여자는 어째서 저렇게 입이 더러우냐. =〔嘴骚〕

〔嘴上说好话, 脚下使绊儿〕 zuǐshang shuō hǎohuà, jiǎoxia shǐ bànr 〈諺〉 입으로는 듣기 좋은 말을 하고 있지만, 발 밑에서는 딴죽을 걸고 있다.

〔嘴上无毛, 办事不牢〕 zuǐshang wú máo, bànshì bùláo 〈諺〉 입가에 수염이 없는 사람은 일을 해도 실수가 있다(젊은 사람의 일에는 실수가 많다. 풋내기는 일을 잘 할 수 없다). ¶怎么? 那事还没办呢? 真是～! 뭐라고? 그 일을 아직 안 하고 있는 거냐? 정말 젊은 사람은 미덥지 못하다니까!

〔嘴说〕 zuǐshuō 동 말로만 하다. 입에 발린 말을 하다. ¶尽光～不中啊! 말로만 아무리 해 보았자 소용 없다!

〔嘴碎〕 zuǐsuì 형 ①말이 많다. 수다스럽다. ¶你怎么这么～, 不怕讨人嫌? 넌 어째서 이렇게 말이 많으냐, 남들이 꺼려하는 것도 겁을 안 내니? ②말이 장황하다. ¶～唠叨láodāo; 잔소리가 많다/你怎么变得这么～唠叨? 너는 왜 이렇게 잔소리가 많아졌느냐? 동 (남의 일에 생각이 미쳐) 주의를 주다. 잘 지껄이다. ¶多亏他～, 不然耽误时间了; 그 사람이 말해 주었기 망정이지, 그렇지 않으면 시간에 늦을 뻔했다.

〔嘴损〕 zuǐsǔn 형 〈方〉 입이 걸다. 심한 말을 하다. 입버릇이 나쁘다.

〔嘴套〕 zuǐtào 명 마스크. =〔口罩zhào〕

〔嘴甜〕 zuǐtián 형 말이 달콤하다. 말이 그럴 듯하다. ¶～心苦; 〈成〉 말만은 그럴 듯하나 마음 속은 음험하다.

〔嘴头(儿, 子)〕 zuǐtóu(r, zi) 명 〈方〉 ①(말할 때의) 입. ¶话在～可一时说不出来; 말이 입 언저리에서 영 나오지 않다/～上长zhǎng了一个疙gē瘩; 입가에 종기가 났다. ②입버릇. 입심. 구변. ¶他打～真行; 그는 아주 말을 잘 한다/那孩子横样儿手儿都好, 就只～利害些; 저 애는 용모도 수완도 좋지만, 다만 입이 좀 험하다. ③(먹고 마시는) 입. 먹성. ¶他～壮; 그는 상당히 잘 먹는다.

〔嘴头子食〕 zuǐtóuzishí 명 맛있는 요리. 진수성찬.

〔嘴稳〕 zuǐwěn 형 말하는 것이 신중하다. 입이 무겁다.

〔嘴行千里, 屁股在家里〕 zuǐ xíng qiānlǐ, pìgu zài jiāli 〈諺〉 큰소리만 치고 전혀 실행은 하지 않는다.

〔嘴凶〕 zuǐxiōng 형 말하는 것이 추잡하다. 입이 더럽다[걸다].

〔嘴丫子〕 zuǐyāzi 명 입아귀. 아래위 입술이 갈라진 곳.

〔嘴严〕 zuǐyán 형 입이 무겁다. 입 밖에 내지 않는다. ¶～心不坏; 입이 무겁고 마음씨도 나쁘지 않다. =〔嘴紧〕

〔嘴隐〕 zuǐyǐn 형 말수가 적다.

〔嘴硬〕 zuǐyìng 형 고집이 세다. 말투가 강경하다. ¶～腿软; 〈比〉 말은 강경하나 두려워하는 모양. =〔嘴强jiàng〕〔嘴倔〕〔口强〕

〔嘴杂〕 zuǐzá 말하는 것이 갖가지다. ¶人多～是好事; 사람이 많고 의견이 많은 것은 좋은 일이다.

〔嘴脏〕 zuǐzāng 형 ①새가 지저귀는 소리가 아름답지 못하다. ②말소리가 아름답지 못하다. ③입이 걸다.

〔嘴正手歪〕 zuǐzhèng shǒuwāi 말만 번드르르할 뿐 실제의 행위가 좋지 않다. ¶～的人不能相信; 말만 앞세울 뿐 하는 것이 시원치 않은 자는 신용할 수 없다.

〔嘴直〕 zuǐzhí 형 가식 없이 말하다. (말이) 솔직하다. 입바르다. ¶～心快; 〈成〉 입이 바르고 심성이 솔직하다.

〔嘴壮〕 zuǐzhuàng 형 ①먹성이 좋다. 식욕이 왕성하다. ¶别看他病这么些日子, ～还不要紧; 그는 이렇게 오래 앓고 있긴 하지만, 식욕이 왕성하니까 아직 걱정 없다. ②입맛이 당기다.

〔嘴拙〕 zuǐzhuō 형 말솜씨가 없다. ¶我～, 说不过他; 나는 말 주변이 없어서 그에겐 당할 수가 없다.

〔嘴子〕 zuǐzi 명 〈方〉 ①(기물의) 주둥이. 아가리. 부리. ②〖樂〗 악기의 혀〔리드〕. ‖ =〔嘴嘴〕

〔嘴嘴舌舌〕 zuǐzuǐshéshé 형 〈文〉 장황하게 말하다. 조잘조잘 지껄이다.

晬 zuì (수)

명 〈文〉 (아기의) 돌. 1주년. 만 일 년. =〔周晬〕

醉〈醉〉 zuì (취)

①동 (술에) 취하다. ¶～如泥; 곤죽이 되도록 취하다/无酒三分～; 술을 마시기도 전에 어느 정도 취하다. 〈比〉 어리석은 인간이 뚱딴지 같은 소리를 하다/他喝～了; 그는 술을 마시고 취했다/一～解千愁; 〈諺〉 한 번 취하면 모든 시름이 가신다. ②동 마음을 앗기다. 도취하다. 빠지다. ¶～心; ⇩/酒不～人人自～, 色不迷人人自迷; 〈諺〉 술이 사람을 취하게 하는 게 아니라 사람이 스스로 취하며, 여색이 사람을 미혹하게 만드는 게 아니라 사람이 스스로 미혹되는 것이다. ③동 술에 담가 절이다. ¶～虾; 술절임 새우/～螃蟹 =〔～蟹〕; 술에 절인 게장. ④명 술절임한 식품.

〔醉八仙〕 zuìbāxiān 명 술에 취한 팔선(八仙)의 것을 그림으로 그려 음식점 등의 벽에 겲. '八仙'은 장과로(張果老)·한종리(漢鐘離)·한상자(韓湘子)·이철괴(李鐵拐)·조국구(曹國舅)·여동빈(呂洞賓)·남채화(藍采和)·하선고(何仙姑)를 이름.

〔醉笔〕 zuìbǐ 명 ⇨〔醉墨mò〕

〔醉沉〕 zuìchén 형 〈文〉 몹시 취하다.

〔醉打〕 zuìdǎ 동 취하여 사람을 때리다.

〔醉打马糊〕 zuì dǎ mǎ hú 〈西北〉 고주망태가 되도록 취한 모양.

〔醉倒〕 zuìdǎo 동 술에 취해서 곤드라지다. 곤드레만드레가 되다.

〔醉倒马勺〕 zuì dǎo mǎsháo 곤드레만드레로 한 모양. 취해서 의식이 몽롱한 모양.

〔醉鬼〕 zuìguǐ 명 주당(酒黨). 호주(豪酒). 술고

〔醉后无状〕 zuì hòu wú zhuàng 〈成〉 술에 취해 주정하다. 술에 취해 정신없다.

〔醉呼呼(的)〕 zuìhūhū(de) 형 술에 취해 기

좋은 모양.
〔醉户〕 zuìhù 명 〈文〉 ①술꾼. 술고래. ②(Zuìhù) 《人》 당(唐)나라 백거이(白居易)의 자칭.
〔醉话〕 zuìhuà 명 ①⇨〔醉言〕 ②〈比〉 허튼소리.
〔醉坏〕 zuìhuài 동 술에 취해 미쳐 날뛰다. 술이 곤드레만드레가 되다.
〔醉脚〕 zuìjiǎo 명 취해서 비틀거리는 걸음걸이. 갈짓자걸음.
〔醉酒饱德〕 zuì jiǔ bǎo dé 〈成〉 술도 많이 마시고 은덕도 듬뿍 받았습니다(시경(詩經)의 '既醉以酒, 既饱以德'을 생략한 말로 연회 후에 객(客)이 주인에게 하는 인사말).
〔醉客〕 zuìkè 명 ①취객. ②'芙fú蓉'(부용)의 별칭.
〔醉雷公〕 zuìléigōng 〈歇〉 술 취한 천둥님(걸핏하면 조리에도 닿지 않은 말참견이나 잔소리를 안 하고는 못 배기는 사람). ¶～胡霹pī; 술 취한 천둥님이 마구 우르릉거리신다('胡批pī'와 동음(同音)으로 엇걸어서 남의 문장에 함부로 비평을 가하는 사람이란 뜻).
〔醉李〕 zuìlǐ 명 《植》 자두의 일종(저장(浙江)에서 많이 나며, 중국(中國)산 가운데 가장 크고 품질이 극상임).
〔醉咧咧儿(的)〕 zuìliélier(de) 형 술에 취해 혀가 잘 돌지 않는 모양. ¶他专好喝一盅儿, 成天到晚地闹～; 그는 오로지 술 마시기만 좋아해, 하루 종일 취해서 술주정을 한다.
〔醉侣〕 zuìlǚ 명 〈文〉 술친구.
〔醉骂〕 zuìmà 동 술에 취해 남을 욕하다.
〔醉猫儿〕 zuìmāor 명 〈比〉 주정뱅이. 몹시 취한 사람. ¶喝成～; 고주 망태로 취하다 / 喝醉了, 不是乱唱就是胡吵, 竟闹～; 술에 취하면 제멋대로 노래를 부르지 않으면, 고함을 질러 대어 끝내는 고주 망태가 된다. =〔醉猫子〕
〔醉貌咕咚〕 zuìmao gūdōng 곤드레만드레 취한 모양. =〔醉魔咕咚〕
〔醉墨〕 zuìmò 명 취묵. 취흥에 겨워 쓴 글씨나 그린 그림. =〔醉笔〕
〔醉魔咕咚〕 zuìmo gūdōng 곤드레만드레 취한 모양. 취해서 제 정신을 잃은 모양. =〔醉貌咕咚〕
〔醉闹〕 zuìnào 동 취해서 떠들다. 주정하다.
〔醉生梦死〕 zuì shēng mèng sǐ 〈成〉 취생 몽사. 헛되이 생애를〔일생을〕 보내다. =〔醉死梦生〕
〔醉圣〕 zuìshèng 명 ①〈比〉 주호(酒豪)(술 좋아하는 사람을 이름). ②(Zuìshèng) 《人》 시인 이백(李白)을 일컬음.
〔醉态〕 zuìtài 명 취태. 술취한 모습〔태도〕.
〔醉翁〕 zuìwēng 명 ①술 취한 사람. 술 좋아하는 노인. ¶～之意不在酒; 참뜻은 딴 데 있다. ②(Zuìwēng) 《人》 송(宋)나라 구양수(歐陽修)의 자칭.
〔醉卧〕 zuìwò 동 취와하다. 술에 취해 아무렇게나 드러눕다.
〔醉乡〕 zuìxiāng 명 술 취한 때의 기분. 얼근한 기분. ¶沉入～; 술에 취해 거나해지다.
〔醉蟹〕 zuìxiè 명 술에 담가서 절인 게. =〔酒醉螃蟹〕
〔醉心〕 zuìxīn 동 도취하다. 심취하다(흔히, '～于'로 쓰임). ¶～文艺; 문학·예술에 심취하다 / ～于历史; 역사에 몰두하다 / ～欧化; 서양에 물들다 / ～于数学的研究; 수학 연구에 매료되어 몰두하다.
〔醉兴〕 zuìxìng 명 취흥.
〔醉醺醺(的)〕 zuìxūnxūn(de) 형 술이 몹시 취한 모양. ¶有的满脸通红, 喝得～的; 얼굴이 벌개져서 몹시 취한 사람도 있다.
〔醉言〕 zuìyán 명 취언. 취담. 술에 취해 (함부로) 지껄이는 말. =〔醉话①〕〔醉语〕
〔醉眼〕 zuìyǎn 명 〈方〉 취안. 술에 취해 몽롱한 눈. ¶～朦胧; 취안 몽롱. 술에 취해 눈이 몽롱해지다.
〔醉意〕 zuìyì 명 취한 느낌. 취한 기미. 취기. ¶他已经有三分～了; 그는 이미 좀 취한 기색이다.
〔醉鱼草〕 zuìyúcǎo 명 《植》 취어초.
〔醉语〕 zuìyǔ 명 ⇨〔醉言〕
〔醉枣〕 zuìzǎo 명 술에 담근 대추.

最〈最, 取, 㝡〉 zuì (최)

①부 가장. 극히. 아주. 매우. 더없이. ¶～要紧; 가장 중요하다 / ～可爱的人; 더없이 사랑스러운 사람 / ～近; ⇩ / ～有眼力; 가장 눈이 밝다〔안식이 높다〕 / ～新消息; 최신 뉴스. →〔顶〕〔很〕〔挺〕〔极〕〔太〕 ②명 〈文〉 가장 …한 것. 최고 또는 최저. 최대 또는 최소. 으뜸. ¶以此为～; 이것을 으뜸이라 하다.
〔最初〕 zuìchū 명 최초. 맨 처음. ¶～不习惯, 现在好了; 처음에는 익숙하지 않았지만, 지금은 익숙해졌다 / 我～认识他是在中学时代; 내가 처음 그와 알게 된 것은 중학 시절이었다.
〔最大〕 zuìdà 형 가장 크다. 최대이다. ¶～限度; 최대 한도 / ～量; 최대한.
〔最大尺寸〕 zuìdà chǐcùn →〔极jí限尺寸〕
〔最大公约数〕 zuìdà gōngyuēshù 명 《數》 최대 공약수. =〔最大公因数〕
〔最低工资〕 zuìdī gōngzī 명 최저 임금. ¶～制zhì; 최저 임금 제도.
〔最低熔合金〕 zuìdī rónghéjīn 명 공융(共融) 합금. 저용융(低熔融) 합금.
〔最低限度〕 zuìdī xiàndù 명 최저〔최소〕 한도.
〔最多〕 zuìduō 형 가장 많다. 부 많더라도. 기껏해야. ¶仲裁费用, ～不可以超过争议金额的百分之一; 중재 비용은 많아도 쟁의 금액의 1퍼센트를 초과해서는 안된다 / ～挨一顿说, 没啥了liǎo不起; 기껏해야 야단이나 맞을 정도지 대단한 일은 없다.
〔最高〕 zuìgāo 형 최고이다. 가장 높다. ¶～法院; 최고 법원 / ～峰; 최고봉 / ～纲领; 최고 강령.
〔最高限度〕 zuìgāo xiàndù 명 허용량. 최고 한도. 맥시멈(maximum). ¶接近一般所承认的～一百单位的二十分之一; 일반적으로 승인되고 있는 허용량 100카운트〔단위〕의 1/20에 가깝다.
〔最好〕 zuìhǎo ①형 (…보다) 더 좋은 일이 없다. 가장 좋은 것은 (…이다). (…이) 가장 좋다(문장의 첫머리 또는 주어 뒤에 와서, 다음 말하는 동작·작용을 하는 것이 가장 좋다는 인정의 뜻을 나타냄). ¶咱们～作完练习再去看电影; 제일 좋은 것은 숙제를 마치고 나서 영화를 보러 가는 것이다 / ～不过; 더없이 좋다 / ～是你亲自办, 打发别人去, 恐怕不稳当; 가장 좋기는, 네가 하는 것이지, 남을 보내는 것은 온당하지 않을 것이다 / ～也得这么样; 가장 좋은 경우라도 이렇게 하지 않으면 안 된다. ②(zuì hǎo) 가장 좋다.
〔最后〕 zuìhòu 명 최후. 맨 마지막. ¶～五分钟; 최후의 5분간 / ～一行; 최후의 한 줄 / 生命的～一息; 목숨의 마지막 순간 / ～胜利; 최후의 승리 / ～还是南京队输了; 결국 역시 난징 팀이 졌다 / ～祝在坐的各位身体健康, 我的话完了; 마지막으로 자리하신 여러분의 건강을 축수하며 저의 인사

를 마치겠습니다.

〔最后通牒〕 zuìhòu tōngdié 명 ⇨〔哀āi的美敦书〕

〔最后投出〕 zuìhòu tóuchū 명《體》(투(投)해머의) 마지막 휘두르기.

〔最惠国〕 zuìhuìguó 명《法》최혜국. ¶～条款; 최혜국임을 규정한 조항 / ～待遇; 《經》최혜국 대우.

〔最急件〕 zuìjíjiàn 명 대지급으로 처리를 요하는 공용 문서.

〔最佳〕 zuìjiā 명형 최적(最適)(이다). 최량(最良)(이다). ¶～产量; 최적 생산량 / ～作品; 아주 훌륭한 작품.

〔最简公分母〕 zuìjiǎn gōngfēnmǔ 명《數》공통분모.

〔最近〕 zuìjìn 명 최근. 요즘. 일간(미래에도 쓰임). ¶～身体很好; 최근 몸의 컨디션이 매우 좋다 / 这个戏～就要上演了; 이 연극은 머지않아 상연하기로 돼 있다 / 听说他～可以出院了; 그는 일간 퇴원할 수 있게 되었다고 한다.

〔最起码〕 zuìqǐmǎ 부 적어도. 최소 한도. ¶这套衣服～能穿两年; 이 옷은 적어도 2년은 입을 수 있다.

〔最强人手〕 zuìqiáng rénshǒu 명《體》베스트 멤버. ¶以～上阵; 베스트 멤버로 경기에 임하다.

〔最轻量级〕 zuìqīngliàngjí 명《體》최경량급(권투의 플라이(fly)급이나 역도의 밴텀(bantam)급 따위). =〔最轻级〕

〔最小尺寸〕 zuìxiǎo chǐcùn 명 (한계 게이지에서) 최소 치수.

〔最小公倍数〕 zuìxiǎo gōngbèishù 명《數》최소공배수.

〔最新〕 zuìxīn 형 최신이다. 가장 새롭다.

〔最终〕 zuìzhōng 명형 최후(의). 최종(의). 궁극(의). ¶～目的; 최종 목적. 궁극 목적.

〔最准时辰钟〕 zuìzhǔn shíchénzhōng 명 크로노미터(chronometer).

蕞 zuì (최)

→〔蕞尔〕〔蕞毛〕〔蕞芮〕

〔蕞尔〕 zuì'ěr 형〈文〉작다. 비좁다(흔히, 지역(地域)에 대해).

〔蕞毛〕 zuìmáo 명 잔털.

〔蕞芮〕 zuìruì 형〈文〉모여드는 모양.

罪〈辠〉 zuì (죄)

① 명 죄. 법을 어기는 행위. ¶犯～; 죄를 범하다 / ～大恶极; 죄가 더할 수 없이 무겁고 악독함이 극도에 달하다 / ～无可恕; 〈成〉죄가 용서할 수 없을 만큼 무겁다 / 贪污～; 독직죄. 횡령죄. ② 명 과실. 잘못. ¶归～于人; 죄를 남에게 덮어씌우다. ③ 명 괴로움. 어려움. 재난. 곤란. 고통. ¶受～; 괴로움을 받다. 어려움을 겪다 / 遭～; 어려움을 만나다. ④ 명 형벌. ¶判pàn～; 판결을 내리다 / 死sǐ～; 사형. ⑤ 동 벌하다. 책하다. (…) 탓으로 하다. ¶～己; 자기를 벌하다. 자책하다.

〔罪案〕 zuì'àn 명 범죄 사건.

〔罪不过三〕 zuì bù guò sān 〈成〉죄는 세 번을 넘어서는 안 된다. 잘못은 세 번 이상 저질러서는 안 된다.

〔罪不容死〕 zuì bù róng sǐ 〈成〉⇨〔罪不容诛〕

〔罪不容诛〕 zuì bù róng zhū 〈成〉죄가 무거워 사형에 처해도 오히려 부족하다. =〔罪不容死〕

〔罪大恶极〕 zuì dà è jí 〈成〉극악무도하다.

〔罪恶〕 zuì'è 명 죄악. ¶～累累; 〈成〉죄악을 거듭하다 / ～滔天; 〈成〉더없이 큰 죄악 / ～昭彰 =〔～昭著〕; 〈成〉죄악이 누구의 눈에도 명백하다.

〔罪犯〕 zuìfàn 명 죄인. 범인.

〔罪该万死〕 zuì gāi wàn sǐ 〈成〉죄는 만 번을 죽어도 마땅하다(큰 죄를 사죄하거나 규탄하는 말).

〔罪辜〕 zuìgū 명〈文〉죄.

〔罪过〕 zuìguo ①명〈文〉잘못. 죄악. 죄. =〔罪愆〕 ②명 죄스러움. 천벌 받을 일. ¶浪费是～; 낭비는 죄받을 짓이다. ③〈謙〉황송합니다. ¶～～; 송구스럽습니다. 죄송 천만입니다.

〔罪过儿〕 zuìguor 명 괴로움. 고통. ¶受的～太大; 받은 고통이 너무나도 크다. =〔罪孽niè②〕

〔罪己〕 zuìjǐ 동〈文〉죄를 자신에게 돌리다. 자기를 책망하다. 자책하다. ¶～诏; (임금이) 책임을 한몸에 떠안고 스스로를 책하는 조칙(詔勅).

〔罪咎〕 zuìjiù 명〈文〉죄구. 죄와 허물. 죄과.

〔罪魁〕 zuìkuí 명 원흉. 수괴(首魁). 주모〔주범〕자. 장본인.

〔罪戾〕 zuìlì 명〈文〉죄과. 죄악. 잘못.

〔罪隶〕 zuìlì 명 주대(周代), 관노(官奴)가 된 죄인.

〔罪满〕 zuìmǎn 동〈文〉복죄 기간이 차다.

〔罪名〕 zuìmíng 명 ①죄명. ¶横加许多莫须有的～; 함부로 날조한 죄명을 뒤집어 씌우다 / 罗织～; 죄명을 날조하여 뒤집어 씌우다. ②유죄라는 불명예. ¶～难逃; 유죄가 되는 것은 면할 수 없다. ③처벌. ¶必有～; 반드시 처벌을 받게 된다.

〔罪目〕 zuìmù 명 죄목. 죄명.

〔罪孽〕 zuìniè 명 ①죄업(罪業). ¶～深重; 죄업이 깊고 무겁다. ②⇨〔罪过儿〕

〔罪愆〕 zuìqiān 명〈文〉⇨〔罪过①〕

〔罪囚〕 zuìqiú 명 죄수. 죄인.

〔罪人〕 zuìrén 동〈文〉남을 죄에 빠뜨리다. 남에게 죄를 덮어 씌우다. 명 죄인.

〔罪上加罪〕 zuì shàng jiā zuì 〈成〉죄에 죄를 거듭하다.

〔罪嫌〕 zuìxián 명〈文〉범죄의 혐의.

〔罪行〕 zuìxíng 명 범죄 행위. ¶犯下了～; 죄를 저질렀다.

〔罪言〕 zuìyán 명〈文〉①스스로를 책하는 말. ② 남의 감정을 해치는 말.

〔罪衣〕 zuìyī 명 수의(囚衣). 죄수복.

〔罪因〕 zuìyīn 명 죄인. 죄악의 원인.

〔罪尤〕 zuìyóu 명〈文〉허물. 잘못. 과실.

〔罪有应得〕 zuì yǒu yīng dé 〈成〉벌을 받아 마땅하다.

〔罪责〕 zuìzé 명 죄책. ¶开脱～; 죄책을 면하다 / ～难逃; 죄책을 (모)면키 어렵다.

〔罪章〕 zuìzhāng 명 벌칙(罰則).

〔罪障〕 zuìzhàng 명《佛》극락 왕생의 방해가 되는 죄업.

〔罪证〕 zuìzhèng 명 죄증. 범죄의 증거. ¶～凿; 범죄의 증거는 확실하다.

〔罪状〕 zuìzhuàng 명 죄상. ¶查明～; 죄상을 밝히다 / 列举～; 죄상을 늘어놓다.

槜〈檇〉 zuì (취)

→〔槜李〕

〔槜李〕 zuìlǐ 명 ①《植》자두의 일종(껍질이 빨갛고 맛이 닮). ②옛 지명(저장 성(浙江省) 자싱 현(嘉興縣) 일대).

ZUN ㄗㄨㄣ

尊 zūn (존, 준)
①형 (존)귀하다. 높다. ¶~贵; ⇓/~卑; 존귀와 비천/~长zhǎng; ⇓ ②동 존경하다. 존중〔숭상〕하다. 소중히 여기다. ¶自~心; 자존심/~师爱徒; 제자는 스승을 존경하고 스승은 제자를 아낀다. ③대〈敬〉당신《옛날, 상대 또는 상대방의 육친·연고자를 이를 때에 존칭》. ¶令~; 춘부장/~便; ⇓ ④명〈敬〉지방관에 대한 존칭. ¶县~; 현령님/府~; 부윤님. ⑤양 불상(佛像)이나 대포(大砲) 같은 것을 세는 단위. ¶一~佛像; 1좌(座)의 불상/一~大砲; 1문(門)의 대포. ⑥고서(古書)에서 '樽'과 통용. 주기(酒器)의 일종.

〔尊傲〕zūn'ào 형 거만하다.
〔尊便〕zūnbiàn 명〈翰〉당신의 형편〔편리〕. ¶悉听~; 일체를 당신 형편에 맡기겠습니다.
〔尊裁〕zūncái 명〈翰〉당신의 재단(裁斷)〔결정〕. ¶悉听~; 모두 당신의 재단에 맡기겠습니다.
〔尊称〕zūnchēng 동 존칭하다. 높여 부르다. ¶~他为老师; 그를 선생님이라고 존칭하다. 명 존칭. ¶'范老'是同志们对他的~; '범로'란 동지들의 그에 대한 존칭이다.
〔尊齿〕zūnchǐ 명〈文〉귀하의 연세〔춘추〕.
〔尊崇〕zūnchóng 동 존숭하다. 우러러 존경하다. ¶~孔子; 공자를 숭배하다.
〔尊处〕zūnchù 명 귀하. =〔台tái端〕
〔尊大君〕zūndàjūn 명 ⇨〔尊大人〕
〔尊大人〕zūndàrén 명〈文〉춘부장. 아버님. =〔尊大君〕〔尊府②〕〔尊公〕〔尊君〕〔尊翁〕〔尊人〕〔尊甫〕〔令lìng尊〕
〔尊范〕zūnfàn 명〈翰〉존안(尊顔). ¶仰瞻~; 존안을 (우러러) 뵙다. 만나 뵙다/获huò瞻~; 존안을 뵐 기회를 얻다.
〔尊夫人〕zūnfūren 명〈敬〉영부인. 사모님.
〔尊府〕zūnfǔ 명 ①〈文〉〈敬〉댁. 귀댁. =〔尊门〕 ②⇨〔尊大人〕
〔尊庚〕zūngēng 명 ⇨〔尊寿shòu〕
〔尊公〕zūngōng 명 ⇨〔尊大人〕
〔尊管〕zūnguǎn 명〈文〉〈敬〉귀댁의 집사(執事)분. 당신의 사용인.
〔尊贵〕zūnguì 형 존귀〔고귀〕하다. ¶~的客人; 고귀한 손님. 동 소중히 여기다. ‖=〔高贵②〕
〔尊号〕zūnhào 명 존호. 황제·황후 등에 대한 존칭《'太上皇'(태상황), '尊太后'(태상황의 후(后). 태후), '太皇太后'(태황태후) 등의 존칭》.
〔尊纪〕zūnjì 명〈文〉〈敬〉당신의 사용인(使用人)〔심부름꾼〕. =〔尊价〕
〔尊家〕zūnjiā 명〈敬〉당신. 귀하《때로는 비꼬는 뜻》. =〔尊驾②〕
〔尊驾〕zūnjià 명 ⇨〔尊家〕
〔尊鉴〕zūnjiàn 명〈文〉고람(高覽). ¶承蒙~, 不胜感激; 고람하여 주시어 감사하기 이를 데 없습니다.
〔尊价〕zūnjiè 명〈敬〉⇨〔尊纪〕
〔尊敬〕zūnjìng 명동 존경(하다). ¶~老师; 선생님을 존경하다.
〔尊君〕zūnjūn 명 ⇨〔尊大人〕
〔尊款〕zūnkuǎn 명 ⇨〔尊项〕
〔尊阃〕zūnkǔn 명〈文〉〈敬〉(당신의) 부인. 사모님. 영규(令閨).
〔尊老爱幼〕zūn lǎo ài yòu〈成〉노인을 공경하고 어린아이를 사랑하다.
〔尊邻〕zūnlín 명〈文〉귀하의 이웃.
〔尊门〕zūnmén 명 ⇨〔尊府①〕
〔尊命〕zūnmìng 명〈翰〉당신의 말씀〔분부〕.
〔尊内〕zūnnèi 명〈敬〉(당신의) 부인. 사모님.
〔尊前〕zūnqián 명〈翰〉존전. ¶谨禀祖父大人~; 삼가 조부님 전에 말씀드리옵니다.
〔尊亲(属)〕zūnqīn(shǔ) 명 친족 관계에서, 자기보다 촌수가 위인 사람. 존속《예컨대, 부모·조부모·숙부·백부 등》.
〔尊人〕zūnrén 명 ⇨〔尊大人〕
〔尊荣〕zūnróng 형 존영하다. 고귀하고 권세가 높다.
〔尊容〕zūnróng 명〈文〉존용. 옥모(玉貌).
〔尊孺人〕zūnrúrén 명〈文〉영부인. 영실(令室).
〔尊上〕zūnshàng 명〈文〉〈敬〉①(남의 어머니를 가리킬 때) 어머님. 자당. =〔尊堂〕 ②(하인에 대하여) 주인.
〔尊师〕zūnshī 명 ①스승에 대한 경칭(敬稱). ②도사(道士)에 대한 경칭. 동 스승을 공경하다. ¶~重道; 스승을 공경하고 도리를 존중하다.
〔尊示〕zūnshì 명〈敬〉당신의 지시.
〔尊寿〕zūnshòu 명〈敬〉귀하의 연세〔춘추〕. =〔尊庚gēng〕
〔尊属〕zūnshǔ 명 존속. =〔尊族〕↔〔卑bēi属〕
〔尊堂〕zūntáng 명〈文〉〈敬〉⇨〔尊上①〕
〔尊翁〕zūnwēng 명 ⇨〔尊大人〕
〔尊显〕zūnxiǎn 형 존현하다. 지위가 높고 이름이 드러나 있다.
〔尊项〕zūnxiàng 명〈翰〉귀하의 금전. ¶前负~; (귀하에게서) 앞서 빌려 받은 돈. =〔尊款〕
〔尊姓〕zūnxìng 명〈敬〉귀하의 성《남의 성을 물을 때의 말》. ¶请问您, ~大名? 여쭙겠습니다마는, 존함은 어떻게 되십니까? =〔贵姓〕↔〔贱姓〕
〔尊兄〕zūnxiōng 명 ①〈文〉(자기나 남의) 형님. =〔令lìng兄〕 ②〈翰〉형. 존형《친구끼리 쓰는 칭호》.
〔尊严〕zūnyán 형 존엄하다. 명 존엄. ¶有损~; 존엄을 손상시키다/法律的~; 법의 존엄.
〔尊议〕zūnyì 명〈文〉〈敬〉말씀. 귀하의 분부. ¶循xún~; 귀하의 말씀에 따르다.
〔尊右〕zūnyòu〈文〉〈敬〉귀하의 처소. ¶奉呈~; 귀하에게 진정(進呈)해 드립니다.
〔尊寓〕zūnyù 명〈文〉〈敬〉귀댁. 존저.
〔尊章〕zūnzhāng 명〈文〉〈敬〉남편 부모에 대한 경칭. 시부모님. 시아버님·시어머님.
〔尊长〕zūnzhǎng 명 ①존장. 친족 중의 손윗사람. ②(일반적으로) 손윗사람. 선배.
〔尊账〕zūnzhàng 명〈文〉〈敬〉귀하의 셈. 계산〔청구〕서.
〔尊者〕zūnzhě 명 ①〈文〉부형(父兄). ②《佛》스님에 대한 존칭.
〔尊重〕zūnzhòng 동 존중하다. 중히 여기다. 중시하다. ¶~别人的意见; 다른 사람의 의견을 존중하다/~少数民族的风俗习惯; 소수 민족의 풍속·습관을 존중하다/互相~; 서로 존중하다. 형 진중하다. 무게가 있고 침착하다. 점잖다. ¶放~些! 좀 점잖게 굴어라.
〔尊篆〕zūnzhuàn 명 ⇨〔雅yǎ篆〕
〔尊族〕zūnzú 명 ⇨〔尊属〕
〔尊俎〕zūnzǔ 명 ⇨〔樽俎〕

〔尊祖〕 zūnzǔ 명 〈文〉 조부님(남의 조부를 높여 부르는 말).

遵

zūn (준)
동 ①(지시 또는 규칙에) 따르다. 좇다. 지키다. ②…을 따르다〔끼다〕. ¶～海而南; 바다를 끼고 남쪽으로 향하다 / ～大路而行; 큰길을 따라가다.

〔遵办〕 zūnbàn 동 분부〔명령〕대로 행하다.
〔遵从〕 zūncóng 동 따르다. ¶～决议; 결의에 따르다 / ～老师的教导; 선생의 가르침에 따르다.
〔遵法〕 zūnfǎ 동 규칙에 따르다. 법률에 따르다.
〔遵奉〕 zūnfèng 동 준봉하다. 받들어 행하다.
〔遵路〕 zūnlù 동 〈文〉 ①바른 길을 지키고 따르다〔좇다〕. 정도를 따르다. ②길을 떠나다. 여행을 떠나다. ¶选日～; 날을 택해 길을 떠나다.
〔遵命〕 zūnmìng 명 〈翰〉 당신의 말씀. 당신의 당부. 동 〈敬〉 명령에 따르다〔복종하다〕.
〔遵期〕 zūnqī 동 〈文〉 기일을 지키다.
〔遵守〕 zūnshǒu 동 (규칙이나 명령을) 따라 지키다. 준수하다. ¶～纪律; 규율을 지키다 / ～时间; 시간을 지키다 / ～公共秩序; 공공 질서를 지키다.
〔遵信〕 zūnxìn 동 〈文〉 믿고 따르다. ¶～佛教; 불교를 믿고 따르다.
〔遵行〕 zūnxíng 동 좇아서 행하다. 실행하다. ¶早起早睡是他一贯～的生活规律; 일찍 자고 일찍 일어나는 것은 그가 일관해서 지켜 온 생활의 규칙이다.
〔遵循〕 zūnxún 동 따르다. ¶～原则进行工作; 원칙에 따라 일을 하다.
〔遵养时晦〕 zūn yǎng shí huì 〈成〉 은거하여 때를 기다리다.
〔遵依〕 zūnyī 동 〈文〉 따르다. 의거하다. …대로 하다.
〔遵义会议〕 Zūnyì huìyì 명 《史》 1935년 홍군(紅軍)을 장정(長征) 도중에 준이(遵義)에서 개최했던 중국 공산당 중앙 정치국 확대 회의(마오 쩌둥(毛澤東)을 우두머리로 하는 중앙 위원회의 지도권을 확립하고, 당의 방침을 크게 전환시켰음. 준이는 구이저우 성(貴州省) 중앙 북부에 있음).
〔遵约〕 zūnyuē 동 약속에 따르다. ¶他不是～来了吗? 그는 약속대로 왔지 않느냐?
〔遵章〕 zūnzhāng 동 규칙〔법칙〕에 따르다.
〔遵照〕 zūnzhào 동 〈翰〉 …대로 따르다〔지키다〕. ¶～办理; 그대로 처리하다 / ～法令; 법령대로 준수하다 / ～医嘱; 의사의 지시에 따르다 / 着即～; 〈公〉 즉시 명령대로 처리하라.

樽〈鐏〉

zūn (준)
명 ①술그릇. 술통(아가리가 큰 독). ②〈廣〉 병. ¶玻bō璃～; 유리병.

〔樽俎〕 zūnzǔ 명 술잔과 안주〔고기〕 그릇. 〈轉〉 연회. 주연(酒宴). ¶决胜于～之间; 주연(酒宴)에서 (온화한 외교 절충을 베푸는 사이에) 승패를 결정하다. =〔尊俎〕

镈(鐏)

zūn (준)
명 〈文〉 (창자루 따위의) 물미.

鳟(鱒)

zūn (준)
명 《魚》 송어. =〔鳟鱼yú〕

僔

zǔn (준)
동 〈文〉 모이다.

撙

zǔn (준)
동 ①절약하다. 조리차하다. ¶钱要～着用; 돈은 절약해서 써야 한다 / ～下一些钱; 절약해서 돈을 남기다. ②억제하다. ③좌절시키다. ④향하여 가다.

〔撙节〕 zǔnjié 동 절약하다. 존절하다. 조리차하다. ¶～财用; 출비(出費)를 절약하다 / 怎么～着办也得一千块钱; 아무리 절약해도 천 원은 든다.
〔撙省〕 zǔnsheng 동 절약하다. 존절하다. ¶这笔钱是省吃俭用～出来的; 이 돈은 먹는 것을 절약하고 씀씀이를 줄여서 만든 것이다.

噂

zǔn (준)
동 〈文〉 수군거리다. 여럿이 모여서 말하다. ¶～沓tà; 모여서 수군거리다.

捘

zùn (준)
동 〈文〉 손가락으로 누르다.

ZUO ㄗㄨㄛ

作

zuō (작)
명 (수공업의 제조소 또는 가공장의) 일터. 작업장. 세공장. 장색(匠色). ¶瓦～; ⓐ기와 굽는 곳. ⓑ미장이 / ～坊; 장색의 작업장. ⇒ zuò

〔作瘪子〕 zuōbiězi ⇨〔嘬瘪子〕
〔作厂〕 zuōchang 명 ⇨〔作坊①〕
〔作场〕 zuōchang 명 ⇨〔作坊①〕
〔作坊〕 zuōfang 명 ①(수공업의) 작업장. 공장. ¶木～; 목공소 / 豆腐～; 두부 공장. =〔作厂〕〔作场〕〔作房〕〔作坊头儿〕〔作坊头子〕 ②(일자리를 알선하는) 소개업자. 중개인.
〔作坊头儿〕 zuōfangtóur 명 ⇨〔作坊①〕
〔作坊头子〕 zuōfangtóuzi 명 ⇨〔作坊①〕
〔作房〕 zuōfang 명 ⇨〔作坊①〕
〔作害〕 zuōhai 동 〈方〉 망쳐 버리다.
〔作料〕 zuōliào 명 수공업 재료. ⇒zuòliao(r)
〔作弄〕 zuōnòng 동 〈方〉 놀리다. 우롱하다. 농락하다. ¶他被人家～, 还不知道呢! 그는 남한테서 놀림을 받고 있는데, 아직 모르고 있답니다! =〔捉弄〕
〔作裙〕 zuōqún 명 〈方〉 작업용 치마.
〔作头〕 zuōtóu 명 옛날, 직인(職人)의 우두머리.

嘬

zuō (최)
동 〈口〉 입술을 오므리고 빨다. 기구를 사용하여 빨아 내다. ¶小孩儿～奶; 어린애가 젖을 빨다 / ～柿子; 홍시를 빨아먹다 / ～血; 피를 빨다 / 车叫烂泥给～住了; 차가 흙탕에 빠져서 꼼짝 못하게 되었다. ⇒chuài

〔嘬瘪子〕 zuō biězi ①입을 오므리다. ¶老太太吃柿子～; 할머니가 연시를 빨며 입을 오므리고 있다. ②혼나다. 야단맞다. 욕을 먹다. ¶你要再胡闹, 可要～了; 더 이상 까불면 야단칠 테다. ‖ =〔作zuō瘪子〕
〔嘬不住粪〕 zuōbuzhù fèn 〈京〉 마음 속에 덮어 두지 못하다. ¶瑞丰～, 开始说他得到科长职位的经过《老舍 四世同堂》; 서풍은 마음 속에 덮어 두지 못하고, 그가 과장 자리를 얻은 경과를 이야기하기 시작하였다.
〔嘬不住劲儿〕 zuōbuzhùjìnr 〈京〉 침착하지 못하다.

〔嘬奶〕 zuōnǎi 동 젖을 빨다.
〔嘬腮〕 zuōsāi 명 (이가 없는 노인 등의) 우묵하게 들어간 볼. 합죽이.
〔嘬筒〕 zuōtǒng 명 ⇨〔拔bá火罐(儿)〕
〔嘬子〕 zuōzi 명 흡각(吸角). 빨아 내는 기구. 흡출기.
〔嘬嘴〕 zuōzuǐ 동 입을 오므리다.

昨 zuó (작)
명 ①어제. ¶～天晚上 =〔～儿晚上〕; 어제 저녁 / ～已会面; 어제 이미 만났다. ②이전. 옛날. ¶～者; ⇓ / 光景如～; 그 광경〔상황〕은 옛날 그대로이다.
〔昨晨〕 zuóchén 명 어제 아침.
〔昨非〕 zuófēi 명 〈文〉 과거의 잘못. 지난날의 잘못.
〔昨儿(个)〕 zuór(ge) 명 ⇨〔昨天〕
〔昨日〕 zuórì 명 ⇨〔昨天〕
〔昨是今非〕 zuó shì jīn fēi 〈成〉 어제의 옳음이 오늘의 그름이 되다. 세상이 바뀌다.
〔昨死今生〕 zuó sǐ jīn shēng 〈成〉 ①실패하고 다시 하다. ②잘못을 고치고 바른 길로 되돌아오다.
〔昨岁〕 zuósuì 명 〈文〉 작년.
〔昨天〕 zuótiān 명 어제. ¶～早起 =〔～早上〕; 어제 아침. =〔昨儿(个)〕〔昨日〕
〔昨晚〕 zuówǎn 명 〈文〉 간밤. 어젯밤〔저녁〕.
〔昨叶何草〕 zuóyèhécǎo ⇨〔瓦wǎ松〕
〔昨夜〕 zuóyè 명 어젯밤.
〔昨夜头〕 zuóyètou 명 〈南方〉 어젯밤.
〔昨朝〕 zuózhāo 명 〈文〉 어제 아침.
〔昨者〕 zuózhě 명 〈文〉 일전. 전일(前日). 지난번.

笮〈筰〉 zuó (작)
명 대나무로 만든 동아줄. ¶～桥; 대나무로 만든 동아줄로 엮은 다리. ⇒zé

捽 zuó (졸)
동 ①〈方〉 거머쥐다. 움켜쥐다. 잡아당기다. ¶～他的头发; 그의 머리털을 거머쥐다 / ～着他胳膊就往外走; 그의 팔을 움켜잡더니 밖으로 나갔다 / 小孩儿～住大人的衣服; 어린아이가 어른의 옷을 잡아당기다. ②〈文〉 뽑아 내다. 잡아뽑다. ¶～草cǎo; 풀을 뽑다. ③〈文〉 저촉되다. 지장이 되다. ¶交jiāo～; 서로 저촉되다.

琢 zuó (탁)
→〔琢磨〕 ⇒zhuó

〔琢磨〕 zuómo 동 ①차분히 생각하다. 음미하다. 궁리하다. ¶这件事还得～～; 이 일은 좀더 음미해 봐야 한다. ②흠을 찾다. 괴롭히다. ¶心眼窄, 专～人; 소견이 좁아서 남의 흠만 들추어 낸다. ‖ =〔作zuò摩〕 ⇒zhuómó

左 zuǒ (좌)
①명 왼쪽. ¶向～转zhuǎn! 좌향 좌!《구령》 / 靠～走; 좌측 통행 / ～为上; 왼쪽이 상석이다. ↔〔右〕 ②명 동쪽. ¶山～; 타이항 산(太行山)의 동쪽. 산둥 성(山東省) 지방 / 江～; 양쯔 강(揚子江)의 동쪽. 장쑤 성(江蘇省) 지방. ③명 〈文〉 증거. ¶证～; 증좌. ④명 옆. 가. ¶迎于道～; 길 옆에서 맞이하다. ⑤명 좌석의 윗자리. 상좌. ¶虚～以待 =〔虚座以待〕; (상좌를 비워 놓고) 오시기를 고대합니다. ⑥형 좌익이다. 혁명적이다. ¶～派; ⇓ / ～倾; ⇓ / 装得很～; 심하게 좌익 냄새를 피우다 / 极～; 극좌. 과격. ⑦명 옛날, 낮은 관위(官位)를 일컫던 말. ¶～迁; ⇓ ⑧형 옳지 못하다. 비정상적이다. 부정하다. ¶这张支票是～的; 이 수표는 부정한 것이다 / 脾气～; 심성이 비뚤어져 있다 / 他把心安～了; 그 녀석의 마음은 비뚤어져 있다. ⑨형 어긋나다. 엇갈리다. 맞지 않다. ¶时间相～; 서로의 시간이 상치되다 / 俩人意见相～; 두 사람의 의견이 어긋나다 / 想～了; 잘못 생각을 했다 / 办～了; 일을 잘못했다. ⑩형 마음대로 안 되다. 상태가 이상하다. ¶身勤而事～; 열심히 해도 일이 마음대로 안 되다 / 他念的腔调～; 그가 읽는 억양이 아무래도 이상하다. ⑪'右'와 병용(倂用)하여 사물의 각 방면을 대표함. ¶～一题, 右一题, 出了不少题; 이 문제 저 문제 많은 문제를 내다 / ～不是右不是; ⇓ / ～改右改; ⇓ / ～一句右一句, 乱七八糟地瞎说; 이렇게 말했는가 하면 저렇게 말하여 얼토당토않은 소리를 한다. ⑫('～右'의 형식으로) 어떻든. 좌우간. ¶～右是我没理, 他有理; 어떻든 내가 틀리고 그가 옳다. ⑬명 성(姓)의 하나.
〔左鼻子右眼〕 zuǒbízi yòuyǎn 기괴〔괴상〕하다. 기묘하다. ¶这可真奇怪了, 我没看过这～的东西; 이건 정말이지 기괴하다. 이렇게 야릇한 것은 본 일이 없다.
〔左臂列〕 zuǒbìliè 명 ⇨〔左撇piě子〕
〔左臂投手〕 zuǒbì tóushǒu 명《體》 사우스포(southpaw). 좌완 투수.
〔左边(儿)〕 zuǒbiān(r) 명 왼쪽. 좌측. ¶靠～走; 좌측 통행(을 하다).
〔左不〕 zuǒbù 부 어쨌든. 결국은. ¶～是那回事; 어쨌든 그런 것이다.
〔左不过〕 zuǒbuguò 부 ①어차피. 결국은. 어쨌든. ¶～是这么点儿事, 我给您办就是了; 어차피 이 정도의 일 내가 대신 해 주면 된다. ②…에 불과하다. 그저 …일 뿐〔따름〕이다. ¶这架机器～是上了点锈, 用不着大修理; 이 기계는 약간 녹이 슬었을 뿐이니, 크게 수리할 필요는 없다. ‖ =〔左不是〕
〔左不是〕 zuǒbushì 부 ⇨〔左不过〕
〔左不是右不是〕 zuǒbushì yòubushì 이렇게 해도 안 되고 저렇게 해 봐도 안 된다. 아무리 해도 잘 안 되다.
〔左猜右想〕 zuǒ cāi yòu xiǎng 〈成〉 이리저리 추측해 보다. ¶他～也弄不明白; 그는 이리저리 생각해 보았으나, 분명하게 밝힐 수 없었다.
〔左哞右嗻〕 zuǒchē yòuzhè 명 절간의 수호신인 인왕상(仁王像).
〔左丞〕 zuǒchéng 명 좌승《옛 관명. ⓐ청말(淸末)에 좌우승(左右丞)을 두어, 각 부의 차관인 시랑(侍郎)의 버금으로 삼았음. ⓑ민국 초년에, 정사당(政事堂)에 좌우승을 두어 국무경(國務卿)을 보좌하게 하였음》.
〔左大耳〕 zuǒdà'ěr 명 ⇨〔左耳刀(儿)〕
〔左大襟〕 zuǒdàjīn 명 ①좌측 옷섶. ②〈罵〉 시골〔촌〕뜨기.
〔左党〕 zuǒdǎng 명 급진당.
〔左道〕 zuǒdào 명 〈文〉 사도(邪道). ¶～惑众; 사설(邪說)로 사람을 우롱하다 / ～旁门 =〔旁门左道〕; 〈成〉 사교(邪敎). 이단(異端). 사도. 옳지 않은 방법.
〔左的〕 zuǒde 명 〈俗〉 나쁜 것. 가짜. 조악품(粗惡品). ¶这块钱是～; 이 돈은 가짜다. 형 좌익의. ¶～倾向; 좌익의 경향.
〔左得出奇〕 zuǒdechūqí 놀랄 만한 극단적인 좌

익. 극좌(極左).
〔左等右等〕 zuǒ děng yòu děng 〈成〉 이제나저제나 하고 기다리다. ¶我在家里～她没回来; 나는 집에서 이제나저제나 하고 기다렸으나, 그녀는 돌아오지 않았다.
〔左躲右闪〕 zuǒ duǒ yòu shǎn 〈成〉 ①이리저리 피하다. ②좌우로 몸을 홱홱 돌려 피하다.
〔左舵〕 zuǒduò ①명 좌측 키. ②키를 왼편으로 돌려(구령).
〔左耳〕 zuǒ'ěr 명 ⇨〔左耳刀(儿)〕
〔左耳刀(儿)〕 zuǒ'ěrdāo(r) 명 좌부방(한자 부수의 하나. '限·阳' 등의 '阝'의 이름). =〔左大耳〕〔左耳〕〔左耳朵〕〔左活耳刀(儿)〕
〔左符〕 zuǒfú 명 부절(符節)의 왼쪽 절반.
〔左改右改〕 zuǒgǎi yòugǎi 이리저리 고치다. 여러 모로 변경하다.
〔左顾〕 zuǒgù 동 ①왼쪽을 (돌아다)보다. ②〈文〉 손아랫사람을 돌보다(남이 찾아 준 것을 감사해서 하는 말). 〈翰〉 '光临'의 뜻. ¶承蒙～深为感荷hè; 〈翰〉 왕림해 주셔서 감사한 마음 금할 길 없습니다.
〔左顾言他〕 zuǒ gù yán tā 〈成〉 시치미를 떼고 딴 말을 하다.
〔左顾右盼〕 zuǒ gù yòu pàn 〈成〉 ①주변을 두리번두리번 둘러보다. ¶他～, 像是在找人; 그는 이곳 저곳을 두리번거리는 것이 누군가를 찾고 있는 듯하다. ②마음이 동요하고 있어 정견(定見)이 없다.
〔左官〕 zuǒguān 명 옛날, 천자를 섬기지 않고 제후(諸侯)를 섬기는 사람.
〔左国太史公〕 Zuǒ Guó Tàishǐgōng 명 〈簡〉 좌전(左傳)·국어(國語) 및 사마천(司馬遷)의 사기(史記)를 줄여서 이르는 말.
〔左活耳刀(儿)〕 zuǒhuó'ěrdāo(r) 명 ⇨〔左耳刀(儿)〕
〔左计〕 zuǒjì 명 〈文〉 그릇된 계획. 오산(誤算). 실책.
〔左见〕 zuǒjiàn 명 편견. 그릇된 생각.
〔左降〕 zuǒjiàng 동 ⇨〔〈文〉 左迁〕
〔左强〕 zuǒjiàng 명 비뚤어진 근성. 형 성격이 비뚤어져서 끝까지 제 주장만 우기고 남과 타협하지 않다. 과격하고 고집스럽다.
〔左近〕 zuǒjìn 명 근처. 부근. 이웃. ¶房子～有一片草地; 집 근처에 풀밭이 있다/学校～的地方; 학교에 가까운 곳.
〔左开〕 zuǒkāi 명 〈文〉 좌기(左記). 왼쪽에 적은 글.
〔左看也不好, 右看也不好〕 zuǒkàn yě bùhǎo, yòukàn yě bùhǎo 〈比〉 아무리 보아도 좋지 않다.
〔左看右看〕 zuǒ kàn yòu kàn 〈成〉 좌우를 둘러보다.
〔左口〕 zuǒkǒu 명《魚》 넙치.
〔左匡栏(儿)〕 zuǒkuānglán(r) ⇨〔三匡栏(儿)〕
〔左拦右挡〕 zuǒlán yòudǎng (가지 말도록) 열심히 붙들다〔만류하다〕. ¶～了半天, 他还是走了; 열심히 만류했으나 기어코 그는 가고 말았다.
〔左联〕 Zuǒlián 명 〈簡〉 '中国左翼作家联盟'(중국 좌익 작가 연맹)의 약칭(1930년 상하이(上海)에서 루 쉰(魯迅)을 중심으로 발족한 문학 단체).
〔左邻右舍〕 zuǒlín yòushè 이웃. 근린(近隣). 인근(隣近).
〔左路〕 zuǒlù 명 군대의 좌익. 좌익군.
〔左轮手枪〕 zuǒlún shǒuqiāng 명 회전식 연발권총. 리볼버(revolver). ¶手持～一支; 손에 리볼버 한 자루를 쥐다. =〔左轮〕〔〈音義〉 莲蓬枪〕
〔左螺纹〕 zuǒluówén 명《機》 왼 나사산. ¶～麻花钻; 왼 나사산 드릴. =〔〈南方〉 倒牙〕〔〈北方〉 反fǎn扣〕〔〈南方〉 反牙〕
〔左面〕 zuǒmiàn 명 왼쪽. 좌측.
〔左内锋〕 zuǒnèifēng 명《體》 (축구의) 레프트 이너(left inner).
〔左派〕 zuǒpài 명 좌파. 급진파. 좌익파. 혁명파. ¶～幼稚病; 좌익 소아병(레닌의 말).
〔左皮气〕 zuǒpíqi 명 ⇨〔左脾气〕
〔左脾气〕 zuǒpíqi 명 비꼬인 마음보. 비뚤어진 심보. ¶他是这么～的人, 你越劝他越不听的; 그는 이렇게 비꼬인 인간이라, 네가 말을 하면 할수록 듣지 않는다. =〔左皮气〕
〔左癖〕 zuǒpǐ 명 나쁜 버릇. 비뚤어진 근성.
〔左撇捩〕 zuǒpiěliè 명 ⇨〔左撇子〕
〔左撇子〕 zuǒpiězi 명 왼손잡이. =〔左撇捩〕〔左撇手〕〔左臂列〕
〔左起〕 zuǒqǐ 왼쪽부터. 왼쪽에서. ¶图中前排～第二人是吴先生; 그림 중 앞줄의 왼쪽에서 두 번째가 오선생이다.
〔左契〕 zuǒqì 명 ⇨〔左券〕
〔左迁〕 zuǒqiān 동 〈文〉 좌천되다. 직위가 강등되다. =〔左降〕〔迁谪〕〔左转②〕
〔左瞧右看〕 zuǒ qiáo yòu kàn 〈成〉 좌우를 둘러보다. 이쪽 저쪽을 두리번거리다.
〔左倾〕 zuǒqīng 명동 좌경(하다). ¶～思想; 좌경사상/～路线; 좌경〔좌익〕 노선/～冒险; 좌익 모험.
〔左倾机会主义〕 zuǒqīng jīhuìzhǔyì 명 좌경 기회주의.
〔左丘〕 Zuǒqiū 명 복성(複姓)의 하나.
〔左求右告〕 zuǒ qiú yòu gào 〈成〉 여러 방면에 부탁하다. 이곳 저곳에 신신부탁하다.
〔左券〕 zuǒquàn 명 ①옛날, 계약서의 좌측 부분(좌우 동문(同文)으로 씀). ②〈轉〉 증거. 증서. ¶操～; 증거를 잡다. 확실하다. 자신이 있다. ③〈文〉 이미 결정된 일. 기정 사실. ‖ =〔左契〕
〔左刃刀〕 zuǒrèndāo 명 ⇨〔左手刀〕
〔左衽〕 zuǒrèn 동 (왼섶이 안으로 들어가게) 옷을 외로 입다(오랑캐 복장으로서 멸시됨). ¶披发～; 〈成〉 더부룩한 머리를 흩뜨리고 옷을 외로 입다(문화가 뒤진 야만인의 모양).
〔左嗓子〕 zuǒsǎngzi 명 ①《劇》 목소리가 새되고 낮은 소리가 나오지 않는 목청. ②《樂》 음치(音癡). ¶～没法儿学声乐; 음치로는 성악을 배울 수 없다.
〔左闪右拐〕 zuǒ shǎn yòu guǎi 〈成〉 좌우로 몸을 (홱홱) 돌려 피하다.
〔左师〕 zuǒshī 명 ①옛날의 벼슬 이름. ②복성(複姓)의 하나.
〔左史〕 zuǒshǐ 명 옛날의 벼슬 이름. 천자의 좌우에서 천자의 행동을 기록한 관리('右yòu史①'는 군주의 언어를 기록했음).
〔左氏传〕 Zuǒshìzhuàn 명《書》 춘추 좌씨전(공자가 노(魯)나라의 역사인 춘추(春秋)를 짓고, 좌구명(左丘明)이 그 전(傳)을 지었다고 함). =〔左氏春秋〕〔左传〕
〔左手〕 zuǒshǒu 명 ①왼손. ¶～得力 =〔～得劲儿〕; 왼손이 잘 듣다. 왼손잡이다. ②(좌석의) 왼쪽. 좌측. ¶请您～坐; 왼쪽에 앉으십시오. =〔左首〕
〔左手刀〕 zuǒshǒudāo 명《機》 왼쪽으로 돌리는

공구(工具). =〔左刃刀〕
〔左手得来, 右手用去〕 zuǒshǒu délái, yòushǒu yòngqù 〈比〉 ⇨〔一yī只手进, 一只手出〕
〔左首〕 zuǒshǒu 명 (좌석의) 좌측. 왼쪽. =〔左手②〕
〔左书〕 zuǒshū 명 ①문장·글씨를 왼쪽으로부터 쓰기 시작하는 것. =〔左行〕 ②〈俗〉 왼손으로 쓴 글씨. ③ ⇨〔佐书〕
〔左说右说〕 zuǒ shuō yòu shuō 〈成〉 이것저것 말하다. 횡설수설하다.
〔左思右想〕 zuǒ sī yòu xiǎng 〈成〉 여러 가지로 생각하다. 이리저리 궁리하다.
〔左瘫右痪〕 zuǒtān yòuhuàn 〈文〉 전신 불수.
〔左袒〕 zuǒtǎn 동 〈文〉 ①왼쪽 어깨를 벗어젖히다. ②〈轉〉 한쪽만 돕다. 편들다. 가세(加勢)하다.
〔左提右挈〕 zuǒ tí yòu qiè 〈成〉 서로 돕다〔부조하다〕.
〔左提右携〕 zuǒ tí yòu xié 〈成〉 손을 끌고 품에 안다. ¶逃难的人～的真可怜; 피난민이 서로 손을 끌고 품에 안고 가는 모습이 정말 불쌍하다.
〔左挑右选〕 zuǒ tiāo yòu xuǎn 〈成〉 이것저것 고르다. 좋고 싫은 것을 가리다.
〔左图右史〕 zuǒ tú yòu shǐ 〈成〉 장서(藏書)가 풍부하다.
〔左徒〕 zuǒtú 명 옛날의 벼슬 이름으로, 공봉(供奉)과 풍간(諷諫)을 맡았음《예컨대, 굴원(屈原)은 초(楚)나라 회왕(懷王)의 '左徒'였음》.
〔左外场手〕 zuǒwàichǎngshǒu 명《體》 (야구·소프트볼에서) 좌익수. 레프트. =〔左外野〕
〔左外野〕 zuǒwàiyě 명 ⇨〔左外场手〕
〔左为上〕 zuǒwéishàng 왼쪽을 윗자리로 삼다. ¶～, 请您在那儿坐; 왼쪽이 상좌(上座)입니다. 이쪽에 앉으십시오.
〔左文右武〕 zuǒ wén yòu wǔ 〈成〉 문무를 모두 배우고 활용하다. 문무를 겸비하다.
〔左物〕 zuǒwù 명 가짜. 모조품.
〔左舷〕 zuǒxián 명 (배의) 좌현.
〔左行〕 zuǒxíng 명 좌에서 우로 써 가는 서법(書法). ¶～文字; 왼쪽에서부터 쓰기 시작하는 글. =〔左书①〕
〔左性〕 zuǒxing 명 나쁜 근성. 빙퉁그러진〔비뚤어진〕 심보.
〔左旋〕 zuǒxuán 명 ①《植》 좌선《나팔꽃의 덩굴·으름덩굴 등이 시계와는 반대 방향으로 도는 것》. ②《化》 좌선. 좌회전.
〔左寻右找〕 zuǒ xún yòu zhǎo 〈成〉 이곳 저곳 찾아다니다.
〔左验〕 zuǒyàn 명 〈文〉 ①증인. ②증거.
〔左宜右有〕 zuǒ yí yòu yǒu 〈成〉 좋지 않은 바가 없고, 갖지 않은 바가 없다《재지(才知) 덕행을 아울러 갖추고 있다》.
〔左翼〕 zuǒyì 명 ①《軍》 좌익. ②〈轉〉 (학술·사상·정치 등의) 좌익. ③《體》 (구기(球技)의) 레프트 윙.
〔左拥右抱〕 zuǒ yōng yòu bào 〈成〉 ①좌우에서 껴안다. ②안고 품고 하다. ③양손에 꽃《많은 여자들에게 빠져 있는 모양》. ¶～地简直魂灵飞到天外去了; 여자들에게 둘러싸여 완전히 황홀경에 빠져 들었다.
〔左右〕 zuǒyòu 명 ①왼쪽과 오른쪽. 양측. ¶校门～; 교문의 양쪽 / 坐在他～的都是不认识的人; 그의 양쪽에 앉아 있는 사람은 모르는 사람뿐이다. ②내외. 쯤. 가량. ¶十号～; 열흘 전후 / 三点～; 3시쯤 / 五十岁～; 50세쯤 / 身高一米八～; 키 1미터 80 가량. →〔前后〕〔上下〕〔开外〕 ③〈文〉 배반함과 따름. 향배. ④시종(侍從). 측근(側近). ¶屏bǐng退～; 곁에 있는 사람을 물리치다. ⑤〈翰〉 시사(侍史). 좌하(座下)《'…先生～' 처럼 쓰임》. 부 〈方〉 어떻든. 어차피. ¶～闲着无事; 어차피 아무 일 없이 놀고 있습니다 / ～是这样; 어쨌든 이렇다. →〔反正〕〔横竖〕 동 ①〈文〉 돕다. 보좌하다. ②좌우하다. 마음대로 하다. 좌지우지하다. ¶～大局; 대국을 좌우하다 / 一棵大树必须和大伙结成防风林, 才能～得住大风, 而免于被风所～; 한 그루의 큰 나무도 여럿이 모여 방풍림이 되어야 비로소 대풍을 막아 낼 수 있으며, 바람에 좌우되는 것을 면할 수 있다.
〔左…右…〕 zuǒ…yòu… ①이쪽에서도 저쪽에서도. 빈번히. ¶左来右来的老没完; 저쪽에서도 오고 이쪽에서도 오고 끝이 없다 / 左一次右一次; 또 한 번 다시 또 한 번. 몇 번이고 / 左一趟右一趟地派人去请; 몇 번이고 사람을 보내어 모셔 오게 하다. ②(그) 어느 쪽이든. 어떻든. ¶左也吃亏, 右也吃亏; 어떻든 손해를 본다. ③이것저것. 좌우간. ¶左劝右劝; 달래고 어르고 하다 / 左说不听, 右说也不听; 이 말 저 말 아무리 설득해도 듣지 않는다 / 左思右思; 여러 가지로 생각하다.
〔左右逢源〕 zuǒ yòu féng yuán 〈成〉 ①도처에서 수원(水源)을 얻다《가까이 있는 사물이 학문 수양의 원천이 되다》. ②일이 모두 순조롭게 되어 나가다. (사물이) 지장 없이 진행되다.
〔左右开弓〕 zuǒ yòu kāi gōng 〈成〉 ①어느 쪽 손으로도 활을 쏠 수가 있다. ②좌우 양쪽에 같은 동작을 되풀이하다. 〈比〉 동시에 몇 개의 일을 한꺼번에 하다. ③좌우 따귀를 붙이다. ¶～的嘴巴, 使他像一个不倒翁似地向两边摆动; 좌우 양쪽 따귀를 때려, 꼭 오뚜기처럼 좌우로 비틀거리게 만들었다. ④(탁구에서) 포핸드로도 백핸드로도 스매싱하다. ⑤시험에서 좌우의 답안지를 커닝하다. ⑥중국의 건신술(健身術)인 '八段锦' 중 한 동작.
〔左右儿〕 zuǒyòur 명 손위·손아래 등 신분의 존비(尊卑). ¶分～; 손위·손아래를 분명히 나누다.
〔左右手〕 zuǒyòushǒu 명 (좌우의 손이란 뜻에서) 가장 믿는 사람. 가장 의지가 되는 사람.
〔左右袒〕 zuǒyòutǎn 좌단(左袒)과 우단(右袒)《한쪽을 도와 편드는 것을 '左袒' '袒护'이라 하고, 좌우 어느 쪽도 편들지 않는 것을 '勿为～' '不为左右袒'이라 함. 한(漢)나라 때에 고조(高祖)가 죽은 뒤, 공신 주발(周勃)이 여씨(呂氏)의 난을 평정하려고, 여씨 편을 들 사람은 오른쪽 어깨를 벗고, 유씨(劉氏)(한나라 왕실의 성)에 편들 자는 왼쪽 어깨를 벗으라고 군중에 명령했더니, 모두 왼쪽 어깨를 벗었다는 고사에서 나옴》.
〔左右为难〕 zuǒ yòu wéi nán 〈成〉 둘 사이에 끼여 난처하게 되다. 딜레마에 빠지다. 어느 쪽이건 괴롭다. ¶这两个里选谁好呢? 真叫我～; 이 두 사람 가운데 어느쪽을 선택하면 좋은지 정말 난감하다. =〔左右两难〕
〔左鱼符〕 zuǒyúfú 명 물고기 모양의 부절(符節)의 왼쪽 절반《옛날, 출입증 등으로 쓰이었음》.
〔左证〕 zuǒzhèng 명 〈文〉 증거. ¶～其谬; 증거로써 그 잘못을 증명하다. =〔佐证〕
〔左支右绌〕 zuǒ zhī yòu chù 〈成〉 옷이 작아 몸이 드러나다. 변통이 잘 안 되다. 역부족이라 이것저것 해 보아도 잘 되지 않다. =〔捉襟见肘〕
〔左支右吾〕 zuǒ zhī yòu wú 〈成〉 ①이러니저러니 핑계대다. 되는대로 속이다. ②어떻게든지 변

통하다. ③일이 어긋나다〔엇갈리다〕.

〔左支右支〕 zuǒ zhī yòu zhī 〈比〉 이말 저말로 빠져 나가다. 어쩌니저쩌니 속이다. ¶～地老不肯还; 말을 이랬다 저랬다 하며 도무지 돌려 주려고 하지 않는다.

〔左转〕 zuǒzhuǎn 동 ①왼쪽으로 돌다〔꺾다〕. ② ⇨〔左迁〕

〔左座驾驶〕 zuǒzuòjiàshǐ 명 (자동차의) 좌측에 장치된 핸들.

佐 zuǒ (좌)
①동 돕다. 보좌하다. ②명 보좌역. 부(副). 돕는 역. ¶僚liáo～; 옛날, 관청의 보좌관/～贰之官; 보좌관/军～; 직접 전투에 종사하지 않는 군의관·군수관과 같은 보조적인 군인.

〔佐餐〕 zuǒcān 동 〈文〉 ①반찬으로 하다. →〔下饭〕 ②식욕을 촉진하다〔돋구다〕. ¶～酒; 식욕을 증진하는 술. ‖ =〔佐膳〕

〔佐贰〕 zuǒ'èr 명 보좌관(官).

〔佐理〕 zuǒlǐ 동 〈文〉 보좌하다. 도와서 처리하다. ¶～人; 보좌원. 보좌관.

〔佐吏〕 zuǒlì 명 〈文〉 보좌관. 보좌하는 관리.

〔佐隶〕 zuǒlì 명 ⇨〔佐书〕

〔佐料〕 zuǒliào 명 ⇨〔作zuò料(儿)〕

〔佐膳〕 zuǒshàn 동 ⇨〔佐餐〕

〔佐史〕 zuǒshǐ 명 〈文〉 보좌하는 소리(小吏)〔말단 관리〕.

〔佐书〕 zuǒshū 명 예서(隸書)의 별칭《전서(篆書)의 번거로움을 돕는다는 뜻, 또 예졸(隸卒)이 쓰는 글자의 뜻이라고도 함》. =〔左书③〕〔佐隶〕

〔佐证〕 zuǒzhèng 명 증거. 증명. =〔左证〕

〔佐治〕 zuǒzhì 〈文〉 동 정치를 보좌하다. 명 청대(清代)의 지방관(地方官). 지방 행정을 관리하는 관.

〔佐助〕 zuǒzhù 동 〈文〉 돕다. 조수 노릇을 하다. 보좌하다.

撮 zuǒ (촬)
(～儿, ～子) 양 움큼. 줌《손으로 움켜쥔 양을 나타내는 말》. ¶一～儿; 한 움큼《머리털 따위》/剪下一～子头发; 머리를 한 움큼 자르다/腮下生着一～黑毛儿; 턱 밑에 한 줌의 검은 수염이 나 있다. ⇒cuō

〔撮弄〕 zuǒnong 동 〈京〉 마구 주무르다. ¶事情都给～坏了; 일은 완전히 엉망이 되어 버렸다.

作 zuò (작)
①동 하다. 일하다. 행하다. 실행하다. 수행하다. ¶工～; 일을 하다/～报告; 보고를 하다. 연설을 하다/～手术 =〔动手术〕; 수술을 하다/～了很大的努力; 비상한 노력을 했다/向不良倾向～斗争; 좋지 못한 경향에 대해 투쟁을 하다/～威; 뽐내다. 위세부리다. ②동 만들다. 제조하다. 생산하다. ¶农～物; 농작물/深耕细～; 깊이 갈고 세심한 품을 들여 만들다. ③동 제작(制作)하다. 창작하다. ¶～曲; 작곡하다/～画; 그림을 그리다/～文; 글을 쓰다. 작문하다/～书; 〈文〉 편지를 쓰다. ④명 작품. 창작. ¶佳～; 가작/杰～; 걸작/精心之～; 정성어린 훌륭한 작품. ⑤동 (어떤 태도·모양을) 나타내다〔취하다〕. ¶～怒容; 짐짓 성난 얼굴을 하다/装腔～势 =〔装模～样〕; 짐짓 젠체하다. 유체스럽게 굴다/～撒网打鱼的姿势; 그물을 던져 고기를 잡는 자세를 취하다. ⑥동 (…로) 하다. ¶～废; 폐지하다. 버리다/认贼～父; 〈成〉 원수를 아버지로 우러르다《자진해서 적에 붙어 배반함을 이름》. ⑦동 …이〔가〕 되다. …사이가 되다. …을 맡아 보다. ¶～主席; ⓐ주석이 되다. ⓑ사회자 일을 보다/～客; ⇓/～邻舍; 이웃이 되다/～太太; 부인이 되다/以身～则; 〈成〉 스스로 모범이 되다/～模范; 모범이 되다/自～自受; 〈成〉 자업 자득/自己～死; 스스로 죽음을 부르다. ⑧동 일어서다. 일어나다. ¶变色而～; 안색이 변하며 일어서다/客～而谢之; 손님은 일어서서 사례를 했다. ⑨동 분기〔분발〕하다. 고무하다. ¶一鼓～气; 기운을 북돋아 일으키다/振～精神; 기운을 떨쳐 일으키다. ‖注 '作'과 '做'는 흔히 혼용됨. 보통 구체적인 것을 만드는 경우는 흔히 '做'를 쓰며, 배우의 몸짓 이외에는 명사로서 쓰이지 않음. 예컨대, '大作'(크게 펼치다〔일어나다〕), '杰作'(걸작)은 '大做', '杰做'로 쓰지 않음. ⇒zuō

〔作案〕 zuò,àn 동 (절도·강도 따위의) 범죄 행위를 하다. ¶～时被捕; 현행범으로 잡히다/这个傢伙又～了; 이놈 또 죄를 저질렀구나.

〔作罢〕 zuòbà 동 그만두다. 중지하다. 취소하다. ¶既然双方都不同意, 这件事就只好～了; 양쪽이 모두 동의하지 않는 이상, 이 일은 중지할 수밖에 없다. =〔作为罢论〕

〔作伴(儿)〕 zuò,bàn(r) 동 ⇨〔做伴(儿)〕

〔作保〕 zuò,bǎo 동 보증하다. 보증인이 되다. ¶托他作一个保; 그에게 보증 좀 서 달라고 부탁하다.

〔作保见〕 zuò bǎojiàn 보증인이 되거나 증인이 되다.

〔作比方〕 zuò bǐfāng 비유를 들다. 예를 들다. ¶作一个比方说…; 예를 들어 말하면….

〔作弊〕 zuò,bì 동 ①못된〔부정한〕 짓을 하다. ¶通同～; 한통속이 되어 부정을 하다. =〔舞弊〕 ②(시험에서) 커닝하다.

〔作壁上观〕 zuò bì shàng guān 〈成〉 유리한 쪽으로 붙으려고 형세를 관망하기로 하다. 수수방관하다. ¶我们决不能置之不理, ～; 우리는 이것을 버려 둔 채 강 건너 불구경하듯 하는 일은 절대로 할 수 없다.

〔作边〕 zuò,biān 동 가선을 두르다. ¶用银来～; 은으로 가선을 두르다.

〔作别〕 zuòbié 동 〈文〉 작별하다. 헤어지다. ¶拱手～; 공수하고 작별을 고하다.

〔作操〕 zuòcāo 동 체조하다. =〔做操〕

〔作成〕 zuòchéng 동 〈方〉 ①남을 도와 성공시키다. (남이) 목적을 달성하도록 노력하다. ¶你一定要努力～他们俩! 너는 반드시 그들 두 사람 사이가 원만해지도록 힘을 써야 한다!/你要～我, 我重重地谢你; 네가 만일 나를 도와 성공시켜 준다면 단단히 사례하겠다. =〔成全〕 ②부추기다. 꼬드기다. ¶那乡里先生没良心, 就～他出来应考; 저 시골 선생은 양심 없게도 그가 나와 시험을 치도록 부추겼다.

〔作出〕 zuòchū 동 (구체적으로 밖에 나타나는 일을) 하다. 해내다. ¶～了伟大的贡献; 위대한 공헌을 했다/～结论; 결론을 내다. =〔做出〕

〔作辍〕 zuòchuò 동 〈文〉 ①하다가 말다가 하다. ¶～无常; 하다 말다 일관성이 없다. ②그만두다. 중지하다.

〔作歹〕 zuòdǎi 동 나쁜〔못된〕 짓을 하다. ¶为非～; 온갖 나쁜 짓을 하다.

〔作纛旗儿〕 zuò dàoqír 지배자의 입장에 서다. 책임자가 되다. ¶你这事虽不在行, 到底还算个～; 너는 이 일에 대해서는 정통하지는 않지만, 그래도 역시 책임자인 셈이다. =〔坐纛旗儿〕

〔作抵〕 zuòdǐ 동 저당 잡히다. ¶用房屋～; 가옥

저당 잡히다.
〔作弟兄的〕 zuòdìxiōngde 명 병사. 군인.
〔作掉〕 zuòdiào 동 해치우다. 없애 버리다. ¶他的政治对手却要想办法~他; 그의 정적(政敵)측에서는 어떻게든 그를 없애려 하고 있다.
〔作东(儿)〕 zuò,dōng(r) 동 주인역(役)이 되다. 초대하다. 한턱 내다. ¶今天我~; 오늘은 제가 한턱 내지요/午餐由他~; 점심 대접은 그가 한다. =〔作东道〕〔做东(儿)〕〔做东道〕〔做东家〕
〔作东道〕 zuò,dōngdào 동 ⇨〔作东(儿)〕
〔作对〕 zuò,duì 동 ①적대〔대립〕하다. 맞서다. ¶处处和党~; 모든 점에서 당과 적대하고 있다/埋怨天气和他~; 날씨가 그의 뜻과 상반된다고 원망하다. ②저항하다. 대들다. ¶别跟他~! 그에게 대들지 마라! ‖=〔作对手〕〔作对头〕〔作对子〕〔做对手〕 ③〈文〉 배우자가 되다. ¶真堪与妹子~; 딱 누이동생에 알맞은 배우자이다.
〔作对手〕 zuò duìshǒu ⇨〔作对①②〕
〔作恶〕 zuò,è 동 ①나쁜 짓을 하다. ¶~多端; 못된 짓만 하다. 온갖 못된 짓을 하다. =〔做坏事〕 ②〈文〉 기분이 우울해지다. ③구역질이 나다.
〔作恶人(儿)〕 zuò èrén(r) 원망 받는 자가 되다. 나쁜 사람이 되다. ¶你要拉不下脸来拦他, 我拦他, 我不怕~; 네가 거절 못하겠다면 내가 거절한다. 나는 나쁜 사람이 되는 게 두렵지 않다.
〔作伐〕 zuòfá 동 〈文〉 중신을〔중매를〕 들다.
〔作法〕 zuò,fǎ 동 ①법률을 정하다. 규칙을 만들다. ②도사(道士)가 법술을 행하다. (zuòfǎ) 명 ①작문(作文)의 방법. ¶文章~; 문장의 작법. ②만드는〔처리하는〕 방법. ¶这是怎么个~? 이것은 어떻게 만듭니까? =〔做法〕
〔作法自毙〕 zuò fǎ zì bì 〈成〉 제 손으로 만든 법에 자기가 걸려들다. 남을 함정에 빠뜨리기 위해 만든 덫에 자기가 치이다. 자승자박. 자업자득. =〔作茧自毙〕〔作茧自缚〕〔自作自受〕
〔作反〕 zuòfǎn 동 모반(謀叛)하다. =〔造反①〕
〔作废〕 zuò,fèi 동 ①폐지〔폐기〕하다. ¶~的稿纸; 폐기된 원고용지. ②무효로 하다. ¶入场券当日有效, 过期~; 입장권은 당일에 한해 유효이고, 기일이 지나면 무효가 된다.
〔作份儿〕 zuòfènr 명 시접《바느질할 때, 속으로 접혀 들어가는 부분》.
〔作风〕 zuòfēng 명 ①(화가·소설가 등의) 작풍. (일이나 생활상에 나타난) 태도. (일을 하는 특별한) 태도. ¶树立~; 작풍을 만들어 내다/作家各有各的~; 작가에게는 각기 작풍이 있다/~正派; 품행방정하다/~不正; 품행 불량. ②풍격. 기개. 기풍. ③〈俗〉 (여느 때의) 방식. 수법. ¶我讨厌他的~; 그의 수법이 마음에 들지 않는다/那就是他的~; 그것이 그 녀석의 수법이다/~生硬; 하는 식이 딱딱하다.
〔作福作威〕 zuò fú zuò wēi 〈成〉 ⇨〔作威作福〕
〔作根儿〕 zuògēnr 부 ⇨〔轧yà根儿〕
〔作梗〕 zuògěng 동 ①방해하다. 훼방 놓다. ¶从中~; 중간에서 훼방 놓다. ②지장(支障)이 되다.
〔作工〕 zuò,gōng 동 일을 하다. 노동하다. ¶作八小时的工; 8시간 노동하다. =〔做工〕
〔作古〕 zuògǔ 동 〈婉〉 ⇨〔去qù世〕
〔作怪〕 zuòguài 형 이상하다. 괴상하다. ¶这事有些~; 이 일은 좀 이상하다. 동 ①빌미붙다. 못되게 굴다. 훼방 놓다. ¶离远点, 少在这儿~! 여기서 훼방 놓지 말고 좀 떨어져 있거라!/形式主义在那里~; 형식주의가 화근이 돼 있다. ②해를 끼치다. 나쁜 영향을 끼치다. ¶兴妖~; 요괴가 해를 입히다. 〈比〉 나쁜 짓을 하고 나쁜 영향을 퍼뜨리다. ③스스로 고통을 초래하다. 자업자득이다.
〔作官(儿)〕 zuò,guān(r) 동 관리가 되다. 관도(官途)에 오르다. ¶~的; 관리/~当老爷; 관리가 되어 뽐내다. =〔做官(儿)〕
〔作馆〕 zuòguǎn 동 ⇨〔坐馆〕
〔作鬼(儿)〕 zuò,guǐ(r) 동 ⇨〔做鬼(儿)〕
〔作好作歹〕 zuò hǎo zuò dǎi 〈成〉 ⇨〔做好做歹〕
〔作耗〕 zuò,hào 동 ①소란을 피우다. 사단을 일으키다. 제멋대로 굴다. ¶你不过是几两银子买来的小丫头子罢咧, 这屋里你就作起耗来了!《紅樓夢》 너는 고작 돈 몇푼으로 사온 계집애에 불과한데, 이 집안에서 소란을 피우겠다는 거냐!/你就狗仗人势, 天天~, 在我们跟前逞脸《紅樓夢》; 너는 상전의 위세를 빌려서, 매일 못된 짓을 하며 우리 눈앞에서 멋대로 구는구나. ②반란〔모반〕을 일으키다. ¶正说江南方腊~《水滸傳》; 마침 강남의 방랍이 모반했다는 것이었다.
〔作贺〕 zuòhè 동 축하하다.
〔作活(儿)〕 zuò,huó(r) 동 ⇨〔做活(儿)〕
〔作火〕 zuò,huǒ 동 불을 일으키다.
〔作祸〕 zuò,huò 동 화를 만들다. 화근을 만들다.
〔作家〕 zuòjiā 명 ①작가. 저술가. ②〈古白〉 익수. 전문가. ¶如此说来, 你果是个~! 그러고 보니, 당신은 과연 전문가로군요! 동 ①근검에 힘써 집안을 일으키다. ②〈古白〉 가사(家事)를 관리하다. 살림을 꾸려 나가다. ¶他自不会~, 把个大家事费尽了; 그는 살림이 서툴러서 큰 재산을 다 써버렸다. 명동 〈方〉 검약(하다).
〔作假〕 zuò,jiǎ 동 ①가짜를 만들다. 진짜 속에 가짜를 섞다. ②속임수로〔농간을 부려〕 속이다. ¶~骗人; 속임수로 사람을 속이다/你那两下儿我们还不知道? 还作什么假! 너의 그 수법을 우리가 모를 줄 아느냐? 또, 무슨 속임수를 쓰려고 해! ③겉모양을 꾸미다. 부자연스럽게 하다. ④솔직하지 않다. 작위(作爲)가 있다. 부자연스럽다. 속임수가 있다. ⑤일부러 사양하(는 척하)다. ¶我随便吃, 我不会~; 마음대로 들겠습니다. 저는 사양할 줄 모릅니다.
〔作价〕 zuò,jià 동 가격을 매기다. 평가〔어림〕하다. ¶~归公; 평가하여 공유(公有)의 것으로 돌리다/如果把这个东西~, 值多少钱? 이것을 금액으로 따지면 얼마입니까?/这种商品~太低; 이런 상품은 값을 매긴 게 너무 낮다. (zuòjià) 명 값을 매김. 또, 그 값. ¶在底薄疏竭情况下, ~齐头并进; 품귀 상태하에서 매매 기준가가 일제히 치솟다.
〔作奸犯科〕 zuò jiān fàn kē 〈成〉 나쁜 짓을 하여 법을 어기다.
〔作茧〕 zuò,jiǎn 동 고치를 짓다. =〔结jié茧①〕
〔作茧自毙〕 zuò jiǎn zì bì 〈成〉 ⇨〔作法自毙〕
〔作茧自缚〕 zuò jiǎn zì fù 〈成〉 ⇨〔作法自毙〕
〔作件〕 zuòjiàn 명 제작의 대상물. 만들려는 부품〔공작물〕. =〔工gōng件〕〔工作件〕〔制zhì件〕
〔作践〕 zuòjian〔zuójian〕 동 〈口〉 ①짓밟다. 헐뜯다. 중상하다. 학대하다. 모욕하다. ¶你这是哪儿学来的, 随便~人? 너 어디서 배워 먹은 버릇이길래, 함부로 사람을 헐뜯느냐? ②소홀히 하다. ③낭비하다. ‖=〔作贱〕
〔作劲〕 zuòjìn 동 ①도와 주다. 조력하다. ¶他真给你~; 그는 정말이지 자네를 위해 힘을 다하고

있다. ②반대하다. ¶光嘴上说支持, 心里倒～; 단지 입으로만 지지한다고 말하고, 마음 속으로는 오히려 반대한다.

〔作就〕 zuòjiù 동 ①만들어 내다. 완성되다. ¶这是用铁～的; 이것은 철제입니다. ②미리 꾸며〔만들어〕 놓다. ¶～的圈套; 미리 꾸며 놓은 올가미.

〔作客〕 zuò.kè 동 ①〈文〉 다른 고장에 임시로 거처하다. 객지에 머물다. ¶～他乡; 타향에 살다. ②손님이 되다. ¶我是给您帮忙儿来的, 不是～来的; 나는 도와주려고 온 것이지, 손님으로 온 것이 아니다 / ～思想; 적극성·주체성이 없는 생각이나 태도. =〔做客〕 ③사양하다. 스스러워하다. ¶你别～; 부디 사양하지 마십시오〔어려워하지 마십시오〕.

〔作阔〕 zuòkuò 동 호사스러운 체하다. 부자인 체하다. =〔做阔〕

〔作乐(儿)〕 zuòlè(r) 동 ①즐기다. 즐거움으로 삼다. ¶饮酒～; 술을 마시고 즐기다 / 打牌～; 카드놀이와 마작을 하며 즐기다. ②관광 유람하다. ⇒zuòyuè

〔作雷〕 zuòléi 동 화를 자초하다. 자업자득하다.

〔作脸〕 zuòliǎn 동〈方〉 명예를 겨루다. 벼르다. 오기를〔경쟁심을〕 일으키다.

〔作脸(儿)〕 zuò.liǎn(r) 동〈方〉 체면을 세우다. 면목을 세우다. ¶你也不给我作作脸, 把这件事办得好一点儿; 너는 내 체면을 세워 주지 않는구나. 이 일을 좀더 잘 처리해 주면 좋으련만. =〔做脸(儿)〕

〔作料(儿)〕 zuòliao(r)〔zuóliao(r)〕 명〈京〉 양념 《요리에 쓰는 간장·된장 등의 총칭》. =〔佐料〕 ⇒zuōliào

〔作乱〕 zuòluàn 동 난(亂)을 일으키다. 무장 반란을 일으키다.

〔作美〕 zuòměi 동 (날씨 따위가) 사람의 즐거움을 이루어 주다《주로, 부정(否定)에 씀》. ¶我们去郊游的那天, 天公不～, 下了一阵雨, 玩得不痛快; 우리가 교외로 소풍 갔던 그 날 공교롭게도 한바탕 비가 쏟아져서 마음껏 놀지 못했다.

〔作梦〕 zuò.mèng 동 ⇨〔做梦〕

〔作梦发呆〕 zuòmèng fādāi ⇨〔做梦发呆〕

〔作麽〕 zuòmó 대 ⇨〔作麽生〕

〔作麽生〕 zuòmóshēng 대〈古白〉 어째서. 왜《송유(宋儒)의 어록(語錄) 등에 자주 보이며, 선문답(禪問答)에 씀》. =〔作麽〕〔则zé麽〕〔子zǐ麽〕〔子zǐ甚麽〕

〔作摩〕 zuòmo〔zuómo〕 동 ⇨〔琢磨zuómo〕

〔作摩滋味儿〕 zuòmo zīweir ⇨〔咂zā摸滋味儿〕

〔作难〕 zuò.nán 동 ①당혹하다. 난처해하다. ¶他怪～地说实在困难; 그는 난처한 듯이 실로 어렵다고 했다 / 好多人替他家着急～; 많은 사람들이 그의 집 때문에 초조해하고 당혹해했다. ②당혹시키다. 트집을 잡다. 난처하게 하다.

〔作难索谢〕 zuònán suǒxiè 난처하게 만들어 금품을 요구하다. 난색을 보여 얼마간 손에 넣으려고 꾸미다.

〔作鸟兽散〕 zuò niǎo shòu sàn 〈成〉 황망히 달아나다. 뿔뿔이 흩어져 도망치다. ¶那几个大汉～而走了; 몇 사람의 거한(巨漢)은 황망히 도망쳤다.

〔作孽〕 zuò.niè〔zuōniè〕 동 죄를 짓다. =〔造孽〕

〔作脓〕 zuònóng 동 곪다. 화농(化膿)하다. =〔化脓〕

〔作弄〕 zuònòng〔zuónòng〕 동 우롱하다. 조롱하다. 놀리다. 희롱하다. =〔做弄〕

〔作呕〕 zuò'ǒu 동 ①구역질이 나다. 메스껍다. ¶令人～; 구역질이 나게 하다. ②〈轉〉 극도로 역겹다. 구역질이 날 정도로 싫다.

〔作派〕 zuòpai 명 배우의 무대에서의 연기. =〔作排〕 동 젠체하다. 으스대다. 거드름 피우다. 모양을 내다. ‖ =〔做派〕

〔作排〕 zuòpai 명 ⇨〔做派〕

〔作陪〕 zuòpéi 동 ①모시다. 모시어 접대하다. ②배객(陪客)이 되다. ¶被请去～; 배객(陪客)으로 불리다. ↔〔失陪〕

〔作配〕 zuòpèi 동 ①쌍(雙)으로 하다. 짝이 되다. ②짝지어 주다. ③짝을 짓다. 결혼하다.

〔作品〕 zuòpǐn 명 ①작품. 저작물. ¶文艺～; 문예 작품 / 音乐～; 음악 작품. ②수법. 방식. ¶我不大放心老苏那种婆婆妈妈的～; 나는 소군의 그런 줏대없는 방식에는 그다지 안심할 수 없다.

〔作畦〕 zuòqí 동《農》 논밭을 작게 구획하다. ¶～机; 배토기(培土機).

〔作气〕 zuòqì 동 기운을 내다. ¶一鼓～; 단숨에 기운을 내다.

〔作腔作势〕 zuò qiāng zuò shì 〈成〉 젠체하다. 외양을 꾸미다. =〔装zhuāng腔作势〕

〔作亲〕 zuò.qīn 동 결혼하다. 친척 관계를 맺다. =〔做zuò亲〕

〔作情〕 zuòqing 동 ①중간에 서서 이야기를 매듭짓다. 인정으로 중재하다. 대신 해 주다. ¶两方都不肯说价钱, 只好由我～了; 어느 쪽도 가격을 말씀 안 하시니, 제가 나서서 잘 주선해 드리지요. ②감탄하다. 신복(信服)하다. 과연 그렇다고 생각하다. 고맙다고 여기다. ¶你失了信用, 就没人～你; 신용을 잃으면 너를 고맙다고 생각할 사람은 없다 / 做出事来得让人～; 일단 일을 하면 사람에게 고맙다고 느끼게 만들어야 한다. ③인정을 베풀다. 불쌍히 여기다. ¶他跪着讨情, 我就～答应了; 그가 무릎을 꿇고 부탁하기에 불쌍해서 그만 승낙하고 말았다. ④허세를 부리다. 의미 있는 듯이 굴다. 변죽을 울리다. 요란을 떨다. ¶这么点儿屁事, 还～什么; 이런 하찮은 일에 뭘 그리 요란을 떠느냐.

〔作曲〕 zuò.qǔ 동 작곡하다. ¶～家; 작곡가.

〔作圈套〕 zuò quāntào 올가미를 씌우다. =〔做圈套〕

〔作裙〕 zuòqún 명 앞치마.

〔作人〕 zuòrén 명 위인. 사람됨. (zuò.rén) 동 ①인재를 양성하다. ② ⇨〔做人〕

〔作如是观〕 zuò rú shì guān 〈成〉 이러한 견해를 취하다.

〔作色〕 zuòsè 동 (화가 나서) 안색이 변하다. ¶愤然～; 벌컥 화를 내고 안색을 바꾸다.

〔作舍道边〕 zuò shè dào biān 〈成〉 의견이 백출(百出)하여 일을 성공시키기 어렵다. =〔作舍道旁〕

〔作舍道旁〕 zuò shè dào páng 〈成〉 ⇨〔作舍道边〕

〔作甚〕 zuòshèn 〈古白〉 무엇하겠는가. 어떻게 하겠느냐. ¶还理他～; 아직도 그를 상대해서 무엇하겠느냐. =〔则zé甚〕

〔作声(儿)〕 zuò.shēng(r) 동 소리를 내다. =〔做声(儿)〕

〔作诗〕 zuòshī 동 ⇨〔做诗〕

〔作势〕 zuòshì 동 몸짓을 하다. 자세를 취하다. ¶装腔～; 같잖은 태도를 취하다. 허세를 부리다 / 举起手来, ～要打; 손을 들어 때릴 듯한 자세를 보이다. =〔做势〕

〔作手〕 zuòshǒu 명 서화(書畫)의 명품(名品)〔명수

(名手)〕.
〔作手势〕 zuò shǒushì ⇨〔做手势〕
〔作数〕 zuò,shù 동 ①(유효한 것. 버젓한 것으로) 인정하다. 숫자 속〔…축〕에 넣다. 약속을 지키다. ¶怎么昨天说的, 今天就不～了; 어째서 어제 말한 것을 오늘에 와서 인정하지 않는 것이냐/这个怎么不～呢? 이것은 왜 숫자 속에 넣지 않느냐? ②이것으로 좋다고 치다. ‖ =〔作准①〕
〔作耍〕 zuòshuǎ 동 〈古白〉 ①농담하다. 조롱하다. ¶休要～《水滸傳》; 농담하지 마시오. ②장난하며 놀다. ¶引他出来～《紅樓夢》; 그를 불러 내어 장난하며 놀다.
〔作死〕 zuòsǐ〔zuōsǐ〕 동 스스로 죽을 처지에 떨어질 짓을 하다. 섶 지고 불에 뛰어들다. 화를 자초하다. 스스로 빼도 박도 못할〔난처한〕 짓을 저지르다. ¶他闹了肚子, 还那么胡吃, 简直～; 그는 배탈이 났는데도 아직도 저렇게 게걸스럽게 먹어대니, 스스로 명을 재촉하는 꼴이다/我猜他们那借契上, 早就～了的; 그들은 그 차용증에, 벌써부터 돌이킬 수 없는 (얼간이같은) 짓을 한 것이라고 나는 생각한다.
〔作速〕 zuòsù 부 〈文〉 속히. 빨리. 어서. ¶～动手; 얼른 착수하다/～择zé了日期; 빨리 날짜를 정해라/～赐复; 〈翰〉 속히 회신을 주십시오.
〔作酸〕 zuòsuān 동 〈古白〉 ①질투하다. 투기하다. =〔〈口〉 吃醋〕 ②속이 쓰리다. 신물이 올라오다. ¶因为年糕吃多了, 今天有点儿～; 설날에 떡을 과식해서, 오늘은 속이 좀 쓰리다.
〔作祟〕 zuòsuì 동 ①(귀신이) 재앙을 입히다. ¶神灵～; 신령이 앙화를 입히다/他们把一切苦难说成是鬼在～; 그들은 온갖 고난을 귀신이 재앙을 내리는 것이라고 했다. ②(나쁜 사람이나 나쁜 사상이) 해를 끼쳐 (일의 진행을) 방해하다. 나쁜 영향을 주다. ③음모하다. 몰래 나쁜 짓을 하다.
〔作损〕 zuò,sǔn 동 끔찍한〔악랄한〕 짓을 하다.
〔作挞〕 zuòta 동 ⇨〔糟zāo踏③〕
〔作塌〕 zuòta 동 ⇨〔糟zāo踏③〕
〔作踏〕 zuòta 동 ⇨〔糟zāo踏③〕
〔作态〕 zuòtài 동 짐짓〔고의로〕 어떤 태도나 표정을 짓다. ¶我讨厌她的忸怩～; 그녀의 우물쭈물하는 태도에는 짜증이 난다.
〔作田〕 zuò,tián 동 농사를 짓다.
〔作图〕 zuò,tú 동 작도하다.
〔作外〕 zuòwài 동 〈古白〉 사양하다. 서먹서먹하게 굴다. 송구해하다.
〔作威作福〕 zuò wēi zuò fú 〈成〉 권세를 부리다. 권력을 남용하다. 난폭하게 굴다. 권력·지위를 믿고 뻐기다. =〔作福作威〕
〔作为〕 zuòwéi ①명 행위. 짓. ¶从他的～可以看出他的态度; 그의 행동에서 그의 태도를 식별할 수 있다/～不端; 행동이 옳지 않다. ②동 성적을〔성과를〕 내다. ¶他是个有～的人; 그는 장래성이 있는 인간이다/无所～; 하는 일 없이 날을 보내다/他精明能干, 将来一定有所～; 그는 총명하고 능력이 있으므로 장래에 반드시 한 인물이 될 것이다. ③동 …(으)로 하다. …로 보다. …에 충당하다. …으로 삼다. ¶～无效; 무효로 하다/～罢论; 그만두기로 하다/～借口; 핑계로 삼다/我把遊泳～锻炼身体的方法; 나는 수영을 몸을 단련하는 방법으로 생각한다/用自己的武器～控制别国的手段; 자신의 무기를 타국을 지배하는 수단으로 하다. ④…로서. …의 몸〔신분〕으로서《부정형(否定形)으로는 쓰이지 않음》. ¶～一个基地, 并不是非常重要的; 기지로서는 그다지 중요하지 않다.
〔作伪〕 zuòwěi 동 (주로 문물(文物)·저작에 대해) 가짜를 만들다. 위작(僞作)하다. 위조하다.
〔作文〕 zuò,wén 동 작문하다. 글을 짓다. (zuòwén) 명 (학생이 연습으로 쓴) 작문. 문장.
〔作窝〕 zuò,wō 동 둥지를 틀다.
〔作物〕 zuòwù 명 ①농작물. =〔农nóng作物〕 ②제작물. 작물.
〔作息〕 zuòxī 명 〈簡〉 일과 휴식. ¶他们坚持正常的～制度; 그들은 정해진 작업과 휴식 시간 제도를 잘 지키고 있다. 동 일하고 휴식하다. ¶按时～; 제 때에 일하고 휴식하다.
〔作息时间〕 zuòxī shíjiān 명 집무 시간과 휴식 시간.
〔作闲〕 zuòxián 형 ①빈둥거리다. 한가하다. ②쓸모없다. 소용없다.
〔作线〕 zuò,xiàn 동 정탐하다. 간첩 활동을 하다.
〔作响〕 zuò,xiǎng 동 소리를 내다.
〔作小服低〕 zuòxiǎofúdī 〈比〉 (뽐내거나 난 체하지 않고) 머리를 숙이다.
〔作兴〕 zuòxing〔zuóxing〕 동 〈方〉 ① …하기로 돼 있다. 정당한〔당연한〕 일이다. 허용할 수 있다. 하여도 좋다. 지장 없다《흔히, 부정적으로 쓰임》. ¶可不～骂人; 남을 매도해서는 안 된다/不～这样办; 이렇게 해서는 안 된다/说话不～乱说! 말은 함부로 해서는 안 된다!/只因大盗相传有这个规矩, 不～害镖局的; 다만, 대도(大盜)는 도중의 경호 담당을 업으로 삼는 자에게는 해를 가하지 않는다는 것이 규칙으로 돼 있다. ②〈古白〉 천거하다. 추거(推擧)하다. ¶着实～这几个人; 정말로 이 몇 사람을 추천했다. ③유행하다. ¶现在不～这些了; 지금은 이런 것들은 한물 지났다. ④원하다. … 할 마음이 있다. ¶谁都不～做; 아무도 하고 싶어하지 않다. 부 ①아예. 차라리. ②혹시 (…일지도 모른다). 아마도 (…할 가능성이 있다). ¶～要下雨; 비가 올지도 모른다/他～会来; 그는 올지도 모른다.
〔作虚弄假〕 zuò xū nòng jiǎ 〈成〉 거짓을〔속임수를〕 농하다. 부정을 하다. 협잡하다. 정말인 것처럼 보이게 하다. =〔弄虚作假〕
〔作押〕 zuòyā 동 저당잡히다. ¶～的; 저당물. 담보물/要有～的东西, 可以借钱; 저당물이 있으면 돈을 빌릴 수 있다.
〔作眼〕 zuòyǎn 동 ①증인으로 하다. ¶押他～; 그를 증인으로 연행하다. ②〈古白〉몰래 정탐(偵探)하다. ¶再造两处～酒店; 두어 군데 밀정용의 술집을 더 만들다. =〔做眼①〕 ③⇨〔做眼②〕 ④⇨〔做眼③〕
〔作样(儿)〕 zuò,yàng(r) 동 모양을 내다. 겉모양을 꾸미다. ¶小本子放在一边, 只不过作个样儿, 他看都没看; 작은 공책이 한쪽에 놓여 있으나, 단지 치레일 뿐 그는 전혀 보지 않았다.
〔作样〕 zuòyang〔zuóyang〕 형 〈京〉 수치를 모르다. 염치없다. ¶人家都规规矩矩地坐着, 你倒先抓吃抓喝, 什么～? 남들은 모두 단정하게 앉아 있는데, 너는 먼저 덥석덥석 먹고 마시니 이게 무슨 꼴이냐?/当着人就放屁, 真的～! 남의 앞에서 방귀를 뀌다니 정말 버릇없구나! =〔做样〕
〔作野意儿〕 zuò yěyìr 야외에 나가 자연의 정취를 맛보다. 들놀이하다.
〔作业〕 zuòyè 명 ①숙제. 과제. ¶家庭～; 숙제/批改～; 숙제를 첨삭(添削)하다/上次留的～做好了吗? 요전에 숙제로 내준 것을 다 했나요?/布置～; 숙제를 내다/～本; 연습 노트. ②(군사 또

는 생산의) 작업. 활동. ¶～计划; 작업 계획 / 高空～; 고소(高所) 작업. 고가 작업 / 流水～; 컨베이어 시스템. 전송대(傳送帶) 작업. 동 ①(군사 또는 생산의) 작업을 하다. ¶保证船只正常～; 선박의 정상 작업을 보증하다 ②악업(惡業)을 짓다.

〔作业组〕 zuòyèzǔ 명 (인민 공사 등에 있어서의) 작업반. 작업조.

〔作夜〕 zuòyè 명동 ⇨〔伴bàn宿〕

〔作揖〕 zuò.yī 동 읍(揖)하다《(옛날의) 양손을 가슴에 공수(拱手)하고 아래위로 움직이는 예》. ¶给老人家作了个揖; 어르신네께 읍을 했다.

〔作艺〕 zuòyì 동 (옛날, 연예인이) 공연하다. ¶她从十一岁起就登台～; 그녀는 열한 살 때부터 무대에 올라 공연하기 시작했다. =〔做艺〕

〔作硬文章〕 zuò yìng wénzhāng 〈比〉 고자세로〔고압적으로〕 나오다.

〔作俑〕 zuòyǒng 동 〈文〉 토용(土俑)을 만들다. 〈轉〉 나쁜 예를 처음으로 만들다. ¶始shǐ～者; 〈成〉 나쁜 예를 창시한 사람.

〔作用〕 zuòyòng 동 (사물에 대해) 영향을 미치다. 작용하다. ¶外界的事物～于我们的感觉器官, 在我们的头脑中形成形象; 외계의 사물이 우리의 감각기관에 작용하여 우리의 머릿속에 형상을 형성하다 / 对于性格的形成起着极大的～; 성격 형성에 매우 큰 영향을 끼치다. 명 ①작용. ¶消化～; 소화 작용 / 光合～; 광합 작용 / 发酵～; 발효 작용 / ～力; 《物》 물체에 작용하는 힘. 작용력 / 反～; 반작용 / 副～; 부작용. ②(사물에 대해 생긴) 영향. 역할. 효과. 효용. ¶起～; 역할을 다하다. 효과가〔영향이〕 나타나다 / 丧失～; 효과를 상실하다 / 积极～; 적극적 역할. ③의향. 의도. 저의. ¶他刚才说的那些话是有～的; 그가 앞서 한 그 말에는 의도가 있는 겁니다 / 他这句话别尽看正面儿, 另有～; 그의 이 말은 곧이곧대로 들어선 안 된다. 따로 저의가 있는 것이다.

〔作冤〕 zuòyuān 동 (스스로) 속임수에 걸리다. 어리석은 짓을 하다.

〔作月子〕 zuò yuèzi ⇨〔坐月子〕

〔作乐〕 zuòyuè 동 〈文〉 ①악률(樂律)을 정하다. ¶制礼～; 예악(禮樂)의 제도를 제정하다. ②악기를 울리다. 연주하다. =〔奏乐〕 ⇒zuòlè(r)

〔作则〕 zuòzé 동 본보기로〔규범으로〕 하다. ¶以yǐ身～; 솔선 수범하다.

〔作贼〕 zuò.zéi 동 도둑질하다. ¶～心虚 =〔做贼心虚〕; 〈成〉 못된 짓을 하면 마음 속으로 전전긍긍하는 법. =〔做贼〕

〔作战〕 zuò.zhàn 동 작전하다. 투쟁하다. 전투하다. 전쟁하다. ¶～手段; 전쟁 수단 / ～命令; 작전 명령.

〔作者〕 zuòzhě 명 작자. 필자.

〔作证〕 zuòzhèng 동 입증하다. 증명하다.

〔作主〕 zuò.zhǔ 동 (자신의) 생각대로 행하다. (자기의) 의사로 결정하다. (혼자만의) 생각으로 정하다. ¶这事我不能～; 이 건(件)은 나 혼자만의 생각으론 결정할 수가 없다. =〔做主②〕

〔作准〕 zuòzhǔn 동 ①⇨〔作数〕 ②기준〔표준〕으로 삼다. 규준(規準)으로 하다. ¶刚才我讲的话是仅供参考, 还是以主任讲的话～; 앞서 내가 한 말은 단지 참고일 뿐이니, 역시 주임의 말에 따르십시오 / 写好的字据都可以不算, 那还有什么东西能～呢; 종이에 쓴 증서조차 휴지 조각으로 만들어도 괜찮다면 달리 무슨 확실한 수단이라도 있는 거냐.

〔作作有芒〕 zuò zuò yǒu máng 〈成〉 ①문장 표현이 훌륭하여 한 글자 한 글자가 빛나다. ②위세를 떨치다.

阼 zuò (조)
명 ①옛날, 제주(祭主)가 오르는 계단. ②〈比〉천자의 자리. 제위(帝位). ¶践～; 제위에 오르다.

怍 zuò (작)
동 〈文〉 부끄러워하다. ¶仰不愧于天, 俯不～于地; 우러러 하늘에 부끄러움이 없고, 굽어보아 땅에 부끄럽지가 않다《양심에 가책을 느끼는 바가 없다. 아무것도 부끄러울 바가 없다》.

迮 zuò (책)
'迮zé' 의 우음(又音).

岞 zuò (작)
지명용 자(字). ¶～山; 쭤산 산(岞山)《산둥성(山東省)에 있는 산 이름》.

祚 zuò (조)
명 〈文〉 ①(하늘에서 내려 주는) 복. ②제위(帝位). ¶践～; 천조 / 帝～; 제위. ③연(年). 해. 연대. ¶初岁元～; 정월 초하루. 원단(元旦).

〔祚命〕 zuòmìng 동 〈文〉 하늘이 복을 주다.

〔祚胤〕 zuòyìn 명 〈文〉 후사(後嗣). 후손.

柞 zuò (작)
명 《植》 ①상수리나무. ②산유자나무. ③조롱나무. ⇒zhà

〔柞蚕〕 zuòcán 명 《蟲》 멧누에. 산누에.

〔柞蚕蛾〕 zuòcán'é 명 《蟲》 작잠아. 산누에나방의 일종.

〔柞蚕丝〕 zuòcánsī 명 작잠사《산누에가 토해 내는 실》.

〔柞茧〕 zuòjiǎn 명 작견. 산누에고치.

〔柞栎〕 zuòlì 명 《植》 떡갈나무. 상수리나무. 갈참나무. =〔柞树〕〔栎树〕

〔柞木〕 zuòmù 명 《植》 ①산유자나무. ②상수리나무.

〔柞实〕 zuòshí 명 《植》 (졸참나무 등의) 도토리.

〔柞丝〕 zuòsī 명 멧누에고치의 실. ¶～绸; 멧누에 방적사(絲) 직물.

胙 zuò (조)
①명 제사에 차려 놓았던 고기·술. ②동 상을 주다.

酢 zuò (작)
동 〈文〉 ①손님이 주인에게 술을 따라 답례하다. ¶酬chóu～; 술잔을 주고받음. 교환(交歡) / 招待外宾, 酬～甚欢; 외국 손님을 초대하여 술을 나누니 매우 유쾌하였다. ②신불(神佛)에게 감사의 제사를 드리다. ⇒cù

坐 zuò (좌)
①동 앉다. ¶请～; 앉으십시오 / ～在凳上; 의자에 앉아 있다 / ～下来谈谈吧! 앉아서 이야기하자! / 车上很挤, 没有位子～; 차가 우 붐벼서 앉을 자리가 없다 / 座位～满了; 좌석이 모두 찼다 / 上我家来～; 우리집에 놀러오십시오. ②동 (탈것에) 타다. 탑승하다. ¶～车; 차를 타다 / ～船; 배를 타다 / ～飞机; 비행기를 타다 / 我是～船去的; 나는 배로 갔다 / 你～了一天汽车, 累了罢; 당신은 하룻동안 버스를 타서 고단하시겠습니다. →〔骑qí〕〔上shàng〕 ③동 위치하다. ¶那座大楼是～北朝南的; 그 빌딩은 북쪽에 있으며 남향이다. ④동 (무거운 것·건물 따위가) 정위치에서 밀려나다. 기울다. 쏠리다. ¶往后～了; 담이 뒤쪽으로 기울다 / 炮的～力不小

대포의 반동은 크다 / 无后～力炮; 무반동포. ⑤ 동 (냄비 · 솥 · 주전자 따위를) 불에 얹다. ¶火旺了, 快把锅～上! 불기가 세어졌으니, 빨리 냄비를 얹어 놓아라 / ～一壶开水吧; 물 한 주전자를 끓여라. ⑥〈文〉(…로) 인(因)해서. (…) 때문에. ¶～此解职; 이 일로 (인)해서 해임되다. ⑦ 동 문죄(問罪)당하다. 처벌 받다. ¶连～; 연좌〔연루〕되다 / ～以杀人之罪; 살인죄에 걸리다 / 反～; 반좌(하다)《옛날에, 위증(僞證)이나 무고로 남을 모함한 자가 도리어 그 죄와 같은 정도의 형을 받았음을 이름》. ⑧ 동 해산하다. ¶他老婆要～了罢? 저 사람 아내는 곧 해산일 걸요. ⑨ 동 넣다. 놓다. ⑩ 동 …으로 가다. …에 임석하다. ⑪ 동 가만히 (앉아) 있다. ¶～失良机; 뻔히 알면서 기회를 놓치다 / ～收成果; 가만히 앉아서 성과를 올리다. ⑫ 부 저절로. 공연히. 아무 이유 없이. ⑬ 명 좌석. 자리. ¶各归原～; 각자 제자리로 돌아가다. =〔座①〕 ⑭ 동〈方〉정말 …이 되다. ¶开头儿是不要紧的, 现在已经～下病了; 처음에는 아무렇지 않았는데, 지금은 이미 정말 병이 났다. ⑮ 동〈方〉같이 먹다. ¶改天咱们外头～～儿吧; 언제 우리 밖에서 한 잔 합시다. ⑯ 동 (열매를) 맺다. ¶～果; 과일이 열(리)다.

〔坐板疮〕 zuòbǎnchuāng 명 엉덩이에 생기는 피부병의 일종《더운날 오래 앉아 있으면 생기는 좁쌀알만한 붉은 색의 땀띠》.

〔坐北朝南〕 zuòběi cháonán 건물이 '院子' 또는 도로의 북쪽에 위치하고 남향으로 되어 있다.

〔坐髀〕 zuòbì 명 ⇨〔坐骨〕

〔坐标〕 zuòbiāo 명《數》좌표. ¶纵zòng～; 세로 좌표 / 横héng～; 가로 좌표 / ～图tú =〔曲qū线图解〕; 그래프(graph). =〔座标〕

〔坐不安, 睡不宁〕 zuòbù'ān, shuìbùníng ⇨〔坐不安, 站不稳〕

〔坐不安, 站不稳〕 zuòbù'ān, zhànbùwěn 불안하여 안절부절못하다. =〔坐不安, 睡不宁〕〔坐不宁, 站不安〕

〔坐不垂堂〕 zuò bù chuí táng〈成〉기와가 떨어지면 위험하므로 처마 밑 가까이에는 앉지 않는다《위험한 짓을 안 하다. 조심히 몸을 지키다》.

〔坐不动〕 zuòbudòng (힘이 없어서) 앉아 있을 수 없다. ¶你的病刚好, 要是～, 还是躺下吧; 너는 병이 나은 지 얼마 되지 않으니까, 앉아 있기 거북하면 누워 있거라. ↔〔坐得动〕

〔坐不开〕 zuòbukāi (장소가 좁아) 앉을 수 없다. 앉을 자리가 없다. ¶一桌～十五个人; 탁자 하나에 15명은 앉을 수 없다. ↔〔坐得开〕

〔坐不窥堂〕 zuò bù kuī táng〈成〉두리번거리지 않고 침착한 자세를 갖추다.

〔坐不宁, 站不安〕 zuòbùníng, zhànbù'ān ⇨〔坐不安, 站不稳〕

〔坐不稳〕 zuòbuwěn ①앉아 있어도 편안하지 않다. 좌불안석이다. 안절부절 못하다. ¶你有什么心事? 怎么立不安～的? 너는 무슨 걱정이라도 있니? 어째서 그렇게 안절부절못하니? ②평온하게 앉아 있을 수 없다. ‖ =〔坐不安〕

〔坐不下〕 zuòbuxià (장소가 좁아) 앉을 수 없다 (「坐得下」는 가능을 나타냄). ¶后来的人屋里～, 都站在院子里; 나중에 온 사람들은 방 안에는 앉을 수가 없어서 모두 마당에 나와 서 있다.

〔坐不住〕 zuòbuzhù ①오래 앉아 있지 못하다. ¶～, 垫上枕头靠一会儿吧; 오래 앉아 있을 수 없거든, 베개를 대고 잠시 기대어 앉아 있어라. ②(초조하여) 가만히 앉아 있지 못하다. ‖↔〔坐得住〕

〔坐财〕 zuòcái 명 옛날, 혼례 다음날 신부가 '炕'(중국식 온돌)에서 아래로 내려오지 않는 일.

〔坐参〕 zuòcān 동 좌선하다. =〔坐禅〕〔打dǎ禅〕

〔坐草〕 zuòcǎo ⇨〔坐月子〕

〔坐禅〕 zuòchán 동 ⇨〔坐参〕

〔坐唱〕 zuòchàng 동명《劇》(반주없이) 노래하다〔노래하는 것〕.

〔坐车〕 zuò chē (기차 · 자동차 따위) 차를 타다. ¶～去; 차로 가다. →〔上车〕

〔坐吃〕 zuòchī 동 빈둥빈둥 놀고 먹다. 좌식〔무위도식〕하다. 아무 일도 안 하다. ¶不必了, 你是新客, ～好了; 그런 일을 할 필요는 없다. 너는 신참이니까 아무것도 안 해도 된다.

〔坐吃山崩〕 zuò chī shān bēng〈成〉⇨〔坐吃山空〕

〔坐吃山空〕 zuò chī shān kōng〈成〉아무리 많은 재산이라도 놀고 먹으면 결국 없어진다. =〔坐吃山崩〕〔坐食山空〕

〔坐驰〕 zuòchí 동〈文〉몸은 움직이지 않고 마음만 조급해서 달리다.

〔坐处〕 zuòchu 명 앉는 장소. 있을〔자리잡을〕곳. ¶地方小, 没有～; 장소가 좁아 있을 곳이 없다.

〔坐船〕 zuò chuán 배에〔배를〕타다.

〔坐床〕 zuòchuáng 명 ⇨〔坐帐〕

〔坐春风〕 zuò chūnfēng 춘풍에 앉다.〈比〉스승의 가르침 · 훈도(薰陶)가 훌륭하고 좋음을 말함.

〔坐次〕 zuòcì 명 자리의 차례. 석차. ¶安排～; 자리 순서를 정하다 / ～表; 좌석표. 석차표. =〔座次〕

〔坐催〕 zuòcuī 동 눌어붙어 재촉하다. 무릎을 맞대고 직접 담판하다.

〔坐打〕 zuòdǎ 명《劇》(중국 전통극에서) 배우가 무대에 앉은 채 노래부르는 것.

〔坐大〕 zuòdà 동 아무것도 안 하고〔저절로〕쉽게 강대(強大)해지다. ¶使孙策～, 遂并江东; 손책으로 하여금 앉은 채 저절로 강대해지게 하여 마침내 강동을 병탄하게 하고 말았다.

〔坐待〕 zuòdài 동 ⇨〔坐等(儿)〕

〔坐倒〕 zuòdǎo 동 걸터앉은 채 또는 앉은 채 쓰러지다.

〔坐纛旗儿〕 zuò dàoqír ⇨〔作纛旗儿〕

〔坐等(儿)〕 zuòděng(r) 동 수수방관하고 기다리다. 아무것도 안 하고 기다리다. 앉아서 기다리다. =〔坐待〕

〔坐底〕 zuòdǐ 동 ①(도박에서) 몇 번이나 같은 패가 나오다. ②〈轉〉몇 번이나 같은 일을 하다.

〔坐地〕 zuòdì 동 ①(땅)바닥에 앉다. 땅에 깔개를 깔고 앉다. ②〈古白〉앉다. 앉아 있다. ¶女子留鲁达, 在楼上～《水滸傳》; 여자는 노지심(魯智深)을 만류하여 2층에 앉혔다. 부 그 자리에서. ¶～分配; 그 자리에서 나누다.

〔坐地分肥〕 zuò dì fēn féi〈成〉⇨〔坐地分赃〕

〔坐地分赃〕 zuò dì fēn zāng〈成〉도둑의 두목이 집 안에 앉아서 졸개가 훔쳐 온 장물을 나누어 가지다《자신은 직접 손을 안 대고 남이 얻은 것을 빼앗아 가다》. =〔坐地分肥〕

〔坐地虎〕 zuòdìhǔ 명〈比〉토박이 깡패. (그) 고장의 건달〔폭력배〕.

〔坐地户〕 zuòdìhù 명 토박이. 토착인(土着人). =〔坐地的〕

〔坐地儿〕 zuòdìr 부 ⇨〔坐地窝wō儿〕

〔坐地窝儿〕 zuòdìwōr 부 ①처음부터. 애초부터. 아예. ¶他～不会的; 그는 애당초 못 하는 거다.

②그 자리에서. 그 즉시. ¶～就办妥了; 그 자리에서 잘 처리했다. ‖＝〔坐地儿〕〔坐窝儿〕
〔坐的〕 zuòdì 동 〈古白〉 앉아 있다. ¶正陪在房中～; 마침 방에 모시고 앉아 있다. ＝〔坐着〕
〔坐垫(儿, 子)〕 zuòdiàn(r, zi) 명 방석. 좌석에 까는 것. ¶垫上～; 방석을 깔다 / 海绵～; 스폰지 방석. →〔垫子〕
〔坐定〕 zuòdìng 동 ①자리잡고 앉다. 좌정하다. ②(마음을) 고요히 가라앉히다. 조용히 좌정하다. ¶～了一想…; 가만히 앉아서 생각해 보니.
〔坐墩(儿)〕 zuòdūn(r) 명 ①(도자기로 만든) 걸상. ②그릇명밑(한자 부수의 하나. '益·盟' 등의 '皿'의 이름). ＝〔皿mǐn墩儿〕〔皿堆(儿)〕
〔坐蹲儿〕 zuòdūnr 동 두 무릎을 세우고 앉다. 웅크려〔쪼그려〕 앉다. 명 엉덩방아.
〔坐而论道〕 zuò ér lùn dào 〈成〉 앉아서 부질없이 도리를 논하다. 탁상 공론하다.
〔坐法〕 zuòfǎ 동 ①잘못하여 법에 저촉되다. ②법률에 의해 처분되다. 명 앉는 법. 앉기. 앉은 자세.
〔坐烦〕 zuòfán 동 오래 앉아 있어 따분하다〔싫증나다〕.
〔坐跟〕 zuògēn 동 신을 잘못 신어서 신 뒤축이 안으로 꺾여지거나 찌부러지다. ¶鞋～了; 구두 뒤축이 꺾어졌다〔찌부러졌다〕.
〔坐更〕 zuògēng 동 불침번을 서다. 숙직을 하다.
〔坐工(儿)〕 zuògōng(r) 명 ①불교의 좌선(座禪). 도교의 정좌(靜座). ②〈轉〉 직장에서의 처신법〔근무 태도〕.
〔坐骨〕 zuògǔ 명 《生》 좌골. ¶～神经; 좌골 신경. ＝〔坐髀〕〔尻kāo骨〕〔座骨〕
〔坐贾〕 zuògǔ 명 ⇨〔坐商〕
〔坐关〕 zuòguān 동 당집에 틀어박혀 좌선 수업을 하다.
〔坐观成败〕 zuò guān chéng bài 〈成〉 남의 실패를 방관만 하다.
〔坐官〕 zuòguān 명 대중 속에 들어가려 하지 않고, 관청 안에 앉아 있는 고급 관료('走官'은 반대로 대중 속에 들어가, 직접 문제를 해결하는 타입의 고급 관료를 말함).
〔坐馆〕 zuòguǎn 동 옛날, 가정 교사를 하다. ＝〔作馆〕〔教jiāo馆〕
〔坐号〕 zuòhào 명 좌석 번호. ＝〔座号〕
〔坐耗〕 zuòhào 동 아무것도 하지 않고 허비하다. 헛되이 낭비하다. ¶～口粮; 식량을 가만히 앉아서 축내다.
〔坐红椅子〕 zuò hóngyǐzi 〈比〉 시험〔과거〕에 꼴찌로 붙다〔급제하다〕. ＝〔坐红板凳〕
〔坐花〕 zuòhuā 명 《植》 꽃자루 없는 꽃. 동 〈文〉 꽃 사이〔속〕에 앉다. ¶开琼筵以～; 옥으로 만든 자리를 펴서 꽃 속에 앉다.
〔坐化〕 zuòhuà 동 (스님이) 좌화하다. 앉은 채로 죽다(스님의 죽음을 말함).
〔坐怀不乱〕 zuò huái bù luàn 〈成〉 남녀 사이에서 끝까지 경솔한 행위가 없다. 남녀 관계가 도덕적으로 깨끗하다.
〔坐骥〕 zuòjì 명 ⇨〔坐骑〕
〔坐家虎〕 zuòjiāhǔ 명 〈比〉 집안 호랑이. 이불 속에서 활개치는 사내. →〔坐地虎〕
〔坐家女儿〕 zuòjiānǚr 명 시집 가기 전의 딸.
〔坐监〕 zuòjiān 동 ⇨〔坐牢láo〕
〔坐江山〕 zuò jiāngshān 〈比〉 정권을 장악하다. 주인 노릇을 하다.
〔坐交椅〕 zuò jiāoyǐ 정권을 잡다. 점령하다.
〔坐礁〕 zuò.jiāo 동 좌초하다. 배가 암초에 얹히다.
〔坐禁闭〕 zuò jìnbì 금고 처분을 받다. 감금되다.
〔坐井观天〕 zuò jǐng guān tiān 〈成〉 ⇨〔井中观天〕
〔坐具〕 zuòjù 명 ①승려가 쓰는 방석. ②⇨〔坐位(儿)②〕
〔坐开〕 zuòkāi 동 떨어져서〔좌석을 사이 두고〕 앉다.
〔坐科〕 zuò.kē 동 《劇》 옛날, '科班(儿)'에서 연극 훈련을 받다. ¶他是～出身儿; 그는 '科班(儿)' 출신이다.
〔坐科儿〕 zuòkēr 부 〈方〉 전혀(부정사(否定詞)를 동반함). ¶～没有这么回事; 전혀 이런 일은 없다.
〔坐客〕 zuòkè 명 ①승객. ②토착의 주민. 외래자로서 그 지방에 토착한 사람. ¶～不拜行客; 본고장 사람은 나그네에게 머리를 숙이지 않는다. ③음식점의 손님. ④연회(宴會)의 손님.
〔坐扣〕 zuòkòu 동 그 자리에서 공제하다. 미리 떼어 내다.
〔坐困〕 zuòkùn 동 곤경에 처해 활로(活路)를 찾을 수 없다. 포위되어 활로를 찾을 수 없다. 궁지에 처하여 어떻게도 못하다. ¶～山中; 산 속에 갇혀 어쩌지도 못하다.
〔坐腊〕 zuòlà 명 《佛》 하안거(夏安居)(중이 여름에 90일 동안 수행하는 일). ＝〔坐夏〕〔腊坐〕 (zuò.là) 동 〈京〉 난처하게 되다. 곤경에 빠지다. ¶你这不是叫我～吗? 그렇게 하면 내가 곤란하지 않느냐?/这件事我可坐了腊了; 이 일로 나는 난처해졌다. ＝〔〈方〉坐蜡①〕
〔坐蜡〕 zuò.là 동 ①⇨〔坐腊〕 ②항문(肛門)에 양초를 넣고 앉게 하다(간통에 대한 사형(私刑)). ③〈方〉 남의 일에 관계해서 책임을 지다.
〔坐牢〕 zuò.láo 동 수감(收監)되다. 감옥에 갇히다. ¶他～三年, 最近才获释; 그는 3년동안 수감되었다가 최근에야 겨우 석방되었다. ＝〔坐监〕〔坐狱〕
〔坐冷板凳〕 zuò lěng bǎn dèng 〈成〉 ①한직(閑職)으로 쫓겨나다. ②오랫동안 냉대를 받다. 오랫동안 기다리다.
〔坐力〕 zuòlì 명 《物》 반동(력). ¶这枪～不小; 이 총은 반동이 크다. ＝〔反冲力〕
〔坐立〕 zuòlì 동 앉았다 일어났다 하다. ¶他定一定神, 更觉得～不得; 그는 마음을 가라앉혔으나 더 한층 안절부절못할 심정이었다 / ～不安; 〈成〉 안절부절못하다. 바늘 방석에 앉은 것 같다.
〔坐连〕 zuòlián 동 연좌하다.
〔坐领厚资〕 zuò lǐng hòu zī 〈成〉 앉아서〔하는 일 없이〕 후한 녹을 먹다.
〔坐落〕 zuòluò 명 (건물·집의) 위치. 소재지. 동 건물이 …에 있다〔위치하다〕. ¶我的家～在环境静的市郊; 우리 집은 환경이 조용한 교외에 있다. ‖＝〔座落〕
〔坐马〕 zuòmǎ 명 안장을 얹은 말. ¶～痈yōng; 회음부(會陰部)에 생기는 종기.
〔坐没坐像, 站没站像〕 zuò méi zuò xiàng, zhàn méi zhàn xiàng 〈成〉 기거 동작이 하다. 행실이 나쁘다.
〔坐娘家〕 zuò niángjiā 아내가 친정에 가서 머물다.
〔坐坡〕 zuòpō 명 몸을 낮추며 뒤로 젖히는 것. ¶打～; 몸을 낮추며 뒤로 젖히다. (zuò.pō) 동 ①수레가 비탈을 내려갈 때 말이 몸 뒷부분을

취서 급히 내려가는 것을 방지하다. ②〈比〉 악화(惡化)를 방지하다.

〔坐骑〕 zuòqí 명 타는 말《널리 타는 역축(役畜)도 가리킴》. =〔坐骥〕

〔坐汽车〕 zuò qìchē ①자동차를 타다. ¶坐十一号汽车; 11호 차에 타다. 〈轉〉 걸어서 가다. ②〈轉〉 엉덩방아를 찧다. ¶路上的石头长着青苔滑溜溜的, 一不小心就要～; 길바닥의 돌은 푸른 이끼가 끼어 미끌미끌하므로 자칫하면 엉덩방아를 찧는다.

〔坐起来〕 zuòqilai 일어나다. (누워 있는 상태에서) 몸을 일으켜 앉다.

〔坐鞧〕 zuòqiū 명 껑거리끈. 밀치끈《마구(馬具)》. =〔坐秋〕

〔坐儿〕 zuòr 명 ①좌석. 자리. →〔坐位(儿)〕 ②좌구(坐具)《의자·걸상 따위》. ③(극장 따위의) 입장자수. 손님의 수. ④탈것이나 음식점의 손님. ¶有～没有? 손님이 있습니까? 빈 좌석이 있나요?

〔坐热〕 zuòrè 동 궁둥이를 붙이고 자리를 녹이다. 앉아 있다. ¶杨秘书一到柏树沟, 就摆出一副贵人事忙的神态, 板凳没～, 就说了县里要开会的事; 양비서는 백수구(柏樹溝)에 오르자마자, 귀인 다망(貴人多忙)이란 이런 것이란 듯이, 짐짓 바쁜 듯이 굴며 의자에 앉을 새도 없이, 현(縣)에서 대회가 열린다는 것을 말했다.

〔坐蓐〕 zuòrù ⇨〔坐月子〕

〔坐褥(子)〕 zuòrù(zi) 명 온돌 양쪽에 까는 짧은 요.

〔坐煞〕 zuòshà 동 살이 끼다.

〔坐山雕〕 zuòshāndiāo 명 ⇨〔秃tū鹫〕

〔坐山观虎斗〕 zuò shān guān hǔ dòu 〈成〉 남의 싸움을 옆에서 지켜 보며 기회가 생기기를 기다리다. 어부지리를 취하다.

〔坐商〕 zuòshāng 명 좌상. 앉은 장사. =〔〈文〉坐贾〕 ↔〔行xíng商〕

〔坐上客〕 zuòshàngkè 명 빈객(賓客).

〔坐蛸〕 zuòshāo 명《動》 꼴뚜기.

〔坐失〕 zuòshī 동 빤히 보면서 앉아서 잃다. ¶～良机; 〈成〉 멀거니 눈 뜨고서 좋은 기회를 놓치다.

〔坐石〕 zuòshí 명 (비석 등의) 대석(臺石).

〔坐食〕 zuòshí 동 좌식하다. 놀고 먹다. ¶～劳金; 아무 일도 않고 품삯을 받다.

〔坐食山空〕 zuò shí shān kōng 〈成〉 ⇨〔坐吃山空〕

〔坐视〕 zuòshì 동 방관하다. 앉아서 구경만 하다. ¶～不理; 그저 보고만 있을 뿐 상관하지 않다 / ～不救; 좌시만 하고 구원의 손길을 뻗치지 않다.

〔坐实〕 zuòshi 형 ①(목소리가) 묵직하고 굵다. ②(만듦새가) 튼튼하다. ¶这套家具很～; 이 (세트로 된) 가구는 대단히 탄탄하고 실하다. ③실제적이다. 적절하다. 견실하다.

〔坐收〕 zuòshōu 동 (가만히) 앉아서 거두다. 거저 얻다. ¶～渔人之利 =〔～渔利〕; 앉아서 어부지리를 얻다.

〔坐守〕 zuòshǒu 동 앉아서 지키다. 꼼짝않고 견디다. 그 자리를 떠나지 않다. 그 곳을 지키어 움직이지 않다. ¶～穷苦; 꼼짝 않고 가난한 살림을 견뎌내다.

〔坐睡〕 zuòshuì 동 〈文〉 졸다.

〔坐索〕 zuòsuǒ 동 눌어붙어 재촉하다. =〔坐讨〕

〔坐探〕 zuòtàn 명 (적의 기관·단체 등에 잠입시킨) 밀정(密偵). 스파이.

〔坐堂〕 zuòtáng 동 〈文〉 ①관리가 정청(政廳)에 앉다. ②법관이 법정에 오르다. 〈轉〉 개정(開廷)하다. 재판하다.

〔坐讨〕 zuòtǎo 동 ⇨〔坐索〕

〔坐天下〕 zuò tiānxià 천하를 차지하다《임금이 되다》. 〈比〉 정권을 잡다. ¶反正谁坐了天下, 也是一样的; 어차피 누가 정권을 잡든 마찬가지다.

〔坐头〕 zuòtou 명 ①〈古白〉 자리. 앉을 곳. ¶放了桌凳～; 책상과 걸상을 놓아 자리를 만들어 놓았다. ②앉을 만한 가치. 앉아 있을 맛. ¶大风天在公园里有什么～; 강한 바람이 부는날, 공원에 무슨 앉을 맛이 있나요.

〔坐忘〕 zuòwàng 명 ⇨〔座忘〕

〔坐位(儿)〕 zuòwei(r) 명 ①(흔히, 공공 장소의) 좌석. ¶定下～; 좌석을 예약하다 / ～已满; 좌석은 이미 찼다 / 咱们俩换个～, 好不好? 우리 서로 자리를 바꿀까요? / ～号; 좌석 번호. ②(의자·걸상 따위의) 앉는 것. ¶搬个～儿来吧! 앉을 것을 가져오너라. =〔坐具②〕 ‖ =〔座位〕

〔坐窝儿〕 zuòwōr 부 ⇨〔坐地窝儿〕

〔坐窝〕 zuòwo 동 남을 만나기를 괴롭게 느끼다. 집구석에 틀어박히다. ¶到外头历lì练历练就不～了; 밖에 나가 세파를 겪으면 사람 만나는 것을 괴롭게 느끼지 않게 된다.

〔坐卧不宁〕 zuò wò bù níng 〈成〉 안절부절못하다. 매우 침착을 잃은 모양. =〔坐卧不安〕

〔坐误〕 zuòwù 동 눈 멀거니 뜨고 기회를 놓치다. ¶因循～; 꾸물대어 기회를 잃다.

〔坐务〕 zuòwu 동 (다시) 하다. (하나 더) 손에 넣다. ¶这个菜真好吃, 咱们再～一个! 이 요리 정말 맛있네. 우리 하나 더 먹자!

〔坐席〕 zuòxí 명 좌석. 동 (연회 등에서) 자리에 앉다《널리 연회에 출석하는 일》.

〔坐系〕 zuòxì 동 남의 죄에 말려들어 옥에 갇히다.

〔坐夏〕 zuòxià 명 ⇨〔坐腊〕

〔坐下〕 zuòxia 동 ①앉다. 걸터앉다. ¶您请～; 자 앉으시지요 / 一屁股～了; 털썩 앉았다. ②출산〔분만〕하다. ¶嫂sǎo夫人～了没有? 부인께서는 해산하셨습니까? ③식사하다. ¶我跟他一块儿～过; 나는 그와 함께 식사한 일이 있다.

〔坐享其成〕 zuò xiǎng qí chéng 〈成〉 자신은 아무것도 안 하고 남의 성과를 누리다. 애쓰지 않고〔앉아서〕 재미를 보다.

〔坐像〕 zuòxiàng 명 좌상.

〔坐小月子〕 zuò xiǎoyuèzi (유산 후에) 산욕(産褥)에 있다.

〔坐啸画诺〕 zuòxiào huànuò 동 ⇨〔啸诺〕

〔坐性〕 zuòxìng 명 가만히 있는 습성. 오래 앉아 있는 끈기. ¶孩子没有～; 아이는 가만히 있지 못한다.

〔坐言起行〕 zuò yán qǐ xíng 〈成〉 언행 일치. 유언 실행(有言實行).

〔坐药〕 zuòyào 명 ⇨〔栓shuān剂〕

〔坐叶〕 zuòyè 명《植》 무병엽(無柄葉).

〔坐夜〕 zuò,yè 동 ①철야〔밤샘〕하다. ②초상 집에서 경야(經夜)하다. =〔伴bàn宿〕

〔坐以待毙〕 zuò yǐ dài bì 〈成〉 앉아서 죽음을 기다리다.

〔坐以待旦〕 zuò yǐ dài dàn 〈成〉 자지 않고 날이 새기를 기다리다. 새벽까지 뜬 눈으로 밤을 새우다.

〔坐椅〕 zuòyǐ 명 의자. 좌석. (자전거의) 보조 의자.

〔坐印儿〕 zuòyìnr 명 (고리대금의) 선이자(先利子). ¶刨páo～; 선이자를 떼다.

〔坐拥百城〕 zuò yōng bǎi chéng 〈成〉 ①고관이

되는 것보다 만 권(萬卷)의 책을 갖고 있는 편이 낫다. ②집에 만 권의〔대단히 많은〕 책을 소장(所藏)하다.
〔坐鱼〕 zuòyú 명 《動》 개구리의 별칭.
〔坐狱〕 zuòyù 동 ⇨〔坐牢〕
〔坐月子〕 zuò yuèzi 〈口〉 (1개월 동안) 산욕(産褥)에 있다. 몸을 풀다. ¶他家儿媳～忌生人; 그의 집 며느리는 지금 산욕에 있어 낯선 사람은 만나지 않는다. =〔猫月子〕〔在草〕〔坐草〕〔坐蓐〕〔作月子〕
〔坐赃〕 zuò.zāng 동 〈方〉 ①장물·금제품을 몰래 남의 집에 갖다 놓고 죄를 뒤집어 씌우다. ②〈轉〉 덮어씌우다. 조작하다.
〔坐帐〕 zuòzhàng 명 옛날, 혼례날에 신랑신부가 방에 들어가 '炕'(중국식 온돌)에 앉아서 상견례를 하는 일. =〔坐床〕
〔坐针毡〕 zuò zhēnzhān ①바늘 방석에 앉다. ②〈比〉 매우 어려운 처지에 이르다《보통 '如～'와 같이 씀》.
〔坐镇〕 zuò.zhèn 동 지방관이 몸소 진호(鎭護)하다. 주재(駐在)하여 수비하다. ¶首长亲自～指挥; 지방관이 몸소 진두 지휘하다.
〔坐支〕 zuòzhī 명 가지고 있는 현금에 의한 지불.
〔坐致〕 zuòzhì 동 〈文〉 불로소득하다. 앉아서 얻다. ¶～厚利; 노력하지 않고 큰 이익을 얻다.
〔坐钟〕 zuòzhōng 명 탁상 시계. 좌종. =〔座钟〕 →〔挂钟〕〔表〕 동〈比〉 호스티스·댄서 등이 테이블에 앉(아 시중들)다.
〔坐住〕 zuòzhù 동 앉아서 움직이지 않다. 털썩 앉다. ¶我的衣裳叫你～了; 내 옷을 네가 깔고 앉았다.
〔坐庄〕 zuò.zhuāng 동 ①생산지에 주재하며 사들이다. ②눌러앉다. 버티고 앉다. ¶工党和保守党轮流～的所谓两党制; 노동당과 보수당이 번갈아 정권을 잡는 이른바 양당제. ③(학생이) 낙제〔유급〕하다. ④마작에서 연속하여 '庄家'(선)가 되다.
〔坐罪〕 zuòzuì 동 죄에 연좌하다. 좌죄하다.
〔坐坐儿〕 zuòzuor 동 〈謙〉 (식사 등에) 초대하다. 자리를 같이하다. ¶咱们找个地方儿～吧; 우리 어디서 식사나 같이하세.

座〈坐〉① **zuò** (좌)
① (～儿) 명 자리. 좌석. ¶人～儿; 자리〔연석〕에 앉다 / 满～儿; 자리가 차다. 만원이다 / 定～儿; (극장의) 좌석을 사다〔예매하다〕/ 叫～儿; 관객을 끌다 / 这里有～, 你为什么不坐下呀? 여기에 앉을 자리가 있는데 왜 앉지 않느냐? / ～次; ⇩ / 首～; 수석. 맨 윗자리. =〔坐⑬〕 ②(～儿, ～子) 명 받침. 기물을 올려놓는 대. ¶花盆～儿; 화분 받침 / 自行车～; 새들(saddle)《자전거의 앉는 곳》/ 塔～; 탑의 대좌(臺座) / 床～; 선반 대좌. ③ 명 연회석. ④ 명 (극장 따위의) 입장객(수). 손님. ¶昨天没什么～; 어제는 조금도 손님이 없었다. ⑤ 양 채. 동《산·절·가옥 따위를 세는 단위》. ¶一～山; 하나의 산 / 两～庙; 두 곳의 절 / 一排四～房; 한 줄로 늘어선 네 채의 집 / 两～桥; 두 개의 다리. ⑥ 명 《天》 별자리. 성좌. ¶大熊～; 큰곰자리.
〔座标镗床〕 zuòbiāo tángchuáng 명 《機》 지그 보링 머신(jig boring machine). =〔准zhǔn具镗床〕〔钻zuàn具母机〕〔钻模镗床〕
〔座舱〕 zuòcāng 명 ⇨〔客kè舱〕
〔座差〕 zuòchāi 명 옛날, 다른 관청에서 파견되어, 한 지방에 머물며 조세를 징수하던 하급 관리.
〔座次〕 zuòcì 명 자리 순서. 석차. ¶还没排好～; 아직 석차가 배정되어 있지 않다 / ～表; 석차표. =〔坐次〕
〔座灯〕 zuòdēng 명 ⇨〔完wán灯〕
〔座垫(儿)〕 zuòdiàn(r) 명 좌석의 깔개. 좌구(座具). 자동차 등의 시트.
〔座号〕 zuòhào 명 좌석 번호. =〔坐号〕
〔座粮〕 zuòliáng 명 청대(淸代), 최하급의 녹영병(綠營兵). 3등 병졸(兵卒)《주로 양식의 수송을 맡았음》.
〔座末〕 zuòmò 명 말좌(末座). 말석.
〔座前〕 zuòqián 명 〈翰〉 좌전. 좌하(座下). ¶姑母大人～; 고모님 좌하.
〔座圈〕 zuòquān 명 《機》 볼베어링의 볼이 구르는 홈.
〔座儿〕 zuòr ①→〔字解①②〕 ② 명 (인력거 등의) 승객. 손님. ¶见了～, 他还想拉; 손님을 보면 그는 여전히 (인력거를) 끌려고 했다.
〔座伞〕 zuòsǎn 명 옛날의 (의장용) 양산.
〔座上客〕 zuòshangkè 명 상객(上客).
〔座谈〕 zuòtán 동 좌담하다. 간담하다. ¶请大家来～一下形势; 여러분을 모시고, 정세에 관하여 간담을 하기로 하겠습니다 / ～会; 간담회. 좌담회.
〔座头〕 zuòtou 명 (식당 등의) 자리. 좌석. ¶拣一副～坐下; 한 자리를 골라서 앉다.
〔座忘〕 zuòwàng 명 《佛》 좌망《좌선을 하고 현세(現世)·안전(眼前)의 세계를 잊고 무아지경에 듦》. =〔坐忘〕
〔座位〕 zuòwèi 명 ⇨〔坐位(儿)〕
〔座位票〕 zuòwèipiào 명 (기차·버스·극장 등의) 좌석권. 지정석 입장권.
〔座无车公〕 zuò wú Chē gōng 〈成〉 좌석이〔자리가〕 쓸쓸하다《차공(車公) 같은 인물이 자리에 없어서 쓸쓸하다의 뜻》.
〔座无虚席〕 zuò wú xū xí 〈成〉 ①비어 있는 자리가 없다. 만원이다. ¶两千多座位的大厅～; 2천여나 되는 좌석의 홀이 만원이다. ②방문객이 많다.
〔座右铭〕 zuòyòumíng 명 좌우명.
〔座钟〕 zuòzhōng 명 좌종. 탁상 시계. =〔〈方〉台tái钟①〕〔坐钟〕
〔座主〕 zuòzhǔ 명 옛날의, 과거(科擧)의 시험관《합격자는 자신을 '门生', 시험관을 '座主'라고 칭했음》.
〔座子〕 zuòzi ① 명 →〔字解②〕 ② 명 깔개. ③ 명 (자전거 등의) 새들(saddle). 안장.

唑 **zuò** (좌)
음역자(音譯字). ¶噻sāi～; 《化》 티아졸(thiazole) / 咔kǎ～; 《化》 카르바졸(carbazole) / 吡bǐ～; 《化》 피라졸(pyrazol) / 四～; 《化》 테트라졸(tetrazol).

做 **zuò** (주)
① 동 하다. 일하다. 활동〔종사〕하다. ¶～买卖; ⇩ / 他的报告～得很好; 그의 보고는 매우 좋았다. ② 동 만들다. 제조하다. ¶～衣服; 옷을 짓다 / ～桌子; 책상을 만들다 / ～鱼菜; 생선을 요리하다. 생선 요리를 만들다. ③ 동 (행사 따위를) 행하다. 집안끼리 축하 행사를 하다. ¶～生日 =〔～寿〕; 생일 축하행사를 하다. ④ 동 …이 되다. 맡다. 담당하다. ¶～学生; 학생이 되다 / ～主席; 사회자가 되다 / ～父母的; 부모된 자 / ～榜样; 본보기가 되다 / ～了皇帝想登仙; 〈諺

말 타면 경마 잡히고 싶다. ⑤동 …으로 하다. ¶把他看～英雄; 그를 영웅으로 간주하다/北京人管番茄叫(～)西红柿; '北京' 사람은 토마토를 '西红柿'라고 한다. ⑥동 …인 체하다. ⑦명《劇》배우의 몸짓. 연기. →〔唱〕〔白bái〕 ⑧동 (글을) 쓰다. ¶～诗; 시를 짓다/～文章; 글을 쓰다. ⑨동 …의 관계가 되다. ¶～朋友; 친구가 되다/～对头; 적대 관계가 되다.

〔做白〕 zuòbái 명《劇》배우의 연기와 대사(臺詞). =〔科kē白〕

〔做伴(儿)〕 zuò.bàn(r) 동 ①동행이 되다. 동반하다. 같이 있다. ②시중들다. ¶母亲生病, 需要有个人～; 어머니는 병이 났기 때문에 누군가가 시중을 들어야 한다. ‖=〔作伴(儿)〕

〔做不出(来)〕 zuòbuchū(lái) 해낼 수 없다. 못하다. ¶这个考试题目我～; 이 시험 문제는 나로서는 풀 수가 없다. ↔〔做得出(来)〕

〔做不到〕 zuòbudào (…한 정도까지는) 할 수 없다. (완전하게는) 할 수 없다. ↔〔做得到〕

〔做不得〕 zuòbude ①할 수 없다. 만들 수 없다. ②해서는 안 된다.

〔做不惯〕 zuòbuguàn 하는 것이 익숙치 않다.

〔做不来〕 zuòbulái (어려워서) 할 수 없다. (괴로워서 또는 싫어서) 할 수 없다. ¶这件事我～; 이런 일은 나는 할 수 없다. ↔〔做得来〕

〔做不了〕 zuòbuliǎo 다 해낼 수 없다. (힘이 부치거나 바빠서 또는 적당치 않아서) 할 수 없다. ↔〔做得了〕

〔做不起〕 zuòbuqǐ (돈이 없어) 만들 수〔할 수〕가 없다. ↔〔做得起〕

〔做不完〕 zuòbuwán 다 끝내지 못하다. 다 만들어 내지 못하다. ↔〔做得完〕

〔做菜〕 zuò cài ①요리를 만들다. ¶～玩儿; 소꿉장난을 하다. ②취사(炊事)를 하다.

〔做操〕 zuòcāo 동 체조하다. ¶做广播(体)操; 라디오 체조를 하다. =〔作操〕

〔做厂〕 zuòchǎng 동〈南方〉공장 노동자가 되다.

〔做成〕 zuòchéng 동 일을 끝내다. 마무르다. 달성하다. ¶作业已经～了; 숙제는 벌써 끝냈다.

〔做成(功)〕 zuòchéng(gōng) 동 성취하다. 달성하다.

〔做出〕 zuòchū 동 (구체적으로 밖에 드러나는 일을) 하다. 해내다. ¶～(来)两道题 =〔～两道题来〕; 두 문제를 풀다/为和平事业～更大的贡献; 평화 운동을 위해 더욱 큰 공헌을 하다/～了科学结论; 과학적인 결론을 내렸다/～了今天的决定; 오늘의 결정을 냈다. =〔作出〕

〔做大〕 zuòdà 동〈古白〉으스대다. 뻐기다. 우쭐대다. =〔作大〕

〔做单九〕 zuò dānjiǔ 명 옛날 풍속으로, 결혼 후 9일째·18일째에 신부의 먼 친척이 예물을 가지고 신부를 찾아가는 일《이 날 신랑집에서는 술과 안주를 준비하여 환대하는데, 이 이틀 중에 방문하지 않은 자는 그 이후 친척으로의 교제를 끊은 것으로 간주됨》.

〔做倒了行市〕 zuòdǎole hángshi ①장사가〔사업이〕 잘 안 되다. ②〈比〉위엄(威嚴)도 신용도 잃다. ¶长辈倒得听晚辈的, 这真是～; 선배가 자신을 낮춰 후배의 말을 듣다니, 참으로 채신머리 없는 이야기다. ③(신분의) 상하의 관계가 바뀌다. =〔作倒了行市〕

〔做到〕 zuòdào 동 (어떤 정도·상태로까지) 하다〔해내다〕. (…로) 되다〔만들다〕. 달성하다. ¶有的产品～了自给有余; 자급하고도 남을 정도의 제품도 있다/说到哪里～哪里; 해내겠다고 말한 데까지 하다/我保证～; 틀림없이 해내어 보이겠습니다/要求～精益求精; 보다 높은 수준을 목표로 한다는 것이 요구된다/说到就要～; 말을 했으면 꼭 한다. 한다 하면 한다.

〔做得〕 zuòdé 동 다 되다. 성공하다. 해내다. 이루다. 성취하다.

〔做得〕 zuòde 동 ①할 수 있다. 해도 좋다. ②괜찮다. 상관 없다. 지장 없다.

〔做得来〕 zuòdelái 할 수 있다. 만들 수 있다.

〔做得了〕 zuòdeliǎo 다 되다. 해낼 수 있다. ¶这点事我还～; 이쯤의 일이라면 나도 해낼 수 있다. ↔〔做不了〕

〔做东(儿)〕 zuò.dōng(r) 동 한턱 내다. 대접하다. (접대에서) 주인 노릇을 하다. =〔做东道〕〔做东家〕〔作东(儿)〕〔作东道〕

〔做对手〕 zuò duìshǒu 동 ⇨〔作对①②〕

〔做法〕 zuòfǎ 명 (만드는〔하는〕) 방법. ¶～不对; 방법이 틀렸다/怎么～? 어떤 방식이냐? =〔作法②〕

〔做法子〕 zuòfǎzi 동〈古白〉수단으로 쓰다. 사람을 방편으로 삼아 울분을 풀다.

〔做饭〕 zuò.fàn 동 식사 준비를 하다. 밥을 짓다. 취사를 하다. 부엌일을 하다. ¶俺家～的; 우리 집사람. =〔作饭〕

〔做废〕 zuòfèi 동 폐기하다.

〔做佛事〕 zuò fóshì 불사를 하다. 법회를 열다.

〔做根儿〕 zuògēnr 부 최초. 처음《흔히, 부정(否定)으로 쓰임》. ¶～我什么都不知道; 처음에 나는 아무것도 몰랐다.

〔做工〕 zuò.gōng 동 일을 하다. 육체 노동을 하다. ¶她在纺纱厂～; 그녀는 방적 공장에서 일하고 있다. =〔作工〕

〔做工(儿)〕 zuògong(r) 명《劇》연기. 동작과 표정. ¶～戏; 몸짓을 주로 하는 연극/从无形, 做到有形, 就是～的表现; 무형에서 유형을 만들어 내는 것이 바로 동작과 표정의 표현이다. =〔做功(儿)〕〔做派〕〔打工〕〔作排〕

〔做公的〕 zuògōngde 명〈古白〉관청의 사용인. 당국의 사람. ¶此间～多, 不是要处; 여기에는 관청 사람이 많으니까 경솔하게 굴 수는 없다.

〔做官(儿)〕 zuò.guān(r) 동 관리가 되다. ¶～的; 관리/～为宦; 벼슬길에 오르다/～当老爷; 관리가 되면 나리 티를 낸다. =〔作官(儿)〕

〔做鬼脸(儿)〕 zuò guǐliǎn(r) 일부러 우습고 괴상한 표정〔얼굴〕을 하여 무섭게 하다〔놀리다〕. =〔扮pàn鬼脸(儿)〕

〔做鬼(儿)〕 zuò.guǐ(r) 동 속임수를 쓰다. 부정한 짓을 하다. 눈속임을 하다. ¶他在考试的时候常～; 그는 시험 때는 늘 부정한 짓을 한다. =〔捣鬼〕〔作鬼(儿)〕〔耍shuǎ鬼(儿)〕

〔做海〕 zuòhǎi 동 고기잡이하다. ¶老马是个半渔半农的贫农, 又下田又～; 마씨는 반어반농의 가난한 농사꾼으로, 밭일도 하고 고기잡이도 한다.

〔做好〕 zuòhǎo 동 ①이루어 내다. 잘 해내다. 성취하다. 훌륭히 하다. ¶～准备; 틀림없이 준비를 하다/～思想准备 =〔～精神准备〕; 마음의 준비를 해 놓다. ②자선 행위를 하다.

〔做好看(儿)〕 zuò hǎokàn(r) ⇨〔做面子〕

〔做好人(儿)〕 zuò hǎorén(r) ①중간에서 중개하다. 조정하다. ¶他们说翻了, 你去做个好人儿圆圆场吧; 그들이 말다툼을 했다네, 자네가 조정해서 원만히 수습해 주게. ②비위를 맞추다. ¶他多精啊, 专会献殷勤～; 그는 빈틈이 없고 비위를 잘

맞춘다.
〔做好事〕 zuò hǎoshì ①좋은〔착한〕 일을 하다. ②불사(佛事)를 하다.
〔做好做歹〕 zuò hǎo zuò dǎi 〈成〉 선인(善人)인 척도 하고 악인인 체도 하다. 을렀다 달랬다 하다. ¶～地叫他赔礼; 을렀다 달랬다 하며 사과를 하게 하다. =〔做好做恶〕〔作好作歹〕
〔做好做恶〕 zuò hǎo zuò è 〈成〉 ⇨〔做好做歹〕
〔做活〕 zuò·huó 동 ①⇨〔做眼②〕 ②⇨〔做活儿〕
〔做活儿〕 zuò·huór 동 ①육체 노동을 하다. ¶在厂里～; 공장에서 일하고 있다. ②바느질〔침선〕을 하다. =〔做针线活〕 ‖ =〔〈俗〉干活(儿)〕〔作活(儿)〕
〔做活局子〕 zuò huójúzi 서로 짜고 협잡질하다〔야바위치다〕. 아내를 다른 남자와 통정케 하고 금품을 갈취하다.
〔做脚〕 zuòjiǎo 동 〈古白〉 내응하다. 내통하다. ¶教他～, 里应外合; 그를 끌어들여 안팎으로 내통하게 하다.
〔做尽坏事〕 zuòjìn huàishì 갖은 나쁜 짓을 다하다.
〔做绝〕 zuòjué 동 모조리 하다. 철저하게 하다. 극단적으로 하다. ¶坏事～了; 온갖 못된 짓을 다 하다 / 好话说尽, 坏事～; 말은 뻔지르르하게 하고 온갖 못된 짓을 다하다.
〔做开〕 zuòkāi 동 ①(거래 등의) 범위가 넓어지다. ¶买卖～了; 장사의 규모가 커졌다 / 各货～, 普呈活跃; 각 상품의 거래가 전면적으로 활황을 띠게 됐다. ②하기 시작하다.
〔做客〕 zuò·kè 동 손님이 되다. =〔作客②〕
〔做阔〕 zuòkuò 동 부자인 척하다. 사치를 하다. =〔作阔〕
〔做了皇帝想登仙〕 zuòle huángdì xiǎng dēngxiān 황제가 되면 이번에는 신선이 되고 싶다고 생각한다. 〈比〉 사람의 욕망에는 끝이 없다.
〔做礼拜〕 zuò lǐbài (그리스도 교도가) 예배 보(러 가)다.
〔做买卖〕 zuò mǎimai 매매하다. 장사하다. ¶～的; 장사꾼.
〔做满月〕 zuò mǎnyuè 어린아이의 탄생 1개월을 축하하다. =〔办满月〕
〔做猫爪儿〕 zuò māozhǎor 〈俗〉 속아서 남의 희생물이 되다. ¶要是糊里糊涂地～, 岂不太冤了吗? 엉터리없는 말에 속아서 남의 희생물이 된다면 어찌 야박하지 않겠는가?
〔做媒〕 zuò·méi 동 ①중매하다. =〔说媒〕 ②한통속이 되다.
〔做梦〕 zuò·mèng 동 ①꿈을 꾸다. ¶～也想不到; 꿈에도 생각하지 못하다 / 做噩梦; 악몽을 꾸다. ②〈比〉 공상〔환상〕하다. ¶你别～; 꿈 같은 소리 하지도 마라 / 白日～; 대낮에 꿈을 꾸다. ③(마작에서 5명 이상이 칠 때 인원수가 많아) 차례로 쉬다. ‖ =〔作梦〕
〔做梦发呆〕 zuòmèng fādāi (정신이) 흐리다. 정신에 이상이 있다. 바보스럽다. ¶他不是胡思乱想了, 简直是～; 그는 터무니없는 생각을 하고 있는 것이 아니라, (이건) 숫제 바보 같다. =〔作梦发呆〕
〔做面子〕 zuò miànzi 억지로 하다. 체면·의리 때문에 (어떤 일을) 하다. =〔做好看(儿)〕
〔做弄〕 zuònòng〔zuónòng〕 동 ⇨〔作弄〕
〔做派〕 zuòpai 명 ⇨〔做工(儿)〕 동 거드름 피우다. 젠체하다. ¶他全靠～维持个虚架子; 그는 거드름 피우는 태도만으로 체면을 유지하고 있다. ‖ =〔作zuò派〕
〔做七〕 zuòqī 명 사후(死後) 이레마다 49일까지 공양하는 것. =〔办bàn七〕
〔做起来〕 zuòqilai 하기 시작하다. ¶说起来容易, ～难; 말하기는 쉽지만 하기는 어렵다.
〔做亲〕 zuò·qīn 동 혼인〔사돈〕을 맺다. 친척 관계를 맺다. ¶他们表兄妹结婚, 是亲上～; 그들은 사촌 남매간의 결혼이라, 친척끼리의 혼인〔겹사돈을 맺는 것〕이 된다. =〔作亲〕
〔做圈套〕 zuò quāntào (남을 빠뜨릴) 함정을 파다. 올가미를 씌우다. =〔作圈套〕
〔做人〕 zuòrén 동 ①몸을 삼가다. 처세하다. 처신하다. ¶会～; 처신할 줄 알다. ②인간답게 행동하다. 바른 인간이 되다. ¶痛改前非, 重新～; 전비를 깊이 뉘우치고 참사람이 되다. ‖ =〔作人②〕 명 사람 됨됨이.
〔做人家〕 zuò rénjiā ①살림살이를 절약하다. 살림을 알뜰하게 하다. ②살림하다. 생활하다. ‖ =〔做家〕
〔做人情〕 zuò rénqíng ①남에게 은혜를〔인정을〕 베풀다. ②의리〔도리〕를 다하다.
〔做什么〕 zuòshénme ① 대 어째서. 왜《동사의 앞에 놓여 원인을, 뒤에 와서 목적을 물음》. ¶你～说那样的话? 너는 왜 그런 말을 하느냐? / 你说那样的话～? 네가 그런 말을 하는 것은 어떤 목적이냐? ②(zuò shénme) 무엇을 하는가.
〔做生活〕 zuò shēnghuó 〈方〉 (육체) 노동을 하다.
〔做生日〕 zuò shēngri 생일 축하를 하다. =〔做生〕
〔做生意〕 zuò shēngyi ①장사를 하다. ②기녀(妓女)가 웃음을 팔다.
〔做声(儿)〕 zuòshēng(r) 동 소리를 내다《말·기침을 하다》. ¶不～; 전연 말이 없다. =〔作声(儿)〕
〔做诗〕 zuòshī 동 시를 짓다. =〔作诗〕
〔做世界〕 zuò shìjie ①돈을 벌다. 돈벌이를 하다. ②절도하다.
〔做事〕 zuò·shì 동 ①일을 하다. 용무를 보다. ¶他～一向细致; 그 사람은 일을 하는 데 늘 조심스럽다. ②근무하다. 종사하다. ¶你现在在哪儿～? 당신은 지금 어디에 근무하고 있습니까? / 弟弟在银行～; 동생은 은행에 다니고 있다. ③일에 힘쓰다. ¶～在人, 成事在天; 〈諺〉 일을 하는 것은 사람이지만 성공의 여부는 천명(天命)이다.
〔做势〕 zuòshì 동 ⇨〔作势〕
〔做手〕 zuòshǒu 명 〖劇〗 배우 연기의 일부로 두 손으로써 감정을 나타내는 동작. ¶～是和做工不同的, 他只是做工的局部, 是以双手来表现感情的; '做手'는 '做工'(동작과 표정)과 같은 것이 아니다. 그것은 단지 '做工'의 일부에 지나지 않는 것으로, 양손으로 감정을 표현하는 것이다.
〔做手脚〕 zuò shǒujiǎo ①남에게 빌붙어 환심을 사다. 남의 손발이 되다. ②몰래 간계(奸計)를 꾸미다. 뒤에서 나쁜 짓을 꾀하다.
〔做手势〕 zuò shǒushi ①손짓을 하다. ②손으로 신호를 하다. ‖ =〔作手势〕
〔做寿〕 zuò·shòu 동 생신을 축하하다《흔히, 노인의 경우》. =〔作寿〕〔办寿〕
〔做水〕 zuò·shuǐ 동 물을 끓이다.
〔做题〕 zuòtí 동 연습 문제를 하다.
〔做头〕 zuòtou 명 〖工〗 가공여유. =〔加工余量〕
〔做头发〕 zuò tóufa (머리를) 세트(set)하다. (머리를) 다듬다. ¶～修指甲, 三天两头要跑理发店; 머리를 다듬거나 손톱 손질을 위해 사흘이 멀

하고 미장원에 가다.
〔做头儿〕 **zuòtour** 명 하는 보람. 할 만한 가치(‘有～’·‘没(有)～’로 쓰임). ¶没有什么～; 아무 보람이 없다.
〔做完〕 **zuòwán** 동 다 마치다. 끝내다. ¶今天内必须～; 오늘 중에 반드시 마쳐야 한다/作业～了没有; 숙제는 다 끝냈는가?
〔做文章〕 **zuò wénzhāng** ①문장을 짓다. ②〈比〉(어떤 일을 가지고) 문제삼다. 왈가왈부하다. ③(문제로서) 비판·비평하다. ④생각하다. 계획〔기도〕하다. 방책을 궁리하다. ¶他心里在做着什么文章; 그는 뭘 생각하고 있는 것일까/他们在政策问题上大～; 그들은 정책 문제로 크게 방책을 짜냈다.
〔做戏〕 **zuò·xì** 동 ①연극을 하다. ②〈比〉 일부러 겉을 꾸미다. 짐짓 가장해서 행동하다.
〔做小〕 **zuòxiǎo** 동 소실〔첩〕이 되다. ¶什么人家儿都可以给, 就是不～; 어떤 집이건 시집을 보내겠지만, 첩으로는 안 된다.
〔做小伏低〕 **zuò xiǎo fú dī** 〈成〉 비굴하게 무릎을 꿇고 일의 성취(成就)를 꾀하다.
〔做眼〕 **zuòyǎn** 동 ①정탐하다. =〔作眼②〕 ②(바둑에서) 집을 만들다. 눈을 내다. =〔做活①〕〔作眼③〕 ③〈古白〉 길잡이가 되다. =〔作眼④〕
〔做样〕 **zuòyang** 형 ⇨〔作样〕
〔做夜工〕 **zuò yègōng** ⇨〔开kāi夜车②〕
〔做一天和尚, 撞一天钟〕 **zuò yī tiān héshang, zhuàng yī tiān zhōng** 〈諺〉 하루 중이 되면 하루 종을 친다(그날 그날 넘기는 식의 소극적인 태도로 임하다).
〔做月〕 **zuòyuè** 한 달 얼마로 정하고 일을 하다. 달품으로 일하다. =〔做月工〕
〔做贼〕 **zuò·zéi** 동 도둑질하다. ¶～的没庆八十的; 도둑으로 80세까지 사는 자는 없다. =〔作贼〕
〔做贼心虚〕 **zuò zéi xīn xū** 〈成〉 나쁜 짓을 하면 뒤가 켕긴다. 도둑이 제 발 저리다. =〔作贼心虚〕
〔做钟头子〕 **zuò zhōngtóuzi** 명 시간외 노동. =〔礼lǐ拜工〕
〔做主〕 **zuò·zhǔ** 동 ①주인이 되다. ②결정권을 가지다. (자신의) 생각대로 처리하다. ¶做一半主; 반 정도를 자기 생각대로 하다/这件事我做不了主; 이 일은 내 생각만으로는 결정할 수 없다. =〔作主〕 ③주최하다. =〔主持〕
〔做嘴(儿)〕 **zuò·zuǐ(r)** 동 입을 맞추다. 키스하다.
〔做作〕 **zuòzuo** 동 겉모양을 꾸미다. 의미있는 듯이 굴다. 부자연스럽게 굴다. 빤히 속 들여다뵈는 짓을 하다. 짐짓 점잔 빼다. 부자연스럽게 하다. ¶太～了反而交不着zháo真朋友; 너무 가식적이면 오히려 참된 친구는 사귀기 어려운 법이다/这个演员太～了, 不自然; 이 배우는 연기가 지나치게 부자연스럽다/他不是真肚子疼, 他竟故意儿地～; 그는 진짜로 배가 아픈 것이 아니라, 일부러 꾸미고 있을 뿐이다. =〔造作〕 명 ①행동. ②꾸밈, 가식. ③모범. 본보기.

假发 dàijiǎfà
가방 《손에 드는》 提包 tíbāo; 皮包 píbāo; 《어깨에 메는》 挂包 guàbāo; 《책가방》 书包 shūbāo; 《여행용의》 皮箱 píxiāng; 提箱 tíxiāng
가볍다 ①《무게가》 轻 qīng; 轻微 qīngwēi ¶체중이 ～ 体重轻 tǐzhòng qīng ②《대수롭지 않다》 轻 qīng ¶감기를 가볍게 보지 마십시오 感冒不可小看 gǎnmào bùkě xiǎokàn / 상대방의 공격을 가볍게 받아 넘기다 轻轻地避开对方攻击的锋芒 qīngqīngde bìkāi duìfāng gōngjì de fēngmáng ③《홀가분》 轻 qīng; 轻快 qīngkuài; 轻松 qīngsōng; 轻盈 qīngyíng ¶몸의 움직임이 ～ 动作轻巧 dòngzuò qīngqiǎo / 가벼운 음악 轻快的音乐 qīngkuài de yīnyuè / 가벼운 읽을 거리 轻松的读物 qīngsōng de dúwù =〔消遣读物 xiāoqiǎn dúwù〕 ④《경박》 轻薄 qīngbó; 轻佻 qīngtiāo ¶그 녀석은 입이 ～ 那个家伙嘴不严 nàge jiāhuo zuǐ bù yán
가보(家寶) 传家宝 chuánjiābǎo
가봉(假縫) 试样子 shì yàngzi; 试身 shì shēn ¶코트를 ～하다 试大衣样子 shì dàyī yàngzi
가부(可否) ①《옳고 그름》 可否 kěfǒu ¶댐 건설의 ～를 의논하다 议论修水库的可否 yìlùn xiū shuǐkù de kěfǒu ②《찬부》 ¶～동수의 경우에는 의장이 결정한다 赞成与反对同数时由仪仗裁决 zànchéng yǔ fǎnduì tóng shù shí yóu yìzhǎng cáijué
가불(假拂) 预支 yùzhī; 借支 jièzhī ¶월급에서 5 만원을 ～하다 从工资里预支五万圆 cóng gōngzī li yùzhī wǔwàn yuán
가쁘다 《숨이》 喘急 chuǎnjí
가사(家事) 家务 jiāwù; 家事jiāshì ¶매일의 ～에 쫓기다 每天被家务缠住 měitiān bèi jiāwù chánzhù ‖～노동 家务劳动 jiāwù láodòng
가사(假死) 假死 jiǎsǐ ¶구조가 왔을 때는 이미 ～상태였다 搭救上来时, 已经是假死状态了 dājiù shànglai shí, yǐjīng shì jiǎsǐ zhuàngtài le
가사(袈裟) 袈裟 jiāshā ¶～를 걸치다 披袈裟 pī jiāshā
가사(歌詞) 歌词 gēcí
가산(加算) 加法 jiāfǎ; 加上利息 jiāshang lìxi ¶이자를 ～하다 把利息计算进去 bǎ lìxī jìsuàn jìnqu
가산(家産) 家产 jiāchǎn; 家财 jiācái; 家当 jiādang ¶～을 탕진하다 荡尽家产 dàngjìn jiāchǎn =〔倾家荡产 qīng jiā dàng chǎn〕
가상(假想) 假想 jiǎxiǎng ‖～적 假想的 jiǎxiǎng de
가설(架設) 架设 jiàshè ¶다리를 ～하다 架桥 jià qiáo =〔架设桥梁 jiàshè qiáoliáng〕
가설(假設) 假设 jiǎshè ¶휴게소를 ～하다 临时设置休息处 línshí shèzhì xiūxichù
가설(假說) 假说 jiǎshuō; 《수학·논리학》 假设 jiǎshè ¶～을 세우다 立假说 lì jiǎshuō
가성소다(苛性 soda) 《化》 苛性钠 kēxìngnà; 氢氧化钠 qīngyǎnghuànà; 火碱 huǒjiǎn; 烧碱 shāojiǎn
가소롭다(可笑…) 可笑 kěxiào
가속(加速) 加速 jiāsù
가속도(加速度) 加速度 jiāsùdù
가솔린 汽油 qìyóu ‖～ 스탠드 加油站 jiāyóuzhàn
가수(歌手) 歌手 gēshǒu; 歌唱家gēchàngjiā ‖오페라 ～ 歌剧演唱家 gējù yǎnchàngjiā / 유행 ～ 流行歌手 liúxíng gēshǒu
가스(기체) 气体 qìtǐ; 《석탄의》 煤气 méiqì; 《연료용의》 瓦斯 wǎsī ¶～가 새고 있다 漏煤气来着 lòu méiqì láizhe / 갱내에 ～ 폭발이 일어났다 矿井内发生了瓦斯爆炸 kuàngjǐng nèi fāshēngle wǎsī bàozhà ‖～ 마스크 防毒面具 fángdú miànjù / ～ 중독 煤气中毒 méiqì zhòngdú / ～ 탱크 储气罐 chǔqìguàn / 수소 ～ 氢气 qīngqì / 천연 ～ 天然气 tiānránqì / 최루 ～ 催泪瓦斯 cuīlèi wǎsī
가슴 ①《몸의》 胸 xiōng; 胸脯 xiōngpú; 胸膛 xiōngtáng ¶～을 펴고 걷다 挺起胸脯〔挺胸〕走! tǐngqǐ xiōngpú〔tǐngxiōng〕 zǒu! / ～을 앓다 患肺病 huàn fèibìng / 아이를 ～에 안다 把孩子抱在怀里 bǎ háizi bào zài huái li / ～이 뛰다〔두근두근하다〕 心突突地跳 xīn tūtūde tiào ②《마음》 心 xīn; 心里 xīnli ¶기뻐서 ～이 뛰다 心里高兴得直跳 xīnli gāoxìngde zhí tiào / 괴로워서 ～이 찢어질 것 같다 痛苦得心如刀割 tòngkǔde xīn rú dāo gē / 그녀에 대한 사랑을 ～ 속에 숨기다 把对她的爱藏在心里 bǎ duì tā de ài cáng zài xīnli
가시 刺儿 cìr ¶손가락이 ～에 찔리다 手指头上扎了个刺 shǒuzhítou shang zhāle ge cì / 장미의 ～ 蔷薇的刺 qiángwēi de cì / ～ 돋친 말 带刺儿的话 dàcìr de huà / 생선의 ～가 목에 걸렸다 鱼刺儿'卡嗓子了〔鲠在嗓子上〕 yúcìr 'qiǎ sǎngzi le〔gěng zài sǎngzi shang〕
가시광선(可視光線) 可见光 kějiànguāng
가시철망(…鐵網) 刺线 cìxiàn; 刺鬼cìguǐ
가십(gossip) 闲话 xiánhuà
가열(加熱) 加热 jiārè ¶이것은 ～ 살균한 것이다 这是经过加热杀菌的 zhè shì jīngguò jiārè shājūn de
가엾다 可怜 kělián
가오리 〘魚〙 鳐 yáo; 鲼 fèn
가옥(家屋) 房屋 fángwū ¶태풍으로 200호의 ～이 피해를 입었다 由于台风二百栋房屋受了害 yóuyú táifēng èrbǎi dòng fángwū shòule hài
가운(家運) 家运 jiāyùn; 一家的命运 yìjiā de mìngyùn ¶～이 기울다 家境败落 jiājìng bàiluò =〔家道中落 jiādào zhōngluò〕
가운(gown) 长衣 chángyī ‖나이트 ～ 长袍睡衣 chángpáo shuìyī
가운데 当中 dāngzhōng ‖～형 二哥 èrgē / 가운뎃손가락 中指 zhōngzhǐ
가위 剪子 jiǎnzi; 剪刀 jiǎndāo ¶이 ～는 잘 든다 这把剪子很快 zhè bǎ jiǎnzi hěn kuài
가위눌리다《악몽》 魇 yǎn
가위 바위 보 剪刀、石头、布 jiǎndāo、shítou、bù; 碰、铰、裹 pèng、jiǎo、guǒ; 包、剪、锤 bāo、jiǎn、chuí ¶～로 정하다 划拳来决定 huá-quán lái juédìng
가을 秋天 qiūtiān ¶～에 피는 꽃 秋天开的花 qiūtiān kāi de huā / 이제 ～도 한창이다 秋意正浓 qiūyì zhèng nóng
가이드 向导 xiàngdǎo; 导游dǎoyóu ‖～북 旅行指南 lǚxíng zhǐnán =〔导游手册 dǎoyóu shǒucè〕
가인(佳人) 佳人 jiārén ‖～박명 佳人〔红颜〕薄命 jiārén〔hóngyán〕 bómìng
가일층(加一層) 越发地 yuèfāde
가입(加入) 加入 jiārù; 参加 cānjiā ¶노동 조합에 ～하다 加入工会 jiārù gōnghuì

가자미《魚》鰈 dié
가작(佳作) 佳作 jiāzuò
가장(家長) 户头 hùtóu; 家长 jiāzhǎng
가장(假裝) 化装 huàzhuāng ‖ ~ 무도회 化装舞会 huàzhuāng wǔhuì / ~ 행렬 化装游行 huàzhuāng yóuxíng
가장 最 zuì; 顶 dǐng ¶ ~ 많다 最多 zuì duō / 이 문제가 ~ 중요하다 这个问题是最重要的 zhège wèntí shì zuì zhòngyào de / 그 점에 ~ 고심하다 这一点是我最费心血的地方 zhè yì diǎn shì wǒ zuì fèi xīnxuè de dìfang
가장자리 边儿 biānr; 边缘 biānyuán ¶ 레이스로 ~를 하다 镶花边儿 xiāng huābiānr
가재《動》蝲蛄 làgǔ
가재(家財) ①《재산》家产 jiāchǎn; 家业 jiāyè; 家当 jiādang; 家财 jiācái; 家私 jiāsī ¶ 사업에 실패해서 ~를 잃었다 事业失败失去了家产 shìyè shībài shīqùle jiāchǎn ②《가구》家什 jiāshi; 家具 jiāju; 什物 shí wù ¶ ~ 도구를 팔아 버리다 卖掉'家具什物〔家当〕 màidiào 'jiāju shíwù〔jiādang〕
가정(家政) 家政 jiāzhèng ‖ ~과 家政科 jiāzhèngkē / ~부 料理家务的女佣 liàolǐ jiāwù de nǚyōng
가정(家庭) 家庭 jiātíng ¶ ~을 갖다 成家 chéngjiā ‖ ~ 교사 家庭教师 jiātíng jiàoshī
가정(假定) 假定 jiǎdìng; 假设 jiǎshè ¶ 너의 말이 옳다고 ~하더라도… 假定你说得对 jiǎdìng nǐ shuōde duì
가제(Gaze) 药布 yàobù; 纱布 shābù
가져오다 带来 dàilái; 拿来 nálái
가족(家族) 家族 jiāzú; 家眷 jiājuàn; 家属 jiāshǔ ¶ ~ 동반 여행을 하다 一家老少一起去旅行 yì jiā lǎoshào yìqǐ qù lǚxíng ‖ ~ 계획 计划生育 jìhuà shēngyù / ~ 제도 家族制度 jiāzú zhìdù
가죽 ①皮 pí ¶ 그는 얼굴 ~이 두껍다 他脸皮厚 tā liǎnpí hòu / 그는 인간의 ~을 쓴 짐승이다 他是披着人皮的畜生 tā shì pīzhe rénpí de chùsheng ②《피혁》皮革 pígé ¶ ~ 표지의 책 皮面的书 pímiàn de shū ‖ ~ 구두 皮鞋 píxié / ~ 벨트 皮带 pídài / ~ 제품 皮革制品 pígé zhìpǐn
가증스럽다(可憎…) 可恶 kěwù
가지[1]《나무의》树枝 shùzhī; 枝子 zhīzi; 枝条 zhītiáo; 树条 shùtiáo ¶ ~를 치다 把树枝砍下来 bǎ shùzhī kǎnxiàlai
가지[2]《植》茄子 qiézi
가지각색(…各色) 各式各样(儿) gèshì gèyàng(r); 各色各样 gèsè gèyàng ¶ ~의 种种的 zhǒngzhǒng de / ~의 꽃이 만발해 있다 各色各样的花五彩缤纷地盛开着 gèsè gèyàng de huā wǔcǎi bīnfēn de shèngkāizhe
가지다 ①《손에》拿 ná ¶ 가는 김에 이 책을 가지고 가 주십시오 顺便把这本书给拿去 shùnbiàn bǎ zhè běn shū gěi náqu ②《지니다》带 dài ¶ 라이터를 가지고 있습니까? 你带着打火机吗? nǐ dàizhe dǎhuǒjī ma? ③《소유·향유》有 yǒu ¶ 나는 차를 가지고 있지 않다 我没有轿车 wǒ méiyǒu jiàochē / A 사가 판매의 권리를 갖고 있다 A公司拥有销售的权利 A gōngsī yōngyǒu xiāoshòu de quánlì ④《몸에》¶ 이 뱀은 맹독을 가지고 있다 这种蛇有剧毒 zhè zhǒng shé yǒu jùdú / 이 제사는 오랜 역사를 가지고 있다 这个祭礼具有很长的历史 zhège jìlǐ jùyǒu hěn cháng de lìshǐ ⑤《마음에》¶ 그는 자신의 직업에 긍지를 가지고 있다 他对自己的职业很自豪 tā duì zìjǐ de zhíyè hěn zìháo
가지런하다 齐 qí; 整齐 zhěngqí ¶ 벗어 놓은 신을 가지런히 정리하다 把脱了的鞋摆齐 bǎ tuōle de xié bǎiqí
가짜 假的 jiǎde; 假货 jiǎhuò; 冒牌货 màopáihuò; 伪造品 wěizàopǐn; 赝品 yànpǐn ¶ 진짜와 ~의 구별이 어렵다 真的和假的〔真假〕难于分辨 zhēn de hé jiǎ de〔zhēnjiǎ〕 nányú fēnbiàn
가차(假借) ①《임시 차용》假借 jiǎjiè ②《용서》宽恕 kuānshù ¶ 위반자는 조금도 ~없다 对违反者严惩不贷 duì wéifǎnzhě yánchéng bù dài
가책(呵責) 苛责 kēzé ¶ 양심의 ~에 견디지 못해서 자수하다 受到良心的苛责终于自首了 shòudào liángxīn de kēzé zhōngyú zìshǒu le
가축(家畜) 家畜 jiāchù; 牲畜 shēngchù; 牲口 shēngkou ¶ ~을 기르다 饲养家畜 sìyǎng jiāchù
가출(家出) 出奔 chūbēn; 出走 chūzǒu ¶ 딸이 ~했다 女儿离家出走了 nǚ'ér lí jiā chūzǒu le
가출옥(假出獄) 假释 jiǎshì ‖ ~자 假释出狱者 jiǎshì chūyùzhě
가치(價値) 价值 jiàzhí ¶ 이 발명은 매우 ~가 있다 这件发明很有价值 zhè jiàn fāmíng hěn yǒu jiàzhí / 저 영화는 한번 볼 ~가 있다 那个电影值得一看 nàge diànyǐng zhíde yí kàn
가칭(假稱) 暂称 zhàn chēng ¶ 이 모임을 A 라 ~하자 把这个会暂称为A bǎ zhège huì zàn chēngwéi A
가택(家宅) 住宅 zhùzhái ‖ ~ 수색 搜查住宅 sōuchá zhùzhái / ~ 침입죄 侵入住宅罪 qīnrù zhùzhái zuì
가톨릭교(Catholic) 天主教 Tiānzhǔjiào; 旧教 jiùjiào ‖ ~회 天主堂 Tiānzhǔtáng =〔天主教堂 Tiānzhǔjiàotáng〕
가파르다 陡峭 dǒuqiào; 险峻 xiǎnjùn ¶ 가파른 산길을 올라가다 攀登险阻的山路 pāndēng xiǎnzǔ de shānlù
가필(加筆) 删改 shāngǎi ¶ 구판에 ~ 정정하여 출판하다 将旧版加以删改修订后出版 jiāng jiù bǎn jiāyǐ shāngǎi xiūdìng hòu chūbǎn / 생도의 그림에 선생님이 ~하다 老师给学生修改画稿 lǎoshī gěi xuésheng xiūgǎi huàgǎo
가하다(加…) ①《더하다》加 jiā; 添 tiān; 续 xù ¶ 1에 2를 더하면 3이 된다 一加二等于三 yī jiā èr děngyú sān ②《행동을》加 jiā; 加以 jiāyǐ; 施加 shījiā ¶ 물체에 힘을 ~ 往物体施加力 wàng wùtǐ shījiā lì / 적에게 치명적인 타격을 ~ 给敌人以致命的打击 gěi dírén yǐ zhìmìng de dǎjī
가해(加害) 加害 jiāgài ¶ 교통 사고의 ~자 交通事故的肇事者 jiāotōng shìgù de zhàoshìzhě ‖ ~자 加害人 jiāhàirén
가호(加護) 保佑 bǎoyòu ¶ 신의 ~를 기도하다 祈祷神的保佑 qídǎo shén de bǎoyòu
가혹(苛酷) 残酷 cánkù; 苛刻 kēkè ¶ ~한 노동 조건 苛刻的劳动条件 kēkè de láodòng tiáojiàn / ~한 처리 残酷的对待 cánkù de duìdài
각(角) 角 jiǎo; 稜 léng
각(各) 各 gè; 每 měi ¶ ~ 방면의 전문가가 모이다 各方面的专家聚集在一起 gè fāngmiàn de

zhuānjiā jùjí zài yìqǐ / ~ 클라스로부터 5인 씩 선발하다 从每个班选拔五个人 cóng měige bān xuǎnbá wǔ ge rén
각각(各各) 各 gè ¶사람은 ~ 장점 단점이 있다 人各有其长处和短处 rén gè yǒu qí chángchu hé duǎnchu
각계(各界) 各界 gèjiè; 各方面 gèfāngmian
각광(脚光) 脚光 jiǎoguāng ¶세계의 ~을 받고서 정치의 무대에 등장하다 在全世界的注目下登上政治舞台 zài quán shìjiè de zhùmù xià dēngshàng zhèngzhì wǔtái
각기병(脚氣病) 脚气病 jiǎoqìbìng; 软脚病 ruǎnjiǎobìng
각도(角度) 角度 jiǎodù ¶~를 재다 量角度 liáng jiǎodù / ~를 바꾸어 말하다 换一个角度来谈吧 huàn yí ge jiǎodù lái tán ba / 여러 ~로 검토하다 从各种角度来研究 cóng gèzhǒng jiǎodù lái yánjiū
각료(閣僚) 阁员 géyuán; 阁僚 géliáo
각박(刻薄) 刻薄 kèbó
각별(各別) 特别 tèbié; 格外 géwài ¶오늘의 더위는 ~하다 今天热得邪行 jīntiān rède xiéxing
각본(脚本) 剧本 jùběn ¶영화의 ~ 电影剧本 diànyǐng jùběn ‖ ~가 剧作家 jùzuòjiā
각색(脚色) 改编 gǎibiān; 剧本结构 jù běn jié gòu ¶소설을 TV드라마로 ~하다 把小说改编为电视剧本 bǎ xiǎoshuō gǎibiān wéi diànshì jùběn ‖ ~가 改编者 gǎibiānzhě
각성(覺醒) 觉悟 juéwù; 觉醒 juéxǐng; 醒悟 xǐngwù ¶사람들의 ~을 촉구하다 促使人们醒悟 cùshǐ rénmen xǐngwù ‖ ~제 兴奋剂 xīngfènjì
각시 《색시》 新娘 xīnniáng; 《인형》 女娃娃 nǚwáwa
각오(覺悟) 决心 juéxīn ¶결사의 ~로 출발하다 抱着决死的决心出发了 bàozhe juésǐ de juéxīn chūfā le / 어떠한 곤란이 있더라도 해낼 ~다 不管有什么困难我决心干到底 bùguǎn yǒu shénme kùnnan wǒ juéxīn gàn dàodǐ
각자(各自) 各各(儿) gègè(r); 各自 gèzì ¶점심은 ~ 지참하기 中饭各自自备 zhōngfàn gèzì zìbèi
각종(各種) 各种 gèzhǒng; 各色 gèsè; 各样 gèyàng ¶~ 물건이 모두 갖추어져 있다 各种货色货物一应俱全 gèzhǒng huòsè huòwù yìyīng jùquán =〔各色货物一应俱全 gèsè huòwù yìyīng jùquán〕
각처(各處) 到处 dàochù; 各处 gèchù ¶시내 ~에 지점을 설치하다 在市内各处设分号 zài shì nèi gèchù shè fēnhào
각하(却下) 驳回 bóhuí; 批驳 pībó ¶공소를 ~하다 驳回上诉 bóhuí shàngsù
각하(閣下) 阁下 géxià
간《소금기》 咸味 xiánwèi; 盐分 yánfèn ¶이것은 조금 간이 〔소금기가〕 부족하다 这个有点儿不够咸 zhège yǒudiǎnr bú gòu xián
간(肝) ①《生》 肝 gān ¶돼지 ~ 豚肝 zhūgān ② 《배짱》 胆儿 dǎnr; 胆子 dǎnzi; 胆量 dǎnliàng ¶그는 ~이 크다 他胆子大 tā dǎnzi dà / 에구! ~ 떨어질뻔 했잖아 哎呀! 我吓破了胆了 āiyā wǒ xiàpòle dǎn le =〔哎呀! 把我吓死了 āiyā bǎwǒ xiàsǐ le〕
간간이(间间…) 间或 jiànhuò; 偶尔 oǔ'ěr
간격(間隔) 间隔 jiàngé; 隔关 géguān ¶일정한 ~을 두고 서다 按一定的间隔排队 àn yídìng de jiàngé pái... 다 公共汽车隔... sān fēn zhōng...
간결(簡潔) 简洁 jiǎ... 简洁而扼要的文章 ... zhāng
간곡(懇曲) 诚恳 ché...
간과(看過) 看漏 kàn...
간난(艱難) 艰难 jiān... 尽艰难困苦 lìjìn ji... bǎo jīng fēng shu...
간단(簡單) 简单 jiǎnd... 히 생각하다 想得太... dān le / 아래의 물음... 要地回答下列问题 jiǎ... xiàliè wèntí
간담(肝膽) 肝胆 gāndǎn
간담(懇談) 畅叙 chànxu... 의 진학에 대해서 학부형과... 生的升学问题 gēn jiāzhǎng... sheng de shēngxué wèntí ... kěntánhuì
간밤 昨晚 zuówǎn
간부(幹部) 干部 gànbù
간사(奸邪) 奸刁 jiāndiāo
간선(幹線) 干线 gànxiàn ‖ ~ 도로 公路干线 gōnglù gànxiàn
간섭(干涉) 干涉 gānshè ¶외국의 ~을 받다 受外国干涉 shòu wàigúo gānshè / 나의 일에 ~ 말아 주게 别干涉我的事 bié gānshè wǒde shì
간소(簡素) 俭朴 jiǎnpǔ; 简朴 jiǎnpǔ; 朴素 pǔsù ¶결혼식은 ~하게 하기로 결정하다 决定俭朴地举行结婚仪式 juédìng jiǎnpǔde jǔxíng jiéhūn yíshì
간수(看守) 看守 kānshǒu
간식(間食) 零食 língshí; 点心 diǎnxin ¶~으로 비스켓을 먹다 把饼干当零食吃 bǎ bǐnggān dàng língshí chī
간신(奸臣 · 姦臣) 奸臣 jiānchén
간신히(艱辛…) 好容易 hǎoróngyi; 好不容易地 hǎo bùróngyì de; 勉强 miǎnqiǎng; 差点儿 chàdiǎnr ¶~ 난을 모면했다 险些没逃出虎口 xiǎnxiē méi táochū hǔkǒu =〔好容易逃出了虎口 hǎoróngyi táochūle hǔkǒu〕
간음(姦淫 · 姦婬) 姦淫 jiānyín
간이(簡易) 简易 jiǎnyì; 简便 jiǎnbiàn
간장(…醬) 酱油 jiàngyóu
간장(肝臟) 肝 gān; 肝脏 gānzàng ¶술을 지나치게 마셔서 ~을 나쁘게 했다 喝酒过度伤了肝了 hējiǔ guòdù shāngle gān le ‖ ~ 디스토마 肝蛭 gānzhì =〔肝吸虫 gānxīchóng〕
간접(間接) 间接 jiànjiē ¶그것과 이것과는 ~적인 관계가 있다 这个和那个有间接关系 zhège hé nàge yǒu jiànjiē guānxi ‖ ~ 전염 间接传染 jiànjiē chuánrǎn / ~ 조명 间接照明 jiànjiē zhàomíng / ~ 화법 间接叙述 jiànjiē xùshù
간조(干潮) 退潮 tuìcháo; 落潮 luòcháo
간주(看做) 视为 shìwéi ¶대답이 없는 자는 결석으로 ~한다 不应答者视为缺席 bú yìngdázhě shìwéi quēxí
간지럽다《살이》 痒 yǎng; 痒痒 yǎngyang; 发痒 fāyǎng ¶발바닥이 ~ 脚心发痒 jiǎoxīn fāyǎng / 그만둬, 간지러워 怪痒得慌的, 别啦 guài yǎngde huāng de, bié la

bǎocún ¶서류를 금 …险柜 bǎ wénjiàn … /이 일은 가슴에 ~해 …心里吧 zhèjiàn shì jiù

…xián; 羊痫风 yángxián-…jiǎofēng ¶~의 발작을 일으…ánxián fāzuò =〔犯羊痫风 …ng〕〔抽风 chōufēng〕

…이(spy)

… kěnqiú; 恳请 kěnqǐng ¶~을 …어 출마를 하다 恳请难卻, 终于出马 …n què, zhōngyú chūmǎ

…) 简体字 jiǎntǐzì; 简化字 jiǎnhuà-…ánzi

… 通奸 tōngjiān

…) 看穿 kànchuān; 看透 kàntòu; 看破 …ò; 识破 shípò ¶간사한 음모를 ~하다 识…谋诡计 shípò yīnmóu guǐjì

…(看板) 招牌 zhāopai〔pái〕; 牌子páizi; 幌子 …눈가림의)huǎngzi ¶~을 걸다 挂出招牌 guàchū zhāopai =〔挂牌guàpái〕/자선을 ~으로 해서 듬뿍 벌었다 打着慈善的幌子赚了一大笔钱 dǎzhe císhàn de huǎngzi zhuànle yí dà bǐ qián ‖~장이 画招牌人 huàzhāopáirén

간편(簡便) 简便 jiǎnbiàn ¶~한 방법 简便的方法 jiǎnbiàn de fāngfǎ

간하다(諫…) 谏劝 jiànquàn; 劝告 quàngào

간헐(間歇) 间歇 jiànxiē ¶~적으로 발작을 일으키다 间歇发作 jiànxiē fāzuò ‖~천 间歇泉 jiànxiēquán

간호(看護) 看护 kānhù; 护理 hùlǐ ¶병자를 ~하다 看护病人 kānhù bìngrén ‖~사(士) 护士 hùshi

간혹(間或) 偶尔 ǒu'ěr; 有时 yǒushí

갇히다 被关起来 bèi guānqilai ¶폭설로 종일 여관에 ~ 由于暴风雪一整天困在旅馆里 yóuyú bàofēngxuě yì zhěng tiān kùn zài lǚguǎn li

갈가리 ¶~ 찢다 撕破 sīpò

갈겨쓰다 潦草地写 liáocǎo de xiě ¶갈겨쓴 메모 字跡潦草的字条儿 zìjì liáocǎo de zìtiáor

갈고리 钩子 gōuzi; 钩儿 gōur

갈기 鬣 liè; 鬃zōng ¶말 ~ 马鬃 mǎzōng

갈기다 从侧面打 cóng cèmiàn dǎ ¶뺨을 ~ 扇耳光 shān ěrguāng =〔打嘴吧 dǎ zuǐba〕

갈다[1](바꾸다) 换 huàn; 更换 gēnghuàn ¶전지를 ~ 换电池 huàn diànchí /이 부품을 갈 수가 없다 这个零件不能更换 zhège língjiàn bùnéng gēnghuàn

갈다[2] ① 磨 mó; 钢 gàng ¶칼을 숫돌에 ~ 用磨刀石磨菜刀 yòng módāoshí mó càidāo /콩을 ~ 磨豆子 mó dòuzi ②(이를) 咬牙 yǎoyá ¶밤중에 이를 ~ 夜里咬牙 yèli yǎoyá /이를 갈며 분해하다 痛恨得咬牙切齿 tònghènde yǎoyá qièchǐ =〔切齿痛恨 qièchǐ tònghèn〕

갈다[3](논밭을) 耕 gēng ¶밭을 ~ 耕地 gēng dì

갈대 《植》 芦苇 lúwěi; 苇子wěizi

갈등(葛藤) 纠纷 jiūfēn; 纠葛 jiūgé; 葛藤 géténg ¶두 사람 사이에는 ~이 계속되고 있다 两人之间的纠纷还在继续 liǎng rén zhījiān de jiūfēn hái zài jìxù

갈라서다 分别 fēnbié; 离婚 líhūn ¶그는 처와 갈라섰다 他和妻子离婚了 tā hé qīzi líhūn le

갈리다(분리) 分 fēn ¶길이 두 갈래로 ~ 道路分成两条 dàolù fēnchéng liǎng tiáo /후보자가 많아서 표가 갈렸다 候选人太多, 票数分散了 hòuxuǎnrén tài duō, piàoshù fēnsàn le /의견이 갈렸다 发生了意见分歧 fāshēngle yìjiàn fēnqí

갈림길 岔道 chàdào; 岔路 chàlù; 岔口 chàkǒu ¶인생의 ~ 人生的十字路口 rénshēng de shízìlùkǒu

갈망(渴望) 渴望 kěwàng ¶모두 비오기를 ~하다 大家都盼着下雨 dàjiā dōu pànzhe xiàyǔ

갈매기 《鳥》 海鸥 hǎi'ōu

갈빗대 ⇨늑골(肋骨)

갈색(褐色) 褐色 hèsè

갈아입다 ¶평상복으로 ~ 换上便服 huànshàng biànfú

갈아타다 换车 huàn chē; 倒车 dǎo chē ¶종로에서 갈아타고 동대문으로 가다 在钟路倒车到东大门 zài Zhōnglù dǎochē dào Dōngdàmén

갈증(渴症) 口渴 kǒukě ¶~을 느끼다 觉得口渴 juéde kǒu kě

갈채(喝采) 喝采 hècǎi ¶만장의 ~를 받다 博得全场喝彩 bódé quánchǎng hècǎi

갈치 《魚》 刀鱼 dāoyú; 带鱼 dàiyú

갈퀴 耙子 pázi

갈팡질팡하다 迷惑 míhuo; 不知如何是好 bùzhī rúhé shì hǎo

갈피 头绪 tóuxù ¶그가 어떤 말을 하려고 하는지 전혀 ~를 잡을 수 없다 他想要说什么简直猜不透 tā xiǎng yào shuō shénme jiǎnzhí cāibutòu

갉아먹다 啃着吃 kěnzhe chī

감 《植》 柿 shì; 柿子 shìzi ¶단〔떫은〕 ~ 甜〔澁〕柿子 tián〔sè〕 shìzi /~이 빨갛게 익었다 柿子变红了 shìzi biàn hóng le

감가(減價) 减价 jiǎnjià; 降价 jiàngjià ‖~상각비(償却費) 折旧费 zhéjiùfèi

감각(感覺) ①感觉 gǎnjué ¶추워서 손가락의 ~이 없어졌다 冻得手指失掉了感觉 dòngde shǒuzhǐ shīdiàole gǎnjué ②(센스) 感觉 gǎnjué ¶그는 미적 ~이 제로다 他一点儿审美感都没有 tā yìdiǎnr shěnměigǎn dōu méiyǒu

감감하다 杳然 yǎorán

감개(感慨) 感慨 gǎnkǎi ¶정말로 ~ 무량하다 真是感慨万端 zhēn shì gǎnkǎi wànduān

감격(感激) 感动 gǎndòng; 感激 gǎnjī ¶~의 눈물을 흘리다 感激得流下了眼泪 gǎnjīde liúxiàle yǎnlèi =〔感激涕零 gǎnjī tìlíng〕

감금(監禁) 监禁 jiānjìn ¶그는 방에 ~당하다 他被监禁于一间屋子里 tā bèi jiānjìn yú yì jiān wūzili ‖불법~ 非法拘禁 fēifǎ jūjìn

감기(感氣) 感冒 gǎnmào; 伤风 shāngfēng ¶~들다 着凉 zháoliáng /~는 만병의 근원 感冒招致百病 gǎnmào zhāozhì bǎi bìng /~ 기운으로 기분이 안 좋다 有点儿感冒不舒服 yǒu diǎnr gǎnmào bù shūfu ‖~약 感冒药 gǎnmàoyào

감기다[1](눈이) (困得)睁不开眼睛 (kùnde) zhēngbùkāi yǎnjing

감기다[2](넝쿨 따위가) 缠绕 chánrào

감다[1](눈을) 闭 bì; 合 hé ¶눈을 감고서 생각에 잠기다 闭上眼沉思 bìshang yǎn chénsī

감다[2](멱을) 淋水 línshuǐ ¶강물에 멱을 ~ 洗河澡 xǐ hézǎo

감다[3] ①(실 따위를) 绕 rào; 缠 chán ¶머리에

붕대를 ～ 在头上缠绷带 zài tóu shang chán bēngdài / 실을 실패에 ～ 把线缠在线轴儿上 bǎ xiàn chán zài xiànzhóur shang / 실을 ～ 倒线 dǎoxiàn ②《태엽을》 上 shàng ¶ 태엽을 ～ 上发条 shàng fātiáo / 시계의 태엽을 ～ 给表上弦 gěi biǎo shàngxián
감당(堪當) 担当 dāndāng; 担待 dāndài
감독(監督) 监督 jiāndū ¶ 시험 ～을 하다 监考 jiānkǎo ‖ 야구 ～ 棒球领队 bàngqiú lǐngduì / 영화 ～ 电影导演 diànyǐng dǎoyǎn =〔导演 dǎoyǎn〕/ 현장 ～ 现场监工 xiànchǎng jiāngōng
감동(感動) 感动 gǎndòng ¶ 그의 연설은 청중에게 커다란 ～을 주었다 他的讲演给了听众极大的感动 tāde jiǎngyǎn gěile tīngzhòng jídà de gǎndòng
감람나무(橄欖…) 《植》 橄榄树 gǎnlǎnshù
감명(感銘) 铭感 mínggǎn; 感动 gǎndòng ¶ 깊이 ～하다 铭感五中 mínggǎn wǔzhōng =〔感人肺腑 gǎn rén fèifǔ〕/ 그 연설을 듣고서 깊이 ～을 받았다 听了那讲演深深地受到感动 tīngle nà jiǎngyǎn shēnshēnde shòudào gǎndòng
감미롭다(甘味…) 甜蜜蜜 tiánmìmì
감미료(甘味料) 甘旨素 gānzhǐsù
감방(監房) 牢房 láofáng
감별(鑑別) 鉴别 jiànbié; 识别 shíbié ¶ 병아리의 암수를 ～하다 鉴别小鸡的公母 jiànbié xiǎojī de gōngmǔ
감봉(減俸) 减薪 jiǎnxīn ¶ 3개월간 ～ 처분을 받다 受到三个月减薪的处罚 shòudào sāngeyuè jiǎnxīn de chǔfá
감사(感謝) 感谢 gǎnxiè ¶ ～한 마음을 표시하다 表示谢意 biǎoshì xièyì
감사(監査) 监察 jiànchá ‖ 회계 ～ 会计监察 kuàijì jiànchá
감상(感想) 感想 gǎnxiǎng ¶ 독서 ～문을 쓰다 写读后感 xiě dúhòugǎn
감상(感傷) 感伤 gǎnshāng; 伤感 shānggǎn ¶ ～적인 사람 多愁善感的人 duōchóu shànggǎn de rén / ～에 빠져서는 안 된다 不能沉溺于伤感里 bùnéng chénnì yú shānggǎn li
감상(鑑賞) 欣赏 xīnshǎng; 鉴赏 jiànshǎng; 赏鉴 shǎngjiàn ¶ 나의 취미는 음악 ～이다 我的爱好是欣赏音乐 wǒde àihào shì xīnshǎng yīnyuè
감소(減少) 减少 jiǎnshǎo ¶ 불경기로 매상이 ～하다 由于不景气营业额减少了 yóuyú bùjǐngqì yíngyè'é jiǎnshǎo le
감수(甘受) 甘心忍受 gānxīn rěnshòu ¶ 고통을 ～하다 甘心忍受痛苦 gānxīn rěnshòu tòngkǔ
감수(減壽) 缩短寿命 suǒ duǎn shòu mìng; 折死 zhésǐ
감시(監視) 监视 jiānshì; 管制 guǎnzhì ¶ 엄중한 ～의 눈을 속이고 탈옥하다 避开严厉的监视越狱 bìkāi yánlì de jiānshì yuèyù
감식(鑑識) 鉴别 jiànbié ¶ 미술품을 ～하다 鉴别美术品 jiànbié měishùpǐn / ～과에서 지문을 조사하다 在鉴定科查指纹 zài jiàndìngkē chá zhǐwén
감싸다 ① 裹 guǒ; 包 bāo; 包裹 bāoguǒ ¶ 갓난 아기를 모포에 ～ 用毛毯包孩子 yòng máotǎn bāo háizi ②《덮어 주다》 护 hù; 庇护bìhù; 包庇bāobì ¶ 그녀는 몸으로써 아이를 감쌌다 她挺身护着孩子 tā tǐng shēn hùzhe háizi / 너는 그녀와 사이가 좋으니까 그녀를 감싸는 것이다 你和她好，就庇护她 nǐ hé tā hǎo，jiù bìhù tā
감안(勘案) 斟酌 zhēnzhuó; 考虑 kǎlǜ ¶ 여러 사정을 ～하다 斟酌种种情况 zhēnzhuó zhǒngzhǒng qíngkuàng
감언(甘言) 花言巧语 huāyán qiǎoyǔ ¶ 감쪽같이 ～에 넘어가다 很轻易上了甜言蜜语的当 hěn qīngyì shàngle tiányánmìyǔ de dàng
감염(感染) 感染 gǎnrǎn; 沾染 zhānrǎn ¶ 이질에 ～되었다 传染上了痢疾 chuánrǎn shàngle lìji ‖ ～ 경로 传播途经 chuánbō tújìng
감원(減員) 裁员 cáiyuán ¶ 큰 폭으로 ～하다 进行大量的裁员 jìnxíng dàliàng de cáiyuán
감자 《植》 马铃薯 mǎlíngshǔ →〔土豆子tǔdòuzi; 〈俗〉土豆(儿)tǔdòu(r)〕
감전(感電) 触电 chùdiàn; 中电 zhòngdiàn ¶ 고압선이 닿아 ～사했다 触了高压线电死了 chùle gāoyāxiàn diànsǐ le
감점(減點) 扣分 kòu fēn ¶ 오자(誤字) 1자에 대해서 1점 ～하다 错一字扣一分 cuò yí zì kòu yì fēn
감정(感情) 感情 gānqíng ¶ 그 한 마디가 그의 ～을 상했다 那一句话伤了他的感情 nà yí jù huà shāngle tāde gǎnqíng / ～을 넣어서 낭독하다 充满感情来朗诵 chōngmǎn gǎnqíng lái lǎngsòng / ～으로 흘러서는 안 된다 不能感情用事 bùnéng gǎnqíng yòngshì
감정(鑑定) 鉴定 jiàndìng; 鉴别 jiànbié ¶ 골동 전문가의 ～을 청하다 请古董专家鉴别 qǐng gǔdǒng zhuānjiā jiànbié ‖ 필적 ～ 笔迹鉴定 bǐjì jiàndìng
감지덕지(感之德之) 衷心感谢 zhōng xīn gǎn xiè
감질나다 惹人着急的 rě rén zháo jí de; 不耐烦 búnàifán
감쪽같다 天不知鬼不晓 tiān bù zhī guǐ bù xiǎo; 天衣无缝 tiānyīwúfèng
감찰(鑑札) 执照 zhízhào
감초(甘草) 《植》 甘草 gāncǎo
감추다 ①《물건을》 藏 cáng; 隐藏 yǐncáng ¶ 서랍의 깊숙한 곳에 편지를 ～ 把信藏在抽屉尽里头 bǎ xìn cáng zài chōuti jǐn lǐtou ②《비밀로 함》 瞒 mán; 隐瞒yǐnmán; 遮掩 zhēyǎn; 掩盖 yǎngài; 掩饰 yǎnshì ¶ 본성을 ～ 隐瞒自己的身世 yǐnmán zìjǐ de shēnshì =〔隐姓埋名 yǐnxìng máimíng〕
감치다《바느질》 缭 liáo ¶ 스커트의 단을 ～ 缭好裙子的下摆 liáohǎo qúnzi de xiàbǎi
감탄(感歎) 感叹 gǎntàn ¶ 이것을 보고서 ～하지 않는 사람이 없다 看到这个没有不'感叹〔赞叹〕的 kàndào zhège méiyǒu bù 'gǎntàn〔zàntàn〕de ‖ ～ 부호 感叹号 gǎntànhào / ～사 感叹词 gǎntàncí =〔叹词tàncí〕
감퇴(減退) 减退 jiǎntuì ¶ 식욕이 ～하다 食欲减退 shíyù jiǎntuì / 체력이 ～했다 体力衰退了 tǐlì shuāituì le
감투《벼슬》 乌纱帽 wūshāmào
감하다(減…) 减去 jiǎnqù; 扣掉 kòudiào
감히(敢…) 敢 gǎn ¶ ～ 말 못 하다 不敢说 bùgǎnshuō / ～ 한 마디 할 것 같으면… 我斗胆说一句话 wǒ dǒudǎn shuō yí jù huà
갑(甲) 甲 jiǎ ¶ 이하 원고를 ～, 피고를 을로 칭하다 以下简称原告为甲方，被告为乙方 yǐxià jiǎnchēng yuángào wéi jiǎfāng, bèigào wéi yǐfāng
갑(匣)《소형》匣儿 xiár; 匣子 xiázi
갑(岬) 海角 hǎijiǎo; 岬 jiǎ; 岬角 jiǎjiǎo
갑갑하다 闷 mèn; 郁闷 yùmèn ¶이 옷은 작아서 ~ 这件衣服穿着有点儿瘦 zhè jiàn yīfu chuānzhe yǒudiǎnr shòu
갑론을박(甲論乙駁) 甲论乙驳 jiǎlùn yǐ bó; 你论我驳 nǐlùn wǒbǒ ¶회의는 ~으로 좀처럼 결론을 내리지 못하다 会上你一言我一语地各执一词总得不出结论来 huìshang nǐ yì yán wǒ yì yǔ de gè zhí yì cí zǒng débuchū jiélùn lái
갑부(甲富) 财主 cáizhu; 富户(儿) fùhù(r)
갑옷(甲…) 甲 jiǎ; 铠 kǎi; 铠甲 kǎijiǎ
갑자기 忽然 hūrán; 突然 tūrán ¶~ 질문을 당해 대답에 궁했다 突然被问，把我问住了 tūrán bèi wèn, bǎ wǒ wènzhù le / ~ 일어난 대사건 突然发生〔突如其来〕的大事件 tūrán fāshēng〔tū rú qí lái〕de dà shìjiàn
갑판(甲板) 甲板 jiǎbǎn
갑피(甲皮) 鞋帮皮 xiébāngpí
값 ①《가격》价 jià; 价钱 jiàqian; 价格 jiàgé ¶~을 올리다 提高价格 tígāo jiàgé =〔抬价 táijià〕/ ~을 내리다 降底价格 jiàngdī jiàgé =〔降价 jiàngjià〕/ ~이 오르다 涨价 zhǎngjià / ~이 내리다 跌价 diējià =〔落价luòjià〕〔掉价儿 diàojiàr〕/ ~이 비싸다 价钱贵 jiàqian guì ②《數》值 zhí ¶X의 ~을 구하라 求X值
값어치 价值 jiàzhí; 价钱jiàqian ¶한 푼의 ~도 없다 连一个钱也不值 lián yíge qián yě bùzhí / 이것에는 10만 원의 ~가 있다 这个有十万圆的价值 zhège yǒu shíwàn yuán de jiàzhí =〔这个有值十万圆 zhège yǒu zhí shíwàn yuán〕
갓난아이 赤子 chìzǐ; 婴儿yīngr
강(江) 河 hé; 江 jiāng
강경(强勁·强硬) 强硬 qiángyìng ¶자기의 의견을 ~히 주장하다 坚决主张自己的意见 jiānjué zhǔzhāng zìjǐ de yìjiàn / ~한 수단을 쓰다 使用强硬手段 shǐyòng qiángyìng shǒuduàn
강국(强國) 强国 qiángguó
강권(强權) 强权 qiángquán ¶~을 발동하다 强制行使权力 qiángzhì xíngshǐ quánlì
강낭콩《植》扁豆 biǎndòu; 菜豆 càidòu;〈俗〉芸豆 yúndòu
강단(講壇) 讲台 jiǎngtái; 讲坛 jiǎngtán
강도(强度) 强度 qiángdù ¶유리의 ~를 측정하다 测定玻璃的强度 cèdìng bōli de qiángdù
강도(强盜) 强盗 qiángdào ¶은행에 ~가 들었다 银行里闯进了强盗 yínháng li chuǎngjìnle qiángdào
강력(强力) 力量大 lìliang dà; 大力 dàlì; 强有力 qiángyǒulì ¶계획을 ~히 추진하다 大力推行计划 dàlì tuīxíng jìhuà / 그에게는 ~한 후원이 있다 他有强有力的靠山 tā yǒu qiángyǒulì de kàoshan
강렬(强烈) 强烈 qiángliè ¶인상이 매우 ~하다 印象很强烈 yìnxiàng hěn qiángliè / ~한 한여름의 태양 强烈的盛夏太阳 qiángliè de shèngxià tàiyáng
강매(强賣) 强卖 qiǎngmài; 硬卖 yìngmài
강박관념(强迫觀念) 恐惧心理 kǒngjù xīnlǐ; 强迫观念 qiǎngpò guānniàn ¶끊임없이 ~에 사로잡혀 있다 时时被恐惧心理缠住 shíshí bèi kǒngjù xīnlǐ chánzhù
강변(江邊) 河边(儿) hébiān(r); 河沿儿 héyànr
강사(講師) ①《학교의》讲师 jiǎngshī ②《강연자》讲演人 jiǎngyǎnrén; 演讲者 yǎnjiǎngzhě ¶A씨를 ~로 의뢰하다 请A先生作'讲演〔报告〕qǐng A xiānsheng zuò'jiǎngyǎn〔bàogào〕‖전임 ~ 专任讲师 zhuānrèn jiǎngshī
강습(講習) 讲习 jiǎngxí ¶중국어의 ~을 받다 听中国语讲习课 tīng Zhōngguóyǔ jiǎngxíkè ‖~소 讲习所 jiǎngxísuǒ
강심제(强心劑) 强心剂 qiángxīnjì
강아지 小狗 xiǎogǒu; 狗崽子gǒuzǎizi
강아지풀《植》狗尾草 gǒuwěicǎo
강연(講演) 演讲 yǎnjiǎng; 讲演 jiǎngyǎn; 报告 bàogào ¶경제 문제에 대해서 ~하다 关于经济问题做了报告 guānyú jīngjì wèntí zuòle bàogào
강요(强要) 强求 qiǎngqiú 强逼 qiǎngbī ¶그는 사직을 ~당했다 他被强逼辞职 tā bèi qiǎngbī cízhí
강우(降雨) 降雨 jiàngyǔ ‖~량 降雨量 jiàngyǔliàng
강의(講義) 课 kè ¶영국사의 ~를 하다 讲〔讲授〕英国史 jiǎng〔jiǎngshòu〕Yīngguóshǐ / A교수의 ~를 듣다 听A教授的课 tīng A jiàoshòu de kè ‖~록 授课记录 shòukè jìlù
강적(强敵) 强敌 qiángdí; 劲敌 jìngdí ¶생각지도 않은 ~이 나타났다 出现了意外的劲敌 chūxiànle yìwài de jìngdí
강제(强制) 强迫 qiǎngpò; 强制 qiángzhì ¶~적으로 强制迁移 qiángzhì qiānyí ‖~ 송환 强制遣送 qiángzhì qiǎnsòng / ~ 집행 强制执行 qiángzhì zhíxíng / ~ 처분 强制处分 qiángzhì chǔfèn
강조(强調) 强调 qiángdiào ¶교육의 필요성을 ~하다 强调教育的必要性 qiángdiào jiàoyù de bìyàoxìng
강좌(講座) 讲座 jiǎngzuò ¶라디오의 영어 ~ 英语广播讲座 Yīngyǔ guǎngbō jiǎngzuò / 현대 문학의 ~를 담당하다 担任现代文学课 dānrèn xiàndài wénxuékè
강철(鋼鐵) 钢铁 gāntiě ¶~ 같은 의지 钢铁意志 gāngtiě yìzhì
강토(疆土) 疆土 jiāngtǔ
강평(講評) 讲评 jiǎngpíng; 评论 pínglùn ¶출품 작품을 ~하다 讲评展品 jiǎngpíng zhǎnpǐn
강하다(强…) 强 qiáng ¶그녀는 어학에 ~ 她擅长外语 tā shàncháng wàiyǔ / 그는 개성이 ~ 他个性很强 tā gèxìng hěn qiáng / 처음에 만났을 때에 강한 인상을 받았다 最初相见时给了我强热的印象 zuìchū xiāngjiàn shí gěile wǒ qiángliè de yìnxiàng
강행(强行) 强行 qiángxíng ¶주민의 반대를 무릅쓰고 측량을 ~하다 不顾居民的反对强行测量 búgù jūmín de fǎnduì qiángxíng cèliáng
강화(强化) 加强 jiāqiáng; 强化 qiánghuà ¶조직을 ~하다 加强组织 jiāqiáng zǔzhī ‖~ 유리 钢化玻璃 gānghuà bōli
갖은 所有 suǒyǒu; 一切 yíqiè
갖추다 具备 jùbèi ¶주방 용구를 ~ 具备厨房用具 jùbèi chúfáng yòngjù
갖추어지다 齐全 qíquán; 被…备齐 bèi…bèiqí
같다 一样 yíyàng; 一般 yìbān; 相同 xiāngtóng ¶같지 않다 不一样 bùyíyàng =〔不同bùtóng〕/

오른쪽과 ～ 如右 rú yòu / 나와 그녀는 같은 회사에서 근무하고 있다 我跟她在一个公司里工作 wǒ gēn tā zài yí ge gōngsī li gōngzuò / 정삼각형은 3변의 길이가 ～ 正三角形三边相等 zhèngsānjiǎoxíng sān biān xiāngděng

같이 一同 yìtóng; 一起 yìqǐ; 一块儿 yíkuàir ¶～ 가다 一同去 yìtóng qù

갚다 ①《빚을》 还 huán ¶꾼 돈을 ～ 还债 huánzhài ②《은혜를》 报 bào ¶은혜를 원수로 ～ 恩将仇报 ēn jiāng chóu bào =〔以怨报德 yǐ yuàn bào dé〕

개 ①《動》 狗 gǒu; 犬 quǎn ¶～를 기르다 养狗 yǎng gǒu / ～가 짖다 狗叫 gǒujiào / ～를 부리다 嗾狗 sǒu gǒu / ～를 산책시키다 遛狗 liù gǒu ②《앞잡이》 走狗 zǒugǒu; 狗腿子 gǒutuǐzi; 腿子 tuǐzi ¶경찰의 ～ 警察的狗腿子 jǐngchá de gǒutuǐzi ‖～집 狗窝 gǒu wō

개간(開墾) 开垦 kāikěn ¶황지를 ～하여 채소를 심다 开垦荒地种植蔬菜 kāikěn huāngdì zhòngzhí shūcài

개고기 ①《고기》 狗肉 gǒuròu ②《남자》〈骂〉粗野无比的人 cūyěwúbǐ de rén; 狗肉 gǒuròu; 《여자》 疯丫头fēngyātou; 女光棍 nǚguānggùn

개골개골 《개구리 우는 소리》 呱呱 guāguā

개골창 脏水沟 zāngshuǐgōu

개괄(概括) 概括 gàikuò ¶내용을 ～적으로 설명하다 把内容概括说明 bǎ nèiróng gàikuò shuōmíng

개교(開校) 建校 jiàn xiào ¶나의 학교는 ～ 이래 30년이 되었다 我校建校以来已有三十年了 wǒ xiào jiàn xiào yǐlái yǐ yǒu sānshí nián le

개구리 《動》 蛙 wā; 青蛙 qīngwā; 蛤蟆háma; 田鸡 tiánjī ¶～가 개골개골 울다 青蛙呱呱叫 qīngwā guāguā jiào

개구리밥 《植》 浮萍 fúpíng; 水萍shuǐpíng; 紫萍 zǐpíng

개구멍바지 开裆裤 kāidāngkù

개그(gag) 笑活 xiàohua; 〈方〉 噱头 xuétóu ¶교묘한 ～로 사람을 웃기다 用巧妙的噱头逗人发笑 yòng qiǎomiào de xuétóu dòu rén fāxiào

개기식(皆旣食) 《天》 全蚀 quánshí

개나리 《植》 迎春花 yíngchūnhuā

개념(概念) 概念 gàiniàn ¶그것은 ～적인 이해에 지나지 않는다 那只是一种概念化的理解罢了 nà zhǐshì yì zhǒng gàiniànhuà de lǐjiě bà le

개다[1] 《날씨가》 晴 qíng ¶하늘이 갰다 天放晴了 tiān fàngqíng le

개다[2] 《풀다》 ¶밀가루를 물에 ～ 把面粉用水调 bǎ miànfěn yòng shuǐ tiáo

개다[3] 《개키다》 叠 dié

개돼지 猪狗 zhūgǒu ¶～ 같은 놈 畜生 chùsheng =〔婊子养的 biǎoziyǎngde〕

개똥벌레 《蟲》 萤 yíng; 萤火虫(儿) yínghuǒchóng(r)

개량(改良) 改良 gǎiliáng ¶벼의 품종을 ～하다 改良稻子的品种 gǎiliáng dàozi de pǐnzhǒng

개미 《蟲》 蚁 yǐ; 蚂蚁 mǎyǐ ¶～ 구멍으로 공든 탑 무너진다 千里之堤, 溃于蚁穴 qiān lǐ zhī dī, kuì yú yǐxué ‖～집 蚁冢 yǐzhǒng / ～일 工蚁 gōngyǐ

개발(開發) ①《천연 자원 따위의》 开发 kāifā ¶국토를 ～하다 开发国土 kāifā guótǔ ②《신제품 따위의》 研制 yánzhì ¶신제품의 ～에 힘쓰다 努力研制新产品 nǔlì yánzhì xīn chǎnpǐn

개방(開放) 开放 kāifàng ¶교정을 일반에게 ～하다 校园向一般人开放 xiàoyuán xiàng yìbānrén kāifàng / 그녀는 ～적인 성격이다 她的性格很爽朗 tāde xìnggé hěn shuǎnglǎng

개별(個別) 个别 gèbié; 各别 gèbié ¶～로 교섭하다 进行个别交涉 jìnxíng gèbié jiāoshè / 사건을 ～로 처리하다 把问题各个加以处理 bǎ wèntí gège jiāyǐ chǔlǐ

개봉(開封) ①《편지》 打开 dǎkāi; 拆开 chāikāi; 启封 qǐfēng ¶편지를 ～하다 折开信封 chāikāi xìnfēng =〔折信chāixìn〕 ②《영화》 初次放映 chū cì fàng yìng

개선(改善) 改善 gǎishàn; 改进 gǎijìn ¶대우의 ～을 요구하다 要求改善待遇 yāoqiú gǎishàn dàiyù

개선(凱旋) 凯旋 kǎixuán

개성(個性) 个性 gèxìng ¶그녀는 ～이 강하다 她个性很强 tā gèxìng hěn qiáng / ～이 강한 사람 富有个性的人 fùyǒu gèxìng de rén

개숫물 泔水 gānshuǐ

개업(開業) 开业 kāiyè; 开张 kāizhāng ¶약국을 ～하다 开药房 kāi yàofáng ‖～ 대매출 新张大贱卖 xīn zhāng dà jiànmài / ～의(醫) 开业医师 kāiyè yīshī

개운하다 清爽 qīngshuǎng

개울 溪流 xīliú

개인(個人) 个人 gèrén ¶～의 자격으로 참가하다 以'个人〔私人〕的资格参加 yǐ'gèrén 〔sīrén〕 de zīge cānjiā ‖～ 교수 单独教授 dān dú jiàoshòu

개입(介入) 干与 gānyù; 干预 gānyù; 介入 jièrù; 干涉 gānshè ¶양국간의 다툼에 ～하지 마시오 不介入两国之间的争端 bú jièrù liǎngguó zhījiān de zhēngduān

개잡놈 狗杂种 gǒuzázhǒng; 狗崽子 gǒuzǎizi; 王八 wángba

개장(開場) 开场 kāichǎng; 开门 kāimén; 开馆 kāiguǎn ¶극장은 오전 10시에 ～한다 戏院上午十点入场 xìyuàn shàngwǔ shí diǎn rùchǎng / ～ 전부터 많은 사람이 줄을 지어 있다 开场以前就有很多人在排队等着 kāichǎng yǐqián jiù yǒu hěn duō rén zài páiduì děngzhe

개점(開店) ①《개업》 开 kāi; 开设 kāishè; 开张 kāizhāng ¶서점을 ～하다 开〔开设〕书店 kāi〔kāishè〕 shūdiàn ②《시작》 开门 kāimén; 下板儿 xiàbǎnr ¶백화점은 오전 10시에 ～한다 百货公司上午十点开门 bǎihuò gōngsī shàngwǔ shí diǎn kāimén

개정(改正) 修改 xiūgǎi ¶법률의 일부를 ～하다 对法律的一部分加以修改 duì fǎlǜ de yíbùfen jiā yǐ xiūgǎi ‖～안 修正案 xiūzhèng àn

개정(改訂) 修订 xiūdìng; 改订 gǎidìng ¶사전을 ～하다 修订词典 xiūdìng cídiǎn ‖～판 修订本 xiūdìngběn

개조(改造) 改造 gǎizào ¶헛간을 욕실로 ～하다 把堆房改造成浴室 bǎ duīfáng gǎizào chéng yùshì

개종(改宗) ¶천주교로 ～하다 改为信仰天主教 gǎiwéi xìnyǎng Tiānzhǔjiào

개죽음 白死 báisǐ

개지랄하다 胡扯 húchě; 胡嘲乱讲 húcháo luànjiǎng

개찰(改札) 剪票 jiǎnpiào ‖～구 剪票口 jiǎnpiàokǒu

개척(開拓) 开垦 kāikěn; 开拓 kāituò; 开发 kāifā; 开辟 kāipì ¶새로운 판로를 ～하다 开辟新的销路 kāipì xīn de xiāolù
개천(開川) 水沟 shuǐgōu
개최(開催) 举办 jǔbàn; 举行 jǔxíng ¶전람회는 10월 1일부터 1개월간 ～한다 展览会从十月一日举办一个月 zhǎnlǎnhuì cóng shí yuè yí rì jǔbàn yí ge yuè
개키다 叠起 diéqǐ; 叠上 dié shàng
개탄(慨嘆) 慨叹 kǎitàn; 叹息 tànxī ¶최근 도덕의 퇴폐는 사람들이 ～해 마지않는다 最近的道德颓废实在让人不胜慨叹 zuìjìn de dàodé tuífèi shízài ràng rén búshèng kǎitàn
개편(改編) 改编 gǎibiān ¶교과서를 ～하다 改编教科书 gǎibiān jiàokēshū / 심의회의 기구를 ～하다 改组审议会的机构 gǎizǔ shěnyìhuì de jīgòu
개평 抽头钱 chōutóuqián; 乞头 qǐtóu
개폐(開閉) 开关 kāiguān ¶문의 ～는 조용히 해 주십시오 开关门请轻一点 kāiguān mén qǐng qīng yìdiǎn
개표(開票) 开票 ¶입회인의 입회하에 ～하다 在监票人监场下开票 zài jiān piàorén jiānchǎng xià kāipiào
개학(開學) 开学 kāixué ‖～식 开学典礼 kāixué diǎnlǐ; 始业式 shǐyèshì
개항장(開港場) 开放的港口 kāifàngde gǎngkǒu
개혁(改革) 改革 gǎigé ¶교육 제도를 ～하다 改革教育制度 gǎigé jiàoyù zhìdù
개황(槪況) 概况 gàikuàng ¶사업의 ～을 보고하다 报告事业的概况 bàogào shìyè de gàikuàng ‖일기 ～ 气象概况 qìxiàng gàikuàng
개회(開會) 开会 kāihuì ¶의장이 ～를 선포하다 主席宣布开会 zhǔxí xuānbù kāihuì / ～사를 하다 致开会辞 zhì kāihuìcí ‖～식 开会仪式 kāihuì yíshì =〔开幕典礼 kāimù diǎnlǐ〕
객관(客觀) 客观 kèguān ¶그의 주장에는 ～성이 없다 他的主张没有客观性 tāde zhǔzhāng méiyǒu kèguānxìng / 사물을 ～적으로 조망하다 对事物客观地加以观察 duì shìwù kèguān de jiāyǐ guānchá
객사(客死) 客死 kèsǐ ¶그는 북경에서 ～하다 他客死于北京 tā kèsǐ yú Běijīng
객석(客席) 客位 kèwèi; 客座 kèzuò
객실(客室) 客厅 kètīng
객적다(客…) 不必要 búbìyào; 多馀 duōyú
객차(客車) 客车 kèchē
객혈(喀血·咯血) 咯血 kǎxiě ¶갑자기 ～하며 쓰러졌다 突然咯血, 倒下去了 tūrán kǎxiě, dǎoxiàqu le
갤러리(gallery) 画廊 huàláng; 美术展览室 měishù zhǎnlǎnshì
갤런(gallon) 加伦 jiālún
갭(gap) 隔膜 gémo; 距离 jùlí; 差距chājù ¶세대간의 ～을 느끼다 感到世代之间有隔膜 gǎndào shìdài zhījiān yǒu gémo
갯값 白扔似的价钱 báirēng sìde jiàqian ¶～으로 팔다 一文不值半文地甩卖 yì wén bùzhí bànwén de shuǎimài / ～으로 사 오다 用白拣似的价钱买来 yòng báijiǎn sìde jiàqian mǎilái
갱(gang) 强盗 qiángdào; 股匪 gǔfěi ‖～ 영화 警匪片 jǐngfěipiàn
갱내(坑內) 矿井内 kuàngjǐng nèi ‖～부 矿工 kuànggōng / ～ 작업 井下作业 jǐngxià zuòyè
갱년기(更年期) 更年期 gēngniánqī ‖～ 장애 更年期障碍 gēngniánqī zhàng'ài
갱도(坑道) 坑道 kēngdào
갱신(更新) 更新 gēngxīn ¶세계 기록을 ～하다 刷新世界记录 shuāxīn shìjiè jìlù / 기간이 다 되어 계약을 ～하다 期满更新合同 qī mǎn gēngxīn hétong
갸륵하다 值得嘉尚 zhíde jiāshàng
거간(居間) 掮客 qiánkè; 经纪 jīngjì; 牙户 yáhù
거기 那里 nàli; 那儿 nàr; 那个地方 nàge dìfang ¶～에 놔라 放在那儿吧 fàng zài nàr ba
거꾸러뜨리다 打倒 dǎdǎo; 推倒 tuīdǎo; 推翻 tuīfān
거꾸러지다 (넘어지다) 栽跟头 zāi gēntou; (죽다) 死 sǐ
거꾸로 倒 dào; 颠倒 diāndǎo ¶그러면 ～ 잡는 것이다 那你可拿'倒〔反〕了 nà nǐ kě ná'dào〔fǎn〕 le / 우표를 ～ 붙였다 把邮票贴倒了 bǎ yóupiào tiēdào le
거나하다 陶然微醉 táorán wēizuì; 三分醉 sānfēnzuì ¶그는 벌써 거나한 기분이다 他已经有三分醉意了 tā yǐjīng yǒu sānfēnzuìyì le
거느리다 带领 dàilǐng; 率领 shuàilǐng ¶군대를 거느리고 전쟁하다 率领军队〔带兵〕打仗 shuàilǐng jūn duì 〔dài bīng〕 dǎ zhàng
거닐다 逛 guàng; 遛 liù; 遛达 liūda; 闲逛 xiánguàng ¶친구와 거리를 슬슬 ～ 跟朋友一起遛马路 gēn péngyou yìqǐ liù mǎlù
거대(巨大) 巨大 jùdà
거덜나다 败家 bàijiā
거동(擧動) 形迹 xíngjì; 举止 jǔzhǐ; 举动 jǔdòng ¶～이 수상한 자 形迹可疑的人 xíngjì kěyí de rén
거두다 ①(모으다) 收 shōu ¶보리를 거두어들이다 割麦子 gē màizi ②(성과를) 取得 qǔdé ¶일정한 성과를 ～ 取得了一定的成果 qǔdé le yídìng de chéngguǒ ③(징수) 纳 nà ¶세금을 ～ 缴纳税金 jiǎonà shuìjīn =〔纳税nàshuì〕 ④(숨을) 咽气 yànqì
거드럭거리다 臭美 chòuměi
거들다 帮忙 bāngmáng
거들떠보다 理 lǐ; 理睬 lǐcǎi ¶거들떠보지도 않다 不加理睬 bùjiā lǐcǎi
거듭 再 zài ¶～ 간청하다 再度恳请 zàidù kěnqǐng / ～ 베풀어 주신 친절에 감사해 마지않습니다 蒙您多次厚意, 实在感谢不尽 méng nín duōcì hòuyì, shízài gǎnxiè bú jìn
거듭거듭 屡次 lǚcì; 再三 zàisān ¶～ 말해도 고치지 않는다 屡教不改 lǚ jiào bù gǎi
거래(去來) 交易 jiāoyì ¶우리 회사는 외국의 상사와도 ～가 있다 我公司与外国商社也有交易 wǒ gōngsī yǔ wàiguó shāngshè yě yǒu jiāoyì / 그 상점과는 ～가 없다 跟那家商店没有交易往来 gēn nà jiā shāngdiàn méiyǒu jiāoyì wǎnglái ‖～선(先) 客户 kèhù / ～소 交易所 jiāoyìsuǒ / ～ 은행 代理银行 dàilǐ yínháng / 현금 ～ 现款交易 xiànkuǎn jiāoyì / 현품 ～ 现货交易 xiànhuò jiāoyì
거룩하다 神圣伟大 shénshèng wěidà
거룻배 舢板 shānbǎn; 三板 sānbǎn
거류(居留) 居留 jūliú ‖～민 居留民 jūliúmín /

～지 居留地 jūliúdì
거르다¹ (체 따위의) 滤 lǜ ¶팥소를 ～ 滤馅儿 lǜxiànr
거르다² (건너뛰다) 跳过 tiàoguò; 隔 gé ¶어려운 곳은 거르고 읽다 把难的地方跳过去读 bǎ nán de dìfang tiàoguòqu dú / 산보를 하루도 거르지 않다 散步一天也没间断过 sànbù yì tiān yě méi jiànduànguo
거름 肥 féi; 粪肥fènféi ¶～을 주다 施肥 shīféi =〔上肥shàngféi〕
거리 (길거리) 街 jiē; 街上 jiēshàng; 街头 jiētóu ¶～를 비트적비트적 걷다 遛大街 liù dàjiē =〔逛街 guàng jiē〕
거리(距離) 距离 jùlí ¶두 사람 사이에는 크게 ～가 있다 两个人的想法有相当的距离 liǎng ge rén de xiǎngfa yǒu xiāngdāng de jùlí
거리끼다 顾忌 gùjì ¶남의 집에서 아무 거리낌없이 굴다 在别人家里很随便无所忌惮 zài biéren jiā li hěn suíbiàn wú suǒ jìdàn
거만(倨慢) 高傲 gāo'ào; 傲慢 àomàn; 傲气 àoqì ¶～한 콧대를 꺾어 놓다 叫他那翘起的尾巴翘不起来 jiào tā nà qiàoqǐ de wěiba qiào bu qǐlái
거머리 《動》 水蛭 shuǐzhì; 蛭 zhì; 蚂蟥mǎhuáng; 马鳖 mǎbiē
거머쥐다 大把抓 dàbǎzhuā
거멓다 漆黑 qīhēi
거문고 《樂》 和琴 héqín ¶～를 타다 弹和琴 tánhéqín
거미 《動》 蜘蛛 zhīzhū〔zhu〕 ‖ ～줄 蜘蛛丝 zhīzhūsī / ～집 蜘蛛网 zhīzhūwǎng =〔蛛网 zhūwǎng〕
거부(拒否) 拒绝 jùjué ¶면회를 ～하다 拒绝会面 jùjué huìmiàn / ～권을 행사하다 行使否决权 xíngshǐ fǒujuéquán
거북하다 难为情 nánwéiqíng; 不方便 bù fāngbiàn ¶～한 침묵이 계속되다 有了一阵不愉快的沉默 yǒule yízhèn bù yúkuài de chénmò
거세(去勢) 去势 qùshì; 骟 shàn; 劁 qiāo; 阉 yān; 阉割 yāngē ¶～한 말 骟马 shànmǎ / 돼지를～하다 阉猪 yān zhū
거세다 猛烈 měngliè; 惊涛 jīngtāo; 粗暴而强有力的 cūbào ér qiáng yǒu lì de ¶거센 파도 激浪 jīlàng =〔恶浪 èlàng〕〔怒涛 nùtāo〕
거수(擧手) 举手 jǔshǒu ¶～로 채결하다 举手表决 jǔshǒu biǎojué / ～ 경례를 하다 举手敬礼 jǔshǒu jìnglǐ
거스르다 逆 nì; 背逆bèinì; 违背 wéibèi; 违拗 wéi'ào; 违抗 wéikàng; 《강을》 回溯 huísù; 上水 shàngshuǐ ¶흐름에 거슬러서 배를 젓다 逆水行舟 nìshuǐ xíng zhōu / 바람에 거슬러서 나아가다 顶风前进 dǐngfēng qiánjìn / 인생의 흐름에 거슬러 가다 逆人流而走 nì rénliú ér zǒu / 세상의 풍조에 ～ 不顺时势 búshùn shíshì =〔逆社会潮流 nì shèhuì cháoliú〕/ 명령에 ～ 违抗命令 wéikàng mìnglìng / 이 아이는 부모말을 자꾸 거스른다 这孩子净违拗父母 zhè háizi jìng wéi'ào fùmǔ
거스름돈 找头 zhǎotou ¶여기 만 원 있으니, ～을 주십시오 这是一万圆, 请你找钱吧 zhè shì yíwàn yuán, qǐng nǐ zhǎo qián ba
거슬리다 (눈에) 刺眼 cìyǎn; 碍眼 àiyǎn ¶전망이 이렇게 좋은데, 단지 저 간판이 눈에 거슬린다 景致这么好, 只有那张广告牌很刺眼 jǐngzhì zhème hǎo, zhǐ yǒu nà zhāng guǎnggàopái hěn cìyǎn / 저 사람이 여기에 어정거려서 눈에 거슬린다 让那种人在这儿转来转去真碍眼 ràng nà zhǒng rén zài zhèr zhuǎnlaizhuǎnqu zhēn àiyǎn
거역(拒逆) 违抗 wéikàng ¶상사의 명령에 ～하다 违抗上司的命令 wéikàng shàngsi de mìnglìng / 양친의 뜻을 ～하고 문과계로 진학했다 违背父母的愿望进了文科 wéibèi fùmǔ de yuànwàng jìnle wénkè
거울 镜子 jìngzi ¶～에 자신의 모습을 비추어 보다 照镜子看自己的身姿 zhào jìngzi kàn zìjǐ de shēnzī
거위¹ 《鳥》 鹅 é
거위² 《회충》 蛔虫 huíchóng
거의 差不多 chàbuduō; 几乎 jīhū ¶조난자는 ～ 생존의 가능성이 없다 遇难者十之八九没有生存的希望 yùnànzhě shí zhī bājiǔ méiyǒu shēngcún de xīwàng
거장(巨匠) 巨匠 jùjiàng; 巨擘 jùbò; 大师 dàshì ¶문단의 ～文坛巨匠 wéntán jùjiàng
거저 白 bái; 免费 miǎnfèi; 不要钱 búyào qián ¶이것을 너에게 ～ 주겠다 这个白送给你 zhè ge bái sònggěi nǐ
거적 草席(子) cǎoxí(zi)
거절(拒絶) 拒绝 jùjué ¶그녀는 한마디로 나의 청혼을 ～했다 她一口拒绝了我的求婚 tā yì kǒu jùjuéle wǒde qiúhūn
거주(居住) 居住 jūzhù ¶신청 자격자는 이 시에 ～하는 자로 제한한다 申请者只限于居住本市的人 shēnqǐng zhě zhǐ xiànyú jūzhù běn shì de rén ‖ ～지 居住地 jūzhùdì
거죽 外面 wàimiàn; 表面 biǎomiàn
거지 乞丐 qǐgài; 讨饭的 tǎofàn de; 要饭的 yào fàn de; 叫花子 jiàohuāzi ‖ ～ 근성 劣根性 liègēnxìng =〔贱骨头jiàngútou〕
거짓 假的 jiǎde; 虚假 xūjiǎ; 虚伪 xūwěi ¶～ 증언을 하다 作假证言 zuò jiǎ zhèngyán / 나의 말에 ～은 없다 我说的话没有半点儿虚假 wǒ shuō de huà méiyǒu bàndiǎnr xūjiǎ
거짓말 谎 huǎng; 假话 jiǎhuà ¶～하다 撒谎 sāhuǎng
거처(居處) 居处 jūchù; 住处 zhùchù ¶북경에 ～를 정하다 定居于北京 dìngjū yú Běijīng
거추장스럽다 千头万绪 qiāntóu wànxù; 不好办 bù hǎobàn; 不好对附 bùhǎo duìfu
거취(去就) 态度 tàidu; 去就 qùjiù ¶～를 결정하다 决定去就 juédìng qùjiù / 그의 ～는 아직 분명치가 않다 他的去就态度还不明 tāde qùjiù tàidu hái bùmíng
거치다 通过 tōngguò; 经由 jīngyóu ¶파리를 거쳐 런던에 가다 经过〔经由〕巴黎到伦敦 jīngguò〔jīngyóu〕 Bālí dào Lúndūn
거칠다 粗 cū; 粗糙 cūcāo ¶살결이 거친 피부 粗糙的皮肤 cūcāo de pífū / 바탕이 거친 천 质地粗的布 zhìdì cū de bù =〔粗布cūbù〕
거칠어지다 《성격이》 粗暴起来 cūbàoqilai ¶물결이 ～ 浪涛滚滚 làngtāo gǔngǔn =〔波涛汹涌 bōtāo xiōngyǒng〕
거침없이 不顾忌地 bú gùjì de; 顺利地 shùnlì de
거푸 连续地 liánxù de
거품 泡儿 pàor; 沫儿 mòr; 沫子 mòzi ¶이 비누는 ～이 잘 인다 这肥皂好起泡 zhè féizào

hǎo qǐpào / ～이 사라졌다 泡儿已消了 pàor yǐ xiāo le

거행(擧行) 举行 jǔxíng ¶졸업식을 ～하다 举行毕业典礼 jǔxíng bìyè diǎnli

걱정하다 担心 dānxīn; 惦念 diànniàn; 惦记 diànjì ¶가족의 안부를 ～ 惦念家人的安危 diànniàn jiārén de ānwēi

건강(健康) 健康 jiànkāng ¶～한 생각 健康的思想 jiànkāng de sīxiǎng / 요즈음 ～이 좋지 않다 近来身体欠佳 jìnlái shēntǐ qiànjiā / 수면 부족이 계속되어 ～을 해쳤다 一直睡眠不足伤害了身体 yìzhí shuìmián bùzú shānghàile shēntǐ ‖ ～ 진단 健康检查 jiànkāng jiǎnchá

건너다 渡 dù; 过 guò ¶강을 ～ 过〔渡〕河 guò〔dù〕 hé / 횡단 보도를 ～ 过人行横道 guò rénxíng héngdào / 이것은 중국으로부터 건너온 기법이다 这是从中国传来的技法 zhè shì cóng Zhōngguó chuánlai de jìfǎ

건널목 平交道 píng jiāodào; 道口 dàokǒu ¶(철도의) ～지기 道口看守员 dàkǒu kānshǒuyuán / ～을 건너다 过道口 guò dàokǒu

건네다 말을 ～ 过话儿 guò huàr / 돈을 ～ 交钱 jiāo qián

건달 二流子 èrliúzi; 地痞流氓 dìpǐ liúmáng; 混手子 hùnshǒuzi

건더기 汤菜里的青菜或肉什么的 tāngcàili de qīngcài huò ròu shéme de; 交头 jiāo tou

건드리다 碰 pèng; 摸 mō; 触动 chùdòng ¶그 녀석이 하는 말은 하나하나 신경을 건드린다 那家伙的每一句话都触人肝火 nà jiāhuo de měi yí jù huà dōu chù rén gānhuǒ

건망증(健忘症) 健忘症 jiànwàngzhēng

건물(建物) 建筑 jiànzhù; 建筑物 jiànzhùwù

건방지다 傲慢 àomàn; 自大 zìdà; 狂妄 kuángwàng; 觉美 jiǎoměi ¶그 녀석은 건방진 놈이다 那家伙太骄慢 nà jiāhuo tài jiāomàn

건배(乾杯) 干杯 gānbēi

건빵(乾…) 硬饼干 yìngbǐnggān; 干面包 gānmiànbāo

건사하다 处理 chǔlǐ; 收拾 shōushi; 佈置 bùzhì (zhi)

건설(建設) 建设 jiànshè; 修建 xiūjiàn; 修筑 xiūzhù; 修盖 xiūgài; 建筑 jiànzhù; 建造 jiànzào ¶댐을 ～하다 修建〔修〕水库 xiūjiàn〔xiū〕 shuǐkù / ～적인 의견 建设性的意见 jiànshèxìng de yìjiàn ‖ ～자 建设〔创建〕者 jiànshè〔chuàngjiàn〕zhě

건수(件數) 件数 jiànshù ¶최근 교통 사고의 ～가 늘어났다 最近交通事故的件数增多了 zuìjìn jiāotōng shìgù de jiànshù zēngduō le

건위(健胃) 健胃 jiànwèi ‖ ～제 健胃剂 jiànwèijì

건의(建議) 建议 jiànyì ¶정부에 복지의 확대를 ～하다 向政府建议扩大福利 xiàng zhèngfǔ jiànyì kuòdà fúlì

건장(健壯) 坚强 jiānqiáng; 棒健 bàngjiàn

건재(建材) 建筑材料 jiànzhù cáiliào

건재(健在) 健在 jiànzài ¶조부는 지금도 ～하시다 祖父现在仍然健在 zǔfù xiànzài réngrán jiànzài

건전(健全) 健全 jiànquán; 健康 jiànkāng ¶～한 오락 健康的娱乐 jiànkāng de yúlè / 그들은 몸도 마음도 ～하다 他们身心都健康 tāmen shēnxīn dōu jiànkāng / ～한 정신은 ～한 신체에 깃들인다 健全的精神寓于健全的身体 jiànquán de jīngshén yù yú jiànquán de shēntǐ

건전지(乾電池) 干电池 gān diàn chí

건조(乾燥) 干燥 gānzào ¶무미 ～한 강의 枯燥无味的课 kū zào wú wèi de kè / 공기가 ～할 때에는 화재가 일어나기 쉽다 空气干燥时容易着火 kōngqì gānzào shí róngyì zháohuǒ ‖ ～기 干燥器 gānzàoqì =〔烘箱hōngxiāng〕 / ～제 干燥剂 gānzàojì

건지다 捞取 lāoqǔ; 掬取 jú qǔ

건초(乾草) 干草 gāncǎo

건축(建築) 建筑 jiànzhù; 修盖 xiūgài ¶바야흐로 곳곳마다 고층 건물의 ～이 진행되고 있다 正在各地建筑高楼大厦 zhèngzài gèdì jiànzhù gāolóu dàshà ‖ ～가 建筑师 jiànzhùshī / ～물 建筑物 jiànzhùwù

건투(健鬪) 奋战 fènzhàn; 全力战斗 quánlì zhàndòu; 顽强战斗 wánqiáng zhàndòu ¶～를 빈다 祝你努力奋斗 zhù nǐ nǔlì fèndòu

건평(建坪) 建筑面积 jiànzhù miànji ¶～ 100 평방미터 房屋地基面积一百平方米 fángwū dìjī miànji yì bǎi píngfāngmǐ

건포도(乾葡萄) 葡萄干 pútaogān

걷다¹ (발로) 走 zǒu; 步行 bùxíng ¶나는 매일 1 시간씩 걷기로 했다 我每天总要步行一小时走路 wǒ měitiān zǒng yào bùxíng yì xiǎoshí zǒulù / 우리 아이는 아직 걷지 못합니다 我孩子还不会走路 wǒ háizi hái búhuì zǒulù / 지쳐서 이제 못 걷겠다 累得再也走不动了 lèide zàiyě zǒubudòng le

걷다² (말다) 卷 juǎn; 挽 wǎn ¶소매를 ～ 挽起袖子 wǎnqǐ xiùzi / 바지의 단을 ～ 把裤脚儿卷起来 bǎ kùjiǎor juǎnqǐlai

걷어차다 踢飞 tīfei

걷히다 (구름이) 散 sàn ¶안개가 걷혔다 雾散了 wù sàn le

걸걸하다(傑傑…) 慷慨 kāngkǎi; 磊落 lěiluò

걸다¹ ①(걸어 달다) 挂 guà; 搭 dā ¶벽에 그림을 ～ 把画儿挂在墙上 bǎ huàr guà zài qiángshang / 문 위에 간판을 ～ 在门上挂上招牌 zài ménshang guàshàng zhāopai / 세탁물을 대나무에 ～ 把洗的衣服搭在竹竿上 bǎ xǐ de yīfu dā zài zhúgānshang ②(걸쳐서 놓다) 坐 zuò ¶솥을 풍로에 ～ 把锅坐在炉子上 bǎ guō zuò zài lúzi shang ③(상정(上程)) ¶의안을 위원회에 ～ 把议案提交委员会讨论 bǎ yì'àn tíjiāo wěiyuánhuì tǎolùn / 재판에 ～ 提起诉讼 tíqǐ sùsòng =〔向法院告状 xiàng fǎyuàn gàozhuàng〕〔打官司 dǎ guānsi〕 ④(의탁) ¶아이에게 희망을 ～ 把希望寄托在孩子身上 bǎ xīwàng jìtuō zài háizi shēnshang ⑤(목숨·돈·명예 등을) ¶100만원의 상금을 ～ 悬赏一百万圆 xuánshǎng yìbǎiwàn yuán / 나는 이 일에 일생을 걸고 있다 我把自己的一生寄托在这个工作上 wǒ bǎ zìjǐde yìshēng jìtuō zài zhège gōngzuòshang ⑥(작용을) 최면술을 ～ 施催眠术 shī cuīmiánshù ⑦(내기) 赌 dǔ ¶돈을 걸고 마작을 하다 赌钱打麻将 dǔqián dǎ májiàng ⑧(내걸다) 挂 guà ¶국기를 ～ 挂〔升〕国旗 guà〔shēng〕 guóqí ⑨(시비를) 讨野火 tǎo yěhuǒ ⑩(말을) 向…开言 xiàng…kāi yán ⑪(불러내다) 打 dǎ ¶전화를 ～ 打电话 dǎ diànhuà ⑫(목숨을) 拼命 pīn mìng

걸다² ①(땅이) 肥沃 féiwò ②(입이) 健谈 jiàntán

걸레 抹布 mābù; 搌布zhǎnbu; 墩布dūnbù ¶～를 짜다 拧干抹布 nínggān mābù / ～로 책상위를 닦다 用搌布擦桌子 yòng zhǎnbu cā zhuōzi

걸리다 ①《위에·높이》¶벽에 그림 한 폭이 걸려 있다 墙上挂着一幅画儿 qiángshang guàzhe yì fú huàr / 처마에 조롱이 걸려 있다 在簷下挂着鸟笼子 zài yán xià guàzhe niǎolóngzi / 연이 전선에 걸렸다 风筝挂电线上了 fēngzheng guà diànxiànshangle ②《그물·낚시 등에》¶큰 고기 한 마리가 그물에 걸렸다 网着了一条大鱼 wǎngzháole yì tiáo dà yú ③《계략에》¶적의 계략에 걸렸다 上了敌人的圈套 shàngle dírénde quāntào ④《현상금이》¶적장의 목에 상금이 ～ 敌将之首悬有重赏 díjiàng zhī shǒu xuányǒu zhòngshǎng ⑤《시간이》¶이 일은 다섯 사람으로 10일 걸린다 这个工作五个人要费十天的工作 zhège gōngzuò wǔgerén yào fèi shítiānde gōngzuò / 차로 가면 30분도 걸리지 않는다 坐汽车去用不了三十分钟 zuò qìchē qù yòngbuliǎo sānshí fēnzhōng ⑥《잠기다》¶금고에는 자물쇠가 걸려 있다 保险柜上着锁 bǎoxiǎnguì shàngzhe suǒ ⑦《기계의 작용》¶날씨가 추워서 차의 엔진이 걸리지 않는다 因为天冷, 汽车的引擎发动不起来 yīnwei tiān lěng, qìchē de yǐnqíng fādòng bù qǐlái ⑧《병 따위에》患 huàn ¶결핵에 ～ 患结核 huàn jiéhé / 병 걸리기 쉬운 체질 容易患病的体质 róngyì huànbìngde tǐ zhì ⑨《마음에》¶아무리 하여도 저 일이 마음에 걸려 잘 수가 없다 总记挂着那件事睡不着觉 zǒng jìguàzhe nàjiàn shì shuìbuzháo jiào

걸머지다《짐을》担 dān; 挑 tiāo; 扛 káng; 背 bēi;《책임을》担负 dānfù

걸상(…床) 凳子 dènzi; 凳儿 dèngr

걸신(乞神) 饿死鬼 èsǐguǐ ¶～ 들린 듯이 먹다 像饿死鬼似地狼吞虎嚥 xiàng èsǐguǐ shìde láng tūn hǔ yàn

걸음 步 bù; 脚步 jiǎobù; 步伐 bùfá ¶그는 ～을 멈추고서 주위의 경치를 둘러보았다 他停住脚步眺望周围的风景 tā tíngzhù jiǎobù tiàowàng zhōuwéide fēngjǐng ‖첫～ 初步 chūbù

걸음마하다 立手立脚儿 lì shǒu lì jiǎor

걸작(傑作) 杰作 jiézuò ¶이것은 그의 만년의 ～이라고 일컬어진다 这被称之为他晚年的杰作 zhè bèi chēng zhī wéi tā wǎnniánde jiézuò / 저놈은 정말로 ～이다 他那个人可真滑稽 tā nà ge rén kě zhēn huáji

걸치다 ①《양 끝에》¶강에 돌다리가 걸쳐 있다 河上搭着石桥 héshang dāzhe shíqiáo ②《연하여 미치다》¶전종목에 걸쳐서 좋은 성적을 거두었다 在全部项目中获得了好成绩 zài quánbù xiàngmù zhōng huòdéle hǎo chéngjì / 회의는 연 3시간에 걸쳐서 행해졌다 开会长达三个小时 kāihuì cháng dá sānge xiǎoshí ③《옷·이불 등을》¶외투를 ～ 披上大氅 pī shang dàchǎng

걸터앉다 坐 zuò; 坐下 zuòxia ¶길 옆의 돌에 걸터앉아서 쉬다 坐在路旁的石头上歇脚 zuòzài lùpángde shítoushang xiējiǎo

걸핏하면 动辄 dòngzhé; 动不动dòngbudòng

검거(檢擧) ¶범인을 ～하다 抓犯人 zhuā fànrén

검다 黑 hēi ¶머리를 검게 물들이다 把头发染黑 bǎ tóufa rǎnhēi / 검은 구름이 온 하늘에 깔리어 있다 满天乌云密布 mǎn tiān wūyún mìbù / 뱃속이 검은 사람 黑心的人 hēixīnde rén =〔黑心肠的人hēi xīnchángde rén〕〔心眼儿黑的人 xīnyǎnr hēide rén〕

검댕 煤炱 méi tái

검둥이《흑인》黑人 hēirén;《피부가 검은》皮肤黑的人 pífū hēide rén

검문(檢問) 盘问 pánwèn ¶통행인을 ～하다 盘问行人 pánwèn xíngrén ‖～소 盘查哨所 pánchá shàosuǒ

검사(檢事) 检察员 jiǎncháyuán

검사(檢查) 检查 jiǎnchá; 检验 jiǎnyàn ¶수질을 ～하다 检验水质 jiǎnyàn shuǐzhì / 병원에서 위(胃) ～를 받다 在医院检查胃 zài yīyuàn jiǎnchá wèi ‖신체 ～ 体格检查 tǐgé jiǎnchá =〔健康检查 jiànkāng jiǎnchá〕/ 지능 ～ 知力测验 zhīlì cèyàn

검산(檢算) 验算 yànsuàn ¶맞았나 틀렸나 ～하다 验算一下看看对不对 yànsuàn yíxià kànkan duìbuduì

검안(檢眼) 验光 yànguāng ¶～해서 안경의 도수를 맞추다 验光配镜 yànguāng pèi jìng

검약(儉約) 俭省 jiǎnshěng; 节俭 jiéjiǎn; 节省 jiéshěng; 节约 jiéyuē; 俭约 jiǎnyuē ¶그는 근면하고 ～하다 他勤俭朴素 tā qínjiǎn pǔsù

검역(檢疫) 检疫 jiǎnyì ¶콜레라의 ～을 받다 接受对霍乱的检疫 jiēshòu duì huòluànde jiǎny[ì] ‖～관 检疫员 jiǎnyìyuán

검열(檢閱) 检查 jiǎnchá ¶출판물을 ～하다 审查出版物 shěnchá chūbǎnwù / 우편물에 대한 ～은 하지 않을 수가 없다 对邮件不得进行检查 duì yóujiàn bùdé jìnxíng jiǎnchá

검인(檢印) 检查印 jiǎncháyìn; 检验章jiǎnyàn zhāng; 验讫章 yànqìzhāng ¶판권에 ～을 [찍]다 在版权页盖检验章 zài bǎnquányè gà[i] jiǎn-yànzhāng

검진(檢診) 诊查 zhěnchá ¶사원의 정기 ～을 하다 对职员进行定期体格检查 duì zhíyuá[n] jìnxíng dìngqī tǐgé jiǎnchá ‖집단 ～ 集[体]诊察 jítǐ zhěnchá

검찰(檢察) 检察 jiǎnchá ‖～관 检察员 jiǎnchá yuán =〔检察官 jiǎncháguān〕/ ～청 检察[院] jiǎncháyuàn =〔检察厅jiǎnchátīng〕

검토(檢討) 检讨 jiǎntǎo; 研究 yánjiū ¶실시 [가]능성을 ～하다 研究实施的可能性 yánji[ū] shíshīde kěnéngxìng / 이것은 아직 ～의 여[지]가 있다 这个还有研究的馀地 zhège háiyǒu yá[n]jiūde yúdì

검푸르다 青黑色 qīnghēisè; 黝色 yǒusè

겁많다(怯…) 胆子小 dǎnzixiǎo; 胆怯dǎnqiè

겉 表面 biǎomiàn; 外表 wàibiǎo ¶～을 꾸미[다] 装'门面〔幌子〕zhuāng 'ménmian〔huǎngzi〕/ ～만으로 한 사람을 판단할 수 없다 不能只从表来判断一个人 bùnéng zhǐ cóng wàibi[ǎo] lái pànduàn yígerén =〔人不可以貌相 r[én] bùkěyǐ màoxiàng〕

겉돌다 向隅 xiàngyú; 摸着边儿白忙mōzhe bia[nr] báimáng

겉절이 生拌 shēngbàn

겉치레 装门面 zhuāng ménmiàn; 盖面子g[ài] miànzi

게《動》螃蟹 pángxiè

게걸들다 馋涎欲滴 chán xián yù dī; 要嘴 yào zuǐchī; 缺嘴 quēzuǐ

게걸스럽다 嘴馋 zuǐchán; 贪吃 tānchī
게르만(German) 日耳曼 Rì'ěrmàn ‖ ～인 日耳曼人 Rì'ěrmànrén
게릴라(guerilla) 游击队 yǒujīduì ‖ ～전 游击战 yóujīzhàn
게스트(guest) 客串演员 kèchuàn yǎnyuán; 特约演员tèyuē yǎnyuán
게시(揭示) 布告 bùgào; 揭示 jiēshì ¶상세한 것은 나중에 ～한다 详情随后揭示 xiángqíng suíhòu jiēshì ‖ ～판 布告栏 bùgàolán =〔揭示牌jiēshìpái〕〔牌榜páibǎng〕
게양(揭揚) 升 shēng; 挂 guà; 县挂 xuánguà ¶국기를 ～하다 升国旗 shēng guóqí
게우다 ①(먹은 것을) 吐出 tùchū ¶한 입 먹은 것을 게웠다 吃了一口就吐了出来 chīle yìkǒu jiù tǔ le chūlai ②(가로챈 것을) ¶그에게 번 돈을 게워 내도록 하다 让他把赚的钱拿出来 ràng tā bǎ zhuànde qián náchūlai
게으르다 懒惰 lǎnduò
게으름부리다〔피우다〕 懒 lǎn; 偷懒 tōulǎn; 懒惰 lǎnduò ¶방학 중에 게으름 피우는 버릇이 들었다 假期中懒惰成性了 jiàqī zhōng lǎnduò chéngxìngle
게임(game) ①(유희) 遊戏 yóuxì ¶어떤 ～을 하고 놀자 做什么遊戏玩儿玩儿 zuò shénme yóuxì wánrwánr ②(시합) 比赛 bǐsài ¶오늘은 두 ～이 있다 今天有两场比赛 jīntiān yǒu liǎngchǎng bǐsài ‖ ～ 세트 比赛完结 bǐsài wánjié
겨 糠 kāng; 米糠mǐkāng
겨냥 瞄 miáo ¶～이 빗나갔다 瞄歪了 miǎo wāile
겨누다 瞄 miáo; 瞄准 miáozhǔn ¶활로 과녁을 ～ 用弓瞄靶子 yòng gōng miáo bǎzi / 적을 겨누고 쏘다 瞄准敌人射击 miáozhǔn dírén shèjī
겨드랑이 胳肢窝 gāzhiwō; 夹肢窝 gāzhiwō ¶～를 간질이다 胳肢胳肢窝 gézhi gāzhiwō
겨레 民族 mínzú
겨루다 较量 jiàoliàng; 互相争能 hùxiāng zhēngnéng
겨를 工夫 gōngfu; 闲暇 xiánxiá
겨우 才 cái; 好容易 hǎoróngyì; 好不容易 hǎobù róngyì; 勉强 miǎnqiǎng ¶선생님의 설명을 듣고서 ～ 알았다 听了老师的解释才明白了 tīngle lǎoshīde jiěshì cái míngbaile / ～ 먹고 살 만한 수입밖에 안 된다 收人只够勉强糊口 shōurù zhǐ gòu miǎnqiǎng húkǒu / 세 번째에 ～ 합격하다 第三次好容易才考上 dìsāncì hǎoróngyì cái kǎoshàng
겨울 冬天 dōngtiān ¶따뜻한 곳에서 ～을 지내다 在温暖的地方过冬 zài wēnnuǎnde dìfang guòdōng
격감(激減) 锐减 ruìjiǎn ¶농촌 인구가 ～하다 农村人口锐减 nóngcūn rénkǒu ruìjiǎn
격납고(格納庫) 飞机库 fēijīkù
격동(激動) 激烈震动 jīliè zhèndòng; 动荡 dòngdàng ¶～하는 정세 动荡的局势 dòngdàng de júshì ‖ ～기 动荡时期 dòngdàng shíqī
격려(激勵) 鼓励 gǔlì; 激励 jīlì ¶출전 선수에게 ～의 말을 하다 讲话激励出场的选手 jiǎnghuà jīlì chūchǎngde xuǎnshǒu
격류(激流) 激流 jīliú; 湍流 tuānliú
격리(隔離) 隔离 gélí ¶전염병 환자를 ～하다 隔离传染病患者 gélí chuánrǎnbìng huànzhě
격무(激務) 繁重的工作 fánzhòngde gōngzuò ¶몸이 약해서 ～에 견딜 수 없다 身体弱, 繁重的任务吃不消 shēntǐruò, fánzhòngde rènwu chībuxiāo
격세(隔世) 隔世 géshì ¶그 때를 생각해 보니, 정말로 ～지감이 있다 想起当时, 真有隔世之感 xiǎngqǐ dāngshí, zhēn yǒu géshì zhī gǎn ‖ ～ 유전 隔代遗传 gédài yíchuán
격식(格式) 礼节 lǐjié; 排场 páichǎng ¶～을 중시하다 重视门风家规 zhòngshì ménfēng jiāguī / 나는 ～ 차리는 것이 싫다 我讨厌繁文缛节 wǒ tǎoyàn fánwén rùjié
격심(激甚) 激烈 jīliè; 利害 lìhài
격언(格言) 格言 géyán
격의(隔意) ¶쌍방은 ～없는 의견을 교환했다 双方坦率地交换了意见 shuāngfāng tǎnshuàide jiāohuànle yìjiàn
격일(隔日) 隔日 gérì; 隔一天 gé yìtiān ¶～로 출근하다 隔日上班 gérì shàngbān
격전(激戰) 激战 jīzhàn ¶수시간에 걸쳐서 ～이 전개되었다 展开了数小时的激战 zhǎnkāile shù xiǎoshíde jīzhàn / 양팀의 시합은 아주 ～이 되고 있다 两队的比赛进行得很激烈 liǎngduìde bǐsài jìnxíngde hěn jīliè ‖ ～지 激战地 jīzhàndì
격조(格調) 格调 gédiào ¶～ 높은 문장 格调高雅的文章 gédiào gāoyǎde wénzhāng
격증(激增) 激增 jīzēng; 剧增 jùzēng; 猛增 měngzēng ¶생산고가 ～하다 生产量猛增 shēngchǎnliàng měngzēng
격추(擊墜) 击落 jīluò; 打落 dǎluò; 打下dǎxià ¶적기 1대를 ～하다 打落敌机一架 dǎluò díjī yíjià
격침(擊沈) 击沉 jīchén ¶적함을 ～하다 击沉敌舰 jīchén díjiàn
격퇴(擊退) 击退 jītuì; 打退 dǎtuì ¶적군을 ～하다 击退敌军 jītuì díjūn
격파(擊破) 击破 jīpò; 击败 jībài; 打垮 dǎkuǎ; 击溃 jīkuì ¶적군을 ～하다 打垮〔击溃〕敌军 dǎkuǎ〔jīkuì〕 díjūn
격하(格下) 降级 jiàngji; 降格 jiànggé ¶평사원으로 ～당하다 被降为普通职员 bèi jiàngwéi pǔtōng zhíyuán
격하다(隔…) 隔着 gézhe ¶중간에 철문이 격해 있다 中间隔着一扇铁门 zhōngjiān gézhe yíshàn tiěmén
격하다(激…) 冲动 chōngdòng; 激动 jīdòng ¶말이 격해지다 言词激烈起来 yáncí jīliè qǐlai / 그는 쉽게 흥분하는 성질이다 他容易激动 tā róngyì jīdòng =〔他易于冲动 tā yìyú chōngdòng〕
겪다 ①(경험) 经过 jīngguò ¶허다한 곤란을 겪고 나서 비로소 성공을 거두었다 经过许多困难才获得了成功 jīngguò xǔduō kùnnan cái huòdele chénggōng ②(손님 치르기) 招待 zhāodài
견고(堅固) 坚固 jiāngù ¶～한 성(城) 金城汤池 jīnchéngtāngchí =〔坚不可摧的城郭 jiān bùkě cuīde chéngguō〕/ 진지를 ～히 하다 巩固阵地 gǒnggù zhèndì
견디다 忍耐 rěnnài; 经得起 jīngdeqǐ
견문(見聞) 见闻 jiànwén ¶～이 넓다 见闻广 jiànwén guǎng / 해외 여행으로 ～을 넓히다 到外

国旅行去长见识 dào wàiguó lǚxíng qù zhǎng jiànshi ‖～록 见闻录 jiànwénlù

견본(見本) 样品 yàngpǐn; 样本 yàngběn ¶상품의 ～ 货样 huòyàng/이 상품은 ～보다 나쁘다 这货比样品差 zhèhuò bǐ yàngpǐn chà

견습(見習) 见习 jiànxí; 学徒 xuétú ¶그는 염직 공장에서 3년간 ～을 했다 他在染坊学了三年徒 tā zài rǎnfáng xuéle sānnián tú/나는 아직 ～생이다 我还是个见习生 wǒ háishìge jiànxíshēng ‖～공 徒工 túgōng =〔学徒工 xuétúgōng〕

견실(堅實) 塌实 tāshi; 扎实 zhāshi ¶～하게 일을 해나가다 扎实地进行工作 zhāshide jìnxíng gōngzuò

견원(犬猿) ¶그들 두 사람은 ～지간이다 他们俩水火不相容 tāmen liǎ shuǐhuǒ bù xiāngróng

견적(見積) 估计 gūjì ¶나의 ～으로는 대략 5,6백만원이 든다 据我估计, 大概需要五六百万圆 jù wǒ gūjì, dàgài xūyào wǔliùbǎiwàn yuán ‖～서 估价单 gūjiàdān

견지(見地) 见地 jiàndì ¶도덕적 ～에서 보면은 타당하지 않다 从道德上来看不妥当 cóng dàodéshang láikàn bù tuǒdàng

견학(見學) 参观 cānguān ¶의사당은 ～하는 사람으로 꽉 차 있다 议事堂里挤满了参观的人 yìshìtángli jǐmǎnle cānguānde rén ‖공장～ 参观工厂 cānguān gōngchǎng

결과(結果) 结果 jiéguǒ ¶시험 ～는 내일 발표한다 考试的结果明天揭晓 kǎoshìde jiéguǒ míngtiān jiēxiǎo/그의 한 마디는 중대한 ～를 초래했다 他的一句话招致了严重的后果 tāde yíjùhuà zhāozhìle yánzhòngde hòuguǒ

결국(結局) 到底 dàodǐ; 结果 jiéguǒ; 究竟 jiūjìng; 毕竟 bìjìng; 到头来 dàotóulai; 终归 zhōngguī; 终究 zhōngjiū ¶참가한 것은 ～ 나 혼자뿐이었다 参加的到头来只有我一个人 cānjiāde dàotóulai zhǐyǒu wǒ yígerén/우리들의 노력은 ～ 수포로 돌아갔다 我们的努力终于化为泡影 wǒmende nǔlì zhōngyú huàwéi pàoyǐng

결근(缺勤) 缺勤 quēqín ¶～계를 내다 交假条 jiāo jiàtiáo/그는 입사 이래 ～한 적이 없다 他进公司以来没缺过勤 tā jìn gōngsī yǐlái méi quēguo qín

결단(決斷) 决断 juéduàn ¶아무리 하여도 ～을 내릴 수 없다 怎么也决断不了 zěnme yě juéduàn bùliǎo/그는 매우 ～력이 있다 他很有决断 tā hěn yǒu juéduàn

결렬(決裂) 决裂 juéliè ¶교섭은 ～되었다 谈判决裂了 tánpàn juéliède

결론(結論) 结论 jiélùn ¶～을 내리기에는 아직 너무 이르다 下结论还太早 xià jiélùn hái tài zǎo/～을 말하면 나는 반대다 我的结论是反对 wǒde jiélùn shì fǎnduì

결말(結末) 结局 jiéjú; 结尾 jiéwěi; 收场 shōuchǎng ¶이 소설의 ～은 너무 평범하고 재미가 없다 这篇小说的结局太平淡无味了 zhè piān xiǎoshuō de jiéjú tài píngdàn wúwèi le

결벽(潔癖) 洁癖 jiépǐ ¶그녀는 병적일 정도로 ～하다 她的洁癖有点儿不寻常 tāde jiépǐ yǒudiǎnr bù xúncháng

결백(潔白) 清白 qīngbái ¶자기의 ～을 증명하다 证明自己的清白 zhèngmíng zìjǐde qīngbái

결사(決死) 决死 juésǐ; 殊死 shūsǐ ¶～의 각오로 적진에 돌격하다 不怕牺牲向敌人冲锋陷阵 bú pà xīshēng xiàng dírén chōngfēng xiànzhèn ‖～대 敢死队 gǎnsǐduì

결산(決算) 决算 juésuàn ¶3월말에 ～을 한다 三月底进行决算 sānyuèdǐ jìnxíng juésuàn ‖～기 决算期 juésuànqī/～ 보고 决算报告 juésuàn bàogào

결석(缺席) 缺席 quēxí ¶나는 이번 학기에 하루도 ～하지 않았다 我这学期一天也没缺过席 wǒ zhè xuéqī yìtiān yě méi quē guo xí ‖～계 假条 jiàtiáo

결심(決心) 决心 juéxīn ¶누가 무어라 해도 나의 ～은 변하지 않는다 就是人家说什么, 我的决心也不变 jiùshì rénjia shuō shénme, wǒde juéxīn yě búbiàn/갈 것인가 가지 말 것인가 종처럼 ～이 서지 않는다 去不去老犹豫不决 qùbúqù lǎo yǒuyù bùjué

결여(缺如) 缺乏 quēfá ¶그녀에게는 상식이 ～돼 있다 她缺乏常识 tā quēfá chángshí

결원(缺員) 空额 kòng'é; 缺额 quē'é; 空缺 kòngquē ¶～을 보충하다 补充空额 bǔchōng kòng'é

결재(決裁) 裁决 cáijué ¶사장의 ～를 바라다 请示总经理裁决 qǐngshì zǒngjīnglǐ cáijué

결전(決戰) 决战 ¶마침내 ～의 때가 왔다 决战的时候终于来临 juézhànde shíhou zhōngyú láilín

결점(缺點) 缺点 quēdiǎn; 毛病 máobing ¶자신의 ～을 고치다 改正自己的缺点 gǎizhèng zìjǐde quēdiǎn/나는 ～이 많은 인간이다 我是个满身缺点的人 wǒ shì ge mǎnshēn quēdiǎnde rén

결정(決定) 定规 dìngguī; 决定 juédìng ¶출발 날짜를 ～하다 决定〔确定〕出发的日期 juédìng〔quèdìng〕 chūfāde rìqī/그의 우승은 이미 ～적이다 他获冠军已确定不移 tā huò guànjūn yǐ quèdìng bùyí

결정(結晶) 结晶 jiéjīng ¶눈은 6각형으로 ～을 한다 雪结晶成六角形 xuě jiéjīng chéng liùjiǎoxíng/이것은 그의 노력의 ～이다 这是他辛勤劳动的结晶 zhè shì tā xīnqín láodòngde jiéjīng ‖～체 结晶体 jiéjīngtǐ =〔晶体jīngtǐ〕

결코(決…) 决 jué; 绝 jué; 绝对 juéduì ¶이 은혜는 ～ 잊지 않겠습니다 这恩德决不会忘记 zhè ēndé jué búhuì wàngjì/만 원은 ～ 비싼 것이 아니다 一万块钱绝不算贵 yíwàn kuài qián jué búsuàn guì

결탁(結託) 勾结 gōujié; 勾串 gōuchuàn; 勾着手 gōuzheshǒu; 串通 chuàntōng ¶관리와 ～해서 공금을 도용하다 勾结官吏盗用公款 gōujié guānlì dàoyòng gōngkuǎn

결판(決判) 终结 zhōngjié; 总结 zǒngjié

결핍(缺乏) 缺乏 quēfá; 缺少 quēshǎo ¶비타민 A가 ～되면 야맹증에 걸린다 缺乏维生素 A, jiù huì hài yèmángzhèng 会害夜盲症 quēfá wéishēngsù A, jiùhuì hài yèmángzhèng

결합(結合) 结合 jiéhé ¶원자가 ～하다 原子结合 yuánzǐ jiéhé ‖～ 조직 结缔组织 jiédì zǔzhī

결핵(結核) 结核 jiéhé; 结核病 jiéhébìng ‖～균 结核杆菌 jiéhé gǎnjūn/폐～ 肺结核 fèijiéhé =〔肺病fèi bìng〕

결혼(結婚) 结婚 jiéhūn ¶～ 적령기의 여성 已达婚龄的女性 yǐ dá hūnlíngde nǚxìng/～하다 结婚 jiéhūn =〔成家chéngjiā〕/～식을 거행하다 举行婚礼 jǔxíng hūnlǐ =〔办喜事bàn xǐshì] / 그 두 사람은 ～을 약속했다 他俩订婚了 tā liǎ dìnghūnle / ～을 축하합니다 恭喜你们结婚 gōngxǐ nǐmen jiéhūn ‖ ～ 피로연 喜筵 xǐyán

겸(兼) 兼 jiān ¶ ～해서 兼之 jiānzhī =〔加以 jiāyǐ〕/ 코치 ～ 선수 教练兼选手 jiàoliàn jiān xuǎnshǒu

겸손(謙遜) 谦逊 qiānxùn; 谦虚 qiānxū ¶ ～이시겠지요 那您太'谦虚〔自谦〕了 nà nín tài'qiānxū〔zìqiān〕le

겸업(兼業) 兼营 jiānyíng ¶ 그 집은 식당과 여관을 ～하고 있다 那一家兼营菜馆和旅馆 nà yìjiā jiānyíng càiguǎn hé lǚguǎn

겸연쩍다(慊然…) 惭愧 cánkuì; 惭赧 cánnǎn ¶ 너무 칭찬을 받아 ～ 受人夸奖, 怪'不好意思〔难为情〕的 shòu rén kuājiang, guài'bù hǎoyìsi〔nánwéiqíng〕de

겸하다(兼…) 兼 jiān ¶ 수상이 외상을 ～ 首相兼任外相 shǒuxiàng jiānrèn wàixiàng

겸허(謙虛) 谦虚 qiānxū; 谦和 qiānhé ¶ ～한 태도로 임하다 以谦和的态度来对待 yǐ qiānhéde tàidu lái duìdài

겹 层 céng; 重 chóng ¶ 여러 ～으로 포위하다 重重包围 chóngchóng bāowéi / 꽃잎은 ～으로 되어 있다 花瓣是'复〔重〕瓣的 huābàn shì 'fù〔chóng〕bànde

겹옷 夹衣 jiáyī

겹집《건물의》钩连褡 gōuliándā

겹치다 ①《포개다》重叠 chóngdié ¶ 같은 책이 여러 권 겹쳐져 있는 것을 주의하지 못했다 好几本同样的书在一起码着, 没有注意到 hǎo jǐběn tóngyàngde shū zài yìqǐ mǎzhe, méiyǒu zhùyì dào / 시계의 바늘이 겹쳤다 时针重叠在一起了 shízhēn chóngdié zài yìqǐle ②《중첩되다》¶ 이 달은 일요일과 경축일이 겹쳤다 本月星期日和节日赶在一起了 běn yuè xīngqīrì hé jiérì gǎn zài yìqǐle

경거(輕擧) 轻举 qīngjǔ ¶ ～ 망동해서는 안 됩니다 切不可轻举妄动 qiè bùkě qīngjǔ wàngdòng

경건(敬虔) 虔敬 qiánjìng; 虔诚 qiánchéng ¶ ～한 기도를 드리다 虔敬祈祷 qiánjìng qídǎo

경계(境界) 境界 jìngjiè; 地界 dìjiè; 边界 biānjiè ¶ ～를 정하다 划定境界 huàdìng jìngjiè ‖ ～선 界线 jièxiàn

경계(警戒) 警戒 jǐngjiè; 警惕 jǐngtì; 提防 dīfang ¶ ～를 엄중히 하다 严加警戒 yánjiā jǐngjiè / ～심을 높이다 提高警惕 tígāo jǐngtì ‖ ～ 경보 警报 jǐngbào / ～색 警戒色 jǐngjièsè

경고(警告) 警告 jǐnggào ¶ ～를 내다 发出警告 fāchū jǐnggào

경과(經過) ①《때의》过去 guòqu ¶ 그로부터 10년의 세월이 이미 ～하였다 从那以来十年的岁月已经过去 cóng nà yǐlái shíniánde suìyuè yǐjīng guòqu ②《겪음·변천》经过 jīngguò ¶ 그는 일의 ～를 자세하게 나에게 말했다 他把事情的经过一五一十地告诉我了 tā bǎ shìqingde jīngguò yìwǔ yìshí de gàosu wǒ le / 수술 후의 ～가 좋다 开刀以后的情况良好 kāidāo yǐhòude qíngkuàng liánghǎo

경관(警官) 警察 jǐngchá

경기(景氣) 景气 jǐngqì ¶ ～가 좋다〔나쁘다〕经济'繁荣〔萧条〕 jīngjì 'fánróng〔xiāotiáo〕/ 요즈음 ～가 어떻습니까 近来生意怎么样 jìnlái shēngyi zěnmeyàng ‖ ～ 변동 经济波动 jīngjì bōdòng / ～ 순환 经济周期 jīngjì zhōuqī / ～ 후퇴 经济倒退 jīngjì dàotuì

경기(競技) 比赛 bǐsài; 竞赛 jìngsài; 竞技 jìngjì ¶ 육상 ～ 田径赛 tiánjìngsài / 체조 ～에 출전하다 参加体操比赛 cānjiā tǐcāo bǐsài ‖ ～장 竞赛场 jìngsàichǎng / ～ 종목 比赛项目 bǐsài xiàngmù

경도(經度) 《지구의》经度 jīngdù; 《월경》月红 yuèhóng

경력(經歷) 经历 jīnglì ¶ ～을 사칭하다 伪造自己的历史 wěizào zìjǐde lìshǐ / 나에게는 이렇다 할 만한 ～이 없습니다 我并没有什么值得提的经历 wǒ bìng méiyǒu shénme zhíde tíde jīnglì

경련(痙攣) 《醫》抽搐 chōuchù; 《生》痉挛 jìngluán; 抽筋(儿) chōujīn(r); 〈俗〉抽筋(儿) chōujīn(r) ¶ 위～ 胃痉挛 wèijìngluán =〔胃绞痛 wèijiǎotòng〕

경례(敬禮) 敬礼 jìnglǐ; 行礼 xínglǐ ¶ 국기에 대하여 ～하다 向国旗敬礼 xiàng guóqí jìnglǐ

경로(經路) 途径 tújìng; 路径 lùjìng ¶ 콜레라의 감염 ～를 조사하다 调查霍乱传播途径 diàochá huòluàn chánbō tújìng

경리(經理) 会计工作 kuàijì gōngzuò ¶ 회사의 ～를 담당하다 担任公司的会计工作 dānrèn gōngsī de kuàijì gōngzuò

경마(競馬) 跑马 pǎomǎ; 赛马 sàimǎ ‖ ～장 赛马场 sàimǎchǎng =〔跑马场 pǎomǎchǎng〕

경매(競賣) 拍卖 pāimài ¶ 차압한 물건을 ～에 붙이다 拍卖扣押物品 pāimài kòuyā wùpǐn

경미(輕微) 轻微 qīngwēi ¶ 손해는 ～하다 损害轻微 sǔnhài qīngwēi

경박(輕薄) 轻薄 qīngbó; 轻浮 qīngfú ¶ 그녀는 언동이 ～하다 她言谈举止轻薄 tā yántán jǔzhǐ qīngbó

경백(敬白) 敬启 jìngqǐ; 此致敬礼 cǐzhì jìnglǐ

경비(經費) 经费 jīngfèi; 费用 fèiyong ¶ ～를 삭감하다 削减经费 xuējiǎn jīngfèi

경비(警備) 警备 jǐngbèi; 戒备 jièbèi; 警戒 jǐngjiè ¶ 국경의 ～를 엄중히 하다 加强国境警备 jiāqiáng guójìng jǐngbèi ‖ ～원 警卫员 jǐngwèiyuán / ～정 警戒艇 jǐngjiètǐng

경사(傾斜) 倾斜 qīngxié ¶ 길은 완만하게 ～져 있다 路缓缓倾斜 lù huǎnhuǎn qīngxié ‖ ～도 斜度 xiédù =〔倾斜度 qīngxiédù〕

경사(慶事) 喜庆 xǐqìng; 喜事 xǐshì; 喜庆事 xǐqìngshì

경상(輕傷) 轻伤 qīngshāng ¶ ～을 입다 负轻伤 fù qīngshāng

경솔(輕率) 轻率 qīngshuài; 草率 cǎoshuài ¶ 나의 행동은 조금 ～했었다 我的行动稍轻率了些 wǒ de xíngdòng shāo qīngshuàile xiē / ～하게 결론을 내지 마라 不要轻率地下结论 búyào qīngshuài de xià jiélùn

경영(經營) 经营 jīngyíng ¶ 학교를 ～하다 办〔经营〕学校 bàn〔jīngyíng〕xuéxiào / 불경기로 인하여 ～난에 빠졌다 由于不景气, 经营终于陷入困境 yóuyú bùjǐngqì, jīngyíng zhōngyú xiànrù kùnjìng

경우(境遇) 场合 chǎnghé; 情况 qíngkuàng ¶ 비가 오는 ～에는 중지한다 要是下雨就中止 yàoshì xiàyǔ jiù zhōngzhǐ / 너의 ～는 예외다 你

的情况例外 nǐ de qíngkuàng lìwài
경위(經緯) ①《경도와 위도》 经纬 jīngwěi ②《전말》 原委 yuánwěi; 始末 shǐmò ¶사건의 ~를 설명하다 说明事件的原委 shuōmíng shìjiàn de yuánwěi ‖~의 经纬仪 jīngwěiyí
경유(經由) 经过 jīngguò; 经由 jīngyóu ¶홍콩을 ~해서 싱가폴에 가다 经由香港到新加坡 jīngyóu Xiānggǎng dào Xīnjiāpō
경의(敬意) 敬意 jìngyì ¶선배에게 ~를 표하다 敬重前辈 jìngzhòng qiánbèi
경이(驚異) 惊异 jīngyì ¶사람들은 이 장치를 ~의 눈으로 바라보았다 人们以惊异的眼光看这个装置 rénmen yǐ jīngyì de yǎnguāng kàn zhège zhuāngzhì
경작(耕作) 耕种 gēngzhòng; 耕作 gēngzuò ¶농지를 ~하다 耕作田地 gēngzuò tiándì / ~에 적합한 토지 适于耕种的土地 shìyú gēngzhòng de tǔdì
경쟁(競爭) 竞争 jìngzhēng; 竞赛 jìngsài; 争先 zhēngxiān; 比赛 bǐsài ¶그는 나의 좋은 ~ 상대다 他是我的好对手 tā shì wǒ de hǎo duìshǒu / 생존 ~에 졌다 在生存竞争中失败了 zài shēngcún jìngzhēng zhōng shībài le / ~심을 부채질하다 扇动竞争心 shāndòng jìngzhēngxin
경적(警笛) 警笛 jǐngdí; 《자동차의》 汽车喇叭 qìchē lǎba; 喇叭 lǎba
경제(經濟) ①《상태·재정》 经济 jīngjì ¶대학 진학은 집의 ~가 허락치 않는다 家庭的经济情况不充许我上大学 jiātíng de jīngjì qíngkuàng bù yǔnxǔ wǒ shàng dàxué / 그는 지금 ~적으로 곤란하다 他现在经济上很困难 tā xiànzài jīngjì shang hěn kùnnan ②《절약》 经济 jīngjì ¶지하철로 가는 것이 시간상 ~적이다 坐地铁去省时间 zuò dìtiě qù shěng shíjiān / 가스 스토브가 전기 스토브보다 ~적이다 用煤气炉比电炉经济 yòng méiqìlú bǐ diànlú jīngjì ‖~ 기사 经济报道 jīngjì bàodào / ~ 백서 经济白皮书 jīngjì báipíshū / ~ 정책 经济政策 jīngjì zhèngcè
경종(警鐘) 警钟 jǐngzhōng ¶~을 울리다 敲警钟 qiāo jǐngzhōng / 이 사건은 정치의 부패에 대한 ~이다 这个事件是对政治腐败敲的一次警钟 zhège shìjiàn shì duì zhèngzhì fǔbài qiāo de yí cì jǐngzhōng
경질(更迭) 更换 gēnghuàn ¶각료를 ~하다 更换阁员 gēnghuàn géyuán
경찰(警察) 警察 jǐngchá ¶~에 끌려 가다 被警察抓去 bèi jǐngchá zhuāqu ‖~견 警犬 jǐngquǎn / ~관 警察 jǐngchá
경첩 铰链 jiǎoliàn; 合页〔合叶〕 héyè
경청(傾聽) 倾听 qīngtīng ¶그의 의견은 ~할 만한 가치가 있다 他的意见值得倾听 tāde yìjiàn zhíde qīngtīng
경축(慶祝) 庆祝 qìngzhù; 庆贺 qìnghè
경치(景致) 景致 jǐngzhì; 风景 fēngjǐng; 景色 jǐngsè ¶~가 좋다 风景很美 fēngjǐng hěn měi =〔景致真好 jǐngzhì zhēn hǎo〕
경쾌(輕快) 轻快 qīngkuài; 轻便 qīngbiàn ¶~한 발걸음 轻快的步子 qīngkuài de bùzi / ~한 리듬 轻快的节奏 qīngkuài de jiézòu
경탄(驚歎) 惊叹 jīngtàn ¶사람들은 그의 묘기에 ~하다 人们为他妙技惊叹不已 rénmen wèi tā miàojì jīngtàn bùyǐ
경향(傾向) 倾向 qīngxiàng; 趋向 qūxiàng; 趋势 qūshì ¶물가가 올라가는 ~이 있다 物价有上涨的趋势 wùjià yǒu shàngzhǎng de qūshì ‖~ 문학 倾向性文学 qīngxiàngxìng wénxué
경험(經驗) 经验 jīngyàn ¶나는 중국어를 가르친 ~이 있다 我曾经教过中文 wǒ céngjīng jiāoguo Zhōngwén / ~으로부터 배우다 从经验中学习 cóng jīngyàn zhōng xuéxí
경호(警護) 警卫 jǐngwèi; 护卫 hùwèi ¶국빈을 ~하다 护卫国宾 hùwèi guóbīn
경황(景况) ¶~ 없다 不发生情绪 bù fāshēng qíngxu
곁 旁 páng ¶~에서 말참견하지 마라 不要从旁插嘴 búyào cóng páng chāzuǐ
곁눈질 斜眼看 xié yǎn kàn ¶그녀를 ~로 흘끗 보다 瞟了她一眼 piǎole tā yì yǎn
곁방살이(…房…) 租房间住 zūfáng jiānzhù
계(契) 抓钱会 zhuāqiánhuì ¶곗돈 上会钱 shànghuìqián
…계(…界) …界 …jiè ¶각~의 명사가 다수 출석하다 有许多各界知名人士出席 yǒu xǔduō gèjiè zhīmíng rénshì chūxí
계곡(溪谷) 溪谷 xīgǔ; 山涧 shānjiàn; 溪涧 xījiàn; 山谷 shāngǔ; 沟壑 gōuhuò
계급(階級) ①《사회의》 阶级 jiējí ②《군대의》 军阶 jūnjiē; 军衔 jūnxián ¶공적 때문에 2~ 특진하다 由于立功连升两级 yóuyú lìgōng lián shēng liǎng jí ‖~ 의식 阶级意识 jiējí yìshí =〔阶级觉悟 jiējí juéwù〕 / ~장 军衔佩章 jūnxián pèizhāng / 지식 ~ 知识分子阶层 zhīshi fènzǐ jiēcéng
계단(階段) 阶梯 jiētī; 楼梯 lóutī; 台阶(儿) táijiē(r) ¶(집 앞의 돌로 된) ~을 오르다〔내리다〕 上〔下〕楼梯 shàng〔xià〕 lóutī ‖나선 ~ 螺旋梯 luóxuántī / 비상 ~ 太平梯 tàipíngtī =〔安全梯 ānquántī〕
계란(鷄卵) 鸡蛋 jīdàn; 鸡卵 jīluǎn
계면쩍다 ⇨겸연쩍다
계모(繼母) 继母 jìmǔ; 后娘 hòuniáng
계산(計算) 计算 jìsuàn; 算 suàn ¶~이 틀린 곳이 많다 算错的地方太多 suàncuò de dìfang tài duō ‖~자 计算尺 jìsuànchǐ =〔算尺 suànchǐ〕
계속(繼續) 继续 jìxù; 不断 búduàn ¶퇴원 후에도 치료를 ~하다 出院以后还继续治疗 chūyuàn yǐhòu hái jìxù zhìliáo
계수(季嫂) 弟妇 dìfù; 〈口〉弟妹 dìmèi; 弟媳妇(儿) dìxífù(r)
계씨(季氏) 令弟 lìngdì
계약(契約) 合同 hétong; 合约 héyuē; 契约 qìyuē ¶~ 기간이 끝나다 合同期满 hétong qīmǎn / ~을 파기하다 取消〔撕毁〕合同 qǔxiāo〔sīhuǐ〕 hétong / ~을 기초하다 起草合同 qǐcǎo hétong ‖~ 부부 权作夫妇 quánzuò fūfù / ~서 契约 qìyuē =〔合同(书) hétong (shū)〕
계원(係員) 工作人员 gōngzuò rényuán
계장(係長) 股长 gǔzhǎng
계절(季節) 季节 jìjié ¶좋은 ~이 왔다 到了好季节了 dàole hǎo jìjié le ‖~풍 季风 jìfēng
계제(階梯) 顺便 shùnbiàn
계집아이 丫头 yātou; 娘儿们 niángrmen
계통(系統) 系统 xìtǒng ¶저 의원은 보수파 ~에 속한다 那个议员属于保守派系的 nàge yìyuán

shǔyú bǎoshǒu pàixì de / ～적으로 설명하다 系统地说明 xìtǒngde shuōmíng
계획(計劃) 计划 jìhuà; 《종합적이고 장기적인》 规划 guīhuà ¶생산 ～을 세우다 订生产计划 dìng shēngchǎn jìhuà / 5년 ～으로 노신의 번역을 시도하다 以五年为期着手翻译鲁迅的作品 yǐ wǔ nián wéi qī zhuóshǒu fānyì Lǔ Xùn de zuòpǐn ‖도시 ～ 城市规划 chéngshì guīhuà
고개 ①《목》脖子 bózi; 颈项 jǐngxiàng ¶～를 움츠리다 缩脖子 suō bózi =〔缩头缩脑 suōtóu suōnǎo〕/ ～를 길게 하고서 기다리다 引颈等候 yǐn jǐng děnghòu =〔引领而待 yǐn lǐng ér dài〕 ②《머리》头 tóu ¶～를 숙이고 묵도하다 低头默哀 dī tóu mò'āi ③《비탈》坡子 pōzi ④《나이의》陡坡 dǒupō ¶나도 50을 넘었다 我也五十出头了 wǒ yě wǔshí chūtóu le
고객(顧客) 顾客 gùkè
고결(高潔) 高洁 gāojié ¶～한 인격 高洁的人格 gāojié deréngé
고관(高官) 高级官员 gāojí guānyuán; 高官 gāoguān
고구마 白薯 báishǔ; 甘薯 gānshǔ ‖군～ 烤白薯 kǎo báishǔ
고귀(高貴) 高贵 gāoguì; 尊贵 zūnguì ¶그는～하게 태어났다고 한다 听说他出身高贵 tīngshuō tā chūshēn gāoguì =〔听说他是名门之后 tīngshuō tā shì míngmén zhī hòu〕
고금(古今) 古今 gǔjīn ¶부모의 자식에 대한 애정은 동서 ～을 통해서 변하지 않는다 父母对儿女的爱古今中外都是一样的 fùmǔ duì érnǚ de ài gǔjīn zhōngwài dōushì yíyàng de
고급(高級) 高级 gāojí; 高等 gāoděng
고기 肉 ròu ¶이 ～는 질기다 这肉'硬〔老〕 zhè ròu 'yìng〔lǎo〕/ 이 ～는 연하다 这肉嫩 zhè ròu nèn
고기압(高氣壓) 高气压 gāoqìyā; 高压 gāoyā ¶～이 한국의 상공을 덮고 있다 高气压笼罩着韩国上空 gāoqìyā lǒnzhàozhe Hánguó shàngkōng
고기잡이《어부》渔父 yúfǔ; 渔人 yúrén; 《일》打鱼 dǎyú
고난(苦難) 苦难 kǔnàn ¶그의 생애는 ～의 연속이었다 他的一生历尽重重苦难 tāde yìshēng lìjìn chóngchóng kǔnàn
고뇌(苦惱) 苦恼 kǔnǎo ¶～의 빛을 얼굴에 나타내다 脸上显出苦恼的神色 liǎn shang xiǎnchū kǔnǎo de shénsè
고니〘鳥〙鹄 hú; 天鹅 tiān'é
고다 ①《끓이다》熬 āo; 燉 dùn ②《양조》酿造 niàngzào
고단하다 疲倦 píjuàn; 疲缓 píhuǎn
고달프다 疲倦极了 píjuàn jíle; 《신세가》孤苦零丁 gūkǔ língdīng
고대(古代) 古代 gǔdài
고대(苦待) 苦待 kǔdài; 等急 děngjí; 等烦 děngfán ¶～하다 焦急等待 jiāojí děngdài
고도(高度) ①《높은 정도》高度 gāodù ¶비행기는 9,000m의 ～에서 날고 있다 飞机在高度九千米的上空飞行 fēijī zài gāodù jiǔqiān mǐ de shàngkōng fēixíng ②《정도가 높음》高度 gāodù ¶～의 기술을 요하다 需要高度技术 xūyào gāodù jìshù
고독(孤獨) 孤独 gūdú; 孤单 gūdān ¶～한 생애를 보냈다 过了孤独的一生 guòle gūdú de yìshēng
고되다 辛苦 xīnkǔ; 艰苦 jiānkǔ ¶일이 ～ 工作很辛苦 gōngzuò hěn xīnkǔ / 고된 훈련을 견디다 经受艰苦的训练 jīngshòu jiānkǔ de xùnliàn
고두밥 硬饭 yìngfàn
고드름 冰凌 bīnglíng; 冰柱 bīngzhù; 冰锥(儿) bīngzhuī(r); 冰挂儿 bīngguàr; 〈方〉冰溜子 bīngliūzi ¶～이 매달려 있다(처마 끝에) 挂着冰柱 guàzhe bīngzhù
고등(高等) 高等 gāoděng; 高级 gāojí ‖～학교 高级中学 gāojí zhōngxué =〔高中 gāozhōng〕
고등어〘魚〙青花鱼 qīnghuāyú; 鲭鱼 qīngyú; 鲐鱼 táiyú
고딕(Gothic) 哥德 gēdé; 哥特 gētè ‖～건축 哥特式建筑 gētèshì jiànzhù =〔尖拱式建筑 jiāngǒngshì jiànzhù〕/ ～체 哥特体字 gētètǐzì =〔黑体字 hēitǐzì〕
고랑[1] 《밭의》垄沟 lǒnggōu
고랑[2] 《수갑》手铐 shǒukào
고래〘動〙鲸 jīng; 鲸鱼 jīngyú
고려(考慮) 考虑 kǎolǜ ¶아직 ～의 여지가 있다 还有考虑的余地 hái yǒu kǎolǜ de yúdì
고루(固陋) 固陋 gùlòu ¶완미 ～한 노인 顽梗固陋的老人 wángěng gùlòu de lǎorén
고루《고르게》没有漏掉 méiyǒu lòudiào
고르다[1] 《선택》选择 xuǎnzé; 挑选 tiāoxuǎn ¶당신 마음대로 고르십시오 你要什么挑什么吧 nǐ yào shénme tiāo shénme ba
고르다[2] 《평평하게》弄平 nòngpíng; 垫平 diànpíng; 平整 píngzhěng
고름 脓 nóng ¶상처로부터 ～이 나오다 伤口流出脓液 shāngkǒu liúchū nóngyè
고리 环儿 huánr; 环子 huánzi
고리(高利) 高利 gāolì; 重利 zhònglì ¶～로 돈을 빌렸다 以高利借了钱 yǐ gāolì jièle qián ‖～대금 高利贷 gāolìdài =〔阎王债 yánwángzhài〕
고리다《냄새》臊味儿 sāowèir; 《인품이》不大方 bú dàfang
고리짝 柳条箱 liǔtiáoxiāng
고리타분하다《냄새》又臭又烂 yòu chòu yòu làn; 《사상》陈腐 chénfǔ
고릴라(gorilla)〘動〙大猩猩 dàxīngxing
고맙습니다 谢谢 xièxiè; 感谢 gǎnxiè
고모(姑母) 姑母 gūmǔ; 〈口〉姑姑 gūgu; 姑妈 gūma ‖～부 姑丈 gūzhàng =〔姑父 gūfu〕〔姑夫 gūfu〕
고목(古木) 老树 lǎoshù
고무 橡胶 xiàngjiāo; 橡皮 xiàngpí; 树胶 shùjiāo ‖～공 橡皮球 xiàngpíqiú / ～나무 橡胶树 xiàngjiāoshù / ～밴드 橡皮筋儿 xiàngpíjīnr =〔猴皮筋儿 hóupíjīnr〕/ ～신 橡皮鞋 xiàngpíxié =〔胶鞋 jiāoxié〕/ ～장화 胶靴 jiāoxuē / ～줄 松紧带儿 sōngjǐndàir / ～지우개 橡皮 xiàngpí
고물《배의》船尾 chuánwěi
고물(古物) 古物 gǔwù ‖～상 古物铺 gǔwùpù
고발(告發) 告发 gàofā; 苦杯 kǔbēi; 苦头 kǔtou; 检举 jiǎnjǔ ¶소란죄로 ～당하다 以扰乱罪被告发 yǐ rǎoluànzuì bèi gàofā
고백(告白) 坦白 tǎnbái ¶죄를 ～하다 坦白自己的罪过 tǎnbái zìjǐ de zuìguò / 애정을 ～하다 吐露爱情 tǔlù àiqíng
고별(告別) 告别 gàobié; 辞行 cíxíng ‖～식 告别仪式 gàobié yíshì =〔辞灵仪式 cílíng yí-

shì〕
고비〘植〙紫萁 zǐqí; 薇(菜) wēi(cài)
고삐 缰 jiāng; 缰绳 jiāngsheng ¶～를 잡다 执缰绳 zhí jiāngsheng / ～를 죄다〔늦추다〕拉紧〔松开〕缰绳 lājǐn〔sōngkāi〕jiāngsheng
고사(古事·故事) 故事 gùshì; 典故 diǎngù
고사리〘植〙蕨 jué; 蕨萁 juéqí
고상(高尙) 崇高 chónggāo; 高尚 gāoshàng; 高雅 gāoyǎ; 高深 gāoshēn ¶～한 취미 高雅的趣味 gāoyǎ de qùwèi
고생하다 吃苦 chīkǔ; 辛苦 xīnku
고서점(古書店) 旧书铺 jiùshūpù; 旧书店 jiùshūdiàn
고소(告訴) 告诉 gàosù; 控告 kònggào ¶～하다 打官司 dǎ guānsi =〔告状 gàozhuàng〕
고수머리 卷发 juǎnfà; 卷毛 juǎnmáo
고스란히 全都 quándōu; 原封不动 yuánfēng búdòng
고슴도치〘動〙刺蝟 cìwei; 蝟 wèi
고시(告示) 公布 gōngbù; 公告 gōnggào ¶선거의 투표소를 ～하다 公布选举投票的地点 gōngbù xuǎnjǔ tóupiào de dìdiǎn
고심(苦心) 苦心 kǔxīn ¶모처럼의 ～도 수포로 돌아갔다 所做的一番苦心最后化为泡影了 suǒ zuò de yì fān kǔxīn zuìhòu huàwéi pàoyǐng le ‖ ～참담 费尽心血 fèijìn xīnxuè
고아(孤兒) 孤儿 gū'ér; 孤子 gūzǐ ¶그는 7살 때 ～가 되었다 他在七岁时成了孤儿 tā zài qī suì shí chéngle gū'ér
고안(考案) 发明 fāmíng; 设计 shèjì; 法子 fǎzi ¶새로운 장치를 ～하다 研究设计新装置 yánjiū shèjì xīn zhuāngzhì ‖ ～자 发明者 fāmíngzhě
고압(高壓) 高压 gāoyā ‖ ～선 高压线 gāoyāxiàn
고액(高額) 高额 gāo'é ‖ ～소득자 获得高额收入的人 huòdé gāo'é shōurù de rén
고양(高揚) 提高 tígāo; 高昂 gāo'áng; 高涨 gāozhǎng ¶애국심의 ～을 도모하다 使爱国热情高昂 shǐ àiguó rèqíng gāo'áng =〔鼓动爱国热情 gǔdòng àiguó rèqíng〕
고양이〘動〙猫 māo ‖ ～새끼 猫崽儿 māo zǎir =〔小猫儿 xiǎomāor〕/ 수코양이 公猫 gōngmāo =〔雄猫 xióngmāo〕/ 암코양이 母猫 mǔmāo =〔雌猫 címāo〕
고열(高熱) ①〘높은 열로〙高温 gāowēn ¶～로 철을 녹이다 用高温熔铁 yòng gāowēn róng tiě ②〘醫〙高热 gāorè; 高烧 gāoshāo ¶그날 밤 그는 ～이 나서 쓰러졌다 那天晚上他发了高烧病倒了 nàtiān wǎnshang tā fāle gāoshāo bìngdǎo le
고요하다 静静 jìngjìng; 安静 ānjìng
고용(雇傭) 雇佣 gùyōng ‖ ～계약 雇佣合同 gùyōng hétong / ～인 佣人 yōngrén =〔雇工 gùgōng〕
고위(高位) 高位 gāowèi ‖ ～고관 高官显贵 gāoguān xiǎnguì
고유(固有) 固有 gùyǒu ¶그 사람의 ～한 성질 该人所固有的性格 gāi rén suǒ gùyǒu de xìnggé ‖ ～명사 专名 zhuānmíng =〔专用名词 zhuānyòng míngcí〕
고의(故意) 故意 gùyì; 成心 chéngxīn; 存心 cúnxīn; 有意 yǒuyì ¶～로 남이 싫어하는 짓을 하다 故意找人麻烦 gùyì zhǎo rén máfan

고이 ①〘곱게〙¶～ 자라다 没染上恶习地生长 méi rǎn shàng èxí de shēngzhǎng ②〘소중히〙¶～ 간직하다 当心保存 dāngxīn bǎocún ③〘편안히〙¶～ 잠드소서 祈祷冥福 qídǎo míngfú
고인(故人) 死者 sǐzhě; 去世者 qùshìzhě; 故人 gùrén ¶～의 유지를 계승하다 继承去世者的遗志 jìchéng qùshìzhě de yízhì
고자세(高姿勢) 蛮横态度 mánhéng tàidu; 强硬态度 qiángyìng tàidu ¶그들은 이 문제에 관해서 ～이다 他们对这问题态度强硬 tāmen duì zhè wèntí tàidu qiángyìng
고자질(告者…) 告密 gàomì; 搬弄 bānnòng; 传舌 chuánshé; 学舌 xuéshé ¶선생님에게 ～하다 向老师打小报告 xiàng lǎoshī dǎ xiǎobàogào / ～을 하는 것은 비겁하다 背后说人坏话, 真卑鄙 bèihòu shuō rén huàihuà, zhēn bēibǐ
고작 充其量 chōngqíliàng; 最大限 zuìdàxiàn ¶이 일은 ～ 3일이면 충분하다 这个活儿充其量有三天就够了 zhège huór chōngqíliàng yǒu sān tiān jiù gòu le / 하루에 30페이지 읽는 것이 ～이다 一天看三十页就撑死了 yì tiān kàn sānshí yè jiù chēngsǐ le
고장(故障) 故障 gùzhàng; 毛病 máobìng ¶배가 기관부에 ～을 일으켰다 船的机舱发生了故障 chuán de jīcāng fāshēngle gùzhàng / 기계가 ～이 나서 움직이지 않는다 机器出了毛病不动了 jīqi chūle máobìng bú dòng le
고적대(鼓笛隊) 鼓笛乐队 gǔdí yuèduì
고전(古典) 古典 gǔdiǎn
고전(苦戰) 苦战 kǔzhàn ¶～ 끝에 1점 차로 이겼다 经过一场苦战以一分之差获胜 jīngguò yì cháng kǔzhàn yǐ yì fēn zhī chā huòshèng
고정(固定) 固定 gùdìng ¶～ 관념에 사로잡히다 受固定观念的束缚 shòu gùdìng guānniàn de shùfù / 이 상점은 ～ 손님이 많다 这家商号熟客多 zhè jiā shānghào shúkè duō ‖ ～급 固定工资 gùdìng gōngzī
고지식하다 过于正直 guòyú zhèngzhí; 正经 zhèngjīng; 顶真 dǐngzhēn ¶고지식한 청년 老实认真的青年 lǎoshi rènzhēn de qīngnián / 너무 그렇게 고지식하게 하지 마라 别那么一本正经 bié nàme yì běn zhèngjīng
고질(痼疾) 痼疾 gùjí; 宿疾 sùjí
고집(固執) 固执 gùzhí; 坚持 jiānchí ¶서로 자설을 하여 양보하지 않다 坚持自己的意见谁都不让谁 jiānchí zìjǐ de yìjiàn shuí dōu bú ràng shuí =〔固执己见互不相让 gùzhí jǐ jiàn hù bù xiāng ràng〕
고찰(考察) 考察 kǎochá ¶다방면적인 ～이 필요하다 有必要从多方面加以考察 yǒu bìyào cóng duō fāngmiàn jiāyǐ kǎochá
고참(古參) 老手(儿) lǎoshǒu(r); 老资格的人 lǎo zīgé〔ge〕de rén ¶그는 우리 회사의 최～이다 他是我公司资格最老的人 tā shì wǒ gōngsī zīge zuì lǎo de rén ‖ ～병 老战士 lǎozhànshì =〔老兵 lǎobīng〕
고체(固體) 固体 gùtǐ
고추 辣椒 làjiāo; 辣子 làzi
고충(苦衷) 苦衷 kǔzhōng ¶그의 ～은 헤아리고도 남음이 있다 他的苦衷不说也十分明白 tāde kǔzhōng bù shuō yě shífēn míngbai
고층(高層) 高层 gāocéng ‖ ～기류 高空气流

gāokōng qìliú
고치 (누에의) 蚕茧 cánjiǎn ¶누에가 ~를 치다 蚕作茧 cán zuò jiǎn / ~로부터 실을 뽑다 从蚕茧抽丝 cóng cánjiǎn chōusī
고치다 ①(수정·정정) 改 gǎi; 改正 gǎizhèng; 矫正 jiǎozhèng; 纠正 jiūzhèng ¶오자를 ~ 改正错字 gǎizhèng cuòzì / 학생의 작문을 ~ 改〔批改〕学生的作文 gǎi 〔pīgǎi〕 xuésheng de zuòwén / 선생님이 발음을 고쳐주다 被老师'矫正〔纠正〕发音 bèi lǎoshī 'jiǎozhèng 〔jiūzhèng〕 fāyīn / 앉음새를 ~ 端正姿势 duānzhèng zīshì ②(수선) 修 xiū; 修理 xiūlǐ; 修补 xiūbǔ ¶구두를 ~ 修理皮鞋 xiūlǐ píxié / 지붕을 ~ 修葺屋顶 xiūqì wūdǐng ③(환산) 换算 huànsuàn; 折合 zhéhé ¶리를 미터로 ~ 把里换算为米 bǎ lǐ huànsuàn wéi mǐ ④(다시 함) ¶다시 한 번 고쳐 읽어라 再念一遍 zài niàn yíbiàn ⑤(병을) 医 yī; 治 zhì ¶병을 ~ 医病 yī bìng
고통(苦痛) 痛苦 tòngkǔ; 苦痛 kǔtòng ¶~을 호소하다 诉痛苦 sù tòngkǔ
고프다 (배가) 饿 è ¶배가 고파졌다 肚子饿了 dùzi èle
고하다(告…) (알리다) 告 gào; 告诉 gàosu ¶사람들에게 이별을 ~ 向大家告别 xiàng dàjiā gàobié
고함(高喊) 大声呼喊 dàshēng hūhǎn ¶아무리 ~쳐도 대답이 없다 怎么大声呼喊也没有应声 zěnme dàshēng hūhǎn yě méiyǒu yīngshēng
고향(故鄕) 故乡 gùxiāng; 家乡 jiāxiāng ¶~을 그리워하다 怀念故乡 huáiniàn gùxiāng
고혈(膏血) 膏血 gāoxuè; 肢膏 zhīgāo ¶~을 짜다 榨取膏血 zhàqǔ gāoxuè
고환(睾丸) 睾丸 gāowán; 精巢 jīngcháo; 外肾 wàishèn; 〈俗〉卵子 luǎnzi
곡괭이 洋镐 yánggǎo; 鹤嘴镐 hèzuǐgǎo; 镐 gǎo; 十字镐 shízìgǎo
곡물(穀物) 粮谷 liánggǔ; 五谷 wǔgǔ; 谷物 gǔwù
곡선(曲線) 曲线 qūxiàn ¶공이 ~을 그리면서 날아갔다 球划出一条曲线飞过去了 qiú huàchū yì tiáo qūxiàn fēiguòqu le ‖ ~미 曲线美 qūxiànměi
곡식(穀…) 五谷 wǔgǔ; 粮食 liángshi
곡예(曲藝) 杂技 zájì ¶코끼리의 ~ 象的表演 xiàng de biǎoyǎn ‖ ~사 杂技演员 zájì yǎnyuán
곡절(曲折) (사연과 내용) 曲折 qūzhé ¶여기에 이르기까지는 수많은 ~을 겪었다 经过许多曲折才达到这地步 jīngguò xǔduō qūzhé cái dádào zhè dìbù
곤궁(困窮) 困难 kùnnan; 穷困 qióngkùn ¶그가 죽은 후에 유족은 매우 ~하게 지낸다 他死后遗族生活十分困难 tā sǐhòu yízú shēnghuó shífēn kùnnan
곤두박이치다 倒栽葱 dàozāicōng ¶비행기가 곤두박질하여 추락하다 飞机一个倒栽葱坠落下来 fēijī yí ge dàozāicōng zhuìluò xiàlai
곤두서다 ①(거꾸로) 倒竖 dàoshù ②(신경이) ¶그녀는 지금 신경이 곤두서 있다 她现在神经太过敏 tā xiànzài shénjīng tài guòmǐn
곤드레만드레 醉醺醺 zuìxūnxūn ¶~ 취하다 酩酊大醉 mǐngdǐng dà zuì =〔烂醉如泥 lànzuì rú ní〕
곤란(困難) 困难 kùnnan ¶무릎을 다쳐서 보행이 ~하다 伤了膝盖步行困难了 shāngle xīgài bùxíng kùnnan le
곤봉(棍棒) 棍棒 gùnbàng; 棍子 gùnzi; 棒子 bàngzi; (경관) 警棍 jǐnggùn
곤약(崑蒻) 蒟蒻 jǔruò; 魔芋 móyù
곤죽(…粥) (진창) 泥浆 níjiāng; 泥泞 nínìng ¶비가 와서 길이 ~이 되었다 下了雨道路泥泞不堪 xiàle yǔ dàolù nínìng bùkān
곤충(昆蟲) 昆虫 kūnchóng ‖ ~ 채집 采集昆虫 cǎijí kūnchóng
곧 马上 mǎshàng; 即刻 jíkè; 立刻 lìkè; 就 jiù; 快 kuài; 快要 kuàiyào ¶~ 가겠다 这就去 zhè jiù qù =〔马上就去 mǎshàng jiù qù〕 / 이제 ~ 신학기다 快要开学了 kuàiyào kāixué le
곧다 (똑바름) 直 zhí; 笔直 bǐzhí; 直溜 zhíliu; 直溜溜 zhíliūliū ¶곧은 선을 긋다 划笔直的线 huà bǐzhí de xiàn / 등을 곧게 펴다 把背伸直 bǎ bèi shēnzhí
곧바로 直接 zhíjiē; 径直 jìngzhí ¶오늘은 ~ 집으로 돌아갑니까 你今天直接回家吗? nǐ jīntiān zhíjiē huíjiā ma?
곧장 一直的 yìzhíde
골[1] (머리) 〈俗〉脑袋 nǎodai; (골수) 骨髓 gǔsuǐ
골[2] (노염) 愤怒 fènnù; 气 qì ¶~ 내다 生气 shēngqì =〔发恼 fānǎo〕
골[3] (구두의) 鞋楦 xiéxuàn; 鞋楦头 xiéxuàntou
골[4] (goal) ①(구기의) 球门 qiúmén ②(결승선) 终点 zhōngdiǎn; 决胜点 juéshèngdiǎn ‖ ~ 라인 端线 duānxiàn / ~키퍼 守门员 shǒuményuán
골골하다 病病殃殃 bìngbingyāngyang
골다 (코를) 打鼾 dǎhān; 打呼噜dǎ hūlū
골드러시(gold rush) 淘金热 táojīnrè; 金矿热 jīnkuàngrè
골마루 ⇨복도(複道)
골목 胡同(儿) hútòng(r); 巷 xiàng; 里弄 lǐnòng; 弄堂 nòngtáng ¶이 앞의 ~을 오른쪽으로 돌아가시오 在前面第一条胡同儿往右拐 zài qiánmian dìyìtiáo hútòngr wàng yòu guǎi ‖ ~대장 小'鬼〔孩〕头儿 xiǎo'guǐ〔hái〕tóur
골몰(汨沒) 专心致志 zhuānxīnzhìzhì ¶독서에 ~하다 埋头读书 máitóu dúshū
골무 顶针(儿) dǐngzhen(r); 针箍(儿) zhēngū(r)
골병들다(…病…) 病入膏肓 bìng rù gāohuāng
골수(骨髓) 骨髓 gǔsuǐ ¶원한이 ~에 사무치다 恨入骨髓 hèn rù gǔsuǐ =〔恨之入骨 hèn zhī rù gǔ〕 ‖ ~염(炎) 骨髓炎 gǔsuǐyán
골인(goal-in) 终点 zhōngdiǎn ¶그는 일등으로 ~했다 他以第一名跑到终点 tā yǐ dìyì míng pǎodào zhōngdiǎn / 두 사람은 결혼에 ~했다 两个人终于结为夫妻 liǎng ge rén zhōngyú jiéwéi fūqī
골자(骨子) 要点 yàodiǎn; 精髓 jīngsuǐ; 大纲 dàgāng ¶법안의 ~를 설명하다 说明法案的大纲 shuōmíng fǎ'àn de dàgāng
골짜기, 골짝 山涧 shānjiàn; 山谷 shāngǔ; 山沟 shāngōu; 沟壑 gōuhè
골치 脑儿 nǎor ¶~ 아프다 脑袋疼 nǎodai téng
골탕먹다 吃了大亏 chīle dàkuī; 上档 shàngdàng
골프(golf) 高尔夫球 gāo'ěrfūqiú

곪다 化脓 huànóng ¶상처가 곪았다 伤口化脓了 shāngkǒu huànóng le
곯다《알이》 坏 huài; 臭 chòu; 卸黄 xièhuáng
곯리다《남을》 欺负 qīfu; 耍笑 shuǎxiào; 戏谑 xìnüè
곯아떨어지다 熟睡 shúshuì; 酣睡 hānshuì; 睡沉 shuìchén
곰〔動〕 熊 xióng
곰국 稠嘟嘟的牛肉汤 chóudūdūde niúròutāng
곰방대 烟斗 yāndǒu
곰배팔이 拽子 zhuāizi
곰보 麻脸 máliǎn
곰팡이 霉 méi; 霉菌 méijūn; 毛 máo ¶~가 생기다 发霉 fāméi =〔长毛 zhǎngmáo〕/간장에 ~가 생겼다 酱油生醭了 jiàngyóu shēng bú le
곱《배》 倍 bèi
곱다[1]《손발이》 拘挛儿 jūluanr ¶추워서 손끝이 ~ 天冷得手指都拘挛儿了 tiān lěngde shǒuzhǐ dōu jūluanr le
곱다[2] ①《형태·모습이》 美丽 měilì; 好看 hǎokàn; 漂亮 piàoliang ¶고운 꽃 美丽的花儿 měilì de huār ②《마음씨가》 ¶그는 고운 마음을 가졌다 他有一颗善良的心 tā yǒu yì kē shànliáng de xīn ③《거칠지 않다》 细 xì ¶살결이 고운 피부 细腻的皮肤 xìnì de pífū =〔细皮嫩肉xìpí nènròu〕
곱사등이 罗锅(儿) luóguō(r); 罗锅子 luóguōzi; 佝偻 gōulóu; 驼背 tuóbèi
곱슬곱슬하다 卷曲着 juǎnqūzhe ¶곱슬곱슬한 머리 卷发 juǎnfà/털실을 태우면 곱슬곱슬해진다 毛线一烧就会卷曲 máoxiàn yì shāo jiù huì juǎnqū
곱창 牛的小肠 niú de xiǎocháng
곱하다 乘 chéng ¶5에 3을 ~ 五乘三 wǔ chéng sān
곳 地方 dìfang ¶집이 좁아서 책상도 놓을 ~이 없다 屋子窄得连桌子都没处放 wūzi zhǎide lián zhuōzi dōu méi chùfàng/내일은 맑은 후에 구름, ~에 따라서 비 明天晴转阴, 有些地方有雨 míngtiān qíng zhuǎn yīn, yǒuxiē dìfang yǒu yǔ
곳집 ⇨창고(倉庫)
공 球儿 qiúr ¶~을 던지다 扔球 rēngqiú/~을 치다 拍球 pāiqiú
공(功) 功 gōng; 功劳 gōnglao ¶발군의 ~을 세우다 立下了超群出众的功劳 lìxiàle chāoqún chūzhòng de gōnglao/ ~을 이루고 이름을 얻다 功成名遂 gōng chéng míng suì
공(空) ①《영》 零 líng ②《헛일》 空 kōng; 泡影 pàoyǐng ¶일체가 ~으로 돌아갔다 一切都成了泡影 yíqiè dōu chéngle pàoyǐng =〔全落空了 quán luòkōng le〕
공간(空間) 空间 kōngjiān ¶시간과 ~을 초월하다 超越时间和空间 chāoyuè shíjiān hé kōngjiān
공갈(恐喝) 恐吓 kǒnghè; 威吓 wēihè; 恫吓 dònghè ¶~해서 금품을 우려먹다 恐吓人勒索钱财 kǒnghè rén lèsuǒ qiáncái/~을 치다 进行讹诈 jìnxíng ézhà =〔敲诈 qiāozhà〕
공감(共感) 共鸣 gòngmíng; 同感 tónggǎn ¶나는 그의 말에 크게 ~한다 我对那个说法大有同感 wǒ duì nàge shuōfa dà yǒu tónggǎn/그의 주장은 많은 사람의 ~을 불러일으켰다 他的主张引起了许多人的共鸣 tāde zhǔzhāng yǐnqǐle xǔduō rén de gòngmíng
공개(公開) 公开 gōngkāi ¶~ 석상에서 발표하다 在公开的场合发表 zài gōngkāi de chǎnghé fābiǎo
공격(攻擊) 攻击 gōngjī; 进攻 jìngōng ¶~은 최상의 방어다 进攻是最好的防御 jìngōng shì zuì hǎo de fángyù/~을 개시하다 开始进攻 kāishǐ jìngōng/~을 받다 遭受攻击 zāoshòu gōngjī
공공(公共) 公共 gōnggòng ‖~ 복지 公共福利 gōnggòng fúlì/~ 사업 公用事业 gōngyòng shìyè/~ 시설 公共设施 gōnggòng shèshī
공공연한(公公然…) 公开的 gōngkāi de ¶그것은 이미 ~ 비밀이 되었다 那已经是公开的秘密了 nà yǐjīng shì gōngkāi de mìmì le
공교롭게(工巧…) 正巧 zhèngqiǎo; 偏巧 piānqiǎo; 偏偏 piānpiān; 不凑巧 bù còuqiǎo; 不巧 bù qiǎo ¶~ 부재중이었다 不凑巧没在家 bù còuqiǎo méi zài jiā/나가려고 하는데 ~ 비가 오기 시작했다 正想出去不巧下起雨来了 zhèng xiǎng chūqu bù qiǎo xiàqǐ yǔ lái le
공구(工具) 工具 gōngjù
공군(空軍) 空军 kōngjūn
공금(公金) 公款 gōngkuǎn ¶~을 횡령하다 侵吞公款 qīntūn gōngkuǎn
공급(供給) 供给 gōngjǐ; 共应 gōngyìng ¶단백질의 ~원 蛋白质的供应源 dànbáizhì de gōngyìngyuán/시장에 물자를 ~하다 向市场共应物资 xiàng shìchǎng gōngyìng wùzī
공기《아이들 놀이》 抓子儿 zhuāzǐr〔chuǎzǐr〕
공기(空氣) ①《대기》 空气 kōngqì; 气 qì ¶창을 열어서 신선한 ~를 마시다 打开窗户呼吸新鲜空气 dǎkāi chuānghu hūxī xīnxiān kōngqì/자전거의 타이어에 ~를 넣다 给自行车的车胎打气 gěi zìxíngchē de chētāi dǎqì ②《분위기》 气氛 qìfēn; 空气 kōngqì ¶그의 발언으로 그 회의장의 ~가 일변하다 他的发言使会场的空气大变 tāde fāyán shǐ huìchǎng de kōngqì dà biàn ‖~ 전염 空气传播 kōngqì chuánbō/~총 气枪 qìqiāng
공동(共同) 共同 gòngtóng ¶우리들의 ~ 연구가 결실을 맺었다 我们的共同研究结了果 wǒmen de gòngtóng yánjiū jiēle guǒ ‖~ 성명 联合声明 liánhé shēngmíng/~ 작업 协作作业 xiézuò zuòyè
공명(共鳴) 共鸣 gòngmíng ¶소리굽쇠가 ~하다 音叉共鸣 yīnchā gòngmíng
공명정대(公明正大) 光明正大 guāng míng zhèng dà
공모(共謀) 同谋 tóngmóu; 共谋 gòngmóu ¶그들은 ~해서 사기를 친다 他们共谋诈骗 tāmen gòngmóu zhàpiàn
공무(公務) 公务 gōngwù; 公事 gōngshì ‖~원 公务员 gōngwùyuán
공백(空白) 空白 Kòngbái ¶전시중의 ~을 메우다 填补战争年代的空白 tiánbǔ zhànzhēng niándài de kòngbái
공범(共犯) 共同犯罪 gòngtóng fànzuì; 共犯 gòngfàn ¶그는 ~의 용의로 체포되었다 他因有共同犯罪的嫌疑被逮捕了 tā yīn yǒu gòngtóng fànzuì de xiányí bèi dàibǔ le ‖~자 共犯者 gòngfànzhě =〔同案犯 tóng'ànfàn〕

공복(空腹) 空肚子 kòngdùzi; 空腹 kòngfù ¶이 약은 ~시에 복용할 것 这药空心服用 zhè yào kòngxīn fúyòng / ~으로 머리가 어지럽고 눈이 잘보이지 않는다 肚子空得头晕眼花 dùzi kōngde tóuyūn yǎnhuā
공부(工夫) 学习 xuéxí; 念书 niànshū; 用功 yònggōng ¶이 아이는 ~를 열심히 한다 这孩子很用功 zhè háizi hěn yònggōng / 벼락치기 ~는 안 된다 学习临阵磨枪可不行 xuéxí línzhèn mó qiāng kě bù xíng
공사(工事) 工程 gōngchéng ¶~ 중이라 차량은 통행할 수 없다 这里正在施工, 车辆不能通过 zhèli zhèngzài shīgōng, chēliàng bùnéng tōngguò ‖~현장 工程现场 gōngchéng xiànchǎng =〔工地 gōngdì〕/ 도로 ~ 筑路工程 zhùlù gōngchéng =〔修路工程 xiūlù gōngchéng〕
공사(公私) 公私 gōngsī ¶~를 혼동해서는 안 된다 不得公私不分 bùdé gōngsī bù fēn
공사(公使) 公使 gōngshǐ ‖~관 公使馆 gōngshǐguǎn
공산주의(共産主義) 共产主义 gòngchǎng zhǔyì
공상(空想) 空想 kōngxiǎng; 虚想 xūxiǎng; 幻想 huànxiǎng ¶그녀는 늘 ~에 잠겨 있다 她老是沉湎于幻想 tā lǎoshi chénmiǎn yú huànxiǎng ‖~과학 소설 科学幻想小说 kēxué huànxiǎng xiǎoshuō
공세(攻勢) 攻势 gōngshì ¶~로 전환하다 转为攻势 zhuǎnwéi gōngshì
공손(恭遜) 恭敬 gōngjìng; 郑重 zhèngzhòng; 谦恭 qiāngōng ¶~한 말을 사용하십시오 说话要有礼貌 shuōhuà yào yǒu lǐmào / 그녀는 ~하게 인사했다 她恭恭敬敬地行礼问好 tā gōnggongjìngjing de xínglǐ wènhǎo
공수표(空手票) 空头支票 kōngtóu zhīpiào; 空头票据 kōngtóu piàojù ¶수백만 원의 ~를 발행하였다 开了数百万圆的空头票据 kāile shùbǎiwàn yuán de kōngtóu piàojù
공업(工業) 工业 gōngyè ‖~ 도시 工业城市 gōngyè chéngshì
공연히(空然…) 无缘无故地 wúyuán wúgù de; 徒然 túrán
공원(公園) 公园 gōngyuán ¶~에 놀러가다 逛公园去 guàng gōngyuán qù
공이 ① 杵 chǔ ¶~로 떡을 치다 用杵捣年糕 yòng chǔ dǎo niángāo ②《총의》 击针 jīzhēn
공인(公認) 公认 gōngrèn ¶세계 기록으로서 ~받다 被公认为世界记录 bèi gōngrèn wéi shìjiè jìlù
공일(空日), 공일날(空日…) 休息日 xiūxirì
공임(工賃) 工资 gōngzī; 工钱 gōngqián
공작(孔雀) 《鳥》 孔雀 kǒngquè
공장(工場) 工厂 gōngchǎng ‖~ 지대 工厂区 gōngchǎngqū / 자동차 ~ 汽车工厂 qìchē gōngchǎng
공저(共著) 合著 hézhù ¶세 사람의 ~로 된 저작 由三位合著的著作 yóu sān wèi hézhù de zhùzuò
공적(公的) 公的 gōngde; 公共的 gōnggòngde ¶이번의 여행은 ~인 성격을 띠고 있다 这次旅行具有公出的性质 zhè cì lǚxíng jùyǒu gōngchū de xìngzhì
공전(工錢) 工钱 gōngqián
공전(公轉) 公转 gōngzhuàn ¶지구는 태양의 주위를 ~한다 地球绕着太阳公转 dìqiú ràozhe tàiyáng gōngzhuàn
공전(空轉) 空转 kōngzhuàn ¶의론이 ~해서 결론이 나지 않다 议论纷纷得不出结论 yìlùn fēnfēndébuchū jiélùn
공정(工程) 工序 gōngxù; 工艺 gōngyì ¶자동차의 조립 ~ 汽车装配工序 qìchē zhuāngpèi gōngxù
공정(公定) 公定 gōngdìng; 法定 fǎdìng ‖~ 가격 法定价格 fǎdìng jiàgé
공제(控除) 扣除 kòuchú; 减除 jiǎnchú ¶수입에서 필요 경비를 ~하다 从收入中减除费用 cóng shōurùzhōng jiǎnchú fèiyòng ‖~액 减除额 jiǎnchú'é
공존(共存) 共存 gòngcún; 共处 gòngchǔ ‖평화 ~ 和平共处 hépíng gòngchǔ
공중(公衆) 公众 gōngzhòng ‖~ 도덕 公德 gōngdé / ~ 목욕탕 公共浴池 gōnggòngyùchí / ~ 변소 公共厕所 gōnggòngcèsuǒ =〔公厕 gōngcè〕/ ~ 위생 公共卫生 gōnggòng wèishēng / ~ 전화 公用电话 gōngyòng diànhuà
공중(空中) 空中 kōngzhōng ¶비행기가 ~에서 충돌하여 추락했다 飞机在空中相撞坠落了 fēijī zài kōngzhōng xiāng zhuāng zhuìluò le ‖~전 空战 kōngzhàn =〔空中战斗 kōngzhōng zhàndòu〕
공중제비(空中…) 跟头 gēntou; 筋斗 jīndǒu ¶~를 하다 翻〔打〕跟头 fān〔dǎ〕 gēntou
공증인(公證人) 公证人 gōngzhèngrén; 公证员 gōngzhèngyuán
공직(公職) 公职 gōngzhí ¶일체의 ~에서 물러나다 辞退所有的公职 cítuì suǒyǒu de gōngzhí
공짜 免费 miǎnfèi; 白 bái ¶이것이 100원이라니 ~같다 这个才一百块钱, 好像白给似的 zhège cái yībǎi kuài qián, hǎoxiàng bái gěi shìde
공책(空冊) 笔记本 bǐjìběn
공치사(功致辭) 自夸 zìkuā
공통(共通) 共同 gòngtóng ¶양자 사이에는 전연 ~점이 없다 两者之间毫无'共同之处〔共同点〕 liǎngzhě zhījiān háowú 'gòngtóng zhī chù〔gòngtóng diǎn〕 ‖~어 共同语 gòngtóngyǔ
공통적(共通的) 共通的 gòngtōngde
공판(公判) 公审 gōngshěn ‖~정 公审法庭 gōngshěn fǎtíng
공평(公平) 公平 gōngpíng; 公道 gōngdào ¶재산을 ~하게 분배하다 公平分配财产 gōngpíng fēnpèi cáichǎn ‖~ 무사(無私) 公正无私 gōng zhèng wú sī
공포(公布) 公布 gōngbù; 颁布 bānbù ¶이 법률은 ~일로부터 시행한다 本法律自公布之日起施行 běn fǎlǜ zì gōngbù zhī rì qǐ shīxíng
공포(空砲) 空砲 kōngpào; 空枪 kōngqiāng ¶~를 쏘다〔놓다〕 放空砲 fàng kōngpào
공포(恐怖) 恐怖 kǒngbù; 恐惧 kǒngjù; 恐慌 kǒnghuāng ¶~에 떨다 吓得全身战慄 xiàde quánshēn zhànlì
공항(空港) 机场 jīchǎng
공허(空虛) 空虚 kōngxū ¶때때로 ~한 기분이 엄습하다 时而感到空虚 shí'ér gǎndào kōngxū
공헌(貢獻) 贡献 gòngxiàn ¶그의 세계 평화에 대한 ~은 더없이 크다 他对世界和平贡献很大 tā duì shìjiè hépíng gòngxiàn hěn dà

공화국(共和國) 共和国 gònghéguó
공황(恐慌) 恐慌 kǒnghuāng ¶금융계는 ～ 상태에 빠졌다 金融界陷于恐慌状态 jīnróngjiè xiàn yú kǒnghuāng zhuàngtài
곶(串) 海角 hǎijiǎo; 岬角 jiǎjiǎo
곶감 柿饼 shìbǐng; 柿子干 shìzigān
과(科) ①《생물 분류의》 科 kē ¶고양이～의 동물 猫科动物 māokē dòngwù ②《연구 분야, 학과 따위의》 科 kē; 专业 zhuānyè; 系 xì ¶소아～의 의사 儿科医生 érkē yīshēng / 수학～의 학생 数学专业的学生 shùxué zhuānyè de xuésheng
과(課) ①《회사 따위의》 科 kē ¶～장 科长 kēzhǎng / 총무～ 总务科 zǒngwùkē / 이것은 어느 ～의 관할입니까 这是属哪一科管的? zhè shì shǔ nǎyìkēgǔande? ②《교과서 따위의》 课 kè ¶제 1～부터 복습하다 从第一课复习 cóng dìyí kè fùxí
과 ①《동작의 상대》 和 hé; 与 yǔ; 跟 gēn; 同 tóng ¶아이들～ 놀다 跟孩子玩儿 gēn háizi wánr / 곤란～ 싸우다 与困难作斗争 yǔ kùnnan zuò dòuzhēng ②《열거》 和 hé; 与 yǔ; 同 tóng ¶이것～ 저것 这个和那个 zhège hé nàge
과감(果敢) 果敢 guǒgǎn ¶용맹 ～하게 돌격하다 勇猛果敢往前冲 yǒngměng guǒgǎn wàng qián chōng
과거(過去) 过去 guòqù ¶～·현재(現在)·미래(未來) 已今当 yǐ jīn dāng / 그에게는 남에게 말 못할 ～가 있다 他有不可告人的过去 tā yǒu bùkě gào rén de guòqù
과격(過激) 过激 guòjī; 急进 jíjìn ¶병후에 ～한 운동은 삼가십시오 病后要避免激烈的运动 bìng hòu yào bìmiǎn jīliè de yùndòng
과녁 靶 bǎ; 靶子 bǎzi ¶～을 맞히다 中靶 zhòng bǎ =〔中的 zhòngdì〕/ 탄알은 ～을 벗어났다 子弹脱靶了 zǐdàn tuō bǎ le
과단(果斷) 果断 guǒduàn; 果决 guǒjué ¶～성 있는 조치가 많은 인명을 구했다 果断的措施救了许多人命 guǒduàn de cuòshī jiùle xǔduō rénmìng
과대(過大) 过大 guòdà; 过高 guògāo ¶상대방의 힘을 ～ 평가하다 对对方的力量估计过高 duì duìfāng de lìliang gūjì guògāo
과대(誇大) 夸大 kuādà ¶～하게 선전하다 夸大宣传 kuādà xuānchuán ‖～망상증 夸大狂 kuādàkuáng
과도(過渡) 过渡 guòdù ‖～기 过渡时期 guòdù shíqī ¶～기적 현상 过渡现象 guòdù xiànxiàng
과로(過勞) 疲劳过度 píláo guòdù; 过度劳累 guòdù láolèi ¶그녀는 ～가 쌓여서 병이 났다 她积劳成疾了 tā jīláo chéng jí le / ～하지 않도록 주의하십시오 注意不要过于劳累 zhùyì bùyào guòyú láolèi
과료(科料) 罚款 fákuǎn; 罚金 fájīn ¶5,000원의 ～ 처분을 받다 被罚五千块钱 bèi fá wǔqiān kuài qián
과목(科目) 科目 kēmù; 学科 xuékē ‖필수～ 必修科目 bìxiū kēmù
과민(過敏) 过敏 guòmǐn ¶그 사람은 조금 신경～이다 他有点儿神经过敏 tā yǒudiǎnr shéngjīng guòmǐn
과반수(過半數) 过半数 guòbànshù
과부(寡婦) 寡妇 guǎfù
과분(過分) 过分 guòfèn ¶～하게 칭찬해 주셔서 황송합니다 受了过分的夸奖, 实在不敢当 shòule guòfèn de kuājiang, shízài bùgǎndāng
과세(過歲) 过年 guònián
과소(過小) 过底 guòdī ¶적의 힘을 ～ 평가하다 对敌人的力量估计过底 duì dírén de lìliang gūjì guòdī
과수(果樹) 果树 guǒshù; 果木 guǒmù; 果木树 guǒmùshù ‖～원 果木园 guǒmùyuán =〔果园(儿〔子〕) guǒyuán(r〔zi〕)
과시(誇示) 夸示 kuāshì; 夸耀 kuāyào; 炫示 xuànshì; 炫耀 xuànyào ¶권력을 ～하다 炫示权力 xuànshì quánlì
과식(過食) 吃得过多 chīde guòduō
과실(果實) 果实 guǒshí →〔果子 guǒzi〕 ‖～주 果子酒 guǒzijiǔ
과실(過失) 错儿 cuòr; 过失 guòshī ¶～을 범하다 犯过失 fàn guòshī
과언(過言) 说得过火 shuōde guòhuǒ ¶그를 세계적 문호라 해도 ～이 아니다 称他为世界上的文豪也并非说得过火 chēng tā wéi shìjiè shang de wénháo yě bìng fēi shuōde guòhuǒ
과연(果然) 果然 guǒrán; 果真 guǒzhēn; 怪不得 guàibude ¶～ 그는 거기에 있었다 果真他在那儿了 guǒzhēn tā zài nàr le
과음(過飮) 饮酒过量 yǐnjiǔ guòliàng ¶～해서 머리가 아프다 喝酒过多头痛得厉害 hējiǔ guòduō tóuténgde lìhai
과일 水果 shuǐguǒ
과자(菓子) 《케이크》 糕点 gāodiǎn; 点心 diǎnxin; 《캔디》 糖果 tángguǒ ‖～점 点心铺 diǎnxinpù =〔糕点商店 gāodiǎn shāngdiàn〕
과장(誇張) 夸张 kuāzhāng; 夸大 kuādà ¶～해서 말하다 夸大其词地说 kuādà qí cí de shuō
과정(過程) 过程 guòchéng ¶발전 ～을 분석하다 分析发展的过程 fēnxī fāzhǎn de guòchéng
과정(課程) 课程 kèchéng ¶박사 ～을 수료하다 修完博士课程 xiūwán bóshì kèchéng
과중(過重) 过重 guòzhòng ¶그에게는 부담이 ～하다 对他来说负担过重 duì tā lái shuō fùdān guòzhòng
과하다(過…) 过分 guòfèn; 过于 guòyú
과학(科學) 科学 kēxué ¶너의 사고 방식은 ～적이 아니다 你的想法是不科学的 nǐde xiǎngfa shì bùkēxué de
관(棺) 棺 guān; 棺材 guāncai
관(管) 管儿 guǎnr; 管子 guǎnzi; 管道 guǎndào ¶수도 ～을 땅속에 묻다 把自来水管道埋在地中 bǎ zìláishuǐ guǎndào mái zài dì zhōng
관(罐) 罐 guàn; 罐头 guàntou ¶～을 열다 开罐头 kāi guàntou
관객(觀客) 观众 guānzhòng
관계(關係) 关系 guānxi; 相干 xiānggān ¶그는 뇌물 사건에는 전혀 ～가 없다 他与受贿案子毫无相干 tā yǔ shòuhuì ànzi háowú xiānggān / 저 남자와는 ～를 끊는 것이 좋다 跟那个男人最好断了关系 gēn nàge nánrén zuì hǎo duànle guānxi / 시간 ～로 일부를 생략하다 由于时间的关系省略一部分 yóuyú shíjiān de guānxi shěnglüè yí bùfen ‖～ 기관 有关'机关〔单位〕 yǒuguān 'jīguān〔dānwèi〕/ ～ 대명사 关系代词 guānxi dàicí

관공서(官公署) 机关 jīguān
관념(觀念) 观念 guānniàn ¶그녀는 경제 ～이 전혀 없다 她根本就没有经济观念 tā gēnběn jiù méiyǒu jīngjì guānniàn ‖～론 唯心论 wéixīnlùn
관능(官能) 官能 guānnéng ¶～을 자극하다 刺激肉欲 cìjī ròuyù / 저 여배우는 매우 ～적이다 那个女明星很肉感 nàge nǚmíngxīng hěn ròugǎn
관람(觀覽) 观看 guānkàn ¶～을 희망하시는 분은 안내소로 오십시오 希望参观的人请到问事处 xīwàng cānguān de rén qǐng dào wènshìchù ‖～료 观赏费 guānshǎngfèi / ～석 观看席 guānkànxí =〔看台 kàntái〕
관리(官吏) 官吏 guānlì; 做官的 zuòguānde
관리(管理) 管理 guǎnlǐ; 掌管 zhǎngguǎn ¶유산을 ～하다 管理遗产 guǎnlǐ yíchǎn ‖품질 ～ 质量管理 zhìliàng guǎnlǐ
관상(觀相) 谈相 tánxiàng
관상(觀象) 气象 qìxiàng ‖～대 ⇨기상
관성(慣性) 惯性 guànxìng ‖～의 법칙 惯性定律 guànxìng dìnglǜ =〔牛顿第一定律 Niúdùn dìyī dìnglǜ〕
관세(關稅) 关税 guānshuì ¶～를 가하다 课关税 kè guānshuì ‖～ 장벽 关税壁垒 guānshuì bìlěi
관습(慣習) 习惯 xíguàn; 传统习惯 chuántǒng xíguàn ¶～을 지키다 遵守社会习惯 zūnshǒu shèhuì xíguàn / ～에 따르다 服从常规 fúcóng chángguī ‖～법 习惯法 xíguànfǎ
관여(關與) 干预 gānyù; 参与 cānyù ¶국정에 ～하다 参与国家政治 cānyù guójiā zhèngzhì
관자놀이 太阳穴 tàiyángxué; 颞颥 nièrú
관절(關節) 关节 guānjié ¶팔의 ～이 어긋났다 胳膊的关节脱位了 gēbo de guānjié tuōwèi le
관찰(觀察) 观察 guānchá ¶개미의 습성을 자세하게 ～하다 详细地观察蚂蚁的习性 xiángxìde guānchá mǎyǐ de xíxìng
관철(貫徹) 贯彻 guànchè ¶초지를 ～하다 不改初衷 bù gǎi chūzhōng / 요구를 ～하다 把要求贯彻到底 bǎ yāoqiú guànchè dàodǐ
관측(觀測) 观测 guāncè; 观察 guānchá ¶월식을 ～하다 观测月食 guāncè yuèshí
관통(貫通) 穿透 chuāntòu ¶터널이 ～되었다 隧道打通了 suìdào dǎtōng le / ～ 총상을 입었다 受了贯穿枪伤 shòule guànchuān qiāngshāng
관할(管轄) 管辖 guǎnxiá ¶이것은 본 기관의 ～이 아니다 这不属于本机关管辖 zhè bùshǔyú běn jīguān guǎnxiá
관혼상제(冠婚喪祭) 红白事 hóngbáishì
괄호(括弧) 括号 kuòhào; 括弧 kuòhú ¶～를 치다 打上括号 dǎshàng kuòhào ¶2중 ～ 双括弧 shuāng kuòhú
광(光) 光 guāng ¶～나다 发亮 fāliàng / 마루를 닦아 ～을 내다 把地板打磨得光亮 bǎ dìbǎn *dǎmode guāngliàng*
광(狂) 迷 mí ¶영화～ 影迷 yǐngmí
광견(狂犬) 疯狗 fēnggǒu; 狂犬 kuángquǎn ‖～병 狂犬病 kuángquǎnbìng =〔恐水病kǒngshuǐbìng〕
광경(光景) 光景 guāngjǐng; 情景 qíngjǐng; 景象 jǐngxiàng ¶그 ～은 처참하기 그지없다 那情景简直惨不忍睹 nà qíngjǐng jiǎnzhí cǎn bùrěn dǔ
광고(廣告) 广告 guǎnggào ¶개점을 ～하다 出开张广告 chū kāizhāng guǎnggào ‖～비 广告费 guǎnggàofèi / ～판 广告板 guǎnggàobǎn =〔长贴 zhāngtiē〕
광대뼈 颧骨 quángǔ; 权骨 quángǔ
광맥(鑛脈) 矿脉 kuàngmài ¶유망한 ～을 파다 挖出有望的矿脉 wāchū yǒuwàng de kuàngmài
광물(鑛物) 矿物 kuàngwù
광산(鑛山) 矿山 kuàngshān
광석(鑛石) 矿石 kuàngshí
광선(光線) 光线 guāngxiàn ¶～의 굴절 光线的折射 guāngxiàn de zhéshè / 이 위치는 ～의 상태가 좋지 않다 这个位置光线不好 zhège wèizhì guāngxiàn bù hǎo
광야(廣野) 旷野 kuàngyě
광장(廣場) 广场 guǎngchǎng
광채(光彩) 光彩 guāngcǎi ¶그 그림이 전람회에 ～를 더해 주고 있다 那幅画给展览会增添了光彩 nà fú huà gěi zhǎnlǎnhuì zēngtiānle guāngcǎi
괘씸하다 不像话 búxiànghuà; 岂有此理 qǐyǒucǐlǐ; 蛮不讲理 mánbùjiǎnglǐ ¶괘씸한 놈 混账东西 hùnzhàng dōngxi / 이렇게까지 기다리게 하는 것은 정말로 ～ 让我这么死等, 真不像话 ràng wǒ zhème sǐ děng, zhēn bù xiànghuà
괘종시계(掛鍾時計) 挂钟 guàzhōng
괜찮다 《좋다》 好 hǎo; 行xíng; 《상관없다》 可以 kěyǐ; 没关系 méi guānxi ¶이것은 품질이 ～ 这个质量好 zhège zhìliàng hǎo / 이제 돌아가도 ～ 你可以回去了 nǐ kěyǐ huíqu le / 이 건물은 지진이 나도 ～ 这建筑发生地震也不要紧 zhè jiànzhù fāshēng dìzhèn yě bù yàojǐn / 나는 어느 쪽이건 ～ 我哪个都行 wǒ nǎge dōu xíng / 얼마든지 괜찮으니까 필요한 만큼 가져 가거라 多少都没关系, 你要多少就拿多少去吧 duōshao dōu méi guānxi, nǐ yào duōshao jiù ná duōshao qù ba
괜히 无缘无故地 wúyuán wúgùde
괭이 锄 chú
괴기소설(怪奇小說) 恐怖小说 kǒngbù xiǎoshuō
괴다[1] 《물이》 存水 cúnshuǐ ¶비가 내려서 길에 물이 괴어 있다 雨停了, 路上'存了一些水〔有积水〕 yǔtíngle, lùshàng 'cúnle yì xiē shuǐ〔yǒu jīshuǐ〕
괴다[2] 《받치다》 支撑 zhīcheng ¶(기울어진) 초가집을 나무 받침대로 ～ 用木头架〔顶; 戗〕住倾斜的茅屋 yòng mùtou jià〔dǐng, qiàng〕zhù qīngxié de máowū
괴롭다 ① 《고통스러움》 难受 nánshòu; 困难 kùnnan; 痛苦 tòngkǔ ¶숨쉬기가 ～ 呼吸困难 hūxī kùnnan ② 《곤란함》 苦 kǔ; 困难 kùnnan ¶그는 괴로운 입장에 빠졌다 他被逼到困难的境地 tā bèi bīdào kùnnan de jìngdì
괴롭히다 折磨 zhémo ¶그렇게까지 자신을 괴롭히지 마라 别那么折磨自己 bié nàme zhémo zìjǐ / 기계(奇計)를 써서 적을 몹시 ～ 用奇计使敌人疲于奔命 yòng qíjì shǐ dírén píyú bēnmìng
괴물(怪物) 怪物 guàiwu
괴상(怪常) 奇怪 qíguài; 古怪 gǔguài〔guai〕
괴한(怪漢) 歹徒 dǎitú; 可疑的人 kěyí de rén

¶난민을 ～하다 救济难民 jiùjì nànmín

구제(驅除) 消灭 xiāomiè; 扑灭 pūmiè; 灭绝 mièjué ¶모기와 파리를 ～하다 消灭蚊蝇 xiāomiè wényíng

구조(救助) 救助 jiùzhù; 拯救 zhěngjiù; 搭救 dājiù ¶인명 ～로 표창을 받다 搭救人命受到表扬 dājiù rénmìng shòudào biǎoyáng ‖～ 사다리 安全梯 ānquántī

구조(構造) 构造 gòuzào; 结构 jiégòu ¶기계의 ～가 매우 복잡하다 机器构造复杂极了 jīqì gòuzào fùzá jíle

구중중하다 潮渌渌不洁净 cháolùlù bùjiéjìng

구직(求職) 谋事 móushì; 找事 zhǎoshì ¶～으로 분주하다 为寻找工作而奔波 wèi xúnzhǎo gōngzuò ér bēnbō

구질구질하다 潮湿地不干净 cháoshīde bù gānjìng

구차하다(苟且…) 又穷窘又小气 yòu qióngjiǒng yòu xiǎoqi ¶남에게 구차한 소리를 하다 恳求别人的周济 kěnqiú biérén de zhōujì

구체(具體) 具体 jùtǐ ¶～안을 내다 提出具体建议 tíchū jùtǐ jiànyì / 좀더 ～적인 설명을 해 주십시오 请再具体地给说明一下 qǐng zài jùtǐde gěi shuōmíng yíxià

구축(驅逐) 驱逐 qūzhú ¶영해로부터 적함을 ～하다 从领海把敌舰驱逐出去 cóng lǐnghǎi bǎ díjiàn qūzhú chūqu

구출(救出) 救出 jiùchū ¶생매장당한 사람을 ～하다 把被活埋的人救出来 bǎ bèi huómái de rén jiùchūlai

구충제(驅蟲劑) 驱虫剂 qūchóngjì; 打虫子药 dǎ chóngzi yào

구치(拘置) 拘留 jūliú ¶피고인을 ～하다 拘留被告人 jūliú bèigàorén ‖～소 拘留所 jūliúsuǒ

구타(毆打) 殴打 ōudǎ

구태여 特意 tèyì; 特地 tèdì; 一定 yídìng ¶꼭 돌아가야 한다면 ～ 붙잡지는 않겠다 你一定要回去, 我也不强留你 nǐ yídìng yào huíqu, wǒ yě bù qiǎng liúnǐ

구하다(求…) 求 qiú; 寻求 xúnqiú; 谋求móuqiú ¶직업을 ～ 谋求职业 móuqiú zhíyè =〔找工作zhǎo gōngzuò〕/ 3각형의 면적을 ～ 求三角形的面积 qiú sānjiǎoxíng de miànji

구하다(救…) 救 jiù; 搭救 dājiù; 挽救 wǎnjiù; 拯救 zhěngjiù; 救济 jiùjì ¶물에 빠진 아이를 배로 구해 올리다 把溺水的孩子救上船来 bǎ nì shuǐ de háizi jiùshàng chuán lái / 의학의 발달이 많은 인명을 구했다 医学的发达挽救了很多人的生命 yīxué de fādá wǎnjiùle hěnduō rén de shēngmìng

구호(口號) 口号 kǒuhào ¶～를 외치다 喊口号 hǎn kǒuhào

구혼(求婚) 求婚 qiúhūn ¶그녀에게 ～하다 向她求了婚 xiàng tā qiúle hūn

구획(區畫·區劃) 划分 huàfēn; 区划 qūhuà ¶토지를 ～ 정리하다 对土地进行区划整理 duì tǔdì jìnxíng qūhuà zhěnglǐ

국 菜汤 càitāng; 汁水 zhīshuǐ ¶맑은장～ 清汤 qīngtāng

국(局) ①《관청의》局 jú; 司 sī ¶방송～ 广播电台 guǎngbō diàntái / 사무～ 事务局 shìwùjú ②《바둑의 한 판》一盘棋 yī pán qí ¶한 ～ 두다 下一盘棋 xià yī pán qí

국가(國家) 国家 guójiā

국경(國境) 国境 guójìng; 国界 guójiè ¶～을 지키다 守卫国境 shǒuwèi guójìng / 예술에 ～이 없다 艺术是没有国界的 yìshù shì méiyǒu guójiè de

국경일(國慶日) 国庆日 guóqìngrì

국고(國庫) 国库 guókù

국교(國交) 国交 guójiāo; 邦交 bāngjiāo ¶～를 맺다 建立邦交 jiànlì bāngjiāo

국기(國旗) 国旗 guóqí ¶～를 게양하다 悬挂国旗 xuánguà guóqí

국무총리(國務總理) ⇨총리(總理)

국물 ① 汤 tāng; 汁儿 zhīr ②《이득》油水(儿) yóushui(r) ¶저 자리는 ～이 많다 那个职位油水大 nàge zhíwèi yóushui dà

국민(國民) 国民 guómín ¶모든 ～은 법 앞에 평등하다 全体国民在法律面前一律平等 quántǐ guómín zài fǎlǜ miànqián yīlǜ píngděng ‖～ 소득 国民收入 guómín shōurù / ～ 총생산 国民生产总值 guómín shēngchǎn zǒngzhí

국민학교(國民學校) ⇨초등 학교(初等學校)

국부(局部) ①《일부》局部 júbù ②《생식기》阴部 yīnbù ‖～ 마취 局部麻醉 júbù mázuì

국산(國産) 国产 guóchǎn ‖～품 国产商品 guóchǎn shāngpǐn =〔国货 guóhuò〕

국수 面 miàn; 面条(儿) miàntiáo(r)

국어(國語) 国语 guóyǔ

국영(國營) 国营 guóyíng ¶기업의 ～화를 도모하다 谋求企业国营化 móuqiú qǐyè guóyínghuà

국외(國外) 国外 guówài ¶～로 추방하다 驱逐出境 qūzhú chūjìng

국운(國運) 国运 guóyùn; 国家命运 guójiā mìngyùn ¶～을 건 전쟁 关系到国家命运的战争 guānxi dào guójiā mìngyùn de zhànzhēng

국자 勺子 sháozi; 勺儿 sháor; 舀子 yǎozi; 舀儿 yǎor ¶～로 국물을 뜨다 用舀子舀汤 yòng yǎozi yǎo tāng

국적(國籍) 国籍 guójí ¶이중 ～ 双重国籍 shuāngchóng guójí / ～불명의 비행기가 영공을 침범하다 国籍不明的飞机侵犯了领空 guójí bùmíng de fēijī qīnfànle lǐngkōng

국정(國政) 国政 guózhèng ¶～에 참여하다 参与国家政治 cānyù guójiā zhèngzhì

국제(國際) 国际 guójì ¶～적 색채가 짙은 회의 富于国际色彩的聚会 fùyú guójì sècǎi de jùhuì / ～ 문제로 발전하다 发展成为国际问题 fāzhǎn chéngwéi guójì wèntí

국한(局限) 局限 júxiàn ¶범위를 A지구로 ～하여 조사하다 把范围局限于A地区进行调查 bǎ fànwéi júxiàn yú A dìqū jìnxíng diàochá

국한(國漢) 韩中 Hánzhōng

국화(菊花) 菊花 júhuā

국화(國花) 国花 guóhuā

국회(國會) 国会 guóhuì; 立法院 lìfǎyuàn ‖～의원 国会议员 guóhuì yìyuán

군것질 ①《아이들의》零食 língshí ¶이 아이는 ～을 좋아한다 这孩子好买零食吃 zhè háizi hào mǎi língshí chī ②《성적인》偷汉子 tōu hànzi

군기(軍紀) 军纪 jūnjì ¶～를 어지럽히다 扰乱军纪 rǎoluàn jūnjì

군단(軍團) 军团 jūntuán

군대(軍隊) 军队 jūnduì ¶～에 들어가다 参军 cānjūn =〔入伍 rùwǔ〕

군말 赘言 zhuìyán; 赘词 zhuìcí ¶본서의 진가에 대해서는 ～이 필요없다 关于本书的真正价值无须赘言 guānyú běn shū de zhēngzhèng jiàzhí wúxū zhuìyán
군밤 烤栗子 kǎolìzi
군비(軍備) 军备 jūnbèi ¶～를 확장하다 扩充军备 kuòchōng jūnbèi =〔扩军 kuòjūn〕/～를 축소하다 裁减军备 cáijiǎn jūnbèi =〔裁军 cáijūn〕
군사(軍事) 军事 jūnshì ¶～ 행동을 취하다 采取军事行动 cǎiqǔ jūnshì xíngdòng =〔诉诸武力 sù zhū wǔlì〕‖～력 军事力量 jūnshì lìliang〕
군살 ¶～이 올랐다 虚胖了 xūpàng le
군소리 闲话 xiánhuà; 废话 fèihuà
군식구(…食口) 吃闲饭的 chīxiánfàn de
군인(軍人) 军人 jūnrén ¶～이 되다 当军人 dāng jūnrén
군중(群衆) 群众 qúnzhòng; 人群 rénqún ¶연도의 ～에게 손을 흔들다 向沿途群众招手 xiàng yántú qúnzhòng zhāoshǒu
군집(群集) 群集 qúnjí
군함(軍艦) 军舰 jūnjiàn
굳건하다 坚强 jiānqiáng; 巩固 gǒnggù ¶그는 의지가 ～ 他意志坚强 tā yìzhì jiānqiáng
굳다 ①《견고》 紧 jǐn ¶그의 의지는 ～ 他的意志很坚强〔坚定〕tāde yìzhì hěn jiānqiáng〔jiāndìng〕/굳은 악수를 나누다 紧紧地握手 jǐnjǐnde wòshǒu ②《표정 · 태도 등이》 ¶긴장 때문에 얼굴이 굳어 있다 紧张得绷紧了脸 jǐnzhāngde běngjǐnle liǎn ③《응결》 凝 níng; 凝固 nínggù; 凝结 níngjié; 硬结 yìngjié ¶석고가 굳었다 石膏硬结了 shígāo yìngjié le/기름이 굳었다 油凝住了 yóu níngzhù le/비온 뒤에 땅이 굳어진다 不打不成交 bù dǎ bù chéngjiāo =〔不打不相识bù dǎ bù xiāngshí〕
굳세다 心肠坚硬 xīnchang jiānyìng; 坚强 jiānqiáng ¶굳세게 살아갈 것을 결심하다 决心坚强地活下去 juéxīn jiānqiángde huóxiàqu
굳이 硬 yìng; 一定 yídìng ¶～ 바라신다면 양보해 드리지요 如果您一定要, 就让给您吧 rúguǒ nín yīdìng yào, jiù ràng gěi nín ba
굴 《貝》 牡蛎 mǔlì; 蚝 háo
굴(窟) 山洞 shāndòng
굴곡(屈曲) 弯曲 wānqū ¶～이 많은 산길 弯曲的山路 wānqū de shānlù/～이 심한 해안선 犬牙交错的海岸线 quǎnyá jiāocuò de hǎi'ànxiàn
굴뚝 ⇨ 연통(煙筒)
굴레 ①《마소의》 马笼头 mǎlóngtou ②《속박》 羁绊 jībàn
굴리다《굴러가게》 滚 gǔn ¶공을 ～ 滚皮球 gǔn píqiú/나무통을 굴려서 운반하다 滚动木桶搬运 gǔndòng mùtǒng bānyùn
굴절(屈折) 折射 zhéshè ¶빛은 물에 들어가서 ～하다 光一进人水里就折射 guāng yí jìnrù shuǐ li jiù zhéshè ‖～어 屈折语 qūzhéyǔ ～율 折射率 zhéshèlǜ
굵다《가늘지 않다》 粗 cū ¶굵은 나무 줄기 粗树干 cū shùgàn/굵은 목소리 粗声 cūshēng/그는 신경이 ～ 他对小事不在意 tā duì xiǎoshì bù zàiyì
굶다 缺食 quēshí; 不吃饭 bùchīfàn
굶주리다 挨饿 āi'è; 饥驱 jīqū ¶굶주린 이리떼에 습격 당하다 遭一群饿狼袭击 zāo yì qún èláng xíjī
굶주림 饿 è; 饥饿 jī'è ¶～과 추위에 고생하다 挨饿受冻 ái'è shòudòng =〔冻饿交加 dòng'è jiāojiā〕
굼뜨다 动作缓慢迟钝 dòngzuò huǎnmàn chídùn
굼벵이 蛴螬 chícaó
굽 ①《소 · 말》 蹄 tí; 蹄子 tízi ¶말발～ 소리 马蹄声 mǎtíshēng ②《신의》 后跟 hòugēn ¶～이 높은 신 后跟高的鞋 hòugēn gāo de xié =〔高跟鞋 gāogēnxié(하이힐)
굽다[1] ①《음식을》 烤 kǎo ¶고구마를 ～ 烤白薯 kǎo báishǔ/고기를 ～ 烤肉 kǎo ròu/빵 굽는 사람이 빵을 ～ 面包师傅烤面包 miànbāo shīfu kǎo miànbāo ②《숯 · 벽돌 · 도자기 등을》 烧制 shāozhì ¶도자기를 ～ 烧制陶器 shāozhì táoqì
굽다[2] 《휘다》 弯曲 wānqū
굽실거리다 点头哈腰 diǎntóuhāyāo; 谄媚 chǎnmèi ¶머리를 굽실거리며 사과하다 点头哈腰地赔不是 diǎntóuhāyāo de péi bùshi/그는 늘 상사에게 예예하고 굽실거린다 他总是对上司溜须拍马 tā zǒngshì duì shàngsi liū xū pāi mǎ
굽어보다 往下看 wàngxià kàn; 鸟瞰niǎokàn
굽이 拐角处 guǎi jiǎo chù ¶～치다 卷成旋涡 quán chéng xuànwō
굽히다 ①《허리를》 折腰 zhéyāo; 弯腰 wānyāo ¶허리를 굽히고 인사하다 弯腰行礼 wānyāo xínglǐ ②《지조를》 ¶지조를 ～ 屈节 qūjié =〔失节shījié〕
궁금하다 惦念 diàn niàn; 担心 dān xīn; 惦着 diàn zhe ¶환자의 용태가 ～ 病人的病情叫人'担心〔不放心〕bìngrén de bìngqíng jiào rén 'dānxīn〔bùfàngxīn〕
궁둥방아 坐倒 zuòdǎo ¶～를 찧다 闹个屁股蹲儿 nào ge pìgu dūnr
궁둥이 屁股 pìgu; 臀部 túnbù ¶그는 ～가 무겁다 他屁股沉 tā pìgu chén
궁리(窮理) 想办法 xiǎng bànfa ¶～에 잠기다 左思右想 zuǒ sī yòu xiǎng
궁상(窮狀) 穷气 qióngqì; 贫气 pínqi
궁전(宮殿) 宫殿 gōngdiàn
궁하다(窮…) 《…할 바를 모르다》 穷 qióng ¶추궁을 당하게 되니 답변에 ～ 被追问得哑口无言 bèi zhuīwènde yǎkǒuwúyán/궁하면 통한다 穷极智生 qióng jí zhì shēng =〔车到山前必有路 chē dào shān qián bì yǒu lù〕
…권(…券) 票 piào; 券 quàn ‖우대～ 优待券 yōudàiquàn
권고(勸告) 劝告 quàngào ¶의사의 ～에 따라서 휴양하다 听从大夫的劝告休养 tīngcóng dàifu de quàngào xiūyǎng
권력(權力) 权力 quánlì; 权柄 quánbing ¶～ 다툼에서 패했다 他在争夺权力的斗争中败北了 tā zài zhēngduó quánlì de dòuzhēng zhōng bàiběi le
권리(權利) 权利 quánlì ¶～를 행사하다 行使权利 xíngshǐ quánlì ‖～금 顶费 dǐngfèi =〔顶钱 dǐngqián〕
권위(權威) 权威 quánwēi ¶그 문제에 관해서 가장 ～ 있는 책 关于那个问题最有权威性的书籍 guānyú nàge wèntí zuì yǒu quánwēixìng de shūjí

권척(卷尺)《줄자》 卷尺 juǎnchǐ; (금속의) 链尺 liànchǐ
권태(倦怠) 倦怠 juàndài ¶매일 매일의 일에 ～를 느끼다 对每天的工作感到厌倦 duì měitiān de gōngzuò gǎndào yànjuàn
권하다(勸…) ①《음식물 등을》 ¶술을 ～ 劝〔敬〕酒 quàn〔jìng〕jiǔ / 손님에게 방석을 ～ 请客人垫坐垫儿 qǐng kèrén diàn zuòdiànr ②《권고》 劝 quàn ¶입회를 ～ 劝人会 quàn rù huì / 기분 전환으로 여행을 ～ 劝他去旅行散散心 quàn tā qù lǚxíng sànsan xīn ③《장려》 ¶독서를 ～ 劝勉读书 quànmiǎn dúshū
권한(權限) 权限 quánxiàn ¶그것은 나의 ～ 밖의 일이다 那是我权限以外的事 nà shì wǒ quánxiàn yǐwài de shì
궐련 纸烟 zhǐyān; 卷烟 juǎnyān; 烟卷儿 yānjuǎnr; 香烟 xiāngyān
궤변(詭辯) 诡辩 guǐbiàn; 狡辩 jiǎobiàn ¶～을 늘어놓다 进行诡辩 jìnxíng guǐbiàn
궤짝 柜子 guìzi; 箱子 xiāngzi
귀 ①《듣는》 耳朵 ěrduō ¶추워서 ～가 떨어져 나갈 것 같다 冷得耳朵要掉了似的 lěngde ěrduo yào diào le sìde / ～에 물이 들어갔다 耳朵眼儿里进水了 ěrduoyǎnr li jìn shuǐ le / 학생의 의견에 ～를 기울이다 倾听学生的意见 qīngtīng xuésheng de yìjiàn ②《귓바퀴》 ¶～가 선 개 竖着耳朵的狗 shùzhe ěrduo de gǒu / 부끄러워서 ～ 뿌리까지도 빨개졌다 羞得连耳根都红了 xiūde lián ěrgēn dōu hóng le
귀고리 耳环 ěrhuán; 〈俗〉耳坠(子, 儿) ěrzhuì(zi, r)
귀국(歸國) 回国 huíguó; 归国 guīguó ¶～길에 오르다 踏上归国之途 tàshàng guīguó zhī tú
귀뚜라미 蟋蟀 xīshuài; 促织 cùzhī; 〈方〉 蛐蛐儿 qūqur
귀띔하다 念央儿 niànyāngr
귀머거리 聋子 lóngzi
귀먹다 聋了 lóngle
귀성(歸省) 归省 guīxǐng; 省亲 xǐngqīn; 回乡 huíxiāng ¶정월 휴가에 ～하다 到了年假就回乡探亲 dàole niánjià jiù huíxiāng tànqīn
귀순(歸順) 归顺 guīshùn; 投诚 tóuchéng
귀신(鬼神) 鬼神 guǐshén
귀얄 刷子 shuāzi; 刷儿 shuār ¶～로 풀을 바르다 用刷子刷糨子 yòng shuāzi shuā jiàngzi
귀엣말 咬耳朵 yǎo'ěrduo; 耳语 ěryǔ ¶살짝 ～을 하다 私下耳语 sīxià ěryǔ
귀여워하다 疼 téng; 疼爱 téng'ài ¶아이를 ～ 疼〔疼爱〕孩子 téng〔téng'ài〕 háizi / 동물을 ～ 爱护动物 àihù dòngwù
귀엽다 可爱 kě'ài ¶누구나 제 아이는 귀여운 법이다 谁都觉得自己孩子可爱 shuí dōu juéde zìjǐ de háizi kě'ài / 귀여운 자식은 고생을 시켜라 人是苦虫, 不打不成人 rén shì kǔchóng, bù dǎ bù chéng rén =〔棒打出孝子bàng dǎchū xiàozǐ〕
귀이개 耳挖子 ěrwāzi; 〈方〉耳挖勺儿ěrwāsháor ¶～로 귀지를 후비다 用耳挖子掏耳垢 yòng ěrwāzi tāo ěrgòu
귀족(貴族) 贵族 guìzú
귀중(貴重) 贵重 guìzhòng; 宝贵 bǎoguì ¶～한 경험을 얻다 获得了宝贵的经验 huòdéle bǎoguì de jīngyàn / ～한 시간을 내주셔서 감사합니다 谢谢您为我抽出宝贵的时间 xièxie nín wèi wǒ chōuchū bǎoguì de shíjiān →〔宝贵 bǎoguì〕 ‖ ～품 贵重物品 guìzhòng wùpǐn
귀지 耳垢 ěrgòu →〔耳屎 ěrshǐ〕〔耳塞 ěrsai〕〔盯聍 dīngníng〕
귀찮다 讨厌 tǎoyàn; 麻烦 máfan ¶귀찮은 파리 讨厌的苍蝇! tǎoyàn de cāngying / 귀찮게 달라붙다 死缠人 sǐ chán rén / 귀찮은 문제가 생겼다 发生了麻烦的问题 fāshēngle máfan de wèntí
귀퉁이 角(儿) jiǎo(r) ¶～를 깎다 削角儿 xiāo jiǎor
귀하다(貴…) 《가치가》 罕有的 hǎnyǒu de →〔新奇xīnqí〕
귀향(歸鄕) 回乡 huíxiāng; 返乡 fǎnxiāng; 归省 guīxǐng ¶매년 정월에는 ～한다 每年新年回乡 měi nián xīnnián huíxiāng
귀화(歸化) 人籍 rùjí; 归化 guīhuà ¶한국에 ～하다 人韩国籍 rù Hánguójí
귓구멍 耳窍 ěrqiào; 耳朵眼儿 ěrduoyǎnr
귓불 耳垂儿 ěrchuír; 耳朵垂儿 ěrduochuír
귓속말 耳语 ěryǔ
규격(規格) 规格 guīgé; 标准 biāozhǔn ¶이 제품은 ～에 맞지 않는다 这个货不合规格 zhège huò bùhé guīgé ‖ ～품 规格品 guīgépǐn =〔标准件 biāozhǔnjiàn〕
규명(糾明) 查究 chájiū; 根究 gēnjiū ¶독직 사건을 ～하다 追究贪污事件 zhuījiū tānwū shìjiàn
규모(規模) 规模 guīmó ¶전국적인 ～로 거행하다 以全国性的规模举行 yǐ quánguóxìng de guīmó jǔxíng
규율(規律) 纪律 jìlǜ ¶～을 지키다 遵守纪律 zūnshǒu jìlǜ / ～이 엄하다 纪律很严 jìlǜ hěn yán
규칙(規則) 章程 zhāngchéng; 规则 guīzé; 规章 guīzhāng ¶～을 정하다 定规则 dìng guīzé / ～적인 생활을 하다 过有规律的生活 guò yǒu guīlǜ de shēnghuó =〔按时作息, 起居有恒 ànshí zuòxī, qǐjū yǒuhéng〕
균열(龜裂) 裂口(儿) lièkǒu(r); 裂缝(儿) lièfèng(r); 裂痕 lièhén; 龟裂 jūnliè ¶지진으로 도로에 ～이 생겼다 由于地震路上出了裂口 yóuyú dìzhèn lùshàng chūle lièkǒu
균형(均衡) 均衡 jūnhéng ¶수출입의 불～을 시정하다 纠正进出口的不均衡 jiūzhèng jìnchūkǒu de bù jūnhéng
귤(橘) 橘子 júzi; 桔子 júzi; 蜜柑 mìgān
그 那 nà; 那个 nàge; 《그 사람》他 tā; 〈古白〉伊 yī ¶～ 건물은 우리들의 학교입니다 那座建筑物是我们学校 nà zuò jiànzhùwù shì wǒmen xuéxiào
그것 那 nà; 那个 nàge ¶～은 무엇입니까? 那是什么? nà shì shénme? / 네가 갖고 있는 ～이 바로 ～이다 你拿着的那个就是 nǐ názhe de nàge jiùshì
그글피 大大后天 dàdàhòutiān
그끄러께 大前年 dàqiánnián
그끄저께 大前天 dàqiántiān
그냥 就那样 jiù nàyàng; 照旧 zhàojiù ¶그것은 ～ 두고서 빨리 가라 那儿就那样放着赶快去吧 nàr jiù nàyàng fàngzhe gǎnkuài qù ba
그네 秋千 qiūqiān; 鞦韆 qiūqiān ¶～ 뛰다 打〔荡〕鞦韆 dǎ〔dàng〕 qiūqiān
그늘 阴儿 yīnr; 阴影 yīnyǐng ¶나무 ～에서 책을 읽다 在树荫下看书 zài shùyīn xià kàn shū

저 사람은 어딘가 ～져 있다 那个人总使人觉得有一个阴影 nàge rén zǒng shǐ rén juéde yǒu yí ge yīnyǐng
그다지 不很… bù hěn…; 不大… bù dà…; 不怎么… bù zěnme… ¶～ 뜨겁지 않다 不很热 bù hěn rè / 가격은 ～ 비싸지 않다 价钱不怎么贵 jiàqian bù zěnme guì
그득하다 充满 chōngmǎn; 多的很 duō dē hěn
그때 那时 nà shí; 那时候 nà shíhou ¶～ 나는 아직 학생이었다 那时候我还是学生 nà shíhou wǒ hái shì xuésheng
그라운드(ground) 运动场 yùndòngchǎng; 体育场 tǐyùchǎng; 操场 cāochǎng; 球场 qiúchǎng
그래도 된다 那样也可以 nàyàng yě kěyǐ
그래서 所以 suǒyǐ; 因此 yīncǐ ¶나 혼자는 어찌 해야 좋을지 몰라서 ～ 너와 의논하러 왔다 我一个人不知道怎么办好，因此跟你商量来了 wǒ yí ge rén bù zhīdào zěnme bàn hǎo, yīncǐ gēn nǐ shāngliang lái le
그램(gram) 克 kè; 公分 gōngfēn
그러께 前年 qiánnián
그러나 可是 kěshì; 不过 búguò; 可 kě; 但是 dànshì; 但 dàn; 然而 rán'ér ¶그녀는 노력하고 있으나, ～ 조금도 진보가 없다 她虽很努力，但一点儿也没有进步 tā suī hěn nǔlì, dàn yìdiǎnr yě méiyǒu jìnbù / ～ 그의 말에도 일리가 있다 不过他说的也有点儿道理 búguò tā shuō de yě yǒu diǎnr dàoli
그러면 那 nà; 那么 nàme; 那样 nàyàng ¶～ 내일 다시 얘기합시다 那么明天再说吧 nàme míngtiān zài shuō ba
그러모으다 把…耙到一处 bǎ…pá dào yí chù; 搜罗 sōuluo
그러므로 因此 yīncǐ; 因而 yīn'ér; 所以suǒyǐ ¶10은 2의 배수이다, ～ 10은 짝수이다 十是二的倍数，所以十是偶数 shí shì èr de bèishù, suǒyǐ shí shì ǒushù
그렁그렁《눈물이》满眼含泪 mǎnyǎn hánlèi
그렇게 那么 nàme ¶～ 싫다면 그만둬도 됩니다 那么不愿意，就别干了 nàme bù yuànyì, jiù bié gàn le
그렇고말고요 是呀 shìya; 谁说不是呢 shuí shuō bú shì ne
그루 株 zhū; 棵 kē ¶한 ～의 나무 一棵树 yì kē shù / 목단 한 ～를 심다 种一棵牡丹 zhòng yì kē mǔdan
그룹(group) 小组 xiǎozǔ ¶～으로 나누어서 토론하다 分组讨论 fēn zǔ tǎolùn / 아이들을 5개의 ～으로 나누다 把孩子分成五个小组 bǎ háizi fēnchéng wǔ ge xiǎozǔ
그르다《옳지 못함》错 cuò; 不好 bùhǎo
그르치다 搞坏 gǎohuài; 弄错 nòngcuò
그릇 ①《기구》碗 wǎn; 器具 qìjù; 器皿qìmǐn; 盛器 chéngqì; 容器 róngqì ¶이 요리를 담으려면 큰 ～이 좋다 要盛这菜，最好拿大些的器皿 yào chéng zhè cài, zuì hǎo ná dà xiē de qìmǐn / 물은 ～ 모양에 따라 달라진다 水随方圆之器 shuǐ suí fāngyuán zhī qì ②《기량》器量 qìliàng; 气量 qìliàng ¶그는 그 정도의 ～은 아니다 他没有那种器量 tā méiyǒu nà zhǒng qìliàng =〔他可不是那块料 tā kě bùshì nà kuài liào〕
그리고 而且 érqiě; 又 yòu
그리다[1] ①《그림을》画 huà; 描画 miáohuà; 描绘 miáohuì ¶캔버스에 아름다운 풍경을 ～ 在画布上画了一幅美丽的风景 zài huàbù shang huàle yī fú měilì de fēngjǐng / 마음에 커다란 꿈을 ～ 在心里描画远大的理想 zài xīnli miáohuà yuǎndà de lǐxiǎng ②《묘사》描写 miáoxiě; 描摹 miáomó ¶당시의 민중 생활을 그린 소설 描写当时民众生活的小说 miáoxiě dāngshí mínzhòng shēnghuó de xiǎoshuō
그리다[2]《사모》怀念 huáiniàn; 恋慕 liànmù; 思慕 sīmù
그리스도교(Christ教) 基督教 Jīdūjiào
그림 画儿 huàr; 图画 túhuà; 绘画huìhuà ¶～을 그리다 画画儿 huà huàr / ～이 들어간 책 带图画的书 dài túhuà de shū / ～의 떡 画饼充饥 huà bǐng chōngjī
그림물감 颜料 yánliào
그림자 影子 yǐngzi; 影儿 yǐngr ¶수면에 산의 ～가 비치다 水面上倒映着山影 shuǐmiàn shang dàoyìngzhe shānyǐng / 자신의 ～에도 놀라다 连自己的影子也怕 lián zìjǐ de yǐngzi yě pà =〔风声鹤唳，草木皆兵 fēngshēnghèlì, cǎomù jiē bīng〕
그림책(…冊) ① 图画书 túhuàshū ②《어린이용》连环图画 liánhuán túhuà; 连环画 liánhuánhuà; 小人儿书 xiǎorénrshū
그립다 怀念 huáiniàn; 想念 xiǎngniàn; 思念 sīniàn; 爱慕 àimù; 思慕 sīmù ¶어머니가 ～ 我真想念母亲 wǒ zhēn xiǎngniàn mǔqin / 고향이 ～ 怀念故乡 huáiniàn gùxiāng / 그녀가 그리워 못 견디겠다 我非常爱慕她 wǒ fēicháng àimù tā
그만 ¶～하자 到此为止吧 dào cǐ wéizhǐ ba / 이 말을 듣자마자 ～ 화를 냈다 他一听到这话就生气了 tā yī tīng dào zhè huà jiù shēngqì le / ～이다(최고) 最高 zuì gāo =〔最后的一次(최후) zuìhòu de yī cì〕
그만두다 停止 tíngzhǐ; 作罢 zuòbà; 拉倒 lādǎo ¶저 회사와는 교역을 그만두었다 跟那个公司停止了交易 gēn nàge gōngsī tíngzhǐle jiāoyì / 중도에 학교를 ～ 中途退了学 zhōngtú tuìle xué
그만큼 那么些 nàmexiē; 那样程度 nàyàng chéngdù; 照着那个数量zhàozhe nàge shùliàng ¶～ 있으면 충분하다 有那么些就足够了 yǒu nàmexiē jiù zúgòu le / 노력을 하면 ～의 보상이 있다 只要努力就有报偿 zhǐyào nǔlì jiù yǒu bàocháng
그물 网 wǎng ¶～을 쳐서 고기를 잡다 撒网打鱼 sā wǎng dǎyú / ～을 쳐서 범인을 잡다 布下罗网伏击罪犯 bùxià luówǎng fújī zuìfàn
그믐 晦 huì; 月末的最后一天 yuèmò de zuìhòu yī tiān
그슬리다 烤 kǎo; 煳 hú
그야말로 果然 guǒrán; 敢情 gǎnqíng
그윽하다 深远寂静 shēnyuǎn jìjìng; 《뜻이》深奥 shēn'ào
그을리다 ①《연기에》熏 xūn; 熏黑 xūnhēi ¶천장이 그을렸다 顶棚熏黑了 dǐngpéng xūnhēi le ②《햇볕에》晒黑 shàihēi
그을음 煤烟 méiyān; 油烟子 yóuyānzi; 〈方〉煤子méizi ¶～을 털어내다 打煤烟 dǎ méiyān
그저께 前天 qiántiān
그치다 停 tíng; 住 zhù; 止 zhǐ ¶비가 그쳤다

雨住了 yǔ zhù le / 바람이 그쳤다 风停了 fēng tíng le
그후에 后来 hòulai
극(劇) 戏 xì; 戏剧 xìjù ¶～을 상연하다 演'戏〔剧〕 yǎn'xì〔jù〕/ 원작에 충실히 ～화하다 忠实于原作加以戏剧化 zhōngshíyú yuánzuò jiāyǐ xìjùhuà
극단(極端) 极端 jíduān ¶그것은 지나치게 ～적인 예다 那是个过于极端的例子 nà shì ge guòyú jíduān de lìzi
극락(極樂) 极乐世界 jílè shìjiè; 西天 xītiān; 天堂 tiāntáng ¶그는 왕생을 ～했다 他安详地死了 tā ānxiángde sǐ le
극비(極祕) 绝密 juémì ¶계획은 ～리에 진행되고 있다 计划在极祕里进行 jìhuà zài jímì li jìnxíng
극소(極小) 极小 jíxiǎo ‖～치 极小值 jíxiǎozhí
극영화(劇映畵) 故事片 gùshipiàn
극장(劇場) 戏院 xìyuàn; 剧场 jùchǎng ¶야외 ～ 露天剧场 lùtiān jùchǎng
극적(劇的) 戏剧般的 xìjù bānde; 非常动人的 fēichang dòngrén de ¶그것은 ～ 장면이었다 那真是像戏剧一般激动人心的场面 nà zhēn shì xiàng xìjù yībān jīdòng rénxīn de chǎngmiàn / ～ 효과를 노리다 追求戏剧般的惹人注目的效果 zhuīqiú xìjù bānde rěrén zhùmù de xiàoguǒ
극치(極致) 极致 jízhì ¶미의 ～ 美之极致 měi zhī jízhì
극한(極限) 极限 jíxiàn ¶～에 달하다 达到极限 dádào jíxiàn
극히(極…) 顶 dǐng; 极 jí; 极其 jíqí ¶～ 간단한 문제다 是个极简单的问题 shì ge jí jiǎndān de wèntí
근거(根據) 根据 gēnjù; 凭据 píngjù; 依据 yījù ¶그 말에는 확실한 ～가 있다 那话确实有真凭实据 nà huà quèshí yǒu zhēnpíng shíjù
근교(近郊) 近郊 jìnjiāo; 郊区 jiāoqū
근대(近代) 近代 jìndài; 现代 xiàndài ¶농업의 ～화를 촉진하다 促进农业现代化 cùjìn nóngyè xiàndàihuà
근래(近來) 近来 jìnlái ¶～에 보기 드문 걸작 近来罕见的杰作 jìnlái hǎnjiàn de jiézuò
근면(勤勉) 勤勉 qínmiǎn; 勤奋 qínfèn; 勤劳不懈 qínláo búxiè
근무(勤務) 办公 bàngōng; 工作 gōngzuò ¶야간 ～ 夜班 yèbān =〔夜勤 yèqín〕/ 지금 ～중이다 正在上班 zhèngzài shàngbān / ～ 시간은 8시간이다 工作时间是八个小时 gōngzuò shíjiān shì bā ge xiǎoshí
근사(近似) 近似 jìnsì ¶～치를 구하다 求近似值 qiú jìnsìzhí / 꽤 ～하다 颇为近似 pōwéi jìnsì =〔《그럴싸하다》不错 búcuò〕
근시(近視) 近视 jìnshi; 近视眼 jìnshiyǎn ¶～가 되다 成近视眼 chéng jìnshiyǎn
근심 担心 dānxīn; 挂心 guàxīn; 放不下心 fàng bu xiàxīn
근원(根源) 根源 gēnyuán ¶사회악의 ～을 폭로하다 揭路社会罪恶的根源 jiēlù shèhuì zuì'è de gēnyuán
근육(筋肉) 肌肉 jīròu; 筋肉 jīnròu ¶～이 발달하다 肌肉很发达 jīròu hěn fādá
근지럽다 〈口〉 痒痒 yǎngyang
근처(近處) 附近 fùjìn; 左近 zuǒjìn; 近处 jìnchù; 近旁 jìnpáng; 近前 jìnqián ¶집의 ～에서 화재가 있었다 离家不远的地方失火了 lí jiā bù yuǎn de dìfang shīhuǒ le / 나는 이 ～에서 살고 있다 我住在这近处 wǒ zhù zài zhè jìnchù
근친(近親) 近亲 jìnqīn ‖～ 결혼 近亲结婚 jìnqīn jiéhūn
근친(覲親) 搬九 bānjiǔ; 回娘家 huíniángjia
근하신년(謹賀新年) 恭贺新禧 gōnghè xīnxǐ
근황(近況) 近况 jìnkuàng ¶편지로 ～을 알리다 写信告知近况 xiě xìn gàozhī jìnkuàng
글 文章 wénzhāng ‖～짓기 作文 zuòwén
글로브(glove) 手套 shǒutào ¶권투 ～ 拳击手套 quánjī shǒutào / 야구 ～ 棒球手套 bàngqiú shǒutào
글씨 文字 wénzì
글자(…字) 字 zì
글피 大后天 dàhòutiān
긁다《가려운 데·붙은 것을》搔 sāo; 挠 náo ¶모기에 물려 가려운 데를 ～ 搔蚊子叮疡的地方 sāo wénzi dīngyǎng de dìfang
긁적거리다 挠 náo ¶머리를 긁적거리면서 사과하였다 挠头认错 náotóu rèncuò
금[1]《값》行市 hángshì〔shi〕; 价钱 jiàqian
금[2]《접은》褶子 zhězi; 《손금》手纹 shǒuwén; 裂痕 lièhén; 《흠》璺 wèn
금고(金庫) 保险柜 bǎoxiǎnguì; 保险库bǎoxiǎnkù; 保险箱 bǎoxiǎnxiāng
금년(今年) 今年 jīnnián; 本年 běnnián
금니(金…) 金牙 jīnyá ¶～를 박다 镶金牙 xiāng jīnyá
금발(金髮) 金发 jīnfà
금방(今方) 刚 gāng; 刚刚 gānggāng ¶그는 ～ 도착했다 他是刚到的 tā shì gāng dào de
금붕어(金…) 金鱼 jīnyú
금성(金星) 《天》 金星 jīnxīng
금속(金屬) 金属 jīnshǔ ¶예리한 ～음을 내다 发出尖锐的金属声 fāchū jiānruì de jīnshǔshēng
금슬(琴瑟) 琴瑟 qínsè ¶저 부부는 ～이 좋다 那对夫妇好得如鼓琴瑟 nà duì fūqī hǎode rú gǔ qínsè
금시계(金時計) 金壳(儿)表 jīnké(r)biǎo
금연(禁煙) 忌烟 jì yān; 戒烟 jiè yān ¶차내 ～ 车内禁止吸烟 chē nèi jìnzhǐ xīyān / ～을 해도 사흘을 계속하지 못하다 即使戒烟也戒不了三天 jíshǐ jiè yān yě jièbuliǎo sān tiān
금요일(金曜日) 礼拜五 lǐbàiwǔ; 星期五xīngqīwǔ
금월(今月) 本月 běnyuè; 这月 zhèyuè; 这个月 zhège yuè ¶공사는 꼭 ～ 중에 끝내 주시오 工程请一定在这个月内完成 gōngchéng qǐng yídìng zài zhège yuè nèi wánchéng
금융(金融) 金融 jīnróng; 银根 yíngēn ¶～이 핍박하다 银根紧 yíngēn jǐn ‖～계 金融界 jīnróngjiè
금일(今日) 今天 jīntiān; 今日 jīnrì; 今儿 jīnr ¶～부터 1주간 휴가다 打今天起放一个星期的假 dǎ jīntiān qǐ fàng yí ge xīngqī de jià
금전(金錢) 金钱 jīnqián; 钱财 qiáncái ¶～상의 문제가 얽혀 있다 金钱上的问题缠在里头 jīnqián shang de wèntí chán zài lǐtou ‖～ 출납부 现金账 xiànjīnzhàng =〔流水账 liúshuǐzhàng〕
금주(今週) 本星期 běn xīngqī; 这礼拜 zhè lǐbài; 这星期 zhè xīngqī; 这周 zhè zhōu ¶～

수요일에 시험이 있다 本星期三有考试 běn xīngqīsān yǒu kǎoshì
금주(禁酒) 忌酒 jì jiǔ; 戒酒 jiè jiǔ ¶ ～의 맹세를 하다 立誓忌酒 lìshì jì jiǔ
금지(禁止) 禁止 jìnzhǐ ¶ 10시 이후의 외출을 ～하다 十点以后禁止外出 shí diǎn yǐhòu jìnzhǐ wàichū ‖ 촬영 ～ 禁止拍照 jìnzhǐ pāizhào
금테(金…) 金框 jīnkuàng; 金边儿 jīnbiānr ‖ ～ 안경 金框眼镜儿 jīnkuàng yǎnjìngr
금하다(禁…) 禁 jìn; 禁止 jìnzhǐ ¶ 일없는 사람의 출입을 ～ 闲人免进 xiánrén miǎn jìn
금후(今後) 今后 jīnhòu; 将来 jiānglái; 往后 wǎnghòu ¶ 그것은 ～의 과제로서 남겨 놓읍시다 那事留做今后的课题吧 nà shì liúzuò jīnhòu de kètí ba
급강하(急降下) 俯冲 fǔchōng ¶ ～로 폭격하다 俯冲轰炸 fǔchōng hōngzhà
급격(急激) 急剧 jíjù ¶ 인구의 ～한 증가 人口的剧增 rénkǒu de jùzēng / 용태가 ～하게 악화하다 病势急剧恶化 bìngshì jíjù èhuà
급급하다(汲汲…) 汲汲 jíjí ¶ 그는 보신에 ～ 他汲汲于明哲保身 tā jíjíyú míngzhé bǎo shēn
급기야(及其也) 究竟 jiūjìng; 毕竟 bìjìng; 〈方〉到了儿 dàoliǎor
급료(給料) 薪水 xīnshui; 工资 gōngzi; 薪金 xīnjīn; 薪俸 xīnfèng; 薪资 xīnzī ¶ ～를 지급하다 付薪水 fù xīnshui
급변(急變) 突变 tūbiàn; 骤变 zòubiàn ¶ 날씨가 ～했다 天气骤变了 tiānqì zòubiàn le
급보(急報) 急报 jíbào; 飞报 fēibào ¶ 부친 사망의 ～에 허겁지겁 돌아왔다 接到父亲死去的急报就匆忙返回 jiēdào fùqin sǐqu de jí bào jiù cōngmáng fǎnhuí
급비생(給費生) 义学生 yìxuéshēng
급사(給仕) 勤杂人员 qínzá rényuán; 勤务员 qínwùyuán; 工友 gōngyǒu
급살맞다(急煞…) 骤亡 zòuwáng; 顿死dùnsǐ
급소(急所) ①《몸의》 要害 yàohài; 致命处 zhìmìngchù ¶ 탄알은 ～에 명중했다 子弹射中了要害 zǐdàn shèzhòngle yàohài / 상처는 ～를 벗어났다 没有受致命伤 méiyǒu shòu zhìmìngshāng ②《핵심》 要害 yàohài; 关键 guānjiàn ¶ 문제의 ～를 찌르다 抓住问题的关键 zhuāzhù wèntí de guānjiàn
급속(急速) 迅速 xùnsù ¶ 이 부근은 요즈음 ～히 발전했다 这一带近来迅速地发展起来了 zhè yídài jìnlái xùnsùde fāzhǎn qǐlai le
급수(給水) 给水 jǐshuǐ ¶ ～차로 하다 用运水车供应水 yòng yùnshuǐchē gōngyìng shuǐ ‖ ～제한 限制给水 xiànzhì jǐshuǐ / ～탑 水塔 shuǐtǎ
급유(給油) 加油 jiāyóu ¶ 비행기에 ～하다 给飞机加油 gěi fēijī jiāyóu
급전(急轉) 急转 jízhuǎn ¶ 사태는 ～했다 形势急转了 xíngshì jízhuǎn le =〔突然变化 tūrán biànhuà〕
급제(及第) 及格 jígé; 考中 kǎozhòng ¶ 시험에 ～했다 考试考及格了 kǎoshì kǎojígé le
급하다(急…) 急切 jíqiè; 吃紧 chījǐn
급행(急行) 《열차 따위》 快车 kuàichē ‖ ～권 快车票 kuàichē piào =〔加快票 jiākuàipiào〕/ ～ 요금 快车费 kuàichēfèi =〔加快费 jiākuàifèi〕
긋다 ①《선을》 画 huà; 划 huà ¶ 노트에 선을 ～ 在笔记本上画线 zài bǐjìběn shang huà xiàn ②《외상 거래》 写账 xiězhàng
긍정(肯定) 肯定 kěndìng ¶ 그는 그 보도가 사실이라는 것을 ～했다 他肯定了那个报道是事实 tā kěndìng le nàge bàodào shì shìshí ‖ ～문 肯定句 kěndìngjù
긍지(矜持) 自尊心 zìzūnxīn; 自豪感 zìháogǎn
기(旗) 旗 qí; 旗子 qízi; 旗帜 qízhì ¶ ～를 게양하다〔내리다〕 升〔降〕旗 shēng〔jiàng〕qí
기간(基幹) 基干 jīgàn ‖ ～ 산업 基础工业 jīchǔ gōngyè
기간(期間) 期间 qījiān; 期限 qīxiàn ¶ 전람회의 개최 ～은 1개월이다 展览会的展期为一个月 zhǎnlǎnhuì de zhǎnqī wéi yí ge yuè
기개(氣槪) 气概 qìgài ¶ ～ 있는 남자 有骨气的汉子 yǒu gǔqì de hànzi
기계(機械) 机器 jīqi; 机械 jīxiè ¶ ～를 운전하다 开动〔发动〕机器 kāidòng〔fādòng〕 jīqi / ～를 멈추다 使机器停止运转 shǐ jīqi tíngzhǐ yùnzhuàn / 机器出毛病了 jīqi chū máobìng le / ～적으로 손을 움직이다 机械地摆动手 jīxiède bǎidòng shǒu / ～를 조립하다 装配机器 zhuāngpèi jīqi
기공(起工) 开工 kāigōng; 动工 dònggōng; 兴工 xīnggōng ‖ ～식 开工典礼 kāigōng diǎnlǐ
기관(汽罐) 汽锅 qìguō; 锅炉 guōlú ‖ ～실 锅炉房 guōlúfáng
기관(氣管) 气管 qìguǎn
기관(器官) 器官 qìguān
기관(機關) ①《기계 · 장치》 机械 jīxiè ¶ 증기 ～ 蒸汽机 zhēngqìjī ②《조직 · 설비》 机关 jīguān ¶ 교통 ～ 交通工具 jiāotōng gōngjù / 금융 ～ 金融机关 jīnróng jīguān ‖ ～실 机器房 jīqifáng =〔机舱 jīcāng〕
기관지(氣管支) 支气管 zhīqìguǎn ‖ ～염 支气管炎 zhīqìguǎnyán
기괴하다(奇怪…) 奇怪 qíguài ¶ 기괴한 사건이 일어났다 发生了离奇古怪的事件 fāshēngle líqí gǔguài de shìjiàn
기교(技巧) 技巧 jìqiǎo ¶ ～를 부리다 卖弄技巧 màinong jìqiǎo
기구(器具) 器具 qìjù ‖ 의료 ～ 医疗器具 yīliáo qìjù =〔医疗器械 yīliáo qìxiè〕/ 조명 ～ 照明器具 zhàomíng qìjù
기구(機構) 机构 jīgòu ¶ 회사의 ～를 바꾸다 改革公司机构 gǎigé gōngsī jīgòu ‖ 유통 ～ 流通机构 liútōng jīgòu
기권(棄權) 弃权 qìquán ¶ 선거 중에 ～하지 말 것을 호소하다 呼吁选举中不要弃权 hūyù xuǎnjǔ zhōng bùyào qìquán
기근(飢饉 · 饑饉) 饥荒 jīhuāng; 饥馑 jījǐn ¶ 3년 계속해서 ～이 났다 连续闹了三年的饥荒 liánxù nàole sān nián de jīhuāng
기꺼이 情愿 qíngyuàn; 甘心 gānxīn
기껏《힘껏》 充其量 chōngqíliàng; 顶多 dǐngduō; 至多 zhìduō
기념(記念) 纪念 jìniàn ‖ ～식 纪念典礼 jìniàn diǎnlǐ / ～일 纪念日 jìniànrì / ～품 纪念品 jìniànpǐn =〔〈方〉念心儿niànxinr〕
기능(技能) 技能 jìnéng ¶ 그에게는 특수 ～이 있다 他有特殊技能 tā yǒu tèshū jìnéng
기능(機能) 机能 jīnéng; 功能 gōngnéng ¶ 위의 ～이 둔해졌다 胃的机能减退了 wèi de jīnéng jiǎntuì le / 조직의 ～을 십분 발휘하다 充分发挥

组织的作用 chōngfèn fāhuī zǔzhī de zuòyòng
기다 爬 pá; 匍匐 púfú ¶아기가 기게 되었다 婴儿会爬了 yīng'ér huì pá le / 뱀이 땅을 기어 가다 蛇在地上爬行 shé zài dìshang páxíng
기다랗다 长 cháng; 冗长 rǒngcháng ¶따분하게 기다란 설명 冗长的说明 rǒngcháng de shuōmíng
기다리다 等 děng; 候hòu; 待 dài; 等待 děngdài; 等候 děnghòu ¶조금만 기다려 주십시오 请等一下 qǐng děng yíxià =〔请稍候一会儿 qǐng shāo hòu yíhuìr〕/ 오래 기다리셨습니다 让您久等了 ràng nín jiǔ děng le =〔叫您受等了jiào nín shòu děng le / 기회를 ～ 等待时机 děngdài shíjī =〔待机dàijī〕
기대(期待) 期待 qīdài; 期望 qīwàng ¶아이의 장래에 ～를 걸다 把希望寄托在孩子的将来 bǎ xīwàng jìtuō zài háizi de jiānglái / 결과는 ～ 밖으로 끝났다 结果辜负了人们的期望 jiéguǒ gūfùle rénmen de qīwàng
기대다 靠 kào; 倚靠 yǐkào; 《의지하다》 依靠 yīkào ¶그는 소파에 기대어 무슨 생각에 잠겨 있다 他靠在沙发上想着什么 tā kào zài shāfā shang xiǎngzhe shénme / 늘 남에게 기대지 말고 자신이 해라 别老依靠人, 自己干吧 bié lǎo yīkào rén, zìjǐ gàn ba
기도(企圖) 企图 qǐtú
기도(祈禱) 祷告 dǎogào; 祈祷 qídǎo
기독교(基督教) ⇨그리스도교
기동(機動) 机动 jīdòng ¶～력을 발휘해서 육해공으로부터 공격하다 运用机动力量, 从陆海空进行攻击 yùnyòng jīdòng lìliang, cóng lù hǎi kōng jìnxíng gōngjī
기둥 柱子 zhùzi; 支柱 zhīzhù ¶～을 세우다 立柱子 lì zhùzi / 그는 한 집안의 ～이다 他是一家的'支柱〔顶梁柱〕 tā shì yì jiā de 'zhīzhù〔dǐngliángzhù〕
기둥서방(…書房) 《기생의》 叉桿儿 chāgānr
기량(器量) 器量 qìliàng; 气量 qìliàng; 才能 cáinéng; 才干 cáigàn; 才智 cáizhì ¶그에게는 정치가로서의 ～이 없다 他没有作为政治家的器量 tā méiyǒu zuòwéi zhèngzhìjiā de qìliàng
기러기 《鳥》 雁 yàn
기로(岐路) 岐路 qílù ¶인생의 ～에 서다 站在人生的岐路上 zhàn zài rénshēng de qílù shang
기록(記錄) 记录 jìlù; 纪录 jìlù ¶출석자의 이름을 ～하다 记载出席者的姓名 jìzài chūxízhě de xìngmíng / 신～을 세우다 创造新记录 chuàngzào xīn jìlù ‖ ～ 영화 记录片 jìlùpiàn
기르다 ①《아이·인재를》 养成 yǎngchéng ¶어릴 때부터 좋은 습관을 ～ 从小养成良好习惯 cóng xiǎo yǎngchéng liánghǎo xíguàn ②《사육》 养 yǎng ¶돼지를 ～ 养猪 yǎng zhū ③《수염 등을》 留 liú; 蓄须 xùxū ¶수염을 ～ 留胡子 liú húzi =〔蓄须 xùxū〕
기름 油 yóu; 膏 gāo ¶재봉틀에 ～을 치다 给缝纫机上油 gěi féngrènjī shàng yóu / 이 쇠고기는 ～이 많다 这牛肉很'肥〔肥实〕 zhè niúròu hěn 'féi〔féishi〕
기름지다 ①《음식·살이》 油腻 yóunì ¶기름진 요리 油性大的菜 yóuxìng dà de cài / 기름진 것은 싫다 我不喜欢吃油腻的东西 wǒ bù xǐhuan chī yóunì de dōngxi ②《토지가》 肥沃 féiwò
기리다 称颂 chēngsòng
기린(麒麟) 麒麟 qílín; 长颈鹿 chángjǐnglù
기립(起立) 起立 qǐlì; 站起来 zhànqǐlai ¶일동 ～해서 국가를 불렀다 大家起立唱了国歌 dàjiā qǐlì chàngle guógē
기마(騎馬) 骑马 qí mǎ
기막히다(氣…) 岂有此理 qǐyǒu cǐlǐ; 毫无办法 háowú bànfǎ; 茫然不知所措mángrán bùzhī suǒcuò
기만(欺瞞) 欺瞒 qīmán; 欺骗 qīpiàn ¶그의 행위는 ～에 가득 차 있다 他的行为尽是欺骗 tāde xíngwéi jìn shì qīpiàn
기묘하다(奇妙…) 奇怪 qíguài; 奇妙 qímiào ¶아직까지 기묘한 풍습이 남아 있다 现在还遗留着奇妙的风俗 xiànzài hái yíliúzhe qímiào de fēngsú
기미《얼굴의》 斑点 bāndiǎn ¶피부에 ～가 생겼다 皮肤上出现了斑点 pífū shang chūxiànle bāndiǎn
기밀(機密) 机密 jīmì ¶～을 누설하다 泻露机密 xièlù jīmì / ～이 누설되었다 机密泻漏了 jīmì xièlòu le ‖ ～ 문서 机密文件 jīmì wénjiàn
기반(基盤) 基础 jīchǔ ¶민주주의의 ～을 굳건히 하다 巩固民主主义的基础 gǒnggù mínzhǔ zhǔyì de jīchǔ
기발하다(奇拔…) 奇特 qítè; 出奇chūqí; 离奇líqí ¶착상이 ～ 构思奇特 gòusī qítè
기별(奇別·寄別) 通知 tōngzhī
기복(起伏) 起伏 qǐfú ¶～이 많은 일생 起伏不定的一生 qǐfú bùdìng de yìshēng
기본(基本) 基本 jīběn; 基础 jīchǔ ¶이 사상은 한국 교육의 ～이 되었다 这个思想成了韩国教育的基础 zhège sīxiǎng chéngle Hánguó jiàoyù de jīchǔ ‖ ～ 요금 最低收费标准额 zuìdī shōufèi biāozhǔn'é =〔基价jījià〕
기부(寄附) 捐 juān; 捐助 juānzhù; 捐款 juānkuǎn ¶～를 거두다 募捐 mùjuān / 순익을 복지 시설에 ～하다 把纯利捐助给福利设施 bǎ chúnlì juānzhù gěi fúlì shèshī ‖ ～금 捐款 juānkuǎn
기분(氣分) 心情 xīnqíng; 心境 xīnjìng; 心气 xīnqì; 情绪 qíngxù ¶매우 ～이 좋다 心境非常愉快 xīnjìng fēicháng yúkuài
기뻐하다 高兴 gāoxìng; 喜欢 xǐhuan; 欢喜 huānxǐ ¶아버지는 나의 얼굴을 보고 매우 기뻐하셨다 父亲看到我非常高兴 fùqin kàndào wǒ fēicháng gāoxìng
기쁘다 可喜 kěxǐ; 高兴 gāoxìng; 欢喜huānxǐ ¶만나서 매우 기쁩니다 见到你我很高兴 jiàndào nǐ wǒ hěn gāoxìng
기사(技師) 工程师 gōngchéngshī; 技师jìshī
기사(記事) 记事 jìshì; 新闻 xīnwén; 消息 xiāoxi; 报道 bàodào ¶톱～ 头版新闻 tóubǎn xīnwén / ～를 보내다 发新闻 fā xīnwén / 이것은 신문의 ～거리가 된다 这可以作为一条新闻登报 zhè kěyǐ zuòwéi yì tiáo xīnwén dēngbào
기사(棋士) 棋手 qíshǒu
기사(騎士) 骑士 qíshì ‖ ～도 骑士精神 qíshì jīngshén
기산(起算) 起算 qǐsuàn; 算起 suànqǐ ¶그날부터 ～해서 2주간이 있다 从那天算起有两个星期了 cóng nà tiān suànqǐ yǒu liǎng ge xīngqī le

기상(起床) 起床 qǐchuáng ¶매일 아침 6시에 ～하다 每天早上六点钟起床 měitiān zǎoshang liù diǎn zhōng qǐchuáng ‖～ 나팔 起床号 qǐchuánghào
기상(氣象) 气象 qìxiàng ¶～을 관측하다 观测气象 guāngcè qìxiàng ‖～대 气象台 qìxiàngtái / ～ 통보 气象报告 qìxiàng bàogào
기색(氣色) 神色 shénsè; 气色 qìsè; 脸色 liǎnsè ¶상대방의 ～을 살피다 察看对方的脸色 chákàn duìfāng de liǎnsè
기생(寄生) 寄生 jìshēng ¶～충을 없애다 打寄生虫 dǎ jìshēngchóng
기선(汽船) 轮船 lúnchuán; 汽船 qìchuán
기성(旣成) ①《지위 · 자격의》 既成 jìchéng ¶～개념에 구애받지 않고 자유로이 생각하다 不拘泥已有的说法自由地思考 bù jūni yǐyǒu de shuōfa zìyóude sīkǎo ②《물건의》 现成 xiànchéng ‖～복 现成的衣服 xiànchéng de yīfu / ～품 现成货 xiànchénghuò
기세(氣勢) 气势 qìshì; 锐气 ruìqì ¶～를 부리다 壮气势 zhuàng qìshì / ～를 꺾다 挫锐气 cuò ruìqì
기수(機首) 机首 jīshǒu; 机头 jītóu ¶비행기는 ～를 내려서 착륙의 태세에 들어갔다 飞机把机头朝下准备降落 fēijī bǎ jītóu cháo xià zhǔnbèi jiàngluò
기숙(寄宿) 寄宿 jìsù; 寄住 jìzhù; 寄居jìjū ¶친척의 집에 ～하며 통학하다 寄住在亲戚家里走读 jìzhù zài qīnqī jiā li zǒudú ‖～사 宿舍 sùshè / ～생 寄宿生 jìsùshēng
기술(技術) 技术 jìshù ¶～을 익히다 掌握技术 zhǎngwò jìshù / 이것은 고도의 ～을 요한다 这需要高度的技术 zhè xūyào gāodù de jìshù ‖～ 제휴 技术合作 jìshù hézuò
기슭 山脚 shānjiǎo
기습(奇襲) 奇袭 qíxí; 偷袭 tōuxí ¶적의 측면에서 ～하다 从侧翼奇袭敌人 cóng cèyì qíxí dírén
기압(氣壓) 气压 qìyā ¶고～ 高气压 gāoqìyā =〔高压gāoyā〕/ 저～ 低气压 dīqìyā =〔低压 dīyā〕
기어이(期於…) 必定 bìdìng; 一定 yídìng
기억(記憶) 记忆 jìyì ¶～력이 좋다〔나쁘다〕 记忆力强〔弱〕 jìyìlì qiáng〔ruò〕/ 어제 저녁 일은 전혀 ～이 안 난다 昨晚的事全然想不起来 zuówǎn de shì quánrán xiǎng bu qǐlái / 단지 희미한 ～을 의지해서 찾다 只靠模糊的记忆寻找 zhǐ kào móhu de jìyì xúnzhǎo ‖～ 장치 存储器 cúnchǔqì
기온(氣溫) 气温 qìwēn ¶～이 영하 20도까지 내려갔다 气温降到零下二十度了 qìwēn jiàngdào língxià èrshí dù le
기와 瓦 wǎ ¶～로 지붕을 이다 瓦瓦 wà wǎ
기왕(旣往) 既往 jìwǎng
기용(起用) 提拔新人 tíba xīnrén
기운《힘》 劲儿 jìnr; 《정력》 气力 qìlì
기운(機運) 时机 shíjī ¶개혁의 ～이 무르익었다 改革的时机终于成熟了 gǎigé de shíjī zhōngyú chéngshú le
기울다 ①《선 · 면이》 倾 qīng; 斜 xié; 偏piān; 倾斜 qīngxié ¶배가 오른쪽으로 40도 기울어졌다 船向右偏了四十度 chuán xiàng yòu piānle sìshí dù ②《해 · 달이》 偏 piān ¶해가 서쪽으로 기울면서 바람이 불어 왔다 太阳偏西, 刮起风来了 tàiyáng piān xī, guāqǐ fēng lái le ③《마음이》 倾向 qīngxiàng ¶대세의 의견이 찬성으로 ～ 大多数的意见倾向于赞成 dàduōshù de yìjiàn qīngxiàngyú zànchéng ④《형세가》 ¶사업이 실패해서 가운이 기울어졌다 事业失败, 一家走背运了 shìyè shībài, yì jiā zǒu bèiyùn le
기울이다 ①《병 · 잔을》 倾 qīng ¶잔을 ～ 倾杯饮酒 qīng bēi yǐn jiǔ ②《힘 · 마음을》 倾 qīng; 倾注 qīngzhù ¶온 힘을 기울여서 일에 뛰어들다 倾全力从事工作 qīng quánlì cóngshì gōngzuò / 텔레비전 뉴스에 귀를 ～ 倾听电视的新闻广播 qīngtīng diànshì de xīnwén guǎngbō ③《망하게 하다》 ¶순식간에 가산을 기울이고 말았다 转眼间倾家荡产了 zhuǎnyǎn jiān qīngjiādàngchǎn le
기웃거리다 窥视 kuīshì
기원(祈願) 祈祷 qídǎo ¶세계 평화를 ～하다 祈祷世界和平 qídǎo shìjiè hépíng
기원(紀元) 纪元 jìyuán ¶～전 5세기 纪元前五世纪 jìyuán qián wǔ shìjì / 서력 ～ 1988년 公元一九八八年 gōngyuán yì jiǔ bā bā nián
기이하다(奇異…) 奇异 qíyì ¶사람에게 기이한 느낌을 주다 使人感到奇异 shǐ rén gǎndào qíyì
기인(起因) 起因 qǐyīn ¶이번 분쟁은 종교 문제에서 ～한다 这次纷争'起因是〔归因于〕宗教问题 zhè cì fēnzhēng 'qǐyīn shì〔guīyīn yú〕zōngjiào wèntí
기입(記入) 记入 jìrù; 记上 jìshàng; 填写 tiánxiě ¶장부에 매상액을 ～하다 把销售额记上账本 bǎ xiāoshòu'é jìshàng zhàngběn / 공란에 주소 성명을 ～해 주시오 请把地址姓名记入栏内 qǐng bǎ dìzhǐ xìngmíng jìrù lán nèi
기자(記者) 记者 jìzhě; 新闻记者 xīnwén jìzhě ¶신출내기 ～ 初出茅庐的记者 chū chū máolú de jìzhě ‖～ 회견 记者招待会 jìzhě zhāodàihuì
기장《植》 稷 jì
기저귀 尿布 niàobù; 褯子 jièzi ¶～를 채우다 垫尿布 diàn niàobù ‖～ 커버 尿布外套 niàobù wàitào
기적(汽笛) 汽笛 qìdí
기적(奇蹟) 奇跡 qíjī ¶～이 일어났다 出现了奇跡 chūxiànle qíjī / ～적으로 목숨을 건졌다 奇跡般的保住了性命 qíjī bānde bǎozhùle xìngmìng
기정(旣定) 既定 jìdìng ¶～ 방침대로 행하다 按既定的方针实行 àn jìdìng de fāngzhēn shíxíng ‖～ 사실 既成的事实 jìchéng de shìshí
기존(旣存) 现有 xiànyǒu ¶～의 설비를 활용하다 有效地运用现有的设备 yǒuxiàode yùnyòng xiànyǒu de shèbèi
기준(基準) 基准 jīzhǔn; 标准 biāozhǔn ¶～을 어디에 두느냐가 문제다 问题在于把基准放在哪儿 wèntí zàiyú bǎ jīzhǔn fàng zài nǎr
기중(忌中) 服孝 fúxiào; 服丧 fúsāng; 居丧 jūsāng
기지(機智) 机智 jīzhì; 急智 jízhì ¶～가 풍부한 사람 富有机智的人物 fùyǒu jīzhì de rénwù
기지개켜다 伸懒腰 shēn lǎnyāo; 打欠身dǎ qiànshēn
기진맥진(氣盡脈盡) 力尽筋疲 lìjìn jīnpí
기질(氣質) 气质 qìzhì; 禀性 bǐngxìng; 性情 xìngqíng ¶온화한 ～의 사람 性情温和的人 xìngqíng wēnhé de rén / 다분히 아버지의 ～과 비슷하다 许多地方与其父的禀性相仿 xǔduō dìfang yǔ qí fù de bǐngxìng xiāngfǎng

기차(汽車) 火车 huǒchē ¶~를 타다 坐〔乘, 搭乘〕火车 zuò 〔chéng, dāchéng〕 huǒchē/~가 늦었다 火车误点了 huǒchē wùdiǎn le
기체(氣體) 气体 qìtǐ
기초(基礎) ①《건물의》 基础 jīchǔ; 根基gēnjī; 房基 fángjī; 地基 dìjī ¶이 건물은 ~가 튼튼하다 这个建筑物根基很牢固 zhège jiànzhùwù gēnjī hěn láogù ②《사물의》 基础 jīchǔ; 根底 gēndǐ; 根基 gēnjī ¶공업화의 ~를 단단히 하다 奠定工业化的基础 diàndìng gōngyèhuà de jīchǔ
기침(하다) 咳嗽 késou
기타(其他) 另外 lìngwài; 其他 qítā; 其馀 qíyú ¶비용과 ~의 이유로 그만두기로 했다 由于费用及其他的理由中止了 yóuyú fèiyòng jí qítā de lǐyóu zhōngzhǐ le
기타(guitar) 吉他 jítā; 六弦琴 liùxiánqín ¶~를 치다 弹吉他 tán jítā
기탄없이(忌憚…) 毫无忌惮地 háowú jìdàn de ¶~없이 말하다 直言不讳地 zhíyán bùhuì de
기특하다(奇特…) 直得嘉尚 zhíde jiāshàng
기피(忌避) 逃避 táobì; 回避 huíbì ¶병역을 ~하다 逃避兵役 táobì bīngyì ‖법관 ~ 法官回避 fǎguān huíbì
기필코(期必…) 务必 wùbì; 一定 yídìng; 无论如何 wúlùn rúhé
기하(幾何)〔數〕几何 jǐhé ‖~ 급수 几何级数 jǐhé jíshù
기하다(忌…) 忌 jì; 忌讳jìhuì; 禁忌jìnjì; 避讳 bìhuì ¶육식을 ~ 忌荤 jì hūn
기한(期限) 期限 qīxiàn; 限期 xiànqī ¶지불 ~을 늦추다 推迟支付期限 tuīchí zhīfù qīxiàn
기호(記號) 记号 jìhao; 符号 fúhào ¶~를 붙이다 标记号 biāo jìhao
기호(嗜好) 嗜好 shìhào ¶나와 그는 ~가 다르다 我和他嗜好不同 wǒ hé tā shìhào bùtóng ‖~품 嗜好品 shìhàopǐn
기회(機會) 机会 jīhui ¶그에게 말할 좋은 ~다 是跟他说的好机会 shì gēn tā shuō de hǎo jīhui/복수의 ~를 노리다 伺机报仇 sìjī bàochóu
기획(企劃) 计划 jìhuà ¶새로운 ~이 여러 사람의 환영을 받았다 新计划受到大家欢迎 xīn jìhuà shòudào dàjiā huānyíng
기후(氣候) 气候 qìhòu; 天气 tiānqì〔qi〕; 季节 jìjié; 时令 shílìng ¶~가 불순하다 气候异常 qìhòu yìcháng =〔时令不正shílìng bú zhèng〕
긴급(緊急) 紧急 jǐnjí ¶~ 사태가 발생했다 发生了紧急情况 fāshēngle jǐnjí qíngkuàng
긴밀(緊密) 紧密 jǐnmì; 密切 mìqiè ¶본사와 ~한 연락을 취하다 和总公司密切联络 hé zǒnggōngsī mìqiè liánluò
긴박(緊迫) 紧张 jǐnzhang; 紧迫 jǐnpò; 紧急 jǐnjí ¶정세는 매우 ~하다 局势很'紧迫〔吃紧〕 júshì hěn 'jǐnpò 〔chījǐn〕
긴장(緊張) 紧张 jǐnzhāng ¶~해서 발표를 기다리다 紧张地等待发表 jǐnzhāngde děngdài fābiǎo/양국간의 ~이 높아지다 两国的关系愈加紧张 liǎng guó de guānxi yùjiā jǐnzhāng
긷다《물을》 汲 jí ¶우물에서 물을 ~ 从井里汲水 cóng jǐng li jí shuǐ
길 ①《도로》 路 lù; 道儿 dàor; 道路 dàolù ¶산속에서 ~을 잃었다 在山里迷了路了 zài shān li míle lù le ②《여정·거리》 路程 lùchéng ¶집까지의 ~은 아직 멀다 到家路还远着呢 dào jiā lù hái yuǎnzhe ne/천리 ~도 멀다 하지 않다 不远千里 bù yuǎn qiān lǐ ③《도중》 途中 túzhōng ¶돌아오는 ~에 선물을 샀다 在归途买了礼物 zài guītú mǎile lǐwù ④《방면·분야》 ¶그 ~의 전문가 那放面的高手 nà fāngmiàn de gāoshǒu ⑤《방도》 ¶생활의 ~을 강구하다 谋求生活的途经 móuqiú shēnghuó de tújìng
길가 路旁 lù páng
길다 ①《공간적》 长 cháng ¶말의 얼굴은 ~ 马脸很长 mǎ liǎn hěn cháng/머리가 길어서 이발소에 가다 头发长了, 去理个发 tóufa cháng le, qù lǐ ge fà ②《동안이》 长 cháng; 长久 chángjiǔ; 久 jiǔ; 好久 hǎojiǔ ¶여름은 낮이 ~ 夏天白天长 xiàtiān báitiān cháng/말하자면 길어지지만… 说来话长 shuōlái huà cháng/어떤 일도 긴 안목으로 보지 않으면 안된다 什么事都要从长远的观点来看 shénme shì dōu yào cóng chángyuǎn de guāndiǎn lái kàn
길들다 驯熟(了) xúnshú(le)
길들이다 驯 xún ¶사자를 ~ 驯养狮子 xúnyǎng shīzi; 驯养 xúnyǎng
길쌈 织布 zhībù
길이[1] 长 cháng; 长度 chángdù; 长短 chángduǎn ¶~ 1m의 막대기 一米长的棍子 yì mǐ cháng de gùnzi
길이[2] 永远 yǒngyuǎn
길흉(吉凶) 吉凶 jíxiōng ¶~을 점치다 占卜吉凶 zhānbǔ jíxiōng
김[1]〔植〕甘紫菜 gānzǐcài;〈俗〉紫菜 zǐcài
김[2]《잡초》田地里的杂草 tiándì li de zácǎo; 《논의》 薅秧子 hāoyāngzi ‖~ 매다 《밭의》 薅草 hāocǎo
김[3]《증기》 蒸气 zhēngqì; 热气; rèqì ¶~이 나는 요리 冒着热气的菜 màozhe rèqì de cài =〔热气腾腾的菜 rèqì téngténg de cài〕/욕실에 ~이 가득 차 있다 浴室里弥漫着热气 yùshì li mímànzhe rèqì
김[4]《기회》当儿 dāngr; 时机 shíjī ¶…하는 ~에 正是…当儿 zhèngshì…dāngr =〔顺手儿 shùnshǒur〕
김밥 紫菜饭卷儿 zǐcài fànjuǎnr
김치 泡菜 pàocài
깁다 补 bǔ; 缝补 féngbǔ ¶바지의 터진 곳을 ~ 缝补裤子的破绽 féngbǔ kùzi de pòzhan
깃[1]《날개》翼毛 yìmáo; 翎毛 língmáo
깃[2] ⇨옷깃.
깃대(旗…) 旗杆 qígān
깊다 ①《얕지 않다》深 shēn ¶그 강은 그리 깊지 않다 这条河不怎么深 zhè tiáo hé bù zěnme shēn ②《때가》 深 shēn ¶이미 밤도 깊었다 夜已经很深了 yè yǐjīng hěn shēn le =〔夜阑人静 yèlán rénjìng〕 ③《관계가》 深 shēn ¶두 사람의 관계는 매우~ 两者关系很深 liǎngzhě guānxi hěn shēn ④《정도가》 深刻 shēnkè ¶그 그림은 그에게 깊은 인상을 주었다 那张画给他流下了'很深〔深刻〕的印象 nà zhāng huà gěi tā liúxiàle 'hěn shēn 〔shēnkè〕 de yìnxiàng/깊은 잠에 빠지다 睡得很沉 shuìde hěn chén
까다[1]《공제》扣除 kòuchú; 扣掉 kòudiào
까다[2] ①《껍질을》 剥 bāo ¶밤 껍질을 ~ 剥栗子皮 bāo lìzipí ②《알을》 孵 fū ¶암탉이 병아리를 까다 母鸡孵出小鸡 mǔjī fūchū xiǎojī

까닭 原故 yuángù〔gu〕; 原由 yuányóu
까딱하면 差一点 chàyìdiǎn; 险些儿 xiǎnxiēr
까마귀 老鸹 lǎoguā; 乌鸦 wūyā ¶ ~가 까옥까옥 울다 乌鸦呱呱地叫 wūyā guāguāde jiào
까마득하다 遥远 yáoyuǎn
까막눈이 目不识丁 mù bù shí dīng
까맣다 乌黑 wūhēi
까무러치다 昏迷 hūnmí; 昏过去 hūnguoqu
까부르다 簸 bǒ
-까지 ①(시간) 到 dào; 至 zhì; 到…为止 dào…wéizhǐ ¶7월 10일~ 유효 七月十日以前有效 qī yuè shí rì yǐqián yǒuxiào / 그가 올 때~ 기다립시다 等到他来吧 děngdào tā lái ba / 5시 ~는 돌아오너라 五点以前回来啊! wǔ diǎn yǐqián huílai a ②(장소) 到 dào; 至 zhì ¶정상~ 아직 3km 남았다 到山顶还有三公里 dào shāndǐng hái yǒu sān gōnglǐ / 맞은편 해안 ~ 수영해서 건너가다 游到对岸 yóudào duì'àn ③(범위 · 정도) 到 dào ¶나이는 30세~로 한다 年龄以三十岁为限 niánlíng yǐ sānshí suì wéi xiàn / 물이 무릎~ 올라오다 水没到膝盖 shuǐ mòdào xīgài / 납득할 때 질문을 하다 问到自己明白为止 wèndào zìjǐ míngbai wéizhǐ
-까지도 连 lián; 连…也〔都〕lián … yě〔dōu〕¶이것~ 모르느냐? 连这个也不懂么? lián zhège yě bù dǒng ma? / 한때는 자살~ 생각했다 一个时候甚至也想过自杀 yí ge shíhou shènzhì yě xiǎngguo zìshā
까치 《鳥》 喜鹊 xǐquè; 鹊 què
까치발 托架 tuōjià; 桁架 héngjià
깍쟁이 小气鬼 xiǎoqìguǐ; 吝啬鬼 lìnsèguǐ
깍지[1] (콩) 豆荚 dòujiá ¶~를 벗기다 剥豆荚 bāo dòujiá
깍지[2] (활 쏠 때의) 搬指儿 bānzhir
깎다 ①(물체를) 削 xiāo; 刨 bào ¶연필을 ~ 削〔修〕铅笔 xiāo〔xiū〕qiānbǐ / 대패로 널빤지를 ~ 用刨子刨木板 yòng bàozi bào mùbǎn ②(털 따위를) 剃 tì; 刮 guā ¶머리를 ~ 剃头 tìtóu / 수염을 ~ 刮胡子 guā húzi ③(값을) 还价 huánjià; 驳价 bójià; 打价 dǎjià ¶1,300원의 물건을 1,000원에 ~ 值一千三的东西还价为一千 zhí yìqiān sān de dōngxi huánjià wéi yìqiān / 100원 깎아서 샀다 少算一百元买下的 shǎosuàn yìbǎi yuán mǎixià de
깐깐하다 (성질이) 有粘性 yǒu nián xìng; 执拗的 zhíniù de
깔다 ①(밑에 펴다) 铺 pū ¶카펫을 ~ 铺地毯 pū dìtǎn / 길에 자갈을 ~ 往路上铺石头子儿 wàng lùshàng pū shítouzǐr ②(깔고 앉다) 垫 diàn ¶방석을 ~ 垫上个垫子 diànshàng ge diànzi
깔때기 漏斗 lòudǒu; 漏子 lòuzi
깔보다 看轻 kànqīng; 看不起 kànbuqǐ; 瞧不起 qiáobùqǐ ¶깔보는 태도를 취하다 采取看不起人的态度 cǎiqǔ kànbuqǐ rén de tàidu
깜깜하다 黑暗 hēi'àn
깜부기 麦角 màijiǎo; 麦奴 màinú
깜빡 (순간) 顷刻 qǐngkè; 转息间 zhuǎnxījiān
깜짝 (놀람) 吃惊 chījīng ¶~ 놀라다 大吃一惊 dàchīyìjīng =〔吓了一跳 xiàle yítiào〕
깡그리 统统 tǒngtǒng; 全都 quándōu
깡통 空罐子 kōngguànzi
깨 《植》 芝麻 zhīma ¶~를 빻다 研芝麻 yán zhīma

깨끗하다 干净 gānjìng ¶개가 그릇을 깨끗하게 핥다 狗把碟子舔得一干二净 gǒu bǎ diézi tiǎnde yìgānèrjìng / 그런일은 깨끗하게 잊어버리고 실컷 마시자 那种事干脆忘掉喝个痛快吧 nà zhǒng shì gāncuì wàngdiào hē ge tòngkuai ba / 빚을 깨끗이 갚다 把借债还干净 bǎ jièzhài huángānjìng; 干脆 gāncuì
깨다[1] (잠 · 꿈 · 술 따위에서) 醒 xǐng ¶오늘 아침은 4시에 깼다 今早四点钟醒了 jīnzǎo sì diǎn zhōng xǐng le / 아직 마취가 깨지 않았다 麻醉未醒 mázuì wèi xǐng / 빗소리에 잠을 ~ 被雨声弄醒了 bèi yǔshēng nòngxǐng le
깨다[2] ①(부수다) 打破 dǎpò ¶컵을 깼다 把玻璃杯打'破〔碎〕了 bǎ bōlibēi dǎ'pò〔suì〕le / 창유리를 깬 사람은 누구입니까? 打破窗玻璃的是谁? dǎpò chuāngbōli de shì shuí? ②(좌절시킴) 破坏 pòhuài ¶좋은 분위기를 그의 한 마디가 깨버렸다 很好的气氛叫他的一句话'泼了冷水〔给破坏了〕hěn hǎo de qìfēn jiào tāde yí jù huà 'pōle lěngshuǐ〔gěi pòhuài le〕/ 아이의 꿈을 깨지 마시오 别打破小孩子的理想 bié dǎpò xiǎoháizi de lǐxiǎng
깨다[3] (알에서) 出蛋壳儿 chūdànkér
깨닫다 觉悟 juéwù; 觉醒 juéxǐng; 领悟 lǐngwù; 领会 lǐnghuì; 省〔醒〕悟 xǐngwù ¶언외의 뜻을 ~ 领会其言外之意 lǐnghuì qí yán wài zhī yì / 자기의 잘못을 ~ 认识到自己的错误 rènshi dào zìjǐ de cuòwù / 인생의 무상함을 ~ 省悟到人生是变化无常的 xǐngwù dào rénshēng shì biànhuà wúcháng de
깨물다 咬紧 yǎojǐn; 咬住 yǎozhù ¶입술을 깨물며 분함을 참다 咬住嘴唇憋着一肚子气 yǎozhù zuǐchún biēzhe yí dùzi qì
깨우다 叫醒 jiàoxǐng; 唤醒 huànxǐng
깨우치다 提醒 tíxǐng; 唤醒 huànxǐng
깨지다 ①(물건이) 碎 suì ¶찻잔이 깨졌다 茶碗砸了 cháwǎn zá le / 접시가 깨졌다 碟子打碎了 diézi dǎsuì le / 이 화병은 깨지기 쉬우니 조심하시오 这个花瓶易碎,要注意 zhège huāpíng yì suì, yào zhùyì ②(일이) ¶이번의 혼담도 또 깨졌다 这次的亲事又不成了 zhè cì de qīnshì yòu bùchéng le
깻묵 油饼 yóubǐng; 枯饼 kūbǐng; 油枯 yóukū; 豆饼dòubǐng
꺼내다 ①(밖으로) 拿出 náchū; 掏出 tāochū; 取出 qǔchū ¶가방에서 노트를 ~ 从书包里拿出本子 cóng shūbāo li náchū běnzi / 주머니에서 손수건을 ~ 从口袋里掏出手绢儿 cóng kǒudai li tāochū shǒujuànr ②(이야기를) 提起 tíqǐ ¶그런 말은 꺼내기가 어렵다 这样的话实在难于开口 zhèyàng de huà shízài nányú kāikǒu
꺼뜨리다 (불을) 熄灭 xīmiè; 吹灭 chuīmiè
꺼리다 厌恶 yànwù ¶남이 듣는 것을 ~ 怕人听见 pà rén tīngjian / 꺼리지 않고 큰 소리로 말하다 毫不顾忌周围大声说话 háobù gùjì zhōuwèi dàshēng shuōhuà
꺼지다[1] (불이) 灭 miè; 熄 xī; 熄灭 xīmiè ¶등불이 확 꺼졌다 灯火一下子灭了 dēnghuǒ yíxiàzi miè le / 바람이 불어서 촛불이 꺼졌다 蜡烛被风吹灭了 làzhú bèi fēng chuīmiè le
꺼지다[2] (가라앉다) 塌陷 tāxiàn
꺾다 (나뭇가지 등을) 折 zhé; 折断 zhéduàn ¶나뭇가지를 ~ 把树枝折断 bǎ shùzhī zhéduàn /

공원의 화초를 꺾지 마시오 不得掐公园里的花草 bùdé qiā gōngyuán li de huācǎo
껄끄럽다 刺痛 cìtòng; 刺扎地痛 cì zhā de tòng; 《까실까실하다》毛糙 máocao
껄렁하다 不足为奇 bùzú wéiqí; 稀松平常 xīsōng píngchǎng
껌(gum) 口香糖 kǒuxiāngtáng
껍데기 壳 qiào; 介壳 jièqiào; 甲壳 jiǎqiào; 〈俗〉壳儿 kér ¶계란 ~ 鸡蛋壳儿 jīdànkér / 매미가 ~를 벗다 知了脱了壳了 zhīliǎo tuōle qiào le =〔蝉蜕皮了 chán tuìpí le〕
껍질 皮 pí ¶나무의 ~을 벗기다 扒树皮 bā shùpí / 사과 ~을 벗기다 削苹果皮 xiāo píngguǒpí
껑충껑충거리다 跳跳跶跶 tiàotiao dádá
-께 前后 qiánhòu ¶열흘~ 도착한다 十号前后可以到 shíhào qiánhòu kěyǐ dào
껴안다 搂抱 lǒubào; 拥抱 yōngbào
꼬꾸라지다 跌倒 diēdǎo; 跌脚 diējiǎo
꼬다 ①《끈을》搓 cuō ¶새끼를 ~ 搓绳子 cuō shéngzi ②《몸을》扭 niǔ ¶몸을 ~ 扭身子 niǔ shēnzi
꼬드기다 《부추기다》唆使 suōshǐ; 怂恿 sǒngyǒng; 撺掇 cuānduo; 嗾使 sǒushǐ; 调唆 tiáosuō; 挑唆 tiǎosuo ¶친구를 꼬드겨서 부모의 돈을 갖고 나오게 하다 怂恿朋友偷父母的钱 sǒngyǒng péngyou tōu fùmǔ de qián
꼬리 尾巴 wěiba ¶무 ~ 萝卜梢儿 luóboshāor / 강아지가 ~를 흔들면서 따라왔다 小狗摇着尾巴跟来了 xiǎo gǒu yáozhe wěiba gēnlai le
꼬리표(…票) 标记 biāojì; 货签 huòqiān; 行李签 xíngliqiān ¶화물에 ~를 달다 给行李挂上货签 gěi xíngli guàshàng huòqiān
꼬마 小鬼 xiǎogui; 小家伙 xiǎojiāhuo; 小东西 xiǎodōngxi
꼬박 简直 jiǎnzhí; 完完全全 wánwan quánquán ¶~ 하루 整天 zhěngtiān / ~ 밤을 새다 一夜一会儿也没有睡 yí yè yì huìr yě méi yǒu shuì
꼬부라지다 弯 wān; 弯曲 wānqū ¶허리가 꼬부라진 노인 腰弯了的老人 yāo wānle de lǎorén
꼬불꼬불하다 曲曲弯弯 qūqūwānwān
꼬이다 《일이》纠葛 jiūgé
꼬장꼬장하다 《결백》清白 qīngbái; 《건강》老而健壮 lǎo ér jiànzhuàng
꼬집다 掐 qiā; 捏 niē; 拧 níng
꼬챙이 签子 qiānzi ¶생선을 ~에 꿰어 굽다 把鱼串在签子上烤 bǎ yú chuàn zài qiānzi shang kǎo
꼬치꼬치 干瘦貌 gānshòumào
꼬투리 根源 gēnyuán ¶말~를 잡아서 비난하다 挑人家的字眼儿非难人 tiāo rénjia de zìyǎnr fēinàn rén
꼭 ①《정확히》正 zhèng ¶~ 11시 正十一点钟 zhěng shíyì diǎnzhōng ②《단단히》紧 jǐn; 紧紧 jǐnjǐn; 牢 láo ¶나의 손을 ~ 잡고 놓지 않다 紧握我的手不放 jǐn wò wǒde shǒu bù fàng / ~ 껴안다 紧紧搂住 jǐnjǐn lǒuzhù / ~ 붙잡고 있어라 好好儿抓住 hǎohāor zhuāzhù =〔要抓牢啊 yào zhuāláo a〕 ③《틀림없이》一定 yídìng ¶그는 ~ 온다 他一定来 tā yídìng lái
꼭대기 顶儿 dǐngr; 颠 diān ¶탑 ~ 塔顶儿 tǎdǐngr / 머리 ~부터 발끝까지 유심히 쳐다보다 从头顶到脚底，上上下下地打量 cóng tóudǐng dào jiǎodǐ, shàngshàngxiàxiàde dǎliang
꼭두각시 傀儡 kuǐlěi ¶사장은 A씨의 ~에 지나지 않는다 总经理只不过是A先生的傀儡而已 zǒngjīnglǐ zhǐ búguò shì A xiānsheng de kuǐlěi éryǐ
꼭지 《청과물의》蒂 dì
꼴[1] 样子 yàngzi ¶~ 좀 봐! 该! gāi! =〔活该! huó gāi!〕/ 이 ~이 뭐냐 你这成什么样子 nǐ zhè chéng shénme yàngzi =〔看你成什么体统 kàn nǐ chéng shénme tǐtǒng〕〔瞧你这狼狈相 qiáo nǐ zhè lángbèixiàng〕
꼴[2] 《먹이》干草 gāncǎo; 刍秣 chúmò ¶말에게 ~을 먹이다 给马喂草料 gěi mǎ wèi cǎoliào
꼴깍꼴깍 咕嘟咕嘟 gūdū gūdū
꼴불견(…不見) 不像样子 bùxiàngyàngzi; 难看 nánkàn
꼴찌 末位 mòwèi; 最后一个 zuìhòuyīge ¶달리기에서 ~를 했다 赛跑得了最后一名 sàipǎo déle zuìhòu yì míng
꼼꼼하다 《찬찬하다》周到 zhōudao ¶저 사람은 꼼꼼한 사람이다 他做事丁是丁，卯是卯，毫不含胡 tā zuòshì dīng shì dīng, mǎo shì mǎo, háobù hánhu / 꼼꼼하게 정돈하다 勤收拾 qín shōushi =〔收拾得整整齐齐 shōushide zhěngzhěngqíqí〕
꼼짝못하다 一动也不能动 yídòng yě bùnéng dòng
꼽다 《세려고》屈 qū ¶손가락을 꼽으며 세다 屈指数 qūzhǐ shǔ
꼽추 佝偻 gōulou; 驼背 tuóbèi; 罗锅(儿) luóguō(r)
꼿꼿하다 《곧다》笔直 bǐzhí
꽁무니 屁股 pìgu ¶~ 빠지게 도망가다 脚底下抹油逃跑 jiǎo dǐxia mǒ yóu táopǎo =〔拔足而逃 bá zú ér táo〕
꽁생원(…生員) 心胸荚窄的男人 xīnxiōng jiázhǎide nánrén
꽁지 尾巴 wěiba
꽁초(…草) 烟头(儿) yāntóu(r); 烟蒂 yāndì
꽁치 《魚》秋刀鱼 qiūdāoyú
꽁하다 想不开 xiǎngbùkāi
꽂다 插 chā; 簪 zān ¶화병에 꽃을 ~ 把花儿插在花瓶里 bǎ huār chā zài huāpíng li / 머리에 비녀를 ~ 头上簪簪子 tóu shang zān zānzi
꽃 《植》花 huā ¶~이 피다 花开 huā kāi / ~이 지다 花'落〔谢〕huā 'luò 〔xiè〕/ ~이 시들었다 花蔫了 huā niān le
꽃꽂이 插花 chāhuā
꽃다발 花束 huāshù
꽃봉오리 花苞 huābāo; 花骨朵 huāgūduo; 蓓蕾 bèilěi; 花蕾 huālěi ¶벚 ~가 벌어지려고 하다 樱花含苞欲放 yīnghuā hán bāo yù fàng
꽃불 花炮 huāpào
꽃집 花厂子 huāchǎngzi
꽈리 酸浆果 suānjiāngguǒ; 灯笼草 dēnglongcǎo; 红姑娘 hónggūniang
꽝 ①《터질 때》(대포의) 轰 hōng; 轰隆 hōnglóng ¶성냥을 켜자마자 ~하고 폭발했다 刚一划火柴轰地一声就爆炸了 gāng yī huá huǒchái hōngde yì shēng jiù bàozhà le ②《부딪칠 때》哗 huā; 哐 kuāng; 咣 guāng ¶버스와 트럭이 ~하고 부딪쳤다 公共汽车和卡车哐相撞 gōnggòngqìchē hé kǎchē kuāng xiāng zhuàng

꽤 《어지간히》 很 hěn; 相当 xiāngdāng ¶오늘은 ~ 춥다 今天相当冷的 jīntiān xiāngdāng lěng de
꽹과리 锣儿 luór
꾀 智谋 zhìmóu ¶얕은 ~ 小聪明 xiǎocōngming =〔鬼聪明 guǐcōngming〕
꾀꼬리 《鳥》 黄莺 huángyīng
꾀다¹ 《사람 · 벌레 등이》 聚集 jùjí; 聚拢jùlǒng; 爬满 pámǎn ¶개미가 새카맣게 꾀어 있다 蚂蚁在爬着, 黑糊糊的一片 mǎyǐ zài pázhe, hēihūhūde yípiàn / 파리가 음식에 꾀어 있다 苍蝇落在吃的东西上面 cāngying luò zài chī de dōngxi shàngmian
꾀다² 《유혹》 引诱 yǐnyòu; 〈方〉《여성을》 吊膀(子) diàobǎng(zi) ¶못된 길로 꾀임을 당하다 被引诱走邪路 bèi yǐnyòu zǒu xiélù =〔被引向邪道 bèi yǐn xiàng xiédào〕
꾀병(…病) 装病 zhuāng bìng ¶~으로 회사를 쉬다 装病不上班 zhuāng bìng bú shàngbān
꾀어내다 引诱出来 yǐnyòu chūlai ¶감언으로 ~ 用甜言密语引诱出来 yòng tiányán mìyǔ yǐnyòu chūlai
꾀죄죄하다 寒碜 hánchen; 寒酸 hánsuān ¶꾀죄죄한 옷차림을 하고 있다 衣着寒碜 yīzhuó hánchen
꾐 诱骗 yòupiàn ¶잘못 ~에 넘어가면 큰일이다 不留神上了钩就了不得了 bù liúshén shàngle gōu jiù liǎobude le
꾸다¹ 《꿈을》 做梦 zuòmèng
꾸다² 《빌려 오다》 借 jiè ¶그에게 돈을 꾸어 본 적이 없다 我从未向他借过钱 wǒ cóngwèi xiàng tā jièguo qián
꾸리다 ①《짐을》 捆 kǔn ¶이삿짐을 ~ 捆搬家的行李 kǔn bānjiā de xíngli ②《살림 따위를》 掌管 zhǎngguǎn; 操持 cāochí; 料理 liàolǐ ¶살림을 ~ 料理〔操持〕家务 liàolǐ〔cāochí〕 jiāwù
꾸물거리다 《벌레가》 蠕动 rúdòng; 蠢动chǔndòng; 咕容 gūrong ¶구데기가 ~ 蛆咕容 qū gūrong
꾸미다 ①《만들다》 装饰 zhuāngshì; 修饰 xiūshì; 摆设 bǎishè ¶예쁜 꽃으로 집을 ~ 用好看的花装饰屋子 yòng hǎokàn de huā zhuāngshì wūzi ②《치장하다》 打扮 dǎbàn ¶그녀는 몸을 조금도 꾸미지 않는다 她一点儿也不打扮 tā yìdiǎnr yě bù dǎbàn ③《조작함》 ¶겉을 ~ 装门面 zhuāng ménmian =〔装幌子 zhuāng huǎngzi〕〔摆样子bǎi yàngzi〕
꾸밈 装门面 zhuāng ménmian ¶~이 없는 사람 不装门面的人 bù zhuāng ménmian de rén / 그녀의 ~이 없는 태도는 사람들에게 호감을 준다 她那毫不做作的态度给人以好感 tā nà háobù zuòzuo de tàidu gěi rén yǐ hǎogǎn
꾸벅거리다 打盹 dǎdǔn
꾸준하다 坚持 jiānchí; 终始一贯 zhōng shǐ yīguàn
꾸지람 申斥 shēnchì; 责备 zébèi
꾸짖다 说 shuō; 训 xùn; 批评 pīpíng; 责备 zébèi; 责骂 zémà; 叱骂 chìmà ¶숙제를 잊고 와서 선생님의 꾸짖음을 들었다 忘了做作业挨了老师一顿批评 wàngle zuò zuòyè áile lǎoshī yí dùn pīpíng
꾹 ①《누르다》 使劲 shǐjìn ②《참다》 极力 jílì
꿀 蜂蜜 fēngmì; 蜜 mì ¶나비가 꽃의 ~을 빨고 있다 蝴蝶吸着花蜜 húdié xīzhe huāmì
꿀벌 蜜蜂 mìfēng
꿇다 《무릎을》 跪下 guìxia; 跪倒 guìdǎo ¶무릎을 꿇고서 기도하다 跪着祈祷 guìzhe qídǎo
꿇어앉다 跪下坐 guìxiazuò
꿈 ①《수면 중의》 梦 mèng ¶~꾸다 做梦 zuò mèng / 아버지의 ~을 꾸다 梦见了父亲 mèng jiànle fùqin / ~에서 깨어나다 从梦中醒过来 cóng mèng zhōng xǐngguòlai / 1년간은 ~과 같이 지나갔다 一年如梦一样地过去了 yì nián rú mèng yíyàng de guòqu le ②《소망 · 이상》 梦想 mèngxiǎng; 理想 lǐxiǎng ¶장래에 커다란 ~을 품다 对将来抱有很大的梦想 duì jiānglái bàoyǒu hěn dà de mèngxiǎng / 요즈음 젊은이들은 ~이 없다 近来的年轻人没有理想 jìnlái de niánqīngrén méiyǒu lǐxiǎng
꿋꿋하다 坚实 jiānshí; 有志气 yǒuzhìqi
꿩 《鳥》 野鸡 yějī; 雉鸡 zhìjī; 山鸡 shānjī
꿰다 穿 chuān ¶바늘에 실을 ~ 穿针 chuānzhēn =〔纫针 rèn zhēn〕 / 뚫어 ~ 穿通 chuāntōng
꿰뚫다 ①《관통》 穿通 chuāntōng; 贯穿 guànchuān; 贯通 guàntōng ¶총알이 벽을 ~ 枪弹穿通墙壁 qiāngdàn chuāntōng qiángbì ②《통찰》 打通 dǎtōng ¶내용을 ~ 知道底细 zhīdào dǐ xi
꿰매다 《바늘로》 缝 féng ¶옷을 ~ 缝衣服 féng yīfu / 상처를 다섯 바늘 꿰맸다 伤口缝了五针 shāngkǒu féngle wǔ zhēn
뀌다 《방귀》 放 fàng ¶放屁 fàngpì
끄나풀 ①《끈》 细绳 xìshéng ②《앞잡이》 爪牙 zhǎoyá; 狗腿子 gǒutuǐzi; 走狗 zǒugǒu; 腿子 tuǐzi ¶경찰의 ~ 警察的走狗 jǐngchá de zǒugǒu
끄다 ①《불을》 灭 miè ¶물을 끼얹어 불을 ~ 泼水灭火 pōshuǐ miè huǒ / 담뱃불을 밟아 ~ 踩灭烟卷儿的火 cǎimiè yānjuǎnr de huǒ ②《전등 · 가스 따위를》 关 guān ¶전등을 ~ 关上电灯 guānshàng diàndēng =〔熄灯 xīdēng〕 / 라디오를 꺼라 关掉收音机吧 guāndiào shōuyīnjī ba
끄덕이다 点头 diǎntóu; 首肯 shǒukěn ¶나의 말에 그는 연달아 ~ 他对我的话频频点头 tā duì wǒde huà pínpín diǎntóu
끄르다 解开 jiěkai ¶보따리의 끈을 ~ 解开包裹的绳子 jiěkai bāoguǒ de shéngzi
끄집어내다 掏出 tāochū; 拿出 náchū ¶가방에서 노트를 ~ 从书包里拿出笔记本 cóng shūbāo li náchū bǐjìběn
끄트머리 末尾 mòwěi
끈 绳子 shéngzi; 绳儿 shéngr; 带子 dàizi; 带儿 dàir; 《가는》细绳 xìshéng ¶~으로 묶다 用细绳捆 yòng xìshéng kǔn / 신발 ~을 매다 系鞋带 jì xiédài
끈기(…氣) 耐性 nàixìng; 毅力 yìlì ¶~ 있다 有耐性 yǒu nàixìng / 아침 일찍 뜀뛰기를 ~ 있게 계속하다 他每天早上坚持长跑 tā měitiān zǎoshang jiānchí chángpǎo
끈끈이 粘鸟胶 niánniǎojiāo
끈끈하다 ① 粘糊糊 niánhūhū ¶송진으로 손이 ~ 手沾上松肢粘糊糊的 shǒu zhānshàng sōngzhī niánhúhúde ②《성질이》 不爽快 bù shuǎngkuai
끈덕지다 有韧劲儿 yǒurènjìnr; 不屈不挠的 bù qū bù náo de

끈적끈적 粘粘糊糊 niánniánhūhū ¶손에 꿀이 묻어서 ～하다 手沾蜂蜜粘粘糊糊的 shǒu zhān fēngmì niánniánhúhúde

끊다 ①《잘라내다》 剪 jiǎn; 割 gē ¶치마의 단을 끊어서 짧게 하다 把裙子的下摆剪短 bǎ qúnzi de xiàbǎi jiǎnduǎn/수술해서 맹장을 ～ 动手术割阑尾 dòng shǒushù gē lánwěi/사자가 자물쇠를 끊고서 도망갔다 狮子拉断锁链跑了 shīzi lāduàn suǒliàn pǎo le ②《교제·관계를》 断 duàn; 断绝 duànjué; 割断 gēduàn ¶형제의 인연을 ～ 断绝兄弟关系 duànjué xiōngdì guānxi/끊을래야 끊을 수 없는 사이가 되었다 已经成了要割也割不断的关系了 yǐjīng chéngle yào gē yě gēbúduàn de guānxi le ③《전화를》 挂 guà ¶전화를 ～ 挂断电话 guàduàn diànhuà ④《말을》 ¶거기서 잠시 말을 끊었다가, 다시 또 말을 계속하다 说到那里稍顿了一下, 接着说下去了 shuōdào nàli shāo dùnle yīxià, jiēzhe shuōxiàqù le ⑤《옷감·표 따위를》 剪 jiǎn; 铰 jiǎo ¶표를 ～ 剪票 jiǎn piào/이 천을 3m 끊어 주십시오 把这种布给我铰三米吧 bǎ zhè zhǒng bù gěi wǒ jiǎo sān mǐ ba ⑥《발행》 开 kāi ¶수표를 ～ 开支票 kāi zhīpiào

끊어지다 ①《절단되다》 断 duàn ¶줄이 끊어졌다 绳子断了 shéngzi duàn le/전구가 끊어졌다 灯丝断了 dēngsī duàn le ②《관계가》 断 duàn; 断绝 duànjué ¶그와는 관계를 끊었다 和他断了关系 hé tā duànle guānxi ③《중단되다》 断 duàn ¶전화가 돌연 끊어졌다 电话突然断了 diànhuà tūrán duàn le/연락이 끊어졌다 失去联络 shīqù liánluò =〔联系断了 liánxì duàn le〕

끊임없이 不断的 búduànde ¶～ 관광객이 방문하다 游客'络绎不绝〔源源而来〕 yóukè 'luòyì bù jué〔yuányuán ér lái〕

끌 凿子 záozi

끌다 ①《잡아당기다》 拉 lā ¶밧줄을 ～ 拉大绳 lā dà shéng ②《질질》 拉 lā ¶치마를 끌면서 걷다 拖着下摆走 tuōzhe xiàbǎi zǒu ③《주의·인기 등을》 引 yǐn; 惹 rě; 吸引 xīyǐn ¶그녀의 주의를 ～ 引起她的注意 yǐnqǐ tāde zhùyì/사람들의 동정을 ～ 引人同情 yǐn rén tóngqíng/그녀의 미모에 끌려서 남자들이 몰려들다 为她的美貌所吸引, 男人们围了过来 wéi tāde měimào suǒ xīyǐn, nánrénmen wéile guòlai ④《짐·수레 따위를》 拉 lā; 牵 qiān; 拖 tuō ¶말을 끌고 가다 牵马走 qiān mǎ zǒu/손수레를 ～ 拉排子车 lā pǎizichē ⑤《꾀다》 招引 zhāoyǐn ¶손님을 ～ 招引〔招揽〕顾客 zhāoyǐn〔zhāolǎn〕 gùkè ⑥《끌어들이다》 引 yǐn; 拉 lā ¶산에서 물을 ～ 从山上引水 cóng shān shang yǐn shuǐ/가스를 ～ 铺设煤气管道 pū shè méiqì guǎndào/전화를 ～ 安电话 ān diànhuà ⑦《시간 따위를》 赢 yíng; 《기한을》 拖延 tuōyán ¶원군이 올 때까지 시간을 ～ 赢得时间等援军赶到 yíngdé shíjiān děng yuánjūn gǎndào

끌러지다 解开 jiěkāi ¶겨우 줄이 끌러졌다 绳子好容易才解开了 shéngzi hǎoróngyi cái jiěkai le/신발 끈이 끌러졌다 鞋带儿开了 xié dàir kāi le

끌리다 《옷자락이》 拖曳 tuōyè; 《기일이》 拖延 tuōyán; 被拉 bèilā

끌어넣다 拉进来 lājìnlai; 捎上 shāoshàng; 拉入 lārù

끌어내리다 拉下 lāxià; 扯下 chěxià ¶단상에서 ～ 从讲坛上拉下来 cóng jiǎngtán shang lāxiàlai

끌어당기다 ¶찻잔을 앞으로 ～ 把茶杯拿到跟前 bǎ chábēi nádào gēnqián/그에게는 어딘가 사람을 끌어당기는 데가 있다 他有一种说不出的吸引力 tā yǒu yì zhǒng shuōbuchū de xīyǐnlì

끌어들이다 ①《제편으로》 拉入 lārù; 拉进 lājìn ¶그를 우리 편으로 ～ 把他争取过来 bǎ tā zhēngqǔ guòlai/무리하게 나쁜 패에 ～ 硬被'拉入伙〔拖下水〕 yìng bèi 'lā rùhuǒ 〔tuō xiàshuǐ〕 ②《안으로》 引入 yǐnrù; 引进 yǐnjìn; 拉入 lārù; 拉进 lājìn ¶물을 마당에 끌어들여서 못을 만들다 把水引到院子里做一个池子 bǎ shuǐ yǐndào yuànzi li zuò yí ge chízi

끌어안다 搂抱 lǒubào

끓다 ①《물이》 开 kāi; 滚 gǔn ¶물이 ～ 水'开〔滚〕了 shuǐ 'kāi 〔gǔn〕 le/목욕물이 끓었다 洗澡水烧好了 xǐzǎoshuǐ shāohǎo le ②《화나다》 ¶그 말을 듣고서 뱃속이 부글부글 끓었다 听了那话气得肚子里像滚了锅一样 tīngle nà huà qìde dùzi li xiàng gǔnle guō yīyàng ③《뱃속이》 ¶배가 부글부글 ～ 肚子咕噜咕噜地叫 dùzi gūlūgūlūde jiào ④《꾀다》 生 shēng ¶구더기가 ～ 生蛆 shēng qū/이가 ～ 生蝨子 shēng shīzi

끓이다 烧 shāo; 烧开 shāokāi ¶물을 ～ 烧水 shāo shuǐ/목욕물을 ～ 烧洗澡水 shāo xǐzǎoshuǐ

끔찍하다 ① 可怕 kěpà ¶끔찍한 형상 凶恶可怕的面孔 xiōng'è kěpàde miànkǒng ②《극진함》 尽善尽美 jìnshàn jìnměi

끙끙 哼哼 hēnghēng ¶아파서 ～ 앓다 疼得直哼哼 téngde zhí hēnghēng

끝 ①《첨단》 尖儿 jiānr; 头儿 tóur ¶연필 ～이 무디어졌다 铅笔尖儿秃了 qiānbǐjiānr tū le/장대 ～에 잠자리가 앉아 있다 竿尖儿上落着一只蜻蜓 gānjiānr shang luòzhe yī zhī qīngtíng/침～으로 가볍게 찌르다 用针尖儿轻刺 yòng zhēnjiānr qīng cì ②《맨나중》 末了 mòliǎo; 终了 zhōngliǎo; 末尾 mòwěi; 末后 mòhòu; 尾声 wěishēng ¶처음부터 ～까지 自始至终 zì shǐ zhì zhōng =〔从头到尾cóng tóu dào wěi〕/～까지 보자 看到最后吧 kàndào zuìhòu ba/편지의 ～에 이렇게 쓰여 있다 信末尾这样写着 xìn mòwěi zhèyàng xiězhe ③《순위》 ¶～에서 2번째로 졸업했다 以倒数第二名的成绩毕了业 yǐ dào shǔ dì'èr míng de chéngjī bìle yè

끝끝내 到底 dàodǐ; 一口咬定 yìkǒuyǎodìng

끝나다 ①《일이》 完 wán; 完了 wánliǎo; 结束 jiéshù; 告终 gàozhōng; 完毕 wánbì ¶회의는 5시에 ～ 会议五点钟结束 huìyì wǔ diǎn zhōng jiéshù/대회는 성공리에 끝났다 大会胜利闭幕了 dàhuì shènglì bìmù le/이 일은 연내에는 끝나지 못한다 这个工作看来在年内完不了 zhège gōngzuò kànlai zài niánnèi wánbuliǎo ②《시간적·공간적으로》 ¶계약 기한이 ～ 合同的期限过了 hétong de qīxiàn guò le/(고용살이의) 계약 기한이 ～ 出师 chūshī =〔满师mǎnshī〕/이제 곧 휴가가 ～ 假期将满 jiàqī jiāng mǎn/조금 걸으니까 숲이 끝났다

走不一会儿, 树林子就到头了 zǒu bù yíhuìr, shùlínzi jiù dàotóu le
끝내다 办完 bànwán ¶그 일을 끝내고 한숨 돌리다 办了这件事, 松了一口气 bànle zhèjiàn shì, sōngle yì kǒu qì
끝마치다 完 wán; 完了 wánliǎo; 终了 zhōngliǎo; 结束 jiéshù; 告终 gàozhōng; 完结 wánjié; 完毕 wánbì; 完成 wánchéng ¶대학 4년의 과정을 무사하게 끝마쳤다 顺利地完成了大学四年的课程 shùnlìde wánchéngle dàxué sì nián de kèchéng
끝머리 末尾 mòwěi ¶편지의 ~에 이렇게 쓰여 있다 信末尾这样写着 xìn mòwěi zhèyàng xiězhe
끝장 ①《결말》终场 zhōngchǎng; 收场 shōuchǎng; 下场 xiàchǎng ②《마지막》完了 wánliǎo ¶인간도 이렇게 되면 ~이다 人到了这种地步也就算完了 rén dàole zhèzhǒng dìbù yě jiù suàn wán le
끝판《흥행 따위의》散场 sànchǎng; 终场 zhōngchǎng
끼니 饭 fàn; 顿 dùn ¶하루에 세 ~ 一天三顿饭 yì tiān sān dùn fàn
끼다[1] ①《품속·팔에》夹 jiā ¶책가방을 겨드랑이에 ~ 夹着书包 jiāzhe shūbāo / 팔짱을 끼고서 생각에 잠기다 抱着胳臂沉思 bàozhe gēbei chénsī ②《사이에》夹 jiā ¶서표를 책 사이에 ~ 把书签夹在书里 bǎ shūqiān jiā zài shū li / 빵에 햄을 끼어서 먹다 把火腿夹在面包里吃 bǎ huǒtuǐ jiā zài miànbāo li chī / 일요일을 끼어서 5일간 쉬었다 连星期天在内休息了五天 lián xīngqītiān zài nèi xiūxile wǔ tiān ③《반지 따위를》戴 dài ¶반지를 ~ 戴上戒指 dàishàng jièzhi / 장갑을 ~ 戴手套 dài shǒutào
끼다[2] ①《안개 등이》弥漫 mímàn ¶저녁 안개가 ~ 暮霭'弥漫〔笼罩〕 mù'ǎi 'mímàn〔lǒngzhào〕 ②《때·먼지가》¶때가 ~ 赃了 zāngle ③《이끼 등이》¶이끼 낀 바위 长满苔藓的岩石 zhǎngmǎn táixiǎn de yánshí
끼리끼리 一帮一帮地 yìbāng yìbāngde; 党同伐异 dǎngtóng fāyì ¶~ 모이다 物以类聚 wù yǐ lèi jù
끼얹다 泼 pō ¶머리에 찬물을 ~ 往头上泼冷水 wàng tóu shang pō lěngshuǐ
끼우다 ①插进 chājìn; 插入 chārù ¶코드를 콘센트에 ~ 把插头插进插座里 bǎ chātóu chājìn chāzuò li ②《장식물을》镶嵌 xiāngqiàn
끼치다[1]《소름》起 qǐ ¶소름 끼치다 鸡皮疙瘩 jīpí gēda
끼치다[2]《불편을》¶폐를 끼쳐 대단히 미안합니다 很对不起, 给您添了许多麻烦 hěn duìbuqì, gěi nín tiānle xǔduō máfan
낌새 感触 gǎnchù; 情绪 qíngxu; 情节 qíngjié ¶~를 살피다 窥视推移 kuīshì tuīyí

〔ㄴ〕

나 我 wǒ ¶~의 我的 wǒ de / ~는 학생입니다 我是学生 wǒ shì xuésheng
나가다《밖으로》出去 chūqu; 出门chūmén ¶어머니는 마침 물건을 사러 나가셨다 母亲刚才出去买东西了 mǔqin gāngcái chūqu mǎi dōngxi le / 나가려고 하는데 손님이 왔다 正要出门迎头来了客人 zhèng yào chūmén yíngtóulái le kèren
나가떨어지다 摔下去 shuāi xiàqu; 《피곤해서》疲倦不堪píjuàn bùkān
나귀〔動〕驴 lǘ; 驴子lǘzi
나그네 旅人 lǚren; 游子 yóuzǐ
나날이 每天 měitiān; 见天 jiàntiān
나누다 ①《분할·분류·구별》分 fēn; 分开 fēnkāi ¶3회에 나누어서 지불하다 分三次付款 fēn sāncì fùkuǎn / 카드를 색깔별로 ~ 把卡片按颜色分类 bǎ kǎpiàn àn yánsè fēnlèi / 생물은 동물과 식물로 나뉜다 生物可以分为动物和植物 shēngwù kěyǐ fēn wéi dòngwù hé zhíwù ②《분배》分 fēn ¶유산을 ~ 分遗产 fēn yíchǎn / 피를 나눈 형제 同胞手足 tóngbāo shǒu zú =〔骨肉同胞gǔròu tóngbāo〕 ③《분양》分 fēn ¶희망하시는 분에게 나누어 드립니다 分给想要的人 fēn gěi xiǎng yào de rén ④《나눗셈》除 chú ¶8 나누기 2는 4다 八除以二得四 bā chú yǐ èr dé sì / 7을 2로 나누면 3하고 1이 남는다 二除七得三馀一 èr chú qī dé sān yú yī
나누이다 分 fēn ¶이 장은 5절로 ~ 这一章分为五节 zhè yī zhāng fēnwéi wǔ jié
나눗셈 除法 chúfǎ
나다 ①《발생·생기다》¶운반 도중에 상처가 ~ 在搬运的途中划了口子 zài bānyùn de túzhōng huále kǒuzi / 눈 위에 발자국이 나 있다 雪上有脚印 xuě shang yǒu jiǎoyìn / 연통에서 연기가 나고 있다 烟筒冒着烟 yāntong màozhe yān / 식탁에 김이 나는 요리가 차려져 있다 餐桌上摆着热气腾腾的饭菜 cānzhuō shang bǎizhe rèqì téngténg de fàncài / 부엌에서 불이 났다 厨房起火了 chúfáng qǐhuǒ le ②《돋아남》长 zhǎng; 生 shēng ¶마당에 풀이 많이 나 있다 院子里长满了杂草 yuànzi li zhǎngmǎnle zácǎo / 수염이 ~ 长胡子 zhǎng húzi / 이가 모두 가지런하게 났다 牙齿都长齐了 yáchǐ dōu zhǎngqí le / 장마 때는 곰팡이가 잘 ~ 在梅雨期容易发霉 zài méiyǔqī róngyì fāméi ③《힘·스피드 따위가》¶그것을 듣고서 갑자기 힘이 났다 听了那个话我猛然来了劲儿 tīngle nàge huà wǒ měngrán lái le jìnr / 이 차는 더 이상 스피드가 나지 않는다 这汽车再也加快不了速度 zhè qìchē zài yě jiākuài bu liǎo sùdù ④《증세》¶구역질이 ~ 觉得恶心 juéde ěxin ⑤《눈물·땀 따위》¶더워서 땀이 ~ 热得 '出〔冒〕汗 rède 'chū〔mào〕 hàn / 눈물이 나서 혼났다 禁不住流泪 jīnbuzhù liúlèi ⑥《감정·기분·생각이》¶그녀는 지금 화가 나 있다 她正在气头上 tā zhèng zài qìtóushang ⑦《인물이》出 chu 이 곳에서 우수한 정치가가 많이 나왔다 这个地方出了很多优秀的政治家 zhègedìfang chūle hěn duō yōuxiù de zhèngzhìjiā ⑧《산출하다》出 chu ¶남부 지방에는 차가 난다 南方'产〔出, 出产〕茶 nánfāng 'chǎn 〔chū, chūchǎn〕 chá ⑨《맛이》¶씹으면 씹을수록 맛이 ~ 越咀嚼越有味道 yuè jǔjué yuè yǒu wèidao
나들이 出门 chūmén; 出外 chūwài ‖ ~옷 出门穿的(好)衣服 chūmén chuān de(hǎo) yīfu

나라 国 guó ¶사람은 누구라도 자기의 ～를 사랑하는 마음을 갖고 있다 任何人都有热爱自己的国家的心 rèn hérén dōu yǒu rè'ài zìjǐ de guójiā de xīn
나란히 并排着 bìngpàizhe ¶～ 가다 一排一排地走 yìpái yìpáide zǒu/～ 서 있다 站成一排 zhàn chéng yìpái
나루 渡津 dùjīn ‖～터 渡口 dùkǒu
나룻배 渡船 dùchuán; 渡轮 dùlún
나르다 搬运 bānyùn; 运送 yùnsòng ¶목재를 트럭으로 ～ 木材用卡车搬运 mùcái yòng kǎchē bānyùn
나리¹ 《植》 百合 bǎihé
나리² 《존칭》 老爷 lǎoye
나막신 木屐 mùjī; 木履 mùlǚ ¶～을 신다〔벗다〕 穿〔脱〕木屐 chuān〔tuō〕 mùjī
나머지 ①《남은 부분》 馀 yú; 剩 shèng; 剩馀 shèngyú; 馀剩 yúshèng ¶회비의 ～는 다음 회로 돌립시다 剩馀的会费转到下届吧 shèngyú de huìfèi zhuǎndào xiàjiè ba/10을 3으로 나누면 3이 되고 ～는 1이다 十除以三立三馀一 shí chúyǐ sān lì sān yú yī ②《…한 끝에》 ¶기쁜 ～ 눈물이 나왔다 高兴得哭了起来 gāoxìngde kūle qǐlai
나무 ①《수목》 树 shù; 树木 shùmù ¶～를 심다 种树 zhòngshù/～가 우거지다 树木茂盛 shùmù màoshèng/～를 베다 砍树 kǎn shù =〔伐树 fáshù〕 ②《재목》 木 mù; 木头 mùtou ¶～로 만든 탁자 用木头做的桌子 yòng mùtou zuò de zhuōzi ‖～ 토막 木片 mùpiàn
나무꾼 樵夫 qiáofū; 打柴的 dǎcháide
나무라다 责备 zébèi
나물 菜 cài; 《무친 것》 小菜儿 xiǎocàir ¶시금치 ～을 무치다 掺拌菠菜 chānbàn bōcài
나뭇가지 树枝(儿) shùzhī(r); 树条 shùtiáo; 枝条 zhītiáo; 枝子 zhīzi ¶～를 치다 把树枝破下来 bǎ shùzhī pòxià lái
나뭇잎 树叶(儿, 子) shùyè(r, zi)
나방 《蟲》 蛾子 ézǐ; 蛾儿 ér
나부끼다 飘扬 piāoyáng ¶창공에 펄럭펄럭 기가 나부끼고 있다 旗在蓝天下飘扬 qí zài lántiān xià piāoyáng
나비 《蟲》 胡蝶 húdié ‖～ 넥타이 胡蝶领结 húdié lǐngjié =〔领花(儿) lǐnghuā(r)〕
나쁘다 ①《좋지 않다》 坏 huài; 差 chà; 不好 bù hǎo ¶머리가 ～ 脑子笨 nǎozi bèn =〔脑筋不好nǎojīn bù hǎo〕/발음이 ～ 发音不好 fāyīn bù hǎo/안색이 나쁜데 무슨 일이지? 脸色不好, 怎么了? liǎnsè bù hǎo, zěnme le?/그는 평판이 ～ 他的名声不好 tāde míngshēng bù hǎo/저 두 사람은 사이가 ～ 他俩感情不好 tā liǎ gǎnqíng bù hǎo ②《착하지 않다》 坏 huài; 不好 bù hǎo; 不对 bú duì ¶거짓말을 하는 것은 ～ 撒谎是不好的 sāhuǎng shì bù hǎo de/내가 ～, 사과한다 是我不对, 请愿谅 shì wǒ bú duì, qǐng yuánliàng =〔是我的 '不是〔错〕, 很对不起shì wǒde 'bùshi〔cuò〕, hěn duìbuqǐ〕/저렇게 나쁜 남자하고는 상대하지 마라 别跟那种坏男人来往 bié gēn nà zhǒng huài nánrén láiwang ③《부적당하다》 ¶밤새는 것은 몸에 ～ 熬夜对身体有害 áoyè duì shēntǐ yǒuhài/어두운 곳에서 책을 읽는 것은 눈에 ～ 在光线暗的地方看书对眼睛不好 zài guāngxiàn àn de dìfang kàn shū duì yǎnjing bù hǎo
나사(羅紗) 呢子 nízi; 毛呢 máoní
나사(螺絲) 螺丝 luósī; 螺钉 luódīng; 〈俗〉螺丝钉 luósīdīng ¶～를 죄다〔느슨히 하다〕 拧紧〔拧松〕螺丝 nǐngjǐn〔nǐngsōng〕 luósī ‖～ 돌리개 赶锥 gǎn zhuī
나서다 《앞으로》 走到前边去 zǒu dào qiánbian qù; 《뻐기다》 出风头 chūfēngtóu
나선(螺旋) 螺旋 luóxuán ‖～ 계단 螺旋梯 luóxuántī
나아가다 ①《전진》 前进 qiánjìn ¶다시 한 발짝 앞으로 나아가십시오 请再往前走一步 qǐng zài wǎng qián zǒu yí bù/한국이 금후 나아갈 길 韩国今后应走的路 Hánguó jīnhòu yīng zǒu de lù ②《진척됨》 进行 jìnxíng ¶공사가 순조롭게 ～ 工程进行得很顺利 gōngchéng jìnxíngde hěn shùnlì
나오다 ①《안에서 밖으로》 ¶매일 아침 7시에 집을 ～ 每天早上七点'出门〔出去〕 měitiān zǎoshang qī diǎn 'chūmén〔chūqu〕/밖으로 나와서 신선한 공기를 마시다 到外边去吸新鲜空气 dào wàibian qù xī xīnxiān kōngqì ②《나타나다》 出 chū ¶산 끝에 달이 ～ 山边上月亮露出了头 shānbiān shang yuèliang lùchūle tóu/유령이 나올 것 같은 집이다 像是会闹鬼的房子 xiàng shì huì nàoguǐ de fángzi ③《산출》 ¶수박이 나오기 시작하다 西瓜上市了 xīguā shàngshì le ④《발생·출처》 出 chū ¶볼레로라는 말은 스페인어에서 나온 것이다 包列罗这句话是从西班牙话来的 bāolièluó zhè jù huà shì cóng Xībānyáhuà lái de/그의 그 행위는 사욕에서 나온 것이다 他的那种行为完全出于他的私欲 tāde nà zhǒng xíngwéi wánquán chūyú tāde sīyù ⑤《떠나다》 离 lí ¶아버지와 싸우고서 집을 ～ 跟父亲吵了架离家出走了 gēn fùqin chǎole jià lí jiā chūzǒu le/집을 나와서 아파트에 살다 离开家住公寓 líkāi jiā zhù gōngyù ⑥《출마》 出马 chūmǎ ¶그는 이번 선거에 종로 제 1구에서 나온다 这次选举他是从钟路第一区出马吧 zhè cì xuǎnjǔ tā shì cóng zhōnglù dìyī qū chūmǎ ba ⑦《신문·책이》 登 dēng ¶나의 르포가 5월호에 나온다 我的报道在五月号上登载 wǒ de bàodào zài wǔ yuè hào shang dēngzǎi/그 말은 이 사전에 나오지 않는다 那个词在这本词典上没有 nàge cí zài zhè běn cídiǎn shang méiyǒu ⑧《찾던 것이》 出 chū ¶도난품이 나왔다 脏物出来了 zāngwù chūlai le ⑨《내밀다》 ¶그는 최근 배가 나왔다 他最近肚子凸〔鼓〕出来了 tā zuìjìn dùzi 'tū〔gǔ〕 chūlai le ⑩《졸업하다》 ¶대학을 나온 지 7년이 되었다 大学毕业七年了 dàxué bìyè qì nián le
나위 ¶더할～ 없다 没有更要多做的浮馀 méiyǒu gèng yào duō zuò de fúyú/말할 ～없다 其馀事 yóuqī yú shì
나이 岁数儿 suìshur; 年纪 niánjì; 年龄 niánlíng; 年岁 niánsuì ¶저 사람은 ～가 얼마나 됩니까 那个人'年纪〔岁数〕多大? nàge rén niánjì〔suìshu〕 duō dà/나와 그녀는 ～가 같다 我和她同'岁〔龄〕 wǒ hé tā tóng'suì〔líng〕/그는 보다 늙어 보인다 他比实际年龄显得老 tā shíjì niánlíng xiǎnde lǎo
나이스(nice) 好 hǎo; 棒 bàng; 漂亮 piàoliang; 精彩 jīngcǎi ‖～ 볼! 好球! hǎoqiú!
나이트(night) 夜 yè; 夜间 yèjiān ‖～ 캡 睡

shuìmào / ～ 클럽 夜总会 yèzǒnghuì
나이프(knife) 小刀(儿) ¶ ～와 포크 餐刀和叉子 cāndāo hé chāzi
나일론(nylon) 《紡》 尼龙 nílóng
나절 半天 bàntiān ¶ 아침 ～ 上半天 shàngbàntiān
나중 后来 hòulai; 随后 suíhòu
나지막하다 矮爬爬 ǎipápá
나체(裸體) 裸体 luǒtǐ
나치스(Nazis) 纳粹 Nàcuì
나침반(羅針盤) 指南针 zhǐnánzhēn; 罗盘 luópán
나타나다 (나오다·드러나다) 出现 chūxiàn ¶ 서쪽 하늘에 검은 구름이 나타났다 西方的天空出现了一片乌云 xīfāng de tiānkōng chūxiànle yípiàn wūyún / 난세에는 영웅이 나타난다 乱世出英雄 luànshì chū yīngxióng / 새로운 사실이 차례 차례로 나타났다 新事实一个接一个地出来了 xīn shìshí yíge jiē yíge de chūlai le / 취하면 본성이 나타난다 一醉就暴露了本性 yí zuì jiù bàolùle běnxìng / 중국 문학에 나타난 농민의 생활 中国文学里所描绘的农民生活 Zhōngguó wénxué li suǒ miáohuì de nóngmín shēnghuó
나타내다 ① (보이다·드러내다) 现出 xiànchū; 呈现 chéngxiàn; 显现 xiǎnxiàn ¶ 그 날 끝내 그는 회의장에 모습을 나타내지 않았다 那天他终于没出现在会场 nà tiān tā zhōngyú méi chūxiàn zài huìchǎng / 그는 본성을 나타냈다 他现出了本性 tā xiànchūle běnxìng =〔他原形毕露tā yuánxíng bì lù〕 ② (표현) 表达 biǎodá; 显示 xiǎnshì ¶ 그 기쁨은 어떻게 말로는 나타낼 수가 없다 这种喜悦难以用言语表达出来 zhè zhǒng xǐyuè nán yǐ yòng yányǔ biǎodá chūlai / 그것은 그의 결심이 보통이 아님을 나타냈다 那显示了他不同寻常的决心 nà xiǎnshìle tā bùtóng xúncháng de juéxīn / 그녀는 좀체로 감정을 겉으로 나타내지 않는다 她不轻易表露感情 tā bù qīngyì biǎolù gǎnqíng ③ (대표·상징) 表示 biǎoshì ¶ 이 기호는 맑음을 나타낸다. 这个符号表示晴天 zhège fúhào biǎoshì qíngtiān
트륨 《化》 钠 nà
팔(喇叭) 喇叭 lǎba; (군대) 号 hào ¶ ～을 불다 吹喇叭 chuī lǎba =〔(비유적) 说大话 shuō dàhuà〕 / 기상 ～ 起床号 qǐchuánghào ‖ ～꽃 牵牛 qiānniú =〔〈俗〉 喇叭花 lǎbahuā〕 / ～수 号手 hàoshǒu =〔号兵 hàobīng〕
프탈렌(naphthalene) 《化》 萘 nài; (방충제) 樟脑丸 zhāngnǎowán; 卫生球(儿) wèishēngqiú(r)
흘 四天 sì tiān
관(落款) 落款 luòkuǎn
관(樂觀) 乐观 lèguān ¶ 그는 어떤 일에도 ～적이다 他对什么事都很乐观 tā duì shénme shì dōu hěn lèguān
담(落膽) 灰心 huīxīn; 沮丧 jǔsàng; 泄气 xièqì; 丧气 sàngqì; 气馁 qìněi ¶ 그는 시험에 실패해서 ～했다 他没考上很灰心 tā méi kǎoshàng hěn huīxīn
뢰(落雷) 落雷 luòléi; 雷劈 léipī; 雷击 léijī ～로 정전이다 因落雷停电了 yīn luòléi tíngdiàn le
마(落馬) 坠马 zhuìmǎ ¶ ～하여 다쳤다 坠马受伤 zhuìmǎ shòushāng
낙명(落名) 低落荣誉 dīluò róngyù
낙방(落榜) 没有考中 méiyǒu kǎozhòng; 不及格 bù jígé; 落榜 luòbǎng; 落第 luòdì; 下第 xiàdì
낙서(落書) 乱写 luàn xiě ¶ 벽에 ～가 있다 墙上胡写乱画着 qiáng shang húxiě luànhuàzhe / ～하지 말 것 不许乱写乱画 bùxǔ luàn xiě luàn huà
낙숫물(落水…) 檐溜(滴) yánliù(dī) ¶ 처마에서 ～이 떨어지다 从屋檐往下滴答水 cóng wūyán wǎng xià dīdā shuǐ
낙심(落心) 沮丧 jǔsàng; 气馁 qìněi; 灰心丧气 huīxīnsàngqì ¶ 낙선을 알고서 그는 매우 ～했다 知道落选他非常灰心丧气 zhīdao luòxuǎn tā fēicháng huīxīn sàngqì ‖ ～천만 很沮丧 hěn jǔsàng
낙원(樂園) 乐园 lèyuán; 天堂 tiāntáng
낙인(烙印) 烙印 làoyìn ¶ 반역자의 ～이 찍히다 被他上叛徒的烙印 bèi dǎshàng pàntú de làoyìn
낙제(落第) 不及格 bù jígé; 考不中 kǎobuzhòng; 留级 liújí ¶ 시험에 ～하다 考试'不及格〔没有通过〕 kǎoshì 'bù jígé〔méiyǒu tōngguò〕 ‖ ～생 留级生 liújíshēng
낙지 《動》 章鱼 zhāngyú; 八带鱼 bādàiyú
낙착(落着) 着落(儿) zhuóluo(r)〔zhuóluò(r)〕; 了结 liǎojié ¶ 분쟁은 겨우 ～되었다 纠纷好容易才了结 jiūfēn hǎoróngyi cái liǎojié
낙찰(落札) 得标 débiāo ¶ 그 공사는 A사로 ～되었다 这项工程由A公司得标承包了 zhè xiàng gōngchéng yóu A gōngsī débiāo chéngbāo le
낙타(駱駝) 《動》 骆驼 luòtuo ¶ ～의 혹 驼峰 tuófēng ‖ 쌍봉 ～ 双峰驼 shuāngfēngtuó
낙태(落胎) 打胎 dǎtāi; 堕胎 duòtāi
낙하(落下) 落下 luòxia ¶ 운석이 ～하다 陨石落下来 yǔnshí luòxialai
낙하산(落下傘) 降落伞 jiàngluòsǎn
낙화생(落花生) 花生 huāshēng; 落花生 luòhuāshēng; 〈方〉 长生果 chángshēngguǒ; (껍질을 벗긴 것) 花生米 huāshēngmǐ; 花生仁 huāshēngrén
낚다 ① (고기를) 钓 diào ¶ 고기를 ～ 钓鱼 diàoyú ② (이성을) 勾引 gōuyǐn
낚시 钓鱼 diàoyú; 垂钓 chuídiào ¶ 강으로 ～가다 去河边儿钓鱼 qù hé biānr diàoyú ‖ ～꾼 钓徒 diàotú / ～터 钓台 diàotái
낚싯대 钓竿(儿) diàogān(r); 钓鱼竿 diàoyúgān; 鱼竿 yúgān
난간(欄干·欄杆) 栏杆〔栏干〕 lángān; 扶手 fúshou
난관(難關) 难关 nánguān ¶ ～을 돌파하다 功克难关 gōngkè nánguān
난국(難局) ¶ ～을 타개하다 打开僵局 dǎkāi jiāngjú / 내각은 ～에 처해 있다 内阁处于进退维谷的局面 nèige chǔ yú jìntuì wéi gǔ de júmiàn
난데없이 冷不防的 lěng bufáng de; 想不到的 xiǎng bu dào de
난도질(亂刀…) 乱宰 luànzǎi; 乱割 luàngē; (도마에) 剁碎 duòsuì
난동(亂動) 乱闹 luànnào; 捣乱 dǎoluàn
난로(暖爐) 火炉(子) huǒlú(zi); 暖炉 nuǎnlú;

洋炉(子) yánglú(zi); 炉子 lúzi ¶ ~에 불을 지피다 生火炉 shēng huǒlú

난리(亂離) 乱离 luànlí ¶ ~를 피하다 避难 bìnàn

난망(難忘) ¶ ~이다 决不忘记 jué bú wàngji

난맥(亂脈) 杂乱无章 záluàn wúzhāng ¶ 회계가 극히 ~ 상태이다 会计工作一塌糊涂 kuàijì gōngzuò yìtā hútú

난발(亂髮) 蓬乱的头发 péngluàn de tóufa

난방(煖房·暖房) 暖气 nuǎnqì ¶ 그 집은 ~이 잘 되어서 쾌적하다 那间屋子有暖气很舒适 nà jiān wūzi yǒu nuǎnqì hěn shūshì ‖ ~비 暖气费 nuǎnqìfèi / ~ 장치 暖气设备 nuǎnqì shèbèi

난봉 浪荡 làngdàng; 吃喝嫖赌 chī hē piáo dǔ ¶ ~을 부려 가산을 탕진했다 吃喝嫖赌, 放荡不羁, 倾了家荡了产 chī hē piáo dǔ, fàngdàng bùjī, qīngle jiā dàngle chǎn ‖ ~꾼 浪荡汉 làngdànghàn

난사(亂射) ¶ 권총을 ~하다 乱放手枪 luàn fàng shǒuqiāng

난산(難産) 难产 nánchǎn ¶ 첫번째 아들은 ~이었다 头生儿是难产 tóushēng'ér shì nánchǎn / 법안의 성립은 ~이 예상된다 法案恐怕要难产 fǎ'àn kǒngpà yào nánchǎn

난삽(難澁) 迟迟不进 chíchí bù jìn

난색(難色) 难色 nánsè ¶ ~을 보이다 显出难色 xiǎnchū nánsè

난생처음 有生以来头一次 yǒu shēng yǐlái tóu yí cì

난시(亂視) 散光 sǎnguāng; 散光眼 sǎnguāngyǎn

난이(難易) 难易 nányì ¶ 일의 ~에 따라서 보수가 다르다 按工作的难易程度报酬不同 àn gōngzuò de nányì chéngdù bàochou bùtóng

난입(亂入) 闯入 chuǎngrù; 闯进 chuǎngjìn ¶ 일단의 폭도가 회의장에 ~했다 一帮暴徒闯进了会场 yì bāng bàotú chuǎngjìnle huìchǎng

난잡하다(亂雜…) 乱七八糟 luànqībāzāo; 杂乱 záluàn

난장판(亂場…) 乱场 luànchǎng

난쟁이 矮子 ǎizi; 矬子 cuózi; 矬个儿 cuógèr

난처하다(難處…) 为难 wéinán; 拮据 jiéjū; 尴尬 gāngà

난청(難聽) 耳背 ěrbèi

난초(蘭草) 《植》 兰花 lánhuā

난타(亂打) 乱打 luàn dǎ; 乱敲 luàn qiāo ¶ 경종을 ~하다 乱敲警钟 luàn qiāo jǐngzhōng

난파(難破) 失事 shīshì ¶ 배는 암초에 부딪쳐서 ~되었다 船触礁失事了 chuán chùjiāo shīshì le ‖ ~선 失事船 shīshìchuán =〔遇难船 yùnànchuán〕

난폭(亂暴) 粗暴 cūbào; 粗鲁 cūlǔ ¶ ~하게 굴다 耍野蛮 shuǎ yěmán =〔动手打人 dòngshǒu dǎ rén〕/ 그 아이는 ~하다 这孩子太蛮 zhè háizi tài mán / 그녀의 말씨가 ~하다 她说话太粗鲁 tā shuōhuà tài cūlǔ / 그렇게 ~하게 문을 닫지 말아라 不要那么摔门 búyào nàme shuāi mén

낟알 谷粒 gǔlì; 颗粒 kēlì

날¹ 《하루》 日子 rìzi ¶ ~이 저물었다 天黑了 tiānhēi le / 헛되이 ~만 보내다 虚度年华 xūdù niánhuá / ~이 갈수록 기억이 흐릿해진다 随着时间的流逝, 记忆越来越模糊了 suízhe shíjiān de liúshì, jìyì yuèlái yuèmóhu le

날² 《날붙이의》 刃儿 rènr; 刃子 rènzi; 刀刃(儿) dāorèn(r); 刀口 dāokǒu ¶ ~을 세우다 开刃儿 kāi rènr / 식칼의 ~이 이가 빠지다 菜刀崩了 càidāo bēng le ‖ 대팻~ 刨刃儿 bàorènr =〔刨刀 bàodāo〕〔刨铁 bàotiě〕

날³ 《피륙의》 经线 jīngxiàn; 经纱 jīngshā

날개 翅膀(儿) chìbǎng(r); 翼 yì ¶ 비행기의 ~ 机翼 jīyì / 새가 ~를 펴다 鸟展开翅膀 niǎo zhǎnkāi chìbǎng

날다¹ ① 《하늘을》 飞 fēi ¶ 새가 ~ 鸟飞 niǎo fēi / 나비가 날아왔다 蝴蝶飞来了 húdié fēilai le / 나는 새도 떨어뜨리는 세력 势不可当 shì bùkě dāng ② 《빨리 가다》 飞 fēi ¶ 형의 주먹이 날아왔다 哥哥的拳头飞过来 gēge de quántou fēiguolai / 어디로부터 총알이 날아왔는지 알 수가 없다 枪子儿不知从哪儿飞来 qiāngzǐr bù zhī cóng nǎr fēilai

날다² 《색이》 掉色 diàosè

날뛰다 横行霸道 héngxíngbàdào ¶ 폭력단이 마을에서 날뛰고 있다 流氓在城镇 '横行霸道〔肆无忌惮, 胡作非为〕 liúmáng zài chéngzhèn 'héngxíngbàdào〔sì wú jì dàn, húzuòfēiwéi〕

날라리 〖樂〗 太平箫 tàipíngxiāo; 胡笛 húdí

날래다 飞快的 fēikuàide

날로 먹다 生吃 shēngchī

날름 ¶ ~ 혀를 내밀다 伸了伸舌头 shēnle shēn shétou / 2인분을 ~ 먹어치웠다 一口吃光了两份儿饭 yì kǒu chī guāngle liǎng fènr fàn

날리다¹ 《이름을》 出名 chūmíng; 扬名 yángmíng; 驰名 chímíng ¶ 국내외로 이름을 ~ 出名国内外 chūmíng guónèiwài / 그는 우승했기 때문에 이름을 날렸다 他获得冠军扬了名了 tā huòdé guànjūn yángle míng le

날리다² ① 《하늘로》 放 fàng ¶ 비둘기를 ~ 放鸽 fàng gē / 연을 ~ 放风筝 fàng fēngzheng ② 《일을》 潦草 liáocǎo; 草率 cǎoshuài; 胡弄 húnong ③ 《바람에》 ¶ 바람에 모자를 날렸다 风把帽子刮跑了 fēng bǎ màozi guāpǎo le

날숨 出气儿 chūqìr

날쌔다 手急眼快 shǒují yǎnkuài ¶ 날쌔게 외출할 준비를 차리다 很快地作好了外出的准备 hěn kuài de zuòhǎole wàichū de zhǔnbèi

날씨 天气 tiānqì ¶ 오늘은 ~가 좋다〔나쁘다〕 今天天气'很好〔不好〕 jīntiān tiānqì 'hěn hǎo 〔bù hǎo〕/ ~가 좋아졌다 天气'好转〔转晴〕 tiānqì hǎozhuǎn〔zhuǎnqíng〕/ ~가 나빠졌다 天气变坏 tiānqì biàn huài

날씬하다 《여자가》 苗条 miáotiao ¶ 날씬한 미인 身材苗条的美人 shēncái miáotiao de měirén

날염(捺染) 印染 yìnrǎn; 印花 yìnhuā

날인(捺印) 盖章 gàizhāng; 打印 dǎyìn ¶ 계약서에 ~하다 在契约上盖章 zài qìyuē shang gàizhāng

날조(捏造) 捏造 niēzào ¶ 기사를 ~하다 捏造新闻 niēzào xīnwén / 있지도 않은 일을 ~하다 凭空捏造 píngkōng niēzào

날짜¹ ① 《일수》 日子 rìzi; 天 tiān ¶ 완성까지 ~가 얼마나 걸립니까? 到完成要多少天呢? dào wánchéng yào duōshao tiān ne? ② 《정해진 날》 日期 rìqī ¶ ~를 써넣다 写上日期 xiěshang rìqī / 8월 10일 ~의 편지 八月十日的信 bā yuè shí rì de xìn

날짜² 《날것》 生的 shēng de

날짜변경선(…變更線) 日界线 rìjièxiàn; 国际日期变更线 guójì rìqī biàngēngxiàn; 国际改日线 guójì gǎirìxiàn

날치기 小偷(儿) xiǎotōu(r)

날카롭다 ①《끝이》 锋利 fēnglì ¶날카로운 칼에 찔렸다 被锋利的刀给刺伤了 bèi fēnglì de dāo gěi cìshang le ②《영민하다》 尖锐 jiānruì; 敏锐 mǐnruì ¶너의 관찰은 매우 ~ 你的眼光很'尖锐〔敏锐〕 nǐde yǎnguāng hěn 'jiānruì〔mǐnruì〕 ③《기세 등이》 尖锐 jiānruì; 敏锐 mǐnruì ¶날카로운 눈매〔눈초리〕로 상대방을 매섭게 쏘아보다 用敏锐的眼睛瞪人 yòng mǐnruì de yǎnjing dèng rén

날품팔이 日工 rìgōng; 短工 duǎngōng; 散工 sǎngōng

낡다 ①《오래되다》 年久 niánjiǔ; 古老 gǔlǎo; 陈旧 chénjiù ¶낡은 집 旧〔老, 陈旧的〕房子 jiù〔lǎo, chénjiù de〕 fángzi / 낡은 옷 旧衣服 jiù yīfu ②《구식》 落后 luòhòu; 老式 lǎoshì; 旧 jiù; 陈旧 chénjiù; 陈腐 chénfǔ; 过时 guòshí ¶너의 사고 방식은 이미 낡았다 你的想法已经落后了 nǐ de xiǎngfǎ yǐjīng luòhòu le / 그 수는 이미 낡은 수법이다 那种手法已经过时了 nà zhǒng shǒufǎ yǐjīng guòshí le

남 ①《타인》 别人 biérén; 他人 tārén; 人家 rénjia; 旁人 pángrén ¶~의 일에 참견하지 마시오 顾不得别人的事 gùbude biérén de shì / 그는 ~의 의견에 지나치게 마음쓴다 他太顾虑旁人的意见 tā tài gùlǜ pángrén de yìjiàn ②《관계를 끊는 사람》 外人 wàirén; 旁人 pángrén; 局外人 júwàirén ¶지금은 ~이 나설 때가 아니다 这不是局外人出头的事 zhè búshì júwàirén chūtóu de shì / ~처럼 취급하는 것은 그만둬라 可不要当外人看待 kě búyào dàng wàirén kàndài =〔别太见外〔外道〕了bié tài jiànwài〔wàidao〕 le〕 ③《모르는》 陌生人 mòshēngrén ¶~의 밥을 먹다 离家在外, 历经艰苦 lí jiā zài wài, lìjīng jiānkǔ

남(南) 南 nán ¶배는 똑바로 ~으로 가다 船一直往南行驶 chuán yìzhí wǎng nán xíngshǐ / ~향 집 朝南的房间 cháo nán de fángjiān

남극(南極) 南极 nánjí

남기다 ①《뒤에》 留 liú; 留下 liúxià; 剩 shèng; 剩下 shèngxia ¶한 방울도 남기지 않고 다 마셔 버렸다 一滴不剩全喝干了 yī dī bú shèng quán hēgān le / 먹다가 남기면 너무 아깝다 吃不完剩下来太可惜了 chībuwán shèngxialai tài kěxī le / 남겨 두었다가 내일 먹자 留着明天再吃 liúzhe míngtiān zài chī / 재고의 여지를 ~ 留下考虑的馀地 liúxià kǎolǜ de yúdì ②《사후에》 遗留 yíliú; 撇下 piēxià ¶그는 막대한 재산을 남겼다 他遗留下一笔巨大的财产 tā yíliú xià yì bǐ jùdà de cáichǎn / 후세에 이름을 ~ 名垂后世 míng chuí hòushì =〔名垂千古míng chuí qiāngǔ〕 / 그는 처와 두 아이를 남기고 죽었다 他撇下妻子和两个孩子死了 tā piēxià qīzi hé liáng ge háizi sǐ le

남녀(男女) 男女 nánnǚ ¶~관계는 멀고도 가까운 것이다 男女关系是似远而近的 nánnǚ guānxi shì sì yuǎn ér jìn de ‖~ 공학 男女合校 nánnǚ héxiào

남다 ①《…한 나머지》 馀 yú; 剩 shèng; 剩下 shèngxia ¶남은 돈은 저금하다 把剩下的钱存起来 bǎ shèngxia de qián cúnqilai / 10에서 7을 빼면 3이 남는다 十减七剩三 shí jiǎn qí shèng sān ②《잔류》 留 liú; 留下 liúxia ¶집에 ~ 留在家里 liú zài jiā li / 현지에 남아서 조사를 계속하다 留在当地继续调查 liú zài dāngdì jìxù diàochá / 가는 자도 남는 자도 이별을 아쉬워하다 走的和留下的都依依不舍 zǒu de hé liúxia de dōu yīyī bù shě / 정상에는 아직 눈이 남아 있다 山顶还残留着积雪 shāndǐng hái cánliúzhe jīxuě ③《이름·습속 등》 留 liú; 残留 cánliú ¶사람은 죽어도 이름이 남는다 人死留名 rén sǐ liú míng / 남존 여비의 사상은 아직도 남아 있다 社会上还残留着男尊女卑思想 shèhuìshang hǎi cánliúzhe nánzūn nǚbēi sīxiǎng

남달리 尤其 yóuqí; 格外 géwài ¶그는 ~ 체격이 크다 他身体格外高大 tā shēntǐ géwài gāodà

남매(男妹) 兄妹 xiōngmèi

남벌(濫伐) 滥伐 lànfá ¶~했기 때문에 홍수가 일어났다 滥伐的结果, 闹了大水 lànfá de jiéguǒ, nàole dàshuǐ

남색(藍色) 蓝色 lánsè ¶짙은 ~ 深蓝色 shēn lánsè =〔蓝靛 lándiàn〕/ ~으로 물들이다 染成蓝色 rǎnchéng lánsè

남성(男性) 男性 nánxìng; 男子 nánzǐ ‖~ 호르몬 雄性'激素〔荷尔蒙〕 xióngxìng 'jīsù〔hé'ěrméng〕

남성적(男性的) 男子汉气质 nánzǐhàn qìzhì ¶~인 여자 具有男子气质的女性 jù yǒu nánzǐ qìzhì de nǚxìng / ~ 육체미를 나타내는 사진 显示男性肉体美的照片 xiǎnshì nánxìng ròutǐ měi de zhàopiàn

남십자성(南十字星) 《天》 南十字座 nánshízìzuò

남아(男兒) ①《남자 아이》 男孩子 nánháizi; 男孩儿 nánháir ¶~가 태어났다 男孩子出生了 nánháizi chūshēng le ②《대장부》 男子汉 nánzǐhàn ¶~ 일언 중천금 男子汉大丈夫一言为定 nánzǐhàn dàzhàngfu yì yán wéi dìng

남용(濫用) 滥用 lànyòng ¶약을 ~하면 위험하다 滥用药品是危险的 lànyòng yàopǐn shì wēixiǎn de ‖직권 ~ 滥用职权 lànyòng zhíquán

남의눈 《세간의 눈》 世人的眼目 shìrén de yǎnmù; 众目 zhòngmù; 《제3자의 눈》 旁人看见 pángrén kànjian ¶~을 끌다 引人注目 yǐn rén zhùmù / ~이 무섭다 世人眼睛可畏 shìrén yǎnjing kě wèi / ~을 피해서 만나다 避人眼目偷偷相会 bì rén yǎnmù tōutōu xiānghuì

남자(男子) 男子 nánzǐ ¶~ 200m 자유형 男子二百米自由泳 nánzǐ èrbǎi mǐ zìyóuyǒng

남장(男裝) 女扮男装 nǚ bàn nán zhuāng ‖~ 미인 男装美人 nánzhuāng měirén

남짓 多 duō; 馀 yú ¶30 ~된 여성 三十'开外〔挂零〕的妇女 sānshí 'kāiwài〔guàlíng〕 de fùnǚ / 그는 3주간 ~ 입원했다 他住了三个多星期的医院 tā zhùle sān ge duō xīngqī de yīyuàn / 중국에 4년 ~ 살았다 在中国生活了四馀年 zài Zhōngguó shēnghuóle sì yú nián

남창(男娼) 男娼 nánchāng; 相公 xiànggong

남편(男便) 丈夫 zhàngfu; 夫 fū; 爱人 àirén; 先生 xiānsheng ¶~ 있는 몸 有夫之妇 yǒu fū zhī fù

납 铅 qiān

납골당(納骨堂) 骨灰存放所 gǔhuī cúnfàngsuǒ

납관(納棺) 入殓 rùliàn; 装殓 zhuāngliàn; 收殓

shōulián
납기(納期) 缴纳期 jiǎonàqī ¶소득세의 ~가 다가오다 缴所得税的期限逼近 jiǎo suǒdéshuì de qīxiàn bījìn
납득(納得) 理解 lǐjiě; 领会 lǐnghuì; 同意 tóngyì; 信服 xìnfú ¶~할 만한 설명 令人信服的说明 lìng rén xìnfú de shuōmíng / ~할 때까지 질문하다 问到彻底理解为止 wèndào chèdǐ lǐjiě wéizhǐ / 내가 그를 ~시키겠다 我来说服他 wǒ lái shuōfú tā
납땜 焊接 hànjiē
납량(納涼) 乘凉 chéngliáng; 纳凉 nàliáng
납부(納付·納附) 交纳 jiāonà; 缴纳 jiǎonà ¶세금을 ~하다 缴纳税款 jiǎonà shuìkuǎn =〔纳〔缴〕税 nà〔jiǎo〕shuì〕
납세(納稅) 纳税 nàshuì; 交税 jiāoshuì ¶국민에게는 ~의 의무가 있다 国民有纳税的义务 guómín yǒu nàshuì de yìwù
납입(納入) 缴纳 jiǎonà; 交纳 jiāonà ¶세금을 ~하다 纳税 nàshuì
납작하다 扁 biǎn ¶오리의 주둥이가 ~ 鸭子嘴扁 yāzi zuǐ biǎn
납치(拉致) 绑架 bǎngjià; 强行拉走 qiángxíng lāzǒu ¶사장이 ~되었다 经理被绑架了 jīnglǐ bèi bǎngjià le
납품(納品) 交货 jiāohuò ¶내일 ~하다 明天交货 míngtiān jiāo huò ‖~서 货单 huòdān; 交货单 jiāohuòdān; 出货单 chūhuòdān
낫 镰刀 liándāo ¶~으로 보리를 베다 用镰刀割麦子 yòng liándāo gē màizi
낫다[1] 《병이》 好 hǎo; 治好 zhìhǎo; 痊愈 quányù ¶감기가 ~ 感冒痊愈 gǎnmào quányù / 병이 나았다 病好了 bìng hǎo le
낫다[2] 《견주어서》 比…好〔强〕 bǐ…hǎo 〔qiáng〕; 胜 shèng ¶이 기계는 여러 점에서 전보다 ~ 这部机器在各方面都比以前的强 zhè bù jīqi zài gèfāngmiàn dōu bǐ yǐqián de qiáng / 건강이 재산보다 ~ 健康胜于财富 jiànkāng shèng yú cáifù / 실력은 그가 나보다 ~ 论实力他胜过我 lùn shílì tā shèng guò wǒ
낭군(郎君) 郎君 lángjūn
낭독(朗讀) 朗读 lǎngdù ‖각본 ~ 朗读剧本 lǎngdú jùběn / 시 ~ 诗朗诵 shī lǎngsòng
낭떠러지 崖 yá; 山崖 shānyá
낭비(浪費) 浪费 làngfèi ¶그런 일을 하는 것은 시간의 ~다 那么干是浪费时间 nàme gàn shì làngfèi shíjiān
낭설(浪說) 谣传 yáochuán
낭자(娘子) 娘子 niángzi
낭자하다(狼藉…) 狼藉 lángjí ¶피가 ~ 血狼藉得很 xuè lángjí de hěn
낭패(狼狽) 狼狈 lángbèi ¶그는 약점을 찔려 크게 ~를 봤다 他被一语道破, 大为狼狈 tā bèi yì yǔ dàopò, dà wéi lángbèi
낮다 ①《높이가》 低 dī; 矮 ǎi ¶낮은 언덕 矮的山冈 ǎi de shāngāng / 물은 낮은 곳으로 흐른다 水向低处流 shuǐ xiàng dīchù liú ②《음성이》 低 dī; 小 xiǎo ¶낮은 소리로 말하다 低声〔小声〕说话 dīshēng〔xiǎoshēng〕 shuōhuà ③《정도·지위가》 低 dī ¶신분이 ~ 身分低 shēnfen dī / 혈압이 ~ 血压低 xuèyā dī
낮잠 午觉 wǔjiào; 午睡 wǔshuì; 晌觉 shǎngjiào ¶식후 ~을 자다 饭后睡午觉 fànhòu shuì wǔjiào
낮추다 降低 jiàngdī; 降下 jiàngxià; 《음량 따위를》 放低 fàngdī ¶소리를 ~ 放低声音 fàngdī shēngyīn / 비행기는 기수를 낮추고서 착륙 태세에 들어갔다 飞机把机首朝下准备着陆 fēijī bǎ jīshǒu cháo xià zhǔnbèi zhuólù
낯 ①《얼굴》 脸 liǎn; 面孔 miànkǒng ¶~을 가리다 认生 rènshēng ②《면목》 脸 liǎn; 脸面 liǎnmiàn; 面子 miànzi ¶그녀를 대할 ~이 없다 没有脸见她 méiyǒu liǎn jiàn tā / 여기서 한 번 나의 ~을 세워 주십시오 请看在我的面子上 qǐng kàn zài wǒde miànzi shàng
낯가죽 脸皮 liǎnpí ¶~이 두껍다 脸皮厚 liǎnpí hòu
낯간지럽다 害羞 hàixiū; 羞愧 xiūkuì; 不好意思 bù hǎoyìsi; 磨不开 mòbukāi ¶너무 칭찬을 받아서 ~ 受到过分夸奖觉得很不好意思 shòudào guòfèn kuājiǎng juéde hěn bù hǎoyìsi
낯붉히다 红潮 hóngcháo; 脸上红了liǎnshàng hóng le
낯설다 面生 miànshēng ¶낯선 땅에서 길을 잃다 在不熟悉的地方迷了路 zài bù shúxī de dìfang míle lù
낯익다 面熟 miànshú ¶낯익은 점원 熟识的店员 shúshi de diànyuán
낱개 零 líng; 散 sǎn ¶~로 팔다 零卖 língmài
낱낱이 一个个 yīgègè; 个别 gèbié
낱말 ⇨단어(單語)
낳다 ①《아이·알 등을》 生 shēng; 生产 shēngchǎn; 下 xià ¶그녀는 남자 아이를 낳았다 她生了一个男孩子 tā shēngle yí ge nánháizi / 고양이가 새끼를 세 마리 낳았다 猫'下〔生〕了三只小猫 māo 'xià〔shēng〕le sān zhī xiǎomāo / 닭이 알을 ~ 鸡'下〔生〕蛋 jī 'xià〔shēng〕 dàn =〔鸡产卵 jī chǎn luǎn〕 ②《없던 것을》 生 shēng; 产生 chǎnshēng ¶이자는 이자를 낳는다 利生利 lí shēng lí / 의외의 결과를 낳았다 产生了出乎意外的结果 chǎnshēngle chūhū yìwài de jiéguǒ / 그는 한국이 낳은 최고로 탁월한 음악가다 他是韩国所造就的最卓越的音乐家 tā shì Hánguó suǒ zàojiù de zuì zhuōyuè de yīnyuèjiā
내 《개울》 溪流 xīliú
내 《나》 我 wǒ ¶그것은 ~가 만든 것이다 这是我自己做的 zhè shì wǒ zìjǐ zuò de
내(內) 内 nèi ¶반드시 기한 ~에 제출하시오 务必在期限内提出 wùxū zài qīxiàn nèi tíchū
내규(內規) 内部规章 nèibù guīzhāng; 内部守则 nèibù shǒuzé ¶회사의 ~에 저촉되다 违犯公司内部规章 wéifàn gōngsī nèibù guīzhāng
내년(來年) 明年 míngnián; 来年 láinián ¶~도 下一年度 xià yì niándù
내놓다 ①《밖에》 ¶책상을 복도에 ~ 把桌子搬到走廊 bǎ zhuōzi bāndào zǒuláng ②《팔려고》 ¶야채를 시장에 ~ 把蔬菜送往市场 bǎ shūcài sòngwǎng shìchǎng
내다 ①《드러내다》 提出 tíchū ¶내 이름은 내지 마십시오 请不要把我的名字提出来 qǐng búyào bǎ wǒde míngzi tíchūlai ②《틈·시간을》 腾 téng ¶5시 이후에 시간을 냅시다 五点以后我腾出时间来 wǔ diǎn yǐhòu wǒ téngchū shíjiān lái ③《발차·출발·출항》 出 chū; 开 kāi; 派 pài ¶파도가 높아서 배를 낼 수가 없습니다 浪大得出不了船 làng dàde chūbuliǎo

chuán／임시 열차를 ～ 开临时列车 kāi línshí lièchē／맞이하기 위해 차를 ～ 派车去迎接 pài chē qù yíngjiē ④《제출·출품》 交 jiāo; 提 tí; 提出 tíchū ¶휴가원을～ 交请假条 jiāo qǐngjiàtiáo／시간이 됐습니다, 답안을 내주십시오 到钟点儿了, 交卷! dào zhōng diǎnr le, jiāojuàn／전람회에 유화를 ～ 展览会上展出了自己的油画 zhǎnlǎnhuì shang zhǎnchūle zìjǐ de yóuhuà ⑤《지불》 出 chū ¶그는 많은 돈을 내서 그것을 손에 집어 넣다 他出巨款把那个弄到手 tā chū jùkuǎn bǎ nàge nòngdào shǒu ⑥《구멍을》 ¶폭탄이 떨어져서 땅에 커다란 구멍을 냈다 炸弹落下来, 在地上炸了个大坑 zhàdàn luòxiàlai, zài dìshang zhàle ge dà kēng ⑦《게재·간행》 ¶노신 전집을 ～ 出版鲁迅全集 chūbǎn Lǔxùn quánjí／신문에 광고를 ～ 在报纸上登广告 zài bàozhǐshang dēng guǎnggào ⑧《살림·영업을》 开 kāi; 开张 kāizhāng ¶명동에 가게를～ 在明洞开张 zài Míngdòng kāizhāng／대전에 지점을～ 在大田开支店 zài Dàtián kāi zhīdiàn ⑨《발생》 发 fā ¶산사태로 5사람의 사상자를 냈다 由于山崩死伤了五个人 yóuyú shānbēng sǐshāngle wǔ ge rén ⑩《발하다》 ¶소리를 내지 마 别弄出声音来 bié nòngchū shēngyīn lái／갓난 아기는 소리를 내면서 웃었다 娃娃格格儿笑 wáwa gēgēr xiào ⑪《집계·해답·경과 따위》 ¶결론을 내기에는 아직 이르다 下结论还早 xià jiélùn hái zǎo／수학의 답을 ～ 解数学题 jiě shùxué tí／거액의 적자를 내고서 도산했다 出现巨大的赤字倒闭了 chūxiàn jùdà de chìzì dǎobì le ⑫《산출·배출》 出 chū ¶이 학교는 많은 명선수를 냈다 这个学校出了许多优秀运动员 zhège xuéxiào chūle xǔduō yōuxiū yùndòngyuán

내던지다 ①《팽개치다》 抛出 pāochū; 扔下 rēngxià ¶모자를 창에서～ 把帽子从窗户扔出去 bǎ màozi cóng chuānghu rēngchu qu／도둑은 물건을 내던지고서 도망갔다 小偷扔下行李就跑了 xiǎotōu rēngxià xínglǐ jiù pǎo le ②《돌아보지 않다》 豁出 huōchū; 拿出 náchū ¶목숨을 내던지고 나라에 봉사하다 豁出命为国尽忠 huōchū mìng wéi guó jìn zhōng

내디디다 迈出 màichū; 迈步 màibù ¶첫발을 ～ 迈出第一步 màichū dìyī bù

내란(內亂) 内乱 nèiluàn ¶～이 발발했다 发生了内乱 fāshēngle nèiluàn

내려가다 ①《아래로》 下 xià ¶산길을 ～ 下山路 xià shānlù／이 액자는 왼쪽이 조금 내려갔다 这匾额有些向左倾斜 zhè biǎn'é yǒuxiē xiàng zuǒ qīngxié ②《값·성적 따위가》 ¶물가가 오르기만 하고 조금도 내려가지 않는다 物价只见涨不见落 wùjià zhǐ jiàn zhǎng bújiàn luò

내려다보다 往下看 wǎng xià kàn; 俯视 fǔshì; 俯瞰 fǔkàn ¶비행기에서 아래를 ～ 从飞机上往下看 cóng fēijīshàng wǎng xià kàn／그 산은 마을을 내려다보고 있다 那个山俯瞰着市镇 nàge shān fǔkàn zhe shìzhèn

내려앉다 下来坐 xiàlai zuò ¶나무에 ～ 飞落在树上 fēiluò zài shùshàng

내려오다 ①《높은 데서》 下 xià; 降 jiàng ¶계단을 ～ 下楼梯 xià lóutī／산을 ～ 下山 xià shān／연단을 ～ 走下讲台 zǒuxià jiǎngtái／짙은 안개 때문에 김포 공항에는 내려오지 못한다 由于浓雾金浦机场无法降落 yóuyú nóng wù Jīnpǔ jīchǎng wúfǎ jiàngluò／명령이 命令下来了 mìnglìng xiàlai le ②《전해오다》 传 chuán; 相传 xiāngchuán ¶이 풍습은 옛날부터 마을에 전해 내려오고 있다 这个风俗习惯自古以来在我村相传 zhège fēngsú xíguàn zì gǔ yǐlái zài wǒ cūn xiāngchuán

내리《잇달아》 接连不断地 jiēlián búduànde

내리다[1] ①《높은 데서, 비·눈이》 下 xià; 降 jiàng; 落 luò ¶서리가 ～ 下霜 xià shuāng／지금이라도 곧 눈이 내릴 것 같다 眼看要下雪了 yǎnkàn yào xià xuě le／박수 속에서 막이 내렸다 在掌声中幕降下来了 zài zhǎngshēng zhōng mù jiàngxiàlai le ②《신이》 附 fù ¶신령이 무당에게 ～ 神灵附在女巫身上 shénlíng fù zài nǚwū shēnshang ③《탈것에서》 下 xià ¶버스에서 ～ 下公共汽车 xià gōnggòngqìchē ④《열·부기·온도가》 降低 jiàngdī; 降下 jiàngxià ¶해열제로 열을～ 用'退烧剂〔解热剂〕'退烧〔退热, 降烧〕 yòng 'tuìshāojì〔jiěrèjì〕' tuìshāo〔tuìrè, jiàngshāo〕／냉각기로 실내의 온도를 ～ 开冷气降低室内温度 kāi lěngqì jiàngdī shìnèi wēndù ⑤《선고·결정 따위를》 下 xià; 下达 xiàdá ¶무죄의 판결이 내렸다 被判决无罪 bèi pànjué wú zuì／천벌이 내렸다 受到天罚 shòudào tiānfá ⑥《정도를》 降 jiàng; 降低 jiàngdī ¶반음 내려서 쳐 주십시오 降半音弹 jiàng bànyīn tán／음조를 내려서 노래하다 降低音调唱 jiàngdī yīndiào chàng

내리다[2] 《내려뜨리다》 扔下去 rēngxiàqu; 抛下去 pāoxiàqu; 《짐을》 卸下来 xièxiàlai

내막(內幕) 内幕 nèimù; 内情 nèiqíng ¶～을 폭로하다 揭露内幕 jiēlù nèimù

내밀다 《밖으로》 伸出 shēnchū ¶손을 내밀어 보시오 你伸出手来看看 nǐ shēnchū shǒu lái kànkan／창에서 머리를 내밀면 위험하다 把头伸出窗外很危险 bǎ tóu shēnchū chuāng wài hěn wēixiǎn／그 아이는 날름 혀를 내밀었다 那孩子吐了吐舌头 nà háizi tǔle tǔ shétou

내버리다 扔掉 rēngdiào

내보내다 ①《밖으로》 让出去 ràng chūqu ¶아들을 고용살이로 ～ 让儿子出外学徒 ràng érzi chūwài xuétú ②《해고》 革职 gézhí

내부(內部) 内部 nèibù; 《장소의》 里面 lǐmiàn ¶동굴의 ～는 상당히 넓다 洞里面相当宽阔 dòng lǐmian xiāngdāng kuānkuò／분명 ～의 사정을 상세히 아는 자의 소행이다 一定是了解内情的人所搞的 yídìng shì liǎojiě nèiqíng de rén suǒ gǎo de

내빼다 开小差 kāi xiǎochāi; 溜走 liūzǒu; 逃走 táozǒu; 〈方〉溜号(儿)liūhào(r) ¶어째서 내빼지 않니? 你为什么不溜呢? nǐ wèi shénme bù liū ne?

내뿜다 喷出 pēnchū; 冒出 màochū ¶유정에서 석유가 ～ 从油井喷出石油来了 cóng yóujǐng pēnchū shíyóu lái le

내색(…色) 气色 qìsè

내세우다 推举 tuījǔ; 《의견·주장》 主张 zhǔzhāng

내셔널(national) 民族(的) mínzú(de); 国家(的)guójiā(de); 国民(的)guómín(de); 国有(的)guóyǒu(de); 国立(的)guólì(de)

내셔널리즘(nationalism) 国家主义 guójiā zhǔyì; 民族主义mínzú zhǔyì

내신(內申) 内部报告 nèibù bàogào ¶～서 作为入学铨衡参考 zuòwéi rùxué quánhéng cānkǎo

=〔有关学生的资料, 成绩报告 yǒu guān xuésheng de zīliào, chéngjī bàogào
내심(內心) 内心 nèixīn; 心中 xīnzhōng; 心里 xīnli ¶～를 털어놓다 吐露心里话 tǔlù xīnli huà / 그는 ～ 편치 않았다 他内心可很不平静 tā nèixīn kě hěn bù píngjìng
내야(內野) 内场 nèichǎng ‖～수 内场手 nèichǎngshǒu
내연(內緣) 未办结婚登记 wèi bàn jiéhūn dēngjì; 姘居 pīnjū ¶～의 처 未办结婚登记的妻子 wèi bàn jiéhūn dēngjì de qīzi =〔姘居的妻子 pīnjū de qīzi〕〔女姘头 nǚ pīntou〕/ ～의 남편 男姘头 nánpīntou / ～의 관계를 맺다 结成姘居关系 jiéchéng pīnjū guānxì
내오다 拿出来 náchulai; 求出来 qiúchulai; 带出来 dàichulai
내외(內外) ①《나라의》 国内外 guónèiwài / ～의 정세 国内外的形势 guónèiwài de xíngshì ②《부부》 夫妻 fūqī; 两口子 liǎngkǒuzi ③《안팎》 里外 lǐwài
내왕(來往) ⇨왕래(往來)
내용(內容) 内容 nèiróng ¶～이 없는 말 没有'内容〔意义〕的话 méiyǒu 'nèiróng〔yìyì〕 de huà =〔空洞的谈话 kōngdòng de tánhuà〕〔空洞无味的话 kōngdòng wúwèi de huà〕
내의(內衣) 内衣 nèiyī; 汗衫 hànshān; 贴身衣 tiēshēnyī; 贴身衬衣 tiēshēn chènyī
내일(來日) ① 明天 míngtiān; 〈方〉明儿个 míngrge; 〈口〉明儿 míngr ¶～은 토요일이다 明天是星期六 míng tiān shì xīng qī liù ②《장래》 将来 jiānglái ¶～에 대비하다 准备将来 zhǔnbèi jiānglái =〔以备日后 yǐbèi rìhòu〕 ‖～ 아침 明天早晨 míngtiān zǎochen / ～ 저녁 明天晚上 míngtiān wǎnshang
내장(內臟) 内脏 nèizhāng
내적(內的) ①《사물의 내부》 内在(的) nèizài(de); 里面(的) lǐmiàn(de) ¶그것과 이것은 같게 보이나 ～인 관련은 없다 那个和这个看来相同, 但没有什么内在的关系 nàge hé zhège kàn lái xiāngtóng, dàn méiyǒu shénme nèizài de guānxì ②《정신 · 마음의》 内心(的) nèixīn(de); 精神(的) jīngshén(de) ‖～ 생활 精神生活 jīngshén shēnghuó
내정(內定) 内定 nèidìng ¶그는 국장에 ～되어 있다 他已内定为局长 tā yǐ nèidìng wéi júzhǎng
내정(內政) 内政 nèizhèng ¶타국의 ～에 간섭하다 干涉他国的内政 gānshè tā guó de nèizhèng
내주(來週) 下礼拜 xiàlǐbài; 下星期 xiàxīngqī; 下周 xiàzhōu ¶～ 토요일 下星期六 xià xīngqīliù
내주다 《차지한 자리를》 付出 fùchū ¶집을 ～ 把房子腾出来 bǎ fángzi téngchūlai
내주장(內主張) 老婆当家 lǎopo dāngjiā; 老婆掌权 lǎopo zhǎngquán ¶그 집은 ～이다 那家是老婆当家 nà jiā shì lǎopo dāngjiā =〔他家是老婆说了算 tā jià shì lǎopo shuōlesuàn〕
내지(乃至) ①《…까지》 到 dào; 至 zhì ¶500 ～ 600명의 관객 五百到六百的观众 wǔbǎi dào liùbǎi de guānzhòng / 1년 ～ 2년 내로 완성하다 以一年至两年完成 yǐ yì nián zhì liǎng nián wánchéng ②《혹은》 或 huò; 或者 huòzhě ¶만년필 ～는 볼펜으로 쓸 것 须用钢笔或者圆珠笔写 xū yòng gāngbǐ huòzhě yuánzhūbǐ xiě
내쫓다 ①《큰 소리로》 轰走 hōngzǒu; 赶走 gǎnzǒu; 赶开 gǎnkāi; 《적 따위를》 驱逐 qūzhú ¶참새를 ～ 轰麻雀 hōng máquè / 침략자를 ～ 赶走侵略者 gǎnzǒu qīnlüèzhě ②《해고》 解雇 jiěgù; 辞退 cítuì; 《살던 곳에서》 逼搬家 bī bānjiā ¶회사에서 내쫓겼다 被公司解雇了 bèi gōngsī jiěgùle / 그는 집주인에게 내쫓겼다 他被房东赶出来了 tā bèi fángdōng gǎnchūlai le
내추럴(natural) ①自然状态(的) zìrán zhuàngtài(de); 天然 tiānrán; 自然 zìrán ②《樂》 还原记号 huányuán jìhao
내키다 《마음이》 感兴趣 gǎn xìngqù ¶내키지 않는 대답 不感兴趣的回答 bù gǎn xìngqù de huídá
내통(內通) ①《적과》 私通 sītōng; 勾结 gōujié; 勾通 gōutōng ¶적과 ～하다 私通敌人 sītōng dírén =〔通敌 tōngdí〕/ ～하여 정보를 흘리다 通风报信 tōngfēng bàoxìn ②《남녀의》 私通 sītōng; 通奸 tōngjiān
내핍(耐乏) 忍受艰苦 rěnshòu jiānkǔ; 艰苦朴素 jiānkǔ pǔsù ¶～ 생활을 하다 忍受穷苦的生活 rěnshòu qióngkǔ de shēnghuó
내후년(來後年) 后年 hòunián
냄비 锅 guō ‖～ 요리 火锅子 huǒguōzi
냄새 ①《코로 맡는》 味儿 wèir; 气味儿 qìwèir ¶남자의 ～ 男人身上的气味儿 nánrén shēnshang de qìwèir / 여자의 ～ 女人的香味儿 nǚ rén de xiāng wèir =〔女人味儿 nǚrén wèir〕/ ～에 민감한 사람 嗅觉灵敏的人 xiùjué língmǐn de rén / ～가 좋은 꽃 香花 xiānghuā / 향수의 ～를 맡다 闻香水的香味儿 wén xiāngshuǐ de xiāng wèir ②《신선하지 않은》 臭味儿 chòuwèir; 气味儿 qìwèir ¶싫은 ～ 臭味儿 chòuwèir / 입～ 口臭 kǒuchòu / 발～ 脚的臭味儿 jiǎo de chòuwèir
냅킨(napkin) 《식사용의》 餐巾 cānjīn; 揩嘴布 kāizuǐbù; 口布 kǒubù
냉(冷) 《漢醫》 白带 báidài
냉각(冷却) 冷却 lěngquè ¶물로 엔진을 ～하다 用水冷却引擎 yòng shuǐ lěngquè yǐngqíng / ～ 기간이 필요하다 需要有一段冷却期间 xūyào yǒu yí duàn lěngquè qījiān
냉기(冷氣) 寒气 hánqì; 冷气 lěngqì ¶～가 몸에 스미다 寒气刺骨 hánqì cìgǔ
냉담(冷淡) 冷淡 lěngdàn ¶그는 이 일에 대해서 ～하다 他对这工作很冷淡 tā duì zhège gōngzuò hěn lěngdàn
냉동(冷凍) 冷冻 lěngdòng ¶고기를 ～해서 보존하다 把肉冷冻保藏 bǎ ròu lěngdòng bǎocáng ‖～ 식품 冷冻食品 lěngdòng shípǐn
냉방(冷房) 冷气设备 lěngqì shèbèi; 冷气 lěngqì ¶～ 장치가 완비된 극장 设有完善冷气设备的剧院 shèyǒu wánshàn lěngqì shèbèi de jùyuàn / 관내를 ～하다 馆内(开)放冷气 guǎnnèi(kāi) fàng lěngqì ‖～차 冷气车厢 lěngqì chēxiāng
냉소(冷笑) 冷笑 lěngxiào ¶사람들로부터 ～를 당하다 遭人冷笑 zāo rén lěngxiào
냉수(冷水) 冷水 lěngshuǐ ‖～ 마찰 用冷水搓身 yòng lěngshuǐ cuō shēn / ～욕 冷水浴 lěngshuǐyù
냉엄(冷嚴) 冷酷 lěngkù; 严酷 yánkù ¶～한 사실 冷严的事实 yánkù de shìshí
냉장고(冷藏庫) 冰箱 bīngxiāng ¶전기 ～ 电冰箱

diànbīngxiāng
냉정(冷靜) 冷静 lěngjìng; 镇静 zhènjìng ¶~을 되찾다 恢复镇静 huīfù zhènjìng/~을 유지하다 保持冷静 bǎochí lěngjìng
냉철(冷徹) 冷静而透彻 lěngjìng ér tòuchè ¶~한 관점에서 평론하다 以冷静而透彻的观点评论 yǐ lěngjìng ér tòuchè de guāndiǎn pínglùn
냉큼 快 kuài ¶~ 나가라! 快给我滚蛋! kuài gěi wǒ gǔndàn!
냉해(冷害) 冻灾 dòngzāi; 冻害 dònghài; 冷害 lěnghài
냉혈한(冷血漢) 冷血汉 lěngxuèhàn; 冷酷无情的人 lěngkù wúqíng de rén
냉혹(冷酷) 冷酷无情 lěngkù wúqíng; 铁石心肠 tiěshí xīncháng ¶그는 ~한 사람이다 他是个'冷酷无情〔铁石心肠〕的人 tā shì ge 'lěngkù wúqíng〔tiěshí xīncháng〕de rén
너 你 nǐ ¶~에게 이것을 주겠다 这个给你吧 zhège gěi nǐ ba
너구리 ①〖動〗狸 lí ¶~ 굴 보고 피물(皮物) 돈 내어 쓴다《속담》打如意算盘(독장수셈) dǎ rúyì suànpan ②《비유적》狡猾的人 jiǎohuá de rén
너그럽다 宽大 kuāndà
너무 过分 guòfèn; 过度 guòdù ¶~ 기뻐서 눈물이 나오다 喜极而泣 xǐ jí ér qì/~ 더워서 졸도하다 因为太热晕倒 yīn wéi tài rè yūndǎo
너무나 太 tài; 过于 guòyú ¶~도 크다 过于大 guòyú dà =〔大得过分 dà de guòfèn〕/~도 말 같지 않다 太也不像话 tài yě bú xiàng huà
너절하다《가치없다》无济于事 wú jì yú shì;《쓸모없다》不顶事bù dǐngshì;《야비하다》下贱 xiàjiàn;《추접하다》庸俗 yōngsú;《초라하다》寒碜 hánchen;《좋지 않다》不精致 bùjīng zhì
넉가래 木锨 mùxiān
넉넉하다 足够 zúgòu
넋 ①《혼백》魂 hún; 灵魂 línghún; 魂魄 húnpò ¶죽은 이의 ~을 위로하다 安慰'死者的灵魂〔亡魂〕ānwèi 'sǐzhě de línghún〔wánghún〕②《정신》精神 jīngshén; 精力 jīnglì; 心魂 xīnhún ¶~을 뺏어가다 吸引住 xī yǐn zhù =〔迷住 mízhù〕〔夺人心魂 duó rén xīnhún〕
넋두리《푸념》哀告 āigào; 诉苦 sùkǔ ¶~하다 发牢 fāláo
넋빠지다 发呆 fādāi
넌센스(nonsense) 无意义(的) wú yìyì (de); 荒谬(的) huāngmiù(de); 废话 fèihuà ¶~ 같은 이야기 废话 fèihuà/조금 전의 발언은 ~다 刚才的发言, 荒谬已极 gāngcái de fāyán, huāngmiù yǐ jí
넌지시 委婉地 wěiwǎnde; 暗中 ànzhōng; 不露痕跡地 bú lù hénji de; 婉转地 wǎnzhuǎnde ¶~ 남의 의중을 살피다 不露声色地刺探对方的心意 bú lù shēngsè de cì tàn duìfāng de xīnyì
널《널빤지》板子 bǎnzi;《관》棺材 guāncai; 寿材 shòucái
널다《볕에》晾 liàng; 晒 shài ¶빨래를 ~ 晾洗的衣服 liàng xǐ de yīfu
널따랗다 宽敞 kuānchǎng; 宽套kuāntào
널리 广 guǎng; 广泛 guǎngfàn ¶그 일은 ~ 세상에 알려져 있다 那事'广泛地为人所知〔家喻户晓〕nà shì 'guǎngfànde wéi rén suǒ zhī〔jiāyù hù xiǎo〕
널리다 展宽 zhǎnkuān; 扩展 kuòzhǎn
널찍하다 广阔 guǎngkuò; 宽广 kuānguǎng; 开阔 kāikuò; 辽阔 liáokuò; 宽敞 kuānchang ¶널찍한 마당 宽广的院子 kuānguǎng de yuànzi
넓다 ①《면적이》宽广 kuānguǎng; 宽阔 kuānkuò; 宽敞 kuānchang ¶집이 ~ 屋子宽敞 wūzi kuānchang/넓은 공원 宽广的公园 kuānguǎng de gōngyuán ②《폭이》宽 kuān ¶강폭이 ~ 河很宽 hé hěn kuān/길을 넓히다 把路加宽 bǎ lù jiākuān ③《아량이》宽广 kuānguǎng; 开阔kāikuò ¶마음이 넓은 사람 心胸宽广的人 xīnxiōng kuānguǎng de rén =〔宽宏大亮的人 kuānhóngdàiliàng de rén〕④《교제·범위가》广 guǎng; 广泛 guǎngfàn ¶넓은 지식을 갖고 있다 有广博的知识 yǒu guǎngbó de zhīshi/저 사람은 교제가 매우 ~ 他交际很广 tā jiāojì hěn guǎng
넓이 面积 miànji; 宽窄 kuānzhǎi; 宽度 kuāndù ¶입구의 ~는 약 3m다 正面宽三米左右 zhèngmiàn kuān sān mǐ zuǒyòu
넓적다리 大腿 dàtuǐ
넘겨다보다《탐내다》眼馋 yǎnchán
넘겨주다 交代出去 jiāodài chūqù
넘다 ①《초과》过 guò; 超过 chāoguò ¶기온이 30도를 ~ 气温超过三十度 qìwēn chāoguò sānshí dù/댐은 위험 수위를 넘었다 水库的水超过了危险水位 shuǐkù de shuǐ chāoguòle wēixiǎn shuǐwèi/3000명을 넘는 응모자가 왔다 报名者超过三千名 bàomíngzhě chāoguò sānqiān míng ②《때가》过 guò ¶그는 60세를 갓 넘겼을 뿐이다 他刚过六十岁 tā gāng gùo liùshí suì ③《강·장애물을》过 guò; 超过 chāoguò; 翻过 fānguò; 渡过 dùguò ¶산을 ~ 翻山 fānshān/강을 ~ 过河 guòhé/난관을 ~ 渡过难关 dùguò nánguān
넘버(number) ①《번호》数 shù; 数字 shùzi; 号码 hàomǎ ¶원고에 ~를 매기다 给稿子打号码 gěi gǎozi dǎ hàomǎ ②《자동차의》牌照 páizhào; 号码牌 hàomǎpái ¶흰색 ~차 白色牌照的汽车 báisè páizhào de qìchē
넘버 원(number one) 头号 tóuhào; 第一号 dìyíhào ¶출판계의 ~ 在出版界'名列第一〔首屈一指〕zài chūbǎnjiè 'mínglièdìyī〔shǒuqūyìzhǐ〕
넘보다 瞧不起 qiáo bu qǐ; 藐视 miǎoshì
넘실거리다《물이》滚动 gǔndòng; 翻腾 fānteng;《탐내다》想巴结而偷看 xiǎng bājie ér tōukàn
넘어가다 ①《쓰러지다》倒 dǎo; 垮 kuǎ ¶태풍에 전봇대가 넘어갔다 台风把电线杆子刮倒了 táifēng bǎ diànxiàn gǎnzi guādǎo le ②《권리·책임 등이》¶기밀 서류가 적의 손에 넘어갔다 机密文件落到敌人手里 jīmì wénjiàn luòdào dírén shǒu li ③《계략에》上当 shàngdàng; 骗人 piànrén; 诱骗 yòupiàn ¶완전히 그의 감언이설에 넘어갔다 完全上了他花言巧语的当 wánquán shàngle tā huāyán qiǎoyǔ de dàng
넘어뜨리다 ①推倒 tuīdǎo ¶부주의로 화병을 넘어뜨려 깨뜨렸다 不小心把花瓶推倒打碎了 bù xiǎoxīn bǎ huāpíng tuīdǎo dǎsuì le ②《뒤집어엎다》抽翻 tuīfān; 打倒 dǎdǎo ¶정부를 ~ 推翻政府 tuīfān zhèngfǔ

넘어지다 倒 dǎo; 跌倒 diēdǎo ¶돌에 걸려서 넘어졌다 被石头绊了一交跌倒了 bèi shítou bànle yì jiāo diēdǎo le
넘치다 ①《물 따위가》 溢出 yìchū; 漾出 yàngchū; 充满 chōngmǎn ¶목욕물이 넘쳤다 洗澡水漾出来了 xǐzǎoshuǐ yàngchūlai le / 큰비로 강이 넘쳤다 大雨下得河水漫出来了 dàyǔ xiàde héshuǐ mànchūlai le / 《젊음·투지가》 넘치는 정열 满腔热情 mǎnqiāng rèqíng / 투지가 ~ 斗志昂扬 dòuzhì ángyáng ②《표준·정도에》 过分 guòfèn ¶분에 넘치는 영광입니다 过分的光荣 guòfèn de guāngróng =〔真是无上光荣 zhēn shì wú shàng guāngróng〕
넙치 《魚》 鲆 píng; 牙鲆 yápíng; 比目鱼 bǐmùyú
넣다 ①《속에》 装入 zhuāngrù; 放入 fàngrù ¶호주머니에 손을 ~ 把手'插〔揣〕在口袋里 bǎ shǒu 'chā〔chuāi〕 zài kǒudai li / 타이어에 바람을 ~ 给车胎打气 gěi chētāi dǎqì ②《수용》 容 róng; 容纳 róngnà ¶2천 명을 넣을 수 있는 대강당 能容纳两千人的大礼堂 néng róngnà liǎngqiān rén de dà lǐtáng / 빨리 병원에 넣는 것이 좋다 快点儿入院才好 kuài diǎnr rùyuàn cái hǎo ③《챙겨넣다》 装 zhuāng; 放 fàng ¶트렁크에 옷을 ~ 往皮箱里装衣服 wǎng píxiāng li zhuāng yīfu / 병에 물을 ~ 往瓶里灌水 wǎng píng li guàn shuǐ / 차를 차고에 ~ 把车放车库里 bǎ chē fàng chēkù li ④《포함》 包含 bāohán; 算上 suànshàng~计算进去 jìsuànjìnqu ¶교통비를 넣어서 5만 원이 필요하다 把车费算在里头需要五万圆 bǎ chēfèi suàn zài lǐtou xūyào wǔwàn yuán / 참가자는 나를 넣어서 전부 10사람이다 参加的人算上我一共十个人 cānjiā de rén suànshàng wǒ yígòng shí ge rén ⑤《단체·학교·직장 따위의》 ¶아이를 유치원에 ~ 让孩子进幼儿园 ràng háizi jìn yòu'éryuán / 딸을 대학에 ~ 叫女儿上大学 jiào nǚ'ér shàng dàxué ⑥《끼움》 镶 xiāng; 嵌 qiàn ¶틀니를 ~ 镶牙 xiāngyá
네모 方形 fāngxíng; 方块(儿) fāngkuài(r); 四角 sìjiǎo; 四方 sìfāng ¶~난 테이블 方桌 fāngzhuō =〔四仙桌 sìxiānzhuō〕〔八仙桌 bāxiānzhuō〕/ ~진 얼굴 四方脸 sìfāngliǎn / 떡을 ~나게 자르다 把年糕切成方块儿 bǎ niángāo qiēchéng fāngkuàir
네온(neon) 《化》 氖 nǎi; 霓虹 níhóng ‖~사인 霓虹灯广告牌 níhóngdēng guǎnggàopái =〔霓虹灯 níhóngdēng〕〔氖灯 nǎidēng〕 ¶~사인이 반짝이는 밤의 거리 霓虹灯闪烁着的夜城 níhóngdēng shǎnshuò zhe de yèchéng
네임(name) 名字 míngzi ¶그는 ~ 밸류가 있다 他很有名气 tā hěn yǒu míngqi =〔他有名声 tā yǒu míngshēng〕 ‖~ 플레이트 名牌 míngpái
네트(net) 网 wǎng ¶탁구 ~를 치다 拉上乒乓球网 lāshàng pīngpāngqiú wǎng ‖~ 워크 网络 wǎngluò / ~ 인 擦网球 cāwǎngqiú / ~ 터치 触网 chùwǎng
네팔(Nepal) 《地》 尼泊尔 Níbó'ěr
넥타이(necktie) 领带 lǐngdài ¶~를 매다 系领带 jì lǐngdài ‖~ 핀 领带别针 lǐngdài biézhēn =〔领结别针 lǐngjié biézhēn〕/ 나비 ~ 蝴蝶结 húdiéjié =〔领结 lǐngjié〕
넷스케이프 네비게이터(Netscape Navigator) 《電算》 网景领航员 wǎng jǐng lǐng háng yuán
녀석 东西 dōngxi; 家伙 jiāhuo; 小子 xiǎozi ¶정말로 나쁜 ~이다 真是可恨的家伙 zhēn shì kěhèn de jiāhuo
년 小娘们儿 xiǎoniángmenr ¶이~ 나가거라 你这个臭娘儿们, 给我滚出去 nǐ zhège chòu niángrmen, gěi wǒ gǔnchūqu
노(櫓) 橹 lǔ ¶~를 젓다 摇橹 yáolǔ
노(no) 不 bù ¶예스냐 ~냐 분명히 말하시오 答不答应说清楚! dā bu dāyīng shuōqīngchu / 답은 ~다 回答是不同意 huídá shì bù tóngyì
노고(勞苦) 劳苦 láokǔ; 辛苦 xīnkǔ; 辛劳 xīnláo ¶다년간의 ~가 마침내 보상을 받았다 多年的辛劳终于得到了报偿 duōnián de xīnláo zhōngyú dédàole bàocháng
노구(老軀) 老躯 lǎoqū; 老年人 lǎoniánrén ¶~를 이끌고 전장에 나가다 不辞年老, 奔赴战场 bù cí nián lǎo, bēnfù zhàngchǎng / ~를 채찍질하다 鞭策老躯 biāncè lǎoqū =〔不顾年迈犹自奋勉 bú gù nián mài yóu zì fèn miǎn〕
노기(怒氣) 怒气 nùqì ¶만면에 ~를 띄우다 怒容满面 nùróng mǎnmiàn / ~띤 소리 带怒气的声音 dài nùqì de shēngyīn
노끈 细绳 xìshéng
노닥거리다 絮絮叨叨 xùxùdāodāo
노동(勞動) 劳动 láodòng; 工作 gōngzuò ¶하루에 8시간 ~하다 一日劳动八个小时 yírì láodòng bāge xiǎoshí ‖~ 운동 工人运动 gōngrén yùndòng =〔劳工运动 láogōng yùndòng〕/ ~ 쟁의 劳资纠纷 láozī jiūfēn / 육체 ~ 体力劳动 tǐlì láodòng / 정신 ~ 脑力劳动 nǎolì láodòng / 중~ 重体力劳动 zhòng tǐlì láodòng
노동자(勞動者) 工人 gōngrén; 劳动者 láodòngzhě ¶~의 생활을 개선하다 改善工人生活 gǎishàn gōngrén shēnghuó / ~를 착취하다 剥削工人 bōxuē gōngrén ‖~ 계급 工人阶级 gōngrén jiējí
노동조합(勞動組合) 工会 gōnghuì ¶~을 만들다 组织工会 zǔzhī gōnghuì =〔成立工会 chénglì gōnghuì〕
노랑이 ①《물건》 黄的 huángde ②《인색한 사람》 吝啬鬼 lìnsèguǐ; 小气鬼 xiǎoqiguǐ; 〈方〉 啬刻子 sèkèzi
노랗다 黄 huáng ¶피부가 ~ 黄巴巴 huángbābā / 세월이 지나 노랗게 된 종이 年久变黄的纸 nián jiǔ biàn huángde zhǐ
노래 歌 gē; 歌儿 gēr ¶~ 부르다 唱歌 chànggē / 그는 ~를 참 잘 한다 他很会唱歌 tā hěn huì chànggē =〔他唱歌唱得很好 tā chànggē chàngde hěn hǎo〕
노려보다 凝眸 níngmóu; 注视 zhùshì
노력(努力) 努力 nǔlì ¶다년간의 ~이 마침내 결실을 맺었다 多年的努力终于结了硕果 duōnián de nǔlì zhōngyú jiēle shuòguǒ ‖~가 努力家 nǔlìjiā ¶그녀는 대단한 ~가다 她是个非常努力的人 tā shì ge fēicháng nǔlì de rén
노력(勞力) ①劳苦 láokǔ; 辛苦 xīnkǔ ¶~을 아끼지 않고 일하다 不辞劳苦地工作 bù cí láokǔ de gōngzuò ②《노동력》 劳动力 láodònglì; 劳力 láolì ¶~이 부족하다 努力不足 láolì bùzú
노루 《動》 獐子 zhāngzi; 狍子 páozi
노르웨이(Norway) 《地》 挪威 Nuówēi
노른자, 노른자위 蛋黄(儿) dànhuáng(r)
노름 赌博 dǔbó ¶~하다 赌钱 dǔqián =〔耍钱

shuǎqián〕 ‖ ～꾼 赌徒 dǔtú =〔赌棍 dǔgùn〕
노리개 ①《장신구》 佩带儿 pèidàir ②《노리갯감》 消遣品 xiāoqiǎnpǐn; 玩意儿 wán yìr ¶부자가 ～로 삼다 被当作有钱人的玩意儿 bèi dāng zuò yǒu qián rén de wányìr ‖ ～첩 年轻美丽的宠妾 niánqīng měilì de chǒngqiè
노망(老妄) 年老昏聩 niáolǎo hūnkuì ¶나이 탓으로 그는 ～이 났다 由于上了年纪他昏聩了 yóuyú shàngle niánji tā hūnkuì le
노미네이트(nominate) 提名 tímíng; 推荐 tuījiàn ¶그는 남우 주연상에 ～되었다 他被提名申请最佳男主角奖 tā bèi tímíng shēnqǐng zuì jiā nánzhǔjuéjiǎng
노벨상(Nobel賞) 诺贝尔奖金 Nuòbèi'ěr jiǎngjīn ‖ ～ 수상자 诺贝尔奖金获奖者 Nuòbèi'ěr jiǎngjīn huòjiǎngzhě
노병(老兵) 老兵 lǎobīng ¶～은 (죽지 않고 다만) 사라질 뿐이다 老兵唯有下阵 lǎobīng wéi yǒu xià zhèn
노비(奴婢) 奴婢 núbì
노상(路上) 路上 lùshàng; 街上 jiēshang ¶～에서 돈지갑을 주웠다 在路上拾到一个钱包 zài lùshàng shídào yí ge qiánbāo
노상 常 cháng; 老 lǎo
노새 〖動〗 骡子 luózi; 马骡mǎluó
노선(路線) 线路 xiànlù; 路线 lùxiàn ‖버스 ～ 公共汽车线路 gōnggòng qìchē xiànlù / 외교 ～ 外交路线 wàijiāo lùxiàn
노쇠(老衰) 衰老 shuāilǎo ¶그는 눈에 띄게 ～하기 시작한다 他明显地衰老起来 tā míngxiǎn de shuāilǎo qǐlai =〔他日见老态龙钟 tā rì jiàn lǎotài lóngzhōng〕
노숙(老熟) 成熟老练 chéngshú lǎoliàn; 熟练 shúliàn; 圆熟 yuánshú ¶～한 경지에 이르다 达到熟练的地步 dádào shúliàn de dìbù
노숙(露宿) 露宿 lùsù; 在野地过夜 zài yědì guòyè ¶여관을 찾지 못해서 ～하다 因为找不到旅店而露宿 yīnwèi zhǎobudào lǚdiàn ér lùsù
노스탤지어(nostalgia) 乡愁 xiāngchóu; 乡思 xiāngsī; 怀乡病 huáixiāngbìng; 思家病 sījiābìng ¶～에 걸리다 患怀乡病 huàn huáixiāngbìng
노아(Naoh) 诺亚 Nuòyà ¶～의 방주 诺亚方舟 Nuòyà fāngzhōu
노약(老弱) ①老幼 lǎoyòu; 老少 lǎoshào ②《신체의 허약》 年老体弱 niánlǎo tǐruò
노엘(프 Noël) 圣诞节 shèngdànjié; 圣诞节颂歌 shèngdànjié sònggē
노염 愤怒 fènnù ¶～을 사다 惹人生气 ruǒ rén shēngqì / ～타다 爱生气 ài shēngqì
노역(老役) 老人的角色 lǎorén de juésè; 扮演老人的演员 bànyǎn lǎorén de yǎnyuán
노예(奴隸) 奴隶 núlì ¶～같이 부리다 像奴隶一般地驱使 xiàng núlì yìbān de qūshǐ / 돈의 ～가 되다 当金钱的奴隶 dāng jīnqián de núlì ‖～ 근성 贱脾气 jiàn píqi =〔下作胚子 xiàzuò pēizi〕 / ～ 매매 贩卖奴隶 fànmài-núlì / ～ 해방 解放奴隶 jiěfàng núlì
노이로제(독 Neurose) 〖醫〗 神经衰弱 shénjīng shuāiruò; 神经症 shénjīngzhèng; 神经过敏 shénjīng guòmǐn; 神经官能症 shénjīng guān-néngzhèng ¶그는 약간 ～의 경향이 있다 他有点儿神经衰弱 tā yǒudiǎnr shénjīng shuāiruò
노인(老人) 老人 lǎorén; 老年人 lǎoniánrén
노임(勞賃) 工资 gōngzī; 工钱 gōngqián
노자(路資) 〈方〉 盘川 pánchuān
노점(露店) 摊子 tānzi; 摊儿 tānr ¶～을 내다 摆摊子 bǎi tānzi ‖ ～상 摊贩 tānfàn
노처녀(老處女) 老姑娘 lǎogūniáng; 老处女 lǎo-chǔnǚ
노천(露天) 露天 lùtiān
노출(露出) ①露出 lùchū; 裸露 luǒlù ¶광상(鑛床)이 지상에 ～되어 있다 矿床露出地面 kuàng-chuáng lùchū dìmiàn ②《사진》 曝光 pù-guāng ¶이 사진은 ～이 부족하다 这个照片曝光不足 zhège zhàopiàn pùguāng bùzú ‖～계 曝光表 pùguāngbiǎo / ～굴(掘) 露天开采 lùtiān kāicǎi
노코멘트(no comment) 无可奉告 wú kě fèng-gào; 没有什么可说的 méiyǒu shénme kě shuō de ¶그 건에 관해서는 ～다 关于那个问题无可奉告 guānyú nàge wèntí wúkě fènggào
노크(knock) 《문을》 敲门 qiāo mén ¶누가 ～를 하고 있구나 有人在敲门呢 yǒu rén zài qiāo mén ne
노터치(no+touch) 《사건 따위의》 不接触 bù jiē chù; 不参与 bù cānyù; 不介人 bú jièrù ¶그 문제에 대해서 나는 전혀 ～다 那个问题跟我毫不相干 nà〔nè, nèi〕ge wèntí gēn wǒ háobù xiānggān
노트(note) ①笔记本 bǐjìběn; 本子 běnzi; 练习簿 liànxíbù ②《필기》 笔记 bǐjì ¶강의를 ～하다 做听课笔记 zuò tīngkè bǐjì / 요점을 ～하다 记下要点 jìxià yàodiǎn
노트(knot) 节 jié; 海里 hǎilǐ ¶이 배의 속력은 30 ～다 这只船的航速是三十节 zhè zhī chuán de hángsù shì sānshí jié
노파심(老婆心) 婆心 póxīn; 恳切之心 kěnqiè zhīxīn; 苦口婆心 kǔkǒu póxīn ¶～에서 충고하다 苦口婆心地劝说 kǔkǒu póxīn de quàn-shuō
노화(老化) ①《고무 따위의》 老化 lǎohuà ¶고무가 ～하다 橡胶老化 xiàngjiāo lǎohuà ②《몸의》 衰老 shuāilǎo ‖～ 현상 因老退化现象 yīn lǎo tuìhuà xiànxiàng
노획(鹵獲) 虏获 lǔhuò; 缴获 jiǎohuò ¶다수의 총포와 탄약을 ～하다 缴获很多枪炮和弹药 jiǎohuò hěn duō qiāngpào hé dànyào ‖～품 虏获品 lǔhuòpǐn =〔战利品 zhànlì-pǐn〕〔缴获品 jiǎohuòpǐn〕
노후(老朽) 老朽 lǎoxiǔ; 陈旧 chénjiù; 破旧 pòjiù ¶설비도 상당히 ～화되다 设备也相当陈旧 shèbèi yě xiāngdāng chénjiù ‖～차 破旧的'汽车〔机车〕 pòjiù de 'qìchē〔jīchē〕
노후(老後) 晚年 wǎnnián ¶～를 편안하게 보내다 安乐地度过晚年 ānlède dùguò wǎnnián
녹다 ①《굳은 것·쇠붙이 등이》 化 huà; 融 róng; 融化〔溶化〕 rónghuà; 熔化 rónghuà; 熔融róngróng ¶강의 얼음이 녹았다 河里的冰化了 hé li de bīng huà le =〔江河解冻了 jiāng-hé jiědòng le〕 / 쌓인 눈은 하루에 녹아 버렸다 积雪一天就融化了 jīxuě yì tiān jiù rónghuà / 철이 ～ 铁熔化 tiě rónghuà ②《물에 풀림》 溶 róng; 溶化 rónghuà; 溶解 róngjiě ¶소금이 물에 ～ 盐溶于水 yán róng yú shuǐ =〔盐在水里溶化 yán zài shuǐ li rónghuà〕
녹색(綠色) 绿 lǜ; 绿色 lǜsè

녹슬다 ①《금속이》 生锈 shēng xiù; 长锈 zhǎng xiù ¶칼이 녹슬었다 刀子长锈了 dāozi zhǎng xiù le / 철이 쉽게 ~ 铁易生锈 tiě yì shēng xiù ②《사람에 관해》 无用 wúyòng ¶재능도 부지런히 쓰지 않으면 녹이 슨다 好好地本事不用就生锈了 hǎo hǎo de běnshi búyòng jiù shēng xiù le

녹음(錄音) 录音 lùyīn ¶방송을 테이프에 ~하다 用录音带把广播录下来 yòng lùyīndài bǎ guǎngbō lùxià lai ‖~ 테이프 录音带 lùyīndài

녹이다 ①《가열해》 化 huà; 熔化 rónghuà ¶철을 용광로에서 ~ 用炼铁炉化铁 yòng liàntiělú huà tiě / 동상을 ~ 熔化铜像 rónghuà tóngxiàng ②《액체로》 溶化 rónghuà; 融化 rónghuà; 溶解 róngjiě ¶소금을 물에 ~ 把盐溶化在水里 bǎ yán rónghuà zài shuǐ li / 그림물감을 기름으로 ~ 用油调匀颜料 yòng yóu tiáoyún yánliào ③《몸을》 暖 nuǎn; 暖和 nuǎnhuo ¶스토브에 손을 ~ 在炉边烤火取暖 zài lú biān kǎohuǒ qǔnuǎn / 목욕탕에 들어가서 몸을 녹였다 洗了个澡, 身体暖和了 xǐ le ge zǎo, shēntǐ nuǎnhuo le

녹초 ¶~가 되다 软不踏踏不能动弹 ruǎn bu tà tà bù néng dòngtan

논 田 tián; 水田 shuǐtián; 稻田 dàotián ¶~을 갈다 耕田 gēngtián

논고(論告) 《검사의》 总结发言 zǒngjié fāyán ¶S 검사의 ~는 준엄하다 S 检察员的总结发言是很严励的 S jiǎncháyuán de zǒngjié fāyán shì hěn yánlì de

논농사(…農事) 耕田 gēngtián

논리(論理) 论理 lùnlǐ; 逻辑 luóji ¶그것은 ~에 맞지 않는다 那不合乎逻辑 nà bù héhū luóji ‖~학 逻辑学 luójixué =〔论理学 lùnlǐxué〕

논문(論文) 论文 lùnwén

논법(論法) 论法 lùnfǎ; 推理方式 tuīlǐ fāngshì ¶그 사람 특유의 ~으로 끊이지 않고 계속해서 말하다 用他独特的说法滔滔不绝地说 yòng tā dútè de shuōfǎ tāotāo bùjué de shuō ‖삼단 ~ 三段论法 sānduàn lùnfǎ

논밭 田地 tiándì ¶~을 갈다 耕田地 gēng tiándì

논술(論述) 论述 lùnshù; 阐述 chǎnshù ¶외교 문제에 대해서 ~하다 就外交问题加以论述 jiù wàijiāo wèntí jiāyǐ lùnshù

논쟁(論爭) 争论 zhēnglùn; 辩论 biànlùn; 论战 lùnzhàn; 论争 lùnzhēng ¶~의 여지가 없다 没有争论的馀地 méiyǒu zhēnglùn de yúdì / 법의 해석을 싸고서 ~이 벌어졌다 围绕着法律的解释展开了争论 wéirǎozhe fǎlǜ de jiěshì zhǎnkāile zhēnglùn

논조(論調) 论调 lùndiào ¶이 문제에 대해서 각 신문의 ~는 모두 같다 关于这个问题各报论调相同 guānyú zhège wèntí gè bào lùndiào xiāngtóng

논지(論旨) 论点 lùndiǎn ¶~가 명쾌하다 论点清楚明了 lùndiǎn qīngchu míngliǎo

논평(論評) 评论 pínglùn ¶~을 가하지 않고 보도하다 不加以评论报道 bù jiāyǐ pínglùn bàodào

논하다(論…) 论 lùn; 论述 lùnshù; 阐述 chǎnshù; 说明 shuōmíng; 议论 yìlùn ¶논할 거리가 못 된다 不足论 bú zù lùn / 논할 것까지도 없다 无需说明 wú xū shuōmíng =〔不言而喻 bù yán ér yù〕/ 이 책은 문학에 대해서 논하고 있다 这本书论述文学问题 zhè běn shū lùnshù wénxué wèntí

놀[1] 霞 xiá; 彩霞 cǎixiá; 红霞 hóngxiá ‖아침 ~ 朝霞 zhāoxiá / 저녁~ 晚霞 wǎnxiá

놀[2] 《파도》 怒涛 nùtāo

놀다 ①《유희·장난》 玩儿 wánr; 玩耍 wánshuǎ; 遊戏 yóuxì ¶트럼프를 하며 놉시다 玩儿扑克吧 wánr pūkè ba / 길에서 놀지 마세요 不要在路上玩耍 bú yào zài lùshàng wánshuǎ ②《유흥·방탕》 游荡 yóudàng; 嫖 piáo; 赌 dǔ ¶그는 젊었을 때 어지간히 놀았다 他年轻的时候很荒唐了一阵子 tā niánqīng de shíhòu hěn huāngtáng le yízhènzi ③《무직》 闲 xián; 赋闲 fùxián ¶그는 놀면서 지낸다 他游手好闲地过日子 tā yóushǒu hàoxián de guò rìzi / 그는 1년여를 놀고 있다 他已经赋闲一年多了 tā yǐjīng fùxián yì nián duō le ④《유휴》 闲 xián; 闲着 xiánzhe; 闲散 xiánsǎn; 闲置不用 xiánzhì búyòng ¶이 토지는 놀고 있다 这块地'闲着〔没有耕种〕 zhè kuài dì 'xiánzhe〔méiyǒu gēngzhòng〕/ 불황으로 기계가 놀고 있다 由于不景气机器都闲着 yóuyú bù jǐngqì jīqì dōu xiánzhe

놀라다 ①《깜짝》 吓 xià; 惊恐 jīngkǒng; 惊惧 jīngjù; 害怕 hàipà; 吃惊下了一跳 chījīng xiàle yí tiào ¶크게 ~ 吓一大跳 xià yí dà tiào =〔大吃一惊 dà chī yí jīng〕/ 놀라서 말도 나오지 않다 吓得说不出话来 xià de shuō bù chū huà lai / 아이가 호랑이를 보고 ~ 孩子看到老虎害怕 háizi kàndào lǎohǔ hàipà ②《불가사의》 惊讶 jīngyà; 《기이》 惊奇 jīngqí; 《경탄》 惊叹 jīngtàn; 意想不到 yìxiǎngbudào; 感到意外 gǎndào yìwài ¶그의 박학은 사람을 놀라게 한다 他的博学使人惊吓 tāde bóxué shǐ rén jīngxià / 그는 놀라서 나를 꼼짝 않고 바라보고 있다 他惊讶地直盯着看我 tā jīngyà de zhídīngzhe kàn wǒ / 놀랍게도 그는 살아 있었다 意想不到的是'〔颇为稀奇的是〕他还活着 yìxiǎngbudào de shì'〔pōwéi xīqí de shì〕 tā hái huózhe

놀래다 ①《깜짝》 惊动 jīngdòng; 震动 zhèndòng; 轰动 hōngdòng; 使惊讶 shǐ jīngyà; 使惊叹 shǐ jīngtàn; 使惊奇 shǐ jīngqí ¶너를 크게 놀래 줄 일이 있다 有一件使你大为惊讶的事 yǒu yí jiàn shì nǐ dà wéi jīngyà de shì ②《두려움에》 使害怕 shǐ hàipà; 使惊惧 shǐ jīngjù; 使恐怖 shǐ kǒngbù; 〈口〉吓唬 xiàhu ¶무서운 이야기를 해서 아이를 ~ 讲可怕的故事吓唬孩子 jiǎng kě pà de gùshì xiàhu háizi

놀리다 《조롱하다》 嘲弄 cháonòng; 戏弄 xìnòng; 嘲笑 cháoxiào; 开玩笑 kāi wánxiào ¶그는 매번 나를 만날 때마다 늘 놀린다 他每逢见到我总要嘲弄一番 tā měi féngjiàn dào wǒ zǒng yào cháonòng yì fān

놀림 嘲弄 cháonòng; 取笑 qǔxiào; 戏弄 xìnòng; 嘲笑 cháoxiào; 开玩笑 kāi wánxiào ¶반~으로 一半取笑地 yí bàn qǔxiào de =〔半开玩笑地 bàn kāi wánxiào de〕

놀이 ①《유희》 游戏 yóuxì; 玩耍 wánshuǎ ②《오락》 游玩 yóuwán ‖~터 玩儿的地方 wánr de dìfang =〔游戏场 yóuxìchǎng〕 ¶어린이~터 儿童游戏场 értóngyóuxìchǎng

놈 小子 xiǎozi; 家伙 jiāhuo; 东西 dōngxi ¶저 ~ 那个家伙 nà ge jiāhuo

놈팡이 汉子 hànzi; 爷们 yémen
놋쇠 黄铜 huángtóng
농(弄) 调戏 tiáoxi; 玩笑 wánxiào ¶반~으로 半真半假 bàn zhēn bàn jiǎ
농가(農家) 农户 nónghù; 农家 nóngjiā; 庄家 zhuāngjiā
농간(弄奸) 花招儿 huāzhāor ¶~을 부리다 耍花招儿 shuǎ huāzhāor
농경(農耕) 耕作 gēngzuò ¶이 토지는 ~에 적합하다 这块土地适于耕作 zhè kuài tǔdì shìyú gēngzuò
농구(籠球) 篮球 lánqiú
농기구(農機具) 农业机械 nóngyè jīxiè; 农具 nóngjù
농노(農奴) 农奴 nóngnú
농담(弄談) 玩笑 wánxiào; 戏言 xìyán ¶~하다 开玩笑 kāiwánxiào =〔说戏言 shuō xìyán〕〔戏谑 xìxuè〕/ 나는 그의 농담을 진짜로 받아들였다 我把他的玩笑当真了 wǒ bǎ tāde wánxiào dàngzhēn le / ~이 지나쳐서 상대방을 화나게 했다 开玩笑开过火招对方生气了 kāiwánxiào kāi guòhuǒ zhāo duìfāng shēngqì le
농민(農民) 农民 nóngmín; 庄稼人 zhuāngjiarén
농번기(農繁期) 农忙 nóngmáng; 农忙期 nóngmángqī; 农忙季节 nóngmáng jìjié
농부(農夫) 农夫 nóngfū
농산물(農産物) 农产物 nóngchǎnwù; 农产品 nóngchǎnpǐn ¶~ 수출국 农产品出口国 nóngchǎnpǐn chūkǒuguó
농업(農業) 农业 nóngyè ¶~에 종사하다 从事农业 cóngshì nóngyè
농작물(農作物) 农作物 nóngzuòwù; 庄稼 zhuāngjia
농지(農地) 田地 tiándì; 农田 nóngtián; 庄稼地 zhuāngjiadì; 耕地 gēngdì ‖~ 개혁 土地改革 tǔdì gǎigé
농한기(農閑期) 农闲 nóngxián; 农闲期 nóngxiánqī; 农闲季节 nóngxián jìjié
농후(濃厚) 浓 nóng; 浓厚 nónghòu ¶뇌물을 받은 혐의가 ~해졌다 受贿的嫌疑更大了 shòuhuì de xiányí gèng dà le
높다 ①《높이가》 高 gāo ¶오늘은 파도가 ~ 今天浪高 jīntiān làng gāo / 연을 하늘 높이 띄우다 把风筝放到高空 bǎ fēngzhēng fàngdào gāokōng ②《지위·신분이》 高 gāo ¶신분이 높은 사람 身分高的人 shēnfen gāo de rén ③《명성·평판이》 有名气 yǒu míngqi; 有声誉 yǒu shēngyù; 著名 zhùmíng ¶명성이 ~ 名声好 míngshēng hǎo =〔有声誉 yǒu shēngyù〕 ④《온도가》 高 gāo ¶점점 기온이 높아졌다 气温渐渐地高了 qìwēn jiànjiànde gāo le ⑤《가격이》 贵 guì; 高 gāo ¶물가가 높아졌다 物价上涨了 wùjià shàngzhǎng le ⑥《소리가》 高 gāo; 大 dà ¶파도 소리가 ~ 波浪声很大 bōlàngshēng hěn dà / 이 이상 높은 소리를 낼 수 없다 再也发不出比这还高的声音 zài yě fābuchū bǐ zhè hái gāo de shēngyīn ⑦《정도가》 高 gāo ¶위도가 높은 곳 纬度高的地方 wěidù gāo de dìfang / 생활 수준이 ~ 生活水平高 shēnghuó shuǐpíng gāo
높이 高 gāo; 高度 gāodù; 高低 gāodī; 高矮 gāo'ǎi ¶이 탑의 ~는 30m다 这座塔有三十米高 zhè zuò tǎ yǒu sānshí mǐ gāo / 산의 ~를 재다 测定山的高度 cèdìng shān de gāodù
높이다 提高 tígāo ¶여성의 지위를 ~ 提高妇女的地位 tígāo fùnǚ de dìwèi
높이뛰기 《體》 跳高 tiàogāo
놓다 ①《잡은 것을》 放 fàng; 放开 fàngkāi; 放掉 fàngdiào; 撒开 sākāi ¶손을 놔 放开手! fàngkāi shǒu / 손을 놓으면 곧 떨어진다 一撒开手就要掉下去 yī sākāi shǒu jiù yào diàoxiàqù / 운전할 때 핸들에서 손을 놓으면 안 된다 驾驶汽车时, 手不许离开驾驶盘 jiàshǐ qìchē shí, shǒu bùxǔ líkāi jiàshǐpán ②《불을》 ¶성에 불을 ~ 火烧城堡 huǒ shāo chéngbǎo ③《다리를》 架 jià ¶강에 다리를 ~ 往河上架桥 wǎng hé shang jià qiáo ④《덫을》 设置 shèzhì; 布置 bùzhì ¶덫을 ~ 设下圈套 shè xià quāntào =〔布圈套 bù quāntào〕〔设陷阱 shè xiànjǐng〕 ⑤《일정한 자리에》 放 fàng; 搁 gē ¶책을 책상 위에 ~ 把书放在桌子上 bǎ shū fàng zài zhuōzi shàng ⑥《침이나 주사를》 打 dǎ ¶주사를 ~ 打针 dǎzhēn / 침을 ~ 扎针 zhāzhēn ⑦《무늬·수(繡)를》 绣 xiù ¶꽃을 수~ 绣花 xiù huā ⑧《주판·산가지를》 拨 bō ¶주판을 ~ 拨'〔打〕算盘 bō'〔dǎ〕 suànpán ⑨《수도·전화 따위를》 安装 ānzhuāng ¶새로 지은 집에 수도를 ~ 给新盖的房子安装自来水管 gěi xīngài de fángzi ānzhuāng zìlái shuǐguǎn / 전화를 ~ 安电话 ān diànhuà =〔《전선 따위를》 架设 jiàshè〕
놓아주다 放 fàng; 放走 fàngzǒu; 放掉 fàngdiào ¶새장 속의 새를 놓아 주었다 把笼子里的鸟儿放了 bǎ lóngzi li de niǎor fàng le
놓치다 ①《범인·손님 따위를》 没有抓住 méiyǒu zhuāzhù; 放跑掉 fàngpǎodiào ¶소매치기를 놓쳤다 叫扒手跑掉了 jiào páshǒu pǎodiào le / 큰 손님을 놓쳤다 让好顾客跑掉了 ràng hǎo gùkè pǎodiào le / 놓친 고기가 더 크다 没钓上来的鱼总觉得大 méi diàoshànglái de yú zǒng juéde dà ②《기회를》 错过 cuòguò; 丢掉 diūdiào ¶좋은 기회를 ~ '放过〔错过〕了好机会 fàngguò'〔cuòguò〕 le hǎo jīhuì ③《버스·기차 따위를》 耽误乘 dānwu chéng; 赶不上 gǎnbushàng ¶기차를 ~ 赶不上火车 gǎnbushàng huǒchē / 마지막 버스를 ~ 没'赶上〔来得及坐〕末班公共汽车 méi 'gǎnshàng〔láide jí zuò〕 mòbān gōnggòng qìchē
뇌(腦)《뇌수》 脑 nǎo; 脑子 nǎozi; 脑筋 nǎojīn
뇌리(腦裡) 脑里 nǎoli; 脑子里 nǎozi li; 脑海里 nǎohǎi li; 心里 xīnli ¶~에 떠오르다 浮现在脑海里 fùxiàn zài nǎohǎi li / ~에(번뜩 생각이) 떠오르다 突然涌上心头 tūrán yǒngshàng xīntóu =〔忽然想起 hū rán xiǎng qǐ〕
뇌물(賂物) 贿赂 huìlù ¶~을 받다 受贿 shòu huì / ~로 매수하다 用贿赂收买 yòng huìlù shōumǎi / ~을 써서 편의를 도모하다 行贿叫人通融 xínghuì jiào rén tōngróng
뇌빈혈(腦貧血) 脑贫血 nǎopínxuè ¶~을 일으키다 患脑贫血 huàn nǎopínxuè
뇌성소아마비(腦性小兒痲痺) 《醫》 神经性小儿麻痹 shénjīngxìng xiǎo'ér mábì; 婴儿麻痹 yīng'ér mábì
뇌졸중(腦卒中) 《醫》 脑血管意外 nǎoxuèguǎn yìwài; 中风 zhòngfēng; 卒中 zúzhòng
뇌종양(腦腫瘍)《醫》 脑瘤 nǎoliú; 颅内肿瘤 lúnèi zhǒngliú
뇌진탕(腦震蕩)《醫》 脑震荡 nǎozhèndàng ¶~

을 일으키며 쓰러졌다 由于脑震荡昏倒了 yóuyú nǎozhèndàng hūndǎo le

뇌파(腦波) 脑电波 nǎodiànbō ¶ ～를 검사하다 检查脑电波 jiǎnchá nǎodiànbō

누각(樓閣) 楼阁 lóugé ¶사상 ～ 空中楼阁 kōngzhōng lóugé

누구 谁 shuí〔shéi〕¶그것은 ～의 책입니까? 这是谁的书? zhè shì shuíde shū? / ～든지 원하는 사람에게 준다 谁要就给谁 shuí yào jiù gěi shuí

누나 姐姐 jiějie ¶큰～ 大姐 dàjiě

누다 《오줌》 撒 sā; 《똥》 拉 lā ¶오줌을 ～ 撒尿 sā niào / 똥을 ～ 拉屎 lā shǐ =〔拉把把 lā bǎba〕

누더기 破布 pòbù; 破烂 pòlàn

누드(node) 裸体 luǒtǐ; 裸身 luǒshēn; 裸体像 luǒtǐxiàng ‖ ～쇼 脱衣舞 tuōyīwǔ

누락(漏落) 遗漏 yílòu; 漏洞 lòudòng ¶장부의 ～을 발견하다 发见了账簿上的遗漏 fāxiànle zhàngbù shàng de yílòu

누룩 曲子 qūzi; 酒母 jiǔmǔ

누룽지 煳爆饭 húpaòfàn; 锅巴 guōbā

누르다 《벨 따위》 按 àn; 揌 èn; 压 yā ¶벨을 ～ 按电铃 àn diànlíng / 손으로 ～ 用手指揌 yòng shǒuzhǐ èn

누리다[1] 《복을》 享受 xiǎngshòu

누리다[2] 《냄새》 腥膻 xīngshān

누명(陋名) ⇨오명(汚名)

누설(漏泄) 泄漏 xièlòu; 泄露 xièlòu ¶국가의 기밀이 ～되다 国家的机密泄露了 guójiā de jīmì xièlòu le

누에 蚕 cán ¶～를 기르다 养蚕 yǎng cán

누이동생(…同生) 妹妹 mèimei

누전(漏電) 漏电 lòudiàn; 跑电 pǎodiàn; 走电 zǒudiàn ¶～으로 화재가 일어나다 由漏电引起火灾 yóu lòudiàn yǐnqǐ huǒzāi

누지다 弄湿 nòngshī; 打湿 dǎshī

누차(屢次) 屡次 lǚcì; 累次 lěicì; 多次 duōcì ¶～에 걸쳐서 재해를 당하다 屡次受灾 lǚcì shòu zāi

누출(漏出) 漏出 lòuchū ¶호스에서 물이 ～하다 水从软管漏出 shuǐ cóng ruǎnguǎn lòuchū

눈[1] ①《일반적》 眼 yǎn; 眼睛 yǎnjing ¶핏발 선 ～ 眼睛发红 yǎnjing fāhóng / 반짝반짝 빛나는 ～ 炯炯发光的眼睛 jiǒngjiǒng fāguāng de yǎnjing / ～을 감다〔뜨다〕 闭上〔睁开〕眼睛 bìshang〔zhēngkāi〕yǎnjing / ～앞에 떠오르다 浮现眼前 fúxiàn yǎn qián / ～을 내리깔다 耷拉下眼皮 dāla xià yǎnpi =〔往下看 wǎng xià kàn〕/ ～을 크게 뜨고 보다 瞪着眼睛看 dèng zhe yǎnjing kàn / ～을 즐겁게 하다 悦目 yuè mù =〔饱眼福 bǎo yǎn fú〕/ ～에는 ～, 이에는 이 以眼还眼, 以牙还牙 yǐ yǎn huán yǎn, yǐ yá huán yá ②《표정》 眼神 yǎnshén; 目光 mùguāng ¶황홀한 ～ 出神的眼神 chūshén de yǎnshén / 이상한 ～으로 보다 用奇怪的眼神看 yòng qíguài de yǎnshén kàn / ～으로 인사하다 用目光表示感谢 yòng mùguāng biǎoshì gǎnxiè ③《시력》 视力 shìlì ¶그는 ～이 좋다 他眼睛好 tā yǎnjing hǎo / 최근 ～이 나빠졌다 最近眼睛变坏了 zuìjìn yǎnjing biàn huài le / ～이 나쁘다 视力不好 shìlì bù hǎo ④《마음의》 ¶～이 높다 眼光高 yǎnguāng gāo / 욕심에 ～이 멀다 利令智昏 lì lìng zhì hūn =〔利欲熏心 lì yù xūn xīn〕⑤《안식》 眼力 yǎnlì; 识别力 shíbiélì; 洞察力 dòngchálì; 判断力 pànduànlì ¶전문가의 ～ 专家的眼力 zhuānjiāde yǎnlì / 사물을 보는 ～이 있다 有眼力 yǒu yǎnlì =〔有识别力 yǒu shíbiélì〕〔有办别是非的能力 yǒu biànbié shì fēi de nénglì〕/ 사람을 보는 ～이 있다 有识人的眼力 yǒu shí rén de yǎnlì ⑥《입장》 看法 kànfǎ; 见解 jiànjiě; 观点 guāndiǎn ¶공평한 ～으로 보다 公平看待 gōngping〔píng〕kàndài / 의심의 ～으로 보다 用怀疑的眼光观察 yòng huáiyí de yǎnguāng guānchá ⑦《지각》 ¶～뜨다 醒目(깨닫다) xǐngmù

눈[2] (싹) 芽 yá

눈[3] 雪 xuě ¶～이 내리다 下雪 xiàxuě / ～이 녹다 雪化了 xuě huà le / ～이 30m 쌓였다 雪积了三十厘米厚 xuě jīle sānshí límǐ hòu / ～같이 흰 피부 赛雪欺霜一般的白嫩的皮肤 sài xuě qī shuāng yìbān de báinèn de pífū

눈감다 ①《감다》 闭眼 bì yǎn; 阖眼 hé yǎn ¶놀라서 나도 모르게 눈을 감았다 吓了一跳不由得闭上了眼睛 xiàle yí tiào bùyóude bìshangle yǎnjing ②《죽다》 死 sǐ ¶나는 아직 눈감을 수는 없다 我现在还没法儿去见阎王爷 wǒ xiànzài hái méi fǎr qù jiàn yánwangyé

눈감아주다 看过 kànguò; 不着眼 bùzháoyǎn ¶이번만 눈 감아 주십시오 这次请你装作没看见 zhè cì qǐng nǐ zhuāngzuò méi kànjian

눈곱 眼眵 yǎnchī; 眵目糊 chīmùhú; 〈方〉眼屎 yǎnshǐ ¶～이 끼다 出眼屎 chū yǎnshǐ

눈까풀 睑 jiǎn; 眼睑 yǎnjiǎn; 眼皮子 yǎnpízi; 〈口〉眼皮(儿) yǎnpí(r) ¶윗～ 上眼睑 shàng yǎnjiǎn =〔上眼皮 shàng yǎnpí〕〔眼泡儿 yǎnpāor〕

눈깔사탕(…砂糖) 糖果 tángguǒ; 糖子儿 tángzǐr; 糖球(儿) tángqiú(r)

눈독들이다 盯着 dīngzhe; 惦着 diànzhe; 很想染指(여자에게) hěn xiǎng rǎnzhǐ

눈동자(…瞳子) 瞳孔 tóngkǒng; 瞳人儿 tóngrénr

눈딱부리 田蝼眼 tiánluóyǎn; 暴眼 bàoyǎn

눈뜬장님 睁眼瞎子 zhēngyǎn xiāzi

눈매, 눈맵시 眼神 yǎnshén; 眼光 yǎnguāng ¶～가 나쁘다 眼神凶恶 yǎnshēn xiōng'è / 그의 ～는 예리하다 他目光锐利 tā mùguāng ruìlì

눈물 眼泪 yǎnlèi; 泪水 lèishuǐ; 泪珠 lèizhū ¶뜨거운 ～ 热泪 rèlèi / 거짓 ～ 假泪 jiǎlèi / 피～ 辛酸泪 xīnsuān lèi / ～을 닦다 拭泪 shì lèi / 그녀의 눈에서 ～이 쏟아져 나오다 从她眼里溢出了泪水 cóng tā yǎn li yìchūle lèishuǐ =〔她眼泪夺眶而出 tā yǎnlèi duó kuàng ér chū〕

눈병(…病) 眼病 yǎnbìng ¶～에 걸리다 患眼病 huàn yǎnbìng =〔害眼 hài yǎn〕

눈보라 暴风雪 bàofēngxuě; 雪暴 xuěbào

눈부시다 ①《빛이 세어서》 晃眼 huǎngyǎn; 耀眼 yàoyǎn ¶태양이 ～ 太阳晃眼 tàiyáng huǎngyǎn ②《황홀해서》 光辉眼 guānghuīyǎn; 光彩夺目 guāngcǎi duómù; 刺目 cìmù ¶눈부시게 흰 눈 刺眼的白雪 cìyǎn de báixuě =〔皑皑的白雪 ái'ái de báixuě〕/ 눈부시도록 아름다운 소녀 美丽得令人炫目的少女 měilìde lìng rén xuànmù de shàonǚ

눈사람 雪人(儿) xuěrén(r) ¶～을 만들다 堆雪人 duī xuěrén =〔做雪人 zuò xuěrén〕/ 빌린 돈

이 ～처럼 불어나다 借债像滚雪球似的越滚越大 jièzhài xiàng gǔn xuěqiú shì de yuè gǔn yuè dà
눈시울 大眼角 dàyǎnjiǎo ¶～이 뜨거워지다 感动得要落泪 gǎndòngde yào luòlèi
눈썹 眉 méi; 眉毛 méimao ¶짙고 검은 ～ 粗黑的眉毛 cū hēi de méimao / ～을 그리다 描眉 miáo méi / ～을 찌푸리다 皱眉头 zhòu méitóu =〔颦眉 pín méi〕 ‖ 속～ 睫毛 jiémáo
눈앞 眼前 yǎnqián; 目前 mùqián ¶～의 이익 眼前的利益 yǎnqián de lìyì
눈엣가시 眼中钉〔刺〕 yǎn zhōng dīng 〔cì〕
눈웃음 眯嘻 mīxī
눈짓 眼神 yǎnshén; 眼色 yǎnsè ¶～하다 使眼色 shǐ yǎnsè
눈초리 外眼角 wài yǎnjiǎo; 眼梢 yǎnshāo ¶～가 치켜져 있다 吊眼梢 diào yǎnshāo
눈총맞다 招人厌恶 zhāo rén yàn wù; 惹人讨厌 rě rén tǎoyàn
눈치 机警 jījǐng; 机灵 jīling; 眼力见儿 yǎnlìjiànr ¶～가 빠르다 有眼力见儿 yǒu yǎnlìjiànr / ～ 빠르게 굴다 随机应变 suíjīyìngbiàn
눈코뜰새없다 忙不过来 máng bu guò lái; 脱不开身儿 tuō bu kāi shēnr
눋다 焦 jiāo; 煳 hú; 焦煳 jiāo hú; 焦黑 jiāohēi; 烤焦 kǎojiāo; 烤煳 kǎohú ¶뭔가 눋는 냄새가 난다 有煳焦味儿 yǒu hújiāo wèir
눕다 躺 tǎng; 卧 wò ¶풀밭에 ～ 躺在草坪上 tǎng zài cǎopíngshàng / 침대에 누운 채로 편지를 쓰다 躺在床上写信 tǎng zài chuángshàng xiě xìn / 누워서 책을 읽다 躺着看书 tǎngzhe kàn shū
눕히다 ①《몸을》 使躺下 shǐ tǎngxia ②《가로놓다》 放平 fàngpíng; 放倒 fàngdǎo ¶나무를 ～ 把树放倒 bǎ shù fàngdǎo
뉘앙스(nuance) 语气 yǔqì; 语感 yǔ gǎn; 《의미·감정 따위의》 微妙差别 wēimiào chābié; 神韵 shényùn; 《표현의》 细腻 xìnì; 细致 xìzhì ¶번역은 원문의 ～를 제대로 표현해 내지 못한다 翻译是不能把原文的神韵充分表现出来的 fānyì shì bùnéng bǎ yuánwén de shényùn chōngfèn biǎoxiàn chūlai de
뉴스(news) 新闻 xīnwén; 消息 xiāoxi ¶지금부터 ～를 전하겠습니다 现在报告新闻 xiànzài bàogào xīnwén / 무슨 ～가 있습니까? 有什么'新鲜事〔新闻〕没有? yǒu shéme 'xīnxiānshì 〔xīnwén〕 méi yǒu? ‖ ～ 영화 新闻影片 xīnwén yǐngpiàn =〔新闻片 xīnwénpiàn〕 / ～캐스터 新闻广播员 xīnwén guǎngbōyuán =〔时事广播员 shíshì guǎngbōyuán〕 / ～ 해설 (라디오·텔레비전 상의) 新闻解说 xīnwén jiěshuō =〔时事述评 shíshì shùpíng〕 / ～ 해설자 时事评论员 shíshì pínglùnyuán =〔新闻解说员 xīnwén jiěshuōyuán〕 / 임시 ～ 紧急新闻 jǐnjí xīnwén
뉴턴(newton) ①《物》 牛顿 niúdùn ②《人》 牛顿 Niúdùn ¶～의 만유 인력의 법칙 牛顿的万有引力法则 Niúdùn de wànyǒu yǐnlì fǎzé
느글거리다 觉得恶心 juéde ěxin
느끼다 ①《지각하다》 感 gǎn; 感觉 gǎnjué; 感到 gǎndào; 觉得 juéde ¶아픔을 ～ 感到疼 gǎndào téng / 공복을 ～ 觉得饿 juéde è / 불편을 ～ 感到不方便 gǎndào bù fāngbiàn ②《감동하다》 感动 gǎndòng; 感佩 gǎnpèi; 有所感 yǒu suǒ gǎn ¶느끼는 바가 있어서 시를 쓰다 因有所感而写诗 yīn yǒu suǒ gǎn ér xiě shī
느닷없이 冷不防 lěngbùfáng; 冷丁 lěng-dīng; 抽冷子 chōulěngzi; 突然 tūrán ¶그는 ～ 그녀의 손을 잡았다 他突然握住了她的手 tā tūrán wòzhùle tāde shǒu / 나는 ～ 뺨을 맞았다 我冷不防挨了一个耳光子 wǒ lěngbùfáng áile yí ge ěrguāngzi
느리다 ①《늦다》 慢 màn; 缓慢 huǎnmàn ¶발이 ～ 走路慢 zǒulù màn / 버스가 오늘 아침에는 유난히 ～ 今天早晨公共汽车特别慢 jīntiān zǎochén gōnggòngqìchē tèbié màn ②《둔하다》 迟钝 chídùn; 愚蠢 yúchǔn ¶만사에 느린 사람 对任何事都不敏感的人 duì rènhé shì dōu bù mǐngǎn de rén =〔感觉迟钝的人 gǎnjué chídùn de rén〕 / 두뇌 회전이 ～ 头脑迟钝 tóunǎo chídùn ③《꾸물대다》 磨蹭 mócèng ¶일하는 것이 ～ 工作慢 gōngzuò màn / 결단이 ～ 迟疑不决 chíyí bù jué =〔优柔寡断 yōuróu guǎduàn〕
느릿느릿 迟缓 chíhuǎn; 慢腾腾地 màntēngtēngde; 慢吞吞地 màntūntūnde ¶～하게 나아가다 缓慢地前进 huǎnmànde qiánjìn / ～한 동작 迟缓的动作 chíhuǎnde dòngzuò
느슨하다 松 sōng; 不紧 bùjǐn ¶끈을 맨 것이 ～ 绳系得松 shéng jìde sōng / 허리띠가 ～ 带子松 dàizi sōng
느슨해지다 ①松 sōng; 松弛 sōngchí ¶(팽팽하던) 실이 ～ 线松弛了 xiàn sōngchí le / 허리띠가 ～ 带子松了 dàizi sōng le ②《꼭 맺힌 데가 없다》 松懈 sōngxiè; 松动 sōngdòng ¶기계의 볼트가 ～ 机器的螺栓松动了 jīqi de luóshuān sōngdòng le / 일이 일단락되어 기분이 ～ 工作告一段落精神松懈了 gōngzuò gào yí duànluò jīngshén sōngxiè le
느티나무 《植》 榉树 jǔshù
늑골(肋骨) 肋骨 lèigǔ; 〈方〉肋巴骨 lèibagǔ; 肋条 lèitiao ¶～이 2개 부러지다 肋骨折断两根 lèigǔ zhéduàn liǎng gēn
늘 时常的 shíchángde; 老 lǎo
늘그막 老境 lǎojìng ¶～에 접어들다 进入老境 jìnrù lǎojìng =〔年迈 niánmài〕
늘다 《수·양이》 增多 zēngduō; 增加 zēngjiā ¶체중이 ～ 体重增加 tǐzhòng zēngjiā / 인구가 늘기만 하다 人口有增无减 rénkǒu yǒu zēng wú jiǎn
늘리다 增加 zēngjiā; 增添 zēngtiān ¶점원을 ～ 增添店员 zēngtiān diànyuán / 재산을 ～ 增加财富 zēngjiā cáifù
늘어뜨리다 《아래로》 垂 chuí; 下垂 xiàchuí; 《위에서부터》 悬挂 xuánguà ¶개가 혀를 ～ 狗搭拉着舌头 gǒu dālazhe shétou / 막을 ～ 悬挂幕幔 xuánguà mùmàn
늘어서다 排 pái; 排列 páiliè; 《행렬》 排成 páichéng; 列队 lièduì ¶1열로 ～ 排成一行 páichéng yì háng / 세로로 ～ 纵排 zòng pái =〔排成纵队 páichéng zòngduì〕
늘어지다 搭拉 dāla
늘이다 拉长 lācháng; 延长 yáncháng; 放长 fàngcháng ¶3m를 ～〔넓히다〕 3m ～ 拉长〔放宽〕三米 lācháng 〔fàngkuān〕 sān mǐ / 수명을 ～ 延长寿命 yáncháng shòumìng
늙다 《나이먹다》 老 lǎo; 年老 niánlǎo; 上年纪

shàng niánjì ¶늙으면 아이 된다 人老了又变得像小孩儿一般 rén lǎole yòu biànde xiàng xiǎoháir yíbān
늙은이 老头儿 lǎotóur ¶～ 같은 색이다 颜色太老气 yánsè tài lǎo qì
능가하다(凌駕…) 凌驾 língjià; 超过 chāoguò; 超出 chāochū ¶그의 기술이 다른 사람을 훨씬 ～ 他的技术'凌驾于他人之上〔出类拔萃〕tāde jìshù 'língjià yú tā rén zhīshàng〔chūlèi bácuì〕
능구렁이 《뱀》 黄颔蛇 huánghànshé; 《사람》 老奸巨猾 lǎojiān jùhuá
능글능글하다 油滑 yóuhua; 《뻔뻔스럽다》 面皮厚 miànpí hòu
능력(能力) 能力 nénglì ¶그에게는 통솔자로서의 ～이 없다 他没有领导能力 tā méiyǒu lǐngdǎo nénglì / 그건 나의 ～의 한계를 넘는 일이다 那是'超过了我能力限度〔我力不胜任〕的工作 nà shì 'chāoguòle wǒ nénglì xiàndù〔wǒ lì bú shèngrèn〕de gōngzuò
능률(能率) 效率 xiàolǜ ¶～이 좋다 效率'高〔好〕xiàolǜ 'gāo〔hǎo〕/ ～이 나쁘다 效率'低〔差〕xiàolǜ 'dī〔chà〕
능수버들 〖植〗 川柳 chuānliǔ
능숙(能熟) 熟练 shúliàn ¶솜씨가 ～한 목수 手艺高强的木匠 shǒuyì gāoqiáng de mùjiang〔jiàng〕
능청스럽다 假惺惺 jiǎ xīngxīng
능통(能通) 通达 tōngdá
늦다 ①《속도가》 慢 màn ¶이해가 ～ 领会得慢 lǐnghuìde màn ②《시각·시기가》 晚 wǎn; 迟 chí; 来不及 lái bu jí ¶저 상점은 늦게까지 문을 연다 那家商店营业到很晚 nà jiā shāngdiàn yíngyè dào hěn wǎn / 늦어도 월요일까지는 돌아오시오 最晚星期一赶回来 zuìwǎn xīngqīyī gǎnhuílai / 후회해도 이미 ～ 后悔也来不及了 hòuhuǐ yě láibùjí le / 지금부터 해도 늦지 않다 现在开始也'不晚〔来得及〕xiànzài kāishǐ yě 'bù wǎn〔láidejí〕
늦더위 秋老虎 qiūlǎohǔ
늦어지다 迟误 chíwù; 耽误 dānwu
늦잠 睡懒觉 shuìlǎnjiào; 晚起 wǎnqǐ ¶～ 자다 睡早懒觉 shuì zǎo lǎnjiào
늦추다 ①《쥔 것·속도 따위를》 缓和 huǎnhé; 放慢 fàngmàn ¶속도를 ～ 放慢速度 fàngmàn sùdù / 공격을 ～ 缓和攻击 huǎnhé gōngjī ②《날짜·시간을》 延长 yáncháng; 推迟 tuīchí; 推延 tuīyán ¶수업 시간을 10분 ～ 把上课时间延长十分钟 bǎ shàngkè shíjiān yáncháng shí fēn zhōng / 출발을 3일 뒤로 ～ 把出发的日期'延迟〔推迟〕三天 bǎ chūfā de rìqī 'yán-chí〔tuīchí〕sān tiān
늪 池塘 chí táng; 沼泽 zhǎo zé; 池沼 chí zhǎo
니그로(negro) 黑人 hēirén; 黑种人 hēizhǒngrén; 尼格罗人种 Nígéluó rénzhǒng
니켈(nickel) 〖化〗 镍 niè
니코틴(nicotine) 尼古丁 nígǔdīng; 烟草精 yāncǎojīng; 烟硷 yānjiǎn ‖～ 중독 尼古丁中毒 nígǔdīng zhòngdú
니크롬(nichrome) 镍铬合金 niègè héjīn; 镍铬耐热合金 niègè nàirè héjīn ‖～선 镍铬合金线 niègè héjīnxiàn =〔镍铬电热丝 niègè diànrèsī〕〔镍铬丝 niègèsī〕
니트로(niitro) 〖化〗 硝基 xiāojī ‖～글리세린 硝化甘油 xiāohuà gānyóu =〔甘油三硝酸酯 gānyóu sānxiāo suānzhǐ〕/ ～벤젠 硝基苯 xiāojīběn
닉네임(nickname) 外号 wàihào; 绰号 chuòhào; 诨名 hùnmíng; 诨号 hùnhào; 爱称 àichēng ¶～을 붙이다 起个外号 qǐ ge wàihào

〔 ㄷ 〕

다 《여러 사람》 大家 dàjiā; 《전부》 都 dōu
다가서다 紧靠着站 jǐn kàozhe zhàn
다가오다 《거리·시간이》 挨近 āijìn; 靠近 kàojìn; 靠 kào; 靠拢 kàolǒng; 临近 línjìn; 《가까이에》 迫近 pòjìn; 《이제 금방…곧》 快 kuài; 快要…了 kuàiyào…le ¶연말이 ～ 迫近年末 pòjìn niánmò / 산월이 ～ 临近产期 línjìn chǎnqī / 시험이 ～ 快要考试了 kuàiyào kǎoshì le
다갈색(茶褐色) 棕褐色 zōnghèsè; 茶褐色 cháhèsè
다같이 一块儿 yíkuàir; 一同 yítóng; 一起 yìqǐ
다급하다 急不及待 jí bù jídài; 急促 jícù
다녀가다 过访过 guòfǎng guò
다녀오다 去回来 qù huílai
다니다 ①《왕복·내왕》 往来 wǎnglái; 往返 wǎngfǎn; 来往 láiwǎng ¶광화문·안양을 다니는 버스 往来于光化门安养间的公共汽车 wǎnglái yú Guānghuāmén Ānyǎng jiànde gōnggòng qìchē ②《등교》 上学 shàngxué; 走读 zǒudú; 《출근》 上班 shàngbān; 通勤 tōngqín ¶걸어서 학교에 ～ 走着到学校去上学 zǒuzhe dào xuéxiào qù shàngxué
다다르다 到 dào; 达到 dádào; 临到 líndào
다다익선(多多益善) 越多越好 yuèduō yuèhǎo
다달이 每月 měiyuè
다듬다 《머리를》 梳拢 shūlǒng; 《푸성귀를》 削检 xiāojiǎn
다듬이 ①《다듬잇감》 待捣的衣物 dài dǎo de yīwù ②⇨～질 ‖～질 捣衣 dǎoyī =〔捶衣裳 chuí yīshang〕/ 다듬잇돌 捣衣石 dǎoyīshí / 다듬잇방망이 棒杵 bàngchǔ
다람쥐 〖動〗 松鼠 sōngshǔ
다랑어 〖魚〗 金枪鱼 jīnqiāngyú
다루다 ①《처리》 处理 chǔlǐ ¶중국 문제를 다룬 책 关于中国问题的书 guānyú Zhōngguó wèntí de shū / 이 곳에서는 국제 전보는 다루지 않습니다 这里不受理国际电报 zhèli bú shòulǐ guójì diànbào ②《조작》 操作 cāozuò ¶이 기계는 다루기가 힘들다 这架机器难于操作 zhè jià jīqi nányú cāozuò ③《사람을》 待 dài; 对待 duì-dài ¶손님을 소중하게 ～ 待客周到 dàikè zhōu-dào =〔殷勤招待客人 yīnqín zhāodài kèrén〕/ 저 사람은 다루기가 힘들다 他那个人很难对付 tā nàge rén hěn nán duìfu
다르다 不一样 bù yíyàng; 不同 bù tóng; 不相同 bù xiāngtóng ¶풍속은 나라마다 각각 ～ 风俗因国家而各异 fēngsú yīn guójiā ér gè yì
다름없다 不差 bù chā; 一样 yíyàng; 正常 zhèngcháng
다리[1] ①《사람·동물의》 腿 tuǐ ¶그는 ～가 길다〔짧다〕他腿长〔短〕tā tuǐ cháng〔duǎn〕②《물건의》 腿 tuǐ; 脚 jiǎo ¶책상의 ～ 桌子腿 zhuō-

zituǐ
다리² 桥 qiáo; 桥梁 qiáoliáng ¶ ~를 건너다 过桥 guò qiáo / 강에 ~를 놓다 在河上'架〔搭〕桥 zài hé shang 'jià 〔dā〕 qiáo / 양국간에 우호의 ~를 놓다 在两国之间架起一道友好桥梁 zài liǎng guó zhījiān jiàqǐ yí dào yǒuhǎo qiáoliáng
다리다 熨一熨 yùn yí yùn
다리미 电熨斗 diànyùndǒu; 熨斗 yùndǒu; 烙铁 làotie
다만 只 zhǐ; 只是 zhǐshì
다물다 闭口 bìkǒu; 噤 jīn; 噤口 jìnkǒu; 缄口 jiānkǒu ¶ 입을 ~ 闭口不谈 bìkǒu bù tán = 〔闭着嘴不说话 bìzhe zuǐ bù shuōhuà〕
다발 捆 kǔn; 束 shù; 把 bǎ ¶ 장작 한 ~ 一把劈柴 yì bǎ pǐchai / 한 ~의 꽃 一束鲜花 yí shù xiānhuā / 벼를 ~로 묶다 把稻子捆成捆儿 bǎ dàozi kǔnchéng kǔnr
다방(茶房) 茶馆 cháguǎn; 咖啡馆 kāfēiguǎn
다방면(多方面) 各方面 gè fāngmiàn; 多方面 duō fāngmiàn ¶ ~에 걸친 활약 活跃在各个方面 huóyuè zài gège fāngmiàn / 그의 취미는 ~에 걸쳐 있다 他的兴趣是多方面的 tāde xìngqù shì duō fāngmiàn de
다복(多福) 多福 duōfú; 福大 fúdà
다색(茶色) 茶色 chásè; 棕色 zōngsè
다소(多少) ①《많고 적음》 多少 duōshǎo; 多寡 duōguǎ ¶ 금액의 ~는 문제가 되지 않는다 钱多钱少不成问题 qiánduō qiánshǎo bùchéng wèntí / ~에 관계없이 배달해 드립니다 多少不拘, 均送货上门 duōshǎo bùjū, jūn sòng huò shàngmén ②《조금》 多少 duōshǎo; 稍 shāo; 稍微 shāowēi ¶ 영어는 ~ 이해한다 多少懂些英语 duōshǎo dǒngxiē Yīngyǔ
다수(多數) 多数 duōshù ¶ 찬성 의견이 ~를 차지하다 赞成意见占多数 zànchéng yìjian zhàn duōshù
다수결(多數決) 多数表决 duōshù biǎojué; 多数决定 duōshù juédìng ¶ ~로 결정하다 以多数表决来决定 yǐ duōshù biǎojué lái juédìng
다스(dozen) ⇒타(打)
다스리다 ①《통치하다》 治 zhì; 治理 zhìlǐ ¶ 나라를 ~ 治国 zhìguó =〔治理国家 zhìlǐ guójiā〕 ②《평정하다》 平定 píngdìng; 平息 píngxī; 平靖 píngjìng ¶ 분쟁을 ~ 平定纷争 píngdìng fēnzhēng
다시 再 zài; 又 yòu
다시마 《植》 海带 hǎidài; 海带菜 hǎidàicài; 《漢醫》 昆布 kūnbù
다음 《뒤에 연결됨》 下次 xiàcì; 下回 xiàhuí; 《다음의 순서》 其次 qícì; 第二 dì'èr; 《다음의》 下一(个) xià yī (ge) ¶ ~달 下月 xià yuè / ~날 第二天 dì'èr tiān / ~역 下一站 xià yí zhàn / ~과 같다 如下 rúxià
다이내믹(dynamic) 有力(的) yǒulì(de); 有生气 yǒushēngqì; 能动 néngdòng ¶ ~한 무용 生气勃勃的舞蹈 shēngqì bóbó de wǔdǎo / 장면이 ~하게 전개하다 场面生动地展开 chǎngmiàn shēngdòng de zhǎnkāi
다이너마이트(dynamite) 炸药 zhàyào; 黄色炸药 huángsè zhàyào; 胶质〔硝化甘油〕炸药 jiāozhì 〔xiāohuà gānyóu〕 zhàyào; 达纳炸药 dánà zhàyào
다이빙(diving) ①《잠수》 潜水 qiánshuǐ ②《體》 跳水 tiàoshuǐ
다이아몬드(diamond) ① 钻石 zuànshí; 金刚石 jīngāngshí ②《트럼프》 方块 fāngkuài ③《야구》 内野 nèiyě; 内场 nèichǎng
다이얼(dial) 《전화》 号码盘 hàomǎpán; 拨号盘 bōhàopán
다이제스트(digest) 摘要 zhāiyào; 文摘 wénzhāi ¶ 명작의 ~ 名著'摘要〔摘编〕 míngzhù 'zhāiyào 〔zhāibiān〕
다정(多情) 慈详 cíxiáng; 亲近 qīnjìn; 亲热 qīnrè
다지다 ¶ 땅을 ~ 砸地脚 zá dì jiǎo
다짜고짜, 다짜고짜로 不容分说 bùróng fēnshuō; 不分早白 bùfēn zàobái
다채(多彩) 美丽多彩 měilì duōcǎi; 彩色缤纷 cǎisè bīnfēn; 丰富多彩 fēngfù duōcǎi ¶ ~로운 오락 활동을 벌이다 举行丰富多彩的文娱活动 jǔxíng fēngfù duōcǎi de wényú huódòng
다채롭다(多彩…) 五光十色 wǔguāng shísè; 五花八门 wǔhuā bāmén
다치다 受伤 shòushāng; 受伤害 shòu shānghài; 负伤 fùshāng ¶ 다쳐서 발을 질질 끌면서 걷다 拖着负伤的腿走路 tuōzhe fùshāngde tuǐ zǒulù
다큐멘터리(documentary) 实录 shílù; 记实 jìshí ‖ ~ 드라마 史实剧 shǐshíjù
다크호스(dark horse) ①《말》 黑马 hēimǎ; 实力不明的马 shílì bù míng de mǎ ②《사람》 实力莫测的竞争对手 shílì mòcède jìngzhēng duìshǒu; 出人意料的劲敌 chū rén yì liào de jìngdí ¶ 이번 선거에서 그가 ~다 这次选举他是个实力莫测的竞争对手 zhè cì xuǎnjǔ tā shì ge shílì mòcède jìngzhēng duìshǒu
다투다 争 zhēng; 争夺 zhēngduó ¶ 앞을 ~ 争先 zhēngxiān =〔争先恐后 zhēngxiān kǒnghòu〕 / 승부를 ~ 争胜负 zhēng shèngfù / 이것은 일각을 다투는 문제다 这是刻不容缓的门题 zhè shì kè bù rónghuǎn de wèntí
다툼 争 zhēng; 争论 zhēnglùn; 争吵 zhēngchǎo; 纠纷 jiūfēn; 不和 bùhé; 争夺主导权 zhēngduó zhǔdǎoquán ¶ 학술상의 ~ 学术上的争论 xuéshùshang de zhēnglùn / 당내의 파벌 ~이 격화하다 党内派系之争日益激化 dǎng nèi pàixi zhī zhēng rìyì jīhuà
다하다 ①《끝내다》 终了 zhōngliǎo ②《없어지다》 耗尽 hàojìn
다행(多幸) ①《운이 좋음》 幸运 xìngyùn ¶ 불행중 ~ 不幸中之大幸 bùxíng zhōng zhī dàxìng ②《용케도》 幸而 xìng'ér; 幸亏 xìngkuī; 多亏 duōkuī; 正好 zhènghǎo; 好在 hǎozài ¶ ~히 날씨가 좋다 幸而天气好 xìng'ér tiānqì〔qi〕 hǎo / ~히 빨리 출발해서 비를 맞지 않았다 幸亏我走得早, 才没叫雨淋了 xìngkuī wǒ zǒude zǎo, cái méi jiào yǔlín le
닥나무 《植》 葡蟠 púpán
닥치다 凑进 còujìn
닥터(doctor) 《박사》 博士 bóshì; 《의사》 医生 yīshēng
닦다 ①《윤내다》 擦 cā; 刷 shuā; 磨 mó ¶ 구두를 ~ 擦〔刷〕皮鞋 cā 〔shuā〕 píxié / 이를 ~ 刷牙 shuāyá / 유리를 ~ 擦玻璃 cā bōli ②《깨끗이 하다》 擦 cā; 抹 mǒ; 揩 kāi; 拭 shì ¶ 책상을 깨끗하게 ~ 把桌子擦干净 bǎ zhuōzi cā

gānjìng / 눈물을 ~ 拭〔抹〕泪 shì 〔mǒ〕 lèi / 擦眼泪 cā yǎnlèi

단《다발》 捆子 kǔnzi; 捆儿 kǔnr ¶ 땔나무 10~ 十捆儿劈柴 shí kǔnr pǐchai

단(但) 但 dàn; 但是 dànshì; 可是 kěshì; 不过 bùguò ¶ 인수해도 좋다, ~ 조건이 있다 接受是可以的, 但有个条件 jiēshòu shì kěyǐ de, dàn yǒu ge tiáojiàn

단거리(短距離) 短距离 duǎn jùlí ‖ ~ 경주 短距离赛跑 duǎn jùlí sàipǎo =〔短跑 duǎnpǎo〕/ ~ 선수 短跑'选手〔运动员〕 duǎnpǎo 'xuǎnshǒu 〔yùndòngyuán〕

단결(團結) 团结 tuánjié ¶ ~은 힘이다 团结就是力量 tuánjié jiùshì lìliang

단계(段階) 《한 단락》 阶段 jiēduàn; 《순서》 步骤 bùzhòu; 《상태》 地步 dìbù; 《시기》 时期 shíqī ¶ 지금은 아직 발표할 ~는 아니다 现在还未到发表的阶段 xiànzài hái wèi dào fābiǎo de jiēduàn / 사태는 최악의 ~에 이르렀다 事态陷于最坏的地步 shìtài xiànyú zuì huài de dìbù

단골손님 熟客 shúkè; 常主顾 chángzhǔgù; 老主顾 lǎozhǔgù

단교(斷交) 断交 duànjiāo; 绝交 juéjiāo ¶ 양국은 ~ 상태에 있다 两国处于断交的状态 liǎng guó chǔyú duànjiāo de zhuàngtài

단념(斷念) 死心 sǐxīn; 《계획 따위의》 放弃 fàngqì ¶ 대학에의 진학을 ~하다 断了升大学的念头 duànle shēng dàxué de niàntou / 저 계획은 아직 ~하지 않는다 还不放弃那项计划 hái bú fàngqì nà xiàng jìhuà

단단하다 ①《굳다》 硬 yìng; 坚硬 jiānyìng ¶ 단단한 연필 硬铅笔 yìngqiānbǐ / 쇠처럼 ~ 铁一般地坚硬 tiě yìbānde jiānyìng =〔坚如铁石 jiānrú tiěshí〕 ②《마음·태도가》 坚定 jiāndìng; 坚决 jiānjué ¶ 단단한 결심 坚定的决心 jiāndìng de juéxīn / 그 비밀은 절대 누설하지 않기로 단단히 약속했다 我们约定了, 那项秘密绝不泄露 wǒmen yuēdìng le, nà xiàng mìmì jué bú xièlòu ③《맨 것 따위가》 紧 jǐn ¶ 단단하게 맨 매듭 系紧的结子 jìjǐn de jiézi / 소포의 끈을 단단히 매 주십시오 请把包裹的绳子绑紧 qǐng bǎ bāoguǒ de shéngzi bǎngjǐn

단락(段落) 段落 duànluò ¶ 이 문장은 4개의 ~으로 나누어진다 这篇文章可分为四个段落 zhè piān wénzhāng kě fēnwéi sì ge duànluò / 일이 일~ 됐다 工作告了一段落 gōngzuò gàole yí duànluò

단란(團欒) 团栾 tuánluán; 团圆 tuányuán; 团聚 tuánjù ¶ 저녁 식사는 집안끼리의 ~한 때이다 晚饭是一家团聚之时 wǎnfàn shì yì jiā tuánjù zhī shí

단맛 甜 tián; 甜味 tiánwèi ¶ 이 귤은 ~이 덜하다 这个橘子不够甜 zhège júzi bú gòu tián / ~을 더하다 加甜味 jiā tiánwèi

단면(斷面) 断面 duànmiàn; 截面 jiémiàn; 剖面 pōumiàn ¶ 현대 사회의 한 ~ 现代社会的一个'缩影〔剖面〕 xiàndài shèhuì de yí ge 'suōyǐng 〔pōumiàn〕 ‖ ~도 断面图 duànmiàntú =〔截面图 jiémiàntu〕〔剖面图 pōumiàntú〕

단박(에) 马上 mǎshàng; 立刻 lìkè

단발(單發) ①《쌍발에 대한》 单引擎 dānyǐnqíng ②《연발에 대한》 单发 dānfā ‖ ~기 单引擎飞机 dānyǐnqíng fēijī / ~총 单发铳 dānfāqiāng

단발(短髮) 短头发 duǎntóufa; 短发 duǎnfà

단발(斷髮) ①《자른 머리》 剪发 jiǎnfà ②《짧은 머리》 短发 duǎnfà ¶ ~로 자르다 剪着短发 jiǎnzhe duǎnfà

단백질(蛋白質) 蛋白质 dànbáizhì

단서(但書) 但书 dànshū; 附言 fùyán ¶ ~를 붙이다 附加但书 fùjiā dànshū

단서(端緖) 端绪 duānxù; 头绪 tóuxù; 线头(儿) xiàntóu(r) ¶ 진상 규명의 ~를 잡다 抓住了查明真相的头绪 zhuāzhùle chámíng zhēnxiàng de tóuxù

단소(短小) 《낮고 작음》 矮小 ǎixiǎo; 《짧고 작음》 短小 duǎnxiǎo

단속(團束) 管理 guǎnlǐ; 管束 guǎnshù; 《법령으로》 取缔 qǔdì; 《법인 등의》 管制 guǎnzhì

단순(單純) 单纯 dānchún; 简单 jiǎndān ¶ 그는 사람이 ~하다 他人很单纯 tā rén hěn dānchún / 나는 그 일을 너무 ~하게 생각했다 我把那件事想得太简单了 wǒ bǎ nà jiàn shì xiǎng-de tài jiǎndān le

단숨에(單…) 一气 yíqì; 一口气 yìkǒuqì ¶ 맥주를 ~ 마셔 버렸다 把一杯啤酒'一口喝干了〔一饮而尽〕 bǎ yì bēi píjiǔ 'yìkǒu hēgān le 〔yìyǐn érjìn〕/ ~ 원고를 써 버리다 一气呵成把稿子写完 yíqì hēchéng bǎ gǎozi xiěwán

단식(單式) ①《단순한 방식》 单式 dānshì; 简单形式 jiǎndān xíngshì ②《한 종류》 单一形式 dānyī xíngshì ¶ ~ 시합 单打 dāndǎ ‖ ~ 부기 单式簿记 dānshì bùjì

단식(斷食) 绝食 juéshí; 断食 duànshí ¶ 7일간의 ~을 하다 进行七天的绝食 jìnxíng qī tiān de juéshí / ~ 투쟁을 하다 举行绝食'斗争〔罢工〕 jǔxíng juéshí 'dòuzhēng〔bàgōng〕

단신(單身) 单身 dānshēn; 隻身 zhīshēn ¶ ~으로 적지에 침입하다 只身潜入敌区 zhīshēn qiánrù díqū

단안(斷案) ① 判断 pànduàn; 断定 duàndìng ②《논리학에서》 结论 jiélùn

단어(單語) 词 cí; 单词 dāncí; 单字 dānzì ¶ 모르는 ~를 사전에서 찾다 用辞典查生词 yòng cídiǎn chá shēngcí ‖ ~장 单词本儿 dāncíběnr =〔生词本儿 shēngcíběnr〕

단언(斷言) 断言 duànyán ¶ ~할 수 없다 不敢'〔不能〕断言 bùgǎn '〔bùnéng〕 duànyán / 반드시 그렇다고는 ~할 수 없다 我不敢断言一定会成那样 wǒ bùgǎn duànyán yídìng hu[ì] chéng nàyàng

단연(斷然) ①《굳센 마음》 断然 duànrán; 坚决 jiānjué; 毅然 yìrán; 断乎 duànhū ¶ ~ 사직하다 毅然辞职 yìrán cízhí ②《뛰어나다》 显然 xiǎnrán; 确实 quèshí; 绝对 juéduì ¶ ~ 출하다 绝对卓越 juéduì zhuōyuè

단위(單位) ① 单位 dānwèi ¶ m는 길이의 ~이다 米是长度单位 mǐ shì chángdù dànwèi / 시지에스(CGS) ~ 厘, 克秒单位制 lí, kè, miǎ[o] dānwèizhì ②《조직 따위의》 单位 dānwèi ¶ 클라스 ~로 시합에 참가하다 以班为单位参加比赛 yǐ bān wéi dānwèi cānjiā bǐsài

단일(單一) ①《단하나》 单一 dānyī ②《복잡하지 않음》 简单 jiǎndān; 单一 dān-yī ‖ ~ 국가 单一国家 dānyī guójiā / ~ 신교 单一主神教 dānyī zhǔshénjiào

단작스럽다 卑鄙齷齪 bēibǐ wòchuò; 吝啬 lìns[è]

단잠 甜睡 tiánshuì

단장(丹粧) 《화장》 化妆 huàzhuāng; 打扮 dǎbàn 〔ban〕
단적(端的) ①《분명하게》 明显 míngxiǎn; 清楚 qīngchu ¶그의 주장은 그 문장에 ～으로 나타나 있다 他的主张清楚地表现在那篇文章里 tāde zhǔzhāng qīngchu de biǎoxiàn zài nà piān wénzhāng li ②《솔직하게》 直率 zhíshuài; 直截了当 zhíjié liǎodàng ¶～으로 말하다 直率地说 zhíshuàide shuō / 내면 생활을 ～으로 묘사하다 如实地描写内心活动 rúshí de miáoxiě nèixīn huódòng
단점(短點) 短处 duǎnchu; 缺点 quēdiǎn ¶～을 고치다 改正缺点 gǎizhèng quēdiǎn
단정(端整) 端庄 duānzhuāng ¶～한 얼굴 容貌端庄 róngmào duānzhuāng =〔五官端正 wǔguān duānzhèng〕
단조(單調) 单调 dāndiào ¶～로운 일 单调的工作 dāndiào de gōngzuò / 생활의 ～로움을 깨뜨리다 打破单调的生活 dǎpò dāndiào de shēnghuó
단죄(斷罪) 判罪 pànzuì; 断罪 duànzuì; 定罪 dìngzuì
단지 《항아리》 壶儿 húr; 坛子 tánzi
단지(但只) 只是 zhǐshì; 不过 búguò
단짝 挚友 zhìyǒu; 好朋友 hǎopéngyou; 胶漆相投的密友 jiāoqī xiāngtóu de mìyǒu
단체(團體) 团体 tuántǐ; 集体 jítǐ ¶～로 행동하다 以集体活动 yǐ jítǐ huódòng / 20명 이상의 ～에게는 할인이 된다 二十名以上的集体打折扣 èrshí míng yǐshàng de jítǐ dǎ zhékòu ‖ ～교섭 劳资代表交涉 láozī dàibiǎo jiāoshè
단총(短銃) 短枪 duǎnqiāng; 手枪 shǒuqiāng
단추 ①《옷의》 扣儿 kòur; 扣子 kòuzi; 纽扣(儿) niǔkòu(r); 纽子 niǔzi ¶～를 채우다〔풀다〕 扣〔解〕扣子 kòu〔jiě〕 kòuzi / 와이셔츠의 ～가 떨어졌다 衬衫的扣子掉了 chènshān de kòuzi diào le ②《벨의》 电钮 diànniǔ; 按钮ànniǔ ‖ 단춧구멍 纽孔 niǔkǒng =〔扣眼 kòuyǎn〕
단축(短縮) 缩短 suōduǎn ¶세계 기록을 다시 1초 ～했다 世界记录再度缩短了一秒 shìjiè jìlù zàidù suōduǎnle yì miǎo
단출하다 身家轻松 shēnjiā qīngsōng; 单静 dānjìng ¶단출한 살림 小家庭 xiǎojiātíng
단층집(單層…) 平房 píngfáng
단풍(丹楓) ①《植》 枫 fēng; 枫树 fēngshù ②红〔枫〕叶 hóng〔fēng〕yè
단행(斷行) 断然实行 duànrán shíxíng; 坚决实行 jiānjué shíxíng ¶기구 개혁을 ～하다 断然〔坚决〕实行机构改革 duànrán〔jiānjué〕 shíxíng jīgòu gǎigé
닫다 ①《열린 것을》 关闭 guānbì; 掩上 yǎnshàng ¶문을 ～ 关上门 guānshàng mén / 커튼을 ～ 掩上窗帘 yǎnshàng chuānglián / 서랍을 ～ 把抽屉关上 bǎ chōuti guānshàng ②《점포를》 关上 guānshàng ¶점포를 ～ 关上店门 guānshàng diànmén =〔上板儿 shàngbǎnr〕〔下班打烊 xiàbān dǎyàng〕 ③《휴업하다》 歇业 xiēyè
달 ①《하늘의》 月 yuè; 月亮 yuèliàng; 月球 yuèqiú ¶～이 뜨다 月亮出来了 yuèliang chūlai le / ～이 차다〔이지러지다〕 月盈〔亏〕 yuè yíng〔kuī〕 / ～ 로켓의 발사에 성공하다 月球火箭发射成功了 yuèqiú huǒjiàn fāshè chénggōng le ②《책력의》 月 yuè ¶큰〔작은〕～ 大〔小〕月 dà〔xiǎo〕yuè / 그녀는 ～이 차서 남자 아이를 낳았다 她到了月子生了个男孩子 tā dàole yuèzi shēngle ge nánháizi
달걀 ⇨계란(鷄卵)
달구 夯 hāng; 硪子 wòzi ‖ ～질 打夯 dǎhāng
달구다 烧热 shāorè ¶인두를 새빨갛게 ～ 把烙铁烧得通红 bǎ làotie shāode tōnghóng
달구지 拉货的牛车 lāhuò de niúchē
달다[1] ①《높이 매달다》 吊 diào ¶선반을 ～ 吊搁板 diào gēbǎn ②《몸 등에》 ¶귀고리를 ～ 戴耳环 dài ěrhuán / 견장을 ～ 佩带肩章 pèidài jiānzhāng ③《주석·토 따위를》 加 jiā ¶주석을 ～ 加注释 jiā zhùshì / 운을 ～ 押韵 yāyùn ④《저울에》 称 chēng ¶저울에 ～ 用秤称 yòng chèng chēng ⑤《붙이다》 钉 dìng ¶단추를 ～ 钉〔缝〕扣子 dìng〔féng〕 kòuzi
달다[2] 甜 tián ¶이 감은 매우 ～ 这个柿子很甜 zhège shìzi hěn tián / 나는 단 것을 싫어한다 我不爱吃甜的东西 wǒ bú ài chī tián de dōngxi / 그는 인생의 단맛 쓴맛을 다 맛보았다 苦辣酸甜他都经验过 kǔlà suāntián tā dōu jīngyànguo
달라붙다 紧贴〔在一起〕 jǐntiē 〔zài yìqǐ〕; 粘 zhān ¶풀을 칠한 부분이 완전히 달라붙었다 抹了糨糊的地方粘在一起了 mǒle jiànghu de dìfang nián zài yìqǐ le / 달라붙어서 쉽게 떨어지지 않는다 一粘上就不容易揭下来 yì zhān shàng jiù bùróngyi jiēxialai
달라지다 变 biàn; 改变 gǎibiàn
달러(dollar) 美元 měiyuán; 美金 měijīn ‖ ～박스 摇钱树 yáoqiánshù
달려들다 扑过来 pūguolai; 冲过来 chōngguolai
달력(…曆) 月历 yuèlì; 历书 lìshū; 日历 rìlì ¶～을 넘기다 翻日历 fān rìlì
달리 另外 lìngwài; 格外 géwài; ¶～ 대우하다 另眼看待 lìngyǎn kàndài
달리기 赛跑 sàipǎo ¶50m ～를 하다 搞五十米的赛跑 gǎo wǔshí mǐ de sàipǎo / 집까지 ～내기하자 咱们比赛看谁先跑到家里吧 zámen bǐsài kàn shuí xiān pǎodào jiā li ba
달리다[1] 《걸려서》 悬挂 xuánguà
달리다[2] ①《뛰다》 跑 pǎo ②《달리게 하다》 跑 pǎo ¶이 배는 1시간에 20노트의 속력으로 달리고 있다 这条船以每小时二十海里的速度航行 zhè tiáo chuán yǐ měi xiǎoshí èrshí hǎilǐ de sùdù hángxíng / 급행 열차는 15분 만에 그 거리를 달렸다 快车用十五分钟跑完了这段距离 kuàichē yòng shíwǔ fēn zhōng pǎo wánle zhè duàn jùlí
달맞이 赏月 shǎngyuè; 观月 guānyuè ‖ ～꽃 月见草 yuèjiàncǎo =〔夜来香 yèláixiāng〕〔香待宵草 xiāngdàixiāocǎo〕
달무리 月晕(圈) yuèyùn(quān)
달밤 月夜 yuèyè ¶좋은 ～이다 月光如水 yuèguāng rúshuǐ / ～에 산책하다 月夜散步 yuèyè sànbù / ～에 초롱불 月亮地打灯笼 yuèliang dì dǎ dēnglong =〔画蛇添足 huàshé tiānzú〕
달빛 月光 yuèguāng
달성(達成) 达成 dáchéng; 成就 chéngjiù; 完成 wánchéng ¶생산 목표를 ～하다 达到生产指标 dádào shēngchǎn zhǐbiāo
달아나다 《도망치다》 逃跑 táopǎo; 逃走 táozǒu; 逃脱 táotuō ¶외국으로 ～ 逃到国外 táodào

guówài / 교도소에서 ~ 越狱逃走 yuèyù táozǒu / 빌린 돈을 갚지 않고서 ~ 欠债不还逃跑了 qiànzhài bù huán táopǎo le =〔赖债卷逃 làizhài juǎntáo〕
달음박질 跑步 pǎobù; 快跑 kuàipǎo ¶ ~해서 학교에 가다 跑(步)到学校去 pǎo(bù) dào xuéxiào qù
달이다 煎 jiān; 熬 áo ¶ 약을 ~ 熬药 áo yào
달콤하다 ①《맛·말이》 甜拉八机 tiánlā bājī ②《애정이》 甜蜜 tiánmì ¶ 달콤한 사랑의 속삭임 甜蜜的爱情细语 tiánmì de àiqíng xìyǔ =〔甜言蜜语 tiányán mìyǔ〕
달팽이 〖動〗 蜗牛儿 wōniúr
닭 鸡 jī ¶ ~을 치다 养鸡 yǎng jī / ~이 홰를 치다 鸡报晓 jī bàoxiǎo / ~이 알을 낳다 (母)鸡下蛋 (mǔ)jī xiàdàn / ~을 잡다(죽이다) 杀〔宰〕鸡 shā 〔zǎi〕 jī
닮다 像 xiàng; 似 sì; 相似 xiāngsì; 相像 xiāngxiàng ¶ 딸은 어머니를 꼭 닮았다 女儿很像妈妈 nǚr hěn xiàng māma / 그는 양친의 어느 쪽도 닮지 않았다 他跟父母全不相像 tā gēn fùmǔ quán bù xiāngxiàng
닳고닳다 《성격이》 久经世故 jiǔjīng shìgù; 《능글맞다》变得油滑 biànde yóuhuá ¶ 그는 조금 닳고닳은 데가 있다 他有些油滑 tā yǒuxiē yóuhuá / 닳고 닳은 느낌을 주는 여자 好像已失纯真的女人 hǎoxiàng yǐ shī chúnzhēn de nǚrén =〔稍显风骚的女人 shāoxiǎn fēngsāo de nǚrén〕
닳다 ①《물건이》 磨减 mójiǎn; 磨薄 mórbáo; 磨'细〔小〕 mó'xì 〔xiǎo〕 ¶ 닳아 빠진 신발 磨损了的鞋子 mósǔnle de xiézi / 신발 뒤꿈치가 닳았다 鞋后跟磨薄了 xiéhòugēn móbáo le / 소맷자락이 닳아 빠졌다 袖口磨破了 xiùkǒu mópò le ②《액체가》 熬干 áogān
담 《흙이나 돌로 만든》 墙 qiáng; 墙壁 qiángbì; 《건축물 둘레의》 围墙 wéiqiáng ¶ 흙~ 土墙 tǔqiáng / ~을 따라서 가다 沿着墙走 yánzhe qiáng zǒu / ~을 세우다 砌墙 qì qiáng / ~ 너머 보다 隔着墙看 gézhe qiáng kàn
담(痰) 痰 tán
담그다 ①《물에》 浸 jìn; 泡 pào; 浸泡 jìnpào ¶ 옷을 물에 푹~ 把衣服深深地泡在水里 bǎ yīfu shēnshen de pào zài shuǐ li ②《김치 등을》 腌 yān ¶ 김치를 ~ 腌泡菜 yān pàocài
담다 《그릇에》 盛 chéng; 装满(가득하게) zhuāngmǎn ¶ 밥을 ~ 盛饭 chéng fàn / 반 정도 ~ 盛一半 chéng yíbàn =〔盛半碗 chéng bànwǎn〕
담당(擔當) 担任 dānrèn; 担当 dāndāng; 担负 dānfù ¶ 그것은 A씨가 ~한 일이다 那是A先生担任的工作 nà shì A xiānsheng dānrèn de gōngzuò / 수출부의 일을 ~하다 担任出口处的工作 dānrèn chūkǒuchù de gōngzuò
담력(膽力) 胆力 dǎnlì; 胆量 dǎnliàng
담박(淡泊·澹泊) ①《맛·색 따위가》 淡 dàn; 素 sù ¶ ~한 음식 清淡的食物 qīngdàn de shíwù / ~한 색 素色 sùsè ②《돈·명성에》 淡然 dànrán
담배 〖植〗 烟草 yāncǎo; 烟 yān; 《종이에 만 것》 香烟 xiāngyān; 纸烟 zhǐyān ¶ ~ 한 갑 一盒〔纸〕烟 yì hé〔zhǐ〕 yān / ~를 피우다 吸〔抽〕烟 xī〔chōu〕 yān / ~를 끊다 戒烟 jiè yān / ~에 불을 붙이다 点烟 diǎn yān
담벼락 坯儿 pī〔pēi〕r
담보(擔保) 抵押 dǐyā ¶ 토지를 ~로 해서 돈을 빌리다 拿土地作抵押借钱 ná tǔdì zuò dǐyā jiè qián / 집을 ~로 넣다 把房子作为抵押 bǎ fángzi zuòwéi dǐyā ‖ ~물 押品 yāpǐn =〔〈方〉押头 yātou〕
담비 〖動〗 貂 diāo; 貂鼠 diāoshǔ
담뿍 满满地 mǎnmǎn de ¶ 붓에 먹을 ~ 먹이다 毛笔蘸满墨 máobǐ zhàn mǎnmò
담요(毯…) 毛毯 máotǎn; 毯子 tǎnzi ¶ ~를 뒤집어 쓰다 用毯子裹上 yòng tǎnzi guǒ shàng =〔裹在毯子里 guǒ zài tǎnzi li〕
담임(擔任) 担任 dānrèn; 担当 dāndāng ‖ ~교사 班主任 bānzhǔrèn =〔级任 jírèn〕
담쟁이(덩굴) 〖植〗 常春藤 chángchūnténg; 爬山虎 páshānhǔ; 地锦 dìjǐn
담판(談判) 谈判 tánpàn ¶ 사장과 직접 ~하다 与总经理直接谈判 yǔ zǒngjīnglǐ zhíjiē tánpàn
답답하다(沓沓…) ①《병·걱정으로》 呼吸困难 hūxī kùnnan; 喘不上气 chuǎnbushàng qì; 气促憋闷 qì cù biēmen ¶ 방도 좁고 날씨도 더워서 ~ 屋子又小天又热, 感觉喘不过气来 wūzi yòu xiǎo tiān yòu rè, gǎnjué chuǎnbuguò qì lai ②《기분이》 苦闷 kǔmèn; 郁闷 yùmèn; 令人窒息 lìng rén zhìxī; 沉闷 chénmèn ¶ 그와 함께 있으면 답답해진다 和他在一起就感到沉闷 hé tā zài yìqǐ jiù gǎn dào chénmèn
답변(答辯) 答辩 dábiàn; 回答 huídá ¶ ~을 잘하다 善于答辩 shànyú dábiàn / ~에 궁하다 无言答对 wúyán dáduì
답사(踏査) 勘查 kānchá; 勘测 kāncè; 踏勘 tàkān; 实地调查 shídì diàochá ‖ ~ 조사 实地勘查 shídì kānchá
답안(答案) 卷子 juànzi; 卷儿 juànr; 试卷 shìjuàn; 答卷 dájuàn; 答案 dá'àn ¶ 모범~ 标准答案 biāozhǔn dá'àn / 백지 ~ 白卷儿 báijuànr / ~을 채점하다 判卷子 pàn juànzi ‖ ~지 卷子 juànzi =〔试卷纸 shìjuànzhǐ〕〔答卷纸 dájuànzhǐ〕
답장(答狀) 回信 huíxìn; 复信 fùxìn ¶ 곧 ~을 내다 马上回信 mǎshang huíxìn
닷새 五天 wǔ tiān
당(黨) ①《무리》 党羽 dǎngyǔ; 同伙 tónghuǒ ②《정당》 政党 zhèngdǎng; 党 dǎng ¶ ~을 결성하다 组成党 zǔchéng dǎng =〔建党 jiàn dǎng〕 / ~에 들어가다 入党 rù dǎng / ~을 탈퇴하다 脱党 tuō dǎng =〔退党 tuì dǎng〕
당구(撞球) 台球 táiqiú; 弹子 dànzi ¶ ~를 치다 打台球 dǎ táiqiú ‖ ~장 台球房 táiqiúfáng =〔弹子房 dànzifáng〕
당국(當局) 当局 dāngjú ¶ 학교 ~ 学校当局 xuéxiào dāngjú ‖ ~자 当局者 dāngjúzhě
당근 胡萝卜 húluóbo
당기다 ①《끌다》 拉 lā ¶ 그물을~ 拉网 lā wǎng ②《팽팽히》 拉 lā ¶ 활시위를~ 拉弓 lā gōng ③《기일을》 提前 tíqián ¶ 상연을 1시간 ~ 提前一小时开演 tíqián yì xiǎoshi kāiyǎn
당나귀 〖動〗 驴 lǘ
당당(堂堂) 堂堂 tángtáng; 仪表堂堂 yí biǎo tángtáng; 威风凛凛 wēi fēng lǐn lǐn ¶ ~하게 행진하다 威风凛凛地前进 wēi fēng lǐn lǐn de qiánjìn
당면(當面) 目前 mùqián; 当前 dāngqián ¶ ~한 문제부터 처리하다 先处理当前的问题 xiān

chǔlǐ dāngqián de wèntí
당번(當番) 值日 zhírì; 值班 zhíbān; 值勤 zhíqín; 《사람》 值日人员 zhírì rényuán; 值班人员 zhíbān rényuán; 值勤人员 zhíqín rényuán ¶청소 ~ 清洁值日 qīngjié zhírì / 매주 1회씩 ~이 돌아온다 每周值班轮到一次 měi zhōu zhíbān lúndào yí cì
당부(當付) 吩咐 fēnfu
당분간(當分間) 暂时 zànshí; 一时 yìshí ¶~ 휴업하다 暂时停业一下 zànshí tíngyè yíxià / 이 추위는 ~ 계속될 것이다 寒冷还要继续几天吧 hǎnlěng háiyào jìxù jǐtiān ba
당선(當選) 《선거에》 当选 dāngxuǎn; 中选 zhòngxuǎn ¶~ 확실 确有可能当选 què yǒu kěnéng dāngxuǎn / 그의 ~은 무효화되었다 他的当选作废了 tāde dāngxuǎn zuò fèi le
당시(當時) 当时 dāngshí; 那时 nàshí ¶~ 나는 어린애였었다 当时我还小 dāngshí wǒ hái xiǎo
당연(當然) 当然 dāngrán; 应当 yīngdāng; 应该 yīnggāi; 理所当然 lǐ suǒ dāng rán ¶~한 조치 应有的措施 yīng yǒu de cuòshī / 그녀가 화내는 것도 ~하다 她生气是理所当然的 tā shēngqì shì lǐ suǒ dāng rán de
당일(當日) 当日 dāngrì; 当天 dàngtiān ¶~만 유효한 입장표〔차표〕 当天有效的门票〔车票〕 dàngtiān yǒuxiào de ménpiào 〔chēpiào〕
당장(當場) 立刻 lìkè; 马上 mǎshàng; 登时 dēngshí
당좌대부(當座貸付) 短期贷款〔放款〕 duǎnqī dàikuǎn 〔fàngkuǎn〕; 短期同行拆借 duǎnqī tóngháng chāijiè
당좌예금(當座預金) 活期存款 huóqī cúnkuǎn; 往来存款 wǎnglái cúnkuǎn
당지(當地) 当地 dāngdì; 本地 běndì; 此地 cǐdì ¶~는 겨울에도 따뜻하다 当地冬天也很暖和 dāngdì dōngtiān yě hěn nuǎnhuo
당직(當直) 值班 zhíbān; 值勤 zhíqín; 值日 zhírì ¶교대로 ~하다 轮流值班 lúnliú zhíbān
당첨(當籤) 中奖 zhòngjiǎng; 中彩 zhòngcǎi; 中签 zhòngqiān ¶1등에 ~되다 中头奖 zhòng tóu jiǎng =〔中了头彩 zhòngle tóucǎi ‖ ~권 中奖的彩票 zhòng jiǎng de cǎi piào
당해(當該) 该 gāi; 该管 gāiguǎn; 有关 yǒuguān ¶~ 경찰서 该警察署 gāijǐngcháshǔ / ~ 관청에 설명하다 向该官厅申述 xiàng gāiguāntīng shēnshù
당황하다(唐慌…) 惊慌 jīnghuāng; 慌张 huāngzhāng; 着慌 zháohuāng ¶당황하지 말고 침착하게 생각해라 别着慌, 平心静气地想 bié zháohuāng, píngxīn jìngqì de xiǎng
닻 碇 dìng; 锚 máo ¶~을 올리다 起锚 qǐ máo / ~을 내리다 抛锚 pāo máo
대 《植》 竹子 zhúzi
대(對) 对 duì; 比 bǐ ¶A 대학 ~ B 대학의 시합 A大对B大的比赛 A dà duì B dà de bǐsài / 3 ~ 1로 以三比一 yǐ sān bǐ yī
대(臺) 《기계류》 台 tái; 《조립식》 架 jià; 《차륜이 있는 물건》 辆 liàng ¶버스 2~ 两辆公共汽车 liǎng liàng gōnggòng qìchē / 카메라 5~ 五架照相机 wǔ jià zhàoxiàngjī / 녹음기 7~ 七台录音器 qī tái lùyīnjī
대(代) ①《시대》 时代 shídài; 时期 shíqī ¶1980년~ 八十年代 bāshí niándài ②《나이의 범위》 ¶20~ 年过二十岁的人 niánguò èrshí suì de rén ③《계속되는》 代 dài; 任 rèn ¶제5~ 대통령 第五任总统 dì wǔ rèn zǒngtǒng / 몇~ 계속되는 명가 持续了好几代的名家 chíxù le hǎo jǐ dài de míngjiā ④《값》 价款 jiàkuǎn; 货款 huòkuǎn
대가다 赶得上 gǎndeshàng; 来得及 láidejí ¶지금이라면 3시 비행기에 대 갈 수 있다 现在还赶得上三点的飞机 xiànzài hái gǎndeshàng sān diǎn de fēijī
대가리 ⇨머리
대개(大概) 大概 dàgài; 大多 dàduō; 多半 duōbàn; 大致 dàzhì; 差不多 chàbuduō ¶일도 ~ 처리되었다 工作也差不多干完了 gōngzuò yě chàbuduō gànwán le
대검(帶劍) ①《칼을 참》 带刀 dàidāo ②《총검》 刺刀 cìdāo; 枪刀 qiāngdāo
대견하다 《부족이 없다》 足够 zúgòu; 《흡족하다》 心满意足 xīn mǎn yì zú
대결(對決) ①《법정에서》 对证 duìzhèng; 对质 duìzhì ②《승부》 决战 juézhàn; 《교전》 交锋 jiāofēng ¶정면 ~하다 正面交锋 zhèngmiàn jiāofēng / 세기의 ~ 百年难遇的决斗 bǎinián nán yù de juédòu
대공(對空) 对空 duìkōng ‖ ~ 미사일 对空导弹 duìkōng dǎodàn
대관(戴冠) 加冕 jiāmiǎn ‖ ~식 加冕典礼 jiāmiǎn diǎnlǐ
대관절(大關節) 总而言之 zǒng ér yán zhī; 究竟 jiūjìng; 到底 dàodǐ ¶~ 당신은 누구십니까? 你到底是谁? nǐ dàodǐ shì shuí?
대구(大口) 《魚》 鳕鱼 xuěyú; 大口鱼 dàkǒuyú; 大头鱼 dàtóuyú
대궐(大闕) 宫阙 gōngquè
대금(大金) 巨款 jùkuǎn; 大钱 dàqián ¶~을 손에 넣다 弄大钱 nòng dàqián
대금(代金) 价款 jiàkuǎn; 货款 huòkuǎn; 款 kuǎn ¶~을 지불하다 付'款〔货款〕 fù 'kuǎn 〔huòkuǎn〕
대꾸 ⇨말대꾸
대나무 《植》 竹子 zhúzi ‖ ~숲 竹林 zhúlín = 〔竹丛 zhúcóng〕
대낮 白天 báitian; 白昼 báizhòu ¶~에 은행에 강도가 침입했다 在大白天强盗闯进了银行 zài dà báitian qiángdào chuǎngjìn le yínháng
대다 《손을》 动手 dòng shǒu; 摸 mò; 碰 pèng ¶손을 대지 마시오 请勿动手 qǐng wù dòng shǒu
대다수(大多數) 大多数 dàduōshù; 大部分 dàbùfen ¶~의 찬성을 얻다 获得了大多数的赞成 huòdéle dàduōshù de zànchéng
대단하다 《굉장함 · 엄청남》 惊人 jīngrén; 好得很 hǎodehěn; 了不起 liǎobuqǐ; 《심한》 非常 fēicháng; 太 tài ¶대단한 수완 惊人的'才干〔本领〕 jīngrén de 'cáigàn 〔běnlǐng〕 / 대단한 인기 极高的声望 jígāo de shēngwàng =〔非常吃香 fēicháng chīxiāng〕〔红得发紫(연예인의) hóng de fāzǐ〕
대담(大膽) 大胆 dàdǎn; 胆子大 dǎnzi dà; 勇敢 yǒnggǎn; 无畏 wúwèi ¶~한 발언 大胆发言 dàdǎn fāyán
대답(對答) 回答 huídá; 回话 huíhuà ¶그의 ~을 기다리다 等他回话 děng tā huíhuà / ~하기가 어렵다 不知如何回答 bù zhī rúhé huídá

=〔难于回答 nányú huídá〕
대대(大隊) 营 yíng ‖ ～장 营长 yíngzhǎng
대대(代代) 世世代代 shìshì dàidài; 历代 lìdài; 辈辈(儿) bèibèi(r) ¶ 나의 집은 ～로 쌀가게이다 我家辈辈开米店 wǒ jiā bèibèi kāi mǐdiàn
대대적(大大的) 大大(的) dàdà(de); 很大(的) hěn dà(de); 大规模(的) dàguīmó(de) ¶ ～으로 선전하다 大肆宣传 dàsì xuānchuán
대들다 顶撞 dǐngzhuàng; 极力争辩 jílì zhēngbiàn; 极力反驳 jílì fǎnbó ¶ 부모에게 ～ 顶撞父母 dǐngzhuàng fùmǔ =〔对父母反唇相讥 duì fùmǔ fǎn chún xiāng jī〕
대들보 ①《建》房梁 fángliáng ②《중요한 물건·사람》栋梁 dòngliáng ¶ 그는 장래 국가의 ～가 될 인물이다 他将来是国家的栋梁之材 tā jiānglái shì guójiā de dòngliáng zhī cái
대뜸 马上 mǎshàng; 不分皂白 bù fēn zào bái
대략(大略) 大略 dàlüè; 大概 dàgài ¶ 계획의 ～을 설명하다 说明计划的大略 shuōmíng jìhuà de dàlüè
대량(大量) 大量 dàliàng; 大批 dàpī; 成批 chéngpī ¶ A사로부터 ～의 주문이 있었다 从A社来了成批的定货 cóng A shè lái le chéngpī de dìnghuò ‖ ～ 생산 大量〔大批〕生产 dàliàng〔dàpī〕shēngchǎn
대령(大領) 上校 shàngxiào
대로(大路) 大道 dàdào; 大街 dàjiē; 大马路 dàmǎlù ¶ ～에서 물건을 사다 在大街上买东西 zài dàjiē shang mǎi dōngxi
대롱 管儿 guǎnr
대롱거리다 晃荡 huàngdàng; 晃动 huàngdòng
대륙(大陸) 大陆 dàlù ‖ ～간 유도탄 洲际导弹 zhōujì dǎodàn / ～붕 大陆架 dàlùjià
대륙적(大陸的) ①《대륙 특유의》大陆性(的) dàlùxìng (de) ¶ 그 곳의 경치는 ～이다 那里的风景是大陆特有的 nàli de fēngjǐng shì dàlù tèyǒu de ②《성격이》不拘小节的 bùjū xiǎojié de; 气量大 qìliàng dà; 大度的 dàdù de ¶ ～인 인간 不拘小节的人 bùjū xiǎojié de rén / 중국인은 어딘지 모르게 ～인 데가 있다 中国人总有一些阔达的风度 Zhōngguórén zǒng yǒu yì xiē kuòdá de fēngdù
대리(代理) 代理 dàilǐ ‖ ～점(店) 代理店 dàilǐdiàn =〔代销店 dàixiāodiàn〕〔经售店 jīngshòudiàn〕〔代理商 dàilǐshāng〕
대리석(大理石) 大理石 dàlǐshí
대매출(大賣出) 大贱卖 dàjiànmài; 大甩卖 dàshuǎimài; 大减价 dàjiǎnjià ¶ 연말 ～ 年末大减价 niánmo dàjiǎnjià
대머리 秃头(的人) tūtóu (de rén)
대면(對面) 会面 huìmiàn; 见面 jiànmiàn ¶ 첫 ～ 初次见面 chūcì jiànmiàn
대바구니 竹筐 zhúkuāng; 竹篮 zhúlán; 竹骄子 zhújiàozi
대변(大便) 屎 shǐ; 大便 dàbiàn; 粪 fèn ¶ ～ 보다 解大手 jiě dàshǒu =〔拉屎 lāshǐ〕〔大解 dàjiě〕〔解大便 jiě dàbiàn〕〔出恭 chūgōng〕/ ～이 나오지 않다 拉不出屎来 lābuchū shǐ lái =〔大便不通 dàbiàn bù tōng〕〔大便不畅 dàbiàn bù chàng〕
대보다 较量 jiàoliang; 比一比 bǐyìbǐ
대부(貸付) 贷款 dàikuǎn ‖ ～금 贷款 dàikuǎn =〔放款 fàngkuǎn〕
대부분(大部分) 大部分 dàbùfen; 多半 duōbàn ¶ 출석자의 ～은 가정 주부다 出席者大部分是家庭主妇 chūxízhě dàbùfen shì jiātíng zhǔfù
대사(大使) 大使 dàshǐ ¶ 주한 미국 ～ 美国驻韩大使 Měiguó zhùHán dàshǐ
대상(大祥) 两周忌辰 liǎngzhōu jìchén
대상(代償) ①《다른 것으로 물어 줌》赔偿 péicháng; 补偿 bǔcháng ¶ 깨뜨린 유리창의 ～을 지불하다 赔偿打碎的玻璃窗 péicháng dǎsuì de bōli chuāng ②《남을 대신하여 물어 줌》代偿 dàicháng; 替(别)人赔偿 tì(bié)ren péicháng
대상(對象) 对象 duìxiàng ¶ 어린이를 ～으로 한 프로그램 以少年儿童为对象的节目 yǐ shàonián értóng wéi duìxiàng de jiémù
대서양(大西洋) 大西洋 Dàxīyáng
대성(大聖) 《성인》大圣 dàshèng; 德高望重的圣人 dé gāo wàng zhòng de shèngrén
대소(大小) 大小 dàxiǎo; 大(的)与小(的) dà (de) yǔ xiǎo (de) ¶ ～의 차이가 있다 有大小之别 yǒu dàxiǎo zhī bié / ～에 관계 없다 不论大小 bú lùn dàxiǎo
대소겸용(大小兼用) 小大由之 xiǎodà yóu zhī
대수롭다 了不起 liǎobuqǐ; 不错 búcuò; 了不得 liǎobude ¶ 대수롭지 않다 不怎么样 bù zěnmeyàng =〔平平无奇 píngpíng wúqí〕
대식(大食) 《많이 먹음》大饭量 dàfànliàng; 吃得多 chī de duō ¶ 그는 ～가다 他是饭量大的人 tā shì fànliàng dà de rén
대신(大臣) 大臣 dàchén; 部长 bùzhǎng
대신(代身) 代理 dàilǐ; 代替 dàitì ¶ 사장을 ～하다 代理经理工作 dàilǐ jīnglǐ gōngzuò =〔代理经理职务 dàilǐ jīnglǐ zhíwù〕
대안(對案) 不同提案 bùtóng tí'àn; 不同建议 bùtóng jiànyì ¶ ～을 제시하다 提出不同提案 tíchū bùtóng tí'àn
대야 盆 pén; 盥 guàn ¶ ～의 물을 푸다 把水打在盆里 bǎ shuǐ dǎ zài pén li
대양(大洋) 大洋 dàyáng; 大海 dàhǎi ¶ ～의 한가운데에 있는 섬 大洋当中的海岛 dàyáng dāngzhōng de hǎidǎo
대여(貸與) 借给 jiègěi; 出借 chūjiè; 贷与 dàiyǔ ¶ 무료로 ～하다 免费出借 miǎnfèi chūjiè
대역(大逆) 大逆 dànì ‖ ～ 부도 大逆不道 dànì búdào
대역(代役) 代演(者) dàiyǎn(zhě); 替角 tìjué ¶ 그는 ～으로 발탁되었다 被提拔当他的替角 bèi tíbá dāng tā de tìjué
대열(隊列) 行列 hángliè; 队伍 duìwǔ ¶ ～을 세우다 拉〔建立〕队伍 lā〔jiànlì〕duìwǔ / ～을 흩뜨리다 搞乱队伍 gǎoluàn duìwǔ
대우(待遇) ① 接待 jiēdài; 对待 duìdài; 服务 fúwù ¶ 여관의 ～가 좋다 旅馆的服务周到 lǚguǎn de fúwù zhōudao / 동등하게 ～하다 同等对待 tóngděng duìdài / 냉랭한 ～를 받았다 受到了冷遇 shòudàole lěngyù ②《처우》待遇 dàiyù; 《급여》工资 gōngzī; 报酬 bàochou ¶ ～를 개선하다 改善待遇 gǎishàn dàiyù =〔提高工资 tígāo gōngzī〕/ 이 회사는 ～가 좋다 这个公司的待遇优厚 zhège gōngsī de dàiyù yōuhòu
대인(對人) 对人 duìrén; 对别人 duì biérén ‖ ～ 관계 对(别)人(的)关系 duì(bié)ren (de) guānxi
대장간(…間) 冶坊 yěfāng

대장장이(…匠…) 铁匠 tiějiang
대장(大將) ①《군대의》大将 dàjiàng ②《무리의》头头儿 tóutour ¶골목 ~ 小'鬼〔孩〕头儿 xiǎo' guǐ〔hái〕tóur
대장(隊長) 队长 duìzhǎng; 领队 lǐngduì; 队伍的头头儿 duìwu de tóutour; 《군대의》排〔连, 营〕长 pái〔lián, yíng〕zhǎng
대장(臺帳) 总账 zǒngzhàng; 底账 dǐzhàng; 底册 dǐcè ¶토지 ~ 土地登记册 tǔdì dēngjìcè =〔地籍册 dìjícè〕/ ~에 써 넣다 记入底账 jìrù dǐzhàng
대장부(大丈夫) 男子汉 nánzǐhàn; 大丈夫 dàzhàngfu; 好汉 hǎohàn
대적(對敵) 对敌 duìdí; 敌对 díduì
대주다 供应 gōngyìng ¶공장에 원료를 ~ 供应工厂原料 gōngyìng gōngchǎng yuánliào
대중《표준》大估模 dàgūmó ¶~ 잡다 估计 gūjì / ~없다 不一定 bù yídìng
대중(大衆) 大众 dàzhòng; 群众 qúnzhòng ¶중요한 것은 ~의 지지를 얻는 것이다 重要的是获得群众的支持 zhòngyao de shì huòdé qúnzhòng de zhīchí
대지(大地) 大地 dàdì; 陆地 lùdì ¶~를 밟다 踏上'大地〔陆地〕tà shang 'dàdì〔lùdì〕/ 빛은 ~를 비추다 阳光普照大地 yángguāng pǔzhào dàdì
대지(垈地) 房身地 fángshēndì
대진(代診) 代诊(的医生) dàizhěn (de yīshēng)
대쪽 竹片 zhúpiàn ¶~ 같은 성미 心直口快 xīn zhí kǒu kuài =〔干脆 gāncuì〕〔性情直爽 xìngqíng zhíshuǎng〕
대책(對策) 对策 duìcè; 方法 fāngfǎ ¶지진 ~ 防震〔抗震〕对策 fáng zhèn〔kàngzhèn〕duìcè / 공해 ~을 연구하다 研究公害对策 yánjiù gōnghài duìcè
대처승(帶妻僧) 火宅僧 huǒzháisēng
대청(大廳) 大厅 dàtīng
대체(大體) 大略 dàlüè; 差不多 chàbuduō
대추 《植》枣儿 zǎor; 枣子 zǎozi
대출(貸出) ①《물품의》出借 chūjiè ¶도서관의 책은 누구에게도 ~을 해 준다 图书馆的书谁都借给 túshūguǎn de shū shuí〔shéi〕dōu jiègěi / ~용의 도서 出借用的图书 chūjièyòng de túshū ②《금전의》放款 fàngkuǎn; 贷款 dàikuǎn ¶~을 제한하다 限制贷款 xiànzhì dàikuǎn
대치(對峙) 对峙 duìzhì; 相持 xiāngchí ¶양군이 강을 끼고서 ~하고 있다 两军隔江〔河〕相持 liǎngjūn gé jiāng〔hé〕xiāngchí
대통령(大統領) 总统 zǒngtǒng
대패 刨子 bàozi ¶~질을 하다 刨木板 bào mùban =〔用刨子刨 yòng bàozi bào〕
대포(大砲) 砲 pào; 大砲 dàpào ¶~를 쏘다 开砲 kāi pào =〔放砲 fàng pào〕
대폭《변동이 많음》大幅度 dàfúdù; 广泛 guǎngfàn; 间踞大 jiànjù dà ¶달러의 ~적인 절하(切下) 美元的大幅度贬值 měiyuán de dàfúdù biǎnzhí / ~적인 가격 인하를 하다 大(幅度)减价 dà (fúdù) jiǎnjià / ~적인 인사 이동을 하다 进行广泛的人事调动 jìnxíng guǎngfàn de rénshì diàodòng
대표(代表) 代表 dàibiǎo ¶클래스의 ~를 뽑다 选班代表 xuǎn bāndàibiǎo / ~가 되다 当代表 dāng dàibiǎo
대하다(對…) ①《마주 보다》相对 xiāngduì ¶양군이 마주 대하여 진을 치고 있다 两军相对布阵 liǎngjūn xiāngduì bùzhèn ②《접대하다》对待 duìdài; 待 dài; 对 duì ¶손님을 친절하게 ~ 热情地对待客人 rèqíngde duìdài kèrén ③《…에 관하다》对于 duìyú; 关于 guānyú ¶문학에 대한 흥미 对文学的兴趣 duì wénxué de xìngqù / 그 질문에 대한 답은 이렇다 对于那个问题的回答是这样的 duìyú nàge wèntí de huídá shì zhèyàng de
대학(大學) 大学 dàxué ¶~을 나오다 大学毕业 dàxué bìyè / ~에 다니다 上大学 shàng dàxué =〔在大学读书 zài dàxué dúshū〕‖ ~생 大学生 dàxuéshēng
대한(大旱) 大旱 dàhàn ¶칠년 ~에 비 바라듯 하다《속담》如大旱之望云霓 rú dàhàn zhī wàng yúnní
대합(大蛤)《貝》文蛤 wéngé; 蛤蜊 gélí
대합실(待合室) 等候室 děnghòushì ¶병원의 ~ 候诊室 hòuzhěnshì / 공항의 ~ 候机'室〔厅〕hòujī'shì〔tīng〕/ 역의 ~ 候车'室〔房〕hòuchē 'shì〔fáng〕
대항(對抗) 对抗 duìkàng; 抗衡 kànghéng ¶~의식 对抗意识 duìkàng yìshí / 한중 ~ 수상경기 韩中水上运动比赛 Hán Zhōng shuǐshang yùndòng bǐsài / 경제적으로는 그것에 ~할 수 없다 经济力量不能与之抗衡 jīngjì lìliang bùnéng yǔ zhī kànghéng
대형(大型)《형태가》形状大的 xíngzhuàng dà de; 《크기가》大号的 dàhào de; 《기계 따위가》大型 dàxíng; 重型 zhòngxíng; 巨型 jùxíng; 《태풍 따위가》强烈 qiángliè ¶~ 기계 重型机器 zhòngxíng jīqì / ~의 지진 强烈地震 qiángliè dìzhèn
댁(宅) 贵府 guìfǔ; 府上 fǔshang ¶선생님의 ~은 어디입니까? 老师的府上在哪儿? lǎshi de fǔshang zài nǎr?
댄서(dancer) ①《댄스홀의》舞女 wǔnǚ ②《서양 무용의》舞蹈'家〔演员〕wǔdǎo'jiā〔yǎnyuán〕
댄스(dance) 跳舞 tiàowǔ; 《사교의》交际舞 jiāojìwǔ
댐(dam) 水坝 shuǐbà; 拦河坝 lánhébà ¶강에 ~을 짓다 在河上建造拦河坝 zài héshang jiànzào lánhébà
댕기 辫穗 biànsuì ¶~ 머리(어린애의) 红丝小辫 hóngsī xiǎobiàn
더 再 zài; 更 gèng
더듬다 ①《손으로 찾다》摸索 mōsuo; 摸 mō ¶어둠 속을 더듬어서 가다 摸着黑走 mōzhe hēi zǒu / 주머니 속을 더듬어서 열쇠를 꺼내다 摸索衣兜拿出钥匙 mōsuo yīdōu náchū yàoshi ②《말을》口吃 kǒuchī; 结巴 jiēba ¶심하게 ~ 结把得厉害 jiēbade lìhai / 더듬거리면서 말하다 期期艾艾地说 qīqī'ài'ài de shuō ③《기억 등을》追寻 zhuīxún; 追溯 zhuīsù ¶기억을 ~ 追寻记忆 zhuīxún jìyì
더디다 慢 màn; 迟缓 chíhuǎn; 不快 bú kuài ¶발걸음이 ~ 走得慢 zǒude màn =〔腿脚慢 tuǐjiǎo màn〕/ 진보가 ~ 进步慢 jìnbù màn
더러[1]《이따금》有时 yǒushí; 间或 jiànhuò
더러[2]《…에게》跟 gēn; 和 hé ¶그~ 달라다 跟他要 gēn tā yào
더러워지다《때묻다》脏 zāng ¶손이 ~ 手脏了 shǒu zāng le / 더러워진 옷을 빨다 洗脏衣服 xǐ zāng yīfu / 흰 셔츠는 더러워지기 쉽다 白衬衫容

易脏 bái chènshān róngyì zāng
더럽다 ①《때묻다》脏 zāng; 肮脏 āngzang; 不干净 bù gānjìng ¶더러운 손으로 음식물에 손을 대어서는 안 된다 不得用脏手拿食物 bùdé yòng zāng shǒu ná shíwù / 저 집은 부엌이 너무나 ～ 那一家厨房太不干净了 nà yì jiā chúfáng tài bù gānjìng le ②《천하다·비겁하다》肮脏 āngzang; 卑鄙 bēibǐ; 卑劣 bēiliè; 恶毒 èdú; 恶辣 èlà ¶그 녀석은 하는 방법이～ 那家伙干得太卑鄙 nà jiāhuo gànde tài bēibǐ =〔那家伙做法太恶毒 nà jiāhuo zuòfǎ tài èdú〕 ③《인색하다》吝啬 lìnsè; 小气 xiǎoqi ¶저 녀석은 돈에 ～ 那家伙在金钱上太吝啬 nà jiāhuo zài jīnqián shang tài lìnsè
더미 堆垛 duīduò ¶쓰레기～ 垃圾堆 lājīduī
더부룩하다 《풀이》蓬蓬 péngpéng; 《풀·머리가》蓬乱 péngluàn; 蓬松 péngsōng ¶정원에는 풀이 더부룩하게 자라다 院子里杂草丛生 yuànzi li zácǎo cóngshēng / 머리를 더부룩하게 기르고 있다 头发长得乱蓬蓬的 tóufa zhǎngde luàn-péngpéng de
더불어 与 yǔ…; 一起 yìqǐ ¶～ 즐기다 共同欢乐 gòngtóng huānlè
더블(double) ①《천·침대》双 shuāng; 双重 shuāngchóng; 双人用 shuāngrényòng ②《배·갑절》两倍 liǎng bèi; 加倍 jiā bèi ③《술의》两杯量 liǎng bēiliàng ④《양복의》两排扣 liǎngpáikòu; 双排扣(的西服) shuāngpáikòu (de xīfú) ‖～ 베드 双人床 shuāngrén-chuáng / ～클러치 双离合器 shuāng líhéqì / ～폭 双幅 shuāngfú
더욱 越发 yuèfā; 更 gèng; 更加 gèngjiā ¶2월이 되면 ～ 추워진다 进入二月更冷了 jìnrù èr yuè gèng lěng le / 물가가 올라서 생활은～ 힘들어졌다 物价上涨, 生活更加困难了 wùjià shàngzhǎng, shēnghuó gèngjiā kùnnan le / 그의 병은 ～ 나빠졌다 他的病越发恶化了 tāde bìng yuèfā èhuà le
더욱이 而且 érqiě; 加上 jiāshang; 再就是 zài-jiùshi
더위 ①热 rè; 暑 shǔ ¶타는 듯한 ～다 热得像火烤似的 rède xiàng huǒ kǎo shìde / 오늘의 ～는 지독하군요 今天可够热了 jīntiān kě gòu rè le ②《병》暑气 shǔqì ¶～ 먹다 中暑 zhòng-shǔ =〔发痧 fāshā〕〔伤暑(일사병) shāngshǔ〕
더하다 ①《심해지다》越来越厉害 yuè lái yuè lìhai ¶그리움은 날마다 더해 갈 뿐이다 思慕之情一天比一天厉害 sīmù zhī qíng yì tiān bǐ yì tiān lìhai ②《늘리다》加 jiā ¶2에 4를 더하면 6이 된다 二加四得六 èr jiā sì dé liù / 1에 2를 더하면 3이다 一加二等于三 yì jiā èr děngyú sān
더할나위없다 尽美尽善 jìnměi jìnshàn; 完善 wánshàn; 再好没有 zài hǎo méiyǒu
덕(德) 德 dé ¶～을 쌓다 积德 jīdé / ～으로써 원한을 갚다 以德报怨 yǐ dé bào yuàn
덕분(德分) 亏 kuī; 幸亏 xìngkuī; 多亏 duō-kuī; 托福 tuōfú ¶네 ～에 나까지도 우쭐해졌다 沾你的光, 我也觉得体面 zhān nǐde guāng, wǒ yě juéde tǐmian / 당신 ～에 저는 매우 건강합니다 托您的福, 我很健康 tuō nínde fú, wǒ hěn jiànkāng
덕택(德澤) 德泽 dézé; 恩泽 ēnzé; 恩惠 ēnhuì
던지다 ①《멀리》投 tóu; 抛 pāo; 扔 rēng; 掷 zhì ¶볼을 ～ 投球 tóu qiú =〔扔球 rēng qiú〕/ 창을 ～ 投标枪 tóu biāoqiāng ②《투신하다》投 tóu ¶바다에 ～ 投海自杀 tóu hǎi zìshā ③《제공하다》提供 tígōng ¶그의 우승은 스포츠계에 화제를 던졌다 他获得冠军给体育界提供了话题 tā huòdé guànjūn gěi tǐyùjiè tígōng le huàtí
덜 少 shǎo ¶아직 ～ 마른 것 还没完全晒干的 hái méi wánquán shàigān de / ～ 익은 밥 夹生饭 jiāshēng〔sheng〕fàn
덜거덕거리다 喀哒喀哒地响 kādākādā de xiǎng; 咕咚咕咚地响 gūdōnggūdōng de xiǎng ¶문이 바람이 불어서 ～ 由于刮风门咕咚咕咚地响 yóuyu guā fēng mén gūdōnggūdōng de xiǎng
덜다 ¶고통을 ～ 减轻痛苦 jiǎnqīng tòngkǔ / 경비를 ～ 缩减经费 suōjiǎn jīngfèi
덜덜 哆哆嗦嗦地 duōduōsuōsuōde ¶～ 떨다 哆哆嗦嗦地发'颤〔抖〕duōduōsuōsuō de fā'zhàn〔dǒu〕/ 추워서 몸이 ～ 떨리다 冷得身子直打哆嗦 lěngde shēnzi zhí dǎ duōsuo
덜되다 《미완》还没完 hái méi wán; 尚未完成 shàng wèi wánchéng; 《우매》迟钝 chídùn; 不够 bú gòu
덜렁거리다 《소리》叮当 dīngdāng; 《행동》轻佻 qīngtiāo
덜렁쇠, 덜렁이 轻佻的人 qīngtiāo de rén; 冒失鬼 màoshiguǐ
덜컥 ①¶가슴이 ～ 내려앉다 吓得心乱跳 xiàde xīn luàn tiào ②《병 따위가》病重 bìng-zhòng; 病倒 bìngdǎo ¶～ 몸져 눕다 突然卧床不起 tūrán wòchuáng bu qi
덤 另外奉送 lìngwài fèngsòng; 白送给(的东西) bái sònggěi (de dōngxi); 饶头 ráotou ¶당신이 만약 다 사시면 그것을 ～으로 드리겠습니다 您要是都买的话, 那个白送给您 nín yàoshi dōu mǎi de huà, nàge bái sònggěi nín
덤덤하다 含大胡痴 hán dà hú chī
덤벙거리다 卤莽 lǔmǎng; 举动草率 jǔdòng cǎoshuài
덤불 草丛 cǎocóng; 野草繁茂的地方 yěcǎo fán-mào de dìfang
덤비다 扑过来 pūguolai ¶덤비지 마라 不用着急(침착하라) bú yòng zhāojí
덤핑(dumping) 倾销 qīngxiāo
덥다 热 rè; 炎热 yánrè ¶오늘은 매우 ～今天特别热 jīntiān tèbié rè / 더운 날이 계속되다 连日天气炎热 liánrì tiānqì yánrè
덧나다[1] 《곪다》红肿 hóngzhǒng; 发炎 fāyán ¶상처 자리가 덧나서 화농하였다 伤处红肿化脓了 shāngchù hóngzhǒng huànong le
덧나다[2] 《병이》恶化 èhuà
덧니 双重牙〔齿〕shuāngchóngyá〔chǐ〕; 虎牙 hǔyá ¶그녀는 ～를 보이며 웃었다 她露出虎牙笑了 tā lùchū hǔyá xiào le
덧붙이다 加添 jiātiān ¶한 마디 ～ 补充一句话 bǔchōng yíjùhuà
덧신 套鞋 tàoxié; 草履 cǎojī
덧없다 虚幻 xūhuàn; 短暂 duǎnzhàn ¶덧없는 인생 短暂的人生 duǎnzhàn de rénshēng
덩굴 蔓儿 wànr ¶수세미 ～ 丝瓜蔓 sīguāwàn / ～이 뻗다 爬蔓 pá wàn
덩달아 随波逐流 suíbō zhúliú; 随风倒儿 suí fēng dǎor ¶～ 웃다 跟着笑 gēnzhe xiào =〔陪笑 péi xiào〕

덩어리 块儿 kuàir; 疙瘩 gēda ¶얼음 ~ 冰块 bīngkuài =〔冰疙瘩 bīnggēda〕/석탄 ~ 煤块 méikuài
덫 ① 圈套 quāntào ¶~을 놓아 토끼를 잡다 下圈套逮兔子 xià quāntào dǎi tùzi ②《계략》 策略 cèlüè; 圈套 quāntào; 暗算 ànsuàn ¶감쪽같이 ~에 걸리다 完全上了圈套 wánquán shàng le quántào/제가 놓은 ~에 걸리다 陷入自己设的圈套 xiànrù zìjǐ shè de quāntào =〔作茧自缚 zuòjiǎnzìfù〕〔作法自毙 zuòfǎzìbì〕
덮다 ①《덮어씌우다》 蒙上 méngshàng; 盖上 gàishàng; 覆盖 fùgài; 遮盖 zhēgài; 遮蔽 zhēbì ¶짙은 구름이 해를 ~ 浓云蔽日 nóng yún bì rì/비닐로 모판을 ~ 用塑料薄膜盖苗床 yòng sùliào bómó gài miáochuáng ②《뚜껑을》 盖 gài ¶뚜껑을 ~ 盖着盖儿 gàizhe gàir ③《가리워 감추다》 掩盖 yǎngài; 掩饰 yǎnshì; 掩藏 yǎncáng ¶이것은 덮을 여지도 없는 사실이다 这是掩盖不了的事实 zhè shì yǎngài bu liǎo de shìshí
데다《열에》 烫伤 tàngshāng ¶끓는 물에 ~ 被热水烫伤 bèi rèshuǐ tàngshāng
데려가다 带走 dàizǒu; 领走 lǐngzǒu; 带去 dàiqu; 领去 lǐng qu
데려오다 带来 dàilái; 领来 lǐnglái
데리다 带 dài; 领 lǐng; 带领 dàilǐng ¶나도 데리고 가 주세요 请把我也带去 qǐng bǎ wǒ yě dàiqu/아이를 동물원에 데리고 가다 带孩子到动物园去 dài háizi dào dòngwùyuán qù/학생을 데리고 공장 견학을 가다 带领学生去参观工厂 dàilǐng xuésheng qù cānguān gōngchǎng/개를 데리고 산보 가다 拉落狗去散步 lāzhe gǒu qù sànbù
데릴사위 入赘婿 rùzhuìxù; 养老女婿 yǎnglǎo nǚxu ¶~를 맞이하다 招养老女婿 zhāo yǎnglǎo nǚxu
데모 示威 shìwēi; 示威运动 shìwēi yùndòng; 游行示威 yóuxíng shìwēi ¶~를 하다 举行示威运动 jǔxíng shìwēi yùndòng ‖~대 游行队伍 yóuxíng duìwǔ〔wu〕/~ 행진 示威游行 shìwēi yóuxíng
데뷔(프 début) 初次登台 chū cì dēng tái; 初出茅庐 chū chū máo lú ¶금년에 ~한 가수 今年初露头角的歌星 jīnnián chūlù tóujiǎo de gēxīng
데이터(data) 资料 zīliào; 材料 cáiliào;《수치에 의한》 数据 shùjù ¶최신의 ~를 모으다 收集最新的资料 shōují zuìxīn de zīliào
데이트(date) 约会 yuēhuì ¶오늘은 그녀와 ~ 약속이 있다 今天跟她有约会 jīntiān gēn tā yǒu yuēhuì
데치다 焯(菜) chāo(cài) ¶야채를 일단 끓는 물에 데친 후에 양념을 하다 把青菜先用开水焯一下再调味 bǎ qīngcài xiān yòng kāishuǐ chāo yi xia zài tiáowèi
데커레이션(decoration) 装饰 zhuāngshì; 装潢 zhuānghuáng ‖~ 케이크 大型蛋糕 dàxíng dàngāo/크리스마스 ~ 圣诞节的装饰 Shèngdànjié de zhuāngshì
도(度) ①《정도》 程度 chéngdù ¶술을 마시는 것도 ~를 지나치면 몸에 좋지 않다 喝酒过渡对身体不好 hējiǔ guòdù duì shēntǐ bù hǎo ②〔數〕 角度 jiǎodù ¶45~의 각 四十五度角 sìshíwǔ dù jiǎo ③〔地〕 度 dù ¶북위 50~에 있다 在北纬五十度 zài běiwěi wǔshí dù ④〔物〕 度 dù ¶섭씨 0~는 화씨 32~에 해당된다 摄氏零度为华氏三十二度 Shèshì líng dù wéi Huáshì sānshí'èr dù ⑤《안경의》 度数 dùshu ¶그는 ~수가 높은 안경을 끼고 있다 他戴着度数很深的眼镜 tā dàizhe dùshu hěn shēn de yǎnjìng
도《조사》 也 yě ¶나~ 간다 我也去 wǒ yě qù/나~ 그와 같은 의견이다 我的意见也和他一样 wǒde yìjiàn yě hé tā yíyàng
도가(都家) 批发商 pīfāshāng; 批发店 pīfādiàn
도가니 ①《그릇》 坩埚 gānguō ②《열광의 상태》 旋涡 xuánwō ¶장내는 흥분의 ~로 화하다 场内变成了兴奋的旋涡 chǎngnèi biànchéng le xīngfèn de xuánwō
도공(陶工) 陶工 táogōng; 陶匠 táojiàng
도구(道具) ① 工具 gōngjù ¶수해로 가재 ~가 물에 잠겼다 由于水灾一切家当儿都淹了 yóuyú shuǐzāi yíqiè jiādangr dōu yān le ‖낚시 ~ 鱼具 yújù/화장 ~ 化妆用品 huàzhuāng yòngpǐn ②《연극 따위의》 道具 dàojù ③《수단》 工具 gōngjù; 手段 shǒuduàn ¶사람을 ~로 사용하다 拿别人当工具使 ná biérén dàng gōngjù shǐ/결혼을 출세의 ~로 삼아 이용하다 把结婚当作立身扬名的工具来利用 bǎ jiéhūn dàngzuò lìshēn yángmíng de gōngjù lái lìyòng
도금(鍍金) 镀 dù ¶금 ~의 핀 镀金的别针 dù jīn de biézhen/구리에 은을 ~하다 在铜上镀银 zài tóngshang dù yín
도기(陶器) 陶器 táoqì
도깨비 妖怪 yāoguai; 鬼怪 guǐguài; 魔鬼 móguǐ ¶~집 闹鬼的宅子 nàoguǐ de zháizi =〔凶宅 xiōngzhái〕/~가 정체를 나타내다 妖怪现原形 yāoguai xiàn yuánxíng
도깨비불 鬼火 guǐhuǒ; 磷火 línhuǒ ¶묘지에서 ~이 오르고 있다 坟地上亮起鬼火 féndì shang liàng qǐ guǐhuǒ
도끼 斧子 fǔzi; 斧头 fǔtou ¶~로 장작을 빠개다 用斧子劈劈柴 yòng fǔzi pī pǐchai
도난(盜難) 失盗 shīdào; 被盗 bèidào ¶~맞다 失窃 shīqiè =〔闹贼 nàozéi〕 ‖~신고(盜難申告) 失单 shīdān
도달(到達) 到达 dàodá; 达到 dádào ¶같은 결론에 ~하다 达到〔得到〕同样结论 dádào〔dédào〕 tóngyàng jiélùn
도당(徒黨) 党徒 dǎngtú ¶한 무리의 ~이 전부 체포되었다 一伙党徒全部给逮捕了 yì huǒ dǎngtú quánbù gěi dàibǔ le
도대체(都大體) 到底 dàodǐ; 究竟 jiūjìng
도덕(道德) 道德 dàodé
도도하다 骄傲 jiāo'ào
도둑 贼 zéi; 小偷 xiǎotōu ¶어젯밤 집에 ~이 들었다 昨晚我家'闹了贼〔进了小偷儿〕 zuówǎn wǒ jiā'nàole zéi 〔jìnle xiǎotōur〕
도둑고양이 野猫 yěmāo
도둑맞다 失窃 shīqiè; 被偷 bèitōu
도둑질 偷盗 tōudào; 盗窃 dàoqiè ¶~을 하다 做贼 zuò zéi/~하러 들어가다 钻进人家行窃 zuānjìn rénjiā xíngqiè
도락(道樂) 爱好 àihào; 癖好 pǐhào; 嗜好 shìhào; 乐趣 lèqù ¶그의 ~은 낚시이다 他的嗜好是钓鱼 tā de shìhào shì diàoyú
도란거리다 嘀嘀咕咕地谈话 dídigūgūde tánhuà

도란도란 唧唧咕咕 jījīgūgū
도랑 水沟 shuǐgōu; 水路 shuǐlù ¶ ～을 쳐내다 淘沟 táogōu / ～을 뛰어넘다 跳过水沟 tiàoguò shuǐgōu
도량(度量) 度量 dùliàng; 气量 qìliàng; 胸襟 xiōngjīn; 气度 qìdù ¶ ～이 넓은 사람 度量大的人 dùliàng dà de rén =〔胸襟开阔的人 xiōngjīn kāikuò de rén〕
도량형(度量衡) 度量衡 dùliànghéng
도려내다 剜 wān; 挖 wā ¶ 눈을 ～ 剜眼 wān yǎn / 사과의 썩은 곳을 칼로 ～ 用小刀儿把苹果烂的地方剜掉 yòng xiǎodāor bǎ píngguǒ làn de dìfang wāndiào / 폐부를 도려내는 말 感人肺腑的话 gǎn rén fèifǔ de huà
도령 令郎 lìngláng; 公子 gōngzǐ
도로(道路) 路 lù; 道路 dàolù; 马路 mǎlù; 公路 gōnglù ‖ ～ 공사 修路工程 xiūlù gōngchéng / ～ 표지 路标 lùbiāo / 고속 ～ 高速公路 gāosù gōnglù / 유료 ～ 收费道路 shōufèi dàolù
도로아미타불(…阿彌陀佛) 恢复原来不好的状态 huīfù yuánlái bù hǎo de zhuàngtài; 依然故我 yīrángùwǒ; 依然如故 yīránrúgù ¶ 또 ～이다 我又依然如故了 wǒ yòu yīránrúgù le / 노력이 ～이 되다 白下了功夫了 bái xià le gōngfu le
도롱뇽 《動》鲵 ní
도롱이 蓑 suō; 蓑衣 suōyī
도르래 《物》滑轮 huálún; 滑车 huáchē
도리(道理) 道理 dàolǐ ¶ ～에 어긋나다 违背道理 wéibèi dàoli / ～를 알다 懂道理 dǒng dàoli
도리깨 梿枷 liánjiā
도리어 《오히려》反而 fǎn'ér; 反倒 fǎndào; 却 què; 倒 dào ¶ 벌기는커녕 ～ 손해를 봤다 吃了大亏, 更别提赚钱了 chīle dà kuī, gèng bié tí zhuànqián le
도마 案板 ànbǎn; 砧板 zhēnbǎn; 切菜板 qiēcàibǎn; 《그루터기형의》切肉墩子 qiēròu dūnzi ¶ ～ 위에 오른 고기 俎上之鱼 zǔshàng zhī yú =〔静待任人宰割 jìngdài rèn rén zǎigē〕
도마뱀 《動》蜥蜴 xīyì; 马蛇子 mǎshézi; 石龙子 shílóngzi; 〈俗〉四脚蛇 sìjiǎoshé
도맡다 承包 chéngbāo
도매(都賣) 批发 pīfā; 趸卖 dǔnmài
도면(圖面) 图样 túyàng; 图纸 túzhǐ
도모(圖謀) 图谋 túmóu; 策划 cèhuà; 谋求 móuqiú ¶ 자기의 이익을 ～하다 图谋私利 túmóu sīlì / 국가의 독립을 ～하다 谋求国家的独立 móuqiú guójiā de dúlì
도무지 怎么也 zěnme yě ¶ ～ 찾을 수 없다 怎么也找不着 zěnme yě zhǎobuzháo
도미 《魚》鲷 diāo; 〈俗〉大头鱼 dàtóuyú ¶ 새우로 ～를 낚다 吃小亏占大便宜 chī xiǎo kuī zhàn dà piányí
도배(塗褙) 糊墙 húqiáng; 糊棚 húpéng ‖ ～지 糊墙纸 húqiángzhǐ =〔墙纸 qiángzhǐ〕
도벽(盜癖) 盗癖 dàopǐ; 偷窃的毛病 tōuqiè de máobing ¶ ～이 있는 아이 有盗癖的孩子 yǒu dàopǐ de háizi
도보(徒步) 走 zǒu; 徒步 túbù; 步行 bùxíng ¶ 역까지 ～로 10분쯤 걸린다 走到车站约需十分钟 zǒu dào chē zhàn yuē xū shí fēn zhōng
도산(倒産) 倒闭 dǎobì ¶ 불경기로 기업의 ～이 계속 이어지고 있다 由于不景气企业相继倒闭 yóuyú bùjǐngqì qǐyè xiāngjì dǎobì
도살(屠殺) 屠宰 túzǎi; 宰杀 zǎishā ¶ 가축을 ～하다 宰杀牲畜 zǎishā shēngchù ‖ ～장 屠宰场 túzǎichǎng
도서(圖書) 图书 túshū ‖ ～관 图书馆 túshūguǎn
도수(度數) ①《횟수》回数 huíshù; 次数 cìshù ¶ 전화 요금은 ～제로 되어 있다 电话按通话次数收费 diànhuà àn tōnghuà cìshù shōufèi ②《각도 · 안경 · 광도 등의》度数 dùshu
도시(都市) 都市 dūshì; 城市 chéngshì ¶ 인구가 ～로 집중하다 人口集中于城市 rénkǒu jízhōng yú chéngshì ‖ ～ 계획 城市规划 chéngshì guīhuà / 위성 ～ 卫星城市 wèixīng chéngshì / 자매 ～ 友好城市 yǒuhǎo chéngshì
도시락 盒饭 héfàn; 盒装饭菜 hé zhuāng fàncài ¶ 반드시 ～을 지참할 것 务心自带饭菜 wùbì zì dài fàncài / ～을 먹다 吃盒饭 chī héfàn
도야(陶冶) 陶冶 táoyě; 薰陶 xūntáo ¶ 인격을 ～하다 陶冶'情操〔性情〕 táoyě 'qíngcāo〔xìngqíng〕
도어(door) 门 mén; 屋门(儿)(집의) wūmén(r) ¶ 회전 ～ 回转门 huízhuǎnmén =〔转门 zhuànmén〕
도외시(度外視) 置之度外 zhìzhīdùwài ¶ 이익을 ～하다 把利益置之度外 bǎ lìyì zhìzhīdùwài =〔牺牲利益 xīshēng lìyì〕
도요새 《鳥》鹬 yù
도움 助 zhù; 帮助 bāngzhù ¶ 성장에 ～이 되다 有助于成长 yǒu zhù yú chéngzhǎng
도의(道義) 道义 dàoyì ¶ ～에 어긋나다 违背道义 wéibèi dàoyì
도입(導入) 引进 yǐnjìn ¶ 외자를 ～하다 引进外资 yǐnjìn wàizī
도읍(都邑) 京兆 jīngzhào
도자기(陶磁器) 陶瓷器 táocíqì
도장(圖章) 印 yìn; 章 zhāng; 图章 túzhāng; 〈俗〉戳儿 chuōr; 戳子 chuōzi ¶ ～을 찍다 盖章 gài zhāng
도저히(到底…) 无论如何也 wúlùnrúhé yě; 怎么也 zěnme yě; 无法 wúfǎ ¶ 그에겐 ～ 못 당하겠다 简直无法跟他相比 jiǎnzhí wúfǎ gēn tā xiāngbǐ / ～ 믿을 수 없다 无论如何也不相信 wúlùnrúhé yě bù xiāngxìn
도적(盜賊) 盗贼 dàozéi
도전(挑戰) 挑战 tiǎozhàn ¶ ～에 응하다 应战 yìngzhàn / 세계 기록에 ～하다 向世界记录挑战 xiàng shìjiè jìlù tiǎozhàn / ～적 태도로 나오다 采取挑战的态度 cǎiqǔ tiǎozhàn de tàidu
도주(逃走) 逃跑 táopǎo; 逃走 táozǒu ¶ ～를 기도하다 企图逃跑 qǐtú táopǎo
도중(途中) 中途 zhōngtú; 途中 túzhōng; 路上 lùshang; 半道(儿) bàndào(r); 半路(儿) bànlù(r) ¶ 이야기 ～에 자리를 뜨다 不等话说完就离席 bù děng huàshuō wán jiù lí xí / ～에서 헤어지다 半道儿上分了手 bàndàor shang fēnle shǒu
도지다 《병이》复发 fùfā ¶ 무리를 해서 병이 ～ 由于蛮干, 病又犯了 yóuyú mángàn, bìng yòu fànle
도착(到着) 到 dào; 到达 dàodá; 抵达 dǐdá ¶ 배는 정시에 ～하다 船正点抵达 chuán zhèngdiǎn dǐdá

도처(到處) 到处 dàochù; 处处 chùchù ¶～에서 열광적인 환영을 받았다 到处受到了热烈欢迎 dàochù shòudàole rèliè huānyíng
도취(陶醉) 陶醉 táozuì ¶～경에 빠지다 沉于陶醉之境 chén yú táozuì zhī jìng ‖자기 ～ 自我陶醉 zìwǒ táozuì
도치(倒置) 倒置 dàozhì; 倒装 dàozhuāng ‖～법 倒置法 dàozhìfǎ
도킹(docking) 对接 duìjiē; 相接 xiāngjiē ¶두 우주선은 ～에 성공했다 两只宇宙飞船成功地对接了 liǎng zhī yǔzhòu fēichuán chénggōng de duìjiē le
도태(淘汰) 淘汰 táotài ¶자연히 ～되다 自然而然地被淘汰 zìrán érrán de bèi táotài
도토리 橡子(儿) xiàngzǐ(r); 橡实 xiàngshí
도표(圖表) 图表 túbiǎo
도피(逃避) ¶사랑의 ～행 恋爱的出走 liànài de chūzǒu =〔私奔 sī bēn〕/현실을 ～하다 逃避现实 táobì xiànshí ‖～행 潜逃 qiántáo
도합(都合) 总共 zǒnggòng; 一共 yígòng
도항(渡航) 出洋 chūyáng; 出国 chūguó; 走海 zǒuhǎi; 航海 hánghǎi
도화(圖畫) 图画 túhuà; 画儿 huàr
도회(都會) 都会 dūhuì; 都市 dūshì; 城市 chéngshì
도흔(刀痕) 刀痕 dāohén
독《장독》 瓮 wèng; 缸 gāng; 罐儿 guànr; 罐子 guànzi
독(毒) 毒 dú ¶～을 넣다 下毒 xià dú/～이 퍼지다 毒性发作 dúxìng fāzuò
독(dock) 船坞 chuánwù ¶수리 때문에 배를 ～에 넣다 为了修理把船开入船坞 wèile xiūlǐ bǎ chuán kāirù chuánwù
독가스(毒 gas) 毒瓦斯 dúwǎsī; 毒气 dúqì
독경(讀經) 念经 niànjīng ¶본당으로부터 ～소리가 들리다 从大殿里传来念经的声音 cóng dàdiàn li chuánlai niànjīng de shēngyīn
독립(獨立) 独立 dúlì ¶～해서 상점을 열다 独立开办商店 dúlì kāibàn shāngdiàn/부모로부터 ～해서 생활하다 不依靠父母自食其力 bù yīkào fùmǔ zìshíqílì
독백(獨白) 独白 dúbái
독보(獨步) 《뛰어나다》 独一无二 dúyìwú'èr; 无与伦比 wúyǔlúnbǐ; 无双 wúshuāng ¶당대의 ～적인 시인 当代独一无二的诗人 dāngdài dúyìwú'èr de shīrén
독불장군(獨不將軍) 一人擅专 yìrén shàn zhuān; 一个人的天下 yígerén de tiānxià
독살(毒殺) 毒杀 dúshā; 毒死 dúsǐ ¶그는 ～당했다 他被毒死了 tā bèi dúsǐ le
독살스럽다(毒殺…) 毒螫螫 dúshìshì; 毒辣 dúlà ¶그는 독살스럽게 말하다 他说话恶言恶语的 tā shuōhuà èyánèyǔ de
독설(毒舌) 挖苦话 wākǔhuà; 刻薄话 kèbóhuà ¶～을 퍼붓다 说尖酸刻薄的话 shuō jiānsuān kèbó de huà =〔冷嘲热讽 lěngcháo rèfěng〕 ‖～가 尖嘴薄舌的人 jiānzuǐ bóshé de rén
독수리(禿…) 《鳥》 秃鹫 tūjiù; 坐山雕 zuòshāndiāo; 老雕 lǎodiāo
독신(獨身) 独身 dúshēn; 单身 dānshēn; 光棍儿 guānggùnr ¶그는 아직 ～이다 他还打光棍儿 tā hái dǎ guānggùnr/한평생 ～으로 지내다 一辈子不结婚 yíbèizi bù jiéhūn
독실(篤實) 笃实 dǔshí ¶온후 ～한 사람 笃厚〔笃实敦厚〕的人 dǔhòu〔dǔshí dūnhòu〕 de rén
독자(獨子) 独子 dúzǐ; 独生子 dúshēngzǐ
독자(讀者) 读者 dúzhě ¶이 잡지는 ～층이 넓다 这个杂志读者很广泛 zhège zázhì dúzhě hěn guǎngfàn ‖～란 读者来信栏 dúzhě lái xìnlán
독점(獨占) ① 独占 dúzhàn ¶방 하나를 ～하다 独占一个房间 dúzhàn yí ge fángjiān ②《經》 垄断 lǒngduàn; 专营 zhuānyíng ¶우편은 정부의 ～ 사업이다 邮政是政府的专营事业 yóngzhèng shì zhèngfǔ de zhuānyíng shìyè
독종(毒種) 硬性汉 yìngxìnghàn
독주(獨走) ① 一个人跑 yí ge rén pǎo ¶2위를 크게 떼어 놓고 ～하다 他把第二名远远地抛在后面, 一个人单独跑着 tā bǎ dì'èr míng yuǎnyuǎnde pǎo zài hòumian, yí ge rén dāndú pǎozhe ②《독단》 单独行动 dāndú xíngdòng ¶너만 ～해서는 곤란하다 由你一个人独断独行可不成 yóu nǐ yí ge rén dúduàndúxíng kě bùchéng
독차지(獨…) 独占 dúzhàn; 独自霸佔 dúzì bàzhàn ¶～하다 独占 dúzhàn =〔吃独食 chī dúshí〕/이익을 ～하다 独占利益 dúzhàn lìyì
독창적(獨創的) 独创(性)(的) dúchuàng (xìng) (de) ¶～인 연구를 하다 进行独创性的研究 jìnxíng dúchuàngxìng de yánjiū
독촉(督促) 督促 dūcù; 催促 cuīcù ¶～하는 편지를 쓰다 写催促信 xiě cuīcù xìn
독특(獨特) 独特 dútè ¶문장 안에 그의 ～한 풍격이 나타나 있다 文章里显露出他独特的风格 wénzhāng li xiǎnlù chū tā dútè de fēnggé
독하다(毒…) 《성질이》 心硬 xīn yìng; 心狠 xīn hěn
돈《금전》 钱 qián; 金钱 jīnqián ¶～을 벌다 赚钱 zhuàn qián/～을 모으다 存钱 cún qián/～에 눈이 어두워지다 利欲熏心 lì yù xūn xīn =〔利令智昏 lì lìng zhì hūn〕
돈(噸) 吨 dūn
돈놀이 贷款 dàikuǎn; 放印子 fàng yìnzi
돈맛 ¶～을 알다 领悟到钱的效验 lǐngwù dào qián de xiàoyàn
돈벌이 赚钱 zhuànqián; 挣钱 zhèngqián; 获利 huòlì ¶～되는 일 来财的工作 lái cái de gōngzuò =〔有出息的事 yǒu chūxi de shì〕/～를 잘 하다 善于赚钱 shànyú zhuànqián/좋은 ～가 있다 有'一件赚钱〔有利可图〕的事 yǒu'yíjiàn zhuànqián 〔yǒulìkětú〕 de shì
돈지갑(…紙匣) 钱袋 qiándài; 钱包 qiánbāo; 腰包 yāobāo; 钱夹子 qiánjiāzi
돋구다《흥미·식욕을》 引 yǐn; 引起 yǐnqǐ ¶흥미를 ～ 引人入胜 yǐn rén rù shèng/식욕을 돋구는 요리 引起食欲的菜 yǐnqǐ shíyù de cài
돋다 ①《해 등이》 上升 shàngshēng ¶태양이 ～ 太阳升 tàiyang shēng ②《싹이》 萌 méng; 发 fā; 《날개가》 长 zhǎng ¶날개가 ～ 长'羽毛〔翅膀〕 zhǎng 'yǔmáo〔chìbǎng〕 ③《피부에》 长 zhǎng ¶얼굴에 여드름이 돋았다 脸上长出了粉刺 liǎnshang zhǎngchū le fěncì
돋보기 凸镜 tújìng
돋우다 ①《심지를》 挑亮 tiǎoliàng ¶심지의 불을 ～ 把灯芯的火挑大 bǎ dēngxīn de huǒ tiǎo dà =〔把灯挑亮 bǎ dēng tiǎoliàng〕 ②《욕망을》 挑逗 tiǎodòu

돋치다 ①《내밀다》 ¶가시 돋친 말 带刺儿的话 dài cìr de huà / 뿔이 ~ 长角 zhǎng jiǎo ②《값이》涨 zhǎng ¶값이 ~ 涨价 zhǎng jià
돌[1] 《일년》 周年 zhōunián
돌[2] ①〖廣〗石头 shítou; 石子 shízi ¶~을 던지다 扔石头 rēng shítou / ~을 갈다 磨石头 mó shítou ②《바둑돌》子儿 zǐr; 棋子儿 qízǐr ¶~을 놓다 摆子儿 bǎi zǐr =〔下子儿 xià zǐr〕③《라이터의》打火石 dǎhuǒshí
돌고래〖動〗海猪 hǎizhū
돌다 ①《회전》转 zhuàn; 转动 zhuàndòng ¶팽이가 ~ 陀螺在转 tuóluó zài zhuàn / 선풍기가 돌고 있다 电扇开着 diànshàn kāizhe ②《주위를》转 zhuǎn; 旋转 xuánzhuǎn; 回转 huízhuǎn; 转动 zhuǎndòng ¶달이 지구의 주위를 ~ 月亮绕着地球转 yuèliang ràozhe dìqiú zhuǎn / 트랙을 다섯 바퀴 ~ 绕跑道跑五圈儿 rào pǎodào pǎo wǔ quānr ③《순회》巡回 xúnhuí ¶단골처를 ~ 一家家地走访老主顾 yījiājiāde zǒufǎng lǎozhǔgù ④《우회》绕弯 ràowān; 绕道 ràodào; 迂回 yūhuí ¶뒷문으로 돌아가시오 请绕到后门去吧 qǐng ràodào hòumen qù ba / 배가 곶을 ~ 船绕岬角行驶 chuán rào jiǎjiǎo xíngshǐ / 적의 배후로 ~ 绕到敌人的背后 ràodào dírén de bèihòu ⑤《차례로》转移 zhuǎnyí; 转递 zhuǎndì; 传递 chuándì; 轮流 lúnliú ¶술잔이 ~ 酒杯依次传递 jiǔbēi yīcì chuándì =〔飞觞 fēishāng〕/ 내 차례가 돌아왔다 轮到我了 lúndào wǒ le ⑥《어떤 기운이》发作 fāzuò ¶독이 돌았다 毒性发作了 dúxìng fāzuò le ⑦《머리·혀가》灵活 línghuó; 灵敏 língmǐn ¶혀가 ~ 口齿流利 kǒuchǐ liúlì / 머리가 잘 ~ 脑筋灵活 nǎojīn línghuó ⑧《정신이》疯 fēng ¶너 돌았냐? 你疯了吗? nǐ fēng le ma?
돌다리 石桥 shíqiáo ¶~도 두드려 보고 건너라 万分谨慎 wàn fēn jǐn shèn =〔谨小慎微 jǐn xiǎo shèn wēi〕
돌담 石墙 shíqiáng
돌돌말다 一绕一绕地卷上 yíràoyíràode juǎnshàng
돌려주다 还给 huángěi ¶책을 도서관에 돌려 주십시오 请把书还给图书馆 qǐng bǎ shū huángěi túshūguǎn
돌리다 ①《돌게 하다》转 zhuàn; 转动 zhuàndòng ¶팽이를 ~ 转〔抽〕陀螺 zhuàn 〔chōu〕 tuóluó / 다이얼을 ~ 拨电话号码 bō diànhuà hàomǎ / 허리를 돌리는 운동 转体运动 zhuàn tǐ yùndòng ②《차례로》传递 chuándì ¶술잔을 ~ 传递酒杯 chuándì jiǔbēi / 이 의제는 다음으로 돌리기로 합니다 这个问题挪到下次谈吧 zhège wèntí nuódào xiàcì tán ba ③《회부》传送 chuánsòng; 转送 zhuǎnsòng; 转到 zhuǎndào ¶전화를 연구실로 ~ 把电话转到研究室 bǎ diànhuà zhuǎndào yánjiūshì / 서류를 인사과로 ~ 把文件转给人事科 bǎ wénjiàn zhuǎngěi rénshìkē ④《마음을》另打(主意) lìngdǎ(zhǔyi)
돌림병(…病) 时令病 shílìngbíng
돌멩이 石块 shíkuài; 小石头 xiǎoshítou; 小石子儿 xiǎoshízir ¶~질하다 扔石头块儿 rēng shítoukuàir
돌보다 照顾 zhàogù; 照料 zhàoliào ¶곁을 떠나지 않고 환자를 ~ 终日不离照顾病人 zhōngrì bùlí zhàogù bìngrén
돌부처 石佛 shífó; 《비유적》不动感情的人 bú dòng gǎnqíng de rén; 沉默寡言的人 chénmòguǎyán de rén
돌아가다 《본디로》回 huí; 回去 huíqu; 《귀착하다》归于 guīyú ¶손님은 모두 돌아갔다 客人都回去了 kèrén dōu huíqu le / 오랫동안의 노력이 수포로 돌아갔다 多年的努力化为泡影了 duōnian de nǔlì huàwéi pàoyǐng le
돌아다니다 《싸다니다》周游 zhōuyóu; 走来走去 zǒulái zǒuqù
돌아서다 ①《뒤로》转过身子 zhuǎn guo shēnzi ②《등지다》犯生分 fàn shēngfen ③《병세가》好转 hǎozhuǎn
돌아오다 ①《다시》回 huí; 回来 huílai; 返回 fǎnhuí; 恢复 huīfù ¶매일 7시에 집에 ~ 每天七点钟回家来 měitiān qī diǎn zhōng huíjiā lái / 제정신으로 ~ 苏醒过来 sūxǐng guo lái ②《길을》绕道 ràodào; 绕远 ràoyuǎn ¶길을 ~ 绕道而来 ràodào ér lái
돌연(突然) 突然 tūrán; 抽冷子 chōu lěngzi
돌이키다 《생각을》另打主意 lìngdǎ zhǔyì; 重新考虑 chóngxīn kǎolǜ
돌잡이 抓周儿 zhuā zhōur; 试周 shì zhōu
돌절구 石磨 shímò; 石臼 shíjiù
돌진(突進) 突进 tūjìn; 闯进 chuǎngjìn ¶적진에 ~하다 往敌营冲攻去 wǎng díyíng chōnggōng qù
돌팔매 抛石头子儿 pāo shítouzǐr
돕다 ①《조력·조장·촉진》助 zhù; 帮助 bāngzhù; 帮忙 bāngmáng ¶소화를 ~ 帮助消化 bāngzhù xiāohuà / 아버지의 일을 帮助父亲的工作 bāngzhù fùqin de gōngzuò ②《괴로움·어려움을》救济 jiùjì ¶가난한 사람을 ~ 救济穷苦人 jiùjì qióngkǔrén / 어려운 처지에 있는 친구를 ~ 救济穷困的朋友 jiùjì qióngkǔn de péngyou
돗바늘 大针 dàzhēn
돗자리 蒂子 xízi; 《여름용의》凉蒂 liángxí
동(東) 东 dōng ¶태양은 ~쪽에서 뜬다 太阳从东方升起 tàiyáng cóng dōngfāng shēngqǐ / ~쪽을 향해서 걷다 朝东走 cháo dōng zǒu
동(銅)〖鑛〗铜 tóng ¶~을 함유하다 含铜 hán tóng
동갑(同甲) 同庚 tónggēng; 同岁 tóngsuì
동강 碎片 suìpiàn; 小片 xiǎopiàn; 《연필·초》头儿 tóur ¶두 ~ 내다 分成两半儿 fēnchéng liǎng bànr
동격 同格 tónggé; 同等资格 tóngděng zīgé ¶두 사람을 ~으로 대우하다 把两个人同等看待 bǎ liǎng ge rén tóngděng kàndài
동경(憧憬) 憧憬 chōngjǐng; 渴望 kěwàng; 向往 xiàngwǎng ¶그녀는 모두의 ~의 대상이다 她是大家所向往的人物 tā shì dàjiā suǒ xiàngwǎng de rénwù
동굴(洞窟) 洞窟 dòngkū; 洞穴 dòngxué; 《산의》山洞 shāndòng; 《바위의》石窟 shíkū ‖~벽화 石窟壁画 shíkū bìhuà / ~ 주거지 穴居遗址 xuéjū yízhǐ
동그라미 球形 qiúxíng; 圆形yuánxíng; 圆圈 yuánquān
동그랗다 圆的 yuánde
동급(同級) 同班 tóngbān; 同年级 tóngniánjí ‖~생 同班同学 tóngbān tóngxué

동기(動機) 动机 dòngjī ¶어떤 불순한 ～가 있는 것 같다 似乎有什么不纯的动机 sìhu yǒu shénme bù chún de dòngjī
동냥 施舍 shīshě ¶～하다 乞求施舍 qǐqiú shīshě / ～을 주다 赒济给… zhōujì gěi… ‖～아치 乞丐 qǐgài
동네(洞…) 村 cūn; 村庄 cūnzhuāng ¶～ 사람들 村里的人们 cūnli de rénmen
동댕이치다 抛出去 pāochūqu; 《일을》 丢开 diūkai
동떨어지다 差远 chāyuǎn
동란(動亂) 骚动 sāodòng; 骚乱 sāoluàn; 动乱 dòngluàn; 变乱 biànluàn ¶～이 발발하다 爆发动乱 bàofā dòngluàn
동료(同僚) 同僚 tóngliáo; 同事 tóngshì
동맥(動脈) 动脉 dòngmài
동맹(同盟) 同盟 tóngméng; 联盟 liánméng; 结盟 jiéméng ¶～을 맺다 缔结同盟 dìjié tóngméng ‖비～국 不结盟国家 bù jiéméng guójiā
동명(同名) 同名 tóngmíng; 名字相同 míngzi xiāngtóng ‖～ 이인 名同人异 míng tóng rén yì
동문(同門) 同门 tóngmén; 同师的门徒tóngshī de méntú ¶～의 친교 同门之谊 tóngmén zhī yì
동물(動物) 动物 dòngwù
동반(同伴) 同伴 tóngbàn; 偕同 xiétóng; 偕往 xiéwǎng; 同去 tóngqù; 同行 tóngxíng ‖～자 同伴 tóngbàn =〔同行者 tóngxíngzhě〕〔同行的人 tóngxíng de rén〕
동백기름(冬柏…) 山茶油 shāncháyóu
동백나무(冬柏…) 《植》 山茶 shānchá
동복(冬服) 冬装 dōngzhuāng; 冬天穿的服装 dōngtiān chuān de fúzhuāng
동봉(同封) 附在信内 fùzài xìnnèi; 和信一起 hé xìn yìqǐ ¶가족 사진을 ～하다 随信附上全家的照片 suí xìn fùshang quánjiā de zhàopiàn
동분서주(東奔西走) 东奔西走 dōng bēn xī zǒu; 到处奔走 dàochù bēnzǒu ¶～해서 자금을 모으다 到处奔走筹集资金 dàochù bēnzǒu chóují zījīn
동사(凍死) 冻死 dòngsǐ
동상(凍傷) 冻伤 dòngshāng; 冻疮 dòngchuāng ¶손이 ～에 걸리다 手冻伤 shǒu dòngshāng
동상(銅像) 铜像 tóngxiàng ¶～을 세우다 建立铜像 jiànlì tóngxiàng
동생(同生) 弟弟 dìdi; 妹妹 mèimei(여동생)
동서(同棲) ①《남녀의》 同居 tóngjū ②《같이 삶》 住在一起 zhùzài yìqǐ
동서(同壻) 《남자끼리의》 连襟 liánjīn
동성(同姓) 同姓 tóngxìng ¶그와 나는 ～ 동본이다 他跟我同姓同本 tā gēn wǒ tóngxìng tóngběn ‖～ 동명 同姓同名 tóngxìng tóngmíng
동시(同時) 同时 tóngshí ¶두 사람은 거의 ～에 도착했다 两人几乎同时到达 liǎng rén jīhū tóngshí dàodá ‖～ 녹음 同期录音 tóngqī lùyīn / ～ 통역 同声传译 tóngshēng chuányì
동심(童心) 童心 tóngxīn ¶～으로 돌아가다 返回童心 fǎnhuí tóngxīn
동아리 《부분》 部分 bùfen; 《무리》 伙伴 huǒbàn
동안 期间 qījiān; 时候 shíhou; 工夫 gōngfu ¶그～ 那个期间 nàge qījiān / 오랫～ 好久 hǎojiǔ =〔长时期 chángshíqī〕〔长期 chángqī〕/ 내가 살아 있는 ～에는 在我有生之日 zài wǒ yǒu shēng zhī rì
동양(東洋) 东洋 dōngyáng; 东方 dōngfāng
동요(動搖) ① 颠簸 diānbǒ; 摇动 yáodòng; 摇摆 yáobǎi; 摆动 bǎidòng; 摇晃 yáohuang ¶배가 좌우로 ～하다 船左右摇摆 chuán zuǒyòu yáobǎi ②《마음이》 动摇 dòngyáo; 不安 bú'ān; 不稳定 bùwěndìng; 不平静 bù píngjìng ¶인심이 ～하다 人心动摇 rénxīn dòngyáo
동의(同意) 《찬성》 同意 tóngyì; 赞成 zànchéng ¶상대방의 ～를 구하다 徵求对方同意 zhēngqiú duìfāng tóngyì
동이 水缸 shuǐgāng; 水瓮 shuǐwèng; 水罐 shuǐguàn
동이다 捆 kǔn; 绑 bǎng
동전(銅錢) 铜钱 tóngqián; 铜币 tóngbì
동점(同點) 同分 tóngfēn; 平分儿 píngfēnr; 分数相同 fēnshù xiāngtóng ¶양팀의 득점은 ～이 되었다 两队的得分拉平了 liǎng duì de défēn lāpíng le =〔两队打平了 liǎng duì dǎpíng le〕
동정(同情) 同情 tóngqíng ¶조금도 ～의 여지가 없다 毫无同情的馀地 háowú tóngqíng de yúdì / 그의 입장은 ～받을 만하다 他的处境是很值得同情的 tāde chǔjìng shì hěn zhíde tóngqíng de
동정(動靜) 动态 dòngtài; 动静 dòngjing ¶정국의 ～을 살피다 刺探政局的动态 cìtàn zhèngjú de dòngtài
동정(童貞) 《여자에 대(對)하여》 童贞 tóngzhēn; 童男子 tóngnánzǐ; 〈俗〉黄花后生 huánghuā hòushēng ¶～을 지키다 保持童贞 bǎochí tóngzhēn
동지(同志) 同志 tóngzhì ¶～를 모으다 号召同志 hàozhào tóngzhì
동트다(東…) 发白 fābái; 朦朦亮儿 méngmengliàngr
동하다(動…) 动 dòng ¶마음이 ～ 动心 dòng xīn / 마음이 동하지 않다 不动心 bú dòng xīn =〔不激动 bù jīdòng〕
동화(童話) 童话 tónghuà
돛 帆 fān; 帆篷 fānpéng; 船篷 chuánpéng; 船帆 chuánfān ¶～을 올리다 扬帆 yáng fān / ～을 내리다 下帆 xià fān =〔收帆 shōu fān〕
돛단배, 돛배 帆船 fānchuán
돼지 猪 zhū ¶새끼 ～ 小猪 xiǎozhū =〔猪崽 zhūzǎi〕/ 식용 ～ 肉用猪 ròuyòngzhū / ～에 진주《속담》 投珠与豕 tóu zhū yǔ shǐ =〔对牛弹琴 duì niú tán qín〕〔毫无意义 háowù yìyì〕
되 ①《단위》 升 shēng ②《기구》 升子 shēngzi
되다[1] ①《다 만들어지다》 做完 zuòwán; 做好 zuòhǎo ¶언제쯤 다 됩니까? 什么时候做好呢? shénme shíhou zuòhǎo ne? ②《신분 · 직업》 当 dāng; 做 zuò; 成 chéng; 成为 chéngwéi ¶외교관이 ～ 当上外交官 dāngshang wàijiāoguān / 나는 대통령이 되고 싶다 我想当总统 wǒ xiǎng dāng zǒngtǒng / 그녀는 이미 두 아이의 어머니가 되었다 她已经成了两个孩子的母亲了 tā yǐjīng chéngle liǎng ge háizi de mǔqin le ③《상태》 为 wéi; 成 chéng; 成为 chéngwéi ¶얼음이 녹아서 물이 ～ 冰融化为水 bīng rónghuà wéi shuǐ / 감기가 더쳐서 폐렴이 되다 感冒久治不愈,转成肺炎 gǎnmào jiǔ zhì bú yù, zhuǎnchéng fèiyán ④《수량에 미치다》 共计 gòngjì; 达到 dádào ¶1에 2를 더

하면 3이 된다 一加二'得〔等于〕三 yì jiā èr 'dé 〔děngyú〕 sān / 합계 3만 원이 ～ 总计为三万元 zǒngjì wéi sānwàn yuán ⑤《소용이》 当 dàng ¶이 풀은 약이 된다 这种草可以当药用 zhè zhǒng cǎo kěyǐ dàng yàoyòng ⑥《시기에》到 dào; 《경과》经过 jīngguò ¶1개월 있으면 17살이 된다 再过一个月就十七岁了 zài guò yí ge yuè jiù shíqī suìle / 12시가 되었는데도 아직 돌아오지 않았다 到了十二点还没有回来 dàole shí'èr diǎn hái méiyǒu huílai / 입사한지 5년이 되었다 进了公司已经有五年了 jìnle gōngsī yǐjīng yǒu wǔ nián le ⑦《구성되다》组成 zǔchéng; 构成 gòuchéng ¶물은 수소와 산소로 되어 있다 水是由氢和氧构成的 shuǐ shì yóu qīng hé yǎng gòuchéng de

되다² 《되질》 用升子量 yòng shēngzi liáng

되다³ 《질지 않다》 硬 yìng; 《심하다》艰难; 严 yán; 严厉 yánli ¶잘못을 되게 꾸짖다 严厉批评其错误 yánli pīpíng qí cuòwù

되돌아가다 返回 fǎnhuí; 折回 zhéhuí; 退回 tuìhuí ¶도중에서 ～ 半路返回 bànlù fǎnhuí

되풀이 再三再四 zài sān zài sì; 反复 fǎnfù; 重复 chóngfù ¶역사는 ～된다 历史在重演 lìshǐ zài chóngyǎn / 오늘도 또 같은 일의 ～다 今天又是同样的工作的反复 jīntiān yòu shì tóngyàng de gōngzuò de fǎnfù

된장(…醬) 豆酱 dòujiàng

될수있는대로 尽量 jǐnliàng; 极力 jílì ¶빨리 끝내겠다 我尽可能给您赶作 wǒ jǐnkěnéng gěi nín gǎnzuò

됨됨이 禀性 bǐngxìng; 为人 wéirén ¶이 일은 그의 ～를 나타낸다 这件事表现了他的为人 zhè jiàn shì biǎoxiànle tāde wéirén

두각(頭角) 头角 tóujiǎo ¶점차로 ～을 나타내다 逐渐显露头角 zhújiàn xiǎnlù tóujiǎo

두근거리다 七上八下 qī shàng bā xià; 忐忑不安 tǎntè bùān; 扑腾扑腾地跳 pūtengpūtengde tiào ¶심장이 ～ 心怦怦地跳 xīn pēngpēngde tiào

두꺼비 〖動〗蟾蜍 chánchú; 癞蛤蟆 làiháma

두껍다 厚 hòu ¶두꺼운 사전 一部很厚的词典 yí bù hěn hòu de cídiǎn / 저 사람은 낯가죽이 ～ 他那个人真脸皮厚 tā nàge rén zhēn liǎnpí hòu

두께 厚(度) hòu(dù) ¶～ 6cm 六厘米厚 liù límǐ hòu

두뇌(頭腦) 脑筋 nǎojīn; 头脑 tóunǎo ¶～가 명석한 사람 头脑清晰的人 tóunǎo qīngxī de rén

두다 ①《놓다》放 fàng; 搁 gē ¶책을 책상 위에 ～ 把书放在桌子上 bǎ shū fàng zài zhuōzi shang ②《사람을》雇佣 gùyōng ¶타이피스트를 ～ 佣一位打字员 yōng yí wèi dǎzìyuán ③《간격을》隔 gé; 间隔 jiàngé ¶거리를 ～ 隔开距离 gékāi jùlí ④《바둑·장기를》下 xià ¶바둑을 ～ 下围棋 xià wéiqí ⑤《설치》设置 shèzhì; 设立 shèlì ¶북경에 대사관을 ～ 在北京设立大使馆 zài Běijīng shèlì dàshǐguǎn

두더지 〖動〗鼹鼠 yǎnshǔ; 隐鼠 yǐnshǔ; 地老鼠 dìlǎoshǔ

두둑 ①《밭가의》田埂 tiángěng; 田界 tiánjiè ②《골 사이의》垄 lǒng ¶～을 만들다 培起垄来 péi qi lǒng lai

두둑하다 厚墩儿 hòudūnr; 《넉넉하다》丰沛 fēngpèi

두둔하다 偏袒 piāntǎn; 袒护 tǎnhù

두드러기 荨麻疹 qiánmázhěn; 风疹块 fēngzhěnkuài; 〈俗〉风疙瘩 fēnggēda

두드러지다 《내밀다》鼓鼓囊囊(的) gǔgunāngnāng(de); 《뛰어나다》超群 chāoqún

두드리다 《문 따위를》敲 qiāo; 叩 kòu ¶문을 가볍게 ～ 轻轻敲门 qīngqing qiāo mén

두들기다 揍 zòu; 殴打 ōudǎ ¶늘씬하게 두들겼다 打了个稀糊脑子烂 dǎle ge xīhú nǎozi làn

두레박 吊桶 diàotǒng; 吊水桶 diàoshuǐtǒng ¶～으로 물을 푸다 用吊桶打水 yòng diàotǒng dǎ shuǐ

두렵다 ①《무섭다》恐惧 kǒngjù ②《근심》担心 dānxīn ③《외경》惶恐 huángkǒng

두루 普律 pǔlǜ; 没有遗漏 méiyǒu yílòu ¶중국을 ～ 돌아다니다 走遍了中国 zǒubiànle zhōngguó

두루마리 ①《책·그림》卷轴 juànzhóu; 书画 shūhuà ¶～를 말다 卷上卷轴 juǎnshang juànzhóu / ～를 펼치다 打开卷轴 dǎ kāi juànzhóu ②《옷감》卷子 juǎnzi; 成卷的布匹 chéngjuǎn de bùpǐ

두루미 ⇨학(鶴)

두르다 《포장 따위를》围上 wéishang

두리번거리다 环视四周 huánshì sìzhōu

두발(頭髮) 头发 tóufa

두부(豆腐) 豆腐 dòufu

두엄 积肥 jīféi; 堆肥 duīféi

두절(杜絶) 断绝 duànjué; 停止 tíngzhǐ ¶대설로 교통이 ～되었다 因大雪交通断绝了 yīn dàxuě jiāotōng duànjué le

두텁다 深厚 shēnhòu ¶우정이 ～ 友情深厚 yǒuqíng shēnhòu =〔笃于友情 dǔ yú yǒuqíng〕

두통(頭痛) 头疼 tóuténg; 头痛 tóutòng ¶～이 심하다 头痛得厉害 tóutòngde lìhai

두통거리(頭痛…) ¶두통거리 烦恼 fánnǎo =〔苦恼 kǔnǎo〕/ 나에게 그 문제는 늘 ～다 那个问题总是我烦恼的原因 nà ge wèntí zǒngshì wǒ fánnǎo de yuányīn

둑 堤 dī ¶～을 쌓다 筑堤 zhù dī

둔하다(鈍…) 迟钝 chídùn ¶신경이 ～ 神经迟钝 shénjīng chídùn / 머리의 회전이 ～ 脑子不灵活 nǎozi bù línghuó / 나이를 먹어서 동작이 둔해졌다 年纪大, 动作'迟钝〔笨〕了 niánjì dà, dòngzuò 'chídùn 〔bèn〕 le

둘 两 liǎng; 俩 liǎ ¶～도 없는 没有第二个 méiyǒu dì'èr ge / ～다 两个都 liǎng ge dōu

둘러막다 屏障 píngzhàng

둘러싸다 围上 wéishang; 围住 wéizhu; 包围 bāowéi; 围绕 wéirào; 环 huán ¶한국은 3면이 바다로 둘러싸여 있다 韩国三面环海 Hánguó sānmiàn huán hǎi / 스토브를 둘러싸고 밤늦게까지 이야기했다 围着火炉谈到深夜 wéizhe huǒlú tándào shēnyè

둘레 《주위》周围 zhōuwéi ¶연못의 ～를 산책하다 在池子周围散步 zài chízi zhōuwéi sànbù

둘째손가락 食指 shízhǐ; 〈口〉二拇指 èrmǔzhí

둥글다 《모양이》圆 yuán; 团 tuán ¶둥근 달 圆月 yuányuè =〔满月 mǎnyuè〕/ 둥근 얼굴 圆脸 yuánliǎn

둥둥 《북 소리》冬冬 dōngdōng

둥실둥실 轻飘飘 qīngpiāopiāo

둥우리 草筐 cǎokuāng

뒤 ①《뒤쪽》后边 hòubian；后面 hòumian；後方 hòufāng ¶～를 돌아보다 向后边看 xiàng hòubian kàn / ～로 물러나다 退到后面 tuì dào hòumian =〔向后退 xiàng hòu tuì〕/ 고향을 ～로 하다 离开家乡 líkāi jiāxiāng ②《시간적으로》以后 yǐhòu ¶식사 ～에 산책을 하다 饭后散步 fàn hòu sànbù ③《후사》子孙 zǐsūn；后人 hòurén ¶그 집은 ～가 끊겼다 那一家绝后了 nà yì jiā juéhòule ④《그 외의 일》以后的事 yǐhòu de shì；将来的事 jiānglái de shì ¶～는 상상에 맡긴다 后来的事就任凭你想像了 hòulái de shì jiù rènpíng nǐ xiǎngxiàng le ⑤《뒷일》结果 jiéguǒ；后果 hòuguǒ ¶～는 내가 맡는다 后果〔善后〕我来承担 hòuguǒ〔shànhòu〕wǒ lai chéngdān ⑥《사후》死后 sǐhòu；身后 shēnhòu ¶～에 남은 가족 死后的遗族 sǐhòu de yízú
뒤곁 后院 hòuyuàn；后庭 hòutíng
뒤꿈치 ⇨발뒤꿈치
뒤늦다 晚一步 wǎnyíbù
뒤덮다 蒙上 méngshàng；罩上 zhàoshàng
뒤돌아보다 回头看 huítóu kàn
뒤떨어지다 《낙오》落后 luòhòu；《못하다》不及 bùjí；不如 bùrú；《시간에》赶不上 gǎnbushàng
뒤미처 随后 suíhòu
뒤바꾸다 倒换 dǎohuàn
뒤보다 《용변》解大手儿 jiě dàshǒur；出恭 chūgōng
뒤섞다 搅拌 jiǎobàn；搅合 jiǎohé；搅混 jiǎohun；搀杂 chānzá ¶계란을 넣어서 잘 ～ 放进鸡蛋好好搅合 fàngjìn jīdàn hǎohǎo jiǎohé
뒤숭숭하다 《마음이》坐立不安 zuòlì bù'ān；心浮气躁 xīnfú qìzào
뒤엎다 弄倒 nòngdǎo；推翻 tuīfān
뒤적거리다 乱翻 luànfān
뒤죽박죽 杂乱 záluàn；混杂 hùnzá ¶서류가 ～이 되어 있다 各类文件搀杂在一起 gèlèi wénjiàn chānzá zài yìqǐ
뒤지다[1] ⇨뒤떨어지다
뒤지다[2] 寻找 xúnzhǎo ¶샅샅이 ～ 仔细寻找 zǐxì xúnzhǎo =〔到处寻找 dàochù xúnzhǎo〕
뒤집다 《뒤엎다》推翻 tuīfān；打倒 dǎdǎo；颠覆 diānfū ¶정권을 뒤집어엎다 推翻政权 tuīfān zhèngquán / 구설(舊說)을 뒤집어엎다 推翻以往的学说 tuīfān yǐwǎng de xuéshuō / 1심의 판결을 뒤집고 무죄를 선고하다 推翻第一审判决宣判无罪 tuīfān dìyī shěn pànjué xuānpàn wú zuì
뒤쪽 后边 hòubian；后侧 hòucè；后方 hòufāng；后面 hòumian
뒤축 后跟(儿) hòugēn(r)
뒤치다꺼리 《사후처리》善后 shànhòu；《돌봄》照顾 zhàogu
뒤통수 后头顶 hòutóudǐng
뒷간(…間) 厕所 cèsuǒ；茅房 máofáng
뒷걸음 倒退 dàotuì；后退 hòutuì ¶나는 엉겁결에 두세 걸음 ～질쳤다 我不由得往后倒退了几步 wǒ bùyóude wàng hòu dàotuìle jǐ bù
뒷맛 口中馀味 kǒuzhōng yúwèi ¶이 약은 ～이 개운치 않다 这个药吃过后嘴里不好受 zhège yào chīguò hòu zuǐli bùhǎo shòu
뒷문(…門) 后门 hòumén；便门 biànmén
뒷물 坐浴 zuòyù ¶～을 하다 洗坐浴 xǐ zuòyù
뒷받침 《후원》后盾 hòudùn；靠山 kàoshan；撑腰 chēngyāo；《증명》确证 quèzhèng ¶이론을 실험에 의해서 ～하다 理论由实验加以证明 lǐlùn yóu shíyàn jiāyǐ zhèngmíng
뒷손가락질하다 背后指责 bèihòu zhǐzé；暗中责骂 ànzhōng zémà
뒷일 以后的事 yǐhòu de shì；将来的事 jiānglái de shì
뒷짐 背着手 bèizhe shǒu ¶～지다 背着手 bèizhe shǒu =〔反剪着手 fǎnjiǎnzhe shǒu〕
드나들다 《출입》常来往 cháng láiwǎng
드디어 终于 zhōngyú ¶～성공했다 终于成功了 zhōngyú chénggōng le
드라마(drama) 戏 xì；戏剧 xìjù
드라마틱(ddramatic) 戏剧性(的) xìjùxìng (de) ¶～한 장면 戏剧性的场面 xìjùxìng de chǎngmiàn
드라이(dry) 干 gān；干燥 gānzào ‖ ～ 아이스 干冰 gānbīng / ～ 클리닝 干洗 gānxǐ
드라이버(driver) ①《운전사》司机 sījī；驾驶员 jiàshǐyuán ②《나사돌리개》改锥 gǎizhuī；螺丝刀 luósīdāo；螺丝起子 luósīqǐzi；赶锥 gǎnzhuī
드라이브(drive) 兜风 dōufēng ¶～ 가다 出去兜风 chūqù dōufēng
드라이어(drier) 干燥机 gānzàojī ‖ 헤어 ～ 吹风机 chuīfēngjī
드러나다 败露 bàilù；表露 biǎolù ¶취하면 본성이 드러난다 一醉就暴露了本性 yí zuì jiù bàolùle běnxìng
드러내다 揭发 jiēfā
드리다[1] 《곡식을 바람에》攘场 rǎngcháng
드리다[2] 《주다》赠给 zènggěi；奉上 fèngshang
드리우다 使下垂 shǐxiàchuí；《이름을》名垂后世 míng chuí hòushì
드물다 ①《잦지 않다》少 shǎo；少有 shǎoyǒu；稀罕 xīhan；稀 xī；稀少 xīshǎo；罕见 hǎnjiàn ¶근년에 드문 풍작 几年来'少有〔罕见〕的丰收 jīnián lai'shǎoyǒu〔hǎnjiàn〕de fēngshōu ②《흔하지 않다》稀奇 xīqí；稀罕 xīhan ¶세상에 보기 드문 일 世上少有的事情 shìshàng shǎoyǒu de shìqing
득(得) 利益 lìyì；有利 yǒulì；赚头 zhuàntou
득의양양(得意揚揚) 得意洋洋 dé yì yáng yáng；欢天喜地 huān tiān xǐ dì；自满 zìmǎn；自鸣得意 zìmíngdéyì ¶그는 우승해서 ～하다 他得了冠军得意扬扬 tā déle guànjūn dé yì yáng yáng
득점(得點) 得分 défēn
득표(得票) 得票 dépiào ¶압도적인 ～로 당선되다 以压倒多数的得票当选 yǐ yādǎo duōshù de dépiào dāngxuǎn
든든하다 《마음이》可靠 kěkào；《몸이》壮实 zhuàngshi ¶동행이 있어 마음이 ～ 有伴儿心里踏实 yǒu bànr xīnli tāshi
듣다[1] 《물방울이》滴搭 dīdā；滴沥 dīlì
듣다[2] 《귀로》听 tīng ¶잘 주의해서 ～ 好好注意听 hǎohǎo zhùyì tīng
듣다[3] 《약 따위》有效 yǒuxiào ¶이 약은 잘 ～ 这个药很有效 zhè ge yào hěn yǒuxiào
들 野地 yědì；原野 yuányě
…들 《복수》等 děng(물건)；们 men(사람) ¶그 ～ 他们 tāmen
들것 担架 dānjià；扛床 kángchuáng ¶～으

로 나르다 用担架运 yòng dānjià yùn
들국화(…菊花) 野菊 yějú
들기름 荏油 rěnyǒu
들다[1] ①《들어가다》住进去 zhù jìnqu ¶셋집에 ～ 租房住 zūfáng zhù / 여관에 ～ 住店 zhù diàn ②《도둑이》闯入 chuǎng rù; 闯进 chuǎngjìn ¶도둑이 ～ 闯进人家盗窃 chuǎngjìn rénjiā dàoqiè ③《…상태가 되다》入 rù; 进入 jìnrù ¶가경에 ～ 进入佳境 jìnrù jiājìng ④《비용 · 품이》需要 xūyào; 花费 huāfèi; 用 yòng ¶그 사업은 막대한 비용이 든다 那项事业需要巨款 nà xiàng shìyè xūyào jùkuǎn / 품이 ～ 费工夫 fèi gōngfu =〔费事 fèi shì〕⑤《병이》生病 shēngbìng
들다[2] 《칼이》¶잘 드는 칼 快刀 kuàidāo =〔锋利的刀 fēnglì de dāo〕
들다[3] 《나이가》岁数儿相当大 suìshùr xiāngdāng dà
들다[4] ①《손에》拿 ná ¶무거워서 들 수가 없다 沉得拿不动 chénde nábudòng / 이렇게 많이 들 수 없다 这么多东西, 我拿不了 zhème duō dōngxi, wǒ nábuliǎo ②《들어올리다》举 jǔ; 抬 tái; 扬 yáng ¶손을 들어서 찬성하다 举手赞成 jǔ shǒu zànchéng / 부끄러워서 얼굴을 들 수가 없다 害羞得抬不起头来 hàixiūde tái bu qǐ tóu lái ③《사실 · 예를》举例 jǔlì; 列举 lièjǔ ¶예를 들어 설명하다 举例说明 jǔlì shuōmíng ④《음식을》吃 chī; 喝 hē ¶무엇을 드시겠습니까? 您吃什么? nín chī shénme?
들들볶다 《콩 따위를》搅和着炒 jiǎo huozhe chǎo; 《괴롭히다》煎熬 jiān'áo
들뜨다 《기뻐서》乐得坐不稳站不安 lède zuòbuwěn zhànbu'ān
들러붙다 粘着 niánzhuó; 附着 fùzhuó ¶옷에 떡이 ～ 粘糕粘到衣服上了 nián gāo nián dào yīfu shàng le
들르다 顺便去 shùnbiàn qù; 顺路到 shùnlù dào ¶학교에서 돌아오는 길에 서점에 ～ 从学校回来顺便到书店去 cóng xuéxiào huílái shùnbiàn dào shūdiàn qù
들리다[1] 《귀에》听得见 tīngdejiàn; 能听见 néng tīngjian ¶들려 오다 听到 tīngdào / 들리지 않다 听不到 tīngbudào / 들리지 않게 되다 听不见了 tīngbujiàn le / 소리가 작아서 잘 들리지 않다 声音太小, 听不清楚 shēngyīn tài xiǎo, tīng bu qīngchu
들리다[2] ①《병이》得 dé ¶병에 ～ 得病 dé bìng ②《귀신이》附身 fù shēn ¶귀신이 들렸다 被鬼魂附了体 bèi guǐhún fùle tǐ
들보 〖建〗房梁 fángliáng; 横梁 héngliáng; 大梁 dàliáng
들어가다 ①《안으로》进 jìn; 入 rù; 进入 jìnrù ¶교실에 ～ (走)进教室 (zǒu) jìn jiàoshì / 정문으로 ～ 从正门进入 cóng zhèngmén jìnrù / 물에 ～ 下水 xià shuǐ / 입선하다 入选 rùxuǎn ②《회사 · 군대 등에》进 jìn; 入 rù; 加入 jiārù; 参加 cānjiā ¶군대에～ 入伍 rù wǔ / 회사에 ～ 进入公司 jìnrù gōngsī / 당에 ～ 入党 rù dǎng ③《학교에》上(学) shàng (xué); 入(学) rù(xué) ¶대학에 ～ 上大学 shàng dàxué
들어눕다 躺卧 tǎngwò
들어맞다 《화살 · 탄알》中的 zhòngdì; 《추측이》猜着 cāizháo
들어올리다 举起来 jǔqǐlái
들여다보다 《안을》窥视 kuīshì; 探视 tànshì ¶틈 사이로 ～ 从缝隙窥视 cóng fèngxì kuīshì / 현미경으로 ～ 用显微镜看 yòng xiǎnwēijìng kàn
들여다보이다, 들여다뵈다 看透 kàntòu; 看穿 kànchuān; 显而易见 xiǎn ér yì jiàn ¶들여다뵈는 거짓말 明显的谎言 míngxiǎn de huǎngyán
들여오다 引进 yǐnjìn; 导入 dǎorù ¶외국 문화를 ～ 引进外国的文化 yǐnjìn wàiguó de wénhuà
들이닥치다 逼近 bījìn; 涌上来 yǒngshànglái ¶눈앞에 들이닥친 吃紧的 chījǐnde =〔紧急的 jǐnjíde〕
들이쉬다 吸入 xīrù; 吸进 xījìn; 吸收 xīshōu ¶산의 신선한 공기를 가슴 속 깊이 ～ 深深吸进山中的新鲜空气 shēnshēn xījìn shānzhōng de xīnxiān kōngqì
들이켜다 大口喝 dàkǒu hē ¶맥주를 ～ 大口喝啤酒 dàkǒu hē píjiǔ
들이키다 《안쪽으로》挪近里边 nuójìn lǐbian
들짐승 野兽 yěshòu
들창(…窓) 天窗 tiānchuāng
들창코 朝天鼻子 cháotiān bízi
들추어내다 揭穿 jiēchuān; 揭露 jiēlòu
들키다 被发现 bèi fāxiàn; 被看到 bèi kàndào ¶저 사람들에게 들키지 않도록 해라 不要被他们发现啊 búyào bèi tāmen fāxiàn a
들판 野地 yědì
듬뿍 满满地 mǎnmǎnde ¶～ 팁을 주다 给了很多小费 gěile hěn duō xiǎofèi
듯하다 像是… xiàng shì…
등 《잔등》脊背 jǐbèi; 〈方〉脊梁 jíliang〔niang〕¶～을 펴다 伸腰(儿) shēnyāo(r) =〔挺腰 tǐngyāo〕/ ～을 벽에 기대다 背靠在墙上 bèi kào zài qiáng shang
등(等) 等 děng; 等等 děngděng ¶그 일은 국회 ～에서 문제가 되었다 那件事在国会等机关成了问题 nà jiàn shì zài guóhuì děng jīguān chéngle wèntí
등골 脊梁沟 jíliang〔niang〕gōu ‖～뼈 脊梁骨 jíliang〔niang〕gǔ
등귀(騰貴) 腾贵 ténggùì; 涨价 zhǎngjià; 上涨 shàngzhǎng ¶물가는 거듭 ～의 경향이 있다 物价有益渐上涨的趋势 wùjià yǒu yìjiàn shàngzhǎng de qūshì
등급(等級) 等级 děngjí; 位次 wèicì ¶～을 나누다 划分定出等级 huàfēn dìng chū děngjí
등기(登記) ①登记 dēngjì ¶신축 가옥의 ～를 하다 办理新盖房屋的登记手续 bànlǐ xīn gài fángwū de dēngjì shǒuxù ②《등기우편》挂号(信) guàhào (xìn) ¶소포를 ～로 보내다 包裹用挂号寄出 bāoguǒ yòng guàhào jìchū ‖～우편 挂号邮件 guàhào yóujiàn
등록(登錄) 登记 dēngjì; 注册 zhùcè ¶이 상표는 ～되어 있다 这个商标已经注册 zhège shāngbiāo yǐjīng zhùcè ‖～ 상표 注册商标 zhùcè shāngbiāo / 주민 ～ 居民登记 jūmín dēngjì
등반(登攀) 登山 dēngshān; 攀登 pāndēng ‖～대 登山队 dēngshānduì
등불 灯火 dēnghuǒ; 灯光 dēngguāng
등뼈 脊梁骨 jíliang〔niang〕gǔ; 脊骨 jǐgǔ; 脊柱 jǐzhù
등사(謄寫) 油印 yóuyìn; 誊写 téngxiě ‖～판

誊写版 téngxiěbǎn
등산(登山) 登山 dēngshān; 爬山 páshān
등신(等神) 傻瓜 shǎguā; 窝囊废 wōnangfèi; 饭桶 fàntǒng
등에《蟲》虻 méng; 牛虻 niúméng
등용(登用) 起用 qǐyòng; 录用 lùyòng; 擢用 zhuóyòng ¶인재 ～을 잘 하다 善于起用人材 shàn yú qǐyòng réncái
등잔(燈盞) 灯盏 dēngzhǎn ¶～ 밑이 어둡다 丈八灯台照远不照近 zhàngbā dēngtái zhào yuǎn bú zhào jìn =〔灯前黑 dēng qián hēi〕
등장(登場) ①《무대에》 登场 dēngchǎng; 出场 chūchǎng; 上场 shàngchǎng; 出演 chūyǎn; 出台 chūtái; 登台 dēngtái ¶주역이 ～하다 主角登场 zhǔjué dēngchǎng ②《장소에》 出现 chūxiàn; 登场 dēngchǎng ¶분쟁 해결에 A 씨가 ～하다 为了解决纠纷A先生出现 wèile jiějué jiūfēn A xiānsheng chūxiàn ‖～ 인물 登场人物 dēngchǎng rénwù =〔剧中人 jùzhōngrén〕
등지다 ①《불화》 犯生分 fàn shēngfen; 仇隙 chóuxì; 有仇扣 yǒu chóu kòu ②《배반 · 저버림》 背叛 bèipàn; 辜负 gūfù ¶나라를 ～ 背叛国家 bèipàn guójiā ③《뒤로 의지》 背着 bèizhe; 背向 bèixiàng ¶태양을 등지고 서다 背着太阳站着 bèizhe tàiyáng zhànzhe
등한(等閑) 等闲 děngxián; 忽视 hūshì ¶～시하다 等闲视之 děng xián shì zhī / 그것은 ～히 할 일이 아니다 那可不容忽视 nà kě bù róng hūshì
등호(等號) 《數》 等号 děnghào
디너 파티(dinner party) 晚宴 wǎnyàn
디디다 踏 tà; 踩 cǎi ¶처음으로 중국의 땅을 ～ 初次踏上中国的土地 chūcì tà shàng Zhōngguó de tǔdì / 계단을 헛～ 在楼梯上踩空了 zài lóutīshang cǎikōng le
디스카운트(discount) 《할인》 折扣 zhékòu; 减价 jiǎnjià; 《싼값》 廉价 liánjià
디스코(disco) 迪斯科 dísīkē ‖～ 댄스 迪斯科舞 dísīkēwǔ
디스크(disk, disc) 圆盘 yuánpán; 《레코드》 唱片 chàngpiàn
디스크 자키(disk jockey) 音乐唱片节目 yīnyuè chàngpiàn jiémù; 音乐节目广播员 yīnyuè jiémù guǎngbōyuán
디자이너(designer) 设计家 shèjìjiā; 图案家 tú'ànjiā
디자인(design) 设计 shèjì; 图案 tú'àn ‖상업～ 商业设计 shāngyè shèjì
디저트(dessert) 餐后点心 cānhòu diǎnxin; 甜食 tiánshí ¶～로 아이스크림을 먹다 餐后吃了冰激凌 cānhòu chīle bīngjīlíng
디젤 엔진(diesel engine) 柴油(发动)机 cháiyóu (fādòng)jī; 内燃机 nèiránjī; 狄赛尔发动机 dísài'ěr fādòngjī
디지털(digital) 数字(的) shùzì(de); 计数(的) jìshù(de) ‖～ 계산기 数字计算机 shùzì jìsuànjī / ～ 시계 数字式表 shùzì shì biǎo =〔数字表 shùzì biǎo〕〔数字钟 shùzì zhōng〕
따끔하다 《찔리어》 刺痛 cìtòng; 《양심에》 戳肺管子 chuō fèi guǎnzi; 良心有愧 liángxīn yǒu kuì
따다 ①《과일 따위》 摘 zhāi; 掐 qiā ¶꽃을 ～ 掐花 qiā huā ②《점수 · 자격을》 得到 dédào; 取得 qǔdé ¶학위를 ～ 取得学位 qǔdé xuéwèi / 영어 시험에서 만점을 땄다 英语考试得了满分 yīngyǔ kǎoshì déle mǎnfēn
따라가다 跟上 gēnshang
따라서 《그러므로》 因此 yīncǐ; 《그대로 좇아서》 顺着 shùnzhe
따로 另外 lìngwài
따로따로 各别 gèbié; 各各另另的 gègè lìnglìngde
따르다[1] ①《뒤를》 跟着 gēnzhe; 跟随 gēnsuí ¶안내인을 따라서 견학하다 跟着向导参观 gēnzhe xiàngdǎo cānguān ②《대세 · 시류 등에》 适应 shìyìng; 随着 suízhe ¶시대의 흐름에 ～ 适应时代的潮流 shìyìng shídàide cháoliú ③《복종》 服从 fúcóng; 听从 tīngcóng; 遵从 zūncóng; 顺从 shùncóng ¶선생님의 가르침에 ～ 遵从老师的教导 zūncóng lǎoshī de jiàodǎo ④《끼고 가다》 顺 shùn; 沿 yán ¶이 길을 따라서 곧장 가다 沿着这条路一直走 yánzhe zhè tiáo lù yìzhí zǒu
따르다[2] 《물 따위를》 倒 dào; 《술을》 斟 zhēn ¶더운 물을 조금 더 따라 주세요 请再给倒上点热水 qǐng zài gěi dàoshang diǎn rèshuǐ / 잔에 술을 ～ 往杯里斟酒 wàng bēi lǐ zhēn jiǔ
따분하다 《느른함 · 지루함》 无聊 wúliáo
따위 之类 zhīlèi; 等等 děngděng; 什么的 shénmede ¶나는 정치적 야심 ～는 갖고 있지 않다 我没有政治野心这类东西 wǒ méiyǒu zhèngzhì yěxīn zhè lèi dōngxi
따지다 ①《계산》 算计 suànji ②《시비 · 까닭을》 责问 zéwèn; 责备 zébèi ¶면전에서 ～ 当面责备人 dāngmiàn zébèi rén
딱 ①《틈새없이》 紧 jǐn ¶～ 옆에 붙어 서다 紧挨着站 jǐn āizhe zhàn ②《꼭 맞다》 恰好 qiàhǎo; 正合适 zhèng héshì ¶계산이 ～ 맞다 账目'正合〔一点不差〕 zhàngmù'zhèng hé 〔yìdiǎn bù chā〕
딱따구리 《鳥》 啄木鸟 zhuómùniǎo
딱따기 梆子 bāngzi ¶～를 치다 敲梆子 qiāo bāngzi
딱딱거리다 凌气逼人 líng qì bī rén
딱딱하다 ①《굳다》 硬 yìng ¶의자가 딱딱해서 앉기가 나쁘다 椅子太硬, 坐着不舒服 yǐzi tài yìng, zuòzhe bù shūfu ②《문장이》 生硬 shēngyìng ¶딱딱한 문장 生硬的文章 shēngyìng de wénzhāng
딱부리 ⇨눈딱부리
딱지[1] ①《피부의》 疮痂 chuāngjiā ¶～가 떨어지다 疮痂掉了 chuāngjiā diào le ②《동물의》 甲壳 jiǎqiào ¶거북 ～ 龟壳 guīqiào =〔龟甲 guījiǎ〕/ 게～ 蟹壳 xièqiào
딱지[2](…紙) 《레테르》 标签 biāoqiān; 标记 biāojì ¶～를 떼다 剥去标签 bāoqù biāoqiān
딱총(…銃) 玩具小枪 wánjù xiǎoqiāng; 摔炮 shuāipào
딱하다 ①《가엾다》 可怜 kělián; 可悯 kěmǐn ¶딱하게 여기다 觉得可怜 juéde kělián ②《난처하다》 为难 wéinán; 难办 nánbàn ¶딱한 입장 困难的立场 kùnnán de lìchǎng
딴전피우다 搞别的 gǎo biéde; 《모르는 체》 装傻 zhuāngshǎ; 钻空子 zuānkòngzi
딸 女孩子 nǚháizi; 女儿 nǚ'ér; 闺女 guīnǚ; 姑娘 gūniang ¶～이 셋이면 기둥 뿌리가 팬다 有三个女孩儿就会倾家荡产 yǒu sān ge nǚháir jiù huì qīng jiā dàng chǎn
딸기 《植》 草莓 cǎoméi; 洋莓 yángméi; 〈方〉 杨

莓 yángméi
딸꾹질 呃逆 ènì; 〈口〉打嗝儿 dǎgér ¶ ~하다 打嗝儿 dǎ gér
땀 汗 hàn; 汗水 hànshuǐ ¶ ~ 흘리다 出汗 chū hàn
땀띠 汗疹 hànzhěn; 痱子 fèizi
땅 ①《일반적인》土地 tǔdì ¶조국의 ~을 밟다 踏上祖国的土地 tàshang zǔguó de tǔdì ②《논·밭》耕地 gēngdì ¶ ~을 갈다 耕地 gēng dì / 메마른 ~에 비료를 주다 对瘠土施肥 duì jítǔ shī féi ③《곳·지방》地 dì; 地皮 dìpí ¶ ~을 놀려두다 闲置土地 xiánzhì tǔdì ④《영토》领土 lǐngtǔ
땅거미 暮色 mùsè; 薄暮 bómù; 黄昏 huánghūn; 夜色苍茫 yèsè cāngmáng ¶ ~ 지기 시작하다 快要天黑 kuàiyào tiānhēi
땅딸보 矮胖子 ǎipàngzi
땅콩 落花生 luòhuashēng; 花生 huāshēng; 《껍질을 벗겨낸 것》花生米 huāshēngmǐ; 《알맹이》花生仁 huāshēngrén
땋다 编 biān ¶머리를 땋아 내리다 把头发编成辫子 bǎ tóufa biān chéng biànzi =〔梳'辫儿〔辫子〕 shū'biànr 〔biànzi〕〕
때[1] ①《시간적인》时间 shíjiān ¶ ~가 지남에 따라 随着时间的消逝 suízhe shíjiān de xiāoshì / 닭이 ~를 알리다 晨鸡报晓 chén jī bàoxiǎo ②《시기·운수》时机 shíjī; 机会 jīhuì ¶ ~가 오기를 기다리자 等待时机吧 děngdài shíjī ba ③《경우》情况 qíngkuàng; 时候(儿) shíhou(r) ¶국가 존망의 ~ 国家危急存亡之秋 guójiā wēijí cúnwáng zhī qiū / ~에 따라서 말투를 바꾸다 看风使舵说话 kàn fēng shǐ duò shuōhuà ④《철·시절·시대》时 shí; 时候(儿) shíhou(r); 时节 shíjié; 时期 shíqī ¶벚꽃이 필 ~에 다시 와 주십시오 樱花盛开时节请再来 yīnghuā shèngkāi shíjié qǐng zài lái
때[2] 《더러움》油泥 yóuní; 垢泥 gòuní; 污垢 wūgòu ¶ ~ 밀이 搓澡的 cuōzǎode =〔搓澡工人 cuōzǎo gōngrén〕〔搓澡服务员 cuōzǎo fúwùyuán〕/ ~가 끼다 脏了 zāng le / 손톱 밑의 ~ 指甲里的污垢 zhǐjia lǐ de wūgòu
때다 《불을》烧 shāo ¶석탄을 ~ 烧煤 shāo méi / 불을 ~ 烧火 shāo huǒ
때때로 有时 yǒushí; 偶尔 ǒu'ěr ¶ ~ 가랑비가 뿌리다 偶尔下点小雨 ǒu'ěr xià diǎn xiǎoyǔ
때리다 打 dǎ; 揍 zòu ¶머리를 ~ 打脑袋 dǎ nǎodai
때문 原因 yuányīn; 缘故 yuángù; 原故 yuángù; 影响 yǐngxiǎng; 关系 guānxi ¶이 ~에 因此 yīn cǐ / 너 ~에 因为你 yīnwèi nǐ / 아마 잠을 못 잤기 ~에 온몸이 나른한 걸 게다 也许是睡眠不够的关系，浑身酸懒 yěxǔ shì shuìmián búgòu de guānxi, húnshēn suānlǎn
땜 焊活 hànhuó ‖ ~납 焊锡 hànxī =〔焊料 hànliào〕/ ~장이 锡拉匠 xīlājiàng
땡땡 玎珰玎珰 dīngdāng dīngdāng
떠나다 离去 líqù; 离开 líkāi ¶고향을 ~ 离开故乡 líkāi gùxiāng / 세상을 ~ 去世 qùshì =〔逝世 shìshì〕/ 무대를 ~ 离开戏剧界 líkāi xìjùjiè =〔退出舞台〕/ 그는 나의 곁을 떠나 버렸다 他离开了我 tā líkāile wǒ
떠돌다 ①《유랑》飘荡 piāodàng ②《소문이》传 chuán ¶소문이 ~ 正传说着 zhèng chuán shuōzhe =〔有风声 yǒu fēngshēng〕
떠들다 ①《시끄럽게》吵 chǎo; 吵闹 chǎonào; 《아우성쳐서》吵嚷 chǎorǎng ¶술을 마시고 크게 ~ 喝了酒胡闹 hēle jiǔ húnào ②《소동을 일으키다》骚动 sāodòng; 闹事 nàoshì; 显出不稳 xiǎnchū bù wěn ¶입장을 요구하며 ~ 吵吵闹闹地要求入场 chǎochaonàonào de yāoqiú rùchǎng
떠들썩하다 《시끄럽게》吵闹 chǎonào; 嘈杂 cáozá; 《아우성쳐서》喧吵 xuānchǎo; 喧闹 xuānnào; 喧嚣 xuānxiāo ¶주위가 떠들썩해서 잘 들리지 않는다 周围很吵闹听不大清楚 zhōuwéi hěn chǎonào tīng bú dà qīngchu
떠들어대다 叫嚷 jiàorǎng; 吵嚷 chǎorǎng; 吵闹 chǎonào; 闹哄 nàohong ¶그녀가 떠들어대니까 도둑은 당황해서 도망갔다 因为她一吵嚷，小偷慌张地逃跑了 yīnwèi tā yì chǎorǎng, xiǎotōu huāngzhāng de táopǎo le
떠맡기다 委办 wěi bàn ¶떠맡다 担承 dānchéng
떠버리 说大话的人 shuō dàhuà de rén; 吹牛的人 chuīniú de rén
떠오르다 ①《물 위로》浮起 fúqǐ; 浮出 fúchū ¶잠수함이 ~ 潜艇浮出水面 qiántǐng fúchū shuǐmiàn ②《나타나다》浮现 fúxiàn; 露出 lùchū ¶입가에 미소가 ~ 嘴上含笑 zuǐshang hánxiào ③《생각이》想起 xiǎngqǐ; 想出 xiǎngchū ¶갑자기 명안이 ~ 忽然在脑子里闪过一个好主意 hūrán zài nǎozi lǐ shǎnguò yí ge hǎo zhǔyì =〔灵机一动，计上心来 língjī yí dòng, jì shàng xīn lái〕/ 적당한 말이 떠오르지 않다 想不出适当的词儿 xiǎng bu chū shìdàng de cír ④《공중에》上升 shàngshēng ¶태양이 ~ 太阳升 tàiyáng shēng
떡 年糕 niángāo ‖ ~국 糕汤 gāotang
떨다 发抖 fādǒu; 哆嗦 duōsuo; 打颤 dǎchàn ¶추워서 ~ 冻得哆嗦 dòngde duōsuo / 공포로 ~ 吓得发抖 xiàde fādǒu =〔因非常害怕胆战心惊 yīn fēicháng hàipà dǎn zhàn xīn jīng〕
떨리다 发抖 fādǒu; 颤动 chàndòng; 哆嗦 duōsuo; 震动 zhèndòng ¶손이 ~ 手哆嗦 shǒu duōsuo / 부들부들(벌벌) ~ 不住地发抖 bú zhù de fādǒu
떨어뜨리다 ①《위에서 아래로》使(从高处)落下 shǐ (cóng gāochù) luòxià; 使降落 shǐ jiàngluò; 使堕落 shǐ zhuìluò; 弄下 nòngxià; 往下扔 wǎng xiàrēng; 往下投 wǎng xiàtóu; 打下 dǎxià; 掉 diào ¶폭탄을 ~ 扔炸弹 rēng zhàdàn / 나는 새를 ~ 打下飞着的鸟 dǎxià fēizhe de niǎo / 다리 위에서 돌을 ~ 从桥上扔石头 cóng qiáo shàng rēng shítou ②《손에서》丢掉 diūdiào; 落掉 luòdiào ¶바톤을 ~ 把接力棒掉了 bǎ jiēlì bàng diào le / 공을 ~ 接漏了球 jiēlòule qiú ③《분실》失落 shīluò; 丢掉 diūdiào; 遗失 yíshī ¶돈지갑을 ~ 把钱包丢了 bǎ qiánbāo diū le ④《위신·신용 등을》失掉 shīdiào ¶위신을 ~ 失掉〔降低〕威信 shīdiào 〔jiàngdī〕 wēixìn / 신용을 ~ 失掉信用 shīdiào xìnyòng ⑤《불합격시키다》使落选 shǐ luòxuǎn; 使不及格 shǐ bù jígé ¶50점 이하의 학생을 ~ 五十分以下的学生不及格 wǔshí fēn yǐxià de xuéshēng bù jígé ⑥《돈을》留下 liúxià; 花费掉 huāfèi diào ¶관광객이 떨어뜨리고 가는 돈 观光旅客花掉的钱 guānguāng lǚkè huādiào de qián
떨어져가다 走开 zǒukāi; 离远 líyuǎn; 走远 zǒu

yuǎn

떨어지다 ①《높은 곳에서》 落下 luòxia; 降落 jiàngluò; 掉下来 diàoxiàlái; 堕落 zhuìluò ¶나뭇잎이 ~ 树叶落下 shùyè luòxia / 빗방울이 처마에서 ~ 雨点从檐头滴下 yǔdiǎn cóng yántou dīxià / 비행기가 바다로~ 飞机'坠落〔堕入〕海中 fēijī'zhuìluò〔duòrù〕 hǎizhōng ②《전보다》 堕落 duòluò; 沦落 lúnluò; 低落 dīluò; 降低 jiàngdī ¶인기가 ~ 声望低落了 shēngwàng dīluò le / 신용이 땅에 떨어지다 信誉扫地 xìnyù sǎo dì / 성적이 ~ 成绩降低了 chéngji jiàngdī le / 이 물건은 질이 ~ 这个货质量差 zhè ge huò zhìliàng chà / 속도가 ~ 速度'降低〔差〕 sùdù'jiàngdī〔chà〕 ③《거리가》 距离 jùlí; 相隔 xiānggé ¶시가에서 10km 떨어진 곳 离市镇十公里的地方 lí shìzhèn shí gōnglǐ de dìfang

떨치다《명성》 响震 xiǎngzhèn ¶명성을 천하에 ~ 名震天下 míng zhèn tiānxià

떫다 涩(味) sè(wèi) ¶떫은 감 涩柿子 sè shìzi

떳떳하다 不愧心 bú kuìxīn

떵떵거리다 大红大紫 dà hóng dà zǐ; 大摇大摆 dà yáo dà bǎi

떼[1]《무리》 群 qún; 伙 huǒ ¶양~ 羊群 yáng qún / ~를 지어가다 成群结队而走 chéng qún jié duì ér zǒu / ~지어서 덤벼들다 群起而攻之 qún qǐ ér gōng zhī =〔大家打一个人 dàjiā dǎ yí ge rén〕

떼[2]《잔디》 矮草 ǎicǎo

떼[3]《뗏목》 木排 mùpái; 筏子 fázi

떼[4]《고집》 蛮横 mánhèng; 小孩儿撒娇 xiǎoháir sājiāo; 磨人 mórén ¶~ 쓰다 撒娇(不听话) sā jiāo(bù tīng huà) =〔缠磨人 chánmo rén〕

떼다 ①《본디 자리에서》 ¶책에서 눈을 떼지 않다 眼睛不离书 yǎnjing bù lí shū =〔总盯着书 zǒng dīng zhe shū〕 / 포스터를 ~ 揭下'招贴〔广告画〕 jiēxia 'zhāotiē〔guǎnggàohuà〕 ②《사이를》 隔开 gékāi; 拉开距离 lākāi jùlí ¶책상과 책상 사이를 ~ 把桌子之间的距离拉开 bǎ zhuōzi zhī jiàn de jùlí lākāi / 한 자 한 자 떼어서 쓰다 一个字一个字地拉开空当儿 yí ge zì yí ge zì de lākāi kòngdāngr ③《발행하다》 发出 fāchū; 开出 kāichū ¶수표를 ~ 开出支票 kāichū zhīpiào

떼어먹다《안갚다》 不认账 bú rèn zhàng; 赖账 lài zhàng; 《우수리를》 揩油 kāi yóu; 抽头儿 chōu tóur

또 又 yòu; 再 zài; 还 hái ¶~ 우승하다 又当冠军了 yòu dāng guànjūn le / 오늘도 비가 ~ 내리다 今天又下雨 jīntiān yòu xià yǔ / ~ 오십시오 欢迎再来 huānyíng zàilái / 금방 먹었는데 ~ 먹고 싶니? 刚刚吃过的, 还想吃呀? gānggāng chīguò de, hái xiǎng chī a

또다시 再而且 zài érqiě

또한 又是 yòushì; 也 yě ¶그도 ~ 찬성이다 他也赞成 tā yě zànchéng

똑딱단추 子母扣 zǐmǔkòu; 闷扣 mènkòu; 按扣 ànkòu ¶~를 채우다 扣上子母扣 kòushang zǐmǔkòu

똑딱선(…船) 机动船 jīdòngchuán

똑똑 ①《물방울이 떨어지는 소리》 滴滴答答 dīdī dādā ②《부러지는 소리》 嘎巴嘎巴 gābā gābā ③《두드리는 소리》 咚咚 dōngdōng ¶~ 문을 두드리다 咚咚地敲门 dōngdōng de qiāo mén

똑똑하다 ①《분명》 清楚 qīngchu ¶발음이 ~ 发音(发得)清楚 fāyīn (fāde) qīngchu ②《영리》 聪明 cōngming; 伶俐 línglì ¶똑똑한 소년 聪明的少年 cōngming de shàonián

똑바로 ①《곧장》 一直 yìzhí ¶이 길을 ~ 가십시오 请顺着这条大街一直往前走 qǐng shùnzhe zhè tiáo dàjiē yìzhí wǎng qián zǒu ②《곧바르게》 直 zhí; 笔直 bǐzhí ¶똑바른 길 笔直的路 bǐzhí de lù / ~ 앉다 端坐 duānzuò =〔坐得笔直 zuòde bǐzhí〕 / ~ 보다 直向前看 zhí xiàng qián kàn ③《정직》 老实 lǎoshi; 正直 zhèngzhí; 耿直 gěngzhí; 坦率 tǎnshuài; 直率 zhíshuài ¶~ 말하다 坦率地说 tǎnshuài de shuō

똥 粪 fèn; 屎 shǐ ¶~ 싸다 大便 dàbiàn =〔拉屎 lāshǐ〕

똥구멍 屁股眼儿 pìguyǎnr

뚜껑 盖儿 gàir; 盖子 gàizi ¶~을 열다 揭(开)盖儿 jiē (kāi) gàir

뚜렷하다 ①《약효가》 效力显著 xiàolì xiǎnzhù ¶뚜렷한 약효 显著的药效 xiǎnzhù de yàoxiào =〔药很灵验 yào hěn língyàn〕 ②《윤곽이》 鲜明 xiānmíng ¶윤곽이 뚜렷한 얼굴 线条鲜明的脸 xiàntiáo xiānmíng de liǎn

뚜쟁이 鸨母 bǎomǔ; 拉纤的 lāqiànde; 马泊六 mǎbóliù

뚝심 ①《불쑥 내미는 힘》 蛮力 mánlì; 大力气 dàlìqi; 傻大劲 shǎdàjìn; 冲劲儿 chòngjìnr; 牛劲 niújìn ¶~이 있다 有股傻大劲 yǒu gǔ shǎdàjìn ②《버티는》 毅力 yìlì

뚫다 ①《구멍을》 穿开 chuānkāi; 《파다》 挖 wā ¶구멍을 ~ 开洞 kāi dòng =〔穿孔 chuān kǒng〕 / 탄환이 벽을 ~ 子弹打穿墙壁 zǐdàn dǎ chuān qiángbì / 쥐가 벽에 구멍을 뚫었다 老鼠在墙上挖了个洞 lǎoshǔ〔shu〕 zài qiángshang wāle ge dòng ②《길 막힌 것을》 ¶터널을 ~ 挖隧道 wā suìdào ③《틈을 뚫어 열다》 ¶난관을 ~ 摆脱难关 bǎituō nánguān / 단신으로 적의 진지를 뚫고 나가다 一个人杀出敌阵 yí ge rén shāchū dízhèn / 법망을 ~ 钻法律的空子 zuān fǎlǜ de kòngzi

뚱뚱보 胖子 pàngzi

뚱뚱하다 胖大 pàngdà

뛰다[1]《마음이》 跳动 tiàodòng ¶기뻐서 가슴이 ~ 高兴得心直跳 gāoxingde xīn zhí tiào =〔心潮澎湃 xīn cháo pēng pài〕

뛰다[2] ①《달리다》 跑 pǎo ¶뛰어가면 틀림없이 시간에 댈 수 있다 跑着去一定能赶上 pǎozhe qù yídìng néng gǎnshang ②《뛰어넘다》 跳过 tiàoguò ¶담을 뛰어넘다 跳过墙去 tiàoguò qiáng qù / 도랑을 뛰어넘다 跳过水沟 tiàoguò shuǐgōu ③《순서를》 越过 yuèguò; 跳过 tiàoguò ¶2계급 뛰어 과장이 되었다 跳了两级升为科长 tiàole liǎngjí shēngwéi kēzhǎng

뛰어내리다 跳下 tiàoxià ¶빌딩에서 뛰어내려 자살하다 跳楼自杀 tiào lóu zìshā

뛰어오르다 ①《위로 껑충》 跳跃 tiàoyuè; 蹦 bèng ¶말이 ~ 马蹦起来 mǎ bèng qilai ②《지위가》 越级晋升 yuèjí jìnshēng ¶2계급 ~ 晋升两级 jìnshēng liǎngjí

뜨개질 编结 biānjié; 编织 biānzhī; 《털실의》 毛线活儿 máoxiànhuòr

뜨다[1] ①《물·공중에》 漂 piāo; 浮 fú ¶공중에 두둥실 ~ 在空中飘荡 zài kōngzhōng piāodàng / 나뭇잎이 물에 ～ 树叶在水上漂浮 shùyè zài shuǐshang piāofú / 물고기가 수면에 떠오르다 鱼浮出水面 yú fúchū shuǐmiàn ②《무지개가》挂 guà ¶ 무지개가 ～ 挂彩虹 guà cǎihóng =〔彩虹悬空 cǎihóng xuán kōng〕

뜨다²《자리를》退 tuì; 离 lí ¶ 급한 일로 자리를 ～ 因有急事退席 yīn yǒu jíshì tuìxí

뜨다³《두 손으로》掬取 jūqǔ; 捧 pěng; 《수저 따위로》舀 yǎo ¶ 냇물의 물을 두 손으로 떠서 마셨다 用手捧起小河的水喝了 yòng shǒu pěng qǐ xiǎohé de shuǐ hē le / 수저로 국물을 ～ 用羹匙舀汤 yòng gēngchí yǎo tāng

뜨다⁴《눈을》睁开 zhēngkai ¶ 눈을 ～ 睁开眼睛 zhēngkai yǎnjing

뜨다⁵《그물을》编织 biānzhī; 结 jié; 《털실 따위로》编 biān; 织 zhī ¶ 그물을 ～ 编网 biān wǎng =〔织网 zhī wǎng〕〔结网 jié wǎng〕/ 털실로 양말을 ～ 用毛线织袜子 yòng máoxiàn zhī wàzi

뜬소문(…所聞) 谣传 yáochuán

뜯다 ①《붙은 것을》揭 jiē ¶ 달력을 한 장 ～ 揭下一张日历 jiēxià yì zhāng rìlì / 지붕을 ～ 揭掉房顶 jiēdiào fángdǐng ②《봉한 것을》拆开 chāikai ¶ 편지를 ～ 拆开信 chāikai xìn ③《타다》弹 tán ¶ 거문고를 ～ 弹琴 tán qín

뜯어말리다《싸움 따위를》拉架 lājià; 拉开 lākāi; 排解 páijiě ¶ 싸움을 ～ 排解争吵 páijiě zhēngchǎo

뜯어먹다《이로》啃着吃 kěnzhe chī; 《풀을》摘食 zhāi shí; 《남의 것을》赖衣求食 lài yī qiú shí; 揩油 kāi yóu

뜰 院子 yuànzi; 庭院 tíngyuàn

뜸 《漢醫》灸 jiǔ; 灸术 jiǔshù ¶ ～뜨다 灸 jiǔ =〔灸治 jiǔ zhì〕〔施灸术 shī jiǔshù〕

뜸들이다 焖(饭) mèn (fàn) ¶ 불을 끄고서 밥을 ～ 息了火焖饭 xīle huǒ mènfàn

뜸하다 少停一点 shǎotíng yìdiǎn ¶ 비가 ～ 雨暂停 yǔ zhàntíng / 요즈음 발길이 뜸해졌다 近来不大来了 jìnlái bú dà lái le / 매상이 ～ 销路不畅 xiāolù bú chàng

뜻 ①《의향》志 zhì; 志向 zhìxiàng; 志愿 zhìyuàn; 意图 yìtú ¶ ～을 이루다 完成志愿 wánchéng zhìyuàn / ～을 세우다 立志 lì zhì / ～을 잇다 继承遗志 jìchéng yízhì ②《의미》意思 yìsi; 意义 yìyì ¶ 단어의 ～을 조사하다 查单词的意思 chá dāncí de yìsi

뜻밖의 想不到的 xiǎngbudàode

띄우다 ①《물·공중에》(使)漂浮 (shǐ) piāofú; (使)浮 (shǐ) fú; (使)泛 (shǐ) fàn ¶ 배를 바다에 ～ 在海里漂浮船 zài hǎi lǐ piāofú chuán / 애드벌룬을 하늘에 ～ 往空中放起广告气球 wǎng kōngzhōng fàng qi guǎnggào qìqiú ②《웃음을》满面 mǎnmiàn ¶ 만면에 웃음을 ～ 满面笑容 mǎnmiàn xiàoróng ③《발효》发酵 fājiào ④《편지》寄 jì; 发 fā ¶ 집에 편지를 ～ 给家里发信 gěi jiā lǐ fā xìn

띠 ①《허리의》带子 dàizi; 腰带 yāodài ¶ ～를 매다 系带子 jì dàizi / ～를 풀다 解带 jiě dài =〔解开带子 jiěkāi dàizi〕②《가늘고 긴 것》带 dài; 带状物 dàizhuàngwù ¶ ～같은 강 像条带子似的河 xiàng tiáo dàizi sì de hé

띠다 ①《띠를》系 jì ②《중임을》承担 chéngdān ¶ 중대한 사명을 띠고서 도영하다 带着重要使命赴英 dàizhe zhòngyào shǐmìng fù Yīng

〔ㄹ〕

…ㄹ것같다 像是 xiàngshì; 似乎 sìhu ¶ 비가 오～ 要下雨的样子 yào xiàyǔ de yàngzi

…ㄹ망정 虽然 suīrán ¶ 나이가 어리～ 虽然年轻 suīrán niánqīng

…ㄹ뿐더러 不只是 bùzhǐ shì ¶ 돈이 있으～ 不只是有钱 bùzhǐ shì yǒu qián

…ㄹ수록 越…越… yuè…yuè … ¶ 많으～ 좋다 越多越好 yuèduō yuèhǎo / 생각하면 하～아쉽다 越想越觉得可惜 yuè xiǎng yuè juéde kěxī

…ㄹ지도 모른다 说不定…也许 shuō bú dìng…yěxǔ; 也未可知 yě wèi kě zhī ¶ 비가 오～ 也许下雨 yěxǔ xiàyǔ

…ㄹ지라도 虽然…可是 suīrán…kěshì ¶ 예쁘～ 虽然好看可是 suīrán hǎokàn kěshì

라고하나 虽说 suīshuō ¶ 봄이～ 아직 바람은 차다 虽说是春天，风还凉 suīshuō shì chūntiān, fēng hái liáng

라도 就是…也… jiùshì…yě … ¶ 어린애～ 안다 就是小孩也懂 jiùshì xiǎohái yě dǒng

라듐(radium)《化》镭 léi ¶ 퀴리 부인이 ～을 발견했다 居里夫人发现了镭 Jūlǐ fūrén〔ren〕fāxiànle léi

라디에이터(radiator) ①《방열기》散热器 sànrèqì ②《자동차의》水箱 shuǐxiāng; 冷却器 lěngquèqì

라디오(radio) 无线电 wúxiàndiàn; 收音机 shōuyīnjī ¶ ～를 틀다〔끄다〕开〔关〕收音机 kāi〔guān〕shōuyīnjī

라스트(last) 最后 zuìhòu; 末尾 mòwěi ¶ ～를 달리다 跑在最后 pǎo zài zuìhòu ‖ ～신 最后的'镜头〔场面〕zuìhòu de 'jìngtóu〔chǎngmiàn〕

라운드(round)《경기 따위의》回合 huíhé; 轮 lún; 场 chǎng; 局 jú ¶ 마지막 ～ 最后一回合 zuìhòu yì huíhé =〔终局 zhōngjú〕

라이벌(rival) ①《경쟁자》对手 duìshǒu; 敌手 díshǒu; 竞争者 jìngzhēngzhě ¶ 저 두 사람은 영원한 ～이야 那两个人是老对手啦 nà liǎng ge rén shì lǎoduìshǒu la ②《연애의》情敌 qíngdí

라이선스(license)《면허》许可(证) xǔkě (zhèng); 执照 zhízhào

라이터(lighter) 打火机 dǎhuǒjī ‖ 가스～ 液化气打火机 yèhuàqì dǎhuǒjī

라일락(lilac)《植》紫丁香 zǐdīngxiāng; 丁香花 dīngxiānghuā

라켓(racket) 球拍 qiúpāi ¶ ～으로 치다 用球拍打 yòng qiúpāi dǎ / ～을 손에 쥐다 拿起球拍 ná qǐ qiúpāi

라틴(Latin) 拉丁 lādīng ‖ ～ 문자 拉丁字母 lādīng zìmǔ

랑데부(프 rendezvous) ①《밀회》幽会 yōuhuì; 密会 mìhuì ②《우주선의》会合 huìhé ¶ ～도킹 对接 duìjiē / 두 우주선은 우주에서 ～에 성공했다 两艘宇宙飞船在宇宙会合成功 liǎng sōu yǔzhòu fēichuán zài yǔzhòu huìhé chénggōng

램프(lamp)《석유》煤油灯 méiyóudēng ¶ ～를 켜다 点上煤油灯 diǎn shang méiyóudēng

랭크(rank)《순서》次序 cìxù; 顺序 shùnxù

名次 míngcì; 《등급》 等级 děngjí; 《배열의 순서》 排列次序 páiliè cìxù ¶ 제1위에 ～되다 排在第一位 pái zài dì yíwèi
랭킹(ranking) 排列次序 páiliè cìxù; 名次 míngcì; 等级 děngjí
러닝 셔츠(running shirts) 无袖运动衫 wúxiù yùndòngshān; 背心 bèixīn
러브(love) ① 爱 ài; 爱情 àiqíng; 恋爱 liàn'ài ②《테니스》 零分 língfēn ¶ ～ 게임 输方未得分的比赛 shūfāng wèi défēnde bǐsài ‖ ～ 레터 情书 qíngshū / ～ 송 情歌 qínggē / ～ 스토리 恋爱小说 liàn'ài xiǎoshuō =〔爱情故事 àiqíng gùshì〕/ ～ 신 恋爱镜头 liàn'ài jìngtóu / 플라토닉 ～ 精神恋爱 jīngshén liàn'ài
러시 아워(rush hour) 拥挤时间 yōngjǐ shíjiān; 高峰时间 gāofēng shíjiān
럭비(Rugby) 《體》 橄榄球 gǎnlǎnqiú
럼(rum), 럼주(rum酒) 糖酒 tángjiǔ; 朗姆酒 lǎngmǔjiǔ; 兰姆酒 lánmǔjiǔ
레디메이드(ready made) 现成服装 xiànchéng fúzhuāng ¶ ～의 양복 现成的西装 xiànchéng de xīzhuāng
레몬(lemon) 《植》 柠檬 níngméng ‖ ～ 주스 柠檬汁 níngméngzhī
레벨(level) 水平 shuǐpíng; 水准 shuǐzhǔn ¶ ～을 높이다 提高水平 tígāo shuǐpíng
레스비언(Lesbian) 女性同性爱 nǚxìng tóngxìng'ài; 搞同性爱的女性 gǎo tóngxìng'ài de nǚxìng
레스토랑(restaurant) 西餐馆〔厅〕 xīcānguǎn〔tīng〕
레슨(lesson) 课 kè; 功课 gōngkè ¶ 피아노 ～하러 가다 去学习钢琴 qù xuéxí gāngqín
레슬러(wrestler) 摔跤选手 shuāijiāo xuǎnshǒu
레슬링(wrestling) 摔跤 shuāijiāo ¶ 아마추어 ～ 业余摔跤 yèyú shuāijiāo / 프로 ～ 职业摔跤 zhíyè shuāijiāo
레이(lei) 花环 huāhuán ¶ ～를 걸다 佩戴花环 pèidài huāhuán
레이더(radar) 雷达 léidá
레이디(lady) ①《숙녀》 贵妇人 guìfùrén; 女士 nǚshì ②《부인》 妇女 fùnǚ
레이디퍼스트(lady first) 妇女优先 fùnǚ yōuxiān
레이스(lace) 《편물의》 花边 huābiān ¶ ～를 뜨다 编织花边 biānzhī huābiān =〔钩花 gōuhuā〕 ‖ ～뜨기 花边(织法) huābiān (zhīfǎ) =〔网眼针织物 wǎngyǎnzhēn zhīwù〕/ ～실 编织花边用的线 biānzhī huābiān yòng de xiàn
레이저(laser) 激光 jīguāng; 莱塞 láisāi; 莱塞射线 láisāi shèxiàn
레인코트(raincoat) 雨衣 yǔyī
레일(rail) 轨条 guǐtiáo; 轨道 guǐdào; 钢轨 gāngguǐ; 铁轨 tiěguǐ ‖ 모노 ～ 单轨 dānguǐ
레저(leisure) ①《여가》 空闲 kòngxián; 闲暇 xiánxiá; 业馀时间 yèyú shíjiān ②《오락》 业馀时间的娱乐 yèyú shíjiān de yúlè ‖ ～붐 馀暇娱乐热 yúxiá yúlèrè / ～용품 业馀娱乐用品 yèyú yúlè yòngpǐn =〔文体用品 wéntǐ yòngpǐn〕
레지스탕스(resistance) ①抵抗 dǐkàng; 反抗 fǎnkàng ②《프랑스의》 抵抗运动 dǐkàng yùndòng; 抵抗斗争 dǐkàng dòuzhēng
레코드(record) ①《음반》 唱片 chàngpiàn ‖ 엘피 ～ 密纹唱片 mìwén chàngpiàn ②《기록》 记录 jìlù ¶ ～를 깨뜨리다 做新记录 zuò xīnjìlù ‖ ～ 보유자 记录保持者 jìlù bǎochízhě
레크리에이션(recreation) 娱乐 yúlè ‖ ～ 활동 文娱〔文体〕活动 wényú〔wéntǐ〕 huódòng
렌즈(lens) ① 透镜 tòujìng; 镜片 jìngpiàn ②《카메라의》 镜头 jìngtóu ¶ ～를 조르다 缩小镜头的光圈 suōxiǎo jìngtóu de guāngquān ‖ 오목〔볼록〕 ～ 凹〔凸〕透镜 āo〔tū〕 tòujìng
로 ①《원인》 因 yīn ¶ 으～ 인해서 因此 yīncǐ ②《수단》 拿 ná; 用 yòng ¶ 중국어～ 拿中国话 ná Zhōngguóhuà ③《방향》 往 wǎng; 上 shàng; 到 dào ¶ 학교～ 가다 上学校去 shàng xuéxiào qù
로마(Roma) 《地》 罗马 Luómǎ ¶ 모든 길은 ～로 통한다 条条道路通罗马 tiáo tíao dàolù tōng Luómǎ / ～는 하루 아침에 이루어진 것이 아니다 罗马非朝夕建成 Luómǎ fēi zhāoxī jiànchéng =〔伟业非一日之功 wěiyè fēi yí rì zhī gōng〕
로마자(Roma 字) 罗马字 Luómǎzì; 拉丁字母 lādīng zìmǔ
로망(프 roman) 长篇'小说〔故事〕 chángpiān'xiǎoshuō〔gùshi〕 ¶ 가슴이 뛰는 일대 ～ 振奋人心的一部巨篇小说 zhènfèn rénxīn de yí bù jù piān xiǎoshuō
로맨스(romance) 风流韵事 fēngliú yùnshì ¶ 젊었을 때에는 그에게도 가지가지 ～가 있었다 年轻的时候他也有很多风流韵事 niánqīng de shíhou tā yě yǒu hěn duō fēngliú yùnshì
로맨틱(romantic) 浪漫的 làngmànde; 罗曼蒂克 luómàndìkè ¶ ～한 기분에 잠기다 沉浸在神秘的气氛之中 chénjìn zài shénmì de qìfēn zhī zhōng
로봇(robot) ①《인조 인간》 机器人 jīqìrén; 机械人 jīxièrén ②《오토매틱》 自动机 zìdòngjī; 自动仪器 zìdòng yíqì ③《허수아비》 傀儡 kuǐlěi ¶ 저놈은 그저 ～에 지나지 않는다 那个家伙只不过是个傀儡 nàge jiāhuo zhǐ búguò shì ge kuǐlěi ‖ ～ 너스(nurse) 《化》 自动检测器 zìdòng jiǎncèqì (체온·맥박의) / ～화 自动化 zìdònghuà
로비스트(lobbyist) 院外活动集团的成员 yuànwài huódòng jítuán de chéngyuán
로서 以…身分〔资格〕 yǐ…shēnfèn〔zīgé〕 ¶ 교사 ～ 以教师身分 yǐ jiàoshī shēnfèn / 대학 교수 ～ 마땅히 있을 수 없는 행위 大学教授所不应有的行为 dàxué jiàoshòu suǒ bù yīng yǒu de xíngwéi
로스트(roast) 烤肉 kǎoròu ‖ ～비프 烤牛肉 kǎoniúròu / ～치킨 烤鸡 kǎojī
로열(royal) 王室 wángshì; 皇家 huángjiā; 高贵 gāoguì ‖ ～ 박스 贵宾席 guìbīnxí =〔专席 zhuānxí〕/ ～ 젤리 蜂王浆 fēngwángjiāng
로직(logic) 逻辑 luójì
로케이션(location) ①《영화》 外景拍摄 wàijǐng pāishè ¶ 그 영화는 지금 이탈리아에서 ～중이다 那部电影目前正在意大利拍摄外景 nà bù diànyǐng mùqián zhèng zài Yìdàlì pāishè wàijǐng ②《위치》 位置 wèizhi; 选定位置 xuǎndìng wèizhi
로켓(rocket) 火箭 huǒjiàn ¶ ～을 발사하다 发射火箭 fāshè huǒjiàn ‖ ～ 엔진 火箭〔喷气〕发动

机 huǒjiàn〔pēnqì〕 fādòngjī
로큰롤(rock'n'roll) 摇摆舞 yáobǎiwǔ; 摇摆舞曲 yáobǎiwǔqǔ ¶ ~의 리듬에 맞추어서 춤추다 随着摇摆舞曲的节奏跳舞 suízhe yáobǎiwǔqǔ de jiézòu tiàowǔ
로터리 클럽(Rotary Club) 扶轮社 Fúlúnshè
롤러스케이트(roller skate) 〖體〗 四轮滑冰(鞋) sìlún huábīng (xié); 轱辘滑冰(鞋) gūlu huábīng (xié); 旱冰(鞋) hànbīng (xié) ‖ ~장 滑冰场 huábīngchǎng =〔旱冰场 hànbīngchǎng〕
롱슛(long shoot) 〖體〗 《축구》 远射门 yuǎn shèmén; 《농구》 远距离投篮 yuǎnjùlí tóulán
롱스커트(long skirt) 长裙 chángqún ¶ ~가 유행하다 流行长裙 liúxíng chángqún
롱패스(long pass) 〖體〗 长传 chángchuán
뢴트겐(Röntgen) 〖物〗 爱克斯射线 àikèsī shèxiàn; 伦琴射线 lúnqín shèxiàn; X 光线 X guāngxiàn ¶ ~을 찍다 拍摄X 射线照片 pāishè X shèxiàn zhàopiàn =〔照 X 光照片 zhào X guāng zhàopiàn〕
루비(ruby) 红玉 hóngyù; 红宝石 hóngbǎoshí ‖ ~ 반지 红宝石戒指 hóngbǎoshí jièzhi
루즈(rouge) 口红 kǒuhóng ¶ ~를 바르다 涂〔点, 抹〕口红 tú〔diǎn, mǒ〕 kǒuhóng
루트(route) 途径 tújìng ¶ 특별한 ~로 입수하다 通过特别途径弄到手 tōngguò tèbié tújìng nòngdaoshǒu ‖ 밀수 ~ 走私路线 zǒusī lùxiàn
룰(rule) 规 guī; 规则 guīzé ¶ 야구의 ~ 棒球规则 bàngqiú guīzé / ~에 어긋나다 犯规 fàn guī
룸펜(Lumpen) 衣着褴褛的人 yīzhuó lánlǚ de rén; 《부랑자》 失业者 shīyèzhě; 流浪者 liúlàngzhě ‖ ~ 생활 流浪生活 liúlàng shēnghuó
류머티즘(rheumatism) 〖醫〗 风湿症 fēngshīzhèng ¶ ~을 앓다 患风湿症 huàn fēngshīzhèng
르네상스(Renaissance) 文艺复兴 wényì fùxīng
르포(reportage) 报道 bàodào; 通讯 tōngxùn ¶ 현지 ~ 当地报道 dāngdì bàodào ‖ ~라이터 当地〔现场〕采访记者 dāngdì 〔xiànchǎng〕 cǎifǎng jìzhě
리그(league) 同盟 tóngméng; 联盟 lián méng; 《경기의》 竞赛联盟 jìngsài liánméng ‖ ~전 循环赛 xúnhuánsài =〔联赛 liánsài〕
리더(leader) 领导者 lǐngdǎozhě; 领袖 lǐngxiù; 指挥者 zhǐhuīzhě; 指导者 zhǐdǎozhě
리더십(leadership) 领导能力 lǐngdǎo nénglì; 统率力 tǒngshuàilì ¶ ~이 결여되다 缺乏领导能力 quēfá lǐngdǎo nénglì
리더즈다이제스트(Reader's Digest) 读者文摘 Dúzhě wénzhāi
리드(lead) ① 《지휘》 领导 lǐngdǎo; 带领 dàilǐng ② 《경기에서》 领先 lǐngxiān ¶ 3점의 ~ 领先三分 lǐngxiān sān fēn / 3대 1로 ~하다 以三比一领先 yǐ sān bǐ yì lǐngxiān ③ 《야구》 离垒 lí lěi ¶ 주자(走者)가 3루에서 ~하다 跑垒员离开三垒 pǎolěiyuán líkāi sān lěi
리듬(rhythm) 节奏 jiézòu; 韵律 yùnlǜ ¶ 왈츠의 ~ 华尔滋舞的节奏 huá'ěrzīwǔ de jiézòu / 생활의 ~이 깨지다 生活规律紊乱 shēnghuó guīlǜ wěnluàn
리모트컨트롤(remote control) 遥控 yáokòng ¶ ~로 조종하다 用遥控操纵 yòng yáokòng cāozòng
리바이벌(revival) 《예술 따위의》 复兴 fùxīng; 重新受到重视 chóngxīn shòudào zhòngshì; 《영화 따위의》 重新上演 chóngxīn shàngyǎn ¶ 금년은 ~송이 환영을 받는다 今年老歌受到欢迎 jīnnián lǎogē shòudào huānyíng / 이 영화는 1970년의 ~이다 这电影是一九七〇年的旧片重映 zhè diànyǐng shì yì jiǔ qī líng nián de jiùpiān chóngyìng
리본(ribbon) 丝带 sīdài; 缎带 duàndài; 飘带 piāodài; 《머리의》 发带 fàdài ¶ ~을 매다 系丝带 jì sīdài =〔打结 dǎjié〕 / 옷에 ~을 달다 给衣服饰上飘带 gěi yīfu shì shang piāodài / 머리를 ~으로 묶다 用发带把头发紮上 yòng fàdài bǎ tóufa zā shang
리사이틀(recital) 独唱会 dúchànghuì; 独奏会 dúzòuhuì ¶ 신인 가수가 ~을 갖다 新歌手举行独唱会 xīngēshǒu jǔxíng dúchànghuì
리셉션(reception) ① 《접견》 招待 zhāodài; 接见 jiējiàn ② 《초대회》 招待会 zhāodàihuì; 欢迎会 huānyínghuì
리스트(list) ① 《인명》 名簿 míngbù; 名单 míngdān ¶ 블랙 ~ 黑名单 hēimíngdān ② 《물건의》 表 biǎo; 目录 mùlù; 一览表 yìlǎnbiǎo ¶ 재고품의 ~ 库存一览表 kùcún yìlǎnbiǎo
리시버(receiver) 《수신기》 接收机 jiēshōujī; 收报机 shōubàojī; 《수화기》 耳机 ěrjī; 听筒 tīngtǒng
리시브(receive) 〖體〗 接球 jiēqiú; 接发球 jiēfāqiú
리어카(rear car) 两轮拖车 liǎng lún tuōchē
리터(liter) 升 shēng; 公升 gōngshēng; 立升 lìshēng
리트머스(litmus) 〖化〗 石蕊 shíruǐ ‖ ~ 반응 石蕊反应 shíruǐ fǎnyìng / ~ 시험지 石蕊试纸 shíruǐ shìzhǐ
리포트(report) 报告 bàogào
리허설(rehearsal) 彩排 cǎipái; 排练 páiliàn ¶ 극의 ~을 하다 彩排戏剧
린스(rinse) 润丝 rùnsī; 护发素 hùfàsù
릴레이(relay) ① 《중계》 接力 jiēlì; 传递 chuándì ② 《경주》 接力赛跑 jiēlì sàipǎo
립스틱(lipstick) 口红 kǒuhóng
링(ring) ① 《반지》 指环 zhǐhuán; 戒指 jièzhi ② 《고리》 环 huán; 链 liàn ③ 《권투의》 拳击场 quánjīchǎng; 《레슬링의》 摔跤场 shuāijiāochǎng ¶ ~에 오르다 登上拳击场 dēng shang quánjīchǎng
링크(link) 〖經〗 连锁制度 liánsuǒ zhìdù
링크(rink) 〖體〗 溜冰场 liūbīngchǎng; 滑冰场 huábīngchǎng

〔ㅁ〕

마 〖植〗 家山芋 jiāshānyù
마가린(margarine) 人造黄油 rénzào huángyóu
마감 《기일의》 截止 jiézhǐ ¶ 3월 5일로 ~한다 三月五号为截止 yǐ sān yuè wǔ hào wéi jiézhǐ / 신문 기사의 ~ 시간 报纸消息的截稿时间 bàozhǐ xiāoxi de jiégǎo shíjiān
마개 瓶塞 píngsāi; 塞子 sāizi ¶ 사이다의 ~를 뽑다 把汽水瓶盖起下来 bǎ qìshuǐ pínggài

xia lai ‖～뽑이 起子 qǐzi =〔拔塞器 básāiqì〕〔启盖器 qǐgàiqì〕
마구 随便 suíbiàn; 胡乱 húluàn; 瞎 xiā; 不顾前后 búgù qiánhòu ¶그는 책을 ～ 사들인다 他见书就买 tā jiàn shū jiù mǎi
마구간(馬廐間) 马棚 mǎpéng; 马号 mǎhào; 马厩 mǎjiù
마귀(魔鬼) 魔鬼 móguǐ ‖～ 할멈 丑老太婆 chǒulǎotàipó
마그마(magma) 岩浆 yánjiāng
마네킨(mannequin) 人体模型 réntǐ móxíng ‖～ 걸 女模特儿 nǚmótèr =〔时装模特儿 shízhuāngmótèr〕
마누라 太太 tàitai; 〈口〉老婆 lǎopo
마늘 《植》 蒜 suàn; 大蒜 dàsuàn
마다 (조사) 每 měi ¶날～ 每天 měitiān / 일요일～ 산에 간다 每逢星期日爬山去 měiféng xīngqīrì páshān qù
마담(프 madame) 夫人 fūrén; 女士 nǚshì; 太太 tàitai; 《요정 따위의》 老板娘 lǎobǎnniáng; 女经理 nǚjīnglǐ; 女掌柜 nǚzhǎngguì
마당 院子 yuànzi; 庭院 tíngyuàn
마도로스(네 matross) 水手 shuǐshǒu; 船夫 chuánfū; 船员 chuányuán ‖～ 파이프 大型烟斗 dàxíng yāndǒu
마디 ①《대 따위의》 节 jié; 节子 jiézi ¶대의 ～ 竹节 zhújié ②《관절》 关节 guānjié; 骨节 gǔjié ¶몸의 ～가 아프다 全身骨节疼 quánshēn gǔjiéténg
마땅하다 《당연》 理所当然 lǐ suǒ dāngrán ¶마땅히 应该 yīnggāi / 마땅치 않다 不应该〔应当〕 bù yīnggāi〔yīngdāng〕
마라톤(marathon) 《體》 野外赛跑 yěwài sàipǎo; 长途赛跑 chángtú sàipǎo; 超长距离赛跑 chāo chángjùlí sàipǎo; 长跑 chángpǎo; 马拉松赛跑 mǎlāsōng sàipǎo
마력(馬力) 马力 mǎlì ¶10～의 모터 十马力的发动机 shí mǎlì de fādòngjī
마련하다(磨鍊…) 筹备 chóubèi ¶돈을 ～ 筹款 chóu kuǎn
마렵다 想大〔小〕便 xiǎng 'dà〔xiǎo〕biàn
마로니에(marronier) 《植》 欧洲七叶树 ōuzhōu qīyèshù
마루 地板 dìbǎn ¶～를 깔다 铺地板 pū dìbǎn / ～를 쓸다 扫地 sǎodì
마르다[1] ①《건조》 干 gān; 干燥 gānzào ¶빨래가 말랐다 洗的东西干了 xǐde dōngxi gānle / 연못의 물이 말랐다 池子里的水干了 chízilide shuǐgānle =〔池子干涸了 chízi gānhé le〕 ②《목이》 渴 kě; 干渴 gānkě ¶목이 ～ 口渴了 kǒukěle =〔嗓子干渴了 sǎngzi gānkěle〕 ③《몸이》 瘦 shòu ¶병을 앓고 나서 많이 말랐다 得了病以后瘦了很多 déle bìng yǐhòu shòule hěnduō
마르다[2] 《재단》 剪 jiǎn; 裁 cái; 剪裁 jiǎncái ¶치마를 ～ 裁剪裙子 cáijiǎn qúnzi
마름[1] 《植》 菱 líng ‖～모 菱形 língxíng =〔斜象眼儿 xiéxiàngyǎnr〕
마름[2] 《소작인의》 庄头儿 zhuāngtóur; 二地主 èrdìzhǔ
마리 《조류·곤충》 只 zhī; 《물고기·개·뱀 따위의 긴 것》 条 tiáo; 《대형 동물》头 tóu; 《나귀·말 따위의》 匹 pǐ ¶7～의 돼지 七头猪 qī tóu zhū / 5～ 새끼고양이 五只小猫 wǔ zhī xiǎomiáo / 물고기 3～ 三'条〔尾〕鱼 sān 'tiáo〔wěi〕 yú / 9～ 말 九匹马 jiǔ pī mǎ
마마(妈妈) 《천연두》 天花 tiānhuā
마멀레이드(marmalade) 橘皮果酱 júpí guǒjiàng
마분지(馬糞紙) 马粪纸 mǎfènzhǐ
마비(痲痺·麻痺) ① 麻痹 mábì; 麻木 mámù ¶손끝의 감각이 ～되다 指尖麻痹 zhǐjian mábì ②《기능》 麻痹 mábì; 瘫痪 tānhuàn ¶큰 눈으로 교통이 ～ 상태에 빠지다 交通因大雪陷于瘫痪状态 jiāotōng yīn dàxuě xiànyú tānhuàn zhuàngtài
마사지(massage) 按摩 ànmó ¶～를 하다 按摩 ànmó
마수(魔手) 魔手 móshǒu; 魔掌 mózhǎng; 魔爪 mózhǎo ¶～에 걸리다 陷入魔掌 xiànrù mózhǎng
마술(魔術) 魔术 móshù ¶～을 부리다 施魔术 shī móshù ‖～사 魔术师 móshùshī =〔魔术家 móshùjiā〕
마스카라(mascara) 染睫毛油 rǎn jiémáo yóu
마스코트(mascotte) 吉物 jíwù
마스크(mask) ①《가면》 面具 miànjù; 假面 jiǎmiàn ¶～를 쓰다 带假面 dài jiǎmiàn ②《야구·펜싱》 面罩 miànzhào ¶심판의 ～ 裁判的面罩 cáipànde miànzhào ③《입을 가리는》 口罩(儿) kǒuzhào(r) ¶～를 쓰다 戴口罩 dài kǒuzhào / ～를 벗다 摘口罩 zhāi kǒuzhào
마스터 ①《주인》 主人 zhǔrén; 雇主 gùzhǔ; 老板 lǎobǎn ¶바의 ～ 酒吧间的老板 jiǔ bā jian de lǎobǎn ②《석사》 硕士 shuòshì ③《숙달》 精通 jīngtōng; 掌握 zhǎngwò; 熟练 shúliàn ¶영어를 ～하다 掌握〔精通〕英语 zhǎngwò〔jīngtōng〕 Yīngyǔ
마시다 ①《액체를》 喝 hē ¶물을 ～ 喝水 hē shuǐ ②《공기 등을》 吸 xī ¶신선한 공기를 ～ 吸新鲜空气 xī xīnxian kōngqì
마요네즈(mayonnaise) 蛋黄酱 dànhuángjiàng ¶～를 치다 浇(放)蛋黄酱 jiāo(fàng)dànhuángjiàng
마운드(mound) 《야구》 投手土台 tóushǒu tǔtái ¶투수가 ～를 밟다 投球手站在投手土台上 tóuqiú shǒu zhànzài tóushǒu tǔtáishang
마을 村庄 cūnzhuāng
마음 ①《정신》 精神 jīngshén ¶～의 양식 精神食粮 jīngshén shíliàng / ～을 하나로 하다 一条心 yì tiáoxīn =〔同心协力 tóngxīn xiélì〕 ②《속마음》 衷心 zhōngxīn; 内心 nèixīn ¶～을 털어놓다 吐露衷曲 tǔlù zhōngqū =〔表明心迹 biǎomíng xīnjì〕 / ～속으로 감사하다 从心里表示感谢 cóng xīnli biǎoshi gǎnxiè =〔衷心感谢 zhōngxīn gǎnxiè〕〔由衷感谢 yóuzhōng gǎnxiè〕 ③《도량》 度量 dùliàng; 心胸 xīnxiōng; 胸怀 xiōnghuái ¶～이 넓다〔좁다〕 心胸'宽〔窄〕 xīnxiōng 'kuān〔zhǎi〕 =〔度量'大〔小〕 dùliàng 'dà〔xiǎo〕〕
마음대로 任意 rènyì; 随便 suíbiàn
마음먹다 통 拿定主意 nádìng zhǔyì ¶마음을 독하게 먹다 硬〔铁〕着心肠 yìng〔tiě〕zhe xīncháng =〔把心一横 bǎ xīn yìhéng〕
마음씨 心地 xīndì; 性情 xìngqing ¶고운～ 心地温柔 xīndì wēnróu
마음에 들다 中意 zhòngyì; 神往 shénwǎng
마이너스(minus) ①《數》 负 fù; 《기호》 负号 fùhào ¶5에서 7를 빼면 ～2가 된다 五减七等于

'负二〔-二〕 wǔ jiǎn qī děngyú 'fùèr〔-èr〕 ②《數》《감산》 减 jiǎn; 《기호》 减号 jiǎnhào ¶ 9-3은 6이다 九减三等于六 jiǔ jiǎn sān děngyú liù ③《음(陰)》 负 fù; 阴 yīn ¶ ~전극 阴极 yīnjí =〔负极 fùjí〕 ④《손해·불리》 亏损 kuīsǔn; 亏欠 kuīqiàn ¶ 장사는 ~다 卖买亏了 mǎimài kuīle / 그것은 너의 장래에 있어서 ~다 那对你的将来不利 nà duì nǐde jiānglái búlì

마이동풍(馬耳東風) 耳旁风 ěrpángfēng ¶ 아무리 타일러도 그는 ~이다 无论怎么劝说, 他只当耳'边〔旁〕风 wúlùn zěnme quànshuō, tā zhǐ dàng ěr 'biān〔páng〕 fēng

마이크(로폰)(microphon) 传声器 chuánshēngqì; 扩音器 kuòyīnqì; 传话筒 chuánhuàtǒng; 话筒 huàtǒng; 麦克风 màikèfēng ¶ ~앞에서 이야기하다 在麦克风前面讲话 zài màikèfēng qiánmiàn jiǎnghuà

마이크로(micro) ①《초소형》 微 wēi; 微量 wēiliàng ②《100만분의 1》 百万分之一 bǎiwàn fēn zhī yī ‖ ~그램 微克 wēikè / ~필름 缩微胶卷 suōwēi jiāojuǎn

마일(mile) 英里 yīnglǐ; 哩 lǐ

마저 ¶ 이것 ~ 먹다 连这个也吃 lián zhège yě chī

마주치다 碰见 pèngjiàn; 偶然遇见 ǒurán yùjiàn; 碰上 pèngshàng; 遇上 yùshàng ¶ 거리에서 친구와 ~ 在街上碰上了朋友 zài jiēshàng pèng-shàngle péngyou

마중 迎接 yíngjiē ¶ 아버지를 역에서 ~하다 到车站迎接父亲 dào chēzhàn yíngjiē fùqin

마지막 末尾 mòwěi; 末了 mòliǎo; 结束 jiéshù; 结局 jiéjú; 《음악·극》 尾声 wěishēng; 《임종》 临命 línmìng ¶ ~이 가까워지다 接近终了 jiējìn zhōngliǎo =〔接近尾声 jiē jìn wěishēng〕/ ~을 고하다 告终 gàozhōng

마지못하다 不得已 bùdéyǐ ¶ 마지못해서 대답하다 不得已而答应 bùdéyǐ ér dāying

마진(margin) 〈口〉 赚头 zhuàntou; 《수수료》 佣金 yòngjin; 佣钱 yòngqian; 利 lì; 手续费 shǒuxùfèi ¶ 큰 폭의 ~ 厚〔高〕利 hòu〔gāo〕lì / 적은 ~ 薄〔微〕利 bó〔wēi〕lì / 1할의 ~을 먹다 索取百分之十的佣金 suǒqǔ bǎi fēn zhī shí de yòngjīn

마차(馬車) 马车 mǎchē ¶ ~를 몰다 赶马车 gǎn mǎchē ‖ 쌍두 ~ 双马马车 shuāngmǎ mǎchē

마찬가지 一样 yíyàng; 相同 xiāngtóng; 半斤八两 bàn jīn bā liǎng

마찰(摩擦) ① 摩擦 mócā ¶ ~로 전기를 일으키다 摩擦生电 mócā shēng diàn ②《의견의》 摩擦 mócā; 意见分歧 yìjian fēnqí; 不和 bùhé ¶ 양국 사이에는 늘 ~이 생기다 两国之间不断起摩擦 liǎngguó zhījiān búduànqǐ mócā ‖ 냉수 ~ 冷水摩擦 lěngshuǐ mócā

마취(痲醉) 麻醉 mázuì ¶ ~에서 깨나다 从麻醉中苏醒 cóng mázuì zhōng sūxǐng / ~를 하고서 수술을 하다 施行麻醉做手术 shīxíng mázuì zuò shǒushù

마취약(痲醉藥) 麻醉剂 mázuìjì; 麻(醉)药 má(zuì) yào ¶ ~을 주사하다 打麻药针 dǎ máyào zhēn

마치[1] 《장도리》 锤子 chuízi ¶ ~로 못을 박다 用锤子针钉子 yòng chuízi dìng dìngzi

마치[2] 《흡사》 好像 hǎoxiàng; 就象…一样 jiùxiàng…yíyàng; 宛如 wǎnrú; 恰如 qiàrú; 恰似 qiàsì ¶ ~ 꿈같다 好像做梦 hǎoxiàng zuò mèng

마치다 《끝내다》 做完 zuòwán; 完结 wánjié; 结束 jiéshù ¶ 일생을 ~ 结束一生 jiéshù yìshēng =〔死 sǐ〕

마침 《때맞춰》 恰巧 qiàqiǎo; 恰好 qiàhǎo; 巧得很 qiǎodehěn ¶ ~ 버스가 왔다 恰好公共汽车来了 qiàhǎo gōnggòng qìchē lái le

마침내 终于 zhōngyú ¶ ~ 완성하다 终于完成了 zhōngyú wánchéng le

마카로니(macaroni) 通心粉 tōngxīnfěn

마켓(market) 市场 shìchǎng; 商场 shāngchǎng; 《식품의》 菜市(场) càishì (chǎng) ‖ 슈퍼~ 自选市场 zìxuǎn shìchǎng =〔超级市场 chāojí shìchǎng〕

마호가니(mahogany) ①《植》 菲律宾红柳桉树 fēilùbīn hóngliǔ'ānshù ②《목재》 红木 hóngmù; 桃花心木 táohuāxīnmù; 菲律宾红柳桉树 fēilùbīnhóngliǔ'ānshù

마호메트(Mahomet) 穆罕默德 Mùhǎnmòdé ‖ ~교 伊斯兰教 Yīsīlánjiào

막(幕) ①《칸막이》 幕 mù; 帐幕 zhàngmù; 帷幕 wéimù; 帷幔 wéimàn ¶ ~을 올리다 揭幕 jiēmù =〔启幕 qǐmù〕〔拉起帷幕 lāqǐ wéimù〕/ ~을 내리다 落幕 luòmù =〔放下帐幕 fàng xià zhàngmù〕 ②《극의》 幕 mù ¶ 지금 3~째이다 现在正在演第三幕 xiànzài zhèngzài yǎn dì sān mù

막[1] 《방금》 刚才 gāngcái; 刚刚 gānggāng ¶ 이제 ~ 돌아왔다 刚刚回来 gānggāng huílái

막[2] 《마구》 不顾前后 búgù qiánhòu

막걸리 浊酒 zhuójiǔ; 醪糟(儿) láozāo(r)

막내 最小的'儿子〔女儿〕 zuì xiǎo de 'érzi〔nǚ'ér〕; 老小 lǎoxiǎo 《형제 자매 중》 最年幼者 zuìniányòuzhě; 老儿子 lǎo érzi; 小闺女 xiǎoguīnü; 老疙瘩 lǎogēda ¶ 그는 집에서 ~다 他在家里是老小 tā zài jiāli shì lǎoxiǎo

막다 《틈·구멍을》 堵 dǔ; 塞 sāi ¶ 쥐구멍을 ~ 堵老鼠洞 dǔ lǎoshǔdòng / 종이를 바르고 틈새를 ~ 糊纸条把缝儿溜上 hú zhǐtiáo bǎ fèngr liùshàng

막다르다 走到尽头 zǒudào jìntóu ¶ 막다른 골목 死胡同 sǐhútóng / 막다른 곳에서 왼쪽으로 구부러지다 走到胡同尽头向左拐 zǒudào hútòng jìntóu xiàng zuǒ guǎi

막대(莫大) 莫大 mòdà; 巨大 jùdà ¶ ~한 손실 莫大的损失 mòdà de sǔnshī

막대기 木头棒子 mùtoubàngzi

막연(漠然) 漠然 mòrán; 含混 hánhùn; 含糊 hánhu ¶ 자신의 장래에 대해서 ~한 불안을 느끼다 对自己的将来隐隐感到不安 duì zìjǐde jiānglái yǐnyǐn gǎndào bù'ān

막차(…車) 末班车 mòbānchē

막히다 堵塞 dǔsè; 梗塞 gěngsè; 堵住 dǔzhù ¶ 말이 ~ 言哽于喉 yán gěng yú hóu =〔语塞 yǔsè〕/ 하수구가 ~ 脏水沟堵住了 zāngshuǐgōu dǔzhù le / 음식물이 목구멍에 ~ 食物卡在喉咙里 shíwù kǎ zài hóulongli

만(滿) 《연령》 满 mǎn; 周岁 zhōusuì ¶ 나이를 ~으로 세다 按周岁算年龄 àn zhōusuì suàn niánlíng / ~으로 18세 满十八(周)岁 mǎn shíbā (zhōu) suì

만(灣) 海湾 hǎiwān; 水湾 shuǐwān

만 《시간의 경과》 经过…之后又 jīngguò … zh

hòu yòu ¶3일 ～ 隔三天 gé sān tiān =〔三天之后 sān tiān zhīhòu〕/ 5년 ～에 만났다 阔别五年之后又见面了 kuòbié wǔ nián zhīhòu yòu jiànmiàn le
만(萬) 万 wàn
만《한정》只 zhǐ ¶여름에～ 열다 只在夏天开 zhǐ zài xiàtiān kāi / 네게～ 말한다 只告诉你 zhǐ gàosu nǐ
만기(滿期) 满期 mǎnqī; 期满 qīmǎn; 到期 dàoqī; 届满 jièmǎn ¶정기 예금의 ～일 定期存款的期满日期 dìngqī cúnkuǎn de qīmǎn rìqī
만나다 ①《보다》会见 huìjiàn; 见面 jiànmiàn ¶어디서 몇 시에 만날까요 在什么地方几点钟见呢? zài shénme dìfang jǐdiǎnzhōng jiàn ne ②《맞닥뜨리다》遇见 yùjian; 碰见 pèngjian ¶학생 시절의 친구를 길에서 우연히 만났다 在路上偶然同学时代的朋友碰见了 zài lùshang ǒurán tóngxué shídài de péngyou pèngjian le ③《재앙·운 따위》遭遇 zāoyù; 碰上 pèngshang ¶도중에서 비를 만났다 半路上赶上了一场雨 bànlù shang gǎnshàngle yì cháng yǔ =〔途中遇雨 túzhōng yù yǔ〕
만년필(萬年筆) 金笔 jīnbǐ; 钢笔 gāngbǐ; 自来水笔 zìláishuǐbǐ ¶～에 잉크를 넣다 给金笔灌墨水 gěi jīnbǐ guàn mòshuǐ
만능(萬能) 万能 wànnéng; 全能 quánnéng; 全才 quáncái ¶그는 스포츠에 ～이다 他是体育运动的全才 tā shì tǐyù yùndòng de quáncái
만두(饅頭) 包子 bāozi; 饺子 jiǎozi; 《소 없는》馒头 mántou
만들다 ①《목적하는 사물을》做 zuò; 造 zào ¶나무로 의자를 ～ 用木头做椅子 yòng mùtou zuò yǐzi / 기계를 ～ 造机器 zào jīqì / 보리로 맥주를 ～ 用大麦酿造啤酒 yòng dàmài niàngzào píjiǔ ②《없던 것을 새로》建立 jiànlì ¶규칙을 ～ 建立〔制定〕规章 jiànlì〔zhìdìng〕guīzhāng / 친구를 ～ 交朋友 jiāo péngyou =〔建立友谊 jiànlì yǒuyì〕③《작성·출판》写 xiě ¶계약서를 ～ 写合同 xiě hétong / 강연의 초고를 ～ 写讲演稿 xiě jiǎngyǎngǎo
만류(挽留) 挽留 wǎnliú
만만하다(滿滿…) 充满 chōngmǎn; 满满当当 mǎnmǎndāngdāng ¶자신 만만한 태도 充满信心的态度 chōngmǎn xìnxīn de tàidu
만만하다 好对附 hǎo duìfu
만병(萬病) 百病 bǎibìng; 各种病症 gèzhǒng bìngzhèng ¶감기는 ～의 근원 感冒是百病之源 gǎnmào shì bǎibìng zhī yuán
만세(萬歲) 万岁 wànsuì ¶～ 3창하다 三呼万岁 sān hū wànsuì
만신(滿身) 满身 mǎnshēn; 全身 quánshēn; 浑身 húnshēn ‖～창이 满身创伤 mǎnshēn chuāngshāng =〔遍体鳞伤 biàn tǐ lín shāng〕
만약(萬若) 若是 ruòshì; 要 yào; 要是 yào-shi; 如果 rúguǒ; 假如 jiǎrú ¶～ 비가 온다면 要是下雨的话 yàoshi xiàyǔ de huà
만원(滿員) 满座 mǎnzuò; 客满 kèmǎn ¶극장은 연일 대～ 이다 剧场连天满座 jùchǎng liántiān mǎnzuò ‖～ 사례 客满道谢 kèmǎn dàoxiè
만월(滿月) 满月 mǎnyuè; 望月 wàngyuè; 圆月 yuányuè
만일(萬一) 万一 wànyī; 不测 búcè; 意外 yìwài ¶～에 대비하다 以备万一 yǐ bèi wànyī
만장(滿場) 全场 quánchǎng ¶～ 일치로 가결하다 全场一致通过 quánchǎng yízhì tōngguò / ～의 박수를 받다 博得全场喝彩 bódé quánchǎng hècǎi
만전(萬全) 万全 wànquán ¶～을 기하다 以期万全 yǐ qī wànquán
만점(滿點) ①《최고점》满分 mǎnfēn ¶～을 받다 得满分 dé mǎnfēn / 500점～에서 300점을 받으면 합격이다 以五百分为满分，得三百分就及格 yǐ wǔbǎi fēn wéi mǎnfēn, dé sānbǎi fēn jiù jígé ②《완벽》完美无缺 wán měi wú quē; 好到家 hǎo dàojiā ¶서비스 ～ 服务到家了 fúwù dàojiā le / 영양 ～ 营养极为丰富 yíngyǎng jí wéi fēngfù
만조(滿潮) 满潮 mǎncháo; 高潮 gāocháo
만족(滿足) 满足 mǎnzú; 满意 mǎnyì; 心满意足 xīnmǎnyìzú ¶매우 ～하다 十分满意 shífēn mǎnyì / 현재의 생활에 ～하다 满足于现在的生活 mǎnzú yú xiànzài de shēnghuó
만지다 触 chù; 碰 pèng; 摸 mō ¶손가락으로 ～ 用手指摸 yòng shǒuzhǐ mō / 젖은 손으로 전등을 만지면 위험하다 用湿手碰电灯可危险 yòng shīshǒu pèng diàndēng kě wēixiǎn
만큼 ¶정거장까지 얼마～의 거리냐? 到火车站有多远? dào huǒchēzhàn yǒu duōyuǎn?
만행(蠻行) 野蛮行为 yěmán xíngwéi; 暴行 bàoxíng
만화(漫畵) 漫画 mànhuà; 连环画 liánhuánhuà; 动画片 dònghuàpiàn ¶텔레비전의 ～를 보다 在电视里看动画片 zài diànshì li kàn dònghuàpiàn / ～를 그리다 画漫画 huà mànhuà ‖연재 ～ 连环画 liánhuánhuà
만회(挽回) 挽回 wǎnhuí ¶손실을 ～하다 挽回损失 wǎnhuí sǔnshī / 3점 ～하다 扳回三分 bānhuí sān fēn
많다 多 duō; 许多 xǔduō; 好多 hǎoduō ¶중국은 인구가 ～ 中国人口众多 Zhōngguó rénkǒu zhòngduō / 많으면 많을수록 좋다 越多越好 yuèduō yuèhǎo =〔多多益善 duōduō yìshàn〕
맏 头生儿 tóushēngr ¶～아들 排大 páidà =〔行大 hángdà〕
말[1]《動》马 mǎ ¶～을 타다 骑马 qí mǎ =〔上马 shàng mǎ〕
말[2]《열 되》斗 dǒu
말[3]《언어》话 huà; 语言 yǔyán ¶상서로운 ～ 吉利话 jílìhuà =〔吉祥话 jíxiánghuà〕/ 축하의 ～ 祝词 zhùcí /서로간에 ～이 통하지 않다 彼此语言不通 bǐcǐ yǔyán bùtōng
말갛다 澄清 dèngqīng
말괄량이 轻浮的姑娘 qīngfú de gūniang; 野丫头 yěyātou; 疯丫头 fēngyātou
말굽 马蹄 mǎtí ‖～ 자석 马蹄形磁铁 mǎtí xíng cítiě
말귀 语意 yǔyì
말다[1]《둘둘》卷 juǎn ¶발을 ～ 卷帘子 juǎn liánzi / 종이를 ～ 卷纸 juǎn zhǐ
말다[2]《그만두다》停止 tíngzhǐ; 拉倒 lādǎo; 作罢 zuòbà ¶타다 만 성냥개비 燃过的火柴棍儿 ránguo de huǒchái gùnr
말다툼 口角 kǒujué; 争吵 zhēngchǎo; 吵架 chǎojià ¶～에서 손찌검까지 이르렀다 由口角而扭打起来 yóu kǒujué ér niǔdǎ qi lai
말대꾸(…對…) 还嘴 huánzuǐ; 〈口〉顶嘴 dǐngzuǐ ¶지지 않고 ～를 하다 毫不让步地顶嘴 háo

bùrángbù de dǐngzuǐ
말대답(…對答)《어른에게》回嘴 huízuǐ; 还嘴 huánzuǐ; 顶撞 dǐngzhuàng;〈口〉顶嘴 dǐngzuǐ〕¶부모에게 ～하다 跟父母顶嘴 gēn fùmǔ dǐngzuǐ
말뚝 桩子 zhuāngzi ¶～을 박다 打桩 dǎ zhuāng
말라깽이 瘦条子 shòutiáozi
말라리아(malaria)〘醫〙疟疾 nüèji〔〈俗〉yàojí〕; 疟子 yàozi
말랑말랑하다 软软呼呼的 ruǎnruǎn hūhū de ¶말랑말랑한 빵 暄软〔暄腾〕的面包 xuānruǎn〔xuānténg〕de miànbao
말리(茉莉) 素馨 sùxīn ¶～꽃 茉莉花 mòlihuā
말리다[1] 制止 zhìzhǐ;《충고로써》劝阻 quànzǔ ¶싸움을 ～ 制止吵架 zhìzhǐ chǎojià
말리다[2]《햇빛에》晒干 shàigān;《불에》烤干 kǎogān; 烘干 hōnggān;《바람에》晾干 liànggān ¶세탁물을 ～ 把洗的衣服晒干 bǎ xǐ de yīfu shàigān / 장갑을 불에 ～ 把手套'烤〔烘〕干 bǎ shǒutào 'kǎo〔hōng〕gān
말미 休假 xiūjià ¶～받다 请假 qǐng jià
말미암다 缘由 yuányóu ¶작은 일로 말미암아 큰 일에 실패한다 因小失大 yīn xiǎo shī dà
말버릇 说话的特征 shuōhuà de tèzhēng ¶선생님의 ～을 흉내내다 模仿老师说话的特征 mófǎng lǎoshi shuōhuà de tèzhēng
말벗 谈心的朋友 tánxīn de péngyou
말상대(…相對) 谈话的对手 tánhuà de duìshǒu; 谈天的伙伴 tántiān de huǒbàn ¶～가 없어서 재미가 없다 没有谈天的人, 真无聊 méiyǒu tántiān de rén, zhēn wúliáo
말소(抹消) 抹掉 mǒdiào; 勾消 gōuxiāo ¶자구를 ～하다 抹掉字句 mǒdiào zìjù
말소리 说话的声音 shuōhuà de shēngyīn
말수(…數) 说话的多少 shuōhuà de duōshǎo; 话语的数量 huàyǔ de shùliàng; 说话的次数 shuōhuà de cìshù ¶～가 많은 사람 爱说话的人 ài shuōhuà de rén =〔话语多的人 huàyǔ duō de rén〕
말썽 纠纷 jiūfēn; 争执 zhēngzhí; 争吵 zhēngchǎo ¶～을 일으키다 引起纠纷 yǐn qǐ jiūfēn =〔出乱子 chū luànzi〕〔惹出是非 rěchū shì fēi〕‖～꾸러기 磨擦专家 mócā zhuānjiā
말쑥하다 整洁 zhěngjié; 干干净净 gāngān jìngjìng
말주변 口才 kǒucái
말참견(…參見) 插嘴 chāzuǐ; 多嘴 duōzuǐ
말총 马鬃 mǎzōng; 马尾毛 mǎwěimáo
말투(…套) 口气(儿) kǒuqì〔qi〕(r); 口风 kǒufeng; 口吻 kǒuwěn; 语气 yǔqì ¶이전부터 그녀를 알고 있던 것 같은 ～다 听他的口气, 好像早就认识她似的 tīng tāde kǒuqì, hǎoxiàng zǎojiù rènshi tā shìde
말하다 说 shuō; 谈 tán; 讲 jiǎng; 道 dào ¶영어로 ～ 用英语讲 yòng Yīngyǔ jiǎng / 작은 소리로 ～ 小声说 xiǎo shēng shuō / 남의 일을 이러쿵저러쿵 말하지 마라 不要说人长道人短的 búyào shuō rén cháng dào rén duǎn de
말하자면 说起来 shuōqǐlai; 可以说 kěyǐ shuō ¶～ 새장 속의 새와도 같다 说起来就像个笼中的鸟 shuōqǐlai jiùxiàng ge lóngzhōng de niǎo
말할것도없이 不用说 bùyòng shuō; 不待言 búdài yán; 当然 dāngrán ¶그는 영어는 ～ 또 중·일어도 알고 있다 他不用说懂英语, 还懂中语日语 tā búyòng shuō dǒng Yīngyǔ, hái dǒng Zhōngyǔ Rìyǔ
맑다 ①《물건·날씨·액체가》清澈 qīngchè; 不混浊 bú hùnzhuó ¶맑은 물 清水 qīngshuǐ / 맑은 하늘 晴空万里 qíngkōng wànlǐ ②《생활이》扪心无愧 mén xīn wú kuì; 清白无辜 qīngbái wúgū ¶맑은 생애 清白无辜的一生 qīngbái wúgū de yìshēng =〔光明磊落的一生 guāng míng lěi luò de yìshēng〕
맑아지다 清澈起来 qīngchèqilai;《하늘이》(天)晴 qíng
맛 ①《음식물의》味儿 wèir; 滋味(儿) zīwèi〔wei〕(r); 味道 wèidao ¶～좋다 好滋味 hǎo zīwei =〔香 xiāng〕〔好吃 hǎochī〕/ ～없다 不好吃 bù hǎochī / ～이 빠지다 走了味 zǒule wèi / ～을 내다 加佐料 jiā zuǒ liao =〔添油加醋 tiānyóu jiācù〕②《느낌》滋味(儿) zī wèi〔wei〕(r); 甜头 tián tou; 便宜 pián yi ¶그는 가난의 ～을 모른다 他不知道受穷的滋味 tā bùzhīdào shòu qióng de zīwèi
맛보다 尝 cháng; 品味 pǐnwèi ¶간이 어떤가 맛을 보다 尝一尝咸淡 cháng yi cháng xián dàn
망각(忘却) 忘却 wàngquè; 遗忘 yíwàng; 忘记 wàngjì ¶～의 피안으로부터 되살아난 기억 从忘却中被唤醒的记忆 cóng wàngquèzhōng bèi huànxǐng de jìyì
망고(mango)〘植〙芒果(树) mángguǒ (shù)
망그러지다 坏 huài; 碎 suì;《집이》倒塌 dǎotā
망나니 枭刀子 xiāodāozi; 刽子手 guìzishǒu
망년회(忘年會) 年终慰劳会 niánzhōng wèiláohuì; 年终联欢会 niánzhōng liánhuānhuì
망령(亡靈) 亡灵 wánglíng; 亡魂 wánghún
망명(亡命) 亡命 wángmìng ¶한국에 ～하다 亡命韩国 wángmìng Hánguó / 정치적 ～을 하다 政治避难 zhèngzhì bìnàn
망보다(望…) 守望 shǒuwàng; 把风 bǎfēng
망상(妄想) 邪念 xiéniàn; 妄想 wàngxiǎng; 胡思乱想 hú sī luàn xiǎng ¶～에 빠지다 沉浸在妄想中 chénjìn zài wàngxiǎng zhōng
망설이다 游移 yóuyí; 徒作不作 dàizuò búzuò
망신(亡身) 丢脸 diūliǎn; 丢丑 diūchǒu; 出丑 chūchǒu ¶～당하다 出丑 chū chǒu =〔丢脸 diū liǎn〕〔丢人 diū rén〕
망아지 小马 xiǎomǎ; 马驹子 mǎjūzi
망언(妄言) 妄言 wàngyán; 妄语 wàngyǔ; 胡言乱语 húyánluànyǔ; 胡说八道 húshuōbādào ‖～ 다사 恕我胡说一通 shù wǒ húshuō yì tōng
망연(茫然) 茫然 mángrán ¶폐허에 ～히 서 있다 茫然呆立在废墟上 mángrán dāilì zài fèixū shang ‖～자실 茫然自失 mángrán zìshī
망원경(望遠鏡) 望远镜 wàngyuǎnjìng
망원렌즈(望遠 lens) 长焦距镜头 chángjiāojù jìngtóu; 摄远镜头 shèyuǎn jìngtóu
망측하다(罔測…) 岂有此理 qǐ yǒu cǐ lǐ; 不像话 bú xiànghuà
망치 铁锤 tiěchuí
망치다 弄坏 nònghuài; 糟蹋 zāotà ¶그의 일생을 망쳤다 把他的一生断送掉了 bǎ tāde yìshēng duànsòng diào le
망토(manteau) 斗篷 dǒupeng; 披风 pīfēng ¶～를 몸에 걸치다 身披斗篷 shēn pī dǒupeng

맞다 ①《안 틀림》 对 duì; 准 zhǔn ¶계산이 ~ 计算得对 jìsuàn de duì / 너의 시계는 맞지 않는다 你的表不对 nǐde biǎo bù duì / 요즘의 일기예보는 잘 맞지 않는다 最近天气豫报不太准 zuì jìn tiānqì yùbào bùtài zhǔn ②《입에》 合 hé ¶이 요리는 입에 맞습니까? 这个菜合不合您的口味? zhège cài hébuhé nínde kǒuwèi? =〔这菜您吃着'合口〔适口〕吗? zhè cài nín chīzhe 'hékǒu〔shìkǒu〕ma?〕 ③《어울림》 相称 xiāngchèn ¶붉은 색은 나에게 맞지 않는다 红颜色与我不相称 hóngyánsè yǔ wǒ bù xiāngchèn ④《몸·구멍에》 合 hé ¶이 신발은 나의 발에 꼭 ~ 这双鞋我穿着正合脚 zhè shuāng xié wǒ chuānzhe zhèng hé jiǎo ⑤《적중함》 对 duì ¶그의 예측이 맞았다 他猜对了 tā cāi duì le / 예언이 맞았다 预言应验了 yùyán yìngyàn le ⑥《매를》 挨 ái ¶매를 ~ 挨鞭子抽 ái biānzi chōu =〔挨揍 áizòu〕

맞닿다 互相接触 hùxiāng jiēchù; 互相挨着 hùxiāng āizhe ¶손과 손이 맞닿았다 手碰了手 shǒu pèngle shǒu

맞돈 现钱 xiànqián; 现钱杵 xiànqiánchǔ

맞먹다 平衡 pínghéng; 均衡 jūnhéng; 匹敌 pǐdí; 比得上 bǐdeshàng

맞바꾸다 对换 duìhuàn

맞바람 顶风 dǐngfēng

맞벌이 夫妇都工作 fūfù dōu gōngzuò; 双职工 shuāngzhígōng ¶~부부 双职工的夫妇 shuāngzhígōng de fūfù

맞서다 争执 zhēngzhí; 争能 zhēngnéng; 作对 zuòduì

맞은쪽 对面 duìmiàn; 对过 duìguò ¶사무실은 ~에 있다 办公室在对面 bàngōngshì zài duìmiàn

맞이하다 迎接 yíngjiē; 接风 jiēfēng

맞장구치다 打帮腔 dǎ bāngqiāng; 敲边鼓 qiāo biāngǔ; 随声附和 suíshēng fùhè ¶남의 말에 ~ 别人说话时随声附和 biérén shuōhuà shí suíshēng fùhè

맞추다 ①《서로 맞도록 하다》 可著 kězhe; 使…一致 shǐ…yīzhì ¶시계를 ~ 对表 duì biǎo ②《옷 따위를》 定 dìng; 订做 dìngzuò ¶양복을 ~ 订做西服 dìngzuò xīfú

맞히다[1] 《정답 따위를》 说中 shuōzhòng; 猜中 cāizhòng 《수수께끼를》 猜着 cāizháo ¶답을 알아 ~ 说对了答案 shuō duìle dá'àn

맞히다[2] ①《과녁을》 打中 dǎzhòng ②《바람·비 따위를》 让风吹雨打 ràng fēng chuī yǔ dǎ

맡기다 ①《부탁·위임》 委托 wěituō; 托付 tuōfù; 交给 jiāogěi ¶일을 비서에게 ~ 把工作委托给秘书(代办) bǎ gōngzuò wěituō gěi mìshū (dàibàn) / 만사는 나에게 맡기고 쉬십시오 一切交给我办, 你休息好了 yíqiè jiāogěi wǒ bàn, nǐ xiūxi hǎo le ②《물건을》 存 cún; 寄存 jìcún; 寄放 jìfàng; 存放 cúnfàng ¶짐을 ~ 把行李存起来 bǎ xíngli cúnqilai / 저 사람한테는 돈을 맡길 수가 없다 不能把钱存在他那里 bùnéng bǎ qián cúnzài tā nà li ③《의사에》 任凭 rènpíng; 《하게 내버려 두다》 听任 tīngrèn ¶본인의 판단에 ~ 任凭本人判断 rènpíng běnrén pànduàn / 자연에 ~ 听其自然 tīng qí zìrán

맡다 ①《담임》 担任 dānrèn; 《책임》 负责 fùzé ¶3학년을 ~ 负责〔担任〕三年级学生 fùzé〔dānrèn〕sān niánjí xuésheng / 책임을 ~ 负责 fùzé / 변호사가 사건을 ~ 律师将案件接受下来 lùshī jiāng ànjiàn jiēshòuxialai ②《보관》 保管 bǎoguǎn ¶짐은 내가 맡겠다 东西由我保存 dōngxi yóu wǒ bǎocún ③《냄새를》 闻 wén; 嗅 xiù ¶코로 냄새를 ~ 用鼻子闻味儿 yòng bízi wén wèir

매[1] 《때리는》 鞭子 biānzi; 皮鞭 píbiān ¶~로 때리다 用鞭子抽打 yòng biānzi chōudǎ

매[2] ⇨맷돌

매[3] 《鳥》 鹰 yīng

매개체(媒介體) 媒质 méizhí; 介质 jièzhì; 媒介物 méijièwù; 手段 shǒuduàn ¶커뮤니케이션의 ~ 信息媒介 xìnxī méijiè

매기다 ①《값을》 定(价) dìng (jià); 给(价) gěi (jià); 出(价) chū(jià) ¶값을 ~ 定价 dìng jià =〔要价 yào jià〕〔给价 gěi jià〕〔出价 chū jià〕 ②《채점》 评分 píngfēn; 记分 jìfēn

매끄럽다 光滑 guānghuá; 平滑 pínghuá; 滑润 huárùn; 〈口〉 滑溜 huáliu〕 ¶매끄러운 피부 滑腻的皮肤 huánì de pífū / 매끄러운 목소리 和谐悦耳的声音 héxié yuè'ěr de shēngyīn

매년(每年) 每年 měinián ¶~ 지금쯤 눈이 오기 시작하다 每年此时开始下雪 měinián cǐshí kāishǐ xià xuě

매니아(mania) 躁狂者 zàokuángzhě; 疯子 fēngzi; 爱好者 àihàozhě; 热心者 rèxīnzhě; …癖 …pǐ; 狂 …kuáng; …迷 …mí ¶영화 ~ 影迷 yǐngmí

매니저(manager) 《서비스업의》 经理 jīnglǐ; 《단체의》 干事 gànshì; 管理人 guǎnlǐrén

매니큐어(manicure) 指甲油 zhǐjiayóu; 蔻丹 kòudān ¶~를 바르다 '涂〔染〕指甲油 tú'〔rǎn〕zhǐjiayóu

매다[1] 《묶다》 系 jì; 结 jié ¶넥타이를 ~ 系领带 jì lǐngdài / 끈으로 ~ 用绳儿系上 yòng shéngr jìshang / 목을 ~ 悬梁 xuánliáng =〔上吊 shàngdiào〕

매다[2] 《김을》 铲地 chǎn dì; 薅草 hāo cǎo(밭의); 薅秧子 hāo yāngzi(논의)

매달다 悬挂 xuánguà; 吊起来 diàoqilai ¶귀고리를 ~ 戴耳环 dài ěrhuán

매달리다 吊垂 diàochuí; 悬 xuán; 耷拉 dāla ¶나뭇가지에 ~ 悬在树枝上 xuán zài shùzhīshang / 어머니 목에 ~ 搂住母亲的脖子吊着 lǒu zhù mǔqin de bózi diàozhe

매듭 结子 jiézi; 扣儿 kòur; 结扣 jiékòu ¶~을 풀다 解扣儿 jiě kòur / ~을 만들다 打结 dǎ jié =〔结扣儿 jié kòur〕

매력(魅力) 魅力 mèilì; 吸引力 xīyǐnlì ¶~이 넘치는 사람 富于魅力的人 fùyú mèilì de rén / 그녀에게 ~을 느끼다 感到她有魅力 gǎndào tā yǒu mèilì

매료하다(魅了…) 夺人魂魄 duó rén húnpò; 使…入迷 shǐ…rùmí ¶독자를 ~ 使读者入迷 shǐ dúzhě rùmí

매만지다 ①《머리를》 梳拢 shūlǒng; 梳理 shūlǐ ¶머리를 ~ 梳拢头发 shūlǒng tóufa =〔把头发梳平 bǎ tóufa shūpíng〕 ②《의복을》 整一整 zhěngyizhěng; 正襟 zhèngjīn

매맞다 挨打 áidǎ

매몰스럽다 冷毒 lěngdú; 刻薄 kèbo; 寡情 guǎqíng

매미 《蟲》 蝉 chán; 知了 zhīliǎo; 吉了儿 jíliǎor

매번(每番) 每次 měicì; 每回 měihuí ¶~ 같은

말을 하다 每次都说同样的话 měicì dōu shuō tóngyàng de huà
매부리 鹰匠 yīngjiàng; 驯鹰者 xùnyīngzhě; 鹰把式 yīngbǎshi ‖ ~코 鹰钩鼻子 yīnggōu bízi
매상(買上) 收购 shōugòu ¶정부의 ~ 가격 政府收购价格 zhèngfǔ shōugòu jiàgé
매상(賣上) 销售 xiāoshòu; 《금액》 销售额 xiāoshòu'é; 营业额 yíngyè'é ¶일주간의 ~ 一个星期的售货总金额 yī ge xīngqī de shòuhuò zǒngjīn'é
매상고(賣上高) 销售额 xiāoshòu'é; 卖款 màikuǎn; 营业额 yíngyè'é ‖순~ 净销售额 jìngxiāoshòu'é / 총~ 销售总额 xiāoshòu zǒng'é
매섭다 可怕 kěpà; 苛刻的 kēkède
매우 很 hěn; 相当 xiāngdāng; 怪 guài ¶~ 춥다 很〔怪〕冷 hěn〔guài〕lěng
매이다 ①《애정 따위에》 被…缠住 bèi… chánzhù ¶애정의 굴레에 ~ 被爱情的羁绊缠住 bèi àiqíng de jībàn chánzhù ②《속박하다》 束缚 shùfù; 拘束 jūshù; 限制 xiànzhì ¶나는 근무 시간에 얽매이지 않는다 我不受工作时间的拘束 wǒ bùshòu gōngzuò shíjiān de jūshù
매일(每日) 每天 měitiān; 每日 měirì; 天天 tiāntiān ¶~ 출근하다 每天上班 měitiān shàng bān
매일반(…一般) 差不多少 chàbuduōshǎo; 半斤八两 bàn jīn bā liǎng
매장(埋葬) 埋葬 máizàng; 殓葬 liànzàng
매장(埋藏) 埋藏 máicáng; 《천연 자원의》 蕴藏 yùncáng; 储藏 chǔcáng ¶지하에 ~되어 있는 문화재를 도굴당했다 埋藏在地下的文物被挖掘出土了 máicáng zài dìxià de wénwù bèi wājué chūtǔ le / 원유의 ~량을 조사하다 勘察原油储量 kānchá yuányóu chǔliàng
매정하다 寡情 guǎqíng
매진(賣盡) 售罄 shòuqìng; 全部售完 quánbù shòuwán ¶오늘 표는 ~입니다 今天的票已售完 jīntiān de piào yǐ shòuwán
매질 鞭打棍捶 biāndǎ gùnchuí; 抽打 chōudǎ
매춘(賣春) 卖淫 màiyín ‖~부 卖淫妇 màiyínfù
매치(match) 火柴 huǒchái; 〈俗〉 洋火 yánghuǒ
매화(梅花) 梅花 méihuā
맥(脈) ①《혈맥》 脉 mài; 血管 xuèguǎn ¶동~ 动脉 dòngmài ②《맥박》 脉搏 màibó ¶~이 약하다 脉沉 mài chén / ~이 빠르다 脉搏快 màibó kuài / 아직 ~이 있다 还有脉(搏) hái yǒu mài (bó) ③《광맥 따위의》 脉 mài ¶산~ 山脉 shānmài
맥보다(脈…) 诊脉 zhěn mài; 按脉 àn mài; 看脉 kàn mài
맥빠지다(脈…) 败兴 bàixìng; 失望 shīwàng; 扫兴 sǎoxìng; 沮丧 jǔsàng ¶이 보도에 접한 후 그들은 맥빠진 꼴이 되었다 听到这个报告, 他们大失所望 tīngdào zhè ge bàogào, tāmen dàshīsuǒwàng
맥없다(脈…) 颓丧 tuísàng
맥주(麥酒) 麦酒 màijiǔ; 啤酒 píjiǔ
맥풀리다(脈…) 气馁 qìněi; 松劲(儿) sōngjìn(r)
맨[1] 《모두》 竟 jìng ¶~ 욕이다 竟是骂人 jìng shi mà rén
맨[2] 《가장》 头 tóu; 最 zuì ¶~끝 尽头 jìntóu / ~첫번 头一次 tóu yīcì
맨드라미 《植》 鸡冠花 jīguānhuā
맨발 光脚 guāngjiǎo; 赤脚 chìjiǎo ¶~로 걷다 光着脚走路 guāngzhe jiǎo zǒu lù
맨션(mansion) 高级公寓 gāojí gōngyu; 居民大楼 jūmín dàlóu
맨손 ①空手 kōngshǒu; 光着手 guāngzhe shǒu ¶~으로 고기를 잡다 空手捉鱼 kōngshǒu zhuō yú ②《아무것도 지니지 않은》 空手 kōngshǒu; 赤手空拳 chìshǒu kōngquán ¶~으로 돌아오다 空手而归 kōngshǒu ér guī
맨홀(manhole) 进入孔 jìnrùkǒng; 工作口 gōngzuòkǒu; 升降口 shēngjiàngkǒu
맴돌다 旋转 xuán zhuǎn; 打转转 dǎzhuǎnzhuǎn
맵다 辣 là
맵시 姿态 zītài ¶~ 있는 身段优美 shēnduàn yōuměi
맷돌 《제분용》 石磨 shímò ¶~을 돌리다 推磨 tuī mò
맹랑하다(孟浪…) 《경시 못하다》 不可小看 bùkě xiǎokàn; 《허무하다》 虚幻 xūhuàn
맹렬(猛烈) 激烈 jīliè; 凶猛 xiōngměng; 猛烈 měngliè
맹목적(盲目的) 盲目的 mángmùde ¶~으로 명령에 좇다 盲目服从命令 mángmù fúcóng mìnglìng
맹물 《물》 白水 báishuǐ; 《사람》 糊涂虫 hútuchóng
맹세(盟誓) 盟誓 méngshì ¶~하다 立誓 lì shì; 起誓 qǐ shì
맹장(盲腸) 盲肠 mángcháng; 阑嫣 lánwěi ¶~을 자르다 割掉盲肠 gēdiào mángcháng
맹추 乏蛋包 fádànbāo; 傻子 shǎzi
맺다 ①《끈 따위를》 击 jì; 结 jié ¶구두끈을 ~ 击鞋带 jì xiédài ②《일 따위를》 终结 zhōngjié; 结束 jiéshù ¶맺는 말 结束语 jiéshùyǔ =〔结语 jiéyǔ〕 ③《인연을》 结 jié ¶인연을 ~ 结缘 jié yuán / 두 사람의 우정은 굳어서 깨질 수 없다 两个人的友谊牢不可破 liǎng ge rén de yǒuyì láo bù kě pò ④《계약·관계를》 建立关系 jiànlì guānxi; 结合 jiéhé; 结成 jiéchéng; 结盟 jiéméng; 《조약을》 缔结 dìjié ¶우호 동맹을 ~ 结成友好同盟 jiéchéng yǒuhǎo tóngméng / 보험 회사와 계약을 ~ 与保险公司签订合同 yú bǎoxiǎn gōngsī qiāndìng hétong / 조약을 ~ 缔结条约 dìjié tiáoyuē
맺히다 ①《열매 따위가》 结果 jiéguǒ ②《한되는 생각 따위가》 ¶원한이 뼈에 ~ 恨入骨髓 hèn rù gǔsuǐ ③《이슬 따위가》 结 jié; 凝结 níngjié ¶잎에 이슬이 맺혀 있다 叶上凝结着露珠 yèshang níngjiézhe lùzhū
머금다 ①《입에》 含 hán ¶입에 가득 물을 ~ 嘴里含满着水 zuǐ li hánmǎnzhe shuǐ ②《눈물·웃음 따위를》 含 hán ¶눈물을 ~ 含泪 hán lèi / 웃음을 머금은 얼굴 含着微笑的脸 hánzhe wēixiào de liǎn
머리 ①《두부》 头 tóu; 脑袋 nǎodai ¶~가 아프다 头痛 tóu tòng / ~를 끄덕이다 点头 diǎntóu =〔同意 tóngyì〕〔答应 dāying〕 ②《우두머리》 首领 shǒulǐng; 头目 tóumù ③《두뇌》 头脑 tóunǎo; 脑筋 nǎojīn ¶~가 좋다〔나쁘다〕 脑子'好〔坏〕 nǎozi 'hǎo〔huài〕 / ~를 쓰다 动脑筋 dòng nǎojīn =〔用脑子 yòng nǎozi〕 / ~의 회전이 빠르다 脑子转得快 nǎozi zhuǎnde

kuài ④《머리털》头发 tóufa ¶～를 자르다 剪发 jiǎn fà
머리말 ⇨서문(序文)
머리맡 枕边 zhěnbiān ¶～에서 시중들다 在边枕服侍 zài zhěnbiān fúshi
머리카락 头发丝儿 tóufasīr
머리털 头发 tóufa ¶～이 자라다 长头发 zhǎng tóufa
머무르다 《여관 따위에》住 zhù ¶여관에서 하룻밤 ～ 在旅馆住一夜 zài lǚguǎn zhù yíyè
머뭇거리다 磨蹭 móceng
머슴 长工 chánggōng; 雇农 gùnóng
머지않아 不久 bùjiǔ; 不几天 bùjǐtiān
머큐러크롬(mercurochrome) 汞溴红 gǒngxiùhóng; 红汞 hónggǒng; 红药水 hóngyàoshuǐ
머플러(muffler) 围巾 wéijīn ¶～를 두르다 围上围巾 wéishang wéijīn
먹 墨 mò ¶～을 갈다 研墨 yán mò =〔磨墨 mó mò〕
먹다[1] 《귀가》聋 lóng ¶귀가 ～ 耳朵聋了 ěrduo lóng le
먹다[2] 《음식을》吃 chī; 用 yòng(존대) ¶밥을 ～ 吃饭 chī fàn
먹물 墨水 mòshuǐ; 墨汁 mòzhī
먹음직스럽다 看着怪好吃 kànzhe guài hǎochī
먹이 饵食 ěrshí ¶고기에게 ～를 주다 喂鱼 wèi yú/닭이 ～를 찾아다니다 鸡找食吃 jī zhǎo shí chī/이리의 ～가 되다 成了狼的饵食 chéngle láng de ěrshí
먹줄 《실·노》墨线 mòxiàn
먹히다 《입맛》吃得下去 chīde xiàqu; 《속다》受骗 shòupiàn
먼동 트다 东发哨儿 dōngfāshàor; 发白 fābái
먼저 先 xiān ¶먼젓번 上回 shànghuí
먼지 尘埃 chén'āi; 尘土 chéntǔ; 灰尘 huīchén ¶～투성이가 되다 弄得满是灰尘 nòngde mǎn shì huīchén/책상 위의 ～를 털다 掸掸桌子上的尘土 dǎndǎn zhuōzishàng de chéntǔ ‖～떨이 掸子 dǎnzi
멀다[1] 《눈이》瞎 xiā ¶그는 눈이 멀었다 他眼睛瞎了 tā yǎnjing xiā le
멀다[2] ①《거리》远 yuǎn ¶산에 올라서 멀리 내려다보다 登山远眺 dēng shān yuǎn tiào ②《오래다》远 yuǎn; 久远 jiǔyuǎn; 从前 cóngqián ¶먼 옛날에는 하늘을 난다는 것은 생각도 못 했을 것이다 往昔不会想到能在空中飞翔 wǎngxī bùhuì xiǎngdào néng zài kōng-zhōng fēixiáng ③《친하지 않다》远 yuǎn; 疏远 shūyuǎn ¶저 사람은 나의 먼 친척이다 那人是我的远亲 nà rén shì wǒde yuǎnqīn/멀고도 가까운 것이 남녀의 사이 千里姻缘一线牵 qiānlǐ yīnyuán yīxiàn qiān
멀뚱멀뚱 瞪眼巴巴 dèngyǎn bābā
멀리 가다 走远 zǒuyuǎn
멀리뛰기 《體》跳远 tiàoyuǎn
멀리서 远地里 yuǎndìli ¶～도 똑똑히 보인다 远地里也看得清楚 yuǎndìli yě kànde qīngchu
멀리하다 躲开 duǒkāi; 避开 bìkāi; 躲远 duǒyuǎn ¶사람을 멀리하고서 밀담하다 把他人支走密谈 bǎ tārén zhī zǒu mìtán
멀미 ①《어질증》晕车 yùnchē; 晕飞机 yùnfēijī; 晕船 yùnchuán ¶배 ～ 나다 晕船 yùn chuán ②《싫음》厌烦 yànfán ¶～ 나다 感觉厌烦 gǎnjué yànfán
멀쩡하다 《온전하다》没有缺陷 méiyǒu quēxiàn; 《뻔뻔하다》脸皮厚 liǎnpí hòu
멈추다 停止 tíngzhǐ ¶비가 멈출 때까지 기다리다 等到雨停 děngdào yǔ tíng/아픔이 ～ 疼痛停止 téngtòng tíngzhǐ
멋들어지다 俏皮 qiàopi; 风流 fēngliú
멋쟁이 爱俏皮的人 ài qiàopi de rén
멋지다 俏皮 qiàopi; 漂亮 piàoliang; 俏生 qiàoshēng
멍 ①《타박에 의한》青斑 qīngbān; 红斑 hóngbān; 紫斑 zǐbān ¶온몸이 ～투성이다 全身青一块, 紫一块 quánshēn qīng yíkuài, zǐ yíkuài ②《타격》冲动 chōngdòng; 《손해》损耗 sǔnhào
멍멍 汪汪 wāngwāng; 狺狺 yínyín ¶개가 ～ 짖다 狗汪汪地叫 gǒu wāngwāngde jiào
멍석 草地席 cǎodìxí
멍에 ①《가축의》轭 è; 颈圈 jǐngquān; 夹板子 jiābǎnzi ¶～를 씌우다 套上夹板子 tàoshang jiābǎnzi ②《속박》桎梏 zhìgù ¶～를 벗어나다 摆脱桎梏 bǎituō zhìgù
멍울 《굳은 덩이》疙疸 gēdǎn; 《임파선종》《醫》淋巴腺炎肿 línbāxiàn yánzhǒng
멍청이 傻子 shǎzi; 憨包 hānbāo
멍청하다 糊涂 hútu; 笨 bèn; 愚蠢 yúchǔn
멍텅구리 糊涂虫 hútuchóng; 呆子 dāizi; 混蛋 húndàn
메가폰(megaphone) 扩声器 kuòshēngqì; 喇叭筒 lǎbatǒng; 传声筒 chuánshēngtǒng; 话筒 huàtǒng
메뉴(menu) 菜单 càidān ¶～를 보고 주문하다 看菜单叫菜 kàn càidān jiào cài
메다[1] 《막히다》堵塞 dǔsè
메다[2] 《어깨로》扛 káng; 《멜대》挑 tiāo ¶총을 ～ 扛枪 káng qiāng/멜대로 ～ 用扁担挑 yòng biǎndan tiāo
메달(medal) 奖章 jiǎngzhāng ¶금 ～을 따다 获得金质奖章 huòdé jīnzhì jiǎngzhāng
메뚜기 ⇨누리
메리야스(medias, meias) 针织品 zhēnzhīpǐn
메마르다 瘠瘦 jíshòu
메모(memo) 笔记 bǐjì; 记录 jìlù; 备忘录 bèiwànglù; 便条 biàntiáo ¶～를 하다 记笔记 jì bǐjì
메밀 《植》荞麦 qiáomài ‖～국수 荞(麦)面条 qiáo (mài) miàntiáo
메스(mes) 《醫》手术刀 shǒushùdāo ¶환부를 ～로 자르다 用手术刀切除患部 yòng shǒushùdāo qiēchú huànbù
메스껍다 ①《속이》恶心 ěxīn; 要吐 yào tù; 反胃 fǎnwèi ¶속이 메스꺼워서 토할 것 같다 恶心得要吐 ěxīnde yào tù ②《기분이》生气 shēngqì; 发怒 fānù ¶단지 그녀의 얼굴만 보아도 ～ 只要看到她那副面孔就有气 zhǐyào kàndào tā nà fù miànkǒng jiù yǒu qì
메시지(message) ①《전언》电文 diànwén; 通讯 tōngxùn; 消息 xiāoxi; 音信 yīnxìn; 口信 kǒuxìn ¶～를 교환하다 互通信息 hùtōng xìnxi ②《인사》致词 zhìcí; 祝词 zhùcí ¶～를 보내다 寄贺词 jì hècí
메아리 回声 huíshēng; 反响 fǎnxiǎng; 山鸣谷应 shān míng gǔ yìng ¶총성이 고요한 대지에 ～쳤다 枪声震憾了沉默的大地 qiāngshēng zhènhànle chénmò de dàdì
메우다 填 tián ¶공란을 ～ 填写 tiánxiě

메이커(maker) 制造厂 zhìzàochǎng; 厂商 chǎngshāng; 制造者 zhìzàozhě ‖ ~품 名厂制品 míngchǎng zhìpǐn; 明牌货 míngpáihuò
메이크업(make-up) 化装 huàzhuāng; 扮装 bànzhuāng; 打扮 dǎban ¶ ~을 지우다 卸装 xièzhuāng
메주 豆豉 dòuchǐ(마른 것); 豆黄 dòuhuáng(추진 것)
메추라기《鳥》鹌鹑 ānchún〔chun〕 ¶ ~알 鹌鹑蛋 ānchúndàn
메탄(methane)《化》沼气 zhǎoqì; 甲烷 jiǎwán ‖ ~ 가스 甲烷气体 jiǎwán qìtǐ
메틸알코올(methyl alcohol)《化》甲醇 jiǎchún; 木精 mùjīng
멘스(Menstruation) 月经 yuèjīng; 例假 lìjià
멜대 扁担 biǎndan ¶ ~로 메다 用扁担'挑〔抬〕 yòng biǎndan 'tiāo〔tái〕
멜라닌(melanin)《化》黑素 hēisù; 黑色素 hēisèsù
멜랑콜리(melancholy) 忧郁 yōuyù; 忧愁 yōuchóu; 悲伤 bēishāng; 忧郁症 yōuyùzhèng
멜로드라마(melodrama) 情节剧 qíngjiéjù; 爱情剧 àiqíngjù
멜로디(melody) 旋律 xuánlǜ; 曲调 qǔdiào ¶ 애수를 띤 ~가 흐르다 传来哀愁的乐曲声 chuánlái āichóu de yuèqǔshēng
멜론(melon)《植》甜瓜 tiánguā; 白兰瓜 báilánguā; 华莱氏瓜 Huàláishì guā
멜빵 背带 bēidài
멤버(member) 成员 chéngyuán; 队员 duìyuán; 分子 fènzǐ ¶ 농구의 ~를 채우다 凑齐篮球队的队员 còuqí lánqiúduì de duìyuán
멥쌀 粳米 jīngmǐ; 籼米 xiānmǐ
멧돼지《動》野猪 yězhū
며느리 儿媳妇 érxífù ¶ 시어머니와 ~ 사이가 나쁘다 婆媳不和 póxí bùhé
며칠 几号 jǐhào; 《몇 날》几天 jǐtiān
며칠전(…前) 前些日子 qián xiē rìzi
멱 咽喉 yānhóu ¶ ~ 따다 割喉咙 gē hóulong
멱살 前襟 qiánjīn; 前胸 qiánxiōng ¶ ~ 잡다 抓住前襟 zhuāzhù qiánjīn
면도(面刀) 刮脸 guāliǎn ‖ ~칼 剃刀 tìdāo =〔剃头刀 tìtóudāo〕〔刮脸刀 guāliǎndāo〕
면사포(面紗布) 兜纱 dōushā; 罩面布 zhàomiànbù
…면서 边…边… biān…biān…; 一面…一面… yímiàn… yímiàn… ¶ 걸으~ 말하다 边走边谈 biānzǒu biāntán / 나쁜 줄 알~ 거짓말하다 明知不对还撒谎 míngzhī búduì hái sāhuǎng
면적(面積) 面积 miànjī
면접(面接) 接见 jiējiàn; 面试 miànshì ‖ ~ 시험 当面考试 dàngmiàn kǎoshì
면직(免職) 免职 miǎnzhí; 开革 kāigé ¶ 직무 태만으로 ~되다 由于玩忽职守而被免职 yóuyú wánhū zhíshǒu ér bèi miǎnzhí
면책(免責) 免除责任 miǎnchú zérèn; 免除债务 miǎnchú zhàiwù ‖ ~ 특권 免除责任特权 miǎnchú zérèn tèquán
면허(免許) ① 批准 pīzhǔn; 许可 xǔkě ¶ ~가 내리다 许可下来了 xǔkě xiàlai le ②《허가증》许可证 xǔkězhèng; 执照 zhízhào ¶ 무~ 无照执业 wúzhàozhíyè / 운전 ~증 驾驶执照 jiàshǐ zhízhào
면회(面會) 会见 huìjiàn; 见面 jiànmiàn; 会面 huìmiàn ¶ 일주일에 한 번 병원으로 ~간다 一个星期到医院看望一次 yí ge xīngqī dào yīyuàn kànwang yí cì ‖ ~ 사절 谢绝'探视〔会面〕 xièjué 'tànshì 〔huìmiàn〕
멸각(滅却) 灭却 mièquè; 消灭 xiāomiè; 灭绝 mièjué
멸망(滅亡) 灭亡 mièwáng ¶ ~의 길을 걷다 走上灭亡的道路 zǒushang mièwáng de dàolù
멸시(蔑視) 蔑视 mièshì; 藐视 miǎoshì; 轻视 qīngshì ¶ 사람을 ~하다 藐视人 miǎoshì rén =〔瞧不起人 qiáobuqǐ rén〕
멸치《魚》黑背鳁 hēibèiwēn; 鳀 tí; 海蜒 hǎiyán
명기(名妓) 名妓 míngjì; 色艺高超的艺妓 sèyì gāochāo de yìjì
명란젓(明卵…) 咸鳕鱼子 xián xuěyúzǐ; 鳕鱼子 xuěyúzǐ
명랑(明朗) 明朗 mínglǎng; 开朗 kāilǎng ¶ ~한 성격의 사람이다 是一个性格明朗的人 shì yí ge xìnggé mínglǎng de rén
명령(命令) 命令 mìnglìng ¶ ~을 철회하다 撤消命令 chèxiāo mìnglìng / ~하다 下命令 xià mìnglìng
명명(命名) 命名 mìngmíng; 起名 qǐmíng
명목(名目) ①名义 míngyì; 名目 míngmù; 名称 míngchēng ¶ ~뿐인 회사 '挂名〔有名无实〕的公司 'guàmíng〔yǒumíngwúshí〕 de gōngsī ②《구실》借口 jièkǒu ¶ 시찰을 ~으로 여행하다 以视察为借口出去旅行 yǐ shìchá wéi jièkǒu chūqù lǚxíng
명문(名門) 名门 míngmén; 世家 shìjiā
명물(名物) 名产 míngchǎn; 《사람》出名的人 chūmíng de rén
명백(明白) 明白 míngbai; 明显 míngxiǎn ¶ 그가 간첩 활동을 했던 것은 ~한 사실이다 他搞间谍活动是明显的事实 tā gǎo jiàndié huódòng shì míngxiǎn de shìshí
명부(名簿) 名簿 míngbù; 名册 míngcè; 名单 míngdān ¶ 회원의 ~를 작성하다 编会员名册 biān huìyuán míngcè
명성(名聲) 声誉 shēngyù; 名声 míngshēng ¶ ~을 떨치다 博得好名声 bódé hǎo míngshēng
명세(明細) 详细 xiángxì; 详明 xiángmíng ¶ 품목의 ~는 별지에 있습니다 品种的细目在另一张纸上 pǐnzhǒng de xìmù zài lìng yì zhāng zhǐ shang ‖ ~서 详单 xiángdān =〔清单 qīngdān〕
명승(名勝) 名胜 míngshèng; 胜地 shèngdì
명안(名案) 好办法 hǎo bànfǎ; 好主意 hǎo zhǔyi; 妙算 miàosuàn ¶ ~이 떠오르다 想出好主意 xiǎngchū hǎo zhǔyi
명예(名譽) 名誉 míngyù; 荣誉 róngyù; 光荣 guāngróng ¶ ~를 더럽히다 玷污名誉 diànwū míngyù ‖ ~ 훼손 损坏名誉 sǔnhuài míngyù
명작(名作) 名作 míngzuò; 杰出的作品 jiéchū de zuòpǐn ¶ 그 작품은 불후의 ~중의 하나다 那部著作是不朽名作之一 nà bù zhùzuò shì bùxiǔ míngzuò zhī yī
명콤비(名…) 好搭档 hǎo dādàng ¶ 그들은 오랜 동안의 ~다 他们是长年来的好搭档 tāmen shì chángnián lái de hǎo dādàng
명태(明太)《魚》狭鳕 xiáxuě; 明太鱼 míngtàiyú
명필(名筆) 名笔迹 míngbǐjì

명함(名銜·名啣) 名片 míngpiàn ¶～을 내밀다 递名片 dì míngpiàn
명화(名畵) ①《그림의》名画 mínghuà ②《영화의》名影片 míngyǐngpiàn; 名片子 míngpiānzi; 优秀的影片 yōuxiù de yǐngpiàn
명확(明確) 明确 míngquè ¶～한 판단을 내리다 下明确的判断 xià míngquè de pànduàn
몇 几 jǐ ¶～날 几天 jǐ tiān / ～번 几回 jǐ huí / ～시 几点钟 jǐ diǎn zhōng
몇몇 几个 jǐ ge
모[1] 《벼의》稻秧 dàoyāng(zi)
모[2] 《옆》侧面 cèmiàn
모[3] ①《각》角 jiǎo ②《규각(圭角)》棱角 léngjiǎo; 不圆滑 bù yuánhuá ¶그는 ～가 나 있다 他为人有'棱角〔不圆滑〕 tā wéirén yǒu 'léngjiǎo〔bù yuánhuá〕/ ～가 없다 和蔼 hé'ǎi =〔没脾气 méi píqi〕
모[4] 《두부》块 kuài
모군(募軍) 《모군꾼》苦力 kǔlì; 土工 tǔgōng
모금(募金) 募捐 mùjuān ‖가두 ～ 街头募捐 jiētóu mùjuān
모금 一口 yì kǒu; 一滴 yì dī ¶겨우 한 ～ 마시다 喝一点儿 hē yìdiǎnr
모기 蚊子 wénzi ¶～에 물리다 被蚊子咬 bèi wénzi yǎo / 모깃소리만한 목소리 细弱的声音 xìruò de shēngyīn
모기장(…帳) 蚊帐 wénzhàng ¶～을 친다 挂蚊帐 guà wénzhàng
모내기 插秧 chāyāng; 栽插 zāichā
모던(modern) 现代 xiàndài; 近代 jìndài; 新式 xīnshì; 《유행의》时髦 shímáo; 流行 liúxíng; 摩登 módēng
모델(model) ①《모형》模型 móxíng; 雏型 chúxíng; 《형》型(式) xíng(shì) ¶비행기의 ～을 만들다 做飞机模型 zuò fēijī móxíng ②《소설 따위의》典型人物 diǎnxíng rénwù ¶그를 ～로 한 소설 以他为典型人物的小说 yǐ tā wéi diǎnxíng rénwù de xiǎoshuō ③《패션의》模特儿 mótèr ‖～카(car) 模型汽车 móxíng qìchē =〔样品汽车 yàngpǐn qìchē〕/ ～케이스(case) 典型事例 diǎnxíng shìlì =〔代表事例 dàibiǎo shìlì〕/ ～하우스(house) '样品〔典型〕住宅 'yàngpǐn〔diǎnxíng〕 zhùzhái =〔住宅样板 zhùzhái yàngbǎn〕/ 패션 ～ 时装模特儿 shízhuāng mótèr
모두 ①《사람》全体 quántǐ; 大家 dàjiā ¶～그의 계획에 찬성하다 大家都赞成他的计划 dàjiā dōu zànchéng tā de jìhuà ②全 quán; 都 dōu; 皆 jiē; 一切 yíqiè ¶～해서 얼마입니까? 一共多少钱? yígòng duōshǎo qián? / ～내가 나빴습니다 都是我不好 dōushì wǒ bùhǎo
모든 所有 suǒyǒu; 一切 yíqiè; 全部 quánbù ¶～사람이 찬성했다 所有的人都同意了 suǒyǒu de rén dōu tóngyìle / ～점에서 우수하다 在各方面都胜过 zài gè fāngmian dōu shèngguo
모들뜨기 斗眼 dòuyǎn
모래 沙子 shāzi ‖～장난 玩儿沙子 wánr shāzi
모략(謀略) 谋略 móulüè →〔策略 cèlüè〕〔计谋 jìmóu〕 ¶적의 ～에 빠지다 中敌人的计谋 zhòng dírén de jìmóu =〔落入敌人的圈套 luòrù dírén de quāntào〕
모레 后天 hòutiān; 〈口〉后儿 hòur ¶～는 일요일이다 后天是星期日 hòutiān shì xīngqīrì
모르다 ①《알지 못함》不知 bùzhī; 不知道 bù zhīdào; 不晓得 bùxiǎode ¶다른 사람이라면 모르되 그 사람이라면 의심할 점이 없다 别人我不知道，唯有他没有什么可疑的地方 biérén wǒ bùzhīdào, wéi yǒu tā méiyǒu shénme kěyí de dìfang ②《이해 못함》不懂 bù dǒng; 不明白 bù míngbai ¶그녀는 농담도 모르는 모양이다 她似乎不懂这个俏皮话 tā sìhū bù dǒng zhè ge qiàopihuà / 그가 말하는 뜻을 잘 모르겠다 我不明白他说的意思 wǒ bù míngbai tā shuō de yìsi
모르스부호(Morse符號) 摩尔斯〔莫尔斯〕电码 Mó'ěrsī〔Mò'ěrsī〕 diànmǎ
모르타르(mortar) 灰浆 huījiāng; 砂浆 shājiāng; 灰泥 huīní ¶～를 바르다 抹灰 mǒhuī
모르핀(Morphine) 吗啡 mǎfēi ¶～을 맞다 打吗啡 dǎ mǎfēi
모름지기 ①《마땅히》须 xū; 必须 bìxū ¶학생은 ～ 착실하게 공부하여야 한다 学生必须认真学习 xuésheng bìxū rènzhēn xuéxí ②《차라리》反而 fǎn'ér; 宁可 nìngkě
모면(謀免) 避免 bìmiǎn; 摆脱 bǎituō
모반(謀反) 谋反 móufǎn; 造反 zàofǎn; 叛变 pànbiàn; 叛逆 pànnì ¶～을 일으키다 造反 zào fǎn
모방(模倣) 模仿 mófǎng; 仿效 fǎngxiào; 效仿 xiàofǎng ¶～해서 만들다 仿'造〔制〕 fǎng 'zào〔zhì〕/ ～을 잘하다 善于模仿 shàn yú mófǎng
모범(模範) 模范 mófàn; 榜样 bǎngyàng ¶선생님이 먼저 ～을 보이다 老师首先示范 lǎoshī shǒuxiān shìfàn
모서리 棱角(儿) léngjiǎo(r); 角 jiǎo; 隅角 yújiǎo ¶책상의 ～ 桌子角 zhuōzi jiǎo
모션(motion) ①《동작》动作 dòngzuò ②《자세·몸짓》手势 shǒushì; 眼色 yǎnsè; 示意 shìyì ¶～을 걸다 对异性使眼色 duì yìxìng shǐ yǎnsè
모순(矛盾) 矛盾 máodùn ¶세상은 ～투성이다 世上矛盾重重 shìshang máodùn chóngchóng =〔世界上充满矛盾 shìjièshang chōngmǎn máodùn〕
모습 面貌 miànmào; 面影 miànyǐng; 模样 múyàng ¶얼굴에 어릴 때의 ～이 있다 脸上还有小时候的面影 liǎnshang hái yǒu xiǎo shíhou de miànyǐng / 그의 ～이 아직도 눈에 선하다 他的模样仿佛还在眼前 tā de múyàng fǎngfú hái zài yǎn qián
모시 《植》苎麻 zhùmá
모시다 ①《섬기다》伺候 cìhou; 服侍 fúshi; 侍奉 shìfèng ¶부모를 ～ 侍奉父母 shìfèng fùmǔ ②《제사하다》祭祀 jìsi ③《추대하다》推戴 tuīdài; 推举 tuījǔ ¶A씨를 회장으로 ～ 推举A先生为会长 tuījǔ A xiānsheng wéi huìzhǎng ④《동행·안내》 ¶제가 모시고 가지요 我陪同您去吧 wǒ péitóng nín qù ba / 손님을 (안으로) 모셔라 请客人进来 qǐng kèrén jìnlai
모양(模樣) 模样(儿) múyàng(r); 样子 yàngzi
모여들다 群集 qúnjí; 聚拢 jùlǒng
모욕(侮辱) 侮辱 wǔrǔ; 欺负 qīfu; 凌辱 língrǔ ¶사람을 ～해도 정도가 있다 侮辱〔欺〕人不能太甚 wǔrǔ〔qī〕rén bùnéng tài shèn
모으다 ①《수집》集 jí; 收集 shōují; 汇集 huìjí;

搜集 sōují ¶우표를 ～ 集邮 jíyóu =〔收集邮票 shōují yóupiào〕/증거를 ～ 搜集证据 sōují zhèngjù / 자료를 모아서 검토하다 把资料汇集在一起研究 bǎ zīliào huìjí zài yīqǐ yánjiù ②《소집》召集 zhàojí; 招集 zhāojí ¶모두들 모아서 의논하다 召集大家来商量 zhàojí dàjiā lai shāngliang ③《자금을》筹款 chóukuǎn; 筹集 chóují ¶자금을 모으기 위해 분주하다 为了筹措资金奔波 wèi le chóucuò zījīn bēnbō ④《저축》〈口〉积攒 jīzǎn

모이 饵 ěr; 饵食 ěrshí

모이다 ①《사람이》聚 jù; 集聚 jíjù; 集合 jíhé ¶1시에 회의실에 모여 주십시오 一点钟请在会议室集合 yì diǎn zhōng qǐng zài huìyìshì jíhé ②《물건 따위가》汇集 huìjí; 集中 jízhōng ¶회비가 전부 모였다 会费全部收齐了 huìfèi quánbù shōuqí le / 모두의 시선이 그에게 ～ 大家的视线都集中在他身上 dàjiā de shìxiàn dōu jízhōng zài tā shēnshang

모임 会 huì; 集会 jíhuì; 会合 huìhé; 汇集 huìjí ¶오늘의 ～은 8시에 있습니다 今天的会从八点开始 jīntiān de huì cóng bā diǎn kāishǐ

모자(帽子) 帽子 màozi ¶～를 쓰다 戴帽子 dài màozi / ～를 벗다 摘帽 zhāi mào

모자라다 ①《부족하다》不足 bùzú; 不够 búgòu ¶영양이 ～ 营养不足 yíngyǎng bùzú / 손이 ～ 人手不够 rénshǒu búgòu ②《저능》低能 dīnéng; 头脑迟钝 tóunǎo chídùn ¶저 남자는 조금 ～ 那家伙有点傻气 nà jiāhuo yǒudiǎn shǎqì

모자이크(mosaic) 马赛克 mǎsàikè; 镶嵌细工 xiāngqiàn xìgōng

모조(模造) 仿造 fǎngzào; 仿制 fǎngzhì ‖～ 보석 仿造的宝石 fǎngzào de bǎoshí

모조리 全部 quánbù; 一个也不剩地 yíge yě bú shèng de; 所有的 suǒyǒu de

모종 秧子 yāngzi ¶～ 내다 移苗 yímiáo =〔移种 yízhòng〕

모질다 《가혹》苛丧 kēsāng; 《불굴》不屈不挠 bùqūbùnáo

모집(募集) 募集 mùjí; 《사람을》征募 zhēngmù; 招募 zhāomù ¶학생 ～ 招生 zhāoshēng / ～에 응하다 应募 yīngmù / ～ 광고를 신문에 내다 在报上登招人启事 zài bàoshang dēng zhāorén qǐshì / 논문을 현상 ～하다 悬赏征集论文 xuánshǎng zhēngjí lùnwén

모처럼 特意 tèyì; 好容易 hǎoróngyì ¶～ 오셨는데 蒙您特意光临, 可是 méng nín tèyì guānglín kěshì / ～ 열심히 공부했는데, 애석하게도 병이 나서 시험을 칠 수가 없었다 好容易用了半天功, 偏偏得了病, 没能参加考试 hǎoróngyì yòngle bàntiān gōng, piānpiān dé le bìng, méi néng cānjiā kǎoshì

모친(母親) 母亲 mǔqin

모카 커피(Mocha coffee) 木哈咖啡 mùhā kāfēi; 摩加咖啡 mójiā kāfēi

모터(motor) 发动机 fādòngjī; 内燃机 nèiránjī; 电动机 diàndòngjī; 马达 mǎdá; 摩托 mótuō ¶～를 움직이다 '开动〔转动〕电动机 'kāidòng〔zhuǎndòng〕diàndòngjī ‖～ 보트(boat) 汽艇 qìtǐng =〔摩托艇 mótuōtǐng〕

모퉁이 拐角 guǎijiǎo; 街角 jiē jiǎo ¶첫번째 ～에서 왼쪽으로 돌아가다 在第一个街角往左拐 zài dìyí ge jiējiǎo wǎng zuǒ guǎi

모판(…板) 苗床 miáochuáng

모포(毛布) 毯子 tǎnzi; 毛毯 máotǎn

모표(帽標) 帽徽 màohuī ¶～를 달다 钉上帽徽 dìngshàng màohuī

모피(毛皮) 毛皮 máopí; 皮货 píhuò ¶～로 만든 옷 皮衣 píyì

모험(冒險) 冒险 màoxiǎn ¶～을 좋아하는 사람 喜欢冒险的人 xǐhuan màoxiǎn de rén / 큰 ～을 하다 孤注一掷 gūzhùyízhì ‖～심 冒险精神 màoxiǎn jīngshén / ～ 영화 惊险片 jīngxiǎnpiàn

모형(模型) 模型 móxíng ‖～ 비행기 模型飞机 móxíng fēijī

모호(模糊) 含糊 hánhu; 暧昧 àimèi; 模糊 móhu ¶그의 말은 ～하다 他说的很暧昧 tā shuō de hěn àimèi

목 ①脖子 bózi; 脖儿 bór ¶기린은 ～이 길다 长颈鹿脖子长 chángjǐnglù bózi cháng ②《목구멍》咽喉 yānhóu; 喉咙 hóulong; 嗓子 sǎngzi ¶～이 마르다 嗓子干 sǎngzi gān =〔口渴 kǒu kě〕/ ～이 막히다 嗓子哽塞 sǎngzi gěngsè / ～을 조르다 勒住咽喉 lè zhù yānhóu ③《물건의》颈 jǐng; 脖儿 bór ¶술병의 ～ 酒壶脖子 jiǔhú bózi

목간(沐間) 《목욕》洗澡 xǐzǎo; 《목욕탕》澡堂(子) zǎotáng(zi)

목걸이 项链 xiàngliàn; 链形(首)饰 liànxíng(shǒu)shì

목구멍 ⇨목②

목덜미 后颈 hòujǐng; 脖颈子 bógěngzi; 脖颈儿 bógěngr ¶남의 ～를 잡다 扭住某人的领口 niǔzhù mǒurén de lǐngkǒu

목도리 围巾 wéijīn ¶～를 하다 围围巾 wéi wéijīn

목돈 整数钱 zhěngshùqián ¶지금은 ～이 필요하다 现在需要一笔款子 xiànzài xūyào yì bǐ kuǎnzi

목록(目錄) ①《목차》目次 mùcì ②《리스트》目录 mùlù ‖재산 ～ 财产目录 cáichǎn mùlù =〔财产清单 cáichǎn qīngdān〕

목마르다 渴 kě

목말 骑脖子 qí bózi ¶아이를 ～ 태우다 让孩子骑在脖子上 ràng háizi qí zài bózi shang

목매달다 上吊 shàngdiào ¶목매달아 자살하다 自缢 zìyì =〔上吊 shàngdiào〕〔悬梁 xuánliáng〕

목메다 噎住 yēzhù; 沙哑 shāyǎ; 《울다》哽咽 gěngyè ¶목 메어 울다 抽噎地哭 chōuyēde kū

목사(牧師) 牧师 mùshi

목석(木石) 木石 mùshí ¶～ 같은 사람 铁石心肠的人 tiěshí xīncháng de rén =〔不懂人情的人 bùdǒng rénqíng de rén〕

목성(木星) 《天》木星 mùxīng

목소리 《사람·동물의》声 shēng; 声音 shēngyīn; 《말하는 소리》语声 yǔshēng; 嗓音 sǎngyīn ¶굵은 ～ 粗嗓音 cū sǎngyīn / 아름다운 ～ 悦耳的声音 yuè'ěr de shēngyīn / ～를 거칠게 하다 说着说着就大喊起来了 shuōzhe shuōzhe jiù dàhǎn qǐláile

목수(木手) 木匠 mùjiang; 木工 mùgōng

목숨 命 mìng; 性命 xìngmìng; 生命 shēngmìng ¶～이 위험하다 有生命危险 yǒu shēngmìng wēixiǎn / ～을 건지다 捡了一条命 jiǎnle yí tiáo mìng / ～을 걸다 冒生命危险 mào shēngmìng wēixiǎn =〔豁出命来 huōch

mìng lai〕
목쉬다 沙 shā; 沙哑 shāyǎ; 嘶哑 sīyǎ ¶오랜 시간 말을 했더니 목이 쉬었다 由于讲了很长时间的话, 嗓音嘶哑了 yóuyú jiǎngle hěn cháng shíjiān de huà, sǎngyīn sīyǎle
목요일(木曜日) 星期四 xīngqīsì; 〈口〉 礼拜四 lǐbàisì
목욕(沐浴) 洗澡 xǐzǎo ‖ ～탕(湯) 澡堂 zǎotáng =〔浴池 yùchí〕
목장(牧場) 牧场 mùchǎng; 牧地 mùdì ¶소가 ～에서 풀을 뜯다 牛在牧场上吃草 niú zài mùchǎng shang chī cǎo
목재(木材) 木材 mùcái; 木料 mùliào
목적(目的) 目的 mùdì; 目标 mùbiāo ¶～을 정하다 决定目的 juédìng mùdì
목전(目前) 眼前 yǎnqián; 面前 miànqián ¶시험이 ～에 다가오고 있다 考试迫在眉睫 kǎoshì pò zài méijié / ～의 이익만을 추구하다 只追求眼前的利益 zhǐ zhuīqiú yǎnqián de lìyì
목젖 悬壅垂 xuányōngchuí
목조(木造) 木造 mùzào; 木结构 mùjiégòu
목청 《기관》 喉嗓 hóusǎng; 嗓音 sǎngyīn
목축(牧畜) 牧畜 mùxù; 畜牧 xùmù
목탁(木鐸) 木鱼 mùyú
목탄(木炭) ① 木炭 mùtàn; 炭 tàn ② 《사생 재료》 炭笔 tànbǐ; 炭条 tàntiáo ‖ ～화 炭画 tànhuà
목판화(木版畫) 木版画 mùbǎnhuà; 木刻 mùkè
목표(目標) 目标 mùbiāo ¶～를 달성하다 达到目标 dádào mùbiāo
몫 份儿 fènr ¶네 ～은 남겨 두었다 你的份儿留出来了 nǐ de fènr liúchūlaile
몰다 ① 《소 따위를》 驱赶 qūgǎn ¶소를 ～ 赶牛 gǎn niú ② 追赶 zhuīgǎn ¶차를 ～ 赶车 gǎn chē
몰두(沒頭) 埋头 máitóu; 专心致志 zhuānxīnzhìzhì ¶침식을 잊고서 일에 ～하다 废寝忘食埋头工作 fèiqǐnwàngshí máitóu gōngzuò
몰락(沒落) 没落 mòluò; 灭亡 mièwáng; 衰败 shuāibài ¶～ 귀족 没落贵族 mòluò guìzú
몰래 偷偷地 tōutōude; 悄悄地 qiāoqiāode ¶비밀을 ～ 그에게 알려 주다 把秘密悄悄地告诉他 bǎ mìmì qiāoqiāode gàosu tā / 남의 눈을 피해 ～ 만나다 避开人秘密相会 bìkāi rén mìmì xiānghuì
몰려가다 《떼지어 가다》 拥进 yōngjìn
몰리다 《쫓기다》 被追赶 bèi zhuīgǎn; 《일에》 被赶 bèi gǎn; 《돈에》 被困窘 bèi kùnjiǒng; 《한 군데로》 被赶到一边儿 bèi gǎndào yì biānr
몰매 众人围打一人 zhòngrén wéi dǎ yī rén; 你一拳我一脚地殴打 nǐ yī quán wǒ yī jiǎo de ōudǎ; 群殴 qún ōu ¶～를 때려서 정신을 잃게 하다 众人围着打昏过去 zhòngrén wéi zhe dǎ hūnguòqu
몰살(沒殺) 杀光 shāguāng; 杀尽 shājìn ¶수비대는 ～당했다 守备队都被杀光了 shǒubèiduì dōu bèi shāguāngle
몰아내다 驱逐 qūzhú; 赶出去 gǎnchūqu
몰아넣다 ① 赶进 gǎnjìn; 撵进 niǎnjìn ¶닭을 닭장에 ～ 把鸡赶进窝里 bǎ jī gǎnjìn wōli / 한 방에 ～ 塞进一个房间 sāi jìn yí ge fángjiān ② 《정신적으로》 逼入 bīrù; 使陷入 shǐ xiànrù ¶적을 궁지에 ～ 使敌人陷入窘境 shǐ dírén xiànrù jiǒngjìng / 사람을 죽음에 ～ 把人整死 bǎ rén zhěngsǐ
몸 《신체》 身 shēn; 身体 shēntǐ; 身子 shēnzi ¶～을 숨기다 隐蔽起来 yǐnbìqilai / ～을 피하다 闪开 shǎnkāi =〔躲开 duǒkāi〕/ 임신 7개월의 ～ 已经有了七个月的身子 yǐjīng yǒu le qī ge yuè de shēnzi
몸가짐 教养 jiàoyǎng; 品行 pǐnxíng; 操行 cāoxíng ¶～이 좋다〔나쁘다〕 品行端正〔不端〕 pǐnxíngduānzhèng 〔bùduān〕
몸값 身价 shēnjià; 卖身钱 màishēnqián
몸뚱이 身板骨 shēnbǎngǔ
몸부림치다 挣扎 zhēngzhá; 撒泼打滚 sāpō dǎgǔn ¶몸부림치며 울다 哭得直哆嗦 kūde zhí duōsuo
몸서리 寒噤 hánjìn; 寒战 hánzhàn
몸소 亲身 qīnshēn; 亲自 qīnzì ¶～ 손을 대다 亲自动手 qīnzì dòngshǒu
몸조심(…操心) 《몸을 아낌》 保重 bǎozhòng
몸집 体格 tǐgé; 身量 shēnliang; 身材 shēncái ¶～이 작다 身材小 shēncái xiǎo =〔小个儿 xiǎogèr〕/ ～이 큰 아이 身材魁梧的孩子 shēncái kuíwú de háizi =〔高个儿的孩子 gāogèr de háizi〕
몸짓 姿态 zītài; 动作 dòngzuò ¶～ 손짓으로 나타내다 指手画脚地示意 zhíshǒuhuàjiǎo de shìyì / ～을 섞어 가며 이야기하다 借助动作讲话 jièzhù dòngzuò jiǎnghuà
몹시 太 tài; 顶 dǐng; 最 zuì; 极 jí
못[1] 《박는》 钉 dīng; 钉子 dīngzi ¶～을 박다 打钉 dǎ dīng =〔钉钉子 dìng dīngzi〕〔用钉子钉 yòng dīngzi dìng〕/ ～을 뽑다 拔钉子 bá dīngzi
못[2] 《손발의》 胼子 piánzi; 胼胝 piánzhí; 茧子 jiǎnzi; 茧皮 jiǎn pí ¶발에 ～이 생겼다 脚上生了茧子 jiǎo shang shēng le jiǎnzi / 이 말은 귀에 ～이 박이도록 들었다 这些话我已经听腻了 zhè xiē huà wǒ yǐjīng tīngnìle
못[3] 《연못》 池 chí; 池子 chízi; 池塘 chítáng
못견디다 了不得 liǎobudé; 受不了 shòubuliǎo; 吃不消 chībuxiāo
못되다 《미달》 不到 búdào; 《악하다》 邪恶 xié'è ¶마음씨가 ～ 居心不好 jūxīn bùhǎo
못마땅하다 不满意 bù mǎnyí; 不舒服 bù shūfu; 不高兴 bù gāoxìng
못뽑이 拔钉钳子 bádīng qiánzi; 起钉器 qǐdīngqì
못생기다 难看 nánkàn; 不好看 bù hǎokàn; 丑 chǒu
못지않다 不亚于 bú yàyú; 亚赛 yàsài ¶그에 ～ 亚赛他 yàsài tā
몽둥이 棍子 gùnzi; 棒子 bàngzi
몽땅 一古脑儿 yìgǔnǎor; 全 quán ¶도둑에게 ～ 털렸다 叫贼给偷得一干二净 jiào zéi gěi tōude yìgānèrjìng
묘(墓) 坟 fén; 墓 mù; 坟墓 fénmù
묘목(苗木) 树苗 shùmiáo ¶～을 심다 栽树苗 zāi shùmiáo
묘비(墓碑) 墓碑 mùbēi ¶～를 세우다 立墓碑 lì mùbēi
묘사(描寫) 《문자·그림의》 描写 miǎoxiě; 描会 miáohuì; 描画 miáohuà; 《문자의》 描述 miáoshù ¶사실과 같이 ～하다 如实地描写 rúshíde miáoxiě / 전원 생활을 생생하게 ～한 소설 生动地描会了田园生活的小说 shēngdòngde miáo-

huìle tiányuán shēnghuó de xiǎoshuō
묘지기(墓…) 坟丁 féndīng; 守墓人 shǒumùrén; 看坟人 kānfénrén
묘책(妙策) 妙计 miàojì; 妙策 miàocè; 上策 shàngcè ¶ ~을 떠올리다 想出妙计 xiǎng chū miàojì
무 〖植〗 萝卜 luóbo
무감각(無感覺) ①没感觉 méi gǎnjué; 无反应 wú fǎnyìng; 无知觉 wú zhījué ¶ ~한 상태 无知觉状态 wú zhījué zhuàngtài ②〖무신경〗 麻木不仁 mámùbùrén; 无动于衷 wúdòngyúzhōng
무겁다 〖무게가〗 重 zhòng ①沉重 chénzhòng; 沉 chén; 重 zhòng ¶ 무거운 돌 沉重的石头 chénzhòng de shítou / 쇠는 물보다 ~ 铁比水重 tiě bǐ shuǐ zhòng ②〖책임 · 병 · 죄 등이〗 重大 zhòngdà; 重要 zhòngyào; 严重 yánzhòng ¶ 책임이 ~ 责任重大 zérèn zhòngdà / 죄가 ~ 罪重 zuì zhòng =〔罪情严重 zuìqíng yánzhòng〕/ 병이 무거워지다 病加重 bìng jiāzhòng =〔病情恶化 bìngqíng èhuà〕 ③〖기분이〗 沉重 chénzhòng =〔不舒畅 bù shūchàng〕 ¶ 마음이 ~ 心情沉重 xīnqíng chénzhòng
무게 〖중량〗 重量 zhòngliàng; 轻重 qīngzhòng; 分量 fènliàng ¶ ~를 달다 称重量 chēngzhòngliàng =〔衡量轻重 héngliang qīngzhòng〕
무고(誣告) 诬告 wūgào
무관심(無關心) 不关心 bù guānxīn; 〖마음에 두지 않다〗 不介意 bú jièyì; 不过问 bú guòwèn; 不感兴趣 bù gǎn xìngqù ¶ ~을 가장하다 装不关心的样子 zhuāng bù guānxīn de yàngzi / 정치에 ~한 사람 对政治不感兴趣的人 duì zhèngzhì bù gǎn xìngqù de rén
무궁화(無窮花) 〖植〗 木槿花 mùjǐnhuā
무근(無根) 没根据 méi gēnjù; 无实际 wú shíjì ¶ 사실 ~의 소문 无凭无据〔无稽〕的传说 wúpíngwújù〔wújī〕 de chuánshuō
무급(無給) 没有工资 méiyǒu gōngzī; 无报酬 wú bàochou ¶ ~으로 봉사하다 免费服务 miǎnfèi fúwù ‖ ~ 직원 无工资的职员 wú gōngzī de zhíyuán
무기(武器) 武器 wǔqì; 军火 jūnhuǒ; 军械 jūnxiè ¶ ~를 들고 싸우다 拿起武器战斗 ná qǐ wǔqì zhàndòu / 성실이 그의 ~다 诚实是他的武器 chéngshi shì tāde wǔqì
무기력(無氣力) 没精神 méi jīngshen; 缺乏朝气 quēfá zhāoqì; 没气力 méi qìlì; 无气魄 wú qìpò ¶ ~한 생활 死气沉沉的生活 sǐqì chénchén de shēnghuó / 병을 앓고 나서 ~해졌다 自生病以来, 完全没精神了 zì shēngbìng yǐlái, wánquán méi jīngshén le
무기명(無記名) 无记名 wújìmíng; 不记名 bùjìmíng ¶ ~ 방식으로 선거하다 采取无记名方式进行选举 cǎiqǔ wújìmíng fāngshì jìnxíng xuǎnjǔ ‖ ~ 투표 无记名投票 wújìmíng tóupiào
무난(無難) ①〖무던함〗 没有缺点 méiyǒu quēdiǎn; 无可非议 wú kě fēi yì; 说得过去 shuōdeguòqu ¶ 이 정도는 우선 ~하다 作到这个程度也就说得过去了 zuò dào zhège chéngdù yě jiù shuōde guòqu le ②〖쉽다〗 不难 bù nán
무너뜨리다 〖쓰러뜨리다〗 推倒 tuīdǎo; 推翻 tuīfān; 打倒 dǎdǎo ¶ 정부를 ~ 推翻政府 tuīfān zhèngfǔ
무너지다 坍 tān; 塌 tā; 崩溃 bēngkuì; 崩裂 bēngliè; 崩塌 bēngtā; 瓦解 wǎjiě; 倒塌 dǎotā; 坍塌 tāntā ¶ 지진으로 돌담이 ~ 石墙被地震塌了 shíqiáng bèi dìzhèn tā le / 독재 체제가 ~ 独裁统治瓦解 dúcái tǒngzhì wǎjiě
무늬 花 huā; 花纹 huāwén ¶ ~ 있는 옷감 花布 huābù / 백색 바탕에 파란 ~ 白地蓝花 báidì lánhuā / 줄 ~ 条纹 tiáowén
무단(無斷) 无故 wúgù; 擅自 shànzì; 私自 sīzì ¶ ~ 결석하다 擅自缺席 shànzì quēxí =〔旷课 kuàngkè〕/ ~으로 사용하다 擅自使用 shànzì shǐyòng / ~으로 외박하다 擅自在外'住宿〔过夜〕 shànzì zàiwài 'zhùsù〔guòyè〕/ ~으로 책을 가지고 나가다 擅自把图书带出 shànzì bǎ túshū dài chū ‖ ~ 결근 未经批准擅自缺勤 wèi jīng pīzhǔn shànzì quēqín =〔旷职 kuàngzhí〕〔旷工 kuànggōng〕
무당 巫婆 wūpó; 女巫 nǚwū
무대(舞臺) 戏台 xìtái; 舞台 wǔtái ¶ ~에 서다 登台 dēngtái / 이 소설의 ~는 중국이다 这篇小说的背景是中国 zhè piān xiǎoshuōde bèijǐng shì Zhōngguó / 세계를 ~로 활약하다 活跃在世界舞台上 huóyuè zài shìjiè wǔtái shang ‖ ~ 조명 舞台灯光 wǔtái dēngguāng =〔舞台照明 wǔtái zhàomíng〕/ 회전 ~ 施转式舞台 xuánzhuǎnshì wǔtái =〔转台 zhuǎntái〕
무더기 堆 duī ¶ 사과를 2~ 사다 买两堆苹果 mǎi liǎng duī píngguǒ
무던하다 〖사람이〗 稳当 wěndang; 气度大 qìdu dà; 〖정도〗 相当 xiāngdāng
무덤 墓 mù ¶ ~ 앞에 꽃다발을 바치다 在墓前供上花束 zài mù qián gòngshàng huāshù
무덥다 闷热 mēnrè ¶ 어제 저녁은 무더워서 잠을 잘 못잤다 昨晚闷热得没睡好 zuówǎn mēnrède méi shuì hǎo
무도(舞蹈) 舞蹈 wǔdǎo ‖ ~회 舞会 wǔhuì
무두질 鞣皮 róupí ¶ 쇠가죽을 ~하다 鞣熟牛皮 róushú niúpí
무드(mood) 心情 xīnqíng; 心绪 xīnxù; 情绪 qíngxù; 气氛 qìfēn ¶ 축제 ~ 节日气氛 jiérì qìfēn
무디다 ①〖날붙이가〗 钝 dùn; 不快 bú kuài ¶ 주머니칼이 무디어서 잘라지지 않는다 小刀不快切不动 xiǎodāo bùkuài qiē bú dòng ②〖머리 · 성질이〗 迟钝 chídùn ¶ 신경이 ~ 神经迟钝 shénjīng chídùn
무뚝뚝하다 鲁粗 cūlu; 不和气 bùhéqi; 生硬 shēngyìng; 没有和祥气 méiyǒu héxiángqi ¶ 무뚝뚝한 사람 粗鲁的人 cūlu de rén / 그는 말하는 것이 ~ 他说话'生硬〔粗鲁〕 tā shuōhuà 'shēngyìng〔cūlu〕
무럭무럭 ①〖자라다〗 (长得) 很快 (zhǎng de) hěn kuài; 茁壮成长 zhuózhuàng chéngzhǎng ¶ 아이가 ~ 자라다 儿童茁壮成长 értóng zhuózhuàng chéngzhǎng / 나무가 ~ 자라다 树长得快 shù zhǎngde kuài ②〖연기가〗 呼呼地 hūhū de
무려(無慮) 〖놀랍게도〗 出乎意外 chūhū yìwài ¶ ~ 수만의 적병이 벌떼같이 밀려왔다 约有数万敌军蜂拥而来 yuē yǒu shùwàn díjūn fēngyōng ér lái
무력(武力) 武力 wǔlì ¶ ~에 호소하다 诉诸武力 sù zhū wǔlì / ~으로써 해결하다 凭武力解决

píng wǔlì jiějué
무렵 正当…时候 zhèngdāng … shìhou
무료(無料) ① 免费 miǎnfèi; 不要钱 búyào qián ② 《보수가 없는》 不要报酬 búyào bàochou ‖ ～봉사 不要报酬的服务 búyào bàochou de fúwù / ～ 입장 免费入场 miǎnfèi rùchǎng ¶ ～ 승차객〔승선객〕〈俗〉《밀항자》 黄鱼 huángyú
무르다 《단단치 않다》 脆弱 cuìruò; 软弱 ruǎnruò; 嫩 nèn
무르익다 熟过劲儿 shú guò jìnr; 《일·때 따위가》 成熟 chéngshú ¶ 시기가 무르익기를 기다리다 等待时机成熟 děngdài shíjī chéngshú
무릅쓰다 不避 búbì; 不顾 búgù ¶ 비를 ～ 冒雨 màoyǔ / 반대를 무릅쓰고 강행하다 不顾别人反对坚决贯彻 bùgù biérén fǎnduì jiānjué guànchè
무릎 膝 xī; 〈俗〉 膝盖 xīgài ¶ ～ 꿇다 跪下 guìxià / 아이를 ～에 앉히다 把孩子放在腿上 bǎ háizi fàng zài tuǐ shang / 아이는 어머니의 ～을 베고서 잠들었다 孩子枕着母亲的腿睡着 háizi zhěnzhe mǔqin de tuǐ shuìzháo / 잡초가 ～까지 자랐다 杂草长得到了膝盖 zácǎo zhǎngde dàole xīgài
무리[1] 《동아리》 一帮 yì bāng; 一夥 yì huǒ
무리[2] 《해·달의》 晕轮 yùnlún ¶ 햇～ 日晕 rìyùn =〔日光环 rìguānghuán〕/ 달～ 月晕 yuèyùn =〔月晕圈 yuèyùnquān〕
무리(無理) ① 《도리가 아님》 无理 wúlǐ; 不讲理 bù jiǎnglǐ; 不合理 bù hélǐ ¶ ～한 요구를 하다 提出无理的要求 tíchū wúlǐde yàoqiú ② 《하기 곤란함》 难以办到 nányǐ bàndào; 勉强 miǎnqiǎng; 不合适 bù héshì ¶ 지금은 ～다 现在不行 xiànzài bùxíng / 그 일은 그에게는 ～다 那个工作对他来说恐怕有些勉强 nàge gōngzuò duì tā lái shuō kǒngpà yǒuxiē miǎnqiǎng ③ 《억지로 우겨댐》 强制 qiángzhì; 硬要 yìngyào; 硬逼 yìngbī; 强迫 qiángpò ¶ ～하게 노동시키다 强制劳动 qiángzhì láodòng ④ 《과도하게》 过分 guòfèn; 过度 guòdù; 不量力 bú liànglì ¶ 자네는 병후니까 무리하지 말아라 你的病刚好, 别那么勉强啊 nǐde bìng gāng hǎo, bié nàme miǎnqiǎng a
무마(撫摩) 抚慰 fǔwèi
무명 棉布 miánbù
무명조개 〔貝〕 文蛤 wéngé; 蛤蜊 gélí〔li〕
무명지(無名指) 无名指 wúmíngzhǐ
무미건조(無味乾燥) 枯燥无味 kūzào wúwèi ¶ 당지의 생활은 ～해서 아무 즐거움도 없다 该地的生活枯燥无味, 没有任何乐趣 gāi dì de shēnghuó kūzào wúwèi, méiyǒu rènhé lèqù
무분별(無分別) 不顾前后 búgù qiánhòu; 轻率 qīngshuài; 莽撞 mǎngzhuàng ¶ ～한 짓을 하다 干'莽撞〔鲁莽; 轻率〕的事 gàn 'mǎngzhuàng 〔lǔmǎng; qīngshuài〕 de shì
무사(無事) 平安 píng'ān; 无变故 wú biàngù; 太平无事 tàipíng wúshì ¶ ～히 여행에서 돌아오다 从旅途平安归来 cóng lǚtú píng'ān guī lai / ～히 북경에 도착하다 安抵北京 ān dǐ Běijīng
무사마귀 疣 yóu; 瘊子 hóuzi ¶ ～가 생기다 长瘊子 zhǎng hóuzi
무상(無償) 《보수가 없는》 无偿 wúcháng; 没有报酬 méiyǒu bàochou; 《무료의》免费 miǎnfèi; 不收费 bù shōu fèi ¶ ～으로 교부하다 无偿交付 wúcháng jiāofù ‖ ～ 배급 免费配给 miǎnfèi pèijǐ
무상출입(無常出入) 自由进出 zìyóu jìnchū
무서워하다 害怕 hàipà; 恐惧 kǒngjù
무선 전신(無線電信) 无线电信 wúxiàn diànxìn ¶ ～을 치다 用无线电信机发报 yòng wúxiàn diànxìnjī fābào
무선 통신(無線通信) 无线电'通讯〔通信〕 wúxiàndiàn'tōngxùn 〔tōngxìn〕
무섭다 ① 《일반적》 可怕 kěpà ¶ 무서운 얼굴 一副可怕的脸 yí fù kěpàde liǎn / 무서워서 소름이 끼치다 怕得毛骨悚然 pàde máogǔ sǒngrán ② 《지독하다·심하다》 惊人 jīngrén; 非常 fēicháng; 厉害 lìhai ¶ 우리가 얼마나 무서운지 보여 주자 给他看看我们的厉害 gěi tā kànkan wǒmen de lìhai
무성(茂盛) 茂盛 màoshèng
무성 영화(無聲映畫) 无声电影 wúshēng diànyǐng; 无声片 wúshēngpiàn; 默片 mòpiàn
무소 〔動〕 犀 xī; 犀牛 xīniú
무쇠 生铁 shēngtiě
무수(無數) 无数 wúshù ¶ ～한 不可胜数的 bùkě shèngshǔ de =〔数不清的 shǔ bu qīng de〕/ ～한 예를 들다 举无数的例子 jǔ wúshù de lìzi
무슨 什么 shénme ¶ ～ 과를 시험 보려고 합니까? 你要考什么专业 nǐ yào kǎo shénme zhuānyè? / 여기는 ～ 방입니까? 这是什么房间? zhè shì shénme fángjiān?
무시(無視) 无视 wúshì; 不顾 búgù; 忽视 hūshì ¶ 교통 신호를 ～하다 无视交通信号 wúshì jiāotōng xìnhào
무시무시하다 感到恐怖 gǎndào kǒngbù; 刺心地害怕 cìxīnde hàipà; 森森鬼气 sēnsēn guǐqì
무시험(無試驗) 不考试 bùkǎoshì; 不经考试 bùjīng kǎoshì; 免试 miǎnshì ¶ ～으로 입학하다 免试入学 miǎnshì rùxué
무실(無實) ① 《실질이 없음》 不是事实 búshì shìshí; 没有根据 méiyǒu gēnjù; 没事实 méi shìshí ¶ 유명 ～ 有名无实 yǒumíng wúshí ② 《사실이 없음》 冤枉 yuānwang; 冤罪 yuānzuì ¶ ～한 죄 冤枉罪 yuānwang zuì
무심결에(無心…) 不知不觉地 bùzhī bùjué de
무심하다(無心…) 漠不关心 mòbù guānxīn
무안(無顔) 没脸 méiliǎn; 磨不开 mò bu kāi; 转不过脸 zhuǎnbù guò liǎn ¶ ～을 주다 羞人 xiūrén
무언(無言) 无言 wúyán; 不说话 bùshuōhuà; 沉默 chénmò ¶ ～의 약속을 하다 达成了默契 dáchéngle mòqì ‖ ～극 哑剧 yǎjù
무엇 什么 shénme; 何 hé ¶ ～이든지 什么都 shénme dōu / 이것은 ～입니까 这是什么 zhè shì shénme / ～부터 말해야 할지 모르겠다 不知从何说起 bù zhī cóng hé shuō qi
무역(貿易) 贸易 màoyì ¶ 아시아의 여러 나라와 ～하다 和亚洲各国进行贸易 hé Yàzhōu gèguó jìnxíng màoyì ‖ ～ 회사 进出口公司 jìnchūkǒu gōngsī / 중계 ～ 中继贸易 zhōngjì màoyì
무연탄(無煙炭) 无烟炭 wúyānméi
무용(舞踊) 跳舞 tiàowǔ; 舞蹈 wǔdǎo ‖ ～가 舞蹈家 wǔdǎojiā
무위(無爲) ① 《아무 일도 하지 않음》 不干事 bú gànshì; 无所作为 wú suǒ zuò wéi; 游手好闲

yóushǒu hàoxián; 虚度年华 xūdù niánhuá ¶귀중한 시간을 ~하게 보내다[지내다] 白白浪费宝贵时间 báibái làngfèi bǎoguì shíjiān ②《자연 그대로의》 无所作为 wúsuǒ zuòwéi; 无为 wúwéi ‖~ 도식 无所事事 wúsuǒ shìshì =[虚度年华 xūdù niánhuá]
무의미(無意味) 无意义 wúyìyì; 没意思 méiyìsi; 没价值 méijiàzhí; 无聊 wúliáo; 无益 wúyì ¶~한 일 无意义的工作 wúyìyì de gōngzuò/~한 희생 无谓的牺牲 wúwèi de xīshēng
무의식(無意識) ①《의식이 없음》 无意识 wúyìshí; 不自觉 búzìjué; 不知不觉 bùzhī bùjué ¶~적으로 손을 내밀다 无意识地伸出了手 wúyìshí de shēn chū le shǒu ②《의식을 잃음》 没有知觉 méiyǒu zhījué; 失去知觉 shīqù zhījué; 不省人事 bùxǐng rénshì ¶~ 상태에 빠지다 处于昏迷状态 chǔyú hūnmí zhuàngtài =[晕过去 hūnguoqu][不省人事 bùxǐng rénshì]
무일푼(無…) 分文没有 fēnwén méiyǒu; 没有一文钱 méiyǒu yì wén qián; 一文不名 yìwén bùmíng ¶~에서 재산을 모으다 白手起家 báishǒu qǐ jiā
무임(無賃) 免费 miǎnfèi; 不收费 bù shōufèi ‖~ 승차 无票乘车 wúpiào chéngchē/~승차권 免费车票 miǎnfèi chēpiào
무자격(無資格) 没有资格 méiyǒu zīgé; 无资格 wúzīgé ‖~자 无资格者 wúzīgézhě
무자비(無慈悲) 《마음이》 冷酷无情 lěngkù wúqíng; 《행위 따위가》 狠毒 hěndú; 毒辣 dúlà; 残忍 cánrěn ¶~한 사나이 冷酷无情的人 lěngkù wúqíng de rén =[狠心的人 hěnxīn de rén]
무작정(無酌定) 没一定的主意 méi yí dìng de zhǔyi; 鲁莽 lǔmàng ¶~으로 하다 盲目行事 mángmù xíngshì
무장(武裝) 武装 wǔzhuāng; 军事装备 jūnshì zhuāngbèi ‖~ 해제 解除武装 jiěchú wǔzhuāng =[缴械 jiǎoxiè]/비~지대 非军事地区 fēi jūnshì dìqū/완전 ~ 全副武装 quánfù wǔzhuāng
무전(無電) 无线电 wúxiàndiàn ¶~을 치다 用无线电发送 yòng wúxiàndiàn fāsòng
무전(無錢) 不带钱 bù dàiqián ‖~ 취식 在饭馆赖账 zài fànguǎn làizhàng/~ 여행 不带钱旅行 bú dàiqián lǚxíng =[穷逛 qióngguàng]
무제한(無制限) 无制限 wúxiànzhì ¶~으로 허가하다 无限制地许可 wúxiànzhì de xǔkě
무좀《醫》 脚癣 jiǎoxuǎn; 足癣 zúxuǎn; 脚气 jiǎoqì ¶발가락에 ~이 생겼다 趾间长了脚癣 zhǐ jiān zhǎngle jiǎoxuǎn
무죄(無罪) 无罪 wúzuì; 没罪 méizuì; 无辜 wúgū ¶~로 석방하다 无罪释放 wúzuì shìfàng/~의 판결을 받다 被判为无罪 bèi pàn wéi wúzuì
무지(無知) ①《무식》 无知 wúzhī; 无知识 wúzhīshi ¶성에 관해서 ~하다 对性无知 duì xìng wúzhī ②《어리석음》 愚笨 yúbèn; 无智惠 wúzhìhuì
무지개 彩虹 cǎihóng; 虹 hóng; 〈口〉 虹 jiàng ¶하늘에 ~가 서다 天空出虹了 tiānkōng chū hóng le/~가 사라지다 虹消失了 hóng xiāoshī le
무지막지하다(無知莫知…) 无法无天 wúfǎ wútiān; 〈方〉 吃生米的 chī shēngmǐ de; 不学无术 bùxué wúshù
무직(無職) 无职业 wúzhíyè; 没有工作 méiyǒu gōngzuó ‖~자 无职业者 wúzhíyèzhě
무진장(無盡藏) 无穷尽 wúqióngjìn; 取之不尽, 用之不竭 qǔ zhī bú jìn, yòng zhī bù jié ¶~한 자원 取之不尽, 用之不竭的资源 qǔ zhī bú jìn, yòng zhī bù jié de zīyuán
무찌르다 《격파》 击败 jībài; 《정복》 征服 zhēngfú; 《살륙》 屠宰 túzǎi; 《돌진》 冲进去 chōngjìnqu
무차별(無差別) 无差别 wúchābié; 平等 píngděng; 无区别 wúqūbié ‖~ 폭격 不加区别的狂轰滥炸 bùjiā qūbié de kuánghōng lànzhà
무참(無慘) 凄惨 qīcǎn; 惨 cǎn ¶보기에도 ~하다 惨不忍睹 cǎnbù rěndǔ
무척 很 hěn; 太 tài
무치다 拌 bàn; 调制 tiáozhì ¶된장에 ~ 用酱拌 yòng jiàng bàn/초에 ~ 用醋拌 yòng cù bàn
무턱대고 不顾前后 búgù qiánhòu; 不分皂白 bùfēn zàobái
무테(無…) 无框 wúkuàng
무한(無限) 无限 wúxiàn; 无边 wúbiān; 无止境 wúzhǐjìng ¶~한 욕망 无止境的欲望 wúzhǐjìng de yùwàng/~한 가능성을 감추고 있다 蕴藏着无限的可能性 yùncángzhe wúxiàn de kěnéngxìng
무혈(無血) 不流血 bù liúxuè ‖~ 혁명 不流血革命 bù liúxuè gémìng
무형 문화재(無形文化財) 无形文化财富 wúxíng wénhuà cáifù; 无形重要文物 wúxíng zhòngyào wénwù
무화과(無花果) 《植》 无花果 wúhuāguǒ
묵다 ①《기류》 逗留 dòuliú; 寄居 jìjū ②《해묵은》 陈年的 chénniánde ¶묵은 소작료 陈租 chénzū
묵묵(默默) 不声不响 bùshēng bùxiǎng; 默默 mòmò ¶~히 연구에 힘쓰다 不声不响地努力研究 bùshēng bùxiǎng de nǔlì yánjiū
묵비권(默秘權) 拒绝回答权 jùjué huídáquán; 拒不答辩权 jùbù dábiànquán; 缄默权 jiānmòquán
묵살(默殺) 不理睬 bùlǐcǎi; 置之不理 zhìzhī bùlǐ ¶반대 의견을 ~하다 对反对意见置之不理 duì fǎnduì yìjiàn zhìzhī bùlǐ
묵상(默想) 默想 mòxiǎng; 冥想 míngxiǎng ¶~에 잠기다 凝神默想 níngshén mòxiǎng =[陷于沉思 xiànyú chénsī]
묵시(默示) ① 默示 mòshì; 暗示 ànshì ②《종교》 启示 qǐshì ‖~록 启示录 qǐshìlù
묵은해 旧年 jiùnián ¶~를 보내고, 새해를 맞이하다 辞旧岁迎新年 cí jiùsuì yíng xīnnián
묵직하다 沉颠颠 chéndiāndiān
묵히다 ①《손님을》 留下客人 liú xia kèrén ②《쓰지 않고》 不去利用 búqù lìyòng
묶다 绑 bǎng; 捆 kǔn; 缚 fù ¶장작을 ~ 捆柴 kǔnchái/상처를 헝겊으로 ~ 用布包扎伤口 yòng bù bāozā shāngkǒu/도둑을 나무에 ~ 把小偷绑在树上 bǎ xiǎotōu bǎng zài shùshang
묶음 把 bǎ; 捆 kǔn; 包 bāo
문(門) ① 门 mén ¶~을 열다[닫다] 开[关]门 kāi [guān] mén ②《거쳐야 할》 关口 guānkǒu; 难关 nánguān ¶좁은 ~을 뚫고 대학

들어가다 突破入学考试的难关进大学 tūpò rùxué kǎoshì de nánguān jìn dàxué
문대다 蹭 cèng; 擦 cā
문둥병(…病) 麻疯病 máfēngbìng ¶～에 걸리다 患麻疯病 huàn máfēngbìng
문둥이 麻疯病人 máfēng bìngrén
문드러지다 《썩어서》 糜烂 mílàn
문득 突然 tūrán; 忽然 hūrán ¶～ 생각이 나다 忽然想起来 hūrán xiǎng qǐ lái / ～ 용건을 생각해내다 忽然想起要办的事 hūrán xiǎng qǐ yào bàn de shì
문란(紊亂) 紊乱 wěnluàn; 杂乱 záluàn; 纷乱 fēnluàn ¶풍기가 ～하다 风纪紊乱 fēngjì wěnluàn
문맥(文脈) 文理 wénlǐ ¶이 말의 의미는 ～에서 판단할 수 있다 从上下文可以猜出这个词的意义 cóng shàngxiàwén kěyǐ cāichū zhège cí de yìyì
문맹(文盲) 文盲 wénmáng ‖～ 퇴치 扫盲 sǎománg
문명(文明) 文明 wénmíng
문방구(文房具) 文具 wénjù ‖～점 文具店 wénjùdiàn
문법(文法) 文法 wénfǎ; 语法 yǔfǎ ¶～에 맞다 合乎文法 héhū wénfǎ
문병(問病) 探病 tànbìng; 慰问 wèiwèn ¶입원중의 친구를 ～가다 去探病住院的朋友 qù tànbìng zhùyuàn de péngyou
문빗장(門…) 闩 shuān; 门闩 ménshuān; 〈方〉 插关(儿) chāguan(r) ¶문에 ～을 걸다 门上上闩 ménshàng shàngshuān
문상(問喪) 吊丧 diàosāng
문서(文書) 文书 wénshū; 文件 wénjiàn ¶공～ 公文 gōngwén =〔公函 gōnghán〕
문신(文身) 文身 wénshēn
문안(問安) 问好 wènhǎo; 问候 wènhòu; 问安 wèn'ān
문어(文魚) 《動》 章鱼 zhāngyú
문예(文藝) 文艺 wényì
문자(文字) 文字 wénzì; 字 zì
문장(文章) 文章 wénzhāng ¶간결 명료한 ～ 简单明了的文章 jiǎndān míngliǎo de wénzhāng
문제(問題) ① 问题 wèntí; 题 tí ¶시험 ～ 考试题 kǎoshì tí / 연습～ 习题 xítí ②《해결해야 될 것》 问题 wèntí ¶당면의 ～ 当前的问题 dāngqián de wèntí / ～에 직면하다 面临问题 miànlín wèntí / 사건의 해결은 시간 ～다 事件的解决只是时间问题 shìjiàn de jiějué zhǐshì shíjiān wèntí ③《논쟁을 일으킴》 引起公众注目 yǐnqǐ gōngzhòng zhùmù; 轰动社会 hōngdòng shèhuì ¶금년의 ～작을 소개하다 介绍今年引起争论的作品 jièshào jīnnián yǐnqǐ zhēnglùn de zuòpǐn
문지기(門…) 看门的人 kānménde rén; 门卫 ménwèi
문지르다 擦 cā; 蹭 cèng; 揉 róu ¶문질러 깨끗이 닦다 擦干净 cā gānjing
문지방(門地枋) 门槛 ménkǎn; 门坎 ménkǎn
문짝(門…) 门扇 ménshàn
문체(文體) 文体 wéntǐ ¶평이한 ～로 쓰다 以平易的文体写 yǐ píngyì de wéntǐ xiě
문초(問招) 审询 shěnxún
문패(門牌) 门牌 ménpái ¶～를 달다 挂出门牌 guà chū ménpái
문학(文學) 文学 wénxué ¶～에 소양이 있다 有文学素养 yǒu wénxué sùyǎng
문화(文化) 文化 wénhuà ¶～ 수준이 높은 나라 文化水平高的国家 wénhuà shuǐpíng gāo de guójiā
묻다[1] 《칠 따위가》 沾上 zhān shang; 沾污 zhānwū ¶피가 묻은 옷 沾上血的衣服 zhān shang xiě de yīfu
묻다[2] 《땅에》 埋 mái ¶죽은 새를 마당에 ～ 把死了的小鸟埋在院子里 bǎ sǐle de xiǎoniǎo mái zài yuànzi li
묻다[3] ①《대답·책임을》 问 wèn ¶길을 ～ 问路 wènlù / 의회를 해산해서 민의를 ～ 解散议会征询民意 jiěsàn yìhuì zhēngxún mínyì ②《인사말로》 问候 wènhòu ¶안부를 ～ 问安 wèn ān =〔问候 wènhòu〕
묻히다 ①《다른 것 등에》 抹上 mǒ shàng; 涂上 tú shàng ¶손에 페인트를 ～ 手上弄上油漆 shǒu shàng nòng shàng yóuqī / 수건에 비누를 ～ 把肥皂抹到毛巾上 bǎ féizào mǒ dào máojīn shang ②《덮이다》 被埋上 bèi mái shang; 被盖上 bèi gài shang; 埋没 máimò
물 水 shuǐ ¶마시는 ～ 饮用水 yǐn yòng shuǐ / ～을 푸다 打水 dǎ shuǐ
물가 水边 shuǐbiān; 水滨 shuǐbīn
물가(物價) 物价 wùjià ¶～을 올리다〔내리다〕 提高降低物价 tígāo 〔jiàngdī〕 wùjià
물감 颜料 yánliào; 颜色 yánsè; 水彩 shuǐcǎi ¶～을 칠하다 上颜色 shàng yánsè =〔着色 zhuósè〕
물개 《動》 海熊 hǎixióng; 膃肭兽 wànàshòu; 〈俗〉 海狗 hǎigǒu
물거품 泡沫 pàomò; 水泡 shuǐpào ¶～처럼 사라지다 像泡沫一般消失 xiàng pàomò yìbān xiāoshī
물건(物件) 东西 dōngxi; 货物 huòwù
물걸레 搌布 zhǎnbu
물결 波浪 bōlàng ¶～이 일다 起浪 qǐ làng
물고기 鱼 yú ¶～가 물을 만나다 如鱼得水 rúyú déshuǐ(좋은 기회에 처하다)
물구나무서다 拿大顶 nádàdǐng; 倒立 dàolì; 〈方〉 竖蜻蜓 shù qīngtíng ¶물구나무서서 걷다 倒立着走 dàolìzhe zǒu
물구덩이 水洼子 shuǐwāzi
물기(…氣) 水分 shuǐfèn; 水头儿 shuǐtóur(과일의) ¶～를 제거하다 除掉水分 chú diào shuǐfèn
물끄러미보다 盯着看 dīngzhe kàn =〔目不转睛地看 mù bù zhuǎn jīng de kàn〕〔扒擦眼儿 bā cā yǎnr〕
물다[1] 《배상》 赔偿 péicháng; 《세금》 纳(税) nà (shuì)
물다[2] ①《동물이》 咬 yǎo ¶개에게 물리다 被狗咬 bèi gǒu yǎo ②《동물》 咬 yǎo; 叮 dīng; 蜇 zhē ¶모기가 물어서 가렵다 叫蚊子叮得发痒 jiào wénzi dīng de fāyǎng
물독 水缸 shuǐgāng; 水瓮 shuǐwèng; 水罐 shuǐguàn
물들다 《염색》 染色 rǎnsè; 《감염》 沾染 zhānrǎn
물들이다 染(上)颜色 rǎn shang yánsè ¶검게 ～ 染成黑色 rǎn chéng hēisè
물러나다 ①《뒤로》 倒退 dàotuì; 后退 hòutuì ¶물러나서 생각해 보다 退一步想 tuì yí bù

xiǎng ②《직업·하던 일 등에서》退职 tuìzhí; 退位 tuìwèi ¶제일선을 ～ 退居第二线 tuìjū dì èr xiàn =〔退出第一线 tuìchū dì yí xiàn〕/ 왕위를 ～ 退位 tuìwèi
물러서다 ①《뒤로》向后退 xiàng hòutuì; 退后 tuìhòu ¶문에서 ～ 从门口往后退 cóng ménkǒu wǎng hòutuì ②《피하다》退避 tuìbì; 躲开 duǒkāi ¶물러서라, 여기서 훼방놓지 말고 走开, 别在这里碍事 zǒukāi, bié zài zhèli àishì
물렁물렁하다 软古囊囊 ruǎngǔ nángnáng; 宣腾腾 xuāntēngtēng
물레 纺车(子) fǎngchē(zi)
물려받다《재산 따위를》继承 jìchéng ¶유산을 ～ 继承遗产 jìchéng yíchǎn
물려주다 让与 ràngyǔ; 出让 chūràng
물론(勿論) 当然 dāngrán; 不用说 bùyòng shuō; 不待言 bùdài yán; 〈方〉不消说 bùxiāo shuō ¶영어는 ～ 중국어도 할 줄 안다 英语当然不用说, 还会中语 Yīngyǔ dāngrán bùyòng shuō, hái huì Zhōngyǔ
물리다[1]《싫증나다》腻 nì; 厌倦 yànjuàn ¶아무리 좋아하는 것이라도 매일 먹으면 물린다 任何喜欢吃的东西, 如果天天吃也会腻的 rènhé xǐhuan chī de dōngxi, rúguǒ tiāntiān chī yě huì nì de
물리다[2]《연기》拖延 tuōyán
물리다[3]《입으로》被咬 bèi yǎo ¶개에 ～ 被狗咬 bèi gǒu yǎo / 빈대에 ～ 叫臭虫咬 jiào chòuchóng yǎo / 모기에 물렸다 叫蚊子叮了 jiào wénzi dīng le / 벼룩에 물렸다 被跳蚤咬了 bèi tiàozǎo yǎole
물리치다《거절》拒绝 jùjué; 《적을》击退 jītuì
물만두(…饅頭) 水饺(儿) shuǐjiǎo(r)
물망(物望) 盛名 shèngmíng; 名气 míngqi; 众望 zhòngwàng ¶～에 오르다 有盛望 yǒu shèngwàng =〔有呼声 yǒu hūshēng〕
물물교환(物物交換) 物物交换 wùwù jiāohuàn; 以物换物 yǐ wù huàn wù ¶모피와 식량을 ～하다 用毛皮和粮食进行物物交换 yòng máopí hé liángshi jìnxíng wùwù jiāohuàn
물방아 水磨 shuǐmò ‖ 물방앗간 磨坊 mòfáng
물방울 水滴 shuǐdī ¶수증기는 공중에서 ～로 변한다 水蒸气在高空变成水滴 shuǐzhēngqì zài gāokōng biànchéng shuǐdī
물보라 飞沫 fēimò; 溅起的水沫 jiànqǐ de shuǐmò ¶～가 일어나다 溅起水沫 jiànqǐ shuǐmò
물살 水势 shuǐshì
물새〔鳥〕水禽 shuǐqín; 水鸟 shuǐniǎo
물샐틈없다《경비가》森严 sēnyán; 《실수없다》没有漏洞 méiyǒu lòudòng
물소〔動〕水牛 shuǐniú
물시계(…時計) 漏刻 lòukè; 漏壶 lòuhú; 刻漏 kèlòu; 壶漏 húlòu
물쓰듯하다 挥金如土 huī jīn rú tǔ
물약(…藥) 药水儿 yàoshuǐ(r)
물어내다《변상》赔补 péibǔ
물어보다《상대방에게 관계 없는 것을》打听 dǎting; 《상대방에게 관계 있는》询问 xúnwèn
물엿 糖稀 tángxī ¶～을 핥다 舔〔吃〕糖稀 tiǎn〔chī〕tángxī
물오리〔鳥〕野鸭 yěyā; 凫 fú
물장난《물 있는 곳에서》玩儿水 wánr shuǐ; 《수중에서》在水中玩儿 zài shuǐzhōng wánr; 《물로》拿水玩儿 ná shuǐ wánr
물장수 挑水的 tiāoshuǐde
물주(物主)《도박》局东 júdōng; 《장사》东家 dōngjia
물질(物質) 物质 wùzhì; 物体 wùtǐ
물집 泡儿 pàor; 水泡 shuǐpào ¶발바닥에 ～이 생겼다 脚掌上磨出泡了 jiǎozhǎngshang mó chū pào le / ～이 터졌다 水泡破了 shuǐpào pò le
물체(物體) 物体 wùtǐ ¶운동 ～ 运动物体 yùndòng wùtǐ
물통(…桶) 水桶 shuǐtǒng; 《물지게의》水筲 shuǐ shāo
물푸레나무〔植〕木樨 mùxi; 银桂 yínguì; 桂花 guìhuā
묽다 稀 xī; 不浓 bù nóng ¶묽은 죽 稀粥 xīzhōu / 변이 ～ (大)便稀 (dà) biàn xī
뭉개다《으깨다》研磨 yánmó; 磨烂 mólàn; 《일을》扔开 rēngkāi; 不管 bùguǎn
뭉뚝하다《날붙이가》不快 búkuài; 钝 dùn
뭉뚱그리다 草草捆拢起来 cǎocǎo kǔn lǒng qilai
뭉치 把 bǎ; 卷 juàn; 捆儿 kǔnr ¶돈 ～를 줍다 捡一捆钞票 jiǎn yì kǔn chāopiào
뭉치다《피가》凝冻 níngdòng; 《단결》团聚 tuánjù
뭉클하다《마음 속이》心里熬煎 xīnli áojiān; 《가슴이》胸口堵得慌 xiōngkǒu dǔ de huang
뮤지컬(musical) 音乐的 yīnyuè de; 配乐的 pèiyuè de ‖ ～ 코미디 音乐喜剧 yīnyuè xǐjù
미간(眉間) 两眉之间 liǎng méi zhī jiān; 眉间 méijiān; 前额的中央 qián'é de zhōngyāng ¶～을 찌푸리다 皱眉(头) zhòu méi(tóu)
미개(未開) 不开化 bù kāihuà; 未开化 wèi kāihuà ¶～의 나라 未开化的国家 wèi kāihuà de guójiā
미꾸라지〔魚〕泥鳅 níqiū
미끄러지다 ①滑 huá; 滑行 huáxíng; 〈方〉打滑 dǎhuá; 〈俗〉滑溜(儿) huáliu(r); 踩跐 cǎicī(발이) ¶미끄러지듯이 기차가 들어왔다 列车滑行似的开了进来 lièchē huáxíng sìde kāile jìnlai / 비탈길에서 미끄러져 넘어졌다 在坡儿上滑倒了 zài pōr shang huádǎo le ②《불합격》不及格 bù jígé; 考不中 kǎobuzhòng; 没考上 méi kǎoshàng ¶시험에 미끄러졌다 没考及格 méi kǎojígé
미끄럽다 滑 huá; 溜滑 liúhuá
미끼 ①饵食 ěrshí ¶낚시 바늘에 ～를 꿰다 把鱼饵安在鱼钩上 bǎ yú'ěr ān zài yúgōu shang ②《유혹》诱饵 yòu'ěr; 香饵 xiāng'ěr ¶경품을 ～로 해서 손님을 끌다 以赠品为诱饵招来顾客 yǐ zèngpǐn wéi yòu'ěr zhāolái gùkè
미나리〔植〕水芹 shuǐqín; 芹 qín; 芹菜 qíncài
미니(mini) 小型 xiǎoxíng; 微型 wēixíng ‖ ～ 스커트(mini skirt) 超短裙 chāoduǎnqún =〔迷你裙 mínǐqún〕/ ～ 카메라 微型照相机 wēixíng zhàoxiàngjī
미닫이 拉窗 lāchuāng; 拉门 lāmén; 纸拉门 zhǐlāmén; 纸拉窗 zhǐlāchuāng ¶～를 바르다 糊纸拉窗 hū zhǐlāchuāng
미덥다 可靠 kě kào; 靠得住 kàodezhù ¶그는 미더운 사람이다 他是一位靠得住的人 tā shì yíwèi kàodezhù de rén
미라(mirra) 木乃伊 mùnǎiyī
미래(未來) 未来 wèilái; 将来 jiānglái

미련(未練) 依恋 yīliàn; 恋恋不舍 liàn liàn bù shě ¶ ～을 남기다 留恋 liúliàn / 그는 아직 그 지위에 ～이 있다 他对那个职位还恋恋不舍 tā duì nàge zhíwèi hái liàn liàn bù shě
미련하다 糊涂 hútu; 笨 bèn; 愚蠢 yúchǔn
미루다 《일을》 推迟 tuīchí; 《책임을》 推诿 tuīwěi; 《추측》 猜测 cāicè
미리 预先 yùxiān; 先 xiān; 事先 shìxiān; 事前 shìqián ¶ ～ 계획을 세우다 先订计划 xiān dìng jìhuà
미만(未滿) 不足 bùzú; 未满 wèimǎn ¶ 100～의 끝수는 잘라 버리다 不足一百的尾数舍去 bùzú yìbǎi de wěishù shěqù / 18세 ～인 자는 입장을 금함 未满十八岁者谢绝人场 wèimǎn shíbā suì zhě xièjué rùchǎng
미망인(未亡人) 遗孀 yíshuāng; 寡妇 guǎfù〔fu〕; 孀妇 shuāngfù; 未亡人 wèiwángrén ¶ ～이 되다 当寡妇 dāng guǎfù =〔居孀 jū shuāng〕
미묘(微妙) 微妙 wēimiào ¶ ～한 차이 微妙的差别 wēimiàode chābié / 그는 지금 ～한 입장에 있다 他现在处在一个微妙的立场上 tā xiànzài chù zài yíge wēimiàode lìchǎng shang
미미(微微) 微微 wēiwēi; 微少 wēishǎo; 甚微 shèn wēi ¶ ～한 수입 微薄的收入 wēibó de shōurù
미불(未拂) 未付 wèi fù ¶ 대금이 ～로 되어 있다 货款未付 huòkuǎn wèi fù
미사(彌撒) 《宗》 弥撒 mísa
미사일(missile) 导弹 dǎodàn ¶ 핵～ 核导弹 hé dǎodàn / ～을 발사하다 发射导弹 fāshè dǎodàn
미소(微少) 微量 wēiliàng; 微少 wēishǎo ¶ 손해는 ～하다 损害轻微 sǔnhài qīngwēi
미소(微笑) 微笑 wēixiào ¶ ～를 띄우다 现出微笑 xiànchū wēixiào
미숙(未熟) ① 《과일 따위가》 未熟 wèishú ② 《학문·기술이》 未成熟 wèi chéngshú; 《기술이》 不熟练 bù shúliàn ¶ ～한 솜씨 不熟练的技术 bù shúliànde jìshù
미술(美術) 美术 měishù
미스(miss) 失败 shībài; 错误 cuòwù; 差错 chācuò ¶ 교정 ～ 校对错误 jiàoduì cuòwù
미스(Miss) 〈音〉 密斯 mìsī; 〈音〉 密司 mìsī; 小姐 xiǎojie; 姑娘 gūniang
미스터(mister, Mr.) 〈音〉 密斯脱 mìsītuō; 老 lǎo; 先生 xiānsheng
미스터리(mystery) ① 神秘 shénmì; 不可思议的事情 bù kě sī yì de shìqing ② 《추리 소설》 神秘小说 shénmì xiǎoshuō; 推理小说 tuīlǐ xiǎoshuō; 侦探小说 zhēntàn xiǎoshuō
미시즈(mistress, Mrs) ① 《경칭》 太太 tàitai; 夫人 fūrén ② 《결혼한 여성》 已婚妇女 yǐhūn fùnǚ; 少妇 shàofù
미신(迷信) 迷信 míxìn; 谬信 miùxìn ¶ ～을 믿다 迷信 míxìn / ～을 타파하다 破除迷信 pòchú míxìn
미싱(a sewing machine) 缝纫机 féngrènjī
미안하다(未安…) 对不起 duìbuqǐ; 不好意思 bù hǎoyìsi; 得罪 dézuì
미역[1] 《몸을 씻다》 洗澡 xǐzǎo
미역[2] 《植》 裙带菜 qúndàicài
미역국먹다 《해고》 被开除 bèi kāichú; 《낙제》 考不中 kǎobuzhòng
미완성(未完成) 未完成 wèi wánchéng ¶ 이 작품은 ～이다 这个作品还未完成 zhège zuòpǐn hái wèi wánchéng
미움 憎恶 zēngwù; 憎恨 zēnghèn ¶ 그런 짓을 하는 것은 남의 ～을 살 뿐이다 做那样的事只能招人憎恨 zuò nàyàngde shì zhǐnéng zhāo rén zēnghèn
미워하다 恨 hèn; 憎嫌 zēngxián ¶ 죄를 미워하되 사람을 미워하지 않다 恨罪不恨人 hèn zuì bú hènrén
미장이(…匠…) 泥水匠 níshuǐjiàng; 泥瓦匠 níwǎjiàng; 瓦匠 wǎjiàng; 泥瓦工人 níwǎ gōngrén
미적지근하다 ① 《물 따위가》 微温 wēiwēn; 不凉不热 bù liáng bù rè ② 《사람》 麻麻糊糊 mámahūhū; 非牛非马 fēiniú fēimǎ
미주알고주알 刨根儿问底儿 páo gēnr wèn dǐr; 追根究底 zhuī gēn jiū dǐ ¶ 그렇게 ～ 캐묻는 것이 아니다 不要那样刨根儿问底儿 búyào nàyàng páo gēnr wèn dǐr
미처 …未及 …wèijí; 还没… háiméi…
미치광이 疯子 fēngzi
미치다[1] 《정신이》 疯 fēng; 发疯 fāfēng; 发狂 fākuáng; 疯狂 fēngkuáng ¶ 그는 미쳤다 他疯了 tā fēng le
미치다[2] ① 达到 dádào; 及于 jíyú ¶ 오직(汚職) 사건의 추급은 상층에까지 미쳤다 贪污事件的追究波及到上边 tānwū shìjiàn de zhuījiū bōjí dào shàngbian / 영향이 널리 ～ 影响范围很广 yǐngxiǎng fànwéi hěn guǎng =〔影响甚广 yǐngxiǎng shèn guǎng〕 ② 《견주다》 匹敌 pǐdí; 及 jí; 赶得上 gǎndeshàng; 比得上 bǐdeshàng ¶ 나는 그에게 미치지 못한다 我不如他 wǒ bùrú tā =〔我赶不上他 wǒ gǎn bu shàng tā〕
미터(meter) 《度》 公尺 gōngchǐ; 米 mǐ
미팅(meeting) 会议 huìyì; 集会 jíhuì
미풍(美風) 好风气 hǎo fēngqì; 好作风 hǎo zuòfēng; 美风 měifēng
미행(尾行) 尾随 wěisuí; 跟踪 gēnzōng; 钉梢 dīngshāo ¶ ～을 따돌리다 甩掉尾巴 shuǎidiào wěi ba
미확인(未確認) 未确认 wèi quèrèn; 未证实 wèi zhèngshí ‖ ～ 비행 물체 不明飞行物 bùmíng fēixíngwù =〔未识别飞行物 wèishíbié fēixíngwù〕
미흡(未洽) 还不够彻底 hái bú gòu chèdǐ; 不足 bùzú
민둥산(…山) 秃山 tūshān
민들레 《植》 蒲公英 púgōngyīng
민물 淡水 dànshuǐ ‖ ～고기 淡水鱼 dànshuǐyú
민영(民營) 民营 mínyíng; 民办 mínbàn; 私营 sīyíng; 商办 shāngbàn ¶ 국철의 ～화 国铁的私营化 guótiě de sīyínghuà
민요(民謠) 民谣 mínyáo
민족(民族) 民族 mínzú
민주주의(民主主義) 民主主义 mínzhǔ zhǔyì
민중(民衆) 民众 mínzhòng; 大众 dàzhòng; 群众 qúnzhòng ¶ ～의 소리를 듣다 听取群众的意见 tīngqǔ qúnzhòng de yìjiàn
민첩(敏捷) 敏捷 mǐnjié; 机敏 jīmǐn; 灵动 língdòng; 灵活 línghuó ¶ 행동이 ～하다 行动敏捷 xíngdòng mǐnjié
믿다 ① 《신용·확신》 信 xìn; 相信 xiāngxìn ¶ 믿기 어렵다 难以相信 nányǐ xiāngxìn / 믿어 의심

치 않다 坚信不疑 jiānxìn bùyí ②《신뢰·의지》信赖 xìnlài; 凭心 píngxìn ¶믿고 있던 친구에게 배반당하다 被信赖的朋友所背叛 bèi xìnlài de péngyou suǒ bèipàn ③《신앙》信仰 xìnyǎng; 信奉 xìnfèng ¶불교를 ～ 信奉佛教 xìnfèng Fójiào

믿음직하다 可靠 kěkào

밀 小麦 xiǎomài

밀가루 面粉 miànfěn

밀고(密告) 告密 gàomì; 检举 jiǎnjǔ; 告发 gàofā ‖～서(密告書) 黑头帖子 hēitóu tiězi

밀국수 面条 miàntiáo

밀다 ①推 tuī; 挤 jǐ; 撑 chēng ¶수레를 ～ 推车 tuī chē / 그렇게 밀지 마라! 别那么挤啊! bié nàme jǐ a! ②《추대》推戴 tuīdài ¶회장으로 ～ 推戴会长 tuīdài huìzhǎng

밀도(密度) ①密度 mìdù ¶인구의 ～ 人口密度 rénkǒu mìdù ②《내용이 충실》周密 zhōumì ¶～ 높은 이야기 内容充实而深刻的话 nèiróng chōngshí ér shēnkède huà

밀랍(蜜蠟) 蜂蜡 fēnglà

밀리(milli) 《度》毫 háo; 千分之一 qiān fēn zhī yī ‖～그램 毫克 háokè / ～리터 毫升 háoshēng / ～미터 毫米 háomǐ =〔公厘 gōnglí〕/ ～바 毫巴 háobā

밀리다 ①《일이》迟误 chíwù ¶일이 밀려서 차를 마실 시간도 없다 工作压得连喝茶的工夫都没有 gōngzuò yāde lián hē chā de gōngfu dōu méiyǒu ②《집세 따위》拖欠 tuōqiàn ¶집세가 5개월치나 밀렸다 房租竟拖欠了五个月 fángzū jìng tuōqiàn le wǔge yuè

밀매(密賣) 秘密出售 mìmì chūshòu; 私卖 sīmài ¶마약을 ～하다 私售麻醉药 sīshòu mázuìyào ‖～자 私贩 sīfàn

밀물 涨潮 zhǎng cháo

밀수(密輸) 走私 zǒusī; 私运 sī yùn ‖～품 私货 sīhuò =〔黑货 hēihuò〕

밀수입(密輸入) 走私进口 zǒusī jìnkǒu

밀수출(密輸出) 走私出口 zǒusī chūkǒu

밀접(密接) ①《가까움》密接 mìjiē; 紧连 jǐnlián ②《관계가》密切 mìqiè ¶～한 관계를 맺다 结成密切的关系 jiēchéng mìqiè de guānxi

밀정(密偵) 密探 mìtàn; 间谍 jiàndié ¶서로 ～을 풀다 互派间谍 hù pài jiàndié

밀주(密酒) 私酒 sījiǔ; 私酿酒 sīniàngjiǔ; 私料子 sīliàozi

밀집(密集) 密集 mìjí; 稠密 chóumì ¶그 곳은 인가가 ～해 있다 那儿人烟稠密 nàr rényān chóumì

밀짚 麦秆 màigǎn; 麦秸 màijiē ‖～ 모자 麦秸草帽 màijiē cǎomào

밀착(密着) ①贴紧 tiējǐn; 靠紧 kàojǐn ¶가제가 상처에 ～해 있다 纱布紧贴在伤口上 shābù jǐntiē zài shāngkǒu shang ②《사진》印相 yìnxiàng; 不放大的照片 búfàngdà de zhàopiàn

밀치다 推开 tuīkāi

밀크(milk) 牛奶 niúnǎi; 牛乳 niúrǔ

밀통(密通) ①《남녀가》私通 sītōng ②《내통》勾通 gōutōng; 串通一气 chuàn tōng yí qì ¶적과 ～하다 通敌 tōng dí

밀회(密會) 密会 mìhuì; 幽会 yōuhuì ¶남녀가 ～하다 男女幽会 nánnǚ yōuhuì

밉다 ①可恶 kěwù; 可憎 kězēng; 可恨 kěhèn ¶미운 놈 可恶的家伙 kěwù de jiāhuo ②《보기 흉하다》难看 nánkàn

밉살스럽다 可憎 kězēng; 可恨 kěhèn; 恶狠狠 èhěnhěn

및 及 jí; 以及 yǐjí ¶본전 ～ 이자 本钱和利钱 běnqián hé lìqián

밑 底下 dǐxià; 下面 xiàmiàn ¶책상 ～에 상자를 두다 桌子底下放着箱子 zhuōzi dǐxià fàng zhe xiāngzi

밑동 根 gēn ¶나무를 ～에서 자르다 把树从(树)根上伐倒 bǎ shù cóng(shù) gēnshang fá dào / 귀 ～까지 빨개지다 (脸)红到耳根 (liǎn) hóng dào ěrgēn

밑바닥 底 dǐ; 底面 dǐmiàn ¶강의 ～ 河底 hédǐ / ～이 두꺼운 냄비 厚底锅 hòu dǐ guō

밑지다 吃亏 chī kuī; 不上算 bú shàngsuàn; 赔钱 péiqián

밑천 ①本钱 běnqián; 本儿 běnr; 资本 zīběn ¶장사를 시작하려 해도 ～이 없다 想做买卖，却没有本钱 xiǎng zuò mǎimai, què méiyǒu běnqián ②《원가》成本 chéngběn ¶～이 빠지지 않다 不够本儿 bùgòu běnr =〔亏本儿 kuī běnr〕

〔ㅂ〕

바 《밧줄》绳索 shéngsuǒ; 粗绳 cūshéng

바(bar) ①《높이뛰기의》横竿 hénggān ②《술집》酒吧间 jiǔbājiān

바가지 水瓢子 shuǐpiáozi

바겐세일(bargain sale) 廉价出售 liánjià chūshòu; 大甩卖 dàshuǎimài ¶～ 실시중 正在大甩卖中 zhèngzài dàshuǎimài zhōng

바구니 《손잡이 있는》筐子 kuāngzi; 《손잡이 없는》篮子 lánzi

바구미 《蟲》谷像虫 gǔxiàngchóng

바깥 外面 wàimian; 外头 wàitou

바꾸다 ①《교환하다》换 huàn; 交换 jiāohuàn; 变换 biànhuàn ¶수표를 현금으로 ～ 把支票换成现金 bǎ zhīpiào huànchéng xiànjīn / 그와 자리를 ～ 同他换坐位 tóng tā huàn zuòwèi ②《변경하다》改变 gǎibiàn; 变更 biàngēng ¶방침을 ～ 改变方针 gǎibiàn fāngzhēn / 직업을 ～ 改换职业 gǎihuàn zhíyè =〔改行 gǎiháng〕/ 싹 얼굴색을 바꾸었다 一下子脸色变了 yíxiàzi liǎnsè biàn le

바뀌다 《변화하다》变 biàn; 变化 biànhuà; 改变 gǎibiàn; 转变 zhuǎnbiàn; 《변경》换 huàn; 更换 gēnghuàn; 更迭 gēngdié ¶풍향이 ～ 改变风向 gǎibiàn fēngxiàng / 전화 번호가 바뀌었다 电话号码儿变了 diànhuà hàomǎr biàn le / 내각이 ～ 内阁更迭 nèigé gēngdié / 저 집은 대가 바뀌었다 那一家换了代 nà yìjiā huànle dài

바나나(banana) 《植》香蕉 xiāngjiāo ¶～의 껍질을 벗기다 剥〔扒〕香蕉皮 bāo 〔bā〕 xiāng jiāopí

바느질 针线活儿 zhēnxiànhuór ¶～하다 做针线活儿 zuò zhēnxiànhuór / ～을 잘 하다 针线活儿做得好 zhēnxiànhuór zuò de hǎo

바늘 针 zhēn ¶레코드 ～ 唱针 chàngzhēn / 재봉 ～ 缝纫针 féngrènzhēn / 시계 ～ 表针

biǎozhēn / 주사 ～ 注射针头 zhùshè zhēntóu / ～에 실을 꿰다 纫〔穿〕针 rèn〔chuān〕zhēn / 상처를 3～ 꿰매다 伤口缝三针 shāngkǒu féng sān zhēn ‖ ～ 겨레 针插 zhēnchā =〔针包儿 zhēnbāor〕〔针扎儿 zhēnzhār〕/ ～귀 针鼻儿 zhēnbír =〔针孔 zhēnkǒng〕

바닐라(vanilla) 《植》 香子兰 xiāngzilán; 香草 xiāngcǎo; 华尼拉 huánílā ‖ ～ 아이스크림 香草冰淇淋 xiāngcǎo bīngqílín

바다 海 hǎi ¶ ～에 나가다 出海 chūhǎi =〔下海 xiàhǎi〕/ ～를 건너 외국에 가다 渡海到国外去 dù hǎi dào guówài qù ‖ 바닷물 海水 hǎishuǐ ¶ 바닷물고기 海鱼 hǎiyú / ～ 표범 《動》 海豹 hǎibào

바닥 《평면》 地上 dìshang; 底下 dǐxià; 《밑부분》 底面 dǐmiàn

바둑 围棋 wéiqí ¶ ～ 두다 下围棋 xià wéiqí ‖ ～돌 棋子(儿) qízǐ(r) =〔围棋子(儿) wéiqízǐ(r)〕/ ～판 棋盘 qípán

바라건대 请愿 qǐngyuàn; 但愿 dànyuàn

바라다 《기대》 期望 qīwàng; 《소원》 指望 zhǐwàng

바라보다 眺望 tiàowàng; 瞭望 liàowàng; 《관망》 观看 guānkàn

바람 风 fēng ¶ 강한 ～ 强风 qiángfēng =〔大风 dàfēng〕/ ～이 불다 刮风 guā fēng

바람개비 ①《풍향계》 风车 fēngchē ②《팔랑개비》 风车儿 fēngchēr

바람둥이 水性杨花的人 shuǐxìngyánghuā de rén(여자); 惹花沾草的人 rěhuāzhāncǎo de rén(남자)

바람맞다 遭诓骗 zāo kuāngpiàn

바람벽(…壁) ⇨벽(壁)

바래다[1] 《퇴색》 退色 tuì shǎi; 掉色 diàoshǎi; 走色 zǒushǎi ¶ 색이 바랜 양복 走了色的西服 zǒule shǎi de xīfú

바래다[2] 《배웅》 送行 sòngxíng; 送别 sòngbié; 送 sòng ¶ 동생을 버스 정류장까지 바래다 주다 把弟弟送到公共汽车站 bǎ dìdi sòng dào gōnggòngqìchēzhàn

바로 马上 mǎshàng; 立刻 lìkè

바로미터(barometer) ①《物》 气压表 qìyābiǎo; 气压计 qìyājì ②《기준》 标志 biāozhì ¶ 혈압은 건강의 ～다 血压是健康的标志 xuèyā shì jiànkāng de biāozhì

바로잡다 《굽은 것을》 抻直 chēnzhí; 抻开 chēnkāi; 《교정》 匡正 kuāngzhèng

바로크(baroque) 巴洛克 Bāluòkè ‖ ～ 음악 巴洛克风格音乐 Bāluòkè fēnggé yīnyuè

바르다[1] ①《종이 따위를》 糊 hú; 贴 tiē ¶ 창문에 종이를 ～ 糊窗户纸 hú chuānghu zhǐ ②《약·버터를》 抹上 mǒshàng; 涂上 túshàng ¶ 약을 ～ 上药 shàng yào =〔抹药 mǒ yào〕/ 빵에 버터를 ～ 给面包涂上黄油 gěi miànbāo túshàng huángyóu ③《분을》 搽 chá ¶ 분을 ～ 搽粉 chá fěn ④《흙 따위를》 抹上 mòshàng; 墁 màn

바르다[2] 《정당하다》 正当 zhèngdāng; 《곧다》 笔直 bǐzhí

바리캉(프 bariquant) 理发推子 lǐfà tuīzi; 理发推剪 lǐfà tuījiǎn

바리케이드(barricade) 路障 lùzhàng; 街垒 jiēlěi; 防栅 fángzhà ¶ ～를 치다 筑街垒 zhù jiēlěi

바리톤(bariton) 《樂》 男中音 nánzhōngyīn; 男中音歌手 nánzhōngyīn gēshǒu

바바리(burberry), 바바리코트(burberry coat) 防水布 fángshuǐbù; 防水布雨衣 fángshuǐbù yǔyī

바베큐(barbecue) 烤肉 kǎoròu

바보 傻瓜 shǎguā; 呆子 dàizi; 糊涂虫 hútuchóng; 笨蛋 bèndàn; 憨包 hānbāo

바쁘다 忙 máng; 忙碌 mánglù; 忙合 mánghé ¶ 바쁘게 매일을 보내다 每天忙忙碌碌 měitiān mángmánglùlù

바삐 赶快的 gǎnkuàide; 急急忙忙地 jíjímángmángde

바수다 砸碎 zásuì; 打碎 dǎsuì; 弄碎 nòngsuì ¶ 흙을 ～ 把土块弄碎 bǎ tǔkuài nòngsuì

바스켓(basket) 篮 lán; 篓 lǒu; 筐 kuāng ‖ ～볼 篮球 lánqiú

바싹 《죄다》 勒紧 lēijǐn; 《가까이》 紧挨着 jǐn'āizhe; 《건조하다》 干透 gāntòu; 《여위다》 瘦透 shòutoù

바야흐로 正是 zhèngshì; 将要 jiāngyào ¶ 꽃봉오리는 ～ 피려 하고 있다 含苞欲放 hánbāo yù fàng

바위 岩石 yánshí; 岩 yán; 大石头 dà shítou ¶ ～같이 단단하다 和石头一般硬 hé shítou yìbān yìng

바이어(buyer) (外国)买方 (wàiguó) mǎifāng; 买主 mǎizhǔ ¶ ～와 가격 교섭을 하다 同(外国)买主洽谈价格 tóng (wàiguó) mǎizhǔ qiàtán jiàgé

바이올리니스트(violinist) 小提琴手 xiǎotíqínshǒu

바이올린(violin) 《樂》 小提琴 xiǎotíqín ¶ ～을 켜다 拉小提琴 lā xiǎotíqín

바자(bazaar) 义卖会 yìmàihuì; 义卖市场 yìmài shìchǎng

바자울(타리) 篱笆 líba

바지 裤子 kùzi

바짝 《가까이》 紧紧的 jǐnjǐnde; 《마르다》 瘦透 shòutoù

바치다 ①《드리다》 献 xiàn; 供 gòng; 供奉 gòngfèng ¶ 신전에 제물을 ～ 在神前供奉供品 zài shén qián gòngfèng gòngpǐn ②《마음과 몸을》 献出 xiànchū; 贡献 gòngxiàn ¶ 목숨을 ～ 献出生命 xiànchū shēngmìng / 학문에 자기의 모든 것을 ～ 为了学问贡献出自己的全部力量 wèile xuéwèn gòngxiànchū zìjǐ de quánbù lìliang

바캉스(vacance) 连续休假 liánxù xiūjià; 假期 jiàqī

바퀴 轮子 lúnzi; 车轮 chēlún

바퀴벌레 《蟲》 蟑螂 zhāngláng; 蜚蠊 fěilián

바탕 根基 gēnjī; 底子 dǐzi; 《소질》 天分 tiānfèn〔fen〕; 资质 zīzhì

박 《植》 瓠子 hùzi; 瓠果 hùguǒ; 葫芦 húlu

박다 ①《못을》 钉 dìng ¶ 못을 ～ 钉钉子 dìng dīngzi ②《보석을》 镶嵌 xiāngqiàn ¶ 다이아몬드가 박힌 왕관 镶着钻石的王冠 xiāng zhe zuànshí de wángguān ③《인쇄》 印 yìn; 印刷 yìnshuā ④《재봉틀로》 缝 féng; 缝纫 féngrèn ¶ 재봉틀로 ～ 用缝纫机缝 yòng féngrènjī féng

박두하다(迫頭…) 逼近 bījìn; 迫近 pòjìn ¶ 시간이 ～ 时间紧迫 shíjiān jǐnpò

박람회(博覽會) 博览会 bólǎnhuì
박력(迫力) 动人的力量 dòngrén de lìliang; 扣人心弦 kòurénxīnxián ¶~ 있는 연기를 하다 扣人心弦的演技 kòurénxīnxián de yǎnjì
박물관(博物館) 博物馆 bówùguǎn
박사(博士) 博士 bóshì ¶~ 학위를 따다 获得博士学位 huòdé bóshì xuéwèi
박색(薄色) 丑脸的女人 chǒuliǎn de nǚrén
박수(拍手) 拍手 pāishǒu; 鼓掌 gǔzhǎng ¶우뢰와 같은 ~소리 暴风雨般的掌声 bàofēngyǔ bān de zhǎngshēng
박수무당 觋 xí
박식(博識) 博学多识 bóxué duō shì ¶그의 ~에는 놀랄 뿐이다 他知识渊博令人惊叹 tā zhīshi yuānbó lìng rén jīngtàn
박약(薄弱) 薄弱 bóruò ¶의지 ~한 사람 意志薄弱的人 yìzhì bóruò de rén
박이다 《인쇄》 印字 yìnzì; 印刷 yìnshuā; 《사진》 照(像) zhào(xiang)
박자(拍子) ① 〖樂〗 拍 pāi; 节拍 jiépāi; 《리듬》 拍子 pāizi ¶4분의 2~ 四分之二拍 sì fēn zhī èr pāi / ~ 치다 拍板 pāi bǎn / ~를 맞추다 合拍子 hé pāizi
박쥐 〖動〗 蝙蝠 biānfú ‖ ~ 우산 洋伞 yángsǎn
박차(拍車) 马刺 mǎcì; 马扎子 mǎzházi ¶~를 가하다 加速 jiāsù =〔加快 jiākuài〕〔促进 cùjìn〕〔推动 tuīdòng〕
박차다 ① 《발로 차다》 顿足 dùnzú; 踢动 tīdòng ¶자리를 박차고 돌아가다 顿足离席而去 dùnzú lí xí ér qù =〔拂袖而去 fú xiù ér qù〕 ② 《물리치다》 踢到一旁 tī dào yì páng
박탈(剝奪) 剥夺 bōduó ¶권리를 ~하다 剥夺权利 bōduó quánlì
박하(薄荷) 〖植〗 薄荷 bòhe ¶~가 들어간 껌 薄荷味儿的口香糖 bòhe wèir de kǒuxiāngtáng
박하다(薄…) 《인색》 不大方 bú dà fang ¶인심이 ~ 冷淡 lěngdàn =〔刻薄 kèbó〕 / 점수가 ~ 分数儿严 fēnshùr yán
박해(迫害) 迫害 pòhài ¶정치적 ~를 받다 受到政治迫害 shòudào zhèngzhì pòhài
밖 ① 《테나 금을 넘은 곳》 ¶이 선에서 ~으로 나가면 지게 되는 것이다 出了这个线就算输 chū le zhège xiàn jiù suàn shū ② 《외면 · 표면》 表面 biǎomiàn ¶감정을 ~으로 나타내지 않다 感情不外露 gǎnqíng bù wài lù ③ 《집에 대(對)해서》 外边 wàibian; 外面 wàimian ¶~에서 식사를 하다 在外边吃饭 zài wàibian chī fàn ④ 《바깥》 外边 wàibian; 户外 hùwài; 室外 shìwài ¶~에서 놀다 在外边玩儿 zài wàibian wánr / ~은 춥다 外边冷 wàibian lěng =〔室外冷 shìwài lěng〕
반감(反感) 《반대》 反感 fǎngǎn ¶~을 가지다 抱反感 bào fǎngǎn / ~을 사다 激起反感 jīqǐ fǎngǎn
반감(半減) 减半 jiǎnbàn; 少一半 shǎo yíbàn ¶인플레로 실수입이 ~하다 由于通货膨胀, 实际收入减少了一半 yóuyú tōnghuò péngzhàng, shíjì shōurù jiǎnshǎo le yíbàn
반갑다 真高兴 zhēn gāoxìng ¶반가이 高兴地 gāoxìngde =〔欢欢喜喜地 huānhuānxixide〕
반값(半…) 半价 bànjià ¶아이는 ~이다 小孩半价 xiǎohái bànjià
반경(半徑) 半径 bànjìng ¶~ 10cm의 원을 그리다 画半径十厘米的圆 huà bànjìng shí límǐ de yuán
반공일(半空日) 星期六 xīngqīliù
반기(反旗) 叛旗 pànqí; 反旗 fǎnqí; 造反的旗帜 zàofǎn de qízhì ¶~를 들다 举旗造反 jǔ qí zàofǎn
반기(半旗) 半旗 bànqí ¶~를 걸고 애도의 뜻을 나타내다 下半旗志哀 xià bànqí zhì'āi
반기다 欢迎 huānyíng
반나절(半…) 半天 bàntiān
반납(返納) 缴回 jiǎohuí; 交回 jiāohuí; 放回 fànghuí; 归还 guīhuán ¶운동 기구를 창고에 ~하다 把体育用具归还仓库 bǎ tǐyù yòngjù guīhuán cāngkù
반달(半…)[1] 《달》 半月 bànyuè ¶~이 하늘에 떠 있다 半月悬空 bànyuè xuánkōng
반달(半…)[2] 《보름 동안》 半个月 bàn ge yuè
반대(反對) ① 《역(逆)》 相反 xiāngfǎn ¶~ 방향에서 걸어왔다 走到相反的方向来了 zǒu dào xiāngfǎn de fāngxiàng lái le / 사실은 정~입니다 事实正相反 shìshí zhèng xiāngfǎn ② 《남의 의견에의》 反对 fǎnduì ¶~ 의견이 없다 无反对意见 wú fǎnduì yìjiàn / 인종 차별에 ~하다 反对种族歧视 fǎnduì zhǒngzú qíshì
반도(半島) 半岛 bàndǎo
반드시 一定 yídìng; 必定 bìdìng; 务必的 wùbìde ¶약속한 이사에는 ~ 온다 既然约好就一定来 jìrán yuēhǎo jiù yídìng lái / 사람은 돈이 있다고 해서 ~ 행복한 것은 아니다 人不一定有钱就幸福 rén bù yídìng yǒu qián jiù xìngfú
반듯이 一直地 yìzhíde
반듯하다 《모양》 端正 duānzhèng; 平正 píngzhēng
반딧불 萤火 yínghuǒ; 萤光 yíngguāng
반란(叛亂 · 反亂) 叛乱 pànluàn; 反叛 fǎnpàn ¶~이 일어나다 发生叛乱 fāshēng pànluàn
반박(反駁) 反驳 fǎnbó; 驳倒 bódǎo ¶비판에 대해서 ~하다 对于批判进行反驳 duìyú pīpàn jìnxíng fǎnbó
반반(半半) 一半一半 yíbàn yíbàn; 各半 gè bàn ¶찬성과 반대가 ~이다 一半赞成一半反对 yíbàn zànchéng yíbàn fǎnduì / 찬물과 더운물을 ~하다 冷水热水各半 lěngshuǐ rèshuǐ gè bàn
반반하다 《바닥이》 平滑 pínghuá; 板式 bǎnshì; 《얼굴이》 漂亮 piàoliang; 《지체가》 名门 míngmén; 靠得住的 kàodezhù de
반발(反撥) ① 《되받아서 튕김》 排斥 páichì; 弹回 tánhuí; 回跳 huítiào ¶동극은 서로 ~한다 同极互相排斥 tóngjí hùxiāng páichì ② 《반항》 抗拒 kàngjù; 不接受 bù jiēshòu ¶그의 발언은 모두의 ~을 샀다 他的讲话遭到大家反对 tā de jiǎnghuà zāodào dàjiā fǎnduì
반백(半白) 斑白 bānbái
반복(反復) 反复 fǎnfù ¶~ 연습하다 反复练习 fǎnfù liànxí
반분(半分) 《절반》 一半(儿) yíbàn(r); 二分之一 èr fēn zhī yī
반사(反射) 反射 fǎnshè ¶빛이 거울에 ~ 되다 光反射到镜子上 guāng fǎnshè dào jìngzi shang / ~적으로 답하다 反射似地回答 fǎnshè sì de huídá
반색하다 欢喜雀跃 huānxǐ quèyuè
반송(搬送) 搬送 bānsòng; 搬运 bānyùn
반숙(半熟) 半熟 bànshú; 半生不熟 bànshēng-

bùshú ¶ ～된 달걀 半熟的鸡蛋 bànshú de jīdàn
반신(返信) 回信 huíxìn; 回电 huídiàn; 复信 fùxìn; 复函 fùhán ‖ ～료 复信费 fùxìnfèi
반신반의(半信半疑) 半信半疑 bànxìn bànyí; 将信将疑 jiāngxìn jiāngyí ¶ 그녀는 ～하면서도 듣고 있다 她半信半疑地听着 tā bànxìn bànyí de tīngzhe
반신불수(半身不隨) 半身不随 bànshēn bùsuí
반영(反映) 反映 fǎnyìng ¶ 여론을 의회에 ～하다 舆论反映到议会 yúlùn fǎnyìng dào yìhuì
반올림(半…) 《數》 四舍五入 sì shě wǔ rù
반응(反應) ① 《자극·현상》 反响 fǎnxiǎng; 效果 xiàoguǒ ¶ 상대방의 ～을 보다 观察〔察看〕对方的反应 guānchá〔chákàn〕duìfāng de fǎnyìng ② 《化》 反应 fǎnyìng ¶ 알칼리성 ～을 나타내다 呈现碱性反应 chéngxiàn jiǎnxìng fǎnyìng
반자 《천장의》 顶棚 dǐngpéng
반주(伴奏) 伴奏 bànzòu ¶ 피아노로 ～하다 用钢琴伴奏 yòng gāngqín bànzòu
반죽하다 搋 chuāi; 捏 niē; 揉和 róuhuó ¶ 밀가루를 ～ 搋面 chuāimiàn =〔和面 huómiàn〕〔揉面róumiàn〕〔揣面 chuāimiàn〕
반지(斑指) 戒指 jièzhi; 指环 zhǐhuán ¶ 금～를 끼다 戴金戒指 dài jīnjièzhi / ～를 뽑다 摘下戒指 zhāixià jièzhi
반지르르 ¶ ～하다 光溜溜地 guāngliūliū de =〔光滑地 guānghuáde〕
반짇고리 针线盒 zhēnxiànhé
반짝거리다 闪闪发光 shǎnshǎn fāguāng
반쪽(半…) 一半 yíbàn; 半拉 bànlǎ
반찬(飯饌) 菜 cài; 菜肴 càiyáo(생선·고기가 들어간)
반창고(絆創膏) 橡皮膏 xiàngpígāo; 绊创膏 bànchuānggāo
반칙(反則) 犯规 fànguī ¶ ～을 범하다 犯了规 fànle guī / ～으로 감점당하다 犯规被扣了分 fànguī bèi kòule fēn
반코트(半 coat) 半大衣 bàndàyī
반편(半偏) 《사람》 茶呆呆 niédāidāi; 呆子 dāizi; 半憨子 bànhānzi
반하다 迷住 mízhù; 恋慕 liànmù
반환(返還) 归还 guīhuán ¶ 점령지를 ～하다 归还占领地区 guīhuán zhànlǐng dìqū
받다 ① 《주는 것·오는 것을》 ¶ 편지를 ～ 接〔收〕信 jiē〔shōu〕xìn / 학위를 ～ 取得学位 qǔdé xuéwèi / 전화를 ～ 接电话 jiē diànhuà ② 《당하다·입다》 ¶ 치료를 ～ 接受治疗 jiēshòu zhìliáo / 경찰의 신문(訊問)을 ～ 受警察的查问 shòu jǐngchá de cháwèn ③ 《허가를》 获得 huòdé ¶ 허가를 ～ 获得许可 huòdé xǔkè ④ 《받아야 할 것을》 领 lǐng ¶ 월급을 ～ 领月薪 lǐng yuèxīn ⑤ 《손에 잡다》 接 jiē ¶ 공을 ～ 接球 jiē qiú ⑥ 《우산을》 打 dǎ ¶ 우산을 ～ 打雨伞 dǎ yǔsǎn
받들다 ① 《지지·보필》 奉戴 fèngdài; 拥戴 yōngdài ¶ 어린 임금을 ～ 拥戴幼君 yōngdài yòujūn =〔举起 jǔqǐ〕 ② 《추대》 推举 tuījǔ; 拥戴 yōngdài ¶ A씨를 회장으로 ～ 推选 A 先生为会长 tuīxuǎn A xiānsheng wéi huìzhǎng
받들어총(…銃) 举枪 jǔ qiāng
받아넣다 收下 shōuxià
받아쓰기 默写 mòxiě →〔听写 tīngxiě〕
받치다 《괴다》 支撑 zhīchēng

발[1] 《손발의》 脚 jiǎo ¶ 문어의 ～은 8개다 章鱼有八条腕足 zhāngyú yǒu bā tiáo wànzú
발[2] 《치는》 帘子 liánzi ¶ ～을 내리다 放下帘子 fàngxià liánzi
발[3] 《길이·깊이》 庹 tuǒ
발(發) 《방》 颗 kē; 发 fā ¶ 한 ～의 탄환 一发子弹 yìfā zǐdàn
발가락 脚趾 jiǎozhǐ; 〈俗〉 脚指头(儿) jiǎozhǐtou(r)
발가벗다 脱光 tuōguāng; 脱下衣裳光起身子 tuōxià yīshang guāng qǐ shēnzi
발가숭이 光身子 guāngshēnzi; 赤身露体 chìshēn loùtǐ
발갛다 ⇨벌겋다
발걸음 脚步 jiǎobù ¶ ～이 빠르다 脚步快 jiǎobù kuài =〔走得快 zǒude kuài〕
발견(發見) 发现 fāxiàn ¶ 암은 조기 ～이 대단히 중요하다 癌症早期发现极为重要 áizhèng zǎoqī fāxiàn jí wéi zhòngyào
발굽 蹄 tí; 蹄子 tízi
발기인(發起人) 发起人 fāqǐrén
발길질 踢 tī ¶ 개를 ～하다 踢狗 tī gǒu
발끝 脚尖 jiǎojiān ¶ 머리끝에서 ～까지 从头顶到脚尖 cóng tóudǐng dào jiǎojiān / ～으로 서다 用脚尖站立 yòng jiǎojiān zhànlì
발단(發端) 开端 kāiduān; 发端 fāduān ¶ 그 조그만 사건이 전쟁의 ～이 되었다 那个小事件成了战争的导火线 nàge xiǎo shìjiàn chéngle zhànzhēng de dǎohuǒxiàn
발달(發達) 发达 fādá; 发展 fāzhǎn ¶ A 나라는 공업이 ～하다 A 国工业发达 A guó gōngyè fādá
발돋움하다 翘脚 qiáo jiǎo; 跷〔踮〕着脚 qiāo〔diǎn〕zhe jiǎo
발동기(發動機) 发动机 fādòngjī; 动力机 dònglìjī
발뒤꿈치 脚跟 jiǎogēn; 脚后跟 jiǎohòugēn ¶ ～를 들고 걷다 抬起脚跟走 táiqǐ jiǎogēn zǒu
발등 脚背 jiǎobèi; 脚面 jiǎomiàn
발레(ballet) 芭蕾舞 bālěiwǔ
발레리나(ballerina) 芭蕾舞女演员 bālěiwǔ nǚyǎnyuán
발맞추다 使步伐整齐 shǐ bù fá zhěngqí
발명(發明) 发明 fāmíng ¶ 1876년에 벨은 전화를 ～했다 一八七六年贝尔发明了电话 yì bā qī liù nián Bèi'ěr fāmíngle diànhuà
발목 脚脖子 jiǎobózi
발밑 脚下 jiǎoxià; 脚底下 jiǎodǐxia ¶ ～을 찾아보아라 在脚下找找看 zài jiǎoxià zhǎo zhǎo kàn / 중국어로는 그의 ～에도 미치지 못하다 中文我可远远不及他 Zhōngwén wǒ kě yuǎnyuǎn bùjí tā
발바닥 脚掌 jiǎozhǎng; 〈方〉 脚板 jiǎobǎn
발바리 巴儿狗 bārgǒu; 哈巴狗 hǎbagǒu; 狮子狗 shīzigǒu
발버둥이치다 《불만으로》 顿足 dùnzú; 《벗어나려고》 拼命挣扎 pīnmìng zhēngzhá
발병(發病) 发病 fābìng; 得病 débìng ¶ 여행 도중 ～하다 在旅途中发病了 zài lǚ túzhōng fābìngle
발부리 脚尖 jiǎojiān
발뺌 托词 tuōcí ¶ ～하다 支吾 zhīwu =〔抓口实 zhuā kǒushí〕〔找藉口 zhǎo jièkǒu〕
발생(發生) 发生 fāshēng ¶ 사고가 ～하다 发生事故 fāshēng shìgù
발소리 脚步声 jiǎobùshēng ¶ ～를 죽이고 悄悄

儿地 qiāoqiāorde =〔蹑手蹑脚地 nièshǒu nièjiǎo de〕
발송(發送) 发送 fāsòng; 寄送 jìsòng ¶～한 편지가 되돌아왔다 寄出去的信退回来了 jìchuqu de xìn tuì huílaile
발악(發惡) 胡作非为 hú zuò fēi wéi; 呱哒 gūdā; 撒泼 sāpō; 发横 fāhèng
발안(發案) 提案 tí'àn
발육(發育) 发育 fāyù ¶～이 좋다 发育得好 fāyù de hǎo
발음(發音) 发音 fāyīn ¶정확하게 ～하다 正确地发音 zhèngquè de fāyīn
발의(發意) 提议 tíyì; 倡议 chàngyì ¶그의 ～로 이 연구회가 생겼다 由于他的倡议这个研究会诞生了 yóuyú tāde chàngyì zhège yánjiūhuì dànshēng le
발자국 足迹 zújī; 脚迹 jiǎojī; 脚印(儿, 子) jiǎoyìn(r, zi); 脚踪儿 jiǎozōngr ¶눈 위에 ～을 남기다 在雪地上留下了脚印儿 zài xuě dì shang liúxiàle jiǎoyìnr
발작(發作) 发作 fāzuò
발전(發展) 发展 fāzhǎn; 扩展 kuòzhǎn; 伸展 shēnzhǎn ¶사건의 ～을 지켜 보다 注视事态的'发展〔演变〕 zhùshì shìtài de 'fāzhǎn 〔yǎnbiàn〕
발차(發車) 开车 kāichē; 发车 fāchē ¶북경역을 7시에 ～하는 기차를 타다 坐北京站七点开出的火车 zuò Běijīngzhàn qī diǎn kāichū de huǒchē
발췌(拔萃) 摘录 zhāilù ¶논문의 일부를 ～하다 摘录论文的一部分 zhāilù lùnwén de yíbùfen
발칙하다 蛮不讲理 mán bù jiǎnglǐ; 举动太可恶 jǔdòng tài kěwù; 冒失 màoshi
발칵 全部 quánbù ¶～ 뒤집히다 闹得天翻地覆 nào de tiān fān dì fù
발코니(balcony) 阳台 yángtái; 露台 lùtái
발톱 《사람》 脚指甲 jiǎozhǐjia; 《금수》 爪 zhǎo (조수의); 爪儿 zhuǎr(동물의)
발판(…板) ①《높은 곳에 올라가기 위한》 立足处 lìzúchù; 搭脚处 dājiǎochù; 踏板 tàbǎn; 《건축용의》 脚手架 jiǎoshǒujià ②《수단》 立脚点 lìjiǎodiǎn; 基础 jīchǔ ¶신체제의 ～을 굳히다 巩固新体制的基础 gǒnggù xīntǐzhì de jīchǔ
발포(發砲) 《소총을》 开枪 kāiqiāng; 放枪 fàngqiāng; 《대포를》 开炮 kāipào; 发炮 fāpào
발표(發表) 发表 fābiǎo ¶의견을 ～하다 发表意见 fābiǎo yìjiàn / 오늘 합격자의 ～가 있다 今天发榜 jīntiān fābǎng
발행(發行) ①《책·도서·돈 따위의》 发行 fāxíng ¶이 신문은 ～ 부수가 50만에 달한다 这个报纸发行量达五十万 zhège bàozhǐ fāxíngliàng dá wǔshíwàn ②《증명서·입장권 따위의》 发放 fāfàng; 发售 fāshòu ¶증명서를 재～하다 补发证明书 bǔfā zhèngmíngshū
발효(發酵) 发酵 fājiào ¶포도를 ～시켜서 포도주를 만들다 使葡萄发酵酿造葡萄酒 shǐ pútao fājiào niàngzào pútaojiǔ
발휘(發揮) 发挥 fāhuī; 施展 shīzhǎn ¶재능을 ～하다 发挥才能 fāhuī cáinéng / 저 회사에서 그는 능력을 십분 ～하지 못한다 在那个公司他无法充分施展才干 zài nàge gōngsī tā wúfǎ chōngfèn shīzhǎn cáigàn
밝다 ①《빛 등이》 亮 liàng; 明亮 míngliàng; 光亮 guāngliàng; 明朗 mínglǎng; 亮堂 liàngtang ¶달이 ～ 月色明朗 yuèsè mínglǎng / 전등은 램프보다 ～ 电灯比油灯亮 diàndēng bǐ yóudēng liàng ②《색이》 鲜明 xiānmíng; 鲜亮 xiānliàng ¶밝은 황색 鲜明的黄色 xiānmíng de huángsè / 밝은 색 光量的颜色 guāngliàng de yánsè ③《성격·표정 등이》 明朗 mínglǎng; 开朗 kāilǎng; 亮堂 liàngtang ¶그는 성격이 ～ 他性格开朗 tā xìnggé kāilǎng / 그들의 앞날은 아주 ～ 他们前途很光明 tāmen qiántú hěn guāngmíng ④《잘 알다》 熟 shú 〔shóu〕; 熟悉 shúxī; 熟知 shúzhī; 熟习 shúxí ¶그는 이 주변의 지리에 매우 ～ 他对这个地方很熟悉 tā duì zhège dìfang hěn shúxī / 이것은 내부 사정에 밝은 자가 한 짓이다 这是熟知内情的人干的 zhè shì shúzhī nèiqíng de rén gàn de
밝히다 《밤을》 熬夜 áoyè; 《사건을》 公开 gōngkāi
밟다 ①《땅 위를 디디다》 走上 zǒushàng; 踏上 tàshàng ¶처음으로 중국 땅을 ～ 初次踏上中国的土地 chūcì tàshàng Zhōngguó de tǔdì ②《발로 누르다》 踏 tà; 踩 cǎi; 践踏 jiàntà ¶잘못해서 남의 발을 ～ 不小心踩了别人的脚 bù xiǎoxīn cǎile biéren de jiǎo / 자전거의 페달을 ～ 踏自行车的脚蹬子 tà zìxíngchē de jiǎodēngzi ③《순서를》 经历 jīnglì; 经过 jīngguò ¶대학의 과정을 ～ 进修大学课程 jìnxiū dàxué kèchéng / 절차를 ～ 履行手续 lǚxíng shǒuxù / 절차를 밟아 신청하다 按手续申请 àn shǒuxù shēnqǐng ④《경험하다》 实践 shíjiàn; 经验 jīngyàn ¶처음 무대를 ～ 初登舞台 chū dēng wǔtái
밟히다 被践踏 bèi jiàntà
밤[1] 《야간》 晚上 wǎnshang; 夜里 yèli
밤[2] 〔植〕 栗子 lìzi ¶～을 까다 剥栗子 bāo lìzi
밤길 夜路 yèlù; 黑道(儿) hēidào(r) ¶～을 걷다 走夜路 zǒu yèlù
밤낮 ①《밤과 낮》 昼夜 zhòuyè; 白天和夜晚 báitiān hé yèwǎn ¶～ 가리지 않고 일하다 不分昼夜地工作 bù fēn zhòuyè de gōngzuò ②《항상》 日夜 rìyè; 经常 jīngcháng ¶～으로 일에 힘쓰다 日夜努力工作 rìyè nǔlì gōngzuò
밤눈 夜里看(的眼睛) yèlikàn (de yǎnjing) ¶～이 밝다 夜里辨别东西的视力很强 yèli biànbié dōngxi de shìlì hěn qiáng
밤사이 隔夜之间 géyè zhī jiān; 隔宿 géxiǔ
밤새도록 整夜 zhěngyè; 通宵 tōngxiāo ¶～ 일하다 通宵达旦地工作 tōngxiāo dá dàn de gōngzuò
밤새우다 彻夜 chèyè; 通宵 tōngxiāo; 开夜车 kāi yèchē; 熬夜 áoyè ¶밤새워 공부하다 彻夜用功 chèyè yònggōng / 밤새워서 환자를 간호하다 熬夜看护病人 áoyè kānhù bìngrén
밤손님 夜客 yèkè; 黑钱 hēiqián
밤송이 栗苞 lìbao; 栗蓬 lìpéng
밤이슬 夜露 yèlù ¶～에 젖다 被夜晚的露水濡湿 bèi yèwǎn de lùshui rúshī
밤일 夜班 yèbān; 夜间工作 yèjiān gōngzuò ¶주문이 쇄도해서 매일 ～하다 定单涌来, 天天加夜班 dìngdān yǒnglai, tiāntiān jiā yèbān
밤잠 夜觉 yèjiào
밤중 半夜 bànyè; 夜里 yèli; 三更天 sāngēng tiān
밤차(…車) 晚车 wǎnchē
밤참 夜消(儿) yèxiāo(r); 宵夜 xiāoyè

밥 饭 fàn ¶~을 짓다 焖〔蒸;煮〕饭 mèn〔zhēng; zhǔ〕fàn
밥그릇 饭碗 fànwǎn
밥벌이 挣饭 zhèngfàn; 谋生之道 móushēngzhīdào; 生路 shēnglù; 混饭的勾当 hùnfàn de gòudang
밥상(…床) 饭桌 fànzhuō ¶~을 치우다 收拾饭桌 shōushi fànzhuō
밥알 饭粘儿 fànniánr; 饭巴粒儿 fànbalìr; 饭米粒儿 fànmǐlìr; 饭粒(儿, 子) fànlì (r, zi)
밥장사 饭铺儿 fànpùr
밥장수 卖饭的 màifànde
밥주걱 饭杓 fànsháo; 饭匙 fànchí
밥줄 饭落儿 fànluor; 谋生之道 móushēngzhīdào; 饭锅 fànguō ¶~이 끊어지다 饭碗撒砂 fànwǎn sǎ shā
밥짓다 ⇨밥
밥통(…桶) ① 饭桶 fàntǒng ②《바보》 懒骨头 lǎngútou; 废才 fèicái ③ ⇨위(胃)
밥풀 (用饭粒作的) 浆糊 jiānghú
밧줄 粗绳 cūshéng; 绳索 shéngsuǒ; 缆 lǎn ¶~을 당기다 '拉〔拽〕绳子 'lā〔zhuài〕shéngzi
방(房) 屋子 wūzi; 房间 fángjiān ¶빈~ 空房间 kòng fángjiān / 호텔에 ~을 예약했다 在饭店'预订〔开〕好了房间 zài fàndiàn 'yùdìng〔kāi〕hǎole fángjiān
방(放) 《총알》 发 fā ¶총알 한 방을 쏘다 打一~子弹 dǎ yì fā zǐdàn
방(方) ①《방위》 方 fāng ¶동~ 东方 dōngfāng ②《편지에서》 转交给 zhuǎnjiāogěi ¶김 선생님 ~ 임씨 金老师转交给林先生 Jīn lǎoshī zhuǎnjiāogěi Lín xiānsheng
방갈로(bungalow) 木制小房 mùzhì xiǎofáng
방관(傍觀) 傍观 pángguān ¶수수(袖手) ~하다 袖手傍观 xiùshǒu pángguān
방귀 屁 pì ¶~ 뀌다 放屁 fàng pì
방금(方今) 刚 gāng; 适才 shìcái
방뇨(放尿) 小便 xiǎobiàn; 〈俗〉 撒尿 sāniào
방담(放談) 漫谈 màntán; 信口胡说 xìnkǒu húshuō ¶신춘 ~ 新春漫谈 xīnchūn màntán
방독(防毒) 防毒 fángdú ¶~ 마스크를 쓰다 戴上防毒面具 dài shang fángdú miànjù
방랑(放浪) 流浪 liúlàng ¶~ 생활을 하다 过流浪生活 guò liúlàng shēnghuó
방망이 木槌 mùchuí
방면(方面) ①《지방》 方向 fāngxiàng ¶인천 ~으로 가시는 분은 차를 바꿔 타 주십시오 往仁川方向去的乘客请换车 wǎng Rénchuān fāngxiàng qù de chéngkè qǐng huàn chē ②《분야》 方面 fāngmiàn ¶그 ~에 밝은 사람 熟悉那方面情况的人 shúxī nà fāngmiàn qíngkuàng de rén
방목(放牧) 放牧 fàngmù; 放青 fàngqīng; 牧放 mùfàng ¶양을 ~하다 放〔牧〕羊 fàng〔mù〕yáng
방문(訪問) 访问 fǎngwèn; 来访 láifǎng; 拜访 bàifǎng ¶중국을 ~하다 访华 fǎng Huá =〔访问中国 fǎngwèn Zhōngguó; 到中国访问 dào Zhōngguó fǎngwèn〕‖~객 来访的客人 láifǎng de kèrén =〔来客 láikè〕
방법(方法) 方法 fāngfǎ; 办法 bànfǎ; 法子 fǎzi ¶~이 없다 没法子 méi fǎzi =〔没有办法 méiyǒu bànfa〕/ 목적은 비록 좋을지라도 ~에 문제가 있다 目的虽好可是方法有问题 mùdì suī hǎo kěshì fāngfǎ yǒu wèntí
방비(防備) 防备 fángbèi ¶수도의 ~를 단단히 하다 巩固首都的防卫 gǒnggù shǒudū de fángwèi
방사(放射) 放射 fàngshè; 辐射 fúshè ¶태양은 막대한 열에너지를 ~한다 太阳放射出巨大的热能 tàiyáng fàngshè chū jùdà de rènéng
방사능(放射能) 放射能 fàngshènéng ¶다량의 ~을 쬐다 受到大量的放射线照射 shòudào dàliàng de fàngshèxiàn zhàoshè
방석(方席) 坐垫(儿) zuòdiàn(r) ¶~을 깔다 垫上坐垫儿 diànshàng zuòdiànr
방성대곡(放聲大哭) 放声大哭 fàngshēng dàkū
방세(房貰) 房租 fángzū; 房钱 fángqián
방송(放送) 播送 bōsòng; 广播 guǎngbō ¶올림픽 실황 ~을 듣다 听奥运会的实况广播 tīng Àoyùnhuì de shíkuàng guǎngbō ‖~국 广播电台 guǎngbō diàntái / ~극 广播剧 guǎngbōjù
방심(放心) ①《부주의》 大意 dàyi; 麻痹 mábì ¶~은 금물 千万不得麻痹大意 qiānwàn bùdé mábì dàyi ②《안심》 放心 fàngxīn
방아 捣米 dǎomǐ; 磨面 mòmiàn ‖방앗간(間) 磨坊 mòfáng =〔碾米厂 niǎnmǐchǎng〕/ 방앗공이 杵 chǔ ¶~로 빻다 用杵捣 yòng chǔ dǎo
방아깨비 《蟲》 尖头蚱蜢 jiāntóu zhàměng
방아쇠 扳机 bānjī ¶~를 당기다 扣扳机 kòu bānjī
방안(方案) 规划 guīhuà; 计划 jìhuà
방어(防禦) 防御 fángyù ¶공격은 최대의 ~다 进攻是最好的防御 jìngōng shì zuìhǎo de fángyù
방언(方言) 方言 fāngyán; 土话 tǔhuà ¶고향의 ~으로 말하다 用故乡的方言谈话 yòng gùxiāng de fāngyán tánhuà
방언(放言) 信口开河 xìnkǒu kāihé; 信口胡说 xìnkǒu húshuō ¶무책임하게 ~하다 不负责任地信口开河 bù fù zérèn de xìnkǒu kāihé
방울 铃铛(儿) língdang(r)
방자 憎恨别人求神他倒霉 zēnghèn biérén qiú shén tā dǎoméi
방자(放恣) 任性 rènxìng; 放肆 fàngsì; 放恣 fàngzī; 放纵 fàngzòng; 放荡 fàngdàng
방정 《경솔》 冒失 màoshi ¶~맞다 不吉利 bù jílì =〔晦气 huìqì〕‖~꾸러기 冒失鬼 màoshiguǐ
방출(放出) 发放 fāfàng ¶재해 지역에 비축미를 ~하다 在灾区发放储备的大米 zài zāiqū fāfàng chǔbèi de dàmǐ
방치(放置) 放置(不理) fàngzhì(bù lǐ); 置之不理 zhì zhī bù lǐ ¶이 문제는 ~해서는 안 된다 这个问题不能置之不理 zhège wèntí bùnéng zhì zhī bù lǐ
방침(方針) 方针 fāngzhēn ¶~을 세우다 确定方针 quèdìng fāngzhēn
방파제(防波堤) 防波堤 fángbōdī
방패(防牌·旁牌) ①《무기》 档箭牌 dǎngjiànpái; 盾 dùn; 盾牌 dùnpái ¶~로 몸을 막다 以盾防身 yǐ dùn fáng shēn ②《수단》 后盾 hòudùn ¶인질을 ~로 해서 도망갔다 以人质作为盾牌逃跑了 yǐ rénzhì zuòwéi dùnpái táopǎo le
방해(妨害) 妨碍 fáng'ài ¶의사 진행을 ~하다 妨碍议程的进行 fáng'ài yìchéng de jìnxíng

방향(方向) 方向 fāngxiàng ¶그가 가리키는 ～에 탑이 하나 있다 在他指的方向有一座高塔 zài tā zhǐ de fāngxiàng yǒu yí zuò gāo tǎ / 반대 ～에서 오는 차와 충돌했다 和迎面来的汽车撞上了 hé yíngmiàn lái de qìchē zhuàngshàng le

방화(放火) 放火 fànghuǒ; 纵火 zònghuǒ ¶어제 저녁의 화재는 ～인 것 같다 昨晚的火灾好像是放的火 zuówǎn de huǒzāi hǎoxiàng shì fàng de huǒ ‖ ～범 纵火犯 zònghuǒfàn

밭 地 dì; 田地 tiándì; 旱地 hàndì; 旱田 hàntián ¶～을 갈다 耕地 gēng dì

밭다《거르다》滤 lǜ; 过滤 guò lǜ; 《짜서》过淋 guò lìn ¶용액을 거름종이에 ～ 用滤纸过滤溶液 yòng lǜzhǐ guòlǜ róngyè

배[1] 《복부》肚子 dùzi; 腹 fù ¶～ 고프다 肚子饿了 dùzi è le / 많이 먹어서 ～가 부르다 吃饱了 chībǎo le / ～가 나오다 肚子腆起来 dùzi tiǎnqilai

배[2] 《타는》船 chuán ¶～를 타다 乘〔搭〕船 chéng〔dā〕chuán / ～를 내리다 下船 xià chuán / ～를 젓다 划船 huá chuán

배[3] 《植》梨 lí; 梨子 lízi

배(倍) 倍 bèi; 加倍 jiābèi ¶3의 ～는 6 三的二倍是六 sān de èr bèi shì liù / 생산량은 작년의 3～가 되다 产量增长到去年的三倍 chǎnliàng zēngzhǎng dào qùnián de sān bèi

배갈 白干儿 báigānr; 白酒 báijiǔ; 高粱酒 gāoliangjiǔ

배경(背景) ①《뒷경치》背景 bèijǐng ¶만리 장성을 ～으로 사진 찍다 以长城为背景拍照 yǐ chángchéng wéi bèijǐng pāizhào ②《무대 등의》布景 bùjǐng ¶～을 바꾸다 换布景 huàn bùjǐng ③《후원자》后盾 hòudùn; 靠山 kàoshān ¶사건의 정치적 ～을 찾다 探索事件的政治背景 tànsuǒ shìjiàn de zhèngzhì bèijǐng

배급(配給) 配给 pèijǐ; 配售 pèishòu; 定量供应 dìngliàng gōngyìng ¶한 사람 앞에 10kg의 밀가루를 ～하다 每一个人配给十公斤的白面 měi yí ge rén pèijǐ shí gōngjīn de báimiàn

배기다 ①硌 gè ¶엉덩이가 ～ 硌屁股 gèpìgǔ ②《고통 따위를》胜任 shēngrèn; 容忍 róngrěn

배꼽 脐 qí; 肚脐 dùqí(r); 肚脐眼儿 dùqíyǎnr ¶～ 빼다 笑得肚皮疼 xiàode dùpí téng =〔可笑得要命 kěxiàode yàomìng〕

배내옷 抱裙儿 bàoqúnr; 毛衫儿 máoshānr

배냇니 乳齿 rǔchǐ; 乳牙 rǔyá; 奶牙 nǎiyá

배냇병신(…病身) 生就的残废 shēngjiùde cánfèi

배다[1] 《스며서》渗入 shènrù; 《익숙》习惯 xíguàn; 惯 guàn

배다[2] 《임신》孕 yùn ¶아이를 ～ 怀孕 huáiyùn =〔怀胎 huáitāi〕

배다[3] 《촘촘하다》细针密缕 xìzhēn mìlǚ; 《빽빽하다》密匝匝 mìzāzā

배다르다 异母'兄弟〔姊妹〕yì mǔ 'xiōngdì〔zǐmèi〕¶배다른 형 异母哥哥 yì mǔ gēge

배달(配達) 送 sòng; 送到 sòngdào; 投递 tóudì ¶신문을 ～하다 送报 sòng bào / 우편물을 ～하다 投递邮件 tóudì yóujiàn

배당(配當) ①分配 fēnpèi ¶여러 가지 (많은) 일에 시간을 ～하다 对各种工作分配时间 duì gèzhǒng gōngzuò fēnpèi shíjiān ②《주식》分红 fēnhóng; 红利 hónglì ¶1할의 ～을 하다 按一成分红 àn yì chéng fēnhóng / 주(株)의 ～ 股票的红利 gǔpiào de hónglì =〔股息 gǔxī〕〔股利 gǔlì〕

배드민턴(badminton) 羽毛球 yǔmáoqiú ¶～을 치다 打羽毛球 dǎ yǔmáoqiú

배럴(barrel) 桶 tǒng ¶석유 1～ 一桶石油 yì tǒng shíyóu

배려(配慮) 关怀 guānhuái; 关照 guānzhào; 照顾 zhàogu; 照料 zhàoliào ¶육아(育兒)는 세심한 ～가 필요하다 抚育婴儿要细心照料 fǔyù yīng'ér yào xìxīn zhàoliào

배반(背反·背叛) 违反 wéifǎn; 违背 wéibèi ‖ 이율 ～ 二律背反 èrlǜ bèifǎn

배부르다《만복》吃饱 chībǎo; 《임신》肚子胖 dùzi pàng; 有孕 yǒuyùn

배불뚝이 大肚子 dàdùzi

배불리 먹다 吃不了得吃 chībuliǎode chī

배상(賠償) 赔偿 péicháng ¶손해 ～을 청구하다 要求赔偿损失 yāoqiú péicháng sǔnshī ‖ ～금 赔款 péikuǎn =〔赔偿费 péichángfèi〕

배서(背書) 《수표 따위의》背书 bèishū; 背面签字 bèimiàn qiānzì ¶수표에 ～를 하다 在支票背面签字 zài zhīpiào bèimiàn qiānzì

배신(背信) 背信弃义 bèixìn qìyì ¶이것은 국민에 대한 ～ 행위이다 这是对国民背信弃义的行为 zhè shì duì guómín bèixìn qìyì de xíngwéi

배알 ①《창자》肠 cháng; 内脏 nèizàng ¶사람의 ～ 人的肠子 rén de chángzi / 생선의 ～을 꺼내다 取出鱼的内脏 qǔ chū yú de nèizàng ②《마음》心地 xīndì; 心肠 xīncháng ¶～이 뒤틀리다 气得七窍生烟 qìde qīqiào shēngyān =〔非常气愤 fēicháng qìfèn〕

배알(拜謁) 拜谒 bàiyè; 谒见 yèjiàn; 晋谒 jìnyè ¶국왕에게 ～하다 谒见国王 yèjiàn guówáng

배역(配役) 分配角色 fēnpèi juésè ¶～을 정하다 决定角色 juédìng juésè

배열(配列·排列) 排列 páiliè ¶알파벳 순으로 ～하다 按拉丁字母的次序排列 àn Lādīng zìmǔ de cìxù páiliè

배우(俳優) 演员 yǎnyuán ¶～가 되다 当演员 dāng yǎnyuán ‖ 영화～ 电影演员 diànyǐng yǎnyuán =〔电影明星 diànyǐng míngxīng〕

배우다 学 xué; 学习 xuéxí ¶바이올린을 ～ 学拉提琴 xué lātíqín / 나는 중국인에게 중국어를 배운다 我跟中国人学中文 wǒ gēn Zhōngguórén xué Zhōngwén

배웅하다 送行 sòngxíng ¶플랫폼은 배웅하는 사람들로 가득 차 있다 站台上挤满了送行的人 zhàntái shang jǐmǎnle sòngxíng de rén

배짱 胆量(儿) dǎnliàng(r); 气量 qìliàng; 种 zhǒng ¶～이 크다 胆大 dǎn dà / ～ 없다 胆怯 dǎn qiè / 저 사람은 ～이 두둑하다 那个人气量大 nàge rén qìliàng dà =〔那个人肚子里能撑船 nàge rén dùzi li néng chēng chuán〕

배추 白菜 báicài; 大白菜 dàbáicài ¶～를 절이다 腌白菜 yān báicài

배치(排置) 配置 pèizhì; 布置 bùzhì; 部署 bùshǔ ¶회장에 경비원을 ～하다 会场上配备警卫员 huìchǎng shang pèibèi jǐngwèiyuán / 가구의 ～를 바꾸다 改换家具的布置 gǎihuàn jiāju de bùzhì

배탈 伤食 shāngshí ¶～ 나다 闹肚子 nào dùzi

배터리(battery) 电池 diànchí; 蓄电池 xùdiànchí ¶～가 다 됐다 电池用完了 diànchí yòng wán le

배편(…便) ①通航 tōngháng; 通船 tōngchuán;

便船 biànchuán ¶～으로 가다 坐船去 zuò chuán qù / 다음 ～을 기다리다 等下一次船 děng xiàyícì chuán ②《수송의》海运 hǎiyùn; 海上运输 hǎishàng yùnshū; 用船邮寄 yòng chuán yóujì ¶～으로 보내다 用船邮去 yòng chuán yóu qù
배합(配合) 配合 pèihé; 配 pèi ¶색의 ～이 좋다 颜色配得好 yánsè pèide hǎo / 약을 ～하다 配药 pèi yào
배회(徘徊) 徘徊 páihuí; 走来走去 zǒulái zǒuqù; 踱来踱去 duólái duóqù ¶집 부근을 ～하다 在家左近走来走去 zài jiā zuǒjìn zǒulái zǒuqù
백곰(白…)《動》北极熊 běijíxióng; 白熊 báixióng
백금(白金) 铂 bó; 白金 báijīn
백내장(白內障)《醫》白内障 báinèizhàng
백로(白鷺)《鳥》白鹭 báilù; 白鹭鸶 báilùsī
백묵(白墨) 粉笔 fěnbǐ
백반(白飯) 大米饭 dàmǐfàn; 干饭 gānfàn
백발(白髮) 白发 báifà
백분율(百分率) 百分率 bǎifēnlǜ; 百分比 bǎifēnbǐ
백사장(白沙場) 沙滩 shātān
백장 屠户 túhù; 屠夫 túfū
백조(白鳥)《鳥》天鹅 tiān'é; 鹄 hú
백주(白晝) 白天 báitiān; 白昼 báizhòu; 大清白日 dàqīng báirì ¶～에 은행에 강도가 들어왔다 在大白天强盗闯进了银行 zài dà báitiān qiángdào chuǎngjìnle yínháng
백합(百合)《植》百合 bǎihé
백화점(百貨店) 百货公司 bǎihuò gōngsī; 百货大楼 bǎihuò dàlóu
밴드(band)《띠》皮带 pídài; 腰带 yāodài; 《악대》乐队 yuèduì; 乐团 yuètuán
밸런스(balance) 平衡 pínghéng ¶수지의 ～가 잡혀 있다 收支平衡 shōuzhī pínghéng
밸브(valve) 阀 fá; 活门 huómén; 气门 qìmén
뱀《動》蛇 shé; 长虫 chángchong
뱀장어(…長魚)《魚》鳗鱼 mányú; 鳗鲡 mánlí
뱃노래 船歌 chuángē; 船夫曲 chuánfūqǔ
뱃놀이 乘船游逛 chéngchuán yóuguàng; 泛舟 fànzhōu ¶호수에서 ～를 하다 在湖里(坐船)游逛 zài húli (zuò chuán) yóuguàng
뱃머리 船头 chuántóu; 船首 chuánshǒu ¶～를 북으로 향하다 使船头朝北 shǐ chuántóu cháo běi
뱃멀미 晕船 yùnchuán
뱃사람 船员 chuányuán; 船夫 chuánfū
뱃삯 船钱 chuánqián; 船费 chuánfèi
뱃전 船舷 chuánxián; 船帮 chuánbāng
뱅어(…魚)《魚》银鱼 yínyú
뱉다《입속의 것을》吐 tǔ; 吐出 tǔ chū ¶가래를 ～ 吐痰 tǔtán / 침을 ～ 啐吐沫 cuì tùmo
버금 第二 dì'èr; 其次 qícì ¶～가다 位于次等 wèi yú cìděng
버너(burner) 燃烧器 ránshāoqì ‖가스 ～ 瓦斯燃烧器 wǎsī ránshāoqì
버드나무《植》柳树 liǔshù
버럭 激昂地 jī'ángde; 声色俱厉地 shēngsè jù lì de ¶～ 소리 지르다 突然大声叫嚷 tūrán dàshēng jiàorǎng
버릇《습관》皮气 píqi; 习气 xíqi; 毛病 máobing ¶그녀는 손톱을 깨무는 ～이 있다 她有咬指甲的毛病 tā yǒu yǎo zhījia de máobing =〔她咬指甲成癖 tā yǎo zhījia chéng pǐ〕
버리다《내던지다》扔掉 rēngdiào; 抛弃 pāoqì ¶쓰레기를 ～ 扔掉垃圾 rēngdiào lājī / 물을 ～ 倒水 dào shuǐ / 편견을～ 抛弃偏见 pāoqì piānjiàn
버마재비《蟲》螳螂 tángláng; 刀螂 dāoláng
버섯《植》蕈 xùn; 蘑菇 mógu; 菌子 jùnzi ‖독～ 毒蕈 dúxùn
버스(bus) 公共汽车 gōnggòng qìchē ‖관광～ 观光〔游览〕汽车 guānguāng〔yóulǎn〕qìchē / 스쿨～ 校车 xiàochē
버스트(bust) ①《흉상》胸像 xiōngxiàng; 半身像 bànshēnxiàng ②《흉위》胸围 xiōngwéi ¶～가 85cm이다 胸围(有)八十五公分 xiōngwéi (yǒu) bāshíwǔ gōngfēn
버젓하다 堂堂 tángtáng; 《떳떳하다》不亏心 bù kuīxin
버짐 癣疮 xuǎnchuāng
버찌《植》黑樱 hēiyīng
버터(butter) 黄油 huángyóu ¶빵에 ～를 바르다 在面包上抹黄油 zài miànbāo shang mǒ huángyóu ‖피넛 ～ 花生酱 huāshēngjiàng
버티다《주장을》坚持 jiānchí; 《참다》苦撑到底 kǔchēng dàodǐ
벅차다《힘겹다》不能胜任 bù néng shèngrèn; 担当不起 dāndāng bù qǐ
번(番)《숙직》值班 zhíbān; 《순번》次序 cìxù〔xu〕; 《번호》号码 hàomǎ
번갈아(番…) 轮流着 lúnliúzhe
번갯불 闪 shǎn; 闪电 shǎndiàn; 闪光 shǎnguāng ¶～이 번쩍이다 打闪 dǎ shǎn
번거롭다《복잡하다》麻烦 máfan; 讨厌 tǎoyàn
번데기《蟲》《누에의》蚕蛹 cányǒng
번듯하다 方方正正的 fāngfāng zhèngzhèngde; 四四方方的 sìsì fāngfāngde
번민(煩悶) 烦闷 fánmèn; 苦恼 kǔnǎo; 苦闷 kǔmèn; 脑闷 nǎomèn ¶저지른 잘못이 큰 것에 대해 혼자 ～하다 他个人为错误之大而苦闷 tā gèrén wèi cuòwù zhī dà ér kǔmèn
번번이 常 cháng; 每逢 měiféng
번역(飜譯·翻譯) 翻译 fānyì; 译 yì ¶중국어의 문장을 한국어로 ～하다 把中文的文章译成韩文 bǎ Zhōngwén de wénzhāng yìchéng Hánwén
번영(繁榮) 繁荣 fánróng; 兴旺 xīngwàng; 昌盛 chāngshèng ¶국가의～ 国家的昌盛 guójiā de chāngshèng
번잡(煩雜) 烦杂 fánzá ¶수속이 ～하다 手续繁杂 shǒuxù fánzá
번지다《잉크 따위가》洇 yīn ¶먹물이 ～ 墨洇了 mò yīn le / 잉크가 종이에 ～ 墨水洇纸 mòshuǐ yīn zhǐ
번쩍이다 闪闪发光 shǎnshǎn fāguāng; 闪烁 shǎnshuò; 闪耀 shǎnyào ¶여름의 태양이 해면에 (반사되어) ～ 盛夏的阳光照得海面闪闪刺目 shèngxià de yángguāng zhàode hǎimiàn shǎnshǎn cìmù
번창(繁昌) 兴旺 xīngwàng; 隆盛 lóngshèng; 兴隆 xīnglóng; 繁荣昌盛 fánróng chāngshèng ¶장사가 ～하다 生意兴隆 shēngyi xīnglóng
번호(番號) 号儿 hàor; 号码(儿) hàomǎ(r); 号数(儿) hàoshù(r); 〈俗〉号头(儿) hàotóu(r) ¶카드에 ～를 매기다 在卡片上打上号码 zài kǎpiàn shang dǎshàng hàomǎ / ～순으로

부르다 挨号儿叫 āi hàor jiào
벋다《나무가》长出去 zhǎng chūqu;《뿌리가》扎(根儿) zhā(gēnr);《세력이》伸张 shēnzhāng
벌[1]《들》平地 píngdì; 野地 yědì
벌[2]《옷·세트》件 jiàn; 套 tào; 身 shēn ¶양복 1~ 一套西服 yí tào xīfú / 나는 코트를 3~ 갖고 있다 我有三件大衣 wǒ yǒu sān jiàn dàyī
벌[3]〖蟲〗蜂 fēng ¶~이 붕붕 날아다니다 蜂嗡嗡地飞来飞去 fēng wēngwēngde fēilaifēiqu / ~에 쏘였다 被蜂蜇了 bèi fēngzhē le / 회장은 ~집을 들쑤셔 놓은 듯 소란스러웠다 会场里如同桶了马蜂窝似的乱起来了 huìchǎng li rútóng tǒngle mǎfēngwō shìde luànqǐlai le ‖ 여왕~ 蜂王 fēngwáng =〔母蜂 mǔfēng〕
벌(罰) 罚 fá; 惩罚 chéngfá; 处罚 chǔfá ¶~을 주다 给予处罚 jǐyǔ chǔfá / ~로써 외출을 금지하다 罚你不许外出 fá nǐ bùxǔ wàichū
벌거벗다 脱下衣裳光起身子 tuōxià yīshang guāng qǐ shēnzi
벌거숭이 光身子 guāngshēnzi; 赤条条 chìtiáotiáo
벌겋다 淡红 dànhóng ¶얼굴이 ~ 脸红了 liǎn hóng le =〔红潮 hóngcháo〕
벌금(罰金) 罚金 fájīn; 罚款 fákuǎn ¶속도 위반으로 ~을 물었다 由于超速驾驶, 被罚了款 yóuyú chāosù jiàshǐ, bèi fále kuǎn
벌끈 猛然 měngrán; 突然 tūrán; 闹翻 nàofān
벌다《돈을》赚钱 zhuànqián; 发财 fācái; 得利 délì ¶돈을 버는 데는 고생이 뒤따른다 赚钱要费力气 zhuànqián yào fèi lìqi
벌떡 一骨碌 yìgūlu ¶~ 나가 자빠지다 摔了一个仰八脚儿 shuāile yí ge yǎngbajiǎor / ~ 일어나다 一骨碌站起来 yìgūlu zhànqǐlái
벌레 虫儿 chóngr; 虫子 chóngzi ¶~ 소리 虫声 chóng shēng / ~가 울다 虫鸣 chóng míng =〔虫子叫 chóngzi jiào〕
벌리다 ①《두 사이를》打开 dǎkāi; 张开 zhāngkāi ¶크게 입을 ~ 张开大嘴 zhāngkai dà zuǐ / 다리를 벌리고 앉다 劈开腿坐 pǐkāi tuǐ zuò ②《두 손을》撑开 chēngkāi; 张开 zhāngkāi ¶양손을 ~ 摊开双手 tānkāi shuāng shǒu(손바닥을) =〔张开两臂 zhāngkai liǎng bì(팔을)〕
벌목(伐木) 砍伐 kǎnfá; 采伐 cǎifá
벌벌《떨다》发抖 fādǒu; 哆嗦 duōsuo ¶~ 떨다 提心吊胆 tí xīn diào dǎn =〔哆哆嗦嗦 duōduō suosuo〕/ 무서워서 ~ 떨다 害怕得'直打哆嗦〔浑身发抖〕 hàipàde 'zhí dǎ duōsuo 〔húnshēn fādǒu〕/ ~ 손이 떨려서 글씨를 쓸 수가 없다 手打战儿写不了字 shǒu dǎzhànr xiěbùliǎo zì
벌써 很早以前 hěn zǎo yǐqián; 老早 lǎozǎo; 早已 zǎoyǐ; 早就 zǎojiù ¶나도 ~부터 알고 있었다 我也早就觉察到了 wǒ yě zǎojiù juéchá dào le / 모두가 ~부터 알고 있었다 大家早知道了 dàjiā zǎo zhīdao le
벌어먹다 靠作工过日子 kào zuògōng guò rìzi
벌이《돈벌이》挣钱 zhèngqián;《일》活儿 huór
벌이다《일을》创始 chuàngshǐ;《가게를》开 kāi;《진열》摆布 bǎibu
벌집 蜂房 fēngfáng; 蜂窝 fēngwō ¶~을 쑤신 것 같다 像撞了蜂子窝一样 xiàng zhuàng le fēngziwō yí yàng
벌초(伐草) 扫墓 sǎomù
벌충 补足 bǔzú; 补贴 bǔtiē
벌판 平原 píngyuán;《황야》荒野 huāngyě
범〖動〗虎 hǔ; 〈俗〉老虎 lǎohǔ〔hu〕
범람(氾濫) ①《물의》泛滥 fànlàn ¶큰비로 하천이 ~하다 由于大雨河川泛滥 yóuyú dàyǔ héchuān fànlàn ②《나돎》充斥 chōngchì; 过多 guòduō ¶시장에는 외국 제품이 ~하고 있다 市场上外国货充斥 shìchǎng shang wàiguóhuò chōngchì
범위(範圍) 范围 fànwéi ¶그는 활동의 ~가 넓다 他活动范围广 tā huódòng fànwéi guǎng / 시험 ~를 발표하다 公布考试的范围 gōngbù kǎoshì de fànwéi
범인(凡人) 凡人 fánrén; 凡夫 fánfū ¶우리들 ~은 흉내도 낼 수 없는 일이다 我们凡人是效仿不了的 wǒmen fánrén shì xiàofǎng bu liǎo de
범인(犯人) 犯人 fànrén; 罪犯 zuìfàn ¶~을 체포하다 逮捕犯人 dàibǔ fànrén / 낙서의 ~은 누구냐 胡写乱涂的小子是谁 húxiě luàntú de xiǎozi shì shuí
범죄(犯罪) 犯罪 fànzuì ¶~를 저지르다 犯罪 fàn zuì
범하다(犯…) ①《법률·도덕 따위를》犯 fàn ¶죄를 ~ 犯罪 fànzuì / 잘못을 ~ 犯过 fàn guò =〔犯错误 fàn cuòwù〕②《여자를》奸污 jiānwū; 强奸 qiángjiān ¶여자를 ~ 奸污妇女 jiānwū fùnü
법랑(琺瑯) ①《유약》珐琅 fàláng ¶~을 입히다 涂上珐琅 tú shang fàláng =〔搪瓷 tángcí〕〔挂瓷 guàcí〕②《제품》搪瓷(制品) tángcí (zhìpǐn); 珐琅 fàláng
법률(法律) 法律 fǎlǜ ¶~에 의해서 처벌하다 按照法律惩罚 ànzhào fǎlǜ chéng fá
법원(法院) 法院 fǎyuàn
법인(法人) 法人 fǎrén
법정(法廷) 法庭 fǎtíng ¶증인으로서 ~에 서다 作为证人出庭作证 zuòwéi zhèngrén chūtíng zuòzhèng
법칙(法則) 法则 fǎzé; 定律 dìnglǜ; 规律 guīlǜ ¶만유 인력의 ~ 万有引力定律 wànyǒu yǐnlì dìnglǜ
벗 友 yǒu; 朋友 péngyou ¶좋은 ~을 얻다 得到好友 dédào hǎoyǒu / 자연을 ~삼다 以大自然为友 yǐ dàzìrán wéi yǒu
벗기다 ①《몸에 걸친 것을》扒下 bāxià ¶옷을 ~ 扒去衣服 bāqu yīfu / 일어나지 않으면 이불을 벗기겠다 你不起来, 我就揭你的被子了 nǐ bù qǐlai, wǒ jiù jiē nǐde bèizi le ②《거죽·껍질 등을》剥下 bāoxià ¶나무 껍질을 ~ 剥下树皮 bāoxià shùpí / 소를 잡아서 가죽을 ~ 杀牛剥皮 shā niú bāo pí
벗다《몸에 걸친 것을》脱 tuō;《모자를》摘掉 zhāidiào ¶옷을 ~ 脱掉衣服 tuōdiào yīfu / 모자를 ~ 摘帽子 zhāi màozi / 신발을 ~ 脱鞋 tuō xié
벗어나다《곤란에서》摆脱 bǎituō;《규칙·이치에》违背 wéibèi;《도리에》不合乎道理 bùhéhu dàolǐ
벗어지다《머리가》秃 tū ¶젊은 주제에 머리가 좀 벗어졌다 年轻轻的头有点儿秃了 niánqīngqīngde tóu yǒudiǎnr tū le
벙벙하다《말이 없다》发呆 fādāi ¶어안이~ 没有办法失迷方向 méiyǒu bànfa shīmi fāngxiàng

벙어리[1] 《사람》 哑吧 yǎba
벙어리[2] 《저금통》 扑满 pūmǎn; 〈俗〉 闷葫芦罐 mènhúlu guàn
벚꽃 樱花 yīnghuā
베 布 bù; 《삼》 麻布 mábù
베개 枕头 zhěntou ¶~를 베고 자다 枕着枕头睡 zhěnzhe zhěntou shuì ‖베갯잇 枕巾 zhěnjīn
베끼다 照抄 zhàochāo; 抄袭 chāoxí ¶이 논문은 남의 것을 베낀 것이다 这篇论文是抄袭他人的 zhè piān lùnwén shì chāoxí tārén de
베니어 합판(veneer 合板) 胶合板 jiāohébǎn; 三合板 sānhébǎn
베다[1] 《베개를》 枕上 zhěnshàng ¶팔을 베고 자다 枕着胳膊睡觉 zhěnzhe gēbo shuìjiào
베다[2] ①《칼로》 切 qiē ¶나이프로 손가락을 ~ 用小刀把手指切伤 yòng xiǎodāo bǎ shǒuzhi qiēshāng ②《풀·곡식을》 割 gē ¶벼를 ~ 割稻子 gē dàozi ③《목을》 斩 zhǎn; 砍 kǎn ¶목을 ~ 斩首 zhǎn shǒu =〔砍头 kǎn tóu〕 ④《나무를》 伐 fá; 砍 kǎn ¶나무를 ~ 伐木 fá mù =〔砍树 kǎn shù〕
베드(bed) 床 chuáng ‖더블~ 双人床 shuāngrénchuáng/싱글~ 单人床 dānrénchuáng
베란다(veranda) 阳台 yángtái; 凉台 liángtái
베레모(béret 帽) 贝蕾帽 bèilěimào; 扁圆无檐帽 biǎnyuánwúyánmào
베물다 咬断 yǎoduàn ¶혀를 베물고 죽었다 咬断舌头死了 yǎoduàn shétou sǐ le
베이컨(bacon) 腊肉 làròu; 腌肉 yānròu; 咸肉 xiánròu; 培根 péigēn
베이킹 파우다(baking powder) 焙粉 bèifěn; 发粉 fāfěn
베일(veil) 面纱 miànshā ¶~을 쓰다 蒙面纱 méng miànshā/~을 벗기다 摘面纱 zhāi miànshā/사건은 비밀의 ~에 쌓여 있다 这个事件被神秘的面纱遮盖着 zhège shìjiàn bèi shénmì de miànshā zhēgàizhe
베짱이 《蟲》 痔螽 jízhōng; 叫蚂蚱 jiàomàzha
베틀 织布机 zhībùjī
베풀다 ①《연회를》 举行 jǔxíng; 设 shè ¶연회를 ~ 设宴 shè yàn ②《은혜를》 施舍 shīshě; 赒济 zhōujì ¶은혜를 ~ 施恩 shī ēn/가난한 사람에게 쌀을 ~ 把米施舍给穷人 bǎ mǐ shīshě gěi qióngrén
벤젠(benzen) 《化》 苯 běn
벤졸(benzol) ⇨벤젠
벤진(benzine) 《化》 汽油 qìyóu; 挥发油 huīfāyóu
벤치(bench) 长凳 chángdèng; 长椅 chángyǐ; 条凳 tiáodèng
벨(bell) 铃 líng; 电铃 diànlíng ¶현관의 ~을 누르다 摁门口的电铃 èn ménkǒu de diànlíng ‖비상 ~ 警铃 jǐnglíng =〔报警器 bàojǐngqì〕/전화 ~ 电话铃 diànhuàlíng
벨벳(velvet) 《紡》 天鹅绒 tiān'éróng; 丝绒 sīróng
벨트(belt) ①《허리의》 腰带 yāodài; 皮带 pídài ¶허리에 ~를 매다 腰里扎一条皮带 yāo li zā yī tiáo pídài/좌석 ~를 풀다 解开座席安全带 jiěkāi zuòxí ānquándài ②《지역》 地带 dìdài ¶그린~ 绿(化)地带 lǜ(huà) dìdài
벼 稻 dào; 稻子 dàozi; 《나락》 稻谷 dàogǔ ¶~를 베다 割稻子 gē dàozi
벼락 雷 léi ¶~소리 雷响 léixiǎng/~ 맞아 죽다 被雷击死 bèi léi jīsǐ/~이 집에 떨어졌다 雷劈了房屋 léi pī le fángwū
벼락부자(…富者) 暴发户 bàofāhù; 乍富的人 zhàfù de rén
벼랑 断崖 duànyá; 悬崖 xuányá ¶깎아지른 ~ 峭壁 qiàobì =〔壁立的山崖 bìlì de shānyá〕
벼루 砚台 yàntái; 砚池 yànchí
벼룩 蚤 zǎo; 虼蚤 gèzao; 跳蚤 tiàozǎo ¶~에 물리다 被虼蚤咬了 bèi gèzao yǎo le
벼르다 ①《꾀함》 处心积虑 chǔxīn jīlǜ ②《분배》 摊派 tānpài; 分摊 fēntān
벼슬 官职 guānzhí ¶~하다 做官 zuò guān ‖~아치 差事 chāishi
벽(壁) 墙 qiáng; 壁 bì; 墙壁 qiángbì ¶~을 칠하다 刷墙 shuā qiáng =〔泥墙 nì qiáng〕/연구가 ~에 부딪쳤다 研究工作碰到了困难 yánjiū gōngzuò pèngdàole kùnnan/100m 9초 8의 ~을 깼다 突破了一百米九秒八的大关 tūpòle yībǎi mǐ jiǔ miǎo bā de dàguān
벽돌(甓…) 砖 zhuān ¶~을 쌓다 砌砖 qì zhuān/~로 지은 집 用砖砌的房子 yòng zhuān qì de fángzi ‖~담 砖墙 zhuān qiáng
벽지(壁紙) 糊墙纸 húqiángzhǐ; 壁纸 bìzhǐ ¶~를 바르다 糊墙 húqiáng
변(便) 《대변》 屎 shǐ ¶~을 보다 解大手儿 jiě dàshǒur
변(變) 灾殃 zāiyāng ¶~을 당하다 遭受灾难 zāoshòu zāinàn
변경(變更) 变更 biàngēng; 改变 gǎibiàn; 更改 gēnggǎi ¶~하다 改 gǎi =〔变 biàn〕〔改变 gǎibiàn〕/항로를 ~하다 更改航线 gēnggǎi hángxiàn/계획을 ~하다 变更计划 biàngēng jìhuà ‖주소 ~ 变更住址 biàngēng zhùzhǐ/명의 ~ 更改名义 gēnggǎi míngyì
변기(便器) 便器 biànqì; 便壶 biànhú; 便盆 biànpén; 便桶 biàntǒng
변두리(邊…) 《교외》 郊外 jiāowài; 城外 chéngwài; 《가장자리》 边儿 biānr; 缘边儿 yuánbiānr
변론(辯論) 辩论 biànlùn
변명(辯明) 辩白 biànbái; 辩明 biànmíng ¶아무리 ~해도 소용없다 怎么辩白也无济于事 zěnme biànbái yě wújìyú shì
변변하다 《좋다》 可以 kěyǐ; 不大离 búdàlí; 《상당》 相当 xiāngdāng ¶변변치 않은 선물 不值钱的礼物 bù zhíqián de lǐwù/이 도시엔 변변한 도서관 하나 없다 这个城镇没有个像样的图书馆 zhège chéngzhèn méiyǒu ge xiàngyàng de túshūguǎn
변비(便秘) 便秘 biànbì ¶~에 걸리다 患便秘 huàn biànbì
변사(變死) 横死 hèngsǐ ¶원인 불명의 ~를 하다 原因不明地横死 yuányīn bùmíng de hèngsǐ
변상(辨償) 赔偿 péicháng; 赔 péi ¶손해를 ~하다 赔偿损失 péicháng sǔnshī
변소(便所) 厕所 cèsuǒ; 茅房 máofáng; 便所 biànsuǒ ¶~에 가다 上厕所 shàng cèsuǒ =〔解手儿去 jiě shǒur qù〕 ‖공중~ 公共厕所 gōnggòng cèsuǒ =〔公厕 gōngcè〕/수세식 ~ 水冲式厕所 shuǐchōngshì cèsuǒ
변장(變裝) 化装 huàzhuāng; 假扮 jiǎbàn; 乔装 qiáozhuāng ¶여자로 ~하다 化装成女人 huàzhuāng chéng nǚrén/~을 알아채다 看破乔

装 kànpò qiáozhuāng
변제(辨濟) 偿还 chánghuán; 还债 huánzhài; 清理 qīnglǐ; 清偿 qīngcháng ¶채무를 ～하다 偿还债务 chánghuán zhàiwù
변천(變遷) 变迁 biànqiān; 演变 yǎnbiàn ¶말도 시대에 따라서 ～한다 语言也随着时代而演变 yǔyán yě suízhe shídài ér yǎnbiàn
변칙(變則) 不合规则 bùhé guīzé; 不规范 bù guīfàn; 不正常 bú zhèngcháng ¶금주는 ～적인 시간표로 수업을 한다 这星期按特别的课程表上课 zhè xīngqī àn tèbié de kèchéngbiǎo shàng kè
변통(變通) ①《일의》 变通 biàntōng; 随机应变 suíjīyìngbiàn ¶～ 자재의 재주가 있다 有通权达变之才 yǒu tōngquándábiàn zhī cái ②《조달》 筹措 chóucuò; 筹备 chóubei
변하다(變…) 《상태가》 变 biàn; 变化 biànhuà; 变动 biàndòng; 改变 gǎibiàn ¶날씨가 변했다 天气变了 tiānqì biàn le / 사랑이 미움으로 ～ 爱情变为憎恨 àiqíng biànwéi zēnghèn
변함없이(變…) 照旧的 zhàojiù de; 仍然 réngrán
변호(辯護) 辩护 biànhù ¶피고의 ～를 맡다 承担被告的辩护 chéngdān bèigào de biànhù ‖ ～사 律师 lǜshī
변화(變化) 变化 biànhuà ¶시대의 ～에 순응하다 顺应时代的变化 shùnyìng shídài de biànhuà / ～가 없는 생활 平谈无奇的生活 píngdàn wúqí de shēnghuó
별 星 xīng; 星星 xīngxing ¶～이 반짝이다 星光闪烁 xīngguāng shǎnshuò
별거(別居) 分居 fēnjū
별고(別故) 事故 shìgù ¶～없다 顺利进行 shùnlì jìnxíng
별다르다(別…) 奇怪 qíguài; 奇特 qítè ¶별다른 것이 아니다 没什么稀奇 méi shénme xīqí
별도(別途) 另 lìng; 另外 lìngwài ¶그 비용은 ～로 지급한다 该费用由另一项目支付 gāi fèiyòng yóu lìng yí xiàngmù zhīfù / ～의 수단을 강구하다 另外想办法 lìngwài xiǎng bànfǎ
별똥 陨星 yǔnxīng ‖ ～별 流星 liúxīng
별로(別…) 格外 géwài; 特地 tèdì ¶～ 병은 없다 没什么别的病 méi shénme biéde bìng
별말씀(別…) 哪儿的话 nǎrdehuà
별명(別名) 别名 biémíng; 绰号 chuòhào; 外号 wàihào
별세계(別世界) 另一个世界 lìng yí ge shìjiè; 别有天地 bié yǒu tiāndì ¶그는 우리들과는 ～의 인간이다 他和我们是不同世界的人 tā hé wǒmen shì bùtóng shìjiè de rén
별수(別數) 新奇的办法 xīnqí de bànfǎ ¶～없다 没有法子 méiyǒu fǎzi
별일(別…) 特别的事 tèbié de shì ¶～없이 지내다 安稳度日 ānwěn dù rì =〔生活没有特别变化 shēnghuó méiyǒu tèbié biànhuà〕
별장(別莊) 别墅 biéshù
볏 鸡冠 jīguān; 鸡冠子 jīguānzi
볏짚 稻草 dàocǎo; 藁草 gǎocǎo
병(病) 病 bìng ¶～들다 患病 huàn bìng =〔得病 dé bìng〕/ ～이 악화되다 病情恶化 bìngqíng èhuà
병(瓶) 瓶子 píngzi ‖ 맥주～ 啤酒瓶 píjiǔpíng / 우유～ 牛奶瓶 niúnǎipíng
병마개(瓶…) 瓶盖儿 pínggài(r); 瓶塞儿 píngsāir(코르크로 된)
병사(兵士) 兵士 bīngshì; 士兵 shìbīng
병신(病身) ①《병든 몸》 病躯 bìngqū; 病身子 bìngshēnzi; 多病的身体 duōbìng de shēntǐ ②《바보》 呆子 dāizi; 乏货 fáhuò; 窝囊肺〔废〕 wōnángfèi〔fèi〕
병아리 小雏鸡儿 xiǎochújīr; 雏鸡儿 chújīr
병원(病院) 医院 yīyuàn; 病院 bìngyuàn ¶～에 가다 上医院 shàng yīyuàn
병자(病者) 病人 bìngrén
볕 阳光 yángguāng ¶～ 들다 阳光射进来 yángguāng shè jìn lai
보결(補缺) 补缺 bǔquē; 补充 bǔchōng ‖ ～생 插班生 chābānshēng / ～ 선거 补缺选举 bǔquē xuǎnjǔ =〔补选 bǔxuǎn〕/ ～ 선수 替补选手 tìbǔ xuǎnshǒu
보고(報告) 报告 bàogào; 汇报 huìbào ¶현지의 상황을 ～하다 报告当地的情况 bàogào dāngdì de qíngkuàng
보관(保管) 保管 bǎoguǎn ¶금고에 넣어서 엄중히 ～하다 放在保险柜里严加保管 fàng zài bǎoxiǎnguì li yán jiā bǎoguǎn
보균자(保菌者) 带菌者 dàijūnzhě
보글보글 哗啦 huālā ¶～ 끓다 哗啦哗啦地滚开 huālāhuālāde gǔn kāi
보금자리 鸟窝 niǎowō; 鸟巢 niǎocháo; 窝儿 wōr; 自己的家 zìjǐ de jiā ¶까마귀가 ～로 돌아가다 乌鸦回窝儿 wūyā huí wōr
보급(普及) 普及 pǔjí ¶표준어의 ～에 힘쓰다 努力推广普通话 nǔlì tuīguǎng pǔtōnghuà ‖ ～판 普及本 pǔjíběn
보급(補給) 补给 bǔjǐ ¶탄약을 ～하다 补给弹药 bǔjǐ dànyào
보기 样本 yàngběn; 《예》 例子 lìzi ¶그녀가 바로 좋은 ～다 她正是个好例子 tā zhèngshì ge hǎo lìzi
보내다 ①《물건을》 送 sòng; 寄 jì; 邮寄 yóujì ¶짐을 차로 ～ 东西用车送去 dōngxi yòng chē sòngqu / 책을 소포로 ～ 用包裹寄书 yòng bāoguǒ jì shū ②《시간·세월을》 度 dù; 过 guò; 度过 dùguò ¶여름 휴가를 해변의 마을에서 ～ 在海边的村子度暑假 zài hǎibiān de cūnzi dù shǔjià ③《사람 등을》 送 sòng ¶맞이하러 차를 ～ 派车去迎接 pàichē qù yíngjiē / 여름 휴가에 가족을 시골로 ～ 暑假叫妻子儿女到乡下度假 shǔjià jiào qīzi érnǚ dào xiāngxià dù jià / 일을 거들어 줄 사람을 보내 주시오 打发个人来帮忙 dǎfā ge rén lái bāngmáng ④《학교에》 送 sòng ¶유학을 ～ 送去留学 / 딸을 대학에 ～ 让女儿上大学 ràng nǚ'ér shàng dàxué
보너스(bonus) 奖金 jiǎngjīn; 红利 hónglì; 花红 huāhóng ¶3개월분의 ～를 지급하다 发给相当于三个月薪水的奖金 fāgěi xiāngdāngyú sān ge yuè xīnshui de jiǎngjīn
보다¹ 《눈으로》 看 kàn; 〈俗〉 瞧 qiáo ¶영화를 ～ 看电影 kàn diànyǐng / 보고도 못 본 체하다 假装没看见 jiǎzhuāng méi kànjiàn
보다² 《…인 것같다》 像是 xiàngshì; 似乎 sì hu ¶참말인가～ 像是实话 xiàng shì shí huà
보다³ 《비교》 比 bǐ ¶저것～ 좋다 比那个好 bǐ nà ge hǎo / 그는 나～ 두 살 어리다 他比我小二岁 tā bǐ wǒ xiǎo èr suì / 나는 고기～ 생선을 좋아한다 比起肉来，我更喜欢吃鱼 bǐqǐ ròu lái wǒ gèng xǐhuan chī yú

보다못해 目不忍睹 mù bù rěn dǔ; 看不过去 kànbuguòqu
보답(報答) 报答 bàodá ¶남의 호의에 ～하다 报答人家的好意 bàodá rénjia de hǎoyì
보도(步道) 人行道 rénxíngdào ¶횡단 ～를 건너다 过人行横道 guò rénxíng héngdào
보도(報道) 报道 bàodào; 报导 bàodǎo ¶신문은 매일 매일 일어나는 사건을 ～한다 报纸报道每天发生的事件 bàozhǐ bàodào měi tiān fāshēng de shìjiàn
보드랍다《매끈하다》细软 xìruǎn
보드카(vodka) 伏特加酒 fútèjiājiǔ
보디가드(bodyguard) 护卫 hùwèi; 警卫员 jǐngwèiyuán; 保镖 bǎobiāo
보디빌딩(bodybuilding) 健身运动 jiànshēn yùndòng; 健美活动 jiànměi huódòng]
보따리(褓…) 包儿 bāor; 包裹 bāoguǒ; 包袱 bāofu ¶～를 풀다 打开包裹 dǎkāi bāoguǒ =〔解包袱 jiě bāofu〕‖～ 장사 跑单帮的 pǎo dānbāng de
보람《효력》效验 xiàoyàn; 结果 jiéguǒ ¶～ 있는 생활 有意义的生活 yǒu yìyì de shēnghuó
보류(保留) 保留 bǎoliú; 搁置 gēzhì; 放下 fàngxià ¶이 문제는 ～하고 토론을 계속합시다 这个问题暂作保留, 继续讨论下去 zhège wèntí zàn zuò bǎoliú, jìxù tǎolùn xiàqu
보름달 满月 mǎnyuè; 望月 wàngyuè
보리 麦子 màizi; 大麦 dàmài ¶～ 씨를 뿌리다 种麦子 zhòng màizi ‖～쌀 麦片 màipiàn / 보릿고개 青黄不接 qīnghuáng bùjiē
보배 宝贝 bǎobèi ¶어린이는 나라의 ～다 孩子是国家之宝 háizi shì guójiā zhī bǎo
보살피다 看顾 kàngù; 照顾 zhàogù ¶집안일은 어머니가 보살핀다 家里的事由母亲照料着 jiā li de shì yóu mǔqin zhàoliàozhe
보상(補償) 补偿 bǔcháng; 赔偿 péicháng ¶～금을 지불하다 支付'赔款〔赔偿金〕 zhīfù 'péikuǎn〔péichángjīn〕
보석(保釋) 保释 bǎoshì ‖～금 保释金 bǎoshìjīn
보석(寶石) 宝石 bǎoshí ¶～을 박은 시계를 차고 있다 戴着镶满宝石的手表 dàizhe xiāngmǎn bǎoshí de shǒubiǎo
보세(保稅) 关栈保留 guānzhàn bǎoliú ‖～ 창고 海关保税仓库 hǎiguān bǎoshuì cāngkù =〔关栈 guānzhàn〕
보수(保守) 保守 bǎoshǒu ¶그는 ～적이다 他很守旧 tā hěn shǒujiù =〔他思想保守 tā sīxiǎng bǎoshǒu〕
보수(報酬) 报酬 bàochóu ¶～를 받다 领取报酬 lǐngqǔ bàochóu
보스(boss) 头子 tóuzi; 头目 tóumù; 头头儿 tóutour; 首领 shǒulǐng
보슬보슬 ¶～ 비가 내리다 悄不声儿地下雨 qiāobùshēngrde xià yǔ
보슬비 毛毛雨 máomáoyǔ; 牛毛雨 niúmáoyǔ; 蒙松雨 mēngsongyǔ; 牛毛细雨 niúmáo xìyǔ
보습 犁头 lítou
보아란듯이 夸耀地 kuāyàode; 衒示地 xuànshìde; 得意扬扬地给人看 déyì yángyángde gěi rén kàn
보얗다 乳白色 rǔbáisè; 捏白 nièbái
보온(保溫) 保温 bǎowēn ‖～병 暖水瓶 nuǎnshuǐpíng =〔热水瓶 rèshuǐpíng〕〔暖壶 nuǎnhú〕〔暖瓶 nuǎnpíng〕
보유(保有) 保有 bǎoyǒu; 拥有 yōngyǒu ¶외화 ～고 外汇储备 wàihuì chǔbèi
보이(boy) ① 少年 shàonián ②《사환》服务员 fúwùyuán; 茶房 cháfáng; 伙计 huǒji; 跑堂儿的 pǎotángrde ‖～ 스카우트 童子军 tóngzǐjūn / ～ 프렌드 男朋友 nánpéngyou
보이다 ①《눈에 들어오다》看见 kànjian; 看得见 kàndejiàn ¶산이 ～ 看(得)见山 kàn(de)jiàn shān / 눈이 보이지 않다 眼睛看不见 yǎnjing kànbujiàn ②《생각되게 하다》看来 kànlai; 看起来 kànqǐlai; 好像是 hǎoxiàng shì; 似乎 sìhu ¶구름의 모양이 양처럼 ～ 云彩形似羊 yúncaixíng sì yáng / 그녀는 나이보다 어려 보인다 他看起来比实际岁数年轻 tā kànqǐlai bǐ shíjì suìshu niánqīng ③《보여 주다》¶친구에게 가족 사진을 ～ 给朋友看家里人的相片儿 gěi péngyou kàn jiā li rén de xiàngpiānr / 그 스웨터를 보여 주시오 请把那件毛衣给我看一看 qǐng bǎ nà jiàn máoyī gěi wǒ kànyikàn / 억지로 웃어 ～ 强笑 qiǎng xiào =〔强颜欢笑 qiǎng yán huānxiào〕
보이콧(boycott) 抵制 dǐzhì; 排斥 páichì ¶수업을 ～하다 拒绝上课 jùjué shàngkè =〔罢课 bàkè〕
보일러(boiler) 锅炉 guōlú ¶～를 때다 烧锅炉 shāo guōlú
보자기(褓…) 包袱皮儿 bāofupír; 包袱 bāofu ¶책을 ～에 싸다 用包袱皮儿包书 yòng bāofupír bāo shū
보잘것없다 不值一看 bùzhí yíkàn; 没用处 méi yòngchù]
보조(步調) 步调 bùdiào; 步伐 bùfá ¶～를 맞추어 가다 步伐整齐地走 bùfá zhěngqíde zǒu
보조개 酒窝 jiǔwō; 笑窝 xiàowō; 酒靥 jiǔyè; 笑靥 xiàoyè ¶웃으면 빰에 ～가 생긴다 一笑面颊上就现出酒窝儿 yī xiào miànjiá shang jiù xiànchū jiǔwōr
보존(保存) 保存 bǎocún ¶유적을 ～하다 保存遗迹 bǎocún yíjì
보증(保證) 保证 bǎozhèng; 担保 dānbǎo; 打保票 dǎbǎopiào; 打包票 dǎbāopiào ¶～하다 保 bǎo =〔管保 guǎnbǎo〕/ 반드시 성공할 수 있다는 것을 내가 ～한다 我保证一定搞成功 wǒ bǎozhèng yídìng gǎo chénggōng ‖～금 保证金 bǎozhèngjīn =〔押金 yājīn〕/ ～인 保证人 bǎozhèngrén =〔担保人 dānbǎorén〕〔保人 bǎorén〕
보지 屄 bī; 牝户 pìnhù
보채다《어린애가》魔人 mó rén; 闹魔 nàomó ¶어린애가 ～ 娃娃闹魔 wáwa nàomó
보청기(補聽器) 助听器 zhùtīngqì
보초(步哨) 哨兵 shàobīng; 步哨 bùshào; 岗哨 gǎngshào ¶～를 서다 站岗 zhàn gǎng / ～를 세우다 布置岗哨 bùzhì gǎngshào
보충(補充) 补充 bǔchōng; 补足 bǔzú ¶결원을 ～하다 补充空额 bǔchōng kòng'é =〔补缺 bǔquē〕
보태다 添加 tiānjiā; 加 jiā; 加上 jiāshang; 增加 zēngjiā ¶2에 3을 보태면 5다 二加三是五 èr jiā sān shì wǔ
보통(普通) 普通 pǔtōng; 通常 tōngcháng; 平常 píngcháng; 寻常 xúncháng; 一般 yìbān ¶나는 ～ 6시에 일어난다 我平常六点起床 wǒ

píngcháng liùdiǎn qǐchuáng / 그의 성적은 ~ 이하다 他的成绩在一般水平以下 tāde chéngjī zài yìbān shuǐpíng yǐxià
보트(boat) 小艇 xiǎotǐng; 小船 xiǎochuán
보험(保險) 保险 bǎoxiǎn ¶~에 들다 加入保险 jiārù bǎoxiǎn ‖ 생명~ 人寿保险 rénshòu bǎoxiǎn
보호(保護) 保护 bǎohù; 庇护 bìhù ¶자연 ~에 힘쓰다 努力保护自然 nǔlì bǎohù zìrán
복《魚》河豚 hétún; 鲀 tún
복고(復古) 复古 fùgǔ ‖~조 复古倾向 fùgǔ qīngxiàng / 왕정 ~ 王政复辟 wángzhèng fùbì
복구(復舊) 修复 xiūfù ¶무너진 제방을 ~하다 修复坍塌的堤坝 xiūfù tāntā de dībà ‖ ~ 공사 修复工程 xiūfù gōngchéng
복권(復權) 复权 fùquán; 恢复'权利〔资格〕huīfù 'quánlì〔zīgé〕
복권(福券) 彩票 cǎipiào; 采票 cǎipiào
복귀(復歸)《직장에》复职 fùzhí;《장소에》重回 chónghuí ¶원대(原隊)에 ~하다 回原来的不队 huí yuánlái de bùduì / 원래 직장에 ~하다 回到原来的岗位 huídào yuánlái de gǎngwèi
복도(複道) 走廊 zǒuláng; 廊子 lángzi
복리(複利) 复利 fùlì ¶~로 계산하다 以复利计算 yǐ fùlì jìsuàn
복마(卜馬) 驮马 tuómǎ
복면(覆面) 蒙面 méngmiàn ‖ ~ 강도 蒙面强盗 méngmiàn qiángdào
복무(服務) 服务 fúwù; 工作 gōngzuò; 办公 bàngōng ‖ ~ 규정 工作纪律 gōngzuò jìlǜ =〔劳动规则 láodòng guīzé〕/ ~ 시간 办公时间 bàngōng shíjiān
복병(伏兵) 伏兵 fúbīng ¶~을 두다 设下伏兵 shèxià fúbīng
복사뼈 踝 huái; 踝子骨 huáizigǔ
복색(服色) 服装 fúzhuāng; 装束 zhuāngshù
복서(boxer) 拳击家 quánjījiā
복선(複線) 复线 fùxiàn; 双轨 shuāngguǐ
복수(復讐·復讎) 报仇 bàochóu; 复仇 fùchóu ¶~할 마음에 불타다 胸中燃起复仇的怒火 xiōng zhōng ránqǐ fùchóu de nùhuǒ / 살해된 아버지의 ~를 하다 为被杀害的父亲复仇 wèi bèi shāhài de fùqin fùchóu
복수(複數) 复数 fùshù
복숭아 桃儿 táor; 桃子 táozi ‖~꽃 桃花 táohuā / ~나무 桃树 táoshù
복습(復習) 复习 fùxí; 温习 wēnxí
복식호흡(腹式呼吸) 腹式呼吸 fùshì hūxī
복싱(boxing) 拳击 quánjī
복안(腹案) 腹稿 fùgǎo ¶연설의 ~을 짜다 打〔整理〕演说的腹稿 dǎ〔zhěnglǐ〕yǎnshuō de fùgǎo / 이미 ~이 서 있다 已经胸有成竹 yǐjīng xiōngyǒuchéngzhú
복어(…魚)⇨복
복역(服役) ①《병역》服役 fúyì; 服兵役 fúbīngyì ②《징역》服刑 fúxíng; 服劳役 fúláoyì ¶그는 형무소에서 ~중이다 他在监狱里服刑 tā zài jiānyù li fúxíng
복용(服用) 服用 fúyòng ¶1일 3회 식후 ~할 것 每天三次, 饭后服用 měitiān sān cì, fànhòu fúyòng
복음(福音) 福音 fúyīn
복작거리다 拥挤不开 yōngjǐ bùkāi
복잡(複雜) 复杂 fùzá ¶이 기계의 구조는 ~하다 这架机器构造很复杂 zhè jià jīqi gòuzào hěn fùzá
복장(服裝) 服装 fúzhuāng; 衣着 yīzhuó; 穿着 chuānzhuó ¶~에 신경쓰다 讲究衣着 jiǎngjiu yīzhuó
복종(服從) 服从 fúcóng; 听从 tīngcóng ¶상관의 명령에 ~하다 服从上级的命令 fúcóngshàngjí de mìnglìng
복지(福祉) 福利 fúlì
복통(腹痛) 肚子疼 dùziténg; 腹痛 fùtòng ¶~을 일으키다 闹肚子疼 nào dùziténg
복판 当中 dāngzhōng ¶호수 ~에 작은 섬이 있다 湖的'中心〔中央〕有一个小岛 hú de 'zhōngxīn〔zhōngyāng〕yǒu yí ge xiǎo dǎo
복합(複合) 复合 fùhé ‖~어 合成词 héchéngcí =〔派生词 pàishēngcí〕
볶다 ①《불에》炒 chǎo ¶콩을 ~ 炒豆 chǎo dòu ②《사람을》熬煎 áojiān; 纠缠 jiūchán
볶아대다 磨难 mó nàn; 磨折 mó zhé
볶음밥 炒饭 chǎofàn
볶이다 受熬煎 shòu áojiàn
본(本)《본보기》榜样 bǎngyàng〔yang〕;《옷 등의》纸型 zhǐxíng;《관향》籍贯 jíguàn
본…(本…) ①《진짜의》真的 zhēnde;《바탕》底子 dǐzi ②《이》本 běn ¶~인 本人 běnrén =〔本主儿 běnzhǔr〕/ ~교 本校 běnxiào
본가(本家) 本家 běnjiā;《친정》娘家 niángjia
본격(本格) 正式 zhèngshì ¶수사가 ~화하다 搜查正式开始了 sōuchá zhèngshì kāishǐ le
본고장(本…) 명 ① 出生地 chūshēngdì; 生籍 shēngjí ②《원산지》原产地 yuánchǎndì; 主要产地 zhǔyào chǎndì ③《본바닥》发源地 fāyuándì; 本地 běndì ¶~에서 익힌 영어 在当地学会的英语 zài dāngdì xuéhuì de Yīngyǔ
본능(本能) 本能 běnnéng; 良知 liángzhī ¶~대로 행동하다 随本能任意行动 suí běnnéng rènyì xíngdòng
본듯이 宛如亲眼看到地 wǎnrú qīnyǎn kàndaode ¶~ 거짓말하다 撒谎撒得真有那么一回事似地 sāhuǎng sā de zhēn yǒu nàme yìhuíshì side
본디(本…)《원래》根本 gēnběn;《본질적으로》本质上 běnzhíshàng; 原来 yuánlái
본뜨다(本…) 模仿 mófǎng; 仿效 fǎngxiào; 仿造 fǎngzào
본뜻(本…)《본생각》本心 běnxīn;《참뜻》真正意义 zhēnzhèng yìyì
본래(本來) 本来 běnlái; 原来 yuánlái; 根本 gēnběn ¶~의 사명 本来的使命 běnlái de shǐmìng / ~의 상태로 돌아가다 恢复到原来的状态 huīfù dào yuánlái de zhuàngtài
본령(本領) ① 本来的领地 běnlái de lǐngdì ②《특성》特长 tècháng; 本领 běnlǐng〔ling〕; 本来的特色 běnlái de tèsè ¶~을 발휘하다 发挥自己的本领 fāhuī zìjǐ de běnlǐng =〔发挥专长 fāhuī zhuāncháng〕
본문(本文) ①《문서의》本文 běnwén ¶조약의 ~ 条约的本文 tiáoyuē de běnwén ②《주석·강의 등의》正文 zhèngwén ¶~을 참조하시오 (请)参看正文 (qǐng) cānkàn zhèngwén ③《본래의》原文 yuánwén; 本文 běnwén
본받다(本…) 模仿 mófǎng; 仿效 fǎngxiào
본보기(本…)《물건》榜样 bǎngyàng〔yang〕

본사(本社) ①《지사에 대한》总公司 zǒng gōngsī; 总行 zǒngháng ②《당사》本公司 běn gōngsī; 本号 běnhào
본선(本選) 正式选拔 zhèngshì xuǎnbá; 正式评选 zhèngshì píngxuǎn; 最后评选 zuìhòu píngxuǎn
본성(本性) 本性 běnxìng ¶～을 드러내다 露出本性来 lòuchu běnxìng lái
본심(本心) ①《본마음》本心 běnxīn; 真心 zhēnxīn; 本意 běnyì ¶～에서 나온 말 出自本心的话 chū zì běnxīn de huà ②《꾸밈이 없는》良心 liángxīn ¶～으로 돌아가다 改邪归正 gǎixié-guīzhèng =〔翻然悔悟 fānrán huǐwù〕
본업(本業) 本行 běnháng; 本职 běnzhí ¶그의 ～은 변호사다 他的本职是律师 tāde běnzhí shì lǜshī
본연(本然) 本来 běnlái ¶～의 자세 本来面目 běnlái miànmù
본전(本錢) ①《원금》本金 běnjīn; 本钱 běnqián ¶～과 이자 本金和利息 běnjīn hé lìxī =〔本利 běnlì〕 ②《자본금》本钱 běnqián; 本金 běnjīn; 资本 zīběn
본점(本店) ①《지점에 대한》总号 zǒnghào; 总店 zǒngdiàn ②《은행의》总行 zǒngháng ③《당점》本号 běnhào; 本店 běndiàn
본질(本質) 本质 běnzhì; 本来的面目 běnlái de miànmù ¶이 양자는 ～적으로 다르다 这两者在本质上不同 zhè liǎngzhě zài běnzhìshang bùtóng
본처(本妻) 正妻 zhèngqī; 正室 zhèngshì; 结发妻子 jiéfà qīzi ¶첩이 ～로 들어앉다 妾扶为正妻 qiè fúwéi zhèngqī
본토(本土) 本土 běntǔ; 本国 běnguó ¶영국 ～ 英国本土 Yīngguó běntǔ ‖～박이 土生土长的 tǔshēngtǔzhǎngde
볼 《뺨》颊 jiá; 脸蛋儿 liǎndànr; 腮帮子 sāi-bāngzi ¶～이 홀쭉해지다 两颊消瘦 liǎng jiá xiāoshòu
볼(ball) ①《공》球儿 qiúr; 皮球 píqiú ¶～을 던지다 扔球 rēngqiú / ～을 차다 踢球 tīqiú / ～을 잡다 拿球 ná qiú =〔接球 jiē qiú〕 ②《야구》坏球 huàiqiú ‖～ 카운트 好坏球数 hǎo huàiqiú shù
볼록거울 凸面镜 túmiànjìng; 凸镜 tújìng
볼록렌즈(…lens) 凸透镜 tútòujìng; 会聚透镜 huìjù tòujìng
볼록하다 凸圆 túyuán
볼륨(volume) ①《음량》音量 yīnliàng; 响度 xiǎngdù〕 ¶라디오의 ～을 높이다 放大收音机的音量 fàngdà shōuyīnjī de yīnliàng / ～있는 목소리 洪亮的声音 hóngliàng de shēngyīn ②《중량》分量 fènliàng; 量 liàng ¶그녀는 꽤 ～이 있다 她胖得很 tā pàngde hěn
볼링(bowling) 《體》保龄球 bǎolíngqiú; 地滚球游戏 dìgǔnqiú yóuxì; 滚球运动 gǔnqiú yùndòng
볼만하다 有看头儿 yǒu kàntour; 可观 kěguān
볼셰비키(러 Bolsheviki) 〈音〉布尔什维克 Bù'ěr-shíwéikè
볼썽사납다 不像样 búxiàngyàng; 寒碜 hánchen; 难看 nánkàn
볼일 《용무》(要办的)事情 (yàobànde) shìqing ¶～이 있다 有事儿 yǒu shìr / ～이 없다 没有事儿 méiyǒu shìr
볼트(bolt) 螺丝 luósī; 螺栓 luó shuān
볼트(volt) 《電》伏特 fútè; 伏 fú
볼펜(ball pen) 圆珠笔 yuánzhūbǐ; 原子笔 yuánzǐbǐ
볼품 外表 wàibiǎo ¶～ 있다 有瞧头儿 yǒu qiáotour / ～ 없다 不好看 bù hǎokàn
봄 春 chūn; 春天 chūntiān
봄날 春季的天气 chūnjì de tiānqi
봄눈 春雪 chūnxuě
봄바람 春风 chūnfēng
봄보리 春麦 chūnmài
봄비 春雨 chūnyǔ; 春霖 chūnlín
봇짐(褓…) 包袱 bāofu; 行包 xíngbāo ‖～장수 行贩(儿) hángfàn(r) =〔跑单帮 pǎodānbāng〕
봉건(封建) 封建 fēngjiàn ¶아버지는 ～적이다 我父亲头脑很封建 wǒ fùqin tóunǎo hěnfēng-jiàn
봉급(俸給) 薪水 xīnshui; 薪俸 xīnfèng; 工资 gōngzī ¶～으로 생활하다 靠薪水生活 kào xīnshui shēnghuó
봉변(逢變) 受人家的欺负 shòu rénjia de qīfu; 抹一鼻子灰 mǒ yì bízi huī
봉사(奉仕) 服务 fúwù; 贡献 gòngxiàn ¶사회에 ～하다 为社会服务 wèi shèhuì fúwù / ～ 정신으로 하다 本着献身的精神去做 běnzhe xiàn-shēn de jīngshén qù zuò
봉선화(鳳仙花) 《植》凤仙花 fèngxiānhuā; 指甲花 zhǐjiahuā
봉숭아 ⇨봉선화
봉오리 ⇨꽃봉오리
봉우리 ⇨산봉우리
봉제(縫製) 缝制 féngzhì ‖～품 缝制品 féngzhì-pǐn
봉착(逢着) 遇到 yùdào ¶난관에 ～ 하다 遇到难关 yùdào nánguān
봉투(封套) 信封 xìnfēng; 封皮 fēngpí ¶편지를 ～에 넣다 把信装进信封里 bǎ xìn zhuāngjìn xìnfēng li
봉함 엽서(封緘葉書) 邮简 yóujiǎn
봉헌(奉獻) 奉献 fèngxiàn; 恭献 gōngxiàn; 谨献 jǐnxiàn
봉화(烽火) 烽火 fēnghuǒ
뵈다 《웃어른을》谒见 yèjiàn
부고(訃告) 讣告 fùgào; 讣闻 fùwén ¶～를 내다 报讣告 bào fùgào
부근(附近) 附近 fùjìn; 一带 yídài; 一溜儿 yíliùr ¶학교 ～에서 살다 住在学校附近 zhùzài xuéxiào fùjìn
부글거리다 哗啦哗啦地翻滚 huālāhuālāde fān-gǔn
부기(簿記) 簿记 bùjì
부끄러워하다 羞 xiū; 害羞 hàixiū; 害臊 hài-sào ¶그녀는 부끄러워서 제대로 말도 못한다 她害羞得话也说不上来 tā hàixiūde huà yě shuō-bushànglái =〔她含羞不语 tā hánxiū bù yǔ〕
부끄럽다 羞 xiū; 害羞 hàixiū; 害臊 hàisào; 惭愧 cánkuì; 不好意思 bù hǎoyìsi ¶추태를 부려서 부끄럽습니다 出了洋相实在不好意思 chūle yángxiàng shízài bù hǎoyìsi
부닥치다 ①《우연히》遇上 yùshang; 碰上 pèng-shang ¶난관에 ～ 遇到难关 yùdào nánguān ②《직접》碰到 pèngdào; 直接谈判 zhíjiē tán-pàn; 直接试试 zhíjiē shìshi ¶실제로 부닥쳐 보다 实际碰碰看 shíjì pèngpengkàn

부단히(不斷…) 不断地 búduànde ¶～ 노력을 계속하다 继续不断地努力 jìxù búduànde nǔlì
부담(負擔) 负担 fùdān; 担负 dānfù ¶비용은 각자가 ～한다 费用各自负担 fèiyòng gèzì fùdān / 정신적으로 ～을 느끼다 精神上感到有负担 jīngshénshang gǎndào yǒu fùdān
부당(不當) 不合理 bù hélǐ; 不正当 bù zhèngdàng; 不当 búdàng ¶～한 요구 不合理的要求 bù hélǐ de yāoqiú
부대(負袋) 口袋 koǔdài; 袋子 dàizī
부대끼다 受苦 shòu kǔ; 挨折腾 āi zhéteng
부도(不渡) 空头 kōngtóu; 〖經〗拒付 jùfù ¶～수표를 내다 开出空头支票 kāichū kōngtóu zhīpiào =〔开出拒付票据 kāichū jùfù piàojù〕 ‖～ 어음 拒付票据 jùfù piàojù
부두(埠頭) 码头 mǎtou; 埠头 bùtóu
부둥키다 牢实地搂抱 láoshide lǒubào
부드럽다 ①《촉감이》 软 ruǎn; 嫩 nèn; 柔软 róuruǎn ¶부드러운 이불 软绵绵的被子 ruǎnmiánmiánde bèizi / 부드러운 몸 柔软的身体 róuruǎn de shēntǐ ②《태도 · 말씨 따위가》 柔和 róuhe; 和蔼 hé'ǎi ¶그는 사람을 대하는 것이 ～ 他待人和蔼 tā dài rén hé'ǎi / 부드러운 담배 味道柔和的纸烟 wèidao róuhe de zhǐyān
부득부득 固执 gùzhi ¶～ 고집하다 固执到底 gùzhi dàodǐ
부득이(不得已) 不得已 bùdéyǐ; 只好 zhǐhǎo 无可奈何 wúkě nàihé ¶아버지가 직업을 잃었기 때문에 ～ 진학을 단념했다 由于父亲失业, 只好死了升学的心 yóuyú fùqin shīyè, zhǐhǎo sǐle shēngxué de xīn
부득책(不得策) 不利的办法 búlì de bànfa; 不是良策 búshì liángcè
부들 〖植〗 蒲 pú; 香蒲 xiāngpú; 水烛 shuǐzhú
부들부들 哆哆嗦嗦 duōduōsuōsuō ¶～ 떨다 哆嗦地发抖 duōsuōde fādǒu
부디 请 qǐng; 但愿 dànyuàn
부딪치다 碰撞 pèngzhuàng ¶물결이 바위에 부딪쳐 산산이 부서지다 波浪撞击着岩石, 浪花四溅 bōlàng zhuàngjīzhe yánshí, lànghuā sì jiàn
부뚜막 炉灶 lúzào
부락(部落) 部落 bùluò; 小村庄 xiǎocūnzhuāng
부랴부랴 急忙 jímáng; 赶快 gǎnkuài; 赶紧 gǎnjǐn
부러뜨리다 折断 zhéduàn; 弄断 nòngduàn ¶나뭇가지를 ～ 把树枝折断 bǎ shùzhī zhéduàn / 연필심을 부러뜨렸다 把铅笔芯弄断了 bǎ qiānbǐxīn nòngduànle
부러지다 折 zhé; 断 duàn ¶연필심이 ～ 铅笔芯断了 qiānbǐxīn duàn le / 바람이 불어서 나뭇가지가 ～ 树枝被风刮'折〔断〕了 shùzhī bèi fēngguā 'zhé〔duàn〕 le
부럽다 羡慕 xiànmù ¶부러워 죽겠다 简直羡慕死人 jiǎnzhí xiànmù sǐrén =〔简直叫人眼馋 jiǎnzhí jiào rén yǎnchán〕
부레 鳔 biào; 鱼鳔 yúbiào ‖～풀 鱼胶水 yújiāoshuǐ
부력(浮力) 浮力 fúlì
부록(附錄) 附录 fùlù ¶권말에 ～을 첨가하다 在书末附上附录 zài shūmò fùshang fùlù ‖별책 ～ 另加的附录 lìng jiā de fùlù
부르다[1] ①《소리내어》 叫 jiào; 招呼 zhāohu; 喊 hǎn ¶이름을 부르면 곧 대답해 주시오 叫了你的名字就马上回答! jiàole nǐde míngzi jiù mǎshàng huídá! ②《청하다》 请人来 qǐngrénlái ¶급히 의사를 부르러 보내다 急忙去请医生 jímáng qù qǐng yīshēng ③《일컫다》 称 chēng; 称呼 chēnghu ¶쑨원은 중국 혁명의 아버지라 불린다 孙文被称为中国革命之父 Sūnwén bèi chēngwéi Zhōngguó gémìng zhī fù
부르다[2] 《배가》 饱 bǎo ¶배～ 吃饱了 chībǎo le
부르주아(프 bourgeois) 资本家 zīběnjiā ‖～계급 资产阶级 zīchǎnjiējí
부르짖다 《외치다》 喊叫 hǎnjiào; 呼喊 hūhǎn; 呼吁 hūyù ¶전쟁 반대를 ～ 高呼反对战争 gāohū fǎnduì zhànzhēng
부르트다 《물집이 생기다》 浮肿 fúzhǒng; 虚肿 xūzhǒng
부릅뜨다 瞪 dèng ¶눈을 ～ 瞪眼 dèngyǎn =〔怒目 nùmù〕
부리 喙 huì; 鸟嘴 niǎozuǐ ¶～로 쪼다 用喙啄 yòng huì zhuó
부리나케 急急忙忙地 jíjímángmángde
부리다[1] 使用 shǐyòng; 使唤 shǐhuan ¶점원을 5명 부리고 있다 使用五个店员 shǐyòng wǔ ge diànyuán
부리다[2] 《짐을》 卸载 xièzài
부모(父母) 父母 fùmǔ; 爹妈 diēmā
부부(夫婦) 夫妻 fūqī; 夫妇 fūfù; 〈俗〉 两口子 liǎngkǒuzi ¶～가 되다 结为夫妻 jiéwéi fūqī
부분(部分) 部分 bùfen ¶～적으로 정정하다 部分订正 bùfen dìngzhèng
부사장(副社長) 副社长 fùshèzhǎng; 副总经理 fùzǒngjīnglǐ
부산하다 ①《바쁘다》 忙忙叨叨 mángmangdāodāo ②《떠들썩》 喧嚣 xuānxiāo
부삽(…鍤) 炭火铲儿 tànhuǒ chǎnr; 火铲儿 huǒ chǎnr
부상(負傷) 负伤 fùshāng; 受伤 shòushāng ¶머리에 ～을 입다 头上受了伤 tóu shang shòu shāng ‖～병 伤号 shānghào =〔伤兵 shāngbīng〕〔伤员 shāngyuán〕〔彩号 cǎihào〕
부서지다 짜 《조각나다》 坏 huài; 碎 suì ¶의자가 ～ 椅子坏了 yǐzi huài le
부설(敷設) 敷设 fūshè; 铺设 pūshè ¶철도를 ～하다 铺设铁路 pūshè tiělù / 전선을 ～하다 安电线 ān diànxiàn / 지뢰를 ～하다 埋〔敷设〕地雷 mái 〔fūshè〕 dìléi
부속(附屬) 附属 fùshǔ; 附补 fùbǔ ¶대학의 ～병원 大学的附属医院 dàxué de fùshǔ yīyuàn ‖～품 附属品 fùshǔpǐn =〔附件 fùjiàn〕
부수다 揍 zòu; 破坏 pòhuài; 弄坏 nònghuài; 毁坏 huǐhuài; 弄碎 nòngsuì ¶집을～ 拆房子 chāi fángzi / 자물쇠를 부수고 문을 열다 弄坏锁头把门打开 nònghuài suǒtou bǎ mén dǎkāi
부스러기 碎渣儿 suìzhār ‖빵～ 面包渣儿 miànbao zhār
부스럭거리다 沙沙地响 shāshāde xiǎng
부스럼 疮 chuāng; 疙瘩 gēda; 疖子 jiēzi ¶머리에 ～이 나다 头上'生〔长〕了个疖子 tóushang 'shēng〔zhǎng〕 le ge jiēzi
부시 火镰 huǒlián; 打火镰 dǎhuǒlián
부시다[1] 《그릇을》 洗涮 xǐshuàn
부시다[2] 《눈이》 晃眼 huǎngyǎn
부심하다(腐心…) 煞费苦心 shàfèikǔxīn; 绞尽

汁 jiǎojìnnǎozhī; 费尽心思 fèijìnxīnsī ¶사태의 수습에 밤낮으로~ 为了收拾事态日夜费尽心思 wèile shōushi shìtài rìyè fèijìnxīnsī
부싯돌 火石 huǒshí; 打火石 dǎhuǒshí ¶~로 불을 켜다 用火石打火 yòng huǒshí dǎhuǒ
부아 ①《폐》肺 fèi ②《분한 마음》肝火 gānhuǒ; 肝气 gānqì ¶~가 끓다 肝火旺 gānhuǒ wàng
부양(扶養) 扶养 fúyǎng ¶그는 가족 3사람을 ~하고 있다 他扶养一家三口人 tā fúyǎng yì jiā sān kǒu rén ‖~ 가족 扶养的家属 fúyǎng de jiāshǔ
부업(副業) 副业 fùyè; 馀业 yúyè ¶~으로 양계를 하다 以养鸡为副业 yǐ yǎngjī wéi fùyè
부엉이 《鳥》鸱鸺 chīxiū;〈方〉夜猫子 yèmāozi;〈俗〉猫头鹰 māotóuyīng; 角鸱 jiǎochī
부엌 厨房 chúfáng
부의(賻儀) 奠仪 diànyí; 奠敬 diànjìng
부인(夫人) 夫人 fūrén
부인(否認) 否认 fǒurèn ¶그는 범행을 ~했다 他否认了罪行 tā fǒurènle zuìxíng
부인(婦人) 妇女 fùnǚ; 妇人 fùrén; 女子 nǚzǐ ‖~과 妇科 fùkē
부자(富者) 富人 fùrén; 富翁 fùwēng; 有钱的人 yǒuqián de rén
부자연(不自然) 不自然 bú zìran ¶~한 자세 不自然的姿势 bú zìran de zīshì
부재(不在) 不在 búzài; 不在家 búzài jiā ‖~자 투표 提前投票 tíqián tóupiào
부적(符籍) 护符 hùfú; 咒符 zhòufú; 符子 fúzi
부적당(不適當) 不合适 bú héshì; 不适当 bú shìdàng; 不恰当 bú qiàdàng; 不妥当 bú tuǒdàng ¶이 일은 그에게는 ~하다 这个工作对他不合适 zhège gōngzuò duì tā bù héshì
부정(不正) 不正当 bù zhèngdàng; 不正经 bù zhèngjīng; 非法 fēifǎ ¶~한 짓을 하다 做坏事 zuò huàishì =〔作恶 zuò'è〕〔作弊 zuòbì〕/ ~한 수단으로 돈을 모으다 用不正当的手段捞钱 yòng bú zhèngdàng de shǒuduàn lāoqián
부정(不貞) 不贞 bù zhēn; 不守贞节 bù shǒu zhēnjié ¶~한 짓을 하다 通奸 tōngjiān
부정(否定) 否定 fǒudìng ¶그것은 어떤 사람도 ~할 수 없는 사실이다 那是任何人都无法否定的事实 nàshì rènhé rén dōu wúfǎ fǒudìng de shìshí
부족(不足) 不足 bùzú; 不够 búgòu; 少 shǎo ¶식량이 ~하다 食粮不足 shíliáng bùzú =〔缺粮 quēliáng〕/ 3사람이 사용하기에는 ~하다 不够三个人用 búgòu sān ge rén yòng
부주의(不注意) 不注意 bú zhùyì; 不小心 bù xiǎoxīn; 不留神 bù liúshén; 疏忽 shūhū; 粗心大意 cūxīn dàyì; 大意 dàyi ¶이 사고는 운전수의 ~로 생겨난 것이다 这个事故是由于司机的疏忽造成的 zhège shìgù shì yóuyú sījī de shūhū zàochéng de
지런하다 勤劳 qínláo;〈俗〉勤快 qínkuai
지런히 孜孜不倦 zīzībújuàn
지하다(扶支…) 坚持下去 jiānchíxiàqu
진(不振) 不振 búzhèn ¶장사가 ~하다 营业不振 yíngyè búzhèn =〔生意不兴旺 shēngyi bù xīngwàng〕 ‖식욕~ 食欲不振 shíyù búzhèn
질없다 不足道 bù zúdào; 没有价值 méiyǒu jiàzhí; 无聊 wúliáo
쩍 《늘거나 줄다》显着地 xiǎnzhede

부채 扇子 shànzi ¶~질하다 用扇子扇 yòng shànzi shān =〔扇扇子 shān shànzi〕‖부챗살 扇骨子 shàngǔzi
부채(負債) 负债 fùzhài; 债务 zhàiwù; 欠债 qiànzhài; 欠账 qiànzhàng ¶장사에 실패해서 다액의 ~가 있다 生意失败, 欠了一大笔债 shēngyi shībài, qiànle yí dà bǐ zhài
부처 佛 Fó; 佛陀 Fótuó;〈俗〉佛爷 fóye; 佛祖 fózǔ ¶~도 먹어야 좋아한다 佛爷不供不显灵 fóye bú gòng bù xiǎn líng
부추 《植》韭菜 jiǔcài
부추기다 鼓动 gǔdòng; 挑拨 tiǎobo
부츠(boots) 长筒皮靴 chángtǒng píxuē
부치다[1] 《힘에》不胜其任 bù shēng qírèn; 担当不起 dāndāng bùqǐ
부치다[2] 《편지를》寄 jì; 发 fā ¶편지를 ~ 寄信 jì xìn
부친(父親) 父亲 fùqin; 爸爸 bàba
부케(bouquet) 花束 huāshù
부탁(付託) 托付 tuōfù; 委托 wěituō
부탄(Butan) 《化》丁烷 dīngwán ‖~ 가스 丁烷气 dīngwánqì
부터 从 cóng; 自从 zìcóng; 自 zì; 由 yóu; 打 dǎ ¶오늘~ 从今天起 cóng jīntiān qǐ / 어렸을 때~ 그를 알았다 从小就认识他 cóng xiǎojiù rènshi tā
부패(腐敗) 腐败 fǔbài ¶여름에는 음식물이 ~하기 쉽다 夏天食物容易腐败 xiàtiān shíwù róngyì fǔbài
부풀다 ①《부피》膨胀 péngzhàng ¶빵이 ~ 面包发起来 miànbao fāqǐlái ②《꿈·희망 따위가》¶꿈에 ~ 梦想越来越大 mèngxiǎng yuèlái yuèdà
부피 容积 róngjī; 体积 tǐjī ¶~가 큰 물건 体积大的东西 tǐjī dà de dōngxi
부하(部下) 部下 bùxià; 部属 bùshǔ; 属下 shǔxià
부화뇌동(附和雷同) 随声附和 suí shēng fù hè; 追随别人 zhuīsuí biéren
부화(孵化) 孵化 fūhuà ¶인공적으로 ~시키다 用人工进行孵化 yòng réngōng jìnxíng fūhuà / 병아리가 ~하다 小鸡孵出来了 xiǎojī fūchūlai le
부활(復活) ①复活 fùhuó ②《재생》恢复 huīfù; 复兴 fùxīng ‖~절 复活节 Fùhuójié / 패자~전 双淘汰赛 shuāngtáotàisài
부흥(復興) 复兴 fùxīng
북[1] 《베틀의》梭子 suōzi; 杼 zhù
북[2] 《樂》鼓 gǔ ¶~을 치다 打〔擂〕鼓 dǎ 〔lèi〕 gǔ
북(北) 北 běi ¶~아메리카 北美洲 Běi Měizhōu / ~향의 집 朝北的屋子 cháo běi de wūzi
북극(北極) 北极 běijí ‖~곰 北极熊 běijíxióng =〔白熊 báixióng〕/ ~성 北极星 běijíxīng / ~해(海) 北冰洋 Běibīngyáng
북돋다, 북돋우다 ①《흙을》培(土) péi(tǔ) ②《기운을》鼓励 gǔlì; 激发 jīfā
북받치다 ①《속에서》冒出 màochū ②《감정이》涌现 yǒngxiàn; 往上冲 wǎng shàngchōng
분(分) 《시간》分 fēn ¶5시 10~ 전 差十分五点 chà shí fēn wǔ diǎn / 12시 15~ 十二点过一刻 shí'èr diǎn guò yí kè / 1~ 1초도 틀리지 않다 一分一秒也不差 yì fēn yì miǎo yě bú chà =〔分秒不差 fēnmiǎo bú chà〕
분(盆) 花盆 huāpén

분(粉) 粉 fěn; 香粉 xiāngfěn ¶～을 바르다 擦〔抹〕粉 cā〔mǒ〕fěn
분간(分揀) 辨别 biànbié
분개(憤慨) 愤慨 fènkǎi; 气愤 qìfèn ¶불공평한 조치에 ～하다 对不公平的处理感到愤慨 duì bù gōngping de chǔlǐ gǎndào fènkǎi
분격(憤激) 气愤 qìfèn; 愤怒 fènnù; 激怒 jīnù; 愤激 fènjī ¶상대의 비겁한 짓에 ～하다 对对方的卑劣手段非常气愤 duì duìfāng de bēiliè shǒuduàn fēicháng qìfèn
분규(紛糾) 纠纷 jiūfēn; 纷乱 fēnluàn
분꽃(粉…) 〖植〗 紫茉莉 zǐmòli; 胭脂花 yānzhīhuā
분납(分納) 分缴 fēn jiǎo; 分期缴纳 fēnqī jiǎonà ¶수업료를 두 번에 ～하다 分两次缴纳学费 fēn liǎngcì jiǎonà xuéfèi
분담(分擔) 分担 fēndān; 分摊 fēntān(비용의) ¶책임을 ～하다 分担责人 fēndān zérèn / 비용을 3사람이 ～하다 费用由三个人分摊 fèiyòng yóu sān ge rén fēntān
분류(分類) 分类 fēnlèi; 分门别类 fēnménbiélèi ¶크게 3종류로 ～할 수 있다 可以分成三大类 kěyǐ fēnchéng sān dà lèi
분리(分離) 分离 fēnlí; 分开 fēnkāi; 脱离 tuōlí; 隔离 gélí ¶불순물을 ～하다 把杂质分离出来 bǎ zázhì fēnlí chūlai / 기름과 물을 ～ 油水相离 yóushuǐ xiānglí
분명(分明) 清楚 qīngchu; 分明 fēnmíng ¶더없이 ～한 사실이다 是个非常明显的事实 shì ge fēicháng míngxiǎn de shìshí
분배(分配) 分配 fēnpèi ¶이익을 모두에게 ～하다 把利润分配给大家 bǎ lìrùn fēnpèi gěi dàjiā
분별(分別) 分别 fēnbié; 区别 qūbié; 区分 qūfēn; 分类 fēnlèi
분부(分付·吩咐) 指示 zhǐshì; 命令 mìnglìng; 吩咐 fēnfu; 分付 fēnfù ¶～대로 따르겠습니다 我将照您的指示办 wǒ jiāng zhào nín de zhǐshì bàn
분석(分析) ① 分析 fēnxī; 剖析 pōuxī ¶자기를 ～하다 剖析自己 pōuxī zìjǐ ② 〖化〗 分析 fēnxī; 化验 huàyàn ¶우물물을 ～하다 化验井水 huàyàn jǐngshuǐ
분수(分數)[1] ①〔한도〕 限度 xiàndù ②〔분한〕 分寸 fēncun; 身分 shēnfen ¶～를 지키다 安分 ānfèn / ～를 모르다 不量身分 bùliáng shēnfen
분수(分數)[2] 〖數〗 分数 fēnshù
분수(噴水) 喷泉 pēnquán
분식(粉食) 面食 miànshi
분실(紛失) 丢失 diūshī; 遗失 yíshī ¶중요한 서류를 ～하다 遗失了重要文件 yíshīle zhòng-yào wénjiàn
분장(扮裝) 装扮 zhuāngbàn ¶노인으로 ～하다 装扮成老人 zhuāngbàn chéng lǎorén
분쟁(紛爭) 纷争 fēnzhēng ¶국제간의 ～이 끊이지 않다 国际'争端〔纠纷〕不断地发生 guójì 'zhēngduān〔jiūfēn〕 búduànde fāshēng
분초(分秒) 分秒 fēnmiǎo; 片刻 piànkè; 一分一秒 yì fēn yì miǎo ¶～를 다투다 分秒必争 fēnmiǎo bìzhēng =〔争分夺秒 zhēng fēn duó miǎo〕
분침(分針) 分针 fēnzhēn; 长针 chángzhēn; 刻针 kèzhēn
분탄(粉炭) 煤末(儿, 子) méimò(r, zi); 煤屑 méixiè
분투(奮鬪) 奋斗 fèndòu ¶최후까지 ～하다 奋斗到底 fèndòu dàodǐ / 고군 ～하다 孤军奋战 gūjūn fènzhàn
분포(分布) 分布 fēnbù ¶식물의 ～ 植物的分布 zhíwù de fēnbù
분풀이(憤…) 发泄积愤 fāxiè jīfèn; 泄气 xièqì
분필(粉筆) 粉笔 fěnbǐ
분하다(憤…) 懊悔 àohuǐ; 窝心 wōxīn; 冲了肺管子 chōng le fèiguǎnzi ¶또 지다니～ 这次又输了, 真窝心 zhècì yòu shū le, zhēn wōxīn
분해(分解) ①〔물체를〕 拆开 chāikāi; 拆卸 chāixiè ¶기계를 ～하다 拆卸机器 chāixiè jīqi / 시계를 ～ 소제하다 拆洗钟表 chāi xǐ zhōngbiǎo ② 〖化〗 分解 fēnjiě ¶물을 수소와 산소로 ～하다 把水分解成氢和氧 bǎ shuǐ fēnjiě chéng qīng hé yǎng ‖공중～ 空中解体 kōngzhōng jiětǐ / 전기～ 电解 diànjiě
분화(噴火) 喷火 pēnhuǒ; 喷发 pēnfā ‖～구 火山口 huǒshānkǒu
붇다 ①〔수분에〕 泡涨 pàozhàng ¶물에 젖어서 손이 ～ 手在水里泡得涨了 shǒu zài shuǐli pàode zhàng le ②〔수효〕 增加 zēngjiā; 多起来 duōqilai
불 火 huǒ; 〔등불〕 灯光 dēngguāng ¶～ 붙이다 点火 diǎnhuǒ / ～이 타다 火燃烧 huǒ ránshāo / ～이 꺼지다 火熄灭 huǒ xímiè / ～을 쬐다 烤火 kǎohuǒ
불가능(不可能) 不可能 bù kěnéng ¶실현 ～한 계획 不可能实现的计划 bù kěnéng shíxiàn de jìhuà
불가불(不可不) 一定 yídìng; 必须 bìxū ¶～ 가야 된다 非得去不可 fēiděi qù bùkě
불가사리 〖動〗 海星 hǎixīng; 海盘车 hǎipánchē
불가피(不可避) 不可避免 bùkě bìmiǎn; 不能避开 bù néng bìkāi ¶교섭의 결렬은 ～하다 谈判破裂是不可避免的 tánpàn pòliè shì bùkě bìmiǎn de
불결(不潔) 不清洁 bù qīngjié; 不干净 bù gānjìng ¶～은 병의 근원 不清洁是生病的根源 bù qīngjié shì shēngbìng de gēnyuán
불경기(不景氣) 不景气 bù jǐngqì; 萧条 xiāotiáo ¶회사는 지금 ～다 公司现在不景气 gōngsī xiànzài bù jǐngqì / 산업계는 심각한 ～를 만났다 产业界遭遇了严重的不景气 chǎnyèjiè zāoyùle yánzhòng de bù jǐngqì
불경제(不經濟) 不经济 bù jīngjì; 浪费 làngfèi ¶～적인 방법 不上算的办法 búshàngsuàn de bànfǎ / 많은 비누를 사용해서 빨래하는 것은 ～적이다 用那么多的肥皂来洗衣服真不经济 yòng nàme duō de féizào lái xǐ yīfu zhēn bù jīngjì
불고기 烤牛肉 kǎoniúròu
불공평(不公平) 不公 bùgōng; 不公平 bù gōngping; 不公道 bù gōngdao; 不公正 bù gōngzhèng ¶그 처분은 ～하다 那处分太不公正了 nà chǔfèn tài bù gōngzhèng le
불과(不過) 只 zhǐ; 只是 zhǐshì ¶친구는 ～ 너 하나뿐이다 朋友只有你一个人 péngyou zhǐyǒu nǐ yí ge rén
불교(佛敎) 〖宗〗 佛教 Fójiào
불구(不具) 残废 cánfèi〔fei〕 ¶사고로 ～가 되었다 由于事故成了残废 yóuyú shìgù chéngle cánfèi
불규칙(不規則) 不规则 bù guīzé; 无规律 wú guīlǜ; 乱 luàn ¶생활이 ～하다 生活没有规律

shēnghuó méiyǒu guīlǜ / 퇴근 시간이 ～하다 下班时间不一定 xiàbān shíjiān bù yídìng
불그스름하다 有点发红 yǒudiǎn fāhóng
불길 ①《화염》 火势 huǒshì ¶때마침 부는 바람으로 ～이 퍼졌다 赶上大风, 火势蔓延开来 gǎnshàng dà fēng, huǒshì mànyán kāilai ②《속도》 火的延烧速度 huǒ de yánshāo sùdù
불길(不吉) 不祥 bùxiáng; 不吉祥 bù jíxiáng; 不吉利 bùjílì ¶～한 예감이 든다 有不祥的预感 yǒu bùxiáng de yùgǎn
불꽃《금속·돌 따위 부딪칠 때》 火星(儿, 子) huǒxīng(r, zi); 《방전》 火花 huǒhuā ¶전기의 ～ 电火花 diàn huǒhuā / ～을 발하다 发出火花 fāchū huǒhuā / ～이 튀다 迸出火星 bèngchū huǒxīng =〔白刃相交 báirèn xiāngjiao〕〔激烈争论 jīliè zhēnglùn〕/양팀은 ～ 튀는 열전을 벌였다 两队展开了热火朝天的激烈比赛 liǎng duì zhǎnkāile rèhuǒ cháotiān de jīliè bǐsài
불끈 ¶～ 화내다 勃然生气 bórán shēngqì
불나다 着火 zháohuǒ
불놓다 放火 fànghuǒ
불능(不能) 不能 bù néng ‖성적～ 阳痿 yángwěi =〔不能性交 bùnéng xìngjiāo〕/ 재기～ 不能好转 bù néng hǎozhuǎn =〔不能东山再起 bù néng dōngshānzàiqǐ〕
불다[1] 吹 chuī; 刮 guā ¶시원한 바람이 불어 왔다 凉风吹来了 liángfēng chuīlai le
불다[2] ①《입김을 내다》 吹 chuī; 呼 hū ¶뜨거운 차를 불면서 마시다 吹着气喝热茶 chuīzhe qì hē rèchá / 불어서 불을 피우다 吹火生炉子 chuī huǒ shēng lúzi ②《연주하다》 吹 chuī ¶휘파람을 ～ 吹口哨儿 chuī kǒushàor ③《자백》 供招 gòngzhāo
불때다 烧火 shāohuǒ
불똥 火星(儿, 子) huǒxīng(r, zi)
불량(不良) ①《행실이 나쁨》 品行不端 pǐnxíng bùduān; 品质不好 pǐnzhì bù hǎo ¶～한 짓을 하다 要流氓 shuǎ liúmáng ②《사람》 阿飞 āfēi; 小流氓 xiǎoliúmáng ③《좋지 않음》 不好 bù hǎo; 坏 huài; 不良 bùliáng; 次 cì ‖～소년 小流氓 xiǎoliúmáng / ～품 次品 cìpǐn / 성적～ 成绩不好 chéng jī bùhǎo / 영양～ 营养不良 yíngyǎng bùliáng
불로소득(不勞所得) 不劳而获的收入 bù láo ér huò de shōurù
불로장생(不老長生) 长生不老 chángshēng bù lǎo
불리(不利) 不利 búlì ¶피고에게 ～한 증언을 하다 做对被告人不利的证词 zuò duì bèigàorén búlì de zhèngcí
불리다《물에》 涨 zhàng; 《늘리다》 添 tiān; 增益 zēngyì; 增殖 zēngzhí
불만(不滿) 不满 bùmǎn; 不满意 bù mǎnyì ¶…에 ～을 품다 对…心怀不满 duì…xīn huái bùmǎn
불명예(不名譽) 名声不好 míngshēng bù hǎo; 不名誉 bùmíngyù; 不体面 bù tǐmian; 不光彩 bù guāngcǎi ¶～스런 죽음 不光彩的死 bù guāngcǎi de sǐ
불모(不毛) 不毛 bùmáo; 不生草木的 bù shēng cǎomù de; 瘠薄 jíbó ‖～지 不毛之地 bùmáo zhī dì
불문(不問) 不问 bú wèn ¶～에 부치다 不加追究 bù jiā zhuījiū =〔不予过问 bù yǔ guò wèn〕
불미하다(不美…) 丑 chǒu ¶불미한 일 丢脸的事情 diūliǎn de shìqing
불발(不發) ①《행동 따위의》 告吹 gàochuī ¶계획이 ～로 끝났다 计划告吹 jìhuà gàochuī ②《탄환 등의》 不发火 bù fāhuǒ; 打不出 dǎbuchū ‖～탄 哑弹 yǎdàn =〔瞎炮 xiāpào〕〔臭子儿 chòuzǐr〕
불빛 光 guāng; 亮儿 liàngr
불상사(不祥事) 不幸事 búxìngshì
불세출(不世出) 罕见 hǎnjiàn; 希世 xīshì; 稀奇 xīqí ¶～의 영웅 希世的英雄 xīshì de yīngxióng
불순(不純) 不纯 bùchún ¶동기가 ～하다 动机不纯 dòngjī bùchún / ～물을 함유하고 있다 含有杂质 hányǒu zázhì
불순(不順) 反常 fǎncháng; 不正常 bú zhèngcháng; 不调 bù tiáo ‖일기～ 气候反常 qìhòu fǎncháng / 월경～ 月经不调 yuèjīng bù tiáo
불신(不信) 不相信 bù xiāngxìn; 不信用 bú xìnyòng ¶～감을 품다 抱怀疑 bào huáiyí / ～의 눈으로 보다 以怀疑的眼光看人 yǐ huáiyí de yǎnguāng kàn rén
불쌍하다 可怜 kělián ¶불쌍한 아이 可怜的孩子 kělián de háizi
불쏘시개 引柴 yǐnchái; 引火柴 yǐnhuǒchái
불씨《불덩이》 火种 huǒzhǒng
불안(不安) ①《마음의》 不安 bù'ān; 担心 dānxīn; 不放心 bú fàngxīn ¶노후의 생활에 ～을 품다 对晚年的生活感到不安 duì wǎnnián de shēnghuó gǎndào bù'ān ②《세상의》 不安 bù'ān; 不稳定 bù wěndìng ‖사회 ～ 社会不安 shèhuì bù'ān
불안정(不安定) 不安定 bù āndìng; 不稳定 bù wěndìng ¶정신 상태가 ～하다 精神状态不安定 jīngshén zhuàngtài bù āndìng / 고정 수입이 없어서 생활이 ～하다 没有固定收入, 生活不安定 méiyǒu gùdìng shōurù, shēnghuó bù āndìng / 정국이 ～하다 政局不稳定 zhèngjú bù wěndìng
불알 睾丸 gāowán; 阴卵 yīnluǎn; 〈俗〉 卵子 luǎnzi
불우(不遇) 不遇 búyù; 不走运 bù zǒuyùn; 遭遇不佳 zāoyù bùjiā ¶일생을 ～하게 보냈다 终生遭遇不佳 zhōngshēng zāoyù bùjiā =〔终生不得志 zhōngshēng bù dézhì〕/ ～한 작가 怀才不遇的作家 huáicái búyù de zuòjiā
불유쾌(不愉快) 不愉快 bù yúkuài; 不快 búkuài; 不高兴 bù gāoxìng ¶매우 ～하게 생각했다 感到(了)十分不愉快 gǎndào (le) shífēn bù yúkuài
불일내(不日內) 不日 búrì; 日内 rìnèi; 不久 bùjiǔ ¶～에 뵈러 갈 작정입니다 打算日内登门拜访 dǎsuàn rìnèi dēngmén bàifǎng
불일치(不一致) 不符合 bù fúhé; 不一致 bù yízhì ‖언행～ 言行不一 yánxíng bù yī
불임증(不姙症) 不孕症 búyùnzhèng
불자동차(…自動車) 救火车 jiùhuǒchē; 消防车 xiāofángchē
불장난 ①《장난》 玩火 wánhuǒ ¶아이의 ～은 위험하다 儿童玩火危险 értóng wánhuǒ wēixiǎn ②《남녀간의》 危险的游戏 wēixiǎn de yóuxì; 不正当的男女关系 bú zhèngdāng de nánnǚ guānxi ¶경망스런 ～은 그만두어라 不要干轻浮

的危险勾当 búyào gàn qīngfú de wēixiǎn gòudàng
불지르다 放火 fànghuǒ
불찌다 烤火 kǎohuǒ
불착(不着) 《연착》 不到 búdào
불참(不參) 不参加 bù cānjiā; 不出席 bù chūxí; 不去 bú qù ¶ ~자는 보고할 것 不参加的人要报告 bù cānjiā de rén yào bàogào
불청객(不請客) 不速之客 bú sù zhī kè
불충분(不充分) 不够 bú gòu; 不足 bùzú; 不充分 bù chōngfèn ¶ 증거 ~으로 석방되다 因证据不足而被释放 yīn zhèngjù bùzú ér bèi shìfàng
불친절(不親切) 不亲切 bù qīnqiè; 不热情 bú rèqíng; 《서비스가》 不周到 bù zhōudao ¶ 손님에 대해서 ~하다 对待顾客不热情 duì dài gùkè bú rèqíng
불켜다 《불붙이다》 点灯 diǎn dēng; 《전등》 开灯 kāi dēng
불쾌(不快) 不快 búkuài; 不愉快 bù yúkuài; 不高兴 bù gāoxìng; 不痛快 bú tòngkuai ¶ ~한 얼굴빛 不高兴的神情 bù gāoxìng de shénqíng / 남을 ~하게 하다 使人感到不快 shǐ rén gǎndào búkuài
불타다 ① 燃烧 ránshāo; 着火 zháohuǒ ¶ 검은 연기를 내면서 학교가 불타고 있다 学校冒着黑烟着了火 xuéxiào màozhe hēiyān zháole huǒ ② 《정열·의욕에》 热情洋溢 rèqíng yángyì ¶ 향학심에 불타는 젊은이 求学心很盛的年轻人 qiúxuéxīn hěn shèng de niánqīngrén / 복수의 일념에 ~ 胸中燃烧着复仇的怒火 xiōng zhōng ránshāozhe fùchóu de nùhuǒ
불티 火星儿 huǒxīngr
불편(不便) 《편리하지 못함》 不便 búbiàn; 不方便 bù fāngbiàn ¶ 휴대하기에 ~하다 携带不便 xiédài búbiàn
불평(不平) 不平 bùpíng; 不满意 bù mǎnyì; 牢骚 láosāo ¶ ~하다 发牢骚 fā láosāo / ~을 늘어놓다 鸣不平 míng bùpíng
불필요(不必要) 不需要 bù xūyào; 不必要 bú bìyào; 非必需 fēi bìxū ¶ ~하다 没用了 méi yòng le / ~하게 큰 소리를 지르다 不必要地大声喊 bú bìyào de dàshēng hǎn
불한당(不汗黨) 歹徒 dǎitú; 棍徒 gùntú
불행(不幸) 不幸 búxìng; 厄运 èyùn; 倒霉 dǎoméi ¶ 그녀는 ~하게도 결혼한 지 얼마 되지 않아 남편을 잃었다 她结婚不久不幸失去了丈夫 tā jiéhūn bùjiǔ búxìng shīqùle zhàngfu ‖ ~ 중 다행 不幸中之大幸 búxìng zhōng zhī dà xìng
불혹(不惑) 不惑 búhuò; 四十岁 sìshí suì ¶ ~의 나이를 넘다 年过四十 nián guò sìshí =〔年逾不惑 nián yú bú huò〕
불확실(不確實) 不确实 bú quèshí; 不确切 bú quèqiè; 不可靠 bù kěkào ¶ ~한 보도 不可靠的消息 bù kěkào de xiāoxi
불황(不況) 不景气 bùjǐngqì; 萧条 xiāotiáo ¶ 세계적인~ 世界性的不景气 shìjièxìng de bùjǐngqì / ~을 벗어나다 摆脱萧条 bǎituō xiāotiáo
불효(不孝) 不孝(敬) búxiào(jìng) ¶ 부모에게 ~ 不孝敬父母 búxiàojìng fùmǔ / 부모보다 먼저 떠나는 ~한 죄를 용서하십시오 请宽恕死在父母之前的不孝之罪 qǐng kuānshù sǐ zài fùmǔ zhī qián de búxiào zhī zuì
불효자(不孝子) 逆子 nìzǐ
붉다 红 hóng ¶ 붉은 동백꽃 红山茶花 hóng shāncháhuā
붉히다 红起来 hóngqǐlai ¶ 부끄러워 얼굴을 ~ 羞得红起脸来 xiūde hóngqǐ liǎn lai / 얼굴을 붉히며 화내다 气得脸红脖子粗 qìde liǎn hóng bózi cū
붐(boom) 高潮 gāocháo; 热潮 rècháo ¶ 등산 ~ 登山'热潮〔热〕 dēngshān 'rècháo 〔rè〕/ ~을 타다 赶高潮 gǎn gāocháo
붐비다 热闹 rènao; 拥挤 yōngjǐ
붓 笔 bǐ; 毛笔 máobǐ
붓대 笔管儿 bǐguǎnr
붓꽃 《植》 溪荪 xīsūn
붓끝 ① 笔尖 bǐjiān; 笔头 bǐtóu; 笔锋 bǐfēng ② 《필봉》 笔墨 bǐmò; 笔锋 bǐfēng
붓다[1] 《살이》 肿 zhǒng; 浮肿 fúzhǒng; 肿胀 zhǒngzhàng ¶ 부은 얼굴 肿脸 zhǒng liǎn / 임파선이 ~ 淋巴线肿大 línbāxiàn zhǒng dà
붓다[2] 《쏟다》 倒 dào; 《월부금》 缴纳 jiǎonà
붕대(繃帶) 绷带 bēngdài; 裹扎布 guǒzābù ¶ ~를 감다 缠绷带 chán bēngdài =〔绷扎 bēngzā〕〔用绷带包扎 yòng bēngdài bāozā〕/ ~를 풀다 解绷带 jiě bēngdài
붕어 《魚》 鲫鱼 jìyú
붙다 ① 《호위·비서 따위가》 跟着 gēnzhe ¶ 호위가 ~ 有警卫员跟着 yǒu jǐngwèiyuán gēnzhe ② 《불이》 点着 diǎnzháo ¶ 이 성냥은 불이 잘 붙지 않는다 这根火柴点不着 zhè gen huǒchái diǎnbuzháo ③ 《세금이》 上 shàng; 课 kè ¶ 수입품에는 세금이 붙는다 进口货上关税 jìnkǒuhuò shàng guānshuì ④ 《이자가》 生 shēng ¶ 이자가 ~ 生息 shēngxī ⑤ 《살이 찌다》 长 zhǎng ¶ 살이 ~ 长肉 zhǎngròu
붙들다 ① 《쥐다》 揪住 jiūzhù ¶ 소매를 붙들고 놓지 않다 揪住袖子不放 jiūzhù xiùzi bú fàng ② 《붙들다》 捕捉 bǔzhuō; 捉主 zhuōzhù; 逮住 dǎizhù; 拿住 názhù ¶ 범인을 ~ 逮住犯人 dǎizhù fànrén
붙들리다 被捉拿 bèi zhuōná; 被捉住 bèi zhuōzhù; 被捕获 bèi bǔhuò; 被逮住 bèi dǎizhù ¶ 범인이 붙들렸다 犯人逮住了 fànrén dǎizhù le / 그는 속도 위반으로 경관에게 붙들렸다 他违反速度限制被警察逮住了 tā wéifǎn sùdù xiànzhì bèi jǐngchá dǎizhù le
붙이다 ① 《부착시키다》 粘 zhān; 贴 tiē ¶ 우표를 ~ 贴邮票 tiē yóupiào ② 《불을》 点 diǎn ¶ 담뱃불을 ~ 点烟 diǎnyān / 땔나무에 불을 ~ 点柴火 diǎn cháihuǒ ③ 《딸리게 하다》 派 pài ¶ 호위를 ~ 派警卫员护卫 pài jǐngwèiyuán hùwèi / 아이에게 가정 교사를 ~ 给孩子请个家庭教师 gěi háizi qǐng ge jiātíng jiàoshī
붙잡다 《체포하다》 逮捕 dàibǔ ¶ 범인은 아직 붙잡히지 않았다 罪犯还没有逮住 zuìfàn hái méi yǒu dàizhù
뷔페(buffet) 餐室 cānshì; 简便食堂 jiǎnbiàn shítáng
브래지어(brassiere) 胸罩 xiōngzhào; 奶罩 nǎizhào; 乳罩 rǔzhào; 乳褡 rǔdā ¶ ~를 하다 戴乳罩 dài rǔzhào
브랜디(brandy) 白兰地 báilándì
브러시(brush) 刷子 shuāzi ¶ 머리에 ~를 하다 用发刷梳头 yòng fàshuā shū tóu ‖ 헤어

发刷 fàshuā
브레이크(brake) ①《차의》 制动器 zhìdòngqì; 车闸 chēzhá; 刹车(器) shāchē (qì) ¶ ~가 듣지 않다 制动器不灵 zhìdòngqì bù líng / 급~를 걸다 急刹车 jí shāchē ②《일의》 阻碍 zǔ'ài; 制止 zhìzhǐ ¶지나친 행동에 ~를 걸다 阻止过火的行动 zǔzhǐ guòhuǒ de xíngdòng
브로치(broach) 别针 biézhēn; 饰针 shìzhēn; 胸针 xiōngzhēn ¶ ~를 가슴에 달고 있다 把别针别在胸前 bǎ biézhēn bié zài xiōngqián
브로커(broker) 经纪人 jīngjìrén; 中间商 zhōngjiānshāng; 牙侩 yákuài; 掮客 qiánkè
브론즈(bronze) ①《청동》 青铜 qīngtóng ②《동상》 青铜像 qīngtóngxiàng; 铜像 tóngxiàng
블라우스(blouse) 罩衫 zhàoshān; 衬衫 chènshān ¶흰 ~에 남색 스커트 白衬衫配深蓝裙子 bái chènshān pèi shēnlán qúnzi
블라인드(blind) 百叶窗 bǎiyèchuāng ¶ ~를 내리다〔올리다〕 放下〔拉上〕百叶窗 fàngxià 〔lāshang〕 bǎiyèchuāng
블랙리스트(blacklist) 黑名单 hēimíngdān ¶ ~에 오르다 登上黑名单 dēngshang hēimíngdān
블랙박스(black box) ①《항공》 黑匣子 hēixiázi; 黑箱 hēixiāng ②《자동 지진계》 封印自动地震仪 fēngyìn zìdòng dìzhènyí; 地下核试验自动探测地震计 dìxià héshìyàn zìdòng tàncè dìzhènjì
블랙 커피(black coffee) 黑咖啡 hēikāfēi; 不加牛奶和糖的咖啡 bù jiā niúnǎi hé táng de kāfēi
블루스(blues) 布鲁士舞 bùlǔshìwǔ; 慢四步爵士舞 mànsìbù juéshìwǔ
비¹ 《강우》 雨 yǔ ¶ ~가 온다 下雨了 xiàyǔ le / ~가 그치다 雨'住〔停〕 yǔ 'zhù 〔tíng〕 / 도중에서 ~를 만났다 路上遇上雨了 lùshang yùshàng yǔ le
비² 《쓰는》 笤帚 tiáozhou; 《대나무의》 扫帚 sàozhou ¶ ~로 마당을 쓸다 用笤帚扫院子 yòng tiáozhou sǎo yuànzi
비겁(卑怯) 卑鄙 bēibǐ; 懦怯 nuòqiè; 懦弱 nuòruò; 胆怯 dǎnqiè ¶ ~한 수단을 쓰다 用卑鄙的手段 yòng bēibǐ de shǒuduàn
비결(秘訣) 秘诀 mìjué; 诀窍 juéqiào; 窍门 qiàomén; 诀要 juéyào ¶그녀의 건강 ~은 일찍 일어나는 것이다 早起是她的健康秘诀 zǎoqǐ shì tāde jiànkāng mìjué
비계¹ 《기름》 肥肉 féiròu
비계² 《建》 脚手架 jiǎoshǒujià
비관(悲觀) 悲观 bēiguān ¶그는 앞날을 ~해서 자살했다 他对前途感到悲观而自杀了 tā duì qiántú gǎndào bēiguān ér zìshā le
비관적(悲觀的) 悲观(的) bēiguān (de) ¶상황은 ~이다 形势对我们不利 xíngshì duì wǒmen búlì / 사회를 ~으로 보다 以悲观的眼光观察社会 yǐ bēiguān de yǎnguāng guānchá shèhuì
비교(比較) 比 bǐ; 比较 bǐjiào ¶2개의 물건을 ~하다 拿两个东西比一比 ná liǎng ge dōngxi bǐyibǐ =〔把两个比较一下 bǎ liǎng ge bǐjiào yíxià〕
비교적(比較的) 比较 bǐjiào; 比…一点儿 bǐ…yìdiǎnr ¶그것보다 ~ 비싸다 比那个贵一点儿 bǐ nà ge guì yì diǎnr / ~ 정확하다 比较正确 bǐjiào zhèngquè / 금년 겨울은 ~ 따뜻하다 今年冬天比较暖和 jīnnián dōngtiān bǐjiào nuǎnhuo
비구니(比丘尼) 比丘尼 bǐqiūní; 〈俗〉 尼姑 nígū; 姑子 gūzi
비굴(卑屈) 卑屈 bēiqū; 卑躬屈膝 bēi gōng qū xī; 低三下四 dī sān xià sì ¶ ~한 태도 低三下四的态度 dī sān xià sì de tàidu / ~하게 웃다 低声下气的笑 dīshēng xiàqì de xiào
비극(悲劇) 悲剧 bēijù ¶그의 말로는 ~적이었다 他的下场是悲惨的 tā de xiàchang shì bēicǎn de / ~적인 사건 悲剧性〔悲惨〕的事件 bēijùxìng 〔bēicǎn〕 de shìjiàn
비금속(非金屬) 非金属 fēijīnshǔ
비기다¹ 《무승부》 平局 píngjú; 平手 píngshǒu; 不分胜负 bù fēn shèngfù ¶시합은 3대 3으로 비겼다 比赛以三比三打成平局 bǐsài yǐ sān bǐ sān dǎchéng píngjú
비기다² 《비유》 较对 jiàoduì
비꼬다 《남을》 挖苦 wāku; 讥诮 jīqiào
비난(非難) 非难 fēinàn; 责难 zénàn; 责备 zébèi; 指责 zhǐzé; 谴责 qiǎnzé ¶ ~을 받다 遭受谴责 zāoshòu qiǎnzé
비너스(Venus) 维纳斯 Wéinàsī
비녀 簪子 zānzi ¶머리에 ~를 지르다 把簪子插在头上 bǎ zānzi chā zài tóushang
비누 肥皂 féizào; 胰子 yízi ¶손을 ~로 씻다 用肥皂洗手 yòng féizào xǐshǒu ‖ 세탁 ~ 洗衣肥皂 xǐyī féizào / 화장 ~ 香皂 xiāngzào =〔香胰子 xiāngyízi〕
비늘 鳞 lín; 鱼鳞 yúlín ¶ ~을 벗기다 刳下鱼鳞 kūxià yúlín
비닐(vinyl) 《化》 乙烯树脂 yǐxī shùzhī
비다 ⇨비우다
비단(緋緞) ① 丝 sī ¶여기에는 ~이 섞여 있다 这里混纺着丝 zhè li hùnfǎngzhe sī ②《견직물》 丝绸 sīchóu; 绸子 chóuzi; 丝织品 sīzhīpǐn ¶ ~옷 绸子衣服 chóuzi yīfu ‖ ~ 제품 丝制品 sīzhìpǐn
비단(非但) …不但…还… búdàn…hái
비둘기 《鳥》 鸽子 gēzi ‖ ~장 鸽棚 gēpéng =〔鸽房 gēfáng〕〔鸽舍 gēshè〕 / ~파 鸽派 gēpài
비듬 头皮 tóupí; 头垢 tóugòu; 肤皮 fūpí ¶ ~을 긁다 挠头皮 náo tóupí
비등(沸騰) ①滚开 gǔnkāi; 沸腾 fèiténg ¶물은 섭씨 100도에서 ~하다 水到摄氏一百度就沸腾 shuǐ dào Shèshì yìbǎi dù jiù fèiténg ②《여론이》 群情激昂 qúnqíng jī'áng; 情绪高涨 qíngxù gāozhǎng; 热烈 rèliè; 沸腾 fèiténg ¶여론이 ~하다 舆论沸腾 yúlùn fèiténg ‖ ~점 沸点 fèidiǎn
비디오(video) ①《화면》 影象 yǐngxiàng; 录象 lùxiàng; 视频 shìpín ¶이 풍경을 ~로 찍읍시다 这个'景致〔场面〕录下来吧 zhè ge 'jǐngzhì 〔chǎngmiàn〕 lùxialai ba ②《비디오 코더》 录象机 lùxiàngjī ‖ ~ 카세트 盒式录象机 héshì lùxiàngjī / ~ 테이프 录象磁带 lùxiàng cídài ¶ ~ 테이프에 찍다 用录象磁带来摄影 yòng lùxiàng cídài lai shèyǐng
비뚜로 斜歪地 xiéwāide
비뚤어지다 ①《한쪽으로》 歪斜 wāixié; 歪曲 wāiqū ¶비뚤어진 것을 바로하다 矫正歪曲 jiǎozhèng wāiqū / 이 거울은 얼굴이 비뚤어지게 보인다 这镜子脸照得歪斜 zhè jìngzi liǎn zhàode wāixié ②《성격이》 不爽直 bù shuǎngzhí; 不直爽 bù zhíshuǎng ¶성격이 ~ 性格不

直爽 xìnggé bù zhíshuǎng / 마음이 ~ 性情乖僻 xìngqing guāipì
비럭질 乞讨 qǐtǎo; 乞求 qǐqiú ¶~하러 다니다 挨户乞讨 āihù qǐtǎo
비례(比例) ①《數》比例 bǐlì ②《균형》相称 xiāngchéng; 成比例关系 chéng bǐlì guānxi ¶공기는 고도에 ~해서 점점 희박해진다 空气与高度成比例地变得稀薄 kōngqì yǔ gāodù chéng bǐlìde biànde xībó ‖정~ 正比例 zhèngbǐlì =〔正比 zhèngbǐ〕
비로드(veludo) 天鹅绒 tiān'éróng
비로소 才 cái; …之后才 …zhī hòu cái ¶사람은 건강을 잃고서 ~ 그 귀중함을 안다 人失去了健康以后, 才知其可贵 rén shīqùle jiànkàng yǐhòu, cái zhī qí kě guì
비록 虽说 suīshuō
비롯하다 起始 qǐshǐ ¶…을 비롯하여 …以及 …yǐjí
비료(肥料) 肥料 féiliào ¶~를 주다 施肥 shīféi =〔上肥 shàng féi〕
비리다 腥 xīng; 腥气 xīngqì ¶이 생선은 별나게 ~ 这个鱼特腥了 zhège yú tè xīng le / 피비린내나다 血腥 xuèxīng
비만(肥滿) 肥胖 féipàng ‖~아 肥胖儿童 féipàng értóng / ~증 肥胖症 féipàngzhèng
비명(悲鳴) 惨叫 cǎnjiào; 尖叫 jiānjiào ¶깊은 밤에 여자의 ~ 소리를 들었다 深夜听见了女人的惨叫声 shēnyè tīngjianle nǚrén de cǎnjiàoshēng / 계속된 주문에 즐거운 ~을 지르다 订货接连不断而来忙得不亦乐乎 dìnghuò jiēlián búduàn ér lái mángde búyìlèhū
비밀(秘密) 秘密 mìmì ¶~을 지키다 保守秘密 bǎoshǒu mìmì =〔保密 bǎomì〕/ ~이 새다 秘密泄漏了 mìmì xièlòu le
비바람 ①《비와 바람》雨和风 yǔ hé fēng ②《비를 휘몰아치는 바람》连风带雨 lián fēng dài yǔ
비방(誹謗) 诽谤 fěibàng ¶반대당을 ~하다 对反对党进行诽谤 duì fǎnduìdǎng jìnxíng fěibàng
비번(非番) 闲班 xiánbān; 不当班 bù dāngbān; 歇班(儿) xiēbān(r) ¶오늘은 ~이다 今天歇班儿 jīntiān xiēbānr
비보(悲報) 噩耗 èhào ¶~에 접하다 噩耗传来 èhào chuánlai
비비다 ①《손으로》搓 cuō; 揉 róu ¶양손을 ~ 搓手 cuō shǒu / 비벼서 빨다 揉着洗 róuzhe xǐ / 종이를 비벼서 부드럽게 하다 把纸搓软 bǎ zhǐ cuōruǎn ②《송곳 따위로》揉 róu →〔搓 cuō〕¶송곳을 비벼서 판자에 구멍을 뚫다 搓捻木钻在板上打洞 cuōniǎn mùzuàn zài bǎnshang dǎ dòng ③《뒤섞다》搀和 chānhuo
비빔밥 和饭 huòfàn
비상(非常) 非常 fēicháng; 紧急 jǐnjí; 紧迫 jǐnpò ¶~ 수단을 쓰다 采取非常手段 cǎiqǔ fēicháng shǒuduàn / ~시에는 이 벨을 눌러 주십시오 发生紧急情况时, 请摁这个电铃 fāshēng jǐnjí qíngkuàng shí, qǐng èn zhège diànlíng ‖~ 계단 太平梯 tàipíngtī =〔安全梯 ānquántī〕/ ~구 太平门 tàipíngmén / ~벨 警铃 jǐnglíng
비서(秘書) 秘书 mìshū
비스듬하다 倾斜 qīngxié
비스킷(biscuit) 饼干 bǐnggān
비슷하다《닮다》相似 xiāngsì ¶비슷한 버릇이 있다 有类似的毛病 yǒu lèi sì de máobing
비싸다 贵 guì; 高 gāo ¶이 가게는 ~ 这家铺子价钱很贵 zhè jiā pùzi jiàqian hěn guì
비애(悲哀) 悲哀 bēi'āi ¶인생의 ~를 맛보았다 尝到了人生的辛酸 chángdàole rénshēng de xīnsuān
비약(飛躍) ①《힘찬 활동》飞跃 fēiyuè; 跃進 yuèjìn ¶기술은 ~적인 발전을 이루었다 技术得到了飞跃发展 jìshù dédàole fēiyuè fāzhǎn ②《이론의》飞跃 fēiyuè; 超越 chāoyuè; 不连贯 bù liánguàn ¶네가 말하는 그것은 논리의 ~이 있다 你说的那事, 有点不合逻辑〔思路不连贯〕 nǐ shuō de nàshì, yǒu diǎn bùhé luóji〔sīlù bù liánguàn〕
비어(beer) 啤酒 píjiǔ
비올라(viola) 中提琴 zhōngtíqín
비용(費用) 费用 fèiyòng ¶여행 ~ 旅费 lǚfèi / ~을 부담하다 负担费用 fùdān fèiyòng
비우다 ①《자리를》空出 kòngchū ¶뒤에 오는 사람을 위해서 자리를 비워 두다 给后来的人空出座位来 gěi hòulái de rén kòngchū zuòwèi lai ②《집·방을》腾出 téng chū ¶방을 ~ 腾出房间 téng chū fángjiān
비웃다 嘲笑 cháoxiào ¶남의 실패를 ~ 嘲笑别人的失败 cháoxiào biérén de shībài
비유(比喩·譬喩) 比喻 bǐyù ¶~를 들어서 설명하다 用比喻说明 yòng bǐyù shuōmíng
비율(比率) 比率 bǐlǜ; 比例 bǐlì ¶5대 3의 ~로 분배하다 按五比三的比例分配 àn wǔ bǐ sān de bǐlì fēnpèi
비좁다 窄小 zhǎixiǎo; 狭窄 xiázhǎi
비지 豆腐渣 dòufuzhā
비쭉거리다 撇嘴 piě zuǐ
비참(悲慘) 悲惨 bēicǎn ¶그녀는 ~한 최후를 마쳤다 她死得极为悲惨 tā sǐde jí wéi bēicǎn
비천(卑賤) 卑贱 bēijiàn; 贫贱 pínjiàn ¶~한 몸 卑贱之身 bēijiàn zhī shēn
비추다 ①《밝게 하다》照 zhào; 照亮 zhàoliàng ¶회중 전등으로 길을 ~ 拿手电筒照路 ná shǒudiàntǒng zhào lù / 무대의 중앙을 스포트라이트가 비추고 있다 聚光灯照亮舞台中央 jùguāngdēng zhàoliàng wǔtái zhōngyāng ②《거울 따위에》照 zhào; 映 yìng ¶거울에 몸을 ~ 照镜子 zhào jìngzi ③《견주다》依照 yīzhào; 依据 yījù ¶피고의 무죄는 사실에 비추어(보아) 명백하다 被告无罪依据事实是显而易见的 bèigào wúzuì yījù shìshí shì xiǎn ér yìjiàn de
비치(beach) 海滨 hǎibīn ‖파라솔 大遮阳伞 dà zhēyángsǎn ¶~ 파라솔을 쓰다 撑起大遮阳伞 chēng qǐ dà zhēyángsǎn
비치다 ①《광선이》射 shè ¶집에 아침 햇살이 ~ 早上的阳光射进屋子里 zǎoshang de yángguāng shèjìn wūzi li ②《다른 물건에》照 zhào; 映 yìng ¶미닫이에 사람 그림자가 비치다 人影映在纸窗上 rényǐng yìng zài zhǐ chuāng shang / 아이의 눈에 비친 어른의 모습 在孩子眼里的大人 zài háizi yǎn li de dàren
비키다 躲避 duǒbì; 躲开 duǒkāi
비타민(vitamine) 维生素 wéishēngsù; 维他命 wéitāmìng ¶~ 에이 维生素 A wéishēngsù A
비탄(悲歎) 悲叹 bēitàn ¶~에 잠기다 悲叹不已 bēitàn bùyǐ

비탈 坡儿 pōr; 坡地 pōdì

비틀거리다 蹒跚 pánshān

비틀걸음 脚步幌幌荡荡 jiǎo bù huǎnghuǎng dàngdàng

비틀다 拧 nǐng; 扭 niǔ ¶수도 꼭지를 ～ 拧水龙头 nǐng shuǐlóngtóu

비판(批判) 批判 pīpàn; 批评 pīpíng ¶～을 받다 受到批评 shòu dào pīpíng

비평(批評) 批评 pīpíng; 评论 pínglùn ¶～할 가치가 없다 不值一评 bùzhí yì píng / A씨의 신작을 ～하다 评论A先生的最新作品 pínglùn A xiānsheng de zuìxīn zuòpǐn

비프(beef) 牛肉 niúròu ‖～스테이크 煎牛排 jiān niúpái =〔铁扒牛肉 tiě bá niúròu〕

비행(非行) 不正当的行为 bú zhèngdàng de xíngwéi; 流氓行为 liúmáng xíngwéi ‖～소년 阿飞 āfēi =〔少年流氓 shàonián liúmáng

비행기(飛行機) 飞机 fēijī ¶～를 타다 乘〔坐〕飞机 chéng〔zuò〕fēijī

비행장(飛行場) 飞机场 fēijīchǎng; 机场 jīchǎng

빈대《蟲》臭虫 chòuchóng〔chong〕; 床虱 chuángshī; 〈方〉壁虱 bìshī

빈둥거리다 游游荡荡 yóuyóu dàngdàng

빈말 空话 kōnghuà

빈민굴(貧民窟) 糠市 kāngshì; 贫民窟 pínmínkū

빈속《배》空肚子 kōngdùzi

빈손 空手 kōngshǒu ¶～으로 돌아오다 空手而归 kōngshǒu ér guī =〔空着手儿回来 kōngzhe shǒur huílai〕

빈약(貧弱) ①《체격》瘦弱 shòuruò ¶그는 ～한 체격을 하고 있다 他身体瘦弱 tā shēntǐ shòuruò ②《지식 따위가》贫乏 pínfá; 欠缺 qiànquē ¶～한 지식 贫乏的知识 pínfá de zhīshi ③《의복》显得穷气 xiǎn de qióngqì ¶～한 차림새 寒碜的装束 hánchēn de zhuāngshù

빈정거리다 挖苦 wāku; 约薄 yuē bó

빈주먹 空拳 kōngquán; 徒手 túshǒu; 空手 kōngshǒu

빈지 木板套窗 mùbǎntàochuāng

빈털터리 穷光蛋 qióngguāngdàn ¶～가 되다 穷得精光 qióng de jīngguāng

빈혈(貧血) 贫血 pínxuè ¶～을 일으켜 쓰러지다 由于犯贫血倒下了 yóuyú fàn pínxuè dǎoxià le

빌다《구걸》乞讨 qǐtǎo; 要 yào

빌딩(building) 大厦 dàshà; 大楼 dàlóu

빌리다 ①《대여》借给 jiègěi; 借出 jièchū; 出借 chūjiè ¶돈을 ～ 借给钱 jiègěi qián ②《세주다》出租 chūzū; 出赁 chūlìn; 租给 zūgěi; 租出 zūchū ¶아파트를 지어서 학생들에게 빌려주다 造公寓租给学生们 zào gōngyù zūgěi xuéshēngmen ③《차용》借用 jièyòng; 承租 chéngzū

빌어먹다 讨饭吃 tǎo fàn chī

빗 梳子 shūzi ¶～으로 머리를 빗다 用梳子梳头 yòng shūzi shū tóu

빗나가다 ①《목표에》打歪 dǎ wāi; 没打中 méi dǎzhòng ¶총탄이 급소를 ～ 子弹没打中要害 zǐdàn méi dǎzhòng yàohài / 예상이 ～ 出乎预料 chū hū yùliào ②《화제가》离开 líkāi ¶화제가 ～ 离开话题 líkāi huàtí

빗물 雨水 yǔshuǐ

빗방울 雨点(儿, 子) yǔdiǎn (r, zi); 雨滴 yǔdī

빗장 闩 shuān; 门闩 ménshuān; 〈方〉插关儿 chāguānr ¶～을 걸다 上闩 shàng shuān

빙《한바퀴》滴溜溜地 dīliūliūde ¶～ 돌다 滴溜溜地转 dīliūliūde zhuǎn

빙그르르 滴溜滴溜地 dīliūdīliūde

빙판(氷板) 地穿甲 dì chuānjiǎ

빙하(氷河) 冰河 bīnghé; 冰川 bīngchuān

빚 债 zhài; 账 zhàng; 借钱 jièqián; 借款 jièkuǎn; 欠债 qiànzhài; 负债 fùzhài ¶～ 갚다 还债 huánzhài / ～내다 挪借 nuójiè / ～이 있다 有负债 yǒu fùzhài / ～지다 该欠 gāiqiàn

빚다 ①《술을》酿 niàng; 酿造 niàngzào ¶술을 ～ 酿酒 niàngjiǔ ②《송편 따위를》包 bāo; 捏 niē

빚쟁이 讨债鬼 tǎozhàiguǐ; 刻薄无情的债住 kèbó wúqíng de zhàizhǔ ¶～에 쫓기다 受债住催逼 shòu zhàizhǔ cuībì

빛 ①《광선》光 guāng; 光亮 guāngliàng; 光线 guāngxiàn ¶햇～ 太阳光 tàiyángguāng / 별～ 星光 xīngguāng / ～나다 发亮 fāliàng ②《희망》光明 guāngmíng; 希望 xīwàng

빛깔 色泽 sèzé; 颜色 yánsè

빛나다 ①《비치다》放光 fàngguāng; 辉耀 huīyào; 闪耀 shǎnyào ¶별이 반짝반짝 빛나고 있다 星光闪烁 xīngguāng shǎnshuò ②《영광스럽다》辉煌 huīhuáng; 光辉 guānghuī ¶빛나는 성과를 거두다 获得了光辉的成就 huòdéle guānghuī de chéngjiù / 빛나는 업적을 남기다 留下辉煌的功绩 liúxià huīhuáng de gōngjī

빛내다 ①《비치게 하다》使放光辉 shǐfàng guānghuī ¶눈을 ～ 目光炯炯 mùguāng jiǒngjiǒng ②《드러내다》炫耀 xuànyào ¶이름을 전세계에 ～ 扬名世界 yángmíng shìjiè

빠뜨리다 ①《함정에》使…陷入 shǐ…xiànrù; 欺骗 qīpiàn ¶함정에 ～ 骗人上圈套 piàn rén shàng quāntào ②《누락》漏 lòu; 遗漏 yílòu ¶요점을 ～ 漏掉要点 lòudiào yàodiǎn / 항목을 한 줄 빠뜨리고 쓰다 写漏了一个项目 xiě lòule yíge xiàngmù ③《잃다》丢掉 diūdiào ¶지갑을 빠뜨렸다 把钱包丢了 bǎ qiánbāo diū le

빠르다 ①《속도》快 kuài ¶맥박이 ～ 脉搏快 màibó kuài / 기차로 가는 것이 ～ 坐火车去快 zuò huǒchē qù kuài ②《시간이》早 zǎo ¶예정보다 2시간 빨리 도착했다 比预定的时间早到了两个钟头 bǐ yùdìng de shíjiān zǎo dàole liǎng ge zhōngtóu ③《동작이》快 kuài ¶그는 걸음이 ～ 他'走〔跑〕得快 tā 'zǒu〔pǎo〕de kuài / 책을 읽는 것이 ～ 看书看得快 kàn shū kànde kuài

빠지다 ①《물에》溺水 nìshuǐ; 淹没 yānmò ¶물에 빠진 사람을 구하다 搭救溺水的人 dājiù nìshuǐ de rén ②《탐닉》沉溺 chénnì; 沉迷 chénmí; 沉湎 chénmiǎn ¶주색에 ～ 溺于酒色 nì yú jiǔsè ③《이빨 따위가》掉 diào; 脱 tuō; 脱掉 tuōdiào; 脱落 tuōluò; 落掉 luòdiào ¶이빨 한 개가 ～ 掉了一颗牙 diàole yì kē yá / 머리털이 ～ 掉头发 diào tóufa =〔头发脱落 tóufa tuōluò〕¶인형의 목이 빠져 버렸다 木偶的脑袋脱掉了 mù'ǒu de nǎodai tuōdiào le ④《누락》掉 diào; 落 là; 漏 lòu; 遗漏 yílòu ¶명부에 그의 이름이 빠졌다 在名册上他的名字漏掉了 zài míngcè shang tāde míngzi lòudiào le ⑤《괸물이》退 tuì ¶조수가 ～ 潮水退了 cháoshuǐ tuì le =〔退潮 tuìcháo〕〔落潮 luòcháo〕¶겨우 물이 빠졌다 好容易水退了 hǎoróngyi shuǐ tuì le ⑥《살이》 瘦损 shòusǔn ¶ 체중이 4kg 빠졌다 体重掉了四公斤 tǐzhòng diào le sì gōngjīn

빤하다 明明白白 míngmíngbáibái; 清清楚楚 qīngqingchǔchǔ ¶ 빤한 거짓말을 하다 明显地说谎 míngxiǎn de shūohuǎng

빤히 《분명히》 眼睁睁 yǎnzhēngzhēng; 眼巴巴 yǎnbābā; 眼看 yǎnkàn ¶ ～ 보고도 도둑을 놓쳤다 眼看着让小偷跑掉了 yǎnkànzhe ràng xiǎotōu pǎodiào le / ～ 알고도 손해 보다 眼巴巴地吃了亏 yǎnbābāde chīle kuī

빨강 红色 hóngsè

빨갛다 红 hóng ¶ 부끄러워서 얼굴이 빨개졌다 羞得脸红了 xiūde liǎn hóngle

빨다[1] 《입으로》 吮 shǔn; 吮吸 shǔnxī; 咂 zā; 〈俗〉 嘬 zuō ¶ 아기가 어머니의 젖을 ～ 婴儿嘬妈妈的奶 yīng'ér zuō māmade nǎi / 꿀벌이 꽃의 꿀을 ～ 蜜蜂吮吸花蜜 mìfēng shǔnxī huāmì

빨다[2] 《세탁》 洗 xǐ ¶ 양말을 ～ 洗袜子 xǐ wàzi / 깨끗하게 ～ 洗干净 xǐ gānjìng

빨래 洗 xǐ; 洗涤 xǐdí; 洗净 xǐjìng; 洗濯 xǐzhúo ¶ 손으로 ～를 하다 用手洗 yòng shǒuxǐ ‖ ～판 搓板 cuōbǎn =〔洗衣板 xǐyībǎn〕/ 빨랫비누 洗衣皂 xǐyīzào

빨리 快 kuài; 速 sù ¶ ～ 달려라 快跑 kuài pǎo

빳빳하다 ①《시체가》 僵硬 jiāngyìng ¶ 죽어서 빳빳해졌다 死后僵硬了 sǐhòu jiāngyìng le ②《지폐 따위가》 骨力 gú lì 〔li〕 ③《풀기가》 浆硬 jiāngyìng ¶ 이 옷은 풀먹인 것이 너무 ～ 这件衣服浆得太硬 zhèjiàn yīfu jiāngde tàiyìng

빵(포 pāo) 面包 miànbāo ¶ ～을 굽다 烤面包 kǎo miànbāo / 사람은 ～을 위해서만 사는 것은 아니다 人活着不是单靠食物 rén huózhe búshì dān kào shíwù

빵가루 面包粉 miànbāofěn

빵집 面包店 miànbāodiàn

빻다 捣碎 dǎosuì; 磨 mó

빼다 ①拔 bá; 抽 chōu; 抽出 chōuchū; 拔掉 bádiào ¶ 칼을 ～ 拔〔抽〕刀 bá〔chōu〕 dāo / 이를 ～ 拔牙 bá yá / 병마개를 ～ 拔瓶塞 bá píngsāi ②《덜어내다》 扣 kòu; 扣除 kòuchú; 减去 jiǎnqù ¶ 봉급에서 세금을 ～ 从薪水里扣税 cóng xīnshui li kòu shuì ③《얼룩을》 除去 chúqù ¶ 얼룩을 ～ 除去污垢 chúqù wūgòu

빼앗기다 ① 被抢夺 bèi qiǎngduó ¶ 밤길에 돈을 빼앗겼다 走夜路钱被抢了 zǒu yèlù qián bèi qiǎngle ②《정신을》 贯注精神 guànzhù jīngshen ¶ 그녀의 미모에 모두 혼을 ～ 她的美貌使大家神魂颠倒 tāde měimào shǐ dàjiā shénhún diāndǎo

빼앗다 《지위를》 夺取 duóqǔ ¶ 남의 지위를 ～ 夺取别人的地位 duóqǔ biérén de dìwèi

빼어나다 突出地优越 tūchū de yōuyuè; 超群 chāoqún

빽빽하다 密匝匝(的) mìzāzā(de); 《사람이》挤 jǐ; 《가득하다》满满的 mǎnmǎnde; 《소견이 좁다》 狭窄 xiázhǎi

뺑소니 逃脱 táotuō; 逃跑 táopǎo ¶ 《자동차가》 ～ 치다 轧了人后逃跑 yàle rén hòu táopǎo ‖ ～ 운전수 轧人后跑掉的司机 yà rén hòu pǎodiào de sījī

뺨 颊 jiá; 脸蛋儿 liǎndànr; 脸蛋子 liǎndànzi; 〈俗〉 腮帮(子) sāibāng(zi)〕 ¶ ～을 때리다 吃耳光 chī ěrguāng =〔挨嘴巴 ái zuǐba〕

뻐기다 夸耀 kuāyào; 逞威风 chěngwēifeng; 摆架子 bǎi jiàzi; 大模大样 dà mú dà yàng; 装模作样 zhuāng mú zuò yàng ¶ 뻐기며 걷다 大模大样地走 dà mú dà yàngde zǒu

뻐꾸기 〖鳥〗 布谷(鸟) bùgǔ(niǎo); 郭公 guōgōng

뻐드렁니 獠牙 liáoyá(길게 나온 것); 龅牙 bāoyá; 露齿 lùchǐ

뻑적지근하다 酸懒 suānlǎn; 觉得钝痛 juéde dùntòng

뻔뻔스럽다 天不怕地不怕 tiān bú pà dì bú pà; 目中无人 mù zhōng wú rén; 厚脸皮 hòuliǎnpí; 毫不客气 háobú kèqi ¶ 뻔뻔스런 놈 目中无人的家伙 mù zhōng wú rén de jiāhuo / 말하는 것이 ～ 说话不要脸 shuōhuà búyào liǎn

뻗다 ① 伸长 shēncháng; 变长 biàncháng; 长长 zhǎngcháng ¶ 가지가 ～ 枝子长长 zhīzi zhǎngcháng ②《손을》 伸开 shēnkāi ¶ 손을 ～ 伸手 shēn shǒu ③《세력 따위》 发展 fāzhǎn; 扩展 kuòzhǎn ¶ 세력을 ～ 扩展势力 kuòzhǎn shìli ④《녹초가 되다》 不能动弹 bù néng dòngtan

뻗대다 抬杠 tái gàng; 顶撞 dǐngzhuàng

뻥 《소리》 砰 pēng ¶ ～ 구멍이 뚫리다 大张其口 dàzhāng qíkǒu

뼁끼 ⇨페인트

뼈 骨 gǔ; 骨头 gútou ¶ ～가 부러졌다 骨头折了 gútou shé le / ～와 가죽만 남게 여위었다 瘦得皮包骨 shòude píbāo gǔ =〔瘦得成了一副骨头架子 shòude chéngle yí fù gútou jiàzi〕

뼈대 骨骼 gǔgé; 《건물》 骨架 gǔjià

뽀얗다 灰溜溜 huīliūliū

뽐내다 《젠체하다》 自鸣得意 zì míng déyì; 出风头 chū fēngtou; 作威 zuòwēi

뽑다 ① 拔 bá ¶ 풀을 ～ 拔草 bácǎo / 못을 ～ 拔钉子 bá dīngzi ②《선발》 挑选 tiāoxuǎn

뽑히다 被选上 bèi xuǎnshàng

뽕 桑 sāng; 桑叶 sāngyè

뽕나무 桑树 sāngshù

뽕빠지다 垮了台啦 kuǎle táila; 拉亏空 lā kuīkong

뾰로통하다 乖戾起来 guāilì qi lai; 憋拗起来 bièniù qi lai

뾰루지 疱 pào; 小疮 xiǎo chuāng; 小疙瘩 xiǎo gēda ¶ 얼굴에 ～가 나다 脸上长了小疮 liǎnshang zhǎngle xiǎo chuāng

뾰족하다 尖 jiān

뿌리 根儿 gēnr; 根子 gēnzi ¶ ～ 박다 扎根 zhā gēnr / ～ 빼다 除根儿 chú gēnr / ～가 다 根子深 gēnzi shēn =〔根深蒂固 gēn shēn dì gù(세력 따위가)〕/ ～까지 썩다 连根烂 liángēn làn

뿌리다 ①《흩뿌리다》 撒散 sǎsan; 撒 sǎ; 散布 sànbù ¶ 향수를 ～ 撒香水 sǎ xiāngshuǐ ②《물을》 浇 jiāo ¶ 물을 ～ 浇水 jiāo shuǐ ③《돈을》 播 bō ¶ 씨를 ～ 播种 bō zhǒng ④《돈 위를》 分给许多人 fēngěi xǔduō rén ¶ 돈을 ～ 撒财 sǎcái =〔挥金如土 huī jīn rú tǔ〕

뿌리치다 ①《홱 채어》 甩开 shuǎikāi; 挣开 zhèngkāi; 挣脱 zhèngtuō ¶ 뿌리치고서 도망가다 挣脱开逃跑 zhèngtuō kāi táopǎo ②《권 등을》 断然拒绝 duàn rán jùjué ¶ 부모가 말

는 것도 뿌리치고 나가다 断然拒绝父母的劝阻而走出 duànrán jùjué fùmǔ de quànzǔ ér zǒuchū
뿐 只是 zhǐshì；光是 guāngshì；惟有…而已 wéi yǒu…éryǐ
뿔《동물의》角 jiǎo；〈俗〉犄角(儿) jījiǎo〔jiao〕(r) ¶～이 나다 长角 zhǎng jiǎo／～로 받다 用犄角顶 yòng jījiǎo dǐng
뿔뿔이 四散 sìsàn；离散 lísàn；分开 fēnkāi ¶～ 헤어져 살다 分开居住 fēnkāi jūzhù
뿜다 ①《뿜어 냄》冒出 màochū；喷出 pēnchū ¶석유를 뿜어 내다 喷（出石)油 pēn(chū shí) yóu ＝〔井喷 jǐngpēn〕／연기를 ～ 冒烟 mào yān ②《입의 물 따위를》噀 xùn ¶물을 머금었다가 사람에게 ～ 含水噀人 hánshuǐ xùn rén
삐다《관절 따위를》挫 cuò；扭 niǔ；拧 nǐng；挫伤 cuòshāng；扭伤 niǔshāng；拧伤 nǐngshāng ¶손목을 ～ 戳手腕 chuō shǒuwàn／발을 ～ 扭脚 niǔ jiǎo
삐라 传单 chuándān ¶～를 뿌리다 撒传单 sǎ chuándān
삑《기적 소리》嘟 dū

〔ㅅ〕

사(四) 四 sì
사거리(四…) 十字路口 shízì lùkǒu
사건(事件) 事件 shìjiàn；事情 shìqing；案件 ànjiàn ¶살인 ～을 해결했다 杀人案破案了 shārén'àn pò'àn le
사격(射擊) 射击 shèjī ¶～의 명수 神枪手 shénqiāngshǒu／일제 ～을 가하다 齐射 qí shè ‖～장 射击场 shèjīchǎng ＝〔打靶场 dǎbǎchǎng〕
사계(四季) 四季 sìjì
사고(事故) 事故 shìgù；失事 shīshì；岔子 chàzi ¶열차의 탈선 ～ 列车脱轨事故 lièchē tuōguǐ shìgù／～가 나다 发生事故 fāshēng shìgù
사과(沙果) 苹果 píngguǒ
사과(謝過) 赔不是 péi búshi；谢罪 xièzuì；道歉 dàoqiàn ¶그는 진심으로 ～했다 他表示了由衷的歉意 tā biǎoshìle yóuzhōng de qiànyì
사관(士官) 军官 jūnguān ¶육군 ～ 학교 陆军军官学校 lùjūn jūnguān xuéxiào
사교(社交) 社交 shèjiāo；交际 jiāojì；交游 jiāoyóu ¶～계의 스타 社交界的红人 shèjiāojiè de hóngrén ‖～춤 交际舞 jiāojìwǔ
사귀다 交往 jiāowǎng；来往 láiwang；往来 wǎnglái ¶못된 친구와 ～ 和坏朋友来往 hé huàipéngyou láiwang
사글세(…貰)《월세》按月扣的房租 àn yuè kòu de fángzū
사금(砂金) 沙金 shājīn
사기(邪氣) 邪心 xiéxīn
사기(詐欺) 骗 piàn；诈 zhà；诈骗 zhàpiàn；欺诈 qīzhà；诓骗 kuāngpiàn ¶～에 걸리다 受到诈骗 shòudào zhàpiàn ‖～꾼 骗子 piànzi ＝〔骗子手 piànzishǒu〕／～ 사건 骗案 piàn'àn
사나이 男子汉 nánzǐhàn；男儿 nán'ér；汉子 hànzi ¶～다운 有男子气概的 yǒu nánzǐ qìgài de／이것은 ～ 대장부끼리의 약속이다 这是男子汉大丈夫之间的诺言 zhè shì nánzǐhàn dàzhàngfu zhī jiān de nuòyán
사날《삼사일》三四天 sān sì tiān；《수일간》几天 jǐ tiān
사납다 ①《성질》暴躁 bàozào；凶暴 xiōngbào ¶사나운 호랑이 狞猛的老虎 níngměng de lǎohǔ ②《운수 등이》不好 bùhǎo ¶오늘 일진이 ～ 今天日子不好 jīntiān rìzi bùhǎo
사냥 打猎 dǎliè；狩猎 shòuliè ‖～꾼 打猎的 dǎliède
사념(邪念) 邪念 xiéniàn ¶～을 떨쳐 버리다 排除杂念 páichú zániàn
사다 ①《구입하다》买 mǎi ¶건강은 돈으로는 살 수 없다 健康用金钱是买不来的 jiànkāng yòng jīnqián shì mǎibù lái de ②《초래하다》招 zhāo；惹 rě ¶사람의 환심을 ～ 招人欢心 zhāo rén huānxīn／그녀의 노여움을 사고 말았다 惹她生气了 rě tā shēngqì le
사다리, 사닥다리 梯子 tīzi ¶～를 오르다 上〔登, 爬〕梯子 shàng〔dēng, pá〕tīzi／줄～ 绳梯 shéngtī ＝〔软梯 ruǎntī〕
사단(師團) 师团 shītuán ‖～장 师长 shīzhǎng
사당(祠堂) 祠堂 cítáng
사대주의(事大主義) 事大主义 shìdà zhǔyì；趋事主义 qūshì zhǔyì；权势主义 quánshì zhǔyì
사도(使徒) 使徒 shǐtú
사돈(查頓) 亲家 qìngjia
사들이다 买进 mǎijìn；买入 mǎirù；买来 mǎilai ¶식품을 무더기로 ～ 买来一大堆食品 mǎilai yí dà duī shípǐn
사디즘(sadism) 施虐淫 shīnüèyín；性虐徒狂 xìngnüèdàikuáng
사라지다 消失 xiāoshī ¶그의 모습은 사람들 틈으로 사라졌다 他的身影在人群里消失了 tāde shēnyǐng zài rénqún li xiāoshī le
사람 ①《인류》人 rén ¶～은 만물의 영장이다 人是万物之灵 rén shì wànwù zhī líng ②《타인》人 rén；别人 biéren；他人 tārén；人家 rénjia ¶다른 ～의 흉을 보다 说别人的坏话 shuō biéren de huàihuà ③《인재》人 rén；人材 réncái ④《인품》人 rén ¶당신은 ～이 너무 좋다 你这个人也太好了 nǐ zhè ge rén yě tài hǎo le
사랑 爱 ài；爱情 àiqíng ¶자식을 사랑하는 어머니의 ～처럼 강한 것이 없다 再也没有比母亲对孩子的爱更深的了 zài yě méiyǒu bǐ mǔqin duì háizi de ài gèng shēn de le／～이 없는 결혼은 불행하다 没有爱情的婚姻是不幸的 méiyǒu àiqíng de hūnyīn shì búxìng de
사랑니 智齿 zhìchǐ
사려(思慮) 思虑 sīlǜ ¶～ 분별이 없는 행동 欠慎重思虑的行为 qiàn shènzhòng sīlǜ de xíngwéi
사력(死力) 死力 sǐlì ¶～을 다하여 저항하다 死力抵抗 sǐlì dǐkàng
사례(謝禮) 谢礼 xièlǐ；谢仪 xièyí；《의사의》马钱 mǎqián；《선생의》修金 xiūjīn；束脩 shùxiū ¶～를 하다 酬谢 chóuxiè ＝〔酬劳 chóuláo〕‖～금 酬劳金 chóuláojīn
사로잡다 ①《생포》活捉 huózhuō；生擒 shēngqín ¶적을 ～ 活捉敌人 huózhuō dírén ②《매혹》迷惑 míhuo
사로잡히다 ①《생포》被俘 bèi fú ¶사로잡힌 몸

陷身囹圄 xiànshēn língyǔ ②《습관·생각에》被吸引住 bèi xīyǐn zhù ¶인습에 ~ 因袭陈规 yīnxí chénguī / 그녀는 심한 공포에 사로잡혔다 她被强烈的恐怖所困扰 tā bèi qiángliè de kǒngbù suǒ kùnrǎo / 공포에 ~ 被恐怖吸引住 bèi kǒngbù xīyǐn zhù
사르다 ①《불을 붙이다》烧 shāo; 生 shēng ②《태워 없애다》焚烧 fénshāo; 焚毁 fénhuǐ; 烧毁 shāohuǐ ¶불필요한 서류를 ~ 烧毁无用的文件 shāohuǐ wúyòng de wénjiàn
사리(私利) 私利 sīlì ¶~를 도모하다 图私利 tú sīlì
사리다 ①《말다》盘曲 pánqū ¶새끼를 ~ 盘绳子 pán shéngzi ②《몸조심》顾前顾后 gùqián gùhòu
사립(私立) 私立 sīlì; 私设 sīshè
사립문(…門) 柴荆 cháijīng; 柴扉 cháifēi
사마귀 ①《피부의》黑污子 hēiwūzi; 黑子 hēizǐ ②〔蟲〕⇨버마재비
사막(沙漠·砂漠) 沙漠 shāmò
사망(死亡) 死亡 sǐwáng ‖~자 死亡者 sǐwángzhě / ~ 진단서 死亡诊断书 sǐwáng zhěnduànshū / ~ 통지서 死亡通知书 sǐwáng tōngzhīshū =〔讣闻 fùwén〕
사명(使命) 使命 shǐmìng; 任务 rènwu ¶중요한 ~을 띠고 중국을 방문했다 带着重要的使命访问了中国 dàizhe zhòngyào de shǐmìng fǎngwènle Zhōngguó
사모(思慕) 思慕 sīmù ¶그는 그 여자에게 ~의 정을 품고 있다 他对那个女性怀思慕之念 tā duì nàge nǚxìng huái sīmù zhī niàn
사무(事務) 事务 shìwù ‖~소 办事处 bànshìchù =〔办公处 bàngōngchù〕〔写字间 xiězìjiān〕〔写字楼 xiězìlóu〕/ ~실 办公室 bàngōngshì / ~원 职员 zhíyuán =〔办公人员 bàngōng rényuán〕〔办事员 bànshìyuán〕
사무치다 痛切 tòngqiè; 郁结在心底 yùjié zài xīndǐ ¶원한이 뼈에 ~ 恨入骨髓 hèn rù gǔsuǐ
사물(事物) 事物 shìwù
사뭇 ①《거리낌없이》毫无顾忌地 háo wú gùjì de ②《몹시》很 hěn ¶~ 흥분해서 极为兴奋地 jí wéi xīngfèn de
사보타주(프 sabotage) 怠工 dàigōng
사복(私服)《제복에 대한》便服 biànfú; 便衣 biànyī ¶~으로 갈아 입고 퇴근하다 换上便服下班 huàn shang biànfú xiàbān ‖~ 형사 便衣警察 biànyī jǐngchá
사복(私腹) 私囊 sī náng ¶그는 지위를 이용하여 ~을 채웠다 他利用自己的地位中饱了私囊 tā lìyòng zìjǐ de dìwèi zhōng bǎole sīnáng
사본(寫本) 抄本 chāoběn; 写本 xiěběn
사북 ①《부채의》扇肘儿 shànzhǒur ②《요점》中枢 zhōngshū
사사롭다(私私…) 个人的 gèrén de; 私人的 sīrén de ¶사사로이 不公开的 bù gōngkāi de =〔非正式的 fēi zhèngshì de〕
사상(砂上) 沙上 shāshàng; 沙滩上 shātān shang ‖~ 누각 空中楼阁 kōngzhōng lóugé
사상(思想) 思想 sīxiǎng
사생(寫生) 写生 xiěshēng; 写真 xiězhēn ¶정물을 ~하다 画静物 huà jìngwù ‖~화 写生画 xiěshēnghuà
사생아(私生兒) 私孩子 sīháizi; 私生子 sīshēngzi
사서(司書) 图书馆管理员 túshūguǎn guǎnlǐyuán
사서함(私書函) 私人信箱 sīrén xìnxiāng
사소(些少) 些微 xiēwēi; 些少 xiēshǎo; 少许 shǎoxǔ; 些许 xiēxǔ; 些须 xiēxū
사수(射手) 射手 shèshǒu; 枪手 qiāngshǒu
사슬 锁链(儿, 子) suǒliàn(r, zi)
사슴〔動〕鹿 lù ¶~을 쫓는 자는 산을 보지 못한다 逐鹿者不见山 zhú lù zhě bú jiàn shān(이익만 추구하면 다른 일을 놓침) ‖~뿔 鹿犄角 lùjījiǎo =〔鹿角 lùjiǎo〕/ 새끼 ~ 小鹿 xiǎolù =〔鹿崽 lù zǎi〕
사시(斜視) 斜视 xiéshì; 斜眼 xiéyán
사실(事實) 事实 shìshí ¶~대로 말해라 你照实说 nǐ zhào shí shuō / ~이야, 내 눈으로 직접 보았단 말이야 千真万确, 是我亲眼目睹的 qiānzhēn wànquè, shì wǒ qīnyǎn mùdǔ de
사양(斜陽) ①《저녁 해》斜阳 xiéyáng; 夕阳 xīyáng ②《몰락》衰落 shuāiluò; 没落 mòluò ¶석탄 산업은 ~ 산업이다 煤炭工业是衰退的工业部门 méitàn gōngyè shì shuāituì de gōngyè bùmén ‖~ 산업 衰落产业 shuāiluò chǎnyè
사양(辭讓) 拒绝 jùjué;《스스럼》客气 kèqi ¶~하지 말고 别客气 bié kèqi =〔不要客气 búyào kèqi〕
사업(事業) ①《사회적인 일》事业 shìyè ¶공공 ~ 公共事业 gōnggòng shìyè ②《기업》企业 qǐyè ¶~을 일으키다 创办企业 chuàngbàn qǐyè ‖~가 企业家 qǐyèjiā =〔实业家 shíyèjiā〕/ ~ 자본 企业资本 qǐyè zīběn
사연(辭緣·詞緣)《편지의》内容 nèiróng; 经过 jīngguò
사용(私用)《사사로운 일》私事 sīshì;《개인적으로 씀》私用 sīyòng ¶공금을 ~하다 挪用公款 nuóyòng gōngkuǎn / 근무중 ~ 전화가 너무 많다 上班时间私人电话太多 shàngbān shíjiān sīrén diànhuà tài duō
사용(使用) 使用 shǐyòng ¶만년필·볼펜은 ~하지 마십시오 请勿使用钢笔和圆珠笔 qǐng wù shǐyòng gāngbǐ hé yuánzhūbǐ / ~자측 资方 zīfāng ‖~료 使用费 shǐyòng fèi
사우(社友) ①《동료》同事 tóngshì; 行员 hángyuán ②《사의 관계자》和社有关系的人 hé shè yǒu guānxi de rén
사원(社員) 公司职员 gōngsī zhíyuán
사위 女婿 nǚxu
사유(私有) 私有 sīyǒu ¶광대한 토지를 ~하다 把大片土地据为己有 bǎ dà piàn tǔdì jù wéi jǐ yǒu
사유(事由) 事由 shìyóu ¶~가 어떻든 허가하지 않는다 不论事由如何, 一概不许可 búlùn shìyóu rúhé, yígài bù xǔkě
사육제(謝肉祭) 谢肉节 xièròujié; 嘉年华会 jiāniánhuáhuì; 狂欢节 kuánghuānjié
사이 ①《중간·거리》间 jiān; 之间 zhījiān; 中间 zhōngjiān ¶수업과 수업 ~에 10분간 휴식하다 课间休息十分钟 kèjiān xiūxi shí fēn zhōng / 광화문과 동대문 ~는 몇 정거장입니까? 光化门和东大门之间有几站? Guānghuàmén hé Dōngdàmén zhījiān yǒu jǐ zhàn? ②《기간》jiān; 之间 zhījiān ¶불과 3년 ~에 생산고가 배나 되었다 仅仅三年间, 产量就增加了两倍 jǐnjǐn sān nián jiān, chǎnliàng jiù zēngjiāle liǎng bèi ③《공간》间 jiān ¶행과 행 ~를 띄어쓰다 行间隔开一些写 hángjiān gékāi yīxiē xiě ④《관계》间 jiān; 之间 zhījiān ¶

네와 나 ～에 사양 같은 것 필요 없네 你我之间不用客气 nǐ wǒ zhījiān búyòng kèqi
사이다(cider) 汽水 qìshuǐ
사이드카(sidecar) 跨斗式摩托车 kuàdǒushì mótuōchē; 跨斗 kuàdǒu
사이렌(siren) 汽笛 qìdí; 警笛 jǐngdí; 报警器 bàojǐngqì; 风笙 fēngshēng ¶～을 울리다 鸣警笛 míng jǐngdí =〔鸣放风笙 míng fàng fēngshēng〕
사이비(似而非) 似是而非 sì shì ér fēi; 假正经 jiǎ zhèngjing ‖～ 학자 假学究 jiǎ xuéjiū
사이언스(science) 赛因斯 sàiyīnsī; 科学 kēxué; 自然科学 zìrán kēxué
사이즈(size) 大小 dàxiǎo; 尺寸 chǐcun; 尺码 chǐmǎ; 尺头 chǐtóu ¶～를 재다 量尺寸 liáng chǐcun
사이클(cycle) ①《주기》 周 zhōu; 周期 zhōuqī; 循环 xún huán ¶생활～ 生活周期 shēnghuó zhōuqī ②《주파수》 频率 pínlǜ; 周率 zhōulǜ; 周波 zhōubō ¶매초 50～ 每秒五十周波 měi miǎo wǔshí zhōubō ③《자전거》 自行车 zìxíngchē
사인(sign) ①《서명》 签名 qiānmíng; 签字 qiānzì; 签署 qiānshǔ; 署名 shǔmíng ¶서류에 ～하다 在文件上签字 zài wénjiàn shang qiānzì ②《신호》 暗号(儿) ànhào(r) ¶코치로부터 도루 ～이 나왔다 由教练发出了偷垒的暗号(儿) yóu jiàoliàn fāchūle tōulěi de ànhào(r)
사인(sine, sin) 〔數〕 正弦 zhèngxián
사자(使者) 使者 shǐzhě ¶～를 보내다 派遣使者 pàiqiǎn shǐzhě
사자(嗣子) 嗣子 sìzǐ
사자(獅子) 〔動〕 狮子 shīzi
사장(社長) 总经理 zǒngjīnglǐ ¶～에 취임하다 就任总经理 jiùrèn zǒngjīnglǐ
사재(私財) 私产 sīchǎn ¶～를 털어 복지 시설을 만들다 拿出私产建设福利设施 náchū sīchǎn jiànshè fúlì shèshī
사적(事績) 功绩 gōngjī; 功业 gōngyè; 业绩 yèjī ¶생전의 ～을 기려 비석을 세우다 为纪念生前的功绩树石碑 wèi jìniàn shēngqián de gōngjī shù shíbēi
사전(辭典) 辞典〔词典〕 cídiǎn
사절(使節) 使节 shǐjié ¶외교 ～을 파견하다 派遣外交使节 pàiqiǎn wàijiāo shǐjié / 친선 ～ 友好使节 yǒuhǎoshǐjié
사정(事情) 情况 qíngkuàng; 情形 qíngxing; 缘由 yuányóu; 缘故 yuángù ¶그간의 ～은 그가 제일 잘 안다 那段情况他最熟悉 nà duàn qíngkuàng tā zuì shóu〔shú〕xī / 자네한테 그런 ～이 있었는지 전혀 몰랐다 我一点儿也不知道你有那种缘故 wǒ yìdiǎnr yě bù zhīdào nǐ yǒu nà zhǒng yuángù
사족(四足) ①《네발》 四条腿 sì tiáo tuǐ; 兽类 shòu lèi ②《속어》 四肢 sìzhī ¶～을 못 쓰다 使人销魂 shǐ rén xiāohún
사족(蛇足) 蛇足 shézú ¶～을 달다 画蛇添足 huà shé tiān zú
사죄(謝罪) 谢罪 xièzuì; 赔罪 péizuì; 道歉 dàoqiàn
사주(四柱) 生辰八字 shēngchén bāzì; 四柱 sìzhù ‖～쟁이 算命的 suànmìngde/～ 단자 单儿
사주(使嗾) 唆使 suōshǐ; 鼓动 gǔdòng
사직(辭職) 辞职 cízhí ¶～을 권고하다 劝告辞职 quàngào cízhí
사진(寫眞) 照片 zhàopiàn; 相片 xiàngpiàn; 相片儿 xiàngpiānr ¶～을 찍다 照相 zhào xiàng =〔拍照片 pāi zhàopiàn〕〔拍摄相片 pāishè xiàngpiàn〕/～을 현상하다 洗相片 xǐ xiàngpiàn =〔冲洗照片 chōngxǐ zhàopiàn〕/그녀는 ～을 잘 받는다 她很上相 tā hěn shàngxiàng ‖～관 照相馆 zhàoxiàngguǎn / ～기 照像机 zhàoxiàngjī =〔相机 xiàngjī〕/～사 摄影师 shèyǐngshī
사창(私娼) ①私娼 sīchāng; 暗娼 ànchāng; 野鸡 yějī; 婊子 biǎozi ‖～굴 暗娼的巢穴 ànchāng de cháoxué
사채(社債) 公司债 gōngsīzhài ‖～권(券) 公司债票 gōngsī zhàipiào
사철(四…) ①《사계절》 四季 sìjì ②《부사적으로》 一年到头 yì nián dào tóu
사체(死體) 尸体 shītǐ; 尸首 shīshou; 死尸 sǐshī; 尸身 shīshēn
사촌(四寸) 表兄弟 biǎoxiōngdì; 表姊妹 biǎozǐmèi
사추(邪推) 猜疑 cāiyí; 猜忌 cāijì ¶남의 의도를 ～하다 胡乱猜疑人家的意图 húluàn cāiyí rénjia de yìtú
사치(奢侈) 奢侈 shēchǐ; 奢华 shēhuá
사타구니 胯步当 kuàbùdāng
사탕(砂糖) ①〔化〕 ⇨자당(蔗糖) ②《과자》 糖球 tángqiú; 糖果 tángguǒ; 水果糖 shuǐguǒtǎng ③⇨설탕(雪糖) ‖～수수 〔植〕 甘蔗 gānzhe
사태(沙汰) ①《산 따위의》 山崩 shānbēng ②《많음》 过多 guò duō
사태(事態) 事态 shìtài; 局势 júshì ¶～가 심각하다 情势可严重了 qíngshì kě yánzhòng le / 비상 ～를 선언하다 宣布处于紧急状态 xuānbù chǔyú jǐnjí zhuàngtài
사퇴(辭退) 辞退 cítuì; 辞谢 cíxiè; 推却 tuīquè; 推辞 tuīcí ¶수상(受賞)을 ～하다 辞谢受奖 cíxiè shòujiǎng
사투리 ⇨방언(方言)
사파이어(sapphire) 蓝宝石 lánbǎoshí; 青玉 qīngyù
사팔뜨기 斜眼儿 xiéyǎnr
사표(辭表) 辞呈 cíchéng; 辞职书 cízhíshū ¶～를 내다 提辞呈 tí cíchéng / ～를 수리하다 接受辞呈 jiēshòu cíchéng
사형(死刑) 死刑 sǐxíng ¶～에 처하다 处决 chǔjué ‖～수 死囚 sǐqiú
사회(司會) ①《진행을 맡아 봄》 主持 zhǔchí ¶오늘 ～는 내가 하도록 허락해 주십시오 今天的会请允许我来主持 jīntiān de huì qǐng yǔnxǔ wǒ lái zhǔchí ②《사람》 司仪 sīyí; 主持人 zhǔchírén; 报幕员 bàomùyuán《연회 따위의》
사회(社會) 社会 shèhuì ¶학교를 졸업하고 ～에 나오다 从学校毕业, 踏上社会 cóng xuéxiào bìyè, tàshàng shèhuì ‖～ 복지 社会福利 shèhuì fúlì / ～인 参加工作的人 cānjiā gōngzuò de rén =〔社会人〕/ ～주의 社会主义 shèhuì zhǔyì
사흘 ①《삼일간》 三天 sān tiān ②《초사흘》 三号 sān hào; 三日 sān rì; 初三 chū sān
삭다 ①《소화》 消化 xiāohuà ②《썩다》 糟朽 zāoxiǔ ③《종기가》 消(肿) xiāo (zhǒng) ④《분이》 和缓 héhuǎn

삭막(索漠) 凄凉 qīliáng ¶～한 풍경 凄凉的景色 qīliáng de jǐngsè
삭월세(朔月貰) ⇨사글세
삭제하다(削除…) 删 shān; 删除 shānchú; 删节 shānjié; 抹掉 mǒdiào ¶제5조 제1항을 ～ 删除第五条第一项 shānchú dì wǔ tiáo dì yí xiàng
삯 ①《요금》 使用费 shǐyòngfèi ②《찻삯》 车费 chēfèi ③《운송료》 运费 yùnfèi ④《품삯》 工钱 gōngqian ⑤《보수》 报酬 bàochou
산(山) 山 shān
산(酸) ①酸 suān ②《신맛》 酸味儿 suānwèir
산간(山間) 山间 shānjiān; 山里 shān li ‖～ 벽지 偏僻山沟 piānpì shāngōu =〔〈方〉山旮旯儿〔子〕 shāngālár〔zi〕〕
산골(山…) 〈方〉山旮旯儿〔子〕 shāngālár〔zi〕; 穷远的乡村 diàoyuǎn de xiāngcūn
산골짜기(山…) 山洼子 shānwāzi; 山涧 shānjiàn
산기슭(山…) 山脚 shānjiǎo
산길(山…) 山路 shānlù
산꼭대기(山…) 顶峰 dǐngfēng; 山巅 shāndiān; 山顶 shāndǐng
산더미(山…) 一大堆 yí dà duī ¶～같이 쌓인 成山形 chéng shānxíng / 일이 ～같이 쌓였다 工作积压了一大堆 gōngzuò jīyāle yí dà duī
산돼지(山…) ⇨멧돼지
산들바람 溜溜的风 liūliūde fēng; 微风 wēifēng; 风丝儿 fēngsīr
산뜻하다 ①《선명》 鲜明 xiānmíng; 鲜艳 xiānyàn ②《보기 좋다》 干净俐落 gānjìng lìluo; 潇洒 xiāosǎ ③《맛이》 清淡 qīngdàn
산록(山麓) 山麓 shānlù; 山脚 shānjiǎo
산만(散漫) 松散 sōngsǎn; 涣散 huànsàn ¶그는 주의력이 ～하다 他注意力松散 tā zhùyìlì sōngsǎn =〔他精神涣散 tā jīngshén huànsàn〕〔他思想不集中 tā sīxiǎng bù jízhōng〕
산매(散賣) 零卖 língmài; 零售 língshòu
산맥(山脈) 山脉 shānmài; 地脊 dìjǐ
산문(散文) 散文 sǎnwén
산발(散發) 零散 língsan; 零星 língxīng; 零落 língluò ¶최근에 각지에서 지진이 ～적으로 발생했다 近来地震在各地零星地发生 jìnlái dìzhèn zài gèdì língxīng de fāshēng
산보(散步) ⇨산책(散策)
산봉우리(山…) 山峰 shānfēng
산부인과(産婦人科) 妇产科 fùchǎnkē
산불(山…) 山火 shānhuǒ ¶～이 일어나다 发生了山火 fāshēngle shānhuǒ
산비탈(山…) 山坡(子) shānpō(zi)
산산이(散散…) ①《흩어지다》 零散 língsàn; 四散 sìsàn ②《조각나다》 粉粹 fěnsuì
산산조각(散散…) 粉粹 fěnsuì; 稀烂 xīlàn; 稀巴烂 xībālàn ¶유리컵이 ～ 나다 玻璃杯砸了个粉粹 bōlibēi zále ge fěnsuì
산새(山…) 《鳥》山鸟 shānniǎo
산소(酸素) 《化》氧气 yǎngqì; 养气 yǎngqì ¶환자에게 ～ 흡입을 시키다 给病人'吸氧气〔输氧〕 gěi bìngrén 'xī yǎngqì 〔shūyǎng〕 ‖～ 마스크 氧气面具 yǎngqì miànjù / ～ 용접 氧炔焊接 yǎngquē hànjiē
산송장 行尸走肉 xíngshī zǒuròu; 棺瓤子 guānrángzi
산수(算數) 算术 suànshù; 数学 shùxué
산실(産室) 产房 chǎnfáng
산아(産兒) 产儿 chǎn'ér ‖～ 제한 节制生育 jiézhì shēngyù =〔节育 jiéyù〕
산양(山羊) 《動》山羊 shānyáng
산업(産業) 产业 chǎnyè ‖～ 예비군 产业后备军 chǎnyè hòubèijūn / 기간 ～ 基础工业 jīchǔ gōngyè / 석탄 ～ 煤矿业 méikuàngyè
산욕(産褥) 产褥 chǎnrù ¶～에 눕다 坐蓐 zuòrù =〔坐月子 zuò yuèzi〕
산울타리 绿篱 lǜlí; 灌木篱笆 guànmù líba; 树障子 shù zhàngzi
산장(山莊) 山庄 shānzhuāng; 山中别墅 shān zhōng biéshù
산재(散財) 挥霍 huīhuò; 挥金如土 huījīn rútǔ; 破费 pòfèi
산줄기(山…) 山脉 shānmài
산책(散策) 散步 sànbù; 溜达 liūda ¶소화시키기 위해 부근을 ～하고 돌아오다 为了消食儿到附近散散步去 wèile xiāoshír dào fùjìn sànsan bù qù / 저녁 무렵의 거리를 친구와 함께 ～하다 跟朋友一块儿到傍晚的街上'溜达溜达〔逛逛〕 gēn péngyou yíkuàir dào bàngwǎn de jiēshàng 'liūdaliūda 〔guàngguang〕
산타클로스(Santa Claus) 圣诞老人 shèngdàn lǎorén
산토끼(山…) 《動》野兔 yětù; 〈方〉野猫 yě māo
산파(産婆) 收生婆 shōushēngpó; 接生婆 jiēshēngpó; 助产士 zhùchǎnshì; 产婆 chǎnpó
살[1] ①《뼈 · 가죽에 대한》 肉 ròu; 肌肉 jīròu ¶허벅지의 ～이 빠졌다 大腿的肌肉掉了 dàtuǐ de jīròu diào le ②《식용의》 肉 ròu ¶～이 질기다 这肉'硬〔老〕 zhè ròu yìng〔lǎo〕 ③《과육》 ¶이 복숭아는 씨가 커서 ～이 적다 这种桃子核大肉少 zhè zhǒng táozi hé dà ròu shǎo ④《살갗》 皮肤 pífu ⑤《벌의 침》 虿尾 chàiwěi; 蜂勾子 fēnggōuzi
살[2] ①《부채 · 우산 등의》 骨子 gǔzi ②《바퀴의》 辐 fú; 〈俗〉辐条 fútiáo ③《빗의》 (梳)齿 chǐ ④ ⇨화살
살[3] ①《사람의 나이》 岁 suì ¶몇 ～ 几岁 jǐ su ②《동물의 나이》 岁口 suìkǒu ¶세 살배기 말 三岁口的马 sān suì kǒu de mǎ
살갗 皮肤 pífu; 〈方〉肉皮儿 ròupír ¶～이 곱다 皮理细腻 pílǐ xìnì / ～이 거칠어지다 皮肤变粗糙了 pífu biàn cūcāo le
살결 肌理 jīlǐ; 皮肤纹 pífuwén ¶～이 고운 肌理细腻的皮肤 jīlǐ xìnì de pífu
살구 ①《나무》 杏 xìng; 杏树 xìngshù ②《열매》 杏儿 xìngr; 杏子 xìngzi
살그머니 暗暗地 àn'ànde; 悄不声儿地 qiǎo bushēngr de
살금살금 ¶～ 걷다 悄悄地走 qiāoqiāode zǒu
살다 ①《생존하다 · 생활하다》 活 huó ¶백 살까지 ～ 活到一百岁 huódào yìbǎi suì / 이렇게 물가가 오르면 살아가기가 힘들다 物价这么昂贵, 活下去也可真不容易 wùjià zhème ángguì huóxiàqu yě kě zhēn bù róngyì ②《거주》 住 zhù ③《효용 · 효력 있다》 ¶산 교훈 活生生的教训 huóshēngshēng de jiàoxun ④《생동하다》 生动 shēngdòng; 活现 huóxiàn ¶그 마디로 문장이 ～ 这一句话使这篇文章画龙点睛 zhè yí jù huà shǐ zhè piān wénzhāng huàlóng diǎnjīng le
살담배 烟丝 yānsī

살려 주다 ①《생명을》 活命 huómìng ②《원조》 拯救 zhěngjiù ③《용서》 饶恕 ráoshù

살롱(salon) ①《객실》 客厅 kètīng; 谈话室 tánhuàshì ②《모임》 沙龙 shālóng; 社交茶室 shèjiāo cháshì; 《술집》 酒吧 jiǔbā ③ 美术展览会 měishù zhǎnlǎnhuì

살리다 ①《살려 두다》 活 huó ¶저 녀석을 살려 둘 수 없다 不能让他活命 bùnéng ràng tā huómìng ②《활용하다》 有效地利用 yǒuxiàode lìyòng ¶특기를 살려 생계를 세우다 利用特殊技能谋生 lìyòng tèshū jìnéng móu shēng ③《생생하게 하다》 生 shēng ¶이 선이 그림을 살리고 있다 这条线使这幅画栩栩如生 zhè tiáo xiàn shǐ zhè fú huà xǔxǔ rú shēng ④《부양》 养活 yǎnghuo ¶이 수입으로는 가족을 먹여 살릴 수 없다 这么点儿收入'养活不了一家人〔一家人糊不了口〕 zhèmediǎnr shōurù 'yǎnghuobuliǎo yìjiārén 〔yìjiārén húbuliǎo kǒu〕

살림 过日子 guò rìzi; 《형편》 家道 jiādào; 生计 shēngjì ¶그녀는 ～을 알뜰하게 꾸려 나간다 她很会过日子 tā hěn huì guò rìzi / ～을 차리다 成家 chéng jiā / ～이 넉넉하다 活计宽绰 huóji kuānchuo

살며시 轻轻地 qīngqīngde; 轻悄悄儿地 qīngqiāoqiāorde

살무사〔動〕 蝮蛇 fùshé

살벌(殺伐) 杀伐 shāfá; 征战 zhēngzhàn; 充满杀机 chōngmǎn shājī ¶인심이 ～하다 人心变得'野蛮〔粗野〕了 rénxīn biànde 'yěmán〔cūyě〕le

살별 彗星 huìxīng; 扫帚星 sàozhouxīng

살붙이 亲戚 qīnqi; 亲属 qīnshǔ

살살[1] 微微地 wēiwēide; 轻轻地 qīngqīngde ¶봄바람이 ～ 불다 春风徐徐吹来 chūnfēng xúxú chuīlai

살살[2] 《아픔》 丝丝拉拉 sīsīlālā ¶배가 ～ 아프다 肚子有点儿丝丝拉拉地痛 dùzi yǒudiǎnr sīsīlālā de tòng

살살이 滑头滑脑的 huátóu huánǎode; 奸蛋 jiāndàn

살아나다 ①《소생》 苏生 sūshēng; 活过来 huóguòlai; 缓过来 huǎnguòlai ¶죽었다고 여겨졌던 사람이 다시 ～ 以为死了的人又活过来了 yǐwéi sǐle de rén yòu huóguòlai le ②《구조됨》 获救 huòjiù; 得救 déjiù ¶이렇게 출혈이 많아서는 살아나기가 힘들 것이다 出血出得这么厉害, 恐怕救不活了吧 chūxuè chūde zhème lìhai, kǒngpà jiùbuhuó le ba ③《다시 성해지다》 ¶그 한 마디로 문장이 ～ 这一句话使这篇文章画龙点睛了 zhè yí jù huà shǐ zhè piān wénzhāng huàlóngdiǎnqíng le

살아있다 活着 huózhe ¶이 법률은 아직 ～ 这条法律还仍然有效 zhè tiáo fǎlǜ hái réngrán yǒu xiào(효력 있다)

살얼음 薄冰 báobīng

살인(殺人) 杀人 shārén ¶～ 하다 犯杀人罪 fàn shārénzuì ‖～ 사건 命案 mìng'àn =〔杀人案 shārén'àn〕

살점 肉片儿 ròupiànr

살짝 偷偷的 tōutōude

살찌다 《사람이》 胖 pàng; 发胖 fāpàng; 肥胖 féipàng; 《동물이》 肥 féi; 肥壮 féizhuàng; 肥实 féishi ¶여기에 와서 3킬로 살쪘다 到这儿来胖了三公斤 dào zhèr lái pàngle sān gōngjīn / 하늘은 높고 말은 살찌는 가을 秋高马肥 qiū gāo mǎ féi

살코기 瘦肉 shòuròu

살쾡이 山猫 shānmāo; 豹猫 bàomāo

살펴보다 察看 chákàn; 一个个地察察 yígègede cháchá

살풍경(殺風景) ①《쓸쓸한》 杀风景 shāfēngjǐng; 《아름답지 않은》 不风雅 bùfēngyǎ; 太俗气 tàisúqi ②《흥취 없는》 败兴 bàixìng; 扫兴 sǎoxìng ¶그런 ～한 말을 하지 마시오 别说那种扫兴的话 bié shuō nà zhǒng sǎoxìng de huà

살피다 ①《알아보다》 窥探 kuītàn ¶동정을 ～ 窥探情况 kuītàn qíngkuàng ②《헤아리다》 察看 chákàn; 观察 guānchá; 窥视 kuīshì ¶남의 기분을 살펴 말하다 看人脸色说话 kàn rén liǎnsè shuō huà

삶 ①《상태》 生存 shēngcún; 生活 shēnghuó ②《목숨》 生命 shēngmìng; 生 shēng

삶다 《물에》 煮 zhǔ; 烹 pēng; 炖 dùn; 熬 āo ¶고기를 ～ 炖肉 dùn ròu / 무를 ～ 熬萝卜 āo luóbo

삼〔植〕 大麻 dàmá

삼(蔘) 人参 rénshēn

삼(三) 三 sān ¶～분의 일 三分之一 sān fēn zhī yī

삼가 谦虚地 qiānxūde; 恭恭敬敬地 gōnggōng jìngjìngde; 很有礼貌地 hěn yǒu lǐmàode; 敬 jìng; 谨 jǐn ¶～ 새해를 축하합니다 谨贺新年 jǐnhè xīnnián =〔恭贺新禧 gōnghè xīnxǐ〕

삼가다 ①《조심》 谨慎 jǐnshèn ②《절제》 节制 jiézhì ¶언행을 ～ 谨言慎行 jǐn yán shèn xíng / 술을 ～ 节制饮酒 jiézhì yǐnjiǔ

삼각형(三角形) 三角形 sānjiǎoxíng

삼거리(三…) 三岔口 sānchàkǒu; 三岔路 sānchàlù; 三岔路口 sānchà lùkǒu

삼겹실(三…) 三股线 sāngǔxiàn

삼다[1] ①《관계를 맺다》 收 shōu; 接 jiē; 娶 qǔ ¶며느리로 ～ 娶媳妇儿 qǔ xífur ②《…을 …으로》 ¶책을 베개 삼고 자다 用书当枕头睡觉 yòng shū dàng zhěntou shuìjiào / 문제 ～ 作为问题 zuòwéi wèntí

삼다[2] 《짚신을》 编(草鞋) biān

삼림(森林) 树林 shùlín; 森林 sēnlín

삼목(杉木) 杉 shān

삼발이(三…) 三脚架 sānjiǎojià; 火支子 huǒzhīzi

삼베 麻 má; 麻布 mábù; 夏布 xiàbù

삼수변(三水邊) 三点水(儿) sāndiǎnshuǐ(r)

삼일천하(三日天下) 五日京兆 wǔ rì jīng zhào

삼중창(三重唱) 三重唱 sānchóngchàng

삼창(三唱) 三呼 sānhū ¶만세를 ～하다 三呼万岁 sānhū wànsuì

삼촌(三寸) ①《세치》 三寸 sāncùn ②《아버지의 형》 伯父 bófù; 伯伯 bóbo; 大爷 dàye; 《아버지의 동생》 叔父 shūfù; 叔叔 shūshu

삼키다 ①《입으로》 咽下 yànxià; 吞下 tūnxià ¶침을 ～ 咽下唾沫 yànxià tuòmo ②《횡령》 私吞 sītūn; 侵吞 qīntūn; 贪污 tānwū ¶공금을 ～ 侵吞公款 qīntūn gōngkuǎn

삼태기 土簸箕 tǔbòji; 畚箕 běnjī

삽(鍤) 铁锹 tiěqiāo

삽시간(霎時間) 眨巴眼的工夫 zhǎbayǎn de gōngfu; 霎时 shà shí

삽화(揷話) ①《소설 등의》 插话 chāhuà ②《음

악) 插曲 chāqǔ ③《일화》逸话 yìhuà
삽화(揷畫) 插画 chāhuà; 插图 chātú
삿갓 斗笠 dǒulì
상(床) 所有桌子种类的总称 suǒyǒu zhuōzi zhǒnglèi de zǒngchēng ¶밥~ 小饭桌 xiǎofàn zhuō
상(喪) 丧 sāng ¶~을 입다 服丧 fúsāng =〔守孝 shǒuxiào〕〔居丧 jūsāng〕
상(像) ①《物》像 xiàng ②《초상》画像姿态 huàxiàng zītài; 肖像 xiàoxiàng; 形像 xíngxiàng; 像 xiàng; 《영상》影 yǐng; 影像 yǐngxiàng
상(賞) 奖 jiǎng; 奖金 jiǎngjīn ¶일등~ 头奖 tóujiǎng =〔一等奖 yì děng jiǎng〕〔甲等奖 jiǎděngjiǎng〕/노벨~ 诺贝尔奖金 Nuòbèi'ěr jiǎngjīn / ~을 주다 授奖 shòu jiǎng =〔发奖 fā jiǎng〕
상감(象嵌) 镶嵌 xiāngqiàn; 《세공물》镶嵌工艺 xiāngqiàn gōngyì
상경하다(上京…) 上京 shàngjīng; 进京 jìnjīng ¶출장으로 ~ 出差进京 chū chāi jìn jīng
상금(賞金) 奖金 jiǎngjīn; 奖偿 jiǎngshǎng ¶5만원의 ~을 타다 获得了五万元的奖金 huòdéle wǔwànyuán de jiǎngjīn
상냥하다 温和 wēnhé; 温柔 wēnróu; 温顺 wēnshùn; 温存 wēncún; 柔和 róuhe; 和蔼 hé'ǎi; 和气 héqi; 慈祥 cíxiáng; 善良 shànliáng; 多情 duōqíng ¶상냥한 사람 善良的人 shànliáng de rén/마음씨가 상냥한 아가씨 性情温柔的姑娘 xìngqíng wēnróu de gūniang
상담(相談) 商量 shāngliang; 商讨 shāngtǎo; 商谈 shāngtán; 磋商 cuōshāng ¶취직 문제를 아버지와 ~하다 和父亲商量就业问题 hé fùqin shāngliang jiùyè wèntí
상당(相當) ①《맞먹음》相当 xiāngdāng; 相应 xiāngyìng ¶중역에 ~한 대우 相当于董事的待遇 xiāngdāngyú dǒngshì de dàiyù ②《어지간함》相当 xiāngdāng ¶오늘은 ~히 춥다 今天相当冷 jīntiān xiāngdāng lěng
상대(相對) ①《상대방》对手 duìshǒu; 对方 duìfāng; 对头 duìtou ②《마주 봄》相对 xiāngduì ‖~성 원리 相对性原理 xiāngduìxìng yuánlǐ
상대적(相對的) 相对的 xiāngduìde
상등(上等) 上等 shàngděng; 上品 shàngpǐn; 上色 shàngsè ¶~ 브랜디 上等白兰地 shàngděng báilándì
상류(上流) ①《흐름의》上游 shàngyóu; 上流 shàngliú ②《사회의》上流 shàngliú; 上层 shàngcéng ‖~ 계급 上层阶级 shàngcéng jiējí
상륙(上陸) 上岸 shàng'àn; 登陆 dēnglù; 登岸 dēng'àn ‖~용 주정 登陆艇 dēnglù tǐng
상반(相反) 相反 xiāngfǎn
상벌(償罰) 赏罚 shǎngfá; 奖惩 jiǎngchéng ¶~을 엄하게 하다 赏罚严明 shǎngfá yánmíng
상보(床褓) 饭桌布 fànzhuōbù
상봉하다(相逢…) 相见 xiāngjiàn; 遇见 yùjiàn
상사(上司) 上司 shàngsi; 上级 shàngjí
상사(商社) 贸易公司 màoyì gōngsi; 商社 shāngshè
상사(喪事) 丧事 sāngshì
상상(想像) 想象 xiǎngxiàng ¶뒤는 자네의 ~에 맡긴다 以后随你想象吧 yǐhòu suí nǐ xiǎngxiàng ba
상서롭다(祥瑞…) 吉祥 jíxiáng
상세(詳細) 详细 xiángxì ¶~한 설명은 생략한다 详细的说明从略 xiángxì de shuōmíng cónglüè
상속(相續) 继承 jìchéng; 承受 chéngshòu ¶유산을 ~ 받다 擎受老底儿 qíngshòu lǎodǐr =〔继承遗产 jìchéng yíchǎn〕‖~세 继承税 jìchéngshuì =〔遗产税 yíchǎnshuì〕〔传产税 chuánchǎnshuì〕/~인 领业的 lǐngyède =〔继承人 jìchéngrén〕
상쇄(相殺) 相抵 xiāngdǐ; 抵消 dǐxiāo ¶이것으로 이전의 빚은 ~합시다 以这个抵消旧欠 yǐ zhège dǐxiāo jiù qiàn
상수리나무《植》橡树 xiàngshù; 栎 lì; 麻栎 málì
상술(上述) 上述 shàngshù ¶~한 바와 같이 如上所述 rú shàng suǒ shù
상스럽다(常…) 下贱 xiàjiàn; 下作 xiàzuo; 下流 xiàliú ¶상스런 농담을 하다 开下流的玩笑 kāi xiàliú de wánxiào
상승(上昇) 上升 shàngshēng ¶기온이 ~하다 气温上升 qìwēn shàngshēng
상식(常識) 常识 chángshí
상실(喪失) 丧失 sàngshī; 失掉 shīdiào ¶기억을 ~하다 丧失记忆 sàngshī jìyì
상앗대 船篙 chuángāo
상어《魚》鲨 shā; 鲨鱼〔沙鱼〕shāyú; 鲛 jiāo
상업(商業) 商业 shāngyè ¶~에 종사하다 从事商业工作 cóngshì shāngyè gōngzuò ‖~ 도시 商业城市 shāngyè chéngshì
상연(上演) 上演 shàngyǎn; 表演 biǎoyǎn; 演出 yǎnchū
상영(上映) 上映 shàngyìng; 放映 fàngyìng ¶영화를 ~하다 放映电影 fàngyìng diànyǐng
상위(相違) 相差 xiāngchā ¶위와 같이 ~ 없습니다 如上无误 rú shàng wú wù
상응(相應) 相称 xiāngchèn
상의(上衣)《보통의》上衣 shàngyī; 上身(儿) shàngshēn(r); 上装 shàngzhuāng; 《중국옷의》褂儿 guàr; 褂子 guàzi
상의(相議·商議) 商议 shāngyì; 商量 shāngliang
상이 군인(傷痍軍人) 残废军人 cánfèi jūnrén
상인(商人) 商人 shāngrén; 生意人 shēngyirén 〈口〉买卖人 mǎimairén ¶병기 ~ 军火商 jūnhuǒshāng
상자(箱子) 箱子 xiāngzi; 盒子 hézi; 盒儿 hér 匣子 xiázi
상장(賞狀) 奖状 jiǎngzhuàng
상장(喪杖) 哭丧棒 kūsāngbàng
상장(喪章) 黑纱 hēishā
상점(商店) 商店 shāngdiàn; 铺子 pùzi
상제(喪制) 带孝的 dàixiàode
상조(尙早) 还早 háizǎo ¶시기 ~ 不是时候 búshi shíhour
상징(象徵) 象徵 xiàngzhēng
상처(喪妻) 炊臼 chuījiù; 断弦 duànxián
상처(傷處) 伤口 shāngkǒu; 创口 chuāngkǒ ¶~를 입다 受伤 shòu shāng
상추《植》萬苣 wōjù〔ju〕
상쾌(爽快) 爽快 shuǎngkuai; 爽朗 shuǎnglǎng; 清爽 qīngshuǎng ¶기분이 ~하다 精神清爽 jīngshén qīngshuǎng
상태(狀態) 状态 zhuàngtài; 情形 qíngxing ¶건강 ~가 좋지 않다 健康状况不好 jiànkān

zhuàngkuàng bùhǎo
상투 髻 jì ¶～를 틀다 挽髻 wǎn jì
상투(常套) 常套 chángtào ‖～ 수단 老一套 lǎoyítào =〔老谱(儿) lǎopǔ(r)〕〔老套(子) lǎotào(zi)〕
상판대기(相…)〈俗〉嘴脸 zuǐliǎn
상팔자(上八字) 得天独厚的 détiāndúhòude; 有造化的环境 yǒuzàohuà de huánjìng; 受天惠的环境 shòu tiānhuì de huánjìng; 好福气 hǎofúqi; 好身世 hǎoshēnshì
상품(商品) 商品 shāngpǐn; 货物 huòwù ¶～을 사들이다 采购货物 cǎigòu huòwù =〔办货 bàn huò〕〔进货 jìn huò〕 ‖～권(券) 礼券 lǐquàn
상품(賞品) 奖品 jiǎngpǐn ¶～을 주다 授与奖品 shòuyǔ jiǎngpǐn
상해(傷害) 伤害 shānghài ¶～ 사건을 일으키다 闹出伤害案 nàochū shānghài'àn
상호(相互) 互相 hùxiāng; 相互 xiānghù ¶회원～간의 친목을 촉진하다 促进会员相互之间的友谊 cùjìn huìyuán xiānghù zhījiān de yǒuyì
상황(狀況) 情况 qíngkuàng; 状况 zhuàngkuàng ¶～이 악화될 뿐이다 情况越来越不好 qíngkuàng yuèlái yuè bù hǎo =〔每况愈下 měi kuàng yù xià〕
상회(商會) 商行 shāngháng
샅샅이 到处 dàochù; 无处不… wúchùbù … ¶～ 찾아보다 没有没找的地方 méiyǒu méizhǎo de dìfang
새¹ 《날짐승》 鸟 niǎo
새² ①《새로운》 新的 xīnde ②《신선한》 新鲜的 xīnxiānde ③《신기한》 新奇的 xīnqíde ④《최근의》 最近的 zuìjìnde
새가슴 鸡胸 jīxiōng; 鸡胸脯儿 jīxiōngpúr
새기다 ①《파다》 刻 kè; 雕刻 diāokè ¶비명을～ 刻碑名 kè bēimíng ②《기억》 铭刻 míngkè; 铭记 míngjì; 牢记 láojì ¶마음에 ～ 铭记在心 míngjì zài xīn ③《해석》 解释 jiěshì ④《반추》 反刍 fǎnchú
새까맣다 乌黑 wūhēi; 漆黑 qīhēi
새끼¹ 《끈》 绳 shéng; 绳子 shéngzi
새끼² ①《동물의》 崽子 zǎizi ②《자식》 孩子 háizi; 孩儿 háir; 小孩儿 xiǎoháir; 小孩子 xiǎoháizi ③《욕》 小子 xiǎozi; 家伙 jiāhuo
새끼발가락 小趾 xiǎozhǐ
새끼손가락 小指 xiǎozhǐ
새다¹ ①《날이》 (天)亮 liàng ②《비·물·빛 따위가》 漏 lòu ¶공기가 ～ 漏气 lòu qì ③《비밀·소리가》 泄漏 xièlòu ¶비밀이 ～ 秘密泄漏了 mìmì xièlòu le
새다² ⇨ 새우다
새달 下月 xiàyuè; 下个月 xià ge yuè ¶～말 下月底 xiàyuèdǐ
새로 从新 cóngxīn ¶～ 다시 하다 从新再做 cóngxīn zài zuò
새롭다 新鲜 xīnxiān; 与前不同 yǔ qián bùtóng
새벽 天亮 tiānliàng; 天明 tiānmíng; 东方亮 dōngfāngliàng; 拂晓 fúxiǎo; 黎明 límíng
새봄 初春 chūchūn; 新春 xīnchūn
새빨갛다 鲜红 xiānhóng; 血红 xuèhóng; 火红 huǒhóng; 通红 tōnghóng; 赤红 chìhóng; 绯红 fēihóng ¶새빨간 피 鲜红的血 xiānhóng de xiě
새삼스럽다 ①《일부러》 故意的 gùyìde; 特意的 tèyìde ②《형식적으로》 狗泥形式 jūni〔nì〕 xíngshì
새색시 新娘 xīnniáng; 新娘子 xīnniángzi; 新妇 xīnfù
새서방(…書房) ①《신랑》 新姑爷 xīngūye; 新郎 xīnláng ②《새남편》 新接的丈夫 xīnjiē de zhàngfu
새우 《動》 虾 xiā; 虾米 xiāmi(작은) ¶～로 잉어를 낚는다(속담) 虾米钓大鱼 xiāmi diào dàyú
새우다¹ 《시기》 妒忌 dùjì; 嫉妒 jídù
새우다² 《밤을》 通宵 tōngxiāo; 熬夜 áoyè ¶환자를 돌보느라 밤을 ～ 照看病人熬了一夜 zhàokàn bìngrén áole yí yè
새우등 水蛇腰 shuǐshéyāo; 弯腰曲背 wānyāo qūbèi; 驼背 tuóbèi
새우잠 踡局着睡 quánjúzhe shuì
새장(…欌) 鸟笼 niǎolóng
새총(…銃) 气枪 qìqiāng
새치 少白头 shàobáitóu
새치기 ①《차례의》 挤进 jǐjìn; 硬加入 yìngjiārù ②《일》 业馀活儿 yèyú huór
새침하다 佯作若无其事的样子 yáng zuò ruò wú qíshì de yàngzi
새카맣다 漆黑 qīhēi; 乌黑 wūhēi; 黝黑 yǒuhēi; 黢黑 qūhēi ¶새카만 머리 乌黑的头发 wūhēi de tóufa
새콤하다 酸头儿 suāntóu〔tou〕r
새털 羽毛 yǔmáo
새파랗다 ①《빛깔》 湛蓝 zhànlán; 蔚蓝 wèilán ②《안색이》 苍白 cāngbái; 铁青 tiěqīng
새하얗다 雪白 xuě〔xuè〕bái; 洁白 jiébái; 纯白 chúnbái ¶새하얀 이를 드러내고 웃다 露出雪白的牙齿笑 lùchū xuěbái de yáchǐ xiào
새해 新年 xīnnián ¶～ 복 많이 받으십시오 新年快乐! 你过年好 xīn nián kuàilè! nǐ guò nián haǒ
색(色) ①《색채》 颜色 yánsè; 色儿 shǎir; 色彩 sècǎi; 色调 sèdiào ¶～이 바래기 쉽다 容易'走〔退〕色 róngyì'zǒu〔tuì〕 shǎi ②色 sè; 色 shǎi ¶그의 정치적 입장은 야당～이 강하다 他的政治的立场, 在野党色彩农厚 tāde zhèngzhì de lìchǎng, zài yědǎng sècǎi nónghòu ③《성욕》 色 sè ④《여색》 女色 nǚsè
색골(色骨) 好色家 hàosèjiā; 贪花的 tānhuāde
색광(色狂) 色鬼 sèguǐ; 色癫 sèdiān; 《여자》 女花癫 nǚhuādiān
색다르다(色…) 珍奇 chēnqí; 新奇 xīnqí; 《기이》 奇异 qíyì
색마(色魔) 色鬼 sèguǐ; 色中饿鬼 sèzhōng èguǐ; 色狼 sèláng; 色情狂 sèqíngkuáng
색맹(色盲) 色盲 sèmáng; 色瞎 sèxiā
색소폰(saxophone) 《樂》 萨克管 sàkèguǎn
색시 《신부》 新娘(子) xīnniáng(zi); 新妇 xīnfù; 《처녀》 姑娘 gūniang; 小妞儿 xiǎoniūr
색실(色…) 染色线 rǎnsèxiàn; 彩线 cǎixiàn
색안경(色眼鏡) ①《선글라스 따위》 遮光镜 zhēguāngjìng; 墨镜 mòjìng; 太阳镜 tàiyángjìng ②《비유적》 有色眼镜 yǒusè yǎnjìng ¶～으로 사람을 보다 以成见看人 yǐ chéngjiàn kàn rén =〔戴有色眼镜看人 dài yǒusè yǎnjìng kàn rén〕
색연필(色鉛筆) 彩色铅笔 cǎisè qiānbǐ; 颜色铅笔 yánsè qiānbǐ; 五色铅笔 wǔsè qiānbǐ

색종이(色…) 五色纸 wǔsèzhǐ; 彩纸 cǎizhǐ
색주가(色酒家) 卖花酒的酒楼 mài huājiǔ de jiǔlóu
샌님 没有志气的人 méiyǒu zhìqì〔qi〕 de rén; 不要强的人 búyàoqiáng de rén
샌드위치(sandwich) 三明治 sānmíngzhì; 三文治 sānwénzhì; 夹层面包 jiācéng miànbāo ‖햄 ~ 火腿面包 huǒtuǐ miànbāo
샌들(sandle) 凉鞋 liángxié
샐러드(salad) 沙拉 shālā; 色拉 sèlā ‖~유 色拉油 sèlāyóu =〔冷餐油 lěngcānyóu〕〔生菜油 shēngcàiyóu〕/ 야채 ~ 蔬菜色拉 shūcài sèlā
샐러리(salary) 薪水 xīnshui; 月薪 yuèxīn; 工资 gōngzī; 薪金 xīnjīn; 薪资 xīnzī; 薪俸 xīnfèng
샘[1] 泉 quán; 泉水 quánshuǐ ¶지식의 ~ 知识的泉源 zhīshi de quányuán
샘[2] 《질투》 忌妒 jìdu; 嫉妒 jídù; 妒忌 dùjì ¶동생을 ~하다 嫉妒弟弟 jídù dìdi
샘물 泉水 quánshuǐ; 井水 jǐngshuǐ
샘솟다 涌出 yǒngchū; 冒出 màochū ¶지하수가 ~ 涌出地下水 yǒngchū dìxiàshuǐ
샘플(sample) 样品 yàngpǐn; 样本 yàngběn; 货样 huòyàng
샛길 间道 jiàndào; 抄道(儿) chāodào(r) ¶~로 빠져 앞지르다 抄道儿先到 chāo dàor xiān dào =〔抄近道占先 chāo jìndào zhànxiān〕
샛별 晨星 chénxīng
샛서방(…書房) 奸夫 jiānfū
생가(生家) 生身的家 shēngshēn de jiā; 出生之家 chūshēng zhī jiā
생가죽(生…) 生皮 shēngpí; 湿皮 shīpí
생각건대 我以为… wǒ yǐwéi …; 我想 wǒ xiǎng
생각 나다 想起来 xiǎngqǐlai
생것(生…) 生的 shēngde
생계(生計) 生计 shēngjì ¶그는 번역으로 ~를 꾸려나간다 他靠笔译谋生 tā kào bǐyì móu shēng
생과부(生寡婦) 弃妇 qìfù; 秋后扇 qiūhòushàn
생굴(生…) 生牡蛎 shēngmǔlì; 蠔白 háobái
생기다 ①《없던 것이》 产生 chǎnshēng; 发生 fāshēng ¶불화는 대부분 오해로부터 생긴다 不和多半由误会产生 bùhé duōbàn yóu wùhuì chǎnshēng ②《일·사고의 발생》 发生 fāshēng; 产生 chǎnshēng; 起 qǐ; 犯 fàn ¶양국 사이에 분쟁이 생겼다 两国之间发生了纷争 liǎngguó zhījiān fāshēngle fēnzhēng / 그녀의 마음 속에 갑자기 의심이 생겼다 她心里忽然'犯〔起〕疑 tā xīnli hūrán 'fàn〔qǐ〕 yí ③《입수》 ¶생각지도 않던 거금이 생겼다 进了一笔意外的巨款 jìnle yì bǐ yìwài de jùkuǎn
생김생김 相貌 xiàngmào; 五官 wǔguān; 长相 zhǎngxiàng
생도(生徒) 学生 xuésheng
생돈(生…) 白糟踏的钱 bái zāota de qián; 冤钱 yuānqián
생떼 쓰다(生…) 抬死杠 táisǐgàng
생략(省略) 省略 shěnglüè; 从略 cónglüè ¶이하 ~ 以下从略 yǐxià cónglüè =〔下略 xiàlüè〕
생리(生理) 生理 shēnglǐ ‖~일 月经期 yuèjīngqī =〔例假 lìjià〕/ ~통 痛经 tòngjīng =〔经痛 jīngtòng〕
생면부지(生面不知) 素不相识 sù bù xiāng shí
생명(生命) 性命 xìngmìng; 生命 shēngmìng ‖~ 보험 人寿保险 rénshòu bǎoxiǎn =〔寿险 shòuxiǎn〕
생물(生物) 生物 shēngwù
생방송(生放送) 现场广播 xiànchǎng guǎngbō; 实况转播 shíkuàng zhuǎnbō
생사(生絲) 生丝 shēngsī
생사람(生…) 无辜的人 wúgū de rén ¶~ 잡다 陷害人负上冤罪 xiànhài rén fùshang yuānzuì
생산(生産) 生产 shēngchǎn ¶~을 높이다 提高生产 tígāo shēngchǎn ‖~ 수단 生产资料 shēngchǎn zīliào =〔生产手段 shēngchǎn shǒuduàn〕/ ~ 코스트 生产成本 shēngchǎn chéngběn =〔工本 gōngběn〕/ 국민 총~ 国民生产总值 guómín shēngchǎn zǒngzhí
생색(生色) ¶~ 나다 够体面 gòu tǐmian =〔作脸 zuò liǎn〕/ ~ 내다 卖人情 mài rénqíng
생생하다(生生…) ①《생기가》 活生生的 huóshēngshēngde; 生气勃勃 shēngqì bóbó; 生动 shēngdòng ¶사람들의 생활을 매우 생생하게 묘사했다 人们的生活描写得非常'生动〔活灵活现〕 rénmén de shēnghuó miáoxiěde fēicháng' shēngdòng〔huólínghuóxiàn〕 ②《기억이》 ¶기억이 ~ 记亿犹新 jìyì yóuxīn
생선(生鮮) 鱼 yú ‖~ 가게 鱼店 yúdiàn =〔鱼铺 yúpù〕〔鱼床子 yú chuángzi〕
생소(生疎) 生疏 shēngshū ¶~하다 人地生疏 rén dì shēngshū
생시(生時) ①《생전》 活着的时候 huózhe de shíhou(r) ②《난시간》 生下来的时辰 shēngxiàlai de shíchen
생식(生食) 生吃 shēngchī
생애(生涯) 一辈子 yíbèizi; 一生 yìshēng; 毕生 bìshēng; 终生 zhōngshēng; 终身 zhōngshēn ‖~ 교육 终身教育 zhōngshēn jiàoyù
생울타리(生…) 树篱 shùlí
생이별(生離別) 生离 shēnglí; 生别 shēngbié
생일(生日) 生日 shēngrì
생전(生前) 生前 shēngqián ¶~의 유지 生前的遗嘱 shēngqián de yízhǔ
생존(生存) 生存 shēngcún ‖~ 경쟁 生存竞争 shēngcún jìngzhēng =〔生存斗争 shēngcún dòuzhēng〕/ ~자 生存者 shēngcúnzhě =〔幸存者 xìngcúnzhě〕
생지옥(生地獄) 人间地狱 rénjiān dìyù; 活地狱 huódìyù
생질(甥姪) 外甥男 wàishēng〔sheng〕nán ‖~녀 外甥女 wàishēng 〔sheng〕nǚ
생채기 抓破伤 zhuāpòshāng
생철(…鐵) 马口铁 mǎkǒutiě; 镀锡铁 dùxītiě; 洋铁 yángtiě ‖~통 洋铁桶 yángtiětǒng
생트집(生…) 诬赖 wūlài; 栽诬 cáiwū ¶~을 잡아 돈을 사취하다 故意诬赖讹诈金钱 gùyì wūlài ézhà jīnqián
생포(生捕) 活捉 huózhuō; 生擒 shēngqín
생활(生活) 生活 shēnghuó ‖~ 방식 生活方式 shēnghuó fāngshì / 단체 ~ 集体生活 jítǐ shēnghuó
생후(生後) 生后 shēng hòu ¶~ 3개월의 아이 生后三个月的婴儿 shēng hòu sān ge yuè de yīng'ér
샤워(shower) 《목욕》 淋浴 línyù ¶~하다 洗淋浴 xǐ línyù
샤프(sharp) ①〔樂〕 升号 《♯》 shēnghào; 升半

音记号 shēng bànyīn jìhào ②《날카로움》敏锐 mǐnruì ¶그 사람은 ～한 사람이다 他是很敏锐的人 tā shì hěn mǐnruì de rén
샤프펜슬(sharp pencil) 活心铅笔 huóxīn qiānbǐ; 自动铅笔 zìdòng qiānbǐ
샴페인(champagne) 香宾酒 xiāngbīnjiǔ
샴푸(shampoo) ①《머리를 감음》洗发 xǐfà; 洗头 xǐtóu ②洗发剂 xǐfàjì; 洗头粉 xǐtóufěn; 洗发液 xǐfàyè
샹들리에(chandelier) 枝形吊灯 zhīxíng diàodēng
샹송(chanson) 法国民歌 Fǎguó míngē
서글프다 又悲伤又空虚 yòu bēishāng yòu kōngxū; 凄凉 qīliáng
서까래 椽子 chuánzi; 椽 chuán
서너너덧 三四个 sān sì gè
서넛 三四个 sān sì gè
서늘하다 凉快 liángkuai
서다 ①《기립》站起来 zhànqǐlái ②《정지》站住(了) zhànzhù(le); 停止 tíngzhǐ ③《집이》盖上 gàishang ④《장이》开市 kāishì; 有集市 yǒu jíshì
서당(書堂) 学房 xuéfáng
서도(書道) 书法 shūfǎ ¶～의 대가 书法大家 shūfǎ dàjiā
서두(序頭) 开头 kāitóu ¶그는 연설의 ～에 링컨의 말을 인용했다 他在演说的开头引用了林肯的一句话 tā zài yǎnshuō de kāitóu yǐnyòngle Línkěn de yí jù huà
서두르다 赶 gǎn ¶서두르지 마라 别急 bié jí =〔别忙 bié máng〕/ 서둘러 쓰다 赶着〔紧着〕写 gǎnzhe〔jǐnzhe〕xiě
서랍 抽屉 chōuti ¶～을 열다 拉开抽屉 lākai chōuti
서력(西曆) 公历 gōnglì; 公元 gōngyuán; 西历 xīlì
서로 互相 hùxiāng; 相互 xiānghù; 彼此 bǐcǐ ¶～ 정보를 교환하다 交换彼此的情报 jiāohuàn bǐcǐ de qíngbào =〔互通情报 hùtōng qíngbào〕
서류(書類) 文件 wénjiàn ¶중요 ～ 重要文件 zhòngyào wénjiàn / 증거 ～를 압수하다 扣押书面证据 kòuyā shūmiàn zhèngjù ‖～ 심사 书面审查 shūmiàn shěnchá
서른 ①《수》三十 sānshí ②《나이》三十岁 sānshí suì
서리 霜 shuāng
서리다[1] ①《안개·김 등이》弥漫 mímàn ②《기가》发怵 fāchù
서리다[2] ①《새끼 따위》盘起来 pán qilai ②《뱀이》盘绕 pánrǎo
서리 맞다 被霜打 bèi shuāngdǎ; 《비유적》受了打击 shòule dǎjī
서막(序幕) ①《연극의》序幕 xùmù ②《일의 시작》开端 kāiduān; 开始 kāishǐ ¶그것은 겨우 사건의 ～에 불과하다 这只不过揭开了事件的序幕 zhè zhǐ búguò jiēkāile shìjiàn de xùmù =〔这只是事件的'序曲〔端开〕〕 zhè zhǐshì shìjiàn de 'xùqǔ〔kāiduān〕
서먹서먹하다 发怵 fāchù; 隔阂 géhé
서명(署名) 署名 shǔmíng; 签署 qiānshǔ; 签字 qiānzì; 签名 qiānmíng ¶저자의 ～이 들어간 책 有著者署名的书 yǒu zhùzhě shǔmíng de shū ‖～ 운동 签名运动 qiānmíng yùndòng
서무(庶務) 总务 zǒngwù; 庶务 shùwù
서문(序文) 序文〔叙文〕 xùwén; 序言〔叙言〕 xùyán
서민(庶民) 庶民 shùmín; 平民 píngmín; 百姓 bǎixìng
서방(西方) ①西边(儿) xībian(r) ②西方 xīfāng
서방(書房) ①《남편》丈夫 zhàngfu; 男人 nánren ②《호칭》老 lǎo ¶이 ～ 李老 lǐ lǎo =〔老李头 lǎo lǐtóu〕/ ～맞다 接汉子 jiē hànzi ‖～질 偷汉子 tōu hànzi =〔养汉 yǎnghàn〕
서부(西部) 西部 xībù ‖～극 牛仔片 niúzǎipiàn =〔西部片 xībùpiàn〕
서브(serve) 《體》发球 fāqiú
서브머린(submarine) 潜水艇 qiánshuǐtǐng
서브웨이(subway) 地下铁道 dìxià tiědào
서브타이틀(subtitle) 副题 fùtí; 副标题 fùbiāotí ¶～을 붙이다 付上副题 fùshàng fùtí
서비스(service) 服务 fúwù ¶그 가게의 ～는 정말 좋다 那家商店服务态度可真好 nà jiā shāngdiàn fúwù tàidu kě zhēn hǎo ‖～업 服务性行业 fúwùxìng hángyè / ～스테이션 服务站 fúwùzhàn(주유소의) =〔修理站 xiūlǐzhàn(수리소)〕
서서히(徐徐…) 慢慢地 mànmànde
서성거리다 踱来踱去 duólái duóqù
서스펜스(suspense) 引人不安的情节 yǐn rén bù'ān de qíngjié ¶스릴과 ～ 惊奇紧张 jīngqí jǐnzhāng
서슴없이 毫不犹豫地 háo bù yóuyù〔yu〕de
서신(書信) 通信 tōngxìn
서약(誓約) 誓约 shìyuē ¶비밀을 지키겠다고 ～하다 发誓保密 fāshì bǎomì
서양(西洋) 西洋 Xīyáng ‖～ 요리 西餐 xīcān =〔西菜 xīcài〕
서운하다 舍不得 shěbudé; 依依不舍 yīyī bù shě
서울 구경 拔萝卜 bá luóbo《장난으로 어린애의 머리를 두 손으로 잡고 높이 들어 올릴 때》
서재(書齋) 书斋 shūzhāi; 书房 shūfáng
서적(書籍) 书 shū; 图书 túshū; 书籍 shūjí
서점(書店) 书店 shūdiàn; 书铺 shūpù
서쪽(西…) 西方 xīfāng; 西 xī ¶이 집은 ～을 향하고 있다 这间屋子朝西 zhè jiān wūzi cháo xī
서책(書冊) 书本 shūběn
서치라이트(search light) 探照灯 tànzhàodēng
서캐 《蟲》虮虱 jǐshī
서커스(circus) 马戏 mǎxì; 马戏团 mǎxìtuán; 杂技 zájì; 杂技团 zájìtuán
서클(circle) ①《원》圆 yuán; 圆周 yuánzhōu ②《단체의》业馀 yèyú; 课外 kèwài ‖～ 활동 课外活动 kèwài huódòng
서투르다 笨 bèn; 拙笨 zhuōbèn
서표(書標) 书辫儿 shūbiànr; 书签(儿) shūqiān(r) ¶～를 책 사이에 끼우다 把书签儿夹在书里 bǎ shūqiānr jiā zài shū li
서푼 三文钱 sān wénqián ¶～의 가치도 없다 不值一文 bù zhí yì wén
서한(書翰) 书简 shūjiǎn; 书信 shūxìn; 书翰 shūhàn ‖～지 信笺 xìnjiān
…석(…席) 席 xí ¶지정～ 对号入座 duìhào rùzuò / 내빈～ 来宾席 láibīnxí
석간(夕刊) 晚报 wǎnbào
석권(席卷·席捲) 席卷 xíjuǎn ¶유럽 전토를 ～하다 席卷全欧洲 xíjuǎn quán Ōuzhōu
석류나무(石榴…) 《植》石榴 shíliú

석면(石綿) 石棉 shímián ‖ ~ 슬레이트 石棉瓦 shímián wǎ
석방(釋放) 释放 shìfàng; 开释 kāishì ¶ 용의자를 ~하다 把嫌疑犯释放了 bǎ xiányífàn shìfàng le ‖ 가~ 假释 jiǎshì
석별(惜別) 惜别 xībié ¶ ~의 마음 이루 헤아릴 수 없다 不胜惜别 bù shēng xībié
석불(石佛) 石佛 shífó
석상(席上) 席上 xìshang; 坐〔座〕位上 zuòwèi-shang ¶ 위원회 ~에서 발표하다 在委员会上发表 zài wěiyuánhuì shang fābiǎo
석쇠 铁丝网 tiěsīwǎng; 铁支子 tiězhīzi
석수(石手) 石工 shígōng; 石匠 shíjiàng
석연하다(釋然…) 消除隔阂 xiāochú géhé ¶ 석연치 못하다 心里有疙瘩 xīn li yǒu gēda
석유(石油) 煤油 méiyóu; 石油 shíyóu ‖ ~ 가스 石油气 shíyóuqì / ~ 스토브 煤油炉子 méiyóu lúzi
석차(席次) ①《좌석 순위》 席次 xící; 座次 zuòcì; 位次 wèicì ¶ ~를 정하다 按排好座次 ānpái hǎo zuòcì ②《성적 순위》 名次 míngcì ¶ ~가 높다 名次列得高 míngcì liède gāo
석탄(石炭) 煤 méi; 煤炭 méitàn ¶ ~을 때다 烧煤 shāo méi ‖ ~ 가스 煤气 méiqì / ~산 苯酚 běnfēn =〔石炭酸 shítànsuān〕
석탑(石塔) 石塔 shítǎ
석회(石灰) 石灰 shíhuī ‖ ~ 질소 氰氨化钙 qíng ān huà gài
섞갈리다《말이》 龃龉 jǔyǔ; 前后不符 qiánhòu bùfú
섞다 ①《함께》 搀 chān; 搀和〔搀合〕 chānhé ¶ 술에 물을 ~ 往酒里'搀〔对〕水 wǎng jiǔ li 'chān 〔duì〕 shuǐ ②《휘저어》 搅 jiǎo; 搅和 jiǎohé; 拌 bàn; 拌和 bànhé; 搅拌 jiǎobàn ¶ 계란을 깨서 잘 ~ 把鸡蛋打开好好儿搅匀 bǎ jīdàn dǎkāi hǎohāor jiǎoyún
섞이다 搀 chān; 混 hùn; 搀杂 chānzá; 夹 jiā; 夹杂 jiāzá ¶ 물과 기름은 섞이지 않는다 水和油搀不到一起 shuǐ hé yóu chānbudào yìqǐ / 그녀는 한국인의 피가 섞였다 她身上有韩国人的血统 tā shēnshang yǒu Hánguórén de xuètǒng / 속에 위조 지폐가 섞여 있다 里面夹着假票子 lǐmian jiāzhe jiǎ piàozi
선《결혼의》 ¶ ~을 보다 相看 xiāng kàn =〔相亲 xiāng qīn〕
선(線) 线 xiàn ¶ ~을 긋다 划线 huà xiàn / ~이 굵은 사람 有器量的人 yǒu qìliàng de rén
선각자(先覺者) 先觉 xiānjué; 先知先觉 xiānzhī xiānjué; 先觉者 xiānjuézhě; 先知者 xiān-zhīzhě
선거(選擧) 选举 xuǎnjǔ ¶ ~ 운동을 하다 进行竞选活动 jìnxíng jìngxuǎn huódòng ‖ ~구 选区 xuǎnqū / ~인명부 选民簿 xuǎnmínbù
선고(宣告) 宣告 xuāngào; 宣判 xuānpàn; 宣布 xuānbù ¶ 재판장은 피고에게 무죄를 ~하다 审判长宣判被告无罪 shěnpànzhǎng xuānpàn bèigào wú zuì
선교사(宣敎師) 传道师 chúandàoshì; 教士 jiào-shì
선대(先代) 上代 shàngdài; 上一代主人 shàng yí dài zhǔrén; 前代 qiándài
선도(先導) 先导 xiāndǎo; 向导 xiàngdǎo; 带路 dàilù
선도(善導) ¶ 불량 소년을 ~하다 把失足少年引向正路 bǎ shīzú shàonián yǐnxiàng zhènglù
선동(煽動) 煽动 shāndòng; 鼓动 gǔdòng ¶ 민중을 ~하여 분기시키다 鼓动群众站起来 gǔdòng qúnzhòng zhànqǐlai
선두(先頭) 先头 xiāntóu ¶ 깃발을 ~로 각국 선수들이 입장했다 以旗子为先导, 各国选手们进场了 yǐqízi wéi xiāndǎo, gè guó xuǎnshǒumen jìn chǎng le
선뜻 《쾌히》 爽快地 shuǎngkuàide
선례(先例) 先例 xiānlì ¶ ~를 깨다 打破先例 dǎpò xiānlì
선로(線路) 轨道 guǐdào; 铁路 tiělù; 铁轨 tiěguǐ ¶ ~를 부설하다 铺设铁轨 pūshè tiěguǐ =〔铺轨 pūguǐ〕 ‖ ~ 공사 铁路工程 tiělù gōng-chéng
선린(善隣) 善邻 shànlín ‖ ~ 우호 善邻〔睦邻〕友好 shànlín 〔mùlín〕 yǒuhǎo
선망(羨望) 羡慕 xiànmù ¶ ~의 눈초리로 보다 以羡慕的眼光看着 yǐ xiànmù de yǎnguāng kàn zhe
선머슴 又淘气又鲁莽的孩子 yòu táoqì yòu lǔ-mǎng de háizi
선명(鮮明) 鲜明 xiānmíng; 清楚 qīngchu ¶ ~한 색채 鲜明的色彩 xiānmíng de sècǎi
선물(膳物) 礼物 lǐwù; 礼品 lǐpǐn; 赠品 zèngpǐn ¶ 생일 ~을 보내다 送生日的礼物 sòng shēng-ride lǐwù
선박(船舶) 船舶 chuánbó; 船只 chuánzhī
선반(…盤) 搁板 gēbǎn ¶ ~을 달다 钉搁板 dìng gēbǎn
선반(旋盤) 车床 chēchuáng; 旋床 xuànchuáng ¶ ~을 돌리다 开动车床 kāi dòng chēchuáng ‖ ~공 车工 chēgōng
선발(先發) 先动身 xiān dòngshēn ¶ 일행 중의 10명을 ~시키다 让一行之中的十人先动身 ràng yìxíng zhīzhōng de shí rén xiān dòng-shēn ‖ ~대 先遣队 xiānqiǎnduì
선발(選拔) 选拔 xuǎnbá ‖ ~ 시험 选拔考试 xuǎnbá kǎoshì
선배(先輩) 先辈 xiānbèi; 前辈 qiánbèi
선별(選別) 选择 xuǎnzé; 挑选 tiāoxuǎn
선비 处士 chǔshì
선사(先史) 史前 shǐqián ‖ ~ 시대 史前时代 shǐqián shídài
선사하다(善事…) 送礼 sònglǐ; 赠送 zèngsòng
선생(先生) ①《교사》 老师 lǎoshī; 先生 xiānsheng ②《타인의 존칭》 先生 xiānsheng ¶ 김 ~ 金先生 jīn xiānsheng
선서(宣誓) 誓言 shìyán; 宣誓 xuānshì ¶ 선수대표가 ~하다 选手代表宣誓 xuǎnshǒu dài-biǎo xuānshì
선선하다 ①《시원하다》 凉快 liángkuài ②《성질이》 爽快 shuǎngkuài ¶ 선선히 毫无顾忌地 háo wú gùjì de
선수(先手) ① 先动手 xiān dòngshǒu ¶ ~ 쓰다 先下手 xiān xià shǒu ②《바둑 · 장기에서》 先着 xiānzhāo; 先手 xiānshǒu
선수(船首) 船头 chuántóu; 船首 chuánshǒu ¶ ~를 남으로 돌리다 使船头朝南 shǐ chuán-tóu cháo nán
선수(選手) 选手 xuǎnshǒu; 运动员 yùndòng-yuán ¶ 세계 ~권 보유자 世界冠军保持者 shìjiè guànjūn bǎochízhě
선술집 小酒馆 xiǎo jiǔguǎn; 大碗酒铺 dàwǎn

jiǔpù; 酒馆儿 jiǔguǎnr
선실(船室) 客舱 kècāng; 船舱 chuáncāng
선심(善心) 善心 shànxīn ¶～ 쓰다 发善心 fā shànxīn
선악(善惡) 善恶 shàn'è ¶～을 분별하다 明辨善恶 míngbiàn shàn'è
선약(先約) 有约在先 yǒu yuē zài xiān ¶～이 있어서 사절하다 由于有约在先而拒绝了 yóuyú yǒu yuē zài xiān ér jùjué le
선언(宣言) 宣言 xuānyán; 宣告 xuāngào; 宣布 xuānbù ¶포츠담 ～ 波茨坦公告 Bōcítǎn gōnggào / ～문을 기초하다 起草宣言 qǐcǎo xuānyán
선원(船員) 船员 chuányuán; 海员 hǎiyuán
선율(旋律) 旋律 xuánlǜ
선의(善意) 善意 shànyì; 好意 hǎoyì ¶～로 한 일이 오히려 화가 되다 善意反招恶果 shànyì fǎnzhāo èguǒ
선인장(仙人掌) 〔植〕 仙人掌 xiānrénzhǎng
선임(先任) 前任 qiánrèn
선입관(先入觀) 成见 chéngjiàn; 先入之见 xiān rù zhī jiàn ¶～을 버리다 抛弃成见 pāoqì chéngjiàn / ～에 사로잡히다 被成见所左右 bèi chéngjiàn suǒ zuǒyòu
선잠 假寐 jiǎmèi
선장(船長) 船长 chuánzhǎng
선전(宣傳) 宣传 xuānchuán ¶자기 ～ 自我宣传 zìwǒ xuānchuán ‖～ 삐라 传单 chuándān
선전포고(宣戰布告) 宣布开战 xuānbù kāizhàn
선정(善政) 善政 shànzhèng ¶～을 펴다 施善政 shī shànzhèng
선정(煽情) 挑逗情欲 tiǎodòu qíngyù ¶～적인 춤 挑逗情欲的舞蹈 tiǎodòu qíngyù de wǔdǎo
선조(先祖) 祖先 zǔxiān; 祖宗 zǔzōng
선지 (牛的)血饼 xuèbǐng
선진(先進) 先进 xiānjìn ¶외국의 ～ 기술을 도입하다 引进外国先进技术 yǐnjìn wàiguó xiānjìn jìshù ‖～국 先进国家 xiānjìn guójiā =〔发达国家 fādá guójiā〕
선착(先着) 按来的先后 àn lái de xiānhòu ¶～순으로 서십시오 请按来的先后顺序排队 qǐng àn lái de xiānhòu shùnxù páiduì / ～순 100명에게 기념품 증정 先光临的一百位, 奉送记念品 xiān guānglín de yìbǎi wèi, fèngsòng jìniànpǐn
선천적(先天的) 先天的 xiāntiānde; 生来就有的 shēng lái jiù yǒude
선친(先親) 先考 xiānkǎo; 先父 xiānfù
선택(選擇) 选择 xuǎnzé ‖～ 과목 选修课 xuǎnxiūkè
선풍(旋風) 旋风 xuànfēng ¶화단에 일대 ～을 일으키다 在画坛上卷起了一阵大旋风 zài huàtán shang juǎnqǐle yízhèn dà xuànfēng
선풍기(扇風機) 电扇 diànshàn
선하다 ①《눈에》 晃在眼前 huǎng zài yǎnqián ②《기억에》 清清楚楚 qīngqīng chǔchǔ
선회(旋回) 盘旋 pánxuán; 旋绕 xuánrào; 回旋 huíxuán; 旋转 xuánzhuǎn
선후(善後) 善后 shànhòu ‖～책 善后事宜 shànhòu shìyí
선달 腊月 làyuè
선불리 顾前不顾后地 gùqián búgù hòu de; 冒冒失失地 màomào shīshī de
설 ①《새해》 新年 xīnnián; 新春 xīnchūn ②《설날》 大年初一 dànián chūyī ¶～쇠다 过年 guò nián
설(說) 说法 shuōfa; 意见 yìjiàn; 见解 jiànjiě; 主张 zhǔzhāng ¶그 기원에 대해서는 여러 가지 ～이 있다 关于其起源有种种说法 guānyú qí qǐyuán yǒu zhǒngzhǒng shuōfa
설거지 刷锅洗碗 shuā guō xǐ wǎn
설계(設計) 设计 shèjì
설교(說教) 说教 shuōjiào
설다 ①《과일》 生脆 shēngcuì ②《서투르다》 不熟练 bù shóu〔shú〕liàn; 不工 bù gōng; 力巴儿 lì bar ③《음식이》 没煮熟 méi zhǔ shóu〔shú〕 ¶선밥 夹生饭 jiāshēng fàn
설득(說得) 说服 shuōfú ¶그의 말은 ～력이 있다 他的话有说服力 tā de huà yǒu shuōfúlì
설렁하다 ①《춥다》 冷飕飕 lěngsōusōu ②《겁이 나서》 提心吊胆 tíxīn diàodǎn
설레다 心惊神悸 xīn jīng shén jì; 忐忑不安 tǎntè bù'ān
설레설레 ¶～ 흔들다 晃悠脑袋 huàngyou nǎodài
설령(設令) 纵 zòng; 纵使 zòngshǐ; 纵令 zònglìng; 纵然 zòngrán; 即使 jíshǐ ¶～ 너의 부탁이라도 들어 줄 수 없다 即使是你的请求, 我也不能答应 jíshǐ shì nǐde qǐngqiú, wǒ yě bùnéng dāying
설립(設立) 成立 chénglì; 设立 shèlì; 创立 chuànglì; 创办 chuàngbàn ‖～자 创办人 chuàngbànrén
설마 难道…吗 nándào … ma; 莫非 mòfēi ¶～ 시집 못 갈 리야 있겠니? 难道不能出嫁吗? nándào bùnéng chūjià ma?
설명(說明) 说明 shuōmíng; 解释 jiěshì ¶세상에는 ～할 수 없는 일이 있다 世上有无法解释的事情 shìshàng yǒu wúfǎ jiěshì de shìqíng
설법(說法) 说法 shuō fǎ ¶석가의 ～ 班门弄斧 Bān mén nòng fǔ
설비(設備) 设备 shèbèi
설사(泄瀉) 腹泻 fùxiè; 水泻 shuǐxiè; 跑肚(子) pǎodù(zi); 拉肚子 lādùzi; 泻肚 xièdù; 闹肚子 nàodùzi; 拉稀 lāxī
설상가상(雪上加霜) 祸不单行 huò bù dān xíng
설설기다 惟命是从 wéimìng shìcóng
설욕(雪辱) 雪耻 xuěchǐ ¶재도전하여 마침내 ～하다 再度挑战终于雪耻 zàidù tiǎozhàn zhōngyú xuěchǐ
설움 哀情 āiqíng; 悲伤 bēishāng
설익다 ①《과실》 生脆 shēngcuì ②《음식》 半生不熟 bànshēng bù shóu
설치(設置) 设置 shèzhì; 设立 shèlì; 安装 ānzhuāng
설치다 ①《날뛰다》 乱 luàn; 乱穿 luàn chuān ¶설치지마라 别乱来 bié luàn lái ②《부족하다》 不足 bù zú ¶어제 저녁 잠을 설치었다 昨天晚上睡不足 zuótiān wǎnshang shuìbùzú
설탕(雪糖) 糖 táng; 白糖 báitáng; 砂糖 shātáng ‖～물 糖水 tángshuǐ
섬[1] ①《용기》 草包 cǎobāo ②《용량》 石 dàn
섬[2] 《바다의》 岛 dǎo; 岛屿 dǎoyǔ; 海岛 hǎidǎo
섬기다 侍奉 shìfèng; 服侍 fúshì ¶부모를 ～ 服侍父母 fúshì fùmǔ
섬나라 岛国 dǎoguó ‖～ 근성 岛国的狭隘性 dǎoguó de xiá'àixìng
섬뜩하다 吓得直哆嗦 xiàde zhí duōsuo
섬세(纖細) 纤细 xiānxì ¶그녀는 ～한 감수성을

가졌다 她具有细腻的感受性 tā jùyǒu xìnì de gǎnshòuxìng / ～한 손가락 纤细的手指 xiānxì de shǒuzhǐ =〔纤指 xiānzhǐ〕

섬유(纖維) 纤维 xiānwéi

섭리(攝理) ¶신의 ～에 복종하다 服从'天命〔天意〕fúcóng 'tiānmìng〔tiānyì〕

섭섭하다《이별이》依依不舍 yī yī bù shě; 割舍不下 gē shě bú xià; 舍不开 shě bu kāi; 难割难舍 nán gē nán shě; 难舍难离 nán shě nán lí;《불만족》遗憾 yíhàn ¶모두와의 이별이 ～ 与大家离别依依不舍 yú dàjiā líbié yī yī bù shě

섭취(攝取) 摄取 shèqǔ; 吸取 xīqǔ; 吸收 xīshōu ¶영양을 ～하다 摄取营养 shèqǔ yíngyǎng / 일본은 예로부터 중국의 문화를 ～하였다 自古以来日本就吸收中国的文化 zì gǔ yǐlái Rìběn jiù xīshōu Zhōngguó de wénhuà

성 气 qì; 火 huǒ; 怒气 nùqì; 气愤 qìfèn; 愤怒 fènnù; 怒火 nùhuǒ ¶～내다 生气 shēngqì =〔动火 dòng huǒ〕

성(性) ①《본성》性根 xìnggēn ¶인간의 본～은 선이다 人的本性是善良的 rén de běnxìng shì shànliángde =〔人之初, 性本善 rén zhī chū, xìng běn shàn〕②《불교》性真 xìngzhēn ③《남녀의》性 xìng ¶～에 눈뜨다 春情初动 chūnqíng chūdòng =〔情窦初开 qíngdòu chūkāi〕④《문법상의》性 xìng ¶남～ 阳性 yángxìng / 여～ 阴性 yīnxìng

성(城) 城 chéng; 城堡 chéngbǎo ¶～을 내주다 开城投降 kāi chéng tóuxiáng

성(省) ①《행정 기관》部 bù ②《행정 구획》省 shěng ‖산동 ～ 山东省 Shāndōngshěng / 외무 ～ 外务省 wàiwùshěng =〔外交部 wàijiāobù〕

성가(聖歌) 圣歌 shènggē ‖～대 圣咏合唱队 shèngyǒng héchàngduì =〔圣诗班 shèngshībān〕

성가시다 麻烦 máfan; 讨厌 tǎoyàn ¶성가시게 달라붙다 死缠人 sǐ chán rén

성격(性格) 性格 xìnggé; 性情 xìngqíng

성경(聖經) 圣经 Shèngjīng ‖구약 ～ 旧约全书 Jiùyuē quánshū

성공(成功) 成功 chénggōng

성과(成果) 成果 chéngguǒ; 成绩 chéngjī ¶소기의 ～를 거두다 获得所预期的成果 huòdé suǒ yùqī de chéngguǒ

성급(性急) 性急 xìngjí ¶～한 결론을 내리지 마시오 别急于下结论 bié jíyú xià jiélùn

성기다 稀疏 xīshū ¶수염이 성기게 났다 长着稀疏的胡须 zhǎngzhe xīshū de húxū

성내다 气 qì; 恼 nǎo; 生气 shēngqì; 火儿 huǒr; 上火 shànghuǒ; 发火 fāhuǒ; 动火 dònghuǒ; 恼火 nǎohuǒ; 发怒 fānù; 恼怒 nǎonù; 气恼 qìnǎo; 动气 dòngqì; 动怒 dòngnù ¶그런 사소한 일가지고 성내지 마라 别为那种芝麻大的事生气 bié wèi nà zhǒng zhīma dà de shì shēngqì

성냥 洋火 yánghuǒ; 火柴 huǒchái ¶～을 긋다 划火柴 huá huǒchái ‖～갑 火柴盒 huǒcháihé

성년(成年) 成年 chéngnián; 成丁 chéngdīng

성능(性能) 性能 xìngnéng; 效能 xiàonéng

성대(盛大) 盛大 shèngdà; 隆重 lóngzhòng

성립(成立) 成立 chénglì ¶교역이 ～되다 交易达成了 jiāoyì dáchéng le

성명(姓名) 姓名 xìngmíng; 姓什名谁 xìng shén míng shéi〔shuí〕‖～ 판단 相字 xiàngzì

성명(聲明) 声明 shēngmíng ¶공식 ～을 발표하다 发表正式声明 fābiǎo zhèngshì shēngmíng

성묘(省墓) 扫墓 sǎomù; 上坟 shàngfén

성벽(性癖) 毛病 máobìng; 癖性 pǐxìng

성병(性病) 性病 xìngbìng; 花柳病 huāliǔbìng

성서(聖書) 圣经 shèngjīng

성숙(成熟) 成熟 chéngshú〔shóu〕

성실(誠實) 诚实 chéngshí; 老实 lǎoshi

성우(聲優)《방송극의》广播剧演员 guǎngbōjù yǎnyuán;《더빙의》配音演员 pèiyīn yǎnyuán

성원(聲援) 助威 zhùwēi

성의(誠意) 诚意 chéngyì ¶～를 다하다 竭诚 jiéchéng =〔竭尽诚意 jiéjìn chéngyì〕

성장(成長) 长成 zhǎngchéng; 生长 shēngzhǎng; 成长 chéngzhǎng ‖～ 호르몬 生长激素 shēngzhǎng jīsù

성적(成績) 成绩 chéngjī ‖～표 成绩单 chéngjīdān

성적(性的) 性的 xìng de; 性别(上)的 xìngbié(shàng) de ¶～ 욕망에 사로잡히다 被情欲驱使 bèi qíngyù qūshǐ / ～ 매력이 있는 여자 很有性感魅力的女人 hěn yǒu xìnggǎn mèilì de nǚrén

성질(性質) 性格 xìnggé; 性情 xìngqíng; 性质 xìngzhì ¶～이 온유하다 性格温柔 xìnggé wēnróu

성찬(盛饌) 盛设 shèngshè; 盛馔 shèngchuàn

성취(成就) 实现 shíxiàn; 成就 chéngjiù; 完成 wánchéng

성큼성큼 ¶～ 걷다 迈大步走 màidàbù zǒu

성탄(聖誕) 圣诞 shèngdàn ‖～절 圣诞节 shèngdànjié

성하다 ①《온전하다》完整 wánzhěng ②《몸이》硬朗 yìnglang

성하다(盛…) ①《초목》茂盛 màoshèng; 繁茂 fánmào ②《기운·세력이》兴旺 xīngwàng; 繁盛 fánshèng

성함(姓銜) 贵姓 guìxìng; 尊姓大名 zūnxìng dàmíng

성화(星火) ①《天》陨石 yǔnshí; 陨星 yǔnxīng ②《매우 급함》星火 xīnghuǒ; 急不及待 jí bùjídài ¶～같이 재촉하다 催逼 cuībī ③《운성의 빛》陨星的光 yǔnxīng de guāng

성화(聖火) 圣火 shènghuǒ ‖～ 릴레이 圣火接力 shènghuǒ jiēlì

섶[1]《옷의》衣襟 yī jīn; 衽 rèn

섶[2], 섶나무 柴 chái; 柴火 cháihuo

세(貰) ①《셋돈》〈俗〉赁钱 lìnqián; 赁费 lìnfèi ②《집세》房钱 fángqián

세(稅) 税 shuì ‖소득～ 所得税 suǒdéshuì

세간 什物家俱 shíwù jiājù

세거리 三岔路口 sānchà lùkǒu

세계(世界) 世界 shìjiè ¶～에 이름을 날리다 驰名全球 chímíng quánqiú =〔名扬四海 míngyáng sìhǎi〕/ ～ 일주 여행을 가다 去环球旅行 qù huánqiú lǚxíng ‖～관 世界观 shìjièguān =〔宇宙观 yǔzhòuguān〕/ ～어 ⇨에스페란토어, ～ 정세 世界形势 shìjiè xíngshì / ～ 평화 世界和平 shìjiè hépíng

세관(稅關) 海关 hǎiguān

세균(細菌) 菌 jūn; 细菌 xìjūn

세금(稅金) 税款 shuìkuǎn; 捐税 juānshuì ¶ ~을 내다 纳税 nàshuì =〔上税 shàngshuì〕〔缴税 jiǎoshuì〕/ ~을 체납하다 拖欠税款 tuōqiàn shuìkuǎn / ~이 붙다 要上税 yào shàngshuì
세기(世紀) 世纪 shìjì; 一百年 yìbǎinián ¶ ~말적 양상을 나타내다 呈现世纪末的景象 chéngxiàn shìjìmò de jǐngxiàng
세내다(貰…) 承租 chéngzū; 租用 zūyòng
세다[1] ①《머리털이》 变成白发 biànchéng báifà ②《얼굴이》 发白 fābái
세다[2] ①《수를》 数一数 shǔyishǔ ② ⇨ 세우다
세다[3] ①《기운 · 세력이》 强 qiáng ¶ 그는 힘이 ~ 他力气大 tā lìqi dà / 좀더 불을 세게 해라 把火再弄大点儿 bǎ huǒ zài nòngdà diǎnr ②《술이》 ¶ 그는 술이 ~ 他酒量大 tā jiǔliàng dà ③《일이》 重 zhòng ¶ 일이 ~ 工作很重 gōngzuò hěn zhòng ④《풀이》 硬 yìng ¶ 와이셔츠의 풀이 ~ 浆得硬撅撅的衬衫 jiāngde yìngjuējuē de chènshān ⑤《마음이》 刚强 gāngqiáng ¶ 고집이 ~ 很固执 hěn gùzhí
세단(sedan) 轿车 jiàochē
세대(世代) 世代 shìdài; 同时代的人 tóngshídài de rén ¶ ~의 단절 代沟 dàigōu
세대(世帶) 户 hù; 户口 hùkǒu ‖ ~주 户主 hùzhǔ
세레나데(Serenade) 小夜曲 xiǎoyèqǔ
세력(勢力) 势力 shìlì〔li〕; 权势 quánshì
세례(洗禮) 洗礼 xǐlǐ; 浸礼 qìnlǐ ¶ ~ 받다 领洗 lǐngxǐ / 원폭의 ~를 받다 受原子弹爆炸的洗礼 shòu yuánzǐdàn bàozhà de xǐlǐ
세로 纵 zòng; 竖 shù ¶ 가로~ 纵横 zònghéng
세론(世論) 舆论 yúlùn ¶ ~에 귀기울이다 倾听舆论 qīngtīng yúlùn
세면기(洗面器) 洗脸盆 xǐliǎnpén
세무(稅務) 税务 shuìwù ‖ ~서 税务局 shuìwùjú / ~서원 税务员 shuìwùyuán
세미나(seminar) 习明纳尔 xímíngnà'ěr; 课堂讨论 kètáng tǎolùn
세미콜론(semicolon) 分号 fēnhào ¶ ~을 찍다 标分号 biāo fēnhào
세부(細部) 细节 xìjié ¶ 계획을 ~에 걸쳐서 검토하다 对计划的细节逐一进行研讨 duì jìhuà de xìjié zhúyī jìnxíng yántǎo
세상(世上) 世上 shì shang; 世面 shìmian
세상(世相) 世道 shìdào; 世风 shìfēng ¶ ~이 바뀌었다 世道变了 shìdào biàn le
세숫대야(洗手…) 脸盆 liǎnpén; 洗脸盆 xǐliǎnpén
세우다 ①《정지시키다》 停 tíng; 止 zhǐ ¶ 차를 ~ 停车 tíngchē ②《일으켜》 立 lì; 竖 shù; 竖立 shùlì; 竖起 shùqǐ ¶ 기둥을 ~ 竖柱子 shù zhùzi ③《뜻을》 立定 lìdìng ④《어떤 자리에》 ¶ 목격자를 증인으로 ~ 把目击者作为证人 bǎ mùjīzhě zuòwéi zhèngren ⑤《체면을》 保全 bǎoquán; 树立 shùlì ⑥《계획 · 방책 따위를》 立 lì ¶ 가설을 ~ 立假说 lì jiǎshuō ⑦《공훈 따위를》 立 lì ¶ 공을 ~ 立功 lìgōng ⑧《조직 · 전통 따위》 立 lì; 树立 shùlì ⑨《건물 따위를》 盖 gài; 修盖 xiūgài; 修建 xiūjiàn; 建筑 jiànzhù ¶ 교사를 ~ 建筑校舍 jiànzhù xiàoshè ⑩《생활 방도를》 维持 wéichí
세일즈맨(salesman) 推销员 tuīxiāoyuán
세정(世情) 世路 shìlù; 人情 rénqíng ¶ ~에 밝다 熟悉世路人情 shúxī〔xi〕 shìlù rénqíng
세주다(貰…) 出租 chūzū; 出赁 chūlìn
세차다 激烈 jīliè; 强烈 qiángliè; 剧烈 jùliè
세탁(洗濯) 洗 xǐ; 洗衣服 xǐ yīfu; 洗涤 xǐdí ‖ ~소 洗衣店 xǐyīdiàn
세트(set) ①《도구 · 가구 등의》 一套 yí tào ¶ 커피 一套咖啡具 yí tào kāfēijù ②《영화 · 무대의》 布景 bùjǐng ¶ ~ 촬영 内景摄影 nèijǐng shèyǐng / ~를 조립하다 搭置布景 dāzhì bùjǐng ③《탁구 · 배구 등의》 局 jú; 《테니스의》 盘 pán ¶ 제1 ~는 A팀이 이겼다 第一局A队赢了 dìyì jú A duì yíng le
세포(細胞) 细胞 xìbāo
섹트주의(sect 主義) 宗派主义 zōngpài zhǔyì; 本位主义 běnwèi zhǔyì; 山头主义 shāntóu zhǔyì
센서스(census) ① 人口调查 rénkǒu diàochá; 国情调查 guóqíng diàochá ② 情况调查 qíngkuàng diàochá
센세이션(sensation) 轰动 hōngdòng; 耸人听闻 sǒng rén tīng wén ¶ 일대 ~을 일으키다 引起了极大的轰动 yǐnqǐle jídà de hōngdòng
센스(sense) 感觉 gǎnjué; 灵机 língjī ¶ 그는 ~가 없다 他没有幽默感 tā méiyǒu yōumògǎn
센터(center) ①《중앙》 中央 zhōngyāng; 中心 zhōngxīn ¶ ~라인 中线 zhōngxiàn ②《야구의》 中外场 zhōngwàichǎng; 中场手 zhōngchǎngshǒu ¶ ~플라이 中外场腾空球 zhōngwàichǎng téngkōngqiú
센티멘탈(sentimental) 感伤 gǎnshāng; 伤感 shānggǎn ¶ ~한 노래 令人感伤的歌 lìng rén gǎnshāng de gē
센티미터(centimeter) 公分 gōngfēn; 厘米 límǐ
셀로판(cellophane) 玻璃纸 bōlizhǐ; 赛璐玢纸 sàilùfēnzhǐ
셀룰로이드(celluloid) 《化》 赛璐珞 sàilùluò; 冲象牙 chōngxiàngyá; 硝纤象牙 xiāoxiān xiàngyá; 假象牙 jiǎxiàngyá
셀프(self) 自己 zìjǐ; 自身 zìshēn ¶ 그 식당은 ~서비스로 되어 있다 这家食堂是自助餐馆 zhè jiā shítáng shì zìzhù cānguǎn ‖ ~콘트롤 自制 zìzhì =〔自我克制 zìwǒ kèzhì〕/ ~타이머 自行开关装置 zìxíng kāiguān zhuāngzhì =〔自拍器 zìpāiqì〕
셈 算 suàn; 计算 jìsuàn ¶ ~하다 算账 suànzhàng / ~치다 以…为前提 yǐ wéi qiántí / 지는 ~치고 以打输为前提 yǐ dǎshū wéi qiántí / 다시 팔 ~치고 사다 以再卖为前提而买下来 yǐ zài mài wéi qiántí ér mǎixialai
셋 三 sān; 三个 sānge
셋돈(貰…) 赁钱 lìnqián; 租钱 zūqián; 《방세》 〈口〉 房钱 fángqian
셋방(貰房) 出租房间 chūzū fángjiān
셋집(貰…) 出租的房子 chūzū de fángzi ¶ ~을 얻다 租房子 zū fángzi
셔벗(sherbet) 果子露冰糕 guǒzilù bīnggāo
셔츠(shirts) 衬衫 chènshān; 汗衫 hànshān; 衬衣 chènyī ¶ 메리야스의 ~ 棉毛衫 miánmáoshān
셔터(shutter) ①《사진기의》 快门 kuàimén ¶ ~를 누르다 摁快门 èn kuàimén ②《미늘창》 百叶门 bǎiyèmén ¶ 폐점 시간이 되어 ~를 내리다 到了关门时间拉下百叶门 dàole guānmén shíjiān lāxia bǎiyèmén
셰퍼드(shepherd) 《動》 狼狗 lánggǒu

소¹〖動〗牛 niú ¶～를 말로 바꾸어 타다 看风使舵 kàn fēng shǐ duò =〔见风转舵 jiàn fēng zhuǎnduò〕‖수～ 公牛 gōngniú =〔牡牛 mǔniú〕/암～ 母牛 mǔniú =〔牝牛 pìnniú〕
소²《떡의》馅儿 xiànr
소각(燒却) 焚烧 fénshāo; 焚毁 fénhuǐ; 烧毁 shāohuǐ
소갈머리 心眼儿 xīnyǎnr; 心地 xīndì
소개(紹介) 介绍 jièshào ‖～장 介绍信 jièshàoxìn
소경 瞎子 xiāzi; 盲人 mángrén; 盲 máng
소계(小計) 小计 xiǎojì; 零计 língjì
소곤거리다 耳语 ěryǔ; 私语 sīyǔ; 唧唧咕咕地说 jījīgūgu de shuō; 打喳喳 dǎ chā cha ¶귓전에 대고 ～ 在耳边低声说话 zài ěrbiān dīshēng shuōhuà =〔咬着耳朵说话 yǎozhe ěrduo shuōhuà〕〔附耳私语 fùěr sīyǔ〕〔交头接耳 jiāotóujiē'ěr〕〔耳语 ěryǔ〕
소극적(消極的) 消极的 xiāojí de
소금 盐 yán ¶～을 한 줌 넣다 搁一撮盐 gē yì cuō yán
소금쟁이〖蟲〗豉虫 chǐchóng; 豉甲 chǐjia; 水黾 shuǐmǐn; 水马 shuǐmǎ; 黾蝽 mǐnchūn
소꿉놀이 做饭游戏 zuòfàn yóuxì; 做菜玩儿 zuòcài wánr
소나기 阵雨 zhènyǔ; 骤雨 zhòuyǔ; 急雨 jíyǔ
소나무〖植〗松 sōng; 松树 sōngshù
소나타(sonata)〖樂〗奏鸣曲 zòumíngqǔ ‖～형식 奏鸣曲式 zòumíngqǔshì
소녀(少女) 少女 shàonǚ; 小妞儿 xiǎoniūr
소년(少年) 少年 shàonián ‖비행 ～ 不良少年 bùliáng shàonián
소다(soda)〈音〉苏打 sūdá ¶가성 ～ 苛性钠 kēxìngnà =〔烧碱 shāojiǎn〕〔氢氧化钠 qīngyǎnghuànà〕‖～수 苏打水 sūdáshuǐ
소대(小隊) 小队 xiǎoduì; 排 pái ‖～장 排长 páizhǎng
소독(消毒) 消毒 xiāodú
소동(騷動) 骚动 sāodòng; 骚乱 sāoluàn; 乱子 luànzi; 风潮 fēngcháo ¶～을 일으키다 闹风潮 nào fēngcháo =〔闹事 nào shì〕
소득(所得) 所得 suǒdé; 进项 jìnxiang; 收入 shōurù
소등(消燈) 消灯 xīdēng; 灭灯 miè dēng ‖～나팔 熄灯号 xīdēnghào
소라〖貝〗蝾螺 róngluó
소란(騷亂) 骚乱 sāoluàn; 骚动 sāodòng; 乱子 luànzi
소량(小量) 少量 shǎoliàng; 少许 shǎoxǔ
소령(少領) 少校 shàoxiào
소리 声音 shēngyīn; 声 shēng; 音 yīn; 音响 yīnxiǎng ¶～ 나다 响 xiǎng
소매 袖子 xiùzi; 袖(儿) xiù(r); 袖管 xiùguǎn; 袖筒 xiùtǒng ¶～를 걷어올리다 挽起袖子 wǎnqǐ xiùzi
소매(小賣) 零卖 língmài; 零售 língshòu ‖～가격 零售价格 língshòu jiàgé
소매치기 小绺 xiǎoliu; 扒手 páshǒu
소멸(消滅) 消灭 xiāomiè; 消亡 xiāowáng ‖자연 ～ 自然消亡 zìrán xiāowáng
소모(消耗) 消耗 xiāohào; 损耗 sǔnhào
소몰이 牛倌 niúguān
소문(所聞) 风声 fēngshēng; 风传 fēngchuán
소박(素朴) 素朴 sùpǔ; 朴素 pǔsù
소박(疎薄) 薄待 báo dài ¶～맞다 受气 shòuqì ‖～데기 受气婆 shòuqìpó
소반(小盤) 小饭桌 xiǎofànzhuō
소방(消防) 消防 xiāofáng; 救火 jiùhuǒ ‖～서 消防站 xiāofángzhàn /～수 消防队员 xiāofáng duìyuán
소변(小便) 小便 xiǎobiàn; 尿 niào ¶～ 보다 撒尿 sāniào =〔小便 xiǎobiàn〕〔解小手儿 jiě xiǎoshǒur〕〔小解 xiǎojiě〕〔《어린아이의》尿尿 niào niào〕/～이 잦다 尿频 niào pín
소복(素服) 孝衣 xiàoyī
소복하다 溜边儿溜沿儿的 liūbiānr liūyánr de
소비(消費) 消费 xiāofèi; 耗费 hàofèi; 消耗 xiāohào ‖～ 조합 消费合作社 xiāofèi hézuòshè
소상(小祥) 小祥忌 xiǎoxiáng jì
소생(小生) 敝人 bìrén; 小可 xiǎokě
소생(所生) ①《자식》孩子 háizi; 儿女 érnǚ ②《자기 자식》自己生的孩子 zìjǐ shēng de háizi ¶～이 많다 孩子多 háizi duō
소생(蘇生) 复苏 fùsū; 苏醒 sūxǐng; 回生 huíshēng ¶인공 호흡으로 물에 빠진 사람을 ～시키다 用人工呼吸使溺水的人复苏 yòng réngōng hūxī shǐ nì shuǐ de rén fùsū
소설(小說) 小说 xiǎoshuō
소속(所屬) 所属 suǒshǔ
소송(訴訟) 诉讼 sùsòng ¶～을 제기하다 提起诉讼 tíqǐ sùsòng =〔打官司 dǎ guānsī〕/～ 취하(取下) 销案 xiāo'àn =〔撤回诉讼 chèhuí sùsòng〕
소수(少數) 少数 shǎoshù ¶～ 정예 주의 少而精原则 shǎo ér jīng yuánzé
소스(sauce) 调味汁 tiáowèizhī; 沙司 shāsī ‖우스터 ～ 辣酱油 làjiàngyóu /타르타르 ～ 芥末蛋黄酱 jièmo dànhuángjiàng /토마토～ 番茄沙司 fānqié shāsī /화이트 ～ 奶油白色调味汁 nǎiyóu báisè tiáowèizhī
소시지(sausage) 腊肠 làcháng; 香肠 xiāngcháng; 灌肠 guànchang
소식(消息) ①信 xìn; 音信 yīnxìn ¶그 후 ～이 조금도 없다 从那以后杳无音信 cóng nà yǐhòu yǎo wú yīnxìn ②信息 xìnxī; 消息 xiāoxi ‖～통 消息灵通人士 xiāoxi língtōng rénshì
소실(小室) 姨太太 yítàitai;〈俗〉小老婆 xiǎolǎopo ¶～을 두다 纳妾 nàqiè =〔安外家 ān wàijiā〕
소실(燒失) 烧毁 shāohuǐ; 焚毁 fénhuǐ; 焚烧 fénshāo ¶절의 본당이 ～되었다 寺院的正殿烧毁了 sìyuàn de zhèngdiàn shāohuǐ le
소심하다(小心…) 懦懦 nuònuò; 小心的 xiǎoxīn de ¶그는 소심한 사람이다 他是个胆小鬼 tā shì ge dǎnxiǎoguǐ
소아(小兒) 小儿 xiǎo'ér ‖～과 小儿科 xiǎo'érkē =〔儿科 érkē〕/～마비 小儿麻痹症 xiǎo'ér mábìzhèng
소외(疎外) 疏远 shūyuǎn ¶자기 ～ 自我异化 zìwǒ yìhuà /친구에게 ～당하다 被朋友疏远 bèi péngyou shūyuǎn ‖～감 疏远感 shūyuǎngǎn
소용(所用) ①用处 yòngchù ¶～되다 需要 xūyào ②《비용·시간 등이》得 děi
소용돌이 旋涡 xuánwō; 旋(儿) xuán(r) ¶～치다 打旋儿 dǎ xuánr /사건의 ～속에 휘말려들다 被卷入事件的旋涡里 bèi juǎnrù shìjiàn de

xuánwō li
소원(所願) 愿望 yuànwàng ¶ ～하다 愿意 yuànyì
소유(所有) 所有 suǒyǒu ‖ ～주 物主 wùzhǔ =〔本主儿 běnzhǔr〕〔属主 shǔzhǔ〕
소음(騷音) 骚音 sāoyīn; 噪音 zàoyīn; 噪声 zàoshēng ‖ ～ 방지 防止噪音 fángzhǐ zàoyīn
소이(所以) 理由 lǐyóu; 所以 suǒyǐ ¶ 사람이 사람다운 ～는 人之所以称为人 rén zhī suǒyǐ chēngwéi rén =〔人何谓人 rén hé wèi rén〕
소인(素人) 外行 wàiháng; 外行人 wàihángrén; 门外汉 ménwàihàn; 力巴 lìba ‖ ～극 ⇨아마추어극
소인(素因) 起因 qǐyīn
소일하다(消日…) 消遣 xiāoqiǎn
소제(掃除) 扫洒 sǎosǎ; 打扫 dǎsǎo; 扫除 sǎochú ‖ 전기 ～기 电动吸尘器 diàndòng xīchénqì =〔吸尘器 xīchénqì〕
소중하다(所重…) 最为宝贵 zuìwéi bǎoguì ¶ 소중히 여기다 保重 bǎozhòng =〔爱惜 àixī〕
소지(所持) 所携 suǒxié ¶ 거금을 ～하다 身上带着巨款 shēnshang dàizhe jùkuǎn ‖ ～품 随身携带的物品 suíshēn xiédài de wùpǐn
소질(素質) 素质 sùzhì; 资质 zīzhì; 天资 tiānzī ¶ 음악의 ～이 있다 音乐的天资 yīnyuè de tiānzī
소집(召集) 召集 zhàojí; 召开 zhàokāi ‖ ～ 영장 入伍通知书 rùwǔ tōngzhīshū
소쩍새 《鳥》 杜宇 dùyǔ; 小杜鹃 xiǎodùjuān
소총(小銃) 枪 qiāng; 步枪 bùqiāng ‖ ～탄 子弹 zǐdàn / 자동 ～ 自动步枪 zìdòng bùqiāng
소쿠리 笊篱 zhàoli
소파(sofa) 长椅子 chángyǐzi; 长凳子 chángdèngzi; 沙发 shāfā
소포(小包) 包裹 bāoguǒ
소풍(逍風) 郊外旅行 jiāowài lǚxíng; 踏青儿 tàqīngr
소프라노(soprano) 《樂》 女高音 nǚgāoyīn
소프트(soft) 《품질이》 柔软 róuruǎn; 《분위기가》 柔和 róuhé ‖ ～볼 垒球 lěiqiú / ～웨어 软件 ruǎnjiàn =〔软设备 ruǎnshèbèi〕
소행(所行) 行为 xíngwéi; 品行 pǐnxíng; 举止 jǔzhǐ
소화(消化) 消化 xiāohuà ‖ ～ 효소 消化酶 xiāohuàméi
소화(消火) 救火 jiùhuǒ; 灭火 mièhuǒ ‖ ～전 消火栓 xiāohuǒshuān =〔消防龙头 xiāofáng lóngtóu〕/ ～ 호스 消防水带 xiāofáng shuǐdài =〔水龙带 shuǐlóngdài〕
소환(召喚) 传唤 chuánhuàn ¶ 증인을 법정으로 ～하다 把证人传到法庭 bǎ zhèngren chuándào fǎtíng
소환(召還) 召回 zhàohuí ¶ 대사를 본국으로 ～하다 把大使召回本国 bǎ dàshǐ zhàohuí běnguó
속 ①《안》 里 lǐ; 里面 lǐmian; 里边(儿) lǐbian(r); 里头 lǐtou ¶ 서랍에서 꺼내다 从抽屉里拿出来 cóng chōuti li náchūlai ②《범위 안에》 中 zhōng ¶ 군중 ～에 사라지다 在人群中消失了 zài rénqún zhōng xiāoshī le ③《한창…한가운데》 中 zhōng ¶ 빗～을 나가다 冒着雨出去 màozhe yǔ chūqu
속가(俗歌) 小调(儿) xiǎodiào(r); 小曲儿 xiǎoqǔr
속눈썹 睫毛 jiémáo ¶ 가짜 ～ 假睫毛 jiǎ jiémáo
속다 受骗 shòupiàn; 上档 shàngdàng
속단(速斷) 轻率的判断 qīngshuài de pànduàn; 从速决定 cóngsù juédìng ¶ 원인을 조사하지 않고 ～하다 不查明原因草率下判断 bù chámíng yuányīn cǎoshuài xià pànduàn
속달(速達) 快递 kuàidì; 快邮 kuàiyóu ‖ ～ 우편 快信 kuàixìn
속담(俗談) ①《격언》 民间传说 mínjiān chuánshuō ②《속된 이야기》 俗语 súyǔ
속도(速度) 速度 sùdù ‖ ～계 速度表 sùdùbiǎo =〔速度计 sùdùjì〕〔示速表 shìsùbiǎo〕
속되다(俗…) 俗 sú; 庸俗 yōngsú; 俗气 súqi; 粗俗 cūsú; 低级 dījí ¶ 속된 취미 低级的嗜好 dījí de shìhào
속력(速力) 速度 sùdù ¶ ～이 떨어지다 速度下降 sùdù xiàjiàng
속마음 内心 nèixīn; 心里 xīnli; 心中 xīnzhōng ¶ ～을 털어놓다 吐露心里话 tǔlù xīnlihuà
속물(俗物) 俗流 súliú
속박(束縛) 限制 xiànzhì; 管束 guǎnshù; 约束 yuēshù; 控制 kòngzhi; 束缚 shùfù ¶ 시간의 ～을 받다 受时间的束缚 shòu shíjiān de shùfù
속사(速射) 快速射击 kuàisùshèjī ‖ ～포 速射炮 sùshèpào
속사(速寫) ①《빨리 찍다》 快拍 kuàipāi; 快象 kuàixiàng ②《빨리 쓰다》 速写 sùxiě
속삭이다 耳语 ěryǔ; 说体己话 shuō tǐjihuà; 低声说话 dīshēng shuōhuà; 咬耳朵 yǎo ěrduo
속상하다 令人窝心 lìng rén wōxīn; 令人悔吝 lìng rén huǐlìn
속셈 主意 zhǔyì; 打算 dǎsuàn
속속(續續) 接连不断地 jiēlián búduànde ¶ 구경꾼이 ～ 들이닥치다 看热闹的源源不绝地挤来 kàn rènao de yuányuán bùjuéde jǐ lái / 정보가 ～ 들어오다 消息源源而来 xiāoxi yuányuán ér lái
속속들이 无孔不入 wú kǒng bú rù; 咕拉嘎拉 jī lā kā lā
속수무책(束手無策) 束手无策 shù shǒu wú cè
속어(俗語) 俗语 súyǔ; 俚语 lǐyǔ; 俗词 súcí
속옷 内衣 nèiyī; 汗衫 hànshān; 贴身衣 tiēshēnyī
속이다 骗 piàn; 诓 kuāng; 诓骗 kuāngpiàn; 欺骗 qīpiàn; 哄骗 hǒngpiàn; 蒙 mēng; 蒙骗 mēngpiàn
속임수(…數) ①《책략》 圈套 quāntào; 诡计 guǐjì ¶ ～에 걸리다 中了诡计 zhòngle guǐjì =〔上了圈套 shàngle quāntào〕 ②《영화의》 特技 tèjì
속절없다 《불가피》 不得已 bùdéyǐ; 没法子 méi fázi; 躲不开 duǒbukāi ¶ 속절없이 단념하다 不得已而想开 bùdéyǐ ér xiǎngkāi
속출(續出) 不断地发生 búduànde fāshēng; 继起 jìqǐ ¶ 유행성 감기 환자가 ～하다 流行性感冒患者不断发生 liúxíngxìng gǎnmào huànzhě búduàn fāshēng
속치마 衬裙 chènqún
속칭(俗稱) 俗称 súchēng; 俗名 súmíng; 通称 tōngchēng
속태우다 ①《남을》 叫人为难 jiào rén wéi nán; 搅扰人 jiǎorǎo rén; 折磨人 zhémo rén ②《스스로》 担心 dānxīn; 着急 zháojí; 折腾 zhéteng
속하다(屬…) 属于… shǔyú …
솎다 间拔 jiànbá; 间苗 jiànmiáo; 疏苗 shūmiáo ¶ 갓을 ～ 间芥菜苗 jiàn jiècàimiáo
손 ①《사람의》 手 shǒu ②《일손》 手 shǒu ¶ ～

이 열두 개라도 모자랄 지경이다 忙不过来 máng bu guòlái =〔忙得不可开交 mángde bùkě kāijiāo〕 ③《교제》手 shǒu ¶우리가 ～을 잡는다면 성공은 문제 없다 要是我们携起手来〔携手合作〕,一定会成功 yàoshì wǒmen'xiéqǐ shǒu lái〔xiéshǒu hézuò〕, yídìng huì chénggōng ④《수완 · 수단》办法 bànfǎ ¶여러 가지로 ～을 쓰다 想尽办法 xiǎngjìn bànfǎ =〔千方百计 qiānfāng bǎijì〕

손(損) 赔 péi; 亏 kuī; 损失 sǔnshī ¶～을 보다 吃亏 chīkuī

손가락 指 zhǐ; 指头 zhítou; 手指头 shǒuzhítou; 手指 shǒuzhǐ

손가락질 ①《지시》用手指示 yòng shǒuzhǐ shì ②《비평》说长说短 shuōcháng shuōduǎn

손금 掌纹 zhǎngwén; 手相 shǒuxiàng ¶～을 보다 看手相 kàn shǒuxiàng

손꼽다 屈指计算 qūzhǐ jìsuàn ¶손꼽히는 학자 第一流的学者 dìyīliú de xuézhě / 손꼽아 기다리다 屈指而待 qūzhǐ ér dài

손님 客 kè; 客人 kèrén ¶～을 초청하다 邀请客人 yāoqǐng kèrén =〔邀客 yāokè〕

손대다 ①《만지다》伸手 shēnshǒu ②《착수하다》动手 dòngshǒu ③《관계하다》涉及 shèjí ④《여자에》染指 rǎnzhǐ

손대중 掂掇 diānduo; 掂算 diānsuàn

손도장(…圖章) 手印(儿) shǒuyìn(r); 拇印 mǔyìn; 手模 shǒumó; 指印(儿) zhǐyìn(r) ¶～을 찍다 印手印 yìn shǒuyìn =〔打拇印 dǎ mǔyìn〕〔按手印 àn shǒuyìn〕

손들다 ①《거수》举起手 jǔqǐ shǒu ②《찬성》赞成 zànchéng ③《항복》投降 tóuxiáng; 认输 rènshū ¶이 문제에는 손들었다 这事我可没办法了 zhè shì wǒ kě méi bànfǎ le

손등 手背(儿) shǒubèi(r)

손때 手油垢 shǒuyóugòu; 手油泥 shǒuyóuní ¶～ 묻은 사전 被手脏翻的辞典 bèi shǒu zàng fān de cídiǎn

손떼다 ①《관계를 끊다》断绝关系 duànjué guānxi; 《좋지 못한 일에서》洗手 xǐshǒu ②《끝내다》做完 zuòwán; 完成 wánchéng

손목 手腕子 shǒuwànzi; 腕子 wànzi; 胳膊腕子 gēbo wànzi ‖～ 시계 手表 shǒubiǎo

손바닥 手掌 shǒuzhǎng

손발 手脚 shǒujiǎo; 《사람》惟命是从的人 wéi mìng shì cóng de rén ¶부하를 ～같이 쓴다 对部下操纵自如 duì bùxia cāozòng zìrú / 사장의 ～이 되어 일하다 作为总经理的左右手从事工作 zuòwéi zǒngjīnglǐ de zuǒyòushǒu cóngshì gōngzuò

손버릇 手不稳 shǒu bù wěn; 有盗癖 yǒu dàopǐ ¶～이 나쁜 手儿粘赘 shǒur niánzhuì / 저놈은 ～이 나쁘다 他好偷东西 tā hào tōu dōngxi

손뼉치다 鼓掌 gǔzhǎng; 拍手 pāishǒu; 拍掌 pāizhǎng ¶손뼉쳐서 찬성을 표시하다 鼓掌表示赞成 gǔzhǎng biǎoshì zànchéng

손수 亲手 qīnshǒu; 亲身 qīnshēn; 用自己的力量 yòng zìjǐ de lìliang ¶～ 본보기를 보이다 亲身示范 qīnshēn shìfàn

손수건(…手巾) 手巾 shǒujīn; 手绢(儿) shǒujuàn(r); 手帕 shǒupà

손수레 手推车 shǒutuīchē; 手车 shǒuchē

손쉽다 容易 róngyì; 不难 bùnán; 轻易 qīngyì

손아귀 手中 shǒu zhōng; 手里 shǒu li ¶～에 들다 落在…的手中 luò zài … de shǒu zhōng / 정권을 ～에 넣다 把政权掌握在手中 bǎ zhèngquán zhǎngwò zài shǒu zhōng

손아래 年幼 niányòu; 比…年少 bǐ … niánshǎo ¶나보다 세살 ～이다 比我小三岁 bǐ wǒ xiǎo sān suì

손위 岁数大 suìshù dà ¶손윗사람 长辈 zhǎngbèi =〔年长的人 niánzhǎng de rén〕〔前辈 qiánbèi〕〔长上 zhǎngshàng〕

손일 手作的活 shǒuzuò de huó; 手工 shǒugōng; 手头活儿 shǒutóuhuór

손자(孫子) 孙子 sūnzi; 外孙 wàisūn; 外甥 wàisheng; 外孙子 wàisūnzi ¶간신히 ～를 얻었다 好容易才抱孙子了 hǎoróngyi cái bào sūnzi le

손잡이 ①《핸들》把手 bǎshǒu〔shou〕; 拉手(儿) lāshǒu(r) ②《그릇의》把儿 bàr ③《전철 따위의》吊带 diàodài

손재주 手巧 shǒuqiǎo; 手艺 shǒuyì

손질 《수선》修缮 xiūshàn; 修治 xiūzhì

손짓 手势 shǒushì ¶～하다 打手势 dǎ shǒushì

손찌검하다 动手动脚 dòngshǒu dòngjiǎo ¶먼저 손찌검한 쪽이 나쁘다 先动手的不对 xiān dòngshǒu de bú duì

손톱 指甲 zhǐjia ‖～깎이 指甲刀 zhǐjiadāo =〔指甲钳 zhǐjiaqián〕

손풍금(…風琴) 手风琴 shǒufēngqín ¶～을 타다 拉手风琴 lā shǒufēngqín

손해(損害) 损失 sǔnshī; 损害 sǔnhài ‖～ 보험 损失保险 sǔnshī bǎoxiǎn

솔[1] 〔植〕松 sōng; 松树 sōngshù ‖～가지 松枝 sōngzhī / ～방울 松塔 sōngtǎ / ～잎 松针 sōngzhēn =〔松毛 sōngmáo〕

솔[2] 刷子 shuāzi ¶양복에 솔질을 하다 用毛刷刷西服 yòng máoshuā shuā xīfú

솔기 缝儿 fèngr ¶～가 터지다 缝儿开绽 fèngr kāizhàn

솔깃하다 引起兴趣儿 yǐnqǐ xìngqùr

솔솔 溜溜 liūliū; 轻微微地 qīngwēiwēide ¶～부는 바람 微微吹动的风 wēiwēi chuīdòng de fēng

솔직(率直) 率直 shuàizhí; 直率 zhíshuài; 爽直 shuǎngzhí; 直爽 zhíshuǎng; 坦率 tǎnshuài ¶～히 말해서 네가 틀렸다 坦率地说你不对 tǎnshuài de shuō nǐ bú duì

솜 棉 mián; 棉花 miánhua ¶이불에 ～을 두다 给被子絮棉花 gěi bèizi xù miánhua =〔絮被子 xù bèizi〕

솜씨 ①《손재주》手工 shǒugōng; 手艺 shǒuyì ②《수완》能耐 néngnai; 本事 běnshi; 本领 běnlǐng ¶한번 ～ 좀 봅시다 瞧你的本事吧 qiáo nǐde běnshi ba

솜옷 棉袄 mián'ǎo; 棉衣服 miányīfu

솜털 《사람의》汗毛 hànmáo; 《식물의》绒毛 róngmáo

솟구다 纵身跳起 zòngshēn tiàoqǐ

솟다 ①《높이 서다》耸立 sǒnglì ②《나오다》涌出 yǒngchū; 喷出 pēnchū; 冒出 màochū ¶온천이 ～ 温泉涌出 wēnquán yǒngchū / 용기가 ～ 勇气涌现出来了 yǒngqì yǒngxiàn chūlai le

솟아나다 涌出 yǒngchū; 冒出 màochū ¶힘차게 온천이 ～ 泉水源源涌出来 quánshuǐ yuányuán yǒngchūlai

솟아 있다 耸立 sǒnglì; 突兀 tūwù; 高耸 gāosǒng
송곳 锥子 zhuīzi ¶위가 ～으로 쑤시는 듯이 아프다 胃好像用锥子扎似的那么疼 wèi hǎoxiàng yòng zhuīzi zhā shìde nàme téng
송곳니 犬齿 quǎnchǐ; 犬牙 quǎnyá
송구스럽다(悚懼…) ①《미안》对不起 duìbuqǐ; 不好意思 bù hǎo yìsi ②《황송》惶恐 huángkǒng
송금(送金) 汇款 huìkuǎn; 寄钱 jì qián
송달(送達) ①送交 sòngjiāo ②《교부》发给 fāgěi; 交给 jiāogěi
송두리째 整个地 zhěnggède; 囫囵 húlun
송별(送別) 送别 sòngbié; 送行 sòngxíng; 饯行 jiànxíng ¶그를 위해 ～회를 열다 为他开欢送会 wèi tā kāi huānsònghuì =〔给他饯行 gěi tā jiànxíng〕
송부(送付) 递送 dìsòng ¶돈을 ～하다 送钱 sòng qián =〔解款 jiè kuǎn〕
송사리〖魚〗大头贼 dàtóuzéi
송아지〖動〗小牛 xiǎoniú; 牛崽(子) niúzǎi(zi); 牛犊(子) niúdú(zi); 犊子 dúzi
송어(松魚)〖魚〗松鱼 sōngyú
송이《꽃·과일의》朵儿 duǒr; 一串 yíchuàn; 一挂 yíguà; 《포도의》〈口〉嘟噜 dūlu; 《눈의》雪花 xuěhuā ¶바나나 ～가 열렸다 结着一串一串的香蕉 jiēzhe yíchuàn yíchuàn de xiāngjiāo
송이(松栮)〖植〗松蕈 sōngxùn
송장 死尸 sǐshī; 尸身 shīshēn; 尸首 shīshou; 尸体 shītǐ
송전(送電) 输电 shūdiàn; 放电 fàngdiàn ‖～선 输电线 shūdiànxiàn
송죽매(松竹梅) 岁寒三友 suìhán sānyǒu
송진(松津) 松香 sōngxiāng; 松胶 sōngjiāo
송충이(松蟲…)〖蟲〗金琵琶 jīnpípa
송치(送致) 解送 jièsòng ¶범인을 ～하다 解送犯人 jièsòng fànrén
송환(送還) 遣回 qiǎnhuí; 遣反 qiǎnfǎn; 遣送 qiǎnsòng; 送回 sònghuí ¶포로를 ～하다 遣返俘虏 qiǎnfǎn fúlǔ
솥 锅 guō ¶한 ～의 밥을 먹다 吃一个锅里的饭 chī yíge guō li de fàn
쇠 ①《철》铁 tiě ②⇨열쇠 ③⇨자물쇠
쇠가죽 牛皮 niúpí
쇠고랑 手铐 shǒukào ¶～을 채우다 戴上手铐 dàishang shǒukào
쇠귀에 경읽기 马耳东风 mǎ' ěr dōng fēng; 当作耳傍风 dàngzuō ěrpángfēng
쇠다《명절을》过节 guòjié ¶추석을 ～ 过仲秋节 guò zhōngqiūjié
쇠달구 铁硪 tiěwò; 铁夯 tiěhāng
쇠똥[1]《쇠부스러기》铁落 tiěluò
쇠똥[2]《소의 똥》牛下 niúxià; 牛粪 niúfèn
쇠똥구리〖蟲〗蜣螂 qiāngláng
쇠망치 铁锤 tiěchuí; 锤子 chuízi; 钉锤 dīngchuí
쇠몽둥이 铁棍 tiěgùn
쇠뭉치 铁块儿 tiěkuàir
쇠붙이 五金 wǔjīn; 金属 jīnshǔ
쇠사슬 链子 liànzi
쇠스랑 铁耙子 tiěbázi
쇠지레 铁挺 tiětǐng; 铁翘 tiěqiáo
쇠퇴(衰退·衰頹) 衰退 shuāituì; 衰落 shuāiluò ¶기억력이 크게 ～해지다 记忆力大为衰退 jìyìlì dà wéi shuāituì =〔记性差了 jìxing chà le〕
쇠파리〖蟲〗牛蝇 niúyíng
쇠하다(衰…) 衰弱 shuāiruò; 衰退 shuāituì; 减退 jiǎntuì; 减弱 jiǎnruò
쇳조각 铁片子 tiěpiànzi
쇼(show) ①《전시회》展览 zhǎnlǎn; 展览会 zhǎnlǎnhuì; 陈列 chénliè ②《구경거리》表演艺术 biǎoyǎn yìshù ¶패션 ～ 时装表演 shízhuāng biǎoyǎn ‖～룸 陈列室 chénlièshì =〔展览室 zhǎnlǎnshì〕/ ～윈도 橱窗 chúchuāng =〔陈列窗 chénlièchuāng〕
쇼비니즘(프 chauvinisme) 沙文主义 Shāwén zhǔyì
쇼크(shock) 打击 dǎjī; 冲击 chōngjī; 震动 zhèndòng; 惊动 jīngdòng; 震惊 zhènjīng; 《의학》休克 xiūkè ¶전기 ～ 요법 电休克疗法 diànxiūkè liáofǎ
쇼킹(shocking) 骇人听闻 hài rén tīngwén; 惊心动魄 jīngxīndòngpò
쇼트(short) ①《전기의》短路 duǎnlù ②《야구의》游击手 yóujīshǒu ‖～커트 短发 duǎnfà / ～케이크 奶油花蛋糕 nǎiyóu huādàngāo / ～팬츠 短裤 duǎnkù
숄(shawl) 披肩 pījiān
숄더백(shoulder bag) 挎包 kuàbāo
수(手) ①《바둑·장기 따위의》本领 běnlǐng〔ling〕 ¶～가 늘었다 本领长进 běnlǐng〔ling〕zhǎngjìn ②《수법》手法 shǒufǎ; 诡计 guǐjì ¶좋은 ～가 있다 有窍门 yǒu qiàomén / 별～ 없다 没法子 méi fǎzi
수(數) 数 shù; 数目 shùmù; 数量 shùliàng
수(繡) 绣花 xiùhuā; 刺绣 cìxiù ¶금실로 꽃과 새를 ～놓다 用金线刺绣花鸟 yòng jīnxiàn cìxiù huāniǎo
수갑(手匣) 手铐 shǒukào ¶～을 채우다 戴手铐 dài shǒukào
수건(手巾) 手巾 shǒujīn ¶～을 짜다 拧手巾 níng shǒujīn / ～으로 얼굴을 닦다 用手巾擦脸 yòng shǒujīn cā liǎn ‖～걸이 挂手巾的架子 guà shǒujīn de jiàzi
수고 劳苦 láokǔ; 辛苦 xīnkǔ; 吃苦 chīkǔ; 受苦 shòukǔ ¶～하다 费劲(儿) fèijìn(r) =〔受累 shòulèi〕
수굿하다 坠弯 zhuìwān ¶사과의 무게로 가지가 ～ 由于苹果的重量枝子都坠弯 yóuyú píngguǒ de zhòngliàng zhīzi dōu zhuìwān
수그러지다 ①《머리가》佩服 pèifu ②《바람이》平息 píngxī ③《통증이》减轻 jiǎnqīng ④《물가가》落 luò ⑤《전염병이》衰退 shuāituì
수그리다《머리를》低头 dītóu
수금(收金) 收款 shōukuǎn
수급(需給) 供求 gōngqiú ¶～의 균형이 잡히지 않다 供求不平衡 gōngqiú bù pínghéng
수긍(首肯) 领会 lǐnghuì; 赞成 zànchéng ¶～하기 어려운 점 难以赞同之处 nányǐ zàntóng zhī chù
수기(手記) 手记 shǒujì; 亲手记录 qīnshǒu jìlù
수난(受難) 受难 shòunàn
수뇌(首腦) 首脑 shǒunǎo; 领导 lǐngdǎo ‖～부 领导机关 lǐngdǎo jīguān =〔领导班子 lǐngdǎo bānzi〕
수단(手段) 手段 shǒuduàn; 方法 fāngfǎ; 手法 shǒufǎ ¶～이 좋다 办得漂亮 bàn de piàoliang / 그는 목적을 이루기 위해서는 ～을 가리

지 않는다 他为了达到目的不择手段 tā wèile dádào mùdì bù zé shǒuduàn
수당(手當) 津贴 jīntiē ¶초과 근무 ～ 加班津贴 jiābān jīntiē
수도(水道) 自来水 zìláishuǐ ¶～ 요금 自来水费 zìláishuǐfèi =〔水费 shuǐfèi〕/ ～를 끌다 安装自来水 ānzhuāng zìláishuǐ ‖ ～관 自来水管 zìláishuǐguǎn =〔自来水管道 zìláishuǐguǎndào〕
수도(首都) 首都 shǒudū
수도원(修道院) 修道院 xiūdàoyuàn
수동(手動) 手动 shǒudòng; 手摇 shǒuyáo ¶～식 펌프 手摇泵 shǒuyáobèng =〔手力唧筒 shǒulì jītǒng〕
수동(受動) 被动 bèidòng ¶그는 시종 ～적인 태도로 있었다 他始终采取被动态度 tā shǐzhōng cǎiqǔ bèidòng tàidu ‖ ～태 被动态 bèidòngtài
수두룩하다 ①《많다》 有的是 yǒudeshì; 多极了 duōjíle ②《흔하다》 常见 chángjiàn; 不稀奇 bù xīqí
수락(受諾) 接受 jiēshòu; 承担 chéngdān; 承诺 chéngnuò; 应诺 yìngnuò; 答应 dāying; 应承 yìngchéng ¶조합의 요구를 ～하다 接受工会的要求 jiēshòu gōnghuì de yāoqiú
수란(水卵) 〈方〉 沃果儿 wòguǒr; 沃鸡子儿 wòjīzǐr
수렁 泥塘 nítáng; 泥沼 nízhǎo; 泥潭 nítán; 泥坑 níkēng
수레 车子 chēzi ‖ ～바퀴 车轮 chēlún =〔轮子 lúnzi〕
수렵(狩獵) 打猎 dǎliè; 狩猎 shòuliè ¶～ 금지 구역 禁猎区 jìnlièqū
수류(水流) 水流 shuǐliú
수리 《鳥》 鹫 jiù; 老雕 laǒdiāo
수리(修理) 修理 xiūlǐ ‖ ～공 修理工人 xiūlǐ gōngrén
수면(睡眠) 睡眠 shuìmián
수명(壽命) 寿命 shòumìng ¶～이 다하다 寿终正寝 shòuzhōng zhèngqǐn / 이 형광등은 ～이 다 됐다 这个萤光灯寿命已到 zhège yíngguāngdēng shòumìng yǐ dào
수목(樹木) 树木 shùmù; 树 shù
수박 西瓜 xīguā; 寒瓜 hánguā
수배(手配) ①《배치》 安排 ānpái; 布置 bùzhì〔zhi〕 ¶요소에 ～하다 在重要地点布置人员 zài zhòngyào dìdiǎn bùzhì〔zhi〕 rényuán ②《수사》 查访 cháfǎng ‖ ～ 사진 通缉照片 tōngjī zhàopiàn
수부(水夫) 海员 hǎiyuán; 水手 shuǐshǒu; 拨船的 bōchuán de
수부(受付) 传达处 chuándáchù
수부(首府) 首都 shǒudū
수북하다 《그릇에》 溜边儿溜沿儿的 liūbiānrliūyánr de
수분(水分) 水分 shuǐfèn ¶～이 많은 과일 水分多的水果 shuǐfèn duō de shuǐguǒ =〔多汁的水果 duōzhī de shuǐguǒ〕
수산(水產) 水产 shuǐchǎn
수삼차(數三次) 屡次 lǚcì; 再三再四 zàisānzàisì
수상(水上) 水上 shuǐshang ‖ ～ 경기 水上运动 shuǐshàng yùndòng / ～ 생활자 水上居民 shuǐshàng jūmín / ～ 스키 滑水板运动 huáshuǐbǎn yùndòng
수상(受賞) 获奖 huòjiǎng; 得奖 déjiǎng
수상(首相) 首相 shǒuxiàng
수상(授賞) 授奖 shòujiǎng; 发奖 fājiǎng
수상하다(殊常…) 可疑 kěyí; 值得怀疑的 zhíde huáiyí de ¶거동이 수상한 남자가 배회하고 있다 形迹可疑的男人在徘徊着 xíngjì kěyí de nánrén zài páihuáizhe
수색(搜索) 搜查 sōuchá; 搜索 sōusuǒ ‖ 가택 ～ 搜查住宅 sōuchá zhùzhái
수서동물(水棲動物) 水栖动物 shuǐqī dòngwù
수석(首席) ①《지위》 主席 zhǔxí ②《성적》 首席 shǒuxí; 第一名 dìyìmíng ¶～으로 합격하다 中在第一名 zhòng zài dìyìmíng ‖ ～ 공사 领袖公使 lǐngxiù gōngshǐ
수선 ¶～ 떨다 大惊小怪 dàjīng xiǎoguài =〔小事大作 xiǎoshì dàzuò〕〔虚惊 xūjīng〕 ‖ ～쟁이 夸大狂 kuādàkuáng
수선(修繕) 修理 xiūlǐ; 修补 xiūbǔ ¶어망을 ～하다 修补鱼网 xiūbǔ yúwǎng
수선화(水仙花) 《植》 水仙 shuǐxiān
수성(水星) 《天》 水星 shuǐxīng
수세미외 《植》 丝瓜 sīguā
수소 公牛 gōngniú; 牡牛 mǔniú; 牯牛 gǔniú
수소(水素) 氢 qīng ‖ ～ 폭탄 氢弹 qīngdàn
수소문하다(搜所聞…) 寻问 xúnwèn; 询问 xúnwèn
수송(輸送) 运 yùn; 运输 yùnshū; 输送 shūsòng
수수 《植》 黍 shǔ; 高粱 gāoliang
수수께끼 ①《놀이》 谜儿 mèir; 谜语 míyǔ ¶～를 맞추다 猜〔破〕谜儿 cāi〔pò〕 mèir ②《미궁》 谜 mí ¶～의 인물 神秘人物 shénmì rénwù
수수하다 朴素 púsù; 老干 lǎogan ¶수수한 무늬 素净的花样(儿) sùjing de huāyàng(r)
수술 《植》 雄蕊 xióngruǐ
수술(手術) 手术 shǒushù ¶～하다 动手术 dòng shǒushù =〔〈俗〉开刀 kāidāo〕
수습(收拾) 收拾 shōushi ¶뒷～ 善后 shànhòu / 분규를 ～하다 解决纠纷 jiějué jiūfēn
수식(修飾) 修饰 xiūshì ‖ ～어 修饰成分 xiūshì chéngfèn
수양(收養) 收养 shōuyǎng ¶～하다 因过继而成为父子的关系 yīn guòjì ér chéngwéi fùzǐ de guānxi ‖ ～딸 养女 yǎngnǚ / ～아들 养子 yǎngzǐ
수양(修養) 修养 xiūyǎng; 涵养 hányǎng
수양버들(垂楊…) 《植》 垂柳 chuíliǔ; 垂杨柳 chuíyángliǔ
수업(修業) 修业 xiūyè; 学业 xuéyè ¶스승에게서 도예를 ～하다 跟师传学陶器艺术 gēn shīfu xué táoqì yìshù
수업(授業) 课 kè; 功课 gōngkè ¶～하다 教课 jiāokè ‖ ～료 学费 xuéfèi / ～ 시간 上课时间 shàngkè shíjiān
수없이(數…) 数不尽地 shǔbujìn de; 无数地 「wúshùde
수염(鬚髥) ①《사람의》 胡子 húzi; 胡须 húxū; 髭须 zīxū; 髯须 ránxū ¶～을 깎다 刮胡子 guā húzi =〔刮脸 guāliǎn〕/ ～을 기르다 留胡子 liú húzi =〔蓄须 xù xū〕 ②《동물의》 胡子 húzi; 须 xū; 须子 xūzi
수영(水泳) 游泳 yóuyǒng; 游水 yóushuǐ; 洑水 fùshuǐ; 浮水 fúshuǐ ¶～을 전혀 못하다 游泳一点儿也不会 yóuyǒng yìdiǎnr yě búhuì =〔不识水性 bù shí shuǐxìng〕
수완(手腕) 手腕 shǒuwàn ¶그는 상당한 ～가다 他这个人很有手腕 tā zhège rén hěn yǒu shǒu-

wàn
수요(需要) 需要 xūyào; 需求 xūqiú ¶～ 과다(過多) 求过于供 qiú guò yú gōng
수요일(水曜日) 星期三 xīngqīsān; 礼拜三 lǐbàisān
수용(收容) 收容 shōuróng; 容纳 róngnà ‖～소 收容所 shōuróngsuǒ / 강제 ～소 集中营 jízhōngyíng
수원(水源) 水源 shuǐyuán
수월하다 容易 róngyì; 轻易 qīngyì; 简单 jiǎndān ¶수월찮다 不容易 bù róngyì =〔难办 nánbàn〕
수은(水銀) 水银 shuǐyín; 汞 gǒng
수입(收入) 收入 shōurù; 进项 jìnxiang ‖～인지 印花税票 yìnhuā shuìpiào =〔印花 yìnhuā〕/ 임시 ～ 临时收入 línshí shōurù =〔外快 wàikuài〕
수입(輸入) 进口 jìnkǒu; 输入 shūrù ‖～업자 进口商 jìnkǒu shāng / ～ 초과 入超 rùchāo / ～품 进口货 jìnkǒuhuò =〔输入品 shūrùpǐn〕
수작(酬酌) ①《말의》 过话 guòhuà ②《잔의》 交杯 jiāobēi
수재(秀才) 高材生 gāocáishēng; 才子 cáizǐ
수저 ⇨숟가락
수전노(守錢奴) 看财奴 kāncáinú; 守财奴 shǒucáinú; 铁公鸡 tiěgōngjī
수절(守節) 守寡 shǒuguǎ
수정(水晶) 水晶 shuǐjīng ‖～체 晶首体 jīngshǒutǐ =〔晶状体 jīngzhuàngtǐ〕/ 자～ 紫石英 zǐshíyīng =〔紫水晶 zǐshuǐjīng〕
수제비 片儿汤 piànrtāng
수준(水準) 水准 shuǐzhǔn; 水平 shuǐpíng ¶생활 ～이 해마다 높아진다 生活水平逐年提高 shēnghuó shuǐpíng zhúnián tígāo
수줍다 腼腆 miǎn tian; 脸皮儿薄的 liǎnpír báo de
수중(水中) 水中 shuǐzhōng ‖～ 촬영 水下摄影 shuǐxià shèyǐng
수중(手中) 手里 shǒuli; 手中 shǒuzhōng ¶…의 ～에 들어가다 落在…的手中 luòzài … de shǒuzhōng
수직(垂直) 垂直 chuízhí; 竖直 shùzhí ‖～강화 垂直俯冲 chuízhí fǔchōng / ～선 垂线 chuíxiàn =〔垂直线 chuízhíxiàn〕
수집(收集) 收集 shōují; 搜集 sōují ¶나의 취미는 우표 ～이다 我的爱好是集邮 wǒ de àihào shì jíyóu
수집(蒐集) 收集 shōují; 搜集 sōují
수차(水車) 水车 shuǐchē
수채 放干沟 fànggāngōu; 放水沟 fàngshuǐgōu
수척하다(瘦瘠…) 瘠瘦 jíshòu
수첩(手帖) 袖珍笔记本 xiùzhēn bǐjìběn; 手册 shǒucè
수축(收縮) 抽缩 chōusuō; 收缩 shōusuō; 缩短 suōduǎn
수출(輸出) 出口 chūkǒu; 输出 shūchū ‖～초과 出超 chūchāo / ～품 出口货 chūkǒuhuò =〔输出品 shūchūpǐn〕
수치(羞恥) 羞耻 xiūchǐ ¶그는 조금도 ～심이 없다 他一点儿也没有羞耻心 tā yìdiǎnr yě méiyǒu xiūchǐxīn =〔他不知羞耻 tā bùzhī xiūchǐ〕
수캐《動》公狗 gōnggǒu
수컷 公 gōng; 牡 mǔ; 雄 xióng
수탈(收奪) 搜刮 sōuguā; 搜括 sōukuò
수탉 公鸡 gōngjī; 叫鸡 jiàojī ¶～이 시간을 알리다 公鸡报晓 gōngjī bàoxiǎo
수틀(繡…) 绣花架子 xiùhuā jiàzi; 绷子 bēngzi
수평(水平) 水平 shuǐpíng ¶～을 유지하다 保持水平位置 bǎochí shuǐpíng wèizhì ‖～선 水平线 shuǐpíngxiàn =〔地平线 dìpíngxiàn〕
수포(水泡) ①⇨물거품 ②《헛된 결과》 水泡 shuǐpào ¶지금까지의 노력이 전부 ～로 돌아갔다 直到今天的努力全都化为泡影了 zhídào jīntiān de nǔlì quándōu huàwéi pàoyǐng le
수표(手票) 支票 zhīpiào ¶～를 현금으로 바꾸다 兑现支票 duìxiàn zhīpiào ‖부도 ～ 空头支票 kōngtóu zhīpiào
수풀 树林子 shùlínzi
수프(soup) 汤 tāng ‖야채 ～ 菜汤 càitāng
수필(隨筆) 随笔 suíbǐ; 随录 suílù
수학(數學) 数学 shùxué
수행(遂行) 实行 shíxíng; 完成 wánchéng ¶계획을 ～하다 实行计划 shíxíng jìhuà / 임무를 ～하다 完成任务 wánchéng rènwu
수행(隨行) 随从 suícóng; 随同 suítóng; 随行 suíxíng ¶그는 대사를 ～하여 런던에 갔다 他随同大使到伦敦去了 tā suítóng dàshǐ dào Lúndūn qù le ‖～원 随员 suíyuán =〔随从 suícóng〕〔随从人员 suícóng rényuán〕〔随行人员 suíxíng rényuán〕
수험(受驗) 投考 tóukǎo; 报考 bàokǎo; 应考 yìngkǎo ‖～료 考费 kǎofèi / ～생 应考生 yìngkǎoshēng / ～ 안내(案內) 投考须知 tóukǎo xūzhī / ～표 准考证 zhǔnkǎozhèng
수혈하다(輸血…) 输血 shūxuè
수화기(受話機) 受话器 shòuhuàqì; 听筒 tīngtǒng; 耳机 ěrjī ¶～를 들어 귀에 대다 拿起听筒放到耳边 náqǐ tīngtǒng fàngdào ěrbiān
수화물(手貨物) 随身行李 suíshēn xíngli ‖～취급소 行李房 xínglifáng =〔行李处 xínglichù〕
수확(收穫) 收获 shōuhuò; 年成 niánchéng ‖～고 收获量 shōuhuòliàng =〔产量 chǎnliàng〕
수효(數爻) 数目 shùmù〔mu〕
숙고(熟考) 仔细考虑 zǐxì kǎolǜ; 熟思 shúsī
숙련(熟練) 熟练 shúliàn; 练达 liàndá
숙모(叔母) ⇨아주머니
숙박(宿泊) 住宿 zhùsù; 歇宿 xiēsù; 投宿 tóusù; 下榻 xiàtà; 下店 xiàdiàn; 住店 zhùdiàn ¶간이 ～소 经济旅馆 jīngjì lǚguǎn =〔客店 kèdiàn〕〔客栈 kèzhàn〕 ‖～료 店钱 diànqián =〔住宿费 zhùsùfèi〕
숙성하다(夙成…) 成熟 chéng shú; 老成 lǎochéng; 乖角 guāijue
숙소(宿所) 止宿处 zhǐsùchù
숙어(熟語) 成语 chéngyǔ; 熟语 shúyú
숙원(宿怨) 宿怨 sùyuàn ¶～을 풀다 报旧仇 bào jiùchóu
숙이다《머리를》 低头 dītóu; 垂头 chuítóu ¶부끄러워 머리를 ～ 惭愧得低下了头 cánkuìde dīxiàle tóu
숙적(宿敵) 死敌 sǐdí; 死对头 sǐduìtou ¶～을 쓰러뜨리다 打倒了死敌 dǎdǎole sǐdí
숙제(宿題) 作业 zuòyè
숙직(宿直) 值宿 zhísù; 值班 zhíbān; 值夜 zhíyè ¶한 달에 한 번 ～이 돌아온다 一个月轮到一次值夜 yíge yuè lúndào yí cì zhíyè ‖～

원 值夜人员 zhíyè rényuán
숙청(肅清) 肃清 sùqīng; 清洗 qīngxǐ
숙취(宿醉) 宿酒 sùjiǔ
순(筍) 《싹》 新芽儿 xīnyár
순(純) 纯 chún ¶ ～한국식의 요리 纯韩国风味的菜 chún Hánguó fēngwèi de cài
순간(瞬間) 一眨眼的工夫 yì zhǎyǎn de gōngfu; 瞬间 shùnjiān; 刹那 chànà; 瞬息 shùnxī; 俄顷 éqǐng ¶ 그것은 ～적으로 일어난 일이다 那是一眨眼工夫的事情 nà shì yì zhǎyǎn gōngfū de shìqing
순경(巡警) 巡警 xúnjǐng; 警察 jǐngchá
순교(殉教) 殉教 xùnjiào
순금(純金) 纯金 chúnjīn; 赤金 chìjīn; 足金 zújīn; 足赤 zúchì
순대 腊肠 làcháng; 肉肠子 ròuchángzi
순례(巡禮) 香游 xiāngyóu; 巡礼 xúnlǐ; 游历圣地 yóulì shèngdì
순모(純毛) 纯毛 chúnmáo
순무 《植》 芜菁 wúqīng; 芥菜头 jiècàitóu
순번(順番) 顺序 shùnxù; 次序 cìxù; 班次 bāncì ¶ ～대로 불러내다 按着号头儿叫出来 ànzhe hàotóur jiàochulai / 여간해서 내 ～이 돌아오지 않다 老轮不到我 lǎo lúnbùdào wǒ
순서(順序) 次序 cìxù; 顺序 shùnxù; 程序 chéngxù ¶ ～를 밟아 국회에 청원하다 依照程序向国会请愿 yīzhào chéngxù xiàng guóhuì qǐngyuàn
순수(純粹) 纯粹 chúncuì; 纯正 chúnzhèng ¶ 그는 ～한 북경 말을 한다 他说的是'纯粹〔地道〕的北京话 tā shuō de shì 'chúncuì〔dìdao〕de Běijīnghuà
순식간(瞬息間) 转息间 zhuǎnxījiān; 一转眼的工夫 yìzhuǎnyǎn de gōngfu; 一晃儿 yíhuàngr
순위(順位) 名次 míngcì ¶ 성적의 ～를 발표하다 公布成绩名次 gōngbù chéngjī míngcì
순이익(純利益) 净利 jìnglì; 红利 hónglì; 纯利 chúnlì
순조로이(順調…) 顺利地 shùnlìde; 痛痛快快地 tōngtōngkuaikuaide
순조롭다(順調…) 顺利 shùnlì; 〈口〉 顺当 shùndang; 顺畅 shùnchàng
순종(順從) 听从 tīngcóng; 依从 yīcóng
순진(純眞) 纯真 chúnzhēn
순하다(順…) ① 《성질이》 和善 héshàn; 安详 ānxiáng ② 《맛이》 口轻 kǒuqīng; 不强烈 bù qiángliè
순항(巡航) 巡洋 xúnyáng; 坐船游历 zuòchuán yóulì
순화(純化) 纯洁 chúnjié; 纯化 chúnhuà ¶ 환경을 ～하다 纯洁环境 chúnjié huánjìng
순환(循環) 循环 xúnhuán; 回转 huízhuǎn ¶ 혈액이 몸 속을 ～한다 血液在体内循环 xuèyè zài tǐ nèi xúnhuán
숟가락 匙子 chízi; 羹匙 gēngchí; 调羹 tiáogēng; 汤匙 tāngchí
술[1] 《마시는》 酒 jiǔ ¶ 그 ～은 독하다 这酒厉害 zhè jiǔ lìhai =〔这酒很'冲〔凶〕 zhè jiǔ hěn 'chòng 〔xiōng〕〕/ 독한 ～ 烈酒 lièjiǔ =〔烈性酒 lièxìngjiǔ〕/ 그는 ～이 세다 他酒量大 tā jiǔliàng dà / 시름을 ～로 달래다 喝酒解闷 hējiǔ jiěmèn
술[2] 《실로 만든》 穗儿 suìr; 穗子 suìzi; 缨子 yīngzi; 流苏 liúsū
술꾼 酒徒 jiǔtú; 《주정뱅이》 醉鬼 zuìguǐ; 酒鬼 jiǔguǐ
술래잡기 蒙老瞎 ménglǎoxiā; 捉迷藏 zhuōmícáng; 藏猫儿 cángmāor; 藏闷儿 cángmēnr ¶ ～를 하고 놀다 捉迷藏玩儿 zhuōmícáng wánr
술망나니 酒鬼 jiǔguǐ; 醉鬼 zuìguǐ
술병(…甁) 酒瓶 jiǔbǐng; 酒嗉子 jiǔsùzi
술자리 酒会 jiǔhuì; 酒席 jiǔxí
술잔(…盞) 杯 bēi; 杯子 bēizi; 酒杯 jiǔbēi; 酒盏 jiǔzhǎn; 酒盅(儿) jiǔzhōng(r) ¶ 이별의 ～을 나누다 喝饯行酒 hē jiànxíngjiǔ
술집 酒店 jiǔdiàn; 酒铺儿 jiǔpùr; 酒家 jiǔjiā; 〈方〉 酒吧 jiǔbā
술취하다 喝醉(了) hē zuì(le)
숨 气 qì; 气息 qìxī ¶ ～을 내쉬다 呼气 hūqì =〔吐气 tǔqì〕/ ～이 끊어지다 咽气 yànqì =〔断气 duànqì〕/ ～을 죽이고 듣다 憋住气听着 biēzhù qì tīngzhe =〔屏息倾听 bǐngxī qīngtīng〕
숨기다 ① 《감추다》 藏 cáng; 隐藏 yǐncáng ¶ 서랍 깊숙한 곳에 편지를 ～ 把信藏在抽屉尽里头 bǎ xìn cáng zài chōuti jǐn lǐtou ② 《비밀로 하다》 瞒 mán; 隐瞒 yǐnmán; 遮掩 zhēyǎn; 掩盖 yǎngài; 掩饰 yǎnshì ¶ 경력을 ～ 隐瞒自己的身世 yǐnmán zìjǐ de shēnshì ③ 《덮어 두다》 藏掖儿 cángyēr ¶ 숨김없이 合盘托出 hépán tuōchū =〔心直口快 xīnzhí kǒukuài〕〔不掖着 bùyēzhe〕
숨다 藏 cáng; 躲 duǒ; 躲藏 duǒcáng; 隐藏 yǐncáng; 躲匿 duǒnì; 隐遁 yǐndùn ¶ 숨은 재능을 찾다 发掘'埋没〔潜在〕的才能 fājué'máimò 〔qiánzài〕 de cáinéng
숨막히다 喘不过气来的 chuǎnbúguò qì lái de; 呼吸困难的 hūxī kùnnan de; 紧张 jǐnzhāng ¶ 숨막히는 장면이 계속되다 连续出现了叫人紧张得喘不过气来的场面 liánxù chūxiànle jiào rén jǐnzhāng de chuǎnbúguò qì lái de chǎngmiàn
숨바꼭질 捉迷藏 zhuō mícáng; 藏猫儿 cángmāor; 藏闷儿 cángmēnr; 藏门隔儿 cángméngér
숨소리 呼吸声儿 hūxī shēngr ¶ ～를 죽이다 屏息 bǐngxī =〔闭住气 bìzhù qì〕
숨지다 断气 duànqì; 咽气 yànqì; 死 sǐ
숨차다 气喘 qìchuǎn; 气短 qìduǎn
숫기 좋다(…氣…) 不怯场 bú qièchǎng; 不发怵 bù fāchù
숫돌 磨刀石 módāoshí ¶ ～에 칼을 갈다 用磨刀石磨刀 yòng módāoshí mó dāo ‖ 가죽 ～ 荡刀皮 dàngdāopí
숫처녀(…處女) 处女 chǔnǚ; 黄花女儿 huánghuānǚr; 黄花闺女 huánghuā guīnǚ
숫양(…羊) 《動》 公羊 gōngyáng
숫자(數字) 数字 shùzì; 数目子 shùmùzì; 数码儿 shùmǎr ¶ 그는 ～ 개념이 강하다 他数字概念强 tā shùzì gàiniàn qiáng
숫총각(…總角) 童身 dóngshēn; 童男 dóngnán
숭고(崇高) 崇高 chónggāo
숭배(崇拜) 崇拜 chóngbài; 敬拜 jìngbài
숯 炭 tàn; 木炭 mùtàn ¶ ～을 굽다 烧炭 shāo tàn
숲 ① 《나무로 된》 树林 shùlín; 树林子 shùlínzi; 林子 línzi ② 《풀 · 나무 따위로 엉킨》 草丛

cǎocóng; 草堆 cǎoduī
쉬 ①《미구에》 不久 bùjiǔ; 不多几天 bù duō jǐ tiān ②《쉽게》 容易地 róngyìde; 轻易地 qīngyìde
쉬다[1] 《상하다》 馊 sōu ¶쉰 밥 馊饭 sōufàn
쉬다[2] 《목이》 哑 yá; 嘶哑 sīyǎ; 沙哑 shāyǎ
쉬다[3] ①《휴식》 休息 xiūxi; 歇 xiē ②《결근》 请假 qǐngjià; 缺勤 quēqín ③《학교를》 缺课 quēkè; 不上课 bú shàngkè ④《자다》 睡 shuì; 睡觉 shuìjiào; 歇 xiē; 安歇 ānxiē ¶편히 쉬세요《밤에》 晚安 wǎn'ān
쉬다[4] 《숨을》 呼吸 hūxī; 呼出气来 hū chū qì lái
쉬엄쉬엄 一会儿一休息 yìhuír yì xiūxi
쉰 五十 wǔshí ¶～째 第五十 dì wǔshí
쉽다 易 yì; 容易 róngyì ¶유리는 깨지기 ～ 玻璃易破 bōli yì pò / 감기 들기 ～ 容易感冒 róngyì gǎnmào
쉽사리 容易地 róngyì de; 毫不费力地 háobú fèilì de
슈트(suit) 成套西服 chéngtào xīfú ‖～ 케이스 手提箱 shǒutíxiāng
슈퍼마켓(supermarket) 自动售货商店 zìdòng shòuhuò shāngdiàn; 超级商场 chāojí shāngchǎng; 超级市场 chāojí shìchǎng
스냅사진(snap 寫眞) 快像 kuàixiàng; 快拍 kuàipāi; 快照 kuàizhào; 抓拍 zhuāpāi
스님 和尚 héshang
스라소니 ①《動》 山猫 shānmāo ②《사람》 乏货 fáhuò; 二憨子 èrhānzi
스릴(thrill) 惊险 jīngxiǎn; 战栗 zhànlì; 毛骨悚然 máo gǔ sǒng rán; 刺激性 cìjīxìng; 紧张感 jǐnzhānggǎn
스마트(smart) 潇洒 xiāosǎ; 洒脱 sǎtuo; 时髦 shímáo; 苗条 miáotiao ¶～한 몸매 细长优美的身材 xìcháng yōuměi de shēncái =〔身段苗条 shēnduàn miáotiao〕
스모그(smog) 烟雾 yānwù
스무드(smooth) 顺利 shùnlì; 顺当 shùndang ¶양측의 교섭이 ～하게 진행되다 双方的交涉进行得很顺利 shuāngfāng de jiāoshè jìnxíngde hěn shùnlì
스물 二十 èrshí
스미다 渗 shèn; 渗透(了) shèntòu(le); 渗入 shènrù; 沁 qìn ¶붕대에 피가 스며 나왔다 绷带上渗出了血 bēngdài shang shènchūle xuè
스스로 自己 zìjǐ; 亲身 qīnshēn; 亲自 qīnzì ¶～를 반성하다 反躬自问 fǎngōng zìwèn
스승 师 shī; 老师 lǎoshī ¶…를 ～으로 받들다 推举…为老师 tuījǔ…wéi lǎoshī =〔拜…为师 bài…wéi shī〕/ 석 자를 물러나서 ～의 그림자를 밟지 않는다 退避三尺不踏师影 tuìbì sān chǐ bú tà shī yǐng
스웨터(sweater) 毛衣 máoyī; 毛线衣 máoxiànyī
스위치(switch) 电门 diànmén; 开关 kāiguān; 电纽 diànniǔ; 电闸 diànzhá
스치다 交错 jiāocuò; 错过去 cuòguò qu
스카프(scarf) 领巾 lǐngjīn; 头巾 tóujīn; 围巾 wéijīn
스캔들(scandal) 丑事 chǒushì; 丑闻 chǒuwén
스커트(skirt) 裙子 qúnzi ¶～를 입다 穿裙子 chuān qúnzi
스컹크《動》 臭鼬 chòuyòu
스케이트(skate) ①《쇠붙이》 冰刀 bīngdāo ②《體》 滑冰 huábīng; 溜冰 liūbīng ‖～ 링크 滑冰场 huábīngchǎng =〔冰场 bīngchǎng〕/ ～화 溜冰鞋 liūbīngxié =〔冰鞋 bīngxié〕
스케일(scale) 规模 guīmó ¶～이 큰 공사 规模宏大的工程 guīmó hóng dàde gōngchéng / ～이 큰 인물 气度不凡的大人物 qìdù bùfán de dàrénwù
스케줄(schedule) 日程 rìchéng ¶내주의 ～이 꽉 차 있다 下星期日程排满了 xiàxīngqīrì chéng pái mǎn le
스케치(sketch) 《美》 写生 xiěshēng; 速写 sùxiě ‖～북 速写簿 sùxiěbù
스코어(score) ①《경기의》 比分 bǐfēn ¶～는 3대 1이다 比分是三比一 bǐfēn shì sān bǐ yī ②《樂》 总谱 zǒngpǔ
스콜(squall)《氣》 骤雨 zhòuyǔ
스크랩(scrap) 剪贴 jiǎntiē ¶해외 뉴스를 ～하다 剪贴国际新闻 jiǎntiē guójì xīnwén ‖～북 剪贴簿 jiǎntiēbù =〔集锦册 jíjǐncè〕
스크럼(scrum) ①《럭비》 争球 zhēngqiú ¶～을 짜다 密集争球 mìjí zhēngqiú ②互相挽臂 hùxiāng wǎnbì ¶～을 꽉 짜고 행진하다 紧紧挽着臂游行 jǐnjǐn wǎnzhe bì yóuxíng
스크린(screen) 银幕 yínmù
스키(ski) 滑雪 huáxuě ¶～를 신다 穿滑雪板 chuān huáxuěbǎn ‖～화 滑雪靴 huáxuěxuē / 수상 ～ 滑水运动 huáshuǐ yùndòng
스타(star) 《배우》 明星 míngxīng ‖영화 ～ 电影明星 diànyǐng míngxīng
스타디움(stadium) 《경기장》 运动场 yùndòngchǎng; 《야구장》棒球场 bàngqiúchǎng
스타일(style) ①《모양 · 태도 따위》 身段 shēnduàn; 身材 shēncái; 体态 tǐtài; 姿势 zīshì; 样子 yàngzi; 风采 fēngcǎi ¶그녀의 ～이 아름답다 她身段优美 tā shēnduàn yōuměi =〔她身材苗条 tā shēncái miáotiao〕 ②《양식》 样式 yàngshì; 式样 shìyàng ③《문체》 文体 wéntǐ ¶독특한 ～의 문장 有独特风格的文章 yǒu dútè fēnggé de wénzhāng
스타카토(staccato) 《樂》 断奏 duànzòu; 断音 duànyīn; 断音记号 duànyīn jìhao
스타킹(stocking) 长筒袜子 chángtǒng wàzi
스타트(start) 出发(点) chūfā(diǎn); 起跑 qǐpǎo ‖～라인 起跑线 qǐpǎoxiàn
스태미나(stamina) 精力 jīnglì; 持久力 chíjiǔlì
스태프(staff) 人员 rényuán
스탠드(stand) ①《관람석》 看台 kàntái; 观众席 guānzhòngxí ¶야외 ～ 外场看台 wàichǎng kàntái ②台灯 táidēng; 桌灯 zhuōdēng; 《기구》 架 jià ¶전기 ～ 台灯 táidēng
스탬프(stamp) ①《소인》 戳儿 chuōr; 戳子 chuōzi ②《도장》 邮戳 yóuchuō ③《우표》 邮票 yóupiào
스테레오(stereo) 立体声 lìtǐshēng ‖～ 방송 立体声广播 lìtǐshēng guǎngbō
스토리(story) 情节 qíngjié
스토브(stove) 火炉 huǒlú; 炉子 lúzi ¶～를 피우다 生炉子 shēng lúzi ‖석유 ～ 煤油炉子 méiyóu lúzi / 전기 ～ 电炉 diànlú
스톱(stop) 停止 tíngzhǐ; 中止 zhōngzhǐ ‖～워치 跑表 pǎobiǎo =〔马表 mǎbiǎo〕〔停表 tíngbiǎo〕〔秒表 miǎobiǎo〕
스튜디오(studio) 《방송 · 녹음용의》 播音室 bōyīnshì; 录音室 lùyīnshì; 《공작의》 工作室 gōng-

zuòshì; 《사진의》 摄影室 shèyǐngshì; 《영화의》 摄影棚 shèyǐngpéng
스튜어디스(stewardess) 空中小姐 kōngzhōng xiǎojie; 飞机女服务员 fēijī nǚfúwùyuán
스트라이크(strike) ①《파업》 罢工 bàgōng(노동자의); 罢课 bàkè(학생의); 罢市 bàshì(상인의) ¶무기한 ～ 无限期罢工 wúxiànqī bàgōng ②《야구》 正球 zhèngqiú; 好球 hǎoqiú
스트로(straw) 麦杆吸管 màigǎn xīguǎn
스틱(stick) 手杖 shǒuzhàng; 拐杖 guǎizhàng; 拐棍儿 guǎigùnr
스팀(steam) ①《증기》 蒸汽 zhēngqì ②《장치》 暖气管 nuǎnqìguǎn
스파게티(spaghetti) 意大利实心面 Yìdàlì shíxīnmiàn
스파르타 교육(Sparta 教育) 斯巴达式教育 sībādáshì jiàoyù
스파이(spy) 细作 xìzuò; 探子 tànzi; 特务 tèwu; 间谍 jiàndié; 奸细 jiānxi; 侦探 zhēntàn; 密探 mìtàn
스파이크(spike) ①《구두의》 鞋钉 xiédīng; 鞋底钉 xiédǐdīng ②《운동화》 钉鞋 dīngxié; 跑鞋 pǎoxié ③《배구》 扣球 kòuqiú; 杀球 shāqiú
스파크(spark) 火花 huǒhuā ¶변압기에서 ～가 일어났다 变压器发出火花 biànyāqì fāchū huǒhuā
스페어(spare) 备件 bèijiàn; 备品 bèipǐn ‖～ 타이어 备用轮胎 bèiyòng lúntāi
스페이스(space) 空地 kòngdì; 空白 kòngbái; 场所 chǎngsuǒ ¶소파를 놓을 ～가 없다 没有放沙发的地方 méiyǒu fàng shāfā de dìfang
스펙트럼(spectrum) 〖物〗 光谱 guāngpǔ; 波谱 bōpǔ
스포이트(네 spuit) 吸管 xīguǎn; 吸水器 xīshuǐqì
스포츠(sports) 运动 yùn dòng; 体育 tǐyù ‖～맨 运动员 yùndòngyuán =〔运动选手 yùndòng xuǎnshǒu〕
스펠(spell), 스펠링(spelling) 拼字法 pīnzìfǎ; 缀字法 zhuìzìfǎ
스포크스맨(spokesman) 发言人 fāyánrén; 代言人 dàiyánrén
스포트라이트(spot light) 聚光灯 jùguāngdēng
스폰서(sponser) ①《광고주》 提供商业广播节目的广告户 tígōng shāngyè guǎngbō jiémù de guǎnggàohù ②《자금의》 出资者 chūzīzhě
스폰지(sponge) 海绵 hǎimián
스푼(spoon) 匙子 chízi; 羹匙 gēngchí; 调羹 tiáogēng
스프링(spring) ①《용수철》 弹簧 tánhuáng; 钢丝 gāngsī ②⇨스프링 코트
스프레이(spray), 스프레이어(sprayer) 喷雾器 pēnwùqì
스프링코트(spring coat) 风衣 fēngyī
스피드(speed) 速度 sùdù; 速率 sùlǜ ¶～를 내다 加快速度 jiākuài sùdù / ～를 떨어뜨리다 降低速度 jiàngdī sùdù
스피치(speech) 讲话 jiǎnghuà; 致词 zhìcí
스피커(speaker) 扩音机 kuòyīnjī; 扩音器 kuòyīnqì; 扬声器 yángshēngqì
스핑크스(sphinx) 人面狮身巨像 rénmiàn shīshēn jùxiàng; 斯芬克士 sīfēnkèshì
슬그머니 悄悄地 qiāoqiāode ¶～ 빼소니치다 悄悄地溜了 qiāoqiāode liù le
슬기 才智 cáizhì; 机警 jījǐng ¶～롭다 才多智广 cáiduō zhìguǎng
슬다 ①《알을》 把卵产(生)在…上 bǎ luǎn chǎn (shēng)zài … shàng ¶벌레가 나무에 알을 ～ 虫子把卵产在树上 chóngzi bǎ luǎn chǎn zài shù shàng ②《녹이》 生 shēng ¶녹이 ～ 生锈 shēngxiù =〔长锈 zhǎngxiù〕
슬라이드(slide) 幻灯机 huàndēngjī; 幻灯 huàndēng ¶～를 비추다 放幻灯 fàng huàndēng
슬랭(slang) 俚语 lǐyǔ; 切口 qièkǒu; 黑话 hēihuà
슬럼(slum) 贫民窟 pínmínkū
슬럼프(slump) ①《부진》 一时的没起色 yìshíde méi qǐsè; 一时的不顺调 yìshíde bú shùndiào ¶요즈음 ～에 빠져서 일이 진척이 안 된다 近来委靡不振工作不见进展 jìnlái wěimǐ búzhèn gōngzuò bú jiàn jìnzhǎn ②《선수 성적의》 一时不振 yìshí búzhèn
슬럿머신(slot machine) ①《도박 기구》 一个人玩儿自动赌博机 yí ge rén wánr zìdòng dǔbójī ②⇨자동 판매기
슬레이트(slate) 石板 shíbǎn
슬로건(slogan) 标语 biāoyǔ; 口号 kǒuhào ¶～을 외치며 행진하다 高呼口号游行 gāohū kǒuhào yóuxíng
슬로모션(slow motion) 慢动作 màndòngzuò
슬리퍼(slipper) 拖鞋 tuōxié; 趿拉儿 tālar ¶～를 신다 穿拖鞋 chuān tuōxié
슬며시 轻手轻脚地 qīng shǒu qīng jiǎo de; 悄悄地 qiāoqiāode ¶～ 상황을 살펴보다 若无其事地探其事情 ruò wú qí shì de tàn qí shìqing
슬슬 ①《가볍게》 轻轻地 qīngqīng de ②《은근히》 含而不露地 hán ér bú lòu de; 暗含着 ànhánzhe ¶～ 달래다 拿好话安抚 ná hǎohuà ānfǔ
슬쩍 ⇨살짝
슬프다 悲哀 bēi'āi; 悲伤 bēishāng; 悲痛 bēitòng; 可悲 kěbēi; 伤心 shāngxīn; 伤感 shānggǎn; 心酸 xīnsuān ¶아버지가 돌아가셔서, 매우 ～ 父亲去世, 非常悲痛 fùqin qùshì, fēicháng bēitòng
슬픔 悲哀 bēi'āi; 悲伤 bēishāng; 伤心 shāngxīn; 悲痛 bēitòng; 悲切 bēiqiè ¶～에 잠기다 沉于悲痛之中 chén yú bēitòng zhīzhōng
슬하(膝下) 膝下 xīxià ¶부모의 ～를 떠나 유학가다 离开父母身边, 出国留学 líkāi fùmǔ shēnbiān, chū guó liúxué
습관(習慣) 习惯 xíguàn ¶일찍 자고 일찍 일어나는 ～을 기르다 养成早睡早起的习惯 yǎngchéng zǎo shuì zǎo qǐ de xíguàn
습기(濕氣) 湿气 shīqì; 潮 cháo; 潮气 cháoqì ¶～가 많다 潮气大 cháoqì dà =〔太潮 tài cháo〕
습도(濕度) 湿度 shīdù
습득(拾得) 拾 shí; 拣 jiǎn ‖～물 拾的东西 shí de dōngxi
습지(濕地) 水湿地 shuǐshīdì; 沼泽地 zhǎozédì
승강기(昇降機) ⇨엘리베이터(elevator)
승객(乘客) 坐客 zuòkè; 乘客 chéngkè; 旅客 lǚkè
승급(昇給) 提薪 tíxīn; 加薪 jiāxīn ¶1년에 1회 ～한다 一年加薪一次 yìnián jiāxīn yí cì
승낙(承諾) 答应 dāying; 同意 tóngyì; 承诺 chéngnuò; 应允 yīngyǔn; 应诺 yìngnuò; 应承 yìngchéng; 允诺 yǔnnuò ¶기쁘게 ～하다

欣然允诺 xīnrán yǔnnuò
승리(勝利) 胜利 shènglì
승마(乘馬) 骑马 qímǎ ‖ ～화 马靴 mǎxuē
승벽(勝癖) 倔强精神 juéjiàng jīngshen; 好强的脾气 hàoqiáng de píqi
승복(承服) 听从 tīngcóng; 服气 fúqì; 服从 fúcóng
승부(勝負) 胜负 shèngfù; 胜败 shèngbài; 输赢 shūyíng ¶이미 ～가 났다 胜负已决 shèngfù yǐ jué
승산(勝算) 得胜的机会 dé shèng de jīhuì〔hui〕 ¶우리편에 ～이 있다 我方有胜算 wǒ fāng yǒu shèngsuàn / 거의 ～이 없다 几乎没有得胜的机会 jīhū〔hu〕 méiyǒu dé shèng de jīhuì〔hui〕
승선(乘船) 坐船 zuòchuán; 搭船 dāchuán; 乘船 chéngchuán; 上船 shàngchuán
승인(承認) 承认 chéngrèn
승진(昇進 · 陞進) 升级 shēngjí ¶계장에서 과장으로 ～하다 由股长升为课长 yóu gǔzhǎng shēng wéi kèzhǎng
승패(勝敗) 胜败 shèngbài; 胜负 shèngfù; 输赢 shūyíng ¶～를 결정하다 决一雌雄 jué yì cíxióng =〔决胜负 jué shèngfù〕〔见高低 jiàn gāodī〕
시(時) 点 diǎn; 时 shí; 点钟 diǎnzhōng; 《2시간의》 时辰 shíchen ¶지금은 5～ 15분입니다 现在五点一刻 xiànzài wǔ diǎn yí kè
시(詩) 诗 shī ¶～를 짓다 作〔写〕诗 zuò〔xiě〕 shī
시가(市街) 街市 jiēshì ‖ ～전 巷战 xiàngzhàn / ～지 市区 shìqū
시가(市價) 市价 shìjià; 行市 hángshi ¶귤의 ～가 내렸다 橘子的行市下降了 júzi de hángshi xiàjiàng le
시가레트(cigarette) 纸烟 zhǐyān; 香烟 xiāngyān; 烟卷儿 yānjuǎnr; 卷烟 juǎnyān ‖ ～케이스 烟盒 yānhé
시간(時間) ①时间 shíjiān; 工夫 gōngfu ¶바빠서 신문을 볼 ～조차 없다 忙得连看报的工夫也没有 mángde lián kàn bào de gōngfu yě méiyǒu ②《단위》 小时 xiǎoshí; 钟头 zhōngtóu ¶2～ 계속 얘기했다 一口气讲了两个钟头 yìkǒuqì jiǎngle liǎng ge zhōngtou ③《시각》 时间 shíjiān; 时刻 shíkè; 钟点 zhōngdiǎn ¶출발 ～이 다가오다 出发时间临近 chūfā shíjiān línjìn ‖ ～외 근무 加班 jiābān =〔加班加点 jiābān jiādiǎn〕 / ～제 论钟点 lùn zhōngdiǎn / ～표 功课表 gōngkèbiǎo =〔时刻表 shíkèbiǎo〕〔课程表 kèchéngbiǎo〕〔课表 kèbiǎo〕
시건방지다 自大 zìdà; 摆架子 bǎijiàzi; 觉美 juéměi
시계(時計) 《팔목 시계 · 회중 시계》 表 biǎo; 钟表 zhōngbiǎo; 《괘종》 钟 zhōng ‖ ～추 钟摆 zhōngbǎi / ～포 钟表铺 zhōngbiǎopù =〔钟表店 zhōngbiǎodiàn〕 / 손목～ 手表 shǒubiǎo / 전기 ～ 电钟 diànzhōng / 탁상 ～ 座钟 zuòzhōng
시골 乡下 xiāngxià; 乡间 xiāngjiān ‖ ～뜨기 土包子 tǔbāozi =〔老憨 lǎohān〕 / ～사람 乡下佬 xiāngxiàlǎo
시국(時局) 时局 shíjú ¶～ 연설회 时事报告会 shíshì bàogàohuì / ～을 수습하다 收拾时局 shōushi shíjú
시굴(試掘) 钻探 zuāntàn; 探井 tànjǐng; 探矿 tànkuàng
시궁창 脏水沟子 zāngshuǐ gōuzi
시금치 菠菜 bōcài
시기(時期) 时期 shíqī; 时候(儿) shíhou(r)
시꺼멓다 黑不溜秋 hēibùliūqiū ¶뱃속이 ～ 心坏 xīnhuài
시끄럽다 吵 chǎo; 闹 nào; 吵闹 chǎonào; 嘈杂 cáozá; 喧闹 xuānnào; 喧哗 xuānhuá ¶～! 조용히 해라! 别吵! 安静! bié chǎo! ānjìng!
시나리오(scenario) 电影剧本 diànyǐng jùběn; 电影脚本 diànyǐng jiǎoběn ‖ ～라이터 电影剧本作者 diànyǐng jùběn zuòzhě
시내 小河 xiǎohé
시네라마(cinérama) 宽银幕立体电影 kuānyínmù lìtǐ diànyǐng; 星涅拉马 xīngnièlāmǎ
시네마스코프(Cinéma Scope) 宽银幕电影 kuānyínmù diànyǐng
시누이(媤…) 《남편의 누님》 婆家姊妹 pójia jiěmèi; 大姑子 dàgūzi; 《남편의 여동생》 小姑子 xiǎogūzi; 小姑儿 xiǎogūr
시늉 仿效 fǎngxiào; 假装 jiǎzhuāng; 装做 zhuāngzuò ¶벙어리 ～하다 装哑巴 zhuāng yǎba
시다 酸 suān ¶귤이 ～ 橘子很酸 júzi hěn suān
시달리다 挨磨折 āi mózhé; 受虐待 shòu nüèdài
시대(時代) 时代 shídài ¶그 때와는 ～가 다르다 跟那时时代不同了 gēn nà shí shídài bùtóng le ‖ ～극 历史剧 lìshǐjù
시동생(媤同生) 婆家弟弟 pójia dìdi; 小叔子 xiǎoshūzi
시들다 《꽃 · 풀 등이》 枯萎 kūwěi; 枯干kūgān; 谢 xiè(꽃이)
시들하다 不称意 bú chènyì; 稀松 xīsōng
시럽(syrup) 糖汁 tángzhī; 糖浆 tángjiāng ¶과즙 ～ 果子露 guǒzilù
시렁 搁板 gēbǎn; 《포도 따위의》 葡萄架 pútaojià ¶～을 매다 钉搁板 dìng gēbǎn
시력(視力) 视力 shìlì; 目光 mùguāng ¶～이 약해지다 视力衰退了 shìlì shuāituì le ‖ ～검사 视力测验 shìlì cèyàn / ～표 视力表 shìlìbiǎo
시련(試練) 考验 kǎoyàn; 磨练 móliàn
시루 蒸盒 zhēnghé; 蒸笼 zhēnglóng; 笼屉 lóngtì
시름 担忧 dānyōu; 挂虑 guàlǜ ¶～ 없이 无精打彩 wú jīng dǎ cǎi / 한～ 놓다 放下心 fàng xià xīn
시리다 凉 liáng; 冰凉 bīngliáng; 发凉 fāliáng
시리즈(series) ①《문고의》 丛书 cóngshū ②系列影片 xìliè yǐngpiàn ③《야구》 连续比赛 liánxù bǐsài
시말서(始末書) 悔过书 huǐguòshū; 检讨书 jiǎntǎoshū
시멘트(cement) 水泥 shuǐní; 洋灰 yánghuī; 士敏土 shìmǐntǔ; 西门土 xīméntǔ
시무룩하다 绷着脸罕言寡语 běngzhe liǎn hǎnyán guǎyǔ; 不和悦 bùhéyuè
시부렁거리다 嘟嘟囔囔 dūdūnangnang
시비(是非) 好歹 hǎodǎi; 是非 shìfēi ¶～곡직을 안 가리다 不办是非皂白 bú biàn shìfēi

zàobái / ～를 걸다 找碴儿 zhǎochár =〔讨野火 tǎo yěhuǒ(싸움의)〕
시뻘겋다 通红 tōnghóng; 鲜红 xiānhóng ¶시뻘겋게 단 난로 烧得通红的炉子 shāode tōnghóng de lúzi
시사(示唆) 暗示 ānshì; 启发 qǐfā; 启示 qǐshì
시사(試寫) 试映 shìyìng ‖ ～회 试映会 shìyìnghuì
시설(施設) 设施 shèshī; 设备 shèbèi ¶공공 ～ 公共设施 gōnggòng shèshī / 오락 ～ 娱乐设备 yúlè shèbèi
시세(時勢) ①《형세》 时势 shíshì ②《물가》 行市 hángshì〔shi〕
시소(seesaw) 跷跷板 qiāoqiāobǎn ‖ ～ 게임 拉锯战 lājùzhàn ¶시합은 ～이 되었다 比赛成拉锯战了 bǐsài chéng lājùzhàn le
시속(時速) 时速 shísù
시스템(system) ①《계통》 系统 xìtǒng; 体系 tǐxì ②《조직》 制度 zhìdù; 组织 zǔzhī ‖ ～ 공학 系统工程 xìtǒng gōngchéng
시시각각으로(時時刻刻…) 时时刻刻 shíshí kèkè ¶산의 기후는 ～ 변화한다 山区的天气时时刻刻在变化 shānqū de tiānqì shíshí kèkè zài biànhuà
시시덕거리다 笑嘻嘻哈哈的 xiào xīxī hāhā de
시시하다 ①《무가치》 无价值 wújiàzhí ②《흥미없다》 无聊 wúliáo ③《변변치 못하다》 不足道 bùzúdào ¶시시한 소설 平淡无奇的小说 píngdàn wúqí de xiǎoshuō
시아버지(媤…) 公公 gōnggong
시어머니(媤…) 婆母 pómǔ; 婆婆 pópo
시우쇠 生铁 shēngtiě; 铣铁 xiǎntiě
시운전(試運轉) 试车 shìchē; 试运转 shìyùnzhuàn
시원시원하다 爽快 shuǎngkuai; 直率 zhíshuài; 麻俐 máli ¶시원시원히 痛痛快快地 tòngtongkuàikuai de
시원찮다 ①《기분이》 不舒畅 bù shūchàng; 抑郁 yìyù ②《언행이》 不麻俐 bù máli; 慢腾腾 mànténgténg ③《형세가》 不妙 bú miào
시원하다 ①《선선하다》 凉快 liángkuai ②《상쾌》 舒服 shūfu; 舒畅 shūchàng ③《언행》 直爽 zhíshuǎng; 麻俐 máli
시위 《활의》 弦 xián; 弓弦 gōngxián
시위(示威) 示威 shìwēi ¶～하다 举行示威 jǔxíng shìwēi ‖ ～ 운동 游行示威 yóuxíng shìwēi / ～ 행진 示威游行 shìwēi yóuxíng
시읍면(市邑面) 市县区 shì xiàn qū
시음(試飮) 品尝 pǐncháng; 试饮 shìyǐn
시인(詩人) 诗人 shīrén
시일(時日) 时日 shírì; 日期 rìqī; 期限 qīxiàn ¶～을 정하다 指定日期 zhǐdìng rìqī
시작(始作) 开始 kāishǐ; 开端 kāiduān; 起头(儿) qǐtóu(r) ¶음악회는 7시부터 ～한다 音乐会七点开演 yīnyuèhuì qī diǎn kāiyǎn
시장(市場) 市场 shìchǎng; 集市 jíshì; 商场 shāngchǎng; 菜市 càishì ¶야채 ～ 蔬菜批发市场 shūcài pīfā shìchǎng / 새로운 ～을 개척하다 开拓新市场 kāituò xīn shìchǎng ‖ ～ 가격 市场价格 shìchǎng jiàgé =〔市价 shìjià〕
시장기(…氣) 饿意 èyì
시장하다 饿大劲 èdàjìn
시정(是正) 矫正 jiǎozhèng; 纠正 jiūzhèng; 改正 gǎizhèng ¶잘못을 ～하다 矫正错误 jiǎozhèng cuòwù
시주(施主) 化主 huàzhǔ; 布施 bùshī; 施舍 shīshě
시중들다 服侍 fúshi; 照顾 zhàogu; 伺候 cìhòu
시즌(season) 季节 jìjié
시집(媤…) 婆家 pójia ¶～ 가다 出嫁 chūjià =〔出阁 chūgé〕/ ～ 보내다 找个婆家推出门去 zhǎo ge pójia tuī chūmén qù
시찰(視察) 考察 kǎochá; 视察 shìchá ¶현장을 ～하다 视察现场 shìchá xiànchǎng ‖ ～단 考察团 kǎochátuán
시책(施策) 对策 duìcè; 措施 cuòshī ¶정부는 하등 구체적인 ～을 갖고 있지 않다 政府没有任何具体的措施 zhèngfǔ méiyǒu rènhé jùtǐ de cuòshī
시청(視聽) 视听 shìtīng ¶텔레비전의 ～율 电视的收看率 diànshì de shōukànlǜ ‖ ～각 교육 电化教育 diànhuà jiàoyù
시체(屍體) 尸体 shītǐ; 尸首 shīshou; 死尸 sǐshī; 尸身 shīshēn
시초(始初) 起始 qǐshǐ; 《원인》 起源 qǐyuán
시치미 떼다 装傻 zhuāngshǎ; 假装 jiǎzhuāng; 佯作 yángzuò
시침(時針) 时针 shízhēn
시큼시큼하다 酸溜溜(的) suānliūliū(de)
시키다 使…做 shǐ … zuò; 叫…做 jiào …zuò; 让…做 ràng…zuò
시트(seat) ①《좌석》 坐位〔座位〕 zuòwèi ②《야구》 守备位置 shǒu bèi wèi zhì〔zhi〕
시트(sheet) ①《침대 따위의》 床单 chuángdān; 褥单 rùdān; 被单 bèidān ②《판》 薄板 bóbǎn ③《종이 따위》 一张 yì zhāng
시퍼렇다 深蓝 shēnlán
시한폭탄(時限爆彈) 计时炸弹 jìshí zhàdàn; 安上定时炸弹 ānshang dìngshí zhàdàn
시합(試合) 比赛 bǐsài
시행착오(試行錯誤) 经过多次摸索试验好容易才走上了轨道 jīngguò duōcì mōsuo shìyàn hǎoróngyì cái zǒushangle guǐdào
시험(試驗) ①《실력 등의》 考试 kǎoshì; 测验 cèyàn ¶면접 ～ 面试 miànshì / ～보다 考 kǎo ②《검사》 试验 shìyàn ¶신제품을 ～적으로 사용해보다 试验性地使用新产品 shìyànxìngde shǐyòng xīnchǎnpǐn ‖ ～관 试管 shìguǎn =〔试验管 shìyànguǎn〕/ ～ 문제 考题 kǎotí =〔试题 shìtí〕/ ～ 비행 试飞 shìfēi / ～장 考场 kǎochǎng / 필기 ～ 笔试 bǐshì
식(式) ①《양식》 方式 fāngshì; 样式 yàngshì ¶전동～ 电动式 diàndòngshì ②《의식》 典礼 diǎnlǐ; 仪式 yíshì ③《산식》 式子 shìzi; 公式 gōngshì ¶방정～ 方程式 fāngchéngshì =〔方程 fāngchéng〕/ ～을 세우다 立式子 lì shìzi
식기(食器) 餐俱 cānjù; 膳具 shànjù; 器皿 qìmǐn
식당(食堂) 饭厅 fàntīng; 饭馆(儿) fànguǎn(r); 餐厅 cāntīng; 食堂 shítáng ¶종업원 ～ 职工食堂 zhígōng shítáng ‖ ～차 餐车 cānchē
식도(食道) 食道 shídào; 食管 shíguǎn
식료품(食料品) 食品 shípǐn ‖ ～점 食品商店 shípǐn shāngdiàn
식모(食母) 阿码 à mā; 女仆 nǚpú
식물(食物) 食物 shíwù; 吃食 chīshi
식물(植物) 植物 zhíwù ¶열대성 ～ 热带植物 rèdài zhíwù ‖ ～원 植物园 zhíwùyuán

식민지(植民地) 殖民地 zhímíndì
식별(識別) 识别 shíbié; 辨别 biànbié ¶양자의 차이를 명확히 ～하기 어렵다 两者的差异难以明确识别 liǎngzhě de chāyì nányǐ míngquè shíbié
식비(食費) 膳费 shànfèi; 伙食费 huǒshifèi; 饭钱 fànqián
식빵(食…) 面包 miànbāo
식사(食事) 《음식》 饭 fàn; 餐 cān; 吃饭 chīfàn; 饮食 yǐnshí; 饭食 fànshí; 饭菜 fàncài; 伙食 huǒshí; 膳食 shànshí
식성(食性) 口味(儿) kǒuwèi(r) ¶～에 맞다 合口味(儿) hé kǒuwèi(r)
식욕(食慾) 食欲 shíyù; 想食 xiǎngshí ¶～이 없다 没有食欲 méiyǒu shíyù =〔胃口不好 wèikǒu bù hǎo〕‖～ 부진 胃口不开 wèikǒu bù kāi =〔食欲不振 shíyù bú zhèn〕
식용(食用) 食用 shíyòng ‖～ 개구리 食用蛙 shíyòngwā =〔牛蛙 niúwā〕/～유 食油 shíyóu =〔食用油 shíyòngyóu〕
식은땀 盗汗 dàohàn; 虚汗 xūhàn ¶～을 흘리다 出盗汗 chū dàohàn
식이(食餌) 滋养物 zīyǎngwù; 食物 shíwù ‖～요법 食物疗法 shíwù liáofǎ =〔饮食疗法 yǐnshí liáofǎ〕
식자(植字) 排字 páizì ‖～공 排字匠 páizìjiàng
식전(式典) 仪式 yíshì; 典礼 diǎnlǐ
식중독(食中毒) 食物中毒 shíwù zhòngdú ¶～을 일으키다 引起了食物中毒 yǐnqǐle shíwù zhòngdú
식초(食醋) 醋 cù
식칼(食…) 菜刀 càidāo; 切菜刀 qiēcàidāo
식탁(食卓) 饭桌 fànzhuō; 餐桌 cānzhuō
식품(食品) 食品 shípǐn; 吃食 chīshi ‖～ 가공업 食品工业 shípǐn gōngyè/～ 매장 食品柜台 shípǐn guìtái
식후(食後) 饭后 fànhòu ¶～ 30분에 복용 饭后三十分钟服用 fànhòu sānshí fēn zhōng fúyòng
식히다 弄凉 nòngliáng; 《열을》 散热 sàn rè ¶더운 물을 불어 ～ 把热水吹凉 bǎ rèshuǐ chuī liáng
신 鞋 xié; 鞋履 xiélǚ ¶～을 벗다 脱鞋 tuō xié/～을 신다 穿鞋 chuān xié
신(神) 上帝 shàngdì; 神 shén ¶～에게 기도하다 祈祷上帝 qídǎo shàngdì =〔求神保佑 qiú shén bǎoyòu〕/～만이 안다 只有老天爷知道 zhǐyǒu lǎotiānyé zhīdao
신간(新刊) 新出版 xīn chūbǎn ‖～ 소개 新书介绍 xīnshū jièshào
신경(神經) 神经 shénjīng
신고(申告) 申报 shēnbào; 呈报 chéngbào ‖～서 呈文 chéngwén =〔报单 bàodān〕/～인 具呈人 jùchéngrén
신곡(新穀) 新粮 xīnliáng; 新谷 xīngǔ
신규(新規) 从新 cóngxīn; 《신규정》 新规矩 xīnguīju ¶～ 채용 사무원 新来的办事员 xīn lái de bànshìyuán
신기루(蜃氣樓) 蜃市 shènshì; 蜃楼 shènlóu; 海市 hǎishì; 蜃景 shènjǐng; 海市蜃楼 hǎishì shènlóu
신기축(新機軸) 生面 shēngmiàn ¶～을 이루다 别开生面 bié kāi shēngmiàn
신나다 兴高采烈 xìnggāo cǎiliè
신념(信念) 信念 xìnniàn; 信心 xìnxīn ¶그는 확고한 ～을 가졌다 他有坚定不移的信念 tā yǒu jiāndìng bù yí de xìnniàn
신다 《신발 등을》 穿 chuān ¶신발을 ～ 穿鞋 chuān xié
신뒤축 鞋后跟 xiéhòugēn
신랄(辛辣) 辛辣 xīnlà; 尖刻 jiānkè ¶～한 비평을 하다 加以辛辣的批评 jiāyǐ xīnlà de pīpíng
신랑(新郞) 新郎 xīnláng; 新姑爷 xīngūye
신력(新曆) 阳历 yánglì; 太阳历 tàiyánglì; 公历 gōnglì
신뢰(信賴) 信赖 xìnlài; 信任 xìnrèn ¶그의 말은 ～할 만하다 他说的话可信 tā shuō de huà kěxìn
신맛 酸味 suānwèi; 酸的味道 suān de wèidào ¶～이 나다 带酸味 dài suānwèi
신명(身命) 身体和性命 shēntǐ hé xìngmìng ¶～을 나라에 바쳐 일하다 舍身报国 shě shēn bào guó =〔舍身为国 shě shēn wèi guó〕〔为国捐躯 wèi guó juānqū〕
신문(新聞) 报 bào; 报纸 bào zhǐ ¶～을 배달하다 送报 sòng bào ‖영자 ～ 英文报 yīngwénbào
신방(新房) 洞房 dòngfáng
신병(新兵) 新兵 xīnbīng
신부(新婦) 新妇 xīnfù; 新娘 xīnniáng
신분(身分) 身分 shēnfen ‖～ 증명서 身分证 shēnfenzhèng
신비(神祕) 神秘 shénmì ¶그녀의 생활은 ～의 베일에 싸여 있다 她的生活蒙在神秘的面纱里 tāde shēnghuó méngzài shénmì de miànshā li
신비적(神祕的) 神秘的 shénmìde
신사(紳士) 绅士 shēnshì; 君子 jūnzǐ ¶자네가 취한 행동은 ～적이 아니다 你的行径可违背君子之道 nǐde xíngjìng kě wéibèi jūnzǐ zhī dào ‖～복 男装 nánzhuāng/～ 협정 君子协定 jūnzǐ xiédìng
신선(新鮮) 新鲜 xīnxiān ¶～한 생선 新鲜的鱼 xīnxiān de yú =〔鲜鱼 xiānyú〕
신설(新設) 新办 xīnbàn; 新开设 xīnkāishè ‖～ 공장 新办的工厂 xīnbàn de gōngchǎng
신성(神聖) 神圣 shénshèng
신속(迅速) 迅速 xùnsù ¶～ 과감한 행동 迅速果敢地行动 xùnsù guǒgǎn de xíngdòng
신수(身手) 外表 wàibiǎo; 神色 shénsè ¶～가 훤하다 气色好 qìsè hǎo
신수(身數) 时运 shíyùn; 运气 yùnqi ¶～를 보다 算命 suàn mìng
신신부탁(申申付託) 再三嘱咐 zàisān zhǔfù〔fu〕; 反复地恳托 fǎnfùde kěntuō
신앙(信仰) 信仰 xìnyǎng ¶그는 ～심이 두텁다 他信仰虔诚 tā xìnyǎng qiánchéng
신용(信用) 信用 xìnyòng; 信任 xìnrèn; 凭信 píngxìn ¶그 상점은 고객의 ～을 잃었다 那店失去了顾客的信用 nà diàn shīqùle gùkè de xìnyòng ‖～ 거래 赊购交易 shēgòu jiāoyì/～ 대부 信用贷款 xìnyòng dàikuǎn/～장 信用证 xìnyòngzhèng
신원(身元) 经历和出身 jīnglì hé chūshēn ¶～ 불명의 시체 无名尸体 wúmíng shītǐ/～을 조사하다 调查经历和出身 diàochá jīnglì hé chūshēn ‖～ 보증인 保人 bǎorén =〔保证人 bǎozhèngrén〕
신음(呻吟) 呻吟 shēnyín; 《신음 소리》 哼哼

hēngheng ¶병상에서 ～하다 呻吟在病床上 shēnyín zài bìngchuángshang
신인(新人) 新人 xīnrén; 新手 xīnshǒu ‖～ 가수 新歌手 xīngēshǒu
신임장(信任狀) ①委任状 wěirènzhuàng ②国书 guóshū
신작(新作) ①新做的 xīnzuòde ②新作 xīnzuò; 新作品 xīnzuòpǐn
신작로(新作路) 马路 mǎlù
신장(身長) 身量 shēnliang; 身长 shēncháng; 身高 shēngāo; 个子 gèzi; 个儿 gèr ¶나는 ～이 170cm이다 我身高一米七 wǒ shēngāo yì mǐ qī
신장(腎臟) 肾脏 shènzàng; 肾 shèn; 腰子 yāozi ‖～염 肾炎 shènyán
신접살이(新接…) 刚刚结婚的新家庭 gānggāng jiéhūn de xīnjiātíng
신조(新造) 从新建造 cóngxīn jiànzào; 《말을》 造语 zàoyǔ
신중(愼重) 慎重 shènzhòng; 谨慎 jǐnshèn; 小心 xiǎoxīn〔xin〕¶행동은 ～하고 또 ～해야 한다 行动要慎重再慎重 xíngdòng yào shènzhòng zài shènzhòng
신창 鞋底子 xiédǐzi
신청(申請) 申请 shēnqǐng; 禀请 bǐng qǐng; 呈请 chéngqǐng ‖～서 呈请文 chéngqǐngwén
신체(身體) 身体 shēntǐ ‖～ 장애자 残废者 cán fèizhě
신축(新築) 新盖 xīngài; 新修 xīnxiū; 新建 xīnjiàn ‖～ 가옥 新盖的房子 xīngài de fángzi
신출내기(新出…) 生手 shēngshǒu; 新手 xīnshǒu; 初出茅庐的 chū chū máolú de; 力笨儿 lìbenr
신형(新型) 新式 xīnshì; 新型 xīnxíng
신호(信號) 信号 xìnhào; 讯号 xùnhào ¶교통～등 红绿灯 hónglǜdēng =〔信号灯 xìnhàodēng〕/～가 푸른색으로 바뀌면 길을 건너 가거라 开绿灯再过马路 kāi lǜdēng zài guò mǎlù
신화(神話) 神话 shénhuà; 神祇谈 shénqítán
싣다 ①《짐을》 装载 zhuāngzài; 装 zhuāng ②《글을》 登载 dēngzài
실 线(儿) xiàn(r) ¶바늘에 ～을 꿰다 穿针 chuān zhēn =〔纫针 rèn zhēn〕
실격(失格) 丧失资格 sàngshī zīge; 淘汰 táotài; 失了资格 shīle zīge ¶반칙을 세 번 하면 ～이 된다 犯规三次就得退场 fàn guī sāncì jiù děi tuìchǎng
실꾸리 线轴儿 xiànzhóur
실내(室內) 屋里 wūli; 室内 shìnèi ‖～악 室内乐 shìnèiyuè
실눈 眯缝眼 mīfengyǎn
실뜨기 翻股 fān gǔ; 翻花鼓 fān huāgǔ
실력(實力) ①《실제의 역량》 实力 shílì ¶～을 나타내다 发挥实力 fāhuī shílì ②《무력》 武力 wǔlì; 实力 shílì ¶～행사도 불사하다 不辞用实际行动 bù cí yòng shíjì xíngdòng
실례(失禮) 不讲礼貌 bùjiǎng lǐmào ¶～입니다만 对不起 duìbuqǐ =〔借光借光 jièguāng jièguāng〕
실로(實…) 实在 shízài; 真 zhēn; 非常 fēicháng; 的确 díquè ¶～ 재미있다 真有趣儿 zhēn yǒu qùr =〔真有意思 zhēn yǒu yìsi〕
실로폰(xylophone) 木琴 mùqín
실루에트(silhouette) 剪影 jiǎnyǐng; 侧影 cèyǐng
실룩거리다 抽搐起来 chōuchùqilai; 掉眩 diàoxuàn
실리(實利) 实利 shílì; 实惠 shíhuì ¶～를 중히 여기다 重视实利 zhòngshì shílì ‖～주의 功利主义 gōnglì zhǔyì
실리다 装入 zhuānglù; 《배에》 装船 zhuāng chúan
실리콘(silicone) 硅(氧)树脂 guī(yǎng) shùzhī
실린더(cylinder) 汽缸 qìgāng
실링(shilling) 《貨》 先令 xiānlìng; 先零 xiānlíng
실마리 线索 xiànsuǒ; 绪头 xùtóu; 端绪 duānxù; 线头(儿) xiàntóu(r) ¶～가 잡히지 않다 摸不着头脑 mōbuzháo tóunǎo / 문제 해결의 ～를 잡았다 抓到了解决问题的端绪 zhuādàole jiějué wèntí de duānxù
실망(失望) 失望 shīwàng; 灰心 huīxīn ¶～의 빛을 띠다 显出失望的神色 xiǎnchū shīwàng de shénsè
실명(失明) 失明 shīmíng; 瞎眼 xiāyǎn
실명(實名) 本名 běnmíng; 真名 zhēn míng ¶～을 숨기다 隐瞒真名实性 yǐnmán zhēnmíng shíxìng =〔隐姓埋名 yǐnxìng màimíng〕
실밥 ①《솔기》 针脚 zhēnjiao; 〈方〉 线脚 xiànjiǎo ②《보무라지》 碎丝 suìsī; 丝头 sītou
실비(實費) 成本 chéngběn; 实销 shíxiāo ¶～로 지급하다 实报实销 shí bào shí xiāo ‖～ 제공 按成本供应 àn chéngběn gōngyìng
실성하다(失性…) 失常 shīcháng; 发疯 fāfēng
실소(失笑) 失笑 shīxiào ¶사람들의 ～를 사다 招人耻笑 zhāo rén chǐxiào
실속(實…) 实惠 shíhuì ¶～ 있는 有利可图 yǒu lì kě tú / ～ 없는 一点捞没有 yìdiǎn lāo méiyoǔ / ～ 차리다 讲实惠 jiǎng shíhuì
실솔(蟋蟀) ⇨귀뚜라미
실수(失手) ①《잘못》 错误 cuòwu; 漏子 lòuzi ¶～를 저지르다 出漏子 chū lòuzi / ～해서 미안합니다 我太不小心了 wǒ tài bù xiǎoxin le ②⇨실례
실시(實施) 实施 shíshī; 施行 shīxíng; 实行 shíxíng ¶신체 검사를 ～하다 实行体检 shíxíng tǐ jiǎn
실신(失神) 昏 hūn; 昏迷 hūn mí; 昏过去 hūnguoqu; 不省人事 bùxǐng rénshì
실언(失言) 失言 shīyán; 失口 shīkǒu ¶～을 취소하다 收回失言 shōuhuí shīyán
실업(失業) 失业 shī yè ‖～자 失业者 shīyèzhě =〔打闲的 dǎxiánde〕
실업(實業) 实业 shíyè ‖～가 实业家 shíyèjiā =〔企业家 qǐyèjiā〕/～계 实业界 shíyèjiè =〔工商业界 gōngshāng yèjiè〕
실없다 不踏实 bú tà shi; 靠不住 kàobuzhù ¶실없는 소리 微不足道的话 wēi bù zú dào de huà =〔空话 kōnghuà〕
실외(室外) 屋外 wūwài; 室外 shìwài; 户外 hùwài ¶～에서 체조를 하다 到屋外去作操 dào wūwài qù zuò cāo
실용(實用) 实用 shíyòng; 可用 kěyòng ¶선물은 ～적인 것이 좋겠지요 礼物选实用的东西好吧 lǐwù xuǎn shíyòng de dōngxi hǎo ba
실의(實意) ①《본심》 真意 zhēnyì ②《성의》 诚意 chéngyì
실은(實…) 说实话 shuō shíhuà; 其实 qíshí
실익(實益) 实惠 shíhuì ¶취미와 ～을 겸한 일 既合志趣又有实惠的工作 jì hé zhìqù yòu yǒu

shíhuì de gōngzuò
실정(實情) 实情 shíqíng; 真情 zhēnqíng; 实际情况 shíjì qíngkuàng
실제적(實際的) 实际的 shíjìde; 实有的 shíyǒude
실족하다(失足…) 踩跐 cǎicī ¶실족하여 물에 빠지다 脚一跐落下水去 jiǎo yì cī lùoxia shuǐ qu
실존주의(實存主義) 存在主义 cúnzài zhǔyì; 生存主义 shēngcún zhǔyì
실지(實地) ①《현장》 实地 shídì; 现场 xiànchǎng ¶범행 현장을 ~ 검증하다 查验行凶现场 cháyàn xíngxiōng xiànchǎng ②《실제》 实地 shídì; 实际 shíjì ¶~ 해 보는 것이 제일 좋다 最好是实地去做 zuì hǎo shì shídì qùzuò
실직(失職) 失业 shīyè
실질(實質) 实质 shízhì; 内容 nèiróng
실쭉하다 咧嘴 liězuǐ
실책(失策) 失策 shīcè; 失误 shīwù; 失着 shīzhāo; 错失 cuòshī ¶~을 저지르다 办错 bàn cuò =〔败事 bài shì〕
실추(失墜) 衰落 shuāiluò; 失丢 shīdiū; 丧失 sàngshī ¶신용을 ~시키다 丧失信用 sàngshī xìnyòng / 신용이 ~하다 信用扫地 xìnyòng sǎodì =〔信用一落千丈 xìnyòng yíluòqiānzhàng〕
실컷 心满意足 xīn mǎn yì zú; 尽量 jìnliàng; 尽情 jìnqíng ¶~ 울다 痛哭 tòngkū / ~ 마시다 大喝特喝 dàhē tèhē
실크(silk) 丝绸 sīchóu ‖~ 로드 丝绸之路 sīchóu zhī lù
실탄(實彈) 实弹 shídàn ¶~을 재다 装子弹 zhuāng zǐdàn
실토정(實吐情) 说实话 shuō shíhuà
실팍지다 结结实实 jiējiē shishi; 硬棒 yìngbàng
실패《평면형》 缠线板儿 chánxiànbǎnr; 线板儿 xiànbǎnr; 绕线板 ràoxiànbǎn; 《축형》 线桄子〔儿〕 xiànguàngzi〔r〕; 线轴儿 xiànzhóur
실패(失敗) 失败 shībài ¶~는 성공의 어머니 失败是成功之母 shībài shì chénggōng zhī mǔ
실행(實行) 实行 shíxíng; 执行 zhíxíng ¶계획을 ~에 옮기다 将计划付诸实行 jiāng jìhuà fùzhū shíxíng
실험(實驗) 实验 shíyàn
실현(實現) 实现 shíxiàn ¶오랜 동안의 꿈이 드디어 ~되다 多年来的愿望终于得以实现 duōnián lái de yuànwàng zhōngyú déyǐ shíxiàn
실황(實況) 实况 shíkuàng ‖~ 방송 实况广播 shíkuàng guǎngbō
싫다 讨厌 tǎoyàn; 嫌弃 xiánqi
싫어하다 嫌 xián; 讨厌 tǎoyàn; 不愿意 búyuànyì
싫증(…症) ①《불호》 不高兴 bù gāoxìng ②《염오》 厌恶 yànwù ③《권태》〈口〉 腻烦 nìfan ④《포만》 饱饱儿 bǎobāor ¶~이 나다 厌烦 yànfán
심각(深刻) 深刻 shēnkè; 严重 yánzhòng ¶불황이 ~해져간다 经济萧条日趋严重 jīngjì xiāotiáo rìqū yánzhòng
심다 种 zhòng; 栽 zāi
심리(心理) 心理 xīnlǐ
심리(審理) 审理 shěnlǐ ¶소송 안건을 ~하다 审理诉讼案件 shěnlǐ sùsòng ànjiàn
심문(尋問) ⇨심방
심문(審問) 审询 shěnxùn; 审问 shěnwèn ¶재판관이 피고를 ~하다 审判员审问被告 shěnpànyuán shěnwèn bèigào
심방(尋訪) 造访 zàofǎng; 拜访 bàifǎng
심벌(symbol) 象征 xiàngzhēng ¶비둘기는 평화의 ~로 불린다 鸽子被称为和平的象征 gēzi bèi chēngwéi hépíng de xiàngzhēng
심벌즈(cymbals)〔樂〕 铙钹 náobó; 铜钹 tóngbó
심부름 小差事 xiǎo chāishi ¶~ 보내다 打发人去 dǎfa rén qù / ~ 다니다 被打发出去办事 bèi dǎfa chūqu bànshì ‖~꾼 跑差事的 pǎochāishide
심사(心事) ①《생각》 心思 xīnsi ②《마음씨》 心肠 xīncháng
심사(審査) 审查 shěnchá ¶~에 합격하다 通过了审查 tōngguòle shěnchá ‖~원 审查人 shěnchárén
심술(心術) ①《고집》 好胜之心 hàoshèng zhī xīn ②《오기》 左强 zuǒqiang; 歪心眼儿 wāixīnyǎnr ¶~궂은 倔丧 juésàng =〔怀毒心 huáidúxīn〕/ ~부리다 捣乱 dǎoluàn ‖~꾸러기 歪七扭八的东西 wāi qī niǔbā de dōngxi
심심풀이 解闷 jiěmèn; 开心 kāixīn
심심하다 闷 mèn; 无聊 wúliáo
심악스럽다(甚惡…) ①《악하다》 极凶恶 jí xiōng è; 穷凶恶极 qióng xiōng è jí ②《잔인》 残酷 cánkù; 毒辣 dúlà
심오(深奧) 深奥 shēn'ào
심원(深遠) 深邃 shēnsuì; 深奥 shēn'ào ¶~한 철리 深奥的哲理 shēn'ào de zhélǐ
심장(心臟) 心脏 xīnzàng ¶~이 격렬하게 뛰다 心脏激烈跳动 xīnzàng jīliè tiàodòng
심장(深長) 深长 shēncháng ¶의미 ~한 말 意味深长的话 yìwèi shēncháng de huà
심정(心情) 心情 xīnqíng ¶그의 ~을 헤아리고도 남음이 있다 我十分理解他的心情 wǒ shífēn lǐjiě tāde xīnqíng
심중(心中) 心中 xīnzhōng; 心里 xīnli; 内心 nèixīn ¶~을 밝히다 吐露真情 tǔlù zhēnqíng =〔倾心吐胆 qīngxīn tǔdǎn〕
심지 灯捻 dēngniǎn ¶~를 돋우다 拨灯 bō dēng
심지어(甚至於) 甚至于 shènzhìyú; 《그 위에 또》 加之 jiāzhī; 而且 érqiě
심취(心醉) 醉心 zuìxīn ¶두보의 시에 ~하다 醉心于杜甫的诗 zuìxīn yú Dùfǔ de shī
심층(深層) 深层 shēncéng ‖~ 심리 下意识 xiàyìshí
심판(審判) ①《법》 审判 shěnpàn; 裁判 cáipàn ¶법의 ~을 받다 受到法律审判 shòudào fǎlǜ shěnpàn ②《경기의》 裁判(员) cáipàn(yuán)
심포니(symphony) 交响乐 jiāoxiǎngyuè; 交响曲 jiāoxiǎngqǔ ‖~ 오케스트라 交响乐队 jiāoxiǎngyuèduì =〔交响乐团 jiāoxiǎngyuètuán〕
심포지엄(symposium) 专题讨论会 zhuāntí tǎolùnhuì ¶환경 위생에 대해 국제 ~이 열렸다 就环境卫生举行了国际讨论会 jiù huánjìng wèishēng jǔxíngle guójì tǎolùnhuì
심하다(甚…) 厉害 lìhai
심호흡(深呼吸) 深呼吸 shēnhūxī ¶~을 하다 作深呼吸 zuò shēnhūxī
심화(心火) 心火 xīnhuǒ; 积愤 jīfèn
심화(深化) 深化 shēnhuà ¶대립이 ~되다 对立加深 duìlì jiāshēn
십(十) 十 shí
십년(十年) 十年 shí nián ‖~지기 十年来的知己

shí nián lái de zhījǐ
십대(十代) 十几岁的 shíjǐsuì de
십분(十分) 十分 shífēn; 充分 chōngfèn; 足 zú; 够 gòu; 足够 zúgòu
십억(十億) 十万万 shíwànwàn; 十亿 shíyì
십이분(十二分) 十二分 shí'èrfēn ¶~의 성과를 올리다 得到了十二分的成果 dédàole shí'èrfēn de chéngguǒ
십이지(十二支) 地支 dìzhī; 十二支 shí'èr zhī; 十二辰 shí'èr chén
십인십색(十人十色) ¶사람의 생각은 ~이다 人的想法一人一个样 rén de xiǎngfa yì rén yí ge yàng
십자(十字) 十字 shízì ¶가슴에 ~를 긋다 在胸前画十字 zài xiōngqián huà shízì ‖~가 十字架 shízìjià / ~로 十字路口 shízì lùkǒu =〔十字街头 shízì jiētóu〕
십중팔구(十中八九) 十拿九稳 shí ná jiǔ wěn; 十之八九 shí zhī bā jiǔ; 十有八九 shí yǒu bā jiǔ ¶~는 성공할 것이다 十之八九会成功的 shí zhī bā jiǔ huì chénggōng de
십진법(十進法) 十进位制 shíjìnwèizhì
싱겁다 ①《맛이》 口轻 kǒuqīng; 味淡 wèidàn ②《언행이》 无聊 wúliáo; 愚蠢 yúchǔn ¶싱거운 자식 飘忽的家伙 piāohū de jiāhuo / 싱거운 소리를 하다 讲不着边际的事 jiǎngbùzháo biānjì de shì
싱글(single) ①《단일의》 单 dān ②《독신》 单身汉 dānshēnhàn ③《구기》 单打 dāndǎ; 《야구》 一垒打 yīlěidǎ ④《옷감의 폭》 单幅 dānfú; 《남자 양복》 单排钮扣(儿) dānpái niǔkòu(r) ‖~ 베드 单人床 dānrénchuáng
싱글벙글 笑嘻嘻 xiàoxīxī; 乐得合不拢嘴 lède hébulǒng zuǐ
싱싱하다 活生生的 huóshēngshēngde
싶다 想… xiǎng …; 打算 dǎsuàn ¶100살까지 살고 ~ 想活到百岁 xiǎng huódào bǎisuì / 가고 싶지 않다 不想去 bùxiǎng qù / 나도 사고 싶었다 我也想买来着 wǒ yě xiǎng mǎilaizhe / 차를 마시고 ~ 想喝茶 xiǎng hē chá / 마누라를 얻고 ~ 想讨个老婆儿 xiǎng tǎo ge lǎopor
싸늘하다 ①《온도가》 冷 lěng; 凉 liáng ¶발견된 당시 이미 싸늘해져 있었다 发现时人已经冰凉了 fāxiàn shí rén yǐjīng bīngliáng le ②《태도가》 冷淡 lěngdàn; 冷冰冰(的) lěngbīngbīng(de) ¶그 여자는 최근 나에게 굉장히 쌀쌀해졌다 最近她对我冷淡了 zuìjìn tā duì wǒ lěngdàn le =〔近来她待我冷冰冰的 jìnlái tā dài wǒ lěngbīngbīngde〕
싸다[1] 《포장》 包 bāo; 裹 guǒ
싸다[2] 《대변》 拉(屎) lā; 《소변》 撒(尿) sā
싸다[3] 《입이》 嘴不严 zuǐbùyán; 说话造次 shuōhuà zàocì
싸다[4] 《값이》 贱 jiàn; 便宜 piányi; 低廉 dīlián ¶싸게 드린 겁니다 给你少算点儿 gěi nǐ shǎo suàn diǎnr
싸다니다 跑东到西 pǎo dōng dào xī; 东跑西颠 dōng pǎo xī diān
싸라기 ①《쌀》 碎米 suìmǐ ②《눈》 粒雪 lìxuě; 霰 xiàn
싸리 〘植〙 胡枝子 húzhīzǐ
싸우다 ①《주먹질》 打架 dǎjià ②《말다툼》 斗嘴 dòuzuǐ ③《전쟁》 打仗 dǎzhàng ④《투쟁》 斗争 dòuzhēng ⑤《격투》 搏斗 bódòu
싸움 ①《투쟁》 斗争 dòuzhēng ②《전투》 战斗 zhàndòu ③《격투》 搏斗 bódòu ④《말다툼》 争吵 zhēngchǎo
싸움터 疆场 jiāngchǎng; 战场 zhànchǎng; 沙场 shāchǎng
싸움패(…牌) 专门爱打架的无赖 zhuānmén ài dǎjià de wúlài
싸이다 被遮蔽 bèi zhēbì; 被围起来 bèi wéiqilai
싸전(…廛) 米局子 mǐjúzi; 干米店 gānmǐdiàn
싹 芽 yá; 苗儿 miáor ¶~이 나오다 抽〔萌〕芽 chōu〔méng〕yá
싹싹 ¶~ 빌다 搓手认错 cuōshǒu rèncuò
싹싹하다 和蔼可亲 hé ǎi kě qīn
싼거리 买得很便宜的东西 mǎide hěn piányi de dōngxi; 便宜货 piányihuò
쌀 米 mǐ; 大米 dà mǐ; 稻米 dàomǐ ¶~을 씻다 淘米 táo mǐ
쌀보리 裸大麦 luǒdàmài; 裸麦 luǒmài; 稞麦 kēmài; 元麦 yuánmài; 青稞 qīngkē
쌀쌀하다 ①《냉정》 寡情 guǎqíng; 铁心 tiěxīn; 冷心 lěngxīn ②《날씨》 冷森森 lěngsēnsen
쌀장수 卖粮的 màiliángde
쌉쌀하다 苦巴丢 kǔbadiū
쌍(雙) ①《물건》 对 duì; 双 shuāng; 成对 chéngduì ¶~으로 된 成为一对的 chéngwéi yí duì de / 한 ~의 촛대 一对烛台 yí duì zhútái ②《암수》 一对 yí duì; 雌雄 cíxióng; 公母 gōngmǔ ¶카나리아 한 ~을 기르고 있다 养着一对金丝雀 yǎngzhe yí duì jīnsīquè
쌍까풀(雙…) 双眼皮(儿) shuāngyǎnpí(r)
쌍둥이(雙…) 双胞胎 shuāngbāotāi; 双生 shuāngshēng; 孪生 luánshēng ‖~ 형제 孪生兄弟 luánshēng xiōngdì / 일란성 ~ 同卵'双生〔双胎〕 tóngluǎn'shuāngshēng〔shuāngtāi〕
쌍방(雙方) 双方 shuāngfāng
쌍생아(雙生兒) ⇨쌍둥이
쌍쌍이(雙雙…) 一对一对地 yí duì yí duì de; 双双 shuāngshuāng
쌍안경(雙眼鏡) 双筒望远镜 shuāngtǒng wàngyuǎnjìng; 双目望远镜 shuāngmù wàngyuǎnjìng
쌓다 ①《축적》 积蓄 jīxù ②《경험》 积累 jīlěi ③《벽돌》 砌(砖) qì ④《공적》 立(功) lì
쌓이다 ①《겹치다》 积 jī ¶눈이 1미터나 쌓였다 雪积了一米 xuě jīle yì mǐ ②《빚·근심이》 堆积 duījī; 累积 lěijī ¶쌓인 원한 积怨 jīyuàn / 쌓인 빚 积欠 jīqiàn
써늘하다 ①《차다》 冷巴巴 lěngbābā ②《간담이》 毛骨悚然 máo gǔ sǒng rán
써다 《조수가》 落 luò ¶강물이 ~ 河水落下去 héshuǐ luòxiaqu
썩 ①《빨리》 立刻 lìkè; 马上 mǎshàng ¶~ 물러가라 快滚出去 kuài gǔnchuqu ②《대단히》 非常 fēicháng; 太 tài ¶영어를 ~ 잘 한다 英语说的太好 yīngyǔ shuōde tài hǎo
썩다 《부패하다》 腐败 fǔbài; 朽烂 xiǔlàn; 坏 huài
썰다 《칼로》 切 qiē; 《줄로》 锉 cuò; 《가위로》 剪 jiǎn ¶식칼로 고기를 ~ 用菜刀切肉 yòng càidāo qiē ròu
썰매 橇 qiāo; 雪橇 xuěqiāo; 雪车 xuěchē; 冰橇 bīngqiāo

썰물 落潮 luòcháo; 退潮 tuìcháo
쏘다 《활》 射 shè; 《총》 放 fàng; 打 dǎ
쏜살같다 像箭一般快 xiàng jiàn yìbān kuài
쏟다 ①《물건을》 倒出 dàochū ②《마음을》 集中精力 jízhōng jīnglì; 倾倒 qīngdǎo
쏟아지다 洒落 sǎluò; 溢出 yìchū ¶눈물이 ～ 洒泪 sǎlèi
쏠리다 ①《기울다》 倾向 qīngxiàng; 倾斜 qīngxié; 偏向 piānxiang ②《경향이 있다》 有… 倾向 yǒu…qīngxiàng ¶배가 좌현으로 ～ 船向左舷倾斜 chuán xiàng zuǒxián qīngxié
쐐기 楔子 xiēzi; 尖劈 jiānpī ¶～를 박다 钉楔子 dīng xiēzi =〔楔楔子 xiē xiēzi〕〔打进楔子 dǎjìn xiēzi〕
쐬다 ①《햇볕에》 让太阳晒 ràng tàiyang shài ②《벌에》 被蜂子蜇 bèi fēngzi zhē
쑤다 《죽을》 熬(粥) áo; 《풀을》 打(浆糊) dǎ
쑤석거리다 ①《쑤시다》 捅 tǒng ②《선동》 鼓动 gǔdòng; 挑唆 tiǎosuō〔suo〕
쑤시다[1] 《아프다》 跳疼 tiàoténg
쑤시다[2] 《구멍 따위를》 抠 kōu ¶창을 쑤셔 구멍을 내다 把窗户抠破 bǎ chuānghu kōupò
쑥 〖植〗 艾 ài; 艾子 àizi; 蒿 hāo
쑥대강이 蓬头 péngtóu
쑥스럽다 《어색하다》 拉不下脸来 lābuxià liǎn lai
쓰다[1] 《글씨를》 写 xiě
쓰다[2] 《머리에》 戴 dài
쓰다[3] ①《사용》 用 yòng; 使用 shǐyòng ¶그렇게 물을 많이 쓰지 마라 别用那么多的水 bié yòng nàme duo de shuǐ ②《소비》 花 huā; 花费 huāfèi ¶한 달에 용돈을 얼마나 씁니까? 零用钱每月花多少? língyòngqián měi yuè huā duōshao? ③《고용 · 채택》 用 yòng; 使 shǐ; 使用 shǐyòng ¶점원을 5사람 쓰고 있다 使用五个店员 shǐyòng wǔ ge diànyuán / 필명을 ～ 用笔名 yòng bǐmíng ④《머리를》 动 dòng ¶머리를 쓰면 그 정도의 것은 금방 알 수 있다 动点儿脑筋, 那样的事就会懂的 dòng diǎnr nǎojīn, nàyàng de shì jiù huì dǒng de ⑤《약을》 用 yòng; 使用 shǐyòng ¶약은 지나치게 쓰지 않는 것이 좋다 药最好不要多用 yào zuì hǎo bùyào duō yòng
쓰다[4] 《맛이》 苦 kǔ ¶좋은 약은 입에 ～ 良药苦口 liángyào kǔ kǒu
쓰다듬다 《머리를》 摩挲 mósuō; 抚摸 fǔmō; 抚摩 fǔmó; 《수염을》 捋(胡须) lǚ ¶어머니는 아이의 머리를 ～ 母亲抚摸孩子的头 mǔqin fǔmō háizi de tóu
쓰라리다 蜇得慌 zhēde huāng ¶쓰라림 痛楚 tòngchǔ / 쓰라린 경험 凄惨的经验 qīcǎn de jīngyàn
쓰러지다 ①《전도 · 도괴》 倒 dǎo; 塌倒 tādǎo ②《전복》 倒台 dǎotái; 崩溃 bēngkuì ③《죽다》 死 sǐ
쓰레기 垃圾 lājī ‖～통 垃圾箱 lājīxiāng =〔果皮箱 guǒpíxiāng〕
쓰레받기 簸箕 bòji
쓰리다 ①《배가》 肚子难受 dùzi nánshòu ②《가슴이》 烧心 shāoxīn
쓱싹하다 ①《일을》 暗中了结 àn zhōng liǎo jié; 掩盖下去 yǎngàixiaqu ②《셈을》 抵消 dǐxiāo; 相抵 xiāngdǐ
쓸개 胆囊 dǎnnáng
쓸다 扫 sǎo; 打扫 dǎsǎo ¶방을 깨끗하게 ～ 把房间打扫干净 bǎ fángjiān dǎsǎo gānjìng
쓸데없다 没有用处 méiyǒu yòngchu; 不顶事 bù dǐng shì ¶쓸데없이 白白 báibái
쓸모있다 有用处 yǒu yòngchu; 中用 zhōngyòng
쓸쓸하다 《사물 · 마음이》 孤苦零丁 gū kǔ líng dīng; 寂莫 jímò
쓿다 《찧다》 捣(米) dǎo; 舂(米) chōng
씀씀이 开销 kāixiāo; 零花儿 línghuār
씁쓸하다 苦巴丢 kǔbadiū; 苦口 kǔkǒu
씌우다 ①《머리에》 给…戴上 gěi … dàishàng; 《덮다》 用…盖上 yòng … gàishàng; 蒙上 méngshàng ②《허물을》 ¶남에게 죄를 ～ 委罪于人 wěi zuì yú rén =〔嫁祸于人 jià huò yú rén〕
씨[1] ①《종자》 种子 zhǒngzǐ; 种儿 zhǒngr ②《과실의》 子儿 zǐr; 〈口〉 核儿 húr; 核儿 hér ¶감～ 柿子核儿 shìzi húr / 포도～ 葡萄子儿 pútaozǐr / 수박～ 西瓜子儿 xīguāzǐr / 복숭아～ 桃核 táohé / 대추～ 枣核儿 zǎohúr / ～ 없는 수박 无子儿西瓜 wú zǐr xīguā / 밭에 ～를 뿌리다 往地里撒种 wǎng dìli sǎ zhǒng ③《혈통》 种 zhǒng ¶～돼지 种猪 zhǒngzhū ④《근본》 ¶분쟁의 ～를 뿌리다 播下纠纷的种子 bōxià jiūfēn de zhǒngzǐ
씨[2] 《피륙의》 纬线 wěixiàn
씨(氏) 《남자》 先生 xiānsheng; 《여자(미혼 · 기혼)》 女士 nǚshi; 《미혼 처녀》 小姐 xiáo jie; 《기혼 여자》 太太 tàitai
씨근벌떡 喘嘘嘘地 quǎnxūxūde
씨름 摔跤 shuāijiāo; 撂跤 liàojiāo ‖～꾼 扑户 pūhù
씨뿌리다 播 bō; 撒种 sǎzhǒng; 下种 xià zhǒng
씨앗 种子 zhǒngzǐ
…씩 ¶조금～ 一点一点地 yìdiǎn yìdiǎnde / 한 사람에 3개～ 나눠 주다 分给每人各三个 fēngěi měirén gè sānge / 매일 두 시간～ 공부하다 每天用功两个小时 měitiān yònggōng liǎngge xiǎoshí
씩둑거리다 罗嗦地多讲 luōsuode duōjiǎng
씩씩하다 有男子气概 yǒu nánzi qìgài; 生气勃勃 shēngqi bóbó
씹 ①《음부》 屄 bī ②《성교》 肏屄 càobī
씹다 嚼 jiáo; 咀嚼 jǔjué; 细嚼 xìjiáo ¶잘 씹어서 먹다 细嚼慢咽地吃 xìjiáo mànyàn de chī
씻기다 ①《씻게 하다》 叫…洗刷 jiào … xǐshuā ②《비에》 被雨水洗刷 bèi yǔshuǐ xǐshuā
씻다 ①《물로》 洗 xǐ; 涮 shuàn; 洗刷 xǐshuā; 冲洗 chōngxǐ; 清洗 qīngxǐ ¶쌀을 ～ 淘米 táomǐ / 비누로 손을 ～ 用肥皂洗手 yòng féizào xǐ shǒu / 식기를 깨끗이 ～ 把碗筷洗刷干净 bǎ wǎnkuài xǐshuā gānjìng / 차를 ～ 冲洗汽车 chōngxǐ qìchē ②《오욕을》 洗刷 xǐshuā; 洗雪 xǐxuě ¶오명을 ～ 洗刷污名 xǐshuā wūmíng
씻은듯이 一干二净 yì gān èr jìng; 落花流水 luò huā liú shuǐ ¶～ 자국이 없어지다 一点儿痕跡都没有 yìdiǎnr hénjī dōu méi yǒu

〔 ㅇ 〕

아 《감탄 · 경이》 啊 ā; 唉 āi; 呀 yā

아가미 鳃 sāi; 鳃际 sāiji
아가씨 小姐 xiǎojie; 女公子 nǚgōngzǐ
아교(阿膠) 胶 jiāo; 骨胶 gǔjiāo; 鳔胶 biàojiāo ¶～로 붙이다 用胶粘上 yòng jiāo zhānshàng =〔胶合 jiāohé〕
아궁이 灶门 zàomén; 炕洞 kàngdòng
아귀(餓鬼) ① 饿鬼 èguǐ ¶～같이 먹어대다 像饿鬼似的狼吞虎咽 xiàng èguǐ shìde lángtūnhǔyàn ②《대식가》 饭量大的人 fànliàng dà de rén
아그레망(프 agrément) 同意 tóngyì
아기 ①《어린아이》 娃娃 wáwa ②《딸》 女孩 nǚhái; 姑娘 gūniang
아기자기하다 ①《예쁘다》 小巧玲珑 xiǎoqiǎo línglóng ②《재미있다》 美满 měimǎn; 有趣 yǒuqù
아기집 子宫 zǐgōng
아까 刚才 gāngcái; 适才 shìcái; 方才 fāngcái ¶～부터 从头一会儿起 cóngtóu yìhuǐr qǐ
아까워하다 爱惜 àixī; 吝惜 lìnxī
아깝다 ①《아쉽다》 可惜 kěxī; 舍不得 shěbude ¶그 신발은 아직 버리기가 ～ 那双鞋还舍不得扔 nà shuāng xié hái shěbude rēng ②《애석》 可惜 kěxī ¶아깝게도 실패로 끝났다 可惜未能成功 kěxī wèi néng chénggōng ③《귀중》 珍惜 zhēnxī ¶누구나 생명은 ～ 谁都珍惜生命 shuí dōu zhēnxī shēngmìng
아끼다 ①《소중히 여기다》 爱惜 àixī; 珍惜 zhēnxī ¶시간을 ～ 珍惜时间 zhēnxi shíjiān ②《몸을》 保重 bǎozhòng ③《인색》 节省 jiéshěng ¶수고를 아끼지 않고 不辞辛苦地 bù cí xīnkǔ de
아낌없이 毫不吝啬地 háo bù lìnsè de
아나운서(announcer) 广播员 guǎngbōyuán; 播音员 bōyīnyuán
아낙 内宅 nèizhái; 闺房 guīfáng ‖～군수 懒怠出门的 lǎndai chūmén de / ～네 妇女 fùnǚ
아내 妻 qī; 妻子 qīzi
아녀자(兒女子) ① 妇女和儿童 fùnǚ hé értóng ② 对女人的卑称 duì nǚrén de bēichēng
아늑하다 小面整齐 xiǎomiàn zhěngqí 〔qi〕; 舒适 shūshì; 雅致 yǎzhì 〔zhi〕
아니 不 bù; 不是 bú shì ¶～하다 不做 bú zuò / ～ 가다 不去 bú qù / ～ 땐 굴뚝에 연기 날까 不烧火, 烟窗会冒烟吗 bù shāohuǒ, yānchuāng huì mào yān ma =〔无风不起浪 wú fēng bù qǐ làng〕
아니꼽다 ①《속이》 觉得恶心 juéde ěxin ②《불쾌》 不顺眼 bùshùn yǎn; 看不上 kànbushàng; 看不惯 kànbuguàn
아니나다를까 一如豫料的 yì rú yùliào de; 准确地 zhǔnquè de
아니다 不是 bú shì; 不 bù
아니오 不 bù; 不是 bú shì; 不对 bú duì
아닌게아니라 其实 qíshí; 本来 běnlai; 〈方〉 实在 shízai
아닌밤중 ¶～에 홍두깨 没头没脑的 méitóu méinǎo de
아담(雅淡·雅澹) 满漂亮 mǎnpiàoliang; 整洁 zhěngjié; 优美 yōuměi
아동(兒童) 儿童 értóng
아둔하다 愚蒙 yúméng
아득하다 离着远 lízhe yuǎn; 远远的 yuǎnyuǎnde
아들 儿子 érzi
아랑곳 ①《간섭》 干与〔干预〕 gānyù ②《개의하다》 放在心上 fàng zài xīn shàng ¶～하다 干与 gānyù / ～없다 不加干与 bù jiā gānyù =〔满不在乎 mǎnbúzàihu〕
아래 ①《아래쪽》 下 xià; 下边(儿) xiàbian(r); 下面(儿) xiàmian(r); 底下 dǐxia ¶엘리베이터를 타고 ～로 내려가다 坐电梯下去 zuò diàntī xiàqu / 나무 ～에 누워 책을 보다 躺在树底下看书 tǎngzài shù dǐxia kàn shū ②《연령이》 小 xiǎo ¶나는 너보다 한 살 ～다 我比你小一岁 wǒ bǐ nǐ xiǎo yí suì ③《다음》 下 xià ¶자세한 것은 ～와 같다 详情如下 xiángqíng rúxià
아래위 上下 shàngxià ¶～로 훑어보다 上下打量 shàngxià dǎliang ‖아래윗벌 褂子和裤子 guàzi hé kùzi
아래층(…層) 下层 xiàcéng
아래턱 下巴 xiàba; 下巴颏(儿) xiàbakē(r); 〈俗〉 下颌 xiàhé
아랫니 下牙 xià yá
아랫도리 下半身 xiàbànshēn; 下身 xiàshēn
아랫배 小腹 xiǎofù; 小肚子 xiǎodùzi
아랫사람 ①《손아랫사람》 晚辈 wǎnbèi; 后辈 hòubèi ②《지위가 낮음》 下级 xiàjí ¶～을 돌보다 照顾下属 zhàogu xiàshǔ
아량(雅量) 雅量 yǎliàng; 大量 dàliàng; 度量大 dùliàng dà ¶그는 사람을 포용하는 ～이 있다 他有容人的雅量 tā yǒu róng rén de yǎliàng
아로새기다 镌刻 juānkè
아뢰다 说 shuō; 回上 huíshàng; 讲 jiǎng; 报告 bàogào
아류(亞流) ①《둘째 사람》 第二个人 dì èr ge rén ②《추종자》 遵从者 zūncóngzhě
아르(are) 公亩 gōngmǔ
아르바이트(독 Arbeit) 工读 gōngdú; 副业 fùyè; 助学工作 zhù xué gōngzuò ¶나는 ～를 하면서 학교를 졸업했다 我半工半读地在学校毕了业 wǒ bàngōngbàngdú de zài xuéxiào bìle yè
아름 抱 bào; 搂 lǒu ¶한～의 장작 一抱劈柴 yí bào pǐchai〔chái〕
아름답다 美 měi; 美丽 měilì; 好看 hǎokàn; 漂亮 piàoliang; 俊 jùn; 〈口〉 俊俏 jùnqiào ¶아름다운 경치 美丽的景色 měilì de jǐngsè =〔美景 měijǐng〕/ 아름다운 우정 崇高美丽的友情 chónggāo měilì de yǒuqíng
아름드리 《물건·나무》 一抱的 yí bào de ‖～나무 有一搂粗的大树 yǒu yì lǒu cū de dàshù
아리다 ①《맛이》 辣蒿蒿的 làhāohāode ②《상처가》 刺痛 cìtòng
아리땁다 美丽 měilì; 好看 hǎokàn; 优雅 yōuyǎ; 漂亮 piàoliang
아리송하다 朦胧 ménglóng; 不清楚 bù qīngchu; 含糊 hánhu; 模棱 mó léng; 半懂不懂 bàndǒng bùdǒng
아마(亞麻) 亚麻 yàmá
아마 大概 dàgài; 恐怕 kǒngpà; 怕 pà ¶이 계획은 ～ 실패로 끝날 것이다 这个计划恐怕要失败的吧 zhège jìhuà kǒngpà yào shībài de ba
아마추어(amateur) 嗜好游艺的外行 shìhào yóuyì de wàiháng; 爱美的 àiměide; 业馀爱好者 yèyú àihàozhě; 票友 piàoyǒu; 业馀运动员 yèyú yùndòngyuán ‖～극 票戏 piàoxì / ～극단 业馀剧团 yèyú jùtuán
아메바(amoeba) 阿米巴 āmǐbā; 变形虫 biàn-

xíngchóng
아멘(amen) 阿门 àmén; 心愿如是 xīnyuàn rúshì
아무 ①《대명사》 某 mǒu; 谁 shuí ¶ ~라도 谁也 shuí yě =〔谁都 shuídōu〕/ ~도 …이라는 것은 의심할 수 없다 谁也不能怀疑… shuíyě bù néng huáiyí … ②《관형사》 某 mǒu; 什么 shénme ¶ ~날 某天 mǒutiān / ~것도 안 보았다 没看什么 méi kàn shénme
아무개 某人 mǒurén; 某甲 mǒujiǎ ¶ 왕 ~ 王某某 wáng mǒu mǒu
아무것 ¶ ~이나 什么都 shénme dōu / ~도 없다 什么也没有 shénme yě méiyǒu
아무데 某处 mǒuchù ¶ ~나 到处 dàochù / 어디 숨었는지 ~도 없다 不知躲到哪里去了 bù zhī duǒ dào nǎ li qù le
아무때 什么时候 shénme shíhou; 几时 jǐshí; 〈方〉 多咱 duōzan ¶ ~라도 좋다 什么时候都可以 shénme shíhou dōu kěyǐ =〔多咱都行 duōzan dōu xíng〕〔哪天都没关系 nǎtiān dōu méi guānxi〕
아무래도 怎么也 zěnmeyě ¶ ~ 말을 안 듣다 怎么也不肯 zěnmeyě bùkěn
아무런 任何 rènhé; 丝毫 sīháo ¶ 이렇다 할 ~ 취미도 없다 没有任何嗜好 méiyǒu rènhé shìhào
아무렇게나 不加思索地 bùjiā sīsuǒ de; 随便 suíbiàn; 马马虎虎 mǎmahǔhǔ; 麻麻呼呼 mámahūhū ¶ ~ 하시오 随你的便吧 suí nǐ de biàn ba
아무렴 说得是 shuōde shì; 谁说不是 shuí shuō bú shì
아무리 怎样 zěnyàng ¶ ~ 권해도… 怎样劝也… zěnyàng quàn yě…
아무리해도 怎么也 zěnmeyě; 〈方〉 实在 shízai; 无论如何 wúlùn rúhé
아무말 ¶ ~ 없이 一言不发地 yì yán bù fā de
아무일 什么事情 shénme shìqing ¶ ~없이 平安地 píng'ān de =〔没有变故 méiyǒu biàngù〕
아무쪼록 ①《꼭》 一定 yídìng; 务必 wùbì ②《여하간》 无论如何 wúlùn rúhé
아물거리다 朦胧 ménglóng; 迷迷蒙蒙 mímíméngméng
아물다 愈合 yùhé
아뭏든 总之 zǒngzhī; 好歹 hǎodǎi
아미노산(amino 酸) 氨基酸 ānjīsuān; 胺酸 ànsuān
아버지 父亲 fùqin; 爸爸 bàba ¶ 나의 ~는 공무원이다 我父亲是公职人员 wǒ fùqin shì gōngzhí rényuán
아범 老奴 lǎonú
아베크(avec) 情侣 qínglǚ
아부(阿附) 谄媚 chǎnmèi; 巴结 bājie
아빠 爸爸 bàba; 爹 diē
아뿔싸 唉呀 āi yā; 糟糕 zāogāo; 糟了 zāo le ¶ ~, 또 책을 잊고 왔다 糟糕, 又把书给忘了 zāogāo, yòu bǎ shū gěi wàng le
아사(餓死) 饿死 èsǐ ¶ ~ 직전에 다다르다 被逼得快要饿死了 bèi bīde kuàiyào èsǐ le
아서라 别那样 bié nàyàng; 算了吧 suàn le ba
아세테이트(acetate) 醋酸纤维 cùsuān xiānwéi; 醋纤 cùxiān
아세틸렌(acetylene) 《化》 乙炔 yǐquē; 电石气 diànshíqì
아쉰대로 将就着 jiāngjiu zhe ¶ ~ 쓰다 凑和着用 còuhé zhe yòng
아쉽다 甚感不足 shèn gǎn bùzú ¶ 돈이 ~ 缺钱 quē qián
아스파라거스(asparagus) 《植》 〈方〉 龙须菜 lóngxūcài; 石刁柏 shídiāobǎi; 露笋 lùsǔn; 芦笋 lúsǔn
아스팔트(asphalt) 沥青 lìqīng; 柏油 bǎiyóu ¶ ~로 포장하다 用沥青铺路 yòng lìqīng pū lù ‖ ~길 柏油路 bǎi yóu lù
아스피린(독 Aspirin) 阿司匹林 āsīpǐlín
아슬아슬 ¶ ~하게 익사할 뻔했다 险些儿淹死了 xiǎnxiēr yānsǐ le / ~하게 이겼다 险胜了 xiǎnshèng le
아씨 太太 tàitai
아악(雅樂) 《樂》 雅乐 yǎyuè
아야 《아파서》 唉哟 āiyō
아양 谄媚 chǎnmèi; 媚态 mèitài ¶ ~ 떨다 献媚 xiànmèi =〔撒娇 sājiāo〕
아연(亞鉛) 《化》 锌 xīn; 白铅 báiqiān; 亚铅 yàqiān
아연(啞然) 哑然 yǎrán ¶ 뜻밖의 결과에 모두가 ~했다 事出意外大家为之'哑然〔目瞪口呆〕 shì chū yìwài dàjiā wèi zhī 'yǎrán〔mùdèngkǒudāi〕
아예 ①《처음부터》 解头儿 jiětóur; 根本 gēnběn ②《절대로》 千万 qiānwàn ¶ ~ 쓸데없는 생각 말게 休想 xiūxiǎng
아우 ⇨동생
아우르다 ①《보태다》 添加 tiānjiā ②《병합》 凑一块儿 còu yíkuàir ¶ 아울러 한 마디 첨가하다 补充一句话 bǔchōng yí jù huà
아우성 呐喊 nàhǎn ¶ ~ 치다 打喊 dǎhǎn
아우트라인(out line) 轮廓 lúnkuò; 概况 gàikuàng; 梗概 gěnggài ¶ 사건의 ~을 설명하다 说明事件的概况 shuōmíng shìjiàn de gàikuàng
아웃(out) ①《정구·탁구 등의 구기의》 出界 chūjiè; 出线 chūxiàn ②《야구》 出局 chūjú
아이 孩子 háizi; 孩儿 háir; 小孩儿 xiǎoháir; 小孩子 xiǎoháizi
아이디어(idea) 主意 zhǔyì; 构思 gòusī; 观念 guānniàn ¶ 그것은 좋은 ~다 那是个好主意 nà shì ge hǎo zhǔyì ‖ ~맨 点子多的人 diǎnziduō de rén
아이론(iron) 熨斗 yùndǒu ‖ 전기~ 电熨斗 diànyùndǒu
아이스캔디(ice candy) 冰棍儿 bīnggùnr; 冰棒 bīngbàng; 棒冰 bàngbīng; 冰糕 bīnggāo
아이스크림(ice-cream) 冰激凌 bīngjīlíng; 冰淇淋 bīngqílín; 冰糕 bīnggāo; 冰砖 bīngzhuān; 雪糕 xuěgāo
아이스하키(ice hockey) 冰球 bīngqiú ¶ ~를 하다 打冰球 dǎ bīngqiú
아장거리다 东倒西歪地 dōngdǎo xīwāi de; 鸭跩鹅行 yāzhuǎi éxíng
아저씨 《백부》 伯伯 bóbo; 伯父 bófù; 大爷 dàye; 《숙부》 叔叔 shūshu; 叔父 shūfù
아전인수(我田引水) 自吹自擂 zìchuīzìléi; 老婆子卖瓜 lǎopózi mài guā
아제 妹夫 mèifū; 妹丈 mèizhàng
아주 ①《전혀》 简直 jiǎnzhí; 实在 shízai ②《몹시》 极其 jíqí; 非常 fēicháng ③《조금도》 一点也 yìdiǎn yě; 丝毫也 sīháo yě
아주까리 《植》 蓖麻子 bìmázi

아주머니 伯母 bómǔ; 叔母 shūmǔ; 《고모》 姑姑 gūgu(미혼); 姑妈 gūma(기혼); 《형수》 嫂子 sǎozi
아지랑이 阳炎 yángyán
아직 ①《그래도 여전히》 还 hái; 仍 réng; 尚 shàng ¶～도 약간의 의문이 남아 있다 尚有若干疑问 shàng yǒu ruògān yíwèn ②《시기가 덜됨》 还 hái ¶～ 안 먹다 还没吃 hái méi chī
아찔하다 头晕眼黑 tóuyùn yǎnhēi
아차 糟了 zāo le ¶～ 우산을 안 가지고 나왔다 糟了忘把伞带来了 zāo le wàng bǎ sǎn dài lái le
아첨(阿諂) 奉承 fèngcheng; 巴结 bājie; 逢迎 féngyíng; 谄媚 chǎnmèi; 装狐媚子 zhuāng hú mèizi ¶상사에 ～하다 逢迎上司 féngyíng shàngsi =〔拍上司的马屁 pāi shàngsi de mǎpì〕
아취(雅趣) 雅趣 yǎqù
아치(雅致) 雅致 yǎzhì〔zhi〕
아치(arch) ①《建》 拱 gǒng; 拱形 gǒngxíng ¶～형의 다리 拱桥 gǒng qiáo =〔拱形桥 gǒngxíng qiáo〕 ②《홍예문》 彩门 cǎimén; 牌楼 páilóu
아침 ①早晨 zǎochén; 早上 zǎoshang; 早起 zǎoqi ¶내일 ～ 6시에 출발하다 第二天早上六点动身 dì'èr tiān zǎoshang liù diǎn dòngshēn ②《아침밥》 早饭 zǎofàn
아침나절 上午 shàngwǔ
아카데미(academy) 科学院 kēxuéyuàn; 学会 xuéhuì
아카데믹(academic) 学术性的 xuéshùxìng de; 学究式的 xuéjiūshì de
아카시아(acacia) 《植》 金合欢 jīnhéhuān; 洋槐 yánghuái; 刺槐 cìhuái
아케이드(arcade) 拱廊 gǒngláng ¶～의 상점가 连环拱廊商店街 liánhuán gǒngláng shāngdiànjiē
아코디언(accordion) 手风琴 shǒufēngqín ¶～을 켜다 拉手风琴 lā shǒufēngqín
아킬레스건(Achilles 腱) 跟腱 gēnjiàn
아틀리에(atelier) ①工作室 gōngzuòshì; 画室 huàshì; 画房 huàfáng ②摄影室 shèyǐngshì
아파트(apartment) 公寓 gōngyù; 公共住宅 gōnggòng zhùzhái; 合组屋 hézǔwū
아파하다 怕疼 pàténg; 觉着痛 juézhe tòng
아편(鴉片) 鸦片 yāpiàn; 大烟 dàyān; 阿片 āpiàn; 阿芙蓉 āfúróng ¶～을 피다 抽大烟 chōu dàyān ‖～굴 鸦片烟馆 yāpiànyānguǎn =〔大烟馆 dàyānguǎn〕
아프다 疼 téng; 痛 tòng; 疼痛 téngtòng ¶머리가 ～ 头疼 tóuténg =〔头痛 tóutòng〕
아하 《깨달아 느낌》 阿呀 āyā
아홉 九 jiǔ ¶～째 第九 dì jiǔ
아흐레 ①《아흐렛날》 九号 jiǔhào ②《아홉날》 九天 jiǔtiān
아흔 九十 jiǔshí ¶～째 第九十 dì jiǔshí
악(惡) 恶 è; 歹 dǎi; 坏 huài; 邪恶 xié'è
악 《큰소리》 哇 wā; 哈 hǎ
악기(樂器) 乐器 yuèqì
악다구니 互相咆哮 hùxiāng páoxiāo; 僵持不下 jiāngchíbúxià
악담(惡談) 坏话 huàihuà ¶남의 ～을 하다 说人家坏话 shuō rénjia huàihuà
악당(惡黨) 恶徒 ètú; 恶棍 ègùn; 坏蛋 huàidàn; 坏人 huàirén
악덕(惡德) 不正经 bú zhèngjing; 邪恶 xié'è ¶～ 상인 奸商 jiānshāng
악동(惡童) 顽童 wántóng; 坏孩子 huàiháizi
악랄(惡辣) 毒辣 dúlà; 狠毒 hěndú; 恶毒 èdú ¶수단이 점점 ～해지다 手段越来越毒辣 shǒuduàn yuèlái yuèdúlà
악령(惡靈) 邪神 xiéshén; 恶鬼 èguǐ; 邪魔 xiémó ¶～이 지피다 邪魔附体 xiémó fùtǐ
악마(惡魔) 恶魔 èmó; 魔鬼 móguǐ ¶～ 같은 남자 恶魔似的男人 èmó sìde nánrén
악명(惡名) 恶名 èmíng; 坏名声 huài míngshēng; 臭名 chòumíng ¶～높은 臭名'远扬〔昭著〕的 chòumíng' yuǎnyáng〔zhāozhù〕 de
악물다 咬紧 yǎojǐn ¶이를 ～ 咬紧牙关 yǎojǐn yá guān
악바리 坏嘎嘎儿 huài gágar; 坏坯子 huài pīzi
악보(樂譜) 乐谱 yuèpǔ
악사(樂士) 乐师 yuèshī
악성(惡性) 恶性 èxìng ‖～ 인플레이션 恶性通货膨胀 èxìng tōnghuò péngzhàng
악센트(accent) ①《言》 重音 zhòngyīn; 高音 gāoyīn; 重念 zhòngniàn ¶그 말은 제1음절에 ～가 있다 这个词重音在第一音节上 zhège cí zhòngyīn zài dìyī yīnjié shang =〔这个词第一音节重读 zhège cí dìyī yīnjié zhòngdú〕 ②《강조》 强调 qiángdiào; 重点 zhòngdiǎn ¶포켓에 ～를 두다 用衣袋点缀 yòng yīdài diǎnzhuì
악셀 ⇨액셀러레이터
악수(握手) 握手 wòshǒu; 拉手(儿) lāshǒu(r) ¶그는 단원 한 사람 한 사람과 ～를 교환했다 他和每个团员一一握手 tā hé měige tuányuán yīyī wòshǒu
악습(惡習) 恶习 èxí ¶～에 물들다 染上恶习 rǎnshàng èxí
악어(鰐魚) 鳄 è; 鳄鱼 èyú
악역무도(惡役無道) 惨无人道 cǎn wú réndào; 穷凶极恶 qióngxiōngjí'è
악용(惡用) 滥用 lànyòng ¶직권을 ～해서는 안 된다 不得滥用职权 bùdé lànyòng zhíquán
악운(惡運) 贼运 zéiyùn; 恶运 èyùn
악의(惡意) 恶意 èyì; 坏意思 huài yìsi; 歹意 dǎiyì ¶그의 말에는 조금도 ～가 없다 他的话里一点儿也没有恶意 tāde huà li yìdiǎnr yě méiyǒu èyì
악착스럽다(齷齪…) 毒辣 dúlà; 下死劲儿 xiàsǐjìnr ¶악착스럽게 번 돈 辛辛苦苦赚下的钱 xīnxīnkǔkǔ zhuàn xia de qián
악천후(惡天候) 恶劣气候 èliè qìhòu ¶～에도 불구하고 사람이 속속 모여들었다 不顾天气恶劣, 人们陆续地赶来 bùgù tiānqì èliè, rénmen lùxùde gǎnlai
악평(惡評) 不好的评论 bù hǎo de pínglùn; 坏名声 huài míngshēng ¶그는 ～ 높은 인물이다 他是个名声极坏的人 tā shì ge míngshēng jí huài de rén =〔他是臭名昭著的人物 tā shì chòumíng zhāozhù de rénwù〕
악폐(惡弊) 恶习 èxí; 陋习 lòuxí ¶사회의 ～를 제거하다 铲除社会的陋习 chǎnchú shèhuì de lòuxí
악풍(惡風) 坏风气 huài fēngqì; 邪风 xiéfēng ¶～을 일소하다 扫除坏风气 sǎochú huài fēngqì
악필(惡筆) 拙笔 zhuōbǐ
악한(惡漢) 坏蛋 huàidàn; 无赖 wúlài; 恶棍 ègùn

악화(惡化) 恶化 èhuà; 变坏 biànhuài ¶사태는 ~ 일로를 걷고 있다 事态一直趋于恶化 shìtài yìzhí qūyú èhuà

안 ①《내부》 里面 lǐmian; 里边 lǐbian ②《한도》 内 nèi ③《옷의》 里子 lǐzi ④《내실》 内宅 nèizhái ⑤《아내》 内人 nèiren ⑥《여자》 ¶~부모 母亲 mǔqin

안(案) ①《안건》 案 àn ¶불신임~ 不信任案 búxìnrèn'àn ②《생각·고안》 案 àn; 方案 fāng'àn; 计划 jìhuà

안간힘 冤气 yuānqì ¶~ 쓰다 挣扎着忍耐冤气 zhēngzhá zhe rěnnài yuānqì

안감 里儿 lǐr

안개 雾 wù; 雾气 wùqì ¶오늘 아침 해상에 ~가 짙다 今晨的海上浓雾弥漫 jīnchén de hǎishang nóng wù mímàn

안건(案件) 议案 yì'àn

안경(眼鏡) 眼镜(儿) yǎnjìng(r); 〈口〉 镜子 jìngzi ¶~을 쓰다 戴眼镜 dài yǎnjìng / ~을 벗다 摘眼镜 zhāi yǎnjìng / 근시용 ~ 近视眼镜 jìnshi yǎnjìng ‖ ~알 眼镜片 yǎnjìngpiàn / ~테 眼镜框儿 yǎnjìngkuàngr =〔眼镜架 yǎnjìngjià〕

안계(眼界) 眼界 yǎnjiè; 视野 shìyě ¶그는 ~가 좁다 他眼光狭隘 tā yǎnguāng xiá'ài

안광(眼光) 目光 mùguāng; 眼光 yǎnguāng ¶~이 예리하다 目光锐利 mùguāng ruìlì

안기다 ①《팔에》 投进怀抱 tóujìn huáibào ②《알을 닭에》 让母鸡抱窝儿 ràng mǔjī bào wōr; 孵化 fūhuà

안내(案內) 领道(儿) lǐngdào(r); 向导 xiàngdǎo; 带路 dàilù; 领路 lǐnglù; 引路 yǐnlù ¶그의 ~로 박물관을 견학하였다 由他作向导参观了博物馆 yóu tā zuò xiàngdǎo cānguānle bówùguǎn ‖ ~소 服务处 fúwùchù =〔问讯处 wènxùnchù〕/ ~원 服务员 fúwùyuán / 여행 ~ 旅行指南 lǚxíng zhǐnán

안녕(安寧) ①平安 píng'ān; 安宁 ānníng ¶사회의 ~ 질서를 어지럽히다 扰乱社会的安宁和秩序 rǎoluàn shèhuì de ānníng hé zhìxù ②《인사말》 再见 zàijiàn; 再会 zàihuì(헤어질 때) ¶~하십니까 你好(啊) nǐ hǎo(a) / ~히 주무셨습니까 您早 nín zǎo =〔早安 zǎo'ān〕

안다 ①《가슴에》 抱 bào; 搂 lǒu; 搂抱 lǒubào; 拥抱 yōngbào ¶어린애를 ~ 抱着娃娃 bào zhe wáwa ②《새가 알을》 抱 bào ¶알을 ~ 抱蛋 bào dàn

안달하다 发躁 fāzào; 焦躁 jiāozào

안되다 ①做不上 zuòbushàng ②《미안》 不好意思 bù hǎo yìsi

안락사(安樂死) 无痛苦致死术 wú tòngkǔ zhìsǐshù

안락의자(安樂椅子) 安乐椅 ānlèyǐ; 逍遥椅 xiāoyáoyǐ

안마(按摩) 按摩 ànmó; 推拿 tuīná ‖ ~사 按摩师 ànmóshī

안마당 院子 yuànzi; 里院 lǐyuàn

안배(按排·按配) 安排 ānpái ¶일을 ~하다 安排工作 ānpái gōngzuò

안부(安否) 起居 qǐjū; 安危 ānwēi ¶~를 묻다 问安 wèn ān / 아들의 ~를 염려하다 担心着儿子的安危 dānxīnzhe érzi de ānwēi

안색(顔色) ①《얼굴빛》 脸色 liǎnsè; 气色 qìsè ¶~이 좋다 气色好 qìsè hǎo ②《표정》 脸色 liǎnsè ¶남의 ~을 살피다 看人脸色 kàn rén liǎnsè =〔仰人鼻息 yǎngrénbíxī〕

안성맞춤(安城…) 恰好 qiàhǎo; 万分凑巧 wànfēn còuqiǎo

안손님 〈方〉 堂客 tángke

안식구(…食口) ①《여자 식구》 女眷 nǚjuàn ②《아내》 媳妇儿 xífur; 贱内 jiànnèi

안심(安心) 安心 ānxīn; 放心 fàngxīn ¶그의 얼굴을 보기 이전에는 ~할 수가 없다 在没看到他以前放心不下 zài méi kàndào tā yǐqián fàngxīn búxià

안온(安穩) 安适 ānshì; 安闲 ānxián; 安逸 ānyì ¶~한 날을 보내다 过安适的生活 guò ānshì de shēnghuó

안이(安易) 容易 róngyì; 简单 jiǎndān; 轻易 qīngyì ¶~한 날들을 보내다 虚度苟安的日子 xūdù gǒu'ān de rìzi

안일(安逸) 安逸 ānyì ¶~을 탐하다 贪图安逸 tāntú ānyì

안전(安全) 安全 ānquán ¶~ 운전을 이행하다 坚持安全驾驶 jiānchí ānquán jiàshǐ ‖ ~ 면도 保险刀 bǎoxiǎndāo =〔安全剃刀 ānquán tìdāo〕/ ~ 보장 이사회 安理会 ānlǐhuì / ~ 장치 保险装置 bǎoxiǎn zhuāngzhì / ~ 지대 安全岛 ānquándǎo

안절부절못하다 坐立不安 zuòlì bù'ān; 手忙脚乱 shǒumáng jiǎoluàn

안정(安定) 安定 āndìng; 稳定 wěndìng ¶신경~제 安定药 āndìngyào / 물가를 ~시키다 稳定物价 wěndìng wùjià

안정(安靜) 安静 ānjìng ¶의사는 절대 ~을 명했다 医生吩咐要绝对安静 yīshēng fēnfu yào juéduì ānjìng

안존하다(安存…) 安详 ānxiáng; 和善 héshàn; 安稳 ānwěn

안주(安住) 安居 ānjū; 安身 ānshēn ¶현재의 지위에 ~하다 安居于现在的地位 ānjū yú xiànzài de dìwèi

안주(按酒) 酒菜 jiǔcài; 酒肴 jiǔyáo ¶생선회를 ~로 술을 마시다 用生鱼片下酒 yòng shēngyúpiàn xiàjiǔ

안주머니 里兜儿 lǐdōur

안주인(…主人) 《가게의》 女东家 nǚdōngjia; 老板娘 lǎobǎnniáng; 《여염집의》家主婆 jiāzhǔpó

안중(眼中) 眼中 yǎnzhōng ¶~에 아니 두다 不放在眼里 bú fàng zài yǎn li / ~에 사람이 없다 目中无人 mùzhōngwúrén =〔目空一切 mùkōngyíqiè〕

안질(眼疾) 眼病 yǎnbìng

안짱다리 罗圈腿 luóquāntuǐ; 哈吧腿 hǎbatuǐ

안쪽 里面 lǐmian; 里边 lǐbian

안차다 沉勇 chényǒng

안창 鞋底儿 xiédǐr

안출(案出) 想出 xiǎngchū; 研究出 yánjiū chū ¶새로운 장치를 ~하다 设计出新的装置 shèjì chū xīn de zhuāngzhì

안치(安置) 安放 ānfàng; 停放 tíngfàng ¶불상을 ~하다 安放佛像 ānfàng fóxiàng / 영구를 ~하다 停放灵柩 tíngfàng língjiù

안치다 《밥을》 下米 xià mǐ

안타(安打) 安全打 ānquándǎ ¶멋있는 ~를 쳤다 打了一个漂亮的安全打 dǎle yí ge piàoliang de ānquándǎ

안타깝다 ①《딱하다》 觉得可怜 juéde kělián ②《조바심》 焦急 jiāojí; 《답답하다》 不耐烦 bú nàifán

안테나(antenna) 天线 tiānxiàn ¶ ~를 세우다 竖天线 shù tiānxiàn
안팎 ①《안과 밖》 内外 nèiwài; 里外 lǐwài ②《대략》 左右 zuǒyòu; 上下 shàngxià; 内外 nèiwài ¶ 원고 용지 30매 ~ 稿纸三十张左右 gǎozhǐ sān shí zhāng zuǒyòu
안표(眼標) 记号(儿) jìhao(r); 标记 biāojì; 目标 mùbiāo ¶ ~하다 加上记号(儿) jiāshang jìhao(r)
안하무인(眼下無人) 目中无人 mùzhōngwúrén; 《거만》 傲慢 àomàn; 《뻔뻔함》 面皮厚 miànpí hòu; 《무법》 蛮横 mánhèng
안 할 수 없다 不得不做 bùdé bùzuò
앉다 ①《자리에》 坐 zuò ¶ 자 앉으시죠 请在这里坐 qǐng zài zhèli zuò ②《새·벌레 따위》 停 tíng; 落 luò ¶ 작은 새가 나뭇가지 위에 ~ 小鸟落在树枝上 xiǎoniǎo luò zài shùzhī shang
앉은뱅이 瘫子 tānzi ‖ ~ 저울 台秤 táichèng =〔磅秤 bàngchèng〕
앉은자리 ¶ ~에서 当下 dāngxià; 当场 dāngchǎng
앉히다 ①《자리에》 使坐下 shǐ zuòxia ②《추대》 捧上台 pěng shàngtái
알 ①《새의》 蛋 dàn; 卵 luǎn; 《물고기·벌레》 子(儿) zǐ(r) ¶ ~을 낳다 下蛋 xiàdàn =〔产卵 chǎnluǎn〕〔甩子 shuǎizǐ(곤충)〕/ ~을 까다 孵卵 fūluǎn ②《달걀》 鸡卵 jīluǎn; 鸡蛋 jīdàn; 鸡子儿 jīzǐr ③《낟알》 子粒 zǐlì ④《염주·주판》 子儿 zǐr ⑤《연필의》 铅心 qiānxīn
알겨먹다 冤人骗取 yuānrén piànqǔ
알곡(…穀) 精粮 jīngliáng
알다 ①《인식하다》 知道 zhīdao; 明白 míngbai; 懂 dǒng; 晓得 xiǎode; 《소식 등을》 得知 dézhī; 《배워서》 学(会) xué(huì) ¶ 그 사건은 텔레비전을 보고 알았다 那个事件是看电视知道的 nàge shìjiàn shì kàn diànshì zhīdao de / 그 사람은 이름만 알고 있을 뿐이다 那个人我只知道他的名字 nàge rén wǒ zhǐ zhīdao tāde míngzi / 그대 자신을 알라 人要有自知之明 rén yào yǒu zìzhī zhī míng ②《경험하여》 经历 jīnglì ¶ 그녀는 아이 다루는 법을 알고 있다 她懂得该怎么对待孩子 tā dǒngde gāi zěnme duìdài háizi ③《지면이 있다》 认识 rènshi; 熟识 shúshi ¶ 회의장 안에 아는 사람이 많지 않다 会场里熟人很少 huìchǎng li shú〔shóu〕rén hěn shǎo
알뜰하다 用心周到 yòngxīn zhōudao; 处事周详 chǔshì zhōuxiáng
알랑거리다 拍马屁 pāi mǎpì; 奉承 fèngcheng; *舐屁股 shì pìgu*; 棒臭脚 pěng chòujiǎo
알랑쇠 巴及鬼 bājiguǐ
알량하다 不足道 bùzúdào; 不足挂齿 bùzú guàchǐ
알레르기(Allergie) 变态反应 biàntài fǎnyìng; 过敏性反应 guòmǐnxìng fǎnyìng ¶ ~ 반응을 일으키다 引起变态反应 yǐnqǐ biàntài fǎnyìng ‖ ~ 체질 过敏性体质 guòmǐnxìng tǐzhì
알려지다 ①《탄로》 揭露出来 jiēlòu chulai; 被…知道 bèi zhīdao ②《유명》 驰名 chímíng
알력(軋轢) 倾轧 qīngyà ¶ 양 파 사이에서는 ~이 끊이지 않다 两派之间不断地相互倾轧 liǎng pài zhījiān bùduànde xiānghù qīngyà
알록달록 斑驳 bānbó; 五花八门 wǔ huā bā mén
알루미늄(aluminium) 铝 lǚ; 钢精 gāngjīng; 钢种 gāngzhǒng; 洋锡镴 yángxīla ¶ ~ 제품 铝制品 lǚ zhìpǐn
알리다 告诉 gàosu; 告知 gàozhī; 通知 tōngzhī; 知会 zhīhui ¶ 도착 시간을 편지로 ~ 用信通知到达的时间 yòng xìn tōngzhī dàodá de shíjiān
알리바이(alibi) 不在现场 búzài xiànchǎng; 现场不在证明 xiànchǎng búzài zhèngmíng ¶ 나는 ~가 있다 我能证明我当时没在现场 wǒ néng zhèngmíng wǒ dāngshí méi zài xiànchǎng
알맞다 恰好的 qiàhǎo de; 合其中 hé qízhōng; 妥善 tuǒshàn
알맹이 核儿 hér
알몸 光身 guāngshēn; 光巴吃溜 guāngbā chī liū
알배기 带子儿的鱼 dài zǐrde yú
알부랑자(…浮浪者) 恶棍 ègùn; 痞棍 pǐgùn
알선(斡旋) 介绍 jièshào; 斡旋 wòxuán ¶ 친구 ~으로 이선생과 만나다 经朋友的介绍会见了李先生 jīng péngyou de jièshào huìjiànle Lǐ xiānsheng
알쏭달쏭 《이해 부득》 模棱两可 móléng liǎngkě; 《포착하기 어렵다》 不着边际 bùzháo biānjì; 一会儿明白一会儿糊涂 yìhuǐr míngbai yìhuǐr hútu
알아내다 觉察出来 juéchá chūlai; 看出来 kàn chūlai
알아듣다 领会 lǐnghuì; 了解 liǎojiě
알아맞히다 猜中 cāizhòng
알아보다 ①《조사》 询问 xúnwèn; 打听 dǎting ②《인식》 认得出 rènde chū ③《검사》 查对 cháduì
알아주다 赏识 shǎngshì; 重视 zhòngshì ¶ 진가를 ~ 认出…的真正价值 rènchū … de zhēnzhèng jiàzhì
알아채다 理会到 lǐhuìdao
알알하다 ①《매워서》 辣蒿蒿的 làhāohāode ②《따가워서》 刺痛 cìtòng
알은체하다 装懂 zhuāngdǒng
알지못하다 不认识 búrènshi; 陌生的 mòshēng de
알짜 精 jīng; 精华 jīnghuá
알칼리(Alkali) 《化》 咸 xián
알코올(alcohol) ①《化》 酒精 jiǔjīng; 乙醇 yǐchún; 火酒 huǒjiǔ ¶ ~로 소독하다 用酒精消毒 yòng jiǔjīng xiāodú ②《술》 酒 jiǔ ¶ 나는 ~류는 일체 입에 대지 않는다 酒类我是一概不沾口 jiǔlèi wǒ shì yígài bù zhān kǒu =〔我滴酒不饮 wǒ dī jiǔ bù yǐn〕 ‖ ~ 중독 酒精中毒 jiǔjīng zhòngdú
알토(alto) 女低音 nǚdīyīn; 女低音歌唱家 nǚdīyīngēchàngjiā
알파(A, α) 阿尔法 ā'ěrfǎ ‖ ~선 阿尔法射线 ā'ěrfǎ shèxiàn
알파벳(alphabet) 罗马字母 Luómǎzìmǔ; 拉丁字母表 Lādīng zìmǔbiǎo ¶ ~순으로 배열하다 按着拉丁字母的顺序来排列 ànzhe Lādīng zìmǔ de shùnxù lái páiliè
알프스(Alps) 阿尔卑斯山 A'ěrbēisīshān
앓는소리하다 ①《병으로》 病得直哼哼 bìngde zhí hēnghēng ②《불평》 发牢骚 fā láosao
앓다 患 huàn; 害 hài; 犯病 fànbìng ¶ 폐병을 앓은 적이 있다 患过肺病 huànguo fèibìng
암 《암컷》 牝 pìn; 母 mǔ; 雌 cí

암(癌) ①《醫》癌 ái; 癌瘤 áiliú; 癌肿 áizhǒng; 癌症 áizhèng ¶～에 걸리다 患癌瘤 huàn áiliú ②(폐단) 症结 zhēngjié
암《감탄사》说的是 shuōde shì; 的确 díquè; 可不是 kě bushì
암기(暗記) 背 bèi; 默记 mòjì ¶단어를 ～하다 背单词 bèi dāncí
암내 ①(곁땀내) 狐臭 húchòu ②(발정) ¶～나다 起秧子 qǐ yāngzi(개가) =〔发风 fā fēng(동물)〕
암담(暗澹) 暗淡 àndàn ¶전도가 ～하다 前途暗淡 qiántú àndàn
암만해도 无论如何也 wúlùn rúhé yě; 怎么也 zěnme yě ¶～ 비가 오겠다 一定要下雨 yídìng yào xià yǔ
암말 牝马 pìnmǎ; 骒马 kèmǎ
암모니아(ammonia)《化》氨 ān; 阿摩尼亚 āmóníyà; 氨水 ānshuǐ
암산(暗算) 心算 xīnsuàn ¶～으로 계산하다 用心算计算 yòng xīnsuàn jìsuàn
암살(暗殺) 暗杀 ànshā; 行刺 xíngcì ‖～자 刺客 cìkè =〔暗杀者 ànshāzhě〕
암송(暗誦) 背 bèi; 背念 bèiniàn; 背诵 bèisòng; 记诵 jìsòng ¶시를 ～하다 背诵诗 bèisòng shī
암술《植》雌蕊 círuǐ
암시(暗示) 暗示 ànshì ¶자기 ～ 自我暗示 zìwǒ ànshì/상대방에게 ～를 주다 暗示对方 ànshì duìfāng
암시세(暗市勢) 黑盘 hēipán
암시장(暗市場) 黑市 hēishì
암실(暗室) 暗室 ànshì; 暗房 ànfáng
암암리(暗暗裡) 背地里 bèidìli; 暗中 ānzhōng; 暗暗 àn'àn; 暗地里 àndìli ¶～에 일을 진행시키다 暗地里行事 àndìli xíngshì
암영(暗影) 暗影 ànyǐng ¶그 사건은 전도에 ～을 던졌다 该事件给前途投上了暗影 gāi shìjiàn gěi qiántú tóushàngle ànyǐng
암운(暗雲) 乌云 wūyún ¶국경 지대에 ～이 감돌다 边疆一带笼罩着一片乌云 biānjiāng yídài lǒngzhào zhe yípiàn wūyún
암자(庵子) ①(작은 절) 庵子 ānzi; 〈方〉庵堂 āntáng ②(임시의) 庵 ān; 庐 lú
암죽(…粥) 米汤 mǐtang
암초(暗礁) 暗礁 ànjiāo ¶배가 ～에 걸리다 船触了'礁〔暗礁〕 chuán chùle 'jiāo〔ànjiāo〕
암캐 母狗 mǔgǒu
암컷 母的 mǔde; 雌的 cíde; 牝的 pìnde
암탉 母鸡 mǔjī; 雌鸡 cíjī; 牝鸡 pìnjī
암페어(ampere)《物》安培 ànpéi; 安 ān
암호(暗號) 密码 mìmǎ; 暗号 ànhào; 暗语 ànyǔ ¶～를 해독하다 译密码 yì mìmǎ
암흑(暗黑) 黑暗 hēi'àn; 昏暗 hūnàn ¶～가의 두목 黑社会的头子 hēi shèhuì de tóuzi ‖～면 黑暗面 hēi'ànmiàn
압도(壓倒) 压倒 yādǎo ¶관중은 여성이 ～적으로 많다 观众绝大多数都是妇女 guānzhòng juédà duōshù dōushì fùnǚ
압력(壓力) 压力 yālì ¶～을 가하다 加压力 jiā yālì/재계가 정부에 ～을 가하다 财界向政府'施〔施加〕压力 cáijiè xiàng zhèngfǔ 'shī〔shījiā〕 yālì ‖～ 단체 压力集团 yālì jítuán
압류(押留) 查封 cháfēng; 冻结 dòngjié; 扣押 kòuyā ¶～당하다 被查封 bèi cháfēng/～를 해제하다 启封 qǐ fēng
압박(壓迫) 压迫 yāpò ¶가슴에 ～감이 있다 胸部有压迫感 xiōngbù yǒu yāpògǎn
압수(押收) 扣押 kòuyā ¶증거 서류를 ～하다 扣押证据文件 kòuyā zhèngjù wénjiàn
압정(押釘) 图钉 túdīng
압제(壓制) 压制 yāzhì
압지(壓紙) 吸墨纸 xīmòzhǐ
앙갚음 报冤 bàoyuān
앙금 渣滓 zhāzǐ
앙심(怏心) 敌意 díyì; 宿怨 sùyuàn ¶～ 먹다 怀敌意 huái díyì
앙칼지다 泼辣 pōla; 利害 lìhai
앙케트(프 enquete) 调查 diàochá; 测验 cèyàn; 征求意见 zhēngqiú yìjiàn ¶～ 용지 调查卡片 diàochá kǎpiàn =〔调查表 diàochábiǎo; 征求意见表 zhēngqiú yìjiàn biǎo/회원에게 ～를 하다 向会员用调查表征求意见 xiàng huìyuán yòng diàochábiǎo zhēngqiú yìjiàn
앙코르(encore) 重演 chóngyǎn; 再'演奏〔唱〕一次 zài'yǎnzòu〔cháng〕 yí cì ¶～에 답하여 한 곡 더 부른다 应喝彩, 再唱一首 yìng hècǎi, zài chàng yì shǒu/연주가 끝나자 ～라는 소리가 났다 演奏一完就起了"再来一个"的叫好声 yǎnzòu yì wán jiù qǐle "zài lái yí ge" de jiàohǎoshēng
앙탈하다 吊蛋 diàodàn; 发赖 fālài
앞 ①(전면) 前面 qiánmian; 前头 qiántou ②(면전) 眼前 yǎnqián ③(몫) 每 měi ¶한 사람 ～에… 每一个人… méi yī ge rén ④(미래) 将来 jiānglai ⑤(순위) 前头 qiántou ¶～을 다투다 争先 zhēngxiān
앞길 前程 qiánchéng; 将来 jiānglái; 去向 qùxiàng
앞날 (장래) 将来 jiānglái; (여생) 活头儿 huótour ¶～을 근심하다 顾后 gù hòu =〔虑后 lǜ hòu〕/～이 무궁 무진하다 将来不可限量 jiānglái bùkě xiànliàng
앞니 门牙 ményá; 门齿 ménchǐ
앞다리 (동물의) 前肢 qiánzhī
앞뒤 ①(전후) 前后 qiánhòu; 先后 xiānhòu ②(원인·결과) 前因后果 qiányīn hòuguǒ ③(계속해서) 脚跟脚 jiǎogēnjiǎo ¶～가 뒤바뀌다 颠到先后 diāndào xiānhòu
앞바다 海洋当中儿 hǎiyáng dāngzhōngr; 洋面 yángmiàn ¶배가 ～로 나가다 船开往洋面 chuán kāiwǎng yángmiàn
앞바퀴 前轮 qiánlún
앞발 (동물의) 前足 qiánzú; 前肢 qiánzhī; 前腿 qiántuǐ ‖～굽 前蹄 qiántí
앞서 ①(전에) 上回 shànghuí; 从前 cóngqián ②(미리) 预先 yùxiān; 事先 shìxiān ③(이미) 已经 yǐjing
앞서다 ①(선행) 走在前头 zǒu zài qiántou ②(앞지르다) 赶过去 gǎn guòqu ③(앞장 서다) 领头 lǐng tóu ④(탁월) 出人头地 chū rén tóu dì
앞세우다 使…领先 shǐ… lǐngxiān →〔让…先走 ràng … xiān zǒu〕
앞일 (장래일) 将来的事儿 jiāngláide shìr
앞잡이 狗腿子 gǒutuǐzi
앞지르다 赶过去 gǎn guòqu
앞치마 围裙 wéiqún〔qun〕; 油裙 yóuqún ¶～를 입다 系围裙 jì wéiqún
애 ①(진력) 努力 nǔlì; 费劲 fèijìn ②(걱정) 操

心 cāoxīn；惦念 diànniàn
애걸(哀乞) 哀求 āiqiú；乞求 qǐqiú；哀恳 āikěn
애고머니 哎呀呀！āiyāyā；天哪 tiānna
애교(愛嬌) 魅力 mèilì；诱惑力 yòuhuòlì；可爱的 kě'ài de ¶～ 떨다 撒娇 sā jiāo =〔卖俏 mài qiào〕
애꾸 ①⇨애꾸눈 ②⇨애꾸눈이 ‖～눈 一只眼 yì zhī yǎn / ～눈이 独眼龙 dúyǎnlóng
애꿎다 天真 tiānzhēn；无辜 wúgū ¶애꿎은 피난민만 학살하다 屠杀无辜的难民 túshā wúgū de nànmín
애끊다 感到万分悲痛 gǎndào wànfēn bēi tòng
애달프다 悲愁 bēichóu；可怜 kělián；悲凉 bēiliáng
애도(哀悼) 哀悼 āidào ¶삼가 ～의 뜻을 표하다 我谨表示哀悼 wǒ jǐn biǎoshì āidào
애독(愛讀) 爱读 àidú；好读 hàodú ¶그는 노신을 ～한다 他好读鲁迅的书 tā hàodú Lǔ Xùn de shū / 이것은 나의 ～서이다 这是我常读的书 zhè shì wǒ cháng dú de shū
애드벌룬(adballoon) 广告气球 guǎnggào qìqiú
애로(隘路) 障碍 zhàng'ài；隘道 àidào；隘路 àilù；难关 nánguān ¶생산의 ～를 타개하다 消除生产上的障碍 xiāochú shēngchǎn shang de zhàng'ài
애매(曖昧) 含糊 hánhu；暧昧 àimèi；模糊 móhu ¶사태가 ～모호하다 事态模糊不清 shìtài móhu bù qīng
애석하다(哀惜…) 依依不舍 yīyī bùshě；惋惜 wǎnxī
애송이 小子 xiǎozi；小伙子 xiǎohuǒzi；年轻轻的 niánqīngqīngde ¶～ 주제에 건방진 소리 마라 乳臭未干别说大话！rǔxiù wèi gān bié shuō dàhuà
애수(哀愁) 哀愁 āichóu；悲哀 bēi'āi ¶～를 띤 멜로디가 흘러 나왔다 悲哀的旋律随风传来 bēi'āi de xuánlǜ suí fēng chuánlai
애쓰다 埋头苦干 mái tóu kǔgān；专心致志 zhuānxīn zhìzhì
애완(愛玩) 赏玩 shǎngwán；玩赏 wánshǎng ¶부친의 ～하는 파이프 父亲把玩的烟斗 fùqin bǎwán de yāndǒu ‖～ 동물 供玩赏的动物 gōng wánshǎng de dòngwù
애욕(愛欲) 情欲 qíngyù ¶～에 빠지다 沉溺于情欲 chénnì yú qíngyù
애원(哀願) 哀请 āi qǐng；苦求 kǔqiú
애인(愛人) 爱人 àirén；情人 qíngrén；相好 xiānghǎo
애지중지하다(愛之重之…) 疼爱 téng'ài
애착(愛着) 挚爱 zhì'ài；留恋 liúliàn；依依不舍 yīyī bùshě ¶나는 이 일에 깊은 ～을 갖고 있다 我对这项工作有很深的感情 wǒ duì zhè xiàng gōngzuò yǒu hěn shēn de gǎnqíng
애처(愛妻) 心爱的妻子 xīn'ài de qīzi
애처롭다 可怜 kělián ¶보기에도 ～ 目不忍睹 mù bù rěn dǔ
애초 开头(儿) kāitóu(r)；起初 qǐchū ¶이번 여행은 ～부터 마음이 내키지 않았다 这次旅行打开始就不怎么想去 zhè cì lǚxíng dǎ kāishǐ jiù bù zěnme xiǎng qù
애칭(愛稱) 爱称 àichēng；昵称 nìchēng
애타다 烦恼 fánnǎo；折腾 zhēteng
애티 孩子气 háiziqì；憨态 hāntài
애호(愛好) 爱好 àihào；喜欢 xǐhuan；爱 ài ¶사진 ～가 摄影爱好者 shèyǐng àihàozhě
애호(愛護) 爱护 àihù ¶동물 ～ 주간 爱护动物周 àihù dòngwù zhōu
액때움(厄…) 祓除不祥 fúchú bùxiáng；禳灾 ráng zāi
액막이(厄…) 消灾 xiāo zāi；避邪 bì xié
액세서리(accessory) 配合服装品 pèihé fúzhuāngpǐn；服饰用品 fúshì yòngpǐn；首饰 shǒushi；装饰品 zhuāngshìpǐn
액셀러레이터(accelerator) 加速踏板 jiāsù tàbǎn
액션(action) ①动作 dòngzuò；行动 xíngdòng；活动 huódòng ②《연기자의》演技 yǎnjì ‖～ 드라마 打斗剧 dǎdòujù =〔武打剧 wǔdǎjù〕
액수(額數) 额数 éshù
액자(額子) 镜框 jìngkuàng；画框儿 huàkuàngr；匾额 biǎn'é(가로로 긴)
액체(液體) 液体 yètǐ；流质 liúzhí ¶고체가 녹아서 ～가 된다 固体溶化成为液体 gùtǐ rónghuà chéngwéi yètǐ ‖～ 산소 液氧 yèyǎng =〔液态氧 yètàiyǎng〕
앨범(album) 相片簿 xiàngpiānbù；照相簿 zhàoxiàngbù；影集 yǐngjí ¶졸업 기념 ～ 毕业纪念影集 bìyè jìniàn yǐngjí / ～에 사진을 붙이다 把照片贴在相片簿上 bǎ zhàopiàn tiē zài xiàngpiànbù shang
앵두 樱桃 yīngtáo
앵무(鸚鵡)《鳥》鹦鹉 yīngwǔ；鹦哥 yīnggē
야 《놀람》 嗳呀 āiyā；咦 yí；《부르는 소리》 嗐 hài；咳 hāi
야간(夜間) 夜间 yèjiān
야경(夜警) 打更 dǎgēng；守夜 shǒuyè ¶～ 돌다 查夜 chá yè =〔下夜 xià yè〕‖～꾼 打更的 dǎ gēng de =〔更夫 gēngfū〕
야광(夜光) 夜光 yèguāng ‖～ 도료 夜光漆 yèguāng qī =〔磷光漆 línguāngqī〕/ ～ 시계 夜光表 yèguāngbiǎo
야구(野球) 棒球 bàngqiú ¶～를 하다 打棒球 dǎ bàngqiú
야근(夜勤) 夜班 yèbān ¶～하다 打〔上〕夜班 dǎ〔shàng〕yèbān ‖～ 수당 夜班津贴 yèbān jìntiē
야단(惹端) ①《소동》扰乱 rǎoluàn；闹事 nào shì ②《호령》大声叱责 dà shēng chì zé；丑骂 chǒumà
야당(野黨) 在野党 zàiyědǎng
야드(yard) 码 mǎ ‖～ 파운드법 英美度量衡制 YīngMěi dùliànghéngzhì
야드르르하다 光光溜溜 guāngguāngliūliū；光润 guāngrùn
야료부리다(惹鬧…) 惹是招非 rě shì zhāo fēi
야릇하다 奇怪 qíguài；奇特 qítè；古怪 gǔguài
야만(野蠻) 野蛮 yěmán ¶～스런 행동 野蛮行为 yěmán xíngwéi
야망(野望) 野心 yěxīn ¶～을 품다 抱野心 bào yěxīn
야맹증(夜盲症)《醫》夜盲 yèmáng
야멸치다 冷心肠 lěng xīncháng；苛丧 kē sāng
야무지다 《단단하다》 硬 yìng；《마음이》 坚硬 jiānyìng；《몸이》硬棒 yìngbàng
야박하다(野薄…) 冷肠 lěngcháng；刻薄 kèbó〔bo〕
야비(野卑·野鄙) 下流 xiàliú ¶～한 말 下流话 xiàliúhuà
야생(野生) 野生 yěshēng ¶～ 동물을 길들이다 驯养野生动物 xúnyǎng yěshēng dòngwù

야성(野性) 野性 yěxìng ¶～적 매력이 있는 사람 有野性的魅力的人 yǒu yěxìng de mèilì de rén
야속하다(野俗…) 寡情寡义 guǎqíng guǎ yì
야수(野獸) 野兽 yěshòu
야식(夜食) 夜消〔夜宵〕yèxiāo
야심(野心) 野心 yěxīn; 奢望 shēwàng ¶그는 ～에 불타올랐다 他'野心〔雄心〕勃勃 tā'yěxīn〔xióngxīn〕bóbó
야심하다(夜深…) 三更半夜 sāngeng bànyè; 夜阑 yèlán
야영(野營) 露营 lùyíng; 野营 yěyíng ‖ ～지 野营地 yěyíngdì =〔露营地 lùyíngdì〕〔营地 yíngdì〕
야옹 喵喵 miāomiāo ¶～하고 울다 喵喵地叫 miāomiāode jiào
야외(野外) 野外 yěwài; 野地 yědì; 露天 lùtiān ‖～극장 露天剧场 lùtiān jùchǎng / ～ 연주회 露天演奏会 lùtiān yǎnzòuhuì
야위다 消瘦 xiāoshòu ¶그는 형편없이 야위었다 他消瘦得不像样子 tā xiāoshòude búxiàng yàngzi
야인(野人) 《시골 사람》 乡下佬 xiāngxiàlǎo; 《재야(在野)의》 在野的人 zàiyě de rén; 普通人 pǔtōngrén ¶일개의 ～ 생활을 하다 作为一个在野的人生活 zuòwéi yí ge zàiyě de rén shēnghuó
야유(揶揄) 揶揄 yéyú ¶사람을 ～하다 嘲笑人 cháoxiào rén
야음(夜陰) 黑夜 hēiyè ¶～을 틈타 잠입하다 乘着黑夜潜入 chéngzhe hēiyè qiánrù
야자(椰子) 《植》 椰子 yēzi ‖～ 열매 椰子 yēzi =〔椰实 yēshí〕
야전(野戰) 野战 yězhàn ‖～ 병원 野战医院 yězhàn yīyuàn
야죽거리다 嚼嘴胡说 jiáo zuǐ hú shuō
야차(夜叉) 夜叉 yèchā; 药叉 yàochā
야채(野菜) 菜 cài; 蔬菜 shūcài; 青菜 qīngcài ‖～ 샐러드 生菜色拉 shēngcài sèlā / ～ 수프 菜汤 càitāng
야청(…青) 蔚蓝 wèilán
야포(野砲) 野战炮 yězhànpào
야하다(冶…) 野 yě →〔粗俗 cūsú〕
야학(夜學) ① 夜校 yèxiào ¶～생 夜校学生 yèxiào xuésheng ② 夜学 yèxué; 夜课 yèkè
야회(夜會) 晚会 wǎnhuì ‖～복 晚礼服 wǎnlǐfú =〔夜礼服 yèlǐfú〕
약(約) 约 yuē; 大约 dàyuē; 差不多 chà bu duō ¶～ 한 시간 约一个小时 yuē yí ge xiǎoshí
약(藥) 药 yào ¶감기～ 感冒〔伤风〕药 gǎnmào〔shāngfēng〕yào / ～을 바르다 上〔涂, 抹, 敷, 搽〕药 shàng〔tú, mǒ, fū, chá〕yào / ～을 달이다 煎〔熬〕药 jiān〔áo〕yào
약간(若干) 若干 ruògān; 有点儿 yǒudiǎnr; 稍微 shāowēi ¶여기에 ～의 문제가 있다 这里有些问题 zhèli yǒu xiē wèntí
약값(藥…) 药费 yàofèi; 药敬 yàojìng
약골(弱骨) 薄弱 bóruò; 弱不胜衣 ruò bù shēng yī
약관(弱冠) 《남자 20세》 二十岁 èrshí suì; 《젊은》 年少 niánshào ¶～ 20세에 기왕이 되었다 年方二十岁就成了棋王 nián fāng èrshí suì jiù chéngle Qíwáng
약국(藥局) 药房 yàofáng; 《병원의》 取药处 qǔyàochù
약다 警觉 jǐngjué; 麻俐 máli; 伶俐 línglì
약대 ⇨낙타
약력(略歷) 简历 jiǎnlì
약방(藥房) ① ⇨약국 ② 《약 파는 가게》 药铺 yàopù; 药房 yàofáng; 药店 yàodiàn
약방문(藥方文) 药方 yàofāng
약봉지(藥封紙) 药包 yàobāo
약빠르다 机警 jījǐng; 机灵 jīling; 乖巧 guāiqiǎo; 麻俐 máli
약사(藥師) 药剂师 yàojìshī
약속(約束) ① 约 yuē; 约会 yuēhuì; 约诺 yuēnuò; 约定 yuēdìng ¶～을 지키다 守约 shǒuyuē =〔遵守诺言 zūnshǒu nuòyán〕/ ～을 어기다 违背诺言 wéibèi nuòyán =〔违约 wéiyuē〕 ② 《규정》 规则 guīzé; 规章 guīzhāng ‖ ～어음 期票 qīpiào
약손가락(藥…) 无名指 wúmíngzhǐ
약솜(藥…) 药棉 yàomián; 脱脂棉 tuōzhīmián
약수(藥水) 药水 yàoshuǐ
약술(略述) 略述 lüèshù ¶경력을 ～하다 略述履历 lüèshù lǚlì
약식(略式) 简略方式 jiǎnlüè fāngshì; 简便方式 jiǎnbiàn fāngshì ¶결혼식을 ～으로 거행하다 举行了简略的婚礼 jǔxíngle jiǎnlüè de hūnlǐ
약어(略語) 简语 jiǎnyǔ; 简称 jiǎnchēng; 缩语 suōyǔ; 略语 lüèyǔ
약오르다(藥…) 《화나다》 激发 jīfā; 上火 shàng huǒ
약올리다 惹气 rě qì; 惹恼 rěnǎo; 挑人的火儿 tiāo rénde huǒr
약용(藥用) 药用 yàoyòng ‖～ 비누 药皂 yàozào / ～ 식물 药用植物 yàoyòng zhíwù
약육강식(弱肉强食) 弱肉强食 ruò ròu qiáng shí; 大鱼吃小鱼 dàyú chī xiǎo yú
약자(略字) 简写字 jiǎnxiězì; 简体字 jiǎntǐzì
약점(弱點) 弱点 ruòdiǎn; 软弱处 ruǎnruòchù ¶사람의 ～을 잡다 抓人家的小辫子 zhuā rénjia de xiǎobiànzi
약제사(藥劑師) 药剂师 yàojìshī
약조(約條) 誓约 shìyuē; 盟誓 méngshì
약졸(弱卒) 弱兵 ruòbīng; 弱卒 ruòzú ¶용장 밑에 ～ 없다 强将手下无弱兵 qiángjiàng shǒuxià wú ruòbīng
약주(藥酒) 清酒 qīngjiǔ
약탈(掠奪) 掠夺 lüèduó; 抢掠 qiǎnglüè; 抢夺 qiǎngduó; 抢劫 qiǎngjié ¶금품을 ～하다 抢劫财物 qiǎngjié cáiwù
약품(藥品) 药品 yàopǐn
약하다(弱…) 弱 ruò; 不结实 bù jiēshi ¶그는 날 때부터 몸이 ～ 他生来身体弱 tā shēnglái shēntǐ ruò
약호(略號) 简写符号 jiǎnxiě fúhào
약혼(約婚) 订婚 dìnghūn; 婚约 hūnyuē ¶～을 취소하다 退婚 tuìhūn =〔解除婚约 jiěchú hūnyuē ‖ ～ 반지 订婚戒指 dìnghūn jièzhi / ～자 未婚夫〔妻〕wèihūnfū〔qī〕
약효(藥效) 药效 yàoxiào; 药力 yàolì
얄궂다 奇怪 qíguài; 古怪 gǔguài
얄따랗다 很薄 hěn báo
얄팍하다 薄一点 báo yìdiǎn
얌전하다 安详 ānxiáng; 和善 héshàn; 老实 lǎoshi
얌체 涎皮赖脸 xián pí lài liǎn; 赖皮 làipí

양(羊) 羊 yáng
양(良) 《평점》 良 liáng
양(量) ①《분량》 量 liàng ¶식사의 ～을 줄이다 减少饭量 jiǎnshǎo fànliàng / 일의 ～이 너무 많다 工作量太多 gōngzuòliàng tài duō / ～보다 질 质重于量 zhì zhòngyú liàng ②《무게》 分量 fènliàng; 重量 zhòngliàng ③《수량》 数量 shùliàng
양(兩) 两 liǎng ¶좌우 ～ 진영 左右两阵营 zuǒyòu liǎng zhènyíng / ～손 双手 shuāngshǒu =〔两手 liǎngshǒu〕
양가(養家) 干爹娘家 gāndiē niángjiā
양갈보(洋…) 洋婊子 yángbiǎozi; 咸水妹 xiánshuǐ mèi
양귀비(楊貴妃) 〖植〗 罂粟 yīngsù; 罂子粟 yīngzisù ¶～로는 아편을 만들 수 있다 罂粟可以提制鸦片 yīngsù kěyǐ tízhì yāpiàn
양기(陽氣) 精力 jīnglì; 元气 yuánqì
양날(兩…) 两刃 liǎngrèn ¶～의 안전 면도기 双刃保险刀 shuāngrèn bǎoxiǎndāo
양녀(養女) 养女 yǎngnǚ; 干女儿 gānnǚr
양념 作料(儿) zuóliao(r) ¶요리에 ～을 넣다 菜多加作料(儿) cài duōjiā zuòliao(r)
양달(陽…) 日头地 rìtóudì; 老爷儿地里 lǎoyér dì li; 太阳地(儿) tàiyángdìr; 向阳处 xiàngyángchù ¶이불을 ～에 말리다 在向阳处晒被褥 zài xiàngyángchù shài bèirù
양담배(洋…) 洋烟 yángyān
양도(讓渡) 转让 zhuǎnràng; 出让 chūràng ¶권리를 ～하다 转让权利 zhuǎnràng quánlì
양동이(洋…) 洋铁桶 yángtiětǒng
양력(陽曆) ⇨태양력
양립(兩立) 两立 liǎnglì ¶일과 공부를 ～시키다 使工作和学习两不误 shǐ gōngzuò hé xuéxí liǎng bú wù
양말(兩襪) 袜子 wàzi; 短袜 duǎnwà; 长袜 chángwà(스타킹)
양모(羊毛) 羊毛 yángmáo ¶～를 깎다 剪羊毛 jiǎn yángmáo
양배추(洋…) 卷心菜 juǎnxīncài; 洋白菜 yángbáicài; 包心菜 bāoxīncài; 结球甘蓝 jiéqiú gānlán
양보하다(讓步…) 让步 ràngbù; 让过儿 ràngguòr
양복(洋服) 西服 xīfú ¶～을 입다 穿西服 chuān xīfú ‖～점 西服庄 xīfúzhuāng =〔服装店 fúzhuāngdiàn〕
양분(養分) 养分 yǎngfèn; 养料 yǎngliào
양산(陽傘) 阳伞 yángsǎn; 旱伞 hànsǎn
양생(養生) ①《보건》 养身 yǎngshēn; 保养 bǎoyǎng; 养生 yǎngshēng ②《요양》 调治 tiáozhi; 养病 yǎngbìng; 疗养 liáoyǎng
양서(兩棲) 两栖 liǎngqī ‖～류 两栖类 liǎngqīlèi
양서(洋書) 西洋书籍 xīyáng shūjí
양성(陽性) 阳性 yángxìng ¶투베르쿨린 반응이 ～이다 结核菌素试验是阳性的 jiéhéjūnsù shìyàn shì yángxìng de
양성(養成) 养成 yǎngchéng; 培养 péiyǎng; 培训 péixùn ¶숙련공을 ～하다 培养熟练工人 péiyǎng shúliàn gōngrén
양손(兩…) 两手 liǎngshǒu; 双手 shuāngshǒu ¶～을 모아 빈다 合掌祈祷 hézhǎng qídǎo
양수(羊水) 羊水 yángshuǐ
양수사(量數詞) 量词 liàngcí; 名量词 míngliàngcí
양식(良識) 明智 míngzhì ¶～있는 사람 明智的人 míngzhì de rén / ～있는 행동을 바람 希望采取不越轨的行动 xīwàng cǎiqǔ bú yuèguǐ de xíngdòng
양식(洋式) 西式 xīshì
양식(洋食) 西餐 xīcān; 西菜 xīcài
양식(樣式) 样式 yàngshì; 式 shì; 方式 fāngshì ¶일정한 ～에 따라서 서류를 쓰다 按一定的格式写文件 àn yídìng de géshì xiě wénjiàn ‖고딕～ 哥特式 gētè shì / 생활 ～ 生活方式 shēnghuó fāngshì
양식(養殖) 养殖 yǎngzhí ‖～진주 人工养殖珍珠 réngōng yǎngzhí zhēnzhū
양심(良心) 良心 liángxīn ¶그것은 나의 ～이 허락치 않는다 那是我良心所不允许的 nà shì wǒ liángxīn suǒ bù yǔnxǔ de
양아버지(養…) 干爹 gāndiē; 养父 yǎngfù
양악(洋樂) 西洋音乐 xīyáng yīnyuè
양어머니(養…) 干娘 gānniáng; 养母 yǎngmǔ
양옥(洋屋) 西洋房间 xīyáng fángjiān
양용(兩用) 两用 liǎngyòng; 双用 shuāngyòng ¶남녀 ～ 男女双用 nánnǚ shuāngyòng ‖수륙 ～차 水陆两用车辆 shuǐlù liǎngyòng chēliàng =〔两栖车辆 liǎngqī chēliàng〕
양육(養育) 养活 yǎnghuo; 养育 yǎngyù; 抚养 fǔyǎng; 抚育 fǔyù ¶고아를 ～하다 养育孤儿 yǎngyù gūr ‖～비 抚养费 fǔyǎngfèi
양은(洋銀) 洋白铜 yángbáitóng
양자(陽子) 质子 zhìzǐ
양자(養子) 养子 yǎngzǐ; 过继儿子 guòjì érzi ¶～가 되다 过继给别人 guòjì gěi biéren ‖～결연 过继 guòjì =〔过房 guòfáng〕
양장(洋裝) ①《복장》 西装 xīzhuāng; 洋装 yángzhuāng ¶～ 부인 穿西装的妇女 chuān xīzhuāng de fùnǚ ②《책》 洋装 yángzhuāng ‖～본 洋装书 yángzhuāngshū
양재(洋裁) 西服缝纫术 xīfú féngrènshù; 西式裁缝 xīshì cáiféng
양재기(洋…) 珐琅磁器 fàlán cíqì
양잿물(洋…) 烧碱 shāojiǎn; 苛性钠 kēxìngnà; 氢氧化钠 qīngyǎnghuànà; 火碱 huǒjiǎn
양조(釀造) 酿造 niàngzào; 酿制 niàngzhì ¶소흥주는 찹쌀로 ～한다 绍兴酒是用糯米酿造的 Shàoxīngjiǔ shì yòng nuòmǐ niàngzào de ‖～장 酒厂 jiǔchǎng =〔酒坊 jiǔfáng〕〔糟坊 zāofáng〕
양지(陽地) 太阳地 tàiyángdì; 向阳处 xiàngyángchù
양차(兩次) 两趟 liǎngtàng; 两回 liǎnghuí
양책(良策) 良策 liángcè; 上策 shàngcè
양처(良妻) 良妻 liángqī; 贤妻 xiánqī ‖현모～ 贤母良妻 xiánmǔ liángqī
양철(洋鐵) 马口铁 mǎkǒutiě; 镀锡铁 dùxītiě; 洋铁 yángtiě ‖～통 马口铁桶 mǎkǒutiě tǒng
양초(洋…) 蜡烛 làzhú
양치기(羊…) 羊倌儿 yángguānr; 牧羊人 mùyángrén; 放羊的 fàngyángde
양치질(養齒…) 嗽口 shùkǒu ¶바깥에서 돌아오면 반드시 ～을 해야 한다 从外头回来一定要嗽口 cóng wàitou huílai yídìng yào shùkǒu
양친(兩親) 双亲 shuāngqīn; 父母 fùmǔ; 爹妈 diēmā
양탄자(洋…) 地毯 dìtǎn
양파(洋…) 洋葱 yángcōng; 葱头 cōngtóu

양품(洋品) 洋货 yánghuò ‖ ~점 洋货铺 yánghuòpù
양해(諒解) 了解 liǎojiě; 谅解 liàngjiě ¶ 상대방의 ~를 얻은 후에 일을 진행시켜야 한다 事情应该在得到对方同意后进行 shìqing yīnggāi zài dédào duìfāng tóngyì hòu jìnxíng
양행(洋行) ① 出洋 chūyáng ② 西洋式的商店 xīyángshì de shāngdiàn
양회(洋灰) 洋灰 yánghuī
양화(洋畫) ①《그림》 西画 xīhuà; 西洋画 xīyánghuà ②《영화》 西洋影片 xīyáng yǐngpiàn
양화(陽畫) 正片 zhèngpiàn
얕다 ①《깊지 않다》 浅 qiǎn ¶ 얕은 바다 浅海 qiǎn hǎi ②《지식이》 浅薄 qiǎnbó ③《상처가》 不重 bú zhòng
얕보다 看轻 kànqīng; 小看 xiǎokàn; 瞧不起 qiáobuqǐ; 看不起 kànbuqǐ ¶ 그는 얕보는 기색을 감추지 않았다 他毫不掩饰瞧不起人的神色 tā háobù yǎnshì qiáobuqǐ rén de shénsè
어 《감탄》 哦 ó; 哦哟 óyō; 噢 ō
어귀 《드나드는 목》 进路 jìnlù; 门路 ménlù; 进口 jìnkǒu
어그러지다 ①《기대에》 落空 luòkōng ②《도리에》 不合 bùhé
어금니 大牙 dàyá; 〈口〉 臼齿 jiùchǐ; 槽牙 cáoyá
어긋나다 ①《길이》 走差开 zǒu chà kāi ②《일이》 发生龃龉 fāshēng jǔyǔ ③《잘못하다》 搞错 gǎo cuò ④《뼈가》 踒(脚) wō
어기다 《위반》 违背 wéibèi ¶ 약속을 ~ 违背约言 wéibèi yuēyán =〔违约 wéiyuē〕〔失约 shīyuē〕〔爽约 shuǎngyuē〕/ 그녀는 1분도 어기지 않고 왔다 她一分钟不差地来了 tā yì fēnzhōng búchàde lái le
어깨 肩 jiān; 肩膀(儿) jiānbǎng(r); 膀子 bǎngzi ¶ ~가 뻐근하다 肩膀(儿)酸痛 jiānbǎng(r) suāntòng =〔膀子发板 bǎngzi fābǎn〕
어깻죽지 肩头 jiāntóu
어느 哪(个) nǎ(ge) ¶ 이선생님이 ~ 분이십니까 李老师是哪一位 Lǐ lǎoshī shì nǎ yí wèi
어느것 哪个 nǎge
어느덧 不知不觉地 bù zhī bù jué de; 转眼之间 zhuǎnyǎn zhī jiān
어느때 多咱 duōzan; 几时 jǐshí; 什么时候 shénme shíhou; 多会儿 duōhuìr
어느새 已 yǐ; 业已 yèyǐ; 已经 yǐjing
어두컴컴하다 黑沉沉(的) hēichénchén(de); 黑幢幢 hēichuángchuáng
어둑새벽 蒙蒙亮 mēngmēngliàng; 东方亮 dōngfāngliàng; 傍亮儿 bàngliàngr; 黎明 límíng; 拂晓 fúxiǎo
어둑어둑하다 黑忽忽(的) hēihūhū(de)
어둠 黑 hēi; 黑暗 hēi'àn; 昏暗 hūn'àn ¶ ~을 틈타 도주하다 乘黑逃跑 chéng hēi táopǎo
어둡다 ①《밝지 않다》 黑 hēi; 暗 àn; 黑暗 hēi'àn; 阴暗 yīn'àn ¶ 이 집은 너무 ~ 这间屋子太暗 zhè jiān wūzi tài àn ②《사물에》 生疏 shēngshū; 陌生 mòshēng ¶ 나는 이 일대의 지리에 ~ 我对这一带的地理陌生 wǒ duì zhè yídài de dìlǐ mòshēng
어디 哪里 nǎli; 哪儿 nǎr ¶ ~서 태어났습니까 你是什么地方人 nǐ shì shénme dìfang rén =〔你是哪里人 nǐ shì nǎli rén〕/ ~ 가십니까 你上哪儿去 nǐ shàng nǎr qù
어디든지 哪儿都 nǎr dōu
어떠냐 怎么样 zěnmeyàng
어떠하다 如此这般 rúcǐ zhèbān
어떤 ①《무슨》 哪样的 nǎyàngde; 怎样的 zěnyàngde ¶ ~ 이유로 为什么 wèishénme / ~ 일이 있어도 无论如何 wúlùn rúhé ②《알지 못하는》 有一个 yǒu yí ge; 某 mǒu ¶ ~ 사람 有一个人 yǒu yí ge rén
어떻게 怎么 zěnme; 怎样 zěnyàng; 如何 rúhé ¶ ~ 하면 좋을까요 怎么办好呢 zěnme bàn hǎo ne / ~ 지내십니까 过的怎么样 guò de zěnmeyàng / ~ 되겠지 总会有办法 zǒnghuì yǒu bànfǎ / 인생을 ~ 살아갈 것인가 人应该怎样活着 rén yīnggāi zěnyàng huózhe
어떻든지 无论怎么样 wúlùn zěnmeyàng; 好歹 hǎodǎi
어련하랴 万不一失 wàn bu yì shī ¶ 그가 한 것이니 ~ 他办的可以靠得住 tā bàn de kěyǐ kàodezhù
어렴풋하다 ①《기억이》 模糊 móhu ¶ 그 일은 어렴풋이 기억한다 那事只模糊地记得 nà shì zhǐ móhude jìde ②《시야가》 隐隐约约 yǐnyǐn yuēyuē ¶ 안개속에 등대가 어렴풋이 보인다 灯塔在雾中隐约可见 dēngtǎ zài wù zhōng yǐnyuē kějiàn ③《의식이》 模糊不清 móhu bù qīng
어렵다 ①《곤란》 难 nán; 困难 kùnnán ¶ 하기 ~ 难办 nán bàn / 우승은 ~ 难获冠军 nán huò guànjūn =〔获冠军有困难 huò guànjūn yǒu kùnnán〕 ②《가난》 苦 kǔ; 贫穷 pínqióng ③《이해가》 艰涩 jiānsè; 晦涩 huìsè; 难懂 nándǒng ¶ 여기가 어려워서 이해가 안 된다 这儿很难理解不了 zhèr hěn nán lǐjiě bùliǎo
어뢰(魚雷) 鱼雷 yúléi ¶ ~를 발사하다 发射鱼雷 fāshè yúléi ‖ ~정 鱼雷艇 yúléitǐng
어루만지다 抚摸 fǔmō; 抚摩 fǔmó ¶ 미풍이 뺨을 ~ 微风'抚摩着面颊〔拂面〕 wēifēng 'fǔmózhe miànjiá〔fú miàn〕 =〔《위무하다》 劝慰 quànwèi〕〔抚慰 fǔwèi〕
어르다 哄 hǒng; 逗 dòu; 逗弄 dòunòng; 左哄右哄 zuǒ hǒng yòu hǒng ¶ 아기를 안고 ~ 抱着娃娃哄着玩儿 bàozhe wáwa hǒngzhe wánr
어른 ①《성인》 大人 dàrén ¶ 너는 ~이 되어서 무엇을 하고 싶니 你长大了想做什么 nǐ zhǎngdàle xiǎng zuò shénme ②《손윗사람》 长辈 zhǎngbèi
어른거리다 《물건이》 时隐时现 shí yǐn shí xiàn; 《눈이》 晃眼 huǎng yǎn; 耀眼 yàoyǎn; 《마음에》 浮现脑海 fúxiàn nǎohǎi ¶ 눈앞에 그녀의 모습이 어르거려서 공부에 전념할 수가 없다 眼前不时浮现出她的姿容,不能專心学习 yǎnqián bùshí fúxiàn chū tāde zīróng bùnéng zhuānxīn xuéxí
어름거리다 《언사를》 含糊其词 hánhu qící; 《일을》 支吾 zhīwu; 搪塞 tángsè
어리광 撒娇 sājiāo ¶ ~을 받아 주다 娇养 jiāoyǎng / 아이가 어머니에게 ~부리다 孩子跟妈妈撒娇 háizi gēn māma sājiāo
어리다[1] 《눈물이》 眼里汪着眼泪 yǎn li wāngzhe yǎnlèi
어리다[2] ①《작다》 小 xiǎo; 幼小 yòuxiǎo; 年幼 nián yòu ¶ 그의 아이는 아직 ~ 他的孩子还小 tāde háizi hái xiǎo ②《미숙》 幼稚 yòuzhì ¶ 그는 하는 짓이 ~ 他做事很幼稚 tā zuòshì

hěn yòuzhì
어리둥절하다 张惶失措 zhānghuáng shīcuò; 着慌 zháohuāng ¶느닷없는 일이라서 ~ 事出突然,我可慌了神儿 shì chū tūrán, wǒ kě huāngle shénr
어리보기 傻拉瓜吉 shǎlāguājí
어리뻥뻥하다 着慌的失迷方向 zhāohuāng de shīmí fāngxiàng
어리석다 糊涂 hútu; 愚笨 yúbèn; 愚蠢 yúchǔn ¶정말 어리석은 말을 하는구나 真说得出那种愚蠢话 zhēn shuōdechū nà zhǒng yúchǔn huà
어린애 小孩儿 xiǎoháir; 小孩子 xiǎo háizi; 《영아》 娃娃 wáwa ¶~ 같은 孩子气的 háiziqìde / ~ 취급하다 当孩子对待 dàng háizi duìdài
어림없다 ①《능력이》 不能胜任 bù néng shèng rèn; 担当不起 dāndāng bùqǐ ②《상상도 못하다》 梦也想不到 mèng yě xiǎngbudào
어릿광대 丑角(儿) chǒujué(r); 小丑(儿) xiǎochǒu(r)
어마 《놀람》 哎呀! āiyā! ¶~ 벌써 12시다 哎呀! 已经十二点了 āiyā! yǐjīng shí èr diǎn le
어마어마하다 又堂皇又威重 yòu tánghuáng yòu wēizhòng; 富丽堂皇 fùlì tánghuáng
어머니 母亲 mǔqin; 家母 jiāmǔ ¶실패는 성공의 ~ 失败是成功之母 shībài shì chénggōng zhī mǔ
어묵 鱼糕 yúgāo
어물(魚物) ①鱼 yú ②海味 hǎiwèi ‖~전 海味店 hǎiwèidiàn
어물거리다 把话岔开 bǎ huà chà kāi; 支吾过去 zhīwu guòqù
어버이 父母 fùmǔ; 爹娘 diēniáng
어부(漁夫) 打鱼的 dǎyúde; 渔父 yúfǔ; 渔夫 yúfū; 渔人 yúrén ‖~지리(之利) 坐收渔利 zuò shōu yúlì =〔鹬蚌相争,渔翁得利 yù bàng xiāngzhēng, yúwēng délì〕
어색하다(語塞…) 隔膜 gémo; 下不来 xiàbulái
어서 ①《빨리》 赶快 gǎnkuài; 火速 huǒsù ②《환영》 ¶~ 오십시오 您可来了 nǐn kě lái le =〔欢迎欢迎 huānyíng huānyíng〕
어수룩하다 《어리석음》 傻呵呵 shǎ hē hē; 《고지식》 过于认真 guòyú rènzhēn
어수선하다 乱烘烘 luànhōnghōng; 《세정이》 骚然不安 sāorán bù'ān
어슬렁거리다 慢条斯理地走来走去 màntiáo sīlǐ de zǒu lái zǒu qù
어슴푸레하다 膜膜糊糊 mómó huhu; 朦胧 ménglóng
어슷비슷하다 没有上下 méiyǒu shàngxià; 差不多少 chàbuduōshǎo
어안이 벙벙하다 吓得目瞪口呆 xiàde mùdèng kǒudāi
어언간(於焉間) 不知不觉地 bù zhī bù jué de
어업(漁業) 渔业 yúyè
어여차 唉嘿呀! āi hēi yā
어엿하다 从容不迫 cōngróng bù pò; 很大气 hěn dàqi
어용(御用) 御用 yùyòng ‖~ 신문 政府机关报 zhèngfǔ jīguān bào / ~ 조합 黄色工会 huángsè gōnghuì / ~ 학자 御用学者 yùyòng xuézhě
어울리다 相称 xiāngchèn; 相配 xiāngpèi; 像 xiàng; 合适 héshì; 对景 duìjǐng ¶두 사람은 어울리는 부부다 他们俩是'相配的一对儿〔般配的夫妇〕 tāmen liǎ shì 'xiāngpèide yí duìr〔bān pèide fūfù〕/ 얼굴에 어울리지 않는 말을 하다 说的话跟长相不相称 shuō de huà gēn zhǎngxiàng bù xiāngchèn
어음 票据 piàojù ¶~을 발행하다 发出票据 fāchū piàojù =〔开票据 kāi piàojù〕 ‖부도 ~ 拒付票据 jùfù piàojù / 약속 ~ 期票 qí piào / 지급 ~ 应付票据 yīngfù piàojù / 할인 ~ 贴现票据 tiēxiàn piàojù
어이없다 出乎意料 chū hū yìliào; 不合情理 bù hé qíngli〔lǐ〕
어제 昨天 zuótiān; 昨儿 zuór; 昨日 zuórì ¶그것은 마치 ~ 일어난 일같이 생각된다 那仿佛是昨天的事似的 nà fǎngfú shì zuótiān de shì shìde
어조(語調) 语调 yǔdiào; 语气 yǔqì; 口气 kǒuqì ¶~를 부드럽게 하다 缓和语气 huǎnhé yǔqì
어중간(於中間) 《중간》 约模着在当中部分 yuēmozhe zài dāng zhōngbùfen; 《주저하는》 待作不作 dài zuò bú zuò; 犹豫不决 yóuyù〔yu〕 bù jué
어지간하다 差不离 chàbulí; 还可以 hái kěyǐ ¶이 요리는 ~ 这个菜受吃 zhè ge cài shòu chī
어지럽다 ①《눈·머리가》 眩 xuàn; 晕 yùn ¶머리가 ~ 头晕 toú yùn ②《무질서》 颠三倒四 diān sān dǎo sì ¶어지러운 정국 骚然不安的政局 sāorán bù'ān de zhèngjú
어질다 心地慈善 xīn de císhàn
어질어질하다 头晕 tóuyùn
어쨌든 总之 zǒngzhī; 好歹 hǎodǎi; 无论如何 wúlùn rúhé
어쩌다가 偶尔 ǒu'ěr; 有时候也 yǒushíhouyě ¶~ 오는 손님 不太常来的客人 bú tài cháng lái de kèren / ~ 지는 수도 있다 有时也打输 yǒushíyě dǎ shū
어쩌면 ①《혹시》 许 xǔ; 或许 huòxǔ; 也许 yěxǔ; 兴许 xīngxǔ ¶그가 ~ 내일 올지도 몰라 他或许明天来 tā huòxǔ míngtiān lái ②《어떻게 하면》 ¶~ 좋을까 怎么办好 zěnme bàn hǎo
어쩐지 总觉得 zǒng juéde
어쭙잖다 可笑极了 kě xiào jí le ¶어쭙잖은 일 鸡毛蒜皮的勾当 jīmáo suànpí de gòudang
어찌 ¶~해서 怎么 zěnme =〔为什么 wèishénme〕/ ~ 해서든지 一定 yídìng / 이 일을 ~ 하나 这怎么办 zhè zěnme bàn
어찌나 非常 fēicháng; 太 tài ¶~ 추운지 冷得要命 lěngde yàomìng
어차피(於此彼) 反正 fǎnzhèng; 早晚 zǎowǎn; 不久 bùjiǔ; 左不过 zuǒbuguò; 横竖 héngshù ¶말해 봤자 ~ 틀린 일이다 跟他说反正也是白搭 gēn tā shuō fǎnzheng yě shì báidā
어처구니없다 吓傻 xiàshǎ; 不知深浅 bù zhī shēnqiǎn; 毫无条理 háo wú tiáolǐ
어폐(語弊) 语病 yǔbìng ¶~가 있다 说话不稳 shuōhuà bù wěn =〔说话不宛转 shuōhuà bù wǎnzhuǎn〕/ 이런 일을 얘기하면 ~가 있을지도 모르지만 这么说也许说得不妥当 zhème shuō yěxǔ shuōde bù tuǒdàng
어항(魚缸) 鱼缸 yúgāng; 金鱼缸 jīnyúgāng
어험 嗯哼 ǹg〔ň〕hēng ¶~하고 기침소리를 내다 嗯哼地咳嗽一声 ǹg(ň)hēng de késou yì shēng

억(億) 亿 yì; 万万 wànwàn
억누르다 (진압) 镇压 zhènyā; (제지) 遏止 èzhǐ; (억제) 压住 yāzhù; (압박) 压制 yāzhì; (자제) 克己 kèjǐ
억보 倔巴头 juébatóu; 僵眼子 jiāngyǎn zi
억세다 (뻣뻣하다) 僵硬 jiāngyìng; (고집세다) 倔强 juéjiàng; 顽梗 wángěng
억수 倾盆大雨 qīngpén dàyǔ; 瓢泼大雨 piáo pō dàyǔ
억압(抑壓) 压迫 yāpò; 压制 yāzhì; 抑制 yìzhì; 压抑 yāyì; 钳制 qiánzhì ¶언론의 자유를 ～하다 压制言论自由 yāzhì yánlùn zìyóu
억울하다(抑鬱…) 冤枉 yuānwang
억제(抑制) 抑制 yìzhì; 制止 zhìzhǐ ¶인플레를 ～하다 制止通货膨胀 zhìzhǐ tōnghuò péngzhàng / 감정을 억제하지 못하다 抑制不住感情 yìzhìbuzhù gǎnqíng
억지 牵强附会 qiānqiǎng fùhuì; 执拗 zhíniù; 强词夺理 qiǎng cí duó lǐ ¶～부리다 开倒车 kāi dàochē
억지로 勉强 miǎnqiǎng; 硬 yìng ¶～ 끌고 갔다 强扭着走了 qiǎng niǔ zhe zǒu le
억측(臆測) 臆测 yìcè; 揣测 chuǎicè; 猜测 cāicè; 怀揣 huáichuǎi ¶그것은 다만 ～에 지나지 않는다 那只不过是臆测而已 nà zhǐ búguò shì yìcè éryǐ
언급(言及) 说到 shuōdào; 谈到 tándào; 提及 tíjí; 提到 tídào ¶대통령은 기자 회견에서 외교 문제에 대해 ～했다 总统在记者招待会上提及了外交问题 zǒngtǒng zài jìzhě zhāodàihuì shang tíjíle wàijiāo wèntí
언니 (형) 哥哥 gēge; (누이) 姐姐 jiějie ¶큰～ 大姐 dà jiě / 제일 막내 ～ 最小的姐姐 zuì xiǎo de jiějie; 小姐姐 xiǎo jiě jie
언더라인(underline) 杠杠 gànggàng; 杠子 gàngzi; 旁线 pángxiàn ¶～을 긋다 打杠杠 dǎ gànggàng
언덕 小山 xiǎoshān; 山冈(子) shāngāng(zi); (강가의) 河岸 hé'àn; (바닷가의) 海岸 hǎiàn;
언뜻 (별견) 一闪眼 yī shǎn yǎn; 一晃儿 yíhuàngr; (별안간) 抽个冷子 chōu ge lěngzi; 冷不防 lěng bu fáng; (우연히) 不由地 bù yóu de
언론(言論) 言论 yánlùn ‖～계 新闻出版界 xīnwén chūbǎnjiè
언변(言辯) 口才 kǒucái ¶～이 좋은 嘴巧 zuǐ qiǎo
언약(言約) 口约 kǒuyuē ¶～ 갖고는 믿을 수 없다 光凭口头约定是靠不住的 guāng píng kǒutóu yuēdìng shì kàobuzhù de
언어(言語) 话 huà; 语言 yǔyán ‖～ 장애 言语功能障碍 yányǔ gōngnéng zhàng'ài =〔失语症 shīyǔzhèng〕/ ～학 语言学 yǔyánxué
언어도단(言語道斷) ¶그런 것을 말하는 것은 ～이다 说那种话简直岂有此理 shuō nà zhǒng huà jiǎnzhí qǐyǒucǐlǐ / 부모를 죽인다는 것은 ～의 짓이다 杀害自己的父母可恶之至 shāhài zìjǐde fùmǔ kěwù zhī zhì
언저리 左近地方 zuǒjìn dìfang; 周围 zhōuwéi ¶강 ～ 河边 hébiān
언제 几时 jǐshí; 多咱 duōzān; 什么时候 shénmeshíhou; 多会儿 duōhuìr ¶여름 휴가는 ～부터 ～까지입니까 暑假从几时起到几时啊 shǔjià cóng jǐshí qǐ dào jǐshí a
언제까지나 永远 yǒngyuǎn
언제나 常 cháng; 无论什么时候儿 wúlùn shénmeshíhour; (평소) 照常 zhàocháng; (습관적으로) 老 lǎo ¶그는 ～ 집에 없다 他老不在家 tā lǎo búzài jiā
언질(言質) 许诺 xǔnuò; 诺言 nuòyán ¶～ 잡다 取得诺言 qǔdé nuòyán
언짢다 ①(기분이) 不舒服 bùshūfu ②(보기에 싫다) 不好 bù hǎo
언청이 豁子 huōzi; 豁嘴 huōzuǐ; 兔唇 tùchún; 唇裂 chúnliè
언필칭(言必稱) 一张嘴就说 yì zhāng zuǐ jiù shuō; 经常挂在嘴上 jīngcháng guà zài zuǐ shàng
언행(言行) 言行 yánxíng ‖～일치 言行一致 yánxíng yīzhì
얹다 搁… 上 gē… shàng ¶짐을 선반에 얹어주십시오 请把行李搁在架子上 qǐng bǎ xíngli gē zài jiàzi shang
얹히다 ①(좌초) 搁浅 gēqiǎn ②(음식이) 存着食 cúnzhe shí
얻다 (획득) 得 dé; 得到 dédào; 获得 huòde; 取得 qǔdé ¶1등상을 ～ 得了头奖 déle tóujiǎng / 직업을 ～ 找到工作 zhǎodào gōngzuò / 책을 통해서 얻은 지식 通过书本获得的知识 tōngguò shūběn huòdé de zhīshi
얻어듣다 听到 tīngdào; 听人说 tīng rén shuō ¶그에 대한 묘한 소문을 얻어들었다 听到了关于他的奇怪传闻 tīngdàole guānyú tā de qíguài chuánwén
얻어맞다 挨打 āi dǎ; 挨揍 āi zòu;
얻어먹다 ①(음식을) 讨吃 tǎo chī ②(욕 따위를) 挨骂 āi mà; 受骂 shòu mà
얼간이 傻大瓜 shǎdàguā
얼굴 ①(낯) 脸 liǎn; 面孔 miàn kǒng ¶～ 모습 相貌 xiàngmào ②(표정) 神情 shénqíng; 神色 shénsè ¶그녀는 자못 기쁜 듯한 ～을 했다 她满面春风,笑逐颜开 tā mǎn miàn chūnfēng, xiào zhú yán kāi ③(잘 알려진 안면·이름) ¶그녀는 이 업계에 ～이 알려져 있다 她在这个行业里很有名气 tā zài zhège hángyè li hěn yǒu míngqi ④(체면·면목) 脸 liǎn ¶부모의 ～에 먹칠하는 짓을 하지 말아라 不要做丢父母脸的事 bú yào zuò diū fùmǔ liǎn de shì ‖～색 气色 qì sè =〔脸色 liǎn sè〕
얼근하다 ①(술이) 三分醉 sān fēn zuì; 陶然微醉 táorán wēi zuì ②(매워서) 嘴杀得疼 zuǐ shāde téng
얼금뱅이 麻子脸儿 mázi liǎnr
얼다 ①(응결) 冻 dòng; 上冻 shàngdòng; 冻冰 dòngbīng; 结冰 jiébīng ¶못의 물이 얼었다 池水上冻了 chíshuǐ shàngdòng le ②(몸의 감각이) 冻 dòng; 冻僵 dòngjiāng ¶손가락이 얼어서 생각대로 움직여지지 않는다 手指头冻得不听使唤 shǒuzhítou dòngde bù tīng shǐhuan
얼떨결에 趁着忙乱 chènzhe mángluàn
얼떨떨하다 心慌 xīnhuāng; 无所措 wú suǒ cuò
얼뜨기 傻老 shǎlǎo; 傻瓜 shǎguā
얼렁뚱땅 糊里糊涂地诈骗 húli hútu de zhàpiàn
얼레 籰子 yuèzi
얼룩 ①(섞인 것) 斑杂 bānzá; 斑驳 bānbó ¶색이 빠져서 ～졌다 颜色脱落,斑斑驳驳的 yánsè tuōluò, bānbānbóbó de ②脏点 zāngdiǎn ¶～지다 脏了污淋了 zāngle wū lín le ‖～무

늬 斑纹 bān wén / ～소 花牛 huāniú
얼룩덜룩하다 斑杂 bān zá; 斑点 bān diǎn
얼른 快快地 kuàikuàide; 迅速地 xùnsùde ¶～ 해라 赶快地办一办罢 gǎnkuàide bàn yī bàn ba
얼마 多少 duōshao ¶나머지는 ～나 됩니까 剩下有多少 shèngxia yǒu duōshao / 그녀가 나간 지 ～ 지나지 않아 그가 왔다 她走后没多大工夫他就来了 tā zǒu hòu méi duōdà gōngfu tā jiù lái le
얼마간(…間) 多少 duōshǎo; 有些 yǒuxiē; 有点儿 yǒudiǎnr; 一些 yìxiē; 一点儿 yìdiǎnr ¶그는 중국어를 ～ 할 줄 안다 他会说几句中国话 tā huì shuō jǐ jù Zhōngguóhuà
얼마나 多么 duōme ¶～ 예쁜가! 多么好看! duōme hǎo kàn!
얼마큼 几许 jǐxǔ; 多少 duōshǎo ¶～ 크냐? 有多大个儿? yǒu duōdà gèr?
얼싸 嚄 huò ¶～ 좋구나 嚄, 太好啦 huò, tài hǎo la
얼싸안다 紧抱着 jǐnbàozhe; 搂住 lǒuzhù
얼씬거리다 常来常往 cháng lái cháng wǎng; 来来往往 láilái wǎngwǎng
얼씬아니하다 连影儿都看不到 lián yǐngr dōu kànbudào
얼어붙다 结冻 jiédòng; 结冰 jiébīng ¶호수에 얼음이 ～ 湖里全结了冰 hú li quán jiéle bīng
얼어죽다 冻死 dòng sǐ
얼얼하다 ①《살갗이》 火辣辣 huǒlālā; 痛杀杀 tòngshāshā ¶햇빛에 태운 등이 ～ 晒得脊背火辣辣地痛 shàide jǐbèi huǒlālāde tòng ② 《맛》 辣得慌 làde huāng ¶고추를 먹었더니 입안이 ～ 吃了辣椒, 嘴里辣得慌 chīle làjiāo, zuǐ li làde huāng
얼음 冰 bīng ¶～이 녹다 冰'化〔融化〕了 bīng 'huà〔rónghuà〕 le / 그녀의 마음은 ～같이 차다 她的心冷若冰霜 tā de xīn lěng ruò bīng shuāng
얼음 지치다 滑冰 huábīng; 溜冰 liūbīng
얼추 大致 dàzhì; 差不多 chàbuduō ¶건축이 ～ 끝나다 盖房子快完 gài fángzi kuài wán
얼치기 呆子 dāizi; 傻拉光吉 shǎlāguāngjí
얼토당토않다 毫无关联 háo wú guānlián; 真真岂有此理 zhēn zhēn qǐ yǒu cǐ lǐ
얽다 《묶다》 捆绑 kǔnbǎng; 扎缚 zhāfú
얽매다 《결속》 捆上 kǔnshàng; 绑住 bǎngzhù; 《구속》 拘管 jūguǎn; 《자유가 없음》 限制 xiànzhì
얽매이다 让…捆住 ràng… kǔnzhù; 被…拘管 bèi… jūguǎn ¶시간에 ～ 受时间'束缚〔限制〕 shòu shíjiān 'shùfù 〔xiànzhì〕 / 정에 얽매여 승낙하다 碍着情面而应允 àizhe qíngmian ér yīngyǔn / 여러 가지 잡다한 가사가 여성을 가정에 얽매이게 한다 种种家务琐事把妇女束缚在家庭里 zhǒngzhǒng jiāwù suǒshì bǎ fùnǚ shùfù zài jiātíng li
얽히다 《걸리다》 缠绕 chánrào; 《복잡》 纠葛 jiūgé ¶사정이 여러 가지로 ～ 有许多纠葛 yǒu xǔduō jiūgé
엄격(嚴格) 严格 yángé ¶～한 아버지 严厉的父亲 yánlì de fùqin
엄니 尖牙 jiānyá
엄두 ¶～도 못 내다 想都不敢想 xiǎng dōu bù gǎn xiǎng
엄마 妈妈 māma; 妈 mā; 娘 niáng
엄밀(嚴密) 严密 yánmì ¶～히 말하면 严格说来 yángé shuōlai / ～한 조사를 하다 进行严密的审查 jìnxíng yánmì de shěnchá
엄벌(嚴罰) 严厉惩罚 yánlì chéngfá; 严惩 yánchéng ¶위반자를 ～에 처하다 严惩违法者 yánchéng wéifǎzhě
엄벙덤벙 冒冒失失 màomàoshishi; 顾前不顾后的 gùqián búgù hòu de; 糊里糊涂 húlihútu
엄선(嚴選) 严选 yánxuǎn; 严格挑选 yángé tiāoxuǎn ¶～한 결과 수상작이 결정되었다 经过严格审查决定了得奖作品 jīngguò yángé shěnchá juédìngle déjiǎng zuòpǐn
엄수(嚴守) 严守 yánshǒu ¶시간을 ～하다 严守时间 yánshǒu shíjiān
엄숙(嚴肅) 严肃 yánsù ¶의식을 ～히 거행하였다 仪式庄严地举行了 yíshì zhuāngyánde jǔxíng le
엄습(掩襲) 突如其来 tū rú qí lái; 奇袭 qíxí
엄연(儼然) 严肃 yánsù; 严酷 yánkù; 严然 yánrán ¶～한 사실 严酷的事实 yánkù de shìshí / 그 계율은 지금도 ～히 존재하고 있다 这条戒律现在依然存在 zhè tiáo jièlǜ xiànzài yīrán cúnzài
엄정(嚴正) 严正 yánzhèng ¶～히 중립을 지키다 严守中立 yánshǒu zhōnglì
엄중(嚴重) 严重 yánzhòng; 严厉 yánlì ¶～히 경고하다 给与严重警告 jǐyǔ yánzhòng jǐnggào / 주차 위반을 ～히 다스리다 严厉取缔非法停车 yánlì qǔdì fēifǎ tíngchē
엄지발가락 将指 jiàngzhǐ; 大拇脚指 dàmujiǎozhǐ
엄지손가락 大指 dàzhǐ; 拇指 mǔzhǐ; 〈口〉 大拇指 dàmuzhǐ
엄청나다 《놀랍다》 可惊的 kějīng de; 《가량없다》 很甚 hěn shèn; 利害 lìhài ¶엄청나게 비싼 값 贵无比的价钱 guì wúbǐ de jiàqián
엄폐(掩蔽) 掩蔽 yǎnbì; 掩盖 yǎngài ¶진짜 목적을 ～하다 掩盖真实的意图 yǎngài zhēnshí de yìtú
엄포 假抖威风 jiǎdǒu wēifēng〔feng〕
엄하다(嚴…) 严 yán; 严厉 yánlì ¶그는 자신에 대하여 매우 ～ 他对自己很严格 tā duì zìjǐ hěn yángé
업다 背 bēi; 背负 bēifù ¶아기를 ～ 背娃娃 bēi wáwa
업신여기다 瞧不起 qiáobuqǐ; 藐视 miǎoshì; 看轻 kànqīng
업자(業者) 工商业者 gōngshāng yèzhě ¶～간에 협정을 맺다 在同业者之间缔结协定 zài tóngyèzhě zhījiān dìjié xiédìng
업적(業績) 业绩 yèjī; 成就 chéngjiù; 成绩 chéngjī ¶요즈음 회사의 ～이 좋지 않다 近来公司的成绩不佳 jìnlái gōngsī de chéngjī bùjiā
업히다 让背着 ràng bēizhe; 被背着 bèi bēizhe ¶엄마에게 ～ 背在母亲的背上 bēi zài mǔqin de bèi shang
없다 没 méi; 没有 méiyǒu ¶나는 형제 자매가 ～ 我没有弟兄姊妹 wǒ méiyǒu dìxiong zǐmèi
없애다 ①《제거》 去掉 qùdiào; 铲除 chǎnchú ¶장애물을 ～ 去掉绊脚石 qùdiào bànjiǎoshí ②《소멸》 ¶문맹을 ～ 扫除文盲 sǎochú wénmáng / 지상에서 전쟁을 ～ 从地球上消灭战争 cóng dìqiú shang xiāomiè zhànzhēng

없어지다 ①《분실》 丢失 diūshī ②《소멸》 没有了 méiyǒule ¶뒤주의 쌀이 ~ 米柜里没有米了 mǐguì li méiyǒu mǐ le
엇갈리다 错过去 cuò guòqu ¶두 사람의 증언이 ~ 两者的供词有出入 liǎngzhě de gòngcí yǒu chūrù
엇베다 斜切 xiéqiē
엇셈 相抵 xiāngdǐ; 抵销 dǐxiāo
엉거주춤하다 三心二意的 sān xīn èr yì de; 踯躅不前 zhízhú bù qián
엉겅퀴〔植〕 蓟 jì
엉금엉금 慢腾腾地 mànténgténgde ¶~ 기다 匍匐着慢腾腾地前进 púfúzhe mànténgténg de qiánjìn
엉기다 凝结 níngjié; 凝固 nínggù
엉덩이 屁股 pìgu; 臀部 túnbù ¶엉덩잇짓하다 摇摆屁股 yáo bǎi pìgu / 그녀는 ~가 가볍다 她是水性杨花的人 tā shì shuǐxìng yánghuā de rén =〔她手脚勤快 tā shǒujiǎo qínkuai〕 ‖ ~춤 摇屁股舞 yáo pìguwǔ
엉뚱하다 奇特 qítè; 不知深浅 bù zhī shēnqiǎn ¶엉뚱한 생각 离奇的想法 líqí de xiǎngfǎ =〔奢望 shēwàng; 不安分的 bù'ānfèn de〕
엉망 杂乱无章 záluàn wúzhāng; 乱七八糟 luàn-qībāzāo
엉성하다 ①《째이지 않다》 稀疏 xīshū; 疏疏落落 shūshū luòluò ②《마르다》 削瘦 xiāoshòu
엉클다 使纠结 shǐ jiūjié; 使纠缠 shǐ jiūchán
엉큼하다 奸狡 jiānjiǎo; 不安分的 bù'ānfèn de; 黑心 hēixīn; 黑心肠 hēi xīncháng; 黑良心 hēi liángxīn ¶그 사람은 ~ 他是个黑心的人 tā shì ge hēixīn de rén =〔他那个人心太黑 tā nàge rén xīn tài hēi〕
엉터리 荒诞 huāngdàn ¶~ 없는 소문 没有根据的传言 méiyǒu gēnjù de chuányán ‖ ~ 의사 土大夫 tǔdàifu =〔狗大夫 gǒudàifu〕/ ~ 회사 皮包公司 píbāo gōngsī
엊그저께 ①《수일전》 前几天 qiánjǐtiān ②《그저께》 前天 qiántiān
엊저녁 昨晚 zuówǎn
엎다 ①《뒤집다》 翻过来 fānguolai ②《쓰러뜨리다》 推翻 tuīfān
엎드리다 俯伏 fǔfú; 趴下 pā xia
엎어지다 跌倒 diédǎo
엎지르다 泼撒 pōsǎ ¶잉크를 ~ 把洋墨水弄撒 bǎ yángmòshuǐ nòng sǎ
엎치락뒤치락하다 辗转 zhǎnzhuǎn; 翻滚 fān-gǔn; 《두 사람이》 倒凤颠鸾 dǎo fèng diān luán ¶두 사람은 ~하며 격투를 벌이고 있다 两个人打得个上下翻滚 liǎng ge rén dǎde ge shàngxià fāngǔn / 고민으로 새벽까지 ~하며 잠을 못 잤다 心事恼人,辗转反侧直至天亮 xīnshi nǎorén, zhǎnzhuǎn fǎncè zhí zhì tiān-liàng
엎친 데 덮치다 祸不单行 huò bù dān xíng; 屋漏更遭连夜雨,船迟又被打头风 wū lòu gèng zāo liányèyǔ, chuán chí yòu bèi dǎtóufēng
엎친물 覆水难收 fù shuǐ nán shōu; 身有覆盆之冤 shēn yǒu fù pén zhī yuān
에 ①《장소》 在 zài ¶텐진~ 산다 住在天津 zhù zài Tiānjīn / 테이블 위~ 꽃병이 있다 桌子上有花瓶 zhuōzi shang yǒu huāpíng ②《때》 在 zài ¶세 시~ 간다 三点钟去 sān diǎnzhōng qù / 7살 때~ 아버지가 돌아가셨다 在我七岁的时候,父亲故去了 zài wǒ qī suì de shíhou, fùqin gùqù le ③《목적》 ¶병원~ 간다 上病院去 shàng bìngyuàn qù ④《가격》 ¶10원~ 사다 花十块钱买 huā shí kuài qián mǎi ⑤《비율》 ¶하루~ 세 차례 一天三次 yì tiān sān cì ⑥《비교의 기준》 ¶우리 집은 바다~ 가깝다 我家离海很近 wǒ jiā lí hǎi hěn jìn ⑦《분배》 ¶주~ 2번씩 중국어를 가르친다 每星期教两次中文 měi xīngqī jiāo liǎng cì Zhōngwén
에게 ①《상대방》 和 hé; 跟 gēn; 给 gěi ¶아버지~ 말하다 和父亲说 hé fùqin shuō / 동생~ 사주다 给弟弟买 gěi dìdi mǎi / 그~ 물어보다 跟他打听 gēn tā dǎtīng ②《상대방으로부터》 ¶그는 모두~ 존경을 받는다 他很受大家的尊敬 tā hěn shòu dàjiā de zūnjìng / 의사~ 진찰받다 请大夫看病 qǐng dàifu kànbìng / 선생님~ 꾸중을 들었다 被老师说了一顿 bèi lǎoshī shuōle yí dùn
에고이스트(egoist) 利己主义者 lìjǐ zhǔyìzhě; 自私自利的人 zìsī zìlì de rén; 损人利己的人 sǔn rén lì jǐ de rén
에고이즘(egoism) 利己主义 lìjǐ zhǔyì
에끼 ¶~ 망할 자식! 他妈的混蛋! tā mā de hùndàn!
에나멜(enamel) 珐琅 fàláng ‖ ~페인트 瓷漆 cíqī
에너지(energy) ①〔物〕 能 néng; 能量 néngliàng ¶운동 ~ 动能 dòngnéng / 원자 ~ 原子能 yuánzǐnéng / 태양 ~ 太阳能 tàiyángnéng / 열~ 热能 rènéng / ~ 불멸의 법칙 能量守恒定律 néngliàng shǒuhéng dìnglǜ ②《정력》 精力 jīnglì ‖ ~원 能源 néngyuán
에누리 ①《지나친 값》 谎价 huǎngjià ¶~하다 要谎价 yào huǎngjià / 정찰, ~ 없음 不二价 bú'èrjià =〔划一不二 huàyì bù'èr〕 ②《깎음》 折扣 zhékòu ¶~하다 折扣 zhékòu; 打折扣 dǎ zhékòu; 还价 huánjià; 打价 dǎjià ¶1할 ~하다 折九扣 zhé jiǔ kòu / 백 원 ~해 드리겠습니다 给你少算一百块钱 gěi nǐ shǎo suàn yìbǎi kuài qián / 그의 이야긴 ~해서 들어야 한다 他的话得打折扣来听 tāde huà děi dǎ zhékòu lái tīng
에라 《실망》 唉 āi ¶~, 그만둬라 唉, 算了罢 āi suànle ba
에러(error) 失误 shīwù; 失策 shīcè ¶유격수가 ~를 하다 游击手失误了球 yóujīshǒu shīwùle qiú
에로틱(erotic) 色情 sèqíng; 黄色 huángsè
에메랄드(emerald) 绿宝石 lǜbǎoshí; 绿刚玉 lǜgāngyù ¶~색 艳绿色 yànlǜsè
에베레스트(Everest)〔地〕 珠穆朗玛峰 Zhūmù-lǎngmǎ fēng
에보나이트(ebonite) 硬橡胶 yìngxiàngjiāo; 硬质橡胶 yìngzhì xiàngjiāo
에부수수하다 粗松 cūsōng; 稀疏 xīshū
에서 ①《장소》 在 zài ¶상하이~ 산다 住在上海 zhù zài Shànghǎi / 그는 현재 대학~ 인도 철학을 가르친다 他现在在大学教印度哲学 tā xiànzài zài dàxué jiāo Yìndù zhéxué ②《시작》 ¶시안~광둥까지 从西安到广东 cóng Xī'ān dào Guǎngdōng ③《동기》 ¶질투~ 생긴 일이다 由于嫉妒而发生的 yóuyú jídù ér fāshēng de ④《범위》 ¶세 시~ 다섯 시까지 自三点到五点 zì sān diǎn dào wǔ diǎn ⑤《상태》 ¶물은

영도~ 언다 水到零度就结冰 shuǐ dào língdù jiù jiébīng
에세이(essay) 随笔 suíbǐ; 小品文 xiǎopǐnwén; 漫笔 mànbǐ
에스오에스(SOS) 遇险信号 yùxiǎn xìnhào; 海难信号 hǎinàn xìnhào; 呼救信号 hūjiù xìnhào ¶그 배는 ~를 보낸 후 소식이 끊어졌다 那条船发了SOS后就断了音讯 nà tiáo chuán fāle SOS hòu jiù duànle yīnxùn
에스컬레이터(escalator) 升降梯 shēngjiàngtī; 自动扶梯 zìdòng fútī
에스컬레이트(escalate) 逐步升级 zhúbù shēngjí; 事态逐渐扩大 shìtài zhújiàn kuòdà
에스코트(escort) ①《호위》 护卫 hùwèi; 护送 hùsòng ②《단체 여행의》 陪同人员 péitóng rényuán; 导游 dǎoyóu
에스키모(Eskimo) 爱斯基摩人 Àisījīmórén
에스페란토(Esperanto) 世界语 shìjièyǔ
에어(air) 空气 kōngqì; 空中 kōngzhōng; 天空 tiānkōng ‖~걸 班机女服务员 bānjī nǚfúwùyuán =〔空中小姐 kōngzhōng xiǎojiě〕/~메일 航空信 hángkōngxìn/~ 브레이크 空气制动器 kōngqì zhìdòngqì =〔气闸 qìzhá〕/~컨디셔닝 室内空气调节 shìnèi kōngqì tiáojié =〔室内温度调节 shìnèi wēndù tiáojié〕
에어로졸(aerosol) 烟雾剂 yānwùjì; 空气溶胶 kōngqì róngjiāo
에우다 围上 wéi shang; 圈绕 quānrào
에움길 弯曲的道路 wānqū de dàolù; 羊肠小路 yángcháng xiǎolù
에워싸다 围住 wéizhù
에이다 挖刻 wākè; 剜 wān ¶살을 에는 듯한 찬바람 刺骨的寒风 cìgǔ de hánfēng/그의 말은 내 가슴을 에는 듯하다 他的话刺痛了我的心 tā de huà cìtòngle wǒde xīn
에이프런(apron) 围裙 wéiqún; 油裙 yóuqún ‖~ 스테이지 前舞台 qiánwǔtái =〔台口 táikǒu〕
에이프릴풀(April fool) 愚人节 yúrénjié; 万愚节 wànyújié〕
에잇 《불쾌》 呸 pēi ¶~, 빌어먹을! 呸, 他妈的! pēi, tā mā de!
에티켓(étiquette) 礼貌 lǐmào; 礼节 lǐjié
에틸렌(ethylene) 《化》 乙烯 yǐxī; 成油气 chéngyóuqì
에틸알코올(ethyle alcohol) 《化》 乙醇 yǐchún; 酒精 jiǔjīng
에피소드(episode) ①《樂》 插曲 chāqǔ ②《이야기의》 插话 chāhuà ¶그의 학생 시절에는 많은 ~가 있다 他的学生时代有许多插话 tā de xuésheng shídài yǒu xǔduō chāhuà ③《일화》 逸话 yìhuà; 轶事 yìshì
에헴 《기침》 嗯 ǹg〔ǹ〕; 哼 hēng
엑스광선(X光線) 爱克斯射线 àikèsī shèxiàn; 爱克司光 àikèsīguāng
엑스트러(extra) 临时演员 línshí yǎnyuán
엑스퍼트(expert) 专家 zhuānjiā; 内行 nèiháng; 行家 hángjia ¶그는 이 방면의 ~다 他是那方面的专家 tā shì nà fāngmiàn de zhuānjiā
엔간하다 还算罢了 hái suàn bà le; 《상당》 还算可以 hái suàn kěyǐ; 不离 bù lí〕
엔사이클로피디어(encyclopaedia) 百科全书 bǎikē quánshū
엔지니어(engineer) 技师 jìshī; 工程师 gōngchéngshī
엔진(engine) 发动机 fādòngjī; 引擎 yǐnqíng ¶~을 걸다 发动引擎 fādòng yǐnqíng =〔开动发动机 kāidòng fādòngjī〕/~을 멈추다 把引擎停下来 bǎ yǐnqíng tíngxiàlai
엘리베이터(elevator) 电梯 diàntī; 升降机 shēngjiàngjī ¶~를 타다 搭电梯 dā diàntī/~로 내려가다 坐电梯下去 zuò diàntī xiàqu
엥겔계수(Engel係數) 《經》 恩格尔系数 Ēngé'ěr xìshù
…여(…餘) 多 duō; 馀 yú ¶삼십~ 세의 사람 三十多岁的人 sān shí duō suì de rén/일만~의 관중 一万馀观众 yí wàn yú guānzhòng
여가(餘暇) 馀暇 yúxiá; 馀闲 yúxián ¶~를 잘 이용하다 很好地利用业馀时间 hěn hǎode lìyòng yèyú shíjiān
여간(如干) ¶~아니다 非常困难 fēicháng kùnnan =〔不简单 bù jiǎndān〕/아이 기르기는 ~ 어려운 일이 아니다 抚养小孩不是件容易事 fǔyǎng xiǎohái búshi jiàn róngyì shì/그는 ~해서는 약한 소리할 자가 아니다 他可不是轻易叫苦的人 tā kě búshì qīngyì jiàokǔ de rén
여객(旅客) 旅客 lǚkè ‖~기 客机 kèjī/~ 열차 客车 kèchē
여과(濾過) 过滤 guòlǜ ¶탁한 물을 ~하다 过滤浑水 guòlǜ húnshuǐ ‖~성 병원체 滤过性病毒 lǜguòxìng bìngdú/~지 滤纸 lǜzhǐ
여관(旅館) 旅馆 lǚguǎn; 旅店 lǚdiàn; 客栈 kèzhàn ¶~에 숙박하다 住在旅馆 zhù zài lǚguǎn
여권(旅券) 护照 hùzhào
여급(女給) 女招待 nǚzhāodài
여기 这里 zhèli; 这儿 zhèr; 这搭儿 zhèdār; 此处 cǐchù; 此地 cǐdì ¶~가 서재다 这里是书房 zhèli shì shūfáng
여기다 看做 kànzuò; 当做 dàngzuò ¶불공평하게 ~ 视为不公 shì wéi bùgōng/너는 나를 무엇으로 여기는 거냐 你把我当做什么人 nǐ bǎ wǒ dàngzuò shénme rén
여기저기 各地 gèdì; 各处 gèchù; 处处(儿) chùchù(r); 到处 dàochù ¶중국을 ~ 여행하며 돌아다니다 在中国各地旅行 zài Zhōngguó gèdì lǚxíng
여뀌 《植》 蓼 liǎo
여난(女難) 女祸 nǚhuò ¶점쟁이 말에 그는 ~의 상이 있다고 한다 算卦的说他犯桃花 suànguà de shuō tā fàn táohuā
여남은 十几个 shí jǐ ge; 十多个 shí duō ge
여념(餘念) 别的念头 bié de niàntou ¶~없다 专心 zhuānxīn =〔埋头 máitóu〕
여단(旅團) 旅 lǚ ‖~장 旅长 lǚzhǎng
여담(餘談) 闲话 xiánhuà; 闲谈 xiántán ¶이것은 ~입니다만… 我附带提一下… wǒ fùdài tí yí xià… =〔这是题外话 zhè shì tíwàihuà〕/~은 뒤로 하고 闲话休提 xiánhuà xiū tí
여덟 八 bā ¶~째 第八 dì bā
여동생(女同生) 妹妹 mèimei
여드레 八天 bā tiān ¶초~ 初八 chū bā
여드름 酒刺 jiǔcì; 面疱 miànpào; 粉刺 fěncì; 痤疮 cuóchuāng ¶~이 나다 长痤疮 zhǎng cuóchuāng
여든 八十 bāshí ¶~째 第八十 dì bāshí
여러 가지 种种的 zhǒngzhǒng de; 形形色色

xíngxíngsèsè ¶사전에도 ~ 종류가 있다 词典也有很多种 cídiǎn yě yǒu hěn duō zhǒng
여러분 诸位 zhūwèi; 众位 zhòngwèi; 各位 gèwèi
여러 사람 多数人 duōshùrén; 许多人 xǔduōrén
여럿 《사람》 许多人 xǔduōrén; 《다수》 多数 duōshù; 许多 xǔduō
여로(旅路) 旅途 lǚtú; 旅程 lǚchéng ¶긴 ~에 오르다 踏上漫长的旅程 tàshàng màncháng de lǚchéng
여론(輿論) 舆论 yúlùn; 民意 mínyì ¶~을 조사하다 舆论调查 yúlùn diàochá =〔民意测验 mínyì cèyàn〕/~에 귀를 기울이다 倾听舆论 qīngtīng yúlùn/~을 환기하다 唤起舆论 huànqǐ yúlùn
여류작가(女流作家) 女作家 nǚzuòjiā
여름 夏天 xiàtiān ¶별장에서 ~을 지내다 在别墅度夏天 zài biéshù dù xiàtiān
여름 타다 苦夏 kǔxià; 怕热 pàrè ¶여름을 타서 식욕이 없다 苦夏食欲不振 kǔxià shíyù bú zhèn/나는 여름을 타는 체질이다 我一到夏天就瘦 wǒ yí dào xiàtiān jiù shòu
여리다 ①《연하다》 嫩 nèn; 软和 ruǎnhuo ②《부족》 不够 bú gòu; 短一点 duǎn yìdiǎn
여무지다 《기질이》 坚实 jiānshí; 有志气 yǒu zhìqi
여물 草料 cǎoliào; 饲草 sìcǎo; 干草 gāncǎo ¶말에 ~을 먹이다 给马喂草料 gěi mǎ wèi cǎoliào ‖~통 草料桶 cǎoliàotǒng
여물다 熟 shú〔shóu〕; 成熟 chéngshú〔shóu〕
여미다 整好 zhěnghǎo ¶옷깃을~ 整整领子 zhěng zhěng lǐngzi
여반장(如反掌) 易如反掌 yì rú fǎn zhǎng ¶그런 일은 ~이다 那容易得很 nà róngyìde hěn =〔这还不现成 zhè hái bú xiànchéng; 那样的事易如反掌 nàyàng de shì yì rú fǎnzhǎng
여배우(女俳優) 女伶 nǚlíng; 女演员 nǚyǎnyuán ¶영화~ 女电影演员 nǚ diànyǐng yǎnyuán
여백(餘白) 空白 kòngbái; 天地头 tiāndìtóu (책의) ¶~에다 써 넣다 在空白处填写 zài kòngbáichù tiánxiě/아래쪽에 ~을 남겨 두다 下面留下空白 xiàmiàn liúxià kòngbái
여벌(餘…) 富馀的 fùyu de; 多馀的 duōyú de; 备用品 bèiyòngpǐn
여보 哎 āi; 喂 wèi; 爱人 àiren
여보시오 喂 wèi; 借光 jièguāng; 请问 qǐngwèn
여복(女服) 女子服装 nǚzǐ fúzhuāng
여부없다(與否…) 错不了 cuòbuliǎo; 准切 zhǔnqiè; 牢靠 láokào
여북 多么 duōme ¶~좋을까! 多么好啊! duōme haǒ a!
여분(餘分) 盈馀 yíngyú; 下馀 xiàyú; 〈口〉下剩 xiàshèng; 剩馀 shèngyú; 馀剩 yúshèng ¶~이 남지 않게 정확하게 나누었다 为了不出剩馀要分得恰好 wèile bù chū shèngyú yào fēnde qiàhǎo
여비(旅費) 旅费 lǚfèi; 盘费 pánfèi; 盘脚 pánjiǎo; 路费 lùfèi
여색(女色) 女色 nǚsè ¶~에 빠지다 沉溺于女色 chénnì yú nǚsè
여생(餘生) 馀生 yúshēng ¶조용히 ~을 보내다 安度馀生 āndù yúshēng
여서(女婿) 女婿 nǚxù
여섯 六 liù ¶~째 第六 dì liù
여성(女性) 女性 nǚxìng; 女子 nǚzǐ; 妇女 fùnǚ ¶~적인 말씨를 하다 说女性用语 shuō nǚxìng yòngyǔ ‖~ 호르몬 雌性激素 cíxìng jīsù
여세(餘勢) 馀势 yúshì; 馀勇 yúyǒng ¶~를 몰아 공격하다 乘势进攻 chéngshì jìngōng
여송연(呂宋煙) 雪茄 xuějiā; 雪茄烟 xuějiāyān; 吕宋烟 lǚsòngyān
여수(女囚) 女犯人 nǚfànrén; 女囚 nǚqiú; 女囚犯 nǚqiúfàn
여승(女僧) 尼姑 nígū; 姑子 gūzi
여실(如實) 真如 zhēnrú; 真实 zhēnshí ¶당시의 모양을 ~히 묘사하다 真实地描写当时的情景 zhēnshíde miáoxiě dāngshí de qíngjǐng/농촌의 생활을 ~하게 묘사하다 如实地描写农村生活 rúshíde miáoxiě nóngcūn shēnghuó
여염집(閭閻…) 住户 zhùhù; 住家儿的 zhùjiār de; 住家主儿 zhùjiāzhǔr
여우 《動》 狐 hú; 狐狸 húli ¶호랑이의 위세를 빌린 ~ 狐假虎威 hú jiǎ hǔ wēi/마치 ~에게 홀린 것 같다 好像叫狐狸精迷住了 hǎoxiàng jiào húlijīng mízhu le
여운(餘韻) 馀音 yúyīn; 馀韵 yúyùn; 馀味 yúwèi ¶시의 ~을 맛보다 品尝诗的馀韵 pǐncháng shī de yúyùn/종 소리의 ~이 귓가에 머물러 있다 钟声的馀音留在耳边 zhōngshēng de yúyīn liú zài ěrbiān
여울 滩 tān; 浅滩 qiǎntān ¶~을 건너다 蹚过浅滩 tāngguò qiǎntān
여위다 消瘦 xiāo shòu; 瘦削 shòuxuē
여유(餘裕) 馀裕 yú yù; 富裕 fù yù ¶나는 그것을 살 만한 ~ 있는 돈이 없다 我没有富馀的钱买那个东西 wǒ méiyǒu fùyù de qián mǎi nàge dōngxi/그는 막다른 곳에 몰려도 ~작작하다 他就是被逼到严重关头,也还是从容自若 tā jiùshì bèi bīdào yánzhòng guāntóu, yě hái shì cóngróng zìruò
여의다 ①《사별》 死别 sǐbié ¶양친을~ 父母去世 fùmǔ qùshì ②《출가》 使女儿出嫁 shǐ nǚr chūjià
여의사(女醫師) 女大夫 nǚdàifu; 女医生 nǚyīshēng
여인숙(旅人宿) 客店 kèdiàn; 客栈 kèzhàn; 栈房 zhànfáng
여자(女子) 女 nǚ; 女人 nǚrén; 女的 nǚde; 女子 nǚzǐ ‖~ 종업원 女职工 nǚzhígōng
여장(女裝) 女服 nǚfú ¶가장 행렬에 ~으로 참가하다 扮女装参加了化装游行 bàn nǚzhuāng cānjiāle huàzhuāng yóuxíng ‖~ 남자 男扮女装的人 nánbàn nǚzhuāng de rén
여전히(如前…) 仍旧 réngjiù; 《변함없이》还 hái; 尚 shàng; 仍然 réngrán ¶~ 약간의 의문은 남는다 尚有若干疑问 shàng yǒu ruògān yíwèn/이 일대는 ~ 예전 그대로이다 这一带仍然是过去的老样子 zhè yídài réngrán shì guòqù de lǎoyàngzi
여죄(餘罪) 其馀的罪 qíyú de zuì ¶~를 추궁하다 追究其馀的罪行 zhuījiū qíyú de zuìxíng
여주인공(女主人公) 女主人公 nǚ zhǔréngōng
여지(餘地) 馀地 yúdì ¶차를 세울 ~가 없다 没有空地停车 méiyǒu kòngdì tíngchē/의심할 ~도 없다 毫无怀疑的馀地 háowú huáiyí de yúdì =〔无可置疑 wúkě zhìyí〕
여쭙다 回上 huí shàng; 说 shuō ¶잠깐 여쭤

보겠습니다… 劳驾请问你… láojià qǐngwèn nǐ…
여차여차하다(如此如此…) 如此这般 rúcǐ zhèbān ¶그는 여차여차한 이유로 오지 못했습니다 说是由于如此这般的缘故他不能来 shuō shì yóuyú rúcǐ zhèbān de yuángù tā bùnéng lái
여치〘蟲〙螽斯 zhōngsī; 蝈蝈(儿) guōguō(r); 〈方〉叫哥哥 jiàogēge
여탐 ¶~하다 搭脉息 dā màixī ‖ ~꾼 奸细 jiānxi
여태 到现在 dào xiànzài; 从前 cóngqián ¶~까지 없었던 사례 从来没有这样的例子 cónglái méiyǒu zhèyàng de lìzi
여투다 储蓄 chǔxù; 贮存 zhùcún
여파(餘波) 馀波 yúbō; 影响 yǐngxiǎng ¶태풍의 ~로 아직 바다가 잔잔해지지 않았다 由于台风的馀波,海上还不平静 yóuyú táifēng de yúbō, hǎi shàng hái bù píngjìng / 금융 긴축의 ~를 받아 불경기가 계속되고 있다 受金融紧缩的影响仍然不景气 shòu jīnróng jǐnsuō de yǐngxiǎng réngrán bùjǐngqì
여편네《아내》媳妇儿 xífur; 老婆儿 lǎopor; 《성년 여자》妇道家 fùdaojiā; 娘们家 niángmenjiā; 女人 nǚren
여하간(如何間) 无论如何 wúlùn rúhé; 总之 zǒngzhī; 好歹 hǎodǎi ¶~에 그가 말하는 대로 하면 틀림없다 总之,按照他说的做不会有错 zǒngzhī, ànzhào tā shuō de zuò búhuì yǒu cuò
여행(旅行) 旅行 lǚxíng ¶세계 일주~ 环球旅行 huánqiú lǚxíng / ~ 계획을 세우다 订旅行的计划 dìng lǚxíng de jìhuà ‖ ~기 游记 yóujì / ~사 旅行社 lǚxíngshè
역(驛) 站 zhàn; 车站 chēzhàn ¶~원 车站工作人员 chēzhàn gōngzuò rényuán / ~장 站长 zhànzhǎng / ~전 광장 站前广场 zhàn qián guǎngchǎng / 시발~ 始发站 shǐfāzhàn / 종착~ 终点站 zhōngdiǎnzhàn / 갈아 타는~ 中转站 zhōng zhuǎnzhàn / 열차가 ~에 도착했다 列车到站了 lièchē dào zhàn le / 한 ~을 지나쳤다 坐过了一站 zuòguòle yí zhàn
역경(逆境) 逆境 nìjìng ¶그녀는 어떠한 ~에서도 명랑함을 잃지 않았다 她在任何逆境中也未失去开朗的性格 tā zài rènhé nìjìng zhōng yě wèi shīqù kāilǎng de xìnggé
역광선(逆光線) 逆光 nìguāng ¶~으로 사진을 찍다 逆光摄影 nìguāng shèyǐng
역기(力技)〘體〙举重 jǔzhòng
역대(歷代) 历代 lìdài; 历届 lìjiè ¶~의 내각 历届内阁 lìjiè nèigé =〔历代内阁 lìdài nèigé〕
역량(力量) 力量 lìliang; 能力 nénglì ¶그는 지도자로서의 ~이 부족하다 他作为一个领导人能力不够 tā zuòwéi yí ge lǐngdǎorén nénglì bú gòu
역류(逆流) 倒流 dàoliú ¶만조가 돼서 바닷물이 강으로 ~해 왔다 由于涨潮海水向河里倒流 yóuyú zhǎngcháo hǎishuǐ xiàng hé li dàoliú / 화가 난 나머지 몸의 피가 ~하다 怒火中烧 nùhuǒ zhōng shāo
역비례(逆比例) 反比例 fǎnbǐlì; 反比 fǎnbǐ
역사(歷史) 历史 lìshǐ ¶~에 이름을 남기다 名垂史册 míng chuí shǐcè
역사(轢死)《차바퀴에 의한》轧死 yàsǐ ¶~체 被轧死的尸体 bèi yàsǐ de shītǐ
역산(逆算) 倒数 dào shǔ ¶죽은 해로부터 ~해 보니 그는 1881년생이다 由故世那年倒数,他生于一八八一年 yóu gùshì nà nián dào shǔ, tā shēng yú yì bā bā yì nián
역선전(逆宣傳) 反宣传 fǎn xuānchuán ¶그 일이 우리들에 대한 ~에 이용되었다 利用那事对我方进行反宣传 lìyòng nà shì duì wǒfāng jìnxíng fǎn xuānchuán
역성 袒护 tǎnhù ¶~ 들다 偏向 piānxiàng
역수(逆數) 倒数 dàoshù
역수입(逆輸入) 再进口 zài jìnkǒu; 再输入 zài shūrù
역습(逆襲) 回击 huíjī; 反击 fǎnjī; 反攻 fǎngōng ¶야음을 틈타 ~하다 趁着黑夜进行反击 chènzhe hēiyè jìnxíng fǎnjī / 상대편 주장의 모순을 잡아 ~하다 抓住对方主张中的矛盾加以反击 zhuāzhù duìfāng zhǔzhāng zhōng de máodùn jiāyǐ fǎnjī
역시(亦是) ①《또한》又 yòu; 也 yě ¶그녀의 동생 ~ 미인이다 她的妹妹也是个美人儿 tāde mèimei yě shì ge měirénr ②《전과 다름없이》还是 háishi; 毕竟 bìjìng; 究竟 jiūjìng ¶아무리 똑똑해도 역시 아이는 ~ 아이다 不管怎么聪明,孩子毕竟是孩子 bùguǎn zěnme cōngming, háizi bìjìng shì háizi
역적(逆賊) 逆贼 nìzéi; 叛徒 pàntú
역전(力戰) 力战 lìzhàn ¶~한 보람도 없이 패했다 力战而败 lìzhàn ér bài
역전(逆轉) 反转 fǎnzhuàn; 逆转 nìzhuǎn ¶리드하던 경기가 ~되었다 领先的比赛一下子逆转了 lǐngxiān de bǐsài yíxiàzi nìzhuǎn le
역점(力點) ①《주안점》重点 zhòngdiǎn ¶이 배는 속도에 ~을 두어 설계되었다 这只船是以速度为重点设计出来的 zhè zhī chuán shì yǐ sùdù wéi zhòngdiǎn shèjì chūlai de ②〘物〙《지레의》力点 lìdiǎn
역정(逆情) 气 qì; 不高兴 bù gāoxìng; 肝气 gānqì ¶~ 나다 上火 shànghuǒ / ~ 내다 动肝火 dòng gānhuǒ =〔发脾气 fā píqi〕
역풍(逆風) 顶风 dǐngfēng; 逆风 nìfēng
역하다(逆…) 恶心 ěxin
역학(力學) 力学 lìxué
역할(役割) 任务 rènwu; 职责 zhízé; 作用 zuòyòng ¶그는 그 사건에서 중요한 ~을 한다 他在那个事件中扮演了重要的角色 tā zài nàge shìjiàn zhōng bànyǎnle zhòngyào de juésè
엮다 打 dǎ; 编 biān
연(年) 年 nián; 一年 yì nián ¶~수입 一年的收入(额) yì nián de shōurù(é)
연(鳶) 风筝 fēngzheng; 风鸢 fēngyuān ¶~을 띄우다 放风筝 fàng fēngzheng
연거푸(連…) 一连 yìlián; 接连 jiēlián ¶~ 물을 세 컵 마셨다 一连喝了三杯水 yìlián hēle sān bēi shuǐ
연결(連結) 联结 liánjié; 连接 liánjiē; 《차의》挂车 guàchē ¶그 열차는 식당차를 ~하고 있다 这趟列车挂着餐车 zhè tàng lièchē guàzhe cānchē ‖ ~기 车钩 chē gōu =〔挂钩 guà gōu〕
연고(軟膏) 药膏 yàogāo; 软膏 ruǎngāo〕
연고(緣故) ①《이유》缘故 yuángù〔gu〕 ②《관계》人与人的关系 rén yǔ rén de guānxi ¶~를 의지해서 직업을 구하다 投亲靠友找工作 tóu qīn kào yǒu zhǎo gōngzuò ③《인연》缘分(儿)

yuánfèn〔fen〕(r)
연구(硏究) 研究 yánjiū ¶고고학의 ～에 몰두하다 埋头于考古学的研究 máitóu yú kǎogǔxué de yánjiū / 그는 ～심이 강하다 他富有研究精神 tā fùyǒu yánjiù jīngshén
연극(演劇) 戏 xì; 剧 jù; 戏剧 xìjù ‖ ～계 戏剧界 xìjùjiè
연근(蓮根) 藕 ǒu; 藕根 oǔgēn
연금(年金) 退休金 tuìxiūjīn; 养老金 yǎnglǎojīn ¶20년간 일하면 ～이 붙는다 工作二十年就能领退休金 gōngzuò èrshí nián jiù néng lǐng tuìxiūjīn
연기(延期) 延期 yánqī; 展期 zhǎnqī ¶회의의 ～를 통지하다 通知会议展期 tōngzhī huìyì zhǎnqī
연기(演技) 演技 yǎnjì ¶～가 박진감이 있다 演技逼真 yǎnjì bīzhēn / 이번 무대에서의 그녀의 ～는 훌륭하다 在这次公演,她的演技精湛 zài zhè cì gōngyǎn, tāde yǎnjì jīngzhàn / 그의 그 일은 ～다 他那是装装样子罢了 tā nà shì zhuāngzhuang yàngzi bàle
연기(煙氣) 烟 yān ¶～가 난다 冒着烟 màozhe yān / 아니 땐 굴뚝에 ～ 날까 无风不起浪 wú fēng bù qǐ làng
연단(演壇) 讲坛 jiǎngtán; 讲台 jiǎngtái ¶～에 오르다 走上讲台 zǒushàng jiǎngtái =〔登上讲坛 dēngshàng jiǎngtán〕
연달다(連…) 络绎不绝 luòyì bù jué; 一个接一个 yíge jiē yíge
연대(聯隊) 团 tuán ‖ ～장 团长 tuánzhǎng
연두(年頭) 年初 niánchū; 岁首 suìshǒu; 元旦 yuǎndàn〕 ¶～ 소감을 발표하다 发表新年文告 fābiǎo xīnnián wéngào ‖ ～ 교서 新年咨文 xīnnián zīwén(미국의)
연두(軟豆) 葱绿 cōnglǜ
연락(連絡·聯絡) 连系 liánxì〔xi〕; 接连 jiēlián; 连络〔联络〕 liánluò ¶겨우 이 선생과 ～이 닿았다 好容易才跟李先生连系上了 hǎoróngyi cái gēn lǐ xiānsheng liánxì shàng le ‖ ～선 渡轮 dùlún
연령(年齡) 年龄 niánlíng; 年岁 niánsuì; 年纪 niánjì; 〈口〉 岁数(儿) suìshu(r) ¶～적으로 볼 때 그에게는 무리이다 从年纪来说他不行吧 cóng niánjì lái shuō tā bù xíng ba ‖ ～ 제한 年龄限制 niánlíng xiànzhì
연례(年例) ¶～의 年年儿的 niánniánr de =〔每年的 měinián de〕
연료(燃料) 燃料 ránliào ¶～를 보급하다 补给燃料 bǔjǐ ránliào =〔加油 jiāyóu〕
연륜(年輪) 年轮 niánlún
연리(年利) 年利 niánlì; 年息 niánxī ¶9푼의 ～로 은행에서 돈을 빌려 쓰다 按年息九厘向银行借款 àn niánxī jiǔ lí xiàng yínháng jièkuǎn
연립(聯立) 联合 liánhé; 联立 liánlì ‖ ～ 내각 联合内阁 liánhé nèigé / ～ 방정식 联立方程 liánlì fāngchéng
연마(硏磨·練磨) 磨练 móliàn ¶기술을 ～하다 磨练技术 móliàn jìshù
연말(年末) 年末 niánmò; 年终 niánzhōng; 年底 niándǐ ¶～에 귀성하다 年底回乡 niándǐ huíxiāng ‖ ～ 대매출 年终大甩卖 niánzhōng dà shuǎimài / ～ 상여금 年终奖金 niánzhōng jiǎngjīn
연맹(聯盟) 联盟 liánméng; 联合会 liánhéhuì
연명(延命) ¶필사의 ～책을 강구하다 千方百计地保全地位 qiānfāngbǎijì de bǎoquán dìwèi
연모 工具 gōngjù
연모(戀慕) 恋慕 liànmù ¶～의 정을 품다 心怀恋慕之情 xīn huái liànmù zhī qíng
연못(蓮…) 莲塘 liántáng
연미복(燕尾服) 燕尾服 yànwěifú; 礼服 lǐfú
연민(憐憫·憐愍) 怜悯 liánmǐn ¶～의 정을 불러일으키다 引起怜悯心 yǐnqǐ liánmǐnxīn
연발(連發) 连着放 liánzhe fàng ¶육～의 권총 六连发手枪 liù liánfā shǒuqiāng / 최근 사고가 ～하여 발생하다 最近事故连续发生 zuìjìn shìgù liánxù fāshēng ‖ ～총 连环枪 liánhuánqiāng =〔快枪 kuàiqiāng〕
연밥(蓮…) 莲米 liánmǐ; 莲子 liánzǐ
연방(聯邦) 联邦 liánbāng
연번(連番) 流水号 liúshuǐhào
연봉(年俸) 年薪 niánxīn
연부(年賦) 分年偿还 fēnnián chánghuán ¶10년의 ～로 상환하다 十年内逐年偿还 shí nián nèi zhúnián chánghuán / 20년 ～로 집을 사다 用二十年分期付款购买房子 yòng èrshí nián fēnqī fùkuǎn gòumǎi fángzi
연분(緣分) 缘分 yuánfèn; 缘 yuán; 因缘 yīnyuán; 关系 guānxi; 机缘 jīyuán ¶～이 없다 没有因缘 méiyǒu yīnyuán =〔没有缘分 méiyǒu yuánfèn〕 / 부부의 ～을 맺다 结为夫妻 jiéwéi fūqī
연분홍(軟粉紅) 肉红 ròuhóng; 粉白 fěnbái
연산(演算) 演算 yǎnsuàn; 计算 jìsuàn ‖ ～자 (运)算子 (yùn)suànzi
연상(年上) 年长 niánzhǎng ¶그는 나보다 5살 ～이다 他比我'大〔长〕五岁 tā bǐ wǒ 'dà 〔zhǎng〕 wǔ suì
연상(聯想) 联想 liánxiǎng ¶중국이란 나라 이름을 들으면 만리 장성을 ～한다 提起中国就联想到万里长城 tíqǐ Zhōngguó jiù liánxiǎng dào Wànlǐ Chángchéng
연서(連署) 连署〔联署〕 liánshǔ; 联名 liánmíng; 公具 gōngjù ¶모두 청원서에 ～한다 大家在请愿书上签名 dàjiā zài qǐngyuànshū shang qiān míng
연설(演說) 演说 yǎnshuō; 讲演 jiǎngyǎn; 演讲 yǎnjiǎng ¶시정 방침의 ～을 하다 做施政方针演说 zuò shīzhèng fāngzhēn yǎnshuō
연세(年歲) 高寿 gāoshòu; 尊庚 zūngēng ¶～가 어떻게 되시는지요 贵甲子 guìjiǎzǐ
연소(年少) 年轻 niánqīng; 年少 niánshào ¶그는 팀에서 제일 ～하다 他在队里最年轻 tā zài duì li zuì niánqīng
연소(燃燒) 燃烧 ránshāo ‖ 불완전～ 不完全燃烧 bù wánquán ránshāo
연속(連續) 接连 jiēlián; 连续 liánxù ¶～ 살인 사건 连续杀人案 liánxù shārén'àn / ～ 2개월간 흥행하다 连续演出两个月 liánxù yǎnchū liǎng ge yuè / 그의 일생은 고생의 ～이다 他的一生饱经风霜 tāde yìshēng bǎo jīng fēng shuāng
연쇄(連鎖) 连锁 liánsuǒ ‖ ～ 반응 连锁反应 liánsuǒ fǎnyìng / ～상 구균 链球菌 liànqiújūn
연습(演習) 演习 yǎnxí ¶육해공군 합동～ 陆海空三军联合演习 lù hǎi kōng sānjūn liánhé yǎnxí ‖ 사격～ 射击训练 shèjī xùnliàn
연습(練習) 练习 liànxí; 练 liàn ¶피아노를 ～하

다 练习弹钢琴 liànxí tán gāngqín ‖～ 문제 练习题 liànxítí =〔习题 xítí〕
연승(連勝) 连胜 lián shèng; 连捷 lián jié ¶우리 팀은 5～을 이루었다 我队连胜五次 wǒ duì lián shèng wǔ cì
연식(軟式) 软式 ruǎnshì ‖～ 야구 软式棒球 ruǎnshì bàngqiú/～ 정구 软式网球 ruǎnshì wǎngqiú
연안(沿岸) 沿岸 yán'àn
연애(戀愛) 恋爱 liàn'ài ¶그들은 ～ 결혼이다 他们俩是恋爱结婚的 tāmen liǎ shì liàn'ài jiéhūn de ‖～ 소설 爱情小说 àiqíng xiǎoshuō
연어(鰱魚) 《魚》撒蒙鱼 sāméngyú
연연(戀戀) ¶그는 그 지위에 ～하고 있다 他对那个地位还恋恋不舍 tā duì nàge dìwèi hái liànliàn bù shě
연예(演藝) 曲艺 qǔyì
연이나(然…) 可是 kěshì; 然而 rán'ér
연인(戀人) 恋人 liànrén; 情人 qíngrén; 爱人 àirén ¶두 사람은 ～ 사이이다 他俩是一对情侣 tā liǎ shì yí duì qínglǚ
연일(連日) 连日 liánrì; 连天 liántiān ¶～ 대만원이 계속되다 连日客满 liánrì kè mǎn
연작(連作) 连作 liánzuò; 连种 liánzhòng; 连茬 liánchá; 重茬 chóngchá ¶이 작물은 ～에 적당하지 않다 这种庄稼不适于连作 zhè zhǒng zhuāngjia búshìyú liánzuò
연장 工具 gōngjù
연장(延長) 拖延 tuōyán; 延长 yáncháng ¶전람회는 다음 날까지 전시 기간을 ～한다 展览会把展期延长到下月 zhǎnlǎnhuì bǎ zhǎnqī yáncháng dào xiàyuè/선로를 3킬로 ～하다 把线路延长三公里 bǎ xiànlù yáncháng sān gōnglǐ
연적(戀敵) 情敌 qíngdí
연전(年前) 几年前 jǐ nián qián
연좌(連座) 连坐 liánzuò; 连累 liánlěi; 牵连 qiānlián ¶～형을 받다 连坐服刑 liánzuò fúxíng ‖～제 连坐制 liánzuòzhì
연주(演奏) 演奏 yǎnzòu ‖～회 演奏会 yǎnzòuhuì
연줄(緣…) 门路 ménlù; 引线 yǐnxiàn ¶～을 구하다 找门路 zhǎo ménlù =〔找人介绍 zhǎorén jièshào〕/～을 타서 취직하다 托人情找工作 tuō rénqíng zhǎo gōngzuò
연중(年中) 整年 zhěngnián; 终年 zhōngnián ‖～ 무휴 终年不歇 zhōngnián bù xiē/～ 행사 年中例行活动 niánzhōng lìxíng huódòng
연착(延着) 误点 wùdiǎn; 迟到 chídào ¶2시간 ～하다 误了两点钟 wùle liǎng diǎn zhōng
연체(延滯) 迟误 chíwù; 拖延 tuōyán; 耽搁 dānge ‖～료 过期罚款 guòqí fákuǎn/～ 이자 过期利息 guòqí lìxi
연출(演出) 导演 dǎoyǎn ‖～가 导演 dǎoyǎn
연탄(煉炭) 蜂窝煤 fēngwōméi; 煤球(儿) méiqiú(r)
연통(煙筒) 烟筒 yāntǒng
연판장(連判狀) 连名禀帖 liánmíng bǐngtiě; 联名签字的公约 liánmíng qiānzì de gōngyuē
연필(鉛筆) 铅笔 qiānbǐ ¶～을 깎다 削铅笔 xiāo qiānbǐ ‖～심 铅笔心 qiānbǐxīn
연하다(連…) 连系 liánjì; 接连 jiēlián; 棉联 miánlián
연하다(軟…) 绵软 miánruǎn; 嫩 nèn; 软 ruǎn ¶이 고기는 ～ 这肉很嫩 zhè ròu hěn nèn/그 연필은 심이 너무 ～ 这种铅笔芯子太软 zhè zhǒng qiānbǐ xìnzi tài ruǎn
연하장(年賀狀) 贺年片 hèniánpiàn
연합(聯合) 联合 liánhé ¶야당이 ～하여 내각 불신임안을 제출하다 在野党联合起来提出对内阁不信任案 zài yědǎng liánhé qǐlai tíchū duì nèigé búxìnrèn'àn ‖～국 同盟国 tóngméngguó/국제 ～ 联合国 liánhéguó
연해(連…) 接连不断地 jiēlián búduànde; 接二连三的 jiē'èrliánsān de ‖～ 연방 接连着 jiēliánzhe
연행(連行) 押送 yāsòng; 解送 jièsòng ¶범인을 ～하다 押送犯人 yāsòng fànrén
연회(宴會) 宴会 yànhuì; 酒会 jiǔhuì ¶～ 석상에서 치사를 하다 在宴席上致词 zài yànxí shang zhìcí
연후에(然後…) 然后 ránhòu; 后来 hòulai
연휴(連休) 连休 liánxiū ¶～의 유람지는 인산 인해다 在连休时游览地人山人海 zài liánxiū shí yóulǎndì rénshānrénhǎi
열(列) 排 pái; 行 háng; 列 liè; 队 duì ¶～ 지어가다 排着队走 páizhe duì zǒu/일～로 서주십시오 请排成一行 qǐng páichéng yì háng/이～로 행진하다 排成两列行进 páichéng liǎng liè xíngjìn
열(熱) ①《열기》《物》热 rè; 热度 rèdù ¶～을 가하다 加热 jiārè/비타민 C는 ～에 약하다 维生素C怕热 wéishēngsù C pà rè ②《신열》烧 shāo; 热 rè; 热度 rèdù; 体温 tǐwēn ¶～을 재다 量体温 liáng tǐwēn/～이 나다 发烧 fāshāo =〔发热 fārè〕/～이 내리다 烧退了 shāo tuì le/～이 오르다 烧得更厉害了 shāode gèng lìhai le ③《열중》¶～이 식다 兴头凉了 xìngtóu liáng le/플라스틱 모델 제작에 ～을 올리다 热中于制作塑料模型 rèzhōng yú zhìzuò sùliào móxíng/～을 올리다 入迷 rù mí/일에 ～을 내다 热心于工作 rèxīn yú gōngzuò ‖～전도체 热传导 rèchuándǎo =〔导热 dǎo rè〕
열 十 shí; 十个 shí ge
열강(列强) 列强 lièqiáng
열거(列擧) 列举 lièjǔ ¶죄상을 ～하다 列举罪状 lièjǔ zuìzhuàng
열광(熱狂) 狂热 kuángrè ¶청중을 ～시키다 使听众狂热起来 shǐ tīngzhòng kuángrè qǐlai/～적인 환영을 받다 受到狂热的欢迎 shòudào kuángrè de huānyíng
열국(列國) 列国 lièguó; 各国 gè guó ¶～의 대표가 한방에 모이다 各国代表聚集一堂 gè guó dàibiǎo jùjí yì táng
열기(列記) 开列 kāiliè ¶다음에 ～하다 开列于后 kāiliè yú hòu
열기(熱氣) 热气 rèqì ¶집 안에 ～가 가득 차서 기분이 나쁘다 屋子里充满热气, 很不舒服 wūzili chōngmǎn rèqì, hěn bù shūfu/～를 띤 논쟁이 계속되다 进行了热烈的争论 jìnxíngle rèliè de zhēnglùn
열다[1] 《열매가》结 jiē
열다[2] ①《문·뚜껑 따위를》开 kāi; 打开 dǎkāi ¶창문을 ～ 打开窗户 dǎkāi chuānghu/마음을 ～ 敞开胸怀 chǎngkāi xiōnghuái ②《시작》开 kāi; 开设 kāishè ¶그녀는 명동에 점포를 열었

다 她在明洞开了个店 tā zài Míngdong kāile ge diàn / 새로운 국면을 ~ 打开新局面 dǎkāi xīn júmiàn ③《개최》开 kāi ¶송별회를 ~ 举行欢送会 jǔxíng huānsònghuì
열댓 十四五个 shísìwǔge
열등(劣等) 次 cì; 低劣 dīliè; 劣等 lièděng ‖ ~감 自卑感 zìbēigǎn / ~생 劣等生 lièděng shēng 成绩差的学生 chéngjī chà de xuésheng / ~품 次货 cìhuò =〔劣等货物 lièděng huòwù〕〔劣货 lièhuò〕
열량(熱量) 热量 rèliàng ¶~을 측정하다 测量热量 cèliáng rèliàng
열렬(熱烈) 热烈 rèliè ¶~히 지지하다 热烈支持 rèliè zhīchí / 두 사람은 ~한 연애 끝에 결혼했다 两个人经过热恋结了婚 liǎng ge rén jīngguò rèliàn jiéle hūn
열리다 ①《문·뚜껑 따위가》开 kāi ¶문이 열리지 않는다 门'开不开〔拉不开; 推不开〕 mén' kāibukāi 〔lābukāi; tuībukāi〕/ 병마개가 열리지 않는다 瓶子盖儿拧不开 píngzi gàir nǐngbukāi / 지하철의 문은 좌우로 열린다 地下铁的门往左右开了 dìxiàtiě de mén wǎng zuǒyòu kāi le ②《점포·연극 따위가》开 kāi; 开门 kāimén; 下板儿 xiàbǎnr ¶백화점은 7시까지 열린다 百货公司开门到七点 bǎihuò gōngsī kāimén dào qī diǎn / 연극의 막이 열렸다 戏开幕了 xì kāimù le ③《모임 따위》开 kāi ④《열매가》结 jiē ¶감이 많이 열렸다 柿子结了很多的果子 shìzi jiēle hěn duō de guǒzi / 감이 가지마다 주렁주렁 열렸다 柿子结得连树枝都压弯了 shìzi jiēde lián shùzhī dōu yāwān le
열망(熱望) 热望 rèwàng; 渴望 kěwàng ¶관객의 ~에 응하여 재상연하다 应观众的热望再次上演 yìng guānzhòng de rèwàng zàicì shàngyǎn
열매 果儿 guǒr; 果子 guǒzi; 果实 guǒshí ¶~를 맺다 结了果了 jiēle guǒ le / 여러 해 동안의 노력이 마침내 ~를 맺다 多年的努力终于结了果 duōnián de nǔlì zhōngyú jiēle guǒ
열무 小萝卜 xiǎoluóbo
열변(熱辯) ¶~을 토하다 满腔热情地演讲 mǎnqiāng rèqíng de yǎnjiǎng
열병(閱兵) 阅兵 yuèbīng; 检阅 jiǎnyuè ‖ ~식 阅兵式 yuèbīngshì
열상(裂傷) 挫裂伤 cuòlièshāng
열성(劣性)《生》隐性 yǐnxìng(유전상의) ‖ ~형질 隐性性状 yǐnxìng xìngzhuàng
열세(劣勢) 劣势 lièshì ¶전반전의 ~를 일거에 만회하다 一举挽回了前半场的劣势 yì jǔ wǎnhuíle qiánbànchǎng de lièshì
열쇠 ①钥匙 yàoshi; 键 jiàn ¶~로 자물쇠를 열다 用钥匙开锁 yòng yàoshi kāi suǒ / ~ 잠그는 것을 잊었다 忘了上销 wàngle shàngsuǒ ②《해결》锁钥 suǒyào ¶그가 이 문제 해결의 ~를 쥐고 있다 他掌握着解决问题的关键 tā zhǎngwòzhe jiějué wèntí de guānjiàn ‖ ~구멍 钥匙眼 yàoshiyǎn =〔锁眼 suǒyǎn〕〔钥匙孔 yàoshikǒng〕
열심(熱心) 热心 rèxīn; 热肠 rècháng ¶~히 일하다 热心工作 rèxīn gōngzuò / 선생님의 말씀에 ~히 귀기울이다 认真倾听老师的话 rènzhēn qīngtīng lǎoshī de huà
열십자(…十字) 一横一竖的十字 yìhéng yíshù de shí zì
열연(熱演) ¶오늘의 오케스트라 연주는 ~이었다 今天交响乐队的演奏很热烈 jīntiān jiāoxiǎngyuèduì de yǎnzòu hěn rèliè / 손오공을 ~하다 倾心尽力演孙悟空 qīngxīn jìnlì yǎn Sūn wùkōng
열의(熱意) 热忱 rèchén; 热情 rèqíng ¶~가 부족하다 热情不够 rèqíng bú gòu
열전(熱戰) ①《쟁패전》¶장시간에 걸쳐서 격렬한 ~을 벌였다 展开了长时间的激烈比赛 zhǎnkāile cháng shíjiān de jīliè bǐsài ②《냉전에 대한》热战 rèzhàn
열정(熱情) 热情 rèqíng; 热忱 rèchén ¶구국의 ~에 불타다 满怀救国热忱 mǎnhuái jiùguó rèchén / ~적인 연주 热情洋溢的演奏 rèqíng yángyì de yǎnzòu
열중(熱中) 专心 zhuānxīn; 全神贯注 quánshén guànzhù; 热中 rèzhōng; 入迷 rùmí; 着迷 zháomí ¶일에 ~하다 埋头〔专心致志〕工作 máitóu 〔zhuānxīnzhìzhì〕 gōngzuò
열차(列車) 列车 lièchē; 火车串 huǒchēchuàn ‖ 급행 ~ 快车 kuàichē / 보통 ~ 普通旅客列车 pǔtōng lǚkè lièchē / 특급 ~ 特快列车 tèkuài lièchē
열탕(熱湯) 热水 rèshuǐ; 开水 kāishuǐ; 滚水 gǔnshuǐ ¶~ 소독을 하다 煮沸消毒 zhǔfèi xiāodú =〔用沸水消毒 yòng fèishuǐ xiāodú〕
열하다(熱…) 加热 jiārè ¶쇠는 열하면 붉어진다 铁一热就红 tiě yīrè jiù hóng / 쇠를 열하여 녹이다 加热使铁熔化 jiārè shǐ tiě rónghuà
열화(烈火) 烈火 lièhuǒ ¶~같이 성을 내다 暴跳如雷 bàotiào rú léi
열흘 《날수》十天 shí tiān; 《십일날》十号 shí hào
엷다 ①《두께가》薄 báo ②《맛·색 따위가》淡 dàn; 浅 qiǎn; 薄 báo ¶색을 엷게 칠하다 薄薄地上颜色 báobáode shàng yánsè / 그 요리는 맛이 ~ 这菜'太淡〔口轻〕 zhè cài 'tài dàn 〔kǒuqīng〕
염(殮) 殓 liàn ¶~하다 小殓 xiǎoliàn(옷 갈아입힘) =〔大殓 dàliàn(납관함)〕
염가(廉價) 廉价 liánjià ¶~로 사들이다 廉价买进 liánjià mǎijìn
염교《植》火葱 huǒcōng; 薤 xiè; 藠头 jiàotou
염낭(…囊) 钱褡 qiándā; 腰包 yāobāo
염두(念頭) 心里 xīnli; 心上 xīnshang; 心头 xīntóu ¶~에 없다 不加考虑 bùjiā kǎolǜ / 나는 전혀 그를 ~에 두지 않았다 我根本没把他放在心上 wǒ gēnběn méi bǎ tā fàng zài xīnshang
염라대왕(閻羅大王) 阎王爷 Yánwangyé; 阎罗 Yánluó; 阎王 Yánwang
염려(念慮) 挂念 guàniàn; 惦记 diànjì
염문(艶文) 情书 qíngshū
염문(艶聞) 风流史迹 fēngliú shǐjī ¶~이 퍼지다 风流韵事四传 fēngliú yùnshì sì chuán
염분(鹽分) 盐分 yánfèn
염불(念佛) 念佛 niànfó ¶~을 외다 念佛 niànfó
염산(鹽酸)《化》盐酸 yánsuān
염소《動》山羊 shānyáng ¶새끼 ~ 山羊崽子 shānyáng zǎizi =〔小山羊 xiǎoshānyáng〕/ 메메 하고 ~가 울다 山羊咩咩叫 shānyáng miē-miē jiào
염소(鹽素)《化》氯 lǜ; 氯气 lǜqì ‖ ~산 氯酸 lǜsuān

염원(念願) 心愿 xīnyuàn; 宿愿 sùyuàn ¶오랜 세월의 ~이 이루어졌다 多年的愿望终于实现了 duōnián de yuànwàng zhōngyú shíxiàn le =〔宿愿得偿 sùyuàn dé cháng〕
염전(鹽田) 盐田 yántián; 盐滩 yántān; 盐塘 yántáng
염주(念珠) 念珠 niànzhū
염출(捻出) 匀出 yúnchū; 挤出 jǐchū ¶여비를 ~하다 设法匀出旅费来 shèfǎ yúnchū lǚfèi lái
염치(廉恥) 廉耻 liánchǐ ¶~ 없다 脸憨皮厚 liǎnhānpíhòu
염탐(廉探) 打探子 dǎ tànzi; 刺探 cìtàn ‖~꾼 密探 mìtàn
염통 ⇨심장(心臟)
염화(鹽化) 氯化 lǜhuà ‖~나트륨 氯化钠 lǜhuànà / ~비닐 氯乙烯 lǜyǐxī =〔氯化乙烯 lǜhuàyǐxī〕
엽견(獵犬) 猎狗 liègǒu; 猎犬 lièquǎn
엽관(獵官) ¶~ 운동을 하다 猎取官职 lièqǔ guānzhí
엽기(獵奇) 猎奇 lièqí ¶~ 취미의 소설 富有猎奇性的小说 fùyǒu lièqíxìng de xiǎoshuō
엽렵하다(獵獵…) 又伶俐又灵通 yòu língli yòu língtōng
엽서(葉書) 明信片 míngxìnpiàn ¶~를 내다 寄明信片 jì míngxìnpiàn
엽초(葉草) 烟叶 yānyè
엽총(獵銃) 猎枪 lièqiāng
엿 饴糖 yítáng
엿기름 麦芽 màiyá
엿듣다 偷听 tōutīng; 檐下窥听 yánxià kuītīng
엿보다 ①《남몰래》 窥视 kuīshì; 偷看 tōukàn ②《기회를》 窥伺 kuīsì; 觊觎 jìyú; 相机 xiàngjī
엿새 六天 liù tiān ‖엿샛날 六号 liù hào =〔初六 chū liù〕
영(永) 《부사》 永远 yǒngyuǎn; 永久 yǒngjiǔ
영감(令監) 《노인》 老大爷 lǎodàye; 《남편》 丈夫 zhàngfu; 《존칭》 阁下 géxià; 老爷 lǎoye
영검(靈…) 灵验 língyàn
영계(…鷄) 童子鸡 tóngzǐjī; 生鸡 shēngjī ‖~백숙 清炖生鸡 qīngdùn shēngjī
영계(靈界) ①灵界 língjiè ②《정신계》 精神世界 jīngshén shìjiè
영고(榮枯) 荣枯 róngkū ¶~ 성쇠는 세상사다 荣枯盛衰人世之常 róngkū shèngshuāi rénshì zhī cháng
영광(榮光) 荣幸 róngxìng; 荣誉 róngyù; 光荣 guāngróng
영구(永久) 永久 yǒngjiǔ; 永远 yǒngyuǎn; 恒久 héngjiǔ; 永恒 yǒnghéng ‖~치 恒齿 héngchǐ =〔恒牙 héngyá〕
영구차(靈柩車) 灵车 língchē; 柩车 jiùchē; 蜃车 shènchē
영단(英斷) ¶~을 내리다 果断地做出决定 guǒduànde zuòchū juédìng =〔当机立断 dāng jī lì duàn〕
영달(榮達) ¶일신의 ~만을 꾀하다 只谋自己飞黄腾达 zhǐ móu zìjǐ fēihuángténgdá
영도(領導) 领导 lǐngdǎo
영락없다(零落…) 准确 zhǔnquè; 没有错儿 méiyǒu cuòr; 一定的 yídìng de
영령(英靈) 英灵 yīnglíng ¶~을 봉안하다 祭祀英灵 jìsi yīnglíng
영리(伶俐) 伶俐 língli
영매(靈媒) 《남자》 巫师 wūshī; 《여자》 巫婆 wūpó
영면(永眠) 永眠 yǒngmián; 长眠 chángmián; 长逝 chángshì ¶약석의 보람 없이 ~하였습니다 药石无效终于长逝 yàoshí wúxiào zhōngyú chángshì
영문 《까닭》 原由 yuányóu; 所以然 suǒyǐrán
영민(英敏) 敏锐 mǐnruì ¶그는 감각이 ~하다 他感觉很敏锐 tā gǎnjué hěn mǐnruì
영별(永別) 永别 yǒngbié; 永诀 yǒngjué ¶아버지와 ~하다 跟父亲永别 gēn fùqin yǒngbié
영사(映寫) 放映 fàngyìng ¶기록 영화를 ~하다 放映记录片 fàngyìng jìlùpiàn ‖~기 放映机 fàngyìngjī / ~막 银幕 yínmù
영사(領事) 领事 lǐngshì ‖~관 领事馆 lǐngshìguǎn
영상(映像) 映象 yìngxiàng; 影象 yǐngxiàng; 图象 túxiàng ¶기억에 남아 있는 어머니의 ~ 留在记亿里的母亲的形象 liú zài jìyì li de mǔqin de xíngxiàng
영속(永續) 持久 chíjiǔ ¶평화가 ~되기를 원하다 希望持久和平 xīwàng chíjiǔ hépíng
영수(領受·領收) 收到 shōudào; 领 lǐng ¶상기의 금액을 정히 ~했습니다 兹收到上述金额 zī shōudào shàngshù jīn'é ‖~증 收条 shōutiáo =〔收据 shōujù〕
영시(零時) 零点 líng diǎn; 十二点钟 shí'èr diǎn zhōng ¶~ 30분 十二点半钟 shí'èr diǎn bàn zhōng
영식(令息) 令郎 lìngláng; 令公子 lìnggōngzǐ; 贤郎 xiánláng
영악하다 精明 jīngmíng
영양(令孃) 令爱 lìng'ài; 令媛 lìngyuàn
영양(營養) 营养 yíngyǎng; 滋养 zīyǎng ¶이것은 매우 ~이 많다 这非常有营养 zhè fēicháng yǒu yíngyǎng ‖~가 营养价值 yíngyǎng jiàzhí / ~ 실조 营养缺乏病 yíngyǎng quēfábìng
영어(英語) 英语 Yīngyǔ; 英国话 Yīngguóhuà; 英文 Yīngwén ¶~로 번역하다 译成英文 yìchéng Yīngwén
영업(營業) 营业 yíngyè ¶지금 ~중 正在营业中 zhèngzài yíng yè zhōng ‖~ 방해 妨碍营业 fáng'ài yíngyè / ~ 정지 禁止营业 jìnzhǐ yíngyè
영예(榮譽) 荣誉 róngyù ¶입선의 ~를 얻다 获得入选的荣誉 huòdé rùxuǎn de róngyù
영웅(英雄) 英雄 yīngxióng ¶~적 행동 英勇的行动 yīngyǒng de xíngdòng
영원(永遠) 永远 yǒngyuǎn; 永恒 yǒng héng; 永世 yǒngshì ¶~의 진리 永恒的真理 yǒnghéng de zhēnlǐ / ~히 변치 않다 永恒不变 yǒnghéng búbiàn =〔万古长青 wàngǔ chángqīng〕/ ~히 잊지 못하다 永远忘不了 yǒngyuǎn wàngbuliǎo =〔永世难忘 yǒngshì nán wàng〕
영위하다(營爲…) 办理 bànlǐ; 经营 jīngyíng
영일없다(寧日…) 忙得简直没有一天闲空 mángde jiǎnzhí méiyǒu yìtiān xiánkòng
영장(令狀) 命令文件 mìnglìng wénjiàn ‖소집~ 征兵通知 zhēngbīng tōngzhī / 수색 ~ 搜查证 sōucházhèng / 체포 ~ 逮捕证 dàibǔzhèng

영장(靈長) 灵长 língzhǎng ¶인간은 만물의 ~이다 人是万物之灵长 rén shì wànwù zhī língzhǎng
영전(榮轉) 升迁 shēngqiān ¶본사의 영업부장으로 ~하다 升迁为总公司的营业部长了 shēngqiān wéi zǒnggōngsī de yíngyè bùzhǎng le
영전(靈前) 灵前 língqián ¶~에 엎드리다 在灵前叩首 zài língqián kòushǒu
영점(零點) ①《무득점》 零分(儿) língfēn(r); 鸭蛋 yādàn ¶시험에서 ~을 받았다 考试考了个鸭蛋 kǎoshì kǎole ge yādàn ②《빙점》 冰点 bīngdiǎn
영접(迎接) 迎接 yíngjiē
영주(永住) 落户 luòhù; 长住 chángzhù ¶남미에 ~하다 在南美落户 zài NánMěi luòhù
영차 唉呀嘿呀 āiyā hēiyā
영토(領土) 领土 lǐngtǔ
영특하다(英特…) 英明 yīngmíng
영하(零下) 零下 língxià ¶오늘 아침 기온은 ~ 10도까지 떨어졌다 今晨气温降到零下十度 jīnchén qìwēn jiàngdào língxià shí dù
영합(迎合) 迎合 yínghé ¶권력에 ~하다 依附权势 yīfù quánshì =〔趋炎附势 qūyánfùshì〕
영향(影響) 影响 yǐngxiǎng ¶이상 기후의 ~으로 수확이 감소했다 受反常气候影响歉收 shòu fǎncháng qìhòu yǐngxiǎng qiànshōu
영혼(靈魂) 灵魂 línghún; 魂魄 húnpò
영화(映畫) 电影 diànyǐng ¶~를 구경하다 看电影 kàn diànyǐng / ~를 상영하다 放映电影 fàngyìng diànyǐng / ~를 촬영하다 拍电影 pāi diànyǐng =〔摄制影片 shèzhì yǐngpiàn〕 ‖~ 감독 电影导演 diànyǐng dǎoyǎn / ~관 电影院 diànyǐngyuàn / ~ 배우 电影明星 diànyǐng míngxīng / 기록 ~ 记录片 jìlùpiàn =〔记录片儿 jìlùpiānr〕
옆 侧面 cèmiàn; 旁 páng; 傍边(儿) pángbiān(r) ¶~으로 눕다 侧身子躺着 cè shēnzi tǎngzhe / 당신 ~에 있소 在您傍边儿哪 zài nín pángbiānr na / ~에서 참견하지 마라 不要从旁插嘴 búyào cóng páng chāzuǐ
옆구리 腰窝 yāowō
옆길 岔路 chàlù; 岔道 chàdào ¶이야기가 ~로 샜다 话说到旁岔儿去了 huà shuōdào pángchàr qù le
옆댕이 ⇨옆
옆얼굴 侧面 cèmiàn; 侧影 cèyǐng ¶그녀의 ~은 어머니를 꼭 닮았다 她的侧面很像母亲 tāde cèmiàn hěn xiàng mǔqin
옆자리 邻座 línzuò ¶그의 ~에 앉다 坐在他的邻座 zuò zài tāde línzuò
옆집 邻居 línjū; 隔壁(儿) gébì(r); 邻家 línjiā; 邻舍 línshè
옆쪽 侧面 cèmiàn
예《옛적》 老年的时候儿 lǎoniánde shíhour
예(例) ①《전례》 先例 xiānlì; 前例 qiánlì ¶이것이 나중에 ~가 되면 곤란하다 这成为先例可不好办 zhè chéngwéi xiānlì kě bù hǎo bàn ②《관례》 常例 chánglì; 定例 dìnglì ¶3시에 ~의 그 장소에서 기다리고 있겠다 我三点钟在老地方等你 wǒ sān diǎn zhōng zài lǎo dìfang děng nǐ ③《실례(實例)》 例 lì; 例子 lìzi; 事例 shìlì ¶이것을 ~로 든다면 以此为例 yǐ cǐ wéi lì / ~를 들어 설명하다 举例说明 jǔlì shuōmíng
예(禮) 礼 lǐ ¶~를 다하다 尽礼 jìn lǐ
예《대답》 是 shì; 唉 āi; 《하인의》 喳 chā; 《출석의》 到 dào; 来 lái
예감(豫感) 预感 yùgǎn; 预兆 yùzhào; 预表 yùbiǎo ¶네가 올 것 같은 ~이 들었다 我总觉得你一定来 wǒ zǒng juéde nǐ yídìng lái / ~이 적중했다 预感应验了 yùgǎn yìngyàn le / 불길한 ~이다 预感到不祥 yùgǎn dào bùxiáng
예고(豫告) 预告 yùgào ¶그는 ~도 없이 왔다 他事先没通知就来了 tā shìxiān méi tōngzhī jiù lái le ‖~편 预告片儿 yùgào piānr
예과(豫科) 预科 yùkē
예규(例規) 成规 chéngguī; 先例 xiānlì ¶~에 의함 根据成规 gēnjù chéngguī
예금(預金) 存款 cúnkuǎn ¶~을 찾다 提取存款 tíqǔ cúnkuǎn ‖~ 통장 存折 cúnzhé
예년(例年) ①《지난해》 往年 wǎngnián ¶금년 겨울은 ~에 비해 춥다 今年冬天比往年冷 jīnnián dōngtiān bǐ wǎngnián lěng ②《매년》 年年儿 niánniánr
예닐곱 六七个 liùqíge
예라《낙담》 嗐 hài ¶~ 그만두자 嗐, 拉倒吧 hài, lādǎo ba
예매(豫賣) 预售 yùshòu ‖~권 预售票 yùshòupiào
예명(藝名) 艺名 yìmíng
예문(例文) 例句 lìjù ¶적절한 ~을 들다 举恰当的例句 jǔ qiàdàng de lìjù
예물(禮物) 礼品 lǐpǐn; 礼物 lǐwù
예방(豫防) 预防 yùfáng; 防备 fángbèi ‖~ 접종 预防接种 yùfáng jiēzhòng
예배(禮拜) 礼拜 lǐbài ¶교회에서 ~를 보다 在教堂作礼拜 zài jiàotáng zuò lǐbài
예보(豫報) 预报 yùbào ‖일기 ~ 天气预报 tiānqì yùbào
예복(禮服) 礼服 lǐfú; 章服 zhāngfú
예뻐하다 爱 ài; 喜爱 xǐ'ài; 疼爱 téng'ài
예쁘다 好看 hǎokàn
예사(例事) 通例 tōnglì; 常有的事 chángyǒu de shì ¶~롭다 司空见惯 sīkōng jiànguàn
예산(豫算) 预算 yùsuàn ¶~을 세우다 订预算 dìng yùsuàn ‖~ 편성 编制预算 biānzhì yùsuàn
예상(豫想) 预想 yùxiǎng; 预测 yùcè; 预计 yùjì; 预料 yùliào; 意料 yìliào; 意想 yìxiǎng; 料想 liàoxiǎng ¶선거의 결과를 ~하다 预测选举的结果 yùcè xuǎnjǔ de jiéguǒ / ~대로 당선되다 如所预料,他当选了 rú suǒ yùliào, tā dāngxuǎn le
예서(隷書) 隶书 lìshū
예선(豫選) 预选 yùxuǎn; 预赛 yùsài ¶~에서 패했다 预赛中失败了 yùsài zhōng shībài le
예순 六十 liùshí ¶~째 第六十 dì liùshí
예술(藝術) 艺术 yìshù ¶~은 길고 인생은 짧다 艺术是永恒的, 人生是短暂的 yìshù shì yǒnghéng de, rénshēng shì duǎnzàn de
예습(豫習) 预修 yùxīu; 预习 yùxí ¶내일 수업을 ~하다 预习明天的功课 yùxí míngtiān de gōngkè
예식(禮式) 典礼 diǎnlǐ
예약(豫約) 预约 yùyuē; 预订 yùdìng ¶호텔을 ~하다 订饭店 dìng fàndiàn / 잡지 구독을 ~하다 订阅杂志 dìngyuè zázhì ‖~금 预订费 yùdìngfèi =〔订费 dìngfèi〕

예언(豫言) 预言 yùyán ¶천재지변을 ～하다 预言将会天崩地裂 yùyán jiāng huì tiān bēng dì liè ‖～자 知未来者 zhī wèilái zhě =〔预言家 yùyánjiā〕

예외(例外) 例外 lìwài ¶어떠한 ～도 인정하지 않는다 不容许有任何例外 bù róngxǔ yǒu rènhé lìwài / ～없는 규칙은 없다 没有无例外的规则 méiyǒu wú lìwài de guīzé

예우(禮遇) 礼待 lǐdài; 优礼 yōulǐ

예의(禮儀) 礼节 lǐjié; 礼貌 lǐmào ¶～ 바른 讲礼貌 jiǎng lǐmào / ～ 모르는 不讲礼貌 bù jiǎng lǐmào / ～를 중시하다 重礼节 zhòng lǐjié / 그는 ～를 차릴 줄 모른다 他不懂礼貌 tā bù dǒng lǐmào / 그녀는 ～ 바르다 她很有礼貌 tā hěn yǒu lǐmào ‖～ 범절 礼仪 lǐyí

예전 往昔 wǎngxí; 从前 cóngqián ¶～과 같다 一如往昔 yì rú wǎngxí

예정(豫定) 预定 yùdìng; 排定 páidìng; 所期待的 suǒ qídài de ¶내달 떠날 ～이다 预定在下个月出发 yùdìng zài xià ge yuè chūfā / ～이 틀어지다 时间安排全被打乱了 shíjiān ānpái quán bèi dǎluàn le

예제(例題) 例题 lìtí

예찬(禮讚) 歌颂 gēsòng; 颂扬 sòngyáng; 赞扬 zànyáng; 赞颂 zànsòng ¶과학의 진보를 ～하다 赞颂科学的进步 zànsòng kēxué de jìnbù ‖～자 赞赏者 zànshǎngzhě

예측(豫測) 预测 yùcè; 预料 yùliào; 预想 yùxiǎng; 预卜 yùbǔ ¶경제의 동향을 ～하다 预测经济动向 yùcè jīngjì dòngxiàng

예컨대(例…) 比如 bǐrú; 比方 bǐfang; 譬如 pìrú; 例如 lìrú ¶나는 작곡가로는 고전파, ～ 모차르트를 좋아한다 在作曲家里我喜欢古典派比如莫差特 zài zuòqǔjiā li wǒ xǐhuan gǔdiǎnpài, bǐrú Mòchātè

예포(禮砲) 礼炮 lǐpào ¶21발의 ～가 울려퍼지다 礼炮齐鸣了二十一响 lǐpào qímíngle èrshíyì xiǎng

예행(豫行) 预行 yùxíng ¶졸업식의 ～ 연습을 하다 进行毕业典礼的预演 jìnxíng bìyè diǎnlǐ de yùyǎn

옌장 他妈的 tāmāde; 管他去 guǎn tā qù ¶～ 죽기 아니면 살기다, 한번 해 보자 管他去呢, 豁出来干一下子看看 guǎn tā qù ne, huōchulai gàn yíxiàzi kànkan

옛날 从前 cóngqián; 过去 guòqù; 往昔 wǎngxī; 古时候 gǔshíhou ¶그것은 먼 ～ 일이다 那是'很久以前〔古时候〕的事 nà shì 'hěn jiǔ yǐqián 〔gǔshíhou〕 de shì

옛날옛적 太古 tàigǔ; 早先年 zǎoxiānnián

옛사람 古人 gǔrén ¶～ 말에 의하면 据古人之言 jù gǔrén zhī yán

옛이야기 ①故事 gùshi; 古话 gǔhuà ¶아이에게 ～를 들려주다 给小孩儿讲民间故事 gěi xiǎoháir jiǎng mínjiān gùshi ②《옛일》 老话 lǎohuà ¶그 때의 고생도 지금은 ～가 되어 버렸다 那时的辛苦现在已成为老话了 nà shí de xīnkǔ xiàn-zài yǐ chéngwéi lǎohuà le

옛일 故事 gùshì; 往事 wǎngshì; 以前的事儿 yǐqián de shìr

옛적 往昔 wǎngxí; 老年的时候 lǎonián de shíhou

옜다 在这儿哪 zài zhèr na ¶～, 가져가거라 来, 拿走吧 lái, ná zǒu ba

오《감탄》 噢 ō; 哎呀 āiyā ¶～, 그렇다! 噢, 对! 对! ō, duì! duì!

오(五) 五 wǔ

오곡(五穀) 五谷 wǔgǔ ¶～ 풍요를 빌다 祈祷五谷丰登 qídǎo wǔgǔ fēngdēng ‖～밥(五穀…) 杂粮饭 záliángfàn

오그라들다 抽缩 chōusuō; 收缩 shōusuō; 拘挛儿 jūluánr ¶추위로 손가락이 오그라들었다 天冷得手指都拘挛儿了 tiān lěngde shǒuzhǐ dōu jūluánr le

오그리다 蜷曲 quánqū; 缩回 suōhuí

오금 腿弯儿 tuǐwānr

오금 박다 拿捏 nánie; 抓漏子 zhuālòuzi

오긋하다 稍微向里弯曲 shāowēi xiàng lǐ wānqū

오기(傲氣) ①《지기 싫은》 好强 hàoqiáng; 好胜 hàoshèng ¶～를 부리다 硬着头皮 yìngzhe tóupí ②《거만한》 傲气 àoqì; 倔气 juéqì

오나가나 去也罢来也罢 qùyěba láiyěba ¶～ 말썽이다 到处是闲话 dàochù shì xiánhuà

오냐 是 shì; 好的 hǎode; 知道了 zhīdaole ¶～, 내 곧 가마 (전화로) 好的, 我马上就去 hǎode, wǒ mǎshàng jiù qù

오누이 兄妹 xiōngmèi

오는《다음의》 下次的 xiàcìde ¶～ 일요일 下礼拜日 xià lǐbài rì

오늘 今天 jīntiān; 今日 jīnrì; 今儿 jīnr ¶～ 아침 今天早晨 jīntiān zǎochén〔chen〕/ ～ 저녁 今天晚上 jīntiān wǎnshang / ～부터 1주일간 휴가다 打今天起放一个星期的假 dǎ jīntiān qǐ fàng yí ge xīngqī de jià

오늘날 现今 xiànjīn; 如今 rújīn; 这时候 zhèshíhou; 现而今 xiàn'érjīn

오늬 箭尾 jiànwěi

오다 ①《일반적으로》 来 lái ¶오후에 손님이 왔다 下午来客人 xiàwǔ lái kèrén / 한국에 오신 지 몇 년이나 됐습니까? 您来韩国几年了? nín lái Hánguó jǐ nián le? ②《계절·시기·순번》 来 lái ¶봄이 왔다 春天来了 chūntiān lái le / 생일이 오면 19살이 된다 到生日就十九岁了 dào shēngri jiù shíjiǔ suì le / 아직 차례가 오지 않았니? 还没轮到我吗? hái méi lúndào wǒ ma? ③《기인·유래》 来 lái ¶그의 병은 과로에서 온 것이다 他的病是由过于劳累引起的 tāde bìng shì yóu guòyú láolèi yǐnqǐ de / 이것은 중국어에서 온 말이다 这个词是由中国话来的 zhège cí shì yóu Zhōngguóhuà lái de ④《도착》 来 lái ¶기차가 왔다 火车来了 huǒchē lái le / 전보가 왔다 来了电报 láile diànbào ⑤《비·눈·서리 따위》 下 xià ¶비가 ～ 下雨 xià yǔ

오도독 咯吱咯吱 gē zhī gē zhī ¶～ 깨물다 咬得咯吱咯吱 yǎode gēzhī gēzhī

오동통하다 噔咙噔咙地胖 dēnglóngdēnglóngde pàng; 胖得圆圆 pàng de yuányuán

오두막집(…幕…) 茅舍 máoshè; 窝棚 wōpéng; 白屋 báiwū

오들오들 《공포·추위로》 哆嗦 duōsuo; 发抖 fādǒu ¶～ 떨다 哆哆嗦嗦 duōduosuōsuō =〔抖颤 dǒuzhàn〕

오디《열매》 桑椹 sāngshèn; 〈口〉桑葚儿 sāngrènr

오뚝이 不倒翁 bùdǎowēng; 扳不倒儿 bānbùdǎor

오라《포승》 绑绳 bǎngshéng; 警绳 jǐngshéng

오라버니 哥哥 gēge

오라토리오(oratorio) 清唱剧 qīngchàngjù

오락(娛樂) 娱乐 yúlè ‖～ 시설 娱乐设施 yúlè shèshī / ～실 文娱室 wényúshì
오락가락하다 ①《사람 등이》 来回来去 láihuí láiqù ②《정신이》 迷迷糊糊 mímihúhú ③《비가》 下一阵晴一阵 xià yí zhèn qíng yí zhèn
오랑우탄(orangutan) 《動》 猩猩 xīngxing
오랑캐 蛮子 mánzi
오랑캐꽃 《植》 蝴蝶花 húdiéhuā
오래 长久 chángjiǔ; 好久 hǎojiǔ; 许久 xǔjiǔ ¶～된 陈旧的 chénjiùde / ～지 않아 不久 bùjiǔ / ～ 가다 耐用 nàiyòng / ～ 못 만나다 久违 jiǔwéi
오래간만 好久 hǎojiǔ; 许久 xǔjiǔ ¶～입니다 少见! 少见! shǎojiàn! shǎojiàn! =〔好久没见 hǎojiǔ méi jiàn〕/ ～에 날씨가 좋아졌다 好久没见过这么好的天气 hǎojiǔ méi jiànguo zhème hǎo de tiānqì
오래도록 好半天 hǎobàntian; 半晌 bànshǎng
오래오래 永远 yǒngyuǎn; 永久 yǒngjiǔ ¶명성이 ～ 전해지다 万古流芳 wàngǔ liú fāng
오랜 好久的 hǎojiǔde
오랫동안 久而久之 jiǔ ér jiǔ zhī; 好久 hǎojiǔ; 许久 xǔjiǔ ¶～ 못 뵈었습니다 久违久违 jiǔwéi jiǔwéi / ～ 적조했습니다 好久没有向您问候了 hǎojiǔ méiyǒu xiàng nín wèn hòu le
오렌지(orange) 橘子 júzi; 橙子 chéngzi ‖～색 橙色 chéngsè =〔橙黄 chénghuáng〕〔橘黄 júhuáng〕/ ～ 주스 橘子汁 júzizhī =〔橘汁 júzhī〕
오로라(Aurora) 极光 jíguāng
오로지 一味 yíwèi; 一个劲儿 yígejìnr; 一心一意 yìxīnyíyì ¶그녀는 ～ 울 뿐이다 她只是一个劲儿地哭 tā zhǐshì yígejìnrde kū / 그는 ～ 공부에 힘쓴다 他一心一意地用功学习 tā yìxīnyíyìde yònggōng xuéxí
오륜대회(五輪大會) ⇨올림픽
오르간(organ) 风琴 fēngqín ¶～을 치다 奏风琴 zòu fēngqín
오르내리다 ①《시세가》 涨落 zhǎngluò ②《남의 입에》 叫人家说长道短 jiào rénjia shuō cháng dào duǎn ③《엘리베이터가》 一上一下 yíshàng yíxià
오르다 ①《높은 데로·높이》 上 shàng; 爬 pá; 登 dēng; 攀 pān ¶산에 ～ 登山 dēng shān =〔爬山 pá shān〕/ 나무에 ～ 爬树 pá shù =〔攀树 pān shù〕/ 연단에 ～ 上〔登上〕讲台 shàng〔dēngshàng〕 jiǎngtái / 비탈을 ～ 上坡儿 shàng pōr / 계단을 ～ 上楼梯 shàng lóutī ②《공중에》 升 shēng ¶국기가 올라가 있다 升着国旗 shēngzhe guóqí =〔悬挂着国旗 xuánguàzhe guóqí〕 ③《육지로》 ¶해안에 ～ 上岸 shàng'àn =〔登岸 dēng'àn〕 ④《열·온도가》 升 shēng; 上升 shàngshēng ¶기온이 올랐다 气温升高了 qìwēn shēnggāo le / 체온이 40도로 올랐다 体温上升到四十度 tǐwēn shàngshēng dào sìshí dù ⑤《세력·정도 따위》 ¶스피드가 ～ 速度不断加快 sùdù búduàn jiākuài / 기세가 ～ 情绪高昂 qíngxù gāo'áng =〔精神抖擞 jīngshén dǒusǒu〕 ⑥《시세가》 涨 zhǎng; 上涨 shàngzhǎng ¶방세가 또 올랐다 房租又涨了 fángzū yòu zhǎng le ⑦《나아지다》 提高 tígāo ¶능률이 조금도 오르지 않다 效率一点儿也不见提高 xiàolǜ yìdiǎnr yě bújiàn tígāo ⑧《남의 입·의제에》 ¶모두의 화제에～ 成为大家的话题 chéngwéi dàjiā de huàtí / 사람 입에 ～ 被人当作话柄 bèi rén dàngzuò huàbǐng ⑨《밥상 따위에》 ¶죽순이 식탁에 오를 계절이 왔다 到竹笋上桌的季节了 dào zhúsǔn shàng-zhuō de jìjié le
오르막 上坡 shàngpō; 上坡路 shàngpōlù ¶여기서부터 ～이 된다 从这儿开始上坡儿了 cóng zhèr kāishǐ shàngpōr le / 경기는 지금 ～이다 日趋景气 rìqū jǐngqì
오른손 右手 yòushǒu
오른쪽 右 yòu; 右首 yòushǒu; 右边(儿) yòubian(r); 右面 yòumiàn〔mian〕 ¶개찰구를 나가서 ～으로 걸어가시오 出了剪票口往右走 chūle jiǎnpiàokǒu wǎng yòu zǒu
오른팔 ①右胳膊 yòu gēbo ②《의지가 되는 사람》 左右手 zuǒyòushǒu ¶사장의 ～이 되어 일하다 作为总经理的左右手工作 zuòwéi zǒngjīnglǐ de zuǒyòushǒu gōngzuò
오리 《鳥》 野鸭 yěyā; 鸭子 yāzi ¶～를 잡으러 가다 打野鸭子去 dǎ yěyāzi qù
오리다 切下 qiēxià; 剪下 jiǎnxià ¶신문을 ～ 剪报 jiǎn bào / 삽화를 오려 내다 把插画剪下来 bǎ chāhuà jiǎnxiàlai
오리무중(五里霧中) 五里雾中 wǔlǐwù zhōng ¶수사는 ～의 상태다 插查如堕五里雾中 sōuchá rú duò wǔlǐwù zhōng
오리엔테이션(orientation) 对新学生或新职工进行教育(的会) duì xīnxuéshēng huò xīnzhígōng jìnxíng jiàoyù (de huì)
오리지널(original) ①《독창적》 ¶우리 점포의 ～ 제품 我店独创的产品 wǒ diàn dúchuàng de chǎnpǐn ②《원작》 ¶이 그림의 ～은 루브르 미술관에 있다 这张画的原画在卢佛美术宫 zhè zhāng huà de yuánhuà zài Lúfó měishùgōng
오막살이 《집》 白屋 báiwū; 柴荆 cháijīng; 《살림》 贫穷家道 pínqióng jiādào
오메가(omega) ①《그리스 문자》 希腊文最末的一个字母 Xīlàwén zuìmò de yí ge zìmǔ ②《끝》 最终 zuìzhōng; 末尾 mòwěi
오명(汚名) 污名 wūmíng; 臭名 chòumíng; 恶名 èmíng ¶배반자의 ～을 씻다 洗刷叛徒的污名 xǐshuā pàntú de wūmíng
오목(五目) 五连棋 wǔliánqí; 连珠棋 liánzhūqí; 五子棋 wǔzǐqí
오목렌즈(…lens) 凹透镜 āotòujìng
오목하다 凹陷一点 āoxiàn yìdiǎn
오물(汚物) 污物 wūwù; 污秽 wūhuì; 《변소의》 便尿 biànniào; 《부엌의》 鱼杂碎 yúzásuì; 《하수의》 脏水 zāngshuǐ
오므라들다 缩窄 suōzhǎi; 萎缩 wěisuō; 瘪瘫 biěyǔ ¶풍선이 오므라들었다 气球'泄了气〔瘪下去了〕 qìqiú 'xièle qì〔biěxiàqu le〕
오므리다 ① 收缩 shōusuō ¶입술을 오므리면서 "u" 발음을 내다 收缩嘴唇发"u"的音 shōusuō zuǐchún fā "u" de yīn ②《우산 따위를》 折拢 zhélǒng
오믈렛(omelet) 洋葱肉末软煎蛋 yángcōng ròumò ruǎnjiāndàn
오발(誤發) ①《총의》 走火 zǒuhuǒ ¶권총이 ～됐다 手枪走火了 shǒuqiāng zǒuhuǒ le ②《말을》 走嘴 zǒuzuǐ ¶이것은 나의 ～이었다 这是我说走了嘴 zhè shì wǒ shuō zǒule zuǐ
오버(over) 超过 chāoguò; 越过 yuèguò ¶비용

이 일만원을 ～했다 费用超过了一万元 fèiyòng chāoguòle yíwànyuán / 공이 그라운드를 ～했다 球飞出了球场的围墙 qiú fēichūle qiúchǎng de wéiqiáng
오버코트(overcoat) 大衣 dàyī; 外衣 wàiyī; 外套 wàitào
오보에(oboe)〖樂〗双簧管 shuānghuángguǎn
오붓하다 (过日子)充裕 chōngyù; 宽裕 kuānyù
오븐(oven) 烤炉 kǎolú
오블라토(oblato) 浆米皮儿 jiāngmǐpír; 糯米纸 nuòmǐzhǐ
오빠 哥哥 gēge ¶제일 큰～ 大哥 dàgē /제일 막내～ 最小的哥哥 zuì xiǎo de gēge =〔小哥哥 xiǎogēge〕
오사리잡놈(…雜…) 王八羔子 wángba gāozi; 杂种 zázhǒng; 婊子养的 biǎozi yǎngde
오사바사하다 和蔼可亲可是没定性 hé'ǎi kěqīn kěshì méi dìngxìng
오산(誤算) 算错 suàncuò; 估计错误 gūjì cuòwù
오성장군(五星將軍) 元帅 yuánshuài
오소리〖動〗(오소리) 獾猪 huānzhū; 狗獾 gǒuhuān; 獾 huān; (오소리·너구리) 貉子 háozi; 〈口〉貉子 hézi; 狸子 lízi
오순도순 和好 héhǎo; 和睦 hémù ¶～한 가정 和乐的家庭 hélè de jiātíng
오슬오슬 嗖嗖 sōusōu ¶～ 춥다 身上嗖嗖地冷 shēnshang sōusōude lěng
오식(誤植) 误植 wùzhí; 误排 wùpái ¶～이 많아서 못 읽겠다 错字太多读不通 cuòzì tài duō dúbutōng / 이 책은 ～이 많다 这本书误植甚多 zhè běn shū wùzhí shèn duō
오심(惡心) 恶心 ěxīn
오심(誤審) 误判 wùpàn; 误审 wùshěn
오십(五十) 五十 wǔshí
오십보백보(五十步百步) 五十步笑百步 wǔshí bù xiào bǎi bù; 大同小异 dàtóngxiǎoyì; 半斤八两 bànjīnbāliǎng ¶어떤 안도 ～ 哪个方案都半斤八两 nǎ ge fāng'àn dōu bànjīnbāliǎng
오싹하다 打寒战 dǎ hánzhàn; 毛骨悚然 máogǔ sǒngrán
오아시스 绿洲 lǜzhōu
오얏〖植〗李子 lǐzi
오열(嗚咽) 呜咽 wūyè ¶여기저기서 ～의 소리가 났다 呜咽声四起 wūyèshēng sì qǐ
오염(汚染) 污染 wūrǎn ¶방사능에 ～되었다 被放射线所污染 bèi fàngshèxiàn suǒ wūrǎn
오용(誤用) 误用 wùyòng ¶～하기 쉬운 글자 容易误用的字 róngyì wùyòng de zì
오월(五月) 五月 wǔyuè
오이〖植〗黄瓜 huángguā; 胡瓜 húguā
오인(誤認) 误认 wùrèn ¶우리 편을 적으로 ～해서 발포했다 把友军误认为敌人开了炮 bǎ yǒujūn wùrèn wéi dírén kāile pào
오일(oil) 油 yóu ‖～ 달러 石油美元 shíyóu měiyuán / ～ 쇼크 石油冲击 shíyóu chōngjī / ～ 스토브 煤油炉 méiyóulú
오자(誤字) 错字 cuòzì
오전(午前) 上午 shàngwǔ; 午前 wǔqián ¶그 일은 ～중에 끝내야만 한다 这件工作得在上半晌干完 zhè jiàn gōngzuò děi zài shàngbànshǎng gànwán
오점(汚點) 污垢 wūgòu; 污点 wūdiǎn ¶～을 남기다 留下了污点 liúxiàle wūdiǎn
오정(午正) 中午 zhōngwǔ; 正午 zhèngwǔ ‖～시보 中午报时 zhōngwǔ bàoshí =〔正午报时 zhèngwǔ bàoshí〕
오존(ozone) 臭氧 chòuyǎng
오죽 多么 duōme ¶～ 기쁘랴! 多么高兴呢! duōme gāoxing ne!
오죽잖다 不怎么样 bù zěnmeyàng; 稀松平常 xīsōng píngcháng
오줌 尿 niào ¶～ 누다 解小手儿 jiě xiǎoshǒur =〔撒尿 sā niào〕/ ～을 참고 있다 憋着一泡尿 biēzhe yì pāo niào
오지그릇 瓷器 cíqì; 磁器 cíqì
오직 (단지) 只是 zhǐshì; 光 guāng; (오로지) 一个劲地 yígejìnde ¶～ 공부만 한다 一个劲地用功 yígejìnde yònggōng / ～ 울기만 한다 光是哭 guāngshì kū
오진(誤診) 误诊 wùzhěn ¶～ 때문에 치료가 늦어졌다 因为误诊耽误了医治 yīnwei wùzhěn dānwule yīzhì
오징어〖動〗墨鱼 mòyú; 墨斗鱼 mòdǒuyú; 乌贼〔乌鲗〕wūzéi ‖～포 干墨鱼 gān mòyú =〔干乌贼 gān wūzéi〕
오찬(午餐) 午餐 wǔcān; 晌饭 shǎngfàn ¶～을 함께 하다 共进午餐 gòngjìn wǔcān ‖～회 午局 wǔjú =〔午餐会 wǔcānhuì〕
오케스트라(orchestra) 管弦乐队 guǎnxiányuèduì; 交响乐队 jiāoxiǎngyuèduì
오케이(O.K.) 好 hǎo; 行 xíng; 不错 búcuò; 可以 kěyǐ ¶이로써 만사 ～다 这就万事大吉了 zhè jiù wànshì dà jí le =〔这就一切停当了 zhè jiù yíqiè tíngdang le〕
오토메이션(automation) 自动化 zìdònghuà; 自动装置 zìdòng zhuāngzhì; 自动控制 zìdòng kòngzhì ¶생산 과정을 ～화하다 使生产过程自动化 shǐ shēngchǎn guòchéng zìdònghuà
오토바이(autobike) 机器脚踏车 jīqi jiǎotàchē; 放屁车 fàngpìchē; 电驴子 diànlǘzi; 摩托车 mótuōchē ¶～를 타다 骑〔开〕摩托车 qí〔kāi〕mótuōchē
오트밀(oatmeal) 燕麦粥 yànmàizhōu
오페라(opera) 歌剧 gējù
오페레타(operetta) 小歌剧 xiǎo gējù
오픈세트(openset) 场地景 chǎngdìjǐng
오픈카(opencar) 敞篷车 chǎngpéngchē
오피스(office) 办公室 bàngōngshì; 写字间 xiězìjiān
오한(惡寒) 寒战 hánzhàn ¶열이 있는지 ～이 나다 或许发烧了, 觉得发冷 huòxǔ fāshāo le, juéde fālěng
오합지졸(烏合之卒) 虾兵蟹将 xiābīngxièjiàng ¶모두가 ～뿐이다 尽是些虾兵蟹将 jìn shì xiē xiābīngxièjiàng
오해(誤解) 误会 wùhuì; 误解 wùjiě ¶～를 사다 让人误会 ràng rén wùhuì / ～를 풀다 消除误会 xiāochú wùhuì
오후(午後) 下午 xiàwǔ; 午后 wǔhòu ¶회사는 ～ 다섯 시에 끝난다 公司下午五点下班 gōngsī xiàwǔ wǔ diǎn xiàbān
오히려 反倒 fǎndào; 反而 fǎn'ér; 却 què; 倒 dào ¶그 치료로써 ～병이 중해졌다 那么一治反倒使病更加重了 nàme yí zhì fǎndào shǐ bìng gèng jiāzhòng le / 거든다는 것이 ～ 방해가 되었다 想帮忙倒碍了事 xiǎng bāngmáng dào àile shì
옥(玉) 玉 yù ¶～에도 티가 있다 白圭之玷 bá

guī zhī diàn =〔白璧微瑕 bái bì wēi xiá〕/ ～을 쪼지 않으면 그릇을 이루지 못한다 珠不磨不亮 zhū bù mó bú liàng =〔玉不琢不成器 yù bù zhuó bù chéng qì〕
옥내(屋内) 屋内 wūnèi; 室内 shìnèi ¶～에서 일하다 在屋内工作 zài wūnèi gōngzuò
옥다 向里弯曲着 xiàng lǐ wānqūzhe
옥동자(玉童子) 宝贝(儿)孩子 bǎobèi(r) háizi
옥사(獄死) 监毙 jiānbì; 监故 jiāngù
옥상(屋上) 屋顶 wūdǐng; 房顶 fángdǐng ¶～ 가옥(架屋)하다 屋上架屋 wū shàng jià wū =〔叠床架屋 diéchuángjiàwū〕〔床上安床 chuáng shàng ān chuáng〕
옥새(玉璽) 金宝 jīnbǎo
옥색(玉色) 玉色 yùsè; 浅蓝色 qiǎnlánsè
옥셈하다 算账算得吃亏 suànzhàng suànde chīkuī
옥수수 棒子 bàngzi; 玉米 yùmǐ; 玉蜀黍 yùshǔshǔ; 玉茭 yùjiāo; 包谷 bāogǔ; 包米 bāomǐ ¶～ 가루 玉米面 yùmǐmiàn =〔棒子面儿 bàngzimiànr〕
옥신각신하다 互相争论 hùxiāng zhēnglùn; 僵持不下 jiāngchí bú xià
옥양목(玉洋木) 漂白布 piǎobáibù
옥호(屋號) 商号 shānghào; 店名 diànmíng
온《전부》全部 quánbù; 全副 quánfù ¶～몸 浑身 húnshēn =〔周身 zhōushēn〕/ ～ 세계에서 모이다 从全球来到 cóng quánqiú láidào
온갖 所有 suǒyǒu; 一切 yíqiè ¶～ 준비를 갖추다 一切全部备办妥了 yíqiè quánbù bèi bàn tuǒ le / 아이를 구하기 위해서 ～ 방법을 다쓰다 为了抢救小孩用尽了一切方法 wèile qiǎngjiù xiǎohái yòngjìnle yíqiè fāngfǎ
온난(溫暖) 温暖 wēnnuǎn ¶기후가 ～한 지방 气候温暖的地方 qìhòu wēnnuǎn de dìfang ‖～전선 暖锋 nuǎnfēng =〔暖锋面 nuǎnfēngmiàn〕
온당(穩當) 稳妥 wěntuǒ; 稳当 wěndang; 妥当 tuǒdàng ¶～한 의견 稳妥的意见 wěntuǒ de yìjiàn
온대(溫帶) 温带 wēndài
온도(溫度) 温度 wēndù ¶～를 재다 量温度 liáng wēndù / ～가 오르다 温度上升 wēndù shàngshēng / ～가 내리다 温度下降 wēndù xiàjiàng
온돌(溫突) 火炕 huǒkàng; 炕 kàng
온순(溫順) 温顺 wēnshùn ¶～한 성미 性情温顺 xìngqíng wēnshùn
온스(ounce) 盎司 àngsī; 英两 yīngliǎng; 唡 liǎng
온실(溫室) 温室 wēnshì ¶～에서 자라다 在温室里长大的 zài wēnshì li zhǎngdà de =〔娇生惯养 jiāoshēngguànyǎng〕〔在甜水里泡大 zài tiánshuǐ li pàodà〕
온전하다(穩全…) 完善 wánshàn; 完整 wánzhěng
온종일(…終日) 整天 zhěngtiān; 从早到晚 cóng zǎo dào wǎn ¶～ 기다렸다 等了一整天 děngle yìzhěngtiān
온천(溫泉) 温泉 wēnquán ¶～에 들어가다 洗温泉 xǐ wēnquán
온통 一古脑儿 yìgǔnǎor;《통채로》整个儿 zhěnggèr ¶～ 야단 법석을 떨다 闹得天翻地覆 nàode tiān fān dì fù
온화(溫和) 温和 wēnhé; 和平 hépíng ¶성미가 ～한 사람 性情温和的人 xìngqíng wēnhé de rén
올[1]《올해》今年 jīnnián; 本年 běnnián ¶～ 여름 今年夏天 jīnnián xiàtiān
올[2]《가닥》捻线 niǎnxiàn; 珠线 zhūxiàn; 股 gǔ ¶면포의 ～이 곱다 棉布的眼密实 miánbù de yǎn mìshí
올가미 圈套 quāntào ¶～에 걸려들다 落在圈套儿里 luò zài quāntàorlǐ / 적의 ～에 걸려들다 上了敌人的圈套 shàngle dírén de quāntào
올드미스(old+miss) 老处女 lǎochǔnǚ; 老姑娘 lǎogūniang; 怨女 yuànnǚ
올라가다 上 shàng; 升 shēng ¶산에 ～ 上山 shàngshān
올리다 ①《위로》举起 jǔqǐ; 抬起 táiqǐ ¶손을 ～ 举手 jǔshǒu / 연을～ 放风筝 fàng fēngzheng / 기를 ～ 悬旗 xuánqí ②《선양》宣扬 xuānyáng ¶명성을 ～ 扬名 yángmíng ③《승진》提拔 tíbá; 升叙 shēngxù ¶과장으로 ～ 提升为课长 tíshēng wéi kèzhǎng ④《거행》举行 jǔxíng ¶결혼식을 ～ 举行婚礼 jǔxíng hūnlǐ ⑤《양륙》起(卸)货 qǐ(xiè) huò ¶뱃짐을 풀어 ～ 起船货 qǐ chuánhuò ⑥《이익 · 성과 등을》得 dé; 取得 qǔdé ¶1년간에 500만 원의 이익을 올렸다 一年获得了五百万元的利润 yì nián huòdéle wǔ-bǎiwànyuán de lìrùn ⑦《증정》赠给 zēng-gěi ⑧《값을》抬高 táigāo; 提高 tígāo ¶가격을 ～ 加价 jiājià / 집세를 ～ 长房租 zhǎng fáng-zū / 봉급을 ～ 加薪 jiāxīn ⑨《입히다》镀 dù ¶금을 ～ 包金 bāojīn ⑩《문서 따위에》登载 dēngzài ¶장부에 ～ 记账 jìzhàng ⑪《상정(上程)하다》¶의사(議事) 일정에 ～ 提到议程上 tídào yìchéng shang ⑫《따귀를》打 dǎ ¶따귀를 한 대 ～ 打一记耳光 dǎ yí jì ěrguāng
올리브(olive) 油橄榄 yóugǎnlǎn; 木樨榄 mùxīlǎn ‖～색 黄绿色 huánglǜsè =〔橄榄色 gǎnlǎnsè〕/ ～유 橄榄油 gǎnlǎnyóu
올림픽(Olympic) 奥林匹克 Àolínpǐkè; 奥运会 Àoyùnhuì; 世界运动会 Shìjiè yùndònghuì
올바로《바르게》端正 duānzhèng; 周正 zhōuzhèng;《정직》正直 zhèngzhí;《정확》正确 zhèngquè ¶화살이 ～ 과녁을 맞히다 箭射中了靶子 jiàn shèzhòng le bǎzi
올벼 早稻 zǎodào
올빼미《鳥》猫头鹰 māotóuyīng; 夜猫子 yèmāozi; 枭 xiāo; 鸱鸮 chīxiāo; 鸺鹠 xiūliú
올스타캐스트(all-star cast) 合串包演 héchuànbāoyǎn
올챙이 蝌蚪 kēdǒu; 蝌子 kēzi; 蛤蟆蝌子 háma kēzi; 蛤蟆骨朵儿 háma gūduor
옭다 捆上 kǔnshang; 扎绑 zhābǎng;《올가미에》套住 tàozhù; 诱入圈套 yòurù quāntào
옭히다 纠缠 jiūchán; 缠绕 chánrào
옮다 ①《이전》挪 nuó; 搬 bān; 迁移 qiānyí ②《전염》沾染 zhānrǎn ¶이 병은 옮는다 这病招人 zhè bìng zhāo rén
옳다 ①《정당》对 duì; 正当 zhèngdāng ②《감탄》不错 búcuò; 好极 hǎojí ¶～ 됐다 正中下怀 zhèng zhòng xiàhuái =〔恰合心愿 qiàhé xīnyuàn〕〔太好了 tài hǎo le〕
옳지 好 hǎo; 对 duì; 不错 búcuò ¶～ 너 마침 잘 왔다 好你来得正好 hǎo nǐ láide zhènghǎo
옴《병》疥疮 jièchuāng
옴(ohm) 欧姆 ōumǔ ¶～의 법칙 欧姆定律

ōumǔ dìnglǜ
옴쭉달싹 ¶～ 않다 毫不动弹 háobú dòngtan
옷 衣裳 yīshang; 衣服 yīfu
옷감 料子 liàozi; 衣料 yīliào
옷깃 领子 lǐngzi; 领口 lǐngkǒu ¶～을 여미고 듣다 正襟危坐倾听 zhèngjīnwēizuò qīngtīng
옷자락 下摆 xiàbǎi; 《치마의》 裙子的下摆 qúnzi de xiàbǎi; 《바지의》 裤脚 kùjiǎo
옷장(…欌) 衣橱 yīchú; 衣柜 yīguì
옹고집(壅固執) 倔性子 jiàngxìngzi; 牛劲 niújìn; 牛脖子 niúbózi
옹립(擁立) 拥立 yōnglì; 拥戴 yōngdài ¶어린 임금을 ～하다 拥立幼帝 yōnglì yòu dì
옹색하다(壅塞…) ①《협소》 壅塞 yōngsāi; 窄小 zhǎixiǎo ②《궁색》 窘迫 jiǒngpò ¶재정이 ～ 财政困难 cáizhèng kùnnan
옹이 节子 jiézi
옹졸(壅拙) 别扭 bièniu; 狭窄 xiázhǎi; 小气 xiǎoqì
옻 ①漆 qī ¶～ 오르다 叫漆咬了 jiào qī yǎo le =〔生漆风 shēng qīfēng〕 ②《칠》 漆 qī; 生漆 shēngqī; 拿漆漆 náqīqī ¶밥그릇에 ～을 칠하다 给碗上漆 gěi wǎnshang qī
옻나무 漆树 qīshù
와 《조사》 和 hé; 跟 gēn; 与 yǔ; 同 tóng ¶너～ 같이 가다 跟你一同去 gēn nǐ yìtóng qù / 너～ 나 你和我 nǐ hé wǒ / 오빠～ 여동생 哥哥和妹妹 gēge hé mèimei / 바나나～ 사과～ 딸기를 샀다 买了香蕉、苹果和草莓 mǎile xiāngjiāo, píngguǒ hé cǎoméi
와글거리다 ①《사람이》 熙熙攘攘 xīxirǎngrǎng ②《끓다》 哗啦哗啦 huālā huālā ③《벌레가》 满地蠕动着 mǎndì rúdòngzhe
와니스(varnish) 洋漆 yángqī; 清漆 qīngqī; 假漆 jiǎqī
와당탕 噗咚咚 pūdōngdōng
와락 腾地 téngde; 冷不防地 lěngbufángde
와르르 ①《사람들이》 ¶～ 몰려들다 蜂拥而来 fēngyōng ér lái =〔纷至沓来 fēn zhì tà lái〕 ②《물건이》 ¶～ 떨어져 내리다 唏啦哗啦地掉下来 xīlāhuālāde diàoxialai ③《천둥 소리》 轰隆隆 hōnglónglóng
와셔(washer) ①《機》 垫圈 diànquān ②洗衣机 xǐyījī
와이셔츠(white shirts) 衬衫 chènshān
와이어(wire) 钢丝 gāngsī ‖～로프 钢丝绳 gāngsīshéng =〔钢索 gāngsuǒ〕
와이퍼(wiper) 刮水器 guāshuǐqì; 雨刷 yǔshuā
와인(wine) ①葡萄酒 pútaojiǔ ②酒 jiǔ; 酒类 jiǔlèi
와트(watt) 瓦 wǎ; 瓦特 wǎtè ¶100～의 전구 一百瓦的灯泡 yìbǎi wǎ de dēngpào ‖～시 瓦时 wǎshí =〔瓦特小时 wǎtè xiǎoshí〕
와해(瓦解) 瓦解 wǎjiě ¶내각이 ～됐다 内阁瓦解了 nèigé wǎjiě le
왁자지껄하다 吵吵闹闹 chǎochaonàonào; 嘈杂 záozá; 吵嚷 chǎorǎng
왁친(Vakzin) 菌苗 jūnmiáo; 疫苗 yìmiáo
완강(頑强) 顽强 wánqiáng; 强硬 qiángyìng ¶～히 저항하다 强硬地抵抗 qiángyìng de dǐkàng =〔顽强抵抗 wánqiáng dǐkàng〕〔顽抗 wánkàng〕
완결(完決·完結) 完结 wánjié ¶이 소설은 다음 호에 ～된다 这篇小说下期完结 zhè piān xiǎoshuō xià qī wánjié
완고(頑固) 顽固 wángù; 拗 niù; 拗气 niùqi; 犟 jiàng; 执拗 zhíniù; 牛脾气 niúpíqi; 牛性子 niú xìngzi ¶～한 아버지 顽固的老头子 wángù de lǎotóuzi =〔老八板儿 lǎobābǎnr〕
완곡(婉曲) 婉转 wǎnzhuǎn; 委婉 wěiwǎn ¶～히 거절하다 婉言谢绝 wǎnyán xièjué
완구(玩具) 玩具 wánjù; 玩艺儿 wányìr; 〈口〉 玩意儿 wányìr; 耍货(儿) shuǎhuò(r)
완력(腕力) 腕力 wànlì ¶～을 휘두르다 动武 dòngwǔ =〔动手 dòngshǒu〕/ 그는 ～이 강하다 他腕力大 tā wànlì dà
완료(完了) 完毕 wánbì; 完了 wánliǎo ¶준비 ～ 准备完毕 zhǔnbèi wánbì / 일을 모두다 ～했다 工作全告结束 gōngzuò quán gào jiéshù
완벽(完璧) 《흠이 없음》 完整 wánzhěng; 十全十美 shí quán shí měi ¶그의 이론은 ～하다 他的理论无懈可击 tāde lǐlùn wú xiè kě jī / ～한 인간은 없다 完美无缺〔十全十美〕的人是没有的 wánměi wú quē〔shíquánshíměi〕 de rén shì méiyǒu de
완비(完備) 完备 wánbèi; 完善 wánshàn; 俱全 jùquán; 十全 shíquán; 齐全 qíquán; 齐备 qíbèi ¶설비가 ～된 호텔 设备完善的饭店 shèbèi wánshàn de fàndiàn / 가스, 수도, 전기 설비 ～ 煤气、自来水、电气齐全 méiqì, zìláishuǐ, diànqì qíquán
완성(完成) 完成 wánchéng; 达成 dáchéng; 做得 zuòde ¶그 일도 곧 ～된다 这项工作快要完成了 zhè xiàng gōngzuò kuàiyào wánchéng le ‖～품 成品 chéngpǐn
완수(完遂) 完成 wánchéng ¶임무를 ～하다 完成任务 wánchéng rènwù
완연하다(宛然…) ①《명백》 明显 míngxiǎn ②《흡사》 相似 xiāngsì; 一模一样 yìmóyíyàng
완장(腕章) 臂章 bìzhāng; 袖章 xiùzhāng ¶～을 두르다 戴上臂章 dàishang bìzhāng
완전(完全) 完全 wánquán; 完善 wánshàn ¶조건이 ～히 갖추어졌다 条件完全具备了 tiáojiàn wánquán jùbèi le / 그 약속을 ～히 잊어버렸다 那个约会全给忘在脑后了 nàge yuēhuì quán gěi wàng zài nǎo hòu le ‖～무결 十全十美 shíquán shíměi ¶～한 인격 完美无缺的人格 wánměi wúquē de réngé
완제(完濟) 还清 huánqīng; 清偿 qīngcháng ¶간신히 부채를 ～했다 负债好容易还清了 fùzhài hǎoróngyi huánqīng le =〔好容易清偿了债务 hǎoróngyi qīngchángle zhàiwù〕
완충(緩衝) 缓冲 huǎnchōng ¶～ 지대를 세우다 设立缓冲地带 shèlì huǎnchōng dìdài ‖～국 靠包国 kàobāoguó =〔碰头国 pèngtóuguó〕 ～기 缓冲器 huǎnchōngqì =〔减震器 jiǎnzhènqì〕
완쾌(完快) 痊愈 quányù ¶병이 ～됐다 病痊愈了 bìng quányù le / 그녀는 ～할 가망이 없다 她已没有痊愈的希望 tā yǐ méiyǒu quányù de xīwàng
완화(緩和) 缓和 huǎnhé; 和缓 héhuǎn ¶국제 긴장을 ～하다 缓和国际紧张局势 huǎnhé guójì jǐnzhāng júshì / 주택난은 조금도 ～되지 않는다 房荒一点儿也得不到缓和 fánghuāng yìdiǎnr yě débudào huǎnhé
왈가닥거리다 咯嗒咯嗒地响 gēdagēdade xiǎng
왈가왈부(日可日否) 说长说短 shuōchángshu

duǎn; 说短论长 shuōduǎnlùncháng
왈츠(waltz) 华尔兹 huá'ěrzī; 圆舞曲 yuánwǔqǔ ¶~를 추다 跳华尔兹 tiào huá'ěrzī
왈칵 ①《별안간》 冷不防地 lěngbufángde ②《세게》 用力 yònglì; 使劲(儿) shǐjìn(r) ¶~ 덤벼들다 突然猛扑过来 tūrán měngpūguòlai / ~ 밀다 用力一推 yònglì yìtuī
왈패(日牌) 愣头儿青 lèngtóurqīng; 隔愣子 gélèngzi
왕(王) 王 wáng; 大王 dàwáng ¶사자는 백수의 ~이라 일컫는다 狮子号称百兽之王 shīzi hàochēng bǎishòu zhī wáng ‖발명~ 发明大王 fāmíng dàwáng
왕가(王家) 王室 wángshì
왕개미(王…) 蚍蜉 pífú
왕관(王冠) 王冠 wángguān
왕녀(王女) 公主 gōngzhǔ
왕년(往年) 往年 wǎngnián; 往昔 wǎngxī ¶~의 스타 当年的名星 dāngnián de míngxīng / 그는 이미 ~의 모습은 없다 他已无昔日的面影 tā yǐ wú xīrì de miànyǐng
왕래(往來) 来往 láiwǎng; 往来 wǎnglái ¶이 거리는 자동차의 ~가 심하다 这条街汽车'往来频繁〔川流不息〕zhè tiáo jiē qìchē 'wǎnglái pínfán〔chuānliú bùxī〕
왕림(枉臨) 光临 guānglín; 驾临 jiàlín ¶~하여 주시기를 바랍니다 恭候光临 gōnghòu guānglín =〔恭候大驾 gōnghòu dàjià〕
왕모래(王…) 粗沙 cūshā
왕복(往復) 来回 láihuí; 往复 wǎngfù; 往返 wǎngfǎn ¶~ 모두 비행기를 탔다 往返都坐飞机 wǎngfǎn dōu zuò fēijī / ~몇 시간이 걸립니까? 来回要多少时间? láihuí yào duōshao shíjiān ‖~표 来回票 láihuípiào =〔往返票 wǎngfǎnpiào〕
왕비(王妃) 王妃 wángfēi; 王后 wánghòu
왕생(往生) 往生 wǎngshēng ‖극락 ~ 往生极乐 wǎngshēng jílè
왕성(旺盛) 旺盛 wàngshèng ¶그는 호기심이 ~하다 他好奇心很强 tā hàoqíxīn hěn qiáng / 70세인데도 원기가 점점 ~해진다 年岁七十,精力却很充沛 nián suì qīshí, jīnglì què hěn chōngpèi
왕실(王室) 王室 wángshí
왕왕(往往) 往往 wǎngwǎng; 常常 chángcháng ¶이런 일은 아이들에게 ~ 있다 这样的事是孩子们常有的 zhèyàng de shì shì háizimen cháng yǒu de / 사람은 ~ 자신의 결점에는 생각이 미치지 않는다 人往往看不见自己的缺点 rén wǎngwǎng kànbujiàn zìjǐ de quēdiǎn
위(王位) 王位 wángwèi ¶~에 오르다 即〔登〕王位 jí〔dēng〕wángwèi
자(王子) 王子 wángzǐ
자(王者) 大王 dàwáng ¶수상 경기의 ~ 水上运动大王 shuǐshàng yùndòng dàwáng
정(王政) 王政 wángzhèng ‖~ 복고 王政复辟 wángzhèng fùbì
좌(王座) ①《임금의 자리》 王座 wángzuò; 王位 wángwèi ¶~에 오르다 即王位 jí wángwèi ②《제일인자》 ¶챔피언을 이기고 ~에 오르다 打败冠军登上王位 dǎbài guànjūn dēngshàng wángwèi / 금융업계의 ~를 차지하다 占金融界的首位 zhàn jīnróngjiè de shǒuwèi
진(往診) 出诊 chūzhěn; 出马 chūmǎ ¶환자를 ~하다 出诊看患者 chūzhěn kàn huànzhě ‖~료 出诊费 chūzhěnfèi
왜 怎么 zěnme; 为什么 wèishénme ¶~ 좀더 빨리 말하지 않았니 为什么不早一点儿说 wèishénme bù zǎo yìdiǎnr shuō
왜놈(倭…) 东洋鬼 Dōngyángguǐ
왜말(倭…) 东洋语 Dōngyángyǔ; 日本话 Rìběnhuà
왜색(倭色) 日本风习 Rìběn fēngxí; 东洋式 Dōngyángshì
왜정(倭政) 日伪时期 Rìwèi shíqī
외가(外家) 外家 wàijiā; 表亲 biǎoqīn
외곬으로 一个劲儿地 yí ge jìnrde; 一死儿地 yìsǐrde
외과(外科) 外科 wàikē ‖~ 의사 外科医生 wàikē yīshēng
외관(外觀) 外表 wàibiǎo; 外观 wàiguān
외교(外交) 外交 wàijiāo ¶A나라와 ~ 관계를 맺다 与A国建立外交关系 yǔ A guó jiànlì wàijiāo guānxi ‖~관 外交官 wàijiāoguān =〔外交人员 wàijiāo rényuán〕
외국(外國) 外国 wàiguó; 国外 guówài ¶요즈음은 ~ 여행도 간편해졌다 近来国外旅行也方便了 jìnlái guówài lǚxíng yě fāngbiàn le / 이 담배는 ~제다 这种烟是外国货 zhè zhǒng yān shì wàiguóhuò ‖~어 外国语 wàiguóyǔ =〔外语 wàiyǔ〕〔外文 wàiwén〕/ ~ 우편 国际邮件 guójì yóujiàn / ~인 外国人 wàiguórén / ~환 外汇 wàihuì
외나무다리 独梁 dúliáng; 独木桥 dúmùqiáo
외날 单刃儿 dānrènr
외다 《글을》 默记 mòjì; 背书 bèishū; 背念 bèiniàn
외도(外道) ①《부정한 길》 外道儿 wàidàor ②《오입》 嫖婊子 piáobiǎozi
외따로 独自个儿 dúzìgèr; 单身 dānshēn
외딴집 孤苦零丁的一所房子 gūkǔ língdīng de yìsuǒ fángzi; 孤房 gūfáng
외람(猥濫) 逾分 yúfèn ¶~된 冒失 màoshi =〔不安分 bù ānfèn〕/ ~되지만 제가 사회를 보겠습니다 冒昧得很,由我当司仪 màomèi de hěn, yóu wǒ dāng sīyí
외래(外來) ① 外来 wàilái; 舶来 bólái ②《병원의》 门诊 ménzhěn ‖~ 문화 外来文化 wàilái wénhuà / ~환자 门诊病人 ménzhěn bìngrén
외로이 孤单 gūdān; 孤苦零丁 gūkǔ língdīng
외롭다 孤身无靠 gūshēn wúkào; 孤寂 gūjì
외마디소리 尖锐的喊叫声 jiānruì de hǎnjiào shēng
외면치레(外面…) 装门面 zhuāng ménmiàn; 装幌子 zhuāng huǎngzi
외면하다(外面…) 不加理睬 bùjiā lǐcǎi; 扭向一傍 niǔ xiàng yìpáng; 不睬答 bù cǎidá
외무(外務) 外务 wàiwù; 外交 wàijiāo ‖~부 《중국》 外交部 wàijiāobù / ~부 장관 《중국》 外交部长 wàijiāo bùzhǎng
외박(外泊) 在外过夜 zàiwài guòyè; 夜不归宿 yè bù guīsù; 外宿 wàisù ¶어제 저녁은 일 때문에 늦어서 ~했다 昨晚工作忙到很晚在外面过了一夜 zuówǎn gōngzuò mángdào hěn wǎn zài wàimian guòle yí yè
외부(外部) 外部 wàibù ¶~인 출입 금지 外人免进 wàirén miǎn jìn / ~와의 접촉이 끊어지다 与外部的接触断绝了 yǔ wàibù de jiēchù duàn-

jué le / 비밀을 ～에 누설하다 向外泄露秘密 xiàng wài xièlù mìmì

외삼촌(外三寸) 表亲叔父 biǎoqīn shūfu

외상 赊 shē; 赊账 shēzhàng; 赊欠 shēqiàn; 挂账 guàzhàng ¶～을 갚다 还账 huánzhàng / ～을 재촉하다 追账 zhuīzhàng ‖～ 판매 赊卖 shēmài

외상(外相) 外长 wàizhǎng; 外交部长 wàijiāobùzhǎng; 外务大臣 wàiwù dàchén ‖～ 회의 外长会议 wàizhǎng huìyì

외상(外傷) 外伤 wàishāng

외설(猥褻) 猥亵 wěixiè; 淫秽 yínhuì ¶～ 소설 黄色小说 huángsè xiǎoshuō =〔色情小说 sèqíng xiǎoshuō〕/ ～한 이야기 猥亵的话 wěixiè de huà =〔下流话 xiàliú huà〕

외식(外食) 在外吃饭 zàiwài chīfàn

외신(外信) 外电 wàidiàn

외아들 哥儿一个 gēr yí ge; 独子 dúzǐ; 独生子 dúshēngzǐ

외야(外野)《야구》外场 wàichǎng ‖～수 外场手 wàichǎngshǒu

외양(外樣) 外面 wàimian; 外表 wàibiǎo ¶이 집은 ～만 훌륭하다 这所房子只是外表美观 zhè suǒ fángzi zhǐshì wàibiǎo měiguān

외양간(喂養間) 牛栏 niúlán; 牛棚 niúpéng; 牛圈 niújuàn ¶소 잃고 ～ 고친다 雨后送伞 yǔhòu sòngsǎn =〔亡羊补牢 wángyáng bǔláo〕

외유(外遊) 出洋 chūyáng; 出外 chūwài ¶～에서 돌아왔다 从外国旅行回来了 cóng wàiguó lǚxíng huílai le

외유내강(外柔內剛) 绵里铁 miánlitiě; 绵里针 miánlizhēn; 韧劲 rènjìn

외인(外人) ①《외국인》洋人 yángrén; 外国人 wàiguórén ②《남》外人 wàirén ¶출가～ 嫁鸡随鸡 jiàjī suíjī =〔嫁狗随狗 jiàgǒu suígou〕‖재류～ 外侨 wàiqiáo

외자(外資) 外资 wàizī ¶～를 도입하다 引进外资 yǐnjìn wàizī

외적(外的) 外在 wàizài ‖～ 원인 外在原因 wàizài yuányīn / ～ 조건 外在条件 wàizài tiáojiàn

외척(外戚) 表亲 biǎoqīn; 外家 wàijiā

외출(外出) 外出 wàichū; 出去 chūqù; 出门 chūmén ¶아버지는 ～중이다 父亲不在家 fùqin búzài jiā / 겨우 ～ 허가를 얻었다 好容易得到外出许可 hǎoróngyi dédào wàichū xǔkě ‖～복(服) 见人衣裳 jiànrén yīshang

외치다 喊叫 hǎnjiào; 叫喊 jiàohǎn; 喊道 hǎndào ¶그는 구해 달라고 큰 소리로 외쳤다 他大声呼救 tā dàshēng hūjiù

외투(外套) 外套 wàitào; 大衣 dàyī; 大氅 dàchǎng

외팔 一只手 yì zhī shǒu

외풍(外風) ①《바람》贼风 zéifēng; 房檐风 fángyánfēng ②《양풍》西式 xīshì

외할머니(外…) 外祖母 wàizǔmǔ; 外婆 wàipó

외할아버지(外…) 外祖父 wàizǔfù; 外公 wàigōng

외형(外形) 外形 wàixíng; 外表 wàibiǎo; 外观 wàiguān ¶～은 호화스러우나 내용은 아주 빈약하다 外观虽很豪华,可内容太贫乏了 wàiguān suī hěn háohuá, kě nèiróng tài pínfá le

외화(外貨) ①《외국의 화폐》外汇 wàihuì; 外币 wàibì ¶～를 획득하다 争取外汇 zhēngqǔ wàihuì ②《외국의 물품》外货 wàihuò ¶～의 수입을 제한하다 限制外货进口 xiànzhì wàihuò jìnkǒu

왼 左 zuǒ ¶첫 번째 십자로를 ～쪽으로 돌아서 세 번째 집입니다 在第一个十字路口往左拐第三家就是 zài dìyí ge shízì lùkǒu wǎng zuǒ guǎi dìsān jiā jiùshì / ～쪽으로부터 다섯 번째 从左边儿数起第五个 cóng zuǒbianr shǔqǐ dìwǔ ge ‖～손 左手 zuǒshǒu / ～손잡이 左撇子 zuǒpiězi / ～쪽 左边(儿) zuǒbian(r) =〔左面(儿) zuǒmiànr〕

요(褥) 褥子 rùzi

요강(尿鋼) 尿缸 niàogāng; 尿壶 niàohú

요구(要求) 要求 yāoqiú; 请求 qǐngqiú ¶임금 인상을 ～하다 要求提高工资 yāoqiú tígāo gōngzī / 너의 ～에는 응할 수 없다 不能答应你的要求 bùnéng dāying nǐde yāoqiú

요금(料金) 费 fèi ¶전화 ～을 치르다 付电话费 fù diànhuàfèi ‖버스 ～ 公共汽车费 gōnggòng qìchēfèi / 우편 ～ 邮费 yóufèi =〔邮资 yóuzī〕/ 전기 ～ 电费 diànfèi

요기(妖氣) 妖气 yāoqì ¶～가 감돌다 腾起一股妖气 téngqǐ yì gǔ yāoqì

요기(療飢) 充饥 chōngjī; 点饥 diǎnjī

요기 这儿 zhèr; 这个地方儿 zhè ge dìfangr

요다음 下 xià; 下次 xiàcì; 下回 xiàhuí ¶나는 ～ 역에서 내립니다 我要在下一站下车 wǒ yào zài xiàyízhàn xiàchē / ～ 금요일쯤이 좋겠지요 下星期五前后好吧 xià xīngqīwǔ qiánhòu hǎo ba

요독증(尿毒症)〖醫〗尿毒症 niàodúzhèng

요동(搖動) 摇晃 yáohuang ¶～이 심해서 배멀미하다 摇晃得很厉害,晕船了 yáohuangde hěn lìhai, yùnchuán le

요오드(Jod)〖化〗碘 diǎn ‖～ 팅크 碘酊 diǎndīng =〔碘酒 diǎnjiǔ〕

요람(要覽) 要览 yàolǎn; 简章 jiǎnzhāng ¶학교 ～ 学校概况 xuéxiào gàikuàng / 업무 ～ 业务概要 yèwù gàiyào

요람(搖籃) 摇篮 yáolán; 摇车 yáochē ¶문명 ～지 文明的摇篮 wénmíng de yáolán

요런 这样的 zhèyàng de; 像这样的 xiàng zhèyàng de

요령(要領) ①《요점》要领 yàolǐng ¶그는 설명을 그야말로 ～껏 잘 한다 他的说明很得要领 tāde shuōmíng hěn dé yàolǐng / 전혀 ～을 잡을 수 없는 이야기다 一点儿也不得要领的话 yìdiǎnr yě bù dé yàolǐng de huà ②《미립》窍儿 qiàor ¶여간해서 ～을 잡을 수 없다 老抓不住窍门 lǎo zhuābúzhù qiàomén / ～이 좋은 사람 精明乖巧的人 jīngmíng guāiqiǎo de rén ‖～ 부득 不得窍儿 bù dé qiàor

요령(搖鈴) 摇铃 yáolíng

요리(料理) ①《음식물》菜 cài; 菜肴 càiyáo ¶생선을 ～하다 做鱼 zuò yú / 그녀는 ～를 잘 한다 她很会做菜 tā hěn huì zuò cài =〔她擅长烹饪 tā shàncháng pēngrèn〕②《처리》料理 liàolǐ; 处理 chǔlǐ ¶어려운 문제를 잘 ～하다 巧妙地处理难题 qiǎomiào de chǔlǐ nántí ‖～법 烹调法 pēngtiáofǎ =〔烹饪法 pēngrènfǎ〕/ ～사 厨师 chúshī =〔大师傅 dàshīfu〕/ ～집 菜馆 càiguǎn =〔饭店 fàndiàn〕/ 가정 ～ 家常菜 jiāchángcài / 일품 ～ 单点菜 dāndiǎn-cài / 향토 ～ 地方风味的菜 dìfang fēngwèi de cài / 한국 ～ 韩国菜 Hánguócài

요리조리 这儿那儿 zhèr nàr; 各处 gèchù ¶말을 ~ 피하다 托辞 tuōcí =〔支吾 zhīwu〕
요만 这么一点点 zhème yìdiǎndiǎn; 这么些 zhème xiē ¶~한 손실은 아무것도 아니다 这么一点点损失我满不在乎 zhème yìdiǎndiǎn sǔnshī wǒ mǎn bú zài hu
요밀조밀하다 ①《면밀》 细腻 xìnì; 细致 xìzhì ②《조심성》 规规矩矩 guīguījuju; 周到 zhōudao
요망(要望) 希望 xīwàng; 要求 yāoqiú ¶주민의 ~에 응해서 도서관을 세우다 应居民的要求修建图书馆 yìng jūmín de yāoqiú xiūjiàn túshūguǎn
요법(療法) 疗法 liáofǎ ‖물리 ~ 物理疗法 wùlǐ liáofǎ =〔理疗 lǐliáo〕
요사이 这程子 zhèchéngzi; 这些日子 zhèxiē rìzi; 最近 zuìjìn; 近来 jìnlái ¶~같이 물가가 올라서는 정말 살기 힘들다 像近来这样物价高,真受不了 xiàng jìnlái zhèyàng wùjià gāo, zhēn shòubuliǎo
요새 要塞 yàosài ¶~를 짓다 修筑要塞 xiūzhù yàosài
요소(要所) 要处 yàochù; 要地 yàodì ¶~를 튼튼히 하다 巩固要地 gǒnggù yàodì
요소(要素) 要素 yàosù; 因素 yīnsù ¶건강은 행복에 있어서 없어서는 안 될 ~다 健康是幸福的不可缺少的要素 jiànkāng shì xìngfú de bùkě quēshǎo de yàosù
요술(妖術) 变戏法 biànxìfǎ ‖~쟁이 化人 huàrén
요약(要約) 概括 gàikuò; 归纳 guīnà ¶논문의 ~ 论文的提要 lùnwén de tíyào / 이야기의 내용은 다음의 세 가지로 ~된다 所说的可以归纳为以下三点 suǒ shuō de kěyǐ guīnà wéi yǐxià sān diǎn
요양(療養) 疗养 liáoyǎng; 养病 yǎngbìng ¶결핵 ~을 하다 疗养结核病 liáoyǎng jiéhébìng ‖~소 疗养院 liáoyǎngyuàn
요연(瞭然) 瞭然 liǎorán ¶결과는 일목 ~하다 结果一目瞭然 jiéguǒ yímù liǎorán
요염(妖艶) 妖艳 yāoyàn; 妖娆 yāoráo ¶그녀는 ~한 아름다움이 있다 她有妖娆之美 tā yǒu yāoráo zhī měi
요원(遙遠·遼遠) 遥远 yáoyuǎn ‖전도 ~ 路途遥远 lùtú yáoyuǎn
요인(要因) 主要原因〔因素〕 zhǔyào yuányīn〔yīnsù〕 ¶이 사고의 ~은 다음 몇 가지 점이라고 생각된다 可以认为,这次事故的主要原因有以下几点 kěyǐ rènwéi, zhè cì shìgù de zhǔyào yuányīn yǒu yǐxià jǐ diǎn / 몇 가지의 ~이 엉켜 있다 几个因素交织在一起 jǐ ge yīnsù jiāozhī zài yìqǐ
요일(曜日) 星期 xīngqī; 曜日 yàolì; 礼拜 lǐbài ¶오늘은 무슨 ~입니까? 今天星期几? jīntiān xīngqījǐ?
요전(…前) 上次 shàngcì; 前次 qiáncì; 最近 zuìjìn; 前几天 qián jǐ tiān; 前些日子 qián xiē rìzi ¶~ 일요일 上礼拜天 shàng lǐbàitiān / ~에는 실례했습니다 那一天很对不起 nà yì tiān hěn duìbùqǐ / ~에는 대단히 잘 먹었습니다 上次叫您破费了 shàngcì jiào nín pòfèi le
요점(要點) 要点 yàodiǎn ¶~을 메모하다 把要点记下来 bǎ yàodiǎn jìxiàlai / ~을 추려서 이야기하다 择其要点来说 zé qí yàodiǎn lái shuō

요정나다(了定…) 定局 dìngjú; 了局 liǎojú
요정짓다(了定…) 结束 jiéshù; 算账 suànzhàng
요정(料亭) 高级饭馆 gāojí fànguǎn; 酒家 jiǔjiā
요즈음 这程子 zhèchéngzi; 这会儿 zhèhuìr
요지(要地) 要冲 yàochōng; 要地 yàodì ¶교통의 ~ 交通的要冲 jiāotōng de yàochōng / 군사상의 ~ 军事要地 jūnshì yàodì
요지(要旨) 要旨 yàozhǐ; 要义 yàoyì ¶~를 정리하다 归纳要旨 guīnà yàozhǐ
요지경(瑤池鏡) 西洋景 xīyáng jǐng; 拉大片 lā dàpiān ¶~속 诡计多端 guǐjì duōduān
요직(要職) 要职 yàozhí ¶회사의 ~에 있다 身居公司要职 shēn jū gōngsī yàozhí
요청(要請) 要求 yàoqiú; 请求 qǐngqiú ¶시민의 ~에 응한 조치 应市民请求而采取的措施 yìng shìmín qǐngqiú ér cǎiqǔ de cuòshī
요컨대(要…) 总而言之 zǒng ér yán zhī; 总之 zǒngzhī; 要之 yàozhī ¶~ 저 사람은 신용할 수 없다 总之那个人不可信任 zǒngzhī nàge rén bùkě xìnrèn / ~이런 일이다 简而言之, 就是这么一回事 jiǎn ér yán zhī, jiùshì zhème yì huí shì
요통(腰痛) 腰痛 yāotòng
요트(yacht) 游艇 yóutǐng; 帆船 fānchuán
요행(僥倖·徼幸·徼倖) 侥幸 jiǎoxìng ¶나는 ~히도 난을 면했다 我侥幸免于灾难 wǒ jiǎoxìng miǎnyú zāinàn =〔我幸免于难 wǒ xìngmiǎnyú nàn〕 ‖~수 偶然打中 ǒurán dǎzhòng =〔偶中 ǒuzhòng〕
욕(辱) ①《욕설》 坏话 huàihuà; 骂人 màrén ¶남의 ~을 하다 说人家坏话 shuō rénjia huàihuà ②《수치》 羞辱 xiūrǔ; 侮辱 wǔrǔ; 《치욕》 羞辱 xiūrǔ; 寒碜 hánchen ¶사람들 앞에서 ~을 당하다 当众受了很大的侮辱 dāngzhòng shòule hěn dà de wǔrǔ ③《수고》 劳苦 láokǔ
욕(欲) ⇨욕구 ¶지식~ 求知欲 qiúzhīyù / 명예~ 名利心 mínglìxīn
욕객(浴客) 洗澡的人 xǐzǎo de rén
욕구(欲求) 欲望 yùwàng; 贪心 tānxīn; 希求 xīqiú ¶모든 사람의 ~를 채우는 것은 매우 어렵다 满足所有人的欲望和要求是很难的 mǎnzú suǒyǒu rén de yùwàng hé yāoqiú shì hěn nán de ‖~불만 欲求不满 yùqiú bùmǎn
욕기부리다(慾氣…) 贪婪 tānlán; 贪得无厌 tānde wúyàn
욕망(欲望) 欲望 yùwàng; 欲念 yùniàn ¶~을 만족시키다 满足欲望 mǎnzú yùwàng / 인간의 ~에는 끝이 없다 人的欲望是无止境的 rénde yùwàng shì wú zhǐjìng de
욕먹다(辱…) ①《욕설》 挨骂 āimà ②《악평》 受到恶评 shòudào èpíng
욕보다(辱…) ①《곤란 겪다》 备尝辛酸 bèi cháng xīnsuān; 受苦 shòukǔ; 受累 shòulèi ②《치욕을 당하다》 受辱 shòurǔ; 被凌辱 bèi língrǔ
욕보이다(辱…) 羞辱 xiūrǔ ¶사람 앞에서 ~ 当众侮辱 dāngzhòng wǔrǔ / 부녀자를 ~ 奸污妇女 jiānwū fùnǚ
욕심(慾心) 欲望 yùwàng; 欲念 yùniàn; 贪心 tānxīn; 贪心不足的 tānxīn bùzú de ¶그녀는 ~이 없는 사람이다 她是个没有欲望的人 tā shì ge méiyǒu yùwàng de rén / 그 녀석은 ~이 많다 那家伙心很贪〔欲壑难填〕 nà jiāhuo xīn hěn tān〔yù hè nán tián〕 / ~에 눈이 어두

다같이 같다는 것은 정말로 ～의 일치다 三个人的生日在同一天真是'偶然的巧合〔偶合〕 sān ge rén de shēngri zài tóng yì tiān zhēn shì 'ǒurán de qiǎohé〔ǒuhé〕
우열(優劣) 优劣 yōuliè ¶서로 ～을 다투다 互赛优劣 hù sài yōuliè / 양자 사이에 ～을 가리기가 어렵다 两者不相上下 liǎngzhě bù xiāng shàngxià
우왕좌왕(右往左往) 东跑西窜 dōng pǎo xī cuàn ¶사람들은 어찌할 바를 몰라 ～할 뿐이었다 人们只是张皇失措地东跑西窜 rénmen zhǐshì zhānghuáng shīcuò de dōng pǎo xī cuàn
우우(優遇) 优遇 yōuyù; 优待 yōudài ¶경험자를 ～한다 优遇有经验的人 yōuyù yǒu jīngyàn de rén / 될 수 있는 대로 ～한다 待遇从丰 dàiyù cóng fēng
우울(憂鬱) 忧郁 yōuyù; 忧闷 yōumèn; 忧愁 yōuchóu; 郁闷 yùmèn ¶그는 온통 ～한 얼굴을 하고 있다 他满面愁容 tā mǎnmiàn chóuróng / ～한 날씨 闷人的天气 mèn rén de tiānqì
우월(優越) 优越 yōuyuè ¶～감을 갖다 抱优越感 bào yōuyuègǎn / ～한 지위에 있다 居于优越的地位 jū yú yōuyuè de dìwèi
우위(優位) 优势 yōushì ¶～에 서다 占优势 zhàn yōushì =〔占上风 zhàn shàngfēng〕
우유(牛乳) 牛奶 niúnǎi
우유부단(優柔不斷) 优柔寡断 yōuróu guǎduàn ¶그는 언제나 ～하다 他总是优柔寡断 tā zǒngshì yōuróu guǎduàn
우이독경(牛耳讀經) 当耳边风 dàng ěrbiānfēng
우익(右翼) ①《사상의》 右翼 yòuyì; 右派 yòupài ②《우측》 右翼 yòuyì ¶적의 ～을 공격하다 攻击敌人的右翼 gōngjī dírén de yòuyì ‖～ 사상 右派〔右倾〕思想 yòupài〔yòuqīng〕 sīxiǎng / ～수 右场手 yòuchǎngshǒu (야구의)
우인(友人) 朋友 péngyou; 友人 yǒurén
우장(雨裝) 雨具 yǔjù
우정(友情) 友情 yǒuqíng; 友谊 yǒuyì ¶두 사람 사이에 ～이 싹텄다 在两个人之间产生了友情 zài liǎng ge rén zhījiān chǎnshēngle yǒuqíng
우주(宇宙) 宇宙 yǔzhòu ‖～ 공간 宇宙空间 yǔzhòu kōngjiān =〔星际空间 xīngjì kōngjiān〕 / ～ 로케트 宇宙火煎 yǔzhòu huǒjiàn / ～ 비행사 宇宙航行员 yǔzhòu hángxíngyuán =〔宇航员 yǔhángyuán〕 / ～선 宇宙飞船 yǔzhòu fēichuán / ～선 宇宙线 yǔzhòuxiàn =〔宇宙射线 yǔzhòu shèxiàn〕 / ～ 유영 太空漫步 tàikōng mànbù / ～ 중계 卫星转播 wèixīng zhuǎnbō
우죽 树梢 shùshāo
우중충하다 阴暗 yīn'àn; 阴郁 yīnyù
우지끈 喀吧 kābā ¶～ 부러지다 喀吧地一声折断了 kābā de yì shēng zhéduàn le
우쭐거리다 趾高气扬 zhǐ gāo qì yáng; 扬扬得意 yángyáng dé yì
우천(雨天) 雨天 yǔtiān ‖～결행 风雨无阻 fēngyǔ wú zǔ / ～ 순연 雨天顺延 yǔtiān shùnyán =〔遇雨顺延 yù yǔ shùnyán〕
우체국(郵遞局) 邮政局 yóuzhèngjú; 邮局 yóujú
우체부(郵遞夫) 邮递员 yóudìyuán; 投递员 tóudìyuán
우툴두툴하다 凸凹不平 tū wā bù píng; 坑洼不平 kēngwā bù píng
우편(郵便) 邮件 yóujiàn; 邮政 yóuzhèng ¶～물을 배달하다 邮递信件 yóudì xìnjiàn =〔送信 sòng xìn〕 ‖～물 邮件 yóujiàn =〔信件 xìnjiàn〕〔函件 hánjiàn〕 / ～배달부 ⇨우편 집배인 / ～ 번호 邮政代号 yóuzhèng dàihào / ～ 요금 邮资 yóuzī =〔邮费 yóufèi〕 / ～ 집배인 邮递员 yóudìyuán =〔投递员 tóudìyuán〕〔邮差 yóuchāi〕 / ～함 信箱 xìnxiāng / ～환 邮汇 yóuhuì / 항공 ～ 航空邮件 hángkōng yóujiàn =〔航空信 hángkōngxìn〕
우표(郵票) 邮票 yóupiào
우화(寓話) 寓言 yùyán ‖이솝～ 伊索寓言 Yīsuǒ yùyán
우회(迂回) 迂回 yūhuí; 绕远儿 ràoyuǎnr; 绕道(儿) ràodào(r) ¶통행 금지 때문에 차를 ～하다 由于禁止通行车子绕了道 yóuyú jìnzhǐ tōngxíng chēzi ràole dào
우후죽순(雨後竹筍) 雨后春笋 yǔ hòu chūnsǔn ¶～처럼 나타나다 如雨后春笋一般出现 rú yǔ hòu chūnsǔn yìbān chūxiàn =〔犹如雨后春笋似的涌现出来 yóurú yǔ hòu chūnsǔn shì de yǒngxiàn chūlai〕
욱다 往里曲弯着 wǎng lǐ qūwānzhe
욱이다 向里压缩 xiàng lǐ yāsuō
운(運) 运 yùn; 命 mìng; 命运 mìngyùn; 运气 yùnqi ¶～좋다 好运气 hǎo yùnqi =〔走好运 zǒu hǎoyùn〕 / 점점 ～이 트이다 开始走运了 kāishǐ zǒu yùn le / ～을 하늘에 맡기다 听天由命 tīngtiānyóumìng / ～ 나쁘게도 그는 집에 없었다 不凑巧〔不巧〕他不在家 bú còuqiǎo〔bù qiǎo〕 tā bú zài jiā
운동(運動) ①《물체의》 运动 yùndòng ¶추의 ～ 摆的运动 bǎi de yùndòng / ～량 보존의 법칙 动量守恒定律 dòngliàng shǒuhéng dìnglǜ ②《신체의》 运动 yùndòng ¶적당히 ～하는 것은 매우 중요하다 做适当的运动是很重要的 zuò shìdàng de yùndòng shì hěn zhòngyào de / 그는 ～ 신경이 둔하다 他运动神经迟钝 tā yùndòng shénjīng chídùn ③《분주한 행동》 运动 yùndòng; 活动 huódòng ¶선거의 사전 ～을 하다 进行选举的事前活动 jìnxíng xuǎnjǔ de shìqián huódòng ‖～장 运动场 yùndòngchǎng =〔体育场 tǐyùchǎng〕 / ～화 运动鞋 yùndòngxié =〔球鞋 qiúxié〕
운두 (신발·그릇 등의) 高矮 gāo'ǎi
운명(運命) 命 mìng; 命数 mìngshù; 命运 mìngyùn; 命定 mìngdìng; 天数 tiānshù ¶그와 우리들은 ～을 같이한다 他与我们共命运 tā yǔ wǒmen gòng mìngyùn / 기구한 ～에 농락당하다 被奇异的命运所玩弄 bèi qíyì de mìngyùn suǒ wánnòng / 회사의 ～은 어떻게 될 것인가? 公司的'命运〔将来〕如何 gōngsī de 'mìngyùn〔jiānglái〕 rúhé ‖～론 宿命论 sùmìnglùn / ～론자 宿命论者 sùmìnglùnzhě
운반(運搬) 搬运 bānyùn ¶목재를 트럭에 ～하다 木材用卡车搬运 mùcái yòng kǎchē bānyùn ‖～비 运费 yùnfèi =〔搬运费 bānyùnfèi〕
운송(運送) 搬运 bānyùn; 运输 yùnshū; 运送 yùnsòng ¶～중에 분실하다 在搬运中丢失了 zài bānyùn zhōng diūshī le ‖～업 运输业 yùnshūyè
운수(運數) 运数 yùnshù; 运气 yùnqi ¶억세게 ～ 좋은 사나이 怪走运的汉子 guài zǒu yùn de hànzi / ～가 나쁘다 运气背 yùnqi bèi =

〔倒霉 dǎoméi〕
운수(運輸) 运输 yùnshū ‖～업 运输业 yùnshūyè
운운(云云) ①《이러쿵저러쿵》 ¶다른 사람의 사생활을 ～하는 것은 안 된다 对他人的私生活不该说三道四 duì tārén de sīshēnghuó bùgāi shuōsāndàosì ②《생략》 云云 yúnyún ¶그가 사망했다고 ～하는 것은 완전히 오보였다 他现在已死云云完全是误传 tā xiànzài yǐ sǐ yúnyún wánquán shì wùchuán
운임(運賃) 《여객의》 车费 chēfèi; 《화물의》 脚费 jiǎofèi; 运费 yùnfèi ¶～을 되돌려 주다 退还车费 tuìhuán chēfèi ‖～ 선불 运费预付 yùnfèi yùfù
운전(運轉) ①《자동차 · 버스 따위의》 开 kāi; 驾驶 jiàshǐ; 开车 kāichē; 开动 kāidòng ¶차를 ～하다 开车 kāi chē/그는 자동차 ～ 솜씨가 뛰어나다 他汽车开得很好 tā qìchē kāi de hěn hǎo ②《기계의》 开 kāi; 操作 cāozuò; 开动 kāi dòng; 发动 fādòng ¶기계의 ～을 시작하다 开动机器 kāidòng jīqi ③《운용》 运用 yùnyòng; 周转 zhōuzhuǎn; 利用 lìyòng ¶～ 자금이 부족하다 缺乏周转资金 quēfá zhōuzhuǎn zījīn ‖～ 면허증 驾驶执照 jiàshǐ zhízhào/～사 司机 sījī =〔驾驶员 jiàshǐyuán〕
운치(韻致) 韵致 yùnzhì; 雅致 yǎzhì
운하(運河) 运河 yùnhé ¶～를 열다 开凿运河 kāizáo yùnhé ‖수에즈 ～ 苏伊士运河 Sūyīshì yùnhé
울《담 · 울타리》 垣墙 yuánqiáng; 篱笆 líba ¶～을 치다 围上篱笆 wéishàng líba
울(wool) 毛 máo; 羊毛 yángmáo; 毛织品 máozhīpǐn
울근불근하다 僵持不下 jiāngchíbúxià; 互相反目 hùxiāng fǎnmù
울금향(鬱金香) 《植》 郁金香 yùjīnxiāng
울긋불긋하다 红红绿绿 hónghónglǜlǜ; 红红花花 hónghónghuāhuā
울다 ①《사람이》 哭泣 kūqì; 哭 kū; 啼哭 tíkū; 涕泣 tìqì ¶갓난애가 젖을 달라면서 ～ 小娃娃哭着要吃奶 xiǎowáwa kūzhe yào chīnǎi/울면서 부탁하다 哭着哀求 kūzhe āiqiú ②《새 · 짐승 · 벌레 따위가》 叫 jiào; 鸣 míng ¶새가 ～ 鸟叫〔鸣, 啼〕 niǎo 'jiào〔míng, tí〕/매미가 ～ 知了叫 zhīliǎo jiào =〔蝉鸣 chán míng〕/벌레가 ～ 虫'鸣〔叫〕 chóng 'míng〔jiào〕/소가 ～ 牛'叫〔吼〕 niú 'jiào〔hǒu〕
울렁거리다 ①《두려워서》 忐忑 tǎntè ②《메스꺼워》 恶心 ěxin; 要吐 yào tù
울리다 ①《울게 하다》 叫…哭起来 jiào... kūqilai ②《소리나게 하다》 打出声来 dǎ chū shēng lai; 叫响 jiàoxiǎng
울림 《음향》 响声 xiǎngshēng; 《반향》 回声 huíshēng; 《진동》 震动 zhèndòng; 《굉음》 轰响 hōngxiǎng
울보 眼泪窝子浅的人 yǎnlèi wōzi qiǎn de rén; 爱哭的人 ài kū de rén; 哭鬼 kūguǐ
울부짖다 哭喊 kūhǎn; 大声哭 dàshēng kū; 哀号 āihào; 啼啕 títáo
울분(鬱憤) 闷气 mènqì; 怨气 yuànqì ¶술을 마셔서 ～을 풀다 喝酒解闷气 hējiǔ jiě mènqì/쌓이고 쌓인 ～을 털어놓다 发泄郁结在心头的怨愤 fāxiè yùjié zài xīntóu de yuànfèn
울상(…相) 哭丧脸 kūsangliǎn; 哭脸 kūliǎn
울음 ①《사람의》 哭声 kūshēng ¶갓난애 ～소리가 들리다 听到小娃娃的哭声 tīngdào xiǎowáwa de kūshēng/～으로 이별하다 洒泪而别 sǎ lèi ér bié ②《새의》 叫声 jiàoshēng; 鸣声 míngshēng ¶새의 ～소리가 들리다 听见鸟叫声 tīngjian niǎo jiàoshēng
울짱 栅栏(儿) zhàlan(r)
울타리 栅栏(儿) zhàlan(r); 篱笆 líba ¶집의 둘레에 ～를 두르다 房子周围围上栅栏 fángzi zhōuwéi wéishàng zhàlan(r)
울퉁불퉁하다 坎坷 kǎnkě; 坑坑洼洼 kēngkēngwāwā
울화통(鬱火…) ¶그것을 듣고 그는 ～이 터졌다 他一听那就气炸了 tā yì tīng nà jiù qìzhà le
움[1] 《싹》 芽 yá; 苗头 miáotou ¶～트다 冒〔抽, 萌〕芽 mào〔chōu, méng〕 yá
움[2] 《땅광》 地窖 dìjiào; 地窟 dìkū; 地窨子 dìyìnzi
움막(…幕) 小棚 xiǎopéng; 窝棚 wōpeng ¶～치다 搭窝棚 dā wōpeng
움직이다 ①《이동》 动 dòng; 移动 yídòng; 动弹 dòngtan ¶움직이지 마! 움직이면 목숨이 없어진다! 不许动! 动一下就要你的命! bùxǔ dòng! dòng yíxià jiù yào nǐde mìng/문이 움직여지지 않게 됐다 门推不动了 mén tuībudòng le ②《변화》 变 biàn; 变化 biànhuà; 变动 biàndòng ¶그의 결심은 절대로 움직이지 않겠지 他的决心不会再动摇了吧 tāde juéxīn búhuì zài dòngyáo le ba ③《요동》 动 dòng; 晃 huàng; 摇动 yáodòng; 摆动 bǎidòng; 摇摆 yáobǎi; 活 huó ¶바람에 나뭇가지가 ～ 树叶迎风摇摆 shùyè yíngfēng yáobǎi/이빨이 ～ 牙活了 yá huó le ④《행동》 行动 xíngdòng; 活动 huódòng ¶상사 명령대로 움직였을 뿐이다 只是依照上司的命令行动而已 zhǐshì yīzhào shàngsi de mìnglìng xíngdòng éryǐ/감정으로 움직여서는 안 된다 不要感情用事 búyào gǎnqíng yòngshì ⑤《작동 · 운전》 动 dòng; 开动 kāidòng; 转动 zhuàndòng ¶모터가 ～ 发动机转动 fādòngjī zhuàndòng/기계는 아직 움직이고 있다 机器还开动着 jīqì hái kāidòngzhe/이 장난감은 전지로 움직인다 这个玩具用电池带动 zhège wánjù yòng diànchí dàidòng ⑥《바꾸다》 ¶움직일 수 없는 증거를 들이대다 铁证被摆在面前 tiězhèng bèi bǎi zài miànqián
움직임 进退 jìntuì; 动态 dòngtài; 进行 jìnxíng ¶태풍의 ～ 台风的动向 táifēng de dòngxiàng/구름의 ～이 빠르다 云彩移动得快 yúncai yídòngde kuài/정계는 어떠한 ～도 보이지 않는다 政界没有任何动静 zhèngjiè méiyǒu rènhé dòngjing
움집 搭儿 dār; 窝棚 wōpeng ¶～을 짓다 搭窝棚 dā wōpeng
움츠러들다 萎缩 wěisuō; 退缩 tuìsuō
움츠리다 缩回 suōhuí; 蜷曲 quánqū
움켜쥐다 大把地抓起 dà bǎ de zhuā qǐ
움키다 抓住 zhuāzhù ¶멱살을 움켜잡다 抓住脖领儿 zhuāzhù bólǐngr
움펑눈 窝孔眼 wōkongyǎn
움푹하다 凹陷下去 wā xiàn xia qu; 低洼 dī wā
웃기다 ①《웃게 하다》 逗〔使〕人笑 dòu〔shǐ〕 rén xiào ②《비웃게 하다》 令人可笑 lìng rén kěxiào; 令人看不起 lìng rén kànbuqǐ
웃다 ① 笑 xiào ¶웃는 얼굴 笑脸 xiàoliǎn/배를

움켜잡고 ～ 捧腹大笑 pěngfùdàxiào / 웃는 집에는 복이 온다 笑门得福 xiào mén dé fú ② 《비웃다》 嘲笑 cháoxiào; 嗤笑 chīxiào ¶ 배후에서 ～ 暗中嗤笑 ànzhōng chīxiào

웃돈 差价 chājià; 找补的钱 zhǎobǔ de qián

웃물 上游 shàngyóu

웃옷 ⇨상의(上衣)

웃음 笑 xiào ¶ ～을 띠다 带笑 dài xiào =〔含笑 hán xiào〕/ 그녀는 슬픔을 ～으로 얼버무리다 她想用笑来掩饰自己的悲伤 tā xiǎng yòng xiào lái yǎnshì zìjǐ de bēishāng

웃음거리 笑柄 xiàobǐng; 笑料 xiàoliào; 笑谈 xiàotán ¶ 그는 모든 사람의 ～가 되었다 他成了大家的笑料 tā chéngle dàjiā de xiàoliào

웅대(雄大) 雄伟 xióngwěi; 宏伟 hóngwěi; 宏大 hóngdà ¶ 규모의 ～함을 세계에 자랑하다 以规模宏大夸耀于世界 yǐ guīmó hóngdà kuāyào yú shìjiè

웅덩이 水洼 shuǐwā; 水坑 shuǐkēng ¶ 비가 온 후에 여기저기 ～가 패다 雨过后这儿那儿出现了水坑 yǔ guò hòu zhèr nàr chūxiànle shuǐkēng

웅변(雄辯) 雄辩 xióngbiàn ¶ 청중들 앞에서 ～을 토하다 在听众面前大展辩才 zài tīngzhòng miànqián dà zhǎn biàncái / 이 숫자가 사실을 ～적으로 말해 주고 있다 这个数字雄辩地说明事实 zhège shùzì xióngbiànde shuōmíng shìshí

웅숭그리다 蹲 dūn; 蜷缩 quánsuō

웅얼거리다 嘟嘟囔囔 dūdūnangnang; 嘟哝 dūnong

웅크리다 《쭈그리고 앉다》 蹲下 dūnxià; 《웅크리다》 抽缩 chōusuō; 踡缩 chuánsuō

웅큼 把 bǎ; 抄儿 chāor ¶ 한 ～의 흙 一把土 yì bǎ tǔ / 한 ～의 쌀 一抄儿米 yì chāor mǐ

워낙 过于 guòyú; 根本 gēnběn; 太 tài; 〈方〉 实在 shízai ¶ ～ 도리에 어긋나다 太违背人道 tài wéibèi réndào

원(圓) ①《원형》 圆 yuán; 圈儿 quānr; 圆圈儿 yuánquānr ¶ 컴퍼스로 ～을 그리다 用两脚规画圆 yòng liǎngjiǎoguī huà yuán / 소리개가 ～을 그리며 날고 있다 一只老鹰在空中打旋儿 yì zhī lǎoyīng zài kōngzhōng dǎxuánr ②《화폐의 단위》 日元〔日圆〕 Rìyuán; 块 kuài ¶ 이 책은 오백 ～이다 这本书是五百日元 zhè běn shū shì wǔbǎi rìyuán / 백 ～ 一百块钱 yìbǎi kuàiqián

원(願) 《희망》 愿望 yuànwàng; 志愿 zhìyuàn; 《요청》 请愿 qǐngyuàn; 请求 qǐngqiú; 《소원》 祈求 qíqiú; 许愿 xǔyuàn ¶ 휴가～ 假条 jiàtiáo / 사직～ 辞职申请书 cízhí shēnqǐngshū =〔辞呈 cíchéng〕

원가(原價) ①《사들인 값》 原价 yuánjià ¶ ～ 이하로 팔다 低于原价出售 dīyú yuánjià chūshòu =〔赔本销售 péiběn xiāoshòu〕 ②《생산비》 成本 chéngběn ¶ ～를 절하하다 降低成本 jiàngdī chéngběn ‖ ～ 계산 成本核算 chéngběn hésuàn

원격(遠隔) 远隔 yuǎngé ‖ ～ 조작 遥控 yáokòng =〔远距离操纵 yuǎnjùlí cāozòng〕

원경(遠景) 远景 yuǎnjǐng

원고(原稿) 原稿 yuángǎo; 稿子 gǎozi; 稿(儿) gǎo(r) ¶ ～를 쓰다 写稿子 xiě gǎozi =〔撰稿 zhuàngǎo〕 ‖ ～료 稿费 gǎofèi =〔稿酬 gǎochóu〕/ ～용지 稿纸 gǎozhǐ =〔原稿纸 yuángǎozhǐ〕

원군(援軍) 援军 yuánjūn; 救兵 jiùbīng ¶ ～을 보내다 派遣援军 pàiqiǎn yuánjūn

원근(遠近) 远近 yuǎnjìn ¶ 한쪽 눈으로 ～을 구분하기 어렵다 一只眼难于推测距离远近 yì zhī yǎn nányú tuīcè jùlí yuǎnjìn ‖ ～법 透视画法 tòushì huàfǎ

원금(元金) 本钱 běnqián; 母财 mǔcái; 本金 běnjīn

원기(元氣) 元气 yuánqì ‖ ～ 왕성 有精神 yǒu jīngshen =〔朝气 zhāoqì〕

원대(遠大) 远大 yuǎndà ¶ ～한 계획을 세우다 订远大计划 dìng yuǎndà jìhuà / ～한 뜻을 품다 怀远大的志向 huái yuǎndà de zhìxiàng

원동기(原動機) ⇨ 엔진(engine)

원둘레(圓…) ⇨ 원주(圓周)

원래(元來 · 原來) 压根儿 yāgēnr; 本来 běnlái; 原来 yuánlái; 原先 yuánxiān; 原本 yuánběn ¶ 그는 ～ 그런 사람이 아니었다 他原先不是那样的人 tā yuánxiān búshì nàyàng de rén

원료(原料) 原料 yuánliào; 生料 shēngliào

원리(原理) 原理 yuánlǐ ¶ 지레의 ～ 杠杆原理 gànggǎn yuánlǐ / 아르키메데스의 ～ 阿基米得定律 Ājīmǐdé dìnglǜ

원만(圓滿) 圆满 yuánmǎn ¶ 그는 매우 ～한 사람이다 他为人很温厚 tā wéirén hěn wēnhòu / ～한 가정 和睦的家庭 hémù de jiātíng / 그들은 지극히 ～하게 보내고 있다 他们过着美满的生活 tāmen guòzhe měimǎn de shēnghuó

원망(怨望) 怨恨 yuànhèn ¶ ～하다 抱怨 bàoyuàn =〔恨 hèn〕

원망(遠望) 远望 yuǎnwàng; 远眺 yuǎntiào; 眺望 tiàowàng; 瞭望 liàowàng ¶ 산꼭대기는 ～이 가능하다 山顶可以远眺 shāndǐng kěyǐ yuǎntiào

원반(圓盤) 铁饼 tiěbǐng ‖ ～던지기 掷铁饼 zhì tiěbǐng

원방(遠方) 远方 yuǎnfāng; 远地 yuǎndì

원서(原書) 原著 yuánzhù

원서(願書) 呈子 chéngzi; 禀帖 bǐngtiě; 志愿书 zhìyuànshū ¶ ～를 제출하다 提出志愿书 tíchū zhìyuànshū ‖ 입학 ～ 升学报名书 shēngxué bàomíngshū =〔入学志愿书 rùxué zhìyuànshū〕

원소(元素) 元素 yuánsù ‖ ～ 기호 元素符号 yuánsù fúhào

원숙(圓熟) 成熟 chéngshú; 老成 lǎochéng ¶ 그의 기예는 이미 ～의 경지에 이르다 他的技艺已达到炉火纯青的境地 tāde jìyì yǐ dádào lúhuǒ chúnqīng de jìngdì / 그의 사람됨은 요즈음 점점 ～미를 더해 간다 他为人近来越发老成了 tā wéirén jìnlái yuèfā lǎochéng le

원숭이《動》 猴儿 hóur; 猴子 hóuzi ¶ ～도 나무에서 떨어진다 淹死的是会水的 yānsǐ de shì huì shuǐ de =〔智者千虑, 必有一失 zhìzhě qiān lǜ, bì yǒu yì shī〕

원시(原始 · 元始) 原始 yuánshǐ ¶ 인력에 의지하는 것은 ～적이다 靠人力那太原始了 kào rénlì nà tài yuánshǐ le

원예사(園藝師) 花匠 huājiàng; 花儿把式 huār bǎshi

원유회(園遊會) 郊游会 jiāoyóuhuì; 游宴 yóuyàn; 野宴 yěyàn; 游园会 yóuyuánhuì

원인(原因) 原因 yuányīn ¶사고의 ～을 구명하다 查究事故的原因 chájiū shìgù de yuányīn / 그 폭동은 인종 문제가 ～이다 那次暴动起因于种族问题 nà cì bàodòng qǐyīn yú zhǒngzú wèntí
원자(原子) 原子 yuánzǐ ‖ ～가 原子价 yuánzǐjià =〔化合价 huàhéjià〕/ ～력 原子能 yuánzǐnéng / ～력 잠수함 核潜艇 héqiántǐng / ～로 原子反应堆 yuánzǐ fǎnyìngduī / ～론 原子说 yuánzǐshuō / ～ 번호 原子序数 yuánzǐ xùshù / ～ 폭탄 原子炸弹 yuánzǐ zhàdàn
원전(原典) 原著 yuánzhù; 原书 yuánshū; 原来的文献 yuánlái de wénxiàn ¶～과 대조해서 조사하다 查对原著 cháduì yuánzhù
원정(園丁) 园丁 yuándīng; 园人 yuánrén
원조(援助) 援助 yuánzhù; 支援 zhīyuán ¶～를 받다 接受援助 jiēshòu yuánzhù / 따뜻한 ～의 손길을 뻗치다 伸出温暖的支援之手 shēnchū wēnnuǎn de zhīyuán zhī shǒu
원족(遠足) ⇨소풍(逍風)
원주(圓周) 圆周 yuánzhōu ‖ ～각 圆周角 yuánzhōujiǎo / ～율 圆周率 yuánzhōulǜ
원추(圓錐) 圆锥 yuánzhuī ‖ ～ 곡선 圆锥曲线 yuánzhuī qūxiàn / ～형 圆锥形 yuánzhuīxíng
원칙(原則) 原则 yuánzé ¶～을 정하다 定原则 dìng yuánzé / ～을 지키다 坚持原则 jiānchí yuánzé / 그의 의견은 ～적으로는 맞다 他的见解原则上是对的 tāde jiànjiě yuánzé shang shì duì de
원컨대(願…) 祝 zhù; 愿 yuàn; 祝愿 zhùyuàn; 但愿 dànyuàn ¶～ 성공하기를 祝你成功 zhù nǐ chénggōng
원탁회의(圓卓會議) 圆桌会议 yuánzhuō huìyì
원통하다(冤痛…) 悔恨 huǐhèn; 气愤 qìfèn; 窝心 wōxīn; 遗憾 yíhàn; 怨枉 yuànwǎng
원폭(原爆) 原子弹 yuánzǐdàn ‖ ～증 放射病 fàngshèbìng
원피스(one-piece) 连衣裙 liányīqún
원한(怨恨) 怨恨 yuànhèn; 冤仇 yuānchóu ¶～으로 일어난 살인 사건 由冤仇所引起的杀人案 yóu yuānchóu suǒ yǐnqǐ de shārén'àn
원형(原形) 原形 yuánxíng ¶공장은 폭격으로 ～을 알아볼 수 없을 정도로 파괴되었다 工厂被轰炸得看不出原形了 gōngchǎng bèi hōngzhàde kànbuchū yuánxíng le / 순장품은 아직 ～을 유지하고 있다 殉葬品还保持着原样儿 xùnzàngpǐn hái bǎochízhe yuányàngr
원형(原型) 原型 yuánxíng; 《철물》 模型 móxíng
원형(圓形) 圆形 yuánxíng ‖ ～ 극장 圆形剧场 yuánxíng jùchǎng
원호(援護) 救援 jiùyuán; 救济 jiùjì ¶재해를 입은 사람을 ～하다 救济灾民 jiùjì zāimín
원활(圓滑) 顺利 shùnlì ¶일은 ～하게 진행되고 있다 工作在顺利进展 gōngzuò zài shùnlì jìnzhǎn
원흉(元凶) 元凶 yuánxiōng; 首恶 shǒu'è; 祸首 huòshǒu
월간(月刊) 月刊 yuèkān ‖ ～지 月刊杂志 yuèkān zázhì
월경(月經) 月经 yuèjīng ¶～이 왔다 来月经 lái yuèjīng ‖ ～ 불순 月经'不调〔失调〕 yuèjīng 'bù tiáo〔shītiáo〕
월경(越境) 越境 yuèjìng; 越界 yuèjiè ¶적 군대가 ～하여 왔다 敌军越境而来 díjūn yuèjìng ér lái
월계관(月桂冠) 桂冠 guìguān
월계수(月桂樹) 月桂树 yuèguìshù
월급(月給) 月薪 yuèxīn; 薪水 xīnshuǐ ‖ ～날 发薪日 fāxīnrì / ～쟁이 吃月俸的 chī yuèfèng de
월동(越冬) 越冬 yuèdōng; 过冬 guòdōng
월말(月末) 月末 yuèmò; 月底 yuèdǐ; 月终 yuèzhōng ¶～ 지불 月底付款 yuèdǐ fùkuǎn
월부(月賦) 分期付款 fēnqī fùkuǎn; 按月打本 ànyuè dǎběn; 月月儿归 yuèyuèr guī ¶냉장고를 5개월 ～로 사다 用五个月分期付款买冰箱 yòng wǔ ge yuè fēnqī fùkuǎn mǎi bīngxiāng ‖ ～ 판매 用按月付款的方式出售 yòng ànyuè fùkuǎn de fāngshì chūshòu
월수(月收) 一个月收入 yí ge yuè shōurù
월식(月蝕) 月食〔月蚀〕 yuèshí ‖ 개기 ～ 月全食 yuèquánshí / 부분 ～ 月偏食 yuèpiānshí
월여(月餘) 一个多月 yī ge duō yuè
월요일(月曜日) 礼拜一 lǐbàiyī; 星期一 xīngqīyī
월하노인(月下老人) ⇨월하빙인
월하빙인(月下氷人) 月下老人 yuèxià lǎorén; 月下老儿 yuèxiàlǎor; 月老 yuèlǎo
웨딩(wedding) 婚礼 hūnlǐ; 结婚典礼 jiéhūn diǎnlǐ ‖ ～ 드레스 新娘礼服 xīnniáng lǐfú / ～ 마치 婚礼进行曲 hūnlǐ jìnxíngqǔ / ～ 케이크 婚礼蛋糕 hūnlǐ dàngāo
웨이스트(waist) 《옷의》 腰身 yāoshēn; 《허리둘레》 腰围 yāowéi ¶그녀는 ～가 굵다〔가늘다〕 她腰身'粗〔细〕 tā yāoshēn 'cū〔xì〕/ ～를 재다 量腰围 liáng yāowéi
웨이트(weight) 重量 zhòngliàng; 体重 tǐzhòng
웨이트레스(waitress) 女服务员 nǚ fúwùyuán; 女招待 nǚzhāodài; 女侍者 nǚshìzhě
웬 《어떤》 怎样 zěnyàng ¶～ 까닭으로 为什么 wèishénme / ～일이냐! 怎么了! zěnme le!
웬만큼 ¶～ 해둬라 算了罢别…了 suànleba bié…le / ～ 취했다 醉得够劲了 zuìde gòujìn le / 허풍도 ～ 떨게 别吹了 bié chuī le
웬만하다 不离 bùlí; 可以 kěyǐ; 不大离 bù dà lí
웬일 《어찌 된 일》 何事 héshì; 什么事情 shénme shìqing ¶～이냐 怎么回事 zěnme huíshì
웰컴(welcome) 欢迎欢迎 huānyíng huānyíng
웰터급(welter) 次中量级 cìzhōngliàngjí
웽웽 〈擬〉 嗡嗡 wēngwēng ¶상공을 헬리콥터가 ～ 날아다닌다 直升飞机在上空嗡嗡响着飞来飞去 zhíshēng fēijī zài shàngkōng wēngwēng xiǎngzhe fēilaifēiqu / 벌이 ～ 날아왔다 蜜蜂嗡嗡地飞来了 mìfēng wēngwēngde fēilai le
위 ①《위쪽》 上 shàng; 上边(儿) shàngbian(r); 上面(儿) shàngmian(r); 上头 shàngtou ¶～쪽을 찾아보아라 往上找一找 wǎng shàng zhǎoyizhǎo / 이 ～는 서재가 되었다 这上面儿是书斋 zhè shàngmianr shì shūzhāi / ～에서부터 순서대로 집어 가십시오 由上边儿顺着拿 yóu shàngbianr shùnzhe ná ②《표면》 上 shàng; 上边(儿) shàngbian(r); 上面(儿) shàngmian(r); 上头 shàngtou ¶책상 ～의 책을 집어주세요 请把桌子上的书递给我 qǐng bǎ zhuōzi shang de shū dìgěi wǒ / 산이 호수 ～에 그림자를 드리우다 山影儿映在湖面上 shānyǐngr yìng zài húmiàn shang / 그 ～에 외투를 껴입다 外面再套上大衣 wàimian zài tàoshàng

dàyī ③《나이》 大 dà; 长 zhǎng ¶나보다 세 살～다 比我大三岁 bǐ wǒ dà sān suì / 제일 ～의 형은 30세다 我大哥三十岁 wǒ dàgē sānshí suì ④《신분 정도》 ¶그의 영어는 나보다 훨씬 ～다 他的英语比我强的多 tāde yīngyǔ bǐ wǒ qiáng de duō / ～에는 ～가 있다 人上有人, 天外有天 rén shàng yǒu rén, tiān wài yǒu tiān

위(胃) 胃 wèi ¶그 약은 ～에 나쁘다 这个药伤胃 zhège yào shāng wèi / 술로 ～를 상하게 했다 喝酒喝得伤了胃 hējiǔ hēde shāngle wèi

위경련(胃痙攣) 胃痉挛 wèijìngluán; 胃绞痛 wèijiǎotòng

위계(僞計) 诡计 guǐjì ¶～를 써서 탈출했다 用了诡计跑了出来 yòngle guǐjì pǎole chūlai

위급(危急) 危急 wēijí; 危殆 wēidài ¶～시에 대비하다 以备危殆 yǐ bèi wēidài / 지금이야말로 ～존망의 때이다 正当危急存亡之秋 zhèng dāng wēijí cúnwáng zhī qiū

위기(危機) 危机 wēijī ¶그 동물은 멸종의 ～에 처해 있다 那种动物现在濒于绝种的危境 nà zhǒng dòngwù xiànzài bīnyú juézhǒng de wēijìng / 심각한 식량 ～에 봉착했다 遭到严重的粮食危机 zāodào yánzhòng de liángshi wēijī ‖～일발 千钧一发 qiānjūnyìfà

위대(偉大) 伟大 wěidà ¶～한 업적을 남기다 留下伟大的功绩 liúxià wěidà de gōngjì =〔留下丰功伟绩 liúxià fēnggōngwěijì〕

위도(緯度) 纬度 wěidù

위독(危篤) 危笃 wēidǔ; 病危 bìngwēi; 病笃 bìngdǔ ¶～ 상태에 빠지다 陷于危笃 xiàn yú wēidǔ

위력(威力) 威力 wēilì ¶돈의 ～을 절실히 느끼게 되었다 痛感到金钱的威力 tònggǎn dào jīnqián de wēilì

위령(慰靈) 祭奠 jìdiàn ‖～제 追悼会 zhuīdàohuì =〔祭奠死者的仪式 jìdiàn sǐzhě de yíshì〕 ¶～를 지내다 举行追悼会 jǔxíng zhuīdàohuì

위로(慰勞) 酬劳 chóuláo; 慰劳 wèiláo; 安慰 ānwèi ¶～하기 위하여 3일간의 휴가를 주다 为了酬劳给三天假 wèile chóuláo gěi sān tiān jià

위문하다(慰問…) 看望 kànwang; 慰问 wèiwèn ¶입원중인 친구를 ～ 去看望住院的朋友 qù kànwang zhùyuàn de péngyou

위반(違反) 违反 wéifǎn ¶그것은 계약 ～이다 那是违反合同的 nà shì wéifǎn hétong de / 교통～으로 붙잡히다 违反交通规则被抓了 wéifǎn jiāotōng guīzé bèi zhuā le

위배(違背) 违背 wéibèi

위법(違法) 违法 wéifǎ ‖～ 행위 违法行为 wéifǎ xíngwéi =〔犯法行为 fànfǎ xíngwéi〕

위산(胃散) 健胃散 jiànwèisǎn

위산(胃酸) 胃酸 wèisuān ‖～ 과다증 胃酸过多症 wèisuān guòduōzhèng

위생(衛生) 卫生 wèishēng ¶～에 주의하다 注意卫生 zhùyì wèishēng =〔讲卫生 jiǎng wèishēng〕 ‖공중 ～ 公共卫生 gōnggòng wèishēng

위선(僞善) 伪善 wěishàn ¶그의 행위는 ～적이다 他的行为是伪善的 tāde xíngwéi shì wěishàn de ‖～자 伪善者 wěishànzhě =〔伪君子 wěijūnzǐ〕

위성(衛星) 卫星 wèixīng ‖～국 卫星国 wèixīng guó / ～중계 卫星电视转播 wèixīng diànshì zhuǎnbō

위세(威勢) 威势 wēishì; 威风 wēifēng ¶～를 떨치다 大发威风 dà fā wēifēng =〔逞威 chěng wēi〕 / ～에 압도되다 被威势所压倒 bèi wēishì suǒ yādǎo / ～좋다 有朝气 yǒu zhāoqì〔qi〕

위스키(whisky) 威士忌 wēishìjì

위시(爲始) 以…为首 yǐ… wéi shǒu; …以及… yǐjí; 《…을 ～하여 …에 이르기까지》 从…起以至 cóng… qǐ yǐ zhì ¶대통령을 ～하여 평민에 이르기까지 从总统起以至于庶民 cóng zǒngtǒng qǐ yǐ zhì yú shùmín

위신(威信) 威信 wēixìn ¶～을 땅에 떨어뜨렸다 威信扫地 wēixìn sǎodì

위아래 上下 shàngxià ¶～ 1cm씩 늘리다 上下放一厘米 shàngxià fàng yì límǐ

위안(慰安) 安慰 ānwèi ¶음악으로 ～을 구하다 从音乐里寻求安慰 cóng yīnyuè li xúnqiú ānwèi

위압(威壓) 威慑 wēishè ¶군사력으로 상대방을 ～하다 用军事力量威慑对方 yòng jūnshì lìliang wēishè duìfāng / ～적인 태도로 사람을 대하다 以盛气凌人的态度对待别人 yǐ shèngqì líng rén de tàidu duìdài biéren

위엄(威嚴) 威严 wēiyán; 威风 wēifēng〔feng〕 ¶～이 갖추어졌다 具有威严 jù yǒu wēiyán

위원(委員) 委员 wěiyuán ¶상임 ～을 2기 지냈다 当了两期常务委员 dāngle liǎng qī chángwù wěiyuán ‖～회 委员会 wěi yuán huì

위인(偉人) 伟人 wěirén

위임(委任) 委任 wěirèn; 委托 wěituō ¶A씨에게 전권을 ～했다 把全权委任了A先生 bǎ quánquán wěirènle A xiānsheng ‖～장 委任状 wěirènzhuàng

위자료(慰藉料) 赔偿费 péichángfèi; 赡养费 shànyǎngfèi; 抚恤金 fǔxùjīn ¶막대한 ～를 청구하다 要求一笔巨额的赔偿费 yāoqiú yì bǐ jù'é de péichángfèi

위작(僞作) 伪造 wěizào; 假造 jiǎzào ¶명화를 ～하다 伪造名画 wěizào mínghuà / 이것은 왕희지의 ～이다 这是仿王羲之的赝本 zhè shì fǎng Wáng xīzhī de yànběn

위장(僞裝) 伪装 wěizhuāng ¶나뭇가지로 ～하다 用树枝伪装起来 yòng shùzhī wěizhuāng qǐlai

위정자(爲政者) 执政者 zhízhèngzhě

위조(僞造) 假造 jiǎzào; 伪造 wěizào ¶공문서를 ～하다 伪造公文 wěizào gōngwén ‖～ 지폐 伪造纸币 wěizào zhǐbì

위주(爲主) ¶…을 ～로 하다 以…为主 yǐ… wéi zhǔ / 돈벌이를 ～로 한다 以挣钱为主 yǐ zhèngqián wéi zhǔ

위쪽 上头 shàngtou; 上边(儿) shàngbian(r)

위촉(委囑) 委托 wěituō; 嘱托 zhǔtuō ¶조사를 ～하다 委托调查 wěituō diàochá

위치(位置) ①《장소》 位置 wèizhì ¶그 ～에서 잘 보인다 从这个位置看得很清楚 cóng zhège wèizhì kànde hěn qīngchu / 현재의 ～를 알려라 报告你所在的位置 bàogào nǐ suǒ zài de wèizhì ②《지위》 地位 dìwèi ¶그는 사회적으로 중요한 ～를 차지하고 있다 他在社会上占有重要的地位 tā zài shèhuì shang zhànyǒu zhòngyào de dìwèi

위탁(委託) 寄托 jìtuō; 委托 wěituō ¶상품 판매를 ～하다 委托代售商品 wěituō dàishòu

shāngpǐn / 모두를 그에게 ～하다 把一切托付给他 bǎ yíqiè tuōfù gěi tā ‖～ 판매 寄售 jìshòu
위태롭다(危殆…) 危殆 wēidài ¶위태로움에 처하다 濒于危殆 bīn yú wēidài =〔濒危 bīnwēi〕
위통 上衣 shàngyī; 褂子 guàzi ¶～을 벗다 脱光膀子 tuō guāng bǎngzi =〔脱下上衣 tuō xia shàngyī〕
위패(位牌) 牌位 páiwèi; 灵牌 língpái; 灵位 língwèi; 神主 shénzhǔ
위풍(威風) 威风 wēifēng ¶～ 당당하게 행진하다 威风凛凛地行进 wēifēng lǐnlǐn de xíngjìn
위하다(爲…) ①《이익》 为 wèi ¶이것은 아이를 위해서 한 일이다 这是为孩子着想做的 zhè shì wèi háizi zhuóxiǎng zuò de / 다른 사람을 위해서가 아니라 너를 위해서 말하는 것이다 不是为了别人, 而是为了你说的 búshì wèile biéren, ér shì wèile nǐ shuō de ②《목적》 为 wèi ¶공익을 위하여 진력하다 为公益而尽力 wèi gōngyì ér jìnlì / 무엇을 위해서 살고 있는지 모르게 되었다 究竟为了什么而活着弄不清了 jiūjìng wèile shénme ér huózhe nòngbuqīng le / 실패하지 않기 위해서는 십분 주의가 필요하다 要充分加以注意以免失败 yào chōngfèn jiāyǐ zhùyì yǐmiǎn shībài
위헌(違憲) 违反宪法 wéifǎn xiànfǎ
위험(危險) 危险 wēixiǎn ¶～을 무릅쓰고 구조에 나섰다 冒着危险去救人 màozhe wēixiǎn qù jiù rén / 환자는 겨우 ～ 상태를 벗어났다 病人好不容易才脱离了危险 bìngrén hǎobù róngyi cái tuōlíle wēixiǎn
위협(威脅) 威胁 wēixié
윗니 上牙 shàngyá
윗도리 ①《상체》 上半拉身子 shàngbàn lǎ shēnzi ②《웃옷》 上衣 shàngyī; 褂子 guàzi
윗사람 前辈 qiánbèi; 长上 zhǎngshàng; 长辈 zhǎngbèi; 《신분상의》 上司 shàngsi; 上级 shàngjí ¶～에 대한 예의가 없다 有失对待长上的礼貌 yǒu shī duìdài zhǎngshàng de lǐmào / ～을 존경하다 尊敬前辈 zūnjìng qiánbèi
윗잇몸 上牙床 shàngyáchuáng
윗자리 《좌석》 上座 shàngzuò; 《지위》 上位 shàngwèi
윙크(wink) 挤眼儿 jǐyǎnr; 挤咕眼 jǐguyǎn ¶그가 나에게 ～하다 他朝我挤咕眼 tā cháo wǒ jǐguyǎn
유감(遺憾) 遗憾 yíhàn ¶～스럽다 抱歉 bàoqiàn / ～스럽게도 可惜 kěxī / ～의 뜻을 표시하다 表示遗憾 biǎoshì yíhàn / ～스럽게 생각합니다 不胜遗憾 búshèng yíhàn
유곽(遊廓) 烟花巷 yānhuāxiàng; 花街柳巷 huājiēliǔxiàng; 妓馆集中区 jì guǎn jízhōngqū
유괴(誘拐) 拐骗 guǎipiàn; 诱拐 yòuguǎi; 绑架 bǎngjià ¶아이가 ～당했다 孩子被诱拐了 háizi bèi yòuguǎi le / 정부 요인이 ～당했다 政府要人被绑架了 zhèngfǔ yàorén bèi bǎngjià le
유급(有給) 有薪 yǒuxīn ‖～ 휴가 有薪休假 yǒuxīn xiūjià
유난스럽다 不平常 bù píngcháng; 古怪 gǔguài; 皮气大 píqi dà
유년(幼年) 幼年 yòunián; 童年 tóngnián ‖～ 시대 幼年时代 yòunián shídài
유능(有能) 有能力 yǒu nénglì; 有本领 yǒu běnlǐng; 能干 nénggàn ¶그는 ～하다 他很能干 tā hěn nénggàn =〔他是个能人 tā shì ge néngrén〕
유다르다(類…) 不寻常 bù xúncháng; 特别 tèbié
유단자(有段者) 够级别者 gòu jíbié zhě; 有段者 yǒuduànzhě
유달리 格外 géwài
유도(柔道) 柔道 róudào; 柔术 róushù
유도(誘導) 诱导 yòudǎo; 引导 yǐndǎo ¶비행기를 A활주로에 ～하다 把飞机引导到A滑行跑道 bǎ fēijī yǐndǎo dào A huáxíng pǎodào ‖～ 심문 套供 tàogòng =〔诱供 yòugòng〕/ ～체 衍生物 yǎnshēngwù / ～탄 导弹 dǎodàn
유독(惟獨) 惟独 wéidú ¶～ 너에게만 말한다 只说给你一个人 zhǐ shuō gěi nǐ yí ge rén
유동(流動) 流动 liúdòng ¶상황은 다분히 ～적이다 情况变动性很大 qíngkuàng biàndòngxìng hěn dà ‖～식 流食 liúshí =〔流质 liúzhì〕/ ～체 流体 liútǐ
유들유들하다 赖皮赖脸 làipí làiliǎn; 死皮 sǐpí
유람(遊覽) 游览 yóulǎn ‖～선 游船 yóuchuán =〔游艇 yóutǐng〕
유랑(流浪) 流浪 liúlàng; 流落 liúluò; 漂泊 piāobó ¶각지를 ～하며 다니다 到处流浪 dàochù liúlàng
유래(由來) 由来 yóulái ¶이 건축 양식은 중국에서 ～했다 这种建筑式样来自中国 zhè zhǒng jiànzhù shìyàng lái zì Zhōngguó
유럽(Eurpe) 欧洲 Ōuzhōu; 欧罗巴 Ōuluóbā
유력(有力) 有力 yǒulì ¶～한 증거 实据 shíjù / ～한 용의자로서 지명 수배하다 作为主要嫌疑犯通缉 zuòwéi zhǔyào xiányífàn tōngjī / 그는 가장 ～한 후보자다 他是最有希望的候选人 tā shì zuì yǒu xīwàng de hòuxuǎnrén / 반대론이 ～해졌다 反对论调占了上风 fǎnduì lùndiào zhànle shàngfēng ‖～자 有权势的人 yǒu quánshì de rén
유령(幽靈) ①鬼 guǐ; 妖怪 yāoguài ¶～이 나온다 闹鬼 nào guǐ ②幽灵 yōulíng; 幽魂 yōuhún ‖～선 鬼船 guǐchuán / ～ 인구 虚报的人口 xūbào de rénkǒu / ～ 회사 挂名公司 guàmíng gōngsī
유례(類例) 例子 lìzi ¶이 사건은 범죄 사상 ～가 없다 该案件犯罪史上没有类似的例子 gāi ànjiàn fànzuìshǐ shang méiyǒu lèisì de lìzi
유료(有料) 收费 shōufèi ¶이 시사회는 ～다 这个试映会是收费的 zhège shìyìnghuì shì shōufèi de ‖～ 도로 收费公路 shōufèi gōnglù / ～ 주차장 收费停车场 shōufèi tíngchēchǎng
유리(有利) 有利 yǒulì ¶～한 조건으로 이야기가 성립되다 以有利的条件谈妥了 yǐ yǒulì de tiáojiàn tántuǒ le
유리(瑠璃) 玻璃 bōlí ¶～가 깨지다 玻璃碎了 bōlí suì le / ～에 잔금이 가다 玻璃有了裂纹 bōlí yǒule lièwén / ～를 끼우다 镶玻璃 xiāng bōlí ‖색～ 彩色玻璃 cǎisè bōlí / 젖빛 ～ 毛玻璃 máobōlí =〔磨砂玻璃 móshā bōlí〕
유리(遊離) ①脱离 tuōlí ¶민중으로부터 ～된 정치가 脱离群众的政治家 tuōlí qúnzhòng de zhèngzhìjiā ②《化》游离 yóulí ¶모종의 광물을 가열하면 가스가 ～된다 某种矿物加热后分解出气体 mǒuzhǒng kuàngwù jiārè hòu fēnjiě chū qìtǐ
유망(有望) 有希望 yǒu xīwàng; 有指望 yǒu

zhǐwàng ¶전도가 ～한 청년 前途有为的青年 qiántú yǒuwéi de qīngnián / 이 회사는 장래가 ～하다 这个公司大有前途 zhège gōngsī dà yǒu qiántú

유머(humour) 幽默 yōumò ¶그의 이야기는 ～로 가득 찼다 他的话富于幽默感 tāde huà fùyú yōumògǎn / ～를 섞어 가며 이야기하다 穿插着幽默娓娓而谈 chuānchāzhe yōumò wěiwěi ér tán

유머러스(humorous) 幽默 yōumò ¶～한 사람 幽默的人 yōumò de rén

유명(有名) 有名 yǒumíng; 著名 zhùmíng; 出名 chūmíng; 有名声 yǒumíngshēng ¶수상을 함으로써 일약 ～해졌다 得了奖一举成名 déle jiǎng yìjǔ chéngmíng / 세계적으로 ～한 피서지 世界著名的避暑地 shìjiè zhùmíng de bìshǔdì ‖～무실 有名无实 yǒumíng wúshí =〔担名不担利 dānmíng bù dān lì〕/ ～세(稅) 名人出项多 míngrén chūxiàng duō / ～인 名人 míngrén

유명(幽明) 幽明 yōumíng ¶～을 달리하다 幽明异境 yōumíng yìjìng

유모(乳母) 乳母 rǔmǔ; 〈方〉 奶娘 nǎiniáng; 〈俗〉 奶妈(儿) nǎimā(r) ‖～차 婴儿车 yīng'érchē =〔摇篮车 yáolánchē〕〔童车 tóngchē〕〔摇车 yáochē〕

유무(有無) 有无 yǒuwú ¶～ 상통하다 互通有无 hùtōng yǒuwú / 재고의 ～를 물어 확인하다 询问有没有库存 xúnwèn yǒuméiyǒu kùcún

유물(唯物) 唯物 wéiwù ‖～론 唯物论 wéiwùlùn / ～ 변증법 唯物辩证法 wéiwù biànzhèngfǎ / ～ 사관 唯物史观 wéiwù shǐguān

유발(誘發) 引起 yǐnqǐ ¶가스 폭발이 낙반을 ～시켜 피해가 커졌다 煤气爆炸引起塌陷，损失越发加大了 méiqì bàozhà yǐnqǐ tāxiàn, sǔnshī yuèfā jiādà le

유방(乳房) 乳房 rǔfáng; 奶胖子 nǎipàngzi; 〈方〉 奶子 nǎizi

유복(裕福) 富裕 fùyù; 优裕 yōuyù ¶그녀는 ～한 가정에서 자랐다 她生长在富裕的家庭里 tā shēngzhǎng zài fùyù de jiātíng li

유복자(遺腹子) 墓生孩 mùshēnghái; 暮生儿 mùshēngr

유사(類似) 像 xiàng; 类似 lèisì; 类同 lèitóng ¶이 증상은 암과 지극히 ～하다 这个症状与癌症极为类似 zhège zhèngzhuàng yǔ áizhèng jíwéi lèisì ‖～품《비슷한 것》相似的东西 xiāngsì de dōngxi =〔类似物 lèisìwù〕〔《모조품》仿制品 fǎngzhìpǐn〕〔伪造品 wěizàopǐn〕

유산(流産) 流产 liúchǎn; 小产 xiǎochǎn ¶임신 3개월째에 ～하였다 妊娠三个月流产了 rènshēn sān ge yuè liúchǎn le / 신회사 설립의 계획은 ～으로 끝났다 建立新公司的计划流产了 jiànlì xīn gōngsī de jìhuà liúchǎn le

유산(遺産) 遗产 yíchǎn; 世产 shìchǎn ¶～을 상속하다 继承遗产 jìchéng yíchǎn / 많은 문화 ～을 남겼다 遗留下许多文化遗产 yíliú xià xǔduō wénhuà yíchǎn

유서(由緖) 由来 yóulái; 历史 lìshǐ ¶절의 ～를 알다 了解寺院的由来 liǎojiě sìyuàn de yóulái / ～ 있는 집안에서 태어나다 出生于有门第的家庭 chūshēng yú yǒu méndì de jiātíng

유성(有聲) 带音 dàiyīn ‖～음 浊音 zhuó yīn

유성(流星) 流星 liúxīng ‖～우 流星雨 liúxīngyú

유성(遊星) ⇨행성(行星)

유세(遊說) 游说 yóushuì ¶전국을 ～하며 돌아다니다 游说全国 yóushuì quánguó ‖지방 ～ 巡回演讲 xúnhuí yǎnjiǎng

유수(有數) 有数 yǒushù ¶세계 ～의 물리학자 世界有数的物理学家 shìjiè yǒushù de wùlǐxuéjiā

유실(流失) ¶홍수 때문에 다리가 ～됐다 桥被大水冲塌了 qiáo bèi dàshuǐ chōngtā le / ～ 가옥 300호 被冲塌的房屋有三百栋 bèi chōngtā de fángwū yǒu sānbǎi dòng

유실(遺失) 遗失 yíshī ‖～물 遗失物品 yíshī wùpǐn =〔失物 shīwù〕

유아(幼兒) 幼儿 yòu'ér ‖～기 幼儿期 yòu'érqī

유아(乳兒) 婴儿 yīng'ér; 婴孩儿 yīngháir; 乳儿 rǔ'ér

유아독존(唯我獨尊) 唯我独尊 wéi wǒ dú zūn ¶천상천하 ～ 天上天下，唯我独尊 tiānshàng tiānxià, wéi wǒ dú zūn

유언(流言) 流言 liúyán ‖～비어 流言蜚语 liúyán fēi yǔ

유언(遺言) 遗言 yíyán; 遗嘱 yízhǔ ‖～장 遗书 yíshū =〔阴状 yīnzhuàng〕

유업(遺業) 遗业 yíyè ¶부친의 ～을 계승하다 继承父业 jìchéng fùyè

유연(柔軟) 柔软 róuruǎn; 灵活 línghuó ¶그녀의 몸은 ～하다 她身体柔软灵活 tā shēntǐ róuruǎn línghuó / 나이를 먹어 감에 따라 몸과 머리가 모두 ～성을 잃었다 随着上年纪身体和脑筋都不灵活了 suízhe shàng niánji shēntǐ hé nǎojīn dōu bù línghuó le

유연(悠然) 悠然 yōurán; 从容 cōngróng ¶～한 태도 从容不迫的态度 cōngróng bú pò de tàidù / 그는 언제나 ～한 자세를 취한다 他总是悠然自得 tā zǒngshì yōurán zìde

유예(猶豫) 缓 huǎn; 缓期 huǎnqī; 宽限 kuānxiàn; 展缓 zhǎnhuǎn; 展限 zhǎnxiàn ¶3일간의 ～를 주다 缓期三天 huǎnqī sān tiān / 이제야말로 일각도 ～할 수 없다 现在已刻不容缓 xiànzài yǐ kè bùróng huǎn ‖～ 기간 展期 zhǎnqī =〔宽限期 kuānxiànqī〕/ 집행 ～ 缓刑 huǎn xíng / 징병 ～ 暂缓服役 zàn huǎn fúyì

유용(流用) 挪用 nuóyòng ¶도서비를 여비로 ～하다 把购买图书的费用挪用做旅费 bǎ gòumǎi túshū de fèiyòng nuóyòng zuò lǚfèi

유월(六月) 六月 liù yuè

유익(有益) 有益 yǒuyì; 有益处 yǒuyìchù ¶～한 책 有益的书籍 yǒuyì de shūjí

유인(誘引) 引诱 yǐnyòu; 诱出 yòuchū

유일(唯一) 惟一 wéiyī ¶그의 ～한 낙은 등산이다 他惟一的爱好是登山 tā wéiyī de àihào shì dēngshān ‖～무이 独一无二 dúyī wú'èr

유전(遺傳) 遗传 yíchuán ¶격세 ～ 返祖现象 fǎnzǔ xiànxiàng / 색맹은 ～한다 色盲是会遗传的 sèmáng shì huì yíchuán de ‖～자 遗传因子 yíchuán yīnzǐ

유정(油井) 油井 yóujǐng

유조(油槽) 油槽 yóucáo ‖～선 油船 yóuchuán =〔油轮 yóulún〕

유족(遺族) 遗族 yízú ¶～ 부조료(扶助料) 恩抚金 ēnfǔjīn

유종(有終) 善终 shànzhōng; 保全晚节 bǎoquán wǎnjié ¶～의 미를 거두다 坚持到底圆满结

jiānchí dàodǐ yuánmǎn jiéshù
유죄(有罪) 有罪 yǒuzuì ¶~ 판결을 내리다 判决有罪 pànjué yǒuzuì
유지(油脂) 油脂 yóuzhī
유지(維持) 维持 wéichí ¶겨우 한 집의 생활을 ~하다 勉强维持一家的生活 miǎnqiǎng wéichí yì jiā de shēnghuó / 세계의 평화를 ~하다 维护世界和平 wéihù shìjiè hépíng / 현상을 ~하다 维持现状 wéichí xiànzhuàng
유질되다(流質…) 当死 dàng sǐ
유창(流暢) 流利 liúlì; 流畅 liúchàng ¶~하게 중국어를 말하다 说一口流利的中国话 shuō yì kǒu liúlì de Zhōngguóhuà / 그는 3개 국어를 ~하게 말할 수 있다 他能流畅地说三国话 tā néng liúchàngde shuō sān guó huà
유추(類推) 类推 lèituī ¶이런 것들로부터 다음과 같이 ~할 수 있다 由此可以类推如下 yóu cǐ kěyǐ lèituī rúxià
유출(流出) 《흘러나감》 流出 liúchū; 《돈·사람의》 外流 wàiliú ¶금의 국외 ~ 黄金外流 huángjīn wàiliú / 두뇌의 해외 ~ 智囊外流 zhìnáng wàiliú / 중유가 유조선에서 ~됐다 重油从油船流出去了 zhòngyóu cóng yóuchuán liúchūqu le ‖두뇌 ~ 智力外流 zhìlì wàiliú
유치(幼稚) 幼稚 yòuzhì ¶그의 생각은 아직도 ~하다 他的想法还很幼稚 tāde xiǎngfa hái hěn yòuzhì
유치(乳齒) 乳齿 rǔchǐ; 乳牙 rǔyá; 奶牙 nǎiyá
유치(留置) 拘留 jūliú ¶용의자로써 ~당했다 作为嫌疑犯被拘留 zuòwéi xiányífàn bèi jūliú ‖~장 拘留所 jūliúsuǒ
유치(誘致) 《사람·기업 등을》 招徕 zhāolai ¶마을에 공장을 ~하다 招引工厂在本乡开设 zhāoyǐn gōngchǎng zài běnxiāng kāishè / 관광객을 ~하다 招徕观光旅客 zhāolái guānguāng lǚkè
유치원(幼稚園) 幼稚园 yoùzhìyuán; 幼儿园 yoù'éryuán
유쾌(愉快) 快乐 kuàile; 快活 kuàihuo; 愉快 yúkuài; 痛快 tòngkuai ¶~한 하룻밤을 보냈다 度过愉快的一夜 dùguò yúkuài de yí yè / 그는 ~하게 웃고 있다 他愉快地笑着 tā yúkuàide xiàozhe
유태(猶太) 犹太 Yóutài ‖~교 犹太教 Yóutàijiào / ~인 犹太人 Yóutàirén
유토피아(utopia) 乌托邦 wūtuōbāng; 理想乡 lǐxiǎngxiāng
유통(流通) 流通 liútōng ¶이 집은 공기 ~이 나쁘다 这间屋子通风不好 zhè jiān wūzi tōngfēng bù hǎo / 1만 원 지폐의 ~량 一万元面额的纸币的流通量 yíwàn yuán miàn'é de zhǐbì de liútōngliàng ‖~ 센터 物资流通中心 wùzī liútōng zhōngxīn / ~ 화폐 流通货币 liútōng huòbì
유폐(幽閉) 幽闭 yōubì; 幽禁 yōujìn ¶런던탑에 ~하다 幽禁于伦敦塔 yōujìn yú Lúndūntǎ
유포(流布) 流传 liúchuán; 流布 liúbù
유품(遺品) 遺物 yíwù
유풍(遺風) 遗风 yífēng ¶봉건 시대의 ~ 封建时代的遗风 fēngjiàn shídài de yífēng
유하다(柔…) 柔顺 róushùn; 温柔 wēnróu
유학(留學) 留学 liúxué ¶중국에 ~하다 到中国留学 dào Zhōngguó liúxué =〔留学中国 liúxué Zhōngguó〕 ‖~생 留学生 liúxuéshēng

유해(有害) 有害 yǒuhài ¶농작물에 ~한 곤충 有害于农作物的昆虫 yǒuhài yú nóngzuòwù de kūnchóng
유해(遺骸) 遗骸 yíhái ¶~를 후히 장사지내다 郑重地埋葬遗骸 zhèngzhòng de máizàng yíhái
유행(流行) 流行 liúxíng; 时兴 shíxīng; 时髦 shímáo ¶이 스타일은 이미 ~이 지나갔다 那种式样已不时兴 nà zhǒng shìyàng yǐ bù shíxīng / 그녀는 ~만 쫓고 있다 她总是赶时髦 tā zǒngshì gǎn shímáo ‖~가 流行歌曲 liúxínggēqǔ / ~병 流行病 liúxíngbìng / ~어 流行语 liúxíngyǔ
유혈(流血) 流血 liúxuè ¶~ 참사를 불러일으킴 引起流血惨案 yǐnqǐ liúxuè cǎn'àn
유혹(誘惑) 诱惑 yòuhuò ¶~하다 引诱 yǐn yòu / 감언으로 ~하다 用花言巧语诱惑 yòng huāyán qiǎoyǔ yòuhuò / ~에 넘어가다 经不住诱惑 jīngbuzhù yòuhuò
유화(宥和) 绥靖 suíjìng ‖~ 정책 绥靖政策 suíjìng zhèngcè
유황(硫黃) 硫黄 liúhuáng ‖~천 硫磺泉 liúhuángquán
유효(有效) 有效 yǒuxiào ¶시간을 ~하게 쓰다 有效地利用时间 yǒuxiàode lìyòng shíjiān / 당일에 한해 ~ 当日有效 dàngrì yǒuxiào ‖~기간 有效期 yǒuxiàoqì / ~ 숫자 有效数 yǒuxiàoshù
유흥(遊興) 玩乐 wán lè ¶~에 빠지다 沉溺于吃喝玩乐 chén nì yú chī hē wán lè ‖~비 游乐费用 yóulè fèiyòng / ~ 음식세 游乐饮食税 yóulè yǐnshíshuì
유희(遊戲) 游戏 yóuxì; 游艺 yóuyì ¶~ 시설 游艺设施 yóuyì shèshī / 그것은 말의 ~에 지나지 않는다 那只不过是玩弄词句 nà zhǐ búguò shì wánnòng cíjù
육감(六感) ⇨제육감
육감(肉感) 肉感 ròugǎn ¶~적인 여배우 富于肉感的女明星 fùyú ròugǎn de nǚmíngxīng
육교(肉交) 交媾 jiāogòu; 行房 xíngfáng; 云雨 yúnyǔ
육교(陸橋) 天桥 tiānqiáo; 跨线桥 kuàxiànqiáo
육군(陸軍) 陆军 lùjūn ‖~ 사관 陆军军官 lùjūn jūnguān
육모(六…) 六角 liù jiǎo; 六楞子 liù léngzi ‖~정 六角亭 liù jiǎo tíng
육박(肉薄) 逼 bī ¶적진에 ~하다 紧逼敌营 jǐn bī díyíng =〔直薄敌阵 zhí bó dízhèn〕 / 1점차로 ~하다 逼到一分之差 bīdào yì fēn zhī chā
육발이(六…) 六脚指 liù jiǎozhǐ
육상(陸上) 陆上 lùshang; 陆地上 lùdishang ‖~ 경기 田径赛 tiánjìngsài / ~ 수송 陆运 lùyùn
육성(肉聲) 肉声 ròushēng ¶전화의 목소리와 ~과는 틀리게 들린다 电话里的声音和自然的嗓音听起来不一样 diànhuà li de shēngyīn hé zìrán de sǎngyīn tīngqǐlai bù yíyàng
육성(育成) 培养 péiyǎng; 培植 péizhí; 扶植 fúzhí ¶후계자를 ~하다 培养接班人 péiyǎng jiēbānrén / 사업을 ~하다 扶植事业 fúzhí shìyè
육손이(六…) 枝指 qízhǐ; 六指儿 liùzhǐr
육식(肉食) 肉食 ròushí ¶~보다 채식을 좋아하다 比起吃荤来更喜欢吃素 bǐqǐ chīhūn lái gèng xǐhuan chīsù
육안(肉眼) 肉眼 ròuyǎn ¶~으로는 보이지 않는

다 肉眼看不见 ròuyǎn kànbujiàn
육우(肉牛) 菜牛 càiniú
육종(肉腫) 肉瘤 ròuliú
육중하다(肉重…) 笨重 bènzhòng
육지(陸地) 陆地 lùdì; 旱地 hàndì
육체(肉體) 肉体 ròutǐ ¶～적 고통을 주다 施加肉体的痛苦 shījiā ròutǐ de tòngkǔ / ～ 관계를 맺다 发生肉体关系 fāshēng ròutǐ guānxi
육친(肉親) 亲骨肉 qīngǔròu; 骨血 gǔxuè; 血亲 xiěqīn ¶～의 형제 亲哥儿俩 qīn gēr liǎ =〔胞兄弟 bāoxiōngdì〕
육필(肉筆) 亲笔写的 qīnbǐ xiě de
육혈포(肉穴砲) 六转儿 liùzhuǎnr
육혹(肉…) 隆肉 lóngròu; 肉瘤 ròuliú
윤(潤) 光润 guāngrùn; 宝色 bǎo sè ¶～나다 光润润的 guāngrùnrùn de / (닦아서) ～내다 磨光 móguāng =〔擦光 cāguāng〕
윤간(輪姦) 轮流强奸一个妇女 lúnliú qiǎngjiān yí ge fùnǚ
윤곽(輪廓) 轮郭 lúnguō ¶～ 잡힌 얼굴 五官端正的脸 wǔguān duānzhèng de liǎn / 사건의 ～이 잡혔다 掌握了事件的轮廓 zhǎngwòle shìjiàn de lúnkuò
윤년(閏年) 闰年 rùnnián
윤독(輪讀) 轮流朗读 lúnliú lǎngdú ¶시집을 ～하다 轮流讲读诗集 lúnliú jiǎngdú shījí
윤락(淪落) 沦落 lúnluò
윤리학(倫理學) 伦理学 lúnlǐxué
윤번(輪番) 轮流 lúnliú; 轮番 lúnfān; 轮班 lúnbān ¶～제로 회의의 의장을 하다 轮流担任会议主席 lúnliú dānrèn huìyì zhǔxí / ～제로 교실을 청소하다 轮班打扫教室 lúnbān dǎsǎo jiàoshì ‖ ～제 轮班制 lúnbānzhì
윤색(潤色) 渲染 xuànrǎn ¶실제를 ～해서 보고하다 把实际情况添枝加叶地报告上去 bǎ shíjì qíngkuàng tiānzhījiāyè de bàogào shàngqù
윤작(輪作) 轮作 lúnzuò; 轮种 lúnzhòng; 轮栽 lúnzāi; 倒茬 dǎochá; 调茬 diàochá
윤택(潤澤) 丰富 fēngfù ¶자금은 ～하다 资金丰富 zījīn fēngfù
윤회(輪廻) 轮回 lúnhuí
율(率) 率 lǜ; 比率 bǐlǜ ¶백분～ 百分率 bǎifēnlǜ
율무 〖植〗 薏苡 yìyǐ; 《열매》 薏米 yìmǐ
융기(隆起) 隆起 lóngqǐ ¶지각이 ～하다 地壳隆起 dìqiào lóngqǐ ‖ ～ 해안 上升海岸 shàng shēng hǎi'àn
융단(絨緞) 地毯 dìtǎn ¶～을 깔다 铺地毯 pū dìtǎn ‖ 페르시아 ～ 波斯地毯 Bōsī dìtǎn
융성(隆盛) 隆盛 lóngshèng; 昌盛 chāngshèng; 兴盛 xīngshèng ¶오스만 터키는 16세기에 최고로 ～했다 奥斯曼土耳其在十六世纪最为隆盛 Àosīmàn Tǔ'ěrqí zài shíliù shìjì zuì wéi lóngshèng
융숭하다(隆崇…) 殷勤的 yīnqín de; 厚道的 hòudao de ¶융숭한 대접 诚恳的款待 chéngkěn de kuǎndài
융자(融資) 通融资金 tōngróng zījīn; 贷款 dàikuǎn ¶기업에 ～하다 贷款给企业 dàikuǎn gěi qǐyè / 은행에서 ～를 받다 接受银行贷款 jiēshòu yínháng dàikuǎn
융점(融點) 熔点 róngdiǎn
융통(融通) ①《금전의》 通融 tōngróng ¶자금의 ～이 되지 않는다 资金周转不开 zījīn zhōuzhuǎn bù kāi ②《임기응변》 ¶그 사람은 ～성이 없는 남자다 他那个人太死板 tā nàge rén tài sǐbǎn =〔那个人是个死脑筋 nàge rén shì ge sǐnǎojīn〕 ‖ ～ 어음 透支汇票 tòuzhī huìpiào
융화(融和) 和睦 hémù; 融洽 róngqià ¶양국의 ～를 도모하다 促进两国友好 cùjìn liǎng guó yǒuhǎo
으깨다 压碎 yāsuì; 挤坏 jǐhuài; 磨碎 mósuì ¶과일을 ～ 把水果挤坏 bǎ shuǐguǒ jǐhuài
으드득 咯吱咯吱 gēzhī gēzhī ¶～ 깨물다 咯吱咯吱地嚼 gēzhī gēzhī de jiáo
으드등거리다 相持未战 xiāngchí wèi zhàn; 相持不下 xiāngchí bú xià; 互相敌视 hùxiāng díshì
으뜸 首座 shǒu zuò ¶～가는 首屈一指 shǒuqū yìzhǐ
으레 经常 jīngcháng; 照例 zhàolì; 一定 yídìng ¶일요일마다 ～ 온다 每逢礼拜日一定来 měi féng lǐbàirì yídìng lái
으르다 欺压 qīyā; 〈口〉 吓唬 xiàhu; 挟制 xiézhì
으르렁거리다 ①《짐승이》 嗥叫 háojiào ②《서로》 相持未战 xiāngchí wèi zhàn ③《개 따위가》 狗鸣噜鸣噜的 gǒu mínglū mínglū de
으리으리하다 壮丽 zhuànglì; 辉煌 huīhuáng
으스대다 摆架子 bǎi jiàzi; 拿架子 ná jiàzi; 威风 wēifēng
으스러뜨리다 压破 yāpò; 打破 dǎpò
으스러지다 碎 suì; 破碎 pòsuì
으스름달밤 朦胧月夜 ménglóng yuèyě
으스스하다 冷飕飕 lěngsōusōu; 冷森森 lěngsēnsēn
으슥하다 冷落 lěngluò; 萧静 xiāojìng
으슴푸레하다 朦胧 ménglóng
으쓱거리다 ①趾高气扬 zhǐgāo qìyáng ②《어깨를》 端肩膀儿 duān jiānbǎngr; 耸肩膀(儿) sǒng jiānbǎng(r)
으아 哇 wā ¶～하고 울어대다 哇地一声哭起来 wā de yìshēng kū qǐlai
으악 哇 wā ¶～하고 뒤로 넘어지다 哇地一声倒仰儿 wā de yìshēng dào yǎngr
윽박지르다 吓唬 xiàhu; 吓呼 xiàhū
은(銀) 银 yín; 银子 yínzi; 白银 báiyín ‖ ～컵 银杯 yínbēi
은근(慇懃) ①《정중》 恭敬 gōngjìng; 谦恭 qiāngōng; 殷勤 yīnqín ¶～하게 인사하다 恭敬问候 gōngjìng wènhòu / 아주 ～한 태도다 待人恭敬 dài rén gōng jìng ②《비밀》 暗中 ànzhōng ¶～히 사람을 중상하다 暗箭伤人 ànjiàn shāngrén
은닉(隱匿) 隐匿 yǐnnì ‖ ～ 물자 隐匿物资 yǐnnì wùzī
은도금(銀鍍金) 镀银 dùyín
은둔(隱遁) 隐遁 yǐndùn ¶산 속에서 ～ 생활을 하다 隐遁深山 yǐndùn shēnshān
은막(銀幕) 银幕 yínmù; 影坛 yǐngtán ¶～의 여왕 银幕女王 yínmù nǚwáng
은밀(隱密) 秘密 mìmì ¶일을 ～히 진행시키다 在秘密里行事 zài mìmì li xíngshì
은발(銀髮) 白发 báifà; 白头发 bái tóufa; 银发 yínfà
은방울꽃(銀…) 〖植〗 君影草 jūnyǐngcǎo
은세계(銀世界) 银白世界 yínbái shìjiè; 雪海 xuěhǎi ¶눈에 들어오는 것이 온통 ～다 一片白茫茫的雪海 yípiàn báimángmáng de xuěhǎi

=〔皑皑白雪一望无际 ái'ái báixuě yí wàng wú jì〕
은수저(銀…) 银匙子 yínchízi
은어(隱語) 行话 hánghuà; 黑话 hēihuà; 暗语 ànyǔ; 切口 qièkǒu ¶ ~를 쓰다 说行话 shuō hánghuà
은연(隱然) 隐然 yǐnrán ¶ 그는 정계에 ~한 세력을 갖고 있다 他在政界拥有隐然的势力 tā zài zhèngjiè yōngyǒu yǐnrán de shìli
은유(隱喩) 隐喻 yǐnyù; 暗喻 ànyù
은인(恩人) 恩人 ēnrén; 恩公 ēngòng ¶ 생명의 ~ 救命恩人 jiùmìng ēnrén
은종이(銀…) 锡纸 xīzhǐ
은퇴(隱退) 引退 yǐntuì; 退职 tuìzhí ¶ 정계에서 ~하다 引退政界 yǐntuì zhèngjiè
은폐(隱蔽) 隐瞒 yǐnmán; 掩盖 yǎngài; 隐秘 yǐnmì ¶ 사실을 ~하다 掩盖事实 yǎngài shìshí
은하(銀河) 天河 tiānhé; 银河 yínhé; 云汉 yúnhàn ‖ ~계 银河系 yínhéxì
은행(銀行) 银行 yínháng ¶ ~에 돈을 예금하다 把钱存在银行里 bǎ qián cún zài yínháng li / ~에서 예금을 찾다 从银行提取存款 cóng yínháng tíqǔ cúnkuǎn ‖ ~가 银行家 yínhángjiā / ~ 수표 银行支票 yínháng zhīpiào / ~ 어음 银行汇票 yínháng huìpiào / ~원 银行职员 yínháng zhíyuán
은행(銀杏) 《나무》 白果树 báiguǒshù; 银杏树 yínxìngshù; 《열매》 白果 báiguǒ; 银杏 yínxìng
은혜(恩惠) 恩惠 ēnhuì; 恩典 ēndiǎn; 恩德 ēndé ¶ ~를 베풀다 施恩于人 shī ēn yú rén
을 《조사》 把 bǎ; 将 jiāng ¶ 이것~ 把这个… bǎ zhège…
을씨년스럽다 ①《가난》 穷困 qióngkùn ②《쓸쓸하다》 似乎孤另另的 sìhu gūlìnglìng de
읊다 吟咏 yínyǒng; 哼唧 hēngji
음(音) 声音 shēngyīn; 音 yīn; 声 shēng
음경(陰莖) 阳物 yángwù; 屌子 liáozi; 鸡巴 jība
음담(淫談) 猥亵话 wěixièhuà; 淫谈 yíntán; 淫秽的话 yínhuì de huà ¶ ~을 하다 说'淫秽〔下流〕的话 shuō 'yínhuì〔xiàliú〕 de huà
음덕(陰德) 阴德 yīndé; 阴骘 yīnzhì ¶ ~을 쌓다 积阴德 jī yīndé
음독(飮毒) 服毒 fúdú ‖ ~ 자살 服毒自杀 fúdú zìshā =〔仰毒自尽 yǎng dú zìjìn〕
음란(淫亂) 淫乱 yínluàn
음력(陰曆) 农历 nónglì; 阴历 yīnlì; 旧历 jiùlì; 太阴历 tàiyīnlì; 夏历 xiàlì ¶ ~ 정월 农历正月 nónglì zhēngyuè
음료(飮料) 饮料 yǐnliào ‖ ~수 饮用水 yǐnyòngshuǐ =〔饮水 yǐnshuǐ〕
음매 〈擬〉 哞哞 mōu mōu ¶ 소가 ~하고 울다 牛哞哞地叫 niú mōu mōu de jiào
음산하다(陰散…) 阴暗的 yīn'àn de
음성(音聲) 语音 yǔyīn ‖ ~학 语音学 yǔyīnxué
음식(飮食) ①《먹기》 吃喝 chīhé ②《먹을 것》 吃食 chīshi
음신(音信) 音信 yīnxìn; 音讯 yīnxùn ¶ 오랫동안 ~이 없었다 好久杳无音信 hǎojiǔ yǎo wú yīnxìn
음악(音樂) 音乐 yīnyuè ‖ ~회 音乐会 yīnyuèhuì
음울(陰鬱) 阴郁 yīnyù; 阴沉 yīnchén; 阴暗 yīn'àn ¶ ~한 날씨 天色阴沉 tiān sè yīnchén / ~한 얼굴을 하고 있다 摆着一副阴郁的面孔 bǎizhe yí fù yīnyù de miànkǒng
음전하다 彬彬有礼 bīnbīn yǒulǐ; 斯文 sīwen
음절(音節) 音节 yīnjié; 音缀 yīnzhuì ‖ 단~어 单音节词 dānyīnjiécí =〔单音节语 dānyīnjiéyǔ〕
음치(音癡) 左嗓子 zuǒsǎngzi
음침하다(陰沈…) 暗沉 ànchén; 《날씨》 黯然 ànrán; 《명랑치 못함》 郁闷 yùmèn; 郁结 yùjié; 《성격이》 阴险 yīnxiǎn
음탕(淫蕩) 淫荡 yíndàng; 荒淫 huāngyín ¶ ~한 생활에 빠지다 沉溺于淫荡的生活 chénnì yú yíndàng de shēnghuó
음파(音波) 音波 yīnbō; 声波 shēngbō
음향(音響) 音响 yīnxiǎng ¶ ~ 효과가 좋다 音响效果好 yīnxiǎng xiàoguǒ hǎo
음흉하다(陰凶…) 阴毒损坏 yīn dú sǔn huài; 诡诈 guǐzhà
읍내(邑內) 镇市 zhènshì; 城里 chéngli
응 嗯 ǹg ¶ ~, 알았어 嗯, 知道了 ǹg, zhīdao le =〔唉, 行! āi, xíng!〕/ ~, 잘 알았어 哦, 明白了 ò, míngbai le
응가시키다 拉巴 lābǎ
응고(凝固) 凝固 nínggù ¶ 혈액이 ~하다 血液凝固 xuèyè nínggù ‖ ~점 凝固点 nínggùdiǎn
응급(應急) 应急 yìngjí ¶ ~ 조치를 취하다 采取应急措施 cǎiqǔ yìngjí cuòshī
응달 背阴儿 bèiyīnr; 阴凉儿 yīnliángr ¶ ~에 말리다 晾干 liànggān / ~에는 아직도 눈이 남아 있다 在背阴的地方还有雪呢 zài bèiyīn de dìfang hái yǒu xuě ne
응답(應答) 应答 yìngdá ¶ 아무 ~도 없다 毫无应答 háowú yìngdá / 3호차 ~하라 三号车请回答 sān hào chē qǐng huídá
응모(應募) 应征 yìngzhēng; 应募 yìngmù ¶ 현상 소설에 ~하다 应征悬赏小说 yìngzhēng xuánshǎng xiǎoshuō / ~ 방법은 왼쪽과 같다 应募的办法如左 yìngmù de bànfǎ rú zuǒ
응석 放肆 fàngsì ¶ ~부리다 撒娇 sājiāo / ~받다 娇养 jiāoyǎng
응시(凝視) 凝视 níngshì ¶ 그는 그녀의 얼굴을 ~했다 他凝视着她的脸 tā níngshìzhe tāde liǎn
응아응아 呱呱 guāgua ¶ ~ 울다 呱呱地哭 guāguade kū
응어리 疙瘩(儿) gēda(r) ¶ 유방의 ~ 乳房的疙瘩(儿) rǔfáng de gēda(r) / 두 사람 사이에는 감정의 ~가 남아 있다 两人之间感情上还有'疙瘩〔隔阂〕 liǎng rén zhījiān gǎnqíng shang hái yǒu'gēda〔géhé〕
응용(應用) 适用 shìyòng; 应用 yìngyòng ¶ 학습한 것을 실생활에 ~하다 把学习到的东西应用于实际生活 bǎ xuéxí dào de dōngxi yìngyòng yú shíjì shēnghuó ‖ ~ 문제 应用题 yìngyòngtí / ~ 화학 应用化学 yìngyòng huàxué
응원(應援) ①《가세》 援助 yuánzhù; 帮忙 bāngmáng; 帮助 bāngzhù ¶ ~ 연설을 하다 作声援演说 zuò shēngyuán yǎnshuō ②《성원》 助威 zhùwēi ¶ 모교의 야구팀을 ~하다 给母校的棒球队助威 gěi mǔxiào de bàngqiúduì zhùwēi ‖ ~단 拉拉队 lālāduì
응접(應接) 应接 yìngjiē; 接待 jiēdài ¶ 손님을 ~하다 接待客人 jiēdài kèrén ‖ ~실 客厅 kètīng =〔会客室 huìkèshì〕
응하다(應…) 应 yìng; 应许 yīngxǔ; 应允 yīng-

yǔn ¶도전에 ～ 接受挑战 jiēshòu tiǎozhàn =〔应战 yìngzhàn〕/강의가 끝난 후에 학생의 질문에 ～ 讲完课回答学生们的提问 jiǎngwán kè huídá xuéshengmen de tíwèn

의《조사》(소유·장소·성질·소속·상태·관계 따위) 的〔地, 底〕 de ¶너～ 你的 nǐ de/이것은 누구～ 책입니까? 这是谁的书? zhè shì shuí de shū?/나는 A대학～ 학생입니다 我是A大学的学生 wǒ shì A dàxué de xuésheng/꽃무늬～ 스커트 带花的连衣裙 dài huā de liányīqún/이것은 양심～ 문제다 这是良心的问题 zhè shì liángxīn de wèntí/조설근～ 홍루몽 曹雪芹的红楼梦 Cáo Xuěqín de Hónglóumèng

의걸이(衣…) 衣架 yījià

의견(意見) 意见 yìjiàn ¶～을 진술하다 '阵述〔发表〕意见 'chénshù〔fābiǎo〕 yìjiàn/끝까지 자신의 ～을 고집하다 坚持自己的意见 jiānchí zìjǐ de yìjiàn =〔固执己见 gùzhí jǐ jiàn〕

의결(議決) 议决 yìjué ¶예산이 ～되었다 预算已经通过 yùsuàn yǐjīng tōngguò

의고(擬古) 拟古 nǐgǔ; 仿古 fǎnggǔ ‖～문 拟古文 nǐgǔwén/～주의 仿古主义 fǎnggǔ zhǔyì

의기(意氣) 意气 yìqì ¶～소침하다 意气消沉 yìqì xiāochén =〔垂头丧气 chuítóusàngqì〕/～가 하늘을 찌르다 气势磅礴 qìshì pángbó =〔干劲冲天 gànjìn chōngtiān〕/～ 투합하다 意气相投 yìqì xiāngtóu/～양양하게 개선하다 意气风发奏凯而归 yìqì fēngfā zòukǎi ér guī

의도(意圖) 意图 yìtú ¶우리들의 ～와는 반대다 跟我们的意图相反 gēn wǒmende yìtú xiāngfǎn/적의 ～를 꺾다 粉碎敌人的企图 fěnsuì dírén de qǐtú

의론(議論) 讨论 tǎolùn; 议论 yìlùn; 辩论 biànlùn; 争议 zhēngyì; 争论 zhēnglùn ¶～이 분분하다 议论纷纷 yìlùn fēnfēn =〔众说纷纭 zhòngshuō fēnyún〕/～의 여지가 없다 没有争辩的余地 méiyǒu zhēngbiàn de yúdì

의롭다(義…)《바르다》正义 zhèngyì;《의기가 있다》讲义气 jiǎngyìqi

의뢰(依賴) ①《부탁》请 qǐng; 托 tuō; 委托 wěituō ¶소송 사건의 변호를 ～하다 请人做诉讼案件的辩护 qǐng rén zuò sùsòng ànjiàn de biànhù/조사를 ～하다 委托人进行调查 wěituō rén jìnxíng diàochá/강연을 ～해 왔다 被邀请作报告 bèi yāoqǐng zuò bàogào ②《의지》依赖 yīlài; 依靠 yīkào ¶저 아이는 ～심이 강하다 那个孩子依赖心强 nàge háizi yīlàixīn qiáng

의리(義理)《옳은 길》情义 qíngyì;《도리》情理 qínglǐ;《관계》亲戚关系 qīnqi guānxi ¶～와 인정의 사이에 끼여서 꼼짝 못 하다 夹在义气和人情之间左右为难 jiā zài yìqì hé rénqíng zhījiān zuǒyòu wéinán/그 사람은 ～가 굳은 사람이다 他真是个重情谊讲情理的人 tā zhēn shì ge zhòng qíngyì jiǎng qínglǐ de rén

의무(義務) 义务 yìwù ¶～를 다하다 履行〔尽〕义务 lǚxíng〔jìn〕 yìwù/국민에게는 납세의 ～가 있다 国民有纳税的义务 guómín yǒu nàshuì de yìwù ‖～ 교육 义务教育 yìwù jiàoyù

의문(疑問) 疑问 yíwèn ¶이 사건에 대해서는 조금도 ～의 여지가 없다 这个问题是无可置疑的 zhège wèntí shì wúkě zhìyí de/인생에 ～을 품다 对人生抱有疑问 duì rénshēng bàoyǒu yíwèn ‖～문 疑问句 yíwènjù =〔问句 wènjù〕/～부 问号 wènhào/～사 疑问代词 yíwèn dàicí

의뭉스럽다 肚子里有数儿 dùzi li yǒu shùr

의미(意味) 意思 yìsi; 意义 yìyì; 意味 yìwèi ¶～심장한 말 意味深长〔耐人寻味〕的话 yìwèi shēncháng〔nài rén xún wèi〕 de huà/사전에서 말의 ～를 조사하다 翻辞典查词义 fān cídiǎn chá cíyì

의복(衣服) 衣裳 yīshang; 衣服 yīfu

의분(義憤) 义愤 yìfèn ¶인종 차별에 ～을 느끼다 对种族歧视感到义愤 duì zhǒngzú qíshì gǎndào yìfèn

의붓딸 继女 jìnǚ

의붓아들 继子 jìzǐ; 前生子 qiánshēngzǐ

의붓아비 异父 yìfù; 后父 hòufù

의붓어미 后娘 hòuniáng; 后妈 hòumā

의붓자식(…子息) 拖油瓶 tuōyóupíng; 带犊 dàidú

의사(意思) 意思 yìsi ¶～ 표시를 하다 表明态度 biǎomíng tàidu/나는 진학할 ～가 조금도 없다 我毫无升学的'意思〔念头〕 wǒ háowú shēngxué de 'yìsi〔niàntou〕

의사(醫師) 医生 yīshēng; 医师 yīshī; 〈口〉大夫 dàifu

의사(議事) 议事 yìshì ¶～ 진행을 방해하다 妨碍议程的进行 fáng'ài yìchéng de jìnxíng ‖～록 议事记录 yìshì jìlù/～ 일정 议事日程 yìshì rìchéng

의상(衣裳) 衣裳 yìshang; 衣服 yīfu ¶～에 신경 쓰다 讲究衣着穿戴 jiǎngjiu yīzhuó chuāndài ‖무대 ～ 戏衣 xìyī =〔舞台服装 wǔtái fúzhuāng〕/신부 ～ 新娘礼服 xīnniáng lǐfú

의수(義手) 假手 jiǎshǒu ¶～를 달다 安上假手 ānshang jiǎshǒu

의식(意識) 意识 yìshí; 知觉 zhījué ¶～을 잃다 失去知觉 shīqù zhījué/～을 회복하다 恢复知觉 huīfù zhījué =〔醒〔缓〕过来 xǐng〔huǎn〕 guòlai〕/아직도 ～이 흐릿해 있다 神志还'不清楚〔昏迷〕 shénzhì hái 'bù qīngchu〔hūnmí〕/그의 정치 ～은 매우 높다 他的政治觉悟很高 tāde zhèngzhì juéwù hěn gāo ‖～ 불명 不省人事 bù xǐng rénshì

의식(儀式) 仪式 yíshì; 典礼 diǎnlǐ ¶～은 엄숙하게 거행되었다 仪式隆重地举行了 yíshì lóngzhòngde jǔxíng le/～적인 인사는 그만둡시다 虚套子免了吧 xūtàozi miǎn le ba

의심(疑心) 疑惑 yíhuò; 疑心 yíxīn ¶～스럽다 可疑 kěyí/～받다 见猜于人 jiàncāi yú rén/～하다 怀疑 huáiyí

의안(義眼) 义眼 yìyǎn; 假眼 jiǎyǎn ¶～을 넣다 安假眼 ān jiǎyǎn

의연금(義捐金) 捐款 juānkuǎn ¶～을 모으다 募集捐款 mùjí juānkuǎn =〔募捐 mùjuān〕

의연(毅然) 毅然 yìrán; 决然 juérán ¶그는 ～한 태도로 거절했다 他毅然决然地拒绝了 tā yìrán-juérán de jùjué le

의외(意外) 意外 yìwài ¶반향은 ～일 만큼 컸다 反响出乎意料地大 fǎnxiǎng chūhū yìliào de dà =〔反应那样地大, 出人意表 fǎnyìng nàyàngde dà, chū rén yìbiǎo〕/용건은 ～로 깨끗이 해결되었다 没想到事情这么简单地解决了 méi xiǎngdào shìqing zhème jiǎndānde jiějué le/～의 곳에서 그를 만났다 在意想不到的地方遇见了他 zài yìxiǎngbudào de dìfang yùjiànle tā

의욕(意欲) 热情 rèqíng ¶학습의 ~을 높이다 提高学习热情 tígāo xuéxí rèqíng / ~이 부족하다 进取心不强 jìnqǔxīn bù qiáng
의원(醫院) 私人医院 sīrén yīyuàn; 私人诊疗所 sīrén zhěnliáosuǒ; 病院 bìngyuàn
의의(意義) 意义 yìyì ¶~ 있는 有意义的 yǒu yìyì de / 그는 ~ 있는 생애를 보냈다 他度过了有意义的一生 tā dùguòle yǒu yìyì de yìshēng / 그것은 커다란 ~를 지니고 있다 那具有重大的意义 nà jùyǒu zhòngdà de yìyì
의자(椅子) 椅子 yǐzi; 凳子 dèngzi ¶안락 ~ 安乐椅 ānlèyǐ / 접는 ~ 折椅 zhéyǐ / ~ 등에 기대다 靠在椅背 kào zài yǐbèi
의장(議長) 主席 zhǔxí; 议长 yìzhǎng ¶~을 선출하다 选主席 xuǎn zhǔxí / 대회의 ~을 맡다 当大会主席 dāng dàhuì zhǔxí ‖ ~단 主席团 zhǔxítuán
의젓하다 威重 wēizhòng; 尊贵 zūnguì
의족(義足) 假腿 jiǎtuǐ; 假脚 jiǎjiǎo ¶~을 달다 安假腿 ān jiǎtuǐ
의존(依存) 依赖 yīlài; 仰赖 yǎnglài ¶우리 나라는 석유를 거의 외국으로부터의 수입에 ~하고 있다 我国石油几乎全依赖外国进口 wǒguó shíyóu jīhū quán yīlài wàiguó jìnkǒu
의중(意中) 心意 xīnyì ¶~을 털어놓다 吐露真情 tǔlù zhēnqíng / 상대방의 ~을 탐색하다 试探对方的心意 shìtan duìfāng de xīnyì =〔探听对方的口气 tàntīng duìfāng de kǒuqì〕 ‖ ~인 意中人 yìzhōngrén =〔心上人 xīnshàngrén〕
의지(意志) 意志 yìzhì; 志力 zhìlì ¶그는 ~가 강하다 他意志坚强 tā yìzhì jiānqiáng / 자신의 ~를 관철하다 贯彻自己的意志 guànchè zìjǐ de yìzhì ‖ ~ 박약 意志薄弱 yìzhì bóruò
의지가지없다 无依无靠的 wúyīwúkào de; 孤苦伶仃的 gūkǔlíngdīng de
의지하다(依支…) 靠 kào; 依靠 yīkào; 指 zhǐ; 指靠 zhǐkào; 依赖 yīlài; 仰赖 yǎnglài ¶친구를 의지하여 도미하다 投靠朋友去美国 tóukào péngyou qù Měiguó / 그런 것쯤은 다른 사람에게 의지하지 말고 네 스스로 해 봐라 那么点儿事, 别依赖别人, 自己办吧 nàme diǎnr shì, bié yīlài biéren, zìjǐ bàn ba
의치(義齒) 义齿 yìchǐ; 假牙 jiǎyá ¶~를 박다 镶牙 xiāng yá =〔安上假牙 ānshàng jiǎyá〕
의표(意表) 意表 yìbiǎo; 意料 yìliào ¶사람의 ~를 찌르다 出人意料 chū rén yìliào =〔出人意表 chū rén yìbiǎo〕〔出其不意 chū qí búyì〕
의학(醫學) 医学 yīxué ¶~의 힘도 미치지 못한다 医学也力不能及 yīxué yě lì bùnéng jí ‖ ~서 医学书籍 yīxué shūjí =〔医书 yīshū〕
의향(意向) 意向 yìxiàng ¶상대방의 ~을 확인하다 探问明白对方的意向 tànwèn míngbai duìfāng de yìxiàng =〔问清对方的意思 wènqīng duìfāng de yìsi〕 / 그의 ~을 타진하다 探听他的意向 tàntīng tāde yìxiàng
의협(義俠) 侠义 xiáyì ¶~심이 많다 富有侠义心肠 fùyǒu xiáyì xīncháng
의형제(義兄弟) 把兄弟 bǎxiōngdì; 盟兄弟 méngxiōngdì ¶~를 맺다 结拜为把兄弟 jiébài wéi bǎxiōngdì =〔拜把子 bàibǎzi〕〔拜盟 bàiméng〕
의혹(疑惑) 疑惑 yíhuò; 疑心 yíxīn; 怀疑 huáiyí ¶~을 부르다 招人疑惑 zhāo rén yíhuò =〔惹人怀疑 rě rén huáiyí〕 / ~을 품다 起疑心 qǐ yíxīn =〔抱有怀疑 bàoyǒu huáiyí〕 / ~을 풀다 消除疑惑 xiāochú yíhuò
의회(議會) 议会 yìhuì
이[1] ①《인간·동물의》 牙 yá; 牙齿 yáchǐ ¶~가 아프다 牙疼 yáténg / ~가 빠지다 牙掉了 yá diào le / ~를 닦다 刷牙 shuāyá / ~가 2개 났다 长出两颗牙 zhǎngchū liǎng kē yá / ~가 다시 나다 换牙 huànyá ②《기구·기계 따위의》 齿儿 chǐr; 《톱니》 锯齿儿 jùchǐr ¶톱니바퀴의 ~ 齿轮的齿儿 chǐlún de chǐr
이[2]《蟲》 虱 shī; 虱子 shīzi ¶~가 꾀다 生虱子 shēng shīzi / ~를 잡다 拿虱子 ná shīzi
이[3]《지시사》 这 zhè; 这个 zhège ¶~ 근방 这一带 zhè yídài / ~ 때문에 因此 yīncì / ~ 책을 읽어라 你看这一本书 nǐ kàn zhè yì běn shū / ~ 밖에 此外 cǐwài =〔另外 lìngwài〕 / ~대로 就这样 jiù zhèyàng / ~ 위에 무거운 물건을 놓지 않도록 해라 在这上头可别搁重东西 zài zhè shàngtou kě bié gē zhòng dōngxi / ~ 뒤에 숨다 藏在这后边儿吧 cáng zài zhè hòubianr ba
이[4]《조사》 ¶이것~ 인생이라고 하는 것인가! 这就是人生啊! zhè jiùshì rénshēng a! / 봄~ 왔다 春天来了 chūntiān lái le
이간(離間) 离间 líjiàn ¶남모르게 양자의 ~을 꾀하다 企图暗中离间两者的关系 qǐtú ànzhōng líjiàn liǎngzhě de guānxi ‖ ~책 离间计 líjiànjì
이갈다 咬牙 yǎoyá ¶자면서 ~ 夜里咬牙 yè li yǎoyá
이것 这 zhè; 这个 zhège; 此 cǐ ¶~은 누구의 책입니까? 这是谁的书? zhè shì shuíde shū? / ~을 그녀에게 건네 주십시오 请把这个交给她 qǐng bǎ zhège jiāogěi tā
이것저것 这个那个 zhège nàge; 种种 zhǒngzhǒng ¶~ 생각하다 左思右想 zuǒsī yòuxiǎng / ~ 생각하느라 한잠도 못 잤다 想这想那一夜没睡着 xiǎng zhè xiǎng nà yí yè méi shuìzháo / ~ 여러 가지 이야기를 하다 东拉西扯地说闲话 dōng lā xī chě de shuō xiánhuà / ~ 해 보았으나 신통치 않다 试过种种办法总搞不好 shìguo zhǒngzhǒng bànfǎ zǒng gǎobuhǎo
이과(理科) 理科 lǐkē ¶나는 ~에 자신이 있다 我擅长理科 wǒ shàncháng lǐkē
이겹실(二…) 双股线 shuānggǔxiàn
이구동음(異口同音) 异口同声 yìkǒutóngshēng; 如出一口 rú chū yì kǒu ¶모두가 ~으로 찬성했다 大家异口同声地赞成了 dàjiā yìkǒutóngshēng de zànchéng le
이국(異國) 异国 yìguó; 异邦 yìbāng ¶~의 정서를 맛보다 欣赏异国情调 xīnshǎng yìguó qíngdiào ‖ ~인 外国人 wàiguórén
이기(利己) 利己 lìjǐ ¶그는 ~적인 녀석이다 他是自私自利的家伙 tā shì zìsīzìlì de jiāhuo =〔那家伙太利己 nà jiāhuo tài lìjǐ〕
이기다[1] ①《승리하다》 胜 shèng; 赢 yíng; 打胜 dǎshèng; 打赢 dǎyíng; 战胜 zhànshèng; 获胜 huòshèng; 取胜 qǔshèng ¶전쟁에 ~ 打胜仗 dǎ shèngzhàng / 시합에 ~ 比赛获胜 bǐsài huòshèng / 선거에 ~ 选举获胜 xuǎnjǔ huòshèng / 싸움에 이겼다 打架打赢了 dǎ jià dǎ yíng le / 소송에 ~ 打赢官司 dǎyíng guānsi / 이기기 위해서는 수단을 가리지 않다

为了获胜不择手段 wèile huòshèng bù zé shǒuduàn ②《극복하다》¶자기에게 ～ 战胜自己 zhàngshèng zìjǐ =〔克己 kèjǐ〕/의지가 약해서 유혹에 이길 수 없다 意志薄弱战胜不了诱惑 yìzhì bóruò zhànshèngbuliǎo yòuhuò
이기다² ①《반죽하다》搋 chuāi; 捏 niē ②《칼로》切成碎末 qiēchéng suìmò
이끼《植》苔 tái; 地衣 dìyī; 苔衣 táiyī; 青苔 qīngtái; 苔藓 táixiǎn ¶～낀 바위 长满苔藓的岩石 zhǎngmǎn táixiǎn de yánshí
이다¹《머리에》头顶 tóudǐng; 顶 dǐng ¶이불 보퉁이를 머리에 ～ 把铺盖捲儿顶在头上 bǎ pūgai juǎnr dǐng zài tóushang
이다²《지붕을》瓦 wà; 盖 gài ¶기와로 지붕을 ～ 用瓦瓦房 yòng wǎ wàfáng/짚으로 지붕을 ～ 用草盖房 yòng cǎo gàifáng
이데올로기(Ideologie) 思想体系 sīxiǎng tǐxì; 意识形态 yìshí xíngtài; 思想意识 sīxiǎng yìshí; 观念形态 guānniàn xíngtài
이동(異動) 变动 biàndòng; 调动 diàodòng ¶매년 봄은 인사 ～이 있다 每年春季有人事变动 měi nián chūnjì yǒu rénshì biàndòng
이동(移動) 移动 yídòng; 转移 zhuǎnyí ¶도시는 인구의 ～이 격심하다 都市人口移动得较厉害 dūshì rénkǒu yídòngde jiào lìhai/부대가 ～하다 部队转移了 bùduì zhuǎnyí le ‖～대사 巡回大使 xúnhuí dàshǐ/～도서관 巡回〔流动〕图书馆 xúnhuí〔liúdòng〕túshūguǎn
이득(利得) 收益 shōuyì; 利益 lìyì ‖부당 ～ 不正当的收益 bú zhèngdàng de shōuyì
이듬해 第二年 dì'èr nián; 翌年 yìnián; 次年 cìnián
이래(以來) 以来 yǐlái; 以后 yǐhòu ¶광복 ～의 변화가 일목 요연하다 光复以来的变化一目了然 guāngfù yǐlái de biànhuà yī mù liǎorán
이러한 这么 zhème; 这样的 zhèyàng de
이례(異例) 破例 pòlì; 破格 pògé ¶이것은 ～적인 조치다 这是破例的措施 zhè shì pòlì de cuòshī/그는 ～적인 발탁을 받았다 他破格地被提拔 tā pògéde bèi tíba
이로부터 从此 cóngcǐ; 今后 jīnhòu
이론(異論) 异议 yìyì; 不同意见 bùtóng yìjiàn ¶～을 제기하다 提出不同的意见 tí chū bùtóng de yìjiàn
이론(理論) 理论 lǐlùn ¶상대성 ～ 相对论 xiāngduìlùn/～과 실제와는 반드시 일치하는 것은 아니다 理论和实际并不一定一致 lǐlùn hé shíjì bìng bù yídìng yízhì ‖～가 理论家 lǐlùnjiā
이륙(離陸) 起飞 qǐfēi ¶비행기가 ～하다 飞机起飞 fēijī qǐfēi
이르다 早 zǎo ¶예정보다 2시간 이르게 도착했다 比预定的时间早到了两个钟头 bǐ yùdìng de shíjiān zǎo dàole liǎng ge zhōngtóu/저녁을 먹기에는 아직 ～ 吃晚饭还早呢 chī wǎnfàn hái zǎo ne
이름 ①《성명·명칭》名儿 míngr; 名字 míngzi; 姓名 xìngmíng ¶아이에게 ～을 지어 주다 给孩子'起〔取〕名字 gěi háizi 'qǐ〔qǔ〕míngzi/～을 부르다 叫名 jiào míng/나의 ～은 이복동입니다 我的名字叫李福童 wǒde míngzi jiào Lǐ Fútóng =〔我叫李福童 wǒ jiào Lǐ Fútóng〕②《사물·단체의 칭호》名称 míngchēng;《명의》名仪 míngyí ¶이 꽃의 ～은 무엇입니까? 这花儿叫什么名字? zhè huār jiào shénme míngzi =〔这叫什么花儿? zhè jiào shénme huār?〕/회사의 ～으로 위문금을 내다 以公司的名义送慰问金 yǐ gōngsī de míngyì sòng wèiwènjīn/～뿐인 사장 挂名的总经理 guàmíng de zǒngjīnglǐ ③《평판·명성·명예》名 míng; 名誉 míngyù ¶세계 제일의 ～에 부끄럽지 않다 不愧为世界第一 búkuì wéi shìjiè dìyī/작가로서 ～을 얻다 以作家成名 yǐ zuòjiā chéngmíng/역사에 ～을 남기다 载入史册 zǎirù shǐcè =〔名垂青史 míng chuí qīngshǐ〕/학교의 ～을 손상시키다 玷污学校的名声 diànwū xuéxiào de míngshēng/그런 일을 하면 나의 ～에 관계가 있다 干那种事会影响我的名誉 gàn nà zhǒng shì huì yǐngxiǎng wǒde míngyù/그의 ～은 외국에도 알려져 있다 他驰名于海外 tā chímíng yú hǎiwài ④《구실·명분》名 míng ¶복지라는 ～을 빌려서 사리(私利)를 꾀하다 以搞福利为名谋私利 yǐ gǎo fúlì wéi míng móu sīlì
이리¹《생선의》鱼精 yújīng; 鱼白 yúbái
이리²《動》狼 láng
이리³《여기》到这里 dào zhè li; 到这边(儿) dào zhè bian(r)
이리저리 这儿那儿 zhèr nàr; 各处 gèchù ¶～ 왕래하다 东来西往 dōngláixīwǎng/～ 찾다 东翻西找 dōngfānxīzhǎo
이마 额 é; 前额 qián'é; 脑门儿 nǎoménr;〈方〉脑门子 nǎoménzi ¶～가 넓은 사람 前额宽的人 qián'é kuān de rén =〔脑门儿大的人 nǎoménr dà de rén〕/～에 땀 흘리며 일하다 汗流满面地工作 hàn liú mǎn miànde gōngzuò/～를 맞대고 의논하다 聚首商谈 jùshǒu shāngtán
이마적 近来 jìnlai; 这程子 zhèchéngzi
이만 这么些 zhèmexiē; 这个程度 zhège chéngdu ¶오늘은 ～ 합시다 今天到此为止罢 jīntian dàocǐ wéizhǐ ba
이만저만《수》不小 bùxiǎo;《양》不少 bùshǎo;《정도》非常 fēicháng; 很多 hěnduō ¶～ 놀라지 않았다 吓了一大跳 xiàle yí dà tiào
이만큼 这么些 zhèmexiē; 这么程度 zhème chéngdu ¶～ 이층에 또 있다 还有这么些在楼上 háiyǒu zhèmexiē zài lóushang
이맘때 这时候 zhè shíhou ¶매년 ～에는 비가 많이 온다 每年这时候雨多 měi nián zhè shíhou yǔ duō
이맛살 额上皱纹 éshàng zhòuwén ¶～을 찌푸리다 皱起眉头 zhòu qǐ méi tóu
이맞다《윗니·아랫니가》上下臼齿咬合得正合式 shàngxià jiùchǐ yǎohéde zhènghéshì;《톱니바퀴가》齿轮撮合得正好 chǐlún cuōhé〔he〕de zhènghǎo
이모(姨母) 姨母 yímǔ;〈口〉姨妈 yímā ‖～부 姨夫〔父〕yífū〔fu〕=〔姨爹 yídiē〕
이무기 蟒蛇 mǎngshé; 蚺蛇 ránshé; 王蛇 wángshé
이물 船头 chuántóu; 船首 chuánshǒu
이미 已经 yǐjīng; 已 yǐ ¶결혼한 지 ～ 10년이나 되었다 结了婚已经有十年了 jiéle hūn yǐjīng yǒu shí nián le/일이 ～ 끝났다 工作已做完 gōngzuò yǐ zuòwán
이미지(image) 形象 xíngxiàng; 心象 xīnxiàng ¶～가 떠오르다 形象浮现于脑海 xíngxiàng fúxiàn yú nǎohǎi

이민(移民) 移民 yímín ¶브라질에 ~가다 移民到巴西 yímín dào Bāxī
이바지하다 寄与 jìyǔ; 贡献 gòngxiàn
이발(理髮) 理发 lǐfà; 剃头 tìtóu ‖ ~관 理发馆 lǐfàguǎn / ~사 理发员 lǐfàyuán
이밥 大米饭 dàmǐfàn
이번(…番) 这回 zhè huí; 这次 zhè cì; 此次 cǐ cì ¶~에 오신 선생님과 나는 동향이다 新来的老师和我同乡 xīn lái de lǎoshī hé wǒ tóngxiāng / ~만은 용서해 준다 饶你这一回 ráo nǐ zhè yì huí
이별(離別) 离别 líbié; 别离 biélí ¶~하다 离别 líbié =〔分手 fēnshǒu〕
이보다 比这个 bǐ zhège ¶~ 앞서 在这以前 zài zhè yǐqián
이봐 喂 wèi; 我说 wǒ shuō
이부자리 被褥 bèirù; 卧具 wòjù
이불 被窝 bèiwō; 铺盖 pūgai ¶~을 펴다 铺被褥 pū bèirù / ~을 개다 叠被褥 dié bèirù / ~을 덮다 盖被子 gài bèizi / ~ 밑으로 기어들다 钻进被窝里 zuānjìn bèiwō li
이비인후과(耳鼻咽喉科) 耳鼻喉科 ěrbíhóukē
이사(移徙) 搬 bān; 搬家 bānjiā; 迁移 qiānyí ¶~하다 搬家 bānjiā =〔〈方〉挪窝儿 nuówōr〕/ 이 곳으로 ~ 와서 벌써 3년이 되었다 搬到此地来已经有三年了 bāndào cǐdì lái yǐjīng yǒu sān nián le
이삭 《농작물》 穗儿 suìr ¶~ 바구니 穗顿 suìdùn / 보리 ~ 麦穗儿 màisuìr / ~이 나다 抽〔吐, 秀〕穗儿 chōu〔tǔ, xiù〕 suìr
이산화탄소(二酸化炭素) 二氧化碳 èryǎnghuàtàn
이상(以上) ①《수량 · 정도》 以上 yǐshàng ¶이미 1시간 ~ 걸었다 已经走了一个多小时了 yǐjīng zǒule yí ge duō xiǎoshí le / 6세 ~ 12세 미만 六岁以上十二岁以下 liù suì yǐshàng, shí'èr suì yǐxià / 이 ~ 말할 필요가 없다 无须再多说 wúxū zài duō shuō =〔不必再多讲了 búbì zài duō jiǎng le〕 ②《상기(上記)》 以上 yǐshàng ¶~은 최근의 조사에 의한 결과이다 以上是根据最近调查的结果 yǐshàng shì gēnjù zuìjìn diàochá de jiéguǒ / ~으로 나의 보고를 마치겠습니다 我的报告到此为止 wǒde bàogào dào cǐ wéizhǐ ③《…한 바엔》 ¶일단 결정한 ~은 변경할 수 없다 一旦决定就不能变更 yídàn juédìng jiù bùnéng biàngēng
이상(異常) ①《비정상》 异常 yìcháng; 异乎寻常 yìhū xúncháng ¶맥박에는 ~이 없다 脉搏正常 màibó zhèngcháng / 정신에 ~이 오다 精神失常 jīngshén shīcháng / ~하게 긴장되어 있다 显出异常的紧张 xiǎnchū yìcháng de jǐnzhāng ②《기이》 奇怪 qíguài
이상(理想) 理想 lǐxiǎng ¶~과 현실과의 괴리(乖離) 理想与现实的背离 lǐxiǎng yǔ xiànshí de bèilí / 저 사람은 나의 ~의 여성이다 那个人是我理想中的女性 nàge rén shì wǒ lǐxiǎng zhōng de nǚxìng
이색(異色) ①《다른 빛깔》 不同的颜色 bùtóng de yánsè ②《색다름》 特色 tèsè ¶그는 작가 중에서 ~적인 존재다 他在作家之中独树一帜 tā zài zuòjiā zhīzhōng dúshù yízhì
이성(異性) 异性 yìxìng
이성(理性) 理性 lǐxìng; 理智 lǐzhì ¶감정에 쏠려 ~을 잃다 感情用事失去理性 gǎnqíng yòngshì shīqù lǐxìng / ~적으로 말하다 冷静地进行谈判 lěngjìng de jìnxíng tánpàn
이슬람교(Islam) 伊斯兰教 Yīsīlán jiào
이슥하다 夜阑 yèlán
이슬 露 lù; 〈口〉露水 lùshui ¶풀잎에 ~이 내리다 草叶子上沾上了露水 cǎoyèzishang zhānshàngle lùshui / 형장의 ~로 사라졌다 死在刑场上 sǐ zài xíngchǎngshang
이슬비 毛毛雨 máomaoyǔ; 蒙蒙细雨 méngméngxìyǔ; 牛毛雨 niúmáoyǔ; 蒙松雨儿 méngsōngyǔr; 牛毛细雨 niúmáoxìyǔ
이식(利息) 利息 lìxī; 利钱 lìqian
이식(移植) 移植 yízhí ¶각막 ~ 수술 角膜移植手术 jiǎomó yízhí shǒushù / 묘목을 ~하다 移植树秧儿 yízhí shùyāngr
이심전심(以心傳心) 心心相印 xīnxīn xiāng yìn; 心领神会 xīnlǐngshénhuì ¶서로의 기분을 ~으로 알다 心照不宣 xīnzhào bùxuān
이쑤시개 牙签(儿) yáqiān(r) ¶~로 이를 쑤시다 用牙签儿剔牙 yòng yáqiānr tī yá
이악하다 贪财 tāncái; 贪得无厌 tānde wúyàn
이앓이 牙疼 yáténg
이야기 ①《일반적인》 话儿 huàr ¶그는 ~를 잘한다 他很会说话儿 tā hěn huì shuōhuàr =〔他能说会道 tā néngshuōhuìdào〕/ 두 사람은 ~가 잘 통한다 两个人很说得来 liǎng ge rén hěn shuōdelái =〔他俩说得很投机 tā liǎ shuōde hěn tóujī〕/ 정치 ~를 하다 谈〔讲〕政治 tán〔jiǎng〕 zhèng zhì ②《소문 · 소식》 ¶동네가 온통 그 ~뿐이다 那件事引得满成风雨 nà jiàn shì yǐnde mǎn chéng fēngyǔ / 그것이 ~로 듣던 항아리였다 那就是常听说的壶 nà jiù shì cháng tīngshuō de hú ③《소설》 故事 gùshi ¶아이에게 손오공 ~를 들려 주다 给孩子讲孙悟空的故事 gěi háizi jiǎng Sūnwùkōng de gùshi ④《상담》 ¶너에게 할 ~가 있다 我有事跟你说 wǒ yǒu shì gēn nǐ shuō ⑤《도리》 ¶그는 ~가 통하지 않는 녀석이다 他那个人真讲不通道理 tā nàge rén zhēn jiǎngbutōng dàoli
이야깃거리 话题 huàtí; 谈话的材料 tánhuà de cáiliào
이야말로 这真是 zhèzhēnshi; 这才是 zhècáishi
이어링(earring) 耳环 ěrhuán ¶~을 달다 戴耳环 dài ěrhuán
이어서 《다음에》 后来 hòulai; 《계속하여》 接连着 jiēliánzhe
이어폰(earphone) 耳机 ěrjī
이엉 草房盖 cǎofánggài
이온(ion) 〈化〉 离子 lízǐ ¶~화하다 离子化 lízǐhuà ‖ 수소 ~ 氢离子 qīng lízǐ / 양~ 阳离子 yáng lízǐ
이완(弛緩) 松弛 sōngchí; 涣散 huànsàn ¶근육이 ~되다 肌肉松弛 jīròu sōngchí / 정신이 ~되다 精神涣散 jīngshén huànsàn
이용(利用) 利用 lìyòng ¶~률이 낮다 利用率低 lìyònglǜ dī / 출퇴근 때는 지하철을 ~한다 上下班利用地下铁道 shàngxiàbān lìyòng dìxià tiědào
이울다 《시들다》 枯萎 kūwěi; 《쇠약》 见瘦 jiànshòu; 衰弱 shuāiruò
이웃 邻居 línjū; 街坊 jiēfang; 隔壁(儿) gébì(r) ¶~하고는 거의 교제가 없다 跟邻家几乎没有来往 gēn línjiā jīhū méiyǒu láiwang ‖ ~ 사촌 远水近火 yuǎnshuǐ jìnhuǒ

이유(理由) 理由 lǐyóu ¶그것은 ~가 안 된다 那不成理由 nà bùchéng lǐyóu / 건강상의 ~로 회사를 그만두다 以健康上的理由辞了公司的职务 yǐ jiànkāngshang de lǐyóu cíle gōngsī de zhíwù
이유(離乳) 断奶 duànnǎi ‖~기 断奶期 duànnǎiqī / ~식 断奶食 duànnǎishí
이율(利率) 利率 lìlǜ; 息率 xīlǜ ¶연 5푼의 ~로 이자를 지불하다 按年利五厘的息率付息 àn niánlì wǔlí de xīlǜ fù xī
이윽고 过一会儿 guò yìhuǐr; 终于 zhōngyú
이의(異議) 异议 yìyì; 不同的意见 bùtóng de yìjiàn ¶~가 있다 我有'异议〔异见〕 wǒ yǒu 'yìyì〔yìjiàn〕 / 판결에 ~를 제기하다 对判决提出异议 duì pànjué tíchū yìyì
이익(利益) ①《유익》利益 lìyì ¶대중의 ~을 도모하다 谋求群众的利益 móuqiú qúnzhòng de lìyì ②《벌이》利 lì; 赢利 yínglì; 利润 lìrùn; 利益 lìyì; 赚头 zhuàntou ¶~을 무시한 사업 无视赢利的事业 wúshì yínglì de shìyè / 이번 거래는 ~이 적다 这回买卖赚头少 zhè huí mǎimai zhuàntou shǎo ‖~ 배당 分红 fēnhóng =〔分配红利 fēnpèi hónglì〕 ¶~을 받다 分得红利 fēndé hónglì
이인분(二人分) 双分儿 shuāngfènr
이자 ⇨ 췌장(膵臟)
이자(利子) 利息 lìxī; 利钱 lìqian ¶이 예금은 연 6푼의 ~가 붙는다 这笔存款一年有六厘利息 zhè bǐ cúnkuǎn yì nián yǒu liù lí lìxī
이재(罹災) 受灾 shòuzāi; 受害 shòuhài ¶~ 지역으로 원조하러 가다 到灾区去救援 dào zāiqū qù jiùyuán ‖~민 灾民 zāi mín
이적(利敵) 利敌 lìdí; 对敌有利 duì dí yǒulì ‖~ 행위 资敌行为 zīdí xíngwéi
이전(以前) 以前 yǐqián; 从前 cóngqián; 先前 xiānqián; 过去 guòqù ¶그는 ~과는 완전히 다르게 사람이 변했다 他跟以前完全变了 tā gēn yǐqián wánquán biàn le =〔他与先前判若两人 tā yǔ xiānqián pàn ruò liǎng rén〕/ 4월 1일 ~에 출생한 사람 在四月一日以前出生的人 zài sì yuè yí rì yǐqián chūshēng de rén
이전(移轉) ①《이동》转移 zhuǎnyí; 挪动 nuódòng ②《이사》搬家 bānjiā; 迁移 qiānyí ¶권리의 ~ 权利的转让 quánlì de zhuǎnràng / 사무소를 ~하다 迁移事务所 qiānyí shìwùsuǒ
이점(利點) 优点 yōudiǎn; 长处 chángchu ¶쓰기에 편리한 것이 이 기구의 ~이다 便于使用是这个器具的长处 biànyú shǐyòng shì zhège qìjù de chángchu
이정(里程) 里程 lǐchéng; 路程 lùchéng ‖~표 里程标 lǐchéngbiāo =〔里程碑 lǐchéngbēi〕〔路标 lùbiāo〕
이제 现在 xiànzài; 此刻 cǐkè ¶~부터 从此以后 cóngcǐ yǐhòu / ~까지 到现在 dào xiànzài
이주(移住) 移居 yíjū ‖~민 移民 yímín
이죽거리다 喋喋不休 diédié bùxiū; 瞎诌 xiā zhōu
이중(二重) 《반복》重 chóng; 重复 chóngfù; 《두 겹》双重 shuāngchóng; 二重 èrchóng; 两重liǎngchóng ¶~으로 지불하다 付钱又付钱 fù qián yòu fù qián / 책을 ~으로 샀다 把书买重了 bǎ shū mǎichóng le / 신문지에 ~으로 싸다 用报纸包两层 yòng bàozhǐ bāo liǎng céng ‖~ 과세 二重课税 èrchóng kèshuì / ~ 국적 双重国籍 shuāngchóng guójí / ~ 인격 双重〔两重〕人格 shuāngchóng〔liǎngchóng〕 réngé / ~주 二重奏 èrchóngzòu / ~창 二重唱 èrchóngchàng / ~턱 双下巴 shuāngxiàba
이즈음 这程子 zhèchéngzi; 这些天来 zhèxiētiānlai; 这一向 zhèyíxiàng
이지러지다 出豁口 chū xiàkǒu; 出缺口 chū quēkǒu
이지(理智) 理智 lǐzhì ¶~적인 사람 有理智的人 yǒu lǐzhì de rén
이질(異質) 异质 yìzhì; 性质不同 xìngzhì bùtóng ‖~ 문화 不同的文化 bùtóng de wénhuà
이질(痢疾) 赤痢 chìlì; 痢疾 lìji
이쪽 这边 zhèbian; 我方 wǒfāng; 这搭儿 zhèdār
이차피(以此彼) 反正 fǎnzheng; 左不过 zuǒbuguò; 〈口〉横竖 héngshu ¶~ 죽을 바에야 속히 죽는 게 좋겠다 左右是死莫若早死倒好 zuǒyòushì sǐ mòruò zǎo sǐ dào hǎo
이차회(二次會) 《연회》曲宴 qūyàn
이첩(移牒) 移文 yíwén; 转咨 zhuǎnzī
이촉 牙根 yágēn; 齿根 chǐgēn
이층(二層) 二楼 èr lóu; 楼上 lóushàng ¶~에 올라가다 上楼 shàng lóu / ~에서 내려오다 下楼 xià lóu ‖~집 二层楼 èrcéng lóu =〔楼房 lóufáng〕
이퀄(equal) 一样 yíyàng; 同于… tóngyú…; 等于 děngyú ¶3더하기 3 ~ 6 三加三等于六 sān jiā sān děngyú liù =〔《부호》等号 děnghào〕
이키나 嗳呀, àiyā; 哎呀呀, āiyāyā ¶~ 불이야, 불이야! 嗳呀! 失火啦, 失火啦! àiyā! shīhuǒ la, shīhuǒ la!
이타(利他) 利他 lìtā ¶~적인 생각 舍己为人的想法 shě jǐ wèi rén de xiǎngfa ‖~주의 利他主义 lìtā zhǔyì
이탈(離脫) 脱离 tuōlí ¶국적을 ~하다 脱离国籍 tuōlí guójí
이태 两年 liǎngnián
이탤릭(Italic) 斜体字 xiétǐzì
이튿날 《다음날》第二天 dì èr tiān; 次日 cìrì; 《2일》二号 èr hào ¶초~ 初二 chū'èr
이틀 《초이틀》初二 chū'èr; 《이틀째》第二天 dì èr tiān; 《두 날》两天 liǎngtiān ¶~마다 每两天 měi liǎngtiān
이편(…便) ①《자기》我方 wǒfāng; 我们 wǒmen ¶~의 잘못 我们的错儿 wǒmen de cuòr ②《이쪽》这边 zhèbian
이하(以下) ①《수량 정도》以下 yǐxià ¶10인 ~ 5인까지 十人以下五人为止 shí rén yǐxià wǔ rén wéizhǐ / 소수점 ~ 사사오입 小数点以下四舍五入 xiǎoshùdiǎn yǐxià sìshěwǔrù ②《…뒤에》以下 yǐxià ¶~ 생략 以下从略 yǐxià cónglüè / ~ 이에 준한다 以下以此为准 yǐxià yǐ cǐ wéi zhǔn
이해(利害) 利害 lìhài; 损益 sǔnyì ¶~득실을 계산하다 权衡利害得失 quánhéng lìhài déshī
이해(理解) 理解 lǐjiě; 了解 liǎojiě; 领会 lǐnghuì ¶상대방의 입장을 ~하다 体谅〔谅解〕对方的立场 tǐliang〔liàngjiě〕 duìfāng de lìchǎng
이행(履行) 履行 lǚxíng ¶계약을 ~하다 履行合同 lǚxíng hétong

이후(以後) 以后 yǐhòu; 今后 jīnhòu; 日后 rìhòu; 往后 wǎnghòu ¶~의 교훈으로 삼다 作为今后的教训 zuòwéi jīnhòu de jiàoxun / 오후 6시 ~에는 집에 있다 下午六点以后在家 xiàwǔ liù diǎn yǐhòu zàijiā
익다 成熟 chéngshú〔shóu〕; 熟 shú〔shóu〕; 《과일》 开化 kāihua; 《익숙》 惯会 guànhuì; 熟练 shú〔shóu〕liàn
익사(溺死) 溺没 nìmò; 溺死 nìsǐ; 淹死 yānsǐ ¶강에 떨어져 ~하다 掉到河里淹死了 diàodào hé li yānsǐ le ‖~체 溺死的尸体 nìsǐ de shītǐ =〔溺尸 nìshī〕
익살 滑稽 huáji〔gǔjī〕 ¶~부리다 逗乐 dòu lè
익숙하다 ①《능숙》 精通 jīngtōng; 巧妙 qiǎomiào ②《친숙》 很熟 hěn shú〔shóu〕 ¶세상사에 ~ 练达世故 liàndá shìgù
익히다 《연습》 练习 liànxí; 练成 liànchéng; 《길들이다》 驯养 xùnyǎng; 使惯 shǐguàn; 《음식을》 煮熟 zhǔshú〔shóu〕; 《과일을》 使…开化 shǐ… kāihua
인(燐) 《化》 磷 lín
인가(人家) 人家 rénjiā; 人烟 rényān ¶이 섬에는 ~가 한 채도 없다 这个岛没有一户人家 zhège dǎo méiyǒu yí hù rénjiā / ~가 밀집한 지역 人烟稠密的地方 rényān chóumì de dìfang
인가(認可) 批准 pīzhǔn; 许可 xǔkě ¶법인 설립의 ~를 신청하다 申请设立法人的许可证 shēnqǐng shèlì fǎrén de xǔkězhèng / 건축의 ~가 내리다 建筑工程得到了批准 jiànzhù gōngchéng dédàole pīzhǔn
인각(印刻) 刻字 kèzì ¶~사 刻字匠 kèzìjiàng
인간(人間) 人 rén ¶~은 생각하는 갈대다 人是能思维的芦苇 rén shì néng sīwéi de lúwěi / 비~적인 행위 不人道的行为 bù réndào de xíngwéi / ~다운 생활을 하고 싶다 想过像人样儿的生活 xiǎng guò xiàng rényàngr de shēnghuó / ~ 만사 새옹지마 塞翁失马, 安知非福 sài wēng shī mǎ, ān zhī fēi fú
인건비(人件費) 人事费 rénshìfèi
인격(人格) 人格 réngé; 人品 rénpǐn ¶~을 무시하다 无视人格 wúshì réngé / 그는 ~자다 他是个人格高尚的人 tā shì ge réngé gāoshàng de rén ‖이중 ~ 双重人格 shuāngchóngréngé
인견(人絹) 人造丝 rénzàosī
인견(引見) 接见 jiējiàn ¶국왕이 사절을 ~하다 国王接见使节 guówáng jiējiàn shǐjié
인계(引繼) 《받다》 接替 jiētì; 《주다》 移交 yíjiāo ¶퇴직자의 일을 ~ 받다 接替退职者的工作 jiētì tuìzhízhě de gōngzuò / 후임자에게 일을 ~하다 把工作移交给后任 bǎ gōngzuò yíjiāo gěi hòurèn
인공(人工) 人工 réngōng; 人造 rénzào ‖~ 수정 人工授精 réngōng shòujīng / ~ 위성 人造卫星 rénzào wèixīng / ~ 호흡 人工呼吸 réngōng hūxī
인구(人口) ①《사람수》 人口 rénkǒu ¶~가 늘어나다 人口增加 rénkǒu zēngjiā / ~ 밀도가 높다 人口密度高 rénkǒu mìdù gāo ②《소문》 ¶~에 회자하다 脍炙人口 kuàizhì rénkǒu ‖~ 문제 人口问题 rénkǒu wèntí
인권(人權) 人权 rénquán ¶~을 옹호하다 拥护人权 yōnghù rénquán / ~을 유린하다 蹂躏人权 róulìn rénquán
인기(人氣) 人缘儿 rényuánr ¶~ 있다 有人缘儿 yǒu rényuánr / 그의 소설은 젊은 사람에게 ~가 있다 他的小说在年轻人中很受欢迎 tāde xiǎoshuō zài niánqīngrén zhōng hěn shòu huānyíng / 이 배우는 최근에 ~가 올라갔다 这个演员近来红起来了 zhège yǎnyuán jìnlái hóngqǐlai le / 이 장난감은 아이들 사이에서 ~를 받고 있다 这种玩具在孩子当中很吃香 zhè zhǒng wánjù zài háizi dāngzhōng hěn chīxiāng / 그 사건 이래 그는 완전히 ~를 잃었다 自从那件事以来他可吃不开了 zìcóng nà jiàn shì yǐlái tā kě chībukāi le ‖~ 정책 投人所好的政策 tóu rén suǒhào de zhèngcè =〔讨人欢心的政策 tǎo rén huānxīn de zhèngcè〕
인기척(人…) 人的声息 rénde shēngxī ¶~ 없는 호젓한 산길 一个人影也没有的冷落的山路 yíge rényǐng yě méiyǒu de lěngluò de shānlù
인내(忍耐) 忍耐 rěnnài ¶그녀는 ~성이 강하다 她很有耐性 tā hěn yǒu nàixìng / 그의 ~력에는 놀랄 뿐이다 他那忍耐力可令人惊叹 tā nà rěnnàilì kě lìng rén jīngtàn
인덱스(index) 引得 yǐndé; 索引 suǒyǐn
인도(人道) 人道 réndào ¶그들의 행위는 ~상 묵과할 수 없다 他们的行为是人道上不可容忍的 tāmen de xíngwéi shì réndào shang bùkě róngrěn de =〔《보도》 便道 biàndào〕 ‖~주의 人道主义 réndào zhǔyì
인도(印度) 《사과의 품종》 香蕉苹果 xiāngjiāo píngguǒ
인두 熨斗 yùndǒu; 烙铁 làotie
인디아페이퍼(India paper) 辞典纸 cídiǎnzhǐ; 薄凸版纸 báotūbǎnzhǐ; 圣经纸 shèngjīngzhǐ
인디언(Indian) 印第安人 Yìndì'ānrén
인력(人力) 人力 rénlì ¶그것은 도저히 ~으로는 할 수 없는 일이다 那不是人力所能及的 nà bú shì rénlì suǒnéng jí de ‖~거 人力车 rénlìchē =〔洋车 yángchē〕〔黄包车 huángbāochē〕
인력(引力) 引力 yǐnlì
인류(人類) 人类 rénlèi ‖~애 对人类的爱 duì rénlèi de ài / ~학 人类学 rénlèixué
인륜(人倫) 人伦 rénlún ¶~에 벗어나는 행위 悖逆人伦的行为 bèinì rénlún de xíngwéi
인망(人望) 人望 rénwàng; 声望 shēngwàng
인멸(湮滅) 销毁 xiāohuǐ; 消灭 xiāomiè ¶증거를 ~하다 销毁证据 xiāohuǐ zhèngjù
인명(人命) 人命 rénmìng ¶그것은 ~에 관계되는 중대사다 那是人命关天的问题 nà shì rénmìng guān tiān de wèntí ‖~ 구조 救助人命 jiùzhù rénmìng
인물(人物) 人 rén; 人物 rénwù ¶그는 위험 ~이다 他是危险人物 tā shì wēixiǎn rénwù / 그는 대단한 ~이다 他是个相当了不起的人物 tāshì ge xiāngdāng liǎobuqǐ de rénwù ‖~화 人物 rénwù =〔人物画 rénwùhuà〕
인민(人民) 人民 rénmín
인보이스(invoice) 《商》 发票 fāpiào; 送货单 sònghuòdān; 华司 huásī
인부(人夫) 壮工 zhuànggōng; 小工(儿, 子) xiǎogōng(r, zi)
인사(人事) ①招呼 zhāohu; 寒暄 hánxuān ¶~하다 打招呼 dǎ zhāohu ②人事 rénshì ¶~를 다하고 천명을 기다리다 尽人事听天命 jìn rénshì tīng tiānmìng ‖~과 人事科 rénshìkē /

～ 이동 人事调动 rénshì diàodòng
인사불성(人事不省)《혼미》昏迷没有知觉 hūnmí méiyǒu zhījué; 不省人事 bù xǐng rénshì; 《부도덕》出乎道理 chūhu dàolǐ; 不合情理 bùhé qínglǐ
인상(人相) 相貌 xiàngmào; 面孔 miànkǒng ¶～이 나쁜 남자 面孔凶恶的男人 miànkǒng xiōng'è de nánrén
인상(印象) 印象 yìnxiàng ¶사람에게 좋은 ～을 주다 给人好印象 gěi rén hǎoyìnxiàng
인색(吝嗇) 吝啬 lìnsè; 啬刻 sèke ¶～한 사람 吝啬鬼 lìnsèguǐ
인생(人生) 人生 rénshēng ¶그는 풍부한 ～ 경험을 갖고 있었다 他有丰富的人生经验 tā yǒu fēngfù de rénshēng jīngyàn ‖～관 人生观 rénshēngguān
인세(印稅) 版税 bǎnshuì
인솔(引率) 率领 shuàilǐng; 率 shuài; 带领 dàilǐng ¶학생을 ～하여 여행을 가다 带领学生去旅行 dàilǐng xuésheng qù lǚxíng ‖～자 领队 lǐngduì
인쇄(印刷) 印字 yìnzì; 印刷 yìnshuā ¶포스터를 ～하다 印刷宣传画 yìnshuā xuānchuánhuà ‖～물 印刷品 yìnshuāpǐn / ～소 印字馆 yìnzìguǎn =〔印刷厂 yìnshuāchǎng〕
인수(引受) 承受 chéngshòu; 继承 jìchéng
인슐린(insulin) 胰岛素 yídǎosù
인스턴트(instant) 现成 xiàn chéng; 即时 jíshí; 方便 fāngbiàn ‖～ 라면 方便面条 fāngbiàn miàntiáo / ～ 식품 快速〔方便〕食品 kuàisù〔fāngbiàn〕shípǐn / ～ 커피 速溶咖啡 sùróng kāfēi
인스피레이션(inspiration) 灵感 línggǎn
인습(因習) 因习 yīnxí; 因袭 yīnxí; 旧习 jiùxí ¶～을 타파하다 打破旧习俗 dǎpò jiù xísú / ～에 사로잡히다 因袭陈规 yīnxíchénguī =〔因循守旧 yīnxún shǒujiù〕
인식(認識) 认识 rènshi ¶자네는 ～ 부족이다 你认识不足 nǐ rènshi bùzú / 나는 이 일로써 ～을 새로이 했다 经这一件事, 我的认识也提高了 jīng zhè yí jiàn shì, wǒde rènshi yě tígāo le ‖～론 认识论 rènshilùn
인신(人身) 人身 rénshēn ‖～ 공격 人身攻击 rénshēn gōngjī / ～ 매매 贩卖人口 fànmài rénkǒu
인심(人心) 人心 rénxīn ¶～을 어지럽히다 蛊惑人心 gǔhuò rénxīn / 현정부에서 ～이 이반했다 人心背离了现政府 rénxīn bèilí le xiàn zhèngfǔ
인연(因緣) ①《인과》来历 láilì; 由来 yóulái ②《불교》定数 dìngshù; 因缘 yīnyuán; 《연분》关系 guānxi ¶부부의 ～을 맺다 结成夫妻关系 jiéchéng fūqī guānxi / 그와는 ～이 없다 和他没有关系 hé tā méiyǒu guānxi / ～이 깊다 关系深 guānxi shēn / 형제의 ～을 끊다 断绝兄弟关系 duànjué xiōngdì guānxi / ～이 있으면 다시 만나겠지요 假如有缘还能相见 jiǎrú yǒu yuán hái néng xiāngjiàn
인용(引用) 引用 yǐnyòng ¶소설의 1절을 ～하다 引用小说的一节 yǐnyòng xiǎoshuō de yì jié
인원(人員) 人员 rényuán; 人数 rénshù ¶～을 조사하다 调查人数 diàochá rénshù / 필요한 ～을 확보하다 确保必要人员 quèbǎo bìyào rényuán ‖～ 정리 裁员 cái yuán =〔裁减人员 cáijiǎn rényuán〕
인위(人爲) 人为 rénwéi; 人工 réngōng ¶최근의 시세는 ～적인 것이다 最近的行情是人为的 zuìjìn de hángqíng shì rénwéi de ‖～ 도태 人工淘汰 réngōng táotài
인위적(人爲的) 做作 zuòzuo; 造作 zàozuo
인정(人情) 人情 rénqíng ¶～미가 넘치는 말 洋溢着人情味的话 yángyì zhe rénqíngwèi de huà / ～이 많은 사람 非常仁厚的人 fēicháng rénhòu de rén
인정(認定) 认定 rèndìng ¶사실 ～에 잘못이 있었다 对事实的认定有误 duì shìshí de rèndìng yǒu wù
인제《이제》现在 xiànzài; 于今 yújīn; 《앞으로》从现在起 cóng xiànzài qǐ; 今后 jīnhòu
인종(人種) 人种 rénzhǒng; 种族 zhǒngzú ¶～적 편견 人种偏见 rénzhǒng piānjiàn ‖～ 차별 种族歧视 zhǒngzú qíshì
인주(印朱) 印色 yìnsè; 印泥 yìnní ¶～를 찍다 打印色 dǎ yìnsè
인줄(人…) 忌门 jìmén
인지(印紙) 印花 yìnhuā; 印花税票 yìnhuā shuìpiào ¶～를 붙이다 贴印花 tiē yìnhuā ‖～세 印花税 yìnhuā shuì
인질(人質) 人质 rénzhì ¶대사가 ～로 붙잡히다 大使被扣作人质 dàshǐ bèi kòuzuò rénzhì
인책(引責) 引咎 yǐnjiù ‖～ 사직 引咎卸职 yǐnjiù xièzhí
인치(inch) 英寸 yīngcùn; 吋 cùn
인칭(人稱) 人称 rénchēng ‖～대명사 人称代词 rénchēng dàicí
인터뷰(interview) 会见 huìjiàn; 访问 fǎngwèn; 采访 cǎifǎng ¶수상자와 ～하다 采访获奖者 cǎifǎng huòjiǎngzhě
인터페론(interferon) 干扰素 gānrǎosù
인터폰(interphone) 内线自动电话机 nèixiàn zìdòng diànhuàjī; 对讲电话机 duìjiǎng diànhuàjī
인텔리 ⇨ 인텔리겐치아
인텔리겐치아(intelligentzia) 知识分子 zhīshi fènzǐ ¶창백한 ～ 白面书生 báimiàn shūshēng
인토네이션(intonation) 语调 yǔdiào; 声调 shēngdiào; 抑扬 yìyáng
인편(人便) 人便 rénbiàn; 吉便 jíbiàn ¶～에 몇 자 적어 알려 드립니다 吉便捎信报知 jíbiàn shāoxìn bàozhī / 이것은 ～으로 들은 이야기다 这是听别人说的 zhè shì tīng biéren shuō de
인플레이션(inflation) 通货膨胀 tōnghuò péngzhàng; 物价暴涨 wùjià bàozhǎng; 薪桂米珠 xīnguì mǐzhū
인플루엔자(influenza)《醫》流行性感冒 liúxíngxìng gǎnmào; 流感 liúgǎn
인하하다(引下…) 降低 jiàngdī ¶금리를 ～ 降低利率 jiàngdī lìlǜ
인형(人形) 偶人 ǒu'rén; 娃娃 wáwa; 木偶 mù'ǒu; 玩偶 wán'ǒu ¶손가락 ～ 布袋木偶 bùdài mù'ǒu / ～을 갖고 놀다 和布娃娃玩儿 hé bùwáwa wánr ‖～극 木偶戏 mù'ǒuxì =〔傀儡戏 kuǐlěixì〕
인화(引火) 引火 yǐnhuǒ ¶가솔린은 ～하기 쉽다 汽油容易引火 qìyóu róngyì yǐnhuǒ ‖～성 易燃性 yìránxìng / ～점 闪点 shǎndiǎn =〔闪火点 shǎnhuǒdiǎn〕

인화지(印畫紙) 印相纸 yìnxiàngzhǐ; 感光纸 gǎnguāngzhǐ
일 ①《작업》 工作 gōngzuò; 活儿 huór ¶오늘은 ~이 잘 진척된다 今天工作很顺利 jīntiān gōngzuò hěn shùnlì / ~에 쫓겨서 가정을 돌볼 틈이 없다 工作忙得没有工夫照顾家庭 gōngzuò mángde méiyǒu gōngfu zhàogu jiātíng ②《직업 · 업무》 工作 gōngzuò ¶그녀는 통역 ~을 하고 있다 她搞翻译工作 tā gǎo fānyì gōngzuò / 무슨 ~을 하고 계십니까? 您做什么工作啊? nín zuò shénme gōngzuò a?
일(一) 一 yī
일가(一家) ①《한집》 一家子 yìjiāzi; 全家 quánjiā; 一家族 yìjiāzú ¶~ 모두 피크닉을 가다 全家大小去郊游 quánjiā dàxiǎo qù jiāoyóu ②《친족》 亲属 qīnshǔ ③《일파》 流派 liúpài ¶~를 이루다 树一流派 shù yì liúpài / 소설가로써 ~를 이루다 作为小说家自成一家 zuòwéi xiǎoshuōjiā zì chéng yì jiā
일각(一角) 一角 yìjiǎo; 一个角落 yī ge jiǎoluò ¶이것은 빙산의 ~에 불과하다 这只不过是冰山的一角 zhè zhǐ búguò shì bīngshān de yì jiǎo
일각(一刻) 一刻 yíkè; 分秒 fēnmiǎo ¶이것은 ~을 다투는 문제다 这是刻不容缓的事情 zhè shì kè bùróng huǎn de shìqing
일간(日刊) 日刊 rìkān ‖~지 日报 rìbào
일거리 活儿 huór; 工作 gōngzuò
일거수일투족(一擧手一投足) 一举一动 yìjǔyídòng ¶~의 노고를 아끼다 不肯尽举手之劳 bùkěn jìn jǔshǒu zhī láo / ~을 지켜 보다 注视一举一动 zhùshì yìjǔyídòng
일거양득(一擧兩得) 一举两得 yìjǔ liǎngdé; 一箭双雕 yíjiàn shuāngdiāo
일거에(一擧…) 一举 yìjǔ ¶~ 퇴세를 만회하다 一下子挽回颓势 yíxiàzi wǎnhuí tuíshì / 적을 ~ 분쇄하다 一举粉碎敌人 yìjǔ fěnsuì dírén
일거일동(一擧一動) 一举一动 yìjǔyídòng; 抬脚动手 tái jiǎo dòng shǒu ¶~을 주목하다 注视一举一动 zhùshì yìjǔyídòng
일곱 七 qī ‖~째 第七 dìqī
일관(一貫) 贯彻到底 guànchè dàodǐ; 一贯 yíguàn ¶능률 본위로 ~하다 贯彻效率第一的方针 guànchè xiàolǜ dìyī de fāngzhēn / 그는 시종~ 이 방침을 견지하여 왔다 他'一贯〔始终如一〕坚持着这个方针 tā 'yíguàn 〔shǐ zhōng rú yī〕 jiānchízhe zhège fāngzhēn
일괄(一括) 总括起来 zǒngkuòqilai ¶~해서 팔 생각이다 希望一批出售 xīwàng yì pī chūshòu / 법안을 ~해서 의회에 상정하다 把法案一起提交议会 bǎ fǎ'àn yìqǐ tíjiāo yìhuì / ~ 구입하는 것이 비교적 싸다 整批买较便宜 zhěng pī mǎi jiào piányi
일광(日光) 日光 rìguāng; 阳光 yángguāng; 太阳光 tàiyángguāng ¶~욕하다 进行日光浴 jìnxíng rìguāngyù =〔晒太阳 shài tàiyáng〕 ‖~ 소독 日光消毒 rìguāng xiāodú
일급(一級) 一级 yìjí; 头等 tóuděng ‖~품 头等货 tóuděng huò =〔第一流货 dìyīliú huò〕
일급(日給) 日薪 rìxīn; 日工资 rìgōngzī ¶급여는 ~제이다 薪水是日工资制 xīnshui shì rìgōngzīzhì
일굿거리다 皱 zhòu; 松 sōng
일기(日記) 日记 rìjì ¶~를 쓰다 记日记 jì rìjì ‖~장 日记本 rìjìběn
일기(日氣) 天 tiān; 天气 tiānqì ‖~ 개황 天气概况 tiānqì gàikuàng / ~도 天气图 tiānqìtú / ~ 예보 天气豫报 tiānqì yùbào
일기당천(一騎當千) 一以当千 yì yǐ dāng qiān; 一骑当千 yì qí dāng qiān ¶~의 용장들만 모여 있다 都是一骑当千的猛将 dōushì yì qí dāng qiān de měngjiàng
일꾼 《품팔이》 工人 gōngrén; 打杂的 dǎzá de; 苦力 kǔlì; 《역량가》 能干的人 nénggàn de rén; 有能耐的人 yǒu néngnài de rén
일년(一年) 一年 yìnián
일다[1] 《발생》 发生 fāshēng ¶전쟁이 ~ 发生战争 fāshēng zhànzhēng / 연기가 ~ 冒烟 màoyān / 바람이 ~ 起风 qǐfēng / 파도가 ~ 起浪 qǐlàng
일다[2] 《쌀을》 掏(米) táo
일당(一黨) 一伙 yìhuǒ; 一帮 yìbāng ¶이것은 그들 ~의 음모다 这是他们一伙的阴谋 zhè shì tāmen yìhuǒ de yīnmóu
일당(日當) 日薪 rìxīn; 日工资 rìgōngzī ¶~을 지불하다 支付日薪 zhīfù rìxīn
일도양단(一刀兩斷) 一刀两断 yī dāo liǎng duàn; 《대담히 처리함》 毅然决然 yìrán juérán ¶~ 금방 해결됐다 当机立断一下子解决了 dāng jī lì duàn yíxiàzi jiějué le
일독(一讀) 念一次 niànyícì ¶~의 가치가 있다 有一读的价值 yǒu yì dú de jiàzhí =〔值得一读 zhíde yì dú〕
일동(一同) 大家 dàjiā; 全体 quántǐ ¶~이 일어서다 全体起立 quántǐ qǐlì / 출석자 ~의 동의를 얻다 得到了全体与会者的一致同意 dédàole quántǐ yùhuìzhě de yízhì tóngyì
일되다 早成 zǎochéng; 早熟 zǎoshú; 早慧 zǎohuì
일등(一等) 一等 yì děng; 头等 tóuděng; 冠军 guànjūn ¶100미터 경주에서 ~했다 百米赛得了'第〔头〕一名 bǎimǐsài déle 'dì〔tóu〕 yì míng / ~차를 타고 가다 搭头等车去 dā tóuděngchē qù =〔坐软席去 zuò ruǎnxí qù〕 ‖~국 头等国 tóuděngguó / ~상 头等奖 tóuděngjiǎng =〔甲等奖 jiǎděngjiǎng〕 / ~석 头等座 tóuděngzuò =〔包厢 bāoxiāng〕
일러바치다 拉舌 lāshé; 传言学舌 chuányán xuéshé; 掉弄舌根 diàonòng shégēn
일러주다 《알려 주다》 通报 tōngbào; 知会 zhīhuì; 告诉 gàosu; 《가르치다》 教学 jiāoxué; 引道 yǐndào
일류(一流) 第一流 dìyīliú; 第一的 dìyī de ¶그는 ~의 피아니스트다 他是第一流的钢琴家 tā shì dìyīliú de gāngqínjiā ‖~ 호텔 第一流饭店 dìyīliú fàndiàn
일률(一律) 一律 yílǜ; 一概 yígài ¶요금이 ~적으로 올랐다 费用一律提高了一成 fèiyòng yílǜ tígāole yì chéng / 그것은 ~적으로 논할 수 없다 那不能一概而论 nà bùnéng yígài ér lùn
일리(一理) 一理 yìlǐ; 一番道理 yì fān dàoli ¶그의 말에도 ~가 있다 他所说的也有'一番道理〔一理〕 tā suǒ shuō de yě yǒu 'yì fān dàolǐ 〔yìlǐ〕 =〔他的话也有一番道理 tā de huà yě yǒu yì fān dàoli〕
일망타진(一網打盡) 一网打尽 yì wǎng dǎjìn ¶~에 검거됐다 一网打尽全被逮捕了 yì wǎng dǎjìn quán bèi dàibǔ le

일매지다 似乎类乎 sìhu lèihu
일면(一面) ①《신문의》 正张儿 zhèngzhāngr; 第一版 dìyì bǎn; 头版 tóubǎn ¶그 사건은 신문의 ～에 실렸다 那个事件登在报纸的头版上 nàge shìjiàn dēng zài bàozhǐ de tóubǎn shang ②《한면》 一面 yímiàn ¶그녀에게는 ～ 마음이 약한 데도 있다 她也有心软的一面 tā yě yǒu xīnruǎn de yímiàn
일명(一名) ①《한 사람》 一个人 yíge rén; 一名 yì míng ¶결석자는 ～뿐이다 缺席的只有一名 quēxí de zhǐyǒu yì míng ②《별명》 外号 wàihào; 另一个名字 lìng yīge míngzi ¶고궁은 ～ 자금성이라 불린다 故宫又'叫做〔称之为〕紫禁城 gùgōng yòu 'jiàozuo 〔chēng zhī wéi〕 Zǐjìnchéng
일모작(一毛作)《農》 单种 dānzhòng; 单作 dānzuò; 单季 dānjì; 一年一收 yì nián yì shōu
일물(逸物) 绝品 juépǐn
일미(一味) ①《맛》 好吃 hǎochī; 美味 měiwèi ②⇨일당(一黨)
일반(一般) ①一般 yìbān; 同样 tóngyàng ¶～에게 공개하다 向公众开放 xiàng gōngzhòng kāifàng / 그의 이름은 ～ 사람에게는 알려져 있지 않다 他的名字一般人还不知道 tā de míngzi yìbān rén hái bù zhīdào ②《보통》 普通 pǔtōng ‖～ 대중 一般群众 yìbān qúnzhòng / ～ 회계 一般会计 yìbān kuàijì =〔普通会计 pǔtōng kuàijì〕
일벌《蟲》 工蜂 gōngfēng
일보(一步) 一步 yí bù ¶～～ 착실히 걷다 一步一步〔一步一个脚印儿〕稳步前进 yí bù yí bù〔yí bù yí ge jiǎoyìnr〕 wěnbù qiánjìn / 동사 ～ 직전에 구출했다 即将冻死之际获救了 jíjiāng dòngsǐ zhī jì huòjiù le / 자기의 의견을 주장하며 ～도 양보하지 않는다 坚持自己的意见寸步不让 jiānchí zìjǐ de yìjiàn cùnbù búràng
일보다 办理事务 bànlǐ shìwù
일부러 ①《특히》 特意 tèyì; 特地 tèdì ¶～ 와 주셔서 황송합니다 您特意来, 实在不敢当 nín tèyì lái, shízài bùgǎndāng ②《짐짓》 故意 gùyì
일부종사(一夫從事) 一女不事二夫 yì nǚ bú shì èr fū
일사병(日射病) 日射病 rìshèbìng; 中暑 zhòngshǔ
일사불란(一絲不亂) 一丝不乱 yìsībúluàn ¶～하게 행진하다 一丝不乱地进行游行 yìsībúluàn de jìnxíng yóuxíng
일산화탄소(一酸化炭素)《化》 一氧化碳 yìyǎnghuàtàn
일삼다 ①《직무로》 以…为业 yǐ… wéiyè ②《탐닉》 沉溺于… chénnì yú… ¶주색을 ～ 沉溺于酒色 chénnì yú jiǔsè
일생(一生) 一生 yìshēng; 一辈子 yíbèizi; 终身 zhōngshēn; 终生 zhōngshēng; 毕生 bìshēng ¶그것은 나의 ～을 건 일이 되겠지요 这将成为我的'毕生工作〔终生事业〕 zhè jiāng chéngwéi wǒ de 'bìshēng gōngzuò 〔zhōngshēng shìyè〕 / 그녀는 ～ 독신으로 지냈다 她过了一辈子独身生活 tā guòle yíbèizi dúshēn shēnghuó / 구사～으로 살아남다 九死一生 jiǔsǐyìshēng =〔虎口馀生 hǔkǒu yúshēng〕〔绝路逢生 juélù féngshēng〕〔死里逃生 sǐ lǐ táoshēng〕
일석이조(一石二鳥) 一举两得 yìjǔ liǎngdé; 一石二鸟 yìshí èrniǎo; 一箭双雕 yíjiànshuāngdiāo
일손 ①《솜씨》 手腕 shǒuwàn ②《일꾼》 人手 rénshǒu; 人工 réngōng ¶～이 모자라다 人手不够 rénshǒu búgòu
일수(日收) 日利钱 rìlìqián; 拆息钱 chāixíqián ¶～ 놓다 放日利钱 fàng rìlìqián
일수판매(一手販賣) 兜售 dōushòu; 兜销 dōuxiāo
일순간(一瞬間) 一瞬间 yíshùnjiān; 转眼间 zhuǎnyǎnjiān; 一眨眼的工夫 yìzhǎyǎn de gōngfu
일시(一時) 《한때》 一时 yìshí; 暂时 zànshí; 《그 당시》 当时 dāngshí ‖～ 차입금 短期借款 duǎnqī jièkuǎn
일식(日蝕·日食) 日食〔日蚀〕 rìshí ‖개기 ～ 日全食 rìquánshí / 부분 ～ 日偏食 rìpiānshí
일신(一身) 一身 yì shēn; 自身 zìshēn ¶중망을 ～에 모으다 集众望于一身 jí zhòng wàngyú yìshēn =〔众望所归 zhòngwàng suǒ guī〕 / ～의 영달을 도모하다 谋求自己升官发财 móuqiú zìjǐ shēngguān fācái / ～상의 사정으로 퇴직하다 由于个人的问题退职 yóuyú gèrén de wèntí tuìzhí
일신(一新) 一新 yì xīn ¶면목을 ～하다 面目一新 miànmù yì xīn =〔焕然一新 huànrán yì xīn〕
일심동체(一心同體) 同心同德 tóngxīntóngdé; 一心一德 yìxīnyìdé ¶우리들은 ～다 我们是一条心 wǒmen shì yī tiáo xīn
일심불란(一心不亂) 全神贯注 quán shén guànzhù; 专心致志 zhuānxīnzhìzhì; 聚精会神 jùjīnghuìshén ¶～으로 공부하다 专心致志的学习 zhuānxīnzhìzhì de xuéxí
일심(一審) 第一审 dìyì shěn ¶～에서 무죄가 됐다 第一审被判无罪 dìyì shěn bèipàn wúzuì
일약(一躍) 一跃 yí yuè ¶～ 대스타가 되다 一跃成为大明星 yí yuè chéngwéi dà míngxīng
일어나다 ①《일어남·병석에서》 起来 qǐlai ¶넘어졌으나 바로 일어나서 또 달렸다 摔倒了爬起来, 又向前跑了 shuāidǎole páqǐlai, yòu xiàng qián pǎo le / 열이 내려서 겨우 일어났다 退了烧好容易能'起来〔下床〕了 tuìle shāo hǎoróngyi néng 'qǐlai 〔xià chuáng〕 le ②《잠에서》 起来 qǐlai; 起床 qǐchuáng ¶매일 아침 6시에 일어난다 每天早晨六点起来 měi tiān zǎochén liù diǎn qǐlai ③《발생》 起 qǐ; 犯 fàn; 发生 fāshēng ¶그의 신상에 뭔가 일어난 것은 아닐까 是否在他身上发生了什么意外 shìfǒu zài tā shēnshang fāshēngle shénme yìwài / 그녀의 마음에 갑자기 의심이 일어났다 她心里忽然'犯〔起〕疑 tā xīnli hūrán 'fàn 〔qǐ〕 yí / 지병인 천식이 일어나면 큰일이다 气喘的老病发作可不得了 qìchuǎn de lǎobìng fāzuò kě bùdeliǎo
일어서다 站起来 zhànqǐlái ¶그는 의자에서 일어서서 인사했다 他从椅子上站起来行了礼 tā cóng yǐzi shang zhànqǐlai xíngle lǐ / 다리가 저려서 일어날 수가 없다 腿麻得站不起来 tuǐ máde zhàn bu qǐlái
일언반구(一言半句) 只言片语 zhī yán piàn yǔ; 一言半语 yì yán bàn yǔ ¶～도 없다 默不作声 mò bú zuòshēng / ～도 소홀히 하지 않다 只言片语也一丝不苟 zhī yán piàn yǔ yě yìsī-

bùgǒu
일언일행(一言一行) 一言一行 yì yán yì xíng ¶～을 조심하다 一言一行小心谨慎 yì yán yì xíng xiǎoxīn jǐnshèn =〔谨言慎行 jǐnyánshènxíng〕
일없다 用不着 yòngbuzháo; 不用 bú yòng ¶이렇게 많이는 ～ 用不着这么些 yòngbuzháo zhème xiē
일요(日曜) ⇨일요일(日曜日) ‖～ 학교 主日学校 zhǔrì xuéxiào / ～ 화가 业馀画家 yèyú huàjiā
일요일(日曜日) 礼拜日 lǐbàirì; 礼拜天 lǐbàitiān; 星期日 xīngqīrì; 星期天 xīngqītiān ¶～은 쉽니다 星期天是休息日 xīngqītiān shì xiūxirì =〔星期日休息 xīngqīrì xiūxi〕
일용(日用) 日用 rìyòng ‖～ 잡화 日用'杂品〔小百货〕 rìyòng 'zápǐn 〔xiǎobǎihuò〕/ ～품 日用品 rìyòngpǐn
일월(一月) 正月 zhēngyuè; 一月 yíyuè
일으키다 ①《일으켜 세우다》 扶起 fúqǐ ¶태풍에 쓰러진 나무를 일으켜 세우다 扶〔支〕起被台风刮倒的树木 fú〔zhī〕 qǐ bèi táifēng guādǎo de shùmù ②《깨우다》 叫醒 jiàoxǐng; 唤醒 huànxǐng ③《창시·개시》 ¶새로운 사업을 ～ 创办新事业 chuàngbàn xīnshìyè / 소송을 ～ 提起诉讼 tíqǐ sùsòng =〔打官司 dǎ guānsi〕 ④《발생》 ¶교통 사고를 일으켰다 惹出了交通事故 rěchūle jiāotōng shìgù / 수력으로 전기를 ～ 用水力发电 yòng shuǐlì fādiàn / 복통을 ～ 闹肚子疼 nào dùzi téng / 호기심을 ～ 引起好奇心 yǐnqǐ hàoqíxīn ⑤《북돋우다》 ¶산업을 ～ 振兴产业 zhènxīng chǎnyè / 몰락한 집을 ～ 重建没落的家业 chóngjiàn mòluò de jiāyè
일인분(一人分) 一份儿 yí fènr ¶한 사람이 늘어나서 요리를 ～ 추가하다 添了一个人, 再叫一份儿菜 tiānle yīge rén, zài jiào yī fènr cài
일일이(一一…) 一一 yīyī; 一个一个 yíge yíge
일임(一任) 完全委托 wánquán wěituō ¶회비의 징수는 간사에게 ～한다 责成干事收集会敬 zéchéng gànshi shōují huì jìng / 그 일은 자네에게 ～하네 那事就责成你一手处理 nà shì jiù zéchéng nǐ yìshǒu chǔlǐ
일자리 工作处所 gōngzuò chùsuǒ ¶～를 못 얻다 找不到工作 zhǎobudào gōngzuò / ～를 구하다 找工作 zhǎo gōngzuò / 겨우 ～를 얻었다 好容易才找到了 '职业〔饭碗〕 hǎoróngyi cái zhǎo-dàole 'zhíyè〔fànwǎn〕
일자무식(一字無識) 目不识丁 mù bù shí dīng
일장일단(一長一短) 一长一短 yì cháng yì duǎn; 有长有短 yǒu cháng yǒu duǎn ¶～이 있어서 결정하기가 어렵다 各有其利弊难于决定 gè yǒu qí lìbì nányú juédìng
일전(日前) 前些日子 qián xiē rìzi; 日前 rìqián ¶～부터 前几天起 qián jǐ tiān qǐ
일조일석(一朝一夕) 一朝一夕 yìzhāo yìxī ¶뛰어난 연구는 ～에 이루어지는 것이 아니다 卓越的研究并不是一朝一夕可以成功的 zhuōyuè de yánjiū bìng búshì yìzhāo yìxī kěyǐ chénggōng de
일주일(一週日) 一个礼拜 yíge lǐbài; 一个星期 yíge xīngqī
일지(日誌) 日志 rìzhì; 日录 rìlù ¶～를 적다 记日志 jì rìzhì ‖항해 ～ 航海日志 hánghǎi rìzhì
일직(日直) 值日 zhírì; 白天的值班 báitiān de zhíbān; 日班 rìbān
일진(日辰) 日子的吉凶 rìzi de jíxiōng ¶오늘은 ～이 좋다 今天日子好 jīntiān rìzi hǎo
일진월보(日進月步) 日新月异 rìxīnyuèyì
일찌감치, 일찌거니 早就 zǎojiù; 早些 zǎoxiē; 业已 yèyǐ
일찍, 일찍이 老早以前 lǎozǎo yǐqián
일차(一次) ①《첫번》 初次 chūcì; 首次 shǒucì ②《한번》 一次 yícì ③《數》 一次 yícì; 线性 xiànxìng ‖～ 방정식 一次〔线性〕方程 yícì 〔xiànxìng〕 fāngchéng / ～ 산업 第一产业 dìyī chǎnyè / ～ 산품 初级产品 chūjí chǎnpǐn
일체(一切) ①《전부》 一切 yíqiè; 所有 suǒyǒu; 全部 quánbù; 整个 zhěnggè ¶～의 책임은 내가 진다 一切责任由我承担 yíqiè zérèn yóu wǒ chéngdān / 일의 진상은 ～ 비밀에 붙여졌다 事情的真相全被掩盖了 shìqing de zhēnxiàng quán bèi yǎngài le ②《모두》 一概 yígài; 完全 wánquán ¶사례는 ～ 받지 않겠습니다 谢礼一概不收 xièlǐ yígài bù shōu / 나는 본건과 ～ 관계가 없다 我与此事完全无关 wǒ yǔ cǐ shì wánquán wúguān / 술은 ～ 마시지 않는다 酒一点儿也不喝 jiǔ yìdiǎnr yě bù hē
일촉즉발(一觸卽發) 一触即发 yí chù jí fā ¶양국의 관계는 ～의 상태에 있다 两国的关系有一触即发之势 liǎng guó de guānxi yǒu yí chù jí fā zhī shì
일출(日出) 日出 rìchū
일치(一致) 一致 yízhì; 相符 xiāngfú ¶그는 언행이 ～하지 않는다 他言行不一致 tā yánxíng bù yízhì / 만장 ～로 채택되었다 全场一致通过 quán chǎng yízhì tōngguò / 그것은 정말로 우연의 ～다 那真是偶然的巧合 nà zhēn shì ǒurán de qiǎohé ‖～ 단결 团结一致 tuánjié yízhì
일컫다 叫做 jiàozuò ¶이름지어 간디라고 일컫는다 起名儿叫做甘地 qǐ míngr jiàozuò Gāndì
일터 作坊 zuōfāng; 工作岗位 gōngzuò gǎngwèi
일평생(一平生) 一辈子 yíbèizi
일품(一品) ①《한가지》 一种东西 yì zhǒng dōngxi ②《일품》 ¶천하 ～ 天下绝品 tiānxià juépǐn =〔逸格 yìgé〕/ 그녀의 노래는 천하 ～이다 她唱的歌'天下独一无二〔超群绝伦〕 tā chàng de gē 'tiānxià dúyīwú'èr 〔chāoqúnjuélún〕 ‖～ 요리 零点的菜 língdiǎn de cài =〔单点菜 dāndiǎncài〕〔经济小菜 jīngjì xiǎocài〕
일하다 工作 gōngzuò; 劳动 láodòng ¶하루에 8시간 ～ 一天工作八个小时 yì tiān gōngzuò bā ge xiǎoshí / 일하지 않는 자는 먹지 말아야 한다 不劳动者不得食 bùláodòngzhě bùdé shí
일화(逸話) 轶闻〔逸闻〕 yìwén; 轶事〔逸事〕 yìshì
일흔 七十 qīshí ¶～번째 第七十 dìqīshí
읽다 《소리내어》 念 niàn; 《소리 없이》 看 kàn
잃다 失 shī; 丧 sàng; 失去 shīqù; 失掉 shīdiào; 丧失 sàngshī ¶화재로 집을 잃었다 房子失火烧掉了 fángzi shīhuǒ shāodiào le / 일에 흥미를 ～ 对工作'失去〔不感〕兴趣了 duì gōngzuò 'shīqù〔bù gǎn〕 xìngqù le / 아까운 사람을 잃었다 失去了值得惋惜的人 shīqùle zhíde wǎnxī de rén / 부상으로 청력을 잃었다 由于受伤而丧失了听力 yóuyú shòushāng ér sāngshīle tīnglì
임 情人 qíngrén; 爱人 àirén

임금 ⇨왕(王)
임금(賃金) 工资 gōngzī; 工钱 gōngqian; 薪水 xīnshui ¶ ~을 지불하다〔받다〕付〔领〕工资 fù〔lǐng〕gōngzi / ~을 올리다〔내리다〕提高〔降低〕工资 tígāo〔jiàngdī〕gōngzi / ~의 격차를 시정하다 缩小工资的差距 suōxiǎo gōngzī de chājù ‖ ~ 노동자 雇用劳动者 gùyòng láodòngzhě
임기(臨機) 临机 línjī ‖ ~응변 临机应变 línjī yìngbiàn =〔随机应变 suíjī yìngbiàn〕
임대(賃貸) 出赁 chūlìn; 出租 chūzū ‖ ~료 赁钱 lìnqián =〔租金 zūjīn〕〔租钱 zūqian〕/ ~물 出赁的东西 chūlìn de dōngxi / ~인 出租人 chūzūrén
임명(任命) 任命 rènmìng; 委派 wěipài ¶ 김선생님을 그 학교의 교장으로 ~하다 任命金老师为那个学校校长 rènmìng Jīn lǎoshi wéi nàge xuéxiào xiàozhǎng
임무(任務) 任务 rènwu ¶ ~를 다하다 完成任务 wánchéng rènwu / 특별한 ~를 띠고서 출발하다 身负特别任务出发了 shēn fù tèbié rènwu chūfā le
임부(妊婦) 妊妇 rènfù; 孕妇 yùnfù; 四眼人 sìyǎnrén
임산부(妊産婦) 孕妇与产妇 yùnfù yǔ chǎnfù
임시(臨時) 临时 línshí ¶ ~ 국회를 소집하다 召开临时国会 zhàokāi línshí guóhuì / 요번 달에는 ~ 수입이 있었다 这个月有了'临时收入〔外快〕zhège yuè yǒule 'línshí shōurù〔wàikuài〕‖ ~방편 权宜之计 quán yí zhī jì / ~ 뉴스 紧急新闻 jǐnjí xīnwén
임신(妊娠) 怀孕 huáiyùn; 怀胎 huáitāi; 妊娠 rènshēn; 身孕 shēnyùn ¶ 아무래도 ~한 것 같다 像是怀孕了 xiàng shì huáiyùn le / 그녀는 ~ 5개월이다 她妊娠五个月了 tā rènshēn wǔ ge yuè le =〔她有五个月的身孕了 tā yǒu wǔ ge yuè de shēnyùn le〕‖ ~중절 打胎 dǎtāi =〔堕胎 duòtāi〕〔人工流产 réngōng liúchǎn〕
임의(任意) 任意 rènyì; 随意 suíyì ¶ 각자 ~로 행동하다 各自自由行动 gèzì zìyóu xíngdòng / 직선상의 ~의 2점 直线上的任意两点 zhíxiàn shang de rènyì liǎng diǎn ‖ ~ 추출법 随机抽样 suíjī chōuyàng / ~ 출두 随意到场 suíyì dàochǎng
임자 本主儿 běnzhǔr; 原主 yuánzhǔ
임종(臨終) 临命 línmìng; 临终 línzhōng ¶ 아버지의 ~에 대어 가지 못했다 没赶上父亲临终 méi gǎnshàng fùqin línzhōng
임지(任地) 任所 rènsuǒ; 任地 rèndì ¶ ~로 부임하다 赴任 fùrèn
임질(淋疾) 〖醫〗 五淋 wǔlìn; 淋症 lìnzhèng; 白浊 báizhuó
임차(賃借) 租借 zūjiè; 租赁 zūlìn ‖ ~권 租借权 zūjièquán / ~인 租借人 zūjièrén
임하다(臨…) ①《직면하다》 面对 miànduì; 面临 miànlín ¶ 죽음에 임해서 남겨 놓은 말 临死〔临终〕留下的话 línsǐ〔línzhōng〕liúxià de huà ②《향해서 가다》 ¶ 내빈으로서 식전에 ~ 作为来宾出席典礼 zuòwéi láibīn chūxí diǎnlǐ / 긴장한 얼굴로 시험에 ~ 面带紧张神色参加考试 miàn dài jǐnzhāng shénsè cānjiā kǎoshì
입 ①《기관(器官)》 嘴 zuǐ; 口 kǒu ¶ 크게 ~을 벌리다 张开大嘴 zhāngkāi dà zuǐ / ~을 삐쭉 내밀고 불평을 말하다 撅〔嘟〕着嘴发牢骚 juē〔dū〕zhe zuǐ fā láosāo ②《말》 说话 shuōhuà ¶ ~이 무겁다 话少 huà shǎo / ~이 가볍다 嘴'快〔不稳〕zuǐ 'kuài〔bùwěn〕/ 그가 제일 먼저 ~을 열었다 他先开了口 tā xiān kāile kǒu ③《소문》 传闻 chuánwén; 话柄 huàbíng ¶ 남의 ~에 오르내리다 被人谈论 bèi rén tánlùn ④《미각》 味觉 wèijué; 口味 kǒuwèi ¶ 중국 요리는 ~에 맞는다 中国菜合(我的)口味 Zhōngguócài hé(wǒde)kǒuwèi
입가심 ⇨양치질
입각(立脚) 立足 lìzú; 立脚 lìjiǎo ¶ 현실에 ~하지 않은 생각 没有立足于现实的想法 méiyǒu lìzú yú xiànshí de xiǎngfa
입감(入監) 坐监牢 zuòjiānláo ¶ 절도로 3번 ~했었다 因窃盗住了三次监牢 yīn qièdào zhùle sān cì jiānláo
입구(入口) 门口 ménkǒu; 入口 rùkǒu; 进口 jìnkǒu ¶ 동물원 ~에서 서로 만나다 在动物园的门口碰头 zài dòngwùyuán de ménkǒu pèngtóu / 골목길 ~ 胡同口儿 hútòng kǒur
입국(入國) 入境 rùjìng ¶ ~을 허가하다 准许入境 zhǔnxǔ rùjìng ‖ ~ 사증 入境签证 rùjìng qiānzhèng / ~ 수속 入境手续 rùjìng shǒuxù
입금(入金) ①《수령》 入款 rùkuǎn; 进项 jìnxiang; 进款 jìnkuǎn ②《갚을 돈》 拨还 bōhuán ¶ 나머지는 내월에 ~한다 下馀部分下月交款 xiàyú bùfen xiàyuè jiāokuǎn ‖ ~ 전표 收入传票 shōurù chuánpiào
입김 气息 qìxī; 《더운 김》 嘴里的暖气 zuǐ li de nuǎnqì
입다 ①《옷을》 穿(衣裳) chuān ②《피해를》 负 fù; 受 shòu ¶ 머리에 상처를 입었다 头部受了重伤 tóubù shòule zhòngshāng / 부상을 ~ 负伤 fùshāng =〔挂彩 guàcǎi〕〔挂花 guàhuā〕③《도움 · 은혜를》 ¶ 오늘날의 내가 있게 된 것은 김선생님의 도움에 힘입은 바 크다 我有今日多亏金先生的帮助 wǒ yǒu jīnrì duōkuī jīn xiānsheng de bāngzhù
입대(入隊) 入伍 rùwǔ; 参军 cānjūn
입덧나다 孕吐 yùntù; 害口 hàikǒu; 害喜 hàixǐ
입맛 想食 xiǎngshí ¶ ~이 나다 胃口开 wèikǒu kāi / ~이 없다 胃口不清 wèikǒu bù qīng / ~을 돋우다 引起食欲 yǐnqǐ shíyù
입맞추다 接吻 jiēwěn; 亲嘴 qīnzuǐ; 《아기에게》 咬乖乖 yǎoguāiguai
입매하다 点补 diǎnbu
입바르다 心直口快 xīnzhíkǒukuài
입방(立方) 〖數〗 立方 lìfāng ¶ 8~미터 八立方米 bā lìfāng mǐ / 2미터 ~ 两米立方 liǎng mǐ lìfāng ‖ ~근 立方根 lìfānggēn / ~체 立方体 lìfāngtǐ
입방아찧다 嘴碎 zuǐsuì; 嘴嘴舌舌 zuǐzuishéshe
입버릇 口头语(儿) kǒutóuyǔ(r); 口头禅 kǒutóuchán ¶ ~이 나쁜 嘴损 zuǐsǔn / 그것은 그의 ~이다 那是他的口头语儿 nà shì tāde kǒutóuyǔr / 그녀는 ~처럼 외국에 가고 싶다고 말한다 她张嘴闭嘴都是说想去外国 tā zhāng zuǐ bì zuǐ dōushì shuō xiǎng qù wàiguó
입법(立法) 立法 lìfǎ ¶ 공해 문제에 관해서 ~ 조치를 하다 就公害问题采取立法措施 jiù gōnghài wèntí cǎiqǔ lìfǎ cuòshī ‖ ~권 立法权 lìfǎquán / ~기관 立法机关 lìfǎ jīguān
입비뚤이 歪嘴 wāizuǐ

입사(入社) 入公司 rù gōngsī ¶A사에 ～하다 进A公司 jìn A gōngsī/무역 회사에 ～하다 参加贸易公司工作 cānjiā màoyì gōngsī gōngzuò ‖～ 시험 就业考试 jiùyè kǎoshì
입상(入賞) 获奖 huò jiǎng; 得奖 déjiǎng ‖～ 작품 获奖作品 huò jiǎng zuòpǐn
입성 衣裳 yīshang; 衣穿 yīchuān
입수(入手) 到手 dàoshǒu; 得到 dédào ¶～ 경로를 조사하다 调查到手的途径 diàochá dàoshǒu de tújìng
입수염(…鬚髯) 胡子 húzi ¶～을 기르다 留胡子 liú húzi
입술 嘴唇 zuǐchún ¶～을 깨물다 咬唇 yǎochún/～을 뾰로통 내밀다 突出嘴唇 tūchū zuǐchún =〔撅嘴 juēzuǐ〕‖윗〔아랫〕～ 上〔下〕唇 shàng〔xià〕chún
입시울 嘴唇 zuǐchún
입신(立身) 出息 chūxī ¶～ 출세하다 显达 xiǎndá =〔发迹 fā jì〕/일개 사원으로 ～하여 사장이 됐다 从一个平凡的职员飞黄腾达成了总经理 cóng yī ge píngfán de zhíyuán fēihuángténgdá chéngle zǒngjīnglǐ
입씨름 吵嘴 chǎozuǐ; 斗嘴 dòuzuǐ
입씻기다 钳上嘴 qián shàng zuǐ ¶돈을 주어 ～ 给钱嘱咐不叫泄漏 gěi qián zhǔfu〔fù〕bù jiào xièlòu
입아귀 嘴犄角儿 zuǐjījiǎor
입원(入院) 住院 zhùyuàn; 人院 rùyuàn ¶부상으로 1개월 ～했다 由于受伤住了一个月医院 yóuyú shòushāng zhùle yí ge yuè yīyuàn ‖～ 수속 人院手续 rùyuàn shǒuxù/～ 환자 住院患者 zhùyuàn huànzhě
입장(入場) 人场 rùchǎng ¶선수가 ～하다 选手人场 xuǎnshǒu rùchǎng ‖～권 门票 ménpiào =〔人场券 rùchǎngquàn(영화관의)〕〔月台票 yuètáipiào(역의)〕/～료 人场费 rùchǎngfèi/～식 人场式 rùchǎngshì/무료 ～ 免费人场 miǎnfèi rùchǎng
입장(立場) 立场 lìchǎng; 地步 dìbù ¶다른 사람～이 되어 생각해 보다 设身处的替别人着想 shè shēn chǔ de tì biérén zhuóxiǎng =〔站在别人的立场上着想 zhàn zài biérén de lìchǎng shang zhuóxiǎng〕
입정놀리다 爱用零食 àiyòng língshí
입정사납다 《욕잘하다》 说话撒野 shuōhuà sāyě; 肆口丑骂 sìkǒu chǒumà; 骂街的 màjiē de; 《탐식》 嘴馋 zuǐchán; 什么东西都吃 shénme dōngxi dōu chī
입증(立證) 作见证 zuòjiànzheng; 证实 zhèngshí; 证明 zhèngmíng ¶그의 무죄는 ～되었다 他的无罪得到了证实 tāde wúzuì dédàole zhèngshí
입짧다 偏食 piānshí; 挑肥拣瘦 tiāoféijiǎnshòu
입찰(入札) 投标 tóubiāo; 封货 fēnghuò ¶그는 그 물건을 ～로 낙찰시켰다 他得标买下了那货 tā débiāo mǎixiàle nà huò ‖공사 ～ 招工投标 zhāogōng tóubiāo
입천장(…天障) 上腭 shàng'è; 上膛 shàngtáng
입학(入學) 人学 rùxué ¶그는 금년 3월에 고등 학교에 ～했다 他今年三月'人〔进〕了高中 tā jīnnián sān yuè 'rù〔jìn〕le gāozhōng ‖～ 시험 人学考试 rùxué kǎoshì/～식 人学典礼 rùxué diǎnlǐ/～ 원서 人学申请书 rùxué shēnqǐngshū =〔人学志愿书 rùxué zhìyuànshū〕
입후보(立候補) 当候选人 dāng hòuxuǎnrén; 参加竞选 cānjiā jìngxuǎn ‖～자 候选者 hòuxuǎnzhě
입히다 ①《옷을》 给…穿 gěi…chuān ¶어린애에게 옷을 ～ 给孩子穿衣服 gěi háizi chuān yīfu ②《올리다》 镀 dù ¶금을 ～ 包上金箔 bāo shàng jīnbó ③《가하다》 ¶남의 명예에 손해를 ～ 败坏他人名声 bàihuài tārén míngshēng
잇《이불 따위의》 被单子 bèi dānzi ¶베갯～ 枕头套 zhěntoutào
잇다 ①《접합·연결》 接上 jiēshang ②《계승》 承继 chéngjì ¶실을 ～ 接线 jiē xiàn/목숨을 이어나가다 维持生命 wéichí shēngmìng
잇몸 齿龈 chǐyín; 牙龈 yáyín; 牙床 yáchuáng
잇속(利…) 利益 lìyì; 自私自利 zì sī zì lì ¶～이 빠르다 对于利益敏感 duìyú lìyì mǐngǎn =〔周利 zhōulì〕
잇자국 牙印 yáyìn
있다 ①《존재》 有 yǒu ¶책상 위에 책이 ～ 桌子上有本书 zhuōzi shang yǒu běn shū/이 도자기에는 흠이 ～ 这陶器有个疤 zhè táoqì yǒu ge bā ②《위치》 在 zài ¶책은 책상 위에 ～ 书在桌子上 shū zài zhuōzi shang/모든 책임은 나에게 ～ 所有的责任都在我身上 suǒyǒu de zérèn dōu zài wǒ shēnshang/최대의 난점은 거기에 ～ 最大的困难就在此 zuìdà de kùnnan jiù zài cǐ ③《소유》 有 yǒu ¶두 사람 사이에는 3명의 아이가 ～ 两口子有三个孩子 liǎngkǒuzi yǒu sān ge háizi/그녀는 간호사 경험이 ～ 她曾做过护士 tā céng zuòguo hùshi/그는 어학에 재능이 ～ 他有外语的才能 tā yǒu wàiyǔ de cáinéng ④《수량》 有 yǒu ¶이 달에는 제일(祭日)이 이틀 ～ 这个月有两天节日 zhège yuè yǒu liǎng tiān jiérì ⑤《일어나다》 ¶오늘 아침 지진이 있었다 今晨发生了地震 jīnchén fāshēngle dìzhèn/그것은 처음 배우는 사람에게 잘 있는 실수다 这是初学的人易犯的错儿 zhè shì chūxué de rén yì fàn de cuòr ⑥《행해지다》 ¶오후에 회의가 ～ 下午有个会议 xiàwǔ yǒu ge huìyì/1988년에 한국에서 올림픽이 있었다 一九八八年在韩国开了奥运会 yì jiǔ bā bā nián zài Hánguó kāile Àoyùnhuì ⑦《…에 걸려있다》 ¶승패는 본인의 노력 여하에 달려 ～ 成败全在于他本人的努力 chéngbài quán zàiyú tā běnrén de nǔlì
잉걸불 熊熊的炭火 xióngxióng de tànhuǒ
잉꼬 〔鳥〕 鹦哥 yīnggē; 鹦鹉 yīngwǔ
잉부(孕婦) 孕妇 yùnfù
잉어 〔魚〕 鲤鱼 lǐyú
잉여(剩餘) 剩馀 shèngyú; 盈馀 yíngyú ‖～ 가치 剩馀价值 shèngyú jiàzhí/～금 盈馀 yíngyú
잉크(ink) 墨水 mòshuǐ ‖～ 스탠드 墨水壶 mòshuǐhú =〔墨水台 mòshuǐtái〕〔墨水池 mòshuǐchí〕
잉태(孕胎) 怀胎 huáitāi; 有身子 yǒushēnzi
잊다 ①《망각하다》 忘 wàng; 忘记 wàngjì ¶은혜를 ～ 忘恩 wàng ēn/그 일은 죽어도 잊을 수가 없다 那事就是死了也忘不了 nà shì jiùshì sǐle yě wàngbuliǎo/성공의 기쁨은 오랜 동안의 고생을 잊게 한다 成功的喜悦使人忘记了多年的辛劳 chénggōng de xǐyuè shǐ rén wàngjìle duōnián de xīnláo ②《잊고 두고 오다》 忘 wàng; 落 là ¶우산을 버스 속에 잊어버리고 놓고 왔다 把伞忘在公共汽车里了 bǎ sǎn wàng

zài gōnggòngqìchē li le
잊어버리다 什么都忘却了 shénme dōu wàngquèle
잎 叶儿 yèr; 叶子 yèzi ¶~이 떨어지다 叶子落了 yèzi luò le / 나뭇~이 무성하다 树叶茂盛 shùyè màoshēng
잎나무 软柴 ruǎnchái
잎담배 叶子烟 yèziyān

〔ㅈ〕

자 尺 chǐ; 矩尺 jǔchǐ ¶~로 치수를 재다 拿尺量尺寸 ná chǐ liáng chí cun〔cùn〕/ ~를 사용하여 선을 긋다 用尺划线 yòng chǐ huà xiàn ‖삼각~ 三角'板〔尺〕 sānjiǎo'bǎn〔chǐ〕/ T~ 丁字尺 dīngzìchǐ
자가당착(自家撞着) 自相矛盾 zìxiāng máodùn
자각(自覺) 自觉 zìjué ¶자기의 결점을~ 하다 认识到自己的缺点 rènshi dào zìjǐ de quēdiǎn / 책임을 ~하여 노력하다 意识到自己所肩负的责任而努力 yìshí dào zìjǐ suǒ jiānfù de zérèn ér nǔlì
자갈 砾石 lìshí; 小石头子儿 xiǎo shítouzǐr; 小卵石 xiǎo luǎnshí
자개 珍珠贝 zhēnzhūbèi; 贝壳 bèiqiào ‖~ 그릇 螺钿 luódiàn
자객(刺客) 刺客 cìkè ¶~을 보내다 派遣刺客 pàiqiǎn cìkè
자격(資格) 资格 zīge ¶간호사의 ~을 얻다 取得护士的资格 qǔde hùshi〔shí〕 de zīge / 학교 대표의 ~으로 파견하다 以学校代表的身分派遣 yǐ xuéxiào dàibiǎo de shēnfen pàiqiǎn
자격지심(自激之心) 自愧 zìkuì; 歉愧 qiànkuì
자결(自決) ①《자살》 自杀 zìshā; 自尽 zìjìn; 自戕 zìqiāng ¶그는 책임을 스스로 떠맡고 ~했다 他引咎而自杀了 tā yǐnjiù ér zìshā le ②《해결》 自己决定 zìjǐjuédìng; 自决 zìjué ¶민족 ~권 民族自决权 mínzúzìjuéquán
자고로(自古…) 自古以来 zìgǔ yǐlái
자국 痕迹 hénjì; 痕 hén; 迹 jì; 印儿 yìnr; 印子 yìnzi ¶발~ 脚印儿 jiǎoyìnr / 길에 타이어의 ~이 남아 있다 路上有车轮的痕迹 lùshàng yǒu chēlún de hénjì ‖~눈 微雪 wēixuě
자국(自國) 本国 běnguó ¶~ 상품 国产品 guóchǎnpǐn / 그는 독일어를 ~어 같이 말할 수 있다 他说德语像说本国话似的 tā shuō Déyǔ xiàng shuō běnguó huà shìde
자궁(子宮) 子宫 zǐgōng ‖~외 임신 宫外孕 gōngwàiyùn
자귀 《연장》 锛子 bēnzi
자귀나무 〖植〗 合欢 héhuān; 马缨花 mǎyīnghuā
자그마치 ①《적게》 少一点 shǎo yìdiǎn ¶~ 먹어라 少吃点儿吧 shǎo chī diǎnr ba ②《반어적 용법》 至少zhìshǎo ¶~ 10만 원이 든다 至少也需要十万块 zhìshǎo yě xūyào shíwàn kuài
자극(刺戟) 刺激 cìjī; 激发 jīfā ¶~적인 것은 위에 좋지 않다 刺激性的东西对胃不好 cìjīxìng de dōngxi duì wèi bù hǎo
자금(資金) 资金 zījīn; 基金 jījīn; 本儿 běnr ¶~원이 고갈됐다 资金来源枯竭了 zījīn láiyuán kūjié le / 운동 ~을 조달하다 筹措运动资金 chóucuò yùndòng zījīn
자기(自記) 自动记录 zìdòng jìlù
자기(瓷器) 瓷器 cíqì
자기(磁氣) 磁性 cíxìng ‖~ 폭풍 磁暴 cíbào
자기(自己) 自己 zìjǐ; 自我 zìwǒ ¶그것은 ~ 만족에 지나지 않는다 那只是自我满足摆了 nà zhǐshì zìwǒ mǎnzú bà le ‖~ 부정 自我否定 zìwǒ fǒudìng / ~ 암시 自我暗示 zìwǒ ànshì
자꾸 ①《여러 번》 再三再四 zàisān zàisì; 屡次 lǚcì ¶그녀에게서 ~ 편지가 온다 她'再三〔屡次〕来信 tā 'zàisān〔lǚcì〕 lái xìn ②《심히》 热心 rèxīn; 很甚 hěn shèn ¶~ 비가 내리다 雨下得利害 yǔ xiàde lìhai
자나깨나 日日夜夜 rìrì yèyè; 时时刻刻 shíshí kèkè ¶~ 잊을 수 없다 总是忘不了 zǒngshì wàngbuliǎo
자네 你 nǐ
자녀(子女) 子女 zǐnǚ; 儿女 érnǚ
자다 ①《잠을》 睡 shuì; 睡觉 shuìjiào ¶깊이 ~ 酣睡 hānshuì =〔熟睡 shú〔shóu〕shuì〕 ②《바람 따위》 (风)息 xī
자당(慈堂) 令堂 lìngtáng; 令慈 lìngcì
자당(蔗糖) 蔗糖 zhètáng
자동(自動) 自动 zìdòng ¶실내 온도는 ~ 조절된다 室内温度可以自动调节 shìnèi wēndù kěyǐ zìdòng tiáojié / 저 상점의 문은 ~으로 되어 있다 那家商店的门是自动开关的 nà jiā shāngdiàn de mén shì zìdòng kāiguān de ‖~ 소총 自动步枪 zìdòng bùqiāng / ~ 점화 장치 自动点火装置 zìdòng diǎnhuǒ zhuāngzhì / ~ 제어 장치 自动控制装置 zìdòng kòngzhì zhuāngzhì / ~ 판매기 自动售货器 zìdòng shòuhuòqì =〔无人售货机 wúrén shòuhuòjī〕
자동적(自動的) 自动的 zìdòngde
자동차(自動車) 汽车 qìchē ¶그가 운전하는 ~를 타고 갔다 坐着他开的汽车去了 zuòzhe tā kāi de qìchē qù le
자디잘다 零碎 língsuì; 零星 língxīng
자라 〖動〗 鳖 biē; 甲鱼 jiǎyú; 团鱼 tuányú; 〈方〉 鼋鱼〔元鱼〕 yuányú; 〈俗〉 王八 wángba
자라다[1] 《성장》 长 zhǎng; 生长 shēngzhǎng; 成长 chéngzhǎng ¶이 식물은 한랭한 곳에서는 자라지 못한다 这种植物在寒冷的地方不容易生长 zhè zhǒng zhíwù zài hánlěng de dìfang bù róngyì shēngzhǎng / 그는 7세까지 시골에서 자랐다 他在乡下长到七岁 tā zài xiāngxià zhǎng dào qī suì
자라다[2] 《충분》 十分 shífēn; 足够 zúgòu; 充足 chōngzú
자락 《옷의》 下襬 xiàbǎi ¶스커트 ~ 裙子的下襬 qúnzi de xiàbǎi
자랑 自豪 zìháo; 骄傲 jiāo'ào; 夸耀 kuāyào ¶자기의 수완을 ~하다 夸耀自己的本领 kuāyào zìjǐ de běnlǐng / ~할 만한 게 못 된다 不足以夸耀 bùzú yǐ kuāyào / ~할 만하다 可以自夸 kěyǐ zìkuā / 그는 우리 나라의 ~이다 他是我国的骄傲 tā shì wǒguó de jiāo'ào / 이와 같이 우수한 학생을 가진 것을 ~으로 생각한다 我为有这样优秀的学生而感到骄傲 wǒ wèi yǒu zhèyàng yōuxiù de xuésheng ér gǎndào jiāo'ào
자료(資料) 资料 zīliào ¶참고 ~ 参考资料 cānkǎo zīliào / ~를 모으다 收集资料 shōují zīliào
자루[1] 《주머니》 口袋(儿) koǔdài(r); 袋子 dàizi; 袋儿 dàir; 袋囊 dàináng

자루² 《도끼 · 우산 따위의》 把儿 bàr; 把子 bàzi; 柄 bǐng ¶우산 ～ 伞把儿 sǎn bàr / 식칼 ～ 菜刀把儿 càidāo bàr / 괭이 ～ 锄柄 chúbǐng/ 창의 ～ 杆儿 gānr

자루³ 《단위》 枝 zhī; 把 bǎ ¶연필 세 ～ 三枝铅笔 sān zhī qiānbǐ / 총 한 ～ 一'枝〔杆〕枪 yì 'zhī〔gǎn〕 qiāng / 괭이 한 ～ 一把锄 yì bǎ chú

자르다 割断 gēduàn; 割去 gēqù ¶오른발을 ～ 割去右足 gēqù yòu zú

자리 ①《좌석》 座儿〔坐儿〕 zuòr; 座位〔坐位〕 zuòwèi; 位子 wèizi ¶～에 앉다 立席 lìxí =〔就座 jiùzuò〕/ ～를 양보하다 让座 ràngzuò / ～를 차지하다 佔位子 zhàn wèizi =〔佔座儿 zhàn zuòr〕/ ～에서 일어나다 离开坐位 líkāi zuòwèi =〔退席 tuìxí〕/ 너무 바빠서 ～에 앉아 있을 틈도 없다 席不暇暖 xí bùxiá nuǎn ②《여지》 空座位 kōng zuòwèi ③《현장》 现地 xiàndì ¶그 ～에서 해결하다 就地解决 jiùdì jiějué / 이 ～를 빌려서 감사의 한 말씀 드리겠습니다 借此机会表示感谢 jiè cǐ jīhui biǎoshì gǎnxiè ④《위치》 方位 fāngwèi ¶나침반으로 ～를 잡다 用罗盘定方位 yòng luópán dìng fāngwèi ⑤《지위》 职位 zhíwèi; 地位 dìwèi ¶회장의 ～를 깨끗이 내던지다 把会长的职务干脆地甩掉了 bǎ huìzhǎng de zhíwù gāncuìde shuǎidiào le

자리옷 睡衣 shuìyī

자리잡다 《좌정》 佔座位 zhàn zuòwèi; 《취직》 找到工作 zhǎo dào gōngzuò; 《정착》 定居 dìngjū; 落户 luòhù

자립(自立) 自立 zìlì ¶～ 정신을 기르다 培养自立精神 péiyǎng zìlì jīngshén

자릿자릿하다 《저리다》 发麻 fāmá; 麻木 mámù; 《흥분하여》 神迷心醉 shénmí xīn zuì

…자마자 《…을 하자 곧》 刚一…就… gāngyī…jiù…; 刚…马上… gāng…mǎshàng…; 刚一…立刻… gāngyī…lìkè… ¶그는 나를 보～ 도망쳤다 他见了我撒腿就跑了 tā jiànle wǒ sātuǐ jiù pǎo le / 일어나～ 뛰어나갔다 刚一起床就跑出去了 gāng yī qǐchuáng jiù pǎochūqu le

자만(自慢) 自夸 zìkuā; 炫耀 xuànyào; 夸耀 kuāyào

자매(姊妹) 姊妹 zǐmèi; 姐妹 jiěmèi

자명(自明) 自明 zìmíng ¶그것은 ～한 이치다 那是自明之理 nà shì zìmíng zhī lǐ

자명종(自鳴鐘) 醒子钟 xǐngzizhōng; 闹钟 nàozhōng

자문(諮問) 咨询 zīxún ‖～ 기관 咨询机关 zīxún jīguān

자물쇠 锁 suǒ; 锁头 suǒtou ¶～를 열다 开锁 kāi suǒ / 서랍에 ～를 채우다 把抽屉锁上 bǎ chōuti suǒshàng / 문에는 ～가 채워져 있다 门上着锁 mén shàngzhe suǒ

자반(佐飯) 咸鱼 xiányú; 腌鱼 yānyú

자발(自發) 自动 zìdòng; 主动 zhǔdòng ¶～적으로 참가하다 自动参加 zìdòng cānjiā

자배기 瓦盆 wǎpén; 瓷盆 cípén

자백(自白) 供认 gòngrèn; 招认 zhāorèn; 坦白 tǎnbái ¶용의자는 범행 일체를 ～했다 嫌疑犯把罪行全招认了 xiányífàn bǎ zuìxíng quán zhāorèn le

자벌레 《蟲》 尺蠖 chǐhuò

자본(資本) 资本 zīběn ¶막대한 ～을 투입하다 投入巨额资本 tóurù jù'é zīběn / ～의 회전이 좋지 않다 资本周转不灵 zīběn zhōuzhuǎn bùlíng / 그는 얼마 안 되는 작은 ～으로 장사를 시작했다 他用小本做起生意来 tā yòng xiǎoběn zuòqǐ shēngyi lái / 몸이 나의 ～이다 只有身体是我的资本 zhǐyǒu shēntǐ shì wǒde zīběn =〔这身子骨儿就是我的本钱 zhè shēnzigǔr jiùshì wǒde běnqián〕‖～가 资本家 zīběnjiā / ～금 资本 zīběn =〔股本 gǔběn〕/ 독점～ 垄断资本 lǒngduàn zīběn =〔独占资本 dúzhàn zīběn〕

자부(自負) 自大 zìdà; 自尊 zìzūn; 自负 zìfù ‖～심 自负心 zìfùxīn

자비(自費) 自备 zìbèi; 自认 zìrèn; 自费 zìfèi ¶회상록을 ～로 출판하다 自费出版回忆录 zìfèi chūbǎn huíyìlù ‖～생 自备生 zìbèishēng

자비(慈悲) 慈悲 cíbēi ¶～심이 깊은 사람 大慈大悲的人 dàcí dàbēi de rén

자빠뜨리다 打倒 dǎdǎo; 摔倒 shuāidǎo ¶다리를 휘감아 ～ 使绊子把人摔倒 shǐ bànzi bǎ rén shuāidǎo

자빠지다 跌倒 diēdǎo ¶돌에 발이 걸려～ 被石头绊倒 bèi shítou bàn dǎo

자살(自殺) 自杀 zìshā; 自尽 zìjìn ¶그는 절망한 나머지 ～했다 他绝望而自杀了 tā juéwàng ér zìshā le / 그것은 ～행위다 那简直是自杀行为 nà jiǎnzhí shì zìshā xíngwéi ‖～미수 自杀未遂 zìshā wèisuì

자상하다(仔詳…) 《자세》 仔细 zǐxì; 《찬찬하다》 没有遗漏 méiyǒu yílòu; 周到 zhōudao

자색(紫色) 紫色 zǐsè

자서전(自敍傳) 自传 zìzhuàn

자석(磁石) ①《자철광》 磁石 císhí; 磁铁 cítiě; 吸铁石 xītiěshí ②《자석반》 磁针 cízhēn

자선(慈善) 慈善 císhàn ¶～ 사업을 행하다 举办慈善事业 jǔbàn císhàn shìyè ‖～공연 义演 yì-yǎn =〔慈善演出 císhàn yǎnchū〕

자세(仔細) 仔细 zǐxì; 详细 xiángxì ¶일을 ～히 설명하다 说明'详细经过〔详情〕 shuōmíng 'xiángxì jīngguò〔xiángqíng〕/ 현지 상황을 ～히 보고하다 详详细细〔一五一十〕地报告现场的状况 xiángxiángxìxì〔yìwǔ yìshí〕 de bàogào xiànchǎng de zhuàngkuàng

자세(姿勢) 姿势 zīshì; 态度 tàidu(마음의) ¶부동 ～ 立正姿势 lìzhèng zīshì / 그는 언제나 ～가 좋다 他总是姿势端正 tā zǒngshì zīshì duānzhèng / ～를 바로 하고 글씨를 쓰다 端正姿势写字 duānzhèng zīshì xiě zì / 적극적인 ～로 문제에 임하다 以积极的态度对待问题 yǐ jījí de tàidu duìdài wèntí

자손(子孫) 子孙 zǐsūn ¶～을 위해서 재산을 남기다 为子孙留财产 wèi zǐsūn liú cáichǎn

자수(自首) 自首 zìshǒu; 投案 tóu'àn ¶범인은 경찰에 ～했다 罪犯向公安局投案自首了 zuìfàn xiàng gōng'ānjú tóu'àn zìshǒu le

자수(刺繡) 刺绣 cìxiù; 绣花 xiùhuā ‖～ 실 绣花线 xiùhuāxiàn

자수성가(自手成家) 自力成业 zìlì chéng yè

자승자박(自繩自縛) 作茧自缚 zuòjiǎn zìfù; 木匠扛枷 mùjiang káng jiā; 自作自受 zìzuò zìshòu ¶～에 빠지다 陷于作茧自缚 xiàn yú zuòjiǎn zìfù =〔作法自毙 zuò fǎ zì bì〕

자신(自身) 自己 zìjǐ; 自身 zìshēn; 本身 běnshēn ¶나 ～도 어떻게 하면 좋을지 모르겠다 我

自己也不知怎么办好 wǒ zìjǐ yě bù zhī zěnme bàn hǎo
자신(自信) 自信 zìxìn; 信心 xìnxīn; 把握 bǎwò ¶~ 있는 요리 拿手菜 náshǒu cài / 수영에는 ~이 있다 论游泳我可有点儿自信 lùn yóuyǒng wǒ kě yǒudiǎnr zìxìn / ~을 갖고 하다 充满信心〔信心百倍〕地去干 chōngmǎn xìnxīn 〔xìnxīn bǎibèi〕 de qù gàn / 그 이후 그녀는 완전히 ~을 잃었다 从那以来她完全丧失了信心 cóng nà yǐlái tā wánquán sàngshīle xìnxīn / 그는 언제나 ~ 만만하다 他总是满怀信心 tā zǒngshì mǎnhuái xìnxīn
자아내다 《실을》 纺(线) fǎng; 《생각을》 苦心思索 kǔxīn sīsuǒ; 左思右想 zuǒsī yòuxiǎng; 《눈물을》 引人流泪 yǐn rén liú lèi
자양(滋養) 滋养 zīyǎng; 养分 yǎngfèn
자업자득(自業自得) 自作自受 zì zuō zì shòu; 自食其果 zì shí qí guǒ
자연(自然) ① 《천지 만물》 自然 zìrán; 天然 tiānrán ¶~으로 돌아가다 回到自然 huídào zìrán ② 《저절로》 自然 zìrán ¶~에 맡겨 버려라 听其自然 tīngqí zìrán / 그들의 걸음은 ~히 빨라졌다 他们的步伐自然而然加快了 tāmende bùfá zìrán'érrán jiākuài le ‖ ~미 自然美 zìránměi / ~ 발화 自燃 zìrán =〔自然起火 zìrán qǐhuǒ〕 / ~사 自然死亡 zìrán sǐwáng / ~ 숭배 大自然崇拜 dàzìrán chóngbài
자영(自營) 自己营生 zìjǐ yíngsheng; 《단독 경영》 独立经营 dúlì jīngyíng ‖ ~ 농민 自耕农 zìgēngnóng =〔个体农户 gètǐ nónghù〕 / ~업 个体经营 gètǐ jīngyíng
자오선(子午線) 子午线 zǐwǔxiàn
자옥하다 笼罩 lóngzhào; 覆盖 fùgài ¶아침 안개가 자옥이 낀 동네 笼罩在朝雾里的村庄 lóngzhào zài zhāo wù li de cūnzhuāng
자외선(紫外線) 紫外线 zǐwàixiàn
자웅(雌雄) 雌雄 cíxióng ¶~을 겨루다 决一雌雄 jué yì cíxióng =〔决一胜负 jué yí shèngfù〕
자원(資源) 资源 zīyuán ¶~을 개발하다 开发资源 kāifā zīyuán / 지하 ~이 풍부하다 地下资源丰富 dìxià zīyuán fēngfù
자유(自由) 自由 zìyóu ¶형기를 마쳐서 다시 ~의 몸이 되었다 服刑期满, 再度成了自由之身 fúxíng qī mǎn, zàidù chéngle zìyóu zhī shēn / 그는 3개 국어를 ~ 자재로 구사한다 他能流利地说三种外语 tā néng liúlìde shuō sān zhǒng wàiyǔ =〔他能自由自在地操三种外语 tā néng zìyóu zìzài de cāo sān zhǒng wàiyú〕 ‖ ~업 自由职业 zìyóu zhíyè / ~형 自由泳 zìyóuyǒng
자율(自律) 自律 zìlǜ ¶~적으로 행동하다 自主地进行活动 zìzhǔ de jìnxíng huódòng ‖ ~신경 自律神经 zìlǜ shénjīng =〔植物性神经 zhíwùxìng shénjīng〕
자음(子音) 辅音 fǔyīn; 子音 zǐyīn
자의식(自意識) 自我意识 zìwǒ yìshí ¶~의 과잉 自我意识过甚 zìwǒ yìshì guòshèn
자인(自認) 自己承认 zìjǐ chéngrèn ¶그는 과오를 ~했다 他承认了自己的过失 tā chéngrènle zìjǐ de guòshī
자작(自作) ① 《손수 만듦》 自制 zìzhì ¶~ 자연 自编自演 zì biān zì yǎn / ~시를 낭독하다 朗诵自作的诗 lǎngsòng zì zuò de shī ② 《농작물》 自耕 zìgēng ‖ ~농 自耕农 zìgēngnóng
자작나무 〖植〗 白桦 báihuà; 桦树 huàshù
자장가(…歌) 催眠曲 cuīmiánqǔ; 摇篮曲 yáolánqǔ
자장면 炸酱面 zhájiàngmiàn
자전(自轉) 自转 zìzhuàn ¶지구는 24시간에 1회 ~한다 地球二十四小时自转一次 dìqiú èrshísì xiǎoshí zìzhuàn yí cì
자전거(自轉車) 自行车 zìxíngchē; 脚踏车 jiǎotàchē; 单车 dānchē ¶~를 타다 骑自行车 qí zìxíngchē / 그는 매일 ~로 통학한다 他每天骑自行车上学去 tā měitiān qí zìxíngchē shàngxué qù
자정(子正) 午夜 wǔyè
자제(自制) 自制 zìzhì ¶그것을 들은 순간 ~심을 잃고 말았다 一听到那话就失去了自制 yì tīng dào nà huà jiù shīqùle zìzhì
자조(自嘲) 自嘲 zì cháo ¶~적으로 웃다 自嘲地笑 zì cháo de xiào
자존심(自尊心) 自尊心 zìzūnxīn ¶그는 ~이 강하다 他自尊心很强 tā zìzūnxīn hěn qiáng / ~을 상했다 自尊心受了伤害 zìzūnxīn shòule shānghài
자주(自主) 自主 zìzhǔ ¶~ 독립의 정신 独立自主的精神 dúlì zìzhǔ de jīngshén
자주(紫朱) 紫色 zǐsè
자주 再三 zàisān; 接二连三地 jiē'èr liánsān de ¶화재가 ~ 일어나다 接二连三地走水 jiē'èr liánsān de zǒushuǐ / ~ 폐를 끼쳐서 죄송합니다 给您再三添了麻烦, 实在抱歉 gěi nín zàisān tiānle máfan, shízài bàoqiàn
자지 鸡巴 jība; 《어린애의》 小虫儿 xiǎochóngr
자질(資質) 资质 zīzhì ¶그는 학자로서의 ~이 충분하다 他作为学者具有充分的资质 tā zuòwéi xuézhě jùyǒu chōngfèn de zīzhì
자질구레하다 零碎的 língsuì de; 零七八碎 língqībāsuì
자책(自責) 自咎 zìjiù ¶~감에 사로잡히다 自咎不已 zìjiù bùyǐ
자초지종(自初至終) 一五一十 yìwǔ yìshí; 始末根由 shǐmò gēnyóu; 原原本本 yuányuánběnběn ¶~을 얘기했다 一五一十地都讲了 yìwǔ yìshí de dōu jiǎng le =〔原原本本都说了 yuányuánběnběn dōu shuō le〕
자취 形迹 xíngjì; 痕迹 hénjì ¶~를 감추다 躲避起来不露面 duǒbìqilai bú lòu miàn
자취(自炊) 自做自吃 zì zuò zì chī; 自炊 zì chuī ¶방을 빌려서 ~하다 租房间自己烧火做饭 zū fángjiān zìjǐ shāohuǒ zuò fàn
자칫하면 一不小心 yíbù xiǎoxin; 动不动 dòngbudòng
자칭(自稱) 自称 zìchēng ¶대학 교수를 ~한 사람 自称为大学教授的人 zìchēng wéi dàxué jiàoshòu de rén
자태(姿態) 姿态 zītài; 姿式 zīshì
자포자기(自暴自棄) 自暴自弃 zìbào zìqì ¶그는 완전히 ~가 되어 방탕한 생활을 하고 있다 他自暴自弃地过着放荡的生活 tā zìbào zìqì de guòzhe fàngdàng de shēnghuó
자필(自筆) 亲笔 qīnbǐ ‖ ~ 이력서 亲笔写的履历表 qīnbǐ xiě de lǚlìbiǎo
자학(自虐) 自我折磨 zìwǒ zhémo
자해(自害) 自害 zìhài ¶단도로 ~하다 用短刀自害了 yòng duǎndāo zìhài le
자화상(自畫像) 自画像 zìhuàxiàng

자화자찬(自畫自讚) 自吹自擂 zìchuī zìlèi; 自卖自夸 zìmài zìkuā
자활(自活) 自谋糊口 zì móu hú kǒu; 自食其力 zì shí qí lì ¶～의 길을 구하다 寻求生活之道 xúnqiú shēnghuó zhī dào =〔设法自食其力 shèfǎ zì shí qí lì〕/부모를 떠나서 ～하다 离开父母独立生活 líkāi fùmǔ dúlì shēnghuó
자획(字畫) 笔画 bǐhuà
작가(作家) 作家 zuòjiā
작고(作故) 去世 qùshì; 故去 gùqù
작곡(作曲) 作曲 zuòqǔ ‖～가 作曲家 zuòqǔjiā
작금(昨今) 近来 jìnlái; 近日 jìnrì; 现而今 xiàn ér jīn
작년(昨年) 去年 qùnián; 上年 shàngnián ‖～도 上一年度 shàng yì niándù
작다 小 xiǎo ¶이 신발은 나에게 ～ 这鞋我穿嫌小 zhè xié wǒ chuān xián xiǎo/더 작은 목소리로 얘기해라 小点儿声说 xiǎo diǎnr shēng shuō/3은 5보다 ～ 三比五小 sān bǐ wǔ xiǎo/배짱이 ～ 胆子〔心眼儿〕小 dǎnzi〔xīnyǎnr〕xiǎo/도량이 ～ 器量小 qìliàng xiǎo
작달막하다 矮矬矬 ǎicuócuó
작당(作黨) 结党 jié dǎng; 结伙 jié huǒ
작대기 棒子 bàngzi; 棍子 gùnzi
작두(斫…) 铡刀 zhádāo
작두콩 《植》 刀豆 dāodòu
작렬(炸裂) 爆炸 bàozhà ¶폭탄이 ～했다 炸弹爆炸了 zhàdàn bàozhà le
작문(作文) 作文 zuòwén
작물(作物) 庄稼 zhuāngjia; 作物 zuòwù; 农作物 nóngzuòwù ¶이 지방의 주요 ～은 보리다 这个地区的主要农作物是小麦 zhège dìqū de zhǔyào nóngzuòwù shì xiǎomài
작별(作別) 离别 líbié; 分别 fēnbié ¶～을 고하다 告别 gàobié =〔辞行 cíxíng〕
작부(酌婦) 服侍酒席的女招待 fúshi jiǔxí de nǚzhāodài
작사(作詞) 作词 zuòcí ‖～가 作词家 zuòcíjiā
작살 鱼叉 yúchā ¶～로 고기를 잡다 用鱼叉叉鱼 yòng yúchā chā yú/～로 찌르다 用鱼叉叉 yòng yúchā chā
작성(作成) 作 zuò; 造 zào; 拟 nǐ ¶계약서를 2통 ～하다 写两份合同 xiě liǎng fèn hétong/법안을 ～하다 草拟法案 cǎonǐ fǎ'àn/예산 ～이 늦었다 预算造迟了 yùsuàn zào chí le
작심(作心) 拿定坚固的主意 ná dìng jiāngù de zhǔyì ‖～ 삼일 三天半的新鲜 sān tiān bàn de xīnxiān =〔王八拉车 wángba lāchē〕
작업(作業) 工作 gōngzuò; 作业 zuòyè ¶～을 시작하다 开工 kāigōng =〔动工 dònggōng〕/조난자의 구출 ～을 하다 进行抢救遇难者的作业 jìnxíng qiǎngjiù yùnànzhě de zuòyè ‖～능률 工作效率 gōngzuò xiàolǜ/～복 工作服 gōngzuòfú/～ 시간 工作时间 gōngzuò shíjiān/단순 ～ 简单劳动 jiǎndān láodòng
작용(作用) 作用 zuòyòng ¶소화 ～ 消化作用 xiāohuà zuòyòng/약의 ～으로 아픔이 가라앉았다 药见效不疼了 yào jiànxiào bù téng le/그것은 전기의 ～으로 움직인다 这是由电的作用而动作的 zhè shì yóu diàn de zuòyòng ér dòngzuò de
작은아버지 叔父 shūfù; 叔叔 shūshu
작은어머니 叔母 shūmǔ; 婶母 shěnmǔ; 婶子 shěnzi
작은집 《분가》 分家另住的眷族 fēnjiā lìng zhù de juànzú; 《아들 집》 儿子的家 érzide jiā; 《동생의 집》 弟弟的家 dìdide jiā
작인(作人) 佃户 diànhù; 佃家 diànjiā; 佃农 diànnóng
작일(昨日) 昨天 zuótiān; 昨日 zuórì; 昨儿 zuór
작작 少 shǎo ¶좀 작작 해라 少来了 shǎo lái le/농담도 ～ 해라 玩笑不要开得太过火了 wánxiào búyào kāide tài guòhuǒ le
작전(作戰) ①《군사 행동》 作战 zuòzhàn ¶도하 ～ 渡江战役 dù jiāng zhànyì/판로 확장 ～ 扩大销路运动 kuòdà xiāolù yùndòng/～을 개시하다 实施作战计划 shíshī zuòzhàn jìhuà ②《계획》 나의 ～이 맞아 떨어졌다 恰中我计 qià zhòng wǒ jì/～을 세우다 制定作战计划 zhìdìng zuòzhàn jìhuà
작정(酌定) 打算 dǎsuan
작품(作品) 作品 zuòpǐn
작풍(作風) ①《작품의》 作风 zuòfēng; 笔法 bǐfǎ; 《예술품의》 手法 shǒufǎ ¶만년에 이르러서 그의 ～은 크게 변하였다 到了晚年,他的作品风格就大为转变了 dàole wǎnnián, tāde zuòpǐn fēnggé jiù dà wéi zhuǎnbiàn le ②《생활 등의》 作风 zuòfēng
작히나 多么 duōme; 何等 héděng ¶합격이 되면 ～ 좋을까 考中了多么好 kǎo zhòngle duōme hǎo
잔(盞) 杯 bēi; 杯子 bēizi; 酒杯 jiǔbēi; 酒盅 jiǔzhōng ¶～을 돌리다 传杯 chuán bēi =〔行酒 xíng jiǔ〕/～을 엎다 叩杯 kòu bēi/～을 들다 举杯 jǔ bēi/～을 비우다 干杯 gān bēi/～을 주고받다 推杯换盏 tuī bēi huàn zhǎn/이별의 ～을 나누다 喝饯行酒 hē jiànxíng jiǔ
잔금(殘金) ①《남은 돈》 余款 yúkuǎn; 余额 yú'é ¶이 달에는 ～이 거의 없다 这个月差不多没有'余额〔结余, 结存〕 zhège yuè chàbuduō méiyǒu 'yú'é〔jiéyú, jiécún〕 ②《부채 잔액》 尾欠 wěi qiàn; 下欠 xià qiàn ¶～은 내달중에 반드시 지불하겠다 尾欠一定在下月付清 wěiqiàn yídìng zài xiàyuè fùqīng
잔당(殘黨) 余党 yúdǎng; 残余势力 cányú shìlì; 残部 cánbù; 残余分子 cányú fènzǐ
잔대(盞臺) 杯盘 bēi pán; 杯托 bēi tuō
잔돈 零钱 língqián; 小钱 xiǎoqián ¶～으로 바꾸다 换成零钱 huàn chéng língqián =〔破开 pòkāi〕
잔등이 〈俗〉 脊梁 jǐliang; 脊背 jǐbèi
잔디 结缕草 jiélǚcǎo; 矮草 ǎicǎo ¶～를 심다 植草皮 zhí cǎopí =〔铺草坪 pū cǎopíng〕
잔디밭 草坪 cǎopíng; 草地 cǎodì; 草皮 cǎopí ¶～에 들어가지 마십시오 勿进草坪 wùjìn cǎopíng =〔免进草坪 miǎn jìn cǎopíng〕
잔뜩 ①《가득히》 多 duō; 很多 hěn duō ¶빚을 ～ 걸머지다 债台高筑 zhàitái gāozhù/～ 먹었다 吃饱了 chī bǎo le ②《외곬으로》 一个劲地 yí ge jìn de ¶아버지 재산만 ～ 믿고 있다 一个劲地指望父亲的财产 yí ge jìn de zhǐwang fùqinde cáichǎn
잔말 瞎咧 xiāliě ¶～하다 瞎诌 xiā zhōu/～ 마라 别瞎扯 bié xiāzhě =〔少说闲话 shǎo shuō xiánhuà〕
잔무(殘務) 未结的事务 wèijié de shìwù; 馀务 yúwù ¶～를 정리하다 处理善后问题 chǔlǐ

shànhòu wèntí
잔물결 小波浪 xiǎobōlàng; 细波 xìbō
잔병(…病) 小病 xiǎobìng
잔서(殘暑) 馀暑 yúshǔ; 秋老虎 qiūlǎohǔ
잔소리 《꾸지람》 责备 zébèi; 申斥 shēnchì; 《불평》 怨言 yuànyán; 牢骚 láosāo〔sao〕
잔심부름 小差使 xiǎo chāishi
잔액(殘額) 馀额 yú'é ¶ ~을 이월하다 把馀额转入下期 bǎ yú'é zhuǎnrù xiàqī
잔여(殘餘) 下馀的 xiàyúde; 剩下的 shèngxiade; 盈馀 yíngyú; 剩馀 shèngyú
잔인(殘忍) 残酷无情 cánkù wúqíng; 残忍 cánrěn ¶ ~ 무도한 범죄 极其残忍的罪行 jíqí cánrěn de zuìxíng
잔잔하다 平静 píngjìng; 安静 ānjìng ¶ 바닷물이 아주 ~ 海面上很平静 hǎimiàn shàng hěn píngjìng
잔재주(…才…) 小才干 xiǎo cáigàn; 小策略 xiǎo cèlüè ¶ ~를 부리다 要小诡计 shuǎ xiǎo guǐjì =〔玩弄小花招 wánnòng xiǎo huāzhāo〕
잔챙이 又小又不出色的 yòu xiǎo yòu bù chūsè de; 《사람》毛羔羔子 máo gāo gāozi
잔치 宴会 yànhuì; 备盛馔 bèi shèngzhuàn ¶ ~를 베풀다 设宴招待 shè yàn zhāodài
잔학(殘虐) 残酷 cánkù; 残忍 cánrěn ¶ ~한 행위 残酷〔惨绝人寰, 惨无人道〕的行为 cánkù 〔cǎn jué rénhuán, cǎn wú réndào〕 de xíngwéi
잔해(殘骸) 残骸 cánhái ¶ 추락한 비행기의 ~가 흩어져 있다 坠毁的飞机残骸零乱不堪 zhuìhuǐ de fēijī cánhái língluàn bùkān
잔혹(殘酷) 残酷 cánkù ¶ 너무도 ~한 광경이라 눈 뜨고는 볼 수 없다 那情景简直惨不忍睹 nà qíngjǐng jiǎnzhí cǎn bùrěn dǔ
잘달다 《잘다》 细小 xìxiǎo; 《대단찮다》 稀松平常的 xīsōng píngcháng de; 不济的 bújì de; 《성질이》 小器 xiǎoqì
잘 ①《충분히》 好好的 hǎohǎode; 好好儿 hǎohāor; 仔细的 zǐxì de ¶ ~ 보십시오 请您仔细看 qǐng nín zǐxì kàn / ~ 생각해라 好好儿想想 hǎohāor xiǎngxiang ②《능숙히》 巧妙的 qiǎomiào de; 高明的 gāomíng de ¶ 글씨를 ~ 쓴다 字写得好 zì xiě de hǎo ③《늘·항시》 常 cháng; 常常 chángcháng; 经常 jīngcháng; 好 hào; 容易 róngyì ¶ 그는 ~ 앓는다 他常常得病 tā chángcháng débìng / 그는 학교를 ~ 빠진다 他常常旷课 tā chángcháng kuàngkè / 금년에는 비가 ~ 온다 今年好下雨 jīnnián hào xiàyǔ / 나는 겨울만 되면 감기에 ~ 걸린다 我一到冬天就容易感冒 wǒ yí dào dōngtiān jiù róngyì gǎnmào ④《감탄》 难为 nánwei ¶ 이 큰비에 ~도 오셨습니다 这么大的雨真难为你来了 zhème dà de yǔ zhēn nánwei nǐ lái le
잘나다 《사람됨이》 卓越 zhuóyuè; 出色 chūsè; 《생김새가》 漂亮 piàoliang; 好看 hǎokàn
잘다 ①《작다》 小 xiǎo; 零碎 língsuì ¶ 쓴 글시가 ~ 写得字小 xiě de zì xiǎo ②《인품이》 小器 xiǎoqì; 不大方 bú dàfang
잘라먹다 嚼断而吃 jiáo duàn ér chī; 《갚을 것을》 赖债 làizhài
잘록하다 中间一段稍为细一点 zhōngjiān yí duàn shāo wéi xì yìdiǎn
잘못 ①《과실》 过错 guòcuò; 错误 cuòwù ¶ ~을 저질렀다 犯错误 fàn cuòwù / ~을 뉘우치다 悔改 huǐgǎi =〔改悔 gǎihuǐ〕/ 누구에게나 ~은 있는 법이다 谁都难免有个错误 shuí dōu nánmiǎn yǒu ge cuòwù ②《부사적으로》 ¶ ~ 보다 看错 kàn cuò / ~ 알다 想错 xiǎng cuò
잘못보다 《인식 부족》 观察未能透彻 guānchá wèi néng tòuchè
잘잘못 是非 shìfēi; 好歹 hǎodǎi; 好坏 hǎohuài ¶ ~을 가려낼 수 있다 能辨别好坏 néng biànbié hǎohuài
잘하다 ①《훌륭하게》 巧妙 qiǎomiào; 熟练 shú〔shóu〕liàn ¶ 말을 ~ 嘴巧 zuǐ qiǎo / 영어를 ~ 英语说得流利 Yīngyǔ shuōde liúli / 잘한다! 真了不起! 好极! zhēn liǎobùqǐ! hǎo jí! ②《익숙하게》 善于 shànyú; 擅长 shàncháng ¶ 글을 잘 짓다 善于写文章 shànyú xiě wénzhāng
잠 觉 jiào; 睡觉 shuìjiào ¶ 단~ 자다 睡得甜 shuì de tián / ~을 못 이루다 睡不着 (觉) shuìbuzháo (jiào) / ~들다 进入睡乡 jìnrù shuìxiāng =〔入睡 rùshuì〕/ ~이 설다 睡得不熟 shuìde bù shú〔shóu〕/ 영원히 ~ 들다 长眠地下 chángmián dìxià ‖ 낮~ 晌觉 shǎngjiào
잠결 半睡半醒 bànshuì bànxǐng ¶ ~에 듣다 在睡梦中听到 zài shuìmèng zhōng tīngdào
잠그다[1] 《열쇠로》 锁上 suǒshang
잠그다[2] 《물에》 泡 pào; 浸 jìn
잠기다[1] 《문이》 被锁上 bèi suǒshang; 《단추가》 被纽扣扣住 bèi niǔkòu kòu zhu
잠기다[2] ①《물에》 淹 yān ¶ 홍수로 집이 물에 ~ 发大水房子淹了 fā dàshuǐ fángzi yān le ②《열중》 沉浸 chénjìn ¶ 명상에 ~ 耽于瞑想 dān yú míngxiǎng
잠깐 一会儿 yíhuìr; 不一会儿 bù yíhuìr; 不大会儿 búdà huìr; 暂且 zànqiě; 一时 yìshí ¶ ~만 기다려 주십시오 请稍等一会儿 qǐng shāo děng yíhuìr
잠깨다 睡醒 shuìxǐng
잠꼬대 ①《잠자면서 하는》 梦话 mènghuà; 梦呓 mèngyì; 呓语 yìyǔ ¶ ~하다 说梦话(비유적으로도) shuō mènghuà ②《허튼소리》 谵语 zhānyǔ ¶ ~하다 打谵语 dǎ zhānyǔ
잠꾸러기 贪睡晚起的人 tānshuì wǎnqǐ de rén 睡虎子 shuìhǔzi ¶ 그는 나보다 ~다 他比我还贪睡 tā bǐ wǒ hái tānshuì
잠방이 裤叉儿 kùchǎr
잠복(潛伏) 潜伏 qiánfú; 潜藏 qiáncáng ¶ 범인은 산중에 ~해 있다 罪犯在山里潜伏着 zuìfàn zài shān li qiánfúzhe
잠수(潛水) 潜水 qiánshuǐ ¶ 애퀴렁을 메고 ~하다 带上潜水肺潜水 dàishàng qiánshuǐfèi qiánshuǐ ‖ ~병 潜水员病 qiánshuǐyuánbìng =〔潜涵病 qiánhánbìng〕〔减压病 jiǎnyābìng〕/ ~복 潜水衣 qiánshuǐyī / ~부 潜员 qiánshuǐyuán / ~함 潜艇 qiántǐng =〔潜水艇 qiánshuǐtǐng〕
잠시(暫時) 暂时 zànshí; 一会儿 yìhuǐr
잠식(蠶食) 蚕食 cánshí ¶ 이웃 나라의 영토를 ~하다 蚕食邻邦的领土 cánshí línbāng de lǐngtǔ
잠옷 睡衣 shuìyī
잠입(潛入) 潜入 qiánrù; 钻进 zuānjìn ¶ 스파이가 ~했다 有间谍潜入 yǒu jiàndié qiánrù / 적진에 깊이 ~하다 深深地潜入敌阵 shēnshēn qiánrù dízhèn
잠자다 睡觉 shuìjiào; 就寝 jiùqǐn ¶ 그녀는 밤

도록 잠자지 않고 환자를 간호했다 她看护病人一整夜没合眼 tā kānhù bìngrén yì zhěngyè méi héyǎn / 잠자듯이 조용한 도시 寂静无声的城镇 jìjìng wú shēng de chéngzhèn / 지하에 잠자고 있는 자원 埋藏在地下的资源 máicáng zài dìxià de zīyuán

잠자리¹ ①《잘 데》 卧房 wòfáng; 卧床 wòchuáng ¶~에 들다 上床 shàng chuáng ②《성교》 交合 jiāohé; 云雨 yúnyǔ ¶~하다 行房 xíngfáng

잠자리² 《蟲》 蜻蛉 qīnglíng; 蜻蜓 qīngtíng; 〈方〉 蚂螂 mālang

잠자코 悄悄地 qiǎoqiǎode ¶~ 있다 哑口无言 yǎkǒu wúyán =〔一声不响 yìshēng bùxiǎng〕

잠재의식(潛在意識) 下意识 xià yìshí; 潜意识 qián yìshí

잡곡(雜穀) 杂粮 záliáng ‖~밥 杂粮饭 záliángfàn

잡기(雜技) 什锦杂耍儿 shíjǐn záshuǎr; 杂技 zájì

잡년(雜…) 臭娘儿们 chòuniángrmen; 大洋马 dàyángmǎ

잡념(雜念) 杂念 zániàn ¶~을 버리다 屏除杂念 bǐngchú zániàn / ~이 생기면 일에 집중할 수가 없다 涌出杂念不能专心工作 yǒngchū zániàn bùnéng zhuānxīn gōngzuò

잡놈(雜…) 王八崽子 wángba zǎizi; 杂种 zázhǒng

잡다 ①《손에》 拿 ná ¶손에 잡고 보다 拿在手里看 ná zài shǒu li kàn / 노인의 손을 잡고 버스를 타다 搀着〔搀扶〕老人上车 chānzhe 〔chānfú〕 lǎorén shàng chē / 배의 키를 ~ 掌舵 zhǎng duò ②《포획》 捕 bǔ; 抓 zhuā ¶물고기를 ~ 捕鱼 bǔ yú / 고양이가 쥐를 ~ 猫抓老鼠 māo zhuā lǎoshǔ ③《포박》 捉拿 zhuōná ¶도둑을 ~ 捉贼 zhuō zéi ④《요점 따위를》 抓住 zhuāzhù ¶문장의 대의를 ~ 抓住文章的大意 zhuāzhù wénzhāng de dàyì ⑤《점유》 占据 zhànjù ¶자리를 ~ 占座位 zhàn zuòwèi ⑥《죽이다》 宰 zǎi ¶소를 ~ 宰牛 zǎi niú ⑦《모해》 毁谤 huǐbàng ¶사람을 ~ 中伤别人 zhòngshāng biérén ⑧《시간》 得 děi; 费 fèi ¶시간을 ~ 费工夫 fèi gōngfu

담(雜談) 闲谈 xiántán; 闲话 xiánhuà; 闲扯 xiánchě ¶~하다 谈天(儿) tántiān(r) =〔〈口〉聊天(儿) liáotiān(r)〕

답(雜沓) 拥塞 yōngsāi; 闹杂 nàozá; 热闹 rènao

도리 管束 guǎnshù; 约束 yuēshù; 拘管 jūguǎn

동사니 零碎家具 língsuì jiāju; 破烂东西 pòlàn dōngxi; 废物 fèiwù; 废品 fèipǐn

목(雜木) 杂木 zámù ¶~으로 숯을 굽다 用杂木烧木炭 yòng zámù shāo mùtàn

비(雜費) 杂费 záfèi; 杂项 záxiàng; 杂支 zázhī

수다 吃 chī; 用 yòng ¶어서 과자를 잡수세요 请用点心吧 qǐng yòng diǎnxin ba / 무엇을 잡수시겠습니까? 您吃什么? nín chī shénme?

수입(雜收入) 零星进项 língxīng jìnxiang; 杂项进项 záxiàng jìnxiang ¶월급 외에 ~이 있다 除了月薪以外, 还有额外收入 chúle yuèxīn yǐwài, hái yǒu éwài shōurù

아당기다 拉 lā; 〈方〉 拽 zhuài; 揪 jiū ¶줄을 ~ 拉绳子 lā shéngzi / 귀를 ~ 揪耳朵 jiū ěrduo

잡아떼다 《손으로》 剥下 bāoxià; 摘下 zhāixià; 卸下 xièxià; 《모르는 체》 装傻 zhuāngshǎ; 假装不懂 jiǎzhuāng bùdǒng

잡아먹다 《도살하다》 宰割 zǎigē; 《괴롭히다》 折磨人 zhémo rén; 烦扰人 fánrǎo rén ¶날 잡아먹어라 你把我杀了吧 nǐ bǎ wǒ shā le ba

잡역(雜役) 杂务 záwù; 杂活儿 záhuór ¶~에 종사하다 干杂活儿 gàn záhuór =〔打杂儿 dǎzár〕 ‖~부 打杂的 dǎ zá de =〔杂务工 záwùgōng〕〔勤杂工 qínzágōng〕

잡음(雜音) 杂音 záyīn; 噪音 zàoyīn; 噪声 zàoshēng ¶전화에 ~이 섞여 있다 电话里混有杂音 diànhuà li hùnyǒu záyīn

잡지(雜誌) 杂志 zázhì

잡초(雜草) 杂草 zácǎo

잡치다 糟糕 zāogāo; 搞坏 gǎohuài; 完蛋 wándàn

잡히다 ①《포박·포획》 被逮住 bèi dǎizhu; 被俘 bèi fú ¶경찰에 ~ 被警察抓住了 bèi jǐngchá zhuāzhu le ②《전당에》 当 dàng ¶외투를 ~ 当大衣 dàng dàyī ③《균형이》 ¶균형이 ~ 能维持平衡 néng wéichí pínghéng

잣 松子儿 sōngzǐr

잣다 《실을》 纺 fǎng ¶실을 ~ 纺线 fǎngxiàn =〔纺纱 fǎng shā〕

잣새 《鳥》 交嘴雀 jiāozuǐquè

장(長) 长 zhǎng; 首长 shǒuzhǎng ¶일가의 ~ 一家之长 yì jiā zhī zhǎng

장(腸) 肠 cháng; 肠子 chángzi ‖~티푸스 伤寒 shānghán =〔肠伤寒 chángshānghán〕 / ~폐색 肠梗阻 chánggěngzǔ =〔肠阻塞 chángzǔsè〕

장(醬) 《간장》 酱油 jiàngyóu; 《된장》 豆酱 dòujiàng

장(張) 张 zhāng ¶종이 석 ~ 三张纸 sān zhāng zhǐ / 우표 다섯 ~ 五张邮票 wǔ zhāng yóupiào / 손수건 한 ~ 一块手绢 yí kuài shǒujuàn

장가 娶亲 qǔqīn ¶~가다〔들다〕 娶媳妇儿 qǔ xífur =〔娶亲 qǔqīn〕

장가처(…妻) 正室 zhèngshì; 嫡妻 díqī; 正太太 zhèngtàitai

장갑(掌匣) 手套 shǒutào ¶~을 끼다〔벗다〕 戴〔摘〕手套 dài〔zhāi〕 shǒutào

장거(壯擧) 壮举 zhuàngjǔ ¶태평양 단독 횡단의 ~ 独自横渡太平洋的壮举 dúzì héngdù Tàipíngyáng de zhuàngjǔ

장거리(長距離) 长途 chángtú; 长距离 chángjùlí ‖~ 경주 长距离赛跑 chángjùlí sàipǎo =〔长跑 chángpǎo〕 / ~ 전화 长途电话 chángtú diànhuà

장광설(長廣舌) 长篇大论 chángpiān dàlùn; 大说而特说 dà shuō ér tè shuō ¶의회에서 ~을 늘어 놓다 在议会上大肆雄辩 zài yìhuì shàng dàsì xióngbiàn

장교(將校) 将校 jiàngxiào; 军官 jūnguān

장구 腰鼓 yāogǔ ‖~채 鼓槌儿 gǔchuír

장구대가리 锛劣头 bēnliètóu

장구벌레 《蟲》 孑孓 jiéjué; 跟头虫 gēntouchóng ¶~가 꾀다 生孑孓 shēng jiéjué

장기(長技) 专长 zhuāncháng; 擅长 shàncháng; 拿手 náshǒu ¶그것이 그의 ~이다 那就是他的专长 nà jiùshì tāde zhuāncháng =〔那是他最拿手的 nà shì tā zuì náshǒu de〕

장기(將棋) 象棋 xiàngqí ¶ ～를 두다 下象棋 xià xiàngqí ‖ ～짝 棋子儿 qízǐr / ～판 棋盘 qípán
장난 玩耍 wánshuǎ; 顽皮 wánpí; 调皮 tiáopí; 淘气 táoqì; 恶作剧 èzuòjù ¶ ～하면 안 된다 可别淘气 kě bié táoqì =〔不要调皮 búyào tiáopí〕/ 지금은 한창 ～칠 때다 正是最爱淘气的时候 zhèngshì zuì ài táoqì de shíhou ‖ ～꾸러기 淘气鬼 táoqìguǐ =〔顽童 wántóng〕
장난감 玩具 wánjù; 〈口〉玩艺儿 wányìr
장남(長男) 长子 zhǎngzǐ; 排大 páidà; 行大 hángdà; 行一 hángyī
장내(場內) 场内 chǎng nèi ¶ ～ 금연 场内禁止吸烟 chǎng nèi jìnzhǐ xīyān / 칭찬의 소리가 ～에 가득 찼다 满场扬起了称赞的声音 mǎn chǎng yángqǐle chēngzàn de shēngyīn =〔赞叹声充满了会场 zàn tànshēng chōngmǎn le huìchǎng〕
장녀(長女) 长女 zhǎngnǚ
장님 瞎子 xiāzi; 盲人 mángrén ¶ ～ 코끼리 더듬기다 瞎子摸象 xiāzi mō xiàng
장단(長短) ①《길이》 长短 chángduǎn; 《득실》 得失 déshī; 利害 lìhài ¶ 그들은 서로 ～을 보완한다 他们相互取长补短 tāmen xiānghù qǔchángbǔduǎn ②《노래의》 乐调 yuèdiào; 板眼 bǎnyǎn ¶ ～을 맞추다 拍板 pāi bǎn
장담(壯談) 《단언》 肯定 kěndìng; 《허풍》 大话 dàhuà ¶ 호언～하다 说大话 shuō dàhuà =〔夸口 kuā kǒu〕
장대(長…) 竿子 gānzi; 竿儿 gānr; 竹杆(儿) zhúgān(r) ‖ ～ 높이뛰기《體》撑竿跳高 chēnggān tiàogāo =〔撑竿跳 chēnggāntiào〕
장도(壯途) 征途 zhēngtú ¶ 북극 탐험의 ～에 오르다 踏上北极探险的征途 tàshàng běijí tànxiǎn de zhēngtú
장도리 锤子 chuízi ¶ ～로 못을 박다 用锤子钉钉子 yòng chuízi dìng dīngzi
장독(醬…) 酱缸 jiànggāng
장딴지 腓 féi; 腿肚子 tuǐdùzi
장래(將來) 将来 jiānglái; 未来 wèilái ¶ ～성이 없다 将来没有希望 jiānglái méiyǒu xīwàng =〔不会有出息 búhuì yǒu chūxi〕/ 나는 ～ 의사가 되고 싶다 我将来想做医生 wǒ jiānglái xiǎng zuò yīshēng / 그 사업은 ～가 유망하다 那个事业有发展前途 nàge shìyè yǒu fāzhǎn qiántú
장려(壯麗) 壮丽 zhuànglì
장려(奬勵) 奖励 jiǎnglì ¶ 절약을 ～하다 奖励节约 jiǎnglì jiéyuē ‖ ～금 奖励金 jiǎnglìjīn =〔奖金 jiǎngjīn〕
장렬(壯烈) 壮烈 zhuàngliè ¶ ～히 전사하다 壮烈战死了 zhuàngliè zhànsǐ le
장렬(葬列) 送葬〔吊唁〕行列 sòngzàng〔diàoyàn〕hángliè ¶ ～이 조용조용 나아가다 送殡〔送葬〕行列徐徐向前 sòngbìn〔sòngzàng〕hángliè xúxú xiàng qián
장례(葬禮) 殡仪 bìnyí; 丧礼 sānglǐ
장마 霪雨〔淫雨〕yínyǔ; 久雨 jiǔyǔ; 阴雨 yīnyǔ ¶ ～가 계속되다 霪雨连绵 yínyǔ liánmián / ～로 세탁물이 마르지 않는다 连日下雨, 洗的衣服干不了 liánrì xiàyǔ, xǐ de yīfu gānbuliǎo
장만하다 筹备 chóubèi; 预备 yùbèi ¶ 여비를 ～ 筹措盘费 chóucuò pánfei / 집을 ～ 置买房子 zhìmǎi fángzi
장면(場面) 场面 chǎngmiàn ¶ 생각지도 않던 ～에 부닥치다 看到意外的场面 kàndào yìwài de chǎngmiàn
장모(丈母) 丈母(娘) zhàngmu〔mǔ〕(niáng); 岳母 yuèmǔ
장물(贓物) 赃物 zāngwù; 贼赃 zéizāng
장미(薔薇) 蔷薇 qiángwēi; 玫瑰 méigui ¶ ～가시 蔷薇刺儿 qiángwēi cìr ‖ 들～ 野蔷薇 yěqiángwēi
장벽(障壁) ①《간막이》 屏障 píngzhàng; 隔墙 géqiáng ②《교섭 등의》 壁垒 bìlěi; 障碍 zhàng'ài; 隔阂 géhé ¶ ～이 생기다 造成隔阂 zàochéng géhé ‖ 관세 ～ 关税壁垒 guānshuì bìlěi
장본인(張本人) 肇事人 zhàoshìrén; 肇事者 zhàoshìzhě ¶ 그가 소란을 피운 ～이다 他是闹事的肇事人 tā shì nào shì de zhàoshìrén
장부 《建》 榫 sǔn ¶ ～로 잇다 接榫 jiēsǔn ‖ ～촉 榫头 sǔntou / 장붓구멍 榫眼 sǔnyǎn =〔卯眼 mǎoyǎn〕〔榫子 sǔnzi〕
장부(帳簿) 账本 zhàngběn; 账簿 zhàngbù; 账 zhàng ¶ 매상을 ～에 기입하다 把销售额记在账簿上 bǎ xiāoshòué jì zài zhàngbù shang
장사 买卖 mǎimai; 生意 shēngyi; 交易 jiāoyì ¶ ～하다 做'买卖〔生意〕zuò 'mǎimai〔shēngyi〕/ 장소가 나빠서 ～가 안 된다 地方不好, 简直做不成生意 dìfang bù hǎo, jiǎnzhí zuòbuchéng shēngyi
장사(壯士) 大力无双的勇士 dàlì wú shuāng de yǒngshì ¶ 힘이 ～다 力大无比 lì dà wú bǐ
장상(長上) 长辈 zhǎngbèi; 上司 shàngsī
장소(場所) 地方 dìfang; 地点 dìdiǎn; 场所 chǎngsuǒ ¶ 회합의 ～와 시간을 결정하다 确定开会的地点和时间 quèdìng kāihuì de dìdiǎn hé shíjiān
장송(葬送) 送丧 sòngsāng; 送殡 sòngbìn
장수 做买卖的 zuò mǎimai de; 商贾 shānggǔ
장수벌(將帥…) 《蟲》 蜂王 fēngwáng; 母蜂 mǔfēng
장시간(長時間) 长工夫 cháng gōngfu; 工夫大 gōngfu dà
장식(裝飾) 装饰 zhuāngshì ‖ 실내 ～ 室内装饰 shìnèi zhuāngshì
장신(長身) 身材高 shēncái gāo; 高个儿 gāogèr; 高个子 gāogèzi ¶ ～의 젊은이 身材〔个子〕高的年轻人 shēncái〔gèzi〕gāo de niánqīngrén
장아찌 酱瓜 jiàngguā
장악(掌握) 掌握 zhǎngwò ¶ 제공권을 ～하다 握有制空权 wòyǒu zhìkōngquán
장애(障礙·障碍) 阻挡 zǔdǎng; 障碍 zhàng'à[i] ¶ 스트레스는 위장에 ～를 일으키는 원인이 된[다] 情绪紧张是引起胃肠障碍的原因 qíngxù jǐnzhān[g] shì yǐnqǐ wèicháng zhàng'ài de yuányī[n] ‖ ～ 경주 障碍赛跑 zhàng'ài sàipǎo / 기능～ 机能障碍 jīnéng zhàng'ài / 신체 ～자 残[疾]者 cánfèizhě / 언어 ～ 言语功能障碍 yány[ǔ] gōngnéng zhàng'ài
장엄(莊嚴) 庄严 zhuāngyán
장의(葬儀) 葬礼 zànglǐ; 丧事 sāngshì ¶ ～를 행하다 办丧事 bàn sāngshì
장인(丈人) 丈人 zhàngrén; 岳父 yuèfù
장자(長子) 长子 zhǎngzǐ; 长房 zhǎngfáng; 大儿子 dà'érzi
장자(長者) ①《부자》 富翁 fùwēng ②《어른》 长者 zhǎngzhě; 长老 zhǎnglǎo ‖ 억만～ 亿万富

yìwàn fùwēng
장작(長斫) 劈柴 pǐchai; 木柴 mùchái ¶～을 패다 劈木柴 pī mùchái
장전(裝塡) 装入 zhuāngrù; 装上 zhuāngshàng ¶탄환을 ～하다 装子弹 zhuāng zǐdàn
장점(長點) 长处 chángchu ¶참을성이 많은 것이 그의 ～이다 有耐心是他的长处 yǒu nàixīn shì tāde chángchu
장정(裝幀) 装帧 zhuāngzhèng; 装订 zhuāngdìng ¶호화 ～한 책 装帧豪华的书 zhuāngzhèng háohuá de shū
장족(長足) 长足 chángzú ¶20세기에 들어서 자연과학은 ～의 진보를 이루었다 进入二十世纪自然科学有了长足的进步 jìnrù èrshí shìjì zìrán kēxué yǒule chángzú de jìnbù
장지(障…) 隔扇 géshan
장차(將次) 今后 jīnhòu; 有一天 yǒu yì tiān; 将要 jiāngyào
장총(長銃) 来复枪 láifùqiāng
장치(裝置) 装置 zhuāngzhì; 设备 shèbèi ¶시한폭탄을 ～하다 装置定时炸弹 zhuāngzhì dìngshí zhàdàn ‖냉방 ～ 冷气设备 lěngqì shèbèi / 무대 ～ 舞台装置 wǔtái zhuāngzhì / 스팀 ～ 暖气设备 nuǎnqì shèbèi
장침(長針) 长针 chángzhēn; 分针 fēnzhēn
장터(場…) 集场 jíchǎng
장편(掌篇) ⇨콩트(conte)
장하다(壯…) 《훌륭하다》 伟大 wěidà; 光辉灿烂 guānghuī cànlàn; 可观 kěguān; 《찬탄할 만하다》 值得赞颂 zhíde zànsòng
장학금(奬學金) 奖学金 jiǎngxuéjīn; 助学金 zhùxuéjīn
장화(長靴) 靴子 xuēzi; 长靴 chángxuē ‖고무 ～ 胶皮靴子 jiāopí xuēzi =〔长筒雨靴 chángtǒng yǔxuē〕
장황하다(張皇…) 絮絮叨叨 xùxùdāodāo; 啰哩啰嗦 luōliluōsuo; 啰啰索索 luōluōsuǒsuǒ ¶장황하게 변명을 하다 絮絮叨叨地加以辩解 xùxùdāodāode jiāyǐ biànjiě / 장황한 설명 冗长乏味的说明 rǒngcháng fáwèi de shuōmíng
잦다 《빈번》 频繁 pínfán; 接二连三的 jiē èr lián sān de
잦히다 《뒤집다》 翻过来 fānguòlai; 使里朝面 shǐ lǐ cháo miàn ¶화툿장을 ～ 把牌子翻过来 bǎ páizi fānguòlai
재[1] 《타고 남은》 灰 huī ¶타서 ～가 되다 烧成灰 shāo chéng huī / 화재로 모두 ～가 되어 버렸다 火灾把一切化为灰烬了 huǒzāi bǎ yíqiè huàwéi huījìn le
재[2] 《고개》 山顶 shāndǐng; 巅坡子 diānpōzi
재가(再嫁) 再醮 zàijiào; 改嫁 gǎijià
재간(才幹) 才干 cáigàn; 〈口〉 能耐 néngnai
재갈 嚼子 jiáozi; 马口钳 mǎkǒuqián ¶말에 ～을 먹이다 给马上嚼子 gěi mǎ shàng jiáozi
재강 糟粕 zāopò; 酒糟 jiǔzāo; 酒渣 jiǔzhā
재개(再開) 再开始 zài kāishǐ; 重新进行 chóngxīn jìnxíng; 恢复 huīfù ¶회의는 내일 ～된다 会议明天重新召开 huìyì míngtiān chóngxīn zhàokāi / 포격을 ～하다 恢复炮击 huīfù pàojī / 교섭의 ～는 절망적이다 几乎没有希望再度进行谈判了 jīhū méiyǒu xīwàng zàidù jìnxíng tánpàn le
재거(再擧) ¶～를 꾀하다 东山再起 dōngshān zài qǐ =〔重整旗鼓 chóngzhěng qígǔ〕〔卷土重来 juǎn tǔ chóng lái〕
재건(再建) 重建 chóngjiàn ¶회사를 ～하다 重建公司 chóngjiàn gōngsī
재검토(再檢討) 重新'审查〔检查〕 chóngxīn 'shěnchá〔jiǎnchá〕 ¶이 계획은 ～할 필요가 있다 这个计划有重新研究的必要 zhège jìhuà yǒu chóngxīn yánjiū de bìyào
재결(裁決) 裁决 cáijué ¶～을 상신하다 请求裁决 qǐngqiú cáijué
재계(財界) 经济界 jīngjìjiè; 工商界 gōngshāngjiè; 财界 cáijiè
재계(齋戒) 斋戒 zhāijiè ‖목욕～ 沐浴斋戒 mùyù zhāijiè
재고(再考) 再想 zàixiǎng; 重行斟酌 chóngxíng zhēnzhuó; 再行打量 zàixíng dǎliang ¶～의 여지가 없다 没有'重新〔再度〕考虑的余地 méiyǒu chóngxīn〔zàidù〕 kǎolǜ de yúdì / ～를 촉구하다 促请重新考虑 cùqǐng chóngxīn kǎolǜ
재고(在庫) 库存 kùcún ¶잘 팔려서 ～가 없어졌다 销路好, 库存一扫而光了 xiāolù hǎo, kùcún yì sǎo ér guāng le ‖～품 栈存 zhàncún =〔存货 cúnhuò〕
재관(在官) 在任 zàirèn; 居官 jūguān
재기(才氣) 才气 cáiqì; 才华 cáihuá ¶～넘치는 사람 才气横溢的人 cáiqì héng yì de rén ‖～발랄 才华焕发 cáihuá huànfā
재기(再起) 再起 zài qǐ ¶그는 뇌출혈로 ～ 불능이다 由于脑出血他不能再起了 yóuyú nǎochūxuè tā bùnéng zài qǐ le / A 시는 초토의 가운데서 ～했다 A 市从焦土中重新复原了 A shì cóng jiāotǔ zhōng chóngxīn fùyuán le
재난(災難) 灾难 zāinàn; 灾祸 zāihuò ¶～을 만나다 遭遇灾难 zāoyù zāinàn / 간신히 ～을 면했다 差点儿'受〔遇〕难 chàdiǎnr 'shòu〔yù〕 nàn
재다[1] 《길이 · 분량》 量 liáng; 《일의 앞뒤를》 打量 dǎliang; 仔细衡量 zǐxì héngliang; 《뻐기다》 拿起臭架子来 ná qǐ chòu jiàzi lái; 《총알을》 装上 zhuāngshàng; 下上 xiàshàng
재다[2] 《동작이》 快手快脚的 kuàishǒu kuàijiǎo de; 《입이》 嘴快 zuǐ kuài; 说得快 shuōde kuài
재단(財團) 财团 cáituán ‖～ 법인 财团法人 cáituán fǎrén / 록펠러 ～ 洛克菲勒财团 Luòkèfēilè cáituán
재단(裁斷) ①《재결》 裁断 cáiduàn; 裁决 cáijué ②《마름질》 裁 cái; 裁剪 cáijiǎn; 剪裁 jiǎncái; 剪断 jiǎnduàn ¶옷감을 ～하다 剪裁料子 jiǎncái liàozi
재담(才談) 俏皮话(儿) qiàopihuà(r); 趣话 qùhuà; 异性话 yìxìnghuà
재두루미《鳥》 白顶鹤 báidǐnghè
재떨이 烟灰碟 yānhuīdié; 烟灰缸 yānhuīgāng
재래(在來) 原有 yuányǒu; 以往 yǐwǎng; 照旧 zhàojiù; 仍旧 réngjiù; 固有 gùyǒu ¶～의 관례 以往的惯例 yǐwǎng de guànlì / ～의 습관 固有的习惯 gùyǒu de xíguàn ‖～종 土种 tǔzhǒng
재량(裁量) 酌办 zhuóbàn; 斟酌 zhēnzhuó; 酌量 zhuóliàng ¶너의 ～에 맡긴다 任凭你斟酌办理 rènpíng nǐ zhēnzhuó bànlǐ =〔由你酌情处理 yóu nǐ zhuóqíng chǔlǐ〕
재료(材料) 材料 cáiliào ¶요리는 ～가 맛을 결정한다 菜的味道由材料决定 cài de wèidao yóu

주일만 지나면 올해도 저문다 再过一个星期就到年关了 zài guò yí ge xīngqī jiù dào niánguān le
저미다 切薄片 qiē báopiàn
저버리다 ①《약속을》 背约 bèiyuē; 破约 pòyuē; 说了不算 shuōle bú suàn ②《은혜를》 辜负 gūfù ¶호의를 ~ 辜负人家的美意 gūfù rénjia de měiyì
저번(這番) 上次 shàngcì; 上回 shànghuí; 曾经 céngjīng; 有一天 yǒu yì tiān ¶~에 만났었습니다 上次我们见过 shàngcì wǒmen jiànguò
저변(底邊) ①〖數〗 底边 dǐbiān ¶삼각형의 ~ 三角形的底边 sānjiǎoxíng de dǐbiān ②《사회의》 底层 dǐcéng ¶사회의 ~에서 생활하는 사람들 生活在社会底层的人们 shēnghuó zài shèhuì dǐcéng de rénmen
저서(著書) 著书 zhùshū; 著作 zhùzuò ¶~를 출판하다 出版著作 chūbǎn zhùzuò
저속(低俗) 下流 xiàliú ¶~한 유행가 下流的流行歌曲 xiàliú de liúxíng gēqǔ
저수(貯水) 蓄水 xùshuǐ ¶댐에 ~하다 在水库里蓄水 zài shuǐkù li xùshuǐ ‖~량 蓄水量 xùshuǐliàng / ~지 蓄水池 xùshuǐchí
저술(著述) 著述 zhùshù; 著作 zhùzuò; 写作 xiězuò ‖~가 著作家 zhùzuòjiā
저습(低濕) 低湿 dīshī ‖~지 低湿地 dīshīdì
저승 冥府 míngfǔ; 阴间 yīnjiān〔jian〕; 阴曹 yīncáo; 黄泉 huángquán; 九泉 jiǔquán; 彼岸 bǐ'àn ¶~에 가다 归西 guīxī =〔归寂 guījì〕〔命赴黄泉 mìng fù huángquán〕〔上西天 shàng xītiān〕
저온(低溫) 低温 dīwēn ‖~ 살균 低温消毒法 dīwēn xiāodúfǎ =〔巴氏消毒法 Bāshì xiāodúfǎ〕
저울 秤 chèng; 《금·은을 다는》 戥子 děngzi ¶대~ 杆秤 gǎnchèng / 앉은뱅이 ~ 磅秤 bàngchèng / ~에 달다 过秤 guò chèng / 득실을 ~하다 权衡得失 quánhéng déshī ‖~눈 秤星(儿) chèngxīng(r) / ~대 秤杆(儿) chènggǎn(r) / ~추 秤锤 chèngchuí
저의(底意) 内心 nèixīn; 意图 yìtú; 居心 jūxīn ¶상대방의 ~를 짐작할 수가 없다 对方的内心不可捉摸 duìfāng de nèixīn bùkě zhuōmō / 다른 ~가 있어서 한 짓은 아니다 并不是有意做的 bìng búshì yǒuyì zuò de
저이 《남자》 那个人 nàge rén; 他 tā; 那位 nà wèi; 《여자》 她 tā ¶~들 他〔她〕们 tāmen
저자 ①市场 shìchǎng ②小铺子 xiǎopūzi ¶~보다 到市场去做买卖 dào shìchǎng qù zuò mǎimai
저자(著者) 著者 zhùzhě; 作书人 zuòshūrén
저자세(低姿勢) 《낮은 자세》 低姿态 dī zītài; 《겸허한》 谦逊 qiānxun; 《겸양》 谦恭 qiāngōng ¶요즈음 그는 ~다 近来他变得客气了 jìnlái tā biànde kèqi le
저작(著作) 著作 zhùzuò; 写作 xiězuò; 著述 zhùshù ¶그는 여러 해 ~에 종사했다 他多年从事著作 tā duōnián cóngshì zhùzuò ‖~권 著作权 zhùzuòquán =〔版权 bǎnquán〕/ ~자 著作者 zhùzuòzhě
저장(貯藏) 贮藏 zhùcáng; 储藏 chǔcáng; 储存 chǔcún; 贮存 zhùcún ¶생선을 냉동해서 ~하다 把鱼冷冻起来贮藏 bǎ yú lěngdòng qǐlai zhùcáng
저절로 自然而然 zìrán'érrán; 自来管儿 zìláiguǎnr
저주(咀呪) 诅咒 zǔzhòu; 咒 zhòu ¶~받다 受人诅咒 shòu rén zǔzhòu / 그는 나를 ~한다 他希望我倒霉 tā xīwàng wǒ dǎoméi / 그는 세상을 ~하며 죽었다 他诅咒着世道断气了 tā zǔzhòuzhe shìdào duànqì le
저지(沮止) 阻止 zǔzhǐ ¶적군의 진공을 ~하다 阻止敌军的进攻 zǔzhǐ díjūn de jìngōng
저지르다 闯出 chuǎngchū; 惹出 rěchū ¶잘못을 ~ 弄出错儿来 nòngchū cuòr lái / 그는 무슨 일을 저지를지 모른다 他不定会惹出什么事来 tā búdìng huì rěchū shénme shì lái
저쪽 那边(儿) nàbian(r); 那里 nàli; 〈口〉 那儿 nàr; 〈方〉 那头 nàtou ¶~을 향해 봐 朝那边儿看看 cháo nàbianr kànkan
저촉(抵觸) 抵触 dǐchù ¶이 건물은 건축 기준법에 ~된다 这个建筑不符合建筑基准法 zhège jiànzhù bù fúhé jiànzhù jīzhǔnfǎ
저축(貯蓄) 储蓄 chǔxù; 存钱 cúnqián; 储备 chǔbèi; 积蓄 jīxù; 贮蓄 zhùxù ¶장래에 대비해서 ~하다 储蓄以备将来 chǔxù yǐ bèi jiānglái
저택(邸宅) 宅子 zháizi; 宅院 zháiyuàn; 宅第 zháidì ¶큰 ~ 深宅大院 shēnzhái dàyuàn
저항(抵抗) ①《반항》 抵抗 dǐkàng ¶그의 말에는 어딘가 ~을 느낀다 对他的话总有点儿反感 duì tāde huà zǒng yǒu diǎnr fǎngǎn / 병에 대해서 ~력이 있다 对病具有抵抗力 duì bìng jùyǒu dǐkànglì ②〖物〗 阻力 zǔlì ¶전기 ~ 电阻 diànzǔ / 공기의 ~ 空气阻力 kōngqì zǔlì
저해(沮害) 阻碍 zǔ'ài ¶산업의 발전을 ~하다 阻碍产业的发展 zǔ'ài chǎnyè de fāzhǎn
저희 我们 wǒmen ¶~들의 我们的 wǒmende / ~들을 把我们 bǎ wǒmen =〔《그들》 他们 tāmen〕
적(敵) 敌人 dírén ¶땅과 하늘로부터 ~을 공격하다 从陆空攻击敌人 cóng lù kōng gōngjī dírén / 그에게는 ~이 많다 他树敌太多 tā shùdí tài duō
적 当…时候儿 dāng… shíhour ¶내가 출발하려고 할 ~에 当我要起程的时候 dāng wǒ yào qǐchéng de shíhou ‖…적(…的) 《…에 관한》 关于 guānyú; 《…와 같은》 …一般的 …yìbān de; …式(的) …shì (de); 《…면에서의》 …上的 …shàngde ¶교육~인 견지에서 보면 좀 문제가 있다 从教育观点来看多少有些问题 cóng jiàoyù guāndiǎn lái kàn duōshǎo yǒu xiē wèntí / 가정~인 분위기 犹如一家子一样温暖的气氛 yóurú yìjiāzi yíyàng wēnnuǎn de qìfēn / 그의 최후는 비극~이었다 他死得极为悲惨 tā sǐde jí wéi bēicǎn
적개심(敵愾心) 敌忾心 díkàixīn ¶~에 불타다 燃起对敌人的仇恨 ránqǐ duì dírén de chóuhèn
적격(適格) 有资格 yǒu zīgé ¶파일럿으로서의 ~ 여부를 심사하다 审查是否够格当飞行员 shěnchá shìfǒu gòugé dāng fēixíngyuán
적극(積極) 积极 jījí ¶회합에서 ~적으로 발언하다 在会上积极发言 zài huì shang jījí fāyán / 그의 태도는 ~성이 부족하다 他的态度缺乏积极性 tāde tàidu quēfá jījíxìng
적고치(炙…) 竹签子 zhúqiānzi; 烤签 kǎoqiān ¶생선을 ~에 꿰다 把鱼穿在烤签上 bǎ yú chuān zài kǎoqiān shàng
적다[1] 《기입》 记 jì; 写 xiě ¶여행의 인상을 일기에

～ 把旅行的印象记在日记上 bǎ lǚxíng de yìnxiàng jì zài rìjì shang
적다² 少 shǎo ¶금년에는 비가 ～ 今年雨少 jīnnián yǔ shǎo / 적은 시간을 유효하게 사용하다 有效地利用仅有的时间 yǒuxiàode lìyòng jǐn yǒu de shíjiān
적당(適當) ①《적절》 适当 shìdàng ②《아무렇게나》 随便 suíbiàn ¶귀찮아서 ～히 대답해 버렸다 嫌麻烦随便答复了他 xián máfan suíbiàn dáfùle tā
적당하다(適當…) 适于 shìyú; 适宜 shìyí ¶이 물은 마시기에 적당치 않다 这水不适于饮用 zhè shuǐ búshìyú yǐnyòng / 그는 신문 기자로 ～ 他作新闻记者很适宜 tā zuò xīnwén jìzhě hěn shìyí / 그 일은 그에게 ～ 那个工作他很适合 nàge gōngzuò tā hěn shìhé / 적당한 기회에 내쪽에서 얘기하지 找个适当的机会由我来说吧 zhǎo ge shìdàng de jīhui yóu wǒ lái shuō ba
적대시(敵對視) 敌视 díshì; 不怀好意 bùhuái hǎoyì; 敌挡 dídǎng; 作对 zuòduì ¶그들은 서로에게 ～하고 있다 他们互相敌视 tāmen hùxiāng díshì
적도(赤道) 赤道 chìdào ‖ ～ 무풍대 赤道无风带 chìdào wúfēngdài / ～의 赤道仪 chìdàoyí
적령(適齡) 适龄 shìlíng; 《결혼의》 婚龄 hūnlíng ¶결혼 ～기의 여성 已达婚龄的女性 yǐ dá hūnlíng de nǚxìng
적리(赤痢) 赤痢 chìlì; 痢疾 lìji; 红白痢 hóngbáilì ‖ ～균 痢疾杆菌 lìji gǎnjūn / 아메바 ～ 阿米巴痢疾 āmǐbā lìji =〔变形虫痢疾 biànxíngchóng lìji〕
적립금(積立金) 积累金 jīlěijīn; 准备金 zhǔnbèijīn; 储备金 chǔbèijīn
적막(寂寞) 寂寞 jìmò; 凄凉 qīliáng ¶친구와 헤어져 혼자서 ～감에 견딜 수 없다 跟知己分别一个人寂寞不堪 gēn zhījǐ fēnbié yí ge rén jìmò bù kān
적바림 《기록》 记录 jìlù; 《메모》 便条 biàntiáo; 字条 zìtiáo ¶～하다 记在便条上 jì zài biàntiáo shang
적발(摘發) 揭发 jiēfā; 举发 jǔfā ¶오직을 ～하다 揭发贪污 jiēfā tānwū
적법(適法) 合规矩 héguīju; 合法 héfǎ; 适法 shìfǎ ‖ ～ 행위 合法行为 héfǎ xíngwéi
적부(適否) 是否有当 shìfǒu yǒu dàng; 合式不合式 héshì bù héshì ¶용어의 ～를 검토하다 研究措词是否得当 yánjiū cuòcí shìfǒu dédàng
적송(赤松) 〈植〉 红松 hóngsōng
적수(赤手) 赤手 chìshǒu ¶～ 공권으로 적을 대한다 赤手空拳同敌人搏斗 chìshǒukōngquán tóng dírén bódòu / 그는 ～ 공권으로 남미로 건너갔다 他双手空空到了南美洲 tā shuāngshǒu kōngkōng dàole NánMěizhōu
적수(敵手) 敌手 díshǒu; 对手 duìshǒu ‖ 호～ 好对手 hǎo duìshǒu
적시(適時) 适时 shìshí
적시다 浸 jìn; 泡 pào ¶찬물로 적신 수건을 머리에 놓다 把浸了冷水的毛巾敷在头上 bǎ jìnle lěngshuǐ de máojīn fū zài tóu shang
적신호(赤信號) ①《교통 기관》 红灯 hóngdēng; 停止信号 tíngzhǐ xìnhào ②《위험 신호》 危险信号 wēixiǎn xìnhào ¶식량 사정은 이미 ～다 有粮荒的危险 yǒu liánghuāng de wēixiǎn
적십자사(赤十字社) 红十字会 Hóngshízìhuì; 红会 Hónghuì
적어도 至少 zhìshǎo; 起码 qǐmǎ ¶～ 1만인은 참가했다 至少有一万人参加了 zhìshǎo yǒu yíwàn rén cānjiā le
적역(適役) 适当的角色 shìdàng de juésè; 胜任的人材 shèngrèn de réncái ¶사회는 그가 ～이다 让他做司仪最合适 ràng tā zuò sīyí zuì héshì
적외선(赤外線) 红外线 hóngwàixiàn; 红外光 hóngwàiguāng; 热线 rèxiàn ‖ ～ 사진 红外线照相 hóngwàixiàn zhàoxiàng
적요(摘要) 摘要 zhāiyào
적용(適用) 适用 shìyòng ¶형법 제235조를 ～하다 适用刑法第二百三十五条 shìyòng xíngfǎ dì èrbǎi sānshíwǔ tiáo
적은집 《소실》 二房 èrfáng; 小奶奶 xiǎonǎinai
적응(適應) 适应 shìyìng ¶상황에 ～해서 대책을 세우다 制定适应情况的对策 zhìdìng shìyìng qíngkuàng de duìcè / 그는 어떤 환경에도 ～성이 있다 他对任何环境都具有适应性 tā duì rènhé huánjìng dōu jùyǒu shìyìngxìng ‖ ～증 专治之症 zhuānzhì zhī zhèng =〔适应症 shìyìngzhèng〕
적의(敵意) 敌意 díyì ¶～를 품다 怀有敌意 huáiyǒu díyì
적이 稍微 shāowēi; 稍 shāo; 略微 lüèwēi; 多少 duōshǎo ‖ ～나 하면 若情形好一点的话 ruò qíngxíng〔xing〕 hǎo yì diǎn de huà
적자(赤字) 赤字 chìzì; 亏空 kuīkong ¶이달은 ～가 났다 本月出现了赤字 běnyuè chūxiànle chìzì
적재(適材) 妥当的人材 tuǒdang de réncái; 相宜的人 xiāngyí de rén ‖ ～ 적소 量材录用 liàngcái lùyòng
적재(積載) 装载 zhuāngzài ¶부산에 기항해서 석탄을 ～하다 在釜山停泊装载煤炭 zài Fǔshān tíngbó zhuāngzài méitàn / ～량 10톤의 트럭 载重十吨的卡车 zàizhòng shí dūn de kǎchē
적적하다(寂寂…) 寂寞 jìmò; 闷 mèn; 无聊 wúliáo
적절(適切) 合适 héshì; 恰当 qiàdàng; 贴切 tiēqiè; 确切 quèqiè; 适当 shìdàng ¶이 곳에 이 글자를 사용하는 것은 ～하지 않다 这个字用在这里不确切 zhège zì yòng zài zhèli bú quèqiè / ～한 말이 생각나지 않는다 想不出恰当的话来 xiǎngbuchū qiàdàng de huà lái
적정(適正) 适当 shìdàng; 恰当 qiàdàng; 公平 gōngpíng; 公正 gōngzhèng; 合理 hélǐ ‖ ～ 가격 公道的价格 gōngdao de jiàgé
적중(的中) ①《활이》 中鹄 zhònggǔ; 射中(了) shèzhòng(le); 《탄환이》 中靶子 zhòng bǎzi; 击中(了) jīzhòng(le) ②《추측 따위》 猜着 cāizháo; 猜对 cāiduì ③《전에 한 말이》 应话 yìnghuà; 应验 yìngyàn; 料中 liàozhòng ¶그의 예언이 ～했다 他的预言果然应验了 tāde yùyán guǒrán yìngyàn le / 생각한 대로 나의 예상이 ～했다 果然不出我的预料 guǒrán bù chū wǒde yùliào
적출(摘出) ①《집어냄》 捏出来 niēchulai; 剜出 wānchu ¶포탄의 파편을 ～하다 取出炮弹碎片 qǔchū pàodàn suìpiàn ②《들추어 냄》 揭发 jiēfā ¶오류를 ～하다 挑出错误 tiāochū cuòwù
적평(適評) 恰当的评语 qiàdàng de píngyǔ; 适

当的批评 shìdàng de pīpíng ¶그것은 정말로 ～이다 那正是恰如其分的评语 nà zhèngshì qià rú qí fèn de píngyǔ

적합(適合) 适合 shìhé; 合适 héshì; 恰当 qiàdàng ¶그 방법은 현재의 상황에 ～하지 않다 其方法不适合于当前的情况 qí fāngfǎ bú shìhéyú dāngqián de qíngkuàng/그녀의 경우는 사례 1이 ～하다 她的情况符合于事例一 tāde qíngkuàng fúhéyú shìlì yī

적혈구(赤血球) 红血球 hóngxuèqiú

적확(的確) 的确 díquè; 准切 zhǔnqiè; 确切 quèqiè; 正确 zhèngquè ¶상황을 ～하게 포착하다 准确地抓住情况 zhǔnquède zhuāzhù qíngkuàng/이 말은 ～한 말로 번역해 낼 수가 없다 这个词译不出恰当的词语 zhège cí yìbuchū qiàdàng de cíyǔ

적히다 被记载下来 bèi jìzàixialai

전가(轉嫁) 推诿 tuīwěi; 转嫁 zhuǎnjià; 推卸 tuīxiè ¶책임을 나에게 ～하다 把责任推卸给我 bǎ zérèn tuīxiè gěi wǒ/책임을 남에게 ～하다 把责任转嫁给别人 bǎ zérèn zhuǎnjià gěi biéren

전갈(傳喝) 捎口信 shāokǒuxìn; 托带的口话 tuōdài de kǒuhuà

전개(展開) 展开 zhǎnkāi ¶그는 독자적 이론을 ～했다 他发展了自己独特的理论 tā fāzhǎnle zìjǐ dútè de lǐlùn ‖～도 表面展开图 biǎomiàn zhǎnkāitú

전결(專決) 专行 zhuānxíng; 专断 zhuānduàn; 擅专 shànzhuān

전골 锅烧肉菜 guōshāo ròucài; 炒锅 chǎoguō ‖～틀 锅炮用的锅 guōpáoyòng de guō

전공(專攻) 专攻 zhuāngōng ¶대학에서 중국 문학을 ～했다 在大学曾专攻中国文学 zài dàxué céng zhuāngōng Zhōngguó wénxué ‖～과목 专业科目 zhuānyè kēmù

전공(戰功) 战功 zhàngōng ¶～을 세우다 立战功 lì zhàngōng

전과(前科) 前案 qián'àn; 前科 qiánkē ¶그는 ～가 있다 他有前科 tā yǒu qiánkē ‖～자 老犯 lǎofàn

전과(戰果) 战果 zhànguǒ ¶혁혁한 ～를 올리다 获得赫赫战果 huòde hèhè zhànguǒ

전광(電光) 电光 diànguāng ¶～ 석화와 같은 빠른 솜씨 电光石火般的妙技 diànguāng shíhuǒ bānde miàojì ‖～ 뉴스 电光快报 diànguāng kuàibào

전구(電球) 电灯泡(儿, 子) diàndēngpào(r,zi); 〈口〉灯泡(儿) dēngpào(r) ¶～가 끊어졌다 灯丝烧了 dēngsī shāo le

전국(全…) 不对水的汁子 bú duì shuǐ de zhīzi

전국(全國) 全国 quánguó ¶금년 겨울은 ～적으로 눈이 많이 왔다 今冬全国各地降雪量多 jīndōng quánguó gèdì jiàngxuěliàng duō

전근(轉勤) 调任 diàorèn; 转职 zhuǎnzhí ¶부산 지사로 ～이 결정되었다 决定'调〔调职〕到釜山分公司 juédìng 'diào〔diàozhí〕 dào Fǔshān fēngōngsī

전기(前記) 《문장의》 前述 qiánshù; 《사항의》 上列 shàngliè; 《금액의》 前开 qiánkāi ¶～의 이유로 根据上述理由(儿) gēnjù shàngshù lǐyóu(r)/～의 금액을 수령했습니다 上列款项已收讫 shàngliè kuǎnxiàng yǐ shōuqì/～ 주소로 이전했습니다 搬到上述的地址 bāndào shàngshù de dìzhǐ

전기(傳記) 传记 zhuànjì ¶링컨의 ～를 읽다 读林肯的传记 dú Línkěn de zhuànjì

전기(電氣) ①电 diàn; 电气 diànqì ¶기계는 ～로 움직인다 这机器靠电力运转 zhè jīqi kào diànlì yùnzhuàn ②《전등》 电灯 diàndēng ‖～ 공학 电工学 diàngōngxué/～ 난로(煖爐) 家用电炉 jiāyòng diànlú/～ 냉장고 电冰箱 diànbīngxiāng/～ 다리미 电熨斗 diànyùndǒu/～ 면도기 电动剃刀 diàndòng tìdāo/～ 밥솥 电饭煲〔锅〕 diànfàn'bāo〔guō〕/～ 세탁기 洗衣机 xǐyījī/～ 소제기 电动吸尘器 diàndòng xīchénqì/～ 스탠드 台灯 táidēng/～ 시계 电钟 diànzhōng

전기(轉機) 转机 zhuǎnjī ¶실패를 ～로 하여 새로운 생활에 발을 내디디다 以失败为转机踏上了新生活的道路 yǐ shībài wéi zhuǎnjī tàshàngle xīn shēnghuó de dàolù

전깃불(電氣…) 电气灯 diànqìdēng

전깃줄(電氣…) 电线 diànxiàn

전나무 《植》 枞树 cōngshù; 枞 cōng; 冷杉 lěngshān

전남편(前男便) 前夫 qiánfū

전낭(錢囊) 钱包 qiánbāo; 钱褡子 qiándāzi

전념(專念) ⇨ 전력

전능(全能) 全能 quánnéng ¶그녀라 한들 어차피 ～한 것은 아니다 她终究不是全知全能的 tā zhōngjiū búshì quánzhīquánnéng de

전단(專斷) 专断 zhuānduàn; 自己做主 zìjǐ zuò zhǔ; 擅专 shànzhuān; 刚愎自用 gāngbì zìyòng

전단(傳單) 传单 chuándān ¶～을 뿌리다 散传单 sàn chuándān

전달(傳達) 传达 chuándá ¶～ 사항 传达事项 chuándá shìxiàng/문서로 명령을 ～하다 用文件传达命令 yòng wénjiàn chuándá mìnglìng

전달(前…) 上月 shàngyuè; 上个月 shàng ge yuè

전당(典當) 当 dàng ¶～ 잡히다 当当 dàngdàng ‖～물 当的东西 dàng de dōngxi =〔当头 dàngtou〕/～포 当铺 dàngpù

전당(殿堂) 殿宇 diànyǔ; 神殿 shéndiàn; 佛殿 fódiàn ¶학문의 ～ 学府 xuéfǔ

전대미문(前代未聞) ¶～의 대사건 前所未闻 qián suǒ wèi wén

전도(前途) 前途 qiántú; 前程 qiánchéng ¶～ 요원하다 路途遥远 lùtú yáoyuǎn/～가 유망한 청년 前途有为的青年 qiántú yǒuwéi de qīngnián

전도(傳道) 传道 chuándào; 传教 chuánjiào; 布道 bùdào ¶기독교를 ～하다 传道基督教 chuándào Jīdūjiào ‖～사 传教士 chuánjiàoshì

전도(傳導) 传导 chuándǎo ¶열～ 热传递 rè chuándì/금속은 열을 잘 ～한다 金属容易导热 jīnshǔ róngyì dǎorè ‖～체 导体 dǎotǐ

전도(顚倒) ①《넘어짐》 摔倒(了) shuāidǎo(le); 跌倒(了) diēdǎo(le); 栽倒 zāidǎo ②《거꾸로 됨》 ¶그렇다면 본말이 ～됐다 那就本末倒置了 nà jiù běnmò dàozhì le

전도금(前渡金) 前交款 qiánjiāokuǎn

전등(電燈) 电灯 diàndēng ¶～을 켜다〔끄다〕 开〔关〕电灯 kāi〔guān〕 diàndēng

전람회(展覽會) 展览会 zhǎnlǎnhuì ¶～를 열

举行展览会 jǔxíng zhǎnlǎnhuì

전략(戰略) 战略 zhànlüè ¶이 지점은 ～적으로 중요하다 这个地点在战略上是很重要的 zhège dìdiǎn zài zhànlüè shang shì hěn zhòngyào de ‖～ 폭격 战略轰炸 zhànlüè hōngzhà

전력(全力) 全力 quánlì ¶～ 질주하다 全力跑 quánlì pǎo / 우리 팀은 ～을 다해서 싸웠다 我队竭尽全力奋战 wǒ duì jiéjìn quánlì fènzhàn / 그는 작곡에 ～을 기울였다 他把全力倾注于作曲 tā bǎ quánlì qīngzhù yú zuòqǔ

전렴(專念) 专心 zhuānxīn; 专心致志 zhuānxīnzhìzhì ¶가업에 ～하다 专心于家业 zhuānxīn yú jiāyè

전령(傳令) 传令 chuánlìng; 传令兵 chuánlìngbīng ¶～을 보내다 派传令兵 pài chuánlìngbīng

전령(電鈴) 电铃 diànlíng

전례(前例) 前例 qiánlì ¶～에 따라 하다 按照前例办 ànzhào qiánlì bàn

전류(電流) 电流 diànliú ‖～계 安培计 ānpéijì =〔电流计 diànliújì〕

전리품(戰利品) 战利品 zhànlìpǐn

전립선(前立腺) 《生》 前列腺 qiánlièxiàn ‖～ 비대 前列腺肥大 qiánlièxiàn féidà

전말(顚末) 始末 shǐmò; 一五一十 yì wǔ yì shí; 从头到尾 cóngtóu dàowěi; 颠末 diānmò; 原委 yuánwěi; 本末 běnmò ¶사건의 ～을 이야기하다 叙述事件的始末 xùshù shìjiàn de shǐmò

전망(展望) 展望 zhǎnwàng; 瞭望 liàowàng; 眺望 tiàowàng; 凭眺 píngtiào ¶금년의 문단을 ～하다 展望今年的文坛 zhǎnwàng jīnnián de wéntán ‖～대 瞭望台 liàowàngtái / ～차 观景车 guānjǐngchē

전매(專賣) 专卖 zhuānmài ¶한국에서 담배는 정부에서 ～한다 烟在韩国是由政府专卖的 yān zài Hánguó shì yóu zhèngfǔ zhuānmài de ‖～ 특허 专利权 zhuānlìquán

전매(轉賣) 转售 zhuǎnshòu; 转卖 zhuǎnmài ¶토지를 ～하다 转卖地皮 zhuǎnmài dìpí

전면(全面) 全面 quánmiàn ¶규약을 ～적으로 개정하다 全面地修改章程 quánmiànde xiūgǎi zhāngchéng ‖～ 전쟁 全面战争 quánmiàn zhànzhēng

전면(前面) 前面(儿) qiánmian(r)

전모(全貌) 全貌 quánmào ¶사건의 ～를 밝히다 弄清事件的全貌 nòngqīng shìjiàn de quánmào

전몰(戰歿) 阵亡 zhènwáng ¶～자의 영령을 위로하다 悼念阵亡者 dàoniàn zhènwángzhě

전무후무(前無後無) 空前绝后 kōngqián juéhòu

전문(前文) 序文 xùwén; 序言 xùyán; 前言 qiányán ¶헌법의 ～ 宪法的序言 xiànfǎ de xùyán

전문(專門) 专门 zhuānmén; 专业 zhuānyè ¶대학에서 재정학을 ～으로 공부했다 我在大学专攻了财政学 wǒ zài dàxué zhuāngōngle cáizhèngxué / 그 일은 ～적 지식을 필요로 한다 那个工作需要专门知识 nàge gōngzuò xūyào zhuānmén zhīshi ‖～가 专家 zhuānjiā / ～어 专门名词 zhuānmén míngcí =〔述语 shùyǔ〕/ ～점 专用品商店 zhuānyòngpǐn shāngdiàn / ～학교 专门学校 zhuānmén xuéxiào

전반(全般) 全体 quántǐ; 全面 quánmiàn ¶～적인 작황 全体的收成 quántǐ de shōucheng / 그것은 사회 ～의 풍조로 되어 있다 那是整个社会的风气 nà shì zhěnggè shèhuì de fēngqì / 계획을 ～에 걸쳐서 검토하다 对计划全面地加以研究 duì jìhuà quánmiànde jiāyǐ yánjiū

전반(前半) 上半 shàngbàn; 前半 qiánbàn; 前一半 qián yíbàn ¶시합은 ～에서 승부가 결정됐다 比赛在前半场胜负已决 bǐsài zài qiánbànchǎng shèngfù yǐ jué ‖～기 前半届 qiánbànjiè

전방(前方) 前方 qiánfāng; 前面(儿) qiánmian(r) ¶100미터 ～에 다리가 있다 在前方一百米有一座桥 zài qiánfāng yìbǎi mǐ yǒu yí zuò qiáo

전번(前番) 上回 shànghuí; 以前 yǐqián; 上次 shàngcì

전별(餞別) 饯行礼 jiànxínglǐ ¶～ 금품을 증여하다 赠送临别纪念 zèngsòng línbié jìniàn ‖～금 别敬 biéjìng

전보(電報) 电报 diànbào ¶～를 치다 打〔拍〕电报 dǎ〔pāi〕diànbào ‖～ 용지 电报纸 diànbàozhǐ / 지급 ～ 急电 jídiàn

전복(顚覆) ①《탈 것 등의》 翻 fān ¶열차가 탈선 ～했다 列车脱轨翻车了 lièchē tuōguǐ fān chē le ②《정부 등의》 颠覆 diānfù; 倾覆 qīngfù; 推翻 tuīfān ¶정부 ～을 기도하다 企图颠覆政府 qǐtú diānfù zhèngfǔ

전봇대(電報…) ①⇨전주(電柱) ②〈俗〉 高个儿(키다리) gāogèr

전부(全部) 全都 quándōu; 一共 yígòng; 全部 quánbù; 全体 quántǐ; 所有 suǒyǒu ¶회원 ～에게 의견을 듣다 听取所有会员的意见 tīngqǔ suǒyǒu huìyuán de yìjiàn / 매상액은 ～20만 원이다 销售额一共为二十万块钱 xiāoshòu'é yígòng wéi èrshíwàn kuàiqián

전사(戰死) 战死 zhànsǐ; 阵亡 zhènwáng; 阵没 zhènmò ¶그는 명예로운 ～를 하였다 他光荣地战死了 tā guāngróngde zhànsǐ le ‖～자 战死者 zhànsǐzhě =〔阵亡者 zhènwángzhě〕

전생(前生) 前生 qiánshēng; 前世 qiánshì ¶이렇게 몰락한 것도 ～에 지워진 운명이랍니다 落到这步田地也是前生注定的呀 luò dào zhè bù tiándì yě shì qiánshēng zhùdìng de ya / 이것도 ～의 인연이다 这也是前世的因缘 zhè yě shì qiánshì de yīnyuán

전선(前線) ①《제일선》 前线 qiánxiàn ¶부대는 ～으로 향해가다 部队开赴前线 bùduì kāifù qiánxiàn ②《氣》 锋 fēng; 锋面 fēngmiàn; 锋线 fēngxiàn ¶온난 ～ 暖锋 nuǎnfēng

전선(電線) 电线 diànxiàn ¶해저 ～ 海底电缆 hǎidǐ diànlǎn / ～을 가설하다 架设电线 jiàshè diànxiàn

전설(傳說) 传说 chuánshuō ¶칠석에 관한 ～을 채집하다 采集有关七夕的传说 cǎijí yǒuguān qīxī de chuánshuō

전성(全盛) 全盛 quánshèng ‖～ 시대 全盛时期 quánshèng shíqī

전세(專貰) 包 bāo; 包租 bāozū ¶이 객차는 ～다 这节车厢是包车 zhè jié chēxiāng shì bāochē ‖～ 버스 包的公共汽车 bāo de gōnggòng qìchē / ～차 包车 bāochē =〔定备车 dìngbèichē〕

전세계(全世界) 全世界 quán shìjiè; 全球 quánqiú ¶그 이름을 ～에 떨쳤다 名震全球 míng

zhèn quánqiú
전소(全燒) 全部烧毁 quánbù shāohuǐ ¶여관이 ～했다 旅馆完全烧毁了 lǚguǎn wánquán shāohuǐ le
전속(專屬) 专属 zhuān shǔ ¶A 사의 ～가수 A 公司专属的歌手 A gōngsī zhuān shǔ de gēshǒu
전속력(全速力) 全速 quánsù; 尽速力 jìnsùlì; 最大速度 zuìdà sùdù; 放足汽 fàngzúqì(기선) ¶～으로 달리다 尽快地跑 jǐnkuàide pǎo =〔全力奔跑 quánlì bēnpǎo〕/～으로 차를 달리다 全速〔开足马力〕开车 quán sù〔kāizú mǎlì〕kāichē
전송(電送) 传真 chuánzhēn ‖～ 사진 传真照片 chuánzhēn zhàopiàn
전송(餞送) 送行 sòngxíng
전수(全數) 全数 quánshù; 总数 zǒngshù
전수(傳授) 传授 chuánshòu ¶비방을 ～하다 传授秘方 chuánshòu mìfāng
전승(傳承) 口传 kǒuchuán ¶이 지역에 옛날부터 ～되어 온 이야기 这个地方自古相传的故事 zhège dìfang zì gǔ xiāngchuán de gùshi ‖～문학 口头文学 kǒutóu wénxué
전시(展示) 陈列 chénliè; 展览 zhǎnlǎn ¶전기 기구의 견본을 ～하다 展览电气器具的样品 zhǎnlǎn diànqì qìjù de yàngpǐn ‖～품 展品 zhǎnpǐn =〔展览品 zhǎnlǎnpǐn〕〔陈列品 chénlièpǐn〕/～회 展览会 zhǎnlǎnhuì =〔展览 zhǎnlǎn〕
전신(全身) 全身 quánshēn; 浑身 húnshēn ¶～이 상처투성이다 全身是伤 quánshēn shì shāng =〔遍体鳞伤 biàntǐ línshāng〕/그녀는 노여움으로 ～이 떨렸다 她气得浑身发抖 tā qìde húnshēn fādǒu/그는 벽화의 제작에 ～전력을 기울인다 把整个心神倾注于创作壁画 bǎ zhěnggè xīnshén qīngzhù yú chuàngzuò bìhuà ‖～ 마취 全身麻醉 quánshēn mázuì/～ 불수(不隨) 左瘫右痪 zuǒtānyòuhuàn
전신(前身) 前身 qiánshēn; 前辈子 qiánbèizi; 出身 chūshēn; 经历 jīnglì ¶본대학의 ～ 本大学的前身 běn dàxué de qiánshēn/～을 밝히다 查清以往的历史 cháqīng yǐwǎng de lìshǐ
전신(電信) 电信 diànxìn ‖～기 电信机 diànxìnjī =〔通讯机 tōngxùnjī〕/～ 부호 电码 diànmǎ/～환 电汇 diànhuì/무선 ～ 无线电 wúxiàndiàn
전심(專心) 专心 zhuānxīn; 一心一意 yì xīn yí yì ¶예의(銳意) ～ 연구에 종사하다 专心致志从事研究 zhuānxīn zhìzhì cóngshì yánjiū =〔潜心研究 qiánxīn yánjiū〕
전압(電壓) 电压 diànyā ¶～을 올리다〔내리다〕提高〔降低〕电压 tígāo〔jiàngdī〕 diànyā ‖～계 伏特计 fútèjì
전액(全額) 悉数 xīshù; 全数 quánshù; 全额 quán'é ¶교통비 ～ 지급 交通费全额支付 jiāotōngfèi quán'é zhīfù/빌린 돈을 ～ 돌려 주다 借的钱全数归还了 jiè de qián quánshù guīhuán le
전야(前夜) 昨天晚上 zuótiān wǎnshang; 前夕 qiánxī; 前夜 qiányè ¶크리스마스 ～ 圣诞节前夜 shèngdànjié qiányè
전언(傳言) 口信 kǒuxìn; 传话 chuánhuà; 捎话 shāo huà ¶고향의 아버님으로부터 ～을 부탁받았다 家乡的父亲要我'捎〔带〕口信 jiāxiāng de fùqin yào wǒ 'shāo〔dài〕 kǒuxìn ‖～판 留言'板〔牌〕 liúyán 'bǎn〔pái〕
전업(轉業) 改行 gǎiháng; 转业 zhuǎnyè ¶신문기자에서 교사로 ～하다 由新闻记者改行为教师 yóu xīnwén jìzhě gǎiháng wéi jiàoshī
전에(前…) 从前 cóngqián
전역(全域) 《지역의》 整个地区 zhěnggè dìqū; 《분야의》 整个领域 zhěnggè lǐngyù ¶시내 ～에 걸쳐서 정전이다 整个市区停了电 zhěnggè shìqū tíngle diàn
전연(全然) 丝毫 sīháo; 完全 wánquán; 全然 quánrán ¶～ 모른다 全然〔根本〕不知道 quánrán〔gēnběn〕 bùzhīdào
전염(傳染) 传染 chuánrǎn; 传播 chuánbō ¶이 병은 ～되지 않는다 这病不传染 zhè bìng bù chuánrǎn/콜레라의 ～경로를 조사하다 调查霍乱传播途径 diàochá huòluàn chuánbō tújìng ‖～병 传染病 chuánrǎnbìng/공기～ 空气传播 kōngqì chuánbō/접촉 ～ 接触传播 jiēchù chuánbō
전용(專用) 专用 zhuānyòng ¶자동차 도로 汽车专用道路 qìchē zhuānyòng dàolù ‖～기 专机 zhuānjī
전원(田園) 田园 tiányuán ‖～ 시인 田园诗人 tiányuán shīrén/～ 풍경 田园风光 tiányuán fēngguāng
전원(全員) 全体人员 quántǐ rényuán ¶조난자는 ～ 구조되었다 遇难的人全都被搭救了 yùnàn de rén quándōu bèi dājiù le/～ 일치로 결의하다 全体一致决议 quántǐ yízhì juéyì
전위(前衛) ①前卫 qiánwèi; 先锋 xiānfēng ②《구기(球技)》 前锋 qiánfēng ‖～ 부대 前卫部队 qiánwèi bùduì/～ 예술 先锋派艺术 xiānfēngpài yìshù
전율(戰慄) 战栗 zhànlì ¶～할 흉악한 사건 令人'战栗〔不寒而栗〕的凶残事件 lìng rén 'zhànlì〔bù hán ér lì〕 de xiōngcán shìjiàn
전임(專任) 专任 zhuānrèn; 专职 zhuānzhí ‖～강사 专任讲师 zhuānrèn jiǎngshī
전입(轉入) 转入 zhuǎnrù
전자(電子) 电子 diànzǐ ‖～계산기 电子计算机 diànzǐ jìsuànjī/～ 공학 电子学 diànzǐxué
전작(前酌) 原已喝酒 yuán yǐ hē jiǔ ¶～이 있다 有酒 yǒu jiǔ
전쟁(戰爭) 战争 zhànzhēng; 打仗 dǎzhàng ¶～이 시작되다 战争爆发 zhànzhēng bàofā =〔开战 kāizhàn〕〔开火 kāihuǒ〕/～에 이기다 打胜仗 dǎ shèngzhàng/이웃 나라와 ～을 하다 跟邻国打仗 gēn línguó dǎzhàng ‖～ 범죄인 战争罪犯 zhànzhēng zuìfàn/～영화 战争片 zhànzhēngpiàn
전적(全的) 全面 quánmiàn; 全部 quánbù ¶～으로 完全 wán quán =〔从头到尾 cóngtóu dàowěi〕
전전(轉轉) ①《방황》 漂荡 piāodàng; 流落 liúluò ②《소유주를》 绕来绕去 ràolái ràoqù; 变了又变 biànle yòu biàn ¶이 그림은 애호가 사이를 ～했다 这幅画曾在爱好者之间转来转去 zhè fú huà céng zài àihàozhě zhījiān zhuǎnlaizhuǎnqu
전전달(前前…) 上上月 shàngshàngyuè
전제(前提) 前提 qiántí ¶전원 참가를 ～로하여 계획을 세우다 在全体人员参加的前提下制定计划 zài quántǐ rényuán cānjiā de qiántí xià zhì-

dìng jìhuà ‖～ 조건 前提条件 qiántí tiáojiàn
전조(前兆) 预兆 yùzhào; 前兆 qiánzhào; 先兆 xiānzhào; 朕兆 zhènzhào ¶지진의 ～다 地震的预兆 dìzhèn de yùzhào
전조(前條) 前一条 qián yìtiáo
전족(纏足) 金莲(儿) jīnlián(r)
전주(前週) 上礼拜 shànglǐbài; 上星期 shàngxīngqī; 上周 shàngzhōu ¶～의 토요일 上星期六 shàng xīngqīliù
전주(電柱) 电线杆 diànxiàngān; 电线杆子 diànxiàn gānzi
전주(錢主) 东家 dōngjia; 账主子 zhàngzhǔzi; 放主儿 fàngzhǔr
전중이 《속어》 囚犯 qiúfàn
전지(田地) 田地 tiándì
전지(全紙) 整个纸面 zhěnggè zhǐmiàn; 满纸 mǎnzhǐ; 《신문지의》 第一版全面 dì yìbǎn quánmiàn
전지(電池) 电池 diànchí ¶～가 다 닳았다 电池没电了 diànchí méi diàn le
전지(轉地) 换地方 huàn dìfang; 迁地 qiāndì; 易地 yìdì ‖～ 요양 易地疗养 yìdì liáoyǎng
전직(轉職) 《전임》 调职 diàozhí; 《직업 전환》 改行 gǎiháng; 转业 zhuǎnyè ¶법관이 변호사로 ～하다 由审判员改行为律师 yóu shěnpànyuán gǎiháng wéi lǜshī
전진(前進) 前进 qiánjìn ¶부대가 ～하다 部队向前进 bùduì xiàng qiánjìn / 이상을 향해서 ～하다 向着理想前进 xiàngzhe lǐxiǎng qiánjìn
전진(戰陣) 《전장》 战场 zhànchǎng; 前线 qiánxiàn; 《진》 布阵的地方 bùzhèn de dìfang
전차(前借) 先支 xiānzhī; 预借 yùjiè ¶품삯을 ～하다 预借工钱 yùjiè gōngqián
전차(電車) 电车 diànchē ¶궤도 ～ 有轨电车 yǒu guǐ diànchē
전차(戰車) ⇨ 탱크(tank)
전채(前菜) 冷盘 lěngpán; 拼盘 pīnpán
전처(前妻) 以前的太太 yǐqián de tàitai; 前妻 qiánqī
전체(全體) ①《몸의》 浑身 húnshēn; 周身 zhōushēn ②《합계》 共总 gòngzǒng; 一共 yígòng ③《모두》 全都 quándōu; 全体 quántǐ; 总体 zǒngtǐ; 整体 zhěngtǐ; 整个(儿) zhěng gè(r) ¶～의 80퍼센트가 찬성했다 全体的百分之八十赞成 quántǐ de bǎi fēn zhī bāshí zànchéng / 산 ～가 녹색으로 덮여 있다 山整个儿被翠绿覆盖着 shān zhěnggèr bèi cuìlǜ fùgàizhe ‖～주의 极权主义 jíquán zhǔyì
전치(全治) 全愈〔痊愈〕 quányù; 大好了 dàhǎo le ¶～ 2개월의 중상 要两个月才能痊愈的重伤 yào liǎng ge yuè cái néng quányù de zhòngshāng
전통(傳統) 传统 chuántǒng ¶～을 중요시하다 重视传统 zhòngshì chuántǒng / 100년의 ～을 자랑하는 학교 以一百年的传统而自豪的学校 yǐ yìbǎi nián de chuántǒng ér zìháo de xuéxiào ‖～ 예술 传统艺术 chuántǒng yìshù
전투(戰鬪) 战斗 zhàndòu ¶～가 시작되었다 战斗开始了 zhàndòu kāishǐ le =〔开火了 kāihuǒ le〕 ‖～기 歼击机 jiānjījī =〔战斗机 zhàndòujī〕 / ～력 战斗力 zhàndòulì
전파(電波) 《物》 电波 diànbō ‖～ 방해 电波干扰 diànbō gānrǎo / ～ 탐지기 雷达 léidá
전파(傳播) 传播 chuánbō ¶파동의 ～ 波的传播 bō de chuánbō
전폭(全幅) 《최대한》 全部 quánbu; 全力 quánlì ¶～적인 신뢰를 보내다 予以完全的信任 yǔyǐ wánquán de xìnrèn
전표(傳票) 单据 dānjù; 传票 chuánpiào; 发单 fādān; 发票 fāpiào ¶～를 끊다 开传票 kāi chuánpiào ‖입금 ～ 收款单据 shōukuǎn dānjù =〔收入传票 shōurù chuánpiào〕
전하(殿下) 殿下 diànxià ¶황태자 ～ 皇太子殿下 huángtàizǐ diànxià
전하다(傳…) ①《열·전기 등을》 传 chuán; 导 dǎo; 传导 chuándǎo ¶구리는 열을 잘 ～ 铜易传热 tóng yì chuánrè ②《전달하다》 告诉 gàosu; 告知 gàozhī; 传达 chuándá; 转达 zhuǎndá; 转告 zhuǎngào ¶양친에게 안부를 전해 주십시오 请代我向您父母问好 qǐng dài wǒ xiàng nín fùmǔ wènhǎo ③《전수하다》 传 chuán; 传授 chuánshòu ¶가보로써 전해 오는 명도 作为传家宝传下来的宝刀 zuòwéi chuánjiābǎo chuánxiàlai de bǎodāo / 한자는 중국으로부터 전해졌다 汉字是从中国传来的 Hànzì shì cóng Zhōngguó chuánlai de
전해(前…) 上年 shàngnián
전향(轉向) 转向 zhuǎnxiàng ¶그는 좌익에서 우익으로 ～하다 他由左翼转向右翼 tā yóu zuǒyì zhuǎnxiàng yòuyì
전혀(全…) 简直的 jiǎnzhí de; 完全 wánquán; 全然 quánrán; 丝毫 sīháo ¶나는 독어는 ～ 모릅니다 我德文一点儿也不懂 wǒ Déwén yìdiǎnr yě bù dǒng =〔我对德文一窍不通 wǒ duì Déwén yíqiào bùtōng〕/ ～ 식욕이 없다 毫无食饮 háowú shíyìn =〔一点儿食饮也没有 yìdiǎnr shíyìn yě méiyǒu〕
전형(典型) 典型 diǎnxíng; 模范 mófàn ¶그는 ～적인 신사다 他是典型的绅士 tā shì diǎnxíng de shēnshì
전화(電話) 电话 diànhuà ¶～를 끊다 挂电话 guà diànhuà / ～를 걸다 打电话 dǎ diànhuà / 집에 ～를 가설했다 我家安上了电话 wǒ jiā ānshàngle diànhuà / ～가 울리고 있다 电话铃响着 diànhuàlíng xiǎngzhe / 몇 번 ～해도 통화중이다 打了好几次电话都占线 dǎle hǎo jǐ cì diànhuà dōu zhàn xiàn / ～ 소리가 너무 약해서 잘 들리지 않는다 电话声音太弱, 听不清楚 diànhuà shēngyīn tài ruò, tīng buqīngchu / ～가 혼선이다 电话串线 diànhuà chuànxiàn / 김선생님, ～예요 金先生, 您的电话 Jīn xiānsheng, nínde diànhuà ‖～ 교환기 电话交换机 diànhuà jiāohuànjī / ～ 교환수 话务员 huàwùyuán =〔电话接线员 diànhuà jiēxiànyuán〕/ ～국 电话局 diànhuàjú / ～기 电话机 diànhuàjī / ～ 박스 电话亭 diànhuàtíng / ～ 번호 电话号码 diànhuà hàomǎ / 공중 ～ 公用电话 gōngyòng diànhuà / 호출 ～ 传呼电话 chuánhū diànhuà
절[1] 《불교의》 佛寺 fósì
절[2] 《인사》 敬礼 jìnglǐ; 鞠躬 júgōng ¶무릎 꿇고 ～하다 行跪礼 xíng guì lǐ
절개(切開) 切开 qiēkāi ¶즉시 환부를 ～할 필요가 있다 对患部必须立即切开 duì huànbù bìxū lìjí qiēkāi
절경(絶景) 绝景 juéjǐng; 绝胜 juéshèng; 风景绝佳 fēngjǐng juéjiā ¶천하의 ～ 天下绝景

tiānxià juéjǐng
절구 臼 jiù ¶절굿공이 杵头子 chǔtouzi
절다[1] 《소금에》 腌好 yānhǎo; 腌透 yāntòu
절다[2] 《인사》 点着脚走 diǎnzhe jiǎo zǒu
절단(切斷) 切断 qiēduàn; 割断 gēduàn; 截断 jiéduàn ¶전화선이 누군가에 의해서 ~되었다 电话线被什么人切断了 diànhuàxiàn bèi shénme rén qiēduàn le / 기계에 끼어서 오른팔을 ~했다 右手被机器夹住截断了 yòushǒu bèi jīqi jiāzhù jiéduàn le ‖~면 截面 jiémiàn =〔剖面 pōumiàn〕〔切面 qiēmiàn〕〔断面 duànmiàn〕
절대(絶對) 绝对 juéduì ¶~ 복종을 맹세하다 发誓绝对服从 fāshì juéduì fúcóng / 너의 의견에는 ~ 반대다 你的意见我坚决反对 nǐde yìjiàn wǒ jiānjué fǎnduì ‖~ 온도 绝对温度 juéduì wēndù
절도(節度) 适度 shìdù; 节制 jiézhì ¶~를 지키다 守分寸 shǒu fēncun / ~ 있는 태도 有节制的态度 yǒu jiézhì de tàidù
절도(竊盜·窃盗) 偷窃 tōuqiè; 盗窃 dàoqiè; 偷盗 tōudào ¶~질을 하다 行窃 xíngqiè ‖~범 盗窃犯 dàoqièfàn / ~ 사건 窃案 qiè'àn
절뚝거리다 一瘸一拐地走 yì qué yì guǎi de zǒu; 瘸着走 quézhe zǒu
절렁거리다 叮当地响 dīngdāngde xiǎng
절레절레 摇 yáo ¶~ 머리를 흔들다 摇摇头 yáoyáotóu
절름거리다 瘸着走 quézhe zǒu; 一瘸一拐地走 yì qué yì guǎi de zǒu
절름발이 跛子 bǒzi; 瘸子 quézi; 瘸腿 quétuǐ
절망(絶望) 绝望 juéwàng; 心死 xīnsǐ ¶인생에 ~하다 对人生绝望了 duì rénshēng juéwàng le / 병의 회복은 ~적이다 病毫无痊愈的希望 bìng háowú quányù de xīwàng
절명(絶命) 绝命 juémìng ¶치료한 보람도 없이 그는 ~했다 医治无效地终于死了 yīzhì wúxiào de zhōngyú sǐ le
절박(切迫) ①《시간이》 迫近 pòjìn; 逼近 bījìn ¶마감 기한이 ~해 있다 截止日期迫近了 jiézhǐ rìqī pòjìn le ②《상태가》 紧迫 jǐnpò; 急迫 jípò ¶국경 부근은 ~한 정세가 계속되고 있다 国境一带形势仍十分'紧迫〔吃紧〕 guójìng yídài xíng-shì réng shífēn'jǐnpò〔chījǐn〕
절반(折半) 一半(儿) yí bàn(r) ¶너와 나 비용을 ~씩 내자 你和我'均摊〔分摊〕费用 nǐ hé wǒ' jūntān 〔fēntān〕 fèiyòng
절벅거리다 啪嚓啪嚓地响 pāchāpāchāde xiǎng
절벽(絶壁) 绝壁 juébì; 峭壁 qiàobì ¶~을 기어오르다 攀登绝壁 pāndēng juébì
절식(絶食) 绝粒 juélì; 不吃东西 bù chī dōngxi ¶위장에 탈이 나서 하루 ~했다 坏了肠胃，一天没吃东西 huàile chángwèi, yì tiān méi chī dōngxi
절식(節食) 节食 jiéshí ¶위의 상태가 나빠서 ~하고 있다 胃不好，正在节食 wèi bù hǎo, zhèngzài jiéshí
절약(節約) 俭用 jiǎnyòng; 节约 jiéyuē; 节省 jiéshěng ¶연료를 ~하다 节省燃料 jiéshěng ránliào
절연(絶緣) 绝缘 juéyuán ‖~ 재료 绝缘材料 juéyuán cáiliào / ~체 绝缘体 juéyuántǐ
절이다 拿盐腌 ná yányān ¶배추를 ~ 腌白菜 yān báicài
절절 ①《끓는 모양》 哗哗地开 huāhuāde kāi ②《흔드는 모양》 来回游荡 láihuí yóudàng
절정(絶頂) ①《산꼭대기》 绝巅 juédiān ②《정점》 到头(儿) dàotóu(r); 极头 jítóu ¶물가가 ~에 달하다 物价贵到头儿 wùjià guì dàotóur / 그는 지금이야말로 인기의 ~에 있다 他正红极一时 tā zhènghóng jí yìshí =〔他现在红得发紫 tā xiànzài hóngde fāzǐ〕/ 청중의 흥분은 ~에 달했다 听众兴奋到了极点 tīngzhòng xīngfèn dàole jídiǎn
절차(節次) 程序 chéngxù ¶~를 밟아서 회견을 신청하다 按一定的程序申请会见 àn yídìng de chéngxù shēnqǐng huìjiàn
절차탁마(切磋琢磨) 切磋琢磨 qiēcuō zhuómó ¶~해서 학문에 힘쓰다 切磋琢磨，钻研学问 qiēcuō zhuómó, zuānyán xuéwen
절충(折衷) 折中 zhézhōng ¶두 가지 안을 ~하다 把两个方案加以折中 bǎ liǎng ge fāng'àn jiāyǐ zhézhōng / 한식과 양식을 ~한 주택 韩西合璧的住宅 Hán Xī hébì de zhùzhái ‖~안 折中方案 zhézhōng fāng'àn / ~주의 折中主义 zhézhōng zhǔyì
절충(折衝) 交涉 jiāoshè; 谈判 tánpàn; 磋商 cuōshāng ¶양자는 ~을 거듭했다 双方经多次磋商 shuāngfāng jīng duōcì cuōshāng / 무역 문제에 관해서 관계국과 ~하다 关于贸易问题跟有关国家进行谈判 guānyú màoyì wèntí gēn yǒuguān guójiā jìnxíng tánpàn
절취(竊取) 偷窃 tōuqiè
절친하다(切親…) 亲热 qīnrè; 对劲得很 duìjìnde hěn
절하(切下) 贬值 biǎnzhí ¶평가 ~하다 货币贬值 huòbì biǎnzhí
절하다 行礼 xínglǐ
절호(絶好) 绝好 juéhǎo; 顶好 dǐnghǎo ¶~의 기회를 놓치다 错过了绝好的机会 cuòguòle juéhǎo de jīhuì
젊다 年轻 niánqīng ¶나이보다 젊어 보이다 比年龄显得年轻 bǐ niánlíng xiǎnde niánqīng =〔长得少相 zhǎngde shàoxiang〕
젊은이 小伙子 xiǎohuǒzi; 年轻人 niánqīngrén 青年人 qīngniánrén
점(占) 八字(儿) bāzì(r); 八卦 bāguà
점(點) ①《표시》 点儿 diǎnr; 点子 diǎnzi ¶강조의 말에 ~을 찍다 在强调的词上标上点 zài qiángdiào de cí shang biāoshàng diǎn / ~을 지나가는 직선 通过两点的直线 tōnggu[o] liǎng diǎn de zhíxiàn / 1~28 一点儿二八 [y]diǎnr èr bā / 비행기가 조그만 ~이 되어 사[라]졌다 飞机化为小点儿终于不见了 fēijī huàw[éi] xiǎo diǎnr zhōngyú bújiàn le ②《점수》 分(儿) fēn(r); 分数 fēnshù ¶100~ 만~ 70~을 받았다 一百分满分，拿了七十分 yìb[ǎi] fēn mǎnfēn, nále qīshí fēn ③《곳》 点 diǎ[n] ¶그런 ~이 너의 좋은 ~이다 那点正是你的好[地]方 nà diǎn zhèngshì nǐde hǎo dìfang / ~은 십분 주의하겠다 那一点一定多加注意 nà diǎn yídìng duōjiā zhùyì ④《조수사》 ¶의[복] 5~ 五件衣服 wǔ jiàn yīfu / 유화 2~ 两张画 liǎng zhāng yóuhuà ⑤《피부의》 污[点] wūzi; 黑痣 hēizhì
점거(占據) 占据 zhànjù ‖불법 ~ 非法占据 fēifǎ zhànjù =〔盘踞 pánjù〕
점두(店頭) 铺面 pùmiàn; 橱窗 chúchuāng ¶[제]철의 과일을 ~에 늘어놓다 把应时的水果摆在

子前面 bǎ yìngshí de shuǐguǒ bǎi zài pùzi qiánmiàn ‖～ 판매 柜台买卖 guìtáimǎimài

점령(占領) ①《차지함》 占 zhàn; 占据 zhànjù ¶그들은 제일 좋은 장소를 ～했다 他们占了最好的地方 tāmen zhànle zuì hǎo de dìfang ②《군대의》 占领 zhànlǐng ¶수도는 적군의 ～하에 놓였다 首都处于敌军的占领之下 shǒudū chǔ yú díjūn de zhànlǐng zhīxià ‖～ 지구 占领区 zhànlǐngqū

점박이(點…) 《사람》 身上有痣子的人 shēnshang yǒu zhìzi de rén; 《짐승》 表皮上有斑点的牲口 biǎopí shàng yǒu bāndiǎn de shēngkou

점심(點心) 午饭 wǔfàn; 中饭 zhōngfàn; 晌饭 shǎngfàn

점원(店員) 店员 diànyuán

점유(占有) 占有 zhànyǒu ¶토지를 ～하다 占有土地 zhànyǒu tǔdì ‖～권 占有权 zhànyǒuquán

점자(點字) 盲字 mángzì; 点字 diǎnzì ¶～를 읽다 读盲文 dú mángwén

점잔빼다 装蒜 zhuāngsuàn; 装模作样 zhuāngmúzuòyàng

점잖다 安详 ānxiáng; 谨慎 jǐnshèn; 斯文 sīwen

점쟁이(占…) 卜者 bǔzhě; 算命先生 suànmìng xiānsheng; 相面先生 xiàngmiàn xiānsheng

점적(點滴) ①《물방울》 点滴 diǎndī; 涓滴 juāndī ¶～이 돌을 뚫다 水滴石穿 shuǐ dī shí chuān =〔滴水石穿 dī shuǐ chuān shí〕 ②《주사》 静脉输液 jìngmài shūyè ¶포도당을 ～하다 滴注葡萄糖液 dīzhù pútaotángyè

점점(漸漸) 渐渐地 jiànjiànde; 逐渐地 zhújiànde; 越发地 yuèfāde ¶～ 추워진다 一天比一天冷起来 yì tiān bǐ yì tiān lěngqilai

점증(漸增) 递增 dìzēng; 递加 dìjiā ¶화재 발생 건수가 ～하는 경향에 있다 火灾发生件数有递增的倾向 huǒzāi fāshēng jiànshù yǒu dìzēng de qīngxiàng

점차(漸次) 逐步 zhúbù; 渐次 jiàncì; 逐渐 zhújiàn ¶병은 ～ 차도가 있다 病逐渐见好 bìng zhújiàn jiànhǎo / 노동 조건은 ～ 개선되어 가고 있다 劳动条件逐步得到改善 láodòng tiáojiàn zhúbù dédào gǎishàn

점착(粘着) 黏着 niánzhuó; 黏住 niánzhù; 黏上 nián shàng ‖～력 黏着力 niánzhuólì

점치다(占…) 占卦 zhānguà; 占卜 zhānbǔ ¶운수를 ～ 算命 suànmìng / 길흉을 ～ 占卜吉凶 zhānbǔ jíxiōng

점포(店鋪) 店铺 diànpù; 铺子 pùzi

점호하다(點呼…) 点名 diǎnmíng; 点卯 diǎnmǎo; 点阅 diǎnyuè

점화(點火) 点火 diǎnhuǒ; 点燃 diǎnrán ¶도화선에 ～하다 点燃导火线 diǎnrán dǎohuǒxiàn ‖～ 장치 火花塞 huǒhuāsāi =〔电花插头 diànhuā chātóu〕

접(接) 接树 jiēshù; 嫁接 jiàjiē

접근(接近) 接近 jiējìn; 靠近 kàojìn; 挨近 āijìn

접다 折 zhé; 叠 dié; 折叠 zhédié; 折拢 zhélǒng ¶우산을 ～ 折起伞 zhé qi sǎn =〔把雨伞合上 bǎ yǔsǎn héshàng〕 / 모포를 넷으로 ～ 把毛毯叠成四折 bǎ máotǎn diéchéng sìzhé

접대(接待) 接待 jiēdài; 招待 zhāodài ¶손님을 ～하다 接待客人 jiēdài kèrén

접때 前几天 qiánjǐtiān; 前些时候(儿) qiánxiē shíhou(r); 前者 qián zhě

접목(椄木·接木) 嫁接 jiàjiē; 接木 jiēmù; 枝接 zhījiē ¶감나무를 ～하다 嫁接柿子 jiàjiē shìzi

접문(接吻) ⇨키스

접붙이다(接…) 嫁接 jiàjiē ¶감을 ～ 接柿子 jiē shìzi

접속(接續) 连接 liánjiē; 接连 jiēlián; 接续 jiēxù ¶코드를 전원에 ～하다 把软线和电源连接 bǎ ruǎnxiàn hé diànyuán liánjiē

접시 《소형》 碟儿 diér; 碟子 diézi; 《대형》 盘子 pánzi ¶요리를 ～에 담다 把菜盛在盘子里 bǎ cài chéng zài pánzi li ‖～ 천칭 秤盘子 chèngpánzi

접시꽃 《植》 蜀葵 shǔkuí; 蜀季花 shǔjìhuā

접어들다 ①《지점에》 进入 jìnrù; 踏入 tàrù ②《날짜…시기에》 踏进 tàjìn ¶봄으로 ～ 开始踏进春天(儿) kāishǐ tàjìn chūntiān(r)

접어주다 《보아 주다》 给便宜 gěi piányi; 放松 fàngsōng; 《하수자에게》 让一步 ràng yíbù

접자 摺尺 zhéchǐ

접종(接種) 接种 jiēzhòng ¶예방 ～ 预防接种 yùfáng jiēzhòng

접질리다 扭筋 niǔjìn; 错筋 cuòjìn

접촉(接觸) 接触 jiēchù; 相接 xiāngjiē ¶콘센트의 ～이 나쁘다 插口的接触不良 chākǒu de jiēchù bùliáng / 외부와의 ～을 끊다 断绝和外部的接触 duànjué hé wàibù de jiēchù ‖～ 감염 接触传染 jiēchù chuánrǎn

접하다(接…) ①《접속하다》 接 jiē ¶도로에 접한 토지 挨着马路的地皮 āizhe mǎlù de dìpí / 양국은 국경을 접하고 있다 两国'国境相接〔接壤, 交界〕 liǎng guó 'guójìng xiāngjiē 〔jiērǎng · jiāojiè〕 ②《맞닥뜨리다》 接 jiē; 接触 jiēchù ¶급보에 접하고 달려오다 接到紧急通知赶来了 jiēdào jǐnjí tōngzhī gǎnlai le

젓 腌咸的鱼 yānxián de yú

젓가락 筷子 kuàizi ¶～질에도 잔소리를 하다 一举一动都要管教 yìjǔyídòng dōu yào guǎnjiào

젓다 ①《배를》 划(船) huá; 《노를》 摇(橹) yáo; 荡(桨) dàng ¶보트를 저으며 놀다 划小船玩儿 huá xiǎo chuán wánr / 힘을 들여 노를 ～ 使劲儿摇橹 shǐjìnr yáo lǔ ②《휘젓다》 搅合 jiǎohe; 和拢 huòlong; 豁拢 huòlong ¶달걀을 깨뜨려 휘～ 磕鸡蛋豁拢豁拢 kē jīdàn huòlong huòlong

정[1] 《쇠연장》 钎子 qiānzi

정[2] 《정말로》 真 zhēn; 〈方〉 实在 shízài; 敢情 gǎnqing ¶～하기 싫다면 그만두는 게 좋다 实在不愿意, 就别干了 shízài bú yuànyì, jiù bié gàn le

정(情) 情 qíng; 感情 gǎnqíng; 情意 qíngyì; 情素 qíngsù ¶그녀는 ～이 깊다 她情意深 tā qíngyì shēn / ～에 약한 사람 心软的人 xīnruǎn de rén / 한때 ～에 끌려서 한 짓이다 被一时的感情驱使所干的 bèi yìshí de gǎnqíng qūshǐ suǒ gàn de

…정(…整) 《금액》 正 zhěng ¶일금 5만 원～ 韩币五万块正 Hánbì wǔ wàn kuài zhěng

…정(錠) 《조수사》 片(儿) piàn(r) ¶1회 3～ 복용 一次服三片 yí cì fú sān piàn

정가(定價) 定价 dìngjià ¶～의 25퍼센트를 할인 판매하다 按定价的七五折卖 àn dìngjià de qīwǔ zhé mài ‖～표 定价单 dìngjiàdān

정각(正刻) 正 zhèng; 整 zhěng ¶～ 5시에 출발

整五点时分起身 zhěng wǔ diǎn shífèn qǐshēn / 그는 1시 ~에 왔다 他正一点钟来了 tā zhèng yì diǎn zhōng lái le
정각(定刻) 定时 dìngshí; 按时 ànshí; 准时 zhǔnshí; 正点 zhèngdiǎn ¶ ~에 도착하다 准时到达 zhǔnshí dàodá
정강이 迎面骨 yíngmiàngǔ ¶ 상대방의 ~를 찼다 踢了对方的迎面骨 tīle duìfāng de yíngmiàngǔ
정객(政客) 政界人 zhèngjièrén
정거(停車) 停车 tíngchē ¶ 다음 역에서 5분간 ~합니다 在下一站停车五分钟 zài xià yí zhàn tíngchē wǔ fēn zhōng ‖ ~장 车站 chēzhàn
정견(政見) 政见 zhèngjiàn ¶ ~을 발표하다 发表政见 fābiǎo zhèngjiàn
정계(政界) 政界 zhèngjiè ¶ ~에 진출하다 进入政界 jìnrù zhèngjiè / ~를 물러나다 退出政界 tuìchū zhèngjiè
정곡(正鵠) ①《과녁의》 鹄的 gǔdì; 靶心 bǎxīn ②《핵심》 (问题的)核心 héxīn ¶ ~을 찌르다 击中目标 jīzhòng mùbiāo
정골(整骨) 接骨 jiēgǔ; 揣骨 chuǎigǔ
정공법(正攻法) 从正面进攻 cóng zhèngmiàn jìngōng; 《당당한》 堂堂正正的进攻 tángtangzhèngzhèng de jìngōng
정관(定款) 章程 zhāngchéng ¶ ~을 작성하다 制定章程 zhìdìng zhāngchéng
정교(精巧) 精巧 jīngqiǎo; 精致 jīngzhì; 精妙 jīngmiào ¶ 세공은 극히 ~하다 手工精妙到家了 shǒugōng jīngmiào dàojiā le =〔手艺真是巧夺天工 shǒuyì zhēn shì qiǎo duó tiāngōng〕
정구(庭球) ① ⇨ 테니스 ② ⇨ 연식 정구
정국(政局) 政局 zhèngjú ¶ 혼미한 ~을 수습하다 收拾混乱的政局 shōushi hùnluàn de zhèngjú
정권(政權) 政权 zhèngquán ¶ ~을 잡다 执掌政权 zhízhǎng zhèngquán / ~의 자리를 떠나다 离开了执掌政权的职位 líkāile zhízhǎng zhèngquán de zhíwèi =〔下台 xiàtái〕 ‖ 망명 ~ 流亡政权 liúwáng zhèngquán
정규(正規) 正规 zhèngguī ¶ 그는 ~의 학교 교육을 받지 않았다 他没有受过正规的学校教育 tā méiyǒu shòuguo zhèngguī de xuéxiào jiàoyù ‖ ~군 正规军 zhèngguījūn
정기(定期) 定期 dìngqī ¶ ~ 건강 진단 定期健康检査 dìngqī jiànkāng jiǎnchá / 대회를 ~적으로 개최하다 定期召开大会 dìngqī zhàokāi dàhuì ‖ ~ 간행물 定期刊物 dìngqī kānwù =〔期刊 qīkān〕 / ~권 月票 yuèpiào =〔季票 jìpiào〕 / ~선 班轮 bānlún / ~ 예금 定期存款 dìngqī cúnkuǎn / ~ 항로 定期航线 dìngqī hángxiàn
정나미(情…) 依依不舍的心情 yīyī bùshě de xīnqíng ¶ ~가 떨어지다 叫人厌烦 jiào rén yànfán =〔再也不敢问津 zài yě bùgǎn wènjīn〕〔讨厌 tǎoyàn〕 / ~ 떨어지는 짓을 하다 冷淡对待 lěngdàn duìdài
정년(停年) 退休年龄 tuìxiū niánlíng ¶ 60세 ~제 六十岁退休制度 liùshí suì tuìxiū zhìdù / 그는 ~에 퇴직했다 他到退休年龄退休了 tā dào tuìxiū niánlíng tuìxiū le
정녕(丁寧) 真正 zhēnzhèng; 真的 zhēn de; 〈方〉 实在 shízai
정답다(情…) 亲密 qīnmì; 和睦 hémù; 有情义 yǒu qíngyì
정당(正當) 正当 zhèngdàng ¶ 그의 주장은 ~하다 他的主张是正当合理的 tāde zhǔzhāng shì zhèngdàng hélǐ de / 목적은 수단을 ~화하지 않는다 目的并不能决定手段是否正当 mùdì bìng bùnéng juédìng shǒuduàn shìfǒu zhèngdàng ‖ ~ 방위 正当防卫 zhèngdàng fángwèi
정당(政黨) 政党 zhèngdǎng ¶ ~을 결성하다 建立政党 jiànlì zhèngdǎng
정도(正道) 正道 zhèngdào ¶ ~를 걷다 走正道 zǒu zhèngdào / ~에서 벗어나다 离开正道 líkāi zhèngdào
정도(程度) 程度 chéngdù ¶ 고교 졸업 ~의 학력 보유자 具有高中毕业程度学力的人 jùyǒu gāozhōng bìyè chéngdù xuélì de rén
정독(精讀) 精读 jīngdú; 细读 xì dú ¶ 1권의 책을 ~하다 细读一本书 xì dú yì běn shū
정돈(整頓) 收拾 shōushi; 拾掇 shíduo; 整理 zhěnglǐ ¶ 그의 집은 깨끗이 ~되어 있다 他的屋子收拾得整整齐齐 tāde wūzi shōushide zhěngzhengqíqí
정들다(情…) 爱起来了 àiqilai le; 亲近起来了 qīnjìnqilai le; 发生爱情 fāshēng àiqíng
정떨어지다(情…) 厌烦 yànfán; 嫌弃 xiánqì
정략(政略) 政略 zhènglüè; 政治谋略 zhèngzhì móulüè; 政治策略 zhèngzhì cèlüè ‖ ~ 결혼 策略性的婚姻 cèlüèxìng de hūnyīn =〔政治婚姻 zhèngzhì hūnyīn〕
정량(定量) 定量 dìngliàng; 净重 jìngzhòng; 除皮 chúpí ¶ ~ 5kg 净货轻重五公斤 jìnghuò qīngzhòng wǔ gōngjīn / 유아에게 ~의 우유를 먹이다 给婴儿喂定量的奶粉 gěi yīng'ér wèi dìngliàng de nǎifěn
정력(精力) 元气 yuánqì; 精力 jīnglì ¶ ~ 절륜의 사람 精力充沛的人 jīnglì chōngpèi de rén / ~을 소모하다 消耗精力 xiāohào jīnglì / ~적으로 활동하다 精力旺盛地进行活动 jīnglì wàngshèngde jìnxíng huódòng
정렬(整列) 排列 páiliè; 排队 páiduì; 整队 zhěngduì ¶ 2열 횡대로 ~하다 排成二列横队 páichéng èr liè héngduì
정류소(停留所) 停车场 tíngchēchǎng; 车站 chēzhàn ¶ 버스 ~ 公共汽车站 gōnggòng qìchēzhàn
정리(整理) 收拾 shōushi; 整理 zhěnglǐ; 清理 qīnglǐ ¶ 노트를 ~하다 整理笔记 zhěnglǐ bǐjì / 경관이 교통 ~를 하다 交通警察指挥交通 jiāotōng jǐngchá zhǐhuī jiāotōng
정맥(靜脈) 静脉 jìngmài ‖ ~ 주사 静脉注射 jìngmài zhùshè / ~혈 静脉血 jìngmàixuè
정면(正面) 正面 zhèngmiàn; 对面(儿) duìmiàn(r); 迎面 yíngmiàn ¶ ~에 보인다 在对面儿得见 zài duìmiànr kànde jiàn / 기차가 ~으로 충돌했다 火车'迎头冲撞〔迎面撞上〕了 huǒchē 'yíngtóu chōngzhuàng〔yíngmiàn zhuàngshàng〕 le / 나의 ~에 앉아 있는 사람은 김선생이다 坐在我对面的人是金先生 zuò zài wǒ duìmiàn de rén shì Jīn xiānsheng
정문일침(頂門一鍼) 当头棒喝 dāngtóu bànghè ¶ 그 한 마디는 ~이었다 那一句话真是给了我当头一棒 nà yí jù huà zhēn shì gěile wǒ dāngtóu yí bàng
정미(精米) ①《쌀의》 碾米 niǎn mǐ; 舂米 chōng

mǐ ¶현미를 ～하다 碾〔舂〕糙米 niǎn 〔chōng〕 cāomǐ ②《정백미》 白米 báimǐ ‖～소 碾米厂 niánmǐchǎng
정밀(精密) 精密 jīngmì; 精致 jīngzhì ¶이 기계는 ～하게 만들었다 这个机器做得很精密 zhège jīqi zuòde hěn jīngmì ‖～ 검사 精细检查 jīngxì jiǎnchá / ～ 기계 精密机械 jīngmì jīxiè
정박(碇泊) 抛锚 pāomáo; 停泊 tíngbó ¶항내에 ～하고 있다 停泊在港口内 tíngbó zài gǎngkǒunèi
정방형(正方形) ⇨ 정사각형
정보(情報) 情报 qíngbào; 消息 xiāoxi; 信息 xìnxī ¶해외 ～ 海外消息 hǎiwài xiāoxi / 각 방면에서 ～를 모으다 从各方面搜集情报 cóng gè fāngmiàn sōují qíngbào ‖～망 情报网 qíngbàowǎng / ～ 이론 信息论 xìnxīlùn
정복(征服) 征服 zhēngfú ¶노르만인이 영국을 ～했다 诺曼人征服了英国 Nuòmànrén zhēngfúle Yīngguó
정부(政府) 政府 zhèngfǔ ¶신～를 수립하다 建立新政府 jiànlì xīn zhèngfǔ
정부(情夫) 情夫 qíngfū; 姘夫 pīnfū
정부(情婦) 情妇 qíngfù; 姘妇 pīnfù
정비(整備) 维修 wéixiū; 修配 xiūpèi; 保养 bǎoyǎng ¶자동차를 ～하다 维修汽车 wéixiū qìchē ‖～ 공장 修配厂 xiūpèichǎng
정사(情死) 情死 qíngsǐ ¶～하다 殉情而死 xùnqíng ér sǐ
정사(情事) 风流韵事 fēngliú yùnshì
정사(精査) 细查 xìchá; 彻查 chèchá
정사각형(正四角形) 正方形 zhèngfāngxíng
정상(正常) 正常 zhèngcháng ¶그의 정신은 ～이 아니다 他的精神不正常 tāde jīngshén bú zhèngcháng / 외교 관계를 ～화하다 使外交关系正常化 shǐ wàijiāo guānxi zhèngchánghuà
정상(頂上) ①《산꼭대기》 顶峰 dǐngfēng; 山顶 shāndǐng ¶한라산의 ～에 올라갔다 登上了汉拿山的顶峰 dēngshàngle Hànnáshān de dǐngfēng ②《절정》 极点 jídiǎn; 顶点 dǐngdiǎn; 绝顶 juédǐng
정서(淨書) 缮写 shànxiě; 誊清 téngqīng; 誊写 téngxiě ¶초고를 ～하다 誊写草稿 téngxiě cǎogǎo
정서(情緖) 情绪 qíngxù ¶저 아이는 ～ 불안정이다 那个孩子情绪不稳定 nàge háizi qíngxù bù wěndìng
정설(定說) 定论 dìnglùn ¶종래의 ～을 뒤집다 推翻从来的定论 tuīfān cónglái de dìnglùn
정세(情勢) 情势 qíngshì; 形势 xíngshì ¶～가 긴박하다 情势紧迫 qíngshì jǐnpò / ～ 판단이 정확하다 形势判断很准确 xíngshì pànduàn hěn zhǔnquè ‖세계 ～ 世界形势 shìjiè xíngshì
정수(淨水) 净水 jìngshuǐ ‖～지 净水池 jìngshuǐchí
정수리(頂…) 头顶 tóudǐng ¶～를 한 대 때리다 照头顶狠狠给了一击 zhào tóudǐng hěnhěn gěile yì jī
정숙(貞淑) 贞淑 zhēnshū ¶～한 아내 贞淑的妻子 zhēnshū de qīzi
정숙(靜肅) 肃静 sùjìng ¶～히 하십시오 请肃静 qǐng sùjìng
정승(政丞) 宰相 zǎixiàng
정시(定時) 准时 zhǔnshí; 按时 ànshí; 正点 zhèngdiǎn ¶열차는 대전에서 ～에 출발했다 列车正点从大田站开车了 lièchē zhèngdiǎn cóng Dàtiánzhàn kāichē le
정식(正式) 正式 zhèngshì ¶두 사람은 ～으로 결혼했다 他们俩正式结了婚 tāmen liǎ zhèngshì jiéle hūn
정식(定食) 客饭 kèfàn; 套菜 tàocài; 份儿饭 fènrfàn
정신(精神) 精神 jīngshén ¶희생적 ～이 강하다 富于自我牺牲的精神 fùyú zìwǒ xīshēng de jīngshén / 사춘기는 ～적으로 불안정한 시기다 青春期正是精神不稳定的时期 qīngchūnqī zhèngshì jīngshén bù wěndìng de shíqī / ～적 부담을 느끼다 感到精神上有负担 gǎndào jīngshén shang yǒu fùdān / ～에 이상이 생겼다 精神失常了 jīngshén shīcháng le ‖～ 노동 脑力劳动 nǎolì láodòng / ～ 박약 精神幼稚症 jīngshén yòuzhìzhèng =〔精神发育不全 jīngshén fāyù bù quán〕/ ～ 안정제 安定药 āndìngyào =〔抗精神失常药 kàng jīngshén shīcháng yào〕
정실(情實) 情面 qíngmiàn; 私情 sīqíng ¶～에 구애되다 拘泥情面 jūnì qíngmiàn =〔徇私 xùnsī〕/ ～에 끌리다 为情面所牵 wéi qíngmiàn suǒ qiān
정양(靜養) 静养 jìngyǎng ¶아직 당분간 ～을 요한다 还须要静养一个时期 hái xūyào jìngyǎng yí ge shíqī
정어리《魚》 撒丁鱼 sādīngyú; 撒颠鱼 sādiānyú; 沙丁鱼 shādīngyú
정연하다(整然…) 井然 jǐngrán; 有条不紊 yǒutiáobùwěn; 整齐 zhěngqí; 井井有条 jǐngjǐng yǒu tiáo ¶논리가 ～ 逻辑条理清楚 luóji tiáolǐ qīngchu
정열(情熱) 热情 rèqíng; 热忱 rèchén ¶그는 ～가다 他是个热情奔放的人 tā shì ge rèqíng bēnfàng de rén / ～적인 눈동자 热情迷人的眼睛 rèqíng mírén de yǎnjing / 그녀는 그 일에 ～을 불태운다 她对那个工作充满热情 tā duì nàge gōngzuò chōngmǎn rèqíng
정오(正午) 正午 zhèngwǔ
정월(正月) 正月 zhēngyuè
정유(精油) 《식물의》 精油 jīngyóu; 《석유의》 精炼油 jīngliànyóu ‖～량 石油加工量 shíyóu jiāgōngliàng / ～ 센터 石油提炼中心 shíyóu tíliàn zhōngxīn
정의(正義) 正义 zhèngyì ¶그는 ～감에 불탄다 他富有正义感 tā fùyǒu zhèngyìgǎn
정자(丁字) 丁字 dīngzì ‖～자 丁字尺 dīngzìchǐ
정자(亭子) 亭子 tíngzi; 凉亭 liángtíng
정작《부사적》 真的 zhēnde; 确乎 quèhu; 实在 shízai; 必定 bìdìng ¶～ 네가 산다면 真想你要买 zhēn xiǎng nǐ yào mǎi
정적(政敵) 政敌 zhèngdí
정적(靜寂) 寂静 jìjìng; 沉寂 chénjì; 沉静 chénjìng ¶주위는 다시 ～을 되찾았다 四外恢复了原有的寂静 sìwài huīfùle yuányǒu de jìjìng
정전(停電) 停电 tíngdiàn
정전(停戰) 停战 tíngzhàn; 停火 tínghuǒ ¶～ 협정을 체결하다 签订停战协定 qiāndìng tíngzhàn xiédìng / 3일간 ～하다 停三天战 tíng sān tiān zhàn
정전기(靜電氣) 静电 jìngdiàn ¶마찰에 의해서 ～

가 일어나다 摩擦生电 mócā shēng diàn

정정(訂正) 改正 gǎizhèng; 订正 dìngzhèng; 更正 gēngzhèng ¶잘못을 ～하다 订正错误 dìngzhèng cuòwù / 발언의 ～를 요구하다 要求更正发言 yàoqiú gēngzhèng fāyán ‖～ 광고 更正启事 gēngzhèng qǐshì

정정당당(正正…) 正大光明 zhèngdàguāngmíng; 光明正大 guāngmíngzhèngdà ¶～하게 시합을 하다 光明正大进行比赛 guāngmíngzhèngdà jìnxíng bǐsài

정정하다(亭亭…) 《노인이》 硬朗 yìnglang; 健康 jiànkāng; 矍铄 juéshuò

정제(精製) 精制 jīngzhì; 精炼 jīngliàn ¶중유를 ～해서 윤활유로 만들다 把重油精炼成润滑油 bǎ zhòngyóu jīngliàn chéng rùnhuáyóu ‖～ 소금 精制盐 jīngzhìyán =〔精盐 jīngyán〕

정제(錠劑) 药片(儿) yàopiàn(r)

정조(貞操) 贞操 zhēncāo; 节操 jiécāo

정족수(定足數) 法定人数 fǎdìng rénshù ¶～에 미달하여 총회는 유회됐다 由于不到法定人数, 大会没能成立 yóuyú bú dào fǎdìng rénshù, dàhuì méi néng chénglì

정중(鄭重) 很有礼貌 hěn yǒu lǐmào; 郑重其事 zhèng zhòng qí shì ¶그의 말씨는 ～하다 他言词彬彬有礼 tā yáncí bīnbīn yǒulǐ

정지(停止) 停止 tíngzhǐ; 《구령》 立定 lìdìng ¶급유중에는 엔진을 ～시켜 주십시오 在加油时请关上引擎 zài jiāyóu shí qǐng guānshàng yǐnqíng ‖～ 신호 停止信号 tíngzhǐ xìnhào

정지(整地) 整地 zhěngdì; 平垫基地 píngdiàn jīdì; 平地 píngdì ¶～하여 씨를 뿌리다 整地播种 zhěngdì bōzhǒng / ～하여 집을 짓다 平整土地盖房子 píngzhěng tǔdì gài fángzi

정직(正直) 正直 zhèngzhí; 率直 shuàizhí; 老实 lǎoshi ¶그는 ～하다 他是个老实人 tā shì ge lǎoshirén =〔他很诚实 tā hěn chéngshí〕/ 나의 질문에 ～하게 답해 주십시오 老老实实回答我的问题 lǎolaoshíshí huídá wǒde wèntí

정진(精進) ①《결재(潔齋)》 斋戒 zhāijiè ¶～ 결재하여 신을 섬기다 净身斋戒供奉神灵 jìng shēn zhāijiè gòngfèng shénlíng ②《채식》 吃素 chīsù; 不茹荤 bùrú hūn ¶～ 요리 素菜 sùcài / 기중(忌中)은 ～하다 居丧忌荤 jūsāng jì hūn =〔服中吃素 fú zhōng chīsù〕 ③《노력》 专心致志 zhuānxīnzhìzhì ¶문학 연구에 ～하다 专心研究文学 zhuānxīn yánjiū wénxué

정찰(正札) 价目标签 jiàmù biāoqiān; 价码儿签子 jià mǎr qiānzi ¶본 점포는 ～판매합니다 我店明码售货 wǒ diàn míngmǎ shòu huò ‖～제 明码 míng mǎ =〔言无二价 yán wú èr jià〕

정찰(偵察) 侦察 zhēnchá; 窥探 kuītàn ¶적정을 ～하다 侦察敌情 zhēnchá díqíng ‖～기 侦察机 zhēnchájī / ～ 비행 侦察飞行 zhēnchá fēixíng

정책(政策) 政策 zhèngcè ¶～을 세우다 制定政策 zhìdìng zhèngcè

정체(正體) 原形 yuánxíng; 真面目 zhēn miànmù; 本来面目 běnlái miànmu ¶그 녀석도 결국 ～를 드러냈다 那个家伙终于原形毕露 nà ge jiāhuo zhōngyú yuánxíng bì lù / 겨우 ～를 알아 내다 终于揭穿了庐山真面目 zhōngyú jiēchuānle Lúshān zhēn miànmù ‖～불명 底子不详 dǐzi bù xiáng =〔来路不明 láilu bù míng〕

정체(停滯) 停滞 tíngzhì ¶생산이 ～하다 生产处于停滞状态 shēngchǎn chǔ yú tíngzhì zhuàngtài ‖～ 전선 静止锋 jìngzhǐfēng =〔准静止锋 zhǔn jìngzhǐfēng〕

정초(正初) 大年下 dàniánxià; 岁首 suìshǒu

정치(政治) 政治 zhèngzhì ¶그들은 ～적 관심이 높다 他们很关心政治 tāmen hěn guānxīn zhèngzhì / 이것으로써 그도 ～ 생명을 잃었다 他由此也葬送了政治生命 tā yóu cǐ yě zàngsònle zhèngzhì shēngmìng ‖～범 政治犯 zhèngzhìfàn / ～ 헌금 政治捐款 zhèngzhì juānkuǎn

정하다(定…) 定 dìng ¶규칙을 ～ 定〔制定〕规则 dìng〔zhìdìng〕guīzé / 목표를 정해서 공부하다 确定目标学习 quèdìng mùbiāo xuéxí / 표적을 정하고 발포하다 瞄准开枪 miáozhǔn kāiqiāng

정학(停學) 停学 tíngxué ¶1주일의 ～ 처분을 받다 受到一个星期的停学处分 shòudào yí ge xīngqī de tíngxué chǔfèn

정형(整形) 整形 zhěngxíng ‖～ 수술 骨科手术 gǔkē shǒushù =〔整形手术 zhěngxíng shǒushù〕/ ～ 외과 骨科 gǔkē =〔矫形(整形)外科 jiǎoxíng(zhěngxíng) wàikē〕

정화(淨化) 净化 jìnghuà ¶공기 ～ 장치 空气净化装置 kōngqì jìnghuà zhuāngzhì

정확(正確) 正确 zhèngquè; 准确 zhǔnquè ¶이 시계는 ～하다 这个表走得很准 zhège biǎo zǒude hěn zhǔn / ～하게 말하면 正确地说 zhèngquède shuō

젖 ①奶 nǎi; 奶水 nǎishuǐ; 乳汁 rǔzhī ¶～을 빨다 吃咂儿 chī zār / ～이 잘 나오다 奶水出得很多 nǎishuǐ chūde hěn duō / 아이에게 ～을 먹이다 给娃娃'吃〔喂〕奶 gěi wáwa 'chī〔wèi〕nǎi / 소～을 짜다 挤牛奶 jǐ niúnǎi ②《유방》 乳房 rǔfáng; 〈方〉奶子 nǎizi ‖～꼭지 咂咂头儿 zāzatóur =〔咂咂(儿) zāza(r)〕

젖내나다 《냄새》 乳臭 rǔxiù; 《어림》 有乳臭 yǒu rǔxiù ¶아직 젖내나는 조그만 녀석이 건방진 말을 하다 乳臭未干的毛孩子竟说大话 rǔxiù wèi gān de máoháizi jìng shuō dàhuà

젖다 湿 shī; 淋湿 línshī; 润湿 rúnshī; 濡湿 rúshī; 浸湿 jìnshī ¶도로가 비에 젖어 있다 马路被雨淋湿了 mǎlù bèi yǔ línshī le / 그녀의 뺨은 눈물로 젖어 있었다 她的脸上让眼泪濡湿了 tāde liǎn shang ràng yǎnlèi rú shī le

젖비린내 《아기의》 乳臭味 rǔxiùwèi; 《미숙함》 幼稚 yòuzhì

젖히다 ①《몸 따위를》 ¶몸을 뒤로 젖히고 웃다 仰天大笑 yǎng tiān dà xiào ②翻 fān ¶장부를 ～ 翻账本 fān zhàng běn

제각기(…各其) 各人 gèrén; 各自(儿) gèzì(r)

제것 自己的所有 zìjǐ de suǒyǒu ¶～으로 만들다 变成自己的所有 biànchéng zìjǐ de suǒyǒu / ～이 되다 归为己有 guīwéi jǐ yǒu

제곱 自乘 zìchéng; 平方 píngfāng

제공(提供) 提供 tígōng ¶자료를 ～하다 提供资料 tígōng zīliào

제공권(制空權) 制空权 zhìkōngquán ¶～을 장악하다 掌握制空权 zhǎngwò zhìkōngquán

제과(製菓) 制造糕点或糖果 zhìzào gāodiǎn huò tángguǒ ‖～ 회사 糖果制造公司 tángguǒ zhìzào gōngsī

제국(帝國) 帝国 dìguó ‖～주의 帝国主义 dìgu

zhǔyì
제기[1] 《장난감》 踢毽子 tījiànzi
제기[2] 《감탄사》 ⇨제기랄
제기(提起) 提出 tíchū ¶기본 방침에 대해서 문제를 ～하다 就基本方针提出问题 jiù jīběn fāngzhēn tíchū wèntí
제기랄 狗屁 gǒupì; 他妈的 tā mā de
제꺽 ①《부러지는 소리》 喀吧 kābā ②《시원히》 快手快脚地 kuàishǒu kuàijiǎode ¶～지불하다 立刻付款 lìkè fùkuǎn
제대(除隊) 退伍 tuìwǔ ¶만기가 되어서 ～하다 服役期满退了伍 fúyì qīmǎn tuìle wǔ ‖의가사～ 因家务事退伍 yīn jiāwushì tuìwǔ
제대로 《사실대로》 据实 jùshí; 如实 rúshí; 照实 zhàoshí; 《정상적으로》 正常 zhèngcháng ¶～말하다 照实说 zhàoshí shuō
제도(制度) 制度 zhìdù ¶의회～ 议会制度 yìhuì zhìdù / 신～를 채용하다 采用新制度 cǎiyòng xīn zhìdù
제도(製圖) 绘制 huìzhì; 制图 zhìtú; 绘图 huìtú ¶공장의 설계도를 ～하다 绘制工厂的设计图 huìzhì gōngchǎng de shèjìtú ‖～기계 制图仪器 zhìtú yíqì / ～대 制图桌 zhìtúzhuō / ～판 制图版 zhìtúbǎn
제독(提督) 舰队司令 jiànduì sīlìng
제동(制動) 制动 zhìdòng ‖～기 制动器 zhìdòngqì =〔制动闸 zhìdòngzhá〕
제라늄(geranium) 《植》 天竺葵 tiānzhúkuí; 石辣红 shílàhóng
제련(製鍊) 精炼 jīngliàn; 提炼 tíliàn ‖～소 精炼厂 jīngliànchǎng
제로(zero) 零 líng; 洞 dòng
제막(除幕) 揭幕 jiēmù ‖～식 揭幕礼 jiēmùlǐ =〔揭幕仪式 jiēmù yíshì〕
제멋대로 任性 rènxìng; 随自己的便 suí zìjǐ de biàn; 自私 zìsī ¶～하다 独断独行 dú duàn dú xíng
제명(除名) 除名 chúmíng; 开除 kāichú ¶규약에 위반한 사람을 ～하다 开除违反规章的人 kāichú wéifǎn guīzhāng de rén
제목(題目) 题目 tímù; 标题 biāotí
제반(諸般) 各种 gèzhǒng; 种种 zhǒng zhǒng; 百般 bǎibān ¶～ 정세 种种情势 zhǒngzhǒng qíngshì
제발 请愿 qǐngyuàn ¶～ 용서하여 주십시오 请您饶恕我吧 qǐng nín ráoshù wǒ ba / ～ 잘 부탁드립니다 请多关照 qǐng duō guānzhào
제방(堤防) 堤 dī; 堤岸 dī'àn; 堤防 dīfáng; 堤坝 dībà ¶～을 쌓다 筑堤 zhù dī / ～이 무너지다 堤防决口了 dīfáng juékǒu le
제법 不离 bùlí; 可以 kěyǐ ¶중국어가 ～이다 中国话说的相当流利 Zhōngguóhuà shuō de xiāngdāng liúli
제본(製本) 装订 zhuāngdìng; 订书 dìngshū ¶논문을 ～하다 装订论文 zhuāngdìng lùnwén ‖～소 装订社 zhuāngdìngshè
제분(製粉) 磨面 mò miàn ¶밀을 ～하다 把小麦磨成面粉 bǎ xiǎomài mòchéng miànfěn ‖～소 磨坊 mòfáng =〔面粉厂 miànfěnchǎng〕
제비[1] 《추첨》 签子 qiānzi; 签儿 qiānr; 阄儿 jiūr ¶～뽑다 抽签儿 chōuqiānr =〔抓〔拈〕阄儿 zhuā〔niān〕jiūr〕/ 간사를 ～로 결정하다 抓阄儿决定谁当干事 zhuā jiūr juédìng shuí dāng gànshi
제비[2] 《鳥》 燕子 yànzi; 家燕 jiāyàn
제비꽃 《植》 堇菜 jǐncài; 紫花地丁 zǐhuādìdīng
제빙(製氷) 制冰 zhìbīng; 造冰 zàobīng ¶암모니아로 ～하다 利用氨制造冰 lìyòng ān zhìzào bīng ‖～기 制冰机 zhìbīngjī
제사(祭祀) 祭祀 jìsì ¶조상의 ～를 지내다 祭祀祖先 jìsì zǔxiān
제사(製絲) 缫丝 sāosī; 纺纱 fǎngshā ‖～공 缫丝工人 sāosī gōngrén / ～업 缫丝业 sāosīyè
제삼자(第三者) 第三者 dìsānzhě
제설(除雪) 除雪 chú xuě; 扫雪 sǎo xuě ¶도로의 ～을 하다 扫除道路上的雪 sǎochú dàolù shang de xuě ‖～차 除雪车 chúxuěchē
제수(弟嫂) 弟妇 dìfù; 小婶儿 xiǎoshěnr
제스처(gesture) 手势 shǒushì ¶그는 온갖 ～를 써 가며 얘기한다 他指手画脚地说 tā zhǐshǒuhuàjiǎo de shuō / 그것은 단순한 ～에 지나지 않는다 那只不过是摆样子罢了 nà zhǐ búguò shì bǎi yàngzi bà le
제시(提示) 出示 chūshì ¶운전 면허증의 ～를 요구하다 要求出示驾驶执照 yàoqiú chūshì jiàshǐ zhízhào
제안(提案) 提案 tí'àn; 建议 jiànyì ¶일시 휴전을 ～하다 建议暂时停火 jiànyì zànshí tínghuǒ / 나의 ～은 받아들여지지 않았다 我的提案未被采纳 wǒde tí'àn wèi bèi cǎinà
제야(除夜) 除夜 chúyè; 除夕 chúxī ¶～의 종 除夜的钟声 chúyè de zhōngshēng
제약(制約) 制约 zhìyuē; 限制 xiànzhì ¶계획은 여러 가지 ～을 받아서 진전이 없다 计划受到种种制约, 没有进展 jìhuà shòudào zhǒngzhǒng zhìyuē, méiyǒu jìnzhǎn
제약(製藥) 制药 zhìyào ‖～ 회사 制药公司 zhìyào gōngsī
제어(制御) 控制 kòngzhì; 抑制 yìzhì ¶자동～장치 自动控制装置 zìdòng kòngzhì zhuāngzhì =〔自动控制器 zìdòng kòngzhìqì〕
제왕(帝王) 帝王 dìwáng
제외(除外) 除外 chúwài ¶그를 ～하고서는 결정할 수가 없다 把他排除在外无法决定 bǎ tā páichú zài wài wúfǎ juédìng
제웅 刍灵 chúlíng; 草俑 cǎoyǒng
제육 猪肉 zhūròu
제육감(第六感) 第六感 dìliùgǎn ¶～이 작용하다 灵机一动 língjī yí dòng
제일(祭日) 忌辰 jìchén; 死祭日 sǐjìrì
제의(提議) 提意见 tí yìjiàn; 提议 tíyì; 建议 jiànyì ¶사람들은 그의 ～에 동의한다 人们同意他的提议 rénmen tóngyì tāde tíyì
제일(第一) 第一 dìyī; 甲 jiǎ; 头一个 tóu yí ge
제자(弟子) 弟子 dìzǐ; 徒弟 túdi; 门生 ménshēng; 学徒 xuétú ¶A 화백의 ～로 들어가다 投A画家门下当弟子 tóu A huàjiā ménxià dāng dìzǐ
제자(諸子) 诸子 zhūzǐ ‖～ 백가 诸子百家 zhūzǐ bǎijiā
제자리걸음 ①踏步 tàbù; 踏脚 tàjiǎo ¶～ 시작《구령》 踏步走! tàbù zǒu ②《정체》 停滞不前 tíngzhì bù qián ¶세계 경제의 변동으로 수출은 ～이다 由于世界经济的变动, 出口停滞了 yóuyú shìjiè jīngjì de biàndòng, chūkǒu tíngzhì le / 교섭은 ～이다 交涉处于停滞不前的状态 jiāoshè chǔ yú tíngzhì bù qián de zhuàngtài

제재(制裁) 制裁 zhìcái ¶법의 ~를 받다 受到法律的制裁 shòudǎo fǎlǜ de zhìcái / 완력으로 ~를 가하다 用拳头制裁 yòng quántou zhìcái
제재소(製材所) 制材厂 zhìcáichǎng; 锯木厂 jùmùchǎng
제적(除籍) ①《학적상》 开除 kāichú; 除籍 chújí ¶학교로부터 ~당하다 被学校开除 bèi xuéxiào kāichú =〔被开除学籍 bèi kāichú xuéjí〕 ②《호적상》 撤消户口 chèxiāo hùkǒu
제정(制定) 制定 zhìdìng ¶헌법을 ~하다 制定宪法 zhìdìng xiànfǎ
제조(製造) 制造 zhìzào ¶펄프로부터 종이를 ~하다 用纸浆造纸 yòng zhǐjiāng zào zhǐ ‖~업자 厂家 chǎngjiā
제지(制止) 制止 zhìzhǐ; 禁阻 jìnzǔ ¶폭도의 침입을 ~하다 制止暴徒侵入 zhìzhǐ bàotú qīnrù
제지(製紙) 造纸 zào zhǐ ‖~공장 造纸厂 zàozhǐchǎng / ~업 造纸业 zàozhǐyè
제초(除草) 除草 chú cǎo ¶밭의 ~를 하다 除地里的草 chú dì li de cǎo ‖~기 除草机 chúcǎojī
제출(提出) 提出 tíchū ¶신청서를 ~하다 提交申请书 tíjiāo shēnqǐngshū / 답안을 ~하다 交卷儿 jiāojuànr
제출물로 自动地 zìdòngde
제트(jet) 喷射 pēnshè; 喷气 pēnqì ‖~기 喷气式飞机 pēnqìshì fēijī / ~ 기류 喷射气流 pēnshè qìliú / ~ 엔진 喷气式发动机 pēnqìshì fādòngjī
제패(制霸) 称霸 chēngbà ¶세계 ~를 꾀하다 妄图称霸世界 wàngtú chēngbà shìjiè
제품(製品) 成品 chéngpǐn; 产品 chǎnpǐn; 制品 zhìpǐn ¶플라스틱 ~ 塑料制品 sùliào zhìpǐn / 화학 ~ 化学产品 huàxué chǎnpǐn / ~을 검사하다 进行成品检查 jìnxíng chéngpǐn jiǎnchá
제하고서(除…) 除…以外 chú… yǐwài ¶그를~는 除了他以外 chúle tā yǐwài
제하다(除…) ①〔數〕《나누다》 除 chú ¶2로 8을 ~ 拿二除八 ná èr chú bā ②《빼다》 扣 kòu; 扣除 kòuchú; 减去 jiǎnqù ¶급료에서 세금을 ~ 从工资里扣税 cóng gōngzī li kòu shuì
제한(制限) 拘束 jūshù; 限制 xiànzhì; 限度 xiàndù; 界限 jièxiàn ¶~을 가하다 加以限制 jiāyǐ xiànzhì / 산아 ~을 하다 节制生育 jiézhì shēngyù =〔节育 jié yù〕/ 회원의 자격에는 연령의 ~이 없다 会员的资格没有年龄限制 huìyuán de zīge méiyǒu niánlíng xiànzhì
제현(諸賢) 诸位先生 zhūwèi xiānsheng ¶~의 협력을 바랍니다 希望诸位先生与予协力 xīwàng zhūwèi xiānsheng yǔyǔ xiélì
제휴(提携) 合作 hézuò; 协作 xiézuò ¶A 사와 ~해서 사업을 진행하다 同 A 公司合作办事业 tóng A gōngsī hézuò bànshìyè ‖기술 ~ 技术合作 jìshù hézuò
젠장 妈的 māde; 好家伙 hǎo jiāhuo ¶~맞을 糟了 zāole
젠체하다 捏款儿 niēkuǎnr; 装腔作势 zhuāngqiāngzuòshì; 摆臭架子 bǎi chòujiàzi
젤리(jelly) 果子冻 guǒzidòng
조[1] 〔植〕 小米 xiǎomǐ; 粟 sù; 〈口〉 谷子 gǔzi
조[2] 《삼인칭》 那 nà ¶~것들 那些个 nàxiēge / ~것 那个 nàge
조(條) 《조항》 条 tiáo
조(組) 组 zǔ; 班 bān
조(朝) 朝 cháo ¶고려~ 高丽朝 Gāolícháo
조(調) 《말투·행동》 式(的) shì(de) ¶번역 ~의 문체 翻译式的文体 fānyìshì de wéntǐ
조(兆) 万亿 wànyì
조가(弔歌) 挽歌 wǎngē
조가비 贝壳(儿) bèiké(r) ‖~ 세공 贝雕 bèidiāo
조각 碎片(儿) suìpiàn(r); 碎块儿 suìkuàir; 碴儿 chár ¶기와 ~이 온통 흩어져 있다 四处散着碎瓦片儿 sìchù sànzhe suì wǎpiànr / ~이 나다 粉碎 fěnsuì =〔寸断 cùnduàn〕 ‖유리 ~ 玻璃碴儿 bōli chár / ~달 蛾眉月 éméiyuè =〔月弓 yuègōng〕
조각(彫刻) 雕刻 diāokè ¶불상을 ~하다 雕刻佛像 diāokè fóxiàng ‖~가 雕刻家 diāokèjiā
조간(朝刊) 晨报 chénbào; 日报 rìbào
조개 贝 bèi ‖~무지 贝冢 bèizhǒng
조건(條件) 条件 tiáojiàn ¶엄한 ~을 받아들이다 接受了苛刻的条件 jiēshòule kēkè de tiáojiàn ‖~ 반사 条件反射 tiáojiàn fǎnshè / 노동 ~ 劳动条件 láodòng tiáojiàn
조교수(助敎授) 副教授 fùjiàoshòu
조국(祖國) 祖国 zǔguó ¶~을 지키다 捍卫祖国 hànwèi zǔguó ‖~애 对祖国的爱 duì zǔguó de ài
조그마하다 《작다》 小一点 xiǎo yì diǎn; 微小 wēixiǎo; 《사소》 些微 xiēwēi; 细小 xìxiǎo ¶조그마한 일 小事 xiǎoshì / 조그마한 차이 些微之差 xiēwēi zhī chā
조금(潮…) 小潮 xiǎocháo; 微潮 wēi cháo
조금 《양》 一点儿 yìdiǎnr; 少许 shǎoxǔ; 《부사적으로》 一点 yìdiǎn ¶~씩 一点一点地 yìdiǎn yìdiǎnde / ~ 더 再多一点儿 zài duō yìdiǎnr / ~도 一点也 yìdiǎn yě / …과 ~도 틀리지 않는다 跟…一点也不差 gēn… yìdiǎn yě bùchā
조급(早急) 火速 huǒsù; 火急 huǒjí ¶이 문제는 ~히 처리해야 한다 这件事须火急处理 zhè jiàn shì xū huǒjí chǔlǐ
조급하다(躁急…) 躁急 zàojí; 令人不耐烦的 lìngrén bú nàifan de; 急不暇待的 jí búxià dài de
조기 〔魚〕 石首鱼 shíshǒuyú; 黄花鱼 huánghuāyú; 黄鱼 huángyú
조끼 《옷》 背心(儿) bèixīn(r)
조난(遭難) 遭难 zāonàn; 遇险 yùxiǎn; 遇难 yùnàn ‖~ 구조대 枪救队 qiǎngjiùduì / ~ 신호 呼救〔遇险〕信号 hūjiù 〔yùxiǎn〕 xìnhào / ~자 遇难者 yùnànzhě
조달(調達) ①《금전》 筹措 chóucuò ¶자금 ~을 위해 바삐 뛰어다니다 为筹措资金奔走 wèi chóucuò zījīn bēnzǒu ②《공급》 供应 gōngyìng; 办置 bànzhì ¶현지 ~ 当地采购 dāngdì cǎigòu / 주문과 같이 물자를 ~하다 依照定货供应物资 yīzhào dìnghuò gōngyìng wùzī
조러하다 像那样(儿) xiàng nàyàng(r) ¶조러한 것이 또 없느냐 像那样的还有没有 xiàng nàyàng de hái yǒu méiyǒu
조력(助力) 帮忙 bāngmáng; 帮助 bāngzhù; 协助 xiézhù ¶친구의 ~을 구하다 请求朋友协助 qǐngqiú péngyou xiézhù
조령모개(朝令暮改) 朝令夕改 zhāolìngxīgǎi
조롱(嘲弄) 嘲弄 cháonòng ¶그는 나를 무능하다고 ~한다 他嘲弄我说我无能 tā cháonòng w…

shuō wǒ wúnéng
조류(鳥類) 鸟类 niǎolèi; 羽族 yǔzú
조류(潮流) 潮流 cháoliú ¶그도 시대의 ~에는 이길 수가 없었다 他也抗不过时代的潮流 tā yě kàngbuguò shídài de cháoliú
조르다 《매다》 勒紧 lēijǐn; 绷紧 bēngjǐn; 《요구》 央求 yāngqiú; 勒措 lēikèn; 《재촉》 催逼 cuībī
조리(笊籬) 笊篱 zhàoli
조리(條理) 条理 tiáolǐ ¶네가 말하는 것은 ~에 합당하다 你的话说得合乎条理 nǐde huà shuōde héhū tiáolǐ =〔你这话说得人情人理 nǐ zhè huà shuōde rùqíngrùlǐ〕
조리차하다 撙节 zǔnjié; 过日子很仔细 guò rìzi hěn zǐxì
조립(組立) 装配 zhuāngpèi; 构造 gòuzào ¶~식 책꽂이 组装式的书架 zǔzhuāngshì de shūjià
조마조마하다 惦念着 diànniànzhe; 摇摆不定 yáobǎi búdìng; 叫人揉心 jiào rén róuxīn; 揪心 jiūxīn; 提心吊胆 tí xīn diào dǎn
조막손이 手挛的人 shǒuluán de rén
조만간(早晚間) 迟早 chízǎo; 早晚 zǎowǎn ¶이 사건도 ~ 해결될 것이다 这个事件早晚会解决的 zhège shìjiàn zǎowǎn huì jiějué de
조망(眺望) 眺望 tiàowàng; 瞭望 liàowàng
조명(照明) 照明 zhàomíng ¶~ 효과가 훌륭하다 照明效果蛮好 zhàomíng xiàoguǒ mán hǎo ‖무대 ~ 舞台'照明〔灯光〕 wǔtái'zhàomíng〔dēngguāng〕
조모(祖母) 《아버지쪽》 祖母 zǔmǔ; 〈口〉 奶奶 nǎinai; 《어머니쪽》 外祖母 wàizǔmǔ
조무래기 ①《아이》 小家伙 xiǎojiāhuǒ; 小伙计 xiǎohuǒji; 毛羔羔子 máogāogāozi ②《물건》 零碎的 língsuì de
조문(弔文) 哀辞 āicí; 悼词 dàocí
조문(弔問) 吊唁 diàoyàn; 慰唁 wèiyàn ¶유족을 ~하다 吊唁遗族 diàoyàn yízú / ~객이 끊이지 않다 吊客络绎不绝 diàokè luòyì bùjué
조물주(造物主) 造物主 zàowùzhǔ
조미(調味) 调味 tiáowèi ¶소금과 후추로 ~하다 用盐和胡椒调味 yòng yán hé hújiāo tiáowèi ‖~료 调味品 tiáowèipǐn; 调料 tiáoliào; 作味 zuówèi ¶화학 ~료 化学调味品 huàxué tiáowèipǐn
조밀(稠密) 稠密 chóumì ¶인구가 ~한 지대 人口稠密地带 rénkǒu chóumì dìdài
조바심 惦念 diànniàn; 挂心 guàxīn; 提心吊胆 tí xīn diào dǎn
조반(朝飯) 早饭 zǎofàn; 早点 zǎodiǎn; 早餐 zǎocān
조밥 小米饭 xiǎomǐfàn
조부(祖父) 祖父 zǔfù; 爷爷 yéye
조사(調査) 查勘 chákàn; 调查 diàochá ¶그 문제는 목하 ~중에 있다 该问题目前正在进行调查 gāi wèntí mùqián zhèngzài jìnxíng diàochá / 해수의 오염도를 ~하다 调查海水污染的程度 diàochá hǎishuǐ wūrán de chéngdù
조산(早産) 先期产 xiānqíchǎn; 早产 zǎochǎn ‖~아 早产儿 zǎochǎnr
조상(祖上) 祖先 zǔxiān ¶~을 제사 지내다 祭祖先 jì zǔxiān
조서(調書) 《조사 항목의》 记录 jìlù; 报告书 bàogàoshū; 笔录 bǐlù ¶검사는 용의자로부터 ~를 받는다 检察员讯问嫌疑犯 jiǎncháyuán xùnwèn xiányífàn
조세(租稅) 租税 zūshuì ¶~를 과하다 课税 kèshuì
조소(嘲笑) 冷笑 lěngxiào; 嘲笑 cháoxiào ¶그의 행위는 사람들의 ~를 샀다 他的行为受到人们的嘲笑 tāde xíngwéi shòudào rénmen de cháoxiào
조수(助手) 助手 zhùshǒu; 帮手 bāngshǒu
조숙(早熟) 早熟 zǎoshú ¶요새 아이들은 옛날보다 ~하다고 말한다 据说近来的孩子比过去要早熟 jùshuō jìnlái de háizi bǐ guòqù yào zǎoshú
조심(操心) 小心 xiǎoxīn; 注意 zhùyì; 留神 liúshén; 提防 dīfáng ¶불~ 小心火烛 xiǎoxīn huǒzhú / 소매치기 ~ 谨防扒手 jǐnfáng páshǒu / ~스러운 사람 小心谨慎的人 xiǎoxīnjǐnshèn de rén
조아리다 叩头 kòutóu; 磕头 kētóu
조약(條約) 条约 tiáoyuē ¶~을 체결하다 签订〔缔结〕条约 qiāndìng〔dìjié〕 tiáoyuē / ~을 폐기하다 废除条约 fèichú tiáoyuē
조약돌 碎石 suìshí; 小石子 xiǎoshízi
조언(助言) 从旁教导 cóngpáng jiàodǎo; 出主意 chū zhǔyi ¶후배에게 ~을 해 주다 向后辈提出劝告 xiàng hòubèi tíchū quàngào
조예(造詣) 造诣 zàoyì ¶고고학에 대하여 ~가 깊다 对考古学造诣很深 duì kǎogǔxué zàoyì hěn shēn
조용하다 安静 ānjìng; 沉静 chénjìng; 肃静 sùjìng
조율(調律) 调音 tiáo yīn ¶피아노를 ~하다 给钢琴调音 gěi gāngqín tiáo yīn ‖~사 调音师 tiáoyīnshī
조의(弔意) 哀悼 āidiào ¶삼가 ~를 표하다 谨表哀悼之意 jǐn biǎo āidiào zhī yì
조인(調印) 签订 qiāndìng; 签字 qiānzì; 盖印 gàiyìn ¶양국은 평화 조약에 ~했다 两国签订了和约 liǎng guó qiāndìngle héyuē ‖~식 签订仪式 qiāndìng yíshì
조작(操作) 操作 cāozuò; 操纵 cāozòng ¶이 기계는 ~이 간단하다 这架机器操作很简单 zhè jià jīqi cāozuò hěn jiǎndān / 장부를 ~하여 세금을 포탈하다 窜改账本偷税漏税 cuàngǎi zhàngběn tōushuì lòushuì
조잡(粗雜) 粗糙 cūcāo; 毛糙 máocao; 马虎 mǎhu; 草率 cǎoshuài ¶~한 계획 草率的计划 cǎoshuài de jìhuà / ~한 제품 粗糙的制品 cūcāo de zhìpǐn
조전(弔電) 唁电 yàndiàn ¶~을 치다 发唁电 fā yàndiàn
조절(調節) 调整 tiáozhěng; 调节 tiáojié ¶온도의 ~을 자동화하다 使温度调节自动化 shǐ wēndù tiáojié zìdònghuà
조정(調停) 调停 tiáoting; 调解 tiáojiě ¶국제 분쟁을 ~하다 调停国际纠纷 tiáoting guójì jiūfēn
조정(調整) 调整 tiáozhěng; 协调 xiétiáo ¶경기~책 景气调节措施 jǐngqì tiáojié cuòshī / 출발 전에 엔진을 ~하다 出发前调整发动机 chūfā qián tiáozhěng fādòngjī / 모두의 의견을 ~하다 协调大家的意见 xiétiáo dàjiā de yìjian
조제(調劑) 配药 pèi yào; 调剂 tiáojì ¶약국에서 처방대로 ~하다 让药房按处方调剂 ràng yàofáng àn chǔfāng tiáojì

조조(早朝) 清晨 qīngchén; 早晨 zǎochén; 清早 qīngzǎo
조종(操縱) ①《기계 따위를》 开 kāi; 驾驶 jiàshǐ; 操纵 cāozòng ¶비행기를 ～하다 驾驶〔驾, 开〕飞机 jiàshǐ〔jià, kāi〕 fēijī ②《사람을》 操纵 cāozòng; 驾驭 jiàyù ¶그녀는 남편을 교묘히 ～한다 她很会驾驭丈夫 tā hěn huì jiàyù zhàngfu ‖～간 操纵杆 cāozònggǎn / 비행기 ～사 飞机驾驶员 fēijī jiàshǐyuán / ～석 驾驶舱 jiàshǐcāng
조지다 ①《사개를》 勒紧 lējǐn ②《단속》 严加管束 yánjiā guǎnshù
조직(組織) 组织 zǔzhī ¶노동 조합을 ～하다 组织工会 zǔzhī gōnghuì / ～적인 활동 有组织的活动 yǒu zǔzhī de huódòng
조짐(兆朕) 先兆 xiānzhào; 兆头 zhàotou; 预兆 yùzhào; 苗头 miáotou; 端倪 duānní; 兆朕 zhàozhèn; 征兆 zhēngzhào; 征象 zhēngxiàng; 征候 zhēnghòu ¶환자에게 회복의 ～이 보이다 病人已有好转的征候 bìngrén yǐ yǒu hǎozhuǎn de zhēnghòu
조청(造淸) 糖稀 tángxī
조촐하다 小而整洁 xiǎo ér zhěngjié
조총(鳥銃) 气枪 qìqiāng
조치(措置) 措置 cuòzhì; 措施 cuòshī ¶예방 ～를 취하다 采取预防措施 cǎiqǔ yùfáng cuòshī
조카 《형제의 자식》 侄儿 zhír; 侄子 zhízi; 《자매의 자식》 外甥 wàisheng
조퇴(早退) 早归 zǎoguī ¶학교에서 ～하다 从学校早退了 cóng xuéxiào zǎotuì le / 오늘 회사를 ～했다 我今天由公司早退了 wǒ jīntiān yóu gōngsī zǎotuì le
조합(組合) 《동업자의》 公会 gōnghuì; 行会 hánghuì; 组合 zǔhé; 合作社 hézuòshè ¶노동 ～ 工会 gōnghuì / 소비자 협동 ～ 消费合作社 xiāofèi hézuòshè
조합(調合) 《약의》 配 pèi; 配制 pèizhì; 调配 tiáopèi ¶처방에 따라서 약을 ～하다 按处方配制药品 àn chǔfāng pèizhì yàopǐn =〔配方 pèifāng〕
조형(造形) 造型 zàoxíng ¶고대 조각의 ～미에 감탄하다 古代雕刻的造型之美令人感叹 gǔdài diāokè de zàoxíng zhī měi lìng rén gǎntàn ‖～ 미술 造型艺术 zàoxíng yìshù
조화(造花) 假花 jiǎhuā; 人造花 rénzàohuā; 塑料花 sùliàohuā; 纸花 zhǐhuā
조화(調和) 调和 tiáohe; 和谐 héxié; 谐和 xiéhé ¶그녀의 복장은 색의 ～가 좋지 않다 她的穿戴颜色不和谐 tāde chuāndài yánsè bù héxié
조회(照會) 照会 zhàohuì; 查询 cháxún ¶그 사람의 성적에 대해 학교에 ～하다 就那个人的成绩向学校作了查询 jiù nàge rén de chéngjī xiàng xuéxiào zuòle cháxún
족대기다 《볶아치다》 纠缠不清 jiūchán bùqīng; 《우기다》 强词夺理 qiǎng cí duó lǐ
족적(足跡·足迹) 《발자취》 足迹 zújì; 脚踪儿 jiǎozōngr; 脚印(儿,子) jiǎoyìn (r, zi) ¶한국 등반대는 에베레스트에 ～을 남겼다 韩国登山队在珠穆朗玛峰留下了脚印 Hánguó dēngshānduì zài Zhūmùlǎngmǎfēng liúxiàle jiǎoyìn / A 박사는 의학의 발전에 커다란 ～을 남겼다 A 博士在医学发展史上留下了光辉的足迹 A bóshì zài yīxué fāzhǎnshǐ shang liúxiàle guānghuī de zújì
족제비 《動》 黄鼬 huángyòu; 黄鼠狼 huángshǔláng
족족 ①《찢는 모양》 克嗤克嗤(撕破) kèchi kèchi ②《마다》 每…就 měi… jiù ¶그들은 만나는 ～ 싸움이다 他们每一见面就吵嘴 tāmen měi yí jiànmiàn jiù chǎozuǐ
족집게 镊子 nièzi
족하다(足…) 足够 zúgòu ¶2천 원이면 ～ 有了两千块钱就够 yǒu le liǎng qiān kuàiqián jiù gòu / 족히 3마일은 된다 足有三英里 zú yǒu sān yīnglǐ
존경(尊敬) 尊敬 zūnjìng ¶～의 마음을 품다 怀尊敬之意 huái zūnjìng zhī yì / 내가 ～하는 인물 我所尊敬的人物 wǒ suǒ zūnjìng de rénwù
존득존득하다 筋头 jīntou; 经嚼 jīngjiáo
존속(尊屬) 尊亲 zūnqīn; 尊亲属 zūnqīnshǔ ‖～ 살인 杀害尊亲 shāhài zūnqīn
존엄(尊嚴) 尊严 zūnyán ¶인간의 ～ 人的尊严 rén de zūnyán / ～한 태도로 대하다 以尊严的态度对待 yǐ zūnyán de tàidu duìdài
존재(存在) ①存在 cúnzài ¶～가 의식을 결정하다 存在决定意识 cúnzài juédìng yìshí / 신의 ～를 믿습니까? 你相信神的存在吗? nǐ xiāngxìn shén de cúnzài ma ②《인물》 人物 rénwù ¶～를 인정받다 得到公认 dédào gōngrèn ‖～론 本体论 běntǐlùn
존중(尊重) 尊重 zūnzhòng ¶소수의 의견을 ～하다 尊重少数意见 zūnzhòng shǎoshù yìjiàn
졸깃졸깃하다 柔韧 róurèn
졸다[1] 《졸려서》 打盹儿 dǎdǔnr ¶졸면서 운전하다 사고를 일으켰다 打盹儿开车闯了祸 dǎdǔnr kāichē chuǎngle huò
졸다[2] 《졸아들다》 熬得减少 áode jiǎnshǎo ¶국물이 졸아붙어 맛이 짜졌다 汤煮浓有点咸了 tāng zhǔnóng yǒudiǎn xián le
졸도(卒倒) 昏厥 hūnjué; 晕厥 yūnjué; 晕倒 yūndǎo; 昏倒 hūndǎo ¶더위 때문에 ～했다 由于炎热昏倒了 yóuyú yánrè hūndǎo le
졸라매다 扎紧 zājǐn; 捆紧 kǔnjǐn
졸렬(拙劣) 拙劣 zhuōliè ¶～한 문장 拙劣的文章 zhuōliè de wénzhāng
졸리다[1] 《잠 오다》 困 kùn; 发困 fākùn ¶졸려 못 견디다 困得不得了 kùnde bùdéliǎo / 어린아이가 졸린 눈을 하고 있다 孩子眼睛显得很困 háizi yǎnjing xiǎnde hěn kùn
졸리다[2] 《남에게》 被煎熬 bèi jiān'áo; 被勒掯 bèi lèkèn
졸병(卒兵) 兵卒 bīngzú; 卒子 zúzi
졸부(猝富) 暴发富 bàofāfù
졸아들다 逐渐减少 zhújiànjiǎnshǎo
졸아붙다 煮干 zhǔ gān; 熬干 áo gān
졸업(卒業) 毕业 bìyè ¶내년에 대학을 ～한다 明年大学毕业 míngnián dàxué bìyè ‖～ 논문 毕业论文 bìyè lùnwén / ～ 시험 毕业考试 bìyè kǎoshì / ～식 毕业典礼 bìyè diǎnlǐ / ～ 증서 毕业文凭 bìyè wénpíng
졸음 睡意 shuìyì ¶～이 오다 发困 fākùn =〔想睡 xiǎng shuì〕 / ～을 물리치려고 진한 차를 마시다 喝杯酽茶解解困 hē bēi yàn chá jiějie kùn
졸이다 ①《마음을》 着急 zhāojí; 焦心 jiāoxīn ②《끓여서》 煮稠 zhǔ chóu; 煮浓 zhǔ nóng
졸장부(拙丈夫) 庸才 yōngcài
졸졸 ①《물이》 涓涓 juānjuān; 潺潺 chánchán

¶～ 흐르다 水流涓涓 shuǐ liú juānjuān / 시냇물이 ～ 흐르고 있다 溪水潺潺而流 xīshuǐ chánchán ér liú ②《따라다니다》 跟随 gēnsuí ¶아이들이 ～ 따라온다 一大堆孩子跟着来 yí dà duī háizi gēnzhe lái
졸중(卒中) 中风 zhòngfēng; 卒中 cùzhòng
졸지에(猝地…) 冒然 màorán; 造次 zàocì; 猝然 cùrán
좀[1] 《蟲》 蠹虫 dùchóng; 米虫 mǐchóng ¶～먹다 被蠹虫打 bèi dùchóng dǎ
좀[2] ①《조금》 一点儿 yìdiǎnr; 少许 shǎoxǔ ¶～ 이상한 놈이다 精神有点不正常的家伙 jīngshen yǒudiǎn bú zhèngcháng de jiāhuo ②《잠깐》 一会儿 yìhuǐr; 姑且 gūqiě ¶～ 있다가 过一会儿 guò yìhuǐr
좀[3] 《얼마나》 多么 duōme ¶～ 좋으냐! 多么好啊! duōme hǎo a! / ～ 어떠냐 多少好一点吗 duōshǎo hǎo yì diǎn ma
좀도둑 毛贼 máozéi; 小偷儿 xiǎotōur
좀스럽다 《마음이》 不大方 bú dàfang; 鸡鸡缩缩 jījī suōsuō; 《규모가》 简陋 jiǎnlòu
좀처럼 ①《쉽사리》 ¶～ 뜻대로 되지 않다 难能如意 nán néng rúyì / ～ 오지 못한다 不能容易来 bù néng róngyi lái ②《흔하게》 ¶이런 사고는 ～ 없다 这样事故很少有 zhè yàng shìgu hěn shǎo yǒu / ～ 결근을 안 하다 很少请假 hěn shǎo qǐngjià
좀팽이 《체격이》 矮个子 ǎigèzi; 《마음이》 量窄的人 liàng zhǎi de rén
좁다 ①《면적이》 窄小 zhǎixiǎo; 狭小 xiáxiǎo ¶우리 학교는 운동장이 ～ 我们的学校操场'窄小〔很小〕 wǒmen de xuéxiào cāochǎng'zhǎixiǎo〔hěn xiǎo〕 ②《폭이》 窄 zhǎi; 狭窄 xiázhǎi ¶도로가 좁아서 차가 지나가지 못하다 路太窄, 车子开不过去 lù tài zhǎi, chēzi kāibuguòqù ③《규모·범위 따위가》 窄 zhǎi; 狭窄 xiázhǎi ¶견식이 좁은 사람 见识狭窄的人 jiànshi xiázhǎi de rén / 세상은 넓은 것 같으면서 ～ 世间似乎很宽广其实很狭窄 shìjiān sìhū hěn kuānguǎng qíshí hěn xiázhǎi ④《마음이》 狭窄 xiázhǎi ¶그는 마음이 ～ 他心胸太狭窄 tā xīnxiōng tài xiázhǎi =〔他心眼儿太'小〔窄〕 tā xīnyǎnr tài 'xiǎo〔zhǎi〕〕〔他气量太狭小 tā qìliàng tài xiáxiǎo〕
좁쌀 小米 xiǎomǐ ¶위에서 보니까 ～알같이 작게 보인다 从上往下看, 只有小米粒儿那么小 cóng shàng wǎng xià kàn, zhǐyǒu xiǎomǐlìr nàme xiǎo
좁히다 缩短 suōduǎn; 缩小 suōxiǎo; 弄窄 nòngzhǎi ¶시험 범위를 좁혀 주십시오 请缩小考试范围 qǐng suōxiǎo kǎoshì fànwéi / 선두와의 거리를 점점 ～ 跟第一名的距离渐渐地缩短了 gēn dìyì míng de jùlí jiànjiànde suōduǎn le
종 家丁 jiādīng; 底下人 dǐxiarén
종(種) ①《종류》 种 zhǒng ¶5～의 견본 五种货样 wǔ zhǒng huòyàng / 각～의 물품을 갖추어 놓고 있다 各'种〔样〕货都齐备 gè 'zhǒng〔yàng〕 huò dōu qíbèi =〔货色齐全 huòsè qíquán〕 ②《생물의》 物种 wùzhǒng; 种 zhǒng ¶～의 기원 物种起源 wùzhǒng qǐyuán / 모든 생물은 어떤 한 ～에 속한다 任何生物总属于某一个种 rènhé shēngwù zǒng shǔyú mǒu yí ge zhǒng
종(鐘) 钟 zhōng ¶～의 추 钟心锤 zhōng xīn chuí / 초인～ 电铃 diànlíng / ～을 치다 敲钟 qiāo zhōng / ～이 울리다 钟响 zhōng xiǎng
종결(終結) 了局 liǎojú; 终了 zhōngliǎo; 了结 liǎojié; 终结 zhōngjié; 完事 wánshì; 结束 jiéshù ¶오래 끌던 쟁의가 겨우 ～되었다 长期的劳资纠纷终于结束了 chángqī de láozī jiūfēn zhōngyú jiéshù le
종교(宗教) 宗教 zōngjiào ¶당신은 무슨 ～를 믿습니까? 你信仰什么宗教? nǐ xìnyǎng shénme zōngjiào? / 그는 ～에 대한 믿음이 깊다 他笃信宗教 tā dǔxìn zōngjiào ‖～ 개혁 宗教改革 zōngjiào gǎigé
종국(終局) ①《끝》 终结 zhōngjié ¶사건은 ～을 고하다 事件已告终结 shìjiàn yǐ gào zhōngjié ②《바둑의》 终局 zhōngjú
종기(腫氣) 疙瘩(儿) gēda(r); 疮 chuāng ¶얼굴에 ～가 났다 脸上长了个疮 liǎn shang zhǎngle ge chuāng
종내(終乃) 终究 zhōngjiù; 究竟 jiùjìng ¶～ 아무도 모르고 말았다 究竟谁也没有明白 jiùjìng shuí〔shéi〕 yě méiyǒu míngbai
종달새 《鳥》 云雀 yúnquè; 叫天子 jiàotiānzi
종두(種痘) 种痘 zhòngdòu; 种牛痘 zhòng niúdòu
종래(從來) 以往 yǐwǎng; 向来 xiànglái; 一向 yíxiàng; 历来 lìlái ¶～의 방침을 답습하다 承袭以往的方针 chéngxí yǐwǎng de fāngzhēn
종려(棕櫚) 《植》 棕 zōng; 棕榈 zōnglǘ; 棕树 zōngshù
종류(種類) 种类 zhǒnglèi ¶같은 ～의 책을 한데 모아 꽂아 놓다 把同一种类的书摆在一起 bǎ tóngyī zhǒnglèi de shū bǎi zài yìqǐ
종말(終末) 结局 jiéjú; 终局 zhōngjú; 结尾 jiéwěi ‖～관 末世观 mòshìguān
종반(終盤) 终盘 zhōngpán ¶선거전은 마침내 ～에 들어갔다 选举战终于进入最后阶段 xuǎnjǔzhàn zhōngyú jìnrù zuìhòu jiēduàn ‖～전 终盘战斗 zhōngpán zhàndòu
종사(從事) 从事 cóngshì; 做 zuò ¶농업에 ～하다 从事农业 cóngshì nóngyè =〔务农 wù nóng〕
종속(從屬) 从属 cóngshǔ ¶무력으로 ～시키다 用武力使之从属 yòng wǔlì shǐ zhī cóngshǔ ‖～국 附属国 fùshǔguó =〔附庸国 fùyōngguó〕
종신(終身) 终身 zhōngshēn ‖～ 연금 终身养老金 zhōngshēn yǎnglǎojīn / ～형 无期徒刑 wúqī túxíng / ～ 회원 终身会员 zhōngshēn huìyuán
종아리 腓 féi; 〈口〉 腿肚子 tuǐdùzi
종알거리다 唠唠叨叨 láoláo〔lāolāo〕 dāodāo; 嘟嘟囔囔 dūdū nangnang
종요롭다 缺不了 quēbuliǎo; 要紧 yàojǐn
종이 纸 zhǐ; 纸张 zhǐzhāng; 楮先生 chǔxiānsheng ¶～ 한 장 一张纸 yì zhāng zhǐ / ～로 싸다 用纸包 yòng zhǐ bāo / ～에 쓰다 写在纸上 xiě zài zhǐ shang ‖～컵 纸杯 zhǐbēi / ～테이프 纸带 zhǐdài
종자(種子) 种子 zhǒngzǐ; 子儿 zǐr; 核儿 hér; 《곡물》 籽种 zǐzhǒng
종자매(從姊妹) 《친사촌 자매》 堂房姐妹 tángfáng jiěmèi; 堂姐妹 tángjiěmèi; 堂姐 tángjiě; 堂妹 tángmèi; 《내외종·이종 자매》 表姐妹 biǎojiěmèi; 表姐 biǎojiě; 表妹 biǎomèi

종작없다 忽三忽四 hū sān hū sì; 没准皮气 méi zhǔn píqi ¶종작없는 시세 忽涨忽落的行市 hū zhǎng hū luò de hángshi
종적(蹤跡) 下落 xiàluò; 行踪 xíngzōng; 形迹 xíngjì ¶~을 감추다 逃遁 táo dùn =〔灭了踪迹 mièle zōngjì〕
종전(從前) 以往 yǐwǎng ¶~과 같이 돌봐 주십시오 请如以往惠顾 qǐng rú yǐwǎng huìgù
종점(終點) 终点 zhōngdiǎn ¶~까지 타고 가다 坐到终点站 zuòdào zhōngdiǎnzhàn
종족(種族) 种族 zhǒngzú
종종(種種) ①《가끔》 偶尔 ǒu'ěr; 有时候儿 yǒushíhour ②《가지가지》 种种 zhǒngzhǒng; 各种 gèzhǒng
종종거리다《걸음을》 迈开小步走 mài kai xiǎobù zǒu
종종걸음 小步 xiǎobù; 小跑儿 xiǎopǎor; 碎步儿 suìbùr ¶~치다 迈着小步走 màizhe xiǎobù zǒu / 그녀는 ~으로 다가왔다 她小跑儿过来了 tā xiǎopǎor guòlai le
종착역(終着驛) 终点站 zhōngdiǎnzhàn
종형제(從兄弟) 《친사촌》 堂房弟兄 tángfáng dìxiong; 堂兄弟 tángxiōngdì; 堂兄 tángxiōng; 堂弟 tángdì; 《내종·외종·이종 사촌》 表兄弟 biǎoxiōngdì; 表兄 biǎoxiōng; 表哥 biǎogē; 表弟 biǎodì
좇다 ①《뒤따르다》 追 zhuī; 赶 gǎn; 追赶 zhuīgǎn ¶이상을 ~ 追求理想 zhuīqiú lǐxiǎng / 유행을 ~ 赶时髦 gǎn shímáo ②《명령·습관 따위에》 服从 fúcóng; 听从 tīngcóng; 顺从 shùncóng ¶부모 말씀에 ~ 听从父母的话 tīngcóng fùmǔ de huà / 당(黨) 결정에 ~ 服从党的决定 fúcóng dǎng de juédìng
좋다 ①《성질·상태가》 好 hǎo ¶이것은 품질이 ~ 这个质量好 zhège zhìliàng hǎo / 이 아이는 기억력이 ~ 这孩子记性好 zhè háizi jìxing hǎo / 오늘 아침은 대단히 기분이 ~ 今天早上心情很愉快 jīntiān zǎoshang xīnqíng hěn yúkuài / 냄새 좋다! 好香啊! hǎo xiāng a! =〔真好闻 zhēn hǎowén〕 ②《올바르다·보다 낫다》 好 hǎo ¶좋고 나쁜 판단조차도 못 하니? 连是非也不懂吗? lián shìfēi yě bù dǒng ma? / 빨리 가는 것이 ~ 最好快点儿去 zuì hǎo kuài diǎnr qù ③《아름답다》 好 hǎo ¶경치가 좋은 곳에서 쉽시다 找个风景好的地方休息吧 zhǎo ge fēngjǐng hǎo de dìfang xiūxi ba / 그녀는 좋은 목소리를 갖고 있다 她的嗓子很好 tāde sǎngzi hěn hǎo ④《유익·적합》 好 hǎo ¶수영은 건강에 ~ 游泳对健康很有好处 yóuyǒng duì jiànkāng hěn yǒu hǎochu / 그는 나의 좋은 짝이다 他是我的好伙伴儿 tā shì wǒ de hǎo huǒbànr ⑤《만족하다·안심하다》 好 hǎo ¶좀더 공부했었더라면 좋았을 텐데 多用点儿功就好了 duō yòng diǎnr gōng jiù hǎo le ⑥《괜찮다》 可以 kěyǐ ¶이제 돌아가도 ~ 你可以回去了 nǐ kěyǐ huíqu le ⑦《…하기 쉽다》 好 hǎo; 易 yì; 容易 róngyì ¶이 펜은 쓰기 ~ 这枝钢笔好写 zhè zhī gāngbǐ hǎo xiě ⑧《승낙》 可以 kěyǐ; 行 xíng
좋아하다 喜欢 xǐhuan; 喜好 xǐhào; 喜爱 xǐ'ài; 嗜好 shìhào; 爱 ài; 好 hào ¶좋아하시는 물건을 고르십시오 你挑选自己所喜爱的东西吧 nǐ tiāoxuǎn zìjǐ suǒ xǐ'ài de dōngxi ba
좌(左) 左 zuǒ ¶~향 ~《구령》 向左转 xiàng zuǒzhuǎn
좌기(左記) 下开 xiàkāi; 下列 xiàliè; 下述 xiàshù ¶~와 같다 如下 rúxià =〔如次 rúcì〕
좌석(坐席·座席) 座位〔坐位〕 zuòwèi; 座儿〔坐儿〕 zuòr ¶지정 ~ 对号入座 duìhào rùzuò / ~에 앉다 入座 rùzuò =〔就座 jiùzuò〕 / ~은 만원이다 座位已满 zuòwèi yǐ mǎn =〔已满座 yǐ mǎnzuò〕 / 노인에게 ~을 양보하다 让座给老人 ràngzuò gěi lǎorén
좌선(坐禪) 坐禅 zuòchán ¶~하다 坐禅 zuòchán =〔打坐 dǎzuò〕〔打禅 dǎchán〕
좌시(坐視) 坐视 zuòshì ¶친구의 곤경을 ~하고만 있을 수 없다 不忍坐视朋友的困境 bùrěn zuòshì péngyou de kùnjìng
좌우(左右) 左右 zuǒyòu ¶~를 잘 보고서 건너십시오 看好左右再过马路 kànhǎo zuǒyòu zài guò mǎlù / 국가의 운명을 ~하는 큰 사건 左右国家命运的大事件 zuǒyòu guójiā mìngyùn de dà shìjiàn
좌우간(左右間) 不拘怎样 bù jū zěnyàng; 总之 zǒngzhī ¶~ 한번 해 봅시다 好歹先干一下看看吧 hǎodǎi xiān gàn yíxià kànkan ba / ~ 밥부터 먹자 不管怎样先吃饭吧 bùguǎn zěnyàng xiān chīfàn ba
좌절(挫折) 挫折 cuòzhé ¶자금난 때문에 계획이 중도에서 ~되다 由于资金上的困难, 计划中途受到挫折 yóuyú zījīn shang de kùnnan, jìhuà zhōngtú shòudào cuòzhé
좌중(座中) 在座的人 zài zuò de rén; 在座内中 zài zuò nèizhōng
좌천(左遷) 左迁 zuǒqiān; 降职 jiàngzhí ¶그는 지점 근무로 ~당했다 他被降职调到支店去了 tā bèi jiàngzhí diàodào zhīdiàn qù le
좌초(坐礁) 搁浅 gēqiǎn; 触礁 chùjiāo ¶유조선이 ~하였다 油船搁浅了 yóuchuán gēqiǎn le
좌측(左側) 左边(儿) zuǒbian(r) ‖~ 통행 靠左边走 kào zuǒbian zǒu
좌회전(左迴轉) 左转 zuǒzhuǎn ¶~ 금지 禁止左转弯 jìnzhǐ zuǒzhuǎnwān / 그 십자로를 ~해 주십시오 请在那个十字路口往左拐 qǐng zài nàge shízì lùkǒu wǎng zuǒ guǎi
좍좍 哗哗 huāhuā ¶비가 ~ 내리다 雨哗哗地下 yǔ huāhuāde xià =〔大雨倾盆 dàyǔ qīngpén〕〔大雨如注 dàyǔ rú zhù〕 / ~ 내려 읽다 念得顺流 niànde shùnliú
쟁이 旋网 xuánwǎng ¶~를 던지다 撒旋网 sǎ xuánwǎng
죄(罪) 罪 zuì; 罪过 zuìguò; 罪孽 zuìniè; 罪行 zuìxíng ¶살인~를 범하다 犯杀人罪 fàn shārénzuì / ~에 대한 형벌에 복종하다 服罪 fúzuì =〔伏罪 fúzuì〕 / ~를 남에게 덮어씌우다 归罪于人 guīzuì yú rén =〔嫁祸于人 jiàhuò yú rén〕 / ~를 미워하되 사람은 미워하지 않는다 憎其罪而不憎其人 zēng qí zuì ér bù zēng qí rén
죄다[1] 《켕기게 하다》 勒紧 lēijǐn ¶호궁의 줄을 ~ 绷紧胡琴(儿)的弦 bēngjǐn húqin(r) de xián
죄다[2] 《모두》 都 dōu; 一切 yíqiè ¶순식간에 ~ 팔렸다 转眼之间全卖光了 zhuǎnyǎn zhī jiān quán mài guāng le
죄받다(罪…) 《처벌》 受罪 shòu zuì; 受罚 shòu fá; 《천벌》 遭报应 zāo bàoyìng
죄상(罪狀) 罪情 zuìqíng; 罪状 zuìzhuàng ¶~을 열거하다 列举罪状 lièjǔ zuìzhuàng / ~을

부인하다 否认罪行 fǒurèn zuìxíng
죄송(罪悚)하다 惶恐 huángkǒng; 劳驾 láojià; 借光 jièguāng; 对不起 duìbuqǐ; 得罪 dézuì ¶대단히 ～합니다만 그것을 잠깐 보여주시겠습니까 对不起, 把那个拿给我看看 duìbu-qǐ, bǎ nàge ná gěi wǒ kànkan
죄악(罪惡) 罪恶 zuì'è ¶많은 ～을 쌓다 罪行累累 zuìxíng lěilěi =〔罪恶滔天 zuì'è tāotiān〕 ‖～감 罪恶感 zuì'ègǎn
죄어치다《죄다》勒紧 lēijǐn; 绷紧 bēngjǐn; 《추궁》追求 zhuīqiú; 追问 zhuīwèn
죄인(罪人) 罪犯 zuìfàn; 罪人 zuìrén
죄주다(罪…) 处罚 chǔfá; 惩罚 chéngfá
죄증(罪證) 犯罪凭据 fànzuì píngjù; 罪证 zuìzhèng
죄짓다(罪…)《범죄》犯罪 fàn zuì; 《못된 짓》做坏事 zuò huàishì
주(株) ①《주식》股份 gǔfèn ¶증자를 위해 신～를 모집하다 为了增加资本招新股 wèile zēngjiā zīběn zhāo xīn gǔ ②《주권》股票 gǔpiào ¶자동차의 ～를 사다 购买汽车公司的股票 gòumǎi qìchē gōngsī de gǔpiào ③《조수사》股 gǔ ¶그는 철강 ～를 1만 ～ 가졌다 他有一万钢铁公司的股票 tā yǒu yíwàn gāngtiě gōngsī de gǔpiào
주(註) 注解 zhùjiě; 注脚 zhùjiǎo; 注 zhù ¶～를 달다 加注 jiā zhù
주(週) 周 zhōu; 星期 xīngqī; 礼拜 lǐbài ¶금～ 这个星期 zhège xīngqī =〔本周 běn zhōu〕/ 다음～ 下星期 xiàxīngqī =〔下周 xià zhōu〕/ ～말 周末 zhōumò / 전～ 上星期 shàngxīngqī =〔上周 shàng zhōu〕/ 1～일 一个礼拜 yí ge lǐbài / ～에 1회 모이다 每星期聚集一次 měi xīngqī jùjí yí cì
주…(駐…) 驻 zhù ¶～한 중국 대사 中国驻韩大使 Zhōngguó zhù Hán dàshǐ
주가(株價) 股票价格 gǔpiào jiàgé; 股票行情 gǔpiào hángqíng; 股票行市 gǔpiào hángshi ¶～가 올랐다 股票价格往上涨了 gǔpiào jiàgé wǎng shàng zhǎng le / ～가 대폭으로 변동하다 股票行情大幅度涨落 gǔpiào hángqíng dàfúdù zhǎngluò
주간(主幹)《주요 인물》主持者 zhǔchízhě; 主脑人物 zhǔnǎo rénwù; 《신문·잡지사의》主编 zhǔbiān
주간(週刊) 周刊 zhōukān ‖～지 周刊杂志 zhōukān zázhì
주간(晝間) 白天 báitian; 白日 báirì
주간(週間) 星期 xīngqī; 礼拜 lǐbài; 周 zhōu ¶교통 안전～ 交通安全周 jiāotōng ānquánzhōu / 2～ 해외 여행을 하다 到海外去旅行两个星期 dào hǎiwài qù lǚxíng liǎng ge xīngqī
주객(主客) 宾主 bīnzhǔ ‖～전도 本末倒置 běnmò dàozhì
주거(住居) 居住 jūzhù; 《거처》住处 zhùchù ¶고대의 ～지를 발굴하다 发掘古代居住遗址 fājué gǔdài jūzhù yízhǐ ‖～침입죄 侵入住宅罪 qīnrù zhùzhái zuì
주걱 ①《밥주걱》杓子 sháozi; 饭杓(儿, 子) fànsháo(r, zi) ¶～으로 밥을 푸다 用饭杓儿盛饭 yòng fànsháor chéng fàn ②《구둣주걱》鞋拔子 xiébázi
주검 尸首 shīshou; 死尸 sǐshī
주고도(走高跳) ⇨높이뛰기
주고받다 互换 hùhuàn; 交换 jiāohuàn ¶말을 ～ 过话 guò huà / 계약서를 ～ 互换合同 hùhuàn hétong / 양국 대표는 솔직하게 의견을 주고받았다 两国代表率直地交换了意见 liǎng guó dàibiǎo shuàizhíde jiāohuànle yìjiàn
주관(主觀) 主观 zhǔguān ¶사실은 ～을 초월해서 존재한다 事实是超越主观而存在的 shìshí shì chāoyuè zhǔguān ér cúnzài de ‖～적 관념론 主观唯心论 zhǔguān wéixīnlùn
주근깨 雀子 qiāozi; 雀斑 qiāobān ¶～투성이의 얼굴 满脸雀斑 mǎn liǎn qiāobān
주기(酒氣) 酒气 jiǔqì ¶그는 ～를 띠고서 돌아왔다 他带着酒气回家来了 tā dàizhe jiǔqì huíjiā lái le
주눅들다 发憷 fāchù; 怯场 qièchǎng; 腼腆 miǎntian ¶남의 앞에 나서면 주눅이 든다 在众人面前就发憷 zài zhòngrén miànqián jiù fāchù
주눅좋다 不怯场 bú qièchǎng; 不发怵 bù fāchù; 大方 dàfang
주다 ①《부여함》给 gěi; 送给 sònggěi; 给予 jǐyǔ; 授予 shòuyǔ ¶개에게 먹이를 ～ 给狗吃的 gěi gǒu chī de =〔喂狗 wèi gǒu〕/ 해답의 힌트를 ～ 提示解答的线索 tíshì jiědá de xiànsuǒ / 이번 한 번만 나에게 변명의 기회를 주십시오 请再给我一次辩白的机会 qǐng zài gěi wǒ yí cì biànbái de jīhui / 학생에게 과제를 ～ 给学生提出课题 gěi xuésheng tíchū kètí ②《끼침·입힘》¶그 소식은 모두에게 쇼크를 주었다 那个消息使大家受了很大的震动 nàge xiāoxi shǐ dàjiā shòule hěn dà de zhèndòng
주도권(主導權) 主动权 zhǔdòngquán; 领导权 lǐngdǎoquán; 主导权 zhǔdǎoquán ¶～을 쥐다 掌握主动权 zhǎngwò zhǔdòngquán
주둔(駐屯) 驻屯 zhùtún; 驻扎 zhùzhā ¶마을에는 1개 소대가 ～하고 있다 村子里有一个排驻扎着 cūnzi li yǒu yí ge pái zhùzhāzhe
주둥이 鸟儿嘴 niǎorzuǐ
주렁주렁 提铃倒挂地 tílíng dàoguà de ¶과일이 ～ 달리다 果子挂得很多 guǒzi guàde hěn duō =〔果实累累 guǒshí lěilěi〕
주력(主力) 主力 zhǔlì ¶적의 ～ 부대와 만났다 遇上了敌军主力 yùshàngle díjūn zhǔlì
주로(主…) 主要是 zhǔyào shì; 大部分 dàbùfen; 多半 duōbàn ¶～ 외국과 거래한다 主要是搞对外贸易 zhǔyào shì gǎo duìwài màoyì =〔主要是跟外国交易 zhǔyào shì gēn wàiguó jiāoyì〕/ 학생은 ～ 외국인이다 学生大部分是外国人 xuésheng dàbùfen shì wàiguórén / 여름엔 ～ 시골에서 지낸다 夏天差不多在乡下过 xiàtiān chàbuduō zài xiāngxià guò
주룩주룩《비가》哇哇 wāwā
주름 褶子 zhězi; 皱纹 zhòuwén; 皱褶 zhòuzhě ¶《옷의》～잡다 做出衣褶 zuòchū yī zhě / 스커트에 ～이 잡혔다 裙子皱了 qúnzi zhòule / 다리미로 ～을 펴다 用熨斗把褶子烙平 yòng yùndǒu bǎ zhězi làopíng / 최근 어머니의 얼굴에 ～이 늘었다 最近母亲的脸上皱纹越来越多了 zuìjìn mǔqin de liǎn shang zhòuwén yuèlái yuè duō le / 얼굴에 ～을 지으며 생각하다 皱着眉头思量 zhòuzhe méitóu sīliang / 눈가의 ～ 眼角的皱纹 yǎnjiǎo de zhòuwén =〔鱼尾 yúwěi〕

주름살 皱纹 zhòuwén
주리다 ①《먹을 것에》 饿 è; 饥饿 jī'è ¶처자를 주리게 할 수는 없다 不能叫妻子挨饿 bùnéng jiào qīzǐ ái'è ②《지식·정 따위에》 ¶굶주린 듯이 새로운 지식을 추구하다 如饥似渴地寻求新知识 rújī-sìkě de xúnqiú xīn zhīshi
주마등(走馬燈) 走马灯 zǒumǎdēng
주막(酒幕) 客店 kèdiàn; 客栈 kèzhàn ¶~에 들다 下店 xià diàn =〔住店 zhù diàn〕
주말(週末) 周末 zhōumò ‖~ 여행 周末旅行 zhōumò lǚxíng
주머니 口袋 kǒudai; 衣袋(儿) yīdài(r); 兜子 dōuzi; 《염낭》 荷包(儿) hébao(r)
주머니칼 小刀子 xiǎo dāozi
주먹 拳 quán; 拳头 quántou ¶~을 부르쥐다 攥紧拳头 zuànjǐn quántou
주먹구구(…九九) 《셈》 掐算 qiāsuàn; 《셈속》 粗算 cūsuàn; 草草地算 cǎocǎo de suàn
주먹다짐 仗着膂力争 zhàngzhe lǚlì zhēng; 动手 dòngshǒu ¶~하다 饱以老拳 bǎo yǐ lǎo-quán =〔拿拳头打 ná quántou dǎ〕/~으로 专凭力量 zhuān píng lìliang
주먹밥 饭团 fàntuán
주먹질 动手 dòngshǒu; 拿拳头打 ná quántou dǎ
주모(主謀) 主谋 zhǔmóu; 首恶 shǒu'è ¶반란의 ~자 叛乱的主谋 pànluàn de zhǔmóu
주목(注目) 注目 zhùmù; 注视 zhùshì ¶학생들이 선생님의 손에 ~하다 学生们都注视着老师的手 xuéshengmen dōu zhùshìzhe lǎoshī de shǒu
주무(主務) 主管 zhǔguǎn ‖~ 장관 主管部长 zhǔguǎn bùzhǎng
주무르다 《물건을》 搓弄 cuō〔cuó〕nong; 《몸을》 摩擦 mócā; 捏捏 niēniē; 揉捏 róuniē
주문(注文) 定〔订〕 dìng; 定做〔订做〕 dìngzuò; 定购〔订购〕 dìnggòu; 订货〔定货〕 dìnghuò ¶책을 ~하다 定书 dìng shū/요리를 ~하다 叫〔点〕菜 jiào〔diǎn〕cài/~하신 코트가 되었습니다 您定做的大衣已经做得了 nín dìngzuò de dàyī yǐjīng zuòdé le ‖~서 取货'单〔条〕 qǔhuò'dān〔tiáo〕
주문(呪文) 咒 zhòu; 咒语 zhòuyǔ ¶~을 외다 念咒 niàn zhòu
주물럭거리다 摸弄 mōnòng; 抓挠 zhuānao
주민(住民) 居民 jūmín ‖~ 등록 户口登记 hùkǒu dēngjì/~세 居民税 jūmínshuì
주방(廚房) 厨房 chúfang
주범(主犯) 主犯 zhǔfàn
주벽(酒癖) 酒疯 jiǔfēng; 酒后的脾气 jiǔ hòu de píqi ¶~이 나쁘다 爱撒酒疯 ài sā jiǔfēng =〔酒德不雅 jiǔdé bù yǎ〕
주변 周转 zhōuzhuǎn; 匀兑 yúnduì ¶~이 있는 사람 善于设法安排的人 shàn yú shèfǎ ānpái de rén
주변(周邊) 周围 zhōuwéi; 四周 sìzhōu ¶인구가 도시의 ~으로 집중하는 경향이 있다 人口有向都市四周集中的倾向 rénkǒu yǒu xiàng dūshì sìzhōu jízhōng de qīngxiàng
주부(主婦) 主妇 zhǔfù; 家庭妇女 jiātíng fùnǚ; 主家婆 zhǔjiāpó; 主母 zhǔmǔ
주부코 酒糟鼻子 jiǔzāo bízi
주빈(主賓) 主宾 zhǔbīn; 主客 zhǔkè; 正客 zhèngkè ¶~으로서 치사를 하였다 作为主宾致了辞 zuò wéi zhǔbīn zhì le cí
주사(注射) 打针 dǎzhēn; 注射 zhùshè ¶근육~ 肌肉注射 jīròu zhùshè/~를 놓다 打针 dǎzhēn/나는 ~ 맞는 것을 제일 싫어한다 我最讨厌打针 wǒ zuì tǎoyàn dǎzhēn ‖~기 注射器 zhùshèqì/~ 바늘 注射针头 zhùshè zhēn-tóu/~액 注射剂 zhùshèjì =〔针剂 zhēnjì〕
주사위 色子 shǎizi; 〈方〉 骰子 tóuzi ¶~는 던져졌다 木已成舟 mù yǐ chéng zhōu
주색(酒色) 酒色 jiǔsè ¶~에 빠지다 沉湎于酒色 chénmiǎn yú jiǔsè =〔溺于酒色 nì yú jiǔsè〕
주석(朱錫) 《化》 锡 xī; 〈方〉 锡镴 xīla
주석(註釋) 注解 zhùjiě; 注释 zhùshì ¶~달린 책 附注解的书 fù zhùjiě de shū
주선(周旋) 拉纤 lāqiàn; 介绍 jièshào; 斡旋 wòxuán ¶친구의 ~으로 집을 샀다 经朋友介绍买了房子 jīng péngyou jièshào mǎile fángzi ‖~료 斡旋费 wòxuánfèi/~인 纤手 qiàn-shǒu =〔介绍人 jièshàorén〕
주소(住所) ①《거주소》 住所 zhùsuǒ ②《생활 장소》 住址 zhùzhǐ; 地址 dìzhǐ ¶~ 성명을 기입하다 填写住址和姓名 tiánxiě zhùzhǐ hé xìngmíng ‖~록 住址簿 zhùzhǐbù
주스(juice) 汁儿 zhīr; 汁液 zhīyè ¶오렌지 ~ 橘汁儿 jú zhīr
주식(主食) 主食 zhǔshí ¶한국인은 쌀을 ~으로 한다 韩国人以大米为主食 Hánguórén yǐ dàmǐ wéi zhǔshí
주식(株式) 股份 gǔfèn; 《주권》 股票 gǔpiào ¶~을 발행하다 发行股票 fāxíng gǔpiào ‖~ 거래소 股票交易所 gǔpiào jiāoyìsuǒ/~ 시장 股市 gǔshì =〔股票市场 gǔpiào shìchǎng〕/~ 회사 股份公司 gǔfèn gōngsī
주식(晝食) 晌饭 shǎngfàn; 午饭 wǔfàn; 中饭 zhōngfàn; 午餐 wǔcān
주심(主審) 主裁判员 zhǔcáipànyuán
주야(晝夜) 昼夜 zhòuyè ¶~ 2회 공연하다 白天和晚上上演两次 báitian hé wǎnshang shàng-yǎn liǎng cì/~를 가리지 않고 일하다 不分昼夜的工作 bù fēn zhòuyè de gōngzuò
주역(主役) 《극》 主角 zhǔjué; 正角 zhèngjué ¶~을 맡아 하다 扮演主角 bànyǎn zhǔjué/~이 되어 일을 하다 当主要人物 dāng zhǔyào rénwù =〔做主 zuò zhǔ〕
주연(主演) 主演 zhǔyǎn ¶채플린 ~의 영화 卓别林主演的电影 Zhuōbiélín zhǔyǎn de diàn-yǐng
주연(酒宴) 酒席 jiǔxí; 酒会 jiǔhuì ¶~을 베풀다 摆酒席 bǎi jiǔxí =〔设宴 shèyàn〕
주요(主要) 主要 zhǔyào ¶전국 ~ 도시 全国主要城市 quánguó zhǔyào chéngshì ‖~ 멤버 主要成员 zhǔyào chéngyuán
주워듣다 听旁人讲而记住 tīng pángrén jiǎng ér jìzhù ¶주워들은 영어 随便散学的英文 suíbiàn sǎnxué de yīngwén
주워섬기다 一五一十地说 yì wǔ yì shíde shuō
주위(周圍) 四周 sìzhōu; 周围 zhōuwéi; 方圆 fāngyuán ¶집의 ~를 빙빙 돌다 在房子周围绕来绕去 zài fángzi zhōuwéi ràolairàoqu
주유(注油) 注油 zhùyóu; 点油 diǎnyóu; 上油 shàngyóu ¶기계에 ~하다 给机器注油 gěi jīqi zhùyóu ‖~기 加油器 jiāyóuqì/~소 加油站 jiāyóuzhàn

주의(主義) 主义 zhǔyì ¶～ 주장을 달리하다 观点主张不同 guāndiǎn zhǔzhāng bùtóng / 안전제일～로 나가다 贯彻安全第一 guànchè ānquán dìyī / 어떤 때에도 그는 ～를 굽히지 않았다 不管什么时候, 他不曾屈节过 bùguǎn shénme shíhou, tā bùcéng qūjiéguo

주의(注意) ①《유의·집중》 注意 zhùyì; 小心 xiǎoxīn; 留神 liúshén ¶기발한 복장으로 사람의 ～를 끌다 穿离奇古怪的衣服惹人注意 chuān líqí gǔguài de yīfu rě rén zhùyì / 일이 되어 가는 것을 ～깊게 지켜 보다 注视事态的发展 zhùshì shìtài de fāzhǎn / 너는 ～력이 산만하다 你注意力不集中 nǐ zhùyìlì bù jízhōng ②《조심·경계》 注意 zhùyì; 小心 xiǎoxīn; 留神 liúshén; 当心 dāngxīn ¶미끄러지니까 발 밑을 ～해 주십시오 路滑留神脚下 lù huá liúshén jiǎo xià / 차를 ～해서 건너십시오 路上要小心汽车 lùshàng yào xiǎoxīn qìchē ③《충고·경고》 告戒 gàojiè; 警告 jǐnggào ¶의사로부터 과음하지 말라고 ～받았다 医生忠告我不要喝酒喝过度 yīshēng zhōnggào wǒ búyào hējiǔ hēguòdù / 두 번 다시 되풀이되지 않도록 ～시키다 给以警告不要重犯 gěiyǐ jǐnggào búyào chóng fàn

주인(主人) ①《고용주》 雇主 gùzhǔ; 主人 zhǔrén; 主子 zhǔzi; 《상점의》 老板 lǎobǎn; 掌柜 zhǎngguì; 东家 dōngjiā ②《호주》 当家的 dāngjiā de; 家长 jiāzhǎng; 家主 jiāzhǔ ③《남편》 丈夫 zhàngfu; 主人 zhǔrén; 爱人 àiren

주인공(主人公) 主人公 zhǔréngōng; 主人翁 zhǔrénwēng ¶영화의 ～ 影片的主人公 yǐngpiàn de zhǔréngōng

주임(主任) 主任 zhǔrèn ¶수학과 ～ 数学教研组主任 shùxué jiàoyánzǔ zhǔrèn / 현장 ～ 工地主任 gōngdì zhǔrèn ‖～ 변호사 首席律师 shǒuxí lǜshī

주입(注入) 流入 liúrù; 注入 zhùrù ¶액체를 ～하다 注入液体 zhùrù yètǐ / 지식을 ～하다 灌输知识 guànshū zhīshi

주자(走者) ①《육상 경기의》 赛跑运动员 sàipǎo yùndòngyuán ②《야구의》 跑垒员 pǎolěiyuán

주장(主張) 主张 zhǔzhāng; 坚称 jiānchēng ¶피고는 무죄를 ～하다 被告申诉自己无罪 bèigào shēnsù zìjǐ wúzuì / 노동자측의 ～이 관철되었다 劳方的主张被采纳了 láofāng de zhǔzhāng bèi cǎinà le

주장(主將) 《군의》 主将 zhǔjiàng; 《경기단의》 队长 duìzhǎng

주재(駐在) 驻在 zhù zài; 驻 zhù ¶북경 ～특파원 驻北京特派记者 zhù Běijīng tèpài jìzhě

주저(躊躇) 踌躇 chóuchú; 犹豫 yóuyù; 犹疑 yóuyí; 迟疑 chíyí ¶들어갈까 말까 ～하다 进去还是不进去犹豫不决 jìnqu háishi bú jìnqu yóuyù bùjué / 하고 싶은 말은 ～없이 말하다 要说的话应该毫不踌躇地说 yào shuō de huà yīnggāi háobù chóuchú de shuō

주저앉다 蹲下来 dūnxiàlai; 《함몰》 塌陷 tāxiàn; 下沉 xiàchén; 《정돈 상태》 停顿起来 tíngdùnqilai

주전부리 爱吃零食 ài chī língshí

주전자(酒煎子) 水壶 shuǐhú ¶물 끓이는 ～ 水壶 shuǐhú =〔烧水壶 shāoshuǐhú〕

주접들다 《발육 불량》 老不往大里长 lǎo bù wǎng dà li zhǎng; 发育不良 fāyù bùliáng; 《기를 펴지 못함》 不开展 bù kāizhǎn; 萎缩 wěisuō

주접스럽다 《음식에》 嘴馋 zuǐchán; 贪吃 tānchī

주정(酒酊) 酒疯(儿) jiǔfēng(r); 闹酒 nào jiǔ ¶그는 ～기가 있다 他有点儿撒酒疯的毛病 tā yǒu diǎnr sā jiǔfēng de máobìng

주제 境遇 jìngyù; 遭际 zāojì ¶지금은 영락하여 저 ～꼴이다 现在落魄到那个样子 xiànzài luòpò dào nàge yàngzi ‖～꼴 难看的样子 nánkàn de yàngzi

주제넘다 冒失 màoshi; 逞能 chěng néng; 莽撞 mǎngzhuàng; 自大 zìdà

주종(主從) 主从 zhǔcóng; 主仆 zhǔpú

주주(株主) 股东 gǔdōng ‖～ 총회 股东大会 gǔdōng dàhuì

주지(住持) 堂头和尚 tángtóu héshang

주차(駐車) 停车 tíngchē ¶이 장소에 ～하지 마십시오 这儿不可以停车 zhèr bù kěyǐ tíngchē ‖～금지 不准〔禁止〕停车 bù zhǔn〔jìnzhǐ〕 tíngchē / ～요금 停车费 tíngchēfèi / ～ 위반 违章停车 wéizhāng tíngchē / ～장 停车处 tíngchēchù ¶유료〔무료〕 ～장 收费〔免费〕停车场 shōufèi〔miǎnfèi〕 tíngchēchǎng

주책없다 莽撞 mǎngzhuàng; 卤莽灭裂 lǔmǎng miè liè; 没有己见 méiyǒu jǐjiàn

주체(主體) 主体 zhǔtǐ ¶각자의 ～성을 존중하다 尊重各人的主动性 zūnzhòng gèrén de zhǔdòngxìng

주체스럽다 不好对付 bùhǎo duìfu; 麻烦 máfan; 难办 nánbàn

주최(主催) 主办 zhǔbàn; 主持 zhǔchí ¶회의를 ～하다 主办会议 zhǔbàn huìyì ‖～자 主办者 zhǔbànzhě

주추(柱…) 基石 jīshí; 柱石 zhùshí; 柱脚石 zhùjiǎoshí

주춤거리다 踟蹰不前 chíchú bùqián; 三心二意的 sān xīn èr yìde

주택(住宅) 住宅 zhùzhái; 住房 zhùfáng ¶공영 ～ 公营住宅 gōngyíng zhùzhái / 도시의 ～ 문제는 심각하게 되어 있다 都市的住房问题日趋严重 dūshì de zhùfáng wèntí rìqū yánzhòng ‖～가 住宅区 zhùzháiqū / ～난 房荒 fánghuāng

주파(走破) 跑完 pǎowán; 跑过 pǎoguò ¶30킬로를 ～하다 跑完三十公里 pǎowán sānshí gōnglǐ

주파수(周波數) 频率 pínlǜ; 周率 zhōulǜ ¶～를 맞추다 对准频率 duìzhǔn pínlǜ

주판(籌板·珠板) 算盘 suànpán ¶～을 놓다 打算盘 dǎ suànpán =〔用算盘算 yòng suànpán suàn〕 / ～이 안 맞다(수지가 안 맞다) 不上算 bú shàngsuàn =〔不合算 bù hésuàn〕〔划不来 huà bulái〕

주폭도(走幅跳) ⇨멀리뛰기

주필(主筆) 主笔 zhǔbǐ ¶신문사의 ～ 报馆的主笔 bàoguǎn de zhǔbǐ

주필(朱筆) 朱笔 zhūbǐ ¶～로 가필·정정하다 用朱笔改正 yòng zhūbǐ gǎizhèng

주홍(朱紅) 朱红 zhūhóng

죽(粥) 粥 zhōu; 稀饭 xīfàn ¶～을 먹다 喝粥 hē zhōu / ～을 쑤다 熬粥 áo zhōu

죽 ①《늘어선 모양》 一大排 yídàpái ¶～ 늘어놓다 摆一大排 bǎi yídàpái ②《계속하여》 接连不断地 jiēlián búduànde ¶며칠째 ～ 비가 내린다 连

日下雨 liánrì xià yǔ ③《대강》 粗略地 cūlüè de ¶～ 대강 보다 略一过目 lüè yí guò mù
죽는소리 怨言 yuànyán ¶～하다 诉苦 sùkǔ =〔诉怨 sùyuàn〕
죽다 死 sǐ; 咽气 yànqì; 归西 guīxī ¶인간은 언젠가는 죽는다 人总有一天要死的 rén zǒng yǒu yì tiān yào sǐ de / 그는 젊었을 때 죽었다 他很年轻就死了 tā hěn niánqīng jiù sǐ le / 더워서 죽겠다 热得要命 rède yàomìng =〔真要热死人了 zhēn yào rèsǐ rén le〕/ 흰 돌에 포위되어 검은 돌이 죽었다 黑棋被白棋围困死了 hēiqí bèi báiqí wéikùn sǐ le
죽담 石头墙 shítouqiáng
죽마고우(竹馬故友) 青梅竹马 qīngméi zhúmǎ ¶그들 두 사람은 ～다 他们俩是'青梅竹马的朋友〔总角之交〕 tāmen liǎ shì 'qīngméi zhúmǎ de péngyou〔zǒngjiǎo zhī jiāo〕
죽순(竹筍) 竹笋 zhúsǔn
죽어 지내다 《눌리어》 他人的欺压下过日子 tārén de qīyā xia guò rìzi; 《가난하여》 叫生活给挤对 jiào shēnghuó gěi jǐduì
죽을 병(…病) 沉痼 chéngù
죽음 死 sǐ ¶간신히 ～을 모면했다 捡了一条命 jiǎnle yì tiáo mìng =〔差点儿没死 chàdiǎnr méi sǐ〕/ 생활고가 그 한 가족을 ～으로 몰아넣었다 生活的困苦逼得那一家人走向死亡 shēnghuó de kùnkǔ bīde nà yìjiārén zǒuxiàng sǐwáng / ～의 재 放射性尘埃 fàngshèxìng chén'āi
죽이다 ①《목숨을》 杀 shā; 杀死 shāsǐ; 杀害 shāhài ¶목을 졸라서 ～ 扼杀 èshā =〔勒死 lēisǐ〕/ 소를 ～ 宰牛 zǎi niú ②《기능을》 ¶숨을 죽이고 지켜 보다 屏息〔屏气〕凝视 bǐngxī〔bǐngqì〕 níngshì / 소리를 ～ 压声 yā shēng
죽일놈 该死的 gāi sǐ de; 千刀万剐 qiān dāo wàn guǎ
죽지 《사람》 膀子 bǎngzi; 《새 따위》 翅膀(儿) chìbǎng(r)
죽치다 杜门不出 dùmén bùchū; 《집에서》 闷坐 mènzuò; 不越雷池 búyuè léichí
준…(準…) 准 zhǔn; 候补 hòubǔ ¶～평원 准平原 zhǔnpíngyuán
준공(竣工) 竣工 jùngōng; 完工 wángōng; 完竣 wánjùn ¶신교사의 ～이 임박하다 新校舍即将竣工 xīn xiàoshè jíjiāng jùngōng ‖～식 竣工仪式 jùngōng yíshì
준결승(準決勝) 半决赛 bànjuésài
준법(遵法) 守法 shǒufǎ ‖～ 정신 守法精神 shǒufǎ jīngshén
준비(準備) 预备 yùbèi; 准备 zhǔnbèi ¶저녁을 ～하다 预备晚饭 yùbèi wǎnfàn / 입학 시험의 ～를 하다 做入学考试的准备 zuò rùxué kǎoshì de zhǔnbèi / ～ 완료 准备完毕 zhǔnbèi wánbì ‖～ 운동 准备运动 zhǔnbèi yùndòng =〔准备活动 zhǔnbèi huódòng〕
준수(遵守) 遵守 zūnshǒu ¶교통 법규를 ～하다 遵守交通规则 zūnshǒu jiāotōng guīzé
준우승(準優勝) 亚军 yàjūn
준준결승(準準決勝) 半复赛 bànfùsài
준치 《魚》 鲥鱼 shíyú
준회원(準會員) 非正式会员 fēizhèngshì huìyuán; 候补会员 hòubǔ huìyuán
줄¹ 《선》 线条 xiàntiáo; 《열》 排 pái; 《행》 行 háng; 《시계의》 带子 dàizi
줄² 《쇠 깎는》 锉刀 cuòdāo; 锉 cuò ¶～질하다 用锉刀锉 yòng cuòdāo cuò
줄거리 《이야기의》 梗概 gěnggài; 概略 gàilüè; 概况 gàikuàng; 大略 dàlüè; 《잎 떨어진 가지》 梗子 gěngzi
줄곧 不住地 búzhù de; 接连不断地 jiēlián búduàn de; 一直地 yìzhí de
줄기 树杆 shùgàn; 茎 jīng; 梗儿 gěngr
줄기차다 有耐性 yǒu nàixìng; 有毅力 yǒu yìlì; 坚持到底 jiānchí dàodǐ
줄넘기 ①《돌려서》 跳绳儿 tiàoshéngr ¶～를 하며 놀다 跳绳玩儿 tiàoshéng wánr ②《뛰어넘기》 跳高 tiàogāo
줄다 减少 jiǎnshǎo; 见少 jiànshǎo ¶수강자가 반으로 줄었다 听讲的人减少到一半儿 tīngjiǎng de rén jiǎnshǎo dào yíbànr
줄다리기 拔河 báhé; 拽绳角力 zhuàishéng jiǎolì; 牵钩 qiāngōu
줄달음질치다 连跑带跳 liánpǎo dàitiào
줄대다 接续 jiēxù; 不住地进行 búzhù de jìnxíng
줄무늬 条纹 tiáowén
줄사닥다리 绳梯 shéngtī; 软梯 ruǎntī
줄어들다 减少 jiǎnshǎo; 减轻 jiǎnqīng; 减低 jiǎndī ¶강물이 ～ 河水降低 héshuǐ jiàngdī
줄이다 缩减 suōjiǎn; 裁减 cáijiǎn; 减少 jiǎnshǎo; 减缩 jiǎnsuō; 减削 jiǎnxuē; 削减 xuējiǎn ¶분량을 ～ 减少分量 jiǎnshǎo fènliang / 인원을 ～ 裁减人员 cáijiǎn rényuán / 경비를 ～ 缩减经费 suōjiǎn jīngfèi
줄잡다 低估 dīgū ¶줄잡아서 3만 원은 든다 低估也得三万块 dīgū yě děi sānwàn kuài
줄타다 玩梁 wán liáng; 戏绳 xì shéng
줌 把 bǎ ¶한 ～의 쌀 一把米 yì bǎ mǐ =〔一抄儿米 yì chāor mǐ〕
줍다 拾 shí; 捡 jiǎn ¶지갑을 주웠다 拾了钱包 shíle qiánbāo / 조개를 ～ 拾贝壳 shí bèiké / 휴지를 주워서 휴지통에 버리다 捡起废纸扔进纸篓 jiǎnqǐ fèizhǐ rēngjìn zhǐlǒu
줏대(主…) 信心 xìnxīn; 坚信 jiānxìn ¶～없는 见异思迁 jiàn yì sī qiān =〔没有信心 méiyǒu xìnxīn〕
중 和尚 héshang ¶～이 되다 当和尚 dāng héshang =〔落发为僧 luòfà wéi sēng〕/ ～이 미우면 가사도 밉다 憎屋及乌 zēng wū jí wū
중(中) 中 zhōng ¶생활 정도는 ～상에 속한다 生活程度属于中上等 shēnghuó chéngdù shǔyú zhōngshàngděng / 품질에 따라서 상～하로 나뉘어진다 按货色可以分为'上、中、下〔上等、中等、下等〕 àn huòsè kěyǐ fēnwéi 'shàng, zhōng, xià〔shàngděng, zhōngděng, xiàděng〕
중간(中間) 中间 zhōngjiān; 〈口〉 中间儿 zhōngjiànr ¶조사의 ～보고를 하다 作调查的中间报告 zuò diàochá de zhōngjiān bàogào ‖～고사〔시험〕 中间考试 zhōngjiān kǎoshì / ～자 介子 jièzǐ / ～ 착취 中间剥削 zhōngjiān bōxuē / ～파 中间派 zhōngjiānpài
중간치(中間…) 不大不小 bú dà bù xiǎo
중견(中堅) 中坚 zhōngjiān; 骨干 gǔgàn ¶그는 회사의 ～으로 활약하고 있다 他在公司起着中坚的作用 tā zài gōngsī qǐzhe zhōngjiān de zuòyòng ‖～ 간부 骨干干部 gǔgàn gànbù / ～ 배우 骨干演员 gǔgàn yǎnyuán

중계(中繼) ①《이어 줌》 转口 zhuǎnkǒu; 转运 zhuǎnyùn; 中继 zhōngjì ②《중계 방송》 中继 zhōngjì; 转播 zhuǎnbō ¶전국에 ~ 방송하다 向全国转播 xiàng quánguó zhuǎnbō ‖~국(局) 转播站 zhuǎnbōzhàn =〔中继站 zhōngjìzhàn〕/~ 무역 转口贸易 zhuǎnkǒu màoyì/~소 转运站 zhuǎnyùnzhàn =〔中继站 zhōngjìzhàn〕/~항 转口港 zhuǎnkǒugǎng =〔转运口岸 zhuǎnyùn kǒu'àn〕/실황 ~ 实况转播 shíkuàng zhuǎnbō/우주 ~ 卫星转播 wèixīng zhuǎnbō

중고(中古) 半旧 bànjiù; 半新不旧 bànxīn bújiù ‖~차 半新不旧的汽车 bànxīn bújiù de qìchē/~품 半旧的货 bànjiù de huò =〔旧货 jiùhuò〕

중공업(重工業) 重工业 zhònggōngyè ‖~ 지대 重工业地区 zhònggōngyè dìqū

중과부적(衆寡不敵) 寡不敌众 guǎ bù dí zhòng

중국어(中國語) 中国话 Zhōngguóhuà; 中文 Zhōngwén; 汉语 Hànyǔ

중국 요리(中國料理) 中国菜 Zhōngguócài ‖중국 요릿집 中国菜馆子 Zhōngguó càiguǎnzi

중궁(中宮) 皇后 huánghòu

중길(中…) 不大好可也不大坏 bú dàhǎo kě yě bú dàhuài

중노동(重勞動) 重活儿 zhònghuór; 重体力劳动 zhòng tǐlì láodòng ¶그의 저런 몸으로써는 ~에 견디기 어렵겠지 看他那身子骨儿禁不住重活儿吧 kàn tā nà shēnzigǔr jīnbuzhù zhònghuór ba

중늙은이(中…) 半老人 bànlǎorén

중단(中斷) 中断 zhōngduàn; 中辍 zhōngchuò ¶청중이 떠들어서 연주는 ~되었다 听众闹起来, 演奏中断了 tīngzhòng nàoqǐlai, yǎnzòu zhōngduàn le

중대(中隊) 《軍》 连 lián; 中队 zhōngduì ‖~장 连长 liánzhǎng

중대(重大) 严重 yánzhòng; 重大 zhòngdà ¶사태는 ~한 국면을 맞이하다 事态面临严重的局面 shìtài miànlín yánzhòng de júmiàn ‖~ 사건 重大事件 zhòngdà shìjiàn/~ 성명 重要声明 zhòngyào shēngmíng

중대가리 光头 guāngtóu; 推光头 tuī guāngtóu

중도(中途) 中途 zhōngtú ¶대설 때문에 막혀서 ~에 되돌아왔다 为大雪所阻'中途〔途中、半路、半道〕返回了 wéi dàxuě suǒ zǔ'zhōngtu 〔túzhōng, bànlù, bàndào〕 fǎnhuí le

중독(中毒) 中毒 zhòngdú ¶임신 ~증 妊娠中毒症 rènshēn zhòngdúzhèng/그는 가스에 ~되어 죽었다 他'煤气中毒〔中了煤气〕死了 tā 'méiqì zhòngdú 〔zhòngle méiqì〕 sǐ le/모르핀을 상용하면 ~된다 常用吗啡会上瘾的 chángyòng mǎfēi huì shàngyǐn de

중동무이(中…) 半途而废 bàntú ér fèi; 不够完善 búgòu wánshàn ¶~한 태도 左右不定〔梅棱两可〕的态度 zuǒyòu búdìng 〔móléng liǎngkě〕 de tàidu

중등(中等) 中等 zhōngděng ¶그것은 ~품이다 这个是'中等货〔中路货色〕 zhège shì 'zhōngděnghuò〔zhōnglù huòsè〕 ‖~ 교육 中等教育 zhōngděng jiàoyù

중략(中略) 中间略去一部分 zhōngjiān lüèqù yíbùfen ¶~하고 다음으로 넘어간다 中间略去一部分转入下段 zhōngjiān lüèqù yíbùfen zhuǎnrù xiàduàn

중량(重量) 重量 zhòngliàng; 分量 fènliang ¶화물의 ~을 달다 称货物的重量 chēng huòwù de zhòngliàng

중류(中流) ①《강의》 中游 zhōngyóu ②《사회의》 中流 zhōngliú ‖~ 가정 中等家庭 zhōngděng jiātíng =〔小康人家 xiǎokāng rénjiā〕/~ 계급 中层阶级 zhōngcéng jiējí =〔中间阶层 zhōngjiān jiēcéng〕

중령(中領) 中校 zhōngxiào

중매(仲買) 经纪 jīngjì ‖~인 经纪人 jīngjìrén =〔掮客 qiánkè〕〔牙行 yáháng〕

중매(仲媒) 做媒 zuòméi ¶~하다 做媒 zuòméi ‖~쟁이 媒人 méirén =〔婚姻介绍人 hūnyīn jièshàorén〕

중반(中盤) 中盘 zhōngpán; 中局 zhōngjú ¶선거는 ~전에 들어섰다 选举进入了中间阶段 xuǎnjǔ jìnrùle zhōngjiān jiēduàn

중병(重病) 重病 zhòngbìng ¶그는 ~이다 他病很重 tā bìng hěn zhòng

중복(中腹) ⇨ 중턱

중뿔나다(中…) 多管闲事 duōguǎn xiánshì; 好多事 hào duōshì

중산모(中山帽), 중산모자(中山帽子) 圆顶礼帽 yuándǐng lǐmào

중상(中傷) 中伤 zhòngshāng; 诬蔑 wūmiè; 毁谤 huǐbàng; 诽谤 fěibàng; 暗箭伤人 ànjiàn shāngrén ¶그것은 나에 대한 ~이다 那是对我的恶语中伤 nà shì duì wǒ de èyǔ zhòngshāng

중성(中性) 中性 zhōngxìng ¶토양을 ~으로 하다 把土壤改造为中性 bǎ tǔrǎng gǎizào wéi zhōngxìng ‖~ 세제 中性洗衣粉 zhōngxìng xǐyīfěn/~자 中子 zhōngzǐ

중세(中世) 中世纪 zhōngshìjì

중시(重視) 注重 zhùzhòng; 重视 zhòngshì ¶학력보다 인격을 ~하다 比起学历来更为重视人格 bǐqǐ xuélì lái gèng wéi zhòngshì réngé

중심(中心) 中心 zhōngxīn; 焦点 jiāodiǎn ¶자기~주의 自我〔利己〕主义 zìwǒ 〔lìjǐ〕 zhǔyì/원의 ~ 圆的中心 yuán de zhōngxīn =〔圆心 yuánxīn〕/태양계의 혹성은 태양을 ~으로 회전하고 있다 太阳系的行星环绕太阳旋转 tàiyángxì de xíngxīng huánrǎo tàiyáng xuánzhuǎn ‖~ 인물 中心人物 zhōngxīn rénwù

중심(重心) 重心 zhòngxīn; 重点 zhòngdiǎn ¶~을 잃고 쓰러졌다 失去平衡跌倒了 shīqù pínghéng diēdǎo le

중앙(中央) 中央 zhōng yāng; 当中 dāngzhōng ¶~과 지방 首都和地方 shǒudū hé dìfāng/방의 ~에 테이블을 놓다 把桌子放在房间中央 bǎ zhuōzi fàng zài fángjiān zhōngyāng ‖~ 우체국 邮政总局 yóuzhèng zǒngjú

중언부언(重言復言) 再三再四地说 zàisān zàisìde shuō; 说了又说 shuōle yòu shuō

중얼거리다 嘟嘟囔囔 dūdū nāngnang

중역(重役) 重要职位 zhòngyào zhíwèi; 《회사의》 董事和监查人的通称 dǒngshì hé jiānchárén de tōngchēng ‖~회 董事会 dǒngshìhuì

중요(重要) 重要 zhòngyào; 要紧 yàojǐn ¶~한 문제가 산같이 쌓여 있다 重要问题堆积如山 zhòngyào wèntí duījī rú shān/청소년 교육을 ~시하다 重视青少年的教育 zhòngshì qīngshàonián de jiàoyù ‖~ 문화재 重要文化遗

产 zhòngyào wénhuà yíchǎn =〔重要文物 zhòngyào wénwù〕/ ~ 사항 重要事项 zhòngyào shìxiàng
중위(中位) 中等 zhōngděng; 中常 zhōngcháng ¶그는 ~의 성적으로 졸업했다 他以中等成绩毕业了 tā yǐ zhōngděng chéngjī bìyè le
중위(中尉) 中尉 zhōngwèi
중재(仲裁) 说和 shuōhe; 排解 páijiě; 调停 tiáoting; 调解 tiáojiě; 仲裁 zhòngcái ¶~의 역할을 하다 从中调解 cóngzhōng tiáojiě =〔居间调停 jūjiān tiáoting〕
중절(中絶) 中断 zhōngduàn ‖ 임신 ~ 人工流产 réngōng liúchǎn
중절모(中折帽), 중절모자(中折帽子) 呢帽 nímào; 软帽 ruǎnmào ¶~를 푹 눌러 쓰다 呢帽戴的齐眉 nímào dài de qíméi
중증(重症) 重病 zhòngbìng; 大病 dàbìng; 重症 zhòngzhèng ‖~ 환자 重病员 zhòngbìngyuán
중지(中止) 中止 zhōngzhǐ; 停止 tíngzhǐ; 做罢 zuòbà ¶피크닉은 비 때문에 ~되었다 因雨郊游中止了 yīn yǔ jiāoyóu zhōngzhǐ le
중치(中…) 中等货 zhōngděnghuò
중키(中…) 不高不矮 bù gāo bù ǎi ¶호리호리한 ~ 挺拔的中等身量 tǐng bá de zhōngděng shēnliang / 그는 ~에 살이 알맞게 쪘다 他是个中等身材 tā shì ge zhōngděng shēncái
중태(重態) 危笃 wēidǔ; 病笃 bìngdǔ; 病危 bìngwēi ¶~에 빠지다 病危 bìng wēi / 대량 출혈로 ~에 빠졌다 由于大量出血陷于危笃 yóuyú dàliàng chūxuè xiàn yú wēidǔ
중턱(中…) 山腰 shānyāo; 半山腰 bànshānyāo ¶산 ~에 찻집이 있다 在半山上有茶棚 zài bànshān shàng yǒu chápéng
중퇴(中退) 中途退学 zhōngtú tuìxué ¶고교 ~ 高中肄业 gāozhōng yìyè
중포(重砲) 重炮 zhòngpào
중학교(中學校) 初中 chūzhōng; 初级中学 chūjí zhōngxué
중형(重刑) 重刑 zhòngxíng ¶징역 15년의 ~에 처해지다 被判处监禁十五年的重刑 bèi pànchǔ jiānjìn shíwǔ nián de zhòngxíng
중혼(重婚) 重婚 chónghūn ‖~죄 重婚罪 chónghūnzuì
중화(中和) 中和 zhōnghé ¶산과 알칼리를 ~하다 酸和碱中和 suān hé jiǎn zhōnghé / 독성을 ~하다 中和毒性 zhōnghé dúxìng ‖~제 中和剂 zhōnghéjì
중화(中華) 中华 Zhōnghuá ‖~ 요리 中国菜 Zhōngguócài; 中菜 Zhōngcài; 中餐 Zhōngcān
중후(重厚) 敦厚 dūnhòu ¶그는 ~한 인품으로 모두에게 신뢰를 받고 있다 他为人很敦厚, 受到大家的信任 tā wéirén hěn dūnhòu, shòudào dàjiā de xìnrèn
쥐¹ 《경련》 抽疯 chōufēng; 抽搐 chōuchù; 〈口〉 抽筋(儿) chōujīn(r); 痉挛 jìngluán
쥐² 《動》 鼠 shǔ; 〈俗〉 老鼠 lǎoshu; 〈方〉 耗子 hàozi ¶독안에 든 ~ 瓮中之鳖 wèng zhōng zhī biē
쥐구멍 鼠窟 shǔ kū; 老鼠洞 lǎoshudòng ¶~을 찾다 羞得有个地缝儿都想钻进去 xiūde yǒu ge dìfèngr dōu xiǎng zuānjinqù / ~에도 볕 들 날이 있다 石头也有翻身转 shítou yě yǒu fānshēn zhuǎn
쥐다 ① 抓 zhuā; 拿 ná; 攥 zuàn; 握 wò ¶주먹을 ~ 攥拳头 zuàn quántou =〔握拳 wòquán〕/ 쌀 한 줌을 ~ 抓一抄米 zhuā yì chāomǐ ② 《권리 따위를》 掌 zhǎng; 掌握 zhǎngwò ¶실권은 그가 쥐고 있다 实权掌握在他的手里 shíquán zhǎngwò zài tāde shǒuli
쥐덫 捕鼠器 bǔshǔqì
쥐뿔같다 稀松平常 xīsōng píngcháng; 平平无奇 píngpíng wúqí; 不济的 bújì de; 没意思 méi yìsi
쥐어뜯다 《머리털을》 揪下来 jiūxiàlai; 《새털 · 풀을》 薅掉 hāo diào
쥐색(…色) 灰色 huīsè
쥐어박다 拿拳头攻打出去 ná quántou gōng dǎchūqu
쥐어지르다 用拳头冲击 yòng quántou chōngjī
쥐엄나무 《植》 皂荚 zàojiá
쥐엄발이 脚挛的人 jiǎoluán de rén
쥐여지내다 寄人篱下 jì rén lí xià; 被控制 bèi kòngzhì
쥐잡듯이 一点不留地 yìdiǎn bùliúde; 无孔不入 wú kǒng bú rù
쥐죽은듯이 《조용함》 鸦默雀静儿地 yā mò què jìng(r) de; 鸦雀无声 yā què wú shēng; 《아무 말 없다》 一声不响 yì shēng bù xiǎng; 不加可否 bùjiā kěfǒu
쥘부채 折扇(儿) zhéshàn(r); 扇子 shànzi
즈음 《무렵》 当儿 dāngr; 时候(儿) shíhou(r); 时机 shíjī ¶이~ 如今 rújīn =〔这些日子 zhèxiē rìzi〕
즈크(네 doek) 帆布 fānbù ‖~신 帆布鞋 fānbùxié
즉(卽) 就是 jiùshì; 便 biàn; 乃 nǎi; 则 zé ¶이것이 ~ 인생이라고 하는 것이다 这就是所谓的人生 zhè jiùshì suǒwèi de rénshēng
즉각(卽刻) 即刻 jíkè ¶~ 귀국하라 命令即刻回国 mìnglìng jíkè huíguó
즉매(卽賣) 当场出售 dāngchǎng chūshòu
즉사(卽死) 立死 lìsǐ; 登时死 dēngshí sǐ ¶~하다 当场死亡 dāngcháng sǐwáng / 승객은 전원 ~했다 乘客当即全死了 chéngkè dāngjí quán sǐ le
즉석(卽席) 马上 mǎshàng; 立刻 lìkè; 就地 jiùdì; 立地 lìdì; 立即 lìjí ¶~에서 한 수 읊다 即席赋首诗 jíxí fù shǒu shī ‖~ 요리 应时小酌 yìngshí xiǎozhuó
즉시(卽時) 当即 dāngjí; 即刻 jíkè; 立即 lìjí ¶~ 해산하라! 立即解散! lìjí jiěsàn
즉위(卽位) 即位 jíwèi; 登基 dēngjī
즉전(卽錢) 现款 xiànkuǎn; 现钱柞 xiànqiánchǔ ¶~ 매매 现款交易 xiànkuǎn jiāoyì / ~으로 지불하다 用现金付款 yòng xiànjīn fù kuǎn
즉효(卽效) 立刻见效验 lìkè jiàn xiàoyàn ‖~약 特效药 tèxiàoyào =〔救急药 jiùjíyào〕
즉흥(卽興) 即兴 jíxìng ‖~곡 即兴曲 jíxìngqǔ
즐겁다 快乐 kuàilè; 快活 kuàihuo; 愉快 yúkuài; 高兴 gāoxìng ¶아이들을 가르치는 것은 ~ 教孩子们是很愉快的 jiāo háizimen shì hěn yúkuài de
즐기다 欣赏 xīnshǎng; 享受 xiǎngshòu ¶그는 인생을 즐기고 있다 他享受着人生的乐趣 tā xiǎngshòuzhe rénshēng de lèqù

즐비하다(櫛比…) 栉比 jiébì ¶책을 즐비하게 늘어놓다 摆一大排书本 bǎi yí dà pái shūběn
증가(增加) 增加 zēngjiā ¶도시의 인구는 ~ 일로에 있다 都市的人口越来越增加 dūshì de rénkǒu yuèlái yuè zēngjiā
증강(增强) 增强 zēngqiáng; 加强 jiāqiáng ¶병력을 ~하다 增强兵力 zēngqiáng bīnglì
증거(證據) 证据 zhèngjù ¶~ 물건을 제시하다 提出证物 tíchū zhèngwù / ~ 인멸의 우려가 있다 有销毁罪证的可能 yǒu xiāohuǐ zuìzhèng de kěnéng / 여기에 확실한 ~가 있다 这儿有'确凿的证据〔确证, 实据, 铁证〕zhèr yǒu 'quèzuò de zhèngjù〔quèzhèng, shíjù; tiězhèng〕
증권(證券) 证券 zhèngquàn ‖~ 거래소 证券交易所 zhèngquàn jiāoyìsuǒ / 유가 ~ 有价证券 yǒujià zhèngquàn
증기(蒸氣) 蒸气 zhēngqì; 蒸汽 zhēngqì ¶~가 나다 冒热气 mào rèqì ‖~ 기관차 蒸汽机车 zhēngqì jīchē / ~선 汽船 qìchuán
증류(蒸溜) 蒸镏 zhēngliú ¶포도주를 ~하여 브랜디를 만들다 蒸镏葡萄酒制白兰地 zhēngliú pútaojiǔ zhì báilándì ‖~수 蒸镏水 zhēngliúshuǐ
증명(證明) 证明 zhèngmíng; 证实 zhèngshí ¶신분 ~서 身分证 shēnfenzhèng / 이분은 당사의 사원으로 있음을 ~한다 该人系我公司职员特此证明 gāi rén xì wǒ gōngsī zhíyuán tècǐ zhèngmíng
증발(蒸發) 蒸发 zhēngfā ¶물은 ~하여 수증기가 된다 水蒸发成水蒸气 shuǐ zhēngfā chéng shuǐzhēngqì / 그는 돌연 ~했다 他突然失踪了 tā tūrán shīzōng le
증산(增産) 增产 zēngchǎn ¶식량을 ~하다 增产粮食 zēngchǎn liángshi
증상(症狀) 病状 bìngzhuàng; 症状 zhèngzhuàng; 症候 zhènghou ¶~이 악화되다 病状恶化 bìngzhuàng èhuà / 말라리아의 ~이 나타나다 出现疟疾的症状 chūxiàn nüèji de zhèngzhuàng ‖중독 ~ 中毒症候 zhòngdú zhènghou
증서(證書) 字据 zìjù; 证书 zhèngshū ¶졸업 ~ 毕业证书 bìyè zhèngshū =〔文凭 wénpíng〕/ ~를 작성하다 立字据 lì zìjù
증손(曾孫) 曾孙 zēngsūn ‖~녀 曾孙女 zēngsūnnǚ / ~자 ⇨증손자
증언(證言) 证言 zhèngyán; 作证 zuòzhèng ¶피고를 위해서 ~하다 为被告作证 wèi bèigào zuò zhèng
증여(贈與) 赠给 zènggěi; 赠与 zèngyǔ ¶기념품을 ~하다 赠送念想(儿) zèngsòng niànxiǎng(r) / 재산을 ~하다 赠与财产 zèngyǔ cáichǎn
증오(憎惡) 憎恶 zēngwù; 憎恨 zēnghèn ¶~의 마음을 품다 抱憎恶之念 bào zēngwù zhī niàn
증원(增援) 增援 zēngyuán; 《군대의》 添救兵 tiān jiùbīng
증인(證人) 证人 zhèngrén ¶~으로 출정하다 作为证人出庭 zuòwéi zhèngrén chūtíng / 역사의 산~ 历史的见证人 lìshǐ de jiànzhèngrén
증자(增資) 增添股本 zēngtiān gǔběn; 添本 tiānběn; 增加资本 zēngjiā zīběn ¶사업 확장을 위해 ~하다 为扩大事业增加资本 wèi kuòdà shìyè zēngjiā zīběn
증정(贈呈) 赠送 zèngsòng; 奉赠 fèngzèng; 奉送 fèngsòng ¶기념품을 ~하다 赠送记念品 zèngsòng jìniànpǐn
증조부(曾祖父) 《아버지쪽의》 曾祖父 zēngzǔfù; 曾祖 zēngzǔ; 老爷爷 lǎoyéye
증조모(曾祖母) 《아버지쪽의》 曾祖母 zēngzǔmǔ; 老奶奶 lǎonǎinai
증축(增築) 添盖 tiāngài; 增盖 zēnggài ¶공장을 ~하다 扩建工厂 kuòjiàn gōngchǎng / 1동을 ~하다 增建一栋 zēngjiàn yí dòng ‖~ 공사 扩建工程 kuòjiàn gōngchǎng
증폭(增幅) 放大 fàngdà ¶진공관으로 ~하다 用真空管放大 yòng zhēnkōngguǎn fàngdà ‖~기 放大器 fàngdàqì / ~ 작용 放大作用 fàngdà zuòyòng
지각(地殼) 地壳 dìqiào ‖~ 변동 地壳运动 dìqiào yùndòng
지각(知覺) 知觉 zhījué ¶~을 잃다 失去知觉 shīqù zhījué ‖~ 신경 感觉神经 gǎnjué shénjīng =〔知觉神经 zhījué shénjīng〕
지각(遲刻) 迟到 chídào; 误点 wùdiǎn ¶그녀는 ~해 본 적이 없다 她从来没迟到过 tā cónglái méi chídàoguo
지갑(紙匣) 钱包 qiánbāo; 钱袋 qiándài; 钱夹子 qiánjiāzi; 钱囊 qiánnáng; 腰包 yāobāo
지게미 糟粕 zāopò; 酒底子 jiǔdǐzi
지겹다 厌烦得打寒噤 yànfánde dǎ hánjìn
지경(地境) ①《형편》 地步 dìbù; 立场 lìchǎng; 处境 chǔjìng ¶중간에 끼여 곤란한 ~에 빠졌다 陷于左右为难的苦境 xiànyú zuǒyòu wéi nán de kǔjìng ② ⇨경계(境界)
지관(地官) 形家 xíngjiā; 风水先生 fēngshuǐ xiānsheng
지구(地球) 地球 dìqiú ‖~의 地球仪 dìqiúyí
지구(持久) 持久 chíjiǔ ‖~력 持久力 chíjiǔlì =〔耐久力 nàijiǔlì〕/ ~전 持久战 chíjiǔzhàn
지국(支局) 分局 fēnjú; 分社 fēnshè
지그시 轻轻地 qīngqīngde ¶눈을 ~ 감다 轻轻地阖上眼睛 qīngqīngde héshang yǎnjing
지극히(至極…) 极其 jíqí; 非常 fēicháng; 极端 jíduān ¶부부 사이는 ~ 원만하다 夫妇之间极为和睦 fūfu zhī jiān jí wéi hémù
지근덕거리다 纠缠不休 jiūchán bùxiū; 缠绕 chánrào
지글지글 《기름 끓는 소리》 欻拉拉 chuālāla
지금(至今) 现在 xiànzài ¶~쯤 这个时候(儿) zhège shíhou(r) / ~부터 今后 jīnhòu =〔从今以后 cóngjīn yǐhòu〕
지금(地金) 黄金 huángjīn
지금거리다 牙碜 yáchēn
지급(支給) ①《내어 줌》 支付 zhīfù; 付给 fùjǐ; 发 fā ¶여비를 ~하다 支付旅费 zhīfù lǚfèi / 작업복을 ~하다 发工作服 fā gōngzuò fú ②《변제의 급부》 付款 fùkuǎn ¶~을 요구하다 要求付款 yāoqiú fùkuǎn / ~을 정지하다 停止付款 tíngzhǐ fùkuǎn =〔止付 zhǐ fù〕‖~인 付款人 fùkuǎnrén
지급(至急) 火速 huǒsù; 火急 huǒjí; 赶快 gǎnkuài; 赶紧 gǎnjǐn; 加紧 jiājǐn ¶대~으로 회답을 주십시오 请赶快回信 qǐng gǎnkuài huíxìn ‖~ 전보 快电 kuàidiàn
지긋지긋하다 讨厌得受不了 tǎoyànde shòubuliǎo
지긋하다 到了相当年纪 dàole xiāngdāng niánjì
지껄이다 叨唠 dāolao
지끈지끈 《부러지는 소리》 嘎嚓嘎嚓 gācā gācā;

《아픈 모양》一阵一阵地痛 yí zhèn yí zhèn de tòng
지나가다 走过去 zǒuguòqù
지나다 ①《어느 지점·구간을》过 guò; 通过 tōngguò ¶한강을 지나면 얼마 안 있어 용산이다 过了汉江就快到龙山 guòle Hànjiāng jiù kuài dào Lóngshān / 저녁비가 지난 후 서늘해졌다 经一阵雷雨天气凉快了 jīng yízhèn léiyǔ tiānqì liángkuai le ②《어느 시점·기간을》过 guò; 过去 guòqu ¶그 때로부터 5년의 세월이 지났다 从那时已过了五年的岁月 cóng nà shí yǐguòle wǔ nián de suìyuè / 지나가 버린 옛날을 그리워하다 怀想往事 huáixiǎng wǎngshì / 여름 방학은 지나갔다 暑假已过去了 shǔjià yǐ guòqu le ③《…에 지나지 않다》¶그것은 단지 구실에 지나지 않는다 那只不过是个藉口而已 nà zhǐ búguò shì ge jièkǒu éryǐ / 단순한 뜬소문에 지나지 않는다 不过是个风声罢了 búguò shì ge fēngshēng bàle
지나치다 过度 guòdù; 过于 guòyú; 过甚 guòshèn; 过火 guòhuǒ; 过分 guòfèn ¶지나치게 먹다 吃得过多 chīde guòduō / 말이 너무 지나치다 说得过火 shuō de guòhuǒ / 그는 사치가 ~ 他过于奢侈 tā guò yú shē chǐ
지난가을 去秋 qùqiū
지난겨울 去冬 qùdōng
지난날 往时 wǎngshí; 以前 yǐqián
지난달 上月 shàngyuè
지난밤 昨儿晚上 zuór wǎnshang
지난번(…番) 上次 shàngcì
지난해 去年 qùnián
지남철(指南鐵) 磁铁 cítiě ¶~은 쇠를 당긴다 磁铁吸铁 cítiě xī tiě
지내다 ①《생활하다》过日子 guò rìzi; 过活 guòhuó; 度日 dùrì ¶나는 북경에서 지낸 적이 있다 我曾在北京'住〔呆〕过 wǒ céng zài Běijīng 'zhù〔dāi〕guo / 그 후에 어떻게 지내십니까? 其后起居如何? qíhòu qǐjū rúhé? =〔那以后您过得好吗 nà yǐhòu nín guòde hǎo ma?〕②《시간을 보내다》过 guò; 度 dù ¶아무 일도 하지 않고 하루 종일 누워서 ~ 什么也不做整天家在家闲呆着 shénme yě bú zuò zhěngtiān jiā zài jiā xiándāizhe
지네《動》蜈蚣 wúgōng
지노(紙…) 纸捻(儿) zhǐniǎn(r) ¶~를 꼬다 拈〔搓〕纸捻儿 nián〔cuō〕zhǐniǎnr
지느러미 鱼翅 yúchì; 鳍 qí ‖가슴 ~ 胸鳍 xiōngqí / 꼬리 ~ 尾鳍 wěiqí / 등 ~ 背鳍 bèiqí =〔脊鳍 jǐqí〕/ 배 ~ 腹鳍 fùqí
지능(知能) 智力 zhìlì; 智能 zhìnéng ¶~이 높다〔낮다〕智力'高〔低〕zhìlì 'gāo〔dī〕/ ~ 검사를 하다 进行智力测验 jìnxíng zhìlì cèyàn / 이래서 너의 ~정도가 의심스럽다 这样人家会怀疑你的智力水平 zhèyàng rénjia huì huáiyí nǐde zhìlì shuǐpíng ‖~ 지수 智商 zhì shāng =〔智力商数 zhìlì shāngshù〕
지니다 带 dài; 《보존》保存 bǎocún
지다[1] ①《그늘 따위가》阴儿 yīnr; 阴影 yīnyǐng ¶빌딩 때문에 집이 그늘이 진다 叫大楼挡得房子背阴 jiào dàlóu dǎngde fángzi bèiyīn / 저 사람은 어딘가 그늘이 져있다 那个人总使人觉得有一个阴影 nàge rén zǒng shǐ rén juéde yǒu yí ge yīnyǐng ②《얼룩이》¶물감을 드렸는데 얼룩이 ~ 染得不匀 rǎnde bù yún
지다[2]《해가》平西 píngxī
지다[3]《꽃이》蔫 niān; 谢 xiè
지다[4]《패배》败 bài; 《내기에서》输 shū
지다[5]《등에》背 bēi; 《책임》担当 dāndāng; 担负 dānfù; 《신세를》蒙 méng; 受到 shòudào; 《빚을》该 gāi; 欠 qiàn
지당(至當) 妥当 tuǒdàng; 适当 shìdàng; 得宜 déyí ¶~한 조치를 취하다 采取适当的处置 cǎiqǔ shìdàng de chǔzhì
지대(地代) 地租 dìzū; 地子钱 dìziqián
지대(地帶) 地带 dìdài; 地域 dìyù; 地区 dìqū ‖공업~ 工业地带 gōngyè dìdài =〔工业地区 gōngyè dìqū〕〔工业区 gōngyèqū〕/ 산악 ~ 山岳地带 shānyuè dìdài / 안전 ~ 安全地带 ānquán dìdài =〔《도로의》安全岛 ānquándǎo〕
지도(地圖) 地图 dìtú ¶세계 ~ 世界地图 shìjiè dìtú / 친구가 그린 ~를 의지해서 찾아가다 依照朋友画的地图找去 yīzhào péngyou huà de dìtú zhǎoqu
지도(指導) 指导 zhǐdǎo; 领导 lǐngdǎo; 指教 zhǐjiào ¶학생에게 수영을 ~하다 领导学生游泳 lǐngdǎo xuésheng yóuyǒng / ~성을 발휘하다 发挥领导作用 fāhuī lǐngdǎo zuòyòng / 이후로도 잘 ~해 주십시오 今后请多多指教 jīnhòu qǐng duōduō zhǐjiào ‖~자 领导者 lǐngdǎozhě =〔领导人 lǐngdǎorén〕〔领导 lǐngdǎo〕
지독하다(至毒…) 真厉害 zhēn lìhai
지동설(地動說) 日心说 rìxīnshuō; 太阳中心说 tàiyang zhōngxīnshuō; 地动说 dìdòngshuō
지랄병(…病)《醫》羊痫疯 yángxiánfēng; 羊角疯 yángjiǎofēng; 癫痫 diānxián ¶~이 발작하다 癫痫发作 diānxián fāzuò =〔犯羊痫风 fàn yángxiánfēng〕〔抽风 chōu fēng〕
지랄하다 闹 nào; 乱闹 luànnào; 胡做非为 hú zuò fēi wéi
지략(智略) 智谋 zhìmóu ¶~이 뛰어난 무장 足智多谋的武将 zúzhìduōmóu de wǔjiàng
지렁이《動》蚯蚓 qiūyǐn; 蛐蟮 qūshàn; 曲蟮 qūshan
지레[1]《지렛대》杠杆 gànggǎn; 撬棍 qiàogùn ¶커다란 돌을 ~로 움직이다 用撬棍撬开大石头 yòng qiàogùn qiàokāi dà shítou / ~로 들어올리다 用杠杆翘起来 yòng gànggǎn qiáoqilai ‖~의 법칙 杠杆原理 gànggǎn yuánlǐ
지레[2]《미리》预先 yùxiān; 事先 shìxiān ¶그렇게 생각한 것은 나의 ~ 짐작이었다 我贸然认为是那样 wǒ màorán rènwéi shì nàyàng ‖~ 짐작 贸然断定 màorán duàndìng
지령(指令) 指令 zhǐlìng; 指示 zhǐshì ¶부하에게 ~을 내리다 向部下发指令 xiàng bùxià fā zhǐlìng
지론(持論) 一贯的主张 yíguàn de zhǔzhāng ¶이것이 나의 ~이다 这是我一贯的见解 zhè shì wǒ yíguàn de jiànjiě
지루하다 无聊 wúliáo; 闷 mèn; 发闷 fāmèn ¶매일 할 일이 없어 ~ 每天无事可做真叫人'闷死了〔闷得慌〕měitiān wú shì kě zuò zhēn jiào rén 'mènsǐ le〔mènde huāng〕/ 지루한 일로 싫증나다 这工作很无聊真令人腻烦 zhè gōngzuò hěn wúliáo zhēn lìng rén nìfan
지르다[1]《발로》踢 tī; 《손으로》攻打进去 gōngdǎjìnqu; 《나무의 순을》掐 qiā; 《길을》抄近 chāo jìn; 《돈을》睹 dǔ; 《비녀를》插 chā ¶머리에 비녀를 ~ 把簪子插在头上 bǎ zānzi chā zài

tóushang
지르다² 《소리를》 喊叫 hǎnjiào; 打喊 dǎhǎn
지름길 抄道 chāodào; 近路 jìnlù; 近道 jìndào; 捷径 jiéjìng; 走抄道〔抄近儿〕 zǒu chāodào〔chāojìnr〕 ¶어학을 배우는 데에 ~은 없다 学外语是没有捷径的 xué wàiyǔ shì méiyǒu jiéjìng de
지리(地理) 地理 dìlǐ ¶그는 이 주변의 ~에 밝다 他熟悉这一带的地理 tā shúxī〔shóuxī〕 zhè yídài de dìlǐ ‖~학 地理学 dìlǐxué
지리다¹ 《오줌을》 瘪不住尿尿出来 biěbuzhù niào niàochūlai
지리다² 《냄새가》 臊 sāo
지망(志望) 志愿 zhìyuàn ¶~한 곳에 입학되었다 按志愿入了学 àn zhìyuàn rùle xué / 원서에 제3 ~까지 쓰다 报名单填写到第三志愿 bàomíngdān tiánxiě dào dìsān zhìyuàn
지면(地面) 地上 dìshang; 地下 dìxia; 地面 dìmiàn ¶~에 많은 발자국이 남아 있다 地上有好些脚印儿 dìshang yǒu hǎoxiē jiǎoyìnr
지명(知名) 知名 zhīmíng; 出名 chūmíng ‖~인사 知名人士 zhīmíng rénshì
지명(指名) 指名(儿) zhǐmíng(r) ¶선생님에게 ~당하여 대답하다 被老师指名作了回答 bèi lǎoshī zhǐmíng zuòle huídá / 범인을 ~ 수배하다 通缉犯人 tōngjī fànrén
지문(指紋) 指印(儿) zhǐyìn(r); 指纹 zhǐ wén; 指斗纹 zhǐdǒuwén; 斗箕 dǒuji ¶와상(渦狀) ~ 斗 dǒu =〔斗印 dǒuyìn〕/ 제상(蹄狀) ~ 箕 jī =〔箕印 jīyìn〕/ ~을 채취하다 摁指斗纹 èn zhǐdǒuwén =〔取指纹 qǔ zhǐwén〕/ ~을 남기다 留下指纹 liúxià zhǐwén
지반(地盤) ①《지각》 地面 dìmiàn ¶요즈음 ~침하가 심하다 近来地面沉降得厉害 jìnlái dìmiàn chénjiàngde lìhai ②《토대》 地基 dìjī ¶~이 단단하다 地面坚固 dìmiàn jiāngù / ~이 부드럽다 地面松软 dìmiàn sōngruǎn ③《근거지》 地盘 dìpán ¶농촌을 ~으로 하여 입후보하다 以农村为地盘参加竞选 yǐ nóngcūn wéi dìpán cānjiā jìngxuǎn
지방(地方) ①《한방면》 地方 dìfang; 地区 dìqū ¶~에 따라서 요리의 방법이 다르다 随着地方不同烹饪法也不同 suízhe dìfang bùtóng pēngrènfǎ yě bùtóng / 강원 ~의 날씨는 맑아질 것이다 江原地区的天气将转晴 Jiāngyuán dìqū de tiānqì jiāng zhuǎn qíng ②《시골》 地方 dìfāng ¶극단이 ~에서 장기간 순회 공연을 하다 剧团到地方做长期的巡回公演 jùtuán dào dìfāng zuò chángqī de xúnhuí gōngyǎn ‖~ 신문 地方报纸 dìfāng bàozhǐ
지방(脂肪) 脂肪 zhīfáng; 脂膏 zhīgāo ¶~분이 적은 식품 脂肪少的食品 zhīfáng shǎo de shípǐn
지방관(地方官) 临民之官 línmín zhīguān
지배(支配) 统治 tǒngzhì; 支配 zhīpèi ¶피~자 被统治者 bèitǒngzhìzhě / 세계 ~의 야망을 품다 怀有统治世界的野心 huáiyǒu tǒngzhì shìjiè de yěxīn / 만물은 모두 자연의 법칙에 ~당한다 万物皆受自然规律的支配 wànwù jiē shòu zìrán guīlǜ de zhīpèi ‖~ 계급 统治阶级 tǒngzhì jiējí / ~인 经理 jīnglǐ / ~자 统治者 tǒngzhìzhě
지분거리다 给别人添麻烦 gěi biérén tiān máfan; 烦扰人 fánrǎo rén
지불(支拂) ①《값을 냄》 支付 zhīfù; 付给 fùjǐ; 付款 fùkuǎn ②⇨지급(支給)
지붕 房顶 fángdǐng; 屋顶 wūdǐng ¶자동차의 ~ 车顶 chēdǐng / 기와로 ~을 이다 用瓦铺屋顶 yòng wǎ pū wūdǐng / 한 ~ 밑에 살다 同住在一个屋顶下 tóng zhù zài yí ge wūdǐng xià / 파미르 고원은 세계의 ~이라고 일컬어진다 帕米尔高原被称之为世界屋脊 Pàmǐ'ěr gāoyuán bèi chēng zhī wéi shìjiè wūjǐ
지사(支社) 分社 fēnshè; 分行 fēnháng; 分公司 fēngōngsī
지사(志士) 志士 zhìshì ¶우국 ~ 忧国志士 yōuguó zhìshì
지사(知事) 知事 zhīshì
지상(地上) 地上 dìshang; 地面 dìmiàn ¶~300미터에서 낙하하다 从离地面三百米的高处落下来 cónglí dìmiàn sānbǎi mǐ de gāochù luòxiàlai / 이 곳은 정말로 ~의 낙원이다 这个地方真是人间乐园 zhègè dìfang zhēn shì rénjiān lèyuán ‖~권 地上权 dìshàngquán =〔地皮权 dìpíquán〕〔借地权 jièdìquán〕
지상(至上) 至上 zhìshàng ‖~ 명령 至上命令 zhìshàng mìnglìng / 예술 ~주의 艺术至上主义 yìshù zhìshàng zhǔyì
지선(支線) 支路 zhīlù; 支线 zhīxiàn
지성(知性) 才智 cáizhì; 智力 zhìlì; 智能 zhìnéng; 理智 lǐzhì ¶~적인 여성 很有才智的女人 hěn yǒu cáizhì de nǚrén
지속(持續) 持续 chíxù ¶호황은 2년간 ~되었다 景气持续了两年 jǐngqì chíxùle liǎngnián
지수(指數) 指数 zhǐshù ‖물가 ~ 物价指数 wùjià zhǐshù
지스러기 碎块儿 suìkuàir; 碎片(儿) suìpiàn(r); 渣儿 zhār
지시(指示) 指示 zhǐshì ¶부하에게 ~를 내리다 指示部下 zhǐshì bùxià
지식(知識) 知识 zhīshi ¶그는 중국사의 ~이 풍부하다 他中国历史的知识很丰富 tā Zhōngguó lìshǐ de zhīshi hěn fēngfù / 나는 그 방면의 ~이 부족하다 我缺乏那方面的知识 wǒ quēfá nà fāngmiàn de zhīshi / 그는 ~욕이 왕성하다 他求知欲很旺盛 tā qiú zhī yù hěn wàngshèng ‖~ 계급 知识阶级 zhīshi jiējí =〔知识分子阶层 zhīshi fènzǐ jiēcéng〕〔印贴列根追亚 yìntiēliè gēnzhuīyà〕
지아비 孩子他爸爸 háizi tābàba
지악스럽다(至惡…) 《극악》 恶巴巴的 è bābāde; 《악착》 又利害又坚韧 yòu lìhai yòu jiānrèn
지어내다 做出 zuòchū; 《꾸미다》 编造 biānzào; 捏造 niēzào ¶지어 낸 얘기 假话 jiǎhuà =〔编造的话 biānzào de huà〕
지어미 孩子他妈 háizi tāmā
지역(地域) 地区 dìqū; 地域 dìyù ¶조사 카드를 ~별로 구분하다 调查卡片按地域加以分类 diàochá kǎpiàn àn dìyù jiāyǐ fēnlèi
지연(遲延) 迟延 chíyán; 迟误 chíwù; 误点 wùdiǎn ¶정전으로 지하철이 30분 ~되다 由于停电地下铁道迟误了三十分钟 yóuyú tíngdiàn dìxià tiědào chíwùle sānshí fēn zhōng
지엽(枝葉) 枝叶 zhīyè; 枝节 zhījié ¶~을 자르다 剪掉枝叶 jiǎndiào zhīyè / ~적인 것은 나중에 하고 본론으로 돌아가자 枝节问题暂且不提, 回到本题上吧 zhījié wèntí zànqiě bù tí, huídào běntí shang ba

지옥(地獄) 地狱 dìyù ¶ ～에 떨어지다 下地狱 xià dìyù / 폭발 현장은 마치 이 세상의 ～같았다 爆发现场简直是活地狱 bàofā xiànchǎng jiǎnzhí shì huódìyù

지우개 《고무》 橡皮 xiàngpí; 《칠판의》 黑板擦儿 hēibǎncār

지우다[1] ①《보이지 않게 하다》 擦掉 cādiào; 抹掉 mǒdiào ¶ 흑판을 지우지 마십시오 请别把黑板给擦了 qǐng bié bǎ hēibǎn gěi cā le / 지우개로 ～ 用橡皮擦掉 yòng xiàngpí cādiào ②《제거하다》 去掉 qùdiào ¶ 녹음을 ～ 消去录音 xiāoqù lùyīn

지우다[2] 《이기다》 打败 dǎbài

지우다[3] 《등에》 使…背着 shǐ... bēizhe; 《부담》 叫…担负 jiào... dānfù

지원(支援) 支援 zhīyuán ¶ ～의 손을 뻗치다 伸出支援的手 shēnchū zhīyuán de shǒu / ～을 부탁드립니다 请大力支援 qǐng dàlì zhīyuán

지원(志願) 志愿 zhìyuàn; 自愿 zìyuàn ¶ 입학 ～자 应考者 yìngkǎozhě =〔报考者 bàokǎozhě〕/ A 대학의 입학을 ～하다 报名人A大学 bàomíng rù A dàxué / 그는 ～해서 벽지로 갔다 他自愿到穷乡僻壤去了 tā zìyuàn dào qióngxiāng pìrǎng qù le ‖ ～병 志愿兵 zhìyuànbīng

지위(地位) 地位 dìwèi ¶ 사회적 ～가 있는 사람 社会地位高的人 shèhuì dìwèi gāo de rén / 높은 ～에 앉다 就高的职位 jiù gāo de zhíwèi / 부녀의 ～를 향상시키다 提高妇女的地位 tígāo fùnǚ de dìwèi

지인(知人) 相识 xiāngshí; 熟人 shú〔shóu〕rén ¶ ～을 의탁하고 상경하다 进京去投奔熟人 jìn jīng qù tóubēn shú〔shóu〕rén

지장(支障) 障碍 zhàng'ài ¶ ～없다 不碍事 bú ài shì / ～이 생기다 发生障碍 fāshēng zhàng'ài

지저귀다 ①《새가》 哨 shào; 叫 jiào; 鸣 míng; 鸣叫 míngjiào; 叫唤 jiàohuan ¶ 카나리아가 계속해서 ～ 金丝雀不停地在鸣叫 jīnsīquè bù tíng de zài míngjiào ②《쓸데없는 소리를》 瞎咧咧 xiā liélié

지저분하다 《불결》 不洁净 bù jiéjing; 肮脏 āngzang; 〈口〉《난잡》 邋遢 lāta

지적(知的) 智慧的 zhìhuì de; 智力的 zhìlì de ¶ ～ 노동에 종사하다 从事脑力劳动 cóngshì nǎolì láodòng / 그녀는 대단히 ～인 느낌이 든다 觉得她富有智慧和理智 juéde tā fùyǒu zhìhuì hé lǐzhì

지적(指摘) 指出 zhǐchū ¶ 문제점을 ～하다 指出问题所在 zhǐchū wèntí suǒzài / 남에게 결점을 ～당하다 被人指出自己的缺点 bèi rén zhǐchū zìjǐ de quēdiǎn

지점(支店) 分行 fēnháng; 分店 fēndiàn; 分号 fēnhào; 支店 zhīdiàn

지정(指定) 指定 zhǐdìng ¶ ～된 시간에 방문하다 按指定的时间去访问 àn zhǐdìng de shíjiān qù fǎngwèn ‖ ～권 对号票 duìhàopiào / ～석 对号座 duìhàozuò

지조(志操) 节操 jiécāo ¶ 그는 역사학자로서의 ～를 굳게 지켰다 他作为一个历史学者坚贞不屈 tā zuòwéi yíge lìshǐ xuézhě jiānzhēn bù qū

지주(支柱) 戗木 qiàngmù; 支柱 zhīzhù; 顶柱 dǐngzhù ¶ ～로 받치다 用柱子支撑 yòng zhùzi zhīchēng / 그녀는 이 회의 정신적 ～다 她是这个会的精神上的支柱 tā shì zhège huì de jīngshén shang de zhīzhù

지중(地中) 地下 dìxià; 地里 dìli ¶ ～에 파묻다 埋在地下 mái zài dìxià

지지(支持) 支持 zhīchí; 拥护 yōnghù ¶ 내가 ～하는 정당 我所拥护的政党 wǒ suǒ yōnghù de zhèngdǎng / 그의 주장은 여론의 ～를 얻지 못했다 他的主张得不到舆论的支持 tāde zhǔzhāng dé budào yúlùn de zhīchí

지지(遲遲) 迟迟 chíchí ¶ 심의는 ～하게 진행되지 않는다 审议迟迟不见进展 shěnyì chíchí bùjiàn jìnzhǎn

지지난달 上上月 shàngshàngyuè; 大上月 dàshàngyuè

지지다 《지짐질》 炒 chǎo; 煎 jiān

지지랑물 檐溜 yánliū; 从草房檐流下的雨水 cóng cǎofángyán liúxia de yǔshuǐ

지지리 非常 fēicháng; 太 tài ¶ 《얼굴이》 ～ 못난 难看的 nánkànde =〔《사람됨이》 太不争气 tài bù zhēngqì〕

지지하다 平平无奇 píngpíng wú qí; 不济于事 bú jì yú shì; 《일이》 冗长乏味 rǒngcháng fáwèi

지진(地震) 地震 dìzhèn; 地动 dìdòng ¶ ～으로 집이 무너졌다 房子被地震塌了 fángzi bèi dìzhèn tā le ‖ ～계 地震仪 dìzhènyí / ～대 地震带 dìzhèndài / 해저 ～ 海底地震 hǎidǐ dìzhèn

지진제(地鎭祭) 破土式 pòtǔshì

지질(地質) 地质 dìzhì ‖ ～학 地质学 dìzhìxué

지차(之次) 第二 dì èr ‖ ～ 자식 行二 háng èr =〔次子 cì zǐ〕

지참(持參) 带来 dàilái; 拿出 náchū ¶ 회비는 ～할 것 随带会敬 suídàihuìjìng / 점심은 각자 ～할 것 午饭自备 wǔfàn zìbèi ‖ ～금 陪银子 péiyínzi =〔陪嫁钱 péijiàqián〕

지참(遲參) 迟到 chídào; 误点 wùdiǎn

지척거리다 曳足而行 yè zú ér xíng

지청구하다 平白无故地赖别人 píngbái wúgùde lài biérén

지체 门第 méndì; 出身 chūshēn; 家世 jiāshì ¶ ～ 좋은 名门出身 míngmén chūshēn

지체(遲滯) 迟缓 chíhuǎn ¶ ～없이 一会儿(就) yìhuǐr(jiù) =〔马上 mǎshàng〕

지축(地軸) 地轴 dìzhóu

지출(支出) 开支 kāizhī; 开销 kāixiāo; 支出 zhīchū ¶ 이번 달의 ～이 예산을 초과했다 本月的开支超过了预算 běnyuè de kāizhī chāoguòle yùsuàn

지치다[1] 《피로》 累 lèi; 乏 fá; 疲倦 píjuàn; 疲乏 pífá ¶ 그녀는 사는 데 아주 지쳐 있는 것 같다 她好像对活着已经非常厌倦了 tā hǎoxiàng duì huózhe yǐjīng fēicháng yànjuàn le

지치다[2] 《미끄럼을》 滑 huá; 滑行 huáxíng ¶ 썰매를 ～ 坐雪橇滑行 zuò xuěqiāo huáxíng / 얼음 위를 ～ 在冰上滑行 zài bīng shang huáxíng =〔滑冰 huábīng〕〔溜冰 liūbīng〕

지치다[3] 《문을》 关上 guānshang

지침(指針) 指针 zhǐzhēn ¶ 속도계의 ～은 100을 가리키고 있다 速度表的指针指着一百公里 sùdùbiǎo de zhǐzhēn zhǐzhe yìbǎi gōnglǐ / 이 한 권의 책은 나의 인생의 ～이 되었다 这一本书成了我人生的指针 zhè yì běn shū chéngle wǒ rénshēng de zhǐzhēn

지키다 ①《준수하다》 守 shǒu; 遵守 zūnshǒu

¶시간을 ～ 遵守时间 zūnshǒu shíjiān / 약속을 ～ 守约 shǒuyuē =〔遵守诺言 zūnshǒu nuòyán〕/ 비밀을 ～ 保守秘密 bǎoshǒu mìmì ②《방어·보호하다》守 shǒu; 守卫 shǒuwèi; 防守 fángshǒu; 保卫 bǎowèi; 捍卫 hànwèi; 保护 bǎohù; 卫护 wèihù; 维护 wéihù ¶조국을 ～ 保卫祖国 bǎowèi zǔguó / 진지를 ～ 防守阵地 fángshǒu zhèndì / 지키기는 쉬우나 공격하기는 어렵다 易守难攻 yì shǒu nán gōng / 국민의 이익을 ～ 保卫〔维护〕人民的利益 bǎowèi〔wéihù〕 rénmín de lìyì

지탱하다(支撑…) 支 zhī; 撑 chēng; 支撑 zhīcheng ¶기울어진 오두막을 통나무로 ～ 用木头'架〔顶〕住倾斜的茅屋 yòng mùtou 'jià〔dǐng〕 zhù qīngxié de máowū / 그녀는 혼자서 한 집의 생계를 지탱하고 있다 一家的生活由她一个人支撑着 yí jiā de shēnghuó yóu tā yí ge rén zhīchengzhe

지팡이 手杖 shǒuzhàng; 棍子 gùnzi; 拐杖 guǎizhàng; 拐棍 guǎigùn ¶～를 짚다 拄拐杖 zhǔ guǎizhàng / ～에 의지하여 걷다 扶着拐棍走 fúzhe guǎigùn zǒu

지평선(地平線) 地平线 dìpíngxiàn; 天际线 tiānjìxiàn ¶저녁 해가 ～상에 지다 夕阳落到地平线上 xīyáng luòdào dìpíngxiàn shang

지폐(紙幣) 钞票 chāopiào; 纸币 zhǐbì; 票儿 piàor; 票子 piàozi ¶새 ～를 발행하다 发行新纸币 fāxíng xīn zhǐbì

지표(指標) ①《방향》指标 zhǐbiāo ¶종이의 소비량은 한 나라 문화의 ～이다 纸张的消费量标志着一国的文化水平 zhǐzhāng de xiāofèiliàng biāozhìzhe yì guó de wénhuà shuǐpíng ②《數》首数 shǒushù

지푸라기 一根稻草 yìgēn dàocǎo

지프(jeep) 吉普车 jípǔchē; 基铺 jīfǔ

지피다 点燃 diǎnrán ¶불을 ～ 烧火 shāohuǒ / 난로에 땔나무를 ～ 往壁炉里添木柴 wǎng bìlú li tiān mùchái

지하(地下) 地下 dìxià ¶지상 10층 ～ 3층의 빌딩 地上〔上〕十层, 地下〔下〕三层的大楼 dìshàng〔shàng〕 shí céng, dìxià〔xià〕 sān céng de dàlóu / ～에 숨어서 정치 활동을 하다 潜入地下进行政治活动 qiánrù dìxià jìnxíng zhèngzhì huódòng ‖ ～도 地道 dìdào =〔地下坑道 dìxià kēngdào〕/ ～ 상가 地下商店街 dìxià shāngdiànjiē / ～수 伏流 fúliú / ～실 地室 dìshì =〔地窨子 dìyìnzi〕/ ～ 철도 地下铁道 dìxià tiědào

지향(志向) 志向 zhìxiàng ¶평화 공존을 ～하다 谋求和平共处 móuqiú hépíng gòngchǔ

지향(指向)《어떤 방향을 향함》指向 zhǐxiàng; 面向 miànxiàng; 定向 dìngxiàng ¶평화 외교를 ～하다 以平和外交为方针 yǐ pínghé wàijiāo wéi fāngzhēn ‖ ～성 안테나 定向天线 dìngxiàng tiānxiàn

지혈(止血) 止血 zhǐxuè ¶혈관을 눌러서 ～하다 摁住血管止血 ènzhù xuèguǎn zhǐ xuè ‖ ～제 止血剂 zhǐxuèjì

지협(地峽) 地峡 dìxiá; 地颈 dìjǐng ‖ 파나마 ～ 巴拿马地峡 Bānámǎ dìxiá

지혜(智慧) 智慧 zhìhuì ¶그는 ～가 있는 사람이다 他是很有智慧的人 tā shì hěn yǒu zhìhuì de rén / ～를 짜내다 绞尽脑汁 jiǎojìn nǎozhī

지휘(指揮) 指挥 zhǐhuī ¶오케스트라를 ～하다 指挥管弦乐队 zhǐhuī guǎnxiányuèduì ‖ ～봉 指挥棒 zhǐhuībàng / ～자 指挥者 zhǐhuīzhě

직각(直角) 直角 zhíjiǎo ¶～으로 교차하는 두 직선 相交成直角的两条直线 xiāngjiāo chéng zhíjiǎo de liǎng tiáo zhíxiàn ‖ ～ 삼각형 直角三角形 zhíjiǎo sānjiǎoxíng

직감(直感) 直觉 zhíjué ¶～적으로 그녀가 수상하다고 느꼈다 直觉地感到她有点儿可疑 zhíjuéde gǎndào tā yǒudiǎnr kěyí

직결(直結) 直接连结 zhíjiē liánjié; 《관계 있음》直接有关联 zhíjiē yǒu guānlián ¶쌀값이 오르는 것은 생활에 ～되는 문제다 米价上涨是直接关系到生活的问题 mǐjià shàngzhǎng shì zhíjiē guānxi dào shēnghuó de wèntí / 산지와 ～하여 사들이다 和产地直接挂钩的采购 hé chǎndì zhíjiē guàgōu de cǎigòu

직경(直徑)《數》直径 zhíjìng; 径线 jìngxiàn ¶～ 10cm의 원 直径十厘米的圆 zhíjìng shí límǐ de yuán

직계(直系) 直系 zhíxì; 嫡系 díxì ‖ ～ 친족 直系亲属 zhíxì qīnshǔ =〔嫡亲 díqīn〕

직공(職工) ①《자기 기술자》师傅 shīfu; 工匠 gōngjiàng ②《공장 노동자》工人 gōngrén; 职工 zhígōng

직관(直觀) 直观 zhíguān ¶진리를 ～하다 直观真理 zhíguān zhēnlǐ

직구(直球) 直线球 zhíxiànqiú

직권(職權) 职权 zhíquán ¶～을 남용하다 滥用职权 lànyòng zhíquán

직답(直答) 直接回答 zhíjiē huídá; 立刻回答 lìkè huídá

직류(直流) 直流 zhíliú; 直流电 zhíliúdiàn

직면(直面) 面临 miànlín; 面对 miànduì ¶곤란에 ～하다 面临困难 miànlín kùnnan

직무(職務) 职务 zhíwù ¶～를 수행하다 执行职务 zhíxíng zhíwù / ～ 태만으로 면직당했다 由于玩忽职守被革职了 yóuyú wánhū zhíshǒu bèi gézhí le

직분(職分) 职分 zhífèn ¶～을 다하다 尽职分 jìn zhífèn =〔尽职 jìnzhí〕

직사(直射) 直射 zhíshè ‖ ～포(砲) 平射炮 píngshèpào

직사각형(直四角形) 长方形 chángfāngxíng; 矩形 jǔxíng

직선(直線) 直线 zhíxiàn ¶～을 긋다 划直线 huà zhíxiàn ‖ ～ 코스 直道 zhídào

직소(直訴) 拦舆告状 lán yú gàozhuàng; 直接上诉 zhíjiē shàngsù; 直接上告 zhíjiē shànggào ¶대통령에게 ～하다 直接向总统告状 zhíjiē xiàng zǒngtǒng gàozhuàng

직속(直屬) 直属 zhíshǔ ‖ ～ 상관 直属的上司 zhíshǔ de shàngsi =〔顶头上司 dǐngtóu shàngsi〕

직시(直視) 注视 zhùshì; 正视 zhèngshì ¶현실을 ～하다 正视现实 zhèngshì xiànshí

직업(職業) 工作 gōngzuò; 职业 zhíyè; 生业 shēngyè; 行业 hángyè; 〈方〉行道 hángdao ¶당신의 ～은 무엇입니까? 你的职业是什么? nǐde zhíyè shì shénme? =〔你做什么工作 nǐ zuò shénme gōngzuò〕 ‖ ～병 职业病 zhíyèbìng / ～ 야구 선수 专业棒球选手 zhuānyè bàngqiú xuǎnshǒu

직원(職員) 职员 zhíyuán ‖ ～실 教研室 jiàoyánshì / ～ 회의 教员会议 jiàoyuán huìyì =

〔职员会议 zhíyuán huìyì〕
직인(職印) 本职的印信 běnzhí de yìnxìn
직장(職場) 工作单位 gōngzuò dānwèi; 工作岗位 gōngzuò gǎngwèi ¶나의 ～에는 여성이 많다 我的工作单位女性多 wǒ de gōngzuò dānwèi nǚxìng duō
직접(直接) 直接 zhíjiē ¶네가 ～ 이야기 해라 由你来直接说 yóu nǐ lái zhíjiē shuō ‖～ 화법 直接叙述 zhíjiē xùshù
직책(職責) 职责 zhízé; 职守 zhíshǒu ¶～을 다하다 尽其职任 jìn qí zhírèn =〔尽职责 jìn zhízé〕
직통(直通) 直达 zhídá; 直通 zhítōng; 一直地到 yìzhíde dào ‖～ 열차 直达车 zhídáchē =〔直通列车 zhítōng lièchē〕/～ 전화 直通电话 zhítōng diànhuà
직필(直筆) 亲笔 qīnbǐ
진(津)《나무의》树胶 shùjiāo; 黏儿 niánr;《담배의》烟袋油子 yāndàiyóuzi
진(陣) 阵 zhèn; 阵地 zhèndì ¶～을 쌓다 构筑阵地 gòuzhù zhèndì
진(gin)《술》杜松子酒 dùsōngzǐjiǔ; 金酒 jīnjiǔ
진가(眞價) 真正价值 zhēnzhèng jiàzhí; 实际价值 shíjì jiàzhí ¶드디어 ～를 발휘할 때가 왔다 施展真本事的时机终于到来 shīzhǎn zhēn běnshi de shíjī zhōngyú dàolái
진갑(進甲) 六十二华诞 liùshí'èr huádàn
진걸레 振布 zhǎnbù
진공(眞空) 真空 zhēnkōng; 清空 qīngkōng ¶용기의 가운데를 ～으로 하다 使容器中成为真空 shǐ róngqì zhōng chéngwéi zhēnkōng ‖～관 真空管 zhēnkōngguǎn =〔电子管 diànzǐguǎn〕
진구렁 泥泞 nínìng; 泥淖 nínào ¶차가 ～에 빠지다 汽车陷入泥坑里 qìchē xiànrù níkēng li
진국(眞…) 老实头儿 lǎoshitóur; 诚实的人 chéngshi de rén
진귀(珍貴) 宝贵 bǎoguì; 珍贵 zhēnguì
진급(進級) 升级 shēngjí; 升班 shēngbān ¶3학년으로 ～하다 升三年级 shēng sānniánjí
진기(珍奇) 希奇 xīqí; 珍奇 zhēnqí ¶～한 물건 希奇的东西 xīqí de dōngxi
진눈깨비 霙 yīng; 雨夹雪 yǔ jiā xuě ¶～가 내리다 雨雪交加 yǔxuě jiāojiā/비가 ～로 변했다 雨变成雨夹雪了 yǔ biànchéng yǔ jiā xuě le
진단(診斷) 诊断 zhěnduàn ¶～을 잘못하다 误诊 wùzhěn ‖～서 诊断书 zhěnduànshū/건강～ 健康检查 jiànkāng jiǎnchá
진달래〔植〕杜鹃 dùjuān; 映山红 yìngshānhóng
진담(珍談) 妙论 miàolùn; 奇说 qíshuō; 奇谈 qítán
진담(眞談) 正经话 zhèngjinghuà; 真情实话 zhēnqíng shíhuà; 真话 zhēnhuà ¶농담을 ～으로 듣다 把玩笑当作真话 bǎ wánxiào dàngzuò zhēnhuà
진대붙이다 赖在人家 lài zài rénjiā
진동(振動) 振动 zhèndòng; 振荡 zhèndàng ¶창문 유리가 ～하다 窗玻璃振动 chuāng bōli zhèndòng/이 차는 ～이 적다 这种车震动小 zhè zhǒng chē zhèndòng xiǎo ‖～수 振动次数 zhèndòng cìshù =〔振动频率 zhèndòng pínlǜ〕
진동(震動) 震动 zhèndòng
진두(陣頭) 前线 qiánxiàn; 最前列 zuìqiánliè; 第一线 dìyīxiàn ‖～ 지휘 前线指挥 qiánxiàn zhǐhuī
진드기〔動〕蜱 pí; 螨 mǎn; 狗虱 gǒushī; 扁虱 biǎnshī; 狗豆子 gǒudòuzi
진득이 有忍耐力地 yǒu rěnnàilìde; 平心静气地 píngxīn jìngqìde
진득진득하다 粘糊糊儿的 niánhūhūrde
진디〔蟲〕蚜 yá; 蚜虫 yáchóng; 腻虫 nìchóng
진땀 粘汗 niánhàn; 急汗 jíhàn ¶～ 나다 抽筋拔骨 chōujīn bágǔ
진로(進路) 前路 qiánlù; 进路 jìnlù ¶태풍이 ～를 바꾸다 台风变了路径 táifēng biàn le lùjìng
진리(眞理) 真理 zhēnlǐ ¶～를 탐구하다 探究真理 tànjiū zhēnlǐ
진면목(眞面目) 真本领 zhēn běnlǐng; 真本事 zhēn běnshi ¶이 때에 이르러서 그의 ～이 발휘되었다 到此时此刻才显示出了他的真本事 dào cǐ shí cǐ kè cái xiǎnshì chūle tāde zhēn běnshi
진무르다 烂 làn; 糜烂 mílàn ¶상처가 짓물렀다 伤口烂了 shāngkǒu làn le
진물 黄水 huángshuǐ; 浆液 jiāngyè
진미(珍味) 珍味 zhēnwèi; 佳肴 jiāyáo ‖산해～ 山珍'海味〔海错〕 shānzhēn 'hǎiwèi〔hǎicuò〕
진미(眞味) 真味 zhēnwèi; 真味道 zhēnwèidao
진배없다 亚赛 yàsài; 不差什么 bùchā shénme ¶그는 한국말을 썩 잘하여 한국인이나 ～ 他说的韩国话太好亚赛韩国人 tā shuō de Hánguóhuà tàihǎo yàsài Hánguórén
진버짐〔漢醫〕湿癣 shīxiǎn
진보(進步) 进步 jìnbù ¶그는 ～적인 생각을 지녔다 他思想进步 tā sīxiǎng jìnbù/전자 공학은 장족의 ～를 했다 电子学有长足的进步 diànzǐxué yǒu chángzú de jìnbù
진부(陳腐) 陈腐 chénfǔ ¶～한 말 陈腐之言 chénfǔ zhī yán
진상(眞相) 真相 zhēnxiàng ¶～을 규명하다 查明真相 chámíng zhēnxiàng =〔弄个水落石出 nòng ge shuǐluòshíchū〕/사건의 ～이 밝혀지다 事件的真相大白 shì jiàn de zhēnxiàng dàbái
진상(進上) 奉送 fèngsòng; 赠送 zèngsòng
진설하다(陳設…) 摆下 pǎixia ¶음식을 밥상 위에 ～ 把吃的摆在饭桌上 bǎ chī de bǎi zài fànzhuō shàng
진솔《새옷》一码新的衣裳 yìmǎ xīn de yīshang
진수(眞髓) 真髓 zhēnsuǐ ¶한국 미술의 ～ 韩国美术的精华 Hánguó měishù de jīnghuá
진수(進水) 下水 xiàshuǐ ‖～대 下水滑道 xiàshuǐ huádào/～식 下水典礼 xiàshuǐ diǎnlǐ
진수성찬(珍羞盛饌) 山珍海味 shānzhēnhǎiwèi; 珍馔 zhēnzhuàn
진술(陳述) 陈述 chénshù ‖～서 申诉书 shēnsùshū
진실(眞實) 真实 zhēnshí; 老实 lǎoshi; 事实 shìshí ¶～성이 결핍된 말 不可置信的话 bùkě zhìxìn de huà
진심(眞心) 诚心 chéngxīn; 真心 zhēnxīn ¶～으로 诚心诚意的 chéngxīn chéngyì de/～을 다하다 尽诚心 jìn chéngxīn/～이 가득 찬 말 真心诚意的话 zhēnxīnchéngyì de huà
진압(鎭壓) 镇压 zhènyā ¶폭동을 ～하다 镇压暴动 zhènyā bàodòng

진언(進言) 进言 jìnyán ¶상사에게 ~하다 向上司进一言 xiàng shàngsi jìn yìyán
진열(陳列) 陈列 chénliè ¶미술품을 ~하다 陈列美术品 chénliè měishùpǐn ‖~창 橱窗 chúchuāng / ~품 陈列品 chénlièpǐn
진영(陣營) 阵营 zhènyíng ¶동서 양 ~의 수뇌가 회담하다 东西两阵营的首脑进行会谈 dōngxī liǎng zhènyíng de shǒunǎo jìnxíng huìtán
진위(眞僞) 真假 zhēnjiǎ; 真伪 zhēnwěi ¶소문의 ~를 확인하다 弄清传闻的真假 nòngqīng chuánwén de zhēnjiǎ
진의(眞意) 真意 zhēnyì ¶상대방의 ~를 헤아릴 수가 없다 摸不清对方的真意何在 mōbuqīng duìfāng de zhēnyì hézài =〔猜不透对方的心 cāibutòu duìfāng de xīn〕
진일《부엌일》洗刷工作 xǐshuā gōngzuò; 做饭 zuòfàn;《초상 따위》白事 báishi
진자(振子) 摆 bǎi ¶시계의 ~ 钟摆 zhōngbǎi
진작 早一点 zǎo yìdiǎn ¶~…할 것이지 应当早一点办… yīngdāng zǎo yìdiǎn bàn…
진저리 寒噤 hánjìn ¶~나다 感觉头疼 gǎnjué tóuténg =〔使人厌腻 shǐrén yànnì〕/ ~치다 打寒噤 dǎhánjìn =〔打寒战 dǎ hánzhàn〕
진전(進展) 进展 jìnzhǎn ¶교섭은 전혀 ~이 없다 交涉总不见进展 jiāoshè zǒng bújiàn jìnzhǎn
진정(眞正) 真正的 zhēnzhèng de
진정(眞情) 认真 rènzhēn; 诚恳 chéngkěn; 真情 zhēnqíng ¶~을 토로하다 吐露真情 tǔlù zhēnqíng
진정(陳情) 请愿 qǐngyuàn ‖~서 请愿书 qǐngyuànshū
진정(鎭定) 平定 píngdìng ¶반란을 ~하다 平定叛乱 píngdìng pànluàn
진정(鎭靜) 镇静 zhènjìng ‖~제 镇静剂 zhènjìngjì
진종일(盡終日) 整天家 zhěngtiānjia
진주(眞珠·珍珠) 珍珠〔真珠〕 zhēnzhū ‖~조개 珍珠母贝 zhēnzhū mǔbèi /양식 ~ 人工养殖珍珠 réngōng yǎngzhí zhēnzhū
진지 饭 fàn
진지(眞摯) 真挚 zhēnzhì ¶그의 ~한 태도에 감동하다 为他的真挚的态度所感动 wéi tāde zhēnzhì de tàidu suǒ gǎndòng
진진(津津) 津津 jīnjīn ¶흥미~ 津津有味 jīnjīn yǒuwèi
진짜(眞…) 真货 zhēnhuò; 真的 zhēn de; 真品 zhēnpǐn; 真东西 zhēn dōngxi ¶정말로 ~와 똑같다 简直跟真的一样 jiǎnzhí gēn zhēn de yíyàng
진찰(診察) 诊视 zhěnshì; 诊察 zhěnchá ¶환자를 ~하다 诊察病人 zhěnchá bìngrén / 병원에 가서 ~을 받다 到医院去看病 dào yīyuàn qù kànbìng ‖~료 诊察费 zhěncháfèi / ~실 诊察室 zhěncháshì =〔诊疗室 zhěnliáoshì〕
진창 泥淖 nínào; 泥浆 níjiāng; 泥泞 nínìng
진출(進出) 进入 jìnrù; 登场 dēngchǎng ¶국산품을 세계 시장에 ~시키다 国产品进入世界市场 guóchǎnpǐn jìnrù shìjiè shìchǎng / 결승전에 ~하다 打到决赛 dǎdào juésài
진취(進取) 上进 shàngjìn; 进取 jìnqǔ ¶그는 ~심이 풍부하다 他富有进取心 tā fùyǒu jìnqǔxīn
진치다(陣…) 摆阵 bǎizhèn
진탕(…宕) 饱 bǎo; 足 zú ¶~ 먹다 吃得饱饱的 chīde bǎobǎode / ~ 먹고 마셨다 大吃大喝吃撑了肚子了 dàchī dàhē chīchēngle dùzi le
진통(陣痛) 阵痛 zhèntòng; 苦闷 kǔmèn; 觉作 jiǎozuò ¶~을 느끼다 阵痛起来 zhèntòngqilai / ~이 시작하다 开始阵痛 kāishǐ zhèntòng
진통(鎭痛) 镇痛 zhèntòng; 止痛 zhǐtòng ‖~제 镇痛剂 zhèntòngjì =〔止痛剂 zhǐtòngjì〕
진퇴(進退) ①《전진후퇴》进退 jìntuì ②《거취》去就 qùjiù ‖~양난 进退维谷 jìntuì wéi gǔ =〔进退两难 jìntuì liǎngnán〕〔前走无路, 后退无门 qián zǒu wú lù, hòu tuì wú mén〕〔进退失据 jìntuì shījù〕
진펄 泥海 níhǎi ¶홍수로 시가는 온통 ~이 되었다 闹洪水市街成了一片泥海 nào hóngshuǐ shìjiē chéngle yípiàn níhǎi
진필(眞筆) 真迹 zhēnjī ¶이 글씨는 안진경의 ~이다 这书法是颜真卿的真迹 zhè shūfǎ shì Yán Zhēnqīng de zhēnjī
진하다(津…) 浓 nóng; 深 shēn;《술·차》酽 yàn ¶색을 진하게 하다 把颜色弄浓一点儿 bǎ yánsè nòng nóng yìdiǎnr / 맛이 ~ 味浓 wèi nóng / 진한 차 浓茶 nóngchá =〔酽茶 yànchá〕
진학(進學) 升学 shēngxué ¶내년에 고등 학교에 ~한다 明年'进〔上〕高中 míngnián 'jìn 〔shàng〕 gāozhōng / ~을 단념하다 断了升学的念头 duànle shēngxué de niàntou
진행(進行) 进行 jìnxíng ¶공사가 착착 ~되고 있다 工程在顺利地进行着 gōngchéng zài shùnlìde jìnxíngzhe / 일의 ~이 늦어졌다 工作的进展迟误了 gōngzuò de jìnzhǎn chíwù le ‖~계 司仪 sīyí =〔报幕员 bàomùyuán〕
진혼(鎭魂) 安魂 ānhún ‖~곡 安魂曲 ānhúnqǔ =〔追思曲 zhuīsīqǔ〕/ ~제 安魂祭 ānhúnjì
진홍(眞紅) 深红 shēnhóng; 猩红 xīnghóng; 绯红 fēihóng; 鲜红 xiānhóng; 血红 xuèhóng; 通红 tōnghóng
진화(進化) 进化 jìnhuà ¶생물은 ~한다 生物是进化的 shēngwù shì jìnhuà de ‖~론 进化论 jìnhuàlùn
진화(鎭火) 熄灭 xīmiè ¶불은 새벽녘이 되어서야 겨우 ~되었다 大火到黎明才熄灭 dà huǒ dào límíng cái xīmiè
진흙 泥土 nítǔ; 泥 ní ¶홍수로 시가는 온통 ~펄로 되었다 闹洪水街上化为一片泥海 nào hóngshuǐ jiēshàng huàwéi yípiàn níhǎi
질(質) 质 zhì; 质量 zhìliàng; 成色 chéngsè ¶양보다 ~ 量重于质 liàng zhòng yú zhì / ~을 높이다 提高质量 tígāo zhìliàng / 상품의 ~이 떨어졌다 商品的质量下降了 shāngpǐn de zhìliàng xiàjiàng le
질(膣) 阴道 yīn dào; 膣 zhì
질겁하다 吓破胆子 xiàpò dǎnzi; 大吃一惊 dà chī yì jīng; 吓死 xiàsǐ
질겅질겅씹다 直顾啃嚼着 zhí gù kěnjiáozhe
질권(質權)《法》质权 zhìquán
질그릇 陶器 táoqì
질기다 ①《고기가》粗老 cūlǎo ¶이 쇠고기는 질겨서 먹을 수가 없다 这牛肉太老咬不动 zhè niúròu tài lǎo yǎobudòng ②《튼튼하다》结实 jiēshi
질끈 使劲地 shǐjìnde; 牢实地 láoshíde ¶~ 동여매다 结结实实地绑上 jiējiēshishide bǎngshang

질녀(姪女) 《형제의 딸》 侄女(儿) zhínǚ(r); 《자매의 딸》 外甥女 wàishengnǚ; 甥女 shēngnǚ
질다 《땅이》 泥泞 nínìng; 《밥이》 水分过多 shuǐfēn guòduō
질량(質量) 质量 zhìliàng ¶～ 보존의 법칙 质量守恒定律 zhìliàng shǒuhéng dìnglǜ
질러가다 走抄近的道路 zǒu chǎojìn de dàolù
질리다 《채이다》 被…踢 bèi… tī; 《싫증나다》 腻烦 nìfan; 厌烦 yànfán; 《경악》 大吃一惊 dà chī yì jīng ¶파랗게 ～ 脸色苍白了 liǎnsè cāngbái le
질문(質問) 问 wèn; 发问 fāwèn; 问题 wèntí ¶～이 있는 사람은 손을 들어 주십시오 有疑问的人请举手 yǒu yíwèn de rén qǐng jǔshǒu / ～해도 됩니까? 可以发问吗? kěyǐ fāwèn ma? =〔可以提问题吗? kěyǐ tí wèntí ma?〕/ 신문 기자의 ～ 공세를 받다 被新闻记者接二连三地追问 bèi xīnwén jìzhě jiē'èrliánsān de zhuīwèn
질박(質樸) 朴素 pǔsù; 朴实 pǔshí; 质朴 zhìpǔ
질벅거리다 泥泥泞泞 nínínìngning
질빵 背东西的绳子 bēi dōngxi de shèngzi
질산(窒酸) 《化》 硝酸 xiāosuān ‖～ 암모늄 硝酸铵 xiāosuān'ǎn / ～ 칼륨 硝酸钾 xiāosuānjiǎ
질색(窒塞) 《몹시 싫음》 绝对不干 juéduì bú gàn ¶영어는 딱 ～이다 英语我最棘手 Yīngyǔ wǒ zuì jíshǒu
질서(秩序) 秩序 zhìxù; 次序 cìxù ¶사회의 ～를 어지럽히다 扰乱社会秩序 rǎoluàn shèhuì zhìxù
질소(窒素) 《化》 氮 dàn ‖～ 비료 氮肥 dànféi / ～ 화합물 氮化物 dànhuàwù
질식(窒息) 憋气 biēqì; 窒息 zhìxī ¶연기 때문에 ～하다 被烟窒息 bèi yān zhìxī ‖～사(死) 窒息而死 zhìxī ér sǐ
질주(疾走) 快跑 kuàipǎo; 疾驰 jíchí ¶한 대의 자동차가 ～해 오다 一辆汽车'飞奔过来〔疾驰而来, 飞跑而来〕 yí liàng qìchē'fēibēn guòlai 〔jíchí érlái, fēipǎo ér lái〕
질질 拖延不决 tuōyán bùjué; 乌焦巴弓地 wūjiāobāgōngde ¶～ 끌다 糊里糊涂拖延下去 húlihútu tuōyán xiàqu
질책(叱責) 斥责 chìzé; 申斥 shēnchì; 批评 pīpíng ¶직무 태만으로 ～당하다 由于失职受到申斥 yóuyú shīzhí shòudào shēnchì
질척거리다 ⇨질벅거리다
질투(嫉妬·嫉妒) 嫉妒 jídù; 忌妒 jìdu; 吃醋 chīcù ¶친구의 출세를 ～하다 嫉妒朋友的飞黄腾达 jídù péngyou de fēihuángténgdá
질펀하다 又广阔又扁平 yòu guǎngkuò yòu biǎnpíng; 辽阔 liáokuò
질풍(疾風) 疾风 jífēng ¶～ 신뢰(迅雷)의 진격 疾风迅雷般的进攻 jí fēng xùn léi bān de jìngōng / 우리 군은 ～의 기세로 적을 섬멸(殲滅)했다 我军以疾风扫落叶之势歼灭了敌人 wǒjūn yǐ jífēng sǎo luòyè zhī shì jiānmièle dírén
질흙 《진흙》 泥土 nítǔ; 《질그릇 만드는 흙》 粘土 niántǔ; 韧泥 rènní
짊어지다 ①《등에》 背 bēi; 担 dān; 挑 tiāo ¶무거운 짐을 짊어지고 산길을 올라갔다 背着沉重的东西上山去了 bēizhe chénzhòng de dōngxi shàng shān qù le ②《빚을》 背 bēi ¶돌아간 아버지의 빚을 짊어지고 괴로워하다 背上亡父的债务受苦 bēishàng wáng fù de zhàiwù shòukǔ ③《책임을》 担负 dānfù; 背 bēi ¶미래의 한국을 짊어질 사람은 너희들 젊은이들이다 肩负韩国未来的是你们年轻人 jiānfù Hánguó wèilái de shì nǐmen niánqīngrén
짐 ①行李 xíngli; 货物 huòwù; 货 huò ¶～을 싣다 装货 zhuāng huò / ～을 풀다 解开行李 jiěkai xíngli / 트럭에서 ～을 내리다 从卡车上卸下货物 cóng kǎchē shang xièxià huòwù ②《부담》 担子 dànzi ¶이것으로 겨우 어깨의 ～을 내려 놓았다 这才卸下了我肩上的担子 zhè cái xièxià le wǒ jiān shang de dànzi
짐꾼 ⇨포터(porter)
짐수레 《소·말이 끄는》 大车 dàchē; 《사람이 끄는》 排子车 pǎizichē; 大板车 dàbǎnchē ¶～를 끌다 拉排子车 lā pǎizichē
짐승 兽类 shòulèi; 走兽 zǒushòu ¶그녀석은 ～ 같은 놈이다 那个家伙简直是畜生 nàge jiāhuo jiǎnzhí shì chùsheng
짐자동차(…自動車) ⇨화물 자동차
짐작(斟酌) 猜测 cāicè; 料估 liàogū; 〈口〉 估摸 gūmo
집 ①《사는 곳》 房 fáng; 房子 fángzi; 房屋 fángwū ¶2층 ～ 两层的楼房 liǎng céng de lóufáng / ～을 짓다 盖房子 gài fángzi / ～을 세주다 出租房子 chūzū fángzi / ～을 세들다 租房子 zū fángzi ②《가정》 家 jiā ¶～에 돌아오다 回家 huíjiā / 그는 늘 ～에 없다 他总是不在家 tā zǒngshì bú zài jiā / 매일 아침 8시에 ～을 나가다 每天早上八点出门 měi tiān zǎoshang bā diǎn chūmén ③《동물의》 窝 wō; 巢穴 cháoxué ¶새～ 鸟窝 niǎowō =〔鸟巢 niǎocháo〕/ 벌～ 蜂窝 fēngwō =〔蜂巢 fēngcháo〕/ 새가 나무 위에 ～을 지었다 鸟儿在树上搭上了窝 niǎor zài shù shang dāshàngle wō ④《끼우거나 담아 두는》 鞘 qiào; 套 tào ¶칼～ 刀鞘 dāoqiào ⑤⇨집사람 ⑥《바둑의》 ¶4～ 이기다 胜四目 shèng sì mù
집게 铁剪 jiājiǎn; 钳子 qiánzi ‖～발(동물의) 夹子 jiāzi =〔螯足 áozú〕〔螃蟹夹子 pángxiè jiāzi〕/ ～ 손가락 二拇指 èrmuzhǐ =〔食指 shízhǐ〕
집계(集計) 统计 tǒngjì; 合计 héjì; 总计 zǒngjì ¶투표의 ～를 시작하다 开始总计票数 kāishǐ zǒngjì piào shù / ～를 내다 算出总数 suàn chū zǒngshù
집념(執念) 执拗 zhíniù; 固执 gùzhí ¶원한을 풀기 위하여 강한 ～으로 붙어 다니다 为了雪恨死命纠缠 wèile xuěhèn sǐmìng jiūchán
집다 ①《줍다》 拾 shí; 捡 jiǎn ¶활자를 골라 집어내다 捡字 jiǎnzì ②《손가락으로》 捏 niē; 抓 zhuā; 挑 tiāo ¶쌀 속에서 벌레를 집어 내다 从米里挑出虫子 cóng mǐ li tiāochū chóngzi ③《끼워 집다》 夹 jiā ¶젓가락으로 반찬을 ～ 拿筷子夹菜 ná kuàizi jiā cài
집단(集團) 集团 jítuán; 集体 jítǐ ¶～으로 행동하다 集体行动 jítǐ xíngdòng ‖～ 생활 集体生活 jítǐ shēnghuó / ～ 지도 集体领导 jítǐ lǐngdǎo
집달리(執達吏) 法警 fǎjǐng; 承发吏 chéngfālǐ
집대성(集大成) 集大成 jí dàchéng ¶이 저작은 저자의 다년간 연구의 ～이다 这个著作集著者多年研究之大成 zhège zhùzuò jí zhùzhě duō nián yánjiū zhī dàchéng
집무(執務) 办公 bàngōng ¶～ 준수 사항 办公

知 bàngōng xūzhī / ～중 금연 办公时不许吸烟 bàngōng shí bùxǔ xīyān ‖ ～ 시간 办公时间 bàngōng shíjiān
집문서(…文書) 房契 fángqì
집배(集配) 收递 shoūdì; 收发 shōufā ¶우편물을 ～하다 收递邮件 shōudì yóujiàn
집보다 看家 kānjiā
집사람 《아내》 内人 nèirén; 妻子 qīzi
집세(…貰) 房钱 fángqian; 房租 fángzū ¶～를 물다 付房租 fù fángzū / ～가 3개월 밀렸다 房租积欠了三个月 fángzū jīqiànle sān ge yuè
집시(Gipsy, Gypsy) 吉卜赛 Jíbǔsài
집안 ①《가족》 家属 jiāshǔ; 家眷 jiājuàn ¶～끼리만 모여서 결혼식을 거행하다 仅由近亲举行了婚礼 jǐn yóu jìnqīn jǔxíngle hūnlǐ ②《가문》 家世 jiāshì; 门第 méndì ¶～이 좋다 家世好 jiāshì hǎo =〔出身好 chūshēn hǎo〕/ 좋은 ～의 출신 出自名门 chū zì míngmén ‖ ～ 사람 自家人 zìjiārén / ～ 식구 家口 jiākǒu / ～ 싸움 自家争吵 zìjiā zhēngchǎo =〔内讧 nèihòng〕
집어넣다 放到…里边 fàngdao… lǐbian; 放进去 fàng jìnqu ¶물건을 창고에 ～ 把东西放到货栈里 bǎ dōngxi fàngdao huò zhàn li / 손을 호주머니에 ～ 把手插在衣兜儿里 bǎ shǒu chā zài yīdōur lǐ
집어먹다 用手抓着吃 yòng shǒu zhuāzhe chī; 《착복》 私吞 sītūn; 侵吞 qīntūn
집어삼키다 吞下 tūnxià; 咽下 yànxià; 《남의 것을》 吞没 tūnmò; 霸占 bàzhàn
집어주다 《넘기다》 交给 jiāogei; 拿着送过去 názhe sòngguoqu; 《뇌물을》 行贿 xíng huì; 以贿赂诱之 yǐ huìlù yòu zhī
집어치우다 《중지》 作罢 zuòbà; 拉倒 lādǎo; 《단념 · 포기》 死了心 sǐle xīn; 绝念 juéniàn; 《사직》 告退 gào tuì; 卸任 xiè rèn
집요(執拗) 执拗 zhíniù; 顽固 wángù〔gu〕; 顽强 wánqiáng ¶～하게 물고 늘어지다 执拗地不肯罢休 zhíniù de bù kěn bàxiū / 적을 ～하게 물고 늘어지다 咬住敌人不放 yǎozhù dírén bú fàng
집적거리다 《손을 대다》 推推搡搡 tuītuīsǎngsǎng; 《자극》 逗弄 dòunong; 促动 cù dòng
집주름 房牙子 fángyázi
집주인(…主人) 《집임자》 房东 fángdōng; 《가장》 家主 jiāzhǔ; 家长 jiāzhǎng
집중(集中) 集中 jízhōng ¶인구가 도시로 ～하다 人口集中在城市 rénkǒu jízhōng zài chéngshì / 그는 ～력이 없다 他没有集中力 tā méiyǒu jízhōnglì / 정신을 ～하다 凝神 níngshén
집집이 家家(儿) jiājiā(r); 家家户户 jiājiāhùhù
집착(執着) 留恋 liúliàn; 贪恋 tānliàn; 念念不忘 niànniàn búwàng ¶생명에 ～하다 惜命 xīmìng / 승패에 ～하다 贪恋胜败 tānliàn shèngbài
집터 地基 dìjī
집필(執筆) 执笔 zhíbǐ; 写稿 xiěgǎo; 撰稿 zhuàngǎo ¶김선생에게 ～을 의뢰하다 委托金先生写稿 wěituō Jīn xiānsheng xiěgǎo
집합(集合) ①集合 jíhé; 聚会 jùhuì ¶전원 ～! 全体集合! quántǐ jíhé! / 내일 아침 8시까지 교정에 ～할 것 明天早上八点在校园集合 míngtiān zǎoshang bā diǎn zài xiàoyuán jíhé ②〔數〕 集合 jíhé ¶우수〔짝수〕의 ～ 偶数的集合 ǒushù de jíhé ‖ ～론 集合论 jíhélùn / ～ 장소 集合地点 jíhé dìdiǎn
집행(執行) 执行 zhíxíng ¶사형을 ～하다 执行死刑 zhíxíng sǐxíng ‖ ～ 기관 执行机关 zhíxíng jīguān / ～ 유예(猶豫) 缓刑 huǎnxíng
집회(集會) 开会 kāihuì; 集会 jíhuì ¶～의 자유를 보장하다 保障集会自由 bǎozhàng jíhuì zìyóu ‖ ～소 集会处 jíhuìchù
집히다 被拣起来 bèi jiǎn qi lai
짓 《행동》 举动 jǔdòng; 行为 xíngwéi; 所作 suǒzuò; 行止 xíngzhǐ ¶못된 ～만 하다 竟作坏事 jìng zuò huàishì / 이것은 그의 ～이 틀림없다 这一定是他搞的鬼 zhè yídìng shì tā gǎo de guǐ / 어린아이의 ～이라고는 생각되지 않는다 这不像是小孩子搞的 zhè bú xiàng shì xiǎoháizi gǎo de
짓궂다 乖僻 guāipì; 心术不良 xīnshù bùliáng
짓다[1] 《집을》 盖 gài; 《글을》 作 zuò; 写 xiě; 《밥을》 做 zuò; 煮 zhǔ; 《약을》 调剂 tiáojì; 配 pèi; 《옷 따위를》 做 zuò; 缝 féng; 《줄을》 排(队) pái; 《재배 · 경작》 耕种 gēngzhòng; 《죄를》 造 zào; 《허구(虛構)》 捏饰 niēshì; 《표정을》 作出 zuòchū; 显出 xiǎnchū; 《책을》 编 biān ¶분규에 결말을 ～ 解决纠纷 jiějué jiūfēn / 태어난 아이에게 이름을 지어 주다 给诞生的孩子起名字 gěi dànshēng de háizi qǐ míngzi
짓다[2] 《아이를》 小产 xiǎochǎn; 小喜 xiǎoxǐ
짓마다 碎里咕唧地砸碎 suì li gūjī de zásuì
짓밟다 踩住 cǎizhù; 蹂躏 róulìn; 糟踏 zāotà; 糟践 zāojiàn; 践踏 jiàntà ¶화단을 ～ 糟踏花坛 zāotà huātán / 인권을 ～ 蹂躏人权 róulìn rénquán
짓이기다 《진흙을》 捏(泥) niē; 《밀가루를》 揣(面) chuāi; 《고기를》 剁(肉) duò
짓찧다 使劲地捣碎 shǐ jìn de dǎosuì
징 《구두의》 鞋钉 xiédīng; 大头钉 dàtóudīng ¶구두 밑에 ～을 박다 往鞋低钉鞋钉 wǎng xiédǐ dìng xiédīng
징건하다 存着食 cúnzhe shí; 停滞在胃里 tíngzhì zài wèi li
징검다리 浮桥 fúqiáo; 踏石 tàshí
징계(懲戒) 惩戒 chéngjiè ¶～ 처분을 받다 受到革职处分 shòudào gézhí chǔfèn
징그럽다 肉麻 ròumá
징발(徵發) 征发 zhēngfā ¶식량을 ～하다 征粮 zhēngliáng
징벌(懲罰) 惩罚 chéngfá ¶～을 받다 受惩罚 shòu chéngfá
징병(徵兵) 征兵 zhēngbīng ‖ ～ 검사 兵役体格检查 bīngyì tǐgé jiǎnchá / ～ 기피 逃避兵役 táobì bīngyì / ～제 征兵制 zhēngbīngzhì
징역(懲役) 徒刑 túxíng ¶～5년에 처하다 判徒刑五年 pàn túxíng wǔ nián ‖ 무기 ～ 无期徒刑 wúqī túxíng
징역살이(懲役…) 坐牢 zuò láo ¶한평생 ～하다 坐穿牢底 zuò chuān láo dǐ
징조(徵兆) 兆头 zhàotou; 先兆 xiānzhào; 预兆 yùzhào; 征兆 zhēngzhào; 苗头(儿) miáotou(r) ¶봄의 ～가 보이기 시작했다 有了春天的先兆 yǒule chūntiān de xiānzhào
징후(徵候) 征兆 zhēngzhào; 征候 zhēnghòu; 征象 zhēngxiàng ¶이것은 분화의 ～다 这是喷火的征兆 zhè shì pēn huǒ de zhēngzhào

짖다 叫 jiào; 吠 fèi ¶개가 멍멍 ～ 狗汪汪地叫 gǒu wāngwāng de jiào
짙다 ①《빛깔·화장 따위가》深 shēn; 厚 hòu ¶짙은 녹색 深绿 shēnlǜ / 정치적 색채가 ～ 政治色彩浓厚 zhèngzhì sècǎi nónghòu / 화장이 ～ 粉搽得很厚 fěn cháde hěn hòu ②《안개·눈썹 따위가》浓 nóng ¶안개가 점점 짙어지다 雾越来越浓 wù yuèlái yuè nóng / 짙은 눈썹 浓眉 nóngméi ③《초목이》密茂 mìmào; 深密 shēnmì
짚 稻草 dàocǎo ¶～을 엮어서 새끼를 꼬다 打稻草搓绳子 dǎ dàocǎo cuō shéngzi
짚다 ①《지팡이를》拄(拐杖) zhǔ ②《맥을》诊 zhěn; 按 àn; 号(脉) hào
짚신 草鞋 cǎoxié ¶～을 삼다 编制草鞋 biān zhì cǎoxié
짜개다 掰开 bāikai; 割开 gēkai ¶호두를 ～ 砸核桃 zá hétao
짜다[1] 《조립》装配 zhuāngpèi; 《공동으로》合夥 héhuǒ; 搭夥 dāhuǒ; 《편성》编制 biānzhì; 《활자를》排铅字 pái qiānzì; 排版 páibǎn ¶예산을 ～ 编制预算 biānzhì yùsuàn / 스케줄을 ～ 安排日程 ānpái rìchéng
짜다[2] ①《물기 따위》拧 níng ¶타올을 ～ 拧毛巾 níng máojīn =〔把毛巾绞干 bǎ máojīn jiǎogān〕/ 걸레를 꽉 ～ 使劲儿拧抹布 shǐjìnr níng mābù / 치약을 ～ 挤牙膏 jǐ yágāo ②《액즙 따위》挤 jǐ; 榨 zhà ¶우유를 ～ 挤牛奶 jǐ niúnǎi / 포도의 즙을 ～ 榨葡萄汁 zhà pútaozhī / 콩으로부터 기름을 ～ 由大豆榨油 yóu dàdòu zhà yóu ③《생각·방안을》绞 jiǎo ¶모두의 지혜를 짜내서 방법을 생각하다 大家绞尽脑汁想出了个办法 dàjiā jiǎojìn nǎozhī xiǎngchūle ge bànfǎ ④《착취》¶소작인으로부터 소작료를 짜내다 向佃户苛征地租 xiàng diànhù kē zhēng dìzū ⑤《피륙을》织 zhī; 纺 fǎng; 纺织 fǎngzhī ¶천을 ～ 织布 zhībù
짜다[3] ①《맛이》咸 xián ¶그녀가 만든 요리는 비교적 ～ 她做的菜较咸 tā zuò de cài jiào xián ②《박하다》严 yán ¶저 선생님은 점수가 ～ 那个老师给分很严 nàge lǎoshī gěi fēn hěn yán
짜름하다 短撅撅 duǎnjuējuē
…짜리 …的 …de ¶10만 원～ 수표 十万块钱的支票 shíwàn kuàiqian de zhīpiào
짜증(…症) 肝气 gānqi ¶～내다 犯肝火 fàn gānhuǒ =〔撒气 sāqì〕
짜하다 ¶소문이 ～ 风声无处不到地传扬开了 fēngsheng wú chù búdào de chuányáng kāi le =〔满城风雨 mǎn chéng fēngyǔ〕
짝 《쌍》双 shuāng; 套 tào ¶～이 맞지 않는 젓가락 不成双的筷子 bù chéng shuāng de kuàizi / ～이 맞는 부부 般配的两口子 bānpèi de liǎngkǒuzi / 이 책은 세 권이 한 ～이다 这书三本成为一套 zhè shū sān běn chéngwéi yí tào
짝귀 大小不同的双耳 dàxiǎo bùtóngde shuāng'ěr
짝사랑 单思 dānsī; 剃头挑子 tìtóu tiāozi; 一头热一头冷 yìtóu rè yìtóu lěng
짝짓다 成双配对 chéng shuāng pèi duì
짝짜꿍 幼儿拍巴掌 yóu'ér pāi bāzhang
짝짝이 不成双的 bùchéng shuāngde
짝패(…牌) 伙伴 huǒbàn; 同事的 tóngshì de
짠물 盐水 yánshuǐ
짤끔짤끔 一点一点地洒落 yìdiǎn yìdiǎn de sǎluò
짤막하다 短一点 duǎn yìdiǎn
짧다 短 duǎn ¶머리를 짧게 깎았다 把头发剪短了 bǎ tóufa jiǎnduǎn le / 겨울은 해가 ～ 冬季日短 dōngjì rì duǎn
짬 《겨를》工夫 gōngfu; 闲工夫 xián gōngfu; 《기회》机会 jīhui; 《맞붙은 틈》缝儿 fèngr
짭짤하다 《맛이》咸津津 xiánjīnjīn; 《값지다》不见得便宜 bújiànde piányi
…째 第… dì… ¶나흘～ 第四天 dì sì tiān / 두번～의 결혼 第二次的结婚 dì èr cì de jiéhūn
째다 裂开(了) lièkāi(le); 割开 gēkai
째보 豁唇 huōchún; 兔唇 tùchún
째(어)지다 裂开(了) lièkai(le)
짹짹거리다 叽叽喳喳 jījizhāzhā
쨍쨍 《햇볕이》毒辣辣 dúlàlà ¶해가 ～ 쬐다 太阳很毒 tàiyang hěn dú =〔晒得慌 shàide huang〕
쩔쩔매다 无计可施 wú jì kě shī; 手足无措 shǒu zú wú cuò; 热锅上的蚂蚁 rè guō shàng de mǎyǐ
쩡쩡 ①《명성》¶명성이 울리다 名声震赫于天下 míngshēng zhèn hè yú tiānxià ②《소리》¶～ 울리다 响彻四周 xiǎngchè sìzhōu
쪼개다 劈开 pīkāi ¶도끼로 장작을 ～ 用斧子劈木柴 yòng fǔzi pī mùchái / 사과를 둘로 ～ 把苹果切成两半 bǎ píngguǒ qiēchéng liǎng bàn / 비스킷을 쪼개서 먹다 掰饼干吃 bāi bǐnggān chī
쪼그랑할멈 满脸皱纹的老太婆 mǎnliǎn zhòuwén de lǎotàipó
쪼그리다 蹲下 dūnxià
쪼다 《부리 따위로》啄 zhuó ¶새가 나무를 ～ 鸟儿啄木头 niǎor zhuó mùtou
쪼들리다 《시달리다》受折磨 shòu zhémo; 挨苦 āi kǔ; 《핍박》穷到了儿 qióngdào liǎor
쪽[1] 《여자 머리》纂儿 zuǎnr; 苏州髻儿 sūzhōu jìr ¶～찌다 挽纂儿 wǎn zuǎnr
쪽[2] 《조각》碎块儿 suìkuàir; 破片 pòpiàn ‖～마루 (檐下的)小板廊 xiǎobǎnláng
쪽[3] 〔植〕木蓝 mùlán; 蓝靛 lándiàn
쪽[4] 《방향》方向 fāngxiàng; 《방면》方面 fāngmian; 《편》边 biān ¶길의 이 ～ 道路的这边 dàolù de zhèbiān
쪽박 小瓢儿 xiǎopiáor ¶～차다 流落成为乞丐 liúluò chéngwéi qǐgài
쪽발이 《짐승》两瓣儿的蹄子 liǎng bànr de tízi; 《일본 사람》东洋鬼 dōngyángguǐ
쪽빛 蓝色 lánsè
쪽지(…紙) 条子 tiáozi; 单子 dānzi; 纸片 zhǐpiàn; 纸条 zhǐtiáo
쫄깃쫄깃하다 ⇨ 졸깃졸깃하다
쫄딱 一点不留地 yìdiǎn bù liú de ¶～ 망하다 干干净净的败家了 gānganjìngjìng de bài jiā le
쫓기다 ①《추격》被赶 bèi gǎn; 被追 bèi zhuī ¶그는 경찰에 쫓기는 몸이다 他被警察'追辑〔追捕〕tā bèi jǐngchá 'zhuījí〔zhuībǔ〕②《일·시간에》被赶 bèi gǎn ¶시간에 쫓겨서 여유가 없다 被时间赶得要命 bèi shíjiān gǎnde yàomìng
쫓다 ①《쫓아 버리다》轰 hōng; 撵 niǎn; 轰走 hōngzǒu; 撵走 niǎnzǒu; 赶走 gǎnzǒu ¶파리를 ～ 轰苍蝇 hōng cāngying ②《뒤를》追

zhuī; 赶 gǎn; 追赶 zhuīgǎn ¶어머니의 뒤를 쫓아서 자살했다 随母亲之后自杀了 suí mǔqin zhīhòu zìshā le
쫓아가다 ①《뒤를》 赶 gǎn; 追 zhuī; 追赶 zhuīgǎn ¶도둑을 ～ 追赶小偷儿 zhuīgǎn xiǎotōur ②《따라 붙다》 赶上 gǎnshàng; 追上 zhuīshàng; 撵上 niǎnshàng ¶외국의 수준을 ～ 赶上外国的水平 gǎnshàng wàiguó de shuǐpíng
쫓아내다 《퇴거》 叫走开 jiào zǒukāi; 使搬出 shǐ bānchū; 《해고》 逐出 zhúchū; 撵逐 niǎnzhú; 《문 밖으로》 撵出去 niǎnchūqu; 赶出去 gǎnchūqu; 驱逐 qūzhú ¶집으로 들어온 도둑 고양이를 ～ 把跑进屋子里的野猫赶出去了 bǎ pǎojìn wūzi li de yěmāo gǎnchūqu le
쫙 ¶나무 뿌리가 ～ 퍼지다 树根儿扎的远 shù gēnr zhā de yuǎn / 소문이 ～ 퍼지다 风声大起来了 fēngshēng dà qǐ lái le
쬐다 ①《볕이》 晒 shài; 照 zhào ¶해가 ～ 日头晒 rìtou shài / 이불을 볕에 ～晒被子 shài bèizi ②《불에》 烤 kǎo ¶빵을 불에 ～ 烤面包 kǎo miànbāo / 이리 와서 불을 쬐어라 到这儿来烤烤火吧 dào zhèr lái kǎokao huǒ ba
쭈그렁이 《곡물의》 瘪子 biězi; 《해묵은 빈대 따위》 瘪皮 biěpí; 《늙은이》 瘪嘴子 biězuǐzi
쭈그리다 蹲下 dūnxià
쭈글쭈글하다 皱纹累累 zhòuwén lěilěi; 皱皱巴巴 zhòuzhoubābā
쭈뼛쭈뼛 三心二意的 sān xīn èr yì de; 待作不作 dàizuòbúzuò; 怯生生 qièshēngshēng; 忸怩 niǔní ¶여자 앞에서 ～하다 在女孩子面前显得忸忸怩怩的 zài nǚháizi miànqián xiǎnde niǔniǔníníde
쭉 ①《늘어선 꼴》 ¶～ 늘어서다 排成一大排 páichéng yí dà pái ②《찢는 소리》 克嗤克嗤 kèchī kèchī
쭉정이 瘪子 biězi; 秕子 bǐzi
쫑그리다 侧耳 cè ěr ¶귀를 쫑그리고 듣다 侧耳而听 cè ěr ér tīng
쫑긋거리다 《입을》 吱吱唔唔 zhīzhiwúwu; 《귀를》 竖起耳朵 shù qǐ ěrduo
쯤 《수량》 上下 shàngxià; 左右 zuǒyòu; 《정도》 程度 chéngdù
찌개 杂拌酱汤 zábàn jiàngtāng
찌그러뜨리다 压坏得不成样子 yā huài de bù chéng yàngzi ¶종이 상자를 밟아 ～ 把纸箱踩坏 bǎ zhǐxiāng cǎihuài / 차를 전주에 부딪쳐 보닛을 찌그러뜨렸다 汽车撞在电线杆子上, 车头罩子瘪了 qìchē zhuàng zài diánxiàn gānzi shang, chētóu zhàozi biě le
찌그러지다 《우그러지다》 压坏 yā huài; 《말라 비틀어지다》 干瘪瘪 gānbiěbiě ¶찌그러진 모자 走了样子的帽子 zǒule yàngzi de màozi
찌꺼기 渣滓 zhāzǐ; 渣儿 zhār
찌끼 《술의》 酒滓 jiǔzǐ; 酒底子 jiǔdǐzi; 《커피의》 残渣 cánzhā
찌다[1] 《살찌다》 胖起来 pàngqilai; 上膘 shàngbiāo(짐승이)
찌다[2] 《더위가》 闷热 mēnrè; 《김으로 만두 등을》 蒸 zhēng
찌르다 ①《뾰족한 것으로》 刺 cì; 扎 zhā; 串 chuàn ¶비수로 사람을 ～ 拿匕首刺人 ná bǐshǒu cì rén / 나이프로 목을 ～ 用小刀捅喉咙 yòng xiǎodāo tǒng hóulong / 손이 가시에 찔렸다 手指上扎了个刺儿 shǒuzhǐ shang zhāle ge cìr ②《충천하다》 ¶의기가 하늘을 ～ 干劲冲天 gànjìn chōngtiān ③《공격하다》 攻击 gōngjī ¶상대방의 약점을 ～ 攻击对方的弱点 gōngjī duìfāng de ruòdiǎn ④《냄새가》 刺鼻 cìbí ¶콱 코를 찌르는 냄새를 맡다 闻到一股刺鼻的气味儿 wéndào yìgǔ cìbí de qìwèir
찌부러뜨리다 使倒塌 shǐ dǎotā
찌부러지다 《허물어지다》 倒塌 dǎotā; 《사업이》 垮台 kuǎtái; 《기진 맥진》 精疲力尽 jīngpí lìjìn
찌뿌드드하다 不舒服 bù shūfu; 懒倦 lǎnjuàn; 浑身发软 húnshēn fāruǎn
찌지(…紙) 飞签儿 fēiqiānr; 飞条 fēitiáo
찌푸리다 《눈살을》 苦脸 kǔliǎn; 皱眉头 zhòu méitóu; 《날씨가》 天阴上来 tiān yīn shàng lai ¶잔뜩 찌푸린 하늘 阴云密布的天空 yīnyún mìbù de tiānkōng
찍다 ①《사진을》 照 zhào; 拍 pāi; 摄影 shèyǐng ¶기념 사진을 ～ 摄影留念 shèyǐng liúniàn / 환부에 뢴트겐을 ～ 给患部拍爱克斯光片 gěi huànbù pāi àikèsīguāngpiàn ②《도끼로》 砍倒 kǎndǎo ③《도장을》 盖 gài; 摁 èn; 打 dǎ ¶수취시에 도장을 찍어 주십시오 请在收条上盖章 qǐng zài shōutiáo shang gàizhāng ④《인쇄》 印字 yìnzì; 刷印 shuāyìn; 印刷 yìnshuā ¶삐라를 ～ 印传单 yìn chuándān ⑤《점을》 点 diǎn ¶점을 ～ 点点儿 diǎn diǎnr =〔打逗号 dǎ dòuhào〕
찍소리못하다 不敢作声 bù gǎn zuò shēng ¶그도 이것에는 찍소리 못 했다 他对那'无言以对〔哑口无言〕 tā duì nà'wú yán yǐ duì〔yǎkǒuwúyán〕/ 논쟁에서 그를 찍소리 못 하게 했다 通过争论, 把他驳得无言以对 tōngguò zhēnglùn, bǎ tā bóde wú yán yǐ duì
찍소리없다 《들리는 소리》 一声也不发 yì shēng yě bù fā; 《가부간에》 毫无'消息〔反应〕 háowú 'xiāoxi〔fǎnyìng〕
찍어매다 绷上 bēngshàng
찍찍거리다 《신발을》 趿拉着 tālazhe; 《쥐소리》 嗞嗞地叫 zīzīde jiào
찐빵 馒头 mántou
찔끔거리다 ⇨ 짤끔짤끔
찔끔하다 畏葸退缩 wèixǐ tuìsuō; 打趔趄 dǎ lièju
찔레나무 〔植〕 野蔷薇 yěqiángwēi
찔리다 刺上 cìshang; 插上 chāshàng; 扎上 zhāshàng ¶손가락이 가시에 ～ 手指上扎了刺 shǒuzhǐ shang zāle cì
찜부럭내다 闹磨 nàomó; 赖急 làijí
찜질 《습포》 湿布裹法 shībù guǒ fǎ; 冷罨 lěngyǎn; 温罨 wēnyǎn; 《모래찜질》 沙浴 shāyù
찜찜하다 不好意思说出来 bù hǎo yìsi shuōchūlai
찡그리다 皱起眉头 zhòu qǐ méitóu
찡기다 有摺痕 yǒu zhé hén; 起摺子 qǐ zhézi; 起皱纹 qǐ zhòuwén
찡얼거리다 闹魔 nàomo; 闹人 nào rén ¶아기가 ～ 娃娃闹魔 wáwa nàomó
찡찡하다 过意不去 guòyìbúqù; 抱歉 bàoqiàn
찢기다 被撕开 bèi sīkāi; 被扯破 bèi chěpò
찢다 撕 sī; 扯 chě ¶손수건을 찢어서 붕대로 사용하다 撕手绢儿当绷带用 sī shǒujuànr dàng bēngdài yòng / 귀청을 찢는 듯한 폭발음 震耳欲聋的爆炸声 zhèn ěr yù lóng de bàozhà-

shēng
찢어발기다 撕了个粉碎 sīle ge fěnsuì; 切成小块儿 qiēchéng xiǎokuàir
찧다 《곡식을》 捣(谷) dǎo; 《쌀을》 舂(米) chōng

〔 ㅊ 〕

차(車) 车子 chēzi; 汽车 qìchē ¶ ~를 타다 上〔乘, 搭〕车 shàng〔chéng, dā〕chē / 길거리에서 ~를 잡다 在街上雇出租汽车 zài jiēshang gù chūzū qìchē / 이 길은 ~의 왕래가 빈번하다 这条街车辆川流不息 zhè tiáo jiē chēliàng chuānliú bùxī / 회사까지는 ~로 30분 걸린다 到公司坐汽车要三十来分钟 dào gōngsī zuò qìchē yào sānshí lái fēn zhōng
차(茶) 茶 chá; 茶叶 cháyè(잎) ¶ ~를 따다 采茶 cǎi chá / ~를 끓이다 沏〔冲, 泡〕茶 qī〔chōng, pào〕chá / ~를 따르다 倒〔斟〕茶 dào〔zhēn〕chá / ~를 마시다 喝茶 hē chá
차(差) ①《틀림 · 차이》 差 chā; 差别 chābié ¶ ~가 크다 差远 chà yuǎn / 그들 사이에는 학력의 ~가 없다 他们之间学力'差不多〔差不离〕 tāmen zhījiān xuélì'chàbùduō〔chàbùlí〕/ 낮과 밤의 온도 ~가 크다 白天和夜晚的温差大 báitian hé yèwǎn de wēnchā dà / 도시와 농촌의 ~를 없애다 消灭城乡差别 xiāomiè chéngxiāng chābié / 빈부의 ~가 심하다 贫富悬殊 pínfù xuánshū ②《숫자의》 差 chā; 差数 chāshù ¶ 4와 1의 ~는 3이다 四和一的差数是三 sì hé yī de chāshù shì sān
차가다 《탈취》 抢走 qiǎngzǒu; 拐跑 guǎipǎo ¶ 새매가 병아리를 ~ 隼鸟叼走小鸡 zhǔnniǎo diāozǒu xiǎojī
차감(差減) 扣除 kòuchú ‖ ~ 잔액 扣除后的馀额 kòuchú hòu de yú'é
차갑다 ①《온도가》 冷 lěng; 凉 liáng ¶ 차가운 물로 얼굴을 씻다 用冷水洗脸 yòng lěngshuǐ xǐliǎn ②《냉담하다》 冷淡 lěngdàn; 冷冰冰 lěngbīngbīng ¶ 그는 차가운 사람이다 他是个冷心肠的人 tā shì ge lěngxīncháng de rén
차곡차곡 有头有绪地 yǒutóu yǒuxù de; 整整齐齐 zhěngzhengqíqi ¶ ~ 쌓아올리다 一个一个地堆砌 yí ge yí ge de duīqì
차관(次官) 次长 cìzhǎng; 副部长 fùbùzhǎng
차관(借款) 借款 jièkuǎn
차관(茶罐) 茶壶 cháhú
차근차근 按部就班 àn bù jiù bān; 详详细细地 xiángxiángxìxì de
차금(借金) 借钱 jièqián; 借款 jièkuǎn
차기(次期) 下期 xiàqī; 下届 xiàjiè
차꼬 脚镣 jiǎoliào ¶ ~를 채우다 上脚镣 shàng jiǎoliào
차남(次男) 次子 cìzǐ
차녀(次女) 次女 cìnǚ
차다[1] 《충만》 充满 chōngmǎn ¶ 달이 ~ 够月儿 gòu yuèr(해산) / 달이 찼다 月亮圆了 yuèliang yuán le / 자신에 찬 얼굴을 하고 있다 脸上充满自信 liǎn shang chōngmǎn zìxìn / 정원이 차는 대로 마감하겠습니다 一到定额就截止 yí dào dìng'é jiù jiézhǐ
차다[2] ①《발로》 踢 tī; 踹 chuài ¶ 돌을 ~ 踢石头 tī shítou / 자리를 차고 퇴장하다 离席拂袖而去 líxí fú xiù ér qù ②《거절하다》 拒绝 jùjué
차다[3] 《패용》 带 dài; 佩 pèi; 佩带 pèidài ¶ 훈장을 ~ 佩带勋章 pèidài xūnzhāng / 검을 ~ 佩剑 pèi jiàn
차다[4] 《한랭》 冷 lěng ¶ 찬 술 凉酒 liáng jiǔ / 찬 술을 마시다 喝凉酒 hē liáng jiǔ
차단(遮斷) 隔断 géduàn; 截断 jiéduàn; 隔绝 géjué ¶ 교통이 ~되었다 交通被隔断了 jiāotōng bèi géduàn le / 외부의 음향을 ~하다 隔绝外部的声响 géjué wàibù de shēngxiǎng / 적의 퇴로를 ~하다 截断敌人的退路 jiéduàn dírén de tuìlù
차도(車道) 车道 chēdào; 车行道 chēxíngdào
차도(差度,瘥度) 痊愈的程度 quányù de chéngdù ¶ ~가 있다 见好 jiànhǎo
차라리 宁可 nìngkě; 索性 suǒxìng〔xing〕; 莫若 mòruò ¶ 돌아오느니 ~ 죽겠다 宁死不回 nìngsǐ bùhuí / 굴복하느니보다는 ~ 죽는 것이 낫다 宁可死也不愿低头屈服 nìngkě sǐ yě búyuàn dītóu qūfú =〔宁死不屈 nìng sǐ bùqū〕
차량(車輛) 车辆 chēliàng ¶ ~ 통행 금지 禁止车辆通行 jìnzhǐ chēliàng tōngxíng
차례로(次例…) 一个一个地 yí ge yí ge de; 挨班 āibān; 挨次 āicì
차리다 《준비》 备办 bèibàn; 布置 bùzhì〔zhi〕; 《밥상을》 开(饭) kāi; 《살림을》 立(门户) lì; 《가게를》 开(铺子) kāi; 《체면을》 讲(面子) jiǎng; 《외양을》 修饰(外面) xiūshì; 《정신을》 留神 liúshén; 打起(精神) dǎqǐ ¶ 저녁을 ~ 准备晚饭 zhǔnbèi wǎnfàn
차림 《차림》 布置 bùzhì〔zhi〕; 按排 ānpái; 《옷차림》 装束 zhuāngshù; 打扮 dǎbàn〔ban〕
차마 ¶ … ~ 못하다 不忍… bùrěn… / ~ 볼 수 없다 看不过去 kànbuguòqu / 참혹하여 ~ 들을 수 없다 惨不忍闻 cǎn bùrěn wén
차멀미(車…) 晕车 yùnchē
차별(差別) 差别 chābié; 区别 qūbié ¶ 여성을 ~하다 歧视妇女 qíshì fùnǚ / 학력에 따라 임금의 ~이 심하다 因学历不同, 工资差别很大 yīn xuélì bùtóng, gōngzī chābié hěn dà ‖ ~ 대우 差别待遇 chābié dàiyù / 인종 ~ 种族歧视 zhǒngzú qíshì
차비(車費) ⇨ 찻삯
차비(差備) ⇨ 채비
차선(次善) 次善 cìshàn ‖ ~책 次善之策 cìshàn zhī cè
차압(差押) ⇨ 압류(押留)
차액(差額) 差额 chā'é ¶ ~을 지불하다 支付差额 zhīfù chā'é
차양(遮陽) ①《모자의》 帽檐(儿) màoyán (r); 帽舌 màoshé ②《집의》 房檐(儿) fángyán(r); 屋檐 wūyán
차용(借用) 借用 jièyòng ‖ ~ 증서 借单 jièdān =〔借字儿 jièzìr〕〔借据 jièjù〕
차원(次元) 度 dù; 维 wéi; 元 yuán ¶ 3~의 공간 三度空间 sāndù kōngjiān / 그 두 가지 문제는 근본적으로 ~이 다르다 那两个问题的性质根本不同 nà liǎng ge wèntí de xìngzhì gēnběn bùtóng
차이(差異) 差异 chāyì; 差别 chābié; 分别 fēnbié; 区别 qūbié ¶ 양자간에는 이렇다 할 만한 ~가 없다 两者之间并没有什么多大的差异 liǎngzhě zhījiān bìng méiyǒu shénme duō dà de chāyì

차일피일하다(此日彼日…) 今天推明天 jīntiān tuī míngtiān
차장(車掌) 乘务员 chéngwùyuán; 《열차의》 列车员 lièchēyuán; 《버스의》 售票员 shòupiàoyuán
차조 《植》 黄米 huángmǐ
차지다 胶粘 jiāonián
차지하다 ①占 zhàn; 居 jū ¶수석을 ～ 得了第一名 déle dìyì míng / 수위를 ～ 占第一位 zhàn dìyí wèi =〔居首位 jū shǒuwèi〕/ 중국의 인구는 세계 인구의 4분의 1을 차지한다 中国的人口占世界人口的四分之一 Zhōngguó de rénkǒu zhàn shìjiè rénkǒu de sì fēn zhī yī ②《빼앗다》 劫掠 jiélüè; 扣押 kòuyā
차차(次次) ①《점점》 渐渐地 jiànjiànde; 越发地 yuèfāde ②《그 동안에》 过些日子 guò xiē rìzi ¶～ 병환도 나아질 것이다 不久病也会好的 bùjiǔ bìng yě huì hǎo de
차체(車體) 车身 chēshēn; 车体 chētǐ; 车箱 chēxiāng
차츰차츰 逐渐地 zhújiànde; 渐渐地 jiànjiànde ¶～ 추워지다 一天比一天冷起来 yì tiān bǐ yì tiān lěngqilai
착 《바싹》 紧紧地 jǐnjǐnde; 紧贴 jǐntiē ¶～ 옆에 다가붙다 紧紧靠在一起 jǐnjǐn kào zài yìqǐ
…착(…着) ①《의복의 수》 件 jiàn; 套 tào; 身 shēn ¶양복 1～ 一套西服 yí tào xīfú ②《도착》 到达 dàodá; 抵达 dǐdá ¶런던～ 오후 3시 下午三时到达伦敦 xiàwǔ sān shí dàodá Lúndūn ③《도착 순서》 名 míng ¶1～으로부터 3～까지 모두 한국 선수다 从第一名到'第三名〔前三名〕都是韩国选手 cóng dìyì míng dào'dìsān míng〔qián sān míng〕 dōushì Hánguó xuǎnshǒu
착각(錯覺) 错觉 cuòjué ¶오늘을 목요일로 ～했다 我误以为今天是星期四了 wǒ wù yǐwéi jīntiān shì xīngqīsì le / ～을 일으키다 发生错觉 fāshēng cuòjué
착공(着工) 动工 dònggōng; 开工 kāigōng; 兴工 xīnggōng ¶다음 달에 ～한다 下月动工 xiàyuè dònggōng
착란(錯亂) 错乱 cuòluàn ‖정신 ～ 精神错乱 jīngshén cuòluàn
착륙(着陸) 着陆 zhuólù; 降落 jiàngluò ¶비행기는～ 태세로 들어갔다 飞机进入着陆准备 fēijī jìnrù zhuólù zhǔnbèi ‖긴급 ～ 紧急着陆 jǐnjí zhuólù
착복(着服) ①《착의》 穿衣裳 chuān yīshang ②《횡령》 私吞 sītūn; 侵吞 qīntūn; 贪污 tānwū; 窃用 qièyòng; 私挪 sīnuó ¶공금을 ～하다 侵吞'官项〔公款〕 qīntūn 'guānxiàng〔gōngkuǎn〕
착상(着想) 主意 zhǔyi; 着想 zhuóxiǎng; 立意 lìyì ¶기발한 ～ 奇特的构思 qítè de gòusī =〔立意独特 lìyì dútè〕/ 그 사건으로부터 ～을 얻어서 소설을 썼다 从该事件得到启发写了小说 cóng gāi shìjiàn dédào qǐfā xiěle xiǎoshuō
착색(着色) 着色 zhuósè; 上色 shàng shǎi ¶요즈음의 식품은 대부분 ～한 것이다 近来的食品大都是着色的 jìnlái de shípǐn dà dōushì zhuósè de ‖～ 유리 有色玻璃 yǒusè bōli / 인공 ～ 人工着色 réngōng zhuósè
착석(着席) 就座 jiùzuò; 就席 jiùxí; 入席 rùxí ¶여러분 부디 ～해 주십시오 请诸位入席 qǐng zhūwèi rùxí
착수(着手) 着手 zhuóshǒu; 下手 xiàshǒu ¶드디어 ～하였다 终于动工了 zhōngyú dònggōng le / 이 계획은 ～가 늦어졌다 这个计划的实施迟误了 zhège jìhuà de shíshī chíwù le ‖～금 定金 dìngjīn; 定钱 dìngqian; 定银 dìngyín
착실(着實) 踏实 tāshi; 扎实 zhāshi ¶저 사람은 ～한 사람이다 他是个扎实的人 tā shì ge zhāshi de rén / 연구는 ～히 목표를 향해서 나아가고 있다 研究一步一个脚印儿向着目标前进着 yánjiū yí bù yí ge jiǎoyìnr xiàngzhe mùbiāo qiánjìnzhe
착안(着眼) 着眼 zhuóyǎn ¶이 현상에 ～해서 연구를 시작하다 从这一现象着眼开始进行研究 cóng zhè yí xiànxiàng zhuóyǎn kāishǐ jìnxíng yánjiū
착암기(鑿岩機) 凿岩机 záoyánjī; 风钻 fēngzuàn
착오(錯誤) 错误 cuòwù ¶～를 일으키다 失错 shīcuò =〔拿错 nácuò〕/ 집행부는 중대한 ～를 범했다 领导班子犯了严重的错误 lǐngdǎo bānzi fànle yánzhòng de cuòwù / 너의 생각은 시대～도 이만저만이 아니다 你的想法简直把时代给颠倒了 nǐde xiǎngfa jiǎnzhí bǎ shídài gěi diāndǎo le
착용(着用) 穿 chuān ¶제복 제모를 ～할 것 必须穿制服戴制帽 bìxū chuān zhìfú dài zhìmào
착의(着衣) 穿的衣裳 chuān de yīshang
착지(着地) ①《지면에》 着陆 zhuólù ②《도착지》 到达地 dàodádì ③《체조의》 着地 zhuódì ¶이 선수는 ～에 실패하여 감점을 받았다 李选手落地动作失败被减了分 Lǐ xuǎnshǒu luòdì dòngzuò shībài bèi jiǎnle fēn
착착(着着) 稳步而顺利地 wěnbù ér shùnlìde; 《착실하게》 一步一步地 yíbùyíbùde ¶준비가 ～ 진행되고 있다 筹备工作稳步而顺利地进行着 chóubèi gōngzuò wěnbù ér shùnlìde jìnxíngzhe / 계획이 ～ 실행에 옮겨지다 计划一步一个脚印儿地付诸实施 jìhuà yí bù yí ge jiǎoyìnr de fùzhū shíshī
착취(搾取) 榨取 zhàqǔ; 剥削 bōxuē ‖중간～ 中间剥削 zhōngjiān bōxuē
착하다 善良 shànliáng; 《어린애가》 乖乖儿的 guāiguāir de
찬(饌) 菜 cài; 饭菜 fàncài
찬동(贊同) 赞同 zàntóng; 赞成 zànchéng; 同意 tóngyì ¶취지에 ～하다 赞同宗旨 zàntóng zōngzhǐ
찬물 凉水 liángshuǐ ¶～을 1컵 주십시오 请给我一杯凉水 qǐng gěi wǒ yì bēi liángshuǐ
찬미(讚美) 赞美 zànměi; 赞誉 zànyù; 赞许 zànxǔ; 颂扬 sòngyáng; 赞扬 zànyáng ¶모두 그의 영웅적인 행위를 ～했다 没有人不赞美他的英雄行为 méiyǒu rén bù zànměi tāde yīngxióng xíngwéi =〔他的英雄行为受到大家的赞美 tāde yīngxióng xíngwéi shòudào dàjiā de zànměi〕
찬사(讚辭) 赞辞 zàncí; 颂词 sòngcí; 赞语 zànyǔ ¶～를 드리다 致颂词 zhì sòngcí
찬성(贊成) 赞成 zànchéng; 赞同 zàntóng; 同意 tóngyì ¶이런 계획에는 ～할 수 없다 这种计划我可不能赞成 zhè zhǒng jìhuà wǒ kě bùnéng zànchéng / 나는 쌍수를 들어 ～한다 我举双手赞成 wǒ jǔ shuāngshǒu zànchéng

찬스(chance) 机会 jīhuì ¶～가 오다 机会到来 jīhuì dàolái / 절호의 ～를 잡다 抓住'绝好的机会〔良机〕zhuāzhù 'juéhǎo de jīhuì〔liángjī〕
찬연(燦然) 灿烂 cànlàn; 辉煌 huīhuáng ¶보석이 그녀의 가슴에서 ～히 빛난다 宝石在她胸前放射出灿烂的光芒 bǎoshí zài tā xiōng qián fàngshè chū cànlàn de guāngmáng
찬장(饌欌) 厨柜 chúguì
찬조(贊助) 赞助 zànzhù ‖～ 출연 赞助演出 zànzhù yǎnchū
찬찬하다《꼼꼼하다》小心谨慎 xiǎoxin jǐnshèn;《자상하다》细致 xìzhì; 仔细 zǐxì;《침착》稳重 wěnzhòng; 镇定 zhèndìng
찬칼(饌…) 菜刀 càidāo; 切菜刀 qiēcàidāo
찰거머리《거머리》马鳖子 mǎbiēzi;《사람》缠身鬼 chánshēnguǐ
찰깍 咔哒 kādā ¶～ 사진을 찍다 嚓一下拨开快门 cā yí xià bōkāi kuàimén
찰나(刹那) 刹那 chànà ‖～주의 享乐主义 xiǎnglè zhǔyì
찰떡 粘糕 niángāo
찰싹 啪嚓 pācā ¶～ 따귀를 치다 啪嚓打一巴掌 pācā dǎ yì bāzhang
찰흙 粘土 niántǔ; 韧泥 rènní
참《진실》真实 zhēnshí; 真正 zhēnzhèng;《부사》真的 zhēnde; 实在 shízài; 的确 díquè
참가(參加) 参加 cānjiā; 入在里头 rù zài lǐtou ¶운동회에 ～를 신청하다 报名参加运动会 bàomíng cānjiā yùndònghuì ‖～자 参加者 cānjiāzhě
참견(參見) 干涉 gānshè ¶～ 잘하는 多管闲事的 duō guǎn xiánshì de =〔好多事的 hào duō shì de〕
참고(參考) 参考 cānkǎo ¶경험자의 의견을 ～하다 参考有经验的人的意见 cānkǎo yǒu jīngyàn de rén de yìjiàn ‖～문헌 参考文献 cānkǎo wénxiàn / ～서 参考书 cānkǎoshū
참관(參觀) 参观 cānguān ¶공장을 ～하다 参观工厂 cānguān gōngchǎng / 수업을 ～하다 参观教学 cānguān jiàoxué
참극(慘劇) 惨案 cǎn'àn; 惨剧 cǎnjù ¶이 장소에서 대학살의 ～이 있었다 这个地方发生过大残杀的惨案 zhège dìfang fāshēngguo dà cánshā de cǎn'àn
참기름 香油 xiāngyóu; 芝麻油 zhīmayóu
참깨《植》芝麻 zhīma ‖～알 芝麻子 zhīmazǐ
참다 忍 rěn; 忍耐 rěnnài; 忍受 rěnshòu; 将就 jiāngjiu ¶오줌을 ～ 憋着尿 biēzhe niào / 아픔을 꾹 ～ 强不作声忍着痛 qiǎng bú zuòshēng rěnzhe tòng / 노여움을 ～ 抑住愤怒 yìzhù fènnù
참담(慘憺) 凄惨 qīcǎn ¶시합이 ～한 결과로 끝나다 比赛'遭到惨败〔输得一败涂地〕bǐsài'zāodào cǎnbài〔shūde yí bài túdì〕
참되다 为人实诚 wéirén shíchéng; 真诚 zhēnchéng; 诚恳 chéngkěn
참말로 实在 shízài
참모(參謀) 参谋 cānmóu ‖～장 参谋长 cānmóuzhǎng / 선거 ～ 竞选参谋 jìngxuǎn cānmóu
참밀《植》小麦 xiǎomài; 麦 mài; 麦子 màizi
참사(慘事) 惨祸 cǎnhuò ¶유혈의 ～ 流血的悲惨事件 liúxuè de bēicǎn shìjiàn / 조그만 부주의가 큰 ～를 일으킨다 由于极小的疏忽而引起一场大惨祸 yóuyú jí xiǎo de shūhū ér yǐnqǐ yī cháng dà cǎnhuò
참상(慘狀) 惨状 cǎnzhuàng ¶추락 현장은 이루 말할 수 없는 ～을 드러내고 있다 坠落现场呈现难以用言语形容的惨状 zhuìluò xiànchǎng chéngxiàn nányǐ yòng yányǔ xíngróng de cǎnzhuàng
참새《鳥》麻雀 máquè;〈方〉家雀儿 jiāqiǎor
참수(斬首) 斩首 zhǎnshǒu
참신(斬新) 崭新 zhǎnxīn; 新颖 xīnyǐng ¶～한 디자인 崭新的式样 zhǎnxīn de shìyàng
참언(讒言) 谗言 chányán ¶～ 때문에 좌천을 당하다 受到谗言而被降职 shòudào chányán ér bèi jiàngzhí
참여(參與) 参与 cānyù ¶국정에 ～하다 参与国政 cānyù guózhèng
참외《植》甜瓜 tiánguā; 香瓜 xiāngguā
참을성(…性) 耐性 nàixìng ¶～있게 耐着性儿 nàizhe xìngr / ～ 있다 有耐性 yǒu nàixìng
참작(參酌) 斟酌 zhēnzhuó; 酌量 zhuóliáng; 酌情 zhuóqíng ¶미성년이라는 것을 ～해서 관대히 처리하다 因未成年, 酌情从宽处理 yīn wèi chéngnián, zhuóqíng cóngkuān chǔlǐ / 양쪽의 의견을 ～해서 판단하다 斟酌双方意见来判断 zhēnzhuó shuāngfāng yìjiàn lái pànduàn
참전(參戰) 参战 cānzhàn ¶세계 대전에 ～하다 参与世界大战 cānyù shìjiè dàzhàn / A국의 ～이 승패를 결정했다 A国的参战决定了胜负 A guó de cānzhàn juédìngle shèngfù
참정권(參政權) 参政权 cānzhèngquán
참조(參照) 参照 cānzhào; 参阅 cānyuè; 参看 cānkàn ¶제3장을 ～할 것 参阅第三章 cānyuè dìsān zhāng
참패(慘敗) 惨败 cǎnbài ¶어제 경기에서는 ～를 당했다 昨天的比赛吃了个大败仗 zuótiān de bǐsài chīle ge dà bàizhàng / 이번 총선거에서 A당은 ～했다 这次大选A党遭到惨败 zhè cì dàxuǎn A dǎng zāodào cǎnbài
참하다 安详 ānxiáng; 雅静 yǎjìng; 谨慎 jǐnshèn; 和顺 héshùn
참호(塹壕)《軍》战壕 zhànháo; 堑壕 qiànháo; 堑沟 qiàngōu ¶～를 파다 挖战壕 wā zhànháo
참회(懺悔) 忏悔 chànhuǐ; 悔悟 huǐwù; 悔过 huǐguò; 悔罪 huǐzuì ‖～록 忏悔录 chànhuǐlù
찹쌀 江米 jiāngmǐ; 糯米 nuòmǐ
찻간(車間) 车内 chēnèi; 车箱里 chēxiāng li;《열차의》客车车厢 kèchē chēxiāng
찻삯(車…) 车费 chēfèi; 车钱 chēqián
찻숟가락(茶…) 茶匙(儿) cháchí(r); 茶勺 cháshāo
찻잔(茶盞) 茶碗 cháwǎn; 茶杯 chábēi
찻집(茶…) 茶馆 cháguǎn; 茶社 cháshè; 茶坊 cháfāng
창《구두의》鞋底子 xiédǐzi; 鞋底儿 xiédǐr
창(窓) ⇨ 창문
창(槍) 长枪 chángqiāng; 长矛 chángmáo ¶～으로 찌르다 用长枪刺 yòng chángqiāng cì
창간(創刊) 创刊 chuàngkān ¶그 신문은 1887년에 ～되었다 该报于一八八七年创刊 gāi bào yú yì bā bā qī nián chuàngkān ‖～호 创刊号 chuàngkānhào

창고(倉庫) 仓库 cāngkù; 栈房 zhànfáng; 货栈 huòzhàn
창구(窓口) 窗口 chuāngkǒu ¶2번 ~로 와 주십시오 请到第二号窗口 qǐng dào dì'èr hào chuāngkǒu / ~의 서비스가 나쁘다 窗口的服务态度不好 chuāngkǒu de fúwù tàidu bù hǎo
창궐(猖獗) 猖獗 chāngjué ¶페스트의 ~이 극에 달하다 鼠疫极为猖獗 shǔyì jí wéi chāngjué
창기(娼妓) 娼妓 chāngjì; 妓女 jìnǚ
창녀(娼女) 娼妇 chāngfù; 娼妓 chāngjì; 妓女 jìnǚ
창던지기(槍…) ⇨ 투창(投槍)
창립(創立) 成立 chénglì; 开办 kāibàn; 创办 chuàngbàn; 创立 chuànglì; 创建 chuàngjiàn ¶회사를 ~하다 创办公司 chuàngbàn gōngsī / ~ 100주년 创立一百周年 chuànglì yì bǎi zhōunián ‖ ~자 创立人 chuànglìrén
창문(窓門) 窗儿 chuāngr; 窗户 chuānghu; 窗子 chuāngzi ¶~을 열다 打开〔开〕窗户 dǎkāi chuānghu / ~을 닫다 关窗户 guān chuānghu / ~으로부터 머리를 내밀다 从窗户探出头 cóng chuānghu tànchū tóu / 눈은 마음의 ~이다 眼睛是心灵的窗户 yǎnjing shì xīnlíng de chuānghu
창백(蒼白) 苍白 cāngbái ¶무서운 나머지 얼굴이 ~해졌다 惊恐万状脸色变苍白了 jīngkǒng wànzhuàng liǎnsè biàn cāngbái le
창부(娼婦) ⇨ 창녀(娼女)
창살(窓…) 棂子 língzi; 格子档儿 gézi dàngr ¶~없는 감옥 门窗上不装铁格子的监牢 ménchuāng shang bù zhuāng tiěgézi de jiānláo
창설(創設) 创设 chuàngshè; 创立 chuànglì; 创办 chuàngbàn ¶회사를 ~하다 创设公司 chuàngshè gōngsī
창시(創始) 创始 chuàngshǐ ‖ ~자 创始人 chuàngshǐrén
창안(創案) 发明 fāmíng; 创造 chuàngzào ¶내가 ~한 완구 我所独创的玩具 wǒ suǒ dúchuàng de wánjù
창업(創業) 创业 chuàngyè
창의(創意) 创见 chuàngjiàn ¶~성이 풍부하다 富有创造精神 fùyǒu chuàngzào jīngshén
창자 肠子 chángzi; 《내장》 五脏六腑 wǔzàng liùfǔ
창작(創作) 创作 chuàngzuò ¶그는 현재 ~에 몰두하고 있다 他现在埋头创作 tā xiànzài máitóu chuàngzuò / ~욕이 솟아났다 涌起了创作欲望 yǒngqǐle chuàngzuò yùwàng
창조(創造) 创造 chuàngzào ¶그는 ~력이 풍부하다 他富有创造力 tā fùyǒu chuàngzàolì
창피(猖披) 丢丑 diūchǒu; 寒碜 hánchen ¶~한 没脸见人的 méiliǎn jiàn rén de / ~당하다 挨砢碜 āi kēchen =〔受到耻辱 shòudào chǐrǔ〕/ ~주다 羞辱 xiūrǔ =〔侮辱 wǔrǔ〕
찾다 ①《감춘 것·행방을》 找 zhǎo; 寻找 xúnzhǎo ¶지도로 장소를 ~ 用地图找地方 yòng dìtú zhǎo dìfang ②《사전 따위를》 查 chá ¶백과 사전을 ~ 查百科全书 chá bǎikē quánshū / 전화 번호를 전화 번호부에서 ~ 拿电话簿查电话号码 ná diànhuàbù chá diànhuà hàomǎ ③《예금을》 提取 tíqǔ ¶예금을 ~ 提取存款 tíqǔ cúnkuǎn
찾아내다 找到 zhǎodào; 发现 fāxiàn ¶계산의 착오를 찾아 냈다 发现了计算中的错误 fāxiànle jìsuàn zhōng de cuòwù
채[1] 《우마차의》 车辕 chēyuán
채[2] 《현악기의》 拨子 bōzi; 《큰북의》 槌子 chuízi; 鼓槌(儿) gǔchuí(r)
채[3] 《집》 所 suǒ; 栋 dòng; 幢 zhuàng(2층 이상) ¶집 한 ~ 一所房子 yī suǒ fángzi / 단층집 2 ~ 两栋平房 liǎng dòng píngfáng / 화재로 집 한 ~가 다 타 버렸다 火灾把一栋房子全烧毁了 huǒzāi bǎ yí dòng fángzi quán shāohuǐ le
채[4] 《무 따위의》 切成细丝 qiēchéng xì sī; 丝儿 sīr ¶무를 ~ 썰다 把萝卜切成丝儿 bǎ luóbo qiēchéng sīr
채[5] 《그대로》 ¶신을 신은 ~로 올라오다 穿着〔不脱〕鞋上来了 chuānzhe 〔bù tuō〕 xié shànglai le / 나무는 쓰러진 ~ 그대로 있다 树倒着(没有人管) shù dǎozhe (méiyǒu rén guǎn) / 산 ~로 파묻다 活埋了 huó mái le
채[6] 《아직》 还没 hái méi; 还不 hái bù; 未 wèi ¶~ 조반을 못 먹다 还没吃早饭 hái méi chī zǎofàn
채결(採決) 表决 biǎojué ¶~하다 进行表决 jìnxíng biǎojué
채광(採光) 采光 cǎiguāng ¶~이 좋은 방 采光良好的屋子 cǎiguāng liánghǎo de wūzi
채광(採鑛) 采矿 cǎikuàng
채굴(採掘) 采 cǎi; 开采 kāicǎi; 采掘 cǎijué ¶석탄을 ~하다 采煤 cǎi méi / 금광을 ~하다 开采金矿 kāicǎi jīnkuàng
채권(債券) 债券 zhàiquàn ¶~을 발행하다 发行债券 fāxíng zhàiquàn
채권(債權) 债权 zhàiquán ‖ ~자 账主子 zhàngzhǔzi =〔债权人 zhàiquánrén〕
채귀(債鬼) 讨债鬼 tǎozhàiguǐ
채다 《눈치 따위를》 觉察出…来 juéchá chū…lái; 《위험 따위를》 感觉到 gǎnjué dào
채단(采緞) 裁红 cáihóng; 小礼 xiǎolǐ
채마(菜麻) 在庭园里种的青菜 zài tíngyuán li zhòng de qīngcài ‖ ~밭 菜圃 càipǔ =〔菜园 càiyuán〕
채무(債務) 债务 zhàiwù ¶~를 이행하다 履行债务 lǚxíng zhàiwù / 그는 막대한 ~를 지고 있다 他负了一身债 tā fùle yì shēn zhài
채비(…備) 筹备 chóubèi; 安排 ānpái
채산(採算) 核算 hésuàn ¶~이 맞지 않다 不合算 bù hésuàn =〔不上算 bù shàngsuàn〕〔亏本儿 kuīběnr〕〔赔钱 péiqián〕/ ~이 맞다 合算 hésuàn =〔上算 shàngsuàn〕〔够本儿 gòuběnr〕
채소(菜蔬) 青菜 qīngcài; 蔬菜 shūcài ‖ ~ 가게 菜床子 càichuángzi
채송화(菜松花) 《植》 半支莲 bànzhīlián; 铺地锦 pūdìjǐn
채식(菜食) 菜食 càishí; 素食 sùshí ‖ ~주의 素食主义 sùshí zhǔyì
채용(採用) 采用 cǎiyòng; 录用 lùyòng; 录取 lùqǔ ¶컴퓨터 시스템을 ~하다 采用电子计算机系统 cǎiyòng diànzǐ jìsuànjī xìtǒng / 그의 제안은 사장에게 ~되었다 他的建议被总经理'采纳〔采用〕了 tā de jiànyì bèi zǒngjīnglǐ 'cǎinà 〔cǎiyòng〕 le ‖ ~ 인원 拣取名额 jiǎnqǔ míng'é

채우다[1] 《자물쇠를》 上锁 shàng suǒ; 《단추를》 扣上 kòu shang
채우다[2] 《물에》 泡 pào; 《얼음에》 镇 zhèn ¶ 맥주를 얼음에 ～ 用冰镇啤酒 yòng bīngzhèn píjiǔ
채우다[3] 弄满 nòng mǎn; 补上 bǔ shàng
채점(採點) 评分(儿) píng fēn(r) ¶ 답안을 ～하다 判卷子 pàn juànzi =〔评试卷 píng shìjuàn〕
채집(採集) 采集 cǎijí; 插集 sōují ¶ 방언을 ～하다 插集方言 sōují fāngyán ‖ 곤충 ～ 采集昆虫 cǎijí kūnchóng
채찍 鞭子 biānzi; 马鞭 mǎbiān ¶ 말에 ～질하다 策〔鞭〕马 cè〔biān〕 mǎ
채취(採取) 采 cǎi; 取 qǔ ¶ 지문을 ～하다 取指纹 qǔ zhǐwén
채치다 《채 만들다》 切成丝儿 qiēchéng sīr
채칼 嚓床儿 cǎchuángr
채택(採擇) 采纳 cǎinà; 通过 tōngguò ¶ 결의안을 ～하다 通过决议 tōngguò juéyì
책(冊) 书 shū; 书籍 shūjí; 书本 shūběn ¶ ～을 읽다 看书 kàn shū / ～에는 없는 지식 书本里所没有的知识 shūběn li suǒ méiyǒu de zhīshi
책략(策略) 计策 jìcè; 计谋 jìmóu; 策略 cèlüè
책망하다(責望…) 责备 zébèi; 责诮 zéqiào; 责难 zénàn ¶ 모두 책망하는 듯한 눈으로 나를 봤다 大家以责难的眼光瞅我 dàjiā yǐ zénàn de yǎnguāng chǒu wǒ
책방(冊房) 书店 shūdiàn; 书铺 shūpù
책보(冊褓) 布书包 bùshūbāo; 《보자기》 包袱 bāofu ¶ ～에 싸다 打包袱 dǎ bāofu
책상(冊床) 写字台 xiězìtái; 台子 táizi; 桌子 zhuōzi; 办公桌 bàngōngzhuō; 书桌 shūzhuō ¶ ～을 나란히 하고서 일을 하다 桌挨桌地工作 zhuō āi zhuō de gōngzuò / 하루 가운데 6시간을 ～에 앉아서 공부하다 一天里六个小时趴在桌子上读书 yì tiān li liù ge xiǎoshí pā zài zhuōzi shang dúshū ‖ ～보 桌单 zhuōdān
책임(責任) 责任 zérèn ¶ 사고의 ～은 회사에 있다 事故的责任在于公司 shìgù de zérèn zàiyú gōngsī / ～ 소재를 분명히 하다 明确责任的所在 míngquè zérèn de suǒzài / 그는 교묘하게 ～을 전가했다 他巧妙地把责任转嫁给了别人 tā qiǎomiàode bǎ zérèn zhuǎn jià gěile biéren / 그녀는 ～감이 매우 강하다 她责任'感〔心〕很强 tā zérèn'gǎn〔xīn〕 hěn qiáng ‖ ～보험 责任保险 zérèn bǎoxiǎn / ～자 负责人 fùzérén / ～ 준비금 法定储备金 fǎdìng chǔbèijīn / 공동 ～ 共同负责 gòngtóng fùzé
책장(冊欌) 书架 shūjià
책하다(責…) 责备 zébèi; 责难 zénàn
챔피언(champion) 冠军 guànjūn; 优胜者 yōushèngzhě
챙기다 《정리》 收拾 shōushi; 《모으다》 把…搂在一起 bǎ… lōu zài yìqǐ; 《꾸리다》 打包捆上 dǎ bāokǔn shàng
처(妻) 妻 qī; 妻子 qīzi; 〈方〉 媳妇儿 xífur
처남(妻男) 内兄 nèixiōng; 大舅子 dàjiùzi; 内弟 nèidì; 小舅子 xiǎojiùzi
처넣다 塞入 sāirù; 填入 tiánrù; 装 zhuāng ¶ 넣을 수 있는 데까지 ～ 能装多少装多少 néng zhuāng duōshao zhuāng duōshao
처녀(處女) 处女 chǔnǚ; 黄花闺女 huánghuā guīnǚ(숫처녀) ‖ ～작 处女作 chǔnǚzuò / ～항해 处女航 chǔnǚháng
처뜨리다 使…沉下 shǐ… chén xià; 使…坠弯 shǐ… zhuì wān
처량하다(凄凉…) 可怜的 kělián de; 凄凉 qīliáng; 《황량》 冷落 lěngluò; 荒凉 huāngliáng
처럼 彷佛 fǎngfú; 似乎 sìhu; 像…那样(儿) xiàng… nàyàng(r) ¶ 화살～ 빠르다 像箭那样快 xiàng jiàn nàyàng kuài / 중국 사람～ 생겼다 彷佛中国人似的 fǎngfú Zhōngguórén sìde
처리(處理) 处理 chǔlǐ; 办理 bànlǐ ¶ 약품으로 ～하다 用药品处理 yòng yàopǐn chǔlǐ
처마 房檐(儿) fángyán(r); 屋檐 wūyán; 檐子 yánzi; 檐儿 yánr; 檐头 yántou
처먹다 吃 chī ¶ 밥을 ～ 往嘴里扒拉饭 wàng zuǐli pála fàn
처방(處方) 药方 yàofāng; 方子 fāngzi ¶ ～전을 쓰다 处方 chǔfāng =〔开药方 kāi yàofāng〕/ 의사의 ～에 따라서 조제하다 按照医生的药方配药 ànzhào yīshēng de yàofāng pèi yào
처벌(處罰) 办罪 bànzuì; 治罪 zhìzuì; 处罚 chǔfá; 处分 chǔfèn ¶ 위반자는 ～받는다 对违反者给以处罚 duì wéifǎnzhě gěiyǐ chǔfá
처분(處分) 处置 chǔzhì; 处理 chǔlǐ ¶ 재고품을 ～하다 处理存货 chǔlǐ cúnhuò
처세(處世) 处世 chǔshì ¶ 그는 ～술에 능하다 他长于处世之道 tā chángyú chǔshì zhī dào ‖ ～훈(訓) 处世之训 chǔshì zhī xùn
처소(處所) 《거처》 住处 zhùchù
처시하(妻侍下) 惧内的 jù nèide; 怕老婆 pà lǎopo ¶ ～판 老婆当家 lǎopo dāngjiā =〔老婆掌权 lǎopo zhǎngquán〕
처신(處身) 品行 pǐnxíng; 行为 xíngwéi ¶ ～사납다 懒散 lǎnsǎn =〔没规矩 méi guīju〕/ ～없다 轻佻 qīngtiáo =〔举动草率 jǔdòng cǎoshuài〕
처음 开头(儿) kāitóu(r) ¶ ～으로 头一次 tóuyícì =〔初次 chūcì〕〔第一次 dìyí cì〕
처자(妻子) 妻子 qīzǐ; 《가족》 妻儿老小 qī'ér lǎoxiǎo ¶ ～를 부양하다 扶养妻子 fúyǎng qīzǐ =〔养活妻子儿女 yǎnghuo qīzi érnü〕
처제(妻弟) 小姨子 xiǎoyízi
처지다 《침강》 塌陷 tāxiàn; 洼下 wā xià; 《늘어지다》 搭拉着 dālazhē; 《뒤떨어지다》 落伍 luòwǔ; 《남다》 不走 bù zǒu; 留下 liúxià
처참(悽慘) 凄惨 qīcǎn ¶ ～한 광경 凄惨的情景 qīcǎn de qíngjǐng
처치(處置) 处置 chǔzhì; 处理 chǔlǐ; 收拾 shōushi ¶ 응급 ～를 하다 应急处置 yìngjí chǔzhì
처형(妻兄) 大姨子 dàyízi
처형(處刑) 处决 chǔjué; 处死 chǔsǐ ¶ 현장에서 ～하다 就地正法 jiùdì zhèngfǎ
척(尺) 《度》 尺 chǐ
척(隻) 只 zhī; 艘 sōu ¶ 군함 3 ～ 三只兵船 sān zhī bīngchuán
척 ①《붙은 모양》 ¶ 종이를 ～ 붙이다 把纸紧紧粘补 bǎ zhǐ jǐnjǐnde zhān bǔ ②《선뜻》 爽地 shuǎngkuaide; 豪气地 háoqìde
척도(尺度) 尺度 chǐdù 《기준》 ¶ 문명의 ～ 文明标准 wénmíngde biāozhǔn
척박하다(瘠薄…) 瘠薄 jíbáo; 瘠瘦 jíshòu ¶ 척박한 땅 瘠地 jídì
척수(隻手) 《한 팔》 一只手 yì zhī shǒu; 《고독》 冷孤丁的 lěnggūdīngde
척수(脊髓) 《生》 脊髓 jǐsuǐ ‖ ～ 신경 脊神经 jǐshénjīng / ～염 脊髓炎 jǐsuǐyán

척척 麻利 máli; 爽快 shuǎngkuai; 敏捷 mǐnjié; 利落 lìluo ¶일을 ～ 해내다 爽利地办事 shuǎngli de bàn shì
척척하다 潮个粘的 cháo ge nián de; 潮打糊 cháodǎhú; 湿渌渌 shīlùlù
척촌(尺寸) 尺寸 chǐcun
척추골(脊椎骨)〖生〗脊椎骨 jǐzhuīgǔ; 脊梁骨 jǐlianggǔ
척추염(脊椎炎)〖醫〗脊椎炎 jǐzhuīyán
척하다 假装 jiǎzhuāng ¶모르는～ 假装不知道 jiǎzhuāng bùzhīdào
척후(斥候) 侦察 zhēnchá; 斥候 chìhòu ¶～병을 파견하다 派侦察兵 pài zhēnchábīng
천《피륙》布料 bùliào; 衣料 yīliào; 料子 liàozi
천(千) 千 qiān ¶수 ～의 사람들이 모였다 聚集了几千人 jùjíle jǐqiān rén
천국(天國) 天国 tiānguó; 天堂 tiāntáng ¶여기는 아이들의 ～이다 这里是孩子们的天堂 zhèli shì háizimen de tiāntáng
천금(千金) 千金 qiānjīn ¶～으로도 사기 어렵다 千金难买 qiānjīn nán mǎi
천기(天氣) 天气 tiānqì
천당(天堂) 天堂 tiāntáng
천대(賤待) 冷待 lěngdài; 小看 xiǎokàn
천더기(賤…) 叫人看不起的 jiào rén kànbùqǐ de; 受气包子 shòuqì bāozi; 狗贱人 gǒujiànrén; 下作黄子 xiàzuo huángzi
천동설(天動說) 地心说 dìxīnshuō; 地球中心说 dìqiú zhōngxīnshuō; 天动说 tiāndòngshuō; 地静说 dìjìngshuō
천둥 雷 léi ¶～치다 打雷 dǎléi
천량 嚼裹儿 jiáo guor; 吃用 chī yòng
천리안(千里眼) 千里眼 qiānlǐyǎn; 天眼通 tiānyǎntōng
천막(天幕) 帐篷 zhàngpeng; 帐棚 zhàngpéng; 帐幕 zhàngmù ¶～을 치다 搭帐篷 dā zhàngpeng
천만의 말씀(千萬…) 哪儿(的)话呢 nǎr (de)huà ne; 哪里哪里 nǎli nǎli
천명(天命) 天命 tiānmìng ¶최선을 다하고 ～을 기다린다 尽人事听天命 jìn rénshì tīng tiānmìng
천문(天文) 天文 tiānwén ¶손해액은 ～학적 숫자에 달한다 损害额达天文数字 sǔnhài'é dá tiānwén shùzì ‖～학 天文学 tiānwénxué
천박(淺薄) 浅薄 qiǎnbó; 肤浅 fūqiǎn ¶그는 아주 ～한 사람이다 他人很浅薄 tā rén hěn qiǎnbó
천부(天賦) 天赋 tiānfù ¶～의 재능 天赋之才 tiānfù zhī cái
천분(天分) 天分 tiānfèn; 天资 tiānzī; 天赋 tiānfù ¶그는 그림에 뛰어난 ～을 지니고 있다 他在绘画上具有卓越的天分 tā zài huìhuà shang jùyǒu zhuōyuè de tiānfèn
천사(天使) 天使 tiānshǐ; 安琪儿 ānqí'ér
천성(天性) 天性 tiānxìng; 天生 tiānshēng; 禀性 bǐngxìng ¶그녀는 ～이 정직하다 她生来老实 tā shēnglái lǎoshi / 습관은 제2의 ～이다 习惯为第二天性 xíguàn wéi dì'èr tiānxìng
천수(天壽) 天年 tiānnián; 天寿 tiānshòu ¶부친은 ～를 누리셨다 父亲享天年以终 fùqin xiǎng tiānnián yǐ zhōng
천식(喘息)〖醫〗哮喘 xiàochuǎn; 气喘 qìchuǎn ¶～을 앓다 患气喘 huàn qìchuǎn / ～이 발작하다 哮喘发作 xiàochuǎn fāzuò
천애(天涯) 天涯 tiānyá ¶～ 고독의 몸 孤独一人无亲无故 gūdú yì rén wú qīn wú gù =〔孑然一身 jiérán yì shēn〕
천양지판(天壤之判) 霄壤之别 xiāorǎng zhī bié
천연(天然) 天然 tiānrán ¶～의 양항 天然良港 tiānrán liáng gǎng =〔天造地设的良港 tiānzào dìshè de liánggǎng〕‖～ 가스 天然气 tiānránqì =〔天然煤气 tiānrán méiqì〕/ ～ 과즙 自然果汁 zìrán guǒzhī / ～ 기념물(記念物) 天然记念物 tiānrán jìniànwù / ～색 영화 彩色片 cǎisèpiàn =〔五彩电影 wǔcǎi diànyǐng〕〔彩色影片 cǎisè yǐngpiàn〕
천우(天佑) 天佑 tiānyòu
천장(天障) 顶棚 dǐngpéng; 天棚 tiānpéng; 天花板 tiānhuābǎn ¶～이 높은 집 天棚高的屋子 tiānpéng gāo de wūzi
천재(千載) 千载 qiān zǎi ¶～일우의 호기를 놓치다 错过了千载难逢的好机会 cuòguòle qiānzǎi nán féng de hǎo jīhuì
천재(天才) 天才 tiāncái
천적(天敵) 天敌 tiāndí
천주교(天主教) 天主教 Tiānzhǔjiào
천지(天地) 天地 tiāndì ¶신～를 열다 开辟新天地 kāipì xīntiāndì / ～ 신명께 맹세하다 向天神地祇发誓 xiàng tiānshén dìqí fāshì
천진(天眞) 天真 tiānzhēn ‖～난만 天真烂漫 tiānzhēn lànmàn
천차만별(千差萬別) 千差万别 qiān chā wàn bié ¶사람의 기호는 ～이다 人的嗜好是千差万别的 rén de shìhào shì qiān chā wàn bié de
천천히 慢 màn; 慢慢 mànmàn; 缓慢 huǎnmàn ¶우리 ～ 걸읍시다 咱慢慢走吧 zán mànmàn zǒu ba
천체(天體) 天体 tiāntǐ ‖～ 관측 天体观测 tiāntǐ guāncè / ～ 망원경 天文望远镜 tiānwén wàngyuǎnjìng
천편일률(千篇一律) 千篇一律 qiānpiānyílǜ ¶하는 일이 모두 ～적이라 정말 재미가 없다 做的都是千篇一律实在没有趣味 zuò de dōushì qiānpiānyílǜ shízài méiyǒu qùwèi
천하다(賤…) ①《신분이》下贱 xiàjiàn; 卑贱 bēijiàn; 微贱 wēijiàn ¶천한 집안의 출신 出身下贱 chūshēn xiàjiàn ②《품위가 낮다》卑鄙 bēibǐ; 卑劣 bēiliè; 下流 xiàliú ¶말하는 것이 ～ 说话下流 shuōhuà xiàliú
천후(天候) 天气 tiānqì
철[1]《계절》节候 jiéhòu; 节令 jiélìng; 时令 shílìng ¶～지난 不是时候儿的 búshi shíhour de
철[2]《분별》辨别力 biànbiélì; 思虑 sīlǜ ¶～이 들 나이 刚懂事的年龄 gāng dǒngshì de niánlíng
철(鐵) 铁 tiě
철강(鐵鋼) 钢铁 gāngtiě
철거(撤去) 撤除 chèchú; 拆除 chāichú ¶불법 건축물을 ～하다 拆除违章建筑 chāichú wéizhāng jiànzhù
철골(鐵骨) 钢骨 gānggǔ; 钢筋 gāngjīn; 钢梁 gāngliáng
철근(鐵筋) 钢筋 gāngjīn; 钢骨 gānggǔ; 铁筋 tiějīn ‖～ 콘크리트 钢筋混凝土 gāngjīn hùnníngtǔ =〔钢骨水泥 gānggǔ shuǐní〕
철나다 懂得事理 dǒngde shìlǐ; 辨别好歹 biànbié hǎodǎi
철도(鐵道) 铁路 tiělù; 铁道 tiědào ¶～를 부설

하다 敷设铁路 fūshè tiělù =〔铺轨 pū guǐ〕/ 전국에 ～망이 정비되었다 铁路网遍及全国 tiělùwǎng biànjí quánguó
철두철미(徹頭徹尾) 彻头彻尾 chètóu chèwěi ¶그는 ～한 이기주의자다 他是个彻头彻尾的利己主义者 tā shì ge chètóu chèwěi de lìjǐ zhǔyìzhě
철매 ⇨검댕
철면피(鐵面皮) 厚脸皮 hòu liǎnpí
철모르다 不懂世故 bùdǒng shìgù; 不开眼的 bù kāiyǎn de; 不谙世务 bù ān shìwù
철물(鐵物) 铁器 tiěqì; 五金 wǔjīn; 小五金 xiǎowǔjīn ‖～점 五金行 wǔjīnháng =〔五金商店 wǔjīn shāngdiàn〕
철병(撤兵) 撤兵 chèbīng ¶군대가 ～했다 军队撤退了 jūnduì chètuì le
철부지(…不知) 不懂世故的人 bùdǒng shìgù de rén; 没见过世面的人 méi jiànguò shìmiàn de rén
철사(鐵絲) 铁丝 tiěsī; 钢丝 gāngsī; 铜丝 tóngsī
철새《鳥》候鸟 hòuniǎo; 随阳儿 suí yángr
철수(撤收) 撤退 chètuì; 撤回 chèhuí ¶부대를 ～하다 撤退部队 chètuì bùduì
철심(鐵心) 《굳센 마음》 铁心 tiěxīn; 硬心眼儿 yìngxīnyǎnr; 《심》 铁筋 tiějīn
철야(徹夜) 彻夜 chèyè; 通宵 tōngxiāo; 通夜 tōngyè ¶어제 저녁은 ～로 환자를 간호했다 昨夜通宵看护了病人 zuóyè tōngxiāo kānhùle bìngrén
철없다 不知好歹 bùzhī hǎodǎi; 孩子气的 háiziqì de; 糊涂 hútu
철재(鐵材) 钢材 gāngcái
철저(徹底) 到底 dàodǐ; 彻底 chèdǐ; 贯彻 guànchè ¶사건의 진상을 ～하게 규명하다 彻底追究事件的真相 chèdǐ zhuījiū shìjiàn de zhēnxiàng
철제(鐵製) 铁做的 tiě zuò de; 铁打的 tiě dǎ de ‖～품 铁制品 tiězhìpǐn
철조망(鐵條網) 铁丝网 tiěsīwǎng
철쭉《植》石楠 shínán
철창(鐵窓) 铁窗户 tiěchuānghu; 《감옥》 监牢 jiānláo
철철 满满地 mǎnmǎnde ¶～ 넘치도록 담다 浮流浮流地盛 fúliu fúliude chéng
철폐(撤廢) 废除 fèichú; 废止 fèizhǐ; 取消 qǔxiāo ¶인종 차별의 ～를 요구하다 要求废除种族歧视 yāoqiú fèichú zhǒngzú qíshì
철학(哲學) 哲学 zhéxué ¶나에게는 나 자신의 인생 ～이 있다 我有我自己的人生哲学 wǒ yǒu wǒ zìjǐ de rénshēng zhéxué ‖스콜라(schola) ～ 经院〔烦琐〕哲学 jīngyuàn 〔fánsuǒ〕 zhéxué / 실증 ～ 实证论 shízhènglùn
첨가(添加) 附加 fùjiā; 添 tiān; 加上 jiāshàng; 加添 jiātiān ¶식품 ～물 食品添加物 shípǐn tiānjiāwù / 약품을 ～하다 加添药品 jiātiān yàopǐn
첨단(尖端) 尖端 jiānduān ¶～적인 과학 기술 尖端的科学技术 jiānduān de kēxué jìshù / 그녀는 유행의 ～을 걷는 복장을 하고 있다 她穿着最时髦的衣服 tā chuānzhe zuì shímáo de yīfu
첨부(添附) 附加 fùjiā; 附上 fùshàng ¶본문에 도표를 ～하다 在本文上附上图表 zài běnwén shang fùshàng túbiǎo ‖～ 서류 粘件 zhānjiàn
첨삭(添削) 删改 shāngǎi; 修改 xiūgǎi; 批改 pīgǎi ¶학생의 작문을 ～하다 批改学生的作文 pīgǎi xuésheng de zuòwén
첩(妾) 小老婆 xiǎolǎopo; 姨太太 yítàitai; 妾 qiè ¶～을 두다 纳妾 nàqiè =〔安外家 ān wàijiā〕
첫걸음 初步 chūbù; 启蒙 qǐméng
첫날 头一天 tóuyì tiān; 第一天 dìyì tiān ¶연극은 ～부터 만원이었다 这出戏从第一天起就满座了 zhè chū xì cóng dìyì tiān qǐ jiù mǎnzuò le
첫날밤 第一夜 dìyí yè; 初夜 chūyè; 初更 chūgēng
첫눈 初雪 chūxuě; 头场雪 tóuchǎng xuě
첫마디 第一句 dìyí jù; 头一句 tóuyí jù
첫번(…番) 头一次 tóuyí cì
첫사랑 初恋 chūliàn
첫새벽 拂晓 fúxiǎo
첫아들 头生儿子 tóushēng érzi
첫인상(…印象) 第一个印象 dìyí ge yìnxiàng; 最初印象 zuìchū yìnxiàng ¶～이 중요하다 给人的第一个印象是重要的 gěi rén de dìyí ge yìnxiàng shì zhòngyào de
첫째 头一名 tóuyì míng ¶～가 되다 得了第一名 déle dìyì míng
첫추위 初寒 chūhán
첫해 头一年 tóuyì nián
첫해산(…解産) 头产 tóuchǎn
첫행보(…行步) 第一次的出门 dìyí cì de chūmén
청(請) 请愿 qǐngyuàn; 志愿 zhìyuàn ¶～이 한 가지 있다 有一个请求 yǒu yí ge qǐngqiú
청개구리(青…)《動》青蛙 qīngwā
청결(清潔) 清洁 qīngjié; 干净 gānjìng; 洁净 jiéjìng ¶부엌은 언제나 ～해야 한다 厨房要保持清洁 chúfáng yào bǎochí qīngjié
청구(請求) 要求 yāoqiú; 请求 qǐngqiú ¶나라를 상대로 손해 배상을 ～한다 向国家要求赔偿损失 xiàng guójiā yāoqiú péicháng sǔnshī ‖～권 请求权 qǐngqiúquán / ～서 账单 zhàngdān
청기와(青…) 琉璃瓦 liúliwǎ
청년(青年) 青年 qīngnián ‖～기 青年期 qīngniánqī
청대콩(青…)《植》青豆 qīngdòu; 毛豆 máodòu
청량(清涼) 清凉 qīngliáng ‖～ 음료 清凉饮料 qīngliáng yǐnliào
청력(聽力) 听力 tīnglì ¶사고로 ～을 잃다 由于事故失去听力 yóuyú shìgù shīqù tīnglì
청렴(清廉) 清廉 qīnglián ¶그는 ～결백한 선비다 他是清白廉洁之士 tā shì qīngbái liánjié zhī shì
청맹과니(青盲…) 青睁眼 qīngzhēngyǎn; 睁着的瞎子 zhēngzhe yǎn de xiāzi
청바지(青…) 牛仔裤 niúzǎikù
청부(請負) 包 bāo; 承包 chéngbāo; 包办 bāobàn ‖～ 계약 包工〔承包〕合同 bāogōng〔chéngbāo〕hétong / ～인 承包人 chéngbāorén / ～일 包工活儿 bāogōng huór
청빈(清貧) 清贫 qīngpín ¶～하게 살다 甘于清贫 gānyú qīngpín
청사진(青寫眞) 蓝图 lántú ¶설계도를 ～으로 하다 把设计图晒成蓝图 bǎ shèjìtú shàichéng lántú

청산(淸算) 清理 qīnglǐ; 清算 qīngsuàn ¶과거의 생활을 ～하다 清算过去的生活 qīngsuàn guòqù de shēnghuó
청산가리(青酸加里)〘化〙氰酸钾 qíngsuānjiǎ
청산유수(青山流水) 说话说得流利 shuōhuà shuōde liúlì; 青山流水 qīngshān liúshuǐ
청상과부(青孀寡婦) 年轻寡妇 niánqīng guǎfù
청서(淸書) 誊清 téngqīng; 誊写 téngxiě; 缮写 shànxiě ¶노트를 ～하다 誊清笔记 téngqīng bǐjì
청소(淸掃) 打扫 dǎsǎo; 扫除 sǎochú ¶도로는 ～가 아주 잘 되어 있다 街上打扫得很干净 jiēshàng dǎsǎode hěn gānjìng ‖ ～차 垃圾车 lājīchē =〔清扫车 qīngsǎochē〕〔扫路车 sǎolùchē〕
청순(淸純) 纯洁 chúnjié ¶～한 소녀 纯洁的少女 chúnjié de shàonǚ
청어(青魚)〘魚〙鲱 fēi; 鲱鱼 fēiyú
청요리(淸料理) ⇨ 중국 요리
청운(青雲) 青云 qīngyún ¶～의 뜻을 품다 抱青云之志 bào qīngyún zhī zhì
청자(青瓷·青磁) 青瓷 qīngcí
청주(淸酒) 清酒 qīngjiǔ
청지기(廳…) 管事的 guǎnshìde; 管家的 guǎnjiāde
청진(聽診)〘醫〙听诊 tīngzhěn ‖ ～기 听诊器 tīngzhěnqì
청천(青天) 青天 qīngtiān ¶이 소식은 나에게는 정말로 ～벽력이다 这消息对我真是青天霹雳 zhè xiāoxi duì wǒ zhēnshì qīngtiān pīlì
청초(淸楚) 素净 sùjing; 清秀 qīngxiù
청춘(青春) 青春 qīngchūn ¶～의 피를 끓게 하다 使青春的热血沸腾 shǐ qīngchūn de rèxuè fèiténg
청취(聽取) 听取 tīngqǔ; 收听 shōutīng ¶관계자로부터 사정을 ～하다 从有关的人那里听取情况 cóng yǒuguān de rén nàli tīngqǔ qíngkuàng / 해외 방송을 ～하다 收听海外广播 shōutīng hǎiwài guǎngbō
청컨대(請…) 请您… qǐng nín…; 但愿 dànyuàn
청탁(請託) 请托 qǐngtuō; 恳求 kěnqíu
청포(淸泡) 豆淀粉冻儿 dòudiànfěn dòngr
청혼(請婚) 求婚 qiúhūn; 求亲 qiúqīn; 问聘 wènpìn(남자측에서)
체¹ 《치는》 筛子 shāizi ¶～질하다 拿筛子筛 ná shāizi shāi
체² 《감탄사》 呸 pēi ¶～, 누가 알게 뭐야 呸, 管他呢 pēi, guǎn tā ne
체격(體格) 体格 tǐgé ¶그는 ～이 좋다 他体格好 tā tǐgé hǎo
체결(締結) 缔结 dìjié; 签订 qiāndìng ¶양국간에 평화 우호 조약이 ～되었다 两国间缔结了和平友好条约 liǎngguó jiān dìjiéle hépíng yǒuhǎo tiáoyuē
체계(體系) 体系 tǐxì;, 系统 xìtǒng ¶이론을 ～화하다 把理论系统化 bǎ lǐlùn xìtǒnghuà
체납(滯納) 拖欠 tuōqiàn; 涩税 sèshuì ¶세금을 ～하다 拖欠税款 tuōqiàn shuìkuǎn ‖～금 滞纳金 zhìnàjīn
체득(體得) 体会 tǐhuì; 领会 lǐnghuì; 掌握 zhǎngwò ¶요령을 ～하다 掌握了窍门 zhǎngwòle qiàomén
체력(體力) 体力 tǐlì ¶～이 떨어지다 体力衰弱了 tǐlì shuāiruò le

체면(體面) 体面 tǐmian; 面子 miànzi ¶～을 지키다 保持体面 bǎochí tǐmian / ～을 손상하다 伤体面 shāng tǐmian
체스(chess) 国际象棋 guójì xiàngqí ¶～를 두다 下国际象棋 xià guójì xiàngqí
체온(體溫) 体温 tǐwēn ¶～을 재다 量体温 liáng tǐwēn / ～이 오르다〔내리다〕体温'上升〔下降〕 tǐwēn'shàngshēng〔xiàjiàng〕 ‖ ～계 体温表 tǐwēnbiǎo =〔体温计 tǐwēnjì〕
체육(體育) 体育 tǐyù ‖ ～관 体育馆 tǐyùguǎn / ～ 대회 运动会 yùndònghuì / ～ 수업 体育课 tǐyù kè
체인(chain) 链子 liànzi; 链条 liàntiáo ¶자전거의 ～이 벗겨졌다 自行车脱链子了 zìxíngchē tuō liànzi le
체인스토어(chain store) 联号 liánhào; 连锁商店 liánsuǒ shāngdiàn
체인지(change) 交换 jiāohuàn; 更换 gēnghuàn ¶선수를 ～하다 更换选手 gēnghuàn xuǎnshǒu / 코트를 ～하다 交换场地 jiāohuàn chǎngdì =〔换场 huànchǎng〕
체재(滯在) 逗留 dòuliú; 停留 tíngliú; 旅居 lǚjū ¶그녀의 유럽 ～도 3년이 되었다 她旅居欧洲已经有三年了 tā lǚjū ōuzhōu yǐjing yǒu sān nián le ‖ ～지 逗留地 dòuliúdì
체재(體裁) 样式 yàngshì; 形式 xíngshì
체제(體制) 体制 tǐzhì; 体系 tǐxì; 制度 zhìdù ‖ 자본주의 ～ 资本主义制度 zīběn zhǔyì zhìdù / 전시 ～ 战时体制 zhànshí tǐzhì
체조(體操) 体操 tǐcāo ¶～를 하다 练体操 liàn tǐcāo / 일의 중간에 ～를 하다 做工间操 zuò gōngjiāncāo ‖ ～ 경기 体操竞赛 tǐcāo jìngsài / 도수 ～ 徒手操 túshǒucāo / 준비 ～ 准备活动 zhǔnbèi huódòng
체중(體重) 体重 tǐzhòng ¶～을 달다 量〔称〕体重 liáng〔chēng〕tǐzhòng
체크(check) ①《짐표》 行李票 xínglipiào ②《부호》 对号 duì hào
체포(逮捕) 捉拿 zhuōná; 逮捕 dàibǔ; 拘捕 jūbǔ ¶범인을 ～하다 逮捕犯人 dàibǔ fànrén
체하다(滯…) 停食 tíngshí; 存食 cúnshí
체험(體驗) 体验 tǐyàn ¶전쟁 ～을 후세에게 전하다 把战争的体验告诉后代 bǎ zhànzhēng de tǐyàn gàosu hòudài
첼로(cello)〘樂〙大提琴 dàtíqín ¶～를 켜다 拉大提琴 lā dàtíqín
쳐가다 《쓰레기 따위를》 拾掇过去 shíduo guòqù
쳐다보다 《위로 치보다》 抬头看 tái tóu kàn; 向上看 xiàng shàng kàn; 《우러러보다》 钦佩 qīnpèi; 景仰 jǐngyǎng
쳐들다 《올리다》 拿起 náqǐ; 举起 jǔqǐ ¶머리를 ～ 抬头 tái tóu
쳐들어가다 攻进去 gōngjìnqù; 攻入 gōngrù
쳐주다 《셈하다》 清账 qīng zhàng; 算账 suàn zhàng; 《인정》 承认 chéngrèn; 认识 rènshì
초 《양초》 蜡烛 làzhú ¶～의 심지 蜡芯儿 làxìnr / 촛불을 켜다 点蜡烛 diǎn làzhú
초(醋) 醋 cù
초(秒) 秒 miǎo ¶시간을 ～까지 재다 测时测到秒 cèshí cè dào miǎo / 발사 3～ 전 发射前三秒 fāshè qián sān miǎo
초가(草家) 草房 cǎofáng; 用稻草葺屋顶的房子 yòng dàocǎo qì wūdǐng de fángzi
초가을(初…) 初秋 chūqiū

초고(草稿) 草稿 cǎogǎo; 底稿 dǐgǎo ¶ ~를 손질하다 推敲草稿 tuīqiāo cǎogǎo
초과(超過) 超过 chāoguò ‖ ~ 근무 수당 加班费 jiābānfèi / ~ 이윤 超额利润 chāo'é lìrùn / 수입 ~ 入超 rùchāo
초기(初期) 初期 chūqī ¶ 소아마비의 ~ 증상 小儿麻痹的初期症状 xiǎo'ér mábì de chūqī zhèngzhuàng / 이것은 조선 ~의 미술품이다 这是朝鲜时代初期的美术作品 zhè shì Cháoxiān shídài chūqī de měishù zuòpǐn
초대(初…) 《풋내기》 生手 shēngshǒu; 力笨儿 lìbenr
초대(初代) 初代 chūdài; 第一代 dìyí dài ‖ ~ 대통령 第一任总统 dìyí rèn zǒngtǒng
초대(招待) 邀请 yāoqǐng ¶ 결혼식에 ~하다 邀请出席结婚典礼 yāoqǐng chūxí jiéhūn diǎnlǐ / ~에 응하다 应邀 yìngyāo ‖ ~장 请帖 qǐngtiě =〔请柬 qǐngjiǎn〕
초대면(初對面) 初次见面 chūcì jiànmiàn
초도(初度) 初次 chūcì; 头一回 tóuyì huí ‖ ~ 순시 头一次的巡查 tóuyí cì de xúnchá
초들다 《언급하다》 谈及 tánjí; 谈到 tándào
초등 학교(初等學校) 小学 xiǎoxué; 小学校 xiǎoxuéxiào
초라하다 寒碜的 hánchen de; 难看的 nánkàn de ¶ 초라한 행색 衣履破旧的 yīlǚ pòjiù de / 초라한 집 破陋的房子 pòlòu de fángzi
초로(初老) 初老 chūlǎo ¶ ~의 남자 刚刚进入老年的男人 gānggāng jìnrù lǎonián de nánrén
초롱 洋铁桶 yángtiětǒng ¶ 석유 ~ 煤油桶 méiyóutǒng
초롱(…籠) 灯笼 dēnglong
초면(初面) 初次见面 chūcì jiànmiàn ‖ ~ 친구 生人 shēngrén
초문(初聞) 初次听说 chūcì tīngshuō ¶ 그것은 ~이다 那可是初次听说 nà kěshì chūcì tīngshuō
초밥(醋…) 寿司 shòusī; 酸饭团 suānfàntuán
초배(初褙) 糊底子 húdǐzi
초병(哨兵) 哨兵 shàobīng; 哨人 shàorén
초보(初步) 初步 chūbù; 初级 chūjí; 入门 rùmén ¶ 중국어를 ~부터 공부하다 打入门开始学习中文 dǎ rùmén kāishǐ xuéxí Zhōngwén
초봄(初…) 初春 chūchūn
초빙(招聘) 聘请 pìnqǐng; 延聘 yánpìn ¶ 그녀는 A대학의 ~에 응해서 런던에 간다 她应A大学的聘请赴伦敦 tā yìng A dàxué de pìnqǐng fù Lúndūn
초산(初産) 头产 tóuchǎn; 头胎 tóutāi; 初产 chūchǎn
초상(初喪) 丧事 sāngshì; 白事 báishì ¶ ~을 치르다 办丧事 bàn sāngshì =〔治丧 zhì sāng〕 ‖ ~집 丧家 sāngjiā
초상화(肖像畵) 肖像画 xiàoxiànghuà
초승(初…) 月头 yuètóu; 月初 yuèchū ‖ ~달 月牙儿 yuèyár =〔蛾眉月 éméiyuè〕
초심(初心) ①《처음에 생긴 마음》 初衷 chūzhōng; 初愿 chūyuàn ②《미숙》 初学 chūxué ¶ ~자 환영 欢迎初学者 huānyíng chūxuézhě ‖ ~자 新手 xīnshǒu =〔生手 shēngshǒu〕〔力把 lìba〕
초안(草案) 底子 dǐzi; 草案 cǎo'àn ¶ ~을 작성하다 拟草案 nǐ cǎo'àn
초역(抄譯) 节译 jiéyì; 摘译 zhāiyì
초원(草原) 草原 cǎoyuán
초월(超越) 超越 chāoyuè; 超脱 chāotuō ¶ 인지(人智)를 ~하다 超出人的智慧 chāochū rén de zhìhuì
초인종(招人鐘) 叫人钟 jiàorénzhōng; 电铃 diànlíng; 铃 líng ¶ ~을 누르다 按铃 àn líng
초일(初日) 头一天 tóuyì tiān; 第一天 dìyìtiān
초잡다(草…) 起底子 qǐ dǐzi; 起稿子 qǐ gǎozi
초장(醋醬) 洋酱油 yángjiàngyóu; 辣酱油 làjiàngyóu
초저녁(初…) 傍晚 bàngwǎn; 刚黑天 gānghēitiān
초점(焦點) 焦点 jiāodiǎn ¶ 이 사진은 ~ 거리가 맞지 않았다 这张相片焦距没对准 zhè zhāng xiàngpiàn jiāojù méi duìzhǔn ‖ ~ 거리 焦距 jiāojù
초조(焦燥) 焦燥 jiāozào; 心焦 xīnjiāo; 焦心 jiāoxīn; 焦急 jiāojí; 焦虑 jiāolǜ
초지(初志) 初衷 chūzhōng; 初愿 chūyuàn ¶ ~를 관철하다 贯彻初衷 guànchè chūzhōng
초청(招請) 招聘 zhāopìn; 聘请 pìnqǐng
초침(秒針) 秒针 miǎozhēn
초콜릿(chocolate) 巧克力 qiǎokèlì
초하룻날(初…) 初一 chū yī
초행(初行) 第一次的造访 dìyí cì de zàofǎng
초혼(初婚) 《여자》 初嫁 chūjià; 《남자》 初婚 chūhūn
촉매(觸媒) 《化》 催化剂 cuīhuàjì; 触媒 chùméi ‖ ~ 반응 催化反应 cuīhuà fǎnyìng / ~ 작용 催化作用 cuīhuà zuòyòng
촉새 《鳥》 黄道眉 huángdàoméi; 白颊鸟 báijiániǎo
촌(村) 村儿 cūnr; 村子 cūnzi; 庄子 zhuāngzi; 村庄(儿) cūnzhuāng(r)
촌길(村…) 乡道 xiāngdào
촌놈, 촌뜨기(村…) 怯勺 qièsháo; 乡下佬 xiāngxiàlǎo; 山喀咕 shānkěgū; 巅巅儿 diāndiānr
촌락(村落) 村落 cūnluò
촌스럽다(村…) 怯 qiè; 土气 tǔqì; 乡下派头 xiāngxià pàitóu
촌음(寸陰) 寸阴 cùnyīn ¶ ~을 아껴서 학업에 힘쓰다 惜寸阴用功学习 xī cùnyīn yònggōng xuéxí
촌지(寸志) 寸心 cùnxīn; 小意思 xiǎoyìsi
촌철(寸鐵) 寸铁 cùntiě ¶ 몸에 ~도 지니지 않다 身上不带任何武器 shēnshang bú dài rènhé wǔqì ‖ ~살인 一针见血 yì zhēn jiàn xiě
촌충(寸蟲) 《動》 绦虫 tāochóng; 寸白虫 cùnbáichóng
출랑거리다 《물이》 颠簸 diānbǒ; 荡漾 dàngyàng; 《까불다》 戏谑 xìnüè
출출하다 多少饿一点 duōshǎo è yìdiǎn
촘촘하다 密密麻麻 mìmì mámá; 密实 mìshi
촛농(…膿) 蜡珠 làzhū; 蜡泪 làlèi
촛대(…臺) 蜡台 làtái; 烛台 zhútái; 蜡扦 làqiān
촛불 烛光 zhúguāng ¶ ~로 책을 읽다 借烛光看书 jiè zhúguāng kàn shū
총(銃) 枪 qiāng ¶ ~을 메다 扛枪 káng qiāng
총각(總角) 小伙子 xiǎohuǒzi; 未婚男子 wèihūn nánzi
총검(銃劍) ①《총과 검》 枪和剑 qiāng hé jiàn ②《칼》 刺刀 cìdāo; 枪刺 qiāngcì ¶ ~으로 찌르다 用刺刀扎 yòng cìdāo zhā =〔用枪刺刺 yòng qiāngcì cì〕 ‖ ~술 刺杀 cìshā

총결산(總決算) 总账 zǒngzhàng; 算大账 suàn dàzhàng
종계(總計) 总计 zǒngjì ¶~하다 合算起来 hésuàn qǐlái / 지출을 ~하다 总计开支 zǒngjì kāizhī / 비용의 ~를 내다 算出费用的总计 suànchū fèiyòng de zǒngjì
총구(銃口) ⇨총부리
총기(銃器) 枪械 qiāngxiè
총대(銃…) 枪托 qiāngtuō
총리(總理) 总理 zǒnglǐ
총명(聰明) 聪明 cōngming
총부리(銃…) 枪口 qiāngkǒu; 炮口 pàokǒu
총사냥(銃…) 用枪打猎 yòng qiāng dǎ liè
총살(銃殺) 枪毙 qiāngbì; 枪决 qiāngjué ¶반역죄로 ~당했다 以叛国罪被枪毙了 yǐ pànguózuì bèi qiāngbì le
총상(銃傷) 枪伤 qiāngshāng
총선거(總選擧) 大选 dàxuǎn; 总选举 zǒngxuǎnjǔ
총성(銃聲) 枪声 qiāngshēng
총신(銃身) 枪身 qiāngshēn; 枪管 qiāngguǎn
총알(銃…) 子弹 zǐdàn; 〈口〉枪子儿 qiāngzǐr
총장(總長) ¶대학 ~ 大学校长 dàxué xiàozhǎng ‖참모 ~ 总参谋长 zǒngcānmóuzhǎng
총재(總裁) 总裁 zǒngcái
총질(銃…) 用枪射击 yòng qiāng shèjī ¶~하다 开枪 kāi qiāng =〔放枪 fàng qiāng〕
총채 掸子 dǎnzi ¶~로 털다 掸掸子 dǎn dǎnzi
총총(怱怱) 匆匆忙忙 cōngcōng mángmáng; 匆卒 cōngcù ‖~걸음 碎步儿 suìbùr
총칭(總稱) 总称 zǒngchēng ¶소설, 희곡, 시 따위를 ~하여 문학이라고 한다 小说, 戏曲, 诗等的总称为文学 xiǎoshuō, xìqǔ, shī děng de zǒngchēng wéi wénxué
총탄(銃彈) 枪弹 qiāngdàn; 子弹 zǐdàn; 枪子儿 qiāngzǐr ¶~에 쓰러지다 倒于枪弹之下 dǎo yú qiāngdàn zhīxià
총포(銃砲) 枪炮 qiāngpào
총화(銃火) 火力 huǒlì ¶적의 ~를 무릅쓰고 冒着敌人的枪弹 màozhe dírén de qiāngdàn
촬영(撮影) 摄影 shèyǐng; 拍 pāi; 拍照 pāizhào; 拍摄 pāishè; 照相 zhàoxiàng ¶기록영화를 ~하다 拍〔拍摄, 摄制〕记录片 pāi〔pāishè, shèzhì〕jìlùpiàn ‖공중~ 航空摄影 hángkōng shèyǐng
최고(最高) 最高 zuì gāo ¶~점으로 당선되다 护得最多票数当选 huòdé zuì duō piàoshù dāngxuǎn ‖~ 책임자 最高负责人 zuìgāo fùzérén
최근(最近) 最近 zuìjìn ¶~의 세계 정세 最近的世界局势 zuìjìn de shìjiè júshì / 이것은 ~의 일이다 这是新近的事 zhè shì xīnjìn de shì
최대(最大) 最大 zuì dà ¶능력을 ~한으로 발휘하다 把能力最大限度地发挥出来 bǎ nénglì zuìdà xiàndù de fāhuī chūlai / ~ 다수의 ~ 행복 最大多数人的最大的幸福 zuì dà duōshù rén de zuì dà de xìngfú
최루(催淚) 催泪 cuīlèi ‖~ 가스 催泪瓦斯 cuīlèi wǎsī / ~탄 催泪弹 cuīlèidàn
최면(催眠) 催眠 cuīmián ¶~술을 걸다 施催眠术 shī cuīmiánshù
최상(最上) 最好 zuì hǎo ¶~의 컨디션으로 경기에 임하다 以最好的状态迎接比赛 yǐ zuì hǎo de zhuàngtài yíngjiē bǐsài
최선(最善) 最善 zuì shàn; 最好 zuì hǎo ¶~을 다하다 尽最大努力 jìn zuìdà nǔlì =〔竭尽全力 jiéjìn quánlì〕/ ~책을 강구하다 采取最妥善的办法 cǎiqǔ zuì tuǒshàn de bànfǎ
최소(最小) 最小 zuì xiǎo ¶세계에서 가장 작은 새 世界最小的鸟 shìjiè zuì xiǎo de niǎo
최소(最少) 最少 zuì shǎo ¶~의 노력으로 최대의 효과를 거두다 以最少的劳力取得最高的效果 yǐ zuì shǎo de láolì qǔdé zuì gāo de xiàoguǒ / ~한 10사람은 필요하다 最少需要十个人 zuìshǎo xūyào shí ge rén =〔起码要十个人 qǐmǎ yào shí ge rén〕
최악(最惡) 最坏 zuì huài ¶~의 경우에 대비하다 作最坏的准备 zuò zuì huài de zhǔnbèi
최저(最低) 最低 zuì dī ¶~ 생활을 보장하다 保障最起码的生活水平 bǎozhàng zuì qǐmǎ de shēnghuó shuǐpíng ‖~ 임금 最低工资 zuìdī gōngzī / ~ 한도 损到家 sǔn dàojiā
최종(最終) 最终 zuìzhōng; 最后 zuìhòu ¶~ 결정을 내일까지 연기하다 最后决定延迟到明天 zuìhòu juédìng yánchí dào míngtiān
최첨단(最尖端) 最尖端 zuìjiānduān; 最前头 zuì qiántou ¶유행의 ~을 걷다 走在时髦的最前头 zǒu zài shímáo de zuì qiántou ‖~ 과학 最尖端的科学 zuìjiānduān de kēxué
최초(最初) 最初 zuìchū; 头一次 tóuyí cì; 最先 zuìxiān
최후(最後) 最后 zuìhóu ¶~ 통첩을 내밀다 提出'最后通牒〔哀的美敦书〕 tíchū 'zuìhòu tōngdié〔āidìměidūnshū〕/ ~까지 희망을 버리지 않다 决不放弃最后一线希望 jué bú fàngqì zuìhòu yīxiàn xīwàng
추가(追加) 追加 zhuījiā; 补加 bǔjiā ¶예산을 ~하다 追加豫算 zhuījiā yùsuàn
추구(追求) 追求 zhuīqiú; 追逐 zhuīzhú ¶행복을 ~하다 追求幸福 zhuīqiú xìngfú
추구(追究) 追求 zhuīqiú; 追究 zhuījiū ¶진리를 ~하다 追求真理 zhuīqiú zhēnlǐ
추근추근 执拗地 zhí'ào de; 纠缠不休地 jiūchán bù xiū de ¶~하게 묻다 问长问短 wèn cháng wèn duǎn
추기다 《꾀다》勾引 gōuyǐn; 挑引 tiǎoyǐn; 《선동》挑唆 tiǎosuo; 煽惑 shānhuò; 撮弄 cuōnòng
추남(醜男) 丑男子 chǒunánzǐ; 丑八怪 chǒubāguài
추다 《춤을》跳 tiào; 跳舞 tiàowǔ ¶음악의 리듬에 맞추어서 춤~ 随着音乐的节奏跳舞 suízhe yīnyuède jiézòu tiàowǔ
추락(墜落) 坠落 zhuìluò ¶거꾸로 ~하다 头朝下坠落 tóu cháo xià zhuìluò / 비행기가 바다에 ~하다 飞机坠落到海中 fēijī zhuìluò dào hǎizhōng
추량(推量) 推想 tuīxiǎng; 推测 tuīcè; 揣测 chuǎicè ¶안색으로 건강 상태를 ~하다 从脸色来推测其健康状态 cóng liǎnsè lái tuīcè qí jiànkāng zhuàngtài
추레하다 不体面 bù tǐmian; 寒碜 hánchen
추렴 摊派 tānpài; 均摊 jūntān ¶~하다 摊钱 tān qián
추리(推理) 推理 tuīlǐ ¶~를 해 나가다 进行推理 jìnxíng tuīlǐ ‖~ 소설 侦探〔推理〕小说 zhēntàn〔tuīlǐ〕xiǎoshuō
추리다 挑选出来 tiāoxuǎn chūlai; 精选 jīngxuǎn

추모(追慕) 追念 zhuīniàn; 追怀 zhuīhuái ¶돌아가신 아버지를 ～하다 追念亡父 zhuīniàn wáng fù
추문(醜聞) 丑事 chǒushì; 丑闻 chǒuwén
추방(追放) 驱逐 qūzhú; 放逐 fàngzhú; 流放 liúfàng ¶외국인 범죄자를 국외로 ～하다 把外籍罪犯驱逐出境 bǎ wàijí zuìfàn qūzhú chūjìng
추상(抽象) 抽象 chōuxiàng ¶그가 쓴 것은 너무 ～적이다 他写的太抽象了 tā xiě de tài chōuxiàng le ‖～ 명사 抽象名词 chōuxiàng míngcí
추상(推想) 推想 tuīxiǎng
추세(趨勢) 趋势 qūshì; 趋向 qūxiàng ¶시대의 ～에 순응하다 顺应时代的趋势 shùnyìng shídài de qūshì
추스르다 《치켜올리다》 推许 tuīxǔ; 推崇 tuīchóng; 捧上台 pěng shàngtái
추썩거리다 《옷을》 提上提下 tí shàng tí xià; 《어깨를》 耸一耸肩膀儿 sǒng yì sǒng jiānbǎngr
추어주다 夸奖 kuājiǎng; 奉承 fèngcheng
추억(追憶) 回忆 huíyì; 追忆 zhuīyì ¶그는 ～에 잠겨 있다 他沉浸在回忆中 tā chénjìn zài huíyì zhōng
추워하다 怕冷 pà lěng
추위 冷 lěng; 寒冷 hánlěng ¶살을 에는 듯한 ～ 刺骨的寒气 cìgǔ de hánqì / 대단한 ～ 冷的利害 lěng de lìhài / ～ 타다 怕冷 pà lěng / 나는 ～에 강하다〔약하다〕 我'不怕〔怕〕冷 wǒ 'bú pà〔pà〕lěng
추잉검(chewing gum) 口香糖 kǒuxiāngtáng ¶～을 씹다 咬口香糖 yǎo kǒuxiāngtáng
추저분하다 又埋汰又杂乱 yòu máitài〔tai〕yòu záluàn
추적(追跡) 追踪 zhuīzōng ¶범인을 ～하다 追踪罪犯 zhuīzōng zuìfàn
추접스럽다 不利飕 bú lìsou; 龌龊 wòchuò
추지다 濡湿 rúshī; 潮湿 cháoshī
추진(推進) 推进 tuījìn; 推动 tuīdòng ¶기술 혁신을 ～하다 推动技术革新 tuīdòng jìshù géxīn
추천(推薦) 举荐 jǔjiàn; 推荐 tuījiàn ¶학생에게 참고서를 ～하다 向学生推荐参考书 xiàng xuésheng tuījiàn cānkǎoshū ‖～장 荐信 jiànxìn
추천(鞦韆) ⇨그네
추측(推測) 推想 tuīxiǎng; 推测 tuīcè; 推度 tuīduó ¶결과는 ～하기 어렵다 结果难以推测 jiéguǒ nányǐ tuīcè
추태(醜態) 丑态 chǒutài ¶～를 부리다 出丑 chūchǒu
추파(秋波) 秋波 qiūbō ¶～를 보내다 送秋波 sòng qiūbō
추후(追後) 随后 suíhòu; 日后 rìhòu ¶성적은 ～에 통지함 成绩随后通知 chéngjì suíhòu tōngzhī
축 《힘 없이》 耷拉着 dālazhe; 无力松弛的 wúlì sōngchíde ¶～ 늘어지다 松弛无力地搭拉着 sōngchí wúlì de dālazhe
축구(蹴球) 〔體〕 足球 zúqiú
축나다(縮…) 《물건이》 减少 jiǎnshǎo; 见少 jiànshǎo; 《몸이》 衰退 shuāituì; 衰减 shuāijiǎn
축농증(蓄膿症) 〔醫〕 慢性鼻窦炎 mànxìng bídòuyán
축대(築臺) 石堤 shídī
축배(祝杯) 贺杯 hèbēi; 喜酒 xǐjiǔ ¶～를 올리다 举杯庆祝 jǔ bēi qìngzhù / 승리를 축하하여 ～를 들다 庆贺胜利而干杯 qìnghè shènglì ér gānbēi
축복(祝福) 祝福 zhùfú; 祈福 qífú
축소(縮小) 缩小 suōxiǎo; 缩减 suōjiǎn; 裁减 cáijiǎn ¶경영의 규모를 ～하다 缩小经营规模 suōxiǎo jīngyíng guīmó ‖군비 ～ 裁减军备 cáijiǎn jūnbèi =〔裁军 cáijūn〕
축음기(蓄音機) 留声机 liúshēngjī; 唱机 chàngjī ¶～를 틀다 开留声机 kāi liúshēngjī
축이다 弄湿 nòngshī ¶물에 ～ 沾上水弄湿 zhānshàng shuǐ nòngshī
축일(祝日) 节日 jiérì
축적(蓄積) 积蓄 jīxù; 蓄积 xùjī; 积累 jīlěi ¶～된 지식 积累的知识 jīlěi de zhīshi
축전(祝典) 庆典 qìngdiǎn; 庆祝典礼 qìngzhù diǎnlǐ
축전(祝電) 贺电 hèdiàn ¶～을 치다 拍贺电 pāi hèdiàn
축전(蓄電) 〔物〕 蓄电 xù diàn ‖～기 电容器 diànróngqì / ～지 蓄电池 xùdiànchí
축제일(祝祭日) 节日 jiérì
축축하다 湿答答 shīdādā; 湿渌渌 shīlùlù
축포(祝砲) 礼炮 lǐpào; 贺炮 hèpào; 敬炮 jìngpào ¶～를 쏘다 鸣礼炮 míng lǐpào
축하(祝賀) 祝贺 zhùhè; 庆贺 qìnghè; 庆祝 qìngzhù ¶우승 ～의 퍼레이드 庆贺荣获冠军的游行 qìnghè róng huò guànjūn de yóuxíng
춘정(春情) 春心 chūnxīn ¶～을 돋구다 激起春心 jīqǐ chūnxin / ～이 일다 开窍 kāi qiào =〔情窦初开 qíngdòu chū kāi〕
춘화(春畵) 春宫 chūngōng; 春画 chūnhuà; 秘戏图 mìxìtú; 春册 chūncè
출가(出嫁) 出嫁 chūjià; 出阁 chūgé; 于归 yúguī ¶～전의 처녀 未出嫁的姑娘 wèi chūjià de gūniang ‖～외인 嫁鸡随鸡 jiàjī suíjī =〔嫁狗随狗 jiàgǒu suígǒu〕
출구(出口) 出口 chūkǒu; 出路 chūlù
출국(出國) 出境 chūjìng; 离境 líjìng; 出国 chūguó ‖～ 수속 出境手续 chūjìng shǒuxù
출근(出勤) 上班 shàngbān; 出勤 chūqín ¶매일 아침 8시에 ～한다 每天早上八点上班 měitiān zǎoshang bā diǎn shàngbān
출두(出頭) 报到 bàodào ¶～하다 投到 tóu dào =〔传人到案 chuán rén dào àn〕/ 법정으로 ～를 명하다 把人传案 bǎ rén chuán àn / 법원에 ～하다 应传唤前往法院 yìng chuánhuàn qiánwǎng fǎyuàn
출렁거리다 ⇨출랑거리다
출마(出馬) 出马 chūmǎ ¶대통령 선거에 ～하다 参加总统竞选 cānjiā zǒngtǒng jìngxuǎn
출발(出發) 出发 chūfā; 起身 qǐshēn; 起程 qǐchéng; 动身 dòngshēn
출산(出産) 生产 shēngchǎn; 出生 chūshēng ¶～ 예정일 预产期 yùchǎnqī / 아내는 무사히 남자 아이를 ～하였다 妻子平安无事地生了儿子 qīzi píng'ān wúshìde shēngle érzi ‖～ 휴가 产假 chǎnjià
출생(出生) 出生 chūshēng; 出世 chūshì ‖～신고 报出生户口 bào chūshēng hùkǒu / ～지 出生地 chūshēngdì
출석(出席) 出席 chūxí ¶～ 부르다 点名 diǎn

míng ‖ ～부 点名簿 diǎnmíngbù
출세(出世) 发迹 fājī; 出息 chūxi; 熬出来 áochūlái ¶ ～가 빠르다 发迹得很快 fājīde hěn kuài / 이것이 바로 그의 ～작이다 这就是他成名的作品 zhè jiùshì tā chéngmíng de zuòpǐn
출신(出身) 出身 chūshēn ¶ 그는 노동자 ～이다 他是工人出身 tā shì gōngrén chūshēn / 저 사람은 파리 대학 ～이다 他是巴黎大学的毕业生 tā shì Bālí dàxué de bìyèshēng ‖ ～교 母校 mǔxiào
출연(出演) 演出 yǎnchū; 出场 chūchǎng ¶ 텔레비전 프로에 ～했다 在电视节目中出场了 zài diànshì jiémù zhōng chūchǎng le ‖ ～자 出场演员 chūchǎng yǎnyuán
출영(出迎) 接 jiē; 迎接 yíngjiē ¶ 역으로 손님을 ～하다 到车站迎接客 dào chēzhàn yíngjiē kè
출옥(出獄) 出狱 chūyù ¶ 형기를 끝내고 ～하였다 服满刑期出了狱 fúmǎn xíngqī chūle yù ‖ 가～ 假释 jiǎshì ＝〔假出狱 jiǎchūyù〕
출원(出願) 禀请 bǐngqǐng; 具呈 jùchéng ‖ ～인 呈请人 chéngqǐngrén ＝〔具呈人 jùchéngrén〕
출자(出資) 出资 chūzī ¶ 친구와 공동 ～로 새 회사를 설립하였다 和朋友共同投资创办了新公司 hé péngyou gòngtóng tóuzī chuàngbànle xīn gōngsī
출장(出張) 出差 chūchāi; 派出去 pài chūqù ¶ 해외 ～ 명령을 받다 奉命出差到海外 fèngmìng chūchāi dào hǎiwài
출전(出典) 出处 chūchù; 出典 chūdiǎn ¶ 인용문의 ～을 밝히다 注明引文的出处 zhùmíng yǐn-wén de chūchù
출정(出廷) 出庭 chūtíng ¶ 증인으로 ～하다 作为证人出庭 zuòwéi zhèngrén chūtíng
출제(出題) 出题 chū tí ¶ 이번 시험은 ～ 범위가 매우 넓다 这次考试出题范围很广 zhè cì kǎoshì chū tí fànwéi hěn guǎng
출출하다 ⇨ 촐촐하다
출타(出他) 出门 chūmén; 出外 chūwài ¶ ～중에 不在家的时候儿 búzài jiā de shíhour
출판(出版) 出版 chūbǎn
출하(出荷) 发货 fāhuò; 出货 chūhuò; 《시장에 나오다》 上市 shàngshì ¶ 공장으로부터 ～하다 由工厂出货 yóu gōngchǎng chūhuò ‖ ～량 出货量 chūhuòliàng ＝〔上市量 shàngshìliàng〕
출항(出港) 出港 chū gǎng; 出口 chūkǒu ¶ 인천항을 ～하다 开出仁川港 kāichū rénchuāngǎng ‖ ～면장 出口单 chūkǒudān ＝〔出港执照 chū gǎng zhízhào〕
출현(出現) 出现 chūxiàn ¶ 신인의 ～을 바라다 盼望新人的出现 pànwàng xīnrén de chūxiàn
출화(出火) 起火 qǐhuǒ; 失慎 shīshèn; 失火 shīhuǒ; 走水 zǒushuǐ; 着火 zháohuǒ
춤[1] 《무용》 舞蹈 wǔdǎo ¶ ～을 추다 跳舞 tiào wǔ
춤[2] 《운두》 高矮 gāo'ǎi
춥다 冷 lěng; 寒冷 hánlěng ¶ 날이 갈수록 추워지다 一天比一天冷 yì tiān bǐ yì tiān lěng
충격(衝擊) 冲击 chōngjī ¶ 그 뉴스는 세계에 커다란 ～을 주었다 那个消息使全世界大为震惊 nàge xiāoxi shǐ quán shìjiè dà wéi zhènjīng ‖ ～ 요법 休克疗法 xiūkè liáofǎ
충고(忠告) 劝戒 quànjiè; 劝告 quàngào; 忠告 zhōnggào ¶ 의사의 ～에 따라서 담배를 끊을 결심을 하다 听从医生的忠告下决心戒烟 tīngcóng yīshēng de zhōnggào xià juéxīn jiè yān
충돌(衝突) ①《부딪치다》 撞 zhuàng; 碰撞 pèngzhuàng ¶ 트럭과 자가용이 정면 ～하였다 卡车和轿车迎头撞上了 kǎchē hé jiàochē yíngtóu zhuàngshàng le ②《입장·의견 따위의》 冲突 chōngtū ¶ 국경에서 무력 ～이 일어났다 在国境发生了武装冲突 zài guójìng fāshēngle wǔzhuāng chōngtū / 그녀는 누구하고나 ～한다 她见谁跟谁顶牛儿 tā jiàn shuí gēn shuí dǐngniúr
충동(衝動) 冲动 chōngdòng ¶ 일시적 ～으로 도망쳐 버렸다 由于一时的冲动出奔了 yóuyú yìshí de chōngdòng chūbēn le
충분(充分) 充分 chōngfèn; 十分 shífēn; 足 zú; 够 gòu; 足够 zúgòu ¶ 지금 가도 시간은 ～하다 现在去时间足够 xiànzài qù shíjiān zúgòu
충전(充電) 《電》 充电 chōngdiàn ¶ 축전지에 ～하다 给蓄电池充电 gěi xùdiànchí chōngdiàn
충충하다 《침침함》 阴森 yīnsēn; 阴暗 yīn'àn; 《흐리다》 混 hún; 不清澈 bù qīngchè
충치(蟲齒) 虫吃牙 chóngchīyá; 蛀齿 zhùchǐ; 虫牙 chóngyá; 龋齿 qǔchǐ ¶ ～를 뽑다 拔虫牙 bá chóngyá
충혈(充血) 《醫》 充血 chōngxuè ¶ 눈이 ～되어 있다 眼睛充血 yǎnjing chōngxuè
췌장(膵臟) 《生》 胰 yí; 胰腺 yíxiàn; 膵脏 cuìzàng
취급(取扱) 办理 bànlǐ; 管理 guǎnlǐ; 《우체국에서》 收发 shōufā ¶ 수하물 ～소 小件行李寄存处 xiǎojiàn xíngli jìcúnchù / 이 기계는 ～이 간단하다 这台机器操作很简单 zhè tái jīqi cāozuò hěn jiǎndān
취대(取貸) 欠人人欠 qiànrén rénqiàn
취미(趣味) 趣味 qùwèi; 嗜好 shìhào; 爱好 àihào; 兴趣 xìngqù; 志趣 zhìqù ¶ 그의 ～는 매우 광범위하다 他的爱好很广 tāde àihào hěn guǎng
취사(炊事) 伙食 huǒshi; 炊事 chuīshì ¶ ～하다 烧火做饭 shāohuǒ zuòfàn ‖ ～ 도구 炊具 chuījù / ～장 厨房 chúfáng ＝〔伙房 huǒfáng〕
취소(取消) 取消 qǔxiāo; 撤销 chèxiāo; 作废 zuòfèi; 注销 zhùxiāo ¶ 발령을 ～하다 收回成命 shōuhuí chéngmìng / 전언을 ～하다 撤消前言 chèxiāo qiányán / 면허를 ～당하다 执照被吊销了 zhízhào bèi diàoxiāo le
취약(脆弱) 脆 cuì; 易坏 yìhuài; 《신체》 单细 dānxì; 娇嫩 jiāonèn
취업(就業) 上工 shànggōng; 上班 shàngbān ¶ ～시간은 8시간 劳动时间为八小时 láodòng shíjiān wéi bā xiǎoshí ‖ ～ 규칙 劳动规则 láodòng guīzé
취옥(翠玉) ⇨ 에메랄드(emerald)
취임(就任) 就职 jiùzhí; 就任 jiùrèn; 上任 shàngrèn ¶ 대통령 ～식 总统就职典礼 zǒngtǒng jiùzhí diǎnlǐ / 지사에 ～하다 就任知事 jiùrèn zhīshì ＝〔就知事之职 jiù zhīshì zhī zhí〕
취입(吹入) 灌 guàn; 录音 lùyīn; 灌音 guànyīn ¶ 레코드에 ～하다 灌唱片 guàn chàngpiàn ＝〔录成唱片 lùchéng chàngpiàn〕
취재(取材) 探访 tànfǎng; 取材 qǔcái; 采访 cǎifǎng ¶ 전설에서 ～한 소설 取材于传说的小说 qǔcái yú chuánshuō de xiǎoshuō ‖ ～ 기

자 取材记者 qǔcái jìzhě
취조(取調) ⇨문초(問招)
취주악기(吹奏樂器)〖樂〗箫管 xiāoguǎn
취지(趣旨) 旨趣 zhǐqù; 宗旨 zōngzhǐ ¶당신이 제시한 문제의 ～는 그다지 명백하지 못하다 你所提的问题宗旨不很明白 nǐ suǒ tí de wèntí zōngzhǐ bù hěn míngbai
취직(就職) 就业 jiùyè; 找工作 zhǎo gōngzuò ¶～ 시험을 치르다 参加就业考试 cānjiā jiùyè kǎoshì / 후배의 ～을 알선하다 给后辈介绍工作 gěi hòubèi jièshào gōngzuò / 금년은 지독한 ～난이다 今年找工作很困难 jīnnián zhǎo gōngzuò hěn kùnnan
취체(取締) ⇨단속(團束)
취하(取下) 撤消 chèxiāo; 撤回 chèhuí ¶고소를 ～하다 把案给消了 bǎ àn gěi xiāo le =〔罢诉 bà sù〕/ 소송을 ～하다 撤回起诉 chèhuí qǐsù
취하다(醉…) 喝醉 hē zuì; 醉 zuì ¶술에 ～ 醉酒 zuì jiǔ / 취해서 제정신을 잃다 醉得不省人事 zuìde bù xǐng rénshì =〔酩酊大醉 mǐngdǐng dà zuì〕
취학(就學) 就学 jiùxué ¶～ 연령에 달하다 达到就学年龄 dádào jiùxué niánlíng ‖～ 아동 学龄儿童 xuélíng értóng
측량(測量) 测量 cèliáng ¶토지를 ～하다 测量土地 cèliáng tǔdì =〔量地 liáng dì〕‖～도 测量图 cèliángtú
측면(側面) 侧面 cèmiàn ¶적군의 ～을 공격하다 攻击敌军的侧面 gōngjī díjūn de cèmiàn ‖～도 侧视图 cèshìtú =〔侧面图 cèmiàntú〕
측백나무(側柏…)〖植〗侧柏 cèbǎi
측정(測定) 测定 cèdìng; 测量 cèliáng ¶혈압을 ～하다 量血压 liáng xuèyā
측지(測地) 量地 liáng dì
측후(測候) 测量气象 cèliáng qìxiàng ‖～소 气象站 qìxiàngzhàn =〔气候站 qìhòuzhàn〕
층(層) 层 céng ¶3～ 집 三层楼 sān céng lóu / 독자～ 读者范围 dúzhě fànwéi / 지식～ 知识分子阶层 zhīshi fènzǐ jiēcéng
층층다리(層層…) 楼梯 lóutī; 台阶 táijiē
층하(層下) ¶～하다 加以区分 jiāyǐ qūfēn =〔分彼此 fēn bǐcǐ〕〔歧视 qíshì〕/ ～ 없이 上下一律 shàngxià yílǜ =〔不分上下 bùfēn shàngxià〕〔一律看待 yílǜ kàndài〕
치[1]《몫》份儿 fènr; 部分 bùfen;《사람》人 rén ¶그 ～ 他那个东西 tā nàge dōngxi =〔那个家伙 nàge jiāhuo〕
치[2]《길이》寸 cùn
치가떨리다(齒…) 气愤得上牙打下牙 qìfènde shàngyá dǎ xiàyá
치근치근하다 讨厌 tǎoyàn; 纠缠不休 jiūchán bù xiū
치과(齒科)〖醫〗牙科 yákē ‖～ 의사 牙医 yáyī =〔牙科医生 yákē yīshēng〕
치다[1]《때리다》打击 dǎji; 打 dǎ; 敲 qiāo; 揍 zòu
치다[2]《공격 · 토벌》攻打 gōngdǎ; 讨伐 tǎofá
치다[3]《액체를》浇 jiāo; 撒 sǎ
치다[4]《장막 따위를》张挂 zhāngguà; 支搭 zhīdā;《대님 따위》结(腿带) jié;《줄을》画(线) hùa
치다[5]《그물을》撒 sā; 下 xià; 张 zhāng
치다[6]《화투를》打(纸牌) dǎ
치다[7]《체로》(拿筛子)筛 shāi; 筛分 shāifēn
치다[8]《셈》计算 jìsuan; 估价 gūjià ¶돈으로 치면 100만 원 核成钱是一百万块 héchéng qián shi yìbǎiwàn kuài
치다[9]《사육》养活 yǎnghuo; 喂养 wèiyǎng
치다[10]《전보를》打(电报) dǎ;《시험을》受(考试) shòu; 赴(考) fù; 入(考) rù
치다[11]《깨끗이》收拾 shōushi; 扫干净 sǎo gānjing
치다꺼리 ①《일처리》收拾 shōushi; 办理 bànlǐ ②《조력》帮忙 bāng máng ‖뒤～ 善后 shànhòu
치닫다 急忙来到 jímáng láidào; 赶着跑到 gǎnzhe pǎodào
치뜨리다 扔高儿 rēnggāor
치런치런 ¶치마가 ～하다 裙子离离拉拉地搭拉着 qúnzi lílilālāde dāla zhe
치레 打扮 dǎbàn〔ban〕‖겉～ 装门面 zhuāng ménmiàn =〔盖面子 gàimiànzi〕
치료(治療) 医治 yīzhì; 治疗 zhìliáo ¶충치를 ～하다 治疗虫牙 zhìliáo chóngyá ‖～비 医药费 yīyàofèi
치르다《돈을》付出 fùchū; 交付 jiāofù;《경험을》积累 jīlěi
치를 떨다(齒…)《격분》切齿痛恨 qiè chǐ tònghèn; 令人发指 lìng rén fàzhǐ;《인색》一毛儿不拔 yìmáor bùbá
치마 裙子 qúnzi
치마분(齒磨粉) 牙粉 yáfěn
치맛자락 裙子底边 qúnzi dǐbiān
치명적(致命的) 致命的 zhìmìngde; 致命性 zhìmìngxìng; 要命的 yàomìngde ¶이 실패는 그에게 ～이었다 这个失败对他是致命性的 zhège shībài duì tā shì zhìmìngxìng de
치밀(緻密) 细致 xìzhì; 精细 jīngxì
치밀다《감정이》激动 jīdòng; 激昂 jī'áng;《위로 밀다》推上去 tuīshàngqu
치받이 上坡路 shàngpōlù
치받치다《연기 등이》冒上来 màoshànglai;《불길》凶猛起来 xiōngměngqilai;《감정이》激昂 jī'áng
치부(置簿) 浮记 fújì ‖～책 小账本 xiǎozhàngběn =〔流水账 liúshuǐzhàng〕〔浮记账 fújìzhàng〕
치사스럽다(恥事…) 出丑 chūchǒu; 不体面 bù tǐmiàn; 不要脸 búyào liǎn
치석(齒石) 牙石 yáshí; 牙垢 yágòu ¶～을 제거하다 去牙垢 qù yágòu
치수(…數) 尺寸 chǐcun ¶～를 재다 量一量尺寸 liángyìliáng chǐcun
치신머리 ¶～없는 계집 邋遢女人 lāta nǚrén
치신사납다 惫赖 bèilài; 没规矩 méi guīju; 懒散 lǎnsǎn
치약(齒藥) 牙粉 yáfěn; 牙膏 yágāo
치열(熾烈) 激烈 jīliè ¶먹느냐 먹히느냐의 ～한 경쟁 你死我活的激烈竞争 nǐsǐwǒhuó de jīliè jìngzheng
치욕(恥辱) 耻辱 chǐrǔ ¶대중의 면전에서 ～을 당하다 在众人面前蒙受耻辱 zài zhòngrén miànqián méngshòu chǐrǔ
치우다《정리》清理 qīnglǐ; 收拾 shōushi;《없애다》拆掉 chāidiào; 除掉 chúdiào;《치워 놓다》推开(了) tuīkai (le); 挪开(了) nuókāi(le)
치우치다《기울다》倾斜 qīngxié; 歪 wāi;《편파적》偏袒 piāntǎn; 偏向 piānxiàng

치이다[1] 《그물 등에》 落 luò; 《수레바퀴에》 叫…轧 jiào…yà ¶자동차에 치여 죽다 叫汽车轧死 jiào qìchē yàsǐ
치이다[2] 《값이》 需要 xūyào; 花费 huāfèi; 得 děi
치장(治粧) 装饰 zhuāngshì; 装潢 zhuānghuáng; 《얼굴》 打扮 dǎbàn; 《의복》 整整衣服 zhěngzhěng yīfu
치즈(cheese) 干酪 gānlào
치치다 《치던지다》 扔高儿 rēnggāor; 扔上去 rēngshàngqu; 《치긋다》 往上画 wǎng shànghuà
치켜올리다 提高 tígāo
칙살스럽다 卑鄙龌龊 bēibǐ wòchuò
칙칙하다 《빛깔이》 太深 tàishēn; 太厚 tàihuò; 《머리털·숲 따위》 浓密 nóngmì; 厚墩墩 hòudūndūn
친구(親舊) 老朋友 lǎopéngyou
친근(親近) 亲近 qīnjìn; 亲密 qīnmì ¶～감을 느끼다 有亲密的感情 yǒu qīnmì de gǎnqíng
친남매(親男妹) 亲兄妹 qīnxiōngmei
친누이(親…) 胞姊妹 bāojiěmèi
친동생(親同生) ①⇨친아우 ②胞妹 bāomèi; 亲妹妹 qīnmèimei
친밀(親密) 亲密 qīnmì ¶～하다 亲近 qīnjìn =〔亲密 qīnmì〕
친부모(親父母) 生身父母 shēngshēn fùmǔ
친선(親善) 亲善 qīnshàn ¶～ 사절을 파견하다 派遣友好使节 pàiqiǎn yǒuhǎo shǐjié ‖～ 경기 友谊比赛 yǒuyì bǐsài
친손자(親孫子) 亲孙子 qīnsūnzi
친아버지(親…) 亲爹 qīndiē; 亲父 qīnfù; 亲生父亲 qīnshēng fùqin
친아우(親…) 胞弟 bāodì; 亲弟弟 qīndìdi
친어머니(親…) 亲娘 qīnniáng; 亲母 qīnmǔ; 亲生母亲 qīnshēng mǔqin
친언니(親…) 亲姐姐 qīnjiějie
친우(親友) 好朋友 hǎopéngyou; 好友 hǎoyǒu; 至好 zhìhǎo; 至交 zhìjiāo ¶그는 나의 둘도 없는 ～이다 他是我最知己的好朋友 tā shì wǒ zuì zhījǐ de hǎopéngyou
친전(親展) 玉披 yùpī; 亲启 qīnqǐ; 亲拆 qīnchāi
친절(親切) 恳切 kěnqiè; 好意 hǎoyì; 好心 hǎoxīn; 善意 shànyì; 善心 shànxīn; 厚道 hòudào; 热情 rèqíng; 亲切 qīnqiè ¶～한 사람 待人热情的人 dàirén rèqíng de rén / 그는 여성에게 ～하다 他对妇女很热情 tā duì fùnǚ hěn rèqíng / 남의 ～을 저버리지 마십시오 别辜负人家的好心好意 bié gūfù rénjia de hǎoxīnhǎoyì
친정(親庭) 娘家 niángjia ¶이혼해서 ～으로 돌아가다 离了婚回娘家去 líle hūn huí niángjia qù
친척(親戚) 亲戚 qīnqī
친친 ¶～ 감다 紧紧地缠绕着 jǐnjǐnde chánràozhe
친하다(親…) 亲密 qīnmì; 亲近 qīnjìn; 亲热 qīnrè; 亲昵 qīnnì ¶그와는 친한 사이다 我跟他是至交 wǒ gēn tā shì zhìjiāo =〔他跟我很要好 tā gēn wǒ hěn yàohǎo〕
친형(親兄) 亲哥哥 qīngēge; 胞兄 bāoxiōng
친형제(親兄弟) 亲兄弟 qīnxiōngdì
칠(漆) 《채료》 涂料 túliào; 《옻》 漆 qī ¶옻～ 涂漆 túqī / 페인트～ 涂油漆 túyóuqī
칠기(漆器) 漆器 qīqì; 漆货 qīhuò
칠면조(七面鳥) 〔鳥〕 火鸡 huǒjī; 吐绶鸡 tǔshòujī
칠붓(漆…) 油漆刷子 yóuqī shuāzi
칠석(七夕) 巧日 qiǎorè; 巧夕 qiǎoxī
칠월(七月) 七月 qíyuè
칠일(七日) 七号 qíhào
칠장이(漆匠…) 漆匠 qījiàng
칠칠하다 《훤칠함》 轩秀 xuānxiù; 《민첩함》 机警 jījǐng
칠판(漆板) 黑板 hēibǎn
칠하다(漆…) 《옻을》 漆(㓭) qī; 《색을》 上(颜色) shàng; 《페인트를》 涂(油漆) tú
칡 〔植〕 葛 gé ¶～뿌리 葛根 gégēn
침 唾沫 tuòmo; 唾液 tuòyè; 津液 jīnyè; 口水 kǒushuǐ ¶～ 뱉다 吐唾沫 tǔ tuòmo / 하늘에 ～ 뱉다 仰天而唾 yǎngtiān ér tuò
침(鍼) 针 zhēn
침대(寢臺) 床 chuáng; 床位 chuángwèi; 卧铺 wòpù(열차의) ‖～차 卧车 wòchē =〔寝车 qǐnchē〕
침략(侵略) 侵略 qīnlüè ¶이웃 나라를 ～하다 侵略邻国 qīnlüè línguó
침맞다(鍼…) 扎针 zhāzhēn
침모(針母) 做针线的老婆子 zuò zhēnxiàn de lǎopózi
침목(枕木) 垫木 diànmù; 道木 dàomù; 枕木 zhěnmù; 轨枕 guǐzhěn
침몰(沈沒) 沉没 chénmò ¶배가 ～했다 船沉没了 chuán chénmò le / ～한 배를 인양하다 打捞沉船 dǎlāo chénchuán
침묵(沈默) 沉默 chénmò; 缄默 jiānmò ¶두 사람 사이에 기분 나쁜 ～이 계속되다 两人之间持续着一种不愉快的沉默 liǎng rén zhījiān chíxùzhe yì zhǒng bù yúkuài de chénmò / 그는 오랫동안의 ～을 깨고서 작품을 발표했다 他发表了作品打破长久的沉默 tā fābiǎole zuòpǐn dǎpò chángjiǔ de chénmò
침소(寢所) 寝处 qǐnchù
침소봉대(針小棒大) 言过其实 yán guò qí shí; 夸大 kuādà; 夸张 kuāzhāng ¶그는 걸핏하면 ～한다 他好夸大其词 tā hào kuādà qí cí
침식(侵蝕) 侵蚀 qīnshí ¶외국 상품에 국내 시장을 ～당하다 国内市场被外国商品所侵蚀 guónèi shìchǎng bèi wàiguó shāngpǐn suǒ qīnshí
침식(浸蝕) 侵蚀 qīnshí ¶파도가 해안을 ～하다 波浪侵蚀海岸 bōlàng qīnshí hǎi'àn ‖～곡 侵蚀峡谷 qīnshí xiágǔ
침식(寢食) 寝食 qǐnshí ¶～을 잊고서 연구에 힘쓰다 废寝忘食埋头钻研 fèiqǐnwàngshí máitóu zuānyán
침실(寢室) 卧房 wòfáng; 卧室 wòshì; 寝室 qǐnshì
침입(侵入) 侵入 qīnrù; 入侵 rùqīn; 闯进 chuǎngjìn ¶불법 ～의 이유로 체포당하다 以非法侵入的理由被逮捕 yǐ fēifǎ qīnrù de lǐyóu bèi dàibǔ
침장이(鍼匠…) 扎针的 zhāzhēn de
침전(沈澱) 沉淀 chéndiàn ‖～물 沉淀物 chéndiànwù
침주다(鍼…) 扎针 zhāzhēn
침착(沈着) 沉着 chénzhuó ¶～하게 행동하다 沉着行动 chénzhuó xíngdòng
침침하다 不很亮 bù hěn liàng; 发暗的 fā'àn de
침팬지(chimpanzee) 〔動〕 黑猩猩 hēixīngxīng

칫솔(齒…) 牙刷(子) yáshuā(zi); 牙刷(儿) yáshuā(r)
칭얼거리다 闹磨 nàomó; 磨人 mórén
칭찬(稱讚) 称赞 chēngzàn; 赞许 zànxǔ; 赞扬 zànyáng ¶극구 ～하다 赞不绝口 zàn bù juékǒu / 그의 행위는 ～받을 만하다 他的行为值得称赞 tā de xíngwéi zhíde chēngzàn
칭탁하다(稱托…) 抓口实 zhuā kǒushí; 找藉口 zhǎo jièkǒu; 托故 tuōgù

〔ㅋ〕

카나리아(canaria)《鳥》金丝雀 jīnsīquè;〈口〉黄鸟 huángniǎo
카네이션(carnation)《植》麝香石竹 shèxiāng shízhú; 康乃馨 kāngnǎixīn
카누(canoe)《통나무의》独木舟 dúmùzhōu;《가죽 따위의》皮艇 pítǐng
카니발(carnival) 狂欢节 kuánghuānjié
카드(card) ①《자료 · 크리스마스용》卡片 kǎpiàn ¶～로 정리하다 用卡片整理 yòng kǎpiàn zhěnglǐ ②《놀이》纸牌 zhǐpái ¶～를 펴다 翻纸牌 fān zhǐpái
카랑카랑하다《목소리가》又迸脆又响亮 yòu bèngcuì yòu xiǎng liàng《날씨가》冷巴巴地清朗 lěngbābāde qínglǎng
카레(curry) 咖喱 gālí ‖～ 가루 咖喱粉 gālífěn / ～ 라이스 咖喱饭 gālífàn
카르테(Karte)《醫》病历 bìnglì; 病案 bìng'àn; 病历卡 bìnglìkǎ
카르텔(Kartell)《經》卡特尔 kǎtè'ěr
카메라(camera)《영화의》照相机 zhàoxiàngjī; 摄影机 shèyǐngjī ¶～에 담다 照相 zhàoxiàng =〔摄影 shèyǐng〕‖～맨 摄影师 shèyǐngshī =〔摄影家 shèyǐngjiā〕〔摄影记者 shèyǐngjìzhě〕/ ～ 앵글 摄影角度 shèyǐng jiǎodù
카무플라주(camouflage) 掩饰 yǎnshì; 伪装 wěizhuāng;《군대의》迷彩 mícǎi
카바레(cabaret) 夜总会 yèzǒnghuì
카스텔라(castella) 蛋糕 dàngāo; 鸡蛋糕 jīdàngāo
카약(kayak)《에스키모의》海豹皮做的船 hǎibàopí zuò de chuán; (皮艇)划船竞赛 (pítǐng) huáchuán jìngsài
카우보이(cowboy) 骑马牧童 qímǎ mùtóng; 牛仔 niúzǎi
카운터(counter) ①《계산대》账桌 zhàngzhuō; 收款处 shōukuǎnchù ②《바(bar) 등의》柜台 guìtái;《호텔 등의》服务台 fúwùtái ¶～에서 술을 마시다 在柜台喝酒 zài guìtái hējiǔ ③《계산기》计数器 jìshùqì ④《권투의》还击 huánjī ⑤《스케이트의》反转 fǎnzhuǎn ‖～블로 还击拳 huánjīquán
카카오나무(cacao…)《植》可可树 kěkěshù; 蔻蔻 kòukòu
카키색(khaki色) 咔叽色 kǎjīsè
카타르(Katarrh)《醫》卡他 kǎtā; 黏膜炎 niánmóyán ‖장～ 肠卡他 cháng kǎtā
카탈로그(catalogue) 产品样本 chǎnpǐn yàngběn; 商品目录 shāngpǐn mùlù; 产品目录 chǎnpǐn mùlù
카테고리(Kategorie) 范畴 fànchóu
카페(café) ①《술집》西餐馆 xīcānguǎn; 酒馆 jiǔguǎn ②⇨커피(coffee)
카페인(caffein)《化》咖啡因 kāfēiyīn; 咖啡碱 kāfēijiǎn
카펫(carpet) 地毯 dìtǎn
카피(copy) ①抄本 chāoběn; 副本 fùběn; 摹本 móběn; 拷贝 kǎobèi ¶10부 ～해 주십시오 请给印十份拷贝 qǐng gěi yìn shí fèn kǎobèi ②《광고문안》文稿 wéngǎo ‖～라이터 广告撰稿人 guǎnggào zhuàngǎorén
칵테일(cocktail) 鸡尾酒 jīwěijiǔ
칸나(canna)《植》美人蕉 měirénjiāo
칼[1] 刀子 dāozi; 剑 jiàn;《허리에 차는》大刀 dàdāo
칼[2]《형구》枷 jiā; 枷锁 jiāsuǒ
칼라(collar) 领子 lǐngzi; 领儿 lǐngr
칼로리(calorie) 卡 kǎ; 卡路里 kǎlùlǐ ¶～가 높은 식품 卡路里高的食品 kǎlùlǐ gāo de shípǐn
칼리(kali)《化》钾 jiǎ ‖～ 비료 钾肥 jiǎféi
칼맞다 挨刀 āidāo
칼부림 流血惨剧 liúxuè cǎnjù; 动刀 dòngdāo
칼슘(calcium)《化》钙 gài
칼집 剑鞘 jiànqiào; 刀鞘 dāoqiào ¶～에서 칼을 뽑다 拔刀出鞘 bá dāo chū qiào
칼춤 剑舞 jiànwǔ
칼칼하다《목마르다》嗓子干渴 sǎngzi gānkě;《얼근해서》辣酥酥 làsūsū;《술생각이 나서》酒瘾发作 jiǔ yǐn fāzuò
캄캄하다 漆黑 qīhēi;《전도》暗淡 àndàn
캐다 ①《묻다》追根问底 zhuīgēn wèndǐ ②《파다》挖 wā; 刨 páo ¶석탄을 ～ 挖煤 wāméi / 고구마를 ～ 刨白薯 páo báishǔ
캐러멜(caramel) 牛奶糖 niúnǎitáng
캐러밴(caravan) 沙漠商队 shāmò shāngduì
캐럿(carat)《금》开 kāi; 十八开 shí bā kāi;《보석》克拉 kèlā ¶6～의 다이아몬드 六克拉的钻石 liù kèlā de zuànshí
캐비닛(cabinet) 橱柜 chúguì; 陈列橱 chénlièchú
캐비어(caviar) 鱼子 yúzǐ; 鱼子酱 yúzǐjiàng
캐스터네츠(castanets)《樂》响板 xiǎngbǎn
캐시미어(cashmere) 开司米 kāisīmǐ
캐처(catcher) 接手 jiēshǒu
캔디(candy) 糖果 tángguǒ ¶아이스 ～ 冰棍 bīnggùn
캔버스(canvas) 画布 huàbù
캘린더(calendar) 月份牌 yuèfènpái; 月历 yuèlì; 日历 rìlì
캠페인(campaign) 运动 yùndòng ¶교통 사고 방지의 ～ 防止交通事故的运动 fángzhǐ jiāotōng shìgù de yùndòng
캠프(camp) 露营 lùyíng; 野营 yěyíng ‖～파이어 营火 yínghuǒ
캡(cap) ①《모자》无缘帽 wúyuánmào; 运动帽 yùndòngmào; 室内帽 shìnèimào ②《뚜껑》自来水笔帽 zìláishuǐbǐmào(만년필); 铅笔帽 qiānbǐmào(연필)
캡슐(capsule)《약》胶囊 jiāonáng;《우주 비행체》宇宙密闭小舱 yǔzhòu mìbì xiǎocāng; 宇宙容器 yǔzhòu róngqì ‖타임 ～ 时代储放器 shídài chǔfàngqì
캥거루(kangaroo)《動》袋鼠 dàishǔ; 大袋鼠 dàdàishǔ
커녕 别说… biéshuō…; 反倒 fǎndào; 反而

fǎn'ér ¶칭찬하기는~ 오히려 비난을 해야겠다 非但不能夸奖反而要加以责难 fēidàn bùnéng kuājiǎng fǎn'ér yào jiāyǐ zénàn
커닝(cunning) 作弊 zuòbì ¶~을 하다 打小抄儿 dǎ xiǎochāor =〔偷看他人试卷 tōukàn tārén shìjuàn〕
커다랗다 相当大 xiāngdāng dà; 够大 gòudà
커리큘럼(curriculum) 课程 kèchéng
커뮤니케이션(communication) 传达 chuándá; 交流 jiāoliú ¶말은 사상의 ~ 도구다 语言是传达思想的工具 yǔyán shì chuándá sīxiǎng de gōngjù ‖매스~ 大量宣传 dàliàng xuānchuán
커미션(commisson) ①《수수료》 手续费 shǒuxùfèi; 佣金 yòngjīn; 佣钱 yòngqián ¶10퍼센트의 ~을 받다 索取百分之十的佣金 suǒqǔ bǎifēn zhī shí de yòngjīn ②《위원회》 委员会 wěiyuánhuì
커버(cover) ①《씌우개》 复盖物 fùgàiwù; 外皮 wàipí; 套子 tào zi; 套儿 tàor; 罩儿 zhàor; 罩子 zhàozi ¶의자의 ~를 새로 바꾸었다 椅子换了新套儿 yǐzi huànle xīn tàor ②《보상》 补偿 bǔcháng; 抵补 dǐbǔ; 补 bǔ; 补充 bǔchōng; 弥补 míbǔ ¶손실을 ~하다 补偿损失 bǔcháng sǔnshī
커브(curve) 曲线 qūxiàn; 湾曲 wānqū; 湾儿 wānr; 湾子 wānzi ¶이 길은 ~가 많다 这条路'湾儿很多〔真曲里拐湾儿的〕 zhè tiáo lù 'wānr hěn duō〔zhēnqūli guǎi wānr de〕
커트(cut) 《탁구 따위의》 削 xuē ¶공을 ~하다 削球 xuēqiú
커튼(curtain) 《창의》 帘子 liánzi; 窗帘 chuānglián; 《칸막이》 幔子 mànzi; 幔帐 mànzhàng
커틀릿(cutlet) 炸肉排 zháròupái; 炸肉片 zháròupiàn ‖비프~ 炸牛排 zhániúpái / 포크~ 炸猪排 zházhūpái / 치킨~ 炸鸡排 zhájīpái
커프스(cuffs) 袖口 xiùkǒu ‖~단추 袖扣儿 xiùkòur
커피(coffee) 咖啡 kāfēi ‖~포트 咖啡壶 kāfēihú
컨디션(condition) 条件 tiáojiàn; 情形 qíngxing〔xíng〕; 状态 zhuàngtài ¶몸의 ~을 조절하다 调整身体条件 tiáozhěng shēntǐ tiáojiàn
컨테이너(container) 集装箱 jízhuāngxiāng ‖~선 集装箱船 jízhuāngxiāngchuán
컨트롤(control) 节制 jiézhì; 调节 tiáojié; 控制 kòngzhì; 抑制 yìzhì; 支配 zhīpèi ¶음량을 ~하다 调整音量 tiáojié yīnliàng
컬러(color) 颜色 yánsè; 色彩 sècǎi; 彩色 cǎisè ‖~ 사진 彩色相片 cǎisè xiàngpiàn / ~ 텔레비전 彩色电视 cǎisè diànshì
컴컴하다 《어둡다》 发暗 fā'àn; 不很亮 bù hěn liàng; 《음흉》 有阴险性的 yǒu yīnxiǎnxìng de; 怀毒心的 huáidúxīn de
컴퍼스(compass) ①《제도용》 两脚规 liǎngjiǎoguī; 圆规 yuánguī ¶~로 원을 그리다 用圆规画圈儿 yòng yuánguī huà quānr ②《나침반》 罗盘 luópán
컴퓨터(computer) 电子计算机 diànzǐ jìsuànjī
컵(cup) ①《잔》 玻璃杯 bōlibēi; 杯 bēi ②《우승배》 奖杯 jiǎngbēi
컷(cut) ①《자르다》 切 qiē; 割 gē; 断 duàn; 截 jié; 删 shān; 剪 jiǎn ¶프로그램의 일부를 ~하다 删去节目的一部分 shānqù jiémù de yí bùfen / 머리를 ~하다 剪头发 jiǎn tóufa ②《영화》 镜头 jìngtóu ¶한 ~ 一个镜头 yí ge jìngtóu
컹컹 汪汪 wāngwāng ¶개가 ~ 짖는다 狗汪汪地叫 gǒu wāngwāng de jiào
케이스(case) ①《상자》 箱 xiāng; 箱子 xiāngzi; 盒儿 hér; 盒子 hézi ¶인형을 유리 ~에 넣다 把洋娃娃放在玻璃罩里 bǎ yángwáwa fàng zài bōlizhào li ②《문법》 格 gé ③《경우》 情况 qíngkuàng; 状况 zhuàngkuàng; 事例 shìlì ¶~ 바이 ~로 처리하다 按情况处理 àn qíngkuàng chǔlǐ
케이크(cake) 西式蛋糕 xīshì dàngāo; 奶油蛋糕 nǎiyóu dàngāo
케케묵다 《낡다》 老 lǎo; 陈 chén; 《진부》 旧套 jiùtào; 陈套 chéntào; 陈腐 chénfǔ
켕기다 《당겨지다》 紧 jǐn; 《마음에》 牵挂 qiānguà; 耽心 dānxīn; 发毛 fāmáo
켜 《포개어진 물건의》 层 céng ¶한 ~ 一落 yí luò(종이 따위) =〔一打子(儿) yì dǎ zi(r)〕〔一叠 yì dá〕
켜다 ①《불을》 点(灯) diǎn; 开(电灯) kāi ②《실을》 纺(线) fǎng ③《악기를》 拉(提琴) lā ④《기지개를》 伸懒腰 shēn lǎnyāo; 打欠身 dǎ qiànshēn
켤레 双 shuāng ¶양말 3 ~ 三双袜子 sān shuāng wàzi / 구두 1 ~ 一双鞋 yì shuāng xié
코 鼻子 bízi; 《콧물》 鼻涕 bítì; 鼻丁 bídīng ¶사자~ 翻鼻子眼儿 fān bíziyǎnr / 납작~ 扒鼻子 bābízi / 매부리~ 鹰鼻子 yīngbízi / 높은 ~ 高'鼻子〔鼻梁儿〕 gāo'bízi〔bíliángr〕 / ~가 낮다 鼻梁儿塌 bíliángrtā / ~가 막히다 鼻子发齉 bízi fānàng / ~를 풀다 擤'鼻子〔鼻涕〕 xǐng'bízi〔bítì〕 / ~를 훌쩍거리다 抽鼻涕 chōu bítì / 악취가 ~를 찌르다 臭气'冲鼻〔呛鼻子〕 chòuqì'chòng bí〔qiàng bízi〕 / 그와는 매일 ~를 맞대고 일하고 있다 我每天面对面跟他在一起工作 wǒ měitiān miàn duì miàn gēn tā zài yìqǐ gōngzuò
코끼리 《動》 象 xiàng; 大象 dàxiàng
코냑(cognac) 白兰地酒 báilándìjiǔ
코너(corner) 角 jiǎo; 犄角 jījiǎo; 拐角 guǎijiǎo ¶유아(乳兒)용품 ~ 婴儿用品柜台 yīng'ér yòngpǐn guìtái ‖~킥 角球 jiǎoqiú
코드(cord) ①《전선》 软线 ruǎnxiàn; 护套线 hùtàoxiàn; 皮线 píxiàn ②《부호·규정》 ¶~북 电码本 diànmǎběn / 프레스 ~ 报道法规 bàodào fǎguī
코딱지 鼻涕块 bítìkuài; 鼻涕嘎吧儿 bítì gābar; 鼻丁疙瘩儿 bídīng gēdar ¶~를 후비다 抠鼻子 kōu bízi =〔挖鼻孔 wā bíkǒng〕
코란(Koran) 《宗》 古兰经 Gǔlánjīng
코러스(chorus) 《樂》 ①합唱 héchàng; 《합창단》 合唱队 héchàngduì; 歌咏队 gēyǒngduì ②《합창곡》 合唱曲 héchàngqǔ
코르덴(corded velveteen) 棉天鹅绒 miántiān'éróng; 灯心绒 dēngxīnróng; 条绒 tiáoróng
코르셋(corset) 《여성용》 紧身褡 jǐnshēndā; 《의료용》 钢甲背心 gāngjiǎ bèixīn
코르크(cork) 软木 ruǎnmù; 木栓 mùshuān ‖~나무 栓皮栎 shuānpílì
코뮈니케(communiqué) 公报 gōngbào; 公告 gōnggào; 声明 shēngmíng ¶공동 ~ 联合声

明 liánhé shēngmíng
코미디(comedy) 喜剧 xǐjù
코미디언(comedian) 喜剧演员 xǐjù yǎnyuán
코민테른(komintern) 共产国际 Gòngchǎn guójì; 第三国际 Dìsān guójì
코발트(cobalt) 《化》 钴 gǔ ¶~색 钴蓝 gǔlán
코브라(cobra) 《動》 眼镜蛇 yǎnjìngshé
코사인(cosine) 《數》 余弦 yúxián
코스(course) ① 路 lù; 路线 lùxiàn; 路径 lùjìng ¶본교는 기초 ~ 2년, 전문 ~ 2년이다 本校是基本课程两年, 专业课程两年 běn xiào shì jīběn kèchéng liǎng nián, zhuānyè kèchéng liǎng nián ②《경기》 跑道 pǎodào; 泳道 yǒngdào
코스모스(cosmos) 《植》 大波斯菊 dàbōsījú; 秋英 qiūyīng
코인(coin) 硬币 yìngbì
코일(coil) 《電》 电圈 diànquān; 线圈 xiànquān
코즈머폴리턴(cosmopolitan) 世界主义者 shìjièzhǔyìzhě
코치(coach) 指导 zhǐdǎo; 《사람》 教练 jiàoliàn
코카인(cocaine) 《化》 可卡因 kěkǎyīn; 古柯碱 gǔkējiǎn
코카콜라(Coca Cola) 可口可乐 Kěkǒu kělè
코코아(cocoa) 可可 kěkě; 蔻蔻 kòukòu
코크스(Koks) 《鑛》 焦炭 jiāotàn
코트(coat) 大衣 dàyī; 外衣 wàiyī; 外套 wàitào
코트(court) 场地 chǎngdì; 球场 qiúchǎng ¶테니스 ~ 网球场 wǎngqiúchǎng
코프라(copra) 干椰肉 gānyēròu; 椰子仁干 yēzirénɡān
코피 鼻出血 bíchūxuè; 鼻衄 bínǜ ¶~를 흘리다 鼻子出血 bízi chūxuè
콕 ⇨쿡 ¶바늘로 종이를 ~ 찌르다 用针哧地一声把纸扎透 yòng zhēn chīde yìshēng bǎ zhǐ zhātòu
콘돔(condom) 避孕套 bìyùntào; 保险套 bǎoxiǎntào
콘서트(concert) 音乐会 yīnyuèhuì; 演奏会 yǎnzòuhuì ‖~마스터 首席小提琴手 shǒuxí xiǎotíqínshǒu / ~홀 演奏会会场 yǎnzòuhuì huìchǎng
콘크리트(concrete) 混凝土 hùnníngtǔ ¶철근 ~ 빌딩 钢筋混凝土的大楼 gāngjīn hùnníngtǔ de dàlóu ‖~ 믹서 混凝土搅拌机 hùnníngtǔ jiǎobànjī
콘택트렌즈(contact lens) 接触眼镜 jiēchù yǎnjìng; 无形眼镜 wúxíng yǎnjìng
콘테스트(contest) 竞赛会 jìngsàihuì; 比赛会 bǐsàihuì ‖미인 ~ 选美大会 xuǎnměi dàhuì
콜레라(cholera) 《醫》 霍乱 huòluàn; 虎列拉 hǔlièlā
콜로이드(colloid) 《化》 胶体 jiāotǐ; 胶质 jiāozhì; 胶态 jiāotài
콜론(colon) 冒号 màohào
콜콜거리다 打鼾 dǎ hān; 打呼噜 dǎ hūlu
콜타르(coal tar) 《化》 煤焦油 méijiāoyóu; 煤溚 méitǎ; 煤黑油 méihēiyóu; 柏油 bǎiyóu; 沥青 lìqīng
콜호즈(kolkhoz) 集体农庄 jítǐ nóngzhuāng
콤마(comma) ①《구두점》 逗号 dòuhào ¶~를 찍다 打逗号 dǎ dòuhào ②《소수점》 小数点 xiǎoshùdiǎn
콤비 搭档 dādàng ‖명~ 好搭档 hǎo dādàng
콤비네이션(combination) ①《편성·결합》 联合 liánhé; 配合 pèihé; 合作 hézuò ②《공연》 联合演出 liánhé yǎnchū ③《내복》 连裤内衣 liánkù nèiyī ④《數》 组合 zǔhé
콤팩트(compact) 带镜小粉盒 dài jìng xiǎo fěnhé
콤플렉스(complex) ①《마음》 情结 qíngjié ②《합성물》 复合体 fùhétǐ ③《열등감》 自卑感 zìbēigǎn
콧구멍 鼻孔 bíkǒng; 鼻子眼儿 bíziyǎnr
콧물 鼻涕 bítì; 鼻丁 bídīng ¶감기가 들어 ~이 나오다 伤风流鼻涕 shāngfēng liú bítì
콩 《植》 豆子 dòuzi ¶~을 볶다 炒豆子 chǎo dòuzi
콩나물 豆芽菜 dòuyácài; 豆芽(儿) dòuyá(r)
콩밥 大豆饭 dàdòufàn ¶~ 먹다 坐牢 zuòláo 《감옥살이》
콩볶듯하다 《총소리》 如同爆豆儿 rú tóng bào dòur; 《성품》 急躁 jízào
콩트(conte) 小故事 xiǎo gùshi; 笑话 xiàohua
콩팔칠팔하다 说得糊里糊涂 shuōde húlihútu
콩팥 ⇨신장(腎臟)
콸콸 哗哗 huāhuā; 滚滚 gǔngǔn ¶피가 ~ 나오다 血迸出来 xiě bèngchūlai
쾅 《대포》 轰隆隆 hōnglōnglōng
쾌감(快感) 快感 kuàigǎn ¶~을 느끼다 感觉愉快 gǎnjué yúkuài
쾌거(快擧) 快事 kuàishì ¶근래의 ~다 近来的'快事〔大快人心的事〕 jìnlái de 'kuàishì〔dà kuài rénxīn de shì〕
쾌락(快樂) 快乐 kuàilè ¶~에 빠지다 耽乐 dānlè ‖~주의 享乐主义 xiǎnglè zhǔyì
쾌유(快癒) 痊愈 quányù
쾌재(快哉) 快哉 kuàizāi ¶그는 마음 속으로 ~를 불렀다 他心中称快 tā xīnzhōng chēngkuài
쾌적(快適) 舒适 shūshì; 舒服 shūfu ¶비행기로 ~한 여행을 하다 乘飞机做舒适的旅行 chéng fēijī zuò shūshì de lǚxíng
쾌청(快晴) 晴朗 qínglǎng ¶날씨가 매우 ~해서 운동회는 대성공이었다 天气十分晴朗〔天朗气清〕, 运动会开得大为成功 tiānqì shífēn qínglǎng〔tiān lǎng qì qīng〕, yùndòng huì kāide dà wéi chénggōng
쾌활(快活) 快活 kuàihuo ¶그녀는 명랑하고 ~하다 她开朗快活 tā kāilǎng kuàihuo
쾨쾨하다 臊味儿 sāowèir
쿠데타(프 coup d'État) 政变 zhèngbiàn; 苦迭打 kǔdiédǎ
쿠렁쿠렁하다 松松 sōngsōng
쿠션(cushion) 靠垫 kàodiàn ¶~이 좋은 의자 有弹性的椅子 yǒu tánxìng de yǐzi
쿠키(cookie, cooky) 酥点心 sūdiǎnxin
쿡(cook) 厨子 chúzi; 厨夫 chúfū
쿡 噗嗤 pūchī; 扑哧 pūchī ¶큰 주사 바늘을 팔에 ~ 찌르다 把粗的注射针噗嗤一下扎在胳膊上 bǎ cū de zhùshèzhēn pūchī yí xià zhā zài gēbo shàng
쿨룩거리다 吭吭地咳嗽 kēngkēngde késou; 打干咳嗽 dǎ gān késou
쿨쿨 呼噜呼噜 hūluhūlu ¶~거리다 呼噜呼噜地打鼾 hūluhūlude dǎ hān
퀭하다 没有精神的眼神 méiyǒu jīngshén de yǎnshén
퀴닌(quinine) 奎宁 kuíníng; 金鸡纳霜 jīnjīnà-

shuāng
퀴즈(quiz) 谜 mí; 谜语 míyǔ ¶~를 풀다 猜谜语 cāi míyǔ =〔猜谜儿 cāimèir〕‖~ 프로 智力竞赛节目 zhìlì jìngsài jiémù
크나크다 相当大 xiāngdāng dà
크다 ①《작지 않다》大 dà ¶5는 3보다 ~ 五比三大 wǔ bǐ sān dà / 입을 크게 벌리고 노래하다 把嘴张大唱 bǎ zuǐ zhāngdà chàng / 이 모자는 나에게 ~ 这顶帽子我戴大一些 zhè dǐng màozi wǒ dài dà yìxiē ②《자라다》长大 zhǎngdà; 长 zhǎng
크디크다 很大 hěn dà
크래커(cracker) 咸饼干 xiánbǐnggān
크랭크(crank) ①《기계》曲柄 qūbǐng; 曲轴 qūzhóu ②《영화》摄影 shèyǐng; 拍电影 pāi diànyǐng ‖~업 摄影完毕 shèyǐng wánbì / ~인 开拍 kāi pāi =〔开始摄影 kāishǐ shèyǐng〕
크레디트(credit) 信用贷款 xìnyòng dàikuǎn ‖~ 카드 信用卡 xìnyòngkǎ
크레용(crayon) 蜡笔 làbǐ
크레인(crane)《機》起重机 qǐzhòngjī; 吊车 diàochē
크레졸(cresol)《化》煤酚 méifēn; 甲酚 jiǎfēn
크롤(crawl)《體》爬泳 páyǒng
크리스마스(Christmas) 圣诞节 Shèngdànjié ‖~ 이브 圣诞节前夕 Shèngdànjié qiánxī / ~ 카드 圣诞贺片 Shèngdàn hèpiàn / ~ 케럴 圣诞节颂歌 Shèngdànjié sònggē / ~ 트리 圣诞树 Shèngdànshù / ~ 선물 圣诞节礼物 Shèngdànjié lǐwù
크리스천(Christian) 基督教徒 Jīdūjiàotú
크리스털글라스(crystal glass) 水晶玻璃 shuǐjīng bōli; 结晶玻璃 jiéjīng bōli
크림(cream) ①《식품》奶油 nǎiyóu ¶~색 米色 mǐsè / 생~ 生奶油 shēng nǎiyóu ②《화장품》雪花膏 xuěhuāgāo ‖~ 소다 雪糕苏打水 xuěgāo sūdáshuǐ
큰달 大尽 dàjìn; 大建 dàjiàn
큰돈 巨款 jùkuǎn ¶~을 주고 손에 넣다 花了一笔巨款弄到手 huāle yì bǐ jùkuǎn nòngdào shǒu
큰마누라 正室 zhèngshì; 正房 zhèngfáng
큰물 ⇨홍수(洪水)
큰불 大火灾 dà huǒzāi
큰아버지 伯父 bófù; 伯伯 bóbo; 大爷 dàye
큰어머니 伯母 bómǔ; 大娘 dàniáng
큰일 《대업》大事 dàshì; 大业 dàyè; 窘迫情形 jiǒngpò qíngxing〔xíng〕¶~나다 事局到了危机 shìjú dàole wēijī =〔正在垂危 zhèngzài chuíwēi〕
큰집 《종가》宗室 zōngshì; 宗家 zōngjiā; 《가옥》大房子 dàfángzi
큰코다치다 倒大霉 dǎodàméi; 碰壁 pèngbì; 轮圆碰了个大钉子 lúnyuán pèngle ge dà dīngzi; 太岁头上动土 tàisuì tóushang dòng tǔ
클라리넷(clarinet)《樂》单簧管 dānhuángguǎn; 黑管 hēiguǎn
클라이맥스(climax) 顶点 dǐngdiǎn; 高潮 gāocháo; 最高峰 zuìgāofēng; 极点 jídiǎn ¶~에 다다르다 达到极点 dádào jídiǎn
클래스(class) ①《학급》班 bān ②《등급》级 jí; 等 děng ¶A ~의 물건 A等货 A děng huò / 톱 ~의 회담 最高级会谈 zuìgāojí huìtán ‖~ 메이트 同班同学 tóngbān tóngxué
클래식(classic) 古典 gǔdiǎn; 古典文学 gǔdiǎn wénxué; 古典音乐 gǔdiǎn yīnyuè
클랙슨(Klaxon) 电气喇叭 diànqì lǎba; 电气警笛 diànqì jǐngdí
클럽(club) ①《구락부》俱乐部 jùlèbù ¶연극 ~에 들어가다 加入话剧俱乐部 jiārù huàjù jùlèbù ②《카드》梅花 méihuā ③《골프》高尔夫球棒 gāo'ěrfūqiúbàng
클레임(claim)《經》索赔 suǒpéi; 要求赔偿损失权 yàoqiú péicháng sǔnshī quán
클로버(clover)《植》三叶草 sānyècǎo; 白三叶 báisānyè
클로즈업(close-up) 精细观察 jīngxì guānchá; 《영화》特写 tèxiě ¶~ 신 特写镜头 tèxiě jìngtóu
클리닝(cleaning) 洗衣 xǐyī ¶옷을 세탁소에 보내 ~하다 把衣服送洗衣店去洗 bǎ yīfu sòng xǐyīdiàn qù xǐ ‖드라이 ~ 干洗 gānxǐ
클립(clip) 离合器 líhéqì; 纸夹(子) zhǐjiā(zi); 曲别针 qūbiézhēn
큼직하다 够大 gòudà
키[1]《신장》个儿 gèr; 个子 gèzi; 身材 shēncái; 身长 shēncháng; 身量 shēnliang ¶~가 크다〔작다〕个子高〔矮〕gèzigāo〔ǎi〕/ ~가 10cm 자랐다 个子长了十厘米 gèzi zhǎngle shí límǐ
키[2]《까부는》簸箕 bòji
키[3]《배의》舵 duò ¶~를 잡다 掌舵 zhǎngduò
키(key) ①《타자기·피아노 따위의》键 jiàn ¶타자기의 ~를 치다 按打字机的键 àn dǎzìjī de jiàn ②《열쇠》钥匙 yàoshi ¶이것이 바로 문제의 ~ 포인트다 这正是问题的关键 zhè zhèngshì wèntí de guānjiàn ‖~ 펀처 穿孔器操纵员 chuānkǒngqì cāozòngyuán
키니네(quinine) ⇨퀴닌
키다리 大高个子 dàgāo gèzi; 《속어》杉槁尖子 shāngǎo jiānzi
키스(kiss) 接吻 jiēwěn; 亲嘴 qīnzuǐ
키우다 《아이를》养育 yǎngyù; 抚养 fǔyǎng
키퍼(keeper) 守门员 shǒuményuán
킬로(kilo) 千 qiān ‖~그램 公斤 gōngjīn / ~리터 千升 qiānshēng / ~미터 公里 gōnglǐ / ~와트 千瓦 qiānwǎ / ~헤르츠 千赫 qiānhè
킬킬거리다 哧哧地窃笑 chīchīde qièxiào
킹(king) ①《왕》国王 guówáng; 王 wáng ②《카드놀이》扑克牌的K pūkèpái de K ③《체스》国际象棋的王 guójì xiàngqí de wáng
킹사이즈(king size) 特大型的 tèdàxíng de; 特大号的 tèdàhào de; 特大尺码(儿)的 tèdàchǐmǎ(r) de

〔 E 〕

타(打) 打 dá; 打臣 táchén ¶맥주 반 ~ 半打啤酒 bàndǎ píjiǔ
타개(打開) 打开 dǎkāi ¶국면을 ~하다 打开局面 dǎkāi júmiàn / 위기를 ~하다 克服危机 kèfú wēijī
타격(打擊) 打击 dǎjī ¶적에게 치명적인 ~을 가하다 给敌人以致命的打击 gěi dírén yǐ zhìmìng de dǎjī
타계(他界) 去世 qùshì; 逝世 shìshì ¶아버지는

작년에 ～하셨다 父亲去年去世了 fùqin qùnián qùshì le
타고나다 生来 shēnglái; 生就 shēngjiù ¶귀머거리로 ～ 生来就是聋子 shēnglái jiùshì lóngzi
타고장(他…) 外乡 wàixiāng ‖～ 사람 外乡人 wàixiāngrén
타관(他官) 他乡 tāxiāng; 异乡 yìxiāng
타구(唾具) 痰盂(儿) tányú(r); 痰盒 tánhé
타다[1] 《탈것을》 坐 zuò; 搭 dā(수레를); 骑 qí(말·자전거); 跨 kuà(말)
타다[2] 《연소》 着火 zháohuǒ; 燃烧 ránshāo; 烧 shāo
타다[3] 《섞다》 搀合 chānhé; 搀混 chānhùn ¶물을 ～ 搀水 chān shuǐ
타다[4] 《받다》 领取 lǐngqǔ; 收受 shōushòu ¶연금을 ～ 领养老金 lǐng yǎnglǎojīn / 상품을 ～ 得奖品 dé jiǎngpǐn
타다[5] 《연주》 ¶바이올린을 ～ 拉伐乌林 lā fáwū-lín / 거문고를 ～ 弹玄鹤琴 tán xuánhèqín
타다[6] 《느끼다》 ¶부끄럼을 ～ 怕羞 pà xīu =〔发怵 fā chù〕/ 추위를 ～ 怕冷 pà lěng
타당(妥當) 妥当 tuǒdàng; 妥善 tuǒshàn ¶그것은 ～한 의견이다 那个意见妥当 nàge yìjiàn tuǒdàng
타락(墮落) 堕落 duòluò; 流为下道 liú wéi xià-dào ¶청소년을 ～시키는 유혹이 많다 使青少年堕落的诱惑很多 shǐ qīngshàonián duòluò de yòuhuò hěn duō
타락줄 发绳 fàshéng
타래 《실의》 桄 guàng(작은 것); 扣 kòu; 绺 liǔ('桄' 의 10개)
타래박 水舀子 shuǐyǎozi; 水瓢 shuǐpiáo
타래송곳 螺丝锥 luósīzhuī
타르(tar) 〖化〗 溚 tǎ; 焦油 jiāoyóu; 煤焦油 méijiāoyóu; 煤溚 méitǎ; 煤黑油 méihēiyóu; 臭油 chòuyóu; 木焦油 mùjiāoyóu; 木溚 mùtǎ
타박(打撲) 击打 jī dǎ; 殴打 ōu dǎ ¶전신에 ～상을 입어 중태다 全身撞伤, 伤势沉重 quánshēn zhuàngshāng, shāngshì chénzhòng ‖～상 殴伤 ōushāng; 挫伤 cuòshāng; 撞伤 zhuàngshāng; 摔伤 shuāishāng; 打伤 dǎ-shāng
타박타박하다 散散落落 sǎnsǎnluòluò
타박하다 责难 zénàn; 揭短 jiēduǎn; 贬损 biǎnsǔn; 挑剔 tiāoti
타분하다 《행동이》 萎缩不振的 wēisuō bú zhèn de; 《인색》 小气 xiǎoqi; 俭吝 jiǎnlìn; 《냄새가》 腥臊 xīngsāo
타산(打算) 算计 suànji; 盘算 pánsuan ‖～적 打小算盘的 dǎ xiǎo suànpan de =〔自私自利的 zìsī zìlì de〕〔周利 zhōulì〕/ 너는 너무나～적이다 你那太为个人打算了 nǐ nà tài wèi gèrén dǎsuàn le
타산지석(他山之石) 他山之石 tā shān zhī shí ¶～으로 삼다 他山之石, 可以为错 tā shān zhī shí, kěyǐ wéi cuò
타성(他姓) 外姓 wàixìng; 别的姓 bié de xìng
타워(tower) 塔 tǎ
타원(楕圓) 〖數〗 椭圆 tuǒyuán
타월(towel) 毛巾 máojīn ¶～지의 잠옷 毛巾睡衣 máojīn shuìyī
타이르다 开导 kāidǎo; 教训 jiàoxùn; 规戒 guī-jiè
타이밍(timing) 时机 shíjī ¶참으로 좋은 ～이다 时机合适 shíjī héshì =〔适逢其会 shì féng qí huì〕〔正赶上好时候 zhèng gǎnshàng hǎo shíhou〕
타이어(tire) 轮胎 lúntāi; 车胎 chētāi; 轮带 lúndài; 外胎 wàitāi; 〈俗〉外带 wàidài ¶～에 공기를 넣다 给轮胎打气 gěi lúntāi dǎqì
타이틀(title) ①《제목》 标题 biāotí ②《영화》 字幕 zìmù ③《선수권》 锦标 jǐnbiāo ‖～ 매치 锦标赛 jǐnbiāosài =〔冠军赛 guànjūnsài〕
타이프라이터(typewriter) 打字机 dǎzìjī
타이피스트(typist) 打字员 dǎzìyuán
타인(他人) 《자신 이외》 别人 biéren; 他人 tārén; 人家 rénjia; 旁人 pángrén
타일(tile) 瓷砖 cízhuān; 花砖 huāzhuān ¶～을 깔다 铺瓷砖 pū cízhuān
타임(time) ①时间 shíjiān ¶100미터 자유형의 ～을 재다 计一百米自由泳的时间 jì yìbǎi mǐ zìyóuyǒng de shíjiān ②《일시 중지》 暂停 zàntíng ¶심판에게 ～을 요구하다 要求裁判员暂停 yàoqiú cáipànyuán zàntíng ‖～리코더 上下班计时器 shàngxià bān jìshíqì / ～ 스위치 定时开关 dìngshí kāiguān
타입(type) 《형》 型 xíng; 类型 lèixíng; 典型 diǎnxíng ¶새로운 ～의 기계 新型的机器 xīnxíng de jīqi / 어떤 ～의 사람을 좋아하십니까? 你喜欢什么样儿的人? nǐ xǐhuan shénme yàngr de rén?
타자(打者) 击球员 jīqiúyuán
타자기(打字機) 打字机 dǎzìjī
타자수(打字手) 打字员 dǎzìyuán
타작(打作) 打场 dǎcháng ‖～ 마당 扬场 yáng-cháng =〔场院 chángyuàn〕
타전(打電) 打电报 dǎ diànbào; 拍电报 pāi diànbào ¶본사에 ～하다 给总公司打电报 gěi zǒnggōngsī dǎ diànbào
타진(打診) 叩诊 kòuzhěn ¶흉부를 ～하다 叩诊胸部 kòuzhěn xiōngbù / 상대방의 의향을 ～하다 探听对方的意向 tàntīng duìfāng de yìxiàng
타짜, 타짜꾼 绷子手 bēngzishǒu; 骗子手 piàn-zishǒu
타처(他處) 别处 biéchù; 别的地方 bié de dìfang
타파(打破) 打破 dǎpò; 破除 pòchú; 打败 dǎbai ¶적을 ～하다 打败〔打倒〕敌人 dǎbài 〔dǎdǎo〕 dírén / 악습을 ～하다 消灭恶习 xiāomiè èxí
타합(打合) 预先商洽 yùxiān shāngqià; 商量 shāngliang
타협(妥協) 妥协 tuǒxié; 和解 héjiě ¶그와는 ～의 여지가 없다 跟他毫无妥协的馀地 gēn tā háowú tuǒxié de yúdì / 적당한 조건으로 ～하다 在适当的条件之下妥协 zài shìdàng de tiáojiàn zhīxià tuǒxié ‖～안 妥协方案 tuǒxié fāng'àn
탁 啪 pā; 啪嚓 pāchā ¶～ 책상을 치다 啪地一声拍桌子 pāde yì shēng pāi zhuōzi
탁구(卓球) 〖體〗 乒乓球 pīngpāngqiú; 乒乓 pīng-pāng ¶～를 치다 打乒乓球 dǎ pīngpāngqiú
탁상(卓上) 桌上 zhuō shang; 台式 táishì ‖～공론 纸上谈兵 zhǐshàng tánbīng / ～ 시계 座钟 zuòzhōng / ～ 전화 台式电话 táishì diàn-huà / ～ 캘린더 案头日历 àntóu rìlì =〔台历 táilì〕
탁성(濁聲) 闷声音 mēn shēngyīn; 哑嗓儿

yǎsāngr
탁송(託送) 托运 tuōyùn ¶화물을 ～하다 托运行李 tuōyùn xíngli
탁수(濁水) 混水 húnshuǐ; 浑水 húnshuǐ; 浊水 zhuóshuǐ
탁아소(託兒所) 托儿所 tuō'érsuǒ
탁월(卓越) 卓越 zhuōyuè; 卓然 zhuōrán ¶～한 재능 卓越的才能 zhuōyuè de cáinéng
탁음(濁音) 浊音 zhuóyīn
탁자(卓子) 桌子 zhuōzi
탁주(濁酒) 浑酒 húnjiǔ; 浊酒 zhuójiǔ; 醪糟儿 láozāor
탁탁 ¶숨이 ～ 막히다 闷闷地透不过气来 mènmènde tòubuguò qì lai / 어디서나 가래침을 ～ 뱉다 随地啐痰 suídì cuì tán
탄갱(炭坑)《鑛》煤坑 méikēng; 煤井 méijǐng
탄내(炭…) 布燎子味儿 bù liáozi wèir; 焦糊气味 jiāohú qìwèi
탄력(彈力) 弹力 tánlì; 弹性 tánxìng ¶피부가 ～을 잃었다 皮肤失去了弹力 pífū shīqùle tánlì / ～있는 사고 방식 富有灵活性的想法 fùyǒu línghuóxìng de xiǎngfa ‖ ～성 弹性 tánxìng
탄로나다(綻露…) 败露 bàilù; 暴露 bàolù; 被发现 bèi fāxiàn
탄복(歎服) 佩服 pèifu
탄소(炭素)《化》碳 tàn ‖ ～강 碳素钢 tànsùgāng
탄수화물(炭水化物)《化》碳水化合物 tànshuǐhuàhéwù
탄식(歎息) 叹息 tànxī; 叹气 tànqì ¶하늘을 쳐다보고 ～하다 仰天叹息 yǎng tiān tànxī
탄원(歎願) 请愿 qǐngyuàn; 哀求 āiqiú ¶그의 구명을 ～하다 为救他的性命进行请愿 wèi jiù tāde xìngmìng jìnxíng qǐngyuàn ‖ ～서 请愿书 qǐngyuànshū
탄핵(彈劾) 弹劾 tánhé ‖ ～ 연설 弹劾演说 tánhé yǎnshuō
탄화(炭化)《化》炭化 tànhuà; 煤化 méihuà; 碳化 tànhuà ¶석탄은 식물이 땅 속에서 ～된 것이다 煤是植物在地下炭化而形成的 méi shì zhíwù zài dìxià tànhuà ér xíngchéng de ‖ ～물 碳化物 tànhuàwù / ～ 수소 碳化氢 tànhuàqīng / ～ 칼슘 碳化钙 tànhuàgài
탄환(彈丸) ①《총탄》子弹 zǐdàn; 枪弹 qiāngdàn ②《포탄》炮弹 pàodàn
탈《가면》假面具 jiǎmiànjù; 面具 miànjù ¶～을 쓰다 戴假面具 dài jiǎmiànjù
탈(頉) 故障 gùzhàng; 妨碍 fáng'ài; 毛病 máobìng ¶～나다 出岔儿 chū chàr =〔碰钉子 pèng dīngzi〕/ ～없이 痛痛快快地 tòngtòngkuaikuai de =〔顺顺当当地 shùnshùndangdang de〕
탈것 座车 zuòchē; 乘座物 chéngzuòwù
탈당(脫黨) 脱党 tuōdǎng; 退党 tuìdǎng ¶A당을 ～하다 脱离A党 tuōlí A dǎng
탈락(脫落) 脱落 tuōluò; 遗漏 yílòu
탈모(脫毛) 脱毛 tuōmáo; 脱发 tuōfà ‖ ～제 脱毛剂 tuōmáojì / ～증 脱发症 tuōfàzhèng =〔秃发症 tūfàzhèng〕
탈선(脫線) 出轨 chūguǐ; 脱轨 tuōguǐ ‖ ～ 사고 出轨事故 chūguǐ shìgù
탈세(脫稅) 偷税 tōushuì; 漏税 lòushuì; 逃税 táoshuì ¶소득세를 ～하다 偷漏所得税 tōulòu suǒdéshuì / ～가 발각되었다 偷税被发觉了 tōushuì bèi fājué le
탈수(脫水) 脱水 tuōshuǐ ‖ ～기 脱水机 tuōshuǐjī / ～ 증상 脱水〔失水〕症状 tuōshuǐ〔shī shuǐ〕zhèngzhuàng
탈싹 ¶～ 주저앉다 一屁股坐下去 yí pìgu zuòxiaqu
탈옥(脫獄) 越狱 yuèyù; 逃监 táojiān ¶죄수가 ～하다 囚犯越狱了 qiúfàn yuèyù le ‖ ～수 越狱犯 yuèyùfàn
탈의장(脫衣場) 更衣场 gēngyīchǎng
탈자(脫字) 掉字 diàozì; 漏字 lòuzì ¶1자 ～가 있다 掉〔落, 脱, 脱漏〕了一个字 diào〔là, tuō, tuōlòu〕le yí ge zì
탈장(脫腸)《醫》疝气 shànqì; 赫尔尼亚 hè'ěrníyà;〈俗〉小肠串气 xiǎocháng chuànqì;〈俗〉小肠气 xiǎochángqì
탈주(脫走) 逃走 táozǒu; 逃跑 táopǎo ¶틈을 보아 ～하다 乘隙逃跑了 chéngxì táopǎo le ‖ ～병 逃兵 táobīng
탈지면(脫脂綿) 脱脂绵 tuōzhīmián; 药棉 yàomián
탈지유(脫脂乳) 脱脂乳 tuōzhīrǔ
탈출(脫出) 逃出 táochū; 逃脱 táotuō ¶국외로 ～하다 逃亡国外 táowáng guówài / 낙하산으로 ～하다 跳伞脱险 tiàosǎn tuōxiǎn
탈춤 假面舞 jiǎmiànwǔ
탈취(奪取) 夺取 duóqǔ ¶적진을 ～하다 夺取敌人的阵地 duóqǔ dírén de zhèndì
탈퇴(脫退) 脱离 tuōlí; 退出 tuìchū ¶노조를 ～하다 脱离工会 tuōlí gōnghuì
탈피(脫皮) 脱皮 tuōpí; 蜕皮 tuìpí ¶뱀이 ～하다 蛇蜕皮了 shé tuìpí le / 구태로부터 ～하다 打破旧框框 dǎpò jiù kuāngkuang
탈환(奪還) 夺回 duóhuí; 收复 shōufù ¶요새를 ～하다 夺回要塞 duóhuí yàosài / 잃어버린 땅을 ～하다 收复失地 shōufù shīdì
탈회(脫會) 退会 tuì huì ¶연구회를 ～하다 脱离研究会 tuōlí yánjiūhuì
탐구(探究·探求) 探求 tànqiú; 探究 tànjiū ¶진리를 ～하다 探求〔寻求〕真理 tànqiú〔xúnqiú〕zhēnlǐ
탐나다(貪…) 招人喜欢 zhāo rén xǐhuan; 盼望 pànwàng
탐내다(貪…) 希望得到手的 xīwàng dédào shǒu de
탐문(探聞) 探询 tànxún; 探信 tànxìn
탐방(探訪) 探访 tànfǎng; 采访 cǎifǎng ¶미개 사회의 생활을 ～하다 探访未开化社会的生活 tànfǎng wèi kāihuà shèhuì de shēnghuó ‖ ～ 기사 采访报道 cǎifǎng bàodào
탐방 啪喳啪喳 pāchā pāchā ¶～～ 헤엄치다 啪喳啪喳地游泳 pāchāpāchā de yóuyǒng =〔打膨膨 dǎ pēngpēng〕
탐색(探索) 探索 tànsuǒ; 搜索 sōusuǒ
탐욕(貪欲) 贪婪 tānlán; 贪欲 tānyù ¶그는 탐욕스러운 남자다 他是个'贪得无厌〔贪心不足〕的家伙 tā shì ge 'tān dé wú yàn〔tānxīn bùzú〕de jiāhuo
탐정(探偵) 侦探 zhēntàn ‖ ～ 소설 侦探小说 zhēntàn xiǎoshuō / 사립 ～ 私家侦探 sījiā zhēntàn
탐지(探知) 探知 tànzhī; 探查 tànchá ¶전파 ～기 雷达 léidá / 적의 동정을 ～하다 侦察敌人的动静 zhēnchá dírén de dòngjing

탐탁하다 称心称意 chènxīn chènyì
탐험(探險) 探险 tànxiǎn ¶남극을 ~하다 到南极去探险 dào nánjí qù tànxiǎn ‖~가 探险家 tànxiǎnjiā / ~대 探险队 tànxiǎnduì
탑(塔) 塔 tǎ
탑삭부리 胡子巴搓的人 húzi bāchá de rén
탑승(搭乘) 搭乘 dāchéng ¶비행기에 ~하다 搭乘飞机 dāchéng fēijī ‖~ 수속 登机手续 dēngjī shǒuxù / ~원 机组人员 jīzǔ rényuán
탓《원인》原因 yuányīn ¶…의 ~으로 돌리다 归因为… guī yīnwei… / 머리가 어지러운 것은 열이 나는 ~이다 头晕是因为发烧 tóuyùn shì yīnwei fāshāo
탓하다 怪 guài; 〈俗〉数落 shǔluo ¶너를 탓하지 않을 수 없다 不能不怪你 bùnéng búguài nǐ
탕(湯) 浴池 yùchí; 澡堂 zǎotáng ¶남〔여〕~ 男〔女〕浴池 nán〔nǚ〕 yùchí / ~에 들어가다 入浴 rù yù
탕 砰 pēng ¶~ 하고 폭발하다 砰然一声爆炸 pēngrán yì shēng bàozhà
탕관(湯罐) 烧水壶 shāoshuǐhú
탕수(湯水) 开水 kāishuǐ; 热水 rèshuǐ
탕파(湯婆) 汤婆子 tāngpózi
태깔스럽다 看不顺眼儿 kàn búshùnyǎnr; 看不惯 kànbúguàn
태도(態度) 态度 tàidù〔du〕 ¶당당한 ~ 态度庄严 tàidu zhuāngyán / ~를 밝히다 表明态度 biǎomíng tàidu
태동(胎動) 胎动 tāidòng ¶신시대의 ~을 느끼다 感觉到新时代的胎动 gǎnjué dào xīn shídài de tāidòng
태만(怠慢) 玩忽 wánhū; 疏忽 shūhū ‖직무 ~ 玩忽职守 wánhū zhíshǒu
태무(殆無) 几乎没有 jīhū méiyǒu
태반(太半) 大半 dàbàn; 过半 guòbàn; 大致 dàzhì ¶~ 다 끝내다 差不多都做好了 chàbùduō dōu zuò hǎo le
태양(太陽) 太阳 tàiyáng ¶~이 뜨다〔지다〕 太阳 '升〔落〕 tàiyáng 'shēng〔luò〕 ‖~ 광선 太阳光 tàiyángguāng / ~력 太阳历 tàiyánglì = 〔阳历 yánglì〕
태어나다 生 shēng; 出生 chūshēng; 产 chǎn
태업(怠業) 怠工 dàigōng
태연(泰然) 泰然 tàirán ¶그는 ~ 자약하다 他泰然自若 tā tàirán zìruò
태엽(胎葉) 发条 fātiáo ¶~을 감다 上弦 shàngxián / ~이 끊어졌다 发条断了 fātiáo duàn le
태우다[1]《불에》烧 shāo; 《가슴을》使心绪焦急 shǐ xīnxù jiāojí
태우다[2]《탈것에》让坐上 ràng zuò shàng; 载(客) zài ¶말이 사람을 ~ 马驮着人 mǎ tuózhe rén / 손님을 ~ 搭客 dā kè
태중(胎中) 怀孕 huáiyùn; 胎孕 tāiyùn
태풍(颱風) 台风 táifēng ¶동해 지방은 ~권내에 들었다 东海地区进人台风区内 dōnghǎi dìqū jìnrù táifēng qū nèi ‖~의 눈 台风眼 táifēngyǎn
택시(taxi) 出租汽车 chūzū qìchē ¶~를 잡다 叫住出租汽车 jiàozhù chūzū qìchē
탤런트(talent) 才能 cáinéng; 才干 cáigàn; 人材 réncái ‖텔레비전 ~ 电视演员 diànshì yǎnyuán
탬버린(tambourine)〘樂〙小手鼓 xiǎoshǒugǔ; 铃鼓 línggǔ
탯덩이(胎…)《바보》半吊子 bàndiàozi; 傻大瓜 shǎdàguā
탯줄(胎…)〘生〙脐带 qídài
탱고(tango)〘樂〙探戈 tàngē; 探戈舞 tàngēwǔ; 探戈舞曲 tàngē wǔqǔ ¶~를 추다 跳探戈舞 tiào tàngēwǔ
탱자〘植〙臭桔 chòujié; 枸橘 gōujú; 枳 zhǐ
탱크(tank) ①《통》筒 tǒng; 罐 guàn; 槽 cáo; 箱 xiāng ¶가스 ~ 瓦斯储气罐 wǎsī chǔqìguàn ②《전차》坦克 tǎnkè; 坦克车 tǎnkèchē
탱탱하다 紧 jǐn; 绷紧 bēngjǐn
터[1]《집터》地基 dìjī
터[2]《예정》¶~이다 打算… dǎsuàn〔suan〕…; 拟… nǐ…; 要 yào ¶내일 갈 ~이다 打算明天去 dǎsuàn míngtiān qù
터널(tunnel) 隧道 suìdào ¶~을 파다 挖隧道 wā suìdào ‖해저 ~ 海底隧道 hǎidǐ suìdào
터놓다《마음을》披肝沥胆 pīgān lìdǎn; 推心置腹 tuīxīn zhìfù ¶터놓고 말하다 直言不讳 zhíyán búhuì =〔开襟而谈 kāijīn ér tán〕〔倾吐衷曲 qīngtǔ zhōngqū〕
터다지다 打基地 dǎ jīdì; 筑固基础 zhúgù jīchǔ
터닦다 垫地 diàndì; 弄平地面 nòng píng dìmiàn
터덜거리다《걸음을》慢慢腾腾地走 mànmàn tēngtēng de zǒu; 蹒跚 pánshān(步代); 腿脚沉重 tuǐjiǎo chénzhòng; 《소리가》咕咚咕咚地响 gūdōng gūdōng de xiǎng
터득(攄得) 体验 tǐyàn; 体会 tǐhuì
터뜨리다《폭탄을》炸开 zhàkāi; 《화를》爆发 bàofā
터럭 毛 máo; 发 fà; 毛发 máofà; 《새》羽毛 yǔmáo; 《짐승》兽毛 shòumáo
터무니없다 没有道理 méiyǒu dàolǐ; 不像话 búxiànghuà
터벅터벅 磨磨蹭蹭 mómócengceng ¶~ 걷다 没有力气地走 méiyǒu lìqide zǒu =〔腿脚沉重 tuǐjiǎo chénzhòng〕
터부(taboo) 禁忌 jìnjì ¶저 산은 여자가 올라가는 것이 ~로 되어 있다 那座山女人攀登曾是禁忌 nà zuò shān nǚrén pāndēng céng shì jìnjì
터수《가계》家道 jiādào; 生计 shēngjì; 《관계》关系 guānxi
터알 院子里的菜地 yuànzi li de càidì
터전 基地 jīdì
터주다《해금》开禁 kāijìn; 弛禁 chíjìn
터지다 破裂 pòliè; 绽线 zhàn xiàn; 《신발 · 옷 따위》开线 kāi xiàn
턱 颌 hé; 《위턱》上颌 shànghé; 《아래턱》下颌 xiàhé; 颏 kē; 下巴 xiàba; 下巴颏(儿) xiàbakē(r) ¶2중 ~ 双下巴 shuāngxiàba
턱걸이 引体向上 yǐntǐ xiàngshàng; 悬垂 xuánchuí ¶철봉에서 ~를 하다 在单杠上做引体向上 zài dāngàng shang zuò yǐntǐ xiàngshàng
턱밑《가까운 곳》眼前 yǎnqián; 眼头里 yǎntóuli; 迫近 pòjìn
턱받이 围嘴儿 wéizuǐr; 围涎 wéixián ¶~를 채우다 把口水兜围上 bǎ kǒushuǐ dōu wéishàng
턱없다 ①《터무니없다》不合情理 bùhé qínglǐ; 岂有此理 qǐ yǒu cǐ lǐ; 毫无道理 háowú dàolǐ ②《신분이》不般配 bù bānpèi
턱턱 痛痛快快地 tòngtòngkuaikuai de ¶일을

～ 해내다 痛痛快快地办事 tòngtòngkuaikuai de bàn shì / ～ 쓰러지다 (中弹)相继倒下 xiāngjì dǎo xià
털 毛 máo; 《새의》 羽毛 yǔmáo; 《머리의》 头发 tóufa; 毛发 máofà ¶～을 뜯다 薅毛 hāo máo/ 양의 ～을 깎다 剪羊毛 jiǎn yángmáo
털끝 丝毫 sīháo; 《작은 일》 秋毫 qiūháo ¶～만큼도 毫无… háowú… / 그는 ～만큼의 동정심도 갖고 있지 않다 他连一丁点儿的同情心也没有 tā lián yìdīngdiǎnr de tóngqíngxīn yě méiyǒu
털다 ①《떨다》 抖搂 dǒulou; 掸 dǎn ¶먼지를 ～ 掸尘土 dǎn chéntǔ ②《주머니를》 倾(囊) qīng ¶있는 대로 다 털어 주식을 사다 罄其所有买股票 qìng qí suǒyǒu mǎi gǔpiào ③《도둑이》 抢 qiǎng; 夺去 duó qù
털보 毛茸茸的人 máoróngróng de rén
털북숭이 《사람》 毛厚的人 máo hòu de rén; 寒毛重的人 hánmao zhòng de rén; 《물건》 毛多的东西 máo duō de dōngxi
털붓 毛笔 máobǐ; 水笔 shuǐbǐ
털실 毛线 máoxiàn; 〈方〉 绒线 róngxiàn ¶～로 스웨터를 짜다 用毛线织毛衣 yòng máoxiàn zhī máoyī
털어놓다 《속의 것을》 倾倒 qīngdào; 倾筐倒箧 qīng kuāng dào qiè; 全都腾出来 quándōu téngchūlai; 《마음 속을》 倾心吐胆 qīngxīn tǔdǎn; 把心事和盘托出 bǎ xīnshi hé pán tuō chū; 开言吐语 kāi yán tǔ yǔ
털터리 穷得连裤子都没有 qióngde lián kùzi dōu méiyǒu; 穷光蛋 qióngguāngdàn
텀벙 噗噔 pūdēng ¶～ 강물에 빠졌다 噗噔地一声掉在河里头了 pūdēngde yì shēng diào zài hé lǐtou le
텁석나룻 毛深的连鬓胡子 máo shēn de liánbìn húzi
텁석부리 胡子巴槎的人 húzi bāchā de rén
텁수룩하다 髭髭着 zīzīzhe; 巴槎 bāchā
텁텁하다 《성미가》 不分好坏一概容纳 bù fēn hǎohuài yígài róngnà; 《입 속이》 不俐落 bú lìluo; 扎嘴 zhāzuǐ
텃세(…貰) 房基租子 fángjī zūzi; 用地租子 yòng dì zūzi
텃세(…勢) ¶～하다 欺生 qīshēng
텅 《비다》 空落落 kōngluōluō ¶～ 빈 空空洞洞 kōngkōng dòngdòng =〔空荡荡的 kōngdàngdàng de〕〔空空如也 kōngkōng rú yě〕
텅스텐(tungsten) 《化》 钨 wū ‖～강 钨钢 wūgāng
테 《틀》 框子 kuàngzi; 《안경》 架 jià; 框儿 kuàngr; 《통》 箍 gū ¶나무통에 ～를 메다 箍木桶 gū mùtǒng
테니스(tennis) 《體》 网球 wǎngqiú ¶～를 치다 打网球 dǎ wǎngqiú ‖～ 코트 网球场 wǎngqiúchǎng
테두리 ①《테》 箍 gū ¶쇠～를 탄탄히 두르다 用铁箍箍住了 yòng tiěgū gūzhù le ②《범위》 界限 jièxiàn; 范围 fànwéi ¶내가 아는 ～ 안에서는 据我所知的范围 jù wǒ suǒ zhī de fànwéi
테라마이신(Terramycin) 《藥》 土霉素 tǔméisù
테라스(terrace) 凉台 liángtái; 阳台 yángtái
테러(terror) 恐怖 kǒngbù ‖백색 ～ 白色恐怖 báisè kǒngbù / 적색 ～ 赤色恐怖 chìsè kǒngbù
테러리스트(terrorist) 恐怖分子 kǒngbù fēnzi
테러리즘(terrorist) 恐怖主义 kǒngbù zhǔyì; 暴力主义 bàolì zhǔyì
테마(thema) 题 tí; 题目 tímù; 主题 zhǔtí ¶이 작품의 ～는 청춘이다 这个作品的主题是青春 zhège zuòpǐn de zhǔtí shì qīngchūn ‖～송 主题歌 zhǔtígē
테스트(test) 测验 cèyàn; 试验 shìyàn ¶엔진의 성능을 ～하다 测试引擎的性能 cèshì yǐnqíng de xìngnéng ‖～ 케이스 试例 shìlì / ～ 파일럿 试飞员 shìfēiyuán / 학력 ～ 学力测验 xuélì cèyàn
테이블(table) 桌子 zhuōzi; 餐桌 cānzhuō ¶모두가 ～에 앉아서 식사를 시작했다 大家就座开始进餐 dàjiā jiùzuò kāishǐ jìncān ‖～ 매너 进餐规矩 jìncān guīju / ～ 스피치 席间致辞 xíjiān zhìcí / ～ 클로스 桌布 zhuōbù =〔台布 táibù〕
테이프(tape) ①带子 dàizi; 线带 xiàndài; 布带 bùdài ¶～를 끊다 剪彩 jiǎn cǎi / 그는 1등으로 ～를 끊었다 他第一个冲了线 tā dìyí ge chōngle xiàn ②《녹음》 磁带 cídài; 胶带 jiāodài ‖～ 리코더 录音机 lùyīnjī =〔磁带录音机 cídài lùyīnjī〕/ 녹음 ～ 录音带 lùyīndài / 비디오 ～ 录像带 lùxiàngdài =〔录像磁带 lùxiàng cídài〕/ 카세트 ～ 盒式磁带 héshì cídài
테크닉(technic) 技巧 jìqiǎo; 手法 shǒufǎ; 技术 jìshù ¶이 곡의 연주에는 고도의 ～이 필요하다 演奏这支曲子需要高超的技巧 yǎnzòu zhè zhī qǔzi xūyào gāochāo de jìqiǎo
텍스트(text) ①《교과서》 教科书 jiàokēshū; 课本 kèběn; 讲义 jiǎngyì ②《원문》 原文 yuánwén; 原本 yuánběn
텐트(tent) 帐棚〔帐篷〕 zhàngpeng〔péng〕; 帐幕 zhàngmù ¶～를 치다 搭帐棚 dā zhàngpeng
텔레비전(television) 电视机 diànshìjī ¶～을 보다 看电视 kàn diànshì ‖～ 안테나 电视天线 diànshì tiānxiàn / ～ 전화 电视电话 diànshì diànhuà / ～ 카메라 电视摄像机 diànshì shèxiàngjī / 컬러 ～ 彩色电视 cǎisè diànshì / 흑백 ～ 黑白电视 hēibái diànshì
텔레타이프(teletype) 电传打字机 diànchuán dǎzìjī
텔렉스(Telex) 用户电报 yònghù diànbào
토굴(土窟) 土窖 tǔjiào; 地窨子 dìyìnzi
토기(土器) 瓦器 wǎqì; 陶器 táoqì; 土瓷 tǔcí
토끼 《動》 兔儿 tùr; 兔子 tùzi
토너먼트(tournament) 淘汰赛 táotàisài
토담(土…) 土墙 tǔqiáng; 泥墙 níqiáng
토대(土臺) 基础 jīchǔ; 地基 dìjī; 根基 gēnjī; 根脚 gēnjiǎo; 地脚 dìjiao ¶이 집은 ～가 단단하다 这房子根脚很牢靠 zhè fángzi gēnjiǎo hěn láokao
토라지다 乖戾起来 guāilìqilai; 别拗起来 bièniuqilai; 闹情绪 nào qíngxu
토란 《植》 芋头 yùtou; 芋奶 yùnǎi
토론(討論) 讨论 tǎolùn ¶활발한 ～을 전개하다 展开热烈的讨论 zhǎnkāi rèliè de tǎolùn
토리실 线毬儿 xiànqiúr; 棉球 miánqiú
토마토(tomato) 《植》 西红柿 xīhóngshì; 〈方〉 番茄 fānqié; 〈方〉 洋柿子 yángshìzi ‖～ 주스 番茄汁 fānqiézhī / ～ 케첩 番茄酱 fānqiéjiàng
토막 《덩어리진》 小片 xiǎopiàn; 碎块 suìkuài

¶나무 ～ 木头块儿 mùtou kuàir / 연필 ～ 铅笔头儿 qiānbǐ tóur / ～치다 分成一块一块 fēnchéng yíkuài yíkuài
토막(土幕) ⇨ 움막
토벌(討伐) 讨伐 tǎofá; 征讨 zhēngtǎo ¶반란군을 ～하다 讨伐叛军 tǎofá pànjūn
토성(土星) 土星 tǔxīng
토속(土俗) 当地的风俗 dāngdì de fēngsú
토스(toss) ①《배구의》 托球 tuōqiú ②《야구의》 轻投过去 qīngtóuguòqu ¶2루에 ～하여 주자를 봉살하다 把球轻抛二垒封杀跑垒员 bǎ qiú qīng pāo èrlěi fēngshā pǎolěiyuán
토스터(toaster) 烤面包器 kǎomiànbāoqì
토스트(toast) 烤面包 kǎomiànbāo
토시 手筒 shǒutǒng; 手笼 shǒulóng
토실토실하다 胖得圆圆 pàngde yuányuán; 红活圆实 hónghuó yuánshí
토악질(吐…) 《구토》 呕吐 ǒutù; 《부정 소득을》 吐出 tùchū; 交还 jiāohuán
토양(土壤) 土壤 tǔrǎng ¶～이 기름지다 土壤肥沃 tǔrǎng féiwò
토요일(土曜日) 礼拜六 lǐbàiliù; 星期六 xīngqīliù
토의(討議) 讨论 tǎolùn ¶위원회에 ～를 부치다 交付委员会讨论 jiāofù wěiyuánhuì tǎolùn
토인(土人) 土民 tǔmín; 土人 tǔrén
토일렛(toilet) ①《화장》 梳妆 shūzhuāng ②《변소》 厕所 cèsuǒ; 便所 biànsuǒ ‖～ 페이퍼 手纸 shǒuzhǐ =〔卫生纸 wèishēngzhǐ〕
토지(土地) 地 dì; 土地 tǔdì; 《건축용의》 地皮 dìpí ¶그는 시골에 넓은 ～를 갖고 있다 他在乡下有一大片土地 tā zài xiāngxià yǒu yí dà piàn tǔdì ‖～ 개량 土壤改良 tǔrǎng gǎiliáng
토착(土着) 土著 tǔzhù ‖～민 土著民 tǔzhùmín =〔土著居民 tǔzhù jūmín〕
토치램프(torch lamp) 喷气灯 pēnqìdēng; 吹焰灯 chuīyàndēng
토치카(totschka) 碉堡 diāobǎo
토털(total) 总计 zǒngjì; 共计 gòngjì; 总数 zǒngshù; 总额 zǒng'é; 总量 zǒngliàng
토템(totem) 图腾 túténg ‖～ 폴 图腾柱 túténgzhù
토파즈(topaz) 黄玉 huángyù
토퍼(topper) 短大衣 duǎndàyī; 宽敞的妇女短外衣 kuānchang de fùnǚ duǎnwàiyī
토픽(topic) 话题 huàtí
토하다(吐…) 吐 tǔ; 吐 tù; 呕 ǒu ¶피를 ～ 吐血 tù xiě / 먹은 것을 전부 토해냈다 把吃了的东西全吐了 bǎ chīle de dōngxi quán tù le
톡톡하다 《액체가》〈方〉 稠糊(儿) chóuhu(r); 《피륙이》 又细致又厚 yòu xìzhì yòu hòu
톡톡히 ①《많이》 ¶돈을 ～ 쓰다 花不少的钱 huā bù shǎo de qián / ～ 한몫 보다 获利丰厚 huò lì fēnghòu ②《되게》 ¶～ 얻어맞다 被人痛打了一顿 bèi rén tòng dǎle yí dùn
톤(ton) 吨 dūn ¶롱(long) ～ 重吨 zhòng dūn / 쇼트(short) ～ 轻吨 qīngdūn
톨《밤 등의》 颗子 kēzi; 颗粒 kēlì ¶한 ～의 곡식도 못 거두다 颗粒不收 kēlì bù shōu
톱 锯子 jùzi ¶나무를 ～으로 켜다 用锯锯木头 yòng jù jù mùtou
톱(top) 第一 dìyī ¶그는 고등 학교를 ～으로 졸업했다 他在高中以第一名的成绩毕了业 tā zài gāozhōng yǐ dìyì míng de chéngjì bìle yè ‖～ 기사 头条〔首要〕新闻 tóu tiáo〔shǒuyào〕 xīnwén / ～ 모드 最流行的时装 zuì liúxíng de shízhuāng =〔最时髦的式样 zuì shímáo de shìyàng〕
톱니 锯齿 jùchǐ ‖～ 바퀴《機》 齿轮 chǐlún =〔牙轮 yálún〕
톱밥 锯屑 jùxiè; 锯末子 jùmòzi
톱톱하다 《국물이》 稠嘟嘟(的) chóududu(de); 〈方〉 稠糊(儿) chóuhu(r)
톳《김의 묶음》 束 shù; 把 bǎ ¶김 한 ～ 一把紫菜 yì bǎ zǐcài
통(桶) 桶 tǒng; 木桶 mùtǒng
통(通) ①《편지》 封 fēng ¶편지 한 ～ 一封信 yì fēng xìn / 한 ～ 의 전보 一通电报 yì tōng diànbào ②《서류》 份 fèn; 张 zhāng; 纸 zhǐ ¶영수증 한 ～ 收单一纸 shōudān yì zhǐ / 신청서를 정부 2～ 제출했다 申请书提出正副两份 shēnqǐngshū tíchū zhèngfù liǎng fèn ③《전문가》 行家 hángjiā; 通 tōng ¶중국～ 中国通 Zhōngguótōng
통(統) 《모두》 全都 quándōu; 通共 tōnggòng; 共总 gòngzǒng; 一共 yígòng
통감(通感) 痛感 tònggǎn ¶노력의 부족을 ～하다 痛感努力还不够 tònggǎn nǔlì hái bú gòu
통계(統計) 统计 tǒngjì ¶매상고의 ～를 내다 做销售额的统计 zuò xiāoshòu'é de tǒngjì / 생산고를 ～적으로 분석하다 对产量进行统计加以分析 duì chǎnliàng jìnxíng tǒngjì jiāyǐ fēnxī ‖～학 统计学 tǒngjìxué
통고(通告) 通知 tōngzhī; 通告 tōnggào ¶조약의 파기를 상대국에게 ～하다 通知对方废除条约 tōngzhī duìfāng fèichú tiáoyuē
통과(通過) ①通过 tōngguò ¶배는 말라카 해협을 ～해서 서쪽으로 향하다 船通过马六甲海峡西航 chuán tōngguò Mǎliùjiǎ hǎixiá xī háng ②《시험 따위를》 考中 kǎozhōng ¶그 법안은 의회를 ～했다 该法案在议会通过了 gāi fǎ'àn zài yìhuì tōngguò le / 검사를 ～했다 检查合格了 jiǎnchá hégé le
통관(通關) 报关 bàoguān; 通过海关 tōngguò hǎiguān ¶～ 수속을 밟다 办报关手续 bàn bàoguān shǒuxù
통관(通觀) 通观 tōngguān ¶세계 정세를 ～하다 通观世界形势 tōngguān shìjiè xíngshì
통근(通勤) 上班 shàngbān ¶～에 1시간이 걸린다 上班要一个小时 shàngbān yào yí ge xiǎoshí
통금해제(通禁解除) 放夜 fàngyè
통나무 圆木 yuánmù ¶～를 짜서 오두막을 짓다 把圆木交叉起来盖小房 bǎ yuánmù jiāochā qǐlai gài xiǎofáng
통념(通念) 普通的想法 pǔtōng de xiǎngfa ‖사회～ 社会一般的共通观念 shèhuì yìbān de gòngtōng guānniàn
통닭 整首鸡 zhěngshǒujī ‖～구이 整烤鸡 zhěng kǎojī
통렬(痛烈) 激烈 jīliè; 严厉 yánlì; 沉重 chénzhòng ¶그는 나를 ～히 비난했다 他猛烈地抨击了我 tā měngliède pēngjīle wǒ
통례(通例) 通例 tōnglì ¶창립 기념일은 휴업으로 하는 것이 ～로 되어 있다 在成立记念日停业是通例 zài chénglì jìniànrì tíngyè shì tōnglì
통로(通路) 通路 tōnglù; 通道 tōngdào; 走道 zǒudào; 过道 guòdào ¶화물이 ～를 막고 있다 货物阻塞走道 huòwù zǔsè zǒudào

통사정(通事情) 不瞒着不掖着有什么说什么 bù mánzhe bú yèzhe yǒu shénme shuō shénme; 不隐瞒地说开 bù yǐnmánde shuō kāi
통산(通算) 总计 zǒngjì; 共计 gòngjì; 共算 gòngsuàn ¶～해서 3번의 우승을 차지했었다 总计取得了三回冠军 zǒngjì qǔdéle sān huí guànjūn
통상(通常) 通常 tōngcháng; 平常 píngcháng; 普通 pǔtōng ¶저녁 식사는 ～ 7시다 晚饭通常七点吃 wǎnfàn tōngcháng qī diǎn chī ‖～우편물 普通邮件 pǔtōng yóujiàn
통상(通商) 通商 tōngshāng ¶외국과의 ～을 왕성하게 하다 振兴对外通商 zhènxīng duìwài tōngshāng ‖～ 대표부 贸易代表处 màoyì dàibiǎochù =〔商务参赞处 shāngwù cānzànchù〕/～ 협정 通商协定 tōngshāng xiédìng
통설(通說) 一般的说法 yìbān de shuōfǎ; 共同的论调 gòngtóng de lùndiào ¶～을 뒤엎다 推翻世上一般所公认的说法 tuīfān shìshàng yìbān suǒ gōngrèn de shuōfǎ
통성(通性) 共性 gòngxìng ¶조류의 ～ 鸟类的共性 niǎolèi de gòngxìng
통속(通俗) 通俗 tōngsú
통솔(統率) 指挥 zhǐhuī; 统率 tǒngshuài
통신(通信) ①《서신》 通信 tōngxìn ②《전신》 电讯 diànxùn; 通讯 tōngxùn ‖～ 교육 函授教育 hánshòu jiàoyù/～사(士)《전보의》 报务员 bàowùyuán =〔《무선》 电讯员 diànxùnyuán〕/～사(社) 通讯社 tōngxùnshè/～ 판매 函售 hánshòu
통역(通譯) 翻译 fānyì; 通译 tōngyì ¶～을 통해서 말하다 通过'翻译〔译员〕进行交谈 tōngguò 'fānyì〔yìyuán〕 jìnxíng jiāotán/대통령의 치사를 ～하다 翻译总统的致词 fānyì zǒngtǒng de zhìcí ‖동시 ～ 同声传译 tóngshēng chuányì
통으로 整个儿地 zhěnggèrde ¶뱀이 청개구리를 ～ 삼키다 蛇把青蛙整个地吞下 shé bǎ qīngwā zhěnggède tūn xià
통일(統一) 统一 tǒngyī ¶국가를 ～하다 统一国家 tǒngyī guójiā/정신을 ～하다 集中精神 jízhōng jīngshén
통장(通帳) 折儿 zhér; 折子 zhézi ¶외상 ～ 赊买账 shēmǎizhàng ‖예금 ～ 存款折子 cúnkuǎn zhézi =〔存折儿 cúnzhér〕
통제(統制) 统制 tǒngzhì ¶가격을 ～하다 统制价格 tǒngzhì jiàgé ‖～ 경제 统制经济 tǒngzhì jīngjì
통조림(桶…) 罐头 guàntou ¶파인애플 ～ 菠萝罐头 bōluó guàntou
통지(通知) 通知 tōngzhī; 知会 zhīhui ¶서면으로 ～하다 用书面通知 yòng shūmiàn tōngzhī/채용의 ～를 보내다 发录用的通知 fā lùyòng de tōngzhī
통째 整个 zhěnggè ¶～로 먹다 整吃 zhěng chī/～로 삼키다 整个儿咽下去 zhěnggèr yànxiaqu
통첩(通牒) 通牒 tōngdié ¶최후 ～을 수교하다 递交'最后通牒〔哀的美敦书〕 dìjiāo 'zuìhòu tōngdié〔āidìměidūnshū〕
통치(統治) 统治 tǒngzhì ¶인도네시아는 일찍이 네덜란드의 ～하에 있었다 印度尼西亚曾处在荷兰的统治之下 Yìndùníxīyà céng chǔ zài Hélán de tǒngzhì zhīxià ‖～권 统治权 tǒngzhìquán/신탁 ～ 托管 tuōguǎn
통치마 不开气的裙子 bù kāi qì de qúnzi
통쾌(痛快) 痛快 tòngkuai
통통하다 噔咙噔咙地胖 dēnglóng dēnglóng de pàng; 胖呼呼的 pànghūhū de
통틀어 全 quán; 都 dōu; 一切 yíqiè ¶～ 친 가격 整批价钱 zhěngpī jiàqian/～ 10만 원이나 들었다 包括在内花了十万元 bāokuò zàinèi huāle shí wàn yuán
통풍(通風) 通风 tōngfēng; 通气 tōngqì; 透风 tòufēng; 透气 tòuqì ¶집의 ～을 좋게 하다 使房间通风良好 shǐ fángjiān tōngfēng liánghǎo ‖～ 구멍 通风孔 tōngfēngkǒng
통학(通學) 上学 shàngxué; 走读 zǒudú ¶기차로 ～하다 坐火车上学 zuò huǒchē shàng xué ‖～생 走读生 zǒudúshēng =〔通学生 tōngxuéshēng〕
통합(統合) 合并 hébìng ¶2개의 전문 학교를 ～하여 대학을 만들었다 把两所专门学校合并起来建立了一所大学 bǎ liǎng suǒ zhuānmén xuéxiào hébìngqǐlai jiànlìle yì suǒ dàxué
통항(通航) 通航 tōngháng ¶이 운하는 대형 선박은 ～할 수 없다 这条运河大型轮船不能通航 zhè tiáo yùnhé dàxíng lúnchuán bùnéng tōngháng
통행(通行) 通行 tōngxíng; 往来 wǎnglái ¶이 길은 공사중이라 ～할 수가 없다 这条街在修路，不能通行 zhè tiáo jiē zài xiūlù, bùnéng tōngxíng ‖～ 금지 禁止通行 jìnzhǐ tōngxíng/야간 ～ 금지 禁夜 jìn yè/～인 行人 xíngrén/우측 ～ 靠右边行走 kào yòubian xíngzǒu
통혼(通婚) 求亲 qiúqīn
통화(通貨) 通货 tōnghuò ‖～수축 通货紧缩 tōnghuò jǐnsuō/～팽창 通货膨胀 tōnghuò péngzhàng
통화(通話) 通话 tōnghuà ¶한 ～는 3분입니다 一次通话三分钟 yí cì tōnghuà sān fēn zhōng ‖～료 电话费 diànhuàfèi
퇴각(退却) 退却 tuìquè
퇴고(推敲) 推敲 tuīqiāo; 推排 tuīpái ¶～에 ～를 거듭하다 经过了反复推敲 jīngguòle fǎnfù tuīqiāo
퇴로(退路) 退路 tuìlù ¶적의 ～를 끊다 截断敌人的退路 jiéduàn dírén de tuìlù
퇴박맞다(退…) 投梭之拒 tóu suō zhī jù(여자에게); 一鼻子灰 yì bízi huī; 卷檐子 juǎn yánzi; 挨顶 āi dǐng; 碰钉子 pèng dīngzi
퇴박하다(退…) 推却 tuīquè; 谢却 xièquè
퇴보(退步) 退步 tuìbù ¶어학은 계속해서 공부하지 않으면 ～한다 外语要是不继续学习，就会退步 wàiyǔ yàoshi bú jìxù xuéxí, jiù huì tuìbù
퇴비(堆肥) 堆肥 duīféi
퇴사(退社) ①《사직》 搁下 gēxia ¶회사를 ～하다 把公司搁下 bǎ gōngsī gēxia/일신상의 이유로 ～하다 由于个人的情况从公司退了职 yóuyú gèrén de qíngkuàng cóng gōngsī tuìle zhí ②《퇴근》 下班 xiàbān ‖～ 시간 下班时间 xiàbān shíjiān
퇴색(退色·褪色) 掉色 diàoshǎi; 走颜色 zǒu yánsè; 捎色 shāoshǎi
퇴역(退役) 退伍 tuìwǔ; 退役 tuìyì ‖～ 군인 退伍军人 tuìwǔ jūnrén
퇴원(退院) 出院 chūyuàn ¶어머니는 내일 ～하

신다 我母亲明天出院 wǒ mǔqin míngtiān chūyuàn
퇴적(堆積) 堆积 duījī ‖～ 평야 堆积平原 duījī píngyuán
퇴직(退職) 退职 tuìzhí ¶그는 병으로 ～한다 他因病退职 tā yīn bìng tuìzhí ‖～금 退职金 tuìzhíjīn / 정년 ～ 退休 tuìxiū
퇴치(退治) 扑灭 pūmiè; 消灭 xiāomiè ¶쥐를 ～하다 扑灭老鼠 pūmiè lǎoshu / 산적을 ～하다 消灭匪贼 xiāomiè fěizéi ‖문맹 ～ 扫盲 sǎománg
퇴침(退枕) 警枕 jǐng zhěn
퇴폐(頹廢) 颓废 tuífèi; 颓败 tuíbài ¶도덕이 ～하다 道德败坏 dàodé bàihuài / ～적인 소설 颓废的小说 tuífèi de xiǎoshuō
퇴학(退學) 出校 chūxiào; 退学 tuìxué ¶～맞다 挂牌退学 guàpái tuìxué / ～ 처분을 받다 受到'退学〔开除〕处分 shòudào 'tuìxué〔kāichú〕chǔfèn
퇴짜놓다(退…) 斥退 chì tuì; 璧谢 bì xiè
퇴짜맞다(退…) 挨顶 āi dǐng; 卷檐子 juǎn yánzi
툇마루(退…) 檐下的走廊 yán xià de zǒu láng ¶할머니가 ～에서 햇볕을 쬐고 계시다 老太太在廊檐下晒暖儿 lǎotàitai zài lángyán xià shàinuǎnr
투고(投稿) 投稿 tóugǎo ¶～ 환영 欢迎投稿 huānyíng tóugǎo / 잡지에 ～하다 向杂志投稿 xiàng zázhì tóugǎo
투구 (쇠모자) 盔 kuī; 首铠 shǒukǎi; 胄 zhòu
투구(投球) 投球 tóuqiú ¶1루에 ～하다 向一垒投球 xiàng yìlěi tóuqiú / 그는 어떤 일에도 전력 ～를 한다 他不论做什么事都全力以赴 tā búlùn zuò shénme shì dōu quánlì yǐ fù
투기(投機) 投机 tóujī; 买空卖空 mǎi kōng mài kōng ¶～심을 일으키다 扇动投机心理 shāndòng tóujī xīnlǐ / ～에 손을 대서 큰 손해를 입었다 搞投机吃了大亏 gǎo tóujī chīle dà kuī
투기(妬忌) 吃醋 chīcù; 妒忌 dùjì; 嫉妒 jídù ¶～를 일으키다 起了嫉妒心 qǐle jídùxīn
투덜거리다 瞎嘟哝 xiā dū nong; 好埋怨的 hào máiyuàn de; 发牢骚 fā láosāo
투망(投網) 旋网 xuánwǎng ¶～을 던지다 撒旋网 sǎ xuánwǎng
투명(透明) 透明 tòumíng ¶～한 유리 透明的玻璃 tòumíng de bōli ‖～체 透明体 tòumíngtǐ
투미하다 糊涂 hútu; 呆头呆脑 dāitóu dāinǎo; 笨 bèn
투박하다 粗重 cūzhòng
투베르쿨린(Tuberkulin) 《醫》 结核菌素 jiéhéjūnsù; 结素 jiésù ‖～ 반응 结核菌素试验 jiéhéjūnsù shìyàn
투병(鬪病) 与疾病作斗争 yǔ jíbìng zuò dòuzhēng; 养病 yáng bìng ¶그는 2년간의 ～ 생활을 보냈다 他过了两年与疾病作斗争的生活 tā guòle liǎng nián yǔ jíbìng zuò dòuzhēng de shēnghuó
투서(投書) 《투고》 投稿 tóugǎo; 《밀고》 匿名信 nìmíngxìn ¶신문에 ～하다 向报社投稿 xiàng bàoshè tóugǎo ‖～란 读者来信栏 dúzhě láixìnlán
투성이 满 mǎn; 净 jìng; 竟 jìng ¶진흙～의 자동차 满是泥的汽车 mǎn shì ní de qìchē / 그는 빚～이다 他满世界都是账 tā mǎn shìjiè dōu shì zhàng
투수(投手) 投手 tóushǒu
투시(透視) 透视 tòushì ¶뢴트겐으로 위를 ～하다 用爱克斯光透视胃部 yòng àikèsīguāng tòushì wèibù ‖～ 화법 透视画法 tòushì huàfǎ
투신(投身) ①《물 속으로》 投河(寻死) tóu hé; 跳井(自尽) tiào jǐng ¶우물에 ～하다 投井 tóu jǐng / 빌딩의 옥상에서 ～ 자살하다 跳楼自杀了 tiào lóu zìshā le ②《종사》 专心 zhuānxīn; 致志 zhìzhì ¶과학 연구에 ～하다 埋头于科学研究 máitóu yú kēxué yánjiū
투약(投藥) 下药 xiàyào ¶환자에게 ～하다 给患者下药 gěi huànzhě xiàyào
투옥(投獄) 下狱 xiàyù ¶억울한 죄로 ～되다 以莫须有的罪名被下狱 yǐ mòxūyǒu de zuìmíng bèi xiàyù
투우(鬪牛) 斗牛 dòuniú ‖～사 斗牛士 dòuniúshì
투입(投入) 投入 tóurù ¶전 병력을 ～하다 投入全部兵力 tóurù quánbù bīnglì / 사업에 자금을 ～하다 把资金投入事业 bǎ zījīn tóurù shìyè
투자(投資) 投资 tóuzī; 放本 fàngběn; 下本儿 xiàběnr ¶증권에 ～하다 投资于证券 tóuzī yú zhèngquàn
투정 闹磨 nàomó; 磨人 mórén
투지(鬪志) 斗志 dòuzhì ¶～ 만만하게 링에 올라갔다 斗志昂扬地上了拳击台 dòuzhì ángyáng de shàngle quánjītái
투창(投槍) 掷标枪 zhìbiāoqiāng
투표(投票) 投票 tóupiào ¶위원을 ～로 결정하다 投票决定委员 tóupiào juédìng wěiyuán / 누구에게 ～했습니까? 你投谁的票? nǐ tóu shuí de piào ‖～소 投票站 tóupiàozhàn / ～함 票箱 piàoxiāng =〔投票箱 tóupiàoxiāng〕
투하(投下) ①《아래로》 扔下 rēngxià; 投下 tóuxià ¶폭탄 ～ 投掷炸弹 tóuzhì zhàdàn / 구원 물자를 ～하다 空投救援物资 kōngtóu jiùyuán wùzi ②《자본을》 投入 tóurù; 出(资) chū ‖～ 자본 投入的资本 tóurù de zīběn
투항(投降) 投降 tóuxiáng ¶살아 남은 적병은 전원 ～했다 活下来的敌人都投降了 huóxiàlai de dírén dōu tóuxiáng le
툭탁거리다 叮当起来 dīngdāngqilai; 踢打起来 tīdǎqilai
툴툴거리다 咕咕囔囔 gūgūnangnang
퉁겨지다 《틀어지다》 翘曲 qiàoqū; 《비밀 따위가》 败露 bàilù
퉁명스럽다 莽撞 mǎngzhuàng; 生硬 shēngyìng; 腰板脖硬 yāobǎn bóyìng
퉁방울 铜铃 tónglíng
퉁탕 《발소리》 噗咚咚 pūdōngdōng; 《총 소리》 拍拍 pāipāi
퉁퉁 ①《부은 모양》 鼓彭彭 gǔpéngpéng ②《살찐 모양》 胖敦敦 pàngdūndūn; 圆滚滚 yuángǔngǔn
튀기 《잡종》 杂种 zázhǒng; 合种 hézhǒng; 混血儿 hùnxuèr; 〈俗〉 串秧儿 chuànyāngr
튀기다[1] ①《손가락으로》 弹开 tán kāi ¶손끝으로 벌레를 ～ 用指尖把小虫弹开 yòng zhǐjiān bǎ xiǎochóng tán kāi ②《물 따위》 溅 jiàn ¶자동차가 물을 튀기며 달려가다 汽车溅水而跑过 qìchē jiàn shuǐ ér pǎo guò
튀기다[2] 《기름에》 炸 zhá ¶기름으로 ～ 用油炸 yòng yóu zhá
튀다 《진흙이》 飞溅 fēi jiàn; 《불똥 따위》 (炭)爆

bào; 《공 따위》 弹回 tán huí; 《달아나다》 逃走 táo zǒu
튀하다 《더운물에》 烫 tàng
튜브(tube) ①《관》 筒 tǒng; 管 guǎn ②《용기》 软管 ruǎnguǎn ¶～에 들은 치약 管装牙膏 guǎn zhuāng yágāo ③《타이어》 内胎 nèitāi; 里带 lǐdài
튤립(tulip) 《植》 郁金香 yùjīnxiāng
트다[1] 《싹이》 冒(芽) mào; 发(芽) fā; 《먼동이》 (东方)发白 fā bái; 《피부가》 皲裂 jūnliè; 龟 jūn ¶튼 손 龟手 jūn shǒu
트다[2] 《길을》 打通 dǎtōng; 拆穿 chāichuān
트더지다 ⇨터지다
트라이앵글(triangle) 三角铃 sānjiǎolíng
트라코마(trachoma), 트라홈(Trachom) 《醫》 沙眼 shāyǎn ¶～에 걸리다 害沙眼 hài shāyǎn
트랙(track) 跑道 pǎodào ‖～ 경기 径赛 jìng sài
트랙터(tractor) 拖拉机 tuōlājī; 铁牛 tiěniú
트랜지스터(transistor) ①《物》 晶体(三极)管 jīngtǐ (sānjí) guǎn; 半导体管 bàndǎotǐguǎn ②⇨트랜지스터 라디오 ‖～ 라디오 半导体〔晶体管〕收音机 bàndǎotǐ〔jīngtǐguǎn〕 shōuyīnjī / ～ 텔레비전 晶体管电视机 jīngtǐguǎn diànshìjī
트러블(trouble) 纠纷 jiūfēn; 风波 fēngbō; 磨擦 mócā ¶～ 메이커 磨擦专家 mócā zhuānjiā / 가정내에 ～이 끊이지 않다 家庭里老起风波 jiātíng li lǎo qǐ fēngbō
트럭(truck) 卡车 kǎchē; 载重汽车 zàizhòngqìchē
트럼본(trombone) 长号 chánghào; 拉管 lāguǎn
트럼펫(trumpet) 小号 xiǎohào
트럼프(trump) 扑克 pūkè ¶～를 하다 打扑克 dǎ pūkè
트렁크(trunk) 皮箱 píxiāng; 手提箱 shǒutíxiāng; 行李箱 xínglixiāng(자동차의)
트레이닝(training) 锻炼 duànliàn; 练习 liànxí; 训练 xùnliàn ‖～ 팬츠 运动裤 yùndòngkù
트레이싱페이퍼(tracing paper) 描图纸 miáotúzhǐ
트레일러(trailer) 拖车 tuōchē; 挂车 guàchē
트로피(trophy) 奖杯 jiǎngbēi; 优胜杯 yōushèngbēi
트리오(trio) 三重唱 sānchóngchàng
트릭(trick) ①《속임수》 诡计 guǐjì; 圈套 quāntào ¶～에 걸리다 中了诡计 zhòngle guǐjì =〔上了圈套 shàngle quāntào〕 ②《영화》 特技 tèjì ‖～ 촬영 特技摄影 tèjì shèyǐng
트림 饱嗝儿 bǎogér ¶～하다 打饱嗝儿 dǎ bǎogér
트릿하다 《가슴이》 胸口堵得慌 xiōngkǒu dǔde huāng; 《성격이》 半瓶醋 bànpíngcù; 暧昧 àimèi
트이다 开通 kāitōng ¶트인 사람 高明的人 gāomíng de rén =〔圣明的人 shèngmíng de rén〕 / 운이 ～ 转运 zhuǎn yùn =〔走运 zǒu yùn〕
트집 讹头 étou; 借口 jièkǒu ¶～ 잡다 吹毛求疵 chuī máo qiú cī =〔诬赖 wūlài〕〔栽诬 cái wū〕〔找麻烦 zhǎo máfan〕
특공(特功) 殊功 shū gōng
특급(特急) 特别快车 tèbié kuàichē; 特快车 tèkuàichē; 特快 tèkuài ¶초～ 超级特快 chāojí tèkuài / 이 일은 ～으로 원합니다 这个工作急需完成, 请尽快 zhège gōngzuò jíxū wánchéng, qǐng jǐn kuài
특급(特級) 特等 tèděng ‖～품 特等品 tèděngpǐn
특기(特技) 特技 tèjì; 特殊技能 tèshū jìnéng ¶중국어의 ～를 살려서 통역하다 利用会中文这个专长当翻译 lìyòng huì Zhōngwén zhège zhuāncháng dāng fānyì
특대(特大) 特大 tèdà ‖～호 特大号 tèdàhào =〔特号 tèhào〕
특대생(特待生) 受特别待遇的学生 shòu tèbié dàiyù de xuésheng
특등(特等) 特等 tèděng ‖～석 特等席 tèděngxí / ～ 선실 特等舱 tèděngcāng
특례(特例) 特例 tèlì ¶이 경우는 ～로 인정한다 这个情况作为特例予以批准 zhège qíngkuàng zuòwéi tèlì yǔyǐ pīzhǔn
특매(特賣) 特别贱卖 tèbié jiàn mài ¶팔고 남은 겨울 옷을 ～하다 特价出售滞销的冬衣 tè jià chūshòu zhìxiāo de dōngyī ‖～장 特价品售货处 tèjiàpǐn shòuhuòchù / ～품 特价货 tèjiàhuò
특별(特別) 特别 tèbié ¶올 겨울은 ～히 춥다 今冬特别冷 jīndōng tèbié lěng / 나만 ～ 취급하는 것은 곤란하다 待我一个人特别可不好 dài wǒ yí ge rén tèbié kě bù hǎo ‖～ 급행 열차 特别快车 tèbié kuàichē =〔特快车 tèkuàichē〕 / ～기 专机 zhuānjī
특별시(特別市) 院辖市 yuànxiáshì
특보(特報) 特别报道 tèbié bàodào
특사(特使) 特使 tèshǐ; 专使 zhuānshǐ ¶외국에 ～를 파견하다 向外国派遣特使 xiàng wàiguó pàiqiǎn tèshǐ
특사(特赦) 特赦 tèshè ¶～를 베풀다 进行特赦 jìnxíng tèshè
특산(特産) 特产 tèchǎn ¶마오타이주는 구이저우의 ～이다 茅台酒是贵州的特产 Máotáijiǔ shì Guìzhōu de tèchǎn ‖～물 特产 tèchǎn
특색(特色) 特色 tèsè ¶각국의 ～을 나타낸 전시관 表现出各国特色的展览馆 biǎoxiàn chū gè guó tèsè de zhǎnlǎnguǎn / 이 신문의 ～은 문예란에 있다 这报纸的特点在于文艺栏 zhè bàozhǐ de tèdiǎn zàiyú wényìlán
특설(特設) 特设 tè shè ¶회장에 무대를 ～하다 在会场上特别设置舞台 zài huìchǎng shang tèbié shèzhì wǔtái ‖～ 매장 特别开设的柜台 tèbié kāishè de guìtái
특성(特性) 特性 tèxìng ¶지역의 ～을 살리다 充分发挥地区的特性 chōngfèn fāhuī dìqū de tèxìng
특수(特殊) 特殊 tèshū; 特别另样 tèbié lìng yàng ¶그의 경우는 ～하다 他的情况是特殊的 tā de qíngkuàng shì tèshū de / 각자의 ～성을 고려하다 考虑其每一个的特殊性 kǎolǜ qí měi yí ge de tèshūxìng ‖～ 교육 特殊教育 tèshū jiàoyù / ～ 촬영 特技摄影 tèjì shèyǐng
특약(特約) 特约 tèyuē ¶A사와 ～을 맺다 和A公司订特约合同 hé A gōngsī dìng tèyuē hétong ‖～점 特约经售处 tèyuē jīngshòuchù
특용(特用) 特殊用途 tèshū yòngtú ‖～작물 经济作物 jīngjì zuòwù
특유(特有) 特有 tèyǒu ¶이 풀은 ～한 냄새가 난다 这种草有特有的气味 zhè zhǒng cǎo yǒu

tèyǒu de qìwèi
특이(特異) 特异 tèyì ¶그는 ～한 재능을 지녔다 他具有特异的才能 tā jùyǒu tèyì de cáinéng ‖～ 체질 特异质 tèyìzhì =〔特异体质 tèyì tǐzhì〕
특전(特典) 特别恩典 tèbié ēndiǎn; 优待 yōudài ¶수업료 면제의 ～을 부여하다 予以免收学费的优遇 yǔyǐ miǎn shōu xuéfèi de yōuyù
특전(特電) 专电 zhuāndiàn ¶신화사 ～에 의하면… 据新华社专电 jù Xīnhuáshè zhuāndiàn
특정(特定) 特定 tèdìng ¶～한 사람에게만 알리다 只通知特定的人 zhǐ tōngzhī tèdìng de rén
특종(特種) ①(종류) 特别类型 tèbié lèixíng ② ⇨특종 기사 ‖～ 기사 特讯 tèxùn =〔特别消息 tèbié xiāoxi〕
특진(特進) 格外拔取 géwài báqǔ; 特别提升 tèbié tíshēng
특질(特質) 特性 tèxìng ¶고려 문화의 ～ 高丽文化的特征 Gāoli wénhuà de tèzhēng
특징(特徵) 特征 tèzhēng; 特点 tèdiǎn ¶～있는 목소리이기 때문에 곧 그녀라는 것을 알았다 口音特别, 一听就知道是她 kǒuyin tèbié, yì tīng jiù zhīdao shì tā / 그에게는 이렇다 할 ～이 없다 他没有什么值得一提的特点 tā méiyǒu shénme zhíde yì tí de tèdiǎn
특출(特出) 特出 tèchū; 出众 chūzhòng; 超卓 chāozhuó ¶～한 인재 特出的人才 tèchūde réncái
특파(特派) 特派 tèpài ¶현지에 기자를 ～하다 特派记者前往该地 tèpài jìzhě qiánwǎng gāi dì ‖～원 特派记者 tèpài jìzhě
특허(特許) 专利 zhuānlì ¶～ 출원중 正在申请专利权 zhèngzài shēnqǐng zhuānlìquán / 신제품의 ～를 얻다 取得新制品的专利权 qǔdé xīn zhìpǐn de zhuānlìquán ‖～권 专利权 zhuānlìquán
특히(特…) 特别 tèbié; 尤其 yóuqí ¶월말은 ～ 바쁘다 月底'特别〔特, 尤其〕忙 yuèdǐ 'tèbié〔tè, yóuqí〕máng / 그녀는 어학, ～ 중국어를 잘 할 줄 안다 她很会说外国话, 尤其是中国话讲得非常好 tā hěn huì shuō wàiguóhuà, yóuqí shì Zhōngguóhuà jiǎngde fēicháng hǎo
튼실하다 结实 jiēshi; 硬棒 yìngbang
튼튼하다 ①(건강) 结实 jiēshi; 棒健 bàngjiàn ②(견고) 坚固 jiāngù; 结实 jiēshi ¶이 의자는 아주 ～ 这把椅子做得很结实 zhè bǎ yǐzi zuòde hěn jiēshi
틀 ①(테두리) 边框(儿) biānkuàng(r) ②(관례) 常例 chánglì; 常规 chángguī ¶～에 박힌 문구 官样文章 guān yàng wénzhāng ③(모형) 模型 móxíng; 模子 múzi ④(기계) 机器 jīqi
틀거지 庄重而有威严的样子 zhuāngzhòng ér yǒu wēiyán de yàngzi
틀다 (돌리다) 扭转 niǔzhuǎn; (솜을) 弹(棉花) tán; (방해) 阻挡 zǔ dǎng
틀리다 ①(잘못 되다) 糟糕 zāo gāo; 做错 zuò cuò ②(틀어지다) 翘曲 qiào qū ¶판자가 햇볕을 쬐어 ～ 木板被太阳一晒就翘曲了 mùbǎn bèi tàiyang yí shài jiù qiào qū le
틀림 差错 chācuò; 过错 guòcuò ¶～없다 一定 yídìng =〔肯定 kěndìng〕
틀림없이 想必 xiǎngbì; 一定 yídìng
틀어막다 (구멍을) 堵住 dǔzhù; 塞上 sāi shang; (입을) 塞住(人口) sāizhù
틀어박다 塞进去 sāi jìnqù; 插进 chā jìn
틀어박히다 闷在家里 mènzài jiā li; 杜门却扫 dù mén què sǎo
틀어지다 ①(뒤틀리다) 翘曲 qiào qū; 弯曲 wān qū ¶표지가 ～ 书皮翘起来了 shūpí qiàoqi lai le ②(일이) 被打乱了 bèi dǎ luàn le
틈 ①(사이) 缝儿 fèngr ¶문～ 门缝儿 mén fèngr ②(시간) 闲工夫 xiángōngfu ③(여지) 空处 kòngchù; 馀地 yúdì ④(기회) 空子 kòngzi; 机会 jīhuì ¶～을 타서 도망치다 乘隙逃跑了 chéngxì táopǎo le / ～을 엿보다 伺机 sì jī
틈새 缝儿 fèngr
틈틈이 (때때로) 时常 shícháng; 一有工夫 yì yǒu gōngfu; (구멍마다) 一个缝儿一个缝儿地 yí ge fèngr yí ge fèngr de
티 (먼지) 尘土 chéntǔ; 尘埃 chén'āi; (결점) 瑕疵 xiázi; 毛病 máobìng
티(tea) 茶 chá ‖～ 스푼 茶匙 cháchí / ～ 파티 茶会 cháhuì =〔茶话会 cháhuàhuì〕/ 레몬 ～ 柠檬茶 níngméngchá / 밀크 ～ 加奶红茶 jiānǎihóngchá
티격나다 犯生分 fàn shēngfen; 失和 shīhé; 生外 shēng wài
티끌 尘埃 chén'āi ¶～만큼도 …없다 丝毫没有… sīhāo méiyǒu… / 그에게는 ～만큼의 성의도 없다 他一星半点儿的诚意也没有 tā yìxīng bàndiǎnr de chéngyì yě méiyǒu
티눈 鸡眼 jīyǎn
티푸스(Typhus) 《醫》 伤寒 shānghán
팀(team) 组 zǔ; 班 bān; 伙 huǒ; 队 duì ¶그는 이쪽 ～ 사람이다 他是这一组里的人 tā shì zhè yì zǔ lǐ de rén / 야구 ～을 만들다 成立棒球队 chénglì bàngqiúduì
팁(tip) 小费 xiǎofèi; 赏钱 shǎngqian; 酒钱 jiǔqian; (술좌석의) 酒资 jiǔzī; 〈俗〉 小账(儿) xiǎo zhàng(r) ¶～을 주다 给小费 gěi xiǎofèi

〔ㅍ〕

파 葱 cōng ¶대 ～ 大葱 dàcōng
파격(破格) 破格 pògé ¶～적인 승진 破格的晋升 pògé de jìnshēng
파견(派遣) 打发 dǎfa; 派遣 pàiqiǎn ¶대사를 ～하다 派遣大使 pàiqiǎn dàshǐ
파괴(破壞) 破坏 pòhuài ¶전쟁으로 도시가 거의 ～되었다 由于战争市镇几乎全被'破坏〔毁坏〕了 yóuyú zhànzhēng shìzhèn jīhū quán bèi 'pòhuài〔huǐhuài〕le
파국(破局) 悲惨的结局 bēicǎn de jiéjú ¶두 사람의 사이는 ～을 맞이한다 两人之间落得个悲惨的结局 liǎng rén zhījiān luòde ge bēicǎn de jiéjú
파급(波及) 波及 bōjí ¶사건은 생각지도 못한 방면으로 ～되었다 事件波及到意想不到的地方去了 shìjiàn bōjí dào yìxiǎng bú dào de dìfang qù le
파기(破棄) 废除 fèichú; 撕毁 sīhuǐ ¶혼약을 ～하다 解除婚约 jiěchú hūnyuē =〔退婚 tuì hūn〕/ 원판결을 ～하다 撤销原判 chèxiāo yuánpàn
파노라마(panorama) 全景画 quánjǐnghuà

파다 挖掘 wājué; 《새기다》 刻 kè
파다하다(頗多…) 《많다》 颇多 pōduō
파다하다(播多…) 《소문이》 传遍 chuánbiàn
파닥거리다 《새가》 吧嗒吧嗒地打翅膀 bādabādadi dǎchìbǎng; 《물고기가》 扑棱着 pūléngzhe
파라솔(parasol) 旱伞 hànsǎn; 阳伞 yángsǎn ‖비치 ～ 大遮日伞 dà zhērìsǎn
파라슈트(parachute) 降落伞 jiàngluòsǎn ¶～로 내리다 用降落伞降落 yòng jiàngluòsǎn jiàngluò =〔跳伞 tiàosǎn〕 ‖～부대 降落伞部队 jiàngluòsǎn bùduì =〔伞兵部队 sǎnbīng bùduì〕
파라핀(Paraffin) 《化》 石蜡 shílà
파란 《법랑》 珐琅 fàláng
파란(波瀾) 波澜 bōlán; 风波 fēngbō ¶～ 만장한 이야기 波烂万丈的故事 bōlàn wànzhàng de gùshi / ～ 많은 일생을 보내다 度过波烂起伏的一生 dùguò bōlán qǐfú de yìshēng
파랑새 青鸟儿 qīngniǎor
파랗다 碧蓝 bìlán; 碧沉沉 bìchénchén
파래 《植》 肠浒苔 chánghǔtái
파래지다 《빛깔》 发绿 fālǜ; 《안색》 (脸)苍白 cāngbái
파렴치(破廉恥) 无耻 wúchǐ; 恬不知耻 tián bù zhī chǐ; 寡廉鲜耻 guǎliánxiǎnchǐ ¶～한 행위 寡廉鲜耻的行为 guǎliánxiǎnchǐ de xíngwéi ‖～죄 违反道德罪 wéifǎn dàodé zuì / ～한(漢) 恬不知耻〔死不要脸〕的家伙 tián bù zhī chǐ 〔sǐ búyàoliǎn〕 de jiāhuo
파리 《蟲》 苍蝇 cāngying; 蝇子 yíngzi ¶～가 꾀다 落着苍蝇 luòzhe cāngying / ～를 쫓다 赶苍蝇 gǎn cāngying ‖～채 苍蝇拍子 cāngying pāizi =〔蝇拍 yíngpāi〕
파리하다 瘦削 shòuxuē; 瘦损 shòusǔn
파멸(破滅) 灭亡 mièwáng ¶일신의 ～을 가져오다 自找死路 zì zhǎo sǐlù =〔自取灭亡 zì qǔ mièwáng〕
파문(波紋) 波纹 bōwén ¶그 성명은 세계에 커다란 ～을 일으켰다 那项声明在世界上引起了很大的轰动 nà xiàng shēngmíng zài shìjiè shang yǐnqǐle hěn dà de hōngdòng / 수면의 ～이 점점 번져 나가다 水面的波纹渐渐地扩散开来 shuǐmiàn de bōwén jiànjiànde kuòsàn kāilai
파문(破門) 开除 kāichú; 绝师徒之谊 jué shītú zhī yí ¶배교자를 ～하다 把叛教者逐出教门 bǎ pànjiàozhě zhúchū jiàomén
파묻다 《땅 속에》 埋 mái; 《매장》 埋葬 máizàng ¶눈속에 파묻히다 盖在雪中 gài zài xuě zhōng / 어머니의 무릎에 얼굴을 파묻고 울다 俯在母亲的膝上大哭 fǔ zài mǔqin de xī shang dà kū
파벌(派閥) 派系 pàixì; 派别 pàibié ‖～ 싸움 派别斗争 pàibié dòuzhēng
파병(派兵) 派兵 pàibīng ¶해외에 ～하다 向海外派兵 xiàng hǎiwài pàibīng
파삭파삭하다 酥脆 sūcuì; 软酥酥 ruǎnsūsū
파산(破産) 破产 pòchǎn; 倒产 dǎochǎn; 荡产 dàngchǎn; 烂巴 lànbā; 倒闭 dǎobì ¶～ 선고를 하다 宣告破产 xuāngào pòchǎn
파상(波狀) 波浪式 bōlàngshì ¶～ 공격을 가하다 进行波浪式攻击 jìnxíng bōlàngshì gōngjī
파상풍(破傷風) 破伤风 pòshāngfēng
파생(派生) 派生 pàishēng ¶저 사건으로부터 새로운 문제가 ～하다 从那事件又派生出新的问题 cóng nà shìjiàn yòu pàishēng chū xīn de wèntí ‖～어 派生词 pàishēngcí
파손(破損) 破损 pòsǔn ¶수도관의 ～된 곳을 수리하다 修理自来水管的破损处 xiūlǐ zìláishuǐguǎn de pòsǔnchù
파쇄(破碎) 粉碎 fěnsuì ¶～하다 打碎 dǎsuì
파쇠(破…) 碎铁 suìtiě; 碎钢 suìgāng
파수보다(把守…) 看守 kān shǒu; 把守 bǎshǒu; 瞭望 liàowàng
파슬리(parsley) 《植》 荷兰芹 hélánqín
파시스트(fascist) 法西斯分子 fǎxīsī fènzǐ
파시즘(fascism) 法西斯主义 fǎxīsī zhǔyì
파악(把握) 掌握 zhǎngwò; 把握 bǎwò ¶정세를 ～하다 掌握局势 zhǎngwò júshì / 내용을 ～하다 充分掌握内容 chōngfèn zhǎngwò nèiróng
파안일소(破顔一笑) 破颜一笑 pòyán yí xiào; 喜笑颜开 xǐxiào yánkāi
파업(罷業) 罢工 bàgōng
파열(破裂) 破裂 pòliè ¶수도관이 ～하다 水管破裂了 shuǐguǎn pòliè le ‖～음 塞音 sèyīn
파운드(pound) ①《화폐》 英镑 yīngbàng; 镑 bàng ¶1 ～ 一英镑 yì yīngbàng / 5 ～ 지폐 五镑纸币 wǔ bàng zhǐbì ②《중량》 磅 bàng ¶버터 1 ～ 一磅黄油 yí bàng huángyóu
파울(foul) 犯规 fànguī ¶5회 ～로 실격하다 犯五次规, 被罚出场 fàn wǔ cì guī, bèi fá chūchǎng ‖～볼 界外球 jièwàiqiú
파이(pie) 馅饼 xiànbǐng; 排 pái ‖애플～ 苹果排 píngguǒpái
파이프(pipe) ①《관》 管子 guǎnzi; 管道 guǎndào ¶～가 막혀서 물이 나오지 않는다 管子堵住了, 水不流 guǎnzi dǔzhu le, shuǐ bù liú ②《담배》 烟斗 yāndǒu ¶～를 물다 叼着烟斗 diāozhe yāndǒu ‖～ 라인 输油管 shūyóuguǎn / ～ 오르간 管风琴 guǎnfēngqín
파인애플(pineapple) 凤梨 fènglí; 菠萝 bōluó; 菠萝蜜 bōluómì
파자마(pajamas) 睡衣 shuìyī
파장(罷場) 《장의》 散集 sànjí; 《인생의》 下场头 xiàchangtóu
파적(破寂) 消遣 xiāoqiǎn; 解闷(儿) jiěmèn(r); 寻开心 xún kāixīn(농으로) ¶심심～으로 바둑을 두다 下棋消遣 xiàqí xiāoqiǎn
파죽(破竹) 破竹 pòzhú ¶～지세로 진격하다 以破竹之势展开进攻 yǐ pòzhú zhī shì zhǎnkāi jìngōng =〔追击敌军势如破竹 zhuījī díjūn shì rú pòzhú〕
파지(破紙) 纸片 zhǐpiàn; 废纸 fèizhǐ; 乱纸 luànzhǐ
파천황(破天荒) 破天荒 pòtiānhuāng ¶～의 일 破天荒的事 pòtiānhuāng de shì
파출부(派出婦) 临时女佣 línshí nǚyōng
파출소(派出所) 派出所 pàichūsuǒ
파충류(爬蟲類) 爬行动物 páxíng dòngwù; 爬虫 páchóng
파탄(破綻) 破绽 pòzhàn ¶계획에 ～이 생겼다 计划露出了破绽 jìhuà lùchūle pòzhàn
파트너(partner) 伙伴 huǒbàn
파티(party) 晚会 wǎnhuì ¶～를 열다 开晚会 kāi wǎnhuì ‖댄스 ～ 舞会 wǔhuì / 칵테일 ～ 鸡尾酒会 jīwěijiǔhuì / 티～ 茶会 cháhuì
파파(papa) 爸爸 bàba
파파야(papaya) 《植》 番木瓜 fānmùguā

파편(破片) 碎片 suìpiàn; 破片 pòpiàn; 碴儿 chár ¶유리의 ~ 玻璃碴儿 bōli chár / 탄환의 ~ 弹片 dànpiàn
파하다(罷…) 《극장》 散 sàn; 《회사·관청》 下(班) xià; 《학교》 下(课) xià; 《공장》 下(工) xià
판 ①《판국》 局势 júshì; 局面 júmiàn ②《곳》 地点 dìdiǎn ¶노름~ 赌局 dǔjú =〔宝局 bǎojú〕 ③《경우》 处境 chǔjìng ¶이번에는 내가 당번할 ~이다 这次该我的班了 zhè cì gāi wǒ de bān le ④《횟수》 盘 pán ¶바둑 한 ~ 둡시다 下一盘棋吧 xià yì pán qí ba
판가름 评断 píngduàn; 分辨好歹 fēnbiàn hǎodǎi ¶~나다 定局 dìngjú
판결(判決) 判决 pànjué; 审明 shěnmíng ¶~을 내리다 作出判决 zuòchū pànjué =〔判处 pànchǔ〕/ 원~을 파기하다 撤销原判 chèxiāo yuánpàn / 징역 1년의 ~을 선고하다 宣告判处一年徒刑 xuāngào pànchǔ yì nián túxíng ‖ ~문 判词 pàncí =〔判决书 pànjuéshū〕
판국(…局) 局面 júmiàn; 局势 júshì ¶사태는 오늘날 새로운 ~으로 접어들었다 事态现在进入了新局面 shìtài xiànzài jìnrùle xīn júmiàn
판권(版權) 版权 bǎnquán
판다(panda) 《動》 熊猫 xióngmāo; 猫熊 māoxióng
판단(判斷) 判断 pànduàn; 断定 duàndìng ¶너의 ~에 맡긴다 全凭你做判断 quán píng nǐ zuò pànduàn / 공정한 ~을 내리다 下公正的判断 xià gōngzhèng de pànduàn
판로(販路) 销路 xiāolù ¶~를 확장하다 推广销路 tuīguǎng xiāolù / 새로운 ~를 개척하다 开辟新销路 kāipì xīn xiāolù
판명(判明) 判明 pànmíng ¶그의 행방이 ~되었다 他有了下落 tā yǒu le xiàluò / 죽은 사람의 신원이 ~되었다 死者的身分判明了 sǐzhě de shēnfen pànmíng le
판목(版木) 印刷底板 yìnshuā dǐbǎn; 木板 mùbǎn
판박이 《책》 板本 bǎnběn; 《상투적》 死法子 sǐfǎzi; 死套子 sǐtàozi; 板板六十四 bǎnbǎn liù shí sì
판별(判別) 判别 pànbié ¶가짜인지 진짜인지 ~하기가 어렵다 真假难于判别 zhēnjiǎ nányú pànbié
판본(板本·版本) 板本 bǎnběn
판사(判事) 审判员 shěnpànyuán; 推事 tuīshì
판상놈(…常…) 婊子养的 biǎozi yǎng de; 杂种 zázhǒng; 鳖蛋下的 biēdàn xià de
판수 《점쟁이》 算卦的瞎子 suànguà de xiāzi; 《소경》 瞎子 xiāzi
판자(板子) 木板 mùbǎn
판장(板牆) 《판자로 만든》 围墙 wéiqiáng; 板墙 bǎnqiáng
판정(判定) 判定 pàndìng ¶심판의 ~에 따르다 服从裁判员的裁判 fúcóng cáipànyuán de cáipàn ‖ ~승 判定得胜 pàndìng déshèng
판치다 称霸 chēngbà; 独擅 dúshàn
판판이 每一场 měi yìchǎng; 每一局 měi yìjú ¶~지다 局局打输 jújú dǎshū
판판하다 板式 bǎnshì
팔 胳膊 gēbo; 胳臂 gēbei
팔걸이 扶手 fúshou ‖ ~ 의자 扶手椅 fúshouyǐ; 交椅 jiāoyǐ; 太师椅 tàishīyǐ
팔꿈치 肘 zhǒu; 胳膊肘儿 gēbo zhǒur; 胳膊肘子 gēbo zhǒuzi
팔다 卖 mài; 销售 xiāoshòu
팔다리 手脚 shǒujiǎo
팔딱팔딱 ¶~뛰다 一蹦一蹦地跳 yíbèngyíbèngde tiào; 《맥이》 跳动 tiàodòng
팔뚝 胳臂腕子 gēbei wànzi
팔랑개비 纸风车 zhǐfēngchē
팔리다 《물건이》 卖得出去 mài de chūqu ¶잘 팔리는 물건 畅销的东西 chàngxiāo de dōngxi / 잘 팔리지 않는 물건 不太好销的货 bútài hǎo xiāo de huò / 그 책은 100만부 팔렸다 那本书销了一百万部 nà běn shū xiāole yìbǎiwàn bù / 이 상품은 호평으로 잘 팔린다 这货受欢迎很畅销 zhè huò shòu huānyíng hěn chàngxiāo
팔매질 撇小石头 piě xiǎoshítou
팔모정(八…亭) 八角亭 bājiǎotíng
팔목 手腕子 shǒuwànzi; 手脖儿 shǒubór
팔방(八方) 八方 bāfāng ¶그는 ~ 미인이다 他是个八面玲珑的人 tā shì ge bāmiàn línglóng de rén =〔他那个人八面光 tā nàge rén bāmiànguāng〕
팔삭둥이(八朔…) 《조산아》 早产儿 zǎochǎnr; 《모자라는 사람》 呆子 dāizi; 八号儿半 bāhàorbàn
팔심 腕力 wànlì ¶그는 ~이 세다 他腕力大 tā wànlì dà
팔씨름 扳手腕 bān shǒuwàn; 掰腕子 bāi wànzi
팔자(八字) 星相 xīngxiàng; 命运 mìngyùn; 天数 tiānshù; 定数 dìngshù ¶~ 좋은 有造化的 yǒu zàohua de =〔受天惠的 shòu tiānhuì de〕/ ~ 고치다 大走红运 dà zǒu hóngyùn(운 틔다) =〔改嫁 gǎijià〕〔改醮 gǎijiào(재가)〕
팔죽지 膀子 bǎngzi
팔짓 手势 shǒushì; 手式 shǒushi
팔짱끼다 抱胳臂 bào gēbei; 交臂 jiāobì ¶팔짱을 끼고 잠깐 생각에 잠겼다 抱着胳膊沉思了片刻 bàozhe gēbo chénsīle piànkè
팔찌 镯钏 zhuóchuàn; 手镯 shǒuzhuó
팔팔하다 《성급》 火性 huǒxìng; 急性 jíxìng; 《활발》 精神充沛 jīngshen chōngpèi
팔풍받이(八風…) 四面受风 sìmiàn shòu fēng
팔회목 手腕子 shǒuwànzi
팜플렛(pamphlet) 小册子 xiǎocèzi
팝아트(pop art) 流行艺术 liúxíng yìshù
팝콘(popcorn) 爆玉米花 bào yùmǐhuā
팥 小豆 xiǎodòu; 红豆 hóngdòu; 赤豆 chìdòu; 赤小豆 chìxiǎodòu ¶~색 暗红色 ànhóngsè
팥밥 红豆饭 hóngdòufàn
팥소 红豆馅儿 hóngdòuxiànr; 豆沙 dòushā
팥죽(…粥) 小豆粥 xiǎodòuzhōu
패(牌) 《나무패》 木头牌 mùtoupái; 《문패》 门牌 ménpái; 《상패》 奖牌 jiǎngpái; 《동아리》 伙伴 huǒbàn ¶(악당의) 한~가 되다 串通一气 chuàntong yíqì
패가(敗家) 败家 bàijiā; 荡尽家财 dàngjìn jiācái ‖ ~망신 荡产身败名裂 dàngchǎn shēnbài míngliè
패권(霸權) 霸权 bàquán ¶천하의 ~을 잡다 掌握天下的霸权 zhǎngwò tiānxià de bàquán / 우리 팀이 금년도의 ~을 잡았다 我队获得了本年度的冠军 wǒ duì huòdele běnniándù de guànjūn

패기(霸氣) 雄心 xióngxīn; 锐气 ruìqì ¶저 청년은 ~가 없다 那个年轻人没有锐气 nàge niánqīngrén méiyǒu ruìqì

패다[1] 《장작을》 劈(柴) pī; 《때리다》 揍 zòu; 打 dǎ ¶도끼로 장작을 ~ 拿斧子劈木柴 ná fǔzi pī mùchái

패다[2] 《파이다》 挖下去 wāxiaqu; 塌陷 tāxiàn

패랭이꽃 〔植〕 瞿麦 qúmài

패러독스(paradox) 反论 fǎnlùn

패려궂다(悖戾…) 粗鲁没有礼貌 cūlu〔lǔ〕 méiyǒu lǐmào; 悖谩 bèimàn

패물(佩物) 佩带儿 pèidàir; 装饰品 zhuāngshìpǐn

패배(敗北) 败仗 bàizhàng; 败北 bàiběi ¶~를 맛보다 吃了败仗 chīle bàizhàng / 1점 차로 ~ 당했다 以一分之差被打败了 yǐ yì fēn zhī chā bèi dǎbài le

패보(敗報) 败战的报导 bàizhàn de bàodǎo

패션(fashion) 剪裁式样 jiǎncái shìyàng; 时装 shízhuāng ‖~ 모델 服装模特儿 fúzhuāng mótèr / ~쇼 时装表演 shízhuāng biǎoyǎn / ~ 잡지 时装杂志 shízhuāng zázhì

패스(pass) ①《표》 免票 miǎnpiào; 定期票 dìngqīpiào ②《합격》 考中 kǎozhòng; 及格 jígé; 录取 lùqǔ; 通过 tōngguò ¶시험에 ~했다 考试通过了 kǎoshì tōngguò le =〔考试及格了 kǎoshì jígé le〕 ③《구기 따위에서》 传球 chuánqiú ¶볼을 재빠르게 ~하다 迅速传球 xùnsù chuánqiú ④《카드놀이에서》 ¶좋은 카드가 없어서 1회 ~하다 没有好牌, 这回不要 méiyǒu hǎo pái, zhè huí bú yào

패스포트(passport) 护照 hùzhào

패용(佩用) 佩戴 pèidài; 佩带 pèidài ¶훈장을 ~하다 佩带勋章 pèidài xūnzhāng

패자(敗者) 失败者 shībàizhě ‖~ 부활전 双淘汰赛 shuāngtáotàisài

패잔병(敗殘兵) 败兵 bàibīng; 残兵败将 cánbīngbàijiàng

패턴(pattern) 类型 lèixíng; 形式 xíngshì; 方式 fāngshì ¶문화의 ~ 文化的类型 wénhuàde lèixíng

패트런(patron) 资助者 zīzhùzhě

패트롤(patrol) 巡逻 xúnluó ‖~카 巡逻车 xúnluóchē

패하다(敗…) 打败 dǎbài; 打输 dǎshū ¶전쟁에서 패했다 战争打败了 zhànzhēng dǎbàile =〔仗打输了 zhàng dǎshū le〕

팬(fan) ①《애호가》 迷 mí; 爱好者 àihàozhě ¶야구~ 棒球迷 bàngqiúmí / 저 스타에게는 열렬한 ~이 많이 있다 那个明星有不少'热心的崇拜者〔给他捧场的人〕 nàge míngxīng yǒu bùshǎo 'rèxīn de chóngbàizhě 〔gěitā pěngchǎng de rén〕 ②《송풍기》 风扇 fēngshàn ‖~ 레터 热心家的信 rèxīnjiā de xìn

팬츠(pants) 裤衩(儿) kùchǎ(r) ¶~를 입다 穿裤衩儿 chuān kùchǎr

팬터마임(pantomime) 哑剧 yǎjù ¶~을 하다 演哑剧 yǎn yǎjù

팬티(panties) 三角裤衩 sānjiǎo kùchǎ

팻말(牌…) 揭示牌 jiēshìpái; 告示牌 gàoshipái ¶~을 세우다 立着揭示牌 lìzhe jiēshìpái

팽개치다 《던지다》 扔开 rēngkai; 掷开 zhìkai; 抛开(了) pāokāi(le); 《그만두다》 抛下 pāoxia; 《돌보지 않다》 置之不理 zhì zhī bùlǐ

팽그르르 滴溜滴溜 dīliūdīliū

팽나무 〔植〕 朴树 pòshù

팽이 陀螺 tuóluó; 地黄牛 dìhuángniú ¶~를 돌리다 抽陀螺 chōu tuóluó

팽창(膨脹) 膨胀 péngzhàng ¶기체는 열을 받아 ~한다 气体受热膨胀 qìtǐ shòurè péngzhàng ‖통화 ~ 通货膨胀 tōnghuò péngzhàng

팽팽하다 《밧줄·돛 따위가》 紧 jǐn; 绷直 bēngzhí

퍅하다(愎…) 火性 huǒxìng; 好发脾气 hàofā píqi

퍼내다 《물을》 打(水) dǎ; 舀 yǎo; 《변소·시궁창》 淘(沟) táo; 抽出 chōuchū; 汲出 jíchū ¶분뇨를 ~ 淘粪尿 táo fènniào / 뱃바닥에 고인 물을 ~ 淘舱底的水 táo cāng dǐde shuǐ

퍼더버리다 伸开腿坐 shēnkāi tuǐ zuò

퍼뜨리다 《소문을》 散布 sànbù; 招摇 zhāoyáo; 《종교 따위를》 推广 tuīguǎng; 弘布 hóngbù

퍼렇다 深绿 shēnlǜ

퍼레이드(parade) 游行 yóuxíng ¶오픈카를 타고서 시내를 ~하다 坐着敞篷汽车在市内游行 zuòzhe chǎngpéng qìchē zài shì nèi yóuxíng

퍼머넌트(permanent) 电烫 diàntàng ¶~하다 烫头发 tàng tóufa

퍼붓다 ¶물을 ~ 舀水倒下去 yǎo shuǐ dàoxiaqu / 욕설을 ~ 加以痛骂 jiāyǐ tòngmà / 포탄을 ~ 发出猛烈的炮火 fāchū měngliè de pàohuǒ / 비가 ~ 大雨倾盆 dàyǔ qīngpén

퍼센트(percent) 百分率 bǎifēnlǜ ¶3~의 커미션 百分之三的佣金 bǎifēn zhī sān de yòngjīn / 급료를 10~ 인상하다 薪水提高百分之十 xīnshui tígāo bǎifēn zhī shí

퍼스트(first) ① 第一 dìyī ¶레이디 ~ 妇女优先 fùnǚ yōuxiān ②《야구》 一垒 yīlěi; 一垒手 yīlěishǒu

퍼지다 《소문이》 传播出去 chuánbō chūqu; 《유행》 流行起来 liúxíng qilai; 《넓어지다》 变宽大 biàn kuāndà; 《이름이》 驰(名) chí; (名声)大了 dàle; 《밥이 잘 익어서》 煮熟 zhǔshú

퍽 《매우》 非常 fēicháng; 很 hěn; 利害 lìhai ¶~ 덥다 热的很 rè de hěn

퍽신하다 松脆 sōngcuì

펀둥거리다 偷闲度日 tōuxián dùrì; 磨棱子 móléngzi; 打闲儿 dǎxiánr

펀하다 空旷的 kōngkuàng de; 敞的 chǎng de

펄떡거리다 《가슴이》 扑通扑通地跳 pūtōngpūtōngde tiào; 忐忑不安 tǎnte bù'ān; 《물고기 따위가》 扑棱着 pūlēngzhe

펄렁거리다 飘展 piāozhǎn

펄렁펄렁 哗啦哗啦地飘动 huālāhuālāde piāodòng

펄쩍 突地 túdì; 忽然 hūrán ¶~ 뛰다 吓得一跳 xiàde yítiào(놀라서) =〔跺手跺脚地发恨 duòshǒu duòjiǎode fāhèn (분해서)〕

펄펄 哗啦哗啦 huālāhuālā ¶물이 ~ 끓다 水滚开 shuǐgǔnkāi / 몸이 ~ 끓다 发高烧 fā gāoshāo / ~ 뛰다 气得乱蹦乱跳 qìde luànbèng luàntiào(화나서)

펄프(pulp) 木酥 mùsū; 纸浆 zhǐjiāng

펌프(pump) 泵 bèng; 帮浦 bāngpǔ; 唧筒 jītǒng ¶손으로 누르는 ~ 手摇泵 shǒuyáobèng ‖공기 ~ 气泵 qìbèng / 흡입 ~ 抽水机 chōushuǐjī

펑 砰 pēng ¶병마개가 ~하고 빠졌다 瓶塞儿砰地

一声拔出来了 píngsāir pēngde yìshēng báchulai le
펑크(puncture)〈俗〉放炮 fàngpào ¶~난 타이어를 수리하다 修补放了炮的轮胎 xiūbǔ fàngle pào de lúntāi
페니실린(penicillin) 青霉素 qīngméisù; 盘尼西林 pánníxīlín
페달(pedal) 踏板 tàbǎn; 脚蹬子 jiǎodēngzi ¶자전거의 ~을 밟다 踏自行车的脚蹬子 tà zìxíngchē de jiǎodēngzi
페스트(pest)《醫》鼠疫 shǔyì; 黑死病 hēisǐbìng
페어(fair) 光明正大 guāngmíngzhèngdà ¶~플레이의 정신 光明正大的精神 guāngmíngzhèngdà de jīngshén
페이스(pace) 步子 bùzi; 步调 bùdiào; 速度 sùdù ¶자기의 ~를 지키다 保持自己的速度 bǎochí zìjǐ de sùdù / 경기 후반에 들어서 ~가 떨어졌다 竞赛到了后半速度降低了 jìngsài dàole hòubàn sùdù jiàngdī le
페이지(page) 页 yè ¶~를 넘기다 翻书页 fān shūyè / 전부 400~다 共有四百页 gòng yǒu sìbǎi yè / 12~를 펴 주십시오 打开第十二页 dǎkāi dìshí'èr yè
페이퍼(paper) ①《종이》纸 zhǐ; 《양지》西洋纸 xīyángzhǐ ¶~ 테스트 笔试 bǐshì ②《샌드페이퍼》砂纸 shāzhǐ ‖~백 纸面书 zhǐmiànshū
페인트(paint) 油漆 yóuqī ¶~를 칠하다 涂油漆 tú yóuqī
펜(pen) 笔 bǐ; 钢笔 gāngbǐ ¶국제 ~ 클럽 国际笔会 Guójì bǐhuì ‖~네임 笔名 bǐmíng / ~대 钢笔杆 gāngbǐgǎn =〔笔杆子 bǐgǎnzi〕/ ~촉 钢笔尖 gāngbǐjiān =〔笔尖 bǐjiān〕〔笔头 bǐtóu〕
펜싱(fencing) 击剑 jījiàn
펠리컨(pelican)《鳥》鹈鹕 tíhú; 淘河 táohé
펭귄(penguin)《鳥》企鹅 qǐ'é
펴다 ①《접은 것을》开 kāi; 打开 dǎkāi ¶보자기를 ~ 打开包袱 dǎkāi bāofu / 교과서의 10페이지를 펴시오 打开〔掀开〕课本第十页 dǎkāi〔xiānkāi〕kèběn dìshí yè ②《구김살을》舒开 shūkāi; 抻直 chēnzhí; 伸 shēn ¶허리를 ~ 伸腰 shēn yāo / 전기 다리미로 주름을 ~ 用电熨斗把褶子烙平 yòng diànyùndǒu bǎ zhězi làopíng / 굽은 철사를 곧게 ~ 把弯的铁丝弄直 bǎ wān de tiěsī nòngzhí ③《날개 따위를》¶새가 날개를 ~ 鸟展开翅膀 niǎo zhǎnkāi chìbǎng / 공작이 날개를 ~ 孔雀开屏 kǒngquè kāipíng ④《기를》¶시어머니가 집에 없는 동안 기를 펼 수가 있었다 婆婆不在家可以无拘无束了 pópo bú zài jiā kěyǐ wújūwúshù le ⑤《세력·재능 따위를》¶세력을 ~ 伸张势力 shēnzhāng shìli / 그 회사에서는 그가 능력을 충분히 펼 수가 없다 在那个公司他无法充分施展才干 zài nàge gōngsī tā wúfǎ chōngfèn shīzhǎn cáigàn ⑥《가슴·어깨를》¶가슴을 펴고 건다 挺着胸脯走路 tǐngzhe xiōngpú zǒulù ⑦《이부자리를》铺 pū ¶이부자리를 ~ 铺被褥 pū bèirù ⑧《시행·반포》¶선정을 ~ 行善政 xíng shànzhèng / 계엄령을 ~ 实行戒严 shíxíng jièyán
펴지다 《구김살이》舒展开 shūzhankāi; 《굽은 것이》抻直开 chēnzhikāi
편(便) ①《대립하는 것의 한쪽》方 fāng ¶우리~ 我方 wǒfāng =〔我们这一头儿 wǒmen zhè yìtóur〕/ 그는 우리 ~이다 他是我方的朋友 tā shi wǒfāng de péngyǒu / 어느 ~에도 붙지 않고 중립을 지키다 不站在任何一方, 保持中立 bú zhàn zài rènhé yì fāng, bǎochí zhōnglì / 그는 학생~에 섰다 他站在学生一方 tā zhàn zài xuésheng yì fāng ②《방향·쪽》面 miàn; 边 biān; 旁 páng; 方向 fāngxiàng ¶서(西)~으로부터 공격해 오다 由西方攻来 yóu xīfāng gōnglái / 길 양~에 상점이 죽 늘어서 있다 道路两旁商店鳞次栉比 dàolù liǎngpáng shāngdiàn lín cì zhì bǐ / 내 오른~에 앉으십시오 请坐在我右边 qǐng zuò zài wǒ yòubian ③《계제·편의》¶철도~ 火车托运 huǒchē tuōyùn / 인~이 있어서 물건을 전해 줬다 顺便托人把东西捎去了 shùnbiàn tuō rén bǎ dōngxi shāoqu le
편(編) 编 biān; 编纂 biānzuǎn ¶김선생~으로 된 책 由金先生所编纂的书 yóu Jīn xiānsheng suǒ biānzuǎn de shū
편(篇) ①《책의 구분》篇 piān ¶상~ 上'篇〔册, 卷〕 shàng 'piān〔cè, juàn〕/ 제 1~ 第一篇 dìyì piān ②《조수사》篇 piān ¶1~의 논문 一篇论文 yì piān lùnwén / 1~의 시 一首诗 yì shǒu shī
편가르다(便…) 分帮 fēnbāng; 分成队伍 fēn chéng duìwǔ
편견(偏見) 偏见 piānjiàn ¶~을 갖다 抱偏见 bào piānjiàn / ~을 버리다 抛弃偏见 pāoqì piānjiàn
편도(片道) 单程 dānchéng ‖~표 单程票 dānchéngpiào
편도선(扁桃腺) 扁桃体 biǎntáotǐ; 扁桃腺 biǎntáoxiàn ¶~이 붓다 扁桃体发炎 biǎntáotǐ fāyán ‖~비대 扁桃体肥大 biǎntáotǐ féidà / ~염 扁桃体炎 biǎntáotǐyán =〔乳蛾 rǔ'é〕〔喉蛾 hóu'é〕
편들다(便…) 袒护 tǎnhù; 偏向 piānxiàng ¶약자 쪽을 ~ 站在弱者一方 zhàn zài ruòzhě yì fāng / 어머니는 늘 누이동생의 편을 드신다 母亲总是'向着〔偏向〕妹妹 mǔqin zǒngshì 'xiàngzhe〔piānxiàng〕mèimei
편리(便利) 方便 fāngbiàn; 便利 biànlì; 便当 biàndang ¶이 사전은 휴대하기에 ~하다 这本辞典便于携带 zhè běn cídiǎn biànyú xiédài / 지하철이 생기고 나서 교통이 ~해졌다 地下铁道通车, 交通方便了 dìxià tiědào tōngchē, jiāotōng fāngbiàn le
편물(編物) 打毛活 dǎmáohuó; 织毛线活儿 zhī máoxiànhuór ¶~을 풀다 拆毛线衣 chāi máoxiànyī / 나는 ~을 좋아한다 我喜欢织毛线活儿 wǒ xǐhuan zhī máoxiànhuór
편법(便法) ①《편의상의 방법》权宜之计 quán yí zhī jì ¶이것은 일시의 ~에 지나지 않는다 这只不过是权宜之计 zhè zhǐ búguò shì quán yí zhī jì ②《편리한 방법》方便的办法 fāngbiàn de bànfǎ; 便利的方法 biànli de fāngfǎ〔a〕; 简便的方法 jiǎnbiàn de fāngfǎ〔fa〕¶~을 강구하다 采取方便的办法 cǎiqǔ fāngbiàn de bànfǎ
편벽(偏僻) 偏僻 piānpì
편상화(編上靴) 高腰皮鞋 gāoyāo píxié; 穿带的皮鞋 chuāndài de píxié
편성(編成) 编成 biānchéng; 编造 biānzào; 组织 zǔzhī ¶예산을 ~하다 编制预算 biānzh

yùsuàn / 학급 ～ 编班 biānbān
편승(便乘) ①《승차·승선》就便坐乘 jiùbiàn zuòchéng ¶배에 ～하다 趁船 chènchuán ②《기회를 틈탐》顺风吹火 shùn fēng chuī huǒ; 巧妙利用 qiǎomiào lìyòng ¶세상 풍조에 ～하여 매명하다 利用社会的潮流沽名钓誉 lìyòng shèhuì de cháoliú gū míng diào yù / 시세에 ～하다 随大溜 suídàliù =〔顺水推舟 shùnshuǐ tuī zhōu〕
편식(偏食) 偏食 piānshí ¶～은 몸에 나쁘다 偏食对身体不好 piānshí duì shēntǐ bùhǎo
편안하다(便安…) 安乐 ānlè; 平安 píng'ān; 无苦无忧 wúkǔ wúyōu; 稳静 wěnjìng; 安好 ānhǎo
편애(偏愛) 偏爱 piān'ài; 偏疼 piānténg; 偏护 piānhù ¶장남을 ～하다 偏爱长子 piān'ài zhǎngzǐ / 선생은 학생을 ～하지 말아야 한다 教师对学生不该偏爱 jiàoshi duì xuésheng bùgāi piān'ài
편육(片肉) 肉片 ròupiàn
편의(便宜) 便宜 biànyí; 方便 fāngbiàn ¶～를 도모하다 给人方便 gěi rén fāngbiàn =〔便利人 biànli rén〕
편입(編入) 编入 biānrù; 《학생의》插班 chābān ¶예비역에 ～하다 编入预备役 biānrù yùbèiyì ‖ ～생 插班生 chābānshēng / ～ 시험 插班考试 chābān kǎoshì
편자 马蹄铁 mǎtítiě; 马掌 mǎzhǎng ¶～를 박다 钉马掌 dìng mǎzhǎng
편지(片紙·便紙) 信 xìn; 信件 xìnjiàn; 书信 shūxìn; 信函 xìnhán; 函件 hánjiàn; 信札 xìnzhá ¶어머니에게 ～를 쓰다 给母亲写信 gěi mǔqin xiě xìn / 친구에게 ～로 근황을 알리다 写信给朋友报告近况 xiě xìn gěi péngyou bàogào jìnkuàng / ～로 주문해서 책을 사다 邮购〔函购〕图书 yóugòu〔hángòu〕 túshū / 나한테 온 ～ 없나요 没有我的信吗? méiyǒu wǒde xìn ma? ‖ ～지 信纸 xìnzhǐ =〔信笺 xìnjiān〕
편집(偏執) 偏执 piānzhí; 固执 gùzhí ‖ ～광 偏执狂 piānzhíkuáng =〔妄想狂 wàngxiǎngkuáng〕 / ～병 偏执性精神病 piānzhíxìng jīngshénbìng
편집(編輯) 编辑 biānjí ¶잡지를 ～하다 编辑〔编〕杂志 biānjí〔biān〕 zázhì ‖ ～부 编辑部 biānjíbù / ～장 主编 zhǔbiān =〔总编辑 zǒngbiānjí〕
편짜다(便…) 结成队伍 jiéchéng duìwǔ; 搭帮 dā bāng ¶그와 편을 짜고 복식 경기에 출장하다 和他配对参加双打比赛 hé tā pèiduì cānjiā shuāngdǎ bǐsài / 홍(紅)과 백(白)으로 편을 짜서 경쟁하다 分成红队和白队来比赛 fēnchéng hóngduì hé báiduì lái bǐsài
편찮다(便…) 不舒服 bù shūfu; 起居不佳 qǐjū bù jiā
편하다(便…) ①《편안》舒服 shūfu; 安稳 ānwěn; 安静 ānjìng ¶편히 하룻밤을 자다 舒舒服服地睡一夜 shūshūfufude shuì yí yè / 여생을 편하게 보내다 安度馀生 āndù yúshēng ②《편리》方便 fāngbiàn; 便当 biàndang; 便利 biànli ¶지하철이 생겨서 교통이 편해졌다 地下铁道通车, 交通方便了 dìxià tiědào tōngchē, jiāotōng fāngbiàn le
펼치다 ①《열다》开 kāi; 打开 dǎkāi; 《펴다》伸展(双手) shēnzhǎn ¶보따리를 ～ 打开包袱 dǎkāi bāofu / 신문을 펼치고 보다 摊开报纸看 tānkāi bàozhǐ kàn / 12페이지를 펼쳐라 打开第十二页 dǎkāi dìshí'èr yè ②《전개되다》开展 kāizhǎn; 展开 zhǎnkāi; 展现 zhǎnxiàn ¶항의 운동을 ～ 开展抗议运动 kāizhǎn kàngyì yùndòng / 화려한 퍼레이드가 눈앞에 펼쳐지다 华丽的游行队伍展现在眼前 huálì de yóuxíng duìwǔ zhǎnxiàn zài yǎnqián
평(坪) 三十六方尺 sānshí liù fāngchǐ
평…(平…) 普通 pǔtōng ¶～사원 普通职员 pǔtōng zhíyuán =〔小职员 xiǎozhíyuán〕
평가(平價) 平价 píngjià ¶～를 절하하다 贬值 biǎn zhí / 채권을 ～하여 발행하다 按平价发行债券 àn píngjià fāxíng zhàiquàn
평가(評價) 评价 píngjià; 估价 gūjià ¶토지를 ～하다 评定地皮价格 píngdìng dìpí jiàgé / 그의 재능은 남들에게 높이 ～되고 있다 他的才能受到人们的很高的评价 tāde cáineng shòudào rénmen de hěn gāo de píngjià
평균(平均) 平均 píngjūn ¶1일 ～ 8시간 일하다 一天平均工作八小时 yì tiān píngjūn gōngzuò bā xiǎoshí / 전 교과목의 ～ 점수를 내다 算出全部科目的平均分数 suànchū quánbù kēmù de píngjūn fēnshù
평등(平等) 平等 píngděng ¶모든 국민은 법 앞에 ～하다 全体国民在法律面前一律平等 quántǐ guómín zài fǎlǜ miànqián yílǜ píngděng
평론(評論) 评论 pínglùn ¶정책을 ～하다 评论政策 pínglùn zhèngcè ‖ ～가 评论家 pínglùnjiā
평면(平面) 平面 píngmiàn ¶～적인 관찰 肤浅的看法 fūqiǎn de kànfa / ～과 직선은 한 점에서 만난다 平面与直线在一点相交 píngmiàn yǔ zhíxiàn zài yì diǎn xiāngjiāo ‖ ～도 平面图 píngmiàntú
평미레(平…) 斗刮 dǒuguā; 量概 liànggài
평방(平方) 平方 píngfāng
평범(平凡) 平凡 píngfán; 平平无奇 píngpíng wúqí ¶～한 얼굴 相貌平淡无奇 xiàngmào píngdàn wúqí / ～한 작품 平淡无味的作品 píngdàn wúwèi de zuòpǐn / ～한 인생을 보내다 度过平凡的一生 dùguò píngfán de yìshēng
평복(平服) 便衣 biànyī; 便服 biànfú; 便装 biànzhuāng
평상(平常) 平常 píngcháng; 平时 píngshí; 平素 píngsù; 素日 sùrì ¶～시에 공부하는 것이 중요하다 平素的学习很重要 píngsù de xuéxí hěn zhòngyào / ～대로 영업하다 照常营业 zhào cháng yíngyè
평생(平生) 《일생》一辈子 yíbèizi; 一生 yìshēng; 《평시》生平 shēngpíng ¶～ 잊을 수 없는 추억 毕生难忘的回忆 bìshēng nánwàng dé huíyì ‖ ～ 교육 终身教育 zhōngshēn jiàoyù
평소(平素) ⇨평상(平常)
평수(坪數) 幅员 fúyuán; 面积 miànjī; 幂积 mìjī
평야(平野) 平原 píngyuán; 平野 píngyě
평온(平穩) 平安 píng'ān; 平稳 píngwěn; 平静 píngjìng ¶～한 날을 보내다 过平安的日子 guò píng'ān de rìzi / 오늘도 ～하게 지나갔다 今天也平安无事地过去了 jīntiān yě píng'ān wúshì de guòqu le
평이(平易) 浅易 qiǎnyì; 浅近 qiǎnjìn; 浅显 qiǎnxiǎn; 平易 píngyì ¶～한 문장 平易的文章

píngyì de wénzhāng / ～한 말로 말하다 用浅近的话说 yòng qiǎnjìn de huà shuō
평일(平日) 《평상시》 平日 píngrì ¶ ～대로 수업함 照常授课 zhàocháng shòukè =〔照常上课 zhàocháng shàngkè〕
평작(平作) 普通年成 pǔtōng niáncheng; 常年产量 chángnián chǎnliàng ¶ 올해 벼농사는 ～은 될 테지요 今年的稻子收成跟常年一样吧 jīnnián de dàozi shōucheng gēn chángnián yíyàng ba
평정(平定) 平定 píngdìng; 平息 píngxī; 平靖 píngjìng ¶ 천하를 ～하다 平定天下 píngdìng tiānxià
평정(平靜) 平静 píngjìng; 镇静 zhènjìng; 冷静 lěngjìng ¶ ～을 가장하다 故作镇静 gù zuò zhènjìng / 그녀는 ～을 잃었다 她失去了'平静〔镇静, 冷静〕 tā shīqùle 'píngjìng〔zhènjìng, lěngjìng〕/ 그는 ～을 되찾은 것 같다 他好像恢复了平静 tā hǎoxiàng huīfùle píngjìng
평지 〘植〙 油菜 yóucài; 菜苔 càitái
평탄(平坦) 平坦 píngtǎn ¶ ～한 길 平坦的路 píngtǎn de lù / 전도는 ～하지 않다 前途不是平坦的 qiántú búshì píngtǎn de
평판(評判) 评价 píngjià; 名声 míngshēng ¶ 저 의사는 ～이 나쁘다 那个医生名声不好 nàge yīshēng míngshēng bù hǎo / 나쁜 ～이 나다 传出了坏风声 chuánchūle huài fēngshēng
평평하다(平平…) 平坦 píngtǎn; 平川 píngchuān
평행(平行) 平行 píngxíng ¶ 서로 ～인 두 직선 相互平行的两条直线 xiānghù píngxíng de liǎng tiáo zhíxiàn / 두 사람의 의견은 끝까지 ～선을 달리고 있었다 两者的见解自始至终不一致 liǎngzhě de jiànjiě zì shǐ zhì zhōng bù yízhì ‖ ～봉 双杠 shuānggàng / ～사변형 平行四边形 píngxíng sìbiānxíng
평형(平衡) 平衡 pínghéng ¶ 생산과 소비의 ～을 유지하다 保持生产和消费的'平衡〔均衡〕 bǎochí shēngchǎn hé xiāofèi de 'pínghéng〔jūnhéng〕/ (몸의) ～을 잃고 넘어졌다 失去平衡跌倒了 shīqù pínghéng diēdǎole ‖ ～ 감각 平衡觉 pínghéngjué
평화(平和) 和平 hépíng ¶ ～를 지키다 保卫和平 bǎowèi hépíng / 영구적인 ～를 원하다 期望永久和平 qīwàng yǒngjiǔ hépíng / 원자력의 ～적 이용 和平利用原子能 hépíng lìyòng yuánzǐnéng ‖ ～ 공존 和平共处 hépíng gòngchǔ
평활(平滑) 平坦而光滑 píngtǎn ér guānghuá ‖ ～근(筋) 平滑肌 pínghuájī
폐(肺) 肺 fèi; 肺脏 fèizàng ¶ ～를 앓다 患肺病 huàn fèibìng ‖ ～결핵 肺结核 fèijiéhé
폐(弊) ① ⇨ 폐단(弊端) ② 《누》 麻烦 máfan; 累赘 léizhuì; 搅扰 jiǎorǎo; 耽误 dānwu ¶ ～끼치다 打搅 dǎjiǎo =〔打扰 dǎrǎo〕/ 이것에는 여러 가지 ～가 따른다 随之产生种种弊病 suí zhī chǎnshēng zhǒngzhǒng bìbìng / 그분에겐 적지 않은 ～를 끼쳤다 给他可添了不少麻烦 gěi tā kě tiānle bùshǎo máfan
폐간(廢刊) 停刊 tíngkān; 停版 tíngbǎn ¶ A지는 7호로써 ～되었다 A杂志出到第七期就停刊了 A zázhì chūdào dìqī qī jiù tíngkān le
폐기(廢棄) 作废 zuòfèi; 废弃 fèiqì; 废除 fèichú ¶ 산업 ～물 工业废料 gōngyè fèiliào / ～물 처분을 하다 作为废弃物处理 zuòwéi fèiqìwù chǔlǐ
폐단(弊端) 弊端 bìduān; 弊病 bìbìng ¶ ～을 없애다 除弊病 chú bìbìng
폐렴(肺炎) 〘醫〙 肺炎 fèiyán
폐병(肺病) 肺病 fèibìng; 肺痨 fèiláo
폐쇄(閉鎖) 封闭 fēngbì; 关闭 guānbì ¶ 입구를 ～하다 封闭门口 fēngbì ménkǒu / 경영 부진으로 지점을 ～하다 由于经营不佳关闭分店 yóuyú jīngyíng bù jiā guānbì fēndiàn
폐업(廢業) 关门 guānmén; 歇业 xiēyè ¶ 그는 변호사를 ～했다 他不当律师了 tā bù dāng lǜshī le
폐인(廢人) 废人 fèirén; 残废 cánfèi
폐점(閉店) ① 《폐업》 歇业 xiēyè; 停业 tíngyè; 关闭 guānbì; 关板儿 guānbǎnr ¶ ～하기에 이르다 被迫停业 bèi pò tíngyè ② 《시간이 되어》 关门 guānmén; 上板儿 shàngbǎnr; 打烊 dǎyàng ¶ 7시에 ～하다 七时关门 qīshí guānmén ‖ ～ 대매출 歇业大甩卖 xiēyè dà shuǎimài / ～ 시간 关门时间 guānmén shíjiān
폐점(敝店 · 弊店) 敝号 bìhào; 小号 xiǎohào
폐정(閉廷) 退庭 tuìtíng ¶ 재판장이 ～을 선언하다 审判长宣布退庭 shěnpànzhǎng xuānbù tuìtíng
폐지(廢止) 废止 fèizhǐ; 废除 fèichú ¶ 허례를 ～하다 废除虚礼 fèichú xūlǐ / 사형의 ～를 호소하다 呼吁废除死刑 hūyù fèichú sǐxíng
폐품(廢品) 废品 fèipǐn; 破烂 pòlàn ¶ ～을 회수하다 回收废品 huíshōu fèipǐn =〔收破烂儿 shōu pòlànr〕
폐해(弊害) 弊病 bìbìng; 弊窦 bìdòu ¶ ～를 제거하다 除弊病 chú bìbìng
폐허(廢墟) 废墟 fèixū ¶ 대지진으로 B시는 ～가 되었다 由于大地震B市化为废墟 yóuyú dà dìzhèn B shì huàwéi fèixū
폐회(閉會) 闭会 bìhuì ¶ ～사를 하다 致闭会辞 zhì bìhuìcí ‖ ～식 闭幕式 bìmùshì
포(砲) 炮 pào; 大炮 dàpào ¶ ～를 쏘다 开炮 kāipào =〔放炮 fàngpào〕 ‖ 기관～ 机炮 jīpào / 산～ 过山炮 guòshānpào / 속사～ 快炮 kuàipào / 야～ 飞轮炮 fēilúnpào
포개다 把…重叠起来 bǎ…chóngdiéqilai; 把…堆起来 bǎ…duīqilai ¶ 책을 가지런히 포개어 놓다 把书整整齐齐地码起来 bǎ shū zhěngzhěng qíqíde mǎqilai
포경(包莖) 包茎 bāojīng ¶ ～ 수술을 하다 割包皮 gē bāopí
포고(布告) 布告 bùgào ¶ ～하다 出布告 chū bùgào / 선전을 ～하다 宣战 xuānzhàn
포괄(包括) 包括 bāokuò; 总括 zǒngkuò ¶ ～적으로 말하면 이렇게 됩니다 总括来说, 就是这样 zǒngkuò lái shuō, jiùshì zhèyàng / 이 논문은 모든 논점을 ～하고 있다 这篇论文包括了所有的论点 zhè piān lùnwén bāokuòle suǒyǒu de lùndiǎn
포교(布教) 传教 chuánjiào; 传道 chuándào; 布道 bùdào ¶ 불교를 ～하다 传布佛教 chuánbù fójiào
포근하다 温和 wēnhe; 暖和 nuǎnhuo ¶ 포근한 계절 温和的时令 wēnhe de shílìng
포기 墩 dūn; 株 zhū; 棵 kē ¶ 배추 한 ～ 一墩白菜 yì dūn báicài / 꽃창포의 ～를 나누다 分花菖蒲的植株 fēn huāchāngpú de zhízhū
포기(抛棄) 抛弃 pāoqì; 放弃 fàngqì ¶ 권리를 ～하다 放弃权利 fàngqì quánlì / 진지를 ～하다

放弃阵地 fàngqì zhèndì
포대(砲臺) 炮台 pāotái
포대기 衲的婴儿用的被子 nà de yīng'ér yòng de bèizi
포도(葡萄) 葡萄 pútao ‖~주 葡萄酒 pútaojiǔ
포동포동하다 红活圆实 hóng huó yuán shí; 又胖又嫩 yòu pàng yòu nèn
포로(捕虜) 俘虏 fúlǔ; 俘囚 fúqiú; 战俘 zhànfú ¶~가 되다 当俘虏 dāng fúlǔ =〔被俘 bèifú〕 ‖~ 수용소 战俘收容所 zhànfú shōuróngsuǒ
포르말린(독 Formalin) 福尔马林 fú'ěrmǎlín; 甲醛水 jiǎquánshuǐ
포마드(pomade) 发蜡 fàlà; 头油 tóuyóu ¶~를 바르다 擦发蜡 cā fàlà
포말(泡沫) 泡沫 pàomò ‖~ 회사 水泡公司 shuǐpào gōngsi(유령 회사)
포목(布木) 布匹 bùpǐ
포문(砲門) 炮眼 pàoyǎn; 炮口 pàokǒu ¶일제히 ~을 열다 一齐开炮 yìqí kāipào
포박(捕縛) 缉捕 jībǔ; 捕获 bǔhuò; 拿获 náhuò; 逮住上绑 dǎizhu shàng bǎng ¶범인을 ~하다 捕拿犯人 bǔná fànrén
포병(砲兵) 炮兵 pàobīng
포복(匍匐) 匍匐 púfú ¶~ 전진하다 匍匐前进 púfú qiánjìn
포복절도(抱腹絶倒) 捧腹大笑 pěngfù dà xiào; 笑断肚肠子 xiào duàn dùchángzi; 笑得前仰后合 xiàode qiányǎng hòuhé; 笑的直不起腰来 xiàode zhíbuqǐ yāolai ¶청중은 모두 ~했다 听众都捧腹大笑了 tīngzhòng dōu pěngfù dàxiào le
포부(抱負) 抱负 bàofù ¶졸업 이후의 ~를 말하다 谈谈毕业后的抱负 tántán bìyè hòu de bàofù
포석(布石) 布局 bùjú ¶그것은 반대당을 속박하기 위해 설치한 ~이다 那是为了束缚反对党所设下的布局 nà shì wèile shùfù fǎnduìdǎng suǒ shèxià de bùjú
포성(砲聲) 炮声 pàoshēng ¶~이 울리다 炮声隆隆 pàoshēng lónglóng
포수(砲手) 《사냥꾼》 猎户 lièhù; 《군대의》 炮手 pàoshǒu; 管炮的 guǎnpào de
포술(砲術) 炮术 pàoshù; 炮法 pàofǎ
포스터(poster) 广告画 guǎnggàohuà; 宣传画 xuānchuánhuà; 招贴画 zhāotiēhuà; 海报 hǎibào ¶~를 붙이다 贴广告画 tiē guǎnggàohuà
포스트(post) ①《우체통》 邮筒 yóutǒng; 信筒 xìntǒng; 信箱 xìnxiāng ¶편지를 ~에 집어넣다 把信投进邮筒 bǎ xìn tóujìn yóutǒng ②《위치》 职位 zhíwèi ¶중요한 ~에 있다 就重要的职位 jiù zhòngyào de zhíwèi
포승(捕繩) 绑绳 bǎngshéng; 警绳 jǐngshéng ¶범인을 ~으로 묶다 把犯人绑上 bǎ fànrén bǎngshang
포식(飽食) 饱食 bǎoshí ‖~난의 饱食暖衣 bǎoshí nuǎnyī =〔饱暖 bǎonuǎn〕
포신(砲身) 炮身 pàoshēn
포실하다 家道殷实 jiādào yīnshí
포옹(抱擁) 拥抱 yōngbào; 搂抱 lǒubào
포용(包容) 容纳 róngnà; 包容 bāoróng ¶~력 있는 사람 宽宏大量的人 kuānhóng dàliàng de rén =〔具有容人之量的人 jùyǒu róng rén zhī liàng de rén〕/ 다른 의견을 ~하다 容纳不同的意见 róngnà bùtóng de yìjiàn
포위(包圍) 包围 bāowéi ¶~ 공격하다 围攻 wéigōng / 3면으로부터 적을 ~하다 从三面包围敌人 cóng sānmiàn bāowéi dírén / ~를 풀다 解围 jiěwéi
포유(哺乳) 哺乳 bǔrǔ ‖~ 동물 哺乳动物 bǔrǔ dòngwù / ~류 哺乳纲 bǔrǔgāng =〔哺乳类 bǔrǔlèi〕
포인트(point) ①《요점》 要点 yàodiǎn; 关键 guānjiàn ¶~를 잡다 抓住要点 zhuāzhù yàodiǎn / 이것이 제일 중요한 ~이다 这是最重要的关键 zhè shì zuì zhòngyào de guānjiàn ②《점수》 分儿 fēnr; 分数 fēnshù ¶원 ~의 리드 领先一分儿 lǐng xiān yì fēnr ③《전철기》 转辙器 zhuǎnzhéqì; 道岔 dàochà ④《활자》 号 hào ¶8~의 활자 八号铅字 bā hào qiānzì
포장(包裝) 包装 bāozhuāng ¶~하다 打包 dǎbāo ‖~지 包装纸 bāozhuāngzhǐ
포장(鋪裝) 铺修 pūxiū ¶아스팔트로 길을 ~하다 用沥青铺修道路〔铺路〕 yòng lìqīng pūxiū dàolù〔pū lù〕 ‖~ 도로 柏油路 bǎiyóulù
포주(抱主) 掌班的 zhǎngbānde; 乌龟 wūguī
포즈(pose) 姿势 zīshì; 姿态 zītài ¶모델에게 ~를 취하게 하다 给模特儿摆姿势 gěi mótèr bǎi zīshì
포커(poker) 扑克 pūkè ¶~를 하다 打扑克 dǎ pūkè
포켓(pocket) 口袋 kǒudai; 衣袋 yīdài; 衣兜 yīdōu; 兜儿 dōur; 兜子 dōuzi ¶돈지갑을 ~에 집어넣다 把钱包放进口袋里 bǎ qiánbāo fàngjìn kǒudai li ‖~ 머니 零用钱 língyòngqián / ~ 북 袖珍本 xiùzhēnběn
포크(fork) 叉子 chāzi; 餐叉 cānchā
포탑(砲搭) 炮搭 pàotǎ
포터(porter) 脚行 jiǎoháng; 脚夫 jiǎofū
포플러(poplar) 〖植〗 白杨 báiyáng; 杨 yáng
포플린(poplin) 府绸 fǔchóu; 毛葛 máogé
포피(包皮) 《표피》 表皮 biǎopí; 《포경》 包皮 bāopí; 包头儿 bāotóur
포학(暴虐) 暴虐 bàonüè; 暴戾 bàolì ¶온갖 ~한 짓을 다하다 极尽暴虐之事 jí jìn bàonüè zhī shì
포함(包含) 包含 bāohán ¶일체 ~되다 一包在内 yì bāo zài nèi / 이 금액에는 세금도 ~돼 있다 这个金额税包括在内 zhège jīn'é shuì bāokuò zài nèi / 그 중에는 대학 교수도 ~돼 있었다 其中也有大学教授 qízhōng yě yǒu dàxué jiàoshòu
포화(飽和) 饱和 bǎohé ¶A시의 인구는 이미 ~ 상태에 이르렀다 A市的人口已经达到了饱和状态 A shì de rénkǒu yǐjīng dádàole bǎohé zhuàngtài ‖~ 용액 饱和溶液 bǎohé róngyè / ~점 饱和点 bǎohédiǎn
포환(砲丸) 铅球 qiānqiú ¶~을 던지다 推铅球 tuī qiānqiú
포획(捕獲) 捕获 bǔhuò ¶고래를 ~하다 捕获鲸鱼 bǔhuò jīngyú
포효(咆哮) 咆哮 páoxiào ¶사자가 ~하다 狮子咆哮 shīzi páoxiào
폭 ¶머리를 ~ 싸다 蒙上头 méngshang tóu / 아기를 담요에 ~ 싸다 用毛毯包孩子 yòng máotǎn bāo háizi / ~ 삶다 煮透 zhǔtòu
폭(幅) 宽 kuān; 宽窄 kuānzhǎi; 幅度 fúdù; 面子 miànzi(천의) ¶길이는 25미터 ~은 15미

터인 수영장 有二十五米长十五米宽的游泳池 yǒu èrshíwǔ mǐ cháng shíwǔ mǐ kuān de yóuyǒngchí / 길의 ~이 좁아서 차가 들어갈 수가 없다 路窄车子过不去 lù zhǎi chēzi guòbuqù

폭거(暴擧) 不讲理的行为 bù jiǎng lǐ de xíngwéi; 造乱 zàoluàn; 暴动 bàodòng ¶이런 ~는 결단코 용서할 수 없다 决不容许这样的暴行 jué bù róngxǔ zhèyàng de bàoxíng

폭격(爆擊) 轰炸 hōngzhà ¶적의 진지를 ~하다 轰炸敌阵 hōngzhà dízhèn ‖ ~기 轰炸机 hōngzhàjī

폭군(暴君) 暴君 bàojūn ¶~ 네로 暴君尼禄 bàojūn Nílù / 그는 가정에서는 상당한 ~이다 他在家里可是个暴君 tā zài jiā li kě shì ge bàojūn

폭도(暴徒) 暴徒 bàotú ¶흥분한 군중은 ~로 변했다 兴奋的人群陷于疯狂的状态 xīngfèn de rénqún xiànyú fēngkuáng de zhuàngtài

폭동(暴動) 暴动 bàodòng ¶~을 일으키다 闹暴动 nào bàodòng / 각지에서 ~이 일어났다 各地发生了暴动 gèdì fāshēngle bàodòng

폭등(暴騰) 暴涨 bàozhǎng; 猛涨 měngzhǎng ¶땅값이 ~하다 地价暴涨 dìjià bàozhǎng

폭락(暴落) 暴跌 bàodiē; 猛跌 měngdiē ¶주가가 ~하다 股票暴跌 gǔpiào bàodiē

폭력(暴力) 暴力 bàolì; 动武 dòngwǔ ¶~에 호소하다 诉诸武力 sù zhū wǔlì / ~을 휘두르다 耍蛮动武 shuǎmán dòngwǔ =〔动手打人 dòngshǒu dǎ rén〕

폭로(暴露) 揭露 jiēlù; 揭发 jiēfā; 揭穿 jiēchuān ¶회사의 내막을 ~하다 揭露公司的内幕 jiēlù gōngsi de nèimù

폭리(暴利) 贪大利 tāndàlì; 暴利 bàolì ¶~를 탐하다 牟取暴利 móuqǔ bàolì

폭발(爆發) 爆炸 bàozhà; 爆发 bàofā ¶화산이 ~했다 火山爆发了 huǒshān bàofā le / 평소의 불만이 일시에 ~했다 平日的不满一下子爆发了 píngrì de bùmǎn yíxiàzi bàofā le / 그의 신작은 ~적인 열렬한 반응을 불러일으켰다 他的最新作品引起了爆炸性的热烈反响 tāde zuì xīn zuòpǐn yǐnqǐle bàozhàxìng de rèliè fǎnxiǎng ‖ ~력 爆炸力 bàozhàlì / ~물 爆炸物 bàozhàwù

폭사(爆死) 炸死 zhàsǐ

폭소(爆笑) 放声大笑 fàngshēng dàxiào; 哄然大笑 hōngrán dàxiào ¶관객이 ~하다 观众哄然大笑 guānzhòng hōngrán dàxiào

폭식(暴食) 贪食 tānshí; 暴食 bàoshí

폭신폭신하다 《빵 따위가》 宣腾腾 xuāntengteng; 泡 pāo

폭언(暴言) 戾言 lìyán; 暴烈的话 bàoliè de huà; 狂妄的话 kuángwàng de huà ¶~을 하다 口出狂言 kǒu chū kuángyán

폭음(暴飮) 滥饮 lànyǐn; 痛饮 tòngyǐn ‖ ~폭식 暴饮暴食 bàoyǐn bàoshí

폭탄(爆彈) 炸弹 zhàdàn ¶~을 투하하다 投炸弹 tóu zhàdàn =〔投弹 tóudàn〕/ ~ 선언을 하다 发表爆炸性的宣言 fābiǎo bàozhàxìng de xuānyán

폭파(爆破) 爆破 bàopò; 炸毁 zhàhuǐ; 炸 zhà ¶철로를 ~하다 炸毁铁路 zhàhuǐ tiělù ‖ ~작업 爆破作业 bàopò zuòyè

폭포(瀑布) 瀑布 pùbù

폭풍(暴風) 暴风 bàofēng ¶~이 불어제치다 暴风怒吹 bàofēng nù chuī

폭풍우(暴風雨) 暴风雨 bàofēngyǔ ¶~를 만나다 遭遇暴风雨 zāoyù bàofēngyǔ

폭행(暴行) 暴行 bàoxíng; 暴力行为 bàolì xíngwéi ¶~하다 动手打人 dòngshǒu dǎ rén =〔耍野蛮 shuǎ yěmán〕/ 부녀자 ~사건 强奸案 qiángjiān'àn

표(表) 表 biǎo; 表格 biǎogé; 图表 túbiǎo ¶~에 써 넣다 填表 tián biǎo / 일정~를 짜다 做日程表 zuò rìchéngbiǎo

표(票) 票 piào; 选票 xuǎnpiào ¶찬성~를 던지다 投赞成票 tóu zànchéngpiào / 1만~의 큰 차로 당선되다 以一万票悬殊之差当选 yǐ yíwàn piào xuánshū zhī chā dāngxuǎn

표결(票決) 票决 piàojué ¶~에 부치다 付诸票决 fù zhū piàojué =〔付投票 fù tóupiào〕

표고 《植》 香菇 xiānggū; 香蕈 xiāngxùn; 香菌 xiāngjùn

표구(表具) 裱褙 biǎobèi ‖ ~사(師) 裱糊匠 biǎohújiàng

표기(表記) ①《겉에 쓰기》 表面记载 biǎomiàn jìzài ¶~ 금액 表面所列款额 biǎomiàn suǒ liè kuǎn'é / ~의 주소로 이전하다 迁移到纸面上所写的地址 qiānyí dào zhǐmiànshang suǒ xiě de dìzhǐ ②《언어 표시》 表示 biǎoshì ¶로마자로 ~하다 用罗马字书写 yòng Luómǎzì shūxiě

표독(慓毒) 毒辣 dúlà; 毒螫螫 dúshìshì

표류(漂流) 漂流 piāoliú ¶구명 보트로 ~하던 중 구조되었다 乘救生艇在海上漂流时, 被人搭救了 chéng jiùshēngtǐng zài hǎishang piāoliú shí, bèi rén dājiù le

표면(表面) 表面 biǎomiàn; 外表 wàibiǎo ¶지구의 ~ 地球的表面 dìqiú de biǎomiàn / 두 사람의 대립이 ~화되다 两个人的对立表面化了 liǎngge rén de duìlì biǎomiànhuà le ‖ ~장력 表面张力 biǎomiàn zhānglì

표명(表明) 表明 biǎomíng ¶태도를 ~하다 表明态度 biǎomíng tàidu

표백(漂白) 漂白 piǎobái ‖ ~제 漂白剂 piǎobáijì

표범(豹…) 《動》 豹子 bàozi

표본(標本) 标本 biāoběn ¶곤충 ~ 昆虫标本 kūnchóng biāoběn / 그는 위선자의 ~이다 他是伪善者的典型 tā shì wěishànzhě de diǎnxíng

표시(表示) 表示 biǎoshì ¶가격을 ~하다 标价 biāojià / 반대의 의사를 ~하다 表明反对的态度 biǎomíng fǎnduì de tàidu

표시(標示) 标出 biāochū ¶도로의 위험 장소를 ~하다 标出道路的危险处所 biāochū dàolù de wēixiǎn chùsuǒ

표적(標的) 靶子 bǎzi

표절(剽竊) 剽窃 piāoqiè; 抄袭 chāoxí ¶저 소설은 체홉의 ~이다 那部小说是剽窃契诃夫的 nà bù xiǎoshuō shì piāoqiè Qìhēfū de

표정(表情) 表情 biǎoqíng; 神精 shénjīng; 神色 shénsè ¶~이 없는 얼굴 毫无表情的脸 háowú biǎoqíng de liǎn =〔呆板的脸 dāibǎn de liǎn〕/ 그것을 듣고서 ~이 확 변했다 听了那个一下就变了脸色 tīngle nàge, yíxià jiù biànle liǎnsè

표주박(瓢…) 瓠芦勺儿 hùlusháor; 小水瓢 xiǎo shuǐpiáo

표준(標準) 标准 biāozhǔn ¶이 아이의 키는 ~

다 조금 크다 这个孩子的身长比一般标准高一点儿 zhège háizi de shēncháng bǐ yìbān biāozhǔn gāo yìdiǎnr ‖ ～시 标准时 biāozhǔnshí / ～어 标准语 biāozhǔnyǔ

표지(表紙) 书皮 shūpí; 封皮 fēngpí; 封面 fēngmiàn ¶흰 ～의 책 白皮的书 báipí de shū

표착(漂着) 漂流到 piāoliúdào ¶난파선은 고도에 ～했다 遇难船漂流到了孤岛上 yùnànchuán piāoliú dàole gūdǎo shang

표창(表彰) 表扬 biǎoyáng; 表彰 biǎozhāng ¶인명 구조로 ～을 받다 由于救了人受到表扬 yóuyú jiùle rén shòudào biǎoyáng ‖ ～식 授奖仪式 shòujiǎng yíshì / ～장 奖状 jiǎngzhuàng

표하다(表…) 表示 biǎoshì ¶경의를 ～ 表示敬意 biǎoshì jìngyì =〔致敬 zhìjìng〕/ 유감의 뜻을 ～ 表示遗憾 biǎoshì yíhàn

표현(表現) 表现 biǎoxiàn; 表达 biǎodá ¶～력이 풍부하다 富于表达力 fùyú biǎodálì / 그 ～은 적당치 않다 那个说法不适当 nàge shuōfa bú shìdàng

푸근하다 暖和 nuǎnhuo

푸념 怨言 yuànyán; 牢骚 láosao ¶～하다 诉苦 sù kǔ =〔发牢骚 fā láosao〕

푸다 ①《액체를》 打 dǎ; 舀 yǎo ②《밥을》 盛 chéng ¶밥을 ～ 盛饭 chéng fàn

푸닥거리 跳大神 tiào dàshén

푸대접(…待接) 冷待 lěngdài; 薄待 báodài

푸딩(pudding) 布丁 bùdīng

푸르다 绿 lǜ; 品月 pǐnyuè ¶푸른 잎 绿叶 lǜyè

푸석돌 脆石 cuìshí

푸석푸석하다 酥脆 sūcuì

푸성귀 青菜 qīngcài; 蔬菜 sūcài

푸접없다 少情寡义的 shǎo qíng guǎ yì de; 不肯通融的 bù kěn tōngróng de; 不得哥儿们 bù dé gērmen; 人缘不好 rényuán bù hǎo

푸주(…廚) 肉案子 ròu'ànzi; 盒子铺 hézipù(돼지고기)

푸지다 热闹 rènao; 丰厚 fēnghòu

푸하다 宣腾 xuānteng; 泡 pāo ¶만두가 아주 ～ 饺子很泡 jiǎozi hěn pāo

푹 ¶～ 자다 酣睡 hānshuì / ～ 삶다 煮透 zhǔtòu / ～ 썩다 烂透 làntòu

푹신푹신하다 ⇨폭신폭신하다

푼《단위》(一)文 wén ¶돈～이나 모으다 挣了不少的钱 zhèngle bù shǎo de qián

푼거리나무 零卖的小捆劈柴 língmài de xiǎo kǔn pǐchai

푼더분하다《얼굴이》 厚实 hòushi; 丰满 fēngmǎn; 《풍족》 丰富 fēngfù; 丰润 fēngrùn

푼돈 零钱 língqián

푼푼이 一个铜子一个铜子地 yíge tóngzǐ yíge tóngzǐde; 一点一点地 yìdiǎn yìdiǎn de

풀¹ 糨糊 jiànghu; 糨子 jiàngzi; 粉浆 fěnjiāng(옷에 드리는) ¶전단을 ～로 벽에 붙이다 用糨子把传单贴在墙上 yòng jiàngzi bǎ chuándān tiē zài qiáng shang / 시트에 ～을 먹이다 浆床单 jiāng chuángdān

풀² 《植》 草 cǎo ¶～을 베다 割草 gē cǎo

풀(pool) 游泳池 yóuyǒngchí ‖ 실내 ～ 室内游泳池 shìnèi yóuyǒngchí

풀고사리 《植》 里白 lǐbái

풀기(…氣) 糨性 jiàngxìng

풀다 ①《묶은 것·엉킨 것을》 解 jiě; 解开 jiěkai ¶보따리의 끈을 ～ 解开包裹的绳子 jiěkai bāoguǒ de shéngzi / 매듭을 ～ 解绳扣儿 jiě shéngkòur / 엉킨 실을 ～ 理一理乱线 lǐyilǐ luànxiàn / 머리를 ～ 披散 pīsan ②《해제》 解除 jiěchú ¶외출 금지령을 ～ 外出禁令解除了 wàichū jìnlìng jiěchú le ③《오해를》 消除 xiāochú ¶경찰은 그에 대해서 의혹을 풀었다 警察消除了对他的怀疑 jǐngchá xiāochúle duì tāde huáiyí / 빠른 시일내에 오해를 풀어 두는 것이 좋다 最好尽快消除误会 zuì hǎo jǐnkuài xiāochú wùhuì ④《문제를》 解 jiě ¶다음의 방정식을 푸시오 解下列方程式 jiě xiàliè fāngchéngshì / 수수께끼를 ～ 猜谜语 cāi míyǔ ⑤《용해하다》 ¶페인트를 희석제에 풀어서 사용하다 油漆用稀释剂调匀来使 yóuqī yòng xīshìjì tiáoyún lái shǐ

풀떼기 煮稠的杂粮粥 zhǔchóu de záliángzhōu

풀리다 《매였던 것이》 松开 sōngkāi; 解开 jiěkāi; 《엉킨 실》 择 zhái; 解开 jiěkāi; 《열이》 退 tùi; 《분노가》 和缓 héhuǎn; 《의심이》 解(疑) jiě; 《추위가》 缓下来 huǎnxialai; 《천의 올이》 开(线) kāi

풀머리 散发 sǎnfā; 披散的头发 pīsan de tóufa

풀무 风匣 fēngxiá; 风箱 fēngxiang

풀밭 草皮地 cǎopídì; 草坪 cǎopíng

풀솜 丝绵 sīmián

풀숲 草丛 cǎocóng ¶～에서 벌레가 울다 虫儿在草丛里叫唤 chóngr zài cǎocóng li jiàohuan

풀쑤다 《풀을》 打糨子 dǎ jiàngzi; 《재산을》 消散 xiāosàn

풀어놓다 《맨 것을》 放开 fàngkāi; 解开 jiěkāi; 《방면》 开释 kāishì

풀어지다 解开 jiěkāi

풀잎 草叶 cǎoyè

풀잠자리 《蟲》 草蜻蛉 cǎoqīnglíng

풀죽다 气馁 qìněi; 颓唐 tuítáng; 沮丧 jǔsàng

풀질 《칠하기》 刷浆子 shuā jiāngzi; 《생계》 糊口 húkǒu

품¹ 《옷의》 衣服胸口的尺寸 yīfu xiōngkǒu de chǐcun

품² 工 gōng ¶날～팔이 打短儿的 dǎ duǎnr de / 5사람 ～이 든다 要五工活 yào wǔ gōng huó

품격(品格) 品格 pǐngé; 人品 rénpǐn

품꾼 ⇨품팔이꾼

품다 怀 huái; 抱 bào ¶원한을 ～ 抱恨 bào hèn / 의문을 ～ 犯疑 fàn yí / 희망을 ～ 怀着希望 huáizhe xīwàng

품사(品詞) 词类 cílèi

품삯 工资 gōngzī; 工钱 gōngqian

품성(品性) 品性 pǐnxìng; 品质 pǐnzhì; 品格 pǐngé ¶～이 나쁜 남자 品性恶劣的家伙 pǐnxìng èliè de jiāhuo

품속 怀里 huáili ¶～에 안다 抱在怀里 bào zài huáili

품절(品切) 缺货 quēhuò; 短货 duǎnhuò

품질(品質) 质量 zhìliàng ¶～이 나쁘다〔좋다〕 质量'差〔好〕 zhìliàng 'chà〔hǎo〕 ‖ ～ 관리 质量管理 zhìliàng guǎnlǐ

품팔다 卖零工 mài líng gōng; 打短儿 dǎ duǎnr

품팔이 打短儿 dǎ duǎnr ‖ ～꾼 卖力气的 mài lìqi de =〔卖零工的 mài línggōng de〕〔苦力 kǔlì〕〔小工 xiǎogōng〕

풋것 当年最初收成的东西 dāngnián zuìchū shōuchéng de dōngxi

풋곡식(…穀食) 新谷 xīngǔ
풋내 菜味儿 càiwèir
풋내기 黄口孺子 huángkǒu rúzi
풋볼(football) 足球 zúqiú ¶～을 하다 踢足球 tī zúqiú
풋사랑 盲恋 mángliàn
풍(風) 《허풍》 大话 dàhuà; 牛皮 niúpí ¶～떨다〔치다〕 空说大话 kōngshuō dàhuà =〔吹牛皮 chuī niúpí〕
풍구(風…) ①《농기구》 扇车子 shànchēzi; 风车 fēngchē; 唐扇车 tángshànchē ②⇨풀무
풍기(風紀) 风纪 fēngjì ¶～가 문란하다 风纪紊乱 fēngjì wěnluàn / ～를 단속하다 整顿风纪 zhěngdùn fēngjì
풍기다 发香味 fā xiāngwei; 发臭味 fā chòuwèi ¶그녀는 향수 냄새를 풍긴다 她散发着香水的芳香 tā sànfāzhe xiāngshuǐ de fāngxiāng / 화학 공장은 악취를 풍긴다 化学工厂发出臭味 huàxué gōngchǎng fāchū chòuwèi
풍덩 扑通 pūtōng ¶～하고 물에 떨어지다 扑通地一声掉在河里了 pūtōngde yì shēng diào zài hé li le
풍뎅이 《蟲》 金龟子 jīnguīzǐ
풍로(風爐) 风炉 fēnglú
풍류(風流) 风雅 fēngyǎ; 风流 fēngliú ¶여름 밤의 뱃놀이는 ～가 있다 夏天的夜晚乘船游览, 真是风雅 xiàtiān de yèwǎn chéng chuán yóulǎn, zhēn shì fēngyǎ
풍만(豊滿) 丰满 fēngmǎn; 丰盈 fēngyíng; 丰腴 fēngyú ¶～한 육체 丰满的肉体 fēngmǎn de ròutǐ
풍문(風聞) 风闻 fēngwén; 风传 fēngchuán; 传说 chuánshuō ¶그것은 단순한 ～에 지나지 않는다 那只不过是风闻而已 nà zhǐ búguò shì fēngwén éryǐ
풍미(風靡) 风靡 fēngmǐ ¶일세를 ～하다 风靡〔风行, 盛极〕一时 fēngmǐ 〔fēngxíng, shèng jí〕 yìshí
풍부(豊富) 丰富 fēngfù ¶경험이 ～한 사람 经验很丰富的人 jīngyàn hěn fēngfù de rén =〔富有经验的人 fùyǒu jīngyàn de rén〕
풍선(風船) 气球 qìqiú ¶～을 부풀리다 吹气球 chuī qìqiú ‖고무～ 橡皮气球 xiàngpí qìqiú
풍설(風說) 风声 fēngshēng; 传闻 chuánwén; 谣言 yáoyán ¶～에 의하면 听说 tīngshuō =〔据人说 jù rénshuō〕
풍속(風俗) 风俗 fēngsú; 习俗 xísú ¶～ 습관은 나라에 따라서 크게 다르다 风俗习惯各国大不相同 fēngsú xíguàn gè guó dà bù xiāngtóng ‖～화 风俗画 fēngsúhuà
풍속(風速) 风速 fēngsù ¶최대 ～ 50m 最大风速五十米 zuìdà fēngsù wǔshí mǐ ‖～계 风速表 fēngsùbiǎo
풍습(風習) 风俗习惯 fēngsú xíguàn
풍요(豊饒) 丰饶 fēngráo; 富饶 fùráo ¶～한 사회 富饶的社会 fùráo de shèhuì
풍자(諷刺) 讽刺 fěngcì; 讥讽 jīfěng ¶세상을 ～하다 讽刺世事 fěngcì shìshì / ～가 풍부한 만화 富有讽刺意味的漫画 fùyǒu fěngcì yìwèi de mànhuà
풍작(豊作) 丰收 fēngshōu ‖～ 기근 熟荒 shúhuāng
풍전등화(風前燈火) 风前之灯光 fēng qián zhī dēngguāng ¶그의 목숨은 ～다 他的生命犹如风中之烛 tāde shēngmìng yóurú fēng zhōng zhī zhú
풍조(風潮) 潮流 cháoliú; 倾向 qīngxiàng ¶시대의 ～에 역행하다 抗拒时代潮流 kàngjù shídài cháoliú
풍족(豊足) 富裕 fùyù; 丰盈 fēngyíng; 足够 zúgòu ¶자원이 ～한 나라 资源丰富的国家 zīyuán fēngfù de guójiā
풍차(風車) ①《동력용》 风车 fēngchē ②⇨풍구 ① ③⇨팔랑개비
풍채(風采) 风采 fēngcǎi; 仪表 yíbiǎo ¶그는 ～가 좋다 他风采不凡 tā fēngcǎi bùfán
풍토(風土) 水土 shuǐtǔ; 风土 fēngtǔ ¶여기의 ～는 나에게 적합하지 않다 我不服这里的水土 wǒ bù fú zhèli de shuǐtǔ ‖～병 地方病 dìfāngbìng
풍파(風波) ①《거친 파도》 风浪 fēnglàng ¶태풍의 영향으로 ～가 높아졌다 由于台风的影响, 风浪大起来了 yóuyú táifēng de yǐngxiǎng, fēnglàng dàqǐlai le ②《분란》 风波 fēngbō; 纠葛 jiūgé; 纠纷 jiūfēn ¶집안에 ～가 끊이지 않다 家庭里老'起风波〔闹纠纷〕 jiātíng li lǎo'qǐ fēngbō〔nào jiūfēn〕
풍향(風向) 风向 fēngxiàng ‖～계 风向标 fēngxiàngbiāo =〔风向器 fēngxiàngqì〕
풍흉(豊凶) 丰歉 fēngqiàn
퓨즈(fuse) 保险丝 bǎoxiǎnsī ¶～가 끊어졌다 保险丝烧断了 bǎoxiǎnsī shāoduànle
프라이(fry) 油炸 yóuzhá ‖～팬 长柄平锅 chángbǐng píngguō
프라이드(pride) 自尊心 zìzūnxīn
프라이버시(privacy) 个人秘密 gèrén mìmì; 私生活 sīshēnghuó ¶～의 권리를 보호하다 维护私生活的权利 wéihù sīshēnghuó de quánlì
프랑(franc) 《貨》 法郎 fǎláng
프레젠트(present) 赠礼 zènglǐ; 礼物 lǐwù ¶크리스마스 ～ 圣诞(节)礼物 Shèngdàn(jié) lǐwù
프로 职业 zhíyè; 专业 zhuānyè ¶그는 바둑의 ～다 他是职业围棋手 tā shì zhíyè wéiqíshǒu ‖～ 복서 职业拳击运动员 zhíyè quánjī yùndòngyuán / ～ 야구 职业棒球 zhíyè bàngqiú
프로그램(program) ①《예정》 程序 chéngxù 《예정표》 程序表 chéngxùbiǎo ②《진행 순서》 节目 jiémù; 《진행 순서표》 节目单 jiémùdān ¶～을 사다 买节目单 mǎi jiémùdān ③《컴퓨터의》 程序 chéngxù
프로판가스(propane gas) 丙烷气 bǐngwánqì
프로펠러(propeller) 推进器 tuījìnqì; 螺旋桨 luóxuánjiǎng ¶～ 비행기 螺旋桨式飞机 luóxuánjiǎngshì fēijī
프로필(profile) ①《옆 얼굴》 侧面像 cèmiànxiàng ②《인물평》 小传 xiǎozhuàn; 人物简介 rénwù jiǎnjiè
프롤레타리아(prolétariat) 无产者 wúchǎnzhě
프리미엄(premium) 加价 jiājià
프리즘(prism) 棱镜 léngjìng; 三棱镜 sānléngjìng
프린트(print) ①《인쇄》 印刷 yìnshuā; 《인쇄물》 印刷品 yìnshuāpǐn ¶회의의 결정 사항을 ～하다 印刷会议决定事项 yìnshuā huìyì juédìng shìxiàng ②《날염》 印花(儿) yìnhuā(r) ¶～(地) 印花儿布 yìnhuārbù ③《인화》 印相 yìnxiàng; 《영사 필름》 正片 zhèngpiàn; 拷贝 kǎobèi; 《사진》 正片 zhèngpiàn; 照片 zhà

piàn

플라스틱(plastic) 塑胶 sùjiāo; 塑料 sùliào

플라타너스(platanus) 《植》 悬铃木 xuánlíngmù; 法国梧桐 fǎguó wútóng

플라티나(platina) 铂 bó; 白金 báijīn

플란넬(flannel) 法兰绒 fǎlánróng

플래카드(placard) 标语牌 biāoyǔpái ¶～를 들고 거리에서 데모하다 举着标语牌在街上游行 jǔzhe biāoyǔpái zài jiēshang yóuxíng

플랜(plan) 计划 jìhuà; 方案 fāng'àn ¶～을 세우다 订计划 dìng jìhuà

플랫폼(platform) 月台 yuètái; 站台 zhàntái

플러스(plus) ①加 jiā ¶10+5는 15 十加五等于十五 shí jiā wǔ děngyú shíwǔ ②《양극》 正 zhèng ¶～의 전극 阳极 yángjí =〔正级 zhèngjí〕 ③《이익》 ¶단체 생활의 경험은 나에게 있어서 매우 ～가 되었다 团体生活的经验对我是极其有益的 tuántǐ shēnghuó de jīngyàn duì wǒ shì jíqí yǒuyì de

플레이(play) ①《경기》 比赛 bǐsài; 《경기 기술》 技巧 jìqiǎo ¶선수들은 힘껏 ～했다 选手们尽其全力进行了比赛 xuǎnshǒumen jìn qí quánlì jìnxíngle bǐsài ②《연기·연극》 表演技艺 biǎoyǎn jìyì ‖～ 볼 开球 kāiqiú ¶심판이 ～를 선언하다 裁判员宣布比赛开始 cáipànyuán xuānbù bǐsài kāishǐ

플루트(flute) 《樂》 长笛 chángdí

피[1] ①《혈액》 血 xiě〔xuè〕 ¶～를 뽑다 取血 qǔ xuè / 상처에서 ～가 나오다 伤口出血 shāngkǒu chūxuè / ～와 땀의 결정 血与汗的结晶 xuèyǔ hàn de jiéjīng ②《핏줄》 血缘 xuèyuán ¶～는 물보다 진하다 血比水浓 xuè bǐ shuǐ nóng

피[2] 《植》 稗子 bàizi

피[3] 《경멸》 呸 pēi ¶～! 무슨 소리! 呸! 说的什么话! pēi! shuō de shénme huà!

피겨스케이팅(figure skating) 花样滑冰 huāyàng huábīng

피고(被告) 被告 bèigào ‖～인 被告人 bèigàorén

피곤(疲困) 疲倦 píjuàn; 乏 fá; 累 lèi

피근피근하다 死心眼儿 sǐxīnyǎnr; 又天真又顽固 yòu tiānzhēn yòu wángù

피나무 《植》 椴木 duànmù

피난(避難) 避难 bìnàn; 逃难 táonàn ¶가까운 항구로 ～하다 在附近的港口避难 zài fùjìn de gǎngkǒu bìnàn ‖～민 难民 nànmín / ～처 安身之处 ān shēn zhī chù

피눈물 血泪 xuèlèi ¶～을 흘리다 流血泪 liú xuèlèi

다 ①《꽃이》 开 kāi ②《불을》 烧 shāo ③《불이》 燃烧起来 ránshāoqilai ¶불이 잘 피어 오른다 火着得很旺 huǒ zháode hěn wàng / 이 장작은 불이 잘 안 핀다 这劈柴不好烧 zhè pǐchai bù hǎo shāo

대(皮帶) 皮带 pídài

똥 血便 xuèbiàn; 便血 biànxuè

라미드(Pyramid) 金字塔 jīnzìtǎ

력(披瀝) 披沥 pīlì ¶심정을 ～하다 披肝沥胆 pīgān lìdǎn

로(披露) 宣布出来 xuānbùchulai; 吹嘘 chuīxu; 请客 qǐngkè ¶결혼 ～연 喜筵 xǐyán

로(疲勞) 劳乏 láofá; 疲劳 píláo; 疲乏 pífá; 疲倦 píjuàn ¶～가 겹쳐서 쓰러졌다 积劳成疾病倒了 jīláo chéng jí bìngdǎo le

피륙 布匹 bùpǐ; 布疋 bùpi

피리 笛 dí; 笛子 dízi ¶～를 불다 吹笛子 chuī dízi

피리어드(period) 句号 jùhào ¶문장의 끝에 ～를 찍다 在句末标上句号 zài jùmò biāoshàng jùhào

피마자유(蓖麻子油) 蓖麻油 bìmáyóu; 泻油 xièyóu

피맺히다 淤血 yūxuè

피복(被服) 衣裳 yīshang; 衣着 yīzhuó; 服装 fúzhuāng ¶～을 지급하다 发给服装 fājǐ fúzhuāng ‖～비 衣着费 yīzhuófèi

피부(皮膚) 皮肤 pífū; 〈方〉 肉皮儿 ròupír ¶～가 약하다 皮肤弱 pífū ruò / ～가 거칠어졌다 皮肤变粗糙了 pífū biàn cūcāo le

피비린내 血腥 xuèxīng ¶～나는 사건 血腥的事件 xuèxīng de shìjiàn

피상(皮相) 皮相 píxiàng ¶～적인 의견 皮相之见 píxiàng zhī jiàn / 사물의 ～만 보다 只看事物的表面 zhǐ kàn shìwù de biǎomiàn

피스톨(pistol) 手枪 shǒuqiāng ¶～을 쏘다 开〔放〕手枪 kāi〔fàng〕 shǒuqiāng

피아노(piano) 钢琴 gāngqín ¶～를 치다 弹钢琴 tán gāngqín

피아니스트(pianist) 钢琴家 gāngqínjiā

피어나다 ①《불이》 重又点燃起来 chóngyòu diǎnránqilai ②《형편이》 情形好转 qíngxing hǎo zhuǎn ③《소생》 复活 fùhuó; 醒过来 xǐngguòlai

피우다 ①《재주를》 耍 shuǎ ②《불을》 烧 shāo ③《담배를》 抽 chōu; 吸 xī ④《먼지를》 扬起 yángqǐ

피임(避姙) 避孕 bìyùn ‖～ 기구 避孕器具 bìyùn qìjù / ～약 避孕药 bìyùnyào

피장파장 彼此彼此 bǐcǐ bǐcǐ; 彼此一样 bǐcǐ yíyàng

피차(彼此) 彼此 bǐcǐ; 两方 liǎngfāng

피처(pitcher) 投手 tóushǒu

피천한닢없다 分文皆无 fēn wén jiē wú; 一毛钱也没有 yìmáo qián yě méiyǒu

피치(pitch) 工作效率 gōngzuò xiàolǜ ¶공사의 ～를 올리다 加快工程速度 jiākuài gōngchéng sùdù

피크(pick) 最高点 zuìgāodiǎn; 高峰 gāofēng; 顶峰 dǐngfēng ¶통근 러시 아워의 ～가 지나갔다 已经过了上下班'高峰〔最拥挤的〕时间 yǐjīng guòle shàngxiàbān 'gāofēng 〔zuì yōngjǐ de〕 shíjiān

피크닉(picnic) 郊游 jiāoyóu

피트(feet) 英尺 yīngchǐ; 呎 chǐ

피하다(避…) 躲 duǒ; 躲开 duǒkai; 避 bì; 避开 bìkāi; 躲避 duǒbì; 避免 bìmiǎn ¶식사 시간을 피해서 방문하다 避开吃饭的时间进行访问 bìkāi chīfàn de shíjiān jìnxíng fǎngwèn / 불길한 말을 ～ 忌讳〔避讳〕说不吉利的话 jìhui〔bìhuì〕 shuō bù jílì de huà / 무력 충돌을 ～ 避免武装冲突 bìmiǎn wǔzhuāng chōngtū

피한(避寒) 避寒 bìhán ¶마산(馬山)에서 ～하다 在马山避寒 zài Mǎshān bìhán

피해(被害) 受害 shòuhài; 损失 sǔnshī ¶홍수로 인한 벼의 ～는 매우 컸다 发大水水稻损失甚大 fā dàshuǐ shuǐdào sǔnshī shèn dà ‖～망상 被迫害妄想 bèi pòhài wàngxiǎng / ～자 受害人 shòuhàirén =〔被害人 bèihàirén〕 / ～

지 灾区 zāiqū
픽 ¶~ 쓰러지다 晃晃荡荡地倒下 huànghuàngdangdangde dǎo xià / ~ 웃다 嗤笑 chīxiào
픽션(fiction) 虚构 xūgòu; 虚拟 xūnǐ
핀(pin) ①《못·바늘류》针 zhēn ¶곤충 표본에 꽂는~ 大头针 dàtóuzhēn / 안전~ 别针 biézhēn ②《머리핀》头发夹子 tóufa jiāzi; 头发卡子 tóufa qiǎzi ¶머리를 ~으로 꽂다 用头发夹子别住 yòng tóufa jiāzi biézhù
핀둥핀둥 游手好闲地 yóu shǒu hào xián de ¶~ 날을 보내다 闲呆着度日 xiándāizhe dù rì
핀셋(pincette) 镊子 nièzi; 小钳子 xiǎoqiánzi
핀잔 敲儿撩儿 qiāor liāor; 〈俗〉数落 shǔluo ¶~ 맞다 挨说 áishuō
핀트(네 brandpunt) ①《사진의》焦点 jiāodiǎn ¶~를 맞추다 对焦点 duì jiāodiǎn =〔调焦距 tiáo jiāojù〕〔对镜头 duì jìngtóu〕 ¶이 사진은 ~가 맞지 않았다 这张照片焦点没有对准 zhè zhāng zhàopiàn jiāodiǎn méiyǒu duìzhǔn ②《요점》要点 yàodiǎn ¶언제나 ~가 안 맞다 总是不中肯 zǒngshì bú zhòng kěn / 너의 말은 ~를 벗어났다 你说得牛头不对马嘴 nǐ shuōde niútóu bú duì mǎzuǐ
필(匹) ①《말》匹 pǐ; 只 zhī ②《소》头 tóu; 条 tiáo ③《포목》匹 pǐ
필기(筆記) 笔记 bǐjì ¶구술 ~하다 做口述笔记 zuò kǒushù bǐjì ‖ ~ 시험 笔试 bǐshì
필기장(筆記帳) 笔记本 bǐjìběn
필담(筆談) 笔谈 bǐtán
필름(film) 软片 ruǎnpiàn; 胶片 jiāopiàn; 胶卷(儿) jiāojuǎn(r) ¶카메라에 ~을 넣다 照相机里装胶卷儿 zhàoxiàngjī li zhuāng jiāo juǎnr ‖ 컬러 ~ 彩色胶片 cǎisè jiāopiàn / 흑백 ~ 黑白胶卷儿 hēibái jiāo juǎnr
필사(必死) 死命 sǐmìng; 拼命 pīnmìng; 没命 méimìng ¶~적으로 저항하다 死命地抵抗 sǐmìngde dǐkàng
필사(筆寫) 抄写 chāoxiě; 缮写 shànxiě
필생(畢生) 毕生 bìshēng; 一辈子 yíbèizi; 终生 zhōngshēng ¶~의 대사업 毕生的大事业 bìshēng de dàshìyè
필생(筆生) 抄写员 chāoxiěyuán; 录士 lùshì
필세(筆勢) 笔势 bǐshì; 笔力 bǐlì; 笔气 bǐqì ¶~가 웅장하다 笔气壮劲 bǐqì zhuàngjìng
필수(必須) 必要 bìyào; 必需 bìxū ¶~의 조건 必须的条件 bìxū de tiáojiàn / ~의 지식 必要的知识 bìyào de zhīshi〔shì〕
필수품(必需品) 必需品 bìxūpǐn ‖ 생활 ~ 生活必需品 shēnghuó bìxūpǐn
필시(必是) 必准 bìzhǔn; 必定 bìdìng; 一定 yídìng
필연(必然) 必然 bìrán ¶~적 법칙 必然规律 bìrán guīlǜ / 분열은 ~의 귀결이었다 分裂是必然的结果 fēnliè shì bìrán de jiéguǒ
필요(必要) 必要 bìyào; 需要 xūyào ¶등산에 ~한 도구 登山所需的用具 dēng shān suǒ xū de yòngjù / 그를 기다릴 ~는 없다 没有必要等他 méiyǒu bìyào děng tā / ~는 발명의 어머니 需要是发明之母 xūyào shì fāmíng zhī mǔ / 그녀는 ~ 이상으로 마음을 쓴다 她太费心思了 tā tài fèi xīnsī le / 물은 생명의 유지에 ~ 불가결한 물건이다 水是维持生命所必不可少的东西 shuǐ shì wéichí shēngmìng suǒ bì bùkě shǎo de dōngxi ‖ ~ 조건 必要条件 bìyào tiáojiàn
필자(筆者) 笔者 bǐzhě; 作者 zuòzhě
필적(匹敵) 匹敌 pǐdí ¶그 방면에 있어 그에게 ~하는 사람은 없다 在那方面无人与他匹敌 zài nà fāngmiàn wú rén yǔ tā pǐdí
필적(筆跡) 笔迹 bǐjì; 字迹 zìjì ¶~을 감정하다 鉴定笔迹 jiàndìng bǐjì
필지(必至) 一定到来 yídìng dàolái; 躲不了 duǒ bu liǎo ¶내각의 하야는 ~다 内阁一定要垮台 nèigé yídìng yào kuǎtái / 도산은 ~다 倒闭是不可避免的 dǎobì shì bùkě bìmiǎn de
필치(筆致) 笔致 bǐzhì; 笔触 bǐchù; 笔力 bǐlì; 笔调 bǐdiào ¶가벼운 ~ 轻松的笔调 qīngsōng de bǐdiào
필터(filter) ①《카메라 따위의》滤光器 lǜguāngqì; 滤色镜 lǜsèjìng ② ¶~ 담배 过滤嘴香烟 guòlǜzuǐ xiāngyān
필통(筆筒) 笔盒 bǐhé; 铅笔盒 qiānbǐhé
필화(筆禍) 笔祸 bǐhuò; 文字狱 wénzìyù ¶~를 초래하다 招笔祸 zhāo bǐhuò
핍박(逼迫) 紧迫 jǐnpò; 吃紧 chījǐn; 窘迫 jiǒngpò ¶재정이 ~하다 财政吃紧 cáizhèng chījǐn
핏기(…氣) 血色 xuèsè; 气色 qìsè; 脸色 liǎnsè
핏대 ¶~ 올리다 青筋暴起, 大发雷霆 qīngjīn bàoqǐ, dà fā léitíng =〔气得头上的青筋都暴出来了 qìde tóu shang de qīngjīn dōu bàochūlai le〕
핏발서다 血积 xuèjī; 盈血 yíngxuè ¶수면 부족으로 눈이 ~ 睡眠不足眼睛'布满血丝〔发红〕 shuìmián bùzú yǎnjing 'bùmǎn xuèsī 〔fāhóng〕
핏줄 《혈관》经脉 jīngmò; 《혈족》骨肉亲戚 gǔròu qīnqi; 宗支 zōngzhī; 血亲 xuèqīn
핑 《돌다》回转 huízhuǎn ¶몸을 ~ 돌리다 急转身 jízhuǎn shēn / 정신이 ~ 돌다 昏过去 hūnguoqu
핑계 藉口 jièkǒu; 口实 kǒushí; 托辞 tuōcí ¶…을 ~삼아 以…为托故 yǐ…wéi tuō gù / 병을 ~로 결석하다 以生病为藉口缺席 yǐ shēngbìng wéi jièkǒu quēxí
핑그르르 ⇨팽그르르
핑퐁(ping pong) 《탁구》乒乓 pīngpāng; 乒乓球 pīngpāngqiú ¶~을 하다 打乒乓球 dǎ pīngpāngqiú
핑핑하다 ①《켕기다》绷绷的 bēngbēngde; 紧 jǐn ②《우열이 없다》伯仲之间 bózhòng zhī jiān; 两下里没有优劣 liǎngxià li méiyǒu yōuliè

〔ㅎ〕

하 ①《입김 소리》¶입김을 ~ 불었다 哈了一口气 hāle yì kǒu qì ②《감탄사》嗬 hē ¶~ 그것 참 잘 됐다 嗬, 这可做得真好啊! hē, zhè kě zuòde zhēn hǎo a
하강(下降) 下降 xiàjiàng; 降落 jiàngluò ¶경기가 ~하다 景气下降 jǐngqì xiàjiàng / 비행기가 점점 ~하기 시작하다 飞机开始渐渐降落 fēijī kāishǐ jiànjiàn jiàngluò ‖ ~기류 下降气流 xiàjiàng qìliú
하고 《와》和 hé; 跟 gēn; 同 tóng ¶나는 너와 같이 간다 我和你一道去 wǒ hé nǐ yídào qù

…하고 싶다 愿意… yuànyì…; 想… xiǎng…
하곡(夏穀) 夏粮 xiàliáng
하급(下級) 下等 xiàděng; 下级 xiàjí ‖ ～생 低班生 dībānshēng
하기(下記) 下列 xiàliè; 下述 xiàshù ¶ ～와 같다 如下 rúxià
하기는 其实 qíshí; 老实说来 lǎoshi shuōlai ¶ ～ 네 말이 옳다 老实说来你说的对 lǎoshi shuōlai nǐ shuō de duì
하나 ①《일》 一 yī ¶ ～ 둘 셋 一二三 yī èr sān / ～에서 열까지 从头到尾 cóngtóu dàowěi ②《한 개》 一个 yí ge ¶ ～씩 一个(一)个 yí ge (yí) ge / ～에 50원 一个五十元 yí ge wǔshí yuán =〔五十元一个 wǔshí yuán yí ge〕/ ～도 남김없이 一个不剩地 yí ge búshèngde / ～ 걸러 隔一个 gé yī ge ③《일체》 一个 yí ge; 同一个 tóng yí ge ¶ 마음을 ～로 해서 일을 하다 同心协力搞 tóngxīnxiélì gǎo
하나님 ⇨ 하느님 ②
하녀(下女) 女佣 nǚyōng; 女仆 nǚpú; 女用人 nǚyòngrén
하눌타리《植》 王瓜 wángguā; 屎瓜子 shǐguāzi
하느님 ①《다신교의》 玉皇 yùhuáng; 上帝 shàngdì ②《기독교에서》 主 zhǔ ¶ 이것은 ～의 뜻이다 这是主的意思 zhè shì zhǔ de yìsi
하늘 ①《다신교의》 天 tiān; 天空 tiānkōng ¶ ～에 침뱉다 仰天而唾 yǎngtiān ér tuò =〔害人反害己 hài rén fǎn hài jǐ〕/ 푸른 ～에는 구름 한 점 없다 晴空万里没有一片云彩 qíngkōng wànlǐ méiyǒu yípiàn yúncai ②《신(神)》 天 tiān; 苍天 cāngtiān ¶ 운을 ～에 맡기다 听天由命 tīng tiān yóu mìng / ～은 스스로 돕는 자를 돕는다 苍天不负苦心人 cāngtiān bú fù kǔxīn rén =〔天助自助者 tiān zhù zì zhù zhě〕
하늘소《蟲》 天牛 tiānniú
하다 做 zuò; 搞 gǎo; 办 bàn; 干 gàn ¶ 자신의 일은 자신이 ～ 自己的事儿自己做 zìjǐ de shìr zìjǐ zuò / 앞으로 어떻게 할 셈이냐? 今后你打算怎么办? jīnhòu nǐ dǎsuàn zěnme bàn?
하다못해 至少 zhìshǎo; 哪怕 nǎpà ¶ ～ 차라도 드십시오 至少也请喝杯茶吧 zhìshǎo yě qǐng hē bēi chá ba
하대(下待) 看不起 kàn bùqǐ; 冷眼看待 lěngyǎn kàndài
하도 太 tài; 很 hěn; 因过于…而… yīn guòyú… ér ¶ ～ 더워서 잠을 잘 수 없다 太热睡不着 tài rè shuìbuzháo
하등(下等) 下等 xiàděng; 下贱 xiàjiàn ‖ ～ 동물 低等动物 dīděng dòngwù
하등(何等) 任何 rènhé; 丝毫 sīháo ¶ 나와는 ～ 관계가 없다 和我没有任何关系 hé wǒ méiyǒu rènhé guānxi
하락(下落) 下跌 xiàdiē; 跌落 diēluò; 下降 xiàjiàng; 跌 diē ¶ 주가가 ～했다 股票行市下跌了 gǔpiào hángshi xiàdiē le / 아버지의 권위가 ～했다 父亲的威严下降了 fùqin de wēiyán xiàjiàng le
하루 ①《한 날》 一天 yì tiān; 一日 yírì ②《초하루》 一号 yí hào ‖ ～ 걸러 每隔一天 měi gé yì tiān / ～종일 整天 zhěngtiān =〔一整天 yì zhěngtiān〕
하루바삐 赶快 gǎnkuài; 及早 jízǎo; 赶紧 gǎnjǐn
하루살이《蟲》 蜉蝣 fúyóu
하루아침 ①《어느 아침》 一朝 yìzhāo; 某一个早晨 mǒu yí ge zǎochen ②《단시일》 一朝一夕 yì zhāo yì xī ¶ ～에 이루어질 수 없다 不是一两天办得到的 bú shì yì liǎng tiān bàndedào de
하루하루 一天天 yì tiān tiān ¶ ～ 연기하다 一天一天地拖延 yì tiān yì tiān de tuōyán / ～ 심해지다 日甚一日 rì shèn yí rì =〔一天比一天利害 yìtiān bǐ yì tiān lìhai〕
하룻강아지 狗崽 gǒuzǎi; 小狗儿 xiǎogǒur ¶ ～ 범 무서운 줄 모른다 初生犊儿不怕虎 chūshēng dúr búpà hǔ
하룻밤 ①《한 밤》 一夜 yí yè; 一个晚上 yí ge wǎnshang ②《어떤 날 밤》 某夜 mǒuyè ③《밤새도록》 整一夜 zhěng yí yè; 通宵 tōngxiāo ¶ ～을 자도 만리성을 쌓는다 一夜因缘万千恩爱 yí yè yīnyuán wànqiān ēn'ài
하마(河馬)《動》 河马 hémǎ
하마터면 差一点 chà yìdiǎn; 几乎 jīhu; 险些儿 xiǎnxiēr ¶ ～ 목숨을 잃을 뻔했다 险些送了命 xiǎnxiē sòngle mìng
하면서 一边…一边… yìbiān… yìbiān…; 一面…一面… yí miàn… yí miàn… ¶ 전쟁을 ～ 강화(講和)를 진행시키다 边谈边打 biāntánbiāndǎ
하모니(harmony) ①《조화》 调和 tiáohe; 协调 xiétiáo ②《樂》 和声 héshēng ¶ 아름다운 ～를 연주하다 奏出美妙的和声 zòuchū měimiào de héshēng
하모니카(harmonica)《樂》 口琴 kǒuqín ¶ ～를 불다 吹口琴 chuī kǒuqín
하물(荷物) ⇨ 짐①
하물며 况且 kuàngqiě; 何况 hékuàng ¶ 나도 모르는데 ～ 너는 더구나 连我都不懂何况你呢 lián wǒ dōu bùdǒng hékuàng nǐ ne
하반기(下半期) 下半年 xiàbànnián
하반신(下半身) 下半身 xiàbànshēn; 下身 xiàshēn
하복부(下腹部) 小肚子 xiǎodùzi; 小腹 xiǎofù
하복(夏服) 夏季衣着 xiàjì yīzhuó; 夏衣 xiàyī; 夏装 xiàzhuāng
하부(下付) 授与 shòuyǔ; 发给 fājǐ
하부(下部) 下部 xiàbù; 下级 xiàjí; 下层 xiàcéng ¶ 상부의 분열이 ～의 혼란을 초래하였다 上层的分裂引起了下层的混乱 shàngcéng de fēnliè yǐnqǐle xiàcéng de hùnluàn ‖ ～ 구조 经济基础 jīngjì jīchǔ
하사관(下士官)《軍》 军士 jūnshì
하소연 诉委屈 sù wěiqu; 诉冤 sùyuān; 诉苦 sùkǔ
하수도(下水道) 下水道 xiàshuǐdào ¶ ～가 막혔다 下水道堵住了 xiàshuǐdào dǔzhu le
하수인(下手人) 凶手 xiōngshǒu; 凶犯 xiōngfàn
하숙(下宿) ①《객지에서 머무는》 寄宿 jìsù ¶ ～을 찾다 寻找租房 xúnzhǎo zūfáng / 나는 학교 근처에서 ～하고 있다 我在学校附近住宿 wǒ zài xuéxiào fùjìn zhùsù ②《값싼 여관》 小客栈 xiǎokèzhàn ‖ ～비 房钱 fángqián / ～인 房客 fángkè
하얗다 雪白 xuěbái
하애지다 变白 biànbái; 发白 fābái
하여간(何如間) 总之 zǒngzhī; 好歹 hǎodǎi
하여튼(何如…) 总之 zǒngzhī; 无论如何 wúlùn rúhé; 好歹 hǎodǎi; 不拘怎样 bùjū zěnyàng ¶ ～ 해 보자 好歹干一下看看吧 hǎodǎi gàn

yíxià kànkan ba

하염없다 《기신없다》 无精打彩 wújīngdǎcǎi; 《생각 없다》 空虚 kōngxū; 《끝맺음이 없다》 …不止 …bùzhǐ ¶ 하염없이 울다 哭个不止 kū ge bùzhǐ / 하염없이 걷다 垂头丧气地走动 chuí tóu sàng qì de zǒudòng

하이라이트(highlight) ①《카메라·그림 따위의》 光线最强的部分 guāngxiàn zuì qiáng de bùfen ②《연극·영화 따위의》 最精采场面 zuì jīngcǎi chǎngmiàn; 最精采部分 zuì jīngcǎi bùfen ¶ 올림픽의 ~ 奥林匹克最精采的场面 Àolínpǐkè zuì jīngcǎi de chǎngmiàn

하이볼(highball) 威士忌苏打水 wēishìjì sūdǎshuǐ

하이칼라(highcollar) ①《서양식의》 洋气十足(的人) yángqì shízú (de rén) ②《유행의》 时髦 shímáo; 时兴 shíxīng ¶ ~의 복장 时髦的服装 shí máo de fúzhuāng

하이킹(hiking) 郊游 jiāoyóu; 徒步旅行 túbù lǚxíng ¶ 친구와 ~을 가다 跟朋友去郊游 gēn péngyou qù jiāoyóu ‖ ~ 코스 郊游路线 jiāoyóu lùxiàn

하이픈(hyphen) 连字号 liánzìhào; 连字符 liánzìfú

하이힐(high heeled shoes) 高跟儿鞋 gāogēnrxié

하인(下人) 底下人 dǐxiarén; 仆役 púyì; 使唤人 shǐhuanrén; 使唤丫头 shǐhuan yātou(여자)

하자마자 ⇨…자마다

하잘것없다 不足为奇 bùzú wéi qí; 无谓的 wúwèi de; 稀松平常 xīsōng píngcháng

하지만 虽然那么说 suīrán nàme shuō; 然而 rán'ér; 可是 kěshì; 不过 búguò

하지않으면안된다 非得…不可 fēiděi… bùkě

하직(下直) 辞行 cíxíng; 告辞 gàocí

하천(河川) 河川 héchuān ¶ 태풍으로 ~이 범람하였다 由于台风河水泛滥了 yóuyú táifēng héshuǐ fànlàn le

하층(下層) ①《하등》 下等 xiàděng; 下流 xiàliú; 下层 xiàcéng ②《아래층》 楼下 lóuxià ‖ ~ 계급 下层阶级 xiàcéng jiējí / ~ 사회 下层社会 xiàcéng shèhuì

하찮다 微不足道的 wēi bù zú dào de; 没什么了不起的 méi shénme liǎobuqǐ de ¶ 하찮은 물건 不值钱的东西 bù zhíqián de dōngxi

하키(hockey) 《體》 曲棍球 qūgùnqiú ‖ 아이스 ~ 冰球 bīngqiú

하트(heart) ①《심장·마음》 心 xīn; 心脏 xīnzàng ②《카드의》 红桃 hóngtáo ‖ ~형 心脏形 xīnzàngxíng =〔心形 xīnxíng〕〔鸡心 jīxīn〕

하품 呵欠 hēqian; 哈欠 hāqian; 哈息 hāxī ¶ ~하다 打哈欠 dǎ hāqian

하프(harp) 《樂》 竖琴 shùqín ¶ ~를 타다 弹竖琴 tán shùqín 「你呀 piānpiān shì nǐ ya

하필(何必) 偏偏 piānpiān ¶ ~이면 너냐 偏偏是

하하 ①《웃는 소리》 哈哈 hāhā ¶ ~ 웃기 시작하다 哈哈地笑起来 hāhāde xiàoqǐlai ②《깨달았을 때》 是吗 shìma; 是呀 shìya ¶ ~, 과연 그렇군 是啊, 可不是呢 shì a, kěbúshìne ③《탄식》 哎呀 āiyā ¶ ~! 이거 큰일났군 哎呀! 可不得了 āiyā! kě bùdéliǎo

하향(下向) ①《아래로 향함》 朝下 cháo xià ②《쇠퇴》 衰落 shuāiluò; 衰微 shuāiwēi ③《물가》 下跌 xiàdiē

학(鶴) 《鳥》 鹤 hè; 白鹤 báihè

학과(學課) 课程 kèchéng ¶ 중학의 전 ~를 수료하다 学院了初中的全部课程 xuéwánle chūzhōng de quánbù kèchéng

학교(學校) 学校 xuéxiào ¶ 이 아이는 내년에 ~에 들어간다 这孩子明年上学 zhè háizi míngnián shàngxué / 감기로 ~를 쉬다 感冒了, 没上学 gǎnmào le, méi shàngxué / 내일은 개교 기념일로 ~를 쉰다 明天是校庆, 学校放假 míngtiān shì xiàoqìng, xuéxiào fàngjià ‖ ~ 신문 校报 xiàobào

학구(學究) 研究学问 yánjiū xuéwen; 一心研究学问的人 yìxīn yánjiū xuéwen de rén ¶ ~적인 사람 学者气质的人 xuézhě qìzhì de rén

학급(學級) 班 bān; 班级 bānjí; 学级 xuéjí ¶ ~을 편성하다 编班 biān bān

학기(學期) 学期 xuéqī ¶ 내일부터 신~가 시작된다 从明天起开始新学期 cóng míngtiān qǐ kāishǐ xīn xuéqī ‖ ~말 시험 期考 qīkǎo =〔大考 dàkǎo〕

학년(學年) 年级 niánjí ‖ 고~ 高年级 gāoniánjí / 저~ 低年级 dàniánjí

학대(虐待) 虐待 nüèdài ¶ 포로를 ~하다 虐待俘虏 nüèdài fúlǔ

학도(學徒) 《학생》 学生 xuésheng; 学子 xuézi; 《학구》 学者 xuézhě

학력(學力) 学力 xuélì ¶ 고교 졸업 정도의 ~을 가진 자를 모집하다 招收具有高中毕业程度学力的人 zhāoshōu jùyǒu gāozhōng bìyè chéngdù xuélì de rén

학력(學歷) 学历 xuélì ¶ ~을 묻지 않다 不同有无学历 bú wèn yǒu wú xuélì

학문(學問) 学问 xuéwen ¶ 열심히 ~에 힘쓰다 潜心钻研学问 qiánxīn zuānyán xuéwen / ~의 자유를 지키다 维护学术自由 wéihù xuéshù zìyóu

학벌(學閥) 学阀 xuéfá

학부(學部) 学院 xuéyuàn; 系 xì ¶ 본교에는 법~, 문~, 이~가 있다 本校有法学院, 文学院和理学院 běnxiào yǒu fǎxuéyuàn, wénxuéyuàn hé lǐxuéyuàn

학비(學費) 学费 xuéfèi

학살(虐殺) 虐杀 nüèshā; 惨杀 cǎnshā; 残杀 cánshā ¶ 수만의 시민이 ~당했다 数万的市民被虐杀了 shùwàn de shìmín bèi nüèshā le

학생(學生) 学生 xuésheng ‖ ~증 学生证 xuéshengzhèng

학수고대(鶴首苦待) 鹤望 hèwàng; 翘首以待 qiáoshǒu yǐ dài

학술(學術) 学术 xuéshù ‖ ~ 논문 学术论文 xuéshù lùnwén / ~ 용어 学术用语 xuéshù yòngyǔ

학습(學習) 学习 xuéxí ¶ ~ 태도가 진지하다 学习态度很认真 xuéxí tàidu hěn rènzhēn

학식(學識) 学识 xuéshí ¶ ~이 풍부한 사람 学识渊博的人 xuéshí yuānbó de rén

학업(學業) 学业 xuéyè ¶ ~에 힘쓰다 学习勤勉 xuéxí qínmiǎn ‖ ~ 성적 学业成绩 xuéyè chéngjī

학예(學藝) 学问与艺术 xuéwen yǔ yìshù ‖ ~회 文娱联欢会 wényú liánhuānhuì

학용품(學用品) 学习用品 xuéxí yòngpǐn; 文具 wénjù

학우(學友) 学伴儿 xuébànr; 学友 xuéyǒu; 同

tóngchuāng; 同学 tóngxué
학원(學院) 补习班 bǔxíbān
학위(學位) 学位 xuéwèi ¶문학 박사의 ~를 따다 获得文学博士的学位 huòdé wénxué bóshì de xuéwèi
학자(學者) 学者 xuézhě ¶그는 어딘지 모르게 ~ 기질 같은 것이 있다 他有一种学者气质 tā yǒu yì zhǒng xuézhě qìzhì
학자(學資) 学费 xuéfèi ¶~를 보내 주다 寄给学费 jìgěi xuéfèi
학적(學籍) 学籍 xuéjí
학질(瘧疾) 〔醫〕疟疾 nüèji; 疟子 yàozi ¶~에 걸리다 打摆子 dǎ bǎizi
학칙(學則) 校规 xiàoguī
학풍(學風) 学风 xuéfēng ¶전통적인 ~ 传统性的学风 chuántǒngxìng de xuéfēng
학회(學會) 学会 xuéhuì
한(限) ①《정도》 限 xiàn; 限度 xiàndù ¶욕망에는 ~이 없다 人的欲望是无止境的 rén de yùwàng shì wú zhǐjìng de / ~없이 넓은 바다 一望无际的大海 yí wàng wú jì de dàhǎi ②《한정·기한내》 限 xiàn; 限于 xiànyú ¶신청은 7월 ~ 报名到七月截止 bàomíng dào qīyuè jiézhǐ =〔报名日期截至七月底止 bàomíng rìqī jiézhì qīyuè dǐzhǐ〕/ 당일에 ~해 유효 当日有效 dàngrì yǒuxiào / 내가 아는 ~ 그는 결코 나쁜 사람이 아니다 就我所知道的, 他决不是个坏人 jiù wǒ suǒ zhīdao de, tā jué búshì ge huàirén ③《조건》 ¶네가 잘못을 인정하지 않는 ~ 결코 용서할 수 없다 除非你认错, 我决不饶你 chúfēi nǐ rèncuò, wǒ jué bù ráo nǐ / 사정이 허락하는 ~ 출석한다 只要情况允许尽可能地出席 zhǐyào qíngkuàng yǔnxǔ jǐnkěnéngde chū xí ④《제한》 限 xiàn; 限于 xiàn yú ¶입장자는 여성에 ~한다 只限女性入场 zhǐ xiàn nǚxìng rùchǎng
한 ①《하나》 一 yī ¶형과는 ~ 살 차이다 跟哥哥差一岁 gēn gēge chà yí suì ②《대략》 大约 dàyuē; 差不多 chà bù duō; 大致 dàzhì ¶~ 300명쯤 출석했다 大概有三百来人出席了 dàgài yǒu sānbǎi lai rén chūxí le
한가운데 中央 zhōngyāng; 当中 dāngzhōng ¶강 ~ 河当中 hé dāngzhōng =〔河心 héxīn〕
한가지 ①《일종》 一种 yìzhǒng ②《동일》 一样 yíyàng; 相同 xiāngtóng
한가하다(閑暇…) 有闲工夫 yǒuxián gōngfu
한갓 竟 jìng; 单 dān; 只 zhǐ ¶~ 이 일뿐이 아니다 不竟是这件事情 bú jìng shì zhè jian shìqing
한갓지다 背静 bèijing
한개(…個) 一个 yí ge
한걸음 一步 yí bù ¶~ 뒤로 물러나다 往后退一步 wǎng hòu tuì yí bù
한결 格外 géwài; 分外 fènwài; 更 gèng ¶~ 빼어나게 예쁘게 보인다 显得格外漂亮 xiǎnde géwài piàoliang
한결같다 一样的 yíyàng de; 始终一贯 shǐzhōng yí guàn
한계(限界) 限度 xiàndù; 界线 jièxiàn ¶이 일은 나의 능력의 ~를 넘어섰다 这个工作超过了我能力的限度 zhège gōngzuò chāoguòle wǒ nénglì de xiàndù ‖~ 효용 边际效用 biānjì xiàoyòng
한고비 最要紧的关头 zuì yàojǐn de guāntóu
한구석 角落 jiǎoluò; 〈方〉旮旯(儿,子) gālá(r, zi); 〈口〉犄角(儿) jījiǎo(r) ¶탁자를 방의 ~에 옮겨 놓다 把桌子挪到屋角 bǎ zhuōzi nuódào wūjiǎo
한군데 《어느 곳》 一个地方 yí ge dìfang; 《동일 장소》 一样的地方 yīyàng de dìfang
한글 韩文 Hánwén
한기(寒氣) 寒气 hánqì ¶~가 약간 누그러진 것 같다 觉得寒气有点儿缓过来了 juéde hánqì yǒu diǎnr huǎnguòlai le
한길 大马路 dà mǎlù; 大街 dàjiē; 大道 dàdào; 大路 dàlù
한꺼번에 同时 tóngshí ¶일이 ~ 닥치다 事情凑到一块儿 shìqing còudào yíkuàir / ~에 두 일은 못 한다 一个锅里做不出两样儿饭来 yí ge guō li zuò bù chū liǎng yàngr fàn lai / ~ 오지 마라 不要一块儿来 búyào yíkuàir lái
한껏(限…) 竭尽全力 jiéjìn quánlì; 尽量 jǐnliàng
한나절 半天 bàntiān; 半日 bànrì
한낮 光天化日 guāngtiān huà rì; 午刻 wǔkè
한눈팔다 往傍处看 wǎng pángchù kàn; 卖闲呆儿 mài xiándāir
한데[1] 《한군데》 一个地方 yí ge dìfang; 一个地点 yí ge dìdiǎn
한데[2] 《노천》 户外 hùwài; 野地 yědì ¶~서 밤을 새다 在野地过夜 zài yědì guò yè =〔打野盘 dǎ yěpán〕
한도(限度) 限度 xiàndù ¶한 사람이 살 수 있는 표는 2매를 ~로 한다 一个人买两张票为限 yí ge rén mǎi liǎng zhāng piào wéi xiàn
한동안 一个时期 yí ge shíqī; 有些日子 yǒuxiē rìzi
한두 一两个 yì liǎng ge ¶~ 번 一两次 yì liǎng cì
한때 ①《잠시》 暂时 zànshí; 一时 yìshí ¶이 유행도 ~의 현상에 지나지 않는다 这种时兴只不过是'暂时〔一时〕的现象 zhè zhǒng shíxīng zhǐ búguò shì 'zànshí〔yìshí〕de xiànxiàng / 맑음, ~ 구름 晴, 有时阴 qíng yǒushí yīn ②《전에》 一时 yìshí ¶그는 ~ 대단한 인기였었다 他曾经红过一时 tā céngjīng hóngguo yìshí
한란계(寒暖計) 寒暑表 hánshǔbiǎo
한랭(寒冷) 寒冷 hánlěng ‖~ 전선 冷锋 lěngfēng
한마디 一句话 yí jù huà; 一言 yì yán ¶~로 말하자면 一言以蔽之 yì yán yǐ bì zhī / ~도 없다 一言不发 yì yán bù fā / ~로 말하기 어렵다 一言难尽 yì yán nán jìn
한마음 一心 yìxīn ¶~으로 一心一意 yì xīn yí yì / ~이 되어 일하다 同心协力 tóngxīn xiélì
한모금 一口 yì kǒu; 一点儿 yìdiǎnr ¶술을 ~ 마시다 喝点酒 hē diǎn jiǔ
한목 一块堆儿 yí kuài duīr
한몫 分的份儿 fēn de fènr ¶~보다 分得一份儿 fēndé yí fènr =〔捞了一笔钱 lāo le yìbǐ qián〕
한물 最盛时期 zuì shèng shíqī ¶~지나다 极盛期已过 jíshèngqī yǐ guò =〔已经走下坡路了 yǐjing zǒu xià pōlù le〕
한밑천 一笔老本 yìbǐ lǎoběn ¶~ 잡다 捞得一大笔钱 lāodé yí dà bǐ qián
한바퀴 一圈 yì quān; 一周 yì zhōu ¶~ 돌다 绕一圈 rào yì quān / 지구가 태양을 ~ 돌다 地

球环绕太阳一周 dìqiú huánrǎo tàiyáng yì zhōu
한바탕 一阵 yízhèn; 一时 yìshí ¶비가 ~ 내리다 下一阵雨 xià yízhèn yǔ / ~ 울다 哭一阵 kū yízhèn / 그 사건은 ~ 세상을 떠들썩하게 했다 那个事件在社会上曾轰动一时 nàge shìjiàn zài shèhuì shang céng hōngdòng yìshí
한발짝 一步 yí bù ¶~도 양보하지 않다 一步也不让 yí bù yě búràng
한밤중(…中) 半夜 bànyè; 深夜 shēnyè; 深更半夜 shēngēng bànyè; 半夜三更 bànyèsāngēng; 黑更半夜 hēigēng bànyè; 夜半 yèbàn ¶~에 누군가 문을 두드린다 半夜里有人在敲门 bànyè li yǒu rén zài qiāo mén
한방(韓方) 韩医 Hányī; 韩医处方 Hányī chǔfāng
한방울 一滴 yìdī
한배 ①《사람》一奶同胞 yì nǎi tóng bāo ②《동물》一窝 yì wō ¶~에 돼지 5마리를 낳았다 一窝下了五个猪 yì wō xiàle wǔ ge zhū
한번(…番) 一回 yì huí ¶~도 连一回也 lián yì huí yě
한벌 一件 yí jiàn; 一套 yí tào
한복(韓服) 韩国民族服装 Hánguó mínzú fúzhuāng
한복판 正中 zhèngzhōng; 当中 dāngzhōng
한뼘 《길이의》一楂 yì zhā; 一叉 yì zhǎ
한사람 一个人 yí ge rén; 一名 yì míng ¶~ ~ 每一个人 měi yí ge rén =〔各人 gè rén〕〔一个一个地 yí ge yí ge de〕
한사코(限死…) 豁出命来 huō chu mìng lai; 拼命 pīnmìng ¶~ 반대하다 拼命反对 pīnmìng fǎnduì
한서(漢書) 《한문책》中国古书 Zhōngguó gǔshū; 《책 이름》汉书 Hànshū
한세상(…世上) ①《일평생》一辈子 yíbèizi; 终身 zhōngshēn; 一生 yìshēng ②《한창때》黄金时代 huángjīn shídài
한술 《한수저》一勺 yì sháo; 《적은 음식》少量的吃食 shǎoliàng de chī shí ¶~ 뜨다 吃一点儿 chī yìdiǎnr
한숨 ¶~ 자다《잠》盹睡一会儿 dǔnshuì yìhuǐr =〔眯了一介小盹儿 mīle yí ge xiǎo dǔnr〕
한시(漢詩) 中国古诗 Zhōngguó gǔshī
한심하다(寒心…) 值得叹息 zhíde tànxī; 可叹的 kětàn de
한아름 一搂 yìlǒu; 一抱 yíbào ¶~의 장작 一抱劈柴 yíbào pǐchai / ~되는 큰 나무 一搂粗的大树 yìlǒu cū de dàshù
한약(漢藥) 中药 Zhōngyào ‖~방 中药房 Zhōngyàofáng
한없다(限…) 《끝없다》无限的 wúxiàn de; 无边的 wúbiān de; 《대단히》非常 fēicháng ¶한없이 애석하다 非常可惜 fēicháng kěxī
한옆 一个旮旯儿 yí ge gālár; 一个犄角儿 yí ge jījiǎor
한웅큼 一把 yìbǎ; 《머리털》一撮儿 yìzuǒr
한의(漢醫) 中医师 zhōngyīshī; 儒医 rúyī
한입 一口 yìkǒu ¶~에 먹다 一口吃完了 yìkǒu chī wán le / ~ 먹다 吃了一口 chīle yìkǒu
한자(漢字) 汉字 Hànzì
한잔(…盞) ①《분량》一杯 yì bēi ②《음주》一杯酒 yì bēi jiǔ ¶~하다 喝一杯 hē yì bēi =〔喝点酒 hē diǎn jiǔ〕
한잠 睡一觉 shuì yí jiào; 盹睡一会儿 dǔn shuì yìhuǐr; 《깊은 잠》熟睡 shúshuì; 酣睡 hānshuì ¶~자다 睡得很熟 shuìde hěn shú / 전철 안에서 ~자다 在地铁里打一个盹儿 zài dìtiě li dǎ yí ge dǔnr
한장(…張) 一张 yì zhāng
한적(漢籍) 中国古典 Zhōngguó gǔdiǎn; 汉文书籍 Hànwén shūjí
한정(限定) 限定 xiàndìng ¶수강자의 사람 수를 100인으로 ~하다 听讲人的人数限定为一百人 tīngjiǎngrén de rénshù xiàndìng wéi yìbǎi rén
한조각 一块 yí kuài; 一片 yí piàn
한죽(寒竹) 《植》紫竹 zǐzhú
한줄 ①《일렬》一排 yìpái ¶~로 서다 排成一排 pái chéng yìpái ②《글씨의》一行 yìháng
한줌 抄儿 chāor; 把儿 bǎr ¶~의 쌀 一抄儿米 yì chāor mǐ
한증(汗蒸) 蒸汽浴 zhēngqìyù ‖~막 蒸汽浴浴室 zhēngqìyù yùshì ¶마치 ~에 들어온 것같이 덥다 热得简直像在蒸笼里似的 rède jiǎnzhí xiàng zài zhēnglóng li sìde
한집안 一家子 yìjiāzi; 一家人 yìjiārén
한쪽 一面 yímiàn; 另一边 lìng yìbiān; 《일방》(两个中的)一个 yí ge
한참 大半天 dàbàntiān; 许久 xǔjiǔ ¶~ 기다렸다 等了半天 děngle bàntiān
한창 ①《절정》最盛时期 zuì shèng shíqī ¶꽃이 ~일 때 花盛开时 huā shèng kāi shí ②《사람의》年富力强 nián fù lì qiáng ③《부사적으로》¶~ 논쟁이 벌어진 때에 辩论正热烈的时候(儿) biànlùn zhèng rèliè de shíhou(r)
한층(…層) ①《한 층계》一楼 yì lóu ②《한결》更 gèng; 越发 yuèfā ¶~ 더 심하게 울었다 越发地痛哭起来了 yuèfāde tòngkūqǐlai le
한칼 一刀 yì dāo ¶~에 죽이다 一刀杀死 yì dāo shāsǐ
한탄(恨歎) 叹气 tànqì
한턱 招待 zhāodài ¶~내다 请客 qǐngkè
한테 对 duì; 跟 gēn; 和 hé ¶친구~ 돈을 꾸다 跟朋友借钱 gēn péngyou jiè qián
한파(寒波) 寒潮 háncháo ¶~의 내습으로 갑자기 추워졌다 寒潮袭击一下子冷起来了 háncháo xíjī yíxiàzi lěngqilai le
한판 《승부의 1회》一局 yì jú; 一盘 yì pán ¶바둑을 ~ 두다 下一盘棋 xià yì pán qí ‖~승부 一次决定的胜负 yí cì juédìng de shèngfù
한패(…牌) 一伙 yìhuǒ; 一帮 yìbāng ¶이것은 그들 ~의 음모다 这是他们一伙的阴谋 zhè shì tāmen yìhuǒ de yīnmóu
한편(…便) ①《한쪽》一面 yímiàn ②《그 밖에》另外 lìngwài ③《반면》另一面 lìng yímiàn
한평생(…平生) 一辈子 yíbèizi; 一生 yìshēng
한푼 一文 yì wén; 分文 fēn wén ¶~도 없다 一文不名 yì wén bù míng =〔手无分文 shǒu wú fēn wén〕/ ~의 가치도 없다 一文〔钱〕不值 yìwén〔qián〕bù zhí / ~도 남기지 않고 다 써버렸다 分文不剩全都花光了 fēnwén bú shèng quándōu huāguāng le
한풀꺾이다 颓唐 tuítáng; 削弱下去 xuēruò xiàqu; 气馁 qìněi
한학(漢學) 汉学 hànxué
할(割) 成 chéng; 停 tíng ¶1~ 一成 yì chéng 연(年) 1~의 이자 年一成的利息 nián y

chéng de lìxī
할당(割當) 分配 fēnpèi; 分摊 fēntān; 分担 fēndān; 分派 fēnpài; 摊派 tānpài ¶예산의 ~에 고심하다 为分配预算而伤脑筋 wèi fēnpèi yùsuàn ér shāng nǎojīn
할당하다(割當…) 分配 fēnpèi; 摊派 tānpài; 分摊 fēntān; 分派 fēnpài ¶모두에게 일을 ~ 给大家分配工作 gěi dàjiā fēnpèi gōngzuò / 기부금을 ~ 摊派捐款 tānpài juānkuǎn
할말 ①《하고 싶은 말》 要说的话 yào shuō de huà ¶~이 있다 有话要说 yǒu huà yào shuō ②《불평》 ¶이러면 ~이 없을 테지 这样就没什么不满意的了吧 zhèyàng jiù méi shénme bù mǎnyì de le ba
할머니〈口〉 奶奶 nǎinai; 《외조모》〈口〉 姥姥 lǎolao
할멈《노파》〈口〉 老婆 lǎopo; 《식모》 老妈 lǎomā
할미꽃《植》 翁草 wēngcǎo; 白头翁 báitóuwēng
할미새《鳥》 鹡鸰 jílíng
할복(割腹) 剖腹 pōufù ‖~ 자살 切腹自杀 qiēfù zìshā =〔剖腹自杀 pōufù zìshā〕
할 수 있다 能 néng; 会 huì; 可以 kěyǐ; 可能 kěnéng ¶그녀는 비행기를 조종~ 她会开飞机 tā huì kāi fēijī / 그의 말이라면 신용~ 他的话信得过 tāde huà xìndeguò
할아버지 公公 gōnggong; 〈口〉 爷爷 yéye; 《외조부》〈方〉 外公 wàigōng
할아범《노인》 老头儿 lǎotóur; 《하인》 老奴 lǎonú
할애(割愛) 割爱 gē'ài ¶시간의 제한 때문에 설명은 ~했다 由于时间的限制说明只好割爱了 yóuyú shíjiān de xiànzhì shuōmíng zhǐhǎo gē'ài le
할인(割引) 折扣 zhékòu; 减价 jiǎnjià ¶현금이라면 ~해 준다 要是现钱, 打折扣 yàoshi xiànqián, dǎ zhékòu ‖~권 减价优待卷 jiǎnjià yōudàiquàn / 단체~ 团体减价 tuántǐ jiǎnjià
할인(割印) 骑缝印 qífèngyìn ¶~을 찍다 盖骑缝印 gài qífèngyìn
할증(割增) ①《임금 따위》 贴补 tiēbu; 加价 jiājià; 增额 zēng'e ¶심야에는 ~ 요금이 된다 深夜加价 shēnyè jiājià ②《주식 따위》 票面以上的价格 piàomiàn yǐshàng de jiàgé ‖~금 溢价金 yìjiàjīn =〔贴补金 tiēbujīn〕
할퀴다 抓 zhuā; 挠 náo ¶손이 고양이에게 할퀴어 찢어졌다 手被猫抓破了 shǒu bèi māo zhuāpò le
핥다 舐 shì; 舔 tiǎn ¶어미고양이가 새끼고양이를 ~ 母猫舔小猫 mǔmāo tiǎn xiǎomāo
함(函) 盒子 hézi; 箱子 xiāngzi; 匣子 xiázi ¶투표~ 投票匦 tóupiàoguǐ
함구령(緘口令) ¶그 일에 대해서 ~이 내려졌다 该事被禁止言及 gāi shì bèi jìnzhǐ yánjí
함께 一起 yìqǐ; 一块儿 yíkuàir ¶~ 가다 一同去 yìtóngqù / 선장은 배와 운명을 ~한다 船长同船共命运 chuánzhǎng tóng chuán gòng mìngyùn
함대(艦隊)《軍》 舰队 jiànduì
함락(陷落) ①《함몰》 陷落 xiànluò; 陷没 xiànmò; 塌陷 tāxiàn ¶지반이 ~하다 地面陷落 dìmiàn xiànluò ②《공략》 陷落 xiànluò; 沦陷 lúnxiàn ¶수도의 ~이 눈앞에 임박했다 首都的陷落迫近了 shǒudū de xiànluò pòjìn le
함박눈 鹅毛雪 émáoxuě
함부로 ①《허가 없이》 随便 suíbiàn; 任意 rènyì ②《무턱대고》 胡乱 húluàn; 莽撞 mǎngzhuàng ③《까닭없이》 无缘无故地 wúyuán wúgù de
함석 镀锌铁 dùxīntiě; 铅铁 qiāntiě; 白铁 báitiě; 洋铁 yángtiě ‖~ 지붕 白铁皮屋顶 báitiěpí wūdǐng / ~판 白铁皮 báitiěpí
함성(喊聲) 呐喊声 nàhǎnshēng
함지 大木头盆 dàmùtou pén
함축(含蓄) 含蓄 hánxù ¶~성 있는 말을 하다 话说得很含蓄 huà shuōde hěn hánxù / 이 말은 매우 ~성이 있다 这话很含蓄 zhè huà hěn hánxù
함흥차사(咸興差使) 一去永不返 yí qù yǒng bù fǎn; 〈成〉 杳如黄鹤 yǎo rú huánghè
합격(合格) 合格 hégé; 及格 jígé; 考中 kǎozhòng ¶입학 시험에 ~하였다 考中〔考上〕了学校 kǎozhòng〔kǎoshàng〕le xuéxiào ‖~자 考中者 kǎozhòngzhě =〔及格者 jígézhě〕〔合格者 hégézhě〕
합계(合計) 一共 yígòng; 共计 gòngjì; 合计 héjì; 总计 zǒngjì ¶~하다 合算 hésuàn / 점수를 ~하다 总计分数 zǒngjì fēnshù / 사과는 ~ 50개가 있다 苹果一共有五十个 píngguǒ yígòng yǒu wǔshí ge
합당(合當) 合适 héshì ¶값이 ~한 물건 价钱合适的东西 jiàqian héshì de dōngxi / ~한 조치를 강구하다 采取应有的措施 cǎiqǔ yīngyǒu de cuòshī
합동(合同) ①联合 liánhé ¶A시의 학교가 ~으로 체육 대회를 개최한다 A市的学校联合举行运动大会 A shì de xuéxiào liánhé jǔxíng yùndòng dàhuì ②《數》 全等形 quánděngxíng ¶이 두 개의 삼각형은 ~이다 这两个三角形全等 zhè liǎngge sānjiǎoxíng quánděng
합류(合流) 合流 héliú; 汇流 huìliú; 汇合 huìhé; 会合 huìhé ¶목적 지점에서 ~하다 在目的地会合 zài mùdìdì huìhé ‖~점 合流点 héliúdiǎn =〔汇流点 huìliúdiǎn〕
합리(合理) 合理 hélǐ ¶~적 合理的 hélǐde =〔妥当的 tuǒdangde〕/ 그는 문제를 매우 ~적으로 생각한다 他考虑问题很合理 tā kǎolǜ wèntí hěn hélǐ ‖~주의 理性主义 lǐxìng zhǔyì =〔唯理论 wéilǐlùn〕
합명(合名) 连名 liánmíng; 共同负责 gòngtóng fùzé ‖~ 회사 合股公司 hégǔ gōngsī =〔无限公司 wúxiàn gōngsī〕
합법(合法) 合法 héfǎ ¶~적 合法的 héfǎde / ~적인 수단으로 정부에 반대하다 用合法的手段反对政府 yòng héfǎ de shǒuduàn fǎnduì zhèngfǔ
합병(合倂) 合并 hébìng; 归并 guībìng ¶두 개의 회사를 ~하다 把两个公司合并 bǎ liǎngge gōngsī hébìng ‖~증 合并症 hébìngzhèng =〔并发症 bìngfāzhèng〕
합본(合本) 合订 hédìng; 合订本 hédìngběn ¶12권의 잡지를 ~하였다 把十二本杂志合订起来 bǎ shí'èr běn zázhì hédìng qǐlai
합성(合成) 合成 héchéng ¶산소와 수소에서 물을 ~하다 由氧和氢合成水 yóu yǎng hé qīng héchéng shuǐ ‖~ 고무 合成橡胶 héchéng xiàngjiāo / ~ 세제 合成洗涤剂 héchéng xǐdíjì
합세(合勢) 合伙(儿) héhuǒ(r); 合帮 hébāng; 合力 hélì
합숙(合宿) 集体生活 jítǐ shēnghuó; 集训 jíxùn ¶여름 방학에 ~하여 탁구 연습을 하다 暑假集训

进行乒乓球练习 shǔjià jíxùn jìnxíng pīngpāngqiú liànxí
합승(合乘) 合乘 héchéng ¶택시에 ~하다 搭伙乘出租汽车 dāhuǒ chéng chūzūqìchē
합심(合心) 同心合意 tóngxīn héyì
합의(合意) 同意 tóngyì; 商量好 shāngliang hǎo ¶협상을 거쳐서 ~에 도달하였다 经协商达成了协议 jīng xiéshāng dáchéngle xiéyì / 쌍방의 ~하에 별거하다 经双方同意分居 jīng shuāngfāng tóngyì fēnjū
합자회사(合資會社) 两合公司 liǎnghé gōngsī
합작(合作) 合作 hézuò ¶한중 ~ 영화 韩中联合摄制的影片 HánZhōng liánhé shèzhì de yǐngpiàn / 이 모형은 우리들 3인의 ~이다 这个模型是我们三个人合作的 zhège móxíng shì wǒmen sānge rén hézuò de
합장(合掌) 合掌 hézhǎng; 合十 héshí ¶위패 앞에서 ~하다 在灵位前双手合十 zài língwèi qián shuāngshǒu héshí
합죽이 瘪嘴子 biě zuǐzi
합창(合唱) 《樂》 合唱 héchàng ¶모두 함께 교가를 ~했다 大家在一起合唱了校歌 dàjiā zài yìqǐ héchàngle xiàogē ‖~단 合唱团 héchàngtuán =〔合唱队 héchàngduì〕
합치(合致) 吻合 wěnhé; 合乎 héhū; 符合 fúhé ¶이것은 민주주의의 원칙에 ~한다 这合乎民主主义的原则 zhè héhū mínzhǔ zhǔyì de yuánzé
합치다(合…) 合 hé; 加 jiā; 凑 còu; 合并 hébìng; 《계산을》 合算 hésuàn ¶그건 이 두 개를 합친 것보다 크다 那个比这两个加在一起还大 nàge bǐ zhè liǎng ge jiā zài yìqǐ hái dà / 모두 마음을 합쳐서 일하다 大家'同心〔合力〕工作 dàjiā 'tóngxīn 〔hélì〕 gōngzuò / 연수(年收)는 부부 합쳐서 5백만 원이 된다 一年的收入夫妇俩共总五百万元 yì nián de shōurù fūfù liǎ gòngzǒng wǔbǎiwàn yuán
합판(合板) 三合板 sānhébǎn; 胶合板 jiāohébǎn
핫도그(hot dog) 腊肠面包 làcháng miànbāo; 热狗 règǒu
항간(巷間) 街巷 jiēxiàng; 街头巷尾 jiētóu xiàngwěi ¶~에 전해 오는 바에 의하면 据街头巷尾传说 jù jiētóu xiàngwěi chuánshuō
항공(航空) 航空 hángkōng ‖~ 사진 空中〔航空〕摄影 kōngzhōng〔hángkōng〕 shèyǐng / ~ 우편 航空信 hángkōngxìn =〔航空邮件 hángkōng yóujiàn〕
항구(恒久) 恒久 héngjiǔ; 持久 chíjiǔ; 永久 yǒngjiǔ ¶~적인 설비 永久性的设备 yǒngjiǔxìng de shèbèi / 세계의 ~적인 평화를 희구하다 希求世界持久和平 xīqiú shìjiè chíjiǔ hépíng
항구(港口) 港口 gǎngkǒu; 码头 mǎtou ¶배가 ~로 들어가다 船舶进港 chuánbó jìngǎng / 대형 여객선이 ~에 정박해 있다 巨型客轮停泊在码头上 jùxíng kèlún tíngbó zài mǎtou shang
항렬(行列) 排行 páiháng ¶~이 높다 大排行 dà páiháng
항로(航路) 航线 hángxiàn; 航路 hánglù ¶~를 북으로 향하다 往北航行 wǎng běi hángxíng ‖~ 표지 航标 hángbiāo / 유럽 ~ 欧洲航标 Ōuzhōu hángbiāo / 정기 ~ 定期航线 dìngqī hángxiàn
항문(肛門) 《生》 肛门 gāngmén; 粪门 fènmén
항변(抗辯) 抗辩 kàngbiàn
항복(降伏 · 降服) 投降 tóuxiáng; 归降 guīxiáng; 投诚 tóuchéng; 降服 xiángfú ¶적에게 ~하다 向敌人投降 xiàng dírén tóuxiáng / ~ 문서에 조인하다 在投降书上签字盖印 zài tóuxiángshū shang qiānzì gàiyìn ‖무조건 ~ 无条件投降 wútiáojiàn tóuxiáng
항상(恒常) 《늘》 常 cháng; 老 lǎo; 无论什么时候儿 wúlùn shénme shíhour; 《끊임없이》 时时刻刻 shíshí kèkè; 《관례대로》 照例 zhàolì
항생물질(抗生物質) 《藥》 抗菌素 kàngjūnsù; 抗生素 kàngshēngsù
항소(抗訴) 上诉 shàngsù ¶제 1심의 판결에 불복해서 ~하다 不服第一审的判决上诉 bùfú dìyì shěn de pànjué shàngsù / ~를 기각하다 驳回上诉 bóhuí shàngsù ‖~심 上诉审 shàngsùshěn =〔第二审 dì'èr shěn〕
항아리(缸…) 《큰》 瓮 wèng; 《작은》 缸子 gāngzi
항의(抗議) 抗议 kàngyì ¶~ 데모를 하다 游行示威进行抗议 yóuxíng shìwēi jìnxíng kàngyì
항체(抗體) 《生》 抗体 kàngtǐ
항해(航海) 航海 hánghǎi; 航行 hángxíng ¶요트로 태평양을 ~하다 驾驶帆船在太平洋航行 jiàshǐ fānchuán zài Tàipíngyáng hángxíng ‖일등 ~사 大副 dàfù / 처녀 ~ 处女航 chǔnǚháng
항히스타민제(抗histamine劑) 《藥》 抗组(织)胺剂 kàngzǔ(zhī)ànjì
해 ①《태양》 太阳 tàiyáng; 日头 rìtou ¶저녁 ~ 夕阳 xīyáng =〔夕照 xīzhào〕 / ~가 뜨다 太阳升起 tàiyáng shēngqǐ =〔旭日东升 xùrì dōng shēng〕 / ~가 졌다 太阳落下去了 tàiyáng luòxiàqu le ②《낮》 天 tiān; 日 rì ¶~가 저물었다 天黑了 tiān hēi le / ~가 길어졌다 天长了 tiān cháng le / ~는 저물고 길은 멀다 日暮途远 rì mù tú yuǎn ③《한해》 年 nián ¶새~를 맞이하다 迎新年 yíng xīnnián / 그는 병원에서 ~를 넘겼다 他在医院过了年 tā zài yīyuàn guòle nián
해(害) 害 hài; 害处 hàichu; 危害 wēihài ¶지나친 음주는 건강에 ~롭다 饮酒过度有害于健康 yǐn jiǔ guòdù yǒuhài yú jiànkāng / 그런 물건은 백~무익이다 那种东西有百害而无一利 nà zhǒng dōngxi yǒu bǎihài ér wú yí lì
해결(解決) 解决 jiějué ¶사건은 원만히 ~되었다 事件圆满解决了 shìjiàn yuánmǎn jiějué le / 미~의 문제가 산처럼 쌓여 있다 有待解决的问题堆积如山 yǒudài jiějué de wèntí duījī rú shān
해고(解雇) 解雇 jiěgù; 开除 kāichú ¶경영 부진으로 많은 노동자가 ~당했다 由于经营不振, 工人被大量解雇了 yóuyú jīngyíng bú zhèn, gōngrén bèi dàliàng jiěgù le ‖~ 수당 解雇津贴 jiěgù jīntiē
해골(骸骨) 骸骨 háigǔ
해괴(駭怪) 莫名其妙 mò míng qí miào ¶~망측하다 岂有此理 qǐ yǒu cǐ lǐ =〔太不像话 tài bú xiàng huà〕
해군(海軍) 海军 hǎijūn ‖~ 사관 海军军官 hǎijūn jūnguān
해내다 干掉 gāndiào; 整一顿 zhěng yídùn; 驳倒 bódǎo; 《일을》 做到 zuòdào
해녀(海女) 海女 hǎinǚ
해다리(海…) ⇨ 해달(海獺)
해달(海獺) 《動》 海虎 hǎihǔ; 海獭 hǎitǎ

해답(解答) 答复 dáfù; 解答 jiědá
해당(該當) 符合 fúhé ¶~자는 없다 无符合者 wú fúhézhě / 그것은 형법 제57조에 ~한다 那适用于刑法第五十七条 nà shìyòng yú xíngfǎ dìwǔshíqī tiáo
해독(害毒) 毒害 dúhài ¶세상에 ~을 끼치다 向社会散布毒素 xiàng shèhuì sànbù dúsù =〔流毒于世 liúdú yú shì〕
해독(解毒) 解毒 jiědú ‖~ 작용 解毒作用 jiědú zuòyòng / ~제 解毒剂 jiědújì
해독(解讀) 解读 jiědú; 译读 yìdú; 译解 yìjiě ¶암호를 ~하다 译读密码 yìdú mìmǎ
해돋이 日头冒嘴 rìtou mào zuǐ; 日出 rìchū
해로(偕老) 偕老 xiélǎo ‖백년~ 白头偕老 báitóu xiélǎo
해롭다(害…) 有害 yǒuhài ¶담배는 건강에 ~ 吸烟对健康有害 xīyān duì jiànkāng yǒuhài / 잠을 안 자고 날을 새는 것은 몸에 ~ 熬夜对身体有害 áoyè duì shēntǐ yǒuhài
해롱거리다 冒失 màoshi; 胡闹 húnào; 轻薄 qīngbó; 顽皮 wánpí
해류(海流) 海流 hǎiliú; 潮流 cháoliú
해마다 每年 měinián ¶이 곳은 대체로 ~ 홍수가 난다 这地方差不多每年都发大水 zhè dìfang chàbuduō měinián dōu fā dàshuǐ
해머(hammer) ①铁槌 tiěchuí ②《경기》 链球 liànqiú ‖투~ 掷链球 zhìliànqiú
해명(解明) 解明 jiěmíng; 阐明 chǎnmíng; 讲明 jiǎngmíng ¶사고의 원인을 ~하다 弄清事故的原因 nòngqīng shìgù de yuányīn
해몽(解夢) 圆梦 yuánmèng; 详梦 xiángmèng
해바라기 《植》 向日葵 xiàngrìkuí
해박(該博) 渊博 yuānbó ¶~한 지식 渊博的知识 yuānbó de zhīshi
해발(海拔) 海拔 hǎibá; 拔海 báhǎi ¶한라산은 ~ 1,950m이다 汉拿山的海拔是一千九百五十米 Hànnáshān de hǎibá shì yìqiān jiǔbǎi wǔshí mǐ
해방(解放) 解放 jiěfàng ¶여성 ~ 운동 妇女解放运动 fùnǚ jiěfàng yùndòng / 마침내 일로부터 ~되었다 总算从工作中解放出来了 zǒngsuàn cóng gōngzuò zhōng jiěfàng chūlai le
해변(海邊) 海滨 hǎibīn; 海边 hǎibiān ¶~에서 자라서 헤엄을 잘 친다 在海边长大的很会游泳 zài hǎibiān zhǎngdà de hěn huì yóuyǒng / ~에서 여름을 지내다 在海滨度过夏天 zài hǎibīn dùguò xiàtiān
해보다 试办 shìbàn; 试试看 shìshikàn ¶잘 될지 어떨지 한번 해 보자 是否能成功, 试试看 shìfǒu néng chénggōng, shìshi kàn
해부(解剖) 解剖 jiěpōu ¶개구리를 ~하다 解剖青蛙 jiěpōu qīngwā ‖~학 解剖学 jiěpōuxué
해빙(解氷) 解冻 jiědòng ¶한강이 ~하기 시작했다 汉江开始解冻了 Hànjiāng kāishǐ jiědòng le
해산(海産) 海鲜 hǎixiān; 水产 shuǐchǎn ‖~물 海味 hǎiwèi =〔海产 hǎichǎn〕〔海产物 hǎichǎnwù〕
해산(解産) 生孩子 shēng háizi; 临盆 línpén
해산(解散) 散会 sànhuì; 解散 jiěsàn ¶국회를 ~하다 解散国会 jiěsàn guóhuì / 그들 일행은 역 앞에서 ~했다 他们一行在车站前解散了 tāmen yìxíng zài chēzhàn qián jiěsàn le
해석(解析) 解析 jiěxī ¶데이터를 ~하다 分析数据 fēnxī shùjù zīliào
해석(解釋) 解释 jiěshì; 理解 lǐjiě ¶남의 말을 선의로 ~하다 善意地理解人家的话 shànyìde lǐjiě rénjia de huà / 그는 그것을 거절로 ~했다 他认为那是对他的拒绝 tā rènwéi nà shì duì tā de jùjué
해설(解說) 解说 jiěshuō; 解释 jiěshì ‖뉴스 ~ 新闻评论 xīnwén pínglùn
해수욕(海水浴) 海水浴 hǎishuǐyù ¶~을 하다 洗海水浴 xǐ hǎishuǐyù ‖~장 海滨浴场 hǎibīn yùchǎng
해시계(…時計) 日晷 rìguǐ; 日规 rìguī
해쓱하다 苍白 cāngbái
해안(海岸) 海岸 hǎi'àn; 海滨 hǎibīn; 海边 hǎibiān ‖~선 海岸线 hǎi'ànxiàn
해약(解約) 解约 jiěyuē ¶생명 보험을 ~하다 取消人寿保险合同 qǔxiāo rénshòu bǎoxiǎn hétong
해(어)뜨리다 磨破 mópò
해오라기 ⇨ 백로(白鷺)
해외(海外) 海外 hǎiwài; 国外 guówài ¶~에 진출하다 向海外进出 xiàng hǎiwài jìnchū / ~여행을 가다 去外国旅行 qù wàiguó lǚxíng ‖~ 뉴스 国际新闻 guójì xīnwén / ~ 무역 对外贸易 duìwài màoyì / ~ 방송 对外广播 duìwài guǎngbō
해원(海員) 海员 hǎiyuán; 船员 chuányuán
해임(解任) 免职 miǎnzhí; 撤职 chèzhí; 罢免 bàmiǎn ¶경리직을 ~하다 解除经理的职务 jiěchú jīnglǐ de zhíwù
해자(垓字) 城河 chénghé; 城池 chéngchí
해저(海底) 海底 hǎidǐ ‖~ 전선 海底电缆 hǎidǐ diànlǎn / ~ 터널 海底隧道 hǎidǐ suìdào
해적(海賊) 海贼 hǎizéi; 海盗 hǎidào ‖~선 海盗船 hǎidàochuán / ~판 海盗版 hǎidàobǎn =〔盗印版 dàoyìnbǎn〕
해제(解除) 解除 jiěchú ¶계약을 ~하다 废除合同 fèichú hétong ‖무장 ~ 解除武装 jiěchú wǔzhuāng
해주다 给…做 gěi…zuò ¶밥을 ~ 给…做饭 gěi…zuò fàn
해질녘 傍黑的时候儿 bānghēi de shíhour; 掩栅拦儿 yǎn zhàlanr; 平西的时候 píngxī de shíhou
해체(解體) 拆 chāi; 拆除 chāichú; 拆卸 chāixiè; 解体 jiětǐ ¶자동차를 ~하다 拆卸汽车 chāixiè qìchē / 조직이 ~되었다 组织解体了 zǔzhī jiětǐ le
해초(海草) 《植》 海草 hǎicǎo
해치(hatch) 升降口 shēngjiàngkǒu; 舱口 cāngkǒu
해치다(害…) 得罪(人) dézuì; 损坏 sǔnhuài; 伤害 shānghài ¶과로로 건강을 ~ 工作过度'伤了身体〔损害了健康〕 gōngzuò guòdù 'shāngle shēntǐ 〔sǔnhàile jiànkāng〕
해탈(解脫) 解脱 jiětuō ¶번뇌에서 ~하다 解脱烦恼 jiětuō fánnǎo
해파리 《動》 海蜇 hǎizhé; 水母 shuǐmǔ
해판(解版) 《印》 拆版 chāibǎn ¶지형을 뜬 뒤에 ~하다 打了纸型之后拆版 dǎle zhǐxíng zhī hòu chāibǎn
해포 《한 해쯤》 把年 bǎnián; 一年上下 yìnián shàngxià
해표(海豹) ⇨ 바다표범

해학(諧謔) 诙谐 huīxié; 幽默 yōumò ¶ ~이 풍부한 말로써 청중을 매료시켰다 诙谐的谈吐把听众吸引住了 huīxié de tántǔ bǎ tīngzhòng xīyǐn zhù le
해협(海峡) 海腰 hǎiyāo; 海峡 hǎixiá
핵(核) 核 hé ‖ ~분열 裂变 lièbiàn / ~ 에너지 核子能 hézǐnéng =〔核能 hénéng〕/ ~융합 聚变反应 jùbiàn fǎnyìng =〔热核反应 rèhé fǎnyìng〕/ ~폭발 核爆炸 hébàozhà
핸드백(handbag) 《부녀용》 手提包 shǒutíbāo; 提袋 tídài
핸드볼(handball) 《體》 手球 shǒuqiú
핸들(handle) ①《자동차의》 方向盘 fāngxiàngpán; 驾驶盘 jiàshǐpán; 舵轮 duòlún ②《자전거의》 车把 chēbǎ ③《문의》 把手 bǎshou
핸디캡(handicap) 障碍 zhàng'ài 不利条件 búlì tiáojiàn ¶ ~을 극복하다 克服不利条件 kèfú búlì tiáojiàn
핼리혜성(Halley 彗星) 《天》 哈雷彗星 Hāléi huìxīng
햄(ham) ①《식품》 火腿 huǒtuǐ ②《아마추어 무선사》 无线电爱好者 wúxiàndiàn àihàozhě ‖ ~샌드위치 火腿三明治 huǒtuǐ sānmíngzhì
햅쌀 新谷 xīngǔ; 新米 xīnmǐ
햇볕 阳光 yángguāng ¶ ~에 탄 얼굴 晒黑了的脸 shài hēi le de liǎn / 이부자리를 ~에 말리다 晒被褥 shài bèirù / ~이 따갑다 太阳毒 tàiyáng dú
햇빛 日光 rìguāng
햇살 照射的日光 zhàoshè de rìguāng; 阳光 yángguāng ¶ ~이 스며들다 阳光射进来 yángguāng shè jìnlai
행(行) 《줄》 行 háng ¶ ~을 바꾸다 另起一行 lìng qǐ yì háng / 1~ 걸러 쓰다 隔行写 gé háng xiě
행동(行動) 行动 xíngdòng ¶ 선생님의 지시에 따라서 ~하다 按老师的指示行动 àn lǎoshī de zhǐshì xíngdòng / ~ 반경을 넓히다 扩大活动范围 kuòdà huódòng fànwéi / 직접 ~을 취하다 采取直接行动 cǎiqǔ zhíjiē xíngdòng
행락(行樂) 游览 yóulǎn ‖ ~객 游客 yóukè =〔游人 yóurén〕/ ~지 游览地 yóulǎndì
행렬(行列) 队伍 duìwǔ; 行列 hángliè ¶ ~의 선두에 있다 站在排头 zhànzài páitóu
행방(行方) 去向 qùxiàng; 下落 xiàluò; 行踪 xíngzōng ¶ ~을 감추다 销声匿迹 xiāo shēng nì jì ‖ ~불명 下落不明 xiàluò bù míng
행보(行步) 步行 bùxíng; 脚步(儿) jiǎobù(r); 《출타》 出门 chūmén
행복(幸福) 幸福 xìngfú; 造化 zàohua ¶ 그는 ~한 생애를 보냈다 他度过了幸福的一生 tā dùguòle xìngfú de yìshēng
행사(行使) 行使 xíngshǐ ¶ 정당한 권리를 ~하다 行使正当权利 xíngshǐ zhèngdàng quánlì / 무력을 ~하다 诉诸武力 sù zhū wǔlì =〔动武 dòng wǔ〕
행상(行商) 行贾 xínggǔ; 跑买卖的 pǎo mǎimai de; 行贩 xíngfàn; 行商 xíngshāng ¶ ~하다 行贩 xíngfàn / 생선 ~을 하다 做鱼贩子 zuò yú fànzi ‖ ~인 小贩 xiǎofàn
행색(行色) 《모양》 行色 xíngsè; 行止 xíngzhǐ; 《여행 차림》 行装 xíngzhuāng
행선지(行先地) 去处 qùchù; 去向 qùxiàng ¶ ~도 알리지 않고 나갔다 没说去哪儿就出去了 méi shuō qù nǎr jiù chūqu le
행성(行星) 《天》 行星 xíngxīng
행세(行勢) 作威作福 zuò wēi zuò fú ¶ ~하는 집안 世家 shìjiā
행세하다(行世…) ①《도리를 행함》 处世得很合乎道理 chǔshì de hěn héhū dàolǐ ②《체하다》 冒充 màochōng; 假冒 jiǎmào; 假充 jiǎchōng ¶ 기자로 행세하며 들어가다 冒充新闻记者进去了 màochōng xīnwén jìzhě jìnqu le
행실(行實) 品行 pǐnxíng; 操行 cāoxíng ¶ ~이 나쁘다 品行不端 pǐnxíng bù duān
행여(나)(幸…) 幸亏 xìngkuī; 幸而 xìng'ér ¶ ~ 날씨라도 좋아서… 幸而天气好… xìng'ér tiānqì hǎo…
행운(幸運) 幸运 xìngyùn; 好运 hàoyùn ¶ 어제 그와 만날 수 있었던 것은 정말로 ~이었다 昨天能见到他, 真是幸运 zuótiān néng jiàndào tā, zhēn shì xìngyùn ‖ ~아 幸运儿 xìngyùn'ér
행위(行爲) 行为 xíngwéi; 行径 xíngjìng ¶ 그런 ~는 용인할 수 없다 那种行径不可容忍 nà zhǒng xíngjìng bù kě róngrěn
행인(行人) 行路人 xínglùrén
행적(行績 · 行蹟) 品行 pǐnxíng; 行为 xíngwéi; 举止 jǔzhǐ
행주 碗碟抹布 wǎndié mǒbù ‖ ~치마 围裙 wéiqún =〔油大襟 yóudàjīn〕
행진(行進) 行进 xíngjìn; 前进 qiánjìn ¶ 각국 선수단이 당당하게 ~한다 各国的选手代表团以雄赳赳的步伐行进 gè guó de xuǎnshǒu dàibiǎotuán yǐ xióngjiūjiū de bùfá xíngjìn ‖ ~곡 进行曲 jìnxíngqǔ
행차(行次) 出去 chūqu; 出门 chūmén
행패(行悖) 粗鲁的举止 cūlu de jǔzhǐ ¶ ~ 부리다 耍赖 shuǎlài =〔撒泼 sāpō〕〔耍野蛮 shuǎ yěmán〕
향긋하다 微香 wēixiāng
향기(香氣) 香气 xiāngqì; 香味 xiāngwèi ¶ 그윽한 ~를 퍼뜨리다 散发馥郁的香气 sànfā fùyù de xiāngqì / ~가 짙은 꽃 香气浓郁的花 xiāngqì nóngyù de huā
향기롭다(香氣…) 芬芳 fēnfāng; 芳香 fāngxiāng ¶ 향기로운 꽃냄새 馥郁的花香 fùyù de huāxiāng
향내(香…) 香味 xiāng wèi ¶ ~나는 发香气的 fā xiāngqì de
향락(享樂) 享乐 xiǎnglè ¶ ~에만 몰두하다 一味享乐 yí wèi xiǎnglè / 인생을 ~하다 享受人生之乐 xiǎngshòu rénshēng zhī lè
향상(向上) 进步 jìnbù; 提高 tígāo ¶ 생활 수준이 ~되었다 生活水平提高了 shēnghuó shuǐpíng tígāo le / 학생의 학력을 ~시키다 帮学生提高学习能力 bāng xuésheng tígāo xuéxí nénglì
향수(享受) 享受 xiǎngshòu ¶ 자유를 ~하다 享受自由 xiǎngshòu zìyóu
향수(香水) 香水 xiāngshuǐ ¶ ~를 뿌리다 洒香水 sǎ xiāngshuǐ
향연(饗宴) 宴会 yànhuì ¶ ~을 베풀다 举行宴会 jǔxíng yànhuì
향토(鄕土) 《고향 땅》 乡土 xiāngtǔ; 《시골》 乡间 xiāngjiān; 地方 dìfāng ¶ ~색이 풍부한 요리 富有乡土风味的菜 fùyǒu xiāngtǔ fēngwèi de cài ‖ ~ 민요 地方歌谣 dìfāng gēyáo
향하다(向…) ①《향해서》 面向 miànxiàng; 向着

xiàngzhe; 冲着 chòngzhe ②《가다》往 wǎng; 去 qù ¶배가 …를 향해서 가다 船冲着…走 chuán chòngzhe… zǒu / 칭다오(青島)로 ~ 往青岛去 wǎng Qīngdǎo qù
향학심(向學心) 求学心 qiúxuéxīn; 好学心 hàoxuéxīn; 求知欲 qiúzhīyù ¶그는 ~에 불타고 있다 他求学心很盛 tā qiúxuéxīn hěn shèng
향후(向後) 从此以后 cóngcǐ yǐhòu; 将来 jiānglái
허(虛) 虚 xū ¶상대방에게 ~를 찔리다 被对方乘虚而入 bèi duìfāng chéng xū ér rù
허《감탄》噢 ō; 嚄 huō ¶~, 장하구나 嚄, 你行! huō, nǐ xíng =〔真了不起 zhēn liǎobuqǐ〕
허가(許可) 许可 xǔkě; 允许 yǔnxǔ; 准许 zhǔnxǔ; 批准 pīzhǔn ¶~를 취소하다 撤销许可 chèxiāo xǔkě / 입국을 ~하다 批准人境 pīzhǔn rùjìng ‖~증 许可证 xǔkězhèng
허겁지겁 手忙脚乱 shǒu máng jiǎo luàn; 惊慌失措 jīng huāng shī cuò
허공(虛空) 天上 tiānshàng; 空中 kōngzhōng ¶~을 잡고 쓰러지다 一把抓空倒下去了 yì bǎ zhuā kōng dǎoxiàqu le / ~을 바라보면서 잠시 생각에 잠기다 凝视空中一点沉思 níngshì kōngzhōng yì diǎn chénsī
허기(虛飢) 饿饭 èfàn; 饥肠 jīcháng ¶~지다 肚子饿透 dùzi è tòu =〔饿得慌 ède huāng〕
허깨비 妖怪 yāoguài; 《환상》幻影 huànyǐng
허나 但是 dànshì; 虽然…可是 suīrán…kěshì ¶두뇌는 좋다 ~ 건강이 시원치 않다 脑筋好, 但身体不见佳 nǎojīn hǎo, dàn shēntǐ bú jiàn jiā
허다하다(許多…) 许多的 xǔduō de; 多的很 duō de hěn
허덕거리다 ①《괴로워서》折腾 zhēteng ②《숨차서》喘气 chuǎnqì ③《안달》发燥 fāzào
허둥지둥 慌慌张张 huānghuāng zhāngzhāng; 打磨磨 dǎmòmo
허드레꾼 打杂儿的 dǎzárde
허드렛일 杂活儿 záhuór
허들레이스(hurdle race)〔體〕跨栏赛跑 kuàlán sàipǎo ¶110m 하이 ~ 一百一十米高栏赛跑 yìbǎi yìshí mǐ gāolán sàipǎo
허룩하다 短了不少 duǎnle bù shǎo; 不实 bù shí; 见少 jiàn shǎo
허름하다《싸다》不值钱的 bù zhíqián de; 《귀하지 않다》不希奇 bù xīqí; 不珍重 bù zhēnzhòng
허리 腰 yāo; 腰板(儿) yāobǎn(r); 腰身 yāoshēn ¶~가 굽은 노인 腰板儿弯了的老人 yāobǎnr wānle de lǎorén / ~를 굽혀서 인사하다 弯腰行礼 wānyāo xínglǐ / 말의 ~를 끊지 마십시오 别打断人家的话头儿 bié dǎduàn rénjia de huàtóur
허리띠 带子 dàizi; 腰带 yāodài ¶~를 매다 系带子 jì dàizi / ~를 풀다 解带子 jiě dàizi
허리춤 腰间 yāojiān; 腰裉里 yāokènli
허리통 腰围 yāowéi
허망(虛妄) 虚妄 xūwàng; 虚诞 xūdàn ¶~된 설을 주장하다 主张虚妄之说 zhǔzhāng xūwàng zhī shuō
허무(虛無) 虚无 xūwú ¶~감에 빠지다 被虚无感所袭 bèi xūwúgǎn suǒ xí
허물[1] ①《사람》浮皮 fúpí ②《매미》蝉衣 chányī ③《뱀·벌레》蜕 tuì ¶~을 벗다 蜕变 tuìbiàn
허물[2]《과실》过错 guòcuò; 咎戾 jiùlì ¶~벗다 洗冤 xǐ yuān
허물다 拆毁 chāihuǐ
허물어지다 塌下去 tāxiàqu; 倒下去 dǎoxiàqu
허물없다 没有隔阂 méiyǒu géhé ¶허물없이 이야기하다 融洽地谈话 róngqiàde tán huà
허벅다리 大腿 dàtuǐ
허벅지 大腿肚子 dàtuǐ dùzi
허비(虛費) 白费 báifèi ¶시간을 ~하다 白费时间 báifèi shíjiān
허비적거리다《물에 빠져》打摸扎 dǎ mōzhá
허세(虛勢) 虚势 xūshì ¶~를 부리다 虚张声势 xū zhāng shēng shì
허수아비 稻草人 dàocǎorén; 《무능자》空有其名的人 kōng yǒu qí míng de rén; 傀儡 kuǐlěi
허술하다 粗枝大叶 cū zhī dà yè; 粗粗拉拉 cūcū lālā
허식(虛飾) 虚饰 xūshì; 矫饰 jiǎoshì ¶~을 버리다 抛弃虚伪粉饰 pāoqì xūwěi fěnshì =〔去虚饰 qù xūshì〕/ ~에 찬 생활 充满了虚假和粉饰的生活 chōngmǎnle xūjiǎ hé fěnshì de shēnghuó
허실(虛實) 虚实 xūshí ¶그 증언은 ~이 상반(相半)한다 那证言虚实参半 nà zhèngyán xūshí cānbàn
허심(虛心) 虚心 xūxīn ¶~하게 귀를 기울이다 虚心倾听人家的话 xūxīn qīngtīng rénjia de huà / 두 사람은 ~탄회하게 얘기했다 两个人开怀畅谈 liǎng ge rén kāihuái chàngtán
허약(虛弱) 虚弱 xūruò ¶이 아이는 태어날 때부터 매우 ~하다 这孩子生来身体很虚弱 zhè háizi shēnglái shēntǐ hěn xūruò
허여멀겋다《얼굴이》白皙的面孔 báixī de miànkǒng
허영심(虛榮心) 虚荣心 xūróngxīn ¶그는 ~이 아주 강하다 他虚荣心很强 tā xūróngxīn hěn qiáng
허옇다〈方〉白不呲咧 báibucīliē
허우대 身子骨儿 shēnzigǔr; 身框儿 shēnkuàngr ¶~가 좋은 사람 威风凛凛的人 wēifēng〔feng〕lǐnlǐn de rén
허울 外表 wàibiǎo; 外面皮儿 wàimianpír ¶~좋은 개살구 外面儿光 wàimiànr guāng =〔死摆架子 sǐ bǎi jiàzi〕
허위(虛僞) 虚伪 xūwěi; 虚假 xūjiǎ ‖~ 신고 虚假的呈报 xūjiǎ de chéngbào
허위대 ⇨허우대
허위적거리다 手脚乱动 shǒujiǎo luàndòng; 挣扎 zhēngzhá
허전하다 ①《죄임성이 없다》宽松 kuānsōng; 放松 fàngsōng ②《허우룩하다》空虚 kōngxū
허탕 徒劳 túláo; 白费力气 báifèi lìqi; 瞎掰 xiābāi ¶~치다 落空 luòkōng =〔终归徒劳 zhōngguī túláo〕
허튼소리 胡说八道 hú shuō bā dào; 荒唐的不可靠 huāngtáng de bù kěkào
허파 肺 fèi; 肺脏 fèizàng ¶~에 바람 들었다 夸大狂 kuā dà kuáng
허풍(虛風) 大话 dàhuà; 牛皮 niúpí ¶~떨다 说大话 shuō dàhuà =〔吹牛皮 chuī niúpí〕〔吹牛 chuī niú〕‖~선이 牛皮大王 niúpí dàwáng
허허《기쁠 때》哈哈 hāhā; 《애탄》啊呀 āyā; 唉 āi
허허벌판 无边无际的野原 wúbiān wújì de yě-

yuán
허황하다(虛荒…) 荒谬 huāngmiù; 妄诞 wàngdàn
헌것 破烂东西 pòlàn dōngxi; 阵货 chénhuò
헌금(獻金) 捐款 juānkuǎn; 捐钱 juānqián ¶~을 거두다 募集捐款 mùjí juānkuǎn
헌데 疙瘩 gēda; 疖子 jiēzi
헌법(憲法) 宪法 xiànfǎ ¶~을 공포하다 颁布宪法 bānbù xiànfǎ / ~을 개정하다 修改宪法 xiūgǎi xiànfǎ / ~에 보장된 기본적 인권 宪法所保障的基本人权 xiànfǎ suǒ bǎozhàng de jīběn rénquán / 그것은 ~ 위반이다 那是违反宪法的 nà shì wéifǎn xiànfǎ de
헌신(獻身) 献身 xiànshēn ¶그는 이재민 구제를 위해서 ~적으로 일한다 他为了救济灾民忘我地工作 tā wèile jiùjì zāimín wàngwǒde gōngzuò
헌신짝 敝履 bìlǚ; 破鞋 pòxié ¶~같이 버리다 弃之如破鞋 qì zhī rú pòxié
헌옷 估衣 gùyī
헐값(歇…) 廉价 liánjià; 贱价 jiànjià
헐겁다 松通 sōngtong
헐다[1] ①《물건이》 有瑕疵 yǒu xiácī; 有毛病 yǒu máobing ②《피부가》 溃烂 kuìlàn
헐다[2] ①《무너뜨리다》 拆掉 chāidiào; 使分崩离拆 shǐ fēn bēng lí chāi ②《험담하다》 暗箭伤人 ànjiàn shāng rén; 毁谤 huǐbàng
헐떡거리다 喘不上气来 chuǎnbushàng qì lai; 喘嘘嘘 chuǎnxūxū ¶헐떡거리며 달리다 呼哧呼哧地跑 hūchī hūchīde pǎo
헐뜯다 贬低 biǎndī; 贬损 biǎnsǔn
헐렁거리다 ①《행동》 流里流气 liúli liúqì; 没定性而胡搅 méi dìngxìng ér hújiǎo ②《헐겁다》 松通 sōngtong
헐렁이 靠不住的人 kàobuzhù de rén; 无定性的人 wú dìngxìng de rén
헐렁하다 松的 sōng de; 不紧的 bù jǐn de ¶끈 맨 것이 ~ 绳系得松 shéng jìde sōng
헐레벌떡거리다 喘不上气来的 chuǎnbushàng qìlai de; 上气不接下气 shàngqì bù jiē xiàqì
헐벗다 破烂不堪 pòlàn bù kān
헐하다(歇…) ①《값이》 便宜 piányi; 贱 jiàn ¶헐하게 사다 买得很便宜 mǎide hěn piányi ②《쉽다》 容易 róngyi de; 简单的 jiǎndān de
험난(險難) 艰难 jiānnán; 危险困难 wēixiǎn kùnnan; 《곳》 艰险 jiānxiǎn; 《고뇌》 苦恼 kǔnǎo
험담하다(險談…) 背后骂人 bèihòu mà rén
험상궂다(險狀…) 长相凶恶 zhǎngxiàng xiōng'è; 满脸横肉 mǎn liǎn héng ròu
험악(險惡) 险恶 xiǎn'è ¶~한 얼굴 面色凶险可怕 miànsè xiōngxiǎn kě pà / 두 사람의 사이는 매우 ~하다 俩人的关系很紧张 liǎ rén de guānxi hěn jǐnzhāng
험준(險峻) 陡峻 dǒujùn
헙수룩하다 ①《주제가》 不体面 bù tǐmian; 寒碜的 hánchen de ②《머리털이》 长得乱蓬蓬 zhǎngde luànpéngpéng
헛간(…間) 堆东西的屋子 duī dōngxi de wūzi; 堆房 duīfáng
헛걸음 白走 báizǒu ¶사람을 방문하여 ~치다 扑空 pūkōng
헛구역(…嘔逆) 干哕 gānyue; 干呕 gān'ǒu ¶그는 자꾸 ~질만 한다 他直干哕 tā zhí gānyuē
헛기침 干咳嗽 gānkésou; 干咳 gānké; 干嗽 gānsòu; 打扫嗓子 dǎsǎo sǎngzi ¶에헴 하고 ~하면서 목소리를 가다듬다 干咳嗽一声来清清嗓子 gānkésou yì shēng lai qīngqīng sǎngzi
헛돌다 《바퀴가》 空转 kōngzhuǎn
헛되다 白费 báifèi ¶헛되이 白白的 báibáide
헛듣다 听错 tīngcuò
헛디디다 失足 shī zú; 跌脚 diējiǎo
헛말 《거짓말》 谎话 huǎnghuà; 假话 jiǎhuà; 《빈말》 空话 kōnghuà; 空口 kōngkǒu; 胡话 húhuà
헛물켜다 终归徒劳 zhōngguī túláo; 白费力气 báifèi lìqi
헛배부르다 画饼充饥 huà bǐng chōng jī
헛소리 ①《정신없이》 谵语 zhānyǔ ¶~하다 打谵语 dǎ zhānyǔ ②《헛말》 空话 kōnghuà; 胡话 húhuà
헛소문(…所聞) 谣言 yáoyán ¶~을 퍼뜨리다 造谣言 zào yáoyán
헛손질 扑空 pūkōng
헛수고 白受累 báishòulèi; 白效劳 báixiàoláo; 白费辛苦 báifèi xīnkǔ; 徒劳 túláo
헛웃음 干笑 gānxiào
헛일하다 白费力气 báifèi lìqi
헛잠 《잔 둥 만 둥》 假寐 jiǎmèi; 睡得不磁实 shuìde bù císhi; 《자는체》 假装人睡 jiǎzhuāng rùshuì
헛잡다 抓错 zhuā cuò
헛총(…銃) 空枪 kōngqiāng; 响子 xiǎngzi
헝겊 布头(儿) bùtóu(r)
헝클다 使纠结 shǐ jiūjié; 使绕上 shǐ ràoshang ¶실이 헝클어지다 线纠结在一起 xiàn jiūjié zài yìqǐ
헤게모니(Hegemonie) 霸权 bàquán; 领导权 lǐngdǎoquán; 主导权 zhǔdǎoquán ¶~를 잡다 掌握主导权 zhǎngwò zhǔdǎoquán
헤딩(heading) 《제목》 标题 biāotí; 《박치기》 顶球 dǐng qiú; 头球 tóuqiú
헤뜨리다 把…分散开 bǎ… fēnsànkāi; 赶散 gǎnsàn; 驱散 qūsàn ¶머리를 ~ 披散开头发 pīsànkāi tóufa
헤로인(heroin) 海洛因 hǎiluòyīn; 白面儿 báimiànr
헤르츠(Hertz) 〈物〉 赫兹 hèzī; 赫 hè
헤매다 ①《돌아다니다》 流落 liúluò; 徘徊 páihuái ②《생사지경을》 死去活来 sǐ qù huó lái
헤모글로빈(hemoglobin) 〈生〉 血红蛋白 xuèhóng dànbái; 血红素 xuèhóngsù; 血色素 xuèsèsù
헤아리다 《수를》 数一数 shǔyìshǔ; 《평가》 估计 gūjì; 《판단》 断定 duàndìng; 《추측》 猜测 cāicè; 《고려》 权衡轻重 quánhéng qīngzhòng
헤어나다 摆脱 bǎituō ¶고생에서 ~ 熬出来 áo chūlái
헤어지다 ①《이별》 分手 fēnshǒu; 《이혼》 离婚 líhūn; 《해산》 分散 fēnsàn ②《터지다》 磨破 mópò; 磨擦了去 mócāle qù
헤엄 游泳 yóuyǒng; 游水 yóushuǐ; 浮水 fúshuǐ
헤엄치다 游 yóu; 浮 fú ¶겨우 해안까지 헤엄쳐 갔다 好容易才游到岸上 hǎoróngyi cái yóudào ànshang / 헤엄쳐 강을 건너다 游泳过河 yóuyǒng guò hé / 나는 조금도 헤엄칠 줄 모른다 我一点儿也不会浮水 wǒ yì diǎnr yě bú huì fúshuǐ
헤집다 挖掘出 wājuéchu; 刨挖 páowā

헤치다 ①《좌우로》用手推开 yòng shǒu tuī kāi ¶군중 속을 헤치고 빠져 나가다 从人群中间推挤过去 cóng rénqún zhōngjiān tuījǐ guòqu ②《속을 (손으로)》拨开 bōkāi ③《흩뜨리다》赶散 gǎnsàn
헤프다《물건이》不耐用 bú nàiyòng; 不经用 bù jīngyòng; 《입이》不紧 bùjǐn
헥타르(hectare)《度》公顷 gōngqǐng
헬리콥터(helicopter) 直升(飞)机 zhíshēng(fēi)jī
헬멧(helmet) 安全帽 ānquánmào; 防护帽 fánghùmào
헹구다 ①《옷을 물로》涮洗 shuànxǐ ②《입을》漱 shù
혀 舌 shé; 舌头 shétou ¶~를 내밀다 伸〔吐〕舌头 shēn〔tǔ〕shétou / 황급히 먹다가 ~를 물었다 吃得太急咬了舌头 chīde tài jí yǎole shétou
혀끝《말주변》舌尖 shéjiān; 嘴头 zuǐtóu ¶~으로 속여 넘기다 用嘴支吾 yòng zuǐ zhīwu
혀차다 咂嘴 zāzuǐ; 咋舌 zéshé ¶눈살을 찌푸리고~ 皱起眉头咋了一下舌头 zhòu qǐ méitóu zéle yíxià shétou
혁명(革命) 革命 gémìng ¶~을 일으키다 闹革命 nào gémìng / ~이 일어났다 革命爆发了 gémìng bàofā le
현(絃·弦) 弦儿 xiánr ¶기타의 ~이 끊어졌다 吉他的弦断了 jítā de xián duàn le
현…(現…) 现 xiàn ‖~정부 现政府 xiàn zhèngfǔ
현관(玄關) 门口 ménkǒu ¶손님을 ~에서 맞이하다 在门口迎接客人 zài ménkǒu yíngjiē kèrén
현금(現金) 现款 xiànkuǎn; 现金 xiànjīn; 现钱 xiànqián ¶~으로 사다 用现金买 yòng xiànjīn mǎi / ~을 가지고 있지 않다 身上没有现钱 shēnshang méiyǒu xiànqián ‖~불 现金付款 xiànjīn fùkuǎn
현기증(眩氣症) 发晕 fāyùn; 晕头晕脑 yùntóu yùnnǎo ¶머리가 아파서 ~이 난다 我头痛发晕 wǒ tóutòng fāyùn
현대(現代) 现代 xiàndài ¶~ 기술의 정수를 모은 건축물 集现代技术之精华的建筑 jí xiàndài jìshù zhī jīnghuá de jiànzhù
현명(賢明) 贤明 xiánmíng; 聪明 cōngming; 高明 gāomíng ¶그 일은 ~한 자네의 판단에 맡긴다 那件事就任凭贤明的你来判断 nà jiàn shì jiù rènpíng xiánmíng de nǐ lái pànduàn / 그런 방식은 ~하지 않다 那个办法可不高明 nàge bànfǎ kě bù gāomíng
현모(賢母) 贤母 xiánmǔ ‖~양처 贤母良妻 xiánmǔ liángqī
현물(現物) ①现货 xiànhuò ¶~을 보고서 정하다 看了现货再决定 kànle xiànhuò zài juédìng ②《금전에 대해》实物 shíwù ¶일당은 ~로 지불한다 日薪以实物支付 rìxīn yǐ shíwù zhīfù ‖~ 거래 现货交易 xiànhuò jiāoyì
현미(玄米) 糙米 cāomǐ
현미경(顯微鏡)《物》显微镜 xiǎnwēijìng ¶~으로 세균의 유무를 조사하다 用显微镜查有无细菌 yòng xiǎnwēijìng chá yǒu wú xìjūn ‖~사진 显微照片 xiǎnwēi zhàopiàn
현상(現象) 现象 xiànxiàng ¶그것은 일시적인 ~에 지나지 않는다 那只不过是暂时的现象 nà zhǐ búguò shì zànshí de xiànxiàng
현상(現像) 冲洗 chōngxǐ; 显影 xiǎnyǐng ¶필름을 ~하다 冲洗胶卷 chōngxǐ jiāojuǎn =〔洗胶片 xǐ jiāopiàn〕‖~액 显影剂 xiǎnyǐngjì
현상(懸賞) 悬赏 xuánshǎng; 冲赏格 chōngshǎnggé ¶명칭을 ~ 모집하다 悬赏徵求名称 xuánshǎng zhēngqiú míngchēng ‖~소설 悬赏徵求的小说 xuánshǎng zhēngqiú de xiǎoshuō
현실(現實) 现实 xiànshí ¶이것이 사회의 ~이다 这就是社会的现实 zhè jiùshì shèhuì de xiànshí / 그것은 너무 ~성이 없다 那事太没有现实性了 nà shì tài méiyǒu xiànshíxìng le
현악기(絃樂器) 弦索 xiánsuǒ; 弦乐器 xiányuèqì
현안(懸案) 悬案 xuán'àn ¶다년간의 ~이 해결되었다 多年来的悬案解决了 duōnián lái de xuán'àn jiějuéle
현역(現役)《軍》现役 xiànyì ¶저 선수는 작년에 ~에서 물러났다 那个选手去年退出了第一线 nàge xuǎnshǒu qùnián tuìchūle dìyīxiàn ‖~ 장교 现役军官 xiànyì jūnguān
현장(現場) 现场 xiànchǎng ¶마침 사고가 발생한 ~에 있었다 正好在发生事故的现场 zhènghǎo zài fāshēng shìgù de xiànchǎng ‖~ 감독 监工 jiāngōng / 공사 ~ 工程现场 gōngchéng xiànchǎng =〔工地 gōngdì〕
현재(現在) 现在 xiànzài ¶비행기는 ~ 김포 상공을 선회중 飞机现在金浦上空盘旋 fēijī xiànzài Jīnpǔ shàngkōng pánxuán / ~로는 그 일을 믿는 사람은 아무도 없다 如今没有人信那件事 rújīn méiyǒu rén xìn nà jiàn shì
현저(顯著) 显著 xiǎnzhù; 显明 xiǎnmíng ¶그 경향이 더욱 ~해졌다 那种倾向越发显著 nà zhǒng qīngxiàng yuèfā xiǎnzhù
현주소(現住所) 现住址 xiànzhùzhǐ
현지(現地) ①《생활하는》当地 dāngdì ②《사건이 발생한》现场 xiànchǎng ¶~ 조사를 행하다 进行实地调查 jìnxíng shídì diàochá ‖~처 在当地娶的媳妇儿 zài dāngdì qǔ de xífur
현직(現職) 现职 xiànzhí; 现任 xiànrèn ¶~ 경찰관 在职警察 zàizhí jǐngchá / 당신의 ~은 무엇입니까? 你现在的职业是什么? nǐ xiànzài de zhíyè shì shénme?
현찰(現札) 现钱 xiànqián; 现款 xiànkuǎn
현찰(賢察) 明鉴 míngjiàn; 洞察 dòngchá ¶아무쪼록 ~하여 주십시오 请谅察 qǐng liàngchá
혈관(血管) 血管 xuèguǎn
혈담(血痰) 血痰 xiě〔xuè〕tán ¶~이 나오다 咯血痰 kǎ xiětán
혈색(血色) 血色 xuèsè ¶~이 나쁘다〔좋다〕血色不好〔好〕xuèsè bù hǎo〔hǎo〕
혈안(血眼) ①《충혈되다》红眼 hóngyǎn ②《기를 쓰다》拼命 pīnmìng ¶잃어버린 아들을 ~이 되어서 찾다 拼命寻找走失了的孩子 pīnmìng xúnzhǎo zǒushīle de háizi
혈압(血壓) 血压 xuèyā ¶~을 재다 量血压 liáng xuèyā
혈액(血液) 血液 xuèyè ¶나의 ~형은 A형이다 我的血型是A型 wǒde xuèxíng shì A xíng ‖~검사 验血 yànxuè / ~ 은행 血库 xuèkù
혈연(血緣) 血缘 xuèyuán ¶그와 나는 ~ 관계가 있다 他和我有血缘关系 tā hé wǒ yǒu xuèyuán guānxi
혈족(血族) 血族 xuèzú; 血亲 xuèqīn ‖~ 결혼 近亲结婚 jìnqīn jiéhūn
혈청(血淸) 血清 xuèqīng ‖~ 주사 血清注射 xuè-

qīng zhùshè
혈통(血統) 血统 xuètǒng ¶～이 좋은 말 系谱好的马 xìpǔ hǎo de mǎ
혈판(血判) 血手印 xuèshǒuyìn ¶～을 찍다 切破手指摁手印 qiēpò shǒuzhǐ èn shǒuyìn
혐오(嫌惡) 嫌恶 xiánwù ¶～하는 마음을 품다 怀嫌恶之感 huái xiánwù zhī gǎn ‖자기～ 自我厌弃 zìwǒ yànqì
혐의(嫌疑) 嫌疑 xiányí ¶살인 ～로 체포당하다 以杀人的嫌疑被逮捕 yǐ shārén de xiányí bèi dàibǔ
협궤철도(狹軌鐵道) 窄轨铁路 zhǎiguǐ tiělù
협동(協同) 协同 xiétóng ¶～으로 일을 처리하다 协同处理 xiétóng chǔlǐ ‖～ 조합 合作社 hézuòshè
협력(協力) 协力 xiélì；协作 xiézuò；合作 hézuò ¶그녀는 나의 좋은 ～자다 她是我得力的合作者 tā shì wǒ délì de hézuòzhě / 아버지와 ～해서 장사를 하다 和父亲同心'合力〔协力〕做生意 hé fùqin tóngxīn 'hélì〔xiélì〕zuò shēngyi
협박(脅迫) 逼迫 bīpò；威胁 wēixié；威逼 wēibī；胁迫 xiépò；威吓 wēihè ¶권총으로 ～하다 拿手枪胁迫 ná shǒuqiāng xiépò ‖～장 恐吓信 kǒnghèxìn
협상(協商) 协商 xiéshāng ‖삼국～ 三国协约 sānguó xiéyuē
협심(協心) 同心协力 tóngxīn xiélì
협심증(狹心症)〘醫〙心绞痛 xīnjiǎotòng；狭心症 xiáxīnzhèng ¶～이 발작하다 心绞痛发作 xīnjiǎotòng fāzuò
협의(協議) 商议 shāngyì；协商 xiéshāng；协议 xiéyì ¶모두 함께 ～하다 大家共同协商 dàjiā gòngtóng xiéshāng ‖～ 사항 协议事项 xiéyì shìxiàng
협정(協定) 协定 xiédìng ¶동업자간에 ～하여 값을 올리다 同业者之间协定涨价 tóngyèzhě zhījiān xiédìng zhǎngjià ‖가격～ 价格协定 jiàgé xiédìng / 어업～ 渔业协定 yúyè xiédìng
협조(協調) 协调 xiétiáo ¶서로간에 ～하는 정신이 필요하다 要有互相协调的精神 yào yǒu hùxiāng xiétiáo de jīngshén
협주곡(協奏曲)〘樂〙协奏曲 xiézòuqǔ
협찬(協贊) 赞助 zànzhù ¶A신문사 주최, 외무부 ～ A报社主办, 外交部赞助 A bàoshè zhǔbàn, wàijiāobù zànzhù
협회(協會) 协会 xiéhuì
혓바닥 舌面 shémiàn
형(兄) 兄 xiōng；哥哥 gēge ¶난～난제 难兄难弟 nán xiōng nán dì
형(刑) 刑 xiōng；刑罚 xíngfá ¶～을 선고하다 宣告刑罚 xuāngào xíngfá
형(型) 式 shì；型 xíng；型式 xíngshì；式样 shìyàng ¶1980년～의 자동차 一九八〇年型的汽车 yì jiǔ bā líng nián xíng de qìchē / 이것이 지금 유행하는 ～이다 这是现在流行的式样 zhè shì xiànzài liúxíng de shìyàng
형광등(螢光燈) 萤光灯 yíngguāngdēng；日光灯 rìguāngdēng
형기(刑期) 刑期 xíngqī ¶～를 채우고 출소하다 服刑期满〔刑满〕出狱 fúxíng qī mǎn〔xíng mǎn〕chūyù
형무소(刑務所) ⇨ 교도소
형벌(刑罰) 刑罚 xíngfá
형부(兄夫) 姐夫 jiěfu
형사(刑事) ①《법》刑事 xíngshì ②《경찰》刑事警察 xíngshì jǐngchá ¶～에게 미행당하다 被便衣警察钉梢了 bèi biànyī jǐngchá dīngshāo le ‖～ 사건 刑事案件 xíngshì ànjiàn / ～ 재판 刑事审判 xíngshì shěnpàn
형성(形成) 形成 xíngchéng ¶가정 환경은 아이의 성격 ～에 커다란 영향을 미친다 家庭环境对孩子的性格形成大有影响 jiātíng huánjìng duì háizi de xìnggé xíngchéng dà yǒu yǐngxiǎng
형세(形勢) 形势 xíngshì；局势 júshì ¶～는 우리 편에 유리하다 形势有利于我方 xíngshì yǒulìyú wǒfāng
형수(兄嫂) 嫂子 sǎozi；嫂嫂 sǎosao
형식(形式) 形式 xíngshì ¶～에 구애되다 拘泥形式 jūni xíngshì / ～에 흐르다 流于形式 liúyú xíngshì
형용(形容) 形容 xíngróng ¶무엇으로도 ～할 수 없는 아름다운 경치이다 景色优美'难以用笔墨〔无法〕形容 jǐngsè yōuměi'nán yǐ yòng bǐ mò〔wúfǎ〕xíngróng / 이 말은 위험한 상황을 ～할 때 사용한다 这个词用来形容危险的状况 zhège cí yònglai xíngróng wēixiǎn de zhuàngkuàng
형장(刑場) 刑场 xíngchǎng；法场 fǎchǎng
형제(兄弟) 兄弟 xiōngdì；弟兄 dìxiong；哥儿 gēr ¶나에게는 ～가 없다 我没有弟兄 wǒ méiyǒu dìxiong ‖～자매 兄弟姐妹 xiōngdì jiěmèi
형편(形便)《경과》演变 yǎnbiàn；推移 tuīyí；收场 shōuchǎng；《사정》情况 qíngkuàng；情形 qíngxing；《셈평》生计 shēngjì；度日 dùrì
형편없다(形便…) 不像样 bú xiàngyàng；不成体统 bù chéng tǐtǒng；出乎预料之外了 chūhu yùliào zhī wài le
형형색색(形形色色) 形形色色 xíngxíng sèsè
혜사(惠賜) 惠赐 huìcì
혜성(彗星) 彗星 huìxīng；扫帚星 sàozhouxīng ¶～과 같이 나타난 신인 像彗星一样出现的新人 xiàng huìxīng yíyàng chūxiàn de xīnrén
혜택(惠澤) 恩惠 ēnhuì
호(戶) 户 hù；家 jiā ¶30～의 부락 三十户的村落 sān shí hù de cūnluò
호(弧) 弧 hú；弧线 húxiàn ¶그가 친 볼은 ～를 그리며 관객석에 떨어졌다 他打的球划了个弧线落到观众席上 tā dǎ de qiú huàle ge húxiàn luòdào guānzhòngxíshang
호(號) ①《아호》号 hào ¶이광수, ～는 춘원 李光洙, 号春园 Lǐguāngzhū, hào Chūnyuán ②《신문·잡지 따위의》¶8월～ 第八期 dìbā qī / ～를 거듭할수록 내용이 충실해지다 内容一期比一期充实 nèiróng yì qī bǐ yì qī chōngshí ③《차·배 따위의》¶1～차 一号车厢 yí hào chēxiāng
호각(號角) 哨子 shàozi；哨儿 shàor；叫子 jiàozi；警笛 jǐngdí ¶～을 불다 吹哨子 chuī shàozi
호감(好感) 好感 hǎogǎn ¶～을 품다 抱好感 bào hǎogǎn / 그의 솔직한 태도는 모두에게 ～을 준다 他那直爽的态度使大家抱有好感 tā nà zhíshuǎng de tàidu shǐ dàjiā bàoyǒu hǎogǎn
호강하다 享福 xiǎng fú；纳福 nàfú
호걸(豪傑) 豪杰 háojié ¶그는 ～ 기질의 남자다 他气概豪迈 tā qìgài háomài =〔他性情豪爽 tā xìngqíng háoshuǎng〕

호구조사(戶口調査) 调查户口 diàochá hùkou
호구지책(糊口之策) 谋生之道 móushēng zhī dào
호궁(胡弓) 〖樂〗 胡琴 húqin
호기(好機) 好机会 hǎo jīhui; 良机 liángjī ¶～를 놓치다 错过好机会 cuòguò hǎo jīhui =〔失良机 shī liángjī〕
호기심(好奇心) 好奇心 hàoqíxīn ¶～이 강한 사람 好奇心强的人 hàoqíxīn qiáng de rén / ～에 이끌려 들여다보았다 为好奇心所驱使窥探了一下 wéi hàoqíxīn suǒ qūshǐ kuītànle yíxià
호도(胡桃) ⇨ 호두
호되다 利害 lìhai; 猛烈 měngliè; 凶凶 xiōngxiōng
호두(胡…) 胡桃 hútáo; 核桃 hétao ¶～를 까다 砸核桃 zá hétao
호떡(胡…) 糖馅儿饼 tángxiànrbǐng
호락호락 ① ¶～하다《쉽게》 容容易易地 róngróngyiyide =〔轻易地 qīngyìde〕/ ～ 넘어가다 简单地上了当了 jiǎndānde shàng le dàng le ②《만만하게》 好对付 hǎo duìfu
호랑이(虎狼…) 〖動〗 老虎 lǎohǔ ¶～ 담배 필적에 很早很早以前 hěn zǎo hěn zǎo yǐqián =〔太古 tàigǔ〕/ ～도 제 말하면 온다 说到曹操, 曹操就到 shūodào Cáocāo, Cáocāo jiù dào
호령(號令) ①《명령》 号令 hàolìng; 发号司令 fā hào sī lìng ¶천하에 ～하다 号令天下 hào lìng tiān xià ② ⇨ 구령(口令) ③《꾸짖음》 大声申斥 dàshēng shēnchì
호롱 灯盏 dēngzhǎn ‖～불 灯亮儿 dēngliàngr
호르몬(Hormone) 荷尔蒙 hé'ěrméng; 激素 jīsù ‖～제 激素制剂 jīsù zhìjì / 남성〔여성〕 ～ 雄性〔雌性〕激素 xióngxìng〔cíxìng〕 jīsù
호른(Horn) 〖樂〗 圆号 yuánhào; 法国号 fǎguóhào
호리다 《유혹》 迷拐 míguǎi; 拐带 guǎidài 《현혹》 使…心荡神驰 shǐ… xīn dàng shén chí; 迷惑 míhuo ¶달콤한 말로 여자를 ～ 拿甜言蜜语诱惑女人 ná tiányánmìyǔ yòuhuò nǚren
호리병(葫…甁) 葫芦瓶 húlupíng ‖～박 葫芦 húlu
호리호리하다 《여자》 身材苗条 shēncái miáotiáo; 《남자》 细长的个子 xìcháng de gèzi; 细条条 xìtiáotiáo
호명(呼名) 《점호》 点名 diǎnmíng; 点阅 diǎnyuè; 点卯 diǎnmǎo
호미 小锄头 xiǎochútou
호밀(胡…) 黑麦 hēimài
호박 〖植〗 南瓜 nánguā; 笋瓜 sǔnguā; 〈方〉 番瓜 fānguā ‖～씨 南瓜子儿 nánguāzǐr
호박벌 〖蟲〗 黄蜂 huángfēng; 山蜂 shānfēng
호반(湖畔) 湖畔 húpàn; 湖滨 húbīn; 湖边 húbiān
호별(戶別) 按户 ànhù; 挨门 āimén ‖～ 방문 挨门挨户访问 āiménāihù fǎngwèn
호사다마(好事多魔) 好事多磨 hǎo shì duō mó
호상(護喪) 护丧 hùsāng
호색(好色) 好色 hàosè; 怜香惜玉 lián xiāng xī yù
호선(互選) 互选 hùxuǎn ¶위원장은 위원의 ～으로 한다 委员长由委员中互选 wěiyuánzhǎng yóu wěiyuán zhōng hùxuǎn
호송(護送) 护送 hùsòng; 押解 yājiè; 押送 yāsòng; 解送 jièsòng ¶죄수를 ～하다 押送囚犯 yāsòng qiúfàn / 현금을 ～하다 解送现款 jièsòng xiànkuǎn
호수(湖水) 湖 hú; 湖泊 húpō
호스(hose) 软管 ruǎnguǎn; 《소화용의》 水龙 shuǐlóng; 水龙带 shuǐlóngdài ‖고무～ 胶皮管 jiāopíguǎn =〔橡皮管 xiàngpíguǎn〕
호스티스(hostess) ¶파티의 ～ 晚会的女主人 wǎnhuì de nǚzhǔrén / 바의 ～ 酒吧间的女招待员 jiǔbājiān de nǚzhāodàiyuán
호승(好勝) 好胜 hàoshèng; 好强 hàoqiáng ¶～지벽 好胜之心 hàoshèng zhī xīn
호시탐탐(虎視眈眈) 虎视眈眈 hǔ shì dāndān ¶～ 공격의 기회를 엿보다 虎视眈眈地伺机进攻 hǔ shì dāndān de sìjī jìngōng
호언장담(豪言壯談) 豪言壮语 háo yán zhuàng yǔ ¶～하다 说大话 shuō dà huà
호열자(虎列刺) ⇨ 콜레라
호외(號外) 号外 hàowài
호위(護衛) 护卫 hùwèi; 警卫 jǐngwèi ¶～를 딸리게 하다 派护卫 pài hùwèi
호응(呼應) 呼应 hūyǐng ¶양시가 ～해서 구난 활동을 개시하다 两市相呼应展开了救难活动 liǎng shì xiāng hūyìng zhǎnkāile jiùnàn huódòng
호의(好意) 好意 hǎoyì; 好心 hǎoxīn; 美意 měiyì ¶남의 ～를 저버리다 辜负人家的好意 gūfù rénjia de hǎoyì / 평론은 대개가 ～적이었다 评论大致都是好意的 pínglùn dàzhì dōushì hǎoyì de
호인(胡人) 满洲人 Mǎnzhōurén; 旗人 Qírén
호적(戶籍) 户籍 hùjí; 户口 hùkǒu ‖～ 등본 户籍誊本 hùjí téngběn =〔户口副本 hùkǒu fùběn〕/ ～ 초본 户籍抄本 hùjí chāoběn =〔户口节录本 hùkǒu jiélùběn〕
호전(好轉) 好转 hǎozhuǎn ¶병세가 ～되다 病情好转 bìngqíng hǎozhuǎn / 경기 ～의 조짐이 보이고 있다 景气好转的苗头显露出来 jǐngqì hǎozhuǎn de miáotou xiǎnlù chūlai
호젓하다 背 bèi; 僻静 bèijing ¶호젓한 곳 背旮旯儿 bèi gālár / 사람 왕래가 없는 호젓한 길 寂无一人冷冷清清的道路 jì wú yì rén lěnglěngqīngqīng de dàolù
호조(好調) 顺利 shùnlì; 顺当 shùndang
호주(戶主) 户主 hùzhǔ
호주머니 兜儿 dōur; 兜子 dōuzi; 衣兜 yīdōu; 口袋 kǒudai ¶돈지갑을 ～에 넣다 把钱包放进口袋里 bǎ qiánbāo fàngjìn kǒudaili / ～에 손을 질러넣고 걷다 把手插在兜儿里走路 bǎ shǒu chā zài dōur li zǒulù
호출(呼出) 传唤 chuánhuàn ¶경찰로부터 ～을 받다 接到警察的传唤 jiēdào jǐngchá de chuánhuàn ‖～장 火牌 huǒpái =〔传票 chuánpiào〕
호치키스(Hotchkiss) 订书器 dìngshūqì
호크(hock) 钩子 gōuzi; 《똑딱단추》 子母扣儿 zǐmǔkòur; 摁扣儿 ènkòur ¶바지의 ～를 채우다 扣上裤子的钩儿 kòushàng kùzi de gōur
호탕하다(豪宕…) 豪放 háofàng
호텔(hotel) 饭店 fàndiàn; 旅馆 lǚguǎn
호통 怒吼 nùhǒu ¶～치다 吹呼一顿 chuīhu yídùn
호평(好評) 好评 hǎopíng; 称许 chēngxǔ ¶～을 받는 물건 为…所欢迎的东西 wéi… suǒ huānyíng de dōngxi / ～을 사다 博得好评 bódé hǎopíng

호호 ¶~ 웃다 吓吓地笑 hèhède xiào
호화(豪華) 豪华 háohuá ¶저쪽 응접실의 장식은 ~스럽다 那里的客厅摆设豪华 nàli de kètīng bǎishè háohuá
호황(好況) 好景 hǎojǐng ¶시장이 ~을 보이다 市场一片兴旺 shìchǎng yípiàn xīngwàng / 현재까지는 ~이 계속되고 있다 目前仍继续呈现着景气 mùqián réng jìxù chéngxiànzhe jǐngqì
호흡(呼吸) ①呼吸 hūxī ¶~을 조절하다 调整呼吸 tiáozhěng hūxī ②《장단》¶그와는 아무리 해도 ~이 맞지 않는다 跟他总是'合不来〔不对劲儿〕 gēn tā zǒngshì 'hébulái〔búduìjinr〕‖~기 呼吸器官 hūxī qìguān =〔呼吸器 hūxīqì〕/ 심~ 深呼吸 shēnhūxī
혹[1] ①《군살》瘤子 liúzi ②《나무마디》树结子 shùjiézi ③《낙타의》骆驼鞍子 luòtuo ānzi; 隆肉 lóngròu ④《맞아서 생긴》包 bāo ¶두들겨 맞아서 ~이 생겼다 打了一个包 dǎ le yí ge bāo / ~ 떼러 갔다 붙이고 온다 反而招灾惹祸 fǎn'ér zhāo zāi rě huò
혹[2] ①《입김소리》哈 hā ¶더운 입김을 ~ 불어 손을 녹이다 用嘴里的暖气哈着手 yòng zuǐ li de nuǎnqì hāzhe shǒu ②《마시는 모양》啜啜 chuòchuò
혹간(或間) 间或 jiànhuò
혹부리 长瘤子的人 zhǎng liúzi de rén
혹사(酷使) 驱使 qūshǐ ¶마소처럼 ~하다 如同牛马一般驱使 rútóng niúmǎ yìbān qūshǐ =〔当牛马使唤 dàng niúmǎ shǐhuan〕/ 두뇌를 ~하다 用脑过度 yòng nǎo guòdù
혹사하다(酷似…) 酷似 kùsì; 酷肖 kùxiào; 很像似 hěn xiàngsì; 逼真 bīzhēn
혹시(或是) 或是 huòshi
혹평(酷評) 苛刻的评论 kēkàde pínglùn ¶비평가의 ~을 받다 受到评论家的严厉批评 shòudào pínglùnjiā de yánlì pīpíng
혼나다(魂…) ①《놀라다》吓呆了人 xiàdāi le rén; 惊得魂不附身 jīngde hún bú fù shēn ②《곤란을 겪다》吃苦 chī kǔ; 大上其当 dà shàng qí dàng; 大大地挨了一下 dàdàde āile yí xià
혼내다(魂…) 骂 mà; 申斥 shēnchì; 责备 zébèi
혼돈(混沌·渾沌) 混沌 hùndùn ¶정세는 ~ 상태에 빠져 있다 形势陷于混沌状态 xíngshì xiàn yú hùndùn zhuàngtài
혼동(混同) 混同 hùntóng; 混淆 hùnyáo ¶공사 ~ 公私不分 gōngsī bù fēn / 자유와 방종을 ~하지 마십시오 自由和任性不可混同起来 zìyóu hé rènxìng bùkě hùntóng qǐlai
혼란(混亂·濁亂) 混乱 hùnluàn ¶머리가 ~해서 뭐가 뭔지 모르겠다 脑里混乱得什么也弄不清了 nǎo li hùnluànde shénme yě nòngbuqīng le / ~을 틈타 도둑질을 하다 乘混乱偷东西 chéng hùnluàn tōu dōngxi
혼례(婚禮) 婚礼 hūnlǐ; 结婚典礼 jiéhūn diǎnlǐ
혼미(昏迷) 昏迷 hūnmí ¶~한 정국 混沌不明的政局 hùndùn bù míng de zhèngjú
혼선(混線) 串线 chuàn xiàn; 串话 chuàn huà ¶전화가 ~이다 电话串线 diànhuà chuàn xiàn
혼성(混成) 混合 hùnhé ‖~팀 混合队 hùnhéduì
혼성(混聲) 混声 hùnshēng ‖~ 합창 混声合唱 hùnshēng héchàng
혼수(昏睡) 昏迷 hūnmí ¶~ 상태에 빠지다 陷于昏迷状态 xiàn yú hūnmí zhuàngtài
혼신(渾身) 浑身 húnshēn ¶~의 힘을 다해서 들어 올렸다 使尽浑身的力气举了起来 shǐjìn húnshēn de lìqi jǔle qǐlai =〔费了九牛二虎之力抬了起来 fèile jiǔ niú èr hǔ zhī lì táile qǐlai〕
혼인(婚姻) 婚姻 hūnyīn ‖~ 신고 结婚登记 jiéhūn dēngjì
혼자 《단독》独自个 dúzìgè; 《혼자 힘으로》凭靠自己 píng kào zìjǐ ¶~ 살다 单身生活 dānshēn shēnghúo
혼자서 一个人 yí ge rén ¶~ 옷을 입다 自己穿衣服 zìjǐ chuān yīfu
혼잡(混雜) 混乱 hùnluàn; 拥挤 yōngjǐ ¶러시아워여서 전차는 ~하다 赶上高峰时间, 电车拥挤不堪 gǎngshàng gāofēng shíjiān, diànchē yōngjǐ bùkān / 사고 때문에 정류장은 심한 ~을 이루었다 由于事故, 车站上人挤得要命 yóuyú shìgù, chēzhàn shang rén jǐde yàomìng
혼잣말 自言自语 zìyán zìyǔ
혼탁(混濁·溷濁·渾濁) 浑浊 húnzhuó; 混浊 hùnzhuó ¶~한 세상 浊世 zhuóshì / ~한 공기 浑浊〔恶浊〕的空气 húnzhuó〔èzhuó〕de kōngqì
혼혈(混血) 混血 hùnxuè ‖~아 混血儿 hùnxuè'ér
홀(hall) 大厅 dàtīng; 礼堂 lǐtáng; 《회관》会堂 huìtáng; 会馆 huìguǎn ¶시민 ~ 市民会堂 shìmín huìtáng ‖댄스 ~ 舞厅 wǔtīng =〔舞场 wǔchǎng〕
홀가분하다 轻松 qīngsōng; 舒畅 shūchàng ¶홀가분한 독신자 无拘无束的单身汉 wújūwúshù de dānshēnhàn / 홀가분한 복장으로 떠났다 身着轻装出去了 shēn zhuó qīngzhuāng chūqu le / 책임 있는 자리를 떠나니, 얼마쯤 홀가분해졌다 离开了责任重的职位轻松了点儿 líkāi le zérèn zhòng de zhíwèi qīngsōng le diǎnr
홀딱 ①《반한 꼴》¶그는 그 여자에게 ~ 반했다 他迷上那个女子了 tā mí shang nà ge nǚzi le ②《속는 꼴》¶~ 속아 넘어가다 巧妙地被骗了 qiǎomiàode bèi piàn le
홀로 独自个儿 dúzì gèr; 孤身 gūshēn ¶~ 살다 独住 dúzhù / ~ 가다 独自去 dúzì qù
홀리다 《매혹》迷惑 míhuo; 使…心荡神驰 shǐ… xīn dàng shén chí; 《여우 따위에》缠身 chánshēn; 附体 fùtǐ ¶여색에 ~ 为女色所诱惑 wéi nǚsè suǒ yòuhuò / 마치 여우에 홀린 것 같다 好像叫狐狸精迷住了 hǎoxiàng jiào húlijīng mízhu le
홀몸 单身儿 dānshēnr; 一身一口 yìshēn yìkǒu
홀아비 鳏夫 guānfū
홀어미 孀妇 shuāngfù; 寡妇 guǎfù
홀연(忽然) 忽然 hūrán; 突然 tūrán ¶그는 ~히 사라졌다 他忽然消失不见了 tā hūrán xiāoshi bújiàn le
홈 《창틀 아래 위의》槽子 cáozi; 凹线 wàxiàn ¶~을 파다 雕上槽子 diāo shang cáozi
홈(home) ①《가정》家 jiā; 家庭 jiātíng ②《야구》本垒 běnlěi ¶~베이스를 밟다 踏上本垒 tà shang běnlěi / 세 사람이 ~인했다 三个人回到本垒了 sān ge rén huídào běnlěi le ‖~스틸 偷本垒 tōu běnlěi
홈런(home run) 本垒打 běnlěidǎ ¶~을 날리다 击本垒打 jī běnlěidǎ ‖만루 ~ 满垒本垒打

mǎnlěi běnlěidǎ
홉통(…桶) 引水筒 yǐnshuǐtǒng; 笕 jiǎn; 檐沟 yángōu; 水落 shuǐluò
홉(hop) ①《植》啤酒花 píjiǔhuā; 忽布 hūbù; 蛇麻 shémá; 酒花 jiǔhuā ②《세단뛰기》单足跳 dānzútiào ¶～, 스텝, 점프 单足跳, 跨步跳, 跳跃 dānzútiào, kuàbùtiào, tiàoyuè
홉뜨다 翻眼 fān yǎn
홋홋하다 轻而易举 qīng ér yì jǔ; 好对付 hào duìfu
홍당무(紅唐…) 胡萝卜 húluóbo; 红萝卜 hóngluóbo ¶《얼굴이》～가 되다 红起脸来 hóng qi liǎn lai
홍두깨 捣衣用的木桩 dǎo yī yòng de mùzhuāng
홍수(洪水) 洪水 hóngshuǐ; 大水 dàshuǐ ¶차의 ～ 汽车的洪流 qìchē de hóngliú / ～로 집이 떠내려갔다 房子被大水冲掉了 fángzi bèi dàshuǐ chōngdiào le
홍역(紅疫)《醫》疹子 zhěnzi; 麻疹 mázhěn ¶～에 걸리다 患麻疹 huàn mázhěn
홍일점(紅一點) 红一点 hóngyìdiǎn ¶그녀는 당선자 가운데 ～이다 她是当选者之中惟一的女性 tā shì dāngxuǎnzhě zhīzhōng wéiyī de nǚxìng
홍조(紅潮) 红潮 hóngcháo; 脸红 liǎnhóng
홍차(紅茶) 红茶 hóngchá ¶～를 내다 沏红茶 qī hóngchá
홑옷 单衣裳 dānyīshang
홑이불 单被 dānbèi
홑지다 简单 jiǎndān; 单纯 dānchún
화(火)《노염》气 qì ¶～가 나서 잠이 안 오다 气得我简直睡不着觉 qìde wǒ jiǎnzhí shuìbuzháo jiào
화(禍) 祸 huò ¶스스로 ～를 초래하다 惹火烧身 rě huǒ shāo shēn
화가(畫家) 画家 huàjiā; 画画儿的 huàhuàrde
화강암(花崗岩) 花岗岩 huāgāngyán
화구(火口) ①《아궁이》灶门 zàomén; 炉眼 lúyǎn ②《화산》喷火口 pēnhuǒkǒu; 火口 huǒkǒu; 火山口 huǒshānkǒu
화근(禍根) 祸根 huògēn ¶～을 없애다 铲除祸根 chǎnchú huògēn
화급(火急) 火急 huǒjí; 紧急 jǐnjí ¶～한 통지 紧急通知 jǐnjí tōngzhī
화기(火氣)《불기》烟火 yānhuǒ ¶～엄금 严禁烟火 yánjìn yānhuǒ
화끈거리다 ①《부끄러워》红潮 hóngcháo; 面红耳赤 miàn hóng ěr chì ②《흥분하여》脸上发烧 liǎn shàng fāshāo
화내다(火…) 发火 fāhuǒ; 发脾气 fā píqi; 生气 shēngqì; 暴躁脾气 bàozao píqi; 动火 dòng huǒ; 动气 dòng qì ¶그는 몹시 화내고 있다 他非常生气 tā fēicháng shēngqì
화냥년 大洋马 dàyángmǎ; 养汉娘儿们 yǎng hàn niángrmen
화닥닥거리다 蹦跶着 bèngtazhe
화단(花壇) 花坛 huātán; 花池子 huāchízi; 花圃 huāpǔ
화덕(火…) 锅台 guōtái; 炉灶 lúzào
화랑(畫廊) 画廊 huàláng
화려(華麗) 华丽 huálì ¶～한 문체 华丽的文体 huálì de wéntǐ
화력(火力) 火力 huǒlì ¶이 스토브는 ～이 세다 这个炉子火力强 zhège lúzi huǒlì qiáng / 아군의 ～은 적을 압도했다 我军的火力压倒了敌方 wǒjūn de huǒlì yādǎole dífāng ‖～ 발전소 火力发电站 huǒlì fādiànzhàn =〔火电站 huǒdiànzhàn〕
화로(火爐) 火盆 huǒpén
화류계(花柳界) 路柳墙花社会 lùliǔ qiánghuā shèhuì
화류병(花柳病) 性病 xìngbìng; 花柳病 huāliǔbìng
화면(畫面) 画面 huàmiàn; 图像 túxiàng ¶～이 깨끗하지 못하다 画面不清晰 huàmiàn bù qīngxī
화목(火木) 柴火 cháihuo; 劈柴 pǐchai
화물(貨物) 货 huò; 货物 huòwù ¶화차에 ～을 싣다 把货装在货车上 bǎ huò zhuāng zài huòchē shang ‖～선 货船 huòchuán / ～열차 货运列车 huòyùn lièchē / ～ 자동차 载重汽车 zàizhòng qìchē =〔卡车 kǎchē〕〔运货卡车 yùnhuò kǎchē〕
화백(畫伯) 画师 huàshī; 画家 huàjiā
화병(花瓶) 花瓶 huāpíng ¶～에 꽃을 꽂다 把花儿插在花瓶里 bǎ huār chā zài huāpíng li
화분(花盆) 花盆 huāpén
화산(火山) 火山 huǒshān ¶～ 활동이 활발해졌다 火山活动增强了 huǒshān huódòng zēngqiáng le ‖환태평양 ～대 太平洋火山环 Tàipíngyáng huǒshānhuán / 휴～ 休眠火山 xiūmián huǒshān =〔休火山 xiū huǒshān〕
화살 箭 jiàn ¶～을 쏘다 射箭 shè jiàn / ～을 시위에 메기다 把箭搭在弓弦上 bǎ jiàn dā zài gōngxián shang
화상(火傷) 火伤 huǒshāng; 烧伤 shāoshāng; 灼伤 zhuóshāng; 烫伤 tàngshāng ¶～자국 火伤疤痕 huǒshāng bāhén / 다리미로 손에 ～을 입다 叫熨斗烫了手 jiào yùndǒu tàngle shǒu / 화재로 큰 ～을 입었다 由于火灾受了严重烧伤 yóuyú huǒzāi shòule yánzhòng shāoshāng
화석(化石) 化石 huàshí
화성(火星) 火星 huǒxīng
화수분 摇钱树 yáoqiánshù; 聚宝盆 jùbǎopén
화술(話術) 说话方式 shuōhuà fāngshì ¶～이 좋다 会讲话 huì jiǎnghuà =〔口才好 kǒucái hǎo〕
화식(火食) 火食 huǒshí; 熟食 shúshí
화약(火藥) 火药 huǒyào; 炸药 zhàyào ¶～이 폭발했다 火药爆炸了 huǒyào bàozhà le ‖～고 火药库 huǒyàokù
화염(火焰) 火焰 huǒyàn;〈口〉火苗(儿,子) huǒmiáo(r,zi) ¶빌딩은 일순간에 ～에 쌓였다 大楼一瞬间被火焰包围了 dàlóu yíshùnjiān bèi huǒyàn bāowéi le ‖～방사기 火焰喷射器 huǒyàn pēnshèqì =〔喷火器 pēnhuǒqì〕/ ～병 燃烧瓶 ránshāopíng
화요일(火曜日) 星期二 xīngqī èr; 礼拜二 lǐbài èr
화이트하우스(White House) 白宫 Báigōng
화장(化粧) 化妆 huàzhuāng; 打扮 dǎbàn ¶～을 고치다 修整化妆 xiūzhěng huàzhuāng =〔重新扑粉擦脂 chóngxīn pūfěn cāzhī〕/ 엷은 ～을 하다 薄施脂粉 báo shī zhīfěn =〔轻涂淡抹 qīng tú dàn mǒ〕/ 짙은 ～ 浓妆 nóngzhuāng
화장(火葬) 火葬 huǒzàng; 火化 huǒhuà ‖～

터 火葬场 huǒzàngchǎng
화장실(化粧室) 梳妆室 shūzhuāngshì; 妆扮房 zhuāngbànfáng; ((변소)) 盥洗室 guànxǐshì
화재(火災) 火灾 huǒzāi; 失火 shīhuǒ ¶～가 발생했다 发生了火灾 fāshēngle huǒzāi ‖～ 경보기 火灾报警器 huǒzāi bàojǐngqì / ～ 보험 火灾保险 huǒzāi bǎoxiǎn =〔火险 huǒxiǎn〕
화젓가락(火…) 火筷子 huǒkuàizi
화제(話題) 话题 huàtí ¶그녀는 ～가 풍부하다 她的话题丰富 tāde huàtí fēngfù / ～를 바꿉시다 换个话题吧 huàn ge huàtí ba
화창하다(和暢…) 和畅 héchàng
화초(花草) 草花 cǎohuā; 草本花 cǎoběnhuā ¶뜰에 ～를 심다 在院子里栽草花 zài yuànzi li zāi cǎohuā
화톳불 篝火 gōuhuǒ; ((야영)) 营火 yínghuǒ ¶～을 놓다 燃起篝火 ránqǐ gōuhuǒ
화폐(貨幣) 货币 huòbì; 钱币 qiánbì ‖～ 가치 货币价值 huòbì jiàzhí =〔币值 bìzhí〕
화포(畫布) 画布 huàbù
화풀이(火…) 泄愤 xièfèn ¶～하다 闹脾气 nào píqi =〔耍脾气 shuǎ píqi〕〔出气 chūqì〕〔撒气 sāqì〕/ 걷어챈 ～로 그녀의 험담을 퍼뜨리다 散布她的坏话以泄被甩之愤 sànbù tāde huàihuà yǐxiè bèi shuǎi zhīfèn
화학(化學) 化学 huàxué ‖～ 공업 化学工业 huàxué gōngyè =〔化工 huàgōng〕/ ～ 기호 化学符号 huàxué fúhào / ～ 비료 化学肥料 huàxué féiliào =〔化肥 huàféi〕/ ～자 化学家 huàxuéjiā
화합(化合) 化合 huàhé ¶수소와 산소를 ～하면 물이 된다 氢和氧化合成为水 qīng hé yǎng huàhé chéngwéi shuǐ ‖～물 化合物 huàhéwù
화해(和解) 和好 héhǎo; 和解 héjiě ¶～시키다 排解 páijiě / 당사자간에 ～가 성립되었다 在当事人之间达成了和解 zài dāngshìrén zhījiān dáchéngle héjiě
화환(花環) 花圈 huāquān; 花环 huāhuán ¶무명 용사의 무덤에 ～을 바치다 向无名战士墓献花圈 xiàng wúmíng zhànshì mù xiàn huāquān
확 ①((빨리)) 火快地 huǒkuàide ②((세게)) 猛力地 měnglìde ③((갑자기)) 突然间 túránjiān
확고(確固) 坚定 jiāndìng ¶～한 신념 坚定的信念 jiāndìng de xìnniàn
확답(確答) 肯定的答复 kěndìng de dáfù; 明确的答复 míngquè de dáfù ¶그는 ～을 피하고 있다 他避不做出明确的答复 tā bì bú zuòchū míngquè de dáfù
확대(擴大) 放大 fàngdà; 扩大 kuòdà ¶1000배로 ～하다 放大一千倍 fàngdà yìqiān bèi / 자기 편의대로 ～ 해석하다 为自己方便扩大解释 wèi zìjǐ fāngbiàn kuòdà jiěshì ‖～경 放大镜 fàngdàjìng
확률(確率) ((數)) 概率 gàilǜ; 或然率 huòránlǜ; 几率 jīlǜ
확립(確立) 确立 quèlì ¶세계 평화를 ～하다 确保世界和平 quèbǎo shìjiè hépíng / 질서의 ～에 노력하다 努力于确立秩序 nǔlì yú quèlì zhìxù
확보(確保) 确保 quèbǎo ¶수송력을 ～하다 确保运输力 quèbǎo yùnshūlì / 일주일분의 식량을 ～하다 确保一个星期的粮食 quèbǎo yí ge xīngqī de liángshi
확성기(擴聲機) 扩音器 kuòyīnqì
확신(確信) 确信 quèxìn; 坚信 jiānxìn ¶나는 너의 성공을 ～하고 있다 我确信你的成功 wǒ quèxìn nǐde chénggōng / 그의 언동은 ～에 차 있다 他的言谈举止满怀信心 tāde yántán jǔzhǐ mǎnhuái xìnxīn
확실(確實) 确实 quèshí; 确凿 quèzáo; 确切 quèqiè; 可靠 kěkào ¶그의 당선은 ～하다 他的当选是肯定的 tāde dāngxuǎn shì kěndìng de / 그의 신원은 절대 ～하다 他的出身历史确实可靠 tāde chūshēn lìshǐ quèshí kěkào
확인(確認) 确认 quèrèn ¶서로의 의사를 ～하다 互相确认对方的意思 hùxiāng quèrèn duìfāng de yìsi / 시체를 ～하다 确认死者 quèrèn sǐzhě
확장(擴張) 扩充 kuòchōng; 扩张 kuòzhāng; 扩大 kuòdà ¶사업을 ～하다 扩大事业 kuòdà shìyè / 군비를 ～하다 扩充军备 kuòchōng jūnbèi =〔扩军 kuòjūn〕
확증(確證) 确证 quèzhèng ¶그가 주모자라는 ～은 끝내 얻을 수가 없었다 始终没能得到他是主谋的确证 shǐzhōng méi néng dédào tā shì zhǔmóu de quèzhèng
확충(擴充) 扩充 kuòchōng ¶설비를 ～하다 扩充设备 kuòchōng shèbèi
확확 ¶불이 ～ 타오르다 熊熊地燃烧着 xióngxióng de ránshāozhe
환(換) 汇兑 huìduì ¶대미～ 美汇 měihuì / 외국～ 시장 外汇交易市场 wàihuì jiāoyì shìchǎng / 외국～ 은행 外汇银行 wàihuì yínháng / 우편～ 邮政汇票 yóuzhèng huìpiào =〔邮政汇款 yóuzhèng huìkuǎn〕/ 전신～ 电汇 diànhuì
환갑(還甲) 花〔华〕甲 huā〔huá〕jiǎ
환경(環境) 环境 huánjìng ¶～ 위생에 주의하다 注意环境卫生 zhùyì huánjìng wèishēng / 인간은 ～에 지배되기 쉽다 人容易受环境的影响 rén róngyì shòu huánjìng de yǐngxiǎng
환기(喚起) 唤起 huànqǐ ¶세인의 주의를 ～시키다 唤起世人的注意 huànqǐ shìrén de zhùyì
환기(換氣) 透风 tòufēng; 通风 tōngfēng ¶～가 좋다〔나쁘다〕 通风良好〔不良〕 tōngfēng liánghǎo 〔bùliáng〕 ‖～장치 通风设备 tōngfēng shèbèi / ～통 通风孔 tōngfēngkǒng / ～팬 (fan) 通风电扇 tōngfēng diànshàn
환대(歡待) 款待 kuǎndài ¶이렇게 ～받을 줄은 생각지도 못했다 没想到这么备受款待 méi xiǎngdào zhème bèi shòu kuǎndài
환멸(幻滅) 幻灭 huànmiè ¶～의 비애 幻灭的悲哀 huànmiè de bēi'āi / 대학 생활에 ～을 느끼다 对大学生活感到幻灭 duì dàxué shēnghuó gǎndào huànmiè
환부(患部) 患部 huànbù; 患处 huànchù ¶～를 따뜻하게 하다 温罨患部 wēnyǎn huànbù / ～에 약을 바르다 在患处涂药 zài huànchù tú yào
환부(還付) 追还 zhuīhuán; 退还 tuìhuán ‖～금 返还款 fǎnhuán kuǎn
환산(換算) 换算 huànsuàn; 折合 zhéhé ¶미터를 피트로 ～하다 把公尺换算为英尺 bǎ gōngchǐ huànsuàn wéi yīngchǐ ‖～율 换算率 huànsuànlǜ =〔折合率 zhéhélǜ〕/ ～표 换算表 huànsuànbiǎo =〔折合表 zhéhébiǎo〕
환상(幻想) 幻想 huànxiǎng ¶～을 품다 抱幻想 bào huànxiǎng / ～에 빠지다 耽于幻想 dān

yú huànxiǎng
환상(環狀) 环状 huánzhuàng; 环行 huánxíng ‖~ 도로 环行公路 huánxíng gōnglù / ~선 环行铁路 huánxíng tiělù
환성(歡聲) 欢声 huānshēng; 欢呼声 huānhū-shēng
환심(歡心) 欢心 huānxīn ¶여자의 ~을 사다 讨女人的欢心 tǎo nǚrén de huānxīn
환언하면(換言…) 换言之… huàn yán zhī…; 即 jí; 换句话来说 huàn jù huà lái shuō
환영(幻影) 幻影 huànyǐng; 幻象 huànxiàng
환영(歡迎) 欢迎 huānyíng ¶~사를 하다 致欢迎词 zhì huānyíngcí / 시민의 성대한 ~을 받다 受到市民的盛大欢迎 shòudào shìmín de shèngdà huānyíng ‖~회 欢迎会 huān-yínghuì
환원(還元) 还原 huányuán ¶이윤을 사회에 ~하다 把利润还原于社会 bǎ lìrùn huányuán yú shèhuì
환율(換率) 《經》 汇率 huìlǜ
환자(患者) 病人 bìngrén; 患者 huànzhě ¶외래 ~ 门诊患者 ménzhěn huànzhě / 입원 ~ 住院患者 zhùyuàn huànzhě / ~를 진찰하다 诊察病人 zhěnchá bìngrén / 장티푸스 ~가 여러 명 발생했다 伤寒患者出现了数名 shānghán huànzhě chūxiànle shù míng
환장하다(換腸…) 成了丧心病狂了 chéngle sàng xīn bìngkuáng le
환전(換錢) 换钱 huànqián; 兑换 duìhuàn
환절기(換節期) 季节之交 jìjié zhī jiāo
환호(歡呼) 欢呼 huānhū ¶무의식중에 ~의 소리를 질렀다 禁不住欢呼起来 jīnbuzhù huānhū qǐlai
환희(歡喜) 欢喜 huānxǐ ¶~로 가슴이 뛰다 欢喜得心里直跳 huānxǐde xīnli zhí tiào =〔心花怒放 xīnhuā nùfàng〕
활 ①《쏘는》 弓 gōng ¶~을 쏘다 射箭 shè jiàn / ~을 잔뜩 당기다 张满〔拉满〕弓 zhāngmǎn〔lāmǎn〕 gōng / ~에 살을 메기다 把箭搭在弓弦上 bǎ jiàn dā zài gōngxián shang / ~은 부러지고 화살은 다하다 箭尽弓折 jiàn jìn gōng zhé ②《악기의》 弓子 gōngzi; 弓 gōng ¶바이올린의 ~ 小提琴弓子 xiǎotíqín gōngzi
활강(滑降) 滑降 huájiàng; 滑落 huáluò ¶급사면을 ~하다 从陡坡滑下去 cóng dǒupō huá-xiàqu ‖~ 경기 快速滑降 kuàisù huájiàng
활개 ①《사람의》 两臂 liǎngbèi ¶~치다 大摇大摆 dà yáo dà bǎi ②《새의》 两翼 liǎngyì ¶~치다 搧翅膀 shān chìbǎng
활개짓하다 大摇大摆 dà yáo dà bǎi
활기(活氣) 生气 shēngqì; 活气 huóqì; 活力 huólì ¶젊은 그들은 ~에 넘쳐 있다 他们年轻人'充满着活力〔朝气蓬勃, 生气勃勃〕 tāmen nián-qīngrén'chōngmǎnzhe huólì〔zhāoqì péng-bó, shēngqì bóbó〕 / 장사가 ~를 띠기 시작했다 买卖兴旺起来了 mǎimai xīngwàng qǐlai le
활대 帆桁 fānhéng; 帆架 fānjià; 帆杠 fāngàng
활동(活動) 活动 huódòng; 行动 xíngdòng ¶화산이 ~중에 있다 火山在活动中 huǒshān zài huódòng zhōng / 이 옷은 ~하기에 적합하지 않다 这件衣服不适于活动 zhè jiàn yīfu búshìyú huódòng
활량 ①《활을 쏘는 사람》 弓弩手 gōngnǔshǒu; 弓手 gōngshǒu ②《잘 노는 사람》 花钱大方的游侠 huā qián dàfang de yóuxiá
활력(活力) 活力 huólì; 生机 shēngjī
활로(活路) 活路 huólù; 生路 shēnglù; 出路 chūlù ¶한 가닥의 ~를 찾아 냈다 找到了一条活路 zhǎodàole yì tiáo huólù
활발(活潑) 活泼 huópo; 活跃 huóyuè ¶~한 소년 活泼的少年 huópo de shàonián / 모두 ~하게 발언하다 大家发言很活跃 dàjiā fāyán hěn huóyuè
활시위 弓弦 gōngxián
활약(活躍) 活跃 huóyuè; 积极活动 jījí huódòng ¶그는 현재 정계에서 ~하고 있다 他现在活跃在政界 tā xiànzài huóyuè zài zhèngjiè / 이 사건을 해결하기 위해서 그는 크게 ~했다 为了解决这个案件他大显身手 wèile jiějué zhège àn-jiàn tā dà xiǎn shēnshǒu
활용(活用) ①《이용》 利用 lìyòng; 运用 yùnyòng; 应用 yìngyòng; 活用 huóyòng ¶배운 지식을 ~하다 活用所学的知识 huóyòng suǒ xué de zhīshi ②《문법》 词尾变化 cíwěi biànhuà; 形态变化 xíngtài biànhuà ¶동사의 ~ 动词的词尾变化 dòngcí de cíwěi biànhuà
활자(活字) 活字 huózì; 铅字 qiānzì; 拣字 jiǎnzì ¶~를 짜다 排字 páizì =〔排版 páibǎn (조판하다)〕
활주(滑走) 滑行 huáxíng ¶비행기가 ~를 시작하다 飞机开始滑行 fēijī kāishǐ huáxíng ‖~로 跑道 pǎodào
활짝 ¶~ 갠 하늘 晴空万里 qíngkōng wànlǐ / ~ 문을 열다 大开其门 dàkāi qímén / 꽃이 ~ 피다 花满开 huā mǎnkai
활터 箭场 jiànchǎng
활판(活版) 铅版 qiānbǎn; 活版 huóbǎn ‖~ 인쇄 铅版印刷 qiānbǎn yìnshuā
활화산(活火山) 活火山 huóhuǒshān
활활 火火炽炽 huǒhuǒ chìchì ¶~ 타다 旺盛地燃烧着 wàngshèngde ránshāo zhe
홧김에(火…) 一赌气 yì dǔqì ¶~ 호통을 쳤다 气愤不过骂了一顿 qìfèn bú guò màle yí dùn
황금(黃金) 黄金 huángjīn; 《돈》 金钱 jīnqián ¶그 때가 그의 ~ 시대였다 那时候正是他的黄金时代 nà shíhou zhèngshì tāde huángjīn shídài / ~ 만능의 세상 金钱万能的世道 jīn-qián wànnéng de shìdào
황급(遑急) 急如星火 jí rú xīng huǒ; 急不及待 jí bùjí dài
황당무계(荒唐無稽) 荒唐 huāngtang〔táng〕; 荒诞无稽 huāngdàn wújī ¶그것은 ~한 말이다 那简直是荒诞无稽之谈 nà jiǎnzhí shì huāng-dàn wújī zhī tán
황량(荒涼) 荒凉 huāngliáng ¶~한 들판 荒凉的原野 huāngliáng de yuányě
황무지(荒蕪地) 荒地 huāngdì ¶~를 개간하다 开垦荒地 kāikěn huāngdì =〔开荒 kāihuāng〕
황산(黃酸) 《化》 硫酸 liúsuān ‖~ 암모늄 硫酸铵 liúsuān'ǎn
황새 《鳥》 鹳 guàn
황색(黃色) 黄色 huángsè; 黄颜色 huáng yánsè ‖~ 인종 黄色人种 huángsè rénzhǒng =〔黄种 huángzhǒng〕
황소(黃…) 《動》 黄牛 huángniú ‖~ 걸음 慢吞吞地走 màntūntūnde zǒu
황제(皇帝) 皇上 huángshang; 皇帝 huángdì

황태자(皇太子) 皇太子 huángtàizǐ ‖ ~비 太子妃 tàizǐfēi
황폐(荒廢) 荒废 huāngfèi ¶오랜 동안의 전란으로 전답은 완전히 ~해졌다 由于多年的战乱, 田地全荒芜了 yóuyú duōnián de zhànluàn, tiándì quán huāngwú le
황혼(黃昏) 黄昏 huánghūn; 傍晚 bàngwǎn ¶~의 거리 黄昏的街市 huánghūn de jiēshì
황홀(恍惚) 出神 chūshén; 消魂 xiāohún ¶그는 ~하게 그 경치를 바라보고 있다 他出神地眺望着那景致 tā chūshénde tiàowàngzhe nà jǐngzhì / 훌륭한 연주에 ~해지다 优美的演奏使人听得出了神 yōuměi de yǎnzòu shǐ rén tīngde chūle shén
황후(皇后) 皇后 huánghòu
홰[1] 《새장의》 栖木 qīmù; 横栏 hénglán
홰[2] ⇨ 횃불
홰치다 鼓翼 gǔ yì; 扑拉翅儿 pūla chìr; 打翅膀 dǎ chìbǎng
홱 ①《갑자기》 ¶~ 돌다 陡地转了弯 dǒude zhuǎnle wān / 태도가 ~ 변했다 态度忽然变了 tàidu hūrán biàn le ②《힘있게》 ¶~ 던지다 猛力扔出去 měnglì rēng chūqu
횃불 松明 sōngmíng; 火把 huǒbǎ; 火炬 huǒjù ¶~을 켜다 点松明 diǎn sōngmíng =〔《노영의》 庭燎 tíngliào〕〔营火 yínghuǒ〕〔《군호의》 信号火 xìnhào huǒ〕
횃줄 衣裳挂 yīshang guà; 挂衣绳 guàyī shéng
횅댕그렁하다 空落落 kōngluòluò; 空空洞洞 kōngkōng dòngdòng
횅하다 《통달》 通晓 tōngxiǎo; 精通 jīngtōng; 通达 tōngdá
회(會) 会 huì ¶~를 열다 开会 kāi huì
회(膾) 生鱼〔肉〕片 shēngyú〔ròu〕 piàn ¶~치다 切生鱼〔肉〕片儿 qiē shēngyú 〔ròu〕piànr
회(回) 回 huí; 次 cì; 届 jiè; 《경기 따위의》 局 jú ¶1일 3~ 복용 一日服用三次 yí rì fúyòng sān cì / 제1~ 졸업생 第一届毕业生 dìyí jiè bìyèshēng / 9~말의 홈런으로 역전승했다 第九局的下半局击了个本垒打竟转败为胜了 dìjiǔ jú de xiàbànjú jīle ge běnlěidǎ jìng zhuǎn bài wéi shèng le
회갑(回甲) ⇨ 환갑(還甲)
회견(會見) 会见 huìjiàn ¶노동자 대표는 수상에게 ~을 요청하고 있다 工人代表要求会见首相 gōngrén dàibiǎo yāoqiú huìjiàn shǒuxiàng ‖ 기자 ~ 记者招待会 jìzhě zhāodàihuì
회계(會計) 会计 kuaìjì ‖ ~사 会计师 kuàijìshī / ~ 연도 会计年度 kuàijì niándù / 특별 ~ 特别会计 tèbié kuàijì
회고(回顧) 回顾 huígù ¶옛날을 ~하다 回顾过去 huígù guòqù =〔回首往年 huíshǒu wàngnián〕 ‖ ~록 回忆录 huíyìlù
회고(懷古) 怀古 huáigǔ; 怀旧 huáijiù; 怀念往昔 huáiniàn wǎngxī
회교(回教) 《宗》 伊斯兰教 Yīsīlánjiào; 回教 Huíjiào; 清真教 Qīngzhēnjiào ‖ ~도(徒) 回民 Huímín =〔〈俗〉回回 Huíhui〕〔穆斯林 mùsīlín〕
회귀선(回歸線) 回归线 huíguīxiàn
회기(會期) 会期 huìqī ¶국회의 ~를 연장하다 延长国会的会期 yáncháng guóhuì de huìqī
회담(會談) 会谈 huìtán ¶한중 수뇌 ~ 韩中首脑会谈 HánZhōng shǒunǎo huìtán
회답(回答) 回答 huídá; 答复 dáfù ¶문서로써 ~을 요구하다 要求书面答复 yāoqiú shūmiàn dáfù / 지금 ~해 주시기 바랍니다 请尽速答复为荷 qǐng jǐn sù dáfù wéi hè
회복(回復) 恢复 huīfù ¶겨우 의식이 ~되다 神志好容易清醒过来 shénzhì hǎoróngyi qīngxǐng guòlai / 경기는 ~의 조짐이 없다 景气还不见恢复 jǐngqì hái bújiàn huīfù
회사(會社) 公司 gōngsī ¶~를 설립하다 开办公司 kāibàn gōngsī ‖ ~원 公司职员 gōngsī zhíyuán / 주식 ~ 股份公司 gǔfèn gōngsī / 합자 ~ 两合公司 liǎnghé gōngsī
회상(回想) 回忆 huíyì; 回想 huíxiǎng ¶~에 잠기다 沉浸在回忆中 chénjìn zài huíyì zhōng
회색(灰色) 灰色 huīsè
회석(會席) 《집회 장소》 集会的地方 jíhuì de dìfang; 《연석》 筵席 yánxí; 酒席 jiǔxí
회수(回收) 收回 shōuhuí; 回收 huíshōu ¶자금은 ~가 불가능하다 收回资金是不可能的 shōuhuí zījīn shì bù kěnéng de / 폐품을 ~하다 回收废品 huíshōu fèipǐn
회수권(回數券) 联票 liánpiào
회식(會食) 聚餐 jùcān; 会餐 huìcān ¶~을 약속하다 约会聚餐 yuēhuì jùcān
회심(會心) 得意 déyì ¶이것은 나의 ~작이다 这是我得意之作 zhè shì wǒ déyì zhī zuò / ~의 미소를 짓다 露出得意的微笑 lùchū déyì de wēixiào
회양목(…楊木) 〔植〕 黄杨 huángyáng
회오리바람 羊角风 yángjiǎofēng; 旋风 xuànfēng
회원(會員) 会员 huìyuán ¶~이 되다 成为会员 chéngwéi huìyuán ‖ 명예 ~ 名誉会员 míngyù huìyuán / 정~ 正式会员 zhèngshì huìyuán
회유(懷柔) 怀柔 huáiróu ¶정적을 ~하다 笼络政敌 lǒngluò zhèngdí ‖ ~책 怀柔政策 huáiróu zhèngcè
회의(會議) 会议 huìyì ¶지금 ~중입니다 现正在开会 xiàn zhèngzài kāihuì ‖ 군축 ~ 裁军会议 cáijūn huìyì
회의(懷疑) 怀疑 huáiyí ¶~를 품다 起疑心 qǐ yíxīn / 그는 어떤 일에도 ~적이다 他对什么都怀疑 tā duì shénme dōu huáiyí
회장(回章) 传阅的文章 chuányuè de wénzhāng; 知单 zhīdān
회장(會長) 会长 huìzhǎng
회장(會場) 会场 huìchǎng
회장(會葬) 参加殡仪 cānjiā bìnyí; 送殡 sòngbìn ‖ ~자 参加葬礼的人 cānjiā zànglǐ de rén
회전(回轉) 转 zhuàn; 旋转 xuánzhuǎn ¶프로펠러가 ~하기 시작했다 螺旋桨开始旋转了 luóxuánjiǎng kāishǐ xuánzhuǎn le / 그녀는 머리의 ~이 빠르다 她脑筋很快 tā nǎojīn hěn kuài ‖ ~ 목마 旋转木马 xuánzhuǎn mùmǎ / ~문 旋转门 xuánzhuǎnmén / ~ 의자 转椅 zhuànyǐ / ~자 转子 zhuànzǐ / ~축 转轴 zhuànzhóu
회중(懷中) 怀里 huái li ‖ ~ 시계 怀表 huáibiǎo / ~ 전등 手电筒 shǒudiàntǒng =〔电筒 diàntǒng〕
회진(回診) 查房 cháfáng ¶원장이 ~하다 院长查

病房 yuànzhǎng chá bìngfáng
회초리 枝条鞭子 zhītiáo biānzi
회충(蛔蟲)〖動〗蛔虫 huíchóng ¶회충약을 먹고서 ~을 없애다 吃驱虫药打虫子 chī qūchóngyào dǎ chóngzi ‖~약 驱虫药 qūchóngyào =〔驱虫剂 qūchóngjì〕〔打虫子药 dǎ chóngzi yào〕
회칙(會則) 会则 huìzé; 会章 huìzhāng ¶동창회의 ~을 정하다 制定校友会的会章 zhìdìng xiàoyǒuhuì de huìzhāng
회포(懷抱) 怀抱 huáibào; 内心 nèixīn; 心底 xīndǐ
회피(回避) 回避 huíbì; 逃避 táobì; 规避 guībì ¶책임을 ~하다 逃避责任 táobì zérèn
회한(悔恨) 悔恨 huǐhèn ¶~의 정에 사로잡히다 悔恨不已 huǐhèn bùyǐ =〔心里感到十分后悔 xīnli gǎndào shífēn hòuhuǐ〕
회합(會合) 聚会 jùhuì; 集会 jíhuì ¶한달에 1회 ~을 열다 每月聚会一次 měi yuè jùhuì yí cì
회화(會話) 会话 huìhuà ¶~체의 문장 用口语体写的文章 yòng kǒuyǔtǐ xiě de wénzhāng / 중국어로 ~하다 用中文会话 yòng Zhōngwén huìhuà
회화(繪畫)〖美〗绘画 huìhuà ‖~전 绘画展览 huìhuà zhǎnlǎn =〔画展 huàzhǎn〕
획기적(劃期的) 划时代 huàshídài; 开新纪元 kāi xīnjìyuán ¶이것은 ~인 사건이다 这是划时代的事件 zhè shì huàshídài de shìjiàn
획득(獲得) 获得 huòdé ¶권리를 ~하다 获得〔取得〕权利 huòdé〔qǔdé〕quánlì
획책(劃策) 策划 cèhuà ¶정권의 탈취를 ~하다 策划夺取政权 cèhuà duóqǔ zhèngquán
횟수(回數) 回数 huíshù; 次数 cìshù ¶~를 거듭함에 따라 점점 능숙해지다 重复多次渐渐就会熟练的 chóngfù duōcì jiànjiàn jiù huì shúliàn de
횡격막(橫隔膜)〖生〗横隔膜 hénggémó
횡단(橫斷) 横过 héngguò; 横渡 héngdù; 横越 héngyuè ¶대륙 ~ 철도 横贯大陆的铁路 héngguàn dàlù de tiělù / 도로를 ~하다 横过马路 héngguò mǎlù / 요트로 태평양을 ~하다 乘帆船横渡太平洋 chéng fānchuán héngdù Tàipíngyáng ‖~면 横断面 héngduànmiàn =〔横剖面 héngpōumiàn〕〔横截面 héngjiémiàn〕/ ~ 보도 人行横道 rénxíng héngdào
횡대(橫隊) 横队 héngduì ¶1렬 ~로 늘어서다 排成一列横队 páichéng yí liè héngduì
횡령(橫領) 贪污 tānwū ¶회사의 돈을 ~하다 贪污公司的钱 tānwū gōngsī de qián
횡서(橫書) 横写 héngxiě ¶~의 노트 横格笔记本 hénggé bǐjìběn / 편지를 ~로 쓰다 信横写 xìn héngxiě
횡선(橫線) 横线 héngxiàn ‖~ 수표 划线支票 huàxiàn zhīpiào
횡수(橫數) 意外的幸运 yìwài de xìngyùn
횡액(橫厄) 横事 hèngshì; 意外之灾难 yìwài zhī zāinàn
횡재(橫財) 横财 hèngcái
횡포(橫暴) 蛮横 mánhèng; 横暴 hèngbào ¶여러 사람을 믿고 ~한 행동으로 나오다 仗着人多势众, 恣意横行 zhàngzhe rén duō shì zhòng, zìyì héngxíng
횡행(橫行)《옆으로 걷다》横行 héngxíng;《발호》横行 héngxíng
효과(效果) 效果 xiàoguǒ; 效 xiào ¶작전이 ~를 거두다 作战计划奏效 zuòzhàn jìhuà zòuxiào / 선전의 ~가 나타났다 有了宣传的效果 yǒule xuānchuán de xiàoguǒ / 아무리 타일러도 ~가 없다 怎么教训也没有效果 zěnme jiàoxun yě méiyǒu xiàoguǒ
효능(效能) 效验 xiàoyàn; 效能 xiàonéng; 效力 xiàolì; 功效 gōngxiào ¶약의 ~ 药的效力 yào de xiàolì ‖~ 설명서 效验序子 xiàoyàn xùzi
효력(效力) 效能 xiàonéng; 效力 xiàolì ¶크게 ~을 발휘하다 发挥很大的效力 fāhuī hěn dà de xiàolì / 기한이 다하면 ~이 없어진다 过了期限就没有效力了 guòle qīxiàn jiù méiyǒu xiàolì le =〔过期无效 guòqī wúxiào〕
효소(酵素)〖化〗酶 méi; 酵素 jiàosù
효용(效用) ①《용도》功用 gōngyòng; 用处 yòngchu; 用途 yòngtú ¶다른데는 ~이 없다 没有其他的功用 méiyǒu qítā de gōngyòng ②《효험》效能 xiàonéng; 效用 xiàoyòng; 功能 gōngnéng; 功效 gōngxiào ¶약의 ~을 설명하다 说明药的功效 shuōmíng yào de gōngxiào
효율(效率) 效率 xiàolǜ ¶~적으로 일하다 高效率地进行工作 gāo xiàolǜ de jìnxíng gōngzuò / 이 기계는 ~이 나쁘다 这架机器效率低 zhè jià jīqi xiàolǜ dī
후(後) ①《다음》以后 yǐhòu; 后 hòu ¶공익을 선(先)으로 하고 사리를 ~로 한다 先公益而后私利 xiān gōngyì ér hòu sīlì ②《장래》后 hòu; 以后 yǐhòu ¶이틀 ~에 两天以后 liǎng tiān yǐhòu / 한시간 ~에 다시 한 번 와 주십시오 请一个钟头后再来一趟 qǐng yí ge zhōngtóu hòu zài lái yí tàng
후각(嗅覺) 嗅觉 xiùjué ¶개는 ~이 예민하다 狗嗅觉敏锐 gǒu xiùjué mǐnruì
후견인(後見人) 监护人 jiānhùrén; 保护人 bǎohùrén
후계자(後繼者) 接班人 jiēbānrén; 后继者 hòujìzhě
후광(後光) 圆光 yuánguāng
후기(後記) 后记 hòujì ‖편집 ~ 编后记 biānhòujì
후끈거리다 热烘烘 rèhōnghōng ¶방 안이 더워서 ~ 屋子里热烘烘 wūzi lǐ rèhōnghōng
후끈달다《조바심으로》惹人着急的 rě rén zháojí de; 令人捏一把汗 lìng rén niē yì bǎ hàn;《격분》大怒 dànù; 震怒 zhènnù; 大发雷霆 dàfā léitíng
후닥닥 ⇨ 화닥닥
후덥지근하다《기분이》不舒畅的 bù shūchàng de; 郁郁的 yùyùde;《무덥다》闷热 mēnrè
후두(喉頭)〖生〗喉头 hóutóu ‖~염 喉炎 hóuyán
후두부(後頭部)〖生〗后头顶 hòutóudǐng; 后脑壳 hòunǎoké
후드득거리다《새가》扑楞楞 pūléngléng;《총소리가》劈拍劈拍 pīpāi pīpāi
후들거리다《떨다》打颤 dǎzhàn; 打冷战 dǎ lěngzhàn;《흔들다》使振动 shǐ zhèndòng; 摇撼 yáohan
후려갈기다 ⇨ 후려치다
후려치다《매로》抽打 chōudǎ;《손으로》啪嚓打一巴掌 pācā dǎ yì bāzhang ¶따귀를 ~ 搧耳光 shān ěrguāng =〔打嘴巴 dǎ zuǐba〕
후련하다 清爽 qīngshuǎng; 舒服 shūfu ¶이로

써 기분이 후련해졌다 这才'大为痛快〔出了口气〕 zhè cái 'dà wéi tòngkuai 〔chūle kǒuqì〕/ 이 약을 먹었더니 속이 후련해졌다 吃了这服药心口就舒服了 chīle zhè fúyào xīnkǒu jiù shūfu le

후루루 《호각소리》 嘟噜嘟噜 dūlu dūlu

후루룩 呼噜呼噜 hūlu hūlu

후리다 《깎아내다》 铲平 chǎnpíng; 削 xiāo; 《채찍으로》 抽打 chōudǎ

후미 隈 wēi; 河弯子 héwānzi

후미(後尾) 后沿儿 hòuyánr; 〈口〉 后尾(儿) hòuyǐ(r) ¶나는 대열의 제일 ～에 있다 我在'队列的后沿儿〔排尾〕 wǒ zài'duìliè de hòuyánr 〔páiwěi〕

후미지다 背静 bèijing

후반(後半) 后半 hòubàn ¶필름의 ～을 컷하다 剪掉片子的后半 jiǎndiào piānzi de hòubàn ‖～기 后半年 hòubànnián / ～전(戰) 后半场的比赛 hòubàn chǎng de bǐsài

후방(後方) ①《뒷쪽》 后方 hòufāng; 后面(儿) hòumian(r) ②《일선의》 后方 hòufāng ¶부상자를 ～으로 보내다 把伤员送往后方 bǎ shāngyuán sòngwǎng hòufāng / ～ 근무에 돌려지다 被调任做后勤工作 bèi diàorèn zuò hòuqín gōngzuò

후배(後輩) 后辈 hòubèi; 晚辈 wǎnbèi; 后进 hòujìn ¶～를 발탁하다 提拔后辈 tíba hòubèi

후보(候補) 候补 hòubǔ ¶A씨를 회장 ～로 밀다 推A先生为会长候选人 tuī A xiānshēng wéi huìzhǎng hòuxuǎnrén ‖～자 候选人 hòuxuǎnrén

후부(後部) 后部 hòubù; 后面(儿) hòumian(r)

후비다 抠 kōu; 挖 wā; 掏 tāo ¶귀를 ～ 挖耳 wā'ěr / 코를 ～ 抠鼻子 kōu bízi / 벽을 후벼파서 구멍을 내다 在墙上掏一个洞 zài qiáng shang tāo yí ge dòng

후사(後事) 后事 hòushì ¶친구에게 ～를 부탁하다 把后事托给朋友 bǎ hòushì tuōgěi péngyou

후생(厚生) 厚生 hòushēng; 卫生福利 wèishēng fúlì ¶종업원의 ～ 시설을 갖추다 使职工的卫生福利设施完善 shǐ zhígōng de wèishēng fúlì shèshī wánshàn

후세(後世) 后世 hòushì ¶～에 이름을 남기다 名传后世 míng chuán hòushì =〔流芳百世 liú fāng bǎi shì〕

후손(後孫) 后裔 hòuyì; 子孙 zǐsūn

후송(後送) 送往后方 sòngwǎng hòufāng ¶부상병을 ～하다 把伤员送往后方 bǎ shāngyuán sòngwǎng hòufāng

후실(後室) 接脚夫人 jiējiǎo fūrén

후우(厚遇) 厚待 hòudài; 优遇 yōuyù

후원(後援) 后援 hòuyuán; 赞助 zànzhù ¶대사관의 ～으로 전람회를 열었다 得到大使馆的赞助, 举办了展览会 dédào dàshǐguǎn de zànzhù, jǔbànle zhǎnlǎnhuì

후유증(後遺症) 后遗症 hòuyízhèng ¶자동차 사고에 의한 ～ 车祸留下的后遗症 chēhuò liúxià de hòuyízhèng

후의(厚誼) 盛情 shèngqíng; 厚意 hòuyì

후일(後日) 日后 rìhòu ¶～의 증거로서 내가 맡고 있겠다 我保存来作日后的证据 wǒ bǎocún lái zuò rìhòu de zhèngjù

후임(後任) 后任 hòurèn ¶과장의 ～이 되다 接科长的后任 jiē kēzhǎng de hòurèn

후자(後者) 后者 hòuzhě ¶～가 전자보다 우수하다 后者比前者优秀 hòuzhě bǐ qiánzhě yōuxiù

후진(後進) ①《후배》 后辈 hòubèi; 晚辈 wǎnbèi; 后进 hòujìn ¶사직하여 ～에게 길을 터주다 为了给后起之秀让路而辞职 wèile gěi hòuqǐ zhī xiù ràng lù ér cízhí ②《문물의》 落后 luòhòu; 后进 hòujìn ¶언제까지나 ～성을 탈피하지 못한다 老摆脱不了落后状态 lǎo bǎituōbuliǎo luòhòu zhuàngtài ‖～국 落后国家 luòhòu guójiā

후처(後妻) 后妻 hòuqī; 填房 tiánfang ¶～를 맞이하다 娶后妻 qǔ hòuqī =〔续弦 xùxián〕

후천(後天) 后天 hòutiān ¶그의 난청은 ～적인 것이다 他的重听是后天的 tāde zhòngtīng shì hòutiān de ‖～성 면역 后天性免疫 hòutiānxìng miǎnyì

후추 胡椒 hújiāo

후춧가루 胡椒面(儿) hújiāomiàn(r); 胡椒粉 hújiāofen

후탈(後頉) 《산후의》 产后病 chǎnhou bìng; 《사건의》 波动 bōdòng; 馀波 yúbō

후퇴(後退) 后退 hòutuì; 倒退 dàotuì ¶1보 전진 2보 ～ 进一步退两步 jìn yí bù tuì liǎng bù

후환(後患) 后患 hòuhuàn ¶～을 남기다 留下后患 liúxia hòuhuàn / ～을 없애다 除去后患 chúqù hòuhuàn

후회(後悔) 后悔 hòuhuǐ; 懊悔 àohuǐ; 悔恨 huǐhèn ¶～막급(莫及)이다 后悔不及 hòuhuǐ bùjí / 나중에 ～해도 나는 모른다 就是你将来后悔, 我也不管 jiùshì nǐ jiānglái hòuhuǐ, wǒ yě bù guǎn

훈계(訓戒) 训诫〔训戒〕 xùnjiè

훈련(訓練) 训练 xùnliàn ¶파일럿의 ～을 받다 受飞行员的训练 shòu fēixíngyuán de xùnliàn

훈수(訓手) 助阵 zhùzhèn

훈시(訓示) 训示 xùnshì ¶부하에게 ～를 주다 向部下训示 xiàng bùxià xùnshì

훈장(訓長) 师长 shīzhǎng; 老师 lǎoshī

훈장(勳章) 勋章 xūnzhāng ¶～을 받다 获得勋章 huòdé xūnzhāng

훈제(燻製) 熏制 xūnzhì ¶청어를 ～하다 熏制鲱鱼 xūnzhì fēiyú ‖～ 고기 熏肉 xūnròu

훈화(訓話) 训话 xùnhuà

훈훈하다(薰薰…) 和暖 hénuǎn

훌떡 ¶～ 벗다 脱光 tuōguāng / ～ 뒤집다 完全翻过来 wánquán fānguòlai / ～ 뛰어넘다 轻快地跳过去 qīngkuài de tiàoguòqu

훌렁하다 松通 sōngtong

훌륭하다 可观 kěguān; 堂堂 tángtáng; 伟大 wěidà ¶훌륭한 업적을 거두다 获得卓越的成就 huòdé zhuōyuè de chéngjiù

훌쩍 ①《마시는 꼴》 ¶～ 마시다 一下子喝下去 y xiàzi hē xiàqu =〔一口喝干 yìkǒu hēgān〕〔一饮而尽 yì yǐn ér jìn〕 ②《날쌔게》 ¶～ 날아가다 闪电般地飞去 shǎndiàn bān de fēiqù / ～ 말에 올라타다 纵身上马 zòngshēn shàng mǎ / ～ 도랑을 뛰어넘었다 轻轻地纵身跳过了沟 qīngqīngde zòngshēn tiàoguòle gōu ③《표연·훌연히》 ¶～ 여행길에 나서다 飘然出外云游 piāorán chūwài yúnyóu / 친구가 오래간 만에 ～ 찾아왔다 好久没露面的朋友忽然来访了 hǎojiu méi lòumiàn de péngyou hūrán láifǎng le

훌쩍거리다 《국을》 呷(汤) xiá; 《콧물을》 抽(鼻涕

chōu; 《울다》 抽噎 chōuyē; 抽咽 chōuyè
훌훌 ¶소금을 ～ 뿌리다 叭啦叭啦地撒盐 bālabālade sǎ yán / 옷을 ～ 벗다 把衣裳一件一件地脱下来 bǎ yīshang yíjianyíjiande tuōxiàlai / ～ 마시다 呼噜呼噜地喝下去 hūluhūlude hēxiàqu
훑다 捋 luō ¶벼이삭을 ～ 捋稻穗 luō dàosuì =〔捋下稻穗儿 luōxià dàosuìr〕
훑어보다 《일독》 过目 guòmù; 粗看 cūkàn; 《눈여겨보다》 上下打量 shàngxià dǎliang ¶서류를 대충 ～ 浏览文件 liúlǎn wénjiàn =〔把文件略微过一下目 bǎ wénjiàn lüèwēi guò yíxià mù〕〔把文件略略看了一下 bǎ wénjiàn lüèlüè kànle yíxià〕/ (사람의) 아래위를 ～ 从头顶到脚底, 上上下下地打量 cóng tóudǐng dào jiǎodǐ, shàngshàngxiàxiàde dǎliang
훔쳐내다 ①《닦다》 擦净 cājìng ②《후무려내다》 偷出 tōuchū
훔쳐먹다 偷吃 tōuchī; 偷嘴 tōuzuǐ ¶찬장 속의 것을 ～ 偷吃橱柜里的东西 tōuchī chúguì li de dōngxi
훔쳐보다 偷看 tōukàn ¶옆사람의 답안을 ～ 偷看旁边的人的试卷 tōukàn pángbiān de rén de shìjuàn
훔치다 ①《닦다》 擦去 cāqù; 擦 cā ¶걸레로 책상 위를 ～ 用搌布擦桌子 yòng zhǎnbu cā zhuōzi ②《절도》 偷 tōu; 偷窃 tōuqiè ¶돈을 ～ 偷钱 tōuqián
훔켜잡다 大把地抓起 dàbǎde zhuāqi
훔켜쥐다 牢实揪住 láoshi jiūzhu
훗날(後…) 改天 gǎitiān; 日后 rìhòu; 过后 guòhòu; 后来 hòulai ¶～을 기약하고 헤어졌다 期以他日, 分手而别 qīyǐ tārì, fēnshǒu ér bié
훗달(後…) 下月 xiàyuè
훗배앓이(後…) 产后的腹痛 chǎnhòu de fùtòng
훗훗하다 闷热 mēnrè ¶방 안이 ～ 屋子里太闷了 wūzi li tài mēn le / 차 안이 사람들 훈김으로 ～ 车厢里人多闷热得很 chēxiāng li rén duō mēnrè de hěn
훤칠하다 轩昂 xuān'áng
훤하다 ①《탁트이다》 广阔 guǎngkuò ¶터널을 빠져나오자 눈앞에 훤히 트인 전원 풍경이 펼쳐졌다 过了隧道眼前'展开〔展现〕一片广阔的田野 guòle suìdào yǎnqián'zhǎnkāi 〔zhǎnxiàn〕 yípiàn guǎngkuò de tiányě ②《사물에 밝다》 熟 shú 〔shóu〕; 熟悉 shúxī; 熟知 shúzhī ¶그는 이 주변 지리에 ～ 他对这个地方很熟悉 tā duì zhège dìfang hěn shúxī / 그는 고고학에 ～ 他通晓考古学 tā tōngxiǎo kǎogǔxué ③《얼굴이》 五官端正 wǔguān duānzhèng; 长得好看 zhǎngde hǎokàn; 《안색이》 气色好 qìsè hǎo
훨씬 …得多 …de duō; …得很 …de hěn ¶～ 전에 在很久以前 zài hěn jiǔ yǐqián / 이것이 ～ 낫다 这个倒好得多 zhège dào hǎode duō / ～ 북쪽이다 在很远的北边 zài hěn yuǎn de běibiān / ～ 전부터 그를 알고 있었다 打从前就认识他 dǎ cóngqián jiù rènshi tā
훨훨 哗哗 huāhuā ¶～ 날다 呼拉呼拉地飞 hūlāhūlāde fēi
훼방(毁謗) 妨碍 fáng'ài; 阻挡 zǔdǎng
훼손(毁損) 毁坏 huǐhuài; 毁损 huǐsǔn; 损坏 sǔnhuài ¶그를 명예 ～으로 고소하다 控告他败坏他人的名誉 kònggào tā bàihuài tārén de míngyù
휑뎅그렁하다, 휑하다 空洞洞 kōngdòngdòng; 空旷 kōngkuàng ¶그는 휑뎅그렁한 집에 혼자 살고 있다 他在空旷的房子里一个人住着 tā zài kōngkuàng de fángzi li yí ge rén zhùzhe
휘 ①《바람》 呼呼地 hūhūde ¶바람이 ～ 불다 呼呼地刮着风 hūhūde guāzhe fēng ②《한숨》 ¶한숨을 쉬다 呼地叹息着 hūde tànxīzhe
휘감기다 被缠绕 bèi chánrào; 缠 chán; 缠绕 chánrào; 《정신이》 搅得昏天黑地 jiǎode hūn tiān hēi dì ¶담쟁이덩굴이 나무에 ～ 常春藤缠绕在树上 cháng chūnténg chánrǎo zài shù shang / 덩굴풀이 발에 휘감겨 붙다 蔓草绊住脚 màncǎo bànzhù jiǎo
휘감다 一绕一绕地缠上 yíràoyíràode chánshàng
휘갑치다 《마감》 结束 jiéshu; 《가를》 镶滚 xiānggǔn; 绗上边 háng shàngbiān
휘날리다 《바람에》 飘扬 piāoyáng; 飘展 piāozhǎn ¶깃발이 바람에 ～ 旗帜随风飘扬 qízhì suí fēng piāoyáng
휘늘어지다 《가지 따위가》 坠弯 zhuìwān; 《처지다》 搭了下来 dāle xiàlai
휘다 《나뭇가지가》 弯曲 wānqū; 《판자 따위가》 翘曲 qiàoqū
휘두르다 ¶주먹을 ～ 挥拳头 huī quántou / 폭력을 ～ 要蛮动武 shǔamán dòngwǔ / 권력을 ～ 滥用权力 lànyòng quánlì / 술에 취해서 칼을 ～ 喝醉了要刀子 hēzuìle shuǎ dāozi / 그는 아내에게 휘둘려 지낸다 他对他爱人百衣百顺 tā duì tā àiren bǎiyībǎishùn
휘둥그래지다 睁大眼睛 zhēng dà yǎnjing ¶놀라서 눈이 ～ 吃惊得眼睛都睁圆了 chījīngde yǎnjing dōu zhēngyuán le
휘몰다 《서두르다》 催逼 cuībī; 《차를》 急三忙四地紧开着 jísānmángsìde jǐnkāizhe
휘발(揮發) 挥发 huīfā ¶～성 액체 挥发性液体 huīfāxìng yètǐ ‖～유 挥发油 huīfāyóu
휘슬(whistle) 哨儿 shàor; 哨子 shàozi
휘어잡다 《구부려 잡다》 握住 wòzhù; 《사람을》 驾御 jiàyù; 制服 zhìfú ¶부하들을 ～ 能镇得住部下 néng zhèndezhù bùxià
휘어지다 坠弯 zhuìwān
휘젓다 ①《섞이도록》 搅 jiǎo; 搅伴 jiǎoban; 搅和 jiǎohuo; 搅动 jiǎodòng ¶잘 휘저어 마시세요 搅伴好再喝 jiǎobàn hǎo zài hē / 서랍 속을 ～ 在抽屉乱'翻腾〔翻动〕 zài chōuti li luàn'fāngteng〔fāndòng〕 ②《손을》 挥(手) huī
휘지르다 弄脏 nòngzāng; 弄污 nòngwū
휘청거리다 《걸음걸이가》 踉跄 liàngqiàng; 一溜儿歪斜 yíliùr wāixié; 《가지 따위가》 颤抖抖 chàndǒudǒu; 晃晃悠悠 huànghuangyoūyou ¶취해서 발이 ～ 醉得'脚步踉跄〔步履蹒跚〕 zuìde'jiǎobù liàngqiàng 〔bùlǚ pánshān〕
휘추리 树条儿 shùtiáor
휘파람 口哨儿 kǒushàor ¶～을 불다 吹口哨儿 chuī kǒushàor
휘하(麾下) 麾下 huīxià ¶이장군 ～의 정예 李将军麾下的劲旅 Lǐ jiāngjūn huīxià de jìnglǚ
휘호(揮毫) 挥毫 huīháo
휘황하다(輝煌…) 辉煌的 huīhuáng de
휙 ①《돌아가는 꼴》 迅速回转 xùnsù huízhuǎn ¶몸을 ～ 돌리다 急转身 jí zhuǎnshēn ②《바람이》 呼地 hūde ③《화살이》 飕地一声 sōude yìshēng

휩싸다 《싸다》 包罗 bāoluó; 《감싸 주다》 护庇 hùbì; 袒护 tǎnhù
휩쓸다 ①《석권하다》 席卷 xíjuǎn ¶유럽 전역을 ～ 席卷全欧洲 xíjuǎn quán Ōuzhōu ②《사상 등이》 风靡 fēngmǐ ¶일세(一世)를 ～ 风靡〔盛极〕一时 fēngmǐ 〔shèngjí〕 yìshí ③《물결 · 재난 등이》 ¶어린아이가 탁류에 휩쓸렸다 小孩子被浊流吞没了 xiǎoháizi bèi zhuóliú tūnmòle / 남해 지역은 격심한 폭풍우에 휩쓸렸다 南海地区遭到了激烈的暴风雨的袭击 Nánhǎi dìqū zāo dāo le jīliè de bàofēngyǔ de xíjī ④《사건 등이》 卷进 juǎnjin; 连累 liánlěi; 牵累 qiānlěi ¶성가신 사건에 휩쓸려 들었다 被卷进了一介麻烦的事件里 bèi juǎnjìnle yíge máfan de shìjiàn li ⑤《인기 · 상금 등을》 ¶그는 상금을 혼자 휩쓸었다 他把全部奖金一人独占了 tā bǎ quánbù jiǎngjīn yì rén dúzhàn le ⑥《설치다》 横行 héngxíng ¶폭력단이 거리를 휩쓸고 있다 流氓在城镇'横行霸道〔肆无忌惮〕liúmáng zài chéngzhèn'héngxíngbàdào〔sì wú jìdàn〕
휴가(休暇) 休暇 xīujià; 假 jià; 假期 jiàqí ¶1주일의 ～를 얻다 请一个星期的假 qǐng yí ge xīngqī de jià
휴간(休刊) 暂时停刊 zànshí tíngkān ¶내일은 ～합니다 明日无报 míngrì wúbào / 내일의 조간은 ～합니다 明天的晨报休刊 míngtiān de chénbào xiūkān
휴강(休講) 停课 tíngkè ¶오늘 두째 시간 강의는 ～이었다 今天的第二堂课停课了 jīntiān de dì'èr táng kè tíngkè le
휴게(休憩) 休息 xiūxi; 休憩 xiūqì; 歇 xiē; 歇息 xiēxi ‖～소 休息处 xiūxichù / ～실 歇房 xiēfáng
휴관(休館) 闭馆 bìguǎn; 停止开放 tíngzhǐ kāifàng ¶도서관은 매주 월요일은 ～이다 图书馆每逢星期一休息 túshūguǎn měiféng xīngqīyī xiūxi ‖～일 休馆日 xiūguǎnrì
휴교(休校) (学校)停课 tíngkè; 放假 fàngjià ¶1개월간 ～하다 学校停课一个月 xuéxiào tíngkè yí ge yuè
휴대(携帶) 携带 xiédài ¶무기를 ～하다 随身携带武器 suíshēn xiédài wǔqì ‖～품 携带的东西 xiédài de dōngxi
휴머니스트(humanist) 人道主义者 réndào zhǔyìzhě
휴머니즘(humanism) 人道主义 réndào zhǔyì
휴식(休息) 休息 xiūxi; 歇息 xiēxi ¶충분히 ～을 취하다 充分地休息 chōngfènde xiūxi
휴양(休養) 休养 xiūyǎng
휴업(休業) 休业 xiūyè; 停业 tíngyè ¶금일 ～ 本日休业 běnrì xiūyè / 임시 ～ 临时停业 línshí tíngyè
휴일(休日) 假日 jiàrì; 休息日 xiūxirì ¶금주에는 ～이 연휴다 这个星期连着放两天假 zhège xīngqī liánzhe fàng liǎng tiān jià
휴장(休場) ①《극장의》 停止演剧 tíngzhǐ yǎnjù; 停演 tíngyǎn ②《선수의》 不出场 bù chūchǎng; 休场 xiūchǎng
휴전(休戰) 停战 tíngzhàn; 停火 tínghuǒ; 休战 xiūzhàn ¶양국은 ～ 협정을 맺었다 两国签订了停战协定 liǎng guó qiāndìngle tíngzhàn xiédìng
휴정(休廷) 休庭 xiūtíng ¶30분간 ～합니다 休庭三十分钟 xiū tíng sānshí fēn zhōng
휴지(休紙) 废纸 fèizhǐ; 烂纸 lànzhǐ; 乱纸 luànzhǐ; 手纸 shǒuzhǐ; 字纸 zìzhǐ; 卫生纸 wèishēngzhǐ ‖～통 纸篓 zhǐlǒu =〔字纸篓儿 zìzhǐlǒur〕
휴진(休診) 停诊 tíngzhěn ¶금일 ～ 今天停诊 jīntiān tíngzhěn
휴학(休學) 休学 xiūxué ¶병 때문에 1년간 ～하다 因病休学一年 yīn bìng xiūxué yì nián
휴한지(休閑地) 休闲地 xiūxiándì
휴회(休會) 休会 xiūhuì ¶국회는 금일부터 ～에 들어간다 国会由今天起休会 guóhuì yóu jīntiān qǐ xiūhuì
흉 ①《부스럼 · 상처의》 伤痕 shānghén; 〈方〉 疤瘌 bāla ¶～이 지다 结成伤疤 jiéchéng shāngbā ②《흠 · 결점》 瑕疵 xiácī; 毛病 máobìng
흉가(凶家) 脏房 zāngfáng; 凶房 xiōngfáng
흉금(胸襟) 胸襟 xiōngjīn; 襟怀 jīnhuái ¶～을 털어놓고 서로 이야기하다 敞开胸襟畅谈 chǎngkāi xiōngjīn chàngtán =〔开诚相见 kāichéng xiāngjiàn〕
흉기(凶器) 凶器 xiōngqì
흉내 模仿 mófǎng; 仿效 fǎngxiào ¶～를 내다 学 xué =〔模仿 mófǎng〕〔效法 xiàofǎ〕 ¶진짜를 ～내어 만들다 照实物'仿制 zhào shíwù' fǎngzhì ‖～쟁이 善于模仿的人 shànyú mófǎng de rén
흉년(凶年) 荒年 huāngnián; 凶年 xiōngnián; 歉年 qiànnián
흉보(凶報) 不吉之报 bùjí zhī bào; 恶耗 èhào; 凶信(儿) xiōngxìn(r); 《사망 통지》 噩耗 èhào; 噩音 èyīn; 讣告 fùgào
흉보다 背地里说人坏话 bèidìli shuō rén huàihuà
흉부(胸部) 《가슴》 胸部 xiōngbù; 《호흡기》 呼吸器官 hūxī qìguān ‖～ 질환 胸部疾患 xiōngbù jíhuàn
흉악(凶惡) 凶恶 xiōng'è ¶～한 범죄 残忍的犯罪 cánrěn de fànzuì ‖～범 凶犯 xiōngfàn
흉위(胸圍) 胸围 xiōngwéi
흉작(凶作) 歉收 qiànshōu; 荒歉 huāngqiàn ¶금년은 ～이다 今年歉收 jīnnián qiànshōu / ～에 대비하다 备荒 bèihuāng =〔防备灾荒 fángbèi zāihuāng〕
흉잡다 找毛病 zhǎo máobìng; 找错儿 zhǎo cuòr
흉잡히다 被人家找着错儿 bèi rénjia zhǎozhe cuòr
흉측스럽다(凶測…) 《성질》 刁悍 diāohàn; 阴险 yīnxiǎn; 《용모》 凶恶 xiōng'è
흉탄(凶彈) 凶手发射的子弹 xiōngshǒu fāshè de zǐdàn ¶～에 쓰러지다 被凶手枪杀 bèi xiōngshǒu qiāngshā
흉하적하다 挑刺儿 tiāo cìr; 找碴儿 zhǎo chár; 吹毛求疵 chuī máo qiú cī
흉한(凶漢) 恶徒 ètú; 坏蛋 huàidàn; 《하수인》 凶手 xiōngshǒu; 凶犯 xiōngfàn 어두운 곳에서 ～에게 습격당했다 在暗处被暴徒袭击了 zài ànchù bèi bàotú xíjī le
흉허물 错儿 cuòr; 罪过 zuìguò ¶～없다 不分彼此 bùfēn bǐcǐ =〔没有隔阂 méiyǒu géhé〕/ 그와는 ～없는 사이이다 我跟他很要好 wǒ gēn tā hěn yàohǎo
흐느끼다 抽噎 chōuyē
흐느적거리다 颤颤悠悠 chànchànyōuyōu

흐늘흐늘하다 烂糊 lànhu；烂烂 lànlàn

흐르다[1] (유동) 流 liú；(세월이) 流逝 liúshì；(넘치다) 漾出 yàngchū；(쏟아지다) 洒落 sǎluò；(새다) 漏 lòu；(쏠리다) 有…倾向 yǒu…qīngxiàng

흐르다[2] (흘레) 配对儿 pèiduìr；搭配 dāpèi；交配 jiāopèi；孳尾 zìwěi；(새가) 踩蛋儿 cǎidànr；(개가) 起秧子 qǐ yāngzi；闹狗 nàogǒu；(물고기가) 咬子 yǎozǐ

흐리다[1] ①(날씨가) 天阴起来 tiānyīnqilai；阴沉沉 yīnchénchén ②(물을) 弄浊 nòngzhuó；弄浑 nònghún；使混浊 shǐ hùnzhuó ¶냇물을 ～ 弄浑河水 nònghún héshuǐ ③(모호하게 하다) ¶말끝을 흐리고 확실히 하지 않다 含胡其辞不明言 hánhú qí cí bù míngyán

흐리다[2] (혼탁) 不清 bùqīng；混 hùn；(희미) 膜膜糊糊 mómóhuhu；不清楚 bù qīngchu；(눈이) 朦胧 ménglóng；花 huā

흐리마리하다 暧昧不明的 àimèi bùmíng de；不干脆的 bù gāncuì de

흐리멍덩하다 (불명료) 糊里糊涂 húlihútu；(날씨가) 阴沉沉 yīnchénchén；(불확실) 不确切 bú quèqiè；不可靠 bù kěkào ¶흐리멍덩한 눈 不清亮的眼睛 bù qīngliàng de yǎnjing

흐리터분하다 (사물이) 含糊 hánhu；不清楚 bù qīngchu；(마음씨가) 模稜两可 mó léng liǎng kě；不干脆 bù gāncuì ¶흐리터분한 짓 鬼鬼祟祟儿的勾当 guǐguǐsuìsuìr de gòudang

흐릿하다 ⇨ 흐리다[2]

흐무러지다 (너무 익다) 烂烂儿的 lànlànr de；稀烂 xīlàn；(물에 불어서) 泡透 pàotòu

흐물흐물하다 稀烂 xīlàn ¶흐물흐물하게 삶다 煮得稀溜 zhǔde xīliū

흐뭇하다 得意 déyì；心满意足 xīn mǎn yì zú；称心 chènxīn；随心 suíxīn ¶정말이지 흐뭇한 광경이다 可真是使人欣慰的情景 kě zhēn shì shǐ rén xīnwèi de qíngjǐng

흐지부지 含糊 hánhu；马虎 mǎhu ¶사건을 ～ 해버리다 使案件不了了之 shǐ ànjiàn bùliǎoliǎo zhī / 계획은 ～되었다 那个计划没有下文了 nàge jìhuà méiyǒu xiàwén le / 결국 그 이야기는 ～되었다 结果那事不了了之了 jiéguǒ nà shì bùliǎoliǎo zhī le

흐트러뜨리다 (꽃을) 吹散 chuīsǎn；(군중 따위를) 驱散 qūsǎn；把…分散开 bǎ…fēnsànkāi；(머리털을) 披散开 pīsànkāi；(정신을) 涣散 huànsàn

흐트러지다 乱 luàn

흑막(黑幕) 黑后台 hēihòutái；幕后人 mùhòurén ¶정계의 ～ 政界的幕后人 zhèngjiè de mùhòurén

흑백(黑白) 黑白 hēibái；是非 shìfēi；皂白 zàobái ¶～을 분명히 하다 弄清黑白 nòngqīng hēibái =〔明辨是非 míngbiàn shìfēi〕‖～ 텔레비전 黑白电视 hēibái diànshì

흑보기 斜眼的人 xiéyǎn de rén

흑사탕(黑砂糖) 黑糖 hēitáng；红糖 hóngtáng

흑수정(黑水晶) 墨晶 mòjīng；黑种人 hēizhǒngrén

흑자(黑字) 赢利〔盈利〕 yínglì；赢馀〔盈馀〕 yíngyú ¶이번 달은 가까스로 ～를 봤다 这月好容易才有了赢利 zhè yuè hǎo róngyi cái yǒule yínglì

흑점(黑點) 黑点(儿) hēidiǎn(r)；(태양의) 太阳黑子 tàiyáng hēizǐ；黑子 hēizǐ；日斑 rìbān

흑판(黑板) ⇨ 칠판

흑흑 ¶～ 울다 啜泣 chuòqì =〔抽噎 chōuyē〕/ ～ 울며 잠들다 抽咽地睡着了 chōuyède shuìzháo le

흔들다 摇 yáo；晃动 huàngdòng；摇晃 yáohuang；摇动 yáodòng；(손 따위를) 挥 huī ¶깃발을 ～ 挥动旗子 huīdòng qízi / 개가 꼬리를 ～ 拘摇尾巴 gǒu yáo wéiba / 바람이 나뭇잎을 ～ 风摇晃着树枝 fēng yáohuangzhe shùzhī / 나무를 흔들어 열매를 떨어뜨리다 把果实从树上摇下来 bǎ guǒshí cóng shù shang yáoxiàlai

흔들리다 动摇 dòngyáo；振动 zhèndòng；摇晃 yáohuang；摇动 yáodòng；震动 zhèndòng ¶촛불이 ～ 烛火摇晃 zhúhuǒ yáohuang / 나무 우듬지가 바람에 ～ 树梢随风摇晃 shùshāo suí fēng yáohuang / 지진으로 창유리가 흔들렸다 由于地震, 窗玻璃震动起来了 yóuyú dìzhèn, chuāngbōli zhèndòng qǐlai

흔들흔들하다 摇荡 yáodàng；颠簸 diānbǒ；悠悠荡荡 yōuyōudàngdàng

흔연(欣然) 欣然 xīnrán ¶～한 태도로 받아들이다 欣然接受 xīnrán jiēshòu

흔적(痕跡) 痕迹 hénjì ¶그 성은 지금 ～도 없다 那座城现在连个痕迹都没有了 nà zuò chéng xiànzài lián ge hénjì dōu méiyǒu le

흔하다 不稀奇 bù xīqí；多得很 duōde hěn ¶흔하지 않은 不多见的 bù duō jiàn de

흔히 常常 chángcháng；素日 sùrì；常川 chángchuān ¶～ 결석을 잘 한다 常好告假 cháng hào gàojià / ～있는 일 常有的事情 cháng yǒu de shìqing

흘겨보다 盯着眼看 dīngzhe yǎn kàn；瞪着眼看 dèngzhe yǎn kàn

흘금거리다 鬼鬼溜溜 guǐguǐliūliū

흘기다 瞪眼 dèngyǎn；白邓邓 báidèngdèng

흘끗 (쳐다봄) 一闪 yìshǎn；一晃 yìhuǎng ¶～ 곁눈질하여 보다 用斜眼瞅一下 yòng xiéyǎn chǒu yí xià =〔斜瞟一下 xié piǎo yí xià〕/ 울타리 새로 ～～ 사람 그림자가 보였다 从篱笆缝儿一闪一闪地看见了人影 cóng líba fèngr yìshǎnyìshǎnde kànjianle rényǐng

흘러나오다 流出 liúchū；(샘물 따위가) 涌出 yǒngchu；引出 yǐnchū ¶상처에서 피가 흘러나왔다 从伤口淌出血来了 cóng shāngkǒu tǎngchū xiě lái le / 샘물이 세차게 ～ 泉水源源涌出来 quánshuǐ yuányuán yǒngchūlai

흘러내리다 流 liú；(몸에 걸친 것이) 滑下 huáxià ¶땀이 비 오듯 ～ 汗从身上直往下淌 hàn cóng shēnshang zhí wǎng xià tǎng / 안경이 흘러내렸다 眼镜儿滑下了 yǎnjìngr huáxià le / 바지가 흘러내릴 것 같다 裤子要掉 kùzi yào diào

흘러보다 (상대 마음 속을) 刺探 cìtàn；探听 tàntīng ¶상대 속마음을 ～ 刺探对方的内心 cìtàn duìfāng de nèixīn

흘레 交配 jiāopèi ¶～붙이다 配种 pèizhǒng

흘리다 ①(흐르게 하다) 使…流 shǐ…liú ¶눈물을 ～ 流泪 liú lèi ②(빠뜨리다) 丢掉 diūdiào；失落 shīluò ③(글씨를) 潦草地写 liáocǎo de xiě

흘림 潦草书 liáocǎoshū；草书 cǎoshū ¶～으로 쓰다 潦草地写 liáocǎode xiě

흙 土 tǔ；泥土 nítǔ ¶이국의 ～이 되다 死于异乡

sì yú yìxiāng
흙구덩이 土窖 tǔjiào
흙덩이 土块 tǔkuài; 土鲁卡 tǔlukā; 〈方〉坷拉 kēlā〔la〕
흙무더기 土垛子 tǔduòzi; 土堆 tǔduī
흙받기 (자동차의) 挡泥板 dǎngníbǎn; (미장이의) 泥板 níbǎn
흙빛 土黄 tǔhuáng ¶안색이 ~이다 面如土色 miàn rú tǔsè =〔脸色蜡黄 liǎnsè làhuáng〕
흙손 馒 màn; 抹子 mǒzi ¶~으로 벽을 바르다 用抹子抹墙 yòng mǒzi mò qiáng
흙일 泥水活 níshuǐhuó
흙칠 ¶옷에 ~하다 衣服溅上泥 yīfu jiànshang ní / 온몸에 ~하다 溅一身泥 jiàn yìshēn ní
흙탕물 泥水 níshui ¶차가 ~을 튀기며 지나갔다 汽车溅着泥开过去了 qìchē jiànzhe ní kāiguòqu le
흙투성이 弄成满身是泥 nòng chéng mǎnshēn shì ní
흠(欠) ⇨ 흠
흠구덕(欠…) 中伤 zhòngshāng; 背地里骂人 bèidìli màrén; 暗中说坏话 ànzhōng shuō huàihuà
흠뜯다(欠…) 吹毛寻孔 chuī máo xún kǒng
흠모(欽慕) 羡慕 xiànmù
흠뻑 (젖음) 湿透 shītòu; 淋透 líntòu ¶~ 젖다 湿得淋淋的 shīde línlín de / 비로 ~ 젖다 雨淋得湿透皮肉 yǔ línde shītòu píròu / 비로 옷이 ~ 젖었다 衣裳都被雨淋透了 yīshang dōu bèi yǔ líntòu le
흠씬 ¶한바탕 ~ 두들겨맞다 被人痛打了一顿 bèi rén tòngdǎle yídùn / ~ 먹다 吃得十分饱了 chīde shífēn bǎo le =〔大吃特吃 dàchī tèchī〕
흠지다(欠…) 受伤 shòushāng; 损坏 sǔnhuài; (금가다) 裂璺 lièwèn
흠집(欠…) (상처의) bāla 疤瘌; (물건의) 瑕疵 xiácī; 毛病 máobìng; (사람의) 缺点 quēdiǎn; 毛病 máobìng
흠치르르하다 ⇨ 함치르르하다
흡사(恰似) 恰似 qiàsì; 恰如 qiàrú
흡수(吸收) 吸收 xīshōu; 吸取 xīqǔ ¶식물은 뿌리로부터 양분을 ~한다 植物以根吸收养分 zhíwù yǐ gēn xīshōu yǎngfèn / 새로운 지식을 ~하다 吸取新知识 xīqǔ xīn zhīshi ‖~지 吃墨纸 chīmòzhǐ
흡연(吸煙) 抽烟 chōuyān; 吃烟 chīyān; 吸烟 xīyān ¶미성년자의 ~을 금하다 未成年人不得吸烟 wèichéngniánrén bùdé xīyān ‖~실 吸烟室 xīyānshì
흡인(吸引) 吸引 xīyǐn ¶이 자석은 ~력이 강하다 这种磁石吸引力强 zhè zhǒng císhí xīyǐnlì qiáng
흡입(吸入) 吸人 xīrù ¶산소를 ~하다 输氧 shūyǎng =〔吸人氧气 xīrù yǎngqì〕 ‖~기 吸入器 xīrùqì
흡족하다(洽足…) (분량) 十足 shízú; 够 gòu; (만족) 心意满足 xīnyì mǎnzú
흥 (콧소리) 哼 hēng; 噢 ōu ¶~ 또 그 따위 수작인가 哼不就是那一套吗 hēng bù jiùshi nà yítào ma / ~ 그랬던가 噢是那么回事啊 ōu shì nàme huíshì a
흥감스럽다 大惊小怪 dà jīng xiǎo guài; 小题大做 xiǎotí dàzuò
흥겹다(興…) 高兴 gāoxìng; 喜气洋洋 xǐqì yángyáng; 兴兴头头 xìngxìng tóutóu
흥미(興味) 兴趣 xìngqù; 兴味 xìngwèi; 兴致 xìngzhì ¶나는 역사에 ~를 갖고 있다 我对历史感兴趣 wǒ duì lìshǐ gǎn xìngqù / 나는 골동에는 ~가 없다 我对古董'不感兴趣〔没有什么兴味〕 wǒ duì gǔdǒng'bù gǎn xìngqù 〔méiyǒu shénme xìngwèi〕
흥분(興奮) 兴奋 xīngfèn ¶~해서 자지 못하다 兴奋得睡不着觉 xīngfènde shuìbuzháo jiào
흥성흥성하다(興盛興盛…) 殷实 yīnshi
흥신소(興信所) 征信所 zhēngxìnsuǒ
흥얼거리다 哼阿哼阿 hēng'ā hēng'ā
흥정 (매매) 交买卖 jiāomǎimai; 穿换 chuānhuan ¶~붙이다 介绍买卖 jièshao mǎimai
흥청거리다 (아낌없이 쓰다) 大事挥霍 dàshì huīhuò; (흔들리다) 颤动 chàndòng; 撼摇 hànyáo
흥하다(興…) 兴旺 xīngwàng; 兴起 xīngqǐ ¶나라가 흥하는 것은 사람 역량에 의한다 国家'兴盛〔兴旺〕是靠人的力量 guójiā'xīngshèng〔xīngwàng〕 shì kào rén de lìliang
흥흥 哼哼 hēnghēng
흩날리다 吹散 chuīsǎn
흩다 (군중을) 赶散 gǎnsǎn; 驱散 qūsǎn; (머리따위를) 披散开 pīsankāi
흩어지다 分散 fēnsàn
희곡(戲曲) 戏曲 xìqǔ
희귀하다(稀貴…) 少有的 shǎo yǒu de; 稀罕 xīhan ¶희귀한 천재 罕有的天才 hǎnyǒu de tiāncái / 그와 같은 사람은 정말이지 ~ 他那样的人真少见 tā nàyàng de rén zhēn shǎojiàn
희극(喜劇) 喜剧 xǐjù; 笑剧 xiàojù; 滑稽剧 huájijù ‖~배우 喜剧演员 xǐjù yǎnyuán
희끄무레하다 带白色的 dài báisè de; 涅白的 nièbái de
희끗희끗하다 (머리털이) 斑白 bānbái; 苍白头发 cāngbáitóufa
희다 白 bái
희대(稀代) 稀世 xīshì; 绝代 juédài ¶~의 미인 绝代美人 juédài měirén
희떱다 (허영) 自以为了不起而骄傲 zì yǐwéi liǎobuqǐ ér jiāo'ào; 假气派 jiǎqìpai; (손크다) 手松 shǒusōng
희뜩희뜩하다 ⇨ 희끗희끗하다
희롱(戲弄) 玩耍 wánshuǎ; 戏弄 xìnòng
희롱거리다 戏谑 xìnüè; 开玩笑 kāi wánxiào; (조롱) 戏弄 xìnòng; (남녀가) 调情 tiáoqíng; (여자에게) 调戏 tiáoxì
희망(希望) 希望 xīwàng; 愿望 yuànwàng ¶유학을 ~하다 希望留学 xīwàng liúxué / 나는 인생에 대해 ~을 잃었다 我对人生失去了希望 wǒ duì rénshēng shīqùle xīwàng
희멀쑥하다 白净面皮 báijìngmiànpí; 白镜子 báijìngzi
희미(稀微) 微微 wēiwēi; 隐约 yǐnyuē; 隐隐 yǐnyǐn; 模糊 móhu ¶섬이 ~하게 보이다 影影绰绰看见岛影 yǐngyǐngchuòchuò kànjian dǎoyǐng =〔岛影隐约可见 dǎoyǐng yǐnyuē kějiàn〕 / 문틈으로 ~한 불빛이 새다 从门缝儿透出微弱的亮光 cóng ménfèngr tòuchū wēiruò de liàngguāng / ~한 소리가 들리다 听见隐隐约约声响 tīngjian yǐnyǐnyuēyuē de shēngxiāng
희번덕거리다 翻白眼 fān báiyǎn; 眼珠上下翻

yǎnzhū shàngxià fān
희붐하다 (东方)发白 fābái; 朦朦亮儿 mēngmengliàngr
희비(喜悲) 悲喜 bēixǐ ¶～가 엇갈리다 悲喜交集 bēixǐ jiāojí
희사(喜捨) 施舍 shīshě
희색(喜色) 喜色 xǐsè ¶～을 만면에 나타내다 满面喜色 mǎnmiàn xǐsè
희생(犧牲) 牺牲 xīshēng ¶～적 정신을 발휘하다 发挥自我牺牲的精神 fāhuī zìwǒ xīshēng de jīngshén / 비행기 사고로 다수의 ～자가 나오다 由于飞机失事，许多人遇难 yóuyú fēijī shīshì, xǔduō rén yùnàn / 이 때문에 많은 ～을 내었다 为此付出了很大的牺牲 wèicǐ fùchūle hěn dà de xīshēng
희세(稀世) 世上罕有 shìshang hǎnyǒu ¶～의 영웅 稀世的英雄 xīshì de yīngxióng
희소식(喜消息) 喜讯 xǐxùn
희읍스름하다 灰白 huībái; 鱼肚白 yúdùbái
희한하다(稀罕…) 稀罕 xīhan
희희(嘻嘻) 嘻嘻 xīxī ¶～웃다 笑嘻嘻 xiào xīxī
희희낙락(喜喜樂樂) 欣喜 xīnxǐ; 喜乐 xǐlè; 兴高彩烈 xìng gāo cǎi liè
흰개미 《蟲》 白蚁 bàiyǐ; 白蚂蚁 báimǎyǐ
흰떡 糕棍 gāogùn
흰밥 白米饭 báimǐfàn; 大米饭 dàmǐfàn; 干饭 gānfàn
흰소리 胡话 húhuà; 大话 dàhuà ¶～하다 胡吹混嗙 húchuī hùnpǎng
흰옷 白色衣服 báisè yīfu
흰자 《달걀의》 蛋清 dànqīng; 蛋白 dànbái
흰자위 《눈의》 白眼珠 báiyǎnzhū
흰죽(…粥) 大米粥 dàmǐzhōu
힁허케 飘飘然 piāopiāorán ¶～ 가 버리다 飘飘然走过去 piāopiāorán zǒuguoqu
히말라야(Himalaya) 《地》 喜马拉雅山 Xǐmǎlāyǎshān
히스테리(독 Hysterie) 歇斯底里 xiēsīdǐlǐ; 癔病 yìbìng; 脏躁症 zàngzàozhèng ¶～를 일으키다 歇斯底里发作 xiēsīdǐlǐ fāzuò
히아신스(hyacinth) 《植》 风信子 fēngxìnzǐ; 洋水仙 yángshuǐxiān
히어로(hero) 英雄 yīngxióng; 《남주인공》 男主人公 nán zhǔréngōng ¶그는 그 일로 해서 일약 ～가 되었다 他由于那件事一跃成为英雄 tā yóuyú nà jiàn shì yí yuè chéngwéi yīngxióng
히죽이 狞笑貌 níng xiàomào; 一笑 yí xiào ¶～웃다 暗自嘻笑 ànzi xīxiào =〔窃笑 qièxiào〕
히터(heater) 《난방 장치》 暖气设备 nuǎnqì shèbèi; 《전열기》 电炉 diànlú
히트(hit) ①《야구》 安全打 ānquàndǎ ¶～를 치다 击安全打 jī ānquàndǎ ②《성공》 大成功 dàchénggōng ¶이 영화는 반드시 ～칠 것이다 这部电影一定会'博得好评〔大受欢迎〕 zhè bù diànyǐng yídìng huì 'bódé hǎopíng〔dàshòu huānyíng〕 ‖～송 风行一时的歌曲 fēngxíng yìshí de gēqǔ
히프(hip) 臀围 túnwéi
힌트(hint) 启发 qǐfā; 启示 qǐshì ¶～를 얻다 得到启发 dédào qǐfā
힐난(詰難) 责问 zéwèn; 责难 zénàn ¶상대방의 태도를 ～하다 责难对方的态度 zénàn duìfāng de tàidu
힐문(詰問) 责问 zéwèn; 诘问 jiéwèn ¶～하다 责备 zébèi =〔责难 zénàn〕/ 결근의 이유를 ～하다 责问缺勤的理由 zéwèn quēqín de lǐyóu
힐책(詰責) 责备 zébèi; 申斥 shēnchì
힘 ①《체력》 劲头 jìntóu; 力气 lìqi ¶～이 없다 没有劲儿 méiyǒu jìnr / ～을 내다 用劲 yòngjìn ②《에너지》 力 lì ¶전기의 ～ 电力 diànlì ③《능력》 能力 nénglì ¶～껏 竭尽全力 jiéjìn quánlì ④《노력》 出力 chūlì ¶～이 되어 주다 帮助 bāngzhu ⑤《효력》 效力 xiàolì; 作用 zuòyòng ¶그의 동분 서주가 크게 ～이 되었다 他的奔走起了很大作用 tāde bēnzǒu qǐle hěn dà zuòyòng ⑥《위력》 威力 wēilì; 权力 quánlì ¶～이 정의다 强权是公理 qiángquán shì gōnglǐ
힘꼴 多少的膂力 duōshǎo de lǚlì
힘들다 ①《벅차다》 吃力 chīlì; 吃累 chīlèi ¶힘드는 일 费力气的事 fèi lìqi de shì / 이 아이는 기르는 데 조금도 힘들지 않다 这个孩子一点儿也不费事 zhège háizi yìdiǎnr yě bú fèishì ②《어렵다》 难 nán; 困难 kùnnan ¶이 문제는 정말 이지 ～ 这个问题真难 zhège wèntì zhēn nán / 우승은 ～ 难获冠军 nán huò guànjūn / 원만한 해결은 ～ 难于圆满解决 nányú yuánmǎn jiějué / 내 입으로는 말하기 ～ 由我嘴里可不好说出来 yóu wǒ zuǐ li kě bù hǎo shuōchūlai / 그 녀석은 다루기 힘든 놈이다 那家伙可是个刺儿头 nà jiāhuo kě shì ge cìrtóu ③《이해하기가》 艰涩 jiānsè; 晦涩 huìsè; 难懂 nán dǒng ¶그의 태도는 전혀 이해하기 ～ 他的态度可真难理解 tāde tàidu kě zhēn nán lǐjiě ④《까다롭다》 麻烦 máfan; 费事 fèishì ¶이 신청은 절차가 ～ 这个申请手续很麻烦 zhège shēn-qǐng shǒuxù hěn máfan ⑤《고생스럽다》 劳苦 láoku; 幸苦 xínku ¶어렵고 힘들게 번 돈 辛辛苦苦赚来的钱 xīnxīnkǔkǔ zhuànlai de qián
힘들이다 ①《힘을 내다》 使劲 shǐjìn; 用力 yònglì ②《정성껏》 贯注心神 guànzhù xīnshén; 用上精神做 yòng shàng jīngshen zuò
힘세다 劲头儿大 jìntóur dà
힘쓰다 《노력》 努力 nǔlì; 勉力 miǎnlì; 《조력》 帮助 bāngzhu
힘입다 借光 jièguāng; 仗着 … 的鼎力 zhángzhe … de dǐnglì
힘차다 《박력이 있다》 有魄力 yǒu pòlì; 《벅차다》 担当不起 dāndāng bùqǐ

자음 색인(字音索引)

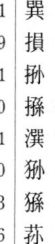

① 字音은 글자의 해당 뜻과 발음을 주로 하고, 두 가지 이상의 音을 가진 글자는 音을 모두 실었으며, 해당 글자의 異體字의 音도 같이 실었다.

② 音이 현재 우리 나라 字典에 나와 있지 않은 경우, 중국 字典의 音과 反切音을 참고하여 실었다.

③ 該當 글자의 자음이 중국 자전에도 나와 있지 않은 경우는 音을 싣지 않았다.

부수 검자 색인(部首檢字索引)

【二】

【 工 】

【 士 】

【 车(車) 】

【用】

【 羽 】

新旧字形对照表

旧字形	新字形	新字例	旧字形	新字形	新字例
艹4	艹3	花草	直8	直8	值植
辶4	辶3	连速	黾8	黾8	绳鼋
幵6	开4	型形	咼9	呙8	鍋過
丰4	丰4	艳沣	垂9	垂8	睡郵
巨5	巨4	苣渠	飠9	飠8	飲飽
屯4	屯4	纯顿	郎9	郎8	廊螂
瓦5	瓦4	瓶瓷	彔8	录8	渌箓
反4	反4	板饭	昷10	昷9	温瘟
丑4	丑4	纽杻	骨10	骨9	滑骼
犮5	犮5	拔茇	鬼10	鬼9	槐嵬
印6	印5	茚	爲12	為9	僞撝
耒6	耒6	耕耘	旣11	既9	溉厩
吕7	吕6	侣营	蚤10	蚤9	搔骚
攸7	攸6	修倏	敖11	敖10	傲遨
爭8	争6	净静	莽12	莽10	漭蟒
产6	产6	彦産	眞10	真10	慎填
差7	差6	差养	䍃10	䍃10	摇遥
幷8	并6	屏拼	殺11	殺10	摋鎩
吳7	吴7	蜈虞	黃12	黄11	廣横
角7	角7	解确	虛12	虚11	墟歔
奐9	奂7	换痪	異12	異11	冀戴
㡀8	㡀7	敝弊	象12	象11	像橡
耳8	耳7	敢嚴	奧13	奥12	澳襖
者9	者8	都著	普13	普12	谱氆

◆ 1965년 中国文字改革委员会와 文化部가《印刷通用汉字字形表》를 발표하였는데, 여기에서 표준 자형을 新字形이라 하고, 이전의 인쇄자형을 旧字形이라 한다.

◆ 부수 검자 색인을 사용 시, 획수의 경우 구자형의 획수를 적용한 예가 있어서, 신자형의 획수 맞지 않을 경우 구자형의 획수를 적용.

부 록

(1) 漢語拼音方案·四聲比較略圖

1) 漢語拼音方案

1. 聲母表

b	p	m	f	d	t	n	l	g
ㄅ玻	ㄆ坡	ㄇ摸	ㄈ佛	ㄉ得	ㄊ特	ㄋ讷	ㄌ勒	ㄍ哥
k	h	j	q	x	zh	ch	sh	r
ㄎ科	ㄏ喝	ㄐ基	ㄑ欺	ㄒ希	ㄓ知	ㄔ蚩	ㄕ诗	ㄖ日
z	c	s						
ㄗ资	ㄘ雌	ㄙ思						

※「漢語拼音方案」에서 로마字는 英語式으로 발음하는 것이 아니라, 다음과 같이 읽고 있다.

※ **聲母의 發音部位**

位置 \ 方法	閉鎖音·破擦音		鼻 音	摩擦音	側面音
	無氣音	有氣音			
雙唇音·唇齒音	b(ㄅ)	p(ㄆ)	m(ㄇ)	f(ㄈ)	
舌 尖 音	d(ㄉ)	t(ㄊ)	n(ㄋ)		l(ㄌ)
舌 根 音	g(ㄍ)	k(ㄎ)		h(ㄏ)	
舌 面 音	j(ㄐ)	q(ㄑ)		x(ㄒ)	
捲 舌 音	zh(ㄓ)	ch(ㄔ)		sh(ㄕ)	
舌 齒 音	z(ㄗ)	c(ㄘ)		s(ㄙ)	

2. 字母表

字母 名稱	Aa ㄚ	Bb ㄅㄝ	Cc ㄘㄝ	Dd ㄉㄝ	Ee ㄜ	Ff ㄝㄈ	Gg ㄍㄝ	Hh ㄏㄚ	Ii ㄧ
	Jj ㄐㄧㄝ	Kk ㄎㄝ	Ll ㄝㄌ	Mm ㄝㄇ	Nn ㄋㄝ	Oo ㄛ	Pp ㄆㄝ	Qq ㄑㄧㄡ	Rr ㄚㄦ
	Ss ㄝㄙ	Tt ㄊㄝ	Uu ㄨ	Vv ㄪㄝ	Ww ㄨㄚ	Xx ㄒㄧ	Yy ㄧㄚ	Zz ㄗㄝ	

※ ① V는 外來語·少數民族言語 및 方言表記 때만 쓴다.
② y와 w는 半聲母라고 부르고 있다.

3. 韻母表

		單韻(介母)		
		yi(-i) ㄧ	wu(-u) ㄨ	yu(-u; -ü) ㄩ
單韻	aㄚ	ya(-ia) ㄧㄚ	wa(-ua) ㄨㄚ	
	oㄛ	yo(-io) ㄧㄛ	wo(-uo) ㄨㄛ	
	eㄜ			
	(e)ㄝ	ye(-ie) ㄧㄝ		yue(-üe; -ue) ㄩㄝ
複韻	aiㄞ	yai(-iai) ㄧㄞ	wai(-uai) ㄨㄞ	
	eiㄟ		wei(-ui) *ㄨㄟ	
	aoㄠ	yao(-iao) ㄧㄠ		
	ouㄡ	you(-iu) *ㄧㄡ		
附聲韻	anㄢ	yan(-ian) *ㄧㄢ	wan(-uan) ㄨㄢ	yuan(-uan) *ㄩㄢ
	enㄣ	yin(-in) *ㄧㄣ	wen(-un) *ㄨㄣ	yun(-un) *ㄩㄣ
	angㄤ	yang(-iang) ㄧㄤ	wang(-uang) ㄨㄤ	
	engㄥ	ying(-ing) *ㄧㄥ	weng(-ong) *ㄨㄥ	yong(-iong) *ㄩㄥ
捲舌韻	erㄦ			

(結合韻母)

* 표는 앞에 聲母의 유무에 따라 소리가 달라진다.

2) 四聲比較略圖

聲調의 高低를 알기 쉽게 圖解한다면 다음과 같다.

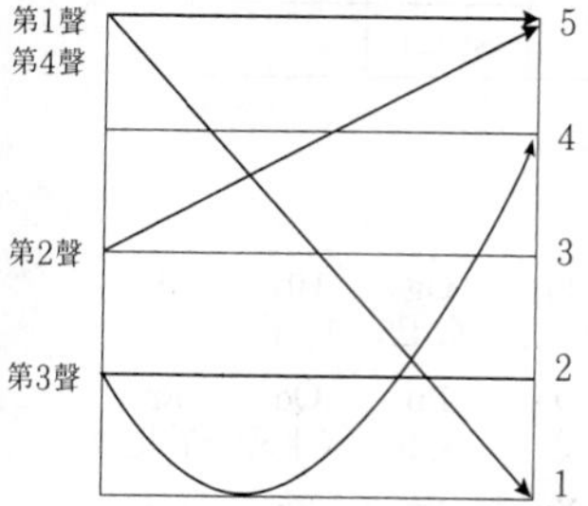

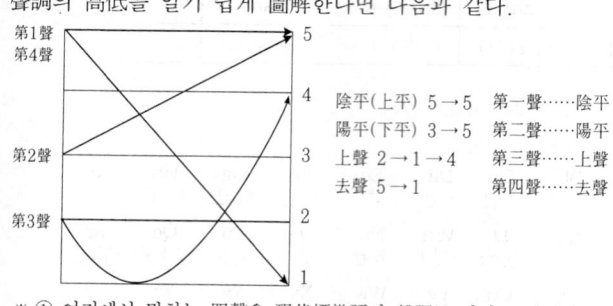

陰平(上平) 5→5	第一聲……陰平
陽平(下平) 3→5	第二聲……陽平
上聲 2→1→4	第三聲……上聲
去聲 5→1	第四聲……去聲

※ ① 여기에서 말하는 四聲은 現代標準語의 聲調를 말하는 것이다.
② 四聲을 표시하는 부호는 ˉ ˊ ˇ ˋ를 쓰며, 경성은 표시하지 않는다.

(2) 중국 성씨표(中國姓氏表)

Ⅰ. 이 표는 중국의 성씨를 망라한 것인데, 편의상 본문(本文)의 자해(字解) 속에 들어서 풀이한 것도 포함하여 표기하였다.
Ⅱ. 배열은 본 사전에 준하여 발음순으로 하였다.

哀 Āi
藹 Ǎi
艾 Ài
爱 Ài
安 Ān
敖 Áo
巴 Bā
拔 Bá
白 Bái
百 Bǎi
百里 Bǎilǐ
柏 Bǎi
班 Bān
阪上 Bǎnshàng
包 Bāo
暴 Bào
鲍 Bào
豹 Bào
贝 Bèi
贲 Bēn
毕 Bì
边 Biān
卞 Biàn
彪 Biāo
别 Bié
宾 Bīn
彬 Bīn
丙 Bǐng
邴 Bǐng
秉 Bǐng
薄 Bó
伯 Bó
帛 Bó
博 Bó
卜 Bǔ
布 Bù
步 Bù
才 Cái
蔡 Cài
苍 Cāng
藏 Cáng
操 Cāo
曹 Cáo
漕 Cáo
草 Cǎo
岑 Cén
柴 Chái
缠 Chán
单于 Chányú
昌 Chāng
长 Cháng
常 Cháng
畅 Chàng
晁 Cháo
巢 Cháo
车 Chē
陈 Chén
称 Chēng
成 Chéng
承 Chéng
程 Chéng
乘 Chéng
池 Chí
迟 Chí
匙 Chí
赤 Chì
充 Chōng
崇 Chóng
稠 Chóu
丑 Chǒu
初 Chū
鉏 Chú
楚 Chǔ
楮 Chǔ
褚 Chǔ
储 Chǔ
淳 Chún
淳于 Chúnyú
茨 Cí
慈 Cí
枞 Cōng
从 Cóng
丛 Cóng
爨 Cuàn
崔 Cuī
达 Dá
笪 Dá
代 Dài
戴 Dài
但 Dàn
啖 Dàn
党 Dǎng
砀 Dàng
刀 Dāo
到 Dào
道 Dào
德 Dé
邓 Dèng
狄 Dí
邸 Dǐ
第 Dì
第五 Dìwǔ
颠 Diān
典 Diǎn
刁 Diāo
雕 Diāo
牒 Dié
丁 Dīng
东 Dōng
东方 Dōngfāng
东郭 Dōngguō
东门 Dōngmén
董 Dǒng
钭 Dǒu
豆 Dòu
窦 Dòu
斗 Dòu
都 Dū
督 Dū
犊 Dú
堵 Dǔ
杜 Dù
度 Dù
端 Duān
端木 Duānmù
段 Duàn
段干 Duàngān
敦 Dūn
顿 Dùn
多 Duō
铎 Duó
讹 É
娥 É
蛾 É
额 É
鄂 È
遏 È
恩 Ēn
耳 Ěr
法 Fǎ
樊 Fán
泛 Fàn
范 Fàn
方 Fāng
坊 Fāng
防 Fáng
房 Fáng
访 Fǎng
肥 Féi
费 Fèi
丰 Fēng
封 Fēng
酆 Fēng
冯 Féng
逢 Féng
奉 Fèng
凤 Fèng
伏 Fú
扶 Fú
苻 Fú
符 Fú
福 Fú
服 Fú
父 Fǔ
甫 Fǔ
辅 Fǔ
富 Fù
傅 Fù

复 Fù
改 Gǎi
干 Gān
甘 Gān
高 Gāo
郜 Gào
戈 Gē
格 Gé
革 Gé
盖 Gě
葛 Gě
根 Gēn
亘 Gèn
艮 Gèn
更 Gēng
庚 Gēng
耿 Gěng
弓 Gōng
公 Gōng
公良 Gōngliáng
公孙 Gōngsūn
公西 Gōngxī
公羊 Gōngyáng
公冶 Gōngyě
宫 Gōng
恭 Gōng
龚 Gōng
巩 Gǒng
贡 Gòng
共 Gòng
古 Gǔ
谷 Gǔ
谷梁 Gǔliáng
毂 Gǔ
骨 Gǔ
顾 Gù
关 Guān
官 Guān
管 Guǎn
冠 Guàn
贯 Guàn
惯 Guàn
灌 Guàn
光 Guāng
广 Guǎng
归 Guī
轨 Guǐ
桂 Guì
涡 Guō
过 Guō
郭 Guō
国 Guó
果 Guǒ
哈 Hā
海 Hǎi
亥 Hài
韩 Hán
寒 Hán
罕 Hǎn
杭 Háng
郝 Hǎo
禾 Hé
何 Hé
合 Hé
和 Hé
贺 Hè
赫 Hè
赫连 Hèlián
黑 Hēi
恒 Héng
衡 Héng
弘 Hóng
洪 Hóng
红 Hóng
侯 Hóu
后 Hòu
後 Hòu
忽 Hū
呼 Hū
呼延 Hūyān
胡 Hú
狐 Hú
壶 Hú
虎 Hǔ
户 Hù
瓠 Hù
扈 Hù
护 Hù
花 Huā
滑 Huá
华 Huà
怀 Huái
欢 Huān
桓 Huán
环 Huán
宦 Huàn
皇 Huáng
皇甫 Huángfǔ
黄 Huáng
回 Huí
惠 Huì
霍 Huò
饥 Jī
姬 Jī
嵇 Jī
稽 Jī
吉 Jí
汲 Jí
棘 Jí
籍 Jí
纪 Jǐ
计 Jì
季 Jì
冀 Jì
蓟 Jì
既 Jì
暨 Jì
家 Jiā
夹 Jiá
夹谷 Jiágǔ
郏 Jiá
贾 Jiǎ
假 Jiǎ
减 Jiǎn
简 Jiǎn
蹇 Jiǎn
见 Jiàn
江 Jiāng
姜 Jiāng
将 Jiāng
蒋 Jiǎng
焦 Jiāo
胶 Jiāo
接 Jiē
杰 Jié
桀 Jié
捷 Jié
介 Jiè
金 Jīn
晋 Jìn
靳 Jìn
京 Jīng
经 Jīng
荆 Jīng
井 Jǐng
景 Jǐng
靖 Jìng
敬 Jìng
居 Jū
俱 Jū
驹 Jū
鞠 Jū〔Jú〕
巨 Jù
具 Jù
剧 Jù
涓 Juān
圈 Juàn
隽 Juàn
开 Kāi
阚 Kàn
康 Kāng
亢 Kàng
抗 Kàng
柯 Kē
可 Kě
客 Kè
空 Kōng
孔 Kǒng
寇 Kòu
夸 Kuā
蒯 Kuǎi
匡 Kuāng
况 Kuàng
贶 Kuàng
旷 Kuàng
邝 Kuàng
奎 Kuí
夔 Kuí
蒉 Kuì
赖 Lài
蓝 Lán
郎 Láng
琅 Láng
朗 Láng
浪 Làng
劳 Láo
牢 Láo
老 Lǎo
嫘 Léi
累 Léi
雷 Léi
垒 Lěi

类 Lèi
冷 Lěng
离 Lí
犁 Lí
黎 Lí
里 Lǐ
理 Lǐ
李 Lǐ
礼 Lǐ
力 Lì
栗 Lì
利 Lì
荔 Lì
厉 Lì
励 Lì
历 Lì
丽 Lì
郦 Lì
连 Lián
廉 Lián
恋 Lián
良 Liáng
凉 Liáng
梁 Liáng
梁丘 Liángqiū
聊 Liáo
蓼 Liǎo
廖 Liào
烈 Liè
林 Lín
临 Lín
蔺 Lìn
令狐 Línghú
伶 Líng
凌 Líng
陵 Líng
令 Lìng
刘 Liú
留 Liú
柳 Liǔ
隆 Lóng
龙 Lóng
娄 Lóu
偻 Lóu
楼 Lóu
镂 Lòu
卢 Lú
卤 Lǔ
鲁 Lǔ
鹿 Lù
路 Lù
陆 Lù
露 Lù
禄 Lù
录 Lù
栾 Luán
伦 Lún
纶 Lún
轮 Lún
罗 Luó
洛 Luò
骆 Luò
闾 Lǘ
闾丘 Lǘqiū
吕 Lǚ
旅 Lǚ
麻 Má
马 Mǎ
买 Mǎi
满 Mǎn
毛 Máo
茅 Máo
茆 Máo
枚 Méi
眉 Méi
梅 Méi
门 Mén
蒙 Méng
孟 Mèng
糜 Mí
弥 Mí
米 Mǐ
密 Mì
秘 Mì
绵 Mián
苗 Miáo
缪 Miào
闵 Mǐn
明 Míng
名 Míng
万 Mò
万俟 Mòqí
莫 Mò
墨 Mò
牟 Móu
母 Mǔ
木 Mù
目 Mù
牧 Mù
睦 Mù
慕 Mù
慕容 Mùróng
穆 Mù
那 Nā
佴 Nài
南 Nán
南宫 Nángōng
南门 Nánmén
囊 Náng
能 Néng
儿 Ní
倪 Ní
年 Nián
聂 Niè
乜 Niè
宁 Níng
宁 Nìng
牛 Niú
钮 Niǔ
农 Nóng
区 Ōu
欧 Ōu
欧阳 Ōuyáng
殴 Ōu
潘 Pān
逄 Páng
庞 Páng
裴 Péi
彭 Péng
蓬 Péng
皮 Pí
裨 Pí
扁 Piān
朴 Piáo
平 Píng
瓶 Píng
繁 Pó
蒲 Pú
濮 Pú
濮阳 Púyáng
普 Pǔ
浦 Pǔ
溥 Pǔ
戚 Qī
漆 Qī
漆雕 Qīdiāo
亓 Qí
亓官 Qíguān
岐 Qí
祁 Qí
奇 Qí
祈 Qí
耆 Qí
綦 Qí
齐 Qí
杞 Qǐ
起 Qǐ
启 Qǐ
绮 Qǐ
乞 Qǐ
千 Qiān
钱 Qián
乾 Qián
强 Qiáng
乔 Qiáo
桥 Qiáo
谯 Qiáo
钦 Qīn
秦 Qín
琴 Qín
禽 Qín
卿 Qīng
青 Qīng
庆 Qìng
穹 Qióng
丘 Qiū
秋 Qiū
邱 Qiū
仇 Qiú
求 Qiú
裘 Qiú
屈 Qū
曲 Qū
瞿 Qū
麴 Qū
璩 Qú
全 Quán
泉 Quán
权 Quán
阙 Quē
冉 Rǎn
壤 Rǎng

壤驷 Rǎngsì
饶 Ráo
人 Rén
任 Rén
戎 Róng
融 Róng
荣 Róng
容 Róng
如 Rú
茹 Rú
汝 Rǔ
阮 Ruǎn
芮 Ruì
萨 Sà
赛 Sài
散 Sǎn
桑 Sāng
沙 Shā
山 Shān
陕 Shǎn
单 Shàn
善 Shàn
商 Shāng
赏 Shǎng
上 Shàng
上官 Shàngguān
尚 Shàng
韶 Sháo
召 Shào
劭 Shào
邵 Shào
佘 Shé
社 Shè
赦 Shè
厍 Shè
申 Shēn
申屠 Shēntú
神 Shén
沈 Shěn
审 Shěn
慎 Shèn
生 Shēng
升 Shēng
盛 Shèng
胜 Shèng
师 Shī
施 Shī
石 Shí
食 Shí
时 Shí
史 Shǐ
始 Shǐ
士 Shì
氏 Shì
是 Shì
寿 Shòu
殳 Shū
舒 Shū
叔 Shū
疏 Shū
束 Shù
帅 Shuài
双 Shuàng
水 Shuǐ
税 Shuì
司 Sī
司空 Sīkōng
司寇 Sīkòu
司马 Sīmǎ
司徒 Sītú
思 Sī
斯 Sī
巳 Sì
驷 Sì
嗣 Sì
俟 Sì
松 Sōng
宋 Sòng
苏 Sū
粟 Sù
肃 Sù
宿 Sù
诉 Sù
隋 Suí
随 Suí
孙 Sūn
索 Suǒ
沓 Tà
台 Tái
邰 Tái
太 Tài
太叔 Tàishū
泰 Tài
覃 Tán
潭 Tán
谭 Tán
檀 Tán
昙 Tán
郯 Tán
谈 Tán
澹 Tán
澹台 Tántái
汤 Tāng
唐 Táng
陶 Táo
滕 Téng
遆 Tí
提 Tí
田 Tián
铁 Tiě
通 Tōng
同 Tóng
佟 Tóng
童 Tóng
僮 Tóng
屠 Tú
徒 Tú
涂 Tú
塗 Tú
图 Tú
吐 Tǔ
颓 Tuí
拓 Tuò
拓拔 Tuòbá
洼 Wā
完 Wán
宛 Wǎn
万 Wàn
汪 Wāng
王 Wáng
威 Wēi
微 Wēi
微生 Wēishēng
危 Wēi
韦 Wéi
为 Wéi
隗 Wěi
委 Wěi
伟 Wěi
卫 Wèi
尉 Wèi
魏 Wèi
温 Wēn
文 Wén
闻 Wén
闻人 Wénrén
翁 Wēng
沃 Wò
偓 Wò
巫 Wū
巫马 Wūmǎ
乌 Wū
邬 Wū
毋 Wú
吾 Wú
吴 Wú
无 Wú
午 Wǔ
五 Wǔ
伍 Wǔ
武 Wǔ
舞 Wǔ
务 Wù
西 Xī
西门 Xīmén
希 Xī
郗 Xī
奚 Xī
溪 Xī
息 Xī
习 Xí
席 Xí
郤 Xì
戏 Xì
侠 Xiá
夏 Xià
夏侯 Xiàhóu
鲜 Xiān
鲜于 Xiānyú
先 Xiān
弦 Xián
咸 Xián
贤 Xián
冼 Xiǎn
线 Xiàn
香 Xiāng
襄 Xiāng
向 Xiàng
相 Xiàng
项 Xiàng
萧 Xiāo
谐 Xié

颉 Xié
谢 Xiè
解 Xiè
泄 Xiè
渫 Xiè
偰 Xiè
辛 Xīn
莘 Xīn
新 Xīn
信 Xìn
衅 Xìn
星 Xīng
兴 Xīng
邢 Xíng
幸 Xìng
姓 Xìng
熊 Xióng
雄 Xióng
绣 Xiù
须 Xū
胥 Xū
虚 Xū
徐 Xú
许 Xǔ
序 Xù
恤 Xù
续 Xù
宣 Xuān
轩 Xuān
轩辕 Xuānyuán
暖 Xuān
薛 Xuē
荀 Xún
牙 Yá
衙 Yá
雅 Yǎ
鄢 Yān
燕 Yān
言 Yán
严 Yán
延 Yán
盐 Yán
颜 Yán
阎 Yán
偃 Yǎn
彦 Yàn
晏 Yàn
羊 Yáng
羊舌 Yángshé
阳 Yáng
杨 Yáng
仰 Yǎng
养 Yǎng
幺 Yāo
姚 Yáo
铫 Yáo
尧 Yáo
摇 Yáo
耶律 Yēlǜ
冶 Yě
叶 Yè
伊 Yī
蚁 Yǐ
裔 Yì
易 Yì
益 Yì
羿 Yì
殷 Yīn
阴 Yīn
尹 Yǐn
印 Yìn
英 Yīng
应 Yīng
嬴 Yíng
雍 Yōng
庸 Yōng
永 Yǒng
优 Yōu
游 Yóu
尤 Yóu
犹 Yóu
邮 Yóu
有 Yǒu
右 Yòu
于 Yú
馀 Yú
於 Yú
俞 Yú
鱼 Yú
虞 Yú
宇 Yǔ
宇文 Yǔwén
禹 Yǔ
庾 Yǔ
玉 Yù
遇 Yù
尉迟 Yùchí
蔚 Yù
郁 Yù
喻 Yù
御 Yù
渊 Yuān
元 Yuán
原 Yuán
袁 Yuán
垣 Yuán
苑 Yuán
爰 Yuán
源 Yuán
辕 Yuán
远 Yuǎn
月 Yuè
越 Yuè
乐 Yuè
乐正 Yuèzhèng
岳 Yuè
云 Yún
员 Yùn
宰 Zǎi
昝 Zǎn
赞 Zàn
臧 Zāng
迮 Zé
笮 Zé
曾 Zēng
查 Zhā
翟 Zhái
祭 Zhài
占 Zhān
詹 Zhān
展 Zhǎn
湛 Zhàn
栈 Zhàn
战 Zhàn
章 Zhāng
张 Zhāng
掌 Zhǎng
仉 Zhǎng
仉督 Zhǎngdū
长孙 Zhǎngsūn
招 Zhāo
昭 Zhāo
赵 Zhào
柘 Zhè
甄 Zhēn
振 Zhèn
正 Zhèng
政 Zhèng
郑 Zhèng
支 Zhī
直 Zhí
职 Zhí
治 Zhèng
智 Zhì
衷 Zhōng
钟 Zhōng
钟离 Zhōnglí
终 Zhōng
仲 Zhòng
仲孙 Zhòngsūn
州 Zhōu
周 Zhōu
朱 Zhū
珠 Zhū
诸 Zhū
诸葛 Zhūgě
竹 Zhú
竺 Zhú
烛 Zhú
祝 Zhù
专 Zhuān
颛 Zhuān
颛孙 Zhuānsūn
庄 Zhuāng
屯 Zhūn
卓 Zhuō
资 Zī
訾 Zī
子 Zǐ
子车 Zǐjū
紫 Zǐ
梓 Zǐ
自 Zì
宗 Zōng
宗政 Zōngzhèng
邹 Zōu
俎 Zǔ
祖 Zǔ
左 Zuǒ
左丘 Zuǒqiū

(3) 도량형표(度量衡表)

중국의 도량형은

(1) **gōngzhì**(公制) 곧 미터법(法)(반드시 「公」자를 말 머리에 갖는다)

(2) **shìzhì**(市制) 또는 **shìyòngzhì**(市用制)(보통 「市」자를 말 머리에 갖는다)

(3) **jiùzhì**(旧制)(보통 「旧」자를 말 머리에 붙인다)

의 3 종류가 있다. 그 중 **shìzhì**는 재래의 명칭을 사용하면서 미터법과의 환산(换算)을 용이하게 할 목적으로 정해진 것이다. 그리고 **jiùzhì**에서는 16 **liǎng**(两)을 1 **jīn**(斤)으로 치는 것과 같은 십진법(十進法)에 의하지 않는 것도 있었으나, **shìzhì**에서는 모두 십진법을 따르도록 개정되었다.

여기서는 **gōngzhì**, **shìzhì**, **jiùzhì**와, 영미제(英美制) 및 우리나라 재래의 구제(舊制)를 대조시켜 표를 만들어 그 관계를 나타내었다.

길 이 (1)

gōngzhì 公 制	shìzhì 市 制	jiùzhì 旧 制	Yīng-Měizhì 英 美 制	Hánguó jiùzhì 韩 国 旧 制
gōnglǐ 公里(킬로미터)	shìlǐ 市 里	jiùlǐ 旧 里	yīnglǐ 英里(마일)	lǐ 里
1	2	1.736	0.621	0.255
0.5	1	0.868	0.311	0.128
0.576	1.152	1	0.358	0.147
1.609	3.218	2.793	1	0.41
3.927	7.854	6.817	2.439	1

길 이 (2)

gōngzhì 公 制	shìzhì 市 制	jiùzhì 旧 制	Yīng-Měizhì 英 美 制	Hánguó jiùzhì 韩 国 旧 制
gōngchǐ 公尺(미터)	shìchǐ 市 尺	jiùchǐ 旧 尺	yīngchǐ 英尺(피트)	chǐ 尺
1	3	3.125	3.281	3.3
0.333	1	1.041	1.094	1.099
0.32	0.96	1	1.05	1.056
0.305	0.915	0.953	1	1.007
0.303	0.909	0.947	0.994	1

yǐn 引	zhàng 丈	chǐ 尺	cùn 寸	fēn 分	lí 厘
1 =	10				
	1 =	10			
		1 =	10		
			1 =	10	
				1 =	10

용 적

gōngzhì 公 制	shìzhì 市 制	jiùzhì 旧 制	Yīng-Měizhì 英 美 制	Hánguó jiùzhì 韩 国 旧 制
gōngshēng 公升(리터)	shìshēng 市 升	jiùshēng 旧 升	jiālún 加仑(갤런)	shēng 升
1	1	0.966	0.22	0.554
1.035	1.035	1	0.228	0.573
4.546	4.546	4.391	1	2.518
1.804	1.804	1.743	0.397	1

dàn	dǒu	shēng	gě	sháo
石	斗	升	合	勺

1 = 10
1 = 10
1 = 10
1 = 10

무 게

gōngzhì 公 制	shìzhì 市 制	jiùzhì 旧 制	Yīng-Měizhì 英 美 制	Hánguó jiùzhì 韩 国 旧 制
gōngjīn 公斤(킬로그램)	shìjīn 市 斤	jiùjīn 旧 斤	bàng 磅(파운드)	jīn 斤
1	2	1.676	2.205	1.667
0.5	1	0.838	1.103	0.834
0.597	1.194	1	1.316	0.995
0.454	0.907	0.76	1	0.757
0.6	1.2	1.006	1.323	1

jīn	liǎng	qián	fēn	jīn	liǎng	qián	fēn
斤	两	钱	分	斤	两	钱	分

shìzhì
市制 1 = 10
1 = 10
1 = 10

jiùzhì
旧制 1 = 16
1 = 10
1 = 10

면 적

gōngzhì 公 制	shìzhì 市 制	jiùzhì 旧 制	Yīng-Měizhì 英 美 制	Hánguó jiùzhì 韩 国 旧 制
gōngmǔ 公亩(아르)	shìmǔ 市 亩	jiùmǔ 旧 亩	yīngmǔ 英亩(에이커)	mǔ 亩
1	0.15	0.163	0.025	1.008
6.667	1	1.086	0.166	6.71
6.144	0.922	1	0.154	6.192
40.467	6.07	6.596	1	40.791
0.992	0.149	0.161	0.025	1

qǐng	mǔ
顷	亩

1 = 100

(4) 화학 원소명(化學元素名)

원자 No	중 국 어		기호	한 국 어
1	氢	qīng	H	수 소(水素)
2	氦	hài	He	헬 륨(Helium)
3	锂	lǐ	Li	리 튬(Lithium)
4	铍	pí	Be	베릴륨(Beryllium)
5	硼	péng	B	붕 소(硼素)
6	碳	tàn	C	탄 소(炭素)
7	氮	dàn	N	질 소(窒素)
8	氧	yǎng	O	산 소(酸素)
9	氟	fú	F	플루오르(Fluor)
10	氖	nǎi	Ne	네 온(Neon)
11	钠	nà	Na	나트륨(Sodium)
12	镁	měi	Mg	마그네슘(Magnesium)
13	铝	lǚ	Al	알루미늄(Aluminium)
14	硅 矽	guī xì	Si	규 소(硅素)
15	磷	lín	P	인(燐)
16	硫	liú	S	황(黃)
17	氯	lǜ	Cl	염 소(鹽素)
18	氩	yà	Ar	아르곤(Argon)
19	钾	jiǎ	K	칼 륨(Potassium)
20	钙	gài	Ca	칼 슘(Calcium)
21	钪	kàng	Sc	스칸듐(Scandium)
22	钛	tài	Ti	티 탄(Titanium)
23	钒	fán	V	바나듐(Vanadium)
24	铬	gè	Cr	크 롬(Chromium)
25	锰	měng	Mn	망 간(Manganese)
26	铁	tiě	Fe	철(鐵)
27	钴	gǔ	Co	코발트(Cobalt)
28	镍	niè	Ni	니 켈(Nickel)
29	铜	tóng	Cu	구 리(銅)
30	锌	xīn	Zn	아 연(亞鉛)
31	镓	jiā	Ga	갈 륨(Gallium)
32	锗	zhě	Ge	게르마늄(Germanium)
33	砷	shēn	As	비 소(砒素)
34	硒	xī	Se	셀 렌(Selenium)
35	溴	xiù	Br	브 롬(Bromine)
36	氪	kè	Kr	크립톤(Krypton)
37	铷	rú	Rb	루비듐(Rubidium)
38	锶	sī	Sr	스트론튬(Strontium)
39	钇	yǐ	Y	이트륨(Yttrium)
40	锆	gào	Zr	지르코늄(Zirconium)
41	铌	ní	Nb	니오브(Niobium)
42	钼	mù	Mo	몰리브덴(Molybdenum)
43	锝	dé	Tc	테크네튬(Technetium)
44	钌	liǎo	Ru	루테늄(Ruthenium)
45	铑	lǎo	Rh	로 듐(Rhodium)
46	钯	bǎ	Pd	팔라듐(Palladium)
47	银	yín	Ag	은(銀)
48	镉	gé	Cd	카드뮴(Cadmium)
49	铟	yīn	In	인 듐(Indium)
50	锡	xī	Sn	주 석(朱錫)

원자 No	중 국 어		기호	한 국 어
51	锑	tī	Sb	안티몬(Antimon)
52	碲	dì	Te	텔루르(Tellurium)
53	碘	diǎn	I	요오드(Iodine)
54	氙	xiān	Xe	크세논(Xenon)
55	铯	sè	Cs	세 슘(Cesium)
56	钡	bèi	Ba	바 륨(Barium)
57	镧	lán	La	란 탄(Lanthanum)
58	铈	shì	Ce	세 륨(Cerium)
59	镨	pǔ	Pr	프라세오디뮴(Praseodymium)
60	钕	nǚ	Nd	네오디뮴(Neodymium)
61	钷	pǒ	Pm	프로메튬(Promethium)
62	钐	shān	Sm	사마륨(Samarium)
63	铕	yǒu	Eu	유로퓸(Europium)
64	钆	gá	Gd	가돌리늄(Gadolinium)
65	铽	tè	Tb	테르븀(Terbium)
66	镝	dī	Dy	디스프로슘(Dysprosium)
67	钬	huǒ	Ho	홀 뮴(Holmium)
68	铒	ěr	Er	에르븀(Erbium)
69	铥	diū	Tm	툴 륨(Thulium)
70	镱	yì	Yb	이테르븀(Ytterbium)
71	镥	lǔ	Lu	루테튬(Lutetium)
72	铪	hā	Hf	하프늄(Hafnium)
73	钽	tǎn	Ta	탄 탈(Tantalum)
74	钨	wū	W	텅스텐(Tungsten)
75	铼	lái	Re	레 늄(Rhenium)
76	锇	é	Os	오스뮴(Osmium)
77	铱	yī	Ir	이리듐(Iridium)
78	铂	bó	Pt	백 금(白金)
79	金	jīn	Au	금(金)
80	汞	gǒng	Hg	수 은(水銀)
81	铊	tā	Tl	탈 륨(Thallium)
82	铅	qiān	Pb	납(鉛)
83	铋	bì	Bi	비스무트(Bismuth)
84	钋	pō	Po	폴로늄(Polonium)
85	砹	ài	At	아스타틴(Astatine)
86	氡	dōng	Rn	라 돈(Radon)
87	钫	fāng	Fr	프랑슘(Francium)
88	镭	léi	Ra	라 듐(Radium)
89	锕	ā	Ac	악티늄(Actinium)
90	钍	tǔ	Th	토 륨(Thorium)
91	镤	pú	Pa	프로트악티늄(Protactinium)
92	铀	yóu	U	우라늄(Uranium)
93	镎	ná	Np	넵투늄(Neptunium)
94	钚	bù	Pu	플루토늄(Plutonium)
95	镅	méi	Am	아메리슘(Americium)
96	锔	jú	Cm	퀴 륨(Curium)
97	锫	péi	Bk	버클륨(Berkelium)
98	锎	kāi	Cf	칼리포르늄(Californium)
99	锿	āi	Es	아인시타이늄(Einsteinium)
100	镄	fèi	Fm	페르뮴(Fermium)
101	钔	mén	Md	멘델레븀(Mendelevium)
102	锘	nuò	No	노벨륨(Nobelium)
103	铹	láo	Lr	로렌슘(Lawrencium)

(5) 중한 색채 명칭표(中韓色彩名稱表)

중국어		한국어	중국어		한국어
白	bái	백색	枣红色	zǎohóngsè	심홍색
银白色	yínbáisè	은백색	牡丹红	mǔdanhóng	모란빛
月白色	yuèbáisè	청백색	绿	lǜ	녹색
奶油色	nǎiyóusè	크림빛	淡绿	dànlǜ	담녹색
灰	huī	회색	瓜黄色	guāhuángsè	연두
银灰	yínhuī	은회색	草绿	cǎolǜ	초록색
青灰	qīnghuī	청회색	葱绿	cōnglǜ	황록색
深灰	shēnhuī	진회색	青绿	qīnglǜ	청록색
黄	huáng	노랑	豆绿	dòulǜ	청록색
杏黄	xìnghuáng	샛노랑	墨绿	mòlǜ	진초록
米黄	mǐhuáng	미색	油绿	yóulǜ	진초록
米色	mǐsè	미색	翠绿	cuìlǜ	진초록
浅黄	qiǎnhuáng	연노랑	茶青	cháqīng	암녹색
蛋黄	dànhuáng	난황색	卡其色	kǎqísè	카키색
橙	chéng	주황	卡叽色	kǎjīsè	카키색
橙黄	chénghuáng	등황색	草黄色	cǎohuángsè	카키색
柠檬色	níngméngsè	레몬빛	青	qīng	파랑
橘黄	júhuáng	귤빛	蓝	lán	남빛
金黄	jīnhuáng	황금색	蓝靛	lándiàn	남빛
枯黄	kūhuáng	귤빛	水绿	shuǐlǜ	옥색
蜡黄色	làhuángsè	황랍색	浅蓝	qiǎnlán	하늘빛
土黄	tǔhuáng	황토색	淡蓝	dànlán	하늘빛
丹黄	dānhuáng	적황색	天蓝色	tiānlánsè	하늘빛
鹅黄	éhuáng	담황색	碧绿	bìlǜ	에메랄드
玄黄	xuánhuáng	황갈색	青蓝色	qīnglánsè	감색
枯茶色	kūchásè	다갈색	玉色	yùshai[yùsè]	담청색
淡咖啡	dànkāfēi	세피아	翠蓝	cuìlán	녹청색
咖啡色	kāfēisè	진고동	海蓝	hǎilán	녹청색
古铜色	gǔtóngsè	고동색	深蓝	shēnlán	감청색
栗色	lìsè	밤색	蔚蓝	wèilán	농람색
红	hóng	빨강	暗蓝	ànlán	농람색
粉红	fěnhóng	분홍	藏青	zàngqīng	흑감색
粉色	fěnsè	분홍	紫	zǐ	보라
粉白	fěnbái	연분홍	紫红	zǐhóng	자주
淡红	dànhóng	살구색	淡紫	dànzǐ	담자색
桃红	tàohóng	살구색	丁香	dīngxiāng	연보라

중국어		한국어	중국어		한국어
肉色	ròusè	살구색	藕荷	ǒuhè	연보라
赭石	zhěshí	대자색	葡萄紫	pútaozǐ	포도색
朱红	zhūhóng	주홍	绛紫	jiàngzǐ	적자색
大红	dàhóng	주홍	琥珀	hǔpò	적자색
莓红	méihóng	진분홍	深紫	shēnzǐ	진보라
榴红	liúhóng	연지색	酱紫	jiàngzǐ	흑자색
玫瑰色	méiguisè	장미색	黑紫	hēizǐ	흑자색
绯红	fēihóng	진홍색	乌蓝	wūlán	청흑색
血红	xuèhóng	진홍색	铁青	tiěqīng	청흑색
珠红	zhūhóng	진홍색	黑	hēi	흑색
深红	shēnhóng	심홍색			

(6) 상용 명사 · 양사 조합표

	명 사	양 사
【B】	白菜	棵 担
	班	个
	报社	个 家
	报纸	页 张 印张 篇 版 栏 开 份
	杯	个 只
	被单	个 条 床 叠
	被面	个 床 幅 叠
	鼻涕	条 把 挂 泡
	鼻子	个 只
	笔	枝 管
	比赛	次 场 局 轮 项 节
	辫子	根 条
	表	个 只 块
	别针	只 个
	冰	层 块 片
	冰雹	场 颗 粒
	饼	个 块 张 角
	饼干	片 块 筒 包 盒 斤
	病	场
	玻璃	块
	播音	次
	脖子	个 根 条
	布	幅 块 匹
	布告	个 张
	布景	堂 套 台
【C】	菜	份 道
	蚕	条 只
	苍蝇	只 个
	草	根 棵 株 蔸 墩 丛 片
	车	辆
	车床	台 架
	车间	个
	车票	张 叠
	车厢	节 个
	车站	个 座
	成绩	分 项
	成语	条 则 个
	秤	台 杆
	翅膀	只 个 对 双
	虫	条 个 只
	船	只 艘
	窗户	扇
	床	个 张
	床单	个 条 床 叠
	葱	棵 根
【D】	打印机	台 架 部
	刀	把
	笛	支 管
	地雷	个 颗
	地区	个 种 类
	地图	张 幅 本 册
	地震	级 次
	点心	块 包 盒 袋 克 公斤 斤 两
	电报	个 份 张
	电话	个 次
	电话机	台 架 部 门
	电缆	根 条
	电码	个 串
	电脑	台
	电视机	台 部
	电线	根 段 截 卷 捆
	电影	本 场 次 部
	豆腐	块
	豆芽	根 斤 克
	豆子	粒 颗
	队伍	支 路
【E】	耳环	只 对 副
【F】	饭	顿 餐 份 口 碗
	飞机	架
	飞机场	座 个
	风	丝 股 阵 场 级
【G】	高炉	座 个
	膏药	张 块 贴
	歌	个 支 首

	歌剧	部	场	幕	
	胳膊	个	只	条	双
	弓	张			
	工厂	个	座	家	
	工司	个	家		
	公路	条			
	狗	条	只		
	鼓	个	面	架	
	骨头	节	段	根	把
		块			
	故事	个	篇	则	段
	瓜子	颗	粒	包	袋
		斤	两	克	公斤
	观点	个	种	类	系
		列			
	罐头	个	听		
	光	道			
	广播台	个	座	家	
	轨道	股			
	国家	个	种	类	
【H】	红薯	个	斤		
	洪水	场	次		
	狐狸	只	个		
	胡子	撇	撮	绺	把
	花	朵	枝	束	簇
		丛	瓣		
	花边	条	根		
	花生	粒	颗		
	画	张	幅	卷	页
		轴	套		
	火柴	根	盒	包	
	火车	列	节		
	火箭	支	枚		
【J】	鸡	只	个	群	
	机车	辆	台	部	
	肌肉	股	块	疙瘩	
	技艺	套	种	门	
	家具	件	套	房	堂
	家庭	个			
	夹子	个	板		
	肩	个	边	双	副
	剑	口	把		
	箭	枝	支		
	姜	块			
	江	道	条		

	胶卷	个	卷	盒	
	脚	只	双		
	饺子	个	顿	餐	碗
	教室	间	个		
	节目	个	套	台	场
	戒指	只	个	对	
	京剧	场	次	幕	折
	井	个	口	眼	
	酒	瓶	杯		
	橘子	个	牙儿	瓣	斤
		克			
	军队	支			
【K】	科	个			
	课	节	堂	门	
	课程	门			
	课时	个			
	口琴	个	支	只	
	裤子	条			
	筷子	根	双	把	支
	矿山	座	个		
【L】	拉链	根	条		
	老虎	只	个		
	老鼠	只	个		
	雷	阵	声	个	
	泪	点	滴	颗	行
		串	把		
	礼物	份	件		
	理由	个	条	点	
	栗子	个	颗	粒	斤
		克			
	脸	张	副		
	路堤	道			
	驴	头	条	只	
	锣	个	面		
	萝卜	个	斤	克	
	骡子	匹	头		
	骆驼	匹	个	只	
【M】	马	匹	群		
	馒头	个			
	猫	只	个		
	帽	个	顶	叠	
	煤	块	车皮		
	眉毛	道	双	对	
	谜语	个	则		
	蜜蜂	只			

	棉被	条	床	铺	叠
	棉布	块	段	幅	尺
		丈	米		
	棉花	株	棵	团	
	面包	个	块	片	袋
	面粉	袋	公斤	克	斤
		两			
	面条	子儿	碗		
	民族	个	种		
	命令	道	项	条	
	摩托车	辆	部		
【N】	脑袋	个	颗		
	鸟	只	个		
	牛	头	条	群	只
	纽扣	颗	粒	个	盒
【P】	炮	门	尊		
	炮弹	颗	个	发	
	炮艇	艘	只		
	皮	块	张	层	
	皮带	根	条		
	琵琶	个	把		
	苹果	个	块	片	斤
		克			
	评弹	曲			
	葡萄	粒	颗	串	架
		棵			
【Q】	气	种	股		
	汽车	辆	部	台	
	枪	支	枝	杆	条
		把			
	桥	座			
	茄子	个	斤	克	
	青蛙	只	个		
	裙子	条			
【R】	人	个	帮	伙	口
	人家	个	家	户	
	任务	个	项		
	日记	篇	则		
【S】	伞	把	柄	顶	
	嗓子	个	条	副	
	森林	片	处	座	
	沙发	只	个	张	对
		套			
	山	座	道		
	山脉	条	道		
	闪电	道	线	条	
	商店	家			
	勺	个	把	柄	
	舌	个	条	根	
	社会	个	种	类	
	神经	条	根	束	
	省	个	类		
	诗歌	篇	首	行	节
	尸体	个	具		
	市	个	种	类	
	世界	个			
	手	只	个	双	
	手风琴	架	部		
	手帕	块	条	方	
	手套	只	双	打	副
	手指	个	根		
	树	棵	株	排	行
	书架	个			
	刷子	个	把		
	水沟	条	道		
	水泥	袋	吨		
	丝瓜(黄瓜)	条	根	斤	克
	蒜头	个	瓣	斤	克
	隧道	条	孔		
	锁	把			
【T】	台风	场	级	次	号
	太阳	个	轮		
	毯子	条	床	铺	叠
	提包	只	个		
	体温	度			
	铁路	条			
	铁皮	块	张	卷	
	头发	根	绺	撮	
	头巾	条	块		
	头颅	个	颗		
	土	把	撮	层	
	兔子	只	个		
	腿	条	双	只	
	拖拉机	台	部		
【W】	瓦	块	片	垄	
	袜子	只	双	打	
	外套	件	领		
	碗	个	只	摞	
	望远镜	台	架		
	围巾	条			

	卫生纸	个 卷 包
	文章	篇 段 节
	蚊子	只 个
	舞	场 次 个
	武器	件 批
	雾	片 层 团
【X】	西瓜	个 块 瓣 牙儿
		斤 克
	西红柿	个 斤 克
	席子	床 领 张 卷
		铺
	戏	本 出 段 场
		台
	虾	只 个
	显微镜	架 台
	相声	段 个
	香蕉	根 个 把 斤
		克
	香烟	盒 包 条 箱
	项链	串 挂 个 条
		根
	小说	篇 本 部 章
		段
	鞋	只 双
	心	个 颗 条
	新闻	个 条 则 桩
		件
	信	封 叠
	信件	叠 包 捆 袋
		车
	星星	个 颗
	行李	件
	学问	种 门
	学校	个 所 座
	雪	朵 片 团 场
		阵
	血	滴
	血管	条 根 束
【Y】	鸭子	只 个
	牙齿	个 颗 只 排
		口 粒
	烟	股 缕
	烟丝	袋 包
	眼睛	个 只 双 对
	眼镜	副
	羊	只 条 群 头
	钥匙	把 片
	衣服	件 套
	医院	个 家 所 座
	椅子	把 个 只
	银行	家 所
	邮包	个 件 车
	油井	个 眼
	邮局	个 所
	邮票	个 张 枚 套
	油田	个 片 座 处
	邮箱	个
	鱼	条 尾
	雨	滴 丝 线 阵
		场
	鸳鸯	对 只 个
	原稿	本 张 页
	月饼	个 块 角 斤
		公斤 克
	月亮	个 轮 盘 镜
		弯 钩 线 眉
	乐器	件 套 种
	云	朵 块 片 团
【Z】	炸弹	个 颗
	战斗	次 场
	战线	条
	战争	次 场
	照片	张
	枕巾	个 条 对 叠
	枕头	个 对 叠
	政策	改 条 项
	制度	个 条 项
	猪	头 口
	竹	根 节 支 枝
	注射	次 针
	砖	块 口 摞 堆
	专业	个
	子弹	颗 枚 发 粒
	自行车	辆 部
	嘴	个 张
	嘴唇	片
	作品	部

❖ 민중서림의 사전 ❖

• 국어대사전	4·6배판	4,784쪽
• 엣센스 국어사전	4·6판	2,888쪽
• 엣센스 스탠더드영한사전	국 판	3,120쪽
• 엣센스 영한사전	4·6판	2,968쪽
• 엣센스 한영사전	4·6판	2,704쪽
• 엣센스 영영한사전	4·6판	2,048쪽
• 엣센스 한일사전	4·6판	2,760쪽
• 엣센스 독한사전	4·6판	2,784쪽
• 엣센스 한독사전	4·6판	2,104쪽
• 엣센스 불한사전	4·6판	2,208쪽
• 엣센스 中韓辭典	4·6판	3,344쪽
• 엣센스 韓中辭典	4·6판	2,640쪽
• 엣센스 스페인어사전	4·6판	1,816쪽
• 엣센스 한서사전	4·6판	2,784쪽
• 엣센스 국어사전 [가죽]	4·6판	2,888쪽
• 엣센스 영한사전 [가죽]	4·6판	2,968쪽
• 엣센스 한영사전 [가죽]	4·6판	2,704쪽
• 엣센스 일한사전 [가죽]	4·6판	2,992쪽
• 엣센스 국어사전 [특장판]	국 판	3,104쪽
• 엣센스 영한사전 [특장판]	국 판	3,296쪽
• 엣센스 한영사전 [특장판]	국 판	3,032쪽
• 포켓영한사전	3·6판	976쪽
• 포켓한영사전	3·6판	928쪽
• 포켓영한·한영사전	3·6판	1,904쪽
• 포켓한중사전	3·6판	960쪽
• 포켓중한·한중사전	3·6판	1,992쪽
• 포켓스페인어사전	3·6판	1,184쪽
• 포켓한서사전	3·6판	1,096쪽
• 엣센스 신일한소사전 [포켓판]	3·6판	1,056쪽
• 엣센스 신한일소사전 [포켓판]	3·6판	1,120쪽
• 엣센스 일한·한일사전 [포켓판]	3·6판	2,176쪽
• 핸디영한사전	3·5판	976쪽
• 핸디한영사전	3·5판	928쪽
• 핸디영한·한영사전	3·5판	1,904쪽
• 리틀자이언트영한·한영소사전	미니판	1,776쪽
• 리틀자이언트영한소사전	미니판	880쪽
• 리틀자이언트일한소사전	미니판	896쪽
• 독한·한독사전	3·5판	1,264쪽
• 신한일사전 [예해]	4·6판	1,168쪽
• 엣센스 日本語漢字읽기사전	4·6판	2,080쪽
• 일본외래어·カタカナ어사전	4·6판	1,696쪽
• 漢韓大字典	국 판	2,936쪽
• 漢韓大字典	크라운판	2,936쪽
• 민중活用玉篇	3·6판	1,120쪽
• 最新弘字玉篇	4·6판	960쪽
• 엣센스 한자사전	4·6판	2,448쪽
• 에튀드불한사전	3·6판	1,264쪽
• 메인영한사전	4·6판	2,648쪽
• 엣센스 칼리지영한사전	4·6판	2,072쪽
• 민중실용국어사전	4·6판	1,832쪽
• 엣센스 실용영한사전	4·6판	1,888쪽
• 엣센스 실용한영사전	4·6판	1,936쪽
• 엣센스 실용중한사전	4·6판	2,400쪽
• 엣센스 실용한자사전	3·6판	1,380쪽
• 엣센스 실용일한사전	4·6판	1,864쪽
• 엣센스 실용군사영어사전	4·6판	1,168쪽
• 엣센스 실용영어회화사전	국 판	1,400쪽
• 엣센스 현대중국어회화사전	국 판	1,268쪽
• 엣센스스페인어숙어·속담사전	4·6판	904쪽
• 고교영어 단숙문 어어법 총정리	3·6판	1,176쪽
• 엣센스 수능영어사전	4·6판	960쪽
• 엣센스 중학영한사전	4·6판	1,088쪽
• 엣센스 영어입문사전	국 판	1,104쪽
• 엣센스 초등영어사전	크라운판	488쪽
• 스마트 초등영어사전	신국판	1,064쪽
• 초등학교 으뜸국어사전	4·6판	1,360쪽
• 초등학교 민중새국어사전	3·6판	1,024쪽
• 엣센스 한자입문사전	국 판	736쪽
• 엣센스 기초한자사전	4·6판	608쪽
• 엣센스 초등한자사전	크라운판	424쪽